Ville	Fréquence	Ville	Fréquence
Albi	101.7	Lyon	105.0
Alençon	105.1	Marseille	101.4
Amiens	104.3	Metz	104.8
Angers	104.3	Montauban	102.6
Angoulême	106.2	Montluçon	104.1
Arcachon	103.1	Montpellier	106.8
Arras	106.3	Moulins	103.0
Auch	97.3	Nancy	105.1
Aurillac	104.5	Nantes	104.3
Avesnes/Helpe	103.3	Nevers	102.3
Bastia	90.8	Nice	97.4
Bayonne	105.1	Niort	106.0
Beauvais	93.0	Orléans	104.3
Belfort	103.2	Orthez	105.1
Bergerac	103.8	Paris	104.3
Besançon	104.0	Parthenay	99.8
Biarritz	105.1	Pau	106.3
Blois	103.6	Péronne	104.3
Bordeaux	105.1	Poitiers	104.3
Brest	104.3	Pont-à-Mousson	105.1
Briançon	106.9	Quimper	104.3
Brive	100.5	Reims	104.4
Caen	105.0	Rennes	104.3
Cambrai	92.1	Rodez	101.5
Cannes	97.4	Roubaix	93.0
Carcassonne	102.6	Rouen	104.5
Castres	98.8	Royan	104.9
Chalons/Marne	93.1	St-Amand-Montrond	104.3
Chambéry	97.0	Saint-Dizier	103.9
Charleville-Mézières	103.4	Saint-Etienne	105.1
Châteauroux	104.1	Saint-Malo	101.6
Château-Thierry	104.2	Saint-Nazaire	104.3
Châtellerault	101.3	Saint-Quentin	102.0
Chaumont	101.2	Sables d'Olonne	104.3
Cholet	104.3	Saintes	105.9
Clermont-Ferrand	104.3	Saumur	104.3
Compiègne	104.5	Sedan	100.4
Dax	102.8	Sens	105.7
Dijon	104.2	Soissons	104.3
Embrun	97.7	Strasbourg	105.7
Epernay	93.4	Tarbes	102.9
Gap	102.7	Thionville	104.8
Grenoble	97.4	Toul	105.1
Guéret	101.5	Toulon	100.4
Hirson	98.5	Toulouse	103.9
La Baule	104.3	Tourcoing	93.0
La Rochelle	104.3	Tours	104.0
Le Creusot	105.7	Troyes	104.2
Le Havre	104.3	Tulle	106.4
Le Mans	104.3	Valence	106.4
Lens	87.6	Valenciennes	95.5
Le Puy	102.3	Vannes	104.3
Lille	93.0	Vichy	92.9
Limoges	104.3	Vitry-le-François	94.6

AUSSI EN **G.O.** 234 KHZ - 1.282 M

1ère radio de France

TECHNOPOLE METZ 2000

VIVEZ METZ AU FUTUR

- PÔLE SPÉCIALISÉ DU LOGICIEL ET DE LA COMMUNICATION
- 150 ENTREPRISES DE HAUTE TECHNOLOGIE
- 2800 SALARIÉS
- UN CAMPUS DE 4000 ÉTUDIANTS
- WORLD TRADE CENTER
- CARREFOUR DES GRANDES VOIES DE COMMUNICATION EUROPÉENNES
- A MOINS DE 10 MN DU CENTRE DE METZ
- PARC TECHNOLOGIQUE DE 400 HA DONT 100 HA D'ESPACES VERTS ET 1 GOLF 18 TROUS

CONTACT :

S.E.M. - TECHNOPOLE METZ 2000 - MICHEL LEGENDRE - TEL. 87.20.41.70

4 questions que vous vous posez peut-être sur Quid

☞ QUE VEUT DIRE « QUID » ?

« Quoi ? » en latin... C'est le réflexe du curieux qui sommeille en nous et qui ne se satisfait pas des idées toutes faites. Aristote disait : « La science commence avec l'étonnement. » Soyons tous des étonnés !

☞ QU'EST-CE QUE QUID ?

■ Une encyclopédie annuelle en un volume bourré de faits, de dates, de chiffres sur tous les sujets... Du sérieux au moins sérieux.

☞ FAUT-IL ACHETER QUID CHAQUE ANNÉE ?

■ A vous de juger ! Mais sachez que le premier **Quid** (**Quid** 1963) était en format de poche. Il contenait 632 pages et comptait 2 millions et demi de signes. **Quid** 1994 (31 ans plus tard) contient 2 000 pages c'est-à-dire plus de 31 millions de signes, soit l'équivalent de quelque 84 livres de format de poche à 35 F minimum (200 pages, 370 000 signes).

■ Depuis 1963, chaque année le *nouveau* **Quid** s'est enrichi. Chaque année le *nouveau* **Quid** présente des milliers de faits nouveaux. Chaque année le *nouveau* **Quid** relève pour vous les derniers chiffres parus dans tous les domaines (économie, finances, défense nationale, transports, démographie, etc.), les derniers records (sportifs ou autres). Chaque année le *nouveau* **Quid** vous rappelle les événements qui comptent, qu'ils aient bouleversé la planète ou seulement le monde du cinéma ou la politique intérieure du Tadjikistan.

■ Chaque année le *nouveau* **Quid** fait le point sur tout ce qui touche votre vie quotidienne, la législation des loyers, le prix des appartements et des charges, les impôts, les droits de succession, les droits des concubins, le montant des bourses, des salaires, les conditions d'entrée dans les grandes écoles, le droit du travail, l'échelle des salaires, la Sécurité sociale.

■ Chaque année le *nouveau* **Quid** vous permet d'être mieux informé. Chaque année le *nouveau* **Quid** apporte aux jeunes, en cours d'études scolaires ou d'études supérieures, les derniers chiffres, les derniers faits dont ils ont besoin pour préparer leurs exposés, éclairer les cours qu'ils suivent, étayer les réponses qu'ils devront fournir à leurs examens.

☞ PEUT-ON ÉCRIRE À QUID ?

■ Bien sûr ! Des milliers de lecteurs français et étrangers nous écrivent chaque année. Si l'abondance de ce courrier nous empêche de répondre individuellement à tous, que chacun sache que nous notons tout soigneusement. Avez-vous des suggestions, des reproches à nous faire ? N'hésitez pas. Bien souvent, nous créons des rubriques nouvelles, développons des chapitres existants à la suite de demandes justifiées de nos lecteurs.

Mais attention ! Chaque année des centaines de concours se déroulent. Chaque année des milliers de candidats nous écrivent pour nous poser, au même moment, les mêmes questions (Certains n'hésitent pas à nous envoyer la liste complète des questions en nous demandant de répondre à leur place !) Nous les remercions de cette marque de confiance mais nous espérons qu'ils comprendront qu'il nous est difficile de donner satisfaction à de telles demandes... si nous voulons garder un peu de temps pour préparer le prochain **Quid.**

Adressez vos lettres à : M. Frémy, B.P. 447.07 - 75327 - Paris Cedex 07.

Comment se servir de Quid ?

☞ QUEL EST L'ORDRE DES SECTIONS ?

■ **Quid est une encyclopédie méthodologique** : les renseignements ne sont pas présentés dans l'ordre alphabétique comme dans un dictionnaire, mais sont regroupés par sujets à l'intérieur de grandes sections. Exemple : littérature, économie, sports, finances, cinéma.

■ **L'actualité détermine l'ordre des sections.** Les dernières sections remises à l'imprimeur sont celles pour lesquelles on ne dispose d'éléments que très tard dans l'année (par exemple : les sections Économie, Finances, car la plupart des statistiques officielles ne sont publiées qu'à partir de juin et juillet ; section Sports : car beaucoup d'épreuves se déroulent à partir du printemps). Aussi, ces sections se trouvent-elles à la fin de l'ouvrage.

☞ COMMENT TROUVER CE QUE L'ON CHERCHE ?

■ **La table des matières,** page 6, vous donne quelques sujets traités pour vous permettre de vous faire une idée de la diversité de **Quid.**

■ **L'index à la fin du volume** vous indique, à partir de plus de 45 000 mots clefs classés par ordre alphabétique, les renvois aux pages traitant des sujets qui vous intéressent. Si le renvoi vous indique par exemple 615 a, reportez-vous à la page 615 et regardez la 1re colonne (colonne de gauche) que désigne « a ». S'il y avait eu 615 b, vous auriez dû chercher dans la colonne du centre, et 615 c, dans la colonne de droite.

☞ COMMENT CHERCHER DANS L'INDEX ?

■ Voulez-vous connaître la vitesse des avions supersoniques ? Vous pouvez trouver ce renseignement en cherchant dans l'index à partir d'un mot clef auquel vous pouvez penser, exemple : au mot *vol,* au mot *avion,* au mot *supersonique,* au mot *vitesse* ou aux mots *Concorde* ou *Mirage.*

■ L'index disposant de plusieurs mots clefs pour vous renvoyer à un même sujet, vous pouvez ainsi trouver un renseignement sans avoir besoin de connaître avec précision un mot déterminé.

☞ **Attention, les noms propres (personnages, lieux) cités dans l'ouvrage ne figurent pas tous dans l'index.** Si nous avions voulu mettre dans l'index le nom de tous les acteurs, écrivains, musiciens, hommes politiques ou citer tous les fleuves, villes ou montagnes, il aurait fallu un second volume. Si vous ne trouvez pas dans l'index le nom propre cherché, reportez-vous à un mot clef. Exemple : si vous cherchez l'âge d'une personnalité, cherchez dans l'index le mot correspondant à son activité : s'agit-il d'un acteur, cherchez à *acteur ;* est-ce un chanteur d'opéra ? cherchez à *chanteur ;* est-ce le président d'un État ? cherchez au nom de l'*État ;* le leader d'un syndicat ? cherchez à *syndicat...* Si vous désirez connaître la hauteur d'une montagne ? regardez à *montagne* ; la longueur de la Volga ? regardez à *fleuve* ; le trafic d'un port ? regardez au mot *port* (port maritime ou port fluvial), etc.

La presse salue les trente ans de Quid

Action sociale et santé : L'encyclopédie du « tout pour tous » fête son trentième anniversaire. A (re) découvrir impérativement ! Que vous ayez des enfants en sixième ou que vous prépariez votre examen de sortie de l'ENA, il est plus que probable que votre QUID aura réponse à tout.

Aéroports magazine : Un livre complet et évolutif, conçu pour une lecture légère et une recherche plaisante.

L'Aisne nouvelle : Une encyclopédie familiale qui a pris place en de nombreux foyers, où elle sert aussi bien aux jeunes qu'aux moins jeunes à se renseigner et à s'instruire.

Badge : « Avant de parler, tourne sept fois ta langue dans ta bouche ». Pour éviter de dire des bêtises, il y a plus efficace : tourner quelques pages du QUID.

Le Bien public : Une institution inégalée.

La Classe : De nombreuses nouveautés : quadrichromie pour les cartes des états étrangers, nouveaux développements et personnalités nouvelles. Un « classique ».

La Cote des arts : Né de la boulimie d'information due à l'explosion de la télévision et des mass-médias, QUID marque son époque.

Le Courrier du Loiret : Encore plus pratique, encore plus attrayant, en un mot, indispensable.

Le Courrier de l'Ouest : Tout sur tout jusqu'au dernier moment, par thèmes ou par dates.

La Croix : Toujours aussi efficace le QUID entre dans sa seconde génération avec encore plus de données pour satisfaire rapidement toutes les curiosités.

Le Dauphiné : regroupant l'information par thèmes, faisant une large place à l'actualité la plus récente, répondant aux préoccupations quotidiennes.

Les Échos : L'électrique QUID parle aussi bien des institutions françaises que du coût des toilettes de la navette spatiale Hermès, et recense les principales entreprises industrielles tout comme les pratiques religieuses de l'islam ou [...] même la réouverture des paris officiels sur l'hippodrome de Huangku. Décidément indispensable.

Elle : Vade-mecum du journaliste, bible du lycéen, dépanneur du cruciverbiste, enfant chéri des grands-mères qui le donnent volontiers pour Noël à leurs petits-enfants.

Épargner : Deux mille pages pour découvrir le monde au prix de 229 F.

L'Est éclair : Quel magistral parcours depuis 30 ans.

L'Événement du jeudi : Dans QUID l'Histoire en marche se taille la part du lion.

L'Express : Le QUID en 2032 pages fait la somme des connaissances indispensables à la conduite quotidienne d'une existence cohérente. A défaut d'y trouver le bonheur, le lecteur y évitera l'ennui.

Famille magazine : Bible de l'info.

Le Figaro littéraire : Le QUID reste un outil indispensable pour tous ceux qui souhaitent travailler de façon rapide et efficace.

Figaro Madame : Le QUID fait partie de notre vie au point qu'on se demande comment on faisait « avant ».

Figaro Magazine : Le QUID ou comment tout savoir sur tout (l'index frôle les 100 000 mots)... plus qu'indispensable : utile.

France Soir : Marqué par un désir de renouveau avec, notamment, l'apparition de la quadrichromie et une extension des domaines culturel, scientifique, religieux et économique.

Grandes lignes : Frémy écrit les notices, coupe tout ce qui dépasse du « quoi, quand, comment où et pourquoi », traque les phrases creuses. Le dispositif s'avère d'une efficacité redoutable. Aucune information ne semble pouvoir lui échapper.

L'Humanité : Plus que jamais, on trouve « tout » dans le QUID.

L'Indépendant : 31 millions de signes, des milliers d'informations, des plus sérieuses aux plus anecdotiques.

Jeune Afrique : Pour les étudiants, les journalistes ou encore les passionnés de jeux cérébraux, le QUID est le seul ouvrage à fournir autant d'informations récentes, précises et fiables.

Le Journal des enfants : Le QUID est une mine d'or de renseignements.

Jours de France Madame : Un outil de choix pour répondre à une soif d'informations de plus en plus larges.

Libération : QUID contient tout le savoir du monde en abrégé, les données et les chiffres sont mis à jour chaque année, et replacés dans l'actualité.

Lire : QUID s'est très vite imposé aux étudiants, aux journalistes, aux passionnés de jeux et concours, à tous ceux qui ont besoin de données récentes et sûres.

Lyon matin : Que se soit dans le domaine du sport, de la médecine ou de la politique, pas de panique, QUID est là.

Le Maine libre : Complément indispensable aux dictionnaires, dont le classement par mots émiette la connaissance et l'éparpille en de multiples articles.

Le Méridional : Tous les événements qui comptent et qui ont transformé la planète ont été recensés... Universel, quoi !

Ministère des affaires étrangères : L'actualité est traquée dans tous les domaines. Du fait divers aux décisions politiques, en passant par les conquêtes scientifiques.

Le Monde : « Exhaustivité » a toujours été le mot d'ordre du QUID [...] Un des ouvrages de référence les plus solides [...] qui a su en trente ans se rendre indispensable.

Nice matin : Chaque année, de nouveaux progrès se font jour. QUID est devenu une véritable institution.

Paris Normandie : QUID est à la fois une mine, un outil de travail et de plaisir.

Le Pèlerin magazine : Le QUID a trente ans ! Cette encyclopédie annuelle conduite par Dominique et Michèle Frémy n'a pas pris une ride. Au contraire, il multiplie les faits, dates et chiffres qui ont justifié son succès.

Le Point : QUID fait chaque saison des progrès considérables.

Le Populaire du Centre : Bourré de chiffres, de dates, de faits.

La Presse de la Manche : En une génération, que de progrès parcourus ! QUID fait une très large place à l'actualité la plus récente et aux préoccupations quotidiennes de ses lecteurs.

Présent : Parmi les multiples dictionnaires qui se prétendent neutres, l'honnêteté du QUID constitue une exception méritoire. La précision, la sûreté et la richesse de sa documentation me surprennent toujours.

Le Progrès : Inestimable source de culture générale.

Le Provençal : 20 permanents aidés par 3 500 informateurs réguliers et 10 000 occasionnels répartis dans le monde entier et touchant à tous les domaines traquent l'actualité et les changements qui affectent la planète.

Psychologies : Bible de l'information pour nous permettre de mieux comprendre le développement futur d'une histoire qui s'accélère.

Le Quotidien : Des milliers d'informations, des plus sérieuses aux plus anecdotiques.

Le Quotidien du médecin : La médecine plus que jamais présente dans le QUID.

Le Quotidien de La Réunion : Le QUID 1993 contient l'équivalent de 84 livres de poche. Bourré de chiffres, de dates et de faits.

Recherche et industrie : Le livre qui sait tout est aussi fort en sciences. Le QUID renferme une mini-encyclopédie scientifique à haut degré d'intégration. Il parvient en effet à condenser en 150 pages un panorama très sérieux des connaissances scientifiques actuelles.

Le Républicain lorrain : En trente ans le bébé a grandi, nourri au sein d'une actualité boulimique.

La République du Centre : Une masse considérable d'information pratiques : des adresses, des conseils, [...], les aides dont on peut bénéficier (sécurité sociale, bourses, œuvres spécialisées), etc.

Rivarol : Cet ouvrage, qui se veut modestement l'« encyclopédie de la vie quotidienne » va bien au-delà de ce simple objectif.

Rustica : Dominique et Michèle Frémy arpentent l'actualité, faisant de QUID un rendez-vous annuel obligé.

Sciences et nature : La plus grande réserve naturelle du monde ? Le budget du ministère français de l'Environnement ? Les principaux métaux lourds responsables de la pollution chimique des aliments ? La définition de l'eau potable ? C'est dans le QUID, bien sûr, que vous trouverez les réponses... et des milliers d'autres.

Sciences et technologies : La richesse et l'actualité des informations sur tous les sujets répondront aux demandes les plus diverses des lecteurs.

Le Soir : Une institution inégalée. Un formidable outil de travail, pour les scolaires notamment.

Télé poche : Ce livre de chevet des amateurs de statistiques, de jeux concours ou de dîners en ville, offre un poids rassurant, un prix de vente abordable et un temps de lecture quasi illimité.

La Tribule de l'Expansion : Des milliers d'informations allant des sujets les plus sérieux, aux informations les plus anecdotiques.

Tribune de la vente : La section « dernière heure » imprime a cette encyclopédie annuelle sans équivalent dans le monde le sceau de l'actualité brûlante.

Les Veillées des chaumières : De plus en plus de réponses dans les domaines les plus variés : arts, économie, finances, musique, politique, géographie, sécurité, évolution des prix, aides sociales.

Vendredi : La plus populaire des encyclopédies généralistes. « QUID » qui gagne en fiabilité chaque année est un bon outil de travail que son prix rend très compétitif par rapport aux ouvrages analogues.

La Voix de l'Aisne : Une irrésistible invitation à cheminer au pays de la connaissance et une mine inépuisable d'informations pratiques qui donne un sens résolument positif au mot « compilation ».

La Voix du Nord : Pour tout savoir sur tout et avoir réponse à tout.

■ BELGIQUE

Dernière heure : En dehors d'une nouvelle cartographie des États tout en couleurs, le QUID 93 accueille plusieurs centaines de nouveaux noms.

Libre Belgique : Une encyclopédie liée à l'actualité, à la portée de tous en un mot comme en cent : *indispensable.*

La Nouvelle Gazette : Le QUID affermit d'année en année sa position de leader.

Le Soir : Pareil à lui-même, il est toujours cette mine d'informations rangées par grandes matières et utilisables grâce à un index de plus de cent pages.

Tendances/Trends : Un tremplin vers le savoir et le perfectionnement.

Vif/Express/Pourquoi pas ? : Encyclopédie-boîte à outils qui, depuis trente ans exactement, s'est fait une « spécialité » du dépannage en tout genre.

■ SUISSE

La Suisse : Le QUID s'impose aujourd'hui dans les bibliothèques, au même titre que le dictionnaire.

Tribune de Genève : Bréviaire de la curiosité, le QUID fête trente ans de succès. Un ouvrage indispensable pour les journalistes, les participants acharnés aux concours et tous les curieux en général.

TABLE DES MATIÈRES

Nous ne donnons ci-dessous qu'un choix restreint des milliers de sujets traités. **Pour trouver un renseignement précis :** consultez l'index p. 1897, il contient plus de 45 000 mots clefs.

☞ En feuilletant le **Quid**, amusez-vous à tester vos connaissances et celles des autres. **Quid** répond à des dizaines de milliers de questions.

FAITES CE TEST... SAURIEZ-VOUS RÉPONDRE ?

Peut-on se confesser par fax ?

L'Église italienne vient de s'y opposer. En France la question n'a pas encore été posée.

Combien coûtent les contraventions dans les transports en commun ?

Voyager sans billet coûte 135 F dans le métro, 130 F dans un train de banlieue, 90 F dans un train grande ligne (plus le prix du billet). Fumer dans un endroit interdit : RATP 135 F, SNCF 200 F. Poser les pieds sur la banquette : RATP 250 F, SNCF 100 F. On peut payer sur-le-champ, sinon des frais de dossier s'ajoutent (120 F à la SNCF, 150 F à la RATP). En cas d'intervention de la police (si la personne refuse de donner ses noms et adresse), ces sommes sont aussi majorées.

Que coûte une Chinoise ?

Dans des ventes aux enchères de certains villages de Chine, entre 3 500 et 5 000 F.

Quel est le seul animal à contracter la lèpre ?

Le tatou.

Combien de Britanniques pratiquent l'accent de la Reine ?

4 %.

Les fonctionnaires sont-ils souvent sanctionnés ?

En 1990 (dernière année connue) 4 579 ont été sanctionnés, pour détournement, conservations de fonds, malversations 343 ; absences irrégulières, abandon de fonctions 267 ; mauvais service, indiscipline, fautes professionnelles 2 712 ; vol de matériel de l'administration 105 ; détournement, ouverture d'objets de correspondance 64 ; comportement privé affectant le renom du service 170 ; ivresse 352 ; mœurs 25 ; condamnations pénales 41 ; dettes et chèques sans provision 45 ; incorrection, violence, insultes 197 ; activité privée rémunérée 14 ; divers 244. Sur 4 579, ont été révoqués 283 ; mis à la retraite d'office 19 ; exclus temporairement de fonction pour 3 mois à 2 ans 341 ; rétrogradés 33 ; déplacés d'office hors de la résidence 111, dans la résidence 21 ; exclus temporairement pour 15 j max. 198 dont 10 à titre accessoire ; abaissés d'échelon 101 ; radiés du tableau d'avancement 3 ; blâmés 1 704 ; l'objet d'un avertissement 1 765.

Pourquoi certains sous-vêtements provoquent-ils des allergies ?

Parce que de nombreux textiles contiennent du formaldéhyde utilisé comme apprêt pour son action fongicide.

Quelle est la population des quartiers difficiles ?

3 000 000 de personnes (5 % de la population de la France) vivent dans 550 quartiers difficiles situés dans 363 villes, où le chômage touche de 20 à 50 % des actifs. 18 à 85 % sont des immigrés.

Combien coûtent les études supérieures ?

76 000 F pour un IUT, BTS ou Deug, 114 000 F une licence, 152 000 F une maîtrise, 190 000 F une école de commerce ou un Dess, 266 000 F les études de médecine.

Que représente la malnutrition pour les enfants ?

Il naît dans le monde 390 000 enfants par jour, 40 000 enfants de moins de 5 ans meurent chaque jour de malnutrition.

Combien de personnes croient aux parasciences ?

Selon un sondage, en fév. 1993, 16 % croient aux tables tournantes, 46 à l'explication des caractères par les signes astrologiques, 24 aux prédictions des voyantes, 35 aux rêves qui prédisent l'avenir, 29 aux prédictions par les signes astrologiques et horoscopes, 23 à l'inscription de la destinée dans les lignes de la main, 11 aux fantômes et revenants, 55 aux guérisons par magnétiseur et imposition des mains.

Les Français sont-ils racistes ?

Selon un sondage CSA sur 1 017 personnes réalisé du 9 au 14-11-1992 et annexé au rapport 1992 de la Commission des droits de l'homme, 40 % se déclarent plutôt ou un peu racistes, 57 % pas très ou pas du tout. Selon Roland Cayrol, 34 % sont tentés par le racisme, 21 % sont des racistes convaincus, 23,5 % antiracistes convaincus, 9 % sont antiracistes tièdes, 7 % sans opinion. 63 % considèrent les travailleurs immigrés comme une charge pour la société, 50 % trouvent normale la construction de mosquées, 51 % n'en veulent pas dans leur quartier.

Qu'est-ce qu'un trikédékaphobe ?

Quelqu'un redoutant d'être 13 à table.

Combien les Japonais consomment-ils d'alcool ?

En 1990, ils ont bu 93 millions d'hectolitres de boissons alcoolisées dont 66 de bière, 14 de saké, 5 de Shochu, 2 de whisky, 2 de spiritueux et liqueurs, 1,5 de vin, 0,4 de Brandy, 1 d'alcools divers. Ils avaient importé 11 254 hl de champagne et 3 194 hl d'armagnac.

Lors de la Révolution combien furent-ils à recevoir le titre de « vainqueur de la Bastille » ?

954 dont 1 femme.

Quel est le champ magnétique des appareils électroménagers ?

La valeur varie selon la distance. Ainsi en micro-teslas on trouve :

	A 3 cm	A 30 cm	A 1 m
Rasoir élec.	15 à 1 500	0,08 à 9	de 0,01 à 0,3
Aspirateur	200 à 800	2 à 20	0,13 à 2
Mixeur	60 à 700	0,6 à 10	0,02 à 0,25
Four à micro-ondes	75 à 200	4 à 8	0,25 à 6
Télévision	2,5 à 50	0,04 à 2	– de 0,01 à 0,15
Machine à laver	0,8 à 50	0,15 à 3	0,01 à 0,15
Fer à repasser	8 à 30	0,12 à 0,3	0,01 à 0,025
Cafetière élec.	1,8 à 25	0,08 à 0,15	– de 0,01
Grille-pain	7 à 18	0,06 à 0,7	– de 0,01
Réfrigérateur	0,5 à 1,7	0,01 à 0,25	– de 0,01

Les jeux vidéo sont-ils dangereux ?

Ils ont entraîné environ 30 cas d'épilepsie photosensible en France. On estime que 2 000 à 4 000 personnes sont potentiellement concernées.

Quel est le taux d'illettrisme en France ?

En 1990-91, sur 420 000 appelés, 9 % étaient incapables de lire une phrase simple. 20 % des enfants entrant en 6e ne savent pas lire.

Qu'est-ce que le Con-Tech ?

Du béton, mis au point en Angleterre, facile à mouler sous forme de blocs, plaques, grands panneaux d'habillage.

Les Français sont-ils peureux ?

Selon une enquête Ipsos réalisée en 1990 pour *Voici*, 59 % avouent avoir peur des serpents, 47 du vide, 40 de rester enfermés, 27 de la foule, 23 des araignées, 20 des avions, 13 des ascenseurs, 12 de la nuit, 9 des fantômes. 7 % des hommes et 12 % des femmes sont atteints d'une anxiété diffuse. 3 % sont malades et atteints de troubles obsessionnels compulsifs (TOC).

Que consomme un superordinateur Cray ?

440 mégawatts par an.

Combien gagne un enfant top-modèle ?

280 F pour une heure de prise de vue, plus les droits de reproduction (env. 2 500 F pour 100 affiches). 2 500 F par j de tournage pour un film publicitaire, plus droits de reproduction (5 000 à 40 000 F selon le nombre de passages).

Les shampoings sont-ils dangereux ?

Ils peuvent l'être chez le coiffeur ; des femmes de 54 à 84 ans ont dû être hospitalisées après des shampoings (en raison d'attaques cérébrales : réduction de la circulation sanguine dans le cou quand la nuque est penchée en arrière).

Y a-t-il trop de chirurgiens ?

Plus de 25 % des postes de chirurgien sont occupés, dans les hôpitaux, par des non-chirurgiens.

Combien d'artificiers ont été tués au Koweït ?

Environ 50 depuis février 1991.

Comment vivent les Américains en 1992 ?

76 % ne fument pas, 70 % mettent régulièrement leur ceinture de sécurité, 66 % sont trop gros, 40 % ne boivent pas d'alcool, 33 % pratiquent un sport au moins 3 fois par semaine, 33 % se sentent stressés plusieurs jours par semaine, 33 % dorment au max. 6 h par nuit.

L'avion peut-il guérir la coqueluche ?

Un vol à 2 000 ou 3 000 m dans un avion non pressurisé peut guérir la coqueluche.

Comment vive le lichen ?

En symbiose. C'est un champignon qui recouvre une algue de filaments et qui est nourri par elle.

Qui était Cadet Roussel ?

Le fils cadet de M. Roussel. Né à Orgelet (Jura) le 30-4-1743, il devint huissier (Auxerre). En 1783, il décida de faire de la politique. Son adversaire, Gaspard de Chenu de Suchet, créa sur un air connu la chanson *Cadet Roussel* pour le déconsidérer. En 1792, les volontaires de la région la chantaient à l'armée du Rhin et l'air se répandit.

Que doit faire la South Col Mission 8000 ?

Nettoyer l'Everest des 17 t de déchets laissées par les 147 expéditions lancées dep. 1953.

Est-il permis de brûler le drapeau américain ?

Oui, le Congrès américain a repoussé le 21 juin 1993 (254 voix contre 177) un amendement de la Constitution qui aurait interdit cette profanation. Par contre, ce n'est pas le cas pour le drapeau français. L'art. 257 du Code pénal précise : « Quiconque aura intentionnellement détruit, abattu, mutilé ou dégradé des monuments, statues et autres objets destinés à l'utilité ou à la décoration publique, et élevés par l'autorité publique ou avec son autorisation, sera puni d'un emprisonnement de 1 mois à 2 ans et d'une amende de 500 à 300 000 F. » L'art. 440 du Code de justice militaire prévoit de 5 mois à 6 ans d'emprisonnement contre « tout militaire ou tout individu embarqué qui commet un outrage au drapeau ou à l'armée. Si le coupable est officier, il est puni en outre de la destitution ou de la perte de son grade ».

Qu'est-ce qu'un trichotillomanique ?

Un maniaque s'arrachant les poils, sourcils et cheveux.

Qu'est-ce que l'Académie universelle des cultures ?

Une académie créée le 29 janvier 1993 par Elie Wiesel et 40 personnalités (dont Jorge Amado, Maurice Béjart, Umberto Eco, Federico Fellini, Ismaïl Kadaré, André Miquel, Octavio Paz, Yehudi Menuhin, Paul Ricœur, Salman Rushdie, Antoni Tàpies, Rudolf von Thadden...) pour encourager les rencontres entre les cultures du monde.

Qu'est-ce que la cinétose ?

Le mal des transports.

Combien y a-t-il d'Américains homosexuels ?

Selon une étude réalisée pour la revue *Family Planning Perspectives* par l'Institut Alan Guttmacher sur 3 321 hommes de 20 à 39 ans, 2 % déclarent avoir eu des expériences homosexuelles et 1 % être exclusivement homosexuels. En 1948, le rapport Kinsey annonçait 10 % chez les hommes et 5 % chez les femmes.

Pourquoi délocalise-t-on les usines ?

Pour comprimer les coûts salariaux, se concentrer sur un seul site, se rapprocher de ses clients, contourner les protectionnismes, profiter d'avantages fiscaux, suivre l'usine de son client, échapper aux contraintes écologiques.

Pourquoi les écrans fatiguent-ils les yeux ?

Au repos, on cligne des yeux 22 fois par minute, en lisant 10 fois, en travaillant sur écran 7 fois. Or les clignements d'yeux lubrifient l'œil ; en outre, devant l'écran, on écarquille les yeux, ce qui augmente la sécheresse oculaire. Il est conseillé de placer l'écran le plus bas possible en l'orientant vers le haut pour diminuer l'ouverture de l'œil.

Combien vend-t-on de préservatifs en France par an ?

110 millions ont été vendus en 1992.

Les lampes halogènes sont-elles dangereuses ?

L'exposition directe et prolongée peut augmenter les risques de cancers de la peau. On conseille d'équiper les lampes halogènes au tungstène d'un filtre arrêtant les ultraviolets.

Combien reste-t-il-de passages à niveau ?
Voir p. 1690 c.

Quel est le salaire horaire moyen en Europe ?

Roumanie 2,5 F l'heure ; Pologne 5 ; Hongrie, Rép. tchèque et Slovaquie 11 ; Portugal 13,20 ; Grèce 22,40 ; Espagne 42,30 ; Irlande 47,60 ; G.-B. 52,90 ; *France 55 ;* All. 89,90 ; Autriche 97,60.

Et en Asie ?

Viêt-nam 1,10 F ; Indonésie 1,60 ; Chine 2,10 ; Maurice 3,70 ; Philippines 4,20 ; Malaisie et Thaïlande 5,30 ; Singapour 13,20 ; Corée du Sud et Hong Kong 15,90 ; Taiwan 21,20 ; Japon 74.

Et en Amérique ?

Brésil 12,70 F l'heure ; Mexique 13,20 ; USA 78,10.

Qu'est-ce que le TUPI ?

Le transport urbain public individualisé qui mettrait à la disposition des citadins des véhicules électriques leur permettant de ne pas utiliser leur voiture particulière ou les transports en commun.

Quel est le coût des grands travaux prévus en France ?

Selon *le Nouvel Économiste,* en milliards de F : maille urbaine souterraine express des Hauts-de-Seine (Muse) 27-40 ; réseau souterrain de Paris-RSP (doublement du périphérique sud) 25-30 ; bouclage ouest de la A 86 (Ile-de-France) 6,5 ; doublement du tunnel sous le mont Blanc 4,3-8 ; Grand Stade (Melun-Sénart ou Nanterre) 3 ; pont de Normandie 2,8 ; contournement de Lyon 2,6 ; autoroute A 184 (Orgeval-Méry-sur-Oise) 2,5.

Comment ont voté les sympathisants des syndicats aux élections législatives de 1993 ?

CGT : 51 % communistes, 25 PS ou radicaux de gauche, 9 UPF, 7 écologistes, 4 FN. **CFDT :** 41 PS et r. de gauche, 19 UPF, 16 écologistes, 9 PC, 7 FN, 3 extrême gauche. **FO :** 40 UPF, 22 PS ou r. de gauche, 19 FN, 10 écologistes, 5 PC, 3 extrême gauche. **CGC :** 74 UPF, 11 FN, 7 PS et r. de gauche, 5 écologistes, 2 extrême gauche.

Qu'est-ce que le « Club des éjectés » ?

Une association réunissant 6 256 personnes, civils ou militaires (dont une femme en 1991), ayant utilisé à bord d'un aéronef un siège éjectable de la Sté Martin Baker.

Comment les Indiens purifient-ils le Gange ?

30 000 corps incinérés sont jetés chaque année dans le Gange. La municipalité de Bénarès élève 24 000 tortues carnivores qui s'en chargeront.

Combien coûte un lifting ?

Selon l'Association pour l'information médicale en esthétique un lifting cervico-facial coûte 25 000 à 40 000 F, un lifting frontal 15 000 à 25 000, des paupières 10 000 à 12 000, la lipo-aspiration du cou 8 000 à 15 000, un lipolifting des rides env. 3 000, une ptôse mammaire 20 000 à 25 000, un lifting du bras 15 000, un lifting de la face interne de la cuisse env. 20 000, un lifting abdominal 20 000 à 25 000, la lipo-aspiration silhouette env. 20 000.

Un maire a-t-il intérêt à augmenter le nombre d'habitants de sa commune ?

Oui, ainsi au-dessus de 1 000 habitants la dotation de fonctionnement est plus élevée et son indemnité de maire passe de 3 408 F à 6 214 F.

L'Onu peut-elle venir à bout de tous les conflits du monde ?

C'est peu probable. 100 000 « Casques bleus » et assimilés sont répartis entre 12 théâtres d'opérations (dont 5 600 Français dans l'ex-Yougoslavie, 1 500 au Cambodge, 1 100 en Somalie, 530 au Liban). Au début, ils interposaient un écran entre des forces hostiles (ex. Sinaï ou Chypre, Liban Sud, Frontière Iraq-Koweït) ou contrôlaient la régularité d'élections censées mettre fin à une guerre civile.
Protégeant des convois d'aide humanitaire, ils ne sont autorisés à répliquer qu'en cas de vraie légitime défense. En Somalie, les « Casques bleus », soutenus par l'aviation américaine, pour venger la mort de 23 « Casques bleus » pakistanais, ont donné l'assaut au QG du général Aïdid.

Que coûte un orchestre symphonique ?

35 millions de F par an.

Quel est le film culte du mouvement grunge ?

Singles, avec Matt Dillon et Bridget Fonda. Bande-son : Nirvana , Alice in Chains, L7, etc. Né à Seattle, lancé par le groupe Nirvana, le grunge était d'abord une musique : post-punk, post-new wave. *Nevermind,* l'album de Nirvana, s'est vendu à 9 millions d'exemplaires.

Les plages françaises sont-elles recommandables ?

En 1992, 31 000 échantillons ont été prélevés sur près de 3 500 sites répartis sur 2 178 communes. 86,5 % des baignades d'eau de mer avaient une qualité conforme aux normes européennes (91,6 % en 1991). Sur 239 sites du littoral classés non conformes en 1992 , arrivaient en queue de listes : la plage de l'étang de Vaine à Rognac (B.-du-R.), de la rue Croix à Trouville et celle de Villerville (Calvados), celle de la Saline à Équeurdreville-Hainneville et de la Grâce de Dieu à St-Pair-sur-Mer (Manche), le centre-plage de Boulogne-sur-Mer (P.-de-C.) et la plage de Ouhabia à Bidart (Pyr.-Atl.). **Baignades en eaux douces :** 82,9 % des plages contrôlées étaient conformes en 1992 ; 87,5 % en 1991.

Combien de personnes vivent hors de leur pays natal ?

Environ 100 millions, soit 2 % de la population mondiale. Selon la Banque mondiale, l'Afrique, qui alimente l'immigration vers l'Europe, compterait ellemême 35 millions de migrants au sud du Sahara. Chaque année, 20 à 30 millions de ruraux du tiers-monde rejoignent les villes. La violence, les conflits locaux se mêlent souvent à la pauvreté. Moteurs des migrations : croissance démographique, écarts de revenus et insécurité.

Où naissent les anguilles ?

Les anguilles de l'Atlantique naissent dans la mer des Sargasses, celles du Japon dans le courant nord-équatorial du Pacifique entre les îles Mariannes et les Philippines.

Qu'est-ce qu'un lawyer ?

Un avocat américain. Ils sont 800 000 soit 307 pour 100 000 habitants (102 en G.-B., 82 en All., 12 au Japon).

A quoi rêvent les jeunes filles en 1993 ?

Selon un sondage Sofres sur des filles nées entre 1969 et 1975, 61 % pensent qu'une femme peut réussir sa vie sans avoir d'enfants, 10 % sans avoir un métier, 64 % sans vivre en couple, 26 % sans entourage familial. 54 % croient en Dieu. 48 % pensent que se marier est meilleur pour un couple, 46 % préfèrent le concubinage, 5 % préfèrent vivre « chacun de son côté ». 89 % pensent qu'il vaut mieux d'abord réussir sa vie professionnelle avant d'avoir des enfants.

28 % se disent de gauche (24 % il y a 5 ans), 22 % de droite (13 %), 34 % ne veulent pas se classer (25 %), 16 % sont sans opinion (38 %).

Chez un homme de leur âge, elles sont attirées par l'humour 64 %, l'intelligence 58 %, le regard 49 %, la douceur 47 %, la façon de parler 37 %, l'allure 33 %, l'assurance 29 %, les mains 11 %, la taille 10 %, la voix 9 %, son succès auprès des autres femmes 3 %.

32 % aimeraient être journaliste, 30 % artiste, 29 % avocate, 26 % chef d'entreprise, 25 % directrice d'une agence de publicité, 25 % médecin, 19 % chercheur scientifique, 18 % femme au foyer, 13 % artiste de cinéma, 12 % responsable dans la banque ou la finance, 8 % ingénieur, 7 % vedette de télévision, 5 % femme politique.

70 % ont peur du chômage, 54 % du manque d'argent, 23 % des accidents, 23 % des maladies sexuellement transmissibles, 22 % de vivre seules, 19 % du divorce, 19 % des problèmes de logement, 17 % de l'échec scolaire, 1 % de rien.

Que vaut la signature d'Hitler ?

Un document du 4 septembre 1944, annonçant la révocation du maréchal Rommel, a été vendu 16 000 $ (89 600 F) à New York en avril 1993.

Combien de Français sont prêts à mourir pour la France ?

57 % selon un sondage *Sofres-Figaro-TF1* du 2 et 3 juillet 1993. En 1987, ils n'étaient que 49 %.

Refoule-t-on beaucoup d'immigrants irréguliers à Roissy ?

En 1992, 2 917 immigrants irréguliers ont été refoulés à leur arrivée (dont 579 pour transit interrompu). 1 265 faux passeports ou faux visas ont été saisis. La PAF (Police de l'air et des frontières) a également reconduit 907 demandeurs d'asile (42,8 %) à la frontière et présenté 5 139 clandestins à l'embarquement (dont 2 117 refus).

Le Pape est-il un grand voyageur ?

Entre son élection et le 1-8-1993, il a visité 107 pays sur 193 pays indépendants existant dans le monde, voyageant au total à l'étranger 404 jours et parcourant 843 365 km.

Qu'est-ce que l'ékistique ?

La science des peuplements humains.

Que coûte un spoutnik d'occasion ?

Le module de rentrée d'un satellite récupérable *Photon*, placé sur orbite du 11 au 27 avril 1990 (2 300 kg, 2,30 m de diam.), a été vendu 1 000 000 de F le 23 avril 1992 à l'Espace Kronenbourg (mise à prix : 500 000 F).

Quel est le chiffre d'affaires de la mafia italienne ?

Environ 70 milliards de F pour les activités illégales et 170 milliards de F pour les fonds recyclés en activités légales.

Combien coûtent les meilleures places d'opéra ?

1 700 F à Covent Garden (Londres), 700 à l'Opéra-Bastille, 650 au Metropolitan de New York, 400 à Sydney (Australie) et moins de 400 à Berlin.

Qui gouverne au Népal ?
Voir p. 1088

Les retraités sont-ils travailleurs ?

Selon l'INSEE, 4 % des retraités se remettent au travail, soit environ 400 000 personnes. En 1990, sur 9 200 000 retraités bénéficiant d'une pension et qui avaient libéré un poste de travail, 100 000 personnes de moins de 60 ans et 64 % des retraités de moins de 45 ans travaillent encore. Entre 46 et 55 ans, 23 % ; à partir de 56 ans, 8 %. 60 % avaient une activité indépendante (66 % étaient des agriculteurs). Les professions intellectuelles supérieures cumulent la retraite et une activité, la réglementation permettant de continuer à exercer des emplois de type expertise ou conseil. Depuis l'ordonnance du 26 mars 1982, le cumul emploi-retraite est strictement réglementé, malgré des dérogations, l'INSEE indique que moins de 200 000 postes seraient remis sur le marché si les 400 000 personnes en situation de cumul cessaient leur activité rémunérée. 100 000 retraités de – de 60 ans ont, statutairement, le droit de percevoir une pension de retraite et de pratiquer une 2e activité professionnelle. Il s'agit de militaires, cheminots, mineurs, etc., dont la retraite est fixée très tôt. 95 000 sont parvenus à bénéficier d'une retraite du régime général, en plus de celle obtenue au titre d'un régime particulier. Environ 50 000 dépendaient du régime des fonctionnaires militaires et 20 000 du régime des fonctionnaires civils. En 1990, 40 % des 700 000 qui ont fait valoir leurs droits à la retraite et liquidé leurs pensions exerçaient encore une activité rémunérée.

Combien d'officiers deviennent généraux de corps d'armée ?

Un sur soixante-douze.

Combien y a-t-il d'étrangers dans les prisons françaises ?

30 % (sans compter les étrangers naturalisés). Délits : faux documents et usages de faux 68 %, vols à la tire 44, trafic de stupéfiants 38, vols avec violence sans arme à feu 22, vols à l'étalage 21, infractions à la législation sur les stupéfiants 20, recels 19, tentatives d'homicides 17.

Quel est le plus ancien tango ?

La Coquetta de Nincenetti, datant de 1866.

Le tango est-il autorisé par l'Église ?

Interdit par Pie X en 1914 car particulièrement lascif, il a été réhabilité par Benoît XV.

Combien d'espèces ont vécu sur Terre depuis l'apparition de la vie ?

Environ 50 milliards, chacune pendant en moyenne 4 millions d'années. Il en reste 40 millions, soit 0,1 %.

Quelle est la plus grande bactérie connue ?

Epulopiscium découverte en 1985 dans les intestins d'un poisson. Elle mesure 0,5 mm.

Pourquoi les tourterelles roucoulent-elles ?

Selon la biologiste américaine May-Fang Cheng, ce n'est pas une déclaration d'amour au mâle, mais un moyen de stimuler la maturation des ovaires.

La cigarette augmente-t-elle les risques d'accidents ?

Selon une enquête faite aux USA, elle augmente de 50 % les accidents de la circulation. Dep. janvier 1993, les automobilistes britanniques de moins de 30 ans obtiennent une diminution de 12 % de leur prime d'assurance s'ils attestent par écrit qu'ils ne fument pas.

Le Code général des impôts est-il illégal ?

Selon la Constitution, ses articles auraient dû, les uns après les autres, être débattus et adpotés devant les deux Chambres. Ce n'est pas le cas.

L'or est-il éternel ?

Non. L'analyse par des chercheurs de l'ORSTOM du CNRS et du BRGM d'une dizaine de milliers de particules d'or ramassées dans les forêts du Gabon et de la Rép. centrafricaine a mis en évidence leur altération sous l'action de chlorures et d'acides organiques dus à la dégradation des végétaux de la forêt.

Quelle est la position de l'Église face au suicide ?

Le suicidé peut recevoir les funérailles religieuses, notamment en réponse à une demande de sa famille. Le concile d'Orléans (533) les lui refusait et le Code de droit canonique de 1917 avait confirmé cette tradition. Le *Catéchisme de l'Église catholique*, publié en nov. 1992, écrit (§ 2280-2283) : « Nous sommes les intendants, et non les propriétaires, de la vie que Dieu nous a confiée. Nous n'en disposons pas. Le suicide contredit l'inclination naturelle de l'être humain à conserver et à perpétuer sa vie. Il est gravement contraire au juste amour de soi. Il offense également l'amour du prochain, parce qu'il brise les liens de solidarité avec les sociétés familiale, nationale et humaine à l'égard desquelles nous demeurons obligés. Des troubles psychiques graves, l'angoisse ou la crainte grave de l'épreuve, de la souffrance ou de la torture peuvent diminuer la responsabilité du suicidaire. »

Combien de tigres vivent en captivité ?

1 200 selon l'annuaire du zoo de Leipzig.

Quel sera le budget de fonctionnement de l'Opéra de Lyon ?

175 millions de F pour les années 1993 et 94 (1992 : 125). La ville de Lyon verse 88 millions de F, l'État 18,5, le Conseil régional Rhône-Alpes 12, le Conseil général du Rhône 10. Il reste 25 % à trouver. *Budgets de fonctionnement 1992* (en millions de F) : Paris 750, Vienne 463, Milan 330, Venise 280, Bruxelles 190, Bordeaux 150, Genève 150.

Quelles sont les ressources des festivals de la Provence ?

En millions de F : Aix-en-Provence 45 ; Avignon 32,65 ; Orange 15,95 ; Arles 9,45 ; Antibes-Juan-les-Pins 8.

Combien d'or a-t-il fallu pour redorer le dôme des Invalides ?

12 kg. Il a été redoré en 1989 pour la 5e fois. Coût : 34 millions de F, dont 10 % pour l'achat des 12 kg d'or.

LE MONDE

ASTRONOMIE

HISTOIRE

CONCEPTIONS DE L'UNIVERS

■ **Avant les Grecs.** Babyloniens, Égyptiens et Chinois observent le Ciel, ils connaissent la révolution des planètes ; Babyloniens et Chinois savent prédire les éclipses. Mais leurs systèmes cosmologiques restent naïfs et imprégnés de mythologie : pour les Babyloniens, l'Univers est une voûte, la Terre flottant sur l'Océan ; pour les Égyptiens, le Nil est un bras de l'Océan et le Soleil y flotte en barque, etc.

■ **Systèmes géocentriques grecs.** *Pour Anaximandre* (v. 610-v. 547 av. J.-C.), la Terre a la forme d'un disque (la partie habitée étant limitée à l'une des faces), et elle est comme suspendue dans l'espace, toujours à une même distance de tous les points du Ciel. Autour d'elle, différemment inclinées par rapport à son axe, tournent, à des distances internes respectivement égales à 9, 18 et 27 fois le diamètre terrestre, 3 grandes roues, ayant pour épaisseur chacune le diamètre de la Terre, celle du Zodiaque (des étoiles fixes), celle de la Lune et celle du Soleil. *Pour les pythagoriciens* (Ve s. av. J.-C.), la Terre est sphérique, de même que la voûte des cieux, qui tourne autour d'elle en une journée sidérale. Il y a en outre 7 autres sphères concentriques à la 1re, tournant autour d'axes passant par le centre de la Terre, mais diversement inclinés (notion de l'obliquité de l'écliptique, découverte par Œnopide de Chio, v. 430 av. J.-C.). Ces 7 sphères sont, dans l'ordre croissant de leurs distances à la Terre, celles de la Lune, de Mercure, de Vénus, du Soleil, de Mars, de Jupiter et de Saturne.

■ **Système d'Aristarque** (de Samos, 310-230 av. J.-C.). Il suppose, 17 siècles avant Copernic, que la Terre tourne sur elle-même et autour du Soleil, toujours considéré comme immobile dans l'Univers. Il a calculé (avec des erreurs considérables) les distances Terre-Lune et Terre-Soleil. Ses idées sont rejetées comme « impures ».

■ **Système de Ptolémée** (Claude Ptolémée, Grec, 90-168 apr. J.-C.). Systématisation des conceptions géocentriques antérieures à Aristarque : le cercle (figure parfaite et divine) est le fondement de l'Univers. La Terre est une sphère, entourée d'une série de sphères de cristal concentriques ; la sphère extérieure contient les étoiles. Toutes ces sphères se meuvent à une vitesse constante. Le cours observé des planètes ne cadrant pas avec la théorie de Ptolémée, on a recours à la théorie des *épicycles,* « cercles secondaires » : chaque planète a un cours circulaire autour d'un centre situé dans la sphère des planètes, mais soumis lui-même à un mouvement circulaire appelé le *« déférent ».*

■ **Systèmes médiévaux.** Ils reprennent le système de Ptolémée avec des précisions sur les orbites des planètes (apportées surtout par les observations arabes) qui ruinent petit à petit la théorie des *épicycles* et des *déférents.*

■ **Système héliocentrique de Copernic** (Nikolaj Kopernik, Polonais, 1473-1543). Le Soleil est placé au centre du système planétaire : la Terre tourne autour du Soleil (fixe) ; l'axe des planètes est celui du globe terrestre, la Lune tourne autour de la Terre ; la Terre tourne sur elle-même (dans son manuscrit, Copernic a cité Aristarque, mais il l'a biffé dans son livre imprimé). Galilée, défenseur de ce système, est condamné par l'Inquisition en 1633, puis officiellement réhabilité par le pape en nov. 1992 (ouvrages autorisés dep. 1822).

■ **Système de Kepler** (Johannes Kepler, Allemand, 1571-1630). Les planètes ne tournent pas autour de la Terre ; la Terre est une planète comme elles ; leurs orbites ne sont pas circulaires mais elliptiques ; elles ne se trouvent pas sur des plans parallèles et n'ont pas la Terre pour centre mais le Soleil pour foyer.

■ **Mécanique de Galilée** (Galileo Galilei, Italien, 1564-1642, dit Galilée). Les corps ne sont pas immobiles naturellement : ils sont animés d'un mouvement rectiligne uniforme (inertie) ; ils ne sont au repos, apparemment, que par rapport à d'autres corps ayant la même vitesse.

■ **Attraction newtonienne** (Sir Isaac Newton, Anglais, 1642-1727). Newton relie la mécanique astrale de Galilée à la notion de chute des corps. La cause de ces 2 mouvements est la force universelle d'attraction que tout corps exerce sur tout autre corps.

■ **Relativité einsteinienne** (Albert Einstein, Germano-Américain, 1879-1955). La masse pesante des objets, telle qu'on la calculait dans le système de Newton, est égale à leur masse inerte et la gravitation est à ranger parmi les inerties : l'Univers est à 4 dimensions (longueur, largeur, hauteur, temps), courbe et fini. Sa finitude a été remise en cause à partir de 1928 par les théories expansionnistes. On estime néanmoins aujourd'hui que la formule d'Einstein $E = mc^2$ a été étayée par 11 preuves : 1°) les explosions atomiques prouvent la relativité « restreinte », équivalence de la masse et de l'énergie, la 1re n'étant que la forme figée de la seconde ; 2°) l'augmentation de la masse des particules soumises à l'accélération $E = mc^2$ (si *E* croît, *m* croît aussi) ; 3°) la plus longue durée des mésons *mu* (puisqu'ils ne vivent que 1 millionième de seconde, et qu'ils vont à la vitesse de la lumière, ils devraient parcourir seulement 300 m ; en fait, ils traversent toute l'épaisseur de l'atmosphère, car ils vont aussi vite que le signal annonçant leur fin) ; 4°) l'avance du périhélie de Mercure : celui-ci devrait rester fixe. Or, il se déplace de 43″ par siècle, sous l'influence du Soleil qui déforme l'espace/temps dans une vaste zone englobant Mercure ; 5°) l'effet Einstein, variante de l'effet Doppler : la lumière est décalée vers le rouge, sans que sa source bouge, en traversant un champ intense de gravitation (conséquence de la gravité générale) ; 6°) la déviation des signaux lumineux émis par les étoiles et passant près du Soleil ; 7°) le retard infligé aux ondes radio par l'attraction solaire (effet *Shapiro* du nom de l'astronome qui l'a démontré), hypothèse vérifiée par les sondes Mariner 6 et 7, puis par les sondes Hélios ; 8°) l'égalité de la masse d'inertie et de la masse pesante ; théorie démontrée par la stabilité de la Lune par rapport à la Terre : l'attraction solaire ne fait jamais osciller l'axe de la Lune (on le sait depuis la mesure au laser de la distance Terre-Lune, à 6 cm près) ; 9°) une horloge atomique faisant le tour du monde vers l'est (en avion à 10 000 m d'alt.) retarde de 329 nanosecondes sur la même horloge faisant le tour du monde vers l'ouest : preuve que la gravitation terrestre a un effet sur le temps ; 10°) l'effet Mossbauer gravitationnel prouve l'effet relativiste d'alt. (en utilisant des cristaux émetteurs de rayons gamma) ; 11°) l'existence des trous noirs prouve à la fois la courbure et la non-infinité de l'Univers. Voir **Trou noir** p. 14 a.

MESURE DE LA TERRE

Ératosthène (276-v. 193 av. J.-C.), géomètre alexandrin, mesura presque exactement le méridien terrestre. Ses calculs étaient fondés sur 2 observations : le jour du solstice d'été à midi, le Soleil passe à la verticale dans le ciel de Syène (Assouan) puisqu'il y éclaire le fond des puits ; à Alexandrie il fait, avec la verticale, un angle de 7°12′. Après avoir mesuré la distance Alexandrie-Syène (5 000 stades = 840 km), il put calculer la circonférence de la Terre ainsi :

$$\frac{840 \text{ km} \times 360^\circ}{7^\circ 12'} = 41\,710 \text{ km}.$$

Posidonios d'Apamée (géographe gréco-syrien). Vers 70 av. J.-C., il évalue à 9 000 lieues la circonférence de la Terre. Ses calculs ont été transmis par les Arabes aux Occidentaux, notamment à Gerbert (le pape Sylvestre II), et furent adoptés par de nombreux savants médiévaux (alors que ceux d'Ératosthène étaient oubliés). Ce fut une des raisons qui firent rechercher une « route plus directe » pour les Indes en partant vers l'ouest (sur le chemin on découvrit l'Amérique). L'Église admettait que la Terre pouvait être ronde (mais elle n'admettait pas qu'elle puisse tourner autour du Soleil). Après le XVe s., la théorie s'impose : 1° Bartolomé Díaz (1486) découvre l'océan Glacial Arctique, démontrant que le pôle brûlant n'existe pas ; 2° Magellan prouve la possibilité d'atteindre l'Orient par l'ouest.

DÉCOUVERTES ET INVENTIONS

■ **Avant J.-C. XIIe s.** Chaldée : connaissance du Zodiaque. **1100** Tchéou Hong (Chinois) : obliquité de l'écliptique. **VIIe s.** Chaldée : connaissance du mouvement des planètes Jupiter, Mercure, Mars, Vénus. **550** Anaximandre (Grec v. 610-v. 547) : premier cadran solaire. **V. 440** Philolaos (Grec) : découverte de Saturne. **V. 250** Aristarque (Grec 310-230) : distances Terre-Soleil et Lune-Terre (40 % d'erreur). **250** Ératosthène (Grec 276-v. 193) : rayon de la Terre. **127** Hipparque (Grec IIe s.) : 1er catalogue d'étoiles (1 025 recensées).

■ **Après J.-C. IIe s.** Ptolémée (Grec 90-168) : explication du mouvement des planètes. **V. 1300** 1re utilisation des lentilles de verre. **1572-88** Tycho Brahe (Danois 1546-1601) : 1ers instruments astronom., description système solaire, position de 800 étoiles.

Énigme. Planétarium d'Anticythère : assemblage d'axes métalliques et de roues dentées montés autour d'un axe central (actionné probablement par chute d'eau). Datant du Ier s. apr. J.-C., récupéré en 1900 au large d'Anticythère (îlot situé à 40 km du Péloponnèse). L'Américain Derek Price l'examina entre 1950 et 1970 et révéla que c'était un « planétarium » fondé sur le système géocentrique, seul admis en Grèce ancienne.

1601-18 Kepler : mesure des orbites planétaires. **1609** Galilée : 1re lunette d'observation (diam. 4 cm). **1610** Galilée (à partir du 7-1 : lunette grossissant 30 fois) : les taches solaires ; 4 satellites de Jupiter (confirmation du système de Copernic) ; Marius (All.) les observe aussi. **1659** Christian Huyghens (Holl. 1629-95) : anneau de Saturne. **1667** fondation de l'Observatoire de Paris. **1676** Olaus Roemer (Danois 1644-1710) : vitesse de la lumière. **1685** fondation de l'Observatoire de Greenwich. **1744** Académie des sciences : démonstration de l'aplatissement du globe. **1781** William Herschel (Anglo-Allemand 1738-1822) : découverte d'Uranus. **1797** Wilhelm Olbers (All. 1758-1840) : calcul des orbites cométaires. **1845** Léon Foucault (Français 1819-68) et Hippolyte Fizeau (Fr. 1819-96) : 1re photographie solaire. **1846** Gottfried Galle (All. 1810-1912) découvre Neptune grâce à Le Verrier (Fr. 1811-77) qui en avait défini l'orbite par des calculs sur les perturbations d'Uranus. **1859** Ernst Tempel (All. 1821-89) : déc. de la 1re nébuleuse, Mérope. **1859** Gustav-Robert Kirchhoff (All. 1824-87) et Robert Wilhelm Bunsen (All. 1811-99) : analyse spectrale. **1868** Norman Lockyer (Britannique 1836-1920) : déc. de l'hélium (astrophysique solaire). **1889** Edward Emerson Barnard (Amér. 1857-1923) : 1er atlas de la Voie lactée. **1917** Albert Einstein (All. naturalisé Amér. 1879-1955) : relativité générale. **1919** courbure des rayons lumineux. **1924** Edwin Hubble (Amér. 1889-1953) : galaxies. **1927** Georges Lemaître (Belge 1894-1966) : hypothèse de l'Univers ponctuel primitif. **1929** Edwin Hubble : expansion de l'Univers. **1932** Édouard Branly (Fr. 1844-1940) : radioastronomie. **1942** utilisation du radar en astronomie. **1948** George Gamow (Russe naturalisé Amér. 1904-68) : théorie de l'expansion primordiale *(Big Bang).* Hermann Bondi (n. 1919), Thomas Gold (n. 1920), Fred Hoyle (n. 1915) : théorie de l'Univers stationnaire, voir p. 15 a. **1957** 1er satellite artificiel amorçant la « conquête spatiale », voir p. 30 c. **1960** déc. des radiosources quasi stellaires (quasars). **1965** Arno Penzias (Amér. 1933) et Robert Wilson (Amér.

1936) : rayonnement 3K (radiation thermique universelle). **1967** déc. des pulsars.

☞ Voir le chapitre Astronautique p. 27.

DÉFINITIONS

■ **Amas stellaire.** Groupement d'étoiles situé à l'intérieur d'une galaxie. Les *amas ouverts,* irréguliers, rassemblent plusieurs centaines d'étoiles nées simultanément. On ne peut observer que ceux situés à l'intérieur de notre Galaxie. Ils se trouvent tous au voisinage du disque galactique. Ex. : amas des Pléiades, dans la constellation du Taureau (190 étoiles dont 6 visibles à l'œil nu). Les *amas globulaires,* sphériques, rassemblent plusieurs dizaines, voire plusieurs centaines de milliers d'étoiles : au centre de l'amas, les étoiles sont si serrées qu'on ne les distingue plus les unes des autres. Ces amas forment un halo sphérique autour du disque des galaxies. Autour de notre Galaxie, ils se répartissent dans une sphère d'env. 160 000 années de lumière de diamètre. Ex. : amas d'Hercule.

■ **Année de lumière** (voir Index).

■ **Astre.** Corps céleste de forme déterminée (ex. : étoiles, Lune, planètes et comètes). Les corps de forme non déterminée sont en général appelés **objets célestes.** Les astres peuvent être lumineux par eux-mêmes (le Soleil, les comètes) ou diffuser la lumière d'un autre astre (ainsi les planètes et leurs satellites, comme la Terre et son satellite la Lune, réfléchissant la lumière solaire). L'**albédo** est le rapport de la quantité de lumière diffusée par une planète à la quantité de lumière reçue. *Albédo* de Vénus 0,61 (elle renvoie de la lumière reçue) ; Neptune 0,54 ; Uranus 0,45 ; Saturne 0,42 ; Jupiter 0,41 ; Pluton 0,4 ; Terre 0,34 ; Mars 0,15 ; Lune 0,07 ; Mercure 0,06.

■ **Astrométrie** (anciennement : astronomie de position). Branche traditionnelle de l'astronomie : mesure de la position des astres et de leurs mouvements.

■ **Astrophysique.** Étude de la constitution, des propriétés physiques et de l'évolution des astres et des divers milieux qui les composent.

■ **Constellation.** Région du ciel reconnaissable à un groupe d'étoiles voisines présentant une forme invariable, à laquelle on a donné un nom particulier. Les étoiles de notre galaxie déterminent 88 constellations sur la voûte céleste (ex. : Grande Ourse, ou Grand Chariot ou, en Chine, Grande Casserole, Orion, Scorpion). En général, l'étoile la plus brillante de la constellation reçoit la lettre α, la suivante la lettre β, etc. Voir tableau p. 13.

■ **Étoile.** Astre doué d'un éclat propre et d'apparence ponctuelle (à l'exception du Soleil). On appelle : **étoile double** ou **triple,** un ensemble de 2 ou 3 étoiles apparemment proches dans le ciel [on distingue : les doubles *optiques,* qui ne sont doubles qu'en apparence, par un effet de perspective, alors qu'elles se situent à des points très différents de l'espace ; les doubles *visuelles* et *spectroscopiques,* qui sont réellement très rapprochées dans l'espace et forment un couple *(système binaire),* chaque partenaire tournant autour du centre de gravité commun ; à l'œil nu ces étoiles paraissent doubles (ex. : Mizar et Alcor dans la Grande Ourse) ; les doubles *visuelles* sont séparables avec un télescope tandis que les doubles *spectroscopiques* ne le sont que par l'analyse spectrale (l'étoile polaire est double et peut être séparée avec un télescope de 75 mm)] ; au moins 1 étoile sur 2 est une étoile double ; **étoile géante,** une étoile possédant une très grande luminosité et une très faible densité ; **étoile naine,** une étoile possédant une faible luminosité et une forte densité ; **étoile naine blanche,** une ét. de masse comparable à celle du Soleil mais dont le rayon est 100 fois plus petit [prototype : le compagnon de Sirius (Sirius B) découvert en 1862. Sa densité est de 170 000 (soit 90 000 fois plus que le Soleil) : 1 cm^3 pèse 170 kg] ; **étoile variable,** une étoile présentant des variations d'éclat. Les étoiles sont comparables à des fournaises alimentées par des réactions atomiques. Beaucoup d'étoiles sont probablement entourées de planètes, comme le Soleil (qui est une étoile) ; voir p. 15 c.

■ **Galaxie. Amas galactique.** Vaste ensemble d'étoiles et de matière interstellaire dont la cohésion est assurée par les forces d'attraction gravitationnelle. On distingue des galaxies spirales, elliptiques et irrégulières. Leur taille souvent est difficile à évaluer (les plus petites ont un diamètre de 10 000 années de lumière).

Notre Galaxie (voir p. 15), appelée la *Galaxie,* n'est donc qu'un spécimen parmi les autres (peut-être 500 millions, dont 200 000 ont été cataloguées). Vue par la tranche dans le ciel, elle forme la Voie lactée. Ses voisines les plus proches sont les 2 Nuages de Magellan (visibles dans le ciel austral) à 170 000 et 205 000 années de lumière.

Les galaxies s'associent en amas et en amas d'amas ; notre Galaxie, les 2 Nuages de Magellan, M 31 (dans Andromède) et M 33 (dans le Triangle) font partie d'un ensemble d'une trentaine de galaxies (l'**Amas local**) qui « tiendraient » dans une sphère de 10 millions d'années de lumière de diamètre. Cet amas est situé à la périphérie d'un ensemble beaucoup plus vaste, la « Supergalaxie », de 100 millions d'années de lumière de diamètre, dont le centre, situé dans la direction de la constellation de la Vierge, à 40 millions d'années de lumière env., est lui-même occupé par un amas de 200 ou 300 galaxies.

Historique de la découverte. Jusqu'à 1924, les galaxies étaient classées comme *« nébuleuses »,* au même titre que les autres nébuleuses dont les spectres étaient continus et striés de raies d'émission. Pourtant, on savait depuis la fin du XIXe s. que les « nébuleuses » étaient de 2 types différents. Celles du 2e type se sont révélées être des systèmes d'étoiles et non des nuages de gaz interstellaire (travaux d'Edwin Hubble). 1re nébuleuse assimilée à une galaxie (« résolue en étoiles ») : G[de] nébuleuse d'Andromède située à 2 millions d'années de lumière.

Des amas encore plus riches ont été découverts à l'ext. de la Supergalaxie. Le mieux connu est l'amas de *Coma* (appelé aussi le nid des nébuleuses : *Nebelnest*) : situé à quelque 300 millions d'années de lumière, il contient 1 000 galaxies dans un volume de 10 millions d'années de lumière de diamètre.

Le télescope du mont Palomar (1948) doit permettre de détecter env. 1 milliard de galaxies.

GALAXIES LES PLUS BRILLANTES DE L'AMAS LOCAL

Galaxies	Constellations	m	M	Distance millions d'a. de l.
Notre Galaxie [1]	–	–	– 19,8	–
Grand Nuage [1]	Dorade	0,3	– 18,2	0,165
Petit Nuage [1]	Toucan	2,4	– 16,6	0,205
(3)	Sculpteur	7	– 12,6	0,28
(3)	Fourneau	7	– 14	0,55
NGC 6822 [2]	Sagittaire	10,0	– 13,9	2,0
NGC 147 [2]	Cassiopée	9,7	– 14,4	2,2
NGC 185 [4]	Cassiopée	9,4	– 14,7	2,2
M 31 [1]	Andromède	3,4	– 20,7	2,2
M 32 [3]	Andromède	8,2	– 15,9	2,2
NGC 205 [3]	Andromède	9,4	– 14,6	2,1
IC 1613 [2]	Baleine	9,6	– 14,8	2,5
M 33 [1]	Triangle	5,8	– 18,6	2,5
Leo I [3]	Lion	10,8	– 11	0,75
Leo II [3]	Lion	12,3	– 9,5	0,75
(3)	Dragon	10,6	– 8,5	0,22
(3)	Petite Ourse	10	– 9	0,22
NGC 3946	Céphée	15,5	– 8,4	2,0
NGC 2419 [5]	Lynx	11,5	– 7,7	0,225

Légende. m : magnitude apparente. M : magnitude absolue. Distance : en millions d'années de lumière. – Type (1) Spirale. (2) Irrégulière. (3) Elliptique aplatie. (4) Elliptique sphéroïdale. (5) Amas globulaire.

■ **Gravitation.** Phénomène d'attraction qui se manifeste par le mouvement orbital d'un corps autour d'un centre d'attraction ou par la chute d'un corps sur l'autre (la force correspondante est la gravité).

D'après la loi de gravitation énoncée par Newton, 2 masses m_1 et m_2 s'attirent avec une force F proportionnelle au produit $m_1.m_2$ et inversement proportionnelle au carré de leur distance r :

$$F = \frac{Km_1\ m_2}{r^2}$$

■ **Lentille gravitationnelle.** Phénomène prévu par la théorie de la relativité générale et qui permet d'interpréter certaines observations : l'image de certains quasars apparaîtrait dédoublée par une masse de matière située entre ces objets très lointains et nous. C'est ainsi que le quasar 0957 + 561 serait observé 2 fois par les radiotélescopes et les télescopes optiques, les 2 images étant rigoureusement semblables du point de vue spectrographique. Il y aurait là une manifestation de la déflexion de la lumière dans un champ gravitationnel, prévue par Einstein il y a plus de 60 ans. On connaît à présent une dizaine de spécimens de lentilles gravitationnelles, dont l'une, AC 114 située à 4 milliards d'années de lumière, a permis au télescope spatial Hubble de déceler une galaxie très lointaine.

■ **Nébuleuse.** Vaste nuage de gaz (hydrogène essentiellement) où la densité est nettement supérieure à celle de l'espace interstellaire. Les étoiles se forment à l'intérieur de certaines nébuleuses. On distingue : *les nébuleuses planétaires,* dont l'aspect rappelle parfois celui des planètes. Elles ne sont pas très grandes, possèdent une étoile centrale très chaude, et résultent de l'expansion des couches externes de cette étoile ; *les nébuleuses diffuses* ou *à émission,* dont le gaz est excité par le rayonnement ultraviolet d'étoiles chaudes voisines et qui émettent de la lumière (ex. : nébuleuse d'Orion) ; *les nébuleuses par réflexion,* qui n'émettent pas de lumière propre comme les précédentes mais ne font que réfléchir celle des étoiles voisines, beaucoup plus grandes que les nébuleuses planétaires ; *les nébuleuses obscures,* qui apparaissent sombres parce qu'elles ne sont éclairées par aucune étoile (ex. : nébuleuse Tête de Cheval dans Orion). Parfois, les nébuleuses sont trop vastes pour être totalement éclairées et comportent certaines parties obscures (ex. : nébuleuse Trifide du Sagittaire).

■ **Nova** (pluriel : **novae**). Étoile qui, par suite de l'explosion de ses couches externes, devient brusquement très brillante, puis s'atténue ou disparaît en faisant place à une nébuleuse, associée à une étoile naine blanche. Une supernova présente le même phénomène en beaucoup plus intense (plusieurs milliers de fois : c'est l'étoile entière qui explose, laissant une étoile à neutrons ou « pulsar »).

■ **Parallaxe annuelle** (d'une étoile proche : moins de 100 années de lumière). La Terre tournant autour du Soleil en 1 an, une étoile paraît effectuer, pour l'observateur terrestre, une ellipse par rapport à des étoiles lointaines. On appelle parallaxe annuelle l'angle Π sous lequel on voit de cette étoile le rayon de l'orbite terrestre. Cet angle est très petit (inférieur à 1 seconde).

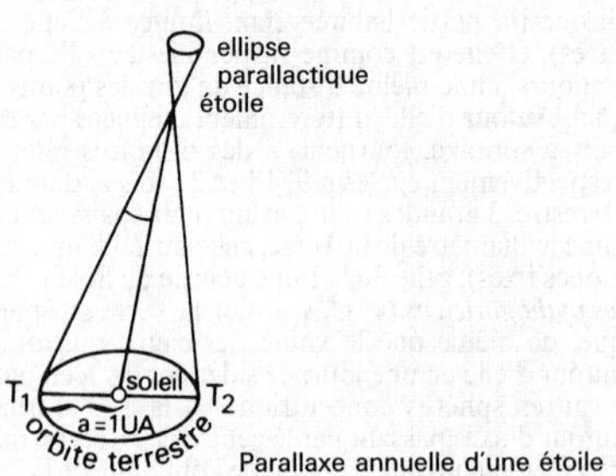

Parallaxe annuelle d'une étoile

En 1838, l'Allemand Bessel a déterminé le 1er la distance d'une étoile par la méthode des parallaxes, le grand axe $T_1\ T_2$ de l'orbite terrestre fournissant une base de triangulation de longueur parfaitement connue (étoile 61 Cygni, à 11 années de lumière).

■ **Parallaxe diurne** (d'un astre du système solaire). Angle sous lequel on voit, de cet astre, le rayon terrestre.

■ **Parsec.** Distance à laquelle se trouve une étoile dont la parallaxe est d'une seconde. 1 pc = 3,2615 années de lumière = env. $30\ 860.10^9$ km.

■ **Planète du système solaire.** Astre non lumineux par lui-même, tournant autour du Soleil. Vues de la Terre, les planètes ont un diamètre apparent sensible (ce que n'ont pas les étoiles). Voir p. 16 b. **Hors du système solaire.** On en soupçonne l'existence à cause de perturbations (luminosité, ondes émises...) sur les étoiles qu'elles cernent. En juillet 1991, la découverte d'une planète autour du pulsar PSR 1829-10 (30 000 années de lumière) fut annoncée puis démentie le 16-1-1992 [Andrew Lyne et Matthews Baile (G.-B.) ont reconnu s'être trompés dans leurs calculs]. Le 9-1-1992, A. Wolzcan et D. Fraile (Amér.) ont annoncé la découverte, au radiotélescope d'Arecibo, de 2 (voire 3) planètes, autour d'un pulsar situé à 1 500 années de lumière dans la constellation de la Vierge : masse 3,4 et 2,8 fois la Terre, rayon orbite 54 et 70 millions de km, période 66 et 98 jours. Hors du système solaire, les planètes éventuelles sont perceptibles surtout par des effets perturbateurs sur leur étoile. *En 1984,* on observe autour de Bêta Pictoris un disque caractéristique de la formation des planètes. *Le 26-8-92,* l'observatoire du Pic du Midi fait la même découverte sur 68 Ophiucus.

■ **Pulsar** (de l'anglais *pulsating star*). Étoile à neutrons (astre très dense) en rotation rapide sur elle-même, de très faible diamètre (quelques dizaines de km) émettant des impulsions radioélectriques très régulières avec une période très courte (millisec. à sec.). Un morceau de pulsar de la taille d'un sucre pèserait sur Terre 300 millions de t. Découvert en 1967 par des astronomes de Cambridge. On en connaît plus de 400. *Origine :* il s'agirait d'étoiles ayant implosé qui, à l'origine, étaient 3 à 4 fois plus massives que le Soleil. Des pulsars ultra-rapides ont été découverts en 1982. **PSR** 1937 + 214, dans la constellation du Petit Renard, tourne 642 fois sur lui-même en 1 seconde.

■ **Quasar** (de l'anglais *quasi stellar*). Type de radiosources dites quasi stellaires parce qu'associées à des objets visibles ayant une apparence ponctuelle. Dé-

Constellations Nom latin (avec génitif), nom français et abréviation officielle	Limites approximatives — Ascension droite	Déclinaison	Étendue (en degrés carrés)	Nombre d'étoiles + brillantes que la magn. 6
Andromeda *(-ae)*, Andromède, And [1]	22 h 56 à 02 h 36	+ 21,4° à + 52,9°	722	100
Antlia *(-ae)*, Machine pneumatique, Ant	09 h 25 à 11 h 03	– 24,3° à – 40,1°	239	20
Apus *(-odis)*, Oiseau du paradis, Aps	13 h 45 à 18 h 17	– 67,5° à – 82,9°	206	20
Aquarius *(-ii)*, Verseau, Aqr	20 h 36 à 23 h 54	+ 03,1° à – 25,2°	980	90
Aquila *(-ae)*, Aigle, Aql [2]	18 h 38 à 20 h 36	– 11,9° à + 18,6°	652	70
Ara *(-ae)*, Autel, Ara	16 h 31 à 18 h 06	– 45,5° à – 67,6°	237	30
Aries *(-tis)*, Bélier, Ari	01 h 44 à 03 h 27	+ 10,2° à + 30,9°	441	50
Auriga *(-ae)*, Cocher, Aur [3]	04 h 35 à 07 h 27	+ 27,9° à + 56,1°	657	90
Bootes *(-is)*, Bouvier, Boo [4]	13 h 33 à 15 h 47	+ 07,6° à + 55,2°	907	90
Caelum *(-i)*, Burin, Cae	04 h 18 à 05 h 03	– 27,1° à – 48,8°	125	10
Camelopardalis (-), Girafe, Cam	03 h 11 à 14 h 25	+ 52,8° à + 85,1°	757	50
Cancer *(-cri)*, Cancer (ou Écrevisse), Cnc	07 h 53 à 09 h 19	+ 06,8° à + 33,3°	506	60
Canes *(-um)* Venatici *(-orum)*, Chiens de chasse, CVn [5]	12 h 04 à 14 h 05	+ 28,0° à + 52,7°	465	30
Canis (-) Major *(-is)*, Grand Chien, CMa [6]	06 h 09 à 07 h 26	– 11,0° à – 33,2°	380	80
Canis (-) Minor *(-is)*, Petit Chien, CMi [7]	07 h 04 à 21 h 57	– 00,1° à + 13,2°	183	20
Capricornus *(-i)*, Capricorne, Cap	20 h 04 à 21 h 57	– 08,7° à – 27,8°	414	50
Carina *(-ae)*, Carène, Car [8]	06 h 02 à 11 h 18	– 50,9° à – 75,2°	494	110
Cassiopeia *(-ae)*, Cassiopée, Cas [9]	22 h 56 à 03 h 36	+ 46,4° à + 77,5°	598	90
Centaurus *(i)*, Centaure, Cen [10]	11 h 03 à 14 h 59	– 29,9° à – 64,5°	1 060	150
Cepheus *(-i)*, Céphée, Cep [11]	20 h 01 à 08 h 30	+ 53,1° à + 88,5°	588	60
Cetus *(-i)*, Baleine, Cet [12]	23 h 55 à 03 h 21	– 25,2° à + 10,2°	1 231	100
Chamaeleon *(-ontis)*, Caméléon, Cha	07 h 32 à 13 h 48	– 75,2° à – 82,8°	132	20
Circinus *(-i)*, Compas, Cir	13 h 35 à 15 h 26	– 54,3° à – 70,4°	93	20
Columba *(-ae)*, Colombe, Col	05 h 03 à 06 h 28	– 27,2° à – 43,0°	270	40
Coma *(-ae)* Berenices, Chevelure de Bér., Com	11 h 57 à 13 h 33	+ 13,8° à + 33,7°	386	50
Corona *(-ae)* Australis, Couronne australe, CrA	17 h 55 à 19 h 15	– 37,0° à – 45,6°	128	25
Corona *(-ae)* Borealis, Cour. boréale, CrB [13]	15 h 14 à 16 h 22	+ 25,8° à + 39,8°	179	20
Corvus *(-i)*, Corbeau, CrV	11 h 54 à 12 h 54	– 11,3° à – 24,9°	184	15
Crater *(-is)*, Coupe, Crt	10 h 48 à 11 h 54	– 06,5° à – 24,9°	282	20
Crux *(-cis)*, Croix du Sud, Cru	11 h 53 à 12 h 55	– 55,5° à – 64,5°	68	30
Cygnus *(-i)*, Cygne, Cyg [14]	19 h 07 à 22 h 01	+ 27,7° à + 61,2°	804	150
Delphinus *(-i)*, Dauphin, Del	20 h 13 à 21 h 06	+ 02,2° à + 20,8°	189	30
Dorado *(-us)*, Dorade, Dor	03 h 52 à 06 h 36	– 48,8° à – 70,1°	179	20
Draco *(-nis)*, Dragon, Dra [15]	09 h 18 à 21 h 00	+ 47,7° à + 86,0°	1 083	80
Equuleus *(-i)*, Petit Cheval, Aqu	20 h 54 à 21 h 23	+ 02,2° à + 12,9°	72	10
Eridanus *(-i)*, Éridan, Eri	01 h 22 à 05 h 09	+ 00,1° à – 58,1°	1 138	100
Fornax *(-acis)*, Fourneau, For	01 h 44 à 03 h 48	– 24,0° à – 39,8°	398	35
Gemini *(-orum)*, Gémeaux, Gem [16]	05 h 57 à 08 h 06	+ 10,0° à + 35,4°	514	70
Grus *(-is)*, Grue, Gru [17]	21 h 25 à 23 h 25	– 36,6° à – 56,6°	366	30
Hercules *(-is)*, Hercule, Her	15 h 47 à 18 h 45	+ 03,9° à + 51,3°	1 225	140
Horologium *(-ii)*, Horloge, Hor	02 h 12 à 04 h 18	– 39,8° à – 67,2°	249	20
Hydra *(-ae)*, Hydre femelle, Hya [18]	08 h 08 à 14 h 58	+ 06,8° à – 35,3°	1 303	130
Hydrus *(-i)*, Hydre mâle, Hyi	00 h 02 à 04 h 33	– 58,1° à – 82,1°	243	20
Indus *(-i)*, Indien (Oiseau), Ind	20 h 25 à 23 h 25	– 45,4° à – 74,7°	294	20
Lacerta *(-ae)*, Lézard, Lac	21 h 55 à 22 h 56	+ 34,9° à + 56,8°	201	35
Leo *(-nis)*, Lion, Leo [19]	09 h 18 à 11 h 56	– 06,4° à + 33,3°	947	70
Leo *(-nis)* Minor *(-is)*, Petit Lion, LMi	09 h 19 à 11 h 04	+ 23,1° à + 41,7°	232	20
Lepus *(-oris)*, Lièvre, Lep	04 h 54 à 06 h 09	– 11,0° à – 27,1°	290	40
Libra *(-ae)*, Balance, Lib	14 h 18 à 15 h 59	– 00,3° à – 29,9°	538	50
Lupus *(-i)*, Loup, Lup	14 h 13 à 16 h 05	– 29,8° à – 55,3°	334	70
Lynx *(-cis)*, Lynx, Lyn	06 h 13 à 09 h 40	+ 33,4° à + 62,0°	545	60
Lyra *(-ae)*, Lyre, Lyr [20]	18 h 12 à 19 h 26	+ 25,6° à – 47,7°	286	45
Mensa *(-ae)*, Table, Men	03 h 20 à 07 h 36	– 69,9° à – 85,0°	153	15
Microscopium *(-ii)*, Microscope, Mic	20 h 25 à 21 h 25	– 27,7° à – 45,4°	210	20
Monoceros *(-otis)*, Licorne, Mon	05 h 54 à 08 h 08	– 11,0° à + 11,9°	482	85
Musca *(-ae)*, Mouche, Mus	11 h 17 à 13 h 46	– 64,5° à – 75,2°	138	30
Norma *(-ae)*, Règle, Nor	15 h 25 à 16 h 31	– 42,2° à – 60,2°	165	20
Octans *(-tis)*, Octant, Ocr	00 h 00 à 24 h 00	– 74,7° à – 90,0°	291	35
Ophiuchus *(-i)*, Ophiucus (ou Serpentaire), Oph	15 h 58 à 18 h 42	+ 14,3° à – 30,1°	948	100
Orion *(-is)*, Orion, Ori [21]	04 h 41 à 06 h 23	– 11,0° à + 23,0°	594	120
Pavo *(-nis)*, Paon, Pav	17 h 37 à 21 h 30	– 56,8° à – 75,0°	378	45
Pegasus *(-i)*, Pégase, Peg [22]	21 h 06 à 00 h 13	+ 02,2° à + 36,3°	1 121	100
Perseus *(-i)*, Persée, Per [23]	01 h 26 à 04 h 46	+ 30,9° à + 58,9°	615	90
Phoenix *(-cis)*, Phénix, Phe [24]	23 h 24 à 02 h 24	– 39,8° à – 58,2°	469	40
Pictor *(-is)*, Peintre (Chevalet du), Pic	04 h 32 à 06 h 51	– 53,1° à – 64,1°	247	30
Pisces *(-ium)*, Poissons, Psc	22 h 49 à 02 h 04	– 06,6° à + 33,4°	889	75
Piscis (-) Austrinus *(-i)*, Poisson austral, PsA [25]	21 h 25 à 23 h 04	– 25,2° à – 36,7°	245	25
Puppis (-), Poupe, Pup	06 h 02 à 08 h 26	– 11,0° à – 50,8°	673	140
Pyxis *(-idis)*, Boussole, Pyx	08 h 26 à 09 h 26	– 17,3° à – 37,0°	221	25
Reticulum *(-i)*, Réticule, Ret	03 h 14 à 04 h 35	– 53,0° à – 67,3°	114	15
Sagitta *(-ae)*, Flèche, Sge	18 h 56 à 20 h 18	– 16,0° à + 21,4°	80	20
Sagittarius *(-ii)*, Sagittaire, Sgt [26]	17 h 41 à 20 h 25	– 11,8° à – 45,4°	867	115
Scorpius *(-ii)*, Scorpion, Sco [27]	15 h 44 à 17 h 55	– 08,1° à – 45,6°	497	100
Sculptor *(-is)*, Sculpteur (Atelier du), Scl	23 h 04 à 01 h 44	– 25,2° à – 39,8°	475	30
Scutum *(-i)*, Ecu (de Sobieski), Sct	18 h 18 à 18 h 56	– 04,0° à – 16,0°	109	20
Serpens *(-tis)*, Serpent, Ser	15 h 08 à 18 h 56	+ 25,7° à – 16,0°	637	60
Sextans *(-tis)*, Sextant, Sex	09 h 39 à 10 h 49	+ 06,6° à – 11,3°	314	25
Taurus *(-i)*, Taureau, Tau [28]	03 h 20 à 05 h 58	+ 00,1° à + 30,9°	797	125
Telescopium *(-ii)*, Télescope, Tel	18 h 06 à 20 h 26	– 45,4° à – 56,9°	252	30
Triangulum *(-i)*, Triangle, Tri	01 h 29 à 02 h 48	+ 25,4° à + 37,0°	132	15
Triangulum *(-i)* Australe *(-is)*, Triangle austral, TrA	14 h 50 à 17 h 09	– 60,3° à – 70,3°	110	20
Tucana *(-ae)*, Toucan, Tuc	22 h 05 à 01 h 22	– 56,7° à – 75,7°	295	25
Ursa *(-ae)* Major *(-is)*, Grande Ourse, UMa [29]	08 h 05 à 14 h 27	+ 28,8° à + 73,3°	1 280	125
Ursa *(-ae)* Minor *(-is)*, Petite Ourse, UMi [30]	00 h 00 à 24 h 00	+ 65,6° à + 90,0°	256	20
Vela *(-orum)*, Voiles, Vel	08 h 02 à 11 h 24	– 37,0° à – 57,0°	500	110
Virgo *(-inis)*, Vierge, Vir [31]	11 h 35 à 15 h 08	+ 14,6° à – 22,2°	1 294	95
Volans *(-tis)*, Poisson volant, Vol	06 h 35 à 09 h 02	– 64,2° à – 75,0°	141	20
Vulpecula *(-ae)*, Petit Renard, Vul	18 h 56 à 21 h 28	+ 19,5° à + 19,4°	268	45

◄ *Nota.* – Étoiles principales : (1) Alpheratz ou Sirrah, Mirach, Almak. (2) Altaïr. (3) Capella. (4) Arcturus. (5) Cor Caroli. (6) Sirius, Adhara, Mirzam, Wezen. (7) Procyon. (8) Canopus. (9) Schedir, Caph, Tsih. (10) Rigil kentarus. (11) Alderamin. (12) Diphda, Mira. (13) Margarita. (14) Deneb. (15) Etamin. (16) Pollux, Castor. (17) Alnair. (18) Alphard. (19) Régulus, Denebola. (20) Véga. (21) Rigel, Bételgeuse, Bellatrix, Alnilam, Alnitak, Saïph, Mintaka. (22) Markab, Scheat. (23) Algénib. (24) Algol, Mirfak. (25) Fomalhaut. (26) Kaus australis, Nunki. (27) Antarès, Schaula, Dschubba, Acrab. (28) Aldébaran, El Nath. (29) Alioth, Alkaïd, Dubhe, Merak, Phecda. (30) Polaire, Kochab. (31) L'Épi.

couverts en 1960. On en connaît plus de 3 000. Leur fort décalage spectral vers le rouge conduit, d'après la loi de Hubble, à les situer aux confins de l'Univers observable (quasar le plus lointain découvert le 20-11-1989, à 14 milliards d'années de lumière de la Terre, dans la Grande Ourse). On pense qu'il s'agit de noyaux de galaxies très jeunes. Les observations de Halton Arp (quasars très voisins de galaxies) ont conduit à une remise en question de la loi de Hubble (voir p. 14 c). En 1992, la distinction entre quasars et radiogalaxies s'estompe ; il s'agit sans doute d'une même réalité dont l'aspect diffère selon l'angle de perception.

■ **Radiosource.** Astre émettant des ondes radioélectriques. Objets galactiques ou extra-galactiques, souvent de grande puissance (10^{32} à 10^{37} watts), parfois restes de novae ou de supernovae de notre galaxie ou de galaxies singulières. Les principales sont *UAI 00 N 6A* (dans Cassiopée A), *UAI 05 N 2A* (nébuleuse du Crabe dans le Taureau), *3 C 358* (supernova de Kepler dans le Serpent), *UAI 18 S 1A* (nébuleuse Oméga dans le Sagittaire), *UAI 05 NO A* (nébuleuse d'Orion), *3 C 163* (nébuleuse Rosette dans Orion). 1re découverte en 1948.

■ **Rayonnement cosmologique.** Découvert en 1965. Rayonnement thermique à 3K qui baigne tout l'espace. Selon les tenants de la théorie du « Big Bang » (voir p. 14 c), il s'agirait du résidu de la chaleur originelle de l'Univers. Ce rayonnement aurait été émis environ 1 million d'années après le « Big Bang », alors que la température de l'Univers atteignait encore 3 000 K, il n'aurait cessé de se refroidir depuis, par suite de l'expansion de l'Univers (en perdant de l'énergie, ce rayonnement primitivement lumineux s'est transformé en ondes radio).

■ **Supernova.** Étoile massive ayant atteint un stade avancé de son évolution, qui explose et se manifeste temporairement par un éclat beaucoup plus élevé.

2 TYPES : *Type I* (explosion d'une naine blanche) qui devient très brillante (après le maximum, leur luminosité décroît avec le temps de façon approximativement exponentielle). La matière qu'elle éjecte dans l'espace est pauvre en hydrogène mais contient davantage d'éléments métalliques lourds que la majorité des étoiles. L'étoile-mère aurait une masse moyenne (env. 5 fois celle du Soleil) et serait complètement détruite par l'explosion qui ne laisserait aucun résidu compact stable. *Type II* (effondrement d'une géante jeune) atteignant au max. une magnitude moins élevée qui décroît aussi plus rapidement et irrégulièrement. Elle résulterait de l'explosion d'étoiles d'au moins 9 fois la masse du Soleil qui ont acquis un noyau de fer et une structure en « pelures d'oignon » avec des couches concentriques d'éléments de plus en plus légers vers la périphérie. L'arrêt brutal des réactions nucléaires dans le noyau de fer provoquerait son implosion. Une onde de choc serait ainsi créée en retour entraînant l'éjection des couches extérieures de l'étoile (à des vitesses

Supernovae observées dans notre Galaxie. Date (maximum d'éclat), durée de visibilité à l'œil nu, observateurs, magnitude apparente atteinte au maximum d'éclat, constellation : **185** (7-12) 20 mois, Chinois, – 8, Centaure. **1606** (fin avril) 25 mois, Chinois, Arabes, Japonais, Italiens – 9, Loup. **1054** (4-7) 22 mois (23 j. en plein jour) Chinois, Japonais, – 5, Taureau (la matière éjectée a donné naissance à la nébuleuse du Crabe). **1181** (août) 6 mois, Chinois, Japonais, + 2, Cassiopée. **1572** (11-11) 17 mois, Tycho Brahe, – 4, Cassiopée. **1604,** 12 mois, J. Kepler et D. Fabricius, Chinois et Coréens, – 2,5, Ophiucus.

Extérieures à notre Galaxie. À l'époque moderne, la 1re supernova visible à l'œil nu a été SN 1987 A dite *Sanduleak 69202,* observée à partir du 23-2-1987 dans le Grand Nuage de Magellan (à 170 000 années de lumière) ; son éclat a atteint la magnitude 3. Contrairement à la théorie, elle a pour précurseur une étoile bleue et non une rouge, mais elle aurait été précédemment une géante rouge qui aurait perdu ses couches extérieures. Ce n'est ni un trou noir ni un pulsar. Le 29-3-93, apparition de 1993J dans la galaxie Meissier 81, magnitude 10, 10 millions d'années de lumière.

dépassant 10 000 km/s). L'effondrement gravitationnel du noyau laisserait un résidu compact ultradense : une étoile à neutrons ou un trou noir.

■ **Trou noir.** Ultime état d'évolution d'une étoile au moins 3 fois plus lourde que le Soleil et ayant subi un effondrement ou « implosion ». Région de densité extraordinairement forte : aucun rayonnement, aucune matière ne peut s'en échapper. Les trous noirs eux-mêmes sont donc impossibles à détecter. Mais leur présence se manifeste par l'attraction irrésistible qu'ils exercent sur la matière des étoiles voisines (ils la « pompent »). Quand ils attirent du gaz stellaire, l'accélération auquel il est soumis déclenche l'émission de rayons X. Certaines émissions de rayons X dans l'Univers peuvent donc être considérées comme le signe de la présence d'un trou noir. On ignore ce que devient la matière absorbée par le trou noir ; on a avancé qu'elle réapparaîtrait sous forme de « trous blancs » en d'autres régions de l'Univers. Des mini-trous noirs se seraient formés dans l'Univers très jeune, leur masse ne dépassant pas 10^{14} g.

Trous noirs possibles découverts : + de 10 dont la source X Cygnus X-1 (dans la constellation du Cygne), découverte en déc. 1972, qui correspond à un système binaire situé à env. 6 000 années de lumière dont l'une des composantes, invisible, aurait une masse égale à 10 fois celle du Soleil, tandis que l'autre est une étoile supergéante bleue, cataloguée HDE 226 868. Un trou noir détecté en 1988 à 200 millions d'années de lumière dans la galaxie NGC 5548. Un autre en 1990 à 300 millions d'années de lumière dans la galaxie NGC 6240 (il serait de 40 à 200 milliards de fois plus massif que le Soleil). Plusieurs trous noirs ont été détectés par le télescope spatial français dont un dans la constellation de la Mouche.

■ **Univers-îles.** Nom donné parfois aux galaxies depuis Kant. Avant lui, on supposait que les galaxies, appelées nébuleuses, faisaient partie de notre Galaxie.

COSMOGRAPHIE

■ **Position conventionnelle.** Quoique ce soit la Terre qui tourne autour du Soleil, on choisit, pour plus de facilité, de faire comme si la Terre était fixe, le Soleil (et le ciel) tournant autour d'elle. On parle donc du **mouvement apparent** du Soleil. Cette façon de faire explique les expressions : le Soleil se lève ou se couche.

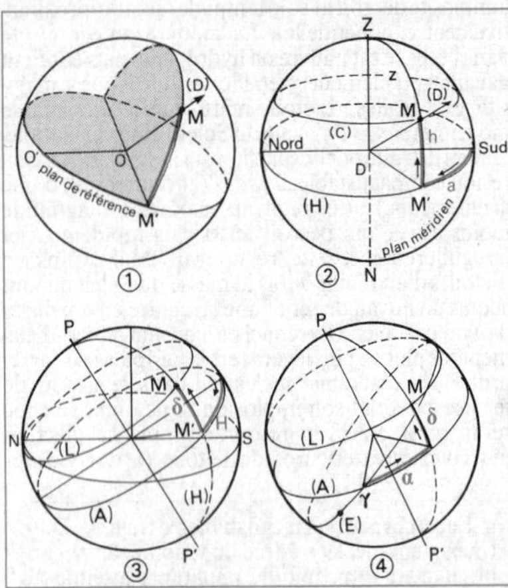

1 Repérage d'une étoile sur la sphère céleste : angle sphérique MM' entre l'étoile et le plan de référence, angle O'M' entre projection sphérique de M sur ce plan et un point origine O' fixe. **2** Sphère locale et coordonnées horizontales. Z : Zénith, N : Nadir, h : hauteur, z : distance zénitale, a : azimut, (H) : cercle horizontal, (C) : cercle de hauteur. **3** Sphère locale et coordonnées horaires. H : angle horaire, δ : déclinaison, (A) : équateur céleste, (L) : parallèle céleste. **4** Sphère des fixes et coordonnées équatoriales. (E) : écliptique, γ : point vernal, α : ascension droite, δ : déclinaison.

L'**écliptique** est la trajectoire apparente du Soleil en une année ; c'est aussi le plan (incliné de 23°26′ sur celui de l'équateur) dans lequel se déplace en réalité le centre de la Terre autour du Soleil.

Les 2 intersections de l'écliptique avec l'équateur sont les **équinoxes.** Le **point vernal** (ou **point** γ) est le point où se trouve le Soleil à l'équinoxe de printemps. On distingue un point γ vrai qui se déplace chaque année par rapport aux étoiles fixes (il fait ainsi le tour en 25 785 ans), et un point γ fixe conventionnel. γ vrai rétrograde chaque année d'environ 50″26 en raison du mouvement en axe de toupie de l'**axe du monde** autour duquel tourne la Terre (**précession des équinoxes**), d'où il résulte que le **pôle boréal (Nord)** n'est pas toujours à la même place dans le ciel ; actuellement très proche de l'étoile Polaire (étoile α de la Petite Ourse) ; il se trouvait il y a 4 000 ans dans la constellation du Dragon. Le **pôle austral (Sud)** tourne de la même façon.

■ **Coordonnées horizontales d'une direction. 1) l'azimut a,** angle dièdre du vertical de P′ et de celui de M, compté en degrés dans le sens rétrograde, de 0° à 360° ou de – 180° à + 180° (dans la marine française, le vertical de P et non celui de P′ est employé comme origine des azimuts ; il faut donc ajouter 180° à l'azimut astronomique pour obtenir l'azimut des marins) ; **2) la hauteur h,** angle de la direction (D) et du plan de l'horizon, comptée en degrés de – 90° à + 90°, à laquelle on substitue parfois la *distance zénithale z,* angle des directions de Z et de M, comptée en degrés de 0° à 180°. On a évidemment z = 90° – h.

■ **Coordonnées équatoriales célestes** (de la direction représentée par M). **1) la déclinaison** δ, angle de la direction avec le plan de l'équateur céleste, comptée en degrés de – 90° à + 90° (on utilise parfois aussi la distance polaire, angle des directions de P et de M, et qui est le complément algébrique de la déclinaison) ; **2) l'ascension droite** α, angle dièdre du méridien de la direction et de celui d'un point donné γ de l'équateur céleste, dit point vernal ou équinoxe ; elle est comptée dans le sens direct, parfois en degrés, de 0° à 360°, plus fréquemment en heures, de 0 h à 24 h (1 h = 15°, 1 min = 15′, 1 s = 15″.)

■ **Coordonnées horaires, temps sidéral local. 1) la déclinaison** δ, déjà définie ; **2) l'angle horaire H,** angle dièdre du méridien de la direction envisagée et de celui du lieu. Compté, dans le sens rétrograde, parfois en degrés, plus souvent en h, de 0 h à 24 h, ou de – 12 h à + 12 h.

Le passage du système de coordonnées horaires au système de coordonnées équatoriales est immédiat dès qu'on connaît l'angle horaire T du point vernal, qui est aussi l'ascension droite du zénith. L'angle horaire et l'ascension droite de toute direction sont en effet liés par la relation $T = H + \alpha$. Cet angle T porte le nom de temps sidéral.

■ **Coordonnées écliptiques. 1) la longitude céleste,** angle dièdre des 2 demi-grands cercles dont les extrémités sont les pôles Q et Q′ de l'écliptique, et qui contiennent respectivement le point vernal et le point représentatif de la direction envisagée, comptée de 0° à 360°, dans le sens direct ; **2) la latitude céleste,** angle de la direction envisagée et du plan de l'écliptique, comptée de – 90° à + 90°.

Les **coordonnées équatoriales** (ou écliptiques) d'une direction fixe ne sont pas constantes, car elles sont définies à partir de plans fondamentaux (équateur, écliptique) animés de mouvements dus aux actions perturbatrices de la Lune, du Soleil et des planètes. Ces mouvements sont conventionnellement décomposés en : **nutation** (superposition d'oscillations périodiques de courtes périodes et de faibles amplitudes) et **précession** (mouvement lent, mais de grande amplitude). Si l'on ne tient compte que de ce dernier mouvement, l'écliptique, l'équateur et le point vernal ainsi définis sont dits moyens. Si l'on introduit aussi la nutation, l'équateur et l'écliptique sont dits vrais. La *précession* modifie la longitude écliptique, puisque celle-ci est mesurée à partir du point γ ainsi que les coordonnées équatoriales. La position des astres est alors donnée par rapport à la Terre considérée comme le centre de la sphère céleste. L'*ascension droite* donne la position par rapport aux pôles célestes et à un méridien origine, et la *déclinaison* par rapport à l'écliptique céleste.

■ **Zodiaque.** Zone de la sphère céleste étendue de 8,5° de part et d'autre de l'écliptique (dans laquelle semblent se mouvoir le Soleil dans son mouvement apparent, la Lune, les grosses planètes et une partie des petites), divisée en 12 parties de 30° de longitude. Les signes doivent leur nom aux constellations avec lesquelles ils coïncidaient il y a 2 000 ans : le passage du Soleil au point vernal (jour de l'*équinoxe* du printemps ; actuellement c'est dans les Poissons, dans 2 000 ans ce sera dans le Verseau) coïncidait alors avec son entrée dans le signe comprenant la constellation du Bélier. Par suite de la *précession* des équinoxes, le point vernal rétrograde sur l'écliptique de 50″26, soit 30° en 2 150 ans.

Le Zodiaque comprend en fait 13 constellations (avec le Serpentaire).

ENTRÉE DU SOLEIL DANS LES SIGNES DU ZODIAQUE EN TEMPS UNIVERSEL

Signe	1993	1994
Verseau	20-01/15 h 32	20-01/ 7 h 08
Poissons	19-02/ 5 h 54	18-02/21 h 23
Bélier	21-03/ 5 h 14	20-03/20 h 29
Taureau	20-04/16 h 39	20-04/ 7 h 37
Gémeaux	21-05/16 h 06	21-05/ 6 h 49
Cancer	22-06/ 0 h 14	21-06/14 h 49
Lion	23-07/11 h 07	23-07/ 1 h 42
Vierge	23-08/17 h 59	23-08/ 8 h 45
Balance	23-09/15 h 19	23-09/ 6 h 20
Scorpion	24-10/ 0 h 19	23-10/15 h 37
Sagittaire	22-11/21 h 38	22-11/13 h 07
Capricorne	22-12/10 h 52	22-12/ 2 h 23

Nota. – L'entrée du *Soleil* dans le *Bélier* correspond à l'*équinoxe de printemps ;* dans le *Cancer* au *solstice d'été ;* dans la *Balance* à l'*équinoxe d'automne ;* dans le *Capricorne* au *solstice d'hiver.*

L'UNIVERS

GÉNÉRALITÉS

■ **Définition.** L'Univers, que l'on observe actuellement jusqu'à des distances d'environ 15 milliards d'années de lumière, comprend tout ce qui existe, c'est-à-dire des millions de galaxies séparées dans un espace contenant des poussières, des gaz et des particules atomiques.

Si la distance Terre-Soleil était représentée par un micron (1 millième de mm, or elle est en moyenne de 149 600 000 km), le diamètre de notre galaxie serait de 6,3 km, Andromède serait à 126,6 km, l'amas de la Vierge à 2 278,8 km, l'amas éloigné de la Grande Ourse à 106 344 km et les limites supposées de l'Univers à 759 600 km.

■ **Cosmologie.** S'efforce de déterminer les lois qui gouvernent l'Univers. La plupart des théories modernes admettent les principes de la relativité générale (Einstein, 1917) :
– *l'espace,* à 3 dimensions (longueur, largeur, hauteur), et *le temps,* à 1 dimension (durée), sont liés : l'Univers est un espace-temps à 4 dimensions (la position d'un point quelconque y est définie par 3 coordonnées spatiales et 1 coordonnée temporelle) ; *la matière* et *l'énergie* contenues dans l'Univers le déforment : l'Univers est courbe.

■ **Géométrie de l'Univers.** Si l'on admet que l'Univers a les mêmes propriétés dans toutes les directions (isotropie) et que la matière y est uniformément distribuée (homogénéité), 3 modèles d'Univers sont envisageables (Friedman, 1922) :
– *sphérique,* ou à courbure positive (à 2 dimensions, l'espace peut être représenté par la surface d'une sphère) : Univers fini mais sans frontières ;
– *hyperbolique,* ou à courbure négative (à 2 dimensions, l'espace peut être représenté par la surface d'une selle de cheval) : Univers infini ;
– *euclidien,* ou à courbure nulle (à 2 dimensions, l'espace peut être représenté par une surface plane) : Univers infini.

Dans les 3 cas, le rayon de courbure de l'Univers varie avec le temps : s'il croît, l'Univers est en expansion ; s'il décroît, l'Univers est en contraction. On peut imaginer un type d'Univers pulsant, passant par des phases d'expansion et des phases de contraction. A un instant donné dans le passé, le rayon de l'Univers était nul : c'est l'origine de l'Univers actuel. Peut-être l'Univers existait-il antérieurement, mais on ne peut pas le savoir. Selon les observations astronomiques, l'Univers semble effectivement homogène et isotrope à grande échelle.

■ **Age de l'Univers.** Environ 15 milliards d'années pour la plupart des théoriciens.

■ **Évolution de l'Univers.** Edwin Hubble (1889-1953), en 1929, a découvert que les galaxies ont un spectre décalé vers le rouge (le *redshift*) et, en admettant qu'il s'agit d'un effet Doppler (Voir index), a tiré de ses observations une loi selon laquelle toutes les galaxies s'éloignent les unes des autres, les + lointaines s'éloignant le + rapidement : V = H.d (V : vitesse de récession d'une galaxie dont la distance est d ; H : constante de Hubble, env. 25 km/s par million d'années de lumière). Si la théorie de la relativité est valable, cela signifie que l'Univers est en expansion. La plupart des astrophysiciens admettent aujourd'hui la réalité de l'expansion.

■ **Origine. Théorie du « Big Bang » (Grand Boum) :** énoncée par George Gamow (Russe naturalisé amér., 1904-68) ; vulgarisée en 1978 par l'Amér. Steven Weinberg (n 3-5-1933), dans *Les Trois Premières Minutes de l'Univers* : l'Univers actuel serait issu d'une énorme explosion, le Big Bang (BB), survenue il y a env. 15 milliards d'années (cf : Théorie de l'atome primitif de l'abbé Lemaître, 1927). En extrapolant les résultats obtenus en étudiant des collisions de particules à hautes énergies dans de grands accélérateurs comme ceux du CERN, on a pu retracer ainsi l'histoire des 1ers instants de l'Univers. On ne sait pas encore ce qui s'est passé du Big Bang *(temps de Planck)* à - de 10^{-43} seconde après : aucune théorie ne permet actuellement d'envisager le comportement de la matière à la température d'alors (+ de 10^{32} Kelvin). L'Univers primitif est une « soupe » de particules s'agitant en tous sens à des vitesses proches de celle de la lumière. Au gré d'incessantes collisions, certaines particules s'annihilent, d'autres apparaissent. Cette « soupe » aurait d'abord été composée de quarks et d'antiquarks (objets quantiques de charge fractionnaire) ; puis, elle se serait enrichie de particules et d'antiparticules légères, appelées leptons (électrons, neutrinos et leurs antiparticules). *10^{-6} s après (température 10^{13} K) :* 1res particules lourdes, protons et neutrons apparaissant grâce à l'association de triplets de quarks. Puis les leptons prolifèrent. *1 s après (temp. 10^{10} K) :* protons et neutrons commencent à se combiner pour former du deutérium, mais l'énergie des photons est encore suffisante pour briser ces 1ers nucléons. *3 min après (temp. à 10^6 K) :* les photons deviennent incapables de briser les liaisons nucléaires. L'Univers commence à fabriquer des noyaux atomiques légers : hydrogène, hélium, lithium. *15 min après :* cette nucléosynthèse primordiale s'achève, l'Univers continue à se dilater et à se refroidir, il passe du violet au jaune puis à l'orange et au rouge, restant encore opaque, l'espace foisonnant de particules chargées interagissant avec les photons avant que ceux-ci puissent se propager sur de grandes distances. *300 000 à 400 000 ans après (temp. inférieure à 3 000 K) :* la matière et le rayonnement se découplent, l'Univers devient transparent ; début de *l'ère de la matière. 1 milliard d'années après environ :* 1res galaxies se forment. Il reste comme trace de cette explosion un rayonnement radioélectrique « fossile » et une température résiduelle à 3°K. Les mesures du satellite COBE (Cosmic Background Explorer) confirment la théorie du Big Bang en révélant les microvariations de cette température résultant logiquement de l'inhomogénéité de l'Univers primitif.

☞ En 1948, George Gamov avait prédit l'existence de ce rayonnement fossile qu'il évaluait à 7°K. En 1955, Émile Le Roux (25 ans) l'avait détecté au laboratoire de radioastronomie de l'École normale supérieure à l'aide d'antennes de radars allemands récupérés après la guerre.

■ **Évolution future de l'Univers.** 3 scénarios sont envisagés selon la densité de la matière présente dans le cosmos : 1) l'expansion ne cessera jamais mais elle se poursuivra soit à une vitesse qui augmentera toujours, soit à une vitesse qui diminuera toujours ; 2) l'expansion se ralentira ; 3) une phase de contraction surviendra, ramenant l'Univers dans un état extrêmement dense. On passe de l'hypothèse 1 à l'hypothèse 3 selon que la vitesse d'expansion est suffisante ou non, vis-à-vis des masses en jeu, pour une libération gravitationnelle.

D'après certaines expériences, il se pourrait que le *neutrino,* particule surabondante dans l'Univers, possède une masse infime. La densité de matière serait alors suffisante pour ralentir l'expansion, la stopper et engendrer une phase de contraction de l'Univers. Selon certains astrophysiciens, l'énergie initiale aurait donné naissance à des quantités égales de matière et d'antimatière qui se seraient regroupées dans 2 régions différentes. L'Univers actuel serait donc formé symétriquement de matière et d'antimatière.

Théories de l'Univers stationnaire, sans commencement ni fin. Selon la plus connue, celle de la *création continue* (Hermann Bondi, Thomas Gold, Fred Hoyle, 1948), bien que les galaxies ne cessent de se disperser dans l'espace, la densité de matière de l'Univers resterait constante grâce à la création continue de nouveaux atomes. Elle est aujourd'hui abandonnée.

Critiques du « Big Bang » : de nombreux objets extra-galactiques échappent aux lois de la mécanique expansionniste. Il s'agit principalement de couples galaxie-objet compact (reliés par des ponts de matière), dont les 2 éléments ne s'éloigneraient pas à la même vitesse, si le *redshift* (décalage vers le rouge) est bien un effet Doppler.

Ainsi, pour NGC 1199 : le 1er élément (petite galaxie bleue) s'éloigne à 13 400 km/s et le 2e (objet compact relié à elle) à 2 600 km/s. Or, le 1er reste dans la même position apparente par rapport au 2e (pour l'observateur terrestre : juste devant). Il est donc impossible qu'il soit animé d'une vitesse différente.

Les quasars (voir p. 12 c) ont un fort décalage spectral vers le rouge, qui, interprété comme un effet Doppler-Fizeau, conduit à les localiser beaucoup plus loin que toutes les galaxies connues. Or Halton Arp (Amér., n. 1927) cite de nombreux cas de galaxies et de quasars qui, tout en ayant des *redshifts* très dissemblables, sont voisins et se trouvent en interaction (extension ou filament lumineux se dirigeant de la galaxie vers le radar). Les écarts entre les *redshifts* ne seraient donc pas imputables à un éloignement différent.

☞ *Selon Jean-Claude Pecker* (Fr. n. 10-5-23) *et Jean-Pierre Vigier* (Fr. n. 1919), le décalage vers le rouge ne serait pas dû à l'éloignement des galaxies mais à un « vieillissement » de la lumière. Une particule élémentaire, le *boson scalaire* ou *particule* ϕ, viendrait de la décomposition des neutrinos émis par les réactions nucléaires des étoiles. Les photons lumineux heurteraient les bosons et, perdant ainsi de l'énergie, changeraient de couleur. Les bosons ne dévieraient pas la trajectoire de la lumière lors de la collision. Les images des galaxies resteraient donc nettes, seule leur couleur serait décalée. *Ces bosons n'ont cependant pu être décelés.*

Structure à grande échelle de l'Univers : *rayon de l'Univers observable* de 15 à 20 milliards d'années de lumière [du fait de l'expansion de l'Univers, il y a un horizon cosmologique (au-delà duquel on ne peut plus espérer rien voir) délimité par la sphère au niveau de laquelle la vitesse de récession des galaxies atteint la vitesse de la lumière]. *Groupement :* les *étoiles* (1 000 milliards de milliards) repérées sont groupées en *galaxies,* les galaxies en *amas,* les amas en *superamas* (3 000 recensés). L'amas dans lequel est située notre Galaxie contenant le système solaire contient env. 30 galaxies (Amas local). Il est inclus dans le *Superamas local* (env. 5 millions d'années de lumière dans sa plus grande dimension), centré sur l'amas de la Vierge. A très grande échelle, les galaxies formeraient une structure cellulaire, en se répartissant sur les arêtes, les faces et les sommets de polyèdres, ayant des dimensions moyennes de 300 millions d'années de lumière. Leur disposition serait semblable à celle des molécules de cellulose dans un tissu végétal. La découverte en 1989 d'un *« hyperamas »* attirant des galaxies entières de la région de l'Hydre met en question le postulat de l'homogénéité de l'Univers.

Vie dans l'Univers

L'exobiologie recherche les formes de vie extra-terrestre. Pour rendre la vie possible (comme nous la connaissons) et lui permettre de se développer, il est nécessaire de réunir ces conditions :

1. **Présence d'eau** (en masses assez importantes pour former des océans) : sur Terre, la vie s'est développée dans les océans, et serait détruite en milieu non aqueux. Il y aurait peut-être une planète sur 1 million dans la Galaxie qui pourrait contenir des océans (c.-à-d. env. 200 000, puisqu'il y a 200 milliards d'étoiles).

2. **Présence d'oxygène,** qui, en se combinant avec le carbone, libère l'énergie indispensable à l'activité vitale (les anaérobies, vivant en l'absence d'air, tirent leur oxygène de composés organiques qu'ils décomposent).

3. **Une certaine température** *maximale* (100 °C pour les bactéries, 65 °C environ pour les êtres complexes) et *minimale* (certaines bactéries ou certains végétaux à très basse température restent en vie, mais ne peuvent se développer, leurs fonctions vitales étant arrêtées).

L'origine et l'évolution de notre règne vivant impliquent la rencontre au hasard de tant d'éléments favorables et exceptionnels que leur existence, dans une autre planète, peut apparaître improbable. Cependant, si nous raisonnons en « temps géologique » (milliards d'années) et en « espaces cosmiques » (milliards de systèmes solaires), un nombre presque infini d'alternatives apparaît, tel que toute éventualité déjà réalisée une fois (conditions de vie terrestre) doit se retrouver presque sûrement une ou plusieurs autres fois.

Ainsi, on peut penser qu'il existe dans certaines planètes du système de notre Galaxie, ou ailleurs, les matériaux et les conditions qui ont engendré la vie sur notre globe. Mais une fois apparue, cette « matière vivante » n'a pas nécessairement suivi le même schéma évolutif que le nôtre. D'ailleurs, au cours de son évolution, la vie terrestre aurait eu de multiples occasions de s'arrêter ou de suivre des voies différentes, et il a fallu une longue série de hasards favorables pour qu'elle aboutisse à l'homme. Parmi ceux-ci, l'immense développement du règne végétal, qui enrichit l'atmosphère en oxygène et fournit la ressource énergétique permettant le développement du règne animal.

La transformation d'un tout petit nombre de primates vivant en Afrique centrale. S'ils n'avaient pas existé (ou s'ils avaient disparu précocement), l'homme n'aurait pas vu le jour et, en son absence, les « maîtres de la Terre » seraient les insectes sociaux au psychisme le plus développé et le mieux différencié chez les êtres vivants.

Nota. – La NASA a décelé sur une météorite tombée en Australie (Murchison) le 28-9-1969 des traces d'acides aminés d'origine chimique et extra-terrestre témoignant d'une évolution chimique du type de celle qui a permis l'apparition de la vie sur la Terre. La *météorite tombée à Orgueil* (France) le 14-5-1864 et conservée en partie à Montauban, Paris et New York, ainsi que la *météorite tombée à Mokvia* (Nouvelle-Zélande), auraient offert des traces comparables (cela est contesté).

Programme SETI (Search of Extra-Terrestrial Intelligence). Programme d'écoute de l'Univers poursuivi par la NASA depuis 30 ans à la recherche d'une intelligence extra-terrestre. Depuis octobre 1992, l'écoute est relancée par 2 programmes (durée 10 ans) dans la gamme 3 à 30 cm : *1) la Targeted Search* (recherche ciblée), à partir du radiotélescope d'Arecibo (Porto Rico), associé à un récepteur Megaseti MCSA (Multi Channel Spectrum Analyser) avec 14 millions de canaux de réception et une antenne de 300 m de diamètre, écoute les 800 étoiles les plus proches de nous et ressemblant le plus au Soleil, à raison d'une minute par étoile et par fréquence possible. *2) Le Sky Survey* (surveillance du ciel), avec le radiotélescope de Pasadena (Californie), balaie tout le ciel, mais avec une sensibilité moindre. Les 2 projets analyseront les mesures en temps réel. Le radiotélescope de Nançay (France) enregistre déjà 1 à 2 semaines par an 200 à 300 heures d'écoute. Jusqu'à maintenant ce programme n'a rien donné.

Notre Galaxie

Données générales

■ **Forme.** Un disque d'étoiles (de 100 000 années de lumière de diamètre) dont nous voyons la tranche (la Voie lactée). Elle tourne sur elle-même, les régions centrales ayant une rotation plus rapide que les périphériques. Forme proposée pour la 1re fois par Thomas Wright (G.-B. 1711-86). Jusqu'au XXe s., on a cru que le Soleil était en son centre alors qu'il est plutôt sur la périphérie.

■ **Contenu.** 200 milliards d'étoiles et de la matière interstellaire (plasma et poussières). En dehors du bulbe central, la matière se répartit dans des bras spiraux. En 1992, 4 trous noirs y étaient connus.

Le Soleil est une étoile de dimension médiocre, autour de laquelle gravitent les planètes avec leurs satellites et les comètes. L'ensemble forme le *système solaire* qui parcourt son orbite en 250 millions d'années *(grande année* ou *année cosmique).* Des systèmes analogues existent sans doute autour de très nombreuses étoiles de notre Galaxie.

■ **Satellites de la Galaxie.** Amas globulaires tournant autour d'un centre situé dans la constellation du Sagittaire, dans la direction du centre galactique.

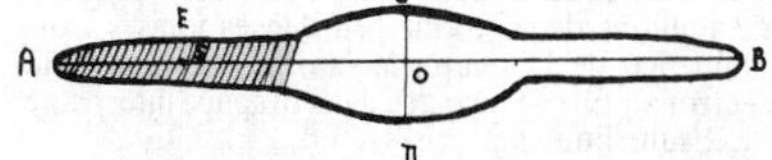

Zone hachurée : domaine accessible aux observations ordinaires. AB = 100 000 années de lumière environ ; direction du « plan galactique ». CD = 15 000 à 20 000 années de lumière. S = position du Soleil (situé en fait à environ 50 années de lumière au nord de la ligne AB). SO = 28 000 années de lumière. Un observateur situé au voisinage de S (sur Terre, par ex.) verra beaucoup plus d'étoiles dans la direction SB (Voie lactée) que dans la direction DE.

■ **Centre de la Galaxie.** On y a détecté une radio-source très compacte, *Sagittarius A Ouest* (diamètre inférieur à 100 fois la distance de la Terre au Soleil, masse 5 millions de fois celle du Soleil), source intense de rayonnements infrarouge, X et gamma, entourée d'anneaux de gaz en expansion. Certains pensent qu'il s'agit d'un trou noir (voir p. 14 a), d'autres qu'il s'agit d'un foyer d'étoiles en formation expulsant du gaz chaud.

Soleil et système solaire

■ **Origine (hypothèses). Nébulaires. Avec anneaux :** Pierre Simon de Laplace (1749-1827) considère que le Soleil et son système sont issus ensemble, il y a 4,6 milliards d'années, d'un nuage gazeux, nébuleuse primitive qui, en se condensant, a donné des anneaux fractionnés ensuite en différentes planètes. **Sans anneaux** (généralement admise à présent) : le nuage de gaz et de poussière imaginé par Laplace s'est contracté sous l'effet de forces gravitationnelles, ce qui a accru sa pression et sa chaleur. A 10 millions de degrés, les réactions nucléaires de fusion de l'hydrogène ont commencé à se produire. Sous l'effet de facteurs divers (rotation, composante gravitation), le nuage s'aplatit, lui donnant la forme d'un disque (10 milliards de km de diamètre ; 100 millions de km d'épaisseur) dont sont issues les planètes (par condensation et accrétion). Près du Soleil ont subsisté surtout les métaux et le silicium (planètes telluriques), loin du Soleil, les gaz et des glaces d'eau, d'ammoniac, de méthane, etc. (planètes géantes). Un équilibre durable (10 milliards d'années dont 5 écoulés) s'établit entre les forces de gravitation énormes (masse) et le débit d'énergie nucléaire. Lorsque la fusion épuise l'hydrogène, produisant un noyau de plus en plus stable, celui-ci s'effondre, les couches externes « rebondissent » sur le noyau et le rayon augmente de 700 000 à 100 millions de km ; le Soleil devient une « géante rouge » dont l'expansion a refroidi les couches externes (encore 3 000°) et absorbé la Terre. Des réactions de plus en plus énergétiques (fusion de l'hélium) se produisent, les couches externes sont en partie éjectées (en 10 millions d'années, réduction à une « naine blanche », puis à une « naine noire » quasi invisible). 2 grandes énigmes : celle de l'« étincelle » initiale qui a déclenché la contraction de la nébuleuse, et celle du processus final d'agglomération des planètes.

■ **Hypothèses pratiquement abandonnées. Collision :** le Soleil aurait donné naissance aux planètes au cours d'une collision avec une autre étoile. Selon *James Jeans* (G.-B. 1877-1946) : l'étoile arrache au Soleil un « cigare » de matière qui se sectionne. Selon *Woolfson* (G.-B. n. 1927) : le « cigare » vient de l'étoile. **Étoile jumelle :** il y aurait eu primitivement 2 Soleils : le 2ᵉ s'est désintégré, et a fourni les planètes. **3 pré-étoiles :** primitivement, il y avait 3 pré-étoiles : le Soleil, Jupiter, Saturne, dont 2 (Jupiter et Saturne) ont manqué leur explosion thermique faute d'une masse suffisante.

■ **Caractéristiques. Diamètre :** 1 392 530 km. **Rotation :** 25 à 35 j suivant les régions. **Masse moyenne :** $1{,}989.10^{30}$ kg. **Émission thermique totale :** 10^{26} cal. par s. Chaque cm^2 de la photosphère rayonne une puissance de 6,45 kW, et le flux total d'énergie libérée par le Soleil est de 4.10^{23} kW. Sa *lumière* met 8 minutes env. à nous parvenir. **Vitesse de déplacement absolue dans l'espace :** 216 km/s ; relative par rapport aux autres étoiles (en direction de la constellation d'Hercule) : 19 km/s.

Dimensions par rapport à la Terre : densité 0,256 (par rapport à l'eau 1,41) ; masse 333 432 fois ; surface 11 900 fois ; volume 1 300 000 fois.

Composition : le Soleil comprend : le **noyau** (diamètre env. 400 000 km, composé principalement d'hydrogène et d'hélium, temp. 15 millions °C) qui agit comme un réacteur thermonucléaire et s'échauffe progressivement ; une **zone radiative ;** une **zone convective** (env. 200 000 km d'épaisseur). La **photosphère**, épaisse de 400 km env. (temp. décroissant vers l'extérieur de 6 600 à 4 500 °C). La **chromosphère,** épaisse d'env. 8 000 km, basse atmosphère du Soleil (temp. croissant de 4 500 à 50 000 °C). La **couronne,** couches supérieures de l'atmosphère (1 à 2 millions de °C). Gaz peu denses ionisés (sous l'influence de la temp., les atomes perdent leurs électrons). Elle se disperse dans l'espace interplanétaire, sans limites précises.

Activité solaire (phénomènes observés quotidiennement) : **taches** sombres [régions plus froides de la photosphère (4 500 °C au lieu de 6 000 °C) ; associées à un très fort champ magnétique] soumises à un cycle solaire de 11 ans. Minimum : 50 groupes de taches par an ; maximum : 500. Durée : de quelques jours à plusieurs mois. Étendue maximale : 18 milliards de km^2 (le 8-4-1947). **Facules** brillantes entourant les taches. **Explosions** *thermonucléaires* à 14 millions de °C, 2 atomes d'hydrogène se combinant en *deuton* qui se combine ensuite en *hélium* avec un 3ᵉ noyau. **Éruptions** et **protubérances** gazeuses pouvant s'élever à 1 million de km au-dessus de la chromosphère. **Émissions** de rayonnements (X, ultraviolet, radio, etc.) et de particules atomiques dans l'espace interplanétaire : flux d'atomes, noyaux d'hélium, électrons, protons, particules chargées emprisonnées par le champ magnétique terrestre et créant les « orages magnétiques » (vent solaire).

L'héliopause : zone de contact entre plasma solaire et gaz froid interstellaire serait à 15 milliards de km.

■ **Futur.** Dans 5 milliards d'années env., le Soleil deviendra une étoile géante rouge. Il engloutira sans doute Mercure et Vénus, et la Terre deviendra une fournaise. Puis il éjectera ses couches externes (qui formeront une nébuleuse planétaire) et ne subsistera que sous les traits d'une naine blanche ayant env. la taille de la Terre.

☞ *12 janv. de l'an – 10352 :* toutes les planètes du système solaire furent réunies dans un octant (secteur de 45°). *9 nov. 1881 :* le Soleil, Mercure, la Terre, Mars, Jupiter, Uranus, Neptune et Pluton presque alignés. *Mars 1982, janv. 1984 :* groupement de toutes les planètes dans un quadrant.

L'hypothèse d'une petite étoile obscure (Némésis) passant tous les 30 millions d'années à son périhélie, à env. 20 000 fois la distance de la Terre au Soleil, et perturbant les orbites des comètes rassemblées dans le nuage d'Oort (voir p. 19 c), est abandonnée.

Planètes

■ Données générales

■ **Catégories.** On distingue : 1°) **9 planètes principales :** *4 telluriques* (Mercure, Vénus, la Terre et Mars), de taille et de composition proches (surtout roches silicatées et fer) ; *4 géantes* dites aussi *joviennes* (Jupiter, Saturne, Uranus et Neptune), riches en glaces et en composés gazeux de l'hydrogène ; *Pluton* (la plus petite), 2°) **des milliers d'astéroïdes** (petits corps rocheux) gravitant entre Mars et Jupiter. Leur masse totale ne dépasse pas 1/3 000 de la masse de la Terre. *Mercure* et *Vénus,* plus proches du Soleil que la *Terre,* sont les planètes inférieures, *Mars* et les suiv. les pl. supérieures.

■ **Densité** (par rapport à l'eau : 1). Terre 5,52. Mercure 5,45. Vénus 5,18. Mars 3,96. Lune 3,33. Astéroïdes environ 3. Pluton 2,1. Neptune 1,64. Uranus 1,57. Jupiter 1,33. Saturne 0,71.

■ **Distances au Soleil** (en unités astronomiques, soit dist. moyenne de la Terre au Soleil : 149 597 870 km). 1°) **planètes connues dès l'Antiquité :** *Mercure* (0,39), *Vénus* (0,72), *la Terre* (1), *Mars* (1,52), *Jupiter* (5,20), *Saturne* (9,55) ; 2°) **découvertes depuis :** *Uranus* (19,22) découverte le 13-3-1781, *Neptune* (30,11) déc. le 23-9-1846, et *Pluton* (39,52) déc. 13-3-1930. Tous les 248 ans, Neptune est plus éloignée du Soleil que Pluton pendant 20 ans. Il en est ainsi depuis le 22-01-1979 à mars 1999.

■ **Mouvement des planètes.** Les planètes gravitent approximativement dans le même plan moyen (seuls Mercure et Pluton s'en écartent un peu) sur des orbites à peu près circulaires. Leur révolution autour du Soleil s'effectue dans le sens inverse des aiguilles d'une montre (sens direct), qui est aussi le sens de rotation du Soleil sur lui-même. Planètes et astéroïdes tournent sur eux-mêmes en quelques heures (sauf Mercure 58,6 j et Vénus 242, 98 j), en général dans le même sens que leur mouvement de révolution autour du Soleil (sauf Vénus et Uranus).

Lois de Kepler (régissant le mouvement des planètes autour du Soleil). **1°)** Les planètes décrivent autour du Soleil des orbites elliptiques dont le Soleil occupe un des foyers. **2°)** Les aires balayées par les rayons vecteurs en des temps égaux sont égales. **3°)** Les carrés des temps de révolution sont proportionnels aux cubes des demi-grands axes des orbites ; ainsi pour 2 planètes dont les révolutions sont respectivement égales à T et T', qui ont des orbites dont le demi-grand axe est a et a', on aura :

$$\frac{T^2}{T'^2} = \frac{a^3}{a'^3}$$

Ces lois se déduisent de l'attraction universelle.

La rotation autour du Soleil, ou **révolution sidérale,** correspond à une « année ». L'*année* terrestre est de 365,24 j ; l'année plutonienne vaut 248 années terrestres, etc.

■ **Nom des formations du relief planétaire.** Choisi par l'Union astronomique internationale.

■ **Origine.** Les planètes se sont formées par accrétion (accroissement de masse) de « planétisimaux » issus de l'accrétion de poussières présentes dans le protosystème solaire. Les anneaux pourraient être des résidus de cette matière non accrétée, et leur caractère « primitif » nous informerait sur l'origine des planètes et donc sur celle du système solaire. Dans les planètes telluriques, plus près du Soleil, seuls les éléments lourds étaient condensables ; alors que pour les planètes géantes plus froides, les molécules légères se sont aussi condensées, les rendant plus massives et attractives.

■ **Vitesse de libération** (vitesse minimale qu'il faut communiquer à un corps pour qu'il quitte définitivement la planète). En m/s. **Planètes denses :** Terre 11 180, Vénus 10 360, Mars 5 018, Mercure 4 246, Lune 2 375, astéroïdes maximum 44. **Légères :** Jupiter 59 850, Saturne 35 570, Neptune 23 270, Uranus 21 550, Pluton 1 270.

■ Planètes principales

■ **Mercure. Distance** *moyenne au Soleil :* 57,90 millions de km. **Diamètre :** 4 878 km. *Masse :* 0,056 (Terre = 1). **Densité** *moy. :* 5,52 (eau = 1). **Rotation** *sur elle-même :* 58,6 j. **Révolution** *autour du Soleil :* 87,969 j. **Durée du jour** *mercurien :* 175,9 j. **Température** *du sol :* 200 °C à 430 °C sur la face éclairée ; – 150 °C à – 200 °C sur la face non éclairée. **Atmosphère :** pratiquement nulle, sauf une très fine enveloppe d'hélium. **Champ magnétique :** 1/200 du champ terrestre. **Morphologie :** noyau de fer plus gros que la Lune (3 600 km de diamètre) entouré d'un manteau de silicates. **Surface** *(photographiée par Mariner 10 en 1974-75) :* comparable à celle de la Lune. **Vie :** pas de vie possible (température, pas d'atmosphère dense). **Satellites :** aucun.

■ **Vénus. Distance** *moy. au Soleil :* 108,2 millions de km. **Diamètre :** 12 104 km. **Masse :** 0,817 (Terre = 1). **Densité** *moy. :* 5,1. **Rotation** *sur elle-même :* 242,98 j dans le sens rétrograde. **Révolution** *autour du Soleil :* 224,701 j (inférieure à la rotation). **Durée du jour** *vénusien :* 116,74 j. **Satellites :** aucun. **Température** *du sol :* 460 °C. **Pression :** 92 atmosphères. **Champ magnétique :** non détecté.

Atmosphère : composée à 97 % de gaz carbonique, laisse passer 2 % de la lumière solaire (Terre 30 %) ; sur les 98 % perdus, 75 % sont réfléchis par la haute atmosphère, et 23 % sont absorbés par l'atmosphère centrale. Vénus ne reçoit ainsi que 55 W d'énergie solaire par m^2 (la Terre 600 W, bien que moins proche du Soleil), le rayonnement solaire représente 2 700 W pour Vénus (la Terre 1 400 W). 3 couches : 1) *70-60 km d'altitude* (nuages réfléchissant la lumière solaire) : pression 0,05 atm., temp. – 30 °C ; 2) *63-48 km :* pression 2 atm., temp. + 100 °C ; 3) *48-30 km :* pression 10 atm., temp. + 200 °C (composée de cristaux d'acides sulfurique et chlorhydrique qui bloquent les rayons infrarouges et provoquent l'effet de serre). Cette atmosphère tourne sur elle-même rapidement (durée moyenne : 3,995 j) dans le sens rétrograde avec des vents intenses.

Géologie : la croûte, maintenant d'un seul bloc, environ 2 fois plus épaisse que la croûte terrestre, aurait été morcelée en plaques tectoniques.

Relief : *plaine* 60 %, *parsemée de cratères* 400 à 600 km de diam., profonds de 200 à 700 m.

Région au-dessus du niveau moyen 24 % ; 2 grandes régions : *Terra Ishtar* (de la dimension des USA) avec à l'est la chaîne du Mt Maxwell, le plus haut sommet de Vénus (11 250 m), à l'O. et au N. le Mt Akma (6 000 m) et les Mts Freija (7 000 m) ; et *Terra Aphrodite* (de la taille de la moitié N. de l'Afrique) comprenant une série de massifs culminant à 9 000 m à l'O. et 4 300 m à l'E., et dont l'E. est bordé par une grande vallée (largeur : 280 km ; longueur : 2 250 km) où se trouve le point le plus bas de Vénus (à 2 900 m sous le niveau de référence). Certains massifs montagneux comme *Beta Regio* (2 importants sommets, *Theia Mons* et *Rhea Mons*) à une latitude de 30° N. environ, semblent être des centres d'activité volcanique. Des éclairs ont été observés à leur aplomb.

Région au-dessous du niveau moyen 16 %. Le seul grand bassin (de la taille du bassin Nord-Atlantique) s'étend à l'E. de *Terra Aphrodite* (prof. max. : env. 3 000 m). Des photos du sol obtenues en 1975 et en 1982 par des engins soviétiques, en des points distants de 2 200 km, montrent un terrain parsemé de débris rocheux ayant subi, selon les sites, une érosion plus ou moins forte. Le sol et le ciel présentent une teinte orange due à l'épaisse atmosphère vénusienne absorbant et diffusant de façon privilégiée la composante bleue de la lumière solaire. Les images radar transmises par la sonde Magellan (voir p. 36 b) révèlent de nombreux plissements et des failles témoignant d'une activité tectonique, des coulées de lave, vestiges d'une activité volcanique, et des cratères d'impacts de météorites.

Visibilité de la Terre : Vénus est blanche : plus proche du Soleil que la Terre, elle s'en écarte peu angulairement (48° max.), on la voit donc soit le matin *(Étoile du Matin),* soit le soir *(Ét. du Soir).* Les Babyloniens, repris par Pythagore, ont affirmé les 1ᵉʳˢ que ces 2 étoiles n'en faisaient qu'une. **Exploration par radiotélescopes** (l'atmosphère nuageuse est si épaisse que seules les ondes électromagnétiques la traversent) ; par sondes : voir p. 36. Les radiotélescopes américains de Gladstone et d'Arecibo permettaient d'obtenir, à 40 millions de km, des images de sa surface avec une résolution de 2 km. Se rapprochant à 250 km, le radar de Magellan discerne des détails de 120 m. 4 000 sites ont été découverts dont env. 900 cratères d'impact qui seront nommés d'un nom d'une femme remarquable décédée depuis au moins 3 ans (sont exclues celles ayant joué un rôle militaire ou politique aux XIXᵉ et XXᵉ s., ou celles dont la célébrité est exclusivement associée à l'histoire d'une

ÉTOILES ET CONSTELLATIONS

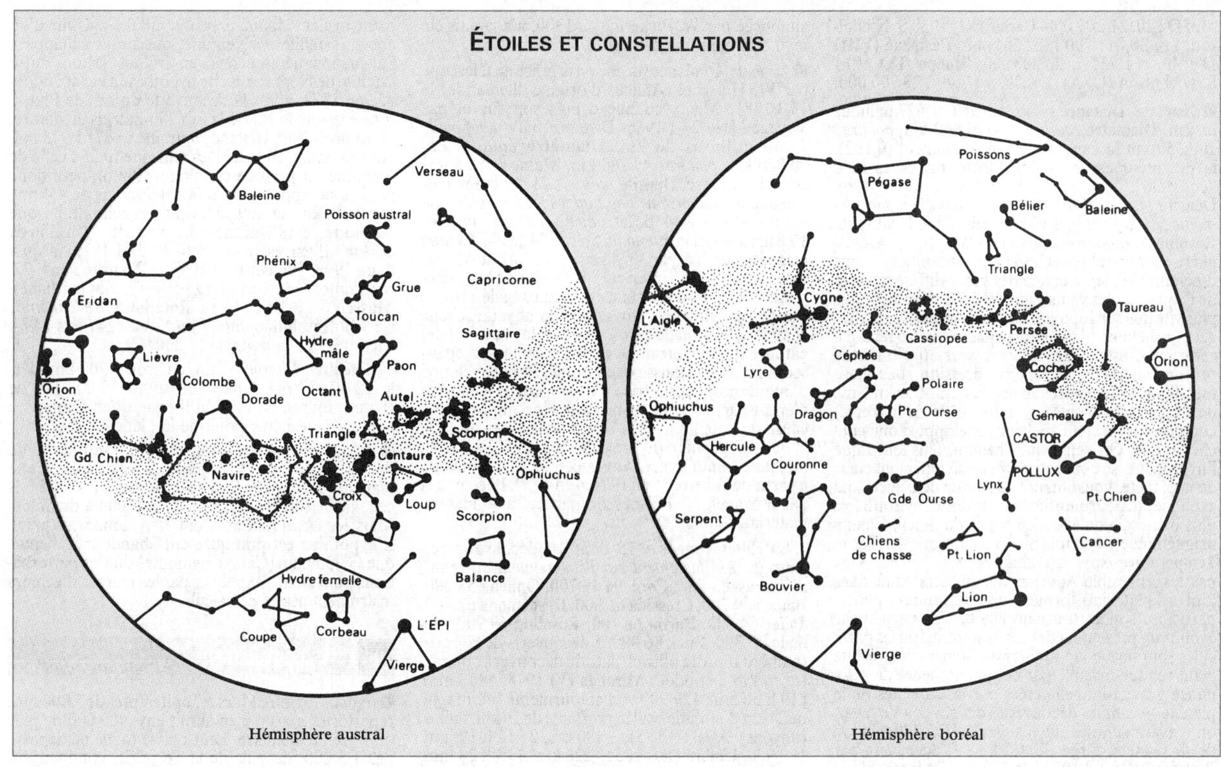

Hémisphère austral — Hémisphère boréal

grande religion ou d'un pays) ; les propositions doivent être envoyées à : Vénus Names, Magellan Project Office, Mail Stop 230-201, Jet Propulsion Laboratory, 4800 Ako Grove Drive, Pasadena, California 91109, USA ; une seule montagne, la + élevée, portera un nom d'homme déjà attribué : celui du physicien James Clerk Maxwell. Une sonde amér. a enregistré des lueurs de 30 000 lux à la surface (peut-être dues à la combustion spontanée à 490 °C de soufre d'origine volcanique, ce qui expliquerait la présence d'acide sulfurique dans l'atmosphère). Il y aurait eu des océans aussi vastes que sur la Terre dont l'eau se serait évaporée, formant les nuages vénusiens.

■ **Terre. Distance** *moy. au Soleil* [appelée « unité astronomique (ua) »] : 149 597 870 km. **Diamètre** *équatorial :* 12 756 km, *polaire :* 12 713 km. **Densité** *moy. :* 5,51. **Rotation** sur *elle-même :* 23 h 56 min 04 s *(jour sidéral).* Les marées ralentissent très légèrement sa rotation : la durée du jour augmente de 0,00164 s par siècle en moyenne. À ce ralentissement s'ajoutent de nombreuses fluctuations périodiques ou aléatoires. **Révolution** *autour du Soleil :* 1 an. **Température** *moy. du sol :* 12 °C. **Satellite :** la Lune. (voir **Terre, Lune, Atmosphère** à l'Index).

■ **Mars. Distance** *moy. au Soleil :* 227,9 millions de km. **Diamètre** *équatorial :* 6 794 km, *polaire :* 6 760 km. **Densité** *moy. :* 3,91. **Masse :** 0,108 (Terre = 1). **Rotation** *sur elle-même :* 24 h 37 min 23 s. **Révolution** *autour du Soleil :* 1 an 321,73 j. **Température** *moy. du sol :* – 25 °C (extrêmes relevées : – 140 °C au pôle, en hiver ; 27 °C à l'Équateur, à midi en été). **Saisons :** inégales ; hémisphère nord : printemps 199,6 j ; été 181,7 ; automne 145,6 ; hiver 160,1. **Cycles d'ensoleillement** dus : 1) aux variations dans l'inclinaison de Mars (entre 15° et 35°) : 10 000 ans. 2) à l'orbite excentrique, 1 an, avec variations de 40 %. **Atmosphère :** ténue : pression moy. au niveau du sol valant 5 à 6 millibars (sur Terre 1 310) ; perd chaque seconde 1 à 2 kg ; gaz carbonique 95,3 %, azote 2,7 (0,4), argon 1,6 (0,3), oxygène 0,13, oxyde de carbone 0,07, vapeur d'eau 0,03 (si toute la vapeur d'eau de l'atm. précipitait, elle formerait sur le sol une couche épaisse de 5 µm, soit 2 000 fois moins épaisse que sur la Terre). *Nuages* blancs (cristaux de glace ou neige carbonique), jaunes (poussières) et bleus (nature inconnue). **Vie :** la présence de grandes quantités d'eau n'exclut pas l'hypothèse d'une certaine forme de vie.

Sol : *composition moy. en % :* les roches sont surtout constituées d'oxygène (48), silicium (19), fer (10), magnésium (6), calcium (6), aluminium (5). **Sous-sol :** fortement hydraté (grandes quantités d'eau sous forme de glace), sur les flancs des volcans, les éruptions provoquant une remontée de la glace. Il y a un milliard d'années, Mars aurait été recouvert d'un océan de 100 m de profondeur.

Relief : larges bassins circulaires analogues aux mers lunaires ; nombreux cratères (moins profonds et plus érodés que ceux de la Lune) dans l'hémisphère Sud (datant d'env. 4 milliards d'années) ; terrains chaotiques parsemés de dépressions en forme d'auges ; champ de dunes ; réseau de dépressions sinueuses semblant être les lits de rivières asséchées ; canyon *(Valles Marineris)* de 4 000 km de long et 120 km de large, par endroits 6 km de profondeur ; 4 volcans de 20 km d'alt. env. (le plus gros de tout le système solaire, *Olympus Mons,* a 650 km de diamètre et 26 km d'alt.) ; coulées basaltiques de 1 300 km de long. ; régions polaires recouvertes de calottes blanches, formées sans doute d'un noyau de glace recouvert d'une mince couche de givre à base de neige carbonique qui se sublime en été. Depuis la Terre, on observe des zones sombres et des régions claires présentant des variations saisonnières correspondant à du sable soulevé ou déposé par les vents martiens, parfois très violents (200 km/h) ; il ne s'agit pas de végétation comme on l'a cru autrefois. À la fin du XIXe s. certains astronomes crurent déceler des **canaux** rectilignes, et supposèrent que ceux-ci avaient été creusés par des êtres intelligents : les clichés obtenus par les engins spatiaux ont établi qu'il ne s'agissait que d'illusions d'optique. Mars est la planète qui ressemble le plus à la Terre : volcans, atmosphère, vents, tempêtes de poussière, eau (en quasi-totalité sous forme de glace mêlée à de la poussière).

Satellites : 2 découverts en août 1877 par Asaph Hall (USA, 1829-1907) : **Phobos** à 9 380 km (27 × 21 × 19 km, révol. 7 h 39 min) et **Deimos** à 3 460 km (env. 12 km de diam., révol. 30 h 18 min). Ce sont sans doute des astéroïdes captés par l'attraction planétaire. Ils se rapprochent de Mars (Phobos tombera sur Mars dans 10 ou 20 millions d'années). Jonathan Swift [dans les *Voyages de Gulliver* (1726)] et Voltaire [dans *Micromégas* (1752)] ont déjà parlé des 2 satellites de Mars, sans qu'on sache comment ils en avaient eu connaissance.

Visibilité de la Terre : Mars est visible au mieux lors des oppositions (en moyenne tous les 2 ans 50 j), Mars et le Soleil étant par rapport à la Terre exactement opposés dans le ciel. Si l'opp. a lieu fin août, la distance Mars-Terre peut tomber à 55 millions de km (opp. périhélique). Si l'opp. a lieu la 2e moitié de février, la distance minimale atteint + de 100 millions de km (opp. aphélique). **Distance maximale de la Terre** lorsque Mars est en conjonction avec le Soleil dans la 2e moitié d'août : 400 millions de km ; 355 millions en fin févr.

Exploration (voir p. 36 c).

■ **Jupiter. Distance** *moy. au Soleil :* 778,3 millions de km. **Diamètre** *équatorial :* 142 880 km, *polaire :* 133 540 km ; ce fort aplatissement est dû à sa grande vitesse de rotation. **Masse :** 317,83 fois celle de la Terre. **Densité** *moy. :* 1,31, environ 4 fois moins que la Terre parce que constituée à 99 % d'hydrogène et d'hélium. **Révolution** *autour du Soleil :* 11 ans 384,4 j. **Rotation** *sur elle-même :* 9 h 55 min. Possède des anneaux dont un de 6 500 km de large et de 30 km d'épaisseur, découvert le 5-3-1979 par les sondes Voyager, à 56 000 km au-dessus des nuages. **Sol :** pas de surface solide. **Atmosphère :** seule partie visible, formée de ceintures nuageuses d'altitudes différentes (bande sombre parallèle à l'équateur, séparée par des zones claires) reflétant une circulation atmosphérique très turbulente (rotation de 9 h 50 à 9 h 56 min selon la latitude). *Épaisseur :* env. 1 000 km. *Composition :* hydrogène 82 %, hélium 17 %, autres éléments 1 %. Présence d'une tache rouge mobile de 28 000 × 13 000 km, qui serait un tourbillon dominant les formations nuageuses environnantes. **Température** *moy. :* au plafond des nuages – 145 °C ; au centre de la planète, environ 30 000 °C. **Vie :** pas de vie possible à cause de la température et de la composition de l'atmosphère. **Champ magnétique :** très important. Sa partie interne (où il est le plus intense) s'étend au-delà des nuages jusqu'à 1,28 million de km ; sa partie externe jusqu'à 3,4 et par endroits, jusqu'à 10,4.

Certains considèrent que Jupiter est une étoile manquée, sa masse trop faible n'ayant pas permis d'amorcer les processus de fusion thermonucléaire qui fournissent l'énergie rayonnée par les étoiles.

Satellites connus : 16. Classement d'après l'éloignement de Jupiter : nom (ou désignation provisoire), entre parenthèses, numéro d'ordre officiel, date de découverte et découvreur, D : diamètre ou dimensions en km, d : densité (eau = 1), p : période de révolution, et rayon orbital (en km). **Métis (XVI)** 1979 S.P. Synnott (USA), D : 40, p : 7 h 5 min, 127 600 km. **Adrastée (XV)** 1979 D. Jewitt, E. Danielson (USA), D : env. 40, p : 7 h 8 min, 128 400. **Amalthée (V)** 1892 E. Barnard (USA), D : 270 × 150 × 170, p : 11 h 55 min, 181 000. **Thébé (XIV)** 1979 S.P. Synnott, D : env. 80, p : 16 h 12 min, 222 400. **Io (I)** 1610 Galilée (Ital.), D : 3 632, d : 3,53, p : 1 j 18 h18 min, 421 600 ; 7 ou 8 volcans en activité dont l'un a été observé projetant un panache de gaz à 250 km de haut. **Europe (II)** 1610 Galilée, D : 3 130, d : 3,03, p : 3 j 13 h 14 min, 670 900 ; noyau rocheux recouvert d'une épaisse couche de glaces d'env. 100 km (il existerait en profondeur des « oasis » d'eau non gelée grâce à la chaleur dégagée par le cœur d'Europa, et la lumière pourrait y pénétrer, permettant la vie d'organismes primitifs). **Ganymède (III)** 1610 Galilée, D : 5 276, d : 1,93, p : 7 j 3 h 43 min, 1 070 000 ; le plus gros satellite du système solaire, en partie couvert de cratères de météorites, rabotés par les glaciers, en partie strié par des « ornières » de plusieurs km remplies de glace. **Callisto (IV)** 1610 Galilée, D : 4 840, d : 1,79, p : 16 j 16 h 32 min, 18 800 000 ; couvert de cratères de météorites. **Leda (XIII)** 1974 C. Kowall (USA), D : 10, p : 238 j 16 h 48 min, 11 134 000. **Himalia (VI)** 1904 C. Perrine (USA), D : 170, p : 250 j 26 h, 11 478 000. **Lysithéa (X)** 1938 S. Nicholson (USA), D : 20, p : 260 j 23 h, 11 720 000. **Elara (VII)** 1905 C. Perrine, D : 80, p : 259 j 26 h, 11 737 000. **Ananke (XII)** 1951 S. Nicholson, D : 20, 21 209 000. **Carme (XI)** 1938 S. Nicholson, D : 20, p : 700 j, 22 564 000. **Pasiphaé (VIII)** D : 40, p : 735 j, 23 500 000. **Sinope (IX)** 1914 S. Nicholson (USA), D : 30, p : 758 j, 23 700 000.

■ **Saturne.** **Distance** *moy. au Soleil :* 1 427 millions de km. **Diamètre** *équatorial :* 120 660 km, *polaire :* 108 350 km [à cause de cet aplatissement (0,102), la pesanteur est 2 fois plus forte aux pôles qu'à l'équateur]. **Masse :** 95,19 fois celle de la Terre. **Densité** *moy. :* 0,70 (Terre = 1). **Rotation** *sur elle-même :* 10 h 14 min à 10 h 39 min selon la latitude. **Révolution** *autour du Soleil :* 29 ans 167 j. **Atmosphère :** comparable à celle de Jupiter, contient moins d'hélium (11 %). Régime des vents différent : près de l'équateur, les vents soufflent à 1 800 km/h (4 fois plus vite que sur Jupiter). **Structure probable :** hydrogène et hélium (dans l'atmosphère, hydrogène gazeux ; au-dessous liquide ; puis, vers 30 000 km de profondeur, du fait de l'énorme pression, sous phase métallique). Au centre, un noyau de 12 000 km env. de rayon (masse égale à 18 fois celle de la Terre) comportant un cœur rocheux enveloppé d'une couche liquide. On pense que l'hélium, plus lourd que l'hydrogène, se concentre progressivement au cœur de la planète, constituant une source de chaleur qui expliquerait pourquoi Saturne rayonne environ 3 fois plus d'énergie qu'elle n'en reçoit du Soleil. **Champ magnétique :** 1 000 fois plus puissant que sur Terre. **Température** *moy. de l'atmosphère :* – 160 °C. **Vie :** pas de vie possible. **Anneaux :** des milliers (situés dans le plan équatorial), formés d'une multitude de petites particules solides tournant autour. En perpétuelle évolution, présentent des zones sombres où les particules sont beaucoup moins nombreuses, leur orbite étant rendue instable par des phénomènes de résonance gravitationnelle créés par les satellites de la planète. Avant les découvertes des sondes Voyager, on n'avait identifié que 6 anneaux [*E* à 480 000 km de la planète, large de 1,5 km. *F* découvert par Pioneer 11 le 1-9-1979, de 300 km de large, allant jusqu'à 500 000 km de la planète. *A* large de 17 000 km, allant de 75 000 à 55 000 km de la planète. *B* (très brillant, large de 29 000 km) de 50 000 à 30 000 km. *C* dit de crêpe (sombre, large de 29 000 km) de 25 000 à 11 000 ; *D* à 10 000 km].

Satellites connus : 18 dont 3 sur la même orbite (Calypso, Télesto et Thétys). Nom (ou désignation provisoire), numéro d'ordre officiel entre parenthèses, date de découverte et découvreur, D : diamètre ou dimensions en km, p : période de révolution, et rayon orbital (en km). **Pan (XVIII)** D : 20, p : 13 h 12 min, 133 570. **Atlas (XV)** 1980, D : 20 × 40, p : 14 h 27 min, 137 700. **Prométhée (XVI)** 1980, D : 140 × 100 × 80, p : 14 h 42 min, 139 400. **Pandore (XVII)** 1980, D : 110 × 90 × 70, p : 15 h 04 min, 141 700. **Épiméthée (XI)** 1980 D. Cruikshand (USA), D : 140 × 120 × 100, p : 16 h 39 min., 151 400. **Janus (X)** 1966 A. Dollfus (Fr.), D : 220 × 200 × 160, p : 16 h 40 min, 151 500. **Mimas (I)** 1789 W. Herscher (G.-B.), D : 390, p : 23 h 07 min, 185 540 ; vraisemblablement heurté jadis par un astéroïde qui faillit le faire éclater (d'où un cratère de + de 100 km de diam. avec un piton central haut de 9 km). **Encelade (II)** 1789 W. Herschel, D : 510, p : 1 j 8 h 53 min, 240 200 ; cratères et vallées partiellement enfouis sous la glace ; peut être le siège d'une activité interne, provoquant périodiquement la fonte de la glace et un remodelage du relief. **Calypso (XIV)** 1980 B. Smith, D : 34 × 28 × 26, p : 1 j 21 h 19 min, 294 600. **Téthys (III)** 1684 J.D. Cassini (Fr.), D : 1 060, p : 1 j 21 h 19 min, 294 700 ; la face opposée a une fracture de 800 km de long. **Télesto (XIII)** 1980 D. Smith, H. Reitsema, S. Larson, J. Fountain (USA), D : 34 × 26, p : 1 j 21 h 19 min, 294 700. **Dioné (IV)** 1684 J.D. Cassini, D : 1 120, p : 2 j 17 h 11 min, 377 400. **Hélène** D : 36 × 32 × 30, p : 2 j 17 h 41 min, 378 100. **Rhéa (V)** 1672 J.D. Cassini, D : 1 530, p : 4 j 12 h 25 min, 527 100. **Titan (VI)** 1655 C. Huygens (Holl.), D : 5 150, p : 15 j 22 h 41 min, 1 221 900 ; étudié en détail par Voyager 1 qui s'en est approché à 4 000 km le 12-11-1980 : entouré d'une épaisse couche de nuages, atmosphère comprenant 99 % d'azote, 1 % de méthane (que l'on pensait être le constituant principal), traces d'hydrocarbures et de composés divers. Température : – 100 °C dans les couches supérieures de l'atmosphère, – 180 °C à la surface (pression env. 1,5 bar). Pas de vie possible. Pas de champ magnétique. Constitué de roches, de glace et de dioxyde de carbone solide. On imagine sa surface parsemée de dépôts d'hydrocarbures gelés et de lacs d'azote liquide. **Hypérion (VII)** 1848 W. Bond (USA), D : 410 × 260 × 220, 21 j 6 h 37 min, 1 481 000 ; en forme de cacahouète (énigme non résolue). **Japet (VIII)** 1671 J.D. Cassini, D : 1 460, p : 79 j 07 h 51 min, 3 560 800 ; a une face brillante comme la glace, l'autre plus sombre que l'asphalte (énigme non résolue). **Phoebé (IX)** 1898 W. Pickering (USA), D : 220, p : 550 j 10 h (révolution dans le sens rétrograde), 12 954 000. **Thémis** dont la découverte avait été annoncée par W. Pickering en 1900, n'a jamais été revu et a été radié de la liste.

■ **Uranus.** 1re planète découverte grâce au télescope par W. Herschel (Anglais d'origine allemande) le 13-3-1781. Mieux connue depuis son survol par Voyager 2 le 24-1-1986. **Distance** *moy. au Soleil :* 2 869 millions de km. **Diamètre** *équatorial :* 50 800 km, *polaire :* 49 260 km. **Masse :** 14,58 fois celle de la Terre. **Densité** *moy. :* 1,21. **Rotation** (sur elle-même) *au niveau des nuages :* 17 h à 26° de latitude et 15 h à 44° de lat. ; *au niveau de la surface :* 16,8 h. **Révolution** *autour du Soleil :* 84 ans 7 j. **Champ magnétique** (déc. par Voyager 2) : incliné de 55° sur l'axe de rotation. Intensité : 0,25 gauss. Magnétopause détectée à une distance d'Uranus égale à 16 fois son rayon. **Structure** *envisagée :* un noyau rocheux central (8 000 km de rayon ; 25 % de la masse totale) entouré d'un manteau de glace (32 000 km d'épaisseur ; 50 % de la masse), l'ensemble étant enveloppé d'une atmosphère à base d'hydrogène (10 000 km d'épaisseur, 25 % de la masse). **Vie :** impossible à cause de la temp. (– 223 °C au niveau des nuages) et de l'atmosphère [hydrogène, hélium (12 à 15 %), méthane, ammoniac]. **Anneaux :** 10 (9 découverts à partir de la Terre : 5 en 1977, 4 en 1979, 1 découvert par Voyager 2). Formés de particules solides en matériaux sombres.

Satellites connus : 15 dont 10 découverts par Voyager 2. *Classement par l'éloignement du centre d'Uranus,* en km : **Cordelia** 49 700, **Ophelia** 53 800, **Bianca** 59 200, **Cressida** 61 800, **Desdemona** 62 700, **Juliet** 64 600, **Portia** 66 100, **Rosalind** 69 900, **Belinda** 75 300, **Puck** 86 000. 5 découverts de la Terre (numéro d'ordre officiel, date de découverte, diamètre en km, période) : **Miranda (V)** 1948, 480 km, 1 j 19 h 56 min, 129 900 ; relief tourmenté (montagne de 24 km d'altitude, vallée profonde de 16 km, failles, canyons). **Ariel (I)** 1851, 1 180 km, 2 j 12 h 19 min, 190 900. **Umbriel (II)** 1851, 220 km, 4 j 3 h 28 min, 266 000. **Titania (III)** 1787, 1 620 km, 8 j 16 h 56 min, 436 300. **Obéron (IV)** 1787, 1 570 km, 13 j 11 h 7 min, 583 400.

■ **Neptune.** Découverte le 23-9-1846 par l'Allemand Johann Galle d'après les calculs du Français Le Verrier. Très mal connue jusqu'à son survol par Voyager 2 le 27-8-1989. **Distance** *moy. au Soleil :* 4 505 millions de km. **Diamètre** *équatorial :* 49 560 km. **Masse :** 17 fois celle de la Terre. **Densité** *moy. :* 1,76. **Rotation** *sur elle-même :* 16 h 03 min. **Révolution** *autour du Soleil :* 164 ans 280 j. **Champ magnétique :** incliné de 50° par rapport à l'axe de rotation, découvert par Voyager 2. **Structure :** voisine de celle d'Uranus mais atmosphère plus turbulente, avec des nuages bleus (cirrus de méthane) se déplaçant à près de 1 200 km/h et une grosse tache sombre. **Vie :** impossible à cause de la température (– 200°C) et de l'atmosphère (hydrogène, hélium, méthane). **Anneaux :** 5 dont 2 fins et brillants de 48 000 et 9 600 km et 3 diffus, situés entre 41 000 et 63 000 km de la planète. L'anneau extérieur est segmenté en arcs où se concentre davantage de matière.

Satellites connus : 8 dont 2 identifiés avant le survol de Voyager : **Triton (I)** déc. 1848, à 354 800 km du centre de Neptune (diam. 2 705 km, période 5 j 21 h 3 min, dens. 2,03). Sa calotte polaire sud pourrait être une croûte d'azote gelé, déposée l'hiver précédent, il y a 80 ans, et qui s'évapore lentement. De grandes fissures zèbrent la surface. Des panaches de matières sombres recouvrant le sol polaire glacé (– 230 °C) pourraient être dus à de violentes éruptions d'azote et de matières organiques (jusqu'à 30 km d'alt.). On a identifié un geyser d'azote en activité. En dehors de la calotte polaire, le sol présente une structure craquelée « en peau de melon » qui indique que la surface a été déformée souvent (il y a peu de cratères météoritiques, ce qui atteste sa relative jeunesse). **Néréide (II)** déc. 1949, à 5 510 000 km du centre de N. (diam. 340 km, période 359 j, dens. 2,11). 6 découverts par Voyager 2 en 1989 plus proches de la planète que Triton. **1989 N 6 (Naïade)** (diam. 50 km, période 0,29 j). **1989 N 5 (Thalassa)** (80 km, 0,31 j). **1989 N 3 (Despina)** (180 km, 0,34 j). **1989 N 4 (Galatée)** (150 km, 0,43 j). **1989 N 2 (Larissa)** (190 × 210 km, 0,56 j). **1989 N 1 (Protée)** (400 km, 1,12 j).

■ **Pluton.** Très mal connue à cause de sa distance (env. 4,292 milliards de km le 8.5.1990, distance minimale de l'année ; vue de la Terre, 3 milliards de fois moins brillante que Mars). William Pickering et Percival Lowell ont supposé son existence en 1915, d'après certaines perturbations dans le mouvement d'Uranus et de Neptune. Photographiée 2 fois (en 1919), sans qu'on l'ait remarquée sur les clichés, elle n'a finalement été découverte que le 13-3-1930 par l'Américain Clyde Tombaugh, à 5° de la position prédite. En fait, Pluton était trop petite pour avoir pu perturber Uranus et Neptune (le calcul de ces perturbations fondé sur des erreurs d'observation était d'ailleurs faux). Des anomalies dans son mouvement avaient donné à penser qu'il s'agissait d'un ancien satellite de Neptune, qui aurait échappé à l'attraction neptunienne, en frôlant Triton, autre satellite de Neptune. Cette hypothèse a été abandonnée en 1978, après la découverte du sat. de Pluton (une évasion de 2 sat. à la fois, l'un satellisant l'autre, est improbable). **Distance** *moy. au Soleil :* 5 913 millions de km. Orbite très excentrique (0,25 ; celle de Neptune est presque circulaire). Pluton peut donc parfois se rapprocher du Soleil à moins de 4,4 milliards de km, et être alors plus proche de lui que Neptune, et s'éloigner de plus de 7 milliards de km. Il en est ainsi dep. le 22-1-1979 jusqu'à mars 1999. **Diamètre :** 2 300 km. **Densité :** env. 2,1 par rapport à la Terre (gaz gelés, surtout méthane). **Masse :** 0,3 % de la Terre. **Rotation** *sur elle-même :* 6 j 9 h. **Révolution** *autour du Soleil :* 247 ans 249 j. **Vie :** pas de vie possible (– 230 °C).

Satellite : *Charon* (diam. environ 1 200 km, déc. le 22-6-1978 par James Christy) à 19 000 km de Pluton, tourne en 6 j 6 h, il reste donc toujours à l'aplomb du même point de la planète.

■ **La dixième planète** (planète X). Ayant constaté des perturbations, on a parlé de l'existence d'une planète qui aurait une masse importante (de 2 à 5 fois celle de la Terre) et serait à 50 ou 100 ua du Soleil. Mais les observations n'ont rien donné jusqu'ici. L'hypothèse est pratiquement abandonnée depuis que G. Quinlan (Can.) a démontré que les perturbations pouvaient s'expliquer par les marges d'erreurs instrumentales et de calcul.

Astéroïdes

■ **Nombre.** Entre Mars et Jupiter, près de 5 000 sont répertoriés mais il y en aurait env. 400 000 de plus de 1 km de diamètre. Leur masse totale ne dépasse pas 1/3 000e de celle de la Terre. Ils commencent à faire l'objet d'explorations spatiales : la sonde Galiléo est passée à 1 600 km de Gaspra (env. 15 km de diamètre) le 29-10-1991 et devrait observer Ida avant d'atteindre Jupiter en 1995.

■ **Origine.** Wilhelm Olbers (All. 1758-1840) a suggéré qu'il s'agissait de débris d'une planète qui aurait explosé il y a très longtemps. Mais, compte tenu de la masse totale très faible des astéroïdes, on pense aujourd'hui que ce sont des résidus du système solaire primitif qui n'ont pu s'agglomérer par suite des perturbations gravitationnelles provoquées par Jupiter. Certains astéroïdes sont aussi des fragments issus de collisions.

■ **Caractéristiques.** **Diamètres les plus gros** *: Cérès* (diam. 1 001 km ; déc. 1-1-1801), *Pallas* (607 km ; déc. 1802), *Vesta* (537 km ; déc. en 1807), *Hygeca* (450 km ; déc. 1849), *Euphrosyne* (370 km ; déc. 1854). **Orbites :** 9 000 astéroïdes ont leurs orbites répertoriées (dont 4 000 connues avec précision). Certains circulent sur des orbites très excentriques qui les ramènent périodiquement dans le voisinage de la Terre : *Éros* (diam. 17 km) peut s'approcher à 22 millions de km, *Icare* (diam. 1,6 km) à 5,5 millions (ex. : le 15-6-1968), *Apollo* [appelé d'abord 1932 HA] (diam. 2,1 km) à 3,7 millions, *Adonis* (diam. 3 km) à 2 millions et *Hermès* (diam. 0,8 km) à 300 000 km (distance min. observée : 780 000 km, le 30-10-1937). Au périhélie, *Icare* s'approche plus du Soleil que Mercure ; à l'aphélie, *Hidalgo* (15,5 km de diam.) atteint l'orbite de Saturne. **Révolution** *la plus courte* (283,2 j) : *UA* (découvert 18-10-1976).

■ **Objets Apollo-Amor.** **Nom** de 2 astéroïdes découverts en 1932, et suivant à peu près la même orbite (le périhélie d'Apollo est juste en dehors de l'orbite terrestre, à 1,08 unité astronomique du Soleil). Astéroïdes constituant l'extrême frange intérieure de la « ceinture » et dont le périhélie est inférieur à 1,3 ua. **Nombre :** depuis 1932, quelques dizaines d'objets Apollo-Amor ont été découverts. Apollo lui-même a disparu peu après 1932 et a été repéré 41 ans après, en 1973. Tous ces objets risquent en principe d'entrer en collision avec la Terre. Mais ces collisions ne se produisent en moyenne que 4 fois par million d'années. *Les plus petits* ont moins de 1 km de diam. (voir météorites p. 20). **Objet aux confins du système solaire** (hypothèse de Gerard Pieter Kuiper, Amér. d'or. holl., 1905-73). 1992QB1 observé au télescope de 2,2 m de Hawaii le 30-9-92 par D. Jewit et J. Luu (amér.), puis par l'ESO (La Silla). Diam. 200 km, orbite solaire d'aphélie 8,9 milliards de km (soit 1,6 au-delà de Pluton), période env. 300 ans.

☞ **Approches récentes :** *Toutatis* découvert en janvier 1989 (diam. env. 2 km) a approché la Terre de 15 millions de km le 25-12-1988, de 36 millions en déc. 92 et la frôlera à 150 000 km en sept. 2004. *1983 TB* (diam. 3 km) passe en déc. chaque année un peu plus près. *1991 BA* (diam. 9 km) le 17-1-1991 à – de 170 000 km. *Astéroïde 1989 FC* de 200 à 400 m de diam. s'est disloqué le 23-3-1989 à 690 000 km de la Terre, à 7 km/s.

■ Planètes « troyennes ». Astéroïdes sur une même orbite. Sur l'orbite de Jupiter, ils portent le nom de héros de la guerre de Troie. 2 groupes : *1) précédant Jupiter :* Achille, Hector, Nestor, Agamemnon, Ulysse, Ajax, Diomède, Ménélas ; *2) suivant J. :* Patrocle, Priam, Enée, Anchise, Troïlus, Antiloque.

■ Satellites. Certains astéroïdes ont des satellites, notamment 532 Herculina, Éros, Hébé, Antigone, Pallas, Junon. *Périodes les plus courtes de rotation sur eux-mêmes : durée max.* 4,5 h env. (16 Psyché, 81 Lucretia, 349 Dembrowska, 354 Eleonora) ; *les plus longues :* 38 h 42 min (393 Lampetia), 39 h (128 Némésis).

LUNE

■ Données générales. **Densité :** 3,34. **Diamètre :** 3 476 km (son diamètre apparent varie de 29 à 34 minutes). **Distance** *moy. à la Terre :* 384 400 km (min. 356 375, max. 406 720). [La Lune, autrefois proche de la Terre (de 24 rayons terrestres), s'éloignera dans 15 à 20 milliards d'années de 60 à 75 rayons terrestres pour se rapprocher ensuite.] Un laser sur Terre émettant une impulsion (d'env. 20 millisecondes) réfléchie par un réflecteur installé sur la surface de la Lune permet de déterminer la distance à quelques cm près. **Masse :** 1/81 de la Terre. Inégalement répartie [sous les mers annulaires (à environ 50 km de la surface), se trouvent les *mascons (lunar mass concentration),* concentrations de matières denses de 50 à 200 km de long, capables de perturber la trajectoire des engins spatiaux en les attirant]. **Pesanteur (accélération)** à la surface : 1,62 m/s^2 [16,6 % de l'acc. sur Terre (une masse de 100 kg pèse 981 N sur Terre et 160 N sur la Lune)]. **Rotation sur elle-même** égale à sa **durée de révolution** *autour de la Terre* (29 j 12 h 44 min), la Lune présente en gros toujours la même face, ce qui fait que (en raison des inégalités de son mouvement, et du fait que son axe de rotation n'est pas exactement perpendiculaire au plan de son orbite) les taches lunaires éprouvent un balancement périodique autour de leurs positions moyennes : c'est la *libration* apparente de la Lune (par suite de cette *libration,* la partie de la Lune visible de la Terre est égale à 59 % de la surf. totale). **Superficie :** 37 960 000 km^2 (7,4 % de la surf. terrestre). **Température :** régions exposées au Soleil : + 117 °C ; non exposées : - 50 °C ; face non éclairée : - 163 °C.

■ Histoire. **Origine :** *hypothèse abandonnée :* morceau de la Terre, détaché d'elle. *Autres hypothèses :* 1) Formation par accrétion : des poussières entourant la Terre au début de sa formation se sont accumulées et durcies ; 2) Capture : la Lune était une planète tournant autour du Soleil ; un accident de gravitation l'a fait se satelliser autour de la Terre ; 3) objet cosmique, impacteur de la taille de Mars qui se serait désintégré à la suite d'une collision tangentielle de la Terre. Son noyau, devenu satellite de la Terre, a ensuite grossi (donnant la Lune actuelle) par accrétion des débris composés de son manteau et d'une partie du manteau terrestre pulvérisés sous le choc et gravitant autour de lui.

Évolution : *4,6 milliards d'années :* formation volcanique intense, formation d'une écorce, l'énergie mécanique (gradients de gravité) provoque la fusion. *4,2 à 3,9 milliards d'a. :* l'écorce refroidie est soumise à un bombardement de météorites ; les impacts créent des cratères, la fusion des roches « inondent » la surface et créent les *mers lunaires* (de la Sérénité, de la Tranquillité, des Crises, des Pluies...) et causent une fusion des roches. *3,9 à 3,1 milliards d'a. :* 2e fusion, provoquée par la désintégration des éléments radioactifs dans la couche des silicates, à quelques centaines de km sous la croûte superficielle, formation de laves s'écoulant vers la surface et remplissant certains bassins. *3,1 milliards d'a. :* la Lune devient rigide jusqu'à une profondeur trop importante pour que les dégagements internes d'énergie puissent encore affecter sa surface (aujourd'hui on estime l'épaisseur de la croûte lunaire à 60 km sur la face visible de la Terre et 100 km sur la face invisible, sur un rayon de 1 738 km). La surface lunaire, bombardée de petites météorites, soumise aux particules des rayons cosmiques et du vent solaire, se couvre d'une couche de *régolite* (2 à 10 m) surmontée de quelques cm de poussière. *Époque récente :* des glissements de terrains, roulements de pierres, etc. donnent à la Lune son aspect actuel.

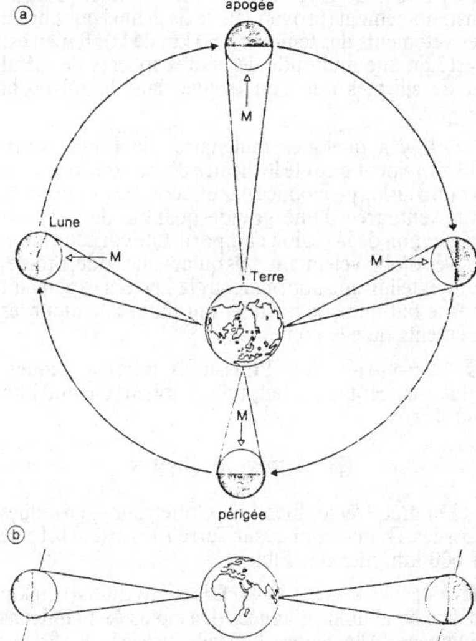

Quelques dates. 2283 av. J.-C. 1re observation d'une éclipse de Lune en Mésopotamie. **632-546** Thalès explique l'origine des phases lunaires. **500-450** Anaxagore découvre l'origine des éclipses de L. **150-130** Hipparque détermine la distance Terre-L. **IIe s. apr. J.-C.** 1re théorie empirique du mouvement de la L. par Ptolémée. **1609** 1re observation de la L. à la lunette astronomique par Galilée. **1619** Scheiner (Ingolstadt) établit la 1re carte lunaire. **1651** Riccioli (Bologne) dénomme les cratères lunaires. **1666** Newton découvre la loi de la gravitation universelle grâce au mouvement de la L. **1687** 1re théorie math. du mouvement de la L. par Newton. **1693** Lois de rotation de la L. par Cassini (Français). **1860** 1re photo de la L. par Warren de Larue (Anglais). **1868** 1re mesure de la temp. de la L. par Lord Rosse (Anglais). **1946** 1er écho radar (Bay, Hongrois). **1959** 1er envoi d'une sonde (Luna 2, soviétique, détruite au sol). **1966** 1er atterrissage lunaire en douceur (station sov. Luna). **1969 (21-7)** devant 600 millions de téléspectateurs, l'Américain Armstrong est le 1er homme à poser le pied (gauche) sur la Lune.

■ Lumière. Diffusée par la surface lunaire. La *lumière cendrée,* qui permet de distinguer le disque entier lorsque la Lune se montre sous forme d'un croissant, est due à la lumière solaire réfléchie sur la Terre qui éclaire la partie de la Lune non éclairée par le Soleil. La Lune peut paraître rougeâtre et aplatie près de l'horizon, car la lumière qui nous en parvient parcourt une plus longue trajectoire à travers l'atmosphère. Les rayons rouges pénètrent l'atmosphère plus facilement que les autres. L'aplatissement est causé par la réfraction.

■ Noms. *Luna* (nom latin) veut dire lumineux (lucna). *Séléné* [nom grec de la même racine que Hélios (Soleil)] a le sens de flambeau (Sélas). La déesse Séléné était la sœur du dieu Hélios. Termes modernes dérivés : sélénocentrique, sélénographie, parasélènes, sélénite (en science-fiction).

■ Phases. Correspondent à l'éclairement du Soleil sur la Lune. *Nouvelle Lune* (tous les 28 j) décroît 14 j (ressemblant à un C) et croît pendant 14 j (ressemblant à un D). *Age* de la Lune : temps écoulé depuis la dernière nouvelle Lune. *Révolution synodique ou lunaison* (29, 5306 j) temps moyen mis par la Lune à revenir dans la même phase ; *révolution draconitique* (27, 22 122 j) temps moyen mis à repasser par la ligne des nœuds (intersection du plan de l'orbite de la Lune avec l'équateur terrestre) ; *révolution anomalistique* (27, 5 545 j) temps moyen mis à repasser au périgée.

■ Relief. Peu de *vallées,* mais des *chaînes de montagnes* (de 2 000 à 8 000 m au Mt Leibniz), des *cratères* de 1 à 20 km, et des *cirques* pouvant atteindre 295 km de diamètre (cirque Bailly) et 4 250 m de profondeur (cirque Létronne), creusés, pense-t-on, par la chute d'énormes météorites. Grandes plaines et étendues plates sont appelées *mers* (Mare Nubium, mer des Nuages ; Mare Imbrium, mer des Pluies, etc.). La plupart des chaînes montagneuses ressemblant à celles de la Terre ont été nommées comme elles : les Alpes (avec un Mt Blanc de 3 617 m), les Apennins. Certains détails sont désignés par leurs équivalents terrestres : baies, golfes, caps et lacs.

■ Tremblements. Explications proposées : *1) Effet du « gradient de gravité »* de la Terre : la Lune tourne tout entière à la même vitesse, mais à cause de sa taille, la partie la plus proche de la Terre est soumise à une gravité plus forte, ce qui provoque une tension dans la masse des matériaux lunaires. Ainsi s'explique la corrélation entre les secousses sismiques lunaires et les marées terrestres dues aux « gradients de gravité » réciproques dans le couple Terre-Lune. *2) Effet du rayonnement thermique solaire :* il s'agirait de séismes faibles (magnitude < 2 sur l'échelle de Richter), se produisant au coucher et lever du Soleil (600 à 3 000 par an). On pense que les rayons du Soleil dilatent la surface lunaire, et que la fin brusque de leur émission la contracte brutalement, d'où les tremblements observés en surface. *3) Impacts de météorites.*

■ Vie sur la Lune. Impossible à cause de l'absence d'atmosphère. **Un homme sur la Lune** doit disposer d'un scaphandre (il n'y a pas d'atmosphère) mais la gravité étant 6 fois plus faible que sur Terre, son scaphandre lui paraît 6 fois plus léger et il n'entend aucun son (le son est une vibration propagée par l'air, or il n'y a pas d'air) ; il doit se protéger des radiations ultraviolettes et des rayons émis par le Soleil (qui ne sont pas absorbés comme ils le seraient sur Terre grâce à la couche d'ozone de l'atmosphère). Il ne peut faire aucun feu (une flamme ne peut brûler sans oxygène) ni conserver aucun liquide (dans le vide tout liquide s'évapore immédiatement). Il doit se protéger contre les météorites.

COMÈTES

■ Caractéristiques. Astres d'aspect diffus qui gravitent autour du Soleil en décrivant des orbites très allongées et deviennent observables à proximité du Soleil. La capture par la Terre de nombreuses comètes aurait pu jouer un rôle important dans sa formation par apport d'eau (glace) et de matière organique. Leur sensibilité aux attractions diverses, la brièveté des observations par rapport à l'allongement de leur orbite et l'effet de réaction de leur propre jet de gaz à l'approche du Soleil, rendent leur prévision imprécise.

■ Composition. Conglomérat de roches et de glace « sale » (glace d'eau, d'ammoniac, de méthane, d'oxyde de carbone...), de quelques km seulement de diamètre loin du Soleil. Lorsque la comète s'approche du Soleil, les gaz se subliment et s'échappent dans l'espace en entraînant des poussières. Ainsi se forme autour du noyau cométaire (« tête ») une auréole lumineuse, la chevelure, puis se développent, à l'opposé du Soleil, une queue de gaz (bleutée, fine, rectiligne) et une queue de poussières (jaunâtre, large, incurvée).

■ Dimensions. **Tête :** diamètre 50 000 à 250 000 km [min. 15 000 km, max. 1 800 000 km (comète de 1811)]. Mais le noyau de poussières et gaz solidifiés n'a jamais plus de quelques dizaines de km de diamètre (env. 15 × 8 km pour celui de Halley). **Queue** jusqu'à 320 millions de km (comète de 1843). Quand la comète approche du Soleil, sa queue la suit. Quand elle s'en éloigne, elle la précède. **Masse** très faible (sans doute moins d'un millionième de celle de la Terre, même pour les plus grandes). La masse totale des comètes est d'environ 1/10e de celle de la Terre.

■ Nombre. De 2300 av. J.-C. à 1986, 1 700 apparitions ont été répertoriées (en comptant les retours de comètes périodiques comme celle de Halley). On a pu classer parmi celles-ci 710 comètes distinctes ; 290 à orbites elliptiques (donc périodiques) dont 220 de période connue, 316 à o. paraboliques et 104 à o. hyperboliques. Actuellement, on observe en moy. env. 20 comètes par an (dont certaines, périodiques, sont connues), la plupart invisibles à l'œil nu.

☞ **Origine :** d'après le Hollandais Jan Oort (1900-92), aux confins du système solaire, à une distance représentant entre 50 000 et 100 000 fois celle de la Terre au Soleil, existerait un « réservoir » de comètes (peut-être 1 milliard de comètes), qui, sous l'effet de perturbations créées par les étoiles voisines, seraient éjectées dans différentes directions. Les comètes peuvent être capturées par les planètes (notamment Jupiter), ce qui change leurs orbites.

■ Désagrégation. Ex. : la *comète de Biéla,* découverte en 1826 par Biela, officier autrichien (périodicité : 6,6 années), séparée en 2 en 1846, les 2 fractions revinrent ensemble en 1852, disparurent en 1859 et 65. Puis, en 1872, Biela réapparut sous la forme d'un essaim de météores à 300 millions de km de sa position normale (160 000 étoiles filantes). *La comète de Shoemaker-Levy :* en 1992 elle aurait été satellisée puis brisée par les forces gravitationnelles de Jupiter et devrait s'y écraser l'été 94.

■ Comètes périodiques. **Nombre :** on a observé le retour de 53 comètes périodiques. **Comète de Halley :** du nom de l'astronome anglais Edmund Halley (1656-1742) qui avait calculé, en 1705, son retour pour 1759 en appliquant la théorie de Newton. Elle revient tous les 76 ans env. *1re apparition (?)* mentionnée 467 av. J.-C. en Chine ; apparitions récentes : 1531, 1607, 1682, 1758 (à Paris, on se coiffe à la comète, on lance une danse de la comète et le jeu de la comète qui deviendra le nain jaune), 1835, 1910 (18/19-5 : Camille Flammarion annonce en 1909 que

Superstitions

Les comètes ont été longtemps considérées comme des présages, en général, de catastrophes : épidémies, famines, sécheresses, inondations, tremblements de terre, guerres, assassinats, morts de personnages illustres... Une brillante comète apparut en 43 av. J.-C. après la mort de César, et l'on crut que c'était l'âme de César qui remontait au ciel.

Des comètes auraient « annoncé » la mort de Vespasien (79) ; Constantin (336) ; Attila (453) ; Mérovée (577) ; Chilpéric (584) ; Mahomet (632) ; Pépin le Bref (768) ; Louis II (875) ; Boleslas Ier, roi de Pologne (1058) ; Henri Ier, roi de France (1060) ; Alexandre III, pape (1181) ; Richard Ier, roi d'Angleterre (1199) ; Philippe Auguste (1223) ; Innocent IV (1254) et Urbain IV (1264), papes ; Charles le Téméraire (1477) ; Philippe le Beau (1505) ; François II, roi de France (1560) ; Louise de Savoie (1531) ; Henri IV (1610) ; Napoléon Ier (1821 comète Nicollet apparaît en avril). Louis le Débonnaire fut très effrayé en 837 par la comète de Halley, et, bien qu'il ne mourût que 3 ans plus tard, on associa l'apparition de la comète à sa mort. En 1811, l'apparition d'une comète très brillante coïncida avec d'excellentes vendanges, comme en 1858 avec la comète de Donati. Depuis, les comètes brillantes passent pour annoncer de grands millésimes en viticulture.

(18/19-5 : Camille Flammarion annonce en 1909 que la Terre se trouvera dans la queue de la comète ; les spécialistes d'analyse spectrale déclarent que cette queue de la comète contient des gaz toxiques comme le cyanogène. Dans la nuit du 18 au 19-5, place St-Pierre à Rome, des milliers de fidèles prient. A Marseille, on monte à N.-D. de la Garde. Puis les savants annonceront que l'analyse de l'air ne révèle pas de présence de gaz), 1986 [plus courte distance du Soleil, 88 000 000 km, le 9 février ; 5 sondes envoyées à sa rencontre (voir p. 37 b), l'ont survolée entre le 6 et le 13-3-1986]. *Prochain retour* à son périhélie le 29-7-2061 (mais elle semble s'être fragmentée en 1991 à 2,14 milliards de km de la Terre). *Noyau :* environ 15 km de long et 8 km de large. *Surface :* très sombre (pouvoir réfléchissant égal à 4 %), sans doute recouverte d'une croûte carbonée. *Température :* lors du survol par les sondes, env. 100 °C. Des jets de gaz et de poussières s'échappent par des cratères, du côté du Soleil. 9 zones actives repérées. *Période de rotation du noyau :* 2,2 j ou 7,4 j selon les observations prises en compte. **Comète de Swift-Tuttle :** apparue en 1862 ; on attendait son retour en 1982, mais en fait sa période est de 130 ans au lieu de 120. Laisse sur son passage une nuée de poussière que la Terre traverse en août (pluie d'étoiles filantes). Observée par un astronome amateur japonais le 27-9-92. Passe à 175 millions de km de la Terre fin nov. et à 144 du Soleil le 12-12-92 (périhélie). Pourrait frôler la Terre à son prochain passage (31-7-2126).

■ **Approches connues des comètes à moins de 0,100 unité astronomique de la Terre.** Nom de la comète, date de l'approche et, entre parenthèses, distance en millions de km. **Comètes à longue période** (+ de 200 ans) : *La Hire* 17-8-1499 (6,7), 20-4-1702 (6,6), *Cassini* 8-1-1760 (10,2), *Schweizer* 29-4-1853 (12,6), *Bouvard* 16-8-1797 (13,2), *Messier* 23-9-1763 (13,9), *Schmidt* 4-7-1862 (14,7) ; **Périodiques** (– de 200 ans) : *Lexell* 1-7-1770 (2,3), *Tempel-Tuttle* 26-10-1366 (3,4), *Grischow* 8-2-1743 (5,8), *Halley* 10-4-837 (5), *Biela* 9-12-1805 (5,5), *Pons-Winnecke* 26-6-1927 (5,9), *Schwassmann-Wachmann* 31-5-1930 (9,3) noyau 80 km. Ces comètes furent observables à l'œil nu.

■ **Comètes aux révolutions les plus courtes** (numéro et période de révolution en années). **1** Encke 3,302. **2** Grigg-Skjellerup 4,908. **3** Honda-Mrkos-Pajdusakova 5,210. **4** Tempel 5,259. **5** Neujmin 5,437. **6** Brorsen 5,463. **7** Tuttle-Giacobini-Kresák 5,489. **8** Tempel-L. Swift 5,681. **9** Tempel 5,982. **10** Pons-Winnecke 6,125.

☞ **Chiron,** découvert le 1-11-1977 par l'Amér. Charles Kowal et pris alors pour un astéroïde, semble être un moyen cométaire. *Distance au Soleil* 1,27 (notamment en 1996) : 2,8 milliards de km ; *diam.* 200 à 300 km ; *révolution :* 50, 53 ans.

Météorites

Généralités

■ **Définition.** Corps arrachés, par collision, à des astéroïdes gravitant dans l'espace interplanétaire ; attirés par la Terre quand ils passent à proximité, ils pénètrent dans l'atmosphère à une vitesse variant de 40 000 à 290 000 km/h. Le frottement de l'atmosphère les rend incandescents vers 120 km d'altitude jusqu'à 80 km (le phénomène lumineux qui en résulte – le *météore,* dit *bolide* quand il est intense – est souvent appelé *étoile filante*). La plupart sont volatilisés en poussière avant d'atteindre le sol. La fréquence des chutes et le poids des projectiles étaient 10 000 fois supérieurs, au début de la formation du système solaire, à ce qu'ils sont actuellement. L'espace interplanétaire est relativement dégagé et les collisions y sont devenues rares.

■ **Nombre.** On peut observer à l'œil nu plus de 9 milliards de météorites par an. Un observateur exercé peut compter de 2 à 20 météores par heure (10 en moyenne) dans la région du ciel qu'il peut utilement surveiller. Certaines chutes arrivent à époque fixe, paraissant jaillir d'un même point, dit **point radiant** (en fait elles ont des trajectoires parallèles).

■ **Principaux essaims** (date annuelle et nombre moyen de traînées à l'heure). *1-4 janv.* Quadrantides 40 ; *21 avr.-12 mai* Aquarides 20 ; *29 mai-19 juin* Ariétides 60 ; *1-7 juin* Perséides 40 ; *4 juin-5 juil.* Taurides 30 ; *21 juil.-15 août* Aquarides australes 20 ; *15 juil.-18 août* Aquarides boréales 10 ; *25 juil.-17 août* Perséides 50 ; *9 oct.* Giacobinides (Draconides) *1933* [lors du retour de la comète 1900 III de Giacobini-Zinner (période de 6 ans 1/2), la Terre se trouvait au point de rencontre des orbites Terre-Comète] 20 000, *1946* 1 000 ; *14 nov.* Biélides (Andromédides) *1872* et *85* 5 000/10 000 ; *14-20 nov.* Léonides *1866* et *83* 1 000/10 000 ; *7-15 déc.* Géminides 50.

■ **Averses les plus denses observées.** Léonides (1799-1833-1866-1933-1966 : 2 000 objets par min).

Météorites arrivant au sol

■ **Composition.** 96 % des météorites sont **pierreuses (aérolithes,** dont 92 % de **chondrites,** contenant des *chondres,* minuscules sphères de silicates). Leur composition est celle des roches basiques terrestres : silices, silicates et oxydes de calcium, magnésium ; mais certaines chondrites (C3) contiennent en outre des nodules enrichis d'éléments réfractaires (aluminium, calcium, titane). Le tout est noyé dans une matrice noirâtre, plus ou moins carbonée. 3 % sont des **sidérites,** entièrement métalliques, dont la composition est celle du noyau terrestre : fer 92 %, nickel 7 %. 1 % sont des **lithosidérites,** intermédiaires entre ces 2 types : 50 % de pierre, 50 % de fer et nickel.

■ **Origine.** On pense actuellement que les corps célestes frappant la surface de la Terre viennent tous de la ceinture d'astéroïdes située en moyenne à 2,8 unités astron. du Soleil (entre Mars et Jupiter) et occupant la place d'une planète détruite par une explosion (voir **Astéroïdes** p. 18 c).

■ **Vitesse.** *Petites météorites* (masse inférieure à 10 t, diamètre pour les pierreuses 1,75 m, les métalliques 1,25) : freinées par l'atmosphère, atteignent le sol à 5 km/s max. (18 000 km/h). *Météorites de plus de 10 t :* freinées que dans certaines conditions (angle d'entrée, vitesse déjà atteinte). Plus leur masse est grande, moins le freinage agit.

■ **Nombre.** Environ 1 600 météorites ont été retrouvées et authentifiées. Il s'agit surtout de sidérites, moins nombreuses (3 % au total des météorites), mais plus faciles à repérer au sol.

Pour toute la Terre. Entrée en l'atmosphère : un corps de 100 t entre chaque jour dans l'atmosphère terrestre, un de 1 000 t 1 fois par mois, un de 15 000 t 1 fois par an, un de 100 000 t 1 fois par décennie, un de 1 000 000 de t 1 ou 2 fois par siècle. En général les blocs sont réduits en poudre dans la haute atmosphère et seule se dépose sur Terre une centaine de g de fine poussière par km^2. **Arrivée au sol :** il tomberait 10 000 t de météorites *par an,* mais comme les océans et mers recouvrent 71 % de la surface totale du globe, près des 3/4 vont au fond de l'eau. Il arrive en moyenne *tous les 30 ans* 1 météorite de 50 t (diamètre : 2,25 m pour les sidérites, 3 m pour les aérolithes) ; *tous les 150 ans,* 1 de plus de 220 t (diam. 3,60 m à 4,80 m) ; *tous les 100 000 ans,* 1 de plus de 50 000 t. **Effets sur Terre selon le diamètre.** – *de 10 cm* (des milliers par an) : brûlent dans l'atmosphère, aucun risque sur Terre. *10 cm à 1 m* (des dizaines par an) : se fragmentent et généralement brûlent, risque très faible. *1 à 10 m* (1 par an) : touche le sol en fragments, dégâts locaux. *10 à 100 m* (1 tous les 500 ans) : cratère important, dégâts à l'échelle d'une région. *100 m à 1 km* (1 tous les 5 000 à 10 000 ans) : cratère de plus d'1 km de diamètre, dégâts à l'échelle d'un continent. *+ d'1 km* (1 tous les millions d'années) : cratère au sol de 15 fois le diamètre, fin d'une civilisation ?

Il faudrait une météorite de plusieurs milliers de milliards de t pour déplacer l'axe de rotation de la Terre. Nous avons un risque sur des centaines de millions d'en rencontrer une.

Pour une étendue comme celle de la France, on compte *chaque année* environ 6 météorites pesant 5 kg ou plus avant leur entrée dans notre atmosphère (à leur arrivée au sol elles ne pèsent plus que quelques g) ; *tous les 20 ans,* 1 météorite pesant plus de 3 000 kg (les plus grands fragments arrivant au sol pèsent moins de 500 kg).

■ **Plus grandes chutes au sol connues.** Le 26-4-1803 à *Laigle* (Orne), 2 000 à 3 000 météorites sont tombées sur une superficie de 50 km^2. Le 30-6-1888 à *Polotsk* en Biélorussie, 100 000 météorites sont tombées sur quelques km^2. **Chute importante la plus récente :** près de Fianarantsoa (Madagascar) le 30-7-1977. Masse non déterminée : 2 cratères (l'un de 240 m de diam.)

■ **Plus grosses météorites connues.** Depuis l'ère précambrienne (600 millions d'années), 1 500 astéroïdes de plus d'un km de diamètre ont atteint la Terre dont 200 environ sur le sol immergé. Elles ont dû provoquer une explosion équivalente à 100 000 mégatonnes de TNT. 50 cratères ont été identifiés, dont 23 au Canada. Datant de quelques millions d'années [sauf les cratères de Sudbury (Ontario, Canada), Vredefort (Afr. du S.) qui remontent à l'ère précambrienne], ils étaient à l'origine comparables aux grands cratères de la Lune, de Mars et de Mercure. Un astéroïde de 1 km de diamètre et de densité 3,5 creuse un cratère d'env. 22 km de diamètre. On repère les points d'impact d'après les changements subis par les roches : quartz se transformant en *coésite* et en *stishovite* sous l'effet de la pression et de la chaleur.

Plus grosses météorites conservées

(lieu de chute, date de découverte et masse en kg)

Hoba (Namibie, 1920)	60 000
Cap York (Groenland, 1895)	36 000
Ahnighito (Groenland, 1894)	31 000
Chingo (Chine, date n.c.)	30 000
Bacubirito (Mexique, 1863)	27 000
Mbosi (Tanzanie, 1930)	25 000
Armanty (Mongolie ext., date n.c.)	20 000
Agpalilik (Groenland, 1963)	17 000
Willamette (USA, Oregon 1902)	15 000
Chapaderos (Mexique, 1852)	14 000
Otumpa (Argentine, 1783)	13 600
Mundrabilla (Australie, 1966)	12 000
Morito (Mexique, 1600)	11 000
Bendego (Brésil, 1784)	5 400
Beniteyo (Brésil)	5 000
Cranbourne (Australie, 1854)	3 500

☞ A Ensisheim (Haut-Rhin) 55 kg (158 kg à l'origine, tombée en 1492, brisée à la Révolution).

■ **« Météorite de la Toungouska »** (en Sibérie). Le 30-6-1908 à 7 h 15 (heure locale). Les arbres furent brûlés dans un rayon de 10 km et déracinés (par l'onde de choc) jusqu'à 100 km, le bruit fut perçu à 1 500 km de distance ; un nuage luminescent s'étendit jusqu'en Europe (il y eut une luminosité inhabituelle pendant env. 2 mois). Comme on n'a pas trouvé de débris météoriques sur les lieux, on pense qu'il s'agissait de l'explosion entre 6 et 9 km d'altitude d'un petit noyau cométaire [peut-être un fragment de la comète d'Encke (la trajectoire suivie venait d'une orbite autour du Soleil, presque identique à celle de cette comète)], ou d'un petit astéroïde d'env. 100 m de diamètre et de 1 million de t. L'énergie dégagée aurait été équivalente à 1 000 fois celle dégagée à Hiroshima. Lorsque la vitesse était de 12 à 14 km/s, les fragments ont été détruits presque instantanément (provoquant le flash final qui a brûlé les vêtements des témoins à 60 km de là). Il n'en est resté qu'une multitude de petites sphères de métal et de silicates que l'on trouve dans le sol de la région.

☞ Il y a quelques millénaires, le Lincolnshire (G.-B.) a peut-être été le théâtre d'une explosion type Toungouska, provoquée par une comète (à tête petite mais entourée d'une grande quantité de gaz). La végétation de la région comporte une concentration élevée d'oligo-éléments, tels qu'arsenic, iode, brome, zinc et tellurium, anormale sur la Terre, s'expliquant par le fait que la comète aurait diffusé alentour les éléments qu'elle contenait.

■ **Micrométéorites.** Poussières microscopiques. Plusieurs centaines de tonnes tombent chaque jour sur Terre.

Astroblèmes

Du grec *blêma,* blessure. Cratères météoritiques fossiles. Diamètre max. sur Terre 700 km (sur la Lune 1 600 km, mer des Pluies).

■ **Astroblèmes terrestres.** Diamètre (initial) en km et âge en millions d'années. **De moins de 40 millions d'années : Allemagne :** Nordlinger Ries 24, 15 ± 1 ;

TABLEAU DES 10 CLASSES DE SPECTRES [1]

Classe [2]	*Couleur*	*Température*	*Raies dominantes*	*Exemples*
O	bleue	70 000°	hélium ionisé	θ Orionis O6 α Camelopardalis O9
B	bleue	38 000°	hélium neutre hydrogène	α Crucis B1 Régulus B7
A	blanche	15 000°	hydrogène métaux ionisés	Véga A0 Sirius A1
F	jaune	9 000°	métaux neutres hydrogène	Canopus F0 Procyon F5
G	jaune	6 500°	calcium métaux neutres	α Centauri G2 Soleil G2
K	orangée	5 000°	métaux neutres	Pollux K0 Arcturus K2
M	rouge	3 800°	oxyde de titane métaux	Antarès M1 Bételgeuse M2
C	rouge		molécules C_2, CN, CH	Y Hya C5 T Cae C6 R Leporis N6
S	rouge		oxyde de zirconium oxyde de titane	V Cancri S2 R Andromedae S6

Nota. – (1) A ces 10 classes, il faut ajouter certaines étoiles exceptionnelles : les étoiles de Wolf-Rayet (W), très chaudes et très instables et dont le spectre présente des raies d'émission ; les étoiles ayant subi une catastrophe (Q), comme les novae ; les ét. dont le spectre continu ne présente aucune raie. (2) On a divisé chaque classe en 10 sous-classes : B0, B1, B2... B9. Les étoiles B9 ressemblent beaucoup aux A0 ; les étoiles B0 ressemblent beaucoup aux O9.

Steinheim 3,5, 14,8 ± 0,7 ; Stopfenheim Kuppel 8, 14,8 ± 7. **Antarctique :** Wilkes Land 240, 0,7. **Australie (Tasmanie) :** Darwin Crater 1, 0,7. **Autriche :** Köfels 5, 0,0085. **Canada :** golfe du St-Laurent 290, 35 ± 1 ; Labrador, Mistatin 28, 38 ± 4 ; N.W.T., Haughton Dome 20, 15 ; Ontario, Wanapitei 8,5, 37 ± 2 ; Québec, New Quebec 3,2 ± 5. **Chili :** Monturaqui 0,46, 1. **Ghana :** Bosumtwi 10,5, 1,0 Z 0,1. **Inde :** Lonar 1,8, 0,05. **Mauritanie :** Aouelloul 0,37, 3,1 ± 0,1 ; Tenoumer 1,9, 2,5 ± 0,5. **Mongolie :** Tabun-Khara-Obo 1,3 plus de 30. **Ex.-URSS :** *Kazakhstan,* Zhamanshin 10, 1,1 ± 0,1 ; *Kirghizistan,* Shunak 18, 10 ; *Russie,* Karka 18, 10 ; *Sibérie Or.,* Elgytgyn 23, 4,5 ± 0,1 ; *Yakoutie,* Popigai 100, 30,5, 1,5. **USA :** Alaska, Sithylemenkat 12,4, 0,012. **Probables de 20 km de diamètre ou + : Afr. du S. :** Vredefort 140, 1970 ± 100. **Allemagne :** Nordlinger Ries 24, 15 ± 1. **Antarctique :** Terre Victoria 240. **Australie :** N.T., Gosses Bluff 22, 130 ± 6 ; N.T., Strangways 24, 150 ± 70. **Brésil :** Araguainha 40 moins de 250. **Canada :** Baie d'Hudson 440 ; Alberta, Steen River 25, 95 ± 7 ; Labrador, Mistatin 28, 38 ± 4 ; Manitoba, St-Martin, 23, 225 ± 40 ; N.W.T., Haughton Dome 20, 15 ; Ontario, Slate Islands 30, 350 ; Sudbury 140, 1840 ± 150 ; Québec, Charlevoix 46, 360 ± 25 ; Clearwater Lake East 22, 290 ± 20 ; Clearwater Lake West 32, 290 ± 20 ; Manicouagan 70, 210 ± 4 ; Saskatchewan, Carswell 37, 485 ± 50. **France :** Rochechouart 20, 160 ± 5 ; la météorite pesait env. 1 milliard de t et avait 600 m de diamètre ; elle a dû atterrir à 20 130 m/s, soit près de 76 000 km/h ; l'énergie libérée lors de la collision était l'équivalent de l'explosion de 300 000 mégatonnes de TNT (14 millions de fois Hiroshima) ; il s'agissait d'un bloc de sidérite, que l'érosion a depuis éliminé, mais dont l'explosion a augmenté la teneur en nickel des brèches de la région ; jusqu'en 1969, on pensait qu'il s'agissait d'un ancien cratère volcanique. **Suède :** Siljan 52, 365 ± 7. **Mexique** (Yucatan) : Chicxulub 205,65. **Ex-Tchécoslovaquie :** bassin de Prague 300. **Ex.-URSS :** Labynkir 60 ; Nenetz, Kara 50, 57 ; Russie, Kamensk 25, 65 ; Puchezh-Katunki 80, 183 ± 3 ; Sibérie or., Elgytgyn 23, 4,5 ± 0,5. **USA :** Iowa, Manson 32 – 70.

■ **Cratères météoriques terrestres certains.** Localisation et entre parenthèses, date de découverte, diamètre (en m), nombre de cratères associés et âge approximatif (en milliers d'années) (en italique). **Arabie Saoudite** Wabar (1932) 90 m, 2 cr., *6 000 a.* **Argentine** Campo del Cielo (1933) 70 m, 20 cr., *6 000 a.* **Australie** Boxhole (N.T., 1937) 175 m ; Dalgaranga (W.T., 1923) 21, Henbury (N.T., 1931) 150 m, 15 cr., *4 000 a. ;* Wolf Creek (W.-T., 1937) 850 m. **Canada** Ungava (Québec, 1943) 3 341 m. **Mauritanie** Aouelloul (1951) 250 m. **Pologne** Morasko 100 m, 8 cr., *10 000 a.* **Russie** *Estonie :* Kaalijärvi (1928) 110 m, 7 cr. ; *Sibérie :* Sikhote-Alin [tombée le 12-2-1947, s'est brisée à 10 000 m d'alt. en milliers de fragments dont certains de plusieurs t, 122 cr. (29 m à 50 m de diamètre, et 6 m de profondeur pour le plus grand)], Sobolev 51 m, Toungouska (1908) (voir p. 20 c). **USA** Haviland (Kansas, 1925) 11 m ; Meteor Crater (Arizona) 1 200, *24 000 a.* (le mieux conservé des grands cratères récents, prof. 200 m ; le météorite devait peser 60 000 à 100 000 t) ; Odessa (Texas, 1921) 168 m, 3 cr.

TECTITES

■ **Description.** De quelques g à quelques kg, de forme allongée ou sphérique, d'apparence vitreuse, ressemblent à du sable vitrifié. A l'analyse, dénotent une double fusion. Il s'agirait de morceaux d'écorce terrestre vaporisés et projetés lors de la chute d'une énorme météorite, retombant ensuite au sol, en se solidifiant, jusqu'à des milliers de km du lieu d'impact.

■ **Lieux.** Probablement partout sur Terre, mais difficiles à repérer. On en trouve dans des déserts (ex. : Libye ou Australie), et plus difficilement, parce que masquées par la végétation, dans des endroits tempérés (ex. : ex-Tchécoslovaquie).

ÉTOILES

■ **Observation (quelques dates).** **1712** liste de 300 étoiles par John Flamsteed. **1718** Edmond Halley découvre le mouvement propre des étoiles. **1726** James Bradley explique le phénomène d'aberration (ellipses apparentes dues au mouvement de la Terre). **1748** Bradley découvre la *nutation* (oscillation de l'axe de rotation de la Terre). **1837** détermination des parallaxes d'Altaïr, de *Delta UMi* et de *Vega* par Wilhelm Struve. **1838** de *61* du Cygne par Friedrich Bessel, de *alpha* du Centaure (notre voisine) par Thomas Henderson (Le Cap).

■ **Analyse spectrale.** Le spectre d'une étoile est la photographie de sa lumière décomposée par son passage au travers d'un prisme de verre. Le prisme disperse la lumière en autant d'images qu'il y a de longueurs d'onde dans la lumière incidente (l'indice de réfraction du verre variant selon la longueur d'onde).

■ **Classement.** Le système des magnitudes classe étoiles et planètes selon une échelle logarithmique telle qu'une différence de magnitude d'une unité correspond à un rapport d'intensité lumineuse de 2,5. Une étoile de m. 1 (on dit aussi de 1re grandeur) est 2,5 fois plus brillante qu'une ét. de m. 2. Une différence de 5 unités de m. correspond à un rapport d'intensité égal à 100, etc.

■ **Composition chimique.** Presque toutes les étoiles du même âge ont la même composition. En moyenne (en %) : hydrogène 89, hélium 10, autres éléments (carbone, oxygène, azote, métaux...) 1. La proportion de ces derniers augmente régulièrement dep. la naissance de notre galaxie. Par rapport au Soleil qui est une étoile jeune, les ét. plus vieilles peuvent avoir jusqu'à 10 000 fois moins de métaux. Certaines ét. ont des compositions chimiques hors normes dues à une évolution spéciale.

■ **Définitions** (voir p. 12). *Définition des unités utilisées* (voir Index).

■ **Densité** (par rapport à l'eau = 1). **La plus faible :** supergéantes rouges (env. $2,10^{-7}$). **La plus forte :** pulsars (env. 10^{16}).

■ **Diamètre.** **Les plus grandes étoiles connues :** *IRS 5,* 15 000 000 000 de km de diamètre. *ε du Cocher,* 5 560 000 000 de km de diamètre. **La plus petite :** *LP 327-186 :* env. 20 km. Les *pulsars* (étoiles à neutrons) pourraient avoir moins de 20 km de diam., et les *trous noirs,* s'ils existent, moins de 1 km.

■ **Distance à la Terre.** **Les plus proches :** le *Soleil* 149 600 000 km et *Proxima Centauri* 39 925 milliards de km (4,22 années de lumière), *α* et *β Centauri* 41 155 milliards de km (4,35 a. de l.). **La plus éloignée visible à l'œil nu :** 15 millions de milliards de km (1 500 années de lumière).

On mesure la distance des étoiles proches par la méthode des *parallaxes trigonométriques :* on essaye de surprendre un léger décalage dans la position de l'étoile à 6 mois de distance, en raison du déplacement orbital de la Terre. Voir Parallaxe annuelle p. 12 c et tableau p. 22.

■ **Éclat.** Dépend de la constitution et de la distance. De 2 étoiles similaires, si l'une est 10 fois plus éloignée que l'autre, elle sera 100 fois moins brillante (l'éclat d'une source de lumière qui s'éloigne est inversement proportionnel au carré de sa distance). Cet éclat a été nommé **grandeur** jusqu'en 1860 ; puis, après les travaux de Norman Pogson à Madras, **magnitude.** Par définition, la magnitude m d'une étoile d'éclat E sera : m = – 2,5 log E + k. Pratiquement, on choisit dans le ciel des étoiles-étalons, et on se débarrasse de la constante k en définissant la magnitude d'une étoile (2) par rapport à l'étalon (1) (α Lyra) selon la formule :

$$m1 - m2 = -2{,}5 \log \frac{E2}{E1}.$$

La **magnitude apparente** (notée m) dépend de la luminosité réelle et de l'éloignement. La **magnitude absolue** (notée M) est la magn. apparente qu'aurait l'astre s'il était situé à 10 parsecs. Elle permet de comparer la luminosité réelle des astres. Les étoiles les plus grandes ont des m. négatives.

Calcul de la magnitude absolue : la quantité (m – M) s'appelle le module de distance et on peut démontrer à partir des relations de Pogson que :

$$m - M = 5 (\log d - 1)$$

où d doit être exprimé en parsecs. La connaissance de m et de d permet de calculer M ; inversement, si l'on connaît m et M, on saura calculer d.

La magnitude absolue de notre Soleil est de + 4,7 ; il serait visible à l'œil nu jusqu'à 18 parsecs (= 60 années de lumière).

Les étoiles faibles qui ont fait l'objet d'une étude spéciale sont situées par leurs coordonnées célestes.

Céphéides : étoiles dont l'éclat varie selon des périodes régulières et, tirant leur nom de l'étoile *Delta* de Céphée. Il y a des périodes très courtes, moins de 2 h (étoile type : RR Lyrae), et longues, plus de 45 j (étoile type : *Delta* de Céphée).

Étoile la moins lumineuse connue : RG 0050-2722 dans la constellation du Sculpteur. **Magnitude absolue visuelle :** + 19 (étoile naine, riche en métaux ; temp. de surface 3 000 °C, située à env. 80 années de lumière).

■ **Évolution.** Les étoiles naissent (souvent en *amas*) de la contraction de grandes nébuleuses de matière interstellaire (déclenchée peut-être par des explosions de supernovae). En se contractant, la matière de la nébuleuse s'échauffe. Lorsqu'elle forme une grosse boule au centre de laquelle la température atteint 1 million de degrés, des réactions nucléaires de fusion s'amorcent : l'étoile commence à rayonner de la lumière visible. Ce phénomène ne se produit pas lorsque la masse est inférieure à 1 % de celle du Soleil : la température reste trop basse et il ne se forme pas une véritable étoile mais une *naine brune,* qui ne rayonne que de l'infrarouge. La vie d'une étoile se présente comme une succession de phases au cours desquelles sont synthétisés des éléments chimiques de plus en plus lourds *(nucléosynthèse). 1re phase :* l'hydrogène, dont est formée primitivement l'étoile, brûle tout d'abord au centre pour donner de l'hélium (cas actuel du Soleil) ; durée : 10 milliards d'années pour une étoile comme le Soleil. *2e phase :* le cœur d'hélium se contracte sous l'effet de la gravité et sa température augmente jusqu'à déclencher de nouvelles réactions nucléaires qui produiront alors des noyaux atomiques de plus en plus lourds : carbone, oxygène, etc. jusqu'au fer. Cette évolution calme peut s'arrêter si la masse de l'étoile est insuffisante. *3e phase :* période d'instabilité et, pour certaines, phase explosive *(nova, supernova). 4e phase :* effondrement gravitationnel qui donne naissance à une *naine blanche* (masse ultime de l'étoile à moins de 1,4 fois celle du Soleil), une *étoile à neutrons* (masse ultime entre 1,4 et 3 fois) ou un *trou noir* (masse ultime plus de 3 fois).

■ **Lever héliaque.** Époque à laquelle une étoile est visible à l'aube dans la région de l'horizon où le Soleil va se lever (progressivement cette étoile s'éloigne de plus en plus du Soleil et se voit de mieux en mieux). Les Égyptiens, vers la fin du IVe millénaire av. J.-C., avaient remarqué que le lever héliaque de Sirius

Étoiles les plus proches

Nom	Constellation	Distance (en années de lumière)	Magnitude visuelle		Classe spectrale	Masse (par rapport à celle du Soleil)	Rayon (par rapport à celui du Soleil)
			apparente m_v	absolue M_v			
Proxima	Centaure	4,22	11	15,4	M5	0,12	
α *Centauri* A	Centaure	4,35	- 0,0	4,7	G2	1,1	1,06
α *Centauri* B	Centaure	4,35	1,3	6,1	K5	0,99	0,87
Étoile de Barnard	Ophiucus	6	9,5	13,3	M5		
Wolf 359	Lion	7,7	13,5	16,6	M8		
Lalande 21185	Grande Ourse	8,2	7,5	10,7	M2	0,35	
Luyten 726-8A	Baleine	8,4	12,5	15,6	M5	0,04	
Luyten 726-8B	Baleine	8,4	13	16,1	M6	0,03	
Sirius A	Grand Chien	8,6	— 1,4	1,3	A1	2,31	1,68
Sirius B	Grand Chien	8,6	8,6	10	nb*	0,98	0,02
Ross 154	Sagittaire	9,4	10,6	13	M4		
Ross 248	Andromède	10,4	12,2	14,7	M6		
ϵ *Eridani*	Éridan	10,8	3,7	6,2	K2		0,98
Luyten 789-6	Verseau	10,8	12,2	14,8	M7	0,63	
Ross 128	Vierge	10,8	11,1	13,4	M5		
ϵ*1 Cygni* A	Cygne	11,1	5,2	7,9	K5		
ϵ*1 Cygni* B	Cygne	11,1	6	8,6	K7		
ϵ *Indi*	Indien	11,2	4,7	7	K5		
Groombridge 34 A		11,2	8,1	10,3	M1		
Groombridge 34 B		11,2	11	13,1	M6		
Procyon A	Petit Chien	11,4	0,4	2,9	F5	1,8	2,1
Procyon B	Petit Chien	11,4	10,7	13,2	nb*	0,7	0,01

Nota. – * nb = naine blanche. Les 2 dernières colonnes comportent de nombreux « blancs » car on ne peut déterminer la masse et le rayon des étoiles que lorsqu'elles font partie d'un système double.

Étoiles les plus brillantes

Nom		Constellation	Magnitude visuelle		Classe spectrale	Distance (en années de lumière)
usuel	officiel		apparente m_v	absolue M_v		
Sirius	α CMa	Grand Chien	— 1,45	+ 1,41	A1	8,64
Canopus	α Car	Carène	— 0,73	+ 0,16	F0	190
Rigil Kentarus	α Cen	Centaure	— 0,3	+ 4,3	G2	4,37
Arcturus	α Boo	Bouvier	— 0,06	— 0,2	K2	36
Véga	α Lyr	Lyre	+ 0,04	+ 0,5	A0	26,5
Capella	α Aur	Cocher	+ 0,08	— 0,6	G8	45
Rigel	β Ori	Orion	+ 0,2	— 7,0	B8	660
Procyon	α CMi	Petit Chien	+ 0,35	+ 2,65	F5	11,41
Achernar	α Eri	Éridan	+ 0,48	— 2,2	B5	130
Agena	β Cen	Centaure	+ 0,60	— 5,0	B1	390
Altaïr	α Aql	Aigle	+ 0,77	+ 2,3	A7	16,1
Bételgeuse	α Ori	Orion	+ 0,80 *	— 6,0	M2	650
Aldébaran	α Tau	Taureau	+ 0,85	— 0,7	K5	68
Acrux	α Cru	Croix du Sud	+ 0,8	— 3,5	B2	260
Épi	α Vir	Vierge	+ 0,96	— 3,4	B1	260
Antarès	α Sco	Scorpion	+ 1,0	— 4,7	M1	425
Pollux	β Gem	Gémeaux	+ 1,15	+ 0,95	A0	36
Fomalhaut	α PsA	Poisson austral	+ 1,16	+ 0,08	A3	23
Deneb	α Cyg	Cygne	+ 1,25	— 7,3	A2	1 600
Mimosa	β Cru	Croix du Sud	+ 1,26	— 4,7	B0	490

Nota. – * en moyenne (étoile variable).
Source : « Astronomie » sous la direction de Philippe de La Cotardière (Larousse).

(qu'ils appelaient Sothis), vers le 19 juillet, coïncidait avec le début de la crue du Nil, apportant une irrigation bienfaisante à leurs cultures.

■ **Masse.** En général entre 0,05 et 60 fois celle du Soleil. Les supermassives, jusqu'à 200 fois (durée de vie de quelques dizaines de millions d'années ; 10 milliards d'années pour le Soleil).

■ **Nombre.** Environ 200 000 000 000 dans notre galaxie, dont 17 000 000 sont cataloguées. *Nombre visible à l'œil nu :* 6 000 (de 2 500 à 3 000 dans un seul hémisphère) dont de *1re grandeur :* 21. *2e :* 50. *3e :* 150. *4e :* 450. *5e :* 1 350. *6e :* 4 000.

Le grand télescope du mont Palomar distingue les étoiles de 23e grandeur, qui sont 650 millions de fois plus faibles que celles de 1re grandeur.

■ **Scintillation.** Due aux modifications continuelles de l'atmosphère terrestre dont les couches successives, différentes par leur température, leur densité, leur humidité, produisent une inégale réfraction des rayons lumineux des diverses couleurs. Cette scintillation est d'autant plus faible que l'atmosphère est plus calme, que le chemin des rayons lumineux à travers l'atmosphère est plus court ; elle est forte pour les étoiles basses sur l'horizon, tandis que les étoiles proches du zénith ne scintillent guère que les jours de grand vent. Elle est faible dans les pays tropicaux à l'atmosphère généralement calme. Elle est moins accentuée au sommet des montagnes.

Étoiles les plus scintillantes : les blanches et bleues, puis les jaunes et les rouges.

Supernovae : certaines étoiles géantes explosent parfois et rayonnent alors comme plusieurs centaines de millions de soleils (voir p. 13 c).

■ **Température** (suivant la couleur). Rouge 1 500 à 2 000 °C, orange 2 000 à 3 500 °C, jaune 3 500 à 5 000 °C, blanc 15 000 à 30 000 °C, bleu 45 000 à 70 000 °C.

Systèmes planétaires

Les planètes sont regardées aujourd'hui comme des sous-produits naturels de la formation des étoiles, par condensation de nébuleuses. Mais les télescopes actuels ne sont pas assez sensibles pour nous montrer des planètes autour d'autres étoiles que le Soleil. Cependant certaines étoiles proches ayant, dans le ciel, un mouvement légèrement perturbé (trajectoire ondulée), on présume qu'elles sont entourées d'une ou de plusieurs grosses planètes (voir ci-dessous).

■ **Détection :** En 1983, le satellite d'astronomie IRAS (voir p. 33b) a détecté dans l'infrarouge, autour de plusieurs étoiles proches, notamment Véga et Fomalhaut, un disque de poussières qui pourrait être un système planétaire en formation. Un disque de poussières a également été détecté à l'aide de télescopes au sol autour de H L Tau, une jeune étoile de la constellation du Taureau, située à env. 500 années de lumière, et de Beta Pictoris, une étoile de la constellation du Peintre, à 50 années de lumière. En décembre 1984, des astronomes américains ont annoncé qu'ils avaient identifié une grosse planète (30 à 40 fois la masse de Jupiter) autour de l'étoile Van Biesbroek 8, située dans la constellation d'Ophiucus, à 21 années de lumière (env. 200 000 milliards de km). Il s'agissait en fait d'une erreur. En 1988, on a identifié un corps (ayant une masse d'au moins 10 fois celle de Jupiter) tournant en 84 jours autour de l'étoile HD 114762 située à 90 années de lumière dans la constellation de la Chevelure de Bérénice. Ce ne serait sans doute pas une planète, mais plutôt une étoile naine brune (de masse insuffisante pour développer des réactions thermonucléaires).

☞ **Découvertes autour de pulsars :** *1991 :* 21 planètes autour d'un pulsar dans la constellation de l'Écu (erreur de calcul reconnue le 16-1-1992). *9-1-1992 :* 2 planètes autour d'un pulsar dans la constellation de la Vierge.

■ **Étoiles proches susceptibles de posséder des planètes.** (Nom de l'étoile, constellations en italique, distance en années de lumière, nombre et caractéristiques des planètes envisagées.) M = masse par rapport à Jupiter, P = période de révolution.

Étoile de Barnard, *Ophiucus* (6 a.l.), 2 planètes : M_1 = 0,8 ; P_1 = 11,7 ans ; M_2 = 0,4 ; P_2 = 20 ans. **Lalande 21 185,** *Grande Ourse, Petit Lion* (8,2 a.l.), 1 pl. : M = 30 ; P = 420 jours. **Luyten 726-8,** *Baleine* (8,4 a.l.), 2 pl. : M_1 = 1,1 ; P_1 = ? ; M_2 = 1,4 ; P_2 = ? **Ross 248,** *Andromède* (10,2 a.l.), 1 pl. : M ? ; P = 8 ans. **Eridani,** *Éridan* (10,8 a.l.), 1 pl. : M ? ; P = 25 ans. **ϵ1 Cygni,** *Cygne* (11,1 a.l.), 1 pl. : M = 1,6 ; P = 5 ans. **BD + 1° 1668,** *Petit Chien* (12,3 a.l.), 1 pl. : M = 60 ; P = 7 ans.

Données diverses

Saisons

■ **Commencement.** En UT (Universal Time : temps universel) en 1994. **Printemps** (équinoxe) : 20 mars à 20 h 29 min UT. **Été** (solstice) : 21 juin à 14 h 49 min UT. **Automne** (équinoxe) : 23 septembre à 6 h 20 min UT. **Hiver** (solstice) : 22 déc. à 2 h 24 min UT. L'inclinaison (23,5°) du plan équatorial terrestre sur le plan de l'écliptique est à l'origine des variations saisonnières.

■ **Hauteur de passage du Soleil au méridien (méridienne).** Elle est donnée par h = 90° – Φ + D (Φ : latitude du lieu, D : déclinaison du Soleil qui varie de + 23° 27' au solstice d'été à – 23° 27' au solstice d'hiver en passant par 0° aux équinoxes). Convention de signes : Φ et D positifs si nord, négatifs si sud. Les méridiennes aux époques correspondantes sont donc : **au solstice de juin,** début de l'été dans l'hémisphère Nord, 90° – Φ + 23,5° ; pour les points situés à 23,5° Nord (tropique du Cancer) le Soleil passe à la verticale. Par contre, l'hiver commence dans l'hémisphère Sud. **Au solstice de déc.,** début de l'hiver dans l'hémisphère Nord et de l'été dans l'hémisphère Sud, 90° – Φ – 23,5° : pour les lieux situés à 23,5° de lat. Sud (tropique du Capricorne) le Soleil passe à la verticale. **A l'équinoxe de mars et à celui de sept.,** début du printemps et de l'automne dans l'hémisphère Nord, 90° – Φ.

■ **Différences de température.** Celles qui caractérisent les saisons sont dues aux différences d'inclinaison des rayons solaires par rapport à la verticale.

■ **Durée.** Hémisphère Nord (et entre parenthèses h. Sud) : **Printemps** 92,8 j (89,8) ; **Été** 93,6 (89) ; **Automne** 89,8 (92,8) ; **Hiver** 89 (93,6). L'inégalité des saisons s'explique par l'ellipticité de la trajectoire terrestre. Elle est définie dans la *Loi des aires* (Kepler, 1618) : le rayon unissant une planète au Soleil balaie des aires égales dans des temps égaux.

Éclipses de Soleil et de Lune

■ **Conditions. Éclipse de Soleil :** quand la Lune passe entre le Soleil et la Terre. *Durée max. :* éclipse totale 7 min 31 s (cela n'est jamais arrivé au cours des 10 derniers millénaires), et, à l'équateur, plus de 7 min 58 s ; le 20-6-1955, aux Philippines, elle atteignit 7 min 08 s. Celle du 11-7-1991 a approché les 7 mn (6 min 54 s), visible à Hawaii et au Mexique.

Une éclipse est rarement totale sur plus de 1 000 000 de km², soit 1/500 de la surface terrestre. Plusieurs siècles peuvent s'écouler entre 2 éclipses totales en un même point de la Terre. EN EUROPE : il n'y aura eu au XXe s. que 12 éclipses totales ou annulaires visibles [dont, en France, le 17-4-1912 (totale dans la banlieue S.-E. de Paris, dura 7 s, et annulaire) ; le 15-2-1961 (totale sud de la France) ; le 11-8-1999 (totale, passera à 10 h 28 min à 23 km au nord de Paris, à Luzarches)]. A PARIS : la dernière véritablement totale a eu lieu le 22-5-1724 et la prochaine est prévue pour 2026.

De Lune : quand la Lune passe, au moins partiellement, dans l'un des cônes d'ombre ou de pénombre

Cartes du ciel

Légende : Colonne de gauche : face au nord. Colonne de droite : face au sud. *Source :* Société astronomique de France.

Zénith

Zénith

Mars : *le 1er* vers 22 h, *le 16* vers 21 h.

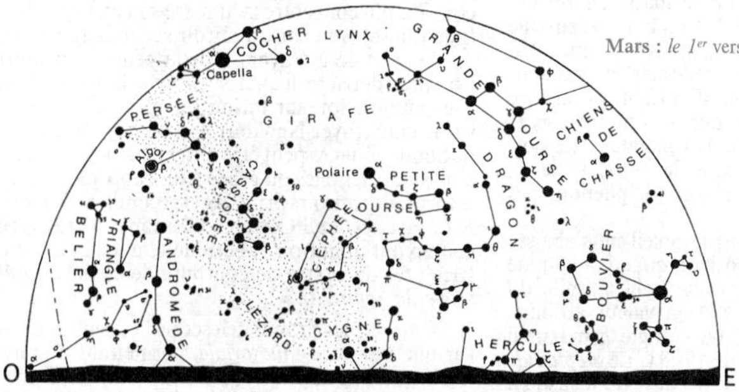

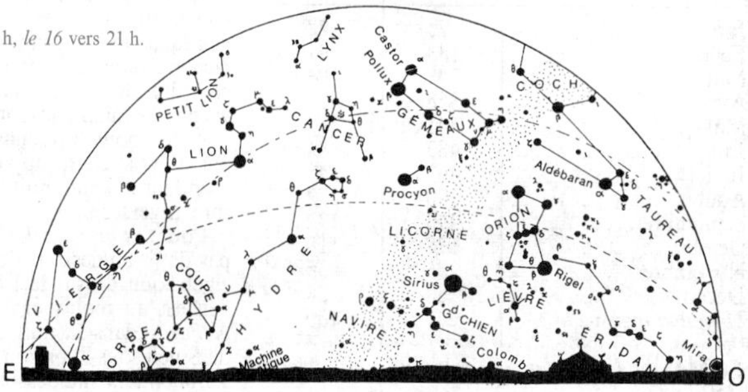

Juin : *le 1er* vers 23 h, *le 16* vers 22 h.

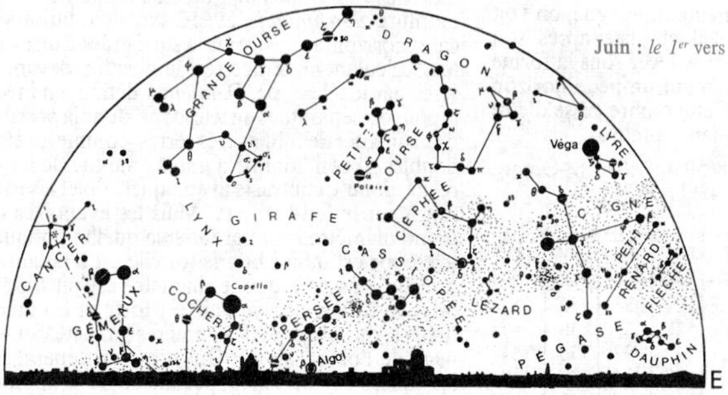

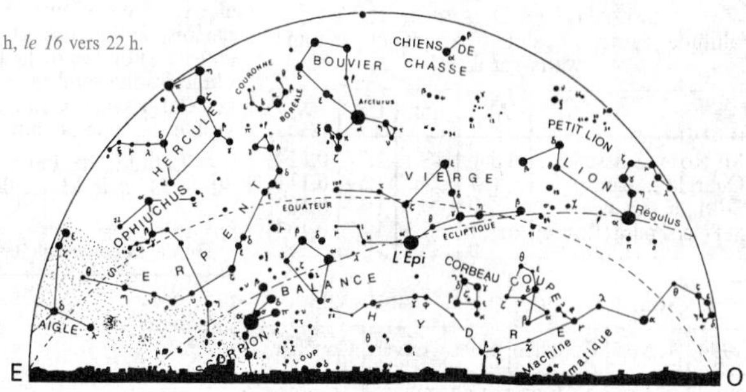

Septembre : *le 1er* vers 23 h, *le 16* vers 22 h.

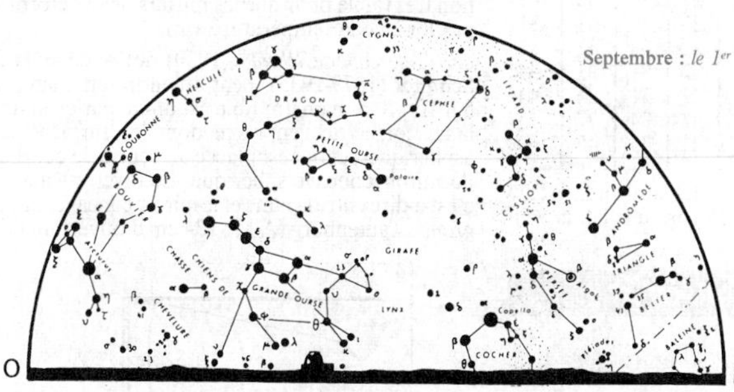

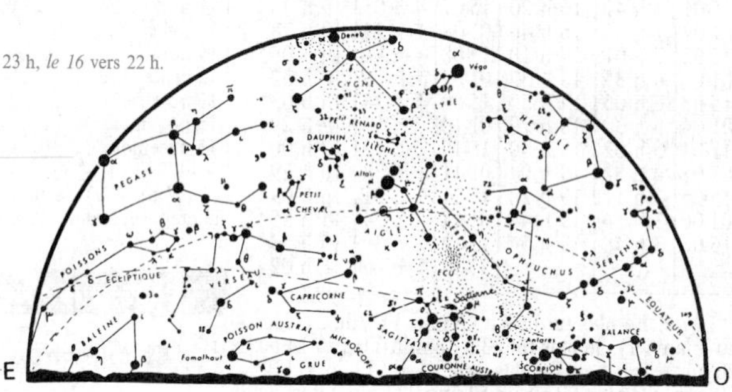

Décembre : *le 1er* vers 22 h, *le 16* vers 21 h.

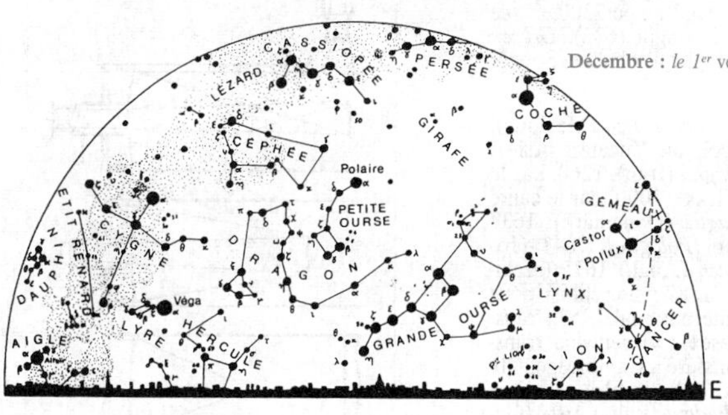

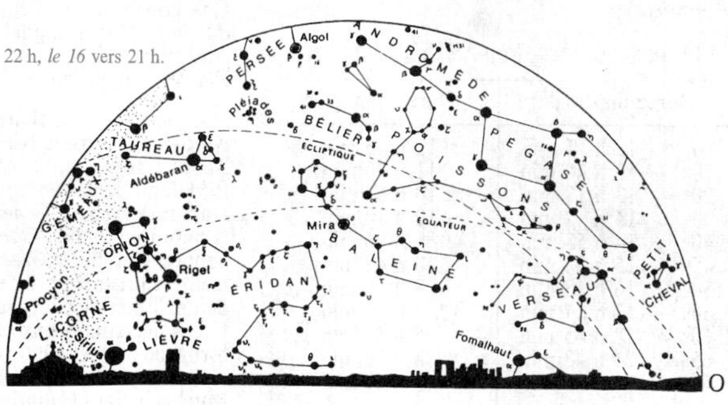

derrière la Terre par rapport au Soleil. *L'éclipse est visible* de tous les points de la Terre situés dans l'hémisphère tourné vers la Lune. L'éclipse par la pénombre est difficile à observer à l'œil nu car l'éclat diminue. Même durant une écl. totale, la Lune apparaît souvent rougeâtre : elle est éclairée par les rayons solaires qui, réfractés par l'atmosphère, pénètrent le cône d'ombre. *Durée max.* (théorique) : des écl. totales : 104 min (le cas s'est reproduit souvent) ; écl. partielles : 6 h.

■ Nombre. **Maximal** dans une année : 7 (2 ou 3 de Lune, 5 ou 4 de Soleil ou le contraire). **Minimal :** 2 (de Soleil). *Saros* : période de 18 ans 11 jours (10 j s'il y a 5 années bissextiles dans l'intervalle) qui règle approximativement le retour à l'identique (type et ordre de succession des éclipses de Soleil et de Lune. Il y a en moyenne dans cette période 84 éclipses : 42 de Lune et 42 de Soleil.

■ Observations. 1res méthodiques ; Proche-Orient : solaire 2136 av. J.-C. ; lunaire 1362 av. J.-C.

Poursuite d'éclipse. 1936 1re tentative qui permit, avec un bateau, de gagner 1 seconde. *1952* avec un avion, gain 1 min. *1973* (30-6) avec le Concorde, gain 74 min (à 1 600 km/h l'avion s'est déplacé à la vitesse de l'éclipse du N. du Brésil à l'océan Indien).

■ Éclipses en 1994. **Lune :** *25 mai*, partielle, en partie visible à Paris (grandeur max. 0,242, à 3 h 31 TU). *18 nov.*, par la pénombre, visible à Paris (gr. max.

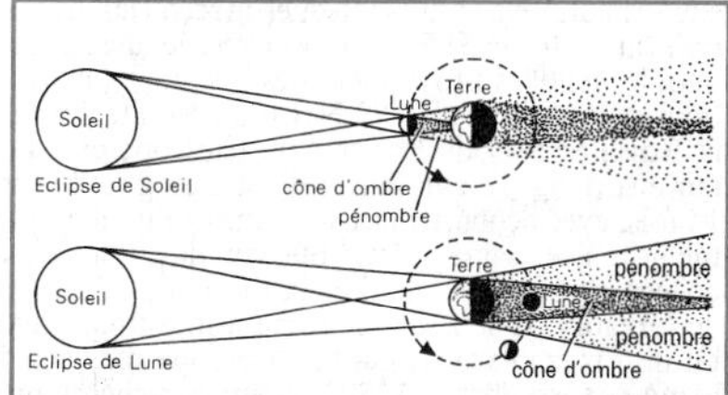

0,882, à 6 h 44 TU). **Soleil :** *10 mai*, annulaire, visible à Paris (gr. max. 0,9721, à 17 h 11,5 TU). *3 nov.*, totale, invisible à Paris (gr. max. 1,0274, à 13 h 39,2 TU). En 1995. **Lune :** *15 avril*, partielle, invisible à Paris (gr. max. 0,110, à 12 h 18 TU). *8 oct.*, par la pénombre, invisible à Paris (gr. max. 0,825, à 16 h 04 TU). **Soleil :** *29 avril*, annulaire, invisible à Paris (gr. max. 0,975 à 17 h 33 TU). *24 oct.*, totale, invisible à Paris (gr. max. 1,011, à 4 h 33 TU).

Rayonnement solaire

Il varie suivant le lieu (latitude, altitude) et les circonstances (saison, heures, météorologie).

Rayonnement incident renvoyé vers la voûte céleste (selon la nature des surfaces ensoleillées, en %). Neige fraîche 90, tassée et vieillie 60, nuages 40/80, sable clair 35, prairies 25, pierre, ciment 20, sol cultivé 15, mer (hiver 15), mer (été) 5.

Rayonnement global (Soleil et atmosphère)

En calories par cm² et par jour	St-Maur lat. 49° alt. 50 m	Irkoutsk lat. 52° alt. 467
Janvier	75	28
Février	133	97
Mars	248	204
Avril	358	260
Mai	441	285
Juin	482	384
Juillet	462	345
Août	390	272
Septembre	293	172
Octobre	178	118
Novembre	86	35
Décembre	60	28
Moyenne mensuelle	*267*	*186*

☞ Moyenne terrestre 300 calories, soit environ 1 250 joules.

Intensité la plus grande

(altitude ; latitude : calories par cm² et par min ; watts par cm²)

	Alt.	Lat.	Cal.	W.
Mt Rose (Suisse)	4 560	46	1,77	0,124
Ouargla (Algérie)	157	32	1,59	0,111
St-Maur (France)	50	49	1,43	0,100
St Pétersbourg (Russie)	qqs m	56,5	1,47	0,103

Le soleil à Paris (temps universel)

1994	Lever	Coucher	1994	Lever	Coucher
01-01	7 h 46	16 h 03	01-07	3 h 53	19 h 56
15-01	7 h 41	16 h 20	15-07	4 h 05	19 h 48
01-02	7 h 23	16 h 46	01-08	4 h 25	19 h 28
15-02	7 h 01	17 h 10	15-08	4 h 44	19 h 05
01-03	6 h 35	17 h 32	01-09	5 h 08	18 h 32
15-03	6 h 06	17 h 54	15-09	5 h 28	18 h 03
01-04	5 h 30	18 h 20	01-10	5 h 51	17 h 29
15-04	5 h 02	18 h 40	15-10	6 h 12	17 h 00
01-05	4 h 32	19 h 04	01-11	6 h 38	16 h 29
15-05	4 h 11	19 h 24	15-11	7 h 01	16 h 09
01-06	3 h 54	19 h 44	01-12	7 h 24	15 h 55
15-06	3 h 48	19 h 54	15-12	7 h 39	15 h 53
			31-12	7 h 46	16 h 02

Lever. **Le plus tard :** 7 h 46 min TU (du 31 déc. au 4 janvier) ; **le plus tôt :** 3 h 48 min TU (du 14 au 20 juin). Coucher. **Le plus tard :** 19 h 57 min TU (le 20 juin) ; **le plus tôt :** 15 h 52 min TU (du 9 déc. au 15 déc.).

Durée du jour suivant la latitude

	Durée maximale	Durée minimale
0°	12 h 5 min	12 h 5 min
10°	12 h 40 min	11 h 30 min
20°	13 h 18 min	10 h 53 min
30°	14 h 2 min	10 h 10 min
40°	14 h 58 min	9 h 16 min
45°	15 h 33 min	8 h 42 min
50°	16 h 18 min	8 h 0 min
55°	17 h 17 min	7 h 5 min
60°	18 h 45 min	5 h 45 min
65°	21 h 43 min	3 h 22 min
66°	24 h 0 min	2 h 30 min

Jour et nuit polaires

(durée en jours)	Pôle Nord		Pôle Sud	
Latitude	Jour	Nuit	Jour	Nuit
70°	70	55	65	59
75°	107	93	101	99
80°	137	123	130	130
85°	163	150	156	158
90°	189	176	182	183

Crépuscule

■ **Définition.** Lueur croissante avant le lever du Soleil, décroissante après son coucher, venant de l'éclairement des couches supérieures de l'atmosphère par les rayons du Soleil, caché, mais voisin de l'horizon. Dans le langage ordinaire, le mot crépuscule est réservé à la disparition du jour ; son apparition est appelée **aube** ou **aurore.** Le crépuscule du soir commence au coucher du Soleil et finit lorsque le centre du Soleil est abaissé de l'angle *h* au-dessous de l'horizon, tel que : $h = 6°$ pour le **crépuscule civil** (le soir par temps clair, commencent à paraître les planètes et les étoiles de 1re grandeur, le matin les phénomènes sont inverses) ; $h = 12°$ pour le **crépuscule nautique** (le soir par temps clair, commencent à paraître dans le sextant les étoiles de 2e grandeur en même temps que la ligne d'horizon est encore visible, le matin les phénomènes sont inverses) ; $h = 18°$ pour le **crépuscule astronomique** (le soir par temps clair, apparaissent les étoiles de 6e grandeur : il fait nuit ; le matin les phénomènes sont inverses).

Pour *les grandes latitudes,* le Soleil ne s'abaisse pas de 6° au-dessous de l'horizon quand la somme algébrique de sa déclinaison et de la latitude du lieu est au moins égale à 84° en valeur absolue. A *Paris,* dans la nuit du 24-6, l'angle *h* maximal du Soleil sous l'horizon est de 17° 41. Le *crépuscule astronomique* (au-dessous de 18°) dure donc jusqu'à l'aube et la nuit n'est totale à aucun moment.

■ **Ombre de la Terre.** En haute montagne, on voit parfois, à l'opposé du Soleil et juste après son coucher, l'ombre de la Terre se lever sous la forme d'une frange sombre surmontant un peu l'horizon et s'élargissant lentement. Cette ombre cesse d'être visible dès que la nuit devient sombre.

☞ Latitude de Paris : 48°50'46" ; de St-Omer : 50°44'53" ; de Marseille : 43°17'3".

Durée du crépuscule civil [1]	0°	45°	50°	60°
15 janvier	24	35	40	57
15 février	22	33	36	47
15 mars	22	32	36	44
15 avril	22	34	37	50
15 mai	23	37	42	67
15 juin	23	39	46	107
15 juillet	23	37	43	81
15 août	22	33	37	53
15 septembre	22	31	33	44
15 octobre	22	31	34	44
15 novembre	22	34	37	15
15 décembre	23	35	40	60

Nota. – (1) En min, suivant les lat. Nord ; ex. : le crépuscule dure 35 min le 15 janv. à la lat. N. 45.

Observations du ciel

Observatoires anciens

Av. J.-C. *Babylone :* temple de Baal (2500). *Chine :* Obs. construit sous l'empereur Yao en 2300. *Corée du Sud :* Chomsongdal à Kyongju (632). *Grèce :* Alexandrie (300, construit par Ptolémée Soter). *Rhodes :* Hipparque (140).

Après J.-C. **Amérique :** *Chichen Itza* (Mexique), IVe-XIVe s. escargot (Caracol) au Yucatan. **Asie :** *Jaïpur :* (Inde), XIIIe s. *Maragha* (Iran), 1260, par le Pce Ulugh Begh. *Mokatta* (Irak), 1000, par le calife Hakim. **Europe :** *Copenhague* (Danemark), 1637 (Logomontamus). *Dantzig (Pologne)*, 1641 (Johannes Hevelius). *Greenwich* (Angl.) 1675 (architecte : Christopher Wren). 1887 : site choisi pour définir le méridien origine international. 1957 : transféré à Herstmonceux (Sussex) ; Greenwich transformé en musée. 1990 : transféré à Cambridge. Observations : essentiellement à l'observ. Roque de Los Muchachos aux Canaries. *Padoue* (Italie), 1610 (Galilée). *Paris* 1667, voir p. 27. *Uranienborg* (île de Hven alors danoise, aujourd'hui suédoise), construit en 1576 par Tycho Brahé (1546-1601), détruit en 1597.

Télescopes (réflecteurs)

■ **Origine. 1652** idée expérimentée dans un ouvrage du *Père Zucchius* publié à Lyon. **1663** *James Gregory* (Angl.) crée un télescope se composant essentiellement de 2 miroirs concaves : 1 grand parabolique placé au fond du tube et percé d'une ouverture par laquelle on observe les images, et un petit elliptique situé à l'autre extrémité sur lequel on reçoit les rayons réfléchis au foyer. **1667** *Isaac Newton* découvre pourquoi les lentilles provoquent des irisations (aberrations chromatiques). **1672** Newton présente devant la Royal Society de Londres un télescope exécuté par eux (long. 16 cm, miroir de 38 mm grossissant 14 fois, avec oculaire placé au sommet du tube). La même année, Cassegrain, professeur de physique au collège de Chartres, modifie la forme du télescope de Gregory en substituant au petit miroir concave un miroir convexe rendant le télescope plus court et moins encombrant. **1780** William Herschel : long. du télescope 12 m, diamètre 1,471 m. Lord Rosse (Parsontowa, Irl.) : long. 16,76 m, diam. 1,83 m, masse 3 809 kg. **1918** Mont Wilson (USA, Californie) : diam. 2,50 m. **1947** Mont Palomar (USA) : 5 m.

■ **Description.** Comportent un miroir primaire concave qui concentre la lumière soit au foyer direct (peu utilisé), soit sur un miroir secondaire convexe qui la renvoie à travers le trou central du miroir primaire derrière lequel se trouve le foyer (foyer Cassegrain), soit sur un miroir plat qui la renvoie sur le côté (foyer Newton). Un champ étendu avec de bonnes images peut être obtenu par un correcteur à plusieurs lentilles ou grâce à un choix judicieux de la forme des miroirs primaire et secondaire *(télescope Ritchey-Chrétien).* Certains télescopes à très grand champ ont un miroir sphérique et une lame correctrice près du centre de courbure de ce miroir *(télescope de Schmidt).*

Monture : les grands télescopes étaient autrefois sur une monture *équatoriale,* permettant de suivre le mouvement diurne des astres par une simple rotation autour d'un axe parallèle à l'axe des pôles terrestres. Les très grands instruments modernes sont en monture *alt-azimutale,* avec 2 axes de rotation vertical et horizontal, l'astre étant suivi grâce à un ordinateur calculant en temps réel la position devant être visée par le télescope. *Diamètre :* définit, en théorie, le pouvoir séparateur du télescope, donc la possibilité de distinguer des objets très serrés, comme les étoiles doubles. Il conditionne aussi la quantité de lumière reçue, donc le contraste avec lequel l'objet visé apparaîtra sur le fond céleste. Mais les avantages d'un grand diamètre sont perdus si la qualité optique du télescope est moins bonne (or elle est d'autant plus difficile à assurer que le diamètre est plus grand), ou si la turbulence de l'air est forte et brouille les images, ou s'il existe des lumières parasites au voisinage de l'observatoire. On utilise en général, dep. les années 60, une silice spéciale ou de la céramique vitrifiée (CerVit, Zerodur...) au coefficient de dilatation très faible pour que les miroirs ne se déforment pas lorsque la température varie.

☞ *Télescope de Schmidt* (1930), de l'Allemand B.V. Schmidt (1879-1935), peut atteindre un champ de 5 à 10°. Son diamètre utile est limité par celui de la lame correctrice en verre dont les surfaces sont asphériques, et qui est placée au centre de courbure du miroir concave sphérique. Le foyer est interne, c'est-à-dire entre la lame et le miroir concave. *Le plus grand :* Tautenburg (All.) : 134 cm d'ouverture utile.

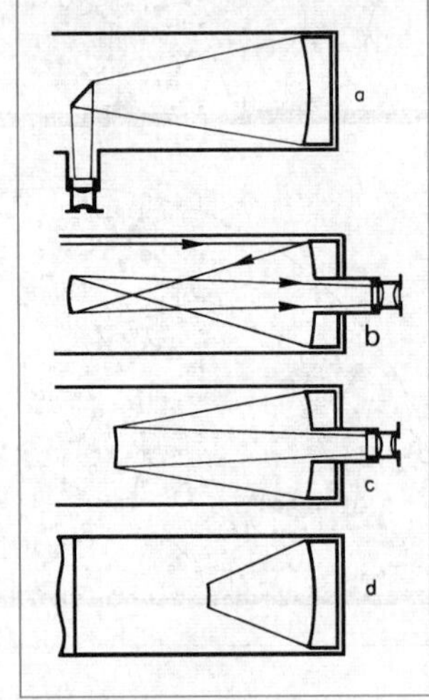

Principaux types de télescopes : a) Newton, b) Gregory, c) Cassegrain, d) Schmidt.

Observatoires modernes

■ **Observatoire européen austral [European Southern Observatory (ESO)],** créé 5-10-1962 à Paris. *Membres et % du budget :* All. féd. 26,75 ; Belg. 4,63 ; Dan. 2,90 ; Fr. 26,75 ; It. 20,23 ; P.-Bas 7,53 ; Suède 5,15 ; Suisse 6,06. *Budget 1987 :* 155 millions de F. *Siège :* Garching (All.). **Sites : La Silla** (Chili). **Cerro Paranal** (Chili).

■ **Principaux télescopes.** Site, altitude en mètres, opérateur (pays ou entité), *noms de l'observatoire et/ou du télescope*, (date de mise en service), diamètre en cm ou diamètre équivalent pour les télescopes multimiroirs, divers. Calar Alto (Sierra Nevada, Esp.) 2 160 m, **All.,** (1986) 350. Cerro Paranal (Chili à 500 km de La Silla) 2 664 m, *ESO* (European Southern Observatory), *VLT* (Very Large Telescope), (1994-98) 1 600 (4 miroirs de 8,2 m en zerodur), coût 1,2 milliard F. Chaque miroir repose sur une structure comportant un système hydraulique passif qui répartit le poids du verre sur 450 points, et un système de 150 servocommandes dont chacune agit sur 3 points de contact. Cet ensemble répartiteur de charge permet de modifier le profil du miroir. On peut le rendre hyperbolique en montage Ritchey-Chrétien (ou montage classique Cassegrain). Il sera fait par Corning Glass (New York) à partir de silice fondue dopée avec de l'oxyde de titane pour réduire la dilatation thermique. *Innovations notables :* transfert des signaux par fibres optiques (signal propre non déformé), amplificateur de fibres optiques permettant de recombiner les images soit par superposition (augmentation de la sensibilité, diam. équiv. 16 m), soit en interférométrie (augmentation de la résolution, diam. équiv. 110 m). Il aura des optiques auto-adaptatives couplées à un système laser de création d'étoile artificielle de référence (correction des aberrations). *ESO, Programme VISA* (1997) 180 × 3 [3 télescopes auxiliaires du VLT dont 2 financés par l'ESO et 1 par le CNES et le MPG (Max Planck Gesellschaft)]. **Cerro Tololo** (Chili) 2 400 m, **USA**, *CTIO*[1] (Cerro Tololo Interamerican Obs.), (1976) 400. **Crimée** (Russie) alt ? **Académie des sciences**, *Shajn* (1961) 260. **Erevan** (Arménie) 1 800 m, **Acad. des sciences**, *RT 32/34* (1987) 260. **Kitt Peak** (Arizona) 2 064 m, **USA**, *Mayall*[1] (1973) 381. **La Palma** (Canaries) 2 300 m, **G.-B.**, *Roque de Los Muchachos, Isaac Newton* (1967 à Herstmonceux, Sussex, puis transféré) 259. *NHO* (Northern Hemisphere Observatory) *William Herschel* (1987) 420. **La Silla** (Chili) 2 400 m, **ESO** (1976) 357. *NTT*[1] (New Technology Telescope) (1989) 358. **Las Campanas** (Chili) 2 300 m, **USA**, *CARSO* (Carnegie Institution Southern Observatory), Dupont (1976) 257. *Magellan* (?) 800. **Mauna Kea** (Hawaii) 4 200 m **G.-B.**, *UKIRT* (United Kingdom Infrared Telescope), (1979) 380. **CFH**[1] (Canada 42,5 %, France 42,5 %, Hawaii 15 %), (1979) 360. **USA** (NASA), *IRTF* (Infra Red Telescope Facility), (1979) 300. *Keck I*, (1992) 1 000 (pavage de 36 dalles de 180 de diagonale en zerodur), poids 14,4 t, ouverture relative 1,75, coût 500 millions de F. *KeckII, idem. (?)* 1 500 (4 miroirs de 7,5 m). **USA-Italie**, *Gemini*, (?) 1 100 [2 miroirs de 8 m dont 1 à Cerro-Pachon (Chili)]. **Japon**, *JNLT* (Japanese National Large Telescope) (1999) 830. **Mont Aragatz** (Arménie) 1 500 m, **Acad. des sciences**, *Obs. de Biourakan* (1971) 260. **Mont Graham** (Arizona), **USA**, *Columbus* (?) 840. **Mont Hamilton** (Californie) 1 227 m, **USA**, *Lick, Shane*[1] (1959) 305. **Mont Hopkins** (Arizona) 2 600 m, **USA**, *Fred Whipple MMT*[4] (1979) 460 (bientôt 650 : remplacement des 6 miroirs de 180 par 1 miroir de 650). **Mont Locke** (Texas) 2 070 m, **USA**, *Univ. du Texas, Obs. Mac-Donald* (1969) 272. **Mont Palomar** (Californie) 1 706 m, **USA**, *Hale*[1] (1948) 508. **Mont Shorbulak** (CEI), **Russie**, (?) 2 500. **Mont Wilson** (Californie) 1 750 m, **USA**, Hooker (1918) 254. **Pic du Midi** (France) 203, voir p. 27 a. **Saint-Michel** (France) 193, voir p. 27 b. **Siding Spring** (N.-Galles du S., Australie) 1 164 m, *Anglo-Australian Telescope* (1975) 389. **Zelentchouk** (Caucase) 2 070 m, **Russie**, *BTA*[1] (1976) 603, masse du miroir 42 t.

Certains télescopes ont des miroirs d'un diamètre de construction qui n'est pas celui de fonctionnement, la qualité optique n'étant pas parfaite ; d'autres sont destinés à des usages spéciaux (télescopes infrarouges).

Nota. – (1) Miroir classique. (2) Sandwich nid d'abeilles. (3) Ménisque déformable. (4) Dallage de miroirs hexagonaux ou MMT (multi mirror telesc.). (3) et (4) sont des optiques autoadaptatives à forme contrôlée par ordinateur.

■ **Télescope spatial (HST : Edwin P. Hubble Space Telescope).** Placé en orbite circulaire autour de la Terre, à 610 km d'altitude, par la navette amér. Discovery le 25-4-1990 (*coût* + de 2 milliards de $). Conçu pour servir 15 ans, il sera réparé dans l'espace par des astronautes grâce à la navette américaine. La NASA a la charge du satellite. L'Institut scientifique du télescope spatial prépare et dépouille les observations. L'Agence spatiale européenne participe à 15 % du coût du projet et disposent de 15 % du temps d'observation, le Centre européen de coordination du télescope spatial (Garching, All.) coordonnant leur accès. **Résultats :** plusieurs découvertes majeures (nuages de poussière intergalactiques nombreux remettant en cause certaines hypothèses de formation de l'Univers, mise en évidence d'étoiles particulières et de trous noirs dans de gros amas, effet de lentille gravitationnelle assez précis pour rétablir et répartir la masse de matière dans un amas, observation de galaxies singulières, révision de l'échelle des distances) ; mais on en attendait plus (définition de la constante de Hubble caractérisant l'expansion de l'Univers et ses dimensions).

Caractéristiques : longueur 13 m, diam. max. 4,3, poids 11 t, diam. du miroir primaire 2,40 m. Plus petit que les grands télescopes (ex. Mt Palomar) il devait avoir des performances très supérieures car à l'abri des poussières qui réduisent la magnitude (l'éclat apparent) des étoiles observables à partir du sol (*0,005 mg* de poussière au m^3 fait perdre 1 magnitude ; *0,01 :* 1,5 m ; *0,02 :* 2,1 m ; *0,03 :* 2,5 m). Avec sa résolution angulaire qui devrait atteindre 0″05 à 0″1, soit trois à dix fois plus que les grands télescopes, il devait détecter des astres de magnitude 29, soit 50 fois moins brillants que les objets les plus faibles accessibles depuis la Terre. *1°) Télescope proprement dit* (rapport d'ouverture : F/24) avec un système de guidage et un système de contrôle thermique. *2°) 5 instruments scientifiques,* remplaçables en orbite (initialement : 2 spectrographes, 2 caméras, dont une pour objets faibles, construite par les Européens, et un photomètre rapide). *3°) Module de support* comprenant les éléments assurant la vie indépendante du télescope et des instr. scientifiques et de leur interface avec l'environnement spatial. **Défauts :** *de courbure du miroir primaire :* de 0,002 mm au bord, dû à une erreur de polissage, les images sont entachées d'aberrations de sphéricité. Un dispositif correcteur devrait être installé en 1994. On changera aussi les panneaux solaires, la caméra planétaire, 2 gyroscopes et les senseurs d'orientation.

■ Tours solaires

■ **Définition.** Télescope vertical destiné à l'observation du Soleil, permettant de recueillir un faisceau de lumière loin du sol et d'éviter des courants thermiques au voisinage de l'appareil.

■ **Nombre.** 12 dans le monde, dont *Meudon* (France, 36 m de haut, miroir de 60 cm, focale de 45 m ; en service en 1969), la plus haute ; *Kitt Peak* (USA, Arizona, achevée 1962, long. 146,30 m, long. focale 91,50 m, miroir héliostatique 2 m, donne une image de 83,8 cm de diamètre) ; *Mt Wilson* (USA, Californie, 1907, 19,8 m, long. focale 18,3 m, image de 17 cm de diamètre ; 1912, 51,8 m, long. focale 45,7 m, image de 43 cm de diamètre) ; *Einstein* (Potsdam, ex-All. dém.) ; *Monte Mario* (It.).

■ Radiotélescopes

■ **Origine. 1931**, l'Amér. Karl Jansky (1905-50), ingénieur des télécommunications, constate que les parasites brouillant certaines émissions fluctuent sur une période sidérale et sont d'origine extraterrestre (voir radiosource, p. 13 c). **1936**, 1er appareil destiné à recevoir ce type d'ondes créé par Grote Reber (Illinois) ; mesure l'intensité des ondes venant de la Voie lactée et dresse la 1re carte radio de notre Galaxie. **1947**, Martin Ryle (G.-B. 1918-84) conçoit un prototype d'interféromètre. **1948**, Graham Smith (G.-B. n. 1923) identifie les 1res sources ponctuelles dont *Cassiopée A* et *Cygnus A*.

■ **Principes.** Miroirs métalliques, dressés vers le ciel, renvoyant sur une antenne munie d'un récepteur pouvant recueillir des ondes radioélectriques de 0,7 mm à 30 m environ. Caractérisés par surface S, diamètre antenne D (ou équivalent), mobilité et plus petite longueur d'onde reçue λ. *Pouvoir séparateur :* λ/D en radians, soit env. 1 minute d'arc pour D = 35 m et λ = 1 cm. *Cône de réception (lobe) :* si une source radio se trouve dans ce cône, elle est reçue par le radiotélescope. Pour obtenir une image radio de tout un secteur du ciel, il faut balayer en bougeant l'appareil. Plus le lobe est étendu, plus la carte est floue. *Longueur des ondes reçues :* avec un petit miroir parabolique, on ne collecte que les ondes courtes. On augmente sensibilité et pouvoir séparateur en construisant des radiotélescopes de plus en plus grands. Quand on combine 2 antennes, ou plus, on obtient un *interféromètre* (voir p. 26 b). Il existe plusieurs systèmes de radiotélescopes combinés entre eux et circulant sur voie ferrée. Pour obtenir une sensibilité plus grande dans le captage des ondes, on multiplie le nombre des antennes (jusqu'à 27 disposées en Y pour le VLA américain, prévues 40 pour le MMA).

■ Lunettes astronomiques (réfracteurs)

■ **Description.** Elles comportent 2 lentilles : l'*objectif* qui capte la lumière et fournit une image, et l'*oculaire* qui grossit cette image. **Évolution :** *1590,* invention. *1609,* utilisées en astronomie (Galilée). *1673,* installées sur des instruments de position, notamment par John Flamsteed à Greenwich (1675). *1700,* Olaüs Roemer (Dan., 1644-1710), 1re lunette méridienne combinée avec la pendule sidérale, pour déterminer les ascensions droites, noter le passage d'un astre au méridien. *1757,* « achromatiques », c'est-à-dire munies d'objectifs donnant des images dépourvues d'irisation (John Dollond, opticien anglais, 1701-64, qui a utilisé des lentilles faites de verres différents). Avant lui, on minimisait l'aberration chromatique en allongeant la distance focale (lunette d'Hévélius, 50 m de long). *Dep. 1980-90,* ne sont plus utilisées par les professionnels, sauf pour l'étude des étoiles doubles ou pour faciliter le pointage des télescopes.

Grossissements : maximum 1 000 fois la surface observée, pour ne pas trop délayer l'image. Certaines, comme celle de Lick (91 cm), de Meudon (83 cm) ou de Nice (76 cm), permettent théoriquement un grossissement de 1 500 à 2 000. Pour des observations sans recherche de contrastes, visant seulement à exploiter le pouvoir séparateur (étoiles doubles), on ira à 1 800, guère au-delà (le grossissement n'a d'intérêt que si l'on emploie un oculaire pour une observation directe). Si l'on se borne à photographier l'image, seule la distance focale importe.

Lunette zénithale photographique *(Photographic Zenith Tube) :* lunette d'axe vertical permettant de photographier les étoiles quelques instants avant et après leur passage au zénith, un peu plus précis que l'astrolabe de Danjon : latitude à 0,03″, longitude ou temps sidéral à 0,003″ près.

■ **Étoiles atteintes. Ciel entier :** *objectif de 70 mm :* 870 000 (magn. limite 11), *de 110 mm* 2 270 000 (magn. limite 12).

Diamètre de l'objectif en cm

Yerkes (USA, Wisconsin, 1897)[1]	102
Lick (USA, Californie, 1888)	91
Meudon (France, 1896)	*83*
Potsdam (All., photogr., 1899)	80
Nice (France, 1887)	*76*
Allhegeny (USA, Pennsylv., 1914)	76
Poulkovo (Russie, 1885)	76
Greenwich (G.-B., 1894)	71
Berlin (All., 1896)	68
Vienne (Autriche, 1880)	68
Johannesburg (Afr. du Sud, 1925)	67
Charlottesville (USA, Virginie, 1883)	67
Washington (USA, 1873)	66
Mont Stromlo (Australie[2] 1956)	66
Herstmonceux (G.-B., Sussex, 1899)	66

Nota. – (1) Distance focale 19 m. (2) Implantée d'abord (1925) en Afrique du Sud.

Un objectif de 125 cm, coulé en France, équipait une grande lunette horizontale longue de 58 m, disposée en face d'un sidérostat et présentée à l'Exposition universelle de 1900. Peu pratique, cet instrument n'a jamais été utilisé.

■ Jumelles

Ordinaires. Objectifs d'env. 25 mm de diam., grossissement de 2 à 3.

A prisme. Permettent un fort grossissement sous encombrement réduit. *Objectifs :* 30 à 60 mm, grossissement de 6 à 20. A grossissement égal, le diamètre détermine la luminosité. Les jumelles de 7 (grossissement) × 50 (mm de diamètre) sont plus lumineuses que celles de « 7 × 35 ». Un objectif de 25 mm permet de voir 117 000 étoiles (magnitude limite 9) ; un de 45 : 324 000 (magn. limite 10).

■ Astrolabe

■ **Astrolabe ancien.** Origine arabe. Plateau de cuivre, dominé par des « araignées » mobiles permettant de repérer les étoiles d'une constellation donnée. Servait à convertir les coordonnées terrestres en coordonnées célestes et vice versa. **Moderne.** A prisme, pour étudier les variations des coordonnées géographiques des observatoires dues aux déplacements du pôle, et déterminer temps sidéral et temps universel.

Astrolabe à prisme, conçu entre 1900 et 1902, par Claude et Driancourt, portatif, détermine des points astronomiques, avec une précision de ± 2″.

Astrolabe impersonnel d'André Danjon (1890-1969) : utilise un prisme biréfringent, instrument fixe, d'observatoire (pèse env. 200 kg). Précision de 0,05″ env. dans une détermination de latitude, correspondant sur le terrain à 1,5 m environ.

■ Technologie moderne

C C D (Coupled Charge Devices). Récepteurs mosaïques à base de micro-photopiles de plus en plus denses construits initialement pour les caméras de télévision. Meilleurs dispositifs de réception de la lumière pour l'astronomie (sensibilité et linéarité très grandes). Pour l'infrarouge, dispositifs du même genre jusqu'à env. 17 micromètres de longueur d'onde. Permettent des compositions colorées augmentant les contrastes.

Dispositif à comptage de photons. Sert à déceler les astres très faibles. Un dispositif libère des centaines d'électrons pour chaque photon capté ; ils sont

Les plus grands radiotélescopes à une seule antenne

Surface S des antennes en m², diamètre ou diamètre équivalent D en m, longueur d'onde minimale λ en m, facteur de qualité (D/λ).

	S	D	λ	D/λ
Arecibo (Porto Rico) [1] .	73 000	305	0,05	6 000
Effelsberg (All.) [3]	7 500	100	0,01 [7]	10 000
Green Bank (USA, Virginie Occ., 1966) [2] ..	7 500	92	0,06	1 500
Nançay (France, 1958) [5]	10 000	90	0,009	1 000
Jodrell-Bank (G.-B., 1957) [3]	4 500	76	0,2	375
Parkes (Australie)	3 200	64	0,006	1 500
Algonquin (Canada) [6] ..	2 000	50	0,03	1 700
Nobeyama (Japon) [3] ...	1 600	45	0,003	17 000
Green-Bank (G.-B.) [3] ...	1 400	42	0,02	2 000
Grenade (Espagne) [4] ...	700	30	0,001	30 000
Serpukhov (Russie) [3] ...	380	22	0,008	2 800
Onsala (Suède)	314	20	0,004	5 000
Crimée (Russie) [3]	110	12	0,0012	10 000

Nota. – **(1)** Fixe. Inauguré en 1963 ; en service depuis 1974 sur λ 0,06. D/λ 5 000 ; surface collectrice constituée d'un assemblage de 38 778 panneaux d'aluminium de 1 m sur 2 m chacun ; utilisé comme collecteur pour l'étude de radiosources célestes et comme émetteur radar (sur les planètes). **(2)** Effondré la nuit du 15/16-11-1988, irréparable. **(3)** À Pushkino, complètement orientable. **(4)** Construit par l'IRAM (Institut de radioastronomie millimétrique) regroupant Fr., All. féd., Esp. Mise en service 1986. Le plus avancé des radiotélescopes en ondes millimétriques. Entièrement orientable, sans abri protecteur, structure thermostatée pour éviter les déformations thermiques. Donne des résultats valables aux longueurs d'ondes radio les plus courtes que laisse passer l'atmosphère terrestre (0,8 millimètres). **(5)** Méridien ; miroir fixe surf. 10 000 m², en forme d'arc de cercle ; plus 1 miroir mobile rectang. long. 200 m, haut. 40 m. **(6)** Désaffecté. **(7)** Jusqu'à 3 mm en VLBI.

En France. Nançay. *1953,* station créée sous la responsabilité de l'École normale supérieure et de l'Observatoire de Paris, sur un terrain de 150 ha en Sologne, non industriel, libre de parasites électriques et radio. *1956,* construction du *1er interféromètre solaire* ; le plus grand du monde dans sa catégorie ; branche est-ouest (32 antennes de 5 m de diamètre réparties sur 1 550 m). *1959,* branche nord-sud (8 antennes de 10 m sur 770 m) ; cet ensemble observe le Soleil tous les jours à midi. *1962,* grand radiotélescope fixe. *1972,* 1er réseau décamétrique. *1977, grand réseau décamétrique* de 144 antennes collectant de 30 cm à 30 m de longueur d'onde. *1976-91,* construction *2e interféromètre solaire* (radiohéliographe). **Bordeaux :** antennes pour l'écoute du Soleil (7 m de diamètre).

☞ Des signaux ont été envoyés le 16-11-1974 à partir d'Arecibo, vers l'amas globulaire *Messier 13.* Ils parviendront à d'éventuelles civilisations extraterrestres dans 24 000 ans. L'expérience a été renouvelée le 16-1-1987 avec le radiotélescope de Nançay vers le centre galactique (28 000 années lumière).

Nature du message : 1 700 signes en numérotation binaire (durée : 159 s). Symboles chimiques, silhouette d'un homme, du radiotél. d'Arecibo ; formules de math., de chimie (dessin des atomes d'hydrogène, hélium, lithium, etc.).

Radio-interféromètres les plus importants

On améliore le pouvoir séparateur en remplaçant l'antenne unique par plusieurs antennes qui, en introduisant des mesures de phases relatives des signaux, permettent la connaissance précise des coordonnées des radiosources et leur cartographie détaillée. Le facteur de qualité (résolution) reste D/lambda, mais avec D égal à la distance des bords extrêmes des télescopes les plus éloignés dans le plan considéré.

Principaux interféromètres (sauf ceux utilisés pour les observations du Soleil). Nombre et diamètre des antennes en m, base en km, longueur d'onde minimale d'utilisation en cm. *Owens Valley* (USA, Calif.) [1] : 2 a. de 27 m, 0,5 km, λ 3 cm. *Socorro* VLA : Very Large Array (USA, N.-Mex., 1978-81) : 27 a. mobiles de 26 m, pesant chacune 210 t, sur une base en Y de 25 km, λ 1,3 cm. *Westerbork* (P.-Bas, 1970) : 14 a. (4 mobiles) de 25 m, 3,2 km, λ 6 cm. *Green Bank* (USA, Virginie occ., désaffecté) [1] : 3 a. de 25 cm, 5 km, λ 11 cm. *Cambridge* (G.-B., 1964) [1] : 3 a. (1 mobile) de 18 m, 1,6 km, λ 21 cm. *Iram* (Institut de radioastronomie millimétrique), consortium franco-germano-espagnol, plateau de Bure (France, 1990) : 3 a. de 15 m, λ 0,26 cm (4e en construction, 5e et 6e financés par Fr. et All. d'ici 1995). *Cambridge* (G.-B., 1972) : 8 a. (4 mobiles) de 14 m, 4,6 km, λ 1 cm. *Owens Valley* (USA, Calif., 1981) : 3 a. de 10 m, λ 0,13 cm. *Nobeyama* (Japon, 1983) : 5 a. de 10 m, λ 0,2 cm. *Hat Creek* (USA, Calif.) : 3 a. de 6 m, λ 0,26 cm, augmentation à 6 a. en cours. *Projet américain :* interféromètre millimétrique de 40 a. de 8 m début XXIe s.

Nota. – (1) Antennes pouvant se déplacer les unes par rapport aux autres. (2) En service, 4e antenne en construction. – Des observations interférométriques à très grande base se font également entre des radiotélescopes situés dans diverses parties du monde (VLBI ou Very Large Baseline Interferometry).

Ratan-600 (Zelentchouk, Caucase, 1977-80) : cercle de 576 m de diam., formé de 895 miroirs élémentaires de 7,4 m de hauteur et 2 m de côté (réflecteurs : 13 600 m²). Travaille entre 8 mm et 30 cm.

Eiscat (European Auroral Incoherent Scatter Facility), sondeur ionosphérique pour étudier les relations Soleil-Terre et l'environnement terrestre en région aurorale grâce à la diffusion d'ondes électromagnétiques de fréquence élevée par des électrons libres de la haute atmosphère. Station d'émission et réception à Tromsø (Norvège) et stations de réception complémentaire à Kiruna (Suède) et Sodankyla (Finlande).

détectés et focalisés par une grille, et une calculatrice reconstitue l'image de l'astre, en comptabilisant tous les photons reçus. Ces dispositifs sont surtout utilisés en imagerie monochromatique, sur des sondes et satellites (ORFEUS en 1992), ou pour observer des phénomènes variant rapidement.

Microdensimètre. Sert à séparer sur un cliché l'information désirée de toutes les images parasites. Cellule photo-électrique accouplée à un ordinateur qui élimine ce qui trouble l'image. Les microdensimètres de lissage et de déconvolution traitent spécialement les clichés transmis par les sondes interplanétaires.

Optique active. L'analyse informatique des images (corrélation) permet de compenser les aberrations optiques en déformant le miroir principal qui est souple ou segmenté en une mosaïque de petits miroirs pilotés par ordinateur.

Adaptative. Dispositif correcteur des aberrations atmosphériques : on analyse l'image d'une étoile de référence, on en déduit les perturbations atmosphériques et on corrige en conséquence (comme ci-dessus). L'étoile de référence est généralement créée artificiellement par un faisceau laser, émis dans l'axe de l'instrument, qui excite et fait briller les couches atmosphériques. Voir VLT de l'ESO p. 24 c.

Télescope multimiroirs. Moins cher et plus maniable que les grands télescopes à miroir unique. Plusieurs miroirs moyens (à l'observatoire du Mt Hopkins, dans l'Arizona, 6 miroirs de 1,80 m de diam. sont montés sur un barillet commun). Un système d'écartométrie sur les images a remplacé le système automatique d'orientation des miroirs à laser.

Interférométrie des tavelures (ou interférométrie speckle). Le Français Antoine Labeyrie (n. 1943), au CERGA, a trouvé le moyen d'éliminer l'effet de la turbulence atmosphérique qui détériore les images données par les télescopes [sur une photographie à bref temps de pose (20 à 50 ms), l'image d'un petit objet céleste se présente comme un ensemble de tachetures, disposées différemment sur chaque photo]. Le traitement par ordinateur de nombreuses photos reconstitue une image unique, presque aussi nette que si le télescope avait été hors de l'atmosphère. Parmi les applications possibles, on sépare ainsi des étoiles doubles et l'on mesure le diamètre angulaire d'étoiles simples (à condition qu'elles soient assez lumineuses car les poses sont brèves).

Instruments embarqués à bord de satellites. La plupart des rayonnements émis par les astres (rayonnements α, X, ultraviolet, infrarouge lointain) ne parviennent pas jusqu'au sol parce qu'ils sont absorbés par l'atmosphère terrestre ou réfléchis par l'ionosphère. Pour les capter, l'engin idéal est le satellite, qui évolue au-dessus de l'atmosphère et peut poursuivre sa tâche pendant des mois ou des années jusqu'à ce qu'il tombe en panne, qu'on cesse de l'interroger, ou qu'il retombe sur Terre.

Télescopes, spectrographes, récepteurs de lumière doivent être adaptés au domaine de radiations à étudier. Pour l'observation infrarouge, les télescopes embarqués doivent être refroidis à l'hélium liquide : c'est le cas pour IRAS (Infra Red Astronomy Satellite) et ISO (Infrared Space Observatory), satellite européen qui sera lancé en 1993. Les télescopes à ultraviolet doivent être dotés de pièces optiques réalisées dans des matériaux transparents à l'UV (quartz, fluorure de calcium ou de lithium, etc.) ; leurs miroirs sont recouverts d'aluminium ou d'or. Aux longueurs d'ondes inférieures à 500 angströms, ils doivent recevoir la lumière sous incidence rasante, sinon les radiations pénétreraient la surface du miroir au lieu de s'y réfléchir. Pour les détecteurs de rayons X, on utilise un télescope à incidence rasante si l'on étudie le rayonnement à basse énergie ; à plus haute énergie, les flux étant plus faibles, des compteurs proportionnels pour lesquels on essaie d'avoir la surface collectrice la plus grande possible, de façon à capter le plus grand nombre possible de photons X.

Pour réfléchir ou focaliser le rayonnement γ on utilise, suivant l'énergie des photons γ, des techniques de détection différentes : effet photo-électrique et effet Compton avec un détecteur scintillateur (pour les énergies inférieures à 5 MeV) ; production de paires électron-positon dans une chambre à étincelles (pour + de 5 MeV).

Astronomie en France

■ **Astronomes. Nombre :** *professionnels* env. 700, incluant les étudiants en thèse, dont 400 regroupés au sein de la SFSA (Société fr. des spécialistes d'astronomie). *Amateurs* 25 000. **Revue :** Le Journal des astronomes français ; revues prof. primaires (européennes) : Astronomy and Astrophysics, Astronomy and Astrophysics Reviews.

☞ **L'Union astronomique internationale (UAI),** créée en 1919, compte environ 7 300 membres dans 59 États. *Secrétariat :* 98 bis, boulevard Arago, 75014 Paris.

■ **Organisations d'astronomes amateurs.** Env. 500 dont : **Sté astronomique de France (SAF),** 3 rue Beethoven, 75016 Paris ; *créée* 1887 par Camille Flammarion, reconnue d'utilité publique. *Pt :* Ph. de La Cotardière (n. 1949) ; *membres :* 3 000 ; *revues :* l'Astronomie, Observations et Travaux, Observatoire de la Sorbonne. **Association fr. d'astronomie (AFA),** 17 rue Émile-Deutsch-de-la-Meurthe, 75014 Paris, Observatoire d'Aniane, 7 coupoles, 34150 Aniane (Hérault) ; *créée* 1946 par Pierre Bourge. *Pt :* D. Lesueur ; *membres :* 3 500 ; *revue mens. :* Ciel et Espace, 60 000 ex. ; *bulletin trim. :* l'Afascope, 4 000 ex. **Association fr. d'observateurs d'étoiles variables (AFOEV),** Observatoire du Champ-Aubé, 71140 Bourbon-Lancy ; *fondée* 1921 par Antoine Brun. *Pt :* Émile Schweitzer ; *membres* 150 ; *revues :* BAF, Gazette des E.V. **Groupe européen d'observations stellaires (GEOS),** 12 rue Bezout, 75014 Paris ; *fondé :* 1973 ; *membres :* env. 100. **Sté d'astronomie populaire (SAP),** 1 avenue Camille-Flammarion. Observatoire de Jolimont, 31500 Toulouse ; *fondée :* 1910. *Pt :* Ch. Sanchez ; *membres :* 1 000 ; *revue :* Pulsar. **Ass. astronomique du Nord,** 1 rue Norbert-Segard, 59800 Lille ; *fondée :* 1923. *Pt :* J.-P. Rohart ; *membres :* 100 ; *revue :* Ciel Nord. **Sté astronomique de Bordeaux ;** *fondée* 1909, Hôtel des Sociétés Savantes, 1 pl. Bardineau, 33000 Bordeaux. *Pt :* G. Messager ; *membres* 60. **Sté astronomique de Lyon,** av. Charles-André, 69230 Saint-Genis-Laval, *fondée* 1906/1931, *Pt :* Paul Sogno, *membres :* 180, *télescopes :* 250 et 600, *bulletin trim.* **Ass. Éducative des amateurs d'astronomie du Centre,** 2 Cloître St-Pierre-Le-Puellier, BP 2341, 45023 Orléans, Cedex 1 ; *fondée* 1963, *Pt :* A.M. Huguenin, *membres :* 120, *bulletin :* Le Point de Lagrange. **Sté d'astronomie des Pyrénées-Occidentales,** 81 av. du Loup, 64000 Pau. **Ass. franco-monégasque d'astronomie,** 19 bd de Suisse, Monte-Carlo ; *fondée :* 1960. *Pt :* G. Viscardy ; *membres :* 477. Observatoire de St-Martin-de-Peille, 06440 L'Escarène. A 17 km de Monaco, 730 m d'alt. **Ass. astronomique de l'Ain,** Maison des Sociétés, bd Joliot-Curie, 01000 Bourg-en-Bresse ; *fondée :* 1966. *Pt :* Ph. de La Cotardière (n. 1949) ; *membres :* 70. De plus, il existe des clubs d'astronomie dans env. 200 établissements scolaires.

Utilité des astronomes amateurs : avant l'avènement de l'ère spatiale, ils ont apporté une contribution importante à l'étude de la Lune et des surfaces planétaires ; aujourd'hui, leur collaboration demeure très utile pour l'étude des étoiles doubles ou variables, et la surveillance du ciel (découverte de comètes, étude des météores, observation de satellites artificiels).

Matériel : instruments les plus répandus chez les amateurs (80 %) : lunettes de 60 mm et télescope de 115 mm (env. 2 000 F en 1991).

Études professionnelles : *2e cycle* (maîtrise ès sciences) : physique recommandée ; unité de valeur d'astronomie ou d'astrophysique pouvant être préparée dans la plupart des villes universitaires dotées d'un observatoire. *3e cycle* (diplôme d'études approfondies, doctorat) : à Paris VI, VII, Paris XI (Orsay), Grenoble, Lyon, Marseille, Nice, Strasbourg et Toulouse.

Observatoires français

☞ Beaucoup d'observations françaises se font sur des sites extérieurs [ESO (Observatoire européen austral), télescope CFH (Canada-France-Hawaii), radiotélescope de 30 m de l'Iram (voir p. 24 c, 25 a et encadré p. 26)] ou avec des instruments spatiaux.

Besançon. *Fondé* 1882. *Alt.* 312 m. Vocation métrologique (mesure du temps) et astrométrique. Étude de la structure et de la dynamique galactiques, des environnements cométaires. Études de la stabilité des oscillateurs. 3 horloges atomiques ; lunette triple de 30 cm ; télescope de 40 cm (amateurs).

Bordeaux (Floirac). *Fondé* 1879. *Alt.* 73 m. Astrométrie, radioastrométrie millimétrique, héliosismologie, atmosphères planétaires, surveillance de l'ozone atmosphérique. Application des caméras CCD à l'astrométrie. Lunette méridienne, lunette de 38 cm, lunette photo, télescope de 60 cm, lunette de 35 cm, radiotélescope millimétrique.

Côte d'Azur. Nice : *fondé* 1881 sur la colline du Mont-Gros, au-dessus de Nice. *Alt.* 376 m. Grande lunette de 76 cm sous une coupole due à Eiffel et dans un bâtiment conçu par Garnier. Observations des étoiles doubles visuelles, dynamique du système solaire, physique du Soleil et des étoiles, hydrodynamique et turbulence dans les fluides, analyse des images en astronomie, dynamique stellaire, développement instrumental. **Caussols :** *implanté* en 1974 près de Grasse. Station d'observation sur le plateau de Calern. *Alt.* 1 300 m. Géodésie et astrométrie spatiale, mesure du diam. des étoiles, du temps et de la rotation de la Terre dynamique du système solaire, astronomie photographique. Télescope de Schmidt de 150 cm. Station de tirs laser sur la Lune. Réseaux de télescopes pour l'interférométrie optique ; centre de recherches en technologie des miroirs astronomiques.

Grenoble. *Fondé* 1988. Recherches d'astrophysique et astrochimie. **Iram :** centre de recherche en interférométrie, plus spécialement infrarouge (voir ci-contre).

Haute-Provence. *Fondé* 1937 (St-Michel l'Observatoire). *Alt.* 651 m. Recherches astrophysiques (atmosphères stellaires, galaxies, quasars, sources X), observation spectroscopique et photométrique. *Télescopes :* 193 cm d'ouverture, mis en service en 1958, 152 cm, 120 et 80. Station de géophysique étudiant la haute atmosphère (ozone) par laser.

Lyon (St-Genis-Laval). *Fondé* 1880. *Alt.* 299 m. Astrophysique. Télescope 60 cm (amateurs), 100 cm (réglages). Développements instrumentaux, notamment de détecteurs infrarouges.

Marseille. *Fondé* 1702. *Alt.* 76 m. Astrophysique (étoiles, nébuleuses, galaxies milieu interstellaire). Recherches et développements en instrumentation optique. Équatorial de 26 cm, télescope de 80 cm de Léon Foucault conservé comme pièce de musée (1er grand télescope à miroir vers 1860).

Meudon. *Fondé* 1876. *Alt.* 160 m. Rattaché à l'Observatoire de Paris en 1926, héberge plusieurs centaines de chercheurs. Grande lunette (1893), autrefois 1re d'Europe et 3e du monde (2 objectifs, 83 cm et 62 cm d'ouverture, longueur focale 18 m, restaurée en 1963) ; 2 télescopes : 1 m d'ouverture (1893, modernisé 1969) et 60 cm (1931). Recherche spatiale et radioastronomie. Étude du Soleil (tour solaire de 36 m, grand sidérostat refait en 1989) et des planètes. Service d'alerte aux éruptions solaires (héliographe modernisé en 1984). Astrophysique générale (relativité, cosmologie, galaxies, étoiles, milieu interstellaire). Physique des plasmas naturels. Il utilise aussi les autres moyens nationaux ou européens.

Midi-Pyrénées. Pic du Midi (Htes-Pyrénées). *Fondé* 1878. Fermeture annoncée 1998. *Alt.* 2 862 m (dessus de la coupole 2 877 m). *Télescopes :* 203 cm (national), mis en service en 1980, 106 cm, spécialisé dans l'observation de la Lune et des planètes. Observations du Soleil. Télescope de 60 cm affecté aux astronomes amateurs. **Toulouse.** Recherches extragalactiques, cosmologie. Naines blanches. Développements instrumentaux (détecteurs CCD, spectrographes).

Nançay (Cher). *Fondé* 1953 par l'Éc. normale sup. Paris. Grand radiotélescope méridien (200 × 35 m), interféromètres radio-solaires, réseau décamétrique d'observation du Soleil et de Jupiter, radiospectrographe multicanal solaire. Dépend de l'Observatoire de Paris.

Paris. *Fondé* 1667 (architecte Claude Perrault). *Alt.* 67 m. Abrite les services nationaux de l'heure (horloge parlante), du temps et des fréquences, le Bureau international de la rotation terrestre, le Labo. de composants pour l'astrométrie et un musée d'instruments d'observation anciens. Astrométrie et astrophysique générale. Abrite l'École en astronomie-astrophysique d'Ile-de-France (3 DEA).

Strasbourg. *Fondé* 1881. Spectroscopie stellaire et structure galactique. Abrite le Centre de données astronomiques. Planétarium. Lunette amateur de 50 cm.

Autres établissements français de recherche astronomique

Bureau des longitudes. Paris (sous la tutelle de l'Institut de France). Recherches en astrométrie et mécanique céleste.

Centre d'études spatiales des rayonnements (CESR). Toulouse. Astrophysique des hautes énergies. Infrarouge. Développements pour l'astronomie spatiale.

Département d'astronomie. Montpellier.

Institut d'astrophysique de Paris (IAP). *Créé* 1938. Laboratoire de recherches théoriques et d'astrophysique générale (CNRS).

Institut d'astrophysique spatiale (Orsay). Regroupé avec l'ancien Laboratoire de physique stellaire et planétaire. Recherches solaires, planétaires, stellaires, interstellaires ; développements pour l'astronomie spatiale, notamment infrarouge.

Institut national des sciences de l'Univers (INSU). *Créé* le 13-2-1985. *But :* élaborer, développer et coordonner les recherches en sciences de la Terre, de l'océan, de l'atmosphère et de l'espace, menées au sein du CNRS et des établissements publics relevant du ministère de l'Éducation nationale. Prend en charge les opérations d'investissement des observatoires, instituts de physique du globe, laboratoires d'astronomie et de sciences de la Terre.

Institut de radioastronomie millimétrique (Iram). *Créé* 1979. Franco-allemand-espagnol. Centre à Grenoble. *Observatoires :* Espagne (pico Veleta, dans la Sierra Nevada, à 2 850 m d'alt. : 1 radiotélescope de 30 m de diam.) ; France (plateau de Bure près de Gap, à 2 550 m d'alt. : 1 radio-interféromètre formé de 3 antennes de 15 m de diam., 4e antenne en construction).

Laboratoire d'astronomie spatiale (LAS). Marseille. Recherches galactiques et extragalactiques. Développements pour l'astronomie spatiale.

Observatoire européen austral (voir p. 24 c).

Service d'aéronomie du CNRS. Verrières-le-Buisson (Essonne).

Service d'astrophysique (CEN de Saclay, Essonne). Comme Toulouse.

Société du Télescope Canada-France-Hawaii (voir CFH p. 25 a).

Astronautique

Généralités

■ **Origine du mot.** *Astronautique* a été inventé par l'écrivain français Joseph-Henry Rosny (1856-1940) et utilisé pour la 1re fois en 1927 par le Français Robert Esnault-Pelterie (1881-1957).

■ **Pour envoyer une sonde vers une planète du système solaire,** à l'arrivée on lui imprime une orbite autour du Soleil, tangente de celle de la planète visée.

Si la planète est plus éloignée du Soleil que la Terre (cas de Mars, Jupiter, Saturne, Neptune, Pluton), la sonde doit s'éloigner du Soleil : on s'arrange pour que, après avoir échappé à l'attraction de la Terre, elle se dirige dans le même sens qu'elle et plus vite.

Si la planète est plus proche (Mercure, Vénus), la sonde doit être dotée d'une vitesse instantanée moins grande que celle de la Terre ; après l'avoir arrachée à l'attraction terrestre, on la lance non plus vers l'avant de la Terre, mais vers l'arrière, ce qui lui donne une vitesse plus faible par rapport au Soleil.

Modes de propulsion

Fusées

■ **Principe.** 2 substances chimiques (ergols) réagissent ensemble dans la chambre de combustion. La réaction dégage des gaz très chauds qui sont éjectés à grande vitesse par une tuyère. La poussée est dans la direction opposée au jet de gaz. *Inconvénient :* vitesse relativement faible des gaz éjectés (3 à 4 km/s), donc faible poussée. On y remédie en faisant réagir d'énormes quantités d'ergols.

Poussée de la fusée (F) : exprimée en newtons. Égale au produit de la masse q des gaz débités par la tuyère en une seconde par leur vitesse d'éjection Ve :

$$F = q \times Ve.$$

Vitesse finale atteinte par une fusée en fin de combustion (Vf) : elle est égale au produit de la vitesse d'éjection des gaz Ve par le logarithme népérien du rapport de masse :

$$V^f = V^e \times \ln \frac{M}{M'} = V^e \times 2{,}3 \log \frac{M}{M'}.$$

Influence de la rotation de la Terre : un engin lancé vers l'est et à la vitesse V reçoit du fait de la rotation terrestre une vitesse complémentaire. La vitesse finale V' est : V' = V + 450 × cos f (cos f est le cosinus de la latitude du lieu de lancement qui est exprimée en degrés). V' max. à l'équateur (cos f = 1).

Moteur ionique

■ **Origine.** En 1970, 2 propulseurs ioniques du satellite américain SERT-2 ont fonctionné 2 011 h et 3 781 h avant d'être mis hors service par des courts-circuits, puis ils furent remis en service. En 1975, la NASA a annoncé qu'elle a fait fonctionner pendant 15 000 h un tel micropropulseur.

■ **Principe.** Le moteur dissocie un gaz en ions de charges électriques opposées (le plus souvent un ion lourd et un électron). Les ions sont ensuite accélérés par un champ électrique et éjectés à grande vitesse. *Avantage :* vitesse des ions (15 km/s). *Inconvénient :* on ne peut ioniser que des gaz à faible pression, donc offrant une poussée insuffisante pour arracher une fusée à l'attraction terrestre. Mais la puissance peut suffire pour modifier l'orbite d'un satellite.

Le moteur qui éjecte des charges positives a tendance à se charger négativement et à annuler la poussée.

Voile solaire

■ **Principe.** Utiliser la pression de la radiation exercée par la lumière du Soleil sur la surface où elle se réfléchit (propulsion photonique). À la surface de la Terre, l'effet de cette pression est négligeable. Mais dans l'espace interplanétaire, sans pesanteur ni effets parasites, la force ainsi exercée sur une grande voile (8 g par 10 000 m²) faite d'un film de plastique aluminisé serait suffisante pour modifier sa trajectoire. Le pilotage serait réalisé en modifiant la position de la voile par rapport à la direction de la lumière. Une voile de quelques milliers de m², en nylon métallique ultra-léger, pourrait franchir la distance Terre-Lune (300 000 km) en un peu plus de 1 an, à la vitesse d'un cheval au galop. *Avantage :* ne nécessite l'emport d'aucun carburant. *Inconvénient :* difficulté pour plier (avant le décollage), puis déployer dans l'espace une grande surface d'un matériau fragile. *Utilisation pratique :* contrôle de positionnement de satellites. Mariner 10 (1973) s'est orienté au-dessus de Mercure grâce à l'effet de ces « vents » lumineux sur ses panneaux solaires.

■ **Projets à l'étude.** *Voile carrée* (Jet Propulsion Laboratory, Californie) 800 m de côté ; épaisseur 2,5 micromètres. *Ronde* (NASA) 860 m de diam. *Mini-voile* (CNES et ESA) 200 m de côté. *Voiles hexagonales* de 2 000 m² lancées en 1985 par associations d'amateurs (UPPP en France, WSF aux USA) dans le cadre d'une course Terre-Lune à la voile prévue en 1994.

Droit de l'espace

■ **Comité de l'espace des Nations Unies.** *Créé* en 1958. *Sous-comités :* juridique ; technique. **Traités :** 5 (4 en vigueur). *Tr. du 27-1-1967 :* tr. de l'Espace. *Accord du 22-4-1968 :* sauvetage, retour des astronautes, restitution des objets lancés dans l'espace. *Conventions du 29-3-1972 :* responsabilité ; *du 14-1-1975 :* immatriculation des objets lancés dans l'espace. *Accord du 18-12-1979 :* activités des États sur la Lune et autres corps célestes.

■ **Résolutions importantes.** *13-12-1963 :* activités dans l'espace extra-atmosphérique. *10-12-1982 :* utilisation des satellites de diffusion (TV, radio) directe. *3-12-1986 :* télédétection spatiale. *1992 :* usage de l'énergie nucléaire dans l'espace. **Accords particuliers.** *1988 :* accord intergouvernemental USA/Eur./Jap./Can. sur station spatiale internationale.

■ **Principes de base** (tr. du 27-1-1967).

– **Article 1.** « L'exploration et l'utilisation de l'espace extra-atmosphérique, y compris la Lune et les autres corps célestes, doivent se faire pour le bien et dans l'intérêt de tous les pays, quel que soit le stade de leur développement économique ou scientifique ; elles sont l'apanage de l'humanité tout entière.

« L'espace extra-atmosphérique, y compris la Lune et les autres corps célestes, peut être exploré et utilisé librement par tous les États sans aucune discrimination, dans des conditions d'égalité et conformément au Droit international, toutes les régions des corps célestes devant être librement accessibles. »

« Les recherches scientifiques sont libres dans l'espace extra-atmosphérique, y compris la Lune et les autres corps célestes, et les États doivent faciliter et encourager la coopération internationale dans ces recherches. »

– **Article 2.** « L'espace extra-atmosphérique, y compris la Lune et les autres corps célestes, ne peut faire l'objet d'appropriation nationale par proclamation de souveraineté, ni par voie d'utilisation ou d'occupation, ni par aucun autre moyen. »

■ **Prescriptions particulières.** Interdiction d'installation d'armes nucléaires ou de destruction massive dans l'espace (art. 3 et 4) ; les astronautes sont considérés comme des envoyés de l'humanité (art. 5) ; un régime de responsabilité protecteur est prévu (art. 6 et 7) ; obligation de restitution des objets spatiaux et de retour des astronautes (art. 5 et 8) ; obligation d'informer la communauté scientifique mondiale (art. 11) ; accessibilité de toutes les stations et installations, de tout le matériel et de tous les véhicules spatiaux se trouvant sur la Lune ou sur les autres corps célestes.

■ **Revendications des pays en voie de développement. Télédétection :** les pays estiment que l'inventaire de leurs ressources naturelles constitue une atteinte à leur souveraineté. **Télévision directe internationale :** les pays veulent éviter toute ingérence intérieure qui se développerait au nom du principe de la libre circulation de l'information. Les pays équatoriaux revendiquent le segment d'orbites des satellites géostationnaires situé au-dessus de leur territoire.

Satellites artificiels

■ Définitions

Satellites artificiels. Objets lancés de façon à décrire autour d'un astre une orbite sous l'effet de l'attraction universelle.

Désignation des satellites lancés. *De 1957 à 1962 :* par le millésime suivi d'une lettre grecque en suivant l'alphabet (au 25e on recommença par $\alpha\alpha$, au 49e par $\beta\alpha$; les débris de fusée ayant le même indicatif plus un chiffre). *Depuis 1963 :* par un numéro d'ordre dans l'année (débris catalogués sous le même n°).

Apogée. Point d'une orbite le plus éloigné de la Terre. Un satellite pourrait s'éloigner à 1 million de km, mais les déformations de l'orbite seraient très importantes et chaque révolution durerait plus de 5 mois. *Orbite basse :* pour un apogée de 1 000 km et moins ; *moyenne :* apogée de 1 000 à 40 000 km ; *haute :* au-delà. Ex. : IMP-4 (494 230 km), Explorer 34 (213 000 km).

Les *satellites de télécommunications* opérationnels ont une orbite *géostationnaire* à 35 786 km de la Terre procurant une immobilité apparente.

Périgée. Point d'une orbite le plus proche de la Terre [*record :* 101 km (Cosmos 169, lancé le 14-11-1969)]. À moins de 250 km d'altitude, en raison du frottement de l'atmosphère, on ne place plus de satellite (sauf s. de surveillance et de reconnaissance photographiques récupérés quelques jours après leur lancement).

Au-dessus de 200 km, le *freinage atmosphérique* s'affaiblit et le satellite peut vivre plusieurs semaines (à 300 km, plusieurs mois). Au-dessus de 400 km, il devient négligeable surtout si le satellite a une forte densité.

Nota. – Pour les satellites d'autres astres, au lieu d'apogée et de périgée, on parle d'*apoastre* et de *périastre*, de *périlune* ou *périsélène* et d'*apolune* ou *aposélène* (sat. de la Lune), d'*aphélie* et de *périhélie* (sat. du Soleil).

■ Applications technologiques

Télécommunications. Liaisons téléphoniques ou télégraphiques, transmission de données, retransmission de programmes TV, etc.

Navigation aérienne et maritime. Surveillance du trafic, détermination du point dans les 3 dimensions grâce aux satellites de navigation qui jouent le rôle de balises radio.

Connaissance de l'Univers. Astronomie, astrophysique, études de mécanique céleste et détermination des densités du milieu par diverses mesures [rayonnements, températures, pressions, courants de particules, champs magnétiques et électrostatiques, observations du satellite vers l'extérieur (ex. : étude des systèmes nuageux des astres)].

Satellisation et libération de l'attraction terrestre

■ Lois et définitions

Dans le repère géocentrique, le satellite de masse *m* décrit une trajectoire (que nous admettons circulaire pour simplifier) de rayon *r* (à l'altitude *h*), à la vitesse *v* autour du centre de la Terre de masse M et de rayon R (r > R).

Forces auxquelles est soumis le satellite : *attraction terrestre* (loi de Newton), $F_1 = \epsilon \frac{Mm}{r^2}$ avec $\epsilon = 6{,}67 \times 10^{-11}$ S.i. (constante de gravitation universelle) ; *force centrifuge* $F_2 = m \frac{v^2}{r}$.

Énergie totale Et du satellite sur la trajectoire : Et = Ep + Ec avec :

$$Ep = F_1 \times r = \epsilon \frac{Mm}{r} = \epsilon \frac{Mm}{(R+h)}$$

(énergie potentielle acquise dans l'ascension sur une orbite de rayon r).

$$Ec = \frac{1}{2} m v^2 \text{ (énergie cinétique).}$$

■ Satellisation

■ **Vitesse.** Pour satelliser sur une orbite de rayon r, il faut communiquer une vitesse telle qu'attraction terrestre et force centrifuge s'équilibrent sur la trajectoire choisie ($F_1 = F_2$) :

$$m \frac{v^2}{r} = \epsilon \frac{Mm}{r^2} \rightarrow v^2 = \epsilon \frac{M}{r}.$$

La vitesse à communiquer est d'autant plus forte que r (ou l'altitude h) est faible.

Pour communiquer de telles vitesses, les fusées comportent généralement un à quatre étages, ce qui permet de se débarrasser, au fur et à mesure de la combustion, d'une masse devenue inutile. Lorsqu'il se trouve à l'altitude désirée, le dernier étage restant de la fusée est horizontal, et accéléré pour atteindre la vitesse de satellisation ; à la fin de cette phase, l'ensemble se situe au point d'injection du satellite, qui se sépare de la fusée porteuse.

Vitesse minimale (m/s). Au départ de la Terre *pour se placer sur une orbite* polaire à 200 km : 8 020 ; équatoriale à 200 km (dans le sens de la rotation de la Terre) : 7 585 ; *pour quitter* l'attraction terrestre : + de 11 200 ; le système solaire : 16 662.

Au départ d'une orbite circulaire à 200 km de la Terre (7 800 km/h) : *accroissement de vitesse pour s'éloigner à 1 000 km de l'orbite :* 220 m/s ; *2 000 km* 468 ; *5 000 km* 960 ; *10 000 km* 1 522 ; *20 000 km* 2 065 ; *50 000 km* 2 640 ; *100 000 km* 2 747. *Pour pénétrer dans le domaine lunaire :* 3 090 m/s. *Pour atteindre Vénus :* 3 590 m/s ; *Mars* 3 700 ; *Mercure* 6 185 ; *Jupiter* 6 310 ; *Saturne* 7 280 ; *Uranus* 7 970 ; *Neptune* 8 240 ; *Pluton* 8 360.

■ **Altitude.** L'altitude pratique minimale pour placer sur une orbite terrestre un satellite est de l'ordre de 250 km. À 2 000 km d'altitude, la vitesse de satellisation n'est plus que de 6,9 km/s.

■ **Inclinaison** de l'orbite d'un satellite sur l'équateur. Si l'inclinaison est nulle, il sera dit *équatorial* ; si elle est forte ($\simeq$ 90°), il sera dit *polaire.*

■ **Période de révolution.** Plus l'orbite est basse, plus la vitesse est élevée et la distance à parcourir courte. Les satellites les plus bas ont donc les périodes de révolution les plus courtes. Par exemple, Cosmos 298 (1969) (périgée 127 km, apogée 162 km) avait une période de 87,3 min. Heos (1968) (périgée 418 km, apogée 223 440 km), 4 j 17 h 13 min.

■ **Perturbations du mouvement.** Si le satellite est proche de la planète, il pourra subir une perturbation car la répartition des masses n'est pas uniforme sur la planète. En effet, la formule $F = \frac{kmm'}{r^2}$ appliquée à l'ensemble de la planète ne tient pas compte de la distribution des masses, mais suppose qu'elles sont concentrées au centre de gravité de celle-ci.

Un satellite éloigné de sa planète subit en outre les attractions des autres astres.

■ Libération

L'énergie totale communiquée à une charge est :

$$E_t = \tfrac{1}{2} m v^2 - \frac{\epsilon Mm}{r}.$$

Pour que la charge lancée en un point de la Terre (de rayon R) s'éloigne indéfiniment, il faut que son énergie totale soit positive ; la vitesse minimale de lancement, ou vitesse de libération, est telle que :

$$\tfrac{1}{2} m v^2 - \frac{\epsilon Mm}{R} > 0 \rightarrow V \geqslant \sqrt{\frac{2\epsilon M}{R}}.$$

Cette expression est une approximation qui admet que la vitesse de libération est communiquée instantanément au niveau du sol. En pratique elle signifie que l'énergie cinétique doit être suffisante pour vaincre l'énergie potentielle d'attraction. Si la vitesse est communiquée progressivement, la variabilité de l'attraction avec l'altitude rend l'expression plus complexe. La résistance de l'air a aussi été négligée.

On trouve v ⩾ 11,2 km/s.

■ Éléments de trajectoire

Le mobile lancé décrit une orbite ayant généralement la forme d'une ellipse dont le centre de la Terre est un foyer. Pour une altitude de 1 000 km, la vitesse initiale est $V_O = 7\,349$ m/s.

La durée de révolution T_O est égale à

$$T_O = \frac{2\pi r_O}{(V_O)}$$

(r distance du centre de la Terre au point de satellisation).

Pour une altitude de 1 000 km, $T_O = 6\,283$ s, soit 104 min 43 s. *Pour une vitesse inférieure à (Vo),* le satellite se rapproche de la Terre ; *supérieure,* le point de lancement est son périgée. *Pour une valeur déterminée de la vitesse V_O,* la trajectoire, au lieu d'être elliptique, devient parabolique. Dans une telle trajectoire, le satellite s'éloigne indéfiniment de la Terre. La valeur particulière (Vo) p de la vitesse parabolique est donnée par la formule :

$$(V_O)^2\, p = \frac{2\epsilon M}{r} = 2\,(V_O)^2.$$

Ainsi, à 1 000 km d'altitude, on aurait $(V_O)\, p = (V_O) \times \sqrt{2} = 10\,395$ m/s. Pour avoir la vitesse du projectile par rapport au Soleil, il faut composer la vitesse restante par rapport à la Terre avec la valeur qu'avait cette dernière par rapport au Soleil au moment du lancement (environ 30 000 m/s).

Pour déterminer la vitesse relative par rapport à la Terre, on doit tenir compte de la vitesse de rotation de la Terre sur elle-même. Suivant que le lancement est fait vers l'E. ou vers l'O., la rotation de la Terre introduit un appoint positif ou négatif à la vitesse de lancement. Cet appoint, non négligeable, est de : 450 × cos φ m/s, φ étant la latitude du lieu de lancement.

Connaissance de la Terre. Localisation et surveillance des bancs de poissons, des pollutions, des nuées d'insectes, des incendies, de l'importance des récoltes ; étude du sous-sol [des variations de teintes révèlent des structures (ex. : failles géologiques) invisibles quand les clichés sont pris d'avions], mesure de distances intercontinentales à 10 cm près (v. 1950, l'emplacement exact d'îles comme Guam ou Tahiti n'était connu qu'à plusieurs km près), surveillance des régions polaires (déplacements de la banquise et des icebergs), surveillance militaire (mouvements, lancements de missiles).

Prévision météorologique. Avec un réseau de satellites géostationnaires et défilants qui photographient en permanence la couverture nuageuse et effectuent des mesures thermiques à l'aide de radiomètres opérant dans l'infrarouge.

Applications futures envisagées

Transport d'énergie par satellite. L'énergie serait transformée sur place en électricité puis transmise sous forme de micro-ondes à un satellite relais (diam. 1 km env.) qui la renverrait vers les régions d'utilisation (économie du transport).

Satellite-centrale solaire. L'énergie solaire pourrait être captée par un satellite, grâce à des photopiles d'une surface totale de 50 km². Le courant électrique obtenu serait converti en micro-ondes. Une antenne gigantesque émettrait ces micro-ondes vers la Terre. On envisage la mise en orbite géostationnaire de centrales solaires de 5 000 à 10 000 MW (coût : 6,15 milliards de $ sur 14 ans). Projet Glaser (ingénieur qui le 1er l'a proposé).

Mise au point de nouveaux matériaux (non inflammables, isolants, résistant à de hautes températures) : batteries solaires, composants électroniques miniaturisés ; **de médicaments** sous microgravité.

■ Quelques chiffres

☞ Les dates de lancement prennent pour référence *l'heure exprimée en temps universel.*

Budget espace par pays (en millions de $, en 1992). **1991 :** *USA* 35 000 (soit 136,5 $ par habitant). *CEI* inconnu. *France* (y compris budget militaire) 2 450 (43,13). *Japon* 1 454 (11,62). *Italie* 1 085 (18,89). *All.* 1 039 (13,34). *Canada* 497 (18,45). *Inde* 300 (0,36). *G.-B.* [sans budget militaire (essentiellement Skynet)] 285 (4,95). *Belgique* 155 (15,66). *Espagne* 120 (30,1). *P.-Bas* 105 (6,95). *Suède* 100 (11,71). *Suisse* 68 (10,15). *Finlande* 43,7 (8,69). *Dan.* 35,4 (6,87). *Norv.* 34,6 (8,14). *Irlande* 7,1 (2,01). *Australie* 4,9 (0,28). **1992** (budget civil) : USA 12 460, CEI 5 232, Europe 4 000, Japon 800, Chine 500, Inde 248.

■ **Bilan total des lancements annoncés (1957-91). Vecteurs :** 3 397 (max. 129 en 1984) dont : Australie 1, DOD (Department of Defence) 484, Europe (ESA) 42, France 10, Inde 3, Israël 2, Japon 43, MDAC 7, Martin-Marietta 3, Nasa 456, Orbital Sciences 1, PRC 29, G.-B. 1, ex-URSS 2 314. **Vecteurs Nasa** total 456 dont *par client :* Nasa 262, Coopération 33, DOD 30, USA 92, étrangers 39. *Par vecteur : Atlas* 7, A. Agena 29, A. E/F 10, A. Centaur 61 ; *Delta* 154 ; *Juno-2* 5 ; *Saturn I* 6, S. IB 7, S. V 13 ; *Scout* 65 ; *Navette* 43 ; *Thor* Able 4, T. Agena 12, T. Delta 21 ; *Titan-2* 11, T.-Centaur 7 ; *Vanguard* 2.

Charges utiles : Total 4 172 (max. 164 en 1985) dont : Argentine 1, Asiasat 1, Asco 2, Australie 5, Brésil 3, Canada 11, Chine 30, coopérations 49, Tchécoslovaquie 2, Europe (ESA) 30, France 27, All. 11, Inde 13, Indonésie 6, Inmarsat 1, Israël 2, Italie 2, Japon 53, Mexique 2, Otan 7, Pakistan 1, PanamSat 1, Suède 2, G.-B. 18, USA 1 131, ex-URSS 2 761. **Américaines** total 1 131 dont : Amsat 5, ATT 5, ASC 2, Comsat 48, DOD 705, GTE 8, Hughes 8, Nasa 296, NOAA 31, N. Utah Univ. 1, RCA 11, SBS 5, WU 6. **Soviétiques** recensées 2 741 dont : Almaz 1, Bourane 1, Cosmos 2 174, Ekran 19, Electron 4, Foton 4, Gamma 1, Ghorizont 24, Granat 1, Informator 24, Intercosmos 1, Iskra 3, Kristall 1, Kvant 2, Luna 24, Mars 7, Meteor 56, Mir 1, Molniya 141, Nadezhda 3, Okean 3, Phobos 2, Polyot 2, Prognoz 10, Progress 51, Proton 4, Radio 8, Raduga 30, Resurs 13, Saliout 7, Soyouz 68, Spoutnik 12, Vega 2, Venera 15, Voskhod 2, Vostok 4, Zond 10, non dénommés 6.

■ **Lancements de vecteurs annoncés en 1991.** CEI 59, USA 16, (Nasa 8, DOD 8), ESA 7, Japon 2, MDAC 1, PRC 1.

Selon le Norad (North American Defense Command), il y aura environ 12 000 t de débris en orbite basse (– de 5 500 km) en 2010. Leur concentration sur certaines orbites recherchées est dangereuse. Aux vitesses atteintes, 1 bille d'acier de 1 cm a autant d'énergie cinétique qu'une masse de 100 kg à 100 km/h. Or, il y a 30 à 70 000 débris de 1 cm (fév. 1992) en orbite basse. 86 satellites auraient déjà été victimes de « résidus » (ex. *Cosmos 1275,* soviétique lancé juin 1981 et réduit moins de 2 mois plus tard en 248 morceaux ; *Pageos,* américain lancé 1966, réduit en 70 morceaux en juillet 1975). Une station spatiale a, en 3 ans, 30 % de risques de rencontrer des débris. La situation pourrait devenir critique entre 2040 et 2100. 2 manœuvres anticollision ont dû être effectuées par la navette fin 1991.

■ **Débris. Retombées.** Nombre depuis le 4-10-1957 : + de 15 000. Quelques cas : **1961** Fidel Castro affirme qu'un morceau de satellite américain a tué une vache cubaine. **1962** à Manitowoc (Wisconsin), un cylindre de Spoutnik 4 d'env. 10 kg tombe à l'intersection de 2 rues. L'URSS accepte de payer 2,55 millions de $ de dédommagement au Canada. Un réacteur nucléaire *Romachka,* de *508 kg,* alimentait le radar de bord, fonctionnant avec une charge de 49 kg de dicarbure d'uranium-235 enrichi. Ferme incendiée en Afr. du S. **1964**-*22-4* réacteur américain à Madagascar. **1968**-*18-5* réacteur amér. au large de la Californie. **1970**-*11-4* réacteur amér. (fosse du Tonga). **1973**-*30-4* réacteur dans la mer du Japon. **1978**-*24-1* fragments de *Cosmos 954* (sov.) de 5 t, doté d'une pile nucléaire, au Canada (région de Yellow Knife, près du grand lac des Esclaves) contaminant une région pour plusieurs années. **1979** restes pulvérisés du laboratoire orbital *Skylab* (77,5 t), dans l'océan Indien et en Australie. **1982** *Cosmos 1402* chargé d'un réacteur nucléaire comportant 30 kg d'uranium, retombé en 3 morceaux les 30-12-82, 23-1-83 (océan Indien) et 7-2-83 (Atlantique Sud). **1986**-*21-3 Cosmos 1736* (sov.), réacteur ou réservoir pulvérisé. **1988**-*30-9* le réacteur nucléaire de *Cosmos 1900,* propulsé sur une orbite à 720 km d'altitude, où il restera env. 200 ans ; le reste du satellite (non radioactif) se désintègre le 1-10 au-dessus de l'océan Indien. **1991**-*7-2 Saliout* 7 (sov.) se désintègre, puis tombe dans le nord de l'Argentine.

Nombre de satellites artificiels en fonctionnement (en sept. 1987). 337 (dont 156 militaires) dont sov. 146 (dont 96 mil.), amér. 129 (90 mil.), 62 divers.

Satellites les plus gros. Américains : *Écho 2,* lancé 25-1-1964, diam. 41,14 m ; satellite passif de télécommunications, constitué par 2 feuilles d'aluminium enserrant une feuille de mylar ; retombé 7-6-1969 après 28 000 révolutions. *Pégase 1,* lancé 18-2-1965, en forme d'un avion aux ailes déployées de 32 m d'envergure, alt. 495 à 753 km, révolution en 97 mn, retombé 7-6-1969 (15,2 t), il apparaissait comme une étoile de magnitude 1.

Satellites les plus lourds. Sur orbite terrestre : *Skylab 1* 90 490 kg (35,96 m de long.), lancé 14-5-1973, retombé 11-7-1979. **Lunaire :** *Apollo 15* 39 920 kg, lancé 26-7-1971. **Solaire :** fusée d'*Apollo 10* 13 810 kg, lancée 18-5-1969.

Satellites les plus légers. Sur orbite terrestre : *Tetrahedron Research TRS 2* et *3* 0,667 kg, lancés 9-5-1963. **Lunaire :** *Interplanetary Monitoring Probe 6* 68 kg, lancé 19-7-1967. **Solaire :** *Pioneer 4* 5,896 kg, lancé 3-3-1959.

Survie des satellites et « débris spatiaux ». Plusieurs années pour ceux se trouvant à 300 ou 400 km d'altitude, des siècles pour ceux à 800 km d'altitude (satellites d'observation de la Terre), indéfiniment pour ceux évoluant à 36 000 km (satellites géostationnaires).

Lanceurs

☞ Voir p. 30.

■ **Chine.** Dérivés de missiles balistiques stratégiques réalisés dep. 1958. **Longue Marche 1** lança les 2 premiers satellites chinois (173 kg). **Longue Marche 2-e** (ressemblant à Titan 2) a mis sur orbite 15 sat. (2,3 t à 2,9 t) entre *1975* et *1992* dont Optus B1 (Australie) pour 60 millions de $ soit la moitié du prix Ariane. **Longue Marche 3,** ressemblant à Ariane, peut lancer 2 à 3 t sur orbite géostationnaire. **Contrats commerciaux** pour des satellites télécom en 92 : 2 australiens (Optus B1 le 14-8, Optus B2 en déc.), 1 suédois (Fréja le 6-10). Panne inexpliquée sur Optus B2 attribuée par l'Occident à un largage coiffe prématuré du lanceur. *Prévisions. 1994 :* sat. de com., de Hong Kong, Apsat (asiatico-pacific sat.), Afristar (Afr.) ; *95 :* Asiasat-2 ; *96 :* Intelsat-7.

■ **États-Unis. Jupiter** et **Atlas** (500 lancers en 30 ans) puis **Titan,** dérivé d'un missile destiné à lancer une charge nucléaire de 5 mégatonnes à 8 000 km ; en sept.-oct. 1986, l'armée de l'air amér. a prévu de reconvertir en lanceurs de satellite 13 de ses 56 missiles *Titan-2* et a commandé 23 *Titan-4* (20 t en orbite basse, 5 t géostationnaire). Au milieu des années 90, une navette améliorée (Shuttle-C/7) automatique doit pouvoir satelliser 75 t en orb. basse. Le 26-10-1987 un *Titan 34-D* a lancé 1 satellite *KH-11* d'observation au sol (après 2 échecs en août et oct. 1986). **Delta,** issue du missile *Thor* (au 1-1-1987, 180 lancements). **Scout,** le plus petit, 1er lanceur amér. entièrement à poudre, charge utile passée de 45 (en 1961) à 200 kg ; plus d'une centaine tirés. **Saturn V,** issue des projets militaires Juno 5, alias Horizon, pouvait lancer 120 t en orbite basse ou 45 t vers la Lune. **Atlas 2,** lance 1 satellite militaire le 11-2-1992. **Pegase,** lanceur emporté jusqu'à 13 000 m par un B52 (Tristar en 1993) ; vecteur 3 étages à propergol solide (long. 18 m, diam. 1,15 m, masse 18 t, envergure 6,6 m) ; *charge utile* quelques centaines de kilos en orbite basse ou géostationnaire ; 1er lancement 5-4-1990 (sat. Pegsat) ; projet de version turbopropulsée. *Intérêt :* pas d'infrastructure de lancement spécifique, coût faible. *Vols :* 1 en avril 1991, 1 été 92 ; 7 prévus en 1993.

Programmes étudiés pour les années 2000 : *ALS (Advanced Launch System)* pour satelliser 100 t ; *AMLS (Advanced Manned Launch System)* navette pilotée et propulsée de liaison logistique avec et entre stations spatiales ; *NASP (National Aerospace Plane)* avion atmosphérique et spatial couvrant de 0 à 95 km d'altitude, de 0 à Mach 25 en vitesse, satellisant 15 t à partir d'aérodromes commerciaux. Coût 4 milliards de $. Prototype X 30 prévu avant 2000.

■ **Europe.** L'Europe (Cers, Esro et Cecles-Eldo puis Esa) a échoué dans sa tentative pour construire le 1er lanceur européen *Europa.* Repartie sur de nouvelles bases en 1973, principalement sous l'impulsion de la France, elle a réussi à mettre au point Ariane, principalement conçue pour les mises en orbite géostationnaire (+ de 50 % du marché commercial). Voir p. 43. *Avantages d'Ariane : flexibilité d'emport* en poids, mais aussi en nombre de charges (seul à pouvoir en lancer plusieurs), ceci grâce à un vecteur modulaire à versions multiples ; *précision de placement sur orbite* (permet d'économiser le propulseur d'apogée de la charge et donc d'allonger sa vie) ; *position de la base de lancement* près de l'équateur (capacité de satellisation supérieure pour la même puissance) ; *assistance au client.* Les Américains sont temporairement déclassés, car ils ont tout misé sur une navette, apte seulement aux orbites basses et pour un coût élevé. Le lanceur russe Proton est fiable mais trop vibratoire pour des satellites sensibles. Les lanceurs chinois et japonais ne sont pas opérationnels (voir Japon).

■ **France. Diamant A,** 1er tir 26-6-1965 (emporte une capsule technologique). **Diamant B,** 1er tir 10-3-1970. **Diamant BP4,** 3 tirs entre 6-2 et 27-9-1975.

■ **Inde. SLV-3** (Sat Launch Vehicle) (22,7 m, 17 t, 4 étages, à poudre) en construction. **ASLV** (Augmented SLV) lanceur bon marché pour charge 150 kg en orbite basse (voir p. 30), **PSLV** (Polar Sat Launch Vehicle), 1er lancement prévu 1993. **GSLV** (Geosynchronismous SLV) charge utile 2,5 t, 3 étages dont 1 et 2 dérivés de PSLV, 3e cryogénique, 1er lancement prévu en 1995-96.

■ **Japon. L-45, M-45, M-3C, M-34, M-35, M-35II, N1** et **N2** (entre 1975-87, faisant appel à la technologie Thor Delta, ont lancé 16 sat. de 130 à 350 kg), **H1** (80 % japonais, coût de lancement élevé), **H2** prévu 1994, retardé (2 explosions : 8-1 et 9-8-1991, 1 mort), 1er lancement commercial v. 1996.

■ **URSS. Korolev** 4 étages propulsifs ; lança le 1er *Spoutnik ;* propulsé par 5 moteurs avec 20 chambres de combustion dont la poussée unitaire (24 à 26 t) ne dépassait pas celle d'un V 2. Il brûlait un mélange de kérosène et d'oxygène liquide, connu depuis les expériences de Robert H. Goddard aux USA dans les années 30. Les performances « spécifiques » de *Korolev* étaient inférieures à celles des fusées amér. de l'époque ; plus de 1 000 furent utilisées. **Sapwood** poussée au décollage 196 t, **Sandal** poussée 74 t, **Skean** poussée 88 t, **Proton** poussée 275 t, peut placer 20 t en orbite basse et 5 t en orbite géostationnaire, **Scarp** poussée 275 t, **Tsyklon, Zenit, G1** 100 m de haut, 7 moteurs à 6 chambres de combustion (soit 42 au total, qui aurait développé une poussée de 5 000 t au décollage), explosa lors du 1er essai en vol le 12-6-1969 sur le pas de tir qui fut dévasté ; de nouveaux essais, en août 1971 et nov. 1972, échouèrent, **Energia** 1er essai le 15-5-1987, 2e le 15-11-1988 comme propulseur de la navette *Bourane.*

Principaux lanceurs spatiaux (et année du 1er tir)	Haut. (m)	Étages	Diam. max. (m)	Poussée (10 [4] N)	Masse en charge (t)	Masse de la charge utile sur orbite (kg)	Carburants utilisés S = Solide L = Liquide
Américains							
Atlas-G-Centaur-D1-A (1990)	40	2	3,05	192	147	6 000 [1]-2 340 [2]-1 000 [3]	L-L
Delta 3 914 *	35,4	3 [10]	2,4	206	191	2 500 [1]-900 [2]-440 [3]	L-L-S
Delta 3 920 PAM	35,4	3	2,44	206	192	2 500-1 247-545	
Navette (1981)	56	1 [7]	8,5	2 850	2 030	30 000	L-S
Saturn I * (1961)	58	2	6,70	721	635	10 000 [2]	S-S-S
Saturn I-B * (1966)	68,3	2	6,6	720	585	15 000 [1]	L-L
Saturn V * (1967)	111	3	10	3 350	2 900 [4]	125 000 [1]-45 000 [2]	L-L-L
Scout B (1960)	22	3	1,02	206	18	185 [1]-38 [2]	S-S-S
Titan 2 *	33,50	2	3	195	150	3 000 [2]	S-S-S
Titan 4	54	3	5	1 667	862	17 700 [1]-5 600 [2]	L-L-S
Titan 34 D (1981)	50	2	3	1 203	680	13 000	S-S-S
Titan 3-C *	38,3	3 [7]	3,05	1 040	631	15 000 [1]-4 500 [2]-1 500 [3]	L-L-L
Titan 3-Centaur *	30	3 [7]	3,05	1 040	638	7 250 [2]	L-L-L
Chinois							
Longue-Marche 1 (1970)	29,5	3	2,25	112	86,1	300 [1]	L-L-S
Longue-Marche 2c (1975)	32,8	2	3,35	284	190	2 500 [1]	L-L
Longue-Marche 3 (1984)	43	3	3,35	284	202	4 301 [1]-1 400 [2]	L-L-L
Longue-Marche 4 (1988)	41,9	3		300	249	2 500 [1]	L-L-L
Longue-Marche 2E (1990)	51,2	2,5	3,35	604	461	8 800 [1]-4 500 [2]	L-L
Longue-Marche 3A							
Européens							
Ariane 1 (1979) [13] *	47,8	3	3,8	245	210	4 800 [1]-1 800-1 040 [3]	L-L-L [14]
Ariane 2 * (1984)	49	3	3,8	270	210	4 900 [1]-2 175 [2]	L-L-L
Ariane 3 (1984) [14]	49	3	3,8	270	237	4 900 [1]-2 600 [2]	L-L-L
				+ 140 (accél.)	237	ou 2 × 1 200 (lancement double) 1 330 [3] ~ 10 000 [1]	L-L-L
Ariane 4 (1988) [15]							
versions avec propulseurs d'appoint: 40	58	3	3,8	270	235	2 000 [3]	L-L-L
42 L	58	3	3,8	405	350	3 350 [3]	L-L-L
42 P	58	3	3,8	420	314	2 740 [3]	L-L-L
44 L	58	3	3,8	540	460	4 450 [3]	L-L-L
44 LP	58	3	3,8	560	406	3 900 [3]	L-L-L
44 P	58	3	3,8	575	349	3 290 [3]	L-L-L
Ariane 5 [16]	57	3	5,40	900	750	20 000 [1]-7 000 [3]	L-L
Ariane 6 (projet) [16]						1 700 à 5 400 [1]-1 500 [3]	
Français							
Diamant A (1965) *	17,90	3	1,4	28	18,4	180 [1]	LSS [6]
Diamant B (1970) *	23,55	3	1,4	30-40	24,6	250 [1]	LSS
Diamant BP4 (1975) *	21,639	3	1,5	34,8	27	263 [1]	LSS
Indiens							
ASLV	24	4	1	65	42	150 [1]	S-S-S-S
GSLV						2 500 [2]	S/L-L-L
PSLV	44	4	2,8		275	1 000 [1]	S-L-S-L
Japonais							
H-1 (1986)	40,3	3 [11]	2,49	220	139,3	-100 [2]-550 [3]	L-L-S
H-2 (1994)	50	2	4,0	400	260	4 000 [2]-2 000 [3] 9 400 [1]	L-L
M-5 (1995)	32,1	3	2,5	420	128,4	-2 000	S-S-S
Mu-3C (1974) *	20,2	3 [9]	1,41	194	41,5	195 [5]	S-S-S
Mu-3H (1977) *	23,8	3 [9]	1,41	218	48,8	290 [5]	S-S-S
Mu-3S (1980) *	23,8	3 [9]	1,41	221	49,4	300 [5]	S-S-S
Mu-3S-2 (1985)	27,8	3	1,41	192	61,2	-770 [2]	S-S-S
Mu-4S (1970) *	23,6	4 [9]	1,41	150	43,7	180 [5]	S-S-S-S
N-1 (1975) *	32,6	3 [10]	2,44	149	90,4	-800 [1]-130 [3]	L-L-S
N-2 (1981) *	35,4	3 [11]	2,44	220	134,7	-1 600 [1]-350 [3]	L-L-S
Soviétiques							
Energia (1987)	59,6	2	8	3 600	2 400	100 000 [1]	L-L
Lance-Cosmos C1 (1964)	32	2	2,4	172	27	500	
L.-Proton D1-E (1968)	42	3 [12]	4,1	1 500	850	22 675-7 500-300	L-L
L.-Soyouz A2-e (1961)	49	2 [8]	3	470	317	7 500 [2]	L-L
					306	5 000 [2]	L-L
Lance-Spoutnik (1957) *	28	1	2,3	470	295	1 500 [2]	L-L
L.-Vostok (1959) *	30	2	2,6	470	306	5 000 [2]	L-L
SL 11 (1966)							
RUS (1997-99)	51,2	3	3	n.c.	n.c.		
Tsyklon (SL 14) (1977)	39,3	3	3,6	297	185	1 000-3 600 [1]	L-L-L
Zenit 2 (1985)	57	2	3,9	726	459	13 700 [1]-15 700 [1]	L-L

Nota. – (*) Ne sont plus utilisées. (1) Masse de la charge utile sur orbite circulaire basse. (2) Sur orbite de transfert géostationnaire. (3) Sur orbite géostationnaire (kg). (4) Dont 2 835 t de carburant liquide. (5) Sur orbite circulaire à 250 km d'altitude. (6) L = Peroxyde d'azote + diméthylhydrazine dissymétrique ou UDMH. (7) + 2 accélérateurs. (8) + 4 acc. (9) + 8 acc. (10) + 3 acc. (11) + 9 acc. 1er lancement en version bi-étage (1986). (12) Étage de périgée. (13) Anciennement L III S, réalisée en coopération européenne (voir p. 43). (14) Hydrogène + oxygène liquides. (15) Version « à la carte » pouvant être équipée de 2 ou 4 accélérateurs à poudre (42 P-44 P), de 2 ou 4 accélérateurs à propergols liquides (42 L-44), de 2 accélérateurs à poudre et 2 accélérateurs à propergols liquides (44 L P). (16) 6 versions, avec possibilité de lancements double, triple ou mise en orbite basse de l'avion orbital *Hermès*. L'étage inférieur est équipé de 2 propulseurs à poudre et d'un moteur cryotechnique délivrant une poussée de 80 t au sol.

Coût en millions de $. *Scout :* 5 (1977). *Delta 2 914 :* 15,4 (78) ; *3 914 :* 18,3 (78) ; *3 910 :* 25 (81) ; *3 920* (81). *Atlas-Centaur :* 38 (78). *Titan :* 58 (79). *III Centaur :* 50 (77).

☞ **Fusées-sondes françaises civiles.** Voir Quid 87, p. 50. Le centre spatial guyanais ne lance plus que des fusées-sondes météorologiques du type *Super-Arcas* pour la mesure du vent en altitude.

Prise de photos (taille des objets discernables au sol) à partir de Landsat (USA) 30 m, Spot (France) 10, Soyouzkarta (URSS) 6.

RAPIDE HISTORIQUE

1926-10-3 *fusée à propergol liquide* lancée par Robert H. Goddard, physicien américain (1882-1945), atteint 30 m d'alt. **1935** *fusée* lancée par Goddard atteint 2 300 m. **1942-3-10** *1er lancement réussi de* V2 (Allemagne), long. 14 m, poids au départ 13 t, portée 270 km, alt. max. 100 km. **1949-24-2** *fusée à 2 étages* lancée à White Sands (USA) atteint 400 km d'altitude.

1957-4-10 *1er satellite artificiel soviétique* Spoutnik 1 (compagnon de voyage) (nom officiel : satellite 1957 Alpha 2), 83,6 kg, 58 cm de diam. mis sur orbite à une altitude de 228 à 947 km à plus de 28 160 km/h, révolution en 96,17 min, lancé par fusée « R-7 » ou « Sémiorka » de Korolev (poussée + de 500 t), de Tiouratam à 275 km de la mer d'Aral, retombé le 4-1-58. **11-10** *1re sonde spatiale américaine* Pioneer 1,38 kg, retombe après avoir parcouru 126 000 km. **16-10** *1er objet échappant à l'attraction terrestre* (un fragment d'une fusée américaine Aerobee). **3-11** *1er être vivant dans l'espace :* chienne russe Laïka (Spoutnik 2, 508,3 kg, alt. 225 à 1 671 km, révolution en 103,7 min, désagrégé le 14-4-58). Laïka a survécu 7 jours avant de succomber (pas de protection thermique).

1958-31-1 *1er satellite américain* Explorer 1, 14,6 kg, 1,20 m de long, 20 cm de diam., alt. 356 à 2 546 km, révolution 93,7 min. Lancé par une fusée Jupiter C (Juno 1 de l'US Army, 18 t, 21 m de haut) réalisée sous la direction de Wernher von Braun, ingénieur allemand de Peenemünde, qui travaillait depuis 1953 au Redstone Arsenal de l'US Army (à Huntsville, Alabama) à la mise au point d'un missile balistique dérivé du V2. Durée d'existence jusqu'au *31-3-70.* Découvre les *ceintures de Van Allen* (ceintures de radiations autour de la Terre), **15-5** *1er satellite lourd soviétique :* Spoutnik 3 (1 327 kg), pendant 23 mois fournit des renseignements. **18-12** Atlas Score, 70 kg, alt. 185 à 1 482 km, révolution 101,5 min. Enregistre et retransmet un message du Pt Eisenhower. Retombé le 21-1-59.

1959-7-1 *1re planète artificielle* [sonde sov. Luna 1 lancée le 2-1, après être passée à 6 000 km de la Lune, devient la 1re planète artif. sous le nom de Miechta (rêve)]. **3-3** *1re fusée amér. approchant la Lune* (à 59 000 km) : Pioneer 4. **12-9** *1er objet envoyé sur la Lune* (sonde sov. Luna 2, détruite à l'atterrissage). **4-10** *1er vol circumlunaire* (le 18-10, sonde sov. Luna 3 transmet des photos de la face cachée).

1960-11-3 *1re planète artificielle américaine :* Pioneer 5 (orbite solaire jusqu'à 35 millions de km de la Terre). **1-4** *1er sat. météor.* (Tiros 1, amér.). **15-5** *1er vaisseau cosmique* (prototype des Vostok, 4 540 kg, sov.). **10-8** *1re récupération d'un engin spatial* (capsule de Discoverer 13, américaine). **12-8** Écho 1. Alt. 598 à 1 691 km. Ballon (diam. 30,5 m, *61 kg*) en matière plastique recouvert d'une fine couche d'aluminium. Réfléchit les ondes électriques venues du sol (relais passif). Sa révolution (env. 1 h 50 mn) diminue très lentement. Retombé le 24-5-68. **19-8** *1re récupération d'êtres vivants* après vol spatial (2 chiens sur vaisseau cosmique, sov.). **13-9** *1re récupération réussie en vol d'une capsule éjectable après mise sur orbite* (Discoverer 15, amér.).

1961-17-1 *1er sat. manœuvrable* (un propulseur autonome peut du sol être mis en marche) Discoverer 21 (amér.). **31-1** *1er sat.-espion* transmettant des clichés par radio (Samos 2, amér.). **12-2** *1re sonde vers Vénus* (sov., contact perdu après 7,5 millions de km). **12-4** de 9 h 07 à 10 h 36 min 34 s : *1er homme dans l'espace* Youri Gagarine (Soviétique), vit. max. 28 260 km/h, alt. 327 km (1er Amér. Alan Shepard, 5-5-61). **22-6** *1er sat. qui utilise un générateur nucléaire SNAP comme source d'énergie à bord* (Transit 4 A, 79,10 kg, alt. 878 à 998 km). **6-8** *1er vol supérieur à 1 j :* 25 h 18 min (German Titov, Vostok 2, URSS). **15-11** *1ers sat. lancés simultanément avec succès* Transit 4 B (90,4 kg, alt. 952 à 1 104 km) et TRAAC (90,4 kg, alt. 953 à 1 106 km).

1962-21-2 *1er vol orbital autour de la Terre* (John Glenn, Amér.), capsule Mercury. **23-4** Ranger 4 (328 kg, 36 h 57 min après son lancement s'écrase sur la Lune à 9 540 km/h) lancé par Atlas (fusée de 29 m, 163 t de poussée). **26-4** *1er vol spatial d'un engin ni russe ni américain* (Ariel, anglais). **10-7** Telstar 1 (80 kg, alt. 952 à 5 634 km, révolution 160 min). Relais hertzien, amplifie les ondes reçues et les renvoie (puissance d'émission 2,5 W). **11-8** *1er rendez-vous spatial* (Vostok 3 et 4). **1-11** *1er tir vers Mars* (Mars 1). **14-12** *1er survol de Vénus :* passage à 34 000 km de la sonde américaine Mariner 2 (lancée le 27-8).

1963-**14-3** *1er sat. géosynchrone* (Syncom 1, amér.). Contact radio perdu avant qu'il n'ait atteint son orbite définitive. **16-6** *1re femme cosmonaute* (Valentina Terechkova, Sov.), vol : 2 j 22 h 46 min sur Vostok 6.

1964-**14-1** *début des fusées Saturn* (amér.) capables de satelliser 17 t. **9-4** *1er sat. réellement géostationnaire,* le 1er Syncom, lancé le 14-2-63. **12/13-10** *1er équipage sur orbite* (3 Sov. sur Vostok 1 : V. Komarov, C. Feoktistov, B. Egorov). **30-11** *1er usage en vol de moteurs ioniques :* sonde sov. Zond 2.

1965-**18/19-3** *1re sortie d'un cosmonaute dans l'espace,* le Soviétique Alexeï Leonov (20 min ; remorqué pendant 12 min 5 s par un câble de 5 m de long) ; 1er Américain Edward White, 3-6-65 (sortie de 20 min). **6-4** *1er sat. commercial de télécommunications* (Early Bird, américain). **21-5** *1er sat. lancé dans le sens inverse de la rotation de la Terre* ARS (Aerosym Rescare Satellite, amér.) ; mise sur orbite de 400 millions d'aiguilles métalliques à 3 020 km d'alt. **15-7** passage de la sonde Mariner 4 (amér.) à 10 000 km de Mars. **16-7** *début des fusées sov. Proton* capables de satelliser 12 t. **21/29-8** *1er vol de plus d'1 semaine :* 7 j 22 h 55 min (G. Cooper, C. Conrad, Gemini 5, USA). **26-11** *1er lancement par fusée ni sov. ni amér.* (Diamant, français, à Hammaguir, Sahara), *1er sat. français* (Astérix). **15/16-12** *1er rendez-vous spatial amér.* (Gemini 6 et 7).

1966-**3-2** *1er atterrissage en douceur d'une sonde sur la Lune* (Luna 9, sov.). **1-3** *1re arrivée sur Vénus* (Venera 3, sov., lancée le 16-11-1965, détruite à l'arrivée). **3-4** *1re satellisation autour de la Lune* (Luna 10, sov.). **30-5** *1er atterrissage en douceur d'une sonde américaine sur la Lune* (Surveyor I).

1967-**18-10** *1er atterrissage en douceur d'une sonde sur Vénus* (Venera 4, sov.). **9-11** *1er essai en vol de la fusée lunaire* amér. Saturn V. Une cabine amér., Apollo, rentre dans l'atmosphère à 40 000 km/h.

1968-**14-9** *1er survol de la Lune avec retour sur Terre* (Zond 5, sov.). **21-12** *1er vol piloté circumlunaire* (Apollo 8, amér.).

1969-**17-1** *1er amarrage entre 2 engins spatiaux* (Soyouz 4 et 5, sov.). **21-7** *1re marche d'un homme sur la Lune* (Neil Armstrong et Edwin Aldrin, Amér., Apollo 11).

1970-**11-2** *1er engin spatial japonais* (Ohsumi). **24-4** *1er engin spatial chinois* (Dong-Fang-Hong). **24-9** *1re sonde qui revient après s'être posée (le 12-9) sur la Lune* (Luna 16, sov., ramène 103 g d'échantillons de sol). **10-11** *1er véhicule automobile lunaire* (Lunakhod 1 fonctionne jusqu'au 4-10-71, parcourt 10,5 km en 11 mois et transmet 20 000 photos ; dépose un réflecteur laser français).

1971-**19-4** *1re station spatiale habitée* (Saliout, sov.). **26-7/7-8** *record pour un vol orbital autour de la Lune :* 12 j 7 h 12 min (Apollo 15, amér.). **14-11** *1er satellite artificiel autour de Mars* (Mariner 9, amér., lancé 30-5-1971).

1972-**23-7** *1er sat. d'observation des ressources terrestres* (ERTS 1, amér.). **7/12-12** *record de durée pour un séjour lunaire :* 74 h 59 min 30 s (Eugen Cernan et Harrison Schmitt, Amér.), 7h 37 min sur le sol lunaire (Apollo 17).

1973-**14-5** *lancer du plus gros engin spatial* Skylab (amér.) 90,5 t, 35,96 m de long. *1re réparation d'un engin en vol par ses propres moyens.* **3-12** *1er survol de Jupiter* (Pioneer 10, amér., lancé 3-3-72).

1974-**29-3** *1er survol de Mercure* (Mariner 10, amér., lancé 3-11-1973). **17-4** *1er sat. météor. géostationnaire* (SMS 1, amér.). **10-12** *1re sonde interplanétaire ni sov. ni amér.* (Hélios, allem., s'approche à 48 millions de km du Soleil le 15-3-75).

1975-**15-7** *1er vol conjoint américano-sov.* (voir ASTP p. 39c). **22-10** *1re photographie de Vénus prise au sol* (Venera 9, sov.). *1er sat. de télécomm. maritimes* (Telesat, amér.).

1977-**12-8** *1er vol d'essai atmosphérique de la navette spatiale amér.* (Fred Haise et Gorden Fullerton).

1978-**2-3** *1er cosmonaute tchèque,* Vladimir Remek, sur Soyouz 28 (sov.). **27-6** *Polonais,* Miroslav Germacheirsky, sur Soyouz 30 (sov.). **26-8** *Est-allemand,* Sigmund Jâhn, sur Soyouz 31 (sov.).

1979-**24-12** *1er lancement d'essai de la fusée européenne* Ariane (succès).

1980-**11-10** *retour sur Terre (1re mission de plus de 6 mois)* de Valéri Rioumine et Leonid Popov (sov.) : 185 j sur la station Saliout 6.

1981-**12-4** *1er vol expérimental, avec 2 astronautes à bord de la navette spatiale amér.* (Columbia). **15-4** *1er vaisseau modulaire* (Cosmos 1267) *à s'amarrer à une station orbitale* (Saliout 6), sov.

1982-**24-6** *1er vol d'un cosmonaute français* (Jean-Loup Chrétien). **11-11** *1er vol à 4 astronautes* (STS 5 Columbia). **13-5/10-12** *1er vol sup. à 6 mois* (211 j 9 h 4 min), Saliout 7.

1983-**10-3** *1er vaisseau modulaire habité* (Cosmos 1443) après son amarrage à Saliout 7. **13-6** *1er objet construit par l'homme à s'éloigner au-delà de la dernière planète connue du système solaire* (sonde Pioneer 10, amér.) après 11 ans (4 119 j) de voyage. **18-6** *1er vol à 5 astronautes* (STS 7 Challenger, amér.). **28-11** *1er vol à 6 astonautes* (STS 9 Columbia, amér.) ; *Spacelab* (laboratoire européen habité, mis en orbite dans la soute de la navette Columbia) a hébergé le 1er astronaute ouest-allemand : Ulf Merbold du 28-11 au 7-12-1983.

1984-**7-2** *1er homme satellite flottant librement dans le vide,* Bruce McCandless lors du vol de la navette n° 10 (amér.). **12-4** *1re réparation d'un satellite en orbite* (SMM, dit Solar Max) lors du vol de la navette n° 11 (amér.). **5-10** *1er vol à 7 astronautes* (STS 22 Challenger, amér.). **16-11** retour sur Terre de 2 satellites récupérés dans l'espace par la navette spatiale (mission n° 14).

1985-**11-9** *1er passage dans la queue d'une comète* (Giacobini-Zinner) par la sonde amér. « ICE » à 800 km du noyau, 20 min de traversée. **30-10** *1er vol à 8 astronautes* (Spacelab D-1), voir p. 44.

1986-**24-1** *1er survol d'Uranus* (Voyager 2, amér.). **28-1** *1re navette spatiale habitée perdue en vol* Challenger explose 73 s après son décollage ; mort de l'équipage amér. (voir p. 40 b). **6 au 14-3** *1er survol de la comète de Halley* par sondes spatiales.

1987-**15-5** *1er tir de la fusée géante soviétique Energia.* **29-9** *Cosmos 1887* (sov.) avec 2 macaques, 10 rats, 6 poissons à bord.

1988-**19-9** *1er sat. israélien* (Offek-1, 156 kg). **15-11** vol orbital automatique (sans cosmonautes à bord) de la 1re navette spatiale sov. Bourane. **9-12** le Français Jean-Loup Chrétien sort dans l'espace 6 h 10 min *(record).* **21-12** *1re mission de plus d'1 an* (21-12-87/21-12-88) Vladimir Titov et Moussa Manarov sur Mir 1 (sov.) : 365 j 22 h 39 min).

1989-**25-8** *1er survol de Neptune* (Voyager 2). **5-12** l'Irak lance une fusée « Al-Abad » (3 étages, 25 m de haut, 48 t, poussée totale de 700 kN) qui se serait brièvement satellisée.

1990-**5-4** *1er vol de la fusée aéroportée amér. Pégase* larguée d'un B-52 à 13 000 m d'alt., qui met en orbite à 583 km d'alt. Pegsat (191 kg).

1992-**13-5** 3 astronautes amér. (Thomas Akers, Richard Hieb, Pierre Thuot) ensemble dans le vide pendant 8 h 29 min pour capturer manuellement Intelsat 6 (2,5 t) avant de le réparer. **6-8** *1er satellite captif (à fil) récupérable* (TTS : Tethered Test Sat.), échec du déroulement (voir Italie, p. 33 b).

Principales dates par pays

Allemagne fédérale

Satellites. 6 lancés de Vandenberg (Californie), de Kennedy ou de Kourou, du 8-11-69 (*Azur,* 72 kg) au 16-1-76, par fusées Scout, Diamant B ou Titan III. *Rosat (Roëntgensatellit)* lancé 1-6-90 par Delta, étude des sources X. *TV Sat* (voir p. 34 c).

Australie

Satellites. 6 : **Wresat** (29-11-67, de Woomera par Redstone) 50 kg. **Aussat-A1** (27-8-85, de Carnaveral par STS-20) ; **A2** (26-11-85, de Carnaveral par STS-23) ; **A3** (16-9-87, de Kourou par Ariane) 1 196,5 kg ; **Optus B1** (14-8-92, de Chine par Long March CZ2E) ; **B2** (10-12-92, de Chine par Long March) échec. **Oscar-5** (Australia A0-S) 1970, de Vandenberg, par Thor-Delta ; sat. radio-amateur a fonctionné 46 j.

Brésil

Projet CBERS (avec la Chine). Sat. d'étude des ressources nat. (1 400 kg). Prévu 2e sem. 1994.

Bulgarie

1 satellite Intercosmos-Bulgaria 1300 (350 kg) lancé le 7-8-81 par fusée sov.

Canada

Satellites. **2 Alouettes** (145, 147 kg) lancés de Vandenberg par Thor Agena B ; **2 s. Isis** (237 et 262 kg) lancés de Cap Kennedy par Thor Delta ; **11 s. Anik** dont 4 lancés par Thor Delta, 2 par la navette spatiale (voir p. 34 c), et 2 par Ariane 4. Astronautes. Le 1er : Marc Garneau en 1984 ; *vols sur navette :* R. Bondar en fév. 92 et S. MacLean en oct. 92. **Autres projets :** *Radarsat* (prévu 95) : observation de la Terre, 1er sat. à radar SAR orientable ; participation au projet *Freedom* (voir p. 42 b).

Chine

Satellites. 35 du 24-4-70 (**Chine 1** ou Dong Fang Hong 1, 173 kg) au 6-10-92 par fusées chinoises dont le 8-4-90 **Asiasat 1** (1 250 kg, ex-Westar-6, récupéré en 1984), 1er vrai contrat commercial exécuté par la Chine. Lanceur comparable à Ariane 5 (fin des années 1990). Projet. Voir p. 29 b et 30 ab.

Espagne

Satellites. **Intasat** (24,5 kg), le 15-11-1974 de Vandenberg par Thor Delta-104. **Hispasat** voir p. 34 c.

États-Unis

Plus petites que les engins soviétiques, les sondes américaines contiennent des instruments de mesure plus efficaces et plus fiables. Pioneer 6, en route dep. 1965, fonctionne toujours.

Quelques programmes

■ Sondes. **Explorer (55).** Les **9, 19, 24, 39** furent des **ADE (Atmospheric Density Explorer) :** sphères en aluminium (diamètre 3,65 m, 7 à 9 kg), lancées en 1961, 63, 64, et 68. Les **14** et **15** appelés **EPE (Energetic Particules Explorers)** étudièrent, en 1962, les ceintures de radiations. Les **29** et **36** furent des sat. de géodésie rebaptisés **Geos 1** et **2.** Les **18, 21, 28, 33, 34, 35, 41, 43, 47** et **50** furent des **IMP (Interplanctar Monitoring Probes).** Ils explorèrent de 1963 à 1973 la magnétosphère (à env. 85 000 km de la Terre) du côté faisant face au Soleil. **42** (lancé 12-12-70), a repéré les sources cosmiques de rayonnement X, fut le 1er *SAS (Small Astronomy Satellite).* **IMP 8** était encore en service début 1991. **Vanguard (3)** dont le **1,** surnommé *Pamplemousse,* 1er sat. avec cellules solaires, fonctionna 7 ans. Programme élaboré avec la marine américaine.

■ 78 missions technologiques d'essai et d'information-expérimentation. **Programme Discoverer** (réalisé par l'US Air Force ; 38 opérations entre le 28-2-1959 et le 27-2-1962) a créé les techniques de récupération. **Cabine Mercury** fut 3 fois expérimentée, vide, et avec les chimpanzés Ham et Enos (voir p. 37 c). Le vol **Gemini 1** eut lieu sans équipage et la fusée **Saturn 1** fut mise au point avec les opérations **SA 5, 6, 7.** Les 3 dernières **SA (SA 8, 9, 10)** lancèrent des satellites **Pegasus,** dont les larges ailes donnèrent une idée précise de l'abondance des météorites au voisinage de la Terre (2 perforations par an au m² pour une épaisseur de 0,4 mm).

Les fusées à hydrogène **Atlas-Centaur** (aujourd'hui employées pour les engins planétaires et gros satellites de communications) furent perfectionnées avec les vols AC 2 et AC 4. Les opérations Apollo 2 et 5 qualifièrent la fusée **Saturn I-B** et le module lunaire, et les vols automatiques Apollo 4 et 6, **Saturn V** (voir p. 39 a). Soit, au total, 15 expériences de qualification.

Opération Snapshot : une pile atomique de 500 watts (3-4-1965) teste les conditions de fabrication d'électricité atomique dans l'espace ; le réacteur fonctionne 43 j. **Sert,** de 1 500 kg, alimenté par 2 panneaux solaires (4-2-1970), expérimente 2 moteurs ioniques au mercure pendant 3 et 5 mois.

ATS (Application Technology Satellite) : depuis déc. 1966, 6 satellites lancés depuis une orbite élevée (communications, climatologie, navigation).

■ Biologie. 4 expériences de biologie spatiale permirent d'étudier, sur des micro-organismes, des plantes ou des animaux, les différents effets des radiations, d'une absence de pesanteur ou d'une pesanteur différente de la nôtre : 3 **Biosatellites** et l'**Opération OFO** (9-11-1970) placèrent 2 grenouilles dans l'eau d'une centrifugeuse (étude de leur oreille interne).

■ 28 lancements en liaison avec les vols pilotés. Après 2 vols suborbitaux de cabines **Mercury** lancées en 1961 par des fusées Redstone (opérations non spatiales), 23 fusées ont mis en orbite des cabines habitées, et 5 autres ont lancé des cibles de rendez-vous (**ATDA** et **Agena**), le programme **Gemini** étudiant les jonctions dans l'espace.

■ 31 vols pilotés au 1-1-1976. 6 Mercury, 10 Gemini, 11 Apollo, 3 Skylab, 1 ASTP. Aucun de 1976 à 81. Après 1981 : uniquement missions de navettes spatiales.

■ Météorologie et environnement. **Tiros :** 10 sat. lancés, entre le 1-4-60 et le 2-7-65, 127 à 136 kg, en forme de tambour. 605 075 photographies montrant les complexes nuageux (22 788 néphalyses transmises en fac-similé) permirent de saisir les mécanismes de la météo et d'envoyer 821 avertissements de tempête. Sur **Tiros 8,** une caméra dite APT (Automatic Puncture Transmission) permit la réception directe des images spatiales au moyen de petites stations autonomes, qui bientôt se compteront par centaines.

Itos (Improved Tiros Operational Satellite) : 8 sat. lancés entre le 11-12-70 [1 : 340 kg, alt. 1 450 km, révolution 115 min, appelé NOAA (National Oceanic and Atmospheric Administration)] et le 28-3-83. Recueil des mesures de courants et températures océaniques des bouées.

Argos : programme prévu de 1978 à 1986. Localisation et collecte de données opérationnelles (géologie, vulcanologie, agronomie, océanographie, météorologie, pollution, etc.) recueillies par 400 bouées dérivant dans les mers du Sud et 300 ballons dans la haute troposphère (15 km). Équipement à bord de 15 sat. : 5 géostationnaires, dont Météosat ; 2 à défilement sur orbite polaire ; 8 amér. (dont 2 simultanément en fonctionnement : Tiros N et NOAA-A).

Nimbus : 7 satellites (28-8-64, 15-5-66, 14-4-69, 8-4-70, 11-12-72, 12-6-75 et 24-10-78), présentant des panneaux de cellules au Soleil et braquant vers la Terre des caméras et spectromètres.

Essa (Environmental Science Service Administration) : 9 satellites (3-2-66, 28-2-66, 2-10-66, 26-1-67, 20-4-67, 10-11-67, 16-8-68, 15-12-68, 26-2-69). Certains ont sauvé des cités (Gomez Palacios et Torrean, au Mexique, menacées d'inondation).

SMS 1 (Synchronous Meteorological Satellite) : (17-5-74). 627 kg. 1er satellite météor. sur orbite géostationnaire.

Goes (Geostationary Operational Environmental Satellite) : participe au Garp (Global Atmospheric Research Program), 6 lancés, 16-10-75 au 28-4-83.

AEM (Application Explorer Mission) ou HCCM (Heat Capacity Mapping Mission) : (26-4-78). Alt. 620 km. Étude thermique de la Terre.

Seasat 1 : (26-6-78, tombé en panne 10-10-1978). 2 300 kg. Alt. 800 km. Révolution 101 min. Porteur de 4 émetteurs radar et d'un radiomètre infrarouge pour l'étude des océans.

Sage (Stratospheric Aerosol and Gas Experiment) : (18-2-79). 147 kg. Alt. 600 km. Mesure des concentrations en aérosols, ozone de l'atmosphère.

Solar Mesosphere Explorer : (6-10-81). 437 kg. Alt. 530 km. Révolution 95 min. Études des interactions entre le rayonnement solaire, l'ozone atmosphérique et les autres composants de l'atmosphère terrestre.

Active Magnetospheric Particle Tracer Explorers (16-8-84) avec G.-B. et All. féd.

Uars (Upper Atmospheric Research Sat.) : (13-9-91). 7 tonnes. Alt. 579 km. 630 millions de $. Programme jusqu'en 2020. Observation de la haute atmosphère (ozone, vents stratosphériques, etc.).

Spartam : 1 290 kg ; mission Atlas (Atmospheric Laboratory of Science), déployé 10-4-93 et récupéré 13-4 par Discovery ; observation de la haute atmosphère et du Soleil.

■ **Télédétection des ressources terrestres. Programme Landsat** [ex-ERTS (Earth Ressources Technology Sat.)], 5 lancés du 23-7-72 au 1-3-84.

■ **Astronomie et géophysique.** Satellites auxquels on confie des observations qui seraient impossibles depuis la surface de la Terre (notamment parce que l'atmosphère intercepte presque tous les rayonnements autres que la lumière visible).

Ogo (Orbiting Geophysical Observatory) : 6 lancés du 5-9-64 au 5-6-69.

Oso (Orbiting Solar Observatory) : 8 lancés du 7-3-62 au 21-6-75.

OAO (Orbiting Astronomical Observatory) : 3 lancés du 8-4-66 au 30-11-70.

Solrad : 11 lancés du 22-6-60 au 5-3-76.

SMM (Solar Maximum Mission) : lancé 14-2-80. 2 315 kg. Alt. 570 km. Études des éruptions solaires pendant l'année du max. d'activité solaire. 1er sat. réparé en orbite (12-4-84). Retombé 2-12-89 au-dessus de l'océan Indien, au S.-E. du Sri Lanka.

SAS (Small Astronomy Satellite) : 3 lancés 1970, 72 et 75. Étude des sources célestes des rayons X.

Heao (High Energy Astronomy Observatory) : 3 lancés : **1o**) 12-8-77. **2o**) 13-11-78 appelé Observatoire Einstein, long. 6,7 m, diam. 2,4 m, masse 3 175 kg ; 1er observatoire spatial capable d'être pointé (avec une précision 1') dans une direction donnée pour collecter le feu de rayonnement X émis par une source donnée ; a fonctionné jusqu'en avril 81 et a détecté + de 10 000 sources célestes de rayonnement X, de nombreuses galaxies et certains quasars. **3o**) 20-9-79.

Isee (International Sun Earth Explorer) : 3 lancés en 1977 et 78. ISEE-3 a observé la comète Giacobini-Zinner le 11-09-85.

Magsat : (30-10-79) ; étude du champ magnétique terrestre. Retombe en juin 1980.

Cobe (Cosmic Background Explorer) : lancé 18-11-89. Rayonnement thermique 3 K du fond du ciel, considéré comme un vestige du Big-Bang. A donné sa température précise : 2,735 K. À l'issue d'une campagne de + de 300 millions de mesures sur 3 ans et demi, il a confirmé des variations infimes de cette température postulées par la théorie du Big-Bang (voir p. 14 c).

Gro (Gamma Ray Observatory) : lancé 17-4-91 par Atlantis, rebaptisé **Compton.** Alt. 460 km ; 15 620 kg ; 4 gamma télescopes, 150 sources détectées en 7 mois confirmant le caractère « cataclysmique » de l'univers.

HST (Hubble Space Telescope) : placé 25-4-90 (voir p. 25 b).

Euve (Extreme UltraViolet Explorer) : lancé par Delta le 29-5-92, 3 400 kg, alt. 550 km, 4 télescopes de 40 cm. Mesure des rayonnements ultraviolets des étoiles les plus chaudes dans des long. d'onde considérées jusqu'ici comme inaccessibles.

Axaf (Advanced X Ray Astrophysics Facility) : observation haute résolution des sources X. Projet d'origine trop coûteux remplacé par 2 sat. plus petits. Axaf-I (imagerie), sept. 98. Axaf-S (spectroscopie), déc. 99.

Topex-Poséidon : voir p. 33 a.

■ **Communications.** Dep. 1959, on a expérimenté : le sat. enregistreur **(Score et Courier),** le ballon réflecteur **(Écho 1 et 2),** le sat. actif de défilement **(Telstar 1, 2 et 3 et Relay 1 et 2),** la ceinture d'aiguilles **(West Ford),** le sat. actif géostationnaire **(Syncom 2 et 3),** formule retenue par **Intelsat** (voir p. 34 b).

■ **Navigation.** 15 satellites **Transit** (50 à 80 kg. Alt. 1 000 km environ ; révolution 107 min, orbite polaire), les navires font le point, quelles que soient heure et conditions météo. Système complété par GPS (Global Positioning System) à base de satellites **Navstar :** 24 prévus (21 opérationnels, 3 en réserve, no 17 lancé 18-12-92 de Canaveral par Delta-2), placés dans 6 plans orbitaux (3 à 4 sat. par plan, espacés pour une couverture permanente du globe), inclinaison 55o, alt. 20,2 km, période 12 h. Permet la localisation continue de tout mobile, y compris aérien, dans les 3 dimensions. Erreur max. selon code d'accès : 20 m (militaires alliés) ou 100 m (autres).

Nova : 3 sat. (1er lancé le 15-5-81 ; alt. 1 110 km) améliorant le réseau précédent.

■ **Géodésie.** 10 satellites. **Secor** permettant des triangulations radioélectriques à 10 m près, la précision métrique étant atteinte avec les sondages par laser (que permettent 4 sat. Explorer). 4 sat. **Geos. Lageos (Laser Geodynamic Satellite) 1** (6-5-76). 411 kg, alt. 5 900 km. Sphère de 60 cm dont la surface comporte 426 réflecteurs pour renvoyer au sol des échos laser. **2** lancé 1990, construit par l'Italie.

■ **Engins de coopération fabriqués par divers pays.** Voir G.-B., Canada, Australie, All., France (FR-1 et Éole), Italie.

■ **Programmes militaires spécifiques** (voir aussi le chapitre Défense). Nombreux lancements, dont beaucoup de multiples.

Surveillance. Ex : **Samos (Satellite and Missile Observatory System)** depuis 1960. **Lasp (Low Altitude Surveillance Platform)** dep. 1971, 1er lancement réussi 24-5-60, alt. 430 à 444 km. Actuellement : **Big Birds** (satellites-caméras de 11 t), construits par Lockheed pour US Air Force : larguent des capsules contenant les films.

Réseau Vela Hotel (alerte avancée) alt. 110 000 km, lancé par paires à 6 reprises (dernière 8-4-70), pour constater que le traité de Moscou de 1963 (interdiction des explosions atomiques dans l'atmosphère) était observé. **Midas** pour détecter les missiles.

Imews (Integrated Multipurpose Early Warning Satellite) prolongent ce programme ; depuis une orbite géostationnaire, doivent signaler, grâce à des détecteurs infrarouges, tout lancement de fusée ou toute entrée d'ogive dans l'atmosphère.

DMSP (Defense Meteorological Satellite Program) satellites de l'US Air Force.

Des opérations spéciales ont eu lieu dans le cadre des programmes **Arpa-X** (satellites **LCS** ou **Dash** notamment, pour calibrer les radars) et **Saint (Satellite INTerceptor),** en vue d'abordage et d'identification de satellites par des vaisseaux d'inspection.

■ **Recherche (Nasa).** Lancements militaires pour des recherches concernant matériaux, radiations et techniques : **Ers (Environmental Research Satellite) ; Ov (Orbiting Vehicle),** ex. **Ov 3-6** qui fut un **Atcos (Atmospheric Composition Satellite) ; Surcals (Surveillance Calibration Satellite,** programme réalisé par l'US Air Force) ; opérations pour une étude des radiations **(Hitchhiker, Radiation Satellite Radose, Starrad, Starflash) ;** opérations d'étude de la haute atmosphère **(Calsphere, Bluebell, Cannon Ball).** Ces opérations ont été souvent confiées à des engins du type Transtage (véhicule piloté constituant l'étage supérieur d'une fusée Titan III et conçu pour larguer plusieurs charges sur des orbites différentes). **Lanceurs** (voir encadré p. 29).

■ Europe

Voir encadré p. 29 et p. 42 b.

■ France

■ **Secteur spatial français** (1992). 18 000 emplois dont 12 000 dans l'industrie. *Prospace* (fondé 1981) réunit 39 sociétés et organismes dans un groupe d'intérêts économiques pour les activités spatiales françaises.

■ **Satellites.** Sauf indication contraire, les satellites ci-dessous sont toujours en orbite mais hors service (sauf Starlette, Spot-2 et Topex-Poséidon).

A-1 (Astérix) [lancé le 26-11-65 à 15 h 47 d'Hammaguir (Algérie) par fusée Diamant A]. Capsule technologique simple. Orbite initiale 509 à 2 276 km, révolution 113 min ; (au 31-12-89 : 523 à 1 723 km ; 107,8 min), 38 kg. A cessé d'émettre le 26-11-65.

FR-1 [6-12-65 de Vandenberg (USA) par Scout (amér.)]. Sat. scientifique pour l'étude de l'ionosphère. Orbite initiale 780 km, 62 kg. Révolution 100 min (au 31-12-89 : 710 à 721 km ; 99,1 min). A cessé d'émettre le 28-2-69.

D-1A (Diapason) [17-2-66 d'Hammaguir (Alg.) par Diamant A]. Satellite d'études technologiques (mise à l'épreuve de matériels français) et scientifiques (géodésie). Orbite initiale 506 à 2 750 km. 18,5 kg. Révolution 118,14 min (au 31-12-89 : 502 à 2 541 km, 116,5 min). A cessé d'émettre le 23-1-72.

Diadème 1 (D-1C) [8-2-67 d'Hammaguir (Alg.) par Diamant A]. Sat. d'études scientif. (géodésie par moyens laser et Doppler). Orbite initiale 572 à 1 353 km. 20 kg. Révolution 102,5 min (au 31-12-89 : 554 à 1 145 km, 101,9 min). A cessé d'émettre le 2-1-70.

Diadème 2 (D-1D) [15-2-67 d'Hammaguir (Alg.) par Diamant A]. Orbite initiale 592 à 1 886 km. 20 kg. Révolution 109,5 min (au 31-12-89 : 586 à 1 779 km, 109,1 min). Mission identique à celle de Diadème 1. A cessé d'émettre le 5-4-67, mais a été utilisé pour des observations optiques et des échos laser. Fin de vie 16-9-68.

Péole (préliminaire à Éole) [12-12-70 de Kourou par Diamant B-2]. Orbite initiale 516 à 748 km. Révolution 97,21 min. 58 kg (au 31-12-89 : 590 à 665 km, 97,3 min). 1er sat. géodésique sur orbite équatoriale. A cessé d'émettre le 23-3-72. Fin de vie 16-6-80.

D-2A (Tournesol) [15-4-71 de Kourou par Diamant B-3]. Orbite initiale 455 à 703 km. Révolution 96,3 min. 96 kg. Sat. scientif. destiné à l'étude du Soleil et de l'hydrogène autour de la Terre et dans l'espace. A cessé d'émettre le 22-7-73. Rentré dans l'atmosphère le 28-1-80.

Éole [16-8-71 de Wallops Island (USA) par Scout]. Orbite initiale 678 à 960 km. Révolution 100,7 min (au 31-12-89 ; 660 à 856 km, 100 min.) 80 kg. Sat. météo. expérimental, destiné à l'étude de la circulation des vents dans l'hémisphère austral. La disparition progressive des ballons qu'il devait interroger l'a rendu disponible pour : étude des courants marins, trajectographie de navires avec transmission de messages, étude des mouvements des icebergs, localisation de véhicules terrestres, mesures météo, expériences technologiques. Fin en juillet 1974.

D-2A (Polaire) [5-12-71 de Kourou par Diamant B-4]. N'a pu être mis sur orbite. 96 kg. Devait analyser l'émission Lyman Bêta de l'hydrogène.

Sret-1 (Satellite de recherche et d'études technologiques) [4-4-72 de Plesetsk (URSS) par fusée soviétique en même temps qu'un satellite de télécom. Molniya]. Orbite initiale 480 à 39 248 km. Révolution 12 h 15 min. 15 kg. Étude de la dégradation des cellules solaires en couches minces sous l'effet des particules chargées. Rentré dans l'atmosphère le 14-7-73. Fin de vie 26-2-74.

Symphonie 1 et 2, 1974 et 1975 (voir p. 35 b, sat. de télécommunications).

Starlette (Satellite de taille adaptée avec réflecteur laser pour l'étude de la Terre) [6-2-75 de Kourou par Diamant BP4 no 1]. Orbite initiale 806 à 1 109 km. Révolution 104 min (au 31-12-89 : 806 à 1 108 km, 104,2 min). 47 kg. Sphère d'uranium de 24 cm de diam. avec des réflecteurs pour la télémétrie laser.

Satellite géodésique. Permit de mesurer la dérive des continents et de voir que les USA s'éloignaient de l'Europe d'env. 2 cm par an.

D-5A (Pollux) [15-5-75 de Kourou par Diamant BP4]. Orbite initiale 277 à 1 277 km. Révolution 100,3 min. 37 kg. Destiné à tester un micro-propulseur à hydrazine. Rentré dans l'atmosphère le 5-8-75.

D-5B (Castor) [17-5-75 de Kourou par Diamant BP4 n° 2]. Orbite initiale 277 à 1 275 km. Révolution 100,3 min. Expérimentation d'un micro-accéléromètre de haute précision. Réplique des satellites **Castor** et **Pollux** dont la mise en orbite échoua le 22-5-73. Rentré dans l'atmosphère le 18-2-79.

Sret-2 [6-6-75 d'URSS par fusée soviétique avec un sat. de télécom. Molniya]. Orbite initiale 400 à 40 000 km. Révolution 12 h (au 31-12-89 : 513 à 40 825 km, 737,8 min). 30 kg. Sat. technologique devant qualifier un système radiatif cryogénique passif qui sera utilisé sur le sat. météorologique géostationnaire européen Météosat. Arrêt d'exploitation 12-80.

D-2B (Aura) [27-9-75 de Kourou par Diamant BP4]. Orbite initiale 503 à 715 km. Révolution 96,8 min. 120 kg. Sat. scient. pour étude rayonnement ultraviolet du Soleil et des étoiles. A cessé d'émettre : 28-12-76. Rentré dans l'atmosphère 30-9-82.

D-2B Gamma (rebaptisé Signe 3) [17-6-77 d'URSS par fusée soviétique]. Orbite initiale 480,96 à 512,11 km. Révolution 94 min. 102 kg. Sat. scientifique pour l'étude des sources célestes de rayons gamma. Retombé le 20-6-79.

Cat-01 [24-12-79 de Kourou par Ariane L01 (qualification)]. Orbite initiale : 202,6 à 35 996 km. Révolution 634,5 min. Rentré dans l'atmosphère le 31-12-89.

Cat-03 [19-6-81 de Kourou par Ariane L03]. Mission identique à celle de Cat-01. Orbite initiale 201 à 36 173 km. Révolution 636,3 min (au 31-12-89 : 239 à 31 607 km ; 552,4 min). Fonctionnement normal 96 h. Mesure caractéristique trajectoire.

Arcad-3 [21-9-81 de Plesetsk (URSS) par fusée soviétique]. Orbite initiale 380 à 1 920 km. Révolution 108,2 min. 1 000 kg. Sat. franco-sov., étude des phénomènes magnétosphériques.

Télécom (1984-91, voir p. 35b).

Thésée [20-12-81 de Kourou par Ariane L04]. Orbite initiale 199 à 36 051 km. Révolution 636 min. (au 31-12-89 : 255 à 32 812 km ; 575,2 min). Mesure de la densité électronique du plasma de l'éclairement solaire moyen. A cessé d'émettre le 9-1-82.

Spot (Système probatoire d'observation de la Terre). 4 satellites successifs de 700 kg prévus (1986-94) pouvant assurer leur service 12 ans. À leur bord, 2 télescopes capables de fournir des images de la Terre avec une finesse d'environ 10 m. *Budget :* 3,5 milliards de F (2/3 pour Spot 1 et 1/3 pour Spot 2), avec installations au sol et lancements. *Coût des stations de réception :* 80 millions de F. La Belgique (4 %) et la Suède (6 %) participent au financement. Commercialisation des données par Spot Image (créée juillet 1982 ; 1re Sté commerciale spécialement destinée à la distribution de données satellitaires). **Spot 1** lancé 22-2-86 de Kourou par Ariane 1 sur une orbite polaire héliosynchrone. Orbite initiale 832 km ; inclinaison sur l'équateur : 98,7°. Direction : sud-nord (au 31-12-89 : 821 à 822 km ; 101,3 min). Désactivé le 31-12-90. **Spot 2** lancé 22-1-90 de Kourou par Ariane. Orbite initiale héliosynchrone circulaire. Mission de télédétection. **Spot 3** prévu 1993. **Spot 4** prêt en 1994.

☞ À St-Martin de Crau (B. du Rh.), **un dessin** (aujourd'hui démonté) **de 380 000 m² (760 m × 500 m)** sur lequel étaient répartis 16 carrés de 80 m de côté, fait de 200 t de parpaings et 12 t de bâches, a permis de tester les instruments de Spot et aurait pu être vu des astronautes.

TDF (1988-90, voir p. 35 b).

Hélios. Prévu 1993. 2 sat. militaires (résolution env. 1 m). Fr. 79 %, It. 14 %, Esp. 7 %.

Topex-Poséidon. Coopération de la Nasa (sat. Topex) et du Cnes (altimètre Poséidon et système de localisation Doris) : étude des océans et de leur influence sur la météo. Lancé 11-8-92 par Ariane (charge la plus chère à cette date : 2,9 milliards de F), 2 402 kg, alt. 1 336 km, inclinaison 66°.

VAP (voir **Mars** p. 37 a).

■ Grande-Bretagne

Satellites lancés. **AMPE-UKSI** 16-8-84 [1]. **Ariel 1** 26-4-62 [1,7]. **2** 27-3-64 [2,8]. **3** 5-5-67 [3,8]. **4** 11-12-71 [3,8]. **5** 15-10-74 [4,8]. **6** 2-6-79 [2,8]. **Prospero** 28-10-71 [5,9]. **Skynet 1** 21-11-69 [6,7]. **1B** 19-8-70 [6,10]. **2A** 19-1-74 [1,10]. **2B** 23-11-74 [1,7]. **4B** 11-12-88 [11] ; **4A** 1-1-90 [1] ; **4C** 30-8-90 [11]. **X4/Miranda** 9-3-74 [3,8]. **Uosat/Oscar 9** 6-10-81 [3,7] ; **Uosat 2/Oscar 11** 1-3-85 [1] ; **Uosat 3/Oscar 14** 22-1-90 [1] ; **Uosat 4/Oscar 15** 22-1-90 [1] ; **Uosat 5** 17-7-91 [1].

Nota. – (1) Cap Canaveral. (2) Wallops Island. (3) Vandenberg. (4) San Marcos. (5) Woomera. (6) Cap Kennedy. (7) Par Delta. (8) Par Scout. (9) Par Black Arrow. (10) Par Thor Delta. (11) ELA.

■ Inde

Satellites lancés. 17 dont 6 par *fusées indiennes* SLV-3 [**RS (Rohini-Sat)** ; **E2** 18-7-80, 35 kg ; **D1** 31-5-81, 38 kg ; **D2** 17-4-83, 41,5 kg] et ASLV [échec **Scross (Stretched Rohini Sat Series**, sat. scientifique de 150 kg) **1** 24-3-87 ; **2** 13-7-88]. 5 par *fusée soviétique* Intercosmos [**Aryabhata** 19-4-75, 360 kg ; **Bhaskara-1** 7-6-79, 444 kg ; **2** 20-11-81, 436 kg ; **IRS (Indian Remote Sensing Sat.)** ; **1 A** de Vostok 17-3-88, 975 kg, télédétection optique ; **1 B** de Vostok 29-8-91 (identique à 1A)]. 3 par *Ariane* de Kourou [**Apple, Insat 1 C** et **2 A** (voir p. 35 c)]. 2 par *Delta* (**Insat 1-A et 1-D**). 1 par la *navette Challenger* STS-8 (**Insat 1-B**).

■ Israël

Satellites lancés. 2 : **Offek-1** 17-9-88, 156 kg, par fusée Shavit. **Offek-2** 3-4-90.

■ Italie

Satellites lancés. 11. **San Marco :** 5 (le 1er, 15-12-64, 115 kg, par Scout de Wallops, USA, retombé 19-9-65). **Sirio** : 2. **Italsat** : 1 (voir p. 35 c). **Projet Sax** (voir P.-Bas, ci-dessous). **Coopérations** avec USA pour Lageos 2, Iris (propulsion), radars Sar. **TTS (Tethered Test Sat.)**, 6-8-92 par navette, 454 kg [1er sat. captif (à fil) récupérable destiné à l'étude de l'environnement spatial (dont production passive de courant par induction sur le câble) ; échec, l'apesanteur perturbe le déroulement du fil (260 m au lieu de 20 km) ; nouvelle tentative avec fil de 100 km prévue 1994], participation à l'ESA.

■ Japon

Principaux programmes spécifiques. **Lanceurs :** *Nasda :* H-I (7 lancements du 9-9-75 au 3-9-82), N2 (8 lanc. du 11-2-80 au 19-2-86), H-I (9 lanc. du 13-8-86 à 1992). H-II (en essai, plusieurs échecs au sol, 1er lancement repoussé à février 1994, 5 à 6 prévus sur 4 ans). *Isas :* MU. **Sondes :** Planet-A (comète de Halley), Lunara-A. **Satellites :** Astro (420 kg, recherche des sources X, dernier lancé Astro-D le 20-2-93) ; VSOP (interférométrie) ; Exos (obs. de la Terre) ; GMS, géostationnaire météo (GMS1 le 14-7-77, GMS5 en assemblage fin 92) ; Sakura et BS (Télécom) ; ETS (Engineering Test Sat.) ; Jers (Japan Earth Resource Satellite) même mission que l'ERS européen, 1er lancé 11-2-92 par H1 de Tanegashima, 1 340 kg, orbite polaire inclinée à 98°, alt. 585 km. **Coopérations internationales :** TRMM (pluviométrie en milieu tropical). *Station Freedom :* IML (mesures de microgravité sur navette STS), essais vecteur, essais module japonais. MOSERS-1. ADEOS...

Noms donnés. *Oshumi :* nom du site de lancement, *Tansei :* collier de lumière bleue, *Shinsei :* étoile nouvelle, *Denpa :* onde radio, *Taiyo :* soleil, *Kiku :* chrysanthème, *Ume :* fleur d'abricotier, *Himawari :* tournesol, *Sakura :* fleur de cerisier, *Kyokko :* aurore, *Jikiken :* magnétosphère, *Ayame :* iris, *Hakucho :* cygne, *Hinotori :* phœnix, *Tenma :* Pégase, *Ohzora :* ciel, *Ajisai :* hortensia, *Fuji :* Mont Fuji ou fleur de glycine, *Ginga :* galaxie, *Momo :* pêcher, *Sakigake :* pionnier, *Suisei :* comète, *Yohko :* lumière du soleil, *Hiten :* déesse de la musique, *Akebono :* aurore.

■ Pays-Bas

ANS (Astronomical Netherland Satellite) (30-8-74 par Scout), 134 kg. Recherches X-Ray sources de ciel.

IRAS (Infrared Astronomical Satellite). (25-1-83, projet commun P.-Bas, USA, G.-B.), 834 kg. A fonctionné jusqu'au 23-11-83, a observé plus de 200 000 sources célestes d'infrarouge, découvert 3 comètes, 3 anneaux de poussière situés dans la ceinture d'astéroïdes entre les orbites de Mars et de Jupiter, 1 nouvel astéroïde (1983-TB), des filaments nuageux qui parsèment la Galaxie et des matériaux solides qui pourraient correspondre à un système planétaire autour des étoiles Véga et Fomalhaut.

SAX (projet commun avec Italie). Satellite radiologique pour recherche astrophysique à haute énergie. 1 100 kg (dont instruments scientifiques 374 kg), diamètre 2,6 m, hauteur 2,6 m, inclinaison 2°, altitude 600 km, lancement 1994/95, coût : 2 100 millions de F dont participation néerlandaise (200).

■ Suède

Viking (22-2-86 par Ariane). 1er sat. entièrement suédois, 538 kg, hauteur 0,5 m, diamètre 2 m, coût : 108 millions de F. Explore aurores boréales, puis magnétosphère terrestre. Orbite 14 000 800 km.

Télé X (24-4-89 par Ariane). Télédiffusion. 2 090 kg.

Freja (projet commun avec All.). N° 2 lancé 6-10-1992 de Chine par LM-2E : 259 kg, alt. 600-1 725 km. Étude des champs électriques et magnétiques ; imageur à ultraviolets.

■ URSS (exemples)

Caractéristiques. Importance du poids non utile compensée par la puissance des fusées lanceuses, Spoutnik 3 (1958) pesant 1 327 kg (la sonde amér. Explorer 1 en pesait 14). L'avance sov. remonte à la création des « orgues de Staline » (1943).

Coopérations. La Russie s'ouvre et tente de rentabiliser sa technologie spatiale. Elle a proposé 1 capsule TM13 à la France pour 34 millions de F. Les USA ont acheté en déc. 92 un réacteur nucléaire spatial (Topaz-2) 13 millions de dollars ; ils sont intéressés par les systèmes d'arrimage automatique, l'expérience Mir pour la mise au point de leur propre station et par une capsule Soyouz qui, amarrée à Freedom, pourrait servir de vaisseau de sauvetage. Ils autorisent le lancement d'un satellite Inmarsat par une fusée Proton. 2 Soviétiques (V. Titov et S. Krikalev) s'entraînent aux USA en vue d'un vol sur la navette 60 qui devrait s'amarrer à la station Mir avec Spacelab en 1994 ou 95.

Spoutnik. 10 lancés du 4-10-1957 (**Spoutnik 1,** 83,6 kg, 1er sat. lancé dans le monde) à 1961 (**Spoutnik 9,** lancé le 9-3-61, et **Spoutnik 10** le 25-3-61, furent des répétitions du vol *Vostok 1*) (voir p. 40 c).

Cosmos. Du 16-3-62 (Cosmos 1, alt. 227 à 405 km, révol. 90,5 min) au 9-12-92, 2 223 Cosmos avaient été lancés. Parfois (par ex. pour des tests de composants ou d'équipements légers), les Soviétiques utilisent des mini-satellites (env. 50 kg), lancés par grappes de 8.

Intercosmos. 25 sat. lancés du 14-10-69 au 31-12-79. Sat. d'étude des radiations dans la haute atmosphère, construits en collaboration avec All. dém., Bulgarie, Cuba, Hongrie, Mongolie, Pologne, Roumanie et Tchécoslovaquie.

Météor. 28 sat. **Météor 1** lancés du 7-10-69 au 29-6-77 ; 15 **Météor 2** lancés du 11-7-75 au 5-1-87. Alt. 630/690 km. **Météor 3** 15-8-91. Alt. 1 200 km.

Prognoz. 9 lancés du 14-4-72 au 1-7-83. Étude de l'activité du Soleil et de son influence sur le milieu interplanétaire et la magnétosphère de la Terre.

Proton. **1** (16-7-65). **2** (2-11-65). **3** (6-7-66). **4** (16-11-66) alt. 190 à 495 km. Gros cylindres de 12 t (1 et 2) puis 17 t (3 et 4), flanqués de 4 grands panneaux solaires leur donnant une envergure de 9,7 m. Étude du rayonnement cosmique et gamma.

Élektron. 5 lancés. Étude du champ magnétique terrestre, du rayonnement cosmique, des émissions radioélectr. solaires et des ceintures de Van Allen.

Magik. Lancé le 24-10-78 avec Intercosmos 18 dont il se détache le 14-11-78.

Astron. Lancé le 23-3-83. Alt. 2 000 à 200 000 km. Sat. d'astronomie (3 500 kg + 450 kg d'instruments). Emporte l'expérience franco-sov. UFT pour des recherches d'astrophysique dans l'ultraviolet. Charge utile scientifique : 1 télescope de 80 cm de diam. et 5 m de long, associé à un spectromètre fonctionnant entre 1 150 et 3 500 Å de longueur d'onde.

Granat. Lancé le 1-12-89. Sat. d'astronomie. Emporte le télescope français Sigma. Orbite 2 000/200 000 km.

Sygma. Télescope d'observation des sources gamma. 1 000 kg ; lancé 1989. A identifié les 1res émissions gamma par des trous noirs.

■ Satellites de diffusion et télécommunications

La majorité des sat. de communications sont géostationnaires, donc placés sur orbite circulaire à 36 000 km d'alt. (6 rayons terrestres). Comme c'est vers 3 000 km d'altitude que la densité de l'atmosphère se confond avec celle du milieu interplanétaire, ils ne sont plus soumis au freinage atmosphérique et sont éternels. Mais les sat. basse altitude défilants réapparaissent : lancement par vecteurs plus légers, consommant moins en orbite, se contentant d'antennes terrestres sans pointage.

☞ **Télécommunications. Redevance Intelsat en $ par 1/2 circuit**. Applicable à chacun des 2 pays extrémités d'une liaison ; le client paie en plus les prix des infrastructures nationales en amont ou en aval des stations Intelsat. *1965* : 32 000 [1]. *71* : 15 000 [1]. *79* : 5 760 [1]. *83* : 1 700 [1]. *92* : 1 170 [2].

Nota. – (1) Liaison téléphone. (2) Prix moyen pour différents types de liaison.

Stations terriennes françaises de télécommunications

(Télévision directe et une quinzaine de stations démontables et transportables exclues.)

Légende. D : Diamètre. *S* : Standard. *L* : Liaisons.

■ **Métropole. Pleumeur-Bodou** (C.-d'Armor). **1res antennes hors service : PB-I** [1] construite entre oct. 1961 et juill. 1962, exploitation commerciale en 1965. Ensemble « cornet réflecteur » (haut. 29 m, long. 54 m) en acier et alliage d'aluminium, 340 t. *Réflecteur* 36 m, surface utile 360 m². *Antenne* roulant sur 2 rails concentriques, protégée des vents et des variations de température par une sphère de dacron, le *radôme* (diam. 64 m, haut. 50 m, poids 27 t), tendue grâce à une soufflerie qui la gonfle à l'intérieur. *D* : env. 20 m. *S* : A. *L* : Intelsat. **PB-2** [2] (280 t) sans radôme (sept. 1969). Prévue pour rafales de vent de 105 km/h. *D* : 27,5 m. *S* : A. *L* : Intelsat. **Antennes en service : PB-3** (400 t, déc. 1973). Amplis paramétriques refroidis à l'hélium gazeux (– 253 °C). *D* : 30 m. *S* : A. *L* : Intelsat, Atlantique, Indien. **PB-4** (300 t, 1976) 1re station française utilisant une source « périscopique » et des amplificateurs paramétriques non refroidis. *D* : 32,5 m. *S* : A. *L* : Inmarsat. **PB-5** *D* : 16,5 m. *S* : B. *L* : Symphonie. **PTTS** *D* : 14,5 m. *S* : B. *L* : PTTS (Poursuite, Télémesure, Télécommande, Surveillance), *L* : Intelsat. **PBD-6A** (1984) *D* : 32,5 m, *L* : Intelsat. **PBD-7A** (1985) *D* : 32,6 m. *L* : Intelsat. **PBD-8B** (1988) *D* : 13 m, *L* : Intelsat. **PBD-9B** (1989) *D* : 13 m, *L* : Inmarsat. **PBD-10A** *D* : 16 m. **PBD-11** *D* : 13 m. **PBD-12B** *D* : 14,5 m.

Bercenay-en-Othe (Aube). **BY-1** (1978) *D* : 32,5 m. *S* : A. *L* : Intelsat. **BY-2** *D* : 32,5 m. *S* : A. *L* : *L* : Intelsat. **BY-3** [1] *D* : 17,4 m. *S* : C. *L* : Intelsat. **BY-3C** (1980) *D* : 17,4 m, *L* : Intelsat. **BY-4A** (1984) *D* : 31,5 m. *L* : Télécom 1 DOM. **BY-5C** (1977) *D* : 14,5 m. *L* : Eutelsat. **BY-6C** (1988) *D* : 18 m. *L* : Eutelsat. **BY-7B** (1989) *D* : 13 m. *L* : Télécom 1 DOM. **BY-8A** (1989) *D* : 16 m. *L* : Intelsat. **BY-9B** (1988) *D* : 11,8 m. *L* : Intelsat. **BY-10B** (1988) *D* : 11 m. *L* : Intelsat. **BY-11V2** (1989) *D* : 3,7 m. *L* : Eutelsat. **BY-12** *D* : 3,5 m. **BY-13** *D* : 3,7 m. **BY-14** *D* : 13 m. **BY-15** *D* : 13 m.

Autres stations métropolitaines. Ste-Assise. Rambouillet. Aubervilliers. Aussaguel. Mulhouse.

■ **Outre-mer. Trois-Îlets** (Martinique). **TRE-2A** (1992) *D* : 16 m. *L* : Télécom 2. **TRE-3B** (1992) *D* : 11 m. *L* : Télécom 2. **TRE-3B** (1980), *D* : 11,8 m. *L* : Télécom 2.

Trou Biran (Guyane). **TBR-1AB** (1974) *D* : 32,5 m. *S* : A. *L* : Intelsat. **TBR-2B** (1985), *D* : 11 m, *L* : Télécom 2 DOM.

Rivière des pluies (Réunion). **SND-2A** (1992) *D* : 16 m. *S* : B. *L* : Télécom 2.

St-Pierre-et-Miquelon. Pain de sucre (1981) *D* : 11,8 m. *S* : B. *L* : Symphonie, Intelsat ou Télécom 1. **PDS-2B** (1992) *D* : 11 m. *L* : Télécom 2.

Île Nou (Nlle-Calédonie, 1976). *D* : 32,5 m. *S* : A. *L* : Intelsat.

Papenoo (Polynésie fr., 1978). *D* : 11,8 m. *S* : B. *L* : Intelsat.

Autres stations outre-mer. *Guadeloupe* Destrellan ; *Guyane* Maripa-Soula et Kourou ; *Mayotte* Les Badamiers ; *St-Barthélemy* Morne-Lurin.

Nota. – (1) Fréquences : 4-6 GHz sauf BY-3 et BY-E : 11-14 GHz. (2) Les antennes françaises du réseau Intelsat ont été adaptées à la réutilisation des fréquences par polarisations croisées, sauf PB-1 et PB-2 où cette transformation n'est pas possible.

Avec le développement rapide des télécomm. par sat. et l'augmentation du nombre de réseaux (Intelsat, Symphonie, OTS...), des stations d'un type différent de celui des grandes stations Intelsat sont de plus en plus utilisées dep. 1976. D'un diam. inférieur, elles sont plus faciles à mettre en œuvre (transportables).

Organismes internationaux

Eumetsat (European Org. for Exploitation of Meteorological Satellites). *Siège* : Darmstadt (All.). *Créé* 19-6-1986. *Membres* : 16 pays. *Satellites* : Météosat (voir p. 42 c). *Budget 92* : 610 millions de F financés par 16 États membres au prorata du PNB.

Eutelsat (European Telecommunication Satellite). *Créé* 1977. *Siège* : Tour Montparnasse, 33 av. du Maine, Paris. *Dir. gén.* : Jean Grenier. *Membres* : 34 pays d'Europe. *CA* (en millions d'écus) : *1991* : 183, *92* : 219.

Inmarsat (International Maritime Satellite). *Créé* 16-7-1979, entré en service le 1-2-1982. *Siège* : Londres. *Membres* : 65 pays. *Services* : communications avec les mobiles (bateaux, avions, camions). *Réseaux* : 6 sat., 28 stations et 20 terminaux servant 135 pays.

Intelsat (International Telecommunication Satellite). *Siège* : Washington. *Créé* 19-8-1964 (statuts : coopérative commerciale sans but lucratif, 20-8-71). *Membres* : 124 pays. Gère le secteur spatial pour les télécomm. intercontinentales par satellite. *Réseau* : 19 satellites, 180 stations équipées de 1 800 antennes réparties dans plus de 170 pays. En 1992 : 250 000 voies téléph. sur + de 2 200 trajets, 36 canaux loués TV, 72 000 h de mondiovisions.

Interspoutnik. *Siège* : Moscou. *Créé* nov. 1971 ; fonctionne dep. janv. 1974. *Membres* : Afghanistan, Allemagne, Bulgarie, Corée du Nord, Cuba, Hongrie, Mongolie, Nicaragua, Pologne, Roumanie, Syrie, Tchéc., Viêt-nam, Yémen. *Utilise* 2 sat. type Ghorizont. Depuis 1985 peut être connecté avec Intelsat. En Ukraine, construction d'une station *Intelsat* (ligne spéciale par sat. Moscou-Washington, relayée par Intelsat et Molniya).

> **Cospas/Sarsat.** Coopération internationale États-Unis, Canada, France (Sarsat) et depuis 1979 la Russie (Cospas). *Objectif* : assister la recherche et le sauvetage de personnes et de bâtiments en détresse. Utilise 3 satellites russes « Cospas » et 3 américains « NOAA ». 20 stations au sol, 590 000 balises de détresse équipent avions et navires dans le monde ; en service dep. le 1-9-1982.

Exemples de satellites de radiocommunications

Satellite international

Intelsat-1 (1 sat. lancé *Early Bird* le 6-4-65 par Delta 30) ; masse au départ : 68 kg ; en orbite : 38,5 kg, cylindre 58 × 72 cm ; alt. 35 752 à 35 823 km au-dessus de l'Atlantique ; espérance de vie : 1,5 an ; puissance rayonnée : 46 W ; voies disponibles : 240 ; ne peut pas communiquer avec plusieurs stations simultanément. **2** (4 lancés de 1966 à 1967) ; masse au départ : 162 kg ; en orbite : 87 kg ; espér. de vie : 3 ans ; 100 W ; voies 240 ; peut communiquer simultanément avec plusieurs stations (accès multiples). **3** (8 lancés de 1968 à 1970) ; masse au départ : 287 kg ; en orbite : 146 kg ; espér. de vie : 5 ans ; 120 W ; voies 1 200 (ou 4 canaux TV). **4** (8 lancés de 1971 à 1975) ; masse au départ : 1 390 kg ; en orbite : 720 kg ; espér. de vie : 7 ans ; 540 W ; voies 6 000 (ou 12 canaux TV). **4 A** (6 prévus ; 4 lancés depuis 25-9-75) ; masse au départ : 1 515 kg ; en orbite : 825 kg ; espér. de vie : 7 ans ; 700 W ; voies 6 250 (ou 20 canaux TV). Le 29-9-77, le 4e Intelsat 4, qui devait être satellisé au-dessus de l'océan Indien, a été détruit par l'explosion de la fusée porteuse 55 s après le lancement. **5** (15 prévus ; 1er lancé le 6-12-80) ; masse au départ : 1 950 kg ; en orbite : 1 024 kg ; espér. de vie : 7 ans ; 1 200 W ; voies 12 000 (+ 2 programmes TV couleur) dans 2 bandes de fréquence (4-6 GHz et 11-14 GHz). **6** (5 lancés) ; masse au départ : 4 300 kg ; en orbite : 2 560 kg ; 1 480 W. 24 000 circuits téléphoniques à 2 canaux simultanés (120 000 en utilisant un système de multiplication de circuits numériques) + 3 programmes TV couleur ; espérance de vie 13 ans ; *lancés* : *6F2* par Ariane 27-10-89 ; *6F3* par Titan 3, 14-3-90, mauvaise orbite rectifiée par sortie dans l'espace 3 astronautes (Endeavour) ; *6F4* par Titan 3, 2-6-90 ; *6F5* par Ariane 14-8-91 ; *6F1* par Ariane 29-10-91. **K** (lancé 9-5-92 par Atlas II) ; 2 800 kg ; 2 500 W (captable avec antennes de 66 à 120 cm) ; répéteurs 54 Mhz ; 16 canaux (32 progr. TV) ; couverture de 100° W à 60° E ; espér. de vie 13 ans. **7** (5 en construction, 1er lancement 1993) ; 3 750 kg ; 2 700 W ; espérance de vie 13 ans. **7A** (3 en construction, 1er lancement 1995) ; 4 500 kg ; 3 630 W ; espér. de vie 15 ans.

Inmarsat-2 (4 lancés) : **2F1** 30-10-91 ; **2F2** 5-3-91 ; **2F3** 16-12-91 ; **2F4** 11-4-92 ; 1 270 kg, 1 200 W, 400 circuits. **3** (4 satellites), 1 950 kg, 2 600 W, 2 600 circuits ; prévus à partir de 1996.

OTAN 1 (mars 70). **2** (février 71). **3-A** (22-4-76) 376 kg ; géostationnaire par 18° de longitude Ouest. *Vie* : 7 ans. Couvre les pays de l'OTAN (France exceptée). **3-B** (27-1-77) 680 kg. **3-C** (15-11-78).

Allemagne

TV-SAT 1 (lancé 21-11-87 par Ariane) ; 2 081 kg ; tombe en panne (panneau bloqué). *Coût* : 1 400 millions de F (assuré : 3,2 millions). **2** (8-8-89 par Ariane) ; 2 973 kg.

DFS Kopernikus 1 (5-6-89 par Ariane) ; 1 415,8 kg. **2** (24-7-90 par Ariane) 1 419 kg. **3** (12-10-92 par Delta, de Cap Canaveral).

Canada

Anik (en esquimau signifie « frère »). **1972** (9-11) : *A 1 (Telesat-A)* : 1er segment spatial d'un système national de télécomm. par sat., assure la liaison entre 37 stations terriennes. Géostationnaire. 281,7 kg. Long. 114° Ouest. 6 000 voies ou 12 canaux TV couleur. **1973** (20-4) : *A 2 (Telesat-B)* : 288 kg. 109° Ouest. **1975** (7-5) : *A 3 (Telesat-C)* : 270 kg. 104° Ouest. **1978** (15-12) : *B 1 (Telesat-D)* : 887,2 kg (en orbite). Géostationnaire (long. 109° Ouest). Équipé de 12 canaux à 4-6 GHz et 4 canaux à 12-15 GHz pour téléphone, télévision et transmission de données et expériences. Prend la relève d'Anik-A. **1982** (25-8) : *D 1 (Telesat-G)* : 1 238,3 kg (658 kg en orbite). Géostationnaire. (12-11) : *C 1 (Telesat-E)* : par navette Columbia lors de son 1er vol opérationnel, 4 443,4 kg (569 en orbite). Géostationnaire. (12-11) : *C 3 (Telesat-E)* : lancé par Columbia. **1983** (18-6) : *C 2 (Telesat-F)* : largué par navette Challenger. **1984** (9-11) : *D 2 (Telesat-H)* : largué par Discovery. Géostationnaire (long. 110,5° Ouest). Prend la relève d'Anik-B 1 en nov. 1986. **1991** (4-4 et 4-7) : *E 1 et E 2* : 2 500 kg. Géostationnaires (long. 107° Ouest).

CTS ou **Hermes 1976** (17-1) : 674 kg (347 kg en orbite). Rév. 1 436. 3 min. Utilisé par USA et Canada. Géostationnaire. Hors service en nov. 1979.

Espagne

Hispasat. 1992 (10-9) : **1A** : 2 190 kg. Géostationnaire. 1er système national esp. de télécomm., couverture Ouest-Europe à Amérique hispanophone

MT SAT 1994 (prévu) : pour usagers mobiles.

Telesat. 1985 (13-4) : **I** : 3 550 kg.

Au 6-10-92, 8 satellites de télécomm. lancés.

États-Unis

ACTS (Advanced Communications Technology Satellite). En construction.

Atlas Score (18-12-58). 70 kg. Alt. 185 à 1 482 km. Révolution 101,5 min. Enregistre et retransmet un message du Pt Eisenhower. Retombé le 21-1-59.

Comstar. Sat. de comm. domestiques. 792 kg. **1** (13-5-76) 18 000 comm. téléph. ; espérance de vie : 7 ans ; géostationnaire par 128° de long. Ouest. **2** (22-7-76), par 94° de long. Ouest. **3** (29-6-78), par 87° de long. Ouest. **4** (21-2-81), par 75° de long. Ouest.

Écho 1 (12-8-60). 61 kg. Alt. 598 à 1 691 km. Ballon de 30,5 m de diam., en matière plastique, recouvert d'une fine couche d'aluminium. Réfléchit les ondes électriques venues du sol (relais passif). Sa révolution (env. 1 h 50 min) diminue très lentement. Retombé le 24-5-68. **2** (25-1-64). 256 kg. Alt. 1 000 à 1 300 km. Ballon de 41,14 m de diam. Relais passif. Retombé le 7-6-69 après 28 000 révolutions.

Fleetsatcom. Satellites géostationnaires de télécomm. militaires exploités par l'USAF, l'US Navy et le Department of Defense. 1 900 kg. Équipés chacun de 23 canaux de télécomm. en UHF (244-400 MHZ) pouvant relayer plus de 1 300 communications téléphoniques simultanées ainsi que le télex, le télégraphe et les données d'ordinateur. **A** (9-2-78), calé par 100° de long. Ouest, au-dessus du Pacifique. **B** (4-5-79) au-dessus de l'océan Indien par 75° Est. **C** (17-1-80) au-dessus de l'Atlantique par 23° Ouest. **D** (30-10-80) au-dessus du Pacifique par 172° Est. **E** (6-8-81). **F-7** (4-12-86). **F-6** (26-3-87) échec. **G** (25-9-89).

Galaxy IV (26-6-93). 2 988 kg ; sat. de communication ; 60 répéteurs (30 de 50 W en bande Ku et 30 de 16 W en bande C) ; géostationnaire 99° W.

Marisat. Communications maritimes. 3 de 655,4 kg lancés en 1976 (**A** 19-2 ; **B** 9-6 ; **C** 14-10) pour le Comsat.

Programme DSCS (Defense Satellite Communication System). DSCS-1 : 26 satellites. **DSCS-2** : 14 satellites. 550 à 590 kg. Lancés par paires sur orbite géostationnaire. Les 2 premiers, lancés en 1971, et l'un des 2 suivants lancés en 1973 sont tombés en panne. 2 perdus au lancement en 1975.

Programme IDSCP (Initial Defense Satellite Communication Program). 26 sat. lancés de 1966 à

1968 pour le réseau IDSCS (Initial Defense Satellite Communication System). 45 kg placés en orbite à 33 000 km d'alt., révolution env. 13 j.

Programme OV (Orbiting Vehicle). 3 sat. ont, en 1966, effectué des expériences de télécomm.

Relay 1 (13-12-62). 80 kg. Alt. 1 323 à 7 433 km. Révolution 3 h 5 min. Relais hertzien. Puissance d'émission 10 W. Arrêt févr. 65. 2 (21-1-64). 86 kg. Alt. 2 057 à 7 442 km. Révolution 3 h 15 min. Relais hertzien à défilement. Permet des liaisons intercontinentales entre 10 et 70 min. Arrêt 26-9-65.

Satcom. Sat. de comm. domestiques, transmissions. Géostationnaire. 1 (RCAA) (13-12-75). 465 kg. 2 (RCAB) (26-3-76) 128° long. Ouest. 3 895 kg, disparu 15 s après l'ordre de mise à feu du moteur d'apogée. 4 (15-1-82). 5 (RCAE) (27-10-82). 1-R (RCAF) (11-4-83) 598 kg par 139° de long. Ouest, remplace Satcom 1. 24 répondeurs, 36 000 comm. téléph. ou programmes de TV et données à haut débit. 6 (Satcom-K-1) (12-1-86). C3 (11-9-92) 1 375 kg, 24 répéteurs.

SBS. Sat. de télécomm. numériques intra-entreprises (télex, téléphone, transmission de données à grande vitesse : 6,3 Mbits/s ; télécopie à grande vitesse : 70 pages/min, etc.), 550 kg. 1 (A) (15-11-80) hors service. 2 (B) (24-9-81) hors service. 3 (C) (11-11-82) 37° W. 4 (31-8-84) 95° W. 5 (8-9-88) 99° W. 6 (12-10-90) 123° W.

Syncom. 39 kg. Relais hertzien stationnaire à 36 000 km. 1 (14-3-63) contact radio perdu avant qu'il n'ait atteint son orbite définitive. 2 (26-7-63). 3 (9-4-64). Les émissions de 3 Syncom pourraient couvrir toute la Terre. Nouvelle série (Syncom-4) pour le compte de l'US Navy.

TDRS (Tracking and Data Relay Satellite) 1 (5-4-83) 2 270 kg, largué par la navette, par suite d'une défaillance du remorqueur IUS (International Upper Stage) n'a pu atteindre l'orbite des sat. géostationnaires. Après de longues manœuvres avec ses propres propulseurs, calé le 17-10-83 par 41° de long. Ouest. A servi notamment de relais de télécomm. lors du vol du Spacelab. 2 autres sat. identiques prévus. TDRS-B (28-1-86) a explosé avec la navette Challenger. TDRS-C (29-9-88). TDRS-D (mars 1989).

Telstar 1 (10-7-62). 77,1 kg. Alt. 938 à 5 651 km. Révolution 157,8 min. Relais hertzien, amplifie les ondes reçues et les renvoie (puissance d'émission 2,5 W). Arrêt 21-2-63. 2 (7-5-63). 79,4 kg. Alt. 968 à 10 807 km. Arrêt mai 65. 3 (28-7-83).

Westar 1 (13-4-74), *1er sat. de télécomm. domestiques américain* (appartient à la Western Union Telegraph), 571,5 kg au lancement, 280 kg en orbite, géostationnaire, par 99° de long. Ouest ; espérance de vie : 7 ans ; peut transmettre 12 programmes de TV couleur ou 14 400 comm. téléph. 2 (10-10-74) mêmes caractéristiques, par 100° de long. Ouest. 3 (9-8-79) par 91° de long. Ouest. 4 (25-2-82) 1 072 kg au départ. 5 (8-6-82) 1 105 kg au lancement. 6 (4-2-84) largué par la navette et placé sur une mauvaise orbite à la suite d'une défaillance de son remorqueur spatial, récupéré 14-11-84 par Discovery et ramené sur terre avec le sat. indonésien Palapa B-2 rebaptisé Asiasat 1 et lancé 7-4-90 par fusée chinoise Longue-Marche.

Europe

OTS (Orbital Test Satellite). Expérimental, géostationnaire. 1 14-7-77 (échec Thor Delta). 2 (11-5-78), retiré du service 1990. Préfigurait le système ECS, (1er sat. lancé 1983) rebaptisé Eutelsat 1 en orbite.

ECS (European Communications Satellite). Développé par l'ESA et géré par Eutelsat, propriétaire des sat. ESA assure la maintenance en orbite des satellites à partir de sa station terrienne de Redu (Belg.). Géostationnaire entre 5° et 36° de long. Est, lancés par Ariane (sauf 2 F 3 par Atlas II). *Maîtres d'œuvre :* Eutelsat 1 : British Aerospace ; 2 : Aérospatiale. Eutelsat 1. F 1 (ECS 1) lancé 16-6-83 à 25,5° de long. Est : 10 répéteurs (+ 2 de secours), Atop de 20 W, bande 72 MHz, vie nominale 7 ans ; hors service en avril 1991 ; 1 F 2 (ECS 2) (4-8-84) 1° de long. Est ; 1 F 3 (ECS 3) (12-9-85), échec ; 1 F 4 (ECS 4) (16-9-87) 36° de long. Est ; 1 F 5 (ECS 5) (21-7-88) 21,5° de long. Est.

Eutelsat 2 : 16 répéteurs (+ 8 de secours), Atop de 50 W (70 W après 2 F 6). Bande (largeur en MHz) *F 1 à F 5 :* 72 (7 répéteurs), 36 (9 rép.), *F 6 :* 36 rép. Vie nominale : 9 ans. 6 sat. commandés mai 1986. Eutelsat 2 F 1 (30-8-90) 13° de long. Est. ; 2 F 2 (15-1-91) 10° de long. Est ; 2 F 3 (7-12-91) 16° de long. Est ; F 4 (9-7-92, Ariane 4) 7° de long. Est ; 2 F 5 (à partir d'avril 93).

Europesat (Matra Marconi Space). 4 sat. : 3 en orbite géostationnaire, + 1 de secours. Concurrent de Télécom-2 qu'il relèverait de 1993 à 1996 ; (2 110 kg, 14 canaux TV, 14 répéteurs de 110 W, calés par 19° Ouest, durée de vie 10 ans) ; réception possible en Pal ou Secam avec antennes de 30 à 45 cm ; *coût :* 1,38 milliard de F supportés par All., Fr-Télécom et PTT suisses ; exploitant Eutelsat. 1 prévu fin 1994.

Programme Marecs (Maritime ECS). 2 sat. dérivés des ECS et destinés aux télécomm. maritimes (capacité 50 circuits) sont mis à la disposition d'Inmarsat : Marecs A 20-12-81 (échec) et Marecs B-2 (10-11-84).

Olympus. Sat. lourd européen (2 612 kg) prévu pour 4 missions, dont la TV directe (2 canaux), télécomm. d'entreprises (petites antennes), radiodiffusion. Préfigure DRS. Lancé 12-7-89 par Ariane. Contrôle perdu (29-5-91) après anomalie de stabilisation (d'où perte d'alimentation par panneaux solaires) dérive au-dessus du Pacifique et de l'Atlantique ; retrouvé par radars de la Nasa ; repris sous contrôle par l'ESA Darmstadt le 19-6-92, ramené à 19° de long. Ouest le 7-8-92.

Artemis (Advanced Relay Technology Mission). Prévu 1996 par Ariane 5. Communication avec les mobiles et transmissions de données instantanées, liaisons via d'autres satellites. Préfigure DRS.

DRS (Data Relay Satellite). Prévu 1999. Assurera l'autonomie de l'Europe en relai de données grand débit entre sat. et stations terrestres. Compatible avec Colombus, TDRS (USA) et DTRS (Jap.).

France

Télécom 1. (Matra). Système national de télécomm. par satellite. *Liaisons principales :* 1°) « intra-entreprises » : liaisons numériques à large bande et grand débit. 2°) avec les DOM (téléphone et télévision). 18 répéteurs + 5 en réserve. 3 sat. (653 kg en orbite) lancés par Ariane [Télécom 1A (4-8-84 fin service 28-8-92). 1B (8-5-85) rendu inutilisable 15-1-88 après coupure de l'alimentation électrique de son système de stabilisation ; 1C (11-3-88)].

Télécom 2. (Matra-Alcatel). 2 270 kg (1 370 en orbite), 2 475 W, 2 répéteurs (+ 11 en réserve), communications avec les DOM (16 000 circuits téléph., 4 canaux TV, transmissions de données) et métropole (11 canaux TV), longévité 10 ans au lieu de 7. 2 sat. lancés par Ariane [2A (16-12-91) ; 2B (11-4-92)] ; 2C (prévu 1995).

France-Allemagne

Accords de coopération : traité du 22-1-1963 ; convention du 16-6-1967.

Symphonie 1 (19-12-74) (lancé par Thor Delta 2914 de Cap Canaveral). 402 kg. Expérimental. Géostationnaire ; stabilisé 3 axes à 11°5 de long. Ouest. Vie prévue : 6-7 ans. Déplacé en 1977 de l'Atlantique à l'océan Indien où il a été mis à la disposition de l'Inde. Ramené au-dessus de l'Atlantique en août 1979, mission achevée le 19-2-83, placé à 80 km au-dessus de l'orbite géosynchrone (36 000 km) pour y libérer une place. 2 (26-8-75), identique, à 26° de long. Ouest, au-dessus de l'Atlantique, encore utilisé.

TV-SAT 1 (Satellite de TV directe ouest-allemand) (20-11-87) par Ariane 4. TV-SAT 2 (6-8-89) lancé par Ariane 4.

TDF-1 (Satellite géostationnaire de télédiffusion directe) lancé 28-10-88 par Ariane. TDF-2 lancé 24-7-90 par Ariane, voir index.

Grande-Bretagne

Skynet-1A (22-11-69) lancé de Cap Kennedy par Delta.) 125 kg. Sat. militaire. Géostationnaire. 1B (19-8-70) échec. 2A (19-1-74) échec. 2B (23-11-74) lancé de Cap Kennedy par Delta. 235 kg ; géostationnaire au-dessus de l'océan Indien. BSB-RC (17-8-90) lancé de Cap Canaveral par Delta ; sat. de communications. Géostationnaire.

Satellites de communications à l'usage des radio-amateurs

Programme Oscar (Orbiting Satellite Carrying Amateur Radio). 10 lancés depuis 1961 par fusées américaines et Ariane. Construits par un groupe international de radio-amateurs.

Radio 1 et 2 (URSS) (27-10-78). Alt. 1 688 à 1 274 km. Révolution : 120,4 min. **Radio 3 à 8** (17-12-81). Alt. 1 685 à 1 794 km. Révolution : 120,9 min. Construits par des radio-amateurs membres d'une organisation paramilitaire soviétique, le Dosaaf.

Uosat (University of Surrey Satellite) (6-10-81 de Vandenberg par Delta). Alt. 535 à 551 km. Britannique. Coût : 25 000 livres. Retombé 13-10-89.

Uosat D et E (22-01-90 par Ariane, 46 et 47 kg). Alt. 798 à 816 km. Emportent des charges utiles de démonstration.

Arsène (France). 154 kg ; bande 2,446 GHz, 435 et 145 MHz ; lancé par Ariane 12-5-93.

Inde

Apple (Ariane Passenger Payboard Experiment) (19-6-81) lancé par Ariane L03 de Kourou. 672 kg ; géostationnaire par 102° de long. Est. Sat. expérimental de télécomm. en usage jusqu'au 19-9-83. Série opérationnelle INSAT (Indian National Satellite) 1A (10-4-82) lancé par Delta, déficient après 147 j, 1B (30-8-83) lancé par Challenger), 1C (22-7-88 par Ariane), 1D (2-6-90) lancé par Delta. 1 293 kg, coût 80 millions de $. 2A (10-7-92) lancé par Ariane. 1 906 kg, 20 répéteurs. 2B (prévu fin 93) ; 2C, 2D et 2E en réalisation.

Indonésie

Palapa. 5 sat. géostationnaires de télécomm. A-1 (8-7-76) 573,8 kg. A-2 (3-10-77). B-1 (18-6-83) 4 251,5 kg. B-2 (6-2-84) 3 419 kg, récupéré 16-11-84 par la navette Discovery puis relancé 13-4-90. B-2 P (20-3-87) 652 kg. B-4 (14-7-92) lancé par Delta ; 24 répéteurs bande C.

Israël

Amos (projet). 2 sat. géostationnaires à 15° de lat. E.

Italie

San Marco. 9 satellites en févr. 1992 [**4** (18-2-74) lancé par fusée Scout de San Marco. 164 kg. Alt. 232 à 905 km].

Sirio (Satellite Italiano Ricerca Industriale Operativa) 1 (25-8-77) lancé de Cap Canaveral. 398 kg. 2 (10-9-82) lancé de Kourou. Échec. 420 kg. Italsat 1 (15-1-91) lancé de Kourou. 1 865 kg, sat. expérimental construit par l'ASE.

Japon

Yuri ou BSE Medium Scale (Broadcasting Satellite for Experimental Purposes) (7-4-78) lancé de Cap Canaveral par Thor Delta. Sat. expérimental de diffusion de programmes TV ; par 110° de long. Est. Hors service en janvier 1982. Yuri-2a (23-1-84) lancé par fusée jap. ; par 110 ° Est. 350 kg. Yuri-2b (12-2-86) lancé par fusée jap. ; par 110 ° Est. 350 kg. BS 2x (23-2-90) lancé de Kourou. Perdu en vol sur Ariane qui explose. BS 3a (28-8-90) lancé de Tanegashima par fusée jap. H1. Yuri BS-3b (25-8-91) lancé de Tanegashima par fusée jap. H/I, 1 115 kg, 3 canaux de 120 W.

Ayame ou ECS (Experimental Communication Satellite) 1 (6-2-79) lancé par fusée N-1. 130 kg. Perdu 3 j après le lancement. 2 (22-2-80) par fusée N-1. 130 kg. Perdu après le lancement.

Sakura 1 (15-12-77) lancé par Delta. 350 kg. Expérimental ; géostationnaire par 135 ° de long. Est. 2a (4-2-83) ; géost. par 132° Est. 1er sat. de télécomm. opérationnel dans la bande 20-30 GHz ; 4 000 circuits communic. téléph. simultanées. 2b (6-8-83) identique. 350 kg ; géost. par 136° Est. CS 3a (19-2-88) 550 kg ; géost. par 132° Est. 6 000 circuits communic. téléph. CS 3b (16-9-88) ; identique ; géost. par 136 ° Est.

JCSAT-1 (7-3-89) 1 340 kg, géost. par 150° de long. Est. -2 (1-1-90) géost. par 154° de long. Est. Superbird A (déc. 92) 1 550 kg, géost. 158° Est. B (27-2-92) géost. par 162° de long. Est.

Suède

Teles X (2-4-89) lancé par Ariane. 2 142 kg. Espérance de vie : 8 ans.

ex-URSS

Molniya. Sat. sur orbites excentriques (périgée : 460 km au-dessus de l'hémisphère Sud ; apogée 40 000) inclinées à 65° sur l'équateur et décrites en 12 h, donc repassant chaque jour au-dessus des mêmes régions en restant presque immobiles au-dessus de l'URSS pendant 8 h environ. Les Molniya retransmettent TV couleur (procédé français Secam), radio, téléphone, télex, télégraphe et fac-similé sur quelque 50 stations terrestres réceptrices (antennes de 12 m de diam.) formant le réseau national soviétique *« Orbita ».*

Au 1-8-1982 avaient été lancés 55 Molniya 1 de 1re génération (1er : 23-4-65), 17 Molniya 2 de 2e gén. (1er : 25-11-71), 18 Molniya 3 de 3e gén. (1er : 21-11-74).

Cosmos 637 (26-3-74). Molniya-IS (29-7-74). Sat. géostationnaires expérimentaux.

Statsionar ou Radouga ou Ekran. Géostationnaires ou géosynchrones. 1er lancé le 22-12-75.

Gorizont. Géostationnaires ou géosynchrones. 8 lancés depuis le 19-12-78.

Sondes spatiales

Planètes artificielles

Pioneer. 11 engins (38 kg). De 1958 à 73. **1**[1] (11-10-58). **2**[1] (8-11-58). **3**[1] (6-12-58). **4**[1] (3-3-59). **5** (11-3-60) reste en communication jusqu'à 36 millions de km. **6** (16-12-65) gagne une orbite solaire inférieure décrite en 311 j, fournit les 1res mesures de l'espace interplanétaire, mesure la couronne du Soleil et en 1973 la queue de la comète Kohorilek, continue à envoyer vers la Terre des informations sur les vents solaires. **7** (17-8-66) placé sur orbite solaire supérieure décrite en 403 j à 5 millions de km, détecte, en 1976, *la queue magnétique* de la Terre à plus de 19 millions de km. **8** (13-12-67) gagne une orbite solaire supér. décrite en 394 j. **9** (8-11-68) gagne une orbite solaire infér. décrite en 297 j. **10** (3-3-72) a quitté le système planétaire le 13-6-83. **11** (6-4-73) a survolé le 1er la planète Saturne le 1-9-79.

Helios. Sondes interplanétaires réalisées par l'All. féd. et lancées par des fusées américaines pour l'étude des régions voisines du Soleil. **1** lancée 10-12-74 s'est approchée à 48 millions de km du Soleil, le 15-3-75 ; **2** lancée 15-3-78 s'est approchée à 45 millions de km. Les 2 hors d'usage.

Nota.- (1) Pioneer 1 à 4 voir ci-dessous.

Sondes lancées vers la Lune

Débuts. On a exploré l'environnement lunaire grâce à des engins qui gravitaient autour [4 Luna soviétiques (10, 11, 12, 14) ; 5 Lunar Orbiter américains], puis on a mis au point les techniques d'atterrissage en douceur [6 Luna sov. (5, 6, 7, 8, 9, 13) et 7 Surveyor amér.]. Seul le programme américain *Ranger* n'eut pas d'équivalent soviétique.

Premiers impacts. Avec des engins de 370 et 270 kg, la fusée porteuse développant au décollage une poussée de 300 t, l'URSS remporta les grandes premières : *1er impact sur la Lune (Luna 2, 12-9-59), 1er vol autour de la Lune* avec photographies de la face cachée *(Luna 3, 4-10-59), 1er atterrissage en douceur (Luna 9, 3-2-66).*

États-Unis

Programme Pioneer. 0 (17-8-58) lancement non réussi. **1** (11-10-58) retombe après avoir atteint 114 000 km. **2** (8-11-58) échec. **3** (6-12-58) retombe après avoir atteint 102 000 km. **4** (3-3-59) passe à 60 000 km de la Lune et 4 j après son lancement devient une planète artificielle. 3 autres sondes sont lancées, sans succès (26-11-59, 25-9-60, 15-12-60) lors d'une tentative de satellisation.

Programme Ranger. 9 engins (306,2 à 364,7 kg), du 25-8-61 au 21-3-65. 3 atteindront la Lune après avoir pris des photos. *Coût :* 267,4 millions de $.

Programme Lunar Orbiter. 5 engins (385,6 kg), du 10-8-66 au 1-8-67. Après avoir été mis sur orbite lunaire (39 à 1 843 km), tous sont ensuite tombés sur la Lune. *Coût :* 209,3 millions de $.

Programme Surveyor. 7 engins (995,2 à 1 040,1 kg), du 30-5-66 au 7-1-68. 5 succès dont Surveyor 1 qui, le 30-5-66, se pose en douceur sur la Lune, transmet des photos. *Coût :* 297,6 millions de $.

Programme Apollo (voir p. 39).

Explorer 49 (10-6-73). 328 kg. Placé sur orbite lunaire à 1 100 km d'alt. Sat. de radio-astronomie avec 4 antennes de 225 m disposées en X.

URSS

Luna. 24 lancés (plusieurs échecs) du 2-1-59 au 9-8-76. **1** (2-1-59) 361 kg ; passe à 7 500 km de la Lune et devient une planète artificielle (rév. 450 j). Distance max. au Soleil : 197,2 millions de km. **2** (12-9-59) 390 kg ; s'écrase sur la Lune le 13-9 après 36 h 26 min à la vitesse finale de 10 810 km/h. **9** (3-2-66) 1 583 kg ; 1er atterrissage en douceur ; transmet des photos. **10** (31-3-66) 1 600 kg ; gravite autour de la Lune en 3 h. **16** (12-9-70) se pose sur la Lune, prélève des échantillons de sol (103 g) et revient le 24-9. **17** (10-11-70) débarque le 17-11 sur la Lune, dans la mer des Pluies, un véhicule automatique d'exploration, le *Lunokhod 1* (8 roues de 0,51 m, long. 2,21 m, largeur 1,60 m, poids 800 kg, diam. 2,15 m), qui fonctionne 11 mois et parcourt 10 540 m. **21** (8-1-73) 840 kg ; pose sur la Lune le 15-1 un 2e réflecteur laser français TL-2 et le *Lunokhod 2* dont, le 3-6-73, la mission est terminée (a parcouru 37 km, pris 86 vues panoramiques, transmis 80 000 photos). **24** (9-8-76) placé sur orbite circumlunaire le 14-8. Se pose le 18-8 dans la mer des Crises (62° 12′ Est, 12° 45′ Nord). Le module de retour de l'engin décolle le 19-8 et revient sur Terre avec une carotte de roches prélevée le 22-8 en forant à 2 m de profondeur.

Zond. 6 stations interplanétaires de 6 t qui contournent la Lune et reviennent (ex. **5** lancé le 15-9-68, récupéré le 21-9).

Sondes lancées vers Vénus

Quand la sonde atteint Vénus, la distance parcourue est d'env. 60 millions de km. Une erreur d'1 m/s dans la vitesse au départ se traduirait par un écart de 30 000 km au terme du voyage.

États-Unis

Pioneer 5 (11-3-60) 43 kg. Échec, manque Vénus de + de 10 millions de km et devient une planète artificielle. **Mariner 1** (22-7-62) 202,8 kg. Échec, détruit après 290 s. **Mariner 2** (26-8-62) 202 kg. À 34 000 km de Vénus le 14-12-62, devient une planète artificielle ; à sa dernière émission (3-1-63), se trouvait à 86 743 000 km. **Mariner 5** (14-6-67). 244,9 kg. Approche Vénus à 4 094 km le 19-10-67. **Mariner 10** (voir p. 37 b).

Pioneer 12 Venus 1 (20-5-78) ; cylindre de 2,5 m de diamètre et 1,2 m de haut ; 582 kg ; devient satellite de Vénus le 4-12-78 (orbite entre 386 et 52 525 km, inclinée à 105° 6′ et décrite en 24 h). **13 Venus 2** (8-8-78) ; même corps que P.V.1, mais surmonté de 4 capsules largables ; 904 kg ; envoie 4 sondes dans l'atmosphère de Vénus le 9-12-78 (Sounder 316 kg, North, Day et Night 91 kg), puis se désagrège ; les 4 sondes traversent l'atmosphère et se posent sur Vénus à − de 40 km/h.

Magellan (5-5-89) lancé par navette Atlantis, cylindre de 3,6 t, antenne de 3,7 m, coût : 550 millions de $. Devient satellite de Vénus le 10-8-90, orbite entre 250 et 8 070 km (révolution en 187 min), a établi une carte de la topographie de la surface de la planète (à 120 m près à l'équateur) avec un radar à synthèse d'ouverture.

ex-URSS

Venera 1 (12-2-61) 643,5 kg ; lancée à partir d'un satellite Spoutnik ; se place sur orbite solaire (106 000 000 à 151 000 000 km) ; passe à 100 000 km de Vénus le 19-5-61 ; contact radio perdu à 7 500 000 km de la Terre.

Zond 1 (2-4-64) passe près de Vénus le 18-7-64.

Venera 2 (12-11-65) 963 kg ; orbite solaire ; passe à 24 000 km de Vénus le 27-2-66. **3** (16-11-65) 960 kg ; orbite solaire ; largue une sphère porteuse d'un fanion qui atteint Vénus le 1-3-66 ; l'émetteur se tait aussitôt après l'arrivée. **4** (12-6-67) 1 106 kg ; mesure pression et temp. de l'atmosphère vénusienne ; se pose sur Vénus le 18-10-67, mais cesse d'émettre aussitôt après l'arrivée. **5** (5-1-69) 1 130 kg ; se pose sur Vénus le 16-5-69 ; idem. **6** (10-1-69) 1 130 kg ; se pose sur Vénus le 17-5-69. Après 130 j de vol et 350 millions de km ; idem. **7** (17-7-70) 1 180 kg ; après 120 j et plus de 320 millions de km, largue sur Vénus, le 15-12, une sonde qui transmet des informations 35 min. (22-8-70), échec ; reste sur orbite terrestre ; rebaptisée **Cosmos 359. 8** (26-3-72) 1 184 kg ; dépose un module le 27-7 ; transmet 50 min. **9** (8-6-75) 4 936 kg ; largue un module qui se pose sur Vénus le 22-10 ; transmet 53 min. **10** (14-6-75) 5 033 kg ; réplique de Venera 9 ; largue un module qui se pose le 25-10 ; transmet 65 min. **11** (9-9-78) ; largue un module (1 500 kg) qui se pose le 25-12 ; transmet 45 min. **12** (12-9-78) ; largue un module qui se pose le 21-12 ; transmet 110 min. **13** (30-10-81) ; largue un module qui se pose le 1-3-82 ; transmet 127 min. **14** (6-11-81) ; largue un module qui se pose le 5-3-82 ; transmet 120 min. **15** (2-6-83) ; se place en orbite elliptique (1 000 à 2 000 km), parcourant en 24 h, autour de Vénus le 10-10-83 ; dotée d'un radar à balayage latéral et radio-altimètre ; cartographie l'hémisphère nord de Vénus avec une résolution de 1 à 2 km (découverte de failles, de canyons, de cratères météoritiques, etc.) ; analyse la composition de l'atmosphère et des nuages. **16** (7-6-83) ; mission analogue en orbite autour de Vénus le 14-10-83.

Vega (de Venera-Galleï, Vénus-Halley en russe). Projet franco-sov. 2 sondes d'env. 4 t lancées les 15 et 21-12-84 vers Vénus. Largue les 9-6 et 13-6-85 les modules d'atterrissage sur Vénus (750 kg dont 177 kg d'instruments scientifiques) qui, les 11-6 et 15-6 se sont ouverts pour larguer chacun un ballon-sonde (3,4 m de diamètre après gonflage à l'hélium) puis se sont posés sur la planète. Celui de **Véga 1** dans la plaine des Sirènes, par 7°11′ de long. Nord et 177°48′ de long. Est ; celui de **Véga 2** entre Alta Regio et Aphrodite, par 6°27′ de long. Nord et 181°05′ de long. Est, sur un site montagneux. Les instruments n'ont fonctionné que 21 min après l'atterrissage. Les ballons-sondes ont dérivé dans l'atmosphère 45 h 30 et 46 h 30, à une altitude de 53 à 55 km, en mesurant pression, température, vitesse du vent et densité de la couche nuageuse. Les sondes ont ensuite exploré la comète de Halley (voir p. 37 b).

Sondes lancées vers Mars

Quand la sonde atteint Mars, la distance parcourue est d'environ 250 millions de km. Une erreur d'1 m/s se traduirait par un écart de 70 000 km au terme du voyage.

États-Unis

Mariner 3 (5-11-64) 260,8 kg ; échec (le dôme de la fusée ne se détache pas). **4** (28-11-64) 260,8 kg ; survole Mars le 15-7-65 après avoir parcouru 630 millions de km en 230 j ; établit le 29-4-65 le record mondial de liaison radio (105 000 000 km) ; transmet 22 photos. **6** (25-2-69) 411,8 kg ; survole les 31-7 et 1-8-69 la face éclairée de Mars à 3 427 km et prend des photos 25 min. **7** (27-3-69) 411,8 kg ; survole la face non éclairée de Mars à 3 347 km le 5-8-69. **8** (9-5-71) 997,9 kg ; échec, défaillance du système électronique. La fusée retombe après quelques min. **9** (30-5-71) 997,9 kg ; alt. 1 389 à 17 816 km ; gravite le 13-11-71 autour de Mars ; mission terminée en oct. 1972 (après avoir transmis 6 878 photos).

Viking 1 (20-8-75) 2 324,7 kg ; le lander se pose sur Mars le 20-7-76 dans la région Chryse Planitia par 22°27′ N et 48°1′ O, à 28 km du point cible. Rebaptisé *Mutch Memorial Station* en souvenir du scientifique américain Thomas A. Mutch, mort en effectuant une ascension de l'Himalaya en sept. 1980. Cesse d'émettre le 19-11-1982. **2** (9-9-75). 2 324,7 kg ; identique ; le lander se pose sur Mars le 3-9-1976 dans la région Utopia Planitia, par 47° 97′ N et 225° 67′ O ; cesse d'émettre le 11-4-1980. Les 2 **Viking** ont pris plus de 50 000 photos.

Mars Observer (25-9-92) lancé par Titan 3. 2 487 kg (dont 166 kg d'instruments : spectromètre, magnétomètre, réflectomètre, caméro zoom, altimètre laser) ; orbite circulaire à 361 km d'alt. en 116 min. Devrait gagner son orbite définitive en août 1993 pour une mission prévue de 687 j (cartographie physique et chimique).

Mesur (Mars Environment Survey). 16 mini-stations Rocky-4 (7,2 kg) avec sismographe et microrover d'exploration déployables en 1999.

URSS (puis CEI)

Mars 1 (1-11-62) 893,5 kg ; passe auprès de Mars le 19-6-63 ; record soviétique de liaison radio (100 000 000 km) en avril 1963.

Zond 2 (18-11-64) orbite solaire (148 000 000 à 215 000 000 km) ; passe à 1 500 km de Mars le 6-8-65.

En 1965, il fallait 8 h ½ pour envoyer vers la Terre (avec *Mariner 4*) une seule image contenant 240 000 unités d'information ; aujourd'hui, chaque image en contient 4 millions et est transmise en 5 min, il comporte 704 lignes de 945 points ; pour chaque point, un signal électrique codé est envoyé vers la Terre, il porte 6 unités d'information pour l'intensité lumineuse du point. Par convention, 6 chiffres 1 signifient une intensité lumineuse nulle (le point apparaît noir) ; 6 zéros, une intensité lumineuse maximale (le point apparaît blanc).

Chaque engin comporte 2 caméras, une à faible résolution (pour éléments visibles à plus de km) et une à haute résolution (détails de 300 m env.).

Mars 2 (19-5-71) 4 650 kg ; placé sur orbite autour de Mars le 27-11 ; largue sur Mars une capsule contenant l'emblème soviétique. **3** (28-5-71) 4 650 kg ; un étage se pose sur Mars le 2-12, émet 20 secondes et s'arrête. **4** (21-7-73) 5 000 kg ; survole Mars à 2 200 km et poursuit sa route au lieu de se placer en orbite comme prévu. **5** (25-7-73) 5 000 kg ; placé sur orbite le 12-2-74 (min. 1 760 km), tombé en panne en mars. **6** (5-8-73) 5 000 kg ; largue une capsule qui cessera d'émettre avant de toucher le sol puis se place sur orbite le 12-3-74. **7** (9-8-73) 5 000 kg, arrive près de Mars le 9-3-74 et largue une capsule qui passe à 1 300 km de Mars au lieu d'y atterrir.

Mars 94 (prévu oct. 1994 par lanceur Proton) mission principale : repérer sites d'atterrissage possibles pour mars 96. 6 180 kg, 1 orbiteur, 2 pénétrateurs de sol prévus pour 6 m de profondeur, 2 stations de mesure fixes avec 530 kg d'instruments.

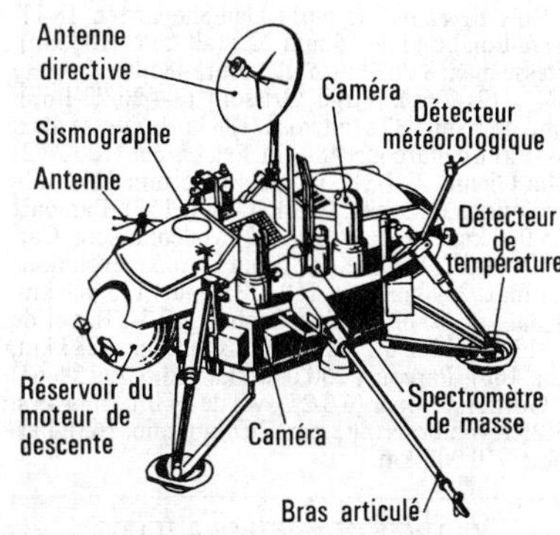

Mars 96 (prévu nov. 1996) 6 530 kg, 1 orbiteur, 1 lander de 650 kg portant 1 Masokhod miniature (75 kg) parcourant 100 km en 1 an et des ballons dérivants du Pr J. Blamont (Fr.) qui, soumis à une dilatation variable selon la température, effectuent des mesures du sol (dépôt d'instruments) à 2 000 m. Marsokhod (pour missions postérieures) véhicule à 6 roues articulées, peut franchir des obstacles de 50 cm et des pentes de 35°, 300 à 500 kg, charge utile 80 à 125 kg, autonomie 300 km. VAP (Véhicule Automatique Planétaire) participation Fr. au Masokhod comportant la robotique (perception, orientation, mise en place de stations de mesure, sondage, prélèvement et analyse d'échantillons).

☞ **Programme Phobos.** 2 sondes modulaires identiques de 5,5 t lancées les 7 et 12-7-88 et destinées à se placer en orbite autour de Mars (alt. min. 6 330 km), puis à survoler Phobos (satellite de Mars) à 50 m de sa surface pour l'étudier grâce à 22 expériences scientifiques (300 kg d'appareils) auxquelles participent 13 pays. Chaque sonde devait larguer sur Phobos 2 compartiments de 30 kg chacun : l'un, fixe, planté dans le sol à l'aide d'un pénétromètre, pour mesurer les propriétés physiques et mécaniques du sol (autonomie : 1 an par panneaux solaires) ; l'autre, mobile, conçu pour effectuer une série de bonds à la surface (autonomie : 1 mois). Les données devaient être retransmises à la Terre via la sonde restée en orbite. A la suite d'une mauvaise télécommande, le contact a été perdu avec Phobos-1 en sept. 1988 et avec Phobos-2 alors en orbite autour de Mars (à 300 km env. de Phobos) le 27-3-89. Nombreux spectres infrarouges et photographies de Mars et Phobos obtenus.

Sondes lancées vers d'autres planètes

États-Unis

Pioneer 10 (3-3-72). 258 kg ; lancée par Atlas-Centaure (à 51 800 km/h). A étudié la ceinture des *astéroïdes au-delà de Mars*, puis, après un voyage de 1 milliard de km, a *survolé Jupiter* le 4-12-73 à 131 400 km et a transmis une dizaine d'images (les signaux mettant 45 min pour nous parvenir). Le 13-6-83, a franchi à 50 000 km/h l'orbite de *Neptune* qui se trouvait alors à 4 527 978 612 km de la Terre. Il fallait 4 h 20 min aux signaux émis pour parvenir à la Terre. 1er engin qui s'aventure au-delà de la plus lointaine planète connue. Elle porte une « plaque d'identité » d'aluminium doré de 15 × 23 cm, avec des symboles dont 1 couple humain suggérant son origine terrestre. Se dirigeant vers un site de la voûte céleste par 5 h 22 min d'ascension droite de 28°10′ de déclinaison, elle aurait dû passer dans 4,7 millions d'années à 4 mois de lumière de Wath (étoile géante rouge, une des cornes du Taureau). Le 6-3-92 était à 8 milliards de km du Soleil (soit 7 h 30 de lumière). Le contact a été perdu le 15-10-92 (désintégration probable près de Vénus).

Pioneer 11 (6-4-73). 259 kg ; diam. 2,7 m ; survole *Jupiter* à 42 560 km le 3-12-74 puis, propulsée par une réaction gravitationnelle, atteint la région de Saturne le 20-8-79 ; traverse le plan des anneaux le 1-9 ; longe l'hémisphère non éclairé (à 21 400 km min. du sol) ; retraverse le plan des anneaux ; reçoit 2 impacts de micrométéorites. *Résultat de sa mission :* 80 photos de Saturne ; 5 de son sat. Titan ; découverte d'un 5e anneau ; mesure de l'épaisseur des anneaux (4 km) ; indications sur composition, couleur et turbulences des gaz de l'atmosphère. Une des photos montre un petit corps céleste de 100 à 200 km de diamètre, non identifié, peut-être un 11e satellite ?

Nota. – Au point de la trajectoire le plus proche de Jupiter, Pioneer 10 avait une vitesse de 132 000 km/h et Pioneer 11 de 117 000 km/h. *Coût du programme Pioneer 10 et 11 :* 100 millions de $.

Mariner 10 (3-11-73). 504 kg. Approche le Soleil à 70 millions de km ; survole : Vénus à 5 760 km d'alt. le 5-2-74, Mercure le 29-3-74 à 704 km, le 21-9-74 à 48 069 km, et le 16-3-75 à 327 km.

Voyager 2 (20-8-77) 2 086,5 kg ; *survole Jupiter* le 10-7-79 à 650 000 km et étudie ses principaux sat. ; mission complémentaire de celle de Voyager 1 ; *survole Saturne* le 26-8-81 à 101 000 km (avec un écart de 2,2 s et de 50 km par rapport aux prévisions) ; *survole Uranus* à 81 400 km le 24-1-86 et *survole Neptune* le 24-8-89 à 4 900 km. Déc. 92 : caméras hors service, mais sondes UV, détecteurs de particules, magnétomètres... fonctionnent toujours. Août 92 : sort du système solaire (détecte ondes radio d'interaction entre plasma solaire et gaz froid interstellaire).

Voyager 1 (5-9-77) 2 086,5 kg ; vitesse initiale : 15 060 m/s ; *survole Jupiter* le 5-3-79 à 278 000 km et étudie ses principaux satellites (s'approche à 18 170 km de Io) ; *survole Saturne* à 124 000 km le 12-11-80 (s'approche à 4 000 km de son sat. Titan) ; était début 1992 à 6,9 milliards de km de la Terre ; sera dans 40 000 ans près de l'Étoile *AC + 793 888.* A pris un dernier cliché, montrant l'ensemble du système solaire le 13-2-90. Après août 92 : même situation que Voyager 2.

Nota. – **Voyager 1 et 2** sont numérotées dans l'ordre de leur arrivée près de Jupiter et de Saturne. Dans l'hypothèse d'une rencontre avec une civilisation extraterrestre, elles emportent un vidéodisque sur lequel figurent une encyclopédie de la Terre, des salutations enregistrées en 60 langues, des cris d'animaux, des morceaux de Beethoven, du jazz et du rock et... un message du Pt américain Jimmy Carter : « Si nous résolvons nos problèmes, nous espérons, un jour, rejoindre une communauté de civilisations galactiques. Nous essayons de survivre à notre époque pour pouvoir accéder à la vôtre... ». *Coût du programme Voyager 1 et 2 :* 342 millions de $.

Galileo (19-10-1989) 1 473 kg ; lancé de la navette Atlantis ; le lancement prévu pour 1983, puis mai 1986, avait été reporté après l'explosion de la navette Challenger. 10-2-90 *survole Vénus* ; 8-12 : après un parcours de 650 millions de km, repasse à 948 km de la Terre. 29-10-91 : *survole et photographie Gaspar* à 1 600 km (1er astéroïde à être exploré). 8-12-92 : repasse à 34 km/s et 305 km de la Terre. 28-8-93 *survole l'astéroïde Ida.* 7-12-95 *atteindra Jupiter.* Une sonde de 335 kg (dont 28 kg d'instruments scientifiques) étudiera l'atmosphère de Jupiter 60 à 75 min avant d'être détruite par la pression subie. Un module de 1 138 kg (dont 103 kg de matériel) restera en orbite pour étudier, sur 20 mois, la magnétosphère, analyser la composition physico-chimique de Jupiter et de ses principaux satellites et relayer les données transmises par la sonde. *Coût de la mission :* 1 300 millions de $ (antenne principale bloquée, c'est un échec partiel). 40 impulsions par s au lieu de 134 000.

Cassini (voir p. 43 a).

Sondes lancées vers la comète de Halley

Vega 1 (URSS), (15-12-84), 2 000 kg, survol le 6-03-86, à 8 900 km ; photographie et étude physique du noyau et de la chevelure ; étude de l'interaction avec le vent solaire.

Sakigake ou MS-T5 (Japon, Isas), (8-01-85), 138 kg, survol le 11-03-86, à 7 500 000 km ; même mission que Suisei.

Suisei ou Planet-A (Japon, Isas), (19-08-85), 140 kg, survol le 8-03-86, à 151 000 km ; étude de l'enveloppe d'hydrogène de la comète et de son choc dans le milieu interplanétaire.

Vega 2 (URSS), (21-12-84), 2 000 kg, survol le 9-03-86, à 8 000 km ; même mission que Vega 1.

Giotto (Europe), (5-07-85), 960 kg, par Ariane, survol du 12 au 13-03-86, à 590 km (à 68,4 km/s) ; photographie le noyau, identifie les composés volatils, observe les interactions de la comète avec le vent solaire ; dans cette approche, des impacts endommagent sa caméra. 2-7-90 : repassée à 23 000 km de la Terre et relancée par l'action gravitationnelle, survole la comète Grigg-Skjellerup le 10-7-92 à 19 h 25.

☞ En outre, l'ancien satellite américain ISEE-3, rebaptisé ICE (International Cometary Explorer), dont la trajectoire a été modifiée pour qu'il s'approche de la comète Giacobini-Zinner le 11-09-1985, a observé la comète de Halley d'une distance de 31 millions de km le 28-03-1986 (mesure du vent solaire et observation de la queue de plasma).

Vaisseaux cosmiques

Premiers vaisseaux

■ Inhabités. URSS. **Vaisseau cosmique 1** (15-5-60) 4 540 kg. Alt. 312 à 369 km. Échec. Après 4 j, la cabine, au lieu de descendre, se place sur une orbite elliptique.

USA. **Mercury-Redstone** (19-12-60) 1 000 kg. Alt. 200 km. 373 km parcourus. 18 min de vol.

■ Habités par des animaux. URSS. **Vaisseau cosmique 2** (19-8-60) 4 600 kg. Alt. 306 à 339 km. 18 révolutions en 24 h. Les chiennes Strelka et Bielka sont récupérées le 20-9-60. **3** (1-12-60) 4 563 kg. Alt. 187,3 à 265 km. 17 révolutions en 26 h. Les chiens Ptcholka et Mouchka ne sont pas récupérés (le vaisseau se désintègre à la descente). **4** (9-3-61) 4 700 kg. Alt. 183,5 à 248,8 km. La chienne Tchernouchka est récupérée. **5** (25-3-61) 4 695 kg. Alt. 178,1 à 247 km. La chienne Zvezdotchka est récupérée.

USA. **Mercury-Redstone** (31-1-61) 1 935 kg. Alt. 250 km. 676 km parcourus. 16 min de vol. Le chimpanzé Ham est récupéré. **Mercury Atlas 4** (13-9-61) 1 220 kg. Alt. 160 à 254 km. 1 révolution 104 min. 40 000 km parcourus. Mannequin à bord. **Mercury Atlas 5** (29-11-61) 1 311 kg. Alt. 160 à 237 km. 2 révolutions 193 min, près de 50 000 km parcourus. Le chimpanzé Enos est récupéré.

Vols humains

☞ L'homme évoluant dans le milieu spatial est appelé *astronaute* par les Américains, *cosmonaute* par les Russes, *spationaute* par les Français.

Controverse sur les vols habités. **Arguments contre :** la présence humaine limite les conditions d'expérimentation (sécurité, paramètres supportables pour le corps) et les dégrade (parasites, microgravité perturbée, structure lourde, peu mobile, masques). Ils coûtent cher (ex. de la navette amér.), alors que les engins spécifiques à chaque mission, placés dans les conditions idéales d'orbite et d'environnement, sont légers, performants et rentables. **Pour :** ils ont permis récupérations ou dépannages spatiaux. Il y a eu 4 missions pour 5 sat. : capture de Solar Max en avril 84, de Weststar-6 et Palapa-B2 en nov. 84, de Syncom-Lysat en août 85, d'Intelsat-6 le 13-5-92 (économie pour Intelsat : 99 millions de $).

Problèmes physiologiques

Environnement spatial. *Obscurité du ciel :* totale au-dessus de 150 km d'alt. *Vide :* à 40 km d'alt., la pression atmosphérique est 300 fois plus faible qu'au sol. À 150-200 km, le vide est quasi absolu (1 milliardième de la pression au sol). *Manque d'oxygène :* peut conduire à la mort avant 8 000 m d'alt. *Écarts thermiques :* entre la paroi d'un satellite éclairée par le Soleil ou située à l'ombre, la temp. peut varier de + 150°C à – 50°C. Dans l'espace, les échanges de chaleur se font seulement par rayonnement et non plus par conduction et convexion, comme sur Terre. *Flux de particules et radiations diverses :* des météorites peuvent perforer les parois du véhicule spatial ou du scaphandre ; des rayonnements ionisants (r. cosmiques du Soleil ou de la Galaxie, électrons et protons de Van Allen qui entourent la Terre) peuvent, en traversant la matière, arracher des électrons aux atomes rencontrés et avoir un effet destructeur sur les cellules des organismes vivants ; rayonnements non ionisants (radiations visibles, ultraviolettes et infrarouges). *Absence de pesanteur :* un sat. artificiel de la Terre subit simultanément 2 forces qui s'équilibrent [attraction (vers la Terre) et répulsion (opposée), due au mouvement autour de la Terre].

Réactions de l'organisme humain. A cause des baisses de pression : *à partir de 9 000 m,* l'azote dissous dans les tissus et les liquides du corps passe à l'état gazeux, formant des bulles (aéroembolisme) pouvant susciter des troubles circulatoires ; *vers 19 000 m,* la pression (env. 47 mm de mercure) est inférieure à la tension de vapeur des liquides du corps (37 °C) ; sans équipement protecteur, le sang se transformerait en mousse rouge et la chair se gonflerait (ébullisme).

Effets de la vitesse. Pour mieux supporter les fortes accélérations (4 à 5 g, 7 g pour les premiers engins, 3 pour la navette spatiale ; la fusée atteint 28 000 km/h en une dizaine de minutes), les spationautes sont couchés sur le dos. Les forces d'inertie agissant ainsi perpendiculairement à l'axe des gros vaisseaux sanguins, les déplacements de sang sont moins importants. Bruits intenses (110 à 125 dB à l'intérieur de la cabine), vibrations multiples.

Problèmes de respiration. Système soviétique : l'atmosphère des sat. et stations orbitales a une composition et une pression normales (env. 80 % d'azote et 20 % d'oxygène ; 760 à 800 mm de mercure). **Système américain :** missions Mercury, Gemini, Apollo : oxygène pratiquement pur (pression 258 mm) ; avantages : allègement de la cabine, limitation des fuites ; inconvénient : risque d'incendie (le 28-1-67, 3 cosmonautes périrent carbonisés lors d'un entraînement au sol). *Séjours prolongés :* dans Skylab : atmosphère 75 % d'oxygène et 25 % d'azote, pression 258 mm. Stations orbitales actuelles ; régénération d'oxygène (un spationaute en consomme 600 à 900 l par j), absorption du gaz carbonique formé, filtrage des poussières et des odeurs. *Navette :* atmosphère normale d'oxygène et d'azote.

Problèmes de l'impesanteur. Dans Skylab, les cosmonautes avaient des poignées (pour s'agripper), un treillis métallique et des cale-pieds (à table, face aux appareils d'expérience, au cabinet de toilette, etc.). Les ustensiles de cuisine étaient retenus par des aimants. L'eau (et tous les liquides) ne pouvant rester dans les récipients ouverts (ils se fractionnent en gouttelettes éparses dans l'atmosphère), les cosmonautes faisaient leur toilette avec des serviettes humidifiées, buvaient dans des tubes ; ils ne prenaient pas d'aliments solides (les miettes se seraient propagées à l'intérieur de la cabine, créant un danger pour yeux et voies respiratoires). Les poils coupés risquant de se répandre dans l'habitacle et de provoquer des accidents pulmonaires, ils se rasaient avec des instruments spéciaux.

Influence sur le système cardio-vasculaire : env. 2 litres de sang abandonnent la partie inférieure pour la partie supérieure du corps (congestion des veines, du cou, de la face, amincissement des jambes). Cette augmentation du volume sanguin thoracique et la dilatation de l'oreillette droite du cœur, interprétées par l'organisme comme une augmentation du volume sanguin total, déclenche, par voie réflexe, des réactions hormonales et provoque une excrétion accrue d'eau et d'éléments minéraux. Après quelques j (de 3 à 10, parfois 20 à 30), l'organisme s'adapte. Cependant les réflexes cardio-vasculaires s'émoussent (car ils sont plus sollicités par les changements de position et se désadaptent de la pesanteur). On observe des troubles lors du retour sur Terre.

Équilibration : malaises comparables au « mal de l'air » : nausées, vertiges, pertes d'appétit, ennuis gastriques (disparaissent en quelques j).

Muscles : ils s'atrophient. *Os :* des travées osseuses s'amincissent, une décalcification se produit. *Taille :* elle augmente de 2 à 4 cm (la colonne vertébrale ne supportant plus le poids du corps, les vertèbres s'écartent), sur Terre, elle redevient normale. *Poids :* perte de 3 à 5 kg (quelle que soit la durée de la mission, due principalement à une perte du liquide organique et à la réduction de la masse musculaire (souvent liée à une alimentation trop peu calorifique et à une baisse d'appétit). *Sang :* réduction des globules rouges (8 à 30 %). Ces troubles ne sont pas irréversibles. La *fonction respiratoire* semble peu perturbée, l'*acuité visuelle et auditive,* la *pression artérielle,* le *rythme cardiaque* et les électrocardiogrammes restent normaux.

Altitudes. À *19 000 m :* le sang de l'homme protégé du milieu extérieur bout, la température d'ébullition étant d'autant plus basse que la pression est faible. À partir de *40 000 m :* l'atmosphère n'est plus suffisante pour fournir le comburant nécessaire aux moteurs. À *45 000 m :* il n'y a plus d'ozone et un corps vivant non protégé serait brûlé.

Précautions d'hygiène. *Exercices musculaires :* tapis roulant, extenseurs, bicyclette ergométrique. *Vêtements spéciaux :* simulant sur les os et les muscles l'action de la pesanteur ou provoquant l'afflux de sang vers les parties inférieures. *Introduction du bas du corps* dans un caisson pour rétablir, par pressions négatives, une circulation sanguine presque normale dans les membres inférieurs, etc. *Conservation du rythme des 24 h* (1/3 de travail, 1/3 de loisirs, 1/3 de sommeil).

Activité hors des véhicules. Difficulté d'effectuer des gestes précis, importance des dépenses métaboliques. Il faut un point d'appui, des outils appropriés.

Déchets. *1ers véhicules spatiaux :* recueillis dans des sacs contenant des produits germicides évitant la fermentation et la formation de gaz. *Navettes actuelles :* WC équipés de broyeurs.

Au retour. Sentiment d'écrasement dû à la pesanteur retrouvée. Manque de coordination des mouvements. Réadaptation en deux semaines.

☞ Les spationautes consomment pour leur douche 4 litres. Le pommeau asperge et aspire l'eau successivement, évitant la surconsommation. L'eau emportée dans l'espace revient à plusieurs milliers de $.

■ Quelques chiffres

Au 12-4-1992, **Personnes envoyées dans l'espace** 269 dont 169 astronautes amér., 72 cosmonautes soviét., 28 spationautes d'autres pays dont : 5 All., 2 Bulgares, 2 Canadiens, 3 Français : Jean-Loup Chrétien (n. 20-8-38) sur Soyouz 6 (24-6/2-7-82) et (26-11/21-12-88) ; Patrick Baudry (n. 30-3-46) sur Discovery (17 au 24-6-85) ; Michel Tognini (n. 30-9-49) sur Mir, mission Antarès (27-7/10-8-92), vol payant (73,2 millions de F) ; Jean-Pierre Haigneré (n. 19-5-48) sur Mir (1 au 22-7-93) (80 millions de F). *Futurs spationautes fr. :* sur Mir : Claudie Deshays (n. 13-5-57), médecin. *Mission Spacelab IML 1 :* en juil. 94 (Columbia) : Jean-Jacques Favier, spécialiste charge utile suppléant.

Temps total passé dans l'espace. Soviétiques 201 370 h, Américains 59 304 h.

Astronautes ayant marché sur la Lune (*légende :* durée du séjour du véhicule spatial sur le sol lunaire, durée d'exploitation sur la Lune hors du véhicule spatial par les astronautes, distance parcourue sur la Lune). **Apollo 11** *16-7-69,* 21 h 36, Neil Armstrong (n. 5-8-30) 2 h 40, Edwin Aldrin (21-1-30) 2 h 15 ; 400 m. **Apollo 12** *14-11-69,* 31 h 31, Charles Conrad (2-6-30) 7 h 45, Alan Bean (15-3-32) 7 h 45 ; 3 km. **Apollo 14** *31-1-71,* 33 h 30, Alan Shepard (18-11-23) 9 h 17, Edgar Dean Mitchell (17-9-30) 9 h 17 ; 4 km. **Apollo 15** *26-7-71,* 66 h 54, David Scott (6-6-32) 18 h 35, James Irwin (17-3-30/8-8-91) 18 h 35 ; 28 km. **Apollo 16** *16-4-72,* 71 h 14, John W. Young (24-9-30) 20 h 15, Charles Duke (3-10-35) 20 h 15 ; 27 km. **Apollo 17** *7-12-72,* 74 h 59, Eugen Cernan (14-4-34) 22 h 04, Harrison Schmitt (3-7-35) 22 h 04 ; 36 km.

Records spatiaux (missions habitées). Plus long vol en solitaire : *homme :* 4 j 22 h 56 min 41 s (14/19-6-1963) Valeri Bikovski [1] (Vostok 5). *Femme :* 2 j 22 h 40 min 48 s (16/19-6-1963) Valentina Tereshkhova [1] (Vostok 6). **En double :** *homme et femme en capsule spatiale :* 17 j 16 h 58 min 55 s (1/19-6-1970) Andrian Nikolaiev [1], Vitali Sevastianov [1] (Soyouz 9). *En station orbitale :* 365 j 22 h 39 min 47 s (21-12-1987, 21-12-1988) Vladimir Titov [1], Moussa Manarov [1] (Mir 1). **Plus longue présence dans l'espace** (durée cumulée) : *femme :* 541 j 31 min (en 2 missions) (26-5-1991) Moussa Manarov [1] (Mir 1). *Hommes :* 430 j 18 h 20 min Youri Romanenko. **Plus longue sortie extravéhiculaire : en orbite terrestre :** *homme :* 8 h 29 min (13/14-5-1992) Thomas Akers [2], Richard Hieb [2], Pierre Thuot [2] (Endeavour). *Femme :* 3 h 33 min 4 s. (25-7-1984) S. Savitskaia [1] (Saliout 7). sur la lune : *homme (exclusivement) :* 7 h 37 min (13-12-1972) Harrisson Schmitt [2], Eugène Cernan [2] (Apollo 17).

Nota. – (1) URSS. (2) USA.

Nombre maximal d'astronautes. 8 sur STS 22 pour la mission Spacelab D-1 (30-10-85).

Nombre de vols maximal effectués par un même astronaute. 6 vols (834 h 59) par John Young (USA) : *Gemini 3* (23-3-65) 4 h 53. *Gemini 10* (du 18 au 21-7-66) 70 h 46 min 39 s. *Apollo 10* (du 18 au 26-5-69) 192 h 03. *Apollo 16* (du 16 au 27-4-72) 265 h 51 min 59 s. *STS 1* (du 12 au 14-4-81) 54 h 20 min 32 s. *STS 9* (du 28-11 au 8-12-83) 247 h 47 min 24 s.

■ États-Unis

Programme Mercury

■ **Coût du programme.** 437 millions de $.

■ **Cabine.** En forme de cône, protégée par un bouclier thermique (de 200 kg) pour la rentrée dans l'atmosphère. *Hauteur* 2,7 m. *Diam. max. :* 1,85 m. *Masse :* 1 350 kg. Monoplace. Emportait des réserves de vivres et d'énergie pour env. 30 heures. L'astronaute était assis, le dos appuyé à la base de la capsule, sur un siège moulé à son corps. Il pouvait regarder à l'extérieur par un hublot. En principe, tous les systèmes fonctionnaient automatiquement, mais on avait prévu comme moyen de secours, des commandes manuelles. Le poids de la cabine devant être limité, on avait choisi de faire respirer à l'astronaute de l'oxygène pur (au lieu d'air). *Sécurité au départ :* assurée par des moteurs à poudre placés au sommet d'une tour à la partie supérieure de la cabine : en cas d'incidents au décollage, ces moteurs auraient séparé immédiatement la cabine de sa fusée porteuse. Si tout allait bien, la tour était éjectée après quelques minutes de vol. *Récupération de la cabine :* en 3 étapes. Un 1er freinage, assuré par 3 fusées à poudre, modifiait l'orbite pour la rentrée dans l'atmosphère, puis le bouclier thermique se détachait. Un 1er parachute (diamètre 1,8 m) s'ouvrait à 6 000 m d'alt. pour stabiliser la cabine, un 2e (diam. 20 m) à 3 000 m, ramenait la vitesse à 10 m/s. Enfin la cabine se posait sur l'eau pour éviter une arrivée trop brusque.

■ **Vols. Freedom 7** (5-5-61) Alan Shepard (n. 18-11-23) fait un bond de 15 min 22 s (alt. max. 187 km). Vitesse max. 8 263 km/h. Parcourt 485 km. **Liberty Bell 7** (21-7-61). Virgil Grissom (3-4-26/27-1-67), bond de 15 min 37 s (alt. max. 188 km). Vitesse max. 8 318 km/h. Parcourt 486 km. **Friendship 7** (20-2-62) John Glenn (18-7-21), vol de 4 h 55 min 23 s. 3,24 révolutions (alt. max. 256 km, min. 157). Parcourt 125 000 km. **Aurora 7** (24-5-62) Malcolm Scott Carpenter (1-5-25), vol de 4 h 56 min 5 s. 3,25 révolutions (alt. max. 267 km, min. 160). Parcourt 125 000 km. **Sigma 7** (3-10-62) Walter Schirra (12-3-23), vol de 9 h 13 min 11 s. 6,17 révolutions (alt. max. 283 km, min. 160). Parcourt 250 000 km. **Faith 7** (15-5-63) L. Gordon Cooper (6-3-27), vol de 34 h 19 min 49 s. 23,25 révolutions (alt. max. 267 km, min. 163). Parcourt 950 000 km.

Victimes de l'astronautique

1960 (24-10). Explosion d'une fusée sur le cosmodrome de Baïkonour (URSS). 165 victimes (savants, militaires et techniciens).

1967 (27-1). Virgil Grissom, Edward White, Roger Chaffee (Américains) meurent dans l'incendie d'une cabine Apollo, au Cap Kennedy, au cours d'un entraînement au sol. **(23-4).** Vladimir Komarov (Soviétique) s'écrase avec Soyouz 1 (le parachute s'est mis en torche).

1971 (29-6). G. Dobrovolsky, V. Volkov, V. Pataiev asphyxiés avant l'atterrissage de leur cabine Soyouz 11 (brusque dépressurisation).

1986 (28-1). 7 Amér. : Francis R. Scobee (n. 19-5-39), Michael J. Smith (30-4-45), Gregory B. Jarvis (24-8-44), Judith A. Restnik (5-4-49), Sharon Christil (2-10-48, 1re femme « civile » astronaute, enseignante) ; Ronald E. Mc Nair (Noir, 21-10-50) ; Ellison S. Onizuka (Jaune, 24-6-46) meurent dans l'explosion de la navette « Challenger » 73 s après le décollage.

Nota. – Au cours du vol Apollo 13 (12-4-1970), écourté par une fuite d'oxygène, les 3 astronautes ont pu être sauvés.

Programme Gemini

■ **Coût du programme.** 1 303 millions de $.

■ **Cabine Gemini.** *3 200 kg.* En forme de cône. *2 parties :* 1° une cabine récupérable de 2 750 kg (2 astronautes pouvaient se tenir côte à côte et respiraient de l'oxygène), 2° un compartiment des instruments largués dans l'espace à la fin du vol. Calcul des manœuvres par une petite calculatrice pouvant effectuer 7 000 additions, 2 500 multiplications ou 1 200 divisions par seconde. L'avant était un petit cylindre contenant des radars destinés à s'emboîter dans une cavité équipant les fusées Agena que les Gemini devaient rejoindre dans l'espace. *Moteurs :* 2 (45 kg de poussée) pouvaient propulser la cabine vers l'avant ; 2 (38 kg de p.) pouvaient le ralentir ; 4 (45 kg de p.) lui permettaient de se déplacer vers le haut, le bas, la gauche et la droite ; 8 propulseurs (11 kg de p.) servaient à contrôler la position. *Carburant :* liquides à base d'azote (les réservoirs pouvaient contenir 300 kg). *Rentrée dans l'atmosphère :* par 4 rétrofusées à poudre (1 130 kg de p. chacune).

Gemini 1 *(8-4-64)* pas de récupération, 64 révolutions, 4 j, expérimentation de la cabine et de la fusée Titan II. **2** *(19-1-65)* vol balistique, essai du bouclier thermique de la cabine. **3** *(23-3-65)* Virgil Grissom, John Young, vol de 4 h 53 min. 3 révolutions (alt. max. 225 km, min. 155). **4** *(3-6-65)* James McDivitt, Edward White, 97 h 56 min ; 62 révolutions (alt. max. 290 km, min. 158) parcourt 2 700 000 km. *1re sortie d'un Américain dans l'espace* (White 20 min). **5** *(21-8-65)* Gordon Cooper, Charles Conrad, 7 j 22 h 56 min. 120 révolutions (alt. max. 352 km, min. 161) parcourt 5 343 000 km ; *1re utilisation de piles à combustibles.* **6** *(15-12-65)* Walter Schirra, Thomas Stafford, 25 h 51 min ; 17 révolutions (alt. max. 270 km, min. 161). *1er rendez-vous* (s'approche à 30 cm de Gemini 7). **7** *(4-12-65)* Frank Borman, James Lovell, 13 j 18 h 35 min ; 206 révolutions (alt. 225 km, min. 160) parcourt 9 195 756 km. **8** *(16-3-66)* Neil Armstrong, David Scott, 10 h 41 min ; 7 révolutions (alt. max. 407 km, min. 396) ; *1re jonction spatiale* avec l'étage-cible Agena lancé 100 min avant. **9** *(3-6-66)* Thomas Stafford, Eugène Cernan, 3 j 21 min ; 44 révolutions (alt. max. 300 km, min. 159) ; Cernan sort 2 h 09 ; rendez-vous spatiaux répétés (sans jonction) avec la cible ATDA. **10** *(18-7-66)* John Young, Michael Collins, 2 j 22 h 46 min ; 43 révolutions (alt. max. 763 km, min. 160), utilisation des moteurs de l'Agena avec lequel le rendez-vous a été effectué ; 2 sorties de Collins (total 1 h 30 min.). **11** *(12-9-66)* Charles Conrad, Richard Gordon, 2 j 23 min 17 s ; 43 révolutions (alt. max. 1 365 km, min. 160) ; Gemini est lancé directement à la poursuite de la cible sans être placé sur une orbite d'attente ; 2 sorties de Gordon (total 2 h 50 min). 12 *(11-11-66)* James Lovell, Edwin Aldrin, vol de 3 j 22 h 35 min ; 59 révolutions (alt. max. 300 km, min. 257) ; Aldrin sort à 3 reprises (total 5 h 30 min).

PROGRAMME LUNAIRE APOLLO

Au cours du programme Apollo, les Américains ont passé 19 j 11 h au total sur la Lune (dont 80 h 18 min de sortie sur le sol), parcouru 95,2 km et rapporté 387 kg d'échantillons du sol lunaire.

■ **Coût du programme** (en millions de $). *Total :* 25 000 en 10 ans. *Matériel laissé sur la Lune :* 517 (dont 6 modules lunaires (40 à 50 chacun), 6 stations scientifiques (Total 130) ; 3 Jeeps lunaires (total 6). *Fusée Saturn V :* 185. *Vaisseau Apollo :* 65. *Opérations au sol pour 1 vol (A. 13) :* 105.

■ **Cabine Apollo** (3 hommes à bord). *Hauteur :* 10,44 m. *Diamètre :* 3,85 m. *Poids* au lancement : 18,58 t (y compris compartiment moteur). *3 parties :* cabine *(command module)* où logent les astronautes, compartiment des machines *(service module),* Lem ou LM *(lunar module)* destiné à se poser sur la Lune avec 2 astronautes à bord. *Propulsion :* 4 groupes indépendants de 3 moteurs fusées sur le compartiment moteur (45 kg de poussée chacun) et 2 groupes indépendants de 6 moteurs fusées chacun sur la cabine pour la stabilisation, le contrôle d'altitude et la rentrée. Un moteur fusée (10 t de poussée) qui peut être rallumé plusieurs fois sert pour les corrections de trajectoire et mises sur orbite lunaire. *Energie électrique de bord :* 3 piles à combustibles et 3 batteries rechargeables. *Communications :* liaison VHF (très hautes fréquences), entre 30 et 300 MHZ en phonie sur distances faibles ; liaison phonique sur grandes distances ; radar de rendez-vous ; liaison de télémesure ; 10 antennes sur le compartiment moteur et la cabine. *Guidage et navigation :* plate-forme à inertie, guidage optique ; télescope et sextant ; calculateur de bord avec une mémoire de 39 000 mots. *Atterrissage :* 8 parachutes. **Lancement :** Saturn s'élève, emportant à son sommet la capsule Apollo ; quelques min plus tard, la vitesse dépasse 10 000 km/h ; le 1er étage de la fusée est largué et le 2e est mis à feu. La vitesse augmente encore, le 2e étage est largué et le 3e est mis à feu ; il permet à Apollo de se mettre en orbite autour de la Terre. Le vaisseau tourne plusieurs heures autour de la Terre à 200 km d'alt., le temps de permettre des vérifications, puis le 3e étage est remis à feu pour donner le supplément d'énergie nécessaire. Quand l'ensemble est placé sur sa trajectoire qui l'emmène vers la Lune, la cabine et le compartiment des machines se séparent du Lem resté accroché au 3e étage de la fusée. Puis ils se retournent et la cabine s'amarre au Lem. Le 3e étage de la fusée ne servant plus à rien est ensuite abandonné dans l'espace. **Voyage dans l'espace :** dure 3 j. Pendant ce temps, Apollo tourne sur lui-même (1 ou 2 tours par h) pour exposer successivement toute sa surface au Soleil.

Alunissage : à 60 000 km environ de la Lune, Apollo atteint le *point d'équigravité* où l'attraction de la Lune et de la Terre s'équilibrent. A partir de là, l'attraction de la Lune devient la plus forte. A 100 km environ de la Lune, les astronautes reçoivent l'ordre de se satelliser autour de la Lune. Le vaisseau spatial fait d'abord un tête-à-queue, puis ses rétrofusées sont allumées : il ralentit et se place sur une orbite lunaire. Ensuite, pendant que le vaisseau tourne autour de la Lune, 2 astronautes désignés à l'avance passent dans le Lem qu'ils séparent de la cabine et se rapprochent de la Lune. Le Lem fonce vers la Lune, la tête en bas. A quelques km d'altitude, le Lem se redresse, les pieds en position d'alunissage. En mettant à feu ses moteurs, les astronautes ralentissent peu à peu sa vitesse. Le Lem se pose, à environ 9 km/h.

Retour vers la Terre : la partie inférieure du Lem sert de plate-forme de lancement à la partie supérieure et est abandonnée sur la Lune. Les astronautes remontés dans le Lem rejoignent Apollo puis larguent dans l'espace le Lem devenu inutile. Ensuite, Apollo quitte son orbite lunaire et revient vers la Terre, grâce à la mise à feu du gros moteur du compartiment des machines. A 120 km du sol, la cabine se sépare du compartiment des machines devenu inutile. A 90 km, la capsule entre dans les couches denses de l'atmosphère à 11,2 km/s, protégée par son bouclier thermique (le frottement des couches d'air fait monter la température des parois à 2 600 °C en quelques min) : pendant quelques minutes, on ne peut plus communiquer avec les astronautes. Ensuite, la capsule rebondit plusieurs fois sur les couches d'air de l'atmosphère, ce qui la freine beaucoup. A 8 km du sol s'ouvre un 1er parachute ; à 3 km, c'est au tour de 3 petits parachutes, suivis par 3 gros parachutes. La capsule descend alors doucement et amerrit.

■ **Vols sans alunissage** (qualification pour la fusée Saturn) : Apollo 1 à 6. 7 *(11-10-68)* 1er lancement de la fusée Saturn I-B, Walter Schirra, Walter Cunningham, Don Eisele, vol de 10 j 20 h 9 min, retour le 23-10. 8 *(21-12-68),* Franck Borman, James Lovell, William Anders, vol de 6 j 3 h 1 min, 800 000 km, *1er vol humain sur orbite lunaire* (à 113 km du sol) le 24-12, après 10 rév., quitte cette orbite le 25 et amerrit le 27 à 15 h 51 dans le Pacifique, à 864 km de l'île Christmas. *Records battus :* poids au départ (123 t satellisées autour de la Terre, y compris les réserves de carburant) ; poids d'un engin sur trajectoire lunaire : 43 t (délesté du 3e étage de la fusée porteuse) ; vitesse du véhicule spatial habité : 39 962 km/h. 9 *(3-3-69)* James McDivitt, David Scott, Russel Schweickart, vol de 10 j 1 min. Se place sur orbite terrestre (191 à 500 km du sol). *Essais :* compartiment lunaire avec des hommes à bord, qui se sépare de la cabine Apollo et revient vers elle ; système autonome de propulsion, l'*Emu (Extra-vehicular Mobility Unit) ;* scaphandre de 82 kg. Revient le 14-3. 10 *(18-5-69).* Thomas Stafford, John W. Young, Eugen Cernan, vol de 8 j 3 min. Stafford et Cernan, à bord du Lem, se mettent sur une orbite elliptique de la Lune entre 15 km et 360 km, puis rejoignent Apollo. Retour le 26-5 à 600 km de Pago Pago (îles Samoa).

■ **Vols avec alunissage. Apollo 11** (16-7 au 24-7-69) Neil Armstrong (5-8-30), Buzz Aldrin (20-1-30), Michael Collins (31-10-30). Lancé à 7 h 07 (h locale), soit 12 h 07 (h française). Se met sur orbite terrestre à 190 km, puis la quitte à 17 h 06 et se dirige vers la Lune à 39 030 km/h. 20-7 à 21 h 17 (h française), le LEM (baptisé *Eagle*) se pose dans la mer de la Tranquillité à 6,4 km de l'endroit prévu. 21-7 à 3 h 56 min 20 s [(h de Paris ; h. de Houston : 21 h 56, le 20-7)] : Armstrong pose le pied gauche sur le sol lunaire ; Aldrin le rejoindra 1/4 d'h plus tard. Ensemble ils plantent dans le sol lunaire le pavillon américain et marchent 60 m, vêtus de l'Emu pour se protéger contre les agressions cosmiques et les différences brutales de température ; après avoir passé 21 h 36 min 46 s sur la Lune, le Lem rejoint Apollo. 24-7 à 17 h 51, amerrissage des cosmonautes ; leur voyage a duré 8 j 3 h 18 min 35 s (1 min de plus que prévu), ils rapportent 20,7 kg d'échantillons de sol lunaire. 12 (14 au 24-11-69) Charles Conrad (2-6-30), Richard Gordon (5-10-29), Alan Bean (15-3-32), vol de 10 j 4 h 36 min, aller 110 h 31 min. Conrad et Bean se posent avec le Lem sur la Lune (océan des Tempêtes) et repartent 31 h 30 min après (2 sorties : 7 h 45 min) ; retour le 24-11 ; rapporte 34,1 kg d'échantillons et des pièces prélevées sur la sonde automatique Surveyor 3 qui est posée là depuis 3 ans. 13 (11 au 17-4-70) 5 j 22 h 55 min ; vol conçu comme les 2 précédents, avec James Lovell (25-3-28), Fred Haise (14-11-33), John Swigert (30-8-31/27-12-82), 5 j. Le Lem aurait dû rester 33 h sur la Lune et Lovell et Haise sortir 2 fois 4 h. Un incident technique (un réservoir d'oxygène explose) interrompt la mission à 320 000 km de la Terre, et Apollo 13 revient avec difficulté. 14 (31-1 au 9-2-71) 9 j 1 min 57 s. Alan Shepard (18-11-23), Stuart Roosa (16-8-33), Edgar Mitchell (17-9-30). 5-2 : le Lem se pose près du cratère Fra Mauro dans l'océan des Tempêtes, aide Shepard et Mitchell, sortent 9 h 23 min et déposent l'*Alsep (Apollo Lunar Surface Experiment Package),* station scientifique automatique avec générateur nucléaire de 63 W (combustible : plutonium 238). 6-2 : autre sortie de 4 h et décollage après un séjour de 33 h 31 min (2 sorties : 9 h 17 min). 7-2 : retour ; rapporte 42,9 kg de roches lunaires [la brouette lunaire *(Met* ou *Modularized Equipment Transporter)* fut utilisée].

Apollo 15 (26-7 au 7-8-71) 12 j 7 h 11 min 53 s. David Scott (6-6-32), Alfred Worden (7-2-32) et James Irwin (17-3-30/8-8-91) 30-7 : arrivée dans la mer des Pluies, au pied des Apennins. Scott et Irwin font un séjour de 66 h 55 min utilisant la « Jeep lunaire » pour 3 sorties (18 h 35 min). 4-8 : retour vers la Terre. 7-8 : amerrissage ; rapporte 76 kg de roches. 16 (16 au 27-4-72) 11 j 1 h 51 min, John Young (24-9-30), Charles Duke (3-10-35), Ken Mattingly (17-3-36), 21-4 arrivée près du cratère Descartes ; séjour 71 h (3 sorties de Young et Duke : 20 h 14 min ; 26,7 km parcourus) ; retour le 27-4 ; rapporte 95,4 kg de roches. 17 **(7 au 19-12-72) 12 j 13 h 52 min** Eugen Cernan (14-3-34), Ronald Evans (10-11-33/7-4-90), Harrison Schmitt (3-7-35 géologue), 11-12 arrivée dans les Mts Taurus près du cratère Littrow, séjour 74 h 59 min (3 sorties de Cernan et Schmitt : 22 h 5 min ; distance parcourue 36 km) ; 17-12 sortie dans le vide (Cernan) au retour ; rapporte 117 kg de roches.

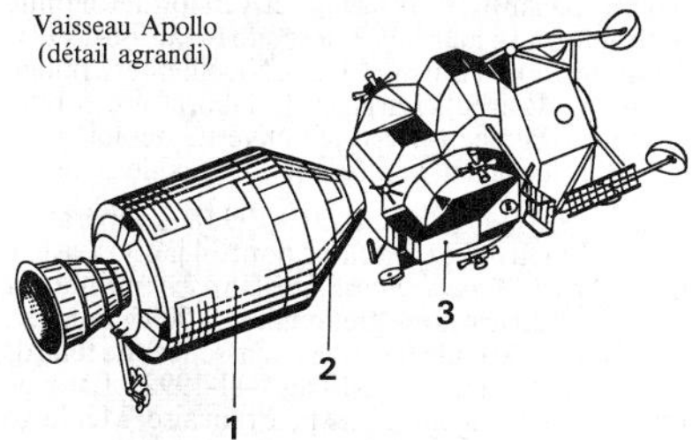

1. Compartiment moteur. 2. Cabine Apollo. 3. Compartiment lunaire.

☞ **Abandon des explorations lunaires avec alunissage.** Les vols Apollo 12 à Apollo 17 n'ont eu lieu que pour utiliser les fusées Saturn déjà existantes, les explorations scientifiques effectuées servaient seulement à justifier les expéditions. Les appareils de liaison Terre-Lune ont été débranchés le 1-10-77, les km de bandes magnétiques enregistrées ont été mises de côté et, sur les 382 kg de roches lunaires stockées, env. 350 kg n'ont pas été analysés. Une fusée Saturn restante a été exposée au centre spatial Kennedy et une autre à Houston. De nouveaux engins d'exploration lunaire sont envisagés pour les années 2000 (à partir de la future station spatiale américaine, pourraient être organisées des expéditions en vue d'implanter une base à l'un des pôles de la Lune). Les Soviétiques ont mis fin à leur programme lunaire en 1976 (après Luna 24).

ASTP (APOLLO-SOYOUZ TEST PROJECT)

Programme commun américano-soviétique. *Coût* pour les USA : 250 millions de $. Un vaisseau **Apollo** lancé le 15-7-75 [Thomas Stafford (17-9-30), Vance Brand (9-5-31) et Donald Slayton (1-3-24/13-6-93)] rejoint le vaisseau sov. **Soyouz 19** (Aleksey Leonov et V. Koubassov) s'y amarre le 17-7 [vol commun pendant 44 h à 225 km d'alt. ; transferts d'équipages, nombreuses expériences (physique, chimie, métallurgie, astronomie)] ; 24-7 retour après 9 j 1 h 28 min.

PROGRAMME SKYLAB (« LABO CÉLESTE »)

■ **Cabine Skylab.** *Atelier orbital :* long. 36 m, poids 90 607 kg, volume habitable 347 m^3 sur 407 m^2, salles de travail 17 m^2, salle de séjour 10 m^2, dortoir avec alvéoles individuels 7 m^2, débarras 3 m^2 ; température réglable de 16 à 32 °C. 4 panneaux de cellules solaires (111 m^2 au total). Lancé par Saturn I-B ; les astronautes le rejoignent avec un vaisseau Apollo.

■ **Vols. Skylab 2** (25-5 au 22-6-73) 28 j 49 min Charles Conrad, Paul Weitz, Joseph Kerwin rejoignent le Skylab mis sur orbite le 14-5-73 par Saturn V. Ils ont du mal à amarrer, à débloquer des panneaux solaires, ont une panne de batterie et doivent mettre en place un écran solaire de dépannage. *Distance parcourue :* 21,3 millions de km (404 révolutions). *Sorties dans l'espace :* Conrad 6 h 34 min, Kerwin 3 h 58 min, Weitz 2 h 11 min. *Nombre de photos prises :* 8 800 de la Terre, 30 000 du Soleil et des étoiles. 3 (28-7 au 25-9-73) 59 j 11 h 9 min, Alan Bean, Jack Lousma, Owen Garriott rejoignent le même Skylab (succès de l'opération malgré de nombreux incidents). *Distance :* 45,4 millions de km (858 révol.). *Alt. :* 450 km. *Sorties dans l'espace :* Bean 2 h 41 min, Garriott 13 h 42 min, Lousma 11 h 01 min (total 27 h 24 min). *Photos prises :* 77 000 du Soleil et des étoiles, 14 400 de la Terre. 4 (16-11-73 au 8-2-74) 84 j 1 h 15 min, Gerald Carr, William Pogue, Edward Gibson. Séjour interrompu par le manque de vivres. Nombreuses expériences. *Distance :* 63,9 millions de km (1 214 révol.). *Sorties dans l'espace :* durée totale + de 22 h. *Photos :* 17 000 de la Terre (étude relief et ressources), 75 000 du Soleil, des étoiles et de la comète Kohoutek.

☞ **Chute de Skylab.** Prévue pour 1983, mais les radiations solaires ont accru la densité de la haute atmosphère, augmenté le freinage subi, et précipité la chute. La navette spatiale qui devait lui apporter un moteur et faire remonter Skylab plus haut dans l'espace ne put être mise au point pour 1978 (comme prévu). A partir de févr. 1979, Skylab descendit en moyenne de 2 km par jour. En mai, il n'était qu'à 275 km de haut. Le 11-7-79 (après 2 249 j de vol), il rentrait dans l'atmosphère au-dessus de l'Australie et du sud de l'océan Indien. Sa désagrégation (sur 600 km) ne fit ni victimes ni dégâts. Les semaines précédant la chute, une inquiétude s'était manifestée, notamment en Inde.

NAVETTE SPATIALE OU STS (SPACE TRANSPORT SYSTEM)

Description. *Orbiter* (long. 45 m, envergure 14,4 m, poids à vide 67,5 t), destiné à être temporairement satellisé autour de la Terre à 500 km d'altitude récupérable et réutilisable (env. 100 fois). Ressemble à un gros avion doté d'ailes en delta, mais se comporte comme une fusée au décollage et comme un planeur à l'atterrissage. Il comprend un compartiment habité pour 8 pers. et 1 soute de 29 t. Lui sont fixés 1 réservoir de 700 t, largué à chaque voyage, alimentant les 3 moteurs de 211 t de poussée chacun, et 2 fusées à carburant solide de 1 200 t de poussée chacune (munies de parachutes, elles sont larguées avant la mise sur orbite et récupérées). *1ers vols : 18-2-77,* sur le « dos » d'un Boeing-747. *12-8-77,* 1er vol libre, après avoir décollé du Boeing porteur à 7 900 m d'altitude. *13-9-77,* 2e vol libre.

■ **Vols. STS-1 Columbia** (12-4 au 14-4-1981)² : John Young et Robert Crippen, 54 h 20 min 32 s, 36,5 révolutions autour de la Terre à 275 km d'alt. **STS-2 Columbia.** (12-11 au 14-11-81) : Joseph Engle et Richard Truly, 54 h 13 min 13 s à 250 km d'alt., écourté (défaillance d'une des 3 piles à combustibles). **3 Columbia** (22-3 au 30-3-1982)³ : Jack Lousma, Charles Fullerton (1 j de retard car mauvaise météo), 8 j 4 min 45 s. **4 Columbia** (27-6 au 4-7-1982)² : Thomas Mattingly, Henry Harstfield, 7 j 1 h 9 min 40 s. **5 Columbia** (11-11 au 16-11-1982)² : Vance Brand, Robert Overmyer, Joseph Allen et William Lenoir *1er vol opérationnel* de 5 j 2 h 14 min 25 s. Grâce à un propulseur à poudre PAM-D, largage de 2 satellites de télécom. : SBS-3 (USA) et Anik C-3 (Canada). Nombreuses expériences réalisées. Mais annulation d'une sortie dans l'espace de 2 astronautes (ennuis de scaphandres : manque de pressurisation de la combinaison de W. Lenoir et mauvais fonctionnement du système de ventilation de celle de J. Allen). **6 Challenger** *1er vol* (4-4 au 9-4-1983)² : Paul Weitz, Karol Bobko, Story Musgrave, Donald Peterson, 5 j 23 min 42 s. *5-4,* largage du sat. TDRS-1, qui ne parvient pas à être placé en orbite géostationnaire par le propulseur IUS. *7-4 :* Musgrave et Peterson sortent 3 h 50 min dans l'espace pour simuler des réparations. **7 Challenger** (18-6 au 24-6-1983)² : Robert Crippen, Frederick Hauck, John Fabian, Sally Ride *(26-5-1951, 1re femme amér. de l'espace),* Norman Thagard, 6 j 2 h 23 min 59 s. Largage des sat. de télécom. : Anik C-2 (Canada) et Palapa B-1 (Indonésie). A l'aide d'un bras télémanipulateur, largage à 2 reprises dans l'espace puis récupération du SPAS (Shuttle Pallet Satellite) d'instruments scientifiques. **8 Challenger** (30-8 au 5-9-1983)² : 5 hommes, 6 j 1 h 8 min 43 s. Mise en orbite du sat. indien Insat 1-B (le 31-8). Déploiement par le bras télémanipulateur du PFTA (Payload Flight Test Article), de 3,9 t en forme d'haltère. Expériences d'électrophorèse en apesanteur. **9 Spacelab** (28-11 au 8-12-1983)² : 6 hommes dont Ulf Merbold (All. féd.), 10 j 7 h 47 min 24 s. Emporte le laboratoire spatial européen Spacelab, dont c'était le 1er vol (voir p. 44 a). 72 expériences (57 européennes représentant 50 % de la charge utile, 14 amér. et 1 japonaise). **10 Challenger** (3 au 11-2-1984)¹ : 5 hommes ; 7 j 23 h 15 min 55 s. Mise en orbite de 2 sat. commerciaux. *1er vol libre de 2 astronautes* (Bruce McCandless et Robert Stewart) avec le fauteuil spatial MMU (Manned Manoeuvring unit). **11 Challenger** (6 au 13-4-1984)² : 5 hommes, 6 j 23 h 40 min 7 s. Réparation du sat. « Solmax » en orbite, par George Nelson et James Van Hoften. Remis en orbite. **12 Discovery** 1er vol (30-8 au 5-9-1984)² : Michael Coats, Richard Mullane, Steven Hawley (mari de la 1re femme-astronaute US), Judith Resnik (5-4-49/28-5-86) et Charles Walker *(1er passager non astronaute,* ingénieur chez McDonnell-Douglas) 6 j 44 h 56 min. Largage de 2 sat. de télécom. **13 Challenger** (5 au 13-10-1984)¹ : Robert Crippen, John McBride, Kathryn Sullivan *(1re sortie féminine dans l'espace),* Sally Ride *(1re Américaine à être allée 2 fois dans l'espace),* David Leetsma, Paul Scully-Power et Marc Garneau *(1er astronaute canadien),* 8 j 5 h 33 min 23 s. Mission : observation de la Terre par radar. **14 Discovery** (8 au 16-11-1984)¹ : 4 hommes, 1 femme, 7 j 23 h 56 s. Récupération et retour sur Terre pour réparation de 2 sat. placés sur de mauvaises orbites 9 mois avant (Westar-6 et Palapa B-2). **15 Discovery** (24 au 27-1-1985)¹ : 5 hommes. Lancement secret (militaire), 3 j 1 h 23 s. **16 Discovery** (12 au 19-4-1985)¹ : 7 hommes dont Jack Garn *(sénateur),* 6 j 23 h 55 min 23 s, largage de 2 sat. **17 Challenger** (29-4 au 6-5-1985)¹ : 7 hommes dont Norman Thagard, Lodewijk Vandenberg, 7 j 8 min 46 s, largage du sat. Nusat. Mission « Spacelab 3 ». **18 Discovery** (17 au 24-6-1985)² : Daniel Brandenstein, John Creighton, John Fabian, Shannon Lucid, Steven Nagel, Patrick Baudry *(1er vol d'un Français à bord de la navette),* Pce Abdul-Aziz-Al-Saud (Arabie S.), *1re mission avec 2 étrangers à bord,* 7 j 1 h 38 min 53 s. 3 sat. d'observation de télécom. et 1 plate-forme astronomique récupérée après 48 h largués. **19 Challenger** (29-7 au 6-8-1985)² : 7 hommes. Mission « Spacelab 2 », 7 j 2 h 45 min 26 s.

20 Discovery (27-8 au 3-9-1985)² : 5 hommes, 7 j 2 h 18 min 29 s. Largage de 3 sat. de télécom. Réparation dans l'espace de Syncom-IV-3. **21 Atlantis** *1er vol.* (3 au 7-10-1985)² : 5 hommes, 4 j 17 h 45 min. **22 Columbia** (30-10 au 6-11-1985)² : 8 astronautes dont 3 étrangers (record) : Henry Hartsfield, Steven Nagel, James Buchli, Guion Bluford, Bonnie Dunbar, Ernst Messerschmidt (All. féd.), Reinhardt Furrer (All. féd.), Wubbo Ockels (1er vol d'un Néerlandais) 7 j 44 min 51 s. Mission « Spacelab-D1 ». **23 Atlantis** (27-11 au 3-12-1985)² : 6 hommes dont Rodolfo Vela *(1er vol d'un Mexicain),* 1 femme, 6 j 21 h 4 min 50 s. Largage de 3 sat. de télécom. et d'une plate-forme d'observation astronomique. **24 Columbia** du 12 au 18-1-1986 (le décollage, prévu initialement le 18-12-85, dut être reporté 8 fois) (atterrissage différé de 48 h) : 7 hommes dont Bill Nelson *(représentant* démocrate de la Floride). 6 j 2 h 3 min 51 s. Largage du sat. Satcom K-1. Observation de la comète de Halley. **25 Challenger** (28-1-1986) : observation de la comète de Halley ; mise en orbite du satellite TDRS. Explosion 73 s après le décollage (défaillance d'un joint d'étanchéité sur l'un des propulseurs d'appoint), 7 astronautes (voir encadré p. 38). **26 Discovery** (29-9 au 3-10-1988)² : Frederick Hauck, Richard Covey, John Lounge, George Nelson, David Hilmers, 4 j 1 h 11 s. Largage du sat. TDRS. **27 Atlantis** (2 au 5-12-1988) : 5 hommes, 4 j 9 h 5 min 37 s. Largage d'un sat.-espion KH 12. **28 Discovery** (13 au 18-3-1989)² : 5 hommes, 4 j 23 h 38 min 52 s. Largage du sat. TDRS-D. **29 Atlantis** (4 au 8-5-1989)² : 4 hommes, 1 femme. Le 5-5 lancement de la sonde Magellan vers Vénus 5 j 1 h 9 s. **30 Columbia** (8 au 13-8-1989) : 5 hommes. Mission militaire secrète. Largage d'un sat. d'observation mil. **31 Atlantis** (18 au 23-10-1989)² : 4 hommes, 1 femme, 4 j 23 h 39 min 24 s. Le 5-5 lancement de la sonde Galileo vers Jupiter. **32 Discovery** (22 au 27-11-1989)² : 4 hommes, 1 femme. Mission militaire secrète 5 j 6 min 49 s. Largage d'un sat. d'écoute électronique. **33 Columbia** (9-1 au 20-1-1990)² : 4 hommes, 1 femme. Record de durée : 10 j 21 h 37 s. Rapatriement du sat. LDEF (10,5 t contenant 10 000 échantillons). Atterrissage à Edwards. **34 Atlantis** (1-3 au 4-3-1990)² : 5 hommes, mission militaire secrète. Largage d'un sat. d'observation sur le Grand Nord soviétique. 4 j 10 h 18 min 23 s. **35 Discovery** (24 au 29-4-1990) : 4 hommes, 1 femme. 5 hommes, 5 j 1 h 16 min. Mise à poste du télescope spatial « Hubble », à 620 km d'alt. (record pour une navette). **36 Discovery** (6 au 10-10-1990) : lancement de la sonde solaire américano-européenne « Ulysse », 4 j 2 h 11 min. **37 Atlantis** (15 au 20-11-1990)¹ : 5 hommes, mission militaire, largage d'un sat. d'écoutes électroniques « AFP-658 » pour la surveillance du golfe Persique, 4 j 21 h 55 min. **38 Columbia** (2 au 10-12-1990)¹ : (départ prévu le 12-5-90, reporté plusieurs fois) : 7 hommes, observation du ciel en UV grâce à la batterie de satellites « Astro-1 » fixés dans la soute, 8 j 23 h 6 min. **39 Atlantis** (5-4 au 10-4-1991)² : 4 hommes, 1 femme, 5 j 23 h 33 min 46 s. Largage du sat. GRO (Gamma Ray Observatory) de 17 t. 2 sorties de Ross et Apt (5 h 46 min et 3 h 30 min) pour débloquer l'antenne.

40 Discovery (28-4 au 6-5-1991) 8 j 7 h 26 min 16 s. Lancement initialement prévu le 9 : 6 hommes, 1 femme. Largage de sat. militaires. **41 Columbia.** (5-6 au 14-6-1991)² : 9 j 2 h 15 min 14 s. Lancement reporté le 22-5 puis le 1-6 (risque d'explosion dû à une panne du système de navigation). 4 hommes, 3 femmes dont Tamara Jernigan (n. 7-5-1959, *le + jeune astronaute* de la NASA). Étude de l'adaptation humaine à l'apesanteur, expérience avec le SLS (Space Laboratory Science). *Coût :* 175 millions de $. **42 Atlantis** (2 au 11-8-1991) : 8 j 21 h 22 min 26 s. 5 hommes. Largage d'un sat. Télécom, allumage de feu dans un caisson hermétique pour étudier la vitesse de propagation des flammes dans l'espace. **43 Discovery** (13 au 18-9-1991) : 5 hommes, 5 femmes, 5 j 8 h 28 min 17 s. Largage du sat. UARS. **44 Atlantis** (24-11 au 1-12-1991)² : 6 hommes, 7 j 2 h 52 min 3 s. Mission militaire. Largage de satellite DSP (Defense Support Programm, 2 350 kg, 1,65 milliard de F, géostationnaire). **45 Discovery** (22 au 30-1-1992)² (8 j 1 h 14 min) équip. 7 [dont Roberta Bondar (Can.), Ulf Merbold (All.)], emporte le Spacelab. **46 Atlantis** (25-3 au 2-4-1992), mission scientifique Atlas, *l'astronaute* belge Dirck Frimout. **47 Endeavour** (8-5 au 16-5-1992) de Cap Canaveral (8 j) : équipage 7 dont 3 (Pierre Thuot, Richard Hieb et Thomas Aker) sortent ensemble le 13-5 récupérer à la main Intelsat 6-F3 pour le réparer *(record de sortie dans l'espace 8 h 29 min).* **48 Columbia** (25-6 au 8-7-1992) : 5 hommes, 2 femmes ; mission USML-1 (voir Spacelab) ; 1er vol navette en version autonomie supérieure à 16 jours. **49 Atlantis** (31-7 au 7-8-1992) : 7 hommes dont 1 Suisse (Claude Nicollier) et 1 Italien (Franco Malerba). Largage du laboratoire orbital européen Eureca (4,5 t), tentative de déploiement du sat. à fil italien TSS (échec : fil pas déroulé).

50 Endeavour (13-9 au 20-9-1992). Coopération avec le Japon (43 expériences dont 34 jap.) ; 1 astronaute jap. et *1er couple marié dans l'espace* ; nombreux animaux (2 carpes, 4 grenouilles, 7 000 mouches, 180 frelons, 30 œufs fertilisés), naissances de têtards à bord. **51 Columbia** (22-10 au 1-11-1992). Largage du sat. Ital. Lageos 2 ; exp. Française Méphisto (fabrication d'alliage en apesanteur). **52 Discovery** (voir le chapitre Dernière heure).

Missions écourtées : 4 sur 44 vols en 10 ans : *1981* (avril) Columbia (panne de générateur) ; *85* (sept.) Discovery (1 j : cargaison) ; (déc.) Atlantis (1 h 30 pour éviter zone de mauvais temps) ; *91* (déc.) Atlantis (3 j : système de navigation).

Nota. – Bases d'atterrissage (1) *Cap Canaveral* (Floride) abandonnée de 1985 (explosion de Challenger) à 1991 pour des raisons de sécurité (piste de 4,9 km). (2) *Edwards* [Californie, lac asséché de 11 400 ha (piste de 12 km), climat désertique] quand la navette y atterrit, il faut la ramener à Cap Canaveral sur un Boeing 747 spécial (coût env. 3 millions de $). (3) *White Sands* (N.-Mexique).

■ EX-URSS

Quelques dates. Partie la 1re, l'URSS a d'abord, avec ses vols Vostok et Voskhod, remporté toutes les premières, et semblait, en 1964, avoir au moins 2 ans d'avance sur les États-Unis. Mais, au moment où commençait le programme Gemini, le programme Voskhod s'arrêtait après 2 vols seulement.

Les vols humains sov. ne reprenaient que 2 ans plus tard, mais pour connaître leur 1er échec avec la mort de Komarov à bord de Soyouz 1, le 24-4-1967. Pendant ce temps, le programme Gemini s'était déroulé, et les Amér. réalisaient des exploits.

En fév. 1992 on révélait que les Soviétiques avaient renoncé à « marcher sur la Lune » après 4 échecs d'une fusée géante N1 (10 000 t de poussée contre 3 500 pour Saturn V) dont le 3e eut lieu le 3-7-69 13 j avant l'exploit d'Apollo 11.

Programme Vostok (en russe : Orient)

■ **Cabine Vostok.** Sphère de 2,30 m de diam., 2 400 kg ; accolée à un compartiment des machines constitué par 2 troncs de cône accolés par leur grande base (2,60 m de diamètre), 2 300 kg. Le vaisseau était conçu pour fonctionner de façon entièrement automatique. Changements d'orbites impossibles. Dans la capsule, atmosphère ayant la composition de l'air (21 % d'oxygène, 79 % d'azote). Cosmonaute installé sur un siège éjectable. Les vols s'achevaient en parachute.

■ **Vols. Vostok 1** (12-4-61). *1er vol d'un homme dans l'espace (Youri Gagarine,* 27 ans*)* 1 h 48 min. Parcourt 45 000 km, 1 révolution (alt. max. 302 km, min. 175 km). **2** (6-8-61) Guerman Titov (25 ans), 329 j, 25 h 18 min. 17 rév. (alt. max. 256 km, min. 178 km). **3** (11-8-62) Andrian Nikolaiev (32 ans), 94 h 22 min. 64 rév. (alt. max. 251 km, min. 183 km). **4** (12-8-62) Pavel Popovitch (31 ans), 70 h 57 min. 48 rév. (alt. max. 254 km, min. 180 km). **5** (14-6-63) Valery Bykovski (28 ans), 118 h 56 min. 81 rév. (alt. max. 235 km, min. 181 km). **6** (16-6-63) Valentina Terechkova *(1re femme dans l'espace,* 26 ans*),* 70 h 50 min. 48 rév. (alt. max. 233 km, min. 183 km).

Nota. – Vostok 3 et 4 ainsi que Vostok 5 et 6 ont effectué un vol groupé.

Programme Voskhod (Soleil levant)

■ **Cabine Voskhod.** Vostok perfectionné pour accueillir 2 passagers. **V1** 5 320 kg. **V2** 5 680 kg.

■ **Vols. Voskhod 1** (12-10-64). Vladimir Komarov, Constantine Feoktistov, Boris Egorov. 24 h 17 min. 16 rév. (alt. max. 408 km, min. 178 km). **2** (18-3-65). Pavel Belaïev, Alexei Leonov. 26 h 12 min. 17 rév. (alt. max. 495 km, min. 173 km). Au début de la 2e révol., Leonov sort de la cabine revêtu d'un scaphandre spécial et reste 20 min à l'extér. dont 10 à flotter dans l'espace à plusieurs m de la cabine.

Programme Soyouz (Union)

■ **Cabine Soyouz.** Légère et maniable, destinée à être aussi bien un élément d'une grande station orbitale qu'un vaisseau pour l'exploration du cosmos ; 6 800 kg ; long. : 7,5 m ; diam. max. : 2,72 m ; volume habitable : 10 m³. Composée de 3 modules accolés : module de descente, compartiment orbital et compartiment des instruments (portant à sa partie arrière 2 panneaux solaires de 8,37 m de long).

■ **Vols. Soyouz-1** (23-4-67). Vladimir Komarov (tué en vol le *24-4 :* les parachutes du vaisseau ne se sont pas ouverts et la cabine s'est écrasée au sol). 26 h 48 min. 18 rév. **2** (25-10-68) inhabité ; alt. max. 225 km, min. 205 km ; retour 28-10-68. **3** (26-10-68) Gueorgui Beregovoï ; 94 h 51 min (alt. max. 252 km, min. 179 km) ; rejoint *Soyouz 2* inhabité, lancé 25-10, mais ne s'y amarre pas. **4** (14-1-69) Vladimir Chatalov ; 71 h 12 min ; 48 rév. **5** (15-1-69) Boris Volynov, Evgueni Khrounov, Alexis Elisseiev ; 72 h 54 min ; 50 rév. (alt. max. 230 km, min. 200 km) ; accoste *Soyouz 4* qui revient en prenant 2 hommes de *Soyouz 5* (Khrounov et Elisseiev). **6** (11-10-69) Gueorgui Chonine, Valery Koubassov ; 118 h 58 min. **7** (12-10-

69) Anatoli Filiptchenko, Vladislas Volkov, Victor Gorbatko ; 119 h 12 min. 8 (13-10-69) Vladimir Chatalov, Alexis Elisseiev ; 118 h 50 min ; 3 *Soyouz (6, 7, 8)* ont fait des vols groupés sans accostage. 9 (2-6-70) Andrian Nikolaïev, Vitali Sevastianov ; 17 j 16 h 59 min ; reviennent 19-6. 10 (23-4-71) Vladimir Chatalov, Alexis Elisseiev, Nikolaï Roukavichnikov ; rejoint l'engin *Saliout* (Salut), élément central d'une station spatiale lancé le 19-4-71, et s'y amarre 5 h 30 min ; vol 47 h 46 min ; revient le 25-4. 11 (6-6-71) Gueorgui Dobrovolski, Viktor Patsaiev, Vladislas Volkov ; rejoint *Saliout 1* (où ils passent 23 j 18 h 22 min) ; après 24 j 19 h dans l'espace, meurent au retour le 29-6 vers 23 h 55 (dépressurisation soudaine de la cabine). *Saliout 1* a été volontairement détruit le 15-10. 12 (27-9-73) Vassily Lazarev, Oleg Makarov ; nouveau matériel ; 7 h 16 min, retour 29-9. 13 (18-12-73) Piotr Klimouk, Valentin Lebedev ; observation de la comète Kohoutek ; 118 h 5 min ; retour 25-12. 14 (3-7-74) Pavel Popovitch, Youri Artioukhine ; rejoint *Saliout 3,* le 5-7. vol 337 h 26 min ; retour 19-7. 15 (27-8-74) Guennadi Sarafanov, Lev Demine ; approche plusieurs fois de *Saliout 3* le 28-8 ; 48 h 12 min ; retour 28-8. 16 (2-12-74) Anatoli Filiptchenko, Nikolaï Roukavichnikov ; essais réussis du collier simulateur de jonction avec le vaisseau *Apollo ;* répétitions des opérations d'amarrage et de démarrage ; 142 h 24 min. Retour 8-12. 17 (10-1-75) Alexis Goubarev, Gueorghui Gretchko ; rejoint *Saliout 4* le 12-1 ; 29 j 13 h 20 min ; retour 9-2. 18 (5-4-75) Vassily Lazarev, Oleg Makarov ; par suite défaillance de fusée porteuse à 165 km d'alt. retour après un vol suborbital de 21 min 27 s sur 1 574 km². 18 bis (24-5-75) Piotr Klimouk, Vitali Sevastianov (journaliste et cosmonaute) ; rejoint *Saliout 4* et s'y amarre 25-5 ; 62 j 23 h 20 min ; retour 26-7. 19 (15-7-75) Alexei Leonov, Valery Koubassov ; rejoint 17-7 par un vaisseau amér. Apollo ; vol commun à 225 km d'alt. 44 h ; transferts d'équipages d'un vaisseau à l'autre ; vol 142 h 01 min ; retour 21-7.

Soyouz-20 (17-11-75) sans équipage ; rejoint *Saliout 4* le 19-11 ; retour 16-2-76. 21 (6-7-76) Boris Volynov, Vitali Jolobov ; rejoint *Saliout 5* le 7-7-76. Vol 1 183 h 24 min ; retour 24-8-76. 22 (15-9-76) Valery Bykovski, Vladimir Aksenov ; 189 h 54 min ; retour 23-9. 23 (14-10-76) Viatcheslav Zudov, Valery Rodjestvensky ; échec de l'amarrage avec *Saliout 5* le 15-10 ; 48 h 20 min ; retour 16-10 sur lac Tenghir *(1er amerrissage d'un vaisseau cosmique soviétique).* 24 (7-2-77) Victor Gorbatko et Youri Glazkov ; amarrage avec *Saliout 5* le 8-2 ; retour 25-2. 25 (9-10-77) Vladimir Kovalenok, Valery Ryoumine ; échec d'amarrage avec *Saliout 6 ;* retour 11-10. 26 (10-12-77) Youri Romanenko, Gueorgui Gretchko ; amarrage avec *Saliout 6* le 11-12 contact avec *Soyouz 27* (voir ci-dessous) ; *Progress 1* (cargo spatial de 7 020 kg lancé le 22-1 qui repart le 7-2 pour être détruit en vol) et *Soyouz 28* (voir ci-dessous) ; les cosmonautes reviennent le 16-3-78 sur *Soyouz 27,* 96 j 10 h. 27 (10-1-78) Vladimir Djanibekov et Oleg Makarov rejoignent *Saliout 6* le 11-1 et repartent sur *Soyouz 26* le 16-1. 28 (2-3-78) Vladimir Remek (Tchèque) et Alexei Goubarev rejoignent *Saliout 6* le 3-3 ; retour 10-3. 29 (15-6-78) Vladimir Kovalenok, Alexandre Ivantchenkov rejoignent *Saliout 6* le 17-6 ; rejoints 28-6 par *Soyouz 30* (voir ci-dessous) ; 7-7 par *Progress 2* (camion spatial porteur d'instruments, d'1 t de carburant, de 235 kg d'aliments frais et de 181 d'eau ; quittera *Saliout* le 2-8 et brûlera dans l'atmosphère le 4) ; 10-8 par *Progress 3* (apporte vivres, matériel et guitare pour Ivantchenkov, quitte *Saliout* 21-8, se désagrégera 24-8) ; 4-10 par *Progress 4* (apporte les panneaux permettant de créer des cellules individuelles et quitte *Saliout* 24-10). Les 2 cosmonautes reviennent sur *Soyouz 31* le 2-11-78 après 139 j 14 h 48 min dans l'espace.

Soyouz-30 (27-6-78) Piotr Klimouk, Miroslav Hermaszewski (Polonais) rejoignent *Saliout* 6 28-6 ; retour 5-7. 31 (26-8-78) Valery Bykowski, Sigmund Jähn (All. dém.) rejoignent *Saliout 6 ;* reviennent 3-9 sur *Soyouz 29.* 32 (26-2-79). Vladimir Lyakhov, Valery Ryoumine rejoignent *Saliout 6* le 29-2 ; effectuent des réparations ; ravitaillés par *Progress 5, 6* et *7* (ce dernier modifie la trajectoire de *Saliout 6* le 3-7-79) ; contactés 11-4-79 par *Soyouz 33 ;* mais l'arrimage échoue ; nouvel échec en juin (un vol Soyouz annulé au sol, à cause d'un défaut dans le sas de *Saliout).* Lyakhov et Ryoumine demeurent 175 j 0 h 36 min dans *Saliout 6.* Études du 24-7 au 8-8-79 avec le radiotélescope KRT-10 de 10 m de diamètre apporté par *Progress 7* le 30-6-79. Le 8-6-79, arrimage automatique de *Soyouz 34,* inhabité (voir ci-dessous) : Lyakhov et Ryoumine l'utilisent pour revenir sur terre, le 19-8-79. *Soyouz 32* était rentré à vide le 13-6-79. 33 (10-4-79) Nicolas Roukavichnikov, Gueorgi Ivanov (Bulg.) ; à la suite d'une panne de moteur, renoncent à s'amarrer à *Saliout 6,* retour 12-4. 34 (6-6-79) ; lancé inhabité pour permettre à Lyakhov et Ryoumine de quitter *Saliout 6, Soyouz 32* étant devenu inhabitable retour 19-8. T1 (15-12-79) ; inhabité (plus léger et plus économique que les Soyouz habituels). Alt. 201 à 232 km ; révol. 88,6 min s'amarre le 19-12 à *Saliout 6 ;* s'en sépare le 24-3-80, revient le 26-3. 35 (9-4-80) Leonid Popov, Valery Ryoumine ; rejoint le 10-4 *Saliout 6,* à laquelle s'était amarré le 29-3 *Progress 8* (qui se sépare de *S. 6* le 25-4-80 et se désintègre). *Progress 9, 10* et *11* les ravitailleront. *Soyouz 36, 37, 38* les visiteront. Ils rentrent sur *Soyouz 37* le 13-10-80 après 184 j 20 h 12 min passés dans l'espace. 36 (26-5-80) Valéry Koubassov et le Hongrois Bertalan Farkas ; s'amarre 27-5 à *Saliout 6.* T2 (5-6-80) Youri Malychev et Vladimir Aksenov ; s'amarre 6-6 à *Saliout 6* 1re mission pilotée. 37 (23-7-80) Victor Gorbatko et le Vietnamien Pham Tuan ; s'amarre à *Saliout 6 ;* retour 31-7 sur *Soyouz 36.* 38 (18-9-80) Youri Romanenko et le Cubain Arnaldo Tamayo Mendez ; s'amarre à *Saliout 6 ;* retour sur *Soyouz 37.* 39 (22-3-81) Vladimir Djanibekov et le Mongol Jougdermidiin Gourragtcha ; retour 30-3. T3 (27-11-80) Oleg Makarov, Leonid Kizim, Guennadi Strekalov rejoignent *Saliout 6.* T4 (12-3-81) V. Savinykh et V. Kovalenok ; s'amarre à *Saliout 6* 13-3-81. 40 (14-5-81) Leonid Popov et le Roumain Dimitru Prunariu ; s'amarre à *Saliout 6* le 15-5-81 l'équipage procède, avec celui de *Soyouz T4,* à différentes expériences. T5 (13-5-82) Anatoli Berezovoï, Valentin Lebedev ; rejoint *Saliout 7* le 14-5 ; retour 10-12-82 à bord de *Soyouz T7.* Vol 211 j 8 h 5 min, près de 300 expériences dont une sortie dans l'espace le 30-7 pendant 2 h 33 min par Lebedev. T6 (24-6-82) Vladimir Djanibekov, Alexandre Ivantchenkov, Jean-Loup Chrétien *(1er Français dans l'espace) ;* rejoint *Saliout 7* 25-6 ; retour 2-7. T7 (19-8-82) Leonid Popov, Alexandre Serebrov, Svetlana Savitskaya *(2e femme dans l'espace) ;* rejoint *Saliout 7* 20-8 ; retour 27-8 à bord de *Soyouz T5.* T8 (20-4-83) Vladimir Titov, Guennadi Strekalov, Alexandre Serebrov ; échec de l'amarrage avec *Saliout 7-Cosmos 1443* le 21-4 ; retour 22-4 par suite du non-déploiement d'une antenne du radar d'approche de l'engin. T9 (27-6-83) Vladimir Lyakhov, Alexandre Alexandrov ; amarrage 28-6 *Saliout 7-Cosmos 1443,* pour former un « train spatial » de 47 t ; après le désarrimage de *Cosmos 1443,* est décroché, basculé de 180° et réamarré à l'avant de *Saliout 7* (16-8-83) ; revient sur Terre avec les cosmonautes le 23-11 après 149 j 10 h 29 min dans l'espace. T10 A (27-9-83) Vladimir Titov, Guennadi Strekalov. La fusée porteuse explose au départ. La cabine est éjectée par un dispositif de sauvetage et revient au sol à 4 km freinée par des parachutes. L'équipage est récupéré vivant. Devait rejoindre *Saliout 7.* T10 bis (8-2-84) Oleg Atkov, Leonid Kisim, V. Soloviev ; s'amarre à *Saliout 7* le 9-2-84. T11 (3-4-84) Yuri Malishev, Gennady Strekalov, et Rakesh Sharma *(1er cosmonaute indien) ;* retour 11-4 après 7 j 21 h 41 min à bord de *Soyouz T10 bis.* T12 (17-7-84) Vladimir Djanibekov, Igor Volk et Svetlana Stavitskaya *(1re femme à être allée 2 fois dans l'espace et à accomplir une sortie spatiale) ;* retour 29-7 après 11 j 19 h 14 min. T13 (6-6-85) Vladimir Djanibekov, Victor Savinyk remettent en état *Saliout 7* détruit partiellement par un incendie ; 26-9 retour de Djanibekov, Savinyk reste à bord avec Alexandre Volkov et Vladimir Vassioutine, arrivés sur *T14* le 17-9. 21-11 retour de *T13,* en urgence (Vassioutine doit subir une opération chirurgicale, *1er rapatriement pour raison sanitaire).* T14 (17-9-85) Vladimir Vassioutine, Alexandre Volkov et Georgui Grechko visitent les 2 commandants qui sont sur *Saliout 7 ;* relève partielle de l'équipage avec retour 26-9. T15 (13-3-86) Leonid Kizim, Vladimir Soloviev ; rejoint *Mir* le 15-3 ; utilisé le 6-5 par l'équipage pour rejoindre *Saliout 7-Cosmos 1686,* puis le 26-6 pour revenir à bord de *Mir ;* retour le 16-7.

TM1 (21-5-86) inhabité ; version allégée et améliorée de Soyouz T ; rejoint *Mir* le 23-5 et y reste amarré jusqu'au 29-5, puis est largué. TM2 (5-2-87) rejoint *Mir* le 8-2 ; Youri Romanenko (revient sur TM3 le 29-12-87 après 326 j 11 h 37 min), Alexandre Laveikine. TM3 (22-7-87) Alexandre Alexandrov, Mohammed Ahmed Faris (Syrien), Alexandre Victorenko ; rejoint *Mir* le 24-7 ; relève le 29-12 Romanenko, Alexandrov. TM4 (21-12-87) rejoint *Mir* 23-12 ; Anatoly Levtchenko († 6-8-1988), Moussakhi Manarov et Vladimir Titov. TM5 (7-6-88) Anatoly Soloviev, Victor Savinyk, Alexandre Panaiotov (Bulgarie) ; équipage de visite, pour 9 j et 20 h à bord de Mir. TM6 (31-8-88) Vladimir Liakhov, Valery Poliakhov, Mohmand Abdul Akhad (Pakistan) ; équipage de visite, 7 j à bord de *Mir.* TM7 (26-11-88) Alexandre Volkov, Sergeï Krikalev, Jean-Loup Chrétien (France) ; mission Aratzaz ; Chrétien regagne la Terre le 21-12 (après 24 j 18 h) avec Titov et Manarov arrivés sur *Mir* le 23-12-87. TM8 (5-9-89) rejoint *Mir* 8-9 ; Alexandre Viktorenko et Alexandre Serebrov ; le 1-2-90, pendant 4 h 59 min. 1re sortie des 2 en scooter Icare (220 kg propulsés par 32 moteurs) ; retour 19-2-90 sur TM9 après 166 j 7 h. TM9 (11-2-90) rejoint *Mir* 14-2 ; Alexandre Soloviev et Alexandre Balandine ; rejoint *Mir* le 13-2 ; retour 9-8-90 après 171 j 1 h ; relève Viktorenko et Serebrov. TM10 (1-8-90) ; rejoint *Mir* 4-8 ; Guennadi Strekalov et Guennadi Manakov ; retour sur *Mir 11* (10-12-90) après 130 j 19 h. TM11 (2-12-90) ; rejoint *Mir* 5-12 ; Viktor Afanasiev et Moussa Manarov accompagnés de Toyokiro Akyama (48 ans) 1er cosmonaute japonais et 1er journaliste à aller dans l'espace (7 j 22 h) ; relève Strekolov et Manakov qui rentrent avec Akiama. TM12 (18-5-91) 1re mission Juno ; Anatoli Artsebarski, Sergeï Krikalev, Helen Sharman (G.-B. 27 ans) ; rejoint *Mir* le 20-5, relève Afanassiev et Manarov ; mission de réparation de 5 mois ; retour 26-5. TM13 (2-10-91) ; rejoint *Mir* 5-10 ; Alexandre Volkov (Ukraine) ; relève Artsebarski, Franz Fibek (Autriche), Toktar Aoubakirov (Kazahkstan). TM14 (17-3-92) ; rejoint *Mir* 20-3 ; Alexandre Viktorenko et Alexandre Kalery ; relève de Krikalev et Volkov, Klaus Dietrich Flade (All.) ; étude homme en apesanteur. TM15 (26-7-92) ; Michel Tognini (Fr.), Anatoly Solokiev, Sergeï Avdeiev rejoint *Mir* 28-7 ; mission *Antarès* : 10 exp. (sciences de la vie 6, fluides et matériaux 2, technologie 2) + fixation sur une poutrelle de 15 m d'un moteur de 700 kg renforçant la capacité de manœuvre de la station ; retour 9-8-92. TM16 et 17 (voir chapitre Dernière heure).

Coût par personne admise à bord pendant 1 semaine pour l'une de ces missions : 12 millions de $.

Programme de stations orbitales

■ Saliout. Saliout 1 (avril 1971). Utilisé 2 fois. Le 2e équipage y trouva la mort à la suite d'une dépressurisation. 2 (3-4-73) ; longueur navette + laboratoire 20 m, larg. 4 m, poids 25 t, volume utile 100 m³ ; explosa 3 j après son lancement. 3 (25-6-74) ; alt. 247 à 293 km ; inclinaison 51,6° ; révol. 89,7 min ; arrimage avec *Soyouz 14* le 5-7 ; désamarrage 19-7 ; programme de recherches terminé 23-9 ; retombée (Pacifique) 24-1-75. 4 (26-12-74) ; orbite circulaire 350 km ; inclinaison 51,6° ; en 1975, 2 expéditions ont travaillé au total 3 mois à bord ; amarrage avec *Soyouz 17* le 12-1-75, *18 bis* le 25-5-75, *20* le 19-11-75 ; retombée (Pacifique) 3-2-77 après 12 188 révol. 5 (22-6-76) ; alt. 219 à 260 km ; inclinaison 51,6° ; révol. 89 min ; dotée d'un système de stabilisation électromécanique ; arrimage avec *Soyouz 21* le 7-7-76, *23* le 15-10-76, *24* le 8-2-77 ; retour 8-8.

Saliout 6 (29-9-77) alt. 219 à 275 km ; inclinaison 51,6° ; révol. 89 min ; porte 2 colliers d'arrimage (avant et arrière : 2 Soyouz peuvent s'arrimer simultanément) ; arrimage avec *Soyouz 26, 27, 28, 29, 30, 31, 32, 34, 35, 36, T2, 37, 38, T3, T4, 40 ;* ravitaillée par les cargos spatiaux *Progress 1 à 12. Cosmos 1267* (presque aussi lourd que la station) s'y amarre le 19-6-81 et forme avec elle un complexe orbital qui préfigure les stations orbitales modulaires de l'avenir. Il retombe dans l'atmosphère le 29-7-82. Pendant près de 5 ans sur orbite, *Saliout 6* a accueilli 27 cosmonautes qui ont effectué plus de 1 500 expériences (astrophysique, télédétection, technologie, etc.) en 676 j de vols pilotés. 5 équipages ont effectué des vols de longue durée (96, 140, 175, 185 et 75 j) ainsi que 11 équipages « visiteurs » dont 8 équipages « internationaux » (dont 1 non sov.). **Vie à bord.** *Pression atmosphérique :* entre 760 et 960 mm de mercure. *Atmosphère :* mélange gazeux assuré par des blocs de substances chimiques et un réseau de ventilation. L'oxygène est récupéré sur la vapeur d'eau dégagée par la respiration (Consommation : 25 l à l'heure.) Les autres substances dégagées (400) sont éliminées par des filtres au charbon actif (notamment 20 l de bioxyde de carbone à l'heure). *Température :* thermorégulation par double circuit à liquide indépendant : 1 pour le refroidissement, 1 pour le réchauffement (assuré par des tuyaux captant la chaleur solaire). Entre 15 et 25°C. *Hygrométrie :* entre 20 et 80 %. La respiration et la transpiration dégagent environ 2 kg de vapeur d'eau par jour et par homme. Celle-ci est régénérée dans des condensateurs et rendue à la consommation sous forme d'eau pure. *Alimentation :* rations de 3 000 calories puis 3 300 (boîtes de conserve, bouchées de pain coupées en cube et enveloppées dans du plastique) ; petit déjeuner 9 h/9 h 20 ; déjeuner 14 h/14 h 40 ; goûter 19 h 15/19 h 30 ; dîner 22 h 30. Les cosmonautes disposent d'un four. *Toilette (douche) :* 40 min, par linge humide ; dentifrice non moussant ; rasoirs munis d'aspirateur pneumatique pour les débris de poils. *Loisirs :* vidéo, disques, magnétoscope, jeux de société ; contact par radiotélévision avec des familles. 1 h d'exercices physiques à midi (vélo et piste roulante) + 40 min le soir. *Travail :* 42 h par semaine (expériences scientifiques, entretien du vaisseau). *Repos hebdomadaire :* 1 j. *Sommeil :* obligatoire de 23 h 30 à 8 h. Repos d'1 h avant le repas de midi. *Compte rendu de la journée :* pendant le contact avec la Terre (de 21 h 30 à 22 h 30).

Saliout 7 (19-4-82) poids : 20 t, alt. 219 km à 278 km ; inclinaison 51,6° ; révolution en 89,2 min, avant d'être relevée sur orbite plus élevée entre 300 et 350 km d'alt. Analogue à *Saliout 6*, avec améliorations, système d'amarrage + grand, système de pilotage cybernétique opérationnel, 2 hublots transparents au rayonnement UV, un groupe de téléscopes X remplace le télescope submillimétrique de *Saliout 6*, nouveau système d'examen et de diagnostic « Aelita », au poste de pilotage principal sièges amovibles légers ; espaces de rangement ; parois latérales vertes et crème, plafond blanc ; ventilation moins bruyante ; nouveau système d'alimentation en eau potable ; réfrigérateur, etc. Ravitaillée par cargos automatiques *Progress 13 à 22* amarrage avec *Soyouz T5* du 13-5 au 10-12-82 ; *Soyouz T6* du 24-6 au 2-7-82 ; *Soyouz T7* du 19 au 27-8-82. *Cosmos 1443* du 10-3-83 au 14-8, *Soyouz T9* du 28-6-83 au 23-11 Lyakhov et Alexandrov le 1-11 et le 3-11 au cours de 2 sorties dans l'espace (durée totale : 5 h 45 min) installent 2 panneaux solaires supplémentaires. Réactivée par Leonid Kizim et Vladimir Soloviev après leur arrivée sur *Soyouz T15* le 6-5-86. 5 équipages s'y sont succédé (Kizim, Soloviev et Alkov y sont restés 237 j ; Jean-Loup Chrétien y séjourna du 24-6 au 2-7-82). Occupée jusqu'au 25-6-86. Après avoir permis + de 800 h de vols habités (10 équipages différents ont effectué 30 sorties dans l'espace, et utilisé 175 types différents d'appareils scientifiques), a été placée le 20-8-86 sur une orbite à 480 km ; ne sera plus habitée. Elle devait tourner jusqu'en 1994 mais s'est désagrégée puis est tombée dans le sud de l'Argentine le 7-2-91 avec le module *Cosmos 1686* lancé le 27-9-89 qui avait été raccordé et qu'on ne pouvait détacher.

■ **Mir** (20-2-86) alt. 330/360 km ; inclinaison 51,6°. Version améliorée de *Saliout 7*. *Sas d'amarrage :* 6 permettant d'y accoupler simultanément autant de vaisseaux, automatiques ou habités. *Compartiments :* 2 pressurisés (c. de transfert et de travail) à l'avant, 1 non pressurisé (c. des moteurs) à l'arrière. *Masse totale :* 21 t. Devrait constituer à terme le noyau central d'une station spatiale modulaire habitée en permanence par des cosmonautes. **1986** *Progress 25* (lancé 19-3), *26* (23-4) ; *TM* (21-5). **1987** *Progress 27* (16-1) ; *28* (3-3), *29* (21-4), *30* (19-5), *31* (4-8), *32* (24-5), *33* (21-11) ; *TM2* (6-2), *3* (22-7), *4* (21-12) ; *Kvant* (31-3). **1988** *Progress 34* (21-1), *35* (24-3), *36* (13-5), *37* (15-7), *38* (17-12), *39* (25-12) ; *TM5* (7-6), *TM6* (29-8), *TM7* (25-11). **1989** (27-4) Valery Poliakov, Alexandre Volkov et Sergeï Krikalev regagnent la Terre sur *TM-7*. Mir mise en sommeil (retard dans la mise au point d'un nouveau modèle orbital, coût d'exploitation élevé). *Progress 40* (10-2), *41* (16-3), *M* (23-8), *M-2* (20-12), *Kvant 2* [26-11, module D (Doosnashcenyie = élément additionnel), (volume habitable supplémentaire de 61,9 m³, volume utile 160 m³) qui est amarré le 6-12 à l'avant de *Mir*, puis transféré latéralement en attendant la jonction symétrique d'un 3ᵉ module au printemps 1990]. *TM8* (8-9) (amarrage manuel par l'équipage, panne du système de guidage automatique), *TM9* (11-12), *TM10* (1-8), *TM11* (2-12), *Kvant 3 (Kristall)* (31-5) destiné à la fabrication de matériaux dans l'espace. **1990** *Progress M3* (28-2), *42* (M5), *M4* (15-8), *M5* (27-9). **1991** *Progress M6* (14-1), *M7* (19-3), *M8* (30-5), *M9* (20-8), *M10* (17-10), *TM12* (18-5), *TM13* (2-10). **1992** *Progress M11* (25-1), *TM14* (17-3), *TM15* (29-7). **1993** (prévisions) amarrage de modules supplémentaires : *mars* Spectre (20 t, télédétection multispectrale) ; *Déc.* Priroda (20 t, télédétection optique). *Fin 93* par Bourane, module biotech. 37K (9 t, dérivé de Kvant-1) prototype de la future station Mir-2. **1994** (voir chapitre Dernière heure).

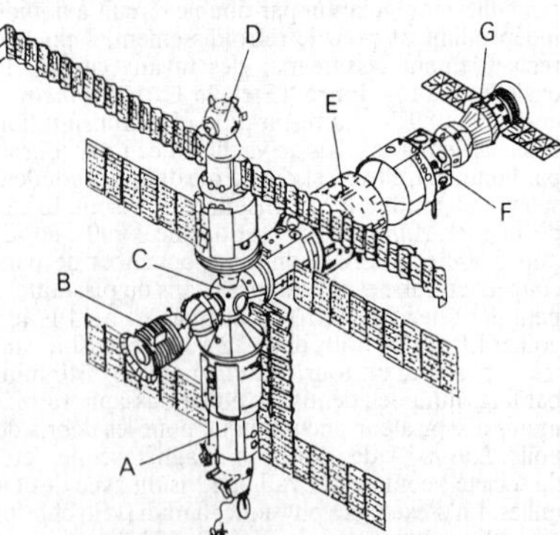

Assemblage sur une station Mir (13,21 m)
(A) Kvant 2 (diam. 4 m, long. 14 m, 20 t atelier). (B) Soyouz (7 t). (C) Collier d'amarrage. (D) Kvant 3 (20 t). (E) Mir (26 t, 13 m). (F) Kvant 1 (11 t, 6 m³, destiné aux observations astronomiques). (G) Progress (vaisseau de ravitaillement). 6 t. Fin 1991 Kvant 4 (20 t, télédétection et astrophysique), fin 1992 Kvant 5 (20 t, écologie) soit 130 t au total.

Navette soviétique Bourane. 1ᵉʳ vol orbital (automatique) le 15-11-88. Essai à vide de 205 min.

Comparaison avec la navette américaine : *voilure* idem (24 m d'envergure, 250 m² de surface claire), *fuselage* (36 m contre 37,2) sur (5,6 m contre 5,5), *volume de la cabine* (70 m³ contre 71,5), *masses* au décollage (105 t) et à l'atterrissage (82 t) contre (124 t et 95 t). *Charge utile emportée* (30 t) ou rapportée (20 t) contre (29,5 t et 14,5 t). *Lancement :* amér. par 3 gros moteurs à hydrogène et oxygène liquides disposés à l'arrière ; sov. par le lanceur lourd Energia.

Station spatiale Freedom

Programme. *Lancé* en 1984 par Ronald Reagan. Sera constituée d'une série d'éléments transportés par la navette et assemblés en orbite circulaire à 450 km env. de la Terre. En 1986, on la prévoyait de 100 × 44,5 cm avec une traverse de 153,3 m d'envergure portant des modules pressurisés habitables et des systèmes d'alimentation en énergie. Les modules seront reliés les uns aux autres par leurs extrémités à l'aide de tunnels-sas de passage. En 1990, on a prévu de réduire la structure porteuse et les modules pressurisés habités (14,5 à 8,9 m de long., diam. 4,6 m). **Étapes :** *1995 mise en orbite prévue ; fin 2000* habitable (ensemble d'env. 34 t, formé de 4 modules pressurisés et alimentés par un générateur solaire de 60 kW, auxquels s'ajouteront une ou deux plates-formes autonomes), pourra accueillir 4 astronautes pour des missions de longue durée (env. 3 mois). *V. 2000* station permanente d'env. 95 t formée de 4 à 6 modules pressurisés et d'une série de plates-formes autonomes, capable d'accueillir 12 à 18 astronautes. **Configuration éventuelle :** « Dual Keel » (double quille). 2 grands mâts parallèles de 90 m de long, joints à chaque extrémité par 2 mâts perpendiculaires plus courts, portant les plates-formes scientifiques et commerciales et les hangars des véhicules de servitude et de logistique. Sur cette structure un autre grand mât transversal de 90 à 100 m de long, portant à ses extrémités 2 centrales énergétiques hybrides (panneaux solaires + machines hybrides) et au centre l'assemblage de modules pressurisés et le poste d'amarrage de la navette spatiale. Les modules pressurisés sont disposés en parallèle par paires avec, à chaque extrémité, un tunnel servant de sas étanche. Aux modules américains viendront s'ajouter un module européen et un module japonais, et une « station-service » mobile canadienne, équipée de bras télémanipulateurs pour les travaux d'assemblage et de maintien. **Coût total** (est. en milliards de $) : *1984 :* 8, *1987 :* 37 (pour la version initiale), *1991 :* 51,5 (coût total + frais opérationnels : 118 en 2027).

Europe spatiale

Sommet de Grenade (9/10-11-92). **Orientations :** croissance annuelle du budget réduite de 5 % à 3,5 % jusqu'en 2000, vols habités fortement réduits (MTFF abandonné, Hermès réduit des 2/3 jusqu'en 1995), collaboration avec les Russes pour effectuer des économies, exigence de retombées dans le financement de Freedom. **Budget global engagé** (en milliards de F sans Ariane 5) : 42,4. *Programme d'observation :* 8,2 pour 2 satellites, Envisat-1 (7,9) et Metop-1 (0,3). *Transmissions :* 6,6, 1 satellite relais DRS au lieu de 2. *Colombus :* 23,9 dont APM 16,7, plate-forme polaire 4,8, vols précurseurs 2,2, études euro-russes sur future station 0,2. *Hermès :* 3,95 jusqu'en 1995 (dont étude navette euro-russe 2,36, études euro-am. d'un vaisseau de sauvetage ACRV 0,31, études logistiques 0,65, déjà engagé 0,6), soit 3 ans de réflexion sur la finalité du programme et recherche d'une coopération eurorusse. Causes : augmentation des coûts (de 14 à 56 MdF 92) que l'All. ne veut plus financer ; augmentation de poids (17 à 25 t) qui exige une reconfiguration (module largable avant atterrissage) et une nouvelle version Ariane 5 ; diminution de la charge utile (de 4,5 t et 6 hommes à 3 t et 3 hommes) ; opposition des milieux scientifiques à la présence humaine dans l'espace (voir p. 37 c).

Satellites européens

Esro 1A (Aurorae) (3-10-68) 86 kg ; étude ionosphère polaire et phénomènes auroraux ; retombé 26-6-70. **1B (Boreas)** (1-10-69) ; même mission ; retombé 23-11-69. **2 (Iris)** (17-5-68) 86 kg ; étude des rayons cosmiques, rayons X solaires ; retombé 9-5-71. **4** (22-11-72) 115 kg ; étude de l'ionosphère et des particules solaires ; retombé 15-4-74.

Heos 1 (Highly Eccentric Orbit Satellite) (5-12-68) 108 kg. Vent et particules solaires. **2** (31-1-72) 117 kg. Alt. 359 à 238 199 km. Magnétosphère polaire et milieu interplanétaire.

TD-1A (12-3-72) 472 kg. Alt. 533 à 545 km, astronomie en ultraviolet.

Cos-B (Cosmic Ray Satellite) (9-8-75). 280 kg. Alt. 350 à 100 000 km. Astronomie des rayons gamma. Fin le 26-4-82.

Geos 1 (20-4-77). 237 kg. Alt. 2 131 à 38 498 km, étude de la magnétosphère, orbite excentrique par suite d'une défaillance du lanceur Thor Delta 2914. **2** (14-7-78) 230 kg ; géostationnaire par 5° de long. est ; lancé de Cap Canaveral par Delta 3914.

OTS 1 et **2** (voir satellites de télécomm., p. 35 a).

Isee (International Sun Earth Explorer) (22-10-77) 158 kg. Alt. 280 à 38 137 km, étude de la magnétosphère terrestre. **1** (construit par la Nasa), et **2** (par l'ESA), lancés 12-10-77 ; **3** (12-8-78) placé en orbite solaire à 1,5 million de km de la Terre.

Météosat. Satellites géostationnaires. 3 sat. expérimentaux avant programme opérationnel (MOP). *Fonction :* prend des images toutes les 30 min, dissémination d'informations météo. Radiomètre imageur dans les bandes visibles et infrarouges. **Météosat 1/F1** (695,3 kg) lancé 22-11-77 par Delta, a fonctionné jusqu'en nov. 1979. **2/F2** (717 kg) lancé 19-6-81 par Ariane, utilisé jusqu'au 2-12-91. **3/P2** (696 kg) lancé 15-6-88 par Ariane 4 pour assurer la continuité en attente des satellites opérationnels et depuis déplacé à 75° W (fin 1992) pour compléter le réseau américain, de l'Atlantique au Pacifique. **4 MOP-1** lancé 6-3-89, opérationnel à 0° W ; **5**, lancé 2-3-91, réserve en orbite ; remplace provisoirement un satellite Goes (USA) 50° W. **6** prévu en 1993, **7** en 96, **8** en 98, puis Météosat 2ᵉ génération (MSG) en 2000.

IUE (International Ultraviolet Explorer) (26-7-78) 671 kg ; satellite astronomique pour l'étude du ciel en UV ; réalisé et exploité par Nasa, Agence spatiale européenne et G.-B. Fonctionne toujours.

Marecs (voir p. 35 b).

Exosat (European X-ray Observatory Satellite) (26-5-83 de Vandenberg par *Delta 3914*) 510 kg ; alt. 340/192 000 km ; localisation et cartographie des sources célestes de rayons X (naines blanches, pulsars, trous noirs) ; a cessé de fonctionner le 9-4-86 ; retombé 6-5-86.

ECS (voir p. 35 a).

Hipparcos (High Precision Parallax Collecting Satellite) (*8-8-89* de Kourou par Ariane). 480 kg ; sat. pour mesures d'astrométrie (doit mesurer à 0,002″ près les coordonnées et le mouvement propre de 114 488 étoiles). Découverte de centaines d'étoiles doubles.

Ulysse. (6-10-90 par Discovery) 370 kg ; sonde financée par la Nasa et l'ESA, 1ᵉʳ engin à sortir du plan de l'écliptique pour explorer les pôles du Soleil et le milieu interplanétaire ; file vers Jupiter à 55 400 km/h qu'elle a survolé le 8-2-92 à 375 000 km en l'utilisant comme tremplin gravitationnel, atteignant 450 000 km/h pour sortir du plan de l'écliptique, survolera le pôle Sud du Soleil en avril 1994 (la mesure du vent solaire sur ce pôle est le but principal), croisera l'écliptique en février 1995 et survolera le pôle Nord du Soleil en juin-sept. 1995 ; terminera sa mission en oct. 1995.

ISO (Infrared Space Observatory) sera lancé en 1994 par Ariane-4. Orbite 1 000/70 000 km. 2 300 kg ; sat. d'astronomie dans l'infrarouge doté d'un télescope de 60 cm de diam. et de 9 m de distance focale, refroidi à très basse température ; permettra l'étude des galaxies lointaines et des étoiles en formation.

ERS-1 (European Remote Sensing Satellite) (17-7-91) ; 2 384 kg ; alt. 840 km ; orbite pol., cycle alternativement 3 et 35 j, puis 176 j ; observation de la Terre et météo. ; 1 radar SAR/AMI (Synthesis Aperture Radar/Active Microwave Instrument) ; vision en relief (2 faisceaux) ; 1 diffusomètre vent ; 1 radioaltimètre ; radiomètre sondeur infrarouge ATSR (précision 1° C). Le plus coûteux des satellites ESA (3,2 milliards de F).

☞ Voir également le chapitre Dernière heure en fin de volume.

Programme « Space Science Horizon 2000 »

Solar-Terrestrial Science Programme. Soho (Solar and Heliospheric Observatory). Vers 1995 ; observatoire solaire à haute résolution, pour l'étude de la dynamique solaire et des phénomènes à l'origine du vent solaire. Étude de l'intérieur du Soleil par l'héliosismologie. Sonde placée en L1, point d'équilibre gravitationnel Terre/Soleil. **Cluster.** Vers 1996 ; 4 sondes (1er vol Ariane 5). Étude tridimensionnelle à petite échelle des processus physiques dans la magnétosphère terrestre avec 4 satellites.

Cassini (coopération Nasa-ESA). Étude détaillée de Saturne, de ses anneaux, de ses satellites par sonde Cassini (Nasa) qui larguerait une sonde de l'ESA (Huygens) dans l'atmosphère de Titan. Lancement prévu en 1997. Atteindrait la banlieue de Saturne en oct. 2005. Intérêt : l'atmosphère de Titan est la plus proche de celle de la Terre dans le système solaire.

XMM (X-Ray Multi-Mirrors) prévu 1998. Miroirs multiples : étude et relevé des sources de rayonnement X émis par amas galactiques et galaxies, associés à la prise d'images et à la spectroscopie à haute résolution dans le domaine des rayons X.

Projet Rosetta. Prévu v. 2003/2007. Sonde automatique pour prélever des échantillons sur une comète. Mission 8 ans. Coopération : vecteur Nasa, modules d'atterrissage et de prélèvement ESA.

Projet FIRST (Far-Infra-Red-Space Telescope). Télescope spatial (déployable de 8 m ; charge utile env. 2 t) pour l'infrarouge lointain et les longueurs d'ondes submillimétriques. Étude du milieu interstellaire. Présentation projet en 1993.

Lanceur européen Ariane

■ **Origine.** Lanceur développé et réalisé par l'Agence spatiale européenne ESA (gestion technique confiée au CNES), opérationnel depuis 1982 après 3 lancements de développement réussis sur 4. En 1984, après 4 lancements opérationnels (série de promotion) sous la responsabilité de l'ESA, les États européens ont confié à Arianespace la responsabilité de la commercialisation, de la fabrication et des lancements des versions 1, 2, 3 et 4 après leur qualification.

■ **Arianespace.** *Siège :* Évry (Essonne). *Créée* 26-3-1980. *P-DG :* Charles Bigot (Fr. 29-7-1932). Sté de droit privé destinée à produire, financer, commercialiser et lancer Ariane à partir du 9e lanceur opérationnel (22-5-1984). *Capital :* 270 millions de F, répartis entre 50 actionnaires (36 industriels eur. du secteur aérospatial, 11 banques eur. et le CNES) originaires de 11 pays (en %) : *France : 58,48,* All. 19,6 ; Belg. 4,4 ; Italie 3,6 ; G-B 3,17 ; Suisse 2,7 ; Espagne 2,5 ; Suède 2,4 ; P.-Bas 2,2 ; Danemark 0,7 ; Irlande 0,25. *Chiffre d'affaires en milliards de F 1990 :* 3,98. *91 :* 5,87. *92 :*5 (prévis. CA global d'ici 2000 : 70). *Bénéfice net 1990 :* 0,135. *91 :* 0,150.

■ **Caractéristiques. Ariane 1.** *3 étages : 1er :* haut. 18,40 m, diam. 3,80 m, 4 moteurs Viking V (62 t de poussée unitaire) ; contient 145 t d'ergols, d'UDMH (diméthylhydrazine) et N_2O_4 (peroxyde d'azote) ; après 135 s, est largué. *2e :* haut. 11,60 m, diam. 2,60 m, 1 moteur Viking IV (72 t de poussée) ; contient 34 t des mêmes ergols ; après 123 s, est largué. *3e :* haut. 8 m, diam. 2,60 m, étage cryogénique, moteur HM-7 (6,1 t de poussée) ; contient 8,2 t d'oxygène et d'hydrogène liquides qui brûlent 570 s, ensuite le satellite se sépare ; coiffe : 3,2 m de diam., 8,65 m de haut., 826 kg, larguée pendant le vol du 2e ét. à 110 km d'alt. env. *Au total :* 210 t au décollage (sans charge utile) ; h. 47,70 m. Peut placer 1 850 kg (1 sat. + moteur d'apogée) en orbite de transfert géostationnaire (200/36 000 km), ou communique à une charge de 980 kg la vitesse de libération (11,2 km/s).

Ariane 2/Ariane 3 (qualification août 1984). Augmentation de la masse d'ergols cryogéniques du 3e étage (de 8 à 10) ; de l'impulsion spécifique du moteur du 3e étage ; de la poussée des moteurs Viking des 2 premiers étages ; du volume sous coiffe par allongement de la partie cylindrique, charge utile 2,17 t.

Ariane 2 et Ariane 3 (sauf adjonction au 1er étage de 2 propulseurs d'appoint de 7 t d'ergol solide fournissant 70 t de poussée chacun) peuvent placer une charge utile de 2,7 t ou 2 satellites de 1,25 t sur orbite de transfert grâce au système de lancement double Sylda.

Ariane 4 (qualification juin 1988). *1er étage* allongé d'env. 7 m, emportant 226 t d'ergols, propulsé par 4 moteurs Viking V identiques à ceux d'Ariane 3, *2e et 3e* étages à structures renforcées. Nouvelle case à équipements sur laquelle vient s'adapter un dispositif pour lancements multiples (Spelda), coiffe de 4 m de diamètre, disponible en 2 longueurs. Existe en 6 versions caractérisées par le nombre (4,2 ou aucun) et par le type d'ergols (solide ou liquide) des propulseurs d'appoint du 1er étage. 70 Ariane 4 ont été commandées.

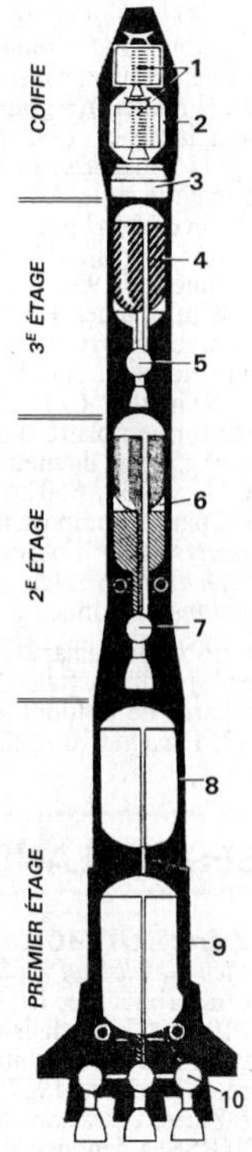

Légende. (1) 2 sat. sous la coiffe, maintenus par le système SYLDA. (2) Case d'équipements électroniques. (3) Réservoir. (4) Moteur HM-7. (5) Réservoirs (8 t d'oxygène et d'hydrogène liquide brûlées en 10 mn). (6) Réservoir de 33 t d'UDMH et de peroxyde d'azote brûlées en 139 s. (7) Par les moteurs Viking IV, le 1er étage fonctionne sur le même principe et pendant la même durée que le 2e. (8) 2 réservoirs d'oxyde d'azote. (9) Rés. d'UDMH. (10) 4 moteurs Viking V fournissent au départ une poussée de 245 t.

Charge utile plaçable sur orbite de transfert. *Ariane 40* 2 t ; *42P* (masse, 318 t) 2,7 ; *44P* 3,3 ; *42L* 3,35 ; *44LP* (masse, 480 t) 4 ; *44L* 4,5.

Ariane 5 (1er lancement de qualification prévu en 1996). *Composite inférieur,* étage cryogénique de 155 t d'ergols (hydrogène et oxygène liquides), 5,4 m de diam., moteur HM 60 (Vulcain, poussée 80 t au décollage et 100 t dans le vide) et 2 grands propulseurs latéraux à propergol solide (3 m de diam., 230 t de poudre, poussée env. 700 t chacun au décollage) ; *supérieur* selon la mission (lancement simple ou multiple, charge utile automatique ou vol habité) étage à ergols stockables (9,7 t), case à équipements, adaptateurs charges utiles et coiffe de 5,4 m de diamètre. Lors des missions habitées, le composite supérieur est remplacé par l'avion spatial Hermès. *Poussée totale :* 1 512 t au décollage ; *capacité :* 23 t en orbite basse et 6,8 t en orbite de transfert géostationnaire, 10 t en orbite polaire. *Participations (en %) :* France 44,7, All. 22, Italie 15, Belgique 6, Espagne 3, P.-Bas 2,3, Suède 2, Suisse 2, Danemark 0,5.

Ariane 6 (projet). Composé à partir d'étages d'Ariane 4 et d'accélérateurs à poudre d'Ariane 5 pour des lancements légers et moyens, y compris sur orbites polaires. 2 versions : *lourde* (390 à 490 t), placerait en orbite basse 5,4 t, polaire 3,5 t, géostationnaire 1,5 t ; *légère* (110 à 140 t), placerait en orb. b. 1,7 t, polaire 1 t.

■ **Lancements de Kourou (Guyane). Vols de qualification :** **1** (Ariane 1) *24-12-79* succès. **2** *23-5-80* (Ar 2) [échec, déséquilibrée par la panne d'un moteur, tombe à la mer avec 3 satellites (Firewell [20] et Oscar 9 [19]), après 108 s de vol]. On parle de sabotage mais l'hypothèse d'un défaut de conception est retenue. **3** *19-6-81* (Ar 1) mise en orbite Météosat 2 [1], Apple [29]. **4** (Ar 1) *20-12-81* Marecs-A [1], expérience *Thésée* [1], étude de l'ionosphère. **Vols de promotion (opérationnels) :** **5** *10-9-82* (Ar 1), échec (avarie de la turbo-pompe du moteur du 3e étage après 9'20" de vol) ; perte de Marecs-B [1] et Sirio-2. **6** (Ar 1) *16-6-83* ECS-1 [1] (1 043 kg) et Oscar-10 [14] (130 kg) ; 1re utilisation réussie du système de lancement double (Sylda). **7** *19-10-83* (Ar 1) Intelsat V-F7 [15]. **8** *4-3-84* (Ar 1) Intelsat V-F8 [15]. **9** *22-5-84* (Ar 1) Spacenet F1 [31] ; 1er lancement sous la responsabilité d'Arianespace. **10** *4-8-84* (Ar 3) Télécom 1A [5] et ECS 2 [1]. **11** *10-11-84* Spacenet F-2 [31] et Marecs B-2 [1]. **12** *8-2-85* (Ar 3), Arabsat F1 [13] et Brasilsat F1 [30]. **13** *8-5-85* (Ar. 3), G-Star 1 [31] et Télécom 1-B [5]. **14** *2-7-85* (Ar 1), sonde Giotto [1]. **15** *12-9-85* (Ar 3), échec en présence du Pt Mitterrand, défaillance d'allumage du moteur du 3e étage, perte de Spacenet F3 [31] et ECS-3 [1]. **16** *21-2-86* (Ar 1), Spot-1 [2] (1er sat. sur orbite polaire par Ar) et Viking [36]. **17** *28-3-86* (Ar 3), G-Star 2 [31] et Brasilsat F2 [30]. **18** *31-5-86* (Ar 2), échec (défaillance d'allumage du 3e étage) perte d'Instelsat V-F 14 [15]. **19** *16-9-87* (Ar 3), ECS-4 [1] et Aussat K3 [17]. **20** *21-11-87* (Ar 2), TV Sat [33]. **21** *11-3-88* (Ar 3), Telecom 1C [4] et Spacenet III R [31]. **22** *17-5-88* (Ar 2), Intelsat V-F13 [15]. **23** *15-6-88* (Ar 44 LP 120), Météosat 3 (P2) [1], Oscar [13], Pan American Sat [41]. **24** *21-7-88* (Ar 3), Insat 1-C [29], ECS-5 [1]. **25** *8-9-88* (Ar 3), G-Star 3 [31], SBS-5 [18]. **26** *28-10-88* (Ar. 2), TDF-1 [3]. **27** *9-12-88* (Ar 44 LP 120), Astra 1A [25] Skynet 4 B [23]. **28** *27-1-89* (Ar 4), Intelsat V-F 15 [15]. **29** *6-3-89* (Ar 3, 44 LP 120), JC. Sat 1 [39] et Météosat-4, Mop [1]. **30** *2-4-89* (Ar 2), Tele-X [35]. **31** *5-6-89* (Ar 110, 44 L) Superbird A [41], DFS Kopernikus [32]. **32** *12-7-89* (Ar 3), Olympus 1 [1]. **33** *8-8-89* (Ar 44 LP 120), Hipparcos [1] et TV Sat 2 [33]. **34** *27-10-89* (Ar 44 L 020), Intelsat VI-F 2 [15]. **35** *22-01-90* (Ar 40 020), Spot 2 [2] et 6 microsatellites (G.-B. et USA). **36** *22-2-90* (Ar 44 L 120), échec : chiffon oublié dans la conduite d'alimentation en eau de la turbine D (malveillance), incendie d'un propulseur auxiliaire dû à de nombreuses fuites ; destruction de la fusée après 10 s de mise à feu, perte de Superbird B [40] et BS-2X [38]. **37** *24-07-90* (Ar 44 L120) TDF 2 [3], DFS Kopernicus 2 [32] (1 418 kg). **38** *30-8-90* (Ar 44 LP 120) Eutelsat II F1 [21] et Skynet 4C [23]. **39** *12-10-90* (Ar 44 L120) SBS 6 [12], Galaxy VI [12]. **40** *20-11-90* (Ar. 42 P021) Satcom C1 [11] et GSTAR IV [31]. **41** *15-1-91* (Ar 44 L110) Italsat 1 [27], Eutelsat 2-F-2 [21]. **42** *2-3-91* (Ar 44 LP 110) Astra 1B [25], Meteosat 5, Mop-2. **43** *4-4-91* (Ar 44 P010) Anik E2 [26]. **44** *17-7-91* (Ar 40 020 P) ERS 1 [1] et 4 microsatellites. **45** *14-8-91* (Ar 44 L 020) Intelsat VI F5 [15]. **46** *26-9-91* (Ar 44 P 020) Anik E1 [26]. **47** *29-10-91* (Ar 44 L 020) Intelsat VI F1 [15]. **48** *16-12-91* (Ar 44 L 110) Telecom 2 A [4], Inmarsat 2 F3 [22]. **49** *26-2-92* (Ar 44 L 110). Superbird B1 [40] ; Arabsat 1C [13]. **50** *15-4-92* (Ar 44L + 110) Inmarsat 2 F4, Télécom 2B [4]. **51** *9-7-92* (Ar 44 L 110) Insat 2A [28], Eutelsat-II F4 [21]. **52** *10-8-92* (Ar 42 P 020) Topex Poseidon [7], Kitsat-A [41] et S80T [2]. **53** *10-9-92* (Ar 44 LP 110) Hispasat 1A [37] et Satcom C3 [16]. **54** *28-10-92* (Ar 42 P + 010) Galaxy VII [12]. **55** *1-12-92* (Ar 42 P + 010) Superbird-A1 [40] **Ariane 56 à 62** (voir chapitre Dernière heure).

Commandes. *Juin 1993 :* 39 lancements entre le vol 55 et fin 1996 (17,8 milliards de F), soit 59,5 % du marché (contre 27 % à Atlas et 13,5 à Thor Delta). Ariane pourrait céder des contrats aux russes (Proton) pour éviter un dumping.

Nota. - Clients : (1) ESA. (2) CNES. (3) TDF. (4) France Telecom. (5) PTT. (6) Aérospatiale Club Esie Espace. (7) Nasa. (8) Amsat NA USA. (9) Pan American. (10) Orbital Science Corp. USA. (11) GE American Comm's inc. (12) Hugues COMM'S inc. (13) Arabsat Org. (14) Amsat. (15) Intelsat. (16) Satcom C3. (17) Aussat (Austral.). (18) Sat. Transponder Leasing. (19) U.SAT/SST. (20) Max Plank INST. (21) Eutelsat. (22) Inmarsat GB. (23) Ministère de la Défense G.-B. (24) Surrey Sat G.-B. (25) Sté Européenne des Sat. (26) Telesat Canada. (27) Agence spatiale italienne. (28) Min. de l'Espace Inde. (29) Isro (Organisme de recherche spatiale indienne). (30) Embratel. (31) GTE Spacenet. (32) Deutsche Bundespost. (33) Min. de la Recherche et de la Technol. all. (34) Université technique Berlin. (35) Nordic Sat. CPNY. (36) Swedish Space Corporation. (37) Hispasat. (38) Nippon Hodo Kiyokai. (39) Japan Comm. Sat. (40) Institut coréen de Technol. (41) Space Communication Corporation Japon. (42) Pan American Sat/RCA.

■ **Bilan des lancements.** Vols (du 24-12-79 au 1-1-93) 53 dont 4 d'essai, 5 échecs. *Satellites lancés* (de 1984 au 31-12-1991) 68 (taux de succès 91,9 %) [dans le même temps Titan 3 : 8 (80 % succès), Atlas Centaure 6 (66 %)].

Laboratoire spatial européen (Spacelab : labo spatial)

■ **Caractéristiques.** Habitable et réutilisable, réalisé pour l'ESA, par l'industrie eur. (diam. ext. 4,1 m ; long. 7 m). *Charge utile :* masse 3,9 à 5,5 t avec module et palettes ; 7,6 à 8,5 t avec palettes seules. *Volume :* 8 m³ en module court, 22 m³ en mod. long. Comprend un laboratoire pressurisé long ou court + 1 à 3 palettes à instruments pour expériences dans le vide. Une partie du lab. pressurisé peut emporter une instrumentation commune à toutes les missions (calculateurs, enregistreurs magnétiques, baies de contrôle) ; l'autre partie et les segments de plate-forme peuvent emporter les expériences (fours, microscopes, app. photographiques, radars, etc.). *Coût* (à l'achèvement) : 1 milliard de $. *Equipage :* jusqu'à 4 ingénieurs et scientifiques. *Missions* (durée 7 à 30 j) : météo ; observation de la Terre ; télécom. ; études

■ **Eureca (European Retrievable Carrier).** CARACTÉRISTIQUES. Plate-forme autonome récupérable, dérivée du Spacelab, palette porte-instruments. *Haut.* 4 m, *diam.* 45 m, *masse* 4,5 t, *charge utile* 1 t (volume 8,5 m³), *coût* 2,6 MdF fin 1992. **Vol 1 :** *31-7-1992* lancement de Cap Carnaveral par Atlantis, *2-8* largage sur orbite de transfert ; *7-8* orbite définitive à 508 km avec 6 j. de retard (problème de calibrage des senseurs). *Missions* études solaires, poussière cosmique, essais de télécom inter-orbitales via Sat. Olympus, fabrication de matériaux croissance des cristaux et des protéines en apesanteur. *Récupérée* par STS le 24-6-93.

biologiques, biochimiques ; étude de mise au point de matériaux nouveaux.

■ Vols Spacelab 1 *28-11 au 8-12-1983* (vol STS-9) ; 1 module pressurisé long + 1 porte-instruments. 6 astronautes se relayant, dont l'All. Ulf Merbold. 72 expériences (science des matériaux, cristallographie, sciences de la vie, astronomie, physique de l'atmosphère, etc.). 2 *29-7 au 6-8-85* (vol STS-51-F) ; 3 porte-instruments ; 7 astronautes ; 13 expériences (astronomie, physique des plasmas, sciences de la vie) ; expérimentation d'un système de pointage des instruments astronomiques (IPS : Instrument Pointing System), et de l'*igloo* (cylindr. de 1 m de long.) abritant les sous-systèmes essentiels en l'absence de module habité. 3 *29-4 au 6-5-85* (vol STS-51-B) ; 1 module pressurisé long + 1 porte-instruments ; 7 astronautes ; expériences surtout consacrées à la science des matériaux. D-1 *30-10 au 6-11-85* (vol STS-61-A) ; 1 module pressurisé long ; 8 astronautes dont 2 All. (Reinhardt Furrer et Ernst Messerschmidt) et 1 Holl. (W. Ockels). *1er vol avec responsabilité étrangère* (All. féd.). 89 expériences réalisées, dont 52 allemandes (métallurgie spatiale, cristallographie, sciences de la vie...) ; essai du *Sled,* traîneau spatial conçu pour étudier les effets de l'apesanteur sur le corps humain. SLS-1 (Space Life Science) *5 au 14-6-91* (vol STS 40) 7 astronautes, 18 expériences surtout de médecine spatiale. IML-1 (International Microgravity Laboratory) *22 au 30-1-92,* expériences en microgravité ; 2e vol de Ulf Merbold (All.). Atlas-1 *(22 au 30-1-92)* 1re de 10 missions consacrées à l'étude de l'atmosphère ; 1er vol de Dirk Frimout (Belg.) USML-1 (Us Microgravity Laboratory) *(25-6 au 8-7-92),* 31 exp. de matériaux fluides, combustion, biotech. Spacelab J (Japon) *12 au 18-9-92,* 7 astronautes dont 1 Jap., 43 exp. dont 34 Jap.

AVION SPATIAL HERMÈS X2000

Origine. Proposé par le CNES et l'industrie française (Aérospatiale, Dassault-Breguet), adopté en nov. 1987 au niveau européen par l'ESA, qui a délégué la responsabilité du développement de l'avion au CNES. *1er vol orbital d'essai prévu en 2002.*

Coût du programme (avion plus installations au sol pour préparation, missions, contrôle ou entraînement, plus avion porteur, etc.) : *1992 :* 56 milliards de F (estimation). *Contributions envisagées (en %) : France 43,5 ;* All. ; 27, It. 12,10 ; Belg. 5,8 ; Esp. 4,5 ; P.-Bas 2,20 ; Suisse 2 ; Suède 1,3 ; Canada 0,8 ; Autriche 0,5 ; Dan. 0,45 ; Norvège 0,35. La Norvège quitte le programme.

Caractéristiques. Planeur hypersonique réutilisable ; *longueur :* 15,5 m ; *envergure :* 10,5 m ; *diamètre fuselage :* 3,4 m ; *masse au lancement :* 24 t [dont les ergols nécessaires à la satellisation (une partie se trouve dans un module propulsif largable)], au retour 15,5 t ; *charge utile :* 3 t ; *volume pressurisé :* 60 m³ ; *moteurs 400 N :* 16 ; *alt. :* 300 à 400 km ; *inclinaison :* 5 à 60° ; *vol :* 12 j. *Retour :* en vol plané hypersonique (Mach 25, températures extrêmes 1 600 à 1 800 °C) ; atterrissage à 370 km/h sur piste de 3 000 × 45 m en Guyane ou en Europe ; transporté sur le dos d'un avion porteur adapté (Airbus ?) ; *équipage :* 3 personnes ; *missions :* desserte en hommes et en matériel du laboratoire autonome de Columbus (MTFF), visite et desserte des stations amér. et sov., du laboratoire européen attaché à la station Freedom.

Hermespace. *Siège :* Colomiers (Fr.). *Créée :* 23-1-1992. *Mission :* développer la navette Hermès pour l'ESA. *Statut :* Sté de droit français. *Capital (%) :* Aérospatiale 26,3 ; Dassault-Aviation 25,3 ; Deutsche-Aerospace 33,4 ; Alenia 15. *Pt :* Johann Schaffler (All.).

COLUMBUS (EUROPE)

Origine. Projet (janvier 1985), approuvé par l'ESA (au niveau ministériel) le 10-11-1987 à la Haye.

Caractéristiques. *3 éléments : CAL (Columbus Attached Laboratory)* ou *APM :* module pressurisé habitable, raccordé en permanence à la station spatiale internationale (Freedom) (+ grand que le Spacelab européen, sera lancé en 1998 par la navette américaine) ; long. 11,8 m, masse au lancement 14 t, diamètre 4,5 m, charge utile 3,8 t ; 4 segments, volume 25 m³, surface 55 m² pour loger des expériences, durée de vie : 30 ans). *MTFF (Man-Tended Free Flyer),* abandonné nov. 1992 : module autonome visitable, long. 5,8 m, diamètre 4,5 m, masse au lancement 18 t, charge utile 6 t, durée de vie 10 ans, laboratoire exempt de perturbations, sera mis sur orbite par Ariane 5 en 2004. *CPP (Columbus Polar Plate form) :* plate-forme polaire d'observation de la Terre (Poem), long. 10 m, diamètre 4,6 m, envergure 26 m, masse 8 t, alt. 700 à 850 km. Non habitée. Remplacée en 1992 par des composantes spécialisées plus légères : *Envisat* (satellite d'observation), *Metop (météo océanographie), DRS (Data Relay System)* pour les transmissions de données.

Coût total *(est. 1991) :* 36 milliards de F (participation envisagée (en %) : All. 38, Italie 25, *France 13,8* dont CPP : 8 milliards de F. [dont (en %) G-B 25, *France 20,* All. 17, Espagne 10, Italie 10].

BASES DE LANCEMENT

■ **Allemandes. Zaïre :** *L'OTRAG* (*Orbital Transport und Raketen Aktien Gesellschaft,* « Sté par actions pour les transports orbitaux et les fusées ») avait obtenu en 1973, 100 000 km², dans le Shaba, pour un centre expérimental de vols orbitaux. Des expériences y ont été réalisées en mai 1977 et en juin 1978. En mai 1979, le Zaïre, en raison de l'hostilité de l'Angola et de l'URSS, a dénoncé le contrat et fait fermer la base. **Libye :** au sud de Tripoli, abandonnée en 1981 pour des raisons politiques. **Suède :** *Kiruna* utilisée pour des fusées-sondes.

■ **Américaines. Floride :** *John F. Kennedy Space Center (KSC),* base civile placée sous le contrôle de la Nasa sur le terrain de Merrit Island. *Eastern Test Range* ou *Cap Canaveral* (28° 27′ N, 80° 32′ O), dep. 1959. Zone militaire. A pris en 1964 le nom de Cap Kennedy, mais le Congrès américain a annulé cette décision en 1970. Le complexe n° 37 comprend une tour de 115 m en acier pesant 3 500 t (la plus grande construction roulante connue) ; le n° 39 (13 km²) comprend une installation centrale (Vab : Vehicle Assembly Building) de 160 m de haut et 128 m de façade et 2 plates-formes de lancement. **Californie du Sud :** *Vandenberg* ou *Point Arguello* 33° 37′ N, 120° 35′ O *(Western Test Range),* dep. 1957. **Virginie :** *Wallops Island* (37° 50′ N, 75° 29′ O) créée 1945.

■ **Australiennes. Woomera** (31° S, 136° E) : créée 1946, désaffectée 1977. **Cape York** (12,5° S) : [projet de centre spatial privé de la Cysa (Cape York Space Agency].

■ **Brésiliennes. CLBI (Centre de lancement de la Barrière de l'enfer près de Natal)** pour fusées-sondes. **Alcantara** (près de São Luis, 2,5° S. de l'équateur) dep. 1990, capable de lancer des satellites.

■ **Chinoises. Jiuquan. Xi-Chang :** (28° N, 102° E). **Taiyuan :** (38,5° N, 112,5° E).

■ **Européennes** (de l'Agence spatiale européenne) dans l'enceinte du CSG près de Kourou. *Ela 1* (Ensemble de Lancement Ariane 1), opérationnel 24-12-79 (lancement du 1er Ar. 1) permet lancements des Ariane 1, 2 et 3 désaffecté ; *Ela 2,* opérationnel 28-3-86 (lancement V 17, Ar. 3) permet lancements des Ar. 2, 3, 4. Mis en œuvre par Arianespace dep. lancement V 9 (22-5-84) ; *Ela 3,* prévue 1995-97 pour Ariane 5, vols automatiques et habités (Hermès). Bâtiment d'intégration lanceur (montage lanceur et charge) 58 m de haut ; bâtiment d'assemblage final (remplissage réservoirs) 90 m de haut ; pas de tir.

■ **Françaises. GSG (Centre Spatial Guyanais). Kourou :** (5° 14′N, 52° 45′O, 2 ensembles) mis en service en 1968 pour les fusées sondes (avril : 1re fusée lancée, une Véronique), puis les lanceurs Diamant. Assure pour Ariane le soutien logistique général, les poursuites du lanceur et la sauvegarde des personnes et des biens. *Intérêt de Kourou :* proximité de l'équateur (plus on s'en éloigne, plus la mise sur orbite exige d'énergie). Perte de performance par rapport à un lancement effectué de l'équateur : lancement effectué à 5° de l'équateur (Kourou) : 0,9 % ; à 12,5° (Cape York) : 5,3 % ; à 28,5° (Cap Canaveral) : 27,1 % ; à 30° (Tanegashima) : 27,1 % ; 55 % à 46° (Baïkonour). **Stations de lâcher de ballons :** *Aire-sur-Adour* (Landes), *Gap-Tallard* (Htes-A.) : 100 vols scientifiques annuels.

■ **Indiennes. Shriharikota** (SHAR Centre, 14° N, 80° E) : petite île au S.-E. de l'Inde, à 100 km au N. de Madras, inclut les sites de Thumba et de Balasore. **VSSC (Vikam Sarabhai Center)** Centre d'essai lanceurs.

■ **Israélienne. Palmadin** (Néguev, env. 30,8° N, 34,7° E). *Créée* 1988.

■ **Italienne. San Marco :** plate-forme au large du Kenya (2,9° S, 40,2° E). *Créée* 1966.

■ **Japonaises. Kagoshima** *Space Center* (131° 05′ E, 31° 15′ N). **Uchinoura** (Kagoshima). **Tanegashima** *Space Center* (130° 58′ E, 30° 24′ N).

■ **Kazakhstan. Tyuratam** (appelée initialement par l'URSS *Baïkonour,* du nom d'un village situé à 400 km pour égarer la surveillance am.) au N.-E. de la mer d'Aral, 46,25° N, 63,25° E).

■ **Russes. Kapustin-Yar** à E.-S.-E. de Volgograd, 48,25° N, 47,2° E). **Plesetsk** (à 200 km au sud d'Arkhangelsk, 63° N, 40,2° E), 1 112 lancements de 1957 à 1986 (base la plus active du monde).

■ **Suédoises. Esrange** (68° N, au nord du cercle polaire, base de l'ESA pour fusées-sondes). **Kiruna** (fusées-sondes).

ORGANISMES INTERNATIONAUX

■ **IAA (Académie internationale d'astronautique).** *Fondée* 1960. *Siège :* Suisse. *Pt :* G.E. Mueller. *Membres :* 699 appartenant à 39 pays. *Publication :* « Acta Astronautica » (revue mens.).

■ **Cospar (Committee on Space Research Comité mondial de la recherche spatiale).** *Fondé* 1958 par le Conseil intern. des Unions scient. *Siège :* Paris. *Pt :* W.I. Axford (n. 1933, N.-Zél.). *Membres :* Ac. des Sciences de 34 pays et 12 Unions scient. intern. *Publication :* « Advances in Space Research ».

■ **IAF (Fédération internationale d'astronautique).** Organisation non gouvernementale, à but non lucratif. *Fondée* 1950 pour favoriser le développement de l'astronautique dans des buts pacifiques. *Siège :* Suisse. *Secrétariat :* Paris. *Membres :* plus de 50 000, provenant de 62 sociétés issues de 36 pays.

AGENCES SPATIALES

■ **Australie. Comité spatial :** *fondé* 21-9-1986.

■ **Brésil. INPE (Institut national des Recherches spatiales) :** *fondé* 3-8-1961 ; regroupé par l'IAE (Institut d'études spatiales chargé de recherches sur les lanceurs) au CTA (Centre technique aérospatiale) à São José dos Campos. **Centre technique aérospatial :** CLBI (Natal).

■ **Canada. Agence spatiale :** *fondée* 1-3-1989.

■ **CEI.** *Russie :* RKA (Rousskoye Komitcheskoye Agentsvo) créée fév. 1992, Moscou. *Azerbaïdjan :* ANAKA créée fév. 92. *Ukraine :* agence spatiale nationale d'Ukraine créée mars 92. *Kazakhstan :* agence de recherche spatiale du K. créée sept. 92.

■ **Chine. MAS (Ministère de l'Industrie aérospatiale). Costind (Commission des Sciences, Technologies et Industries pour la Défense nationale). Cast (Chinese Academy of Space Technology). Calt (China Academy of Launch Vehicle Technology).**

■ **États-Unis. Nasa (National Aeronautics and Space Administration) :** agence civile fédérale *fondée* 1-10-1958 *(Administrateur général :* Daniel Goldin). *Effectifs 1965 :* 400 000 ; *1975 :* 24 616 ; *1984 :* 21 117 ; *1990 :* 23 735. *Siège :* Washington. *Bases de lancement :* voir ci-contre. *Centres de recherche :* Ames (Moffelt Field, Californie), Goddard (Greenbelt, Maryland), Langley (Hampton, Virginie), Lewis (Cleveland, Ohio), Jet Propulsion Laboratory (Pasadena, Calif., responsable des sondes automatiques lancées vers les planètes), Johnson Space Center (Houston, Texas, responsable de la préparation et du suivi des vols spatiaux pilotés), Marshall Space Center (Huntsville, Alabama), Stennis Space Center (Mississippi). *Programmes :* Mercury, Gemini, Skylab ; vol Apollo-Soyouz en coopération avec les Soviétiques, Space Shuttle (navette spatiale), Space Station, Marshall (Huntsville, Alabama).

Budget spatial américain (en millions de $). *1960 :* 1 066 (Nasa 524, Défense 561). *66 :* 6 970 (N 5 064, D 1 689). *72 :* 4 575 (N 3 071, D 1 407). *80 :* 8 684 (N 4 680, D 3 848). *85 :* 19 350 (N 6 440, D 12 910). *90 :* 24 600. *91 :* N 13 973 (dont recherche et management 2 185, recherche et développement 5 765, fonctionnement et opérations 5 590, infrastructure 2 185). *92 :* N 13 869.

Assurances spatiales

■ **Origine. 1965** *(6-4)* lancement d' Early Bird, 1er satellite assuré pour risques sol uniquement. **1974** (19-12) Symphonie 1, 1er sat. assuré pour un client non américain. **1977** (13-09) destruction du lanceur Thor-Delta 3914 et perte d'OTS 1 ; 1er sinistre indemnisé.

■ **Statistiques. Nombre de satellites assurés** (contre les risques d'échec au lancement) : *1990 :* 17 ; *91 :* 15 ; *92 :* 15. *Total 1990-92 :* 47 dont lancés par Ariane 26, Thor-Delta 9, Atlas Centaur 5, Long March 3, lanceur japonais H 2, Titan 1, navette spatiale amér. 1.

Maximum que l'ensemble des assureurs peut engager au titre d'un sinistre 1992 : 339,4 millions de $. *Répartition (en %).* USA 25, *France 20,* All. 18,3, G.-B. 13,20, Italie 11,8, Japon, Australie, Suisse, Suède, Belgique 11,3.

Montant de base des primes. 15 à 20 % des prix des satellites, (plus fort taux : 31,5 % pour le satellite japonais de télévision directe BS-2B lancé le 12-2-86), soit entre 42,5 (Arabsat 1C) et 256 (Superbird 2) millions de $ par lancement. **Primes encaissées** (en millions de $). *1990 :* 328, *91 :* 279, *92 :* 346. **Pertes connues** (en millions de $). Satellites lancés en *1990 :* 200 ; *91 :* 123,5 ; *92 (au 1-11) :* 160.

Bilan (1968-92) en millions de $. *Primes encaissées* 1 791, *Sinistres payés* 1 524. *Solde* 270.

■ Europe. **ESA (European Space Agency) ASE (Agence spatiale européenne) :** *fondée* 31-5-1975. Regroupe les activités européennes dans le domaine des satellites et des lanceurs (anciennes missions de Esro et de l'Eldo). *Siège :* Paris. *Dir. gén. :* Jean-Marie Luton (n. 1942) (France) jusqu'au 30-9-98. *Effectifs :* 1 750. *Membres :* Allemagne, Autriche, Belgique, Canada, Danemark, Espagne, Finlande, France, G.-B., Irlande, Italie, Norvège, P.-Bas, Suède, Suisse. *Établissements : Estec* (Centre européen de recherche et de technologie spatiales) Noordwijk (Pays-Bas). *ESOC* (Centre européen d'opérations spatiales). Centre principal de contrôle à Darmstadt (All.). *Esrin* Frascati (Italie) *créé 1965 ;* centre de gestion des données pour satellites de télédétection, banques de données scientifiques et techniques. *EAC* (Centre des astronautes européens), *créé 1991 ;* forme les astronautes européens depuis le 1-6-92.

Budget de l'espace en Europe (en milliards de F). *1992 :* 19 (dont en % syst. de transport spatiaux 47, Colombus 12,2, progr. scient. 9,8, télécom 8,6, observation de la Terre 6,8). *Plan 1993-2000 :* 159. *Dépenses (par tête par an en 1991) :* USA 700, *France 140. En % du PNB :* USA 0,6, France 0,1 (Europe 0,06).

■ France. **CNES (Centre national d'études spatiales) :** *fondé* 19-12-1961, succède au Comité de recherches spatiales. Placé sous triple tutelle (Industrie, Défense et Recherche) en avril 93. *Effectifs :* 2 444 [dont (en %) : Toulouse 66, Kourou 13, Evry 11, siège 10]. *Siège :* 2, place Maurice-Quentin, Paris 75001. *Pt :* René Pellat (né 24-2-1936). *Dir. gén. :* Jean-Daniel Lévi (n. 30-5-1940). *Établissements :* 3 centres spatiaux [Toulouse, Évry, Guyane (Kourou)].

Budget (en millions de F) : *1980 :* 1 907 ; *81 :* 2 617 ; *82 :* 3 013 ; *83 :* 3 560 ; *84 :* 4 890 ; *85 :* 4 929 ; *86 :* 6 042 ; *87 :* 6 076 ; *88 :* 6 660 ; *89 :* 8 083 ; *90 :* 9 258 ; *91 :* 10 054 ; *92 :* 10 623 (dont subvention 8 288) ; *93 :* 11 166 (dont subvention 9 200) + 2,5 de crédits militaires de l'espace (sur 3,5).

Répartition du budget (1993, en millions de F) : transport spatial 4 200 (dont développement d'Ariane-V et de dérivés : 2 720 ; avion spatial X2000 : 556) ; sciences 1 600 dont 789 pour l'observation de la Terre et l'environnement. *Filiales* [en 1992, chiffre d'aff. en millions de F (dont entre parenthèses hors groupe), en italique effectifs] : Arianespace 4 998 (4 270, bénéfice 145) *287,* Spot Image 215 (210) *175,* Intespace 205 (65) *156,* Simko 97 (87) *60,* CLS Argos 92 (67) *113,* Scot Conseil 27 (18) *29,* Novespace 16 (11) *11,* Dersi 1,3 (0,3) *4,* GDTA 22 (18) *32,* Medes/IMPS 10,5 (4,4) *10,* Satel Conseil 5,2 (4,6) *9,* Prospace 1 (0,8) *4 ; total* 5 689 (4 756).

■ Inde. **Isro (Indian Space Research Organisation) :** *fondée* 1969. *Siège :* Bengalore.

■ Israël. **ASI (Agence Spatiale Israélienne) :** *fondée* 1983.

■ Italie. **Agence spatiale :** *fondée* 8-6-1988.

■ Japon. **Isas (Institute of Space and Astronautical Science) :** *fondé* 14-4-1981. *Siège :* Kanagawa. *Dir. gén. :* Jun Nishimura. *Budget* (en milliards de yens) : *1991 :* 20,8. *Effectifs* (1991) : 276.

■ Nasda **(National Space Development Agency of Japan) :** *fondé* 1-10-1969. *Siège :* Tōkyō. *Pt :* Masato Yamano. Organisme semi-public, met en œuvre le programme spatial. *Budget* (en milliards de yens) : *1992 :* 1,47. *Effectif* (1992) : 961.

■ Royaume-Uni. **British National Space Center :** *fondé* 20-11-1985. *Siège :* Londres. *Membres :* 300.

OVNI

Généralités

Nom. Objet volant non identifié (OVNI) traduit de l'américain UFO (Unidentified Flying Object), remplaçant l'expression « soucoupe volante » (flying saucer) ; l'expression PANI (Phénomène Aérospatial Non Identifié), est tombée en désuétude.

Définition. Phénomène généralement fugitif et lumineux se situant dans l'atmosphère, au sol, sous la mer ou dans l'espace et dont la nature n'est pas connue ou reconnue par les témoins. **Particularités.** Fortes luminosités, immobilisations à altitudes variables, accélérations fulgurantes, changements brusques de direction, apparitions et disparitions instantanées, stabilité dans l'air (certains rapports font état de formes généralement humanoïdes, au sol, à proximité du phénomène).

Des interprétations ont été proposées. Ex. : *orthoténie* (thèse d'Aimé Michel qui l'a ensuite abandonnée d'après laquelle les points d'atterrissage auraient tendance à se situer sur des lignes droites ou, plus précisément, des arcs de grand cercle) et *isocélie* (thèse de J.-Ch. Fumoux affirmant que les points d'atterrissage se situeraient préférentiellement sur les sommets de triangles isocèles), mais des recherches statistiques approfondies permettent de les contester.

Effets secondaires constatés. 1°) *Sur le témoin. Psychologiques :* choc, peur, émerveillement, etc. *Physiologiques :* fourmillements, céphalées, conjonctivites, allergies cutanées, paralysie momentanée, dérèglements du cycle du sommeil, etc. 2°) *Sur l'environnement. Artificiels :* anomalies électriques, magnétiques, thermiques, mécaniques, voire radioactives. *Naturels :* traces au sol, brûlures, modifications de végétation, etc.

Historique. Bien que certaines observations anciennes puissent être considérées on admet généralement que l'histoire du phénomène a commencé le 24-6-1947, quand un industriel américain (Kenneth Arnold) affirma avoir observé, en survolant avec son avion les montagnes Rocheuses, 9 formes lumineuses discoïdales dont le mouvement évoquait celui des soucoupes ricochant à la surface de l'eau. Depuis, des phénomènes n'ont pas cessé d'être observés, particulièrement en 1947, 52, 54, 57, 65, 68, 74, 79, 80, 90.

Observations exceptionnelles. **France :** le 8-1-1981, à Trans-en-Provence, une sorte de sphère aplatie (2,50 × 1,50 m) atterrit silencieusement devant un témoin et repart 40 s après, avec un léger sifflement. Au sol sera découverte une empreinte circulaire striée. Les végétaux prélevés par la gendarmerie nat. et analysés à la demande du Gepan par un lab. de l'Inra, dénoncent un inexplicable vieillissement biochimique interne. **Belgique :** de l'automne 1989 au printemps 1991, témoignages évoquant des survols d'une plate-forme triangulaire équipée de divers feux lumineux et capable d'évoluer silencieusement et lentement à très basse altitude.

Organismes divers

Australie. *UFO Research Australia* (M. Vladimir Godic), POB 229, Prospect, South Australia 5082. Belgique. *SOBEPS (Sté belge d'étude des phénomènes spatiaux) :* av. P.-Janson 74, B-1070 Bruxelles, répondeur (2) 524 2848. Revue trim. : *Inforespace.* Espagne. *Cuadernos de Ufologia,* Rualasal 22, 39001 Santander. États-Unis. HISTORIQUE : plusieurs commissions (ou projets) : *Commission d'enquête. Sign* (30-12-47) ; *Grudge* (11-2-49) ; *Blue-book* (mars 52) (sur 10 147 cas examinés de 1947 à 1965, 9 501 ont été expliqués) ; *Com. d'étude du Colorado* (oct. 66 à 68), dirigée par le physicien Edward Condon qui, dans un rapport remis le 9-1-69, a conclu à l'inexistence des OVNI après avoir examiné une centaine de cas (dont un seul atterrissage) et bien qu'il n'ait pu expliquer env. 15 % de ceux-ci. *Mufon (Mutual UFO Network) :* c/o W. H. Andrus Jr., 103 Oldtowne Road, Seguin, Texas 78155-4099. Membres : 4 300 (dans le monde). *Cufos* (J. Allen Hynek, Center for UFO Studies) : 2457 W. Peterson, Chicago, Illinois 60659.

France. En cas de phénomène insolite : prévenir la gendarmerie ou le Sepra. **Organisme gouvernemental :** *Sepra (Service d'Expertise des Phénomènes de Rentrées Atmosphériques au sein du CNES) créé 1988 ;* 18, av. Édouard-Belin, 31055 Toulouse Cedex. Remplace le *Gepan* (créé 1977). **Associations :** *Cerpa (Centre d'Études et de Recherches sur les Phénomènes Aérospatiaux) :* BP 114, Marseille Cedex 10. *Commission nationale de recherche sur les Ovnis :* résidence des Châtaigniers 45800 St-Jean-de-Braye. *Cnegu (Comité Nord-Est des Groupements Ufologiques :* 318, tour de Neuvillers, 88200 Remiremont. *CRU (Comité de Recherche Ufologique) :* 2, rue Ronsard, 29200 Brest. *SOS Ovni :* siège, BP 324, 13611 Aix-en-Prov. Cedex 1, Minitel 3615 SOS Ovni ; 6 bureaux régionaux (dont *SOS Ovni :* c/o M. Thierry Rocher, 12, rue du Professeur-Ramon, 94700 Maisons-Alfort). *GEOS (Groupe d'étude des objets spatiaux) :* Saint-Denis-les-Rebais, 77510 Rebais. *GEPA (Groupement d'Étude de Phénomènes Aériens et aérospatiaux insolites) :* fondé 8-11-62, 69, rue de la Tombe-Issoire, 75014 Paris. *LDLN (Lumières dans la nuit) :* BP 3, 77123 Le Vaudoué (enquêteurs : *ANELDLN,* 25, rue de la Solidarité, 94400 Vitry-sur-Seine, Minitel 3615 Info Ovni). *Banque internationale de données ufologiques :* BP 10, 92323 Châtillon Cedex.

Grande-Bretagne. *ASSAP (Association for the Scientific Study of Anomalous Phenomena) :* c/o H. Evans, 59, Tranquil Vale, London SE3-OBU. *BUFORA (British Ufo Research Association) :* Suite 1, the Leys, 2c Leyton Rd, Harpenden, Hertfordshire, AL5-2TL. *FSR (Flying Saucer Review) :* Snodland, Kent, ME6 5HJ (G.-B.). Suède. *AFU :* P.O. Box 11027,3-600 11 Norköping. Suisse. *Ovni-présence :* case postale 25, 1800 Vevey 1.

☞ En sept. 1991, Doug Bower et David Chorley ont avoué être les auteurs d'empreintes apparues en G.-B. dep. 1980 dans les champs.

Géographie physique

La Terre

Caractéristiques

■ Age de la Terre. 4 450 à 4 650 millions d'années (datations potassium-argon), de même que pour la Lune et les météorites. **Théories anciennes.** *Upanishads indiens* (VIIe-Ve av. J.-C.) : 2 milliards d'années. *Bible* [interprétée par l'Irlandais James Usher (1581-1656)] : 4 004 ans, à la naissance du Christ ; pour des raisons religieuses, ce chiffre sera maintenu longtemps en Europe occidentale, notamment par Cuvier en 1830. *1758* [Jean Gesner (Suisse, 1709-90)] : 80 000. *1772* [Jean-Louis Giraud-Soulavie (Fr., 1752-1813)] : 6 millions. *1778* [Georges de Buffon (Fr., 1707-88)] : 75 000. *1838* [Charles Lyell (Angl., 1797-1875)] : 240 millions. *1862* [William Kelvin (Angl., 1824-1907)] : 20 à 400 millions. *1898* [Eugène Joly (Fr., 1845-97)] : 80 à 100 millions.

■ Axe de rotation de la Terre. L'axe étant incliné de 23° 27' sur le plan de l'écliptique, des cercles fictifs sont respectivement tracés à cette distance angulaire de l'équateur (tropique du Cancer au N., tropique du Capricorne au S.) et des pôles (cercles polaires). Ils déterminent les zones torride, tempérées et glaciaires. Dans la rotation de la Terre autour du Soleil, ils prennent des positions qui fixent les saisons par les solstices et équinoxes.

■ **Circonférence.** *Équateur* 40 075 017 m. *Méridien* 40 007 864 m. *Tropiques* (lat. 23°27') 36 784 632 m. *Cercle polaire* (lat. 66°33') 15 992 916 m.

■ **Dépressions principales.** Au-dessous du niveau de la mer (en mètres). **Afrique.** Lac Assal (Djibouti) 155. El Kattara (Égypte) 137. Danakil (N. de l'Afr.) 120. Chott Melrhir (Algérie) 31. Chott el Gharsa (Tunisie) 21. Dépression du désert de Libye 20 à 75. **Amérique.** Lac Salton (Calif., USA) 90. Vallée de la Mort (Calif., USA) 85,4. **Antarctide.** Marie Byrd Land (plateau Hollick-Kenyon, recouvert d'une couche de glace de 4 267 m) 2 468. **Asie.** Mer Morte (Israël/Jordanie) 394. Lac de Tibériade (Israël) 208. Oasis de Liouktchoum et de Tourfan (Chine) 100. **Europe.** Mer Caspienne (Azerbaïdjan, Russie, Kazakhstan, Turkménistan, Iran), la plus grande surface au-dessous du niveau de la mer (518 000 km², dont 371 790 couverts d'eau), 28. Wieringer (Polder IV, P.-Bas) 6,7. Bagband (Allemagne/Autriche) 1,1.

■ **Distance au Soleil.** *A l'aphélie* 152 105 142 km. *Au périhélie* 147 103 311 km.

■ **Énergie reçue du Soleil.** Varie comme l'inverse du carré de la distance. *Constante solaire :* énergie reçue à la distance moy. sur une surface normale à la limite de l'atmos. : env. 1,4 kW par m², c'est-à-dire 350 W/m² de surface terrestre totale.

■ **Formation.** La Terre se serait formée à température relativement basse par *accrétion* (collision et agglomération de « planétoïdes » ayant quelques km de dimensions), aurait ensuite partiellement fondu par accumulation interne d'énergie thermique venant d'un tassement du matériau et de la radioactivité de certains éléments (uranium, thorium, potassium 40). Ni la contraction thermique ni les différences de force centrifuge n'expliquent le relief.

■ **Forme.** On appelle *géoïde* la surface qui coïncide avec la surface moyenne d'équilibre des mers et la prolonge sous les continents en restant partout « horizontale », c'est-à-dire perpendiculaire au vecteur de la pesanteur. Le géoïde définit la figure de la Terre, indépendamment des accidents du relief ; par rapport à un *ellipsoïde de révolution* ayant pour axe la ligne des pôles, il présente des protubérances et des dépressions de l'ordre de 100 m.

Ellipsoïde équipotentiel. Adopté en 1979 à Canberra, il est défini par : *1°) le rayon équatorial de la Terre* (ou demi-grand axe de l'ellipsoïde) : a = 6 378 137 m ; *2°) le produit de la constante de gravitation universelle G par la masse M de la Terre* (atmosphère comprise), soit GM = 3 986 005 × 10^8 $m^3\ s^{-2}$; *3°) le rapport (C-A)/M a²* qu'on désigne souvent par J_2 (C est le moment d'inertie par rapport au diamètre polaire et A le moment d'inertie moyen par rapport à un quelconque des diamètres équatoriaux) soit J_2 = 108 263 × 10^{-8} ; *4°) la vitesse angulaire de la Terre :* ω = 7 292 115 × 10^{-11} rad s^{-1}. Ces 4 données, *exactes par définition,* ne comportent pas de décimales. Les autres données qui en découlent peuvent présenter de légères différences selon le nombre de termes conservés dans le développement des formules, les décimales conservées ou non, etc. Ex. selon H. Moritz (Bulletin géodésique, vol. 54, 1980) : *rayon polaire ou demi-petit axe b* = 6 356 752,3 141 m. *Différence entre rayon polaire et rayon équatorial :* 21 384,659 m. *Aplatissement* $L = (a - b)/a$ = 1/298,257 222 101. *Rayon de la sphère de même volume que l'ellipsoïde R* = 6 371 000,7 900 m.

■ **Hauteur maximale.** *Everest,* à la frontière du Tibet et du Népal, 8 848 m (voir p. 55 c).

■ **Magnétisme.** Si l'on fait abstraction de fluctuations locales et temporaires liées à l'activité solaire, la Terre se comporte comme un aimant. Le **champ magnétique terrestre,** qui varie lentement avec le temps (variation séculaire), est sensible sur tous les points de la surface terrestre et s'étend en hauteur jusqu'à des dizaines de milliers de km (magnétosphère). C'est une grandeur *vectorielle,* c.-à-d. possédant une direction (définie par 2 angles, inclinaison et déclinaison), un sens (vers le bas, actuellement, dans nos régions) et une intensité. Les Chinois l'ont découvert vers 1000 apr. J.-C. et l'ont utilisé empiriquement pour leurs boussoles à aiguille aimantée, indiquant la direction du **méridien magnétique.** Cette direction forme avec celle du Nord géographique l'angle appelé **déclinaison magnétique.**

Les **isogones** (lignes d'égale déclinaison) sont des courbes qui passent par les pôles géographiques et par les pôles magnétiques définis plus loin.

Les méridiens magnétiques (courbes qui suivent les directions du champ moyen) aboutissent à **2 pôles magnétiques : Nord** (attirant le pôle Nord d'une boussole ; c'est un pôle de magnétisme sud) dans l'archipel Arctique canadien, à 1 900 km du pôle géographique Nord ; **Sud** en mer Australe, à 2 600 km du pôle géographique Sud, au large de la base antarctique Dumont d'Urville. En 1957, le pôle se trouvait sur le continent, entre cette base et la station Charcot. Il se déplace d'environ 10 km par an. Ces pôles magnétiques, où une aiguille aimantée libre de s'incliner se tiendrait verticale, ne sont donc pas aux antipodes l'un de l'autre : la droite qui les joint ne passe pas par le centre de la Terre. **L'équateur magnétique,** où la même aiguille serait horizontale, s'écarte de l'équateur géographique vers le nord ou le sud (jusqu'à 1 600 km au Brésil).

Intensité du champ. *Minimale :* de 24 000 à 45 000 nT (nanotesla, ou gamma suivant une notation ancienne) sur l'équateur magnétique. *Maximale :* 70 000 (pôle magnétique Sud), 62 000 (Nord).

Pôles géomagnétiques ou **pôles de Gauss** (1 gauss = 10^5 gamma = 10^{-4} tesla) : ils correspondent à un champ magnétique terrestre débarrassé de ses irrégularités, et ont été définis en 1839 par l'Allemand Carl Friedrich Gauss (1777-1855). Ils sont assez proches des pôles magnétiques, mais se situent, contrairement à ceux-ci, aux antipodes l'un de l'autre. Tout se passe comme si le champ venait d'un petit aimant fictif ayant un moment 8,05 ± 0,02 × 10^{25} gauss. cm³ (ou 8,05 × 10^{15} T.m³), situé au centre de la Terre et porté par le diamètre terrestre qui joint les pôles géomagnétiques (il fait un angle de 11°5 avec l'axe des pôles géographiques). Ce « dipôle » rend compte d'environ 90 % du champ magnétique total. Les 10 % qui restent (champ non dipôlé) sont surtout d'origine profonde.

Causes du magnétisme terrestre. L'aimantation des roches terrestres ne peut expliquer que des anomalies locales et superficielles : elles cessent d'être aimantables au-dessus d'une certaine température (point de Curie). L'essentiel du champ serait produit par une dynamo auto-excitée par rotation du globe, fonctionnant grâce à des déplacements de matière conductrice se produisant dans le noyau liquide. L'énergie qui entretient ces mouvements viendrait : 1° soit de la poussée d'Archimède produite par des différences de température ; 2° soit de l'énergie gravitationnelle libérée par l'enfoncement de matériaux lourds dans le manteau ou le noyau.

Champ magnétique dans le passé. *L'archéomagnétisme* (E. Thellier) retrouve le champ grâce à l'aimantation prise au moment de leur refroidissement par des briques datées ou des argiles cuites. Le *paléomagnétisme* retrouve à partir de l'aimantation des roches les positions anciennes des pôles magnétiques par rapport à un continent. Le dipôle qui fournit l'essentiel du champ s'inverse à intervalles irréguliers. La trace de ces inversions dans les carottes extraites des fonds océaniques aide à dater ceux-ci jusqu'à - 160 (millions d'années) ; le reste a disparu par subduction. Des études récentes sur des roches sédimentaires montrent que, depuis 320 M.a., il y a eu deux longues périodes sans renversement du champ magnétique. Ces périodes correspondent à un moment où la couche située à la base du manteau s'épaissit, absorbant de la chaleur venue du noyau. Voir Tectonique globale, p. 48 b.

■ **Masse.** 5,98 × 10^{24} kg, soit 5 980 milliards de milliards de tonnes.

■ **Pesanteur** [accélération résultante de la gravité (attraction de la Terre) et de l'accél. centrifuge, (voir Index)]. En *gals* (1 gal = 1 cm/s²) (1967) : *0° :* (équateur) 978,033 ; *15° :* 978,379 ; *30° :* 978,325 ; *45° :* 980,620 ; *48°50'* [au *Bureau international des poids et mesures* (Sèvres, mesures absolues les plus précises du monde)] 980,925931 ; *60° :* 981,918 ; *75° :* 982,870 ; *90°* (pôle) : 983,219. Si la Terre tournait plus vite, la force de gravité, fonction seulement des forces d'attraction newtoniennes, serait inchangée ; mais la pesanteur varierait. Le poids d'un corps est le produit de sa masse M par l'accélération de la pesanteur g (P = Mg) en moyenne 9,81 m/s².

■ **Profondeur des mers.** *Maximale* 11 034 m (fosse des Mariannes) ; *moyenne* 3 800 m (Atlantique 3 597 ; Indien 3 711 ; Pacifique 3 976). *Le bathyscaphe américain « Trieste »* est descendu à 10 916 m dans la fosse Challenger (Mariannes) le 23-1-1960.

■ **Superficie globale.** 510 065 000 km² (calcul de 1967) dont terres 133 620 000 (26,2 %), glaces 15 303 000 (3 %), eaux 361 059 000 (70,8 %).

■ **Température.** La temp. superficielle des planètes telluriques dépend de l'énergie renvoyée par leur sol ou par leur atmosphère (sauf Mercure et la Lune, qui n'en ont pas). La Terre a une température moyenne en surface de 14 °C. Elle serait d'env. - 18° sans l'effet de serre dû au gaz carbonique atmosphérique et à la vapeur d'eau. Sur *Mercure,* la température passe de 350 °C le jour à - 170 °C la nuit ; sur *Vénus* de - 33° au niveau des nuages visibles à + 480° au sol. La température des planètes extérieures décroît de - 23° *(Mars)* à - 230° *(Pluton).*

■ Mesure de la Terre

IIIe s. av. J.-C. le Grec Ératosthène pense que la Terre est ronde. Sachant que le Soleil est au zénith au solstice d'été à Assouan, il mesure le même jour l'inclinaison du Soleil par rapport à la verticale d'Alexandrie et la distance entre les 2 villes, évaluant ainsi le rayon de la Terre à 7 300 km.

1669-70 l'abbé Jean Picard (1620-82), avec une méthode mise au point par le Hollandais Snellius, détermine la longueur d'un degré de méridien entre Malvoisine (à 6 km de La Ferté-Alais, au sud de Paris) et Sourdon (à 20 km au sud d'Amiens), et trouve 6 275 km.

1672 Jean Richer constate que le mouvement du pendule est plus lent à Cayenne qu'à Paris. Il en déduit que la gravitation près de l'équateur est moins sensible et que l'on doit s'y trouver plus loin du centre de la Terre. Le rayon terrestre à ce niveau est donc plus important et la Terre a la forme d'une ellipse aplatie aux 2 pôles.

Début XVIIIe s. les Cassini mesurent la France et pensent que l'axe des pôles est plus long que l'axe équatorial.

1735 l'Académie des Sciences ayant décidé d'envoyer 2 expéditions pour mesurer la longueur de l'arc de 1° de méridien, 3 académiciens, Louis Godin (1704-60, rentré en 1751 en Espagne), Charles de La Condamine (1701-74, rentré 1744), Pierre Bouguer (1698-1758, rentré 1744), et Joseph de Jussieu (1704-79, académicien en 1742, rentré 1771) partent pour le Pérou. *1736 :* 4 autres, Pierre-Louis de Maupertuis (1698-1759), Alexis Clairaut (1713-65), Charles Camus (1699-1760), Pierre-Charles Lemonnier (1715-99) ainsi que l'abbé Renaud Outhier (1694-1774 correspondant) et Anders Celsius (1701-44, astronome suédois) vont en Laponie d'où ils rentrent en 1737. Leurs calculs montrent que la Terre est légèrement aplatie aux pôles. Rayon de la Terre à l'équateur 6 397 km. Le degré équatorial mesure 56 750 toises, le degré lapon 57 437 (centré sur le 66°20 parallèle, en fait 57 196).

Depuis 1957 les satellites « arpenteurs » : permettent des mesures précises à partir de 2 points de la Terre et d'une étoile. **1965** Pageos (USA). **1989** Cosmos 2037 (URSS). **1972** (27-7) ERTS (Landsat-1) 1er sat. civil d'observation de la **Terre** (USA), 900 km d'altitude. **1986** Spot 1 (France), **1990** Spot 2 (France) photographient la Terre à 200 km d'alt. précision de 30 m.

■ **Vitesse de libération.** Vitesse que doit atteindre un corps pour échapper à l'attraction terrestre : 11 180 m/s (sur la Lune : 2 376, Mercure 4 246, Saturne 35 570, Jupiter 59 850). *Conséquences :* la Terre a conservé les gaz de masse moléculaire supérieure à 28 : azote (28) et oxygène (32).

■ **Rotation de la Terre sur elle-même.** Prouvée en 1851 avec l'expérience du pendule de Foucault au Panthéon (Paris). **Vitesse :** 1 670 km/h à l'équateur, 1 100 en France, 640 à 60° de latitude, 0 aux pôles. Tour complet en 23 h 56 min 4 s ; soit 3 min 56 s de moins que le jour solaire (la Terre tourne d'environ 1 + 1/365 tour entre 2 passages consécutifs du Soleil au méridien d'un lieu donné). Cette vitesse n'est pas constante : *1°) elle se ralentit progressivement* (4 h par jour en 500 millions d'années), surtout en raison du ralentissement par frottement, dans les mers peu profondes, des masses d'eau soumises à la marée, et d'autres phénomènes mal connus (frottements internes, marées de l'atmosphère, etc.) ; *2°) des variations insuffisamment expliquées peuvent se produire* (maximum d'avance connu : 28,2 s en 1789, de retard : 49,7 s en 1970) ; *3°) des variations saisonnières,* découvertes en 1937, interviennent, venant surtout de causes météorologiques. **Calcul de la vitesse :** en mesurant avec une horloge atomique le temps séparant 2 passages d'un point de la surface terrestre au méridien d'un repère choisi dans le ciel, et observé par des instruments tels que des méridiennes, des tubes photomultiplicateurs zénithaux ou des astrolabes impersonnels.

Conséquences de la rotation : les corps en mouvement dans un plan horizontal ont tendance à dévier vers la droite (dans l'hémisphère Nord) ; *exemples :* pression des fleuves (qui, dans des circonstances identiques, serait différente selon la rive), mouvements de l'air et vents alizés (voir Météorologie p. 78 c), courants marins.

■ **Volume.** 1 083 320 000 km³.

Datation de la Terre et des roches

Légende. M^d a. = milliards d'années. M.a. : millions d'années.

Méthodes

■ **Stratigraphie.** Méthode d'étude des terrains sédimentaires fondée sur 3 principes : superposition, intersection, inclusion. Elle a permis d'établir une chronologie relative. Les terrains stratifiés plus récents recouvrent en principe (sauf bouleversements) les plus anciens. Au XIXe s., on appela *primitifs* ou *archéens* les terrains les plus anciens dépourvus de fossiles et souvent métamorphisés ou granitisés.

■ **Datation par les propriétés nucléaires de certains éléments des roches.** On mesure la quantité d'un élément chimique « fils », stable, accumulé au sein d'un minéral par la désintégration de son « père », radioactif. *1ers essais* [1906 par l'Angl. Ernest Rutherford (1871-1937)] : entre 410 et 2 200 M.a. Cela donne l'âge : temps écoulé depuis que la roche est restée « fermée », c'est-à-dire sans addition ou départ d'éléments chimiques. Ex : le couple *uranium 238* (demi-vie : 4,3 M^d a.) – *plomb 206,* ou le couple *potassium 40* (demi-vie : 1,3 M^d a.) – *argon 40,* permettent d'obtenir les âges suivants : formation des météorites et de la Lune (et probablement de la Terre) : 4,5 (+/– 0,1) M^d a. Plus ancienne roche terrestre (Ishua, Groenland) : 3,8 M^d a. Début de l'ère primaire (apparition des 1ers fossiles identifiables) : 600 M.a. (ère tertiaire : 65).

La séquence des inversions du champ magnétique terrestre a été obtenue par datation de roches volcaniques par le *potassium-argon.* De nombreux événements géologiques récents (moins de 40 000 ans) ont été datés en mesurant les quantités restantes de carbone 14 dans des produits organiques préservés de la destruction lors de ces événements. Ex : la dernière éruption de la chaîne des Puys date de 7 850 ans (datation par le charbon de bois trouvé sous la coulée de lave de St-Saturnin) ; les variations du niveau de la mer depuis le dernier glaciaire, notamment son dernier minimum à – 125 m (par les coquilles, coraux et débris de mangroves ramenés de diverses profondeurs sur les côtes d'Afrique ou par les coquilles ramenées sur celles du Roussillon). Les âges à mesurer doivent être comparables aux périodes correspondantes (mais les horloges de type accumulatif, telles que potassium-argon, n'ont pas de limite supérieure d'utilisation).

Nota. – On peut consulter : « Méthode de datation par les phénomènes nucléaires naturels. Applications » ; CEA 1985.

Ères géologiques Évolution biologique de la Terre

Nota. – Divisées en *périodes,* puis en *étages.* Les dates constamment révisées (en fonction des progrès des connaissances et de la technologie instrumentale) figurent en regard des étages.

Légende. M^d a. : milliards d'années. M.a. : millions d'années.

Prégéologique

Entre 4 600 M.a. et 3 800 M.a., formation de la Terre puis séparation (hypothétique) d'une croûte d'abord basaltique, mince et fragile, bombardée par de nombreuses météorites qui la crèvent facilement et se perdront dans les profondeurs du globe. Parmi ces météorites, de nombreuses comètes apportaient (sous forme de glace) une quantité d'eau et de composés volatils et des molécules carbonées pré-organiques qui permettront par la suite l'apparition de la biosphère. L'*atmosphère primitive,* réductrice, était composée essentiellement de dioxyde de carbone, d'azote et de vapeur d'eau. La condensation de cette vapeur par refroidissement sera à l'*origine des océans.* L'eau nouvellement apparue va alors dissoudre la plus grande partie du dioxyde de carbone atmosphérique avec de nombreuses substances minérales ou préorganiques. C'est dans cette « soupe » chaude soumise au rayonnement ultraviolet solaire intense (absence d'oxygène et d'ozone dans l'atmosphère primitive) qu'apparaîtront les 1res molécules organiques autoreproductrices (bactéries).

Temps précambriens ou Archéozoïque

Climat. Encore mal connu, y avait les mêmes répartitions zonale et saisonnière qu'aujourd'hui, car elles sont dues à des paramètres astronomiques restés stables. En revanche l'oxygène, absent au début, est apparu peu à peu, à mesure que se développaient la photosynthèse et l'enfouissement des végétaux. La vie animale n'est apparue sans doute qu'en fin de période archéenne, lorsque la pression d'oxygène est devenue suffisante. La pression de gaz carbonique était probablement beaucoup plus forte qu'aujourd'hui, d'où un effet de serre plus fort, entraînant des températures et une humidité plus grandes.

■ **Archéen.** Avant 3 800 M.a., apparition des phénomènes d'érosion, de transport et de sédimentation sur une croûte très mince et chaude où s'individualisent des noyaux granitiques. Phénomènes tectoniques et métamorphiques au cœur des continents (boucliers). Complexification progressive des composés organiques ; apparition de la reproduction *(bactéries)* vers 3 500 M.a., de la *photosynthèse* (algues bleues) vers 3 200 M.a., des *eucaryotes* (êtres à cellules avec noyau) vers 2 800 M.a. Présence de *cyanophytes :* microflore d'Onderwacht (Afr. du S., Swaziland) datée de 3 600 à 3 350 M.a., microflore de Fig-Tree (Afr. du S.) après 3 100 M.a.

■ **Protérozoïque.** A partir de 2 500 M.a., développement des *stromatolites* (colonies d'algues bleues calcaires), apparition des 1ers *organismes multicellulaires* qui vont s'épanouir à partir de 600 M.a. (associations de Sibérie et d'Ediacara, en Australie). Sur les 1res masses continentales, nombreuses phases de plissement, métamorphisme et granitisation, sans corrélation globale possible. **Protérozoïque inférieur :** 2 600 M.a., en France : *Icartien ancien* (de Icart, île de Guernesey). Existence de blocs stables de croûte entourés de zones sédimentaires. **Protérozoïque moyen :** 1 600 M.a., en France : *Icartien récent.* Existence d'ensembles continentaux et 1res collisions entre plaques. Plusieurs phases de plissement. **Protérozoïque supérieur :** 1 000 M.a., en France : *Briovérien* (ancien nom de St-Lô, Manche). Métazoaires. 1re individualisation des grands continents *Laurasie* (du St-Laurent, Canada) et *Gondwanie* (de Gondwana, Inde). Plusieurs phases de plissement, la dernière donnant la chaîne cadomienne (de Cadomus, vieux nom de Caen, Calvados).

Primaire ou Paléozoïque

Climat. Les différences avec le climat actuel s'atténuent irrégulièrement : à la fin du Carbonifère, par ex., qui fut une période de grande activité photosynthétique et d'enfouissement important de matière organique, il y a une forte diminution du CO_2 et une forte augmentation de l'oxygène atmosphériques. Une part importante de celui-ci va être fixée dans les roches du sol qu'il colorera en jaune, brun ou rouge, par formation de fer oxydé. L'oxygène resté dans l'atmosphère servira de stock de départ pour l'intense vie animale qui va régner aux ères suivantes (nous vivons encore sur ce stock). La diminution du CO_2 entraîne une diminution de l'effet de serre, et la formation de glaces polaires.

De 570 M.a. à 260 M.a. Apparition des principaux embranchements d'invertébrés puis, à l'Ordovicien, des 1ers vertébrés (agnathes). Végétaux puis animaux s'adaptent à la vie continentale (atmosphère oxygénée) à partir du Dévonien. **Animaux caractéristiques :** *trilobites* (arthropodes), *graptolites* (stomocordés), *goniatites* (mollusques). **Végétaux caractéristiques :** *flore houillère* (lycopodiales, fougères). **Plissements :** *calédoniens* (de Caledonia, Écosse), *hercyniens* (de Hercynia, forêt d'All.).

■ **Cambrien** (de Cambria, nom latin du pays de Galles, G.-B.). 540 M.a. Géorgien, Acadien, Potsdamien.

■ **Ordovicien** (de Ordovices, ancienne peuplade du pays de Galles, G.-B.). 495 M.a. Trémadocien, Arénigien, Llanvirnien, Llandeilien, Caradocien, Ashgillien.

■ **Silurien** (= « Gothlandien »). 435 M.a. Llandovérien, Wenlockien, Ludlowien. **Végétaux :** présence établie de végétaux vasculaires (genre *Cooksonia*) au Silurien supérieur, du groupe des *Psilophytes ;* présence de mousses terrestres *(Hépatiques).*

■ **Dévonien.** 400 M.a. *inférieur :* Gédinnien, Siegénien, Emsien. *Moyen :* Couvinien, Givétien. *Supérieur :* Frasnien, Famennien. **Végétaux :** nombreux et diversifiés ; *Cryptogames* vasculaires archaïques (Lycopodes, Prêles, Fougères) : apparition des *Préphanérogames* (Ptéridospermes « Fougères à graines » et Cordaïtes).

■ **Carbonifère.** 350 M.a. *Dinantien* ou *Carbonifère inf. :* Tournaisien, Viséen. *Silésien ou Houiller ou Carbonifère sup. :* Namurien, Westphalien, Stéphanien. **Végétaux :** nombreux et diversifiés. Apogée des *Cryptogames* vasculaires (Lépidodendrons et Sigillaires arborescents ; Calamites et Sphénophyllales ; Fougères herbacées et Fougères arborescentes). Extension des *Préspermaphytes* (prépondérance des Cordaïtes arborescents). *1ers Gymnospermes :* Conifères *(Lebachia, Walchia).*

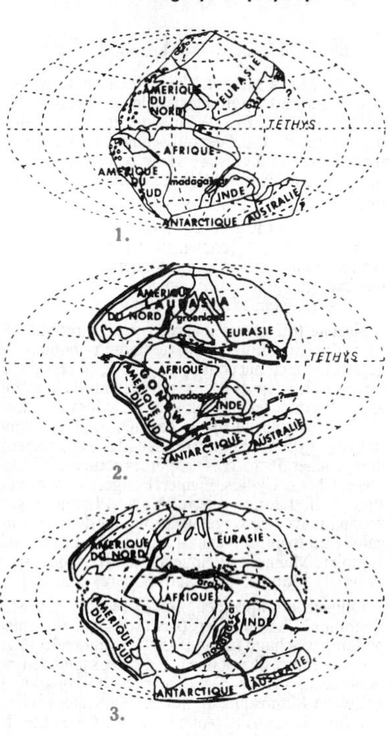

La Terre il y a : 1) 247 millions d'années (fin du Permien). 2) 130 millions d'années (fin du Jurassique). 3) 65 millions d'années (Paléocène). (*Dessins fournis par* Le Monde)

■ **Permien** (de Perm, Russie). 290 M.a. Autunien, Saxonien, Thuringien. **Végétaux :** disparition des Psilophytes, raréfaction des Lycopodes, maintien des Prêles, prépondérance des Fougères, extinction des Cordaïtes, apparition des Cycadinées ; diversification des Gymnospermes (Conifères).

Secondaire ou Mésozoïque

De 245 M.a. à 65 M.a. *Climat :* à peu près uniforme sur l'ensemble de la Terre et voisin des climats tropicaux actuels (température des océans env. 22 °C). *Relief :* morcellement de la Gondwanie vers – 130 M.a. Début des phases tectoniques aboutissant à la formation des Pyrénées et des Alpes. **Animaux :** après une crise biologique au Permien et au Trias, épanouissement des mollusques (Ammonites, Bélemnites) dans les mers ; sur la terre ferme, diversification des reptiles (dinosaures) ; apparition des 1ers mammifères et des 1ers oiseaux. À la fin de l'ère, disparition des Ammonites, Bélemnites et Dinosaures (causes supposées : crise biologique ou obscurité qui a régné plusieurs mois après la chute d'une météorite d'un diam. sup. à 10 km). **Végétaux :** diversification des gymnospermes.

■ **Trias.** 245 M.a. *Germanique :* Buntsandstein (grès rouges), Muschelkalk et Lettenkohle (marnes et calcaires), Keuper, Rhétien. *Alpin :* Werfénien (ou Scythien), Anisien (ou Virglirien), Ladinien, Carnien, Norien, Rhétien. **Végétaux :** disparition des Lépidodendrons et Sigillaires, des Calamites et Cordaïtes des temps primaires ; survivance de quelques Lycopodes et Fougères (« à graines » et « à frondes ») des temps primaires ; Prêles (Equisetum ou Équisetites) de grande taille.

■ **Jurassique.** 204 M.a. *Inférieur (Lias) :* Hettangien, Sinémurien, Carixien, Domérien (ou Pliensbachien), Toarcien. *Moyen (Dogger) :* Aalénien, Bajocien, Bathonien, Callovien. *Supérieur (Malm) :* Oxfordien, Kimméridgien, Portlandien. Tendance au renouvellement des formes. **Végétaux :** Fougères et Ptéridospermes abondants ; nombreux Conifères ; Cycadinées et Ginkgoïnées prépondérantes. 1ers Angiospermes (Palmiers). **Animaux :** diversification probable des mammifères (découverte récente d'un insectivore de la taille d'une souris, vieux de 180 M.a.).

■ **Crétacé.** 140 M.a. *Inférieur :* Berriasien, Valanginien, Hauterivien, Barrémien, Aptien, Albien. *Supérieur :* Cénomanien, Turonien, Coniacien, Santonien, Campanien, Maastrichtien. **Végétaux :** abondance de Fougères, Cycadinées, Ginkgoïnées et Conifères ; brusque apparition des Angiospermes sur tous les continents.

■ Tertiaire ou Cénozoïque

De 65 M.a. à 1,8 M.a. *Climat :* à cause, semble-t-il, des migrations continentales, la température des océans diminue. *Relief :* plissements alpins ; volcanisme dans le Massif central. **Animaux :** épanouissement des mammifères ; vers la fin de l'ère, apparition des 1ers hominidés. **Végétaux :** épanouissement des plantes à fleurs (Angiospermes).

■ PALÉOGÈNE (du grec *paleos* ancien, *genos* origine), OU NUMMULITIQUE [contenant des nummulites (du latin *nummus* monnaie), protozoaires fossiles]. **Paléocène** (du grec *paleos* ancien, *kainos* récent) : 65 M.a. Danien, Montien, Thanétien.

Eocène (du grec *eos* aurore, *kainos* récent) : 52 M.a. Yprésien, Lutétien, Bartonien, Priabonien. **Végétaux :** sous climat chaud (moy. 20-25 °C) et humide ou ± sec, les dépôts éocènes (travertins de Sézanne, argiles ligniteuses du Soissonnais, sables de Cuise, calcaire grossier du Bassin parisien, sables d'Ermenonville, gypses de Paris) révèlent des essences feuillues proches des formes tempérées actuelles [Châtaignier, Chêne, Cyprès, Figuier, Fougères (Osmonde, Pteris), If, Laurier, Lierre, Noyer, Thuya, Vigne] voisinant avec des végétaux exotiques de type tropical ou subtropical [Acacia, Araucaria, Eucalyptus, Jujubier, Magnolia, Palmiers (Sabal), Podocarpus, Poivrier, Séquoia, Taxodium (Cyprès chauve)].

Oligocène (*oligos* peu, *kainos* récent) : 34 M.a. Stampien, Chattien. **Végétaux :** sous climat tropical ou tempéré-chaud (moy. 18-25 °C), les dépôts oligocènes (« mines de potasse » d'Alsace, sables de Fontainebleau, gypses d'Aix, marnes d'Armissan, lignites de Manosque, argiles de Marseille) révèlent une flore composite [Aulne, Chêne, Clématite, Figuier, Fougères (Osmonde, Pteris), Genévrier, Houx, Laurier, Lierre, Mahonia, Myrte, Noyer, Olivier, Orme, Peuplier, Pin, Saule, Thuya, Vigne d'une part ; Acacia, Agave, Camphrier, Cannelier, Dragonnier, Eucalyptus, Jujubier, Magnolia, Palmiers (Chamaerops, Phœnix, Sabal), Pistachier, Podocarpus, Séquoia, Taxodium (Cyprès chauve) d'autre part].

■ NÉOGÈNE. **Miocène** (*meion* moins, *kainos* récent) : 23 M.a. Aquitanien, Burdigalien, Langhien, Serravalien, Tortonien, Messinien. **Végétaux :** au début, climat encore subtropical ; des volcans d'Auvergne et des mollasses d'Oeningen révèlent Bambous, Camphrier, Cannelier, Figuier, Jujubier, Laurier, Palmiers (Sabal), Séquoia, Taxodium (Cyprès chauve), Tulipier, voisinant avec des feuillus (Aulne, Erable, Frêne), ± proches des formes actuelles. Puis survient une tendance au refroidissement général, entraînant une extension des espèces tempérées (Pin, Sapin, Epicéa, Mélèze, If, Chêne, Hêtre, Charme, Orme, Erable, Bouleau, Peuplier, Saule, Sorbier) au détriment des espèces tropicales ou subtropicales.

Pliocène (*pleion* plus, *kainos* récent) : 6 M.a. Tabianien, Plaisancien. **Végétaux :** au début, climat océanique relativement tiède et humide (moy. 16-18 °C) : dans les volcans du Massif central, persistance d'éléments chauds (Vigne, Magnolia, Tulipier, Jujubier, Cannelier, Camphrier, Podocarpus, Libocedrus, Thuya, Séquoia, Taxodium) auprès d'éléments tempérés proches des types actuels. Puis s'accentue la tendance au refroidissement ; flore des tufs de Meximieux (Ain) ; quelques espèces chaudes (Bambous, Magnolia, Platane, Noyer, Laurier, Buis...) se maintiennent ; avec la *glaciation de Donau* (2,1 à 1,8 M.a), la forêt européenne disparaît.

■ **Climats.** On a remarqué depuis plus d'un siècle que de fortes glaciations s'étaient produites durant le Quaternaire (que les géologues avaient baptisées Würm-la-dernière-Riss, Mindel, Günz), alternant avec des périodes plus chaudes. Mais, depuis 1960, l'analyse des variations alternées des isotopes de l'oxygène dans les dépôts sédimentaires marins a montré qu'une vingtaine de cycles climatiques à peu près semblables s'étaient succédé durant le Quaternaire. Chacun durant env. 100 000 ans, et comportant plusieurs oscillations thermiques d'env. 20 000 et 40 000 ans. La 1re moitié du cycle est plutôt chaude, avec un niveau haut des mers, l'autre moitié plutôt froide, avec accumulation progressive de glace à haute latitude, de part et d'autre de l'Atlantique dans les calottes glaciaires du Canada et de Scandinavie.

L'holocène (*holos* entier, *kainos* récent) (cycle actuel) a débuté il y a 20 000 ans par le brusque réchauffement qui a succédé à la période froide terminant le cycle précédent ; le maximum de ce réchauffement s'est terminé il y a 5 000 ans et, depuis, la mer est redescendue de quelques mètres (le cycle précédent avait commencé il y a 140 000 ans par une fonte très rapide des glaces et une remontée très rapide de la mer, jusque vers – 125 000 ans).

Ces oscillations climatiques ont pour origine la variation pseudo-périodique de l'insolation des divers points de la Terre, due elle-même à la variation périodique des paramètres astronomiques principaux de celle-ci : grand axe de l'orbite (100 000 ans), inclinaison de l'axe de rotation sur le plan écliptique (40 000 ans) et durée de rotation de cet axe autour de la perpendiculaire à ce plan (20 000 ans).

A cette origine astronomique se superposent les effets encore mal connus, quoique sans doute très importants, de l'interaction thermique entre les mers, les continents et l'atmosphère (gaz produisant un effet de serre : gaz carbonique, méthane).

■ Quaternaire

■ **Représentation précédente du Quarternaire. Prépaléolithique :** 1ers hominidés.

■ **Pléistocène. Paléolithique inférieur :** début : env. 2 M.a.

Paléolithique moyen : début : env. 0,7 M.a. En France, tufs de La Celle-sous-Moret (S.-M.) et de La Perle (Aisne) révélant des feuillus, sous un climat tiède et humide (espèces actuelles et méditerranéennes, Arbre de Judée, Buis, Figuier, Laurier).

Glaciation de Riss (de 0,19 à 0,13 M.a.) : lignites de Jarville (près de Nancy) et de Bois-l'Abbé (près d'Épinal), formés sous climat froid et sec et révélant les restes d'une forêt de Conifères (Mélèze, Epicéa, Pin, If, Genévrier) coupée de bouquets de Chêne et de marécages à Aulne et Bouleau. *Interglaciaire Riss-Würm* (de 0,13 à 0,080) : tufs de Resson (Aube).

Glaciation de Würm (de 0,08 à 0,02 M.a.) : retour de steppe, taïga et toundra, avec forêts de Conifères (Pin), disparition des feuillus (sauf Bouleau, Tremble, Saule).

Paléolithique supérieur : début : 0,02 M.a., fin de la dernière glaciation (Würm). Niveau marin à – 120 m : la végétation perd peu à peu son caractère arctique.

■ CHRONOLOGIE DE L'EUROPE DU NORD ET NORD-OUEST. *Saalien :* Riss. *Eémien :* Riss-Würm. *Weichsélien :* Würm.

■ CHRONOLOGIE AFRICAINE. Aux périodes de glaciations correspondent des périodes de pluies (pluviaux). Aux interglaciaires, correspondent des périodes arides.

■ **Holocène. Mésolithique :** 12000 av. J.-C., dans le Bassin parisien : *Phase subarctique* à steppe (12000 – 10000) ; *préboréale* à Pin-Bouleau (10000 – 8500) ; *boréale* à Pin-Noisetier (8500 – 7500). **Néolithique** 7500 – 3000 [*Phase atlantique* (optimum climatique vers – 6000, niv. marin de + 3 à 5 m) à Chênaie mixte (7500 – 4500) ; *subboréale* à flore actuelle (4500 – 3000). L'homme devient sédentaire].

Chalcolithique 3000 – 1000 [*Phase subatlantique* à flore actuelle].

Age des métaux. Cuivre, bronze, fer.

■ CHRONOLOGIE MARINE. **Calabrien :** 1,8 M.a. à 0,55 M.a. **Sicilien :** 0,55 à 0,2 M.a. **Tyrrhénien :** 0,2 à 0,04. **Versilien :** 0,04 M.a.

☞ L'ancienne classification du quaternaire était basée sur 4 glaciations (Günz, Mindel, Riss et Würm) ; aujourd'hui, on en compte 20 ou 21, seules Riss et Würm sont bien datées.

> **Apparition des grands groupes** (en millions d'années). Lieu de la découverte. *Végétaux :* plante à photosynthèse 3 300 ; fleur 65 (USA). *Animaux :* crustacé 650 (URSS) ; mollusque 500 (Costa Rica) ; vertébré 480 (URSS) ; insecte 370 (Ecosse) ; araignée 370 (Ecosse) ; amphibien 350 (Groenland) ; reptile 290 (Canada) ; mammifère 190 (Lesotho) ; oiseau 140 (All. féd.) ; insecte social 100 (USA) ; primate 70 (Indonésie, Madagascar) ; singe 28 (Egypte).

■ La croûte terrestre Tectonique globale

Légende. M.a. : millions d'années.

■ **Isostasie, lithosphère, asthénosphère. 1854** des géodésiens anglais constatent que la proximité d'une grande montagne comme l'Himalaya provoque une déviation de la verticale (par rapport à l'ellipsoïde de référence, voir p. 46 a) bien moindre que ne le veut la théorie. Puis on trouva que l'intensité de la pesanteur diminuait sur une montagne plus que prévu. Les deux faits furent aussitôt expliqués en admettant 1°) l'existence sous les montagnes d'une *racine* moins dense que la normale à ce niveau ; 2°) des roches profondes plus denses mais moins rigides, constituant *l'asthénosphère* (du grec *asthénos* « faible »), sur laquelle flottent les roches plus légères et plus rigides constituant la *lithosphère.*

1908-22 B. Taylor puis Alfred Wegener (voir encadré) proposent une théorie de la dérive des continents.

1909 le sismologue Andrija Mohorovičic (1857-1936) met en évidence une discontinuité (appelée aujourd'hui le Moho) séparant la croûte du manteau (voir structure de la Terre p. 51 c) ; on identifie alors à tort croûte et lithosphère. En fait, sous un vieil océan la croûte est une couche de basalte de 7 km d'épaisseur, alors que la lithosphère a 70 km d'épaisseur. Pour un vieux continent, la croûte est épaisse d'env. 35 km, la lithosphère d'env. 200 km. Pour un système montagneux jeune, la croûte mesure env. 50 km (racine), mais la plaque de lithosphère peut se réduire à la croûte et de ce fait être moins résistante qu'ailleurs.

Lorsque la lithosphère est surchargée, p. ex. par le poids d'un grand volcan, elle se déprime élastiquement, formant cuvette, jusqu'à ce que le poids d'asthénosphère déplacée égale le poids du volcan et que l'équilibre s'établisse, conformément au principe d'Archimède. Il y a alors *isostasie.* Inversement, l'érosion lente d'une montagne ou la fonte bien plus rapide d'une calotte glaciaire provoquent un soulèvement de la région. La Scandinavie s'est soulevée encore de 1 m au XIXe siècle, alors que la calotte glaciaire y a disparu depuis plus de 7 000 a. (soulèvement *glacio-isostatique*).

1922 E. Argand applique la théorie de la dérive des continents à la tectonique de l'Asie.

■ **Tectonique globale. 1960-66** il est établi, grâce à la faible aimantation rémanente acquise par les laves lors de leur refroidissement (*aimantation thermo-rémanente*, ATR), que le champ magnétique terrestre s'était inversé à de nombreuses reprises dans le passé, le pôle N. magnétique devenant pôle S. et vice versa. Une chronologie remontant jusqu'à 4,5 M.a. fut élaborée. Par ailleurs, depuis 1955 on a découvert au-dessus des océans des anomalies du champ magnétique terrestre formant des bandes parallèles aux dorsales et symétriques de part et d'autre.

1962 Hess et Dietz (USA), pour expliquer qu'on n'ait jamais dragué de roches anciennes du fond des océans, émettent l'hypothèse d'un renouvellement des fonds océaniques lié à la convection thermique dans le manteau, hypothèse déjà formulée par Arthur Holmes en 1948.

1963 Morley au Canada, Vine et Matthews en Angleterre donnent l'explication des bandes d'anomalies magnétiques. De la croûte océanique se forme continuellement aux dorsales et prend une ATR correspondant au champ magnétique de l'époque, tantôt direct, tantôt inverse. Tuzo Wilson (USA) compléta l'explication en dégageant la notion de *failles transformantes* qui relient des sauts latéraux dans le tracé d'une dorsale.

Comme l'avait reconnu Dietz, c'est toute la lithosphère qui s'éloigne en bloc de la dorsale. L'écartement des bandes d'anomalies magnétiques sur quelques centaines de km de part et d'autre des dorsales fournit donc la vitesse « d'expansion des fonds océaniques » pendant les périodes qui séparent les différentes bandes d'anomalies magnétiques (quelques cm par an). Bien qu'on ait émis, à l'époque, l'hypothèse risquée d'une dilatation continuelle du Globe, il fut vite reconnu qu'un volume de lithosphère équivalent à celui créé s'engloutit dans des *zones de subduction*, soulignées par des fosses marines, des foyers de séismes et des volcans (ceux-ci dus à la fusion des roches les plus fusibles lorsqu'elles sont entraînées en profondeur, où la temp. est plus élevée).

1968 le Français Le Pichon, suivant une idée de l'Anglais Jason Morgan, montre que si l'on considère la lithosphère comme une mosaïque de grandes plaques rigides recouvrant tout le Globe, leurs mouvements relatifs (qui sont forcément des rotations autour d'un diamètre du Globe), mesurés en de nombreux points des dorsales, sont compatibles entre eux. La *tectonique globale* était née.

Ce sont donc les mouvements des plaques qui entraînent les continents en faisant partie et provoquent la *dérive des continents* d'Alfred Wegener (voir encadré p. 50 a). Création, mouvement et subduction de plaques ne sont que la partie visible de mouvements de convection thermique mal connus dans le manteau. Cette convection est due à la chaleur interne venant d'une faible radioactivité du manteau (bien moindre que celle des terrains granitiques), et à celle subsistant depuis la formation du Globe et la solidification du manteau, il y a 4 500 M.a.

1971 Jason Morgan émet l'hypothèse de *points chauds*, situés à grande profondeur dans le manteau ; le défilement des plaques océaniques qui fondent au-dessus de ceux-ci explique les alignements d'îles ou dorsales volcaniques sous-marines dans les océans (*Pacifique :* alignement des Hawaii, Toubouaï, îles de la Ligne, etc. *Atlantique Sud :* dorsales de Walvis et du Rio Grande, etc.).

1990 publication des premières mesures directes du mouvement relatif actuel entre la plaque Nord-américaine et la plaque Pacifique. La distance entre 2 points éloignés de quelques milliers de kilomètres est mesurée au centimètre près en comparant les enregistrements pris en ces deux points par des radiotélescopes de l'émission radio d'un même quasar (interferométrie à très large base : VLBI). La vitesse moyenne sur 10 ans ainsi enregistrée est la même que celle obtenue sur les derniers millions d'années à partir des bandes d'anomalies magnétiques (les mouvements brusques lors de grands séismes s'atténuent à distance et disparaissent à 100 km du foyer).

Plus grande création actuelle de croûte océanique : à la dorsale du Pacifique S.-E. ; plaques Nazca et Pacifique s'écartent de 16 cm par an. *Plus fortes subductions* (env. 10 cm par an) : p. Nazca sous les Andes, p. Pacifique sous le Japon, p. Australo-Indienne sous l'Indonésie.

■ Formation du relief ou orogenèse

Généralités

La formation d'un système montagneux est un processus complexe, s'accompagnant de mouvements horizontaux et verticaux. On a parfois distingué la *tectogenèse,* formation de plis, de failles, de nouvelles roches, et l'*orogenèse* proprement dite (du grec *oros* « montagne » et *genesis* « naissance »), qui ne serait que le soulèvement des montagnes, mais les 2 phénomènes sont liés. L'immense énergie nécessaire pour soulever les montagnes n'est qu'une faible partie de l'énergie mécanique produite par les courants de convection thermique dans le manteau du Globe. Ces très lents courants produisent des mouvements horizontaux des plaques de lithosphère de quelques cm par an (voir Tectonique globale p. 48 c), beaucoup plus importants que les mouvements verticaux (quelques mm par an).

Lorsque 2 continents sont poussés l'un vers l'autre par le mouvement des plaques, à mesure que la zone de contact se rétrécit transversalement, elle s'épaissit verticalement. La déformation peut être homogène, avec formation de plis, mais aussi très souvent il y a télescopage, de grandes dalles s'empilant les unes sur les autres. L'*isostasie* (voir p. 48 b) fait que chaque fois que la surface s'élève de 1 km, la base de la lithosphère s'enfonce de 5 km environ. Inversement, lorsque la croûte d'un continent est étirée, elle s'amincit et la surface s'enfonce *(mouvement de subsidence)* tandis que la base s'élève en compensation. Ce fut le cas en mer du Nord, en mer Tyrrhénienne ou en mer Égée, comme dans le S.-E. des États-Unis, ou dans le *graben* d'Alsace-Bade, les rifts est-africains et du lac Baïkal, ou dans les *aulacogènes* (graben en cul-de-sac à la marge d'un continent) de Parentis ou du Donetz (URSS), nombreux dans le monde. Afflux d'eau vers la dépression, puis enfouissement d'une abondante végétation par les sédiments expliquent qu'il s'y soit souvent formé du charbon ou du pétrole.

Lorsque la lithosphère s'épaissit, elle est en profondeur plus froide que la normale. Son réchauffement peut prendre 10 M.a. ou plus. Comme elle devient plus légère, elle remonte et le soulèvement orogénique persiste longtemps après la phase orogénique. Les Alpes continuent à s'élever, de 1 mm par an dans la région centrale (tunnel du St-Gothard). L'inverse a lieu dans le cas d'un étirement avec formation d'un fossé ou bassin. L'érosion (dans le cas d'un soulèvement) et la sédimentation (dans le cas d'une subsidence) amplifient ces mouvements verticaux.

■ **Orogenèse** (du grec *oros* montagne, *genesis* génération). Un système de montagnes résulte de nombreuses phases orogéniques, chacune durant 1 à 10 M.a. et étant particulièrement intense (paroxysmale) dans une région différente. L'ensemble peut durer 100 M.a. En des régions du Globe très éloignées, les causes de ces phases sont indépendantes, et les simultanéités résultent du hasard. (Voir Quid 1993, théories anciennes.)

Himalaya. Résulte de la *collision* vers – 43 M.a. du sous-continent indien avec le Tibet. Celui-ci s'était déjà constitué par télescopages successifs de blocs continentaux. Toutes ces dérives vers le N. ont été liées à une très longue subduction de la plaque indienne sous l'Asie, qui persiste toujours plus à l'est, sous l'Indonésie. La suture Himalaya-Tibet est marquée, le long du Tsang-po (nom tibétain de l'Indus), par une ceinture d'*ophiolites*, fragments de croûte océanique coincés entre les blocs continentaux et ayant giclé en surface. Après la collision, le rapprochement Inde-Tibet s'est poursuivi grâce à 3 failles subhorizontales sur le bord de la plaque indienne, permettant chevauchement et empilement de 3 « dalles » (*hypercollision*). Ces failles sont apparues successivement, la dernière, la plus au S., qui émerge en formant les Siwaliks, étant toujours active

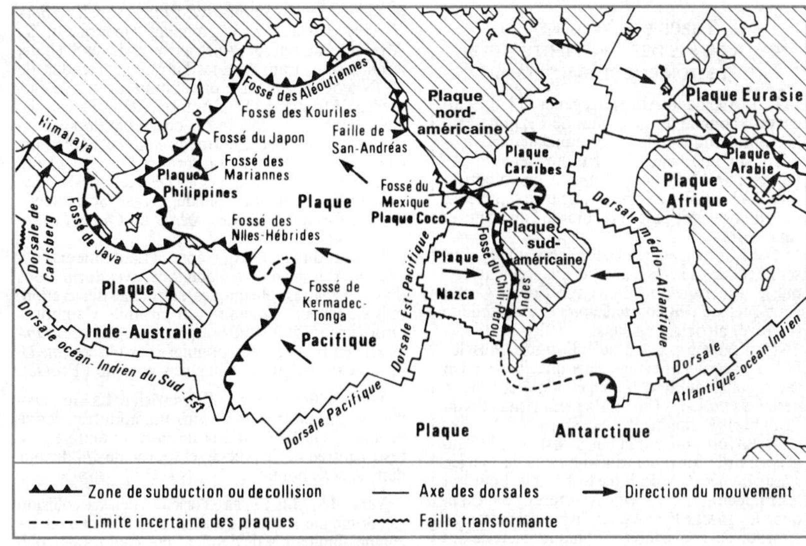

Plaques lithosphériques et leurs mouvements relatifs

(foyers de séismes). La formation de *plutons* granitiques, par fusion des terrains sédimentaires et migration vers le haut des magmas, est ultérieure (ces magmas se sont solidifiés sans atteindre la surface, mais ont été partiellement dénudés par l'érosion). Il y a 40 M.a., le système Himalaya-Tibet émergea de la mer et atteignit 3 000 à 5 000 m il y a 5 M.a. Actuellement le soulèvement se poursuit de quelques dizièmes de mm par an (quelques mm au sud et à l'ouest).

Alpes. Les Alpes et montagnes du S.-E. de l'Europe résultent de collisions successives depuis – 140 M.a. (fin du Jurassique) entre une Europe et une Afrique aux limites sinueuses. L'océan séparant l'Afrique de l'Europe avant leur collision n'était pas la Méditerranée actuelle (dont les bassins occidentaux ne sont apparus qu'entre – 25 M.a. et – 10 M.a.), mais la *Téthys,* dont la mer Caspienne, la mer Noire, la plaine hongroise et le bassin Ionien entre Libye et Adriatique sont des résidus. Au départ, l'Afrique avait un prolongement vers le N., l'*Apulie* (Pouilles, Adriatique, Vénétie, Istrie), aujourd'hui détachée de l'Afrique, et, par suite de l'ouverture de l'Atlantique, dérivait par rapport à l'Europe vers le N.-E. Entre – 80 et – 53 M.a. le mouvement relatif a été presque E.-O. Après – 53 M.a., à l'Éocène, il est devenu S.-N. La phase orogénique paroxysmale dans les Alpes occidentales (phase alpine *stricto sensu*), vers – 38 M.a., (Oligocène inférieur) coïncide avec l'ouverture de la mer de Norvège qui pourrait en être la cause. Depuis, il y a eu dans l'ensemble alpin des phases d'extension comme celles qui ont donné naissance à la Méditerranée aux dépens de la ceinture montagneuse alpine. Ce sont elles qui sont la cause de la plupart des séismes du bassin méditerranéen, et non pas le rapprochement de l'Europe et de l'Afrique.

Andes. *Chaîne liminaire,* à la marge active du continent sud-américain, due à la subduction de la *plaque Nazca*, sans collision continentale. Le bord du continent a été grignoté et entraîné en profondeur par la plaque subduite à de nombreuses reprises. Les roches fusibles entraînées ont produit en profondeur des magmas de granodiorite. Il en est résulté de nombreux plutons (intrusions de roches plutoniques, en forme de coupole ou de culot, recoupant les roches encaissantes), contigus, d'âge différents mais apparaissant comme un seul *batholite,* et un intense volcanisme, généralement andésitique, persistant depuis le Jurassique. L'accrétion de matière sous le continent a soulevé celui-ci dans la partie centrale des Andes (Altiplano bolivien et nord-argentin).

Cordillères nord-américaines. La subduction de la *plaque Farallon* (aujourd'hui presque totalement disparue) et de vastes mouvements longitudinaux ont fait s'accoler des prismes d'accrétion et des terranes (voir plus loin). Aujourd'hui la dorsale entre plaque Pacifique à l'Ouest, plaques Nazca, Cocos et Farallon à l'Est passe près des îles de Pâques et de Clipperton, hachée par des failles transformantes, s'engage dans le golfe de Californie. Plus au Nord, il n'y a plus qu'une faille transformante (en fait, plusieurs parallèles, la principale étant la *faille de San Andreas*) qui ressort dans le Pacifique au niveau du cap Mendocino à partir duquel la dorsale océanique réapparaît pour longer les côtes du N.-O. des USA et du Canada (dorsale de Gorda, de Juan de Fuca) bordées de nouveau par une chaîne volcanique (chaîne des Cascades, mont culminant de l'Amér. du N.). A l'Est du pluton qu'est la Sierra Nevada, dans le bassin du Nevada, il y a extension E.-O. de la croûte permettant la formation de petits chaînons volcaniques parallèles, caractéristiques du relief du Far West américain (structure *Basin and Range*). Du cap Mendocino à l'extrémité N. de l'île de Vancouver, on retrouve la disposition classique : dorsale, petite plaque océanique Juan de Fuca, subduction, chaîne volcanique des Cascades.

■ **Croissance et fragmentation des continents.** Le matériau des continents, plus « acide » (riche en silice) et plus léger que le basalte de la croûte océanique et que la péridotite du manteau, a progressivement exsudé du manteau au cours des 3 premiers milliards d'années suivant la formation de la Terre. Il est depuis resté en surface, mais sa répartition en différents continents a continuellement varié. Par continents, il faut entendre non seulement les grandes terres émergées, mais la croûte continentale recouverte de mer peu profonde (mers *épicontinentales, plate-forme continentale*).

Un continent peut s'accroître le long de ses marges actives lorsqu'il y existe une zone de subduction, une plaque océanique plongeant sous le continent. Il y a 2 processus d'*accrétion continentale.* 1°) La plaque subduite est raclée par le bord du continent, et les sédiments marins qui la recouvrent s'agglutinent contre le continent, en un mélange faillé et bouleversé, le *prisme d'accrétion.* Il en est ainsi actuellement au S. des îles de la Sonde (que seule une mer épicontinentale sépare de la Malaisie et de la Thaïlande) ; le prisme d'accrétion émerge aux îles Mentawei. 2°) Lorsque la plaque subduite renfermait de petits blocs continentaux, ceux-ci restaient accolés au continent. Dans les 2 cas on obtient des terrains allochtones (d'origine exotique) dont la géologie diffère de celle des terrains voisins (nommés en 1960 par Irwin des *terranes*). On reconnaît aujourd'hui des agglomérats de terranes même dans des terrains très anciens, précambriens, antérieurs au Primaire (+ de 600 M.a.).

Inversement, en d'autres marges actives des fragments de continent peuvent se détacher. Le continent, à l'arrière d'une bande côtière, est étiré, aminci, et envahi par une mer épicontinentale. De l'océan vers le continent, on a alors : fosse océanique à l'endroit de la subduction, îles (comme le Japon) ou presqu'île (comme le Kamtchatka) de nature continentale, mais avec des volcans récents, bassin intra-arc (mer marginale). Ce bassin se dilatant, le chapelet d'îles prend une forme arquée. Des intrusions de basalte, puis une vraie croûte océanique apparaissent dans le bassin intra-arc ou la mer marginale. Son extension dure 3 à 20 M.a. On peut rattacher à ce phénomène la formation des mers marginales du Pacifique occidental (mer du Japon, des Philippines, etc.) et des bassins de Méditerranée occidentale au Miocène inférieur et moyen (– 25 à – 10 M.a.), de la mer Égée depuis – 13 M.a. (En 13 M.a. l'extension N.-S. de la mer Égée a été de 300 km, alors même que l'Afrique et l'Europe se rapprochaient de 90 km.)

Par ailleurs deux continents peuvent se télescoper et fusionner (collision), ou inversement un continent peut se fissurer. Dans ce cas, au début, la plaque, chauffée par en dessous, s'amincit le long d'une bande, qui est étirée transversalement. En surface l'aspect observé est un ou une série de *grabens* (fossé d'effondrement : affaissement de terrain entre 2 failles parallèles). Exemple : Grand Rift africain

THÉORIE DE WEGENER DE LA DÉRIVE DES CONTINENTS (1912) ET TECTONIQUE GLOBALE (1968)

1) L'Allemand Alfred Wegener (1880-1930) croyait, comme les géologues de l'époque, que la croûte continentale (qu'on appelait *sial*) « flottait » sur une couche de basalte moins rigide (appelée *sima*). En fait, sial et sima appartiennent tous 2 à la croûte qui forme la partie supérieure de la *lithosphère* rigide qui comprend du manteau supérieur.

2) Selon Wegener, les cordillères américaines seraient dues à la résistance à l'avancement lorsque les Amériques ont dérivé vers l'ouest. Ce qui était quelque peu contradictoire avec la fluidité (relative) attribuée au sima.

3) Wegener pensait qu'à l'origine tous les continents étaient réunis dans une *Pangée.* On sait aujourd'hui que la Pangée n'a existé qu'en certaines périodes (fin du Précambrien et fin du Primaire) (Permien).

4) La force qui aurait fait se disloquer la Pangée serait la force centrifuge lorsque la Pangée s'est éloignée du pôle, force trop faible. Pourtant le géologue autrichien Otto Ampferer, pour expliquer les forces tectoniques, avait déjà invoqué en 1906 la convection thermique, suite à des expériences de convection du Français Bénard.

(qui n'évolue plus), prolongé par la mer Rouge (qui continue à s'élargir, et deviendra dans des dizaines de M.a. un océan, avec une dorsale médiane). Actuellement, l'écartement du rift d'Assal (Djibouti) est d'env. 1 cm par an.

■ **Paléogéographie. Position relative des continents.** *Critères utilisés.* 1°) *lorsque la plaque support a une partie océanique (depuis 165 M.a.),* celle-ci a des bandes d'anomalies magnétiques correspondant à des bandes de croûte océanique d'âge croissant à partir d'une dorsale. Si l'on admet que la croûte se crée à vitesse constante, on peut à la fois dater 1 bande à partir des plus récentes (bien datées) et remonter le temps pour les positions relatives en rapprochant côte à côte 2 bandes de même âge de chaque côté de la dorsale. 2°) *avant 165 M.a.* : en l'absence de fonds océanique, il faut se fier à la datation et aux mesures *paléomagnétiques* des roches qui permettent de restituer l'ATR (direction du champ magnétique figé au refroidissement) et donc par recoupements 1 *pôle magnétique virtuel.* La comparaison de ce dernier avec le pôle réel, qui a peu varié, permet d'évaluer dérive et rotation des continents. On connaît donc la latitude et l'orientation qu'avait une région échantillonnée à l'âge considéré, mais pas sa longitude.

Autres critères utilisés : biogéographiques (mêmes animaux terrestres et plantes sur 2 continents à partir d'une époque = contact entre ces 2 continents à cette époque) ; *pétrographiques et tectoniques* (les roches doivent avoir le même âge et la même orientation des lignes tectoniques dans une province géologique que l'on retrouve aujourd'hui fragmentée et dispersée) ; *climatiques* (houille formée à une époque = continent dans une zone humide ; sel = c. dans une zone aride ; tillites, moraines fossiles déposées par de grands glaciers = c. à une haute latitude).

Les reconstitutions paléogéographiques tiennent de plus en plus compte de phénomènes non inclus dans la théorie des plaques : extension de marges continentales, ou au contraire rétrécissement par suite de grands charriages ou de plissements. La largeur de la zone déformée peut avoir varié d'un facteur 2 à 3. Il faut donc commencer par redonner à ces zones leur dimension antérieure, par une reconstitution *palinspastique* (du grec *spân* « étirer » et *palin* « en revenant sur ses pas »). En plus des collisions et fissions de continents, il faut envisager la possibilité de très grands coulissages le long de failles. Ainsi de grandes failles E.-O. en Asie centrale auraient pu permettre, selon Tapponnier, une extrusion vers l'océan de l'Asie du S.-E. (failles de l'Altyn Tag, de la rivière Rouge, etc.). Au tertiaire, la plaque Caraïbe, avec l'Amérique centrale, a coulissé vers l'E. de 1 000 km, le long d'une zone de failles allant du N. du Guatemala (faille de Polochic et Motagua) au S. des Grandes Antilles du N., et longeant le N. de la Colombie (faille d'Oca) et du Venezuela au S. (faille d'El Pilar).

GRANDS TRAITS DE L'HISTOIRE GÉOLOGIQUE

■ **Pré-Cambrien.** On ne connaît que la date approximative de certaines orogenèses, qui portent des noms différents selon les régions du monde. Vers 2 500 M.a., se situe la séparation entre l'Archien et le Protérozoïque séparé vers 600 M.a. de l'ère primaire, ou Paléozoïque, par les orogenèses cadomiennes en Europe, baïkaliennes en Asie, panafricaines en Afrique).

■ **Ère primaire.** *Continents existants* (appelés *« Boucliers »*) : la *Gondwanie,* groupant Amérique du S., Afrique, Antarctique, Australie et Asie du S. (Inde, Afghanistan, Iran, Arabie, Turquie), s'étendait de 30 °N à 50 °S, avec une orientation inverse de l'actuelle, l'Afrique du S., l'Antarctique et l'Australie étant dans l'hémisphère N. où se développait un système montagneux, les *Gondwanides.* La *Laurentie* (Amérique du N. sans sa bordure O., Groenland, côte N.-O. de l'Écosse vers les îles Hébrides). *L'Europe du N.* ou *Baltique* (Irlande, Écosse, Scandinavie et plate-forme russe). *La Sibérie. La Chine. La Kazakhstanie,* etc.

L'océan dit *Iapetus*, qui séparait Laurentie et Baltique, était le siège de subductions, avec formations d'arcs insulaires volcaniques, de prismes d'accrétion, puis de chaînes liminaires. A la limite Cambrien-Ordovicien (– 500 M.a.) une phase orogénique *grampienne* en Écosse est la première des phases *calédoniennes* (Calédonie est l'ancien nom de l'Écosse).

Vers – 450 M.a. Fin de l'Ordovicien. La Gondwanie a tourné de 45° dans le sens anti-horaire et dérivé vers le S. Du Silurien à la fin du Carbonifère, elle reste centrée sur le pôle S., et tourne de 3/4 de tour dans le sens horaire.

Vers – 400 M.a. Fin du Silurien. A lieu la « collision calédonienne » entre Laurentie et Baltique, et les chaînes liminaires deviennent des chaînes de collision, avec grands charriages. Laurentie et Baltique resteront unies jusqu'au Tertiaire *(Laurasie* ou *Euramérique*).

Vers – 300 M.a. Fin du Carbonifère. La rotation de la Gondwanie et une dérive vers le S. de la Laurasie provoquent leur collision et leur soudure avec formation d'un super-continent, la *Pangée.* Ou plutôt une Proto-Pangée, distincte de celle de Wegener : d'après Irving, c'est le N.-O. de l'Amérique du S., et non de l'Afrique, qui aurait buté contre l'Amérique du N., causant la formation des Appalaches. Selon Bonhommet, un continent distinct présent dans l'*océan Hercynien* entre Gondwanie et Laurasie, le *continent Armoricain,* aurait déjà heurté la Laurasie vers – 340 M.a. Il explique ainsi la phase orogénique *bretonne*, la 1re des phases ayant formé les plissements *Hercyniens* (ou *Varisques*) au cours du Carbonifère.

Vers – 250 M.a. Fin du Permien. Sibérie et Kazakhstan viennent s'accoler à la Pangée en formant l'Oural. Mongolie, Chine, Corée, Indochine, Malaisie continuent d'être de petits continents séparés et distincts.

■ **Ère secondaire. Trias.** Les positions relatives des parties N. et S. de la Pangée changent, avec ouverture à l'E. d'un océan, la *Téthys,* et coulissage E.-O. d'environ 3 000 km, l'Afrique venant se placer contre l'Amérique du N.

Jurassique. L'Atlantique central et une *Téthys caraïbe* s'ouvrent à partir de – 180 M.a., l'Atlantique S. et l'océan Indien s'ouvrent à partir de – 140 M.a. Les divers blocs de l'Asie du S.-E. se soudent en un seul continent (de la Mongolie à la Malaisie) qui, à la fin du Jurassique, se réunit au reste de l'Asie (Inde exclue).

Crétacé. La *Téthys* forme une ceinture latitudinale continue où se produisent diverses orogenèses ; l'Atlantique N. continue de s'ouvrir.

■ **Ère tertiaire.** La mer du Labrador et l'océan Arctique s'ouvrent vers 60 M.a. La collision Inde-Eurasie à lieu à – 43 M.a. L'Australie se sépare de l'Antarctique à partir de – 40 M.a., le Groenland de la Norvège (communication Atlantique-Arctique) et l'Arabie de l'Afrique vers – 38 M.a.

L'Islande, qui se trouve sur une dorsale et n'est formée que de basaltes, sans croûte continentale, n'a que 23 M.a.

■ **Glaciations.** On a trouvé des indices de grandes glaciations vers – 2300, – 950, – 750 et – 650 M.a. Puis vers – 450 M.a. et entre – 350 M.a. et – 250 M.a, en diverses régions de la Gondwanie, au moment où elles devaient se trouver près du pôle S. et être bien exposées aux précipitations. *De – 30 M.a. (Oligocène) à – 14,4 M.a. (Miocène moyen)* l'Antarctique Est a eu des glaciers atteignant la mer, pendant que l'Antarctique Ouest avait un climat doux. *De – 11,3 à –5,1 M.a.,* l'Antarctique Ouest a eu des glaciers atteignant la mer qui s'est complètement englacée vers – 4,8 M.a., lors de la *glaciation de Ross,* la plus intense dans l'hémisphère Sud. Les glaciations répétées de l'hémisphère N. (dont on ne connaît que les 4 dernières) ont débuté il y a 2,5 M.a. Nous nous trouvons depuis 10 000 ans env. en période interglaciaire ; mais, à cause de la combustion par l'homme des réserves de carbone, et de l'effet de serre provoqué par le gaz carbonique produit, il se pourrait que la prochaine glaciation, prévue dans quelques milliers d'années, n'ait pas lieu.

■ MORPHOLOGIE DES RELIEFS

L'ÉROSION

■ **Érosion.** Désagrégation et altération des roches suivies de l'enlèvement des débris sous l'influence d'agents externes : froid, chaleur, vent, eaux, glaciers.

Théories. 1°) **Cycle d'érosion** de William Morris Davis (1850-1934) : les reliefs montagneux passent par 3 stades successifs : *a) jeunesse :* le relief est accidenté par des vallées étroites à versants raides ; *b) maturité :* les formes ont atteint leur profil d'équilibre (versants convexes et lits des cours d'eau à faible pente) ; *c) vieillesse :* les reliefs ont disparu au profit d'une surface à faibles dénivellations appelée **pénéplaine.** Seule l'inclinaison (pendage) des couches de terrains prouve que la région a été plissée à une époque antérieure. 2°) **Morphogenèse moderne :** chaque région a connu des séquences morphogéniques propres dues à une succession de périodes où l'érosion est très forte (notamment quand le climat amoindrit la végétation – *rhexistasie* – et surtout quand l'orogenèse soulève les montagnes), et de périodes où l'évolution se ralentit (en particulier sous couvert végétal dense – *biostasie* – et surtout en période de calme orogénique). Les *paysages* qui se succèdent dans le temps ne s'enchaînent pas systématiquement selon les 3 stades de W.M. Davis.

Éboulement. *Principaux éboulements historiques :* **1248** le Granier (sud de Chambéry) : 5 000 victimes ; **1806** (sept.) Rossberg, au nord du Righi (lac des Quatre-Cantons, Suisse) : 4 km de long, 320 m de large, 32 m d'épaisseur, 40 millions de m³ (4 villages détruits, 1 000 †) ; **1882** Tschingelberg, près d'Elm (canton de Glaris, Suisse) : de 15 à 25 m d'épaisseur, vallée transformée en lac (110 †) ; **1896** Le Gouffre sur la rive gauche du Gardon (Gard, France) : la montagne du Gouffre glisse pendant un mois et déplace le cours de la rivière de plusieurs centaines de m. **1963** (9-10) Vaiont (Italie) : le flanc de la montagne (250 millions de m³) glisse dans le lac de barrage, provoquant une gigantesque vague qui détruit Longarone à plusieurs km de là (plusieurs milliers de †). En aval de St-Étienne de Tinée (Alpes-Mar.), un tel éboulement est à craindre dans la région de la Clapière.

Cheminées de fée (colonnes coiffées, ou demoiselles). Terrains résiduels respectés par l'action des eaux de ruissellement sur des terrains meubles. Les gros blocs dégagés protègent de la pluie les terrains situés en dessous, puis deviennent progressivement des chapiteaux de plus en plus hauts (jusqu'à 30 m).

Groupe le plus important : les demoiselles coiffées de Vallauria (par Théus, Htes-Alpes) : 200. *Autres groupes :* St-Gervais-les-Bains (Hte-Sav.), Le Sauze (Htes-Alpes), Euseigne (Valais, Suisse), Ritten, près de Bolzano (Italie).

Accidents tectoniques. Déformations affectant les massifs rocheux : *plastiques et continues,* sans rupture, *les plis* dits *anticlinaux* quand les couches les plus anciennes sont au cœur et *synclinaux* quand ce sont les plus récentes. *Cassantes,* avec rupture : les *failles normales ou directes* avec affaissement du compartiment surincombant (et allongement du domaine affecté : tectonique distensive), *inverses* avec soulèvement du compartiment surincombant (et raccourcissement du domaine affecté : tectonique compressive) et *décrochantes* (décrochements, failles de coulissage) qui sont marquées par un déplacement relatif latéral des deux compartiments. *Chevauchements ou charriages,* sur des failles voisines de l'horizontale, résultant d'un télescopage entre 2 blocs. *Nappes de charriage* résultant du glissement de couches superficielles sur le flanc d'une vaste

Visibilité du globe. Ligne d'horizon suivant la hauteur à laquelle on se trouve. Le 1er chiffre (H) indique la hauteur au-dessus de la mer en mètres, le 2e (D) la distance en km de l'horizon de la mer.

H m	D km	H m	D km	H m	D km
1	3,6	*50*	25,2	*900*	107
2	5	*100*	35,7	*1 000*	112,9
3	6,2	*200*	50,5	*2 000*	159,6
4	7,1	*300*	61,8	*3 000*	195,5
5	8,9	*400*	71,4	*4 000*	225,8
10	11,3	*500*	79,8	*5 000*	252,5
20	15,9	*600*	87,4	*10 000*	357
30	19,5	*700*	94,4	*20 000*	505
40	22,6	*800*	101	*100 000*	1 133

☞ A 36 000 km d'altitude (satellites stationnaires), on peut voir quasiment la moitié de la Terre.

intumescence, avec pliage en S de cette série de couches (sur une même verticale, on trouve 3 séries identiques, celle du milieu étant à l'envers).

Reliefs jurassien et subalpin. Dans les plissements réguliers d'une couverture sédimentaire faite d'une alternance de couches calcaires dures, et de couches tendres marneuses, le relief primitif [(alternance de *monts* (anticlinaux) et de *vaux* (synclinaux)] est attaqué par l'érosion. Si l'érosion est peu poussée, les anticlinaux restent en relief relatif ; le *relief,* dit *jurassien,* est marqué par les éléments suivants : **combe :** mont éventré par des dépressions longitudinales ; **crêts :** escarpements symétriques, de part et d'autre d'une combe ; **barre :** si le pendage est supérieur à 45° ; **cluse :** vallée traversant un mont d'un val à l'autre. Le ruissellement ouvre dans le flanc du mont des ravins appelés **ruz.** Quand l'érosion est plus poussée, les synclinaux dits « perchés » sont en relief relatif par rapport aux anticlinaux évidés en *combes* profondes qui sont souvent de véritables vallées ; ce type de *relief* est dit *inverse* ou, mieux, *inversé ;* exemple type : la Chartreuse.

Relief appalachien. Relief qu'acquiert une vieille structure plissée aplanie du fait de l'érosion quand elle est rajeunie par soulèvement. La terminologie « jurassienne » ne s'applique pas tant que la surface d'érosion initiale reste visible. On a une succession de creux *(sillons)* et de rides allongées dont le sommet plat est témoin de la surface d'érosion antérieure *(barres).* Les encoches permettant le passage de l'une à l'autre sont des *gaps.*

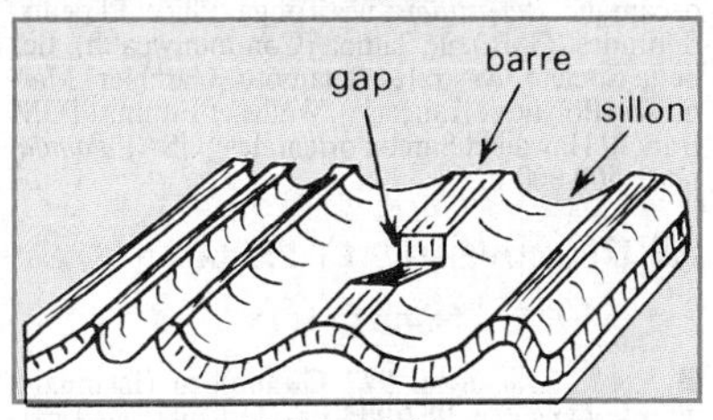

Relief appalachien

Érosion glaciaire. Les glaciers transportent des débris (les **moraines**) qu'ils arrachent à leur lit ou qui tombent du haut des versants. Ils peuvent leur faire franchir des contre-pentes et accentuer les accidents de terrain. Ils polissent leur lit en donnant aux rochers un aspect « moutonné » *(poli glaciaire).* La vallée glaciaire devient un escalier de bassins (les **ombilics**), séparés par des barres rocheuses que la glace n'a pu réduire (les **verrous**). En cas de déglaciation, des lacs profonds remplissent les ombilics et des gorges traversent les verrous. Si les versants fournissent beaucoup de débris, le glacier couvert de blocs devient un **glacier noir.** Lorsqu'il renferme plus de débris et de blocs que de glace, il devient un **glacier rocheux.**

Fjeld (prononcer fiël, mot norvégien) : étendue de roches moutonnées et striées que le glacier a ciselées + ou − profondément.

Fjord (prononcer fiord) : vallée en auge (parfois profonde de plus de 1 000 m), souvent très au-dessous du niveau de la mer, creusée par des langues glaciaires et envahie par les eaux océaniques après la déglaciation.

Les plus longs du monde : fjord du glacier Lambert (Antarctide) 400 km (large 50 km, prof. max. 2 200 m). Nord-westfjord (Groenland) 313 km. *Les plus profonds :* fjord du glacier Lambert (Antarctide) 2 200 m. Sognefjord (Norvège) 1 245 m (183 km de long., largeur moy. 4,75 km). François-Joseph (Groenland) 1 000 m (long. 225 km, larg. 3-26 km).

Au Danemark, le Limfjord (160 km) n'est pas un fjord, mais une simple vallée submergée (ria).

Autres côtes à fjords : Canada (Colombie britannique, Labrador), Alaska, Chili méridional.

Érosion des régions montagneuses arides. 1°) **En bordure des déserts :** montagnes décharnées, glacis d'érosion à l'amont (appelés *pédiments*), plaines d'épandage et dépressions fermées *(playas)* à l'aval. Des reliefs résiduels à pente raide [appelés *inselbergs* (montagnes-îles)] surplombent parfois ces glacis.

2°) **Dans les déserts :** désagrégation importante (fortes amplitudes thermiques, rareté des sols, absence de végétation protectrice). Corrosion : le vent, en projetant du sable sur les roches, leur donne un *poli éolien* caractéristique, s'y ajoute un *vernis désertique* (dépôt sombre d'oxyde de manganèse) ou une *croûte saline* (de l'eau montée d'une nappe aquifère profonde par capillarité s'est évaporée en surface, libérant des sels qui cimentent le sol meuble sur plusieurs cm). *Déflation :* le vent soulève en nuages les particules les plus légères et dégage parfois d'immenses dallages rocheux (les **hamadas**) parsemés de blocs anguleux. Dans les zones d'accumulation des **oueds,** quand le vent a entraîné le sable et les poussières, il ne reste plus que de vastes champs de cailloux et de graviers : les **regs.** Si le vent est arrêté ou freiné par un obstacle, les grains de sable s'accumulent en **dunes.** Certains déserts pauvres en sable (*ex. :* ceux d'Asie centrale) ont des dunes élémentaires : les **barkhanes** (de 10 à 15 m de haut). D'autres, notamment le Sahara, ont d'importants massifs de dunes (les **ergs** d'Algérie ou de Libye) qui s'expliquent par la reprise de sables antérieurs, fluviatiles ou marins.

Reliefs volcaniques (voir Volcans p. 68).

ENFONCEMENT DES VIEUX MONUMENTS

De très lourdes enceintes romaines, des cathédrales, des châteaux et palais construits sur des terrains alluviaux non consolidés, parfois même rapportés (cas de Mexico, construit sur un lac remblayé), se sont parfois tassés au fil des ans. De plus, on a exhaussé plus tard berges, places et rues pour les mettre à l'abri des inondations. L'enfoncement des vieux immeubles s'accélère lorsqu'on puise trop d'eau dans la nappe phréatique (cas de Venise).

L'ÉROSION EN RÉGION CALCAIRE

☞ Les formes propres des régions calcaires sont dites *karstiques* (province yougoslave du Karst où elles ont été étudiées) ; en France, on parle de *causse* (adjectif occitan, venu du latin *calcinus,* calcaire).

Eaux souterraines. Une région karstique évoluée comporte 3 zones superposées : *1°) Supérieure,* où l'eau acide chargée en CO_2 dissous s'infiltre sans demeurer et dissout activement le calcaire [région des cavernes, grottes, gouffres appelés *avens* dans les Causses, *emposieux* dans le Jura : grottes d'Orgnac (Ardèche), de Dargilan, aven Armand (Causses), de Clamouse (Hérault), gouffre de Padirac (Périgord), des Canalettes, de la Pierre-St-Martin (Pyrénées), Jean-Bernard en Haute-Savoie]. Voir Spéléologie à l'Index. *2°) Médiane,* occupée en permanence par de l'eau en mouvement encore agressive : les rivières reviennent à l'air libre par des *sources vauclusiennes* ou *résurgences* (source de la Loue dans le Jura, rivière de Han en Belgique). *3°) Inférieure ou zone noyée permanente* où l'eau réductrice et quasi stagnante imbibe pores et fissures du calcaire sans dissolution marquée. Dans un karst jeune, il n'existe que la zone supérieure.

Formes chaotiques de surface. Vallées sèches. Lapiez : cannelures de dissolution superficielles à la surface des dalles calcaires, profondes (karren) à l'emplacement des diaclases (fissures). **Dolines :** cuvettes circulaires à fond plat en Yougoslavie, appelées *sotchs* dans les Causses. **Terra rossa :** argile résiduelle tapissant le fond des dolines. **Poljés** (se prononce : polié) : grandes dépressions fermées (en Yougoslavie plusieurs dizaines de km de long), à fond plat, partiellement tapissées d'argile d'altération des calcaires, parfois alimentées par un ou plusieurs cours d'eau et drainées par les fissures du fond *(ponors).* **Vallées en gorges et canyons** (gorges du Tarn, du Verdon) : certaines viennent de l'effondrement du plafond qui subsiste au-dessus des grottes (à Padirac, le plafond n'a plus que quelques m au-dessus des salles les plus hautes). Ailleurs, elles se sont produites par enfoncement de la rivière à l'air libre.

Évolution des régions calcaires selon le climat : en pays arides, le calcaire subit très peu d'attaques par dissolution ; en *régions tropicales et équatoriales,* l'évolution est rapide : la libération d'une grande quantité d'acides organiques par la végétation qui pourrit sur place favorise l'évacuation d'une grosse masse de carbonate de calcium ; les couches calcaires se réduisent souvent à des « clochetons » (piliers isolés et rongés à la base), notamment dans les îles des Caraïbes, en Chine (karsts résiduels) et au Viêt-nam (baie d'Along).

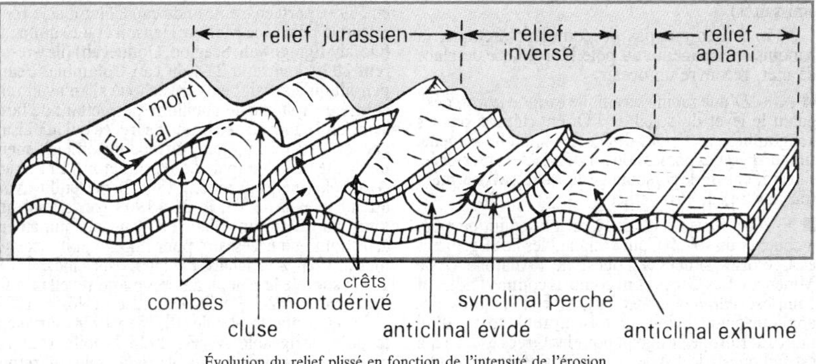

Évolution du relief plissé en fonction de l'intensité de l'érosion

STRUCTURE DE LA TERRE

La Terre s'est formée avec les mêmes substances que le Soleil, mais n'a pu retenir la plupart des éléments légers.

■ **Composition chimique de la croûte terrestre en %.** Oxygène 47,34. Silicium 27,74. Aluminium 7,85. Fer 4,50. Calcium 3,47. Sodium 2,46. Potassium 2,46. Magnésium 2,24. Titane 0,46. Hydrogène 0,22. Carbone 0,19. Phosphore 0,12. Soufre 0,12. Baryum 0,08. Manganèse 0,08. Chlore 0,06.

■ **Structure profonde.** Indépendamment de la division en lithosphère et asthénosphère, fondée sur la viscosité, et utilisée par la *tectonique globale,* la structure de la Terre se décrit en termes de matériaux, à partir de la surface : 1°) **la croûte,** séparée du manteau sous-jacent par la *discontinuité de Mohorovičic ou Moho* (voir plus loin) qui se situe en moyenne à 30 km de profondeur sous les continents (max. 70 km sous les plus hautes chaînes de montagne) et seulement 10 km sous les océans. *La croûte continentale* se subdivise en 3 « couches » : supérieure de roches sédimentaires, moyenne granito-gneissique, inférieure « basaltique » (en réalité roches métamorphiques de même composition : amphibolites, éclogites). *La croûte océanique* très mince (en moyenne 6 km d'épaisseur sous 4 000 m d'eau) est formée en surface de basaltes (masqués sous quelques milliers de mètres de sédiments des plaines abyssales) et en profondeur par des gabbros, roches plutoniques de même composition chimique. 2°) **le manteau,** jusqu'à 2 900 km de profondeur. 3°) **le noyau externe,** jusqu'à 5 100 km, liquide, de 3 485 km de rayon (1/6 du volume de la Terre, 1/3 de sa masse), sans doute composé presque uniquement de fer ou, comme certaines météorites, de fer et de nickel *(Nife)* (des mesures faites au laboratoire ont montré qu'il devrait comporter aussi une faible proportion d'éléments plus légers, comme le soufre) ; sa viscosité est voisine de celle de l'eau, et il conduit la chaleur et l'électricité mieux que le cuivre ; 4°) **la graine,** ou **noyau interne** (1 220 km de rayon), sans doute de composition analogue mais solide, s'étendant jusqu'au centre de la Terre. *Densité au centre :* au moins 12 g/cm³ ; *pression :* 3,7 millions d'atmosphères ; *température :* 3 000 ou 4 000 °C, la pression empêche le fer de se liquéfier à moins de 5 000 °C.

☞ **Les ophiolites** (gr. *ophis :* « serpent », *lithos :* « pierre ») sont les seules formations géologiques où l'on peut trouver actuellement des lambeaux de croûtes océaniques disparues. La plupart des gisements de nickel et d'amiante, quelques gisements de chrome, de cuivre, de zinc et de manganèse leur sont associés.

■ **Enveloppes extérieures.** De l'extérieur à l'intérieur de la Terre, on rencontre successivement plusieurs enveloppes : l'*atmosphère ;* la *cryosphère* [1], ensemble des glaces terrestres et marines (voir Banquise p. 72 et Glaciers p. 62) ; l'*hydrosphère,* ensemble des eaux marines, douces, dessalées ou sursalées (voir Mers p. 70 et Eaux continentales p. 60). Par analogie avec cette classification physique, on introduit souvent la biosphère, ensemble des plantes et des animaux, et la *noosphère,* ensemble des êtres pensants.

Nota. – (1) Mars a aussi une cryosphère (calottes polaires de givre, et probablement sol cimenté par de la glace en profondeur).

■ Densités moyennes. *Atmosphère* (air) de 0 à 0,0013. *Cryosphère* (glace) 0,91. *Hydrosphère* (océans) 1,04. *Croûte terrestre* 2,7. Au-delà de 30 à 40 km, 3,3, et l'on passerait brusquement, à 2 900 km, de 5,7 à 9,7 *(noyau),* puis vers 5 000 km, de 12 à 15 *(graine). Densité moyenne* 5,52 [Soleil 1,4, autres planètes : de 0,72 (Saturne) à 5,44 (Mercure)].

■ Température. A un peu plus de 1 m de la surface, les variations de température journalière ne se font plus sentir et, vers 20 ou 30 m, suivant les sols, les variations annuelles ne jouent plus. Au fur et à mesure que l'on s'enfonce, la température s'élève généralement d'environ 3 °C par 100 m : c'est le *gradient géothermique.* Le *degré géothermique* indique la profondeur à laquelle il faut descendre pour que la température s'élève de 1 °C (en moyenne 33 m). Le sol peut être gelé sur 300 m (ex. au Spitsberg, en Sibérie). La température profonde, mal connue, peut atteindre quelques milliers de degrés.

■ Techniques d'exploration

☞ La connaissance de la structure profonde de la Terre, telle qu'elle a été décrite ci-dessus, est essentiellement fondée sur l'étude de la propagation des ondes de séismes naturels ou artificiels.

1° Pénétration directe

Quelques km dans les mines les plus profondes (plus de 12 124 m près de Zapolarny, péninsule de Kola, en Russie, en avril 1990) ou dans l'étude des fosses marines au moyen de submersibles (inaugurée en 1973 par le projet *Famous* dans le Rift médio-atlantique).

Forages. **Projet Mohole :** tire son nom du Yougoslave Andrija Mohorovičic (1857-1936), séismologue ayant découvert la « discontinuité ». En 1964, les Américains espéraient atteindre cette « discontinuité » à l'endroit où elle était la moins profonde (c.-à-d. sous l'océan) ; le projet a été abandonné en 1968. Depuis, de nombreux forages dans les fonds marins, s'efforçant d'atteindre le socle basaltique, ont été faits par le navire spécial *Glomar Challenger,* dans le cadre du *programme américain Joides,* puis du *programme international Ipod.* Ils ont précisé la structure et l'âge de la plupart des grandes régions océaniques. Tous ont retrouvé, sous les sédiments, des roches analogues aux *ophiolites* des chaînes de montagnes (voir p. 51 c).

Forages soviétiques : *Presqu'île de Kola,* 12 006 m atteints en 1984 (profondeur prévue 15 000 m). A partir de 7 km, la température est de 120 °C. A 10 km, 300 °C (pression de 1 600 à 1 800 atmosphères). *A Saatly* (Azerbaïdjan) 6 521 m atteints en 1969, où la croûte terrestre est mince ; 15 à 18 km (un forage plus profond est entrepris). *Vostok* (Antarctique) 2 400 m record dans la glace (1992).

Forage allemand : *en Forêt-Noire et en Bavière :* but : 10 000 m, atteint (11-1992) – 6 650 m (à 5 200 m, réservoir contenant 30 microfossiles marins, d'env. 400 millions d'années.) *Coût :* 1,5 milliard de F ; *travaux* de 1988 à 1995. *Indlandsis groenlandais et antarctique :* les forages profonds ont donné des informations précises (datées) sur la météorologie préhistorique, l'activité volcanique passée, l'activité solaire, les micrométéorites.

Forage suédois : dans le cratère d'impact (astroblème) *Siljan Ring,* recherche de gaz « natifs » qui auraient pu s'accumuler dans le matériau profond émietté par l'impact il y a env. 360 millions d'années, et ainsi rendu poreux. Profondeur prévue 7,5 km, 6,3 km atteints en nov. 1987.

Antarctique : coopération internationale coordonnée par le Scientific Committee of Antarctic Research (SCAR).

2° Méthodes géophysiques (prospection géophysique)

Sismologie (étude en surface des ondes venant de tremblements de terre, d'explosions provoquées ou non, d'activité volcanique). On atteint jusqu'au centre de la Terre. La prospection sismique (terrestre, marine) commerciale recherche dans les couches superficielles (0-10 km) les gîtes minéraux ou sources de chaleur exploitables. Le procédé Vobroseis (ébranlements périodiques du sol avec de lourdes masses) permet d'explorer le sous-sol dans les zones construites sans recourir à des explosions. La sismologie de surveillance explore l'activité souterraine des zones sismiques, géothermiques et des volcans. La sismologie d'observatoire, outre la connaissance de la sismicité mondiale (voir séismes p. 63) et des grandes explosions (voir séismes artificiels p. 68 a) a fourni de plus en plus de précisions sur la structure de la Terre : son noyau (1906), la base de la croûte (1920), la graine centrale (1936), la structure profonde de la croûte : projets Cocorp aux USA, Ecors (Étude de la croûte par réflexion des ondes sismiques) en France (1990).

Une *tomographie* complète du globe a été entreprise sur l'initiative de la France (1981). Son programme Géoscope (Inst. de Physique du Globe, Paris) complété par le projet Iris (USA 1987) permettra de sonder jusqu'au centre de la Terre, à l'aide des ondes de très longue période (jusqu'à 1 heure) consécutives aux très forts tremblements de terre qui mettent en résonance le globe entier. Les résultats provisoires ont montré des bosses et des creux de ± 6 m sur le noyau, et une forme (trop) allongée, selon l'axe des pôles, de la graine solide centrale. On espère ainsi répondre à certaines questions sur le fonctionnement interne et les échanges entre graine, noyau, manteau, agissant aussi sur le magnétisme terrestre.

Gravimétrie (terrestre, marine, aéroportée, satellisée). On mesure l'intensité et la direction de la pesanteur, dont les moindres variations reflètent des irrégularités de densité dans la lithosphère et dans les couches plus profondes.

Autres méthodes géophysiques utilisées (principalement pour l'exploration commerciale). Études locales plus ou moins profondes de la lithosphère : sondages thermiques, électriques, magnétotelluriques, magnétiques.

Le sondeur *Sea-Beam* a fourni depuis 1984 des cartes du fond des océans à l'échelle du 1/10 000 ou du 1/20 000 permettant l'étude des processus géologiques.

Continents

■ Nom

Masses continentales

■ Anciens continents. Gondwanie, Laurasie, Pangée, voir p. 47.

■ Continents actuels. L'Asie est la plus grande des masses continentales. Là se trouve *le point du monde le plus éloigné de tout littoral maritime :* le désert de Dzoosotoyn Elisen, dans le Sinkiang chinois (2 400 km). *Le continent où cette distance est la plus petite* est l'Australie : 780 km. *La terre la plus au nord* est le cap Morris Jesup, au nord du Groenland, à 711 km du pôle Nord. *La terre la plus au sud* est le pôle Sud dans l'Antarctique.

■ Afrique. Du nom de la tribu berbère des Awrigha appelés *Afri* ou « noirs » par les Romains. Cette tribu habitait le territoire de Carthage. Le nom, appliqué par les Romains à la plus ancienne province conquise en Afrique du N. (Tunisie, et est de l'Algérie), fut étendu au XVe s. à tout le continent.

■ Amérique. Du prénom italien Amerigo (en français Aymeric), porté par l'explorateur italien Vespucci (1451-1512). Il a désigné le continent américain pour la 1re fois dans la *Cosmographiae Introductio* de l'Allemand Martin Waldseemüller, publiée à St-Dié, Vosges, en 1507. En 1888, le géologue français Jules Dacon a voulu ramener le mot « Amérique » à une racine de dialecte indien (le xantal du Nicaragua) signifiant pays du vent [nom local d'une chaîne de montagnes (hypothèse abandonnée)].

■ Antarctique. Des 2 mots grecs *anti,* « opposé » et *arktos,* « la Grande Ourse », c.-à-d. le Nord. Désigne la calotte sud du globe, par opposition aux régions arctiques qui occupent la calotte nord. L'Antarctique est presque entièrement couvert d'un dôme de glace qui déborde, par endroits, sur la mer. Température moy. annuelle – 10 °C (niveau de la mer) à – 60 °C. Épaisseur de la glace jusqu'à 4 300 m, volume estimé à 28 millions de km³ (90 % du total des glaces terrestres). Vitesse d'écoulement de quelques m par an (intérieur du continent), de 100 à 200 m par an (sur la côte) et 1 km par an (glaciers émissaires).

Nota. – Il n'y a pas de continent **arctique,** la banquise permanente du pôle Nord, faite de glace de mer, recouvre un océan.

■ Asie. D'une racine sémitique *esch* ou *ushos,* désignant le lever du soleil ou l'Orient. Utilisé par les géographes grecs pour désigner l'Anatolie actuelle, située à l'est des possessions crétoises de la mer Égée. Fut créé ensuite le personnage de la déesse Asie, mère (ou femme) de Prométhée.

■ Europe. Sans doute de la racine sémitique *ereb,* « coucher du soleil », qui désignait les îles Égéennes et Crétoises situées à l'ouest de l'Anatolie (Asie Mineure). Les Grecs l'ont compris comme l'adjectif composé *europos,* « aux larges yeux », qu'ils ont appliqué à une divinité crétoise ayant la forme d'un taureau. Europe désignait pour les Grecs tout ce qui est à l'ouest de l'Asie, y compris leur péninsule.

■ Océanie. Du mot océan. Désigne l'ensemble des îles situées dans l'océan Pacifique, y compris l'Australie, qui avait donné pendant près de 100 ans son nom à toute cette partie du monde (nom tiré de celui des « mers australes », c.-à-d. du Sud).

■ Archipels océaniens

■ Insulinde. De 2 mots latins *insula,* « île », et *India,* « Inde ». Partie insulaire de l'Asie du S.-E. : 13 000 îles, sur 5 600 km de long.

■ Mélanésie. (Du grec *mélas,* « noir » et *nésos,* « île » : « île des Noirs »). Iles et archipels formant une guirlande au nord et à l'est de la N.-Guinée (et la comprenant) : archipel Bismarck, îles Salomon, Vanuatu, N.-Calédonie. On y rattache les îles Fidji. *Superficie totale des îles :* 965 000 km² (dont N.-Guinée 785 000 km). *Population :* 2 900 000 h.

■ Micronésie. (Du grec *micros,* « petit »). Petites îles (plus de 2 000 dont 90 habitées). Pacifique (entre Indonésie et Philippines au nord, Mélanésie au sud, Polynésie à l'est). Ensemble d'archipels (Mariannes, Palaos, Carolines, Marshall, Gilbert, Ellice) dispersés sur 4,5 millions de km² d'océan. *Superficie totale des îles :* 15 800 km². *Population :* 130 000 h.

■ Polynésie. Signifie « îles nombreuses ». Ensemble des îles situées à l'est de la Mélanésie, de la Micronésie dans un triangle Hawaii-N.-Fidji-Pitcairn, d'env. 12 millions de km². *Superficie totale des îles :* env. 25 000 km², soit 0,2 % de l'espace océanique. *Répartition :* îles Tonga, Ellice, Phoenix, Sporades (G.-B.), île Samoa (Commonwealth). Iles de la Société, Australes, Tuamotu, Gambier, Marquises (Polynésie française), Wallis-et-Futuna (TOM franç.), Hawaii et Samoa orientales (USA). *Population :* 500 000 h.

■ Découvertes et explorations

Nord et Sud

■ Nord, Groenland. **977** Günnbjorn (Islandais) aborde dans l'île. **982/985** Eric le Rouge (Is.) parcourt les côtes. **1806** exploration par Scoresby (Anglais, 1789-1857) des côtes orientales. **1888** 1re traversée par Fridtjof Nansen (Norv. 1861-1930). **1948-53** expéditions de Paul-Émile Victor (Fr., n. 1907) et Jean Malaurie (Fr., n. 1922). **1990** forage profond (3 028,8 m) dans la calotte glaciaire. **1991** *sept.* 6 spéléologues français explorent la calotte glaciaire du Groenland.

☞ **Conquête du pôle Nord. 1553** Hugh Willoughby (Angl. † 1554) ouvre la mer Blanche au commerce anglais. **1558** John Davis (Angl. v. 1550-1605) reconnaît le détroit de son nom jusqu'à la latitude 72°41′. **1594-96** William Barentsz (Holl. v. 1550-97) autour de la Nouvelle-Zemble. **1607** Henry Hudson (Angl. v. 1565-1611) découvre l'île Jan Mayen et atteint au Spitzberg 80°23′. **1775** Phipps avec Nelson (15 ans) poussent 40 km plus au N. **1806** William Scoresby (Angl. 1760-1829) à 81°30′ au large de Spitzberg. **1819** William Edward Parry (1790-1855) passe le 1er au N. du pôle magnétique. **1827**-23-7 atteint à partir de Spitzberg 82°45′N avec des chaloupes transformées en traîneaux. **1831** John Ross (Angl. 1777-1856) atteint le pôle Nord magnétique. **1871** Charles-Francis Hall (Amér. 1821-71) mène le *Polaris* à 82°16′. **1875** l'expédition de George Strong (Éc. 1831-1915) parvient à 82°48′. **1876** (12-5) Albert Hastings Markham (Angl. 1841-1918) à 83°20′ dans la mer de Lincoln. **1879** Adolf Erik Nordenskjöld (baron suéd. 1832-1901) force le passage N.-E. **1882**-13-5 Lockwood atteint 83°24′ (sur 24 participants de l'expédition, 17 † de faim). **1895**-7-4 Fridjof Nansen (Norv. 1861-1930) et Johansen (Norv.) atteignent le but, 86 °14′ N (ayant quitté le Fram le 14-3-1895). **1900**-25-4 Umberto Cagni (It.) atteint 86°34′ N. **1906**-21-4 Robert Edwin Peary (USA 1856-1920) à 87°6′ au N. du Groenland. **1909**-6-4 à 10 h Peary (53 ans), les orteils gelés (perdus en 1899), parti en traîneau du cap Columbia le 15-2, atteint le pôle avec Mattew Henson et 4 Esquimaux (Ootah, Eginghwah, Seegloo, Ooqueeah) (ils y restèrent 30 h), rentre le 23-4 au cap Columbia. Peary pensait qu'il aurait peut-être échoué s'il n'avait rencontré un système de bouilloire permettant de faire le thé en 10 min au lieu d'une heure, ce qui lui faisait gagner 1 h 30 chaque jour (fut reconnu officiellement par la Sté de géographie de Washington). Frederick A. Cook (médecin amér., 1865-?) prétendit avoir atteint le pôle le 1er, le 21-4-1908 (on admet aujourd'hui que ni l'un ni l'autre n'avaient l'équipement astronomique nécessaire pour faire le point exactement). **1926**-9-5 Richard Evelyn Byrd (Amér., 1888-1957) survole le pôle, mais son pilote révélera qu'il avait menti. 12-5 Roald Amundsen (Norv., 1872-1928) et Umberto Nobile (It., 1885-1978) survolent le pôle, dirigeable *Norge.* **1928** Nobile veut recommencer avec le dirigeable *Italia,* mais au retour il s'abîme près du Spitsberg. En voulant lui porter secours, Amundsen disparaît à bord d'un hydravion français. Nobile sera sauvé par un avion suédois et son expédition secourue par un brise-glace soviétique, le *Krassine.* **1937**-21-5 Yvan Papanine (Sov., 1894-1986) survol (avion) ; **1958** sous-marin *Nautilus* (Amér.) le 3-8 (passe sous la calotte glaciaire) ; sous-marin *Skate* (Amér.) le 12-8 (émergé ; Cdt Jim Calvert) ; Ralph Phaisted (Amér.). **1968**-19-4 (motoneige) ; Wally Herbert (Angl.) ; le 6-4 [traîneau à chiens, sous contrôle aérien, parcourut 37 km en 15 h (record de kilométrage)] ; Guido Monzino (Italien). **1972**-10-5 (idem) ; Youri Koutchiev (Sov.). **1977**-17-8 (brise-glace atomique sov. *Arktika*). **1978**-29-4 Naomi Uemura (Jap., 1941-84) seul en traîneau. **1986**-11-5 Jean-Louis Étienne (Fr.) à pied en solitaire.

■ **Sous-continent antarctique.** Sur les mappemondes des XVIe et XVIIe s. figurait un « continent Austral » s'étendant de l'Australie (dont la côte nord-ouest était connue) jusqu'en Terre de Feu sans interruption. Drake (Angl., v. 1540-96), Dumont d'Urville (Fr., 1790-1842) et James Cook (1728-79) détruisirent ce mythe. [1838-1840 : découverte de la *Terre Louis-Philippe,* des côtes de la *Terre Adélie* (Dumont d'Urville), de la *Terre de Wilkes* (Charles Wilkes, USA, 1798-1877), de la *chaîne de l'Amirauté* et la *barrière de Ross* (James C. Ross, Angl., 1800-62). **1819-21 :** Fabian von Bellingshausen (1792-1852) explore (pour Alexandre Ier de Russie) avec 2 bateaux [*Mirny* (le Pacifique) et *Vostock* (l'Orient)], et découvre les îles *Pierre-Ier* et *Alexandre-Ier*. **1841 :** James C. Ross découvre la *Terre Victoria.* **1901-1903 :** *1re exploration concertée* de l'Antarctique par Robert Scott (Angl., 1868-1912), Eric von Drygalski (All., 1865-1949), Otto Nordenskjöld (Suéd., 1869-1928). **1903 :** Jean-Baptiste Charcot (Fr., 15-7-1867/16-9-1936), fils du médecin Jean-Martin Charcot († 8-1893) ; 1re expédition avec le navire le *Français* (long. 32 m, larg. 7,56 m) reconnaît + de 1 000 km de terres nouvelles pendant 1 an. **1908-10 :** Charcot : 2e expédition à bord du *Pourquoi-Pas ?* (lancé 18-5-1908), 825 tx, long. 40 m, larg. 4,2 m, creux 5,10 m, puissance 450 ch.). **1936**-16-9 naufrage du *Pourquoi-Pas ?* dans un ouragan [sur les récifs d'Alftanes à 30 milles de Reykjavik (Islande), 23 † dont Charcot 69 ans, 17 disparus, 1 survivant le maître timonier Gonidec]. **1957**-24-11/**1958**-2-3 *expédition transantarctique* du Commonwealth dirigée par le Dr Vivian Fuchs (G.-B.), 3 500 km. **1989**-28-7 (de Seal-Nunatak)/**1990**-3-3 (à Mirny) : *expédition Transantarctica* [Jean-Louis Étienne (Fr. 9-12-1946), Victor Boyarsky (URSS), Will Steger (USA), Geoff Somers (G.-B.), Keizo Funatsu (Japon), Qin Dahe (Chine)], 6 400 km en 218 jours.

☞ **Conquête du pôle Sud. 1911**-14-12 Roald Amundsen et ses compagnons devancent l'expédition de Robert Scott (Angl.), arrivée le 18-1-1912, Scott périt durant son retour. **1929, 1935, 1940 :** 1res explorations aériennes par Richard Byrd (USA). **1956**-31-10 un DC3 sur skis atterrit au pôle Sud (pilote : Gus Shinn).

Afrique

508 av. J.-C. : Scylax de Coryarda explore *l'Érythrée* (côtes de la mer Rouge). **XIVe s. :** *Canaries* (1312) découvertes par Lanzarotto Malocello (It.) ; *Tombouctou* (Ibn Batouta). **XVe s. :** les Portugais découvrent *Madère* (1418), les *Açores* (1431), *Sénégal* (1445), *Cap-Vert* (1446), les *côtes de l'Afrique occidentale,* le *canal et les côtes du Mozambique.* **XVIIIe s. :** exploration de la *vallée du Niger* (1795), Mungo Park (Écossais, 1771-1806). **XIXe s. :** redécouvertes et explorations : traversées *Tripoli-Niger* 1800-01, Frédéric Hornemann (All., 1772-1801) ; *Angola-bas Zambèze* 1802-11, Saldanha da Gama (Port.) ; *golfe de Guinée au Maroc* par Tombouctou 1827-28, René Caillié (Fr., 1799-1838) ; *Tchad, Niger* 1823-24, Dixon Denham (G.-B., 1786-1828), Hugh Clapperton (G.-B., 1788-1827) ; *Mozambique-Benguela* 1838-58, João Coimbra (Port.) ; *Zambèze-Congo* 1849-73, David Livingstone (G.-B., 1813-73) ; *Sahara, Soudan central* 1850-55, Heinrich Barth (All., 1829-65) ; *Bengala-La Rovouma* 1852-56, Antonio Silva-Porto (Port., 1817-90) ; *Loanda Quilimane* 1854-56, Livingstone ; *lac Tanganyika* 1858, Richard Francis Burton (G.-B., 1821-90), John Hanning Speke (G.-B., 1827-64) ; *Ouganda, sources du Nil, lac Victoria* 1858-61, J. H. Speke, J. A. Grant (G.-B., 1827-92) ; *Tripoli-golfe de Guinée* 1865-67, Gérard Rohlfs (All., 1831-96) ; *Bagamoyo-Benguela* 1873-75, Vermez Cameron (G.-B., 1814-94) ; *Congo, lac Léopold-II* 1874-77, John Rowlands Stanley (G.-B., 1841-1904) ; *bassins de l'Ogooué, de l'Oubangui, rive droite du Niger* 1875-85, Pierre Savorgnan de Brazza (Fr., 1852-1905) qui traverse 2 fois l'Afrique d'ouest en est 1878-85, Serpa Pinto (Port., 1846-1900) ; *Souakim-bas Niger* 1880-81, Pellegrino Matteucci (Ital., 1850-81) ; *sommet du Kilimandjaro* 1889, Hans Meyer (All., 1858-1929).

Amérique

Avant le XVe s. Christophe Colomb n'aurait entrepris sa traversée qu'après avoir consulté des cartes révélant l'existence d'îles mythiques situées à l'O. des Açores. On aurait trouvé dans l'État de Bahia (Brésil) des cailloux taillés datant de 250 000 à ± 45 000 av. J.-C. prouvant que des hominidés (pithécanthropes ?) seraient déjà passés en Amérique lors d'une ancienne glaciation.

Vikings. Jusqu'en 1970, aucun historien ne croyait à une descente des Vikings plus au S. que le Vinland (vers 1000) (Maine et Massachusetts actuels aux USA). Depuis, certains parlent de leur présence en Amérique centrale et dans les Andes, dès le XIVe s. apr. J.-C. De fait, les légendes locales d'Amérique centrale et andine rappellent la présence de « dieux » à la peau blanche et aux cheveux roux.

Méditerranéens. Il y aurait en Amérique du N. et au Brésil de nombreux vestiges d'une occupation des côtes par les Phéniciens (et même les Minoens) du Ier millénaire av. J.-C. A Fort Benning, en Georgie, on a découvert une inscription en caractères crétois, contenant notamment la hache double des sacrificateurs minoens de l'âge du bronze. Les Indiens melungeons (dans l'est du Tennessee), seraient, d'après l'ethnologue amér. Cyrus Gordon, les descendants d'une colonie phénicienne (peau claire, type sémite, traditions orales relatant la venue de leurs ancêtres par l'Atlantique). Néanmoins, le rapprochement que l'on a fait souvent entre les pyramides aztèques et celles de l'Égypte ancienne est abandonné aujourd'hui. Le souvenir des constructions pharaoniques (IIIe millénaire av. J.-C.) avait déjà disparu en Europe quand les pyramides centro-américaines ont été bâties (800-1400 apr. J.-C.).

Du XVe au XIXe s. Christophe Colomb (Gênes, 1451-Valladolid, 1506) fit 4 voyages. 1er le 12-10-1492 à Samana Cay, aux Bahamas, d'après les ordinateurs de la Nati (National Geographic Society) et non à San Salvador, à 104 km plus au nord, comme on le croyait, puis il longea la côte nord de Cuba et d'Haïti-Saint-Domingue. 2e (1493 à 1496) aux Antilles, il reconnaît la Dominique (3-11-1493), Marie-Galante (du nom de son vaisseau amiral) (4-11), les Saintes (Todos los Santos car il y a passé la Toussaint), la Guadeloupe, les îles Vierges, Porto Rico, la côte sud de Cuba, St-Domingue-Haïti, la Jamaïque. 3e (1498 à 1500) Venezuela, Colombie. 4e (1502 à 1504) côtes du Honduras et de Panamá.

Énigme de l'Atlantide

Selon une légende égyptienne, l'Atlantide aurait été une île merveilleuse, engloutie au cours d'un cataclysme. Le Grec Platon, dans 2 dialogues (*Timée* et *Critias*), la décrit. Par la suite, d'autres écrivains, comme Pierre Benoit, s'inspireront du thème du continent disparu. L'Atlantide a-t-elle vraiment existé ? Ses traces ont été recherchées dans les endroits les plus variés : Sahara, Canaries, parages de l'île allemande de Helgoland, Mexique, etc. En fait, Platon évoque 2 îles différentes, qui ont été confondues sous le nom d'Atlantide : 1° Un continent « plus grand que la Libye et l'Asie mises ensemble », situé en face des colonnes d'Héraclès (détroit de Gibraltar) et que l'on atteignait au temps « où l'Atlantide était navigable » ; il s'agit peut-être de l'Amérique, que les Européens de la protohistoire avaient atteinte et dont le souvenir avait fait naître des légendes (voir ci-dessus). 2° Une île qui a été détruite et dont on ne précise pas les dimensions : selon l'helléniste irlandais J.V. Luce, il s'agirait de la Crète. En effet, vers 1300 av. J.-C. (environ) la civilisation crétoise s'effondra brusquement. Or, des découvertes géologiques ont prouvé que, vers cette date, l'île de Santorin (ou Théra) avait été le siège d'une violente éruption volcanique. Comme cette île est située à 120 km au nord de la Crète, il est possible qu'une série de vagues géantes, se propageant à partir de Santorin, ait ravagé les côtes crétoises. Plusieurs détails de la description de l'Atlantide par Platon s'appliquent d'ailleurs fort bien à la Crète. En outre, la date fournie par Platon (d'après Hérodote), « il y a 9 000 ans », confirme l'hypothèse Crète-Santorin. En 1971, Cornelius Lanczos a démontré que les chiffres de Platon ont un zéro de trop : il s'agit de 900 ans avant le *Critias,* soit 1400 av. J.-C.

En août 1968, puis en fév. 1969, 2 équipes de plongeurs qui exploraient, chacune de leur côté, l'île de *Bimini,* dans les Bahamas, ont découvert des structures de pierre [une à 1 000 m de la côte nord (à 12 m sous l'eau), rectangulaire, en blocs « cyclopéens », une autre à 12 000 m de la côte ouest, en blocs de 6 m de long sur 3 m de large, et 80 cm d'épaisseur, formant un mur de 225 m de long]. Ils pensèrent avoir retrouvé l'Atlantide. Mais selon d'autres hypothèses, la muraille serait en fait d'origine naturelle ou serait une construction précolombienne, semblable à celles du Yucatán, immergée par suite d'une montée des eaux. Il y a eu des dizaines de propositions de ce genre, mais aucune vraiment sérieuse.

Il paraît maintenant acquis que l'Atlantide est un mythe créé par Platon à partir d'éléments historiques réels mais géographiquement et chronologiquement différents.

☞ **Autres découvertes et explorations modernes.** *Amérique du Sud :* Venezuela, Amerigo Vespucci (Florence, 1451-1512) ; *exploration du Labrador à la Floride,* 1497-98, Jean Cabot (Venise 1450-98) ; *Brésil,* 1500 Pedro Álvares Cabral ; *conquête de l'Amér. centrale et du Sud* de 1510 à 1538 Hernán Cortés (Esp. 1485-1547), Francisco Pizarro (Esp., 1475-1541), Diego de Almagro (Esp., 1475-1538), Gonzalo Jiménez de Quesada (Esp., v. 1500-79) ; *isthme de Panamá et océan Pacifique,* 1513 Vasco Núñez de Balboa (Esp. 1475-1517) ; *tour de la Terre, découverte du détroit de Magellan* (21-10-1520), 1519-22, Fernand de Magellan (Port, 1480-1521) ; *Canada,* 1535-42 Jacques Cartier (Fr., 1491-1557) ; *traversée de l'Amér. du Sud par l'Amazone,* 1544 Francisco de Orellana (Esp. mort en 1550) ; *cap Horn,* 1578 Francis Drake (G.-B., 1540-96) le double ; *lac Ontario et fondation de Québec,* 1608 Samuel de Champlain (Fr., 1567 (?)-1635) ; *traversée de l'Ouest jusqu'au Pacifique par Missouri et montagnes Rocheuses* 1806, Merriweather Lewis (USA 1774-1809) et William Clark (USA 1770-1838) ; *fjords et canaux de la Patagonie,* 1557 Juan Ladrillero (Esp.) ; Jakob Le Maire (Holl., 1585-1616), 1615 *(cap Horn)* ; 1623 Jean L'Hermite (Fr., 1766-1836) ; 1670 John Churchill, futur duc de Marlborough (G.-B., 1650-1722) ; 1675 Antonio de Vea (Esp.) ; 1763 Louis-Antoine de Bougainville (Fr., 1729-1811) ; Parkerking († en Terre de Feu) ; 1826 Robert Fitz-Roy (1805-65) Cdt l'*Adventure* et le *Beagle* (G.-B.) (à bord : Charles Darwin) ; 1837 Jules Dumont d'Urville (Fr., 1790-1842) ; 1840 Martial sur la *Romanche* (Fr.) ; *Terre de Feu,* 1895 Otto Nordenskjöld (Norv., 1869-1928).

Un tracé exact des côtes n'a pu être fait qu'à partir de la couverture aérienne Trimetrogon effectuée en 1947 par l'armée de l'air des USA, à la demande du Chili.

Asie

Mongolie, Chine, Tartarie 1246, traversées par Jean du Plan Carpin (franciscain ital., 1182-1252) ; 1253 par Guillaume de Rubruquès (franciscain flamand, 1220-93) ; 1275, visitées par Marco Polo (Venise, 1254-1324). Puis explorations par des missionnaires occidentaux, au S. ; par des Russes au N. *Route des Indes* par le cap de Bonne-Espérance 1497-98, Vasco de Gama (Port., 1469-1524). *Chine* et *Japon* XVIe s., St François-Xavier (Fr., 1506-52), Mendes Pinto (Port., 1510-83) en 1542. *Traversées de la Sibérie* 1581-84, Yermak (Russe) ; 1635, Élisée Bouza (Russe) ; 1639 Kopylof (Russe) ; 1644 Stadoukhim et Ignatief (Russes) ; 1648 Dejnef (Russe, v. 1605-73) découvre le *détroit de Behring* ; 1739 Vitus Behring (Dan., 1681-1741) l'atteint ; 1654 Baykof (Russe) atteint Pékin ; 1742 Tchéliouskine (Russe) découvre le *cap* qui porte son nom depuis et le *cap Nord ;* 1769-74 Pallas (All.) ; 1785-86 Jean-Baptiste de Lesseps (Fr., 1766-1834) porte des dépêches de La Pérouse du Kamtchatka à St-Pétersbourg. *Désert de Gobi, Tibet* 1328 Odoric de Pordenone (It., 1265-1331) ; 1845 Père Régis Huc (Fr., 1813-60) pénètrent à Lhassa ; 1870-86 Nicolas Prjevalsky (Russe, 1839-88). *Passage N.-E. entre Atlantique et Pacifique* 1879, Adolf Erik Nordenskjöld (Suède, 1832-1901). *Asie centrale* fin XIXe s, Sven Hedin (Suède, 1865-1952).

Océanie

Iles du Pacifique. A partir du XVIe s. Alvaro de Saavedra (Esp., † v. 1528), Alvaro Mendana (Esp., 1541-95) et Pedro Fernandes de Queiros (Port., 1560-1614) ; 1642 Abel Janszoon Tasman (Hollande, 1603-59) ; 1767 Louis Antoine de Bougainville (Fr., 1729-1811) ; 1768-79 James Cook (1728 tué 14-2-1779 par Hawaïens). 1768-71 1re expédition sur l'*Endeavour,* pour observer le passage de Vénus devant le Soleil (3-6-1769), explore îles de la *Société, Nlle-Zélande* (1768-71), *Australie du S.* (Botany Bay). 2e expédition (1772-75) avec le *Resolution* et l'*Adventure,* franchit le cercle polaire en janv. 1773, explore *île de Pâques, Nlle-Calédonie, Nlles-Hébrides.* 3e expédition (1776-79) découvre le 20-11-1778 *îles Sandwich (Hawaii)* avec le *Resolution* et le *Discovery. Nlle-Guinée* 1526, J. de Meneses (Port.). *Vanuatu* 1606, Luis Vaez de Torres (Esp.) et Pedro Fernandes de Queiros (Port.). *Iles Fidji, Maurice, Tonga, Nlle-Zélande et N.-O. Nlle-Guinée* 1642-59, Abel Janszoon Tasman. *Nlle-Calédonie* 1774, et *Australie* XVIIIe s. James Cook. *Ile de Pâques* XVIIIe s., 1722 Jacob Roggeveen (Holl., 1766-69) ; 1786 Jean-François de Galaup, comte de La Pérouse (Fr., 1741-88).

■ Cartographie

Le mot cartographie a été formé au XIXe s. par le vicomte portugais de Santarem lorsqu'il réunit dans son atlas des cartes du Moyen Age.

Définitions

Grands cercles, petits cercles terrestres. Les grands cercles sont ceux ayant même diamètre et même centre que la Terre (ex. équateur, méridiens) ; les petits cercles sont dans des plans ne passant pas par le centre de la Terre (ex. parallèles).

Méridiens, parallèles, latitude et longitude d'un lieu M (voir croquis ci-dessous).

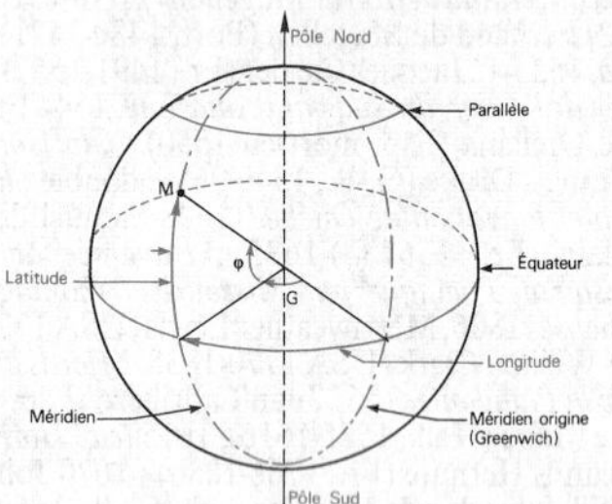

Longitude et latitude s'expriment en degrés, minutes et secondes, la longitude de 0 à 180° W ou E à partir du méridien de Greenwich (ancien observatoire près de Londres), la latitude de 0 à 90° N ou S à partir de l'équateur.

Une différence de latitude de 1' correspond à une longueur variable (1 842,78 m à l'équateur ; 1 861,67 m aux pôles) confondue en navigation courante avec le *mille marin international* (1 852 m) ou mille (dénomination légale en France depuis 1975). *Une différence de longitude de 1'* correspond à une longueur qui varie selon la latitude (1 855,32 m à l'équateur, nulle aux pôles). Paris est à 48°50'13" de lat. Nord et à 2°20'24" de long. Est de Greenwich.

Orthodromie, loxodromie. Voir croquis ci-dessous. Il existe une infinité de routes pour aller de M0 à M1 : 2 présentent de l'intérêt : *l'orthodromie* est l'arc de grand cercle passant par M0 et M1 ; c'est la plus courte, mais le cap varie en permanence. La *loxodromie* permet d'aller de M0 en M1 à cap constant ; elle est immédiate à tracer et à suivre (cap direct sur M1), mais plus longue (courbure terrestre plus accentuée que l'orthodromie) ; c'est en fait une courbe gauche qui aboutirait au pôle en spirale si on la prolongeait. La différence de distance n'est significative que pour les longues traversées à latitude élevée ; c'est pourquoi on préfère souvent la loxodromie qui, sur les cartes Mercator, est représentée par une droite (M0 M1).

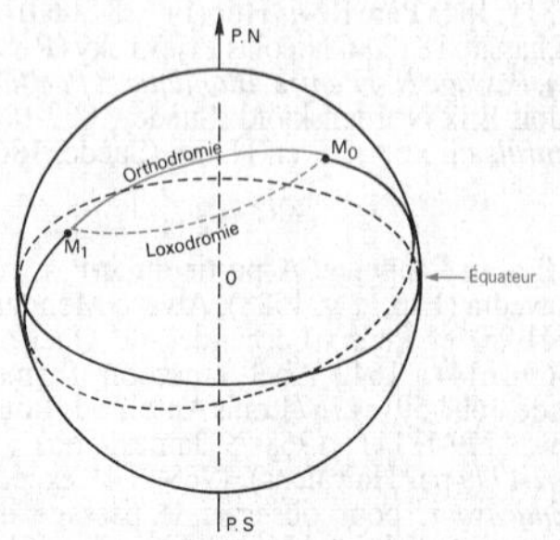

Échelle d'une carte. Rapport entre les longueurs réelles sur le terrain et les longueurs des représentations cartographiques exprimées dans la même unité. Si 1 mm sur la carte représente 1 million de mm (1 km) sur le terrain, l'échelle sera de 1/1 000 000. Inversement, une échelle de 1/5 000 signifie que 1 cm correspond à une distance de 50 m (5 000 cm). Pour l'Institut géographique national, les grandes échelles vont du 1/2 000 au 1/10 000, les moyennes du 1/25 000 au 1/100 000, les petites commencent à partir du 1/250 000.

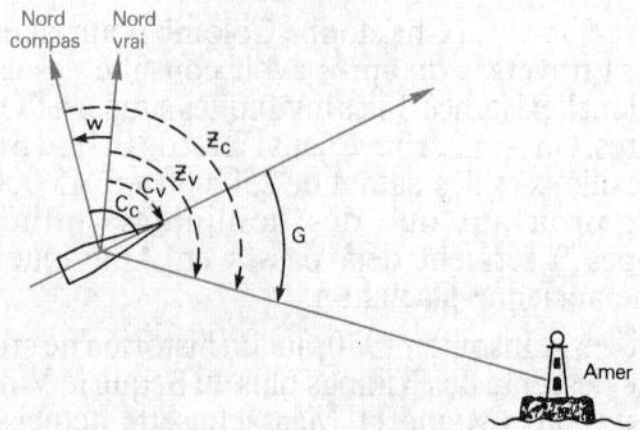

Légende : C : cap, Cc : cap compas, Cv : cap vrai [Cv = Cc + W (W < 0)]. G : gisement. W = variation (différence entre nord vrai et nord compas : déclinaison ou autres erreurs ; W < 0 dans le sens trigo). Z : azimut ou relèvement, Zc : azimut compas, Zv : azimut vrai [Zv = Zc + W (W < 0)].

Projections

La cartographie est l'art de construire des représentations planes ou projections de la sphère terrestre. La sphère n'étant pas développable sur un plan (le géoïde encore moins), toute projection entraîne des déformations. Selon l'usage envisagé, on choisit une représentation plutôt qu'une autre. Exemple : commodité de représentation et conservation des angles (cartes dites conformes) ; des distances ; des surfaces (cartes équivalentes) ; ou encore déformation négligeable dans une zone limitée assimilable à un plan. Chaque système de projection répond à une (ou plusieurs) de ces priorités.

■ **Projections conformes** (conservation des angles). **Projection de Gerhard Kremer dit Gérard Mercator** (Flamand 1512-94) : elle projette la surface terrestre du centre de la Terre sur un cylindre équatorial (axe confondu avec axe des pôles) ; méridiens et parallèles y sont représentés par des droites parallèles et orthogonales entre elles ; elle conserve les angles, propriété fondamentale pour la navigation [routes à cap constant (loxodromie) et relèvements mesurés au compas représentés par des droites)], par contre elle dilate d'autant plus les contours qu'on s'élève en latitude, d'où une échelle de mesure des distances variable avec la latitude ; si la loxodromie est une droite, l'orthodromie, quoique plus courte, est une courbe malcommode à tracer. Si on veut aller du Havre à New York, la loxodromie sera, sur une carte Mercator, la ligne droite joignant ces 2 ports. Si on veut suivre l'orthodromie, plus courte, il faudra tracer des tronçons de route avec des caps différents pour suivre l'arc de grand cercle qui fait gagner plus au Nord. La différence est de 5 889 – 5 695 = 194 km. Pour Paris-Los Angeles par avion, sans escale, la différence est beaucoup plus importante et fait passer très au Nord (Groenland Canada). **Projection UTM (Universal Transverse Mercator) :** même principe, mais le cylindre de projection est tangent au méridien central de la carte et non plus à l'équateur ; les déformations sont moindres mais les méridiens sont convergents et la loxodromie n'est plus une droite. Pour que les déformations soient moindres, la représentation est limitée à un fuseau de 6° d'amplitude, ou 3° de part et d'autre d'un méridien central. La Terre est divisée en 60 fuseaux UTM, numérotés de 1 à 60 d'O. en E. depuis l'antiméridien de Greenwich. **Projection de Jean-Henri Lambert** (Fr. 1728-77) : projette du centre de la Terre sur un cône d'axe polaire tangent au parallèle du lieu ; méridiens représentés par des droites concourantes au pôle, parallèles par des arcs de cercles concentriques. Elle déforme peu mais son quadrillage est moins commode pour les tracés (loxodromie non droite) ; elle est donc plus utilisée pour les fonctions où la consultation prime le tracé (cartes terrestres, comme les cartes de France au 1/25 000, et aériennes). *Projection stéréographique :* à partir d'un pôle sur le plan tangent au pôle opposé ; contrairement à Mercator, elle dilate d'autant plus qu'on s'écarte du pôle ; bien adaptée à la représentation des zones polaires.

■ **Projections équivalentes.** Les surfaces en projection sont proportionnelles aux surfaces correspondantes sur la sphère [**projection de Rigobert Bonne** (Fr. 1727-95), abandonnée aujourd'hui ; **projection homalographique** (du grec *homalos,* « régulier » ; les parallèles sont rectilignes et les méridiens elliptiques) de Jacques Babinet (Fr., 1794-1872) et de Karl von Mollweide (All., 1774-1825) ; projection Albers des cartes au 1/25 000 des USA].

Projection gnomonique. Projection perspective à partir du centre de la Terre. Les grands cercles de l'orthodromie y deviennent des droites.

Projections perspectives. Perspectives géométriques sur le plan [projection gnomonique, projection stéréographique de la sphère (déjà signalée comme projection conforme), projection orthographique, projection polyédrique].

■ Triangulations géodésiques

■ **Mesures.** Les cartes terrestres (reliefs compris) sont dressées avec le support d'un réseau géodésique fait de triangles dont chacun a un côté commun avec l'un de ses voisins. **Méthode classique, dite de triangulation :** on part d'un point dont les coordonnées sont définies par des visées astronomiques (en France, la croix surmontant le dôme du Panthéon de Paris). De ce point partent les triangles dont les sommets (les points géodésiques : env. 100 000 en France) sont toujours en vue directe les uns des autres. Chaque point géodésique est connu par ses coordonnées et par son altitude, mais l'altitude doit être recalée dans le réseau général de nivellement (500 000 points pour le réseau français). Depuis les années 1960, les distances peuvent se mesurer par le temps de propagation d'ondes radioélectriques [(lumineuses ou non) ; précision : 1/1 000 000 (rayon laser)]. Une mesure de distance est faite en 2 ou 3 h par une demi-douzaine de personnes. La surface réelle de la Terre (le géoïde) étant irrégulière, on rapporte les cartes à une surface théorique de référence qui est une ellipsoïde de révolution. **Méthode moderne :** GPS (Global Positioning System) on détermine directement les coordonnées de points géodésiques à partir de la consultation de satellites de navigation. *Navstar :* une station portative reçoit des satellites les signaux électromagnétiques émis, les paramètres de leurs orbites, et calcule les coordonnées. *Doris* (système français) : la station émet les signaux captés par le satellite qui transmet les données recueillies, l'IGN effectue les calculs et fournit les coordonnées à l'utilisateur.

Réseaux géodésiques français (RgF). 1er (Cassini) réalisé de 1681 à 1783, 2e (triangulation des Ingénieurs Géographes) de 1793 à 1863, 3e (NTF : Nouvelle Triangulation de la France) de 1973 à 1991, 4e (RGF : Réseau Géodésique Français) a été commencé en 1990 avec les méthodes spatiales et élaboré avec d'autres États européens, il sera rattaché aux systèmes géodésiques mondiaux existants.

■ **Histoire des coordonnées.** Les canevas formés de 2 séries de parallèles (N.-S. et E.-O.) se coupant à angles droits sont connus depuis l'Antiquité (cartes plates : Dicéarque, Ératosthène, Hipparque). Mais le premier qui tienne compte de la variation des latitudes nécessaire pour représenter correctement les angles entre directions (voir plus haut « Projection cartographique ») a été dessiné en 1569 par Mercator. Avant, les **portulans** (de l'italien *portolano,* pilote), cartes marines indiquant les côtes et les ports, comportaient une rose centrale avec les points cardinaux. Sur chacun des 16 rayons partant de cette rose était disposée, à égale distance, une rose plus petite. Les rayons de ces roses *(rhumbs)* étaient prolongés jusqu'au rebord des cartes et formaient un canevas serré. Chaque ligne de ce canevas portait l'indication de sa longueur, soit : en *milles marins* (1 480 m) ; en *milles méditerranéens* (1 250 m) ; en *lieues marines* (6 000 m).

■ Orientation par les astres

Méthodes approximatives évitant tout calcul.

■ **Soleil.** Aux équinoxes, se lève à l'est, se couche à l'ouest. Si l'on a une montre, mettre l'aiguille des heures en direction du Soleil : le nord se trouve à mi-chemin entre l'extrémité de l'aiguille et le chiffre 12. L'approximation est meilleure si l'on remet temporairement la montre à l'heure du fuseau (pour la France – 1 h en hiver, – 2 h en été).

■ **Étoiles. Dans l'hémisphère Nord :** *étoile Polaire* (3e du timon du Petit Chariot ou Petite Ourse ; dans le prolongement de la garde du Grand Chariot ou Grande Ourse, magnitude : 2,12) ; indique le pôle Nord. **Dans l'hémisphère S. :** aucune étoile n'indique nettement le pôle, mais en prolongeant vers sa base le grand bras de la *Croix du Sud,* on retrouve la direction générale du sud.

Répartition des continents

Superficie (îles comprises) en milliers de km^2, distribution des terres (arables, forêts, steppes) en %, et altitudes extrêmes
Population : voir Démographie à l'Index.

	Superf. m. km^2	Terres en %			Altitudes en m		
		Ar.	Fo.	Ste.	Moy.	Maximales	Minimales
Afrique	30 310	17,8	31,5	32	750	Kibo 5 895	Lac Assal – 155
Amér. du Nord	24 242	14,6	37,5	16,7	720	Mac Kinley 6 194	Lac Salton – 90
Amér. du Sud	17 859	21,4	45	23,3	590	Aconcagua 6 959	Rio Negro – 29,9
Antarctique	13 910 [1]	0	0	0	2 000	Vinson 5 140	Fossé de l'Astrolabe – 2 341 [2]
Asie	44 080	20,4	29,4	20,8	960	Everest 8 848	Mer Morte – 405
Europe	10 171	44	30	6	340	Elbrouz 5 642	Caspienne – 28
Océanie	8 935	11,1	14,4	57,8	340	Pic Jaya 5 030	Lac Eyre – 12
Terre	149 039	18,1	29,3	20,8	850	Everest 8 848	Mer Morte – 405

Nota. – (1) Dont 1 070 flottants *(shelfs)*. (2) Altitude du socle rocheux sous la calotte.

Iles principales (Superficie en km^2)

Les plus grandes du monde

Australie [1]	7 686 884
Groenland [2] (Danemark)	2 170 600
Nouv.-Guinée (Austr., Indonésie)	785 000
Bornéo (Indonésie-Malaisie)	736 000
Madagascar	592 000
Sumatra (Indonésie)	473 600
Terre de Baffin (Canada)	462 800
Hondo (Japon)	230 900
Grande-Bretagne	228 273
Victoria (Canada)	197 000
Ellesmere (Canada)	197 000
Célèbes (Sulawesi, Indonésie)	189 035
Nouvelle-Zélande (Sud)	150 525
Java (Indonésie)	126 800
Cuba	114 524
Nouvelle-Zélande (Nord)	114 500
Terre-Neuve (Canada)	110 000
Luçon (Philippines)	104 688
Islande	103 106
Mindanao (Philippines)	94 630
Irlande	84 421
Hokkaidō (Yeso, Japon)	78 411
Haïti (St-Domingue)	77 293
Sakhaline (Russie)	75 600
Terre de Feu (Argentine-Chili)	71 500
Tasmanie (Australie)	67 890
Sri Lanka (ou Ceylan)	65 610
Banks (Canada)	60 163
Devon (Canada)	55 864
Nouv.-Zemble (Nord) (Russie)	51 110
Nouv.-Zemble (Sud) (Russie)	41 600

Nota. – (1) L'Australie est souvent considérée comme un continent. (2) Le Groenland est une île recouverte à 77,4 % par la calotte glaciaire (1 680 000 km^2).

Combien coûte une île ? On pouvait en trouver entre 60 000 F (au Canada) et 150 millions de F (aux Caraïbes) au début de 1989.

Autres îles (Europe)

Sicile (Italie)	25 460
Sardaigne (Italie)	24 090
Chypre	9 251
Corse (France)	8 681
Crète (Grèce)	8 331
Eubée (Grèce)	3 908
Majorque (Baléares, Espagne)	3 505
Rhodes (Grèce)	1 392
Madère (Portugal)	815
Minorque (Baléares, Espagne)	668
Ibiza (Baléares, Espagne)	572
Krk (Yougoslavie)	400
Malte	246
Elbe (Italie)	223
Oléron (Fr., Charente-Maritime)	175
Jersey	116
Belle-Ile (Fr., Morbihan)	90
Ré (Fr., Charente-Maritime)	85
Noirmoutier (Fr., Vendée)	48
Yeu (Fr., Vendée)	23
Ouessant (Fr., Finistère)	15
Groix (Fr., Morbihan)	15
Porquerolles (Fr., Var)	13
Capri (Italie)	10,4
Montecristo (Italie)	10,4
Levant (Fr., Var)	10

☞ **La plus grande presqu'île du monde :** Arabie (3 250 000 km^2). **Les plus grandes îles entourées d'eau douce :** d'un fleuve : Marajo à l'embouchure de l'Amazone, Brésil (48 000 km^2) ; *d'un lac :* Manitoulin dans le lac Huron, Canada (2 766 km^2). **Ile la plus isolée du monde, déserte :** île Bouvet (Atlantique Sud : 57,9 km^2) à 1 700 km de la terre la plus proche ; **habitée :** Tristan da Cunha (87 km^2, 325 h.) à 2 120 km.

Montagnes (Altitude en mètres)

Sommets les plus hauts du monde

En comptant l'altitude à partir du niveau de la mer. *L'Everest* (nom : Sagamartha au Népal, Jolmo Lungma en Chine, Mi-Ti Gu-Ti Cha-Pu Long-No au Tibet), Everest depuis 1863 d'après le nom du Gal George Everest (1790-1866), chef de la Mission cartographique britannique en Inde. *Altitude* évaluée en 1852 par R. Sikhadar, adjoint d'Everest : 8 845 m ; en 1920, par le Gal Bruce (Soc. royale de Géographie) : 8 882 m ; en 1954 : 8 887,47 m ; le 25-7-1973 par les Chinois : 8 848,10 m. *Le K2* (ou Godwin Austen ou Chogori) au Pākistān mesurait officiellement 8 611 m, il mesurerait en fait 8 884 m (soit 36 m de plus que l'Everest) d'après les Pakistanais.

En comptant l'altitude à partir du fond de la mer. Le *Mauna Kea* (montagne Blanche à Hawaii) avec env. 8 500 m dont 4 205 au-dessous de la mer. *La plus haute chaîne du monde* en tenant compte des fosses océaniques est la *Cordillère des Andes* qui dépasse 6 000 m du Pérou-Chili au long de la fosse d'Atacama (8 000 m de profondeur) ; sinon c'est la chaîne de l'*Himalaya-Karakorum* avec 96 sommets de + de 7 300 m (sur 109 dans le monde). *La plus importante chaîne du monde* est le système de dorsales médio-océaniques, hautes d'env. 2 000 m à 5 000 m au-dessus du fond des plaines abyssales et longues de 60 000 km, ne touchant la Terre qu'au niveau du golfe d'Aden et du golfe de Californie (mer de Cortès).

En comptant l'altitude en tenant compte de la distance au centre du globe. Le *Chimborazo* (officiellement 6 310 m), mont dont le sommet serait le plus éloigné du centre à cause de la courbure équatoriale.

Afrique

en mètres

Kibo (ou Pic Uhuru dep. le 8-12-1962) (Kilimandjaro, Tanzanie)	5 895
Kenya (Kenya)	5 195
Ruwenzori (Ouganda, Zaïre)	5 118
Ras Dajan (Ethiopie)	4 620
Karisimbi (Rwanda)	4 500
Mikeno (Rwanda)	4 450
Elgon (Ethiopie, Kenya)	4 321
Djebel Toubkal (Maroc)	4 165
Cameroun (Cameroun)	4 094
Irhil M'Goun (Maroc)	4 071
Muhavura (Rwanda, Ouganda)	4 000
Djebel Ayachi (Maroc)	3 737
Pic de Teyde[1] (Canaries)	3 710
Niragongo[1] (Zaïre)	3 450
Emi Koussi (Tibesti, Tchad)	3 415
Piton des Neiges (Réunion)	3 069
Tahat (Hoggar, Algérie)	3 003
Tsaratanana (Madagascar)	2 885
Ankaratra (Madagascar)	2 650
Djebel Chelia (Algérie)	2 328
Nimba (Fouta-Djalon, Guinée)	1 854

Amérique du nord

McKinley (USA, Alaska)	6 194
Logan (Canada)	6 050
North Peak (USA, Alaska)	5 904
Pic de Orizaba[1] (Citlaltepetl) (Mexique)	5 569
St Elie (Canada-Alaska)	5 489
Popocatepetl[1] (Mexique)	5 452
Foraker (USA, Alaska)	5 304
Ixtaccihuatl[1] (Mexique)	5 285
Bona (USA, Alaska)	5 044
Blackburn (USA, Alaska)	4 996
Kennedy (USA, Alaska)	4 964
Sanford (USA, Alaska)	4 949
South Buttress (USA, Alaska)	4 842
Vancouver (USA, Alaska-Yukon)	4 785
Churchill (USA, Alaska)	4 766
Whitney (USA, Californie)	4 420
Elbert (USA, Colorado)	4 400
Harvard (USA, Colorado)	4 395
Massive (USA, Colorado)	4 395
Rainier (USA, Washington)	4 393

Amérique du Sud (Andes)

Aconcagua (Argentine)	6 959
Ojos del Salado[1] (Argentine-Chili)	6 863
Huascarán (Pérou)	6 768
Llullaillaco (Argentine-Chili)	6 723
Mercedario (Argentine-Chili)	6 700
Nevado Pisis (Argentine)	env. 6 650
Nevado Incaguasi (Argentine-Chili)	6 610
Tupungato (Argentine-Chili)	6 550
Sajama [1] (Bolivie)	6 520
Cerro Bonete (Argentine)	env. 6 500
Illimani (Bolivie)	6 458
Chimborazo [1] (Équateur)	6 310

Nota. – (1) Volcans actifs à l'époque historique.

Antarctique

Vinson	5 140
Markham (Terre de Victoria)	4 602
Kirkpatrick	4 451

Asie

Everest ou Sagarmatha ou Jolmo Lungma (Népal-Chine, Tibet) (voir ci-contre)	8 848
K2 ou Godwin Austen ou Chogori (Karakorum, Pākistān) (voir ci-contre)	8 611
Kanchenjunga (Népal-Inde, Sikkim) sommet principal	8 598
(centre 8 482, sud 8 476, ouest 8 420)	
Lhotse (Népal-Chine)	8 501
Yalung Kang (Népal-Inde)	8 505
Makalu I (Népal)	8 470
(II Kangchungtse 7 678)	
Lhotse Shar ou Lhotse oriental (Népal)	8 400
Cho-Oyu (Népal-Chine)	8 201
Dhaulagiri I (Népal)	8 172
(II 7 751, III 7 715, IV 7 661, V 7 618, VI 7 268)	
Manaslu ou Kutang (Népal)	8 156
Nanga-Parbat (Inde)	8 126
Annapūrnā I (Népal)	8 078
(II 7 937, III 7 555, IV 7 525, Sud 7 219)	
Gasherbrum I ou Hidden Peak (Karakorum, Pāk.) (II 8 034, III 7 951, IV 7 925)	8 068
Broad Peak (Karakorum, Pākistān)	8 047
(centre 8 001)	
Xixabangma ou Gosainthan (Tibet)	8 013
Gyachung Kang (Népal)	7 952
Kangbachen (un des sommets du Kanchenjunga) (Népal-Inde)	7 903
Himalchuli Est (Népal)	7 893
(Ouest 7 540, Nord 7 371)	
Ngadi Chuli ou Dakum ou Peak 29 (Népal)	7 871
Nuptse (Népal)	7 855
Nanda Devi (Inde)	7 816
Rakaposhi (Pākistān)	7 787
Mustagh I (Karakorum, Pākistān)	7 785
Ngojumba Kang (Népal)	7 743
Kungur (Chine)	7 719
Jammu ou Khumbakarna (Népal)	7 710
Tirich Mir (Karakorum, Pākistān)	7 699
Fang ou Varaha Shikhar (Népal)	7 647
Minga Konba (Chine)	7 590
Mont Communisme (ex-pic Staline) (Tadjikistan)	7 495
Roc Noir ou Khangsar Kang (Népal)	7 485
Jongsang Peak (Népal)	7 483
Shartse (Népal)	7 459
Gangapurna (Népal)	7 455
Pic Pobeda (Chine)	7 439
Mouo Tagh Ata (Chine)	7 433
Ganesh I ou Yangra (Népal)	7 429
(II 7 111, III 7 110, IV 7 052)	
Churen Himal (Népal)	7 370
Kirat Chuli ou Kangchu (Népal)	7 365
Chamlang (Népal)	7 319
Putha Hiunchuli (Népal)	7 246
Langtang Lirung (Népal)	7 234
Lantang Ri (Népal)	7 206
Gurja Himal (Népal)	7 193
Glacier Dome ou Tarkekang (Népal)	7 192
Chamar (Népal)	7 187
Pumori (Népal)	7 161
Manaslu Nord (Népal)	7 157
Gauri Shanker (Népal-Chine)	7 134
Tilicho Peak (Népal)	7 133
Mount Api (Népal)	7 132

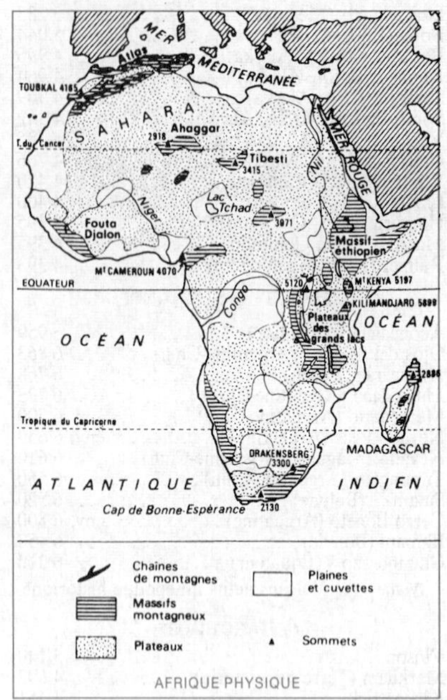

AFRIQUE PHYSIQUE

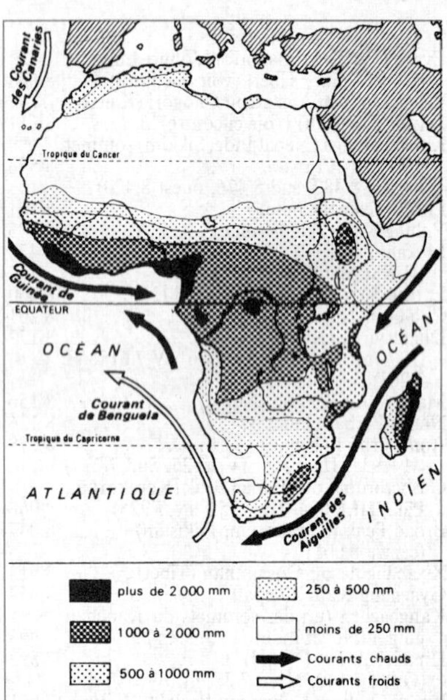

PLUVIOMÉTRIE

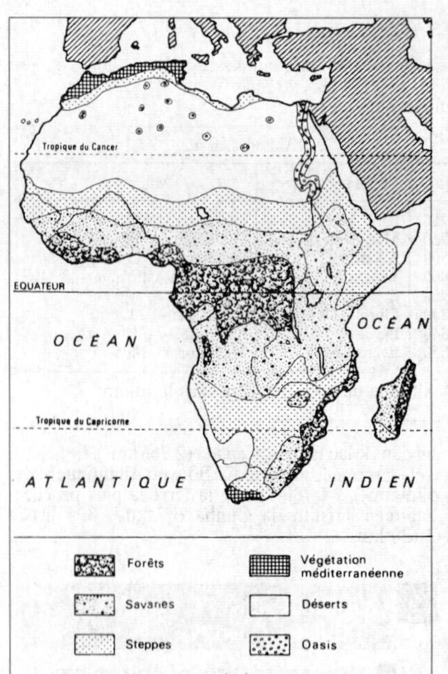

ZONES DE VÉGÉTATION

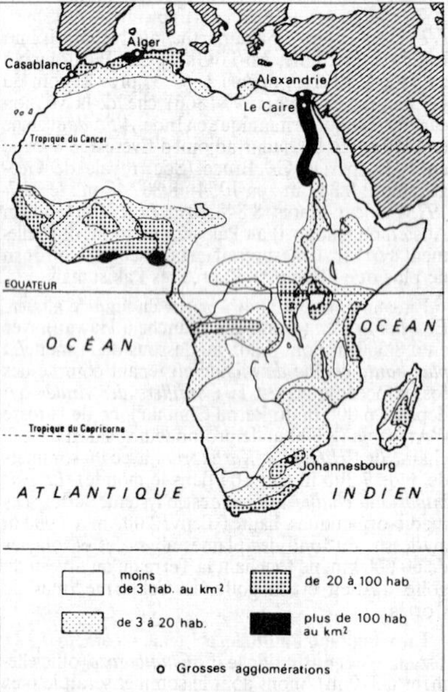

POPULATION

Baruntse (Népal)	7 129
Pic Lénine (Tadjikistan)	7 127
Himlung Himal (Népal)	7 126
Nilgiri Nord (Népal)	7 061
Saipal (Népal)	7 031
Demavend (Iran)	5 671
Ararat (Turquie)	5 156
Carstensz (Irian, Indonésie)	5 040
Kliouchev (Kamtchatka, Sibérie)	4 750
Beloucha (Altaï, Russie)	4 506
Kinabalu (Bornéo, Indonésie)	4 175
Fuji-Yama (Japon)	3 776

EUROPE

Alpes

Mont Blanc (Fr., Haute-Savoie) [1]	4 808
Pointe Dufour (Mont Rose, Suisse)	4 638
Weisshorn (Suisse)	4 512
Matterhorn (ou Cervin) (Suisse-Italie)	4 482
Dent Blanche (Suisse)	4 357
Finsteraarhorn (Suisse)	4 275
Aiguille des Gdes Jorasses (Fr., Italie)	4 208
Jungfrau (Suisse)	4 168
Aiguille Verte (Fr., Haute-Savoie)	4 122
Aletschorn (Suisse)	4 105
Mönch (Suisse)	4 105
Barre des Ecrins (Fr., Hautes-Alpes)	4 102
Grosses Schreckhorn (Suisse)	4 078
Grand Paradis (Italie)	4 061
Bernina (Suisse)	4 049
Weissmies (Suisse)	4 023
Pelvoux (Fr., Hautes-Alpes)	3 955
Mont Viso (Italie)	3 842
Gross Glockner (Autriche)	3 797
Mont Pelat (Fr., Alpes-de-Hte-Prov.)	3 051
Brévent (Fr., Haute-Savoie)	2 525

Nota. – (1) 4 808,4 m [(mesuré par satellite, août 1986), avant on avait mesuré 4 807 m]. Situé sur la ligne de partage des eaux, le Mt Blanc aurait dû être sur la frontière franco-italienne, mais une commission mixte a fixé la frontière au mont Blanc de Courmayeur, seul visible d'en bas du côté italien.

Ardennes

Signal de Botrange (Belgique)	694
Baraque Michel (Belgique)	674

Caucase

Elbrouz[1] (Russie)	5 642
Kasbek (Géorgie)	5 047

Nota. – (1) Volcan actif à l'époque historique.

Corse

Monte Cinto	2 710

Jura

Crêt de la Neige (Fr., Ain)	1 723
Le Reculet (Fr., Ain)	1 717
Colomby-de-Gex (Fr., Ain)	1 689
Mont Tendre (Suisse)	1 680
La Dôle (Suisse)	1 678
Crêt de la Goutte (Fr., Ain)	1 621
Mont Chasseron (Suisse)	1 607
Mont Suchet (Suisse)	1 588
Mont du Gd Colombier (Fr., Ain)	1 531
Mont d'Or (Fr., Doubs)	1 463
Mont Risoux (Fr., Jura-Doubs/Suisse)	1 419

Massif central (France)

Puy de Sancy (Puy-de-Dôme)	1 886
Plomb du Cantal (Cantal)	1 855
Puy Mary (Cantal)	1 787
Mézenc (Hte-Loire)	1 753
Aigoual (Lozère)	1 567
Gerbier-de-Jonc (Ardèche)	1 551
Puy-de-Dôme (Puy-de-Dôme)	1 465

Pyrénées

Pic d'Aneto (Maladeta, Espagne)	3 404
Mont Posets (Espagne)	3 375
Mont Perdu (Espagne)	3 355
Cylindre du Marboré (Espagne)	3 328
Pic de la Maladeta (Espagne)	3 308
Pic de Vignemale (Fr., Hautes-Pyrénées)	3 298
Pic de Marboré (Fr., Espagne)	3 253
Pic Balaïtous (Fr., Hautes-Pyrénées)	3 146
Pic Long (Fr., Hautes-Pyrénées)	3 192
Pic d'Aubert (Néouvielle) (Htes-Pyrénées)	3 092
Pic de Montcalm (Fr., Ariège)	3 080
Pic Carlitte (Fr., Pyrénées-Orientales)	2 921
Puigmal (Fr., Pyr.-Orientales)	2 909
Pic du Midi (ou de Bagnères-de-Bigorre) (Fr., Htes-Pyrénées)	2 877
Pic du Midi d'Ossau (Fr., Pyr.-Atl.)	2 872
Pic de Montvallier (Fr., Ariège)	2 838
Mont Canigou (Fr., Pyr.-Orientales)	2 785
Pic de Ger (Fr., Pyr.-Atlantiques)	2 612
Pic d'Anie (Fr., Pyr.-Atlantiques)	2 504
Pic des Trois Seigneurs (Fr., Ariège)	2 199
Pic de l'Orhy (Fr., Pyr.-Atlantiques)	2 017

OCÉANIE

Wilhem (Papouasie)	4 694
Mauna Kea (Iles Hawaii)	4 210
Mauna Loa (Iles Hawaii)	4 170
Cook (Nlle-Zélande)	3 754
Kosciusko (Australie)	2 228
Cradle (Australie)	1 545

■ COLS EUROPÉENS PRINCIPAUX

Alpes

	en mètres
Col d'Hérens (Suisse)	3 480
Col du Géant (Fr., Hte-Savoie)	3 369
Col de la Bonette (Fr., Alpes-de-Hte-Prov.)	2 802
Col de l'Iseran (Fr., Savoie)	2 762
Col du Stelvio (Valteline/Haut Adige)	2 757
Col d'Agnel (Fr., Htes-Alpes)	2 744
Col du Galibier (Fr., Savoie/Htes-Alpes)	2 645
Col de Fréjus (Fr., Savoie/Italie)	2 542
Col de la Vanoise (Fr., Savoie)	2 527
Col de la Seigne (Fr., Hte-Savoie)	2 513
Col du Gd-St-Bernard (Suisse/Italie)	2 472
Col du Nufenen (Suisse)	2 440
Col de la Furka (Suisse)	2 431
Col de l'Izoard (Fr., Htes-Alpes)	2 361
Col de la Bernina (Suisse/Italie)	2 330
Col du Bonhomme (Fr., Hte-Savoie)	2 329
Col de l'Albula (Suisse)	2 316
Col d'Allos (Fr., Alpes-de-Hte-Provence)	2 240
Col du Susten (Suisse)	2 227
Col de Balme (Fr., Savoie/Suisse)	2 202
Col du Splügen (Suisse)	2 117
Col du St-Gothard (Suisse)	2 112
Col de Vars (Fr., A.-de-Hte-P./Htes-A.)	2 111
Col du Mont-Cenis (Fr., Savoie)	2 083
Col du Lautaret (Fr., Htes-Alpes)	2 058
Col du Simplon (Suisse)	2 008
Col de Larche (Fr., Alpes-de-Hte-Prov.)	1 991
Col de la Madeleine (Fr., Savoie)	1 984
Col du Ventoux (Fr., Vaucluse)	1 895
Col du Mont Genèvre (Fr., Htes-Alpes)	1 850
Col de l'Échelle (Fr., Htes-Alpes)	1 790
Col du Télégraphe (Fr., Savoie)	1 670
Col des Aravis (Fr., Savoie)	1 486
Col de Tende[1] (Fr., Alpes-Maritimes)	1 330
Col Bayard (Fr., Htes-Alpes)	1 248

Nota. – (1) Tunnel ; vieille route 1871.

Corse

Col de Vergio	1 464
Col de Verde	1 289
Col de Bavella	1 243
Col de Vizzavone	1 163
Col d'Ilarata	1 008
Col de Teghime	541

Jura

Col de la Faucille (Fr., Ain)	1 320
Col de St-Cergue (Suisse)	1 232
Col de Jougne (Fr., Doubs)	1 010

Massif central (France)

Pas de Peyrol (Cantal)	1 589
Col de la Croix-St-Robert (Puy-de-Dôme)	1 446
Col de Dyane ou Croix-Morand (P.-de-D.)	1 410
Col du Lioran (Cantal)	1 276
Col de la Chavade (Ardèche)	1 266
Col de la République (Loire)	1 161
Col de Mézilhac (Ardèche)	1 130
Col de l'Escrinet (Ardèche)	787
Col de Noirétable (Loire)	754

Pyrénées

Port de Vénasque (France/Espagne)	2 448
Port d'Envalira (Andorre)	2 407
Col du Tourmalet (Fr., Htes-Pyrénées)	2 115
Col de Puymorens (Fr., Pyr.-Orientales)	1 915
Col de l'Aubisque (Fr., Pyr.-Atlantiques)	1 709
Col du Somport (Fr., Pyr.-Atlantiques)	1 631
Col de la Perche (Fr., Pyr.-Orientales)	1 577
Port de Peyresourde (Fr., Htes-Pyrénées)	1 569
Col d'Aspin (Fr., Htes-Pyrénées)	1 489
Col de Menté (Fr., Hte-Garonne)	1 350
Col du Portillon (Fr., Hte-Garonne)	1 308
Col d'Ibañeta (Roncevaux, Espagne)	1 090
Portet d'Aspet (Fr., Hte-Garonne)	1 057
Col de Velate (Espagne)	868
Col de Maya (Espagne)	602
Col du Perthus (Fr., Pyr.-Orientales)	290

Nota. – La Brèche de Roland (Htes-P., 2 804 m) n'est pas un col franchissable.

Vosges (France)

Col du Ballon (Vosges)	1 178
Col de la Schlucht (Vosges/Ht-Rhin)	1 139
Col du Bonhomme (Ht-Rhin)	949
Col de Ste-Marie-aux-Mines (Ht-Rhin)	772
Col de Schirmeck (Bas-Rhin)	739
Col de Bussang (Vosges)	731
Col du Donon (Bas-Rhin)	727

Hauts plateaux principaux

Tibet (Chine)	4 800
Pamir (Chine et Tadjikistan)	4 000
Altiplano (Bolivie)	4 000
Puna (Équateur)	3 000
Plateau éthiopien	2 000

Villes et villages de haute altitude

Afrique. *Afr. du Sud :* Johannesburg 1 753. *Éthiopie :* Addis-Abeba 2 408, Asmara 2 374.

Amérique. *Bolivie :* Chacaltaya 5 130, Cochabamba 2 570, La Paz 3 631, Potosí 3 960, Sucre 2 834. *Colombie :* Bogotá 2 630. *Équateur :* Quito 2 890. *Guatemala :* Guatemala 1 500, Quezaltenango 2 335, San Marcos 2 398, Totonicapam 2 495. *Mexique :* Mexico 2 216, Toluca 2 680. *Pérou :* Ayacucho 2 760, Cerro de Pasco 4 375, Cuzco 3 360, Huancavelica 3 660, Machu Picchu (ruines) 2 300, Minasragra 5 100, Puno 3 855. *USA, Colorado :* Leadville 3 100, observatoire Lincoln 4 332.

Asie. *Afghānistān :* Kaboul 2 224. *Inde :* Darjeeling de 1 791 à 3 365. *Iran :* Ispahan 1 583. *Népal :* Katmandou 1 500. *Tibet :* Wenchuan 5 100, Jiachan 4 837, Lhassa 3 684, monastères 5 030. *Yemen :* Sana 2 150.

Europe. *Andorre :* Andorra la Vella 1 029. *France :* Briançon (Htes-A.) 1 200 à 1 365, St-Véran (Htes-A.) 1 990 à 2 049, pic du Midi de Bigorre (Htes-Pyr.) (observ.) 2 859. *Suisse :* Grand-St-Bernard (Hosp.) 2 474, Juf 2 126.

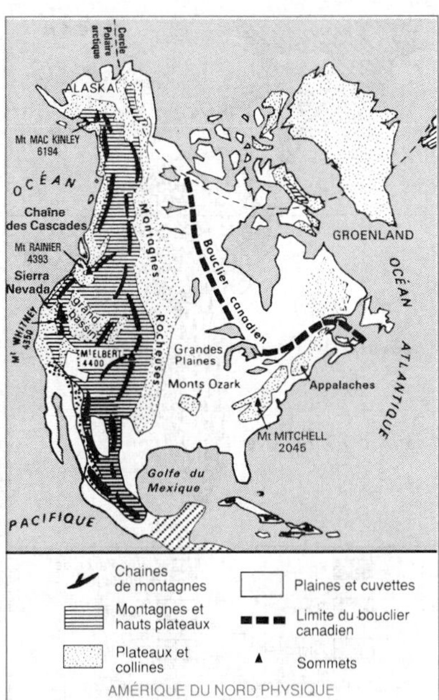

AMÉRIQUE DU NORD PHYSIQUE

Toundras
Steppes
Forêts
Déserts
Prairies

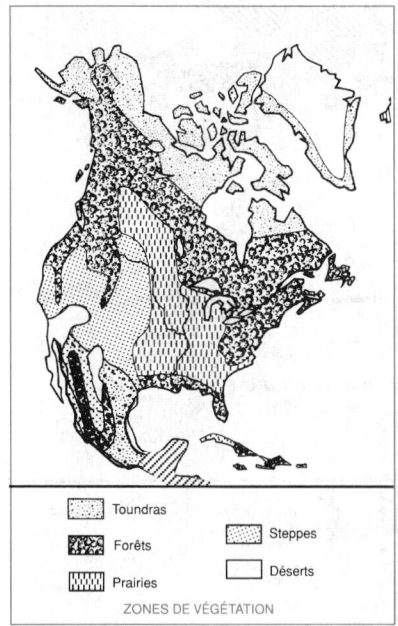

ZONES DE VÉGÉTATION

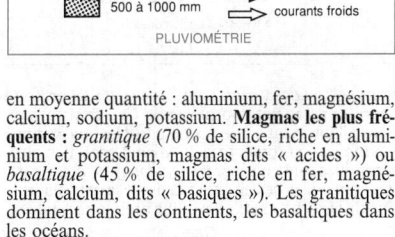

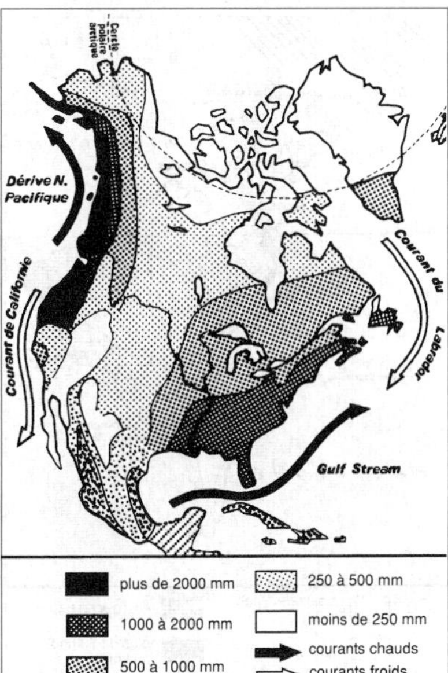

PLUVIOMÉTRIE

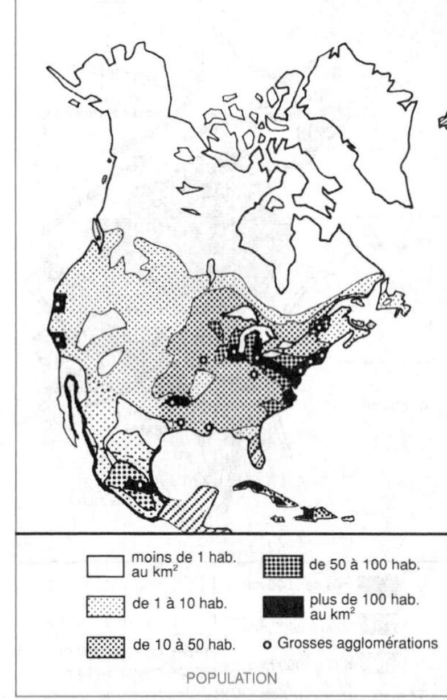

POPULATION

Roches

Généralités

Étude scientifique. Une roche est une association de minéraux, occupant sur le terrain une plus ou moins grande étendue. La **pétrographie ou lithologie** les décrit à toutes échelles et les classe ; la **pétrologie** recherche les lois de leur genèse et de leur évolution. La **sédimentologie** est l'étude des conditions dynamiques de mise en place des sédiments qui président à la genèse des roches sédimentaires.

Roches magmatiques

■ **Définitions.** Roches *endogènes* qui ont pris naissance à l'intérieur de la Terre (du grec *endo,* « à l'intérieur » et *genesis* « naissance »). **Composition chimique :** en grosse quantité : oxygène et silicium ; en moyenne quantité : aluminium, fer, magnésium, calcium, sodium, potassium. **Magmas les plus fréquents :** *granitique* (70 % de silice, riche en aluminium et potassium, magmas dits « acides ») ou *basaltique* (45 % de silice, riche en fer, magnésium, calcium, dits « basiques »). Les granitiques dominent dans les continents, les basaltiques dans les océans.

Minéraux essentiels (dont les proportions fixent la *composition modale* des roches). Silicates répartis en 2 groupes, selon leur densité et leur couleur : **1°) minéraux clairs (D 2,77) :** silice (quartz) et aluminosilicates (feldspaths, feldspathoïdes) ; **2°) minéraux colorés parfois dits « barylithes »** (du grec *barus,* « lourd ») : silicates ferromagnésiens (amphiboles, pyroxènes, péridots), oxydes, etc. **Texture** (assemblage d'ordre microscopique des minéraux, dépendant de la cristallisation) ; refroidissement brusque : vitreuse ou microlithique (verre et petits cristaux) ; refroidissement lent : grenue (pas de verre, seulement des cristaux, parfois de grande taille – phénocristaux, ex. granite à dents de cheval de la Margeride, Massif central). Exemple : le *basalte* et le *gabbro* viennent d'un même magma, mais ont un refroidissement différent et donc une texture différente, vitreuse et microlithique pour le basalte, grenue pour le gabbro.

■ **Grandes divisions. Roches volcaniques :** matières fondues, ou *magmas,* ayant fait éruption à la surface (« effusives ») ; viennent de volcans anciens ou récents : coulées de laves et de basaltes parfois très étendues (le plateau de Columbia, aux USA, et les *trapps* du Dekkan, en Inde, ont une superficie supérieure à celle de la France ; le plateau basaltique du Paraná, en Amér. du S., couvre près de 2 millions de km²) ; quand elles se sont accumulées dans des cheminées volcaniques sans atteindre la surface, elles forment des *necks* (ex. le rocher du St-Michel-d'Aiguille, du Puy-en-Velay, est un neck dégagé par l'érosion) ; quand elles se sont accumulées dans des fissures, elles forment des *dykes* ; quand elles ont été émises sous l'eau, elles forment des accumulations de coussins *(pillow-lavas). Caractéristiques :* viennent, pour leur plus grande part, de magmas basaltiques (en particulier au fond des océans où partout sous les sédiments se rencontrent les basaltes de la *croûte océanique*) ; texture caractéristique des refroidissements rapides (cristaux dispersés dans un « verre » non cristallisé ; texture dite « microlithique »). *Subdivisions :* laves sans quartz, à feldspaths et ferromagnésiens : basalte, trachyte, andésite ; composition analogue plus feldspathoïdes : basanite, phonolite, téphrite, néphélinite, leucitite, etc. ; composition analogue plus quartz et ferromagnésiens en moindre quantité : rhyolite, dacite ; obsidienne (roche vitreuse) et ponce (roche très bulleuse et légère) appartiennent souvent à ces deux dernières familles.

Roches plutoniques : roches résultant de la cristallisation de magmas en profondeur (souvent plusieurs kilomètres), et n'affleurant qu'à la faveur d'érosions abaissant la surface du sol par rapport aux corps magmatiques (dits batholites ou plutons) ; elles

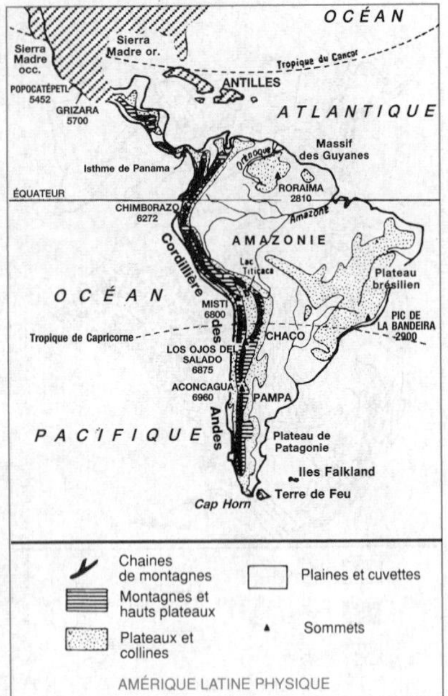

AMÉRIQUE LATINE PHYSIQUE

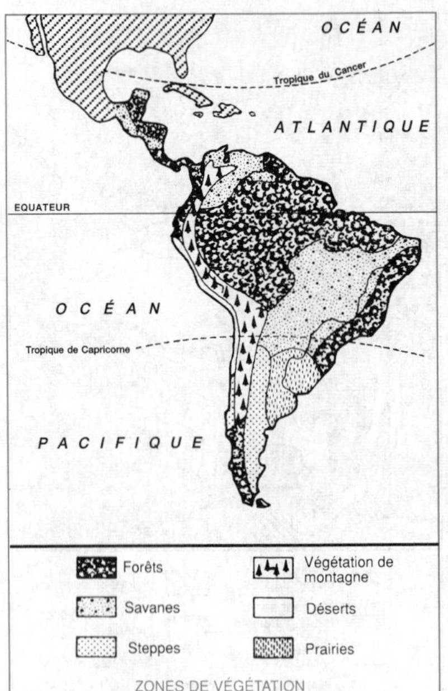

ZONES DE VÉGÉTATION

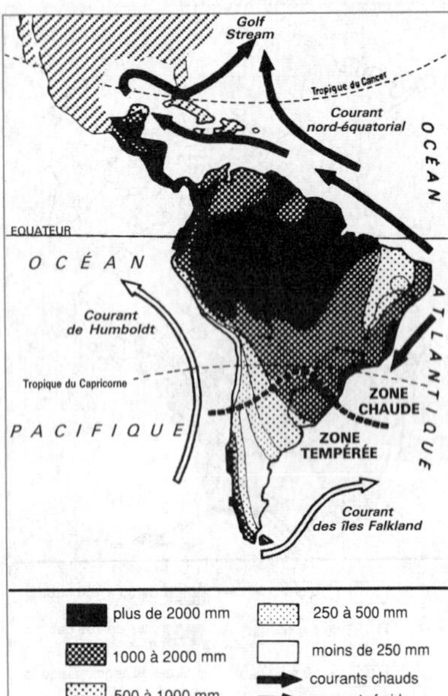

PLUVIOMÉTRIE

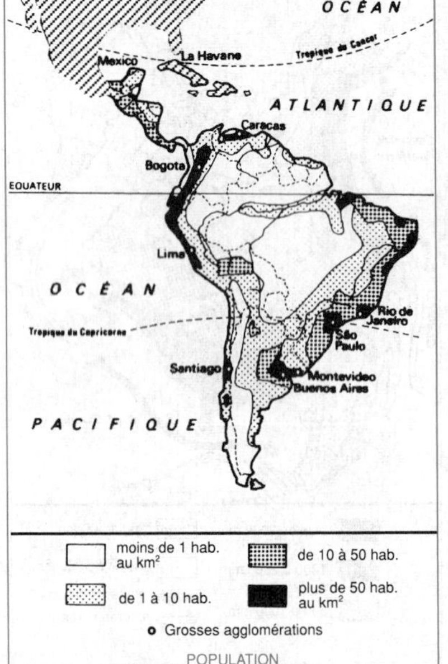

POPULATION

constituent des massifs plus ou moins vastes. *Caractéristiques :* viennent soit de magmas granitiques (croûte continentale), soit basaltiques (croûte océanique) ; texture de roches refroidies lentement (cristaux jointifs, sans verre interstitiel ; texture dite « grenue »). *Subdivisions :* roches à quartz et feldspaths (granites et roches apparentées qui forment l'essentiel de la croûte continentale) ; roches contenant feldspaths mais sans quartz : syénite, monzonite, gabbro qui sont des massifs relativement rares dans la croûte continentale ; roches sous-saturées : syénites néphéliniques... ; roches « vertes » très riches en ferromagnésiens : péridotites dont le minéral essentiel est l'olivine, et qui forment le manteau supérieur (il en existe des affleurements, en particulier celles qui surmontées de basaltes constituent les ophiolites).

■ Roches métamorphiques

■ **Définition.** Du grec *meta,* « après », *morphosis,* « forme ». Roches sédimentaires ou magmatiques ayant subi des transformations dans leur structure sous l'action de hautes pressions ou de hautes températures après leur formation première. De telles roches se forment : soit par la simple augmentation de la pression et de la température avec la profondeur (métamorphisme d'enfouissement), soit par apport de chaleur par une source magmatique (métamorphisme de contact), soit plus généralement dans les parties profondes des chaînes de montagnes lors de leur plissement, les effets des pressions tectoniques s'ajoutant à ceux de la profondeur (dynamométamorphisme). Ces transformations allant jusqu'à une fusion partielle *(gneiss migmatitiques)* ou totale *(granite d'anatexie).* Les plus répandues sont en général *cristallophylliennes* (leurs minéraux disposés en lits traduisent la recristallisation de la roche sous l'effet d'une pression orientée).

■ **Principaux groupes. Gneiss :** roches à quartz et feldspaths et divers minéraux ferromagnésiens (*orthogneiss :* transformation de roches magmatiques acides comme les granites et les rhyolites ; *paragneiss :* transformation de sédiments détritiques quartzo-argileux, principalement marins). **Micaschistes et phyllades :** roches sans feldspath, à quartz et divers minéraux ferromagnésiens, résultant de la transformation de roches sédimentaires pélitiques où dominent les micas. **Marbres :** transformation de roches sédimentaires carbonatées (calcaire ou dolomie). **Quartzites :** grès métamorphisés, très riches en quartz.

Du point de vue génétique, les roches métamorphiques se classent en fonction du couple pression-température. Aux roches de haute température (tels gneiss et micaschistes) s'opposent les roches de haute pression et basse température (tels schistes bleus à glaucophane). En liaison avec la subduction océanique, les roches métamorphiques se disposent en 2 ceintures parallèles, successivement de haute pression puis de haute température à mesure de l'enfoncement de la subduction ; comme au Japon (haute pression sur la côte sud-est proche de la subduction pacifique, haute température sur la côte nord-ouest, la subduction pacifique s'enfonçant du S.-E. au N.-O. sous le Japon).

■ Roches sédimentaires

■ **Définitions.** Déposées par les agents dynamiques externes, eau et vent, essentiellement au fond de la mer, mais aussi sur les continents par les rivières et le vent. Représentent une partie infime de la masse du globe, mais couvrent 75 % de la surface des continents. Leur épaisseur varie de 0 à 10 000 m et plus. Le passage d'un sédiment meuble à l'état de roche sédimentaire consolidée correspond à un ensemble de phénomènes ou *diagenèse* (du grec *dia,* « à travers » et *genesis,* « naissance »). Le même sédiment peut fournir des roches différentes selon l'état plus ou moins avancé de sa transformation. *Classement : 1°) d'après la nature chimique :* roches siliceuses, argileuses, carbonatées (calcaires, dolomies), phosphatées, etc. ; selon les 3 composants essentiels : sable (surtout formé de quartz), calcaire, argile (d'après la proportion de ces 3 composants, on a des marnes formées d'un mélange intime de calcaire et d'argile, des sables argileux, des argiles sableuses, des marnes sableuses, des calcaires sableux, etc.) ; *2°) d'après le milieu de formation :* roches continentales, lagunaires, marines ; *3°) d'après le processus de différenciation :* mécanique (r. détritiques), chimique ou biochimique.

■ **Roches détritiques** (formées de *détritus,* c.-à-d. par la désagrégation mécanique de roches préexistantes). Leurs composants majeurs sont les débris de roches (lithoclastes) ou de minéraux : les quartz, les feldspaths, les micas et les minéraux argileux. *Subdivisions* selon la grosseur de leurs éléments : supérieurs à 2 mm *rudites* [meubles : blocs (au-dessus de 32 mm), galets, graviers ; consolidés : conglomérats (brèches, poudingues)] ; de 0,05 à 2 mm *arénites* (m. : sables grossiers, moyens, fins ; c. : litharénites, grès) ; inférieurs à 0,05 mm *lutites* ou *pélites* (m. : sables très fins, sablons, silts et limons, argiles, boues, vases ; c. siltites, argilites, schistes).

■ **Roches chimiques.** Résultant de la précipitation chimique pure ou biochimique d'ions en solution. *Ferrugineuses* (oolithes ferrugineuses, croûtes latéritiques, grès ferrugineux). *Siliceuses* (silex, meulières). *Carbonatées :* soit des carbonates de calcium (aragonite, calcite : calcaires), soit des carbonates de calcium et magnésium (dolomies). *Salines :* différents sels déposés par évaporation (gypse, sel gemme, sels de potassium et de magnésium).

■ **Roches biogénétiques** (du grec *bios,* « vie » et *genesis,* « naissance »). Viennent d'êtres vivants, animaux ou végétaux ou de l'action de ces êtres sur la physico-chimie de leur milieu de vie. La matière organique elle-même peut évoluer en roches (charbons, schistes bitumineux, pétrole). L'activité vitale de certains organismes (coraux mais aussi mollusques : par ex. les rudistes de l'ère secondaire) conduit, par extraction du calcium de l'eau de mer, au développement de coquilles plus ou moins épaisses ; d'où de véritables constructions rocheuses (récifs) formant des amas irréguliers *(biohermes)* et des assises litées *(biostromes),* ou de simples accumulations (lumachelles, calcaires à entroques) parfois siliceuses (diatomites, radiolarites, spongolites).

Formations superficielles

Formations meubles ou secondairement consolidées provenant de la démolition mécanique ou chimique des roches des continents. **Autochtones :** dérivent du substratum sur lequel elles reposent. **Allochtones :** déplacées, recouvrent un substratum étranger à leur origine. **Colluvions :** sur les pentes, par ruissellement diffus des eaux de pluie ou de fonte des neiges. **Alluvions :** résultent d'un transport plus lointain par des eaux fluviales, marines, des glaces ou des vents. **Fluviales :** apportées par les cours d'eau. **Marines :** sable et galets roulés par les vagues ou vases déposées dans les marais littoraux. **Glaciaires** ou **moraines ; éoliennes** ou **lœss :** apportées par le vent (ex. Chine du N., Alsace, plateau du N. et du centre du Bassin parisien) ; ces dernières donnent des sols très fertiles.

Pédologie

■ **Définition.** Science des sols. Ils prennent naissance par l'action combinée sur les roches de divers agents d'altération en fonction du climat, de la végétation et de leur position dans le *paysage.* Proches de la surface, les roches s'altèrent et s'ameublissent. La vie végétale et animale transforme et réorganise ces produits d'altération, les enrichit de matière organique ou humus et donne ainsi des sols. Ces sols varient selon les climats (équatoriaux, tropicaux, méditerranéens, tempérés ou arides). Ils évoluent avec le temps et s'organisent généralement en *horizons* qui aident à les caractériser.

■ **Composition. Partie minérale** (produits d'altération des roches : cailloux, sables et limons, parfois calcaires et souvent argiles dont les minéraux fixent puis libèrent des éléments nutritifs). **Partie organique** ou **humus** (produits de dégradation des végétaux et animaux qui y vivent), nombreux composants organiques qui se dégradent lentement mais se reconstituent chaque année et concourent à la nutrition des plantes.

■ **Zonation climatique des sols. Sols polaires** perpétuellement gelés en profondeur (*pergélisol*), et qui ne dégèlent que partiellement en été (*toundra*) ; **podzols,** dans les pays frais et humides, surtout dans les sables portant de grandes forêts de conifères ; **sols bruns** des pays tempérés portant des prairies ou des forêts d'arbres à feuilles caduques ; **sols noirs** des steppes, très fertiles (*tchernoziom* d'Ukraine et de Russie méridionale) ; **sols rouges** des pays chauds qui doivent leur couleur à des oxydes de fer (*terra rossa* des pays méditerranéens) ; **latérites** des pays intertropicaux, caractérisées par une cuirasse ferrugineuse sous la forêt tropicale ; **sols à croûte** [calcaire ou gypseuse *(roses des sables)*] des régions désertiques ou subdésertiques.

■ **Autres sols. Liés à la roche mère :** *rendzines :* sols riches en matières organiques, reposant sur des roches calcaires. *Rankers :* sols pauvres en matières organiques, reposant sur des roches cristallines. **Liés à un milieu :** *sols aqueux* (sols des *tourbières* quand l'eau est courante, sols à *gley* quand l'eau est stagnante) ; *sols salins,* souvent efflorescents ; *sols de montagne* en constant remaniement.

VÉGÉTATION

■ **Forêt. Superficie :** 4 000 millions d'ha (sur env. 13 000 millions d'ha de terres), dont : Afrique 650, Amérique du N. et centrale 700, Amér. du S. 900, Asie 550, Europe 150 (sans l'ex-URSS), Océanie 150, ex-URSS 900.

Pays les mieux pourvus : Australie 100, Brésil 500, Canada 325, Chine 120, Espagne 15, États-Unis 300, Finlande 23, France 14, Inde 65, Indonésie 120, Pérou 75, Soudan 90, Suède 26, ex-URSS 900.

Forêt équatoriale (forêt pluviale, forêt ombrophile, forêt hygrophile) : en zone équatoriale (15° lat. de part et d'autre de l'équateur) sous climat chaud (temp. moyenne annuelle 25-27 °C) et toujours humide (pluviométrie moyenne annuelle 2 000-3 000 mm, pluies également réparties au long de l'année). Arbres élevés (50 m), peuplement serré et obscur, feuillage toujours vert : Amazonie, Congo, Birmanie, Malaisie, Indonésie (Java, Sumatra, Bornéo, Célèbes, Moluques), Nlle-Guinée, Philippines, Amérique centrale, Guyane, Côte-d'Ivoire, Cameroun, Inde du Sud, Sri Lanka, Océanie, Madagascar (côte E.), Australie (côte E.).

Forêt tropicale : entre les tropiques et sous climat chaud ou très chaud (temp. moy. annuelle 20-30 °C) à saison sèche (pluv. moy. annuelle 800-1 500 mm, pluies d'été réparties sur 3 à 6 mois, période sèche plus ou moins longue). *Forêt caducifoliée* (« à feuillage caduc ») : les arbres perdent leurs feuilles au cours de la saison non pluvieuse. *F. de mousson* de l'Asie du S.-E. (Inde, Indochine, Malaisie, Philippines) pluv. moy. annuelle 500 à 2 000 mm, saison sèche de 4 à 6 mois : végétation exubérante, bambous abondants. *F. claires* de l'Afrique orientale (Sahel soudanais), australe (Afr. du Sud, Zimbabwe, Mozambique), centrale (du Sénégal au Soudan : baobabs), là où la saison sèche se prolonge la plus grande partie de l'année : végétation basse et clairsemée. *F. parc tropical,* îlots de forêt dense parsemant une savane à hautes herbes [aspects variés : Madagascar (O.), Australie (N.), Floride, Cuba, Haïti, du Mexique à Panamá, Venezuela, Brésil (S.), Bolivie, Paraguay, Argentine (N.)] ; la *mangrove* (avicennias et palétuviers sur le littoral de pays tropicaux). La *forêt tropicale* humide couvre en 1990 1 282 millions d'ha (dont en %, Amérique 53,6, Asie 14,8, Afrique 31,6). Destruction, dégradation : 11,9 millions d'ha/an, soit 22,64 ha/min.

Forêt méditerranéenne (Europe méridionale, Asie occidentale et Afrique du Nord) : sous climat chaud ou assez chaud (temp. moy. annuelle 10-20 °C) et sec ou plus ou moins humide (pluv. moy. annuelle 300-1 000 mm, pluies en automne et hiver, été chaud et sec long de trois à cinq mois). Feuillus à feuillage coriace et persistant (chênes comme *Quercus ilex* ou chêne vert ou yeuse et *Quercus suber* ou chêne-liège), résineux (pins comme *Pinus halepensis* ou pin d'Alep, *Pinus pinester* ou pin maritime et *Pinus pinea* ou pin pignon ou pin parasol).

ASIE PHYSIQUE

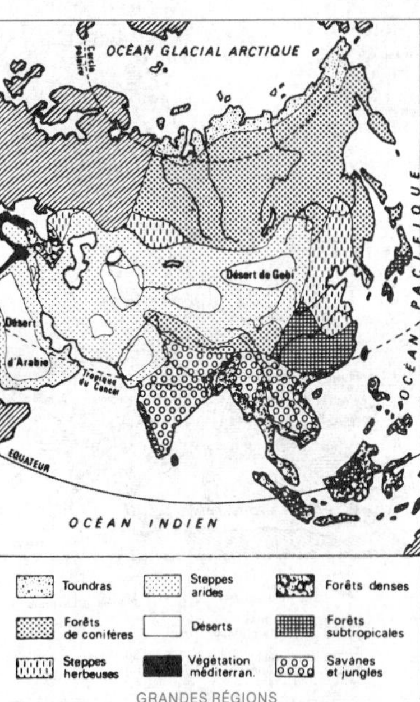

GRANDES RÉGIONS

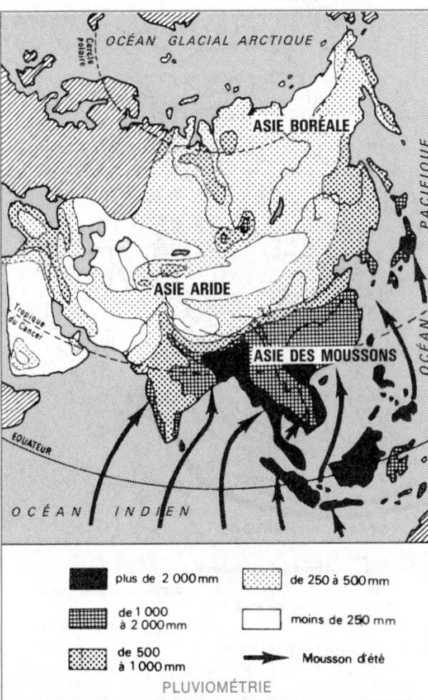

PLUVIOMÉTRIE

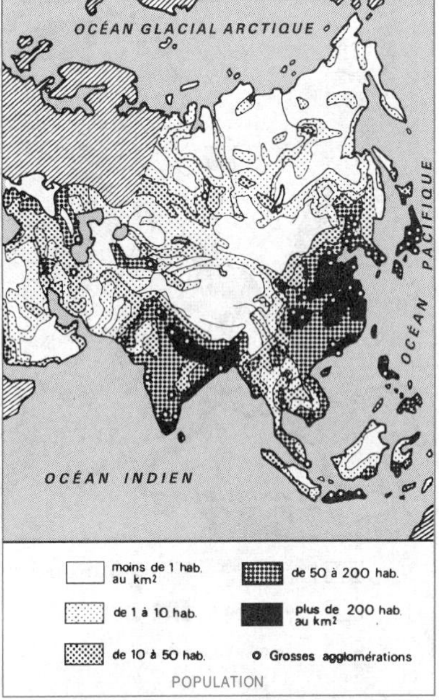

POPULATION

Forêt tempérée : *1°) Sous climat tempéré chaud* (temp. moy. annuelle 12-18 °C) et *humide* (pluv. moy. annuelle 800-1 600 mm). Chênes (tauzin) sur lande (à ajonc nain) ; Espagne (Galice, Asturies, P. basque) ; Italie (lac Majeur, Vénétie, Istrie) ; France (S.-O.) ; Asie (littoral de la mer Noire en Anatolie et Caucase, Chine, Japon) ; Afrique, Australie du S. (incl. Tasmanie) et Nlle-Zélande ; Am. du N. (sud des USA) et du Sud (sud du Brésil, Paraguay, Uruguay, est de l'Argentine). *2°) Sous climat tempéré froid* (temp. moy. annuelle 6-12 °C) et *humide* (pluv. moy. annuelle 600-1 200 mm). Europe : essences nombreuses, surtout chêne rouvre en Eur. occ. et hêtre en Eur. centrale. Feuillus à feuilles caduques en Am. du N. (USA et Canada : région des Grands Lacs) ; Asie orientale (Chine, Corée, Mandchourie, Japon) ; hémisphère S. [Patagonie chilienne et régions des lacs (Chili-Argentine), Tasmanie, Nlle-Zélande].

Forêt boréale : *taïga* (Scandinavie, Finlande, Russie du N., Sibérie, S. du Canada) et sous climat rude, très froid (temp. moy. annuelle env. 0 °C, temp. min. jusqu'à – 50 °C) et assez humide (pluv. moy. annuelle 400-800 mm sous forme de pluie et de neige). Conifères, à aiguilles persistantes (pin sylvestre, sapin, épicéa) ou plus rarement caduques (mélèze), feuillus (bouleau, tremble, aulne, saule) ; ceinture forestière continue entre le cercle polaire arctique et le 50° lat. N., sur 1 000 à 2 500 km de largeur. En zone *arctique (toundra)* [extrême nord de la Scandinavie, Laponie, Sibérie du N., Islande, Groenland, Canada du N. du Labrador à l'Alaska], sous climat très rude, extrêmement froid (temp. moy. annuelle – 1 °C à – 16 °C) et peu humide (pluv. moy. annuelle 100-500 mm sous forme de pluie et de neige) ; végétation arborescente pratiquement absente, marais avec quelques tourbières et arbrisseaux nains : saules, bouleaux, bruyères.

☞ Voir aussi **Forêt** à l'Index.

■ **Lande, garrigue et maquis. Lande :** ensemble arbustif propre aux contrées de climat tempéré-froid humide (ajoncs, genêts, bruyères et fougères ; le genévrier commun est souvent abondant, lichens et mousses tapissent le sol). *Domaine géographique :* sables siliceux de l'Europe centrale et occidentale. *Landes les plus typiques :* Allemagne (landes de Lüneburg, au sud de Hambourg), Scandinavie, Écosse, Irlande, France (Armorique, Aquitaine, Massif central, Sologne), N.-O. de la péninsule Ibérique. **Garrigue** clairsemée (sur sols calcaires) et **maquis** touffu (sur sols siliceux), peuplés d'arbustes et arbrisseaux bas (chênes kermès, genévriers, genêts, bruyères, arbousiers, lentisques, pistachiers, térébinthes, buis) et de plantes odorantes (ciste, myrte, romarin, thym, lavande, sarriette). Fréquents en zone méditerranéenne.

■ **Prairie, steppe et savane.** Herbacées où dominent les graminées parfois associées aux légumineuses, labiées, composées... *Sous climat tempéré,* la *prairie* « naturelle » s'intègre à la forêt dans les fonds de vallées rebelles au boisement ; bien qu'ayant souvent évolué vers la prairie « cultivée » sous l'action de l'homme, elle se retrouve encore de nos jours, dans

EUROPE PHYSIQUE

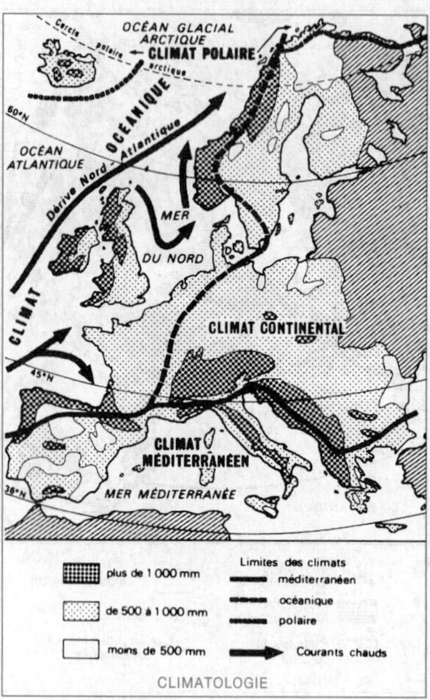

CLIMATOLOGIE

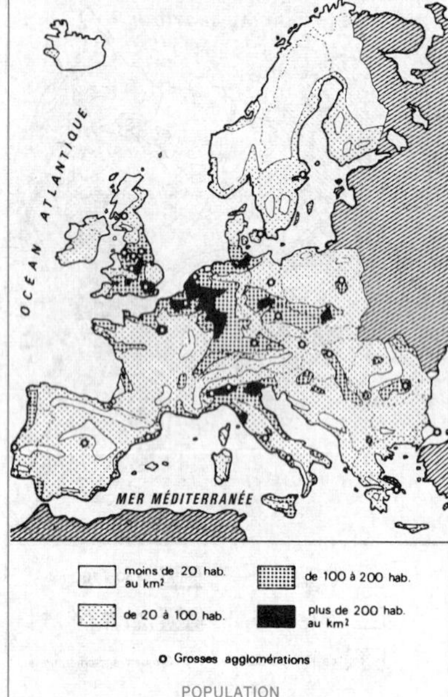

POPULATION

PACIFIQUE
OCÉAN
Détroit de Béring
Alaska
CERCLE POLAIRE ARCTIQUE
Sibérie
AMÉRIQUE
ASIE
PÔLE NORD
Dérive de la banquise
Groenland
Courant du Groenland
Courant du Labrador
Islande
Dérive Nord Atlantique
OCÉAN ATLANTIQUE
EUROPE
banquise permanente
banquise d'été
banquise d'hiver
Courants chauds
Courants froids
PÔLE NORD

sa structure primitive, en Europe occ. et centrale de climat tempéré-froid humide et aussi en Chine orientale, Mandchourie, Corée, Japon, Tasmanie, Nlle-Zélande, Patagonie, est des USA et du Canada. *Dans les pays de climat continental, tempéré-froid* (temp. moy. annuelle 7-11 °C) *et aride* (pluv. moy. annuelle 300-400 mm), prend l'aspect de *steppe,* verdoyante et fleurie au printemps, et de « paillasson » en été [Asie centrale ; Amér. du N., « Grande Prairie » entre les Rocheuses et la vallée du Mississippi, de la Saskatchewan et du Manitoba au golfe du Mexique ; Amér. du S. : Bolivie, Paraguay, Argentine (« Gran Chaco » et « pampas ») et Patagonie]. *En zone très aride* (pluv. moy. annuelle 200-400 mm). Bassin méditerranéen occidental, *steppe à alfa* sur les hauts plateaux d'Afr. du N. (Algérie et Tunisie env. 7 millions d'ha), le sud de l'Espagne et du Portugal. **Savane :** hautes herbes (de 1 à 3 m), où dominent les graminées ; la *s. arborée* a quelques arbres ou arbustes épars. Pays tropicaux : Afrique centrale (du Sénégal au Soudan, baobabs et karités ou arbres à beurre) et du S., Asie du S. (zones de mousson), en Amér. centrale et du S. (Cuba, Venezuela, Colombie, Brésil), Australie (N., présence eucalyptus).

■ **Déserts et zones semi-arides. Caractéristiques :** *désert :* moins de 100 mm d'eau par an (hyper-aride : le manque d'eau se combine avec une température très élevée). *Zone semi-aride :* de 100 à 400 mm d'eau par an [Sahel (arabe : « ceinture »)] entre le S. du Sahara et les régions cultivables.

La plupart des déserts sont chauds (zones subtropicales), certains sont tempérés ou froids (secteur aride de la zone tempérée-froide).

Causes de la désertification : *1°) Déboisement :* les arbres, arbustes et broussailles xérophiles (c.-à-d. capables de survivre dans des zones sèches semi-arides), sont utilisés comme combustible. On déboise aussi pour cultiver ; mais le sol s'épuise rapidement et se désertifie. Des programmes de reboisement ont été mis en place en Europe, Amérique, Chine, Corée du Sud, Inde et dans plusieurs régions d'Afrique. *2°) Surpopulation animale :* les troupeaux, disposant de territoires moindres, ne peuvent plus transhumer et détruisent leurs pâturages en les broutant, en les piétinant. *3°) Salinisation des sols :* l'eau d'irrigation concentrant en surface les sels et amenée par canaux (Égypte, Irak, Pakistan) a détruit plusieurs millions d'ha valables pour la pâture.

Étendue (en milliers de km²) (*Source :* FAO) : *désert extrême existant* 7 959 (Afr. 6 178, Asie 1 581, Amér. du S. 200) ; *régions à risque de désertification très élevé* 2 929 (Afr. 1 725, Asie 790, Amér. du S. 414), *élevé* 13 425 (Asie 7 253, Afr. 4 911, Amér. du S. 1 261), *modéré* 10 951 (Asie 5 608, Afr. 3 741, Amér. du S. 1 602). *Total* 35 264 (28 % des terres de l'ensemble des continents) dont Afr. 16 555 (50 %), Asie 15 232 (30 %), Amér. du S. 3 478 (20 %).

Répartition (en milliers de km²) : **Afrique et Madagascar** 58 % du territoire (17 300) dont Sahara 7 770 de la Mauritanie à l'Égypte sous le tropique du Cancer vers 20° lat. Nord, E./O. 5 150 km, N./S. max. 2 250, min. 1 275 ; alt. min. – 137 m (dépression de Qattàra, Égypte), max. 3 415 m (mont Emi-Koussi, Tchad) ; Libye 1 683 ; Afrique du Sud : Kalahari (Bechuanaland, sous le tropique du Capricorne, vers 20° lat. Sud) 518, Namib (Sud-Ouest africain) ; Soudan : Nubie 310 ; Éthiopie ; Somalie ; Égypte : Qattàra 300. **Amériques du Nord et centrale** 20 % (4 300) dont *Californie* 113 (Colorado 78 et Mohave 35) ; *Californie et Nevada* 8 (vallée de la Mort) ; Utah ; Arizona ; Mexique (Sonora). **Amérique du Sud** 19 % (3 400) Atacama (Chili) 181 ; Pérou. **Asie** 37 % du continent (15 600) dont *Chine-Mongolie :* Gobi 1 036, Takla-Makan 320 ; *Arabie :* Rub'Al Khali 300, Nefoud 120 ; *Turkménistan :* Karakoum 270 ; *Kazakhstan :* Kizil Koum 230 ; *Inde-Pakistan :* Thar 260. *Australie :* 80 % (2 458) dont Australie centrale 1 500, du Nord-Ouest 414, Victoria 324, Gibson 220. **Europe** 9 % (900) dont aride 200, semi-aride 700.

Progression annuelle des déserts : de 5 à 6 millions d'ha dans le monde. Exemples : Soudan (S. du Sahara, Afrique) de 90 à 100 km de 1960 à 77 ; Atacama (Amér. du Sud) de 1,5 à 3 km par an, sur un front de 80 à 160 km ; Thar (Asie) 1 km par an depuis 1930. En Australie, 15 % des pâturages à moutons sont irrécupérables. En Argentine, 44 millions d'ha de forêts ont été détruits sur 60 millions. Aux États-Unis, 26 millions d'ha de pâturages détériorés sur 80 millions. En Grèce et au Sahel (Afrique), une végétation diversifiée réapparaît spontanément dès que le territoire est protégé contre bétail, chèvres et lapins. Même les arbres repoussent dans des zones depuis longtemps désertiques.

Des techniques pour l'irrigation et la mise en valeur des déserts ont été mises au point depuis 1945, notamment en Israël (Néguev) et au Turkménistan (canal d'irrigation de l'Amou Daria : commencé en 1954, arrosant le désert du Karakoum sur 1 400 km, il permet la culture de 650 000 ha).

EAUX CONTINENTALES

■ **Origine.** Précipitations arrosant les terres émergées (une partie est absorbée par l'évaporation, le sol et la végétation). Les eaux tendent à se rassembler au point le plus bas. On distingue :

– *les bassins hydrographiques exoréiques* (du grec *exo-,* « en dehors », *rhein,* « couler ») : 72 % des terres émergées, les eaux s'écoulent vers les mers ;

– *les bassins h. endoréiques* (du grec *endo-,* « dedans ») : 11 % des t. émergées, les eaux s'écoulent vers les lacs, mers intérieures, chotts (dépressions continentales) ;

– *les bassins h. aréiques* (*a* privatif) : 17 % des t. émergées, pas d'écoulement superficiel (peu de précipitations, évaporation intense, perméabilité des terrains).

■ **Volumes comparés des eaux sur le globe** (millions de km³). **Total** 1 384 dont *eaux salées :* océans et mers bordières 1 348 ; *eaux douces* 36 (neige et glace 27,82, eaux souterraines < 800 m 3,552, 800-4 000 m 4,456, humidité du sol 0,061, lacs 0,126, rivières 0,0001, biosphère 0,0001, atmosphère 0,013). **Situation en France** (en milliards de m³). *Prélèvements annuels :* 25 (en l'an 2000 : 30). *Potentiel hydraulique français :* 200. *Capacité actuelle des barrages :* 9, difficile à augmenter faute de sites. *Consommation d'eau douce :* 3,5 dont 2 pour l'industrie. Essais récents de réalimentation des nappes par l'eau des rivières décantée et filtrée (à Croissy notamment).

FLEUVES

■ GÉNÉRALITÉS

■ **Définition.** Cours d'eau qui forme avec ses affluents un réseau *hydrographique* drainant jusqu'à la mer les eaux de ruissellement d'une surface géographique appelée son *bassin versant.*

■ **Bassins hydrographiques** (en milliers de km²). **Les plus grands bassins :** Amazone 6 150. Congo 3 700. Mississippi 3 268. Nil 2 960. Paraná 2 835. Ienisseï 2 580. Ob 2 500. **Autres bassins :** Danube 817. Rhin 224. Loire 115. Rhône 99. Seine 78,6. Garonne 44,8.

■ **Bassins montagneux très arrosés.** Jusqu'à 200 à 300 l/s/km² : Alaska, Islande, Nlle-Zélande, Hawaii.

■ **Coefficient d'écoulement.** Rapport entre le volume des eaux écoulées jusqu'à la mer et celui des précipitations tombées sur le bassin. Pour certains fleuves le bilan est égal à 0, toute leur eau se perdant en route (par évaporation, infiltration, utilisation dans les terres irriguées). *Ex. :* le Syr Daria (Kazakhstan) n'atteint pas chaque année la mer d'Aral. Autres bilans : Colorado 11 %, Seine 30 %, Rhône 48 %, torrents de montagne 85 % et plus.

■ Crues des fleuves. **Origine :** le plus souvent pluviale : cyclones tropicaux, averses méditerranéennes, *cloudburst* au Texas. Mais aussi fonte des neiges (Brahmapoutre ; 20 % du volume total de la crue du Tarn en mars 1930 ; Isère en nov. 1951). Ou bien éboulement (Indus août 1929), débâcle (Rhin février 1784) et éruptions sous-glaciaires (Joküllhaup en Islande). **Prévision et remèdes (télédétection) :** service d'annonce des crues en France, système d'alerte, calcul des hauteurs d'eau maximales, équipement des rivières et travaux de protection, barrages et digues.

Crues célèbres. *Record :* le West Nueces au Texas, juin 1935, a débité 15 600 m³/s pour un bassin de 1 800 km². *Autres crues : 1658* Seine (8,81 m à Paris, 2 500 m³/s). *1846* (22-10) Loire (Amboise). *1910* (28-1) Seine (8,42 m à Paris, 2 180 m³/s). *1915* Fleuve Rouge (Viêt-nam). *1931* Yang Tsé-kiang et fleuve Jaune (Chine), de 1 à 2 millions de victimes. *1952* (15-8) Devonshire (Angleterre). *1969* Shantung (Chine), 2 millions de †. *1972* Rapid City (Dakota du Sud, USA), 237 †. *1980* (22-9) haute vallée de la Loire, 5 †.

■ Débit d'un fleuve. Quantité d'eau qu'il évacue. Dépend de la section du cours d'eau et de la vitesse du courant (selon la pente : torrentielle, rapide, lente, quasi stagnante). Évalué en m³/s : lecture du niveau sur une échelle graduée, jaugeage au moulinet pour déterminer la vitesse pour chaque niveau (courbe de tarage, débit en fonction de la hauteur d'eau). Récemment : traceurs radioactifs, jaugeages chimiques par dilution, traitement par ordinateur. Les *débits relatifs* ou *spécifiques* (exprimés en litres/s au km²) permettent de comparer les cours d'eau qui ont des caractéristiques hydroclimatiques différentes (abondance pluviale, déficit d'écoulement, évaporation).

■ Les plus grands débits et, entre parenthèses, min. et max. en milliers de m³/s. : Amazone 150 (70-200). Congo (Zaïre) 41 (40-80). Orénoque 31. La Plata 25 (12-60). **Autres débits :** Yang Tsé-kiang 22 (0,6-50). Ienisseï 18. Mississippi 18. Lena 16. Paraná 14,9 (min. 5,3). Gange 13 (0,6-50). Ob 12. Amour 11. Volga 8 (2-40). Mackenzie 7,2. Niger 7. Zambèze 7. Danube 6,3 (max. 22). Rhin 2,2 (0,78-9). Nil 2 (0,5-7). Rhône 1,7. Loire 0,65 (0,075-10). Elbe 0,6 (0,15-3,6). Seine 0,4 (0,05-1,65). Garonne 0,63 (0,1-9). Var (0,061-2,57). Argens (0,003-0,6).

■ Deltas principaux (en milliers de km²). *Asie :* Gange-Brahmapoutre 75. Irraouaddi 35. Mékong 21. *Amérique :* Mississippi 34. *Afrique :* Nil 22. *Europe :* Danube 3,75. Rhône 0,75.

■ Érosion fluviale. **Perpendiculaire à son cours :** le fleuve élargit son lit. S'il coule en terrain meuble, ses crues peuvent créer de larges vallées fluviales. S'il coule sur des roches dures, il peut s'enfoncer profondément entre 2 rives rapprochées créant des *gorges* ou des *canyons* (*ex. :* canyon du Colorado, aux USA). **Dans le sens de son cours :** il modifie son *profil* en le régularisant ; grosso modo, il tend à transformer un profil en escalier (sur lequel il descend de chute en chute) en plan incliné où sa vitesse reste constante. *Mécanisme de régularisation :* il existe un creux de 60 m au pied de la chute du Niagara, haute de 50 m, et à l'aval de la chute Victoria sur le Zambèze la profondeur atteint 140 m. La chute, ainsi sapée à son pied, recule ; le creusement remonte donc peu à peu d'aval en amont : c'est l'érosion régressive. A mesure qu'elle recule, la chute diminue de hauteur. Au bout d'un temps + ou - long, il n'y a plus de chute mais une pente + forte où la vitesse du courant s'accélère, formant des rapides. **Captures :** un cours d'eau abandonne parfois sa vallée par suite de sa « capture » au profit d'une rivière voisine (*ex. :* capture par la Meurthe de la Moselle qui se jetait primitivement dans la Meuse et qui, actuellement, change brusquement de direction à Toul pour se jeter dans la Meurthe à Pompey).

■ Méandre. Nom donné aux sinuosités d'un fleuve : le Bouyouk-Mendérez en Turquie (380 km), jadis appelé en grec Maindros, était célèbre pour ses sinuosités.

■ Transports solides. *Sédiments en suspension dans l'eau (en kg/m³) :* Huang He (Chine) 50 ; fleuves d'Afrique du N. (Bezirk, Tunisie) 486 ; Rio Puerco (USA) 144 ; Durance (Fr.) 2 ; Rhin (à Lobith) 40. *Tonnages exportés (en millions de t par an) :* Loire 1, Rhône 31, Mississippi 500, Amazone 900. Lors de fortes crues, le Tech (Roussillon, oct. 1940) a transporté 20 millions de t de blocs et cailloux en 36 h. *Érosion mécanique moyenne des sols en m par millénaire :* Afrique 0,014, Europe 0,02 (Rhône 0,04), Huang He 0,53. Les eaux déposent ces alluvions dans des plaines alluviales et deltas, puis dans les océans. Pour le Nil, l'accumulation est de 30 cm par siècle dans le lit majeur et d'env. 16 cm dans le lit mineur.

■ Régime d'un fleuve

■ Définition. Variations de son débit au cours de l'année : période de hautes eaux (maximum : la **crue**) et de basses eaux (minimum : l'**étiage**). Les variations dépendent de plusieurs facteurs : *précipitations* (pluie ou neige), *température* (favorisant l'évaporation ou le gel), *relief* (rapidité de l'écoulement en montagne), *sous-sol* (perméable ou imperméable) et *couvert végétal* (le manteau forestier régularise le ruissellement et atténue les crues).

■ Principaux types. 1°) **Zones intertropicales :** les régimes suivent les variations des précipitations qui ont lieu le plus souvent en période chaude. **Régime équatorial :** débits abondants toute l'année (*ex. :* l'Ogooué au Gabon). **Régime pluvial tropical :** une saison sèche, une saison humide (*ex. :* río Negro, Logone). L'écart entre hautes et basses eaux peut être accentué (*ex. :* Bénoué, Sénégal qui peut rouler 100 fois plus d'eau en été qu'en hiver). Peuvent entrer dans cette catégorie les fleuves des pays de mousson (Gange, Yang Tsé-kiang, Mississippi inférieur).

2°) **Zones méditerranéennes et subarides :** pénurie grave en été et abondance en période froide, souvent automne et printemps [*ex. :* Ardèche, Èbre (Espagne), Sacramento (USA), Taquari (Brésil), Serpentine (Australie-Occid.)]. **Régime aride :** écoulement intermittent, crues torrentielles très rares séparées par de longs intervalles d'aridité (*ex. : oueds* sahariens).

3°) **Zones tempérées et froides :** l'influence des températures l'emporte graduellement sur celle des précipitations. **Régime pluvial océanique :** hautes eaux en saison froide avec des différences peu accentuées mais de fortes variations interannuelles [*ex. :* Tamise (G.-B.), Coliban (Australie du S.-E.)]. **Régime des plaines continentales :** à influences nivales croissantes ; hautes eaux en avril-mai dues à la fonte des neiges, basses eaux en sept.-oct. (*ex. :* Danube, Volga). Sur les fleuves sibériens et alaskiens, le Yukon, le Mackenzie, le régime commandé par la fonte des neiges présente une brusque montée des eaux (débâcle) en juin, puis descente lente de juillet à avril.

4°) **Zones de montagnes :** l'altitude accroît les précipitations et abaisse les températures ; les débits suivent fidèlement les variations thermiques. **Régime glaciaire :** *dans les plus hauts bassins* (Arve, Aar, Matter-Visp) : maximum de juillet-août très prononcé, rétention quasi totale l'hiver, oscillations diurnes très fortes l'été ; *bassins moins élevés :* max. avancé en juin (Romanche, Isère) ; montagnes moyennes : max. en mai et 2e période de hautes eaux en automne-hiver (Garonne, Durance).

Cas particuliers. 1°) Les plus grands fleuves traversant des zones variées ont des régimes *complexes* (*ex. :* les 2 plus grands fleuves tropicaux, le Congo et l'Amazone, ayant des affluents de chaque côté de l'équateur, ont un régime quasi équatorial. Le Mississippi garde son régime pluvio-nival jusqu'à son cours inférieur alors que la Floride voisine a un régime tropical. Le Nil, bien alimenté en amont avec un régime tropical, peut traverser une zone d'aridité complète sans jamais s'assécher. De même le Tigre et l'Euphrate se maintiennent grâce à la fonte des neiges des chaînes du Kurdistan). 2°) On trouve un régime *pondéré* (sans variations saisonnières) à la sortie des grands lacs (*ex. :* le Waiau à la sortie du lac Te Anau, le Waitako après le lac Taupo en Nouvelle-Zélande). Des variations très amorties existent aussi dans les terrains très perméables (*ex. :* craie de la Somme, karst yougoslave, cours de la Sogid dans les laves d'Islande, sables du Kalahari).

■ Cours d'eau principaux
(longueur en km)

■ Afrique. *Nil-Kagera* 6 670 (bassin 2 870 000 km², débit moyen 3 000 m³/s). *1770* James Bruce (Brit.) découvre la source du Nil Blanc. *1820* Caillaud (Fr.) découvre le Nil Bleu qui est un affluent du Nil Blanc. *1858* Speke découvre le lac Ukerewe ou Nyanza (qu'il baptise Victoria où sont les sources du Nil). Longtemps considéré comme le plus long fleuve du monde, a été raccourci d'une cinquantaine de km par la suppression de méandres dans l'actuel lac Nasser. *Congo* (ou Zaïre, déformation de nzadi ou nzari, fleuve, bassin 3 820 000 km², débit moyen 41 000 m³/s) 4 700 (parmi ses affluents : Kasaï 2 000, Oubangui 1 300). *Niger* 4 184. *Zambèze* 2 575. *Orange* 2 092. *Volta* 1 900. *Sénégal* 1 609. *Limpopo* 1 600. *Chari* 1 200. *Gambie* 1 127.

■ Amérique du Nord. *Missouri Read Rock* 5 970. *Mackenzie/Peace* 4 240. *Mississippi* [3 779 km (bassin 3 238 000 km², débit moyen 18 000 m³/s)]. *Yukon* 3 701. *St-Laurent* 3 057. *Río Grande del Norte* 2 832. *Arkansas* 2 348. *Colorado* 2 317. *Ohio/Alleghany* 2 102. *Red* 2 076. *Columbia* 2 000. *Saskatchewan* 1 931. *Snake* 1 670. *Tennessee/French Broad* 1 387. *Churchill* 1 094. *Yellowstone* 1 080.

■ Amérique du Sud. **Amazone** 6 448 ou 7 025. *Débit :* 150 000 m³/s en moy. ; *bassin* 7 045 000 km² (on pourrait lui adjoindre le haut bassin de l'Orénoque, dont un bras, le Casquiare, se jette dans le río Negro, principal affluent rive gauche de l'A.) ; *alluvions :* 1 milliard de t/an. *Prof. min. :* 90 m. *Source :* découverte en 1953 par Michel Perrin (Fr.) ; Huaraco au Pérou qui prend naissance au sommet du Cerro-Huagra (5 238 m) ; puis s'appelle Toro, Santiago, Apurimac, Éné, Tambo, avant d'atteindre son 1er affluent, l'Ucayali qui à Puerto Franco conflue avec le Marañon et devient l'Amazone (pour les Péruviens) ; le Solimoes (pour les Brésiliens) ; sa source est dans un lac péruvien (100 m de diam.) à 5 050 m d'alt., le lac de l'Enfant. Elle n'est éloignée du Pacifique que de 200 km. *Largeur* 10 km à 1 600 m de son embouchure ; *remontée par les bateaux de mer :* jusqu'à Manaus, à 3 500 km de l'embouchure car la pente est faible (65 m pour les 3 000 derniers km) ; *affluents et sous-affluents :* env. 15 000 dont 4 de + de 1 600 km [dont *Madeira* 3 380 (le + long affluent du monde), *río Negro* 2 253 (il charrie tellement d'eau qu'il crée à son confluent une mer intérieure et ses eaux courent avec celles de l'Amazone sur 80 km sans se mélanger) ; *Ucayali* 2 000 ; Xingu 200] ; le *río Para* se jette dans l'Atlantique à l'embouchure même de l'A. (il est parfois considéré comme un fleuve indépendant, mais en fait les eaux de l'Amazone s'avancent de 300 km dans l'Océan sans se mélanger aux eaux salées, et celles du Para se confondent avec elles). On a imaginé de régulariser l'Amazone en barrant son cours principal dans la région de Santarem (à 700 km de l'embouchure) ; on créerait la plus importante source hydroélectrique au monde et on libérerait en aval 600 000 km² de terres inondables fertiles (mais en amont, le lac de retenue noierait une surface presque aussi importante). Les écologistes craignent que le projet ne détruise l'équilibre biologique de la forêt.

Autres fleuves : *Paraná* 4 025. *Purus* 3 380. *São Francisco* 3 198. *Tocantins* 2 698. *Yapura* 2 414. *Paraguay* 2 206. *Orénoque* 2 062. *Uruguay* 1 609. *Magdalena* 1 537. *Tapajos* 1 500.

■ Asie. *Ob* 5 410 (le plus long estuaire du monde, 885 km de long., 85 km de large). *Yangzi Jiang* ou *Yang Tsé-kiang* (dit fleuve Bleu) 4 989 (ou 5 980 km avec affluent, bassin 1 830 000 km², débit moyen 34 000 m³/s). *Huang He* ou *Houang Ho* (dit fleuve Jaune) 4 845 (bassin 745 000 km²). *Amour* 4 667. *Lena* 4 400. *Irtych* (affluent de l'Ob, bassin 1 643 000 km²) 4 248. *Ienisseï* 4 129 (bassin 2 600 000 km²). *Mékong* 4 023. *Syr-Daria* 2 860. *Tigre-Euphrate* 2 800. *Indus* 2 736. *Gange-Brahmapoutre* 5 401 (le plus vaste delta du monde 75 000 km², Gange 3 090, Brahmapoutre 2 704). *Tarim* 2 700. *Sikiang* 2 655. *Kolyma* 2 599. *Salouen* 2 500. *Amou-Daria* 2 414. *Irrawaddi* 2 012. *Sungari* 1 819. *Kama* 1 280.

■ Australie. *Murray* (2 575), *Darling* (1 298) 3 750.

■ Europe. *Volga* 3 701 (bassin 1 360 000 km², débit moyen 8 000 m³/s). *Danube* 2 857 (bassin 817 000 km², 7 000 m³/s). *Oural* 2 500. *Dniepr* 2 300. *Don* 1 770. *Tizsa* 1 358. *Rhin* 1 298. *Elbe* 1 127. *Vistule* 1 091. *Tage* 1 038. *Loire* 1 012 (bassin 115 200 km²). *Warta* 974. *Meuse* 950. *Èbre* 927. *Oder* 911. *Douro* 850. *Rhône* 812 (delta 750 km²). *Pruth* 811. *Seine* 776 (estuaire 114 km). *Maros* (ou Muresh) 756. *Weser* 732. *Drave* 724. *Save* 712. *Pô* 675. *Gotaelf* 659. *Guadiana* 640. *Guadalquivir* 579. *Garonne* 575. *Moselle* 550. *Inn* 525. *Main* 524. *Maritza* 437. *Escaut* 430.

Lacs

■ Types selon leur origine

■ Lacs tectoniques. Formés par des accidents cassants (rifts) ; les plus profonds, souvent longs et étroits (l. *Baïkal,* l. *Tanganyika,* l. *Malawi*).

■ Lacs glaciaires. Occupant des zones surcreusées de vallée glaciaire limitées en aval par des verrous ou des barrages morainiques ; ou d'anciens cirques glaciaires (l. d'*Oô* dans les Pyrénées) ; ou dus à la désorganisation du drainage accompagnant le retrait des inlandsis quaternaires (les Grands Lacs d'Amérique du Nord).

■ Lacs de cratère. Occupant le fond des cratères de volcans éteints (*Crater Lake,* USA ; lac *Pavin,* France, Puy-de-Dôme), dormants (Java) ou d'astroblèmes [*Clear Water Lakes,* Canada ; *Siljan* (annulaire) en Suède, voir p. 52 a].

■ **Lacs karstiques.** Occupant les dépressions karstiques (dolines, poljés) dont le fond est devenu imperméable par suite de dépôts argileux, certains n'apparaissent qu'en période de hautes eaux (lac de *Scutari*, ex-Yougoslavie et Albanie).

■ **Lacs de barrage.** Vallée obstruée par des éboulis, des coulées de laves ; ou construits par l'homme (l. de barrage artificiel).

■ **Lacs des régions semi-arides** (correspondant souvent à des régions d'endoréisme). Les plus grands [*Tchad, m. d'Aral* (mer qui semblerait avoir été reliée à la *Caspienne* par la dépression de *Sarykamych* et l'*Ouzboi* jusqu'à l'époque historique), *Balkhach, Lob-Nor*] sont situés dans des régions bien alimentées en eau (fleuves allogènes) mais où l'évaporation très forte ne permet pas une issue vers la mer.

Les **sebkhas** correspondent à la périphérie, périodiquement asséchée, de ce type de lacs. La déflation (érosion éolienne) y est souvent active.

■ Lacs principaux

Ils occupent environ 1 % des terres émergées. Superficie en km².

■ **Afrique.** *Victoria* (Ouganda, Tanzanie, Kenya ; prof. 79 m, long. 322 km) 68 100. *Tanganyika* (Zaïre, Zambie, Burundi, Tanzanie, alt. 782 m, prof. max. 1 435 m, long. 676 km, larg. 50 à 80 km) 31 900. *Malawi* (Rhodésie, Malawi, Mozambique ; long. 580 km, larg. 80 km, prof. max. 706 m) 30 900. *Nyasa* (Malawi, Mozambique, Tanzanie ; prof. 706 m, long. 579 km) 30 044. *Tchad* (Tchad, Niger, Nigeria, Cameroun ; prof. moy. 4 m) 25 670 max. *Bangouelo* (Rhodésie) 10 000. *Rodolphe* ou *Samburu* (Kenya, Soudan, Éthiopie) 8 600. *Mai-Ndombe* (Zaïre), basses eaux 2 320 ; hautes eaux 8 200. *Moéro* (Zimbabwe, Malawi, Zaïre ; alt. 930 m) 4 850. *Mobutu-Sese Seko* (ex-lac Albert) (Ouganda, Zaïre ; alt. 618 m) 4 500. *Tsana* (Éthiopie ; alt. 1 830 m) 3 100. *Kivu* (Zaïre ; alt. 1 462 m, prof. + de 400 m) 2 700. *Albert* (ex-Albert-Édouard, ex-Idi-Amin ; Ouganda, Zaïre) 2 150.

■ **Amérique du Nord. Grands Lacs :** *Supérieur* (USA 81 350 au total, Canada 27 750, profondeur max. 406 m, long. 616 km). *Huron* (USA, Canada ; prof. 223 m, long. 397 km) 61 800. *Michigan* (USA ; prof. 265 m, long. 517 km) 58 100. *Érié* (USA, Canada ; prof. 64 m) 25 612. *Ontario* (USA, Canada ; prof. 225 m) 18 940.

Autres lacs : *Grand Lac de l'Ours* (Canada ; prof. 82 m, long. 373 km) 31 600. *Grand Lac des Esclaves* (Canada ; prof. 614 m, long. 480 km) 26 000. *Winnipeg* (Canada) 24 600. *Athabasca* (Canada) 7 160. *Reindeer* (Canada) 6 330. *Winnipegosis* (Canada) 5 400. *Nipigon* (Canada) 4 840. *Manitoba* (Canada) 4 700. *Grand Lac Salé*[2] (USA ; alt. 1 283 m) 4 700.

■ **Amérique du Sud et centrale.** *Titicaca* 8 300 (Bolivie 3 814, Pérou 4 486 ; alt. 3 811 m, prof. max. 274 m, long. max. 233 km, larg. max. 97 km, 36 îles ; le plus haut des lacs navigables du monde) 8 965. *Patos* (Brésil) 8 000. *Nicaragua* (Nicaragua) 8 000. *Poopô* (Bolivie) 2 512. *Mirim* (Brésil-Uruguay) 2 500. *Buenos Aires* (Argentine-Chili) 2 400. *Mar Chiquita* (Argentine) 2 000. *Chapala* (Mexique) 1 600. *Argentine* (Argentine) 1 400. *Viedma* (Argentine) 1 110.

■ **Asie.** *Mer Caspienne* [l'ex-URSS (323 800 km²), Iran (43 200 km²), prof. max. 1 025 m, moy. 206 m, surface à 28,5 m en dessous du niveau de l'océan, 89 600 km³ d'eau un peu salée ; dep. 1930, diminution de la superficie de 39 000 km². Le niveau serait aujourd'hui stabilisé.] 371 800, long. 1 225 km. *Mer d'Aral* (ex-URSS ; prof. 68 m, long. 428 km larg. 284 km) 64 500. Au XIXe s., ses eaux avaient progressé de 3 m mais, dep. 1960, la mer d'Aral a perdu env. 40 % de sa surface : 26 800 km³ d'eau dispersée en irrigation mal comprise. Certaines maisons, proches de la mer il y a 30 ans, en sont maintenant à 50 km. L'Amou Darya et le Syr Darya qui s'y jettent voient leur débit restreint par l'irrigation. *Baïkal* [ex-URSS ; 1 620 m profondeur max. (record du monde), moy. 730 m, alt. 476 m, volume 23 000 km³, long. 636 km, larg. 32 à 74 km] 31 685. *Balkhach* (ex-URSS ; prof. 26 m) 18 400. *Issyk-Kul* (ex-URSS ; prof. 702 m) 6 200. *Rezaye* ou *Ourmiah* (Iran ; alt. 1 560 m) 5 775. *Po Yang* (Chine) 5 000. *Kokou Nor* (Chine) 4 800. *Ting* (Chine) 4 800. *Van* (Turquie) 3 738. *Kossogol* (Mongolie) 2 620. *Tonlé-Sap* (Cambodge) 2 600. *Nam Tso* (Tibet, alt. 4 578) 1 956. *Tengri Nor* (Chine) 1 700. *Sevan* (ex-URSS) 1 400 km². *Mer Morte* (Israël, Jordanie) 980. *Tibériade* (ou *lac de Génézareth* ou *mer de Galilée*) (Israël, Syrie) 175.

■ **Europe.** *Ladoga* (ex-URSS ; prof. 250 m) 17 700. *Onega* (ex-URSS) 9 610. *Vanern* (Suède) 5 546. *Saimaa* (Finl.) 4 440. *Peïpous* (ex-URSS) 3 583. *Vattern* (Suède) 1 912. *Ilmen* (ex-URSS) 1 200. *Mälar* (Suède) 1 140. *Bjelo* (Suède) 1 125. *Päijänne* (Finl.) 1 100. *Inari* (Finl.) 1 080. *Balaton* (Hongrie) 596. *Léman* ou de *Genève* (prof. 310 m, alt. 374 m, tour 167 km, plus grande long. en ligne courbe 73 km, plus grande larg. 13,8 km) 582 dont à la Suisse 348, à la France 239. *Constance* (All., Suisse, Autr.) 541. *Neagh* (Irlande du N.) 396. *Garde* (Italie ; prof. max. 346 m, périmètre 180 km) 366. *Mjosa* (Norv. ; prof. 449 m) 366. *Neuchâtel* (Suisse ; prof. max. 153 m) 218. *Majeur* (It., Suisse ; prof. max. 372 m, périmètre 170 km) 212. *Berre* (Fr., B.-du-Rh. ; prof. max. 10 m, tour 68 km, étang) 156. *Côme* (It. ; prof. max. 410 m) 146. *Trasimène* (It.) 126. *Quatre-Cantons* (Suisse) 114. *Leucate*[1] (ou Salses) (Fr., Aude, Pyr.-Or. ; prof. 12 m, étang) 110. *Zurich* 90. *Thau*[1] (Fr., Hérault ; prof. 30 m, étang salé) 75. *Grand-Lieu* (Fr., Loire-Atl. ; prof. 2 m) 67. *Iseo* (It.) 65. *LochNess* (Écosse) 59. *Cazaux* (Fr., Landes, Gir. ; prof. 22 m) 56. *Lugano* (Suisse, Italie) 49. *Der* (Fr., Marne, Hte-Marne, le plus grand lac artificiel d'Europe) 48. *Thoune* (Suisse) 48. *Bages et Sigean*[1] (Fr., Aude ; prof. 2 m, étang) 45. *Le Bourget* (Fr., Savoie ; prof. max. 145 m ; alt. 231 m) 43,3. *Mauguio* (ou *étang de l'Or*) (Fr., Hérault ; prof. 2 m) 43. *Carcans et Hourtin* (Fr., Gir. ; prof. 10 m, étangs) 36,2. *Biscarrosse* (ou *étang de Parentis*) (Fr., Landes ; prof. 20 m) 34,5. *Serre-Ponçon* (Fr., Htes-Alpes ; artificiel) 28,2. *Morat* (Suisse) 27. *Annecy* (Fr., Hte-Savoie ; prof. 64 m, alt. 446 m, long. 14 km, larg. 3,3 km) 27.

■ **Océanie.** *Eyre* (Australie ; salé ; fréquemment à sec) 8 200.

Nota. – (1) Lagunes. (2) Saturés en sel, les lacs salés, d'étendue variable selon la saison, sont entourés de plaines de sel.

■ Lacs de barrage

Date de création entre parenthèses et volume en m³.

Chutes d'Owen (Ouganda, 1954) 204 800. *Kariba* (Zimbabwe, 1959) 181 592. *Bratsk* (ex-URSS, 1964) 169 270. *Sadd-el-Aali* (Égypte, 1970) 168 000. *Akosombo* (Ghana, 1965) 148 000. *Daniel Johnson* (Canada, 1968) 141 852. *Guri* (Raul Leoni) Venezuela, 1986) 136 000.

Gorges (canyons)

France. *Tarn,* longueur 50 km, largeur au fond 30 à 500 m, au sommet 1 200 à 2 000 m, prof. 400 à 600 m ; *Verdon,* longueur 21 km, largeur au fond 6 à 100 m, au sommet 200 à 1 500 m, prof. 250 à 700 m. **USA** *Rio Colorado,* prof. 2 133 m, long. 800 km, larg. 25 km à sa partie sup. *Hell Canyon* (Oregon, Idaho, USA) 2 400 m, le plus profond du monde.

Pont naturel. *Le plus long du monde (au-dessus d'un canyon) :* Arches National Monument, Utah, USA, 88 m de long.

Chutes d'eau principales

Les plus hautes. Hauteur en mètres ; entre parenthèses dont chute directe. *Salto Angel* (Venezuela) (en escalier) 979 (807). *Tugela* (Natal, Afr. du Sud) (en esc.) 914 (410). *Utigard* (Nesdale, Norv.) 800 (600). *Mongefossen* (Norv.) 774. *Yosemite* (Californie) 739 (435). *Østre Mardøla Foss* (Norvège) 657 (296). *Tyssestrengane* (Norv.) 646 (289). *Cuquénan* (Venezuela/Guyane) 610. *Sutherland* (N.-Zélande, en escalier) 580 (248). *Kile* (Norv., en escalier) 561 (149). *Takkakaw* (Canada) 503. *Ribbon* (Californie, saisonnière) 491. *George VI* (Guyane) 488. *Upper Yosemite* (Californie) 436. *Gavarnie* (France, Htes-Pyr.) 422. *Trummelbach* (Suisse, en escalier) 400. *Krimmel* (Autriche) 396. *Vettisfoss* (Norvège) 366. *Window's Tears* (Californie) 357. *Kaloba* (Shaba, Zaïre) 342. *Staubbach* (Suisse) 300.

Les plus gros débits (en m³ par seconde). *Khône* (Laos, haut. 15 à 21 m, larg. 10,8 km) 42 500. *Boyoma* (ex-Stanley, Zaïre) 17 000. *Guayra* (Sete Quedas, Brésil/Paraguay) 13 000 (n'existe plus depuis travaux barrage d'Itaigu). *Stanley Falls* (17 cataractes réparties sur une centaine de km sur le Congo). *Rio Parana* (Argentine/Paraguay) 11 900 (à hauteur du barrage de Yacireta 43 000), max. 53 000. *Niagara* (USA/Canada) (hauteur 59 m) 6 962. [Tentatives de descente des chutes : 1829 (Sam Patch, rescapé) ; 4-10-1901 (Annie Edson Taylor, tonneau en bois, rescapée) ; 1911 (Bobby Leach, tonneau d'acier, rescapé, 6 mois d'hôpital) ; 1928 (Jean Lussier, Québécois, sphère de caoutchouc avec 32 tubes d'acier, rescapé) ; 1930 (Georges Stathakis, Grec, baril bois-acier, mort noyé) ; 1951 (William Red Mill, 13 chambres à air, tué) ; 1952 (Nathan T. Boya, même système, rescapé) ; 1960 (Roger Honeycutt, 7 ans, chute, rescapé grâce à son gilet de sauvetage, son père tué).] *Paulo Alfonso* (Brésil) (hauteur 84 m) 2 830. *Urubupunga* (Brésil) (12 m) 2 745. *Iguazù* (Argentine/Brésil) (72 m) 1 743. *Patos Maribondo* (Brésil) (35 m) 1 500. *Churchill* (Labrador, Canada) (75 m) 1 132. *Victoria* (Zimbabwe/Zambie) (108 m) 1 087. *Kaieteur* (Guyana) (226 m) 662.

☞ **Résurgence la plus importante.** Dumanli en Turquie, moy. ann. 50 m³/s (20 à 200 m³/s).

Glaces terrestres

■ Généralités

■ **Formation de la glace.** Par température négative, sous l'effet de la pression, la neige se transforme en glace par élimination de l'air qui séparait les cristaux, et par recristallisation. L'état intermédiaire, le *névé,* est une neige à cristaux arrondis d'une densité supérieure à 0,54. Quand le névé cesse d'être perméable (densité 0,77), il devient de la glace (en 4 mois sous les Tropiques, 1 an dans les Alpes, 20 ans au Groenland, 1 000 ans au centre de l'Antarctique).

Poids moyen de 1 m³ : neige fraîchement tombée de 85 à 200 kg, névé de 500 à 600 kg, glace de 850 à 905 kg selon la quantité de bulles d'air.

■ **Mouvement de la glace. Déformation :** la glace se déforme à une vitesse proportionnelle au cube de la force imposée, et qui décroît rapidement avec la température. Au point de fusion, pour une scission de 1 kg-force/cm² = 10^5 Pa, telle qu'on la trouve à la base d'un glacier de 110 m d'épaisseur et de pente 0,1, la déformation est d'env. 20 degrés/an, la vitesse de la base par rapport à la surface de 8 m/an. Mais il s'y ajoute un *glissement sur le lit,* variable selon les lieux (quelques m à des centaines de m par an). *Crevasses* et *séracs* (blocs entre crevasses) se forment là où la vitesse d'un glacier augmente (le glacier devenant plus mince, et sa pente plus forte).

Vitesses moyennes : Alpes : 10 à 200 m par an (la glace du sommet atteint le front de la mer de Glace en 100 ans). *Groenland :* peut atteindre 4 km par an (elle atteint la mer en 2 000 ans au S.-O., et à l'extrême N. en 40 000 à 60 000 ans).

Érosion glaciaire : creusement de « cirques », vallées en « auge », stries et polissage des roches moutonnées. Dépôts de *moraines* (latérale, frontale, de fond...). Blocs erratiques (transportés jusqu'à 1 000 km).

Surge : phénomène affectant 2 % des glaciers de montagnes en Alaska, Asie centrale, Andes de Santiago. Périodiquement, après une longue période de stagnation et gonflement (de 10 à 50 ans), il y a rupture d'équilibre et le glacier avance de plusieurs km en quelques mois. Le Variegated Glacier (Alaska) atteignit pendant le surge de 1982, 60 m/jour. Il avait connu avant, pendant 2 ans, des accélérations momentanées locales dans la partie haute.

■ **Bilan des glaciers. Définition :** différence entre l'*alimentation* et l'*ablation.* L'*alimentation* annuelle par les précipitations neigeuses est de 800 à moins de 200 mm de valeur en eau au Groenland, de 2 000 à 3 200 mm dans les Alpes occidentales, de 3 100 mm au Vatnajökull (Islande). L'*ablation* se fait par absorption du rayonnement solaire [mais la neige et la glace ont un fort *albedo* (% du rayonnement réfléchi : 80 % pour la neige fraîche)] ; par la température de l'air quand elle est positive ; par le vent et par vêlage d'icebergs (l'Antarctique perd 260 km³ annuellement). Le bilan est *positif* ou *négatif* selon que l'alimentation l'emporte ou non. Positif en amont, il est négatif en aval, en équilibre à la *ligne d'équilibre* (Alpes à env. 3 000 m, Islande 1 150 m, Andes tropicales de 4 800 à 6 200 m selon la latitude, Himalaya, Kenya de 4 000 à 5 000 m).

Mesure : se fait en octobre : là où le bilan est négatif *(zone d'ablation)* on relève l'émergence de balises plantées à 10 m ou 20 m de profondeur avec une sonde à jet de vapeur. Là où le bilan est positif *(zone d'accumulation)* on relève le bilan d'octobre à avril par carottage, et celui d'avril à octobre (négatif) comme en zone d'ablation. Le coefficient d'activité mesure la variation du bilan annuel selon l'alt. (environ 100 cm par an par tranche d'alt. de 100 m dans les Alpes). Le front des glaciers avance à la suite d'une série d'années où les bilans ont été supérieurs à la moyenne, avec un délai variable. Dans les Alpes, il y eut une grande extension pendant le petit âge glaciaire (1550-1860), puis une décrue, très forte entre 1940 et 1970. Après une crue autour de 1980, la plupart des glaciers alpins régressent à nouveau. Le glacier d'Argentière qui perd beaucoup d'eau l'été (700 millions de l par jour) n'a progressé que de 9 m en 1989 au lieu de 20 m depuis 1980.

■ Types de glaciers. Les glaciers tempérés se trouvent exactement à la température de fusion de la glace (qui s'abaisse un peu avec la pression), les glaciers froids à une température inférieure.

– **Tempérés tropicaux,** très actifs. *Type équatorial* (159 km²) : précipitations en toutes saisons, décroissant avec l'altitude : monts Carstenz (N.-Guinée), Ruwenzori (Ouganda), Kenya et une douzaine de volcans en Équateur. *Type péruvien* (4 500 km²) : une saison presque sèche, précipitations croissant avec l'altitude : glaciers de Colombie, Pérou et Bolivie. *Type himalayen* (5 000 km²) : précipitations d'été décroissant fortement vers l'intérieur du massif.

– **Froids subtropicaux,** peu actifs. *Type Andes de Santiago* (5 300 km²) : étés rigoureusement secs. Glaciers dans les hautes vallées, les sommets étant souvent déneigés. Présence partout de *pénitents* (lames de glace orientées est-ouest, dues à la fonte par temps froid, très sec et très ensoleillé). Andes, Chili et Argentine entre 29 et 35° lat. S., Hindou-Kouch et plus hauts sommets du Proche-Orient. *Type Asie centrale* (22 000 km²) : précipitations faibles en toutes saisons : Pamir, Altaï ; chaînes du Tibet, Nan-Chan.

– **Tempérés des moyennes latitudes :** fortes précipitations en toutes saisons, moyennement actifs. 141 900 km² (dont Alaska 70 000, Ouest du Canada 20 000, Patagonie et Terre de Feu 24 000, Karakorum 13 600, Islande 11 000, Alpes 3 300 dont Alpes françaises 300).

– **Froids arctiques.** *Type sibérien* (2 800 km²) : précipitations modérées toute l'année, climat très continental, hivers très froids. *Type arctique sec* (220 000 km²) : précipitations faibles ou très faibles. L'hiver : banquise. Été bref et doux, permettant une fonte qui transforme une grande partie du manteau neigeux en glace de regel. Nord-est du Canada, glaciers locaux au N.-O., N. et E. du Groenland, Spitsberg, archipel François-Joseph et Severnaïa Zemlia. *Type arctique humide* (120 000 km²) : comme le précédent, mais précipitations plus fortes, très variables selon les années. Pourtour de la mer de Baffin, Spitsberg Ouest, N.-Zemble. *Indlandsis* (glace de l'intérieur) (1 726 000 km²) : 25 % de la surface sont du type arctique dans 45 %, l'eau de fonte regèle avant d'atteindre la glace compacte ; dans 30 %, il n'y a jamais de fonte ou, du moins, pas de percolation de l'eau de fonte.

– **Froids subantarctiques** (50 000 km²) : précipitations importantes en toutes saisons, glaciers tempérés dans leur partie basse. Iles Bouvet, Heard, Balleny, Pierre-Ier, Terre de Graham.

– **Calotte antarctique :** seuls 40 km² sur 12 579 000 km² sont libres de glace. Hors d'une frange côtière de 10 à 100 km de large, la fonte est totalement inconnue.

– **Shelfs** (plates-formes) (1 417 000 km²) : glaciers flottants autour du continent antarctique, en partie nourris par des courants de glace issus de sa calotte.

■ Recherches glaciologiques en France. *Laboratoire de glaciologie et géophysique de l'environnement du CNRS* (Grenoble), en collaboration avec le *Centre des faibles radioactivités* de Gif-sur-Yvette et le *CEN* de Saclay. Pour les avalanches : *Centre technique du génie rural et des eaux et forêts, Centre d'étude de la neige de la météorologie nationale. Le Centre d'études arctiques (CNRS-EHESS, Paris)* participe à des recherches au Spitsberg (géomorphologie, climatologie, chronobiologie humaine appliquées aux hautes latitudes).

■ Catastrophes glaciaires

Ruptures de lacs intraglaciaires. Des poches d'eau se forment parfois dans les glaciers. Quand le barrage de glace cède, les eaux se libèrent à des allures torrentielles. A *Saint-Gervais* (Hte-Savoie), dans la nuit du 10 au 11-7-1892, 200 000 m³ d'eau ont dévalé depuis le glacier de Tête-Rousse à 3 100 m d'altitude, faisant sauter un bouchon de glace de 90 000 m³ et entraînant 500 000 m³ de sédiments (144 morts).

Ruptures de lacs proglaciaires. Les eaux de fonte d'un glacier, accumulées dans un lac barré par des débris morainiques, peuvent faire sauter cet « arc morainique » et se ruer vers l'aval. Au *Pérou,* le 13-12-1941 dans la Cordillera Blanca, 1/3 de la ville de *Huaraz* fut ainsi détruite (6 000 †). Lors de la catastrophe de *Los Cedros* (200 †) en 1950, un pilier de pont de 2 000 t fut charrié sur 20 km. Autre cas : l'avancée d'un glacier barre une vallée ; tôt ou tard, le lac de barrage ainsi formé se vide. *Ex. :* le *Giétroz* (Valais suisse) en 1595 ; le *Rutor* (Val d'Aoste, Italie) 6 fois de 1594 à 1751.

Écroulement de langue glaciaire. Le 30-8-1965, le bas de la langue du glacier d'*Allalin* se détacha et

> ☞ Le mot *glacier,* créé dans les Alpes, désignait à l'origine les glaciers locaux occupant un cirque ou une vallée, parfois s'étalant dans le piémont. On a ensuite appelé *glaciers émissaires* les courants de glace naissant au sein d'une *nappe de glace* (en noyant presque tout le relief) ou d'une *calotte glaciaire* (s'élevant bien au-dessus du relief), et qui viennent le plus souvent former des langues à la périphérie de la nappe de glace ou calotte. On a parfois étendu le sens du mot glacier pour désigner toute masse de glace venant de la neige et persistant à l'échelle d'une vie humaine, quelle que soit sa taille. La même confusion existe avec le mot islandais *jökull* (le Vatnajökull est une calotte ayant 10 émissaires principaux) ou le mot norvégien *bre* (le Jostedalsbre est un plateau englacé avec 25 glaciers émissaires, chacun appelé aussi bre).

1,5 million de m³ de glace écrasèrent le chantier du barrage de *Mattmark* (88 †).

Secousses telluriques. Elles peuvent précipiter roches et glaces, éroder les pentes supérieures et ensevelir sous des coulées de boue les villages des vallées ; le 31-5-1970, au Pérou, du haut du Huascaran (Andes, 6 700 m), 6 millions de m³ de glace et de roches tuèrent une cordée d'alpinistes au N. et à l'O. 30 millions de m³ de sédiments et de glace, lancés à plus de 300 km/h, recouvrirent la ville de *Yungay* détruite quelques minutes avant par le séisme (15 000 † sur les 66 800 † dus au séisme). Le 13-7-1990, dans l'*Hindou-Kouch,* 43 alpinistes furent tués par des avalanches déclenchées par un séisme de magnitude 5,6, dont le foyer se trouvait à 220 km de profondeur.

Activité volcanique. **Lahars :** voir p. 69. En *Islande,* une poche d'eau s'était formée dans le bouclier de glace qui recouvre le volcan Katla. Sa rupture (1973) déversa un flot au débit maximal comparable à celui de l'Amazone, en période de crue, soit 200 000 m³/seconde. Sous la plus grande calotte glaciaire de l'Islande [le *Vatnajökull* (8 390 km²)] la plus puissante région géothermale du pays libère 5 000 MW. Cette chaleur est transportée par l'eau, comme dans un thermosiphon, à partir d'une nappe de magma à 3/7 km de profondeur, qui se renouvelle grâce à l'écartement des plaques Amérique et Eurasie (voir Tectonique globale). La chaleur crée un lac sous-glaciaire, le *Grimsvötn,* qui se vide périodiquement en inondant la plaine côtière (débit de pointe en 1954 : 10 000 m³/s), phénomène appelé improprement *jokülhaup* (littéralement : sursaut du glacier). Avant 1934, le Grimsvtön atteignait 6 à 7 km³ et se vidait tous les 10 ans. Depuis, période et volume ont été réduits de moitié.

■ Statistiques

■ Étendue. 15 600 000 km² (3 % de la surface du globe, 10,5 % des terres émergées). Les nappes de glace recouvrant l'Antarctique et la plus grande partie du Groenland représentent 99 % du volume et 93 % de la surface des glaces terrestres. *Régions polaires* et *subpolaires* 362 000 km². *Latitudes moyennes* 49 000 km². *Basses latitudes* 44 000 km².

■ Volume. Total 31 700 000 km³. Si tous les glaciers fondaient, le niveau général des océans monterait de plus de 60 m, recouvrant toutes les plaines basses. Par leur poids et par *réaction isostatique,* les grandes calottes enfoncent leur socle. A l'inverse, le socle scandinave, allégé par la déglaciation quaternaire, se relève lentement (1 m par siècle), ainsi que la région des Grands Lacs (USA, Canada).

■ Principales calottes glaciaires et champs de glace (superficie en km²). *Antarctide* (shelfs compris) 13 800 000, *Indlandsis* (Groenland) 1 726 000, 3 calottes de l'île d'*Ellesmere* 26 000, 22 000, 20 000, *Nouvelle-Zemble du N.* 21 500, *Hielo Patagonico* Sud (Chili-Argentine) 13 500, *Vatnajökull* (Islande) 8 390, *Sörfonna + Austfonna* (Nord Austlandet, Spitsberg) 7 920, *Mc Gill Icefield* (I. Axel Heiberg, archipel canadien) 7 250, *Barnes Ice cap* (I. de Baffin) 6 000, *Penny Ice cap* (I. de Baffin) 6 000, *I. Komsomolets* (Severnaïa Zemlia) 6 000, *Schei Icefield* (I. Axel Heiberg) 5 100, *Hielo Patagonico* Nord 4 400, *Westfonna* (Nord Austlandet) 2 800, *Jostedalsbre* (Norvège) 473, *Svartis* (Norvège) 450.

■ Principaux glaciers locaux (glaciers émissaires de calottes glaciaires exclus, longueur en km). *Bagley icefield* et Gla. *Behring* (Cord. de la Côte, Alaska) 185, *Seward + Malaspina* (id.) 100, *Logan* (id.) 95, *Hubbard* (id.) 80, *Fedtchenko* (Pamir) 77, *Siachen* (Karakorum Est) 75, *Muldrow* (Cord. d'Alaska) 72, *Baltoro* (Karakorum Est) 66, *Inyltchek* (Tian-Chan) 65, *Biafo* (Karakorum Ouest) 60, *Koilaf* (id.) 60, *Uppsala* (Patagonie) 60, *Hispar* (Karakorum) 59, *Batura* (id.) 58, *Monaco* (Spitsberg) 48, *Tasman* (Nlle-Zélande) 28, *Aletsch* (Alpes suisses) 24,7, *Ngojumba* (Népal) 22, *Mer de Glace* (Fr., Hte-Savoie) 12.

Limite inférieure	Alt. m.	Degré de lat.
Alaska	0	59°
Patagonie	0	– 47°
Alpes du Nord (les Bossons, Fr.)	1 200	47°
Alpes du Sud (Pelvoux, Fr.)	2 400	45°
Nouv.-Zélande, versant ouest	305	– 43°
versant est	760	43°
Pyrénées (France)	2 900	43°
Caucase (ex-URSS)	2 100	43°
Kilimandjaro (Afrique)	5 300	– 5°

Phénomènes exogènes et endogènes

■ Forces exogènes. Elles agissent périodiquement ou irrégulièrement de l'extérieur et produisent des déformations, souvent superficielles. *Ex. :* attraction luni-solaire, responsable des marées océanique et terrestre ; déséquilibres dus à la lente accumulation ou fonte des calottes glaciaires, à l'érosion atmosphérique, fluviale, marine, qui dégrade les reliefs et produit ailleurs des accumulations de sédiments.

Évoluant dans le système solaire, la Terre subit l'influence de son environnement. *Exemples :* d'une part balancement de l'inclinaison de l'axe de rotation de la Terre (axe des pôles) en 26 000 ans et ses conséquences sur les climats (périodes glaciaires) et la biosphère en particulier ; cycle de 11 ans de l'activité solaire, avec des répercussions multiples (climat, agriculture, santé) ; cycle annuel autour du Soleil, commandant les saisons et la vie terrestre et marine ; attraction luni-solaire (23 h 56 min) produisant les marées océaniques et terrestres (jusqu'à 30 cm de soulèvement du sol), le Globe tout entier se comportant comme une bille d'acier ; chute de météorites ou de bolides ; éclipses de Soleil, perturbant quelques heures le climat local, l'ionosphère ; éruptions chromosphériques du Soleil, perturbant le champ magnétique terrestre, l'ionosphère, et produisant des aurores polaires.

■ Forces endogènes. Elles agissent dans l'intérieur du Globe (du grec *endo,* dedans, et *genos,* origine). Elles se manifestent en surface par des modifications très lentes ou parfois très brusques et violentes (ex. : séisme, éruption volcanique). On a mesuré le déplacement (quelques cm par an) des plaques de la croûte terrestre dans le sens horizontal ou vertical (voir fig. p. 49 et 69), le relèvement du sol après la fonte des calottes glaciaires (1,3 cm par siècle aux Grands Lacs USA/Canada) ; la surrection des montagnes jeunes (un mm par an, Pyrénées, Liban) ; les changements du niveau moyen des mers (en mètres) ; la formation continue d'une nouvelle croûte dans les rifts océaniques et terrestres (Djibouti, 1 m par an). Ces phénomènes lents sont mis en évidence et étudiés par la géologie, la paléontologie, la paléogéographie, la géomorphologie, l'archéologie et, pour l'époque actuelle, par les multiples branches de la physique du Globe, et la géodésie spatiale (satellites).

Sismologie. Tremblements de terre

■ Généralités

■ Causes. La tectonique des plaques permet d'expliquer la localisation et la profondeur des foyers de la plupart des tremblements de terre (voir doc. p. 49 et p. 69).

Par l'action de forces endogènes, une énergie considérable s'accumule dans les zones d'affrontement des plaques ou des microplaques. Elle est libérée par à-coups dans les *séismes.* Lorsque 2 plaques s'écartent (rifts océaniques), les séismes sont superficiels et généralement peu intenses. Lorsque 2 plaques entrent en collision avec formation d'une fosse océanique, les séismes peuvent être violents et superficiels, intermédiaires ou profonds (voir doc. p. 69). Lorsque 2 plaques coulissent l'une contre l'autre, les séismes sont superficiels (comme en Californie). La fréquence de retour des séismes varie selon la vitesse du mouvement relatif des 2 plaques.

De très grands séismes peuvent aussi se produire à l'intérieur des plaques (*ex.* grands séismes chinois du Liaoning et de Tang-shan en 1975 et 1976). La sismicité de certaines régions de la France, marginale en comparaison, est aussi de type intraplaque (Massif armoricain, île d'Oléron).

L'*épicentre* est le point de la surface de la Terre à la verticale de l'hypocentre. L'*hypocentre*, ou foyer du séisme, est le point intérieur du globe où se produit le déplacement brusque qui engendre les ondes sismiques. Il peut se situer entre la surface et 720 km de profondeur [de 2 à 3 km à Agadir (1960), de 8 à 9 à Orléansville (1954), 15 au Pays basque, 90 en Roumanie (1990)].

☞ Certains séismes seraient causés par des explosions électrostatiques déclenchées par des anomalies électronégatives dans la stratosphère ou dans l'ionosphère.

■ **Ondes sismiques.** Les vibrations élastiques se propagent à partir du foyer par des *ondes de compression,* ou longitudinales, analogues au son, appelées P et des *ondes de cisaillement,* ou transversales, moins rapides, arrivant en second lieu et appelées S.

Les vitesses de propagation, dans la partie supérieure de la croûte, granitique, sont d'environ 6,2 (km/s) pour les P et 3,6 pour les S ; plus bas, dans la couche basaltique, 8, et 4,7. Les vibrations des grands séismes et tirs nucléaires peuvent traverser le globe de part en part ; leur vitesse augmente encore avec la profondeur et renseigne sur la composition du manteau et du noyau terrestres. Les ondes S ne traversent pas le noyau externe, on en déduit qu'il a les propriétés d'un liquide.

Les *ondes de surface* se propagent dans la croûte et le manteau supérieur : ondes L (de Love) et ondes R (de Rayleigh). Ces ondes transmettent la plus grande partie de l'énergie et servent à calculer la magnitude Ms des séismes superficiels.

Plusieurs types de sismomètres, en fonctionnement permanent, sont nécessaires pour capter en surface, dans des forages ou sur le fond de la mer, les caractéristiques propres à chaque type d'onde. Ils sont souvent groupés en réseaux, pour une analyse plus fine de la direction d'approche et du sens des mouvements, fortement agrandis par divers procédés (jusqu'à 500 000 fois). L'amplitude de certaines ondes et la durée totale de l'enregistrement servent à calculer la magnitude du séisme.

■ **Sismologie.** L'étude des vitesses, directions, amplitudes et périodes des ondes sismiques (ou provoquées artificiellement), qui à chaque obstacle ou changement de milieu rebondissent, dévient, se divisent ou changent parfois de nature (les P en S, les S en P), renseigne sur la constitution de l'intérieur de la Terre. Le réseau mondial d'enregistrement des ondes de longue période (programme geoscope, 23 stations reliées à Paris en 1992, but final : 30) apporte des précisions sur le mécanisme au foyer des grands séismes, la morphologie du manteau terrestre, les propriétés des zones de transition entre lithosphère – asténosphère et manteau – noyau (voir p. 51). Aussitôt après un tremblement important, toujours suivi d'un grand nombre de secousses moindres dites « répliques », des réseaux temporaires sont installés dans la région épicentrale pour une étude détaillée de la zone de fracture. Ex. 1976 Frioul ; 1980 Pyrénées et Algérie ; 1988 Arménie ; 1990 Roumanie (24 stations françaises ont enregistré plusieurs centaines de répliques en juin 1990) ; 1991 Géorgie ; 1992 Turquie (voir p. 68). La *sismologie expérimentale,* à laquelle on peut rattacher les études sur échantillons du comportement des roches soumises à très hautes pressions et températures, se propose de faire la tomographie de la lithosphère, tel le programme Ecors, du N. au S. de l'Europe Occ., en enregistrant et interprétant les échos, revenant des profondeurs, d'explosions déclenchées en surface successivement sur de grandes distances. A plus petite échelle, les méthodes de prospection sismique (voir p. 52), réseaux temporaires et mobiles, sont utilisées pour des études de détail : soubassement d'un futur barrage, installation nucléaire ou industrielle particulièrement sensible à l'agitation du sol.

☞ *La sismologie planétaire* a permis de connaître quelques aspects de la constitution interne de la Lune et de Mars ; *l'héliosismologie* a sondé les mouvements incessants des couches supérieures du Soleil jusqu'à une grande profondeur.

■ Grandeur d'un séisme

■ **Magnitude : échelle de Richter.** La magnitude caractérise l'énergie libérée au foyer d'une secousse. Cette grandeur a été proposée en 1935 par Charles Richter (Am. 1900-1985) pour classer entre eux les nombreux séismes californiens. *Définition initiale :* la magnitude est le logarithme de l'amplitude maximale *mesurée en microns* obtenue à une distance épicentrale de 100 km, inscription fournie par un séismographe étalon ayant une période propre de 0,8 s et un grandissement de 2 800 théorique, 2 080 effectif. Ainsi la magnitude 3 (log 1 000) sera-t-elle attribuée à un séisme enregistré à 100 km de l'épicentre avec une amplitude de 1 mm (1 000 microns) sur l'appareil étalon. *A partir de 1945 :* notion étendue aux séismes éloignés à l'aide de formules qui font intervenir la distance épicentrale et l'amplitude maximale des ondes de surface (magnitude Ms) ou l'amplitude et la période de l'onde P (magnitude m_b). La magnitude d'un même séisme calculée par différentes stations peut présenter des divergences importantes et l'on est conduit à prendre des moyennes pour Ms et m_b.

La *magnitude* ne doit pas être confondue avec l'*intensité* (voir plus loin). L'échelle de magnitude de Richter *n'est pas graduée* de 1 à 9 ; par sa définition même, elle n'a *pas de limites.* Les plus forts séismes enregistrés au XXe s. ont des magnitudes Ms voisines de 8,5 ; le chiffre 9 pourrait être attribué à la magnitude du séisme de Lisbonne de 1755, mais elle pourrait éventuellement être dépassée. A l'opposé, les microchocs, minuscules craquements, ont des magnitudes voisines ou inférieures à 0 (– 1 à – 3,6) enregistrées par des séismomètres sensibles et bien abrités. On estime que seulement 1 à 10 % de l'énergie mise en jeu par un séisme est rayonnée sous forme d'ondes séismiques, la plus grande partie étant absorbée par la fracture des roches et dissipée en chaleur.

■ **Énergie E et Moment Mo d'un séisme.** L'E libérée au foyer du séisme est liée à la magnitude par la formule log **E** = 11,8 + 1,5 Ms (en joules) qui montre qu'un séisme de magnitude 8 met en jeu env. 32 000 fois plus d'énergie qu'un séisme de magnitude 5. Ce dernier se produisant en France serait ressenti sur plusieurs départements et pourrait causer quelques dégâts. Il est lui-même 1 000 fois plus fort qu'un séisme de magnitude 3 qui pourra être faiblement ressenti dans la région de l'épicentre.

Quelques très grands séismes produisent d'apparents déplacements le long de failles sur des longueurs pouvant atteindre des centaines de km et des profondeurs difficiles à évaluer. Ils engendrent des ondes de surface de très longue période (200-300 s) qui font plusieurs fois le tour de la Terre durant 1 ou 2 jours. L'amplitude de ces ondes sert à calculer le Moment sismique M_o, qui est le produit : surface activée de la faille × déplacement moyen × rigidité de la roche brisée. On admet que M_o = 2 000 × E (dyn/cm), et log M_o = 17 + 1,3 M_L trouvé en Californie a été confirmé par l'étude des séismes du Frioul (1976).

Enfin, pour les très grands séismes, on a proposé (1989) une magnitude Mw en relation avec le Moment par la formule :

$$Mw = 2/3 \log M\check{o} - 10{,}7.$$

On trouve ainsi pour les derniers séismes majeurs, Pérou 1922 Ms 8,3 = Mw 8,7, Alaska 1964 Ms 8,3 = Mw 9,2 et au Chili 1960 Ms 8,5 = Mw 9,6.

■ **Intensité locale.** La violence d'un choc observée ou mesurée *en un point donné* dépend : de la quantité d'énergie rayonnée du foyer (m. du séisme) dans cette direction, de la distance de l'épicentre, de la nature des couches géologiques traversées par les ondes et de certaines conditions particulières au point d'observation. Si certaines couches superficielles amortissent les ébranlements, des terrains meubles peuvent amplifier les ondes de surface et des effets secondaires (réflexions dans les vallées, liquéfaction des sols humides) peuvent encore aggraver les effets nocifs sur les fondations et les superstructures.

Les *accéléromètres*, installés pour mesurer uniquement les mouvements forts, ont permis de constater des effets locaux importants au Frioul (Italie) : 0,15 g (accélération de la pesanteur) sur roche dure, mais 0,35 non loin de là sur couche alluvionnaire de 15 m d'épaisseur ; en Campanie (Italie) : 0,22 g sur un dépôt de conglomérats épais de 25 m et, à quelque distance seulement, 0,06 sur le même dépôt épais de 140 m. Installés dans les bâtiments, ils mesurent la réponse des structures et ouvrages aux vibrations du sol transmises par les fondations.

Échelles d'intensité macrosismique. Elles permettent de résumer et d'exprimer par un nombre (écrit en chiffres romains pour éviter toute confusion avec la magnitude) l'*intensité* **I** *d'une secousse ressentie* à terre ou en mer. Reportés sur une carte, ces chiffres permettent de cerner la région *pléistoséiste* (des plus grandes intensités) entourant la région *épicentrale* (maximum d'intensité) où se situe l'*épicentre macrosismique* et de tracer l'enveloppe de la surface de *perceptibilité,* au-delà de laquelle seuls les instruments sont capables de réagir à la secousse.

Plusieurs échelles d'intensité ont été utilisées. *En Italie,* 1788, Pignataro pour la Calabre ; 1873 De Rossi-Forel, échelle à 10 degrés ; 1903 Cancani, à 12 degrés, arrangée en 1917 par Mercalli et Sieberg, réarrangée en 1931 et en 1956 fixée en échelle MM = Mercalli modifiée, encore en usage aux USA. *Au Japon* une échelle de 0 à VII est en usage depuis 1949. *En Europe,* on utilise depuis 1956 l'échelle MSK (Medvedev-Sponheuer-Karnik).

Degrés d'intensité de l'échelle MSK

La constatation des dommages aux constructions est le meilleur moyen pour évaluer les intensités moyennes et élevées. On distingue *3 types de constructions : A* constructions rurales en pierre tout-venant, pisé, argile, brique crue ; *B* c. en brique, blocs de béton, pierre taillée, et c. mixtes bois et maçonnerie ; *C* c. armées, chaînées et les c. de qualité en bois ; et *5 niveaux (degrés) de dégâts : 1 :* légères fissures aux plâtres, chute de petits débris de plâtre ; *2 :* petites fissures dans les murs, chute de tuiles ou de parties de cheminées, fissuration de cheminées ; *3 :* chute de cheminées, lézardes larges et profondes dans les murs ; *4 :* destruction : brèches dans les murs, effondrements de cloisons intérieures, de parties de constructions ; *5 :* ruine : effondrement total des constructions.

Degré I : imperceptible, inscrit par les sismographes.

Degrés I-II : ressentis seulement aux étages supérieurs des maisons élevées (à grande distance de l'épicentre).

Degré II : ressenti parfois au repos, surtout aux étages supérieurs des maisons élevées.

Degré III : ressenti par quelques personnes à l'intérieur des habitations ; vibration analogue à celle causée par un camion ; léger balancement d'objets suspendus, surtout aux étages supérieurs.

Degré IV : ressenti à l'intérieur des constructions par de nombreuses personnes, à l'extérieur par quelques-unes ; quelques réveils de dormeurs ; vibration des fenêtres, des portes, de la vaisselle ; craquement des planchers, charpentes. Les liquides contenus dans des récipients s'agitent légèrement.

Degré V : ressenti par tout le monde à l'intérieur et par de nombreuses personnes à l'extérieur ; réveil de nombreux dormeurs ; constructions agitées d'un tremblement général ; large balancement d'objets suspendus ; dans certains cas les horloges à balancier s'arrêtent ; tintement des sonnettes ; les objets peu stables sont déplacés (lits) ou renversés ; projection de liquides hors de récipients bien remplis. Légers dégâts de degré 1 dans les bâtiments de type A. Modification, dans certains cas, du régime des sources.

Degré VI : ressenti à l'extérieur et à l'intérieur par la population ; de nombreuses personnes, effrayées, sortent des habitations ; chute d'assiettes, de verres, de livres ; sonnerie de petites cloches. Dégâts de degré 1 dans quelques constructions de type B et dans de nombreuses de type A ; de degré 2 dans quelques c. de type A. Petites crevasses dans les sols détrempés ; éventuellement glissements de terrain en montagne, changement dans le débit des sources.

Degré VII : la plupart des personnes, effrayées, se précipitent dehors ; vibrations ressenties par les conducteurs d'automobiles ; de grosses cloches sont mises en branle. Dommages de degré 1 dans de nombreux bâtiments de type C, de degré 2 dans de nombreux bât. de type B, de degré 3 dans de nombreux bât. de type A, de degré 4 dans quelques bât. de type A. Fissures en travers des routes et dans les murs de pierre ; joints de canalisations endommagés. Vagues sur l'eau ; eau troublée par la vase mise en mouvement. Tarissement de certaines sources ; variation du niveau des puits et du débit des sources.

Degré VIII : frayeur et panique ; des branches d'arbres cassent. Le mobilier, même lourd, est déplacé ou renversé. Dégâts de degré 5 à quelques bâtiments de type A, de degré 4 à de nombreux bât. de type A et à quelques-uns de type B, de degré 3 à de nombreux bât. de type B et à quelques-uns de type C, de degré 2 à de nombreux bât. de type C. Quelques ruptures de canalisations. Rotation de monuments et de statues ; renversement des stèles funéraires ; effondrement de murs de pierre. Petits glissements de terrain dans les ravins ; crevasses de quelques centimètres de largeur. Nombreux changements dans le débit des sources et le niveau d'eau des puits.

Degré IX : panique générale ; dégâts considérables au mobilier ; animaux affolés. Dégâts de degré 5 à de nombreux bât. de type A et à quelques-uns de type B, de degré 4 à de nombreux bât. de type B et à quelques-uns de type C, de degré 3 à de nombreux bât. de type C. Chute de monuments et de colonnes ; dommages considérables aux réservoirs au sol ; rupture partielle des canalisations souterraines ; dans quelques cas, des rails de chemins de fer sont tordus, des routes endommagées. Projection hors du sol d'eau, de sable, de boue ; larges crevasses sur les pentes et les berges des rivières. Chute de rochers ; nombreux glissements de terrain ; grandes vagues sur l'eau.

Degré X : destruction générale des bâtiments ; dégâts de degré 5 à la plupart des bât. de type A, à de nombreux bâtiments de type B et à quelques-uns de type C, de degré 4 à de nombreux bâtiments de type C. Dommages aux barrages et aux digues ; dommages sévères aux ponts ; lignes de chemins de fer légèrement tordues ; canalisations souterraines tordues ou rompues. Le pavage des rues et l'asphalte forment de grandes ondulations. Crevasses pouvant atteindre 1 m de largeur ; éboulement des terres meubles ; glissements de terrain considérables ; formation de nouveaux lacs.

Degré XI : dommages sévères même aux bâtiments bien construits, aux ponts, aux barrages, aux lignes de chemins de fer, aux grandes routes ; canalisations souterraines détruites ; déformation du terrain ; nombreux glissements de terrain et chutes de rochers.

Degré XII : changement du paysage ; toutes les structures au-dessus et au-dessous du sol sont gravement endommagées ou détruites. La topographie est bouleversée ; énormes crevasses ; vallées barrées et transformées en lacs.

■ Géographie sismologique

Sismicité mondiale

■ **Généralités.** La sismicité est caractérisée par la fréquence, la magnitude et la profondeur du foyer des séismes. Son étude était fondée autrefois sur des catalogues de tremblements de terre *ressentis.* En 1857 R. Mallet (G.-B.) a produit la *1re carte mondiale des tremblements de terre* (voir sismicité historique ci-après). En 1895 J. Milne (G.-B.), persuadé que les grands tr. de terre pourraient être *enregistrés* partout dans le monde, installa le 1er réseau mondial de sismographes de type uniforme (15 dans l'Empire britannique et au Japon). Les grands tr. de terre de 1906 ont à nouveau attiré l'attention des universitaires, qui s'étaient réunis en 1903-05 pour fonder à Strasbourg l'Association internationale de séismologie. Après la guerre de 1914-18 de nombreux observatoires sismologiques (universitaires à 95 %) ont été fondés et leurs enregistrements exploités à l'échelle mondiale par l'International Seismological Summary (ISS, G.-B.) et le Bureau central international de sismologie (BCIS à Strasbourg). A partir de 1936 la France installa un réseau de sismographes dans ses territoires d'outre-mer.

Les conventions sur la suppression des essais atomiques dans l'atmosphère et le contrôle des explosions souterraines ont donné une impulsion définitive à la sismologie, qui, depuis, déborde le cadre universitaire. Le déploiement, à partir de 1963, de 120 stations avec 3 sismographes standards (don des USA) dans 60 pays ou îles a permis de dresser en 1967 la *1re carte mondiale homogène* des épicentres (m. 4,5 et plus) en distinguant les foyers superficiels, intermédiaires et profonds. Elle a confirmé les grandes lignes de la carte de 1857, en précisant les limites des zones de forte sismicité, où se produisent 90 % des séismes, et a montré que les alignements d'épicentres au milieu des océans, signalés dès 1954 par J.-P. Rothé (Strasbourg), étaient continus sur l'ensemble du globe. A partir de là, et d'observations magnétiques correspondantes, X. Le Pichon a pu formuler la théorie des plaques et tracer leurs frontières (voir p. 49 et 69).

Stations sismographiques : env. 1 000 (sur 2 200 en service) participent à la surveillance mondiale. Certaines sont installées en pleine mer, comme OSSIV dans le Pacifique à 200 km au N.-E. du Japon, au fond d'un trou de 20 m foré dans le basalte, surmonté de 358 m de sédiments marins et de 5 467 m d'eau. Les centres mondiaux comme le National Earthquake Information Center (NEIC aux USA) ou l'International Seismological Centre (ISC en G.-B.) font la synthèse des observations sismologiques et déterminent les paramètres focaux.

■ **Statistiques.** Il y a de 500 000 à 1 million de secousses par an, dont 100 000 sont ressenties et 1 000 capables de causer des dégâts. Depuis 1971, on connaît pour le globe entier tous les séismes de m. 4,6 et plus.

La sismicité *globale* annuelle est très irrégulière ; l'énergie dissipée en une seule fois par un très grand séisme (m. 8 et plus) peut atteindre 90 % de la quantité annuelle libérée. On a reconnu des périodes de crise (1906, 1951-66) entre calme modéré (1932-47) ou profond (1925-31, 1969-78). Sur des moyennes de 20 ans et plus, l'énergie libérée annuellement semble voisine de 10^{25} ergs (soit 10^{19} joules).

Répartition par magnitude. *Grands séismes des 47 dernières années (par an). Ms 8,5-8,9 :* 0,3 ; *8-8,4 :* 1,1 ; *7,5-7,9 :* 3,1 ; *7-7,4 :* 15 ; *6,5-6,9 :* 56 ; *6-6,4 :* 210, soit 285 par an (24 par mois) potentiellement destructeurs en zone habitée.

Répartition par profondeur. *Séisme superficiel :* foyer entre 0 et 70 km (env. 70 %), *intermédiaire :* entre 70 et 300 (env. 25 %), *profond :* entre 300 et 720 (env. 5 %).

Une étude détaillée (1965-86) indique que les séismes sont plus nombreux aux profondeurs voisines de 150, 420 et 500 km (ce qui correspond aux discontinuités reconnues par la tomographie, voir p. 52 b) et rares vers 300 km. *En Europe :* séismes profonds : Sierra Nevada : Espagne, 650 km, 3 cas ; séismes intermédiaires à profonds : 3 sources [mers Tyrrhénienne (250-500 km) et Égée, Roumanie (150-400 km, nombreux)]. Les foyers très profonds jalonnent la base des zones de subduction (voir fig. p. 69) et le mécanisme de leur production et déclenchement est encore controversé.

Nombre des localisations provisoires. Par le NEIC (y compris quelques dizaines d'explosions) : *1968 :* 5 695 ; *1983 :* 9 600 dont 36 séismes de m. au moins égale à 6,5 ; *1985 :* 14 511 ; *1987 :* 13 016 ; *1988 :* 13 239 ; *1990 :* 18 880 ; *1991 :* 16 516. **Par le Centre sismologique euro-méditerranéen (Strasbourg) :** *des Açores à l'Iran* avec une bonne précision, *1983 :* 1 272 événements ; *1984 :* 1 213 ; *1985 :* 1 290 ; *1986 :* 1 444 ; *1987 :* 1 134 ; *1988 :* 1 190 ; *1989 :* 1 803 ; *1990 :* 1 870 ; *1991 :* 1 672. **Signalées par les bulletins hebdomadaires du LDG (Paris) :** *dans un rayon de 1 000 km autour de la France, de 1962 à 1970 :* env. 2 000 séismes (143 par an), *1980-81 :* 973 par an ; *1982 :* 1 300 ; *1983 :* 1 200 ; *1984 :* 1 249 dont 764 localisés ; *1985 :* 1 073 (668 localisés) ; *1986 :* 948 (724 loc.) ; *1987 :* 1 133 (765 loc.) ; *1988 :* 861 (602 loc.) et, à plus grande distance, env. 2 500 séismes par an bien enregistrés en France ; *1989 :* 816 (615 loc.) ; *1990 :* 1 201 (942 loc.) ; *1991 :* 1 363 (501 loc.).

La position géographique, profondeur du foyer, magnitude, mécanisme au foyer, intensités ressenties sont de plus en plus précis grâce à la qualité des observations, des communications par satellite, au traitement par ordinateur.

Répartition géographique

Zones à forte sismicité. *(Bordures de « plaques »). Cercle circumpacifique,* appelé autrefois *ceinture de feu du Pacifique* à cause des volcans actifs : Japon, Formose, Philippines, Nouvelle-Guinée, îles Fidji, Tonga et Kermadec, Nouvelle-Zélande, Amérique du Sud en bordure du Pacifique, Amérique centrale, Mexique, Californie, Alaska, îles Aléoutiennes. *Arcs insulaires :* les Mariannes et Carolines, Antilles du Sud, Antilles. *Zone mésogéenne (ou transasiatique) :* des Açores à l'Indonésie (par l'Afrique du Nord, les Alpes, les Dinarides, la Grèce, la Turquie, l'Iran, la chaîne himalayenne). *Zones médio-océaniques :* dorsales et rifts au contact de 2 plaques dans l'océan Atlantique, l'océan Indien et la bordure de la plaque antarctique. Quelques régions intracontinentales (Mongolie, Chine).

Zones à sismicité modérée ou faible. Nord de l'Europe, Bouclier canadien (séismes en 1925, 1935 et le 25-11-88), États-Unis à l'est des montagnes Rocheuses, les blocs africain et brésilien, bassin intérieur du Pacifique.

Zones réputées calmes (de mémoire d'homme). Presque chaque année les instruments localisent 1 ou 2 séismes importants dans des régions *asismiques* (à sismicité négligeable ou nulle) : au Yémen (13-12-1982) 2 800 †, magnitude 6 ; en Guinée (22-12-1983) 650 †, m. 6,4 ; en mer au N.-O. de Madagascar (14-5-1985) m. 6,4, ressenti en Tanzanie et au Mozambique, suivi de nombreux autres : (30-5-1985) m. 5,4 ; en Australie (27-12-1989) 12 †, m. 5,4 ; dans l'Est de la Sibérie (8-3-1991) m. 6,6 ; au Zaïre (11-9-92) 8 †, m. 6,7 ; en Égypte (12-10-92) 541 †, m. 5,9.

Sismicité régionale et « locale »

■ **Zones menacées en Afrique du Nord et en Europe.** *Afr. du N. :* Agadir 1960, Orléansville 1954, El-Asnam (ex-Orléansville) 1980. *Italie :* Sicile (Messine) 1908, les Apennins (Avezzano) 1915, Frioul 1976, Naples 1980. *Yougoslavie :* Dinarides (Skoplje) 1963, Monténégro 1979. *Grèce :* îles Ioniennes 1953, Rhodes. Elles font partie de la zone de collision entre la plaque Afrique et la plaque Eurasie ; plusieurs volcans y sont actifs (Vulcano, Etna, Stromboli, Vésuve, Champs phlégréens, Santorin).

■ **France. Sud-Est : Provence :** *20-7-1564* La Bollène (A.-M.) dans la vallée de la Vésubie (900 †), intensité (int.) X ; *11-6-1909* St-Cannat, Lambesc, Rognes (44 †) ; **Côte d'Azur :** secousses violentes à Nice. *1348, 1496, 1556, 1617, 1644, 1752, 1818, 1854,* le *23-2-1887* (plusieurs †), *1905, 1909.* **Rhône-Alpes :** Vienne entre *463* et *472*, a suscité les prières des « rogations » ; essaims de Clansayes du *8-2-1772* au *26-11-1773*, et du *20-6-1872* au *4-9-1873* ; essaim du Tricastin d'*oct. 1933 à août 1936 :* dégâts à Roussas le *12-5-1934.* **Alpes :** Chambéry *19-2-1822* int. VII ; La Roche-sur-Foron *18-8-1877* int. VII ; St-Jean-d'Aulph *30-12-1879* int. VII ; St-Jean-de-Maurienne *22-7-1881* int. VII ; Chamonix *29-4-1905* int. VIII ; *St-Paul-d'Ubaye 5-4-1959* int. VIII. Une surveillance instrumentale de 4 semaines *13-9/11-10-1977* dans cette région a capté plus de 1 500 secousses dont 191 (7 par jour) ont pu être localisées et parmi elles 4 de m. 3 à 3,6 (non signalées ressenties).

Pyrénées : *580* dégâts à Bordeaux ; *2-2-1428* Prats-de-Mollo (P.-O.) int. XI, victimes ; *22-9-1537* gros dégâts à Oloron (P.-A.) ; *21-6-1660* victimes en Bigorre (H.-P.) ; *24-5-1750* victimes à Juncalas (H.-P.) ; *19-5-1765* victimes en Couserans (Ariège) ; *22-2-1924,* dégâts entre Arudy (B.-P.) et Argelès-Gazost (H.-P.), int. max. VII-VIII à Ferrières ; *13-8-1967* Arette et Montory (P.-A.) int. VIII, 1 †, blessés légers, 340 immeubles détruits, 2 300 endommagés ; *29-2-1980* région Arudy (P.-A.) 70 communes avec dégâts, frais de réparation env. 115 millions de F, int. VII.

Dans les P.-Atl., le réseau d'Arette (10 stations) localise en moyenne 20 secousses par mois, pour la surveillance de l'activité de cette partie de la faille N.-Pyr., et le réseau privé de Lacq localise dans ce bassin plus de 60 événements par an, dont quelques-uns ressentis (voir Hydrocarbures p. 68 b).

Alsace et Vosges : sismicité moyenne. *782* et *799* Wissembourg ; *1239* Strasbourg ; *18-10-1356* Bâle, Mulhouse intensité XI ; *12-5-1682* Remiremont (église détruite) ; *3-8-1728* Strasbourg ; dans le Bas-Rhin en *1802, 1933* et *1952 ; 15-7-1980* Mulhouse, int. VII ; *19-12-1984* au *8-1-1985* Remiremont (V.) env. 395 secousses sur une faille de 3 km N.-S., int. max. VI (le 29-12), magnitude 4,8.

Massif armoricain : essentiellement de la pointe du Raz à Angers. Entre *469* et *479* Angers ; *577* Chinon ; *582, 584* Anjou ; *590* Tours ; *1083, 1097, 1098, 1102, 1106, 1112, 1163, 1165, 1169, 1207, 1208* Anjou-Poitiers ; *15-2-1657* Ste-Maure-de-Touraine (plusieurs †) ; *6-10-1711* Loudun int. VII ; *25-1-1799* Bouin (Vendée).

Massif central : *v. 486* Clermont ; *527-551* Auvergne ; *1186* Uzès ; *1225* Montpellier ; *6-8-1477* et *1-3-1490* Riom et Clermont-Ferrand (int. VIII). *Déc. 1775* Villefranche-de-Rouergue et environs (685 bâtiments écroulés ou à réparer), séisme découvert en 1984 dans les archives.

Ouest : forte secousse en *815* Saintonge ; *1014-20* Angoulême ; *1233* Limoges ; *1972* dégâts à l'île d'Oléron.

Normandie : région actuellement calme. *842* St-Riquier ; *922* Cambrai ; *1142, 1151* Rouen et basse Seine ; *1214, 1241* Caen et Rouen ; *30-12-1775* dégâts à Caen.

■ **Observations macrosismiques (tremblements ressentis) contemporaines. En France :** *1940-50 :* 117 catalogués (11/an), *1951-60 :* 147 (15/an), *1961-70 :* 194 non comprises env. 20 répliques à Arette et 20 secousses locales en Hte-Savoie ; *1971-77 :* 156 (22/an) dont 13 (8 %) avaient un épicentre hors frontières. De 1978 à 1986, une section du BRGM, chargée des enquêtes sur les tr. de terre ressentis en France, en a étudié en *1978 :* 17, *1979 :* 24, *1980 :* 16 [outre 370 répliques ressenties du séisme d'Arudy (P.-A.) après le 29 février]. Des listes plus complètes en mentionnent comme ressentis en *1981 :* 119, *1982 :* 86, *1983 :* 198, dont 32 avec épicentres hors frontières et 48 petites secousses locales. Le Bureau central sismologique français (BCSF) publie la liste des séismes localisés instrumentalement, et une sélection des tremblements ressentis en France (de magnitude supérieure à 2,5) : *1984 :* 34 (413), *1985 :* 30 (358), *1986 :* 18 (389), *1987 :* 24 (448), *1988 :* 23 (362).

Dans les seules *Pyrénées*, on a signalé en *1984 :* 100 secousses, *1985 :* 60, *1986 :* 59, *1987 :* 65, *1988 :* 42, *1989 :* 73, *1990 :* 101, *1991 :* 46, en majorité faibles.

La progression du nombre des tr. de t. ressentis en France est due au soin mis à recueillir les témoignages en sollicitant par des appels dans la presse régionale la participation du public. Ces observations viennent compléter les informations fournies par les mairies lorsqu'une enquête administr. est organisée par la Direction départ. de la protection civile.

☞ Quiconque ressent un tremblement de terre est invité à faire connaître ses constatations au BCSF, 5, rue René-Descartes, 67084 Strasbourg Cedex.

■ Danger sismique

Seul un petit nombre des séismes majeurs enregistrés chaque année atteint des régions habitées. A partir de ceux de magnitude 5 peuvent survenir des dégâts et des accidents mortels (de plus en plus fréquents ces dernières années, par crise cardiaque). Plusieurs facteurs peuvent intervenir : densité de la population, rurale ou citadine, fragilité des habitations, moment du séisme (jour ou nuit), déclenchement d'incendie (San Francisco, 1906, Tōkyō, 1923), glissement de terrain, inondation, vagues marines

Zones de sismicité de la France

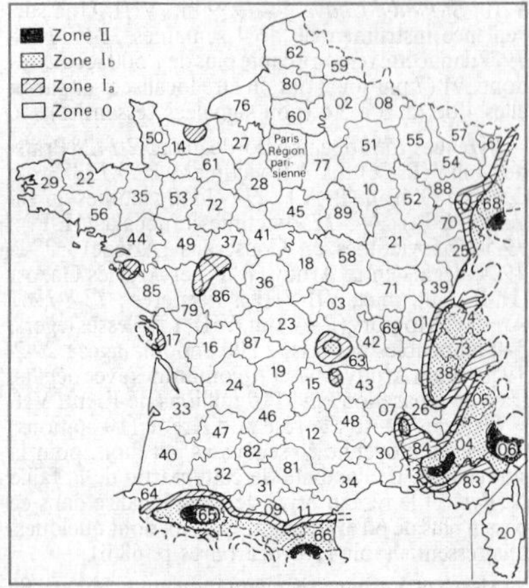

Légende. Zone 0 : sismicité négligeable pour les constructions courantes, mais pas pour celles nécessitant une protection spéciale. *Zone Ia :* région de transition de sismicité faible vers la *zone Ib :* sismicité faible où l'intensité max. peut atteindre le degré VIII (ex. Arette 1967, Arudy 1980) et où les périodes de retour sont estimées à 200-250 ans pour une intensité VIII, 75 ans pour VII. Concerne 241 villes ou cantons. *Zone II :* sismicité moyenne (en comparaison de régions fortement sismiques) où l'intensité max. peut atteindre le degré IX (ex. Provence 1909), où la période de retour d'une intensité de VIII ou plus est de 100 à 250 ans. Concerne 52 villes ou communes.

« tsunami » qui, après plusieurs heures, peuvent atteindre et ravager les côtes japonaises à des milliers de km d'un épicentre au voisinage du Chili ou de l'Alaska.

Zone des dégâts. De 12 à 15 km² (Agadir) à 400 000 km² en Assam en 1897 (m. 8,7). Le séisme du 5-9-1972 (m. 5,5), qui a fait quelques dégâts dans l'île d'Oléron, a été ressenti sur environ 200 000 km² *(zone de perceptibilité,* limite de l'intensité II). Le séisme de 1985 (m. 8,1), bien que situé sur la côte ouest du Mexique, a causé des dégâts sur 825 000 km² et a été ressenti par 22 millions de personnes. Déclenchées par un séisme, des avalanches ont tué 43 alpinistes dans l'Himālaya le 13-7-1990.

■ Prévision et prévention sismiques

■ **Prévision.** Aucune méthode ne permet de prévoir l'imminence d'un séisme important en un lieu donné avec une probabilité suffisante pour décider la population à se mettre à l'abri, ou les pouvoirs publics à intervenir. Si *en Chine* une prévision à court terme (4-2-1975) a permis d'évacuer à temps la population de Haicheng (100 000 h.), par contre le désastre (650 000 † ?) du 28-7-1976 surprit tout le monde. *Au Pérou*, une prévision faite aux USA début 1980, précisée ensuite pour le 10-8-1981, ne retint finalement pas l'attention du gouvernement péruvien, mais tint longtemps en émoi la population et eut de fâcheuses conséquences sur la vie et l'activité à Lima. *USA (Californie)*, le séisme de m. 5 à 6 prévu en 1985 pour 1988 (± n années) sur la faille de San Andreas ne s'est pas encore produit, et il y a eut plus au Nord en 1989 un séisme de m. 7,1, puis au Sud, en 1992 le même jour 2 séismes de m. 7,5 et 6,6. Un séisme de m. 6 est prévu (à 95 %) pour 1993 dans le secteur central de Parkfield.

Méthode Van (initiales de ses inventeurs grecs : Varotsos, Alexopoulos, Nomokos). Repose sur l'interprétation de certaines variations des courants électriques naturels (c. telluriques) mesurés dans le sol, même à grande distance (300 km et plus). Donne la magnitude (au-dessus de 5, incertitude ± 3/4°), la localisation (rayon de ± 30 km, parfois 125 km) et une fourchette de temps allant jusqu'à 3 semaines. Une étude statistique a montré que les réussites obtenues dans ces conditions peuvent être dues au hasard, les séismes étant nombreux en Grèce (et les zones les plus actives bien connues). Presque toutes les secousses ressenties (46 sur 52, de 1977 à 1989) n'avaient pas été annoncées.

En France, la méthode Van est à l'étude dans les Alpes, avec la participation du CEA (stations magnéto-telluriques raccordées à Paris pour comparaison avec l'activité sismique du réseau LDG). Depuis l'installation de l'appareillage, elle n'avait pu prévoir (à fin 1992) aucun des séismes de magnitude sup. à 4 qui se sont produits dans les Alpes françaises et italiennes. Dans les Pyrénées sont prévues (1993) 2 stations Van fixes + une mobile et la participation du CEA (c. telluriques) et du RéNaSS (séismes).

■ **Risque sismique.** L'évaluation du risque sismique, des pertes possibles ou probables en vies, installations et services, nécessite la connaissance 1°) des zones exposées aux tr. de terre de m. supérieure à 5, 2°) de la fragilité des constructions et installations existantes et futures, 3°) des dispositifs de protection et de secours existants ou planifiés.

■ **Prévention en France** (pays peu sismique mais où le risque est élevé là où la population est groupée, où les équipements techniques et industriels sont sensibles).

Nouveau zonage sismique de la France. Publié en 1986 (La Documentation française) par la Délégation aux risques majeurs, il a été établi par l'*Atelier risque et génie sismique* du BRGM. Voir carte ci-contre. Le Bureau central sismologique français (BCSF) recalcule le foyer des séismes situés en France et à ses abords immédiats.

Construction parasismique. Dans les zones désignées, à partir de 1993, toutes les constructions, même individuelles, devront être conformes aux « Recommandations AFPS90 pour la rédaction des règles relatives aux ouvrages et installations à réaliser dans les régions sujettes aux séismes ».

Règles particulières : installations présentant des risques particuliers ou devant être protégées au maximum (centres de décision, de secours, de soins). Testées à Saclay, où la plus grande table vibrante d'Europe peut reproduire en direction, l'intensité et durée, sur des spécimens ou des maquettes pesant jusqu'à 20 tonnes ou longues de 15 m, tous les mouvements sismiques ou d'explosions rapprochées : Tamaris au CEA.

Surveillance et alerte sismiques. En France : *Le Réseau national de surveillance sismique (RéNaSS)* reçoit à Strasbourg instantanément, ou légèrement différés, les enregistrements d'une centaine de stations (7 isolées). *Réseaux régionaux :* Fossé Rhénan 13 (dont 1 suisse, 1 all., 1 belge), Auvergne 8, Alpes 30, Bouches-du-Rhône 8, Nice 8, Pyrénées-Orientales 10 (+ 1 Andorre et plusieurs en Catalogne), Pyrénées Occidentales 9 (Arette, + 7 réseau privé de Lacq). Il procède à l'évaluation immédiate de la position et de la magnitude. Les autorités civiles et services techniques sont avisés quand la magnitude (m.) atteint ou dépasse 4,5.

Le Laboratoire de détection géophysique (LDG), rattaché au CEA, reçoit en continu les données de 30 stations réparties en France-Corse et émet sans délai pour chaque séisme de m. 3,5 en France ou à sa périphérie un avertissement aux organismes intéressés.

Le réseau SISMALP (Observatoire de Grenoble), avec 40 stations réparties tous les 35 km du lac Léman au Verdon et 3 stations en Corse, surveille les Alpes occidentales et leurs abords. Localise tous les séismes de magnitude supérieure à 1,5 avec une précision de l'ordre du km (1 007 localisations du 1-7-91 au 30-6-92, soit 2 à 3 par jour). Participent à cette surveillance les 19 stations du réseau de Gênes (Ligurie et Piémont). Le réseau *Midi-Pyrénées* (10 stations autonomes entre Méditerranée et Htes-Pyrénées), reçu heure par heure à Toulouse et à Barcelone, ou immédiatement dès que la magnitude 3 est atteinte, est raccordé au réseau catalan (6 stations) et à l'Andorre. En *Corse* une autre station est gérée par le Centre scientifique de Monaco.

Petites Antilles : 29 stations en 1990 pour la surveillance séismique et volcanique (Soufrière et montagne Pelée) ; **Polynésie française :** 11. **Nlle-Calédonie :** 1, **Kerguelen :** 1, et **Terre Adélie :** 1.

Europe. *Réseaux nationaux et particuliers en service :* Belgique 15 stations ; Pays-Bas 10 ; Espagne 43 dont Catalogne 6 et Andalousie 17 ; Allemagne 13 [Fossé Rhénan, Westphalie (mines)] ; Grande-Bretagne 72 st. groupées en sous-réseaux et en liaison avec la Norvège par l'archipel des Shetland ; Yougoslavie 22 stations et dep. 1975 des instruments mesurent les fortes secousses : accéléromètres (100 au sol, 176 dans des ouvrages) et séismoscopes (122 au sol, 15 sur des ouvrages) ; Albanie 9 st. ; Grèce et îles 23 ; Bulgarie 9 ; Roumanie 38 ; Hongrie 5 ; Autriche 14 ; Italie 85 (avec Sicile et Sardaigne).

Centre sismologique euro-méditerranéen (CSEM) à Strasbourg diffuse pour chaque séisme de m. 5 ou plus une alerte aux autorités civiles, agences de presse et services scientifiques : de 1990 à 1991, 77 alertes dont 38 concernaient l'aire géographique du CSEM (5 la France, 23 le reste de l'Europe, 8 l'ex-URSS, 2 l'Iran).

☞ **La prévention sismique est-elle efficace ?** Mr K. Sieh, géologue au California Institute of Technology (Pasadena), a estimé après le séisme du 1-10-1987 de m. 5,8 en Californie (8 †, 2 200 sans-abri, env. 360 millions de dollars de dégâts) que ce choc aurait pu tuer 10 000 personnes à Los Angeles si les normes de construction parasismique en vigueur depuis 50 ans n'avaient pas été appliquées. De même, les pertes et dégâts auraient été catastrophiques en Californie le 17-10-1989 (m. 7,1) si la réglementation parasismique pour les constructions n'avait pas été établie après 1906 et renforcée progressivement ensuite, spécialement après 1933 (intensité IX à Long Beach). En comparaison, le séisme d'Arménie du 7-12-1988 (m. 6,9) fit env. 25 000 †, des dizaines de milliers de blessés, des destructions avec dommages à longue échéance.

■ Séismes principaux

■ **Sismologie historique.** La période des observations instrumentales (souvent moins de 50 ans) étant trop courte, les recherches historiques ont pris de l'importance. Elles ont conduit en collaboration avec des historiens à réviser et compléter des catalogues existants (travaux de J. Vogt en France ; N.N. Ambraseys, en G.-B. ; F. Alexandre en Belg. ; Usami, Japon, etc.).

Données les plus anciennes avant celles, datées, de la Chine : inscriptions cunéiformes en Mésopotamie, destructions à Ninive aux XIIe, VIIIe et VIIe siècles av. J.-C. Bible et Coran : nombreuses allusions. Classiques grecs : Perse vers – 330 après le passage d'Alexandre le Grand.

Paléosismologie. Elle révèle l'existence de catastrophes préhistoriques, par l'étude et la datation des vestiges archéologiques : plusieurs destructions subites et massives aux IIIe et IIe millénaires av. J.-C., dans le nord de la *Perse* et au VIIe siècle av. J.-C. dans l'ouest de ce pays. En *Californie,* des irrégularités observées dans les couches superficielles sont pour les géologues la trace de mouvements violents dans un passé géologique récent.

Catalogues. *Catalogues* du comte F. de Montessus de Ballore établis de 1885 à 1906 et conservés à la Bibliothèque nationale à Paris mentionnent 171 000 tremblements de terre ressentis avant 1900. *Catalogue mondial* (NEIC, USA) : données sur 438 000 tr. de t. entre 2 100 av. J.-C. et 1988. *Chine* (1988) : 5 vol., 4 471 p. réunissent les sources écrites du XXIIIe s. av. J.-C. à 1980. *Japon :* Tuyama (1899) : 1 896 grands séismes entre 416 et 1864 ; Musha (1949) : 6 000 entre 416 et 1867 ; Usami (1977) : 617 destructeurs de 416 à 1975. *Iran :* Ambraseys : 260 grands séismes de 628 à 1900 et plus de 144 de 1900 à 1979. *Italie :* 36 783 de 1450 av. J.-C. à 1982 dont 2 027 de m. ⩾ 4 entre 1890 et 1982 (22 par an). *Amérique du Sud :* 14 vol. (1985). *Suisse :* 4 000 secousses connues. *Hongrie et Carpates :* 5 000 connues entre l'an 456 et 1986. *France :* 50 000 observations (+ de 10 % ayant été rejetées après vérification, concernant 5 000 séismes, plus de 15 600 références bibliographiques sont disponibles dans une banque de données informatisées tenue à jour par le BRGM (Orléans). Les connaissances acquises jusqu'en 1976 sont résumées par J. Vogt dans *Les tremblements de terre en France* (BRGM 1979). Les 260 épicentres connus de 1356 à 1976 ont servi à établir la carte des intensités maximales probables en France (voir carte p. 66) et une carte des *périodes de retour* des chocs causant des dégâts aux constructions (intensité VII) : moins d'un demi-siècle, 1/2 à 1 siècle, 1 à 2, 2 à 3, env. 3, plus de 3 siècles.

Séismes majeurs. En retenant les critères de la National Oceanic and Atmospheric Administration des USA (1 million de dollars 1979 de dégâts, 10 morts au minimum ou magnitude supérieure à 7,5) on dénombre 2 476 séismes importants (destructeurs ou meurtriers) entre l'an 10 et 1979. La carte mondiale de 1 277 grands séismes (1900-79) dont 680 destructeurs confirme les traits généraux de la carte de 1857 par R. Mallet (Dublin).

■ **Bilan** (pertes humaines). **Monde.** *De 1600 à 1900,* plus de 2 500 000 morts. *De 1900 à 1975* env. 1 000 000 † ; moyenne annuelle + de 14 000, *de 1906 à 1940* souvent + de 10 000, *de 1942 à 1957* souvent – de 1 000, *depuis 1968* + de 10 000. *1976* année la plus meurtrière depuis 240 ans, sinon depuis 2 000 ans, en admettant que le nombre de 830 000 victimes en 1556 en Chine a pu être surestimé. *1983 :* 2 110 †, 1 000 blessés. *1984 :* 60 †, 500 bl. *1985 :* 10 000 à 20 000 †, 26 000 bl. *1986 :* 1 000 †, 11 120 bl. *1987 :* 5 100 †. *1988 :* 27 000 †. *1989 :* 572 †. *1990 :* 40 000 à 50 000 †, 65 000 bl., 500 000 sans-abri. *1991 :* 2 700 †, 4 600 bl., 120 000 sans-abri. *1992 :* 70 séismes 3 500 † (dont Indonésie 2 200 (12-12), Égypte 541 (15-10), Turquie 500 (13-3). **Iran** *1960-91 :* env. 220 000 morts. **Japon** *1828-1948 :* 18 séismes avec plus de 500 †, au total 212 000 † et 937 000 maisons détruites. **Turquie** *1930-92 :* 30 grands séismes, 64 380 †, 355 000 maisons détruites. **Pays méditerranéens** (avec Turquie) *1968-91 :* 20 155 †, 40 000 blessés, 1 100 000 sans-abri.

■ Liste chronologique

Date, lieu de l'épicentre ou des dégâts, nombre estimé de morts, maximum d'intensité connu (échelle MSK en chiffres romains), magnitude estimée (m.). Voir liste p. 66 pour les effets observés en France.

- 70-*1-6* Chine : 6 000. - 15 Chypre, catastrophique. 25 Pakistan, catastrophique. 76 Chypre, destructeur. 115 Antioche. 340 Turquie : 30 000. 365-*27-7* Crète : 50 000. 382 Portugal. 458 Antioche : 100 000. 528 Moyen-Orient. 565 Antioche : 30 000. 648-*29-11* Japon, catastrophique. 688 Smyrne (Turquie) : 20 000. 818-*10-8* Japon ; m. 7,9. 851 à 894 Turquie/Arménie : 6 séismes : 70 000 à 100 000. 856-*22-12* Corinthe (Grèce) : 45 000 ; m. 7,2 ; Iran : 200 000. 872-*21/22-6* Dinawar (Iran) : 20 000 ; m. 6,8. 873-*sept.* Hedjaz : nombreux † ; m. 7. 887-*26-8* Japon, catastrophique. 893 Inde : 180 000. 943-*20-8* Gorgan (Perse) : 5 000 ; m. 7,6. 958-*23-2* Rey (Perse) : X ; m. 7,7.

1008-*27-4* Perse : 16 000 ; m. 7. 1033 Palestine, destructeur. 1038-*9-1* Chine : 23 000. 1042-*21-8* Syrie : 50 000 ; *-4-11* Tabriz (Iran) : 50 000 ; m. 7,6. 1057 Chine : 25 000. 1068-*11-3* Palestine 20 000, m. 7. 1119-*10-12* Qazvin (Perse) : VIII ; m. 7,2. 1138 Syrie, Égypte : 230 000. 1139 Géorgie : 100 000. 1157 Syrie (provoque une trêve entre Croisés et musulmans). 1169-*4-2* Sicile : 25 000. 1170-*29-6* Syrie. 1201-*4-5* Autriche, destructions. 1202-*20-5* Palestine, victimes. 1209 Perse : 10 000 ; m. 7,6. 1222-*mai* Chypre. 1225-*25-12* Lombardie : 10 000. 1248-*24-11* Savoie : 5 000 par éboulement, cause sismique possible. 1259 Sicile. 1268 Ezincan (Turquie) : 15 000. 1270-*7-10* Perse : 10 000 ; m. 7,1. 1290-*27-9* Jehol (Chine) : 100 000. 1293-*27-5* Japon : 30 000. 1336-*21-10* Perse : 20 000 à 30 000 †, 11 000 par épidémie. 1348-*25-1* Autriche : 5 000. 1356-*18-10* Bâle (Suisse) : 1 000 à 2 000, *IX en France.* 1357-*14-5* Andalousie : IX. 1361-*7 et 8-8* Japon : centaines par tsunami. 1373-*3-3* Pyrénées/Catalogne : *IX en France.* 1396-*18-12* Espagne : IX. 1428-*2-2* Catalogne, 600, *IX en France.* 1441 Antioche (Turquie) : 1 440 ou 30 000 (?). 1456-*15-12* Naples (Italie) : 30 000. 1458 Erzincan (Turquie) : 30 000. 1485-*5-8* Perse : X ; m. 7,6. 1490-*1-3* *Limagne (Auvergne) : VIII.* 1498-*20-9* Japon : 41 000 ; m. 8,6.

1504-*5-4* Espagne : IX. 1509-*14-9* Constantinople (Turquie) : 13 000. 1518-*9-11* Espagne : IX. 1522-*22-9* Espagne : IX. 1531-*26-1* Lisbonne (Portugal) : 30 000. 1549-*15-2* Khorassan (Iran) : 3 000. 1556-*23-1* Shansi, Shensi, Kansu (Chine) : 800 000 à 1 000 000, le + meurtrier ; m. 8/8,3 ; *-10-5* Constantinople. 1564-*6-6* Cattaro (Italie) ; *-20-7 (France, arrière-pays de Nice) 900, X.* 1570-*17-11* Ferrare, Florence. 1580-*6-4* mer du Nord, tsunami, dégâts à Londres, Calais, etc. 1582-*22-1* Pérou : m. 7,5. 1586-*9-7* Pérou : m. 8,1. 1588-*4-1* Hedjaz : m. 7. 1590-*7-7* Chine : très meurtrier.

1604-*24-11* Pérou : m. 8,7. 1605-*31-1* Japon : 3 862. 1608-*20-4* Rudbar (Perse) : X ; m. 7,6. 1611-*27-11* Japon : 3 700 ; *-2-12* 1 783. 1615 Ghana : VIII. 1619-*14-2* Pérou : Trujillo détruite, m. 7,8. 1622-*25-10* Chine : 12 000. 1627-*30-7* Apulie (Italie) : 17 000. 1636-*18-12* Ghana : IX ; m. 5,7. 1638-*27-3* Calabre (Italie) : 19 000. 1641-*5-2* Tabriz (Iran) : 3 000 ; m. 6,8. 1644-*15-2* *Nice : victimes, IX.* 1645 Espagne : IX. 1653-*23-2* Constantinople (Turquie) : 13 000. 1654-*20-10* Ile de Minorque : IX. 1660-*21-6* *Bigorre (France), victimes, X.* 1663-*5-2* St-Laurent (Canada) : X. 1664-*22-5* Pérou : m. 7,5. 1666-*1-2* Japon : 1 500. 1667-*?-11* Shemakha (Russie) : 80 000. 1668-*10-7* Smyrne (Turquie) : 17 500. 1669 Antilles. 1678-*2-2,* Lahijan (Perse) : VIII ; m. 6,5 ; *-16-6* Pérou : m. 8. 1680-*9-10* Andalousie : 5. 1682-*12-5* *Remiremont (France) : VIII.* 1687-*20 et 21-10* Pérou : m. 8,4 et 8. 1688 Smyrne (Turquie) : 15 000 à 20 000. *19-2* Jamaïque et Petites Antilles. 1690-*26-2* Antilles : m. 7,5 ; *-16-4,* VIII. 1693-*11-1* Catane (Italie) : 60 000. 1695-*mai* Chine : 30 000.

1702-*sept.* Martinique : VIII ; m. 7. 1703-*30-12* Japon : 5 233. 1707-*28-10* Japon : 4 900. 1708-*14-8* *Moyenne Durance (France), VIII.* 1715-*22-8* Pérou : m. 7,5. 1716-*3-2* Alger : 20 000. 1718-*juin* Chine : 43 000. 1719-*6-3* Scutari (Turquie) : 1 000. 1721-*26-4* Tabriz (Iran) : 8 000 ; m. 7,7. 1722-*27-12* Portugal. 1725-*25-1* Pérou : m. 7,5. 1727-*7-11* Martinique : m. 7. 1730-*30-12* Japon : 137 000. 1731 Andalousie, Maroc. 1732-*16-9* Montréal (Canada) : IX. 1735-*27-7* Antilles : m. 6,5. 1737-*11-10* Calcutta (Inde) : 300 000. 1739 Smyrne (Turquie) : 1 500. 1746-*29-10* Pérou : 7 141, destruction de Lima ; m. 8,6. 1750-*24-5* *Bigorre (France), X.* 1751-*20-5* Japon : 2 000. 1755-*7-6* Kashan (Iran) : 40 000 ; m. 5,9 ; *-1-11* Lisbonne (Oc. Atlantique) : 60 000 ; m. 9 (?). 1758-*janvier* Tunisie : plusieurs milliers de †. 1759-*30-10* Baalbek (Liban) : 20 000. 1765-*19-5* *Couserans (Ariège),* victimes ? 1769-*12-10* Ile de Leukade (Grèce). 1773-*23-1* *Tricastin (France), VIII.* 1773-*12-4* Espagne, Maroc. 1775-*déc.* *Villefranche-de-Rouergue, VIII.* 1778-*15-12* Iran : 8 000. 1779-*oct.-déc.* *Pyrénées.* 1780-*8-1* Iran : + de 50 000. 1783-*5-2/28-3* Calabre (Italie) : 50 000. 1784-*13-5* Pérou : m. 8,4. 1788 Togo : VIII ; m. 5,6. 1790-*9-10* Oran (Algérie). 1792-*21-5* Japon : 14 810. 1797-*4-2* Équateur : 40 000. 1799-*25-1* *Vendée, VIII.*

1802-*26-10* Roumanie. Bulgarie, m. 7,5. 1804-*25-8* Espagne : IX. 1810-*16-2,* dégâts en Égypte et à Chypre. 1811-*16-12* Missouri (USA) : XI ; m. 8. 1812-*23-1 et 7-2* répliques m. 8 ; *-20-3 Moyenne Durance (France), VIII ; 26-3* Venezuela : 40 000 ; *-8-12* Californie : 40, IX. 1818-*janv.* Guinée : VII ; m. 5,9. 1819-*16-6* Pakistan : 1 543 ; Mascara (Alg.), nombreux †. 1822-*19-2* *Bugey/Savoie (France), ressenti VIII ; -5-9* Alep (Syrie) : 20 000. 1825-*2-3* Blida (Algérie) : 7 000. 1827-*24-9* Lahore (Pakistan) : 1 000. 1828-*6-6* Srinagar (Pakistan) : 1 000 ; *18-12* Japon : 1 443 ; m. 6,9. 1829-*21-3* Espagne : X ; *-26-11* Roumanie : m. 7, avec foyer à 130 km de profondeur. 1832-*22-1* Pakistan. 1833-*18-9* Pérou, Chili : m. 7,5. 1838-*23-1* Roumanie : m. 7,2, avec foyer à 130 km de profondeur. 1840-*2-7* Arménie : 2 063 ; m. 7,4. 1842-*19-2* Pakistan : 500. 1843-*8-2* Guadeloupe : 1 800 (?), IX ; *-7-8* Égypte : 77 ; m. 5,7. 1844-*13-5* Mianeh (Perse) : VIII ; m. 6,9. 1847-*8-5* Japon : 6 000 ; m. 7,4. 1850-*12-9* Chine : 20 650 ; m. 7,5. 1851 Guadeloupe. 1852-*22-2* Quchan (Iran) : 2 000. 1853-*5-5* Chiraz (Iran) : 12 000 ; *-11-6 :* 10 000. 1854-*7-9* Japon : 1 800 ; m. 7,6 ; *-11-11* Japon : 10 000 ; m. 6,9 ; *-23-12* Japon : 1 000 ; *-24-12 :* 3 000 ; m. 8,4. 1855-*nov.-déc. rég. de Castellane (France), VIII.* 1857-*9-1* Californie : X-XI. *16-12* Naples, Salerne (Italie) : 12 000. 1859-*2-6* Turquie : 15 000. 1861-*21-3* Argentine : 18 000. 1862-*10-7* Ghana : 5 ; m. 6,5. 1863-*30-12* Bulgavar (Perse) : VIII ; m. 6,1. 1868-*13-8* Équateur, Pérou : 40 000 ; Colombie : 30 000 ; m. 8,8. 1871-*23-12* Quchan (Iran) : 1 000 ; m. 7,2. 1872-*26-3* Californie : IX ; *-3-4* Antioche (Turquie) : 1 800 ; *-14-3* Japon : 800 ; m. 7,1. 1875-*3/5-5* Dinar (Turquie) : 1 300 ; *-16-5* Venezuela, Colombie : 20 000. 1879-*11-2* Côte-d'Ivoire : VIII ; m. 5,7 ; *-22-3* Gamrud (Perse) : VIII ; m. 6,7. 1880-*29-6* Chechme (Turquie) : 4 000. 1883-*28-7* Ischia (Italie) : 2 313 ; *-26-8* Java (Indon.) : 36 000 ; *-15-10* Chechme (Turquie) : 15 000. 1884-*25-12* Andalousie (Espagne) : 745, IX ; m. 6,7. 1885-*30-5* Cachemire : 3 000. 1887-*23-2* *Riviera (Italie/France) : 640, ressenti VIII en France ; -18-6* Alma-Ata (Kazakhstan) et Chili. 1889 Côte-d'Ivoire : VIII ; m. 4,7. 1891-*27-10* Japon : 7 273 ; m. 8. 1893-*17-11* Quchan (Iran) : 15 000 ; m. 7,1. 1894-*20-4* Grèce : 223 ; m. 6,4 ; *-27-4* : 30 ; m. 6,9 ; *-22-10* Japon : 726. 1896-*4-1* Khalkhal (Perse) : VIII ; m. 6,7 ; *-15-6* Japon : 27 959 ; m. 7,6 (2 séismes). 1897-*29-4* Guadeloupe : VIII ; m. 5,5 ; *-12-6* Assam (Inde) : 1 500 ; m. 8,7. 1899-*10-9* Alaska : m. 8,6.

1902-*19-4* Guatemala : 2 222 ; m. 8,3 ; *-22-8* Chine (?) Russie : 5 000 ; m. 8,6 ; *-16-12* Kirghizie : 4 725 ; m. 6,4. 1903-*28-4* Turquie : 2 200 ; m. 6,3 ; *-4-6* Zaïre : V ; m. 6,4. 1904-*4-4* Bulgarie : m. 7,8. 1905-*4-4* Kangra (Inde) : 20 000 ; m. 8,6 ; *-29-4 Mont-Blanc (France/Italie), ressenti VII en France ; -8-9* Calabre (Italie) : 533 ; m. 7,3. 1906-*31-1* Équateur : 2 000 ; m. 8,9 ; *-16-3* Formose : 1 260 ; m. 7 ; *-18-4* San Francisco (USA) : 700 ; m. 8,25, incendie de la ville, faille de 420 km de long ; *-17-8* Valparaiso (Chili) : 2 500 ; m. 8,6. 1907-*14-1* Jamaïque : 1 000 ; m. 6,5 ; *-21-10* Tadjikistan : 12 000 ; m. 8,1. 1908-*2-4* Zaïre : V ; m. 6,2 ; *-28-12* Messine (Ital.) : 84 000 ; m. 7,5. 1909-*23-1* Fars (Iran) : 7 000 ; m. 7,4 ; *-23-4* Portugal : VIII ; m. 6,6 ; *-11-6 région de Salon-de-Provence (France) : 43 †, 200 blessés ; m. 6,2 IX.* 1910-*13-4* Costa Rica : 1 750 ; m. 7,3. 1911-*3-1* Alma-Ata : 450 ; m. 7,8. *-26-3* Cameroun : V ; m. 6. 1912-*9-8* Turquie : 2 000 ; m. 7,7. 1913-*26-7* Pérou : m. 7 ; *-6-8* Pérou : m. 7,8. 1915-*13-1* Avezzano (Ital.) : 29 978 ; m. 7,5. 1916-*26-1* Roumanie : VIII ; m. 6,5. 1917-*21-1* Java : 15 000 ; m. 7,5 ; 1918-*13-2* Chine : 10 000 ; m. 7,3 ; *30-7 :* 1 800 ; m. 6,5. 1920-*7-9* Italie : 1 400 ; m. 7,3 ; *-16-12* Kansou (Chine) : 180 000 ; m. 8,5. 1922-*2 et 15-9* Taiwan : (?). *-11-11* Pérou : 600 ; m. 8,4. 1923-*24-3* Chine : 5 000 ; m. 7,3 ; *-25-5* Iran : 2 219 ; m. 5,5 ; *-1-9* Tōkyō, Yokohama (Japon) : 99 331 †, 43 476 disparus, 103 733 blessés, 254 459 maisons détruites totalement ou à moitié, 447 128 entièrement incendiées, le + destructeur au Japon ; m. 8,2. 1924-*22-2* *France : dégâts dans les Pyrénées ; VII-VIII ; m. 5.* 1925-*16-3* Chine : 3 600 ; m. 7. 1926-*22-10* Turquie : 355 ; m. 5,7. 1927-*7-3* Japon : 3 017 ; m. 7,9 ; *-22-5* T'sing-hai (Chine) : 41 000 ; m. 8. 1928-*1-12* Chili : m. 8. ; *-22-4* Grèce : 22 ; m. 6,3. 1929-*1-5* Turkménie. Iran : 5 803 ; m. 7,2.

1930-*6-5* Iran : 2 600 ; m. 7,2 ; *-23-7* Ariano (Italie) : 1 425 ; m. 6,5. 1931-*2-2* Nlle-Zélande : 255 ; m. 7,9 ; *-31-3* Managua : 2 500 ; m. 5,6. 1932-*26-12* Kansou (Chine) : 70 000 ; m. 7,6. 1933-*2-3* Sanriku (Japon) : 3 064 ; m. 8,3 ; *-25-8* Chine : 10 000 ; m. 7,4. 1934-*15-1* Inde : 10 700 ; m. 8,4 ; 1935-*20-4* Formose : 3 276 ; m. 7,1 ; *-31-5* Quetta (Pak.) : 25 000 ; m. 7,5 ; *-16-7* Formose : 2 746 ; m. 6,5. 1938-*11-6* Belgique ; *-20-7* Grèce : 18 ; m. 6,1. 1939-*25-1* Concepción (Chili) : 25 000 ; m. 8,3 ; *-22-6* Ghana : 22 ; m. 6,3. *-26-12* Erzincan (Turquie) : 32 700 ; m. 8. 1940-*24-5* Pérou : m. 8,1 ; *-10-11* Roumanie-Bulgarie : 1 000 ; m. 7,3 avec foyer à 130 km de profondeur. 1942-*24-8* Pérou : m. 8,2 ; *-20-12* Nibesar (Turquie) : 2 400 ; m. 7,3. 1943-*10-9* Japon : 1 190 ; m. 7,2 ; *-26-11* Turquie : 4 020 ; m. 7,6. 1944-*15-1* Argentine : 5 000 ; m. 7,8 ; *-1-2* Bolü (Turquie) : 2 790 ; m. 7,4 ; *-7-12* Japon : 900 ; m. 8,3. 1945-*12-1* Japon : 1 961 ; m. 7,1 ; *-12-9* Cameroun : VIII ; m. 5,6 ; *-27-11* Iran : 4 000 m. 8,2. 1946-*12-2* Hodna (Algérie) : 246 ; m. 6 ; *-31-5* Turquie : 1 000 ; m. 6 ; *-4-11* Luristan (Iran) : 2 500 ; m. 6,8 ; *-10-11* Pérou : 1 400 ; m. 7,3 ; *-20-12* Japon : 1 362 ; m. 8,4. 1948-*25-5* Chine : 1 000 ; m. 7,3 ; *-28-6* Japon : 3 769 ; m. 7,3 ; *-5-10* Iran : 19 800 et URSS 110 000 à Achkhabad (révélés en 1988) ; m. 7,3. 1949-*10-7* URSS : 3 500 ; m. 7,6 ; *-5-8* Ambato (Équateur) : 6 000 ; m. 6,8.

1950-*21-5* Cúzco (Pérou) : 100 ; m. 6 ; *-15-8* Assam (Inde) : 1 526 ; m. 8,6. 1951-*6-5* El Salvador : 1 000 ; m. 6,5. 1952-*21-7* Californie : 12 ; m. 7,5. 1953-*12-2* Iran : 971 ; m. 6,5 ; *-18-3* Turquie : 1 103 ; m. 7,2 ; *-9/13-8* Iles Ioniennes (Grèce) : 504 ; m. 7,5. 1954-*30-4* Grèce : 25 ; m. 6,7 ; *-9-9* Orléansville (Alg.) : 1 243 ; m. 6,9 ; *-4-11* Kamtchatka ; m. 8,4. 1955-*31-3* Philippines : 430 ; m. 7,9. 1956-*9-7* île Amorgas (Grèce) : 53 ; m. 7,2 ; *-4-11* Luristan (Iran) : 2 500 ; m. 6,8. 1957-*2-7* Iran septentrional : + de 1 200 ; m. 7,3, 7,1 ; *-28-7* Mexique : 57 ; m. 7,5 ; *-4-12* Mongolie : env. 30 ; m. 8. 1959-*5-4* *Alpes (Ubaye) : VIII.* 1960-*29-1/2-3* Agadir (Maroc) : 15 000 ; m. 5,8 ; *-24-4* Lar, Herash (Iran) : 400 ; m. 5,8 ; *-22-5* Chili (Lebu) : 5 000 ; m. 8,3. 1962-*1-9* Qazvin (Iran) : 12 225 ; m. 7,3 ; *-25-4* *Vercors (France), VIII.* 1963-*26-7* Skopje (Yougoslavie) : 1 070, 3 300 blessés ; m. 6. 1964-*28-3* Anchorage, Alaska (USA) : 130 ; m. 9,2. 1965-*5-4* Grèce : 18 ; m. 5,1. 1966 Ouzbekistan : 1 800 ; *-19/22-8* Turquie : 2 394 ; m. 7 ; *-17-10* Pérou : m. 7,7. 1967-*26-7* Turquie : 4 000 (?) ; *13-8 Arette (France) : 1 mort, VIII ;* m. 5,3. 1968-*15/22-1* Gibbelina (Sicile, Ital.) : 291 ; m. 6,2 ; *31-8* Khorassan (Iran) : 10 488 ; m. 7,4. 1969-*25-7* Chine : 3 000 ; m. 5,9. 1970-*4-1* Yunnan (Chine) : au moins 55 000 ; m. 7,5 ; *-28-3* Gediz (Turquie) : 1 086 ; m. 7,4 ; *-31-5* Ancash (Pérou) : 66 794 ; m. 7,8. 1971-*22-5* Bingöl et Genc (Turquie) : 995 ; m. 7. Californie : 64 ; m. 6,1. 1972-*10-4* Fars (Iran) : 5 044 ; m. 7 ; *-23-12* Managua (Nicaragua) : 5 000, 100 000 blessés, 70 % de la ville détruite ; m. 6,2. 1973-*30-1* Mexique : 56 ; m. 7,5 ; *-6-2* Chine : au moins 640 ; *-28-8* Mexique : 750 ; m. 7,2. 1974-*10-5* Chine : 10 000 ; m. 7,4 ; *3-10* Pérou : m. 7,9 ; *-28-12* Pakistan : 800 à 1 500 ; m. 6,2. 1975-*4-2* Province de Liaoning (Chine) : peu de † (Haicheng évacuée à temps) ; m. 7,4 ; *-6-9* Lice (Turquie) : 2 386 ; m. 6,8. 1976-*4-2* Guatemala : + de 22 868 ; m. 7,5 ; *-6-5* Frioul (Italie) : 965 ; m. 6,5 ; *-25-6* Nlle-Guinée occidentale (Indon.) : + de 6 000 ; m. 7,1 ; *-14-7* Bali (Indonésie) : 559 ; m. 6,5 ; *27-7 et 28-7* T'ang-shan (Chine) : 242 000 (à 750 000 ?), 164 000 blessés graves ; m. 7,8 et 7,4 ; *-16-8* Philippines : + de 6 000 ; m. 7,8 ; *-24-11* Van (Turquie) : 3 720, 200 villages détruits ; m. 7,3. 1977-*4-3* Vrancea (Roum.) : 1 541 ; m. 7,2. 1978-*15-4* Monténégro : 156 ; m. 7,2 ; *-16-9* Tabas (Iran) : 18 220 ; m. 7,3. 1979-*12-12* Équateur : 600 ; m. 7,9 ; *-17-12* Bali (Indon.) : 27 ; m. 6,6.

1980-*1-1* Açores : 56 ; m. 6,9 ; *-29-2 Arudy (France ; P.-Atl.) ress. VII ; m. 5,1 ; -10-10* El-Asnam (ex-Orléansville, Algérie) : 3 500 ; m. 7,3 ; *-23-11* Naples (Italie) : 2 737 ; m. 6,9. 1981-*19-1* Nlle-Guinée : 305 ; m. 6,7 ; *23-1* Chine : 150 ; m. 6,7 ; *-24-2* Grèce : 16 ; m. 6,7 ; *-11-6* Iran : 3 000 ; m. 6,7 ; *-28-7* Kerman (Iran) : 1 500 ; m. 7,1 ; *-12-9* Gilgit (Cachemire, Inde) : 213 ; m. 5,9. 1982-*21-3* Japon : 110 ; m. 6,5 ; *-19-6* Salvador : 43 ; m. 7 ; *-13-12* Nord-Yémen : 2 800 ; m. 6, env. 400 000 sans-abri ; *-16-12* Afghanistan : 450 ; m. 6,7. 1983-*17-1* Iles Ioniennes : m. 7,1 ; *-31-3* Colombie : 350 ; m. 5,5 ; *-3-4* Costa Rica : 6 ; m. 7,3 ; *-2-5* Californie : m. 6,5 ; *-6-8* mer Égée : VIII ; m. 7,3 ; *-30-10* Turquie : 1 330 ; m. 6,8 ; *8-11* Belgique : 2 ; m. 4,9 ; *22-12* Guinée : 150 ; m. 6,4 ; *-30-12* Pakistan : 12 ; m. 7,2. 1984 ; Italie : 36 bl., 7 500 sans-abri ; m. 5,2 ; *-7-5* Abruzzes (Italie) : 3 ; 100 bl., 2 000 sans-abri ; m. 5,5 ; *-11-5* Italie : 3 ; 63 bl., 7 500 sans-abri ; m. 5,2 ; *-20-11* Philippines : m. 7,1. 1985-*3-3* Chili : 180, 2 575 bl., 130 000 sans-abri ; m. 7,8 ; *-4-3* Chili : m. 6,5 ; *-17-3* Chili : m. 6,6 ; *-3-4* Chili : m. 7,2 ; *-9-4* Chili : 2 ; m. 7,2 ; *-23-8* Chine : 67 ; m. 7,6 ; *-19-9* Mexique : 25 000 ou 35 000, 100 000 sans-abri, tsunami sur la côte Pacifique ; m. 8,1 ; *-27-10* Algérie : 6 ; m. 5,9 ; *-25-12* Sicile : 1 avec éruption de l'Etna ; m. 4,3. 1986-*5-5* Turquie : 15 ; m. 5,8 ; *-13-5* Arménie : 2 ; 1 500 mais. détruites ; m. 5,6 ; *-30-8* Roumanie : 2 ; 558 bl., 55 000 mais. endommagées ; m. 6,9 et foyer à 140 km de profondeur ; *-13-9* S. Grèce : 20 ; m. 5,8 ; *-10-10* Salvador : 900 ; m. 5,4 ; *-20-10* Tonga-Kermadec : m. 8,1 ; *-14-11* Taiwan : 15 ; m. 7,8. 1987-*6-3* Colombie-Équateur : env. 1 000 ; m. 6,9 ; *-20-6* Pologne : 3 bl. dans une mine ; m. 4,9 ; *-10-7* Salvador : 1 000 ; m. 5,4 ; *-1-10* Californie : 8 ; m. 5,8. 1988-*9-1* Albanie : dégâts considérables ; m. 5,8 ; *-6-2* Bangladesh-Inde : 2 100 bl. ; m. 5,8 ; *-11-2* Californie : m. 4,8 ; *-24-2* Luzon, Philippines, m. 7 ; *6-3* golfe d'Alaska : dommages causés à 3 tankers en mer, m. 7,6 ; *12-4* côte du Pérou, m. 7 ; *-6-8* Birmanie-Inde : 3 ; 12 bl., m. 7,2 ; *-10-8* Ile Salomon : 1 ; tsunami ; m. 7,4 ; *-20-8* Népal-Inde : 998 ; milliers de bl. ; m. 6,6 ; Grèce : 25 bl. ; m. 5,8 ; séisme « attendu » par les séismologues ; *-6-11* Birmanie-Chine : 730 ; m. 7,3 ; *-7-12* Arménie : 25 000 †, 400 000 sans-abri ; m. 6,9. 1989-*22-1* Tadjikistan : 274 ; m. 5,3 ; *-10-3* Malawi : 9, 50 000 sans-abri, m. 6,1 ; *-23-5*, Iles Macquarie : m. 8,3 ; *-17-10* Californie (San Francisco) 67 † (surtout des automobilistes écrasés dans l'effondrement de la voie supérieure du Bay Bridge), 3 757 bl., 6,1 milliards de $ de dégâts ; m. 7,1 ; *-27-10* Iles Salomon : m. 7,1 ; *-29-10* Algérie : 30 ; m. 5,7 ; *-1-11* Honshu, Japon : m. 7,4 ; *-15-12* Mindanao (Philippines) : 2 ; m. 7,4 ; 1990-*8-4* Indonésie : 3 ; m. 7,4 ; *-26-4* Chine : 126 ; m. 6,9 ; *-5-5* Sud Italie : 2 (arrêt cardiaque) ; m. 5,4 ; *-20-5* Soudan : m. 7,1 ; *-30-5* Nord Pérou : 135 ; m. 6,5 ; *-30-5* Roumanie + Bulgarie et URSS : 1 ; m. 6,7, avec foyer à 90 km de profondeur ; *-14-6* Philippines : 4 ; m. 7,1 ; *-14-6* Kazakhstan : 1 ; 20 000 sans-abri ; m. 6,8 ; *-20-6* Iran : 40 à 50 000, 60 000 bl., 3 villes et 700 villages détruits, 400 000 sans-abri ; m. 7,7 ; *-21-6* Iran, réplique : 20 ; m. 5,8 ; *-13-7* Hindou Kouch : avalanche tue 43 alpinistes ; m. 5,6 ; *-16-7* Philippines : 1 621, 3 000 bl. ; m. 7,8 ; *-13-12* Sicile : 19, 2 500 sans-abri ; m. 5,5 ; *-13-12* Taiwan : 2 ; m. 6,2 ; *-21-12* Yougoslavie-Grèce : 1 ; m. 5,9 ; 1991-*31-1* Hindou Kouch : 200 à 400, Pakistan 300, URSS 3 ; m. 6,4 ; *-5-4* Pérou : 53 ; m. 6,8 ; *-22-4* Costa Rica et Panamá : 55 ; 9 800 sans-abri ; m. 7,6 ; *-29-4* Ouest Caucase : 114 ; 6 700 sans-abri ; m. 7 ; *-15-6* Ouest Caucase : 8 ; m. 6,1 ; *-28-6* Californie : 2 ; m. 5,8 ; *-4-7* Timor : 23, 5 400 sans-abri ; m. 4 ; *-18-7* Roumanie : 1, VII ; m. 5,7 ; *-23-7* Pérou : 90 ; m. 5 ; *-19-10* N. de l'Inde : 2 000, 1 800 bl. ; m. 7 ; *-19-11* Colombie : 2 ; m. 7 ; *-2-12* Roumanie : 4 500 sans-abri ; m. 5,6. 1992-*13-3* Turquie : 500, 2 000 bl. ; m. 6,8 ; *-13-4* Pays-Bas Roermond (dit de Maastricht) : 1 (à Bonn, arrêt cardiaque), 45 bl. ; m. 5,4 (foyer à 20 km) ; *-28-6* Californie : 1,92 million $ US de dégâts ; m. 7,5 et m. 6,6 ; *-10-8* Kirghizie : 75, 8 200 habitations détruites ; m. 7,4 et fortes répliques ; *-2-9* Nicaragua : 116 et Costa Rica 15 ; tsunami de 8 mètres ; m. 7,2 ; *-12/15-10* Égypte : 541, 6 500 bl. ; m. 5,9 ; *-18-10* Colombie : 11, 56 bl. par l'explosion d'un volcan de boue. Apparition d'une nouvelle île dans la mer des Caraïbes ; m. 7,3. *-2-11* explosion d'un dépôt de munitions (300 à 400 t) au col de Susten : 6 ; m. 3,5 ; *-9-11* explosion dans une raffinerie de l'étang de Berre ; m. 2,3 ; *-12-12* Indonésie, Îles Florès : 2 500 ; m. 6,8. 1993 *13-2* Îles Florès : 1 400 ; m. 6,8.

SÉISMES ARTIFICIELS

■ **Provoqués par les tirs nucléaires souterrains** (détectés par les sismographes). **1983,** 36 [URSS 21 : Kazakhstan 10 (dont 2 de magnitude 6,1)]. **1984,** 47 [URSS 25 (m. max. 6,2), USA 14 (m. max. 5,9), France 7 (m. max. 5,7), Chine 1 (le 3-9 à 6 h, dans le Sin-kiang, 41° 38′ N, 88° 47′ E, m. 5,3)]. **1985,** 30 (USA 15, France 8, URSS 7). **1986,** USA 12, France 8, URSS 0. **1987,** 40 (URSS 17, USA 15, France 7, Chine 1). **1988,** 28 (USA 11, URSS 12 y compris celui du 14-9, m. 6,1, « joint verification experiment » avec les USA ; *France 5*). **1989,** 27 (USA 11, URSS 7, France 8, G-B 1). **1990,** 15 (USA 6, URSS 1, *France 6,* Chine 2). **1991,** 12 (USA 7, *France 5*). **1992,** 5 (USA 4, Chine 1, m. 6,6).

■ **Simulations de tremblements de terre. 1969** *(2-10)* Iles Aléoutiennes, Alaska (USA) (bombe à 1 219 m de prof.), m. 5. **1971** *(6-11)* m. 5,7. : essais pour connaître les vitesses de propagation des ondes sismiques et leur amortissement à longue distance afin de distinguer les explosions des séismes naturels, et reconnaître ainsi à l'avenir les essais nucléaires souterrains à contrôler.

■ **Travaux publics. 1983** *(10-7)* URSS, explosion de 5 min en 5 min de 3 charges nucléaires au N. de la Caspienne et *(24-9)* de 6 charges nucléaires, chacune voisine de m. 5, pour des travaux dans la région au nord d'Astrakan (46° 47′ N, 48° 16′ E). **1984** *(21-7)* URSS, 3 tirs dans les mêmes conditions (5 min en 5 min) en Kazakhie sur le fleuve Oural, vers 51° 20′ N, 53° 15′ E ; *(27-8)* URSS, presqu'île de Kola, m. 4,4 ; *(28-8)* 2 tirs m. 4,5 à 5 min d'intervalle dans l'Oural ; *(27-10)* 2 tirs m. 4,8, région d'Astrakan. **1987** *(19-4)* 2 tirs m. 4,5 à 5 min d'intervalle dans l'Oural.

Accidents inscrits par les sismographes éloignés. 1921 *(21-9)* Oppau (Rhénanie, All. féd.) : ? morts (explosion de 400 t salpêtre). **1947** *(16-4)* Texas City (USA) : explosion de 2 navires à quai, chargés de nitrate. **1963** *(9-10)* Vajont (Italie) rupture barrage. **1968** *(25-1)* implosion du sous-marin *Minerve* au large de Toulon. **1970** *(4-3)* implosion du sous-marin Eurydice au large de Toulon. Localisé par la sismologie et retrouvé en plusieurs morceaux à 2 400 m de profondeur. **1981** *(5-2)* Lacq, I. max., VI-VII, m. 4,4. **1984** *(13-5)* Mourmansk (URSS) : explosion d'un arsenal, 400 (?) morts. **1988** *(4-5)* 2 explosions dans une raffinerie au Nevada (USA), 2 †, m. 3 et 3,5. **1989** *(13-3)* Merkers (All. dém.), coup de terrain minier, m. 5,5.

■ **Prélèvement d'hydrocarbures. 1951** *(15-5)* Vallée du Pô (Ital.) gaz, m. 5,5. **1960 à maintenant** Texas (USA) pétrole, m. jusqu'à 4. **1969** *(24-11)* Lacq (France) gaz, I. max. V[1]. **1972** *(31-12)* Lacq, (et injection) gaz, I. max. V, m. 4. **1974** *(24-7)* Valempoulières (Jura) gaz, m. 2,3. **1975** *(8-1)* Valempoulières (France), I. max. III, m. 3,7. **1980** *(5-2)* Lacq, I. max. VI, m. 4,4. **1985** *(6-2)* Valempoulières, I. max. V, m. 3,7. **1986** *(3-6)* Lacq, I. max. V, m. 3,7 ; *(26-12)* Assen (P.-B.), gaz, m. 3. **1987** *(1-4)* Lacq, I. max. IV, m. 3,2 ; *(14-12)* Assen, m. 2,5 ; *(15-12)* Lacq I. max. IV, m. 3,9. **1989** *(25-2)* Lacq, I. max. IV, m. 3,6 ; *(5-3)* Lacq, I. max. IV, m. 3,2 ; *(10-3)* Lacq, I. max. IV, m. 3,7 et 3,5. **1990** *(3-1)* Lacq, I. max. IV, m. 3,4 ; *(31-10)* Lacq, I. max. IV, m. 4 le plus fort d'une série de 12, du 4-9 au 13-11. **1991** *(12-5)* Lacq, I. max. IV, m. 3,2.

Le plus important : 1984 (19-3) m. 7, Gazli (Uzbek, ex-URSS) gaz, intensité VIII, 1 †, 100 blessés, avait été précédé de 2 chocs importants en *1976 (8-4 et 17-5)* m. 7 et intens. IX à X avec dégâts.

Nota. – I. max = Intensité maximale.

■ **Injection forcée d'eau dans le sous-sol. 1967** *(10-4/26-11)* Denver (USA) à 3 761 m de prof., m. 5 et 5,1. De **1967 à 1973** Rangeley (USA) à 1 700 m de prof. Séismes contrôlés en faisant varier la pression et le volume d'injection : m. 0 à 3. **1972-73** Codgell (Texas, USA), le maximum annuel d'eau injectée a été suivi de quelques séismes, mais les plus nombreux sont survenus 5 ans après. Dans d'autres champs du Texas, des injections beaucoup plus importantes en volume, pression et profondeur n'ont provoqué aucune activité sismique détectable. **1975** Caucase (URSS) I. max. VII, m. 4. **1986** *(janv.)* Ohio (USA) m. 4, après 12 ans d'injection de déchets d'agrochimie à 100 kg de pression et avant la mise en service d'une proche centrale nucléaire. Pratiquée depuis quelques années dans le gisement de Lacq, conjointement avec le prélèvement de gaz et de pétrole, les secousses ressenties en surface ou enregistrées seulement par le réseau local de surveillance ont eu une tendance à augmenter en nombre ; on ignore si cela est dû aux conséquences lointaines de la première phase d'extraction (intensive sans injection) ou aux injections plus récentes et actuelles. La masse d'eau injectée peut contrebalancer le déséquilibre isostatique provoqué précédemment par les prélèvements.

■ **Exploitation de mines (sans les coups de grisou). 1869** *(14-8)* Dortmund (All.) charbon : ? morts. **1873** *(31-10)* effondrement de plusieurs galeries de la mine de sel gemme à Varangéville (Lorraine), I. VI, plusieurs morts, une benne éjectée à 100 m du puits ; forte secousse à Nancy (12 km). **1940** *(13/14-2)* Bassin de Briey (Lorraine) fer, I. max. IV. **1964** *(29-7)* Champagnole (Jura), ondes inscrites jusqu'à 1 000 km : ? morts. **1970** *(23-2)* Hombourg-Haut (Lorraine) charbon, I. max. IV/V. **1971** Witwatersrand (Afr. du Sud) or, I. max. V, m. 4,2. **1972** *(27-9)* carrière de Pagny-s.-Meuse, m. 3,2. **1974** *(1-7)* Rochonvillers (Moselle) fer, m. 4,3. *(9-10)* Miéry (Jura), mines Solvay. *(25-10)* salines de Varangéville, m. 2,6. **1975** *(9-5)* Gardanne (Provence) lignite, I. max. IV, m. 3,2. **1983** *(2-8)* Merlebach (Lorraine)[1], m. 3,5. **1984** *(10-2)* Gardanne, m. 3,3. *(19-2)* Gardanne[1], I. max. V-VI, m. 4,3. **1985** *(28-5)* Gardanne, I. max. V, m. 3,9. **1986** *(1-5)* Merlebach, I. max. V/VI, m. 3,8. **1989** *(17-1)* Gardanne, m. 4, serait d'origine tectonique (naturelle) ; *(13-3)* Merkers (All. dém.), m. 5,4, après un tir dans une mine de potasse (3 bl., gros dégâts). Ressenti en All., Tchécosl., Autriche, Suisse et France du N.-E. I. max. V. L'effondrement à 850 m de profondeur d'environ 3 200 piliers supportant 6,8 km² de terrain s'est traduit en surface par une baisse du niveau (entre 0,8 et 1 m). Exploitée depuis fin XIXe s., cette mine avait déjà causé des dommages : *1953 :* I. max. VII-VIII, m. 5,2. *1958 :* I. max. VII, m. 4,7. *1961 :* I. max. VI, m. 3,5. *1975 :* I. max. VIII, m. 5,5.

Nota. – (1) *1984-86 :* Freyming-Merlebach, 7, m. supérieure à 3 ; Gardanne, 36.

■ **Création de lacs réservoirs. Type de réactions. A :** effet immédiat au 1er remplissage. **B :** effet différé de plusieurs années, attribué à des mécanismes différents [influence de la surcharge (plusieurs km³ d'eau) et diffusion progressive d'effets de l'eau en profondeur (et parfois à plusieurs km du site)]. **C :** A et B successivement. **D :** aucune réaction.

Légende : hauteur en mètres du barrage ou de l'eau ; m. : magnitude du principal séisme.

Type A : **1963** *(25-4) Monteynard* (France, 150 m) m. 4,9 au 1er remplissage, volume 240 (10⁶ m³). **1966** *(5-2) Kremasta* (Grèce, 130 m) m. 6,3 au 1er plein, 1 †. **1971** *(29-9) Alesani* (Corse, 60 m) m. 3 au 1er remplissage, volume 11 (10⁶ m³), vidangé en 1977. **1972** *(6-11) Nurek* (URSS, 100 m) m. 4,6 au 1er remplissage. **1975** *(nov.) Manic-3* (Québec, 75 m) m. 4,1 un mois après le 1er plein. **1978** *(févr.) Monticello* (USA, 35 m) m. 2,8 au 1er remplissage. *(3-4) Alesani* (Corse, 60 m) m. 4,4 au nouveau remplissage, I. max. VI, dégâts matériels à Linguizetta, Vallaciola, Canale di Verde.

Type B : **1938** *Marathon* (Grèce, 50 m ?), m. 5 au 8e remplissage annuel. **1963** *(23-9) Kariba* (Zambèze, 125 m) m. 5,8 au 5e remplissage annuel. **1963** *(29-11) Grandval* (France, 180 m), intensité V au 4e remplissage annuel, vol. 292 (10⁶ m³). **1967** *(13-9) Koyna* (Inde, 75 m) m. 5,5 au 5e remplissage annuel ; *(10-12)* m. 6,2 au 5e remplissage annuel (117 †, 1 500 blessés, intensité X). **1975** *(1-8) Oroville* (USA, 225 m) m. 5,7 au 7e remplissage. **1981** *(20-8,* 80 m) m. 4,6 au 8e remplissage annuel ; *(14-11) Assouan* (Égypte, 85 m) m. 5,3 I. max. VI au 18e remplissage.

Type C : Nombreux cas, l'événement principal cité étant précédé dès l'origine d'une activité locale plus faible. **1939** *Hoover* (USA, 210 m) m. 5 au 3e remplissage annuel. **1962** *(19-3) Hsinfengkiang* (Chine, 105 m) m. 6,1 au 3e remplissage annuel. **1971** *(21-6) Vouglans* (France, 130 m) m. 4,5 au 3e remplissage annuel, vol. 605 (10⁶ m³).

Type D : *Serre-Ponçon* (France, 120 m.), vol. 1 200 (10⁶ m³) n'a provoqué jusqu'à présent aucun séisme alors que le proche entourage, haute et basse Durance, présente une sismicité naturelle notable. **1990** *(26-7) Yesa* (Espagne) m. 2,9, I. max. II ; *(5-8) Talaru* (Espagne) m. 3,6, I. max. IV.

☞ **Le barrage de Theri** (265 m) en construction dans le N. de l'Inde est calculé pour résister à un séisme de m. 7,2, or les séismologues croient à la possibilité de séismes de magnitude supérieure dans cette région.

VOLCANISME ET VOLCANS

☞ Voir **Origine de la Terre** p. 45.

■ GÉNÉRALITÉS

■ **Nom (origine).** De l'italien *vulcano* (de Vulcain, dieu du Feu) ; de l'espagnol *bolcan* (boucan), mot utilisé par les navigateurs des XVe et XVIe s.

■ **Conditions.** Arrivée, à la surface de la Terre, de matières minérales fondues généralement à plus de 1 000 °C (*magma* ou *lave*) produites dans l'asthénosphère (jusqu'à plus de 100 km de profondeur le long de plans de subduction). Les cheminées volcaniques sont généralement installées sur des fractures importantes de la croûte terrestre (voir p. 49).

Volcanisme : s'accompagne d'émanations de gaz magmatiques à très haute température et souvent de vapeur d'eau due à la vaporisation d'eaux infiltrées. D'autres dégagements gazeux s'effectuent à des températures plus basses en contexte périvolcanique : vapeur d'eau [*geysers* d'Islande, du Yellowstone aux USA et de Nouvelle-Zélande (voir p. 69 b), soffioni (*soufflards*) de Toscane, fumerolles d'hydrogène sulfuré et d'anhydride sulfureux à l'origine de dépôts de soufre *(solfatares),* gaz carbonique des *mofettes* qui stagne dans les points bas et dans les grottes (ex : grotte du Chien à Royat)].

Le volcanisme est essentiellement associé aux limites des plaques : *volcanisme des dorsales médio-océaniques* [magma basaltique issu de la fusion à faible profondeur, env. 10 km, des péridotites du manteau ; le territoire des Afars (au S. de la mer Rouge) et l'Islande sont les seuls endroits au monde montrant une dorsale émergée] ; *volcanisme des zones de subduction ou marges continentales actives* [magma intermédiaire à dominante andésitique produit vers 100 km de profondeur au niveau du plan de subduction à partir de la croûte océanique plongeante et du manteau de la plaque chevauchante (arcs insulaires et Ceinture de feu du Pacifique, Indonésie, Antilles)]. Il existe aussi un *volcanisme ponctuel intraplaque,* océanique (Hawaii, la Réunion) ou continental, ce dernier souvent associé à des fossés ou *rifts* traduisant une rupture prochaine ou avortée de la plaque continentale (rift de l'Est africain, Massif central, Tibesti, Yellowstone).

■ **Classification des éruptions. Types d'activités volcaniques :** en fonction du milieu de mise en place du magma (aérien, souterrain, sous-aquatique en eau superficielle ou profonde, sous-glaciaire) et de la fluidité de celui-ci, qui dépend de sa composition chimique et de la teneur en gaz dissous. *Magmas*

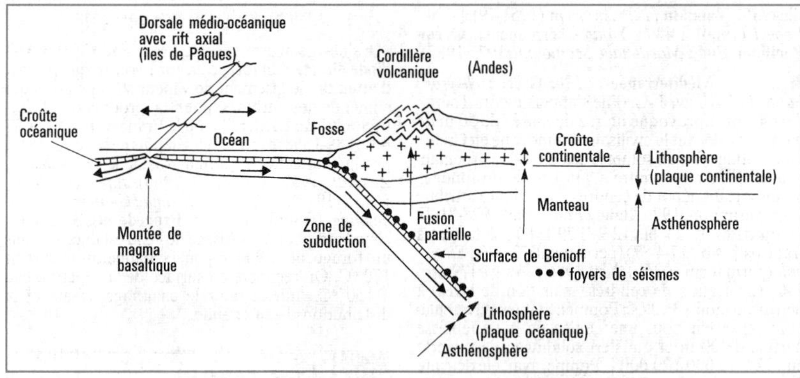

Coupe à travers le sud-est du Pacifique et l'Amérique du Sud
(J.-P. ROTHE : *Séismes et volcans*, coll. Que sais-je ?)

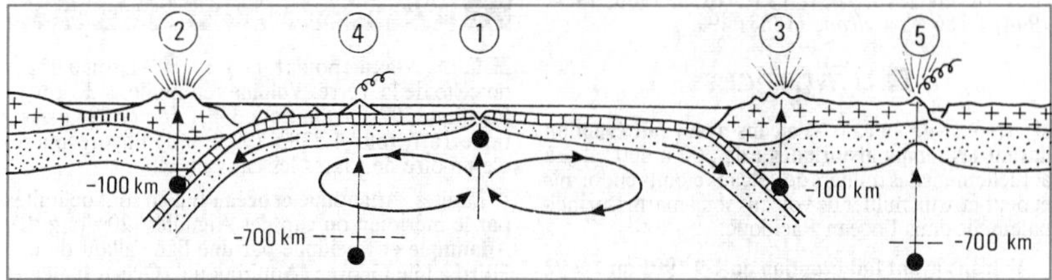

Volcanisme terrestre. Zones volcaniques et origine des magmas dans le cadre de la tectonique des plaques

Légende. *1* – Dorsale médio-océanique (zone de divergence de plaques : accrétion de la lithosphère océanique). *2 et 3* – Zones de subduction (zone de convergence de plaques) ; 2 : arc insulaire (ex : Japon, Indonésie, Antilles). 3 : chaîne des Andes. *4 et 5* – Points chauds ; 4 : en domaine océanique (Hawaii, la Réunion) ; 5 : en domaine continental, en bordure d'un fossé ou rift (rifts de l'Est africain, chaîne des Puys).

visqueux donnent lieu à des éruptions très explosives, avec projections ardentes de blocs et émissions de matériaux en suspension dans des gaz brûlants (nuées ardentes : Vésuve 79, montagne Pelée 1902-1903). Riches en silice (« acides ») : comme les rhyolites et dacites des volcans de type péléen, sans cratère, avec un dôme ou une aiguille obstruant la cheminée. *Magmas fluides :* pauvres en silice (« basiques ») : basaltes des volcans de type hawaïen, volcans-boucliers formés de coulées de laves empilées et très peu de projections (cinérites), volcans de type strombolien avec coulées de laves et cône de scories. *Magmas intermédiaires :* assez riches en silice, déterminent le type vulcanien : cône de projections, coulées limitées d'andésite, caractère explosif accentué.

À l'issue d'une éruption, la partie sommitale d'un volcan peut s'effondrer et former ainsi une vaste cuvette ou *caldeira.* Les *maars* sont des cratères d'explosions très violentes entourés d'un rempart de projections mince et étendu. Les magmas injectés dans des cassures forment des *dykes.* Entre des strates de roches sédimentaires ou d'anciennes coulées volcaniques, il s'agit de *sills* ou *laccolites.* Les éruptions sous-marines profondes, toujours basaltiques, donnent lieu à des accumulations de laves en coussins ou *pillow lavas* (dorsales médio-océaniques).

■ **Prévision.** On peut prévoir une éruption, mais plus difficilement son intensité. Pour cela, grâce à une instrumentation adaptée, on suit l'évolution des températures, composition chimique des gaz, champ magnétique, courants telluriques, sismicité, gonflement du cône, flux d'énergie, nature pétrographique des produits.

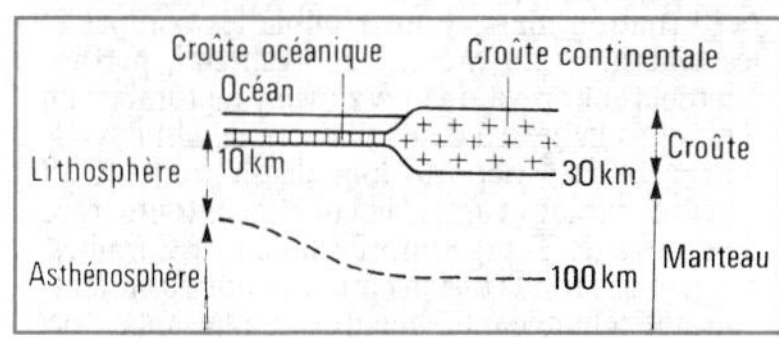

Schéma de la structure des enveloppes externes de la Terre

■ **Volcanisme en France** (légende m.a. = millions d'années). Commencé dans le N.-O. de l'Auvergne il y a environ 60 m.a., il a continué vers le sud dans les fossés d'effondrement du centre du Massif central et sur leurs bordures (Limagne, Forez, Saint-Flour...) (depuis env. 20 m.a.), puis dans diverses zones comme le Velay oriental (11 à 8 m.a.). Le massif du Cantal s'est édifié entre 9/8 et 4 m.a. ; le Mont-Dore entre 4 et 0,25 m.a. L'Aubrac v. 3 m.a. Le Devès entre 3 et 0,7 m.a. Les volcans du Bas-Languedoc, dont la montagne d'Agde, datent de 0,7 ou 0,8 m.a. Les derniers volcans de l'Ardèche (Montpezat...) datent de quelques dizaines de milliers d'années. L'essentiel de la chaîne des Puys s'est édifié en quelques dizaines de milliers d'années et les plus récents (groupe du lac Pavin et du Montcineyre) remontent à 3 ou 4 000 a. av. J.-C. Des cendres projetées v. 6 à 7 000 a. av. J.-C. par des volcans péléens, comme le puy Chopine ont été retrouvées dans les sédiments de lacs du Jura suisse.

La chaîne des Puys est éteinte, mais elle est susceptible de se réveiller avec l'apparition de nouveaux volcans.

■ Geysers et champs de vapeur

■ **Caractéristiques.** Jets intermittents d'eau et de vapeur d'eau accompagnées d'hydrogène sulfureux, de gaz carbonique, etc. **Température :** de 70 à 100 °C. **Hauteur max. :** Waimangu (N.-Zél.) 450 m en 1904 ; tari en 1917 après une éruption qui tua 4 personnes ; *le plus grand en activité régulière :* Steamboat Geyser (USA), de 1962 à 1969, de 76 à 115 m à des intervalles allant de 5 j à 10 mois, dans les années 1980, de 60 à 115 m à des intervalles de 19 j à 4 ans.

■ **Statistiques.** **USA** (Parc de Yellowstone, Wyoming) plus de 3 000 geysers dont le *Géant* (jet de 61 m de haut pendant 4 min à intervalles de 27 à 97 min, en un jaillissement, il peut rejeter 37 850 hl) ; *Old Faithful* (Vieux Fidèle, jet de 50 m à intervalles de 35 à 95 min). **Islande** nombreux geysers dont le *Grand Geyser* (jet de 48 à 54 m) ; celui de *Geysir,* près du mont Hekla, a donné son nom à tous les autres, jaillit actuellement à 15 ou 20 m de haut ; le *Strokkur,* réveillé en 1963 par des forages, jaillit régulièrement toutes les 10 à 15 min. **N.-Zélande** geysers de 9 à 10 m dans le Wonderland .

Utilisation des geysers et champs de vapeur. *1°) Géothermie :* ex. Islande, Italie (Larderello). *2°) Dépôts :* bore, soufre (Sicile, Java).

■ Lahars

■ **Caractéristiques.** Nom donné par les Indonésiens aux coulées de boue et de blocs venant des pentes d'un volcan en activité. Par extension, coulées de même genre, mais indépendantes d'un contexte volcanique. Elles sont formées de diverses manières : 1°) des chutes de pluies fortes et persistantes sur les pentes des cônes volcaniques érodent et entraînent les dépôts peu consolidés venant d'éruptions antérieures ; 2°) des pluies, mêlées de cendres, peuvent être engendrées au cours d'une éruption, par condensation de la vapeur éjectée en grande quantité et (ou) l'effet de tornade produit dans l'atmosphère par le panache vertical chaud ; 3°) l'eau peut venir de la couverture glacée et neigeuse du volcan, rapidement fondue en surface lorsqu'elle est en contact avec la chaleur apportée par une éruption ; 4°) l'eau peut venir de réservoirs préexistants subitement purgés : lac de cratère, lac temporaire formé lors d'éruption ou de lahar précédent, poche d'eau de fonte retenue entre le sol chaud et la carapace de glace jusqu'à ce qu'elle cède.

■ **Statistiques.** *Saint Helens* (Washington, USA, 19-3-1982) formé par la fonte des glaces et neiges, débit maximal 14 000 m³ à la seconde. *Kelut* (Java, 1919) éruption vidant les 380 000 m³ d'eau du lac du cratère, 5 100 †. *Nevado del Ruiz* (Colombie, 1985), 25 000 †. *Pinatubo* (Philippines, août 1992) 60 †.

■ Nuées ardentes

Caractéristiques. Émulsions de solides, liquides et gaz sous très fortes pression et température, éjectées à grande vitesse, verticale ou latérale. Les dépôts ont encore 350 à 400 °C. **Exemples :** *Tambora* (Indonésie) *1815 :* 150 km³ d'éjecta-nuées. *Soufrière de Saint-Vincent* (Antilles) *7-5-1902 :* 1 565 morts. *Montagne Pelée* (Martinique) *8-5-1902 :* vitesse 470-560 km/h, 28 000 morts. *Santa Maria* (Guatemala) *24-6-1902 :* une des 10 plus fortes éruptions historiques, dépose 5 km³ de matériaux. *Bezymianni* (Kamtchatka) *30-3-1956. Mont Saint Helens* (USA) *1980 :* vitesse max. 650 km/h, moyenne sur 5 km : 275 km/h.

■ Gaz mortels

■ **Lac Nyos (Cameroun).** Lac de cratère formé il y a quelques siècles, du type « maar » comme le Gour de Tazenat en Auvergne. Le 21-8-1986 une colonne de vapeurs lourdes s'élève du lac brusquement et s'écoule en nappe par la vallée arrachant la végétation sur un flanc du lac jusqu'à une hauteur de 80 m, le niveau de l'eau a baissé d'un mètre. On a évalué à 1 km³ le volume des gaz échappés et à 50 m l'épaisseur de la nappe toxique de dioxyde de carbone. *Nombre de morts :* 1 200 à Nyos et 500 dans les villages de Cha, Subum et Fang, jusqu'à 16 km en aval. Certains restés 36 h inconscients furent sauvés. *Bétail,* environ 3 000 têtes tuées ; animaux domestiques et sauvages ont pu sécher au soleil, les fourmis, mouches et même vautours ayant également succombé. De 4 000 à 5 000 personnes furent déplacées jusqu'à ce que tout danger eût disparu.

Causes : le CO_2 semble venir du magma profond, mais s'est dissous au cours des siècles dans l'eau au fond du lac, toujours relié par une cheminée à ce magma. L'événement a pu venir d'un déséquilibre soudain entre eaux de surface et eaux profondes (instabilité occasionnelle dans quelques lacs camerounais, habituelle en automne dans les lacs tempérés). Les forages du fond n'ont montré aucun matériau volcanique récent. Il restait 15 millions de m³ de dioxyde de carbone dissous dans les eaux profondes après la catastrophe [l'eau du lac contenait encore de 3 à 5 litres de gaz dissous (99 % de CO_2) dans chaque litre d'eau]. Une nouvelle remontée au prochain séisme, éboulement, tempête ou érosion rapide de la retenue naturelle friable est possible. 3 petites émissions de gaz en l'espace de 5 min ont été à nouveau observées le 30-12-1986.

■ **Autres cas.** *Lac Monoun* (95 km de Nyos) le 16-8-1984 (37 †). Il y a 40 lacs de cratère dans cette partie du *Cameroun. Java (plateau de Dieng)* en 1979 (140 †). Gaz volcaniques sortant de terre en s'écoulant par les vallées.

■ Volcans et éruptions
Éruptions importantes ou récentes

Nombre par région, dates de quelques éruptions importantes ou des dernières éruptions (entre parenthèses), *altitude en m.*

■ **Afrique. Est** *(36) :* **Djibouti :** *Ardoukoba* (1978). **Éthiopie :** *Erta Ale* (activité découverte en 1968, il était toujours actif en 1982). **Tanzanie :** *Kilimandjaro* 5 895 ; *Lengaï* (1960, 1983-84, 1988-89) 2 886. **Centrale** *(6) :* **Zaïre** (monts Virunga) : *Nyamuragira* (1958-67-71-77-79- 81-83-85) 3 055 ; *Nyiragongo* (1948-77-82 ; un lac de lave permanent disparut en 1977 puis reparut le 21-6-82) 3 469 ; *Visoke* (1958 réveil). **Ouest** *(1) :* **Cameroun :** *Cameroun* (1959-1982) 4 070 ; (21-8-1986) gaz du lac *Nyos* (1 746 †) (voir ci-dessus). **Nord** *(3) : Massif du Tibesti* 3 415. **Comores** *(1) : Kartala* 2 631. **Réunion** *(1) : Fournaise* (1977-1985-1986) 2 631.

■ **Amérique. Nord : USA : Alaska et îles Aléoutiennes** *(93).* **Alaska :** *Bogoslov ; Iliamna* (1979) ; *Katmai* (1912) 0 (région inhabitée) grande émission de cendres ; *Pavlov* (1986-87) 2 750 ; *Trident* (1963) 1 832 ; *Vesiaminof* (1983) 2 816 ; *Wrangell* 4 269. **Aléoutiennes :** *Akutan* (1987) ; *Cleveland* (1987) ; *Okmok* (1987) ; *Progromni* (1964) 2 012 ; *Shishaldine* 2 861. **Californie :** *Lassen Peak* (1915) 3 186.

Mexique : *Colima* 4 265 ; *el Chichón* (2-1982) milliers de †, 3 638 disparus, 40 000 évacués, la plus grande émission de cendres dep. 1912 (Katmai, Alaska) ; *Paricutin* (1943-45) 2 743 ; *Popocatepetl* 5 452. **Washington :** *St-Helens* (1857, 1980, du 27-3 au 18-5), 99 †, 3 000. V. Quid 1983 p. 251. Centrale *(35)* : **Costa Rica :** *Arenal* 1968 (78 †) à 1987 ; *Irazu* (1964) 3 432 ; *Rincón de la Vieja* (1983). **El Salvador :** *Izalco* (1770-1957-1963) 2 385. **Guatemala :** *Acatenango* 3 959 ; *Fuego* (permanent) 3 765 ; *Pacaya* (1986-1990) 2 544 ; *Santa Maria* (1902-24-10) 3 768. **Nicaragua :** *Cerro Negro* (1974, 1992) ; *Masaya* (1835, 1902) ; *Momotombo*. Sud *(31)* : **Argentine :** *Antofalla* 6 450 ; *Llullaillaco* (Arg./Chili) 6 723 ; *Ojos del Salado* (Arg./Chili) 6 887. **Chili :** *Calbuco* (1961) 2 400 ; *Guallatiri* (Arg./Chili, 1959) 6 060 ; *Lascar* (1951) 5 990 ; *Hudson* (1971-1991) quelques † ; *Llaima* (1955) 3 121 ; *Tupungatito* (1959) 5 640 ; *Villarica* (1964-71-79-80) 2 843. **Colombie :** *Purace* (1950) 4 700 ; *Ruiz* (1985) 24 000 †, 5 400. **Équateur :** *Cotopaxi* 5 897 ; *Galeras* 4 083 ; *Sangay* (1946-1976-1983) 5 320. **Pérou :** *Misti* (1903) 5 821 ; *Sabancaya* (1990) 6 288 ; *Ubinas* 5 671.

■ Antarctique et îles Australes *(18)* : *Déception* (1967-70) ; *Erebus* (permanent) 3 795 ; *Kerguelen ; Heard ; Tristan da Cunha* (1961) 2 060.

■ Atlantique. **Açores** *(9)* : *Capelinhos* (1957-58). **Antilles** *(8)* : *montagne Pelée* (Martinique) (8-5-1902 30 000 †, 30-8-1902 1 000 †, 1929) 1 397 ; *Soufrière* (Guadeloupe) (1956, 1976) 1 467 ; *Soufrière* (St-Vincent) [(1902-7-5) 1 565 †, (1979-13, 14, 17, 22-4) 1 178]. **Canaries** *(3)* : 1 972. **Cap-Vert** *(1)*. **Islande** et **Jan Mayen** *(27)* : *Beerenberg* (20-9-70) [2] 2 276 ; *Grimsvötn* [1] ; *Hekla* (1947-70) 1 560 ; *Helgafell* (1973) ; *Katla* [1] 3 182 ; *Threngslaborgir ; Kirkjufell* (1973) ; *Krafla* (1978-79) ; *Laki* (1783-84) 1 560, 9 350 † pour toute l'île. *Surtsey* (1963-67) donna naissance à une île de 2,8 km². **Volcans sous-marins** *(19)*.

Nota. – (1) Recouverts d'une calotte glaciaire ; les eaux de fonte forment des torrents dont le débit peut atteindre plusieurs centaines de milliers de m^3/s. (2) Création de 3 km² de terre en bordure de l'île.

■ Asie et Pacifique. **Chine :** *nord-est du Tibet (5)*. **Galapagos** *(3)* (1969). *Juan Fernandez* (3). **Hawaii** *(4)* : *Kilauea* (1983-93) 1 210 ; *Mauna Loa* (1950) 4 170. **Indonésie : Sonde** *(110)* : *Agung* (17-3-1963 ; 1 500 †) 3 142 ; *Batur* (1928-63-68) 1 718 ; *Bromo* 2 392 ; *Dieng* (1979, 149 †, 1992) ; *Galung-gung* (1822-1920-82) 2 168 ; *Gedeh* (1949) 2 959 ; *Kelud* [(Java) 1918 : coulées de boue (5 100 †) ; 1967] ; *Krakatoa* [26/28-8-1883 ; destruction des 2/3 de l'île et création d'une dépression de 300 m dans l'océan ; 36 417 † ; 50 millions de t de cendres ; un panache de cendres et de vapeur fut propulsé à 55 km de haut, des poussières retombèrent à 5 330 km de là, 10 jours plus tard. On entendit l'explosion 4 h après, sur l'île Rodriguez, à 4 776 km de là. Sa puissance est un record après le cataclysme de Théra (ou Santorin) (XVe-XVIIe s. av. J.-C.), 5 fois plus puissant (7 000 fois Hiroshima). En 1927, il forma l'île d'Anak-Krakatoa 1979] ; *Merapi* (1969, 1987, 1992) 2 911 ; *Paloë* (1973) ; *Papandajan* (1772, 3 000 †) ; *Raung* 3 332 ; *Rindjani* (1964) 3 775 ; *Semeru* (1960, 1987) 3 676 ; *Slamat* (1953) 3 426 ; *Tambora* (1815, 82 000 † ; record mondial pour le volume des matières projetées : 150 à 180 km³ ; le volcan perdit environ 1 250 m d'altitude et l'éruption entraîna la formation d'une caldeira de 11 km de diamètre) ; *Ternate* (1938) 1 715 ; *Una Una* (1983). **Iran :** *Demavend* 5 641. **Japon** *(54)* : 77 volcans en activité ; *Asama* (66 éruptions de 685 à 1 900, plus de 2 000 explosions dep. 1900) 2 542 ; *Aso* (1958-79 3 †) 1 592 ; *Bandai-San* (1888, 461 †, 1987) 1 370 ; *Fuji Yama* (1707) 3 776 ; *Kirisima* (1979) 1 700 ; *Koma-ga-take* 1 637 ; *Mihara* 758 ; *Miyakejima* (1983) 814 ; *Myojin ; Nishino-Shima* (îles Bonin) (1973-74) ; *Sakurajima* (1914-48-66-70-72-73-79-83-87) 1 118 ; *Showa Shinzan* (1943-45) 408 ; *Unzendake* (1792) 15 000 † ; (1991-3-6) 38 † dont 3 volcanologues Maurice et Katia Krafft (Fr.) et Harry Glicken (USA) 700 ; *Usu* (1978 3 †) 727. **Kermadec** *(15)*. **Mariannes** *(8)*. **Nouvelle-Bretagne** *(14)* : *Langila* (1983). **Nouvelle-Guinée** *(16)* : *Lamington* (18/21-1-1951 : 3 000 †) ; *Région de Rabaul* (1937). **Nouvelle-Irlande** *(9)*. **Nouvelle-Zélande** *(5)* : *Ngauruhoe* (1956) 2 292 ; *Ruapehu* (1950) 2 797 ; *Tarawera* (1888) ; *Tongariro* (1950) ; *White Island* (1987). **Philippines :** *Didicas* (1969) 2 (apparition d'une nouvelle petite île) ; *Hibok* (1960) 1 712 ; *Mayon* (1814 : 1 200 †, 1947-68-76-93) 2 525 ; *Pinatubo* (1991-13 au 23-6) 1 759, env. 300 †, 300 000 sans-abri, la base de Clark (14 000 Amér.) évacuée ; *Taal* (1815-1911-65-66-69-70) 1 449. **Salomon. Samoa** *(3)* : *Matavanu* (1905 à 1911). **Santa Cruz** *(1)* : *Tinakula*. **Tonga. Sibérie :** *Chikurachki* (1987). **Kamtchatka** *(28)* : *Bezymianny* [(1956-69 : record du XXe s. pour la violence de l'explosion (2,2 × 10^{25} ergs) – 86] 3 048 ; *Klioutchevskoï* (1962) 4 850. **Kouriles** *(39)*. **Vanuatu** *(12)* : *Ambrym* (1951-79) 1 324 ; *Lopevi* (1960) 1 449 ; *Yahue* (permanent). **Océan Pacifique Sud :** *Macdonald Seamount* (1977-1987).

■ Europe. **Méditerranée :** *(18)* : **Grèce :** *Nisyros ; Santorin* 1470 av. J.-C. (l'île s'appelait alors Théra ; l'explosion a provoqué un raz de marée de 50 m de haut, qui a détruit la civilisation minoenne en Crète ; un carottage fait au sommet de l'inlandsis groenlandais en 1990 a rencontré à 736,1 m de profondeur un important dépôt de cendres volcaniques attribué à cette éruption, 1929. **Italie :** *Etna* [1669-1928-71-79 (9 touristes †, 23 bl. 12-9-1979-1986 ; 2 touristes français †, 4 bl. 17-4-87) (permanent)] 3 276 ; *Stromboli* (permanent) 926, 1 † en 1986 ; *Vésuve* [79 apr. J.-C. (projection de cendres, mais non de laves) a détruit au moins 3 villes : Pompéi, Stabies et Herculanum (ensevelie sous une coulée de boue, épaisse parfois de 20 m et qui s'est solidifiée ; découverte en 1927) 15 000 à 20 000 †. Pompéi avait été détruite 16 ans avant (63 apr. J.-C.) par un tremblement de terre et avait été évacuée par une partie de ses habitants quand elle fut recouverte de cendres ; découverte en 1748, 1631, 1832, 1872, 1906, 1924, 1944] 1 186 † ; *Vulcano* (1888) 499.

■ Statistiques

■ Nombre de volcans. **Volcans ayant fait éruption durant les temps historiques :** de 500 à 600 ; il y a actuellement des milliers de volcans éteints endormis et peut-être un millier de volcans sous-marins, principalement dans l'océan Pacifique.

Volcans ayant fait éruption du 1-9-1991 au 1-9-92 (sauf volcans sous-marins) : éruptions accompagnées de l'émission de produits solides (cendres, bombes, etc.), liquides (laves) ou de gaz magmatiques : 45 dont Asie 20, Océanie-Papouasie 4, Amérique 13, Europe 2, Afrique 2, Pacifique 2, O. Indien 2.

■ Nombre de morts. **Total moyen par an :** *XXe s.* : 845 (590 sans les 25 000 du Nevado del Ruiz, 1985).

■ Records des volcans : **Les plus hauts :** Le *Nevado Ojos* del Saldado (6 863 m, Chili) [le Cerro Aconcagua (6 960 m, Andes argentines) n'est qu'une montagne] ; *en sommeil* le *Llullaillaco* (6 723 m, frontière du Chili et de l'Argentine) ; *en activité* l'*Antonfalla* (6 450 m, Argentine). **Le plus au nord :** le *Beerenberg* (2 276 m, île Jan Mayen, mer du Groenland à 71°5 nord). **Le plus au sud :** *Erebus* (3 795 m, île de Ross, Antarctique, 77°35 sud). **Les plus grands :** au large du Japon, caldeira sous-marine de 40 km de large. *Mt Aso* (Kiu-Siu, Japon), caldeira (cratère d'effondrement), diam. N.-S. 27 km ; circonf. 114 km. **Les plus profonds :** *Nyiragongo* 800 m (1978), 450 m (1982), *Raung* (Java) 500 à 600 m. **Coulée de lave maximale :** *Islande,* 96 km.

■ Grandes catastrophes. **1783** Islande 9 350 † ; **1792** Japon 14 300 † ; **1815** Indonésie 92 000 † ; **1883** Indonésie 36 500 †, la plupart noyés par le tsunami engendré par l'explosion du Krakatoa ; **1902** *(8-5 et 30-8)* Martinique 29 000 brûlés par des nuées ardentes ; **1985** Colombie 24 000 ensevelis dans la boue. **Répartition géographique :** 82 % dans le « cercle de feu » du Pacifique ; 1,5 % dans le Bassin méditerranéen (mais dont l'histoire est bien plus longue). **Causes de mort :** causes secondaires retardées (maladies, famines) 42 % ; vagues marines (tsunamis) ou coulées de boue (lahars) 32 % ; émissions (projectiles, cendres, lave), pluie acide 26 %.

Danger volcanique

Surveillance. Des dispositifs complets ont été établis au Japon (pour 6 volcans), aux USA (3), Islande (4), en Italie (4 : Etna, Vésuve, Stromboli, Vulcano). La France a disposé 12 sismographes en Guadeloupe, 6 à la Réunion, 9 à la Martinique, 2 à la Dominique. À l'étude : un laboratoire mondial de surveillance, recevant par satellite les données sismiques, thermiques, chimiques, clinométriques émises automatiquement par chaque instrument. *Exemple de prévision réussie :* aux Petites Antilles : 19-4-1979, les séismographes placés autour de la Soufrière de St-Vincent indiquent une agitation s'amplifiant le soir. Télémétrée à Trinidad (Seismic Research Unit), le Premier ministre décide l'évacuation de la partie Nord de son île (22 000 hab.). Le 20 à 5 h : éruption, les nuées ardentes déferlent quelques heures plus tard. Il n'y eut pas de victime.

Détournement des coulées. **1669** essais de l'Etna qui menaçait Catane. Échec. **1935 et 1942** Hawaii, essais sans succès (au moyen de bombardements aériens). **1955 et 1960** essais sans succès avec digues de terre. **1973** 1re réussite en Islande par projection d'eau pulsée dans la mer sur le front de la coulée. **1983** essai réussi, coulée de lave de l'Etna détournée par explosions et digues.

Utilisation du volcanisme

Usines géothermiques de haute énergie. 1°) **Méthode directe :** un forage en zone volcanique permet d'atteindre le gisement de vapeur sous pression qui alimente des turbines pour la production d'électricité. *Italie*, Larderello, où le Français F. de Larderel (1789-1858) exploitait les dépôts de bore dès 1818, production actuelle : 3 milliards de kWh. *Nouvelle-Zélande* (1959), *Californie* (1960), *Japon* (1966-67), *URSS* (1973), *Indonésie, Mexique, Guatemala, Guadeloupe* (Bouillante). 2°) **Procédé RCS** (roches chaudes sèches) : en Alsace de l'eau est injectée dans un forage de 1 900 m où la température atteint 170 °C. On récupère en surface de la vapeur d'eau à 150 °C, utilisée pour le chauffage urbain et la distribution d'eau chaude.

Les mers

Données générales

■ Eaux. **Masse :** poids total 1,3 × 10^{18} t, soit 0,022 % de celle de la Terre. **Volume** (en millions de km³) : Pacifique 707,1, Atlantique 330,1, Indien 284,6, Arctique 16,7, total 1 338,5 (93,9 % de l'hydrosphère, c'est-à-dire de toutes les eaux du globe).

Limites. **Atlantique et océan Indien** sont délimités par le méridien du cap des Aiguilles (20° long. E), **Atlantique et Pacifique** par une ligne allant du cap Horn à l'île George (Antarctique). **Océan Indien et Pacifique** par le méridien du cap Sud de la Tasmanie (Australie 146°55′, long. E). **Océan Austral :** parties sud des 3 océans : Indien, Atlantique et Pacifique en bordure du continent Antarctique ; ses limites sont définies d'après la température des eaux superficielles ; au sud de la zone de convergence subtropicale située entre 35° et 40° de lat. sud dans chaque océan, les eaux ne dépassent jamais 10 °C. Ce sont ces eaux froides qui constituent l'océan Austral (superficie 35 à 75 millions de km²).

■ Profondeur des mers et océans (en m). **Moyenne** 3 800. **Maximale** 11 035. **Pacifique** 4 267 [Est : Mariannes[1] 11 035, Tonga[1] 10 882, Kouriles-Kamtchatka[2] 10 542, Philippines[3] 10 497, Kermadec[4] 10 047, Bonin[5] 9 810, Bougainville[6] 9 140, Yap[4] 8 527, Japon[7] 8 412, Palau[8] 8 133, Nlles-Hébrides 7 570, Ryu-Kyu 7 507. Ouest : Pérou-Chili[9] 8 064, Guatemala 6 662, Californie 6 225, Nord Aléoutiennes 7 822] ;

Énigmes

« Hoquets de la mer ». De nombreux marins ont signalé, depuis le XVIIe s., que mers et océans peuvent être agités par des explosions (détonations sourdes, émission de brumes, formation de dômes d'eau). *Lieux de ces observations :* côtes de la Belgique (où le phénomène est nommé « mistpouf »), golfe du Bengale, golfe de Gascogne, côtes atlantiques des USA. *Hypothèse :* 1976, les *bangs* du Concorde auraient des répercussions sur les masses d'eaux océaniques. Hypotèse rejetée aujourd'hui.

« Triangle des Bermudes ». Dans l'océan Atlantique, entre Porto Rico, les Bermudes et les Bahamas, de nombreuses disparitions d'avions et de navires ont eu lieu. Charles Berlitz en cite 33, et leur attribue une origine mystérieuse, peut-être même extraterrestre. *Raisons possibles :* des anomalies magnétiques (ex., en 1945, 5 avions Avenger furent pris dans un orage tropical. Une perturbation magnétique troubla les compas et les émissions de radio. Les aviateurs, perdus, cherchèrent en vain la côte avant de tomber un à un dans la mer, à court d'essence). Un navigateur peut être déporté loin de sa route. Gulf Stream : rapide et agité, il peut effacer toute trace de naufrage. Temps imprévisible des Caraïbes. Variété des fonds marins provoquant de violents courants changeants. Navires de plaisance : occupants inexpérimentés. Les Cies d'assurances aériennes et maritimes n'admettent pas que les statistiques du « Triangle des Bermudes » soient spécialement anormales.

Vaisseaux fantômes. La plupart, tel celui du *Hollandais volant,* vaisseau fantastique (qui apparaît, dit-on, par mauvais temps dans les passages du cap de Bonne-Espérance), relèvent de la légende, mais des navires abandonnés peuvent effectuer d'immenses trajets sur les océans, au gré des courants, parfois pendant des années. Le plus fameux : le brick *Marie-Céleste,* trouvé en 1872 entre Gibraltar et les Açores, avait, semble-t-il, été construit de toutes pièces par un marin désireux de toucher une prime de sauvetage.

Atlantique 3 602 [Porto-Rico[11] 9 218, Sandwich du Sud[12] 8 264, Romanche[13] 7 728, Caraïbes 7 680, Cap-Vert 7 292, Nares 6 328] ; **Indien** 3 736 [la Sonde-Java[14] 7 450, Madagascar Est 6 400, Mascareignes 5 349] ; **Méditerranée** 1 438 (sud du cap Matapan 5 121, S.-E. Sicile 4 115, Tyrrhénienne 3 785, Baléares 3 420) ; **Austral** 6 972 ; **Arctique** 5 520[15] ; **mer Rouge** 3 039[15] ; **mer Noire** 2 245[15] ; **Adriatique** 1 260[15] ; **mer de Marmara** 1 273[15] ; **Baltique** 470[15] ; **mer du Nord** 725[15] (max. dans le Skagerrak) ; **Manche** (fosse centrale) 172[15] ; **golfe Persique** 110[15] ; **pas de Calais** 64[15] ; **mer d'Azov** 13[15].

Nota. – (Sondage : navire, pays, date.) (1) *Vitjaz,* URSS, 1957. (2) *Vitjaz,* URSS, 1954. (3) *Cape Johnson,* USA, 1945. (4) *Vitjaz,* URSS, 1958. (5) *Vitjaz,* URSS, 1955. (6) *Planet,* Allemagne, 1910. (7) *S.F. Baird,* USA, 1953. (8) *Stephan,* Allemagne, 1905. (9) *S.F. Baird,* USA, 1957. (10) *Chelan,* USA, 1956. (11) *Vema,* USA, 1956. (12) *Meteor,* Allemagne, 1926. (13) *Albatross,* Suède, 1948. (14) *Planet,* Allemagne, 1906. (15) Prof.

■ **Superficie** (en millions de km^2). **Totale** 361,3 (soit 70,8 % du globe).

Arctique (14,8). Bassin arctique 11,99 ; m. de Baffin 0,53 ; de Barents 1,40 ; de Beaufort 0,47 ; Blanche 0,09 ; détroits canadiens 1,42 ; de Davis 1,07 ; du Groenland 1,20 ; de Kara 0,88 ; des Laptev (ou de Nordensjöld) 0,65 ; de Norvège 1,38 ; de Sibérie orientale 0,90 ; de Cukotsk 0,58.

Atlantique (91,6). Mer Adriatique 0,13 ; d'Azov 0,03 ; Baltique 0,42 ; des Caraïbes 2,75 ; Celtique ; Scotia (ou Antilles du Sud) 1,83 ; d'Écosse (m. intérieures) ; Égée 0,18 ; baie de Fundy ; golfe du Mexique 1,5 ; de Gascogne 0,19 ; du St-Laurent 0,23 ; de Guinée 1,53 ; détroit d'Hudson ; m. d'Irlande 0,10 ; Ionienne 0,25 ; du Labrador ; golfe du Lion 0,14 ; Manche 0,07 ; Méditerranée (sans mer Noire) 2,50 [M. occidentale 0,82 ; M. orientale (sans mer Noire) 1,68 ; golfe du Mexique 1,54 ; m. du Nord 0,57 ; Noire 0,42 ; Tyrrhénienne 0,25 ; de Weddell 3,03.

Indien (76,2). Mer d'Arafura 1,04 : Grande Baie australienne ; golfe du Bengale 2,172 (le plus grand golfe) ; canal de Mozambique 1,22 ; m. d'Oman 3,68 ; golfe Persique 0,23 ; m. Rouge 0,43.

Pacifique (178,7). Golfe d'Alaska 1,32 ; mers australasiennes 6,69 ; m. de Béring 2,30 ; golfe de Californie 0,15 ; m. de Chine méridionale 2,20, orientale 0,75 ; de Corail 4,07 ; du Japon 0,97 ; Java 0,41 ; d'Okhotsk 1,6 ; de Ross (Antarctique) 0,89 ; de Malaisie 8,142 ; des Philippines.

☞ **Plus grande mer intérieure :** *Caspienne* (voir Lacs p. 62 a).

☞ Dans 10 à 15 millions d'années, la Méditerranée sera devenue un chapelet de mers mortes et s'évaporera assez rapidement.

■ **Surface.** Elle présente des dénivellations de plusieurs dizaines de mètres à presque 200 m, en raison des différences de densité dans les profondeurs du manteau qui modifient régionalement l'intensité de la force de gravité. *Records :* dans le nord-ouest de l'océan Indien – 106 m, au large de la Nlle-Guinée + 86 m.

La mer des Sargasses (dans l'Atlantique au large des côtes de Floride : 6 000 000 de km^2 env.) correspond à une zone de calme au centre des courants de l'Atlantique Nord (Gulf Stream, courant des Canaries). *Température en surface :* de 20 à 28 °C ; *en profondeur :* 18 °C à 200 m, 17 °C à 400 m. Son nom vient d'algues qui y flottent (env. 10 espèces : 2 pélagiques, 8 arrachées par les ouragans aux côtes de Floride, du Mexique, du Honduras, de la Jamaïque).

Expédition du Challenger (navire britannique). Du 7-12-1872 au 24-5-1876. Ébauche une carte bathymétrique générale des océans, précise la position d'îles, le tracé des côtes, la profondeur des fosses (max. par 8 183 m dans la fosse des Mariannes), révèle les grandes lignes de la circulation océanique et le mouvement des courants de surface comme la structure des grands fonds, rapporte de toutes les profondeurs plus de 10 000 espèces, dont un grand nombre inconnues.

Courants marins

■ **Circulation océanique superficielle.** Les eaux superficielles des océans entre 0 et – 200 m sont mises en mouvement par les vents, puis leur direction est influencée par la rotation de la Terre. Ainsi se forment plusieurs tourbillons dans chaque océan.

Aux latitudes tropicales dans le Pacifique et l'Atlantique, les **alizés** engendrent sur la façade orientale des océans des courants assez frais qui longent les continents en direction de l'équateur [*courant de Californie :* 1 km/h, 11 millions de m^3/s, 2 500 km de long ; *c. de Humboldt* (Pérou) : 1 km/h, 18 millions de m^3/s, 3 000 km de long ; *c. des Canaries :* 1,5 km/h, 16 millions de m^3/s, 1 500 km de long ; *c. de Benguela* (Angola) : 1 km/h, 16 millions de m^3/s, 2 000 km de long]. En se dirigeant ensuite vers le large, ils donnent naissance aux **courants transocéaniques équatoriaux** (N et S) qui portent vers l'O entre 0 et 15° de latitude. Entre ces courants équatoriaux, le retour des eaux vers l'E est assuré en partie par les **contre-courants équatoriaux** de surface et de sous-surface, ces derniers ayant été découverts assez récemment (*c. de Cromwell* dans le Pacifique, 1951, *du Lomonosov* dans l'Atlantique, 1961 et *de Tareev* dans l'océan Indien, 1960).

La majeure partie des eaux transportées par les c. équatoriaux vers l'O longent ensuite les façades des continents vers le N et le S puis, sous l'influence des vents d'O prédominants aux latitudes tempérées et de la rotation de la Terre, se transforment en grandes dérives transocéaniques en direction de l'E (*Gulf Stream* prolongé par la dérive nord-atlantique, 7 000 km de long, 70 millions de m^3/s, *Kuro-Shivo* et dérive nord-pacifique, 9 000 km de long, 50 millions de m^3/s, par exemple).

Dans l'hémisphère Sud (austral), les dérives se confondent avec le *grand courant circumpolaire antarctique* qui fait le tour du globe, puisqu'il n'est pas interrompu par les continents, de l'ouest vers l'est aux latitudes tempérées et qui est **le plus puissant courant du monde** (130 millions de m^3/s, longueur 24 000 km, largeur de 200 à 1 000 km, vitesse 0,75 km/h). Il est né de la rencontre de l'océan Austral avec l'eau plus chaude des océans Atlantique et Pacifique. Les glaces dérivantes empruntent en Antarctique les courants de Weddell et circumpolaires. Le courant de Somalie est **le plus violent du monde** (12,8 km/h).

Aux latitudes élevées de l'hémisphère Nord, la façade occidentale des océans est refroidie par la descente d'eaux froides venues du N (*courant du Groenland oriental* et *du Labrador, courant du Kamtchatka* et *Oya Shino*), tandis que les façades orientales sont attiédies par les prolongements des dérives transocéaniques d'origine tropicale (Europe occidentale et golfe d'Alaska).

Dans l'océan Indien. *Partie Sud australe,* on trouve, comme dans les autres océans, un vaste tourbillon en sens inverse des aiguilles d'une montre, qui donne sur les côtes d'Afrique le puissant *c. des Aiguilles* (de 2,5 à 3 km/h, 2 500 km de long, 65 millions de m^3/s), mais Partie Nord (boréale) sous l'influence de la mousson, les courants tendent à changer de direction saisonnièrement comme les vents. Récemment a été individualisé un *contre-courant équatorial de sous-surface* appelé *courant de Tareev,* sans doute moins permanent que ceux des autres océans.

■ **Circulation profonde.** En général beaucoup plus lente et provoquée par des différences de densité entre les masses d'eau, car, sauf quelques exceptions, les courants de surface ne font guère sentir leurs effets au-dessous de 500 m. En profondeur, les mouvements de l'eau sont dus à la plongée des eaux les plus denses donc les plus froides, issues de l'Antarctide pour les 3 océans, mais aussi de la mer du Labrador pour l'Atlantique ; elles ont une circulation à dominante méridienne.

■ **Vitesse. Courants permanents :** *Gulf Stream* 1,2 à 2,7 m/s. *Courants équatoriaux* de 0,2 à 0,3 m/s. **Courants de marée** (se renversant avec la marée, toutes les 6 h, en Europe) : sur les côtes de Bretagne 0,5 à 3 m/s ; dans le raz Blanchard, au large de la pointe de la Hague (Cotentin) 5 m/s. ; *max. :* fjord de Bodo (Norvège), 7,8 m/s. Rapides Na-Kwato (détroit de Slingsby, Colombie brit.), 8,22 m/s (29,6 km/h).

Eau de mer

■ **Composition. Sel :** *Moyenne.* D'après Defant (1961), par kg d'eau de mer : 35 g en moyenne dont : chlorure de sodium 27,213, de magnésium 3,807 ; sulfate de magnésium 1,658, de calcium 1,260, de potassium 0,863 ; carbonate de calcium 0,123 ; bromure de magnésium 0,076. MAXIMALE : *mer Rouge :* 44 g/l (avec des poches chaudes en profondeur 300 g/l) ; *mer Morte* (lac salé) : 275 g/l. MINIMALE : *mer Baltique* qui reçoit les eaux douces de nombreux fleuves et se trouve dans une région tempérée assez froide, donc à faible évaporation : 2 g/l.

☞ À l'origine l'eau de mer était douce, mais les eaux de ruissellement chargées de sels minéraux contenus à la surface de la Terre les ont déversés dans les océans en formation (il y a environ 1 milliard d'années).

Autres composants : D'après Kalle (1945) (en mg par m^3) : Fluor 1 400, Silice 1 000, Azote 1 000, Rubidium 200, Aluminium 120, Lithium 70, Iode 61, Phosphore 60, Baryum 54, Fer 50, Arsenic 15, Cuivre 5, Manganèse 5, Zinc 5, Sélénium 4, Uranium 2, Césium 2, Molybdène 0,7, Cérium 0,4, Thorium 0,4, Vanadium 0,3, Yttrium 0,3, Lanthane 0,3, Argent 0,3, Nickel 0,1, Scandium 0,04, Mercure 0,03, Or 0,004, Radium 0,000 000 1.

Matières organiques : produits d'assimilation des organismes vivants, de décomposition des organismes morts. L'ensemble représente une quantité de 3 à 10 fois plus importante que celle des organismes vivant dans la mer.

■ **Couleur.** La mer reflète en partie la couleur du ciel, mais des particules en suspension sont capables de lui conférer des colorations particulières. Des algues microscopiques colorent la mer Rouge ; des micro-organismes donnent à l'Atlantique sa couleur verte. La terre jaune apportée par les fleuves chinois colore la mer Jaune. Vers 30 m de profondeur seules les radiations bleues subsistent.

■ **Densité.** Dépend de la salinité et de la température : l'eau salée atteignant son maximum de densité à – 2 °C, les eaux froides sont donc plus lourdes que les chaudes et tendent à s'enfoncer. Les eaux de salinité, température et densité différentes ne se mélangent pas : elles glissent par masses les unes sous les autres (voir **Courants marins** ci-contre).

■ **Pression. À la surface des eaux :** *pression moyenne de l'atmosphère :* 1,033 kg par cm^2 ou 1 013 millibars. **En profondeur :** la pression de l'eau s'ajoute à la pression atm. à raison de 1 kg/cm^2 tous les 10 mètres (poids de la colonne d'eau) près de la surface, davantage en profondeur. En raison de cette pression, à 10 000 m, 1 litre d'eau comprimée pèse 50 g de plus que 1 litre en surface. Si l'eau de mer était parfaitement incompressible, le niveau des océans serait relevé d'environ 30 m.

■ **Température en surface** (en °C). Entre 30 sous les Tropiques et 0 sous les latitudes élevées. **Golfe Persique :** août 35,6 en eau peu profonde. **Mer Rouge :** août 31 (avec au fond, des « poches » d'eau à 56). **Atlantique :** *Golfe du Mexique :* 31 ; *moyenne sur le trajet Le Havre-New York :* 16 l'été, 10 l'hiver. **Méditerranée** (au-dessous de 350 m) : 13, (en surface) : *golfe du Lion :* févr. 12 ; mai 15 à 15,50 ; août 21 ; nov. 15. *Baléares :* févr. 13 ; mai 17 ; août 25 ; nov. 18. *Côte algéro-marocaine :* févr. 15 ; mai 17,5 ; août 24,9 ; nov. 18 à 19 ; moy. annuelle 17,6. *Détroit de Gibraltar :* févr. 14,7 ; août 23. *Adriatique Nord :* févr. 9 ; mai 10 ; août 23 ; nov. 18 ; *Sud :* févr. 14 ; mai 15 ; août 25 ; nov. 21,5. *Méd. orientale :* févr. 12 ; août 22. *Mer de Marmara :* févr. 8 ; août 24 ; record hiver 4,5. **Mer du Nord** à Douvres et, entre parenthèses, aux Shetland : hiver 6,5 (7,5) ; printemps 10 (9) ; été 17 (12,5) ; automne 11 à 12 (8,5). **Mer Blanche :** 0,5 à – 2 en hiver, 12 à 15 en été.

Température des océans

Profondeur	60° lat. Nord		Équateur			60° latitude Sud		
	Atlant.	Pacif.	Atlant.	Pacif.	Indien	Atlant.	Pacif.	Indien
Surface	7°	4°	27°	27°	27°	– 0°3	1°	0°8
100 m	10°	3°	21°	25°	23°	– 0°1	1°9	0°6
500 m	8°	3°5	7°	8°	12°	2°5	1°7	1°2
1 000 m	6°	3°	4°	4°5	6°	0°9	2°	1°5
3 000 m	2°	2°	2°8	1°7	3°	0°3	0°1	0°1

Quelques projets. Villes sur l'eau (souvent flottantes). *Extension des ports sur l'eau :* Rio de Janeiro, Tokyo, Monaco, La Haye, USA (projet Novanoah) (ville de 100 km de circonférence, fondation à 100 m de profondeur). *Exploitations pétrolières, minières, chimiques en haute mer :* Sea City (G.-B., mer du Nord, 25 000 personnes, extensions prévues 200 000 pers.) ; Triton City (USA, plusieurs dizaines de milliers de pers.) ; Tetra City (USA, 1 million de pers. ; pyramide haute de 3 000 m) ; Marine City (Japon, plusieurs millions de pers. 60 km^2).

■ **Visibilité.** *Limite :* entre 40 et 50 m de profondeur. *Limite de pénétration des rayons solaires :* variable selon les éléments du spectre ; jusqu'à plusieurs centaines de m.

FONDS MARINS

PLATES-FORMES, PENTES CONTINENTALES, CUVETTES ET FOSSES

Plate-forme continentale. (7,6 % de la surface des océans et des mers.) Borde les continents jusqu'à une profondeur voisine de 200 m. *Elle est large quand elle prolonge les plaines* [*ex. :* la plate-forme continentale réunissant la G.-B. et l'Irlande au continent européen qui se compose de 3 grands bassins fluviaux submergés : *Rhin* (recevant sur sa rive gauche la Tamise, grossie de la Somme), *Seine* (affluents g. Rance, Elorn ; dr. Avon), *Severn*].

Pente continentale. Entre 200 et 3 000 m env. de profondeur (15 % des océans) c'est un escarpement souvent raide qui relie les plates-formes aux grands fonds. Elle est parfois entaillée par des canyons sous-marins aux flancs abrupts ; gouf de Capbreton dans le golfe de Gascogne, trou sans fond au large d'Abidjan. On connaît env. 200 canyons sous-marins. À leur pied s'accumulent en de gigantesques cônes sous-marins tous les matériaux issus de l'érosion des continents.

Cuvettes océaniques. Grands fonds (– 3 000 à – 6 000 m) recouvrant 77 % de la surface totale des océans en englobant les hauteurs qui les accidentent. Chaque océan se compose de plusieurs bassins profonds dont le relief est fait de plaines, de collines et parfois de cônes volcaniques.

Dorsales océaniques. Elles forment dans l'océan mondial un système montagneux continu long de 75 000 à 80 000 km sur une largeur de plusieurs centaines de kilomètres, qui se dresse parfois à plus de 3 000 m au-dessus des fonds voisins, portant des îles comme les Açores et l'Islande.

Fosses océaniques. 23 dépassent 7 000 m (Pacifique 19, Atlantique 3, Indien 1). Allongées, profondes au maximum de 11 035 m (Mariannes), 10 497 (Philippines), larges de 40 à 120 km, longues de 500 à 4 000 km, légèrement arquées, elles longent le bord d'un continent ou d'un arc insulaire et occupent env. 5 % de la superficie des océans.

Sédiments marins. Formés par l'apport des cours d'eau, l'érosion des terres, le volcanisme ou les débris d'êtres vivants. Le Gange apporte à la mer 3 millions de t de sédiments par jour, soit l'équivalent de la Gironde en un an. Selon leur répartition par rapport à la côte on distingue les sédiments *littoraux* (vases, sables, galets) ; *néritiques* jusqu'à 200 m de prof., *bathyaux* de 200 à 3 000 m ; *abyssaux* au-delà de 3 000 m. Selon leur origine et leur nature, on individualise aussi les matériaux *terrigènes, volcaniques, chimiques* et *biogènes.* Les roches peuvent être d'origine sédimentaire *argileuse* (marne, schistes, etc.), *siliceuse* (grès, grauwackes, silex, etc.), *carbonate* (craie, calcaire détritique, etc.), *évaporite* (gypse, halite, potasse), *carbonée* (pétrole, charbon, gaz), *phosphatée, de climat glaciaire* (tillite). *Nodules polymétalliques* (voir Index).

Sommets immergés ou guyots. Environ 10 000 dont beaucoup ne sont qu'à quelques centaines de mètres de la surface. Ils sont habités par des bancs de poissons et recèlent des « fossiles vivants ».

ÉTUDES OCÉANOGRAPHIQUES EN FRANCE

Navires océanographiques (voir Index).

Programmes. Campagnes MÉSIM (MÉditerranée-SIMrad) pour cartographier les fonds marins corses ; programme international géosphère-biosphère (PIGB), World Ocean Circulation Experiment (WOCE), prog. flux océaniques (PFO).

GLACES MARINES

■ BANQUISE

■ **Définition.** L'eau de mer gèle à – 2 °C car la salinité abaisse le point de congélation. Le gel commence dans les mers peu profondes, baies et estuaires (*banquise côtière* = « fast ice »). Au centre de l'Arctique il y a une banquise permanente (le *Pack arctique*), que la banquise côtière rejoint en hiver. L'été on trouve aussi de la *banquise dérivante* entre les deux. Autour de l'Antarctide, la banquise est permanente en certains lieux.

Quoique la fonte estivale l'emporte sur l'accumulation de neige, la banquise se maintient parce qu'elle s'épaissit par-dessous, le gel de la mer ne cessant que lorsque la banquise a quelques mètres d'épaisseur. La banquise d'un hiver a de 0,5 à 1,5 m d'épaisseur ; le Pack arctique 3 m d'épaisseur en moyenne, 6 m au nord du Groenland.

Glacier flottant ou plate-forme ou ice-shelf. Banquise où l'accumulation de neige l'emporte sur la fonte estivale. Les plates-formes sont alimentées par des glaces s'écoulant de l'intérieur du continent. *Épaisseur :* 100 à 500 m. *Antarctique :* de nombreuses plates-formes l'entourent, la plus grande ayant la surface de la France. *Arctique :* les petites plates-formes flottantes au nord de l'île d'Ellesmere se sont désintégrées, donnant des *îles de glace* disséminées. Sur certaines, on a installé des bases scientifiques. (Voir aussi Icebergs ci-dessous).

■ **Processus physiques.** Lorsque la mer commence à geler, la microturbulence entraîne la formation d'une suspension de cristaux de glace *(fraisil),* rendant la mer « huileuse ». Puis se forme une glace mince, disloquée par la houle en *crêpes de glace.* Lorsque toute la mer est gelée, la croissance se poursuit vers le bas, formant de gros grains très allongés dans la direction verticale. Comme la glace ne peut pas incorporer de sels dans son réseau cristallin, le sel se concentre au contact de la glace, empêchant une croissance régulière. Des gouttelettes de saumure sont ainsi emprisonnées dans la glace de mer. Elles migrent lentement vers le haut, plus froid. Comme la surface fond l'été, la vieille glace de mer, à la fin de l'été, donne une eau potable.

À sa bordure, la banquise est morcelée par la houle en *floes* de 20 à 200 m de diamètre, parfois sur 50 km de large.

Vents et courants marins entraînent la banquise arctique. Son mouvement moyen est une circulation dans le sens des aiguilles d'une montre dans le bassin arctique, et une grande dérive des côtes de Sibérie vers l'Atlantique (découverte par la dérive du navire norvégien, le *Fram,* volontairement pris par les glaces, de 1893 à 1896). Autour de l'Antarctique, près des côtes, la banquise dérive vers l'ouest, et plus au large vers l'est (répondeurs placés par les expéditions polaires françaises sur des icebergs tabulaires et suivis par les satellites Argos).

Ces mouvements, irréguliers dans le détail, provoquent la formation de fractures dans la banquise, puis de chenaux (« rivières », en anglais *leads,* qu'on prononce lîdz), ou même au milieu de la banquise, d'étendues recouvertes de très jeune glace mince (2-30 cm d'épaisseur), les *polynies.* En se refermant, les chenaux sont remplacés par des *crêtes de pression (hummocks).* La distance moyenne entre crêtes de pression est 80-100 m. Sous l'eau elles s'enfoncent de 10-15 m, parfois 25 m (relevés au sonar à partir de sous-marins nucléaires).

■ **Étendue et impact économique.** À la fin de l'été la banquise couvre 11,2 millions de km² ; à la fin de l'hiver, 38 millions de km² (en Antarctique, la glace passe de 4 millions à 20 millions de km²), soit 7 % du globe, 12 % des océans. L'effet sur l'albédo du globe est faible car ces régions sont couvertes de nuages à 80 % ; mais en hiver la banquise prive l'océan de son rôle d'adoucisseur du climat.

En été la limite du Pack arctique passe juste au nord du Spitsberg (80° lat. N.) et de l'archipel François-Joseph, par la Nouvelle-Zemble, la Nouvelle-Sibérie et l'île Wrangel, laissant plus ou moins libre le *passage du Nord-Est,* le long des côtes sibériennes. Cela permet l'évacuation par mer du charbon de Tiksi (mer des Laptev), des métaux non ferreux de Sibérie orientale, et le ravitaillement des centres miniers. L'archipel canadien et les côtes de l'Alaska sont aussi libérés des glaces *(passage du Nord-Ouest).* L'évacuation du pétrole des puits sous-marins de la mer de Beaufort est assurée par l'oléoduc transalaskien, l'emploi de pétroliers brise-glace s'avérant trop problématique (croisière test du *Manhattan,* automne 1969).

En hiver, la banquise couvre tout l'Arctique, des côtes de Sibérie à celles de l'Alaska et parfois de l'Islande, ne laissant libre que la mer de Norvège, l'ouest de la mer de Barents et le port soviétique de Mourmansk. La navigation n'est alors possible que dans les régions les moins englacées, à l'aide de brise-glace.

■ ICEBERGS

■ **Définitions et types.** Portions de glace continentale qui descendent lentement vers la mer, flottent, se détachent (le glacier *vêle* des icebergs) et partent à la dérive. Il y a 2 types d'icebergs : ceux venant des plates-formes de glace (glaciers flottants de l'Antarctique), tabulaires et à sommet plat, et ceux venant des glaciers de vallée, de forme irrégulière.

■ **Limites normales.** Atlantique 60° de latitude N, 45° sur les côtes américaines, océan Austral 43 °S. Mais on a rencontré des débris d'icebergs jusqu'à 28° 44' dans l'Atlantique N, et jusqu'à 26° 30' dans l'Atlantique S.

■ **Dimensions.** *Hauteur de la partie immergée :* dépend de la densité de la glace (les icebergs contiennent de 1 à 10 % d'air) et représente de 80 à 88 % du volume total. Pour un iceberg tabulaire, la partie immergée est 4,2 à 7,8 fois plus grande. Hauteur immergée maximale : 70 (au total 700 m dont 630 immergés) à 167 m (env. 1 700 dont 1 500 immergés).

Superficie. *Maximale :* 31 000 km², longueur 335 km, largeur 97 km, iceberg localisé en *1956,* venait d'une plate-forme de glace de l'Antarctique (le shelf de Filchner). En *1986 :* 2 îles de glace de même volume, dont l'une de 13 000 km² (la moitié de la Bretagne), se sont détachées du continent Antarctique. En *oct. 1991 :* l'iceberg Druzhana (épaisseur 500 m, volume 6 000 km³) qui s'était formé dans la mer de Weddell, après avoir perdu 50 % de sa masse, a la taille de la Corse (8 681 km²) et dérive dans le courant circumpolaire.

■ **Exploitation des icebergs.** On avait imaginé de les remorquer pour l'irrigation des régions désertiques : zones d'Arica et d'Antofagasta (Chili), côte des Squelettes (Afr. du S.), littoral californien et Arabie Saoudite. Le projet a été abandonné devant les difficultés de remorquage, de stockage et de fusion. Il est moins coûteux de dessaler l'eau de mer.

LITTORAL

■ **Niveau marin.** A varié pendant le Quaternaire : s'abaissant pendant les glaciations et montant lorsque les glaciers fondaient. La mer a ainsi envahi récemment les parties basses des continents, et le rivage ne s'est stabilisé dans sa position actuelle qu'au XIIe s. apr. J.-C. On appelle *transgression flandrienne* (pour l'Europe) cette variation récente des niveaux, car c'est dans les plaines flamandes qu'elle a eu ses effets les plus visibles : *1°) flandrien inférieur* (15000-8000 av. J.-C.) : réouverture du pas de Calais, entre Manche et mer du Nord. *2°) fl. moyen* (8000-5000 av. J.-C.) : baisse de niveau, transformant la Baltique en lac intérieur (« lac à ancyles »). *3°) fl. supérieur* (début de l'ère chrétienne) : émersion de la Flandre, avec brève submersion donnant naissance au Zuiderzee (lac Flevo). Voir Index.

■ **Côtes élevées** (présence de falaises). Correspondent à des *littoraux structuraux,* c.-à-d. que les roches constituant les masses continentales sont en contact direct avec les mers.

Quand les roches ne sont pas plissées : structure *subtabulaire.* Les roches dures forment des caps avec des falaises ; les roches tendres sont entaillées et forment des baies.

Dans les zones montagneuses où les glaciers quaternaires ont érodé de profondes vallées à profil en U : côtes à fjords (*ex :* Scandinavie, Écosse, Andes chiliennes, Alaska méridional).

Quand les roches sont plissées, et que le plissement est parallèle à la ligne de rivage, la mer s'avance dans les sillons des synclinaux et laisse les crêtes des anticlinaux subsister sous forme d'îles ou de promontoires : côtes très déchiquetées (*ex. :* le littoral dalmate en Yougoslavie).

Quand les roches sont d'origine volcanique, structure *volcanique :* falaises dans les coulées de basaltes durs, boues dans les champs de cendres molles (*ex. :* l'île de Santorin). Sur les socles formés par d'anciens volcans submergés dans les mers chaudes : développement de structures d'origine animale, les *coraux.* Les *madrépores* vivent en colonies innombrables, soudés les uns aux autres, s'agglutinant aussi aux coquilles (polypiers) de ceux qui sont morts. Avec le temps, les madrépores édifient ainsi d'énormes masses rocheuses parvenant jusqu'au ras des flots, les *récifs.* Les *coraux* vivent dans les mers tropicales et équatoriales à l'écart des embouchures de fleuves, dans des eaux claires et salées à la temp. de 18 °C au moins (la + favorable avoisinant 25 °C). Les courants froids qui longent l'Amérique du Sud et l'Afrique du Sud empêchent en général leur développement, même dans les régions tropicales. Les courants chauds leur permettent de vivre au large de l'Amérique du Nord (Bermudes) et au voisinage du Japon. Ils meurent en dessous de 25 à 30 m de profondeur. Les *récifs* se trouvent donc à proximité des rivages. Seule exception connue : dans la mer de Céram (Indonésie), 1 500 m de profondeur, 27 km de la côte, mais ce sont des coraux fossiles.

■ **Récifs coralliens. Atolls :** anneaux de corail entourant une étendue d'eau calme et peu profonde, le *lagon.* Structure calcaire reposant sur un ancien volcan basaltique enfoncé avec le plancher océanique. Les coraux ont compensé leur enfoncement par leur croissance. *Superficie maximale, lagon compris :*

Aber ou Ria. Vallée fluviale envahie par la mer. Phénomène fréquent en raison de la transgression flandrienne.

Calanques. Indentations étroites et profondes à bords escarpés. Beaucoup viennent de la submersion de canyons creusés dans le calcaire.

Estran. Frange littorale délimitée par l'avancée extrême des plus hautes marées et le recul des plus basses. La largeur de l'estran dépend de l'amplitude des marées et de la pente du rivage. Si cette pente est faible et la marée importante, il peut atteindre plusieurs km (12 km en baie du Mont-St-Michel).

Falaise la plus haute. *Du monde :* Umilehi Point, île de Molakaï (Hawaii) : 1 005 m. *Europe :* îles Féroé (600 m) et au N.-O. de l'Irlande (500 m à Achill Island). *France :* cap Canaille (B.-du-R.) 362 m ; nez de Jobourg (Manche) 128 m ; Étretat (S.-Mar.) 90 m.

Kwajalein (îles Marshall) récif de 283 km² et lagon de 2 850 km² ; *superficie maximale de la terre ferme :* Christmas (île Line) 477 km². Les cordons coralliens des atolls ont entre 600 et 1 000 m de large. Des cocotiers prennent pied sur la partie émergée de l'atoll construite par les vagues à l'aide de débris de madrépores, de sables et de galets, alt. maximale 3 m. Mais des soulèvements de terrains peuvent dresser d'anciens atolls au sommet d'îles montagneuses [*ex.* Timor (Indonésie) : anciens atolls à 1 600 m d'alt.].

Types. *Faros :* de petits atolls à lagon peu profond, disposés en chaîne et dont l'ensemble forme un grand atoll ou une barrière (les plus célèbres sont aux îles Maldives). *Platures récifales,* plus petites et de formes diverses (récifs tabulaires, annulaires, pinacles, petits récifs s'élevant du fond des lagons). *Récifs immergés* (barrières ou atolls) à plus ou moins grande profondeur sous la surface de la mer. *Récifs élevés* (frangeants, accolés au littoral, barrières ou atolls) à la suite de légers mouvements du substratum sur lequel ils reposent, édifiés au large des côtes sur une plate-forme continentale peu profonde et séparés du littoral par un « chenal d'embarcation ». Barrières de corail et lagons sont très fréquents autour d'îles volcaniques aux sommets élevés (*ex.* Tahiti et autres îles de la Société). Ils sont interrompus par des « passes » lorsque des rivières apportent localement des eaux douces et turbides. La côte du Queensland, en Australie, est protégée par la *Grande Barrière* sur 2 027 km, à env. 100 km au large.

Superficie des régions coralliennes. *Total :* 18 millions de km². *Grandes régions :* 1°) Atlantique occidental : Floride, Antilles (manquent en face des grands estuaires, en raison de la dessalure et de la turbidité des eaux fluviales) : 20 genres et 80 espèces de c. 2°) Indo-pacifique (de la mer Rouge au Pacifique central) : 80 genres et 700 espèces.

■ **Côtes basses** *Plages* de sables et de galets déposés entre des caps rocheux (*ex. :* la baie d'Audierne en Bretagne). *Dunes :* sur la côte du golfe de Gascogne, les dunes forment un alignement de 240 km presque continu de la Gironde à l'Adour. *Dune la plus haute* d'Europe : le Pilat (Gironde) 105 m ; en Asie centrale ou au Sahara, des dunes intérieures atteignent 500 m.

Cordons littoraux. Formés en bordure de plaines basses par les courants littoraux, généralement coupés par des passes temporaires ou permanentes, les *graus.*

Flèches littorales. Formées par les courants côtiers. Le *tombolo* est une flèche littorale qui rejoint une île et la transforme en presqu'île (*ex :* à Quiberon ou à Giens : tombolo double).

Vasière. À marée basse, dans la partie abritée des estuaires, dans des baies ou sous la protection d'un cordon littoral, la mer construit un paysage de *vasière* et de marais. On appelle *slikke* une vase molle recouverte par les marées, et *schorre* une vase durcie, desséchée et couverte de végétation. *Mangrove :* forêt littorale des pays tropicaux (*ex :* golfe de Guinée) poussant dans les vasières.

Estuaire. Embouchure de fleuve où se fait sentir l'action de la marée (du latin *aestus,* « marée »). *Longueur* (en km) : Seine 114, St-Laurent 500 ; Amazone 1 000. *Estuaires envasés :* la boue charriée par les fleuves crée des terres amphibies que la végétation finit par incorporer au continent. Les falaises de l'ancien littoral subsistent parfois loin de la mer (*ex. :* l'embouchure de la Somme, en France). Un fleuve comme le Mississippi apporte à la mer 2 millions de t d'alluvions fines chaque jour et l'Amazone 1 milliard de t par an.

Delta. Masse d'alluvions s'accumulant à l'embouchure d'un fleuve. Il peut avoir de nombreux bras si les courants marins ne sont pas actifs et se prolonger en *doigt de gant.* Le delta du Mississippi avance ainsi en moyenne de 70 m par an, par endroits.

Baïne (du patois landais signifiant « petit bain »). Cavité creusée par la houle qui déplace les sables sur le littoral aquitain (100 m de large, 4 à 5 m de profondeur). À l'origine de 95 % des noyades. *Prévention :* le baigneur aspiré par le courant ne doit pas se débattre, mais se laisser flotter comme une planche vers le large où un courant nord-sud le ramènera à 1 km de son point de départ.

■ Érosion marine

■ **Érosion des falaises.** Due aux vagues qui provoquent la chute de pans entiers et surtout à l'eau pluviale d'infiltration. *Vitesse de recul :* en Picardie, 50 à 220 cm par an ; le phare d'Ailly, construit à 160 m de la mer en 1775, en était à 4 m seulement quand il fut détruit en 1940. Son emplacement est aujourd'hui submergé.

Valleuses. Le recul des falaises peut être si rapide que les petits cours d'eau n'arrivent plus à creuser leur lit assez vite pour se raccorder au niveau de base et demeurent suspendus ; on appelle leurs vallées des *valleuses.*

■ **Érosion des plages. France :** variable d'un endroit à l'autre, les évolutions sont toujours réversibles. *Bretagne :* (sud de la baie d'Audierne) recul dans la commune de Tréguennec de 150 m entre 1952 et 1969. *Landes :* de 1 à 3 m/an (+ de 10 à Seignosse). *Méditerranée :* sauf à la pointe de la Gracieuse, à l'embouchure du Grand Rhône, à la pointe de Beauduc et à celle de l'Espiguette, le littoral se replie, en particulier à Faraman et aux Saintes-Maries-de-la-Mer. **Italie :** *Émilie-Romagne* et *golfe de Tarente,* jusqu'à 4 m/an depuis 1950. **Danemark :** *Jutland du Nord.* **Amérique :** *du Mexique* à la *Colombie* et au *Venezuela,* 10 % seulement des plages engraissent ; 10 à 20 % sont stables ; le reste recule. **Afrique :** *Côte-d'Ivoire, Angola* et *Nigeria,* entre la frontière avec le Bénin et Lagos, de 4 à 7 m/an ; *delta du Nil,* jusqu'à 30 à 40 m/an depuis la construction du barrage d'Assouan.

■ Marées

■ **Causes.** Mouvement oscillatoire du niveau de la mer dû aux effets de l'attraction de la Lune et du Soleil sur les particules liquides. Cette attraction varie selon la masse des astres perturbateurs et l'inverse du carré de leur éloignement par rapport à la Terre ; la Lune exerce l'attraction la plus grande ; le Soleil, très éloigné, exerce une attraction 2 à 3 fois moindre, bien que sa masse soit très supérieure, et son diamètre apparent égal. L'attraction de chaque astre tend à former 2 légères protubérances, l'une tournée vers l'astre, l'autre du côté opposé. *Les protubérances causées par l'attraction de la Lune* font le tour de la Terre en un peu plus d'1 j (en un point donné, l'une succède à l'autre à 12 h 25 min d'intervalle, y causant la marée haute). D'un jour à l'autre la marée a donc 50 min de retard en moyenne (30 min en vives-eaux ou grande marée, 1 h 15 en mortes-eaux), parce que la Lune se retrouve dans la même position par rapport à la Terre toutes les 24 h 50 min. *Les protubérances causées par le Soleil* mettent 1 j exactement (elles se succèdent à 12 h d'intervalle).

■ **Marnage (amplitude de la marée).** Différence entre la hauteur de la pleine mer et la hauteur de la basse mer qui la précède ou la suit immédiatement. **Marnages maximaux** (en mètres) : **Atlantique :** Baie de Fundy (Canada) 16,7. Granville (France) 14,6. Bristol (G.-B.) 14,5. Puerto Gallegos (Arg.) 12,7. Chausey (Fr.) 11,7. Bréhat (Fr.) 9,9. Ouessant (Fr.) 8,6. Brest (Fr.) 8,3. Bayonne (Fr.) 4,8. **Océan Indien :** Collier Bay (Australie) 12. **Pacifique :** Golfe de Selikov (en mer d'Okhotsk) 13,2. Mer de Béring orientale 5 à 8 m. **Méditerranée :** Golfe de Gabès (Tunisie) 2,6. Tarifa (Espagne) 1,5. Pula (Youg.) 1,4. Toulon (Fr.) 0,5.

■ **Rythme. Marées semi-diurnes.** Généralement, et en particulier sur les côtes françaises de l'Atlantique et de la Manche, l'élévation des eaux présente chaque jour lunaire 2 maximums (ou *pleines mers,* PM), et 2 minimums (ou *basses mers,* BM). On dit que la marée présente le caractère *semi-diurne.*

a) Dans chaque port, les pleines mers suivent le passage de la Lune au méridien avec un retard de temps à peu près constant appelé *Établissement du port* (E).

b) Tous les 15 j, au moment de la pleine Lune et de la nouvelle Lune on a une syzygie : la Lune et le Soleil se trouvent sur une même ligne par rapport à la Terre *(conjonction ou opposition)* et les hautes eaux causées par l'attraction des 2 astres coïncident : on a une marée de **vive-eau** ou **grande marée.** Au contraire, lors du premier et du dernier quartier, la direction de la Lune par rapport à la Terre est perpendiculaire à celle du Soleil et il y a des périodes de marnage minimal **(morte-eau)**.

c) Dans l'année, les **vives-eaux** les plus importantes se produisent généralement au voisinage des équinoxes (en mars et septembre), quand le Soleil vient de franchir l'équateur et que la Terre est proche du Soleil sur l'écliptique.

d) On peut calculer sommairement la hauteur *h* de la pleine mer ou de la basse mer dans un port donné à l'aide de la formule :

$$h = N_m \pm \frac{U \times C}{100}$$

où Nm est le niveau *de mi-marée* en ce port, C un *coefficient* proportionnel à l'amplitude de l'oscilla-

Unités de hauteur des principaux ports de France (en mètres)		Niveau de mi-marée (en mètres)
Dunkerque	2,73	3,20
Calais	3,26	4,02
Boulogne	4,01	5,01
Le Tréport	4,57	5,02
Dieppe	4,48	4,97
Fécamp	3,65	4,47
Le Havre	3,33	4,68
Port-en-Bessin	3,07	4,22
St-Vaast-La Hougue	2,95	3,80
Cherbourg	2,73	3,78
Dielette	4,41	5,51
Granville	6,06	7,21
Saint-Malo	5,67	6,85
Paimpol	5,23	5,53
Morlaix (Taureau)	3,94	5,21
Roscoff	3,94	5,17
Ouessant	3,16	4,45
Brest	3,21	4,45
Douarnenez	2,96	4,17
Concarneau	2,21	2,93
Saint-Nazaire	2,56	3,06
Les Sables-d'Olonne	2,33	3,12
La Rochelle	2,61	3,64
Royan	2,24	3,01
Cordouan	2,31	2,83
Arcachon (Eyrac)	2,12	2,17
Boucau	1,85	2,56
Socoa	1,98	2,49

Calendrier des marées d'octobre 1993 à octobre 94			Pleine mer		Coefficient	
			Matin	Soir	Matin	Soir
Octobre	PL	15	4 h 17	16 h 38	108	111
	NL	30	4 h 33	16 h 50	80	82
Novembre	PL	13	3 h 54	16 h 18	100	103
	NL	29	4 h 41	17 h 01	77	79
Décembre	PL	13	4 h 27	16 h 53	95	96
	NL	28	4 h 22	16 h 44	74	78
Janvier	PL	11	4 h 18	16 h 44	85	89
	NL	27	4 h 43	17 h 06	86	91
Février	PL	10	4 h 51	17 h 11	88	91
	NL	26	5 h 03	17 h 26	103	108
Mars	PL	12	5 h 05	17 h 21	90	92
	NL	27	4 h 38	17 h 02	107	111
Avril	PL	11	5 h 08	17 h 22	86	86
	NL	25	4 h 13	16 h 38	104	108
Mai	PL	10	4 h 40	16 h 55	78	79
	NL	25	4 h 41	17 h 05	103	105
Juin	PL	9	4 h 50	17 h 06	74	76
	NL	23	4 h 28	16 h 52	94	97
Juillet	PL	8	4 h 30	16 h 46	72	76
	NL	22	4 h 19	16 h 41	88	91
Août	PL	7	4 h 48	17 h 04	85	90
	NL	21	4 h 50	17 h 09	92	94
Septembre	PL	5	4 h 24	16 h 40	90	97
	NL	19	4 h 29	16 h 46	89	91
Octobre	PL	5	4 h 37	16 h 56	105	109
	NL	19	4 h 37	16 h 53	86	86
Heure de pleine mer à Brest. Temps universel + 1 h.						

Renseignements : annuaires des marées édités par le Service hydrographique et océanographique de la Marine. Serveur télématique 3615 SHOM.

tion de la marée considérée (compris entre 20 et 120), U le *demi-marnage* d'une marée moyenne de vive-eau d'équinoxe. Cette grandeur constante dans le port considéré est appelée **unité de hauteur.** Le coefficient de marée multiplié par l'unité de hauteur, divisé par 100, donne un chiffre qui, ajouté ou retranché du niveau de mi-marée, permet de trouver la hauteur de la pleine mer ou celle de la basse mer. Le coeff. 120 (ni le min. 20) n'ont jamais été atteints dep. 1800. Le 3-3-1900, le 10-3-1918 et 1992, on atteignit 119 et depuis 1800, 14 fois 118 (dernière fois le 27-3-1967).

Vitesse : dans la baie du Mont-St-Michel, le reflux des grandes marées découvre plus de 600 km² de sable (12 km de profondeur × 20 km de large). Quand la marée remonte, dépassant parfois 15 m de haut (1 300 millions de m³ d'eau), elle peut atteindre 30 km/h, d'où l'expression « vitesse d'un cheval au galop » (40 min pour 20 km). La vitesse normale, en dehors des marées d'équinoxe, est de 10 km/h.

■ **Marées diurnes.** Sur certains rivages du Pacifique et de l'océan Indien avec une montée et une descente des eaux par 24 h. **Autres rythmes :** exemples : la région de Southampton (G.-B.) compte 3 périodes de flux et reflux dans la journée pour des raisons locales.

☞ Les *mers fermées* ou engagées dans la masse des continents, telle la Méditerranée, ont des marées négligeables ou pas de marée.

■ **Mascaret.** Barre d'eau tourbillonnante provoquée par la marée qui remonte le cours des fleuves (Garonne et Dordogne sur 160 km, Amazone sur 1 000 km) quand elle se heurte à leurs eaux descendantes. **Records :** *hauteur :* Mékong 14 m ; Qiantangjian (Hangzhou) 7,5 m, audible à 22 km. *Vitesse :* bras Hooghly du Gange 27 km/h. *Volume :* canal de Norte (16 km de large) à l'embouchure de l'Amazone, *France :* Seine près de Quillebeuf, à 30 km de la mer (Léopoldine Hugo, fille de Victor Hugo, s'y noya). L'aménagement de l'estuaire l'a presque fait disparaître.

☞ **Point amphidromique.** Point où le niveau de la mer reste toujours le même, en raison d'ondes se neutralisant, 16 connus (1er découvert en 1839 dans mer de Flandres par Whewell).

Marées terrestres. L'attraction de la Lune et celle du Soleil s'exercent sur le Globe et lui imposent une déformation périodique. L'amplitude du soulèvement du sol (nulle aux pôles et au maximum de 40 cm aux basses latitudes) et son retard par rapport à la position de ces astres font estimer que la rigidité de la Terre est analogue à celle de l'acier. On a constaté une très légère influence de cette déformation sur le déclenchement des séismes superficiels.

Vagues

Définition. Mouvements oscillatoires de l'eau faisant se succéder crêtes et creux. Ne se font plus sentir au-dessous de 100 m de profondeur.

Types de vagues. Se caractérisent par : *longueur d'onde,* distance en m entre 2 crêtes (dépasse rarement 300 m) ; *hauteur,* distance en m entre crêtes et creux ; *période,* temps en secondes entre le passage de 2 crêtes successives en un point fixe ; *célérité,* vitesse de propagation en nœuds déduite de la longueur d'onde et de la période ; *cambrure,* rapport de la hauteur à la longueur d'onde. Audessus de 0,14, il y a déferlement et formation de *rouleaux* ou de *moutons.* Aux abords du rivage, lorsque le fond se relève, la vague brise ou déferle, c'est la **barre ;** la base est freinée, mais la crête s'abat sur la côte ; le jet de rive est suivi du retrait de l'eau.

Houle. Vagues régulières se propageant à la surface, souvent loin de l'endroit où souffle le vent.

Embruns. Fines gouttelettes d'eau de mer en suspension dans l'air, souvent poussées par le vent.

Hauteur maximale, observée au large, de vagues provoquées par le vent. *Pacifique* (7-2-1933) 34 m ; *Pacifique Sud* (enregistrée scientifiquement 2-4-1956) 23,4 m. *Atlantique* de 14 à 18,5 m, max. 26,20 m (30-12-1972). *Océan Indien* de 10 à 15 m. *Méditerranée* de 8 à 9 m. La taille des vagues est considérée comme fonction de la distance de *fetch,* c'est-à-dire de la distance sur laquelle s'exerce le vent sans rencontrer d'obstacle (côte).

Pression possible des grandes vagues. 60 t/m².

Marées de tempêtes et tsunamis

Marées de tempêtes

■ **Causes.** Tempêtes et dépressions barométriques conjuguées avec l'époque des marées hautes, ou typhons, tornades locales. Des vents de mousson accompagnés de très fortes pluies ont souvent provoqué des inondations des côtes basses au Bangladesh ou aux Philippines. Les inondations de Venise sont également dues à la concomitance de causes météorologiques.

■ **Principales marées de tempêtes. 1424** Pays-Bas : 100 000 †. **1953** (1-2) Pays-Bas : 1 794 †. **56** (9-7) mer de Crète : 53 †. **60** (24-5) Japon : 900 †. **62** (17-2) Allem. : 281 †. **70** (13-11) Pakistan : 200 000 †. **71** (29-9) Inde : 10 000 †. **72** Philippines : 454 †. **74** (12-8) Bangladesh : 2 500 †. **76** (20-5) Philippines : 215 †. **77** (19-11) Inde : 7 000 à 10 000 †.

Tsunamis (raz de marée)

■ **Nom.** Du japonais *tsu* port, et *nami* vague (c'est-à-dire grande vague déferlant dans un port).

■ **Causes.** *La + fréquente :* séisme en mer ; explosion volcanique dans la mer ; effondrement de sédiments marins. **Effets :** *vagues exceptionnelles,* de grande période, pouvant envahir un littoral même escarpé ; souvent, la mer se retire au loin avant l'arrivée d'une énorme vague qui se présente comme un mur d'eau arrivant à grande vitesse. *Dépôt de sable marin* ex : *Grande-Bretagne,* N.-E. de l'Écosse, jusqu'à 2 km à l'intérieur des côtes actuelles et au moins à 4 m au-dessus du niveau actuel, dû à un tsunami d'env. 5 000 av. J.-C., causé par un glissement de 1 700 m³ de sédiments marins au large de la Norvège, connu sous le nom de 2e de Storegga (le 1er s'étant produit entre – 30 000 et – 50 000 ans). La surface alors envahie compte actuellement 100 000 h. Aux îles Shetland, on aurait relevé des traces de ce tsunami à 19 m au-dessus du niveau actuel de la mer. *Iles Hawaii,* des dépôts marins datés d'env. 100 000 ans ont été trouvés à 375 m d'altitude.

Mécanisme. La longueur des ondes dépend de la période et de la vitesse de propagation de l'onde, elle-même fonction de la hauteur d'eau libre ($v = \sqrt{gh}$; g : accélération de la pesanteur, h : hauteur moyenne de l'eau). **Au large,** dans le Pacifique (profondeur moyenne 5 000 m), la vitesse est d'environ 800 km à l'heure, soit 200 m à la seconde ; pour une période moyenne de 15 min, la longueur de l'onde sera de 200 km. Aussi nul navire ne peut-il apercevoir au large le passage d'un tsunami ; la « pente » de la vague, quelques décimètres de hauteur pour 100 km par des fonds de 4 000 à 5 000 m, est insignifiante et le navire s'élève et descend de façon imperceptible. **Près des côtes,** la vitesse de l'onde diminue à mesure que les fonds remontent, mais sa hauteur croît jusqu'à 10, 20, 30 m et la vague que la profondeur trop faible finit par faire déferler s'abat sur le rivage de toute sa masse. *Hauteur maximale de la principale vague :* 85 m, le 24-4-1771 au Japon (séisme) ; 67 m, 28-3-1964, Alaska (séisme).

Échelle d'intensité (des tsunamis) d'Imamura et Iida. Magnitude, hauteur des vagues au large et vague observée la plus haute : 0, *10 cm* (jusqu'à 1 m, pas de préjudice). 1, *25 cm* (jusqu'à 2 m, dégâts aux maisons et navires sur la côte). 2, *50 cm* (jusqu'à 4-6 m, peut détruire les navires et faire des victimes). 3, *100 cm* (jusqu'à 10-20 m, destructions sur 200 km de côtes). 4, *200 cm* (30 m et +, destructions sur 500 km de côtes).

Principaux tsunamis

■ **Répartition en % des tsunamis recensés.** Pacifique 75 ; Méditerranée 12 ; Atlantique 9 ; o. Indien 3 ; divers 1.

■ **Asie et Pacifique. Japon :** la plupart sur la côte pacifique, dus aux séismes ; de l'an 684 à 1985, 171 dont 16 grands (vagues de 10 m) et 5 très grands (30 m et plus). *1°) Séismes lointains : 869* (13-7) 30 m et + ; *1707* (28-10) 30 m et + ; 4 900 † avec le séisme ; *1771* (24-4) 85 m, 9 313 † ; *1854* (24-12), 1 000 † ; *1896* (15-6) 2 vagues de 30 et 24 m, 27 122 noyés ; *1933* (2-3) 20 m, 911 †. *2°) Séismes proches : 1937* (7-11) Chili, 5 m aux Hawaii ; *1968* (13-8) Pérou/Chili, dégâts aussi aux Hawaii ; *1877* (10-5) Pérou ; *1906* (31-1) Pérou, 10 m ; *1922 ; 1952* (4-11) Kamtchatka, 1 200 maisons inondées, dégâts aussi aux Hawaii ; *1960* (22-5) Chili, 5 107 maisons détruites et 1 137 embarcations (10 m aux Hawaii) ; *1969* (22-11) Kamtchatka, vague de 10 m en mer de Béring occidentale, plusieurs †.

Indonésie : Java, etc. *1883* (27-8) : 30 000 noyés (expl. Krakatoa) ; mer des Célèbes *1967 :* 13 †, *1969 :* 210 †.

Iles Hawaii : outre les précédents : *1841* (17-5, séisme du Kamtchatka) 5 m ; *1941* (séisme des Aléoutiennes) 10 m ; *1975* (29-11) 8 m, dizaines de †.

■ **Amérique. Côte Pacifique :** *1868* (août) Chili, navire Wateree transporté 2 miles à l'intérieur des terres près d'Arica. *1958* (9-7) Alaska (chute de 90 millions de t de rochers et dégâts jusqu'à 600 m d'altitude dans la baie de Lituya). *1964* (28-3) 67 m, 119 †, 6 m en Californie. *1979* (12-12) Colombie et Équateur, 5 m, 500 †. **Atlantique :** *1918* (oct.) Porto Rico, 6 m.

☞ De *1945 à 85,* USA, 335 † et 485 millions de $ de dégâts.

■ **Europe. 1°) origine volcanique :** *vers 1470 avant J.-C.* explosion de Santorin, 50 m ? Des cendres volcaniques ont été trouvées en 1990 à 736,1 m de prof. au centre de l'inlandsis groenlandais (alt. 3 100 m). *1650* mer de Crète, 50 m. *1956 (9-7)* mer de Crète, 24 m, 23 †. **2°) origine sismique :** *365* (21 ou 27-7) Crète, victimes ; *382* Portugal, victimes ; *479* Grèce, des navires du Pirée sont projetés sur les toits de maisons à Athènes ; *1531* (26-1) Lisbonne à Tunis ; *1650* mer de Crète, 50 m ; *1680* (9-10) Andalousie, victimes ; *1722* (27-12) Portugal ; *1731* Cadix à Agadir ; *1755* (1-11) Lisbonne 5 à 10 m, Gibraltar, Tunis ; *1773* (12-4) Cadix et Tanger ; *1816* (2-2) Portugal. Voir aussi « Raz de marée méditerranéens » ci-dessous. **3°) vêlage d'un petit iceberg au fond d'un fjord :** *1940* Groenland (10 m).

Raz de marée méditerranéens

■ **Glissements sous-marins.** Les rebords du plateau continental, distants des côtes de quelques centaines de mètres, étant très escarpés, les alluvions des fleuves s'y déposent en couches instables. Une forte crue de ces fleuves peut faire basculer de grosses masses de limon et de cailloutis. *Exemples connus :* Antibes 20-7-1565 ; Marseille 29-6-1725 ; Antibes 23-3-1818 ; Ouest de Marseille 1821 ; Marseille 8-7-1829 ; littoral de Cannes à Oneglia (Italie) 28-2-1887 ; Stes-Maries-de-la-Mer (Camargue) 11-6-1909 ; Nice à Antibes 17-9-1979 (6 tués, gros dégâts).

■ **Prévision.** Autour du Pacifique, Chili, USA, Russie, Japon pratiquent une surveillance continue (y compris des sismographes et marégraphes immergés au large) coordonnée à Hawaii par le Pacific Tsunami Warning Center (1948), à Honolulu. Une préalerte est diffusée dans les minutes qui suivent la localisation d'un séisme majeur dans la zone. 23 nations coopèrent à l'International Tsunami Warning System (ITWS) disposant de 69 stations séismiques, 65 marégraphes. Les mesures sont transmises par le satellite GEOS en temps réel au centre d'Honolulu. À Papeete (Tahiti) le Centre polynésien de prévention des tsunamis (CPPT) dispose de 11 stations dans l'archipel, reliées par télémétrie. Aux îles Cook, Marquises, de Pâques et au centre d'Honolulu, la magnitude est estimée sur l'amplitude mesurée à Papeete des ondes sismiques de 100 à 300 secondes de période.

L'avis peut précéder de plusieurs heures la vague, qui se propage à environ 800 km/h. De la côte du Chili au Japon sa traversée dure 22 h ; du Pérou ou Chili à Los Angeles, environ 10 à 12 h.

■ **Prévention.** Les navires doivent s'éloigner des côtes, les habitants gagner les hauteurs. Des digues existent au fond de certaines baies du Japon.

Droit de la mer

Quelques dates

1958-*29-4* Conventions de Genève sur les droits des États riverains sur le plateau continental et sur les eaux côtières. **1970** l'Assemblée générale de l'ONU décide à l'unanimité que les fonds marins situés au-delà des juridictions nationales constituent « le patrimoine commun de l'humanité ». **1971-*21-12*** à la suite d'autres pays, la France étend à 12 milles nautiques (22,22 km) la limite de la mer territoriale. **1973** début de la 3e conférence de l'ONU sur le droit de la mer. **1977-*1-1*** la CEE crée une zone de pêche communautaire de 200 milles nautiques (370,40 km) au large des côtes des pays membres. **1982-*10-12*** fin de la conférence de l'ONU sur le droit de la mer : 178 pays et organisations invités : 24 absents dont Afr. du S., Ar. Saoudite, Argentine, Liban, Syrie. 159 pays signent à Montego Bay (Jamaïque) la *Convention du droit de la mer,* mais Allemagne, G.-B., Israël, Turquie, USA n'ont pas signé [les USA étaient hostiles à la partie XI : 1°) pour eux, l'« Autorité » sera dominée par les « 77 » (plus de 120 pays en voie de développement) ; 2°) l'éventuelle exploitation des nodules sera limitée de façon à ne pas déstabiliser les économies des producteurs terrestres de manganèse, nickel, cobalt et cuivre ; 3°) des transferts de technologie aux pays du tiers monde sont prévus ;

■ DÉTROITS PRINCIPAUX

LARGES AU MINIMUM DE 50 KM

Leur partie centrale échappe aux juridictions nationales.

	Largeur min. en km	Longueur en km	Profondeur min. en m	Profondeur max. en m
Yucátan. Cuba/Mexique (Atlantique)	220	270	44	100
Bass. Australie/Tasmanie (océan Indien)	160	350	90	128
Corée. Corée/Japon (Pacifique)	140	120	170	215
Floride. Cuba/USA (Atlantique)	130	300	110	2 290
Formose. Formose/Chine (océan Indien)	120	350	20	137
Mona. Haïti/Porto Rico (Atlantique)	105	380	64	128
Cabot. Terre-Neuve/Cap Breton (Atlantique)	100	90	66	529
Po Hai. Liaotoung/Chantoung (mer Jaune)	100	110	16	62
Béring. CEI/Alaska	92	–	–	58
Torres. Australie/N.-Guinée (Indien, Pacifique)	85	400	9	22
Canal d'Otrante. Italie/Albanie (Méditerranée)	70	150	648	1 000
Malacca. Malaisie/Sumatra (golfe du Bengale, mer de Chine)	55	780	13	135
Skagerrak. Norvège/Danemark (mer du Nord)	50	225	53	809
Kattegat. Suède/Danemark	–	–	–	116

LARGES AU MAXIMUM DE 50 KM

Avec la règle des 12 milles, leurs eaux se trouvent tout entières sous 1 ou 2 juridictions nationales. Un État pourrait ainsi légalement interrompre des trafics maritimes d'importance vitale en suspendant temporairement le droit de « passage inoffensif ». Mais le droit de « passage en transit sans entrave » dans les détroits servant à la navigation internationale ne peut en aucun cas être suspendu. Toutefois, certains détroits restent soumis à des conventions internationales anciennes (Dardanelles, Sund).

	Largeur en km		Profondeur en m	
	max.	min.	max.	min.
Afrique				
Bab-el-Mandeb. Éthiopie/Djibouti/Yémen	36	15	375	11
Gibraltar. Espagne/Maroc	44,5	14	1 092	18
Zanzibar. Tanzanie	44,5	29,5	72	11
Amérique				
Bouches du Serpent. Trinité-Tobago/Venezuela	48	14,8	51	10
Bouches du Dragon. Trinité-Tobago/Venezuela	10,5	10,5	325	14,5
Sainte-Lucie. Martinique (Fr.)/Ste-Lucie (G.-B.)	41,6	32,6	1 510	38
Détroit entre Ste-Lucie et St-Vincent. Ste-Lucie/St-Vincent (G.-B.)	51	40	1 820	103
La Dominique. Martinique (Fr.)/Dominique (G.-B.)	49	40	2 230	570
Détroit entre la Dominique et la Guadeloupe. Guadeloupe (Fr.)/ Dominique (G.-B.)	39,8	13	1 810	40
Magellan [1]. Argentine/Chili (Atlantique-Pacifique)	40	2,7	795	8
Juan de Fuca. Canada/USA	31,5	16,6	234	9
Asie et Australie				
Chosen. Corée du S./Japon	48	46	264	45
Hai-Nan. Chine	35	18	93	20
Palk. Sri Lanka/Inde (océan Indien)	53	1,6	parsemé d'îles	
Malacca. Indonésie/Malaisie (golfe du Bengale, mer de Chine)	74	37	43	5
Ombai. Indonésie	59	23	plusieurs milliers	
Sonde. Indonésie	57	10	110	30
San-Bernadino. Philippines	44	6,5	18,3	54
Surigao. Philippines	48	7	140	32
Ormuz. Iran/Oman (golfe Persique-océan Indien)	92	54	93	45
Canal St-Georges. Papouasie/N.-Guinée	74	14	3 000	214
Cook. N.-Zélande (Pacifique)	85	21	457	40
Foveaux. N.-Zélande	42	5,5	49	9
Chenal Kaïwi. Hawaii (USA)	43	40	987	100
Singapour. Indonésie/Singapour (golfe du Bengale, mer de Chine)	22	4,6	54	18
Europe				
Pas-de-Calais. France/G.-B. (Manche, mer du Nord)	48	31	51	3
Minorque. Majorque/Minorque (Esp.) [Méditerranée]	48	36	546	69
Messine [2]. Italie (Tyrrhénienne, Ionienne)	16	6,2	263	73
Bonifacio. France/Italie (Méditerranée)	10	5	85	33
Dardanelles. Turquie (mer Égée, Marmara)	8	1,4	97	30
Bosphore. Turquie (mer Noire, Marmara)	3,6	0,76	120	11
Grigo. Grèce	31	19	546	70
Scarpanto. Grèce	48	42	1 591	29
Sund. Suède/Danemark (Baltique, mer du Nord)	29	3,7	25	8

Nota. – (1) Isole du continent l'archipel de « Terre de Feu », sur lequel se trouve le cap Horn. (2) Détroit italien qui reste soumis au régime du « passage inoffensif » car il existe une route commerciale pratique au large de la Sicile.

Certains considèrent comme étant les plus longs ceux de *Malacca* (presqu'île de Malacca/île de Sumatra), 780 km, et de *Macassar* ou *détroit d'Ujungpandang* (mer des Célèbes/mer de la Sonde), 750 km. Le plus large serait celui de *Drake* (Terre de Feu/Shetland du Sud) 880 km, et le moins large celui qui sépare l'île d'Eubée du continent grec (40 m à Khalkis).

4°) la réglementation internationale d'une activité écon. est contraire au principe de la libre entreprise alors que les nodules pourraient constituer des ressources stratégiques non soumises à des cartels de producteurs consommateurs]. Pour que la convention entre en vigueur, elle doit être ratifiée par 60 pays, or, 52 l'avaient ratifiée au 1-12-92. La France a signé la convention mais ne l'a pas encore ratifiée.

■ DÉFINITIONS

(extraites de la Convention de 1982)

■ **Eaux intérieures.** Essentiellement ports, baies et estuaires de taille raisonnable. L'État côtier y est totalement souverain, comme sur son territoire de terre ferme. Les navires étrangers, même civils, ne peuvent y pénétrer qu'après autorisation (même règle pour le survol par les aéronefs).

■ **Mer territoriale. Limite extérieure :** est constituée par la ligne dont chaque point est à une distance du point le plus proche de la ligne de la base, égale à la largeur de la mer territoriale.

La *ligne de base normale* à partir de laquelle est mesurée la largeur de la mer territoriale est la laisse de basse mer. Là où la côte est profondément échancrée, ou s'il existe un chapelet d'îles, des lignes de base droites peuvent se substituer aux lignes de base normales. Autrefois, la *largeur des eaux territoriales* était de 3 milles nautiques (5,55 km, soit à peu près la portée d'un boulet de canon) ; elle a été élargie depuis à 12 milles (22,22 km).

Droits de passage. Les navires bénéficient du « droit de passage inoffensif » à condition de ne pas troubler l'ordre public. Un navire de guerre doit traverser la mer territoriale de manière continue et rapide sans faire d'exercice ni d'entraînement et en arborant pavillon. Les sous-marins doivent transiter en surface en arborant leur pavillon. Les navires à propulsion nucléaire ou transportant des substances radioactives, dangereuses ou nocives doivent être munis des documents réglementaires et prendre les mesures spéciales de précaution prévues pour eux par des accords internationaux.

■ **Régimes spéciaux. Détroits internationaux :** l'extension généralisée des eaux territoriales à 12 milles supprimant tout espace de mer libre dans 116 détroits (dont les plus importants), la liberté de navigation est sauvegardée par le régime du « passage en transit *sans entrave* » au profit des navires, aéronefs et sous-marins (en plongée) qui respectent les conditions de passage inoffensif. Certains détroits, comme les Dardanelles ou le Sund, ont un régime précisé par des traités internationaux (Montreux).

Eaux archipélagiques : un État archipel peut tracer des lignes de base archipélagiques droites reliant les points extrêmes des îles les plus éloignées (Philippines, Indonésie). *Régime :* à mi-chemin de celui des eaux intérieures et de celui de la mer territoriale ; mais y sont réservés de larges chenaux dans lesquels navires et aéronefs civils et militaires ont droit en permanence au libre transit et au libre survol (sous-marins en plongée).

Baies historiques : certains États côtiers ont fait admettre qu'ils jouissent de droits plus étendus pouvant aller jusqu'au régime des eaux intérieures dans certaines baies historiques (estuaires, baies ou golfes) en raison d'activités anciennes : ex. *baie du Rio de la Plata* (Argentine et Uruguay), de *Chesapeake* et de *Delaware* (USA), de *Fundy* (USA et Canada), *golfe de Tadjoura* (Djibouti), de *Cancale* ou de *Granville* (France), *golfe de Tunis* (Tunisie), *canal de Bristol* (G.-B.), divers fjords norvégiens, etc. Les prétentions de la Libye sur le *golfe de Syrte* ne sont pas reconnues.

■ **Zone contiguë.** Peut s'étendre jusqu'à 24 milles marins des lignes de base. L'État côtier peut y exercer des contrôles douaniers, fiscaux, sanitaires ou d'immigration, et d'une façon générale un droit de « poursuite », pour prévenir ou réprimer les infractions aux règlements en vigueur sur son territoire national ou dans sa mer territoriale. La France a institué une zone contiguë (loi du 31-12-1987) pour la lutte contre le trafic de stupéfiants.

■ **Zone économique exclusive.** Jusqu'à 200 milles marins des lignes de base. L'État côtier y jouit de droits souverains et exclusifs sur les ressources vivantes et minérales des eaux, du sol et du sous-sol, et dispose de droits lui permettant de prévenir ou de combattre la pollution de la mer et de réglementer la recherche scientifique. Mais la navigation et le survol pour les navires et aéronefs civils et militaires y sont aussi libres qu'en haute mer.

■ **Plateau continental.** Prolongement submergé des masses continentales, descendant vers le large en pente très douce et se terminant par une rupture de pente (souvent près de l'isobathe 200 m).

• **Côtes** (en km). *Les + longues :* ex-URSS 42 777,5, Indonésie 36 640, Australie 27 948,5, USA 21 575,8, Canada 20 605,4, Philippines 12 958,4. *Les + courtes :* Irak – de 37, Zaïre 74.

États enclavés. 40 n'ont pas d'accès à la mer (dont 9 de l'ex-URSS). *Europe 9 :* Andorre, Autriche, Hongrie, Liechtenstein, Luxembourg, St-Marin, Suisse, Tchéc., Vatican et 4 États de l'ex-URSS, Arménie, Azerbaïdjan, Biélorussie, Moldavie. *Afrique 14 :* Botswana, Burkina, Burundi, Centrafricaine (Rép.), Lesotho, Malawi, Mali, Niger, Ouganda, Ruanda, Swaziland, Tchad, Zambie, Zimbabwe. *Amér. du S. 2 :* Bolivie, Paraguay. *Asie 5 :* Afghanistan, Bhoutan, Laos, Mongolie, Népal et 5 États de l'ex-URSS, Kazakhstan, Kirghizie, Ouzbékistan, Tadjikistan, Turkménistan.

• **Zones économiques les plus grandes** (en milliers de km^2). USA 7 621,3. Australie 7 008,3. Indonésie 5 410. N.-Zélande 4 834,4. Canada 4 699. ex-URSS 4 491,5. Japon 3 862,07. Brésil 3 169,2. Mexique 2 852. Chili 2 288,8. Norvège 2 025,4. Inde 2 015,4. Philippines 1 891,2. Portugal 1 774,6. Madagascar 1 292,4. Maurice 1 183,3. Argentine 1 164,5. Équateur 1 159,3. Espagne 1 151. Fidji 1 135. Afrique du S. 1 017. Chine 963,8. Maldives 952,3. G.-B. 942,5. Islande 867. Pérou 786,8. Somalie 783. Viêt-nam 722,3. Colombie 603,3. Tonga 596,1. Oman 561,8. Italie 552,2. Yémen 550,5. Sri Lanka 517,6. Birmanie 509,7. Malaysia 475,7. Nauru 431,1. T'ai-wan 392,4. Irlande 380,4. Venezuela 363,9. Cuba 362,9. Corée du S. 348,5.

France 340 + zone des DOM-TOM 9 616,4.

Au-delà, le talus, à pente assez raide, s'achève aussi par une rupture de pente. Les États côtiers y sont propriétaires des ressources vivantes et minérales du sol et du sous-sol sous-marins. Forme 7,3 % de la surface des océans. *Limites :* au sens juridique s'étend jusqu'à 200 milles nautiques (370,40 km), même s'il est plus étroit au sens géologique. Si le plateau continental géologique s'étend au-delà des 200 milles, sa limite juridique extérieure sera fixée soit à 350 milles (648,2 km) de la côte (maximum), soit à 100 milles (185,2 km) mesurés vers le large à partir de l'isobathe 2 500 m, soit à la ligne où l'épaisseur des sédiments accumulés sur le talus est égale à 1/100 au moins de la distance entre cette ligne et le pied du talus continental. Quelle que soit la limite extérieure du plateau continental juridique, la navigation, le survol et la pêche des espèces de pleine eau sont libres, au-delà des 200 milles, comme dans les eaux internationales. *Exploitation :* les 9/10 des prises de pêche sont effectuées sur le plateau ; 15 millions de km² sur 72 sont des bassins sédimentaires dont 10 seraient très favorables et 5 favorables à la présence de pétrole ou de gaz naturel (réserves prouvées 27 milliards de t ; r. possibles 68). **Pente continentale** (15 % de la surface des océans). Prolonge le plateau jusqu'aux plaines abyssales.

■ « **Zone internationale** ». Eaux, fonds marins et leur sous-sol situés au-delà des juridictions nationales (soit 217 millions de km² sur 362). **Organisation :** administrée par un organisme international, l'« Autorité ». *Membres ;* de plein droit : États signataires de la Convention. *Observateurs ;* États signataires de l'acte final. Création de la Commission préparatoire de l'« Autorité » ; début des travaux le 15-3-1983.

Budget : *Période transitoire :* financé par l'ONU (USA 25 %, Féd. de Russie 11,1 %, Japon 9,58 %, All. 8,31 %, *France 6,26 %,* G.-B. 4,1 %, Italie 3,45 %, Canada 3,28 % ; 149 autres pays membres 28,50 %) ; les USA se sont opposés, le 2-12-82, à ce que l'ass. gén. de l'ONU vote des crédits supplémentaires de 2 728 500 $, destinés à un secrétariat spécial du droit de la mer. *Après l'entrée en vigueur de la Convention :* budget autonome, dépenses partagées entre les pays parties à la Convention selon ce % (en cas d'absence des USA) : Féd. de Russie 14,8, Japon 12,77, All. 11,08, *France 8,34,* G.-B. 5,94, Italie 4,60, Canada 4,37. **Régime :** défini par la déclaration de l'ONU de 1970. Convention du droit de la mer de Montego Bay (1982). « Patrimoine commun de l'humanité », exploité au profit de tous les pays, notamment du tiers monde.

Régime économique. Licences d'exploration délivrées (par la Commission préparatoire pendant la période transitoire) aux « investisseurs pionniers » : France, Japon, Inde et F. Russie ou une de leurs entreprises publiques ou privées, 4 consortiums internationaux (sociétés de : USA, Allem., Belgique, G.-B., Canada, Italie, Japon, P.-Bas), 2 consortiums nationaux : Afernod (Ass. française d'étude et de recherche des nodules polymétalliques) et Doma (Japon, Deep Ocean Minerals Association). Conditions pour être « investisseur pionnier » : avoir investi avant le 1-1-1983 au moins 30 millions de $ (constants de 1982) ; pour les consortiums, trouver parmi les pays d'origine de leurs membres, 1 ou plusieurs États « certificateurs » signataires de la Convention. Tout État en voie de développement ayant signé la convention pouvait devenir « investisseur pionnier » s'il avait investi, dans l'étude des nodules, 30 millions de $ avant le 1-1-1985. Après l'entrée en vigueur de la Convention, les demandes de licences d'exploration ou d'exploitation présentées par les « entités » (« consortiums internationaux ») ne seront acceptées « que si tous les États dont relèvent les personnes physiques ou morales qui sont les éléments constitutifs de ces entités sont parties à la convention ».

MÉTÉOROLOGIE

QUELQUES DATES

Avant J.-C. 3000 *Nei Tsing Sou Wen :* 1er ouvrage de météo du monde ; comprenait des prévisions. **330** Météorologie d'Aristote (384-322 av. J.-C.). **300** *Signes du temps* de Théophraste (1er ouvrage européen de prévisions météo. **V. 280** Ktésibios (310-250 env. av. J.-C.) ou Philon de Byzance invente le thermocope (utilisé par quelques médecins). **280** *Straton* de Lampsake (335-269 env. av. J.-C.) remarque que le feu consume et raréfie l'air. **100** Andromikos construit la « tour des Vents ».

Après J.-C. 40 env. utilisation des moussons : relations commerciales suivies avec les Indes (Hippalos). **V. 800** Charlemagne (742-814) : échelle de direction des vents d'après les points cardinaux. **1450** Leone Battista Alberti (1404-72) : 1er *anémomètre* (à pression). **1610 env.** Jan Baptist Van Helmont (1579-1644) distingue l'air des autres gaz. **1615** Isaac Beeckmann (1588-1637) : l'action des pompes aspirantes résulte de la pression atmosphérique. **1630** Jean Rey (1583-1645) : l'oxydation dans l'air augmente le poids des corps. **1632** (?) J. Rey : *thermomètre « médical »* à eau. **1637** René Descartes (1596-1650) : théorie de la *pluie.* **1639** mesures précises des pluies (Castelli). **1641** Ferdinand II de Toscane (1610-70) « invente » les *thermomètres à liquide,* fermés (therm. de Florence). Expérience du *vide* à Rome (baromètre à eau) [Raffaello Magiotti (1597-1656) ; Gasparro Berti (1600-43)]. **1644** expérience du vide avec du mercure [avec Evangelista Torricelli (1608-47), à Florence]. **1645** (?) Claude Beauregard (1591-1664), en Toscane, mesure des hauteurs à l'aide du baromètre. **1646 oct.** 1re expérience « barométrique » (expérience du vide) avec du mercure, en France (Rouen) par Pierre Petit (1598-1677), suivant les conseils de Marin Mersenne (1588-1648). **1647 sept.** abbé Marin Mersenne (1588-1648) propose le premier, par écrit, de faire l'expérience du vide à des altitudes différentes. **1648** expérience du *puy de Dôme* par Florin Périer, à la demande de Pascal (variation de la pression en altitude). **Juin** Adrien Auzout (1622-91) réalise le premier l'expérience du vide dans le vide. **1654-1670** Antinori : 1er essai de réseau météorologique. **1657 (19-7)** fondation de l'« Accademia del Cimento » (1657-67). **1660** Otto von Guericke (All., 1602-1686) prévoit l'arrivée d'une tempête. **1667** John Mayow (1641-79) : l'air n'est pas un corps simple. **1679** Edme Mariotte (1620-84) : constance de température des caves de l'observatoire de Paris. **1748-49** Alexander Wilson (1714-86) et Thomas Melvill (1726-53) : mesures météorologiques dans l'air libre, avec cerf-volant. **1770-79** Charles de Borda (1733-99), Théodore Mann (1735-1809), Hugues Maret (1726-86) et autres : réseau synoptique. **1783 (1-12)** Jacques Charles (1746-1823) : *1res observations météorologiques en ballon* (3 400 m). **1802** Jean-Baptiste de Lamarck (1744-1829) : *1re classification des nuages,* suivie de celle de Luke Howard (1772-1864). **1836** Gustave Coriolis (1792-1843) : théorème de la mécanique des mouvements composés qui explique l'influence de la rotation terrestre sur les courants aériens. **1842** Karl Kreil (1798-1862), de l'observatoire de Prague, propose d'utiliser le télégraphe électrique pour transmettre les observations, afin de les obtenir à temps pour les prévisions. **1845** découverte de l'*ozone.* **1847** W. Reid organise le 1er système d'avertissement pour informer les ports (ceux-ci installent un système de boules pour avertir les marins). **1848** Matthew Maury (1806-73) : utilisation pratique des vents et des courants pour les trajets maritimes. **1853 août** 1re conférence internationale de météo. (Bruxelles). **1854 (14-11)** tempête sur la mer Noire, suivie d'une étude par Urbain Le Verrier (1811-77). Fondation de l'Office Météo. anglais. **1856** William Ferrel (1817-91) : influence de la rotation de la Terre sur la direction des vents. Loi de Christopher Buys-Ballot (1817-90). **1860 mai** C. Buys-Ballot : 1er service régulier, en Europe, pour la prévision du temps. **1863 (16-9)** Urbain Le Verrier (1811-77) et Edme Marié-Davy (1820-93) : début de la 1re série définitive de cartes synoptiques en France. *Meteographica* de Francis Galton (Anglais, 1822-1911) : 1er ouvrage établissant la théorie des anticyclones. **1867** Peslin : seul le refroidissement par détente adiabatique, dans les courants ascendants, peut expliquer la formation des nuages importants et des précipitations. **1873** Leipzig : accord international pour les observations sur Terre. **1875** Paul-Jean Coulier (1824-90) : pour que la condensation puisse se produire dans l'atmosphère, il faut de plus qu'il s'y trouve des poussières (« noyaux de condensation »). **1877** O. Reynolds : formation de la pluie par coalescence. **1878** fondation de l'Organisation météorologique internationale (OMI). **1878-82** S. Balfour : les variations diurnes du magnétisme terrestre peuvent s'expliquer par l'existence de courants électriques dans la haute atmosphère. **1886** 1re prévision officielle d'arrivée de la mousson. **1891** Gothman pense à envoyer du CO_2 dans les nuages, à l'aide de fusées (pour provoquer de la pluie). **1892 (4-10)** G. Hermite et G. Besançon : 1er ballon-sonde. **1902** Kennely, Heaviside expliquent la propagation à longue distance des ondes radio par la présence de couches ionisées dans la haute atmosphère. Léon-Philippe Teisserenc de Bort (1855-1913) admet définitivement la présence d'une « zone isotherme » dans la haute atmosphère (appelée stratosphère depuis 1908). **1920** Vilhelm Bjerknes (Norv. 1862-1951) introduit la notion de masse d'air et de front. Mise en place du 1er navire météo. **1925** preuves de l'existence de l'ionosphère. **1927** Robert Bureau (1892-1965) : découverte et utilisation des radio-sondes. **1931** Auguste Piccard (Suisse, 1884-1962) atteint la stratosphère en ballon. **1932** 1er *Atlas des nuages.* **1937** 1re station météo flottante de l'Atlantique Nord (Carimaré). **1946** 1res fusées météo. **1950** utilisation d'un gros calculateur (Eniac) pour la prévision du temps par modèle mathématique (travaux de von Neuman). **1951** fondation de l'Organisation météorologique mondiale (OMM). **1960 (1-4)** 1er satellite météo Tiros. **1962** *veille météorologique* mondiale. **1967** programme de recherches sur l'atmosphère globale (Garp). **1977 (22-11)** *Météostat* (satellite européen géostationnaire, centré sur le méridien de Greenwich).

L'ATMOSPHÈRE

GÉNÉRALITÉS

■ **Définition.** L'*atmosphère* est l'enveloppe gazeuse de la Terre. Sa masse globale est d'environ 5×10^{15} t (dont env. 50 % dans les 5 premiers km et 99 % dans les 30 premiers). Au fur et à mesure que l'on s'élève au-dessus du sol, elle se raréfie et, au-dessus d'environ 700 km d'altitude, les molécules rapides peuvent s'échapper : c'est l'**exosphère.**

L'atmosphère protège la Terre contre un excès de rayonnement solaire et arrête les rayons dangereux. La nuit, elle retient la majeure partie de la chaleur. La Terre se refroidit plus rapidement pendant les nuits claires que les nuits couvertes, car le ciel couvert réfléchit une partie du rayonnement thermique terrestre. Sans atmosphère, la Terre aurait une température semblable à celle de la Lune (100 °C au milieu du jour, – 150 °C la nuit).

Nota. – La **biosphère** comprend les milieux terrestres propres au développement de la vie, comprenant la partie inférieure de l'atmosphère, les mers et les couches supérieures du sol, la biomasse étant la masse de matière organique constituée par l'ensemble des êtres vivants. La **cryosphère** est l'ensemble des glaces continentales et flottantes présentes à la surface du globe ; la **lithosphère,** l'ensemble des masses continentales de notre planète.

■ **Composition de l'atmosphère. Composition pour un million de parties d'air sec,** on a pour l'ensemble de l'atmosphère (en volume et, entre parenthèses, en masse) : air total 1 005 300 (1 003 300). Air sec 1 000 000 (1 000 000). Azote (N_2) 780 836 (755 192). Oxygène (O_2) 209 475 (231 418). Argon (Ar) 9 340 (12 882). Vapeur d'eau (H_2O) 5 300 (3 300). Bioxyde de carbone (CO_2) 322 (489). Néon (Ne) 18,18 (12,67). Krypton (Kr) 1,14 (3,30). Méthane (CH_4) 1,5 (0,83). Hélium 5,24 (0,724). Oxyde nitreux (N_2O) 0,27 (0,410). Ozone (O_3) 0,04 (0,065). Xénon (Xe) 0,087 (0,395). Hydrogène (H_2) 0,5 (0,035). Monoxyde de carbone (CO) 0,19 (0,190).

Composition globale de l'air [en volume (par rapport à l'azote N_2) et, entre parenthèses, en masse (m. totale dans l'atmosphère)] : air total 128 747 (5 150 ± 10 Tt[1]). Air sec 128 068 (5 133 ± 11 Tt). Azote (N_2) 100 000 (3 876,5 ± 9 Tt). Oxygène (O_2) 26 827 (1 187,5 ± 3 Tt). Argon 1 196 (66,1 ± 0,1 Tt). Vapeur d'eau (H_2O) 679 (17 ± 2 Tt). Bioxyde de carbone (CO_2) 41 (2,51 ± 0,1 Tt). Néon 2,33 (65,0 ± 0,2 Gt[2]). Krypton 0,146 (16,9 ± 0,2 Gt). Méthane (CH_4) 0,19 (4,27 ± 0,5 Gt). Hélium 0,67 (3,72 ± 0,05 Gt). Oxyde nitreux (N_2O) 0,035 (2,1 Gt). Ozone (O_3) 0,005 (0,34 Gt). Xénon 0,011 (2,03 ± 0,03 Gt). Hydrogène (H_2) 0,064 (0,20 ± 0,04 Gt). Monoxyde de carbone (CO) 0,025 (1,0 Gt).

Nota. – (1) Tt : tératonne (mille milliards de tonnes). (2) Gt : gigatonne (un milliard de tonnes).

Variations. La proportion des gaz de l'atmosphère est pratiquement constante sur toute la surface de

■ **Ceintures de Van Allen.** Détectées en 1958 par l'engin américain Explorer 1, puis explorées par les engins Explorer et Pioneer [mesures interprétées par James Alfred Van Allen (n. 1914), directeur de l'observatoire de Washington]. Disposées parallèlement au plan de l'équateur magnétique, inclinées d'environ 11° sur l'équateur géographique. *Ceinture intérieure* (à 3 500 km) : composée essentiellement de protons, dus à l'action des rayons cosmiques qui bombardent la Terre en permanence, et, à très faible densité, d'électrons dont certains ont sans doute la même origine cosmique que les protons (sauf ceux, très abondants, de moins de 1 100 000 V). *Ceinture extérieure* (à 20 000 km) : composée d'électrons. Si un cosmonaute était exposé, sans protection, aux radiations des ceintures de Van Allen, il subirait plusieurs millions de rads par heure (une dose de 500 rads est généralement mortelle).

■ **Rayonnement cosmique.** Découvert en 1912. Origine galactique mal établie ; peut-être s'agit-il de particules émises lors d'explosions ou d'implosions d'étoiles (supernovae, trous noirs). On connaît l'intensité des particules qui le constitueraient, leur nature [90 % de protons (noyaux d'hydrogène), 9 % de particules alpha (noyaux d'hélium), 1 % d'électrons et quelques noyaux lourds] et approximativement leur spectre d'énergie.

Il arrive dans les parties hautes de l'atmosphère sous sa forme primaire avec une séparation **isotrope** (dans toutes les directions) ; là, il se transforme et donne naissance à des phénomènes secondaires nombreux et variés comprenant même des créations de particules nouvelles, des effets multiples tels que des gerbes d'électrons, des réactions nucléaires, etc. On distingue alors souvent plusieurs groupes principaux : électrons et photons, mésons, neutrons et protons, désintégrations nucléaires (appelées encore *étoiles*). Des sous-groupes présentent des caractères particuliers tels que les *grandes gerbes de l'air*, les *gerbes pénétrantes*, les très grandes *bouffées d'ionisation* correspondant à la production simultanée de quantités considérables de rayons.

Les protons, en entrant en collision avec les atomes d'oxygène et d'azote de l'atmosphère, donnent naissance à des mésons « pi », très rapides, qui se désintègrent en 1/100 de millionième de seconde (ils ne peuvent donc parcourir que quelques centaines de m), mais se transforment en mésons « mu », de durée de vie cent fois supérieure et qui parcourent quelques dizaines de km.

Énergie. L'énergie de chaque rayon est très grande mais, leur nombre étant très petit, l'énergie globale du rayonnement cosmique est très faible : de l'ordre de grandeur de l'énergie qui provient des étoiles et qui est reçue sur la Terre.

Le nombre de particules reçues décroît très vite à mesure que leur énergie augmente. Certaines, très rares, atteignent ainsi 100 milliards de milliards d'électrons-volts ; pour un seul proton (énergie suffisante pour faire briller une ampoule électrique pendant une seconde).

Dans les hautes couches de l'atmosphère (vers 30 km), le rayonnement est 100 fois plus puissant qu'au niveau de la mer ; dans les couches encore plus élevées, il décroît. Cela s'explique ainsi : le rayonnement primaire produit dans l'atmosphère des effets secondaires, tertiaires, etc. de plus en plus abondants, à mesure que l'épaisseur d'atmosphère traversée grandit ; donc l'effet global augmente d'abord lorsqu'on s'enfonce dans l'atmosphère, puis il diminue par suite des différentes absorptions.

Au-dessus du milliard d'électrons-volts, les rayons cosmiques sont en grande partie intégrés par le « vent solaire » [lui-même courant de particules électrisées (protons, électrons)]. Leur intensité décroît ainsi au niveau de la Terre : c'est l'effet « Forbush » (Américain qui le premier le mit en évidence).

Au sol, on a très peu de rayons, ce qui rend l'observation difficile et longue, et l'on doit utiliser des appareils sensibles (par ex. l'électroaimant de l'Académie des sciences à Bellevue).

Cadence d'arrivée des particules cosmiques. Au niveau de la mer 1 particule par cm² et par minute (soit env. 1 particule par seconde sur la main).

la Terre ; et, par suite du brassage vertical de l'air, sa composition reste sensiblement la même (à tous les niveaux) jusqu'à env. 85 km, sauf pour les composants suivants :

1°) **Dioxyde de carbone (CO_2) :** variation diurne dans les basses couches, due principalement à la fonction chlorophyllienne des plantes vertes exposées à la lumière solaire. Depuis une centaine d'années, par suite du développement industriel et de l'augmentation des combustions qui en résulte, le CO_2 augmente (son absorption par les océans étant insuffisante). 5 milliards de tonnes de carbone sont transférées vers l'atmosphère chaque année. Simultanément, l'action de l'homme sur les forêts et la végétation introduit une autre perturbation dans l'échange naturel du carbone. La production agricole, l'approvisionnement en eau, la production des pêcheries, les récoltes de protéines marines en subiront les effets. Un réchauffement de l'Antarctique pourrait – au cours des prochains siècles – entraîner la fonte d'une partie de la calotte glaciaire, relevant ainsi de plusieurs mètres le niveau des mers.

Autres variations : pollution locale (voisinage de volcans, rues de grandes villes, usines, etc.).

2°) **Vapeur d'eau (H_2O) :** quantité déterminée principalement par l'échauffement diurne des océans et du sol ; elle se condense par refroidissement (formation des nuages, par exemple).

3°) **Ozone (O_3) :** ramenée aux conditions standards de température et de pression, la couche d'ozone qui entoure la Terre n'aurait que 3 mm d'épaisseur. *Maximum par unité de volume* vers 25 km d'altitude ; *maximum relatif dans l'air* vers 35 km (environ 7,5 millionièmes en volume ou 12,5 millionièmes en masse).

En altitude sous l'action du rayonnement solaire sa formation et sa destruction sont rapides dans la stratosphère. Dans la troposphère et la stratosphère, il est aussi détruit par les rejets industriels, les aérosols, les vols stratosphériques, les éruptions volcaniques et leurs émissions gazeuses. Si depuis 1965, la concentration d'ozone semble croître dans certaines régions de l'hémisphère Nord (des réactions dues à la pollution l'augmentent près du sol). La présence de « trous » dans la couche d'ozone inquiète nombre d'observateurs. Des chlorofluorométhanes (dérivés du méthane contenant du chlore et du fluor) n'atteindraient pas la stratosphère et leurs réactions avec l'ozone O_3 sont sans commune mesure avec la destruction d'ozone pendant la longue nuit polaire. Les chlorofluorocarbures (CFC) utilisés dans les anciennes bombes aérosols et les climatiseurs sont plus actifs et agiraient jusqu'à 40 km d'altitude, en provoquant des « trous » d'ozone surtout au-dessus de l'Antarctique.

■ **Rayonnement solaire.** Provoque les mouvements de l'atmosphère (Voir p. 76). Il parvient de manière continue sur l'hémisphère terrestre éclairé.

Puissance incidente. 1°) **Hors de l'atmosphère,** 1,4 kW/m² env. sur une surface perpendiculaire aux rayons solaires, correspondant à une énergie quotidienne moyenne de 8,4 kWh/m²/jour, pour l'ensemble de la Terre (à sa distance moyenne du Soleil). 2°) **Dans l'atmosphère,** le rayonnement solaire direct est en partie absorbé et diffusé par les molécules gazeuses et les gouttelettes nuageuses ou les poussières en suspension. 34 % env. est renvoyé dans l'espace, 18 % est absorbé dans l'atmosphère, et 48 % arrive au sol sous forme de rayonnement solaire global direct ou diffusé (Voir ci-dessus).

En absorbant cette énergie, le sol s'échauffe. Divers mécanismes naturels lui permettent de transférer de l'énergie à l'atmosphère : *évaporation* à la surface des océans ou des mers, à partir du sol humide et de la végétation ; émission par *rayonnement* ; échanges thermiques directs entre la surface du sol et l'air, par contact et *convection* (mouvements verticaux dans la masse d'air : ascendances, rabattants...).

Couleurs du Soleil et du ciel. La lumière solaire est blanche, mais le ciel paraît bleu, car les rayons bleus et violets sont plus facilement diffusés par les molécules de l'atmosphère, en raison de leurs longueurs d'onde plus courtes (env. 0,4 micromètre contre 0,6 au jaune et 0,7/0,8 au rouge).

Coupe de l'atmosphère

Nota. – mb = millibar (= 100 pascals ou 1 hPa = hectopascal), pour les météorologistes.

I – En fonction de la composition de l'air

a) **Homosphère.** De 0 à 90 km d'altitude, caractérisée par la constance de la composition de l'air (approximative, voir p. 76).

b) **Hétérosphère.** Composition variable. Se confond pratiquement avec la thermosphère (voir ci-contre).

II – En fonction des variations de la température

a) **Troposphère.** De 0 (pression 1013 h Pa) à 12 km (pression 200 h Pa) dans les régions tempérées, 0 à 8 km (400 h Pa env.) aux pôles, 0 à 16 km (100 h Pa) à l'équateur. Sa limite supérieure s'appelle la **tropopause.** Elle représente les 5/6 de la masse de l'atm. L'air y contient (surtout dans les 3 premiers km) de la vapeur d'eau, du gaz carbonique, des poussières, des cristaux de sel marin. Elle est le siège des événements météorologiques (nuages, pluies, orages). En général la température s'abaisse régulièrement (6,5 °C par 1 000 m), jusqu'à – 55 °C (régions tempérées), – 50 °C (pôles), – 85 °C (équateur). Il y a parfois des *inversions de température,* celle-ci augmentant avec l'altitude, par ex. près du sol, lorsque celui-ci est froid.

b) **Stratosphère.** De 15 à 50 km env. (pression 100 Pa au sommet). Sa limite supérieure s'appelle la **stratopause.** Elle comprend des couches de températures différentes dont l'une est riche en ozone (la température y dépasse 0 °C). Ce réchauffement est dû à l'absorption d'une partie du rayonnement ultraviolet émis par le Soleil.

Grâce à ce rayonnement, un faible % de l'oxygène compris dans la stratosphère (1 molécule pour 10^6) est transformé en *ozone ;* la couche d'ozone ainsi formée est suffisante pour arrêter les radiations ultraviolettes néfastes à la vie sur Terre.

c) **Mésosphère.** De 50 à 85 km (pression 1 Pa au sommet). Sa limite supérieure s'appelle la **mésopause.** Temp. décroissant jusque vers – 90 °C.

d) **Thermosphère.** De 85 à 700 km. Caractérisée par un commencement de dissociation de certaines molécules de l'air, qui se décomposent soit en molécules plus simples, électriquement neutres (qui peuvent être monoatomiques, ex. : $0_2 \rightarrow 0 + 0$), soit en ions positifs et négatifs (ceux-ci étant généralement des électrons, voir plus loin : *ionosphère*). Ces décompositions sont dues à l'action des rayons ultraviolets et des rayons X émis par le Soleil ; elles peuvent être suivies de réactions donnant lieu par exemple à la « lumière du ciel nocturne » ; la chaleur dégagée provoque une augmentation de température avec l'altitude (température moyenne : vers 100 km : – 80 °C, vers 120 km : + 60 °C, vers 150 km : 360 °C, vers 200 km : 590 °C, vers 300 km : 700 °C ; plus haut, on arrive à 730 °C). Dans le haut de la thermosphère, la température varie selon l'activité solaire, de 350 à 1 700 °C env.

e) **Exosphère.** De 700 à 3 000 km env. Composée d'« atomes » d'hydrogène, d'hélium et d'oxygène ; les particules sont si raréfiées qu'elles n'ont pratiquement plus aucune chance de s'entrechoquer et se comportent comme des corps indépendants soumis à la seule action gravitique : leur trajectoire est devenue balistique. L'exosphère commence dès que le libre parcours moyen de molécules dépasse une fraction déterminée de la hauteur de référence H (qui peut être cette hauteur elle-même).

Nota. – La hauteur de référence H est donnée par :

$$\frac{dx}{H} = -\frac{dp}{p},$$

c'est-à-dire qu'en altitude une petite diminution de pression (dp), du millième de sa valeur p par exemple, correspond à une augmentation d'altitude (dx), égale au millième de la hauteur de référence H.

☞ Ces divisions sont un peu arbitraires et il y a certaines complications. Les parties inférieures de l'hétérosphère et de la thermosphère dépendent de la transformation de l'oxygène ordinaire en oxygène monoatomique sous l'action de la lumière solaire, mais la propagation des atomes d'oxygène et de la température ne sont pas identiques pour les deux, ce qui explique qu'on a donné à la thermosphère des limites inférieures différentes.

III – En fonction des propriétés électriques et de l'ionisation des couches

3 couches forment l'**ionosphère,** siège de certains phénomènes lumineux : *aurores polaires* (dites antérieurement *boréales ;* or, il y en a aussi dans l'hémisphère Sud) ; rayons mobiles, draperies, arcs de couleur souvent verte, parfois rose ou jaune, nuages nocturnes lumineux.

1°) **Couche D.** De 60 à 90 km. Atmosphère encore dense, nombreux chocs des molécules. Absorbe certaines ondes radioélectriques, provoquant des « évanouissements brusques » de celles-ci. 2°) **Couche E.** De 90 à 160 km. Réfléchit les ondes longues ; sa densité ionique a une forte variation diurne. 3°) **Couche F.** De 150 à 500 km. Se dédouble, le jour, en une couche F_1 à grande variation diurne, et une couche F_2 à variation saisonnière, dont le maximum de densité se trouve vers 350 km (2 × 10^6 électrons/cm^3).

Météores

En météorologie, on désigne sous ce nom général de *météores* la plupart des phénomènes qui se produisent dans l'atmosphère. On les classe en :

Lithométéores. Constitués par des particules solides (sauf l'eau congelée) : brume sèche, brume de sable, fumées, chasse-poussière, chasse-sable, tempête de poussière, tempête de sable, tourbillon de poussière, tourbillon de sable, etc.

Hydrométéores. Constitués par de l'eau sous forme liquide ou solide (les nuages étant classés à part ; il se produit dans certains cumulo-nimbus orageux des phénomènes électriques) : pluie, bruine, brouillard, brume, neige, neige en grains, granules (grains) de glace, grésil, grêle, rosée, gelée blanche, prismes ou aiguilles de glace, givre blanc, givre transparent (verglas), chasse-neige, embruns, trombes...

Électrométéores. Phénomènes dus à l'électricité atmosphérique : orages, feux Saint-Elme, aurores polaires...

Photométéores. Phénomènes lumineux non électriques : arcs-en-ciel, halos, couronnes, irisation, gloire, anneau de Bishop, mirages, tremblotement, scintillation, rayon vert, teintes crépusculaires...

Pression atmosphérique

■ **Définition.** En un lieu donné, elle équivaut au poids par unité de surface de la colonne d'air qui surmonte ce lieu. Mesurée autrefois par la hauteur de mercure équivalente, puis en millibars, elle s'exprime actuellement en pascals (unité internationale officielle égale à 1 newton/m^2) [1 pascal (Pa) : 1/100 de millibar, 1 millibar = 100 Pa ou 1 h Pa].

Variation de la pression suivant l'altitude (dans une atmosphère moyenne)

Altitude m	Pression h Pa	Altitude m	Pression h Pa
0	1 013	8 000	356
1 000	899	9 000	307
2 000	795	10 000	264
3 000	701	11 000	226
4 000	616	12 000	193
5 000	540	15 000	120
6 000	472	20 000	55
7 000	411	30 000	11

Variations en des lieux donnés (en h Pa)

	Milieu janvier	Milieu juillet	Moyenne annuelle
Équateur	1 011,2	1 011,5	1 011,4
Lat. 35° N	1 018,7	1 014,5	1 016
Lat. 30° S	1 015	1 021	1 018,5
Paris	—	—	1 013,5

Une colonne d'air de 1 cm^2 de section traversant verticalement toute l'atmosphère a un poids de 1 033 g env. Nous « portons » donc chacun environ 10 t d'air, mais comme la pression règne aussi à l'intérieur du corps, nous ne sommes pas écrasés. La pression atmosphérique varie suivant le lieu et la température. L'air chaud plus léger s'élève, inversement l'air froid plus lourd s'affaisse au voisinage du sol. Un air chaud et humide donne une aire de basse pression (cyclone ou dépression) ; un air froid donne une zone de haute pression (anticyclone).

La *répartition moyenne* de la pression au niveau de la mer est caractérisée dans chaque hémisphère, de l'équateur vers le pôle, par : une zone de basse pression, une ceinture d'*anticyclones* ou zones de haute pression tropicales (l'anticyclone des Açores par exemple), des dépressions aux latitudes moyennes (dépression de l'Atlantique Nord), des pressions hautes près du pôle.

Anticyclone. Zone de pression élevée où la pression augmente de la périphérie vers le centre.

Cyclone. En général, désigne les centres de basses pressions, mais est utilisé plus particulièrement pour désigner les dépressions tropicales au centre desquelles la pression est très basse avec des vents supérieurs à 200 km/h (diamètre : 200 à 900 km) [la pression au centre d'un cyclone peut descendre au-dessous de 900 hectopascals (record : Tip avec 870 hectopascals) alors que la pression moyenne au niveau de la mer est de 1 013 hectopascals et qu'une dépression des latitudes tempérées ne descend que rerement au-dessous de 960 hectopascals. Écart maximal observé entre pressions réduites au niveau de la mer : 209 hPa, entre 1 083,8 hPa (Agata-Sibérie, 31-12-1968) et 874 hPa (œil du typhon IDA 1968), par 19° N et 135° E (Pacifique). Ces dépressions se déplacent sur la mer vers l'ouest, mais sont capables de brusques changements de direction et leur trajectoire est peu prévisible sans les méthodes modernes. Plus la pression est basse, plus sont violents les vents qui tournent autour du centre (sens contraire des aiguilles d'une montre dans l'hémisphère Nord, dans le sens inverse dans l'hémisphère Sud). **Vitesse** de déplacement 20 à 35 km/h (les vents tourbillonnant autour de ces dépressions peuvent atteindre 350 km/h dans le cas des cyclones tropicaux). Le terme cyclone désigne également, par suite, les *tempêtes tropicales* qui naissent généralement entre les 8e et 3e parallèles. **L'œil** (diamètre 30/35 km) est une zone assez calme où le ciel est clair ou faiblement nuageux (vent de 0 à 30 km/h). Sa formation résulte de l'équilibre établi entre la force centrifuge et l'aspiration de la dépression centrale qui agissent sur les vents tourbillonnants. **Ravages :** causés par la vitesse du vent, les raz de marée et les crues soudaines des rivières provoquées par des pluies diluviennes (par ex. Réunion, mars 1962 : 2 200 mm en 2 jours ; en 4 j, 4 150 mm). **Énergie :** libérée par un cyclone : 200 à 300 kilotonnes par s (bombe d'Hiroshima : 20 kilotonnes). **Nombre aux USA :** 2 cyclones tropicaux au moins par an. Tous les 3 ans environ, dans les régions côtières, un ouragan très violent dévaste le pays sur 100 à 150 km de largeur et parfois sur des centaines de km de longueur. De puissantes digues anti-raz de marée ont été élevées, au XIXe s., le long des côtes du Texas.

Classification des cyclones tropicaux. Classe I : pression égale ou sup. à 980 hPa ; vents de 130 km/h. **II :** 979 à 965 hPa ; 150 à 190 km/h. **III :** 964 à 945 hPa ; 200 km/h. **IV :** 944 à 920 hPa ; 200 à 250 km/h (lors de l'arrivée de « Hugo » 923 hPa). **V :** 920 hPa ; + de 250 km/h (cyclone « Gilbert » : record de basse pression des cyclones d'Amérique avec 885 hPa).

Hurricane. Signifie ouragan : 3e phase d'une perturbation tropicale (cyclone tropical). Vitesse : + de 119 km/h.

Typhon. Appellation des cyclones tropicaux dans le Sud-Est asiatique (étymologie contestée : soit de l'arabe *tufan,* « tourbillon », soit du chinois *taïfung,* « vent de Formose », soit du nom du dieu grec du vent funeste : *Typhoeus*).

Willy-willy. Cyclone tropical se formant en mer au nord de l'Australie.

■ **Types de baromètres. A mercure.** Formé d'un tube vertical en verre, de 80 cm de long (ou un peu plus), dont la partie inférieure est plongée dans une cuvette de mercure ou est recourbée en U. Il contient du mercure qui, à pression normale, atteint une hauteur de 760 mm, c'est-à-dire que la pression de l'air équilibre le poids d'une colonne de mercure de 76 cm de haut. Le mercure monte quand il y a haute pression et descend quand il y a basse pression. **Métallique (anéroïde).** Boîte métallique, close et vide d'air, au couvercle souple et déformable. Il s'écrase d'autant plus que la pression est plus forte, et ce mouvement est transmis par un levier à une aiguille mobile devant un cadran.

☞ **Pot au noir.** Zone de basse pression, s'étendant en bande le long de l'équateur. Ciel couvert, pluies, orages, mais peu de vents, le baromètre y variant peu. Les navires à voiles y étaient souvent immobilisés pendant de longues périodes...

Marées barométriques ou atmosphériques. Oscillations faibles de la pression dues au Soleil ou à la Lune (insignifiantes pour la Lune) ; celles du Soleil sont plus importantes car l'onde thermique s'ajoute à l'onde de gravitation, et celle-ci est renforcée par un phénomène de résonance. Dans les régions intertropicales, la pression barométrique est soumise à une oscillation semi-diurne (d'où son nom, métaphorique, de marée). De l'ordre de 1 à 2 hPa.

Masses d'air

■ **Théorie** (due à Bjerknes, Solberg, Bergeron, 1922). La troposphère n'est pas homogène, même à un niveau déterminé. Suivant l'« origine » et le séjour plus ou moins long de quantités d'air importantes (à l'échelle considérée), celles-ci prennent des températures, des humidités et des pressions relativement bien déterminées. On distingue principalement, dans chaque hémisphère, 2 de ces « masses d'air » : l'air polaire et l'air tropical. Chacune de ces masses comprend 2 subdivisions : maritime et continentale. **Air polaire :** maritime humide (tiède en été, frais en hiver), continental sec (glacial en hiver, chaud en été). **Air tropical :** maritime (tiède et humide) ; continental (sec et chaud).

Une masse d'air chaud qui circule au-dessus d'une surface plus froide qu'elle-même est stable, car sa partie inférieure, qui se trouve refroidie, tend à demeurer au sol. Une masse d'air qui circule au-dessus d'un sol plus chaud qu'elle-même est en général instable. Du fait du réchauffement qui se produit au contact de la Terre, l'air léger et chaud cherche à s'élever et traverse l'air froid, entraînant des turbulences. Généralement les masses d'air froid polaires évoluent rapidement en s'étendant sur les océans (l'air polaire est plus froid que les océans sur lesquels il circule) tandis que les masses d'air chaud tropicales varient lentement, car elles sont plus chaudes que le sol au-dessus duquel elles se déplacent.

Front. Surface de contact entre 2 masses d'air. Cette surface est inclinée (l'air le plus dense tend à s'enfoncer en biseau sous l'air le plus léger) et ondulé (des langues d'air chaud alternent avec des poussées d'air froid). 2 fronts accompagnent les dépressions. En Europe, les plus connues sont les **dépressions atlantiques.** Venant de l'Océan et se déplaçant vers l'est à env. 50 km/h, elles traversent la France en 3 j env. du N.-O. au S.-E. A l'avant de la perturbation se trouve le **front chaud :** la masse d'air la plus chaude s'élève au-dessus de l'air froid (s'accompagne de nuages et de pluie). A l'arrière de la perturbation, l'air froid succède à l'air chaud et le soulève : c'est le **front froid** (nuages épais, averses ou orages brefs, vents violents du N.-O., O.). Les perturbations se succèdent par groupes (familles) : elles peuvent se renouveler 4 ou 5 fois sur 15 j. Quand l'air froid se répand sur la dépression tout entière, celle-ci se comble, le front s'atténue et finit par disparaître (frontolyse). Lorsque les masses chaudes n'ont pas de contact avec le sol et sont rejetées dans les couches supérieures, on parle de **front occlus.**

■ **Température.** Est fonction de : latitude, périodes d'éclairement, répartition des terres, des mers, des courants marins. **Minimale :** un peu avant le lever du jour (la Terre s'étant refroidie au cours de la nuit, et n'ayant encore reçu aucun rayon). **Maximale sur les continents :** 2 ou 3 h après le passage du Soleil au midi vrai, *en mer :* 1/2 h.

La température de l'air est mesurée à 2 m au-dessus du sol dans l'abri météorologique. Elle atteint dans les régions polaires – 20 °C, tempérées + 11 °C, équatoriales + 26 °C. *Moyenne générale du globe :* + 15 °C, ce n'est pas la moyenne arithmétique des 3 valeurs citées. Elle est plus forte de 4 °C parce que les régions équatoriales sont plus étendues que les régions polaires.

Vent

■ Formation

L'air est attiré des hautes pressions vers les basses pressions et cela d'autant plus fortement que le *gradient de pression* (rapidité de la variation de pression entre les centres de haute et de basse pressions) est élevé. Mais cette force d'attirance se compose avec la force de Coriolis due à la rotation de la Terre [ou force déviante composée, perpendiculaire au vent et à l'axe de rotation de la Terre ; sa composante utile, c'est-à-dire horizontale, est égale à 2 ωVsinA et est dirigée vers la droite du mouvement dans l'hémisphère Nord (ω vitesse angulaire de rotation de la Terre, V vitesse du vent, A latitude du lieu)], la force de frottement et la force d'inertie. *Hors du voisinage du sol et de l'équateur,* les forces de frottement et d'inertie sont en général négligeables ; le vent résulte alors de l'équilibre de la force de pression et de la force de Coriolis ; on dit qu'il est géostrophique (de *gê,* « terre », et de *strophein,* « tourner »). Il est tangent aux isobares (lieux d'égales pressions), laissant les hautes pressions à sa droite (dans l'hémisphère N.) et les basses pressions à sa gauche. *Près du sol,* la force de frottement ne peut plus être négligée, elle dévie le vent vers les basses pressions (dépressions) où apparaissent de la convergence et des mouvements ascendants. Au contraire, il y a divergence autour des hautes pressions (anticyclones) et subsidence (descente).

Certains vents locaux s'expliquent parce que des surfaces contiguës peuvent absorber des quantités de chaleur différentes (ex. : l'eau se réchauffe le jour et se refroidit la nuit moins vite que la terre, d'où les brises de terre et de mer).

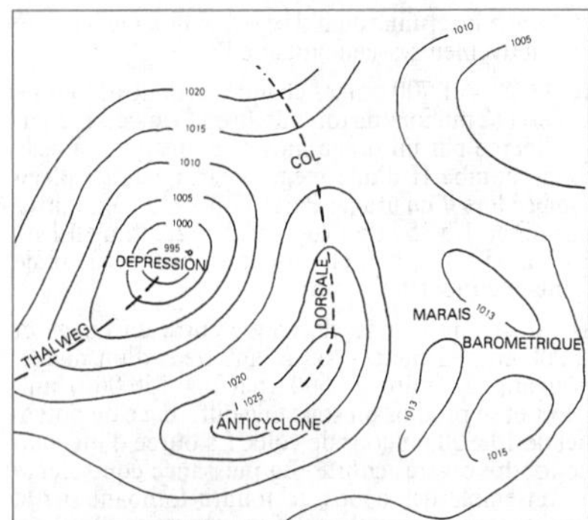

Dépression : région où la pression atmosphérique est faible, lettre D ou L sur les cartes. *Anticyclone :* région où la pression atmosphérique est forte, lettre A ou H sur les cartes. *Dorsale :* axe de hautes pressions. *Thalweg :* axe des basses pressions. *Marais barométrique :* vaste étendue où la pression atmosphérique varie très peu.

Définitions

Alizé. Vent régulier de N.-E. dans l'hémisphère N. et de S.-E. dans l'hém. S., soufflant des hautes pressions subtropicales vers les basses pressions équatoriales (force de Coriolis faible près de l'équateur). De faible vitesse (sauf au départ), soufflant en moyenne à 20 km/h, il apporte des pluies sur les côtes orientales des continents.

Mousson. La *mousson d'hiver* (sèche), d'octobre à avril, souffle du continent froid vers les mers chaudes. La *mousson d'été* (humide), de mars à sept., souffle de l'Océan vers le continent. Pays : Inde (régions les plus arrosées : 1° fond du golfe du Bengale, le long des montagnes de l'Assam et jusqu'à l'Himālaya ; 2° côte S.-O. ou côte de Malabar), Viêtnam, Afrique (du golfe de Guinée au Sénégal), Amér. du N. (plaine du Mississippi ; mousson venue du golfe du Mexique). Vitesse 30 à 40 km/h.

Ouragan. Forme francisée du mot *hurricane* (Antilles francophones).

Tornade. Tourbillon circulaire (diamètre de moins de 2 km) se déplaçant à 30-60 km/h, dont les vents tournants peuvent dépasser 500 km/h. Tournent dans le sens des aiguilles d'une montre dans l'hémisphère Sud ; dans le sens contraire dans l'hémisphère Nord. Dévastant rarement à + de 200 m de part et d'autre du nuage en forme d'entonnoir qui correspond au tourbillon. Le courant ascendant (150 à 300 km/h) au centre de l'entonnoir, emporte tout sur son passage. *Tornades de sable :* quotidiennes l'été aux heures chaudes (désert S. de l'Iran).

Vents cités dans l'Antiquité

Aphéliotes, de l'E. **Aquilon,** du N. **Auster** ou **Notos,** du S. **Borée,** du N. **Cecias,** du N.-E. **Euros,** du S.-E. **Lips,** du S.-O. **Sciron,** du N.-O. **Zéphyr,** de l'O., etc.

Vents locaux et marins

Anoraru. Du S.-E., octobre à avril. Ile de Pâques. **Antolikos.** De l'E., doux, octobre à avril. Méditerranée E., mer Égée. **Apeliotes.** De l'E., doux. Mer Égée. **Autan blanc et noir** (voir Index).

Belats. Du N.-N.-O., chaud, sec, hiver, printemps. Côtes sud de l'Arabie. **Bentu de Soli.** De l'E., chaud, humide. Sardaigne. **Berg Winds.** Du N.-E.-E., chaud, sec, toutes saisons. Côte S.-O. d'Afrique du S. (15° S). **Bora.** Du N.-E.-E., vent froid de toutes saisons. Adriatique, mer Noire.

Chergui. Du S.-S.-E., chaud, sec, printemps, été. Maroc. **Chubascos.** De l'E.-N.-E., chaud, humide, avril à janvier. Côte ouest de l'Atlantique central.

Este. De l'E.-S.-E., chaud, sec, été. Madère. **Étésiens (vents).** N., frais, sec, été. Méditerranée orientale, Bosphore.

Fœhn (mot dialectal suisse). Vent qui arrive chargé d'humidité sur le versant d'une montagne, perd de la chaleur en se décompressant et perd son humidité au cours d'averses sur les hauteurs. Redescendant sur l'autre versant, il acquiert, par compression (étant plus sec), une température supérieure à celle qu'il avait au même niveau avant la pluie.

Galerne. Du N.-O., frais, humide, violent, toutes saisons. Golfe de Gascogne. **Grégale.** Du N.-E., froid, sec, violent, hiver. Méditerranée (mers Égée, Ionienne, Sicile).

Harmattan. Du N.-N.-E., très sec, côte du Sénégal, en hiver et au printemps. **Hegoa.** Du S., chaud et sec, mais suivi de pluies. Pays basque.

Kaus. Du S.-E.-S., chaud, humide, été. Golfe Persique. **Khamsin.** Du S., chaud et sec, mer Rouge, golfe d'Aden, hiver-printemps.

Leste. De l'E., chaud et sec. Madère. **Levante.** De l'E., froid, humide, été. Golfe de Cadix, mer d'Alboran. **Levantes.** De l'O., chaud, sec. Nord du Maroc. **Lévéché.** Du S.-E., sec, étouffant, par rafales. Espagne du S. (70 km à l'intérieur des terres). **Libeccio.** D'O. ou S.-O., violent en toutes saisons. Corse et Italie.

Maestrale. Du N.-O., toutes saisons. Adriatique. **Marin.** Du S.-E.-E. (considéré comme l'antagoniste du mistral). Mousson maritime (chaude et humide) soufflant l'hiver de la Méditerranée vers la Provence et le Languedoc. **Mistral** (voir Index). **Mumuku.** Froid, sec, hiver. Îles Hawaii.

Nortes. Du N., frais, printemps, hiver. Côtes ouest d'Espagne et du Portugal. **Northers.** Du N., froid, sec, avec grains, automne, hiver. Golfe du Mexique, mer Caraïbe.

Paaske Osten. De l'E., avril, froid. Baltique. **Pampero.** D'O, juillet à sept. Río de la Plata. **Papagayo.** Du N., hiver. Golfe de Papagayo (Costa Rica). **Papakino.** Du N.-O., été. Île de Pâques. **Poniente.** De l'O., humide, toutes saisons. Golfe de Cadix, mer d'Alboran, côte marocaine.

Quarantièmes rugissants. De l'O., vents froids, violents, toutes saisons. Mers australes.

Revolin. Du N.-E., froid, sec, hiver. Mer Noire, Adriatique.

Shamal. Du N.-N.-O., frais, humide (hiver), toutes saisons. Golfe Persique, Somalie. **Simoun.** Du S.-O.-S.-E., chaud et sec. Sahara (Tunisie, Algérie), printemps, été. **Sirocco.** Du S., chaud et humide, hiver. Golfe de Gênes, Adriatique, Égée.

Tramontane (voir Index).

Vendavales. Du S.-O., frais, humide, hiver : golfe de Cadix. O., mai à décembre : côte occidentale d'Amérique centrale, Colombie.

Échelle anémométrique Beaufort

Utilisée surtout par la marine, cette échelle donne la force du vent pour une hauteur standard de 10 m au-dessus d'un terrain plat et découvert. Les derniers chiffres donnent la hauteur probable des vagues et, entre parenthèses, leur hauteur max., en haute mer, loin des côtes (dans les mers intérieures ou près des côtes avec un vent de terre, la hauteur des vagues sera plus faible et leur escarpement plus fort).

0. **Calme.** < 1 km/h (< 1 nœud). La fumée s'élève verticalement. La mer est comme un miroir.
1. **Très légère brise.** 1-5 km/h (1 à 3 nds). Fumée déviée. Rides ressemblant à des écailles de poisson, mais pas d'écume – 0,1 m.
2. **Légère brise.** 6-11 km/h (4 à 6 nds). Frémissement des feuilles, une girouette ordinaire est mise en mouvement. Vaguelettes courtes, mais accusées ; leurs crêtes ont une apparence vitreuse, mais ne déferlent pas – 0,2 m (0,3).
3. **Petite brise.** 12-19 km/h (7 à 10 nds). Feuilles et petites branches constamment agitées, le vent déploie les drapeaux légers. Très petites vagues, crêtes commençant à déferler, écume d'aspect vitreux, parfois quelques moutons – 0,6 m (1).
4. **Jolie brise.** 20-28 km/h (11 à 16 nds). Le vent soulève la poussière, les petites branches sont agitées. Petites vagues devenant plus longues, moutons nombreux – 1 m (1,5).
5. **Bonne brise.** 29-38 km/h (17 à 21 nds). Les arbustes en feuilles commencent à se balancer. De petites vagues avec crêtes se forment sur les eaux intérieures. Vagues modérées, allongées, nombreux moutons (éventuellement des embruns) – 2 m (2,5).
6. **Vent frais.** 39-49 km/h (22 à 27 nds). Grandes branches agitées, fils télégraphiques faisant entendre un sifflement, usage des parapluies rendu difficile. Des lames se forment, crêtes d'écume blanche partout plus étendues (habituellement quelques embruns) – 3 m (4).
7. **Grand frais.** 50-61 km/h (28 à 33 nds). Arbres agités, marche contre le vent pénible. La mer grossit, l'écume commence à être soufflée en traînées qui s'orientent dans le lit du vent – 4 m (5,5).
8. **Coup de vent.** 62-74 km/h (34 à 40 nds). Branches cassées, marche contre le vent impossible. Lames de hauteur moyenne et plus allongées, du bord supérieur de leurs crêtes se détachent des tourbillons d'embruns – 5,5 m (7,5).
9. **Fort coup de vent.** 75-88 km/h (41 à 47 nds). Tuyaux de cheminée et ardoises arrachés. Grosses lames, épaisses traînées d'écume dans le lit du vent, crêtes des lames déferlant en rouleaux, embruns pouvant réduire la visibilité – 7 m (10).
10. **Tempête.** 89-102 km/h (48 à 55 nds). Rare à l'intérieur des terres, arbres déracinés, importants dommages aux habitations. Très grosses lames à longues crêtes en panache, épaisses traînées blanches d'écume, déferlement en rouleaux intense et brutal, visibilité réduite – 9 m (12,5).
11. **Violente tempête.** 103-117 km/h (56 à 63 nds). Très rarement observée, très gros ravages. Lames très hautes (les navires de moyen tonnage peuvent par instant être perdus de vue), la mer est complètement recouverte de bancs d'écume allongés dans la direction du vent, partout le bord des crêtes des lames est soufflé et donne de la mousse, visibilité réduite – 11,5 m (16).
12. **Ouragan.** 118 km/h et plus (64 nœuds et plus). Air plein d'écume et d'embruns, mer entièrement blanche d'écume, visibilité très réduite – 14 m (36). **13.** 134-149 km/h (72-80 nds). **14.** 150-166 km/h (81-89 nds). **15.** 167-183 km/h (90-99 nds). **16.** 184-201 km/h (100-108 nds). **17.** 202-220 km/h (109-118 nds), etc.

Nota. – La vitesse record du vent mesurée au sol est de 370 km/h.

Échelle de Douglas

État de la mer et, en italique, **hauteur moyenne des vagues bien formées (en m). 0** calme, sans rides *0.* **1** calme, ridée *0 à 0,1 m.* **2** belle (vaguelettes) *0,1 à 0,5.* **3** peu agitée *0,5 à 1,25.* **4** agitée *1,25 à 2,5.* **5** forte *2,5 à 4.* **6.** très forte *4 à 6.* **7** grosse *6 à 9.* **8** très grosse *9 à 14.* **9** énorme *+ de 14.*

Fronts océaniques

Atlantique. Boucle du golfe. Mur du Gulf Stream. Front Polaire Nord. Front de Pente. Front des Sargasses. Convergence subtropicale. Fr. Islande Féroé. Fr. du détroit du Danemark. Fr. du Groenland oriental. Fr. de la mer de Norvège. Fr. de l'île de l'Ours. Remontée d'eau du N.-O. africain. Fr. de Guinée. Fr. de Guyane. Remontée d'eau de Benguela. Convergence subtropicale. Fr. polaire S. Divergence antarctique. **Méditerranée.** Fr. de Gibraltar. Fr. d'Alboran. Fr. de Malte. Fr. ionien. Fr. du Levant. **Indien.** Remontée d'eau d'Arabie. Fr. salin de l'océan Indien. Contre-courants équatoriaux. Fr. occidental australien. Divergence antarctique. **Pacifique.** Mur du Kuro Shivo. Fr. de la mer Jaune. Fr. de Corée. Fr. de Tsushima. Mur de l'Oya-shivo. Fr. des Kouriles. Fr. subarctique. S. salin Nord. Fr. salin Sud. Convergence tropicale. C. de Tasmanie. Fr. subantarctique australien. Fr. subtropical. Fr. de Californie. Fr. équatorial. Divergence antarctique.

Catastrophes

Principaux typhons (t.), cyclones (c.), ouragans (o.), tornades (tor.). Nombre de morts (†).

1864 (5-10) Inde (c.) : 70 000 †. **76** (31-10) Inde (c.) : 215 000 †. **81** (8-10) Indochine (t.) : 300 000 †. **82** (6-6) Inde (c.) : 100 000 †. **92** (avril) île Maurice (c.) : 1 200 †. EN FRANCE : **96-97** « années des cyclones ». **96** (26-7) : Paris ; (1-9) : Le Havre ; (10-9) Paris : dégâts sur 6 km, larg. 150-300 m, plusieurs blessés ; **97** (6-6) Isère : trombe de Voiron : 10 millions de dégâts ; (18-6) Asnières : banlieue O., ravagée jusqu'à Courbevoie, 1 †, nombreux blessés.

1900 (8-9) Galveston, Texas, USA (o.) : 6 000 †. **06** (17-9) Chine (t.) : 10 000 †. **25** (18-3) USA (tor.) : 792 †. **28** (12/17-9) Caraïbes (o.) : 4 000 † ; Guadeloupe (c.) 1 200 †. **30** (3-9) rép. Dom. (o.) : 2 000 †. **34** (21-9) Japon (o.) : 4 000 †. **35** (25-10) Haïti (o.) : 2 000 †. **36** (5/6-4) USA (tor.) : 498 †. **37** (1/2-9) Hong Kong (t.) : 11 000 †. **38** New York, N.-Angleterre, USA (o.) : 6 000 †. **42** (16-10) Inde (c.) : 40 000 †. **49** (31-11) Philippines (t.) : 1 000 †.

1952 (20/22-10) Indoch., Philip. (t.) : 1 000 †. **53** (25-9) Viêt-nam (t.) : 1 000 †. **54** (26-9) Japon (t.) : 1 600 †. Ontario (tor.) : 81 †. **55** (18/19-8) USA (o.) : 400 † ; (19-9) Mexique (t.) : 200 † ; (22/28-9) Caraïbes (o.) : 500 †. **57** (27/30-6) USA (o.) : 430 †. **58** (27/28-9) Japon (t.) : 600 †. **59** (20-8) Chine (t.) : 720 † ; (17/19-9) Japon (t.) : 2 000 † ; (26/27-9) Japon (t.) : 4 460 † ; (27-10) Mexique (o.) : 15 500 †.

1960 (oct.) Pak. : 14 000 †. **61** (9-5) Bangladesh (t.) : 200 † ; (31-10) Honduras (t.) : 400 †. **62** (28-8/2-9) Hong Kong [« Wanda » (c.)] : 130 † ; (25-10) Thaïlande (o.) : 769 †. **63** (29-5) Pakistan (c.) : 11 942 † ; (2-10) Haïti (t.) : 5 000 †, Cuba : 1 000 †. **64** (5-10) Inde (c.) : 70 000 †. **65** (11-5) Pak. (c.) : 17 956 † ; (1/2-6) Pak. (c.) : 30 000 † ; (8-9) Sud Floride (USA) [« Betsy » (o.)] : 75 † ; (15-12) Pak. (c.) : 10 000 †. **68** (9/10-5) Birmanie : 1 000 † ; (août) l'île de Teguan (Indonésie) engloutie : plusieurs centaines de †. **69** (16/18-8) S.-E. USA [« Camille » (o.), vents 320 km/h] : 256 † (mi-mai) Inde (c.) : 600 †.

1970 (13/14-10) Philip. [« Joan » (t.)] : 600 † ; (25-10) Pak. or. : 265 † ; (12/13-11) Bangladesh : 300 000 † (la plus grande catastrophe météo. du siècle). **71** (10/17-8) Hong Kong [« Rose » (c.)] : 110 † : (29/30-10) Inde (c.) : 20 000 à 50 000 †. **72** (21-6) Maryland (USA) [« Agnès » (o.)] : 118 †. **73** (avril) Bangladesh (c.) : 1 000 †. **74** (3-4) USA (tor.) : 307 † ; (19-9) Honduras [« Fifi » (o.)] : + de 8 000 †. **76** (30-9) Mexique (c.) : + de 2 500 † ; (31-10) Inde (c.) : 215 000 †. **77** (19-11) Inde (Andhra-Pradesh) (c.) + de 10 000 †. **79** (28-8/4-9) Antilles et Floride [« David » (o.)] : + de 1 000 †.

1980 (4/11-8) Texas USA [« Allen » (o.)] : 272 †. **81** (5-10) Indochine (t.) : 300 000 †. **83** (5) Équateur, Pérou [« El Niño » (c.)] : 600 †. **87** (31-7) Canada (Alberta) (tor.) : 35 † ; (16/17-10) France (Bretagne) (o.) : 6 †, dégâts 10 milliards de F, vitesse du vent 246 km/h à Concarneau ; G.-B. : 20 † ; (25/26-11) Philippines [« Nina » (t.)] : 700 †. **88** (11/17-9) Venezuela, rép. Dominicaine, Haïti, Jamaïque, Caïmans, Cuba, Mexique, Texas, Louisiane (c.) : 50 à 100 † (Gilbert, pression 885 hPa, vents 280 à 320 km/h). **89** (25-2) Europe S.-O. (o.) : 60 † ; (16-9) Chine [« Véra » (t.)] : 162 † ; (16/17-9) Guadeloupe [« Hugo » (c.)] : 5 † ; (21/22-9) USA [« Hugo » (c.)] : 12 † ; (nov.) Thaïlande [« Gay » (t.)] : 419 † ; (16/17-12) Europe O. (o.) : 8 †. **90** (25/26-1) Europe N.-O. (o.) : 94 † ; (3-2) France (o.) : 24 † ; (26-2/1-3) Europe (o.) : 84 †, France : 19 † ; (9-5) Inde (Andhra-Pradesh) (c.) : 450 † ; (oct.) Martinique (c.) : plusieurs †. **91** (30-4) Bangladesh (c.) 125 000 †, 240 km/h, vagues 6 m ; Madagascar [« Cynthia » (c.)] : 100 † env. ; (7 au 10/12) Polynésie fr. [« Wasa » (c.)] : 2 † ; (19 au 22-12) Samoa et Wallis [« Val » (c.)]. **92** (23 au 26-8) USA [« Andrew » (c.) vents 260 km/h] : 19 †, dégâts 20 milliards de $.

Circulation atmosphérique et vent

Théories du mécanisme de la circulation atmosphérique

1°) La convergence des alizés des 2 hémisphères crée une ascendance au voisinage de l'équateur météorologique, qui oscille avec la saison. Dans la partie supérieure de la troposphère, les contre-alizés transportent l'air des basses latitudes vers les latitudes moyennes.

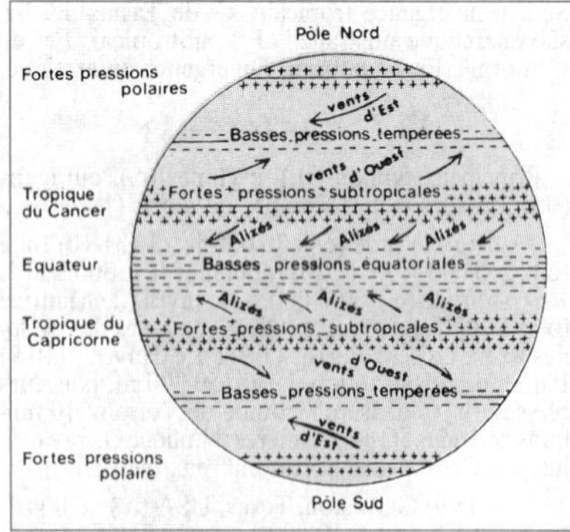

En réalité, par suite du frottement au sol, les bandes de hautes et de basses pressions ne sont pas continues, mais fragmentées.

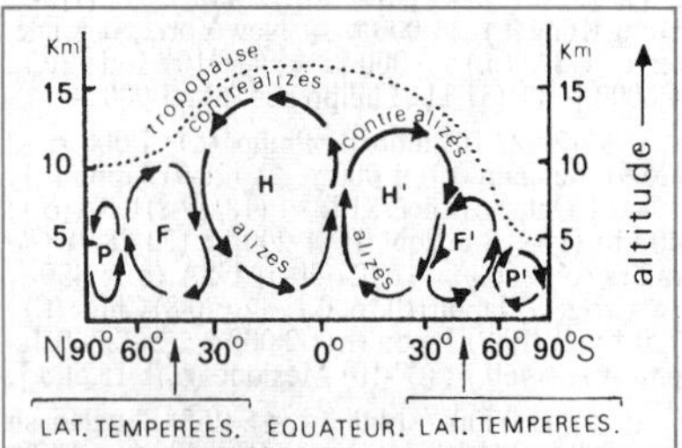

Circulation méridienne moyenne H.H.' : cellules de Hadley. F.F.' : cellules de Ferrel. P.P.' : cellules polaires.

2°) Le jet-stream (courant-fusée, ou courant-jet). Observé dans chaque hémisphère, entre les latitudes 30° et 45° à 8 000-12 000 m d'altitude, large de 1 000 km environ sur 4 à 7 km d'épaisseur. Au centre, sa vitesse moyenne est de 150 km/h l'hiver et 80 km/h l'été, et peut dépasser 400 km/h. Un courant-fusée typique s'accompagne de zones de vents maximaux qui ont tendance à se déplacer vers l'est. Ces maximums sont très fréquents au Japon, en Libye et en Nouvelle-Angleterre (USA). La France est parfois traversée du N.-O. au S.-E. par un courant-fusée qui rejoint le courant-fusée subtropical au-dessus de la Méditerranée orientale.

Orages

■ **Définition.** Les orages correspondent à des mouvements verticaux très violents de l'air (ils créent au voisinage de l'équateur des nuages jusqu'à 20 000 m). Ces mouvements ascendants ou descendants sont dus soit au réchauffement de l'air par le sol terrestre et la condensation de la vapeur d'eau, soit à l'influence d'un front d'air froid. Ils se manifestent par des décharges électriques et un roulement de tonnerre (la séparation des électricités positive et négative se produit lors de la congélation des gouttelettes d'eau dans le cumulo-nimbus). Les précipitations entraînées par un orage amènent un refroidissement, et l'orage se termine quand ce refroidissement arrête les mouvements ascendants de l'air.

Protection contre les dangers de la foudre

Signes précurseurs de la foudre. Apparition de nuages cumulo-nimbus en forme de tours. Petites lueurs bleues [**feux Saint-Elme** (dus au courant d'ions qui sortent par les objets conducteurs pointus aux endroits où le champ électrique près du sol atteint une intensité suffisante)] sur les pics et crêtes de montagne. Ils sont la manifestation de l'existence d'un fort gradient de potentiel électrique. Difficilement perceptibles en pleine lumière du jour, mais s'accompagnent d'un bruissement ou d'un bourdonnement ; le système pileux s'électrise sur la tête. Grêle ou forte averse au sein d'un nuage. En plaine, les indications sont moins marquées, mais peuvent être enregistrées par des systèmes d'alerte électrique (indiquent seulement la probabilité d'un orage au voisinage).

Lieux de protection. Tout bâtiment ou abri à enveloppe conductrice permettant l'élimination des décharges électriques vers le sol (béton armé, revêtements métalliques, paratonnerre, véhicules à carcasse métallique continue).

Ce qu'il faut éviter. Les arbres isolés, particulièrement sous les branches basses s'étendant loin du tronc ; plus l'arbre est grand, plus grand est le danger en terrain découvert et sur les cimes. L'orée d'un bois comportant de gros arbres. Granges, chapelles ou petites églises (en fait tous les édifices non protégés). Voisinage immédiat de lignes, de mâts d'antennes, etc., de ponts roulants et treuils élevés. Lacs, piscines, vastes plages plates. Crêtes, contreforts montagneux. Navires et tentes sans paratonnerre. Clôtures métalliques, rails. Foule. Être à cheval, à bicyclette ou sur un véhicule agraire. Se tenir près d'un véhicule ou se coucher dessous.

Attitude à adopter. Se tenir aussi bas que possible afin de réduire la probabilité d'un coup de foudre direct ; réduire autant que possible la surface de contact entre le corps et le sol. En terrain découvert : s'agenouiller avec les deux genoux joints, placer les mains sur les genoux et se pencher en avant (dans cette position, la protection d'un imperméable est efficace). Il est dangereux de se coucher dans un fossé ou un creux, car le sol y est meilleur conducteur. Se recroqueviller sous un bon conducteur métallique à mailles fines ou une bicyclette, ou s'asseoir sur des vêtements en tissu enroulés formant une épaisseur de 10 cm, avec les pieds joints, le corps penché en avant et mains aux genoux. Personnes groupées : s'écarter les unes des autres. Automobilistes : ne pas sortir de la voiture. Débrancher du secteur et de la terre les appareils délicats (ex. télévision, équipements ménagers), en écartant largement les prolongateurs de leurs prises. Faire de même avec les téléphones et ne pas les utiliser, même pour répondre à un appel. La ligne peut être foudroyée à plusieurs km.

Premiers soins (voir **Soins** à l'Index).

Renseignements. 3617 Météorage.

Matériel et installateurs de paratonnerres. Gimelec, 11, rue Hamelin, 75116 Paris.

☞ La coutume de sonner les cloches pendant les orages pour détourner la foudre s'est longtemps maintenue (elle fut interdite à Paris le 29-7-1784).

■ **Nombre.** 1 700 orages chaque seconde autour de la Terre (2 millions de fois par an en France). L'énergie libérée par un orage moyen correspond à celle d'une bombe H d'une mégatonne. **Quantité d'eau tombée lors d'un orage.** Paris 27-6-1990 : 32,8 litres par m² en 1 h 35 min ; 20-7-1972 : 52,2 mm en 1 h ; 19-7-1955 : 47,1 mm en 30 min (moyenne de pluie tombée en juillet 55 mm).

■ **Foudre.** Décharge électrique entre un nuage et le sol, entre 2 nuages, ou à l'intérieur d'un nuage, pouvant atteindre 20 000 (parfois 150 000) ampères et se produisant sous une différence de potentiel de 10 à 20 millions de volts. La durée d'un coup de foudre est très courte. La puissance équivalente à l'ensemble des coups de foudre tombant sur la France en un an est d'env. 15 mégawatts, celle d'une petite turbine de fleuve. L'utilisation éventuelle d'une telle source d'énergie supposerait résolus les problèmes techniques que sont le stockage et l'étalement dans le temps de cette énergie instantanée. La foudre tue chaque année env. 50 personnes en France. Elle frappe la Terre 50 à 100 fois par seconde et la France 700 000 à 1 000 000 de fois par an, surtout à la campagne, en montagne et d'une façon générale sur terrain découvert.

■ **Éclair.** Lueur résultant de l'échauffement de l'air traversé par la décharge. Il dure environ 5 ou 6 dixièmes de seconde. La décharge est une étincelle de très haute fréquence qui passe facilement dans des espaces vides. Les 3 aspects les plus fréquents sont : ramifié, sinueux, en chapelet. Les éclairs en boule (souvent de 10 à 20 cm de diamètre) seraient constitués d'oxygène et d'ozone produits par un éclair normal. Ils éclatent ou se dispersent. Les éclairs sont causés par l'attraction des charges électriques différentes au sein d'un nuage ou entre les nuages ou entre ceux-ci et la terre. En montagne, si les nuages sont très bas, les éclairs peuvent mesurer moins de 90 m. Le diamètre serait d'environ 1,50 cm, entouré par une « **enveloppe Corona** » de 3 à 6 m de diamètre ; vitesse de 160 à 1 600 km/s vers le sol, jusqu'à 140 000 km/s lors de son coup de retour. L'énergie dégagée peut atteindre 3 milliards de joules et 30 000 °C. Hypothèse (1967) : les éclairs seraient déclenchés par des rayons cosmiques.

Éclairs artificiels. Au centre expérimental de St-Privat-d'Allier (EDF), on a lancé des fusées munies d'un fil d'acier très mince quand le ciel devient orageux et qu'une décharge électrique va vraisemblablement s'y produire (champ électrique local de 20 000 volts par mètre). On obtient ainsi des éclairs sur commande (10 000 ampères), avec possibilité de les photographier, de mesurer la croissance et la décroissance de leur intensité, et de repérer le *canal ionisé* par où s'écoule la décharge électrique.

■ **Tonnerre.** Bruit dû à l'expansion rapide de l'air échauffé par la décharge électrique.

Paratonnerre. Tige conductrice verticale dressée sur un édifice pour le protéger et terminée par une pointe en cuivre ou en nickel doré reliée par un câble de cuivre de forte section ou par des barres de cuivre à une prise de terre de faible résistance. Par temps d'orage, le paratonnerre émet des effluves électriques (pour favoriser l'émission d'électrons par les pointes, on enduit celles-ci d'oxyde de baryum, strontium, thorium) qui diminuent le gradient de potentiel, réduisant ainsi le risque d'une décharge brutale. Si la foudre tombe, elle est guidée par le courant établi, et la décharge dont l'intensité peut atteindre plusieurs milliers d'ampères est canalisée par le conducteur à forte section.

Zone de protection d'un paratonnerre (le cercle de base du cône a pour rayon le double de la hauteur)

Cage de Faraday (dite paratonnerre Melsens). Un conducteur creux (par ex. une cage grillagée) forme écran pour les actions électriques et isole son contenu. L'intérieur d'une *cage de Faraday* ne renferme aucune charge d'électricité statique. Aussi, en cas d'orage, si l'on est en voiture, le meilleur abri est d'y rester.

Paratonnerres radioactifs (ou ionisants). Ils rendent plus efficaces les p. classiques, en rendant conducteur, par ionisation, l'air environnant : la foudre se dirige préférentiellement vers leur pointe.

EAU DANS L'ATMOSPHÈRE

GÉNÉRALITÉS

L'eau se présente dans l'atmosphère sous les 3 formes : vapeur, liquide, solide.

■ **Vapeur d'eau.** On la trouve partout. Elle exerce une pression variant selon les conditions météorologiques et selon l'altitude (inférieure à 1 h Pa aux pôles, elle peut atteindre 40 h Pa dans les régions humides et chaudes, près du sol). A chaque température correspond une pression maximale (ou **tension**) à laquelle l'air est **saturé** de vapeur d'eau : celle-ci se condense alors sous forme de gouttes d'eau liquide ou de cristaux de glace. Cette tension maximale est atteinte si la vapeur d'eau augmente quand la température reste constante ou si la température s'abaisse quand la quantité de vapeur d'eau ne varie pas. Dans ce dernier cas, on appelle **point de rosée** la température à laquelle la pression devient maximale. La **rosée** du matin est due à la condensation sur les objets au sol, ou près du sol, de la vapeur d'eau contenue dans l'air, du fait de son refroidissement au contact du sol (refroidi lui-même par le rayonnement nocturne).

L'humidité relative de l'air en un lieu donné est le rapport de la tension de la vapeur d'eau présente à la tension maximale pour la température du lieu.

Quantité de vapeur d'eau contenue dans 1 m³ d'air saturé (en grammes), suivant la temp. – 20 °C (1,07) ; – 10 °C (2,28) ; 0 °C (4,83) ; 10 °C (9,36) ; 20 °C (17,15) ; 30 °C (30,08) ; 40 °C (50,67) ; 50 °C (82,23).

Suivant le degré hygrométrique, une même température peut paraître plus ou moins « supportable ». Ainsi 30 °C avec 40 % d'humidité sont plus supportables que 25 °C avec 80 % d'humidité.

■ **Eau liquide.** Nuage, pluie (Voir ci-dessous).

■ **Eau solide. Verglas :** congélation de gouttes d'eau (brume, pluie ou brouillard) en surfusion sur des objets dont la surface est à moins de 0 °C.

Neige : petits cristaux de glace, souvent groupés sous forme d'étoiles à 6 branches. Si la température n'est pas trop basse, les cristaux sont généralement agglomérés en flocons.

Grésil : petite pelote de givre formée sur un cristal de neige.

Grêle : morceaux de glace constitués souvent de plusieurs couches. Un orage de grêle de 10 min représente 300 millions de grêlons couvrant 100 km².

Gelée blanche : phénomène analogue à celui de la formation de la rosée, mais à température inférieure à 0 °C. La vapeur d'eau, au lieu de se condenser en gouttes, se cristallise en glaçons minuscules, en forme d'aiguilles, d'écailles...

Givre : dépôt de glace se formant, au-dessous de 0 °C, sur les parties des objets recevant des gouttelettes d'eau en surfusion (nuage ou brouillard) ; il y a congélation dès l'impact, avec inclusions d'air.

■ **Cycle de l'eau.** Il peut être schématisé ainsi : évaporation et respiration (il faut 0,7 kWh/m² pour faire évaporer 1 mm d'eau à l'heure) ; transport de la vapeur d'eau par l'atmosphère ; précipitations solides (neige, grêle) ou liquides (pluies, bruine) au sol ; écoulement et ruissellement de surface aboutissant aux torrents, fleuves, marais, mers, océans ; infiltration dans le sol permettant l'alimentation des végétaux ou donnant naissance aux sources, et le cycle recommence animé par l'énergie solaire. La circulation planétaire de l'eau permet sa répartition, à la fois dans le temps et dans l'espace, et sa purification. La production de ce cycle naturel nécessite de l'énergie fournie par le Soleil. Il y a donc nécessité d'un certain équilibre entre l'eau et l'énergie solaire pour que la machine thermodynamique fonctionne.

PLUIES

■ **Caractéristiques.** La pluie se caractérise par la hauteur d'eau recueillie (1 mm correspond à 1 l par m²) et aussi par le nombre d'heures de précipitations, rapporté à une période donnée. Ainsi, à Paris, il pleut davantage en août (54,4 mm) qu'en janvier (53,5 mm) mais moins longtemps (24 h en août, 63 h en janvier). En un jour d'août, il peut d'ailleurs pleuvoir autant qu'en 3 mois d'hiver.

Différents types de pluie. *Pluies de convection,* dues à un réchauffement local atmosphérique d'air déclenchant son ascendance, d'où détente, refroidissement et condensation ; *de relief,* dues à la rencontre d'un massif contraignant l'air à s'élever ; *littorales,* dues à la rugosité des côtes ; *cyclonales* ou *pluies de front* accompagnant les fronts des perturbations (caractéristiques des zones tempérées).

■ **Vitesse de chute de la pluie** (moyenne). Diamètre des gouttes en mm et, en italique, vitesse en m par sec. 1 *4* ; 2 *6,6* ; 3 *8* ; 4 *8,8* ; 5 *9,25* ; 6 *9,3* (une goutte de 8 mm a été mesurée à Hawaii en 1986).

■ **Trombes.** Colonnes liquides ou nuageuses de 3 m de diam. se formant sous les nuages orageux. Dans les trombes marines, la trombe nuageuse se prolonge par une colonne liquide montant de la mer. Se produisent lorsque le vent est emprisonné à l'intérieur d'un nuage, par temps calme, et le déforme en lui communiquant un mouvement tourbillonnaire localisé. Le 16-5-1898, au large d'Eden (Australie), on a observé une colonne d'eau haute d'env. 1 850 m (diamètre 3 m env.).

Pluies de sang (en réalité : pluies de « sable rougeâtre »). Fréquentes sur l'Atlantique et le Sahara, elles sont causées par le mélange, avec des gouttes de pluie, de fines poussières contenant des micro-organismes tels que les diatomacées et les rhizopodes (souvent rouges). Le vent peut les entraîner à des distances considérables des zones sablonneuses de l'Afrique. *Exemples :* Paris (en 580), Hongrie (765), Tours (784), Naples (1814), Brescia (1872), Fontainebleau (1887 : couleur due sans doute à des grains de pollen), Le Cap (1888 : couleur tirant sur le noir), Palerme (10-3-1901), Yonne (30-10-1926).

Pluies de « soufre ». Laissent une poudre jaune (pollen des pins des Landes). Pyrénées-Atl. (presque tous les ans), Htes-Pyrénées (plus rares).

Pluies jaunes. Sud-Est asiatique. Dues pour 99 % à des enveloppes de graines de pollen venant de la défécation en masse d'essaims d'abeilles géantes.

BROUILLARDS

■ **Définition.** Nuage (stratus) reposant sur la surface terrestre. Les météorologistes l'appellent **brouillard** quand la visibilité est inférieure à 1 km ; **brume,** quand la visibilité est de plus de 1 km.

■ **Différents types de brouillard.** *Brouillard d'advection :* provoqué par un déplacement horizontal d'une masse d'air chaud et humide la faisant passer sur une surface froide (notamment l'Océan), qui provoque une condensation. *Brouillard de rayonnement :* surtout terrestre ; perte de chaleur par rayonnement du sol qui, la nuit, refroidit par le bas l'air chaud et humide à son « contact » ; densité maximale au petit matin, rare l'été (nuits tièdes). *Brouillard d'évaporation :* se produit en mer, ou sur les étangs et cours d'eau quand la température de l'eau est supérieure à celle de l'air, la vapeur d'eau qui se dégage se condensant par refroidissement.

Diamètre en mm. Gouttelettes de nuage 0,004 à 0,01. Bruine – de 0,5. Pluie + de 0,5. Grésil 2 à 5. Grêle 5 à 50 ou plus.

Vitesse de chute en km/h. Brouillard 0,036 à 1,8. Bruine 1,8. Grosse pluie 30.

NUAGES

■ GÉNÉRALITÉS

■ **Formation.** Condensation (puis congélation éventuellement) de la vapeur d'eau atmosphérique sur des particules appelées noyaux de condensation (puis de congélation) en fines gouttelettes liquides (ou cristaux de glace). Ils précipitent en pluie, neige, grésil ou grêle, quand les gouttes d'eau, devenues trop lourdes, ne peuvent plus être soutenues par les mouvements ascendants de l'air.

■ **Dimension.** Un *gros nuage* d'orage s'étend sur plusieurs km², monte jusqu'à 12 000 m et peut contenir 300 000 t d'eau. La *densité* des nuages varie de 0,3 à 5 g d'eau par m³ d'air. *Les plus épais* (cumulo-nimbus) ont de 3 000 à 10 000 m d'épaisseur. Les moins épais (stratus), de 50 à 800 m.

■ **Altitude. Étage supérieur** (Cirrus, Cirro-cumulus, Cirro-stratus). Altitude dans les régions tempérées 4 à 15 km ; tropicales 6 à 18 ; polaires 3 à 8.

Étage moyen (Altostratus [1], Altocumulus). Tempérées 2 à 7 ; tropicales 2 à 8 ; polaires 2 à 4.

Étage inférieur (Cumulo-nimbus [3], Strato-cumulus, Cumulus [3], Stratus, Nimbo-stratus [2]). Tempérées 0 à 2 ; tropicales 0 à 2 ; polaires 0 à 2.

Nota. – (1) Débordent souvent sur l'étage supérieur ; (2) sur l'étage moyen et parfois supérieur ; (3) les Cumulus et les Cumulo-nimbus ont leur base dans l'étage inférieur, mais parfois les sommets des gros Cumulus et des Cumulo-nimbus pénètrent jusque dans l'étage supérieur.

■ CLASSIFICATION

☞ En vigueur depuis 1956. Pour un observateur situé au sol :

Altocumulus (latin *altus,* haut, et *cumulus,* amas). Couche ou banc de nuages blancs ayant généralement des ombres propres, habituellement ondulé ou composé de lamelles, galets, rouleaux, etc., soudés ou non, à aspect parfois partiellement fibreux ; la plupart des petits éléments, disposés régulièrement, ont une largeur apparente au zénith comprise entre 1 et 5°. Ces éléments s'ordonnent en groupes, en files ou en rouleaux, suivant une ou deux directions, et sont parfois si serrés que leurs bords se rejoignent : ils « moutonnent ». Parfois, le Soleil ou la Lune peuvent apparaître avec une couronne, rouge à l'extérieur, verte à l'intérieur.

Altostratus (*altus + stratus,* couche). Nappe ou couche grisâtre, d'aspect strié, fibreux ou parfois uniforme, couvrant totalement ou partiellement le ciel, qui présente des parties suffisamment minces pour déceler vaguement la position du Soleil, vu comme à travers un verre dépoli, mais sans phénomène de halo.

Cirro-cumulus (*cirrus,* filament + *cumulus*). Banc, nappe, ou couche mince de nuages blancs, sans ombre propre, constitué de très petits éléments, en forme de granules, de rides, etc., soudés ou non et organisés avec plus ou moins de régularité.

Cirro-stratus (*cirrus + stratus).* Voile transparent, blanchâtre, d'aspect fibreux, chevelu ou lisse couvrant totalement ou partiellement le ciel et provoquant généralement des phénomènes de halo [22° de rayon et le Soleil pour centre ; ses couleurs sont, de l'intérieur à l'extérieur, rouge, orangé, jaune, vert, bleu, indigo, violet (l'inverse de l'*arc-en-ciel*)]. Pendant le jour, lorsque le Soleil est assez élevé sur l'horizon, le voile ne supprime généralement pas les ombres des objets.

Cirrus (latin *cirrus,* filament). Nuages séparés, d'aspect fibreux ou chevelu et d'éclat soyeux, en forme de filaments blancs et délicats, de bancs ou de bandes étroites, blancs ou en majeure partie blancs. Composés de cristaux de glace dispersés, ils sont transparents. Au lever et au coucher du Soleil, ils deviennent roses ou rouges.

Cumulo-nimbus (latin *cumulus + nimbus,* nuage). Masses de nuages denses et puissants, à grand développement vertical en forme de montagnes ou d'énormes tours. Leur région supérieure présente presque toujours une partie aplatie, souvent lisse, de structure fibreuse ou striée (partie glacée) ; elle s'étale souvent en forme d'enclume ou de vaste panache. Base semblable à celle du nimbo-stratus ; souvent doublée de nuages très bas déchiquetés. Quand un cumulo-nimbus couvre tout le ciel, il est difficile parfois de le distinguer d'un nimbo-stratus. La présence d'averses de pluie, de neige, d'orages ou de grêle le permet. (D'une façon générale, la hauteur pour chaque genre est plus grande pendant la saison chaude que pendant la saison froide. De même, pour une saison donnée, cette hauteur est généralement plus grande dans les régions chaudes que dans les régions froides, au-dessus des grandes villes que dans la campagne environnante.)

Cumulus (latin *cumulus,* amas). Nuages séparés, parfois alignés en « rues », généralement denses, à contours nets, se développant verticalement en forme de mamelons, de dômes ou de tours, dont la partie sup. bourgeonnante est souvent en forme de chou- fleur. Les parties de ces nuages illuminées par le Soleil sont le plus souvent d'un blanc éclatant ; leur base relativement sombre est presque horizontale. Souvent, les cumulus apparaissent le matin, se gonflent et se résorbent à la fin de la journée. Une variété, le **fracto-cumulus,** se déchiquette et change constamment de forme.

Nimbo-stratus. Couche grise, souvent sombre, dont l'aspect est rendu flou par des chutes de pluie ou de neige, plus ou moins continues ; elle est partout suffisamment épaisse pour masquer totalement le Soleil. Il existe fréquemment, au-dessous de la couche, des nuages bas, déchiquetés, soudés ou non avec elle, qui peuvent former une couche inférieure continue.

Strato-cumulus. Couche ou banc de nuages blancs ou gris, non fibreux, ayant presque toujours des parties sombres, ondulé ou composé de dalles, galets, rouleaux, etc., soudés ou non.

Stratus (latin *stratus,* en couche). Couche généralement grise, à base assez uniforme, pouvant donner de la bruine, des aiguilles de glace ou de la neige granulaire ; vu à travers une couche mince, le contour du Soleil est nettement discernable. Le stratus apparaît parfois sous forme de bancs aux contours déchiquetés.

Nota. – On distingue aussi les **nuages nacrés** (ou **irisés**) situés vers 25 km d'altitude et les **nuages nocturnes lumineux** (noctiluques), les plus élevés connus (environ 80 km d'altitude, se composant probablement de poussière météorique), *dorés* près de l'horizon et *bleuâtres* au-dessus. Leur vitesse peut atteindre 630 km/h env.

CLIMATS

SYSTÈME CLIMATIQUE

Définition. Ensemble que constituent l'atmosphère, les océans, les zones de glace et de neige, les masses continentales et la végétation. Les liens (physiques et chimiques) qui unissent ces éléments jouent un rôle prépondérant dans l'organisation du régime climatique du globe et sont à l'origine des fluctuations et de la variabilité du climat. Les fluctuations climatiques peuvent aussi résulter de phénomènes extérieurs au *système climatique :* variations de l'énergie rayonnée par le Soleil, variations de la quantité de particules venant d'éruptions volcaniques dans les couches supérieures de l'atmosphère. Accumulation dans l'atmosphère de gaz carbonique résultant de la combustion de carburants fossiles.

PRINCIPAUX PARAMÈTRES CLIMATIQUES. Ils définissent le climat d'une région ou d'un lieu donné.

Pression atmosphérique. Ses variations dans le temps et dans l'espace permettent de préciser les prévisions météorologiques.

Vent. Sa direction, sa vitesse, mais aussi sa turbulence, associées à la rugosité du sol qui intervient pour accroître les échanges sol-atmosphère.

Température moyenne de l'air. Mais aussi les valeurs maximales et minimales. La température est fonction de la latitude, des périodes d'éclairement, de la répartition des terres, des mers, des courants marins.

Hygrométrie (proportion d'eau dans l'air) absolue ou relative, avec ses valeurs extrêmes et moyennes qui dictent principalement l'évaporation et le rayonnement de l'atmosphère.

Visibilité. Associée aux brumes et brouillards, définit la transmission du rayonnement visible dans l'atmosphère et intervient ainsi sur celle du rayonnement solaire.

Nébulosité. Nature et quantité des nuages présents à diverses hauteurs, qui déterminent le rayonnement terrestre à travers l'atmosphère ainsi que l'ensoleillement et sa durée.

Rayonnement solaire (direct, diffus, global) et *rayonnement total* (solaire et terrestre) définissent bilan radioactif au sol et températures de surface, en déterminant la plupart des échanges énergétiques sol - atmosphère.

Évaporation (ou évapotranspiration potentielle). Traduit le pouvoir récepteur de l'atmosphère en vapeur d'eau et dépend aussi bien de la température que de l'humidité de l'air et du vent.

Précipitations. Pluie ou neige qui assurent l'alimentation du sol en eau et permettent à l'évaporation de se produire, agissant ainsi en agent régulateur sur les extrêmes de température.

Phénomènes associés à ces divers paramètres et caractéristiques des hydro- ou lithométéores, ainsi que divers autres paramètres qualitatifs : électriques, chimiques...

CAUSES DES DIFFÉRENCES

Les différents climats proviennent : – *des différences de latitude* (les radiations solaires reçues aux pôles sont de 2 à 3 fois plus faibles qu'à l'équateur) ;

– *du balancement apparent du Soleil* par rapport au plan de l'équateur selon les saisons ;

– *de l'inégale répartition des terres et des mers* (différence d'échauffement entre continents et océans, influence de courants marins chauds comme le Gulf Stream, froids comme le Labrador) ;

– *du relief,* de sa forme, de son orientation, de ses altitudes ;

– *de l'influence des différents facteurs météorologiques* (circulation générale de l'atmosphère et situation géographique).

LE GULF STREAM

Apparaît au milieu de l'Atlantique comme un bras de mer bleu, large de 600 km et profond de 300 m. Divisé en plusieurs tronçons qui vont réchauffer le Groenland, l'océan Arctique jusqu'à Mourmansk et l'Europe occidentale.

Grâce à lui, la France bénéficie d'un climat privilégié ; sans lui, en raison de sa latitude, la température atteindrait environ – 40 °C en hiver. Le littoral atlantique français en reçoit une chaleur équivalente à celle que fourniraient 30 milliards de t de pétrole (10 fois la prod. mondiale).

Aux latitudes moyennes, *l'été est plus chaud que l'hiver* parce que : 1°) les jours sont plus longs (le Soleil dispose de plus de temps pour réchauffer la Terre) ; 2°) les rayons du Soleil atteignent la Terre plus verticalement et sont ainsi plus concentrés ; 3°) la circulation générale de l'atmosphère diffère de celle de *l'hiver* où les vagues de froid arrivent du nord du Continent (circulation d'E. et de N.-E.)

COMPARAISONS

■ **Climats locaux ou microclimats.** Ils s'expliquent par le rôle : du relief ; de sa configuration ; de l'orientation des pentes et des vallées [gel plus fréquent au fond des vallées ; aux latitudes moyennes, les versants exposés au sud sont plus ensoleillés et plus chauds que ceux exposés au nord ; les versants S. (**adret** dans les Alpes du S.) sont directement réchauffés par le Soleil, tandis que les versants N. (**ubac**) sont à l'ombre] ; de la nature du sol et de sa végétation (la proximité d'une forêt apporte de l'humidité) ; de la proximité de la mer qui joue le rôle de régulateur thermique (hivers plus doux sur les côtes et étés moins chauds) ; de la proximité d'une agglomération importante : à Paris, la température moyenne est plus élevée de 2 à 3 °C au centre de la ville qu'en banlieue.

■ **Climat équatorial.** Rayons solaires toujours proches de la verticale. Températures variant peu (env. 25 °C) ; légers maxima aux 2 équinoxes de mars et septembre. Les nuages arrêtent souvent les rayons du Soleil le jour et ralentissent le rayonnement de la Terre la nuit ; d'où une faible amplitude diurne. Pluies abondantes (souvent de grosses averses) ; nuages noirs s'élevant à plusieurs milliers de m (le pot au noir). La pluviosité s'explique par le surchauffement de l'air au contact du sol ; il se renforce l'après-midi ; les pluies sont des pluies de convection [appelées aussi *pluies d'instabilité :* dues à la variation rapide de la température sur la verticale (décroissance vers le haut)]. Dans les basses latitudes se trouve le front intertropical (FIT) où convergent l'air tropical de l'hémisphère N. et celui de l'hém. S. ; la pression au sol s'abaisse ; il pleut d'autant plus que l'air, chargé de vapeur d'eau, est proche de son point de saturation.

À l'époque des solstices, le FIT arrive aux limites du déplacement accompagnant le mouvement apparent du Soleil dans l'hémisphère N. (juin-août) et dans l'hém. S. (déc.-février).

■ **Climats tropicaux.** Températures élevées, vents permanents = *alizés* soufflant régulièrement des anticyclones tropicaux vers le front intertropical (déviés selon la formule de Coriolis (voir p. 78 c), ils s'infléchissent sur leur droite dans l'hémisphère N. et sur leur gauche dans l'hém. S.). S'ils soufflent des océans, ils apportent des averses (Antilles) ; sur un continent (Afrique), ils restent secs une grande partie de l'année. Il y a donc des *climats tropicaux à caractère océanique,* très humides (ex. : Martinique), et des *climats tropicaux continentaux,* plus secs (ex. : Tchad).

En été, la convergence intertropicale, qui suit le déplacement apparent du Soleil, apporte avec elle ses perturbations pluvieuses ; entre les 2 passages, il y a une petite saison sèche. Quand tombe la pluie, la température fraîchit : c'est l'*hivernage.* Lorsqu'il fait sec, la température monte plus haut que sous l'équateur, car aucune évaporation ne limite l'ardeur du soleil. La durée de la saison sèche s'accroît quand on s'éloigne de l'équateur : dans les *régions tropicales humides,* elle ne dure que quelques mois ; près des tropiques, dans les *régions tropicales sèches,* il n'existe qu'une courte saison des pluies, l'été, lors du seul passage du soleil au zénith ; la saison sèche dure de 8 à 10 mois ; l'amplitude thermique annuelle est plus marquée (près de 10 °C).

■ **Déserts chauds.** Anneaux plus ou moins continus sur les continents de part et d'autre des tropiques. Saison sèche toute l'année ; pluies exceptionnelles (hauteur moyenne : 100 mm par an). Gros écarts de température, car, la nuit, aucun nuage ne contrarie le rayonnement de la Terre. Sauf les *déserts littoraux,* résultant de courants froids (côte du S.-O. africain : courant de Benguela ; remontant du S. au N. la côte de l'Amér. du Sud : courant de Humboldt) et les *déserts de position* en cuvette, protégés par des montagnes contre toute influence humide de l'extérieur (basse Asie centrale), tous les déserts chauds sont dus aux anticyclones ceinturant la Terre à la latitude des tropiques : Sahara, Arabie, Thar, Arizona (hémisphère N.) ; Australie et Kalahari (hém. S.). L'air pesant descend, se réchauffe et s'assèche au lieu d'apporter des pluies.

L'eau plus ou moins salée qui alimente les dépressions géologiques appelées *sebkhas,* que les *chotts* entourent, affleure à partir de nappes phréatiques ou artésiennes que la surface du sol a fini par atteindre par déflation éolienne. Les *oueds* sont presque toujours à sec.

TABLEAU SCHÉMATIQUE DES CLIMATS

Légende. – (A) mois le plus froid, temp. supérieure à 18 °C. (B) pluies très peu abondantes, à la limite de la sécheresse. (C) mois le plus froid entre 18 °C et – 3 °C. (D) mois le plus froid inférieur à – 3 °C, mois le plus chaud supérieur à 10 °C. (E) mois le plus chaud entre 0 °C et 10 °C. (F) mois le plus chaud inférieur à 0 °C. (f) constamment humide. (s) saison sèche en été. (w) saison sèche en hiver. 1er chiffre : température moyenne annuelle ; 2e : moyenne annuelle des pluies en mm ; 3e : superficie de ce type de climat en millions de km².

■ **Classification d'après Koeppen (1846-1940).**

Af Forêt vierge (ex. : Amazonie), 26 °C, 2 500 mm, 14 millions de km².

Aw Savane (ex. : Afrique orientale), 22 °C, 1 000 mm, 15,7 millions de km².

Bs Steppe (ex. : Irak), 20 °C, 400 mm, 21,2 millions de km ².

Bw Désert (ex. : Arabie), 20 °C, 200 mm, 17,8 millions de km².

Cw Tempéré à été pluvieux (ex. : Éthiopie), 18 °C, 900 mm, 11,3 millions de km².

Cs Tempéré à hiver pluvieux (ex. : Grèce), 15 °C, 500 mm, 2,5 millions de km².

Cf Tempéré humide (ex. : G.-B.), 12 °C, 1 100 mm, 9,3 millions de km².

Df Humide à hiver froid (ex. : Russie d'Europe), 4 °C, 600 mm, 24,5 millions de km ².

Dw Pluvieux l'été, froid l'hiver (ex. : Sibérie, Est), 5 °C, 500 mm, 7,2 millions de km².

E Toundras (arbres nains, mousses, lichens ; ex. : Sibérie Nord), – 5 °C, 50 mm, 10,3 millions de km².

F Gelées permanentes (ex. : Antarctique), – 15 °C, 10 mm, 15 millions de km².

■ **Classification en 4 climats et 14 sous-climats.** I. Froid (glaciaire, toundra, gelées estivales possibles). II. Tempéré (continental, semi-pluvieux, continental aride, atlantique, méditerranéen). III. Chaud (équatorial humide, tropical à 2 saisons humides, tropical à 1 saison humide, semi-aride, désertique). IV. Alpin (montagnard).

■ **Climat méditerranéen.** Étés chauds et secs ; hivers doux ; pluies brutales pendant 50 à 100 j. *Été :* influence des anticyclones tropicaux ; l'air descendant, comprimé, empêche toute perturbation barométrique. *Automne :* le front polaire s'installe sur la région libérée des anticyclones tropicaux qui se sont rapprochés de l'équateur ; gros nuages parfois orageux. Vents secs et froids (mistral en Provence, tramontane dans le Roussillon, bora en Dalmatie). Lieux : Méditerranée, Californie, Chili central, région du Cap (Afrique du S.), S.-O. de l'Australie. Forêts clairsemées, fragiles et basses (arbres dépassant rarement 10 à 15 m) : chênes-lièges, chênes verts, pins parasols ou pignons, oliviers sauvages ; quand la sécheresse d'été s'allonge : eucalyptus, pins d'Alep, thuyas au lieu des chênes.

Garrigue sur pentes calcaires : chênes kermès, ronces, thym, romarin ou sol nu. **Maquis** (régions granitiques) : quelques chênes-lièges, lentisques, arbousiers, myrtes, cistes. Aux mêmes latitudes, sur la façade est des continents (Chine, Japon, S.-E. des USA), climat *type sud-chinois :* hiver doux et pluvieux, mais invasion d'air polaire sec avec parfois vagues de froid ; été, vents se chargeant d'eau sur les océans voisins, le climat s'apparente à celui des régions tropicales. Forêts : essences tropicales (magnolias, camélias, bambous) et tempérées (chênes, hêtres, pins et sapins).

■ **Climat océanique.** Sur la frange occidentale des continents, à des latitudes plus élevées (côte atlanti-

Températures en °C (1re ligne) et pluies en mm (2e ligne, en italique) dans quelques villes

Ville		J	F	M	A	M	J	J	A	S	O	N	D
Afrique													
Abidjan	max.	31	32	32	32	31	29	28	28	28	29	31	31
(Côte-d'Ivoire)	min.	23	24	24	24	24	23	23	22	23	23	23	23
		26	*40*	*120*	*170*	*365*	*610*	*200*	*35*	*55*	*225*	*190*	*110*
Addis-Abeba	max.	23	24	25	25	25	23	20	20	21	22	22	22
(Éthiopie)	min.	6	7	9	10	9	10	11	11	10	7	4	5
		16	*45*	*70*	*85*	*95*	*135*	*280*	*295*	*190*	*25*	*15*	*6*
Agadir (Maroc)		14	15	17	18	19	21	22	23	22	20	18	15
		50	*30*	*25*	*16*	*5*	*1*	*0*	*1*	*6*	*20*	*30*	*40*
Alger (Algérie)		12	13	14	16	19	22	24	29	23	20	17	14
		115	*75*	*60*	*65*	*35*	*14*	*2*	*4*	*30*	*85*	*90*	*120*
Assouan (Égypte)	max.	23	26	31	36	39	42	41	41	39	37	31	25
	min.	10	11	14	19	23	26	26	26	24	22	17	12
		pluies exceptionnelles											
Casablanca (Maroc)		12	13	15	16	18	20	22	23	22	19	16	13
		65	*55*	*55*	*40*	*20*	*2*	*0*	*1*	*7*	*40*	*55*	*85*
Conakry (Guinée)	max.	31	31	31	32	31	29	28	27	29	30	31	31
	min.	22	23	23	23	24	23	22	22	23	23	24	23
		1	*2*	*5*	*17*	*155*	*565*	*1 329*	*995*	*715*	*330*	*120*	*10*
Dakar (Sénégal)		21	20	21	22	23	26	27	27	27	27	26	23
		4	*2*	*0*	*0*	*1*	*13*	*90*	*250*	*165*	*50*	*5*	*6*
Funchal (Madère)		16	16	16	16	18	19	21	22	22	20	18	16
		80	*85*	*70*	*45*	*20*	*5*	*2*	*2*	*30*	*80*	*95*	*95*
Gabès (Tunisie)		11	12	15	18	21	24	27	27	26	22	17	12
		17	*17*	*17*	*17*	*9*	*2*	*0*	*1*	*14*	*40*	*30*	*19*
Johannesburg	max.	26	25	24	22	19	17	17	20	23	25	25	26
(Afr. du S.)	min.	14	14	13	10	6	4	4	6	9	12	13	14
		115	*100*	*80*	*45*	*25*	*9*	*8*	*6*	*25*	*60*	*110*	*120*
Le Caire (Égypte)		12	15	20	24	26	28	30	30	26	22	20	16
		4	*5*	*3*	*1*	*1*	*0*	*0*	*0*	*0*	*1*	*1*	*8*
Le Cap	max.	26	26	25	22	19	18	17	18	19	21	23	25
(Afr. du Sud)	min.	16	16	14	12	10	8	7	8	9	11	13	15
		12	*8*	*17*	*45*	*85*	*80*	*85*	*70*	*45*	*30*	*17*	*11*
Marrakech (Maroc)		11	13	16	19	21	25	29	29	25	21	16	12
		30	*30*	*30*	*30*	*17*	*7*	*2*	*3*	*10*	*20*	*30*	*35*
Mombasa (Kenya)	max.	32	32	33	31	29	29	28	28	29	30	31	32
	min.	23	24	24	24	23	21	20	20	21	22	23	23
		25	*15*	*60*	*200*	*320*	*110*	*90*	*65*	*70*	*85*	*95*	*60*
Nairobi (Kenya)	max.	25	26	26	24	23	22	21	22	24	25	23	23
	min.	11	11	12	14	13	11	10	10	11	13	13	13
		73	*60*	*93*	*211*	*195*	*37*	*19*	*25*	*35*	*52*	*157*	*92*
Port-Louis (Île Maurice)		27	28	27	27	25	23	23	22	23	24	26	27
		145	*127*	*126*	*83*	*40*	*26*	*27*	*22*	*19*	*19*	*32*	*116*
Saint-Denis (Réunion)		26	27	26	25	23	22	22	22	21	22	23	25
		155	*470*	*299*	*227*	*213*	*45*	*77*	*359*	*30*	*95*	*95*	*56*
Tenerife (Canaries)		17	17	18	19	20	22	24	25	24	23	20	18
		36	*30*	*27*	*13*	*6*	*1*	*0*	*0*	*3*	*31*	*45*	*51*
Tunis (Tunisie)		11	12	13	16	19	24	26	27	25	20	16	12
		69	*46*	*44*	*40*	*23*	*9*	*1*	*9*	*36*	*54*	*56*	*67*
Yaoundé (Cameroun)		24	25	24	24	24	23	22	22	23	23	22	24
		22	*63*	*146*	*182*	*204*	*151*	*56*	*74*	*202*	*300*	*127*	*120*
Amérique du Nord													
Anchorage (USA)		–11	–8	–4	1	8	13	14	13	9	1	–6	–10
		20	*18*	*15*	*11*	*13*	*28*	*22*	*63*	*61*	*29*	*26*	*24*
Boston (USA)		–2	–2	3	9	15	19	23	21	18	13	7	0
		85	*68*	*83*	*84*	*67*	*85*	*75*	*79*	*70*	*64*	*85*	*81*
Chicago (USA)		–4	–3	3	10	15	21	24	23	19	13	4	–2
		40	*30*	*65*	*64*	*81*	*106*	*62*	*76*	*78*	*60*	*55*	*48*
Houston (USA)		11	13	16	21	25	27	28	28	26	21	16	13
		91	*82*	*64*	*78*	*107*	*88*	*106*	*106*	*106*	*91*	*95*	*108*
Los Angeles (USA)		14	14	15	16	18	18	23	23	23	20	17	14
		100	*85*	*69*	*35*	*19*	*3*	*0*	*1*	*5*	*20*	*42*	*99*
Miami (USA)		19	20	21	24	25	27	28	28	28	25	22	20
		52	*42*	*52*	*85*	*125*	*130*	*107*	*122*	*165*	*190*	*52*	*42*
Montréal (Canada)		–10	–9	–3	6	13	18	21	20	15	9	2	–7
		24	*15*	*37*	*64*	*64*	*82*	*90*	*92*	*88*	*74*	*61*	*33*
Nassau (Bahamas)	max.	24	25	26	27	29	30	31	31	31	29	27	25
	min.	17	17	18	20	21	23	24	24	23	22	20	18
		35	*45*	*45*	*80*	*115*	*160*	*150*	*135*	*165*	*165*	*85*	*40*
La Nouvelle-Orléans (USA)		11	13	16	20	24	26	28	28	25	21	15	13
		98	*152*	*135*	*126*	*133*	*141*	*233*	*151*	*156*	*59*	*84*	*116*
New York (USA)		0	0	5	11	16	22	25	24	20	15	8	2
		84	*80*	*105*	*92*	*90*	*86*	*94*	*130*	*100*	*86*	*90*	*86*
Philadelphie (USA)		0	1	5	12	17	22	25	24	20	14	8	16
		79	*65*	*91*	*80*	*88*	*101*	*108*	*113*	*81*	*65*	*80*	*68*
Québec (Canada)	max.	–7	–5	0	8	17	22	25	24	19	12	4	–5
	min.	–16	–14	–8	–1	5	10	14	13	8	3	–3	–12
		80	*75*	*70*	*75*	*75*	*110*	*105*	*90*	*100*	*80*	*95*	*100*
San Francisco (USA)		10	11	12	12	15	15	15	15	16	16	15	11
		102	*88*	*68*	*33*	*12*	*3*	*0*	*1*	*5*	*19*	*40*	*104*
Toronto (Canada)		–7	–6	–1	6	12	18	21	20	16	9	3	–4
		21	*21*	*37*	*62*	*66*	*67*	*71*	*77*	*64*	*61*	*55*	*36*
Vancouver (Canada)	max.	5	8	9	13	17	19	22	22	18	10	9	–7
	min.	0	1	2	5	8	11	13	13	10	6	3	1
		131	*107*	*95*	*60*	*52*	*45*	*32*	*41*	*67*	*114*	*147*	*165*
Washington (USA)		0	1	5	11	17	21	24	24	19	13	7	1
		83	*61*	*80*	*75*	*97*	*81*	*104*	*110*	*108*	*79*	*60*	*59*
Amérique du Sud et Antilles													
Acapulco (Mexique)	max.	31	31	31	31	32	32	32	33	32	32	32	31
	min.	22	22	22	23	24	25	25	25	25	24	24	23
		8	*1*	*0*	*1*	*40*	*275*	*280*	*220*	*385*	*155*	*35*	*11*
Asunción (Paraguay)		27	27	26	22	19	17	18	19	21	22	24	27
		130	*120*	*100*	*120*	*110*	*60*	*50*	*30*	*70*	*130*	*140*	*150*
Bogotá (Colombie)		14	14	14	14	14	13	14	14	14	14	14	14
		45	*73*	*84*	*131*	*101*	*66*	*34*	*44*	*74*	*153*	*136*	*67*
Buenos Aires (Argentine)		30	39	26	22	18	15	15	16	18	21	25	29
		60	*55*	*65*	*75*	*80*	*90*	*95*	*85*	*80*	*70*	*65*	*60*
Caracas (Venezuela)	max.	15	26	27	28	27	26	26	27	27	27	26	25
	min.	14	15	15	17	18	18	17	17	17	17	16	15
		23	*28*	*10*	*44*	*89*	*111*	*108*	*107*	*107*	*130*	*69*	*48*
Cayenne (Guyane)		27	27	27	27	27	27	27	28	28	28	27	27
Cochabamba (Bolivie)		19	18	20	19	17	15	16	17	19	20	20	20
		111	*82*	*31*	*9*	*0*	*3*	*0*	*15*	*1*	*9*	*77*	*65*
Fort-de-France (Martin.)		24	24	25	26	26	26	26	27	27	26	26	25
Guatemala City (Guat.)		16	17	18	19	19	18	18	18	18	17	16	16
		3	*2*	*7*	*19*	*141*	*265*	*211*	*187*	*57*	*159*	*23*	*7*

Ville		J	F	M	A	M	J	J	A	S	O	N	D
La Havane (Cuba)		21	21	23	24	25	26	27	27	26	25	22	22
		64	*53*	*45*	*55*	*101*	*155*	*108*	*101*	*161*	*172*	*66*	*38*
La Paz (Bolivie)		18	18	18	19	17	17	17	17	18	19	19	19
		6	*12*	*16*	*23*	*30*	*24*	*30*	*25*	*18*	*20*	*20*	*7*
Lima (Pérou)		22	23	22	21	18	17	16	15	16	16	18	20
		1	*0*	*0*	*0*	*2*	*3*	*4*	*5*	*5*	*2*	*1*	*1*
Merida (Mexique)		28	29	32	33	34	33	33	33	32	31	29	28
		25	*26*	*14*	*11*	*85*	*147*	*124*	*166*	*220*	*111*	*23*	*25*
Mexico (Mexique)		19	21	24	25	26	24	23	23	23	21	20	19
		28	*24*	*25*	*19*	*16*	*11*	*6*	*7*	*10*	*19*	*24*	*27*
Montevideo (Uruguay)		23	22	20	17	13	10	11	11	13	15	18	21
		77	*73*	*99*	*102*	*95*	*95*	*66*	*84*	*89*	*70*	*78*	*80*
Pointe-à-Pitre (Guadeloupe)		24	24	25	26	26	26	26	27	27	26	26	25
		98	*55*	*64*	*119*	*156*	*130*	*193*	*206*	*246*	*230*	*221*	*128*
Quito (Équateur)		14	14	14	14	14	14	14	14	14	13	13	14
Rio de Janeiro (Brésil)		30	30	29	27	26	25	25	25	25	26	26	28
		150	*125*	*133*	*103*	*66*	*56*	*50*	*40*	*63*	*80*	*95*	*130*
Salvador (Brésil)		26	26	27	26	25	24	24	24	25	24	25	26
		68	*129*	*51*	*272*	*314*	*224*	*82*	*168*	*162*	*162*	*66*	*68*
Santiago du Chili (Chili)		21	20	18	14	11	9	8	9	12	14	18	20
		2	*5*	*5*	*16*	*65*	*71*	*62*	*58*	*21*	*17*	*6*	*2*
Santiago de Cuba	max.	28	28	29	29	29	31	32	32	32	31	29	29
(Cuba)	min.	18	18	19	20	21	22	23	23	23	22	21	20
		30	*17*	*40*	*70*	*150*	*130*	*55*	*95*	*150*	*215*	*100*	*30*
Ushuaia (Argentine)	max.	14	14	13	9	6	4	4	6	8	11	12	13
	min.	5	5	3	1	–2	–3	–4	–3	–1	2	2	4
		60	*50*	*55*	*45*	*50*	*45*	*45*	*50*	*40*	*35*	*50*	*50*
Asie et Pacifique													
Al-Dawha (Qatar)	max.	21	22	26	32	37	41	42	42	39	35	28	22
	min.	12	12	16	20	25	28	29	29	26	12	18	13
		20	*12*	*11*	*3*	*2*	*0*	*0*	*0*	*0*	*0*	*4*	*20*
Antananarivo	max.	25	26	25	24	22	21	20	20	22	25	26	25
(Madagascar)	min.	16	16	16	15	12	10	10	10	11	12	15	16
		285	*220*	*230*	*35*	*13*	*9*	*10*	*10*	*15*	*45*	*145*	*255*
Auckland (N.-Zélande)		20	20	19	17	14	12	11	12	13	14	16	18
		70	*87*	*79*	*98*	*118*	*130*	*135*	*115*	*96*	*96*	*84*	*77*
Bali (Indonésie)		30	30	30	31	31	30	30	31	31	32	32	30
		60	*80*	*179*	*43*	*25*	*09*	*0*	*16*	*0*	*0*	*110*	*230*
Bangkok (Thaïlande)		26	27	29	30	30	29	28	28	28	27	27	27
		10	*31*	*24*	*64*	*185*	*160*	*171*	*198*	*342*	*221*	*44*	*5*
Bombay (Inde)		24	25	27	28	31	29	28	28	27	28	27	26
		2	*1*	*4*	*3*	*16*	*520*	*709*	*439*	*297*	*88*	*21*	*2*
Calcutta (Inde)		20	23	28	30	31	30	29	29	29	28	24	21
		13	*24*	*27*	*43*	*120*	*260*	*302*	*306*	*290*	*160*	*35*	*3*
Canton (Chine)	max.	17	13	21	25	30	31	33	33	32	28	25	25
	min.	9	11	13	19	23	24	26	26	25	19	16	12
		50	*70*	*90*	*150*	*250*	*265*	*250*	*240*	*125*	*60*	*50*	*20*
Colombo (Sri Lanka)	max.	31	31	31	32	31	30	30	30	30	30	30	30
	min.	22	23	24	24	25	25	25	25	25	24	23	23
		70	*88*	*121*	*287*	*388*	*186*	*154*	*99*	*216*	*396*	*329*	*193*
Delhi (Inde)		21	24	29	36	31	39	35	34	34	34	28	23
		69	*51*	*42*	*15*	*16*	*165*	*533*	*432*	*381*	*79*	*3*	*13*
Djakarta (Indonésie)		25	25	26	26	26	26	26	25	26	26	26	25
		326	*235*	*198*	*133*	*112*	*90*	*57*	*50*	*77*	*89*	*149*	*180*
Eilat (Israël)	max.	21	23	26	31	36	38	39	40	37	33	28	23
	min.	10	11	12	14	18	24	26	26	25	21	16	12
		2	*5*	*5*	*3*	*0*	*0*	*0*	*0*	*0*	*2*	*9*	*25*
Hong Kong		16	16	19	22	26	28	29	28	26	25	21	18
		30	*42*	*55*	*140*	*298*	*432*	*317*	*413*	*320*	*121*	*36*	*25*
Honolulu (Hawaii)		22	22	23	23	24	25	26	26	26	26	24	23
		96	*84*	*73*	*33*	*25*	*8*	*11*	*23*	*25*	*47*	*55*	*76*
Istanbul (Turquie)		5	6	7	12	16	21	23	23	20	16	12	8
		91	*76*	*64*	*44*	*31*	*23*	*21*	*24*	*48*	*66*	*82*	*106*
Jérusalem (Israël)		8	8	12	15	20	21	22	24	22	17	16	10
		60	*268*	*31*	*35*	*4*	*0*	*0*	*0*	*1*	*5*	*29*	*48*
Kaboul (Afghanistan)		4	1	7	13	20	25	30	32	19	13	9	4
		30	*35*	*93*	*100*	*20*	*5*	*2*	*2*	*2*	*15*	*20*	*10*
Karachi (Pakistan)		19	21	24	27	29	30	29	28	28	27	25	21
		7	*11*	*6*	*2*	*0*	*7*	*96*	*50*	*15*	*2*	*2*	*6*
Katmandou (Népal)	max.	17	21	25	27	29	33	30	27	26	24	20	19
	min.	2	3	9	11	17	20	20	19	18	12	8	3
		3	*3*	*19*	*32*	*82*	*237*	*375*	*240*	*175*	*65*	*7*	*12*
Koweït (Koweït)	max.	19	20	27	31	39	44	45	45	42	35	28	22
	min.	8	11	14	18	24	28	29	29	26	20	15	9
		15	*7*	*8*	*11*	*3*	*0*	*0*	*0*	*0*	*0*	*25*	*40*
Lhassa (Tibet)	max.	7	9	12	16	19	24	23	22	21	17	13	9
	min.	–10	–7	–2	1	5	9	9	9	7	1	–5	–9
		2	*13*	*7*	*5*	*25*	*63*	*120*	*90*	*65*	*13*	*2*	*0*
Manille (Philippines)		25	26	27	29	29	28	28	27	27	27	26	25
		221	*131*	*151*	*90*	*189*	*254*	*279*	*422*	*403*	*412*	*354*	*322*
Médine	max.	28	30	35	38	42	44	44	44	43	39	33	29
(Arabie Saoudite)	min.	8	10	12	15	20	25	25	26	24	19	13	9
		8	*1*	*4*	*5*	*4*	*0*	*0*	*0*	*0*	*1*	*10*	*4*
Nouméa (Nouvelle-Calédonie)		26	26	25	24	23	22	20	21	21	23	24	25
		117	*94*	*175*	*124*	*93*	*89*	*84*	*70*	*53*	*52*	*47*	*85*
Nukualofa	max.	29	29	29	28	26	25	25	24	25	26	27	28
(Îles Tonga)	min.	22	23	23	22	20	18	18	18	18	19	21	21
		200	*220*	*225*	*150*	*115*	*90*	*105*	*110*	*110*	*115*	*110*	*130*
Papeete (Tahiti)		30	30	30	30	29	29	28	28	28	29	29	29
		330	*235*	*185*	*126*	*94*	*65*	*61*	*40*	*47*	*87*	*149*	*285*
Pékin (Chine)		–5	–4	4	15	27	31	31	30	26	20	10	–5
		2	*4*	*6*	*15*	*30*	*75*	*250*	*125*	*60*	*12*	*8*	*2*
Perth (Australie)		23	24	22	19	16	14	13	13	15	16	19	22
		9	*12*	*19*	*45*	*123*	*183*	*173*	*137*	*81*	*54*	*21*	*14*
Phuket (Thaïlande)	max.	31	32	33	33	31	31	31	31	30	31	31	31
	min.	23	23	24	25	25	25	25	24	24	24	24	24
		35	*40*	*75*	*125*	*295*	*265*	*215*	*246*	*325*	*315*	*195*	*80*
Phnom Penh (Cambodge)		26	27	29	29	29	28	28	28	27	27	27	25
		6	*6*	*27*	*75*	*150*	*125*	*125*	*150*	*250*	*250*	*125*	*30*
Port Victoria	max.	29	29	30	31	30	29	28	28	29	29	30	29
(îles Seychelles)	min.	24	25	25	25	25	25	24	24	24	24	24	24
		310	*300*	*180*	*190*	*100*	*50*	*65*	*110*	*125*	*220*	*230*	*305*
Puerto Baquerizo	max.	29	30	30	30	29	27	25	24	24	25	26	27
(Galapagos)	min.	23	23	23	23	22	21	19	19	18	19	20	21
		50	*65*	*85*	*35*	*16*	*2*	*4*	*5*	*7*	*7*	*5*	*7*
Rangoon (Birmanie)	max.	29	34	37	41	35	32	32	31	31	34	30	29
	min.	19	18	21	24	25	24	24	24	24	25	23	19
		–	–	*26*	*20*	*418*	*517*	*482*	*634*	*375*	*109*	*11*	*4*

TEMPÉRATURES EN °C (1re LIGNE) **ET PLUIES EN MM** (2e LIGNE, EN ITALIQUE) **DANS QUELQUES VILLES** *(suite)*

		J	F	M	A	M	J	J	A	S	O	N	D
Rarotonga (Îles Cook)		26	26	26	25	24	23	22	22	22	23	24	25
		253	*223*	*275*	*183*	*172*	*108*	*94*	*129*	*104*	*124*	*144*	*229*
Saigon (Viêt-nam)	max.	32	33	24	25	33	32	31	31	31	31	31	31
	min.	21	22	23	24	24	24	24	24	23	23	23	22
		15	*5*	*10*	*40*	*225*	*325*	*300*	*250*	*325*	*250*	*100*	*50*
Sapporo (Japon)	max.	-2	-1	2	11	16	21	24	26	22	16	8	1
	min.	-12	-11	-7	0	4	10	14	16	11	4	-2	-8
		110	*80*	*65*	*65*	*60*	*65*	*100*	*110*	*145*	*110*	*110*	*105*
Séoul (Corée)	max.	0	3	9	17	23	26	28	30	25	19	11	3
	min.	-8	-5	0	6	12	17	21	22	16	9	2	-4
		20	*28*	*49*	*105*	*88*	*151*	*383*	*265*	*160*	*48*	*43*	*24*
Shanghai (Chine)	max.	8	8	13	19	25	23	32	34	28	23	17	12
	min.	1	1	4	10	15	19	23	23	18	14	7	2
		50	*60*	*80*	*100*	*100*	*175*	*150*	*140*	*125*	*50*	*50*	*30*
Singapour	max.	30	31	31	31	31	31	31	31	31	31	30	30
	min.	23	23	23	24	24	24	24	24	24	24	23	23
		239	*173*	*187*	*183*	*172*	*168*	*159*	*180*	*172*	*201*	*253*	*281*
Suva (îles Fidji)	max.	30	30	30	29	28	27	26	26	27	27	28	29
	min.	23	23	23	23	22	21	20	20	21	21	22	23
		305	*295*	*375*	*330*	*255*	*165*	*135*	*190*	*205*	*220*	*250*	*305*
Sydney (Australie)		22	22	21	18	15	12	12	13	15	17	19	21
		102	*114*	*136*	*124*	*122*	*132*	*101*	*77*	*69*	*78*	*81*	*78*
Taipeh (Taiwan)	max.	19	18	20	24	28	31	32	32	30	27	23	20
	min.	12	11	13	17	20	22	24	24	22	19	16	13
		90	*145*	*165*	*180*	*205*	*320*	*270*	*265*	*190*	*115*	*70*	*75*
Téhéran (Iran)	max.	8	10	15	21	28	33	36	35	31	24	16	9
	min.	1	2	4	9	15	19	22	21	18	12	5	5
		38	*27*	*32*	*25*	*13*	*2*	*6*	*1*	*1*	*5*	*27*	*27*
Tel-Aviv (Israël)	max.	18	19	23	25	27	28	31	32	31	29	25	20
	min.	9	10	11	14	17	19	22	23	21	18	14	10
		130	*95*	*60*	*15*	*4*	*0*	*0*	*0*	*2*	*18*	*80*	*130*
Tōkyō (Japon)		4	5	8	13	18	21	25	27	23	17	11	6
		49	*65*	*98*	*122*	*145*	*192*	*140*	*153*	*182*	*203*	*96*	*58*
Wellington	max.	21	21	19	17	14	13	12	12	14	16	17	19
(Nlle-Zélande)	min.	13	13	12	11	8	7	6	6	8	9	10	12
		80	*80*	*80*	*95*	*115*	*115*	*135*	*115*	*95*	*100*	*90*	*90*
Europe Asie													
Amsterdam (P.-Bas)		2	2	5	8	12	15	17	17	14	11	6	4
		70	*50*	*50*	*50*	*50*	*65*	*80*	*95*	*80*	*80*	*85*	*85*
Athènes (Grèce)		9	10	12	15	20	25	27	26	23	18	14	11
		43	*37*	*42*	*27*	*17*	*7*	*5*	*7*	*15*	*16*	*53*	*65*
Barcelone (Espagne)	max.	13	14	16	18	21	25	28	28	25	21	16	13
	min.	6	7	9	11	14	18	21	21	19	15	10	7
		30	*40*	*50*	*45*	*55*	*40*	*30*	*50*	*80*	*85*	*50*	*45*
Belgrade	max.	3	5	11	17	22	26	28	28	24	18	10	5
(Yougoslavie)	min.	-3	-2	2	7	12	15	17	17	13	8	4	0
		45	*45*	*45*	*55*	*75*	*95*	*60*	*55*	*50*	*55*	*60*	*55*
Bergen (Norvège)		1	1	3	6	10	13	14	14	12	9	4	2
		188	*146*	*142*	*110*	*99*	*114*	*140*	*178*	*235*	*245*	*203*	*195*
Berlin (Allemagne)		-1	1	4	8	13	17	18	17	14	8	4	1
		30	*30*	*40*	*40*	*60*	*70*	*80*	*70*	*50*	*40*	*40*	*40*
Bucarest (Roumanie)		-3	-1	5	11	16	20	22	22	18	11	5	0
		38	*32*	*35*	*44*	*72*	*84*	*68*	*54*	*38*	*38*	*45*	*37*
Budapest (Hongrie)		-1	2	6	12	16	20	21	21	17	11	6	2
		41	*40*	*34*	*43*	*58*	*77*	*58*	*56*	*41*	*42*	*64*	*50*
Copenhague (Danemark)		1	0	2	7	12	16	18	17	14	9	5	3
		49	*39*	*32*	*38*	*42*	*47*	*71*	*66*	*62*	*59*	*48*	*49*
Corfou (Grèce)		9	10	12	14	19	23	25	25	22	19	13	10
		146	*149*	*113*	*74*	*42*	*7*	*19*	*23*	*83*	*174*	*168*	*149*

		J	F	M	A	M	J	J	A	S	O	N	D
Crète (Grèce)		12	12	13	16	20	24	26	26	23	20	16	13
		94	*65*	*52*	*30*	*11*	*3*	*1*	*0*	*23*	*63*	*53*	*76*
Dublin (Irlande)		5	5	6	8	11	14	15	15	13	10	7	6
		68	*51*	*50*	*47*	*58*	*53*	*59*	*75*	*73*	*68*	*69*	*79*
Genève (Suisse)		0	1	5	9	13	17	18	18	14	9	5	2
		64	*60*	*69*	*64*	*69*	*82*	*74*	*98*	*98*	*86*	*89*	*79*
Iakoutsk (Russie)	max.	-43	-33	-18	-3	9	19	23	19	10	-5	-26	-38
	min.	-47	-40	-29	-14	-1	9	12	9	1	-12	-31	-43
		7	*6*	*5*	*7*	*15*	*30*	*43*	*38*	*22*	*15*	*13*	*10*
St-Pétersbourg	max.	-7	-5	0	8	15	20	21	20	15	9	2	-3
(Russie)	min.	-13	-12	-8	0	6	11	13	12	9	4	-2	-8
		35	*30*	*30*	*35*	*45*	*50*	*72*	*78*	*65*	*75*	*45*	*40*
Lisbonne (Portugal)	max.	14	15	17	20	21	25	27	28	27	22	17	15
	min.	8	8	10	12	13	15	17	17	16	14	11	8
		110	*75*	*110*	*55*	*45*	*16*	*3*	*4*	*3*	*60*	*95*	*105*
Londres (G.-B.)		5	6	7	10	13	16	18	18	16	13	9	6
		42	*31*	*38*	*40*	*46*	*48*	*42*	*52*	*53*	*43*	*54*	*48*
Madrid (Espagne)		5	7	10	13	16	21	24	24	20	15	9	6
		42	*40*	*44*	*46*	*40*	*28*	*10*	*12*	*32*	*51*	*50*	*46*
Moscou (Russie)	max.	-7	-6	0	9	17	22	24	22	16	8	0	-5
	min.	-14	-14	-8	0	6	10	13	12	6	1	-5	-10
		33	*30*	*34*	*36*	*51*	*65*	*77*	*72*	*58*	*50*	*38*	*39*
Mourmansk	max.	-8	-9	-5	2	7	13	16	15	9	3	-1	-6
(Russie)	min.	-15	-16	-12	-5	0	5	8	8	4	-2	-6	12
		30	*25*	*18*	*17*	*28*	*52*	*52*	*60*	*45*	*50*	*35*	*33*
Naples (Italie)	max.	12	13	15	18	22	26	29	29	26	22	17	16
	min.	4	5	6	9	12	16	18	18	17	12	9	6
		115	*85*	*75*	*60*	*45*	*30*	*19*	*30*	*65*	*105*	*145*	*135*
Odessa (Ukraine)	max.	0	2	5	12	19	23	26	26	21	16	10	4
	min.	-6	-4	0	6	12	16	18	17	14	9	4	-2
		57	*62*	*30*	*20*	*35*	*35*	*42*	*37*	*37*	*13*	*35*	*70*
Oslo (Norvège)	max.	-2	-1	4	10	16	20	22	21	16	9	3	0
	min.	-7	-7	-4	1	6	10	13	12	8	3	-1	-4
		50	*35*	*25*	*45*	*45*	*70*	*80*	*95*	*80*	*75*	*70*	*65*
Palerme (Sicile)	max.	16	16	17	20	24	27	30	30	28	25	21	18
	min.	8	8	9	11	14	18	20	21	19	16	12	10
		70	*45*	*58*	*50*	*19*	*9*	*2*	*18*	*40*	*75*	*70*	*60*
Palma de Majorque	max.	14	15	17	19	22	26	29	29	27	22	18	15
(Espagne)	min.	6	6	8	10	13	17	20	20	18	14	10	8
		40	*35*	*50*	*30*	*30*	*17*	*3*	*25*	*55*	*75*	*45*	*40*
Paris (France)		3	4	7	10	14	17	19	18	16	11	7	4
		54	*43*	*32*	*38*	*52*	*50*	*55*	*62*	*51*	*49*	*50*	*49*
Prague (Tchécoslovaquie)		7	2	3	8	13	16	19	17	14	8	3	7
		23	*24*	*23*	*32*	*61*	*67*	*82*	*66*	*36*	*42*	*26*	*26*
Rome (Italie)		8	9	11	14	17	22	24	24	21	17	13	9
		79	*73*	*77*	*47*	*34*	*20*	*7*	*35*	*76*	*83*	*127*	*109*
Sofia (Bulgarie)		-2	1	5	11	15	19	21	21	17	11	5	1
		42	*37*	*37*	*55*	*71*	*90*	*59*	*43*	*42*	*155*	*52*	*44*
Stockholm (Suède)		-3	-3	-1	4	10	15	18	17	12	7	3	0
		43	*30*	*26*	*31*	*34*	*45*	*61*	*76*	*60*	*48*	*53*	*48*
Sulina (Roumanie)		0	0	4	10	16	21	23	23	19	14	8	3
		25	*24*	*19*	*25*	*33*	*36*	*29*	*36*	*27*	*29*	*33*	*29*
Venise (Italie)		2	4	8	12	17	21	23	23	19	13	8	4
		60	*58*	*55*	*72*	*73*	*70*	*62*	*87*	*59*	*72*	*100*	*49*
Vienne (Autriche)		-1	0	4	9	14	17	19	19	15	10	4	0
		40	*43*	*45*	*45*	*70*	*67*	*83*	*72*	*41*	*56*	*54*	*45*
Vladivostok	max.	-11	-6	1	8	13	17	22	24	20	13	2	-7
(Russie-Sibérie)	min.	-18	-14	-7	1	6	11	16	18	13	5	-4	-13
		10	*13*	*20*	*45*	*70*	*90*	*100*	*145*	*125*	*57*	*30*	*17*

que de l'Europe, côte pacifique de l'Amérique du N.). Saisons peu marquées (moyenne annuelle : 11 °C). Amplitude thermique annuelle et journalière faible. Pluies réparties sur toute l'année ; maximum en saison froide ; pluie fine (crachin). Nuances régionales dues à la latitude (la Bretagne a une moyenne supérieure de 1 °C à l'Irlande ; la Scandinavie est plus fraîche), et à l'éloignement de la mer (à Paris, pluies moins abondantes et moins fréquentes). Les *anticyclones* apportent des journées fraîches l'hiver, du beau temps l'été. L'air maritime (polaire ou tropical), peu dense, domine, le plus souvent accompagné de vents d'ouest et de systèmes nuageux. Lorsque le front polaire aborde la côte bretonne, le front chaud d'une perturbation apporte la pluie avec un vent tiède de S.-O., le **suroît.** Le front froid, pluvieux, provoque une chute de température et le vent saute au N.-O., c'est le **noroît** qui apporte de l'air polaire.

■ **Climat continental. Ex. Moscou :** hiver rigoureux. 2 types : *1°) Anticyclonique :* fréquent ; pression de 1 040 millibars ; temps sec ; température nuit – 20 °C ou – 25 °C, journée – 10 °C. *2°) Front polaire :* tempêtes de neige, température remontant ; en avril, les jours s'allongent vite (4 mn par 24 h) et les rayons du soleil sont moins obliques ; dégel. Eté chaud (40 °C à 50 °C), pluies de convection ; chaque perturbation de front polaire apporte un orage. **Sibérie :** l'hiver, beaucoup plus froid, dure 7 mois. Amplitude moyenne : 65 °C à Verkhoïansk (absolue : plus de 100 °C). Forêt de conifères : la *taïga* (épicéas de 30 à 40 m de haut, mélèzes, sapins, quelques feuillus : bouleaux). **Ukraine, centre de l'Amérique du Nord** (prairie) : si les pluies sont inférieures à 350 mm : **steppe** (herbe courte irrégulière). Sol, **podzol :** horizon supérieur mince, humus acide ; intermédiaire lessivé, ressemblant à de la cendre ; en profondeur, accumulation d'éléments, parfois en couche imperméable et dure, l'**alios.** Sols bruns forestiers : plus riches que les podzols, forêt de feuillus ; horizons superficiels incomplètement lessivés, car un mouvement de remontée des eaux et des sels minéraux compense en partie le lessivage.

Sous la prairie, sol : terre noire granuleuse, très féconde, le **tchernoziom ;** lessivage compensé par la remontée des éléments minéraux.

■ **Polaire arctique.** Hiver ⩽ – 40 °C ; été < + 10 °C. À la fonte de la neige apparaît la *toundra* où poussent dans les creux marécageux : mousses, lichens, joncs, carex, et dans les régions moins humides : rhododendrons, myrtilles, saules, bouleaux nains. L'été le sol ne dégèle qu'en surface, les racines s'étalent (le sol contient peu de matières nutritives), le froid ayant nui à la décomposition des végétaux.

Rennes, caribous broutent mousses et lichens ; phoques, morses, manchots se nourrissent de poissons. Moustiques l'été.

■ **Polaire antarctique.** Encore plus froid (hiver – 60 °C, été < 0 °C). Il n'y a ni dégel, ni toundra, ni animaux terrestres. Faune marine et oiseaux très abondants.

■ **Milieu montagnard.** Les températures s'abaissent quand l'altitude augmente (de 0,5 °C à 1 °C pour 100 m), car l'air raréfié absorbe moins de chaleur solaire. Sur l'*adret*, versant exposé au sud, l'incidence des rayons solaires peut être semblable à celle de la zone équatoriale. L'*ubac* est le versant exposé au nord. Les précipitations augmentent avec l'altitude, car la montagne oblige l'air à se détendre, à se refroidir et à condenser son humidité. Les Alpes reçoivent souvent plus de 2 m d'eau ; les chutes de neige atteignent 47 m au mont Blanc.

Vents : fœhn, sec (Alpes suisses) ; chinook (est des Rocheuses). *Torrents* irréguliers : hautes eaux dues à la fonte des neiges au printemps (régime nival), à la fonte des glaces l'été (régime glaciaire). *Végétation* étagée : forêt à feuilles caduques et prairies ; plus haut, forêt de conifères ; puis prairies ou alpages. Sur les hautes montagnes tropicales, la forêt toujours verte peut subsister jusqu'à 2 000 m.

Vers 3 500 m, en Afrique : séneçons, lobélies, graminées ; dans les Andes humides : prairie de graminées **(paramo) ;** dans les Andes sèches, steppe buissonneuse **(puna).**

MODIFICATION DES CLIMATS

■ ÉVOLUTION

■ **Grandes périodes.** Des périodes alternativement chaudes et froides se sont succédé au cours des millénaires écoulés. Pendant les 3 derniers millions d'années, des phases glaciaires de 80 000 à 100 000 ans ont alterné avec des périodes interglaciaires de 20 000 ans. Voir p. 50. Des oscillations moins marquées ont affecté certaines régions de la Terre. Durant les périodes les plus froides, les glaciers occupaient une superficie importante à la surface du globe.

Il y a 20 000 à 50 000 ans, le continent arctique s'étendait jusqu'au bord de l'Allemagne, et le niveau moyen de la mer était à 100 m au-dessous du niveau actuel, par suite de l'importante quantité d'eau immobilisée dans les glaciers.

Période actuelle. Depuis 8 000 ou 10 000 ans, nous nous trouvons dans une phase interglaciaire relativement chaude et humide. La prochaine période glaciaire pourrait commencer dans 1 000 ans. *Oscillations mineures :* existent à l'intérieur des grandes périodes, par ex. : épisode chaud de 800 à 1 200 ap. J.-C. (réchauffement de la Scandinavie, expansion démographique des Scandinaves, invasions normandes) ; petit âge glaciaire de 1550 à 1870, qui causa de nombreuses pertes de récoltes en Europe et provoqua la prolifération des loups. Le *minimum de Maunder* (activité solaire anormalement basse pendant 70 ans, de 1645 à 1715) a coïncidé avec le petit âge glaciaire. En G.-B. on a pu observer des corrélations entre les périodes de sécheresse (déduites de l'examen des cernes d'arbres – dendroclimatologie) et le cycle magnétique du Soleil (22 ans).

■ **Raisons de ces variations climatiques. Rôle du Soleil.** 98 % de l'énergie solaire arrive sous forme de rayonnement visible et de proche infrarouge en quantité constante. Le reste nous parvient sous forme de rayonnement ultraviolet, de rayons X, d'ondes radio et de particules qui peuvent varier en fonction de l'activité solaire. Cette partie variable des flux solaires n'est pas observable au sol. La température de la thermosphère changeant en fonction de l'activité solaire, ses modifications entraînent peut-être des changements dans les couches atmosphériques situées au-dessous d'elle. L'activité solaire retentit peut-être directement sur les couches situées sous la thermosphère (stratosphère en particulier), où se trouve la couche d'ozone qui empêche les ultraviolets de parvenir à la surface de la Terre.

Explication astronomique. Due à l'astronome yougoslave Milutin Milankovitch (1941) : les alternances de chaleur et de froid obéissent à 3 rythmes principaux. 1°) *Cycle de l'inclinaison de l'axe terrestre* (40 000 ans) : l'angle que fait la Terre avec le plan orbital varie ; plus l'inclinaison est forte, plus les écarts entre les saisons sont importants. 2°) *Cycle d'excentricité de l'orbite* (92 000 ans) : la forme de l'orbite décrite par la Terre autour du Soleil n'est pas constante : en certaines périodes, le globe terrestre est plus éloigné du Soleil, donc plus froid. 3°) *Cycle de précession des équinoxes* (21 000 ans ou 25 920 ans pour retrouver la même position dans l'espace) : un des 2 hémisphères se trouve plus proche du Soleil que l'autre (actuellement, l'hémisphère Nord est le plus favorisé ; la glaciation progresse dans l'hém. Sud, entre le 45e et le 65e parallèle).

La combinaison de 2 ou 3 effets de ces cycles peut produire des variations climatiques considérables ; par ex., dans les Alpes, 4 avancées puis retraites des glaciers en 700 000 ans ; présence de l'hippopotame dans les Pyrénées il y a 450 000 ans ; du mammouth dans le Périgord il y a 17 000 ans.

Évolution possible du climat

Perspectives d'un réchauffement. *Depuis 1860* env., grâce aux instruments de mesure, on connaît plus exactement l'évolution du climat : on constate dans certaines régions un réchauffement général de 0,6 °C entre 1880 et 1940, puis un refroidissement de 0,4 °C entre 1940 et 1965. Depuis, il y aurait une légère remontée. *En 1990,* la température moyenne de la Terre était supérieure de 0,39 °C à la moyenne établie entre 1951 et 1980. D'ici à 2050, elle s'élèverait de 2 à 3 °C dans les latitudes tempérées de 10 °C aux pôles, tandis que les précipitations augmenteraient en moyenne de 7 %.

À Paris, la température moyenne de l'air s'est élevée de 2 °C depuis 100 ans, ainsi que la température du sous-sol : à 28 m de profondeur, dans les caves de l'observatoire de Paris, la température, qui était de 11,8 °C jusque vers 1880, dépasse actuellement 13,3 °C. Cette augmentation est liée principalement aux apports thermiques (foyers domestiques, industries, circulation auto) et aux modifications de surface (extension des surfaces dures).

Causes possibles. Augmentation du gaz carbonique (CO_2) dans l'atmosphère venant de la combustion de l'énergie fossile (charbon, pétrole, gaz) (6 milliards de t de carbone par an actuellement), du défrichement de l'Amér. du N. au XIXe s., et au XXe s. de la décomposition organique de la forêt tropicale (dont on détruit au moins 1 % chaque année). À l'ère glaciaire, il y a 18 000 ans, il y avait 200 molécules de CO_2 par million de molécules présentes dans l'atmosphère. Vers 1880, env. 270 ; en 1989, 352 ; en 2050, il y en aura 600, et si toutes les réserves de combustibles fossiles étaient brûlées 1 200 à 1 500 ppm. Or, les particules de gaz carbonique comme celles du méthane, du protoxyde d'azote et des CFC, réalisent un « effet de serre » ; elles laissent passer le rayonnement solaire arrivant sur terre, mais piègent les infrarouges qui permettent, la nuit, d'évacuer le surplus de chaleur reçu le jour. **Rôle modérateur en diminution des forêts tropicales.** Elles absorbent à elles seules 52 % du CO_2 produit dans le monde, mais sont de plus en plus exploitées à grande échelle ou défrichées par des paysans en quête de nouvelles terres. Ainsi, en Amazonie, 2 milliards de t de carbone sont transformées en CO_2 chaque année. **Océans.** Ils absorbent aussi le CO_2 et rejettent de l'oxygène ; mais la capacité d'absorption de leurs couches supérieures arrive à saturation. Il faudrait au moins 1 000 ans pour qu'un rééquilibrage entre les couches profondes et les eaux de surface se fasse afin d'absorber l'excédent de CO_2. En outre, les pellicules d'hydrocarbures recouvrant la mer (en particulier près des régions polaires) diminueraient les échanges entre la surface et le fond et les possibilités de réflexion des rayons solaires. **Anomalies dans la rotation de la Terre.** L'analyse d'anneaux d'arbres et de carottes prélevés dans l'Antarctique permettrait de faire remonter le réchauffement global à 1 000 ans donc avant l'augmentation du taux de CO_2 dans l'atmosphère.

Effets prévus de réchauffement. De 1 °C : gain de productivité agricole d'env. 25 %. Grâce à l'extension des terres agricoles et des cultures vers des zones auparavant froides (ex. : pour le blé, extension sur 200 km de large ; ce qui permettrait à la Russie et au Canada d'accroître leur production), relance de la productivité de certaines zones arides grâce à l'augmentation de pluviosité ; le rallongement de la période de végétation (15 j à 50° de latitude, 30 j à 70° de latitude) permettant d'utiliser des variétés moins précoces à rendement plus élevé. Extension (ou déplacement) des déserts vers des latitudes plus élevées. **De 5 °C des océans :** la fonte des calottes glaciaires relèverait le niveau des océans de 1 m provoquant l'inondation des terres (côtières) les plus riches. Selon Kellog, la fonte complète relèverait le niveau des mers de 65 m. Le dégel de la banquise océanique influerait sur les températures de la surface des océans, les possibilités de pêche et le climat des régions côtières.

☞ Toute matière vivante contient du carbone (dans un poids donné de CO_2, le carbone intervient pour 27,3 %). Sans carbone, il n'y aurait pas de vie sur terre. Sans gaz carbonique dans l'atmosphère, la température moyenne serait d'environ – 18 °C.

Refroidissement. Pour d'autres météorologues, le rayonnement solaire ne sera pas emprisonné à cause de l'effet de serre car il n'arrivera même plus à traverser entièrement l'atmosphère. Une prison froide sera ainsi créée par les particules dues à la pollution. L'air de l'Arctique contient beaucoup de particules solides baignées d'acide sulfurique (caractéristique de la pollution urbaine). Or les gouttelettes d'eau ont tendance à se former autour de ces particules. Plus il y a de particules, plus il y a de gouttes d'eau et, moins les gouttes sont grosses, moins elles sont lourdes et moins il y a d'averses. Le grand nombre de particules intensifie le pouvoir réfléchissant des nuages et une plus grande partie de rayonnement venu du Soleil repart dans l'espace.

Modifications accidentelles

Effets des cendres volcaniques. En 1815, une explosion détruisit le volcan **Tambora** dans l'île de Sumbawa (Indonésie). Des milliards de m³ de poussières fines furent projetés dans la haute atmosphère, où elles formèrent des nuages qui firent écran à la lumière solaire. À partir de juin 1816, une partie de ces nuages se stabilisa au-dessus de la Nouvelle-Angleterre (USA), provoquant 4 vagues de froid successives ; des gelées détruisirent le blé les 9 juillet, 21 et 30 août. Il y eut une chute de 15 cm de neige le 11 juin. De nombreux habitants, ruinés par leurs mauvaises récoltes, émigrèrent vers le Middle West. Une autre partie des cendres du Tambora stationna au-dessus de l'Europe : la récolte de blé fut désastreuse en France en 1816 et le prix du grain doubla au début de 1817.

Après l'éruption du **Krakatoa** en 1883 (dans les îles de la Sonde), du **Katmaï** (Alaska) en 1912, celle du **Bezymianny** (Kamtchatka) en 1956 et celle du mont **Agung** (Bali) en 1963, qui ont projeté des milliers de t de poussières, on a eu des hivers rigoureux. L'éruption du **Pinatubo** (Philippines) le 14-6-1991 a projeté un nuage de poussières et de gaz (dioxyde de soufre) qui a provoqué la diminution de 1 à 5 % du rayonnement solaire reçu par la Terre, d'où une baisse de température de 0,10 à 0,50 °C.

Anomalie de température de l'océan Pacifique central : « el Niño » (l'Enfant Jésus). Certains hivers, des eaux chaudes tropicales remontant le long des côtes de l'Équateur et du Pérou provoquent des pluies torrentielles (600 † en 1983 en Équateur) et s'accompagnent de sécheresses en Australie et en Indonésie. El Niño de 1982-83 provoqua tempêtes de neige et ouragans en Californie, cyclones à Tahiti, sécheresses aux Philippines et en Afrique du Sud. Le programme Toga (Tropical Oceans and the Global Atmosphere), 1985 à 1995, étudie le phénomène.

Interventions humaines

Brouillards (dissipation). On peut dissiper artificiellement les brouillards froids (temp. < 0 °C) sur les aérodromes, par diffusion de propane ou réchauffement artificiel, mais les brouillards chauds (temp. > 0 °C), plus fréquents dans les régions tempérées, sont plus coûteux à dissiper. *Procédés utilisés (ex.) :* réchauffage de l'air Fido (G.-B., 2e Guerre mondiale) ; procédé thermocinétique Turboclair à Orly et Roissy ; procédé thermodynamique Linde (All.) ; utilisation d'aérothermes ; de tamis rotatifs ou de matières hygroscopiques (USA). *À l'étude :* dénébulation à l'aide de champs électriques, sondes sonores, rayons infrarouges, rayons lasers...

Pluies artificielles et lutte contre grêle. Méthodes. *Si la température du nuage est supérieure à 0 °C,* on l'ensemence (par avion ou par fusée) avec de la poudre de chlorure de sodium ou parfois d'alginates (extraites d'algues brunes). *Si elle est inférieure à 0 °C,* on diffuse dans les nuages des vapeurs d'iodure d'argent [celui-ci cristallise comme la glace, selon un système hexagonal de dimension voisine de celle du cristal de glace (4,58 dix millionièmes de mm) et, comme le cristal élémentaire de glace, il attire l'eau et la vapeur et les fait geler]. On a utilisé d'abord des forges portatives transportées par avion, puis des générateurs à trémies, des appareils pulvérisant une solution acétonique d'iodure d'argent, et enfin un générateur électrique sublimant des pastilles d'iodure.

Organisation. L'Organisation météorologique mondiale (OMM) a mis sur pied un Projet d'augmentation des précipitations (PAP), auquel participent plusieurs pays (dont la France) mais il a été ajourné à la suite d'essais coûteux n'ayant pas donné de résultats probants. *En France,* le Groupement national d'études des fléaux atmosphériques (GNEFA) étudie la question. Dans le S.-E., une association utilise contre la grêle 540 générateurs dans 11 départements (env. 50 % d'efficacité).

Projets de détournement des courants naturels. Bassin arctique, détournement par pompage (de 140 000 m³ d'eau) d'eaux arctiques froides dans l'océan Pacifique grâce à un barrage coupant le détroit de Béring ; les eaux atlantiques chaudes traversant alors le Bassin arctique (conditions existant il y a 4 000 ans), élèverait la température du Danemark de 8 °C à 10/10,5 °C en 4 ou 5 ans ; déglacerait progressivement le Groenland.

Extrême-Orient, déviation de la branche occidentale du Kuro-Shivo (chaud) dans la mer d'Okhotsk (barrage dans le golfe de Tartarie : 100 000 000 de m³).

Prévision du temps

Réalisations techniques. Veille météorologique mondiale assurée par 3 systèmes mondiaux : *1°) d'observation* (réseaux nationaux) ; *2°) de traitement* des données [3 centres météor. mondiaux (CMM) : Washington, Moscou, Melbourne ; des centres régionaux et des centres nationaux (CMN)] ; *3°) 3 systèmes de télécommunications* pour acheminer et diffuser vers les centres la masse des informations nécessaires.

Observations. 1°) Réseau terrestre d'observation synoptique. 10 058 stations dont 8 573 en surface et 1 485 en altitude.

En France : 137 stations dont celle d'Albertville, la plus haute d'Europe (+ 187 postes auxiliaires), enregistrent toutes les 3 h (pression et variation de pression, température et humidité, force et direction du vent, nébulosité, temps présent, visibilité...), et envoient immédiatement le résultat aux autres services météo. 3 sites centraux (météorologie, climatologie) : Paris-Alma, Trappes et Toulouse (siège de Météo France dep. 10-9-1991).

7 stations de radiosondage (pression, température, humidité, vent) à Brest, Trappes, Nancy, Bordeaux, Nîmes, Lyon et Ajaccio, lancent à 0 h et à 12 h TU des *ballons-sondes* (en caoutchouc ou Néoprène gonflés à l'hydrogène ; diamètre au départ 2 m environ ; charge emportée : la radiosonde + un réflecteur radar + un parachute ; altitude atteinte 25 à 30 km ; diamètre à l'éclatement 10 m). Avec leur émetteur, ils retransmettent les données recueillies en altitude par chaque appareil de mesure sur : température, pression, vent, degré d'humidité. 25 % de l'hémisphère Nord et 75 % de l'hémisphère Sud sont dépourvus de telles stations de sondage.

2°) **Réseau maritime :** 4 760 navires sélectionnés par les services nationaux (G.-B. 550, All. 400, *France 143 nav.)* effectuent des observations de surface aux heures synoptiques (0 – 6 – 12 – 18 h TU) et 19 navires équipés pour le radiosondage (dont 4 sur la liaison France-Antilles) effectuent des observ. en altitude. Il y a en moyenne une observ. de surface pour 40 000 km² et une observation en altitude pour 550 000 km².

3°) **Réseau aérien :** des avions météorologiques de la NOAA (National Oceanographic and Atmospheric Administration) vont au cœur des cyclones, lâchent des sondes mesurant températures, humidité, vitesse des vents ; les radars à bord cartographient les précipitations et mesurent aussi la vitesse des vents. Ces mesures permettent de prévoir les trajets des cyclones.

Automatisation du réseau synoptique français : 150 dont 6 sur des aérodromes sans station météorologique.

Techniques utilisées. Radars. Traitent les masses nuageuses et analysent leur contenu en vapeur d'eau jusqu'à 300 km ; permettent ainsi de voir les petites perturbations orageuses locales qui ont pu ne pas être décelées par les observateurs en surface.

France : réseau *Aramis* doté de 12 radars (Trappes, Brest, Nantes, Bordeaux, Bourges, Lyon, Manduel, Grèzes, Argy, Rechicourt, Abbeville, Toulouse), qui permettent de visualiser tous les 1/4 d'h les observations (système Météotel). Ils permettent, 2 h à l'avance, la prévision des précipitations.

États-Unis : un réseau de radars-Doppler (bande 6-30 MHz), avec des antennes fixes de 900 à 1 800 m de long, se réfléchissant sur les couches ionisées et déterminant l'état de la mer jusqu'à 2 000 milles de la station, est expérimenté. 3 réseaux de ce type (en Virginie, Groenland, Liberia) suffiraient pour avoir l'état de la mer sur l'ensemble de l'Atlantique Nord avec une précision de 15 % sur la hauteur des vagues, 10 % sur leur période et 20 % sur leur direction.

Ballons plafonnants. Indilatables, naviguant à pression constante, mesurant pression, température de l'air, vent en vitesse et direction.

Bouées météo-océanographiques. Servent en dehors des lignes maritimes ; mouillées en particulier par Japon et USA au large de leurs côtes (aux USA, 12 m de diamètre, 150 t, autonomie de 6 mois) et transmettant (à plusieurs milliers de km), à heure fixe ou sur interrogation, les données météo-océanographiques en surface et en profondeur ; fiabilité + de 85 %.

France. Env. 15 bouées « Marisondes » opérationnelles dans 2 réseaux de l'Atlantique Nord : *UOBA* (S. du Groenland) et *UCOS* (près des Açores). Informations retransmises par satellite (système *Argos*) : pression, température, humidité, vent, observation possible des courants. 11 bouées *Bodega* dans l'océan Pacifique équatorial transmettent leurs données sur le Système mondial de transmission.

Satellites météorologiques. Rôle : photographient les nuages, repèrent les cyclones tropicaux en formation, mesurent la température de l'atmosphère et le vent à différents niveaux. **Types :** *1°) satellites « à défilement »,* à 1 500 km d'altitude d'env., sur des orbites polaires, ils survolent 2 fois par jour toute la zone du globe (rotation du plan de l'orbite autour de l'axe des pôles) ;

2°) s. « géostationnaires », qui surplombent la Terre à 36 000 km d'altitude, paraissant ainsi immobiles pour un observateur à terre ; leur position au-dessus de l'équateur les empêche d'observer les zones polaires. Nombre : 5 (1 européen, 1 japonais, 2 nord-amér., 1 indien).

■ **Méthodes de prévision. Géométriques.** *Méthodes d'extrapolation :* pour les précipitations à courte échéance (2 h) où l'on extrapole le déplacement d'un écho radar sur un écran de visualisation (système Météotel). *Modèles numériques :* pour les échéances de quelques h, comprennent des champs de vent, de pression, de température, d'humidité, de précipitations, de nébulosité (modèle Péridot).

Physiques. S'expriment par des règles non rigoureuses faisant intervenir températures, vents, grandes ondes caractérisant la circulation dans la moyenne ou haute troposphère (ondes de *Rossby*), cartes de niveau à 500 millibars et de courant régnant à cette altitude, structure thermique des masses d'air (notions de stabilité de l'air), situations analogues...

Mathématiques. Connaissant l'état de l'atmosphère à l'instant T, recherchent ce que deviendra cet état à l'instant T + *n* en utilisant les lois d'évolution. Puissants calculateurs modernes (Cray 2 a une capacité de 1,2 milliard d'opérations binaires par seconde) permettant aux modèles numériques d'atmosphère de mieux approcher la réalité des phénomènes. Des phénomènes de dimensions réduites, tels les orages, peuvent passer « à travers les mailles ».

Systèmes dynamiques, discipline frontière entre les mathématiques et la physique d'une part, les méthodes mathématiques issues de la théorie des processus stochastiques (i.e. soumis au hasard) d'autre part, permettent de prendre en compte la variabilité des phénomènes atmosphériques et d'obtenir des prédictions statistiques en ce qui concerne, par exemple, l'alternance sécheresse/pluviosité dans une région du monde (ex. Sahel).

Records

Les records sont difficiles à établir, car les observations ne sont faites que localement et, dans beaucoup d'endroits, depuis une époque récente. Elles ont été aussi parfois interrompues (ainsi en France, sauf à Paris, durant la guerre 1939-45).

Mesure des températures. Prise à environ 1,5 à 2 m de hauteur sous abri, ou au thermomètre-fronde

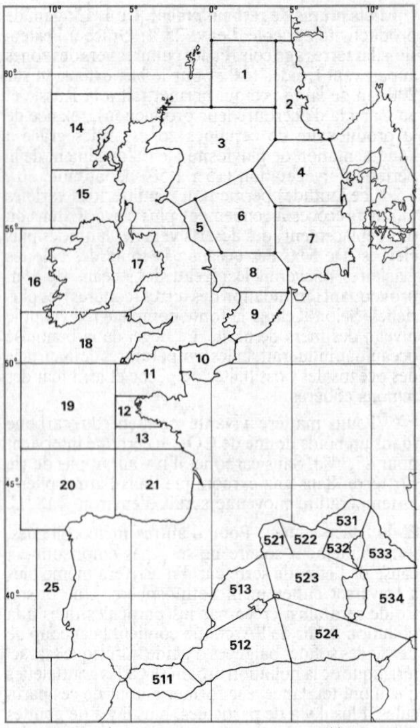

MÉTÉOROLOGIE NATIONALE

Noms des zones pour bulletins maritimes

Légende. 1 Viking Bank. *2* Utsire. *3* Fladen Ground. *4* Fisher Bank. *5* Tyne. *6* Dogger Bank. *7* German Bight. *8* Humber. *9* Sandettie. *10* Manche Est. *11* Manche Ouest. *12* Ouest Bretagne. *13* Nord Gascogne. *14* Ouest Écosse. *15* Nord Irlande. *16* Ouest Irlande. *17* Mer d'Irlande. *18* Sud Irlande. *19* Sole. *20* Cap Finistère. *21* Sud Gascogne. *25* Ouest Portugal. *511* Alboran. *512* Sud Baléares. *513* Nord Baléares. *521* Lion. *522* Provence. *523* Ouest Sardaigne. *524* Sud Sardaigne. *531* Gênes. *532* Ouest Corse. *533* Est Corse. *534* Est Sardaigne.

(afin d'éviter les radiations qui, au soleil, fausseraient les mesures). Les températures prises plus bas, ou directement sur la neige, ou prises au cours de sondages en altitude, ne doivent être comparées qu'avec celles prises ailleurs dans les mêmes conditions.

Mesure des pressions. Comparables si elles sont ramenées à une même altitude de référence.

■ Records mondiaux

☞ Records français (voir Index).

■ **Brouillards maritimes. Les plus longs :** plus de 120 j/an à Terre-Neuve (Canada) (visibilité : - 1 km).

■ **Ensoleillement. Maximum :** 97 % au Sahara, 90 % à Yuma (Arizona). **Minimum :** pôle Sud, 182 j, p. Nord, 176 j.

■ **Grêlons. Les plus lourds :** 1,9 kg au Kazakhstan en 1959 ; 972 g à Strasbourg (France) le 11-8-1958 ; 750 g à Coffeyville (Kansas, USA).

■ **Neige. Plus forte chute :** *en 12 mois :* 31,10 m à Paradise, Mont Rainier (Washington, USA) du 19-2-1971 au 18-2-1972. *En 1 jour :* 1,93 m à Silver Lake (Colorado, USA) les 14 et 15-4-1921.

■ **Orage. Maximum par an :** 322 j en 1916 à Bogor (Java, Indonésie). **Durée :** se localisent en « cellules » de 2 à 10 km de diamètre, chacune ayant une durée de vie moyenne d'une heure.

■ **Précipitations. Hauteurs maximales en m :** *en 1 min :* 0,0312 (Union-Ville, Maryland, USA, 4-7-1956 à 15 h 23). *En 15 min :* 0,198 au moins à Plumb-Point, Jamaïque, 12-5-1916. *En 20 min :* 0,206 (Curtéa de Argès, Roumanie, 7-7-1989). *En 1 jour :* 1,87 (Cilaos, Réunion, 15/16-3-1952) ; 1,8225 (massif du Volcan, Réunion, 7-1-1956). *1 mois* (31 j) : 9,3 (Cherrapunji, Inde, juillet 1861). *1 an* (12 mois) : 26,461 (Cherrapunji du 1-8-1860 au 31-7-1861).

Moyenne annuelle (en mm). Maxi : Tutunendo (Colombie) 11 770. Monrovia (Liberia) 5 131. Moulmein (Birmanie) 4 820. Padang (Sumatra, Indon.) 4 452. Conakry (Guinée) 4 341. Bogor (Java, Indon.) 4 225. Douala (Cameroun) 4 109. Cayenne (Guyane franç.) 3 744. Freetown (Sierra Leone) 3 639. Ambon (Indonésie) 3 530. Il pleut 350 j/an au mont Walaleale (Hawaii). **Mini :** Antofagasta (Chili) 0,4. Louqsor (Ég.) 0,5. Assouan (Ég.) 1. Assiout (Ég.) 5. Callao (Pérou) 12.

■ **Pression. La plus élevée :** 1 083,8 hPa (hectopascals) à Agata (Sibérie) le 31-12-1968 (réduite au niveau de la mer). **Les plus basses :** 870 hPa au centre du typhon Joan aux Philippines, les 13/14-10-1970 ; 870 hPa dans l'œil du typhon Typhoon Tip à 480 km au large de Guam (Pacifique) le 12-10-1979 (réduite au niveau de la mer). Env. 810 hPa à Minneapolis au passage d'une tornade le 20-8-1904 (réduite au niveau de la mer), non vérifiée officiellement.

Pressions au sol, non réduites au niveau de la mer : 450,6 hPa (Antarctide, 1958) ; 300 hPa (Everest, Makālū, K2, Kangchenjunga).

■ **Sécheresse. La plus longue :** env. 400 ans jusqu'en 1971, désert d'Atacama (Chili). À Iquique (Chili) : 14 a. de suite sans pluie (record douteux). À Arica (Chili) : en 53 ans, moyenne de 0,8 mm d'eau par an.

■ **Températures. Les plus élevées :** 58 °C à El Azizia, Libye (13-9-1922) ; 49 °C dans la vallée de la Mort, Californie (USA) (du 6-7 au 17-8-1917) records douteux. **Les plus basses.** *Au sol :* - 89,2 °C à Vostok, Antarctique (21-7-1983) ; dans l'hémisphère Nord : - 78 °C en Alaska (29-1-1989) ; - 68 °C à Oïmekon en Sibérie (6-2-1933). *Dans l'atmosphère :* - 143 °C à 80,5/96,5 km d'alt., observé au-dessus de Kronogard (Suède) du 27-7 au 7-8-1963.

La plus grande amplitude : 104,4 °C (de - 67,7 °C à 36,7 °C) à Verkhoïansk, Sibérie. **La plus faible :** 11,8 °C (19,6 °C et 31,4 °C) à Garapan, île Saipan (Mariannes).

Maximum d'amplitude diurne : 55,5 °C (de 6,7 °C à - 48,8 °C) à Browning (Montana) 23/24-1-1916.

Réchauffement le plus spectaculaire : de - 20 °C à 7,2 °C en 2 mn à Spearfish (Dakota du Sud, USA) le 22-1-1943.

Moyenne annuelle en °C. Maximales : Dallol (Éthiopie, 1960-66) : 34,4. Aden (Yémen du S.) 32,5. Djibouti 30. Tombouctou (Mali) 29,3. Tirunelveli (Inde) 29,3. Tuticorin (Inde) 29,3. **Minimales :** Polus Nedostupnosti, « pôle froid » (Antarctique) - 57. Plateau Station (Antarctique) - 56,6. Norilsk (ex.-URSS) - 10,9. Yakoutsk (ex.-URSS) - 10,1. Oulan-Bator (Mongolie) - 9,6. Fairbanks (Alaska) - 9,4.

■ **Vent (km/h).** *USA :* Mont Washington (12-4-1934) : 370. *France :* Mt Ventoux (19-11-1967) : 320. Pointe du Roc (Manche), Pointe du Raz (Finistère, févr. 1989) : 216.

■ **Été. De la St-Martin :** le temps se réchauffe parfois en novembre (grâce aux vents de sud-ouest). Maxima 18,5 °C : 11-11-1938 ; 19,7 °C : 14-11-1876 ; 21 °C : 2-11-1899 (en revanche - 6 °C le 11-11-1876).

Été indien (en américain : *Indian Summer) :* période d'environ 8 j chauds et ensoleillés, vers le 15 ou 30 novembre, dans le centre et est des USA. Nuits brumeuses et froides, avec accumulation de fumées à basse altitude. Beau temps diurne correspond à la persistance d'un fort anticyclone ; le mécanisme du mauvais temps nocturne est mal expliqué.

■ **Saints de glace.** St-Mamert, St-Pancrace, St-Servais, depuis la réforme du calendrier Ste-Prudence, St-Achille, Ste-Rolande, les 11, 12 et 13 mai. Correspondent à des gelées tardives dues à la présence d'un anticyclone sur la France (ciel clair ; sol qui se refroidit la nuit par rayonnement). Les gelées de printemps ne sont pas plus fréquentes les 11, 12 et 13 mai qu'en mars ou en avril, mais elles causent souvent plus de dégâts. Par ailleurs, on a ces jours-là noté à Paris ces maxima : 11 mai + 30,2 °C (en 1912) ; 12 mai + 33 °C (en 1912) ; 13 mai + 30,1 °C (en 1945).

Cartes météorologiques

Cartes de la pression atmosphérique ou cartes d'isobares. Les courbes isobares réunissent par un trait continu tous les points où la pression ramenée au niveau de la mer est la même à une heure donnée. Des isobares très serrées indiquent une variation rapide de la pression entre 2 points rapprochés.

Variation $\Delta P/\Delta D$*:* elle est mesurée par la distance en degrés géographiques entre 2 isobares consécutives. Si 2 isobares sont distantes de 1° (c.-à-d. 111 km), la pente barométrique est 5 fois plus forte que si elles sont distantes de 5° (555 km).

Cartes d'isohypses. Courbes de niveau d'une surface isobare.

Cartes frontologiques. Plus détaillées que les cartes d'isobares, car y figurent aussi les « fronts » ou limites des différentes masses d'air.

Cartes d'isallobares. Indiquent les variations de la pression dans des intervalles de temps définis.

Cartes des systèmes nuageux. Détaillent la répartition des nuages, catégorie par catégorie.

Cartes de masses d'air. Plus détaillées que les cartes frontologiques, car chaque masse d'air est représentée par ses différentes caractéristiques : humidité, stabilité ou instabilité, origine, etc. obtenues grâce aux radiosondages en altitude.

Cartes de température. Cartes d'isothermes où les courbes joignent les points de même tempér. à une heure donnée (cartes au niveau de la mer et cartes en altitude) et **cartes d'isallothermes** indiquant les variations de la température entre des intervalles de temps définis.

Cartes « néphanalyses ». Cartes des systèmes nuageux obtenues à partir des photos de la couverture nuageuse du globe, prises par des satellites météorologiques.

Cartes d'isohyètes. Courbes reliant tous les points d'égale hauteur des précipitations recueillies durant une période donnée.

■ Prévisions météorologiques

La Météorologie nationale utilise : *1°) Un modèle global (modèle Émeraude)* avec une maille de 100 km env., 15 niveaux suivant la verticale, dont l'intégration est réalisée jusqu'à 72 h ou 96 h selon les cas. *2°) Un modèle à maille plus fine « emboîté » dans le 1er (modèle Péridot)* à 15 niveaux avec une maille de 35 km fonctionnant sur la France et les régions limitrophes. Il utilise des conditions aux limites latérales fournies par le modèle Émeraude, pour des prévisions à 36 h-48 h affinées, avec notamment une meilleure prise en compte du relief.

Au-delà (4 à 10 jours), la Météorologie nationale utilise les cartes diffusées par le Centre européen de prévisions situé à Reading (G.-B.). Au-delà de 6 j, et sauf exception, la qualité de ces prévisions se dégrade.

« Baromètre » de l'abbé Moreux

Méthode de l'abbé Théophile Moreux (1867-1954) qui fut directeur de l'observatoire de Bourges, fondée sur 2 observations : 1°) pression atmosphérique ; 2°) côté d'où vient le vent. Pour déterminer la provenance des vents de terre, il faut observer la direction d'où arrivent les nuages en tenant compte du fait que le vent vient toujours de plus à gauche que les nuages ; on peut également observer un ruban fixé au bout d'un bâton qui serait planté sur un lieu élevé.

Dans son ouvrage *Comment prédire le temps* (1919), il a publié des tables (pour chaque région de France) indiquant (suivant la pression et les vents observés) les directions possibles des vents, et le temps pour le lendemain. Ces prévisions sont basées d'une part sur les vents par rapport aux systèmes nuageux qui amènent le mauvais temps, d'autre part sur les règles de Gabriel Guilbert (un vent supérieur à la normale précédant une augmentation de pression, et inversement).

■ Prévisions empiriques en Europe de l'Ouest

Selon le vent et les nuages

☞ *Le temps sera généralement beau* si le vent souffle faiblement de l'ouest, si des cumulus parsèment le ciel l'après-midi, si le brouillard matinal se dissipe au plus tard à midi.

Vent. *D'en bas :* pluie. *D'en haut :* beau temps surtout si le vent passe par l'ouest. *De bise :* temps sec et froid. *De soulaire* (c.-à-d., en montagne : venant du côté ensoleillé de la vallée) : temps plus chaud. *De mer :* vent plus fort, pluie et réchauffement. *De galerne* (c.-à-d., en Touraine-Berry-Aquitaine : venant du N.-O.) : giboulée. *Maritime du S. à l'O. :* pluie. *Du N. au N.-E. :* sec. *De l'O. :* tempête ou pluie. *Du S.-E. :* froid. *Du S.-O. :* temps couvert, pluie. *Du S. :* réchauffement. *Du N.-O. :* assez vif et légèrement pluvieux. *Du N. ou de l'E.* fixe ou tournant avec le soleil : beau temps. *Du S. ou de l'O.* tournant en sens contraire du soleil : mauvais temps.

État du ciel. *La pluie ou la neige pourra apparaître :* s'il y a un anneau autour de la Lune (anneau provoqué par les cirro-stratus) ; si le ciel est noir et menaçant à l'ouest ; si le vent, et celui du nord en particulier, change de direction en sens inverse des aiguilles d'une montre.

Le temps s'éclaircira généralement : si la base des nuages s'élevant se transforme en nuages continus et plus élevés, si un vent d'est vire à l'ouest. Si le ciel nocturne est clair et le vent léger, on peut craindre un refroidissement.

Autres indications fournies par l'état du ciel. Beau temps : orangé ou rose le soir, gris le matin ; assez de bleu au ciel pour « tailler une culotte à un gendarme » ; horizon dégagé à l'aube ; un coin de ciel bleu au milieu de l'orage (il passe). *Mauvais temps :* ciel pâle : pluie ; rose et gris (couleur perdreau) : pluie ; rouge le matin ou le soir : vent ; couvert, bas et gris en hiver : neige, s'il est accompagné d'un abaissement de température ; bleu sur la plaine, noir sur la montagne : grosses pluies ; verdâtre et laiteux à l'horizon : bourrasque. *Vent :* nuages jaunes au coucher du Soleil.

Selon les nuages

Les nuages annoncent : un changement de temps (amélioration quand il pleut ; dégradation quand il fait beau) : cirrus, cirro-stratus, cirro-cumulus ; **la pluie :** stratus, altostratus, nimbo-stratus, cumulo-nimbus (orages, fortes averses) ; **le beau temps :** petits cumulus lents.

Pour reconnaître les différentes formes de nuages (voir p. 81 b et c).

Selon des signes divers

Signes dus à l'augmentation de l'humidité de l'air et, parfois, aux variations de l'électricité atmosphérique.

Signes de pluie : démangeaisons dans une cicatrice, douleurs rhumatismales, douleurs de cors au pied ; frisottement des cheveux. Sel obstruant la salière ; mayonnaise longue à prendre, etc.

« Baromètre » des plantes

■ **Pour la journée. Beau temps, chaleur :** la nielle penche la tête ; le tabac ferme ses corolles ; l'oxalis et le ficoïde s'ouvrent ; la polierva redresse ses branches ; le pavot relève sa fleur ; la rose de Jéricho se contracte. **Chaleur accablante :** la nigelle des champs redresse la tête.

Vent : les feuilles de trêfle se referment.

Orage : l'oxalis redresse ses feuilles et ferme ses pétales ; le pissenlit s'abrite sous ses feuilles ; l'alléluia relève ses feuilles ; la polierva incline et replie ses feuilles.

Pluie : le chardon à foulon resserre ses écailles ; la fleur de laitue s'épanouit ; le liseron replie sa corolle ; le souci resserre ses pétales ; le trèfle redresse ses tiges ; la pimprenelle, le pissenlit, le chardon, le mouron referment leur fleur ; la quintefeuille et le laiteron de Sibéné l'ouvrent largement ; la drave printanière replie ses feuilles ; les pommes de pin ou de sapin se resserrent avant la pluie ; une algue séchée au soleil redevient molle.

Tempête : le trèfle, la drave printanière replient leurs feuilles ; la carline, ou chardon-baromètre, resserre son « capitule » (touffe de fleurs).

Divers. Un ruban de varech flottant au vent vibre sur 3 rythmes différents : ininterrompu : beau temps ; avec brèves interruptions : vent ; très irrégulier : tempête.

■ **Prévisions à longue échéance. Hiver froid :** feuilles des hêtres humides et molles à la Toussaint ; arbres encore couverts de feuilles le 11 novembre ; abondance de noix, noisettes, aubépines, prunelles ; triple pelure sur les oignons.

Hiver doux : feuilles des hêtres sèches et craquantes à la Toussaint.

Nota. – Ces dernières prévisions sont peu valables.

« Baromètre » des animaux

■ **Pour la journée. Beau temps, chaleur :** le chat ronronne sans être sollicité et se passe la patte derrière l'oreille gauche (signe souvent interprété à tort comme annonçant la pluie) ; pigeons et tourterelles roucoulent ; l'âne se roule dans la poussière ; les abeilles s'envolent malgré la brume matinale ; les moustiques volent et tourbillonnent en colonne ; l'érigone (petite araignée) tisse ses fils de la vierge au ras du sol ; les coccinelles volettent de fleur en fleur ; les hannetons volent vers la mer ; les moucherons tournent au coucher du soleil ; les araignées dédaignent les coins sombres ; les grenouilles remontent à la surface de l'eau (signe souvent interprété à tort comme annonçant la pluie) ; alouettes, grues et hirondelles volent haut ; les chauves-souris sortent nombreuses et volent tard dans la soirée ; les cygnes s'ébattent joyeusement ; les grives se posent au sommet des arbres ; les rouges-gorges chantent le matin ; les pies borgnes frétillent dans l'herbe et jouent ; les hiboux poussent leur cri en fin de journée ; le rossignol chante toute la nuit ; le corbeau croasse après le lever du soleil ; plongeons et oiseaux de mer volent à l'intérieur des terres ; les oiseaux en général se perchent haut dans les arbres.

Vent : le chat se nettoie soigneusement la truffe ; le chien se roule par terre ; les vaches mettent plus longtemps à boire mais se laissent traire facilement, elles courent en levant la queue ; les moutons sont agités ; les abeilles rentrent dans leur ruche ; les porcs grognent et éparpillent leur litière ; les oies crient et agitent les ailes ; l'araignée brise et détend sa toile ; la mer est phosphorescente (minuscules mollusques à la surface) ; les corbeaux se groupent en bandes et poussent des clameurs ; les gros poissons font surface ; les oiseaux sauvages sont particulièrement bruyants.

Orage : le chat monte et descend le long d'un rideau ; le chien gratte le sol, reste silencieux, puis va se mettre à l'abri ; les mouches piquent fort ; les fourmis sont agitées.

Pluie : le chat se lèche les cuisses et va se poster près d'une fenêtre avant de se passer la patte derrière les oreilles (gauche et droite) ; le chien mange de l'herbe ; les abeilles restent près de leur ruche ; les pigeons battent des ailes ; les coqs chantent avant la nuit ; les poules s'abritent et s'épluchent [poules et pigeons se mettent à l'abri dès les premières gouttes (pluie de longue durée), se grattent et se roulent dans la poussière, se couvrent de poussière avec leurs pattes, caquettent et appellent leurs poussins] ; les pintades poussent des cris plaintifs ; les ânes secouent les oreilles et braient sans arrêt ; les chevaux battent du pied, tendent le cou et aspirent l'air avec bruit ; les vaches se lèchent, tendent le cou et aspirent l'air avec bruit ; canards et oies battent des ailes, crient et restent dans l'eau ; la coccinelle qu'on prend au bout du doigt refuse de s'envoler ; moustiques, puces, mouches et taons piquent ; les moucherons volent bas ; les papillons volent près des fenêtres ; les libellules effleurent les eaux ; les araignées tissent leur toile avec précipitation et montent des caves ; vers de terre et scorpions sortent de leur trou ; les escargots sont nombreux ; grenouilles et crapauds coassent le jour ; les crapauds sautent dans les chemins ; les serpents grimpent sur les hauteurs ; les poissons « mordent » plus que d'habitude et sautent hors de l'eau ; les mouettes battent des ailes au-dessus des maisons ; les pies bavardent en allant au-devant les unes des autres ; les hirondelles se rapprochent des arbres et volent bas ; le corbeau émet 2 sons, bat des ailes, et vient croasser près des cours d'eau ; les moineaux se battent et se couvrent de poussière ou se baignent dans les flaques ; merles et piverts chantent à tort et à travers ; les corneilles volent par groupes ; geais et pies se querellent ; le pinson chante avant que le jour se lève ; les poules d'eau se baignent, crient et battent des ailes ; le coucou chante (la pluie ne dure pas).

Tempête : le chat tourne le dos au feu ; le chien hume l'air longuement, museau dressé ; les fourmis déménagent leurs œufs ; les araignées quittent leur nid et cherchent une fente où se cacher ; les marsouins s'ébattent ; les corbeaux croassent dès la pointe du jour ; les mouettes crient et volent vers l'intérieur des terres.

Froid : les grives poussent des cris ininterrompus ; les oiseaux de nuit hululent plus ; les merles crient le long des haies ; les rouges-gorges s'approchent des maisons.

■ **Prévisions à longue échéance. Hiver rigoureux :** la fourrure des chats est épaisse dès octobre ; le bétail tourne le dos à la porte de l'étable ; vanneaux et pluviers arrivent par le nord-est ; le grillon s'enfonce profondément dans le sol ; la taupe aussi dès le début de l'automne ; la souris fait son nid sur les buttes ; les hirondelles partent tôt ; cygnes et étourneaux arrivent tôt du nord ; les hérons restent immobiles au bord de l'eau ; les lièvres sont gras l'automne ; les épaves sont couvertes d'anatifes (hiver dur, mais suivi de belles récoltes) ; les cocons d'insectes sont épais.

Fin de l'hiver : le grillon commence à chanter.

Année chaude : les pies nichent au sommet des arbres ; les alcyons font leurs nids sur la mer.

■ Quelques dictons

Janvier. *1er :* jour de l'an beau, mois d'août beau et chaud ; le mauvais an entre en nageant ; à « l'aguilonneu », les jours croissent d'un pas de bœuf ; quand le soleil brille le jour de l'an, c'est signe de gland ; vent du 1er janvier souffle un semestre. *6 :* pluie aux Rois, blé jusqu'au toit ; chanvre sur les toits. *15 :* St-Maur, d'habitude à la St-Maur moitié de l'hiver est dehors. *17 :* à la St-Antoine, les jours croissent d'un repas de moine. *20 :* à la St-Sébastien, l'hiver reprend ou se casse les dents. *22 :* à la St-Vincent, l'hiver quitte ou reprend ; le vin monte dans les sarments. *25 :* à la St-Paul, l'hiver s'en va ou se rompt le col. *30 :* à la Ste-Martine, souvent l'hiver se mutine.

Février. *2 :* fleur de février ne va pas au pommier ; Chandeleur couverte, 40 jours de perte ; à la Chandeleur, le jour croît de 2 heures ; la Chandeleur claire laisse un hiver derrière ; quand le soleil à la Chandeleur fait lanterne, quarante jour après il hiverne ; à la Chandeleur l'hiver cesse ou reprend vigueur ; si le jour de la Chandeleur il fait beau, il y aura du vin comme de l'eau. *5 :* Ste-Agathe emplit les rivières, lait coulera dans les chaumières. *12 :* beau temps à la Ste-Eulalie, pommes et cidres à la folie. *14 :* à la St-Valentin, la roue gèle avant le moulin. *16 :* s'il neige à St-Onésime, la récolte est à l'abîme. *19 :* St-Boniface brise la glace. *22 :* neige à la Ste-Isabelle, rend fleur belle. *24 :* si St-Mathias trouve la glace, il la casse, s'il n'en trouve pas, il faut qu'il en fasse.

Mars. Si mars entre en lion, il sort en mouton. Pluie de mars ne vaut pas pisse de renard. *12 :* le jour de St Pol, l'hiver se rompt le col. *17 :* Sème des pois à la St-Patrice, tu en auras à ton caprice. *23 :* s'il pleut à la St-Victorin, tu peux compter sur bien du foin. *28 :* s'il gèle à la St-Gontran, le blé ne deviendra pas grand.

Avril. Avril doux, pire que tout ! En avril ne te découvre pas d'un fil. Vent des Rameaux, ne change pas de sitôt. Pâques pluvieuses, souvent fromenteuses ; Pâques pluvieux, blé graineux ; Pâques pluvieux, St-Jean farineux ; Semaine sainte mouillée, donne terre altérée ; s'il pleut le Vendredi saint, toute la pluie de l'année ne servira à rien ; gelée du Jeudi saint gèle le sarrasin. *5 :* le 5 avril le coucou chante mort ou vif. *14 :* pour St-Valérien, tout arbre bourgeonne, le fruit n'est pas loin. *25 :* quand St-Marc n'est pas beau, pas de fruit à noyau ; à la St-Marc monte l'herbe. *30 :* à la St-Robert, tout arbre est vert.

Mai. À l'Ascension, le dernier frisson. La Pentecôte donne les foins ou les ôte. Sts Mamert, Pancrace et Servais [aujourd'hui Sts Estelle (11 mai), Achille (12 mai), Rolande (13 mai)] sont toujours des saints de glace. *20 :* s'il gèle à la St-Bernardin, adieu le vin. *25 :* à la St-Urbain, la fleur au grain. *26 :* quand il pleut à la St-Philippe, point besoin de fût ni de barrique. *31 :* pluie de Ste-Pétronille, change raisins en grappilles.

Juin. Avant la Pentecôte, ne découvre tes côtes. Vent du bas la veille de la Trinité, il y est les deux tiers de l'année. Pluie à la Pentecôte, beau temps à la Trinité. *3 :* le temps qu'il fait en juin le trois, sera le temps du mois. *8 :* St-Médard, grand pissard, il pleut 40 jours plus tard. *10 :* si le 10 juin est serein, on assure avoir du grain. *11 :* soleil à la St-Barnabé, Médard a le nez cassé ; St-Barnabé reboutonne la culotte de St-Médard ; de Barnabé la journée clairette, de St-Médard rachète. *17 :* Fête-Dieu mouillée, fenaison manquée. *24 :* pluie de St-Jean, pluie pour longtemps. *29 :* St-Pierre pleure toujours. *30 :* pour la St-Martial, la faux est au travail.

Juillet. Pluie de juillet, eau en janvier. *1er :* si le 1er juillet est pluvieux, tout le mois sera douteux. *9 :* à la St-Procule, arrive la canicule. *20 :* s'il pleut pour la Ste-Marguerite, les noix sont gâtées bien vite. *22 :* Madeleine, pluie amène. *25 :* si St-Jacques est serein, l'hiver sera dur et chagrin. *27 :* les sept dormants, remettent le temps. *29 :* mauvais temps pour la Ste-Marthe, n'est rien car il faut qu'il parte.

Août. À la mi-août, l'hiver se noue ; soleil rouge en août, c'est la pluie partout. *1er :* s'il pleut le 1er août, les noisettes seront piquées de poux. *8 :* à la St-Dominique, te plains pas si le soleil te pique. *12 :* à la Ste-Claire, s'il éclaire et tonne, c'est l'annonce d'un bel automne. *15 :* la Vierge du 15 août, arrange ou dérange tout. *24 :* à la St-Barthélemy, la caille fait son cri. *28 :* pluie fine à la St-Augustin, c'est comme s'il pleuvait du vin.

Septembre. *1er :* s'il fait beau à la St-Gilles, ça dure jusqu'à St-Michel ; du 1er au 8, l'hirondelle fuit. *7 :* le 7 septembre sème ton blé, car ce jour vaut du fumier. *15 :* un beau St-Valérien, amène abondance de biens. *17 :* St-Lambert pluvieux, 9 jours dangereux. *20 :* gelée blanche pour St-Eustache, grossit le raisin qui tache. *21 :* quand vient la St-Mathieu, adieu l'été. *25 :* à la St-Firmin, l'hiver est en chemin. *29 :* les hirondelles à St-Michel, l'hiver s'en vient après Noël.

Octobre. Octobre en bruine, hiver en ruine. *3 :* à la St-Gérard, sème ton blé. *9 :* à la St-Denis, ramasse les fruits ; le laboureur se réjouit, s'il pleut à la St-Denis, tout l'hiver sera pluie. *16 :* à la St-Gall, première chute de neige. *18 :* à la St-Luc, sème dru. *21 :* le jour de la Ste-Ursule, l'été d'un mois recule. *22 :* à la St-Crépin, les mouches voient leur fin. *28 :* St-Simon et St-Jude, l'hiver est arrivé.

Novembre. *1er :* autant d'heures de soleil à la Toussaint, autant de semaines à souffler dans ses mains ; telle Toussaint, tel Noël, Pâques au pareil. *9 :* la St-Mathurin passée, merde de chien pour la gelée. *11 :* à la St-Martin, il faut goûter le vin ; l'été de la St-Martin, dure 3 jours au moins. *14 :* pour la St-Montant, l'olive à la main. *22 :* pour la Ste-Cécile, chaque fève en donne mille. *23 :* St-Clément a rarement, un visage avenant. *25 :* à la Ste-Catherine, l'hiver s'achemine. *30 :* à la St-André, il est acheminé ; quand il n'est pas pressé, l'hiver arrive à la St-André.

Décembre. Quand en décembre il a tonné, l'hiver est avorté. *13 :* pour la Ste-Luce, les jours augmentent d'un pas de puce [à la Nau (Noël) d'un pas de coq]. *25 :* Noël au balcon, Pâques aux tisons ; Pâques aux tisons, Noël au balcon ; le jour de Noël humide, donne grenier et tonneau vides.

GÉOGRAPHIE HUMAINE

☞ Voir **Origine de l'homme** p. 95 et **Races** p. 97.

Population dans le monde

Quelques données

Combien d'hommes ont-ils vécu sur Terre ?

Environ 80 milliards depuis l'origine (75 sont morts, 5 milliards sont en vie). 12 milliards sont nés entre 600 000 et 6 000 av. J.-C., soit pendant 594 000 ans ; 42 milliards entre 6000 av. J.-C. et 1650 après (soit 7 650 ans) et 30 milliards de 1650 à nos jours, soit 324 ans. Pendant des millénaires, mortalité et fécondité se sont équilibrées, avec un léger gain pour la vie. La Terre parvint à son 1er milliard d'habitants vers 1801, à son 2e milliard en 1925 (124 ans), à son 3e en 1959 (34 a.), à son 4e en 1974 (15 a.), à son 5e en 1986 (12 a.). Elle atteindra son 6e en 1997 (11 a.), son 7e en 2008 (11 a.), son 8e en 2018 (10 a.), son 9e en 2028 (10 a.), son 10e en 2040 (12 a.).

☞ 1/10 du globe (constituant l'*œkoumène* ou *ékoumène*) est habité. 90 % des humains vivent dans l'hémisphère Nord (surtout entre 20 et 60° de latitude, les Esquimaux vivent jusqu'à 81°).

En 1994, toute l'humanité vivante (5 milliards d'humains) pourrait tenir en se serrant bien (4 humains par m²) dans le Val-d'Oise (1 246 km²).

Évolution pour le monde prévue par l'ONU, en 1982 (en milliards d'habitants), *selon 3 variantes :* moyenne, élevée, et faible. **2000 :** *6 123* (6 363) 5 895, **2025 :** *8 162* (9 171) 7 263, **2050 :** *9 513* (11 629) 7 687, **2075 :** *10 097* (13 335) 7 662, **2100 :** *10 185* (14 199) 7 524.

Évolution moyenne pour les pays développés et, entre parenthèses, **en développement : 2000 :** 1 272 (4 851), **2025 :** 1 382 (6 779), **2050 :** 1 402 (8 111), **2075 :** 1 419 (8 677), **2100 :** 1 421 (8 764).

■ Accroissement

■ **Évolution. Europe.** *XVIe et XVIIe s.,* taux de natalité 45 à 50 ‰, mortalité 35 à 45 ‰ ; de loin en loin, épidémies, famines et guerres réduisent brusquement la population [ex. : épidémie de peste noire en Europe *(1346-48)* réduisit la population de 20 à 35 % (50 % dans les villes ; réduction de 19 à 15 millions de la pop. française)]. À partir de la *2e moitié du XVIIIe s.,* le rythme change (abaissement de la mortalité infantile, amélioration des techniques agricoles). La population passe ainsi en France, entre *1715 et 1789,* de 18 à 26 millions (taux moyen annuel de croissance de 0,5 ‰). Vers la fin du XVIIIe s., s'amorce en France le contrôle des naissances. Le reste de l'Europe suit.

Tiers monde. *À partir de 1945,* le taux de mortalité s'effondre de près de 50 %, grâce à la science et à la technique occidentales, alors que le taux de fécondité demeure identique : les taux de croissance annuels montent à 2 %, puis 3 %... Puis la fécondité

Évolution de la population par continents en millions et en % de la pop. mondiale

Années	Afr.	%	Amér. S. et centrale	%	Amér. du N.	%	Asie	%	Europe et Ex-URSS	%	Océanie	%	Total
- 35 000 [1]	—	—	—	—	—	—	—	—	—	—	—	—	0,6 à 4
- 5 000 [2]	—	—	—	—	—	—	—	—	—	—	—	—	6 à 60
- 400	17	10,4	5	3	1	0,6	102	62	36	22,2	1	0,6	162
+ 14	—	—	—	—	—	—	—	—	—	—	—	—	300
+ 200	30	11,7	9	3,5	1	0,3	161	62,8	55	21,4	1	0,3	256
600	24	11,6	12	5,8	2	0,9	135	65,5	32	15,5	1	0,4	206
1000	50	15	13	4	2		212	65	47	14	?		322
1340	—	—	—	—	—	—	—	—	—	—	—	—	450
1400 [3]	68	18,1	33	8,8	3	0,8	203	54,2	65	17,3	2	0,5	374
1650	100	21	1	0,2	7	1	257	55	103	22	2	0,4	470
1750	100	14	1	0,1	10	1	437	63	114	21	2	0,2	694
1850	100	9	26	2	33	3	656	60	274	25	2	0,1	1 091
1900	120	8	81	5	63	4	857	55	423	27	6	0,3	1 550
1950	198	8	168	6	163	6,5	1 376	55	576	23	13	0,5	2 494
1960	273	9	216	7,2	199	6,7	1 706	57	593	20	16,3	0,5	2 998
1970	352	9,7	283	7,9	226	6,3	2 027	58	702	17,8	19,3	0,5	3 609
1980	449	12,1	383	9	256	6	2 532	58	687	16	23,6	0,5	4 330
1990	647,5	12,2	448	8,4	275,8	5,2	3 108,4	58,7	785,6	14,8	26,4	0,5	5 292
1991	677	12,5	451	8,4	280	5,3	3 155	58,6	794	14,7	27	0,5	5 384
2000	768	12,5	568	9	422	7	3 560	58	778	12,5	33,4	0,5	6 129 [4]
2025	1 581	18,6	760	9	333	4	4 889	57,7	863	10,2	40	0,4	8 466

Nota. – (1) Éclosion des techniques. (2) Adoption de l'agriculture, élevage, vie sédentaire en agriculture. (3) Peste noire, guerre de Cent Ans. (4) Soit 1 441 pour les nations développées et 4 688 pour celles en voie de développement. Hypothèse forte 6 814 (soit 1 574 et 5 240) ; faible 5 449 (soit 1 293 et 4 156).

Évolution de la population en millions

	1800	1850	1900	1939	1991	2025 [8]	2075 [8]
Europe [1]	**155**	**195**	**293**	**380 [2]**	**502**	**518**	**533**
Allemagne	24,8	35,9	56,3	78,6	79,5	82	
Autriche	14	17,5	26,1	6,6	7,7	8	
Belgique	3	4,3	6,6	8,3	9,9	9	
Biélorussie				10,4	10,2		
Bulgarie			4,3 [3]	6,3 [4]	9	9	
Danemark	0,9	1,4	2,7 [3]	3,8 [4]	5,1	5	
Espagne	10,5	15,6	18,6	25,5	39	41	
Finlande	0,8	1,6	2,9 [3]	3,7 [4]	5	5	
France	*28,7*	*36,4*	*40,6*	*41,3*	*56,7*	*59*	*60*
Grèce	0,9	1	2,7 [3]	7,1 [4]	10,1	10	
Hongrie		13,2	20,8 [3]	9,2 [4]	10,4	10	
Irlande	4,5	5,1	3,1 [3]	2,9 [4]	3,5	3	
Italie	18,1	24,3	33,5	43,1	57,7	52	62
Norvège	0,9	1,4	2,4 [3]	2,9 [4]	4,3	4	
Pays-Bas	2,1	3	5,1	8,7	15	16	
Pologne			12 [3]	34,7 [4]	38,2	42	
Portugal		3,8	5,9 [3]	7,5 [4]	10,4	11	
Roumanie	2	3,9	7 [3]	19,8 [4]	23,4	26	
Royaume-Uni	18	27,3	44,9 [3]	47,5 [4]	57,5	61	64
Russie			95	109	147,3		
Suède	2,3	3,5	5,1	6,3	8,6	9	
Suisse		2,3	3,3	4,2	6,8	7	
Ukraine				31	51,7		
Ex-URSS	**44**	**57,2**	**103,6**	**170,4**	**292**	**363**	**359**
Amérique du Nord	**12,4**	**33**	**94,6**	**163,4 [2]**	**365**	**477**	**505**
Canada	0,5	11,8	5,3	11,5	26,8	34	
États-Unis	5,3	23	75,9	131	252,8	334	266
Mexique	6,4	7	13,6	19,4	85,7	143	210
Amérique du Sud	**13,6**	**28**	**51,4**	**110,6 [2]**	**302**	**486**	**793**
Argentine	0,3	0,8	4	13,9	32,7	45	
Brésil	3,2	7,7	17,3	40,2	153,3	246	350
Chili	0,8	1,5	3	5	13,1		
Colombie		2,2	4,9 [3]	8,7 [4]	33,6	54	
Pérou		2	4,6 [3]	6,8 [4]	22	37	
Venezuela	0,78	1,5	2,4	3,5	20		
Afrique	**100**	**100**	**150**	**191 [2]**	**677**	**1 641**	**1 599**
Afrique du Sud			5,9 [3]	10 [4]	40,6	92	
Algérie		2,9	4,7	7,2	26	49	72
Égypte	2,4	4,4	9,7	16,5	54,6	105	157
Éthiopie					53,2	140	78
Maroc			4,3	7,6	26,2	46	251
Nigeria				21	122,5	305	
Tunisie			1,8	3	8,4	14	
Zaïre				10,3 [4]	37,8	101	
Asie	**630**	**810**	**930**	**1 244 [2]**	**3 155**	**4 976**	**5 633**
Afghanistan		4	5 [3]	11 [4]	16,6	45	
Bangladesh			28,9 [6]	42 [7]	116,6	226	
Birmanie			11,8 [3]	15,8 [4]	42,1	72	
Chine	330	400	426 [6]	452,4	1 151,3	1 591	1 297
Inde	130	178,5	294,3	312,2	859,2	1 366	1 798
Indonésie			45 [3]	68,4 [4]	181,4	283	448
Iran			9	16 [4]	58,6	141	
Japon	25	33,3	46,7	70,8	123,8	135	133
Népal			5,6	6,3 [7]	19,6	41	
Pakistan			18,2 [6]	28,3 [7]	117,5	281	
Philippines	1,7	4	7,5	16	62,3	101	
Sri Lanka		2,5	3,5 [6]	6 [9]	17,4	24	
Thaïlande			8,2 [5]	14,8 [4]	58,8	78	
Turquie			24 [3]	17	58,5	103	
Viêt-nam			13 [6]	19,5 [4]	67,6	108	9
Océanie	**2**	**2**	**6**	**11,1 [2]**	**27**	**41**	**40**
Australie	0,01	0,4	3,7	6,9	17,5	24	
Monde	**954**	**1 240**	**1 650**	**2 295 [2]**	**5 384**	**8 645**	**9 462**

Nota. – (1) Europe sans ex-URSS ni Turquie. (2) 1940. (3) 1910. (4) 1938. (5) 1911. (6) 1901. (7) 1941. (8) Projections de l'ONU, 1991. *Sources :* Annuaire rétrospectif INSEE, INED, ONU.

baisse dans la plupart des pays (de 1965 à 75 – 10 à – 20 % pour Brésil, Égypte, Inde, Indonésie, Philippines, Turquie ; – 20 % pour Corée du S., Thaïlande ; – 34 % pour la Chine pop., – 47 % pour Cuba) et le taux de croissance annuel régresse (1991 : 1,8 %).

Si le taux baissait à 1,2 % et s'y maintenait, la Terre atteindrait, en 10 000 ans, 88 000 milliards d'h. ; s'il baissait à – 0,1 %, elle n'aurait plus que 182 000 h.

■ **Taux d'accroissement annuel. Ensemble du monde** (1980-90, *Source :* Unesco) : *Monde :* 1,8. *Afrique :* 3. *Amérique :* 1,7. *Asie :* 1,9 dont Chine 1,4 [2], Japon 0,5 [2]. *Europe :* 0,5 dont URSS (Biélorussie 0,67 [1], Ukraine 0,35 [1]). *Océanie :* 1,5.

Nota. – (1) 1982. (2) 1985-89.

☞ 9 bébés naissent et 3 personnes meurent toutes les 2 secondes. La Terre comporte donc chaque seconde 3 habitants de +, soit 10 600 par heure (254 000 par jour, 1 800 000 par semaine, 7 700 000 par mois, 93 000 000 par an, dont 85 000 000 dans le tiers monde et 6 000 000 dans les pays développés).

■ Âge

Population de – de 15 ans et, entre parenthèses, de + de 65 ans (en %, 1989). *Source :* ONU. *Monde :* 34 (6) dont Kenya 51 (2), Jordanie 50 (3), Botswana 48 (4), Nicaragua 47 (3), Surinam 37 (4), *France 20 (14),* Finlande 19 (12), Dan. 18 (15), Suisse 18 (15), Luxemb. 17 (13), All. féd. 15 (15).

Vieillissement. *En 1975 :* il y avait dans le monde 350 millions d'hab. de 60 ans et + ; *en l'an 2000 :* il y en aura 590 millions ; *en 2010 :* env. 1 milliard (dont tiers monde 72 %). En 2000, le % des 60 ans

Répartition par continents (1991)

Continents	Superficie		Population		Densité (hab./km²)
	(1)	%	(2)	%	
Afrique	30,4	20,3	677	12,5	22,3
Amérique	39,8	28,1	731	13,5	18,3
Asie	27,6	18,4	3 155	58,6	114,3
Europe	4,9	3,3	502	9,4	103
Océanie	8,5	5,7	27	0,5	3
URSS	22,4	15	292	5,5	13
Monde	**149,8 [3]**	**100**	**5 384**	**100**	**40,3 [4]**

Nota. – (1) En millions de km². (2) En millions. (3) Continent Antarctique inclus (env. 13 000 000 km², 9,2 %). (4) Antarctique exclu.

et + serait en Europe de 19,8 %, ex-URSS 17,5, Amér. du N. 15, Océanie 12,5, Asie orientale 11,4, Amérique 7,2, Asie méridionale 6,4, Afrique 5.

■ Espérance de vie

Évolution

Jusqu'au XVIIIe s. L'espérance de vie n'excédait nulle part 30 ans, compte tenu de la mortalité infantile (1 mort sur 4 naissances en France jusqu'en 1789-90). Des épidémies, famines pouvaient emporter 2/3 ou 3/4 des enfants de moins de 1 an.

Dans les années 1950. Elle était de 66 ans dans les pays développés et 41 ans dans les pays sous-dév. (**en 1990,** 75 ans et 61 ans). Dans les pays de l'Est (sauf la Yougoslavie) et en ex-URSS, elle a régressé de 71 à 67,5 ans de 1964 à 81, sans doute à cause de l'augmentation de la consommation d'alcool, de l'insuffisance médicale et des conditions matérielles d'existence. En Afrique (1991), 53 ans seulement, à cause de la mortalité infantile (20 % av. 5 ans), de la mort des femmes enceintes, des maladies endémiques (paludisme 250 millions de cas, schistosomiase 141, filariose 28).

Situation actuelle

Pour les hommes et entre parenthèses pour les femmes, en années à la naissance (*Source* ONU et OMS 1985-90).

Afrique. Algérie [8] 58,5 (61,3). Angola 42,9 (46,1). Bénin 44,9 (48,1). Burkina Faso 45,6 (48,8). Cameroun 49 (53). Rép. Centrafricaine 43,9 (47,1). Congo 46,8 (50,1). Côte-d'Ivoire 50,8 (54,2). Égypte 59,2 (61,9). Gabon 49,8 (53,1). Ghana 52,2 (55,8). Guinée 43,6 (43,8). Kenya 56,5 (60,4). Liberia 53 (56). Madagascar 52 (55). Mali [8] 46,9 (49,6). Maroc 59 (62,4). Maurice (île) [9] 64,4 (71,8). Mauritanie 44,4 (47,6). Niger 42,9 (46,1). Réunion 66,9 (75,4). Sénégal 44,2 (47,4). Tchad 43,9 (47,1). Togo 51,2 (54,8). Tunisie 64,5 (66,1). Zaïre 50,3 (54,2). Zambie [8] 47,7 (51). Zimbabwe 56,5 (60,1).

Amérique du Nord. Canada [14] 73 (79,8). États-Unis [11] 71,3 (78,3). Guadeloupe [8] 66,6 (72). Guatemala [8] 53,7 (55,5). Haïti 53,1 (56,4). Martinique [8] 66,6 (72). Mexique [8] 63,3 (67,4).

Amérique du Sud. Argentine [1] 65,4 (72,7). Brésil 63,2 (67,6). Chili 68 (75). Colombie [7] 63,3 (69,2). Pérou [7] 56,7 (66,5).

Asie. Birmanie [8] 51 (54,1). Cambodge 47 (49,9). Chine 67,9 (70,9). Inde [8] 46,4 (44,7). Israël [14] 73,6 (77). Japon [19] 76 (82). Malaisie 67,5 (71,5). Pakistan [8] 59 (59,2). Thaïlande [10] 63,8 (68,8). Turquie 62,5 (65,7).

Europe. Allemagne ex.-dém. [15] 69,8 (75,9). All. féd. [14] 71,5 (78,1). Autriche [16] 72 (78,6). Belgique [2] 70 (76,9). Bulgarie [8] 68,2 (74,4). Danemark [16] 71,8 (77,7). Espagne [3] 72,5 (78,6). Finlande [14] 70,7 (78,7). *France [18] 72,5 (80,7).* Grande-Bretagne [12] 71,9 (77,6). Grèce [8] 70,8 (75). Hongrie [16] 66,1 (73). Irlande [4] 70,1 (75,6). Islande [15] 74,5 (79,4). Italie [14] 72,6 (79,2). Luxembourg [8] 70,6 (77,8). Norvège [16] 73,1 (79,6). P.-Bas [16] 73,7 (80,2). Pologne [16] 67,1 (75,6). Portugal [14] 70,7 (77,5). Roumanie [14] 67,3 (72,8). Suède [16] 74,2 (80,0). Suisse [17] 73,9 (80,7). Tchécos. [14] 67,6 (75,1). Ex.-URSS [16] 64,8 (73,6). Ex.-Youg. [17] 68,4 (74,2).

Océanie. Austr. [14] 73 (79,4). Nlle-Zél. [16] 71 (77,2).

Nota. – (1) 1980-81. (2) 1979-82. (3) 1980-82. (4) 1981-82. (5) 1982. (6) 1983. (7) 1980-85. (8) 1985. (9) 1984-86. (10) 1985-86. (11) 1986. (12) 1985-87. (13) 1986-87. (14) 1987. (15) 1987-88. (16) 1988. (17) 1987-89. (18) 1989. (19) 1990.

Écart d'espérance de vie à la naissance entre les hommes et les femmes. All. féd. : 6,5 [2] ; G.-B. : 5,7 [2] ; France : 8,2 [4] ; P.-Bas : 6,6 [1] ; Suède : 6 [3].

Nota. – (1) 1985-86. (2) 1985-87. (3) 1987. (4) 1989.

Centenaires

Un être sur 2 100 000 parviendrait à 115 ans.

■ **Records. Femmes :** Jeanne Calment, France (Arles, 21-2-1875) 118 ans. *Autres cas :* Lydie Vellard (St-Sigismond, Loiret, 18-3-1875/17-9-1989) 114 ans. Gracieuse Costemza-Aiello-Inzirillo (Ital., 20-1-1871/Sarcelles, 16-1-1984) 112 ans 361 j, brodeuse. Eugénie Roux (Jura, 24-1-1874/Lyon, 21-6-1986) 112 ans 152 j. Augustine Teissier (Florensac, 2-1-1869/Nîmes, 8-3-1982) 112 ans 67 j, religieuse (sœur Julia). *États-Unis :* Carrie White (18-11-1874/15-2-1991) 116 ans 89 j. *Grande-Bretagne :* Anna Eliza Williams (née Davies) (2-6-1873/27-12-1987) 114 ans 208 j. **Hommes :** *record du monde :* Shigechiyo Izumi, Japon (29-6-1865/21-2-1986) 120 ans 237 j. *France :* Tériihaérétéi Taaora (Polynésie, 14-6-1873/île de Raïatéa, 3-1-1991) 117 ans 204 j, cultivateur. Henri Pérignon [(Cabourg, Calvados, 14-1-1879/18-6-1990) 110 ans 247 j, blanchisseur, décoré de la Légion d'honneur le 16-6-90 (2 j avant sa mort)]. Jean Teillet (6-1-1886/Issy-les-Moulineaux, 12-3-1977) 110 ans 131 j, coiffeur. *Canada :* Pierre Joubert (15-7-1701/16-11-1814) 113 ans 124 j.

Nombre. France : *1953 :* 200 ; *70 :*1 000 ; *82 :* 3 315 ; *85 :* 2 483 ; *91 :* 4 000 ; *2000 (prév.) :* 6 000.

Quelques cas célèbres

■ **Femmes.** *Fanny Thomas* (1867-1980) 113 ans 215 j (USA). *Mme Simone* (née Pauline Benda, 1877-1985) 108 ans. *Anna Mary Moses* (dite *Grandma Moses,* 1860-1961) 101 ans, peintre, l'arthrite l'empêchant de poursuivre ses travaux de broderie, elle commença à peindre à 76 ans. *Alexandra David-Neel* (23-10-1868/9-9-1969) 100 ans 10 mois, femme de lettres, exploratrice (Asie centrale). *Camille Mayran* (Mme Pierre Hepp, † 26-4-1989 à 100 ans). *Juliette Adam* (née Lamber, 1836-1936) 99 ans 10 mois, femme de lettres.

■ **Hommes. Décédés :** *Jean-Maxime Maximilien, Cte de Waldeck* (Prague 17-3-1766/Paris 30-5-1875) 109 ans, voyageur, peintre. *Jean Theurel* (8-9-1699/10-3-1807) 107 ans 6 mois, militaire (engagé à 17 ans, chevalier de la Légion d'honneur le 26-10-1804). *Celal Bayar* (1882-1986) 104 ans, ancien Pdt turc. *Charles Samaran* (1879-1982) 103 ans, historien. *Alexandre Gueniot* (1832-1935) 102 ans 10 mois, prof. de médecine. *Michel-Eugène Chevreul* (31-8-1786/9-4-1889) 102 ans 8 mois, chimiste. *Mis de l'Aigle* (1760-1862) 102 ans. *Henri Busser* (16-1-1872/30-12-1973) 101 ans 11 mois, pianiste et compositeur. *Henri Fabre* (29-11-1882/1-7-1984) 101 ans 8 mois, ingénieur (réalisateur du 1er hydravion). *Charles Le Maresquier* (16-10-1870/6-1-1972) 101 ans 3 mois, architecte (beau-père de Michel Debré). *Jacques Duclaux* (14-5-1877/13-7-1978) 101 ans 2 mois, biochimiste. *Charles Oulmont* (1-11-1883/16-2-1984) 100 ans 3 mois, écrivain. *Bernard Le Bovier de Fontenelle* (11-2-1657/9-1-1757) † avant ses 100 ans, écrivain. *Jean de Laborde* (29-11-1878/30-7-1977) 98 ans 9 mois, amiral. *Joseph Paul-Boncour* (4-8-1873/28-3-1972) 98 ans 8 mois, Pt du Conseil de la IIIe République. *Maxime Weygand* (Bruxelles, 21-1-1867/Paris, 28-1-1965) 98 ans, général. *Philippe Pétain* (24-4-1856/23-7-1951) 95 ans 3 mois, maréchal, chef d'État. **Vivant** (au 1-3-1993) : *Antoine Pinay* (30-12-1891) 101 ans, ancien Pt du Conseil.

■ Nuptialité

Nombre de mariages annuels pour 1 000 habitants (1991). Cuba 15. Maurice 10,6. USA 9,4. Roumanie 8,3 [1]. Malte 7,4 [1]. Canada 7,3 [2]. Israël 7 [1]. Nlle-Zélande 6,8. Portugal 6,8. Suisse 6,8. G.-B. 6,8 [2]. Luxembourg 6,7. Tchécoslovaquie 6,7. Australie 6,5. Hongrie 6,4. Allemagne 6,3. P.-Bas 6,3. Belgique 6,2. Pologne 6,2. Yougoslavie 6,2 [1]. Danemark 6. Japon 6. Grèce 5,8 [1]. Autriche 5,6. Espagne 5,5. Italie 5,4. Panamá 5,2. *France 4,9.* Norvège 4,9 [2]. Irlande 4,8. Finlande 4,7. Suède 4,6.

Nota. – (1) 1990. (2) 1989.

■ Mariage

Âge légal dans le monde. Avec consentement des parents (en général ce consentement est inutile après la majorité légale). 1er chiffre : âge légal pour les femmes ; 2e chiffre : pour les hommes.

Afr. du Sud 15-18. All. dém. 18-18. All. féd. 16-21. Argentine 14-16. Australie 16-18. Autriche 16-21. Belgique 15-18. Bolivie 12-14. Canada (Québec) 12-14. Canada (Ontario) 18-18. Chili 12-14. Colombie 12-14. Cuba 14-16. Danemark 15-18. Égypte 16-18. Espagne 12-14 (religieux 14-16). États-Unis 16-18 (sauf N. Hampshire 14-18 ; Missouri 15-15 ; N. York, Caroline du S., Texas, Utah 14-16 ; Colorado, Connecticut, Maine, Caroline du N., Pennsyl., Tennessee 16-16 ; Alabama 14-17 ; Mississippi 15-17 ; Washington 17-17 ; Dakota, Oklahoma 15-18 ; Kansas 18-18). Finlande 17-18. *France 15-18.* G.-B. 16-16. Grèce 14-18. Hong Kong 16-16. Hongrie 16-18. Irak 18-18. Irlande 12-14. Israël 16 (pas d'âge min. pour les hommes). Italie 15-16. Japon 16-18. Jordanie 17-18. Luxembourg 15-18. Maroc 15-15. Mexique 14-16. Monaco 15-18. Norvège 18-20. P.-Bas 16-18. Pérou 14-16. Pologne 18-21. Portugal 14-16. Roumanie 16-18. Suède 18-18. Suisse 18-20. Tunisie 17-20. Turquie 15-17. URSS 18-18. Uruguay 12-14. Venezuela 12-14. Yougoslavie 18-18.

Âge moyen. Les Irlandais se marient les plus vieux (hommes 31,4 ans, femmes 26,5), les Indiens les plus jeunes (hommes 20 ans, femmes 14,5 ans.).

■ Divorce dans le monde

Taux brut de divortialité (1989). *Nombre de jugements de divorce définitifs prononcés par les tribunaux pour 1 000 hab. (Source :* ONU). **Taux les plus élevés :** Maldives 25,5 [1]. Guam 10,1 [4]. USA 4,8 [5]. Porto Rico 4,2 [5]. Cuba 3,5. URSS 3,3 [5]. **Taux les plus bas :** Jamaïque 0,3 [5]. Nicaragua 0,2 [3]. Honduras 0,2 [1]. Sri Lanka 0,1 [5]. Guatemala 0,1 [5]. **Autres pays :** Albanie 0,8 [5]. All. dém. 3. All. féd. 2 [5]. Australie 2,4 [4]. Belgique 1,8 [3]. Bulgarie 1,3 [5]. Canada 3 [4]. Chypre 0,4. Danemark 2,9. Égypte 1,6 [2]. Finlande 2,9. *France 1,9* [4]. Grèce 0,8 [3]. Hongrie 2,2 [5]. Iran 0,6 [4]. Israël 1,2 [5]. Italie 0,4 [5]. Japon 1,2. Luxembourg 2 [5]. Mexique 0,3 [2]. Norvège 2 [5]. P.-Bas 1,8 [5]. Pologne 1,2. Portugal 0,8 [5]. Roumanie 1,5. Roy.-Uni 2,9 [5]. Suède 2,2. Suisse 1,9. Tchéc. 2,5. Tunisie 0,8 [2]. Turquie 0,4 [5]. Uruguay 1,5. Yougoslavie 0,8.

Nota. – (1) 1981. (2) 1985. (3) 1986. (4) 1987. (5) 1988.

☞ Il y a un divorce pour 10 mariages en France contre 3 pour 10 aux USA.

■ Natalité

■ **Nombre de naissances dans le monde** (1990). 141 542 000.

■ **Indice de fécondité (enfants par femme)** (1991). **Taux les plus élevés :** Malawi 7,7. Ouganda 7,4. Côte-d'Ivoire 7,4. Yémen 7,4. Burkina Faso 7,2. Togo 7,2. **Taux les plus bas :** Luxembourg 1,5. Allemagne 1,5. Autriche 1,4. Liechtenstein 1,4. Italie 1,3. Espagne 1,3. **Autres pays :** Australie 1,8. Belgique 1,8. Bulgarie 2. Canada 1,7. Danemark 1,6. Finlande 1,7. *France 1,8.* G.-B. 1,8. Grèce 1,5. Hongrie 1,8. Irlande 2,1. Japon 1,5. Norvège 1,9. Nlle.-Zélande 2,1. P.-Bas 1,6. Pologne 2,1. Portugal 1,5. Roumanie 2,3. Suède 2,1. Suisse 1,6. Tchéc. 2. URSS 2,3. USA 2,1. Yougoslavie 1,9.

■ **Taux de natalité pour 1 000 hab.** (1991). *Source :* ONU. **Les plus élevés :** Malawi 52. Mali 51. Niger 51. Yémen 51. Côte-d'Ivoire 50. Burkina Faso 50. **Les plus bas :** Belgique 12. Allemagne 11. Espagne 11. Grèce 10. Italie 10. Japon 10.

Dénatalité en Europe. Depuis 1980, le remplacement des générations n'est plus assuré et la population vieillit, sauf en Irlande et en Grèce. En All. féd., le nombre de naissances atteint à peine 1,5 tandis que le remplacement des générations en exigerait 2,1. Causes : travail des femmes, maîtrise de la fécondité, diminution du nombre des mariages, augmentation du nombre des divorces, baisse de la mortalité.

■ **Naissances illégitimes pour 100 naissances vivantes** (1988). Danemark 44,7. Suède 44,6 [1]. *France 26,3.* G.-B. 25,1. Autriche 21,5 [1]. Portugal 13,8. Luxembourg 12,1. Irlande 11,7. P.-Bas 10,2. All. 10. Espagne 8. Belgique 7,9. Italie 5,8. Suisse 5,7 [1]. Grèce 2,1.

Nota. – (1) 1984.

■ **Rapport des sexes.** Il naît environ 105 garçons pour 100 filles. Ce rapport s'éleva à la fin et au lendemain des guerres en faveur des garçons.

Pics des naissances de garçons pour 100 naissances de filles après les deux guerres mondiales : Allemagne 108 et 108, Angleterre 106,5 et 106, *France 106,6 et 106,4,* Italie 106,5 et 106,2.

■ Mortalité

Nombre de décès dans le monde (1990). 50 255 000.

Taux de mortalité pour 1 000 hab. (1991). *Source :* ONU. **Les plus élevés :** Guinée-Bissau 23. Guinée 22.

Surmortalité. Masculine : France : *1861-65 :* 1,5 an et *1981 :* 8,2 ans (4 à 5 ans dans les autres pays industrialisés). Les *veuves* sont ainsi plus nombreuses que les veufs. **Féminine :** dans de nombreux pays du tiers monde, la mortalité féminine de 15 à 35 ans reste légèrement supérieure à celle des hommes.

☞ Pour toutes les maladies communes aux deux sexes, la mortalité est plus forte chez l'homme. Certains attribuent ce fait à une moindre résistance organique de l'homme, aggravée par des facteurs externes (alcoolisme, surconsommation alimentaire, cigarettes, accidents).

Sierra Leone 22. Afghanistan 22. Éthiopie 20. Gambie 20. **Les plus bas :** Costa Rica 4. Koweït 3. Bahreïn 3. Brunei 3. Macao 3. Qatar 2.

■ **Taux de mortalité infantile. Définitions :** *Mortalité infantile rectifiée :* mortalité de la 1re année, y compris les faux mort-nés ; *intra-utérine :* m. dans l'utérus, quelle que soit la durée de gestation ; *mortinatalité :* m. dans l'utérus de fœtus de + de 6 mois ; *m. fœto-infantile :* décès de la 1re année + vrais mort-nés ; *néonatale :* décès des 28 premiers jours ou du 1er mois, selon les pays ; *post-néonatale :* décès de 1 à 11 mois ; *périnatale :* mortinatalité + décès de la 1re semaine. La **létalité** est le nombre de décès dus à une maladie donnée, par rapport à 100 cas de cette maladie.

Nombre d'enfants de moins de 1 an décédés dans l'année *(par rapport à 1 000 naissances vivantes en 1991 et, entre parenthèses, en 1985).* **Taux les plus élevés :** Afghanistan 182. Guinée-Bissau 151. Sierra Leone 147. Gambie 143. Rép. Centrafricaine 141. Malawi 136. **Les plus bas :** Singapour 6,6 (9,3). Suède 5,8 (6,8). Finlande 5,8 (6,3). Islande 5,3. Japon 4,5 (5,5). Liechtenstein 2,7.

☞ Dans la moitié des pays africains, + de 20 % des enfants meurent avant 5 ans (30 % dans certains pays). Une Africaine court 25 fois plus de risques de mourir d'une cause liée à la grossesse qu'une Européenne.

■ **Décès maternels pour 100 000 naissances vivantes** (1982). Finlande 1,6 [3]. Norvège 2 [4]. Danemark 3,8 [4]. Suède 4,3 [4]. P.-Bas 6,4. Suisse 6,8 [4]. R.-U. [4] (dont Écosse 18,8, Angleterre et Galles 9, Irl. du Nord 3,7), Grèce 11,4 [4]. Espagne 11,5 [2]. Pologne 11,7 [3]. Tchécoslovaquie 12,9 [2]. *France 15,5* [4]. Autriche 17. Portugal 30,6 [2]. Malte 68,2 [4]. Île de Man 131,9 [2]. Roumanie 139,9 [3].

Nota. – (1) 1978. (2) 1979. (3) 1980. (4) 1981. Au XVIIIe s., il y avait environ 2 000 décès maternels pour 100 000 naissances vivantes ; en *1945 :* 80 à 200 ; en *1974 :* 12 à 70 selon les pays.

■ Pays les plus étendus

Superficie en km², % de la surface mondiale des terres émergées (entre parenthèses) et % de la population mondiale en 1991 (en italique). *Source :* ONU.

Pays	km²	(%)	% pop.	Pays	km²	(%)	% pop.
ex-URSS	22 402 200	(16,7)	*5,4*	Libye	1 775 500	(1,3)	*0,08*
Russie	17 075 400	(12,7)	*2,7*	Iran	1 648 000	(1,2)	*1*
Canada	9 970 610	(7,4)	*0,5*	Mongolie	1 564 600	(1,1)	*0,04*
Chine	9 571 300	(7)	*21,4*	Pérou	1 285 216	(0,9)	*0,4*
USA	9 372 614	(6,9)	*4,7*	Tchad	1 284 200	(0,9)	*0,1*
Brésil	8 511 996	(6,3)	*2,8*	Niger	1 267 000	(0,9)	*0,1*
Australie	7 682 300	(5,7)	*0,3*	Éthiopie	1 251 282	(0,9)	*0,9*
Inde	3 287 263	(2,4)	*15,9*	Angola	1 246 700	(0,9)	*0,1*
Argentine	2 766 889	(2)	*0,6*	Mali	1 241 231	(0,9)	*0,1*
Kazakhstan	2 717 300	(2)	*0,3*	Afr. du Sud	1 221 037	(0,8)	*0,7*
Soudan	2 505 813	(1,8)	*0,4*	Bolivie	1 181 581	(0,8)	*0,1*
Algérie	2 381 741	(1,7)	*0,5*	Colombie	1 141 748	(0,8)	*0,6*
Zaïre	2 344 885	(1,7)	*0,7*	Mauritanie	1 030 700	(0,7)	*0,03*
Arabie S.	2 240 000	(1,6)	*0,3*	Égypte	997 738	(0,7)	*1*
Groenland	2 175 600	(1,6)	*0,001*	Ukraine	603 700	(0,4)	*0,8*
Mexique	1 958 201	(1,5)	*1,6*	*France*	*547 026*	*(0,4)*	*1,1*
Indonésie	1 904 569	(1,4)	*2,1*	All. (réunifiée)	357 041	(0,2)	*1,5*

☞ En 1993, sur 176 pays membres de l'ONU, 24 pays ont + de 50 millions d'habitants, 104 ont – de 10 millions d'ha.

Population des villes

■ Urbanisation

Population urbaine par rapport à la pop. totale. Ordre de grandeur en % et, entre parenthèses, année de référence. La définition de la zone urbaine varie (voir Nota ci-dessous). *Source :* ONU.

Afrique. Algérie 52 [2] (74). Tunisie 52,9 [2] (84). Afrique du Sud 55,8 [1] (85). Égypte 45,3 [3] (89). Maurice (Île) 40,8 (88). Maroc 42,7 [7] (82). Libye 31,6 [5]. Malawi 14,6 [14] (89). Ouganda 7,1 [7] (72). Burkina Faso 6,4 [19] (75). Ruanda 4,6 [3] (78).

Amérique du Nord. Canada 76,4[8] (86). USA 73,7[9] (81). Cuba 72,6[4] (88). Mexique 66,3[9] (80).

Amérique du Sud. Chili 84,3[10] (89). Venezuela 83,2[8] (88). Brésil 74,4[10] (89). Pérou 69,3[12] (89). Colombie 68[11] (88).

Asie. Israël 88,8[4] (88). Japon 76,7[15] (85). Irak 72,9[13] (88). Iran 54,3[13] (86). Syrie 49,9[14] (89). Turquie 59,7[14] (89). Pakistan 28,2[13] (89). Inde 26,7[13] (89). Indonésie 26,1[14] (85). Thaïlande 17[14] (80).

Europe. Belgique 94,6[16] (76). Espagne 91,4[18] (81). Islande 90,2[17] (88). P.-Bas 88,5[4] (88). Suède 83,2[17] (80). Danemark 83,8[17] (81). Luxembourg 77,8[4] (79). G.-B. 87,7[16] (81). All. dém. 76,7[4] (89). Saint-Marin 90,4 (87). *France 80[4] (90).* Norvège 70,2[16] (80). Tchéc. 74,7[6] (85). Grèce 58[4] (81). Bulgarie 66,7[16] (88). Ex-URSS 65,8[16] (89). Finlande 61,8[16] (87). Pologne 61,4[16] (89). Irlande 56,3[16] (86). Suisse 60,3[18] (88). Hongrie 59,2[16] (88). Roumanie 50,5[16] (85). Youg. 46[18] (81). Portugal 29,7[16] (81).

Océanie. Austr. 85,4[8] (86). Nlle-Zél. 83,7[16] (86).

Nota. – (1) Localités de + de 500 h. (2) Uniquement centres urbains. (3) Chefs-lieux adm. (4) Loc. de + 2 000 h. (5) Tripoli, Benghazi, Beida, Derna. (6) Loc. de + 5 000 h. (7) 184 centres urbains. (8) Loc. de + 1 000 h. (9) Loc. de + 2 500 h. (10) Chefs-lieux adm. (11) Loc. de + 1 500 h. (12) Centres de peuplement de + 100 logements. (13) Loc. adm. et villes de + 5 000 h. (14) Loc. adm. et zones urbanisées. (15) Loc. adm. et villes de + 50 000 h. (16) Villes, agglom. et communes urbaines. (17) Loc. de + 200 h. (18) Loc. de + 10 000 h. et banlieue.

Proportion, en %, de la population vivant dans les régions urbaines

Depuis 100 ans, alors que doublait la population du monde, celle des villes a parfois décuplé.

Régions	1950	1970	1990	2000
Monde	29,4	37	43,6	48,2
Pays développés	53,6	66,4	74,2	77,7
Pays en développement	17,4	25,3	34,4	40,4
Afrique	14,8	22,9	35,5	42,2
Amérique latine	41,1	57,4	72,1	76,9
Amérique du Nord	63,9	73,8	75,2	78
Asie de l'Est	17,8	26,3	30,2	34,2
Asie du Sud	16,1	21,2	30,4	36,8
Europe	55,9	66,2	75,4	78,9
Océanie	61,2	70,8	71,9	73,1
Ex-URSS	38,3	56,7	69,2	74,3

Source : estimations et projections démographiques de l'ONU, évaluées en 1982.

Les plus grandes villes

Villes	1800	1900	1940	1990
Londres	959 000	4 536 000	8 700 000	6 756 400 [2]
Tōkyō	800 000	1 440 000	6 779 000	8 534 000
Pékin	700 000	1 000 000	1 556 000	6 920 000 [2]
Istanbul	600 000	1 106 000	741 000	2 854 689 [1]
Paris	547 000	2 714 000	2 725 000	2 146 400
Naples	437 000	564 000	920 000	1 206 013 [3]
Moscou	250 000	1 039 000	4 137 000	8 769 000 [2]
Le Caire ...	250 000	570 000	1 312 000	6 500 000
Amsterdam .	201 000	511 000	794 000	695 162
Madrid	160 000	540 000	1 048 000	3 120 732
Rome	153 000	463 000	1 280 000	2 791 354 [3]
Varsovie ...	100 000	638 000	1 261 000	1 655 700
Mexico	100 000	345 000	1 465 000	8 236 960
New York ..	79 000	3 437 000	7 455 000	7 322 564
Rio de Jan. .	43 000	811 000	1 711 000	6 011 181
Buenos Aires	40 000	821 000	2 389 000	2 908 000 [1]
Athènes	12 000	123 000	487 000	885 737 [1]
Stockholm ..	6 000	301 000	557 000	674 452

Antiquité. Rome 1 335 000. Alexandrie 216 000. Byzance 190 000 à 375 000. **Au XIVe s.** Paris 200 000. **XVIe s.** Paris 350 000. Londres 35 000. **Vers 1700.** Londres 700 000. Paris 500 000.

Nota. – (1) 1981. (2) 1989. (3) 1991.

Les plus grandes agglomérations

Source : ONU. En millions d'habitants. **En 1900 :** Londres 6,5. New York 4,2. Paris 3,9. Berlin 2,4. Chicago 1,7. Vienne 1,6. Tōkyō 1,8. Saint-Pétersbourg 1,4. Philadelphie 1,4. Manchester 1,2. Birmingham 1,2. Moscou 1,2. Pékin 1,1. Calcutta 1. Boston 1. Glasgow 1. Liverpool 1,0. Osaka 0,9. Constantinople 0,9. Hambourg 0,9. **1950 :** New York 12,3. Londres 10,4. Rhin-Ruhr 6,9. Tōkyō 6,7. Shanghai 5,8. Paris 5,5. Buenos Aires 5,3. Chicago 4,9. Moscou 4,8. Calcutta 4,4. Los Angeles 4. Osaka-Kobe 3,8. Milan 3,6. Mexico 3. Philadelphie 2,9. Rio de Janeiro 2,9. Bombay 2,9. Detroit 2,8. Naples 2,8. Leningrad 2,6. **1975 :** New York 19,8. Tōkyō 17,7. Mexico 11,9. Shanghai 11,6. Los Angeles 10,8. São Paulo 10,7. Londres 10,4. Buenos Aires 9,3. Rhin-Ruhr 9,3. Paris 9,2. Rio de Janeiro 8,9. Pékin 8,7. Osaka-Kobe 8,6. Chicago 8,1. Calcutta 7,8. Moscou 7,4. Bombay 7. Séoul 6,8. Le Caire 6,4. Milan 6,1. **1990 :** Tōkyō 23,4. Mexico 22,9. New York 21,8. São Paulo 19,9. Shanghai 17,7. Pékin 15,3. Rio de Janeiro 14,7. Los Angeles 13,3. Bombay 12. Calcutta 11,9. Séoul 11,8. Buenos Aires 11,4. Djakarta 11,4. Paris 10,9. Osaka-Kobe 10,7. Le Caire 10. Londres 10. Rhin-Ruhr 9,3. Bogota 8,9. Chicago 8,9. **2000 :** Mexico 31. São Paulo 25,8. Tōkyō 24,2. New York 22,8. Shanghai 22,7. Pékin 19,9. Rio de Janeiro 19. Calcutta 17,7. Bombay 17,1. Djakarta 16,6. Séoul 14,2. Los Angeles 14,2. Le Caire 13,1. Madras 12,9. Manille 12,3. Buenos Aires 12,1. Bangkok 11,9. Karachi 11,8. Delhi 11,7. Bogotá 11,7.

Étrangers, émigration

■ **Nombre d'étrangers** (en milliers, 1990). **Allemagne** 5 241,8 (8,2 % de la pop. tot.) dont Turquie 1 675. Youg. 652,5. Italie 548,3. Grèce 314,5. Pologne 241,3. Autriche 181,3. Espagne 134,7. Portugal 84,6. Maroc 67,5. Tunisie 25,9. Finlande 10,3. Algérie 6,7. Autres pays 1 383,8. **Belgique** 904,5 (9,1 % de la pop. tot.) dont Italie 241,1. Maroc 141,6. *France 94,2.* Turquie 84,9. Pays-Bas 65,2. Espagne 52,2. Allemagne 27,5. Grèce 20,9. Portugal 16,5. Tunisie 6,3. Youg. 5,8. Autres pays 148,3. **Danemark** 160,6 (3,1 % de la pop. tot.). **Espagne** 33. *France 3 607,6 (6,4 % de la pop. tot.)* dont Portugal 645,6. Algérie 619,9. Maroc 584,7. Italie 253,7. Espagne 216. Tunisie 207,5. Turquie 201,5. Autres pays 878,7. **Italie** 781,1 (1,4 % de la pop. tot.). **Luxembourg** (1989) 104. **Norvège** 143,3 (3,4 % de la pop. tot.) dont Pakistan 11,4. Viêt-Nam 6,9. Iran 5,9. Turquie 5,5. Allemagne 4,3. Youg. 4,2. Inde 3,5. Maroc 2,2. *France 1,8.* Autres pays 97,6. **Pays-Bas** 692,4 (4,6 % de la pop. tot.) dont Turquie 203,5. Maroc 156,9. Allemagne 44,3. R.-U. 39. Belgique 23,6. Espagne 17,2. Italie 16,9. Youg. 13,5. Portugal 8,3. Grèce 4,9. Tunisie 2,6. Autres pays 161,7. **Portugal** 90. **Royaume-Uni** 1 875 (3,3 % de la pop. tot.). **Suède** 483,7 (5,6 % de la pop. tot.) dont Finlande 119,7. Youg. 41,1. Iran 39. Norvège 38,2. Danemark 28,6. Turquie 25,5. Allemagne 13. Grèce 6,5. Italie 4. Espagne 2,9. *France 2,9.* Autriche 2,8. Suisse 2,1. Autres pays 157,4. **Suisse** 1 100,3 (16,3 % de la pop. tot.) dont Italie 378,7. Youg. 140,7. Espagne 116,1. Portugal 85,6. Allemagne 83,4. Turquie 64,2. *France 50.* Autriche 28,8. Grèce 8,3. Viêt-Nam 7,2. Pologne 5. Hongrie 4,5. Autres pays 127,6.

☞ **% des étrangers de la CEE par rapport au total des étrangers.** Allemagne 30. Belgique 61,4. Danemark 20. Espagne 58. *France 43.* Italie 48. Luxembourg 92. Pays-Bas 25,3. Portugal 27. R.-Uni. 43.

■ **Réfugiés de l'Est** (1991). Depuis 1950, il y a eu 11 millions d'immigrés, dont 4,4 d'Allemands de l'Est (dont 3,5 avant le mur en 1961). Rien ne confirme, depuis sa chute, la reprise d'une émigration massive.

■ **Résidents du Maghreb** (1989, en milliers). Allemagne 92. Belgique 155. Espagne 16. *France 1 540[1] (dont Algérie 821, Maroc 516, Tunisie 208).* Italie 123 (Maroc 78, Tunisie 41). Pays-Bas 151. Suède 2,7. Suisse 7.

■ **Travailleurs étrangers** (1990, en milliers). Allemagne 2 02 5[1]. Autriche 217,6. Belgique 196,4[1]. Espagne 69[1]. *France 1 553,5.* Luxembourg 76,2[1]. Pays-Bas 200. Roy.-Uni 933. Suisse 670. Suède 258.

Nota. – (1) 1989.

■ **Demandes d'asile** (1991). Allemagne 256 100. Autriche 27 300. Belgique 15 200. Danemark 4 600. Espagne 8 000. *France 50 000.* Grèce 4 100. Italie 27 000. Norvège 3 000. Pays-Bas 21 600. Portugal 100. R.-U. 57 700. Suède 26 500. Suisse 41 600.

Nota. – (1) 1990.

■ **Nombre de réfugiés.** *Monde* (1990) : 17 000 000. Australie 11 883. Canada 36 976. USA 84 288.

■ **Naturalisations** (1990). Allemagne 46 783[1]. Australie 127 857. Autriche 9 199. Belgique 1 878[2]. Canada 104 267. Espagne 7 049. États-Unis 270 101. *France 54 366.* Luxembourg 861[2]. Norvège 4 757. Pays-Bas 12 790. Roy.-Uni 57 271. Suède 16 770. Suisse 8 658.

Nota. – (1) 1988. (2) 1989.

■ **Mouvements migratoires** (déc. 1992). 251 705 (non compris les évacués du Golfe) dont *réfugiés :* 241 025 (dont Asie du S.-E. 130 042, Europe 81 969, Moyen-Orient et Afrique 12 985, Amér. latine 10 928, Proche-Orient 4 924, autres régions 177) et *migration de nationaux :* 10 680 (dont travailleurs migrants 5 557, migration pour le développement 5 123).

Migrations transocéaniques, 1821-1932

Nombre d'émigrants (en milliers) de 1846 à 1932. Iles Britanniques 18 020 (64 %) [dont Irlande 5 443 (66)], Italie 11 092 (48), Autriche-Hongrie 5 196 (17), Allemagne 4 889 (15), Espagne 4 653 (31), Russie (1846-1924) 2 253 (4), Portugal 1 805 (48), Suède 1 203 (36), Norvège 854 (63), Pologne (1920-32) 642 (2,4), *France 519 (1,5),* Japon 518 (1,6).

Nombre d'immigrants (en milliers) jusqu'en 1932. *USA 1821* 34 244 (320 %), *Argentine 1856* 6 405 (500), *Canada 1821* 5 206 (550), *Brésil 1821* 4 431 (110), *Australie 1861* 2 913 (290), *Cuba 1901* 857 (54), *Afr. du S. 1881* 852 (24), *Uruguay 1836* 713 (800), *N.-Zél. 1851* 594 (475), *Maurice 1836* 573 (433).

Sources : calculé d'après Ferenczi-Willcox (1929), Carr-Saunders (1936) et les recensements nationaux de population.

■ **Entrées de migrants légaux** (moyenne annuelle en milliers et, entre parenthèses, en % de la pop. totale). **Pays européens. Allemagne** *1970-75 :* 746 (1,2). *1976-80 :* 445 (0,7). *1981-84 :* 320 (0,5). *1985-89 :* 541 (0,8). **Belgique** *1970-75 :* 58 (0,6). *1976-80 :* 48 (0,5). *1981-84 :* 37 (0,4). *1985-89 :* 82 (0,4). **France** *1970-75 :* 177 (0,3). *1976-80 :* 67 (0,1). *1981-84 :* 84 (0,1). *1985-89 :* 44 (0,08). **Pays-Bas** *1970-75 :* 49 (0,4). *1976-80 :* 61 (0,4). *1981-84 :* 41 (0,3). *1985-89 :* 57 (0,3). **Suède** *1970-75 :* 39 (0,5). *1976-80 :* 35 (0,4). *1981-84 :* 25 (0,3). *1985-89 :* 63 (0,7). **Suisse** *1970-75 :* 82 (1,3). *1976-80 :* 62 (1). *1981-84 :* 76 (1,2). *1985-89 :* 76 (1,1). **Pays non européens. Australie** *1970-75 :* 133 (1). *1976-80 :* 69 (0,5). *1981-84 :* 98 (0,6). *1985-89 :* 118 (0,7). **Canada** *1970-75 :* 164 (0,7). *1976-80 :* 121 (0,5). *1981-84 :* 107 (0,4). *1985-89 :* 144 (0,5). **États-Unis** *1970-75 :* 385 (0,2). *1976-80 :* 511 (0,2). *1981-84 :* 574 (0,2). *1985-89 :* 729 (0,6).

Mouvements de rapatriement. Du 3-9 au 31-12-1990, 155 974 étrangers résidant en Irak et au Koweït sont rentrés dans leur pays grâce au pont aérien coordonné par l'OIM dont 48 050 Sri Lankais, 43 825 Bangladeshis, 29 545 Indiens, 15 791 Philippins, 4 846 Pakistanais, 8 701 Vietnamiens, 4 719 Soudanais, 301 Égyptiens et 916 divers.

■ **Indice de fécondité** (1991). Comparaison du nombre moyen d'enfants par femme pour les nationaux et, entre parenthèses, les étrangers (1986). Allemagne : 1,5 (1,67). Australie : 1,9 (2,04). Autriche : 1,41 (2,56). Belgique : 1,8 (1,82). Canada 1,7 (1,93). *France :* 1,8 (3,05). G.-B. : 1,8, (2,4). Luxembourg : 1,5 (1,45). Pays-Bas : 1,6 (2,43). Suède : 2,1 (2,24). Suisse : 1,6 (1,56).

Catastrophes

☞ **Éruptions, séismes, typhons :** voir Index.

Nombre de morts

Liste non limitative.

Avalanches

Allemagne *1965 (15-5) Garmisch :* 100. **Autriche** *1916 (13-12) Tyrol :* + de 10 000 ; *1954 (12-1) Blons :* 380. **États-Unis** *1910 (1-3) Wellington :* 118. **France** *1892 (11/12-7) St-Gervais* (Hte-Sav.) : 200 ; *1970 (10-2) Val-d'Isère* (Sav.) : 42 ; *(16-4) Plateau d'Assy* (Hte-Savoie), glissement terrain : 79 ; *1992 (21-11) Val-Thorens* (Sav.) : 7. **Italie** *1618 (4-9) Plurs :* 1 500. **Pérou** *1941 :* 4 000 ; *1962 (10-1) :* 3 000 à 4 000. **Suisse** *1689 Saas GR :* 300 ; *1951 (24-2) :* 300 ; *1965 (30-8) Mattmark :* 88 ; *1970 (24-2) Rechingen VS :* 29 ; *1978 (12-3) Les Diablerets :* 20 ?

Catastrophes minières

Afrique du Sud *1910 Pretoria :* 344 ; *1960 (21-11) Coalbrook :* 417. **Allemagne** *1908 Radbod :* 360 ; *1946 Grimberg :* 439. *1960 Lisienthal* (All. féd.) : 184 ; *(22-2) Zwickau* (All. dém.) : 123. *1962 (7-2) Voelklingen* (Sarre) : 298. **Australie** *1936 Wonachaggi :* 208. **Belgique** *1956 (8-8) Marcinelle :* 263. **Chine** *1935 Lun-Chou :* 600 ; *1942 (26-4) Honkeito :* 1 549. **États-Unis** *1907 (6-12) Monongah* (Virg. occ.) : 361 ; *(19-12) Jacobs Creek* (Penn.) : 239 ; *1909 (13-11) Cherry* (Illinois) : 259 ; *1947 (25-3) Centralia* (Illinois) : 111 ; *1951 (21-12) West Frankfort :* 119 ; *1976 (9/11-3) Oven Fork* (Kent.) : 26 ; *1981 (15-4) Redstone* (Color.) : 15 ; *1984 (19-12) Hutington* (Utah) : 27.

France *1906 (10-3) Courrières :* 1 060 ; *1928 (30-6) Roche-la-Molière :* 48 ; *1958 (21-11) Forbach :* 11 ; *1974 (27-12) Liévin :* 42 ; *1959 (29-5) Merlebach :* 26 ; *1976 (30-9) Merlebach :* 16 ; *1985 (25-2) Forbach :* 22 (103 blessés). **Inde** *1958 Chinakuri :* 182 ; *1965 (28-5) Dhanbad :* 267 ; *1975 Dhanbad :* 350. **Japon** *1963 (9-11) Ohmuta :* 452 ; *1965 (1-6) Yamano :* 237. **Mexique** *1969 Barroteran :* 156. **Mozambique** *1976 (18-9) Tete :* 140. **Népal** *1976 (7-6) :* + de 150. **Rhodésie** *1972 (6-6) Wankie :* 457. **Royaume-Uni** *1910 Whitehaven :* 136 ; *1913 (14-10) Senghenydd :* 439 ; *1934 Wexham :* 264 ; *1966 (21-10) Aberfan (Galles) :* 144 dont 116 enfants (glissement d'un crassier). **Taiwan** *1984 (5-12) Taipei :* 94. **Tchécoslovaquie** *1961 (9-7) Dukla :* 108. **Turquie** *1992 (3-3) Kozlu :* 388. **Yougoslavie** *1965 (7-6) Kakanj :* 127.

■ Chaleur

Angleterre (Grand Londres) *1976 (26-6 au 2-7) :* 400. **États-Unis** *1936 :* 4 678. *1966 (4-7) :* 1 300. **France** *1983 (fin juil.) :* 300. **Grèce** *1987 (juil.) :* 1 280.

■ Éboulements

Bolivie *1992 (8-12) Llipi :* plusieurs centaines. **Brésil.** *1966 (17-3) Rio :* 550. **Chine** *1983 (9-3) Dongxiang :* 270. **Corée** *1972 (8) :* 410. **Colombie** *1974 (28-6) :* 200. *1987 (27-9) :* 400. **États-Unis** *1938 (2-3) Los Angeles :* + de 200. **France** *1987 (14-7) Grand Bornand :* 23 (15 disparus). **Hong Kong** *1972 (18-6) :* 100. **Italie** *1618 (4-9) Chiavenna :* 2 420. **Pérou** *1970 (31-5) Yungay :* 20 000 ; *1971 (18-3) :* 240 ; *1974 (4)* à 200 km de Lima : 1 000. **Puerto Rico** *1985 (7-10) Mameyes :* 129. **Suisse** *1806 (2-9) Rossberg* (15 millions de m³, 3 villages ensevelis) : 1 000. *1881 (11-9) Elm* (nappe 1 400 m sur 500 m et 20 m d'épaisseur). **Turquie** *1980 (28-3) :* 60. **Venezuela** *1973 (30-8) Caracas :* 100. *1987 (sept.) :* 400.

■ Épidémies

Choléra. **France** *1832-37 :* 100 000 [dont Paris (févr.-août 1832) 18 402] ; *1853-54 :* 143 000.

Grippe espagnole. *Avr.-nov. 1918 :* 25 000 000 dont des centaines de mille en France.

Maladie du sommeil. **Ouganda** *1901-05 :* 200 000.

Malaria. **Russie** *1923 :* des millions.

Oreillons. **Fidji** *1875 :* 40 000.

Peste. Noire **Europe occidentale** *1347-51 :* 25 000 000. *Grande Peste de* **Londres** *1664-65 :* 75 000 ; **Vienne** *1679 :* 76 000 ; **Prague** 83 000 ; **Marseille** *1720 :* 50 000 ; **Canton** *1894 :* 100 000 ; **Indes** *de 1896 à 1917 :* 9 841 396 dont 1 315 000 en 1907 ; **Mongolie** *1910-11 :* 60 000.

Typhus. **France** 85 000 (1628, Lyon, Limoges), **Pologne, Russie** 3 000 000 (1914-15).

■ Empoisonnements

Italie. **Seveso** *(10-7-1976) :* vapeurs toxiques (dioxines) de l'usine ICMESA (filiale de la firme suisse Givaudan). 36 000 h. vivaient dans la zone potentiellement contaminée (1 800 ha), 736 furent évacués. La dioxine (qui disparaîtra définitivement vers 2040) a peut-être provoqué davantage de cancers du foie et de naissances d'enfants malformés. *Condamnation :* Givaudan a versé 338 millions de F aux victimes et a dû financer les travaux de décontamination. 5 personnes de la direction condamnées de 2 ans 1/2 à 5 ans de prison. Le responsable de la production d'ICMESA avait été assassiné le 5-2-1980 par des terroristes de « Prima Linea ».

Inde. **Bhopal** *(3-12-1984) :* fuite d'isocyanate de méthyle dans une usine de pesticide. + de 3 000 † et 100 000 blessés.

☞ Gaz de combat, voir Index.

■ Explosions

Afghanistan *1982 (2-11) Salang,* tunnel : 1 000 à 3 000. **Algérie** *1964 Bône,* bat. de munitions égypt. *Star of Alexandria :* 100. **Allemagne** *1921 (21-9) Oppau,* 4 000 t de salpêtre + usine à gaz : 1 000 ; *1948 (28-7) Ludwigshafen,* usine : 184. **Brésil** *1984 (25-2)* Oléoduc : 508. **Canada** *1917 (6-12) Halifax,* cargo fr. *Mont-Blanc* chargé de munitions : 1 600. **Colombie** *1956 (7-8)* camion mun. : 1 100. **Corée du Sud** *1977 (11-11) Iri,* train de marchandises : 57. **Cuba** *1960 (4-3) La Havane,* bat. mun. fr., *La Coubre :* 100. **Espagne** *1947 (18-8) Cadix,* usine de torpilles : 300 ; *1978 (11-7)* camping de *Los Alfaques,* camion de carburant : + de 200 ; *1980 (23-10) Ortuella,* école : 51. **États-Unis** *1937 (18-3) New London,* école : 413 ; *1944 (17-7) Port Chicago,* 2 bat. mun. : 322 ; *1947 (16-4) Texas City,* bat. fr. *Le Grandcamp,* chargé de nitrate expl. entraînant l'explosion d'une usine de produits chimiques et du *High Flyer* aussi chargé de nitrate : 575 ; *1963 (31-10) Indianapolis :* 64 ; *1965 (9-4) Searcy,* dans le silo d'un missile Titan-II : 53 ; *1967 (29-7)* sur le porte-avions *Forrestal :* 134 ; *1973 (10-2) New York,* réservoir de gaz liquéfié : 43 ; *1977 (22-12) Westwego,* aspirateur à céréales : 35 ; *1985 (25-6) Hallett,* fabrique de feux d'artifice : 21 ; *1993 (26-2) New York,* tour : 5. **Finlande** *1976 (13-4) Lapua,* usine de mun. : 45. **France** *1820 (16-10) Essonne,* poudrière : 0 ; *1822 (26-7) Colmar,* poudrière : 12 ; *1899 (5-3) Lagoubran* (près de Lyon) n.c. ; *1915 (11-12) Le Havre-Graville,* usine belge d'obus, n.c. ; *1955 (11-6) Le Mans,* voiture : 82 ; *1971 (4-1) Auch* (Gers) : 14 ; *(21-12) Argenteuil* (Val-d'Oise), gaz : 17 (44 blessés) ; *1973 (1-2), St-Amand-les-Eaux* (Nord), camion : 9 ; *1978 (17-2) Paris* (rue Raynouard), conduite de gaz : 12 ; *1989 (15-2) Toulon* (Var), gaz : 13 ; *1992 (10-11) La Mède* (Bouches-du-Rhône), raffinerie : 5. **Géorgie** *1984 (déc.) Tbilissi,* explosion de gaz dans la cave d'un immeuble : env. 100. **Grèce** *1856 Rhodes,* poudrière dans une église : 4 000. **Inde** *1944 (14-4) Bombay,* bateau *Fort Stibène* (munitions) : 800 à 900. *1975 (27-12) Chasnala,* mine : 431. **Iran** *1980 (19-8) Gatchsaran,* dépôt de matériels : 100. **Italie** *1769 Brescia,* poudrière dans une église, foudre : 3 000 ; *1945 (9-4) Bari, Liberty Ship,* munitions : 360 ; *1979 (13-11) Parme,* hôpital : 20 à 25. *1982 (25-4) Todi,* exposition d'antiquités : 13. **Malaisie** *1991 (7-5)* fabrique de feux d'artifice : 40. **Mexique** *1984 (19-11) Mexico,* réservoirs de gaz : 452 (4 248 blessés, 31 000 sans-abri). **Royaume-Uni** *1974 (2-6) Flixborough,* usine chimique Nypro : 28 (100 blessés).

■ Famines

(Nombre de morts en millions.) **Chine** (Nord) *1333-37 :* 4 ; *1877-78 :* 9,5 ; *1892-94 :* 1 ; *1928-29 :* 3. **Éthiopie** *1974-75 :* 0,2 ; *1984-85 :* 0,3. **France** *1693 :* des millions ; *1769 :* 5 % de la pop. **Inde** *1769-70 :* 3 à 10 ; *1869-70* et *1873* (ensemble) : 73,5 % ; *1876-78 :* 3,5 à Madras ; *1891-97 :* 5 ; *1899-1900 :* 1,25 à 3,25 ; *1943-44 :* 1,5. **Irlande** *1846-51 :* 1. **Nigeria** (Biafra) *1967-69 :* 1. **Sahel** *1965-70 :* plusieurs centaines de milliers. **Somalie** *1990-93 :* 0,4. **Ex-URSS** *1921-22 :* 1,5 à 5 ; *1943-44 :* 1,5.

■ Incendies

Albanie *1991 (9-12) Fushe-Arreze,* entrepôt de vivres : 38. **Allemagne** *1842 (28-2) Karlsruhe,* théâtre de la Cour : 100 ; *(5/7-5) Hambourg :* 100. **Arabie Saoudite** *1975 (12-12) La Mecque :* 138. **Argentine** *1985 (26-4) Saavedra,* hôpital psychiatrique : 79. **Autriche** *1881 (8-12) Vienne,* théâtre Resig : 850. **Belgique** *1967 (22-5) Bruxelles,* magasin Innovation : 322 ; *1974 (25-1)* collège de *Heudsen :* 25 enf. ; *1976 (1-1) Louvière,* café : 15. **Brésil** *1961 (17-12) Niteroi,* chapiteau de cirque : 323 ; pénitencier de *Taubate :* 152 ; *1972 (24-2) São Paulo,* gratte-ciel : 20 ; *1974 (1-2) São Paulo,* imm. : 189. **Canada** *1846 (12-7) Québec,* Théâtre-Royal : 200. *1927 (9-1) Montréal,* cinéma : 71 ; *(14-12) Québec,* hospice : 50 ; *1980 (1-1) Chapais,* dancing : 42. **Chili** *1863 (8-12) Santiago,* église de la Campania, panique 2 500. **Chine** *1845 (25-5) Canton,* théâtre : 2 500 ; *1871 (juin) Shanghai,* théâtre : 900 ; *1937 (13-2) Antoung,* théâtre : 700 ; *1949 (2-9) Tchong-king :* 1 700 ; *1987 (mai)* forêts : 200. **Colombie** *1958 (16-12) Bogota,* les gds magasins Vida : 101. **Corée du Sud** *Séoul : 1971 (26-12)* hôtel Taeyonkak : 163 ; *1973 (2-12)* théâtre : 50 ; *1974 (3-11)* théâtre : 50. **Côte-d'Ivoire** *1977 (9-6) Abidjan,* night-club : 41. **Danemark** *1973 (1-9) Copenhague,* hôtel Hafnia : 35. **Espagne** *1778 (12-11) Saragosse,* Colisée : 77 ; *1928 Madrid,* théâtre : 270 ; *1973 (11-12) Saragosse,* fabr. de meubles : 25 ; *1979 (12-7) Saragosse,* hôtel : 81 ; *1983 (17-12) Madrid,* dancing : 83 ; *1990 (13-1) Saragosse,* discothèque : 43. **États-Unis** *1776 (21-4) New York :* ville à moitié détruite ; *1788 (21-3) La Nouvelle-Orléans :* 856 immeubles ; *1835 (16-12) New York :* 650 immeubles ; *1871 (8-10) Chicago,* gros dégâts : 250 ; *(9-10) Peshtigo* (Wisconsin) forêt : 1 182 ; *1876 (5-12) New York,* théâtre Conway : 295 ; *(10-12) San Sacramento :* 110 ; *1903 (30-12) Chicago,* théâtre iroquois : 602 ; *1923 Chicago,* théâtre : 383 ; *1930 (21-4) Colombus* (Ohio) pénitencier : 320 ; *1940 (23-4) Natchez* (Mississippi) bal : 198 ; *1942 (28-11) Boston,* night-club : 491 ; *1944 (7-7) Hartford,* cirque : 168 ; *1946 (7-12) Atlanta* (Georgie) Motel Winecoff : 119 ; *1977 (26-5) Columbia :* 42 ; *(28-5) Southgate* (Kentucky) dancing : 167 ; *(14-11) Las Vegas.* Manila, hôtel : 47 ; *1980 (21-11) Las Vegas,* hôtel-casino M6M (26 étages, 2 076 chambres) : 81 ; *1990 (25-3) Bronx* (New York) dancing : 87. **France** *Barbezieux* (Charente) *1985 (5-10) :* 9 ; *Marseille 1938 (28-10),* Nouvelles-Galeries : 75 ; *Nice 1880* théâtre : 70 ; *Paris 1781 (8-6)* Opéra : 21 ; *1880* grands magasins du Printemps ; *1887 (25-5)* Opéra-Comique : 115 ; *1897 (4-5)* Bazar de la Charité : 129 [123 femmes (dont D[esse] d'Alençon), 6 hommes et garçonnets] : 400 bl. ; *1900 (8-3)* Théâtre-Français : 1 (Jane Henriot, pensionnaire) ; *1903 (10-8)* rame de métro, station Couronnes : 84 ; *1917* grands magasins du Bon Marché ; *1921 (28-9)* gds magasins du Printemps : 1 ; *(5-10)* tunnel des Batignolles, 2 trains : 16 (100 bl.) ; *1923* Opéra-Comique : 103 ; *1973 (6-2)* rue Édouard-Pailleron, CES : 17 ? ; *1976 (11-8)* hôtel : 13 ; *Rueil 1947 (3-8) :* 89 ; *St-Jean-de-Losne* (Côte-d'Or), *1980 (21-4)* hospice : 30. *St-Laurent-du-Pont 1970 (31-10)* (Isère) dancing « Le Cinq-Sept » : 147 ; **Guatemala** *1960 (14-7),* asile : 225. **Inde** *1878 (11-5) Ahmadnuggar :* 40. **Irlande** *1981 (15-2) Dublin,* dancing : 46. **Italie** *1784 (8-6) Capo d'Istria :* 1 000 ; *1857 (7-6) Livourne :* 100 ; *1983 (13-2) Turin,* cinéma : 64. **Jamaïque** *1980 (21-5) Kingston,* hospice : + de 180. **Japon** *1934 (22-3) Hakodate :* 1 500 ; *1972 (13-5) Osaka,* magasin : 119 ; *1973 (29-11) Kumamoto,* grand magasin : 101 ; *1980 (22-11) Kawaji :* 43. **Pays-Bas** *1772 (11-5) Amsterdam,* théâtre Schouwbourg : 25. **Philippines** *1985 (21-4) Tabaco,* cinéma : 44. **Portugal** *1988 (25-8) Lisbonne,* vieille ville : 1. **Royaume-Uni** *1666 (1-9) Londres,* grand incendie, ville détruite : 4 ; *1808 (20-9) Londres,* Covent Garden : 22 ; *1811 (26-9) Richmond :* 72 ; *1887 (4-9) Exeter,* théâtre : 200 ; *1973 (3-8) Douglas* (île de Man), centre de loisirs : 51 ; *1985 (11-5) Bradford,* stade : 53. **Russie** *1812 Moscou ; 1836 (14-2) Saint-Pétersbourg,* cirque Lehmann : 800. **Suède** *1751 Stockholm.* **Suisse** *1971 (6-3) Burghoezli,* clinique psychiatrique : 28. **Syrie** *1960 (13-11) Amouda,* cinéma : 152. **Thaïlande** *1971 (20-4) Bangkok,* hôtel : 24. **Turquie** *1729 Constantinople :* 7 000 ; *1870 (15-6)* 550 ; *1772 Smyrne :* 3 000 logements, 4 000 bateaux ; *1922 (13-9) Smyrne,* détruite aux 3/5. **Venezuela** *1939 (14-11) Lagunillas :* plus de 500.

■ Inondations

Mers et fleuves

Allemagne *1962 :* 343. **Bangladesh** *1974 :* 2 500. **Brésil** *1967 :* 894 ; *1967 :* 436 ; *1969 :* 218 ; *1974 :* 1 500. **Chine** *1642 :* 300 000 ; *1887 :* fleuve Jaune : 900 000 ; *1911 :* 100 000 ; *1934 :* milliers de sinistrés ; *1939 :* 500 000 ; *1948 :* 10 000 à 100 000 ; *1951 :* 4 800 ; *1969 :* 2 000 000 à Shantung ; *1931 :* Yang-tseu-kiang : 1 million. **Corée** *1962 :* 20 ; *1969 :* 250 ; *1984 :* 200. **Espagne** *1962 :* Barcelone 445. *1973 (oct.) :* prov. de Grenade, Murcie, Almeria 350 ; *1982 (oct.) :* prov. d'Alicante et Valence : + de 40. **États-Unis** *1928 :* 2 000 ; *1937 :* 250. *1972 :* Rapid City, 236 morts, 500 disparus. **France** *1872 :* Paris ; *1876 :* Paris ; *1910 :* Paris ; *1930 (4-3) :* Tarn, centaine de morts ; *1987 (14-7) :* Grand-Bornand (Hte-Sav.) 21 † dans un camping ; *1992 (22-9)* Vaison-la-Romaine (Vaucluse) : Ouvèze, 37. **Guatemala** *1949 (oct.) :* 40 000 ; *1982 (sept.) :* + de 1 300. **Honduras** *1974 (sept.) :* 9 000. **Inde** *1955 :* 1 700 ; *1968 (juil.-août) :* 2 000 ; *1968 :* 1 000 ; *1968 :* 780 ; *1970 :* 500 ; *1979 :* 5 000 à 15 000. **Iran** *1954 :* 2 000. **Italie** *1951 (nov.) :* Pô : 100. Florence : 113 ; *1966 (4/5-11) :* destruction d'œuvres d'art, 6 000 boutiques. **Madagascar** *1959 :* 300. **Mexique** Mexico. *1959 :* 2 000. **Pakistan** *1953 :* 10 000 ; *1955 :* 1 700. **Pays-Bas** *1424 :* 100 000 ; *1953 :* 1 800 (9,4 % des terres agr. immergées, 34 000 bovins, 25 000 porcs, 100 000 volailles). **Philippines** *1972 (août) :* 454 ; *1991 (nov.) :* 5 000. **Portugal** *1967 (nov.) :* 387. **Roumanie** *1970 (mai) :* + de 300. **Russie** *1287 :* 50 000 ; *1421 :* 10 000 ; *1824 :* Neva 10 000 ; *1973 (mars) :* 150. **Tunisie** *1969 :* 500. **Viêt-nam du Sud** *1964 :* 7 000.

Barrages (rupture ou éboulement)

Argentine *1970 (4-1) Mendoza :* 100. **Brésil** *1960 (28-3) L'Oros :* 1 000. **Colombie** *1972 (25-2) Foledon :* 60. **Corée du Sud** *1962 (28-10) Sunchon :* 163. **Espagne** *1802 :* 608 ; *1959 (9-1) Wega de Fera :* 144. **États-Unis** *1874 (16-5) Williamsburgh* (Mass.) : 144 ; *1884 (31-5) Johnstown* (Pennsyl.) : 2 204 ; *1928 (13-3) St-Francis* (Calif.) : 450 à 700 ; *1972 (26-2) Logan* (Virg.) : + de 450 ; *1976 (7-6) Teton* (Idaho) : 140. **France** *1895 (25-4) Bourzey* (Vosges) : 86 ; *1959 (2-12) Malpasset* (Var) : 433. **Inde** *1979 (11-8) Mervi :* env. 30 000. **Indonésie** *1967 (27-11) Kébumen :* 160. **Italie** *1923 (1-12) Gleno :* 1 500 ; *1963 (9-10) Vaiont* (Longarone) : 2 118 ; *1985 (19-7) Tesero :* 264. **Ukraine** *1961 (13-3) Kiev :* 145.

■ Paniques, bousculades, effondrements

Argentine *1968 (juin) Buenos Aires,* stade : 80 †, 150 bl. **Belgique** *1985 (29-5) Bruxelles,* stade du Heysel : 38 †, 454 bl. **Colombie** *1980 (10-1) Sincelejo,* effondrement d'une arène : 134. **Égypte** *1974 (17-2) Le Caire,* mur en ciment effondré, panique : 49 †, 47 bl. **États-Unis** *1979 (3-12) Cincinnati,* concert pop. : 11. *1981 (17-7) Kansas City,* effondrement de passerelles dans un hôtel : 111. *1991 (29-12) New York,* match de basket de stars du rap : 8. **France**

1770 (7-5) Paris, Place Louis-XV, mariage du futur Louis XVI, feu d'artifice : 133 † ; *1837 (15-6) Paris,* Champ-de-Mars, mariage du duc d'Orléans : 23 † *1992 (5-5) Bastia,* stade Furiani, effondrement d'une tribune provisoire : 15 †, 2 177 bl. **G.-B.** *1989 (15-4) Sheffield,* stade : 95 †. **Hong-Kong** *1993 (1-1),* réveillon : 20. **Pérou** *1964 (24-5) Lima,* match de football Argentine-Pérou : 400 †, 800 bl. **Russie** *1896 (20-5) Chodinskoye,* couronnement de Nicolas II : 3 000 †. **Turquie** *1967 (18-9) Kayseri,* match de football Kayseri-Sivas : 40 †, 600 bl.

☞ **Le plus grand massacre.** 32,2 à 61,7 millions de tués en Chine de 1949 à 1965 selon le rapport Walker au Sénat (USA, 1971).

Langues

Définition. Difficile, en raison de l'imprécision des limites entre les différents parlers. A. Martinet distingue : **patois** (forme linguistique d'utilisation strictement locale et qui ne se maintient que du fait de l'inertie du milieu) ; **dialecte** (forme ling. à l'échelle d'une province où les divergences entre parlers locaux sont tenues pour négligeables) ; **langue** (système voulu consciemment comme tel ; généralement lié à l'idée de nation).

Nombre de langues parlées. Il est, pour les mêmes raisons, impossible à indiquer. En 1884, certains donnaient 8 064 langues parlées dans le monde connu (dont 787 en Europe). Aujourd'hui, d'autres donnent 2 500 à 3 500.

Classification

(d'après le rapport Giordan).

Nota. – Parlers locaux utilisés ailleurs qu'au centre du domaine d'oïl, en concurrence avec le français.

Les différents systèmes de classification des langues imaginés dep. plus d'un siècle (langues analytiques, synthétiques, de type flexionnel, agglutinant, isolant) se fondent sur le degré d'enchevêtrement des unités significatives (monèmes). Ils sont aujourd'hui très controversés. On se borne à distinguer des parentés, des groupes, dont les liens sont souvent discutés.

(En italique, langues qui ne sont plus parlées aujourd'hui. Les langues indiquées par * ne forment pas une famille mais des groupes géographiques.)

■ **Langues indo-européennes** (Europe et Asie du S.-E., avant les expansions récentes).

Langues indo-iraniennes. *Indo-aryen : sanskrit* (*védique* début du Ier millénaire av. J.-C. ? et *classique*) *pâli,* hindi (utilisé par les hindous), ourdou (utilisé par les musulmans) bengali, pendjabi, gujarati, marathi, sindhi, cinghalais, tsigane dit gitan ou romani (principaux dialectes parlés en France : rom, manouche, sinto, gitan), etc.

Iranien : vieux-perse, avestique, pehlvi, parthe, sogdien, persan, kurde, afghan, ossète, tadjik.

Grec. *Grec ancien (linéaire B ou mycénien* attesté dès le IIe millénaire av. J.-C.) et grec moderne.

Italique. *Osque, ombrien, latin* et langues romanes dérivées du latin : italien, corse, sarde, espagnol, portugais, catalan, parlers d'oc [1] (provençal, occitan [1], gascon), franco-provençal, français et parlers d'oïl (picard, wallon, etc.), romanche, frioulan, roumain.

Nota. – (1) Actuellement on désigne souvent sous le mot d'occitan l'ensemble des parlers d'oc.

Celtique. *Gaulois, celtibère :* 1 branche brittonique [breton, gallois et *cornique* (Cornouailles anglaises)] ; 1 branche gaélique (irlandais, gaélique d'Écosse et manx).

Germanique. Branche ostique : *gothique, burgonde.* Branche nordique : islandais, norvégien, danois, suédois. Branche occidentale : *anglo-frison,* anglais et frison ; néerlandais, luxembourgeois, allemand, dialectes alémaniques dont alsacien et schwyzerdütsch (Suisse).

Balte. *Vieux-prussien,* letton, lituanien.

Slave. *Au sud,* slovène, serbo-croate, macédonien, bulgare ; *à l'ouest,* polonais, tchèque, slovaque ; *à l'est,* russe, biélorusse, ukrainien. Le *vieux-slave* (vieux-macédonien ou vx-bulgare) est attesté au IXe s.

Albanais. Parlé en Albanie et au Kosovo (Youg.)

Anatolien. *Hittite, louvite, lycien, lydien* attestés en Asie Mineure au IIe mill. avant J.-C. Certains y ont rattaché l'*étrusque.*

Arménien (IVe s.). Parlé de nos jours.

Tokharien. Parlé en Asie au Ier mill. apr. J.-C.

■ **Afro-asiatiques** (Proche-Orient et moitié nord de l'Afrique).

Sémitiques. *Sémitique oriental : akkadien* ou *assyro-babylonien,* attesté par des documents du IIIe millénaire aux env. de l'ère chrétienne (langue de l'Empire mésopotamien).

Sémitique septentrional : amorite, connu par des noms propres, grâce aux particularités de certains textes akkadiens du IIe millénaire ; *ougaritique,* parlé jusqu'au XIIe s. av. J.-C. au N. de la Syrie sur le site actuel de Ras Shamra.

Sémitique cananéen : phénicien, langue de Tyr, Sidon, Byblos, etc., attesté à partir du IXe s. jusqu'au Ier s. av. J.-C. ; sa variante *punique* a été parlée à Carthage ; *moabite,* du roy. de Moab, au S.-E. de la mer Morte, connu par une inscription commémorant les victoires du roi Mécha, datée du VIIIe s. av. J.-C.

Hébreu, attesté à partir du IXe s. av. J.-C. *Hébreu ancien* (1ers documents en caractères purement hébraïques) : le « Calendrier agricole » de Gezer (Judée), les ostraca de Samarie (IXe s. av. J.-C.), notes succinctes de comptabilité, *H. michnique :* parlé entre IVe et IIe s. av. J.-C. *H. médiéval :* influencé par des langues dans l'ambiance desquelles s'est développée cette littérature, notamment par l'arabe. H. israélien : à partir de 1880 mouvement Xoveve Ciyon constitué grâce à Eliezer Ben Yehuda (1858-1922).

Sémitique araméen : ar. ancien, parlé de la Palestine à l'Arabie du N., langue administr. de l'Empire achéménide ; ar. occidental : encore parlé dans l'Anti-Liban par quelques milliers d'individus à Ma'lula, Bax'a et Guba'din. *Judéo-araméen,* langue de certains documents de la mer Morte, des targoums et du Talmud palestinien (Ve s. apr. J.-C.) ; *samaritain* (on a une traduction de la Bible du IVe s. av. J.-C. et des textes liturgiques et religieux) ; *christo-palestinien,* on a des traductions de documents bibliques et évangéliques et des textes religieux (VIIIe et IXe s. apr. J.-C.) des chrétiens melkites de Palestine ; *nabatéen* connu par des inscriptions de Palmyre (Ier au IIIe s. apr. J.-C.). *Ar. oriental,* représenté par le *syriaque,* parlé à Edesse (aujourd'hui Urfa), dans tout le Proche-Orient, IIIe au XIIIe s. apr. J.-C., *babylonien talmudique* (on a des textes de compilation aux IVe et Ve s.), *mandéen* (textes religieux à partir du VIIIe s.), néo-araméen oriental, encore parlé dans la région de Tur'Abdin, et en ex-URSS.

Sémitique méridional : arabe ancien, connu par des inscriptions sous les formes lihyanite, thamoudéenne, safaïtique, du IIe s. av. J.-C. au VIe s. apr. J.-C. Arabe classique : celui du Coran et de la littérature du VIIe s. à nos jours. Dialectes arabes en Arabie, Irak, Jordanie, Palestine, Syrie, Liban, Égypte, Soudan, Maghreb, Mauritanie, Malte. *Sud-arabique ancien :* dialectes minéen, sabéen, awsanique, qatabanique, hadramaoutique (du IVe av. au VIe s. apr. J.-C., représenté aujourd'hui entre Hadramaout et Oman et dans les îles côtières par les dialectes mahri, grawi, harsusi, botahari, soqotri). *Langues éthiopiennes : guèze* ou éthiopien classique, attesté dès le IIIe ou IVe s. apr. J.-C., parlé jusqu'au XIe s. env., tigré et tigrigna au N., amharique l. officielle de l'Empire, harari, gouragué parlés au centre et au sud, gafat et argobba, l. méridionales, pratiquement éteintes.

Chamitiques. Ancien *égyptien* et *copte. Lybico-berbère :* lybique, berbère, guanche (parlé aux Canaries, éteint ailleurs au XIXe s.).

Couchitiques. Bedja, afar, saho, somali, galla, agaw, sidama.

Tchadiennes. Haoussa.

■ **Négro-africaines.** *Nilotique* (lango, bari, masaï), *bantou* (swahili, lingala, zoulou), *Niger-Cameroun* (yorouba), *ouest-africain* (peulh, ouolof, soussou, bambara-mandingue).

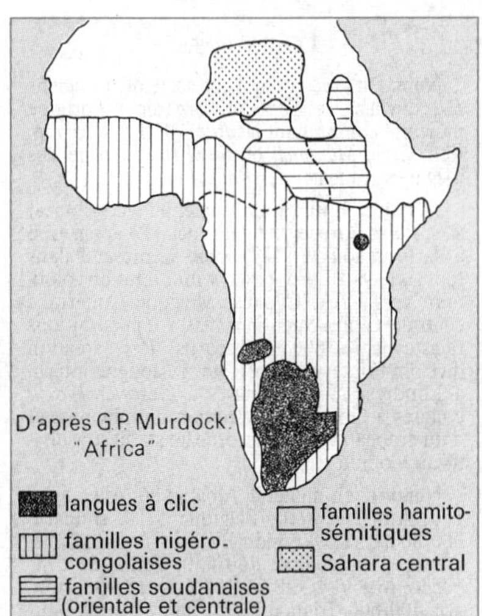

■ **Khoisan*** (Afr. du Sud). *Hottentot* (nama), boschiman.

■ **Ouraliques** (Europe de l'E. et Asie du N.-O.). *Finno-ougrien* (finnois, estonien, hongrois, vogoule, estonien, live, permien, tchérémisse). Lapon. Mordve.

Samoyède (yurak, ienissei, selkup ou ostyak, vogoule). On y rattache parfois le maïdu et les langues apparentées parlées en Californie.

■ **Altaïques (turques, mongoles et toungouzes*)** Asie du N.-E., avant expansions.

Turques. Kirghiz, tatar, tchouvache, ouïgour, bachkir, turcoman, osmanli, tarantchi, sarte, azerbaïdjanais, etc.

Mongoles. Mongol, kalmouk, bouriate, khalkha, toungouze, mandchou, etc.

On y a rattaché le coréen, voire le japonais.

Asie du Nord-Est*. Coréen, japonais, aïnou, *paléo-sibériennes* (ghiliak, tchouktche, koryak, kamohadal, etc.)

■ **Sino-tibétaines*** (Extrême-Orient). Tibétain, birman, lolo, chinois (mandarin, cantonais, etc.), thaï, siamois, laotien.

■ **Dravidiennes** (Inde). Tamoul, canara, telougou, malayalam, brahui, etc.

■ **Austriennes*** (Asie du S.-E., océan Indien, Pacifique).

Austro-asiatiques. Môn-khmer (cambodgien), vietnamien, munda.

Malayo-polynésiennes. Malais, indonésien, tagalog (Philippines), malgache, polynésien (tahitien, maori), mélanésien (papou, langues des Aborigènes d'Australie).

Amérindiennes*. *Extrême-Nord :* esquimau, aléoute. *Nord et centre Nord :* groupe na-dene, avec tlingit, sioux, navajo, apache, etc. *Du Nord à l'extrême Sud :* algonkin, iroquois, maidu, hopi, uto-aztèque (nahuatl, maya, zapotèque, otomi), quechua, aymara, carib, arawak, bororo, tupiguarani, mapuche, etc.

■ **Isolées. Europe.** Langues caucasiennes ou caucasiques : 3 groupes de langues N.-O. (tcherkesse, abkhase) ; N.-E (avar, tchétchène, ingouche) ; S. (khartvéliennes dont le géorgien). On y a rattaché le *basque :* 6 dialectes principaux (France : souletin, bas-navarrais, labourdin ; Espagne : haut-navarrais, guipuzcoan, biscayen).

Langues sifflées. Dans 3 villages, les habitants s'appellent au moyen de langues sifflées, c'est-à-dire de modulations créées par le bout de la langue : Aas (Pyrénées françaises, quelques personnes de + de 50 ans le connaissent encore ; comprend un vocabulaire béarnais restreint aux activités pastorales), Silbo Gomero (Canaries), Mazateco (Mexique).

Pidgins et créoles. *Lingua franca :* mélange français-italien-portugais-espagnol-arabe autrefois parlé autour de la Méditerranée (peut-être même sur les Océans).

Créoles. *À base française :* Antilles (Guadeloupe, Martinique, Haïti), Réunion, Île Maurice, Seychelles, etc. *Base anglaise :* Saramaccan (Surinam), Jamaïcain, Krio (Sierra Leone), Beach-la-Mar, Chinese Coast Pidgin. *Base portugaise :* Papamiento (Curaçao).

Les Tsiganes

Nom. Du grec : nom d'une secte de musiciens et de devins. Groupe culturel organique d'origine indienne comprenant les *Rom* (9/10e de la pop. totale), les *Mânouch* ou *Sinté* (la majorité des Tsiganes français), les *Kalé.*

Histoire. Émigration ancienne vers l'ouest Xe s. Perse, Grèce, XVe s. France (1re apparition à Paris en août v. 1427). XVIIIe s., présents dans tous les pays d'Europe. XIXe s. immigration volontaire vers USA, Canada, Mexique, Amérique centrale, Chili, Argentine. *1939-45 :* persécutions racistes nazies (800 000 disparus). *1971 :* création du Comité international Rom ; 1er congrès intern. à Londres. *1978 :* congrès à Genève. *1981 :* congrès à Gottingen. Adoption d'un hymme et d'un drapeau, l'ONU accorde un statut consultatif au Comité Rom.

Nombre (en milliers). Albanie 80, Allemagne 100, Autriche 8/10, Belgique 5/10, Bulgarie 300/800, CEI (Ukraine et Biélorussie) 530, Danemark 2/3, Espagne 250/450, Finlande 5/8, *France 180/300,* G.-B. 70/100, Grèce 85/95, Hongrie 400/600, Irlande 20/25, Italie 70/100, Norvège 0,5, P.-Bas 30/35, Pologne 30, Portugal 30, Roumanie 50/2 500, Suède 6/10, Suisse 12/15, Tchécoslovaquie 300/400, Turquie 530, ex-Yougoslavie 700/900. *Total* 12 000/15 000.

Langues universelles

Depuis le XVIIIe s., environ 500 à 600 « langues universelles » ont été proposées. On peut citer, avec leur inventeur :

■ **Kosmos** (1844) Landa (All.).

■ **Sol-Ré-Sol** (1858) de Sudre. Soutenue par Napoléon III et Victor Hugo ; langue parlée ou produite musicalement.

■ **Volapük** (1879) du prêtre catholique allemand Johann Martin Schleyer (*vol* de l'anglais *world, a,* marque slave du génitif, *pük* de l'anglais *speak*) ; en 1880, elle avait des centaines de clubs et env. 500 000 adhérents.

■ **Blaia Zimondel** (1884) Meriggi.

■ **Espéranto 1887** (26-7). « Langue internationale » : 1er livre publié par l'oculiste polonais Louis-Lazare Zamenhof (1859-1917), sous le pseudonyme « Doktoro Esperanto » (« Docteur qui espère ») ; le nom *espéranto* désignera par la suite la langue elle-même. **1895** revue russe interdite pour avoir publié un texte de Tolstoï. **1905** 1er congrès universel à Boulogne-sur-Mer (France) : 688 participants de 20 pays. Paul Berthelot fonde la revue « Esperanto ». Zamenhof fonde une instance linguistique qui deviendra l'Akademio de Esperanto. **1908** Hector Hodler (Suisse) fonde l'Universala Esperanto-Asocio. **1954 et 1985** la Conférence gén. de l'Unesco vote des recommandations en faveur de l'Esp. **1987** congrès de Varsovie, 5 943 participants de 73 pays.

Littérature (traduite ou originale). Plus de 33 000 volumes [dont 200 dictionnaires (dont dict. français-esp. publié 1992) et terminologies techniques et scientifiques] ; env. 20 titres par mois. **Presse.** Env. 125 titres de publications régulières. **Radios.** 2 238 h en 1990 ; 14 stations émettent en espéranto (« Radio Polonaia » 50 min par jour, « Radio Pékin » 2 h par jour), 59 associations spécialisées (cheminots, médecins, enseignants, journalistes, etc.). **Universités et instituts sup.** 151 dont Chine 57, USA 14, Pologne 12, ex-URSS 9, All. féd. 5, Brésil 5, Corée du Sud 4, France 4, Japon 4, Roumanie 4. En France, l'espéranto est une unité de valeur dans 2 universités (langue optionnelle ou matière libre) pour le DEUG et la licence (cette UV n'est pas réservée aux étudiants en langues). **Musées d'espéranto.** Jérusalem (Israël), Vienne (Autriche), Gray (France, Hte-Saône), Sant Pau d'Ordal (Espagne). **Témoignages.** Plus de 810 rues (la 1re à Limoges en 1907), places, édifices publics, monuments baptisés au nom du Dr Zamenhof ou de l'espéranto.

Usage officiel. Académie intern. des Sciences de St-Marin, Académie intern. des Sciences Comenius (Suède) et Section scientifique et technique d'espéranto de l'Académie des Sciences de Chine. Utilisé pour la publication de divers documents par l'ONU, l'Unesco, l'OMS et de nombreux offices du tourisme. Sa structure qui l'apparente aux langues dites agglutinantes (japonais, coréen, turc, finnois...) permet de former une multitude de mots à partir d'un nombre limité d'éléments (radicaux, préfixes, suffixes). L'invariabilité des éléments de base le rapproche des langues isolantes (vietnamien, chinois...). Toute lettre ne représente qu'un son, quelle que soit sa place par rapport à une autre lettre. L'espéranto s'écrit donc comme il se prononce et se prononce comme il s'écrit. 40 % des mots sont compréhensibles pour un Russe après assimilation de la phonétique et de la structure. 6 lettres accentuées.

Alphabet

A	B	C	Ĉ	D	E	F	G	Ĝ	H	Ĥ	I	J	Ĵ
a	b	c	ĉ	d	e	f	g	ĝ	h	ĥ	i	j	ĵ
K	L	M	N	O	P	R	S	Ŝ	T	U	Ŭ	V	Z
k	l	m	n	o	p	r	s	ŝ	t	u	ŭ	v	z

Prononciation : c = *ts* comme dans *tsé-tsé ;* ĉ = *tch* (*Tchèque*) ; e : modérément accentué (merci) ; g : dur comme dans *gant* ; ĝ = *dj* (*djebel*) ; h : fortement expiré ; ĥ : ch guttural allemand (Ach !) ; j = *y* (*yoga*) ; ĵ = *j* (Jean) ; o : modérément ouvert ; r : modérément roulé ; s = *ss* (classe) ; ŝ = *ch* (*chat*) ; u = *ou* (*cou*) ; ŭ = *ou* très bref (Ra*oul*). L'avant-dernière syllabe du mot est toujours accentuée [ex. : Esperanto (espe**ran**to) – estas (**es**tass) – moderna (mo**der**na)].

Grammaire. Simple, basée sur 16 règles sans aucune exception.

Vocabulaire. Mots formés par des « racines » (max. 10 000 à 12 000) auxquelles on ajoute une ou plusieurs lettres caractéristiques [substantif : *parolo* parole, *homo* homme ; adjectif : *parola* oral(e), *homa* humain ; adverbe : *parole* oralement, *home* humainement ; pluriel : *paroloj* paroles, *homoj* hommes, *parolaj* oraux, orales, *homaj* humain(e)s]. Sur 2 629 racines on compte : racines romanes 63 %, étrangères au français 13 %, étrangères à l'anglais 30 %, étrangères à l'allemand 32 %, étrangères au russe 60 %.

Terminaisons verbales : 12, expriment toutes les nuances du passé, du présent et du futur : 6 (invariables à toutes les personnes) pour l'infinitif et les temps simples ; 6 pour temps composé et participe (comparaison : terminaison de verbes en russe 157, allemand 364, anglais 652 ; en français le seul verbe « avoir » a plus de 40 terminaisons différentes). *Exemple : aller (« iri »). Présent :* as (iras), *passé :* is (iris), *futur :* os (iros), *conditionnel :* us (irus), *impératif-subjonctif :* u (iru). *Présent de l'indicatif :* mi ir*as* je vais ; ci ir*as* tu vas ; li (ŝi) ir*as* il (elle) va ; ni ir*as* nous allons ; vi ir*as* vous allez ; ili ir*as* ils (elles) vont.

Affixes : permettent de former un très grand nombre de mots avec une seule racine ; exemple : bovo (bœuf), -ino (féminin) : bovino (vache), -ido (descendant) : bovido (veau), bovidino = (génisse), -ejo = (lieu affecté à) : bovejo = (étable), -isto = (profession) : bovisto = (bouvier), -aro = (ensemble de) : bovaro = (troupeau de bovins). Connaissant une racine et la gamme des affixes, on peut construire tous les mots de la même famille. Pas de verbes irréguliers. Un seul article défini et invariable : la. Pas de genre grammatical.

Le seul préfixe *mal* sert systématiquement à former les contraires. *Exemples :* ami (aimer), malami (détester).

☞ *Adresses :* Union française pour l'Espéranto, 4 bis, rue de la Cerisaie, 75004 Paris, Espéranto-Informations, 67, avenue Gambetta, 75020 Paris. *Minitel :* 3615 Espéranto.

■ **Anglo-latin** (1888) Menderson (Angl.).

■ **Universel** (1893) Meintzeler (All.).

■ **Novilatin** (1895) Beerman (All.).

■ **Tal** (1903) Hoesrich.

■ **Perio** (1904) Talundberg.

■ **Ido** (1907) Louis Couturat et Louis de Beaufront (Fr.). Espéranto modifié dans un sens naturaliste (rapprochement avec les langues occidentales utilisées dans les rapports internationaux).

■ **Latino sine flexione (ou interlingua)** de l'Italien G. Peano (1908), de tendance naturaliste, le vocabulaire étant celui du latin avec abandon des désinences (les noms prennent normalement la forme de l'ablatif ; ex. : latino, flexione).

■ **Timiero** (langue numérique) (1921). Thiemer.

■ **Novial** (1924) d'Otto Jespersen, linguiste danois (*nov* « nouvelle », *i* pour « international », *a* pour « auxiliaire », *l* pour « langue »), développement à partir de l'ido pour un équilibre entre naturalisme et régularité.

■ **Occidental ou Interlingue** (1922) E. de Wahl (Estonien, 1928).

■ **Interlingua** (1951) créée par des linguistes dans le cadre de l'International Auxiliary Language Association. Le nom fut choisi par le Dr Alexander Gode. Se veut une synthèse des langues romanes, conçue pour être intelligible sans préparation par quiconque en parle une. **Article.** *Défini :* *le* (le, la, les) [précédé de *a : al* (au, aux)] ; *de :* de ; *del :* du, des. *Indéfini : un* (un, une). **Pluriel :** *-s,* si la lettre finale est une voyelle, *-es,* si c'est une consonne. **Adjectif :** invariable, avant ou après le nom. **Adverbe :** finale *-mente,* ou *-o.* Ex. : recente-mente, clar-o. **Comparatif :** *plus.* **Superlatifs :** *le plus, meno* ou *le meno.* **Pronom personnel :** *io, tu, el/ella, ello, nos, vos, elles, ellas, ellos.* **Adjectif possessif :** *mi, tu, su, nostre, vostre, su.* **Verbes :** 3 groupes (finale *-ar, -er, -ir*). **Conjugaisons (finales) :** présent, impératif : le radical seul. Passé ponctuel : *-t,* durable : *-va.* Futur : *-ra.* Conditionnel : *-rea.* Infinitif : *-r.* Participe présent : *-nte.* Passé : *-te.* Parfait, plus-que-parfait et futur antérieur : avec l'auxiliaire *haver.*

☞ Le **Basic** (British American Scientific International Commercial) **English** (1929) des Anglais Charles Ogden (1884-1957) et I.A. Richards (1873-1979) est plutôt une voie d'accès à l'anglais normal.

Statistiques

■ Langues parlées

En 1993, en millions. *Source :* Sidney S. Culbert, University of Washington.

■ **Par plus de 50 millions de personnes.** Chinois [1] : Mandarin 921, Wu 65, Cantonais 64, Min 50. Angl. 457. Hindi [2] (Inde) 391. Esp. 369. Russe 289. Arabe 213. Bengali 194. Portugais 181. Malais-Indonésien 152. Japonais 126. *Français 123.* All. 119. Ourdou [2] (Inde, Pakistan) 101. Pendjabi 91. Coréen 74. Telougou 71. Tamoul 69. Marathi 68. Italien 63. Javanais 62. Vietnamien 61. Turc 58.

Nota. – (1) Seule l'écriture fait l'unité du chinois. (2) Hindi et ourdou sont presque une même langue (l'hindoustani) mais l'hindi est écrit en Inde en caractères *nagari* ou *devanagari,* et au Pakistan en caractères arabes modifiés.

■ **Par moins de 50 millions de personnes *.** *Afrikaans* [7] *10. Akan* [7] *7. Albanais 5.* Amharique [1] 18. *Arménien 5.* Assamais [4,12] 23. *Atchinais* [9] *3. Aymara* [11] *2.* Azerbaïdjanais [2] 15. *Bachkir* [2] *1. Balinais* [9] *3. Baoulé* [7] *2. Batak Toda* [9] *4. Bedja* [1] *1. Béloutchi* [8] *4. Bemba* [7] *2. Berbère* [7] ou *Tamazirt 3. Béti* [7] *2. Bhili* [4] *3. Bicoli* [5] *4.* Biélorusse [2] 10. Birman 31. *Brahui* [3,8,10] *1.* Bugi [9] 4. *Bulgare 9. Bundankole* [7] *1. Buyi* [16] *2. Catalan* [13] *9. Cebuano* [5] *12. Chleuch* [7] *3. Danois 5. Dimli (Turquie) 1. Dogri* [4] *1. Dong* [16] *2. Édo* [7] *1. Efik-Ibibio* [7] *6. Espéranto 2. Estonien 1. Éwé* [7] *3.* Finnois 6. *Fon* [7] *1.* Fulakunda [7] 2. *Futa Jalon* [7] *2. Galicien* [13] *3. Gilaki* [3] *2. Géorgien* [2] *3.* Gogo [7] 2. *Gondi* [4] *2. Grec 11. Guarani* [11] *4.* Gujarati [4,8] 38. Gusii [7] 2. Haddiya [1] 2. *Hani* [16] *1.* Haoussa [7] 36. *Haya* [7] *1. Hébreu 4. Ho* [4] *1. Hongrois (Magyar) 14. Iban* [9] *1.* Ibo [7] 17. *Ijaw* [7] *2.* Iloko [5] 7. Kabyle [7] 3. *Kalenjin* [7] *2.* Kamba [7] 3. Kannada [4] 43. *Kanouri* [7] *4. Karen (Birmanie) 3. Karo-Dairi* [9] *2. Kashmiri* [4,8] *4. Kazakh* [2] *8. Kenouz-Dongola* [7] *1. Khalkha* [14] *4. Khmer 7. Khmer du Nord 1. Kikouyou* [7] *4. Kimboundou* [7] *2. Kirghiz* [2] *2. Kitouba* [7] *4. Kongo* [7] *4. Konkani* [4] *4.* Kurde 10. *Kurukh* [4] *2. Lampung* [9] *1. Lao* [15] *4. Letton* [2] *2. Lingala* [7] *7. Lituanien* [2] *3. Louba-Louloua* [7] *6. Louba-Shaba* [7] *1. Louo* [7] *2. Louri* [3] *3. Lubu* [9] 1. Luhya [7] 3. *Luvale* [7] *1. Macassar* [9] *2. Macédonien 2.* Madourais [9] 10. *Magindanaon* [5] *1. Makwa* [7] *3. Malais de Pattani 1.* Malayalam [4] 35. Malgache 12. Malinké-Bambara-Dyoula [7] 9. *Mazandarani* [3] *2. Mboundou* [7] *3. Meithei* [4,8] *1. Mendé* [7] *2. Meru* [7] *1. Miao 5. Mien 2. Minangkabau* [9] *6. Mordve* [2] *1. Mossi (Moré)* [7] *4. Nahuatl* [11] *0,8. Néerlandais-Flamand 21.* Népalais 14. *Nganja* [7] *4. Ngulu* [7] *2. Norvégien 5. Noupé* [7] *1. Nung 1.* Nyamwezi-Sukuma [7] 4. *Occitan 4. Oriya* [4] *31.* Oromo [7] 10. *Ouïgour* [2,16] *7.* Ouolof [7] 6. Ouzbek [2] 13. *Pachtô* [8,10,3] *21. Pampango* [5] *2.* Panay-Hiligaynon [5] 6. Pangasinan [5] 2. Persan [3,10] 34. *Peul* [7] *12.* Polonais 44. Quechua A [11] 8. *Rejang* [9] *1. Rifia* [7] *1.* Romani 2. Roumain 26. Roundi [7] 6. *Rwanda* [7] *8. Samar-Leyte* [5] *3.* Sango [7] 3. *Santali* [4] *5. Sasak* [9] *2. Serbo-Croate 20.* Shan (Birmanie) 3. Shona [7] 8. *Sidamo* [1] *1.* Sindhi [8,4] 17. Singalais [6] 13. Slovak (Tchéc.) 8. *Slovène 2. Soga* [7] *1.* Somali [7] 6. *Songye* [7] *3. Soninké* [7] *1. Sotho du Nord* [7] *3.* Sotho du Sud [7] 4. Soudanais [9] 25. *Suédois 9.* Swahili [7] 46. Swazi [7] 2. Sylhetti [12] 5. *Tadjik* [2] *4.* Tagalog [5] 43. Tatar [2] 8. *Tausug* [5] *1. Tchagga* [7] *1. Tchèque 12. Tchiga* [7] *1. Tchouvache* [2] *2. Temne* [7] *1.* Thaï 49. *Tho 1. Tibétain* [16] *5. Tigrigna* [7] *4. Tiv* [7] *2. Tonga* [7] *3. Toulou* [4] *2. Tsonga* [7] *3.* Tswana [7] 4. Tujia [16] 1. *Tumbuka* [7] *2. Turkmène* [2] *3. Ukrainien* [2] *46.* Wolaytta [1] 2. Xhosa [7] 7. *Yao 1. Yi* [16] *6.* Yorouba [7] 19. *Zandé* [7] *1.* Zhuang [16] 15. *Zoulou* [7] *7.*

Nota. – * En italique 1992. (1) Éthiopie. (2) Ex-URSS. (3) Iran. (4) Inde. (5) Philippines. (6) Sri Lanka. (7) Afrique. (8) Pakistan. (9) Indonésie. (10) Afghanistan. (11) Amérique du S. (12) Bangladesh (13) Espagne. (14) Mongolie. (15) Laos. (16) Chine.

☞ **Slaves :** env. 300 millions. Ils se divisent en Slaves de l'Est (Russes, Ukrainiens, Biélorusses), de l'Ouest (Polonais, Tchèques, Slovaques, Sorabes – en Lusace –) et du Sud (Bulgares, Macédoniens, Serbes, Croates et Slovènes).

LA VIE

L'HOMME

ORIGINES DE L'HOMME

ORIGINE DE LA VIE SUR TERRE

THÉORIES ANCIENNES

■ **Panspermie.** Défendue par l'Anglais lord Kelvin (William Thomson, 1824-1907) et le Suédois Svante Arrhenius (1859-1927) : des germes venus d'autres planètes se seraient développés sur Terre. Cette hypothèse n'indiquait pas leur nature, ni leur provenance, ni comment ces germes auraient pu résister à la traversée des espaces interstellaires (froid, rayonnement) [néanmoins, des êtres vivants comme les rotifères, protozoaires, sont capables de résister à la température de l'air liquide].

■ **Génération spontanée.** Théorie adoptée par des savants, poètes et philosophes, selon laquelle les animaux, même élevés en organisation, pouvaient se former spontanément dans certaines conditions (comme la putréfaction ou la corruption) dans l'eau et la terre. Pour Aristote : la vase décomposée donnait naissance à une génération d'anguilles ; pour Virgile : des essaims d'abeilles se formaient dans les entrailles d'un taureau en putréfaction. Le Belge Jean-Baptiste Van Helmont (1577-1644) admettait la gén. spontanée des sangsues, limaces, grenouilles à partir de la vase des marais, et des souris par transmutation d'un sac de blé entouré d'une chemise sale. **XVIIe s.** (début de la méthode expérimentale) : l'Italien Francesco Redi (1626-98) montra que les vers de viande (asticots) venaient des œufs que les mouches avaient pondus et non de la décomposition de la viande ; élaboration de la théorie selon laquelle « tout être vivant venait de parents préexistants ». **XVIIIe s.** (expérience liée à la découverte du microscope) : de nombreux savants admettent la génération spontanée pour les êtres microscopiques (infusoires, levures, etc.). **1748 :** *expérience de l'Anglais John Needham* (1713-81) : il constate que des animalcules apparaissent au bout de quelques jours sur des morceaux de viande préalablement chauffés. Mais Lazzaro Spallanzani (1729-99), reprenant l'expérience à une température plus élevée, ne constate plus la présence d'animalcules. **Fin XIXe s. :** *expérience de Pasteur :* les micro-organismes sont les agents, la cause des fermentations ; le pullulement des micro-organismes dans les matières fermentescibles résulte de la présence ou de l'introduction de germes préexistants et non d'une génération spontanée ; en l'absence des germes de l'air, un liquide putrescible mais stérile (air privé de son pouvoir germinatif à cause d'un chauffage intense ou prolongé) reste indéfiniment stérile.

THÉORIES MODERNES

■ **Premières théories modernes.** *XXe s.* [essais d'Oparin (1938), Dauvillier et Desguin (1942), Gamow, Schrödinger, etc.] ; *1957* (Moscou) : 1er symposium international sur l'origine de la vie, organisé par l'Union internationale de biochimie.

■ **Cosmogonie** (théorie généralement admise) : toute la matière actuellement répandue dans l'Univers (avec ses millions de galaxies, chacune composée de 1 milliard d'étoiles) était autrefois groupée sous forme d'une énorme boule, l'Atome primitif. Il y a 13 milliards d'années env., cette masse a éclaté et la matière s'est répartie en un grand nombre de nuages gazeux à très haute température.

Terre. Formée alors surtout de vapeurs métalliques constituant un nuage. La matière s'est formée sans doute à partir de matériaux froids (thèse de Vinogradov au congrès de Moscou), refroidis peu à peu au cours de 6 étapes (théorie de Dauvillier et Desguin) :

1o) **+ de 4 000 °C :** tous les corps connus sont dissociés ; vers 3 000 °C : 1res réactions chimiques et associations d'atomes en molécules dont les plus stables sont les siliciures, les hydrures, les carbures, puis l'oxygène (fixé par les métaux alcalins et alcalino-terreux), l'azote (donnant des nitrures métalliques) et des composés métalliques (donnés par d'autres métalloïdes) ; à ce stade, l'atmosphère contient seulement de l'hydrogène et des gaz rares. 2o) **500 à 600 °C :** l'hydrogène réduit les oxydes ferreux ; formation de l'eau et constitution des océans. 3o) La vapeur d'eau détruit certains composés métalliques formés pendant la 1re étape (les carbures donnent des carbures d'hydrogène, les nitrures donnent de l'ammoniac) ; la Terre s'entoure d'une atmosphère d'hydrocarbures, de siliciure d'hydrogène, d'ammoniac, d'hydrogène phosphoré, sulfuré, arsénié, etc. (atmosphère actuelle de Saturne et Jupiter) dont la pression atteint 300 kg/cm² ; elle contient à l'état de vapeur l'eau des océans actuels. 4o) La vapeur d'eau à haute temp. transforme en oxydes les hydrures métalliques et décompose les siliciures, phosphures, sulfures, arséniures ; le méthane donne de l'oxyde de carbone, puis du gaz carbonique suivant les réactions :

$$CH_4 + H_2O \rightarrow 3H_2 + CO$$
$$CO + H_2O \rightarrow H_2 + CO_2$$

(les cristaux de quartz du granit et du gneiss contiennent du gaz carbonique) ; l'ammoniac se dissout dans les océans. L'atmosphère est composée d'azote, de gaz carbonique, d'eau et de gaz rares (atmosphère actuelle de Vénus) ; des gisements métallifères se forment à partir de la réduction des composés métalliques volatils ; 2 500 espèces minéralogiques se forment à partir du nuage gazeux primitif ; le cycle du carbone peut commencer grâce au gaz carbonique de l'atmosphère, la chaleur des eaux et la lumière solaire. 5o) Le carbure d'hydrogène formé à la 4e étape se polymérise et se condense avec d'autres atomes comme le soufre (thiophène), l'ammoniac (pyrrole), l'acide cyanhydrique (pyridine) ; c'est le point de départ de formation de cycles (la pyridine est le point de départ des 2 bases azotées de l'ADN, la cytosine et la thymine) ; synthèse des sucres grâce à l'utilisation de l'énergie solaire et des rayons ultraviolets : ceux-ci agissent sur le gaz carbonique pour donner d'abord l'aldéhyde formique qui, polymérisé, donne les sucres (glucose, cellulose, etc.) ; les sucres se dissolvent dans l'eau condensée des océans ; sous l'action des ultraviolets, l'amide formique se condense avec l'aldéhyde formique pour donner le glycocolle, acide aminé le plus simple ; l'argile, semble-t-il, joue le rôle de catalyseur pour la condensation des acides aminés.

Puis, formation des premières molécules asymétriques de carbone, selon Pasteur, « *1re frontière bien marquée entre la chimie de la matière inanimée et celle de la matière vivante » à cause de :* a) l'action de la lumière UV polarisée circulairement à droite ; b) la catalyse asymétrique effectuée par des cristaux ou minéraux eux-mêmes dissymétriques ; c) la disparition d'un des 2 composés isomères, par cristallisation spontanée, ou par décomposition. À la fin de ce stade, la mer primitive contient « en vrac » les éléments du vivant (glucides, acides aminés, protéines, sels). 6o) Les molécules organiques s'organisent pour former les 1res cellules.

Selon Rybak, Fesenkov, Goldschmidt, Haldane, Urey, après 1968, l'acide adénosine-triphosphorique (ATP) a été fabriqué à l'origine par des cellules anaérobies (c.-à-d. vivant dans une atmosphère sans oxygène). Son développement, comme celui des cellules nerveuses, a exigé toujours plus d'oxygène dans l'atmosphère ; cette oxygénation a été possible grâce à une mutation ayant permis la biosynthèse de la chlorophylle. Néanmoins, on n'a pas encore expliqué l'origine des premières bactéries aérobies (c.-à-d. vivant dans l'oxygène) : il s'agirait peut-être de bactéries anaérobies dégénérées.

ÂGES DE LA VIE

■ **Terre.** 5 000 millions d'années (M.a.).

■ **Premières traces de la vie** (bactéries). 3 300 M.a. (les *prébiontes,* petits amas charbonneux de 3 800 M.a., pourraient être d'origine biologique).

■ **Premiers Vertébrés. Marins :** *au Silurien* (350 M.a.), 1er poisson sans mâchoires (Agnathes), les Cyclostomes encore actuellement représentés. *Dévonien* (320 M.a.), 1er pré-vertébrés avec mâchoires (Gnathostomes) comprenant Placodermes, Condrichthyens (p. cartilagineux) et Ostéichthyens (p. osseux) qui ont évolué ainsi : les Chondrostéens qui donnent il y a 200 M.a. Holostéens et Téléostéens actuels ; les Dipneustes et les Crossoptérygiens (« cousins » du Cœlacanthe) à double respiration (poumons et branchies), ce qui leur a permis de quitter le milieu aquatique. **Sortie des eaux** : *Dévonien,* 1ers Tétrapodes (Stégocéphales), les nageoires se sont transformées en membres porteurs transversaux. *Permien* (235 M.a.), 1ers reptiles d'où sont issus Oiseaux (180 M.a.) et Mammifères (160 M.a.).

■ **Premiers Mammifères** (200 M.a.). Les reptiles mammaliens (Thérapsidés) donnent naissance aux Mammifères placentaires. Caractéristiques : dents différentes, productions cornées (sabot, griffe, ongle) ; peau recouverte de poils, riche en composants sensoriels, avec de nombreuses glandes cutanées ; membres devenus parasagittaux ; homéothermie (régulation interne de la température) ; présence de l'amnios, viviparité constante (le petit naît vivant débarrassé des enveloppes de l'œuf), développement dans l'utérus maternel avec un placenta (enveloppe fœtale pour la nutrition et l'élimination des déchets) ; présence de mamelles qui servent à nourrir les petits (lactation) ; psychisme plus élevé.

■ **Premiers Primates** (70 M.a.). Descendent probablement des Proto-Insectivores (ancêtres des Primates et des Insectivores actuels comme la musaraigne), mais on ne connaît ni leurs restes ni leur berceau. Ils donnent naissance aux Plésiadapiformes (Pénéprimates) répartis en Amérique du Nord, en Europe et en Afrique. Le plus ancien connu est *Purgatorius* (70 M.a.) découvert au Montana (USA) dans la colline du Purgatoire. Les autres Primates *(Euprimates)* se divisent très tôt en *Strepsirhiniens* et *Haplorhiniens.* Les *Strepsirhiniens* nés dans l'hémisphère Nord ont envahi la Laurasie à l'Éocène (52 M.a.) avec : les *Adapiformes* qui persistent en Europe jusqu'à l'Oligocène (34 M.a.) et gagnent l'Amérique du Nord (Notharctidés) ; les *Lémuriformes* ont migré récemment vers Madagascar à travers le canal de Mozambique ; les *Lorisiformes* apparus tardivement au Miocène (20 M.a.) en Afrique *(Galago)* ne pénètrent en Asie (Inde, Ceylan) qu'au Néogène *(Loris).* Les *Haplorhiniens* s'individualisent au début du Tertiaire (65 M.a.), ils se divisent 10 M.a. plus tard en *Tarsiiformes* et *Simiiformes* différenciés par ségrégation géographique de part et d'autre de la Téthys. Les *Tarsiiformes laurasiatiques* montrent une radiation en Amérique du Nord (Omomyidés) et en Europe (Teilhardina). Les formes actuelles d'Indonésie *(Tarsius)* semblent dériver d'ancêtres asiatiques refoulés dans leur habitat insulaire par l'invasion des Catarhiniens occidentaux.

■ **Premiers Simiens** (40 M.a.). Les *Simiiformes* constituent un groupe naturel monophylétique dont les plus anciennes formes ont été découvertes en Afrique. Ils se subdivisent en *Platyrhiniens* et *Catarhiniens.* Les premiers *Platyrhiniens* (Parapithécidés) vivaient au Fayoum (Aegyptopithèque, Égypte) il y a 30 M.a. Par contre les *Atéloïdés* ont traversé l'Atlantique encore peu élargi à l'Éocène. Le 1er connu en Amérique (Bolivie) est *Brasinella* (35 M.a.). Ils se sont répandus en Amérique du Sud jusqu'en

Patagonie (réchauffement climatique : 25 M.a.) avec *Homunculus,* mais aussi à la Jamaïque *(Zenothris)* et Haïti *(Saimiri)* au Néogène. Les *Catarhiniens* apparaissent à l'Oligocène du Fayoum (30 M.a.) avec les *Propliopithécidés* qui se retrouvent en Europe au Miocène *(Pliopithécidés).* Les *Cercopithécidés,* responsables de l'extinction des Parapithécidés au Miocène, se divisent en *Colobinés* et *Cercopithécinés* il y a 10 M.a. **Origine des Hominidés :** mal connue : la position de l'*Oréopithèque* (1,20 m, 40 kg) découvert en Toscane en 1869 reste une énigme. Il semble plus proche des Anthropoïdes auxquels se rattachent des fossiles du Néogène et du Pléistocène suivant 3 lignées : *Dendropithèque* (Kenya)-*Pliopithèque* (Europe), ancêtres des Hylobatidés (Gibbons) ; *Limnopithèque* (Kenya)-*Proconsul* [appelé ainsi parce qu'un chimpanzé célèbre d'un zoo américain avait été surnommé « Consul » (découvert en 1933, au Kenya)] ; *Dryopithèque* (Europe), ancêtres des Pongidés (Chimpanzé, Gorille, Orang), 22 à 10 M.a. ; *Ramapithèque* (déc. en 1934 Inde, Pakistan)-*Sivapithèque* (Grèce, Hongrie, Turquie, Inde, Chine)-*Ouranopithèque* (Grèce), entre 15 et 10 M.a., d'où semblent issus le *Gigantopithèque* (Chine, Inde, Pakistan), l'*Australopithèque,* et *Homo* d'autre part.

Nouveau schéma d'évolution. D'après le biologiste néo-zélandais Allan Wilson (n. 1930), utilisant l'analyse protéinique, *Proconsul* (22 M.a.) serait l'ancêtre du *Kenyapithèque* (16 M.a.). Il y a 15 M.a., le rameau des *Dryopithèques* se serait détaché de lui (éteint après 7 M.a.). Il y a 14 M.a., le rameau des *Ramapithèques* se détache et donnera orangs-outans actuels. Un tronc commun *homme-chimpanzé-gorille* persiste encore 10 M.a. (l'orang-outan est donc assez différent de l'homme). Il y a au moins 4 M.a., le rameau *Australopithèque,* dont est issu l'homme, se détache de ce tronc. Chimpanzés et gorilles (les plus proches parents de l'homme) se différencient plus tard entre eux (2 M.a.). Pour le professeur J.-L. Heim, les *Australopithèques* ne semblent pas avoir atteint le seuil d'hominisation ; les plus robustes se sont spécialisés, les plus grands peuvent être les ancêtres ou les cousins de l'*Homo habilis,* 1er représentant des Hominidés.

Tendances générales des Primates. Redressement du tronc ; développement du cerveau (télencéphalisation) ; réduction de la face et des organes olfactifs ; perfectionnement de la vision par frontalisation des orbites (vision stéréoscopique) ; remplacement des griffes par des ongles ; accroissement de l'acuité sensitivo-motrice de la main ; disparition de la queue (chez les Pongidés). Durée de l'enfance augmentée.

■ **Premiers Hominidés.** Il y a plus de 3 M.a. (de 4,4 à 2,8). *Australopithèque* (taille 1 m à 1,50 m, 20 à 50 kg), en Afrique du Sud [découvert 1924 par Raymond Dart (1893-1988)] et de l'Est. La forme la plus ancienne et la plus archaïque en est le fossile AL 288-1 dit « Lucy » *(A. afarensis),* squelette d'un sujet d'env. 20 ans, dont on a découvert, en 1974, 52 fragments dans la vallée de l'Aouache (Éthiopie). Vers 2 M.a., on trouve 2 formes d'Australopithèques, l'une gracile *(A. africanus)* ayant persisté 900 000 ans ; l'autre robuste *(A. robustus = A. boisei)* caractérisées par leur capacité crânienne (442 et 530 ml). La trace de leurs pas fut découverte en 1978 à Laetoli (Tanzanie). Des formes comparables (méganthropes), qui présentent des caractères voisins d'*Australopithecus robustus* (1,5 M.a.), ont été découvertes en Indonésie et semble-t-il en Chine.

Le 4-6-1991, dans les monts Otavi (Namibie), a été découverte une demi-mandibule de singe hominidé du Miocène moyen (12 à 15 M.a.) [plus ancien primate découvert au sud de l'équateur].

■ **Premiers Hommes** (3 à 1,7 M.a.), 1ers outils de pierre et d'os. Fossile KNM-BC (fragment d'os temporal, trouvé 1967), 2,4 M.a. présente position médiane de la jointure temporo-mandibulaire et une étroite crête sur l'os tympanique. **Homo habilis :** avec un cerveau plus volumineux (750 ml) ; découvert à Olduvai (Tanzanie, 1964) et au lac Turkana (Kenya, 1972). Des vestiges d'habitat structuré datant d'un peu plus d'1 M. d'a., ont été trouvés à Melka-Kunturé (Éthiopie) et Olduvai (Tanzanie).

Archanthropiens. Répartis en Asie, en Afrique (1,7 M.a. **Homo erectus**) et en Europe (0,7 M.a.), connus sous le nom de *Pithécanthrope* ou *homme de Java* (déc. en 1890 à Trinil 700 000 a), *Sinanthrope* ou *homme de Pékin* (déc. en 1926 à Choukoutien 300 000 a, retrouvé par le Père Teilhard de Chardin et déposé au musée de Pékin, il y fut enlevé à la fin de l'occupation japonaise par des Marines américains pour empêcher les partisans de Mao de s'en emparer. Le convoi fut attaqué et le squelette a disparu), *Atlanthrope* ou *homme de Ternifine* (déc. en 1955, Algérie 500 000 a). En Europe, les **H. erectus presapiens** ou **H. presapiens** présentent des caractères généralement moins robustes : leur morphologie présente une mosaïque de caractères qui se conserveront chez les Hommes de Neandertal et chez les H. Sapiens (ces 2 formes dérivant d'un même tronc commun). – Ces hommes ont maîtrisé le feu il y a 700 000 a. (grotte de l'Escale, B.-du-R.). Certaines formes ont persisté jusqu'à 100 000 a. Salé (Maroc) et Solo (Java), Broken Hill (Zambie), Dali (Chine), voire 35 000 ans (Djebel Irhoud, Maroc ; Mapa, Chine).

Paléanthropiens. Terme artificiel regroupant les Hommes fossiles associés aux industries moustériennes ou apparentées. Forme la mieux connue, essentiellement européenne, désignée sous le terme d'Homme de Neandertal (*Homo presapiens neandertalensis* suivant la nouvelle classification du Prof. Heim), dès 100 000 ans. Les exemplaires les plus complets viennent de Dordogne [La Chapelle-aux-Saints, La Ferrassie (8 squelettes, sépulture collective la plus complète), Le Moustier] et du Proche-Orient (Tabum, Debara) où ils disparaissent il y a 35 000 a. (St-Césaire, Vindija). Autres restes : Gibraltar, Shanidar (Irak), Teshik-Tash (Ouzbékistan), Mapa (Chine) et Wadi Amud (Israël), tandis que coexistaient des formes plus évoluées dans le sens « sapiens » *(Homo presapiens sapiens)* à Skhul Qafzeh en Israël.

Néanthropiens. Homo sapiens fossile, proche de l'homme actuel, seule forme humaine présente depuis 30-35 000 a. : Cro-Magnon (25 000 a.), assez grand, déc. en Dordogne en 1868, puis dans le Midi méditerranéen. **Homo sapiens sapiens** (brachycéphalie fréquente, gracile) : Taforalt (Maroc), crânes trépanés (12 000 a.) ; Afalou-Bou-Rhumel (Algérie) ; Chancelade (Dordogne, déc. 1888). Au Néolithique (5 000 a.), l'Homme est répandu sur tous les continents, sauf certaines îles d'Océanie.

Origine de l'Homo sapiens. Selon les *monocentristes, H. sapiens sapiens* apparaît dans une zone définie (Moy.-Orient, Afrique australe, Afr. orientale, S.-E. asiatique) avant de se répandre sur toute la Terre. Selon les *polycentristes* (plus conformes aux données de la paléontologie) : *H. sapiens* apparaît en différentes régions et à diverses époques, à partir d'*Homo erectus presapiens,* rencontré en Europe dès 700 000 a.

☞ Le 19-9-1991, on a découvert dans le glacier du *Similaun* (Tyrol autrichien) un cadavre momifié d'âge estimé à 5 300 ans et surnommé « l'homme de Hauslabjoch » ou Hibernatus datant de l'âge du bronze.

Capacité crânienne

Exemples (en ml) : Lémuridés 25-40 ; Loris 5 ; Tarsiiformes 3-6 ; Platyrhiniens 90-110 ; Cercopithécidés 90-140 ; Hylobatidés 82-125 ; Chimpanzé 284-474 ; Gorille 383-625 ; Orang-outan 410 ; Australopithèque gracile 428-484, robuste 500-530 ; *Homo habilis* 590-752 ; *H. erectus* 850-1 200 ; Néandertaliens 1 490-1 680 ; « Néandertaloïdes » 1 100-1 300 ; Cro-Magnon 1 450-1 590 ; Chancelade 1 710 ; *H. actuel* 1 000-2 000 (moyenne : homme 1 450, femme 1 220 ; aborigènes d'Australie 1 100).

☞ Roger Saban montre que la vascularisation méningée progresse avec l'accroissement du cerveau. Le réseau se compose de 2 branches chez l'*Australopithèque gracile,* de 3 chez l'*A. robuste.* Les 1res anastomoses apparaissent chez *H. habilis.* L'arborisation se développe chez les Archanthropiens où se distinguent 2 phylums : 1°) l'un, représenté par *H. erectus* avec un réseau simple, se termine avec les Néandertaliens ; 2°) l'autre, représenté par *H. palaeojavanicus* avec de très nombreuses anastomoses, se continue jusqu'à nos jours à travers des formes présapiens depuis 450 000 a. (Arago-Swanscombe, Biache, Kulna, Cro-Magnon pour la lignée eurasiatique et Rhodésie, Taforalt pour la lignée africaine).

Pour Jean-Louis Heim, l'avènement d'*H. sapiens* résulterait de la différence de croissance entre neurocrâne et crâne facial sous l'effet de modifications physiologiques de nature endocrinienne. Cette thèse s'accorde avec le concept de *l'Ontogenèse fondamentale* développé par A. Dambricourt-Malassé (1987), qui montre l'évolution du crâne comme résultant d'un processus continu dans sa cause et ses effets procédant par sauts ontogénétiques. Ce processus se traduit par une « contraction crânio-faciale » et s'intègre dans la théorie de la « biodynamique crânienne » de M. J. Deshayes (1986). Dès l'origine apparaissent des tendances évolutives : spécialisante (par entrave de la contraction et qui aboutit à l'H. de Neandertal) ; développant la contraction crânio-faciale, menant au saut ontogénétique qui par une nouvelle contraction définira *Homo sapiens sapiens.*

Hommes sauvages

Il pourrait exister : 1°) **Des néanderthaliens reliques :** *Afghanistan :* yabalik-adam, yavo-khalg, yavoi-adam. *Birmanie. Cambodge. Caucase :* abnauayu, achokochi, agash-kishi, almasty (grand de 1,8 à 2,2 m, couvert de poils roux, pesant env. 200 kg et émettant des sons comparables à ceux d'un tambour ; en 1992, une expédition franco-russe, patronnée par Yves Coppens, s'est rendue en Kabardino-Balkarie à sa recherche), kaptar, lakshir, tkhiskatsy. *Chine :* adam-ayu, adam-yapayisy, fei-fei, kiik-adam, ksygyik, mao-ren, migö, ren-xiong, ye-ren. *Iran :* dev, ghool-biaban, kara-pishik, meshae-adam, nasnas, tukhli-adam, veshshi-adam. *Laos. Malaisie du S. :* un spécimen probable, exposé dans la glace aux USA en 1968. *Mongolie :* almas, khün-görüessü. *Pakistan. Pamir :* Golub-yavan, jez-tyrmak, khaivan-ak-van, yavan-adam. *Thaïlande. Viêt-nam.* Dits hommes pongoïdes. 2°) **Des gigantopithèques.** 3°) **Le Yéti proprement dit (ou homme des neiges)** de l'Himalaya (ou metohgankmi en tibétain) : grand singe (?), quelques photos récentes (?), l'alpiniste R. Messner affirme l'avoir vu en 1986 ; 4°) **Un orang-outan terrestre** (Asie du S.-E.). 5°) **Un macaque géant** (Chine) dont on possède des mains et des pieds. 6°) **Certains « crétins des Alpes »** (France, XIXe s.), considérés comme des débiles mentaux (anomalies du fonctionnement de la thyroïde), auraient eu des caractères néandertaliens. Des Néandertaliens auraient, de même, survécu tardivement dans les Pyrénées. 7°) **Bigfoot ou Sasquatch :** montagnes Rocheuses.

Mécanisme de l'évolution

Théories darwinistes. Selon l'Anglais Charles Darwin (1809-82), la spéciation s'explique par des raisons de milieu : au sein d'une même espèce, certains individus possédant des « variants » caractéristiques, particulièrement favorables, ont plus de chances que les autres de perpétuer leur lignée. Objections : 1°) durée de la sélection (pour qu'un principe de sélection aussi faible ait quelques chances d'être efficace, il devrait disposer de centaines de milliards d'années ; or la vie n'existe que depuis 5 milliards d'années) ; 2°) cette sélection pourrait jouer à l'intérieur d'une espèce, mais n'explique pas la création d'espèces nouvelles : la plupart des variants sont définis comme des « somations » (non héréditaires) et non comme des « mutations » (héréditaires).

Théories néo-darwinistes. Considèrent que les « variants » de Darwin sont réellement des mutations héréditaires, car ils correspondent aux « mutations géniques » [c.-à-d. celles qui affectent les gènes, (unités héréditaires, transportant le patrimoine génétique d'une espèce), et qui se produisent en moyenne chez un individu sur 55 000].

Inversion de la théorie darwiniste. *Pour les darwinistes :* les accidents chromosomiques ne peuvent intervenir dans l'évolution, car ils provoquent la mort ou la stérilité des sujets. Les changements de races (dus à des mutations géniques accumulées) précèdent donc les changements d'espèces. *Pour l'école de Jean de Grouchy (Français 10-8-1926),* directeur au CNRS, les mutations géniques, qui expliquent de multiples changements de détail, sont insuffisantes pour expliquer la spéciation : celle-ci ne peut être réalisée que par des changements chromosomiques, seuls capables de constituer des barrières sexuelles pouvant isoler des espèces nouvelles. Les individus ayant subi un accident chromosomique (tel que : inversions péricentriques, fusions, translocations) sont stériles ou hypoféconds seulement quand il y a *hétérozygotie* (élément hérité du seul père ou de la seule mère) ; il n'y a pas stérilité en cas d'*homozygotie* (élément hérité à la fois du père et de la mère). Des espèces nouvelles peuvent donc se stabiliser en cas de reproduction entre individus consanguins, mâle et femelle ayant hérité du même accident chromosomique. À l'intérieur d'une espèce déjà constituée de cette façon, des mutations géniques peuvent se produire, entraînant des changements de races, mais la spéciation précède toujours la raciation. *Principal argument :* sur le plan des GÈNES, deux races appartenant à des espèces différentes se ressemblent parfois plus que deux races de la même espèce ; sur le plan des CHROMOSOMES, toutes les races d'une même espèce sont semblables. Par ex., les singes anthropoïdes avaient 48 chromosomes. Voilà env. 20 millions d'années, une divergence s'est produite : certains en ont conservé 48 et sont devenus les singes pongidés. D'autres sont passés de 48 à 46, donnant naissance au « phylum » (c.-à-d. au rameau) humain (genre : *Homo ;* espèce : *Homo sapiens*). Grouchy et son équipe ont démontré que le chromosome humain n° 2 résulte de la fusion de 2 chr. ancestraux : le [2 p] et le [2 q] (existant encore chez les Pongidés. Voir p. 95 c : premiers Simiens). Cela explique la réduction du nombre chromosomique (mais pas forcément l'isolement définitif du rameau humain, car d'autres accidents ont affecté les chromosomes 1, 9, 16 et peut-être 15).

Théorie du biomagnétisme. Les cellules (les génomes, nom de l'ADN) émettent un rayonnement ultraviolet qui entrerait en résonance avec l'environnement. Pour maintenir cette résonance électromagnétique, les espèces muteraient.

Sciences de la complexité. Application des lois de la thermodynamique par Priogine (1972). La dynamique de l'évolution s'appuie sur des concepts nouveaux définissant leur autopréservation dans l'environnement ainsi que leur nature non linéaire et discontinue. **Thérorie du chaos :** développée par Gleick (1989), science des processus plutôt que des états dans leur comportement imprévisible. **Nouvelle synthèse de Laszlo (1989) :** reconnaît une succession hiérarchique de paliers stabilisés, mais conservant un niveau de déstabilisation soudain, tendant vers un accroissement constant de la complexité qui crée une évolution en accordéon, conduisant aux systèmes sociaux et culturels.

Adam et Ève, mythe ou réalité ?

Le mythe d'Adam et d'Ève peut être utilisé symboliquement pour expliquer l'apparition des 1ers hominidés : un individu de la super-famille des hominoïdes (appelé conventionnellement Adam) a subi une mutation chromosomique (par exemple la fusion en 1 chromosome unique des 2 chromosomes [2 p] et [2 q]). Il féconde une hominoïdée femelle, qui n'est pas Ève, mais met au monde une fille ayant hérité la mutation chromosomique de son père. Cette fille est appelée conventionnellement Ève. Fécondée ensuite par son père, elle donne naissance aux premiers individus de la famille des Hominidés, qui, à cause du nombre réduit de leurs chromosomes, se séparent définitivement des pongidés. Tous les humains, sans exception, sont nés de ce couple-là, car la probabilité d'une rencontre entre un hominoïdé mâle et une hominoïdée femelle ayant subi, chacun de son côté, le même accident chromosomique est pratiquement nulle.

Races actuelles

Généralités

■ **Définition.** Groupe d'individus issus d'ancêtres communs présentant un ensemble de caractères anatomiques, physiologiques et pathologiques communs, transmissible par voie génétique.

■ **Origine.** Selon le *monophylétisme* (seul admis aujourd'hui), tous les hommes dérivent d'une souche unique, leurs groupes ne se distinguant que par des différences secondaires acquises sous l'effet de causes externes, adaptatives, géographiques sélectives et génétiques. Selon le *polyphylétisme,* il existe autant de souches que de grandes races humaines.

■ **Groupes actuels.** L'Homme actuel appartient à l'espèce *Homo sapiens,* à l'intérieur de laquelle on distingue au moins 4 groupes ou « races géographiques » : blanc, noir, jaune et australoïde, qui se subdivisent en races, puis en sous-races, types et faciès locaux.

Blancs (leucodermes) : peau claire ou basanée. Cheveux plus ou moins bouclés. Nez mince, pas de prognathisme. On a souvent qualifié d'*aryens* les Blancs (notamment nordiques), mais à tort car ce terme a seulement une signification linguistique.

Noirs (mélanodermes) : peau foncée. Cheveux crépus. Nez large. Lèvres épaisses. Prognathisme, dolichocéphalie dominante.

Jaunes (xanthodermes) : peau jaune-brun. Cheveux raides. Nez variable. Pommettes fortes. Face large, brachycéphalie dominante.

Australoïdes : front fuyant, arcades sourcilières développées, racine du nez enfoncée. Voûte crânienne basse. Petite capacité crânienne (ex. : races australienne et vedda).

■ **Caractéristiques. Cheveux :** gros (chez les Jaunes), moyens ou fins (chez les Blancs). On distingue les cheveux *lissotriches :* raides, droits, faiblement ondulés ; *cymatotriches :* ondulés, bouclés ; *ulotriches :* frisés, crépus.

Indice céphalique : largeur du crâne × 100/longueur. *Brachycéphale :* crâne dont la largeur égale presque la long. (indice supérieur à 81). *Mésocéphale :* proportions moyennes (76 à 81). *Dolichocéphale :* étroit et allongé (- de 76).

Prognathisme : face projetée en avant. Ce caractère n'existe pas en Europe. Il est limité chez l'Homme actuel au seul prognathisme alvéolo-sous-nasal.

Nota. – Métis : personne issue du croisement de races différentes ; *mulâtre :* métis né de l'union d'un parent blanc et d'un parent noir ; *zambo* (Am. du Sud) : né d'un parent amérindien et d'un parent noir.

Races par continents

Afrique. *Méditerranéenne :* greffée d'éléments nordiques et alpins, d'éléments des races sud-orientale et anatolienne et d'éléments nigritiques mélano-africains. Une partie des *Guanches* des Canaries, race aujourd'hui éteinte, semble avoir été le vestige presque intact d'une race nord-africaine voisine de la race de Cro-Magnon (Mechta-Afalou). *Mélano-africaine :* Africains noirs. *Négrille :* Pygmées. *Khoisan :* Hottentots + Boschimans. *Éthiopienne :* les *Peuls* sont des éléments similaires aux Éthiopiens croisés de Méditerranéens et de Noirs.

Amérique. *Amérindienne :* peuplement récent par immigration d'Asie, notamment par le détroit de Béring, il y a env. 15 000 a. (Les *Esquimaux* représentent la dernière vague de ces immigrants, les Fuégiens et les Patagons la première.)

Asie. *Blanches : Indo-afghane :* élément le plus oriental du complexe médit. *Anatolienne sud-orientale :* Todas et Tsiganes sont 2 groupes où la race indo-afghane s'est mêlée à des groupes dravidiens. *Aïnou :* Sakhaline. *Mélano-hindoue :* rattachable aux Noirs plutôt qu'aux Médit. *Jaunes : Sibérienne, Nord-mongole, Centro-mongole* (Chine, Tibet), *Sud-mongole* (Chine du Sud, Indochine, Japon). *Indonésienne* ou *Proto-malaise. Touranienne* (Perse, Turquie, Crimée). *Vedda :* primitive (Sri Lanka).

Europe (toutes blanches). *Nordique :* a peut-être pour ancêtre la race de Cro-Magnon. *Est-Baltique, Alpine :* les Lapons en sont un rameau. *Dinarique :* en Europe centrale et aux Balkans. *Méditerranéenne :* se prolonge en Afrique du N., au Sahara et au Proche-Orient.

Océanie. *Négrito* et *Mélanésienne :* noire (Papous, Canaques). *Tasmanienne* (éteinte dep. 1877), *Polynésienne, Indonésienne :* jaune. *Australienne :* australoïde.

Médecine

Histoire de la médecine

Quelques dates

■ **Antiquité. Médecine :** humorale et pneumatique fondée sur l'équilibre ou le déséquilibre des 4 humeurs (bile, sang, pituite et atrabile), la libre circulation du souffle vital *(pneuma)* et l'opposition harmonieuse ou discordante de la chaleur innée et de l'humide radical. Prônée par Hippocrate (v. 460-v. 377 av. J.-C.) et Galien (v. 131-v. 201). Développement de l'hygiène, utilisation des plantes et du thermalisme. **Chirurgie :** 1res trépanations connues (11 000 av. J.-C.). Antiquité gréco-romaine : connaît la réduction des fractures et luxations, l'abaissement du cristallin, la taille vésicale pour calculs et les amputations des membres.

■ **Moyen Âge. Médecine :** la science antique perdue est retransmise par Byzantins et Arabes. *Sphygmologie* (étude du pouls) et uroscopie sont la base du diagnostic. Lèpre et peste imposent la création de léproseries (en France, St-Claude, 461), hôpitaux (en France, Lyon 542 ; Paris, St-Julien-le-Pauvre 577, Hôtel-Dieu 650), quarantaines. *Progrès sur l'Antiquité :* emploi de produits nouveaux (sucre, alcool, coton) ; utilisation de *lunettes* pour presbytes (v. 1285). **Chirurgie :** développement de l'arsenal chirurgical, des méthodes anesthésiques et des procédés de suture des plaies ; premières ouvertures de cadavres (XIIe s., Bologne, Italie).

■ **Renaissance. Médecine :** le renouveau du néoplatonisme irrationnel, antiaristotélicien, explique l'essor de l'alchimie, le remplacement des drogues végétales par des médicaments chimiques (antimoine, arsenic, mercure) et le succès de la médecine spagyrique (chimique) représentée par Paracelse (Su., 1493-1541). Il s'oppose à Jean Fernel (Fr., 1497-1558). C'est aussi le siècle de l'anatomie, avec la *Fabrica* (1543) d'André Vésale (Flamand, 1514-64) et la découverte de la *circulation pulmonaire* en 1553 (Michel Servet, Esp., 1511-53), et celui de la matière médicale exotique américaine (gaiac, salsepareille, tabac, ipéca...) ou orientale (squine, café...). La syphilis, maladie nouvelle, est importée d'Amérique. Frascator (It., 1483-1553) parle de la contagion. **Chirurgie :** Ambroise Paré (Fr., 1510-90) est le plus grand chirurgien d'Europe. Pierre Franco (Fr., 1500-61) est le père de la chirurgie plastique, herniaire et urinaire. Apparition des *verres concaves* pour les myopes.

■ **XVIIe s. Médecine :** introduction du microscope : débuts de la *microbiologie* avec Pierre Borel (Fr., 1620-89) et Antoine Van Leeuwenhoek (Holl., 1632-1723) et de l'*histologie* (étude descriptive des tissus vivants) avec Marcello Malpighi (It., 1628-94). La double découverte de la *circulation du sang* en 1628 (William Harvey, 1578-1657, Angl.) et du *transit du chyle* (description du canal thoracique, Jean Pecquet, 1622-74, Fr., en 1661) et l'émergence de l'*adénographie* [découverte des sécrétions pituitaires, biliaires, salivaires et pancréatiques (Reinier De Graaf, 1641-73, Holl.)] ruinent la médecine humorale et la théorie du foie sanguiformateur. Les médecins se divisent en iatro-physiciens et en iatro-chimistes. Mais cette approche quantitative de la pathologie est prématurée, d'où le vitalisme. *1667 : 1re transfusion* sur l'homme pratiquée à Montpellier par J. Denis avec du sang d'agneau. Résultats décevants (ignorance des anticoagulants et de la prophylaxie des accidents d'hétéro-transfusion). *Nouvelles maladies décrites : apoplexie* (Johann Wepfer, Su., 1658), *rachitisme* (Francis Glisson, 1597-1677, Angl., 1650), *cataracte* dont le siège est définitivement fixé dans le cristallin (1694). *Nouveau médicament :* quinquina. **Chirurgie :** introduction du *forceps* par les Chamberlain (Angl.). Cure de la *fistule anale* de Louis XIV. Nouveaux procédés de *taille vésicale* pour calculs. Naissance de l'*odontologie* (dentisterie) et de la *stomatologie* (étude et traitement des affections de la bouche et du système dentaire).

■ **XVIIIe s. Médecine :** naissance de la *physiologie* moderne avec la notion d'irritabilité introduite par Albrecht von Haller (Su., 1708-77) et de l'anatomie-pathologie avec Giambattista Morgani (It., 1682-1771). De nombreux systèmes classent les maladies comme les plantes en botanique. Émergence de la médecine sociale qui s'intéresse aux aveugles, aux sourds-muets, aux femmes enceintes, aux enfants en bas âge et à l'hygiène hospitalière (Jacques Tenon, 1724-1816, Fr., 1788). Lutte contre les épizooties et les épidémies [en particulier la variole combattue par la *variolisation* (v. 1720), puis par la *vaccination* (Edward Jenner, Angl., 1749-1823) en 1798]. **Chirurgie :** création en France de l'Académie royale de chirurgie (1731) et transformation du statut social et scientifique du chirurgien. Perfectionnement et diffusion du forceps (André Levret, Fr., et William Smellie, Angl.). Débuts de la *neurochirurgie.* Cure des *occlusions intestinales* par les anus contre nature. Cure de la *cataracte* par extraction (Jacques Daviel, 1696-1762, Fr.). Introduction des *dents à tenon,* bridges, prothèses (Pierre Fauchard, Fr., 1678-1761). Progrès dans la technique des amputations des membres et de leur appareillage. *1re ablation réussie de l'appendice* par Claudius Amyand (1680-1740) en Angleterre.

■ **XIXe s. (1re moitié).** Fusion de la *médecine* et de la *chirurgie,* et triomphe de la médecine hospitalière. Avec Gaspard-Laurent Bayle (Fr., 1774-1816) et René Laennec (Fr., 1781-1826), la méthode anatomo-clinique, relayée par la méthode numérique (Pierre-Charles-Alexandre Louis, 1787-1872, Fr.), introduit une nouvelle sémiologie (percussion, auscultation) qui permet le diagnostic de la lésion sur le vivant. A ces données, Pierre Bretonneau (Fr. 1778-1862) ajoute la notion de contagion, niée par l'école de Paris. Ainsi sont isolées tuberculose pulmonaire, diphtérie et fièvre typhoïde. Les acquisitions chirurgicales nouvelles (désarticulation des membres, chirurgie plastique) sont freinées par le développement de l'infection hospitalière (hospitalisme).

(2e moitié). Médecines de laboratoire, expérimentale et micrographique surclassent la médecine d'hôpital avec François Magendie (Fr., 1783-1855), Claude Bernard (Fr., 1813-78) et Rudolph Virchow (All., 1821-1902). Découverte des grandes fonctions biologiques : ovulation, fécondation, circulations locales, sécrétions internes, milieu intérieur (1859). Introduction de la pathologie cellulaire, des notions de phlébite et d'embolie (Virchow, 1858). Connaissance du mécanisme de l'inflammation [diapédèse, Conheim, All., 1872 ; phagocytose, Lia Metchnikov (Russie) 1845-1916]. Louis Pasteur (Fr., 1822-95) et Robert Koch (All., 1843-1910) créent la *bactériologie* et les concepts de *maladie microbienne,* d'immunité, de vaccination et de sérothérapie.

On utilise : thermométrie, sphygmographe [Pierre Potain (Fr., 1825-1901) 1889], électricité médicale (Guillaume Duchenne de Boulogne, Fr., 1806-75), prise de la *tension artérielle,* seringues à injection hypodermiques (1853), et *intraveineuses. 1ers laboratoires cliniques* (1868) permettant la recherche de la glycosurie, de la protéinurie, de la numération des globules sanguins, du sérodiagnostic [Fernand Widal (Fr., 1862-1929) 1896] et de l'hémoculture (1902). Découverte des rayons X [Röntgen (All., 1845-1923) 1895] et du radium (les Curie, Fr., 1898). **Chirurgie :** découverte de l'anesthésie générale à l'éther (1846) et au chloroforme (1847). Lutte contre l'hospitalisme en 3 temps : hygiène hospitalière, antisepsie chimique listérienne (1867) de Joseph Lister (Angl., 1827-1912) et asepsie physique pasteurienne (v. 1880) de Louis Pasteur. Conquête de l'*hémostase* par la notion de *circulation collatérale* (Luigi Porta, It., 1800-75) et introduction de la pince à forcipressure (Eugène Kœberlé, Fr., 1865). Essor de la chirurgie gynécologique (ovariectomie, Kœberlé, 1863), puis abdominale [pylorectomie, Jules Péan (Fr., 1830-98) 1879] gastro-entérostomie, Wölfler (All., 1881). Apparition des spécialités chirurgicales (urologie, ophtalmologie, orthopédie, oto-rhino-laryngologie, gynécologie).

■ **XXe s. (1re moitié). Médecine :** découverte de l'*anaphylaxie,* augmentation de la sensibilité de l'organisme envers une substance en lui administrant (par injection ou ingestion) une dose minime [Charles Richet (1850-1935) et Paul Portier (1866-1962), Fr., 1902] ; de l'*allergie* [Clemens von Pirquet (1874-1929), Autr., 1906] et conception des maladies allergiques (asthme, urticaire, eczéma). La notion de *vitamine* [Casimir Funk (1884-1967), Pol., 1912] explique les maladies de carence (béribéri, scorbut, rachitisme, pellagre, héméralopie...) ; celle d'*hormone* [William Bayliss (1860-1924) et Ernest-Henry Starling (1866-1927), Angl., 1902] permet de pallier les troubles dus à un déficit de sécrétion interne [diabète : insuline, découverte en avril 1921 par N.C. Paulesco (Roumain)]. La *chimiothérapie* [Paul Ehrlich (1854-1915), All., 1903-12] permet de soigner la syphilis (606 et 914 ou novarsenobenzol). On découvre les *sulfamides* (1935, Gerhard Domagk, All., 1895-1964). L'*électrocardiographie* [(1887) 1er électrocardiogramme humain enregistré par Augustin Désiré Waller (G.-B.), 1901 Willem Einthoven (P.-B. 1860-1927)] et l'*électroencéphalographie* (1929) augmentent la précision du diagnostic, comme la nouvelle sémiologie biochimique et les progrès de la radiologie. **Chirurgie :** les succès de la chirurgie aseptique sont limités par les maladies opératoires. Pendant la guerre de 1914-18, la traumatologie doit progresser. L'aspiration et le bistouri électriques, la motorisation des instruments de chirurgie osseuse et crânienne et l'enrichissement de l'arsenal chirurgical facilitent l'acte opératoire sous anesthésie locale, tronculaire, rachidienne ou générale. Par la *radiumthérapie* (Dominici, Fr., 1910) et la *radiothérapie* pénétrante, le traitement du cancer échappe, en partie, aux chirurgiens.

(2e moitié). Médecine : la guerre de 1939-45 répand la réanimation-transfusion, l'anesthésie générale par intubation et l'usage des *antibiotiques.* Le *microscope électronique* permet de voir organites cellulaires, virus, certaines molécules, etc. et contribue à l'essor de disciplines comme la virologie et la pathologie moléculaire [1re maladie moléculaire connue : l'anémie à hématies falciformes (1949)]. L'association de la biochimie et de la génétique explique les erreurs innées du métabolisme (alcaptonurie, etc.). Les nouveaux médicaments : anticoagulants, corticoïdes antirhumatismaux, contraceptifs, médiateurs chimiques du système nerveux, inhibiteurs d'enzymes transforment le pronostic de nombreuses maladies. Il faut ajouter la psycho-pharmacologie (1952) et la chimiothérapie du cancer associée à la chirurgie, à la cobalthérapie et à la radiothérapie isotopique. **Chirurgie :** diagnostic de plus en plus précis grâce à la *laparoscopie* (permet, grâce à un dispositif optique, d'observer à l'intérieur même de la cavité abdominale les différents organes qui s'y trouvent), à l'*angiographie* (radiographie des vaisseaux après injection de substance opaque aux rayons X), à la *scintigraphie* (après injection d'une substance radioactive dans un organe, on obtient une image sur une surface photosensible), à l'*échographie* [utilise la réflexion (écho) des ultrasons dans les organes], à la *tomographie* (permet d'obtenir l'image radiographique d'un plan à un niveau choisi d'une région du corps), et à la *scanographie* (utilise les rayons X mais la plaque photographique est remplacée par des capteurs électroniques qui apprécient mieux que l'œil ou les émulsions photographiques la densité des organes traversés ; on obtient ainsi une image plus fidèle et plus précise du plan anatomique exploré). La *résonance magnétique nucléaire* (RMN) qui repose sur l'analyse du comportement des électrons dans un organisme soumis à un champ magnétique intense permet d'obtenir des images anatomiques très précises, de ne pas utiliser des radiations et d'être ainsi moins traumatisante. Exérèses de plus en plus larges suivies de mise en place de prothèses ou d'organes transplantés (cœur, rein, poumon et foie). Des *immunodépresseurs* immunisent les rejets. La *microchirurgie* permet des interventions plus précises sur les organes des sens et le cerveau ; elle facilite les transplantations de segments de membres, de peau et d'organes.

LE CORPS HUMAIN

☞ 365 maladies nouvelles sont apparues ou ont été reconnues depuis 25 ans, selon une équipe animée par le Pr Jean Dormont.

CONTENANCE

Contenance globale. 60 % d'eau, 39 % de matières organiques (lipides, protides, glucides) et 1 % de sels minéraux. **Nombre de molécules :** 100 milliards de milliards (10^{20}) de molécules d'anticorps produits par 1 000 milliards de lymphocites (globules blancs).

Éléments pour un corps de 70 kg. Oxygène 45,5. Carbone 12,6. Hydrogène 7. Azote 2,1. Calcium 1. Phosphore 0,7. Potassium 0,214. Soufre 0,175. Sodium 0,1. Chlore 0,07. *Oligo-éléments en grammes.* Fer 3. Magnésium 3. Zinc 2. Manganèse 0,2. Cuivre 0,15. Iode 0,03. – Traces de Cobalt, Nickel, Aluminium, Molybdène, Vanadium, Plomb, Étain, Titane, Brome, Fluor, Bore, Arsenic, Silicium.

Déperditions quotidiennes en eau. *Par les urines :* 1 à 1,5 litre, *sudation :* 100 à 500 ml, *évaporation pulmonaire :* 350 à 600 ml, *pertes insensibles cutanées :* 400 à 1 000 ml, *matières fécales :* 50 à 200 ml. Compte tenu de ces pertes, les besoins quotidiens en eau sont : par adulte de 30 à 40 ml par kg, par enfant (de 3 à 10 kg) de 72 à 96 ml. En cas de forte fièvre ou de diarrhée, pertes et besoins très supérieurs.

Poids de différentes parties. *En kg :* Muscles et chair 52,5. Os 17. Tête 7. Bras 7. Jambes 11. *En g :* Foie 1 600. Cerveau 1 300 (voir p. 108). Poumons 1 200 (homme) ; 900 (femme). Cœur 300. Rate 165. Rein 160. Pancréas 70. Glandes parotides 25. Thyroïde 25 à 30. Capsules surrénales 6 g chacune.

RYTHMES BIOLOGIQUES (DURÉE)

Cycle menstruel : 28 j. **Sommeil-veille :** 24 h, contrôlé par le cerveau. **Température :** 24 h (minimum au cours du sommeil), contrôlée par l'hypothalamus, chez la femme en activité génitale, 14 jours (température plus élevée de 3 à 5 dixièmes de degré durant la 2e moitié du cycle menstruel). **Rythme cardiaque :** diminue pendant le sommeil. **Sécrétion des capsules rénales :** 24 h, baisse pendant le sommeil, croît avant le réveil. **Élimination rénale :** 24 h, max. au milieu de la journée. **Nombre de globules du sang :** 24 h, min. à la fin du sommeil. **Division cellulaire :** 24 h, max. en fin de soirée.

TAILLE ET POIDS DES INDIVIDUS

☞ La tête représente 1/7 (homme d'env. 1,60 m) à 1/8 (h. de 1,80 m) du corps.

■ **Fœtus.** *Taille en cm. 3 mois :* 9. *4 :* 20. *5 :* 25. *6 :* 36. *7 :* 41. *8 :* 44. *9 :* 50.

■ **Nourrissons.** À la naissance 3 kg à 3,5 kg (record : 283 g, 31 cm, Marion Chapman née 5-6-1938 en G.-B. ; à 1 an pesait 6,89 kg). *Un prématuré* (enfant né avant 37 semaines d'aménorrhée) pèse souvent moins de 2,5 kg.

Augmentation du poids : *1er mois* après la naissance env. 30 g par jour. *2e :* 30. *3e :* 25. *4e au 6e :* 20. *6e au 12e :* 500 g par mois. *12e au 18e :* 180. *18e au 24e :* 150. **De la taille** (par mois) : *1er mois :* 3,5 cm. *2e* et *3e :* 3. *4e :* 2,5. *5e :* 2. *5 à 12 mois :* 1 cm par mois.

■ **Taille de quelques populations** (v. 1960, en cm). Tutsis 180. Tehuelches (Patagonie) 178. Monténégrins 178. Scandinaves 175. Cheyennes (Indiens) 174. Foulbé (Soudan) 174. Polynésiens (îles Marquises) 174. Anglais 173. Turkestanais 171. *Français 170* (1870 : *165 ;* 1971 : *174* hommes, *164* femmes). Belges 169. Allemands 168. Russes 168. Italiens 166. Hongrois 163. Mongols 163. Espagnols 162. Japonais (Aïnous) 158. Esquimaux 158. Lapons 153. Andamans (Insu.) 148. Aëtas (Philippines) 146. Mbutis (Pygmées) 137 (femmes 135), certains 132 (femmes 124).

La taille augmente chez les Blancs (ex. Pays-Bas : taille moyenne des conscrits *v. 1880 :* 1,65 m, *1980 :* 1,80 m) en raison des nombreux métissages entre les diverses races blanches et indépendamment du régime alimentaire et du milieu.

■ **Rapport du poids à la taille. Poids théorique** (en kg) (formule de Lorentz) :

$$(\text{Taille} - 100) \text{ en cm} - \left(\frac{\text{Taille} - 150}{a^1}\right).$$

On peut améliorer la relation du poids à la taille en tenant compte de l'ossature de l'individu : largeur du bassin (diamètre bi-iliaque mesuré à partir de la partie la plus large de l'aile iliaque) ; largeur des épaules (diam. biacromial) ; tour de poignet.

Nota. – (1) a = 4 chez l'homme, 2 chez la femme.

■ **Nanisme. Origines :** génétique (ex. : syndrome de Turner), nutritionnelle, endocriniennes, osseuses, psychosociales. **Maladies endocrines :** ex. : insuffisance hypophysaire. La croissance est réglée par l'hormone HGH (Human Growth Hormone) synthétisée dans l'hypophyse et sous l'action du GRF (Growth Hormone Releasing Factor). Lorsqu'elle est absente, la croissance est ralentie. **Des os, du métabolisme :** on peut déceler avant la naissance les nanismes d'origine osseuse dont l'achondroplasie (nanisme le plus fréquent, héréditaire à 50 %). **Traitements :** hormonaux s'il s'agit d'un déficit hormonal. Aucun pour les nanismes osseux ou génétiques.

☞ **Nains célèbres :** *Jeffery Hudson* (1629-92), nain de la cour de Charles Ier d'Angleterre, 1,16 m. *« Comte » Joseph Buralowsky* (Pologne, nov. 1739 Durkham, 5-9-1839), 0,77 m. *Nicolas Ferri* « Bébé » (1741-64), nain de la cour de Stanislas de Lorraine, 0,89 m. *Calvin Phillips* (Amér., 1791-1812), 0,67 m, 4,5 kg habillé. *Caroline Crachami* (Sicilienne, 1815-24), 0,51 m. *Charles Sherwood Stratton dit Tom Pouce* (Amér., 1838-83), 1,02 m. *William E. Jackson « Major Mite »* (Nlle-Zélande, 1864-New York, 1900), 0,70 m. *Un Russe,* 0,74 m à 34 ans. *Paulina Musters « Princesse Pauline »* (Holl., 1877-95), 0,59 m, 3,5 à 4 kg. *Walter Boehming* (Allem., 1907-55), 0,52 m. *Un nain cité par Buffon,* 0,40 m à 37 ans. *Antonio Ferreira* (Port., 1943-89), 0,75 m. On connaît 2 naines centenaires : *Anne Clowes* 114 cm, 21,70 kg († 5-8-1784 à 103 ans aux USA) ; *Susanna Bokoyni* 1,01 m, 16 kg († à 105 ans le 24-8-1984). **Nains vivants :** *Djaïl Salih* (Algérie, n. 1965), 0,55 m ; Mlle *Patinah* (Indonésie, n. 1931), 0,65 m ; *Magde Bester* (Afr. du S., 26-4-1963), 0,65 m ; *Nruturam* (Inde, 28-5-1929), 0,71 m ; *Mohammed Gul* (Inde, 15-2-1957), 0,57 m ; *Suleyman Eris* (Turquie, 24-1-1955), 0,76 m, 11,4 kg. **Nains en France :** *nombre :* environ 5 500 nains de moins de 1,40 m (moyenne 1,20 m) ; il naîtrait par an 1 000 nains. *Le plus petit* mesurerait 0,92 m.

Association des Personnes de Petite Taille (APPT) 8, av. Anatole-France, 94600 Choisy-le-Roi ; fondée en 1976, regroupe 600 nains français de moins de 1,40 m. *Association grandir,* 2 sente du Belvédère, 95130 Franconville.

■ **Gigantisme.** Dû à une hyperfonction antéhypophysaire par tumeur hypophysaire avant la puberté. *Forme particulière : l'acromégalie* (croissance anormale des lèvres, de la langue, de la mâchoire inférieure, des pieds et des mains due à une hyperactivité de la glande pituitaire débutant après la puberté).

☞ **Homme le plus grand** *(mesuré d'une façon irréfutable) : Robert Wadlow* (1918-40, USA) pesait 3,85 kg à sa naissance, mesurait 1,63 m (48 kg) à 5 ans ; 1,83 m (77 kg) à 8 a. ; 2 m (95 kg) à 11 ans ; 2,34 m (161 kg) à 15 a. ; 2,61 m (218 kg) à 20 a. ; 2,72 m (199 kg) à 22 a. Ses pieds mesuraient 47 cm, ses mains 32,5 cm ; il consommait 8 000 calories par jour. Quand il mourut il grandissait encore. On connaît avec certitude 9 géants de plus de 2,44 m (USA, Allemagne, Finlande, Irlande, Libye, Pakistan, Mozambique), dont 6 étaient atteints d'*acromégalie.* **Géant vivant :** *Mohammed Alam Channa* (Pakistan, 1953), 2,29 m. **Jumeaux les plus grands :** *Michael et James Lanier* (USA, 27-11-1969), 2,23 m. **Femmes les plus grandes :** *Zeng Jinlian* (Chine, 1964-82), 2,47 m, 147 kg (elle mesurait déjà 1,56 m à 4 ans), ses pieds mesuraient 35,5 cm, ses mains 25,5 cm.

Taille et poids théoriques selon l'âge

Âge	Garçons		Filles	
	Taille cm	Poids kg	Taille cm	Poids kg
1	74,3	9,8	72,6	9
2	85,6	12	84,3	11
3	94,2	14	92,7	13,6
4	101,3	16	99,8	15
5	107,7	17,6	106,3	17
6	113,8	20	112,2	19
7	119,7	22	118,2	21,4
8	125,3	24	123,9	23
9	130,6	27	129,4	26,5
10	135,6	29	134,7	29,2
11	140,5	32	140,7	33
12	145,8	35,7	147,7	37
13	152,5	40	154,3	42,7
14	159,9	43,6	158,7	46
15	166,7	46	161,1	48,8

Poids théorique de la femme adulte selon la carrure [1]

Diamètre bi-iliaque [2] Taille (cm)	étroite < 28 cm		moyenne 28-29 cm		large > 29 cm	
	(a)	(b)	(a)	(b)	(a)	(b)
150	47	50,5	50	53,5	53	58
152,5	47,5	51,5	50,5	54,5	54	58,5
155	49	52	51,5	55,5	55	59,5
157,5	50	53,5	53	56,5	56	61
160	51	55	54,5	58	57,5	62,5
162,5	52,5	56,5	56	60	59,5	64,5
165	54	58	57,5	61	60	65,5
167,5	55,5	60	59	63,5	62,5	68
170	57	61,5	60,5	65	64,5	69,5
172,5	58,5	63	62	66,5	65,5	71,5
175	60	64,5	64	68,5	67,5	73,5
177,5	61,5	66,5	65,5	70	68,5	75
180	62,5	68	67	71	70	76

Poids théorique de l'homme adulte selon la carrure [1]

Diamètre bi-iliaque [2] Diamètre biacromial [3]	Carrure étroite < 28 cm < 39 cm		Carrure moyenne 28-29 cm 39-41 cm		Carrure large > 29 cm > 41 cm	
	(a)	(b)	(a)	(b)	(a)	(b)
Diamètre du poignet	< 17	> 20	< 17	> 20	< 17	> 20
Taille (cm)						
157,5	52,5	56,5	56	60	59,5	64,5
160	54	58	57,5	61,5	60	65,5
162,5	54	60	59	63,5	62	67,5
165	57	61,5	60,5	65	64	69,5
167,5	58,5	63	62	66,5	65,5	71
170	60	65	64	68,5	67,5	73,5
172,5	61,5	66,5	65,5	70,5	69,5	75
175	63,5	68,5	67,5	72,5	71	77
177,5	65	70	69	74,5	73	79,5
180	67	72	71	76	74,5	81,5
182,5	69	74,5	73	78,5	76,5	84
185,5	71	76,5	75	80,5	79	86

Nota. – (1) Ajouter ou retrancher 2,1 kg par cm de largeur de bassin en plus ou en moins. (2) Diamètre du bassin. (3) Distance séparant les 2 acromions (apophyse de l'omoplate qui s'articule sur la clavicule). (a) tour du poignet < 16 cm. (b) tour du poignet > 18 cm.

Mulia (Bornéo, Indonésie, 1956), 2,33 m. *Sandy Allen* (USA, 18-6-1955), 2,31 m, 209 kg, croissance interrompue en 1977 par l'ablation de la glande pituitaire ; à la naissance elle pesait 2,9 kg.

☞ **Nain et géant :** *Adam Rainer* (Autriche, 1899-1931) 1,18 m à 21 a., 2,18 m en 1931 ; dut rester alité à partir de sa croissance jusqu'à sa mort.

■ **Poids idéal.** Une étude des Cies d'Assurances américaines portant sur 4 900 000 sujets a permis de constater que le taux de mortalité de l'homme de 30 à 40 ans est plus bas quand son poids est inférieur de 10 à 15 % au poids théorique et qu'il augmente notablement à partir de 25 à 30 % de surpoids.

Un obèse court plus de risques s'il présente un taux d'hyperglycémie supérieur à 1,10 g/l ; d'hypercholestérolémie supérieur à 2,40 g/l (avant 40 ans), à 2,60 g/l (après 40 ans) ; d'hypertriglycéridémie supérieur à 1,6 g/l ; hypertension supérieure à 16 pour la maximale et 10 pour la minimale.

% d'obèses en France : hommes 29 %, femmes 22 %. *Espérance de vie moyenne :* homme de 50 ans (1,80 m) *77 kg :* 25 ans ; *100 kg :* 18 ans. *Accroissement de la mortalité en fonction du poids : + 15 à 25 %,* mortalité + 16 % ; *+ 25 à 35 %,* + 30 % ; *+ 35 à 50 %,* + 54 % ; *+ 50 à 74 %,* 130 à 182 %.

☞ **Homme le plus lourd : du monde :** *John Brower Minnoch* (USA, 1941-83), 1,85 m, 635 kg, après 2 ans de régime retomba à 216 kg puis en reprit 91 en 1 an et mourut pesant + de 360 kg ; **de France :** *René Rémond* (1882-1936), habitant Fontenoy-le-Château (Vosges), en 1934 pesait 311 kg, mesurait 1,75 m, (tour de poitrine 2,15, ceinture 2,89, cuisse 0,99, mollet 0,84) ; **vivant :** *T.J. Albert Jackson* (USA), 404 kg (tour de taille 2,94 m, de poitrine 3,05, cuisse 0,75). **Femme la plus lourde du monde :** *Rosie Carnemolla* (USA 1944), 388 kg (mars 1988) puis 113 (fin 1988).

Gain de poids : *Doris James* (USA, 1907-45) grossit de 142 kg les 12 derniers mois de sa vie. *Arthur Knorr* (USA, 1914-60) grossit de 136 kg les 6 derniers. *John Brower Minnoch* (voir : homme le plus lourd).

■ **Maigreur.** *Rosa Lee Plemons* (USA, 1873) 12 kg à 18 a. *Edward C. Hagner* (USA, 1892-1962) 22 kg pour 1,70 m.

☞ **Homme le plus maigre de France :** *Claude Ambroise Sourat* (de Troyes, 1797-1826) mesurait 1,70 m, pesait 22 kg ; tour de biceps (10 cm), épaisseur de torse (8 cm) (selon un autre rapport : 1,63 m pour 16 kg). **Taille la plus mince** (pour une femme de taille normale) : *Mlle Polaire* (1877-1939, actrice française) tour de taille 33 cm. **Amaigrissement :** *John Brower Minnoch* (voir : homme le plus lourd). *Michael Hebranko* (USA, 1934) passa en 15 mois (juillet 1987 à janv. 1989) de 410 à 98 kg (tour de taille de 2,92 à 0,92 m). *Celesta Gever* (USA, 1901) passa de 251 à 69 kg en 14 mois (puis plus tard 50 kg). *Paul Kimelman* (USA, 1943) passa de 215,9 à 59 kg en 7 mois, puis se stabilisa à 79 kg. *Vitorino Admercy Moreno Da Costa* (Brésil, n. 1948) passa de 320 à 96 kg en un an en fév. 1992.

☞ **Périmètre thoracique. Records :** *Arnold Schwarzenegger* (n. 1948), dit « Monsieur Univers », pesait 107 kg, tour de poitrine de 1,45 m, de biceps de 56 cm. **Moyen** à *10 ans :* garçon 63 cm (fille 61,5 cm), *15 ans :* 77 (76,5), *18 ans :* 84 (80).

Appareil moteur

Généralités

L'appareil moteur comprend les os, rigides et durs, unis par les articulations. L'ensemble constitue le squelette, complété par les muscles, contractiles, fixés sur les os et les entraînant à se déplacer.

Os

■ **Définition.** Pièce du squelette constituée généralement par l'association de 2 tissus : osseux et cartilagineux.

☞ **Os le plus long :** le fémur (env. 50 cm pour un homme de 1,80 m ; il peut atteindre 76 cm chez les géants). **Os le plus petit :** l'étrier (oreille moyenne : long. 2,6 à 3,4 mm, poids 2 à 4,3 mg). **Le plus de doigts :** fille née avec 14 doigts et 12 orteils en 1938.

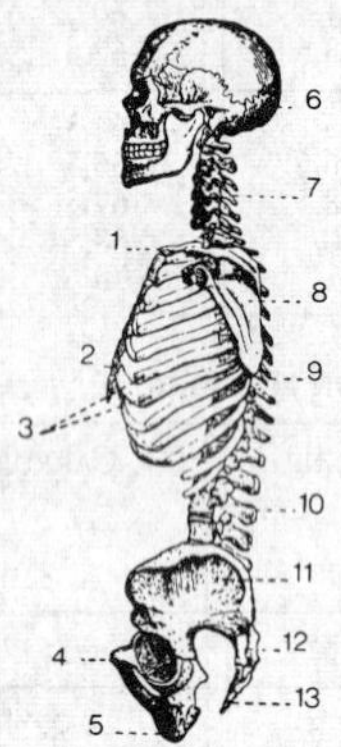

1 clavicule. *2* sternum. *3* côtes. *4* pubis. *5* ischion. *6* crâne. *7* vertèbres cervicales (7). *8* omoplate. *9* vertèbres thoraciques (12). *10* vertèbres lombaires (5). *11* ilion. *12* sacrum (4). *13* vertèbres coccygiennes (4).

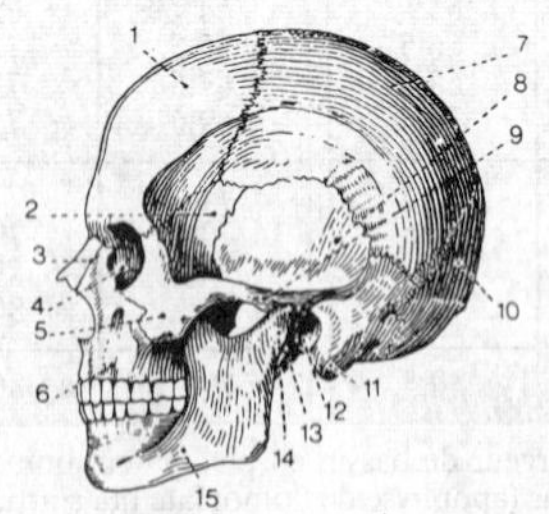

1 frontal. *2* sphénoïde. *3* nasal. *4* lacrymal. *5* zygomatique (jugal). *6* maxillaire. *7* pariétal. *8* temporal. *9* apophyse zygomatique. *10* occipital. *11* apophyse mastoïde. *12* trou auditif. *13* apophyse styloïde. *14* condyle. *15* mandibule.

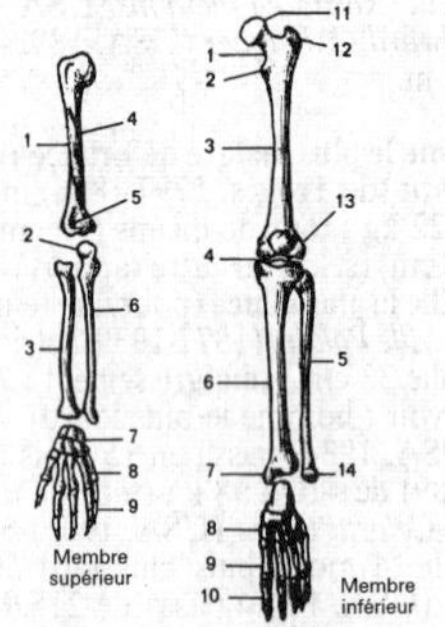

Membre *supérieur* (vue postérieure) : *1* humérus. *2* olécrane. *3* radius. *4* gouttière du nerf radial. *5* cavité olécranienne. *6* ulna (cubitus). *7* carpe. *8* métacarpe. *9* phalanges. *Inférieur* (vue antérieure) : *1* col. *2* petit trochanter. *3* fémur. *4* rotule. *5* fibula (péroné). *6* tibia. *7* malléole interne. *8* tarse. *9* métatarse. *10* phalanges. *11* tête. *12* grand trochanter. *13* poulie trochléenne. *14* malléole externe.

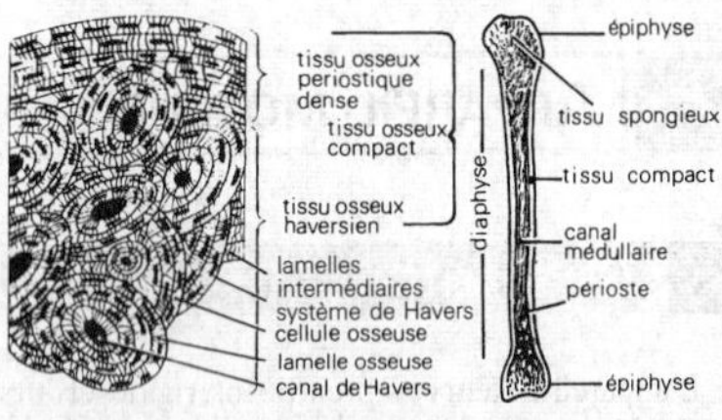

Coupe d'un os :
À gauche : coupe microscopique de tissu osseux.
À droite : coupe longitudinale d'un os long.

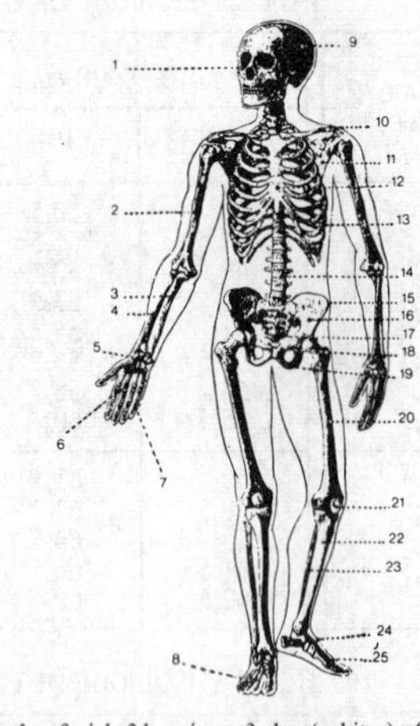

1 crâne facial. *2* humérus. *3* ulna (cubitus). *4* radius. *5* carpe. *6* métacarpe. *7* doigts (3 phalanges). *8* orteils (3 phalanges). *9* neurocrâne. *10* clavicule. *11* omoplate. *12* sternum. *13* côtes. *14* colonne vertébrale. *15* bassin. *16* ilion. *17* sacrum. *18* pubis. *19* ischion. *20* fémur. *21* rotule. *22* tibia. *23* fibula (péroné). *24* tarse. *25* métatarse.

■ **Nombre théorique d'os du squelette.** 198 à 214 os constants et distincts : tête 22 dont crâne 8, massif facial 14 ; oreilles 7 dont osselets de l'ouïe 6, os hyoïde 1 ; côtes 24 ; colonne vertébrale 33 dont vertèbres (distinctes) 24, sacrum (soudées) 5, coccyx 4 à 6, membres 128 (32 × 4). Le nombre varie au niveau du rachis avec parfois des côtes surnuméraires, cervicales ou lombaires.

■ **Structure de l'os. Description :** *1°) Corps de l'os* ou *diaphyse* contient : *l'os compact* (substance dure, blanc mat) ; *le périoste* (membrane externe, fibreuse, adhérant à l'os compact) ; *la moelle* (substance molle, jaune rougeâtre, remplissant le canal médullaire). *2°) Dans les épiphyses* (ou extrémités) : *l'os spongieux* (travées d'os délimitant des cavités pleines de moelle rouge) ; *le cartilage articulaire* (lisse et élastique) ; *le périoste* (où il n'y a pas de cartilage).

Tissus osseux : conjonctif formé de cellules *(ostéocytes)*, incluses dans une substance fondamentale, l'*osséine*, imprégnée de sels minéraux (essentiellement des phosphocarbonates de calcium). Se présente sous forme de lamelles imbriquées et généralement disposées autour d'un canal central, leurs couches concentriques formant une colonnette creuse, l'*ostéon.* L'association des ostéons constitue le *système de Havers* qui se présente à l'œil nu homogène et lisse : l'os compact. Celui-ci constitue le matériau de base à partir duquel se forment les 3 variétés de pièces osseuses : l'os plat, constitué par 2 lames d'os compact séparées par une lame d'os « spongieux » formé d'un réseau de travées compactes minces ménageant entre elles des alvéoles, le *diploé ;* l'os court, constitué d'une coque mince (corticale) de tissu compact enserrant une masse, généralement globuleuse, de tissu spongieux analogue au précédent ; l'os long, formé d'un tube épais d'os compact (« diaphyse ») aux extrémités duquel sont soudés 2 os courts (les « épiphyses »). **Cartilage :** tissu conjonctif différent du tissu osseux et constitué d'une substance fondamentale non calcifiée, translucide et élastique, et de cellules groupées à l'intérieur dans des « capsules ». Intervient essentiellement dans le développement de l'os (voir croissance de l'os), ou comme élément articulaire. **Périoste :** lame de tissu fibreux, riche en vaisseaux sanguins, au rôle important dans l'accroissement de l'os en épaisseur. **Moelle :** tissu mou des cavités de l'os, appartenant au système sanguin dont elle assure le renouvellement cellulaire.

Formation et croissance des os. L'os naît d'un tissu conjonctif embryonnaire, le *mésenchyme :* directement *[ossification dite « membraneuse »]* sous forme de points de condensation qui se calcifient secondairement ; ou en 2 étapes, le point de condensation donnant d'abord une maquette cartilagineuse qui s'ossifie secondairement. Cette ossification se fait sous forme de « points » qui envahissent peu à peu le cartilage. Certains os n'ont qu'un point d'ossification, d'autres (os longs en particulier) naissent d'un point principal précoce (pendant la vie intra-utérine) et sont ensuite complétés par des points secondaires donnant les extrémités *(épiphyses)* et certaines saillies *(apophyses).* Croissance des os plats et courts par extension directe ; des os longs, en épaisseur par leur périoste, en longueur aux dépens d'une plaque cartilagineuse (« cartilage de conjugaison ») interposée entre épiphyses et corps de l'os *(diaphyse).* L'activité de ce cartilage persiste durant la croissance de l'individu. Son arrêt marque l'établissement de la stature définitive. Le tissu osseux se renouvelle sans cesse. Les travées osseuses sont en partie résorbées par des cellules *(ostéoclastes)* et reconstruites par d'autres *(ostéoblastes).* De l'équilibre entre formation et résorption dépend le contenu minéral de l'os et sa solidité.

Déformations du squelette (voir maladies p. 101).

Articulations

Articulation. Organe unissant 2 (ou plus) pièces du squelette et permettant généralement entre elles des mouvements plus ou moins étendus. **Diarthrose :** articulation type ; possède tous les éléments permettant le mouvement : SURFACES ARTICULAIRES, zones osseuses qui entrent en contact par l'intermédiaire d'une couche de cartilage « hyalin » dont elles sont revêtues ; leur forme varie selon la nature du mouvement à produire (sphériques, planes, en selle, etc.) ; MEMBRANE SYNOVIALE, manchon de tissu conjonctif mou qui se fixe à la limite des surfaces articulaires qu'il engaine en totalité en délimitant une cavité articulaire ; sa face profonde sécrète un liquide, la *synovie,* qui se répand sur les surfaces articulaires et les lubrifie ; MOYENS D'UNION : la *capsule,* manchon fibreux qui circonscrit la membrane synoviale et réunit les pièces osseuses en débordant souvent au-delà des surfaces articulaires ; les *ligaments,* bandelettes fibreuses tendues d'un os à l'autre, faisant corps avec la capsule (l. intrinsèques), ou à distance d'elle (l. extrinsèques). Les *muscles moteurs* de l'articulation sont parfois dits « ligaments actifs » ; MÉNISQUES, amortisseurs séparant parfois 2 os. **Amphiarthroses :** articulations incomplètes, pourvues tout au plus de quelques vestiges de synoviale, dépourvues de capsule et dont la cavité est occupée par un « ligament interosseux » unissant les surfaces articulaires. Ce sont des joints élastiques ne permettant que des mouvements de très faible amplitude. **Synarthroses :** articulations encore plus rudimentaires dans lesquelles les os en présence sont, soit unis par une lame de cartilage (*synchondrose*), soit directement au contact l'un de l'autre et parfois engrenés (os du crâne) ; cette dernière variété *(synostose)* ne permet aucune mobilité.

Disques intervertébraux. Confèrent au rachis sa mobilité et servent d'amortisseurs entre les vertèbres. Ils sont constitués d'un anneau fibreux périphérique *(annulus)* et d'un noyau gélatineux central *(nucleus pulposus).* La fissuration de l'anneau fibreux peut entraîner une hernie discale par libération à travers cette fissure de tout ou partie du nucleus pulposus.

☞ **Arthrose** désigne aussi une variété de rhumatisme articulaire.

Muscles

■ Généralités

Organes actifs du mouvement et de l'équilibre. Ils représentent environ 40 % du poids du corps. Ils sont composés de 75 % d'eau, 21 % de protéines (myosine), 1 % de glycogène, des sels minéraux, phosphagène et acide adénylphosphorique, des composés azotés et phosphorés jouant un rôle important dans la contraction musculaire.

■ Structure

■ **Muscles striés.** Soumis à l'influence de la volonté. Assurent le mouvement. *Formes :* fuseau (biceps), éventail (grand dorsal), anneau (orbiculaires des lèvres ou des paupières). *Composition :* faisceaux de fibres. Les fibres ont plusieurs noyaux. Leur cytoplasme contient des fibrilles. Une fibrille présente une alternance régulière de disques sombres et de disques clairs traversés par une membrane mince, la membrane Z, qui se continue dans le cytoplasme entre les fibrilles et s'attache sur l'enveloppe de la fibre qu'elle divise en cases musculaires. *Fixation. Muscles squelettiques :* ils se fixent à l'os (insertion) par implantation directe de ses fibres charnues ou par un cordon fibreux, le *tendon,* qui permet de projeter l'ensemble de l'insertion sur une surface réduite de l'os ; *muscles peauciers :* se fixent sur la couche profonde de la peau. **Aponévrose :** toile fibreuse annexée au muscle et qui peut remplir 2 fonctions : constituer un véritable tendon pour les muscles plats (a. d'insertion), ou engainer 1 ou plusieurs muscles et constituer des loges musculaires.

Nombre de muscles striés : 570 dont tête et cou 170, tronc 200, membres supérieurs 100, membres inférieurs 100. **Le plus grand :** le *grand fessier* (qui permet l'extension de la cuisse) ; **le plus petit :** le *stapedius* qui actionne l'étrier (– de 1,27 mm de long).

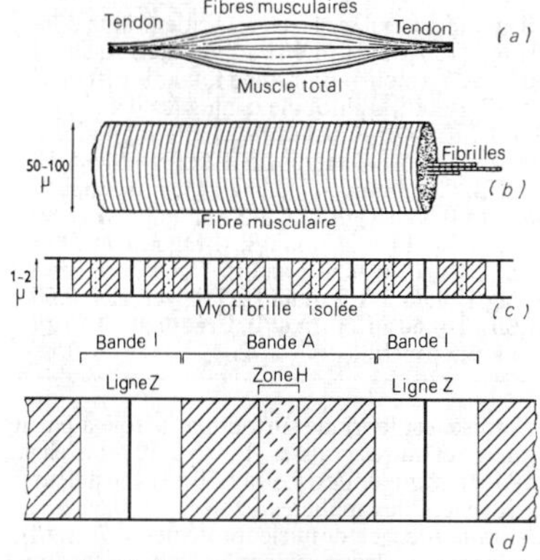

Myofibrille montrant la disposition des bandes à la longueur de repos.

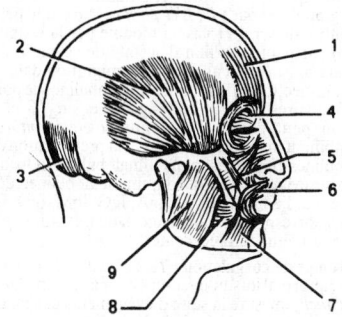

Tête (profil), muscles : *1* frontal. *2* temporal. *3* occipital. *4* orbiculaire des paupières. *5* petit zygomatique. *6* orbiculaire des lèvres. *7* triangulaire des lèvres. *8* grand zygomatique. *9* masseter.

■ **Muscles lisses.** Forment la paroi des principaux viscères du tube digestif (estomac, intestin) et de l'appareil circulatoire (cœur, artères). Constitués de fibres plus petites à un seul noyau, non striées transversalement, avec fibrilles longitudinales homogènes. Le cytoplasme contient des *chondriosomes,* des globules de graisse, du glycogène.

■ **Muscle cardiaque.** Formé de fibres striées accolées sur une certaine longueur (anastomose en réseau), elles-mêmes formées de cellules distinctes.

■ Propriétés physiologiques

Excitabilité. Le muscle réagit à des excitants mécaniques (piqûre, choc, pincement, blessure) ; thermiques (variations brusques de température) ; chimiques (acides et alcalis faibles, chlorure de sodium, glycérine) ; électriques (variations brusques d'intensité d'un courant continu, d'un courant induit, décharges d'un condensateur) ; physiologiques (influx nerveux amené par les nerfs).

Élasticité. Assez faible, elle est due à l'allongement des disques clairs du muscle.

Contractilité. Formes de contraction : 1°) *isotonique :* le muscle se raccourcit et développe une force constante. 2°) *isométrique :* le muscle garde une longueur constante même soumis à une force croissante. Au repos, le muscle est en demi-contraction isométrique. Cet état, le *tonus,* lui permet d'obéir rapidement à une excitation, de garder une attitude (station debout, assise). **Tétanisation :** état de contraction permanente du muscle ; il est imparfait lorsque, à la suite d'excitations nombreuses et rapprochées, le muscle est sollicité à nouveau avant de s'être complètement relâché. Le courant alternatif de basse fréquence provoque une tétanisation. **Rhéobase** (du grec *rhéos,* courant) : seuil minimal d'intensité du courant nécessaire pour qu'un muscle puisse se contracter ; varie selon chaque muscle. **Chronaxie :** temps minimal pendant lequel il faut faire passer un courant d'intensité double de la rhéobase pour obtenir une contraction du muscle.

Énergie. Vient de réactions chimiques. Le muscle au travail consomme de l'oxygène (jusqu'à 30 fois plus qu'au repos) et du glycogène (accumulé dans le muscle au repos à partir du glucose du sang) pour fournir de l'énergie, de l'eau, du gaz carbonique (dans les mêmes proportions que l'oxygène consommé) et de la chaleur. Rendement du muscle :

$$\frac{\text{Travail fourni}}{\text{Quantité totale d'énergie dépensée}} = \frac{1}{4}.$$

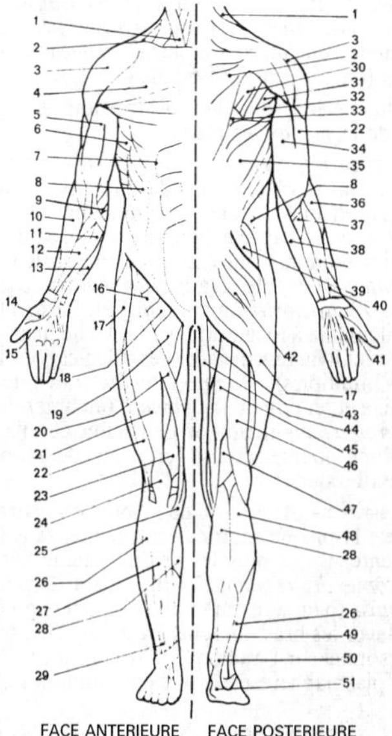

1 sterno-cléido-mastoïdien. *2* trapèze. *3* deltoïde. *4* grand pectoral. *5* biceps. *6* grand dentelé. *7* aponévrose du grand oblique. *8* grand oblique. *9* rond pronateur. *10* long supinateur. *11* petit palmaire. *12* grand palmaire. *13* cubital antérieur. *14* éminence Thénar. *15* aponévrose palmaire. *16* psoas. *17* tenseur du fascia lata. *18* pectiné. *19* moyen adducteur. *20* couturier. *21* droit antérieur. *22* vaste externe. *23* vaste interne. *24* rotule. *25* patte d'oie. *26* long péronier latéral. *27* jambier antérieur. *28* jumeau interne. *29* extenseur commun. *30* sous-épineux. *31* petit rond. *32* grand rond. *33* grand rhomboïde. *34* longue portion. *35* grand dorsal. *36* 1er radial. *37* anconé. *38* cubital antérieur. *39* moyen fessier. *40* long adducteur. *41* lombricaux. *42* grand fessier. *43* grand adducteur. *44* droit interne. *45* demi-tendineux. *46* biceps crural. *47* demi-membraneux. *48* jumeau externe. *49* long fléchisseur commun. *50* tendon d'Achille. *51* calcanéum.

Maladies de l'appareil moteur

■ Maladies du squelette (os et articulations)

Elles frappent isolément tout ou partie du squelette osseux ou des articulations mais peuvent intéresser à la fois pièces osseuses et éléments de leur jonction.

Maladies congénitales. Ce sont souvent des « malformations » telles que le *pied bot* ou la *luxation congénitale de la hanche* ou bien de véritables « vices de structure » du tissu osseux, telle la *maladie de Lobstein* ou *ostéogenèse imparfaite* responsable de fractures multiples 1 à 2 % des nouveau-nés atteints. Certaines sont héréditaires, d'autres causées par certains virus *(rubéole)* qui atteignent l'individu au cours de la période embryonnaire. **Dépistage :** examen radiologique à 4 mois ; échographie à 1 mois de grossesse.

Anomalies de croissance. Liées à des défauts du développement osseux, elles peuvent frapper n'importe quel point du squelette, notamment la colonne vertébrale (en particulier, la *scoliose des adolescents,* souvent évolutive et grave, qui, contrairement à une opinion répandue, n'est pas due à des attitudes ou des exercices défectueux). Chez l'adulte, la scoliose est stabilisée et est rarement responsable de complications. Beaucoup de *cyphoses* (dos rond) douloureuses des jeunes adultes ont également pour origine un défaut de croissance de la vertèbre *(maladie de Scheuermann).* Certaines anomalies de la croissance peuvent freiner celle-ci et causer différentes formes de « nanisme », notamment l'*achondroplasie,* maladie héréditaire qui frappe les zones d'accroissement en longueur des os longs.

Troubles de la nutrition. Certaines carences alimentaires (en particulier des carences vitaminiques) peuvent déterminer des maladies osseuses. Ainsi la carence en vitamine D est responsable chez l'enfant du *rachitisme* (déformations des membres, du thorax et du crâne) et chez l'adulte d'une *ostéomalacie* (fissurations osseuses douloureuses, voire déformations du squelette).

Vieillissement osseux et ostéoporose. Le capital osseux diminue normalement à partir de l'âge adulte et de façon plus importante chez la femme, surtout après la ménopause. L'*ostéoporose commune* (raréfaction de la substance osseuse) est considérée comme une maladie dans la mesure où elle constitue une accentuation d'un phénomène physiologique. Elle est à l'origine de tassements vertébraux et de fractures des os longs (env. 72 701 *fractures du col du fémur* par an en France sans compter celles dues à un accident brutal ; mortalité moyenne 10 %, 20 % chez les + de 80 ans). On s'efforce de la prévenir par des exercices physiques et un traitement hormonal substitutif de la ménopause. 25 % des femmes ménopausées de + de 75 ans ont une ostéoporose. *Traitement.* Pour l'ostéoporose constituée apport suffisant en calcium et freinage de la raréfaction des travées osseuses (fluor, calcitonine biphosphonates), pour les personnes âgées prise quotidienne de calcium et vitamine D3.

Tumeurs. Le squelette osseux peut être le siège de tumeurs bénignes (*ostéomes ostéoïdes, ostéoblastomes,* etc.) ou malignes « primitives » *(ostéosarcomes),* ou « secondaires » par métastase de tumeur maligne d'autres organes (cancer du sein, de la prostate...).

Traumatismes. *Fractures :* rupture d'un os ; elles peuvent être accompagnées d'une plaie qui les met à nu (fractures ouvertes) ; diagnostic : radiographie ; traitement : réduction et immobilisation par plâtre ou ostéosynthèse chirurgicale (plaque, clous, agrafes, vis...) : 25 % des femmes de + de 70 ans ont été victimes de fractures. *Luxations :* déboîtement d'une extrémité osseuse avec lésions plus ou moins graves des moyens d'union ; traitement d'urgence (réduction) sinon risque de séquelles irréversibles. *Entorses :* élongation (entorse bénigne) ou rupture (entorse grave) des ligaments péri ou intra-articulaires (genou, cheville, colonne cervicale...). *Hernies discales :* relèvent plus souvent d'un effort (soulèvement) que d'un traumatisme direct. Presque toujours lombaires basses, elles apparaissent sur un disque déjà altéré, entraînant un blocage douloureux lombaire aigu (*lumbago* ou « tour de reins ») ou une *lombo-sciatique* (blocage lombaire + douleur irradiant dans un membre inférieur).

Maladies infectieuses. Peuvent être liées à la présence de germes microbiens (notamment staphylocoques) dans une ou plusieurs pièces osseuses (*ostéite aiguë, ostéomyélite aiguë* des sujets jeunes), ou dans les articulations *(arthrites septiques). Rhume de la hanche :* inflammation de la synoviale transitoire, aiguë, bénigne du très jeune enfant avec boiterie douloureuse qui survient souvent après une rhinopharyngite ou une infection gastro-intestinale.

Rhumatismes

Sont regroupées sous ce nom plusieurs centaines de maladies qui touchent 15 millions de personnes en France. On distingue 6 groupes d'affections : *1°) Arthrites* (désinence-ite réservée à l'inflammation) ; *2°) Arthroses* (désinence-ose liée à l'usure mécanique) ; *3°) Maladies de la colonne vertébrale :* lombalgie, torticolis, hernie discale, sciatique (voir à l'Index) ; *4°) Rhumatismes abarticulaires* (en dehors) tendinites ou enthésopathies (enthèse : insertion, maladie des insertions des tendons ou des bourses séreuses en dehors d'une articulation). *5°) Maladies des os,* congénitales ou acquises : ostéoporose (fréquente), tumeurs malignes ou bénignes ; *6°) Maladies métaboliques* (un produit normal de l'organisme se dépose anormalement au niveau d'une articulation et la rend douloureuse, ex. : goutte avec dépôt d'acide urique).

Maladies inflammatoires. Arthrites et rhumatismes inflammatoires (inflammation de la membrane synoviale des articulations) : 1°) *Déclenchés par une infection à distance : rhumatisme articulaire aigu* (après angine à streptocoques), *arthrites réactionnelles* (après infection intestinale ou génitale). **2°)** *Arthrites microcristallines provoquées par la précipitation dans la synoviale de microcristaux d'urate de sodium* (Goutte, voir p. 102 a) *ou de pyrophosphate de calcium* (chondrocalcinose). **3°)** *De nature inconnue : polyarthrite rhumatoïde* (800 000 cas en France), frappe de nombreuses articulations des membres, peut entraîner des déformations : *spondylarthrite ankylosante* ou *pelvonodylite rhumatismale* (80 000 cas en France) (soudent à des degrés divers sacro-iliaques et vertèbres, parfois secondaires à une arthrite réactionnelle), *connectivites* ou *collagénoses* ou maladies de système (yeux, cœur, poumons, peau, rein, intestin, cerveau, nerfs), en particulier *lupus érythémateux* disséminé (femme jeune, lésions viscérales parfois graves), *pseudopolyarthrite rhizomélique* ou *rhumatisme des ceintures* du sujet âgé, *maladie de Horton, périartérite noueuse, sclérodermie dermatomyosite, syndrome de Gougerot-Sjogren, rhumatisme fibroblastique...*

Lupus érythémateux disséminé (LED). CAUSE : inconnue. Connectivite (maladie du collagène) au cours de laquelle tissus et cellules sont lésés par le dépôt d'anticorps et de complexes immunes et pathogènes (femmes dans 90 % des cas). FRÉQUENCE : mal connue (15 à 50 pour 100 000 aux USA). Maladie polymorphe pouvant s'attaquer à un seul organe au début ou être généralisée d'emblée. Bénin ou évolutif avec issue fatale. SYMPTÔMES : fièvre, asthénie, amaigrissement, douleurs musculaires, arthrites (mains, poignets, genoux), éruptions cutanées à type de vascularite, de lupus discoïde ; insuffisance rénale, lésions du système nerveux (troubles de comportement, paralysies, épilepsie, méningites, névrites périphériques...), thromboses des capillaires, des veines ou des artères de moyen calibre à l'origine des phlébites, d'artérites ou d'embolies, anémie, troubles de la coagulation, péricardites, etc. DIAGNOSTIC : biologique par présence dans le sérum du patient d'anticorps antinucléaires, anti ADN, anti Sm (les 2 derniers spécifiques du LED). TRAITEMENT : anti-inflammatoires non stéroïdiens, corticoïdes, agents cyclotoxiques (azathioprine, chlorambucil, cyclophosphamide). TAUX DE GUÉRISON : 70 % à 10 ans. Infections surajoutées spontanées ou favorisées par traitements et insuffisance rénale sont les 2 causes principales de décès.

Maladies dégénératives. 1°) **Des articulations :** *l'arthrose,* usure prématurée du cartilage, provoque à la longue douleur et enraidissement articulaire. Elle peut frapper une ou plusieurs articulations. Elle concerne les plus de 40 ans et sa fréquence augmente avec l'âge. Touche plusieurs millions de Français. *Arthroses les plus gênantes :* celles du genou (*gonarthrose* touche 2 000 000 de personnes en France) et de la hanche [*coxarthrose* favorisée par des déformations de la hanche congénitales (subluxation) ou acquises dans l'enfance (1/3 des cas)] ; débutent vers 45-50 ans. Dans 2/3 des cas, primitives, elles débutent plus tard. Traitement médical (antalgiques, anti-inflammatoires non stéroïdiens), sinon chirurgical (ostéotomie, prothèses). 2°) **Du rachis et des disques intervertébraux :** l'arthrose peut toucher la colonne vertébrale lombaire *(lombarthrose),* cervicale *(cervicarthrose).* La dégénérescence peut être limitée au *disque intervertébral :* la simple fissure d'un disque est responsable de *lumbagos ou tours de reins* qui guérissent en quelques jours. Si la fissure s'agrandit, il va se former une *hernie discale* qui, en comprimant la racine nerveuse qui passe derrière le disque, provoquera selon l'étage, cervical ou lombaire, une névralgie cervicobrachiale (traitement médical ou, si échec, nucléolyse, chirurgie classique, microchirurgie discale ou ablation du disque par voie percutanée. Prothèses discales à l'étude). Les hernies discales peuvent être mises en évidence par tomodensitométrie (scanner) ou imagerie par résonance magnétique (IRM). Si, à la longue, le disque perd ses qualités mécaniques d'amortisseur, il sera responsable de *lombalgies plus chroniques* (traitement médical, rééducatif, parfois chirurgical). Enfin, la saillie des disques et l'arthrose peuvent rétrécir le canal rachidien, entraînant une *claudication intermittente.* Douleur ou fatigue apparaissant après une certaine distance de marche qui disparaissent à l'arrêt de la marche pour reparaître à sa reprise après une distance identique. 3°) **Des tendons et ligaments :** (voir ci-dessous).

☞ *Association française des polyarthritiques,* 41, rue Monge, 75005 Paris. *Assoc. française de lutte antirhumatismale,* 29, rue Manin, 75019 Paris.

Maladies ostéoarticulaires diverses. Maladie de Paget : remaniement anarchique du tissu osseux de cause inconnue qui entraîne diverses déformations des membres et du crâne (avec surdité possible) ; frappe les + de 50 ans et se caractérise par un aspect radiographique particulier et, dans le sang, par une augmentation du taux des phosphatases alcalines (enzymes). Est le plus souvent bénigne, latente, localisée à une ou quelques pièces osseuses, ne nécessitant pas de traitement (éventuellement calcitonine ou biphosphonates). **Goutte :** maladie métabolique caractérisée par l'accumulation dans les tissus de cristaux d'urate de sodium et par l'augmentation du taux de l'acide urique sanguin ; génératrice de douleurs et de déformations articulaires avec certaines localisations caractéristiques (gros orteil). TRAITEMENT : médicaments (allopurinol). **Chondrocalcinose :** cristaux de pyrophosphate de calcium *dans les articulations* responsables de crises pseudo-goutteuses et d'altérations arthrosiques. **Rhumatisme psoriasique :** rhumatisme inflammatoire particulier observé chez certains sujets atteints d'une maladie cutanée (le psoriasis). **Syndrome algodystropique** ou **ostéoporose douloureuse réflexe :** localisée dans un segment de membre souvent après un traumatisme ; évolue vers la guérison dans un délai de 4 à 18 mois. **Ostéonécrose aseptique :** localisée sur certains os (tête fémorale, genoux) ; due à une obstruction vasculaire intraosseuse.

■ Maladies des muscles, tendons, aponévroses, bourses séreuses

Maladie de Dupuytren. Décrite en 1831. Rétraction de l'aponévrose palmaire de la main, entraînant celle des doigts (d'abord du 4e et 5e). *Causes :* mal connues. *Traitement :* chirurgical ou par fasciotomie à l'aiguille sous anesthésie locale. *Touche* 2 % des adultes (en général v. 45-60 ans).

Maladies de Ledderhose. Rétraction de l'aponévrose de la plante des pieds.

Périarthrites. Maladies des tendons et structures périarticulaires. Altérations dégénératives (par microtraumatismes répétés) ou inflammatoires des tissus (tendons, capsule, bourse séreuse, gaine synoviale des tendons) qui entourent une articulation. *Tendinite :* à l'épaule, à la hanche, au coude *(tennis elbow). Ténosynovite :* main, poignet. Parfois tendinite calcifiante à localisations éventuellement multiples et récidivantes (maladie des calcifications tendineuses multiples). *Ruptures tendineuses :* tendon d'Achille et tendon du long biceps (au bras). *Bursite ou hygroma :* augmentation de volume et inflammation d'une bourse séreuse (en avant du genou, en arrière du coude).

Myasthénie. Altération de la jonction neuromusculaire : la plaque motrice est atteinte, sans lésion apparente ni des muscles ni du système nerveux. *Symptômes divers : diplopie* (impression de voir double), *ptôse* (paupière qui tombe), difficulté pour mâcher, lever les bras, marcher, respirer. *Touche* 40 à 50 personnes sur 1 million (3 000 en France). *Traitement :* plasmaphérèse, corticoïdes, immunosuppresseurs.

Myopathies. Maladies génétiques (une trentaine) se manifestant par une atrophie progressive des muscles. La plupart sont incurables ; leur évolution peut être ralentie par des traitements. EN FRANCE, près de 15 000 enfants atteints. *Myopathie de Duchenne* (décrite par Duchenne de Boulogne en 1868). Transmise par les femmes, apparaît vers 4 ans chez les garçons (0,3 pour 1 000 garçons). En 1986, le gène (synthétisant une protéine, la dystrophine) a été identifié. ADRESSE : *Association des myopathes de France,* 13, place de Rungis, 75650 Paris Cedex 13.

Myosites. Maladies inflammatoires des muscles. Certaines sont dues à des virus, microbes ou parasites. D'autres (polymyosites ou dermatomyosites) sont d'origine inconnue, peut-être immunologique.

Dystonie localisée. Torticolis spasmodique, dysphonie spasmodique, crampe des écrivains (fatigue de la main et du poignet), blépharospasme : spasme des muscles orbiculaires des paupières provoquant leur fermeture inopinée et prolongée. TRAITEMENT : infiltrations locales d'alcool ou de toxine botulinique.

Sang et appareil circulatoire

Sang

■ Données générales

Composition

Le corps contient 4 à 5 litres de sang (soit env. 75 cm³ par kg de poids corporel). Un litre de sang d'adulte est composé de 450 cm³ de *globules rouges* et de 550 cm³ de *plasma* et a une densité de 1,05.

Le sang est légèrement alcalin : potentiel hydrogène (pH) = 7,40 [le pH indique le degré d'acidité ou d'alcalinité ; la solution est acide si le pH est de 0 à 7 ; alcaline s'il est de 7 à 14 (max.)].

Tous les ions (Na, K, Ca, Cl, etc.) peuvent se doser dans le sang. Leurs perturbations peuvent créer des troubles très graves.

Le sang est composé de :

■ **1°) Plasma** (liquide). Transparent, jaune clair, à constitution chimique très complexe. **Contenance :** *protéines* 75 g par l dont albumine 45 g (une diminution du taux d'albumine entraîne une fuite d'eau vers les tissus avec formation d'œdèmes) ; *globulines* 30 g (les gammaglobulines sont douées d'activité anticorps protégeant l'organisme contre les micro-organismes et/ou les corps étrangers qui leur ont donné naissance ; *glucose* (taux de glucose ou glycémie : 0,80 à 1 g/l) ; *lipides ou graisses* (5 à 7 g/l) ; parmi lesquels les plus importants : triglycérides, cholestérol [de *cholé* (bile) et *stéros* (solide)] ; lipide isolé pour la 1re fois des calculs biliaires v. 1769. L'électrophorèse des lipides (séparation en fonction de leur poids moléculaire et de leur charge dans un champ électrique permet de distinguer : le HDL (High Density Lipoprotein), LDL (Light DL), VLDL (Very Low DL) ; présence indispensable dans chaque cellule du corps pour la synthèse de certaines substances [hormones, acides biliaires, vitamine D (+ soleil)] ; quantité 105 à 175 g dans un corps de 70 kg. 10 à 20 % se trouvent dans viande, lait, fromages, œufs, abats, etc., le reste est fabriqué surtout par le foie à partir des sucres et autres graisses, 1,80 à 2,50 g/l (s'élève avec l'âge) ; *triglycérides* (0,50 à 1,50 g/l). Par ailleurs : *urée* (déchets des matières azotées < 0,50 g/l) ; *acide urique* (déchets de nucléoprotéines < 70 mg/l) ; *sels minéraux* (calcium, chlore, sodium, potassium, phosphore).

> **Taux moyens dans le sang.** Acide urique 30 à 70 mg/l (180 à 420 μmol/l). Albumine 35 à 50 g/l (500 à 725 μmol/l). Bilirubine totale 1 à 10 mg/l (2 à 17 μmol/l). Bilirubine conjuguée 0 à 2 mg/l (0 à 3,5 μmol/l). Calcium 88 à 105 mg/l (2,2 à 2,60 μmol/l). **Cholestérol 1,5 à 2,50 g/l (4 à 6,50** μmol/l). Créatinine < 12 mg/l (< 110 μmol/l). Glucose 0,65 à 1 g/l (3,6 à 5,5 mmol/l). Fer 80 à 170 γ % (14 à 30 μmol/l). **Magnésium 18 à 22 mg/l (0,75 à 0,90 μmol/l). Phosphore 25 à 40 mg/l (0,80 à 1,3 μmol/l). Triglycérides 0,50 à 1,50 g/l (0,60 à 1,60 μmol/l). Urée 0,20 à 0,40 g/l (3,3 à 6,6 μmol/l).**

On explore les protides et notamment le système des globulines par : *1°) L'électrophorèse* d'une petite quantité de sérum (plasma modifié par la coagulation) sur papier ou film d'acétate de cellulose. On sépare ainsi (par leur vitesse de migration dans un champ électrique) l'albumine et 4 globulines de poids moléculaires différents (désignées α_1, α_2, β et γ) qu'on peut doser. *2°) L'immuno-électrophorèse* combinant une électrophorèse et la précipitation des globulines par des sérums antiglobulines. On met ainsi en évidence 5 classes d'immunoglobulines, désignées par l'abréviation Ig : IgA, IgG, IgM, IgD, IgE (elles correspondent aux bandes de migrations β et γ de la méthode précédente).

Temps de coagulation : *Test global de la coagulation :* anormal lorsqu'il est supérieur à 15 min. *Temps de Quick :* mesure la suite d'événements coagulants allant du facteur VII, via le X, le V, le II, puis le I (voie extrinsèque de la coagulation). Temps normal : 12 s. *Temps de céphaline activé :* mesure ceux allant du facteur XIII via le XI, le IX, le VIII, le X, le V, le II, puis le VI (voie intrinsèque de la coagulation). Temps normal : 30 à 35 s.

Prothrombine : substance qui, sous l'influence d'une dizaine d'autres facteurs de la coagulation (ex. : facteur VIII, voir Hémophilie p. 104 a) se transforme en thrombine. Celle-ci fait coaguler le sang par transformation du fibrinogène en fibrine. Sa surveillance est très importante au cours des traitements anticoagulants. % normal : entre 70 et 100 % (% attendu en cas de traitement anticoagulant : 15 à 30 %). Le dosage séparé de chaque facteur de la coagulation est possible.

■ **2°) Globules rouges [érythrocytes** (du grec *eruthros :* rouge, et *kutos :* cellule) **ou hématies]. Nombre :** 3,7 à 5,9 millions par mm³ de sang (3,7 à 5,9 × 10¹² par l). Augmente avec l'altitude (6 millions par mm³ à 3 700 m, 7 à 4 500 m) après un certain temps d'acclimatation. Dans certaines maladies, le volume total des globules rouges peut varier entre 5 l (grandes polyglobulies) et 1/4 de l (anémies extrêmes). **Contenance :** *hémoglobine* (transporteur de l'oxygène, 12 à 16 g par litre). **Origine :** naissent dans la moelle osseuse chez l'adulte, dans le foie chez le fœtus, vivent env. 4 mois et sont détruits principalement dans la moelle osseuse et la rate.

Indices érythrocytaires : calculés à partir du nombre des globules rouges, de l'hémoglobine évaluée en poids et de *l'hématocrite* (rapport globules rouges/sang total : 35 à 48 %) : *1°) volume globulaire moyen :* hématocrite/nombre de globules rouges ; *2°) teneur globulaire moyenne en hémoglobine* (28 à 34 pg par globule) : hémoglobine (en poids)/nombre de globules rouges ; *3°) concentration moyenne en hémoglobine :* hémoglobine/ hématocrite.

Vitesse de sédimentation : rapidité avec laquelle les globules rouges se déposent au fond d'un tube exactement calibré. *1 h :* 3-10 mm ; *2 h :* jusqu'à 20 mm ; *24 h :* 40 à 60 mm. Son accélération traduit généralement un état inflammatoire ou une maladie systémique sous-jacente, mais s'observe aussi en cas d'anémie.

■ **3°) Globules blancs [leucocytes** (du grec *leukos :* blanc et *kutos :* cellule)]. **Nombre :** 4 000 à 11 000 par mm³ de sang (4 à 11 × 10⁹ par l). **Origine :** naissent dans la moelle osseuse ; une partie (lymphocytes T) se différencient dans le Thymus.

Leucocytes polynucléaires : ils ont normalement un noyau de 1 à 5 lobes et leur protoplasme contient des granulations (d'où leur autre nom de *granulocytes* et le terme d'*agranulocytose* pour désigner la disparition des polynucléaires du sang). Ils sont neutrophiles (60 à 70 %), basophiles (0,4 à 1 %) et acidophiles (synonyme d'éosinophile, 1 à 3 %) selon l'affinité de leurs granulations avec des colorants neutres, basiques ou acides. Ces 3 variétés se distinguent aussi par d'autres caractères : morphologie du noyau et des granulations, rôles physiologiques et pathologiques différents (les neutrophiles jouent un rôle primordial dans la défense contre les bactéries, les phagocytant et les digérant littéralement). Les *polynucléaires* séjournent dans le sang quelques heures et passent dans les tissus où ils meurent après avoir éventuellement rempli leur fonction.

Leucocytes mononucléaires : *lymphocytes* (diam. 6 à 8 μm) : 25 à 45 % ; ils quittent les vaisseaux sanguins et passent dans les vaisseaux lymphatiques et les ganglions ; la plupart ont une vie courte. Les lymphocytes mémoire sont de nature T ou B et le support de la mémoire immunitaire. La réponse immunitaire dépendante des lymphocytes B est véhiculée par les anticorps (réponse immunitaire humorale) et celle dépendante des lymphocytes T par les lymphocytes T effecteurs (cytotoxiques et sécréteurs de lymphokines) : réponse immunitaire à médiation cellulaire. *Monocytes* (diam. 15 à 40 μm) : 3 à 8 % ; participent aussi à la défense de l'organisme en englobant des particules ; quittent les vaisseaux sanguins pour gagner les tissus (diapédèse) et se différencient en macrophages.

■ **4°) Plaquettes sanguines ou thrombocytes.** Fragments de cytoplasme d'une grande cellule médullaire : le mégakaryocyte. **Nombre** (taux normal) : 150 000 à 450 000 par mm³ de sang (150 à 450 × 10^9 par l). *Durée de vie moyenne :* 7 j. Lors de la coagulation du sang, le **fibrinogène** se polymérise en un réseau de fibrine enserrant dans ses mailles les globules et formant ainsi un *caillot* qui se rétracte grâce aux plaquettes. Le liquide plasmatique restant prend alors le nom de **sérum** (plasma = sérum + fibrinogène).

■ Groupes sanguins

Les groupes sanguins sont définis par les antigènes présents sur les globules rouges. Leur transmission héréditaire obéit à des lois rigoureuses.

■ **Système ABO.** Les globules rouges d'un individu ont sur leur membrane des antigènes de structure différente : A, B, A et B, ni A ni B (O). De plus, chaque individu a naturellement dans son plasma des **anticorps** dirigés contre le ou les antigènes qu'il ne possède pas. Si un sérum contenant un anticorps est mis en présence d'hématies contenant l'antigène correspondant, il y aura agglutination puis, éventuellement, hémolyse (destruction des globules).

Pour que les anticorps présents chez le receveur ne détruisent pas les globules rouges transfusés, les transfusions de globules rouges doivent être faites entre sujets de même groupe (ou tout au moins de groupes compatibles).

Syst. ABO Groupe sanguin	Antigène sur l'hématie	Anticorps dans le sérum
A	A	Anti B
B	B	Anti A
AB	A et B	–
O	–	Anti A et Anti B

Groupe sanguin	Peut donner à	Peut recevoir de
AB	AB	Tous
A	AB, A	O, A
B	AB, B	O, B
O	Tous	O

Nota. – Ces règles ne concernent que le système ABO. Il faut également tenir compte des agglutinines irrégulières (voir ci-dessous) et ne transfuser que des globules rouges dépourvus de l'antigène correspondant à ces agglutinines.

Le groupe sanguin de la naissance est conservé toute la vie, même si l'on subit de multiples transfusions sanguines d'un autre groupe. La seule exception connue est la greffe de moelle osseuse.

Fréquence en %. *Moyenne mondiale :* O : 38,81 ; A : 31,41 ; B : 22,81 ; AB : 6,97. *France :* O : 45 ; A : 44 ; B : 8 ; AB : 3. *Aborigènes d'Australie :* A : 61,33 ; O : 38,67 ; B : 0 ; AB : 0. *Bantous du Congo :* O : 51,66 ; A : 25,01 ; B : 19,60 ; AB : 3,66. *Japon :* A : 37,34 ; O : 31,51 ; B : 22,06 ; AB : 9,10. *Peaux-Rouges :* O : 90. *Esquimaux :* O : 86.

■ **Système antigène D, ou facteur Rhésus (Rh).** Découvert chez le singe *Macacus rhesus.* 85 % des individus de race blanche le possèdent. Un individu ne possédant pas le facteur Rhésus (dit Rh + ou D +) ne doit recevoir que du sang Rh –, car un anticorps anti-Rh peut se développer dans le sang du receveur et être à l'origine d'accidents graves lors de transfusions ultérieures. Cette « sensibilisation », c'est-à-dire le développement d'anticorps dits « agglutinites irrégulières » (par opposition aux anticorps naturels du système ABO), peut être aussi le fait de la grossesse. Lorsqu'un fœtus est Rh + (par son père) et sa mère Rh –, des globules rouges de l'enfant peuvent traverser le placenta et provoquer la formation d'un anticorps anti-Rhésus chez la mère. Cet anticorps passant dans la circulation du fœtus lors d'une grossesse ultérieure déclenchera une destruction massive des globules rouges du fœtus s'il est Rh +. C'est la *maladie hémolytique du nouveau-né* (Voir Mortinatalité à l'Index). L'injection systématique d'immunoglobulines Anti-D (ou sérum Anti-Rh) chez les femmes Rh – encore non immunisées, après tout accouchement d'enfant Rh + ou après tout avortement, permet presque toujours d'éviter l'apparition des anticorps anti-Rh.

■ **Système HLA** *(Human Leucocyte Antigen)* **ou système majeur d'histocompatibilité.** Les gènes du complexe majeur d'histo-incompatibilité conditionnant les molécules HLA sont situés sur le chromosome 6. On connaît + de 20 gènes et + de 120 allèles (version alternative d'un même gène). *Classe I :* série A (24 allèles), B (50 all.), C (11 all.). *Classe II :* série D avec les loci (un locus est un segment de DNA défini par son contenu informationnel = gène), DR (20 all.), DQ (9 all.), DP (6 all.), DN et DO. *Classe III :* conditionnent les composants du complément C 4 (11 all.), Bf (4 all.) et C 2 (4 all.). Il y a plus de 1 milliard de combinaisons génotypiques possibles. Pratiquement absents sur les globules rouges, mais en quantité importante sur les globules blancs (d'où leur nom). On a retrouvé ces anticorps sur toutes les cellules de l'organisme en quantité variable selon les tissus. Ils jouent un rôle primordial dans le rejet ou la prise des greffes de tissus ou d'organes, ainsi que dans la tolérance de la grossesse. L'histocompatibilité ne se rencontre guère que parmi les frères et sœurs. La détermination du groupe HLA est essentielle pour les greffes d'organes et de moelle osseuse et pour les transfusions de globules blancs et de plaquettes. Certains groupes HLA semblent prédisposer à certaines maladies telles la spondylarthrite ankylosante et l'allèle B 27.

■ **Systèmes Kell, MNS, Kidd, Duffy, etc.** Il n'y a pas d'agglutinines naturelles correspondantes dans le plasma, mais des agglutinines irrégulières peuvent se développer par transfusion ou par grossesse et être responsables d'accidents transfusionnels.

■ **Autres antigènes (P1, Lewis[a], Lewis[b], etc.).** S'ils manquent, des anticorps irréguliers naturels peuvent se développer sans inconvénient pour les grossesses (ne traversent pas le placenta), avec des inconvénients mineurs pour les transfusions. Certains antigènes ne se retrouvent que dans certaines ethnies (antigène Diego, Indiens d'Amérique), ou même dans certaines familles (antigènes privés). A l'opposé, un antigène très répandu (ant. publics) peut manquer chez de très rares individus.

☞ **Recherche d'hérédité :** en confrontant les groupes ABO, Rh, MNS et HLA (qui permet de résoudre 94 % des problèmes d'exclusion de paternité) de la mère, de l'enfant et du père présomptif, on peut éliminer des paternités faussement alléguées (devant le tribunal de grande instance). L'identité biologique des individus était jusqu'à présent établie sur des marqueurs phénotypiques (caractères biologiques particuliers à chaque individu). En multipliant les marqueurs, on obtient une fiabilité d'env. 99 %. La biologie moléculaire et particulièrement l'étude des minisatellites (régions particulières du génome humain) permet de réaliser des « empreintes génétiques » (techniques des sondes multi-locus de Jeffreys) résolvant pratiquement tous les problèmes d'identification posés.

■ Rôle du sang

Le plasma transporte les déchets aux organes qui les éliminent (rein, foie) et apporte à l'ensemble du corps les éléments nutritifs nécessaires. Il contient eau, sels minéraux, glucides, lipides et protides (albumine, globulines) à des taux constants, maintenus grâce aux divers mécanismes régulateurs.

Les globules rouges constituent l'agent de la respiration tissulaire grâce à l'hémoglobine qu'ils contiennent. A la pression atmosphérique, celle-ci possède une grande affinité pour l'oxygène et se transforme en *oxyhémoglobine* vermeille *(sang artériel).* Dans les capillaires des tissus, sous l'influence de la chute de pression d'oxygène, l'oxygène quitte l'hémoglobine. C'est alors l'hémoglobine réduite ou *désoxyhémoglobine,* plus sombre *(sang veineux).* L'hémoglobine possède aussi une affinité pour l'oxyde de carbone (250 fois plus grande que pour l'oxygène) et forme avec ce gaz un composé stable rouge groseille, la *carboxyhémoglobine.*

Les globules blancs défendent l'organisme de plusieurs façons :

les polynucléaires englobent et détruisent *les bactéries (phénomène de phagocytose) :* le *pus* est la résultante de leur action ;

les monocytes (forme circulante du macrophage tissulaire) jouent un rôle dans la phagocytose et dans l'immunité (en coopération avec les lymphocytes) ;

les lymphocytes B (donnant par transformation les *plasmocytes*) sécrètent des anticorps qui passent dans le sang (immunité humorale) ; les *lymphocytes T* sont le principal obstacle à la prise des greffes et le substratum des réactions cutanées positives à la tuberculine et autres antigènes (immunité cellulaire). Les lymphocytes T4 et T8 sont particulièrement concernés dans le syndrome d'immunodéficience acquis (SIDA), la molécule CD4, caractéristique du lymphocyte T4, constituant le récepteur du virus VIH.

Substituts du sang. *Fluosol-DA,* mis au point au Japon, expérimenté pour la 1re fois chez l'homme en 1979. Perfluorocarbone (molécules d'hydrocarbure où les atomes d'hydrogène sont remplacés par des atomes de fluor). Capable de transporter l'oxygène des poumons vers les tissus. Pourrait se substituer en cas d'urgence aux transfusions de globules rouges (sans avoir à pratiquer une analyse de groupe sanguin) mais ne peut assurer les autres fonctions du sang (coagulation, défense immunitaire). Utilisation pratique difficile (nécessité d'équipement hyperbare). **Solutions d'hémoglobine.** A l'étude : dérivé de sang de vache *(Hémopure),* de truie, de souris (les gènes de l'hémoglobine humaine sont injectés dans l'œuf fécondé in-vitro, puis réimplantés dans l'utérus de l'animal) ; dès la naissance, les animaux sécrètent en partie de l'hémoglobine humaine.

■ Maladies du sang

■ **Anémie.** Baisse de l'hémoglobine (< 12 g chez la femme et l'enfant, < 13 g chez l'homme, < 14 g chez le nouveau-né). Nombreuses variétés :

Anémie après saignement abondant : fréquence liée à celle des hémorragies.

Anémie par destruction exagérée des globules rouges (anémie hémolytique) : peut être due à une malformation héréditaire des globules rouges, ou acquise. Assez rare. La destruction des globules rouges peut être aussi liée à des anticorps (anémie hémolytique auto-immune), des parasites (paludisme) ou plus rarement des microbes (septicémies).

Anémie par carence vitaminique (vitamine B12 ou/et folates) dont Anémie de Biermer, macrocytose (à globules rouges dont le volume est augmenté) ; atrophie de la muqueuse de l'estomac, troubles nerveux. Peu fréquente. Évolution grave en l'absence de traitement. Frappe surtout les Blancs. CAUSES : congénitale, toxique, néoplasique ou malnutrition. TRAITEMENT : vitamine B 12.

Anémie hypochrome ou à carence martiale, à microcytose (globules petits et décolorés) ; traduit un appauvrissement en fer, presque toujours consécutif à des hémorragies peu abondantes mais continues. Fréquente. TRAITEMENT : sels ferreux.

Anémie inflammatoire (consécutive à une infection).

Anémie secondaire à une maladie métabolique (maladie rénale, hépatique ou thyroïdienne).

Anémie d'origine médullaire. Provient d'un défaut de fabrication par la moelle osseuse. D'origine aplasique (toxique) ou néoplasique (leucémie, métastase, lymphome). Grave, avec fièvre et hémorragies, très rare.

■ **Drépanocytose.** Héréditaire, répandue chez les Noirs (aux USA, 1 sur 10, en Afrique 4 sur 10 dans certains pays) et sud de l'Inde (1 sur 4). Caractérisée par la présence dans les globules rouges d'une hémoglobine anormale dite HbS. La désoxygénation de l'hémoglobine entraîne une déformation en faucille des globules rouges, créant un risque de thrombose et d'anémie. Cette tare atténue chez ceux qui en sont atteints la fréquence et la gravité du paludisme. L'anomalie moléculaire est le remplacement d'un seul acide aminé (glutamine) par un autre (valine). Dans la forme majeure, homozygote, l'évolution est très grave, nécessitant des transfusions à répétition.

■ **Dysglobulinémies.** Comportent une augmentation considérable d'un des 5 types d'immunoglobulines. PRINCIPALES : le **myélome** [douleurs et tumeurs osseuses avec infiltration de la moelle osseuse par des plasmocytes (dérivés des lymphocytes), augmentation de l'IgG, plus rarement de l'IgA, exceptionnellement de l'IgD dans le sang] ; la **maladie de Waldenström** [ganglions, grosse rate, infiltration de la moelle osseuse par des éléments intermédiaires entre lymphocytes et plasmocytes, augmentation des IgM (appelée aussi *macroglobulinémie* en raison du gros poids moléculaire de cette globuline)]. La mort du Pt Pompidou peut être attribuée à une dysglobulinémie.

■ **Hémochromatose.** Accumulation de + de 50 g de fer dans les organes et les tissus (au lieu de 5 g). Le fer est réparti entre hémoglobine (3 g), réserves du foie, de la rate et de la moelle osseuse (1 g), fer sérique et fer lié aux autres pigments (la myoglobine notamment) et les enzymes héminiques (surtout respiratoires). Le métabolisme du fer se fait pratiquement en cercle clos avec des apports alimentaires faibles qui compensent en théorie facilement des pertes cutanées, urinaires et intestinales limitées (env. 1 mg/j). Les femmes ont un besoin accru en fer lors de la menstruation (les règles entraînent une perte d'env. 10 mg) et de la grossesse (demande env. 700 mg). *Hémochromatose intestinale dite idiopathique* quand elle est causée par une absorption digestive de fer trop importante : c'est une maladie familiale héréditaire. *Hémochromatoses secondaires :* dues à des transfusions répétées (après plus de 100 transfusions en moyenne) ou à la cirrhose éthylique (absorption massive du fer contenu dans le vin). SIGNES LES PLUS FRÉQUENTS : *mélanodermie* (coloration brune de la peau), *hépatomégalie* (augmentation de la taille du foie), *arthralgies* (douleurs des articulations), insuffisance cardiaque. DIAGNOSTIC : confirmé par des analyses biologiques. TRAITEMENTS : préventifs (transfusions limitées à leur stricte nécessité) et curatifs (saignées répétées, chélateurs du fer permettant une élimination urinaire). FRÉQUENCE : touche 4 personnes sur 1 000.

■ **Hémophilie.** Héréditaire, transmise par les femmes elle se manifeste chez les hommes. Impossibilité pour le sang de se coaguler ou coagulation très longue due à l'absence d'un des facteurs nécessaires à la coagulation (facteur VIII : hémophilie A ; facteur IX : hém. B). Une blessure légère peut donc causer une grosse hémorragie. *Hémophilie de Leyde* (ville hollandaise où elle fut identifiée) : s'atténue à la puberté, guérit à l'âge adulte.

TRAITEMENT : jadis les hémophiles atteignaient rarement l'âge adulte. Actuellement, au lieu d'apporter les facteurs VIII et IX par des transfusions abondantes, on utilise des fractions de plasma ou de concentrés d'un de ces facteurs. La production de facteur VIII par génie génétique (facteur VIII recombinant) est acquise. Les malades peuvent conserver ces fractions dans leur réfrigérateur et se les faire injecter par voie intraveineuse à la moindre alerte, ce qui diminue la gravité des accidents hémorragiques et abrège les incapacités de travail. Diagnostic anténatal possible.

NOMBRE D'HÉMOPHILES EN FRANCE : env. 5 000. Beaucoup ont été contaminés par le sida lors de transfusions sanguines, avant la mise en place du dépistage obligatoire du VIH.

■ **Leucémie.** Prolifération de globules blancs de type cancéreux. *Leucémie myéloïde chronique* avec hypertrophie de la rate et accroissement des globules blancs de la lignée des polynucléaires ; aiguë. *Lymphoïde chronique* avec hypertrophie des ganglions et de la rate, sang riche en lymphocytes ; *aiguë* avec anémie, hémorragie et fièvre, peu d'hypertrophie des ganglions et de la rate ; env. 40 % de l'ensemble des leucémies ; fièvre variable dans le temps et selon les pays.

FRÉQUENCE : frappent un peu plus les hommes que les femmes. Les lymphoïdes avant 40 ans, les myéloïdes après 40 ans dans 75 % des cas. Les chroniques s'observent surtout à partir de 40 ans, les aiguës à partir de 2 ans (mais peuvent survenir dès la naissance).

TRAITEMENTS : diverses substances chimiques détruisant les cellules anormales (antimitotiques capables de bloquer la mitose ou division cellulaire) et variant selon le type de leucémie, cortisone, transfusions. Les leucémies chroniques ne guérissent pas, sauf la leucémie myéloïde chronique lorsqu'une allogreffe de moelle osseuse est possible, mais les traitements peuvent procurer de longues survies. On améliore la durée des rémissions complètes des leucémies aiguës de l'adulte, notamment par le recours éventuel à la greffe de moelle (autogreffe ou allogreffe histocompatible) qui permet d'administrer des chimiothérapies plus lourdes et prolongées. Dans les formes lymphoblastiques de l'enfant, les survies sans rechute à 4 ans sont nombreuses ; lorsqu'elles dépassent 10 ans la guérison est à peu près certaine.

☞ En 1990, le Pr Étienne Vilmer (hôpital Robert Debré, Paris) a soigné un enfant atteint de leucémie aiguë avec du sang prélevé sur un cordon ombilical.

TAUX DE MORTALITÉ PAR LEUCÉMIE : *les plus élevés :* Danemark (8,3 pour 100 000 personnes), Berlin (8,2), Suède (8). *Les plus bas :* Espagne (3,3), Pologne (3,9). *France (7).*

■ **Leucopénie.** Baisse des globules blancs ; parfois accentuée et durable en rapport avec une intoxication (pyramidon surtout) ou une dépression de la moelle osseuse. Elle expose à des infections très graves. TRAITEMENT : antibiotiques et éventuellement transfusions de globules blancs.

■ **Maladie de Hodgkin.** Maladie grave des ganglions lymphatiques atteignant de préférence des adultes jeunes. TRAITEMENT : radiothérapie et chimiothérapie, guérissant dans 70 à 80 % des cas reconnus précocement ; même dans les formes très étendues on peut observer de longues rémissions. **Lymphome malin non hodgkinien.** Maladie proche. TRAITEMENT : chimiothérapique ou plus rarement radiothérapeutique du fait de son extension généralisée (souvent rapide dans les formes graves).

■ **Mononucléose infectieuse** (voir p. 131 a).

■ **Purpura.** Éruption, sur la peau, de taches sanglantes (les petites sont appelées **pétéchies**, et les grandes **ecchymoses**). NOMBREUSES VARIÉTÉS : **Purpura hémorragique :** s'accompagne d'hémorragies diverses : nez, gencives, utérus, etc., traduit presque toujours une baisse considérable des plaquettes sanguines *(thrombopénie).* FORMES : *Purpura infectieux :* atteinte des vaisseaux avec troubles de la coagulation. *P. médicamenteux et allergique. P. rhumatoïde :* avec douleurs articulaires surtout chez l'enfant, généralement bénin. *Angéite nécrosante :* atteinte des vaisseaux par des immunes complexes. **Purpura par fragilité vasculaire :** *d'origine médicamenteuse ou sénile. D'origine génique :* touche plus souvent les femmes et se traduit par une fragilité capillaire constitutionnelle ou la maladie de Rendu-Osler. **Purpura mécanique :** consécutif à la piqûre d'insectes ou à l'effort (aux plis de flexion). TRAITEMENTS : transfusions répétées dans la forme complète selon la variété : antibiotiques, cortisone, perfusion de fractions coagulantes de plasma, ablation de la rate, immunoglobulines, intraveineuses, etc.

■ **Saturnisme.** Intoxication par plomb ou sels de plomb soit professionnelle (imprimerie ou peinture), soit pour avoir habité des logements vétustes avec peintures au plomb. SYMPTÔMES : Stries bleuâtres au rebord des gencives (liséré de Burton), conséquence de l'élimination du plomb par la salive, pyorrhée alvéolaire, colique de plomb, crise douloureuse abdominale paroxystique avec vomissements et constipation opiniâtre ; accidents nerveux à type de crise d'épilepsie, délire, troubles psychiques divers, hypertension artérielle et insuffisance rénale. TRAITEMENT : suppression du contact toxique.

■ **Thalassémie.** Héréditaire. Production insuffisante d'hémoglobine normale (molécule transportant l'oxygène dans le sang). Touche des dizaines de millions de personnes dans sa forme bénigne ou mineure (hétérozygote). La forme complète (homozygote) est grave mais rare (surtout Bassin méditerranéen et Extrême-Orient). TRAITEMENT : des formes graves par greffe de moelle osseuse, notamment forme B (Bêta) avec 75 % de guérison si faite avant l'âge de 6 ans. *Diagnostic anténatal* possible.

Sangsues

Leur utilisation en médecine remonte à l'Antiquité : laryngites aiguës, néphrites, névralgies, saignements de nez, ophtalmies, gastrites aiguës, scarlatine, appendicite, accidents vasculaires cérébraux (congestion cérébrale)... Elles sécrètent une substance anticoagulante (l'hirudine) et « adorent » le sang désaturé en oxygène. On peut les utiliser pour drainer des zones où le retour veineux s'effectue mal. Pour inciter la sangsue à « mordre », on peut placer sur la zone choisie de l'eau sucrée ou du lait, ou faire une minuscule piqûre. En 10 ou 20 minutes elle se détache elle-même après avoir absorbé 10 à 15 millilitres de sang, soit 6 à 9 fois son propre poids. Il lui faut alors, pour digérer, 12 à 18 mois. Si l'on veut la réutiliser plus tôt, on peut lui faire « régurgiter son repas » en la mettant dans une solution d'eau salée ou vinaigrée.

Lymphe

Liquide incolore qui baigne la peau et tous les organes. Représente 1/4 du poids du corps. 2 sortes :

Lymphe interstitielle. Formée par le plasma sanguin filtré à travers la paroi des capillaires artériels des tissus. Elle remplit les espaces conjonctifs des tissus et constitue une réserve de plasma utilisée en cas d'hémorragie.

Lymphe circulante. L'*appareil lymphatique* comprend des capillaires qui plongent dans les tissus conjonctifs et drainent la lymphe interstitielle. Ils convergent vers les vaisseaux lymphatiques. Aux points de confluence des vaisseaux se trouvent des ganglions. Les lymphatiques de la moitié droite de la tête et du thorax se réunissent dans la grande veine lymphatique (long. 1 cm) qui se jette dans la veine sanguine sous-clavière droite. Les lymphatiques du reste du corps rejoignent le canal thoracique (long. 25 cm, diam. 3 mm) qui débouche dans la veine sous-clavière gauche.

Composition. *Lymphe interstitielle :* variable et mal connue. *Lymphe circulante :* composition d'un sang privé de globules rouges : 97 % de plasma, 3 % de leucocytes (formés dans les ganglions lymphatiques). La lymphe est moins riche en aliments et plus riche en déchets que le sang.

Les lymphatiques de l'intestin grêle jouent un rôle essentiel dans l'absorption des graisses. Appelés **chylifères,** ils drainent les graisses absorbées par la paroi intestinale vers le canal thoracique, tandis que les protides et les hydrates de carbone empruntent la voie veineuse (veine porte).

■ **Rate.** Glande vasculaire lymphoïde située sous le diaphragme (env. 200 g, long. 13 à 16 cm, épaisseur 3,3 à 4,5 cm). Réservoir sanguin placé en dérivation de la grande circulation fabrique les lymphocytes, stocke le fer organique, détruit les globules rouges usés, protège contre infections et intoxications, joue un rôle dans la digestion, mais non indispensable à la vie.

Système circulatoire

■ **Description. Le cœur :** organe musculaire creux dont les parois sont formées de 3 tuniques. De l'extérieur vers l'intérieur : 1°) **le péricarde** (séreuse formée de 2 feuillets glissant l'un sur l'autre ; le feuillet externe est lié aux organes thoraciques, le feuillet intérieur est soudé au cœur) ; 2°) **le myocarde** (fibres musculaires striées, ramifiées et anastomosées) ; 3°) **l'endocarde** (mince épithélium qui tapisse l'intérieur des 4 cavités : 2 *oreillettes* et 2 *ventricules*). Des *valvules* (soupapes) placées à l'entrée et à la sortie des ventricules dirigent le sang dans le bon sens. **Les vaisseaux** qui sont de 3 types : **artères** qui conduisent le sang du cœur vers les organes ; **veines** qui ramènent au cœur le sang appauvri en oxygène qui a irrigué les organes ; **capillaires** (diamètre 4 à 16 µm, parois 1 à 2 µm) qui, à l'intérieur des organes, font communiquer veines et artères. L'intérieur des vaisseaux est tapissé d'*endothélium,* prolongement de l'endocarde. Cette surface, très lisse, facilite le glissement du sang et empêche sa coagulation.

L'activité mécanique du cœur comporte 2 phases : contraction des ventricules (sang éjecté sous forte pression dans l'aorte et les artères pulmonaires), et relâchement (le sang, arrivé au cœur par les veines caves et pulmonaires, passe des oreillettes dans les ventricules). Le débit du cœur est de 65 à 100 cm³ par contraction. Il envoie 5 à 7 l de sang par minute dans les artères, selon la taille et le poids du sujet, et l'importance de l'effort qu'il fournit. À cause de ce débit important, une plaie d'une grosse artère peut être mortelle en quelques minutes.

■ **Vitesse du sang.** *Au départ des gros troncs :* 50 cm/s ; *dans les capillaires :* quelques mm/s. Pour aller d'une main à l'autre, 11 à 15 s ; de la cuisse au pied, 2 s.

■ **Tension artérielle.** Varie à chaque battement du cœur pour passer successivement par un maximum [pression dans les artères au moment de la contraction cardiaque (12 à 14 cm de mercure au bras)] et un minimum [pression se maintenant dans les artères entre 2 contractions cardiaques (environ 8 cm de mercure au bras)]. CAUSES DE VARIATIONS : *augmentation :* certaines substances toxiques, émotions, efforts, durcissement des artères, maladies rénales. *Diminution :* hémorragies, insuffisance cardiaque, certaines maladies, fatigue.

■ **Pouls.** Il représente le passage de l'onde provoquée par chaque contraction cardiaque. **Pulsations par minute** (au repos) : *1 an* 115 à 130. *2 ans* 100 à 115. *7 ans* 85 à 90. *14 ans* 80 à 90. *Adultes* 60 à 80. 70 à 72 (homme), 78 à 80 (femme). *Limites extrêmes* possibles (mais anormales) : 15 à 30. On compte en moyenne une accélération de 18 battements par minute par degré de température au-delà de 37°.

■ **Bruits du cœur.** Bruits normaux du cœur (2) et bruits surajoutés, de souffles ou de frottements peuvent également être entendus avec le *stéthoscope* et enregistrés par un phonocardiographe.

■ **Électrocardiogramme** (ECG). Enregistrement des variations de l'activité électrique du cœur en fonction du temps. Toute cellule vivante étant polarisée, cette activité comporte une phase de dépolarisation rapide, suivie d'une phase de repolarisation plus lente. Ces phases créent des différences de potentiel qui se transmettent à tout le corps. L'ECG recueille ces variations à la surface du corps par des électrodes appliquées sur la peau et reliées par des fils conducteurs à un appareil comportant un amplificateur, un

Calculez vos risques d'infarctus

Sexe	Âge	Hérédité[1]	Tension[2]	Tabac[3]	Régime	Poids[4]	Exercice
1 Femme – de 40 ans	1 10-20 ans	1 aucun	1 10	0 non fumeur	1 Pratiquement sans beurre, huile, œufs	0 – de 2,5 kg au-dessous	1 Travail actif, exercices intensifs
2 Femme 40 à 50 ans	2 21-30 ans	2 1 parent à + de 60 ans	2 12	1 cigare et/ou pipe	2 Grillades, légumes, peu d'œufs et mat. grasses	1 – de 2,5 kg à + de 2,5 kg	2 Travail actif, exercices modérés
3 Femme + de 50 ans	3 31-40 ans	3 2 parents à + de 60 ans	3 14	2 10	3 Normal avec œufs, sans fritures, ni sauces	2 3 à 10 kg au-dessus	3 Travail sédentaire, exercices intensifs
5 Homme	4 41-50 ans	4 1 parent à – de 60 ans	4 16	4 20	4 Normal avec quelques fritures et sauces	3 10 à 16 kg au-dessus	5 Travail sédentaire, exercices modérés
6 Homme trapu	6 51-60 ans	6 2 parents à – de 60 ans	6 18	6 30	5 Riche avec souvent fritures, sauces, gâteaux...	5 17 à 25 kg au-dessus	6 Travail sédentaire, peu d'exercice
7 Homme trapu et chauve	8 61-70 ans	7 3 parents à – de 60 ans	8 20 ou +	10 40 et +	7 Gastronomique avec beaucoup de sauces	7 25 à 32 kg au-dessus	8 Manque total d'exercice

Nota. (1) Nombre de parents ayant eu une maladie cardio-vasculaire. (2) Chiffre maximal. (3) Nombre de cigarettes par jour. (4) Par rapport au poids souhaitable en fonction de la taille. Homme et, entre parenthèses, femme. 1,50 m : 50 (50), 1,55 m : 54 (52,5), 1,60 m : 57,5 (55), 1,65 m : 61,5 (57,5), 1,70 m : 65 (60), 1,80 m : 72,5 (65), 1,85 m : 76,5 (67,5), 1,90 m : 80 (70), 1,95 m : 84 (72,5).

Résultats. *6 à 11 :* vos risques d'infarctus sont très faibles. *12 à 17 :* vos risques sont faibles. *18 à 24 :* vos risques sont réels mais encore peu inquiétants. *25 à 31 :* vous devriez faire attention, vos risques sont assez nets. *32 à 40 :* vos risques sont grands. *41 à 62 :* vos risques sont très grands, voyez votre médecin. (*Source :* Fédération française de cardiologie, 50, rue du Rocher, 75008 Paris).

Questions et examens pratiqués pour apprécier le risque doivent porter sur : *âge* (fréquence plus élevée entre 50 et 70 ans) ; *sexe* (le risque féminin rejoignant le masculin après la ménopause) ; *poids* [excédentaire s'il ne semble pas être un facteur de risque il s'accompagne d'autres facteurs de risque : sédentarité (prédisposant à l'obésité), tabagisme (atteinte coronarienne multipliée par 2 à 10), hypertension artérielle (facteur important)] ; *psychisme* et *mode de vie :* les anxieux soumis à des stress quotidiens sont plus souvent touchés et leur mortalité en cas d'infarctus est plus grande ; *diabète sucré :* 10 % des malades faisant un infarctus du myocarde en sont atteints ; *dyslipidémies* (augmentation des graisses dans le sang) : l'augmentation du cholestérol est liée à la fréquence et à la précocité de l'infarctus ; *hyperuricémie* (augmentation de l'acide urique dans le sang), car elle augmente l'athérosclérose en diminuant le diamètre des artères ; *utilisation de pilules contraceptives* contenant des œstrogènes de synthèse ; *surconsommation de sel.*

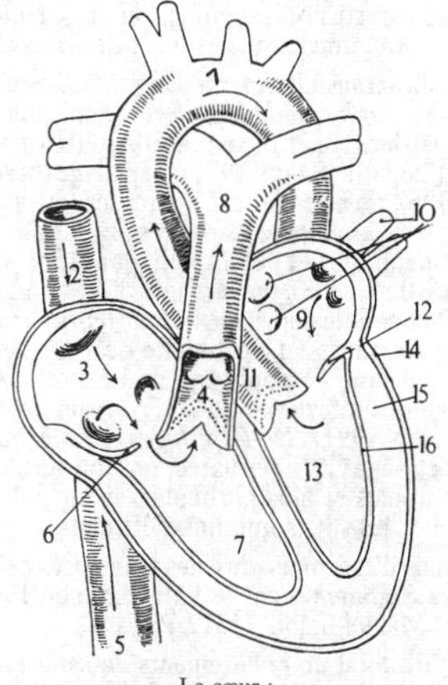

Le cœur :
1 aorte. *2* veine cave supérieure. *3* oreillette droite. *4* orifice de l'artère pulmonaire. *5* veine cave inférieure. *6* valvule tricuspide. *7* ventricule droit. *8* artère pulmonaire. *9* oreillette gauche. *10* veine pulmonaire. *11* orifice de l'aorte. *12* valvule mitrale. *13* ventricule gauche. *14* péricarde. *15* myocarde. *16* endocarde.

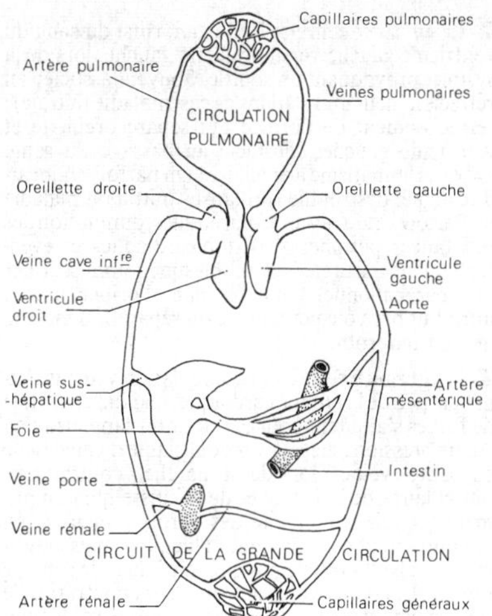

Schéma général de la circulation

galvanomètre et un système d'inscription sur un papier qui se déroule à vitesse constante. Des dérivations bi- ou unipolaires peuvent être utilisées, mais le tracé comporte toujours une onde P correspondant à la contraction des oreillettes, puis un complexe ventriculaire comportant l'onde QRS de dépolarisation rapide, et l'onde T lente de repolarisation.

L'intervalle PR reflète le temps de conduction de l'influx entre oreillettes et ventricules.

L'ECG permet d'apprécier le rythme cardiaque, la taille des parois et des cavités du cœur (l'augmentation d'épaisseur constituant l'hypertrophie), l'existence d'anomalies de cheminement de l'activité électrique et de la circulation dans les artères coronaires. L'arrêt de cette dernière entraîne la destruction d'une partie du muscle cardiaque dont l'activité électrique anormale peut être décelée par l'ECG.

■ **Échocardiographie.** Permet de visualiser cavités et parois cardiaques, vaisseaux par émission d'ultrasons à partir d'un capteur placé sur le thorax ou l'œsophage (échocardiographie transœsophagienne). **Coronarographie.** Permet de visualiser les coronaires par produit contrastant lors de la radiographie.

■ **Holter.** Enregistrement dans une cassette placée sur la poitrine pendant 24, 48 ou 72 h, qui permet de noter les modifications des battements quotidiens, les tracés et le rythme.

■ Maladies de l'appareil circulatoire

Affections cardio-vasculaires

Représentent 55 % des causes de morbidité.

Angine de poitrine (du grec *agkô,* j'étrangle, ou du latin *angere,* serrer, du fait du caractère angoissant, constrictif de la douleur). Oppression douloureuse à la hauteur du sternum, irradiant vers le cou en étau avec sensation d'étranglement, et vers la mâchoire inférieure, les épaules, la face interne des bras, les poignets (douleur en bracelet), plus souvent à gauche. Cette douleur survient lors d'un effort, ou, parfois, au repos en période digestive ou la nuit. Elle cède en général, très rapidement, après la prise de dérivés nitrés administrés par voie sublingale et correspond à un apport insuffisant de sang oxygéné dans une région du cœur. Si elle se prolonge (plus de 15 min), elle peut faire craindre la constitution d'un infarctus du myocarde.

Artériosclérose. Sclérose artérielle sans préjuger de son origine.

Athérosclérose. Sclérose des artères due à l'athérome (surcharge en graisse de la paroi). Cause essentielle des affections cardio-vasculaires. Siégeant en particulier au niveau des deux artères coronaires, elle provoque leur durcissement et leur épaississement, une perte d'élasticité avec dépôt de substances lipidiques et calcaires. Les hommes sont plus touchés par l'athérosclérose que les femmes (protégées par leurs hormones jusqu'à la ménopause). FACTEURS DE RISQUE : hérédité, sexe (masculin à partir de 20 à 30 ans, féminin après la ménopause), obésité, habitudes alimentaires, diabète, tabac (important), hypertension artérielle, sédentarité, hypercholestérolémie, hyperlipidémie. STATISTIQUES : 50 % des causes de mortalité dans les pays développés. D'après l'INSERM (1990), 29 % des décès masculins et 37,5 % des décès féminins sont dus à des maladies de l'appareil circulatoire. Aux USA, 513 000 morts/an (dont 473 000 hommes).

Infarctus du myocarde. Lésion du muscle cardiaque d'origine ischémique [(du grec *iskhein,* retenir et *haima,* sang), réduction très importante de l'apport de sang oxygéné dans une partie de l'organisme] due à une oblitération **(thrombose)** d'une des artères coronaires ou d'une de ses branches (les artères coronaires sont les artères nourricières du myocarde) entraînant la *nécrose,* c'est-à-dire la mort, des cellules du myocarde qui ne sont plus oxygénées. La douleur ressemble à celle de l'angine de poitrine, mais elle est plus intense, plus étendue, plus prolongée. Elle s'accompagne parfois d'essoufflement, de troubles digestifs (nausées, éructation), de modification de la tension artérielle, toujours de modification de l'électrocardiogramme.

TRAITEMENT : médical : repos au lit, héparine, anti-agrégats plaquettaires, thrombolytiques, vasodilatateurs, inhibiteurs calciques, β bloquants qui réduisent les besoins en oxygène du myocarde, antiangineux. Coronarographie possible : injection de produit opaque dans les artères coronaires de façon à visualiser le siège et le nombre des *sténoses* (rétrécissements des artères coronaires) en vue d'un éventuel traitement instrumental : angioplastie percutanée par dilatation (catheter à ballonnet gonflable), athérectomie directionnelle ou rotative, angioplastie par laser pulsé ultraviolet (Excimère) ou infrarouge (holmium-Yag) et mise en place d'endoprothèses (stent). Traitement chirurgical [pontage aorto-coronaire avec greffe veineuse ou artérielle (artère mammaire interne) implantée entre l'aorte initiale et la coronaire en aval de la sténose]. Évaluation par ECS à l'effort, étude par technique isotopique (Thallium au repos, Persantine à l'effort).

COMPLICATIONS : jusqu'au 30e ou même 90e jour : risques de trouble du rythme ou de conduction, rupture du foyer cicatrisé, etc.

☞ 80 000 Français sont hospitalisés chaque année (10 à 12 j) pour une attaque cardiaque. Le délai moyen d'arrivée à l'hôpital après infarctus est de 8 h 24 min, 40 % des patients sont hospitalisés trop tard (après la 6e h.). La durée d'hospitalisation après un infarctus est de 10 à 12 j, la convalescence est limitée en général à 3 ou 4 semaines. 51 000 (dont 28 000 hommes) par an meurent d'infarctus (10 à 15 % des cas immédiatement, 10 à 15 % dans les jours suivants.)

Autres maladies

■ **Anévrisme.** Dilatation d'une artère. S'il s'agit de l'aorte dans le thorax : douleur, troubles de la voix et de la déglutition, difficultés à respirer, œdème. TRAITEMENT : repos, régime ; si volumineux ou grossit : traitement chirurgical.

Explication du « coup de foudre ». Ce « coup au cœur » provoque une chute de la pression sanguine dans le cerveau et fait fonctionner une de nos glandes endocrines : l'hypophyse. Celle-ci pompe dans le sang un peu d'adrénaline (hormone liée au système sympathique). Le cœur bat alors plus vite (90 pulsations à la minute, au lieu de 72) ; la respiration s'accélère ; la tension artérielle monte ; les mains deviennent moites ; les pupilles, inconsciemment, se dilatent. On connaît une certaine euphorie.

■ **Artérite ou athérosclérose (retrécissement du calibre d'un vaisseau par constitution d'une plaque d'athérome) des membres inférieurs.** Les artères iliaques ou fémorales durcissent et tendent à s'obstruer sous l'effet de dépôts calcaires et de *cholestérol*. Claudication douloureuse (avec crampe du mollet ou de la cuisse survenant à la marche et imposant son arrêt, parfois impuissance), douleurs nocturnes avec ou sans troubles trophiques, artère ensuite totalement obturée et inefficace avec risque de gangrène. TRAITEMENT : médical (arrêt du tabac, marche, vasodilatateurs, thrombolyse en cas de thrombose aiguë), chirurgical (section des nerfs sympathiques, pontage court-circuitant la portion d'artère malade avec un tube en textile synthétique), ou instrumental [angioplastie percutanée par dilatation, athérectomie, angioplastie par laser ou extraction d'un caillot frais par sonde de Fogarty et implantation d'endoprothèses (stent)], ramonage, chimique (traitement d'un diabète, de l'excès de lipides en général), angioplastie (dilatation par ballonnet), cures thermales. Exploration des membres inférieurs par angiographies conventionnelles ou numérisées par échographie Doppler. Atteindrait 700 000 Français.

■ **Collapsus cardio-vasculaire.** Diminution de la tension artérielle, accélération du pouls dont l'amplitude faiblit, diminution de l'excrétion urinaire. CAUSES : *1°)* diminution de la masse sanguine circulante (choc hémorragique par ex.) ; *2°)* défaillance primitive de la pompe cardiaque (infarctus du myocarde massif par ex.). TRAITEMENT : *1er cas :* transfusions rapides et abondantes ; *2e cas :* drogues tonicardiaques.

■ **Dissection aortique.** Clivage longitudinal de la paroi de l'aorte (du fait d'une HTA ou de la maladie de Marfan) ; rare, caractérisée par une douleur thoracique intense. TRAITEMENT : chirurgical.

■ **Embolie cérébrale** (voir Thrombose cérébrale p. 107 a).

■ **Embolie pulmonaire.** Obstruction d'une artère pulmonaire ou d'une de ses branches, généralement par un caillot sanguin venant d'une veine des membres inférieurs ou du pelvis : migration d'un thrombus veineux vers le poumon à travers le cœur droit. TERRAIN : survient chez un sujet opéré, alité, ou chez une accouchée, surtout chez les porteurs de varices ou d'une maladie veineuse, et, surtout, lors du 1er lever et après une immobilisation prolongée. TRAITEMENT : *préventif :* héparine à petites doses chez tout sujet alité ou opéré, lever précoce ; *embolie de petite taille :* médications contre la douleur, héparine pour éviter les récidives ; *massive avec état de choc :* héparine, tonicardiaques ; si échec : dissolution du caillot par les thrombolytiques ou extraction chirurgicale.

■ **Endocardite.** Inflammation de l'endocarde. **Rhumatismale** (poststreptococcique) : fièvre, tachycardie, souffles cardiaques d'origine valvulaire laissant des séquelles immédiates ou, souvent plusieurs années après la crise, de rhumatisme articulaire aigu. TRAITEMENT : pénicilline, anti-inflammatoires (corticoïdes). **Bactérienne :** infection bactérienne des valves cardiaques souvent déjà lésées, par le rhumatisme articulaire aigu, par exemple, ou par une anomalie congénitale (très souvent d'origine dentaire, après extraction dentaire). SIGNES : tout état fébrile survenant chez un patient porteur d'une cardiopathie soufflante peut faire craindre une endocardite bactérienne ou endocardite d'Osler. TRAITEMENT : hospitalisation pour recherche de germes dans le sang par hémoculture, puis antibiothérapie adaptée au germe mis en évidence ; souvent intervention pour remplacer la valve détruite par le processus infectieux.

■ **Hypertension artérielle.** Maux de tête, bourdonnements, vertiges (« mouches volant » devant les yeux). CAUSES : retrécissement congénital de l'aorte thoracique, hypertension artérielle d'origine rénale ou endocrinienne par hyperfonctionnement de la glande surrénale dans sa portion corticale ou externe (hypercorticisme), ou dans sa portion centrale (tumeur de la médullo-surrénale), ou phéochromocytome, le plus souvent sans cause reconnue (hypertension « essentielle », 90 % des cas). COMPLICATIONS : nerveuses souvent très graves : hémorragie cérébrale, défaillances cardiaques. RAISONS : *1°)* L'hypertension conduit à une augmentation du travail du cœur dont le besoin en oxygène augmente. La quantité d'oxygène fournie par les artères coronaires peut devenir insuffisante, et entraîner une fatigue et une souffrance du muscle cardiaque, le myocarde. *2°)* Elle participe au vieillissement des artères du cœur : leurs parois s'épaississent et leur calibre intérieur diminue, au point de réduire ou d'interrompre le débit sanguin (conséquences : angine de poitrine, infarctus du myocarde, troubles du rythme et, à échéance variable, insuffisance cardiaque ou mort subite). *Attention :* on peut être atteint sans ressentir de troubles accompagnateurs (impression de mouches volant devant les yeux, maux de tête, vertiges, bourdonnements d'oreille). Parce qu'on l'ignore ou la néglige, l'hypertension provoque des altérations graves et irréversibles, 10 à 15 ans après son apparition.

■ **Transfusion sanguine. 1628,** découverte de la circulation sanguine par W. Harvey. *V.* **1650,** 1res transfusions sanguines entre animaux de la même espèce ou d'espèces différentes. **1667,** 1re transfusion sanguine chez l'homme avec du sang d'agneau, à Montpellier par J. Denis ; tentatives reprises en Europe et surtout en G.-B. par R. Lower et E. King avec le sang d'autres mammifères ; souvent fatales, elles sont abandonnées. **1818,** l'Anglais, J. Blundell, tente des transfusions interhumaines. **A partir de 1873,** avec les travaux de L. Landois, les transfusions de sang animal sont pratiquement abandonnées (incompatibilité dénoncée par Prévost et Dumas). 2 obstacles entravent l'expansion des transfusions interhumaines : l'ignorance des groupes sanguins, source d'accidents hémolytiques graves, et la coagulation du sang immédiatement après son prélèvement chez le donneur. **1900,** Landsteiner décrit les groupes sanguins ABO. **A partir des années 1940,** mise au point et amélioration des solutions anticoagulantes et préservatrices de sang. **A partir de 1960,** transfusion adaptée aux besoins spécifiques des malades, en tel ou tel composant du sang. **A partir de 1980,** contrôles systématiques : groupage, dépistage d'anticorps immuns, dosage de l'hémoglobine, recherche de marqueurs infectieux (antigène HBs, réagine syphilitique, anticorps anti VIH (virus du sida), anti HCV (hépatite non A non B), anti HBc, anti HTLVI/II et transaminases ALT. Dans certains cas anticorps contre le paludisme et le CMV (cytomégalovirus).

■ **Principales indications. Hémorragies. Brûlures graves** [la peau brûlée laisse s'échapper le liquide plasmatique, et, en quelques heures, un grand brûlé peut perdre les 2/3 du volume de sa masse sanguine (10 à 20 % de son poids corporel) ; on injecte par perfusion des quantités importantes de plasma ou d'albumine]. **Chirurgie :** les opérations thoraciques et la chirurgie du cancer du rectum entraînent une perte sanguine de 1 200 ml en moyenne, la chirurgie du cerveau plus de 500 ml, une opération de la hanche de 400 à 1 200 ml, sur le cœur 7 500 à 10 000 ml. **Transplantations d'organes. Anémies. Syndromes hémorragiques par thrombopénie et infectieux par leucopénie** (injection de concentrés globulaires pour traiter les anémies, albumine iso oncotique pour maintien du volume de liquide du système cardiovasculaire après perte de sang, globules blancs contre infection, plaquettes contre hémorragies, facteurs antihémophiliques si hémophilie A ou B, plasma si déficit complexe de coagulation).

■ **Techniques de prélèvement.** *Prélèvement de sang total :* le donneur donne 3 fois par an (femmes) ou 5 fois (hommes) 300 à 450 ml de sang. *Plasmaphérèse :* le sang est recueilli, centrifugé ou filtré pour séparer le plasma des globules rouges, qui sont réinjectés au donneur. Le plasma se reconstitue vite dans l'organisme, et l'on peut prélever 600 ml de plasma par mois. *Du plasma, on tire,* par fractionnement : les immunoglobulines ; les facteurs antihémophiliques, etc. *Cytaphérèse :* le sang du donneur est dérivé dans un système de circulation extracorporelle qui va prélever les seuls globules blancs ou les plaquettes. L'opération peut être renouvelée 2 fois par an. Un donneur peut fournir la dose pour laquelle la technique habituelle demande le sang de plus d'une dizaine de donneurs. Ainsi, un donneur fournit seul une dose thérapeutique de plaquettes ; le risque d'infection est diminué. *Transfusion autologue :* le sang nécessaire en vue d'une intervention chirurgicale est prélevé sur le sujet les semaines précédant l'opération, ou, dans les interventions non septiques et hémorragiques, le sang perdu dans les plaies opératoires est récupéré et, après filtration ou lavage, retransfusé au malade. Cette technique supprime le risque de transmission d'une infection virale par transfusion.

■ **Organisation. Dans le monde :** Croix-Rouge : prélève le sang gratuitement. Banques du sang privées : rétribuent les donneurs, souvent selon la rareté de leur groupe sanguin (ex. : USA, All.). Dans certains pays pauvres (Proche-Orient et Amér. du S.), un trafic est organisé.

En France. *Législation :* la transfusion est contrôlée par l'État depuis la loi du 21-7-1952 ; seuls les centres agréés peuvent recueillir et traiter le sang humain. Ils doivent le distribuer sans bénéfice commercial sur la base d'un tarif de cession fixé par arrêté ministériel. Le don de sang est toujours bénévole. La loi du 4-1-1993 régit l'organisation de la transfusion.

L'importation de sang étranger est interdite. Sang ou dérivés ne peuvent quitter la métropole qu'avec l'autorisation du ministère de la Santé (catastrophes internationales, etc.).

Collecte : en « poste fixe », dans les établissements de transfusion sanguine, ou en « équipe mobile » notamment sur les lieux de travail.

■ **Maladies transmises par le sang.** *1°) Examens obligatoires sur les produits prélevés :* dépistage de la syphilis (dep. 1952), recherche d'Ag Hbs (dépistage de l'hépatite B dep. 1971), dépistage du sida (dep. 1985), dosage des transaminases (enzymes dont le taux augmente dans le sang en cas de maladie hépatique et notamment dans toutes les hépatites, dep. 1988), recherche de l'Ac anti-Hbc (dep. 1988 pour le dépistage des porteurs chroniques de l'hépatite B), recherche de l'Ag HCV (dep. 1990 pour le dépistage de l'hépatite C), dépistage des infections à HTLV (virus proche du sida, dep. 1991). *2°) Dépistages non obligatoires :* infections à CMV (virus responsables d'infections multiples et plus particulièrement pulmonaires chez les sujets immuno-déficients).

☞ **Fonds d'indemnisation des transfusés et hémophiles contaminés par le VIH.** Créé en 1991. 106, av. Michel-Bizot, 75012 Paris.

■ **Nombre total de prélèvements de sang total, de plasmaphérèse et de cythaphérèse** (en millions). *1963 :* 1,4 ; *70 :* 3 ; *80 :* 4,09 (0,11/0,02) ; *85 :* 3,9 (0,18/0,31) ; *91 :* 3, 23 (0,57/0,04).

☞ Voir aussi p. 155.

STATISTIQUES : *nombre d'hypertendus :* en % selon OMS (pression du sang 16-9,5) : *18-24 ans* hommes 1,6 (femmes 1,1) ; *45-55* 18,9 ; *65-75* h. 30 (f. 50). *Total en France :* 5 à 10 millions de personnes. Décès provoqués directement ou indirectement env. 30 %. Un homme hypertendu de – de 46 ans court 10 fois plus de risques de mourir jeune, et une femme 8 fois plus de risques. S'ils sont convenablement traités, ce taux tombe à 3 et 2,5. TRAITEMENT : régime hypocalorique chez les obèses, diurétiques, inhibiteurs calciques ou de l'enzyme de conversion, bloqueurs du système sympathique des récepteurs β (et/ou α), repos.

Bradycardies (cœurs lents) chroniques, permanentes ou intermittentes, dues à 2 types de lésions parfois associées : atteinte des voies de conduction *nodo-hissienne* (entre oreillette et ventricule) réalisant un *bloc auriculo-ventriculaire* souvent précédé d'un bloc de branche *(maladie de Lenègre* liée à une fibrose des voies de conduction*)*, lésion *sino-auriculaire* (20 à 30 % des cas) par anomalie située plus haut entre le nœud sinusal et l'oreillette. Lésions des valves mitrales et surtout aortiques nécessitant la mise en place d'un stimulateur et d'une valve artificielle ; origine congénitale, éventuellement associées à d'autres anomalies (communication interventriculaire, etc.).

■ **Insuffisance cardiaque.** Peut être ventriculaire gauche, droite, ou cardiaque globale. **L'asystolie** (absence de contraction ventriculaire) provoque l'arrêt cardiaque. Signes : essoufflement, cyanose (oxygénation insuffisante du sang), œdèmes (gonflement du tissu sous-cutané ou d'autres organes dû à l'infiltration de liquide séreux). TRAITEMENT : repos, tonicardiaques, diurétiques, régime sans sel, vasodilatateurs voire transplantation.

■ **Insuffisance mitrale.** Reflux anormal du sang du ventricule gauche vers l'oreillette gauche, lors de la systole, provoquant un souffle. Souvent associée au rétrécissement mitral (dans ce cas, maladie mitrale) : rétrécissement de l'orifice qui sépare oreillette et ventricule gauches, obstacle au passage du sang. CAUSE : rhumatisme articulaire aigu parfois endocardite aiguë, dystrophie (prolapsus mitral ou maladie de Barlow). TRAITEMENT : diurétiques, diminution des résistances périphériques, tonicardiaques et éventuellement chirurgie (valvuloplastie : commissurotomie par ballonnet gonflable dans l'orifice mitral, introduit par voie percutanée ou réparation métallique ou bioprothèse).

■ **Insuffisance veineuse.** La circulation veineuse bénéficie peu de la pompe cardiaque, mais un ensemble de forces s'ajoutent pour le retour du sang jusqu'au cœur : pressions successives de la plante du pied riche en petites veines, lors de la marche ; contractions musculaires de la jambe et de la cuisse qui compriment les veines ; tonicité des parois veineuses qui se contractent et se dilatent faiblement mais activement ; valvules des veines qui empêchent le sang de refluer. Lorsque ces mécanismes sont contrariés, le sang stagne dans les veines, leurs parois se dilatent et des troubles fonctionnels se manifestent dans les jambes (lourdeurs, pesanteurs, crampes, démangeaisons). **Facteurs prédisposants.** *Hérédité. Sexe :* femmes les plus touchées (une sur deux). *Âge :* signes apparaissent plutôt vers 40 ans. **Facteurs de risque.** *Grossesse :* augmentation de la sécrétion hormonale responsable de la dilatation des veines. La prise de poids excessive peut aggraver le phénomène, après l'accouchement la plupart des troubles régressent.

Pilule œstroprogestative : surtout si associée au tabac. *Chaleur :* dilatation des veines (chauffage par le sol, bains trop chauds, sauna, exposition prolongée au soleil). *Station debout ou assise prolongée. Sports brutaux pour les jambes* (tennis, squash...). *Excès de poids :* en isolant les veines des contractions musculaires. **Facteurs bénéfiques.** *Exercice physique :* provoque des contractions musculaires (marche, bicyclette). *Eau :* diminue les effets de la pesanteur et permet de maintenir une pression uniforme sur l'ensemble du corps (bain tiède en fin de journée).

■ **Maladie d'Adams-Stokes.** *Bradycardie* (battements lents), pouls lent (de façon intermittente ou permanente), 30 pulsations par mn. S'il descend à 10 ou 20 : vertiges, syncopes (arrêt momentané du cœur et du pouls, pâleur, perte de connaissance, risque de mort subite). Dans la *syncope respiratoire,* seule la respiration s'arrête, le malade devient bleu. Dans le *coma,* abolition de la conscience et de la vie de relation (audition, conversation) et de la motricité volontaire. CAUSE : blocage de la conduction normale de l'influx entre oreillettes et ventricules. TRAITEMENT : respiration artificielle, tonicardiaques ; implantation de stimulateur cardiaque définitif (utilisé couramment et de façon préventive) qui supprime les risques de syncope et de mort subite, mais nécessite une surveillance régulière et le changement de la pile tous les 6 ans. Sonde de stimulation mise en place par une veine jugulaire à l'intérieur du ventricule droit et reliée à un stimulateur logé sous le muscle pectoral.

■ **Maladie bleue (cardiopathies congénitales avec cyanose).** Malformations cardiaques : *Tétralogie de Fallot* (sténose pulmonaire, naissance anormale « à cheval » entre le ventricule gauche et droit de l'aorte et communication entre les 2 ventricules) le sang artériel est contaminé par le sang veineux, d'où la cyanose ou teinte bleutée de la peau. TRAITEMENT : chirurgical palliatif : anastomose entre l'aorte et l'artère pulmonaire ou réparation complète.

■ **Maladie de Bouveret.** *Tachycardie* (battements rapides) survenant par accès, début et arrêt brutaux, pouls très rapide, 160-180/mn, et régulier. TRAITEMENT : digitaline, manœuvre d'expiration à glotte fermée (dite de Valsalva) permettant d'arrêter la crise, massage du sinus carotidien, ou compression des globes oculaires, injection intraveineuse d'un antiarythmique. **Tachycardie ventriculaire :** tachycardie sévère avec cardiopathie évoluée. TRAITEMENT : antiarythmique, fulguration, défibrillateur implantable.

■ **Myocardite.** Inflammation aiguë du myocarde (muscle du cœur). Battements accélérés du cœur, arythmie, pouls et tension faibles. *Myocardiopathie :* affection du muscle cardiaque, souvent sans cause reconnue, évoluant progressivement vers l'insuffisance cardiaque. TRAITEMENT : repos, tonicardiaques.

■ **Péricardite.** Inflammation du péricarde (séreuse à 2 feuillets entourant le cœur), sèche ou à épanchement. Diagnostic par électro ou échocardiographie. Confirmation par ponction ou par biopsie, soit pour diagnostiquer l'origine tuberculeuse, cancéreuse ou purulente, soit thérapeutique si un épanchement abondant gêne le remplissage ventriculaire (péricardite purulente : drainage chirurgical + antibiotiques ; tuberculeuse : antibiotiques antituberculeux + corticoïdes).

■ **Phlébite (thrombose veineuse).** Inflammation de la paroi d'une veine profonde accompagnée d'un ralentissement de la circulation sanguine qui favorise l'apparition d'un caillot appelé thrombus. TRAITEMENT : repos au lit très strict les 1ers jours (risque de migration du caillot vers le poumon ou embolie pulmonaire parfois grave ou mortelle si le membre est utilisé lors du lever) ; antalgiques, héparine (anticoagulant).

■ **Rétrécissement aortique.** Obstacle valvulaire à la sortie du ventricule gauche dû au dépôt de calcium dans les valvules. Se traduit par pertes de connaissance, douleurs angineuses à l'effort, essoufflement. TRAITEMENT : remplacement chirurgical de la valve malade (prothèse mécanique ou biologique) ; valvuloplastie (gonflement d'un ballonnet monté sur guide) : succès limité.

■ **Rétrécissement mitral** (voir Insuffisance mitrale).

■ **Syncope** (voir Maladie d'Adams-Stokes).

■ **Tachycardie** (voir Maladie de Bouveret).

■ **Thrombose cérébrale** (coagulation du sang à l'intérieur d'une artère cérébrale) **et embolie cérébrale** (occlusion d'une artère cérébrale par une particule entraînée par la circulation : caillot sanguin détaché du cœur le plus souvent) entraînent l'**apoplexie** (hémorragie cérébrale) avec éventuellement coma et paralysie (monoplégie, hémiplégie). TRAITEMENT : thrombose : vasodilatateurs cérébraux, hôpital : maintien des fonctions végétatives (respiration et circulation), surveillance du coma, réhydratation ; *embolie sans coma profond :* idem + héparine.

■ **Varices.** Aux jambes, petites varicosités fines et ramifiées venant de la dilatation de petits vaisseaux superficiels, puis varices bleuâtres plus ou moins saillantes. Ces veines très dilatées ne permettent plus le retour du sang. COMPLICATIONS. *Eczéma variqueux :* plaques rouges gonflées, avec de petites vésicules suivantes puis croûteuses. A traiter localement. *Ulcère variqueux :* ulcération ou plaie ouverte au niveau de la varice souvent à la cheville ou bas de la jambe où la pression veineuse est maximale. La cicatrisation peut être longue. *Rupture de varice :* sur des veines très saillantes, et à l'occasion d'un choc entraîne une hémorragie importante. *Dermite ocre :* structure des vaisseaux capillaires modifiée par la varice ; leur inflammation provoque des modifications de la peau et des tissus sous-cutanés de la partie basse de la jambe. *Phlébite :* voir ci-contre. TRAITEMENT. *Médicamenteux :* à base d'extraits végétaux (marron d'Inde, hamamélis, vigne rouge, ginkgo biloba...), de dérivés synthétiques de vitamines : vitamine B3 ou PP (tonifie le système veineux), vitamine E (protecteur vasculaire), cure thermale. *Sclérose :* injection au niveau de la varice d'un produit qui condamne la veine en l'obstruant. *Chirurgical :* stripping (sonde pour extraire la varice) ; phlébectomie ambulatoire (petites incisions pour extraire segments de la veine atteinte) ; CHIVA : cure hémodynamique de l'insuffisance veineuse (vise à dévier le sang vers d'autres veines plus profondes. Ligatures effectuées sur le trajet de la veine obligeant le sang à s'orienter vers des vaisseaux sains). *Contention élastique :* par bandes élastiques amovibles ou adhésives, bas de contention.

Nota. – 1 % des Français sont atteints d'insuffisance vasculaire des membres, dont 14 % env. sont des variqueux.

Statistiques des maladies cardio-vasculaires

■ **Mortalité.** *Taux annuels de mortalité pour 100 000 hab. entre 35 et 65 ans,* hommes, femmes entre parenthèses : Hongrie 569 (226), Tchécoslovaquie 489 (175), Pologne 479 (176), Finlande 427 (103), Irlande 425 (153), Nlle-Zélande 324 (127), USA 315 (126), Allemagne 274 (89), Danemark 268 (92), Australie 264 (97), Canada 249 (84), Italie 218 (80), Suisse 190 (54), *France 174 (51),* Japon 146 (69). Selon Inserm 1990 : 7 % de l'ensemble des décès chez les hommes et 11 % chez les femmes sont dus à des maladies cardio-vasculaires.

Aux USA le taux est plus élevé dans les États où l'eau est peu calcaire, que dans ceux où elle est dure (quelle que soit l'eau bue aux repas).

Taux de mortalité annuel pour 10 000 personnes, avec et sans hypertension : attaques 66 *19,* thrombose 72 *16,* infarctus du myocarde 176 *83.*

Quelques conseils

■ **Alimentation. Excès alimentaires :** aggravent les prédispositions personnelles au diabète et au cholestérol. RAISONS : un régime riche augmente le taux des graisses et du cholestérol sanguin. Le fait de manger sucré, ou gras, est un moyen de manger trop et, en particulier, des calories vides de vitamines dont la carence intervient probablement dans la formation de l'athérosclérose. CONSEILS : limiter les excès (surtout graisses saturées, cholestérol et calories des viandes grasses, produits laitiers, jaunes d'œufs, pâtisseries). Éviter graisses solides animales (beurre, lard) et boissons alcoolisées ou sucrées à valeur calorique élevée. Préférer viandes maigres, volaille, poisson, lait écrémé, fromage blanc, légumes, fruits, huiles végétales. Éviter excès de sel (ne pas dépasser 5 à 7 g par jour) ; le chlorure de sodium a des effets hypertenseurs. Voir Alimentation à l'Index.

■ **Cholestérol.** Origine dans le corps : 70 % synthétisé par le foie, 30 % venant de l'alimentation. Transporté par des particules, les lipoprotéines. Sert à reconstruire les membranes des cellules, permet la fabrication des hormones produites par les glandes génitales et surrénales. 2 types : à *« basse densité »* (LDL : Low Density Lipoproteins), encrasse les artères ; à *« haute densité »* (HDL : High Density) ou *« bon cholestérol »,* nettoie les artères. **Taux recommandés :** cholestérol total < 2,00 g/l ; triglycérides < 1,50 g/l ; cholestérol HDL > 0,40 g/l (chez l'homme), > 0,50 g/l (la femme) ; LDL < 1,30 g/l ; Apo A1 ⩾ 1,20 g/l, B ⩽ 1,30 g/l. TRAITEMENT : médicaments (hypolipidémiants) comme les fibrates ou les inhibiteurs de la HMS-Coréductase. Hypertriglycéridémie traitée par réduction des apports sucrés (surtout vin et alcools).

3 pommes par jour pendant 2 mois peuvent faire baisser de 5 % le taux de cholestérol sanguin.

☞ Les céréales riches en avoine ont un effet hypocholestérémiant car elles contiennent du bêta-glucant.

Proportions de cholestérol en mg pour 100 g d'aliments. *Lait* écrémé 3 ; entier 14 ; crème 130. *Camembert* 140. *Emmenthal* 145. *Parmesan* 190. *Beurre* 260. *Œufs :* jaune 1 480 (1 gros jaune 300). *Viandes* (dégraissées) : bœuf 67 ; mouton 77 ; veau 84 ; ris de veau 225 ; foie de veau 400 ; rognon 400 ; cervelle 1 810. *Poissons :* morue 44 ; maquereau 80 ; hareng 85. *Huîtres* 200. *Crevettes* 226.

■ **Hypertension** (voir p. 106).

■ **Obésité.** Définie par une augmentation de la masse grasse. Un sujet est dit obèse lorsque son poids dépasse de 20 % le poids souhaitable (celui qui, en fonction de la taille et du sexe, correspond à la plus grande longévité). *Surmortalité de la population obèse :* les hommes de 40 ans pesant à taille égale 30 % de plus que leur poids idéal ont 2 fois plus de risques de mourir d'une maladie cardio-vasculaire dans les 10 ans. Voir p. 105. RAISONS : les obèses sont plus exposés à développer diabète et hypertension artérielle. Leur sérum contient souvent un excès de *triglycérides,* associé ou non à un excès de *cholestérol,* graisses favorisant l'athérosclérose. De plus, le poids en excédent exige du cœur un travail supplémentaire pour transporter une masse adipeuse superflue.

■ **Sédentarité.** Le repos conduit à une diminution de volume du cœur et à une élévation du rythme cardiaque. L'exercice physique dilate les vaisseaux du cœur, ce qui leur permet de mieux supporter un rétrécissement ou une oblitération éventuelle ; il développe le cœur (les muscles utilisent mieux l'oxygène apporté par le sang et, pour un effort donné, le débit est moindre et le cœur se fatigue moins) ; il permet un équilibre meilleur, parce que dynamique, de la ration alimentaire ; il est un facteur d'équilibre psychologique, permettant de remédier au rythme accéléré et aux agressions de la vie moderne.

■ **Sports** (avec prudence chez les sujets menacés). En règle générale, conserver une activité physique progressive, régulière et contrôlée. *Sports pouvant être pratiqués sans surveillance* (hors des compétitions) : cyclisme, marche, golf, ski de fond (éviter froid intense et déclivités importantes) ; *sous surveillance :* aviron, équitation, tennis de table, ski alpin (mêmes précautions que pour ski de fond), natation (eau, env. 24 °C). *Sports interdits* (en général) : alpinisme, athlétisme, basket, football, judo.

■ **Tabagisme.** La nicotine de 2 cig. entraîne une élévation du rythme cardiaque de 20 pulsations/minute. Cette accélération entraîne une augmentation du travail du cœur et sa fatigue. L'oxyde de carbone fixe en partie l'hémoglobine, rendant le sang impropre à transporter l'oxygène, donc à produire et à renouveler l'énergie musculaire, le rendant autant dire impropre à l'effort. La proportion d'hémoglobine inutilisable peut atteindre 10 % chez le fumeur qui inhale la fumée.

TRAITEMENT : *psychothérapies individuelle* (consultation) *et collective* (dynamique de groupe permettant des contacts entre les sujets, ex. : plan de 5 j). *Acupuncture* (souvent associée à l'*homéopathie*) : plusieurs variantes dont : *1°) nasothérapie :* utilisation d'un point situé sur la face latérale du nez, stimulant la vésicule biliaire, décongestionnant et restituant l'odorat, et annihilant l'envie de fumer ; *2°) auriculothérapie :* 7 points (sur l'oreille droite chez le droitier, gauche, chez le gaucher) ; on introduit au point *0* (dit équilibre neurovégétatif) un fil de Nylon tressé, conservé par le patient 3 à 4 semaines, mais ce fil n'est pas toujours bien supporté ; *3°) mésothérapie :* injection dans l'oreille d'un mélange de Divasta et de procaïne entraînant un dégoût de sa fumée et de celle des autres. AUTRES AIDES MÉDICALES : *médicaments* pour remplacer la nicotine par une substance n'entraînant pas une dépendance, donner un goût désagréable au tabac, lutter contre les troubles du sevrage. *Cures thermales. Thalassothérapie.*

SURMORTALITÉ DES FUMEURS : les décès dus aux maladies cardio-vasculaires sont 2 à 3 fois plus fréquents. 20 cigarettes par j augmentent de 70 % le risque de cardiopathie. Mort subite 5 fois plus fréquente chez les fumeurs de 20 cig. par j que chez les non-fumeurs.

Appareil nerveux

Généralités

Le système nerveux est présent dans tout l'organisme (nerfs périphériques), mais la plus grande part de sa masse totale est regroupée en une formation centrale (cerveau et moelle épinière). On distingue : **1°) le système nerveux sensoriel** recueillant les informations sur l'état de l'environnement et du milieu interne ; **2°) le système nerveux central** coordonnant ces informations, les confrontant aux données antérieurement acquises et déterminant les conduites à effectuer ; **3°) le système nerveux moteur** assurant la réalisation des conduites choisies.

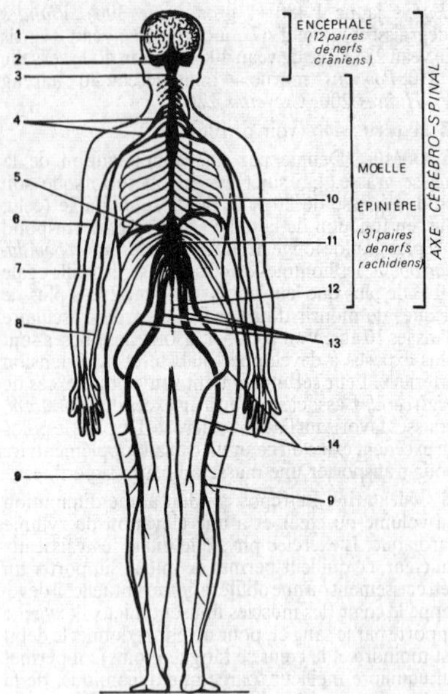

Système cérébro-spinal de l'homme :
1 cerveau. *2* cervelet. *3* bulbe rachidien. *4* plexus brachial. *5* diaphragme. *6* nerf radial. *7* nerf médian. *8* nerf cubital. *9* nerf sciatique. *10* nerf phrénique droit. *11* renflement lombaire. *12* filament terminal. *13* queue de cheval. *14* nerf crural (face antérieure de la cuisse).

STRUCTURE DU TISSU NERVEUX

Cellules nerveuses proprement dites ou **neurones** (10 à 20 milliards, 3 à 100 ans). Dès leur mise en place avant la naissance, elles perdent la possibilité de se diviser. Le vieillissement fait disparaître env. 50 000 neurones par j à partir de 20 ans. Les lésions cérébrales ont un effet définitif. **Cellules satellites,** principalement les **cellules gliales** des centres nerveux. 5 à 10 fois plus nombreuses que les neurones, elles continuent à se multiplier durant la vie. Elles sont disposées dans les interstices séparant les neurones, ou forment des gaines autour des prolongements neuroniques.

NEURONES

Structure. Presque tous ont : un *corps cellulaire* pourvu d'un noyau et assurant le métabolisme et les fonctions du neurone ; des prolongements centripètes ou *dendrites* qui transmettent au corps cellulaire les informations périphériques qu'ils recueillent ; un prolongement centrifuge ou *axone* (de moins de 1 mm à 1 m de long) qui transmet l'influx nerveux né du corps cellulaire lorsque l'excitation issue des dendrites atteint un certain seuil. La juxtaposition d'un grand nombre d'axones longs forme les *nerfs.*

Différents types. Sensoriels : pourvus aux extrémités des dendrites de prolongements sensibles à un excitant particulier, physique ou chimique, venant de l'environnement ou des organes du corps. Il transforme ainsi en influx nerveux une information externe au système nerveux. Il en existe autant de types distincts que de sensations : vision, audition, goût, odorat, tact, douleur, chaleur, etc.

Moteurs : aboutissent aux muscles, transforment en action physique les influx venus des centres nerveux. D'autres neurones effecteurs s'en rapprochent qui ne provoquent pas de mouvement mais déclenchent des sécrétions de tous types.

Intermédiaires : les plus nombreux, ils forment les circuits des *centres nerveux* de la moelle épinière et du cerveau, transmettent ou modifient l'influx nerveux provenant d'autres neurones, et réalisent toutes les fonctions opératoires du système nerveux.

Fonctionnement. *Au repos,* la membrane du neurone présente une différence de potentiel entre sa face externe, chargée positivement, et sa face interne, chargée négativement. *L'excitation reçue* par les dendrites, ou, directement, par le corps cellulaire, inverse localement cette polarisation. Si l'effet est suffisamment accentué, cette dépolarisation se propage le long de l'axone et de ses ramifications terminales, parvient aux synapses et peut se transmettre à d'autres neurones. Ainsi naît et circule l'influx nerveux. Cette circulation transmet un message. *Vitesse de conduction :* dépend du diamètre de l'axone et des cellules gliales qui lui forment une gaine ; 100 m/s dans certains axones moteurs ; 50 m/s dans les axones de la sensibilité tactile consciente ; 1 m/s dans les axones fins de la sensibilité douloureuse. Dans les centres nerveux, à la transmission de l'influx nerveux d'un point à un autre s'ajoute l'opération sur les signaux (intégration, amplification, transformation d'un effet facilitateur en effet inhibiteur, etc.).

Articulations interneuronales. Le regroupement et la succession de nombreux neurones en circuits permettent le fonctionnement nerveux ; un intervalle entre les neurones interrompt la propagation électrique de l'influx. L'articulation entre neurones se fait par de nombreuses *synapses* (10^{14} pour le système nerveux humain). Une synapse élémentaire comprend un bouton synaptique sur une ramification terminale d'un axone, un étroit espace synaptique et un récepteur synaptique sur les dendrites ou le corps cellulaire du ou (plus souvent) des neurones qui font suite dans le trajet de l'influx nerveux. L'arrivée d'un influx présynaptique dans le bouton synaptique provoque la libération d'un médiateur chimique qui atteint le récepteur des neurones suivants au travers de l'espace synaptique et génère un influx postsynaptique. Le médiateur ne s'accumule pas entre 2 passages de l'influx, car il est très rapidement recapturé par le bouton synaptique ou détruit par un antimédiateur dans l'espace synaptique.

Couples médiateurs/antimédiateurs connus : ceux de *l'acétylcholine,* de *l'adrénaline,* de *la dopamine,* de *la sérotonine.*

MORPHOLOGIE

Le système nerveux comprend une *partie centrale d'où partent ou parviennent des fibres nerveuses constituant les nerfs périphériques, le névraxe* constitué par l'encéphale contenu dans la boîte crânienne, et *la moelle épinière* contenue dans le canal rachidien. Le terme de **cerveau** désigne l'ensemble de l'encéphale ou sa partie antérieure et supérieure, au-dessus de la tente du cervelet.

ENCÉPHALE

■ **1°) Hémisphères cérébraux.** Forment à eux seuls presque tout l'encéphale, contiennent 3/4 des neurones de l'organisme. Séparés par une fissure au fond de laquelle s'étend le *corps calleux* (ensemble de fibres constituant la voie principale de communication entre les 2 hémisphères). Au centre de chaque hémisphère, une cavité, le *ventricule latéral.* Extérieurement, les hémisphères cérébraux dessinent des circonvolutions séparées par des sillons ou scissures. La scissure de Sylvius sépare les *lobes frontal et pariétal,* en haut, du *temporal,* en bas. Le sillon de Rolando sépare le *lobe frontal* (antérieur) du *pariétal* (plus postérieur). L'*occipital* est moins bien individualisé. Un 5e, l'*insula,* se trouve au fond de la scissure de Sylvius.

Structures. a) *Externe (ou cortex cérébral dit substance grise).* Formée essentiellement de corps cellulaires de neurones *(cellules grises)* et de prolongements dendritiques. Certaines régions du cortex, dites *aires primaires,* sont directement en rapport avec des portions extra-cérébrales du système nerveux. On distingue les aires de la motricité, de la sensibilité corporelle, de la vision, de l'audition, du goût, de l'olfaction. Le reste du cortex forme les *aires d'association* permettant une coordination entre les aires primaires. Elles sont essentiellement le siège du déroulement de la pensée.

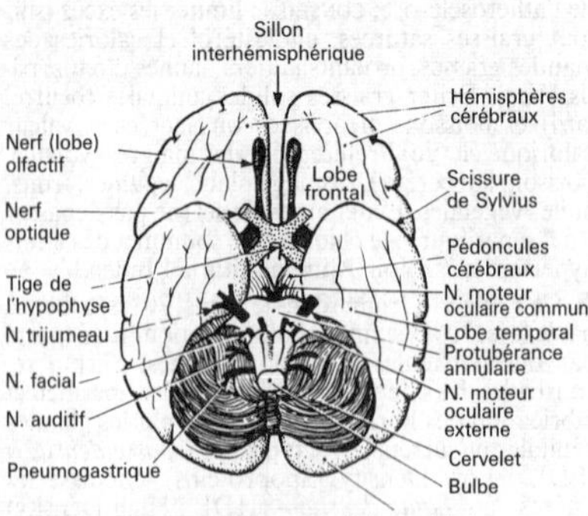

Face inférieure de l'encéphale

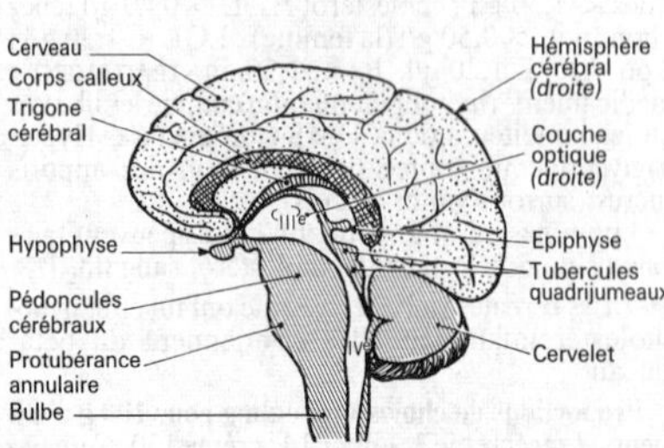

Coupe verticale et médiane de l'encéphale

La région plus centrale du cortex, au contact du corps calleux, constitue *le système limbique.* Relié aux aires d'association du cortex, aux structures du cerveau central viscéral, c'est le siège de la décision et du contrôle des émotions. Une partie de l'*hippocampe* assure le contrôle de la mémorisation.

b) *Sous-corticale, dite substance blanche :* faite d'axones provenant des neurones du cortex.

c) *Profondes :* formées de corps cellulaires neuronaux, constituent les noyaux gris centraux, *noyaux caudé et lenticulaire* ou *corps striés.* D'autres noyaux centraux plus petits, comme le *noyau amygdalien* ou le *noyau du septum,* se rattachent au système limbique, et contrôlent l'orientation du comportement vers l'action ou au contraire le retrait et l'inhibition motrice.

■ **2°) Structures médianes. Diencéphale :** formations les plus importantes : *thalamus* ou couches optiques, s'enfonçant dans les hémisphères cérébraux, séparés l'un de l'autre par la cavité du 3e ventricule, relais essentiels sur les voies de la sensibilité. *Hypothalamus,* plancher du 3e ventricule se prolongeant jusqu'à l'hypophyse ; véritable cerveau viscéral réglant les équilibres physiologiques du corps. C'est le cerveau de la faim, de la soif, de la régulation thermique. Il est sous le contrôle du système limbique et contrôle le système nerveux autonome (voir plus loin) et l'ensemble des sécrétions de la glande hypophysaire. Il modifie l'équilibre du corps selon le contenu des processus psychiques.

Pédoncules cérébraux : traits d'union entre cerveau et bulbe ; principalement formés d'axones ascendants de la sensibilité et d'axones descendants de la motricité. Formation réticulée, se prolonge jusqu'au bulbe et joue un rôle essentiel dans le contrôle des états de vigilance.

Protubérance annulaire ou pont de varole et cervelet : jouent un rôle essentiel dans le contrôle de l'équilibre. Entre les 2 se situe le 4e ventricule. Ils contiennent les noyaux d'origine des nerfs crâniens, situés en avant du 4e ventricule.

Bulbe : constitution proche de celle de la moelle épinière qu'il prolonge. Ses noyaux moteurs ou sensoriels correspondent aux organes viscéraux et à la région céphalique.

On peut renforcer ou inhiber un médiateur synaptique et modifier ainsi le fonctionnement du système nerveux sans léser les neurones.

POIDS DU CERVEAU

Moyenne (en g). Adulte homme 1 450 ; femme 1 300. A la naissance 380. A 1 an 1 000.

Cerveau de quelques célébrités (en g). Lord Byron (poète anglais) 2 300. Oliver Cromwell 2 300. Ivan Tourgueniev (écrivain russe) 2 012. Georges Cuvier (paléontologue français) 1 792. William Thackeray (écrivain anglais) 1 624. Léon Trotski (politicien russe) 1 568. Robert Kennedy (politicien amér.) 1 432. Janis Joplin (chanteuse amér.) 1 432. Marilyn Monroe (actrice amér.) 1 422. Howard Hughes (milliardaire amér.) 1 400. Walt Whitman (poète amér.) 1 256. Léon Gambetta (politicien français) 1 092. Anatole France (écrivain français) 1 017.

Rapport poids du cerveau/poids total : 1/50 (chez le chimpanzé 1/150).

TEXTURE NEURONALE DANS LES CENTRES NERVEUX

Textures archaïques (dans les formations anciennes de l'*archéo- et du paléo-cerebrum*). Les dendrites sont relativement longues, peu nombreuses et peu ramifiées ; l'axone est fin, court, difficile à différencier des dendrites. Les neurones sont articulés en réseaux lâches, permettant seulement un fonctionnement opérationnel approximatif.

Textures récentes (dans le *néo-cerebrum*). Dendrites très nombreuses, ramifiées, au trajet bien défini. Axone épais, souvent très long, bien identifiable. Les relations entre neurones sont précises à l'échelon de chaque neurone, permettant un fonctionnement point par point. On a pu établir un lien direct entre la disposition des neurones et la fonction exercée par le centre nerveux qui les contient.

■ Moelle épinière

Cordon blanc d'env. 50 cm de long, 1 cm de diamètre, logé dans le canal rachidien (cavité centrale de la colonne vertébrale), mais plus court : il s'arrête à la 1re vertèbre lombaire.

Substance blanche périphérique formée de fibres axonales assurant la transmission de l'influx nerveux entre les différents étages segmentaires de la moelle et les centres de l'encéphale. Les voies motrices, faisceaux pyramidaux notamment, sont descendantes ; les voies sensorielles sont ascendantes.

Substance grise centrale qui contient des corps cellulaires neuronaux regroupés en noyaux et étagés en segments. Ces corps cellulaires constituent des relais synaptiques sur le trajet des voies nerveuses en communication avec l'encéphale. Mais ils permettent, en outre, des jonctions courtes entre neurones sensoriels et moteurs, assurant les réflexes médullaires. Au centre se trouve le *canal de l'épendyme* (qui est un canal virtuel).

A intervalles réguliers, la moelle présente des racines antérieures et postérieures ; leur fusion constitue les *nerfs rachidiens.* Un renflement sur la racine postérieure, le *ganglion rachidien,* contient les corps cellulaires des neurones sensoriels venant des nerfs rachidiens. Les nerfs rachidiens quittent le canal rachidien entre les vertèbres par le trou de conjugaison. Ils peuvent être comprimés par une hernie discale à ce niveau.

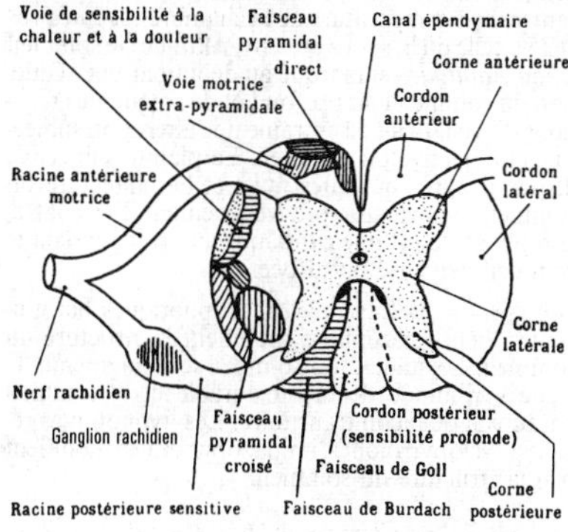

Moelle épinière (coupe horizontale)

■ Nerfs périphériques

Assurent la communication entre le névraxe et les zones périphériques de l'organisme.

Nombre. 12 paires de nerfs crâniens et 31 de nerfs rachidiens. Les nerfs optiques, auditifs, olfactifs ne sont pas de véritables nerfs périphériques car ils servent à joindre l'encéphale avec des organes périphériques (œil, oreille, muqueuse olfactive) qui contiennent plusieurs étages neuronaux et constituent par eux-mêmes des centres nerveux.

■ Système nerveux autonome

L'innervation des viscères, qui a surtout pour effet d'assurer les équilibres corporels et de les adapter aux exigences du moment, est constituée par des systèmes relativement autonomes au sein du système nerveux général.

1°) Système sympathique ou adrénergique (le médiateur synaptique des fibres terminales en est l'adrénaline). Il s'articule avec le système nerveux central par des colonnes de substance grise contenue dans la moelle épinière, entre le 8e segment cervical et le 2e segment lombaire. Une lésion haute de la moelle soustrait le sympathique à toute action du cerveau et fait notamment disparaître l'émotion. Les neurones font relais dans les ganglions de la *chaîne sympathique latéro-vertébrale* et dans les ganglions prévertébraux regroupés en *plexus* (cardiaque, solaire, mésentérique et hypogastrique). Le s. sympathique met l'organisme en état de dépense énergétique pour permettre une meilleure réponse aux exigences de l'environnement.

2°) Système parasympathique ou cholinergique (le médiateur synaptique des fibres terminales est l'acétylcholine). Il s'articule avec le système nerveux central par des noyaux situés dans le tronc cérébral ou dans la partie terminale de la moelle, au-dessus ou au-dessous des centres sympathiques. Les fibres parasympathiques font relais dans des ganglions, comme le ganglion *ciliaire,* ou dans des cellules ganglionnaires contenues par les viscères. Il est le système de la diminution des dépenses énergétiques et de l'orientation vers l'accumulation de réserves.

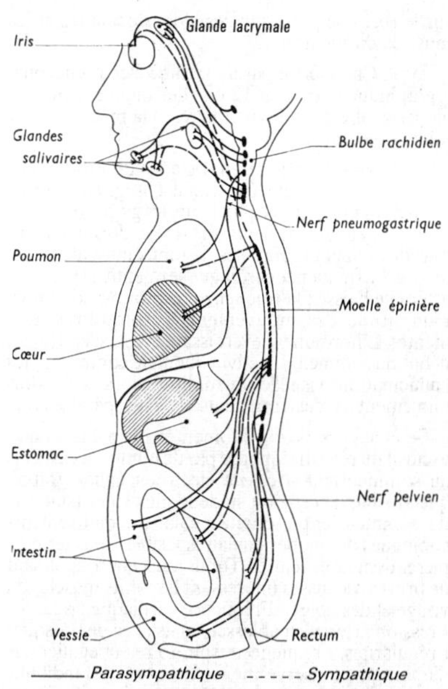

Systèmes sympathique et parasympathique (chaque organe est innervé par les 2 systèmes)

Certaines fibres sympathiques se terminent au contact de cellules différenciées contenues dans les glandes surrénales et capables de libérer de grandes quantités d'adrénaline. Ce médiateur diffusant dans le sang facilite le passage synaptique des fibres sympathiques (état émotif très rapide).

■ Enveloppes et liquide céphalo-rachidien

Méninges. Enveloppe externe **(dure-mère)** fibreuse, adhère au crâne, mais séparée des vertèbres par une couche graisseuse **(l'arachnoïde) la pie-mère,** au contact immédiat du névraxe dont elle suit les moindres replis ; entre arachnoïde et pie-mère, **l'espace sous-arachnoïdien,** cloisonné par des bandes fibreuses, communique avec les cavités des ventricules. L'ensemble contient le **liquide céphalo-rachidien (LCR)** soustrayant le névraxe à l'action de la pesanteur, il amortit les chocs que peut transmettre la boîte crânienne. *Composition moyenne :* Protéines 0,15 à 0,30 g/l. Glucose 0,40 à 0,70 g/l (2,2 à 3,9 mmol/l). Chlorures 7,10 à 7,50 g/l NaCl (120 à 130 mmol/l). IgG $< 0{,}09$ g/l.

■ Vascularisation cérébrale

Le cerveau consomme 25 % de l'oxygène utilisé par l'organisme au repos. Le drainage du sang veineux cérébral se fait par les **veines jugulaires** mais n'est pas empêché par une oblitération du système veineux supérieur du corps en raison d'anastomoses nombreuses. Un filtre (barrière cérébro-méningée) entre le tissu cérébral et le contenu des vaisseaux permet de sélectionner les différents constituants du sang et il rend très difficile l'acheminement des médicaments dans le système nerveux central. 1 décès sur 6 est dû aux troubles vasculaires cérébraux. Toute oblitération ou rupture d'un vaisseau sanguin *(ischémie)* le prive d'oxygène *(anoxie)* et de glucose.

Fonctions neurologiques

■ Fonctions sensorielles

1°) Neurone sensoriel. Aucun excitant ne peut atteindre le système nerveux s'il ne stimule pas un neurone sensoriel qui le code en influx. Un neurone sensoriel est toujours plus sensible à un type particulier d'excitant, mais si l'énergie de l'excitant est suffisante, il y a réponse pour tout excitant et réponse identique (loi du tout ou rien).

2°) Centres perceptifs. Assurent l'intégration, la confrontation des données simultanées et successives des neurones sensoriels. Les c. perceptifs élémentaires, aires primaires perceptives du cortex cérébral par exemple, coordonnent les neurones d'un même champ perceptif. Les aires d'association coordonnent les données perceptives de nature différente.

3°) Représentation perceptive. Exige l'apprentissage. Il y a soit reconnaissance d'un excitant déjà perçu, soit élaboration de conduites perceptives qui classent les objets perçus ou permettent leur reconstruction mentale en leur absence.

Atteintes. *Lésion de neurones sensoriels* (atteinte de la rétine, de la cochlée), ou des *premiers relais qui suivent ces neurones :* empêche toute perception dans le champ sensoriel atteint. *Syringomyélie* (lésion de la moelle épinière) : fait perdre la perception de la douleur et de la température cutanée, mais le sens du tact est conservé.

Maladies. Névralgies : douleurs souvent violentes provoquées par l'inflammation des nerfs périphériques. **Agnosie :** atteinte des centres perceptifs, excitants et objets ne sont pas perçus mais les réflexes sensoriels persistent. **Asymbolie :** objets ou excitants sont perçus mais non identifiés. **Aphasie sensorielle :** incapacité de donner un sens aux mots. **Prosopagnosie :** incapacité d'identifier les physionomies.

■ Motricité

Le neurone moteur est la seule voie de commande du muscle. Des réflexes médullaires ou cérébraux favorisent la coordination des contractions musculaires. La *coordination des mouvements volontaires* adapte les mouvements d'une jambe à ceux de l'autre jambe. L'*oreille interne* et le *cervelet* règlent l'équilibre. Les *noyaux gris centraux* permettent les mouvements fins et ajustés. Les *aires corticales motrices* assurent la commande motrice, notamment la commande consciente.

L'apprentissage moteur favorise l'activité conjuguée des différents muscles mais est surtout indispensable pour ajuster la motricité aux données de la perception, essentiellement la perception visuelle.

Paralysie. Incapacité d'effectuer un mouvement ; elle peut être *parcellaire* en cas d'atteinte de muscles *(myopathie),* ou du neurone moteur *(poliomyélite) ;* ou *étendue* en cas d'atteinte des centres de la motricité des 2 membres inférieurs par lésion de la moelle thoracique *(paraplégie),* des 4 membres par lésion de la moelle cervicale *(tétraplégie),* de la moitié droite ou gauche du corps par lésion de l'hémisphère cérébral opposé *(hémiplégie).*

Amyotrophie spinale infantile (ou maladie de Werdnig-Hoffmann). Héréditaire, récessive autosomique, n'apparaît que si les 2 parents transmettent le gène défectueux à l'enfant et que ce gène n'est pas un chromosome sexuel. Faiblesse et atrophie des muscles provoquées par une dégénération des neurones de la corne antérieure de la moelle épinière. FORMES LES + SÉVÈRES : l'enfant meurt avant sa 1re année. FORMES CHRONIQUES : simple faiblesse musculaire jusqu'à une mort possible dans l'adolescence. Touche un enfant sur 5 000 et sur 20 000 pour les cas les + graves. SYMPTÔMES : hypotrophie et paralysies musculaires s'ils apparaissent quelques mois après la naissance, touchent le bassin, muscles de la ceinture, nuque, puis muscles des membres avant de gagner les muscles respiratoires, entraînant une mort rapide.

Ataxie, dystonie, dyskinésie, chorée (danse de St-Guy), **athétose.** Altérations d'activités motrices qui sont perturbées.

Apraxie. Difficulté ou impossibilité de concevoir une activité motrice.

Maladie de Parkinson. Décrite en 1817 par le Dr James Parkinson ; provoque une rigidité des muscles, un tremblement de la tête et des mains au repos. Une perte de l'initiative motrice, survient vers la cinquantaine, due à la destruction de cellules de la substance noire du cerveau (ces cellules fabriquent la dopamine). *Concerne* env. 80 000 personnes en France. TRAITEMENT : la *L-dopa.* Injection dans le cerveau de cellules de tissu nerveux fœtal (expériences en Suède et aux USA).

■ Mémoire et apprentissage

Le nombre et la disposition des neurones dans les centres nerveux sont stables au cours de la vie et ne sont pas modifiés par l'acquisition de nouvelles conduites. Cependant, les modifications des dendrites et des synapses permettent une évolution des conduites les cellules gliales jouent peut-être aussi un rôle dans la mémorisation.

Capacités de mémorisation du cerveau. L'apprentissage et la mémorisation du souvenir s'expliquent par une modification limitée de l'organisation cérébrale antérieure. Le souvenir est reconstruit au moment de l'évocation à partir de quelques traces, grâce à des repères spatiaux et temporels qui ne sont construits qu'à partir de 3-4 ans.

La mise en jeu des structures du système limbique, spécialement de l'*hippocampe,* est obligatoire. La mémorisation demande quelques heures pour une fixation de longue durée. Le *rêve* permet de renforcer les traces mnésiques. La *réminiscence* fait qu'une leçon apprise le soir est toujours mieux sue le lendemain matin.

Droitiers et gauchers

■ **Causes.** L'homme possède un hémisphère cérébral privilégié différent à droite et à gauche : le *gauche* domine le droit pour les fonctions linguistiques et intellectuelles, le *droit* domine le gauche pour la sensibilité et la perception de l'espace et des formes. Presque tous les droitiers ont le centre du langage à gauche, 20 à 30 % des gauchers ont le leur à droite. La majorité garde un cerveau de droitier avec une différence : l'hémisphère droit contrôle aussi la main active (les réseaux nerveux des commandes motrices étant inversés, la main gauche est mue par l'hémisphère droit) ; par rapport aux droitiers, il s'agit d'une sorte de court-circuit : par exemple, au moment où *le joueur de tennis* voit le mouvement de son adversaire et celui où il répond, tout se passe dans l'hémisphère droit alors que le droitier doit effectuer un détour vers le gauche pour mettre sa main en mouvement.

On peut normalement se servir de la main droite et être gaucher du pied, de l'oreille ou de l'œil.

■ **Conséquences.** Les gauchers ont plus d'accidents que les droitiers. Selon le Canadien Stanley Coren et la Californienne Diane Halpern les hommes droitiers vivent en moyenne 72 ans (gauchers 62), les femmes 78 (gauchères 73).

■ **Proportion de gauchers.** Env. 10 %. Chez les étudiants musiciens 15 %, architectes 13 %, scientifiques 4 %.

■ **Quelques gauchers célèbres. Acteurs, actrices :** Lenny Bruce, George Burns, Charlie Chaplin, W.C. Fields, Greta Garbo, Judy Garland, Betty Grable, Rex Harrison, Olivia De Havilland, Rock Hudson, Shirley MacLaine, Marcel Marceau, Harpo Marx, Marilyn Monroe, Robert De Niro, Kim Novak, Richard Prior, Telly Savalas, Rod Steiger, Kenneth Williams. **Criminels :** Billy the Kid, Jack l'Éventreur. **Écrivains :** Goethe, Heine, Andersen, Nietzsche, Lewis Carroll. **Escrime :** au *fleuret*, les gauchers dominent pour les touches à courte distance où le temps de réaction est inférieur à 4 centièmes de seconde ; par contre, à « distance de fente », quand il faut viser mais que l'on a presque une seconde pour réagir, les droitiers s'imposent. Aux JO de Moscou en 1980, il y avait parmi les Français 8 gauchers sur 15 ; aux J.O. de 1968, la finale de fleuret masculin s'est disputée entre gauchers. **Football :** Pelé shootait du pied gauche. **Hommes d'État :** Bismarck, Gerald Ford, Frédéric II, James Garfield, Georges VI, Napoléon, Tibère (empereur), Harry Truman. **Musiciens :** Bach, Beethoven, Jimi Hendrix, Paul MacCartney, Paganini, Schumann. **Peintres :** Duby, Holbein, Michel-Ange, Léonard de Vinci. **Savant :** Einstein. **Tennis :** les droitiers préfèrent généralement jouer en fond de court avec des balles plus lentes. Les gauchers excellent au filet. Björn Borg, Ivan Lendl, Yannick Noah, Mats Wilander sont droitiers ; Jimmy Connors, Henri Leconte, John McEnroe, Martina Navratilova, Roscoe Tanner, Guillermo Vilas sont gauchers. **Divers :** Baden-Powell, Benjamin Franklin, Alphonse Bertillon, l'amiral Nelson.

Amnésie. Défaut de la mémorisation de fixation (et non oubli, l'atténuation des souvenirs et des apprentissages qui ne sont pas évoqués de temps à autre est un processus normal). *A. antérograde* ou *de fixation :* défaut de fixation des faits nouveaux, souvenir des faits anciens conservé ; *a. d'évocation :* les faits mémorisés ne peuvent plus être évoqués ; *a. lacunaire :* perte du souvenir d'une tranche vécue, quelques dizaines de minutes le plus souvent. *Causes :* déficience des hippocampes, traumatisme crânien (ex. électrocution brutale, accident de voiture...), lésions du thalamus et des corps mamillaires (amnésie de Korsakoff). Correspond généralement à la période qui a précédé un choc cérébral sévère avec perte de connaissance.

Ecmnésie. Fausse impression de déjà vécu, à l'origine des croyances de métempsycose. Ces troubles peuvent traduire des affections cérébrales mais se rencontrent souvent chez des sujets normaux en bonne santé.

Paramnésie. Fausse impression de déjà-vu.

États de vigilance

Il y a 3 états de vigilance (éveil, sommeil lent et sommeil paradoxal), qui peuvent être reconnus et enregistrés au moyen d'un appareil appelé polygraphe et de capteurs (électrodes) qui sont placés sur le scalp, le pourtour des globes oculaires et les muscles du menton.

Éveil. Caractérisé par un rythme électroencéphalographique entre 8 et 12 c/s, des mouvements des globes oculaires et des paupières et la présence d'un tonus musculaire.

Sommeil lent. Divisé en 4 stades de profondeur croissante. L'activité électrique enregistrée sur le scalp devient de plus en plus lente, les globes oculaires ont des mouvements lents lors de l'endormissement puis deviennent immobiles, le tonus musculaire demeure. La fréquence cardiaque se ralentit, la pression artérielle baisse ; la fréquence respiratoire diminue, l'amplitude des mouvements respiratoires augmente. L'hormone de croissance est sécrétée au début du sommeil. L'activité mentale comprend des hallucinations visuelles ou auditives lors de l'endormissement et des fragments de rêve par la suite.

Sommeil paradoxal. Moment principal mais non exclusif du rêve. Il s'oppose par de nombreux aspects au sommeil lent. Activité électroencéphalographique voisine de celle du stade le plus léger (stade 1) du sommeil lent. Activité oculaire : mouvements conjugués des globes oculaires visibles sous les paupières demeurées closes. Tonus musculaire aboli sauf de brèves secousses intéressant les petits muscles du visage et des doigts. Fréquence cardiaque : ralentie. Pression artérielle : abaissée, mais avec de brusques irrégularités. Fréquence respiratoire : irrégulière, le diaphragme conserve une activité normale tandis que les muscles intercostaux deviennent inactifs. Débit sanguin central en hausse. Le pénis est en érection, le clitoris gonflé.

Cycles du sommeil

Nombre. 4 à 5 cycles de 60 à 100 min, débutant par du *sommeil lent* et s'achevant par du *sommeil paradoxal.* Le 1er épisode du sommeil paradoxal survient de 50 à 100 min après l'endormissement. Les 2 ou 3 premiers cycles de sommeil comportent du sommeil lent profond (stades 3 et 4), les derniers cycles des épisodes de sommeil paradoxal plus longs.

Durée du sommeil chez l'adulte. *Sommeil lent* environ 80 % de la durée totale de sommeil (dont *stade 1 :* 5 % ; *2* 50 % ; *3 et 4* 25 %). *Sommeil paradoxal* env. 20 %.

■ Facteurs de l'organisation des états de vigilance

Phylogenèse. Chez tous les vertébrés, un rythme repos-activité peut être identifié, mais un véritable cycle veille-sommeil avec les 2 types de sommeil, lent et paradoxal, n'apparaît que chez les oiseaux et les mammifères. *Exception :* le dauphin de la mer Noire n'a pas de sommeil paradoxal et dort alternativement avec un hémisphère cérébral, puis avec l'autre, ce qui lui permet de venir respirer à la surface de l'eau toutes les 30 sec. env., comme il en a besoin. A l'intérieur d'une même espèce la répartition et la durée des différents états de vigilance varient selon l'habitat, l'alimentation et le conditionnement des animaux.

Ontogenèse (ou avec l'âge). La durée et la proportion des états de vigilance varient avec l'âge. *Fœtus :* son sommeil (analysé par échographie abdominale) est indépendant de celui de la mère. On note à 20 semaines une alternance d'activité et d'immobilité, à 28 l'apparition du sommeil agité (futur sommeil paradoxal), à 30 celle du sommeil calme (futur sommeil lent), à 36 une alternance régulière des 2 s. Le s. agité représentant avant le terme env. 65 % du temps de s. *A l'accouchement,* le nouveau-né ne se réveille qu'au moment des contractions utérines les plus fortes et lors de l'expulsion. *Le nouveau-né* dort beaucoup (16 h sur 24 en moyenne). Il ne connaît pas le jour et la nuit. Le sommeil est morcelé en périodes de 3 à 4 h séparées par des périodes de veille. Il s'endort presque toujours en sommeil agité (50 à 60 % du sommeil total). *1 à 6 mois :* la périodicité jour-nuit apparaît à la fin du 1er mois ; la durée du sommeil de nuit augmente, les épisodes de sommeil de jour deviennent moins nombreux. *6 mois à 4 ans :* la durée de sommeil diurne diminue, l'enfant éprouve souvent des difficultés d'endormissement. *4 à 12 ans :* la durée totale de sommeil se réduit et l'enfant est très vigilant le jour ; la sieste disparaît entre 4 et 6 ans. *Personnes âgées :* durée totale de sommeil : 7 à 9 h, mais le s. de nuit tend à se morceler et des périodes de s. de jour apparaissent souvent.

Génétique. Le sommeil est soumis à une influence génétique. Einstein dormait 10 h et plus ; Pline le Jeune, Napoléon, Victor Hugo, Poincaré, Paul Doumer, Churchill dormaient 3 à 5 h par nuit. Le sommeil des grands et des petits dormeurs n'est pas structuré de la même manière. La quantité du stade 2 est beaucoup plus grande chez les grands dormeurs, celles du stade 1 et du sommeil paradoxal un peu plus élevées. La quantité des stades 3 et 4 (sommeil de récupération) est égale dans les 2 groupes.

Chronobiologie. Le cycle veille-sommeil est soumis à l'influence de *synchroniseurs* (ou *Zeitgebers*) : lumière et obscurité et, de façon prédominante chez l'homme, les variations du niveau d'activité sociale. *Variations : circadienne* (autour de 24 h) : dans les conditions normales d'entraînement par ces synchroniseurs, l'endormissement se produit lors de la diminution de la température centrale (maximale à 17 h et minimale vers 3 h), et le réveil lors de l'augmentation de la température, ce qui explique les variations de la durée de sommeil selon l'heure du coucher : *pour un coucher entre 21 h et 23 h :* 7 à 9 h ; *à 7 h :* 4 à 5 h, *entre 18 h et 20 h :* jusqu'à 11 h. *Variations circa-semidiennes* (2 fois par 24 h) *:* il existe une phase de propension au sommeil, entre 13 h et 15 h (l'heure normale de la sieste), sans relation avec le repas de midi, en complément de la phase principale de propension au sommeil le soir entre 22 h et O h. *Variations ultradiennes :* de périodes inférieures à 24 h, dont la plus typique est l'apparition toutes les 100 min env. du sommeil paradoxal la nuit.

Environnement. Température : le nombre et la durée des éveils augmentent à haute et à basse températures. La quantité de sommeil paradoxal est diminuée, proportionnellement, plus à basse qu'à haute température, et la quantité de sommeil lent profond proportionnellement, plus à haute qu'à basse température. Si la température de la chambre est entre 16° et 25°, celle du lit sera à 30° env. **Altitude :** le sommeil à *haute altitude* est marqué au début par une réduction du sommeil lent profond et de fréquentes réactions d'éveil. **Bruit :** il entraîne une altération subjective et objective du sommeil. La plainte subjective disparaît après quelques nuits et l'architecture du sommeil se normalise progressivement. Par contre, la réponse du rythme cardiaque au bruit pendant le sommeil demeure perturbée.

Hypnotiques. La plupart des hypnotiques, barbituriques, benzodiazépines, modifient la structure du sommeil. Le stade 2 du sommeil lent augmente, le stade 4 diminue de façon durable et le sommeil paradoxal de façon transitoire. Les hypnotiques récents (cyclopyrrolones, imidazopyridines) modifient peu la structure du sommeil.

■ Mécanismes de la veille et du sommeil

Ils sont complexes et mal connus. **État de veille :** il dépend au moins de 3 neurotransmetteurs, la *noradrénaline,* la *dopamine* et l'*histamine.* **Sommeil lent :** dépend de la mise en jeu, déjà pendant l'éveil, de la *sérotonine* qui contribue ensuite à activer des systèmes inhibiteurs utilisant l'acide gamma aminobutyrique GABA. **Sommeil paradoxal :** dépend de la mise en jeu de systèmes cholinergiques situés dans le pont et le bulbe. Il serait provoqué par un facteur synthétisé dans l'hypothalamus et le lobe intermédiaire de l'hypophyse, facteur qui mettrait ensuite en jeu un système bulbaire déclenchant à son tour différents systèmes exécutifs en majorité cholinergiques.

☞ Pendant le sommeil le corps perd 28 à 42 g, la température baisse : 30 déplacements (en moyenne) sont effectués par nuit (14 min dans chaque position).

■ Fonctions du sommeil

Elles demeurent hypothétiques. **Fonctions principales :** réparateur ; chez les enfants permet la libération de certaines hormones, notamment celles de la croissance : les enfants qui dorment mal (par ex. les Portoricains à cause du bruit, de la musique) ne grandissent pas normalement.

Privation prolongée de sommeil. Un quart du sommeil perdu sera récupéré dans les nuits suivantes. Le stade 4 du sommeil lent, le plus important, sera récupéré à 65-70 %, le sommeil paradoxal à 40-45 % et les autres stades du sommeil lent dans une proportion très faible. Des expériences de privation totale de sommeil ont été réalisées. Ainsi, à San Diego, Randy Gardner (jeune homme de 17 ans) est demeuré 264 h sans dormir ; à la fin de son « record » il a tenu une conférence de presse, puis est allé dormir 14 h 40 min. La nuit suivante il dormit 10 h 25 min et la 3e nuit 8 h 55. On a noté une augmentation importante de l'absorption de nourriture et une diminution de la température centrale (d'environ 1 °C), mais aussi une altération des fonctions cognitives : vigilance, performances psychomotrices, élocution. Les fonctions végétatives, cardio-vasculaires, respiratoires, neurologiques résistent remarquablement.

Conseils pour mieux dormir. Se lever à heure fixe, et de préférence tôt. Avoir des activités physiques dans la journée, mais pas à proximité du coucher. Ne pas avoir d'activité intellectuelle intense dans l'heure précédant le coucher. L'alcool favorise l'endormissement mais également le réveil précoce. Thé et café peuvent gêner l'endormissement.

Cliniques du sommeil. Unités spécialisées aux CHU de Bordeaux, Clermont-Ferrand, Grenoble, Lille, Lyon, Montpellier, Paris, Rouen, Strasbourg, Toulouse, Tours.

Ronflement (ronchopathie). CAUSES : confondu avec le raclement, qui résulte d'une obstruction des fosses nasales empêchant de respirer par le nez. Il est dû à la vibration du voile du palais, partie flottante que termine la luette. La relaxation musculaire engendrée par le sommeil, la position sur le dos entraînent un rétrécissement du conduit pharyngé. Quand on inspire, l'air, en tourbillonnant, se fraie un passage forcé provoquant un tremblement sonore du voile (l'intensité peut atteindre 70 décibels). Le ronflement s'accroît avec l'âge, qui suscite un relâchement de la peau, des muqueuses et des muscles. L'obésité, l'absorption d'alcool, un repas copieux le facilitent.

EFFETS : le ronfleur fait des efforts respiratoires plus grands, il peut s'éveiller fatigué avec mal à la tête. Le ronflement facilite une somnolence diurne excessive, une hypertension artérielle, ou des accidents vasculaires. Il est associé à des pauses respiratoires (apnées) responsables d'une diminution de l'oxygénation du cerveau et parfois de troubles hémodynamiques (hypertension artérielle) et du rythme cardiaque.

TRAITEMENT : intervention chirurgicale, *l'uvulo-palatopharyngoplastie,* ou UPPP, qui consiste à élargir le pharynx en supprimant la partie basse du voile mou du palais, ainsi que la luette.

STATISTIQUES : *Hommes* 80 % ronflent. *Femmes* 50 %.

■ Troubles du sommeil

Insomnie. Si expérimentalement, une absence totale de sommeil peut être obtenue par la volonté et relativement bien supportée, l'insomnie est différente. Elle correspond à une plainte de mauvais sommeil, avec un ou plusieurs des symptômes suivants : difficulté d'endormissement, éveils nocturnes, réveil précoce. *Effets :* sur la vie de jour irritabilité, performances diminuées, somnolence. Elle associe le plus souvent un trouble du sommeil et un trouble de la perception du sommeil, le sujet surestime généralement son délai d'endormissement et le temps passé éveillé. *Traitement :* bonne hygiène de sommeil, chimiothérapie (anxiolytiques, hypnotiques, antidépresseurs), approches non pharmacologiques (relaxation, biofeedback, déconditionnement).

☞ 60 % des retards scolaires dans les classes primaires sont dus à des manques de sommeil.

Somnolence diurne excessive. 5 % de la population en souffre. *Causes :* insuffisance ou excès de sommeil, horaires de sommeil irréguliers, prise de médicaments hypnotiques dont l'effet se prolonge le jour. Le syndrome d'apnée au cours du sommeil (1 % à 2 % des dormeurs) et les maladies de la vigilance (narcolepsie-cataplexie, hypersomnie idiopathique, hypersomnie récurrente) sont moins fréquentes mais responsables de somnolence diurne sévère. *Traitement :* dépend de l'étiologie. Requiert une investigation spécialisée dans une unité d'exploration des troubles du sommeil.

☞ Le modafinil, molécule dérivée de l'adrafinil (efficace sur la vigilance) est prescrit aux hypersomniaques et à ceux atteints de narcolepsie (crises inopinées du sommeil).

Épisodes paroxystiques du sommeil ou parasomnies. Rassemblent *énurésie* (non-acquisition ou perte de contrôle de la vessie : font « pipi au lit » à 3 ans : 40 % des enfants, à 4 a. : 20, à 5 a. : 10, à 12 a. : 3, à 14 a. : 1), *terreurs nocturnes, somnambulisme* (1 personne sur 16 est, ou a été, somnambule). Fréquents dans l'enfance, ils disparaissent plus tard dans la majorité des cas.

Troubles du rythme veille-sommeil. Se signalent par une somnolence invincible pendant les heures d'activité, et une incapacité à trouver le sommeil pendant les heures de repos.

2 types : *1°) troubles du rythme veille-sommeil* induits par le choix ou l'obligation d'être éveillé et de dormir en opposition avec les synchroniseurs (travail posté, vols transméridiens) ; *2°) altérations endogènes du rythme veille-sommeil* correspondant à un échappement pathologique de ce rythme au contrôle des synchroniseurs (syndromes de retard ou d'avance de phase du sommeil, rythme veille-sommeil différent de 24 h).

☞ Les Français consomment 150 millions de boîtes de tranquillisants par an. 32 % en consomment occasionnellement ; 7 % pour une durée sup. à 1 an. Certains, dangereux (Halcyon, Triazolam), peuvent provoquer des accès d'anxiété.

■ Fonctions végétatives du cerveau

Le cerveau assure la régulation des grandes fonctions végétatives, notamment la faim et la soif, le contrôle de la température centrale. Cette régulation dépend pour une grande part de fonctions innées, mais également d'éléments appris. Ainsi, l'information de faim est liée à l'état des sucres dans le sang selon un mécanisme inné, mais les conduites alimentaires doivent être entièrement apprises.

Anorexie. Perte de l'appétit : normalement provoquée par les états d'alerte, ce qui explique la sensibilité de l'appétit à l'anxiété. *A. du nourrisson :* liée le plus souvent à l'anxiété, associée au déroulement du repas, rarement grave. *A. mentale :* frappe le plus souvent les filles (10 filles pour 1 garçon). L'anorexique peut perdre jusqu'à 30 % de son poids.

Relations psychosomatiques

3 processus résument les relations entre psychisme et équilibres corporels : le contrôle du degré d'éveil cérébral, de l'équilibre des systèmes neurovégétatifs, des équilibres hormonaux, notamment des hormones surrénaliennes comme la cortisone.

Les troubles psychosomatiques liés à la persistance exagérée de la mise en alerte de l'organisme reflètent la fatigue de l'organisme en alerte.

Fonctions du moi

Le système limbique paraît en être le siège principal. La neurophysiologie permet d'isoler : un contrôle de l'humeur et des émotions ; un contrôle des processus de décision, orientés vers un choix parmi plusieurs conduites possibles ou vers un remaniement des conduites anciennes pour les adapter à des situations nouvelles ; une orientation de la conduite vers l'initiative motrice ou au contraire vers des attitudes d'inhibition et de retrait.

De nombreux troubles neurologiques ou mentaux comme la dépression, les troubles de l'humeur, la perte de l'initiative motrice (au cours de la maladie de Parkinson), peuvent s'expliquer par un dérèglement de ces fonctions cérébrales qui contrôlent l'exercice du moi.

Fonctions cognitives supérieures

Assurées par le cortex du néo-cerebrum. Le déroulement de la pensée est lié à une activité perceptivo-motrice qui s'effectue dans le cerveau, sans recours aux objets extérieurs, ces objets étant remplacés par une image perceptive, et l'action motrice du sujet sur les objets étant remplacée par une action sur l'image. Neurologiquement, la *pensée* ne diffère donc pas fondamentalement des conduites perceptivo-motrices. Cependant certaines fonctions supérieures ne s'expliquent pas immédiatement en termes de conduite.

■ Fonction symbolique

Correspond avant tout au langage (mais il existe des symboles non verbaux, par ex., visuels).

Langage. On distingue : un *code phonétique* adapté aux possibilités d'expression vocale du larynx et d'analyse de l'oreille ; un *système de concepts* construit peu à peu par expérience et conservé par la succession des générations ; un *lien arbitraire,* propre à chaque langue, entre un mot et le concept qu'il désigne.

La construction des concepts, la mise en équivalence d'images mentales différentes impliquent l'activité corticale dans son ensemble. La manipulation du code phonétique est une fonction particulière effectuée par la zone du langage, aux confins du lobe temporal et du lobe pariétal de l'hémisphère gauche.

Aphasie. Défaut de langage lié à une atteinte de la zone du langage.

Cécité verbale. Perte du sens des mots à la lecture, liée à une atteinte du cortex cérébral situé en arrière de la zone du langage.

Dyslexie de l'enfant. Touche 8 % des écoliers intelligents.

■ Raisonnement

Les lobes frontaux jouent un rôle essentiel ; ils assurent la communication entre les structures du moi et les fonctions cognitives. L'altération des faisceaux reliant les lobes frontaux et les structures du moi pourrait expliquer la *schizophrénie.*

■ Conduites intellectuelles générales

La fonction n'est pas localisée. Il existe une certaine corrélation entre le volume cérébral et l'efficience intellectuelle aux tests mentaux.

Débilité mentale. Insuffisance intellectuelle constitutionnelle. CAUSES : débilités sévères : lésions cérébrales ; débilités légères : influences sociales, variance constitutionnelle. Les formes très graves de débilité sont regroupées sous le vocable d'arriération mentale (les termes d'imbécillité, d'idiotie, de crétinisme ne sont plus guère utilisés).

Démence. Insuffisance intellectuelle acquise (l'alcoolisme et la sénilité en sont les principales causes).

Maladies du système nerveux

■ **Affections transmises par hérédité. Anencéphalie :** absence partielle ou totale de l'encéphale, parfois associée à l'absence de moelle épinière **(amyélencéphalie).** Le crâne est absent ou rudimentaire. Très courte survie possible, mais exceptionnelle. **Chorée :** affection rhumatismale aiguë, se manifestant par des mouvements involontaires brusques, désordonnés et des troubles mentaux. TRAITEMENT : repos, traitement antirhumatismal, sédatifs. **Chorée de Huntington,** rare (1 personne sur 20 000), héréditaire, entraîne la perte de la mémoire et peut aboutir à un état de démence irréversible. **Démence présénile de Pick. Spina-bifida :** malformation de la partie terminale de la moelle épinière. **Hydrocéphalie :** liée à une accumulation du liquide céphalo-rachidien sous tension à l'intérieur des ventricules cérébraux.

■ **Affections dégénératives :** (comme la **maladie de Friedreich).** Congénitales non héréditaires. Présentes à la naissance, transmises par voie génétique.

Mongolisme ou trisomie : associe arriération mentale et diverses malformations. Voir à l'Index.

Séquelles de rubéole ou toxoplasmose : contractées par la mère durant la grossesse.

Infirmité motrice cérébrale : liée habituellement à une anoxie cérébrale au moment de la naissance.

■ **Affections toxiques ou toxiniques. Botulisme :** lié à la consommation de conserves avariées. Intoxications par métaux lourds, arsenic, plomb, manganèse, thallium. **Tétanos :** frappe env. en France 500 à 600 personnes par an (30 à 40 % de mortalité, dont 40 % dans les 10 premiers jours). 11 % présentent des séquelles. Pourtant la vaccination protège à 100 %, mais 70 % des adultes oublient de se faire un rappel de vaccination tous les 10 ans.

■ **Affections traumatiques. Lésions cérébrales :** sans relation bien étroite avec l'existence ou l'absence de fracture du crâne. Un *coma* indique une commotion cérébrale sévère mais la guérison complète est possible. Des complications sévères, *hématomes extra-duraux* ou *sous-duraux,* imposent un traitement neurochirurgical. Séquelles fréquentes : épilepsie, syndrome post-traumatique. **Paraplégies** ou **tétraplégies** accompagnant une fracture du rachis, de plus en plus fréquentes au cours des accidents de circulation.

■ **Affections tumorales. Bénignes** *(méningiomes, neurinomes) :* ablation chirurgicale possible. **Malignes primitives** *(glioblastome) :* évolution lente possible, difficile à traiter ; *secondaires :* compliquent un cancer primitif d'une autre région du corps *(métastases).*

■ **Affections vasculaires.** Liées à l'oblitération d'une artère par thrombose, entraînant un *ramollissement cérébral* ou attaque. *L'hémorragie cérébrale* est moins fréquente mais toujours mortelle si elle est importante (1 décès sur 6 y est lié). Les accidents vasculaires peuvent être favorisés par des malformations vasculaires, angiome ou anévrismes traitables par la neurochirurgie s'ils sont diagnostiqués à temps.

■ **Épilepsie.** Provoquée par une décharge synchrone d'un grand nombre de neurones. Diagnostiquée par les données cliniques et l'EEG. Peut être *généralisée* avec perte de connaissance et convulsions, ou *focale* avec des symptômes variés. CAUSES : diverses, favorisée par l'alcoolisme. TRAITEMENT : par médications antiépileptiques (barbituriques, hydantoïnes).

■ Infections bactériennes. **Abcès du cerveau :** beaucoup plus rare, traitement chirurgical.

Chorée de Sydenham : frappe le plus souvent les adolescents, liée à une affection streptococcique ; guérison habituellement sans séquelles.

Méningites : les plus fréquentes, guérissent sans séquelles si le traitement est précoce.

■ Infections virales. **Encéphalites ou encéphalomyélites :** ensemble des états inflammatoires non suppurés de l'encéphale souvent accompagnés de *myélite.* NOMBREUSES CAUSES : a) *E. des maladies infectieuses :* rougeole, variole, vaccine, coqueluche, etc., par mécanisme sans doute allergique. b) *E. dues à des virus neurotropes :* E. épidémique ayant sévi après la guerre de 1914-18 (troubles du sommeil, maladie de Parkinson). Rage. *E. causées par des arbovirus :* E. équine américaine, E. japonaise. D'autres virus (poliomyélite, oreillons, herpès, hépatite virale) peuvent causer aussi des encéphalites. SYMPTÔMES GÉNÉRAUX : fièvre, convulsions, délire, coma, troubles paralytiques divers, signes méningés. ÉVOLUTION : souvent grave. Séquelles paralytiques et mentales fréquentes. TRAITEMENT : symptomatique. DÉCÈS EN FRANCE EN 1991 : 123 (E. myélites et encéphalomyélites). *Toxoplasmose cérébrale :* se voit surtout lors de l'évolution du sida.

Méningite : contagieuse. Inflammation aiguë des enveloppes du cerveau et de la moelle par des virus (méningocoque de Weischelbaun) ou des bacilles. Maux de tête, nuque raide, vomissements. On distingue mén. à virus, mén. bactérienne guérissant rapidement grâce aux sulfamides et antibiotiques, et mén. tuberculeuse plus longue à guérir (guérissable dans 90 % des cas).

Poliomyélite antérieure aiguë : le plus souvent inapparente, peut laisser des séquelles graves à type de paralysies multiples. Vaccination efficace.

Syringomyélie : raréfaction de la moelle provoquant des cavités kystiques intramédullaires détruisant la moëlle. Troubles de la sensibilité thermique suspendue.

Tabès : lésion de la moelle, non-coordination des mouvements (ataxie locomotrice). CAUSE : syphilitique. TRAITEMENT : antibiotiques (rare de nos jours).

■ Sclérose en plaques. Liée à l'altération de la *myéline* qui entoure les axones. Évolue par poussées et début chez l'adulte jeune. 1ers *symptômes* habituellement liés à une atteinte du nerf optique ou de la moelle épinière. CAUSE : inconnue (affection auto-immune ou virus lent). Touche surtout les pays tempérés froids. CAS EN FRANCE PAR AN : 2 000, affecte 60 000 personnes ou +. TRAITEMENT : symptomatique influençant l'évolution de la maladie (corticoïdes, immunosuppresseurs).

☞ ADRESSES : *Ligue française contre la sclérose en plaques* 17, bd Auguste-Blanqui, 75013 Paris. *Association pour la recherche sur la sclérose en plaques (ARSEP),* 4, rue Chéreau, 75013 Paris ; créée 1969. *Assoc. française des sclérosés en plaques (NAFSEP),* Aéropole, 1/5, av. Albert-Durand, 31700 Blagnac ; créée 1962, adhérents : 6 000.

■ Démence sénile (gâtisme). CAUSES (en %) : maladie d'Alzheimer 52, accidents vasculaires 17, petites attaques 14, tumeurs cérébrales et affections neurologiques 7, maladie de Parkinson 2, désordres psychiatriques 1, causes indéterminées 7. 1 démence sur 10 est due à une rétention du liquide céphalo-rachidien (hydrocéphalie à pression normale) ou à des troubles hormonaux, métaboliques ou dépressifs, curables.

Maladie d'Alzheimer. Décrite en 1906 par Alois Alzheimer. Destruction partielle des neurones cholinergiques. Actuellement incurable. DURÉE : 2 à 20 ans. ORIGINE ÉVENTUELLE : neurochimique, virale, immunologique, vasculaire et métabolique, toxicité de certains métaux (notamment l'aluminium), influence génétique, l'anomalie du chromosome 21 entraînant une accumulation excessive de protéine bêta amyloïde, « radicaux libres ». EFFETS : augmentation du nombre de plaques séniles, dégénérescences neuro-fibrillaire, granulo-vacuolaire, atrophie du cortex. SYMPTÔMES : affaiblissement intellectuel progressif, souvent dissimulé par des formules toutes faites. Troubles de la mémoire immédiate (de fixation) et plus lointaine (de conservation) s'accompagnant souvent de troubles du sommeil avec turbulence nocturne, troubles du jugement, fautes d'orthographes, égocentrisme, gloutonnerie, incontinence, manipulation des excréments. TRAITEMENT : des symptômes, tétrahydroaminoacridine (n'arrête pas la maladie). Test biochimique (mesurant le taux de protéines APP accumulées dans les plaques séniles) au point aux USA. ADRESSE : France-Alzheimer, 49, rue Mirabeau, 75016 Paris. STATISTIQUES : *France :* détériorations cérébrales apparentées 300 000 à 400 000 dont env. 50 % de démences séniles de type Alzheimer. 10-15 % (30 000 malades) ont entre 45 et 65 ans. *USA :* 2,5/4 millions de cas dont Rita Hayworth (1918-87) (4e cause de mortalité après affections cardiaques, cancers et accidents vasculaires cérébraux).

■ Maladie de Creutzfeld-Jacob. Décrite en 1921. Se traduit par des perturbations neurologiques (tremblements, troubles de l'équilibre). Encéphalopathie transmise par des agents infectieux atypiques (« virus lents » ou « prions »). Incubation 2 à 40 ans. Mortelle, frappe surtout des enfants, traitée jusqu'en 1985 par l'hormone extractive non purifiée de l'urée (plus utilisée depuis en France et à l'étranger). CAS (fin 1992) : 39 dont 18 en France.

☞ **IRME Institut pour la recherche sur la moelle épinière.** 4, av. de Camoens, 75116 Paris.

■ PERSONNALITÉ (MALADIES DE LA) (Handicaps relationnels)

Caractères généraux. Perturbations de la personnalité et de l'affectivité entraînant une restriction des capacités d'amour, de travail et de loisir, et des symptômes divers, avec ou sans altération du jugement, de l'intelligence et du sens de la réalité. *État dépressif :* touche 4,5 % des femmes (7 à 8 % de celles de 40 à 50 ans), et 1,6 % des hommes (3 % de ceux de 50 à 60 ans).

Autisme. État interdisant toute relation sociale normale : l'enfant semble muré dans une solitude absolue. CAUSES : mal connues, anomalie (hypoplasie) dans les lobules VI et VII du vermis du cervelet, syndrome de l'X fragile. *Quotient intellectuel d'autistes :* en général moins de 100.

Syndrome de Rett. Identifié en 1966 par Andrea Rett, apparaît chez les petites filles de 6 à 18 mois (l'enfant garde ses mains plaquées sur la poitrine). CAS : 4 à 5 pour 10 000 naissances. Soit en France 1 enfant sur 4 000 env. (dont 4/5 de garçons), mais 1 sur 1 000 présente des difficultés à établir des relations normales avec autrui et une propension à se replier sur lui-même. Sur 500 à 750 cas estimés en France seulement 1/4 diagnostiqués. Souvent confondu avec l'autisme. COMPLICATIONS : crises d'épilepsie, scoliose, mobilité réduite, difficultés alimentaires. CAUSES : mal connues, anomalie chromosomique liée à l'X. ADRESSE : Association française d'Andrea Rett, rue Roger-Bodineau, 37270 Larçay.

■ NÉVROSES

■ Formes. **Névroses d'angoisse :** peur irraisonnée avec sentiment de mort menaçante, de danger. Signes physiologiques : oppression thoracique, accélération du rythme cardiaque, accélération de la respiration, tremblements...

Névroses phobiques : déplacement de l'angoisse sur des êtres, des animaux, des objets externes, des actes, des situations (par ex. : grands espaces, rues, lieux fermés, etc.), qui deviennent l'objet d'une peur paralysante.

Hystérie de conversion (déplacement de l'angoisse sur le corps). L'angoisse s'exprime par une paralysie d'un membre, un trouble sensitif ou sensoriel, sans lésion organique.

Névroses hypocondriaques : crainte permanente de la maladie ; obsession de la santé. Exagération de sensations normales éprouvées douloureusement et de façon chronique par le malade (froid ou chaleur dans les membres, mouvements de l'estomac ou de l'intestin).

Névroses obsessionnelles : caractère forcé d'idées, images, affects, conduites qui envahissent tout le champ de conscience malgré les efforts du malade et déterminent en lui une lutte inépuisable, entraînant un malaise absorbant (scrupules obsédants, crainte de commettre une action ridicule ou criminelle) et poussant à des rituels invariables (compulsions, vérifications).

Psychasthénie : fatigue vécue à la fois sur le plan somatique et psychique mais résultant directement de facteurs psychologiques. Caractères : sous-estimation de sa propre valeur, doute, indécision, timidité, rumination mentale... Les troubles sont à leur maximum le matin, avec une amélioration fréquente l'après-midi.

Névroses de caractère : désigne le plus souvent des états névrotiques où les moyens de défense se situent essentiellement au niveau des réactions caractérielles en relation avec la structure névrotique ; du fait de la structure de sa personnalité, le sujet se trouve constamment exposé à des difficultés dans son existence ; *névrose de conflit :* conflits incessants avec son entourage ; *d'abandon :* crainte perpétuelle d'être abandonné par les êtres affectionnés ; *d'échec :* exposant le sujet à des insuccès répétés.

Névroses à symptômes sexuels : frigidité totale ou partielle, vaginisme, impuissance sexuelle, éjaculation précoce.

■ Traitement. Chimiothérapie (médicaments tranquillisants : action modérative sur certains symptômes sans effet de fond), relaxation, psychothérapie (individuelle ou en groupe), cure psychanalytique.

■ PSYCHOSES

Affections paroxystiques ou durables de la personnalité se traduisant par l'altération du sens de la réalité. Elles entraînent une altération non pas des capacités mentales mais de leur utilisation, à la différence de l'*affaiblissement intellectuel d'origine organique* (démence sénile, démence artériopathique, paralysie générale syphilitique, tumeurs cérébrales, syndrome de Korsakoff alcoolique).

■ Formes. **Psychose thymique :** formes périodiques (ex. : psychose maniaco-dépressive) ou chroniques. Répétition ou alternance d'états maniaques (excitation euphorique et désordonnée) et d'états mélancoliques (abattement, tristesse insondable, sentiments d'indignité, de culpabilité, de ruine et d'incurabilité, idée et tentative de suicide : état dangereux).

Accès délirants aigus : à la suite d'une émotion gaie ou triste, d'un surmenage, d'une maladie organique... : état de confusion pouvant s'accompagner d'hallucinations, avec perturbations de l'humeur, altération de la conscience. Résolution rapide sous traitement intensif. Peuvent aussi marquer le début ou le déroulement d'une psychose chronique.

Schizophrénie : dissociation de la personnalité (sentiments, idées et autres contenus psychiques coexistent ou se succèdent sans liens entre eux dans le sujet). Se caractérise par une altération profonde et progressive de la personnalité qui se coupe de la communication avec autrui pour se perdre dans le chaos de son propre monde imaginaire. **Forme hébéphrénique :** syndrome patent de dissociation mentale avec peu d'idées délirantes. Apathie progressive ou comportement puéril qui peuvent évoluer rapidement vers une grande déchéance mentale. Début généralement insidieux et progressif surtout chez les adolescents. **Forme catatonique :** perte de l'initiative motrice, tension musculaire, phénomènes parakinétiques et troubles mentaux où prédominent la stupeur et le négativisme. **Forme paranoïde** (la plus fréquente) : délire actif, perceptif, sensoriel d'étrangeté, de dépersonnalisation, d'influence, impression d'être sous l'emprise d'une force extérieure, hallucinations surtout auditives et cénesthésiques (ensemble de nos sensations internes). ÉVOLUTION : début précoce (adolescence), évolution prolongée, parfois pendant toute la vie. CAS : 1 ‰ de la population des pays modernes. France : 50 000.

Délires interprétatifs *sans désintégration de la personnalité :* délires de persécution, de revendication, délires passionnels (jalousie, érotomanie). *Psychose paranoïaque :* 4 composantes : surestimation du moi, méfiance, fausseté du jugement, psychorigidité [tantôt ennui, sentiment de solitude ; tantôt révolte, autoritarisme ; pour tous les cas : sentiments de persécution, conduites persécutantes ou quérulentes (tendance à porter plainte en justice)].

Psychose hallucinatoire chronique : délires de persécution avec phénomènes hallucinatoires auditifs, visuels, olfactifs.

■ Traitement (exemples). *Mélancolie :* électrochoc et antidépresseurs. *Manie :* neuroleptiques. *Schizophrénie* et *délires chroniques :* neuroleptiques et psychothérapie d'inspiration psychanalytique. *Psychose maniaco-dépressive :* sels de lithium. *Dans toutes les psychoses :* nécessité d'associer aux traitements biologiques les thérapeutiques par le milieu (sociothérapie, ergothérapie) et la psychothérapie.

■ Statistiques *(France). Cas nouveaux de malades souffrant d'affections mentales de longue durée* ou justifiant des soins de plus de 6 mois : 114 500 par an (17,2 %). 16 à 20 % des Français (env. 10 millions) ont souffert de troubles psychiques relevant d'une aide médicale. Selon une « Enquête nationale sur l'anxiété » lancée en 1987 par l'Inserm, on a, parmi les névroses d'angoisse, relevé, 1 fois sur 3, la présence de troubles paniques et d'agoraphobie et, 1 fois sur 4, une anxiété permanente généralisée. Près d'un malade sur 4 (et plus de 28 % des femmes) avait été traité auparavant pour une *« spasmophilie ».* Ces prétendus spasmophiles souffraient en réalité d'une dépression névrotique (pour 28 %), d'une névrose d'angoisse ou phobique (27 %), d'hystérie (12 %) ou d'une névrose hypocondriaque (4,2 %), toutes accessibles à des moyens thérapeutiques. Ces troubles, 2 fois plus fréquents chez les femmes que chez les hommes, ont débuté vers 25 à 30 ans, et augmenté après 45 ans. 62 % des sujets n'ont jamais bénéficié d'un traitement. Voir Index.

APPAREIL RESPIRATOIRE

VOIES RESPIRATOIRES

Fosses nasales. Filtrent et réchauffent l'air aspiré.

Pharynx. Carrefour avec les voies digestives.

Larynx. Soutenu par des cartilages ; le plus développé est le *cartilage cricoïde* (du grec *krikos :* anneau) ou *pomme d'Adam ;* il produit la voix grâce à des *cordes vocales* [2 rubans nacrés longs de 18 mm (femme) ou 20 (homme)]. Grâce aux petits muscles et cartilages environnants, les cordes vocales s'écartent pendant la respiration et se rapprochent pendant la phonation. Elles sont recouvertes par une muqueuse fragile qui glisse sur un tissu sous-muqueux permettant la vibration. Leur longueur intervient dans la hauteur de la voix, la muqueuse dans le timbre. La force ou l'intensité de la voix est due avant tout à la puissance du souffle expiratoire.

Trachée. Tube de 12 cm de long maintenu par une vingtaine d'anneaux cartilagineux. Relie le larynx aux bronches.

Bronches. Formées d'anneaux cartilagineux. Les 2 bronches principales pénètrent dans le poumon correspondant au niveau du *hile* et s'y ramifient en bronchioles auxquelles succèdent les canaux alvéolaires qui débouchent dans les alvéoles, petits ballonnets à paroi gaufrée (taille 200 à 250 μ).

POUMONS

DESCRIPTION

Forme. Vaste membrane au travers de laquelle l'air entre en quasi-contact avec le sang des capillaires pour l'oxygéner et en rejeter l'anhydride carbonique en excès. Formée de plusieurs millions de *lobules pulmonaires,* entourés d'un tissu conjonctif élastique riche en capillaires sanguins (volume 150 à 200 ml). Les *alvéoles* représentent une surface totale de 70 à 200 m² (suivant l'inspiration ou l'expiration) ; recouverte par le *surfactant* (film de substance tensioactive). *Aspect :* 2 masses spongieuses et élastiques, roses chez les jeunes, gris noirâtre chez les adultes, à cause des poussières respirées. Des sillons ou scissures limitent 3 *lobes* dans le poumon droit, 2 dans le gauche.

Plèvre. Séreuse enveloppant les poumons. Ses feuillets humectés par le liquide pleural glissent l'un sur l'autre et facilitent les mouvements des poumons. Le feuillet externe est soudé à la paroi thoracique et au diaphragme.

ÉCHANGES GAZEUX DANS LES POUMONS

Se font au travers de la paroi des alvéoles pulmonaires (véritable barrière air-sang) essentiellement entre le gaz carbonique (CO_2) et l'oxygène (O_2) selon une double opération, captation de l'oxygène alvéolaire par le globule rouge, évacuation du gaz carbonique sanguin vers l'alvéole. A la fin de l'expiration, ne reste plus dans les poumons que l'*air alvéolaire.* L'oxygène et le gaz carbonique sont présents dans le sang à l'état dissous et en combinaisons chimiques. Les échanges entre air alvéolaire et sang des capillaires sanguins s'effectuent selon plusieurs mécanismes parmi lesquels les phénomènes de diffusion et de dissociation jouent un rôle majeur.

Diffusion. Phénomène physique. Les molécules d'oxygène et de gaz carbonique traversent la paroi alvéolaire en raison de la différence de pression partielle qui existe dans l'alvéole pulmonaire et le capillaire sanguin de ces 2 gaz. Le passage s'effectue du compartiment dans lequel la pression gazeuse est la plus élevée vers celui dans lequel elle est moindre.

Dissociation. L'hémoglobine joue un rôle essentiel dans le transport de l'oxygène (O_2) et du gaz carbonique (CO_2). La désoxygénation de l'hémoglobine favorise la formation de bicarbonates tandis que l'oxygénation de l'hémoglobine favorise la formation d'acide carbonique et la production instantanée de CO_2 diffusible. L'hémoglobine possède un pouvoir tampon qui intervient dans l'équilibre acide-base du sang. Les variations du pH ont des conséquences identiques à celles de la pression partielle du CO_2 : Pa CO_2 (Acidose → Hypercapnie-Alcalose → Hypocapnie). Le gaz carbonique dissous est en équilibre avec les ions bicarbonates (CO_3H). S'il y a augmentation de la pression partielle de CO_2 (Pa CO_2) audessus de la tension d'équilibre ($PCO_2 \leftarrow CO_2$ dissous) une partie du CO_2 se combine avec des bases tampons : hémoglobine réduite, protéines, phosphates organiques et inorganiques selon l'équation :

$$CO_2 \text{ dissous} + H_2O \rightleftharpoons CO_3H_2 + \text{bases}$$
$$\rightleftharpoons \text{Acide faible} + CO_3^- H_2$$

Capacité pulmonaire en litres. *Volume courant* (*VC ;* normalement inspiré et expiré) : 0,4 à 0,7 ; *de réserve inspiratoire (VRI)* : 1,5 à 2,5 ; *de réserve expiratoire (VRE) :* 1 à 2. *Volume résiduel* (*VR ;* air intra-thoracique après expiration forcée) : 1,5. VC, VRE et VRI constituent la **capacité vitale :** [à *7 ans :* 1 litre ; *11 :* 2 ; *15, garçon :* 3 (*fille :* 2,5)] ; *18 et +, homme :* 3,5 à 4,5 (grands sportifs : 5 à 7), *femme :* 2,7 à 3,5.

Volume expiratoire maximal par seconde (VEMS). Normalement 80 % de la capacité vitale ; sa diminution traduit un obstacle à la circulation de l'air dans les petites bronches (syndrome obstructif).

Cadence normale de respiration au repos (mouvements par minute). *Nouveau-né* 35. *5 ans* 25. *15 à 20 ans* 20. *20 à 25 ans* 18. *25 à 40 ans* 15 (par jour 20 000 entrées ou sorties d'air).

Nombre de litres d'air expirés par un individu en une minute (à 20 °C). A jeun au lit 6. Assis 7. Debout 8. Marche (3 km/h) 14, (5 km/h) 26. Course 43. Violent effort physique 65 à 100. Mobilisation de 15 kg d'air (env.) par jour.

COMPOSITION DE L'AIR

	Inspiré	Alvéolaire	Expulsé
Azote	79,2 %	80,4 %	79,2 %
Oxygène	20,7 %	14 %	15,4 %
Acide carbonique	0,03 %	5,6 %	5,4 %

PRESSIONS DES GAZ

Le gaz alvéolaire et le gaz expiré sont saturés en vapeur d'eau. Le gaz expiré s'est appauvri en oxygène dans les poumons et enrichi en gaz carbonique. Le sang s'est simultanément enrichi en oxygène dans les poumons et appauvri en gaz carbonique.

	Sang veineux mêlé	Air alvéolaire	Sang artériel
Pa O_2	40 mm Hg	100 mm Hg	97 mm Hg
Pa CO_2	46 mm Hg	40 mm Hg	40 mm Hg

En altitude, il y a une diminution de la pression atmosphérique, d'où diminution de la pression d'oxygène inspiré. Il en résulte une *hyperventilation* qui peut amener des malaises attribués à l'*hypoxémie* (diminution du taux de l'oxygène dans le sang) et à l'*alcalose* (rupture de l'équilibre acide-base dans le sang avec diminution du CO_2).

AGRESSEURS DU POUMON

Microbes et virus responsables des infections : abcès, pneumonie, bronchites aiguës, grippes... **Allergènes** responsables de l'asthme (graminées, poils, plumes, poussières, acariens). **Particules minérales** (silice, amiante...) ou **organiques** (moisissures...). **Gaz toxiques** (CO, oxydes d'azote, oxydes de soufre, composés chlorés, gaz pulseur et composés toxiques des appareils à aérosols...) et surtout **tabac** (composés toxiques de la fumée de cigarettes) qui accentue en outre l'action néfaste des autres polluants.

AUTRES FONCTIONS DU POUMON

Épuration. Le poumon est un filtre autonettoyant : *moyens mécaniques :* cils vibratiles tapissant les parois bronchiques et rejetant à l'extérieur les poussières inhalées et engluées dans le mucus des cellules bronchiques ; *cellulaires :* macrophages (cellules à poussières) qui digèrent les poussières et particules toxiques ; *immunologiques :* anticorps et lymphocytes qui luttent contre les antigènes inhalés. Mais lorsqu'il est soumis à des agresseurs trop nombreux, ce filtre ne peut plus fonctionner efficacement.

Fonctions diverses. Production de lipides et de nouvelles protéines ; contrôle certaines enzymes ; libère des hormones vasodilatatrices et vasoconstrictrices ; s'oppose à certaines substances capables de provoquer des spasmes bronchiques.

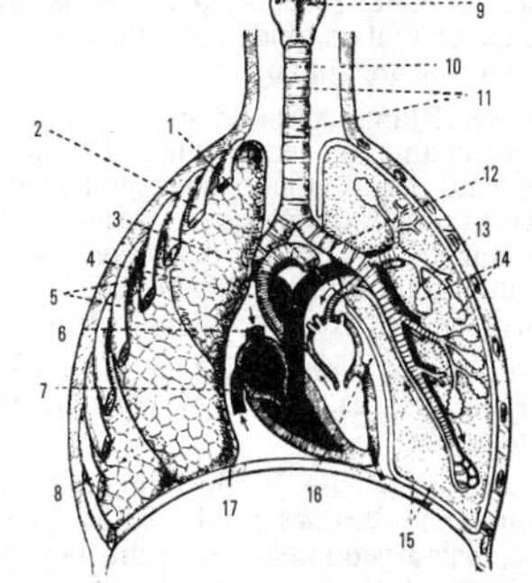

1 veine pulmonaire. *2* hile. *3* aorte. *4* artère pulmonaire. *5* côtes. *6* veine cave supérieure. *7* veine cave inférieure. *8* lobules. *9* larynx. *10* trachée-artère. *11* anneaux cartilagineux. *12* bronches. *13* bronchioles. *14* alvéoles. *15* plèvre. *16* lit du cœur. *17* diaphragme.

MALADIES DE L'APPAREIL RESPIRATOIRE

Abcès du poumon. Suppuration circonscrite du tissu pulmonaire. TRAITEMENT : antibiotiques, drainage, aspiration du pus, intervention chirurgicale.

Acidose respiratoire. Acidose ventilatoire ou gazeuse caractérisée par des désordres respiratoires qui provoquent l'élévation de la Pa CO_2 *(hypercapnie)* au-dessus de 45 mm de Hg. Elle est tantôt compensée, tantôt décompensée selon que les mécanismes correcteurs, notamment rénaux, s'avèrent efficaces ou insuffisants, auxquels cas le pHg sanguin artériel s'abaisse au-dessous de 7,38.

Alcalose respiratoire ou alcalose gazeuse. Diminution *(hypocapnie)* de la Pa CO_2 au-dessous de 40 mm de Hg. Due à l'hyperventilation alvéolaire, elle est compensée ou décompensée selon qu'elle est corrigée ou non par les mécanismes compensateurs rénaux. En cas d'alcalose décompensée, le pH sanguin titre 7,45 ou plus.

Agénésie pulmonaire. Absence totale de bronche, de tissu pulmonaire et d'artère pulmonaire ; conséquence d'un désordre embryonnaire qui suspend très précocement (3ᵉ-6ᵉ semaine) le développement d'1 ou des 2 poumons ; si un seul poumon est absent, la malformation est parfois bien tolérée. DIAGNOSTIC : signes cliniques traduisant le déplacement du cœur et du médiastin (espace compris entre les 2 poumons) vers l'hémithorax opposé, opacité totale de ce côté sur les radiographies et sur les bronches et angiographies pulmonaires, absence conjuguée de tronc bronchique et d'artère pulmonaire. Danger des infections sur le poumon unique, et cause habituelle de la mort : les *hypoplasies pulmonaires,* conséquence d'une atteinte embryonnaire tardive ou d'une infection sévère très précoce.

Alvéolites allergiques extrinsèques. Bronchopneumopathies liées à une exposition massive (formes aiguës) ou limitée mais répétée (formes chroniques) à des poussières organiques en rapport avec la profession : fermiers (foin moisi), éleveurs d'oiseaux (déjections), fourreurs, champignonnistes, ouvriers de minoteries, filatures, scieries (bois exotiques)... Surviennent chez les sujets prédisposés. TRAITEMENT : corticostéroïdes, antibiotiques, suppression de l'exposition aux poussières, port de masques.

Asbestose. Fibrose pulmonaire due à l'inhalation prolongée, souvent d'origine professionnelle, de poussières d'amiante. MANIFESTATIONS : insuffisance respiratoire, éventuellement : pleurésies exsudatives bénignes, plaques pleurales hyalines, calcifications pleurales, cancers bronchiques, tumeurs malignes primitives sur la plèvre ou mésothéliomes.

Asthme. On distingue la *« crise »* (obstruction bronchique paroxystique due à un spasme réversible) de l'*asthme à dyspnée continue* (fréquence, intensité, durée des crises et leur retentissement sur la vie quotidienne de l'asthmatique et de son entourage). CAUSES : allergique, microbienne, endocrinienne. FACTEURS FAVORISANTS : climatiques, saisonniers, professionnels, psychologiques, terrain allergique familial. TRAITEMENT : identification et suppression de la cause, désensibilisation aux allergènes incriminés. Des médicaments traitent la « crise », d'autres sont utilisés entre les crises pour en prévenir le retour. Une surveillance médicale stricte s'impose. L'automédication peut être dangereuse, en particulier l'abus des dérivés de la cortisone. Sont utilisés : médicaments antiallergiques et bronchodilatateurs (théophylline, cromoglycate disodique, sympathicomimétiques, corticostéroïdes), désensibilisants chez l'enfant et l'adulte jeune, cures climatiques, rééducation respiratoire, kinésithérapie, psychothérapie. SPORT CONSEILLÉ : natation (Mark Spitz, champion olympique, est asthmatique). FRÉQUENCE : env. 2 millions de cas en France ; en augmentation. Plus fréquent chez les garçons (2 cas pour un chez les filles), env. 2 000 décès par an.

Atélectasie pulmonaire. Rétraction du tissu pulmonaire sur l'axe bronchique, causée par l'obstruction totale de la lumière bronchique par obstacle endobronchique ou compression extrinsèque de la bronche. DIAGNOSTIC : essentiellement radiographique ; opacité homogène totale, lobaire ou segmentaire d'un poumon. TRAITEMENT : de la cause.

Blebs. Variété d'emphysème sous-pleural disséquant.

Fibroses interstitielles diffuses (FID). États caractérisés par la fibrose des cloisons conjonctives interalvéolaires (habituellement bilatérale et généralisée à l'ensemble du parenchyme pulmonaire). CAUSES DIVERSES : collagénoses, sarcoïdose fréquemment dyspnée d'effort ; radios, images radiologiques micromodulaires. DIAGNOSTIC : repose sur signes associés. TRAITEMENT : aucun.

Bronchites aiguës et chroniques. ASPECT : inflammation des bronches. Toux sèche, puis grasse avec expectoration mucopurulente. FORMES : *bronchite aiguë* atteignant les grosses bronches et réversible ; *chronique* (est suspect de br. chronique quiconque présente toux et expectoration plus de 3 mois par an, plus de 2 ans de suite) *limitée aux grosses bronches (catarrhe)* sans gravité ; *bronchite chronique obstructive et invalidante* qui atteint les petites bronches, se complique d'*emphysème* et conduit à l'insuffisance respiratoire grave, non réversible. CAUSES : fumée du tabac, irritation permanente ou répétée par des poussières minérales ou organiques, polluants atmosphériques ou professionnels, microbes et virus (poussées infectieuses aiguës souvent traitées sans que l'on porte attention à l'insuffisance respiratoire sous-jacente). FACTEURS FAVORISANTS : climats humides, habitat insalubre, protection insuffisante des milieux du travail, facteurs génétiques (déficits immunitaires). TRAITEMENT : arrêt du tabac, rééducation respiratoire, antibiotiques, fluidifiants et drainage bronchique, changement de postes de travail et changement de climat quand il est possible, oxygénothérapie, ventilation assistée par respirateurs. NOMBRE EN FRANCE : 50 000 grands insuffisants respiratoires chroniques (5 % de la population) dont 20 000 sont appareillés.

Broncho-pneumonie. Inflammation aiguë des bronches et des poumons ; en général après rougeole, coqueluche, grippe. ASPECT : toux, fièvre, difficulté de respiration. TRAITEMENT : chaleur, expectorants, antibiotiques, tonicardiaques, oxygène.

Cancer du poumon (voir p. 134 a).

Congestion pulmonaire. Pneumonie bénigne, sauf complication d'épanchement pleural purulent ou de suppuration pulmonaire. DURÉE : 7 à 10 j. TRAITEMENT : antibiotiques.

Dilatation des bronches (bronchectasie). Augmentation de calibre des bronches révélée par catarrhe bronchique, expectoration purulente abondante, hémoptysie et identifiée par bronchographie. TRAITEMENT : kinésithérapie respiratoire, aérosols, antibiotiques ; cures posturales ; intervention chirurgicale si dilatation bronchique localisée et limitée.

Embolie pulmonaire. Voir **Embolie** à l'Index.

Emphysème pulmonaire. Distension permanente et destruction des alvéoles. CAUSES : bronchite chronique, pneumoconioses (silicose) et autres fibroses pulmonaires, parfois éosinophilie sanguine accrue. TRAITEMENT : gymnastique respiratoire, cures thermales.

Hémosidérose pulmonaire. Infiltration diffuse, bilatérale.

Hémothorax. Épanchement de sang dans la cavité pleurale, parfois associé à un pneumothorax. C'est un état non-inflammatoire qui se produit parfois spontanément [rupture d'un vaisseau qui sous-tend une bride pleurale au cours d'un pneumothorax thérapeutique, traumatique (plaie de poitrine)]. SIGNES : tableau d'anémie aiguë associé à des signes physiques d'épanchement pleural avec ou sans syndrome de pneumothorax. TRAITEMENT : transfusions sanguines, ponctions évacuatrices ; chirurgie.

Histiocytose X. Variété de fibrose pulmonaire, rare, bilatérale. Pronostic souvent fatal. ORIGINE : inconnue.

Hoquet. Décharge brusque (jusqu'à 0,5 seconde) des muscles inspiratoires, à glotte fermée ; cadence 15 à 60 par minute. ORIGINE : irritation de l'arc réflexe (partant du bas de l'œsophage et se rendant au centre nerveux) d'où un reflux gastro-œsophagien (repas excessif ou trop arrosé), une hernie hiatale, une tumeur ou un ulcère du cardia (à l'entrée de l'estomac). TRAITEMENT : moyens physiques, avaler sans respirer (eau, mie de pain), cuillerée de sucre en poudre, grain de sucre imprégné de vinaigre, retenir sa respiration, respirer dans un sac (l'air inspiré ayant une teneur en CO_2 plus importante, les poumons, avides d'oxygène, exigeront des mouvements respiratoires plus amples), peur soudaine (pour couper la respiration), clef glacée dans le dos... ; médicaments : ex. Amitryptiène.

Hydropneumothorax. Association d'un épanchement pleural liquide et d'un pneumothorax. Signes cliniques de pleurésie surmontés par des signes d'épanchement gazeux. La limite entre les deux syndromes est horizontale dans toutes les positions. CAUSES : plaies pleuropulmonaires, rupture d'une alvéole ou d'un kyste pulmonaire gazeux dans la plèvre. TRAITEMENT : abstention ou ponctions. Si tuberculose, antibiothérapie appropriée.

Hydrothorax. Épanchement liquide non inflammatoire de la plèvre. Signes physiques identiques à ceux de la pleurésie séro-fibrineuse. Association éventuelle à œdème généralisé. CAUSES : cardiopathies décompensées, néphropathies œdémateuses, cirrhose de Laennec, carences protidiques. TRAITEMENT : de la maladie causale.

Kystes gazeux ou aériens du poumon. Formations arrondies ou ovaires à contenu gazeux développés au sein du parenchyme pulmonaire ; les unes sont congénitales (kystes dysembryoplasiques), d'autres acquises [séquelles d'abcès, de cavités tuberculeuses inactivées (les bulles géantes d'emphysème ne sont pas de vrais kystes)]. COMPLICATIONS POSSIBLES : infections bactériennes, pneumothorax. TRAITEMENT : chirurgical.

Microlithiase pulmonaire. Affection exceptionnelle, familiale. Pronostic régulièrement mortel.

Miliaire. Image radiologique micromodulaire, traduisait autrefois une forme mortelle de tuberculose généralisée. Se voit aussi au cours de cancers, alvéolites, fibroses, pneumoconioses.

Œdème pulmonaire. Inondation des alvéoles par la sérosité non coagulable du plasma sanguin (après lésions cardio-rénales, infections, intoxications, maladies nerveuses). ASPECT : grande suffocation sans collapsus. COMPLICATIONS : cardiaques et asphyxie. TRAITEMENT : diurétiques, oxygène.

Parasitose pulmonaire (Aspergilloses, hydatidoses, amibiases). Toux, hémoptysies, infiltrations pulmonaires. TRAITEMENT : antiparasitaire, en fonction du parasite en cause.

Pleurésie. Inflammation fréquemment exsudative de la plèvre. PRINCIPALES CAUSES : tuberculose, cancer, maladies cardio-vasculaires (embolie pulmonaire et insuffisance du ventricule gauche), infections bactériennes et virales des poumons et des bronches. **Pl. sèche** (pleurite) : point de côté, toux sèche. TRAITEMENT : repos. **Pl. à épanchement :** toux sèche, point de côté, fièvre. DIAGNOSTIC : examen du liquide pleural après ponction et examen de fragments de plèvre prélevés par ponction-biopsie. TRAITEMENT : selon la cause : repos, diurétiques, tonicardiaques, antibiotiques, parfois ponctions évacuatrices, toujours gymnastique respiratoire pour éviter les séquelles. Peut être très longue à guérir.

Pneumoconiose. Maladies du poumon consécutives à l'inhalation de poussières d'origine minérales. 2 variétés : *p. fibrosantes* [(en France 40 000 personnes atteintes par an, 1 400 nouveaux cas, 900 décès) *silicose,* amiante, *teryliose*] ; *p. de surchage* à poussières mixtes de la *sidernose* (poussières d'oxyde de fer).

Pneumonie. Inflammation et infection aiguës d'un lobe pulmonaire. CAUSES : pneumocoques, virus, rickettsies, mycoses. ASPECT : toux, fièvre, difficultés de respiration. Signes cliniques en foyer ; opacité lobaire en radiographie. TRAITEMENT : expectorants, antibiotiques, sulfamides, tonicardiaques, réhydratation, oxygène chez les vieillards. DÉCÈS (*monde*) : 3 500 000 enfants de – de 5 ans.

Pneumothorax. Présence d'air ou de gaz dans la plèvre, due à des infections pleurales, plus souvent à des ruptures de vésicules pulmonaires superficielles dans la plèvre. ASPECT : brutal point de côté, difficultés de respiration, hyperclarté pulmonaire en radiographie. TRAITEMENT : repos, exsufflations, drainage ou talcage pleural ; si pneumothorax persistant ou récidivant : pleurectomie.

Pollinose. Rhinite spasmodique saisonnière (équivalent asthmatique) avec éternuements incessants, écoulements nasaux et lacrymaux, gonflements des muqueuses nasales et oculaires. État allergique dû habituellement aux pollens de graminées. TRAITEMENT : antihistaminiques de synthèse dérivés cortisoniques, désensibilisation spécifique intersaisonnière.

Protéinose alvéolaire. Affection très rare du poumon. Pronostic très grave. Type clinique : maladie de *Hamam-Rich.*

Sclérose pulmonaire. Production de tissu fibreux en abondance. CAUSES : tuberculose, pneumoconiose, maladies du tissu conjonctif. TRAITEMENT : lutte contre l'infection, cortisone, oxygène, kinésithérapie.

Séquestration pulmonaire. Hémoptysies, tableau de suppuration pulmonaire, opacité : postéro-inférieure, lobe inférieur. CAUSES : vice du développement embryonnaire du poumon qui affecte un territoire broncho-pulmonaire ayant perdu ses connexions aériennes et vasculaires normales. La ventilation est absente. La vascularisation est assurée par la grande circulation. TRAITEMENT : chirurgical : lobectomie.

Syndrome d'Ondine. Touche les enfants qui durant leur sommeil respirent trop faiblement et parfois en meurent. Le mouvement respiratoire étant tantôt automatique tantôt volontaire, l'apprentissage ventilatoire s'impose.

Thymome. Tumeur du thymus, latente, souvent découverte par la radiographie ou plus rarement associée à des signes de compression médiastinale, parfois un syndrome myasthénique. Subit rarement la dégénérescence cancéreuse. TRAITEMENT : exérèse chirurgicale.

Tuberculose (voir p. 132).

APPAREIL DIGESTIF

En 24 h environ, il transforme les aliments (digestion) et fait passer dans le sang les aliments digérés (absorption).

BOUCHE

■ **Rôle. Mastication** (broyage des aliments par les dents). Travail dû à des mouvements complexes de la langue et du maxillaire inférieur mû par les muscles masticateurs (temporal et masséter : m. élévateurs robustes ; digastiques : m. abaisseurs ; divaricateurs ou ptérygoïdiens : m. des mouvements latéraux). **Salive :** *sécrétion :* environ 1 litre par jour ; composition : 99,5 % d'eau, carbonates et phosphates alcalins, ptyaline ou amylase (diastase) ; aide à la mastication et commence la digestion des sucres (amylase salivaire). Protège contre la carie en neutralisant les acides et en éliminant par « rinçage » certains débris alimentaires. **Déglutition :** chasse les aliments dans le pharynx. Le voile du palais ferme alors le passage vers les fosses nasales ; le larynx se soulève et vient buter contre une languette, l'*épiglotte,* qui s'abaisse et l'obture. Une seule voie s'offre alors au *bol alimentaire,* l'œsophage dont, par réflexe, les fibres musculaires circulaires et longitudinales se contractent en amont du bol alimentaire et se relâchent en aval. Les aliments gagnent ainsi l'estomac même si l'on est couché ou renversé la tête en bas.

■ **Maladies. Abcès :** dans la gorge, au niveau de l'amygdale, ou chez le jeune enfant au niveau de la paroi pharyngée. TRAITEMENT : antibiotiques, incision si non-résorption.

Angine : DIAGNOSTIC : douleur de la gorge, inflammation du pharynx, fièvre. Pendant longtemps, on a distingué : *1°) l'angine érythémateuse « rouge » :* début brutal, malaise général, frisson et difficultés de déglutition, gorge enflammée mais pas d'atteinte ganglionnaire (symptômes alors attribués habituellement aux angines virales) ; *2°) l'angine érythémato-pultacée « blanche » :* douleurs de la gorge, grande fatigue, troubles digestifs, aspect particulier des amygdales et du pharynx, gros ganglions douloureux dans le cou (symptômes alors habituellement attribués aux angines streptococciques). Complication : rhumatisme articulaire aigu responsable d'une atteinte articulaire et cardiaque.

Angines dites spécifiques : diphtérique, de Vincent, herpétique (fièvre élevée, vésicules), des maladies infectieuses (scarlatine, typhoïde), des hémopathies (dues à une mononucléose infectieuse, peuvent aussi révéler une *agranulocytose* ou une leucémie), de Ludwig (phlegmon du plancher de la bouche), gangreneuses et phlegmoneuses (angine de poitrine, voir p. 105). CAUSES : bactéries (20 %), virus (80 %). TRAITEMENT : antibiotiques. NOMBRE : 7 millions de cas par an en France.

Cancer (voir p. 133).

Glossite : inflammation de la langue. Mêmes causes que stomatite.

Hyposialie : dysfonctionnement des glandes salivaires entraînant une *xérostomie* (sécheresse de la bouche).

Stomatite : altération de la muqueuse buccale. Affection locale *(microbienne* ou *mycosique)* ou générale *(sanguine),* ou due à une intoxication *(médicamenteuse* ou autre), ou à des troubles allergiques. Gingivite par carence vitaminique (en particulier vit. C, scorbut). TRAITEMENT : selon cause (forme la plus fréquente due à la présence de plaque).

DENTS

DENTURE ET DENTITION

■ **Denture.** Ensemble des dents d'un sujet à une époque donnée (denture de lait ou temporaire, denture mixte, denture adulte ou permanente). **Denture de lait complète :** 20 dents dont 8 incisives (6 à 12 mois), 4 premières molaires (12 à 18 m), 4 canines (18 à 24 m), 4 secondes molaires (24 à 30 m). **Mixte :** entre 6 et 12 ans. **Adulte complète :** 32 dents dont 4 premières molaires (6 ans). 4 incisives centrales (7 a), 4 incisives latérales (8 a), 8 prémolaires (8 à 10 a), 4 canines (11 à 12 a), 4 molaires (12 a), 4 molaires (dents de sagesse) (18 à 25 a). La réduction du volume de la mandibule entraîne souvent des difficultés d'éruption des dents de sagesse qui peuvent être retenues dans l'os (dent incluse).

■ **Disposition des dents sur le maxillaire ou mandibule.** 3 molaires, 2 prémolaires, 1 canine, 2 prémolaires, 3 molaires.

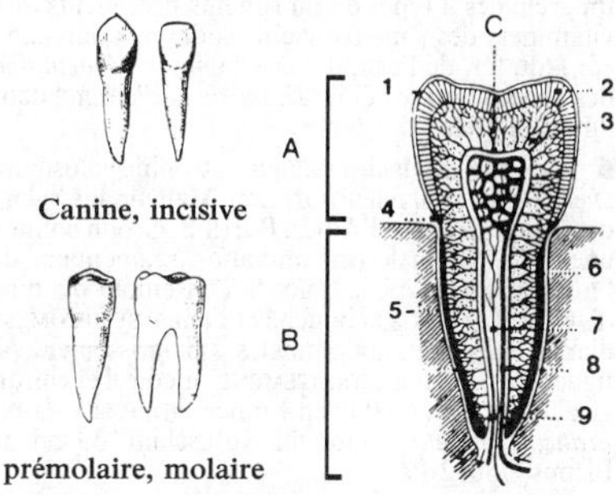

A couronne. *B* racine. *C* pulpe dentaire. 1 cuticule. 2 émail. 3 dentine ou ivoire. 4 collet. 5 alvéole. 6 cément. 7 paquet vasculo-nerveux (veine, artère, système nerveux, vaisseaux lymphatiques). 8 artère dentaire. 9 veine dentaire.

■ **Dentition.** Ensemble des phénomènes qui constituent ou affectent la denture. *Agénésie :* absence des germes dentaires entraînant l'absence sur les arcades des dents correspondantes. *Dents surnuméraires :* des germes atypiques donnent des dents placées souvent en dehors des arcades ou des dents incluses.

Origine des dents. Les bourgeons dentaires se forment à partir de « lames épithéliales » situées dans le tissu conjonctif embryonnaire. Chaque bourgeon se présente comme une cloche dont la face convexe est constituée de cellules épithéliales. Les *adamantoblastes* qui formeront les cellules de l'émail viennent de grosses cellules appelées « gelée de l'émail ». Les cellules conjonctives situées dans le fond de la cloche formeront les *odontoblastes* générateurs de la dentine.

MALADIES

Carie. Altération des tissus durs de la dent (émail, cément, dentine), évoluant de la périphérie vers le centre et aboutissant à leur destruction progressive. CAUSE : les bactéries de la plaque dentaire transforment les glucides salivaires en acide lactique qui déminéralise les prismes de l'émail. Lorsque la carie atteint la chambre pulpaire, elle engendre des lésions pulpaires avec leurs conséquences (pulpites, accidents infectieux aigus ou chroniques, locaux, régionaux ou généraux).

TRAITEMENTS : *1°) préventif :* fluor par voie buccale (pendant la grossesse et chez les enfants jusqu'à 14 ans) et applications locales, régime alimentaire équilibré, limitation des sucreries, hygiène bucco-dentaire (brossage après les repas, usage des hydropulseurs), contrôle du brossage et visualisation de la plaque dentaire à l'aide de révélateur de plaque, examens périodiques ; *2°) curatif :* curetage des tissus atteints, traitement protecteur de la dentine sous-jacente, obturation après préparation d'une cavité destinée à recevoir un matériau (ciment, amalgame d'argent, résine composite, alliages d'or). Reconstitutions possibles en céramique, céramique sur métal, couronnes en or ou en alliage non précieux. Les résines acryliques permettent des travaux provisoires ou semi-provisoires. Les collages sur la dentine et l'émail des résines « composites » permettent des reconstitutions esthétiques et fonctionnelles ainsi que des maquillages. Dents de lait ou temporaires reçoivent les mêmes traitements que les dents définitives et peuvent être reconstituées par des couronnes lorsqu'elles sont délabrées.

Parodontopathies. Maladies bactériennes aggravées ou favorisées par des facteurs locaux et/ou généraux des tissus de soutien de la dent : gencive, os alvéolaire, ligament alvéolo-dentaire (desmodonte), cément. Formes cliniques : *parodontites superficielles :* gingivites aiguës, chroniques, ulcéro-nécrotiques ; *profondes :* caractérisées par une lyse de l'os alvéolaire (alvéolyse) qui entraîne la formation de « poches parodontales » autour des dents atteintes. L'évolution des lésions peut être accompagnée de saignements gingivaux, *halitose* (mauvaise haleine), douleurs, abcès, suppuration chronique. La mobilité des dents atteintes augmente pour aboutir souvent à leur perte. *Parodontite juvénile et à évolution rapide :* formes aiguës avec des alvéolyses importantes ; peuvent atteindre enfants (forme prépubertaire), adolescents (forme juvénile) et adultes jusque vers 30 ans (forme à évolution rapide) ; liées à des déficits immunitaires, sont localisées (1res molaires, incisives, plus spécifiquement pour la parodontite juvénile) ou généralisées.

Parodontose. Forme dystrophique entraînée par la résorption plus ou moins régulière et lente des tissus de soutien qui tend à dénuder les collets des dents. Déclenche une sensibilité désagréable aux agents thermiques ou chimiques. La mobilité peut apparaître tardivement. COMPLICATIONS POSSIBLES : caries sur les parties dénudées, apparition de parodontites accélérant l'évolution. TRAITEMENTS : éliminer la plaque bactérienne : brossage, emploi de fil de soie dentaire, de bâtonnets, d'un hydropulseur. Visites chez le spécialiste pour supprimer : tartre, caries, obturations débordantes, prothèses traumatisantes, équilibrage des dents (meulages sélectifs). Thérapeutiques anti-infectieuses et anti-inflammatoires et parfois traitements concernant l'état général du patient. Traitement chirurgical pour éliminer des tissus non traitables et parfois les remplacer ou les stimuler par des greffes. Prothèses (attelles fixes ou amovibles immobilisant les dents mobiles).

Statistiques. *A 6 ans :* un enfant a en moyenne 6 dents permanentes en bouche. Plus de 2 dents temporaires sont cariées et plus d'1 enfant sur 2 a une carie sur une dent permanente ; *à 9 ans :* près d'1 enfant sur 2 a en moyenne 1 dent permanente cariée sur 12 permanentes ; *à 12 ans :* sur 24 dents permanentes plus de 2 sont cariées. Près de 70 % ont des caries sur 1 ou plusieurs dents permanentes. 12 % des enfants sont sans dents cariées ou soignées.

☞ **ODF** (orthopédie dento-faciale). *But :* rétablir l'équilibre fonctionnel des dents et des arcades dentaires et améliorer l'esthétique. *Prothèse dentaire :* adjointe, partielle, totale ou conjointe (fixée).

ESTOMAC

■ **Description.** Poche de 1 200 cm³ env. Communique avec l'œsophage par le cardia (du grec *kardia,* cœur), avec le duodénum par un sphincter, le pylore (du grec *pulê,* porte et *ôra,* garde).

■ **Rôle.** *Brassage* des aliments (contractions gastriques), ce qui facilite la digestion. *Sécrétion du suc gastrique* (1 à 1,5 litre par jour) qui comprend 99 % d'eau ; des chlorures et phosphates ; 0,5 % d'acide chlorhydrique et 3 diastases : la *pepsine* qui agit sur les protides, la *présure* qui coagule le lait et la *lipase* qui agit sur les lipides. Les aliments sont transformés en bouillie claire : le *chyme,* évacué par jets successifs dans le duodénum. Un tri s'opère dans l'estomac : eau et bouillon ne s'arrêtent pas ; lait, bière, pain, viande sont évacués en 2 à 3 h ; graisses en 7 à 8 h.

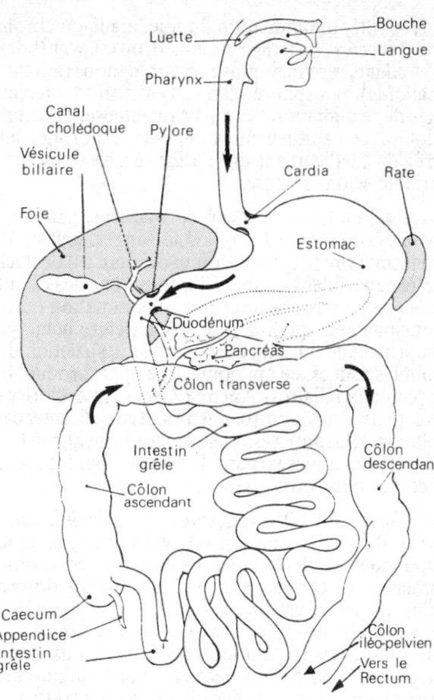

Appareil digestif

■ **Maladies. Aérophagie :** gonflement de l'estomac par de l'air avalé. CAUSES : diverses. Souvent existe un élément nerveux favorisant (véritable tic). TRAITEMENT : celui de la cause.

Cancer (voir p. 134b).

Dyspepsie : digestion difficile. TRAITEMENT : celui de la cause (affections hépato-vésiculaires, intestinales).

Gastrite : inflammation de la muqueuse de l'estomac. CAUSES : forme aiguë : indigestion, erreurs alimentaires ; chronique : tabac, alcool, certains médicaments, bactéries (hélicobacterpylori).

Ulcère de l'estomac et du duodénum : perte de substance profonde de la paroi gastrique ou duodénale. Crampes de l'épigastre par périodes de 1 à 3 semaines rythmées par les repas, calmées par l'alimentation ; parfois vomissements sanglants ou hématémèses. Seraient dus à la prolifération d'une bactérie unicellulaire [Helicobacter pilori (HP)]. COMPLICATIONS : *aiguës :* perforation (il s'agit d'accidents graves, nécessitant l'hospitalisation d'urgence) ; *chroniques :* rétrécissement de l'estomac et du duodénum. TRAITEMENT : régime, pansements gastriques, médicaments diminuant la sécrétion, parfois traitement chirurgical. STATISTIQUES : 80 000 cas/an en France.

ŒSOPHAGE

■ **Description.** Tube musculo-membraneux vertical, qui, par des mouvements péristaltiques, conduit les aliments de l'arrière-bouche vers l'estomac. Long. 25 cm, diam. 3 cm.

■ **Maladies. Cancer** (voir p. 134b). **Œsophagite :** inflammation de l'œsophage. Douleurs et gêne à la déglutition. CAUSES : ingestion de caustiques et surtout reflux de liquide gastrique acide par anomalie du cardia *(hernie hiatale).* TRAITEMENT : pansements et antiacides, parfois chirurgie. Rétrécissement de l'œsophage comme séquelle d'œsophagite peptique ou caustique.

PANCRÉAS

■ **Description.** Comporte 2 glandes : le **pancréas exocrine,** glande digestive, sécrétant du *suc pancréatique* lors de l'arrivée du chyme dans l'intestin (env. 1 litre par j), et le **pancréas endocrine** (ou insulaire), glande à sécrétion interne, hormonale composée de : *cellules de Langerhans* (8 variétés, dont la *cellule alpha* qui sécrète le *glucagon* et la *cellule b ou bêta* qui sécrète l'*insuline* dont le rôle est capital dans le métabolisme glucidique (sécrétion altérée dans le diabète sucré). La sécrétion, qui s'écoule par le *canal de Wirsung,* est commandée par un mécanisme nerveux et hormonal (sécrétine agissant sur les sels alcalins, pancréozymine agissant sur les ferments pancréatiques).

Composition du suc. 98,5 % d'eau ; chlorures, phosphates, carbonates alcalins. 4 diastases : *amylase* qui transforme les amidons (féculents) en maltose ; *maltase* qui transforme le maltose en glucose ; *lipase* qui transforme les lipides en glycérine, acides gras et savons ; *tryptase* et autres *protéases,* qui transforment les protides en polypeptides et autres acides aminés (pour agir, les protéases doivent être activées par une diastase intestinale, l'entérokinase).

■ **Maladies. Cancer du pancréas.** *Exocrine :* violentes crises douloureuses (type solaire) quand il atteint le corps, ou syndrome d'ictère par rétention quand il atteint la tête. Développement tumoral variable. Beaucoup de cancers sont longtemps latents. *Endocrine :* troubles variables (douleurs, amaigrissements, troubles du métabolisme glucidique, diabète sucré ou hypoglycémie). DIAGNOSTIC : aidé par les échotomographies. **Mucoviscidose (MVD) ou Fibrose kystique du pancréas (FKP) :** affection génétique récessive autosomique. L'union de 2 porteurs du gène muté entraîne à chaque conception l'éventualité de donner naissance soit à un enfant atteint, soit à un enfant sain, soit à 2 enfants apparemment sains mais porteurs du gène et transmetteurs de l'affection (hétérozygotes comme les parents). Gène isolé en 1989, protéine codée par ce gène (CFTR : Cystic Fibrosis Transmembrane Regulator), mutations au niveau de la protéine : + de 240 types découverts dont absence d'un acide aminé (phénylalanine) en position 508 d'où le nom de mutation Delta F 508 (70 % des cas en France) ; l'ion chlore ne peut s'exclure des cellules du revêtement bronchique, intestinal et pancréatique, d'où une viscosité particulière du mucus obstruant les bronches (entraînant une infection bronchique évoluant avec l'âge vers une insuffisance respiratoire sévère), les canaux pancréatiques diminuant le flux enzymatique et bicarbonaté nécessaire à la digestion des graisses et protéines. ASPECTS : occlusion intestinale à la naissance (20 % des cas) puis bronchites à répétition, troubles digestifs divers (selles grasses fétides) responsables parfois des troubles de la croissance ; stérilité masculine fréquente ; diabète pouvant survenir à l'âge adulte ; augmentation du taux de chlorure de sodium dans la sueur (au-dessus de 60 Meq, caractérise la maladie).

DIAGNOSTIC : *1°) Avant la naissance :* par le génie génétique en recherchant la mutation Delta F 508 sur un fragment placentaire à 8-10 semaines de grossesse ; par la biochimie : dosage enzymatique des phosphatases alcalines à la 18e semaine. *2°) Après la naissance :* test de la sueur par laboratoire spécialisé ou recherche de mutation dans le sang. Le repérage des transmetteurs de la maladie ne peut être envisagé en raison du nombre de mutations (sauf dans les familles à risque où s'est révélé un cas).

TRAITEMENTS : symptomatiques : désencombrement bronchique par kiné. respiratoire. Antibiothérapie. Substitutif : par extraits pancréatiques protégés. Alimentation à haute énergétique : 130 % de la ration habituelle pour l'âge. Transplantation pulmonaire (cas extrêmes). Les découvertes récentes en génétique, en immunologie et en pharmacologie permettent d'envisager une cure véritable.

FRÉQUENCE EN FRANCE : 1 porteur du gène muté sur 25 personnes env., soit un couple transmetteur sur 500 ou 600 et 1 naissance sur 2 500 (soit 300 nouveaux cas/an). ADRESSE : *Association française de lutte contre la mucoviscidose (AFLM)*, 76, rue Bobillot, 75013 Paris.

Pancréatite : inflammation aiguë (très grave) ou chronique, souvent compliquée de lithiase ou de diabète (certains cas de diabète, peu fréquents, sont liés à une pancréatite chronique). Fréquente chez les alcooliques. DIAGNOSTIC : difficile. TRAITEMENT : difficile ; réanimation, chirurgie.

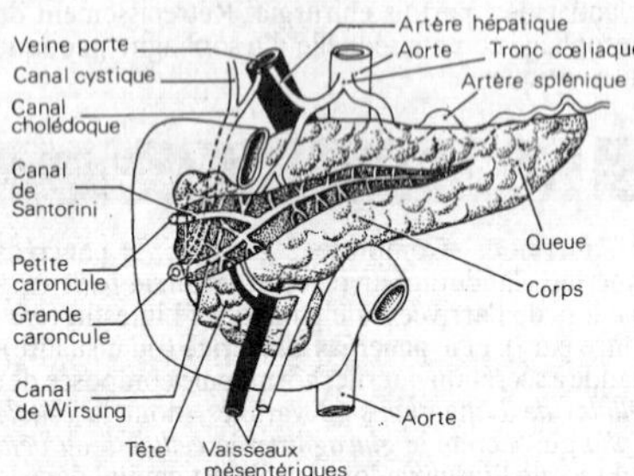

Pancréas (en partie ouvert pour montrer les canaux)

FOIE

GÉNÉRALITÉS

■ **Description.** Glande volumineuse (2 kg) formée d'un assemblage de lobules, massifs cellulaires qui engainent un rameau d'une veine hépatique.

■ **Rôle.** 1°) *Sécrétion de bile hépatique,* liquide jaune verdissant, filant, très amer (env. 1 litre par j). *Composé :* d'eau 970 g, sels minéraux 8 g, sels biliaires 15 g, cholestérol 1,5 g, pigments biliaires 4 g. Entre les repas, la bile s'écoule par les *canaux hépatiques* et se concentre dans la *vésicule biliaire* (réservoir membraneux piriforme dans une dépression de la face inférieure du lobe droit du foie où la bile s'accumule entre les digestions (jusqu'à 50 cm³).

Quand les aliments pénètrent dans l'intestin, la sécrétion est activée par la *cholécystokinine,* qui déclenche en même temps l'écoulement de la bile par le canal cholédoque et du bol alimentaire dans le duodénum. La bile ne comprend aucune diastase, mais elle rend actives les lipases pancréatique et intestinale ; elle rend mouillables à l'eau les corps solides qu'elle touche et facilite ainsi leur absorption.

2°) *Fonction capitale sur l'ensemble des métabolismes* des glucides, lipides, protides et du fer ; une f. de réserve : glycogène constitué à partir de glucose. Il détruit les hématies. Il produit le fibrinogène du sang, et la prothrombine et l'antithrombine qui empêche la coagulation du sang. Il joue un rôle essentiel dans l'équilibre glucidique par le glycogène, et parce qu'il contrôle la néo-glycogenèse (élaboration de glucose aux dépens des protides).

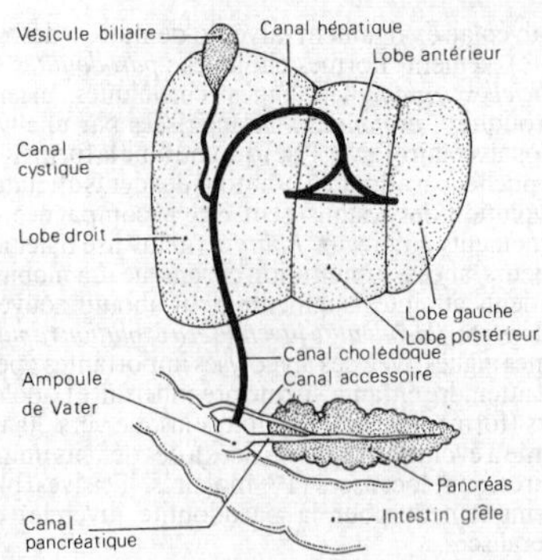

Face inférieure du foie

MALADIES

Angiocholite et cholécystite. Inflammation des voies biliaires (angiocholite) ou de la vésicule (cholécystite aiguë ou chronique). Douleurs, fièvre, ictère. CAUSE : souvent due à des calculs. TRAITEMENT : souvent chirurgical surtout s'il y a des calculs (lithiase), extraits par endoscopie ou pulvérisés par voie externe (ultrasons).

Cancer (voir p. 134 b).

Cirrhose. Sclérose du foie qui devient dur et fibreux. Maladie grave. CAUSES : alcoolisme chronique (cause habituelle), virus (hépatite virale B ou C), déséquilibre alimentaire (très rare en France). COMPLICATIONS : œdèmes, ascite (liquide dans la cavité péritonéale), hémorragies par hypertension portale dans l'abdomen, insuffisance hépatique. TRAITEMENT : suppression de l'alcool, régime sans sel, diurétiques, ponction d'ascite, parfois chirurgie (en cas d'hypertension portale avec hémorragie).

Colique hépatique. Crise douloureuse de quelques heures, siégeant sous les côtes à droite, en avant ou au creux de l'estomac, irradiant en arrière vers les reins, due habituellement à la migration d'un calcul. TRAITEMENT de la crise : antispasmodiques ; de la cause : parfois chirurgie.

Crise (ou mal) de foie. Terme impropre. SIGNES variables : mal au ventre (douleur sous-costale droite), nausées, vomissements (les vomissements verdâtres sont en réalité du liquide gastrique teinté de bile), maux de tête, troubles du transit intestinal, vertiges. Entre les crises, les patients se plaignent : mauvais goût dans la bouche et nausées matinales, fatigue, lourdeur après les repas, sensation de ballonnement, langue « chargée », constipation. ORIGINE : 1°) migraine déclenchée par un excès alimentaire ou alcoolique ou par chocolat, crèmes, sauces grasses, œufs, etc. 2°) trouble du fonctionnement du gros intestin : douleurs sous-costales droites dues à des spasmes du côlon transverse qui passe sous le foie ; 3°) la dyspepsie : fonctionnement imparfait du tube digestif en cas de contrariété ou d'émotion par ex. Peut être déclenchée par des aliments réputés nocifs pour le foie (graisses cuites, café, alcool).

Hépatite. Inflammation du foie, aiguë ou chronique. 3 formes : 1°) **virale** (virus A, B, ou C), voir Index. 2°) **toxique,** rare mais grave : champignons (amanite phalloïde), phosphore blanc ; TRAITEMENT : techniques de réanimation. 3°) **médicamenteuse,** due à une intolérance habituellement bénigne, supprimée par arrêt du médicament qui l'a causée. TRAITEMENT : variable selon la cause.

Ictère, ou jaunisse. Peau et muqueuse jaunâtres par élévation de la bile dans le sang. CAUSES : 1°) inflammatoire (hépatite, voir ci-dessus). 2°) obstacle sur le canal allant du foie à l'intestin par des calculs *(lithiase)* ou une compression (inflammation ou tumeur pancréatique). 3°) hémolyse (ictère hémolytique) (maladie du sang entraînant la destruction des globules rouges, ce qui donne une hyperproduction de pigments biliaires). Anémie. Grosse rate. ORIGINE : infectieuse, toxique ou congénitale (en ce dernier cas, ablation de la rate). TRAITEMENT : chirurgical, médical de certaines lithiases (par sels biliaires, par lithotritie avec des ultrasons).

☞ Env. 3 500 000 Français ont des calculs biliaires dont 20 à 25 % souffrent de symptômes (coliques hépatiques, douleurs épigastriques, nausées, vomissements...) ; chaque année, env. 80 000 doivent subir une *cholécystectomie* (ablation chirurgicale de la vésicule biliaire). *Nouvelle technique :* la choéliochirurgie (cholecyotectomie sous cœloscopie) ou la paroscopie (ablation par de minuscules instruments introduits dans l'abdomen à travers de petites incisions.

INTESTIN GRÊLE

■ **Description.** Long. 8 m, diam. 3 cm. Il comprend le *duodénum* (20 cm, du latin *duodeni,* douze, car il est long de 12 travers de doigt), le *jéjunum* (latin : jeûne) et l'*iléon* (prononciation médiévale du latin *ileum,* forme latinisée du grec *eileôn,* « se tortillant »). Le *tube digestif* est formé d'une *muqueuse* plissée et couverte de 10 millions de petites villosités (0,4 à 0,8 mm de long) qui ont un rôle d'absorption ; d'une *tunique musculaire* à fibres circulaires et longitudinales ; d'une *tunique conjonctive* extérieure. *Surface totale d'absorption :* 200 à 400 m².

■ **Rôle.** *Brassage* des aliments ; *digestion des 3 types de nutriments* (graisses, protides, sucres) grâce à l'arrivée dans le duodénum de la bile hépatique, du suc pancréatique et à l'action du suc intestinal [composé de 98,7 % d'eau, de chlorure et carbonates de sodium ; de diastases (entérokinase, lipase, érepstase et autres protéases)]. Sécrétion par le duodénum des hormones pariéto-digestives : rôle dans le métabolisme du glucose. *Absorption* par la paroi de l'intestin grêle des 3 types de nutriments précédents, des vitamines, des ions (calcium, sodium, potassium, etc.), du fer, de l'eau, des sels biliaires ; *évacuation* des résidus vers le côlon. *Durée de la digestion* dans l'intestin grêle : 5 à 6 h.

■ **Maladies. Maladie cœliaque :** atrophie villositaire avec diarrhée par malabsorption. **Maladie de Crohn :** décrite en 1932 par l'Amér. Burril B. Crohn comme une *iléite* régionale (inflammation segmentaire de l'intestin grêle), peut toucher l'ensemble du tube digestif, y compris la bouche et l'anus. SYMPTÔMES : diarrhée, douleurs abdominales, amaigrissement, fatigue, fièvre, fistules. TRAITEMENT : médical et chirurgical. CAS : env. 50 000 en France. ADRESSE : *Assoc. François Aupetit* – Hôpital Rothschild, 33 bd de Picpus, 75012 Paris.

CÔLON (GROS INTESTIN)

■ **Description.** Long 1,6 m ; diam. 3 cm au début, 7 cm à la fin. Il débute par un cul-de-sac, le *cæcum* (du latin *caecus,* aveugle), sur lequel s'implante l'appendice. Il se compose des côlons ascendant, transverse et descendant, du sigmoïde. **Rôle.** *Brassage* des aliments non absorbés ; *digestion* de la cellulose par des bactéries de fermentation ; *absorption* de l'eau et du sel ; *évacuation* des matières fécales vers le rectum et l'extérieur (défécation). *Durée du séjour des aliments* dans le côlon : droit 7 h, gauche 9 h, portion terminale (sigmoïde).

■ **Maladies. Appendicite.** Inflammation de l'appendice iléo-caecal (tube étroit de 5 à 6 cm de long formant cul-de-sac, situé à l'extrémité du cæcum) parfois chronique, parfois aiguë (en ce cas danger de péritonite et d'abcès. TRAITEMENT : chirurgical d'urgence). *En France :* 1 500 opérations par jour (en 1885 : 30 % des victimes meurent) ; mortalité : 0,3 à 1 ‰. Dans 51 % des cas chez la femme et 31 % chez l'homme, le diagnostic était erroné.

Cancer (voir p. 134b).

Diverticulose : petite hernie pariétale pouvant se compliquer d'infection ou de perforation.

Dysenteries (voir p. 129 c).

Hémorroïdes : varices de la région anale, fréquentes et bénignes. Peuvent révéler une atteinte digestive ou hépatique. Au moment des selles, douleur, saignement, sortie des hémorroïdes. TRAITEMENT : suppositoires, ligatures plastiques, parfois chirurgie.

Hernie. Sortie d'une partie de l'*épiploon* ou d'une *anse intestinale* à travers un orifice de la paroi abdominale (h. crurale, inguinale, ombilicale). *Étranglée,* elle doit être opérée d'urgence.

Parasitoses intestinales. CAUSES : parasites (découverts par l'examen des selles). Gravité variable selon parasite et importance de l'infestation (plus grande en pays tropicaux). TRAITEMENT : différent selon le parasite en cause.

Polypes. Tumeurs bénignes pouvant devenir cancéreuses.

Rectocolite hémorragique.

Stomies : intervention chirurgicale quand une personne a perdu le fonctionnement normal de l'intestin ou de la vessie à la suite d'une malformation congénitale, maladie grave, blessure ou autre cause. *3 types :* colostomies, iléostomies, dérivations urinaires (urostomies). Permettent aux déchets normaux du corps d'être rejetés à travers un orifice chirurgical pratiqué dans la paroi abdominale et recueillis à l'intérieur d'un appareillage spécial placé sur l'orifice. NOMBRE : en France 60 000 colostomisés, 15 000 iléostomisés et 5 000 urostomisés.

PÉRITOINE

■ **Description.** *Membrane* formée de 2 feuillets protégeant les viscères abdominaux et entre lesquels existe une cavité virtuelle.

■ **Maladies. Péritonite :** infection aiguë ou chronique du péritoine. CAUSES : perforation de l'estomac ou du duodénum (ulcère), de l'appendice (appendicite), de la vésicule (cholécystite) ; plaie abdominale profonde. TRAITEMENT : chirurgical d'urgence. **Tuberculose du péritoine :** médicaments antituberculeux.

PARASITES DIGESTIFS

Ver solitaire (ténia). Ver aplati pouvant atteindre 10 m de long, formé d'anneaux appelés proglottis (tête minuscule : renflement large de 1,5 mm). Les derniers anneaux (remplis chacun d'environ 6 000 œufs) se détachent facilement et un ténia en perd 5 ou 6 par jour. CONTAMINATION par la viande (bœuf ou porc) insuffisamment cuite ou (rarement) du poisson. Si un animal avale des œufs, par exemple en absorbant de l'eau contaminée, l'un de ces œufs peut donner une larve, munie de crochets, qui perfore l'intestin de l'animal, passe dans le sang et se fixe à un muscle. La larve se transforme en *cysticerque,* petit sac de quelques mm, où bourgeonne un *scolex* (tête de ténia) qui se fixera dans l'intestin de la personne concernée et reconstituera bientôt les anneaux du ténia.

Ascaris. Anguillules. Bilharzia. Lamblia. Oxyures (prurit anal). *Parasitoses intestinales* (voir p. 116 c).

NUTRITION

■ **Avitaminose.** Rare en France (sauf dans les régimes amaigrissants trop sévères), fréquente dans les pays sous-développés. **Carence de vitamines : A :** troubles de la vue, lésions cutanées, troubles digestifs. **B1 :** *béribéri,* troubles cardiaques, œdèmes. **B2 :** *glossite, perlèche,* rougeurs de la peau. **PP :** *pellagre,* rougeurs de la peau, troubles digestifs. **C :** *scorbut,* gingivite, hémorragie, anémie, fièvre, amaigrissement, *maladie de Barlow* (scorbut du nourrisson), troubles osseux, digestifs. **D** (acide folique) : non exceptionnelle en France chez les gens âgés : anémie macrocytaire ; asthénie, *rachitisme.*

■ **Carences minérales.** Proches des avitaminoses (les vitamines sont potentialisées par un métal ou un métalloïde). **En fer :** pays sous-dév. 20 à 25 % des enfants atteints, 20 à 40 % des femmes (en France 30 % des femmes enceintes), 10 % des hommes : diminution de la résistance au travail et aux maladies, anémies ; **en iode :** cause de goitre endémique pour 200 millions de personnes des p. sous-dév. (augmentation du volume de la thyroïde) ; troubles du développement physique et mental (crétinisme) ; **en oligo-éléments :** calcium, magnésium, zinc, etc. TRAITEMENT : vitamine ou métal.

■ **Diabètes sucrés** (du grec *diabêtês :* qui traverse). Mauvaise assimilation des hydrates de carbone (diabète insulinodépendant apparaissant généralement dès l'enfance ou l'adolescence). CAUSE essentielle : carence absolue ou relative de la sécrétion d'insuline par le pancréas (cellules de Langerhans) ; facteurs endocriniens contrecarrant l'action de l'insuline ; le mécanisme est encore incomplètement précisé dans certains cas. *Rôle de l'hérédité* (prédisposition génétique) ; rôle révélateur de l'*environnement* (affections virales pour le diabète maigre (type I) et obésité pour le diabète gras (type II).

SYMPTÔMES : faim et soif (polydipsie) vives : urines abondantes (polyurée), obésité (diabète gras) ou amaigrissement (d. maigre) (env. 20 % des cas). COMPLICATIONS : on peut les éviter par un bon traitement du diabète ; atteinte des yeux (cataracte, rétinopathie pouvant entraîner jusqu'à la cécité), lésions cutanées, névrites, artérite des membres inférieurs, insuffisance rénale, *coma diabétique* (intoxication générale par les corps cétoniques produits par la mauvaise assimilation du sucre, asthénie, diminution de la connaissance pouvant aller jusqu'au coma, respiration soufflante, odeur de pomme de reinette de l'haleine, élimination urinaire de corps cétoniques ; non traité, l'issue est fatale). EXAMENS BIOLOGIQUES *pour le diagnostic :* glycémie (épreuve d'hyperglycémie provoquée) ; étude des corps cétoniques dans les urines et du taux d'acidité. L'acidose due aux corps cétoniques se rencontre surtout dans le diabète maigre (risque de coma). L'allaitement artificiel des nourrissons au lait de vache provoquerait (chez ceux génétiquement prédisposés) une réaction immunitaire menant à un diabète insulinodépendant.

TRAITEMENT : insuline (en cas de d. maigre ou d. insulinoprive, piqûres d'insuline), antidiabétiques de synthèse, régime équilibré (Voir Alimentation à l'Index). Greffes de pancréas. *Pour les non-insulinodépendants :* surveillance de la glycémie, traitement systématique des infections épisodiques. Il existe des distributeurs automatiques d'insuline (pompe à insuline) ; certains, (à l'étude) peuvent être insérés sous la peau. *Coma diabétique :* insuline, réhydratation, réanimation.

PRÉVENTION : possible chez certains sujets prédisposés, par mesures hygiéno-diététiques ; intérêt des examens de dépistage. Les femmes diabétiques devraient avoir leurs enfants le plus tôt possible et ne pas avoir plus de 2 ou 3 grossesses. Souvent la grossesse doit être terminée avant terme par césarienne.

STATISTIQUES. Dans le monde : *nombre de diabétiques :* ex-URSS 7 000 000 ; USA 5 000 000. **En France :** traités à l'insuline 150 000 (dont 4 500 de – de 15 ans ; 500 nouveaux cas par an). *Coût :* 3,5 milliards de F (traitement : 2 500 F avec insuline et 2 000 F sans). *Décès (pour 100 000 h.) : 1976 :* hommes 13,4 ; femmes 20,3 ; *81 :* h. 10,6 ; f. 16,3. **Fréquence en hausse** à cause de l'élévation du niveau de vie (nourriture plus riche dans certains pays en voie de développement), allongement de la durée de la vie (apparition du d. de l'âge tardif), meilleures méthodes de dépistage.

ADRESSES EN FRANCE. *Association française des diabétiques :* 14, rue du Clos, 75020 Paris. *Aide aux jeunes diabétiques :* 3, rue Gazan, 75014 Paris. *Services de diabétologie* dans les grandes villes.

■ **Kwashiorkor.** Carence de protéines caractérisée par des œdèmes, survenant chez les enfants dans les semaines qui suivent le sevrage lorsque le lait maternel est remplacé par des céréales. Les enfants sont petits et maigres ; la croissance est freinée pour équilibrer la ration alimentaire insuffisante. Lorsque les conditions s'améliorent, le développement physique s'accélère. FRÉQUENCE : pays sous-développés. TRAITEMENT PRÉVENTIF : allaitement très prolongé, consommation de lait après le sevrage ; *curatif :* réalimentation.

■ **« Allergies » alimentaires.** CAUSES : associent allergies vraies causées par des anticorps de classe IgE (voir p. 136), et phénomènes d'intolérance non immunologiques. SYMPTÔMES : divers.

Pseudo-allergies (intolérance non immunologique, sans présence d'anticorps). CAUSES : aliments provoquant la sécrétion de quantités d'histamine (farine, poisson, chocolat, porc) ou aliments eux-mêmes riches en histamine [fromages ou boissons fermentés, certains poissons (thon, saumon, sardine) ou légumes (tomates, épinards)]. *Symptômes voisins :* céphalées, urticaire [substances en cause : tyramine, phénylalanine, certains agents conservateurs (E 350) présents dans des charcuteries ou des fromages]. Intolérance au lactose fréquente (due aux produits lactés) : en cas de déficit enzymatique (absence de lactase), lait ou produits lactés provoquent douleurs abdominales, diarrhée, flatulences. Le déficit de lactase peut venir de gastro-entérites virales ou génétiques. *Symptômes du « côlon irritable » :* troubles du transit, ballonnement, douleurs abdominales.

OBÉSITÉ

Causes. *Excès de stockage des graisses* (excès de nourriture ou trouble métabolique, facteurs endocriniens). 15 à 25 % du corps sont constitués de graisses contenues dans les cellules adipeuses ou *adipocytes* dont le volume, et parfois le nombre, varient avec l'âge ou la ration alimentaire. En période de jeûne, même prolongé, elles ne meurent pas : seule leur taille diminue. Elles tiennent en réserve des substances qui fournissent, sur demande de 2 centres situés dans l'hypothalamus, l'énergie indispensable aux réactions cellulaires et libèrent des corps gras (lipides) en raison des besoins de l'organisme.

Précautions. S'inquiéter de toute prise de poids anormale, obésité récente soignée plus facilement. Une nourriture moins abondante chez l'enfant de 2 à 3 ans pourrait peut-être éviter une obésité future. Exercices physiques.

Traitement. Régime restrictif en calories pendant des périodes prolongées ; médicaments qui diminuent l'appétit (à n'utiliser que pendant quelques semaines). Lipoaspiration (succion des graisses surabondantes).

Statistiques. *Excès de poids :* 20 à 30 % des hommes, 24 à 26 % des femmes. *Grands obèses :* 5 à 10 %. Après traitement, moins de 10 % des consultants se fixent à leur poids théorique, 30 % ont perdu du poids.

☞ Voir p. 99 et 107.

APPAREIL URINAIRE

Couplé embryologiquement avec l'appareil génital (appareil génito-urinaire) ; il élabore l'urine qui élimine les déchets et les substances étrangères ; maintient l'équilibre du milieu intérieur ; agit sur la stabilité de la pression sanguine.

ANATOMIE ET PHYSIOLOGIE

Rein. Dimension 3 × 6 × 12 cm, poids (vide de sang) 140 à 150 g. **Fabrication de l'urine** (domaine de la néphrologie). Le rein, plein et riche en vaisseaux, choisit ce qu'il faut conserver ou éliminer et fonctionne avec souplesse. Constitué d'une zone périphérique *corticale* et d'une zone centrale, la *médullaire,* d'où émergent les papilles percées des orifices d'écoulement de l'urine. Formé de *néphrons* (plus d'un million par rein) possédant un *pôle vasculaire,* le *glomérule,* où s'épanouit un réseau artériel, et un *pôle urinaire* d'où sort l'urine primitive filtrée par le glomérule.

Les *artères rénales* apportent aux reins 1 100 à 1 300 ml de sang par minute ; les reins l'épurent. La composition constante du sang (urée, créatinine, électrolytes) découle de la valeur des néphrons. Leur altération (transitoire ou définitive) entraîne une insuffisance rénale : un rein artificiel ou une greffe rénale peuvent alors s'avérer indispensables.

Appareil excréteur (domaine de l'urologie). Comprend des organes creux et musclés. Les *calices :* drainent les papilles rénales. Le *bassinet :* petit entonnoir intrarénal, termine les 3 calices habituels. L'*uretère :* canal fin (long de 25 à 30 cm) doué de contractions, fait suite au bassinet. La *vessie :* muscle creux (capacité : 300 à 400 ml), recueille les urines et les expulse par l'*urètre* au cours de la miction. Le système sphinctérien assure la continence et aussi l'ouverture du col vésical au moment de l'évacuation des urines.

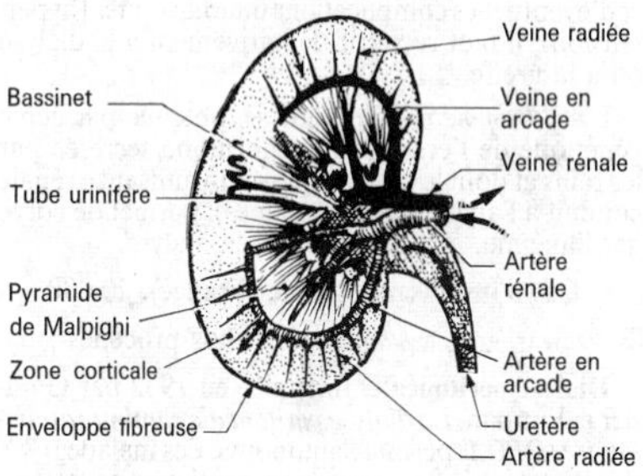

Structure du rein (coupe longitudinale)

URINE

Composition chimique moyenne (en g par l). *Eau :* 950. *Matières minérales :* chlorures (ClNaClK) 11, phosphates 3, sulfates 3, sels minéraux divers 3 ; *organiques :* urée [$(NH_2)^2$ CO] 25, acide urique 0,5, urobiline 0,05, divers 4.

Constantes normales chez l'adulte. pH (acidité ou alcalinité) : renseigne sur quelques maladies du rein ; acidité dans le cas de calculs uriques et de tuberculose urinaire : 6,2. L'urine des carnivores est claire et légèrement acide (pH = 5 à 6) ; celle des herbivores est trouble et alcaline (jument). **Densité** (par rapport à l'eau) : toujours un peu + lourde. **Glycosurie** (sucre dans les urines) : 0. **Albuminurie** (albumine dans les urines) : 0. **Corps cétoniques :** acétone, acides acétylacétique et bêta-oxybutyrique se trouvent chez certains diabétiques. **Urée** (fabriquée par le foie), déchet de consommation des protéines : 25 g/l. 15 à 30 g/ 24 h. **Globules** (cellules du sang) **blancs :** 10 par mm^3 ; **rouges :** quelques-uns. **Cylindres** (substances de cette forme) : 0. **Cristaux de sels minéraux :** 0. **Microbes :** 0.

Acide urique 0,40 à 0,80 g/24 h (2,4 à 4,80 mmol/24 h). *Calcium* 150 à 250 mg/24 h (3,75 à 6,25 mmol/24 h). *Créatinine H* < 150 mg/ 24 h (< 1 150 µmol/24 h). *Créatinine F* < 250 mg/24 h (< 1 800 µmol/24 h). *Clearance de la créatinine* 80 à 120 ml/mm (1,30 à 2 ml/s). *Hydroxyproline* 20 à 30 mg/24 h/m^2 (150 à 230 µmol/24 h/m^2). *Phosphate* 0,40 à 1 g/24 h (13 à 32 mmol/24 h).

Maladies de l'appareil urinaire

■ **Signes. Douleurs :** *coliques néphrétiques :* douleur latéralisée très violente avec envie fréquente correspondant le plus souvent à la migration d'un calcul. *Douleur plus sourde de l'abcès du rein (avec fièvre). Douleur du bas-ventre d'origine vésicale (vessie).* **Troubles mictionnels :** brûlures, envie fréquente (pollakiurie), difficulté à uriner (dysurie).

■ **Adénome prostatique.** Tumeur bénigne de la prostate se traduisant par de la rétention d'urine. TRAITEMENT : chirurgie ou résection endoscopique.

■ **Anomalie de l'urine.** Présence de sang *(hématurie)* macroscopique (urine rouge) ou microscopique. Présence d'albumine.

■ **Infection urinaire.** Décelée au niveau de l'urine, peut traduire une atteinte de chacun des éléments de l'appareil urinaire. SIGNE DE GRAVITÉ : température, frissons. CAUSES : urétrite, prostatite, cystite (inflammation aiguë ou chronique de la vessie, d'origine bactérienne. 500/800 000 femmes atteintes en France), pyélite, néphrite, abcès du rein.

Pyélonéphrite ou glomérulonéphrite : infection microbienne d'un (ou 2) reins. Peut subvenir d'emblée ou après une cystite. Frissons et fièvre élevée, douleurs lombaires. Peut être aiguë ou chronique, grave si elle s'accompagne d'insuffisance rénale.

■ **Insuffisance rénale. Aiguë :** incapacité le plus souvent transitoire du rein de jouer son rôle d'excrétion et de maintien de l'équilibre du milieu intérieur. Se traduit le plus souvent par de *l'anurie :* volume des urines inférieur à 200 ml/24 heures. SIGNES : surtout ceux de l'affection causale (infection, septicémie, traumatisme, toxique, obstacle mécanique, etc.). DIAGNOSTIC : l'échographie rénale permet de dépister l'obstruction éventuelle. TRAITEMENT : de la cause d'anurie, épuration extra-rénale en attendant la remise en route du rein.

Chronique : entraînée par la sclérose progressive des néphrons, va s'aggraver inéluctablement (théorie de Brenner). A terme, la sévérité de l'atteinte initiale et d'éventuelles complications intercurrentes (hypertension), il faut recourir définitivement à la dialyse ou à la greffe.

L'*érythropoïétine* de synthèse, obtenue par génie génétique de l'ér. naturelle (hormone sécrétée par les reins et dont le défaut en cas d'insuffisance rénale conduit à l'anémie des urémiques), permet de corriger l'anémie, mal corrigée par la dialyse.

☞ **Cas d'insuffisance rénale (France).** 20 000.

■ **Épuration extra-rénale.** 2 grands procédés :

Dialyse péritonéale. Imaginée en 1932 par Gantner et Putman. *La dialyse péritonéale continue ambulatoire (DPCA)* permet l'autonomie des malades (7 % des dialysés) et une épuration continue. Le patient change ses poches 4 fois/j, ce qui lui prend de 30 à 40 min à chaque changement.
On introduit dans la cavité péritonéale (dans l'abdomen) un liquide de dialyse. Le péritoine étant semi-perméable, des échanges s'opèrent entre le sang des vaisseaux (qui irriguent le péritoine) et le liquide qui se charge progressivement des toxines et de l'excès d'eau du sang pour être ensuite évacué et remplacé par une solution de dialyse neuve.

Hémodialyse (ou littéralement « dialyse sur le sang »). On fait circuler le sang hors de l'organisme (circulation extracorporelle) jusqu'au *rein artificiel* où le sang est mis au contact du liquide de dialyse (de composition définie) par l'intermédiaire d'une membrane semi-perméable permettant des échanges (entre le sang et le liquide) : eau, ions, urée, déchets azotés, glucose, etc. Par contre : albumine, globules rouges, globules blancs demeurent intégralement dans le sang. *Premiers reins artificiels réalisés dans le monde :* en Hollande par Kolff (Kampen) v. 1945 ; en France par Maurice Derot.

Coût annuel par patient : autodialyse 279 000 F, hémodialyse à domicile 247 000, DPCA 205 000.

■ **Calculs urinaires (reins, uretère, vessie) (lithiase ou gravelle).** Coliques néphrétiques, sang ou pus dans les urines. TRAITEMENT : chirurgical pour extraire les calculs obstructifs [chirurgie percutanée, dissolution des calculs par ultrasons ou lithotriteurs (peuvent être classés en fonction de la technique : radiographie ou ultrasons, utilisée pour repérer le calcul, et en fonction de la source d'énergie employée de l'extérieur de l'organisme pour détruire le calcul : choc hydroélectrique, piézo-électricité, système électroacoustique, etc.)], médical pour dissoudre les calculs uriques (alcalinisation des urines : eau de Vichy). Recherche d'une cause métabolique pour les autres (calcémie, calciurie, phosphorémie).

■ **Incontinence.** Perte ou altération des mécanismes de mictions urinaires. 1°) *I. des enfants (énurésie) :* nocturne, touche certains enfants de 3 à 14 ans. Garçons plus atteints que les filles. Peu grave, disparaît avant la puberté. 2°) *I. féminine d'effort :* causée par un effort banal, 10 % des accouchées (60 000 à 80 000 par an). 3°) *I. masculine :* le plus souvent liée à un problème de prostate (avant ou après opération). 4°) *I. des handicapés :* le système nerveux ne contrôle plus les sphincters. 5°) *I. des personnes âgées :* diminution de la force musculaire ou organique, prise de certains médicaments diminuant les réflexes. Fréquente chez les alités.

■ **Infestations parasitaires. Shistosomiase urinaire** (parasite de la bilharziose). CAUSE : parasite des eaux tropicales et subtropicales. Atteint 180 à 200 millions de personnes. TRAITEMENT : chimiothérapie et parfois chirurgie en cas de rétrécissement des uretères ou de lésions vésicales par les œufs. **Trichomonas,** responsables d'urétrite et de vaginite.

■ **Tumeurs (rein, uretère, vessie, prostate)** bénignes, malignes. TRAITEMENT : chirurgie, radiothérapie, chimiothérapie, hormonothérapie.

Maladies de l'appareil génital

Femmes

■ **Fibrome.** Tumeur bénigne de l'utérus, douleurs, pertes de sang. TRAITEMENT : chirurgical, radiothérapique ou hormonal.

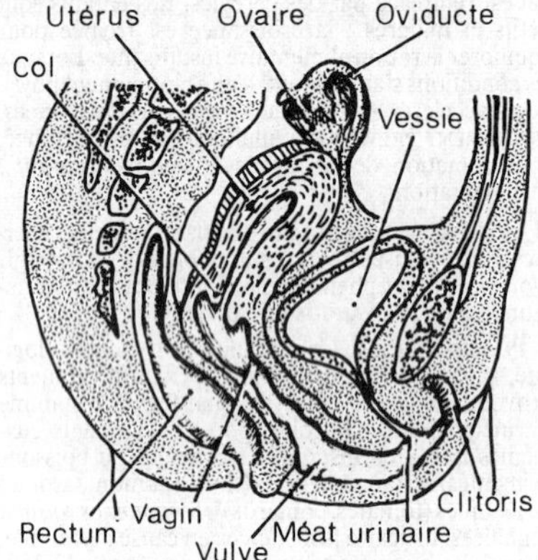

Appareil génital de la femme

■ **Kyste de l'ovaire.** Tumeur bénigne (fréquente). TRAITEMENT : chirurgical.

■ **Métrites.** Affections inflammatoires de l'utérus. TRAITEMENT : antibiotiques ou ionisation du col.

■ **Salpingites.** Complications des vaginites bactériennes ignorées *(chlamydiae).* Risque de stérilité.

■ **Troubles menstruels. Aménorrhée** (absence de règles). **Dysménorrhée** (flux menstruel difficile). **Oligoménorrhée** (diminution du volume des règles). **Hémorragies génitales :** *ménorragies* (règles prolongées 10 à 15 j) ; *métrorragies* (dans l'intervalle des règles).

■ **Vulvo-vaginite.** Inflammation, douleurs, pertes. TRAITEMENT (de la cause) : antibiotiques, antiparasites ou antimycosiques, désinfectants.

Hommes

■ **Balanites.** Inflammations du gland. CAUSES : infection microbienne ; virus, mycoses (candida albicans), parasites ; intolérances médicamenteuses ou allergies ; mauvaise hygiène chez les non-circoncis. Impose la recherche d'un diabète... TRAITEMENT : suppression de la cause, soins d'hygiène, voire anti-infectieux, etc.

■ **Épididymite.** Inflammation de l'épididyme qui relie les testicules à la prostate et l'urètre. COMPLICATION : abcès épididymaire, stérilité.

■ **Orchite.** Inflammation des testicules d'origine microbienne ou virale : oreillons, Escherridia coli surtout. Risque de stérilité masculine si bilatérale.

■ **Phimosis.** Striction (resserrement) de l'anneau préputial. Congénital (circoncision ou plastie du prépuce) ou inflammation (syphilis, chancre mou, blennorragies, balanites) ou par sclérose progressive (sclérodermie, lichen scléro-atrophique, involution sénile).

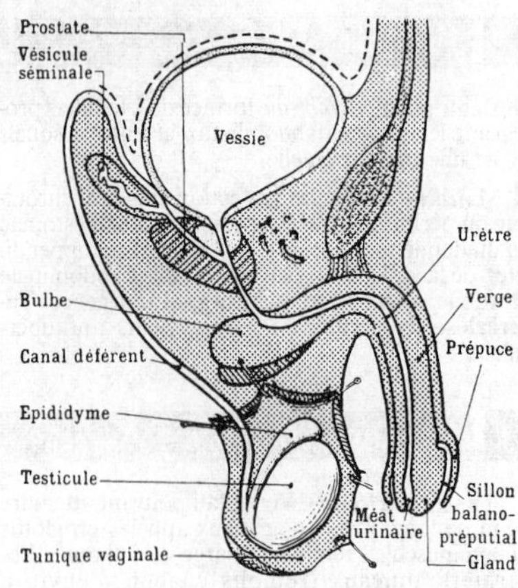

Appareil génital de l'homme

■ **Prostatite.** Inflammation de la prostate ; d'origine infectieuse, microbienne ou virale. TRAITEMENT : antibiotiques, chirurgie.

■ **Tumeurs du testicule.** TRAITEMENT : chirurgie, radiothérapie, chimiothérapie.

Maladies sexuellement transmissibles

Maladies essentiellement transmissibles par contact sexuel

■ **Syphilis.** NOM : vient de *Syphilus,* berger héros du poème (1530) de *Hieronymus Frascatorius,* chirurgien de Vérone. Appelée longtemps grande vérole. ORIGINE. *2 théories : colombienne ou américaine* (Astruc) : la s. a été apportée des Antilles en 1493 par les marins de Christophe Colomb ; *uniciste* (Sanchez) : le tréponématome existerait depuis la préhistoire et se serait répandu sous des formes différentes : syphilis vénérienne, pinta (Am. du S), pian (Asie, Afrique), s. endémique, etc. FORME : infectieuse et contagieuse, due au *tréponème pâle* de Schaudinn. PHASE PRIMAIRE (20 j après la contamination) : bouton dur ou petite plaie *(chancre)* le plus souvent indolore sur les organes génitaux ou parfois dans la bouche, qui passe facilement inaperçu chez la femme, avec gonflement de ganglions voisins (adénopathies). Le tréponème est facilement retrouvé au niveau du chancre. Guérison rapide et constante par la pénicilline. Même non traitée, cette lésion disparaît spontanément en quelques semaines, ce qui peut rassurer à tort car la maladie continue d'évoluer. PHASE SECONDAIRE (2 à 4 mois après la contamination en l'absence de traitement) : petites taches arrondies roses (roséole), érosions muqueuses indolores, perte de cheveux « en clairière » puis boutons sur le corps (syphilides), notamment paumes des mains, plantes des pieds et autour de la bouche. Période très contagieuse car les lésions fourmillent de tréponèmes. GUÉRISON : obtenue sans séquelle par antibiotiques. Certains cas non traités évoluent en 5 à 30 ans. PHASE TERTIAIRE : atteinte cardiaque et neurologique (paralysie générale, tabès). Exceptionnelle en France, grâce aux antibiotiques, prescrits souvent pour un autre motif. SYPHILIS CONGÉNITALE : transmise au fœtus par la mère infectée et non traitée pendant sa grossesse.

Diagnostic : appuyé sur la sérologie sanguine (BW, Nelson, TPHA, immunofluorescence) ; ne permet pas de différencier la syphilis vénérienne des autres tréponématoses non vénériennes, africaines ou sud-américaines (pian, pinta, bejel).

Statistiques : CAS DÉCLARÉS DANS LE MONDE : 150 000 000 (3 000 000 aux États-Unis). EN FRANCE : *1945 :* 11 740 ; *1963 :* 12 968 ; *1971 :* 14 030 ; *1978 :* 21 447 ; *1979 :* 19 486. Env. 6 à 7 % des cas sont déclarés.

■ **Blennorragie (chaude pisse ou urétrite).** TRANSMISSION : lors des rapports sexuels, y compris par fellation. *Incubation : de 1 à 6 j.* SIGNES : *homme :* brûlures en urinant, écoulement de pus au niveau de l'urètre ; *femme :* signes moins nets : pertes vaginales, parfois brûlures urinaires ou douleurs de la vulve. Chez l'homme ou la femme, peut toucher gorge, anus ou rectum. L'infection peut passer inaperçue. Non traitée, peut chez la femme atteindre les trompes (salpingite), et chez l'homme l'épididyme, possibles causes de stérilité. Des manifestations extra-génitales peuvent aussi survenir. DIAGNOSTIC : prélèvement urétral, vaginal... qui identifie le germe en cause (gonocoque, chlamydiae, plus redoutables car plus souvent à l'origine de stérilité). TRAITEMENT : antibiotiques toujours efficaces.

Blennorragie à gonocoque : CAS DÉCLARÉS EN FRANCE : *1979 :* 15 366, *1980 :* 18 189 ; À PARIS : *1984 :* 9 905 ; *1985 :* 7 694. CAS ESTIMÉS EN FRANCE : *1986 :* 400 000 à 500 000.

■ **Chancre mou.** Ulcérations douloureuses et contagieuses dues au bacille de *Ducrey* sur et autour des organes génitaux. INCUBATION : 3 à 6 j. TRAITEMENT : sulfamides, antibiotiques. CAS DÉCLARÉS EN FRANCE : *1980 :* 255 ; À PARIS : *1985 :* 63.

■ **Maladies et parasitoses éventuellement transmissibles par contact sexuel. Condylomes acuminés** (encore appelées crêtes-de-coq, végétations vénériennes, papillomes). Formations (2 à 3 mm) de une à plusieurs dizaines, parfois en grappes grosses comme des noisettes ; verruqueuses, en forme de crête de coq, blanc rosé, à surface dentelée, chez l'homme et la femme, sur les organes sexuels, autour de et dans l'anus. Se multiplient en vieillissant (dues à un virus). COMPLICATIONS : cancer du col utérin. DÉLAI D'APPARITION APRÈS CONTAMINATION : de quelques j à quelques mois. TRAITEMENT : électrocoagulation, application d'azote liquide, de podophylline.

■ **Parasitoses intestinales. Amibes :** parasites du tube digestif ; symptômes douloureux, diarrhées. CONTAMINATION : eau ou denrées alimentaires souillées, principalement sous climats chauds, rapports sexuels (notamment anaux ; il peut apparaître un chancre de la verge chez le partenaire). EXAMEN des selles dans les laboratoires spécialisés. TRAITEMENT : simple et efficace, mais recontaminations fréquentes si partenaires non traités. **Oxyures :** vers intestinaux de 7 à 10 mm, très fins ; démangeaisons anales ; contamination par ingestion de larves au cours des rapports sexuels ou simplement intimes (parasitose fréquente chez les enfants).

■ **Phtiriase inguinale** *(morpions).* ASPECT : sorte de poux au niveau du pubis. TRAITEMENT : poudre antiparasitaire pendant au moins 8 j ou spray antiparasitaire (efficace en 1/2 h), désinfection des vêtements et de la literie.

SIDA

■ **Sens du mot sida. S** (syndrome : ensemble de symptômes et de signes), **ID** (d'immunodéficience : affaiblissement important du système immunitaire), **A** (acquise : non héréditaire mais due à un virus acquis rencontré par le malade au cours de sa vie).

■ **Système immunitaire.** Défend notre organisme contre microbes, virus, bactéries, champignons microscopiques et parasites en les détruisant et en empêchant le développement de cancers à partir de certaines cellules malignes qui peuvent naître dans l'organisme. Agit grâce aux lymphocytes T qui attaquent directement les envahisseurs et les lymphocytes B qui produisent des *anticorps* qui s'attaquent aux microbes et les détruisent. Les anticorps sont spécifiques à chaque microbe. Leur présence dans l'organisme indique que ce dernier a été en contact avec le microbe en cause. Quand un germe envahit l'organisme, il est reconnu par les lymphocytes T4 qui « donnent l'alerte et recrutent » les lymphocytes T et B pour la lutte. La destruction du système immunitaire de défense expose l'organisme aux infections graves et à certains cancers. Le sida est une maladie due à la destruction progressive du système immunitaire par un virus qui attaque les lymphocytes $CD4^+$ et paralyse les défenses.

■ **Origine.** L'épidémie a été révélée en juin 1981 (5 cas recensés à New York le 5-6), mais rétrospectivement on retrouve des cas dès 1940. Certains sérums conservés ont permis d'identifier l'infection en Europe (3 décès en 1976 en Norvège : un marin, sa femme et sa fille), en Afrique (1959) et aux USA (1969). Au 25-2-1982, 251 Américains avaient été touchés, 99 étaient morts ; Gaetan Dugas, steward (homosexuel), auquel on a attribué 2 500 partenaires et qui aurait répandu la maladie, mourra le 30-3-84. Le 1er mort célèbre fut l'acteur homosexuel Rock Hudson (2-10-1985).

Émergence du sida : hypothèses avancées. *Mutation entraînant une augmentation du pouvoir pathogène du virus :* peu probable car aurait dû se produire simultanément au niveau des 2 virus VIH 1 et VIH 2 dont les codes génétiques sont relativement éloignés. *Virus fabriqué artificiellement par l'homme :* les 1ers cas d'infection par le VIH ont été recensés au début des années 70 alors que la technologie ne permettait pas de manipulations génétiques. *Changements de notre mode de vie :* permettraient à un virus circonscrit dans un endroit isolé de se disséminer et de devenir plus actif. Extension des voyages ; libération des mœurs sexuelles ; accessibilité généralisée de la transfusion et distribution de produits dérivés du sang à travers le monde ; partage des aiguilles et seringues chez les usagers de produits injectables ; en Afrique, mouvements de populations vers les villes et injections de médicaments sans stérilisations du matériel et absence de soins des lésions génitales.

☞ En 1983, une campagne de désinformation a été lancée par des journaux soviétiques et un professeur allemand de l'Est : le virus aurait été intentionnellement synthétisé à Ford Derrick (Maryland, USA) pour anéantir la race noire en Afr. du S. Mais un accident se serait produit au Zaïre, et le système contaminant réservé aux Noirs se serait trouvé modifié. Le Pt de l'Académie soviétique de médecine a démenti cette thèse au nom des scientifiques russes.

■ **Agent responsable.** *Virus :* baptisé LAV (Lymphadenopathy Associated Virus), puis HTLV3 et enfin HIV (Human Immunodeficiency Virus : en français VIH ou Virus de l'immunodéficience humaine). 2 virus ont été isolés à Paris (Institut Pasteur et hôpital Claude-Bernard). *VIH1 :* pourrait venir d'un virus existant chez le chimpanzé et qui aurait existé depuis longtemps dans quelques populations humaines isolées le tolérant bien. *VIH2 :* virus de singes africains (s. vert, s. mangabey) le tolérant bien (moins virulent que le VIH1). Le virus est détruit par la chaleur (+ de 56 °C), l'alcool à 60°, l'eau de Javel diluée et la plupart des détergents et certains antiseptiques. Le froid et les UV sont sans effet. Recouvert d'une enveloppe composée de protéines et de lipides, il est constitué par une coque de protéines qui entoure la molécule d'ARN qui porte le code génétique du virus. Le VIH insère son code génétique dans celui des lymphocytes T4 grâce à une enzyme qu'il possède *(transcriptase inverse).* Il peut alors 1°) rester dormant : les T4 infectés continuant à vivre normalement tout en pouvant infecter (par sang ou sécrétions sexuelles) d'autres personnes. Le VIH infecte aussi d'une façon chronique d'autres globules blancs, les macrophages. 2°) Devenir actif et se produire dans la T4 qui éclate et libérer un grand nombre de virus qui vont infecter d'autres T4. Quand des cellules T4 ont été détruites, les défenses immunitaires de l'organisme se trouvent affaiblies ; le risque d'apparition du sida augmente beaucoup.

■ **Transmission. Conditions :** le virus a été trouvé : 1°) dans le sang, le sperme et les sécrétions vaginales des personnes infectées ; 2°) dans les autres liquides corporels (salive, larmes, sueur) mais en quantité en général insuffisante pour provoquer l'infection ; en entrant en contact avec le sang de la personne exposée.

Transmission sexuelle : lors de pénétration anale ou vaginale, hétérosexuelle ou homosexuelle, par les *lésions microscopiques* qui ont lieu au cours de la pénétration (les muqueuses génitales et anales sont fragiles). Le virus présent dans le sperme ou dans les sécrétions vaginales entrent ainsi en contact avec le courant sanguin ou les lymphocytes du receveur. Toute *infection génitale* en particulier ulcérative chez l'un des partenaires (herpès, ulcération génitale, gonococcie, syphillis, chlamidiae, mycoplasme) augmente les risques de transmission. Lors de contacts *oraux-génitaux* (entre bouche et sexe : fellation et cunnilingus) s'il existe des lésions dans la bouche ou sur le sexe. Le risque augmente avec le *nombre de relations sexuelles,* mais une seule suffit et ce peut être la première. *Le risque de transmission de l'homme à la femme* est plus important que de la femme à l'homme. Chez la femme, la *période des règles* est la plus infectante du fait du saignement. Lors d'un *baiser* profond si le receveur d'une salive teintée de sang a des lésions de la muqueuse buccale. *Lors de masturbation* entre partenaires s'il y a contact des sécrétions génitales avec une plaie ouverte éventuelle.

Transfusions et injections de produits sanguins : éventualité exceptionnelle dep. fin 1985 (voir p. 155). Cependant un risque demeure (1/200 000 unités de sang) : un donneur de sang récemment infecté pouvant avoir eu un test négatif.

Seringues, instruments et objets servant à préparer la drogue souillés : exemple : toxicomanes, athlètes s'injectant des stéroïdes.

Instruments médicaux : aiguilles d'acupuncture, de tatouage, de perçage d'oreilles, s'ils n'ont pas été désinfectés à chaque utilisation. **Instruments de soins corporels** (ciseaux de coiffeur, pinces, etc.) : ils doivent être *nettoyés* à chaque utilisation avec une solution désinfectante, ou subir un *chauffage.*

Transmission de la mère à l'enfant : pendant la grossesse à travers le placenta ou au cours de l'accouchement. Une séropositive a 20 à 50 % de risques d'avoir un bébé infecté (20 % en France).

☞ Les rapports sociaux, professionnels, scolaires et familiaux (partage de vaisselle, vêtements, literie, toilettes et salles de bains, la baignade en piscine) sont dénués de risque. Aucun animal (insectes compris) ne transmet l'infection. Le virus humain ne peut pas non plus se transmettre aux animaux.

■ **Comportements à risque. Homoxexuels mâles séropositifs :** Europe et USA : 10 à 80 % selon les régions. **Prostituées séropositives :** Afrique centrale et certaines villes de l'Inde et de Thaïlande : 30 à 85 %. En **Amérique du Nord et en Europe,** les taux d'infections sont plus faibles et reliés surtout à la **toxicomanie** par voie veineuse. Ils tendent cependant à augmenter. Quel que soit le niveau d'infection dans une population, le tourisme sexuel, la recherche d'aventures dans les bars et hôtels sont autant de comportements à risque. **Toxicomanes séropositifs :** 4 à 80 % des utilisateurs de drogues injectables en Amérique du Nord (à Paris 50 à 70 % des toxicomanes, selon les groupes).

■ **Détection.** La contamination passe le plus souvent inaperçue. *2 à 4 mois après,* on peut la détecter par prise de sang. **Méthodes : indirectes (Elisa) :** détectent non le virus lui-même ou ses composants, mais les anticorps produits par l'organisme en réaction à la présence du virus. Si le test Elisa répété 2 fois sur le même échantillon donne 2 tests négatifs, la personne est séronégative ; si les 2 tests sont positifs ou discordants, on fait un test plus spécifique (le *Western Blot).* Si ce test est négatif, la personne est séronégative ; s'il est positif, on fait une 2e prise de sang et un test Western Blot sur celle-ci. Si ce 2e test est positif, la personne est dite séropositive. Une personne séropositive doit se considérer porteuse du virus et pouvant le transmettre par le sang et les sécrétions sexuelles. Restant probablement infectée toute sa vie, elle devra prendre des précautions afin de diminuer ses risques d'évolution vers le sida et afin d'éviter d'exposer d'autres personnes au virus. **Directes :** 1°) *isolement du virus* à partir des lymphocytes (technique onéreuse réservée à la recherche) ; 2°) *recherche de l'antigène* viral directement dans le sérum (la présence en général dans le sang est transitoire jusqu'à l'apparition des anticorps) ; 3°) *PCR (Polymerase Chain Reaction) :* pratiquée dans des laboratoires spécialisés, permet, en amplifiant une partie du matériel génétique du VIH (ADN) jusqu'à 1 million de fois, de détecter la présence du virus même en petite quantité dans le sang.

☞ Ces anticorps contenus dans le sérum ne sont pas protecteurs, les personnes chez lesquelles on les a détectés sont dites « séropositives ». *Pendant plusieurs années,* les séropositifs ne présenteront aucun symptôme de la maladie sauf adénopathies (gonflement des ganglions), mais la séropositivité est définitive et la transmission du virus est possible, même en l'absence de tout signe de la maladie.

■ **Évolution.** L'OMS estime qu'en l'espace de 10 ans, 20 % des séropositifs restent indemnes, 60 % évoluent vers le sida et 20 % présentent des manifestations mineures de la maladie.

Primo-infection : 3 semaines à 6 mois ; manifestations d'allure pseudo-grippale ou mononucléosique pouvant se présenter chez 20 à 30 % des personnes infectées (les autres ne ressentiront rien du tout).

Symptômes mineurs (chez 20 % des séropositifs) : infection VIH : ganglions augmentant en plusieurs endroits du corps et de façon durable (+ de 3 mois), perte de poids (de + de 10 %), fièvre, sueurs nocturnes, forme grave d'herpès (vésicules cutanées douloureuses), diarrhée persistante et abondante. Ces symptômes ne sont pas spécifiques du sida, mais leur caractère persistant et inexpliqué chez une personne qui a pu être exposée au virus doit faire penser à la possibilité d'infection par le VIH. On ne peut prévoir actuellement l'évolution des personnes présentant ces symptômes mineurs vers le sida. Mais, celles qui ont un faible % de lymphocytes T4 ont un risque élevé d'évoluer vers le sida.

Sida (6 mois à 10 ans) : 60 % des séropositifs. 3 groupes de symptômes dus à : 1°) **Des infections opportunistes :** l'immunité de l'organisme étant déficiente, les microbes (virus, bactéries et parasites qui normalement ne donnent pas de maladies, car ils sont tenus en échec par le système immunitaire) vont saisir cette « opportunité » pour provoquer des infections graves qui, sans traitement et, parfois, malgré le traitement, peuvent aboutir à la mort. *Organes atteints : poumons :* par giardia, shigella, cryptosporidie, isospora belli, candida ; diarrhées chroniques inexpliquées (10 à 15 selles par j) durant + de 1 mois, difficultés à se nourrir (infections de l'œsophage), envahissement du système digestif par les candida (champignons). *Cerveau :* par toxoplasme, cryptocoques (paralysie, troubles de la vue, manifestations psychiques anormales, méningites). *Peau :* par virus de l'herpès (cutané). *État général :* amaigrissement, asthénie, affaiblissement avec infections. 2°) **Certains cancers :** *Sarcome de Kaposi :* atteint 35 % des patients présentant un sida. Plaques ou nodules cutanés bleus ou bruns au niveau de la peau et ganglions, des poumons et de presque tous les viscères. **Lymphomes** (tumeurs de ganglions lymphatiques). 3°) **D'autres**

manifestations : atteintes neurologiques du système nerveux central avec pertes de mémoire, manque de coordination, confusion dans le langage, diminution de l'acuité visuelle et comportements psychotiques.

☞ **Après 10 ans :** on ignore le temps maximal de la période d'incubation.

■ Conseils aux séropositifs. 1°) *Diminuer le risque d'évoluer vers la forme symptomatique ou le sida :* se protéger d'une réinfection en ayant des relations sexuelles protégées ; éviter l'usage des drogues (source de réinfection si on partage aiguilles ou seringues, diminuant les résistances de l'organisme aux infections), les infections de tout genre, alcool, tabac et stress. S'alimenter correctement. Rencontrer régulièrement un médecin, vérifier la pertinence de toute vaccination, envisager des traitements précoces quand les signes d'affaiblissement du système immunitaire apparaissent. 2°) *Éviter de transmettre le virus du sida :* s'abstenir de donner sang, sperme ou organes (rein, cornée, etc.) ; informer ses partenaires sexuels (éviter la pénétration, sinon avec préservatif) ; ne pas partager d'aiguilles ou de seringues ; informer médecins et dentistes ; éviter une grossesse ; nettoyer les surfaces souillées de sang avec des mains gantées, désinfecter avec solution d'eau de Javel (1/10) en appliquant 20 min ; laver linge de maison et vêtements souillés de sang ou sécrétions sexuelles à 70° ou avec eau de Javel ou nettoyage à sec et jeter matériel souillé dans sac étanche à la poubelle ; ne pas échanger les objets de soins corporels tranchants (rasoirs, brosses à dents...) ; recouvrir toute coupure ou égratignure d'un pansement jusqu'à cicatrisation.

■ Traitement des manifestations. PRÉVENTION DES INFECTIONS OPPORTUNISTES : dès les 1er signes de faillite du système immunitaire (ex. : - de 200 lymphocytes T4). *Pneumocystose :* aérosol de pentamidine, cotrimoxazole, Dapsone. *Toxoplasmose :* pyriméthamine, Dapsone. *Tuberculose. Traitement des infections opportunistes déclarées :* antibiotiques, antimycosiques des antiparasitaires et antiviraux, mais certaines infections n'ont pas de traitement spécifique (cryptosporidiose, leucoencéphalite, etc.) et les rechutes souvent fréquentes rendent le traitement de plus en plus difficile. **Cancers :** [chimiothérapies seules (daunorabicine liposomale) ou associées à interféron ou Gm CSF (facteurs agissant sur la multiplication cellulaire)]. **Autres manifestations neurologiques :** AZT.

Combat du virus. *Médicaments :* AZT (Azidothymidine ou Retrovir) efficacité discutée après essai Concorde, commencé oct. 1988 (1ers résultats publiés 2-4-93) ; autres produits sensés bloquer la multiplication du virus dans l'organisme en cours d'évaluation : DDI, DDC (dideoxycytidine ou zalcitabine), TIBOs, Antiprotéases, HEPT). Des associations entre ces médicaments seraient plus efficaces.

Rétablissement de l'immunité : les immunodulateurs n'ont pas fait la preuve de leur efficacité. L'immunothérapie passive (injection d'anticorps pour aider l'organisme à combattre les infections) ou active (utilisation des produits vaccinaux comme stimulants du système immunitaire) a été proposée.

☞ Au début 1993, on ne pouvait parler de guérison, mais on a prolongé la survie des malades et obtenu des rémissions à long terme.

■ Statistiques en France. **Cas déclarés cumulés depuis 1978 :** *1992 (1-12) :* 21 487 (estim. : 26 000 à 29 000) dont 21 061 adultes et 426 enfants. Sexe ratio : 5,5 hommes pour 1 femme. **Décès :** *cumulés au 30-9-1992, est. :* 16 000 à 17 000 (dont 3 600 à 4 000 Parisiens) ; *1993 (prév.) :* 5 000 ; *2 000 (prév.) :* 100 000 à 200 000 avec espérance de vie de 21 mois. **Séropositifs** (est.) : *1989 :* 100 000 à 200 000. **Hémophiles :** 600 à 800 enfants infectés par leur mère naissent séropositifs chaque année, 1/3 vont être atteints par la maladie (voir p 156 a).

Cas de sida déclarés par année de diagnostic avec redressement. *1983 :* 139 ; *84 :* 233 ; *85 :* 570 ; *86 :* 1 228 ; *87 :* 2 205 ; *88 :* 2 993 ; *89 :* 3 679 ; *90 :* 4 086 ; *91 :* 4 453 ; *92* (1er sem.) : 2 010.

Cas de sida cumulés depuis 1978, hommes et, entre parenthèses, **femmes**. *0-11 mois :* 96 (80), *1-4 ans :* 89 (60), *5-9 :* 31 (20), *10-14 :* 31 (7), *15-19 :* 74 (25), *20-29 :* 4 357 (1 205), *30-39 :* 6 879 (965), *40-49 :* 3 422 (278), *50-59 :* 1 411 (183), *60-69 :* 565 (159), *70-79 :* 168 (99), *80-89 :* 24 (22).

Mode de contamination (selon les déclarations obligatoires de cas de sida en 1991, en %). Homobisexualité 45,94, toxicomanie 26,47, hétérosexualité 12,59, transfusion 3,77, hémophilie 1,24, mère-enfant 1,14, toxicomanie-hétérosexualité 1,14, indéterminé 7,7.

Répartition des cas de sida hétérosexuels en fonction de l'origine du partenaire au 30-6-1992. 2 369 cas **dont en %** partenaire bisexuel 3,5 ; toxicomane 13,9 ; hémophile 0,4, transfusé 2,5 ; séropositif 7,2 ; originaire des Caraïbes 3,7 ; d'Afrique 14,5 ; patient originaire des Caraïbes 27,2 ; d'Afrique 27.

Nombre de cas décédés du sida selon l'année de diagnostic, nombre de vivants entre parenthèses et taux de létalité en italique (au 30-6-1992). *Av. 1982 :* 12 (5) *70,6. 82 :* 24 (6) *80. 83 :* 78 (14) *84,8. 84 :* 192 (41) *82,4. 85 :* 457 (113) *80,2. 86 :* 929 (299) *75,7. 87 :* 1 565 (640) *71. 88 :* 2 081 (912) *69,5. 89 :* 2 319 (1 360) *63. 90 :* 1 969 (2 049) *49. 91 :* 1 241 (2 627) *32,1. 92 :* 180 (1 137) *13,7. Total cumulé :* 11 047 (9 203) *54,6.*

Déclarations (anonymes). En France elles sont obligatoires pour : la syphilis, la blennorragie à gonocoque, le chancre mou, l'hépatite virale et le sida.

■ Statistiques dans le monde **(OMS au 30-12-1992). Cas notifiés par année** et entre parenthèses **cas cumulés.** *1984 :* 13 135 (13 135) ; *85 :* 15 443 (28 578), *86 :* 29 064 (57 642), *87 :* 55 164 (112 806), *88 :* 78 330 (191 136), *89 :* 100 215 (291 351), *90 :* 108 872 (400 223), *91 :* 93 649 (493 872), *92 :* 78 728 (611 589 dont Amérique 313 083 ; Afrique 211 032, Europe 80 810, Océanie 4 082, Asie 2 582).

Cas cumulés de sida déclarés aux USA et Canada (en milliers). *1983 :* 6 ; *84 :* 10 ; *85 :* 21 ; *86 :* 37 ; *87 :* 60 ; *88 :* 900 ; *89 :* 122 ; *90 :* 164 ; *91 :* 210.

Cas déclarés de sida avancé (n'incluant pas les formes moins graves de la maladie) **(cumulés à fin 1991), par million d'habitants.** USA 210 (fin 92 : 230), *France 18*, Espagne 12, Italie 12, Allemagne 8, Canada 5,6, G.-B. 5,5, Suisse 2,3, P.-Bas 2, Belgique 1,1, Danemark 1, Portugal 0,9, Suède 0,7, Grèce 0,6, Irlande 0,25, Luxembourg 0,05. **Séropositifs** (en millions). *1992 :* 10 à 12 (dont Afr. noire 6,5, Asie + de 1, Amér. latine + de 1, Amér. du N. 1, Afr. du N. et Moyen-Orient). *V. 2000 : 40 à 110* (dont enfants 10) dont 42 % en Asie. **Décès (USA).** *De 1981 à fin 1992 :* 150 000. Selon la **nouvelle définition du sida** adoptée par le centre de contrôle des maladies d'Atlanta (USA) et applicable dep. le 1-1-1993, on considère comme malades les contaminés si leur taux de lymphocytes (TCD4+) est inférieur à 200/mm³ de sang (soit 20 % du niveau normal chez un bien portant). A New York, 30 % des décès sont dus au sida, 1 homme de moins de 50 ans sur 3 est contaminé. 35 à 40 % des enfants nés de mères séropositives ou atteintes du sida sont contaminés et condamnés.

■ Coût dans le monde : *En 2000 :* 740 à 5 920 milliards de F (41 % des dépenses mondiales de santé). En France : *Coût moyen annuel d'un patient atteint du sida :* 130 00 à 150 000 F.

■ Information du public. *Ligue nationale française contre le péril vénérien, Institut A.-Fournier,* 25, bd Saint-Jacques, 75014 Paris. *Association ACT-UP,* BP 12, 75462 Paris Cedex 10. *Association pour la diffusion de l'information sur les maladies sexuellement transmissibles (Adimst),* 59, rue Saint-André-des-Arts, 75006 Paris. *Association Aides,* BP 759, 75123 Paris Cedex ; BP 3, 13351 Marseille Cedex 05. *Association Vaincre le sida,* BP 434, 75233 Paris Cedex 05. *Association de lutte contre le sida,* 152, cours Gambetta, 69007 Lyon, *SOS MST sida,* BP 2210, 92604 Asnières Cedex. *Sida Info-service. Assistance publique Sida* (AP Sida, Minitel 3614 code APP). *Association de défense des transfusés,* 11, rue Railly, 75003 Paris. *Association française des hémophiles,* 6, rue Alexandre-Cabanel, 75739 Paris, Cedex 15.

■ Consultations et soins. **Paris :** *Centre clinique et biologique des MST de l'hôpital Saint-Louis,* 42, rue Bichat 75010. *Institut Alfred-Fournier,* 25, bd Saint-Jacques 75014. *Hôpital Tarnier,* 89, rue d'Assas 75006. *Croix-Rouge française,* 43, rue de Valois 75001. CRIPS, 3-5, rue de Ridder, 75014. *Institut Arthur-Vernes,* 40, rue d'Assas 75006. *Cité universitaire,* 42, bd Jourdan 75014. *Ligue de préservation sociale,* 29, rue Falguière 75015. *Centre de dépistage anonyme et gratuit du sida : Centre médico-social,* 218, rue de Belleville, 75020 ; 3-5, rue de Ridder, 75014. **Marseille :** *Dispensaire antivénérien central,* 39, rue Francis-de-Pressensé 13001.

GLANDES ENDOCRINES ET HORMONES

Glandes endocrines (ou à sécrétion interne). Sécrètent des *hormones* qui, entraînées dans le sang, vont exercer à distance des actions spécifiques.

Glandes exocrines. Leurs produits se déversent à l'extérieur ou dans un conduit intérieur : voies respiratoires, tube digestif, etc. (voir peau, glandes digestives).

☞ Acinus (pluriel acini) : masse.

PRINCIPALES GLANDES ENDOCRINES

■ Épiphyse (ou glande pinéale). Attachée au toit du 3e ventricule cérébral. Très petite (0,16 g au maximum). Descartes y avait situé le siège de *l'âme.* **Hormone :** *métatonine :* intervient sur le système pigmentaire des batraciens et exerce sur l'appareil génital une action inverse de celle de l'hypophyse.

■ Hypophyse. Ovoïde, longue de 1 à 1,5 cm. Reliée à la base du cerveau par un pédoncule, elle repose dans une dépression de la base du crâne, la *selle turcique.* Elle est sous la dépendance des centres nerveux sus-jacents *(hypothalamus),* et comprend 2 parties, antérieure et postérieure, fonctionnellement distinctes. **Hormones anté-hypophysaires :** *H. somatotrope :* assure la croissance du corps, *H. thyréotrope :* stimule la thyroïde. *H. gonadotropes :* l'une, *folliculo-stimulante,* provoque la croissance et la maturation des follicules ovariens chez la femme, la fabrication des spermatozoïdes chez l'homme ; l'autre, *lutéo-stimulante,* provoque chez la femme la ponte ovulaire et le développement du corps jaune, stimule chez l'homme le tissu interstitiel du testicule, *H. corticotrope :* stimule la corticosurrénale. *Prolactine :* stimule la glande mammaire. **Hormones post-hypophysaires** (nées dans l'hypothalamus et collectées par la post-hypophyse) : *Vasopressine :* augmente la pression artérielle et s'oppose à la fuite de l'eau par les reins. *Ocytocine :* fait contracter l'utérus gravide à terme.

■ Ovaires (glandes sexuelles féminines). **Hormones :** *Folliculine* (œstrone, œstradiol) : provoque la maturation de l'ovule dans l'ovaire. *Progestérone :* fait descendre l'ovule mûr et maintient la grossesse après la fécondation.

■ Pancréas endocrinien (constitué par les îlots (cellules) de Langerhans, situés entre les acini du pancréas exocrine). **Hormones :** *Insuline :* abaisse le sucre sanguin et favorise l'assimilation des graisses ; *Glucagon :* élève la glycémie aux dépens du glycogène et favorise la néo-glycogenèse.

■ Parathyroïdes. 4 glandes de la taille d'une lentille, disposées à la face postérieure de la thyroïde. **Hormone :** *Parathormone :* règle les taux de calcium et phosphore dans le sang en agissant sur le tissu osseux.

■ Surrénales. Situées au pôle supérieur de chaque rein. Pyramidales, long. 5 cm. Formées de 2 parties embryologiquement distinctes : CORTICOSURRÉNALE. **Hormones :** *Corticostérone* et *Cortisol :* actions sur les divers métabolismes, glucides, lipides, protides. *Aldostérone :* contrôle les électrolytes. MÉDULLOSURRÉNALE. **Hormones :** *Adrénaline* et *Noradrénaline :* provoquent vasoconstriction et hypertension artérielle, hyperglycémie.

■ Testicules (glandes sexuelles masculines). **Hormones :** *Testostérone :* contrôle et stimule les caractères sexuels du mâle et la spermatogenèse (formation des spermatozoïdes).

■ Thymus. Situé dans le thorax, au-dessus du cœur. Atteint 40 g avant la puberté, s'atrophie ensuite. Assure la production d'anticorps *(fonction immunologique),* par l'intermédiaire des lymphocytes et des organes lymphoïdes.

■ Thyroïde. Située à la base du cou, en forme de H. Poids : 30 g. Haut. : 5 cm. Largeur : 4 cm. **Hormones :** *Thyroxine* et *tri-iodothyronine :* activent les oxydations cellulaires et élèvent le métabolisme basal, intervenant ainsi dans les fonctions organiques, notamment sur croissance et développement intellectuel. *Thyrocalcitonine :* action hypocalcémiante, opposée à celle de la parathormone.

MALADIES ENDOCRINIENNES

■ Corticosurrénale. INSUFFISANCE globale. *Maladie d'Addison :* pigmentation, asthénie, hypotension artérielle. SYNDROMES D'HYPERFONCTIONNEMENT : *S. de Cushing,* par hyperplasie ou tumeur : troubles métaboliques multiples, hypertension artérielle, diabète sucré, troubles génitaux. *S. de Conn* (hypersécrétion d'aldostérone) : hypertension artérielle, hypokaliémie et ses conséquences. *S. adrénogénitaux : états intersexuels* (pseudo-hermaphrodisme féminin ; syndromes tardifs, virilisants chez la femme, féminisants chez l'homme).

■ Épiphyse. Tumeurs intracrâniennes avec possibilité de troubles du développement sexuel (puberté précoce).

■ **Hypophyse.** **Anté-hypophyse :** INSUFFISANCE : *nanisme* et *infantilisme* chez les sujets jeunes. *Cachexie hypophysaire* avec déficit pluriglandulaire chez l'adulte (syndrome de Simmonds) ; principalement chez la femme par nécrose hypophysaire du post-partum (maladie de Sheehan). SYNDROMES D'HYPERFONCTIONNEMENT (le plus souvent liés à la formation d'adénomes). *Acromégalie :* déformations hypertrophiques des os, par excès d'hormone somatotrope. *Gigantisme* en cas de développement prépubertaire. *Maladie de Cushing,* par excès d'hormone corticotrope, hypertrophiant les surrénales. *Adénomes à prolactine :* galactorrhée, déficit sexuel. **Post-hypophyse :** INSUFFISANCE : *diabète insipide* (fuite de l'eau par les reins, entraînant polyurie, soif, polydipsie et déshydratation).

■ **Médullosurrénale.** Tumeurs *(phéochromocytomes) :* hypertension artérielle paroxystique ou permanente. Troubles de la glycorégulation.

■ **Ovaires.** *Insuffisance globale.* Précoce (avant la puberté) : *infantilisme sexuel.* Après la puberté : *aménorrhée. Défaut électif de progestérone :* irrégularités menstruelles, hémorragies utérines.

■ **Pancréas endocrinien** (surtout nerveux). INSUFFISANCE : *diabète sucré. Hyperinsulinisme :* accidents hypoglycémiques.

■ **Parathyroïdes.** INSUFFISANCE : tétanie (crises de contracture musculaire) avec chute du calcium sanguin. HYPERFONCTIONNEMENT : *Hyperparathyroïdisme :* avec hypercalcémie, déminéralisation et déformations pseudo-kystiques des os. Lithiase rénale.

■ **Testicules.** INSUFFISANCE : avant la puberté : *eunuchoïdisme ;* après : régression des caractères sexuels secondaires et de la *spermatogenèse* (production du sperme).

■ **Thyroïde.** INSUFFISANCE : *myxœdème,* simple chez l'adulte ; avec nanisme et idiotie chez l'enfant. HYPERFONCTIONNEMENT, soit pur *(adénome toxique),* soit hyperfonctionnement associé à une exophtalmie *(maladie de Basedow.)*

SENS

GOÛT

■ **Définitions.** *Goût :* faculté de reconnaître une saveur. **Agueusie :** perte du goût. **Gustométrie :** étude du goût en partant des 4 saveurs élémentaires ou en pratiquant la gustométrie électrique utile pour diagnostiquer certaines paralysies, en particulier dans le diagnostic topographique (siège) d'une paralysie faciale. **Substances sapides ou fondamentales :** substances chimiques qui au contact de la muqueuse de la langue provoquent des sensations gustatives. 4 sortes : il faut au moins 0,5 % de sucre dans une solution pour qu'elle donne l'impression du *sucré ; salé* 0,25 % de sel ; *acide* 1 pour 130 000 d'acide ; *amer* 1 pour 2 000 000.

■ **Organe.** La face supérieure de la langue est recouverte de petits reliefs ou *papilles* (3 000 ou 4 000, le porc 6 000 à 8 000) de différentes formes (4 ou 5) auxquelles correspondent des formes de sensibilité gustative (la pointe est sensible aux saveurs sucrées et salées, les côtés aux saveurs acides et l'arrière à l'amertume). De ces papilles ou récepteurs partent des fibres nerveuses qui se groupent en *nerfs gustatifs (nerfs lingual* et *glosso-pharyngien)* et qui transportent l'influx nerveux à la zone cérébrale qui va l'intégrer.

ODORAT

■ GÉNÉRALITÉS

■ **Définition.** Faculté sensorielle permettant la reconnaissance et la discrimination des odeurs.

■ **Organe récepteur.** *Tache olfactive* (haut de la muqueuse des fosses nasales) formée de cellules sensorielles qui enregistrent et transforment en influx nerveux les caractéristiques physiques de l'odeur. Des *filets nerveux* partant de ces cellules pénètrent dans le crâne en traversant la *lame criblée* (plafond osseux fragile des fosses nasales, dont la fracture peut entraîner la rupture des filets nerveux et, par-là, la perte de l'odorat). Ils se réunissent au-dessus de celle-ci en *2 bulbes olfactifs* auxquels font suite *2 bandelettes olfactives* qui aboutissent à une formation du cortex cérébral, *l'hippocampe,* où l'influx est transformé en une notion consciente permettant de reconnaître l'odeur.

Le chien décèle une odeur acétique avec 200 000 molécules par m³ d'air ; l'homme avec 500 millions.

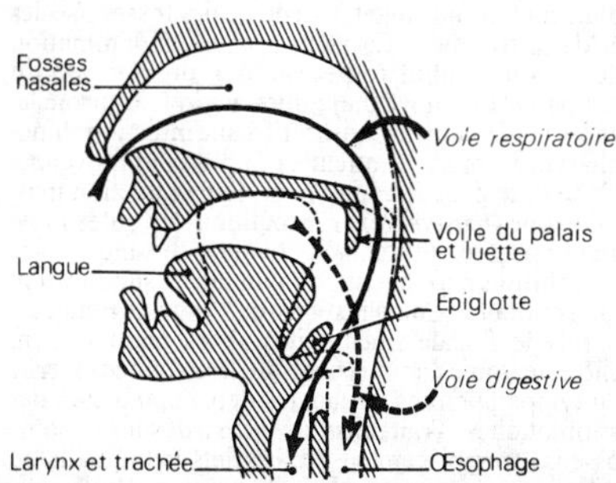

■ **Olfactométrie.** Étude de la fonction olfactive ; difficile et parfois imprécise.

Odeurs. *Classification de H. Zwaardemaker* (XIXᵉ s.) : 9 groupes d'odeurs qui semblent ne pas s'influencer réciproquement : *odeur éthérée* (fruits), *aromatique* (camphre, amandes), *fragrante* (fleurs), *ambrosiaque* (musc), *alliacée* (ail, soufre, chlore), *empyreumatique* (odeurs de brûlé), *caprylique* (fromage, graisse, sueur), *répulsive* (punaise, belladone), *nauséeuse* (chair ou végétaux putrides, matières fécales).

■ MALADIES

■ **Anosmie (perte de l'odorat).** **De transmission** par obstruction mécanique des fosses nasales empêchant le contact des odeurs avec la tache olfactive. Due le plus souvent à un *coryza.* **De perception** par atteinte des filets nerveux ou des centres cérébraux de reconnaissance de l'odorat. Dans le 1ᵉʳ cas, elle est en rapport avec un traumatisme crânien atteignant la lame criblée par rupture des filets olfactifs (un traumatisme occipital entraînant un ballottement de la masse cérébrale peut provoquer une élongation avec rupture de ces mêmes filets) ou avec une infection virale par processus méningé. Dans le 2ᵉ cas, il s'agit de processus tumoral, vasculaire ou dégénératif atteignant le bulbe olfactif ou les centres. TRAITEMENT : rétablissement de la perméabilité nasale dans les atteintes transmissionnelles (corticothérapie et gestes locaux) ; inutile dans les atteintes perceptives.

■ **Coryza (rhinite, rhume de cerveau).** Inflammation aiguë de la muqueuse des fosses nasales et des sinus. Liée à un processus viral (**grippe,** 140 rhino-virus différents), ou allergique [**rhume des foins** concerne 5 à 15 % des Français. Principaux pollens responsables : arbres, de janvier à août (noisetier, aulne, cyprès, orme, peuplier, saule, frêne, charme, bouleau, platane, mûrier, chêne, olivier, troène, tilleul, châtaignier) ; plantes herbacées, d'avril à fin septembre (oseilles, dactyles, plantains, orties, solidages, pissenlits, armoises, chénopodes, ambroisies). Si 2 parents sont allergiques, le risque pour leur descendant de l'être aussi est de 40 à 60 %, si l'un des 2 parents seulement est affecté, risque de 25 à 40 %, si aucun n'est atteint, risque de 3 à 15 %].

■ **Hémorragies nasales.** Réalisent les *épistaxis* en rapport avec une rupture de la muqueuse nasale très vascularisée, au niveau de la cloison nasale. ORIGINE : traumatique (choc, grattage, mouchage violent), ou spontanée. *La favorisent :* congestion locale, hypertension, affections sanguines. TRAITEMENT : cautérisations chimiques des points hémorragiques, méchage des fosses nasales, antihémorragique par voie générale. Ligature de l'artère sphéno-palatine dans les cas graves. DÉCÈS : exceptionnels.

■ **Parosmie.** Perversion de l'odorat : perception d'une odeur généralement nauséabonde n'existant pas réellement ou correspondant à une perception de qualité différente pour un sujet normal.

■ **Sinusite.** Infection d'un sinus, aiguë ou chronique. Conséquence de la propagation d'une infection des fosses nasales, parfois d'une infection dentaire (sinus maxillaire). Favorisée par l'existence d'une allergie nasale (naso-sinusienne). TRAITEMENT : pulvérisations, inhalations, associées à une thérapeutique anti-allergique et antibiotique, ou chirurgie dans les sinusites chroniques isolées tenaces ou d'origine dentaire.

■ **Tumeurs malignes des fosses nasales et sinus.** TRAITEMENT : chirurgical, radiothérapie, cobaltothérapie.

OUÏE

■ APPAREIL AUDITIF

Organe de l'audition et de l'équilibration, il comprend 3 parties :

1°) L'oreille externe. Pavillon de l'oreille et conduit auditif externe dont le fond est fermé par la membrane du **tympan.**

2°) L'oreille moyenne. Petite cavité aplatie de l'os temporal ; elle communique avec l'arrière-fosse nasale par la **trompe d'Eustache** et avec l'oreille interne par 2 orifices, la *fenêtre ovale* obturée par un osselet, l'**étrier,** et la *fenêtre ronde* obturée par une membrane. Elle renferme *3 osselets* (marteau, enclume, étrier) articulés entre eux et reliant la fenêtre ovale au *tympan* qui la sépare de l'extérieur.

3°) L'oreille interne ou labyrinthe. Correspond à une cavité osseuse où se moule un sac membraneux, le labyrinthe membraneux. Celui-ci, séparé de l'os par un liquide (la *périlymphe*), comprend : la **cochlée** contenant l'**organe de Corti,** élément sensoriel recueillant les messages auditifs, et le **vestibule** formé des *canaux semi-circulaires,* organe de l'équilibre, dont l'atteinte se manifeste par des vertiges. A l'intérieur du sac membraneux, les différents organes sensoriels baignent dans un 2ᵉ liquide : l'*endolymphe.*

Les oreilles externe et moyenne forment l'appareil de transmission qui amène l'onde sonore au labyrinthe. L'oreille interne forme l'app. de perception et transforme l'onde sonore mécanique en une énergie nerveuse (électrique). Cette énergie nerveuse est transmise par le *nerf auditif cochléaire* aux centres nerveux bulbaires, puis à l'écorce cérébrale temporale qui la transforme en perception consciente.

■ PERCEPTION DU SON

Hauteur. L'oreille perçoit les sons dont la *hauteur* (fréquence vibratoire) est comprise entre 16 et 18 000 cycles (vibrations doubles) par seconde. Les *infra-sons* (au-dessous de 16 vibrations), les *ultrasons* (au-dessus de 20 000) sont inaudibles par l'homme (les enfants souffrant d'asthme pourraient percevoir des sons de 30 000 Hz).

En termes musicaux, l'oreille perçoit *10 octaves* (intervalle qui sépare une fréquence de la fréquence 2 fois plus élevée ou plus basse). La langue française utilisant des sons de 500 à 4 000 Hz, l'oreille devient plus sensible chez le Français à ces fréquences. A partir de 40 ans, l'audition, dans les fréquences aiguës, diminue.

Intensité. Si l'oreille ressent une augmentation d'intensité quand l'amplitude de la variation de pression passe de 1 à 2 microbars, elle ressentira la même augmentation quand l'amplitude passera de 2 à 4 microbars, puis de 4 à 8, etc. C'est la *loi de Fechner :* la sensation est proportionnelle au logarithme de l'excitation. Aussi repère-t-on l'intensité d'une onde sonore par le logarithme de l'énergie transportée par cette onde, énergie qui, pour une fréquence donnée, est proportionnelle au carré de la variation de pression. L'unité ainsi définie est le *bel* (dû à A. Graham Bell), mais on utilise un sous-multiple, le *décibel* (en gros : la plus petite variation d'intensité sonore perceptible par l'oreille humaine). Le niveau *zéro décibel* correspond à une amplitude de variation de pression égale, par convention, à 2/10 000 de microbars. Toute augmentation de 20 décibels de l'intensité sonore correspond à une multiplication par 10 de l'amplitude de l'onde.

L'audiogramme tonal mesure l'intensité suffisante à laquelle différentes fréquences (habituellement 125 à 8 000 hertz) doivent être émises pour être perçues par un individu. L'unité de mesure est le *décibel.* L'*audiomètre* permet cette mesure ; il est étalonné de façon que chaque fréquence soit perçue par un individu normal au niveau 0 décibel. Il s'agit donc du *seuil d'audibilité* qui augmentera de façon plus ou moins importante suivant les cas. L'intensité nécessaire pour l'obtenir traduira en décibels la perte auditive tonale.

L'audiogramme vocal permet d'apprécier la capacité d'un individu à comprendre la parole. Il consiste à faire répéter des mots phonétiquement et statistiquement équilibrés et à reporter sur un diagramme le % de mots compris en fonction de l'intensité : on trace ainsi une courbe d'intelligibilité.

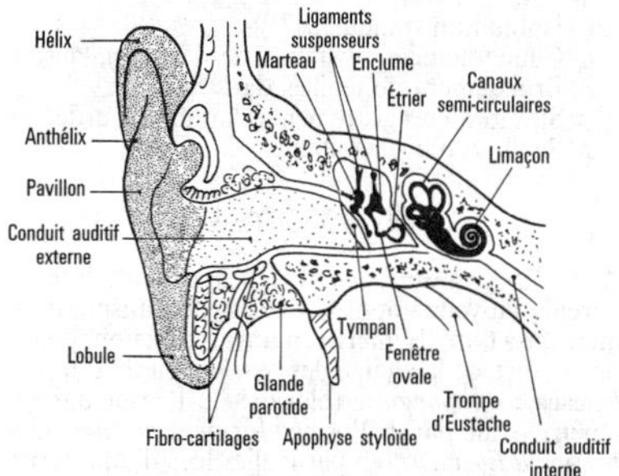

Ensemble de l'appareil auditif

Parmi le champ auditif humain, les fréquences de 500 à 2 000 hertz représentent la *zone conversationnelle,* les fréquences de 2 000 à 8 000 hertz permettront l'intelligibilité du message sonore.

Autres tests n'utilisant pas l'interprétation du sujet examiné : le *tympanogramme,* pour apprécier la perméabilité de la trompe d'Eustache et partant de l'oreille moyenne ; le *réflexe stapédien,* pour apprécier la mobilité du système tympan-osselets, en particulier de l'étrier, et la valeur de l'oreille interne ; étude des *potentiels évoqués du tronc cérébral,* recueillent les influx nerveux consécutifs à l'émission de sons, au niveau de la partie basse du cerveau.

Seuils de tolérance. L'exposition au bruit entraîne une diminution de la perception dépendant de l'intensité du bruit, de la durée d'exposition dans le temps, de la résistance individuelle et de la qualité du bruit (les sons aigus intermittents impulsionnels sont les plus nocifs). L'excès de bruit agit au niveau de l'oreille interne, provoquant un déficit temporaire ou définitif de la sensibilité auditive qui peut être évalué en décibels, en testant l'élévation du seuil de l'audition pour les différentes fréquences. La *surdité* commence pour les sons voisins de 4 000 Hz. La perte est d'abord faible, 20 à 30 dB(A), et l'on ne s'en rend pas compte car elle ne concerne pas la zone conversationnelle. Cependant 4 000 Hz jouent un rôle important dans la sélectivité du message. Si l'action du bruit se prolonge plusieurs années, la surdité s'étend vers les sons plus aigus et, plus lentement, vers les sons plus graves, atteignant alors les fréquences nécessaires à la conversation. Une exposition courte mais très violente dans une discothèque à 110 dB(A) peut faire perdre définitivement une partie ou la totalité de l'audition.

☞ 46 % des motards ont une perte de l'audition due au bruit du vent. D'après une enquête du CNRS corroborée par une étude réalisée au prytanée militaire de La Flèche, 26 % des jeunes souffrent de troubles auditifs. 67 % des 15-19 ans et 33 % des + de 15 ans possèdent un baladeur. 20 % reconnaissent l'écouter au-delà de 100 dB (norme OMS 90 dB) plus de 5 h par jour (temps d'écoute maximal : au moins 5 min à 110 dB, 45 min à 100 dB). Or, au-dessus de 55 dB, on enregistre des troubles psychiatriques et au-dessus de 60 dB, des troubles du sommeil et cardiaques.

Quelques niveaux de pression en décibels

180 Fusée au décollage.
140 Réacteur au banc d'essai. *Seuil de la douleur.*
130 Avion au décollage à 25 m, marteau pneumatique, moto à échappement libre.
120 Tonnerre, plastic.
110 Avion à quelques m, orchestre disco (pointes de 120 à 130 dB), train passant dans une gare.
105 Walkman à la puissance maximale.
100 Atelier de chaudronnerie, rivetage, circulation routière intense, intérieur d'un autobus, marteau piqueur dans une rue à – de 5 m.
95 Cantine scolaire.
90 Rugissement d'un lion à quelques m, métro, scooter, gros camion, mixer à 50 cm.
80 Rue très active, Klaxon à 4 m, bureau avec machines comptables, Mobylette (pointe à 100).
75 Usine moyenne, métro sur pneus.
70 Train (pour le passager), orchestre classique (la 9e de Beethoven peut atteindre 105 dB), téléviseur à son maximum, wagons-lits modernes, salle de cours.
65 Appartements bruyants, automobile sur route.
60 Conversation courante, radio en fonctionnement normal, bureau, musique de chambre, bateau à moteur, fenêtre sur rue.
50 Auto peu bruyante.
45 Transatlantique de 1re classe.
40 Rue calme, tic-tac de montre, conversation à voix basse, campagne tranquille.
35 Bateau à voile.
30 Habitation tranquille.
20 Chuchotement (distance de 1,20 m), désert.
15 Bruissement de feuilles dans la brise.
10 Studio d'enregistrement, chambre sourde.
0 Seuil absolu d'audibilité.

■ Surdités

■ **1°) De transmission.** Liées à une atteinte de l'oreille moyenne dont le rôle est de transmettre le message à l'oreille interne : mauvais fonctionnement ou rupture de la chaîne des osselets ou du tympan. **Causes :** *otospongiose* (blocage de l'étrier dans la fenêtre ovale par de l'os néo-formé) ; *blocage de la trompe d'Eustache,* en particulier lors d'un atterrissage avec descente rapide en raison des brusques variations de pression atmosphérique ; à l'occasion d'un coryza entraînant un œdème des fosses nasales et de la trompe d'Eustache ; *otites :* inflammation du conduit auditif (otite externe), de la caisse du tympan (otite moyenne) ; dues à eczéma, furoncle, abcès généralement consécutif à une infection rhinopharyngée dans les atteintes de l'oreille moyenne. Cette otite peut se compliquer d'une infection mastoïdienne (*mastoïdite*) ; la répétition des otites moy. aiguës peut aboutir à une otite moy. chronique avec perforation permanente du tympan et suppuration intermittente. **Complications de l'otite chronique :** paralysie faciale, méningite, abcès endocrânien, cholesteatome par invagination de la couche externe du tympan ; moins fréquentes dep. l'apparition des antibiotiques. **Traitement :** *chirurgical* sur la chaîne osseuse (remplacement des osselets manquants ou déficients par des prothèses), tympanoplastie (reconstitution d'un tympan à partir d'une greffe), homogreffe tympano-ossiculaire (remplacement du « bloc » tympan-osselets par un organe fonctionnel prélevé sur un cadavre) ; *médical* par antibiothérapie au cours des interventions. *Otites externes :* traitement local (antibiotiques et corticoïdes) et général ; *moyennes :* par antibiotiques et par paracentèse (incision du tympan), évidement pétro-mastoïdien total ou partiel en cas d'otite chronique ; *séreuses* (liées à l'apparition de liquide aseptique dans la caisse du tympan par dysfonctionnement de la trompe d'Eustache, fréquentes chez l'enfant), ablation des végétations, pose d'un drain à travers le tympan pour évacuer la sérosité.

■ **2°) De perception.** D'origines héréditaires ou acquises, s'accompagnant souvent d'*acouphènes* dus à une irritation des cellules cochléaires ou du nerf auditif (voir p. 121c). Sont liées à une lésion de l'oreille interne, en particulier de l'*organe de Corti* (chargé de la réception et du codage du message auditif) et du nerf auditif. **Traitement :** soins possibles pour les surdités brusques d'origine vasculaire lorsqu'elles sont soignées d'urgence ; médicaments à action vasculaire, corticothérapie, séances de caisson hyperbare : résultats décevants. *Prothèses :* amplificateurs de vibrations sonores (10 à 15 % des malentendants en France en utilisent, soit 60 000 prothèses par an ; en G.-B. 30 %, Danemark 60 % ; *prix :* contour d'oreille 4 000 à 8 000 F, intra-auriculaire 3 500 à 9 000). *Implants cochléaires :* résultats aléatoires. Pratiqués à l'hôpital St-Antoine (Paris).

Différents degrés de surdité. 0-20 dB : audition normale ; 20-40 dB : surdité légère ; 40-60 dB : demi-surdité ; 70-90 dB : s. sévère ; + de 90 dB : s. profonde.

Quelques sourds célèbres

Archéologue. Heinrich Schliemann (1822-90) all. **Chef d'orchestre.** Wilhelm Furtwängler (1886-1954) all. **Cinéaste.** François Truffaut (1932-84). **Compositeurs.** Ludwig Van Beethoven (1770-1827) all., bien que sourd, il composa les 10 dernières années de sa vie ; Gabriel Fauré (1845-1924) fr. ; Bedrich Smetana (1824-84) tchéc. **Écrivains.** Joachim du Bellay (1522-60) fr., poète ; Henri Bergson (1859-1941), fr., philosophe ; Philip Stanhope, Cte de Chesterfield (1874-1965) angl. ; Knut Hamsun (1859-1952) norv. ; Ernest Miller Hemingway (1899-1961) amér. ; Jacques de Lacretelle (1888-1984) fr. ; Antoine de Lévis-Mirepoix (duc, 1884-1981) fr. ; Somerset Maugham (1874-1965) angl. ; Pierre de Ronsard (1524-85) fr., poète ; Jean-Jacques Rousseau (1712-78) sui. ; Jonathan Swift (1667-1745) irl. **Hommes politiques.** Leonid Brejnev (1906-83) sov. ; Winston Churchill (1874-1965) angl. ; Georges Clemenceau (1841-1929) fr. ; Édouard Herriot (1872-1957) fr. ; Charles Maurras (1868-1952) fr. ; Ronald Reagan (1911) amér. **Ingénieurs.** Marcel Dassault (1892-1986) ; Thomas Edison (1847-1931) amér. **Médecin.** Robert Debré (1882-1978) fr. **Militaires.** Arthur Wellesley, duc de Wellington (1769-1852) angl. **Peintre.** Francisco Goya (1746-1829) esp. **Prédicateur.** Louis Bourdaloue (1632-1704) fr. **Rois.** Christian VII (1766-1808) dan. ; François II (1544-60) fr. **Savants.** Graham Bell (1847-1922) amér. ; Charles Nicolle (1866-1936) fr.

■ **Causes. Avant la naissance :** *génétiques* (70 % de déficiences auditives), *infection syphilitique, maladies infectieuses* (essentiellement la rubéole pendant les 3 premiers mois de grossesse), *rhésus* (incompatibilité fœto-maternelle). **Après la naissance :** *origine infectieuse ou virale :* méningites, surtout cérébro-spinales, oreillons, zona, infections auriculaires mal ou non traitées ; *toxique :* en particulier par antibiotiques de la série aminoglucosique (streptomycine, kanamycine, gentalline, quinine à forte dose, aspirine à dose sup. à 1 g/24 h). *Traumatismes crâniens. Traumatismes sonores* liés au bruit : surdités professionnelles, surdité des fervents des boîtes disco et amateurs d'appareils individuels (Walkman). *Vieillissement* physiologique, variable suivant chaque individu ; *presbyacousie :* hypoacousie apparaissant entre 50 et 60 ans, liée à une dégénérescence progressive des cellules de l'organe de Corti et des fibres acoustiques ; le vieillissement cérébral, entraînant une augmentation des temps de réaction, intervient également. **Doivent donner l'éveil.** *Chez le nourrisson :* absence de réactions aux bruits environnants (surtout voix maternelle), de « gazouillis », d'onomatopées ; *à 2 ans et plus :* mutisme anormal, mauvaise articulation, confusion dans les mots, gestes bruyants. Certaines formes de surdité de perception, du type familial, héréditaire, apparaissent après 10/15 ans.

■ **Conséquences d'une surdité** sévère, congénitale ou précoce : mutisme.

■ **Acouphène.** Bruits anormaux (sifflements, ronflements, jet de vapeur) ; un élément psychique (variable avec chaque individu) s'y ajoute. *Causes :* difficiles à préciser (souvent détonation, surdités professionnelles par traumatisme sonore). *Traitements récents :* masqueurs d'acouphène (assez décevants), électro-stimulation (30 % de résultats).

■ Communication avec les sourds

Alphabet dactylologique. Alphabet manuel, inventé v. 1620 par un moine espagnol, Juan Pablo Bonnet, repris par l'abbé de L'Épée (1712-89). Mot créé par un écrivain sourd, Saboureux de Fontenay, vers 1750.

Langue des signes française. Possède sa grammaire et sa syntaxe propres, reconnue comme langue à part entière par les linguistes, qui lui ont consacré de nombreux ouvrages.

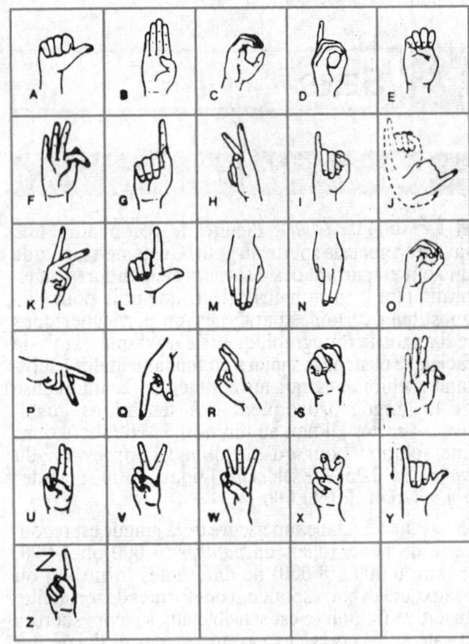

Lecture labiale qui permet de déchiffrer visuellement les messages prononcés par celui qui parle. **Appareils permettant** l'apparition de sous-titres d'émission TV. **Téléphone** par écrit Minitel.

Statistiques. Nombre de sourds et déficients auditifs en France (1988) : 3 800 000 dont *selon l'âge : 8-18 ans :* 450 000, *18-60 :* 1 000 000, *+ de 65 :* 2 400 000 ; *selon le déficit : profond* (+ 80 dB de perte) 115 000, *sévères* (70-90 dB) 340 000, *moyens* (40-50 dB) 1 250 000, *légers* (20-40 dB) 2 100 000. Il naît env. 1 enfant sourd sur 1 000. **Proportion des enfants sourds entrant dans les études :** primaires 90 %, secondaires 8 %, supérieures 0,5 %.

Beaucoup de sourds ne se marient pas : 35 % des hommes et 24 % des femmes entre 25 et 40 ans ne sont pas mariés (8,7 % chez les entendants).

Adresses utiles. *Association nationale des parents d'enfants déficients auditifs* (Anpeda), 20, rue de la Villette, 75020 Paris. *Association l'Oreille d'Or,* 41, bd de l'Hôpital, 75013 Paris. *Fédération nationale des sourds de France,* (FNSF, Unisda), 37-39, rue St-Sébastien, 75011 Paris. *Centre de promotion sociale des adultes sourds,* (CPSAS), 9 bis, rue de l'Abbé-de-l'Epée, 75005 Paris. *Institut national des jeunes sourds de Paris,* 254, rue St-Jacques, 75005 Paris. *Union nationale pour l'insertion des sourds et déficients auditifs.*

TOUCHER

RÔLE DE LA PEAU

La peau protège le corps contre l'entrée de l'eau et des microbes, les frottements, les chocs, les agents chimiques. Elle régule la température (lutte contre la chaleur : sudation ; contre le froid : poils et graisse). Elle agit comme organe auxiliaire de la respiration et de l'excrétion et comme réserve de graisse. Elle produit de la vitamine D par action du soleil sur le cholestérol et absorbe des solutions alcooliques (ex. : teinture d'iode) ou graisseuses (pommade). Elle se continue au niveau des orifices naturels par les muqueuses digestive ou respiratoire.

Jusqu'à 30 ans, si plus de 22 % de la peau est détruite, la mort peut s'ensuivre (à plus de 75 %, elle est inévitable). *De 45 à 49 ans,* 12 % (mort possible) et 58 % (mort inévitable). *Chez les plus âgés,* 23 %, mort probable.

STRUCTURE DE LA PEAU

■ **Surface** 1,5 à 2 m² dont en % : membres inférieurs 18, supérieurs 9, tête 9, tronc face antérieure 18, postérieure 18, parties génitales 1. **Épaisseur** 0,5 à 4 mm (parfois plus pour la peau plantaire).

■ **Épiderme** (du grec *epi :* sur et *derma :* peau). Épithélium stratifié de 0,1 mm d'épaisseur. 1°) **couche basale** qui s'applique sur les saillies ou papilles du derme et renferme des *mélanocytes,* cellules qui, sous l'effet des ultraviolets, transforment la tyrosine en mélanine [pigment noir qui protège des rayons solaires, responsable du brunissement et de la couleur des Noirs (moins de 1 g de *mélanine* suffit à colorer la peau d'un Noir)] ; 2°) **couche muqueuse** dite de **Malpighi** formée de cellules vivantes polyédriques ; 3°) **couche cornée,** formée de cellules mortes qui desquament de façon inapparente.

■ **Derme.** Réseau serré de fibres conjonctives et de fibres élastiques auxquelles la peau doit sa résistance et son élasticité. Renferme des vaisseaux sanguins qui nourrissent et réchauffent la peau, et des terminaisons nerveuses sensorielles.

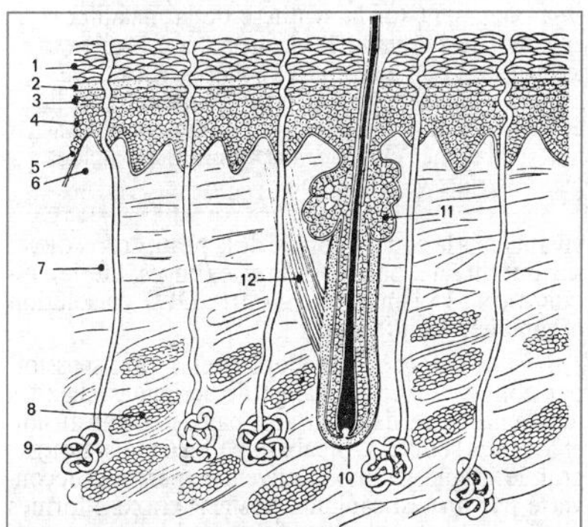

Coupe schématique de la peau.
Épiderme : 1. Couche cornée ; *2.* Couche claire (n'existe qu'au niveau palmoplantaire) ; *3.* Couche granuleuse ; *4.* Corps de Malpighi ; *5.* Couche génératrice : couche basale. *Derme : 6.* Papilles ; *7.* Couche du tissu conjonctif ; *8.* Cellule adipeuse du tissu sous-cutané ; *9.* Glomérule sudoripare ; *10.* Poil ; *11.* Glande sébacée ; *12.* Muscle arrecteur du poil.

■ **Cheveux. Nombre :** adulte 100 000 à 150 000. *Perte par jour :* enfant 90, adulte 35 à 100, vieillard 120 (non remplacés). **Croissance :** 0,35 mm par jour (8 à 11 mm par mois) pendant 10 ans chez la femme, 3 chez l'homme, puis le cheveu meurt et tombe en 3 semaines.

■ **Blanchiment.** Destruction des pigments par des phagocytes et pénétration de bulles d'air microscopiques. Normalement les cheveux commencent à blanchir entre 35 et 40 ans, s'accentuant entre 55 et 60 ans (les hommes paraissent plus atteints, mais les femmes utilisent plus les teintures). **Cause :** résulte d'une diminution progressive de l'activité d'une enzyme, la *tyrosinase,* du bulbe pileux. Programmée dans nos gènes. **Apparitions :** à des dates variables selon les sujets et les cheveux.

■ **Poils. Nombre :** 200 000 à 1 000 000. Poussent sur un épaississement conique de la couche de Malpighi, enfoncés obliquement dans le derme. **Croissance :** 0,2 mm par jour. À la base du poil s'attache un faisceau de fibres musculaires lisses, le **muscle horripilateur** ou **arrecteur.** Dans la gaine du poil, une glande en grappe, la **glande sébacée,** déverse un liquide gras ou **sébum** qui lubrifie l'épiderme et les poils et les empêche d'être mouillés par l'eau.

■ **Glandes sudoripares.** Enfoncement en doigt de gant, long de 2 à 4 mm, de la couche basale de l'épiderme dans le derme. S'ouvrent à la surface par un pore. *Nombre :* 2 millions sur tout le corps. **Ménocrines :** sécrètent des liquides sans cellules ni débris cellulaires ; produisent la plus grande partie de la transpiration. **Eccrines :** réparties sur tout le corps (surtout paume des mains, plante des pieds, front, poitrine). Tube excréteur très long. *Sueur eccrine :* sécrétion intermittente claire, composée d'eau, chlorure de sodium, acide lactique et quelques déchets azotés ; acide, elle a un pouvoir bactéricide. **Apocrines :** principalement aux aisselles, mamelons, régions anale et génitale (pubis, périnée...). Glomérule sécréteur important et court canal excréteur. La sueur apocrine est sécrétée en continu, sous dépendance nerveuse et hormonale. Inodore à son émission, elle est alcaline et riche en matières organiques dégradées par les bactéries cutanées (origine des odeurs malodorantes).

■ **Terminaisons nerveuses.** Extrémités des fibres nerveuses des nerfs rachidiens (tronc, membres) ou du trijumeau (visage). Des terminaisons nerveuses libres viennent les sensations douloureuses ; la sensibilité *thermique* (au chaud : corpuscules de Ruffini ; au froid : bulbes de Krause) ; *tactile superficielle* (corpuscules de Meissner, disques de Merkel) ; *profonde* (corp. de Golgi-Mazzoni, corp. de Pacini). **Nombre sur l'ensemble du corps :** *points de pression,* env. 500 000 ; *de froid,* 250 000 ; *de chaud,* 30 000 ; *de piqûre,* 3 500 000. **Zones les plus sensibles :** régions palmaires (pulpes de doigts : 2 300 terminaisons nerveuses au cm²) et plantaires. Le reste du corps présente une sensibilité à peu près identique. **Temps de réaction :** excitation douloureuse 0,9 s ; mécanique 0,12 s ; thermique 0,15 à 0,18 s.

SUEUR

■ **Composition.** Produite par les glandes sudoripares, elle ressemble à de l'urine diluée comprenant 10 g de matières dissoutes par litre (ClNa 4 g ; urée 1 g ; urates, phosphates, sulfates, acides gras volatils).

■ **Rôle.** L'élimination de la sueur **(sudation)** nous permet de lutter contre une élévation de la température du corps (gl. sudoripares eccrines) et sert à l'élimination des déchets du sang (mais elle ne peut remplacer l'action des reins car elle n'élimine que 1 g d'urée par j). En se mélangeant au sébum, la sueur forme un film hydrolipidique qui protège la peau dans les zones exposées aux frottements (mains, pieds...). **Quantité éliminée en 24 h,** *pour une température moyenne,* adulte au repos : 0,6 à 1 kg de sueur ; *température tropicale :* 3 à 4 kg ; *travail musculaire intense* (mineurs) : 10 kg. En pays chauds où l'on sue beaucoup, il est souvent recommandé de prendre des tablettes de sel pour compenser l'élimination trop intense qui provoquerait des crampes musculaires, et aggraverait la déshydratation (sans sel, l'eau que l'on boit n'est pas fixée).

■ **Troubles de la sudation.** 300 000 Français en sont atteints.

Anhidrose. Absence ou diminution de la transpiration. Maladie rare, le plus souvent héréditaire ou survenant après maladie de peau (psoriasis, eczéma). Généralisée, grave car empêche la régulation de la température du corps.

Hyperhidrose. Palmaire : à l'origine des mains moites. *Causes :* atmosphériques (chaleur, humidité) ou liées à un état émotionnel. **Plantaire :** plus fréquentes chez les hommes (surtout à la puberté). Favorisée par chaussures trop serrées, mal aérées (sport), chaussettes en fils synthétiques qui provoquent irritation, macération et mauvaises odeurs. **Axillaire :** courante. Odeur aux origines isométriques d'un composé de méthyle de l'acide hexénoïque, produit de la dégradation de composés naturels par la flore bactérienne présente au niveau des creux axillaires (aisselles). **Miliaire :** inflammation aiguë des glandes sudoripares provoquant une rétention de la sueur et apparition de vésicules rouges sur la peau (en forme de grains de mil) qui entraînent d'intenses démangeaisons. S'observe par temps chaud et humide ou si le sujet est trop couvert. Fréquente sous les tropiques (*bourbouille*) ou chez le nouveau-né.

Mycoses associées. Développement de champignons microscopiques. Au niveau des aisselles, ils sont responsables de l'apparition de plaques brunes ; au niveau des pieds, ils sont localisés entre les orteils, là où la macération est la plus importante et causent le « pied d'athlète » (fissures, rougeurs, démangeaisons).

■ **Traitement. Hygiène corporelle :** lavage de la peau à l'eau et au savon, frottage des mains avec du talc ou une serviette parfumée, port de sous-vêtements en coton, épilation. Bien sécher les pieds entre les orteils, frictionner à l'alcool dilué ou à l'eau de toilette ; chaussettes en fibres naturelles. **Produits cosmétiques ; antisudoraux :** ils resserrent les tissus (action astringente) en obturant les glandes sudoripares. Action antiseptique et tonifiante. Généralement composés de sels d'aluminium, ils ont une action longue et efficace. Ne pas les appliquer sur peau lésée et irritée. **Déodorants :** *Bactéricides :* suppriment les bactéries responsables de la dégradation de la sueur et limitent les odeurs. Ne les appliquer que sur une peau propre, jamais avant de s'exposer au soleil ou après une épilation. *Absorbeurs d'odeurs :* ne suppriment pas leur cause. Efficaces dès application. **Ionophorèse :** permet le passage transcutané d'éléments ionisés, qui, sous l'action du courant électrique, vont produire un effet thérapeutique. Appareil coûtant 3 000 à 6 000 F. **Préparations :** à base de formol, de sels d'aluminium ou de zinc.

TEMPÉRATURE DE L'HOMME

Équilibre entre la *chaleur reçue* (par le métabolisme du corps, le milieu ambiant, les contractions volontaires ou involontaires des muscles et l'absorption de nourriture) et celle *perdue* (par rayonnement, conduction et convection 72 %, évaporation 15 %, échanges pulmonaires 7 %, réchauffement de l'air inspiré à l'intérieur des poumons 3 %, expulsion de l'urine et des matières fécales 3 %).

Température normale (en °C). 37 (un peu plus pour les jeunes enfants et un peu moins pour les personnes âgées). *Comparaisons :* cheval 37,6 ; jument 37,8 ; vache (embouche) 38,3 ; v. laitière 38,6 ; chat 38,6 ; chien 38,9 ; mouton 39 ; porc 39,1 ; lapin 39,5 ; chèvre 39,9 ; poule 41,7.

MALADIES DE LA PEAU

Dermatose. Désigne toute maladie de la peau hormis les cancers. SYMPTÔMES : *érythème,* rougeur de la peau formant une tache à sa surface, souvent accompagné de squames (pellicules blanchâtres qui se détachent facilement) ; *macule,* tache rougeâtre sans relief ; *papule,* lésion en relief sans liquide ; *vésicule,* lésion superficielle, translucide, contenant un liquide clair, grande, elle est appelée *bulle* ou *phlyctène* ; *pustule,* contient du liquide trouble souvent jaunâtre (*pus*) ; *nodule,* lésion ferme profondément ancrée à l'intérieur du derme, peut s'ulcérer ; *prurit,* démangeaisons.

Parfois isolées, les maladies de la peau peuvent aussi révéler une maladie organique, ou être dues à des facteurs liés à l'environnement.

Acné. Accumulation de sébum et de kératine dans le follicule pilo-sébacé, formant une masse arrondie, fermée *(microkyste)* ou ouverte à la surface de l'épiderme *(comédon* ou *point noir).* La rupture des parois folliculaires dans le derme (spontanée par distension excessive, après manœuvres incomplètes d'élimination) provoque une inflammation : possibilité d'infection avec formation de pustules. CAUSES : mal connues (facteur hormonal ? génétique ?). L'hyperséborrhée et l'infection ne seraient que secondaires. *Adolescents :* 80 % atteints. *Adultes :* acnés liées aux « cosmétiques » (lanoline, vaseline), fréquentes au niveau du menton ; « mécaniques », au niveau du cou (violonistes) ; « toxiques », dues aux dérivés chlorés et à certains médicaments. N'est ni contagieuse ni infectieuse. TRAITEMENT : *1°) local :* hygiène (savonnages, pulvérisation d'eau minérale), antiseptiques doux, peroxyde de benzoyle, vitamine A (acide rétinoïque), traitement hormonal local, nettoyages de peau, neige carbonique ; plus rarement ultraviolets, exceptionnellement radiothérapie. Les cicatrices peuvent justifier un *peeling* ou une *dermabrasion* précédée par des « relèvements » ou des injections de « collagène » ; *2°) général* (éventuellement) : antibiotiques, vitamines, hormones, vaccins. Isotrétinoïne (Roaccutane) par voie buccale pendant 5 à 6 mois.

Albinisme. Absence de pigmentation (peau très blanche, cheveux blancs, iris pâle, reflet rouge du fond rétinien), vue faible avec photophobie et parfois myopie, strabisme, nystagmus. Sensibilité marquée au soleil (cancers cutanés plus fréquents). Très rare, transmis par un gène récessif, plus fréquent en cas de consanguinité. Formes atténuées (plus fréquentes).

Alopécie. Chute des cheveux diffuse ou localisée. FORMES : *Aiguës :* après une maladie infectieuse (grippe, angine, typhoïde, diphtérie, syphilis), certains traitements (antimitotiques, anticoagulants, anticholestérolémiants, antithyroïdiens, anorexigènes, rayons X), traumatisme (accident, chirurgie, choc psycho-affectif) ou trouble hormonal (après accouchement, à la ménopause). *Chroniques :* alopécie séborrhéique banale (surtout chez l'homme), a. sèche (surtout chez la femme). *Localisées :* pelade, teigne, lichen plan, sclérodermie, lupus érythémateux, folliculite décalvante, impétigo, trichotillomanie (tic d'épilation), alopécie du chignon, des bigoudis, etc.

TRAITEMENT : *f. séborrhéiques :* vitamine B, fer, soufre, bépanthène, shampooings fréquents non détergents ; *f. sèches :* lotions excitantes (à base d'alcool, acétone, soufre, huile de cade), vitamines A et B, shampooings doux et espacés ; *autres cas :* neige carbonique, traitement de la cause (sédatifs, antimicrobiens, antifongiques, suppression du toxique...), Minoxidil, antiandrogènes dans l'alopécie androgénétique féminine.

Angiome. Plan Tache de vin : TRAITEMENT : essentiellement laser (argon et CO_2). **Tubéreux.** Tumeur vasculaire saillante rouge violine, augmentant de volume quelques mois puis régressant spontanément. TRAITEMENT : abstention thérapeutique sous contrôle médical, ou neige carbonique ; chirurgie (après arrêt de la régression spontanée, si celle-ci est incomplète).

Anthrax. Réunion de plusieurs furoncles d'origine staphylococcique. TRAITEMENT : antiseptiques locaux, antibiotiques locaux et généraux, radiothérapie, chirurgie en cas d'échec de tous les traitements.

Aphtes. Ulcérations superficielles très douloureuses, dues à un virus. Habituellement dans la bouche. TRAITEMENT : antiseptiques buccaux, antiviraux, immunothérapie.

Calvitie. Perte définitive des cheveux dans certaines zones. Les hommes sont plus atteints que les femmes (plus de 50 % des hommes sont concernés).

CONDITIONS : *chez l'homme :* une zone sensible aux androgènes et programmée dans ce sens, où les racines des cheveux (site récepteur de l'hormone) vieillissent plus rapidement sous l'impact de l'hormone mâle. Un homme âgé qui garde ses cheveux n'a pas moins d'hormones mâles qu'un autre, il a des zones de cuir chevelu génétiquement insensibles à ces hormones. *Chez la femme :* les hormones mâles que toute femme possède en faible quantité sont insuffisantes pour déclencher une calvitie et sont contrecarrées par l'effet antiandrogène de ses hormones femelles. Risques : perte de cheveux à la ménopause en cas d'injections thérapeutiques d'hormones mâles, ou en cas d'hypersensibilité de certaines zones sensibles à l'hormone mâle (zone frontale et bi-temporale).

TRAITEMENTS : locaux ; autogreffes possibles car les cheveux occipitaux restent insensibles à l'hormone mâle lorsqu'on les transplante (résistance au vieillissement prématuré). Les cheveux greffés continuent de pousser normalement.

L'analyse des cheveux peut servir au diagnostic de nombreuses maladies (diabète juvénile, désordres métaboliques, carences alimentaires, affections du pancréas, toxicomanies, empoisonnements, certaines arriérations mentales, et même schizophrénie) et permettre de dater le moment où elles se sont introduites dans l'organisme.

Canitie. Blanchissement prématuré des cheveux. Le Dr Shaw-Claye a observé (1884) l'apparition de mèches blanches symétriques dans les aliénations mentales, avec retour à la coloration initiale lors d'améliorations. Pary aurait observé une canitie aiguë chez un cipaye révolté que l'on avait attaché à la bouche d'un canon. Le Dr Mac-Neille-Love (1944) cite un homme de 65 ans dont les cheveux blanchirent en une nuit après un bombardement de V2.

Couperose. Distension permanente des petits vaisseaux superficiels de la peau du visage. TRAITEMENT : électrocoagulation.

Dermatophytes. *Pied d'athlète :* mycose avec fissures entre les orteils (lésions érythémateuses et prurigineuses qui se desquament). Les champignons vont s'étendre à la voûte plantaire. *Teignes des poils :* barbe ou corps, provoquant inflammation délimitée renfermant du pus, poils fragilisés et s'arrachant facilement. *Teignes du cuir chevelu :* surtout chez l'enfant, les plus fréquentes : teignes tondantes provoquent une cassure du cheveu, transmises par un animal domestique.

Dermites. Agressions cutanées. *Dermites d'irritation : aiguë :* provoque une réaction de brûlure qui guérit rapidement sans cicatrice, sauf si un effet caustique important a nécrosé le derme. *Dermite chronique :* due à des irritations répétées par des irritants faibles tels que savons ou détergents, provoque une sécheresse de la peau, un érythème, un épaississement cutané et des fissures douloureuses, notamment aux mains.

Eczéma. Lésion cutanée passant par différents stades : érythème (rougeur) et œdème (gonflement), vésicules, suintements, croûtes, guérison. Peut s'infecter, se généraliser, se lichenifier. *Eczéma de contact (ou dermite allergique) :* lésions apparaissant au point de contact avec l'allergène en cause. Prurit intense et érythème couvert de petites vésicules qui se rompent, suintent et font place à des croûtes arrondies. Surinfection fréquente. En cas de contacts répétés, devient chronique avec démangeaisons intenses, la peau s'épaissit, devenant sèche et rugueuse. CAUSES : *allergies* professionnelles (ciment, vernis, colles...) ; aux cosmétiques, allergènes, produits ménagers (détergents, eau de Javel), textiles, cuir, métaux (chrome et nickel des bijoux fantaisie), thérapeutiques locales ou générales (foyers infectieux latents). *Eczéma atopique :* héréditaire, [nourrisson : surtout les joues ; enfant : plis de flexion (coudes, genoux, poignets, chevilles, cou, etc.) ; adulte : front, face et le haut du thorax]. Surinfection fréquente. Facteurs : irritations externes (laine mal tolérée), chaleur, chocs affectifs et tensions psychologiques. Pouvant précéder l'apparition d'asthme, de migraines, de rhinites allergiques... TRAITEMENTS : suppression de la cause ou traitement du terrain ; *local :* antiseptiques, anti-inflammatoires, cicatrisants ; *général :* sédatifs, antihistaminiques, anti-inflammatoires, antibiotiques si nécessaire.

Engelure. Tache rouge inflammatoire due à une mauvaise circulation du sang pouvant s'ulcérer et saigner. CAUSE : froid. TRAITEMENT : nifédipine, vitamines A, E, D, pommade grasse au calendula.

Éphélides. *Taches de rousseur.* Causées par une accumulation de mélanine dans les cellules épidermiques. Accentuation par les expositions solaires. Plus fréquentes chez les roux.

Épithélioma. Petit cancer de la peau développé à partir des cellules non pigmentaires de la peau, favorisé par les expositions solaires non protégées, manifesté par une petite tumeur rouge ou par une formation croûteuse persistante.

Folliculite. Infection superficielle des follicules pileux. Elle se présente comme des pustules blanchâtres avec poil au centre. Cette affection peut être déclenchée par des frottements (rasage) ou par un agent irritant qui permet aux germes bactériens de pénétrer dans le follicule pileux.

Furoncle. Infection d'un follicule pilo-sébacé due au staphylocoque doré. TRAITEMENT : v. anthrax. **Furonculose :** succession de furoncles.

Gale. Démangeaisons nocturnes parfois isolées (« gale des gens propres »). Sillons et vésicules perlées (espaces interdigitaux, poignets, membres, fesses, seins, organes génitaux masculins, emmanchures intérieures, et chez les nourrissons, paumes et plantes). CAUSE : due à un acarien (sarcopte *Scabei hominis*) vivant dans la couche cornée de la peau. CONTAGION : surtout directe, parfois indirecte (linges, literie). INCUBATION : 15 j env. TRAITEMENT : DDT en solution organique, désinfection.

Hépatites B et C. Infections virales. TRANSMISSION par contact sexuel, échange de seringues chez les toxicomanes et, dans certains pays, par transfusion et aiguilles souillées. Incubation : 1 à 6 mois. SIGNES : grande fatigue, jaunisse. Souvent inaperçue et découverte par un test sanguin. COMPLICATIONS : formes aiguës mortelles (rares), formes chroniques avec possible développement d'une cirrhose, voire d'un cancer du foie. TRAITEMENTS : *formes simples :* guérissent spontanément, cas graves et chroniques (ou d'évolution prolongée). Vaccin : efficace contre l'hépatite B. *Décès* (France). *1982 :* 262 ; *1985 :* 244.

Herpès. ASPECT : sorte de « bouton de fièvre » apparaissant autour de la bouche ou sur les muqueuses génitales. VIRUS RESPONSABLES : herpès génital HSV2, herpès buccal HSV1. Transmission par contact direct avec un individu infecté (sécrétions salivaires ou génitales). Infection initiale sans signe clinique (90 % des cas) ; apparition (10 % des cas) sur la peau et les muqueuses de vésicules contenant un liquide clair, très contagieux, qui vont s'ouvrir, s'ulcérer puis cicatriser (2 à 4 semaines). Concomitamment : douleurs, fièvre modérée, ganglions indolores (parfois). TRAITEMENT : antiseptiques, pommades, vitamine C, gammaglobulines, vaccin antiherpétique (nouvelle souche vaccinale à l'étude). Immunomodulants et antiviraux dans les formes sévères. Abstention sexuelle recommandée en dehors du partenaire habituel pendant l'éruption, car la plaie est un passage facile pour le tréponème pâle (syphilis). CAS PAR AN EN FRANCE : herpès génital env. 310 000, labial (moins grave) 8 à 18 millions.

Hypertrichose. Développement anormal de la pilosité. *2 cas célèbres actuellement dans le monde :* Ty Yun Bao et Yu Zhen Huan (1939, 1977, Chine). **Hypotrichose.** Diminution de la pilosité. **Atrichie.** Absence de pilosité.

EXPOSITIONS SOLAIRES

Effets généraux. *Action biologique générale :* règle rythmes biologiques, élève le métabolisme de base et intervient dans équilibre psychique, humeur et sommeil, renforce nos défenses contre l'infection et exerce une action germicide sur les micro-organismes. *Action antirachitique :* influence des UV sur la synthèse cutanée de la vitamine D, qui agit sur l'absorption du calcium dans l'intestin et favorise sa fixation sur la trame osseuse. *Action calorique :* due aux rayons infrarouges qui pénètrent profondément dans le derme et qui provoquent une vasodilatation et une élévation de la température cutanée. Par un mécanisme réflexe, la sécrétion sudorale assure la thermorégulation. En cas d'exposition intense, on risque l'insolation (maux de tête et malaise général) et le coup de chaleur (troubles de la conscience, pour les jeunes enfants risque de déshydratation).

Effets cutanés. EFFETS IMMÉDIATS : *pigmentation :* quelques minutes après l'exposition sous l'action des UVA, disparaît en quelques h. *Coup de soleil :* après une 1re exposition, même brève, sans précaution. Apparaît après quelques h, atteint son max. entre 8 et 24 h et persiste env. 48 h. Érythème douloureux, sensation de brûlure et démangeaisons. Souvent bénin, évolue vers un brunissement transitoire sinon brûlure et malaise général (fièvre, maux de tête, vertiges, nausées...). Survient ensuite une desquamation sans pigmentation. *Bronzage :* pigmentation cutanée qui débute environ 2 j après l'exposition au soleil, atteint un max. vers le 28e j et disparaît progressivement en l'absence de nouvelles expositions. Il réalise un *hâle* par augmentation de la teneur cutanée en mélanine (pigment synthétisé par certaines cellules, les mélanocytes). Chez certains, à peau blonde ou rousse, l'apparition de taches de rousseur, appelées éphélides, correspond à la formation d'une autre mélanine. La pigmentation du bronzage correspond à une réaction d'adaptation de la peau à l'exposition aux UVB. La stimulation de la production de la mélanine, dite *mélanogénèse,* est un mécanisme régulateur de photoprotection. Les peaux mates et surtout noires, riches en substances mélanogènes, supportent mieux le soleil que les claires. À LONG TERME : *vieillissement cutané :* augmentation de la kératine au niveau de l'épiderme (hyperkératose) puis modification du tissu conjonctif sous-cutané avec détérioration des fibres élastiques du derme (élastose solaire). La peau devient atone, épaisse, ridée, quadrillée de petits plis et parsemée de taches pigmentées plus ou moins foncées. Cancers cutanés. Les rayons UV provoquent des atteintes de l'ADN (acide désoxyribonucléique) cellulaire de la peau généralement réversibles. Des agressions solaires répétées peuvent au niveau de l'ADN provoquer des mutations et des tumeurs cutanées, souvent bénignes.

Photodermatoses. *Photosensibilisation* due à l'action des rayons solaires et d'une substance sensibilisante après application locale (agents photosensibilisants de contact), ou une administration générale (médicaments photosensibilisants). Réactions possibles : 1°) phototoxique marquée par un érythème immédiat ; 2°) photoallergique marquée surtout par un prurit et un eczéma survenant chez certains sujets prédisposés. Ex : de substances photosensibilisantes : huiles essentielles de citrus et d'autres végétaux, certains antiseptiques, certains antibiotiques (tétracyclines), sulfamides, tranquilisants (phénothiazine), coronarodilatateurs (amiodarone...). *Lucite estivale :* photodermatose ou eczéma solaire ou allergie solaire, souvent chez les femmes jeunes ; petites papules érythémateuses de 1 à 2 mm de diamètre, éruption s'atténuant habituellement en une dizaine de j sans laisser de cicatrices. *Herpès labial :* lèvre supérieure (bouton de fièvre), souvent déclenché par une exposition à des rayonnements solaires comprenant beaucoup d'UVB (mer, montagne). Application écran labial. *Couperose :* chaleur, épices, repas copieux, etc. *Acné juvénile :* les rayonnements solaires aggravent l'acné juvénile. L'épaississement de la couche cornée, due à l'irradiation, crée une hyperkératinisation du canal pilo-sébacé, et favorise la formation de nouveaux comédons. *Vitiligo :* peau marquée par des taches blanc laiteux (dites achromiques), le soleil révèle le contraste entre la peau atteinte qui ne bronze pas et la peau normale qui est plus pigmentée.

Protection. *Écrans :* substances opaques s'opposant à la pénétration cutanée des UV, empêchant le bronzage. Poudres inertes : oxyde de titane et oxyde de zinc, kaolin, talc, mica... *Filtres :* absorbent une partie des rayonnements UV, uniquement, ou à la fois UVA et UVB, généralement, 2 ou 3 filtres solaires sont associés dans la composition d'un produit solaire. *Activateurs de bronzage :* agissent sur la synthèse de la mélanine : essence de bergamote purifiée ou psoralènes, associés ou non à des filtres solaires. *Autres substances protectrices de la peau :* vitamines A, E et F, substances régularisant l'hydratation cutanée, collagène, élastine, insaponifiables, acides gras, extraits végétaux, etc.

Impétigo. Pustule due au streptocoque (complication : néphrite) ou (et) au staphylocoque. Touche surtout enfants et nourrissons (tronc et visage). TRAITEMENT : antiseptiques et antibiotiques locaux, antibiotiques généraux dans les formes à streptocoques.

Intertrigos. Candidoses (dues au *candida albicans* qui vit dans le tube digestif, sans lésions) atteignant les grands plis (aine, aisselles, seins, fesses et provoquant des lésions à bord blanchâtre souvent chez les obèses), ou les plis interdigitaux des pieds et des mains.

Lésions précancéreuses et cancers de la peau. CAUSES : radiations absorbées (UVB et aussi UVA). PRÉVENTION : photoprotection naturelle obligeant un bronzage progressif : 1°) éviter l'exposition entre 11 h et 14 h (très riche en UVB), préférer le soleil du matin et de la fin de l'après-midi ; 2°) être prudent en haute montagne et sous les Tropiques ; 3°) la réflexion des UV (variable selon la nature du sol : pour la neige 85 %, le sable 17 %, l'eau 5 %) constitue un facteur d'ensoleillement supplémentaire ; 4°) s'exposer progressivement et modérément (5 min le 1er j), emploi de filtres ; 5°) éviter l'usage au soleil de substances photosensibilisantes (origine de réactions cutanées anormales) : application de produits parfumés (eau de Cologne, bergamote, etc.), déterminant souvent des taches foncées indélébiles.

Mélanome malin. Tumeur maligne, développée à partir des cellules pigmentaires de la peau. Le soleil est un facteur déclenchant et aggravant. Au début, petite tache noire, sans relief et qui s'étend rapidement. Enlevée à temps, sa guérison est totale. Plus tard (quelques mois ou années) elle s'épaissit, s'ulcère, saignote. L'évolution peut être très grave. PRÉVENTION : repérer toute tache noire nouvelle.

Molluscum contagiosum. Petites boules hémisphériques, comme posées sur la peau, dont le sommet est percé d'un orifice. De la taille d'une tête d'épingle à celle d'une lentille, elles sont facilement repérables. Arrachage à la curette ou par cryothérapie.

Mycoses cutanées. Infection de la peau par champignons divers : épidermophyton, trichophyton, *Candida albicans*. TRAITEMENT : Miconazole, Kétoconazole.

Nævus. Tache brune, souvent congénitale (grains de beauté), ne devant pas être irritée ni blessée par crainte de transformation maligne (cancer). En cas de traumatisme, l'ablation est impérative.

Phlegmon. Inflammation sous-cutanée du tissu cellulaire ou conjonctif se diffusant. TRAITEMENT : chirurgical sous antibiotiques.

Phtiriase. Dermatose parasitaire due à la pédiculose (infestation par les poux) ; 3 sortes de *poux*, parasites exclusifs de l'homme : poux du cuir chevelu [œufs qui adhèrent aux cheveux ; long. 1 à 2 mm, larg. 0,5 à 1 mm, 6 pattes ; une femelle peut pondre 50 œufs (lentes) en 6 j, et avoir 5 000 descendants en 8 semaines], du corps (long. 3 mm, larg. 1 mm, qui peut transmettre le typhus), du pubis (dit morpion, long. 2 mm, larg. 1,5 mm). Se nourrissent de sang et se transmettent le plus souvent par contact direct, plus rarement par les vêtements, la literie, les peignes (la femelle vit 4 à 6 semaines, pond une dizaine d'œufs par jour qui éclosent en 8 j et donnent une nymphe qui mûrit en 8 j). Actuellement en recrudescence. TRAITEMENT : HCH (Aphtiria) ; DDT (Benzochloryl) ; produits : Marie-Rose (à base de pyréthréneas), Hégor, Paraplus ; rasage au peigne fin, au peigne métallique électrocuteur (Robot Combi) ; rinçages à l'eau vinaigrée avant de peigner. Recommencer 15 j après pour tuer les parasites devenus adultes.

Psoriasis. Dermatose fréquente associant un érythème (rougeur) et des squames, touchant surtout coudes, genoux, avant-bras, jambes, tronc, plus rarement cuir chevelu, ongles, plis cutanés, paumes et plantes des pieds. Complications : rhumatisme, généralisation, pustulisation. TRAITEMENT : *local :* décapage des squames (réducteurs) puis traitement de l'érythème ; *général :* sédatifs, vitamine D_2, A, cuivre... Photochimiothérapie (exposition aux UVA après absorption de médicaments appelés psoralènes) : récente, permet de traiter 80 % des psoriasis. Certains malades rechutent très rapidement mais peuvent être traités à nouveau dans les mêmes conditions (en Turquie : bain dans une eau remplie de poissons attirés par les squames).

Purpura. Tache rouge par extravasation sanguine ne s'effaçant pas à la pression. Voir p. 104 b. TRAITEMENT : membres inférieurs : position allongée.

Pityriasis versicolor. Mycose peu contagieuse, prédomine chez l'adulte jeune dont la peau est sujette à l'excès de sébum ou de moiteur. Petites taches jaunes, squameuses, sur la partie haute du thorax, cou et à la base des membres supérieurs. Les zones atteintes ne brunissent pas au soleil. Les démangeaisons sont rares.

Rides. Plis cutanés du visage consécutifs à l'altération des fibres élastiques, dus au vieillissement de la peau. Le soleil joue un rôle majeur. TRAITEMENT : *préventif :* protection solaire par écrans, hydratation de la peau, vitamine A acide ; *curatif :* peeling, dermabrasion, injections de collagène, « lifting ».

Sida (voir p. 119 a).

Tache brune (grain de beauté) (voir p. 134 a).

Teigne. Infection du cuir chevelu par des champignons (dermatophyte). TRAITEMENT : Griséofulvine, Nizoral.

Tumeurs bénignes. Prolifération d'un tissu à un endroit donné. Ex. : verrues, kystes sébacés, loupes (sur la tête) (*adénomes :* tumeurs de glandes ; *fibromes :* des tissus fibreux). TRAITEMENT : chirurgical ; pour les verrues, on peut utiliser la cryothérapie (congélation par azote liquide).

Urticaire. Rougeurs saillantes au toucher (papules ortiées) avec démangeaisons. Se modifient en quelques heures. CAUSES : allergie qui peut apparaître après l'absorption d'aliments (fraises, crustacés, chocolat, œufs...), d'additifs alimentaires, certains médicaments, ou après une exposition au soleil ou au froid, parasites intestinaux, foyers microbiens ou mycosiques chroniques, maladie organique. TRAITEMENT (de la cause) : sédatifs, antihistaminiques.

Varicelle (voir p. 133 a).

Vergetures. Atrophie cutanée en lignes parallèles (rappellent les stries que donneraient des coups de verges). Persistent indéfiniment.

Verrues. Tumeurs épithéliales bénignes. Plus fréquentes chez l'enfant et l'adulte jeune. Contagieuses. Peuvent rester uniques ou se multiplier. Évolution capricieuse : régression totale au bout d'un délai plus ou moins long, persistance ou récidive.

Vitiligo. Dyschromie de la peau caractérisée par l'apparition en plusieurs points du corps de plaques décolorées limitées par une zone où la pigmentation est au contraire plus accusée. CAUSE : inconnue, peut-être trouble des glandes endocrines. Plus fréquent chez la femme et les sujets nerveux.

Xanthome. Tumeur dermique jaunâtre constituée de grosses cellules remplies de lipides (cholestérol) dont l'intérêt réside dans l'association possible avec une maladie de surcharge lipidique. Les xanthomes peuvent être diffus ou localisés, plans ou en reliefs (tubéreux, papuleux). CAS PARTICULIER : *xanthélasma* (xanthome plan) aux paupières. TRAITEMENT : destruction localisée (électrocoagulation et chirurgie).

Zona (voir p. 133 b).

VUE

ŒIL

■ **Description.** *Diamètre* antéro-postérieur 2,5 cm, vertical 2,3 cm ; *poids* 7 g ; *volume* 6,5 cm³. Le globe oculaire est logé dans l'*orbite.*

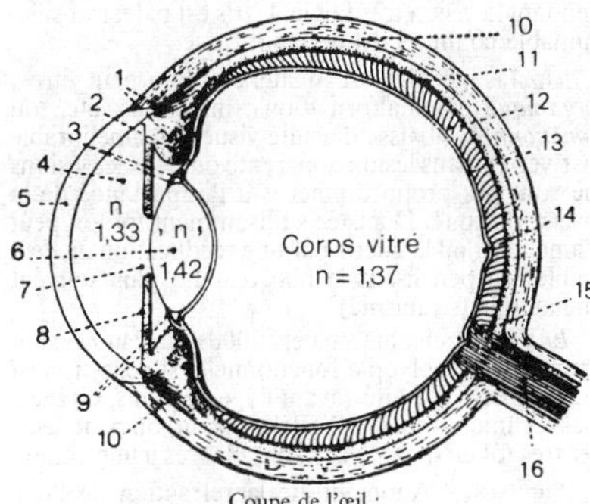

Coupe de l'œil :
1 muscle ciliaire. *2.* procès ciliaires. *3* et *9* ligament suspenseur du cristallin ou zonule de Zinn. *4* humeur aqueuse. *5* cornée transparente. *6* cristallin. *7* pupille. *8* iris. *9* voir *3*. *10* sclérotique. *11* choroïde. *12* rétine. *13* membrane hyaloïde. *14* tache jaune ou macula. *15* tache aveugle ou papille optique. *16* nerf optique. *n* : indice de réfraction.

■ **Membranes.** L'œil est enveloppé dans 3 membranes disposées d'arrière en avant et de l'extérieur vers l'intérieur :

1°) **La scléro-cornée.** *La sclérotique* (du grec *scléros,* dur), opaque, blanche et vascularisée, sur laquelle s'insèrent les muscles oculomoteurs, occupe les 4/5 postérieurs de la surface. *La cornée* transparente, avasculaire, richement innervée avec une puissance réfractive de 48 dioptries : fenêtre par où les images pénètrent dans l'œil avant d'atteindre la rétine ; occupe le 1/5 antérieur de la surface. C'est sur elle qu'agit la chirurgie réfractive : kératotomie radiaire, kératonilensis, photokératectomie réfractive.

2°) **L'uvée.** *a) La choroïde* transforme le globe oc. en chambre noire grâce à un pigment noir, la *mélanine.* Essentiellement composée de vaisseaux sanguins, elle maintient constante la température de l'œil et nourrit les neurorécepteurs de la rétine.

b) L'iris placé derrière la cornée. C'est un diaphragme variable (de 1,5 à 9 mm), percé d'un trou circulaire, la *pupille* (diamètre 2,5 à 4,5 mm), régie par un sphincter et par un dilatateur formé de fibres musculaires antagonistes, lisses, rayonnantes et circulaires. La pupille s'agrandit quand les fibres musculaires sympathiques se contractent ; elle se rétrécit quand ce sont les fibres circulaires. *Couleur :* du gris-bleu au brun en passant par le bleu et le vert. Résulte de la combinaison de la transparence des fibres iriennes et des pigments qui s'y fixent progressivement. Bleu à la naissance, varie jusqu'à la puberté. Dans l'hétérochromie, les 2 iris sont de couleur différente (ex. : bleu et marron).

c) Le corps ciliaire prolonge l'iris en arrière, rejoignant la choroïde. Il contient des fibres longitudinales [muscle lisse qui rattache la choroïde à l'éperon scléral et qui, en se contractant, ouvre les mailles du *trabéculum ;* un muscle ciliaire circulaire qui, par contraction, modifie la puissance du cristallin (équivalente à 19 dioptries) pour permettre la vision de près]. La partie interne plissée du corps ciliaire est formée par les **procès ciliaires** (env. 70 à 80, riches en capillaires sanguins) qui élaborent l'humeur aqueuse (barrière hémato-aqueuse).

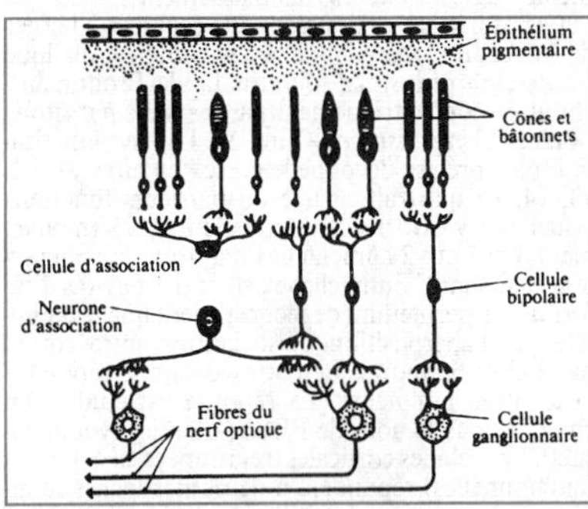

Structure de la rétine avec les neurones de ses 10 couches

3°) **La rétine.** Membrane transparente fragile (épaiss. 0,5 mm ; 10 couches dont l'*épithélium pigmentaire* au contact de la *choroïde,* teinte noire permettant la réalisation d'une chambre noire pour la formation des images). Elle transforme en énergie électrique assimilable par le cerveau l'énergie lumineuse reçue par les 7 millions de *cônes,* surtout sensibles aux formes et couleurs, et les 41 à 85 millions de *bâtonnets* surtout sensibles à la perception du mouvement. Les cônes réagissent aux vibrations les plus longues (rouge, orangé), les bâtonnets aux plus courtes (vert-bleu et violet). L'influx nerveux est transmis au cerveau par les 800 000 fibres du *nerf optique.*

La rétine a 2 points singuliers : *1°) la tache jaune* (ou *macula lutea* ou *fovea*) dans l'axe optique de l'œil renfermant environ 150 000 à 180 000 cônes/mm² (chacun relié directement au cerveau par un neurone bipolaire et un neurone ganglionnaire propre, tandis qu'à la périphérie de la rétine, 1 neurone bipolaire conduit l'influx de 100 à 200 cellules visuelles) ; *2°) la tache aveugle,* correspondant à la papille optique, origine du nerf optique, et dépourvue de cellules visuelles. Après avoir traversé le réseau des vaisseaux rétiniens et les couches de neurones, la lumière atteint les cellules réceptrices, du moins chez l'homme.

■ **Rôle optique de l'œil.** Assuré par différents milieux. **Les larmes :** elles constituent un lubrifiant pour les paupières et un humidificateur pour la cornée. Elles contiennent des protéines (neurotransmetteurs) et des hormones, notamment l'ACTH qui viennent du cerveau, et sont liées à l'état d'anxiété. Pleurer diminue la tristesse ou la colère d'env. 40 %. Les femmes pleurent en moyenne 4 fois plus que les hommes parce qu'elles possèdent une hormone, la prolactine, en plus grande quantité. Jusqu'à 12 ans, les filles ne pleurent pas plus que les garçons (leur taux de prolactine est équivalent). À 18 ans, elles en sécrètent 60 % de plus que les garçons. Les larmes provoquées par une grande émotion débarrassent l'organisme des produits chimiques responsables du stress. Une absence totale de larmes entraîne une sécheresse cornéenne avec altération de la surface de la cornée (forme sévère) puis perte de la vision. La cécité résulte d'une sécheresse absolue de la cornée (sans sécrétion lacrymale). On réalise des pompes à larmes comprenant un petit boîtier alimentant un tuyau qui n'apparaît qu'au niveau du col du chemisier, avant de disparaître derrière l'oreille et de se glisser sous la peau pour déboucher sous la paupière avec des succès inconstants.

L'humeur aqueuse : dans la chambre antérieure (entre cornée et iris) et dans la ch. postérieure (entre iris et cristallin) ; fluide comme de l'eau (indice de réfraction *n* = 1,37). Elle circule avec un débit de 250 µl/min mesuré par fluorophotométrie et exerce une influence primordiale sur la pression intra-oculaire.

Le cristallin (du grec *krustallos,* glace) (*n* = 1,42) : *iris :* constitué de lames transparentes de nature cellulaire, emboîtées comme les écailles d'un oignon, est enchâssé dans les rebords des procès ciliaires (c'est l'organe de l'accommodation) ; *lentille :* biconvexe, symétrique et déformable par contraction du muscle ciliaire.

Le corps vitré (*n* = 1,37) : tissu collagène transparent remplissant le *segment postérieur* du globe situé en arrière du cristallin ; représente les 4/5e du volume du contenu du globe oculaire, il applique la rétine aux autres membranes de l'œil.

Nota. – L'abeille qui ne réagit pas au rouge est sensible à l'ultraviolet.

■ **Vision. Centres :** les messages reçus par la rétine sont transmis au nerf optique (800 000 fibres) qui est en réalité une expansion cérébrale. Pour chaque œil, après traversée du chiasma optique, ils sont dirigés par les bandelettes optiques, le corps genouillé externe et les radiations optiques vers chacune des zones occipitales correspondantes. Les lésions des centres récepteurs produisent une cécité corticale (hémorragies, tumeurs, ramollissement).

Les radiations optiques aboutissent aux 2 berges de la *scissure calcarine* à la face interne du lobe occipital = *aire striée* (ou aire 17 de Brodmann), entourée concentriquement par les aires *parastriée* (= aire 18) et *péristriée* (= aire 19). Une systématisation plus précise découpe le cortex en aires v1, v2, v3, v4, v5 qui traitent une ou plusieurs fonctions visuelles : v3 (formes), v4 (couleurs), v5 (mouvements) ; v1 et v2 alimentent les autres aires du système associatif. Entre elles existent des renvois d'information permettant de reconstituer l'image définitive par superposition. Associations entre cortex pariétal et temporal. Le cortex occipital répond à l'excitation lumineuse. La réponse est étudiée en clinique sous le nom de PEV (potentiel évoqué visuel). Les cellules corticales (regroupées en colonnes fonctionnelles) répondent à de petites taches lumineuses : les *champs récepteurs.* Au terme du codage, l'excitant n'est plus la lumière mais les lignes, les contours, le mouvement. Chaque cellule réagit électivement pour une position donnée.

Situation de l'image : l'œil donne d'un objet une image réelle renversée. Pour un œil *emmétrope* (normal), tous les rayons venant d'un objet situé à l'infini, c'est-à-dire env. 6 m, arrivent parallèlement à l'axe de l'œil pour former sur la rétine une image inversée. On peut comparer l'œil à une lentille convergente d'une puissance de 60 dioptries dont le foyer principal image serait sur la tache jaune et dont la distance focale serait de 15,7 mm.

Acuité visuelle : *pouvoir de séparation de l'œil :* 0,0003 radian, soit un arc de 1 minute (1/60 de degré), ce qui correspond à 0,1 mm vu à 25 cm. En France, l'*acuité visuelle-unité* est celle qui permet de séparer 2 points vus sous un angle de 1 minute d'arc. Le test correspondant à une acuité égale à l'unité, ou 10/10, est vu sous un angle de 5', et chaque détail caractéristique sous un angle de 1'. Si l'observateur ne peut distinguer ce détail caractéristique que sous un angle de 10', l'acuité est égale à 1/10' (inverse de l'angle visuel). *L'acuité visuelle de loin* correspond à la zone centrale de la rétine, la tache jaune (ou fovea), dont le champ n'est que de 2°. Dès qu'on s'écarte de ce point, l'acuité de l'œil normal tombe à 4,2 puis à moins d'1/10 à la périphérie du champ visuel. *L'acuité visuelle de près* est déterminée sur des tests vus à 33 cm (à distance de lecture : test optométrique d'après Parinaud). Elle fait entrer en jeu le *phénomène d'accommodation* réalisé par la modification de la courbure du cristallin sous l'influence du muscle ciliaire : l'image d'un objet à l'infini se forme sur la rétine. Quand l'objet se rapproche de l'œil, son image se déplace et se forme en arrière de l'œil. Elle est donc floue sur la rétine mais l'œil ramène l'image sur la rétine : en bombant la partie antérieure du cristallin par action des muscles ciliaires, il modifie la distance focale.

Distance minimale de vision distincte (en cm selon l'âge) : *7 ans :* 7, *15 :* 15, *20 :* 20, *30 :* 25, *40 :* 30, *50 :* 40, *60 :* 50, *75 :* 65. Elle correspond à la limite d'accommodation. Début de la presbytie à 43 ans.

Vision des couleurs : le mécanisme est mal connu, la théorie trichromatique est actuellement adoptée. 41 à 85 millions de *bâtonnets* (1 000 fois plus sensibles que les cônes) assurent la sensation de lumière. Les *cônes* (2,2 à 4,3 millions) différencient la couleur (grâce aux substances photosensibles). Il y aurait dans la substance de la rétine 3 sortes de cônes sensibles à la couleur classés selon les longueurs d'ondes (en nanomètres = nm) dans lesquelles se situe leur bande d'absorption : bleu (longueur d'onde absorbée 380 à 500 nm) ; vert (500 à 600 nm) ; rouge (600 à 750 nm). L'œil n'est pas sensible aux radiations lumineuses de + de 750 nm (infrarouge) ou de – de 380 nm (ultraviolet).

Illusions d'optique (exemples)

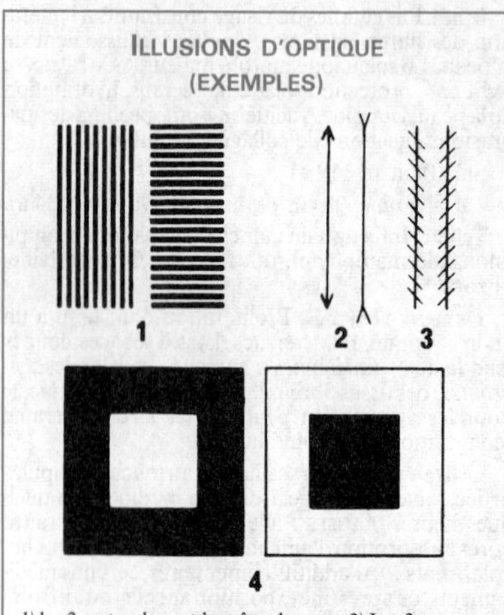

1) les 2 rectangles ont la même largeur. *2)* Les 2 segments ont la même longueur. *3)* Les 2 droites sont parallèles. *4)* Les surfaces des petits carrés sont identiques.

Ces 3 *couleurs fondamentales* permettent de produire par mélange toutes les couleurs ; ex. le jaune (mélange rouge et vert) ; violet (rouge et bleu) ; blanc (mélange de toutes les couleurs du spectre par la superposition du bleu, du vert et du rouge). On compte 750 nuances pour une bande de longueurs d'onde de 380 à 750 nm.

Vision du relief : quand on regarde un objet, il se forme une image renversée sur chaque rétine. De ces 2 images, le cerveau donne une seule image droite en relief. Cette représentation est le résultat d'une éducation qui se fait dans les premiers mois de la vie par synthèse des sensations tactiles, auditives et visuelles. Avec la perception maculaire simultanée et la fusion sensorielle, la vision du relief parachève les 3 constituants principaux de la vision binoculaire, fonction n'existant que chez les primates.

Lecture : se fait par saccades : l'œil se fixe durant 1/5 à 1/3 de seconde avant de se fixer sur un prochain arrêt ; il ne lit rien pendant le temps du mouvement entre 2 points de fixation.

■ Anomalies de la vision

Albinisme. Affection congénitale et héréditaire due à une absence ou insuffisance de mélanine dans les mélanocytes par déficit enzymatique (tyrosine) qui s'accompagne de malformations chorio-rétiniennes et d'une gêne considérable à la lumière, rendant la vision très faible. L'iris est pâle, transilluminable comme l'œil de lapin russe.

Amblyopie. Uni- ou bilatérale. Elle peut être : *organique* par malformations, infections, etc., ou *fonctionnelle :* baisse d'acuité visuelle inaméliorable par verres, sans lésion apparente ou dont les lésions ne sont pas proportionnelles à l'importance de la baisse d'acuité. Dépistée suffisamment tôt, on peut l'améliorer ou la guérir par une rééducation de l'œil faible, en pénalisant le bon œil. Le plus souvent unilatérale (strabisme).

En France : chaque année, 25 000 nouveau-nés sont menacés d'amblyopie fonctionnelle si celle-ci n'est pas dépistée et traitée avant l'âge de 3 ans. Grâce à des techniques spéciales (Bébé-vision) on peut déceler très tôt un défaut visuel chez le très jeune enfant.

Amétropie. Anomalie de la réfraction de l'œil, congénitale ou acquise, caractérisée par une mauvaise mise au point des images rétiniennes venant d'objets situés à l'infini (myopie, hypermétropie, astigmatisme, etc.).

Aniridie. Absence de l'iris. Congénitale ou après traumatisme.

Aphakie. Absence de cristallin par luxation ou par ablation après opération de la cataracte, corrigée par lunettes, lentille de contact ou implantation d'un cristallin artificiel.

Astigmatisme. Vision déformée. Vice de réfraction dû à des défauts de courbure de la cornée ou du cristallin ; les rayons parallèles incidents ne sont pas focalisés en un point. Corrigé par des verres cylindriques.

Diplopie. Trouble de la vision binoculaire entraînant un dédoublement des images par paralysie ou mauvaise coordination des muscles moteurs des yeux, ou par modification du noyau du cristallin (plus rare, mais alors monoculaire).

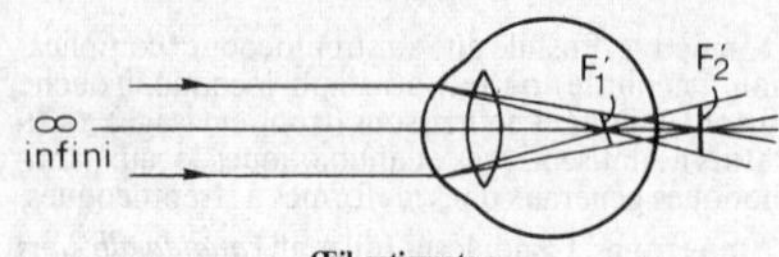

Œil astigmate :
Les 2 droites focales F'_1 et F'_2 perpendiculaires entre elles, placées en avant et en arrière de la rétine donnent une image linéaire au lieu d'une image ponctiforme (astigmatisme mixte).

Dyschromatopsie. Anomalie congénitale de la vision des couleurs déterminée par des gènes récessifs situés sur le chromosome sexuel X (hérédité liée au sexe). FRÉQUENCE : 8 % chez les hommes, 0,33 % chez les femmes (non atteintes, elles peuvent transmettre la tare à leurs enfants). TYPES : *1°) Anomalie trichromatique : protanomal* (déficience pour le rouge : jaune et orange confondus), assez commun ; *deutéranomal* (faible pour le vert, jaune et orange conf.), assez commun ; *tritanomal* (faible pour le bleu, bleu et vert conf.), le plus rare. *2°) Anomalie dichromatique (daltonisme) : protanopie* (cécité pour le rouge ; rouge, jaune et vert confondus), assez commun ; *deutéranopie* (cécité pour le vert ; rouge, jaune et vert conf.), le plus commun ; *tritanopie* (cécité pour le bleu, bleu et vert confondus), très rare. *3°) Achromatopsie* (cécité et confusion pour toutes les couleurs), très rare.

Héméralopie. Baisse de la vision crépusculaire [carence de vitamine A, congénitale (rétinite pigmentaire), ou maladie, trop longue exposition à la lumière traduisant une altération de la fonction des bâtonnets avec gêne notable en vision crépusculaire]. En Europe et au Japon : on parle de l'*héméralopie* pour la cécité nocturne ; en Angleterre et USA : pour la cécité diurne (voir Nyctalopie).

Hémianopsie. Disparition de la moitié ou du quart du champ visuel, traduisant une lésion des voies optiques au chiasma et en arrière du chiasma.

Hypermétropie. Œil trop court. Due à une convergence trop faible des milieux transparents ou à un axe antéro-postérieur trop faible de l'œil. L'image se forme en arrière de la rétine. L'hypermétrope a une bonne vision de loin (mais nécessite une accommodation permanente et pénible). Il distingue mal les objets rapprochés. CORRECTION : verres convexes convergents.

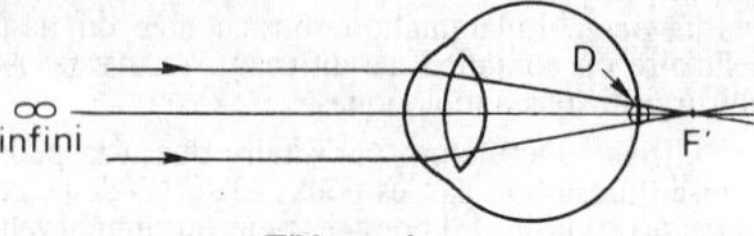

Œil hypermétrope :
Le foyer image F' est situé en arrière de la rétine.
Sur la rétine, il se forme un cercle de diffusion D (image floue).

Kératocône. Cornée de forme conique. CORRECTION : verres de contact ou kératoplastie (greffe de la cornée).

Myopie (de 2 mots grecs signifiant fermer l'œil ou cligner, les myopes ayant l'habitude de fermer les yeux à demi pour ne laisser qu'un étroit passage aux rayons lumineux incidents se plaçant ainsi dans les meilleures conditions optiques de perception, phénomène de fente ou trou sténopéique). Due à une trop grande convergence de l'œil ou à un diamètre antéro-postérieur de l'œil trop grand. L'image se forme en avant de la rétine. Le myope distingue mal les objets éloignés ; l'accommodation ne commence à jouer qu'à faible distance et lui permet de voir des objets très rapprochés. CAUSES : environnementales ou congénitales et favorisées par l'allongement de l'œil pendant la croissance. Cet étirement s'accompagne de lésions choriorétiniennes préjudiciables à la vision et prédisposant au décollement de la rétine. CORRECTION : si l'œil est trop long pour sa valeur optique au repos, verres concaves divergents pour replacer l'image sur la rétine (les verres au baryum ou au titane permettent de réaliser des verres plus minces) ; lentilles de contact rigides ou souples ; chirurgie réfractive cornéenne (kératotomie radiaire, kératectomie photoréfractive au laser Excimer, etc.). Voir p. 127 c.

Amplitude d'accommodation : 14 dioptries chez l'enfant, 3 dioptries vers 45 ans et 2 vers 60 ans.

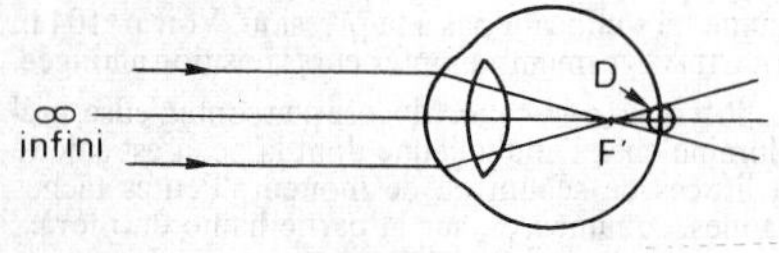

Œil myope :
Le foyer image F' est situé en avant de la rétine.
D : cercle de diffusion (image floue).

Nyctalopie. Mauvaise vision diurne quand la lumière est bonne, vision normale lorsque la lumière est faible. *Origine :* congénitale ou maladive. Aux USA *nyctalopie* désigne le cas d'une bonne vision diurne ou avec une lumière forte, en G.-B. une bonne vision en éclairement modéré, mais déficiente en faible éclairement (définition européenne de l'*héméralopie*).

Phosphènes. Sensations lumineuses subjectives dues à une excitation de la rétine ou des centres visuels.

Presbytie. Vue floue en vision rapprochée. Phénomène naturel et inévitable atteignant tous les adultes emmétropes (de réfraction normale) à partir de 43 ans, qu'on ne peut ni prévenir ni traiter. L'œil accommode insuffisamment, le muscle ciliaire perd progressivement son efficacité mais surtout le cristallin se rigidifie dans sa capsule moins souple. Quand un *myope* devient presbyte, il est tenté de lire en retirant ses lunettes de vision de loin, mais dès qu'il lève les yeux, sa vision devient floue. *L'hypermétrope,* qui voit mieux de loin que de près, aura l'impression de devenir presbyte plus tôt que les autres. *L'astigmate* connaît une presbytie normale (sa cornée n'est pas parfaitement sphérique mais ce défaut ne concerne pas le système d'accommodation). CORRECTION : verres convexes ou bifocaux ou multifocaux ou « progressifs » ou lentilles (rayons de courbure différents d'un point à l'autre du verre correspondant à une progression du degré de correction de la vision et permettant une vision normale à toutes distances ou lentilles bifocales). Vision de près : 33 cm à 42 cm. *Nombre de presbytes en France :* 12 millions.

Scotome. Lacune dans le champ visuel central ou paracentral. Îlot de dépression de la sensibilité rétinienne, mis en évidence par la périmétrie ou la campimétrie. Le *scotome scintillant transitoire* est dû à la migraine ophtalmique.

Strabisme (loucherie). Défaut de parallélisme des deux axes visuels dans le regard de loin et de près, lié à un trouble de la vision binoculaire. CORRECTION : lunettes, *traitement* de l'amblyopie et souvent chirurgical. Surveillance orthoptique, rééducation pour les strabismes tardifs. STATISTIQUES (France) : 4 % des enfants ont un trouble de la vision binoculaire dont 2,5 % louchent de la naissance à 3 ans.

Voile noir des aviateurs. Dû à une diminution d'apport sanguin normal de la rétine sous l'effet de l'accélération.

☞ **Défauts cumulables.** Myopie + astigmatisme ; hypermétropie + astigmatisme ; +, après 50 ans, la presbytie.

Fréquence des anomalies de la vision (en France en %) : *enfants d'âge scolaire* 15 ; *21 à 45 ans* 17 ; *50 à 60* 50 ; + *de 60* 70 (dont 2/3 pour la vision de loin). *Troubles congénitaux de l'œil :* 8 % des hommes, 1 % des femmes.

■ Maladies de l'œil

Blépharite. Inflammation aiguë ou chronique du bord ciliaire de la paupière pouvant entraîner la chute des cils. CAUSES : locales (infectieuses, allergiques en particulier), optiques (mauvaise correction de la vision), générales (diabète, allergies, troubles intestinaux), irritations diverses (poussières, lumière, fards, etc). TRAITEMENT : adapté à la cause.

Blépharospasme. Dystonie liée à un dysfonctionnement des noyaux gris du cerveau. Contraction involontaire et répétée (tic) des muscles entourant la paupière, entraînant une fermeture involontaire des yeux. TRAITEMENT DU SYMPTÔME : injection de toxine botulique.

Cataracte. Opacification du cristallin. Peut être congénitale ou acquise (diabète, intoxication, troubles hormonaux, âge, traumatismes, maladies, médicaments, etc.). MODE DE CORRECTION OPTIQUE UTILISÉE : lunettes, lentilles de contact ou implants généralement en Plexiglas, éventuellement multifocaux, introduits à la place du cristallin. TRAITEMENT : chirurgical. En cas de cataracte évoluée, on enlève le cristallin par extraction intracapsulaire de tout le cristallin (noyau et capsule protectrice), ou extracapsulaire (seuls le noyau et le cortex qui l'entourent sont enlevés), ou par phako-émulsification (en détruisant le noyau et son cortex au moyen d'une sonde à ultrasons qui morcèle et aspire le cristallin). STATISTIQUES : la cataracte sénile est la plus fréquente (90 % des plus de 70 ans présentent des formes plus ou moins évoluées). Plus de 80 % des cataractes opérées sont corrigées par l'implantation de cristallin artificiel (entre 120 000 et 150 000/an). *Nombre d'opérations (par an) :* 1 600 000.

Chalazion. Kyste d'une glande de Meibomius (gl. palpébrale sébacée). TRAITEMENT : chirurgical.

Conjonctivite. Inflammation de la conjonctive bulbaire et de celle des paupières. Se traduit par une rougeur du blanc de l'œil, une sécrétion et un œdème. TRAITEMENT : collyres antibiotiques ou anti-inflammatoires.

Dacryocystite. Inflammation du sac lacrymal. TRAITEMENT : parfois chirurgical (dacryocystorhinostomie).

Décollement de la rétine. Séparation de la couche des cônes et bâtonnets de l'épithélium pigmenté, habituellement causée par une déchirure spontanée (myopes) ou traumatique de la rétine. TRAITEMENT : cette déchirure doit être rapidement obstruée et la rétine réappliquée par indentation sclérale et (ou) tamponnement intraoculaire par huile siliconée ou gaz SF_6. Rétinopexie (stimulation cicatricielle de la choriorétine). PRÉVENTION : obturation des trous et déchirures rétiniennes (laser à l'argon ou cryoapplication transsclérale). Les lésions dégénératives rétiniennes doivent être précocement dépistées pour être photocoagulées avant la production de la déchirure. CAS EN FRANCE (par an) : 5 000.

Dégénérescence maculaire liée à l'âge. Altération de la macula, souvent symétrique, par dégénérescence de la rétine fovéolaire. Peut conduire à des difficultés de lecture tout en préservant la perception visuelle parapléique. FRÉQUENCE : de *65-75 ans :* 5 %, *75-80 :* 10 %, *80 et + :* 20 %. N'atteint pas toujours le même degré d'intensité sur les 2 yeux ou chez 2 patients différents. Pas de traitement spécifique. Parfois laser.

Dystrophies cornéennes. Macite progressive et symétrique des 2 cornées, survenant dans l'adolescence et s'accentuant avec l'âge. Nombreuses variétés (héréditaires, dominantes ou récessives). TRAITEMENT : greffe de la cornée.

Ectropion. Renversement extérieur du bord libre de la paupière (sénile, cicatriciel, paralytique). TRAITEMENT : Blépharoplastie.

Entropion. Enroulement intérieur du bord libre de la paupière. TRAITEMENT : chirurgical pour empêcher le frottement des cils sur la cornée.

Embolie (de l'artère centrale de la rétine). Entraîne une perte brutale et durable de la vision de l'œil atteint *(amaurose)* par oblitération de l'artère.

Épiphora. Larmoiement persistant avec écoulement des larmes le long de la joue.

Exophtalmie. Protrusion du globe oculaire (tumeur de l'orbite, hyperthyroïdie).

Glaucome aigu. Fermeture brutale de l'angle iridocornéen chez personnes anxieuses et stressées ou après instillation de collyre à l'atropine.Œil dur 40 à 60 mm Hg. Perte visuelle rapide d'où urgence chirurgicale. TRAITEMENT : Iridectomie au laser Nd-YAG (voir Laser ci-contre). FRÉQUENCE : Europe : 0,4 %, Esquimaux du Canada : 2,9 %.

Glaucome chronique. Augmentation de la pression intraoculaire au-dessus de 22 mm Hg et dégradation progressive de la vision. Certaines formes d'hypertonie des liquides intraoculaires provoquent une atrophie du nerf optique irréversible par compression de la papille optique et dégradation progressive du champ visuel. SIGNES : maux de tête, brouillards, arc-en-ciel, trouble du champ visuel. Forme infantile congénitale (*buphtalmie*). TRAITEMENT : médical, chirurgical en cas d'échec, lasers. Dépistage précoce par prise systématique de la pression intraoculaire après 45 ans, relevé du champ visuel et examen de la tête du nerf optique. Non traité et méconnu par défaut d'examen, le glaucome peut aboutir à une perte partielle ou complète de la vision. % augmentant après 50 ans. STATISTIQUES (France) : 500 000 glaucomateux.

Iritis. Inflammation de l'iris entraînant des adhérences entre iris et cristallin avec risque de glaucome secondaire. TRAITEMENT : local et général ; collyres dilatateurs de la pupille, anti-inflammatoires, traitement de la cause (maladie générale, foyer infectieux dentaire, rhinopharyngé, etc.).

Kératite. Maladie ou inflammation de la cornée. SIGNES : photophobie, larmoiement, blépharospasme et rougeur limbique fréquemment herpétique. TRAITEMENT : collyres (atropine 1 %), antibiotiques. Corticoïdes à éviter dans la kératite herpétique superficielle.

Onchocercose (cécité des rivières). Transmise par une petite mouche, la *simulie,* qui inocule une filaire minuscule (*Onchocerca volvulus*) qui vit sous la peau, formant des nodules et produisant des démangeaisons ; les larves vivent dans les tissus sous-cutanés et dans les yeux, entraînant la perte de la vision. STATISTIQUES : *monde :* cas 30 millions dont 1 million d'aveugles. TRAITEMENT : ivermectine.

Orgelet. Furoncle à la base d'un cil.

Rétinite. Altération des tissus rétiniens associée souvent à ceux de la choroïde (chorïorétinite). CAUSES : myopie, diabète, hémorragies, exsudats, toxoplasme, streptocoque, dégénérescence. L'immunodépression du sida favorise le développement des rétinites infectieuses bactériennes ou virales (toxoplasmose, cytomégalovirus). La *rétinite pigmentaire* (héréditaire) engendre une héméralopie (voir p. 126c) et une baisse visuelle progressive. Dégénérescence tapétorétinienne héréditaire : la mutation génétique de la forme dominante se situe sur le bras long du chromosome 3. STATISTIQUES : *France :* cas 30 000. ASSOCIATION FRANÇAISE : *Retinitis Pigmentosa :* BP 62, 31771 Colomiers Cedex.

Rétinoblastome. Tumeur maligne rétinienne héréditaire de l'enfant se développant avant 4 ans due à une mutation germinale (gène sur la bande Q 14 du chromosome 13) ; unilatérale dans 64 %, bilatérale dans 36 %. FRÉQUENCE : 1/16 000.

Rétinopathie. Affection non infectieuse de la rétine. **Rétinopathie diabétique :** lésion de la rétine survenant tardivement chez les diabétiques. Membrane et vaisseaux capillaires de la rétine s'altèrent, circulation sanguine et nutrition des tissus sont perturbés avec formation de microanévrismes, d'œdème, d'exsudats, de néo-vaisseaux et d'hémorragies. TRAITEMENT : médical, ou photocoagulation des zones mal vascularisées ou des néo-vaisseaux au laser à l'argon (except. chirurgical, par vitrectomie et pelage des membranes épirétiniennes).

Thrombose de la veine centrale de la rétine. Oblitération partielle ou totale de la veine entraînant des hémorragies rétiniennes diffuses et une perte visuelle liée à leur importance.

Uvéite. Atteinte inflammatoire du corps ciliaire de l'iris, isolée ou associée à une maladie générale (rhumatismes, connectivites, foyers sceptiques). Souvent chronique et récidivante. TRAITEMENT : anti-inflammatoires, cortico-stéroïdes, antibiotiques.

Trachome. Conjonctivite granuleuse due à un micro-organisme proche des virus *(Chlamydia trachomatis).* Entraîne la perte progressive de la vue. TRAITEMENT : antibiotiques appliqués localement ou sulfamides. Pas de vaccin efficace. PRÉVENTION : surveillance de l'eau insalubre, de l'hygiène. STATISTIQUES : *monde :* atteints 350 millions ; devenus aveugles 7 à 8 millions.

Xérophtalmie (œil sec). Sécheresse de la conjonctive et de la cornée due à l'insuffisance des larmes ou à une carence en vitamines (surtout A et B1). Souvent facteur de complication de la malnutrition protéino-énergétique dans la petite enfance (entraîne une cécité par perte de transparence de la cornée) ; se développe notamment dans les régions où le riz forme la base de l'alimentation et où les feuilles vert sombre sont rares ou inutilisées (Asie du S. et de l'E., Afrique, Amérique lat.). Affection très grave chez l'enfant. Occasionne rarement la mort, mais y contribue. TRAITEMENT préventif : vitaminothérapie précise. STATISTIQUES : atteints 5 millions dont 500 000 enfants aveugles.

☞ **Lasers utilisés en ophtalmologie. A. Lasers diagnostiques :** *1°) Ophtalmoscope à balayage laser :* illumine un point rétinien après l'autre et procure une image bien contrastée du fond de l'œil en temps réel. Avantage : provoque une illumination 1 000 fois moindre que celle d'une angiofluorographie tout en conservant une excellente qualité de l'image tridimensionnelle des modifications du fond de l'œil. *Coût :* 265 000 à 750 000 F (6 fabricants). *2°) Laser interféromètre :* permet d'analyser la fonction rétinienne avant opération de la cataracte. *3°) Laser analysant l'astigmatisme cornéen, les opacités du cristallin évoluant vers la cataracte... Coût :* env. 135 000 F.

B. Lasers thérapeutiques : *1°) Laser à argon :* pour la photocoagulation des déchirures rétiniennes, traitement préventif des décollements de la rétine et de la rétinopathie diabétique préproliférative. *2°) Laser à diode :* peu encombrant, émet dans l'infrarouge (810 nm). Se fixe sur microscope opératoire ou sur lampe à fente pour traitement des néo-vaisseaux rétiniens. Utilisé surtout comme endo-photocoagulateur pendant opérations intraoculaires. *3°) Laser Yag au néodimium et yttrium-alum. (ou ceux dopés à l'holmium) :* puissance énergétique élevée, utilisés dans traitement du glaucome pour remplacer la trabéculectomie chirurgicale et dans section des cataractes secondaires... *4°) Laser à cristaux :* émet à 532 nm (Cristal focus à 1 064 nm). Les rayons passent à travers un cristal synthétique (laser à tête saphir). Entretien minime et indépendant d'une prise d'eau pour réfrigération. *5°) Laser Excimer (argon-fluor) :* expérimenté dep. 1983. Émet à 193 nm. Les photons UV à haute énergie émise rompent les ponts moléculaires en 15 nanosecondes permettant de pulvériser le tissu cornéen en épargnant le tissu avoisinant. Permet de réaliser des incisions cornéennes très fines et relativement profondes et des remodelages de la cornée (myopie, astigmatisme). Plus de 15 000 yeux humains déjà opérés.

Correction de la vue

■ **Lunettes. Origine :** *Antiquité :* usage de lentilles. *XIe s. :* loupe. *Fin du XIIIe s. :* apparition des lunettes (inventeur : Roger Bacon, Alexandre Spina, Selvine d'Armati ?). **Verres correcteurs :** à simple, double ou triple foyer, et progressifs, v. photochromiques (teintes variables suivant l'intensité lumineuse). *Verres antireflets :* ont subi un traitement de surface qui élimine les reflets parasites, améliorant transparence et esthétique. *V. organiques :* en matière plastique légers et pratiquement incassables, ils ont désormais des surfaces durcies moins rayables. *V. minéraux :* sécurisés par trempe ou feuilletage. *V. composites :* combinant les qualités des v. minéraux et des v. organiques.

Nombre de porteurs de lunettes. DANS LE MONDE : 600 millions [1 800 millions en auraient besoin (dont 50 % de presbytes)]. EN FRANCE : *1991 :* 26 millions [dont presbytes 26 %, myopes 20 % (Japon 40 %), astigmates 55 %]. *% de porteurs :* 46,2 % de la population (70,6 % des cadres supérieurs, 49,2 % des agriculteurs, 40 % des ouvriers, 36,3 % des étudiants). *% selon l'âge* (hommes et femmes) : *15 à 45 ans :* h. 27,7 ; f. 41,8. *+ de 45 ans :* h. 76,6 ; f. 81,5.

■ **Lentilles de contact.** Cornée artificielle placée au contact de l'œil. AVANTAGES : esthétique, parfois seule correction possible (kératocône, astigmatisme irrégulier, aphakie unilatérale). FORME : *originelle :* verres scléraux utilisés en 1887 par Eugène Kalt (Fr.). Recouvraient cornée et partie de la sclérotique. Fabriqués à partir de 1939 en Plexiglas, leur adaptation exigeait une technique élaborée. Peu utilisés maintenant sauf dans certaines anomalies oculaires (kératocône) ou pour les sports aquatiques. *Actuelles : Rigides :* en PMMA (1948), excellentes qualités optiques et mécaniques, peuvent durer + de 10 ans, entretien simplifié, tolérance progressive. *Souples :* hydrophiles en Hema et dérivés (Wichterlé, 1964), mieux tolérées par les paupières mais il faut une sécrétion lacrymale suffisante, nécessitent un entretien soigneux et l'utilisation de solutions de conservation et d'aseptisation ; on distingue les lentilles moyennement hydrophiles (40 %, le + courant) et fortement hydrophiles [70 à 80 %, portables en port prolongé ou permanent et qui ont quelquefois un but thérapeutique (elles réalisent alors un pansement sur la cornée)]. Peuvent corriger tous les défauts visuels, mais en cas de fort astigmatisme on préfère les rigides. *Jetables :* souples hydrophiles, usage limité à 1 mois max. Pas ou peu d'entretien, selon qu'elles sont portées en port journalier (retrait chaque soir) ou en port prolongé (retrait chaque semaine). *Rigides perméables à l'oxygène* (1974), PMMA + Siloxène ou fluorocarbone. Mêmes qualités optiques que celles en PMMA. Coefficient de perméabilité à l'O_2 de + en + élevé, permettant un port prolongé et sécurisant. Nécessitent un entretien soigneux. *Pour correction de la presbytie :* bi-focales (vision de loin et de près), concentriques, ou par segments, ou faisant intervenir des formes géométriques complexes qui permettent une vision progressive loin-près. *Cosmétiques :* pour modifier la couleur des yeux. PORTEURS DE LENTILLES : *France :* hommes 1,8 %, femmes 4,6 %.

Prix de revient annuel. 2 400 F. *Classiques :* + de 1 600 F (entretien).

■ **Greffe de cornée (kératoplastie).** Transplantation d'une rondelle de 5 à 8 mm de cornée humaine prélevée sur un cadavre et conservée selon différentes méthodes à + 4°C à moyen terme (jusqu'à 6 j.), à long terme à + 31°C (jusqu'à 1 mois).

Industrie oculaire (en France, 1991). *Chiffre d'affaires :* 4 721 millions de F dont verres de lunettes et de contact 1 986,4, montures de lunettes optiques 1 916,5, solaires et protection 818,3. *Entreprises :* 120 dont 60 de + de 20 sal. *Salariés :* 11 244. *Ventes en France* (en millions de pièces en 1991, production nationale et importations) : montures optiques 7,5, lunettes solaires (91) 9, verres correcteurs 18,3 et de contact 6,3 (dont 5 jetables). *Rang dans le monde* (91) : 4e après USA, All. et Japon. *Exportations :* 54 % du CA total. *Principales firmes :* Essilor-International, BBGR, l'Amy et Bourgeois SA.

Aveugles

Statistiques. Monde : (en millions) : aveugles 28 ; malvoyants 14 (50 % par cataracte). % de la population : pays industrialisés : 0,01 à 1 ; tiers monde : 1. **France :** avec une anomalie visuelle (soit 2 % de la population) : 1 100 000 dont 120 000 déficients visuels (0,20 % de la pop.) [38 000 aveugles complets (acuité visuelle inférieure à 1/20 de la normale au meilleur œil) et 82 000 amblyopes (acuité visuelle infér. à 1/10)].

Alphabet braille

Inventeur. Louis Braille (1809-52, inhumé au Panthéon le 22-6-1952). Fils de bourrelier. À 3 ans, se blesse à l'œil avec une serpette ; à 4 ans, il est aveugle. À 10 ans, il entre à l'Institution des jeunes aveugles, créée par Valentin Haüy. Grâce à l'invention par le cap. Barbier de la sonographie, il s'oriente vers une utilisation nouvelle du point saillant. Il réussit à former 63 combinaisons donnant l'alphabet, les chiffres, les mathématiques et la musique.

Principe. Formé de groupes de points en relief représentant lettre, chiffre ou signe. Lecture tactile (150 mots/minute). Adopté dans presque toutes les langues. L'emploi des ordinateurs permet maintenant une production automatique du Braille sans que l'opérateur ait besoin de connaître cette écriture.

Saisie informatique. Frappe de textes convertis en braille ou saisie directe de textes imprimés.

Instruments modernes. *Machine à lire « Delta » :* dispositif électronique muni d'une caméra miniature ; permet de traduire en Braille des textes imprimés ou dactylographiés. *Loupes électroniques :* caméra et écran de télévision permettent de grossir de 4 à 20 ou 30 fois un texte. *Machines adaptées pour aveugles :* ordinateurs personnels, machines à calculer parlantes avec synthétiseur de parole ou à affichage Braille.

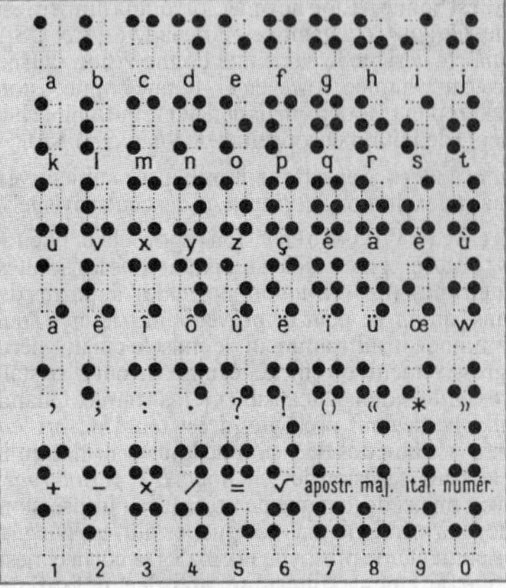

Recherches. Machines à lire parlantes (reconnaissance de caractères et synthèse de la parole ou produisant le texte en Braille). Perception d'images en implantant des électrodes dans le cerveau. Instruments d'aide pour circuler utilisant les ultrasons.

Causes de cécité les plus fréquentes. *Accidents* (voiture, 6 % des acc. du travail). *Infections virales de la cornée* (surtout herpétiques), curables par greffes de la cornée, *glaucome* (personnes âgées), *cataracte* (id.), *affections congénitales, cancer, maladies métaboliques et dégénératives, carence en vitamine A* (enfants des pays sous-développés), puis *maladies infectieuses : onchocercose* [30 millions de personnes touchées en Amérique lat., Arabie, Afrique occid. et équat. (plus de 50 % des hab. dans certaines régions) ; amène une perte de vision chez 30 %, la cécité chez 4 à 10 %] ; *diabète,* par rétinopathie ; *trachome ; xérophtalmie. Traumatismes divers* (lésions de la cornée, lésions du globe, hémorragies du vitré, décollement de la rétine). Un programme mondial visant à limiter la cécité évitable coûterait de 350 à 560 millions de $.

Emploi en France. Sur 25 000 aveugles de – de 65 ans, 5 000 ont des responsabilités professionnelles : 900 masseurs kinésithérapeutes, 1 300 standardistes, 150 sténodactylos, 1 000 musiciens professionnels, carrières intellectuelles, accordeurs de pianos, ouvriers manuels et même agricoles. + de 50 % ne peuvent trouver de travail du fait d'un handicap associé ou de mauvaise santé, un certain nombre parce qu'ils n'ont pas la rentabilité suffisante. D'autres professions, comme l'informatique, leur sont accessibles.

Canne blanche. Inventée par le journaliste-auteur Jean Delage († 1992 à 99 ans). 1re remise officiellement le 7-2-1931 par Mlle Guilly d'Herbemont pour les déficients visuels graves ou aux aveugles. *Blanche striée de rouge* pour les sourds-aveugles (dep. 1987).

Allocations. *Spéciale* en cas de baisse d'acuité visuelle bilatérale inférieure à 1/20 ; majorable pour l'aide d'une tierce personne ou frais professionnels ; dépend du régime social de la personne (assuré social, bénéficiaire de la loi du 30-6-1975, handicapé, aveugle de guerre...). MONTANT (au 10-7-1992) : *invalide assuré social ne pouvant travailler :* 50 % du salaire moyen des 10 meilleures années avec minimum 1 316,66 F/mois, maximum 6 075 F. Majoration pour tierce personne 5 159,22 F. *Allocation à l'adulte handicapé non assuré social :* 3 090 F/mois. *Allocation compensatrice pour tierce personne :* 2 063,69 F à 4 127,38 F/mois.

Franchise postale pour toute correspondance en Braille (lettres ou volumes), tout enregistrement sur bandes magnétiques circulant entre les bibliothèques sonores et leurs bénéficiaires.

Associations

■ **Activités.** Certaines associations produisent des ouvrages Braille ou enregistrent des livres sur bandes magnétiques (livres parlés), gèrent des établissements de rééducation et de formation professionnelle (standardistes, sténodactylos, masseurs kinésithérapeutes, musiciens et accordeurs de piano, ouvriers manuels, agricoles, horticulteurs, programmeurs en informatique), des maisons de vacances ou des maisons de retraite, encadrent des activités sportives. Certains aveugles suivent un cycle d'études supérieures normal et exercent des carrières dans l'enseignement, le secteur public ou le secteur privé.

■ **Association pour les aveugles. Association nationale des parents d'aveugles,** 74, rue de Sèvres, 75007 Paris.

Association Valentin-Haüy pour le bien des aveugles. *Créée :* 1889 par Maurice de La Sizerane [(1857-1924), aveugle (par accident) à 9 ans, entré à l'Institution nationale pour les jeunes av. ; études musicales]. Reconnue d'utilité publique en 1891. *Valentin Haüy (1745-1822) :* fils de tisserand [frère de l'abbé Haüy qui inventa la cristallographie et fut membre de l'Académie des Sciences] ; pratiquait une douzaine de langues (interprète du Roi, de l'Amirauté, de l'Hôtel de ville) ; spécialiste du déchiffrement des manuscrits, il créa la typographie en relief et fonda l'Institut royal des enfants aveugles (1786) ; dès 1784, il avait recueilli le 1er jeune aveugle. Autres fondations créées de son vivant : Liverpool (1791), Vienne (1804), St-Pétersbourg (1806), Amsterdam (1808), Dresde (1809), Zurich (1810), Copenhague (1811). *Principales activités (1990). Production Braille :* 7 000 000 de pages imprimées, 285 nouveaux ouvrages traduits (250 copistes). Livre parlé : 213 nouveaux titres. *Bibliothèques* à Paris (1re bibl. fondée 1886), Lyon, Marseille, Nice, Rennes (250 000 volumes, soit 25 000 titres) ; bibliothèques sonores : 9 400 titres disponibles, 8 000 auditeurs et 6 000 lecteurs Braille. Prêts (gratuits). *1990* 93 300 volumes Braille et 379 800 cassettes.

■ **Formation professionnelle.** *Centre* à Paris (120 étudiants). Formation aux emplois de kinésithérapeute (dep. 1906), standardiste (1917), sténodactylo (1949). Cycle de formation permanente.

■ **Action sociale.** Fonds de secours. Centres de vacances et 87 groupes en province. *Institut médico-professionnel* (pour adolescents aveugles), 91380 Chilly-Mazarin. *Centre d'aide par le travail Odette Witkowska* (jeunes de 18 ans et +), 69110 Ste-Foy-lès-Lyon. *Atelier Protégé* 92240 Malakoff. *Auxiliaires des aveugles,* 19, rue du Gal-Bertrand, 75007 Paris. *Croisade des aveugles,* 15, rue Mayet, 75006 Paris. *Institut des jeunes sourds et des jeunes aveugles de France. Fédération des aveugles de France,* 58, avenue Bosquet 75007 Paris. *Fondation pour la réadaptation des déficients visuels. Groupement des intellectuels aveugles et amblyopes,* 5, av. Daniel-Lesueur, 75007 Paris. *Union des aveugles de guerre,* 49, rue Blanche, 75009 Paris.

■ **Publications.** « Le Louis Braille », « le Valentin Haüy », « la Causette » (Femme), « les Échos du Monde », « la Ronde Sonore », « la Revue musicale », « Et la Lumière fut », « La Canne Blanche » (12 000 ex.).

Maladies infectieuses

Définitions

■ **Bactéries.** Êtres unicellulaires possédant un noyau rudimentaire. **Taille :** de 2 à 45 microns. Visibles au microscope optique. **Formes :** *sphériques* (cocci), *associées en chaînes* (streptocoques), ou en *grappes* (staphylocoques) ; en *bâtonnets* (bacilles diphtérique, tuberculeux, entérobactéries, etc.) ; *incurvées* (vibrion cholérique) ; *spiralées* (spirilles).

Comportement : certaines exigent de l'oxygène libre *(aérobies)* ; d'autres l'extraient de ses combinaisons organiques *(anaérobies)* ; certaines sécrètent des *toxines* diffusibles dans l'organisme. **Statistiques :** en culture liquide, 1 bactérie peut donner naissance à plus de 1 milliard de bactéries. Il y a des milliers de bactéries utiles ou inoffensives *(saprophytes)*, et quelques centaines seulement dangereuses *(pathogènes)*. En 1975 sont apparues des bactéries résistant aux antibiotiques par un mécanisme extra-chromosomique transmissible d'une bactérie à l'autre (staphylocoques, entérobactéries, bac. pyocyanique, acinctobacter...).

☞ Entre bactéries et virus se situent des micro-organismes possédant les propriétés des unes et des autres mais rattachés aux bactéries (sensibilité aux antibiotiques) : *rickettsies, Chlamydia, mycoplasmes.*

■ **Étiologie.** Recherche et étude des causes des maladies (mécaniques, physiques, chimiques ou biologiques).

■ **Maladies.** Altérations de l'organisme définies par leurs causes (ex. : infections, intoxications) ou par leur localisation et leurs effets (ex. : maladies digestives, pulmonaires, nerveuses, etc.).

Maladies contagieuses : transmissibles, se communiquent à des sujets réceptifs *(épidémie :* groupement de nombreux cas ayant la même origine et de caractère extensif ; *pandémie :* épidémie qui s'étend à tout un continent ou au monde entier ; *endémie :* persistance pendant toute l'année de cas ne présentant pas de liens apparents entre eux ; *épizootie :* épidémie atteignant un grand nombre d'animaux et donnant lieu à des mesures de police sanitaire).

Maladies infectieuses : dues à des agents pathogènes (bactéries, virus, parasites) de différents types.

Maladies quarantenaires : maladies infectieuses entraînant des mesures sanitaires internationales (déclaration, isolement des malades, surveillance des suspects, contrôles sanitaires aux frontières) : choléra, peste, fièvre jaune et, autrefois, variole.

Maladies tropicales : *Paludisme :* 2 100 millions de personnes exposées et 100 millions de pers. infectées. *Schistosomiase* 600 et 200. *Filariose* lymphatique 900 et 90. *Onchocercose* 90 et 17. *Maladie de Chagas* 90 et 16 à 18. *Leishmaniose* 350 et 12. *Lèpre* 1 600 et 10 à 12. *Trypanosomiase* 50 et 25.

TRANSMISSION PAR VECTEURS (exemples) : *Paludisme :* moustique. *Onchocercose :* mouche. *Maladie de Chagas :* insecte. *Dracunculose :* ver. *Peste :* puce.

■ **Parasites.** Êtres uni- ou pluricellulaires, plus développés biologiquement que les bactéries, adaptés pour vivre aux dépens d'un être organisé. Dimensions et comportement variés (hématozoaire du paludisme, amibe dysentérique, vers, etc.). Les parasites végétaux (champignons inférieurs) causent des maladies appelées *mycoses.*

■ **Rétrovirus.** Famille de virus à ARN (acide ribonucléique) comprenant notamment des virus portant le gène du cancer (oncogène) pour les animaux et les virus du sida chez l'homme.

■ **Virus.** *Nombre connu :* + de 1 000 (le 1er découvert en 1892). TAILLE : de 14 à 300 millimicrons (millionièmes de mm). Visibles seulement au microscope électronique. COMPORTEMENT : parasites obligatoires de cellules vivantes, détruits par la chaleur, résistent à la congélation. Les cellules infectées par un virus sécrètent une protéine appelée *interféron* qui peut s'opposer à la pénétration d'un autre virus.

QUELQUES MALADIES

Légende. – AZ : anthropozoonose (maladie infectieuse des animaux pouvant se transmettre à l'homme). B : infection bactérienne. P : parasitose. R : rickettsiose. V : virose.

Le nombre de cas réels est souvent supérieur au nombre de cas déclarés ci-après.

■ **Bilharziose** (voir p. 130 b).

■ **Blennorragie** (voir p. 118 c).

■ **Botulisme** (B). CAUSE : bacille anaérobie sécrétant une toxine neurotrope. CONTAMINATION : par ingestion d'aliments (conserves mal stérilisées, charcuteries) contaminés par le bacille. SYMPTÔMES : troubles gastro-intestinaux, suivis de paralysies (pharyngées, oculaires et respiratoires dans les formes graves). TRAITEMENT : réanimation, respiration assistée. CAS EN FRANCE : *1989 :* 23 ; *1990 :* 49 ; *1991 :* 24 ; *92 :* 29.

■ **Brucellose (fièvre de Malte, mélitococcie)** (B) (AZ). Très répandue dans le bétail. Provoque des avortements (ovins, caprins, bovins). Diagnostic difficile chez l'animal. En France, en 1978, 98 % des bovins, 99 % des ovins et 99 % des caprins ont été reconnus indemnes. CAUSE : 3 espèces de bacilles (Brucella). CONTAMINATION HUMAINE : professionnelle dans 42 % des cas (agriculteurs, bergers, employés d'abattoirs, bouchers) ; consommation de fromage de chèvre. SYMPTÔMES : état fébrile prolongé, irrégulier (fièvre ondulante) ; sueurs, douleurs, rate hypertrophiée. Évolution souvent longue. COMPLICATIONS : ostéo-articulaires, nerveuses, psychiques. TRAITEMENT : antibiotiques. CAS EN FRANCE (localisée d'abord à l'île de Malte, elle s'est répandue dans les pays méditerranéens, puis apparut en France en 1908) : *1978 :* 889 (4 †) ; *1980 :* 685 ; *1985 :* 228 ; *1990 :* 125 ; *1991 :* 127.

■ **Chancre mou** (voir Index).

■ **Charbon** (B) (AZ). CAUSE : bactéridie charbonneuse (découverte par Davaine), sporulée. CONTAMINATION : autrefois par contact avec bétail infecté ; actuellement par manipulation de produits importés d'origine animale (poils, laine, peaux, os). Maladie professionnelle. SYMPTÔMES : pustule maligne (surtout à la face), œdème malin ; parfois septicémie. TRAITEMENT : antibiotiques. Devenu exceptionnel.

■ **Choléra** (B). CONTAGION : voie digestive (eau, aliments souillés par déjections), contact avec malades (bacille découvert en 1884). INCUBATION : moins de 5 j. SYMPTÔMES : vomissements, diarrhée ; déshydratation très rapide et grave. TRAITEMENT : réhydratation par perfusion veineuse ou par voie orale ; antibiotiques. 95 % de guérisons si la réhydratation est correcte. PRÉVENTION : maladie quarantenaire (mesures intern.), stérilisation de l'eau de boisson, abstention de crudités ; sulfamides, antibiotiques ; vaccin. ORIGINE : Afrique du Nord (essentiellement) ; aucun pays n'est à l'abri. Le choléra peut être importé mais s'éteindra rapidement si le pays jouit d'un niveau d'hygiène suffisant. Jusqu'au XIXe s., il fut confiné en Asie et en Inde. Il y resta endémique, se répandant parfois vers l'Ouest.

Pandémies : *1817* Inde, par voie maritime gagne Siam, Indochine, golfe Persique. *1821* Astrakan. *1823, 1827-37* Inde, gagne Moscou. *1829, 1831, 1832* Paris (1er cas en mars ; en 6 mois 18 402 †). *1832-37* 100 000 †. *1841* France atteinte [*1848-49* 110 000 † dont Paris 19 184 (15-10-1848 : par Dunkerque ; Paris envahi en mars 1849)]. *1851-54* France atteinte 143 478 †. *1856* Crimée, Bassin méditerranéen. *1865-73* arrivée à La Mecque (pèlerins musulmans de Java), atteint Égypte, Marseille (juin 1865), Paris (21-7-1865), revient en 1873 (Le Havre juin, Paris sept.). *1880-84* nouvel exode (*1880* La Mecque ; *1883* Égypte 28 616 †). *1884* France (Toulon 15-6) 11 769 † ; Espagne 119 931 † ; Italie 17 750 †. *1892* Russie 400 000 †. *1899, 1923, 1929* Iran. *1947* Égypte. *1961* provoqué par le vibrion El Tor à partir des Célèbes (Indonésie). *1964* Inde. *1965-66* Pakistan, Iran et Irak. *1970* Proche-Orient, Afr. du N. ; O. africain, Espagne. *1971* cas signalés : Afrique 155 873 (22 922 †) ; Bengale 61 526 (6 935 †) ; Indochine 21 604 (3 371 †) ; Europe 96 (4 †). *1972 :* 60 000. *1974 :* 99 141. *1979 :* 56 813. *1980 :* 42 164. *1981 :* 36 840. *1982 :* 54 856. *1983 :* 64 061. *1984 :* 28 893. *1985 :* 40 510. *1986 :* 46 473. *1987 :* 48 507. *1988 :* 44 083. *1989 :* 48 403. *1990 :* 70 084. **Cas importés en France :** *1981 :* 20, *1982 :* 21, *1983 :* 3, *1984 :* 1, *1985 :* 0, *1986 :* 35, *1987 :* 7, *1988 :* 0, *1989 :* 1, *1990 :* 6, *1991 (7-10) :* 7.

Situation dans le monde : *1991 :* 594 694 cas (13 998 †) dont Amérique 391 220 (4 200 †) [dont Pérou 322 562 (2 909 †), Équateur 46 320 (697 †), Colombie 11 979 (207 †), Bolivie 175 (12 †)]. Afrique 153 367 (13 998 †) [dont Nigeria 59 478 (7 654 †), Tchad 13 915 (1 344 †), Ghana 13 172 (409 †), Zambie 13 154 (1 091 †)]. Asie 49 791 (1 286 †) [dont Népal 30 648 (873 †), Inde 6 993 (149 †), Indonésie 6 202 (55 †)]. Europe 316 (9 †) [dont Roumanie 226 (9 †), Ukraine 75].

■ **Coqueluche** (B). Au Moyen Âge, les malades atteints par la toux et les accès de fièvre portaient des capuchons appelés « coqueluches ». CAUSE : bacille de Bordet-Gengou. Contamination directe par voie aérienne. INCUBATION : 6 à 12 j (8 en moyenne). SYMPTÔMES : quintes de toux spasmodiques avec reprise bruyante (chant du coq). DURÉE : 20 à 30 j. COMPLICATIONS : quintes asphyxiantes chez les tout jeunes enfants ; encéphalite ; infections respiratoires secondaires. TRAITEMENT : antibiotiques. PRÉVENTION : isolement (durant 30 j après le début des quintes). Injection précoce de gammaglobulines humaines aux sujets ayant été en contact avec un malade. Vaccin recommandé dès 2 mois. CAS DANS LE MONDE : chaque année, 60 millions d'enfants atteints dont 600 000 meurent. EN FRANCE : *1961 :* 5 516 (207 †). *1971 :* 668 (29 †). *1980 :* 100 (6 †). *1985 :* 86 (dep. 1986, env. 1 000 enfants de – de 1 an seraient hospitalisés chaque année). La déclaration n'est plus obligatoire.

■ **Coryza** (rhume de cerveau) (V). CAUSE : plusieurs variétés de virus. Chacun comporte de nombreux sérotypes, ce qui explique la répétition des rhumes et l'échec des essais de vaccination.

■ **Cryptococcose.** CAS EN FRANCE : *1991 :* 141.

■ **Dengue (ou fièvre rouge)** (V). Décrite pour la 1re fois en 1779. CAUSE : virus par un moustique *(Aedes Aegypti)* évoluant en zone urbaine. INCUBATION : 2 à 7 j. SYMPTÔMES : longtemps confondue avec fièvre jaune ou paludisme (symptômes identiques au début) : fièvre, abattement général, maux de tête, nausées, vomissements, douleurs musculaires et articulaires, éruption cutanée. Après quelques j, brève rémission puis reprise accentuée des symptômes qui régressent rapidement. DURÉE : 10 à 11 j, convalescence 15 j. COMPLICATIONS : hémorragies dans 1 % des cas (pas de rémission, hémorragies intestinales, cutanées et cérébrales). Guérison totale et sans séquelles mais chez les – de 15 ans risque d'état de choc avec défaillance circulatoire (15 % à 20 % de mortalité en l'absence de traitement). Vaccin à l'étude. PRÉVENTION : destruction des moustiques. ÉPIDÉMIES : *1897 :* Australie, *1926 :* Seychelles, *1927 :* Tunis, *1931 :* Formose. Fréquentes (tous les ans) en Asie du S.-E., Antilles et Amér. du S.

■ **Diphtérie** (B). CAUSE : bacille de Löffler (découvert par Klebs en 1883 et isolé par Roux en 1889). CONTAMINATION : directe par voie aérienne, parfois ind. (objets souillés). SYMPTÔMES : angine à fausses membranes ; ganglions cervicaux hypertrophiés ; signes toxiques (pâleur, fatigue). Parfois, angine maligne, noirâtre, avec intoxication grave (myocardite), souvent mortelle. Le *croup* est dû à la localisation des fausses membranes au larynx (dyspnée : gêne respiratoire, essoufflement, asphyxie). COMPLICATIONS : paralysies (voile du palais, accommodation), parfois généralisées. TRAITEMENT : sérum antidiphtérique, antibiotiques. PRÉVENTION : isolement de 30 j. Vaccination obligatoire avant 1 an (découverte de l'anatoxine par Ramon). CAS EN FRANCE : nombreux avant la vaccination systématique (1946). *1945 :* 45 000 (3 168 †). *1948 :* 7 235 (489 †). *1961 :* 726 (23 †). *1972 :* 43 (1 †). *1980 :* 1 †. *1981 :* 6 †. *1985 :* 4. *1989 :* 1. *1990 :* 0. *1991 :* 1.

■ **Dracunculose.** CAUSE : parasite transmis par l'eau de boisson contenant des cyclops (crustacés de 0,5 à 2 mm) contaminés par le *Dracunculus medinensis* (ver de Guinée ou filaire de Médine) ; devenu grand ver rond, il migrera dans le tissu conjonctif pour émerger à travers la peau, provoquant une ampoule puis un ulcère douloureux. EFFETS : invalidité de 2 à 4 semaines. COMPLICATION : invalidité permanente par ankylose et décès par tétanos, septicémie, gangrène ou phénomènes de compression rares. CAS : env. 3 millions par an [(Afrique : Nigeria 282 000), Inde, Moyen-Orient, 40 millions de pers. exposées].

■ **Dysenterie.** Maladie parasitaire ou bactérienne caractérisée par le syndrome dysentérique : diarrhée, émission de glaires et de sang par l'anus ; douleurs abdominales *(épreintes)* et anales *(ténesme)*. 2 formes :

a) Dysenterie amibienne (P) : Asie, Afrique et Amérique tropicales. CAUSE : amibe (protozoaire), parasite du côlon. CONTAMINATION : par voie digestive. SYMPTÔMES : syndrome dysentérique ; tendance aux rechutes. COMPLICATIONS : colite chronique ; amibiase hépatique (congestion, puis abcès du foie) ; parfois abcès du poumon. TRAITEMENT : imidazoles, émétine, arsenicaux, quinoléine. PRÉVENTION : surveillance des aliments et des eaux de boisson. CAS EN FRANCE : 1980 : 169. *1981 :* 31. *1982 :* 56. *1983 :* 24. *1984 :* 20. *1985 :* 20. *1986 :* 13.

b) Dysenterie bacillaire (shigellose) (B) : répandue dans le monde entier. CAUSE : plusieurs espèces de bacilles du genre *Shigella.* CONTAMINATION : *digestive :* aliments souillés, eau. SYMPTÔMES : syndrome dysentérique avec fièvre ou gastro-entérite aiguë plus bénigne (cas le plus habituel en France, isolée ou groupée en foyers : milieu familial, collectivités). COMPLICATIONS : rhumatisme. TRAITEMENT : sulfamides intestinaux, antibiotiques. CAS EN FRANCE : *1982 :* 373. *1983 :* 193. *1984 :* 271. *1985 :* 118. *1986 :* 76. Nombre réel : 500 à 700 cas par an.

Syndrome dysentérique épidémique des enfants (pays en voie de développement). CAUSES : *Shigella, Salmonella.* Risque de mort par déshydratation aiguë. TRAITEMENT : réhydratation rapide par solutés de glucose additionné de potassium et sodium. DÉCÈS (par an) : 3 200 000 – de 5 ans.

■ **Encéphalite épidémique** (V). CAUSE : virus filtrant. SYMPTÔMES : encéphalite aiguë avec coma, paralysie, troubles respiratoires. TRAITEMENT : aucun connu. ÉPIDÉMIES : XVIIe s. Italie et Hongrie ; XVIIIe et XIXe s. plusieurs épidémies en Europe ; XXe s. *France* (1916, 6 000 victimes) ; 1919-20 atteint le monde entier.

■ **Érysipèle** (B). CAUSE : streptocoque. SYMPTÔMES : plaque rouge limitée par bourrelet, née d'un foyer infectieux superficiel (nez, oreille) ; fièvre. DURÉE : 5 à 10 j. Peut récidiver. TRAITEMENT : antibiotiques.

■ **Fièvres hémorragiques virales. Fièvre de la vallée du Rift :** CAUSE : virus transmis par des moustiques ; réservoir naturel constitué par les rongeurs. TRAITEMENT : vaccin. CAS *1977,* Égypte : 20 000 (100 †).

Fièvre jaune (V) : CAUSE : virus amaril (arbovirus), transmis d'homme à homme et de l'animal (singe) à l'homme par un moustique : l'*Aedes aegypti* (découvert à Cuba en 1901 par la mission américaine). INCUBATION : 4 à 6 j. SYMPTÔMES : début brutal, fièvre élevée, ictère grave, vomissements noirs, hémorragies, néphrite. MORTALITÉ : 30 à 50 %. TRAITEMENT : symptomatique (réanimation). PRÉVENTION : maladie quarantenaire (mesures internationales) ; destruction des moustiques. *Vaccination* par virus atténué. ÉPIDÉMIES : meurtrières en Afrique tropicale et Amér. du Centre et du Sud [Kenya (1988-90 : 8 700 c., 2 700 †) ; Sénégal (1778, 1927) ; canal de Panama], parfois USA [Philadelphie 1793 (4 000 † sur 40 000 hab.) ; vallée du Mississippi 1878 (13 000 †) ; New York] ; Europe (moustiques importés l'été par des navires) : Barcelone 1821 (10 000 †). Actuellement, localisées, dues au relâchement de la prévention ou à l'existence chez les singes d'un réservoir de virus, que les moustiques peuvent transmettre en piquant l'homme *(fièvre selvatique)*. DÉCÈS DANS LE MONDE. *1986* : 754 †. *1987* : 958. *1988* : 1 714. *1989* : 800. *1990* : 400 [Afrique 347 dont Nigeria 223, Amér. du S. 69 (dont Bolivie 39)].

Dengue hémorragique (voir p. 129 c).

Fièvre à virus chikungunya : transmise par les moustiques. Complexe fièvre hémorragique de Crimée/Congo/Hazara. MORTALITÉ : 30 à 50 % en URSS et au Pakistan, rare en Afrique.

Maladie de la forêt de Kyasanur ; fièvre hémorragique d'Omsk : transmise par les tiques.

Fièvre hémorragique d'Argentine : CAUSE : virus Junin transmis par les rongeurs. CONTAMINATION : poussières, aliments souillés. INCUBATION : 7 à 16 j. SYMPTÔMES : frissons, maux de tête et nausées, suivis de fièvre. MORTALITÉ : 3 à 15 %.

Fièvre de Bolivie : CAUSE : virus Machupo, transmis par des rongeurs.

Fièvre de Lassa : CAUSE : virus transmis par les rongeurs. CONTAMINATION : par l'urine qui contamine les aliments, la poussière. SYMPTÔMES : peu spécifiques, début lent et insidieux. MORTALITÉ : 36 à 67 % formes graves.

Fièvre hémorragique avec syndrome rénal : transmise par des rongeurs. S'observe dans le N.-E. de la France (50 à 80 c. par an). MORTALITÉ : pas de décès. SYMPTÔMES : fièvre, céphalées, douleurs musculaires, signes oculaires, insuffisance rénale transitoire. TRAITEMENT : aucun connu.

Virus Marburg et Ebola : TRANSMISSION : mode non élucidé. SYMPTÔMES : maux de tête, fièvre, douleurs puis diarrhée conduisant à une déshydratation rapide. Hémorragies entre le 5e et le 7e j. PRÉVENTION : maladie quarantenaire. ÉPIDÉMIES : 2 au Soudan et Zaïre (318 cas, 280 †) en 1976 (virus Ebola). MORTALITÉ : 29 %.

■ **Fièvre Q** (voir Rickettsioses p. 132 a).

■ **Filariose** (voir Helminthiases p. 130 b).

■ **Grippe (influenza)** (V). CAUSE : virus grippal (origine asiatique). 3 types : A, le plus dangereux, sujet à des mutations et variations périodiques (virus A, A1 A2). B, plus bénin, se propage moins facilement. CONTAGION : directe par voie aérienne. INCUBATION : 1 à 3 j. SYMPTÔMES : fièvre, début brutal ; catarrhe trachéo-bronchique. DURÉE : 3 à 5 j. COMPLICATIONS : pneumonie, broncho-pneumonie ; danger chez les vieillards, les insuffisants respiratoires, les cardiaques. Asthénie prolongée de la convalescence. TRAITEMENT : antibiotiques (seulement contre les complications bactériennes). PRÉVENTION : *vaccin tué concentré et purifié* administré par voie parentérale et *v. vivant atténué*, par instillations ou pulvérisations nasales. Protection jusqu'à 80 % dans l'intervalle qui précède l'apparition de nouveaux variants du virus. Env. 8 000 000 de vaccinés chaque année en France : amantadine, rimantadine (réduisant l'infection de 70 à 90 %). Une *mutation* du virus rend caduque l'immunité acquise par une atteinte antérieure ou par vaccination ; il se produit alors une pandémie. Dans l'intervalle, les simples variations antigéniques provoquent des épidémies saisonnières.

Épidémies connues : 1530 (1re épidémie). **1729. 1733. 1782. 1830. 1847. 1889. 1918-19** : *grippe espagnole* (nom donné déjà en 1580 à une grippe sévissant en Allemagne) ; apparu en février 1918 en Chine (Canton), puis dans des camps militaires aux USA, il suivit l'armée amér. en Europe ; la 1re phase (été 1918) clouait le malade au lit 3 j ; la 2e (automne 1918) et la 3e (janvier 1919) tuaient en 3 j. 15 à 25 millions de personnes dans le monde [dont Inde 6 000 000, USA 600 000, France 408 180 (dont 30 382 cas dans l'Armée de Terre du 1-5-1918 au 30-4-1919, dont Guillaume Apollinaire en nov. 1918), Japon 246 000], Ste-Hélène, seule, ne fut pas touchée. Le virus, découvert en 1933, réapparut aux USA en 1976 (500 cas dans le New Jersey). **1947** : 60 000 † en 6 mois aux USA, **1968** : 80 000 † en 6 mois aux USA.

Nombre de décès attribués à la grippe en France (causes directe et indirecte)

60	12 323	*70*	7 264	*80*	1 084
61	2 471	*71*	4 065	*81*	2 947
62	7 092	*72*	4 797	*83*	2 278
63	8 867	*73*	8 906	*84*	627
64	2 447	*74*	4 375	*88*	1 020
65	9 309	*75*	4 806	*89*	1 323
66	3 116	*76*	5 336	*90*	2 110
67	4 160	*77*	2 600	*91 (prov.)*	421
68	8 253	*78*	3 502		
69	15 070	*79*	1 054		

Statistiques annuelles en France : CAS : en moyenne 20 % des Français sont atteints chaque année (12 % se font vacciner). COÛT (en milliards de F) : soins médicaux 0,7 à 3, journées de travail perdues 24 millions, soit un coût de 6 à 12.

■ **Helminthiases** (P). Maladies parasitaires causées par diverses classes de vers.

1°) **Cestodes** (vers plats rubannés) : contamination par ingestion de porc ou bœuf pour les ténias, de poissons pour le bothriocéphale. Exception : le *ténia échinocoque* (stade larvaire chez l'homme), les *larves* (cysticerques) produisent les *kystes hydatiques*.

2°) **Trématodes** (vers plats ovalaires) : contamination par ingestion de poissons ou végétaux d'eau douce : douves, qui provoquent la *distomatose* (hépatite toxi-infectieuse) ; à partir d'eaux polluées par des déjections urinaires ou fécales : *bilharzioses, schistosomiase* voir p. 132 b dues à des vers plats [les *schistosomes* ou *bilharzies* : 200 millions de cas dans le monde (Égypte, Afrique tropicale) ; 200 000 à 500 000 décès par an : vaccin en préparation], intestinale (Amér. du S., Antilles), artérioveineuse (Japon, Philippines).

3°) **Nématodes** (vers cylindriques) : comprennent : *a) Parasites intestinaux* : ascaris, trichocéphales et oxyures (contamination par ingestion de larves) ; ankylostomes, anguillules (les larves pénètrent à travers la peau) ; trichines (ingestion de viande de porc mal cuite). *b) Parasites des vaisseaux lymphatiques ou du tissu cellulaire sous-cutané* : les *filaires*, transmises par des insectes vecteurs (*filariose* : filaire de Bancroft, 250 millions de cas dans le monde ; filaire loa-loa, *onchocercose* ou cécité des rivières voir p. 127 b) ou par ingestion d'un petit crustacé (filaire de Médine). TRAITEMENT : vermifuge. PRÉVENTION : lutte contre les mollusques, assèchement des plans d'eau inutiles, suppression des plantes d'eau, etc.

CAS EN FRANCE : 1975 : 4 346 (460 †). *USA* : *1975* : 56 134. *1976* : 56 795.

■ **Hépatites virales** (V). **Hépatite A** : CONTAMINATION : par ingestion (eau, aliments). INCUBATION : 3 à 6 semaines. PRÉVENTION : hygiène alimentaire ; injection préventive de gammaglobulines humaines polyvalentes ; vaccination (protection à 96 % dès la 1re injection ; type Salk : virus tué). **Hépatite B** : CONTAMINATION : par voie sexuelle de mère à enfant, par inoculation de sang ou de plasma infecté, quelquefois par voie orale ou par contamination professionnelle. INCUBATION : 2 à 3 mois. CAUSE : virus apparenté à l'antigène *Australia* (HBD), plus directement associé à l'hépatite B. SYMPTÔMES : début par fièvre, troubles digestifs (nécrose du foie) ; puis *ictère* (jaunisse) durant 3 semaines environ. COMPLICATIONS : hépatites chroniques, cirrhoses, hépatites fulminantes. TRAITEMENT : interféron alpha, repos, régime. PRÉVENTION : recherche de l'antigène HB chez les donneurs de sang ; élimination des porteurs, injection de gammaglobulines spécifiques anti-HB. VACCIN : antigène d'enveloppe (AgHBs) du VHB produit par recombinaison génétique (obligatoire pour professions exposées) dep. 1981. **Hépatite C** (anciennement non A, non B ressemblant au B) : CONTAMINATION : par sang ou dérivés sanguins infectés, toxicomanie, contact professionnel. INCUBATION : 6 semaines. SYMPTÔMES et COMPLICATIONS : analogues à l'hépatite B. TRAITEMENT : aucun, pas de vaccin. PRÉVENTION : recherche systématique des anticorps anti-VHC chez les donneurs de sang. **Hépatite D** : virus défectif ne peut se répliquer qu'en présence du VHB dont il utilise l'enveloppe (AgHBs). TRANSMISSION, INCUBATION, PRÉVENTION : superposables au VHB dont la prévention protège du VHD. **Hépatite E** (anciennement non A-non B, ressemblant au A). Cas observés en France correspondant aux sujets revenant de pays en voie de développement. TRANSMISSION : orale (eau, aliments). INCUBATION : 5 semaines. PRÉVENTION : hygiène. **Hép. virale professionnelle** : des sujets effectuant le prélèvement, le conditionnement ou l'emploi du sang humain ou de ses dérivés. FORMES CLINIQUES POSSIBLES (quel que soit le virus) : **Hépatite asymptomatique** (infection sans expression clinique de la maladie). **H. symptomatique** : *h. aigüe* (avec coma, peut évoluer vers la mort. TRAITEMENT : repos, régime). *H. chronique* (uniquement possible avec VHB, VHC et VHD) : asthénie (fatigue), hépatomégalie (gros foie). TRAITEMENT : anti-viraux (interféron). DÉCLARATION : oblig. en France dep. 1973. STATISTIQUES : *porteurs du virus B* : 300 millions (Occident 0,1 à 0,5 % de la population ; Amér. du Sud, Japon 1 à 2 % ; Afr. du Nord, M.-Orient, E.-Orient 2 à 5 % ; Afr. intertropicale, Asie du S.-Est 5 à 15 %). DÉCÈS : 2 millions par an par cancer du foie ou cirrhose. CAS EN FRANCE : 1984 : 2 270 (262 †). *1985* : 1 641. *1986* : 1 062. *H. chroniques* (1991) : 9 000. VHC (prévalence estim.) : 1 000 000. *Nombre d'h. aigües pour 100 000 hab.* (1991) : A 9,4 ; B 2,7.

■ **Kuru.** Transmis lors des rites funéraires chez les Fore (tribu de Nlle-Guinée qui mangeait la cervelle des morts) par les *prions* agents infectieux mal identifiés qui provoquent des encéphalopathies subaiguës spongiformes. Découvert en 1957, à cette époque tuait 200 personnes par an (soit 1 sur 150), les autochtones étant génétiquement prédisposés au mécanisme infectieux.

■ **Légionellose (maladie du légionnaire).** CAUSE : *Legionella pneumophila,* germe en forme de bâtonnet, mode d'action en grande partie inexpliqué. En 1976, 200 congressistes de l'American Legion réunis à Philadelphie avaient été atteints et 29 étaient morts. SYMPTÔMES : pneumonie aiguë, forte fièvre. TRAITEMENT : antibiotiques. CAS : *USA* : 25 000 par an. *France* : *1984* : 223. *1988* : 429. *1989* : 383. *1990* : 490. *1991 (prov.)* : 65.

■ **Leishmaniose** (P) (AZ). CAUSE : *leishmania,* parasite des cellules de l'homme et d'animaux (chiens, rongeurs sauvages). CONTAGION indirecte par piqûre d'un insecte vecteur. *2 formes : a) cutanée* (bouton d'Orient), dans le Bassin méditerranéen : lésion croûteuse et ulcérée sur la peau ; durée : 2 à 12 mois ; *b) viscérale* (Kala-Azar) : Inde, Bassin méditerranéen. En France, le chien est le réservoir du virus. SYMPTÔMES : fièvre prolongée, irrégulière ; hépatosplénomégalie (augmentation du volume du foie et de la rate) ; anémie ; cachexie. TRAITEMENT : diamidine, antimoniaux. CAS DANS LE MONDE (350 millions de pers. menacées) : *1992* : 12 millions dont Afrique, Amér. du Sud, Inde. EN FRANCE : env. 30 par an.

■ **Lèpre.** *720* : apparue en France avec les Sarrasins. Nombreux ravages à l'époque des Croisades. *1225* : s'étend de la Provence dans toute la France (il y aura 2 000 léproseries v. *1550*). *V. 1664* : disparaît presque complètement. CAUSE : *Mycobacterium leprae,* bacille découvert par le Norvégien Hansen, en 1873. CONTAMINATION : contact prolongé avec un lépreux contagieux. INCUBATION : longue (2 à 5 ans en moyenne, parfois beaucoup plus). SYMPTÔMES : débute par une macule (tache) indéterminée. Puis évolue vers 2 formes extrêmes (dites polaires) entre lesquelles existent de nombreuses formes intermédiaires (interpolaires). *1°) Forme tuberculoïde* : macules décolorées anesthésiques, lésions nerveuses (névrites, troubles trophiques), lésions osseuses. Aboutit à des déformations et mutilations. Se voit chez les sujets ayant une bonne défense immunitaire. Peu contagieuse et très sensible au traitement (min. 6 mois). *2°) Forme lépromateuse* : nodules (lépromes), rhinite bacillifère, lésions viscérales et oculaires. Accidents neurologiques tardifs. Survient chez les sujets ayant une mauvaise défense immunitaire. Forme grave et contagieuse. TRAITEMENT (min. 2 ans) : sulfones (depuis 1941), rifampicine (très active), clofazimine (lamprène), thioamides (éthionamide-protionamide). Association indispensable de plusieurs antibiotiques. Dans les états réactionnels, intérêt des corticoïdes, de la clofazimine, de la thalidomide (sous certaines conditions) et parfois de la chirurgie décompressive. Chirurgie réparatrice. PRÉVENTION : vaccin spécifique à l'étude. FONDATION : Raoul Follereau, 31, rue de Dantzig, 75015 Paris. CAS DANS LE MONDE (en millions, au 1-7-1992) : 5 à 6 (12 à 15 selon certains) dont 3,2 connus (dont Inde 2, Brésil 0,26, Nigeria 0,16, Myanmar 0,07, Indonésie 0,1). CAS DÉCLARÉS EN FRANCE MÉTROPOLITAINE : *1981* : 13. *1982* : 14. *1983* : 17. *1984* : 9. *1985* : 15. *1986* : 7. *1990* : 3.

■ **Leptospirose** (spirochétose ictéro-hémorragique) (B) (AZ). CAUSE : diverses espèces de leptospires (organismes spiralés). Découverte par Inada et Ido en 1914. CONTAMINATION : immersion dans l'eau souillée par l'urine des rats. Souvent maladie professionnelle : égoutiers. SYMPTÔMES : fièvre, douleurs musculaires, ictère, atteinte rénale, méningite. TRAITEMENT : antibiotiques. CAS DÉCLARÉS EN FRANCE : *1988* : 670, *1989* : 560, *1990* : 611. Taux pour 100 000 h. : métropole 0,53, Antilles-Guyane 10, Réunion-Mayotte 12,8, Nlle-Calédonie 113, Tahiti 50.

■ **Listériose.** CAUSE : microbe : *listeria.* Rare, mais mortelle pour env. 1/3 des cas. *Groupes à risque* : femmes enceintes et enfants qu'elles portent, cancéreux soumis à des chimiothérapies qui diminuent l'immunité naturelle, alcooliques, toxicomanes, diabétiques, vieillards et malades atteints du sida. *Princi-*

paux produits concernés : lait, produits laitiers, viande et surtout produits à base de viande crue, charcuteries, légumes et salades consommés crus, fruits de mer. Les listeria peuvent se multiplier aux températures de réfrigération (4 à 6 °C). *Aliments exempts de listeria :* pasteurisés, irradiés, cuits, ou conservés au vinaigre, à condition que toute recontamination ultérieure ait été évitée. CAS EN FRANCE : *1992 :* 279.

■ **Maladie de Lyme.** *Décrite* 1910 par A. Afzelius (Suédois). *Identifiée :* 1975, par Allen Steere, à Lyme (Connecticut, USA). CAUSE : due à un spirochète *(Borrelia burgdorferi* découvert 1982), provoquée par la piqûre d'une tique forestière, l'*Ixodes ricinus* ou *dammini* (la fixation de la tique doit durer au moins 24 h pour que l'infection se produise). SYMPTÔMES : dans 70 % des cas, éruption cutanée (claire au milieu, rouge sombre à la périphérie) (érythème migrant), qui survient jusqu'à un mois après la morsure de la tique, parfois fièvre, raideurs articulaires et fatigue intense. TRAITEMENT : antibiotiques (absence de traitement : arthrites, atteinte cardiaque, méningite, névrites, paralysie, encéphalites). CAS ANNUELS EN FRANCE : env. 1 000 (USA 15 000).

■ **Méningite bactérienne** (B). CAUSE : méningocoque [dans le rhino-pharynx de nombreux sujets ; quelques-uns font une méningite (30 % des cas), *Haemophilus influenzae* (50 %), pneumocoques (20 %)]. CONTAMINATION : directe par mucosités pharyngées. INCUBATION : 2 à 4 j. SYMPTÔMES : syndrome méningé (céphalée, raideur de la nuque), fièvre élevée ; pus dans le liquide céphalo-rachidien. COMPLICATIONS : septicémie, purpura, arthrites. TRAITEMENT : antibiotiques (autrefois 50 % de décès, actuellement moins de 5 %). PRÉVENTION : antibiothérapie des sujets en contact avec le malade. Vaccins contre *Haemophilus influenzae,* méningocoques A (Afrique) et C (pays anglo-saxons), non contre B (60 % des méningites à méningocoques en France).

CAS EN FRANCE (méningite cérébrospinale à méningocoques) : *1981 :* 1 374 (107 †). *1985 :* 840 (65 †). *1986 :* 859 (40 †). *1987 :* 621 (38†). *1988 :* 511 (32 †). *1989 :* 513. *1990 :* 426. *1991 :* 429.

■ **Monkeypox humain.** Zoonose rare. *Nombre de cas :* 400 en Afrique de 1970 à 87.

■ **Mononucléose infectieuse** (V). CAUSE : virus EB (virus Epstein-Barr). SYMPTÔMES : fièvre, angine, fluxion des ganglions du cou, splénomégalie (grosse rate) discrète ; présence dans le sang de mononucléaires basophiles. DURÉE : de 2 à plusieurs semaines. COMPLICATIONS : hépatite, méningo-encéphalite (rares). TRAITEMENT : corticoïdes (discutés). FRÉQUENTE chez jeunes adultes. MORTALITÉ exceptionnelle. CAS EN FRANCE : 70 000 à 100 000 par an.

■ **Mycoses** (P). CAUSES : champignons microscopiques (par action directe et par sensibilisation). NOMBREUSES VARIÉTÉS : mycoses superficielles de la peau *(teignes, candidoses)* et des muqueuses *(muguet),* m. *sous-cutanées (sporotrichose, mycétomes),* m. *profondes (aspergillose, histoplasmose).* Évolution lente, chronique. TRAITEMENT : antifongiques.

■ **Oreillons** (V). CAUSE : virus ourlien. CONTAGION directe par voie aérienne. INCUBATION : 21 j. SYMPTÔMES : gonflement bilatéral des glandes parotides. DURÉE : 5 à 6 j. COMPLICATIONS : orchite, pancréatite ; méningo-encéphalite. TRAITEMENT : repos au lit. PRÉVENTION : isolement jusqu'à guérison clinique ; vaccin (USA). CAS EN FRANCE : env. 120 000 par an.

■ **Ornithose** (AZ). CAUSE : *Chlamydia psittachi.* CONTAMINATION : inhalation de poussières contenant des excréments d'oiseaux infectés (pigeons). SYMPTÔMES : fièvre, pneumonie atypique (durée : 8 à 10 j). La *psittacose,* transmise par les perroquets, est plus grave. TRAITEMENT : antibiotiques.

■ **Paludisme (malaria)** (P). CAUSE : hématozoaire de Laveran, parasite des globules rouges (le plus répandu : *Plasmodium falciparum* responsable des formes mortelles et graves de p.). CONTAGION : indirecte par piqûre de moustique (400 espèces d'anophèles identifiés dont env. 80 vecteurs de paludisme) se nourrissant d'hémoglobine riche en fer. SYMPTÔMES (paludisme de 1re invasion) : incubation 8 à 15 j, fièvre, embarras gastrique fébrile. ÉVOLUTION : Éclatement des globules rouges pénétrés par les protozoaires parasites microscopiques que contient l'anophèle ; de jeunes parasites sont libérés et pénètrent dans de nouvelles hématies ; plus tard, accès fébriles intermittents, tous les 2 ou 3 j, causés par la libération de substances lors de l'éclatement. TRAITEMENT : antimalariques de synthèse (chloroquinine, amodiaquine), quinine, méfloquine, paluther (tiré de plante chinoise), artémisinine (ou ginghoasu). PRÉVENTION : traitement des eaux : DDT sur les marais, lacs, etc., écoulement des eaux stagnantes, suppression des mares d'eau inutiles, création de courants chassant les larves ; pulvérisations d'insecticides. En cas de *voyage* en zone de paludisme, prise quotidienne de chloroquinine (Nivaquine) dès le départ et les 2 mois suivant le retour (dans certaines zones, le parasite résiste et la méfloquine sera nécessaire). CAMPAGNE D'ÉRADICATION : OMS a commencé en 1955 (144 pays étaient atteints, 2 milliards d'hommes étaient anémiés, 3 millions et demi en mouraient).

STATISTIQUES DANS LE MONDE : 2 milliards de personnes vivent dans des pays où la situation est instable ou se détériore, dont 500 millions dans des pays à risque élevé. *Cas* (en millions) : 270 (signalés 27,4 en 1990). *Décès :* plus d'1 million.

EN FRANCE : *cas annuels :* 4 000 à 4 500. *Cas autochtones :* une dizaine.

■ **Peste** (B) (AZ). CAUSE : bacille de Yersin. CONTAMINATION : maladie du rat et des rongeurs sauvages, transmise à l'homme par la *puce* (le rat noir serait davantage porteur que le rat gris). INCUBATION : 2 à 5 j. SYMPTÔMES : a) *peste bubonique :* fièvre élevée, délire ; ganglion suppuré dans l'aine ou l'aisselle. b) *peste pulmonaire :* pneumonie, transmise directement d'homme à homme, très grave. COMPLICATIONS : septicémie. TRAITEMENT : antibiotiques (ont réduit la mortalité). PRÉVENTION : maladie quarantenaire (mesures internationales) ; port d'un masque pour le personnel soignant ; vaccin ; chimioprophylaxie ; lutte contre les rats ; désinsectisation. QUELQUES ÉPIDÉMIES : *Avant J.-C. : 1285, 700* (env. tous les 15 ou 20 ans), *431* (Athènes). *Après J.-C. : 542* (Paris) ; *994, 1027, 1035, 1043, 1232* (Chine), *1347-52* (peste noire, 25 millions de † en Europe), *1537, 1548, 1566, 1568, 1580, 1628* (Lyon et Paris, + de 40 000 †), *1630-31, 1638, 1654* (Danemark), *1657* (Suède), *1665* (G.-B., 75 000 † à Londres en 7 mois, peste bubonique et pulmonaire), *1668* (Suisse), *1669* (P.-Bas), *1681* (Espagne), *1713* (Moscou), *1720* (Marseille et Provence, 85 000 †), *1722* (France), *1815-24* (Constantinople), *1834-35* (Le Caire), *1867-1892* (Irak), *1879* (Russie), *1894* (Chine, de Canton essaime sur tous les continents), *1898-1908* (Inde, 6 032 693 †), *1901* (Formose, 3 670 †), *1907* (Birmanie, 9 249 †), *1908* (USA), *1911* (Mandchourie, 60 000 † ; Inde, 840 000 †), *1914* (Ceylan, 401 † ; Hong Kong, 2 020 †), *1916* (Ét. de New York, 13 000 c.), *1917* (Mongolie, 16 000 †), *1920* (Mandchourie, 93 000 †) ; *France* (peste des chiffonniers 34 †), *1930* (Chine, 20 000 †), *1961 à 70* (2 000 cas annuels déclarés dans le monde), *1985 :* 483 (51 †), *1986 :* 1 003 (115 †), *1987 :* 1 055 (215 †), *1988 :* 1 363 (153 †), *1989 :* 770 (104 †), *1990 :* 1 250 (127 †) dont Viêt-nam 405 (20 †), Tanzanie 364 (32 †), Madagascar 228 (55 †), Chine 75 (2 †), Botswana 70 (3 †), Kenya 44 (8 †), Pérou 18 (4 †), Brésil 18, Mongolie 12 (5 †), Bolivie 10 (2 †), Europe 4 (URSS 2). *1992* (janv.-août) : Zaïre 191 (78 †). Quelques cas autochtones observés en Corse depuis 1970 (côte orientale, cap Corse).

■ **Pian** (P). CAUSE : tréponème voisin de celui de la syphilis. TRANSMISSION par contact cutané. SYMPTÔMES : ulcérations cutanées, lésions bourgeonnantes et suintantes. COMPLICATIONS : osseuses déformantes. TRAITEMENT : pénicilline (excellents résultats par traitement de masse). Morbidité et mortalité inconnues.

■ **Poliomyélite** (V). CAUSE : virus de 3 types (I, II, III). Reconnue 1840 par Heine et 1890 par Medin. En 1909, Karl Landstenner découvrit une immunité. CONTAMINATION : par voie digestive (eau). INCUBATION : 4 à 15 j. SYMPTÔMES : tous les sujets infectés ne présentent pas de symptômes : certains font une *maladie mineure* (angine, troubles digestifs) ; d'autres font ensuite une maladie *majeure* (méningite) ; parmi eux, certains font une *paralysie* à début brusque, plus ou moins étendue. *Forme grave :* paralysie respiratoire. SÉQUELLES : paralysies définitives. TRAITEMENT : rien pour la forme courante ; respiration assistée et réanimation pour les paralysies respiratoires. PRÉVENTION : vaccination : virus atténué (vaccin Sabin par voie orale) ou inactivé (vaccin Salk-Lépine par injection). CAS DANS LE MONDE (déclarés à l'OMS). *1988 :* 32 581 ; *89 :* 25 903 ; *90 :* 15 809 (sans Afrique 3 252 en 89) dont Amérique 18, Asie, Moyent-Orient 1 422, Sud-Est asiatique 8 022, Pacifique occ. 5 963, Europe 384 (surtout ex-URSS). EN FRANCE : *1957 :* 4 000 ; *61 :* 1 513 (126 †) ; *79 :* 14 ; *80 :* 8 ; *81 :* 8 ; *82 :* 14 ; *83 :* 3 ; *84 :* 7 ; *85 :* 2 ; *86 :* 5 ; *87 :* 3 ; *88 :* 1 ; *89 :* 2 ; *90 :* 0 ; *91 :* 0.

■ **Psittacose** (V). CAUSE : chlamydia. SYMPTÔMES : pneumonie aiguë fébrile avec toux, douleurs thoraciques et parfois encéphalites ou péricardites. Peu fréquente. TRAITEMENT : antibiotiques. CAS EN FRANCE : 1979 : 11. *1980 :* 8. *1982 :* 14.

■ **Rage** (V) (AZ). CAUSE : virus rabique. CONTAMINATION : contact d'une blessure (morsure, griffure ou léchage sur blessure) avec la salive d'un mammifère enragé : chien, chat, chauve-souris [insectivores (sérotines), dans certains pays d'Amérique, les chauves-souris vampires hématophages contaminent le bétail], renard ; bovins, chevaux et autres herbivores sauvages sont atteints par la rage et en meurent mais ne la transmettent qu'exceptionnellement à d'autres animaux ou à l'homme, sauf si ce dernier « explore » la gueule des herbivores suspects (paralysie de la mâchoire) ; très exceptionnellement par gouttelettes en suspension dans l'air aspirées par inhalation [prévention : vaccination massive du bétail ; vampires badigeonnés d'anticoagulant et relâchés pour qu'ils contaminent le reste de la colonie ; limitation des renards (la « prime à la queue » a été abandonnée en 1990) ; vaccination des renards par distribution d'appâts contenant un vaccin antirabique vivant atténué ou un vaccin préparé à partir de la glycoprotéine de l'enveloppe du virus rabique (obtenu par génie génétique)]. SYMPTÔMES : *chez l'homme :* hydrophobie, spasmes de la gorge, convulsions, paralysies des membres jusqu'à la mort ; *chez l'animal : rage furieuse :* excitation générale (se méfier aussi de l'animal habituellement agressif devenu subitement doux, affectueux...), bave, mord, griffe ; *rage mue :* prostration, paralysie des muscles (difficile à déceler, le chat cherche les coins sombres, miaule plaintivement ou peut passer par des crises de furie). *Décès :* 100 % en 2-3 j. PRÉVENTION HUMAINE : *vaccination* des professions exposées (voyageurs se rendant dans des pays infectés). ANIMALE : *vaccination des animaux domestiques :* 2 injections à 15 j ou 1 mois d'intervalle pour les carnivores ou 1 inj. seulement avec certains vaccins agréés (chien dès 3 mois, chat dès 6 semaines), 1 seule inj. pour les herbivores. *Rappel :* carnivores 1 par an, bovins tous les 2 ans (avec certains vaccins agréés). IDENTIFICATION DES ANIMAUX : tatouage obligatoire pour valider la vaccination des carnivores. *Vaccination obligatoire* dans les départements officiellement atteints : les chiens non vaccinés doivent être tenus en laisse et les chats doivent rester enfermés.

CONDUITE À TENIR : éviter de toucher à mains nues, mort ou vivant, un animal sauvage ; ne jamais laisser son animal familier en liberté dans une forêt ; ne jamais caresser et surtout adopter un animal que l'on ne connaît pas. Agir immédiatement dès que l'on a un doute sur la possibilité d'une contamination, morsure ou griffure : laver immédiatement la plaie à grande eau (additionnée de savon) ; éviter de suturer la plaie ; consulter le médecin le plus proche ou l'Institut Pasteur ou un centre de traitement antirabique qui administrera le vaccin antirabique et la préparation de gammaglobulines si nécessaire. Identifier l'animal qui a mordu ; obtenir nom et adresse du propriétaire pour faire exécuter dans les 48 h les examens vétérinaires (exigés par la loi) qui doivent se poursuivre dans les 15 j (traitement antirabique interrompu si l'animal reste sain 5 j) ; prévenir immédiatement la gendarmerie (si l'animal a été abattu, conserver le cadavre au froid et le remettre à un service vétérinaire). Si les examens sont positifs, aller aussitôt à l'Institut Pasteur ou à l'un des 65 centres ou antennes antirabiques de France. TRAITEMENT : *s'il y a eu contact sans lésions* avec un animal présumé enragé, aucun traitement vaccinal, sinon 6 injections de vaccin aux jours 0 (1re consultation), puis 3, 7, 14, 30 et 90. Protocole réduit : 4 doses, (2 au jour 0, 1 aux j. 7 et 21). Associer au vaccin une injection de sérum antirabique en cas de morsures multiples ou de morsures graves (face, mains, organes génitaux) ou de morsure par animal sauvage. *Une fois la rage déclarée :* sédatifs pour soulager anxiété et douleur ; respiration assistée (resp. artificielle, trachéotomie) ; médicaments pour combattre les contractions spasmodiques des muscles ; hydratation et normalisation des fonctions rénales par perfusion intraveineuse avec contrôle contre les arrêts cardiaques ; gammaglobulines humaines antirabiques.

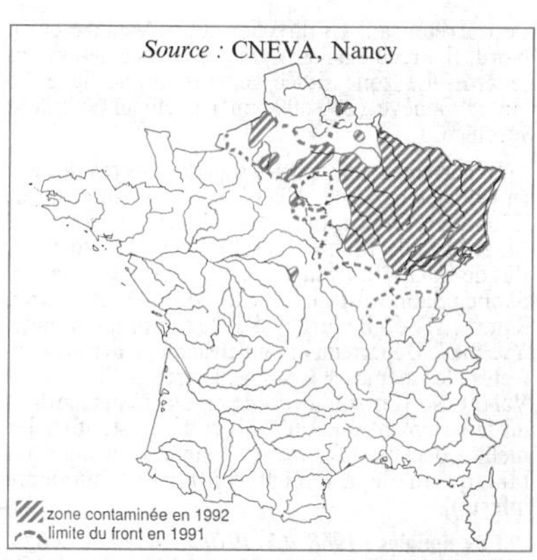

Rage animale. Statistiques : EN FRANCE : rage du chien disparue depuis 1928, rage du renard réapparue le 26-3-1968, en Moselle. Dep. 1978, le front de rage, qui progressait de 40 km par an vers l'ouest, s'est arrêté, sauf en direction de la Manche et du Nord. Il a reculé ailleurs grâce à la vaccination des renards. La zone située au nord d'une ligne Le Havre-Genève (200 000 km²) a été entièrement vaccinée.

Départements où ont été signalés des cas de rage en 1991 : Ain, Aisne, Allier, Ardennes, Aube, Cher, Côte-d'Or, Doubs, Eure, Jura, Marne, Hte-Marne, M.-et-Moselle, Meuse, Moselle, Nièvre, Nord, Oise, Pas-de-Calais, B.-Rhin, Ht-Rhin, Rhône, Hte-Saône, Saône, Saône-et-Loire, Seine-Mar., S.-et-Marne, Somme, T. de Belfort, Val-d'Oise, Vosges, Yonne, Yvelines. **Départements officiellement déclarés infectés :** les mêmes + Essonne, Loiret, S.-St-Denis et Val-d'Oise. [Lorsqu'un cas de rage a été signalé dans un département, quel qu'il soit, ce dép. reste officiellement « déclaré infecté » les 3 années suivantes (et tant qu'un département contigu est lui-même infecté)].

Cas signalés : *1968 :* 63. *1970 :* 514. *1975 :* 2 029. *1979 :* 1 705. *1980 :* 1 618. *1981 :* 2 349. *1986 :* 2 463. *1987 :* 2 068. *1988 :* 2 225. *1989 :* 4 213. *1990 :* 2 165 (dont *animaux sauvages :* renards 1 683, blaireaux 37, chevreuils 18, autres 60 ; *animaux domestiques :* chiens 38, chats 83, bovins 100, ovins et caprins 143, équins 33. *Total de mars 1968 à déc. 1991 :* 48 067 (dont renards 37 201).

Rage humaine. DANS LE MONDE. *Décès :* 60/80 000 par an (dont + de 50 % en Chine, Birmanie, Viêt-nam, Inde et Thaïlande, où la religion interdit souvent de tuer les animaux). *Cas déclarés à l'OMS (1990) :* 25 000. EN FRANCE. *Décès : cas autochtones :* 0 dep. 1968 ; *importés :* 3 dep. 1982 (1982, 91, 92). *Consultations en 1991 :* 15 660 dans les centres antirabiques [9 661 personnes traitées (61,69 %)].

■ **Rickettsioses** (R). Maladies causées par des rickettsies (diamètre : 1 micron), parasites des cellules, sensibles aux antibiotiques. 5 grands groupes :

a) Typhus exanthématique. TRANSMISSION : d'homme à homme par le *pou* (découvert en 1909). INCUBATION : 14 j. SYMPTÔMES : fièvre élevée, torpeur, éruption de taches rosées. COMPLICATIONS : cardiaques, artérites. PRÉVENTION : épouillage ; vaccin (1er employé : celui de Weigl). STATISTIQUES : dans le passé, nombreuses épidémies surtout pendant les g. [ex. g. de Trente Ans, campagne de Russie de Napoléon, g. de Crimée 1854-55, g. russo-turque de 1878, 1914-18 (Russie)]. 30 % de décès avant les antibiotiques. *253 peste de St-Cyrien. 1623* paraît pour la 1re fois (à Montpellier après le siège de cette place). *1649-50* épidémie en Languedoc et Saintonge. *1794-99* littoral méditerranéen. *1806* Est. *1807* Aube et Yonne. *1808* Gascogne. *1812* Yonne et Côte-d'Or. *1814* bords du Rhin et grande partie de la Fr. *1918-22* Russie 30 000 000 de cas, 3 000 000 de †. *1940-45* dans les camps de déportés et sur le front oriental. *1980 :* 7 506 c. (Afr. 7 432, Amér. Centre et Sud 74), 18 † (Afr. 10, Amér. Centre et Sud 8).

b) Typhus murin (AZ). TRANSMISSION : du rat à l'homme par les *puces.* SYMPTÔMES : cf. précédents (moins graves).

c) Fièvres boutonneuses pourprées (AZ). TRANSMISSION : par morsures de tiques infectées sur des animaux (rongeurs sauvages, chien). SYMPTÔMES : fièvre, éruption boutonneuse (papules saillantes). Amérique et Méditerranée.

d) Fièvre des broussailles (scrub-typhus) (AZ). TRANSMISSION : par morsure de larves d'acariens infectés sur des rongeurs. SYMPTÔMES : fièvre, éruption maculeuse, escarre au point d'inoculation. Maladie rurale d'Extrême-Orient et îles du Pacifique (armées alliées : 12 000 cas en 1941-44).

e) Fièvre Q (AZ). CONTAMINATION : surtout par inhalation de poussières infectées par divers animaux (bétail). SYMPTÔMES : fièvre, pneumonie atypique (pneumopathie aiguë fébrile avec toux, dyspnée et cyanose). Maladie découverte en Australie et répandue dans le monde entier.

EN FRANCE, TOUS GROUPES RÉUNIS. *Cas : 1983 :* 35 ; *84 :* 41 ; *85 :* 20 ; *86 :* 21. *Dep. 89 :* env. 100 c. par an.

■ **Rougeole** (V). CAUSE : virus. CONTAGION : directe (voie aérienne). INCUBATION : 8 à 14 j. SYMPTÔMES : catarrhe oculo-nasal, toux, puis fièvre, éruption généralisée de papules rouges. DURÉE : 4 à 6 j. COMPLICATIONS : broncho-pneumonie, otite, encéphalite, peut tuer 1 malade sur 10 en Amérique du Sud et en Afrique intertropicale, et être la 1re cause de mortalité des enfants de 6 mois à 4 ans (mort entraînée par broncho-pneumonie, ou déshydratation provoquée par les troubles digestifs). TRAITEMENT : antibiotiques (seulement contre complications bactériennes). PRÉVENTION : séro-prévention dès le contact par gammaglobulines humaines ; vaccination : efficace, recommandée chez les enfants fragiles et dans les crèches. CAS EN FRANCE : 150 000 par an. DÉCÈS MONDE : env. 1 400 000 ; FRANCE (estim.) : *1980 :* 1 244 ; *81 :* 1 132 ; *82 :* 812 ; *83 :* 876 ; *84 :* 979 ; *85 :* 290 ; *86 :* 268 ; *88 :* 7.

■ **Rubéole** (V). CAUSE : virus rubéoleux. CONTAGION : directe (voie aérienne). INCUBATION : 14 j. SYMPTÔMES : fièvre, éruption maculo-papuleuse parfois discrète et atypique ; ganglions cervicaux. Nombreuses formes inapparentes : 90 % des adultes ont des anticorps (preuve d'une atteinte). DANGER : malformations congénitales chez les enfants dont la mère a été infectée (primo-infection) durant les 3 premiers mois de la grossesse (cataracte, surdité, malformations cardiaques). PRÉVENTION : gammaglobulines humaines chez la femme enceinte supposée contaminée ; vaccination : préconisée chez les filles avant la puberté ; éventuellement femmes adultes n'ayant pas d'anticorps, uniquement sous contrôle médical. Vaccin efficace après 2 à 3 semaines. L'immunité naturelle ou par vaccin dure quelques années. Il faut donc contrôler systématiquement en cas de grossesse. 75 % des femmes sont protégées naturellement. EN FRANCE : *cas :* quelques milliers par an ; *décès :* – de 5/an. *En 1990,* 23 primo-infections chez des femmes enceintes ont provoqué 4 cas de rubéole congénitale malformative.

■ **Salmonelloses** (B). CAUSES : entérobactéries du groupe *Salmonella* (plusieurs centaines d'espèces). VARIÉTÉS : *a) fièvre typhoïde et paratyphoïde* (voir typhoïde) ; *b) autres salmonelloses,* transmises par les aliments, causent : toxi-infections alimentaires (souvent collectives), septicémies, méningites, gastro-entérites infantiles, etc. TRAITEMENT : antibiotiques. CAS EN FRANCE : 10 000 à 15 000 par an.

■ **Scarlatine** (B). CAUSE : streptocoque A. CONTAGION : directe (voie aérienne). INCUBATION : 3 à 5 j. SYMPTÔMES : angine, fièvre, puis éruption généralisée en nappe rouge uniforme ; ensuite desquamation de tout le corps. COMPLICATIONS : otites, néphrites, rhumatismes. TRAITEMENT : pénicilline. PRÉVENTION : antibiotiques dans l'entourage. Isolement : 15 j seulement s'il y a eu traitement. CAS EN FRANCE : *1980 :* 933 ; *1985 :* 484 ; *1986 :* 360.

■ **Schistosomiase (ou bilharziose)** (P). CAUSE : provoquée par 4 espèces de plathelminthes (schistosomes) : *Schistosoma japonicum* en Asie orientale ; *S. haematobium* en Méditerranée orientale, Afrique ; *S. mansoni* en Méd. orientale, Amér. du Centre et du S. ; *S. intercalatum* en Afrique (forme intestinale). CONTAGION : par un intermédiaire (mollusque), le milieu où il vit avec lequel l'homme entre en contact. Les vers adultes s'installent dans les vaisseaux sanguins des organes internes où ils peuvent survivre 20 à 30 ans. SYMPTÔMES : maladie chronique à évolution lente ; symptômes urinaires (émission d'urines douloureuses ou sanglantes, rétention ; cas graves : symptômes de néphrite). TRAITEMENT : chimiothérapie. PRÉVENTION : tuer les mollusques qui transportent le parasite, éducation sanitaire surtout. PERSONNES INFECTÉES : 300 millions en pays tropicaux. DÉCÈS : 200 000 par an. Pas de cas en France.

■ **Septicémies** (B). CAUSE : nombreuses bactéries : strepto-, staphylo-, pneumocoques, entérobactérie, bacille pyocyanique, etc., qui se multiplient dans le sang par ensemencement répété à partir d'un foyer infectieux communiquant avec la circulation. Possibilité de localisations suppurées dans divers organes (septicopyohémie). TRAITEMENT : antibiotiques. DÉCÈS EN FRANCE : *1980 :* 1 207 ; *1985 :* 2 699 ; *1988 :* 2 378. Depuis 1985, déclaration non obligatoire.

■ **Spirochétose ictéro-hémorragique** (voir Leptospirose p. 130 b).

■ **Syphilis** (voir p. 118 c).

■ **Tétanos** (B). CAUSE : bacille de Nicolaier (découvert 1884) produisant des spores qui se conservent dans le sol souillé par les déjections de bovidés, équidés. CONTAMINATION : plaies souillées de terre, ulcères chroniques de jambes, avortements septiques, etc. INCUBATION : 4 à 21 j. SYMPTÔMES : début par *trismus* (mâchoires serrées), puis contractures musculaires généralisées, avec paroxysmes. Décès par syncope, spasme laryngé. TRAITEMENT : sérum antitétanique, réanimation, respiration assistée (après trachéotomie). Moins de 30 % de décès si le traitement est correct. PRÉVENTION : sérum préventif ou gammaglobulines humaines chez les blessés non vaccinés ou mal vaccinés ; rappel de vaccin chez les autres ; vacc. systématique de la population par anatoxine avec rappel tous les 10 ans (obligatoire depuis la loi du 24-11-1940). DÉCÈS de nouveau-nés : monde (par an) 767 000. EN FRANCE : *1981 :* 157 cas (99 décès) ; *85 :* 131 (68 d.) ; *88 :* 72 (29 d.) ; *89 :* 63 (28 d.) ; *90 :* 33 (19 d.) ; *91 :* 43.

■ **Toxoplasmose** (P) (AZ). CAUSE : toxoplasme (protozoaire). FORMES : *T. acquise :* contagion par ingestion de viande mal cuite (bœuf, porc, mouton) ou par contact avec les chats et leurs déjections. SYMPTÔMES : adénopathies, atteintes oculaires, rarement encéphalite. *T. congénitale :* transmise au fœtus par mère infectée. PRÉVENTION : les femmes enceintes doivent éviter le contact avec les chats, l'ingestion de viande crue. Un examen médical au 3e mois de grossesse permet de déceler et de guérir la maladie. SYMPTÔMES : soit encéphalite à la naissance, soit plus tard lésions oculaires ou nerveuses. TRAITEMENT : sulfamides, antibiotiques. Dépistage de la vulnérabilité à la maladie par dosage d'anticorps possible lors d'un examen sérologique par prise de sang (85 % des adultes ont des anticorps, preuves d'une atteinte). CONTAMINATION DU FŒTUS : risques si la mère en est atteinte : non traitée 40 % ; traitée par antibiotiques 5 à 12 %. 7 à 8 ‰ des femmes enceintes sont contaminées pendant leur grossesse. 2 à 3 ‰ des enfants naissent avec une toxoplasmose congénitale de gravité variable.

■ **Trypanosomiases** (P). **Maladie du sommeil :** CAUSE : trypanosome. CONTAGION : indirecte par piqûre de *mouche tsé-tsé* (glossine). INCUBATION : 8 à 15 j. SYMPTÔMES : fièvre, ganglions, puis symptômes nerveux : céphalée, torpeur, troubles mentaux, puis cachexie. TRAITEMENT : lomidine, arsenic, ornidyl (DFMO ou éflornithine). PRÉVENTION : destruction des glossines ; dépistage et traitement de sujets infectés. PERSONNES INFECTÉES : 25 millions dans le monde. **Maladie de Chagas :** CAUSE : parasite *Trypasoma cruzi* (découvert 1909 au Brésil). CONTAMINATION : indirecte par punaise hématophage *(réduve)* ou transfusion sanguine (Amér. du N.). SYMPTÔMES : lésions réversibles du cœur (27 %), système digestif (6 %), syst. nerveux périphérique (3 %). Peut être asymptomatique durant des années. TRAITEMENT : chimiothérapie (efficace si dépistage rapide).

■ **Tuberculose** (B). CAUSE : bacille de Koch (BK), bâtonnet de 2 à 3 millièmes de mm de long, isolé ou groupé, entouré d'une coque cireuse, résistante, détruite à temp. élevée (100 °C) : par antiseptique, capable de dissoudre la coque ; par l'action prolongée du soleil et des rayons UV. Le BK se développe chez un être vivant (découvert 1882). CONTAGION : directe par voie aérienne (fines gouttelettes se transformant en noyaux microscopiques en suspension dans l'air), rarement digestive (bacille bovin dans le lait). CAUSES : *favorisantes :* pauvreté, malnutrition, diabète, ulcère gastrique, maladie infectieuse grave, fatigue inhabituelle (grossesse, surmenage...), transplantation, contaminations importantes et répétées, et surtout alcoolisme.

Symptômes : a) Primo-infection : chancre pulmonaire avec ganglions intrathoraciques ; silencieuse (sans traduction clinique ni radiologique) dans 90 % des cas ; décelée par virage des réactions tuberculiniques qui traduisent un état d'allergie accompagnant un certain degré d'immunité. Formes graves de la primo-infection : pleurésie, méningite. **b) Tuberculose pulmonaire chronique (phtisie) :** début rarement caractéristique ou aigu (fièvre, toux, crachats purulents, fièvre vespérale) ; lésions infiltratives destructrices (cavernes) et fibreuses des poumons évoluant par poussées. Le BK peut aussi atteindre les os : tuberculose ostéo-articulaire, coxalgie (atteinte de la hanche), *mal de Pott* (colonne vertébrale), tumeurs blanches aux articulations (coudes, genoux, poignets, etc.) ; tuberculose rénale ou génitale (souvent cause de stérilité chez la femme) ; tub. intestinale ; adénopathies tuberculeuses, atteignent souvent les ganglions du cou (les cicatrices amenées par la suppuration de ces ganglions étaient appelées jadis les *« écrouelles »*) ; méninges, rein, etc.

Traitement : antibiotiques, isoniazide (découverte en 1951), streptomycine, rifampicine, éthambutol, pyrazinamide, etc., associés pour éviter l'apparition de résistance jusqu'à la fin du 9e mois, reprise possible du travail dès le 2e ou 3e mois, 12 à 18 mois dans les pays en voie de développement avec des médicaments moins durs mais moins actifs ; envoi en sanatorium exceptionnel (cas graves, rechutes, pathologie associée). **Prévention :** dépistage et traitement des contagieux ; vaccin BCG de Calmette et Guérin (marque déposée) provoquant une primo-infection inoffensive et immunisante et protégeant à 80 %. 25 % des tuberculoses pulmonaires non traitées guérissent spontanément, 25 % deviennent des maladies chroniques, 50 % sont mortelles. Il y a 6 fois moins de tuberculose chez les vaccinés que chez les non-vaccinés.

Législation en France : vaccination par le BCG obligatoire dep. le 5-1-1950 pour entrée en collectivités et pour les enfants avant 6 ans. Elle est précédée d'un *test tuberculinique* (introduction sous la peau de tuberculine obtenue par filtration de cultures de bacilles tuberculeux tués par la chaleur, par cuti, ou souvent intradermoréaction à l'aide d'une fine aiguille). Si ce test est positif (on est déjà infecté par le BK ou on a été vacciné antérieurement), la vaccination est inutile. S'il est négatif, le BCG fera virer le test qui deviendra positif. Une revaccination est effectuée jusqu'à 25 ans si le test est redevenu négatif.

Maladies longtemps mystérieuses

Feu de Saint-Antoine (ou mal des ardents). Sévit au Moyen Age. Gangrène des membres qui noircissaient et se détachaient du corps. Dû à la consommation de pain fait avec du seigle parasité par un champignon : l'ergot de seigle. En août 1951, à Pont-Saint-Esprit (Gard), on l'accusa d'avoir provoqué 250 empoisonnements et 6 décès, mais on découvrit plus tard la cause réelle de l'intoxication.

Tarentisme (tarentulisme). Sévit près de Tarente (Italie) du XVe au XVIIe siècle. Maladie nerveuse due, croyait-on, à la morsure de la tarentule. On la soignait par la musique. Il s'agissait probablement d'une chorée du type de la danse de Saint-Guy.

Statistiques : MONDE : *nombre de cas par an :* 8 à 10 millions, 20 millions atteints d'une forme évolutive. *Nouveaux cas contagieux* (taux pour 100 000 h) : pays industrialisés 10 à 40, pays intermédiaires 40 à 120, tiers monde 120 à 360. *Décès :* 3 millions par an. FRANCE : *nouveaux cas, pour 100 000 habitants : 1950 :* 135,6 ; *70 :* 66,7 ; *84 :* 22,3 ; *90 :* 16. *Décès : 1910 :* 85 088 ; *30 :* 65 803 ; *50 :* 24 364 ; *60 :* 10 086 ; *70 :* 4 141 ; *75 :* 2 843 ; *80 :* 1 156 (20 000 cas) ; *85 :* 1 155 (11 290 c.) ; *90 :* 975 (8 853 c.) ; *91 :* (8 281).

☞ *Comité national contre les maladies respiratoires et la tuberculose,* 66, bd Saint-Michel, 75006 Paris.

■ Tularémie (B) (AZ). CAUSE : bacille *(Francisella tularensis* découvert par Mac Coy et Chapin en 1911). CONTAMINATION : indirecte par manipulation de cadavres d'animaux infectés (lièvre, lapin, rat, écureuil). INCUBATION : 2 à 4 j. SYMPTÔMES : fièvres, adénopathies (ganglions) ; ulcérations cutanées. COMPLICATIONS : pleuro-pulmonaires, septicémie. TRAITEMENT : antibiotiques. CAS EN FRANCE : *1985 :* 2.

■ Typhoïde (fièvre) (B). CAUSE : bacilles d'Eberth et paratyphiques A, B et C (salmonelles) d'Achard, Bensaude et Schottmüller. CONTAGION : surtout indirecte par ingestion d'aliments souillés par déjections de malades, et surtout de porteurs sains de germes. INCUBATION : 8 à 15 j. SYMPTÔMES : fièvre, torpeur. COMPLICATIONS : hémorragie et perforation intestinale ; encéphalite, myocardite. TRAITEMENT : antibiotiques (chloramphénicol, ampicilline). Autrefois : durée 3 à 4 semaines ; 10 à 15 % de décès. Aujourd'hui : 2 à 3 %. La fièvre tombe après 4 à 5 j de traitement. PRÉVENTION : surveillance de l'eau ; abstention de crudités, coquillages, etc. ; vaccin antityphoïdique (expérimenté chez l'homme 1896). Depuis 1914, obligatoire dans l'armée fr. Nouveau vaccin de l'Institut Mérieux mis en vente dep. le 17-4-1989, efficace à 60 ou 70 %. CAS EN FRANCE. *1980 :* 950 (51 †) ; *83 :* 848 (87 †) ; *84 :* 693 (55 †) ; *85 :* 658 ; *86 :* 657 (pas de †) ; *87 :* métropole 563, DOM-TOM 91 ; *88 :* 427 et 16 ; *89 :* 430 et 21 ; *90 :* 320 et 20 (Guyane 4, Réunion 16). *91 :* 303 et 19 (Guadeloupe 5, Martinique 2, Guyane 3, Réunion 9).

■ Typhus exanthématique (voir Rickettsioses p. 132).

■ Varicelle (V). CAUSE : virus. CONTAGION : directe par voie aérienne. INCUBATION : 14 j. SYMPTÔMES : fièvre légère ; éruption de vésicules superficielles en plusieurs poussées. Maladie bénigne pouvant devenir grave chez les sujets atteints de leucémie ou d'insuffisance rénale. COMPLICATIONS : infection des vésicules, rares encéphalites. *Isolement* jusqu'à guérison clinique. PRÉVENTION : immunoglobulines (protection limitée à 4 à 6 semaines), vaccination. CAS EN FRANCE : 650 000 par an.

■ Variole (V). CAUSE : virus. CONTAGION : directe par voie aérienne, et indirecte par les croûtes. INCUBATION : 7 à 17 j. SYMPTÔMES : fièvre élevée, invasion brutale ; puis éruption généralisée de pustules qui s'ulcèrent et se couvrent de croûtes persistantes. FORMES graves (confluentes, hémorragiques : 80 % de décès) ; mineures. COMPLICATIONS : encéphalite, surinfection microbienne. SÉQUELLES : cicatrices indélébiles. TRAITEMENT : Méthisazone, gammaglobulines humaines. PRÉVENTION : maladie quarantenaire, isolement des malades et suspects. *Variolisation* pratiquée il y a plus de 2 500 ans en Asie, puis à partir du XVIIe s. en Europe, importée en Angleterre par lady Montague, épouse de l'ambassadeur britannique à Constantinople, au XVIIIe s ; *vaccination par prélèvement de vaccine sur le sujet atteint : 1796* (Edward Jenner, Anglais). *1803-11 :* 2 500 000 vaccinés en France. *1902 :* primovaccination ou revaccination obligatoire en France. *1979 :* suspension de l'obligation de primovaccination, mais maintien de l'obligation de « rappels ». *1984* (mai) obligation suspendue. En France (comme dans 157 des 160 États membres de l'OMS), l'OMS constitue actuellement une réserve de vaccin pour 200 à 300 millions de personnes.

Statistiques : *V. 1160 av. J.-C. :* le pharaon Ramsès V en serait mort. *XVe s. :* importée d'Asie par les Sarrasins. *XVIe s. :* tue 3 500 000 Indiens (conquête de l'Amér. par les Espagnols). *XVIIIe s. :* Europe : 20 % des nouveau-nés en meurent. *1707 :* Islande : 18 000 † sur 57 000 h. *1770 :* Inde 3 000 000 de †. *1870 :* 23 400 † dans l'armée française (278 dans l'armée allemande, vaccinée). *1930 :* USA 48 000 cas. CAS DANS LE MONDE : *1967* (début du programme mondial d'éradication) : 10 à 15 millions de cas (2 millions de †) dans 33 pays. *1975 :* 19 278 cas. *1977 :* 3 234 cas (Somalie 3 229, Kenya 5). Le Somalien Ali Maow Maalin, guéri en 1977, est le dernier malade officiellement recensé. *1978 :* 2 c. à Birmingham (G.-B.) en août et sept. (origine probable : laboratoire). *1979 :* éradication totale dans le monde. La dépense (total 200 à 300 millions de $) a permis d'économiser une dépense annuelle de 2,5 milliards de $. *De 1980 à 86 :* 131 cas suspectés (causes réelles : varicelle 54, rougeole 19, maladie de la peau 16, erreurs dans les statistiques ou les médias 42). DERNIÈRES ÉPIDÉMIES FRANÇAISES : *1947* Paris 52 c., 2 † ; *1952* Aisne 19 c., 2 † ; *1954-55* Vannes et Brest 75 c., 18 †.

■ Zona (V). CAUSE : virus de la varicelle localisé sur ganglion nerveux rachidien. Survient chez des sujets partiellement immunisés par varicelle antérieure. SYMPTÔMES : éruption douloureuse de vésicules le long du trajet d'une ou plusieurs racines nerveuses. Troubles oculaires graves par localisation sur le trijumeau. COMPLICATIONS : douleurs prolongées (chez les sujets âgés) ; méningo-encéphalites (rares).

Cancer

■ Généralités

■ Définitions. Tumeur maligne due à la prolifération anormale et anarchique des cellules d'un tissu. **Épithéliomas** ou **carcinomes :** tumeurs malignes du tissu épithélial [formé de cellules de revêtement (avec glande : adénocarcinome, sans : épidermoïde)]. **Sarcomes :** cancers du tissu conjonctif (dont les cellules originelles constituent le tissu conjonctif). Ces tumeurs constituent des masses anormales ne respectant plus la forme des organes et peuvent provoquer des hémorragies (en perforant les vaisseaux), obstruer des organes, détruire les tissus voisins. **Métastases :** cellules détachées de la tumeur, pouvant passer dans le sang ou la lymphe pour aller se greffer à distance et former ainsi d'autres tumeurs. **Leucémies :** proliférations de type cancéreux des tissus formateurs des globules blancs du sang avec apparition de leucocytes incomplètement matures dans la circulation.

■ Origine. Le message génétique commandant la reproduction des cellules subirait une mutation due à l'introduction dans la cellule d'un agent cancérigène, se fixant sur la molécule d'ADN. Des remaniements ultérieurs des chromosomes seraient nécessaires pour qu'une cellule cancéreuse vraiment « efficace » se forme, ce qui expliquerait la lente évolution d'une tumeur avant qu'elle soit décelable. Les *oncogènes,* fragments de l'ADN, peuvent dans certaines conditions transformer une cellule normale en cellule potentiellement cancéreuse. Les virus oncogènes inactivés cessent d'empêcher la transformation cancéreuse des cellules.

■ Agents favorisants. **Agents physiques** (rayons X, ultraviolets, corps radioactifs). **Certaines hormones sexuelles** (cancer du sein, de la prostate). **Des substances cancérigènes :** amiante, goudrons divers, aliments carbonisés ou fumés (le c. de l'estomac est 3 fois plus fréquent chez les pêcheurs des États baltes se nourrissant l'hiver de poisson fumé que pour la pop. de l'arrière-côte qui en mange moins), suie (en 1775, Pott lui attribuait les c. du scrotum, fréquents chez les ramoneurs), gaz résultant de combustion incomplète, aflatoxines, hydrocarbures polycycliques tels que benzopyrène, chlorure de vinyle, azoïques, nitrosamines (ex. : jambon conservé par les nitrites), mycotoxines (moisissures), *tabac* [cancers des voies aéro-digestives supérieures, du poumon, de la vessie (des goudrons cancérigènes sont éliminés dans l'urine)], aux USA, la fréquence des cancers est réduite pour les hommes de 50 %, les femmes de 70 %, chez mormons et adventistes du 7e Jour auxquels leur religion interdit le tabac. **Certains virus :** le virus d'Esptein-Barr (avec d'autres facteurs) dans le lymphome de Burkitt et certaines tumeurs malignes du rhinopharynx, le virus de l'hépatite B et C dans le cancer du foie, les virus papillomateux dans celui du col de l'utérus.

■ Cancers héréditaires. 4 connus : *rétinoblastome* (c. de la rétine qui se manifeste dans un œil avant de gagner rapidement le second), *tumeur de Wilms* (c. du rein qui peut atteindre les 2), *c. médullaire de la glande thyroïde, Xeroderma pigmentosum* (c. de la peau survenant dans les zones du corps exposées au soleil). Tous peuvent toucher, la plupart du temps, de jeunes enfants dont les parents sont normaux mais porteurs d'un gène anormal. En raison des mariages consanguins, on dénombre ainsi à peu près 10 fois plus de cancers type Xeroderma pigmentosum au Japon et en Tunisie qu'en France où ils sont rares (1/1 000 hab.). Ils peuvent être détectés *in utero* dès 8 ou 9 semaines de grossesse.

☞ Sarcome de Ewing. Avec ostéosarcome, tumeur la plus fréquente chez les enfants (1,5 à 3 par million d'enfants de moins de 14 ans, les blancs sont plus touchés). Tumeurs agressives à évolution rapide provocant des anomalies des chromosomes 11 et 22 présents dans les cellules tumorales. *Recherche :* l'identification des gènes altérés par cette anomalie améliore les méthodes de diagnostic et fait progresser l'étude des mécanismes générant cette tumeur.

■ Symptômes. Induration ou grosseur (au sein et ailleurs) ; nouvel aspect de verrues ou de grains de beauté ; dérangement des fonctions intestinales ou urinaires ; indigestions ou difficultés à avaler ; cicatrisation interminable d'une plaie ; enrouement ou toux opiniâtre ; saignement ou écoulement anormal. Ces symptômes ne révèlent pas nécessairement la présence d'un cancer, mais s'il y a persistance, consulter le médecin. La douleur apparaît très tard, ce qui rend le diagnostic précoce difficile.

■ Dépistage et méthodes diagnostiques. **Frottis cellulaires et colposcopie** (loupe permettant d'examiner le col de l'utérus à un très fort grossissement) : cancers génitaux féminins. **Endoscopie :** étude du tube digestif, exploration directe, photographie et **biopsie** (prélèvement pour analyses) par fibres de verre souples. Autres fibroscopes pour pancréas, voies biliaires, estomac, duodénum, intestin ; certains munis de syst. d'électrocoagulation peuvent permettre d'ôter des polypes intestinaux. **Scintigraphie :** étude par caméra à scintillations de la répartition d'isotopes radioactifs. **Radiographie « X » :** détection de tumeurs des poumons, os et tissus mous. **Thermographie :** étude des différences de températures locales (cancer du sein). **Radiographie classique** exploratoire ou **tomographie** + ordinateur : exploration du syst. nerveux (*scanner,* voir encadré p. 135), « marqueurs », chimiques ou biologiques (antigène, carcino-embryonnaires, etc.), peuvent révéler, par leur présence dans le sérum, l'existence d'un cancer. Ex. : la calcitonine et le cancer médullaire de la thyroïde.

■ Traitement. Chirurgie : guérit 1/3 des cancéreux si le cancer est bien localisé. Si l'on ne peut extirper qu'une partie de la tumeur, on parle de *chirurgie de réduction.* Chimiothérapie : permet en principe d'attaquer les cellules cancéreuses là où elles se trouvent, même si on ne sait pas où elles sont. Les

Recommandations

Certains cancers peuvent être évités. 1°) Fumeurs, arrêtez le plus vite possible et n'enfumez pas les autres. Fumer des cigarettes chaque jour est dangereux. Celui qui fume 20 cig. par j voit ses risques d'avoir un cancer multipliés par 10 ; 40 cig. par 18. Après avoir cessé de fumer, 8 ans sont nécessaires pour se retrouver au même niveau que celui d'un non-fumeur. 2°) Modérez votre consommation de boissons alcoolisées, bières, vins ou alcools. 3°) Évitez les expositions excessives au soleil. 4°) Respectez les directives de santé et de sécurité, en particulier dans les activités professionnelles lors de la production, la manipulation ou l'usage de tout produit pouvant causer un cancer.

2 recommandations peuvent aussi limiter les risques de certains cancers. 1°) Consommez fréquemment des fruits et légumes frais et des aliments riches en fibres. 2°) Évitez l'excès de poids et limitez la consommation d'aliments riches en matières grasses.

Un plus grand nombre de cancers seront guéris s'ils sont détectés plus tôt. Consultez un médecin si un grain de beauté change de forme, si une grosseur apparaît ou en cas de saignement anormal ; en cas de troubles persistants, tels que toux, enrouement, troubles du transit intestinal, pertes inexpliquées de poids.

De 20 à 50 ans, examen des seins, frottis vaginal, examen clinique des testicules et de la thyroïde. **Après 50 ans,** examens déjà cités plus mammographie tous les 2 à 3 ans, examens de la prostate, de la cavité buccale (surtout si exposition alcoolo-tabagique).

Dès 40 ans, outre les examens ci-dessus il est conseillé de faire pratiquer **chaque année :** un hémoccult (examen des selles), un examen rectoscopique (tous les 3 à 5 ans après 50 ans), un frottis vaginal, un prélèvement de la muqueuse utérine pour les femmes ménopausées à risque.

médicaments peuvent, sans trop détruire les autres, tuer sélectivement les cellules cancéreuses bloquant leur division. Une tumeur pesant 1 g contient env. 1 milliard de cellules. Un médicament doit pouvoir tuer toutes ces cellules sans altérer plus d'une cellule normale. Les cellules normales les plus sensibles sont celles qui se renouvellent le plus vite (globules blancs, bulbes du cheveu).

Certains médicaments empêchent la réplication de l'ADN, ce qui tue les cellules (alkylants : Chlorambucil, Melphalan, Cyclophosphamide, éthylènes imines), d'autres empêchent la formation du fuseau chromosomique indispensable au dédoublement des chromosomes bloquant alors la division de la cellule (alcaloïdes : Vinblastine, Vincristine, Téniposide), d'autres sont des antibiotiques qui inhibent la synthèse de l'ARN, certains s'intercalant dans l'ADN (Actinomycine D, Doxorubicine, Daunorubicine). Les antimétabolites imitent les substances nécessaires à la prolifération cellulaire : acide folique pour le Méthotrexate, pyrimidine pour le Fluorouracile. On utilise aussi les dérivés du platine (Cisplatine, Carboplatine). Autres substances employées : *Vehem,* extrait de la *podophylline,* et *nitrosourées* (tumeurs cérébrales), *bléomycine* (tumeurs cutanées), *5-Fluoro-uracile* (digestif), *adriblastine* (sein), *cisplatyl* (tumeurs du testicule et de l'ovaire, plusieurs cures à 3 semaines d'intervalle permettent l'élimination de la tumeur), *Idarubicine* (leucémie).

Radiothérapie : on peut tuer les cellules cancéreuses (comme les cellules saines) en les irradiant. Un tissu irradié a reçu une dose d'un rad quand il a absorbé une énergie de 100 ergs par gramme venant des radiations. Théoriquement une dose de 100 rads tue la moitié des cellules d'un tissu. 1 000 rads laissent vivante une cellule sur mille, 4 000 rads une sur un milliard (chiffres valables pour des cellules bien oxygénées). 1°) **Radiothérapie transcutanée :** on envoie à travers la peau des rayonnements de haute énergie [cobalt, radium, rayons X, électrons pour cancers de la peau, bouche, sein, etc. ; ou rayons gamma (tumeurs plus profondes : vessie, œsophage, utérus, etc.)] car la peau absorbe peu ces rayonnements ; ils sont produits par la *bombe à radiocobalt* (corps radioactif fabriqué artificiellement). 2°) **Curiethérapie :** une aiguille ou une sonde contenant un corps radioactif entre en contact avec la tumeur ; actuellement on préfère les corps radioactifs artificiels (radio-iridium ou radio-césium) au radium. 3°) **Radiothérapie métabolique :** certains organes fixant préférentiellement certaines molécules particulières, on introduit dans les organes malades les molécules correspondantes radioactives et dont les rayons tuent les cellules cancéreuses environnantes.

Immunothérapie : quand le nombre de cellules cancéreuses restant après chimiothérapie ne dépasse pas un certain seuil (env. 100 000), ou dans certains cancers (rein et mélanome) on utilise l'interféron ou l'interleukine qui modifient les réponses biologiques du malade.

Hormonothérapie : pour le sein (tamoxifène : antiœstrogène le plus utilisé à tous les stades), la prostate : cortisone diéthylstilbœstrol, agonistes de la LHRH.

Nouveaux traitements (en cours d'évaluation) : **thérapie génique :** intervient directement sur le gène en réalisant une greffe ou en le bloquant par un nucléotide. **Médicaments reverseurs :** permettent de contourner la résistance acquise des cellules cancéreuses en redonnant une activité à un médicament classique (adriblastine). **Angiogénèse :** nouveaux vaisseaux sanguins pour alimenter la tumeur pouvant être bloquée par de nouveaux médicaments. **Nouvelles cibles sur ADN :** identifiées ; nouvelles molécules inventées pour les atteindre.

■ Principaux organes atteints

■ **Cancer de l'appareil respiratoire. C. primitif des bronches** (c. du fumeur) : dû en général au tabac ou à l'association tabac-polluants professionnels (amiante). **C. secondaire du poumon** : localisation pulmonaire (métastase) d'un cancer initial évoluant dans un autre organe. MORTALITÉ ANNUELLE. *Monde :* 550 000 cancers du poumon par an. *France :* 22 106 c. des bronches et poumons (1991) (taux pour 100 000 h.) : *1952 :* 11,7 ; *1976 :* 60,6 ; *1981 :* 32,5 ; *1984 :* 38,3 ; *1988 :* 37,8 ; *1990 :* 39.

■ **Cancer du larynx.** *Taux moyen de mortalité :* environ 2 pour 100 000 (1979) : Espagne 3,9 ; Suède et Norvège 0,4 à 0,5 ; *France (décès) 1980 :* 3 956 ; *1984 :* 3 758 ; *1988 :* 3 168 ; *1990 :* 2 979 ; *1991 :* 2 892.

■ **Cancer des os** *(ostéosarcome).* Tumeur naissant directement dans l'os à partir des cellules des tissus osseux. Les moins de 30 a. sont les plus atteints, souvent au niveau des os longs (membres).

■ **Cancers de la peau.** Apparaissent le plus souvent entre 60 et 80 ans ; atteignent surtout les régions exposées au soleil (face, mains, avant-bras) ; ceux qui ont une peau peu pigmentée (blonds, roux). Se méfier d'un *grain de beauté* qui s'étend ou augmente de volume, bourgeonne, suinte ou saigne, prend une couleur plus intense, présente un aspect inflammatoire à l'entour, s'ulcère, se creuse ou se fissure. Ceux situés aux zones de pression (soutien-gorge, ceintures, chaussures) doivent être enlevés dès qu'ils sont irrités. Éviter les expositions permanentes au soleil (96 % des 80 000 cas dénombrés en France sont imputables au soleil).

■ **Cancer de la prostate.** Cas fréquents chez les + de 60 ans. DÉPISTAGE PRÉCOCE. 1°) Dosage sanguin d'un marqueur prostatique (phosphatase acide prostatique ou P.s.a). 2°) Examen clinique : toucher rectal. 3°) Échographie prostatique. TRAITEMENT : chirurgie, radiothérapie transcutanée, curiethérapie, hormonal. MORTALITÉ : *France : 1991 :* 9 061 décès.

■ **Cancer du sein.** FRÉQUENCE : plus grande chez les femmes qui ont eu des antécédents familiaux, ou des règles précoces (11 ans), une ménopause tardive (55 ans), un 1er enfant tardif (+ de 35 ans), ou qui n'ont jamais accouché. Un c. du sein ne se révèlera qu'après 9 ans. TRAITEMENT : chirurgie (ablation), radiothérapie, chimiothérapie, et traitements combinés adjuvants, hormonothérapie. Reconstruction : insertion d'une poche emplie d'un gel ou insertion d'un liquide. PRÉVENTION : autopalpation (allongée sur le dos, une main sous la nuque, la femme en palpant ses seins 10 à 15 j après le début de ses règles sent la plus petite anomalie sous la pression des doigts ; dès le moindre doute, prévenir le médecin). A partir de 50 ans, mammographie et cytologie chez les femmes à « haut risque ». TAUX DE GUÉRISON : 80 à 90 %. MORTALITÉ ANNUELLE. *Monde :* 250 000 femmes (surtout Europe de l'O., Amér. du N.). *France :* 10 316 (1991) sur 25 000 cas (1 femme sur 10).

■ **Cancer médullaire de la thyroïde (CMT).** Héréditaire. CAS : *France* (1968 à 1990) : 1 600 (dont 1/3 touchant 102 familles).

■ Déclaration des maladies en France

Déclaration obligatoire en application de l'article L. 11 du Code de la santé publique : **décret nº 88-770 du 10-6-1986 :** *1°) Maladies justiciables de mesures exceptionnelles au niveau national ou au niveau international :* choléra, peste, variole, fièvre jaune, rage, typhus exanthématique, fièvres hémorragiques africaines. *2°) Maladies justiciables de mesures à prendre à l'échelon local et faisant l'objet d'un rapport périodique au ministre chargé de la Santé :* fièvre typhoïde et fièvre paratyphoïde, tuberculose, tétanos, poliomyélite antérieure aiguë, diphtérie, méningite cérébro-spinale à méningocoque et méningococcémies, toxi-infections alimentaires collectives, botulisme, paludisme autochtone, sida avéré.

Probabilités devant la mort

Probabilité de décéder entre 35 et 60 ans : professeurs, 7 % ; ingénieurs, 8,3 % ; instituteurs et cadres administratifs, 10 % ; contremaîtres, techniciens, cadres moyens, agriculteurs et artisans, 12 % ; employés, petits commerçants, sous-officiers et subalternes de la police, 14,8 à 16,5 % ; salariés agricoles, personnel de service et ouvriers spécialisés, 20 % ; manœuvres, 25 %.

Facteurs de différenciation. Niveau culturel : le manœuvre de 35 ans est soumis au même risque que l'ouvrier spécialisé ou qualifié de 45 ans ou que le cadre supérieur de 53 ans. Quelle que soit la nature de l'emploi, la mortalité est sensiblement plus élevée chez les ouvriers sans formation. **Activité professionnelle :** *probabilité de décéder pour des inactifs entre 55 et 65 ans :* 40 % ; *actifs :* 17 %. Pour les femmes, l'activité professionnelle les protège moins. **Situation familiale :** vers 20 à 25 ans, les célibataires ont tendance à prendre plus de risques que les hommes mariés (ils sont 2 fois plus nombreux à mourir que les hommes mariés). Célibataires, veufs, divorcés entre 35 et 60 ans sont dans le même cas. *Probabilité de décéder* pour un homme marié : 15 %, célibataires : 20 %, divorcés : 31 %, veufs : 35 %. Les veuves n'ont pas une mortalité très supérieure à celle des femmes mariées, l'homme semble supporter la solitude plus difficilement que la femme. **Cadre de vie :** cadres supérieurs et professions libérales sont mieux protégés en agglomération urbaine. C'est le contraire pour les exécutants. Il y a surmortalité d'env. 40 % des ouvriers spécialisés parisiens par rapport à ceux des zones rurales. Vivre dans un logement trop petit accroît la mortalité : pour un même espace vital, les propriétaires sont plus favorisés que les locataires.

■ **Cancer de l'utérus.** TRAITEMENT : chirurgie, radiothérapie, laser CO_2. Fréquence plus élevée si infections répétées ou rapports sexuels fréquents.

■ **Cancers du tube digestif. Œsophage** : difficulté d'avaler. PRÉVENTION : éviter l'alcool et le tabac. DIAGNOSTIC : œsophagoscopie. **Estomac :** dyspepsie durable, anorexie, parfois hémorragie, anémie, amaigrissement. Sa fréquence diminue avec la généralisation d'utilisation des réfrigérateurs. **Foie :** douleurs abdominales avec amaigrissement, parfois apparition d'une coloration jaune (due à un ictère). *C. primitif :* peut compliquer les cirrhoses (alcooliques ou virales). TRAITEMENT : chirurgie (transplantation du foie, embolisation artérielle du cancer), chimiothérapie. *C. secondaire* (à un cancer digestif ou autre). TRAITEMENT : chirurgie, chimiothérapie. Fréquent dans les pays où l'on consomme des aliments infestés par un champignon *(Aflatoxine).* **Côlon** (gros intestin) **et rectum** : diarrhée ou constipation, sang et glaires dans les selles, parfois faux besoins. DIAGNOSTIC : toucher rectal et rectoscopie pour le rectum ; radiologie ou endoscopie digestive pour les autres. Caché (sauf s'il est au niveau de l'anus), il risque de ne pas être traité à temps. Se développe souvent sur des polypes (bourgeonnements à l'intérieur du gros intestin). CAS EN FRANCE : 25 000 nouveaux par an chez les + de 45 ans, dus sans doute à des nourritures trop riches en graisses (beurre, viande, charcuterie, fromage). **Pancréas :** cancer de tête : ictère ; c. du corps : amaigrissement et violentes crises douloureuses épigastriques.

■ **Cancers professionnels. Substances chimiques reconnues comme cause possible** (entre parenthèses parties atteintes, en italique professions exposées). Arsenic (peau, poumons, foie) *fonderies et raffineries de minerais, conservation du bois, fourrures, herbicides, pesticides, indust. pharmaceut., verriers.* Colorants (appareil urinaire, intestins, poumons) *fabric. de teintures, d'antioxydants, de caoutchouc ; manipulation d'amines aromatiques.* Amiante (poumons, plèvres) *tisseurs et manipulateurs d'am.* Benzol (organes hématopoïétiques présidant à la fabrication du sang) *peintres, ouvr. du caoutchouc, typographes, fabric. de boîtes métalliques.* Chrome (poumons, nez, sinus, larynx, estomac) *fabric. goudron de houille et poix* (peau, scrotum, larynx, poumons, vessie), *sidérurgie, métallurgie, charpentiers, fabric. de brosses, de cordes, ramoneurs, pêcheurs, souffleurs de verre.* Créosote (peau, poumons) *créosoteurs, installateurs téléphon. et électr.* Goudron (peau) *fabricants de goudron, d'huiles de machine.* Huiles minérales (peau, scrotum, larynx, poumons, tube digestif) *camionneurs, ouvr. des entrepôts pétroliers, des chaussées, imprimeurs.* Nickel (nez, sinus, poumons) *poudreurs et brasseurs.* Paraffine (peau, poumons, estomac) *presseurs de cire, raffin. de pétrole, craquage.* Radiations (peau, os, hématopoïèse, poumons, foie, larynx, thyroïde, reins, seins, utérus) *fabric. tubes cathodiques et à rayons X, peintres en cadrans lumineux, radiologues.* Rayons ultraviolets (peau) *travailleurs de plein air, en particulier sous climats chauds et secs ou à haute altitude ou près de grandes nappes d'eau.* Suie (peau, scrotum, poumons) *fours à coke, ramoneurs.* Ypérite (poumons, larynx, os) *usines d'armement.*

☞ *Le cancer du rhinopharynx* est rare dans l'Europe du N. mais fréquent autour de la Méditerranée et chez les Chinois du Sud, qu'ils vivent à Canton, Singapour ou en Californie ; *le c. primitif du foie* est rare sauf en Afrique subsaharienne et dans une grande partie de l'Asie du Sud-Est.

Statistiques en France

Cas. Actuellement, 1 Français sur 4 a été, est ou sera atteint d'un cancer (1 sur 3 en l'an 2000).

Causes du cancer. France : *Alcool :* + de 10 % des cas. *Facteurs extérieurs à l'organisme :* 80 % dont 5 % liés à la pollution de l'air, eau ou alimentation. *Tabac (en %) :* c. du poumon 95, larynx 85, cavité buccale 65, vessie 40.

Nombre de décès (voir p. 140 b).

Taux de survie à 5 ans (en %). 50 % des malades survivent 5 ans après avoir subi un traitement approprié. Passé ce délai, le cancer a peu de risques de récidiver. *En 1992 :* cancers du larynx 90, de la peau 90, du testicule 80, de l'utérus 70, du sein 50, du tube digestif 50, des os 40, des leucémies 40, du colon 30 (si dépistage très précoce 90), du poumon 8.

Mortalité dans le monde. Chaque année 5 à 7 000 000 de pers. meurent du cancer pour un total de 50 millions de décès (soit 14 %). *Taux pour 100 000 h. :* pays industrialisés 289, pays en voie de développement 181.

SUICIDE

■ **Groupes les plus vulnérables.** *Personnes âgées :* mauvaise santé physique et mentale, solitude, mort d'un être cher, interruption du mode de vie habituel, arrêt de l'activité lors de la retraite (et souvent brusque diminution du revenu). *Personnes atteintes de troubles mentaux :* en particulier d'états dépressifs. *Alcooliques. Personnes appartenant à des collectivités socialement désorganisées :* logements surpeuplés, solitude (personnes divorcées ou séparées), criminalité, grande mobilité de la population, etc.

☞ *Record mondial* Groenland : 142 pour 100 000 habitants dont 75 % de 15 à 30 ans.

■ EN FRANCE

SUICIDES DÉCLARÉS

■ **Nombre.** *1970:* 7 834 ; *1975:* 8 247 ; *1980:* 10 341 ; *1981 :* 10 551 ; *1982 :* 11 342 ; *1983 :* 11 862 ; *1984:* 11 958 ; *1985:* 12 363 ; *1986:* 12 525 ; *1987:* 12 131 ; *1988:* 11 352 (hommes 8 056, femmes 3 296). Il existe des suicides non déclarés (pour des raisons familiales ou religieuses, par crainte d'une action médico-légale, etc. ; dont l'origine volontaire de l'acte ne peut pas être toujours prouvée).

Taux pour 100 000 h. Femmes entre parenthèses. *1960 :* 24 (8,2) ; *1970 :* 23,5 (8,5) ; *1980 :* 19,2 (5,6) ; *1981 :* 30,4 (10,6) ; *1982 :* 32,5 (11,4) ; *1985 :* 33,1 (12,7) ; *1986 :* 32,9 (12,9) ; *1987 :* 31,7 (12,5).

■ **Répartition. Selon la catégorie socio-professionnelle.** Taux pour 10 000 h. de 15-64 ans : 1987 (hommes et entre par. femmes). *Cadres sup.* 20,8 (6,8). *Prof. intermédiaires* 16,6 (8,9). *Patrons ind. et comm.* 27,9 (11,7). *Employés* 52 (9,9). *Ouvriers* 38 (8,5). *Agriculteurs* 43,4 (15,2).

Selon l'état matrimonial. Taux pour 100 000 h. de 15 ans et +, 1987 (hommes et entre par. femmes). *Mariés* 31,9 (11,5). *Célibataires* 66,4 (20,5). *Divorcés* 71 (22,2). *Veufs* 96,7 (26,3). *Ensemble* 42,9 (15).

Selon le mode. En %, 1987 (hommes et entre par. femmes). *Pendaisons* 41 (28). *Armes à feu* 30 (8). *Empoisonnements* 10 (25). *Noyades* 7 (20). *Autres* 12 (19).

Suicides en prison. *Nombre :* environ 40 par an. *Taux pour 100 000 :* 120 (presque tous par pendaison). **Dans l'armée.** *Taux pour 100 000 : 9,2 (1972).* **Du haut des monuments.** *Tour Eiffel* (1889-1983) : 366. *Notre-Dame de Paris* (1190-1983) : 23.

TENTATIVES

Nombre. 100 000 à 150 000 par an. **Réussites :** *hommes : 15-24 ans* 4 %, *25-44 ans* 8 %, *45-64 ans* 50 % ; *femmes : 15-24* 0,5 %, *25-44* 1,5 %, *45-64* 8 %. Elles essaient souvent de se supprimer avec des calmants. Sur 160 tentatives féminines (15-24 ans), 1 seulement aboutira.

Sur 100 premières tentatives ratées, 10 % seront renouvelées dans les 2 ans qui suivent. Sur 10 tentatives, 4 suicidants sont des « récidivistes ».

Coût médical moyen. *Tentative de suicide :* 5 310 F. **Coût social.** *Suicide réussi :* 2 047 058 F.

Comparaisons internationales. *Taux pour 100 000 h. de 15 ans et +* (en 1982, hommes et entre parenthèses femmes) : All. féd. 38,8 (16,2). Autriche 56,5 (17,7). Belg. 38,4 (18). Danemark 49,8 (26,2). *France 41 (14,2).* G.-B. 15,3 (7,5). Norvège 26,2 (9,2). P.-Bas 18,1 (10,9). Suisse 47,1 (18,4). USA 26,1 (7,6).

Au Japon : 23 589 suicidés en 1985, dont 15 624 hommes (20 % de + de 65 ans), 92 enfants de 12 à 15 ans et 12 de moins de 12 ans.

ALLERGIES

■ **Définition.** L'allergie correspond à un état d'hypersensibilité de l'organisme vis-à-vis de substances biologiques ou chimiques, généralement non toxiques. Cet état apparaît après l'introduction plus ou moins prolongée et répétée d'une substance appe-

EXAMENS INTÉRIEURS DU CORPS HUMAIN

Création d'image. *Principes physiques utilisés :* rayons X (radiographies conventionnelles et scanographie), rayons gamma (scintigraphie), fibres optiques (endoscopie), ultrasons (Doppler et échographie), champs magnétiques (IRM ou RMN, imagerie par résonance magnétique nucléaire). Chaque procédé a des indications particulières.

■ **Radiographie. Radioscopie :** visualisation sur un écran fluorescent d'une partie du corps soumise à un faisceau de rayons X pendant quelques minutes. **Radiographie :** pour minimiser le temps d'exposition (quelques fractions de secondes) et la dose de rayons X reçue. Visualise, par impression d'un film photographique, les différences de densité au sein d'un tissu ou d'un organe. Sert principalement au dépistage des affections pulmonaires (tuberculose) ou troubles ostéo-articulaires (fractures, inflammations articulaires ou osseuses), lésions mammaires (*mammographie* pour étudier nodules ou anomalies découverts lors d'un examen médical préalable des seins). Radio de l'abdomen : permet de mettre en évidence certains calculs rénaux ou biliaires (lithiases), une occlusion intestinale ou une perforation. *Pour visualiser l'intérieur d'une cavité ou des vaisseaux,* on utilise des produits de contraste (médicaments qui rendent la zone voulue opaque aux rayons X) à base de baryum ou d'iode qui peuvent entraîner une allergie. En général, l'étude de l'appareil digestif, en particulier du transit dans l'œsophage, estomac et intestin est réalisée grâce à des produits (barytés) à base de sels insolubles de baryum, avalés (examens de la partie supérieure du tube digestif), ou introduits par voie rectale (lavement baryté) (examen des intestins). On doit suivre un régime alimentaire strict 48 h avant pour éviter tout résidu intestinal le jour de l'examen. Pour visualiser l'appareil vasculaire, on injecte par voie veineuse un produit de contraste iodé. **Angiographie :** étude du système vasculaire, artériel ou veineux. **Angiocardiographie :** examen du cœur (valves, cavités cardiaques, parois des ventricules cardiaques). **Coronarographie :** état des artères coronaires (irriguant le cœur). Examen pratiqué après un infarctus ou en cas d'angine de poitrine, pour déterminer l'état cardiaque ; peut être effectué au repos ou après un effort. **Urographie :** exploration des reins et des voies urinaires, à la suite d'une crise de coliques néphrétiques, pour déterminer l'importance des lithiases, ou étudier le retentissement rénal d'une maladie. **Cholécystographie :** vésicule biliaire et canal cholédoque. Pratiquée à la suite de troubles digestifs ou de douleurs au côté droit qui pourraient provenir de calculs biliaires.

■ **Scanographie X ou tomodensitométrie.** Mis au point en G.-B. en 1971, le scanner intègre les images radiologiques obtenues grâce à la rotation d'un faisceau de rayons X autour du corps et les reconstruit sur un écran, grâce à un traitement d'image par ordinateur, pour obtenir des coupes transversales d'une partie donnée du corps. Les images obtenues sont plus précises que les images de radiographie conventionnelle, car on évite la superposition des tissus. Un produit de contraste est parfois utilisé pour obtenir l'image de certains organes. *Principes d'utilisation :* pathologies osseuses (tumeurs, lésions arthrosiques ou inflammatoires, ostéoporose, hernie discale...), abdominales (au niveau du foie, de la rate, du pancréas...) ou cérébrales (traumatisme crânien, accident vasculaire cérébral, tumeurs...). *Durée examen :* env. 20 min. Indolore. *Nombre de scanners en France. 1984 :* 59 ; *1985 :* 132 ; *1988 :* 300 env.

■ **Médecine nucléaire. Scintigraphies :** visualisent concentration et répartition d'un *produit radioactif* ou *radio-isotope* fabriqué par le Commissariat à l'Énergie Atomique et conservé dans des conteneurs scellés, injecté par voie intraveineuse dans l'organisme à dose infime. Les isotopes courants utilisés (iode 123, puis technétium, indium et thallium) ont la vie courte (quelques h) pour diminuer l'irradiation du sujet. Examen sans danger, employé pour explorer l'appareil endocrinien (thyroïde, parathyroïdes, surrénales...), l'appareil ostéoarticulaire [permet de voir les lésions inflammatoires (arthrite rhumatoïde) et dégénératives (arthrose)], les fractures peu visibles à la radiographie conventionnelle, les tumeurs osseuses. Visualise le système osseux. Pour l'examen des poumons, le produit est employé sous forme gazeuse.

Endoscopie : examen des organes creux du sytème digestif (œsophage, estomac, duodénum, intestin grêle, côlon, rectum). Utilise un *fibroscope* (sonde souple et flexible composée de fibres optiques et possédant un « œil » à son extrémité ; peut explorer le tube digestif en introduisant la sonde par l'anus ou par la bouche). Un anesthésique local est administré au malade peu avant l'examen. Permet de traiter les affections : enlèvement des polypes, électrocoagulation de zones hémorragiques, destruction des lésions par laser, extraction des calculs après leur pulvérisation.

Doppler et échographie : *principe de l'effet Doppler :* mesurer la différence entre la fréquence des ultrasons émis par une source fixe et celle des ultrasons réfléchis par un objet en mouvement. Permet de diagnostiquer des lésions artérielles (plaques d'athérome, rétrécissement...), lors d'artérite des membres inférieurs ou de problèmes veineux. *Échographie :* une onde ultrasonore, émise par un générateur, est canalisée dans une sorte de stylo que le médecin applique sur la peau, pour diriger le faisceau d'ultrasons vers l'organe exploré. L'onde se propage dans les tissus mous et subit une réflexion partielle, ou écho, quand elle rencontre un nouveau type de tissu. Elle permet l'étude d'organes en mouvement, comme le cœur, en donnant des images des cavités cardiaques et du mouvement des valves, et de mettre en évidence des phénomènes d'obstruction ou de tourbillons sanguins grâce à son couplage avec la mesure de la vitesse sanguine par *effet Doppler.* Elle permet de déceler les malformations des organes et des membres. Elle ne peut être utilisée pour explorer squelette et poumons car elle est réfléchie par os et gaz (air pulmonaire, gaz intestinaux), ni pour dépister des maladies dues à une anomalie chromosomique (mongolisme par exemple). Examen inoffensif et indolore, peut être pratiqué sur le fœtus (ex. : femme enceinte) : indique le degré de maturité de ses organes (peau, reins, poumons), le sexe de l'enfant, et l'existence éventuelle de malformations et le degré de l'atteinte fœtale en cas d'incompatibilité des facteurs Rhésus entre la mère et l'enfant.

Imagerie par résonance magnétique (IRM). Fondée sur les *propriétés magnétiques* de la matière, dont l'hydrogène [abondant dans l'eau (H_2O) contenue dans le corps]. En présence d'un double champ magnétique extérieur, les atomes d'hydrogène s'orientent dans une même direction et il se produit un *phénomène de résonance.* A l'arrêt de l'exposition aux champs magnétiques, ils s'orientent à nouveau d'une façon aléatoire, en émettant une onde. En analysant, grâce à un ordinateur, les signaux de résonance fournis par ces mouvements, on peut obtenir une image précise d'organes (cerveau, os, système cardio-vasculaire, moelle épinière...). Technique à ne pas utiliser chez les porteurs de stimulateurs cardiaques (pacemaker), prothèses, fils ou agrafes métalliques qui risquent d'être déréglés ou déplacés par le champ magnétique, ni chez les porteurs de couronnes dentaires en acier ou en or (au niveau de la tête). *Durée moyenne de l'examen :* env. 1 h.

QUELQUES CHIFFRES

Quantité totale de rayonnement administrée par radiographie médicale en 1 an, par habitant (en millirems, par pays). *France 158,* Japon 131, Espagne 105, Italie 76,3, Pologne 43, Suède 41, G.-B. 28,2.

Examens de radiodiagnostic par an, pour 1 000 hab. *France 825.* Italie 665. G.-B. 444. En comptant dépistage pulmonaire systématique et radiographies dentaires : *France 1 536,* Italie 864, G.-B. 621.

Nombre d'examens annuels en France. 11 ou 12 millions [dont la plupart pour déceler d'éventuels cas de tuberculose (radiographies du thorax pratiquement abandonnées dans les autres pays, puisque la tuberculose a presque disparu, hormis dans certaines classes de population connues)] ; les autres affections respiratoires et cardio-vasculaires sont mal repérées par cette méthode. *Dentistes :* 27,5 millions de clichés par an par 30 000 praticiens. La plupart produisent – de 100 millirems ; 6 % englobent toute la denture et sont plus irradiants.

Dose pour un examen. Thorax ou abdomen : *radiographie classique :* 30 à 200 millirems, *scanographie :* + de 2 500. **Cerveau :** jusqu'à 44 000. Selon le radiologue, les doses peuvent varier de 1 à 20.

Dose génétiquement significative (DGS). Ensemble des doses reçues au niveau des organes de reproduction réparti sur toute la population. *France : 29,5 millirems/an,* G.-B. : 2 fois moins.

Enfants. Chaque bébé passe en moyenne 2 ou 3 fois/an en radiographie (5 fois + qu'en Italie ou G.-B.) surtout en raison du dépistage systématique de la dysplasie (luxation) congénitale de la hanche. Les examens pratiqués avant 3 mois ne permettent pas de poser un diagnostic.

lée allergène. La réaction allergique n'est déclenchée qu'après pénétration ultérieure de cet allergène dans l'organisme déjà sensibilisé.

■ **Mécanismes.** 1°) **Hypersensibilité immédiate** : due à la production excessive d'anticorps spécifiques (IgE) contre les allergènes responsables. Plusieurs formes cliniques sont possibles dont *choc anaphylactique*. CAUSES : médicaments (anesthésiques, pénicilline, sérums), venins d'hyménoptères (abeilles et guêpes). RISQUES MORTELS : les décès par piqûres d'insectes sont plus fréquents que les décès par morsure de serpent. Un dard de 3 mm injectant 1/10 de mg de venin peut tuer un allergique en quelques minutes. TRAITEMENT : adrénaline, secondairement associée aux corticoïdes et antihistaminiques. PRÉVENTION : trousse avec seringue prête à l'emploi ou ampoules auto-injectables (contenant l'adrénaline), désensibilisation spécifique avec des extraits de venin purifié.

Allergies « atopiques ». CAUSE : toute substance naturelle, non toxique, présente dans notre environnement peut devenir un allergène chez des sujets génétiquement programmés pour fabriquer des IgE spécifiques vis-à-vis de cet allergène. Ces individus « atopiques » sont d'autant plus sensibilisés si le milieu dans lequel ils évoluent est inadéquat (appartements confinés et humides, multiplication des substances chimiques de synthèse, pollution, tabagisme passif, infection virale, stress favorisent l'accroissement de ce type d'allergie).

Principales substances sensibilisantes. *Inhalées* (pneumallergènes) : poussière de maison contenant acariens, blattes, squames humaines, squames et sécrétions d'animaux domestiques (chat, chien, cobaye, hamster) et moisissures. Pollens d'herbes (graminées) et d'arbres. Poussières professionnelles (farine, ricin, soja, gommes végétales, produits de traitements agricoles), chimiques. *Ingérées* (trophallergènes) : poissons, crustacés, œufs, céleri, lait, fruits usuels et exotiques, épices, condiments...). Il existe des réactions croisées entre certains aliments (céleri) et des pollens (bouleau). Les impuretés, les additifs alimentaires, les médicaments sont à l'origine de réactions « pseudoallergiques » dites intolérances. Certains asthmatiques peuvent mourir d'allergie aux noix. *Injectées :* venins d'insectes (guêpes, abeilles), sérum xénogénétique, médicaments.

Principales formes d'allergie. RESPIRATOIRES : rhinites allergiques saisonnières ou rhume des foins, rhinites perannuelles, asthme, trachéite asthmatiforme. OCULAIRES : rougeurs, démangeaisons, gonflement. DIGESTIVES : inflammation de la bouche, de l'estomac, de l'intestin. PEAU : dermatite atopique, urticaire, éruptions accompagnées de démangeaisons. ALLERGIES GÉNÉRALISÉES : *mineures :* œdèmes (gonflements) externes ou internes, troubles digestifs, malaise général ; *majeures :* perte de connaissance, choc anaphylactique (venins, aliments, médicaments) et mort (très rarement) par collapsus (effondrement de la tension artérielle). FACTEURS SURAJOUTÉS (pouvant révéler ou aggraver l'allergie, mais non la créer) : *psychiques* (inconfort moral, contrariétés, émotions), *hormonaux* (imminence des règles, grossesse, ménopause), *pathologiques* (infections virales, opérations, surmenage).

2°) **Hypersensibilité retardée.** Le mécanisme immunologique est exclusivement cellulaire sans production d'anticorps. La réaction allergique s'observe surtout au niveau de la peau après contact réitéré avec la substance sensibilisante. *Forme clinique :* eczéma ou dermite de contact.

Principales substances sensibilisantes agissant par contact sur la peau : *professionnelles :* bois exotiques (dermites des ébénistes), ciment, caoutchouc, matières plastiques, résines synthétiques, cuir (tannage ou teinture), colorants chimiques, végétaux (tomate, artichaut, céleri, lierre, primevère). *Cosmétiques* (teintures capillaires, rouge à lèvres, fards à paupières, vernis à ongles, lotions, crèmes, poudres, fards, parfums). *Produits d'entretien :* savons, détergents. *Médicaments* en lotions, crèmes, pommades, poudres, collyres (antibiotiques, antihistaminiques, iode).

■ **Diagnostic. Hypersensibilité immédiate :** après interrogatoire, tests cutanés. Analyse de sang : test de dépistage (Phadiatop), dosages des IgE spécifiques [Radio Allergo Sorbent Test (RAST)], tests enzymatiques. Les tests cutanés ou sanguins positifs confirment l'allergie. *Traitement préventif :* éviction de la substance sensibilisante : lutte contre les acariens dans la maison ; éviction d'un animal familier ; reclassement professionnel. *Traitement symptomatique :* antihistaminiques, antidégranulants (cromoglycate, nédocromil, ketotifène), médicaments adrénergiques, bronchodilateurs, corticoïdes locaux inhalés réduisant en particulier l'inflammation allergique responsable du spasme bronchique et l'asthme, corticoïdes généraux. *Traitement de fond :* immunisation spécifique par injection d'extraits très dilués. Efficace dans la sensibilisation aux venins d'hyménoptères et dans les pollinoses. Pour les autres allergènes, le traitement doit être entrepris avec précaution par un spécialiste. **Hypersensibilité retardée :** après interrogatoire, patch-test sur la peau et éviction de l'allergène. *Traitement :* corticoïdes pour traiter l'eczéma.

■ **Traitement. Préventif :** éviction de la substance sensibilisante ; lutte contre les acariens dans la maison ; éviction d'un animal familier ; amélioration des conditions de travail ; reclassement professionnel.

Curatif : immunisation spécifique par un spécialiste : vaccination à l'aide d'extraits très dilués de substances sensibilisantes ; efficace (sauf pour les produits toxiques) quand elle est possible (pollens, acariens de la poussière de maison) ; doit être prolongée longtemps sous peine de rechute (plusieurs années). Le traitement accéléré n'exclut pas l'entretien prolongé. Expose à des réactions parfois violentes (malade hospitalisé seulement).

Suspensif de la crise : adrénaline et médicaments adrénergiques, antihistaminiques, cortisone, théophylline pour l'allergie respiratoire.

Traitements protecteurs : cromoglycate, nédocromil, ketotifène, corticoïdes, inhalés en particulier, réduisant l'inflammation allergique responsable du spasme bronchique et l'asthme.

■ **Statistiques (France).** *Nombre d'allergiques :* + de 15 millions (env. 28 % de la population) dont les 3/4 souffrent de troubles respiratoires.

☞ Selon un sondage IPSOS-Le Point (mai 1989) : 15 % des hommes, 32 % des femmes ; 23 % des prof. libérales ou cadre sup., 20 % des ouvriers, 25 % des agriculteurs ; 33 % des UDF, 29 % des PC, 23 % des RPR, 22 % du Front national, 20 % du Parti socialiste étaient sujets à des allergies.

HANDICAPS PHYSIQUES, MENTAUX ET SENSORIELS

CATÉGORIES DE DÉFICIENCES

Auditives, visuelles, relationnelles, voir p. 121 et suivantes.

■ DÉFICIENCES INTELLECTUELLES

■ **Degrés. De retard mental.** *Léger* (Q.I. : quotient intellectuel entre 50 et 70) : individu pouvant, grâce à une éducation spécialisée, acquérir des aptitudes pratiques, la lecture, des notions d'arithmétique et que l'on peut amener à une certaine insertion sociale. Un enseignement spécial peut lui permettre une vie autonome. Il peut s'intégrer normalement dans la vie active, s'il exerce une activité où l'intuition, la répétition dominent.

Moyen (Q.I. entre 35 et 49) : individu pouvant acquérir des notions simples de communication, des habitudes d'hygiène et de sécurité alimentaires, et une habileté manuelle simple, mais qui ne peut acquérir aucune notion d'arithmétique ou de lecture. Enfant ou adolescent, il est le plus souvent accueilli dans des établissements spécialisés et peut, à l'âge adulte, l'être, selon ses potentialités, dans un atelier protégé ou un Centre d'Aide par le Travail.

Sévère (Q.I. entre 20 et 34) : individu qui peut profiter d'un apprentissage systématique de gestes simples. A l'âge adulte, il peut être accueilli selon ses potentialités dans un Centre d'Aide par le Travail, ou dans des foyers de vie ou d'hébergement.

Profond (Q.I. inférieur à 20) : individu susceptible d'un certain apprentissage pour les membres supérieurs, inférieurs et la mastication. Dépend de son entourage pour l'alimentation, la toilette, l'habillement. Enfant, il peut être accueilli dans un IMP ; adulte, il fréquente une maison d'accueil spécialisée ou un foyer.

■ **Causes.** Types pouvant se conjuguer. **Organiques :** accidentelle (lésions traumatiques) ; congénitale [aberrations chromosomiques comme la trisomie 21 (voir p. 137 a) ou absence de certains gènes transmis héréditairement et provoquant des troubles graves du métabolisme s'accompagnant d'une débilité]. **Psychologiques :** brusque carence affective entraînant un blocage ou une régression du développement moteur, verbal, intellectuel et affectif. **Socio-économiques :** alimentation de la mère pendant la grossesse : alimentation du jeune enfant, conditions de vie, privations affectives, niveau des échanges verbaux avec la famille.

■ DÉFICIENCE MOTRICE

■ **Degrés.** *Parésie* (diminution de la mobilité) : déficit musculaire partiel. *Paralysie* (abolition de la mobilité) : déficit moteur complet. *Monoplégie :* la paralysie touche un seul membre ; *diplégie :* 2 membres ; *hémiplégie :* 2 membres du même côté ; *paraplégie :* 2 membres inférieurs ; *tétraplégie :* les 4 membres. Lorsque les troubles moteurs sont liés à une lésion cérébrale, des troubles associés perceptifs, intellectuels, sont souvent présents. Le déficit musculaire peut être lié à une atteinte du muscle ou à une atteinte neurologique (cerveau, moelle, système nerveux périphérique) ou des articulations.

Atteinte du muscle : *myopathie* ou *dystrophie musculaire* progressive (dégénérescence de la fibre musculaire évoluant plus ou moins rapidement) : liées à des anomalies de la microcirculation sanguine, se traduisant par un affaiblissement progressif des membres.

Atteinte du cerveau : les lésions cérébrales sont souvent caractérisées par des hémiplégies ou des difficultés de coordination : s'y ajoutent parfois des difficultés d'articulation, de phonation, de la mobilité oculaire. Accidents de période fœtale (1/3 des cas) : parfois liés à une rubéole de la mère. Accidents de la naissance (1/3 des cas) : au cours de la première enfance (10 %) : méningites, encéphalites. Accidents vasculaires.

Atteintes de la moelle épinière : entraînent interruption ou pertubation dans la transmission au muscle de l'influx nerveux. Une interruption des informations sensorielles périphériques qui ne parviennent plus correctement à la conscience peut être associée selon les causes de l'atteinte médullaire et son importance. La croissance de l'os peut être perturbée, le déséquilibre postural peut entraîner des *scolioses.* Des troubles sphinctériens sont parfois associés.

Atteinte du système nerveux périphérique : la parésie ou paralysie est liée à une atteinte du nerf qui commande le muscle (*sciatiques* paralysantes).

Atteinte des articulations : blocages articulaires, anomalies de la croissance du squelette. *Principales atteintes :* tuberculose osseuse (attaque par le bacille de Koch de l'articulation de la hanche ou des vertèbres, devenue rare en France) ; malformations congénitales [luxation congénitale : hanche, cheville (*pied-bot*), poignet (*main bote*)]. Maladies du collagène osseux (maladie de Lobstein, fragilisant le squelette) ; atteintes traumatiques : hémophilie (lenteur de la coagulation sanguine, qui dans certains cas, se manifeste par des épanchements de sang dans la cavité articulaire détériorant l'articulation). Ces déficiences motrices peuvent être congénitales ou acquises, en rapport avec une maladie ou un accident (paraplégie, monoplégie).

☞ Certaines maladies peuvent handicaper dans la vie quotidienne : *cardiopathies :* malformations cardiaques congénitales. *Affections des artères coronaires, du muscle cardiaque, des voies respiratoires* (bronchite chronique, asthme). *Maladies métaboliques* (ex. : diabète). *Épilepsie.*

■ PERSONNES HANDICAPÉES (FRANCE)

☞ Bien que les statistiques soient disparates et ne se recoupent pas, on estimait (début 1991) qu'il y avait en France 2 500 000 à 3 500 000 handicapés (dont 1 400 000 hand. et malades mentaux et 1 100 000 hand. physiques et sensoriels) en incluant les personnes à mobilité réduite du fait de l'âge.

Personnes handicapées, selon le régime. *Accidents du travail et maladies prof.* (CNAMTS, 1986) 1 893 000 [1]. *Bénéficiaires de réduction d'impôt au titre de la carte d'invalidité jusqu'à 40 %* (min. des Finances) 1 236 500 ; *de l'allocation aux adultes handicapés* (CNAF, 1987) 472 000 [2] ; *de l'assurance invalidité* (CNAMTS, 1987) 506 000 [2] ; *de l'alloc. compensatrice* (min. des Affaires sociales, 1986) 161 000 [2] ; *de l'alloc. d'éducation spéciale* (CNAF, 1989/90) 72 339.

Élèves handicapés (1987-88). 311 367 dont enseign. ordinaire des 1er et 2e degrés 26 241 ; établ. de l'éducation spéciale : min. de l'Éducation nat. 197 922, min. des Affaires sociales et de l'Intégration 87 204 (établ. médico-éducatifs 72 642, médicaux 8 290, socio-éducatifs 6 272) [3].

Nota. – (1) *Source :* min. des Affaires sociales et de l'Emploi – SESI. (2) *Source :* CNAF-CNAM-MSA. (3) *Source :* min. de l'Éducation nationale – SPIESE.

Adultes handicapés en établissement (au 31-12-1987). 120 046 dont 48 587 en ét. d'hébergement, 81 014 en ét. de travail, 25 000 en ét. mixtes travail/hébergement.

Quelques malades célèbres

Maladies nerveuses et mentales

Agoraphobie. Le Nôtre. Amnésie. Ampère, Beethoven, Diderot. Dédoublement de la personnalité. Musset. Épilepsie. Britannicus, César (?), Dostoïevski, Flaubert, Molière, Pétrarque, Pierre le Grand. « Folie ». Caligula, Charles VI, Christian VII de Danemark, Héliogabale, Jeanne la Folle, Junot, Louis II de Bavière, Maupassant, Nietzsche, Otton Ier de Grèce, Paul Ier de Russie, Pierre III de Russie, Van Gogh, le Tasse, Feydeau. Hallucinations. Cellini, César, Colomb, Cromwell, Goethe, Napoléon. Mégalomanie. Giordano Bruno, Auguste Comte, Dante. Mélancolie, tristesse. Chopin, Molière, Voltaire. Obsession (doute). Leopardi, Manzoni. Paranoïa. J.-J. Rousseau (?), Deschanel. Phobies. Pascal. Porphyrie (maladie héréditaire caractérisée par une urine rouge et des crises nerveuses). Familles royales d'Angleterre, notamment Marie Stuart, Henriette d'A., la reine Anne, George III et George IV, et de Prusse : Frédéric II. Psychose maniaco-dépressive. Gérard de Nerval, Robert Schumann (?).

☞ **Ont été considérés comme « névropathes » :** Baudelaire, Byron, Chateaubriand, Schopenhauer, Shelley, Wagner.

Maladies diverses

Angiome-plan (taches de vin). Gorbatchev. Arthrite. Louis XIV, Scarron, Renoir, Dufy, Édith Piaf. Asthme. Gambetta, Proust. Azoospermie. Duc d'Angoulême. Calculs. Boileau, Cromwell (en mourut).

Cancer. Pauline Borghèse (utérus), Voltaire (prostate), Vigny, Freud (mâchoire), Ingrid Bergman (c. des 2 seins). En 1980, le magazine *People* retrouva la trace de 150 participants sur 220 du film *le Conquérant* tourné en 1954 à 220 km de Yucca Flat (Nevada), centre d'expérimentation nucléaire où, en 1953, 11 bombes nucléaires avaient explosé : 91 avaient eu un c. [46 étaient morts dont Pedro Armendariz (c. des reins en 1958, mal. lymphatique, suicide 1963), Susan Hayward († 1975, tumeur au cerveau faisant suite à un c. de la peau, du sein et de l'utérus), Agnes Moorehead († 1974), Dick Powell († 1963, c. lymphatique), John Wayne († 1979, c. de la gorge, poumons, estomac), Steve Mac Queen († 1980, c. des poumons contracté pendant la g.)].

Choléra. Mal Bugeaud, Gal Daumesnil († 1832), Gal Lamarque († 1832), Casimir Perier, Tchaïkovski († 1893). Coxarthrose. Colette. Diabète. Youri Andropov. Dysenterie bacillaire. Saint Louis (?). V. Peste, typhoïde. Eczéma. Marat, Pasteur. Goitre. Cléopâtre (?), Marie de Médicis. Goutte. Dickens, B. Franklin, George V d'Angleterre, Édouard Herriot, Leibniz (en mourut), Louis XVIII, Luther, Mazarin, Pitt.

Hémophilie. La reine Victoria d'Angleterre transmit un gène à plusieurs de ses descendants, dont 2 fils du roi d'Espagne Alphonse XIII [Alphonse (1907-38), Gonzalo (1914-34)] ; le tsarévitch (fils de l'empereur de Russie Nicolas II). Hoquet. Charles Osborne (n. 1894, USA) a le hoquet depuis 1922. Pie XII.

Macroglobulinémie de Waldenström. Boumediene. Maux de tête. Calvin, Pascal. Membres arrachés. Gal Castelnau (main), Gal Gouraud (bras droit), Nelson (bras), Gal Pau (main droite amputée). Myélome. Pompidou. Myiase (parasitose). Maximin II Daia, Galère, Sylla.

Os (maladie des). Toulouse-Lautrec (nanisme par atteinte dysplasique du squelette des membres inf.), P. Reynaud (soudure de l'atlas et de l'axis).

Paludisme. Alexandre le Grand (en mourut, attrapé dans les marais de l'Euphrate). Paralysie. Cuvier, A. Daudet, H. Heine, Scarron (jambes), Léonard de Vinci. Péritonite. Gambetta. Peste. Camoens (en serait mort) ; on a dit que St Louis en était mort en 1270 (*peste* signifiait « épidémie » en général). En fait, on pense qu'il s'agissait de la typhoïde ou de la dysenterie. Pierre (maladie de la). Napoléon III. Poliomyélite. F.D. Roosevelt, Walter Scott. Psychodysostose. Toulouse-Lautrec. Rayons (mal des). Les Curie. Rhumatisme déformant. R. Dufy, A. Renoir. Sarcome. Rimbaud. Sida. En moururent : Rock Hudson (1985), Jean-Paul Aron (1988), Michel Foucault (1984), Hervé Guibert (1991), Clark Tippet (1992), danseur étoile, Anthony Perkins (1992), Rudolf Noureev (1993). Syndrome de Frohlich (dystrophie) : Napoléon Ier ; de Marfan. A. Lincoln. Syphilis. Baudelaire, Louis Bonaparte, Charles Quint, Alphonse Daudet, le roi David (?), François Ier, le Gal Gamelin, Hérode (?), Job (?), Maupassant, Mussolini, Nietzsche, Rimbaud.

Tuberculose. L'Aiglon, Chopin, Kafka, Molière, Musset, Spinoza (?), etc. Tuberculose intestinale. Louis XIII (en mourut). Typhoïde. Gogol (en mourut), Saint Louis (?). Ulcère de l'estomac. Napoléon avait un ulcère non encore cancérisé. Urémie. Rousseau. Variole. Marie II (reine d'Angl.), Louis XV (en mourut), Mirabeau, Ramsès II, Vauvenargues.

Tares, infirmités, anomalies

Aphasie. Baudelaire, Valery Larbaud, Maupassant, Nietzsche, Ravel. Astigmatisme. Le Greco. Bégaiement. Lewis Carroll, Georges Clemenceau, Louis Jouvet, Louis II le Bègue, Jean-Jacques Rousseau. 500 000 Français souffrent de cette « hypertonie au niveau des muscles articulateurs ». Blanchiment précoce (dès l'enfance). Tamerlan. Borgnes. Abdul Aziz, Gabriele D'Annunzio, Vincent Auriol (pistolet à amorce), Camoens (blessure de guerre), Horatius Cocles (bl. de guerre ; en latin cocles veut dire borgne), Moshe Dayan (bl. de guerre), Degas, John Ford, cinéaste (perte de l'œil gauche), Gambetta (fragment de tige d'une foreuse), Henri Garat (coup de palette donné par un croupier), Hannibal (froid et humidité à la veille de la bataille du lac Trasimène), amiral Herbert, Mal Koutousoff (vieillesse, à 60 a. en 1805), Fritz Lang (cinéaste, en 1922 pendant le tournage de « Mabuse »), Marconi (accord d'instr.), Philippe de Macédoine, Gal Maunoury (bl. de guerre 12-3-1915), Gal von Neipperg 2e époux de Marie-Louise (bl. de guerre), Nelson (œil droit au siège de Calvi 1794), Philippe d'Orléans, Jean-Marie Le Pen (cataracte), Willy Post (en 1937 fit le tour du monde seul en 7 j 18 h 42 mn), J. Reynolds, Th. Roosevelt, Henri, Cte de Saint-Simon (suicide raté : se crève l'œil droit, 9-3-1823), Sartre, Gal Simon, colonel Stauffenberg, Tchekov, baron de Torbay, Cte de Torrington (bat. de Béveziers 16-7-1690), Xavier Vallat, Raoul Walsh (cinéaste, en 1929 un lapin fit voler en éclats son pare-brise), Mal Wavel (bl. de guerre 1914-18).

Bosse. Ésope. Cécité. J.-S. Bach, Daumier, Euler, Handel, Homère (selon la tradition), Lamarck, Milton, Sanson (le bourreau). Claudication. Anne de Bretagne, Byron (pied-bot), B. Constant, Goebbels (pied-bot), Jeanne la Boiteuse (femme de Louis XI), W. Scott, Shakespeare, Talleyrand, Tamerlan, Mlle de La Vallière. Conjonctivite bilatérale chronique. Marat. Daltonisme. Dalton (physicien anglais, 1766-1844), d'où le nom. Gauchers (voir p. 110). Hydrocéphalie. Cuvier, Milton. Hypersensibilité sensorielle (visuelle ou auditive). Alfieri, les Goncourt, Musset. Loupe (à la joue gauche). Le peintre David. Obésité. Guillaume le Conquérant, Charles le Gros, Louis le Gros. Prononciation (défauts de). Boissy d'Anglas, Darwin, Démosthène, Camille Desmoulins, La Condamine, Lesage, Malherbe, Moïse, Virgile. Strabisme. Henri de Montmorency, Sartre. Surdité (voir p. 122).

Handicapés sévères (estim. 1983). 658 190 dont : *0 à 4 ans :* 21 190, *5 à 19 ans :* 145 000, *20 à 64 ans :* 492 000. Handicaps associés graves. **Plurihandicapés** (associant de façon circonstancielle 2 handicaps, surdité-cécité par exemple) : 8 000 à 15 000 de 0 à 20 ans. **Polyhandicapés** (associant une déficience mentale sévère à des troubles moteurs, sensoriels, somatiques, épileptiques, entraînant une restriction extrême de l'autonomie) : 30 000 à 40 000 de 0 à 20 ans. La plupart meurent dans les premières années. **Surhandicapés** (handicap originel cumulé avec un handicap relationnel, troubles du comportement par exemple) : 50 000 à 80 000 de 0 à 20 ans.

☞ *Paraplégiques et tétraplégiques :* env. 25 000 dont + de 50 % de - de 25 ans. 1 500 à 2 000 nouveaux cas par an.

Association des paralysés de France, 17, boulevard Auguste-Blanqui, 75013 Paris. Fondée 1933. Groupement des handicapés moteurs et des parents d'enfants handicapés moteurs.

Quelques anomalies et malformations

■ Achondroplasie. Nanisme (tête volumineuse). Mortalité *in utero* (au sein de la mère) très élevée.

■ Anencéphalie. Absence partielle ou totale de l'encéphale, parfois absence de moelle épinière (amyélencéphalie). Décelable par échographie pendant la grossesse. Crâne absent ou rudimentaire. Exceptionnellement, très courte survie.

■ Anomalies chromosomiques. *Incidence :* 1 sujet sur 500 (1 couple sur 250) est porteur d'une anomalie équilibrée, mais pouvant provoquer la formation d'œufs anormaux. 1 sujet sur 1 000 porte une translocation robertsonienne (fusion de 2 chromosomes, 45 chromosomes au lieu de 46) ; 1 sur 1 000, translocation réciproque (échange de matériel génétique entre 2 chromosomes différents). La plupart des œufs anormaux sont éliminés précocement sans que la mère s'en aperçoive ou donnent lieu à des avortements précoces. *Fréquence des anomalies :* conception entre 40 et 44 ans : 3,5 % des grossesses, 45 et 49 ans : 8 %. Trisomie 21 ou syndrome de Down ou mongolisme (nom donné en 1866). *Causes :* présence de 3 chromosomes 21 au lieu de 2 (découverte du Pr Jérôme Lejeune et du Pr Turpin). Association de malformations (ainsi : l'existence d'yeux bridés, plus écartés et bordés en dedans par un repli cutané, donnant un faciès mongoloïde), l'âge mental atteignant dans les meilleurs cas 6 ou 7 ans. *Statistiques :* risques d'avoir un enfant mongolien pour une femme de 20 ans : 1 pour 2 000 ; à 40 ans : 1 p. 150. En raison de l'origine accidentelle et non héréditaire, le risque d'avoir un 2e enfant trisomique est très faible. *Enfants atteints :* 1 sur 650 naissances. *Trisomies diagnostiquées* en France, avant la naissance : 20 % (mais l'examen n'est proposé systématiquement qu'aux femmes de 38 ans et plus).

Syndrome de l'X fragile. Anomalie : cassure très terminale des bras longs du chromosome X. EFFET : retard mental manifeste dès la 2e année de l'enfant ; dysmorphie faciale : visage allongé, front haut, menton saillant, lèvres épaisses, grandes oreilles. FRÉQUENCE : 1 garçon sur 1 500 ; 1 fille sur 2 000 à 2 500. CAUSE : permutation sans conséquence pathologique, transmise par une femme, conduit à une mutation complète dans sa descendance, garçons et filles, avec débilité mentale.

Ambiguïtés sexuelles. Sont parfois une conséquence d'anomalies chromosomiques. *Dysgénésies gonadiques féminines :* **syndrome de Turner** [absence totale ou partielle du chromosome X atteint 1 femme sur 2 500 ; petite taille (1,42 m), infertilité dans 98 % des cas] ; caryotype 45 X. *Masculines :* syndrome de Klinefelter (atrophie testiculaire, développement des seins), caryotype 47 XXY. *Hermaphrodismes :* présence de gonades fém. et masc.

On a constaté chez les homosexuels qu'un petit noyau de neurones de l'hypothalamus, le cerveau « hormonal » INAH3, n'occupe que de 0 à 0,05 mm³, comme chez les femmes, contre 0,4 à 0,2 mm³ chez les hétérosexuels.

■ Anomalies congénitales (existant dès la naissance) et héréditaires (transmises avec le patrimoine génétique). DIAGNOSTIC PRÉNATAL OU ANTÉNATAL : *1°) Par l'amniocentèse précoce :* a) *consultation génétique* (si possible avant la conception ou en tout début de grossesse) ; b) *ponction amniotique ou amniocentèse* proprement dite (à travers la paroi abdominale, sur l'utérus, en évitant le fœtus) ; à la 16e sem. après les dernières règles, en milieu chirurgical, ne nécessite pas d'hospitalisation ; peut provoquer une fausse couche dans 1 % des cas ; c) *culture*

Transsexuels. DÉFINITION. On appelle transsexuels ceux dont l'état se caractérise par le sentiment irrésistible et inébranlable d'appartenir au sexe opposé à celui qui est génétiquement, physiologiquement et juridiquement le leur, avec le besoin constant de changer d'état sexuel, anatomie comprise. NOMBRE : env. 1 000.

Changement de sexe (France). 18-1-1965, lors de l'affaire « Coccinelle » [nom d'artiste de Jean-Charles Dufresnoy (n. 1931), devenu Jeanne-Charlotte Coccinelle, 1er opéré en France en 1958], les juges décidèrent d'avoir recours à l'analyse des chromosomes (sexe génétique). Ce critère conduisait en fait à rejeter toutes les demandes des transsexuels, leur patrimoine héréditaire étant celui du sexe auquel ils souhaitaient ne plus appartenir. Depuis les années 1976-77, on se fonde sur l'analyse « scientifique des différentes composantes du sexe : morphologique, chromosomique, psychologique et psychosociale ». Mais 3 arguments principaux permettent de refuser le changement de sexe à l'état civil : le respect du corps humain (3 articles du Code pénal répriment les atteintes illicites au corps humain, fût-ce avec le consentement de la victime), l'indisponibilité de l'état des personnes (nul ne peut modifier l'état qui est le sien du fait de la loi ou de la nature) et l'atteinte à l'ordre public.

des cellules fœtales (pour l'étude des chromosomes du fœtus). *2°) Par le prélèvement* par voie vaginale et transabdominale des *villosités choriales* à 10 sem. après les dernières règles ; permet le diagnostic de nombreuses maladies génétiques plus précocement, mais avec un risque de fausse couche plus important (2 à 5 %). Ces méthodes permettent de diagnostiquer les anomalies d'origine chromosomique, mais de nombreuses atteintes leur échappent (par exemple : bec-de-lièvre...). *3°) L'échographie* permet de révéler *in utero* diverses atteintes morphologiques ou viscérales graves (anomalies cardiaques, rénales, anésie de l'œsophage, malformations du squelette...) et de prévoir, dans certains cas, une intervention chirurgicale précoce à la naissance dans les conditions optimales de réussite.

■ **Bec-de-lièvre.** Anomalie portant sur le palais, la lèvre supérieure ou les 2 à la fois. RÉPARTITION : bec-de-lièvre (groupe I), parfois double : 25 % des cas (l'enfant peut sucer et avaler normalement et il n'est pas nécessaire d'intervenir avant le sevrage) ; groupe III : fissure du palais, gencive et lèvre : 50 %. Le palais fendu est généralement réparé dans la 2e année. RISQUES DE BEC-DE-LIÈVRE : si des parents normaux ont un enfant avec bec-de-lièvre, l'enfant suivant risque d'en avoir un dans 4 à 7 % des cas. S'ils ont 2 enfants avec un bec-de-lièvre, risques pour le suivant : 10 %. Si l'un des parents a un bec-de-lièvre et un de ses enfants aussi, risques pour le suivant : 11 à 15 %. *Pour la malformation du palais* (qui affecte les filles plus que les garçons), si les 2 parents sont normaux et ont un enfant avec un palais fendu, il y a 2 à 5 % de chances pour que l'enfant suivant ait la même infirmité (si l'un des parents et un enfant sont atteints : 15 %). *Fréquence :* 1 enfant sur 1 000.

■ **Enfants siamois.** **Définition :** jumeaux monozygotes avec fusion en des points variables, ce qui entraîne l'existence d'organes communs. Toutes les variétés d'accolement existent et portent des noms distincts. **Siamois complets :** chacun a ses propres organes. **Incomplets :** les organes vitaux nécessaires sont dans l'un d'eux, ce qui, dans le cas d'opération, ne permet pas la survie de l'autre. FRÉQUENCE : 1 cas sur 60 000 naissances. OPÉRATIONS : *1912 :* 1re réussie en Angleterre ; *1974 (juillet) :* le Pr Pertuiset, français, a séparé 2 sœurs liées par le crâne ; le *18-9 :* l'Américain Koop a séparé 2 sœurs qui avaient un foie et un intestin communs.

Les plus célèbres. *Chang et Eng* (Gauche et Droite en thaï) n'étaient pas siamois (ils avaient des parents chinois) mais étaient nés à Bangkok (Siam) en 1811 (les Siamois les appelaient « les frères chinois »). Ils mesuraient 1,35 m et 1,43 m, n'avaient qu'un seul foie pour 2 et étaient réunis par le bas du sternum. Ils furent conduits aux USA à 18 ans et exhibés par Phineas Taylor Barnum dans son cirque, puis devinrent fermiers en Caroline du Nord, épousèrent les 2 filles d'un pasteur et eurent 22 enfants normaux. Chang mourut à 69 ans d'une embolie cérébrale, pense-t-on. Eng mourut quelques heures plus tard (probablement de frayeur). *Les sœurs Bibbendon,* nées en Angleterre, en 1100, vécurent 34 ans réunies des épaules aux hanches. *2 sœurs hongroises* nées en 1701 et réunies par le dos, partageaient le même anus et le même vagin. *Les sœurs Blazek* étaient réunies de même, l'une devint enceinte, l'autre continua d'avoir ses règles, mais quand un garçon sain et normal fut né, toutes 2 eurent du lait.

■ **Hydrocéphalie.** Accumulation excessive de liquide céphalo-rachidien sous tension dans les ventricules cérébraux qui se dilatent. Presque toujours fatale.

■ **Mucoviscidose ou maladie fibrose kystique du pancréas** (voir p. 115 c).

■ **Spina-bifida.** Malformation de la colonne vertébrale mettant dans certains cas la moelle épinière à nu surtout dans la région sacrée. *Spina-bifida occulta :* la masse nerveuse est recouverte de téguments. Souvent inaperçue à la naissance lorsqu'elle est bénigne, décelée v. 4 ou 5 ans. Se voit sur une échographie. Peut être opérée.

GREFFES ET ORGANES ARTIFICIELS

Il se pose entre 200 000 et 300 000 prothèses par an dans le monde (stimulateurs cardiaques, prothèses de hanche, greffes vasculaires, lentilles transparentes, cristallins artificiels).

DÉFINITIONS

Types de greffes (proprement dites) de tissus ou organes vivants et devant continuer à vivre et à fonctionner chez l'hôte.

■ **Autogreffes** (ou autotransplantations). Le greffon est pris chez le sujet lui-même [les greffes entre jumeaux vrais (nés à partir du même œuf) se comportent à peu près comme des autogreffes : aucun rejet ne se produit]. **Exemples :** PEAU : *transfert* d'une région à l'autre chez un brûlé (aucun problème « immunologique », aucune tendance au rejet de la greffe). MEMBRES : doigts, mains, bras, pieds. 1re réimplantation d'*un pouce* totalement sectionné par S. Komatsu et S. Tamai. En octobre 1974, transplantation réussie à Lyon de *la main droite d'un hémiplégique* à la place de sa propre main gauche amputée accidentellement. En 1979, aux P.-Bas : greffe du *gros orteil d'un pied gauche* à la place d'un pouce gauche sectionné. En juillet 1986 (à Montpellier, France), greffe des *2 gros orteils des pieds* d'une jeune fille sur sa main privée de 2 doigts. *Cerveau :* professeurs Olof Backlund (neurochirurgien), Lars Olson et Aki Seiger (histologistes), de Stockholm ont, en 1982, prélevé des cellules de glandes surrénales sur un patient (atteint de la maladie de Parkinson) et les ont greffées sur son cerveau.

■ **Allogreffes** (ou homotransplantations). Le greffon est pris chez un autre sujet de la même espèce : par ex. d'un homme à un autre homme. **Rejet :** le tissu greffé, d'abord accepté quelques jours, est reconnu pour étranger par les systèmes « immunologiques » de l'hôte et rejeté, c'est-à-dire détruit, après une semaine environ (selon le degré de « compatibilité » du donneur et du receveur). Des médicaments « immunodépresseurs » (azathioprine ou imurel, cyclosporine, sérum antilymphocytaire, etc.) réduisent les réactions de rejet. Le Pr Dausset, prix Nobel, est à l'origine de la découverte du système tissulaire HLA-A, B, C, DR qu'il faut respecter pour assurer la compatibilité entre donneur et receveur.

■ **Xénogreffes** (ou hétérotransplantations). Le greffon est pris dans une autre espèce, ex. : greffe de peau d'une souris à un rat. Rejet rapide.

GREFFES DE TISSUS

■ **Cornée (kératoplastie).** Le fragment de cornée à greffer est prélevé sur un cadavre. Ne peuvent guérir que les cécités dues à une opacité de la cornée, l'œil lui-même restant de bonne qualité derrière l'opacité. *1re greffe* en 1877 par von Hippel. *Nombre de greffes en France par an :* 2 000, sans rejet. *Besoin actuel :* 3 000. **Sclérotique.** Depuis 1950, de bons résultats. La greffe de l'œil entier demeure impossible.

☞ Selon le fichier de la Banque des yeux (6, quai des Célestins, 75004 Paris), il y a en France plus de 60 000 donneurs potentiels ayant accepté le prélèvement après leur mort.

■ **Dent.** L'autogreffe est pratiquée.

■ **Genou.** *1re greffe* en 1987 aux USA (Philadelphie) par Richard Schmidt (bas du fémur, genou, haut du tibia) sur Susan Lazarchik (32 ans).

■ **Jambe.** *1re double greffe en Europe* (France : Bordeaux, le 26-7-1988, pied droit au niveau de la cheville, jambe gauche au-dessous du genou).

■ **Moelle osseuse.** Utilisée dep. 1970 pour le traitement des leucémies, des malades en aplasie médullaire ou nés en déficit immunitaire. Essentiellement pratiquée entre frères et sœurs, mais les familles étant réduites, 2 fois sur 3 on ne peut rencontrer 2 individus compatibles. Des médicaments immunodépresseurs, comme la Cyclosporine A, permettent de maîtriser la GVH (*Graft Versus Host :* réaction du greffon contre l'hôte). *Nombre de greffes réalisées en France en 1988 :* env. 5 000 (besoins : 2 000). *Monde* (déc. 1991) 41 764. Un groupe de volontaires donneurs (env. 63 000) est géré par l'Association France Greffe de Moelle et France ADOT (BP no 35, 75462 Paris Cedex 10) qui assure l'information.

■ **Ongle.** *1re greffe* le 29-3-1980 par le Dr Guy Foucher sur Christophe Kempf (12 ans).

■ **Os.** En dehors de quelques cas sans suite [*1re xénogreffe* en 1680 à Moscou (un noble russe, qui avait eu le crâne fêlé par un coup d'épée, reçut des fragments osseux d'un crâne de chien. La greffe réussit, mais le noble russe fut excommunié. Fort pieux, il ordonna au chirurgien de lui extirper ses os de chien. Il put ainsi retourner à l'église) ; *1re autogreffe* par Philipp von Walther en 1820], l'usage des greffes osseuses se développe après les travaux d'Ollier en 1858. **Autogreffes osseuses fraîches :** utilisées couramment depuis la fin du XIXe siècle ; prélèvement généralement au niveau de la crête iliaque ou du tibia. D'autres moyens sont souvent utilisés aujourd'hui pour reconstruire les pertes de substance osseuse. **Allogreffes osseuses conservées :** *1re attribuée* à Macewen en 1878 ; après la création des 1res banques d'os en 1947, leur usage se développe ; les délais sont plus longs du fait d'une réaction immunitaire. Les banques d'os conservent plusieurs types d'allogreffes : des têtes fémorales réséquées lors de l'implantation d'une prothèse de hanche, et des os entiers prélevés sur cadavre ou mort cérébrale. Lorsque les greffes sont seulement conservées au froid, les plus grandes précautions sont prises pour éviter toute transmission microbienne et virale. Les os prélevés sur cadavre sont souvent stérilisés, en particulier grâce aux radiations ionisantes gamma ou béta. **Xénogreffes osseuses :** nombre d'entre elles, allant de la corne de bœuf à l'os de bœuf lyophilisé, ont été abandonnées pour cause de rejet immunitaire. L'Os de Kiel (os de veau déprotéinisé, dégraissé et stérilisé) est moins antigénique et paraît donner de bons résultats pour des reconstructions de petite taille. **Greffes cartilagineuses :** autogreffes ou allogreffes fraîches et minces peuvent donner de bons résultats, à condition d'obtenir une bonne congruence articulaire. Les greffes conservées donnent de moins bons résultats, malgré l'adjonction de cryoprotecteurs. **Transplants vascularisés :** *autotransplants* (segment d'os prélevé avec ses vaisseaux qui seront anastomosés à ceux du site receveur par microchirurgie) favorisent l'incorporation de la greffe. On utilise surtout des péronés, mais leur gracilité entraîne souvent des fractures de fatigue. *Allotransplants* non utilisés (rejet).

Il faut entre 4 h et demie et 5 h pour recoller un pouce et 7 à 8 h pour une main. *% de réussite :* pour un bras ou une main de 70 à 80, un doigt, 50 à 60. Après 40 ans la récupération fonctionnelle (sensibilité et muscles) est médiocre. *Conditions :* l'intervention doit avoir lieu dans les 12 h (une opération a été réussie 17 h après un accident, mais c'est une exception) ; le membre sectionné doit être transporté dans de bonnes conditions (dans un sac en plastique placé lui-même dans un sac contenant de la glace, et non en contact direct avec la glace). On ne peut guère savoir avant 12 j pour un doigt (15 pour un bras) si le membre survivra.

■ **Peau.** *1re greffe* réalisée en 1870 par Jacques-Louis Reverdin. Surtout utilisée lors de brûlures ou de pertes de substance spontanées (ulcères de jambe...) ou postopératoires (exérèse de tumeurs cutanées...) : autogreffe, à la rigueur allogreffe entre membres d'une même famille (rejetée après quelques j ; peut aider à passer un cap critique).

☞ Au Maroc, une fillette de 9 ans, brûlée à 80 %, a été sauvée par greffes de peau de sanglier opérées par le professeur chinois Wu Xiang.

■ **Valves cardiaques.** *1re greffe* (valve animale). 23-9-1965 par Jean-Paul Binet.

GREFFES D'ORGANES

PRINCIPAUX EXEMPLES ACTUELS

■ **Cerveau.** *1987,* des greffes de cellules de fœtus humains sont greffées chez des patients atteints de la maladie de Parkinson.

■ **Cœur.** NOMBRE DE TRANSPLANTATIONS CARDIAQUES : *France : 1985 :* 149, *86 :* 315, *87 :* 497, *88 :* 600, *89 :* 700, *90 :* 870, *91 :* 632, *92 :* 533. *Monde : de 1967 à 1992 :* env. 21 000. TAUX DE RÉUSSITE *(1990) :* 72 % de survie à 8 ans, grâce à la découverte de nouvelles molécules neutralisant les rejets. COÛTS : opération à cœur ouvert ou remplacement d'une valve : 60 000 à 90 000 F, transplantation cardiaque 300 000 à 500 000 F.

1res GREFFES : *dans le monde :* Afrique du Sud, 3-12-1967 par le Dr Chris Barnard (Louis Washkansky, survie 18 j) ; *en Europe, France :* Pr Christian Cabrol (28-4-68, Clovis Roblain, 66 ans, survie 2 j et 5 h). Dr Nègre (8-5-68, survie 2 j) et Prs Ch. Dubost et J.-P. Cachera (12-5-68, R.P. Boulogne, survie 17 mois 5 j), équipe Pr Binet (1968, survie 2 j) ; *URSS :* le 26-10-86, Nikolaï Chichkine († 29-10-86).

1re FEMME OPÉRÉE : Mme Guerra (3-4-73 à Lyon par le Pr Pierre Marion, survie 27 j).

PLUS JEUNES OPÉRÉS : 4 j (20-11-1985 à Loma Linda par Léonard L. Bailey, en vie). Hollie Roffey (11 j, le 31-7-1984 par le Dr Magdi Yacoub, survie 17 j). Nouveau-né extrait par césarienne au 9e mois et transplanté d'emblée par le Pr Bailey (1986).

SURVIE LA PLUS LONGUE : 1 greffé par le Pr Shumway (USA), 21 ans en déc. 1992. Emmanuel Vitria, opéré en France par le Pr Henry le 27-11-1968, † 11-5-1987 après 6 738 j, avait reçu le cœur d'un fusilier marin, Pierre Ponson (20 ans), victime d'un accident mortel de la circulation.

Greffe d'un cœur d'animal sur un homme. *3 échecs : 1964* Pr Hardy à Jakson ; *1978* Pr Barnard au Cap ; *1984 (30-7)* Londres ; *1 survie de 20 j :* greffe d'un cœur de babouin sur une fille de 14 j le 26-10-1984 à Loma Linda (Californie, Dr Leonard Bailey).

Greffe d'un 2e cœur, placé en dérivation afin d'assister le cœur défaillant : *1974 (24-12) :* succès, Pr Barnard. *1988 :* 332 interventions, 45 % de survie à 5 ans (actuellement peu employée).

■ **Bloc. Cœur et poumons :** 1er SUCCÈS : 1981 Pr Shumway (Stanford, USA). [*En Europe :* 6-3-1982 Pr Cabrol (La Pitié, Paris)]. NOMBRE : *monde : 1991 :* 1 600 : 60 % de survie à 2 ans. *France, nov. 92 :* 372. **Cœur et foie :** *1re greffe :* 14-2-1984 Prs Thomas E. Starzl et Henry Bahnson (USA, Pittsburgh) sur Stormie Jones (6 ans). **Cœur, poumons et foie :** *1re greffe :* 1986, par Wallwork et Calne. 1re en France : 22-6-1990 par équipe du Pr Carpentier (Paris, Hôp. Broussais). **Cœur et pancréas :** *1er succès* 25-3-1989 (Washington, USA). **Cœur et rein :** env. 28 greffes réalisées ; *en France :* 3 (1re à La Pitié, le 17-10-1984 par le Pr Cabrol). **Cœur-pancréas-rein :** *dans le monde :* en Europe, au CHU de Strasbourg le 20-2-1990, équipe des Prs Cinqualbre et Kieny, durée de l'opération 13 h.

☞ Certains greffés ont repris une activité sportive intense. Ils suivent seulement un traitement à vie fondé sur une association de ciclosporine et de corticoïdes à petites doses, et des contrôles médicaux réguliers. Les décès surviennent surtout dans les 15 jours à 3 semaines suivant la greffe. Ils sont dus en général à la mauvaise qualité du cœur du donneur, ou à une incompatibilité entre donneur et receveur, ou parfois à l'organisme épuisé du receveur.

■ **Foie.** Moins sensible au rejet que le cœur, le pancréas ou le rein. PRINCIPALES INDICATIONS : certaines cirrhoses au stade de l'insuffisance hépatique grave, certaines maladies des voies biliaires de l'enfant et certaines tumeurs primitives du foie. COÛT : 500 000 à 1 million de F. *Survie à 2 ans :* 75 %. *Les plus longs survivants* (transplantation orthotopique) : 14 ans (par le Pr Starzl, USA) ; tr. hétérotopique : 7 ans (par le Pr Bismuth, France). 1res GREFFES : *1963 :* 1re greffe. *1988 (mai) :* Pr Henri Bismuth, 1re greffe d'un demi-foie à 2 malades ; *(juillet) :* 1re double greffe foie-rein en France (Grenoble). *1989 (27-11) :* 1re transplantation partielle aux USA (Dr Christopher Broelsch, Chicago) une partie du foie entre une femme (Teri Smith, 29 ans) et sa fille Alyssa (21 mois). 3 tentatives avaient eu lieu en 1989 (Brésil 2, Australie 1). *1990 (9-11)* triple greffe foie-pancréas-duodénum [Prs René Bricot, Le Trent (Hôp. La Conception, Marseille)]. *1992 (28-6) :* greffe d'un foie de babouin sur un homme de 35 ans (Pr Starzl, Pittsburgh, USA) décédé le 6-9 ; *(22-7) :* transplantation d'un morceau de foie d'un homme sur sa fille de 10 mois (Dr Boillot, Lyon) ; *(11-10) :* greffe d'un foie de porc sur une femme de 26 ans (Hôp. Cedars-Sinaï, Los Angeles), décédée. *1993 (10-1) :* greffe d'un foie de babouin sur un homme de 62 ans atteint d'une hépatite B (Dr Satoru Todo, Andreas Tzakis, John Fung, Pittsburgh, USA) décédé 5-2. NOMBRE DE GREFFES EN FRANCE : *1984 :* 14 ; *85 :* 56 ; *90 :* 663, *91 :* 697. MONDE (déc. 1991) 21 324. BESOINS : de 1 000 à 3 000 par an à partir de 1991.

■ **Intestins.** Une dizaine d'essais. Échecs à court terme (1 seul survivant à 3 ans à l'Hôp. Necker).

■ **Larynx.** 1re en février 1969 par le Dr Kluyskens. Le malade, atteint d'un cancer du larynx, est mort 10 mois plus tard.

■ **Œil.** Greffe de cornée ou de sclérotique possibles (voir p. 138 b).

■ **Ovaire.** *Greffé au bras :* 1re en 1985 à Caen sur une jeune fille de 18 ans pour préserver sa fertilité (elle devait subir une radiothérapie abdominale pour guérir une maladie ganglionnaire). L'ovaire (grand comme une noisette) fait saillie au milieu du bras et se gonfle à chaque ovulation. Le jour où elle désirera un enfant, un ovule sera prélevé sur cet ovaire et fécondé *in vitro.*

■ **Pancréas.** Stade expérimental dépassé en 1976 à Lyon (Pr Dubernard). En général double greffe rein-pancréas pratiquée chez les diabétiques type I arrivés au stade de l'insuffisance rénale. *Nombre* (France) : + de 400 dont 1992 : 90. *Coût :* 350 000 F (survie du pancréas légèrement inférieure à celle du rein et régression partielle des complications du diabète). *Greffes de cellules de Langerhans obtenues par culture :* en général échecs chez l'homme mais expériences réussies en Suède avec cellules venant de fœtus de porc. Les « pancréas artificiels » (distributeurs automatiques d'insuline) sont utilisés dans le traitement des comas et de certains diabètes maigres très graves.

■ **Poumon.** *1re greffe tentée* en 1964. *1re greffe réussie* par le Pr Derom le 14-11-1968 en Belgique (avec survie de 9 mois) sur Alois Vereecken (atteint de silicose). Survie max. : plus de 3 ans. *1re greffe de 2 poumons,* 1986 (Toronto, Canada). NOMBRE *en France* (1992) : 779 dont 637 doubles-transplantations et 142 isolées. SURVIE *à 2 ans :* double tr. 60 %, isolée 68 %.

■ **Rate.** *1re greffe* en 1964. Échec.

Dons d'organes : *Féd. française pour le don d'organes et de tissus humains,* France ADOT-Hôp. St-Louis B.P. 35, 75462 Paris Cedex 10.

Liste d'attente en France (au 31-12-1992) : rein 4 529 (dont 682 H3), cœur 494, foie 388, poumons 131, cœur/poumons 96, pancréas 83. **Délai moyen** (en mois) : rein 23, cœur 15, cœur/poumons 14, poumons 11, pancréas 10, foie 8.

Transplantations en 1992 : 3 220 dont rein 1 749, foie 673, cœur 559, poumons 110, pancréas 70, cœur-poumons 59.

Coûts moyens : *prélèvements* multi-organes : 40 000 F ; *transplantation* rénale : 250 000 F, cardiaque et thoracique : 400 000 F, hépatique : 600 000 F.

■ **Rein.** 1res GREFFES RÉUSSIES : *1950 :* par le Dr R.H. Lawler sur un homme. *1951 :* par R. Kuss, Teinturier et P. Milliez. *1952* (25-12) : 1re en France avec survie prolongée, par Jean Hamburger. *1958 :* entre jumeaux vrais (par John Putnam Merrill et John E. Murray à Boston, USA). *1959 :* entre faux jumeaux (par J. Hamburger à Paris, J.P. Merrill à Boston). *1962 :* entre non apparentés (par J. Hamburger). NOMBRE DE GREFFES RÉALISÉES DANS LE MONDE : (déc. 1991) 241 048 venant de volontaires vivants apparentés (parents, semi-identiques, frères-sœurs identiques) ou surtout de cadavres (en France 95 %). A 1 an, il y a 85 % de succès, 3 % de décès, 12 % d'échecs (repris en hémodialyse). EN FRANCE : total 25 000 (dont *1992 :* 1 827), *les 4 centres les plus actifs :* Paris Necker – Enfants malades (Prs Kreis et Boyer), Paris Bicêtre (Pr Fries), Lyon (Prs Touraine et Dubernard), Nantes (Pr Soulillon).

COÛT (1re année) : 250 000 F. Surveillance ultérieure : 30 000 à 60 000 F/an, au lieu de 350 000 F le traitement par dialyse.

■ **Système digestif.** *1re greffe simultanée réussie* des foie, pancréas, intestin grêle, parties du côlon et de l'estomac à Pittsburgh (USA) sur Tabatha Foster (Noire, 3 ans) 11-11-1987.

■ **Testicule.** *1re* en 1977 aux USA par le Dr Stilber.

■ **Tête.** En 1979, le Dr Robert J. White de Cleveland (Ohio, USA) en était à sa 35e expérience de transplantation de têtes sur des singes. Survie de quelques semaines.

■ **Thymus.** Réalisées chez des enfants nés sans thymus. USA 2 réussites, G.-B. 1.

■ **Trompe de Fallope.** Greffe du conduit amenant l'ovule à l'utérus. Aucune réussite jusqu'à présent (en cas de réussite : grossesse à terme normale).

☞ **1re greffe de cellules fœtales** réalisée « in utero » le 30-6-1988 à l'Hôtel-Dieu de Lyon sur un fœtus de 28 semaines atteint du « syndrome des lymphocytes dénudés ».

Le 22-5-1989 à Washington, les Drs Stephen Rosenberg et French Anderson ont greffé un **gène de bactérie** dans les chromosomes d'un homme atteint d'un cancer de la peau.

ORGANES ARTIFICIELS

■ **Matériel utilisé.** *Plastiques* (silicones, polyesters, polyuréthanes, hydrogels) : prothèses vasculaires, articulaires, chirurgie esthétique. *Métaux* (aciers inoxydables à faible teneur en carbone, alliages de chrome-cobalt, de titane) : armatures de valves cardiaques, broches, plaques, vis. *Céramiques* (alumine fritée, oxyde de titane, phosphate de calcium, céramiques carbonées et carbone-silice) : prothèses articulaires ou implants dentaires.

■ **Cœur. Cœur artificiel.** *Placé à titre provisoire en attente de greffe. 1res tentatives : 4-4-1969,* Denton Cooley et Domingo Liotta (Houston, Texas) dans le thorax d'un Américain de 47 ans, Harpell Karp, retiré 65 h après pour greffer le cœur d'une femme de 40 ans : survie de 3 j. *10-8-1981,* Cooley et Akutsu. *1re en France :* Pr Cabrol, avril 1986. *Depuis, le 2-12-1982,* implantation du modèle Jarvik 7 mis au point par les docteurs William Kolff et Robert Jarvik, légèrement plus gros qu'un cœur normal. Il est, comme tous les cœurs artificiels, à animation pneumatique et nécessite un compresseur externe de la taille d'un réfrigérateur, fournissant de l'air sous pression et relié à la prothèse intrathoracique par 2 tuyaux qui traversent la poitrine du malade.

Cœurs placés à titre définitif pour des malades ne pouvant être greffés. 1re tentative : 2-12-1982, Barney Clark (61 ans) à Salt Lake City (Utah, USA, † 23-3-83 de complications rénales et pulmonaires) : Jarvik 7 implanté par William Devries. *2e : 25-11-1984,* William Schroeder (USA, † 6-8-86, soit 620 j après). *3e : 17-2-1985,* Murray Haydon (USA, † 19-6-86). *4e (1re en Europe) : 7-4-1985,* Leif Stenberg († 21-11-85 d'embolie cérébrale), par le Dr Bjarne Semb, Suède. *1er cœur fabriqué en Europe :* Bücherl (All.) *7-3-1986,* survie 3 j, mort le lendemain d'une transplantation. *1re réussie : 29-8-1985,* par Jack Copeland.

Nombre d'implantations effectuées : *1985 à octobre 1991 :* 193 dont 20 avec des modèles divers (USA : Pierce avec « Pennstate »), 173 avec Jarvik 7 sur 183 patients. *A fin oct. 1991 :* 3 patients étaient encore sous Jarvik, 130 avaient reçu un cœur non artificiel greffé, 91 survivaient [sur les implantations provisoires de Jarvik 7, 62 avaient été faites à La Pitié (Pr Cabrol) : 29 décédés avant transplantation, 33 transplantés, 23 survivants]. *Greffes après Jarvik 7 :* env. 50 % de malades vivants.

Le 11-1-1990 : la Food and Drug Administration (FDA) américaine a retiré l'autorisation d'implantation du cœur de Jarvik et l'a redonnée en 1992.

Prothèse d'assistance cardiaque. Nombreuses applications suivies de greffe. *Pompe d'assistance extérieure.* 1re implantée : *monde :* 1967 USA, Dr Bakey. *France,* 4-2-1986 Pr Carpentier à Broussais, double assistance ventriculaire de Pierce (suivie de greffe). *Ventricule artificiel d'assistance,* placé en dérivation du cœur naturel, entre le ventricule ou l'oreillette gauche et l'aorte, assure une part du débit circulatoire. Pompe et moteur sont implantables. Projets. *Novacor (Baxter). TCI (Thermocardiosystem) :* ventricules à plateau mus par électro-aimant ou moteur et came. Autorisés par la Food and Drug Administration pour des implantations provisoires aux USA (quelques mois) en attente de greffe. Évaluation clinique permanente envisagée dans 3 centres aux USA (Pittsburgh, Louisville, Houston). *CORA (Téracor) :* ventricule rotatif, bloc motopompe, en développement à Marseille. Implantation provisoire envisagée. *Pompe cardiaque artificielle portable.* 1re implantée 9-5-1991 (Houston, Texas) ; système d'assistance ventriculaire « Heart Mate » assurant le pompage du ventricule gauche, fonctionnant sur piles (autonomie : 2 ans). *Cœurs artificiels totaux.* 5 projets aux USA, soutenus par le NHLBI (National Heart, Lung and Blood Institute), Texas Heart (Houston), Abiomed, Penn Heart (Hushey), Utah Heart (Salt Lake City), Baylor Heart (Houston). Tous comportent 2 ventricules à plateau activés alternativement par moteur ou turbine (électrique ou électro-hydraulique). De nouveaux ventricules rotatifs : pompes centrifuges ou turbines sont à l'étude (Nimbus, NASA, Vienne, Japon). Le dernier rapport du NHLBI envisage la diffusion commerciale d'un ventricule électrique permanent implantable v. 2000 et du cœur artificiel total pour 2005.

Statistiques (au 1-11-1991). **Utilisation en attente de greffe de ventricules artificiels ou de cœur artificiel :** 476 dont ventricule gauche (Novacor) 96, thermocardio-systèmes 43, ventricules droit et gauche (Thoratec) 127, Symbion 130 (Toyobo, Nippon-Zéon, Berlin Heart), cœur artificiel Symbion (Jarvik 7) 169. *Durées d'utilisation :* 1 à 603 j (moyenne 14 à 45 j). 68,9 % des malades ont pu être greffés, 50 à 59 % ont survécu à la greffe. **De pompes d'assistances externes :** pulsatiles (Abiomed), centrifuges (Biomédicus, 3 M), turbines endo-vasculaire (Hemopump). Env. 400. *Durées d'utilisation :* 7 j env. **Utilisation en attente de récupération du cœur naturel :** pompes, centrifuge (Biomédicus, 3 M), turbines (Hemopump), ventricules artificiels (Thoratec, Symbion, Berlin Heart, Nippon-Zéon, Toyobo) : + de 500. *Durées d'utilisation :* – de 7 j. Le % des malades sevrés et sortis vivants de l'hôpital : 15 à 20 %.

■ **Oreille artificielle ou implant cochléanien.** Comprend : *un boîtier capteur et transformateur* de sons (porté en bandoulière par le non-entendant), *un émetteur* placé à l'extérieur du crâne contre le rocher, *un récepteur* implanté à l'intérieur du crâne et relié au nerf auditif (le non-entendant doit donc avoir partiellement conservé son nerf auditif, ce qui serait le cas de 80 % des sourds-muets). 3 ans de rééducation sont nécessaires pour acquérir un langage normal. *Coût :* 60 à 150 000 F, + orthophonie.

■ **Poumon artificiel.** *1re implantation* d'un Ivox à Salt Lake City (USA) le 2-2-1990 sur une fille de 16 ans. Composé de 1 200 fibres en polypropylène d'une surface de 1 m², implanté dans la veine cave inférieure, il permet l'échange oxygène-gaz carbonique. Durée d'utilisation : 7 jours au plus.

■ **Reins artificiels. Premiers :** créés par Wilhelm Kolff aux Pays-Bas (1944), Nils Alwall en Suède (1947), Skeggs et Leonards aux USA (1948). *1re génération de reins artificiels efficaces et bien tolérés :* John Putnam Merrill à Boston (1950), Jean Hamburger et Gabriel Richet à Paris (1956), Fredrik Kiil en Norvège (1960). **Principe :** faire passer le sang du malade urémique pendant plusieurs h dans un circuit situé en dehors du corps et permettant une « épuration » imitant celle du rein normal. Cette épuration est obtenue par dialyse (séparation entre substances diffusibles « dialysables » et non diffusibles) au travers d'une membrane semi-perméable de cuprophane, de l'autre côté de laquelle se trouve un liquide de dialyse de composition exactement calculée. **Formes :** *bobines* (plus guère utilisées), *plaques,* surtout *capillaires* (Hospal, Gambro, Baxter). Membranes : curophane (la + anciennement utilisée), polyacrilonitrile, acétate de cellulose, polycarbonate, etc (mieux tolérées que la cuprophane). La perméabilité de certaines a permis de pratiquer l'hémofiltration : en 4 h, on soustrait jusque 20 l d'ultrafiltrat plasmatique que l'on remplace par une solution dont la composition est connue.

Utilisation : *1°) Traitement des insuffisances rénales aiguës :* quelques séances de rein artificiel permettent de passer sans accident la phase critique pendant laquelle le malade est victime d'un arrêt complet des fonctions rénales. Celui-ci peut compliquer différents états pathologiques (choc, scepticémie, intoxication médicamenteuse). La reprise de la fonction rénale se produit en moyenne 15 j à 3 semaines plus tard avec retour à une fonction rénale normale. *2°) Remplacement des fonctions rénales* définitivement compromises à la suite d'une néphropathie chronique évoluant dep. plusieurs mois ou années (dialyse périodique : Scribner 1959). Les malades survivent de nombreuses années grâce à 2 ou 3 séances hebdo. de rein artificiel réalisées dans un centre de dialyse, ou à domicile, ou dans des structures alternatives au domicile (autodialyse, dialyse allégée). Seule une transplantation rénale réussie permet l'arrêt des séances de dialyse. STATISTIQUES : *coût des traitements par dialyse :* 150 000 à 350 000 F/an selon technique utilisée. *Centres de néphrologie en France, en 1991 :* 255, traitant 19 000 malades ; 1 600 enfants traités dans centres spécialisés de dialyse itérative en attendant une transplantation rénale.

■ **Divers.** *Respirateurs artificiels. Prothèses de membres. Larynx artificiel. Valves artificielles cardiaques* (70 à 90 % de succès à 9 ans). *Pancréas artificiel* à l'étude pour les diabétiques insulino-dépendants ; se composerait d'un lecteur de glycémie, d'un syst. de traitement de l'information, d'une pompe, d'un réservoir à insuline et d'une source d'énergie.

■ **Stimulateur cardiaque dit « pacemaker » (PM).** **1re implantation** 1958 (Stockholm). **Statistiques (France) :** *Implantations :* plus de 30 000 depuis 1985, dont 85 % en 1re intervention (dont 1 % à des enfants). *Age moyen :* 72 ans ; extrêmes : quelques jours à plus de 100 ans. **Indications :** maladie d'*Adams-Stokes* (syncopes brutales causées par des arrêts cardiaques). L'infarctus donne des troubles de conduction presque toujours transitoires ne nécessitant qu'une stimulation temporaire. **Caractéristiques :** PM abrité dans une coque en titane hermétique : *une pile* chimique, au lithium (iode) depuis 1973-75 de 1 à 2 A/h de capacité. *Un circuit électronique,* permettant une programmation réglable de l'extérieur. TYPES : *1°) monochambres (75 %)* reliés à une seule électrode, ventriculaire ou auriculaire (surveillant le rythme cardiaque autonome). 20 % sont à fréquence asservie à des capteurs incorporés (ex. quartz, détectent des variations de l'activité physique ; quand le « stimulé » marche, le quartz vibre, la fréquence de stimulation s'accélère), la fréquence respiratoire, la ventilation minute, la température du corps, etc. *2°) Doubles chambres (30 %)* électrode stimulant oreillette et ventricule (contre-indiqués en cas d'arythmie auriculaire). Certains sont à fréquence asservie si l'oreillette n'est pas capable de s'accélérer spontanément.

Épaisseur : 6 à 8 mm. *Poids :* 25 à 40 g. *Volume :* 10 à 25 cm³, suivant la capacité de la pile. *Énergie délivrée :* 10 à 30 microjoules. *Longévité* 5 à 10 ans selon capacité de la pile et consommation du circuit. ÉLECTRODE : fil multispire de 50 à 60 cm en acier inoxydable ou elgiloy recouvert d'un isolant en caoutchouc de silicone ou polyuréthane terminé par l'électrode proprement dite intracardiaque en platine ou carbone. Des « accrocheurs » (barbillons ou mini-vis) le fixent au cœur. **Prix :** PM : 12 000 à 25 000 F ; électrode : 2 000 à 4 000 F. Matériel pris en charge par la Sécurité sociale. **Constructeurs :** 9 principaux dont 2 Français.

Techniques d'implantation : *Endocavitaire* (99 % des cas), en général dure entre 20 et 60 min sous anesthésie locale : introduction d'une ou deux électrode(s) par dénudation de la veine céphalique ou ponction de la sous-clavière poussée(s) sous contrôle radiologique dans les cavités cardiaques droites, le PM est enfoui dans une poche sous-cutanée par la même incision au creux de l'épaule. Le remplacement d'un PM usé est plus rapide (on ne change pas l'électrode). *Stimulation épicardique* (fixation directe d'électrodes sur le myocarde) : s'impose en cas de remplacement de la valve tricuspide et se discute en cas de bloc apparaissant au cours d'une chirurgie à cœur ouvert. **Défauts :** *Pannes :* exceptionnelles. *Intolérance et infection :* favorisées par les interventions longues, plus fréquentes après les réinterventions. *Déplacement d'électrodes :* rare avec les électrodes « accrocheuses ». *Rupture de l'isolant fil :* provoquant des stimulations de contiguïté ou des courts-circuits. **Précautions :** *Interférences :* rares avec les PM modernes. Ne pas s'immobiliser devant les *dispositifs antivol* situés dans certains magasins, ils peuvent arrêter le PM pendant l'exposition au champ électromagnétique mais pas le dérégler. *Intervention chirurgicale* avec *bistouri électrique.* Précautions à prendre avec *appareils ménagers* y compris fours à micro-ondes non dangereux si en bon état. *Contrôles cardiologiques :* recommandés une ou deux fois par an pour vérifier le fonctionnement du PM. Son usure se traduit par un ralentissement de fréquence ; la télémétrie permet de mesurer l'impédance de la pile.

Revues spécialisées : *Stimucœur-Stimulography :* 1, rue Bel-Air, 54520 Laxou-Nancy.

■ **Autres types de stimulateurs. Stimulateurs destinés à traiter la douleur,** notamment celle induite par les *artérites des membres inférieurs* arrivées au stade où traitements chirurgical et médical sont dépassés. Une électrode est introduite dans la cavité épidurale (en regard de la colonne vertébrale) et reliée à un stimulateur externe puis secondairement implantable si le procédé s'avère efficace. A l'action antidouleur s'ajouterait une dilatation artérielle permettant d'espérer une stabilisation. **Stimulateurs de la vessie et du cervelet** (rares).

■ **Défibrillateurs implantables (DI). 1re implantation** 1980 (USA). **Caractéristiques :** constitués d'une pile au lithium et d'un circuit électronique, ils délivrent une énergie de 20 à 30 joules (réalisant un « choc électrique »). Délivré quand le DI a détecté le trouble du rythme grâce à un dispositif de veille permanente. Certains DI (option *cardioversion*) peuvent délivrer un choc faible (1 à 5 joules) en cas de tachycardie ventriculaire, ou fort (20 à 30 joules) en cas de fibrillation. *Poids :* + de 200 g ; *épaisseur :* 2 cm. *Prix :* env. 150 000 F. *Longévité :* 2 à 4 ans. *Implantation* du DI : dans l'abdomen (en raison de ses dimensions) ; électrodes sur le ventricule jusqu'en 1989 (ce qui nécessitait une thoracotomie ou un abord sous-costal) introduites par une veine sous-clavière. **Indications :** « morts subites récupérées », liées à une fibrillation ventriculaire, troubles du rythme ventriculaires récidivants dont 80 % apparaissent à distance d'un infarctus. **Statistiques :** *Nombre implantés :* Monde 35 000 ; France 300 depuis 1982 (110 en 1991) ; États-Unis 5 000. *Constructeurs :* 3 (États-Unis, Australie).

☞ Des défibrillateurs externes très répandus (utilisés dans les Samu) permettent de traiter, en urgence, les fibrillations ventriculaires.

CAUSES DE DÉCÈS

EN FRANCE

■ CAUSES DE DÉCÈS (TOUS ÂGES) EN 1991

Ensemble, dont entre parenthèses, femmes (statistiques provisoires). *Source :* Inserm.

Maladies infectieuses et parasitaires 10 261 (3 978) dont : fièvre typhoïde, paratyphoïde et infections à salmonella 35 (16). Autres infections intestinales 630 (400). Tuberculose 898 (347). Infections à méningocoques 31 (13). Tétanos 21 (12). Septicémie 2 275 (1 189). Poliomyélite aiguë 0 (0). Maladies à virus du système nerveux central 116 (65). Hépatite virale 192 (78). Syphilis 10 (4). Sida 3 415 (497). Autres maladies infectieuses et parasitaires 2 318 (1 225). Séquelles 320 (132).

Tumeurs (cancers) 141 872 (55 725) dont : tumeurs cavité buccale et pharynx 5 344 (639) ; œsophage 4 808 (640) ; estomac 6 400 (2 606) ; intestin 15 966 (7 663) ; pancréas 5 932 (2 764) ; autres parties appareil digestif et péritoine 10 219 (4 211) ; larynx 2 892 (162) ; trachée, bronches et poumons 22 106 (3 004) ; autres parties appareil respiratoire et organes thoraciques 3 835 (565) ; os et cartilage articulaire 716 (255) ; tissu conjonctif et autres tissus mous 600 (296) ; peau 1 325 (652) ; sein 10 316 (10 199) ; utérus (3 154) ; ovaire et autres annexes de l'utérus (3 151) ; prostate 9 067 ; vessie 4 277 (1 135) ; rein et organes urinaires autres 2 976 (1 145) ; autres organes génito-urinaires 709 (503) ; encéphale 2 520 (1 102) ; sièges autres et n.p. 10 655 (5 049) ; maladie de Hodgkin 342 (140). Autres t. malignes des tissus lymphoïde et histiocytaire 3 436 (1 585). Myélome multiple et tumeurs immunoprolifératives 1 856 (981). Leucémies 4 650 (2 144). Tumeurs bénignes 510 (319). Carcinome *in situ,* tumeurs à évolution imprévisible et de nature n.p. 3 410 (1 661).

Maladies endocriniennes, *nutrition, métabolisme, troubles immunitaires* 13 132 (8 122) dont : diabète sucré 6 276 (3 742). Autres mal. 6 856 (4 380).

Maladies du sang et des organes hématopoïétiques 2 560 (1 425).

Troubles mentaux 12 392 (7 067) dont : alcoolisme et psychose alcool. 2 593 (514). Autres t. 9 799 (6 553).

Maladies du système nerveux et des organes des sens 10 987 (5 757) dont : méningites 274 (128). Encéphalite, myélite et encéphalomyélite 123 (58). Syndrome parkinsonien 2 459 (1 234). Hémiplégie et autres syndromes paralytiques 435 (226). Autres maladies 7 696 (4 111).

Maladies de l'appareil circulatoire 174 047 (94 034) dont : cardiopathies rhumatismales 1 072 (735). M. hypertensives 5 959 (3 796). Cardiopathies ischémiques 49 026 (22 324). Autres formes de cardiopathies 11 817 (6 279). Troubles du rythme 10 854 (6 163). Insuffisance cardiaque et m. cardiaques mal définies 31 719 (19 354). M. vasculaires cérébrales 48 179 (28 542). Autres m. 15 431 (7 641).

Maladies de l'appareil respiratoire 35 663 (16 689) dont : pneumonie et broncho-pneumonie 13 870 (7 276). Grippe 421 (276). Bronchite chronique et maladies pulmonaires 12 428 (4 724). Asthme et alvéolite allergique 2 008 (1 128). Autres 6 936 (3 285).

Maladies de l'appareil digestif 26 378 (12 526) dont : ulcère 1 892 (933). Occlusion intestinale sans hernie 2 972 (1 951). Cirrhose alcoolique ou s.p. du foie 9 178 (2 835). Autres maladies chroniques du foie 434 (216) ; de l'app. digestif 11 902 (6 591).

Maladies des organes génito-urinaires 7 156 (3 590) dont : néphrite et insuffisance rénale 4 724 (2 372). Hyperplasie de la prostate 231. Autres maladies des organes génito-urinaires 2 201 (1 218).

Complications grossesse, accouchement, suites de couches 86.

Maladies de la peau et du tissu sous-cutané 2 127 (1 540).

Maladies du système ostéo-articulaire, muscles, tissu conjonctif 2 600 (1 760).

Anomalies congénitales 1 719 (799) dont : anomalies c. du système nerveux 213 (93) ; de l'app. circulatoire 964 (465) ; de l'app. digestif 76 (30). Autres anomalies et syndromes 466 (211).

Affections dont l'origine se situe dans la période périnatale 1 339 (571) dont prématurité et immaturité 72 (29). Traumatisme obstétrical et hémorragies fœtale et néo-natale 154 (58). Anoxie et autres affections respiratoires 724 (300). Infections spécifiques 132 (59). Autres affections 257 (125).

Symptômes, signes et états morbides mal définis 34 072 (18 251) dont sénilité sans mention de psychose 6 414 (4 943). Mort subite de cause inconnue 3 091 (1 282). Causes inconnues ou non déclarées 11 933 (4 848). Autres 12 434 (7 178).

Causes extérieures de traumatismes et empoisonnements 46 348 (18 525) dont : accidents de la circulation 9 302 (2 482). Intoxications accidentelles 391 (184). Accidents et complications au cours et suites actes médic. et chirurgicaux 2 129 (926). Chutes accidentelles 10 583 (6 984). Accidents n.p. 2 750 (915). Autres accidents et séquelles 6 855 (2 845). Suicides 11 273 (3 217). Homicides 603 (205). Traumatismes, empoisonn., intention indéterminée 2 457 (767). Autres morts violentes et séquelles 7 (0).

■ **Total général** 522 739 (251 245).

CAUSES DE DÉCÈS D'ENFANTS DE – DE 1 AN, EN 1991

Maladies infectieuses et parasitaires 93 dont fièvre typhoïde, paratyphoïde et infection à salmonella 0. Infections intestinales 34. Tuberculose 0. Infections à méningocoques 3. Septicémies 11. Maladie à virus du système nerveux central 0. Hépatites virales 0. Sida 9. Autres 36.

Tumeurs 37 dont : maligne de l'œsophage 0 ; du pancréas 0 ; de l'intestin 1 ; d'autres parties appareil digestif et péritoine 0 ; trachée, bronches, poumon 1 ; autre app. resp. 0 ; os et cartilage articulaire 0 ; tissu conjonctif et autres tissus mous 1 ; sein 0 ; ovaires et autres annexes 0 ; vessie 0 ; prostate 1 ; rein et d'organes urinaires autres ou n.p. 0 ; encéphale 5 ; sièges autres et sans précision 3 ; tissus lymphoïde et histiocytaire 3. Myélome multiple et tumeurs immunoprolifératives 0. Leucémies 8. Tumeurs bénignes 2. Carcinome *in situ,* tumeurs à évolution imprévisible et de nature n.p. 12.

Maladies endocriniennes, nutrition, métabolisme, troubles immunitaires 75 dont diabète sucré 2.

Maladies du sang et organes hématopoïétiques 9.

Troubles mentaux 0.

Maladies du système nerveux et des organes des sens 148 dont méningites 41, encéphalite, myélite et encéphalomyélite 3, hémiplégie et autres syndromes paralytiques 0, autres maladies 104.

Maladies de l'appareil circulatoire 75 dont : trouble du rythme 16, insuffisance cardiaque et m. cardiaques mal définies 13, m. vasculaires cérébrales 13, autres m. 7 ; autres formes de cardiopathies 26.

Maladies de l'appareil respiratoire 130 dont : pneumonie et broncho-pneumonie 24. Grippe 3. Bronchite chronique et m. pulmonaires obstructives 9. Asthme et alvéolite allergique 2. Autres m. 92.

Maladies de l'appareil digestif 47 dont : occlusion intestinale sans mention de hernie 2. Autres m. 45.

Maladies des organes génito-urinaires 16 dont néphrite et insuffisance rénale 14. Autres m. 2.

Maladies de la peau et du tissu sous-cutané 1.

Anomalies congénitales 1 017 dont : anomalies congénitales du système nerveux 111 ; de l'appareil circulatoire 588 ; de l'appareil digestif 42. Autres anomalies et syndromes 276.

Affections dont l'origine se situe dans la période périnatale 1 331 dont : prématurité et immaturité 72. Traumatisme obstétrical et hémorragies fœtale et néonatale 153. Anoxie et autres affections respiratoires 720. Infections spécifiques de la période périnatale 132. Autres affections 254.

Symptômes, signes et états morbides mal définis 1 663 dont : mort subite de cause inconnue 1 437. Causes inc. ou non déclarées 172. Autres 54.

Causes extérieures de traumatismes et empoisonnements 276 dont : accidents de la circulation 29. Intoxications accidentelles 1. Acc. et complic. actes méd. et chirur. 11. Chutes accidentelles 2. Accidents n.p. 7. Autres accidents et séquelles 198. Homicide 14. Trauma., empoisonn., intention indéterminée 14. Autres morts violentes 0.

Total général 4 918.

☞ Sur 2 600 000 *anesthésies* pratiquées en France chaque année, il y a environ 1 décès pour 6 600 anesthésies. Taux 0,02 ‰ pour les bien portants et 10 ‰ lorsqu'une fonction vitale est défaillante. 42 % des accidents surviennent au cours du réveil. D'après une enquête de l'Inserm (1982), il y aurait 4 500 accidents et 1 300 morts par an. Selon une étude américaine, 82 % des accidents sont imputables à une erreur, notamment à un défaut de surveillance pendant la période de réveil.

Dans le monde

Principales causes

■ **Pays en voie de développement.** 1°) Gastro-entérite, colite et autres maladies diarrhéiques. 2°) Grippe et pneumonie. 3°) Accidents. 4°) Maladies du cœur, cancer, apoplexie, infections du nouveau-né, tuberculose, rougeole, coqueluche, paludisme, homicides et blessures de guerre, méningites, anémies, etc.

■ **Pays industrialisés** (en %). Mal. du cœur 32,5. Cancer 18,6. Apoplexie 13. Accidents 5. Grippe et pneumonie 3,3. Puis, suivant le pays : diabète sucré, malformation congénitale, complication à la naissance (lésion obstétricale, asphyxie postnatale), suicide, bronchite, cirrhose du foie, néphrite, tuberculose.

☞ *Décès d'enfants de – de 5 ans en 1990 dans le monde* (en millions) : infections respiratoires aiguës 4,3 (principalement pneumonie 3,6, rougeole/coqueluche 0,7), diarrhée 3,2 (dont d./rougeole 0,2), causes périnatales 3,1, paludisme 0,8, rougeole/coqueluche 0,3, tuberculose 0,3, autres causes 0,9.

Thérapeutiques diverses

Acupuncture

■ **Origine.** Du latin *acus :* aiguille et *punctura :* piqûre. Remonte à la préhistoire chinoise ; utilise des points repérés sur la peau, et piqués ensuite à l'aide de fines aiguilles de métal. *1 500 av. J.-C. (?).* 1er ouvrage théorique en Chine. *XVIIe s.* ramenée de Chine par des missionnaires français créateurs du nom actuel (le R.P. Harvieux publia en 1671 *Le Secret de la médecine des Chinois*). *1826 :* le Baron Cloquet l'introduit à l'hôpital St-Louis. *1863 :* Dabry de Thiersant publie *La Médecine chez les Chinois*. *1934 :* 1re traduction des principaux traités chinois, par Soulié de Morant, consul de France en Chine. *1945 :* fondation de la Sté française d'acupuncture et du Syndicat national des médecins acupuncteurs par le Dr de La Fuye.

■ **Base théorique.** Résumée par la doctrine cosmologique du *Tao :* distingue, en vertu du principe de dualité qui dit qu'il n'est pas d'unité durable dans le monde, 2 formes complémentaires de l'énergie : vers le ciel (le *Yang,* lumineuse, chaude, positive, virile) ; vers la Terre (le *Yin,* obscure, froide, négative, féminine). *Yin et Yang* tendent vers un équilibre jamais atteint car toujours instable, puisque tous les cycles naturels et biologiques passent successivement par des phases Yang et Yin.

L'acupuncture n'envisage pas l'homme sous un angle anatomique mais elle étudie les mouvements de ses énergies, les transformations dont il est le siège, les fonctions qui permettent la vie, l'entretiennent, la transmettent, la coordonnent et la régulent, et les rythmes biologiques. Les *méridiens* sont les lieux privilégiés où résonnent les activités du corps qui émergent au niveau des points, moyens de leur régularisation. Le dérèglement d'un paramètre engendre la maladie. Il peut être quantitatif (excès ou insuffisance) ou qualitatif [introduction dans le circuit d'une énergie déréglée, dite perverse, soit exogène (vent, chaleur, feu, humidité, sécheresse, froid), soit endogène (souvent d'ordre alimentaire ou psychique : émotions, soucis, etc.)].

■ **Pratique. Points :** plus de 800 points ont été dénombrés (Chine, chacun porte un nom propre. Occident, on utilise un numérotage). **Aiguilles** (en or, argent ou acier) : implantées aux points choisis sans douleur (minime) ou parfois **moxas** (cautères formés le plus souvent d'armoise en ignition).

Prise des pouls [les Chinois ont établi qu'il existe des rapports entre les différents niveaux (et qualités) des pulsations radiales, et les perturbations énergétiques (donc le fonctionnement des organes)].

■ **Indications générales.** *Domaine de la douleur et du spasme, liés ou non à l'état inflammatoire :* en *rhumatologie :* tendinite, cervicalgies, dorsalgies, lombalgies, polyarthrite chronique évolutive, spondylarthrite ankylosante ; *neurologie :* névralgies faciales, cervico-brachiales, sciatiques, séquelles d'hémiplégie, paralysies faciales. Torticolis, lumbago aigu. Colite spasmodique, dyskinésie biliaire, dysménorrhée. *État inflammatoire aigu ou chronique :* pharyngite, rhinite, otite, sinusite ; *digestive :* gastrite, colite ; *urinaire :* cystite. *Troubles endocriniens :* stérilité, troubles des règles, goitres. *Allergie :* asthme, coryza spasmodique, urticaire, eczéma. *Déséquilibres du système nerveux : central :* états dépressifs, insomnie, émotivité, trac, spasmophilie ; *vago-sympathique :* tachycardie paroxystique, aérophagie, déséquilibres endocriniens (goitre, troubles des règles, stérilité). *Traumatismes sportifs :* entorses, tendinites. *Désintoxication tabagique.*

Analgésie par acupuncture : seule ou associée à des médicaments à base de plantes ; peu pratiquée en Occident, sauf en art dentaire.

■ **Thérapeutiques associées.** Auriculothérapie, auriculomédecine, nasothérapie, réflexologie podale utilisent des points réflexogènes spécifiques de l'image du corps (somatotopies périphériques). Les points peuvent être stimulés par aimants ou par champs électromagnétiques *(magnétothérapie)* et par rayonnement laser *(laserthérapie).* La *neurostimulation transcutanée (NST)* fait passer un courant électrique dans des aiguilles d'acupuncture au niveau des nerfs périphériques (entorses, lumbagos, torticolis, sciatiques, arthroses, douleurs après amputation).

■ **En France. Enseignement :** *facultés* de médecine de Bobigny, Bordeaux, Lille, Montpellier, Nantes, Nice, Marseille, Strasbourg. *Études :* 3 ans (diplôme universitaire) ou 4 ans (avec mémoire). Perfectionnement dans des écoles privées (les 1res créées 1945). **Consultations d'acupuncture publiques et hospitalières :** 52. **Nombre d'acupuncteurs en 1992 :** env. 1000 dont 700 reconnus par le syndicat, étudiants env. 300. Les docteurs en médecine sont seuls autorisés à pratiquer l'acupuncture et à ouvrir droit à remboursement par la Sécurité sociale.

☞ **Renseignements.** *Syndicat des médecins acupuncteurs de France :* 60, bd de Latour-Maubourg, 75340 Paris Cedex 07. *Confédération nationale des associations médicales d'acup. :* même adresse.

Allopathie ou médecine traditionnelle

Nom donné à la médecine traditionnelle par les homéopathes, signifie usage de médicaments qui produiraient chez l'homme sain des symptômes contraires à ceux de la maladie que l'on veut éviter.

Médicaments utilisés reconnus par les instances officielles (gouvernements et universités, syndicats de l'industrie pharmaceutique, OMS), ils ne peuvent être commercialisés qu'après certaines réglementations (sur 10 000 molécules créées dans un laboratoire, une seule aura l'autorisation de mise sur le marché). **Recherches faites.** *Expérimentations* sur des organes isolés et sur l'animal entier ; études de toxicité sur plusieurs espèces animales, de création possible de cancer (6 mois à 2 ans), de modification du patrimoine héréditaire, du cheminement et de la transformation du médicament dans l'organisme, de l'action du médicament chez l'homme sain, puis chez l'homme malade (200 env.), études multicentristes. Puis la fabrication industrielle commence (1 à 2 ans pour la réalisation) si l'autorisation gouvernementale de vente est donnée [autorisation de mise sur le marché : AMM en France, Food and Drug Administration (FDA) aux USA].

Auriculothérapie

Origine. Du latin *auriculo* (oreille) et du grec *thérapeuein* (soigner). Découverte en 1951 par le Dr Paul Nogier (Français).

Principes. Repose sur la propriété qu'a la peau de recueillir les stimulations douloureuses, électriques ou lumineuses et de les transmettre au système artériel. Le médecin, s'aidant de cette propriété, peut capter sur l'artère radiale certaines modifications du pouls pour établir un diagnostic précis de maladie. Emploi de l'oreille (auricule surtout), qui serait l'image renversée du fœtus, *in utero,* à l'innervation très riche et aux multiples connexions avec le système nerveux central et certaines parties du corps (points de l'œil, de l'estomac, etc.). L'auriculothérapie détecte ces points (électriquement) puis les stimule par piqûre et par microcourant électrique. L'auriculothérapie injectée pratiquée à l'origine par le Dr Roure sous le nom de méso-isothérapie antitabac (tabagisme, troubles neurovégétatifs) utilise un extrait de tabac de l'IP au 1/1 000.

Indications. Douleurs aiguës ou chroniques, traumatiques ou rhumatismales, allergies (rhume des foins, eczéma, asthme), intoxications (tabac, alcool), analgésies (problèmes dentaires, accouchement).

Statistiques. *Auriculothérapeutes :* 55 000 (dont France 5 000). Français traités : 1 million. *Enseignement (France) :* depuis 1982, faculté de médecine de Bobigny.

☞ Selon l'Académie nationale de médecine (bulletin 1987, p. 961), l'auriculothérapie n'est valable sur le plan scientifique ni dans ses bases, ni dans ses réalisations.

Galactothérapie

Méthode. Injection de lait (de vache en général) sous la peau, dans les muscles ou dans les veines. Pratiquée au XVIIe s. en G.-B. et en 1875 aux USA. Développée en Europe en 1914-18. N'est plus utilisée.

Héliothérapie

Méthode. Emploi thérapeutique des bains de soleil. On utilise aussi de puissantes lampes électriques aux rayons riches en ultraviolets. **Action.** Fixation du calcium par les rayons ultraviolets.

Indications. Cicatrisation des plaies, traitement des infections localisées, tuberculoses chirurgicales (osseuses, ganglionnaires, péritonéales), pour les enfants chétifs, rachitiques ou spasmophiles.

Homéopathie

Origine. Du grec *homoios* (semblable) et *pathos* (affection), s'oppose à l'allopathie. Méthode thérapeutique révélée en 1796 par Samuel Hahnemann (1755-1843) qui s'installa à Paris en 1835, plus de 1 million d'adeptes en 8 ans. Doctrine répandue aux USA par Hering (1800-80) et en France par Des Guidi (1769-1863), fondateur de l'école lyonnaise. Benoît Mure (1808-58), Chargé (1810-90), P. Jousset (1818-1910), Léon Vannier (1880-1963). **But.** Restauration des défenses de l'organisme. Kent (USA 1800-80) est connu par son répertoire.

Principes de base. *Loi de similitude :* « Toute substance susceptible de déterminer chez l'homme sain certaines manifestations est susceptible, chez

Guérisseurs

☞ Les guérisseurs utilisent surtout le magnétisme, l'hypnotisme et les plantes.

■ **En France.** Guérisseurs et rebouteux ne sont pas reconnus et n'ont pas de statuts légaux. L'article L 372 du Code de la santé publique interdisant la profession de « guérisseur », ceux-ci peuvent être passibles de la correctionnelle. Les professionnels, peu nombreux, paient la taxe professionnelle comme magnétiseurs, radiesthésistes médicaux, etc., et sont assujettis à la TVA.

Guérisseurs célèbres. Mis de Puységur (Français, 1655-1743), Mesmer (1734-1815), Deleuze (1753-1835), C[l] de Rochas (1837-1914), Charles de Saint-Savin (1892-1976), Camille Eynard, Serge Alalouf, Hector Durville (1849-1923), Henri Durville (fils d'Hector et frère des médecins naturistes Gaston et André Durville, qui connurent une certaine renommée entre les deux guerres).

GNOMA (Groupement national pour l'organisation de la médecine auxiliaire), 36, rue Bleue, 75009 Paris, Minitel 36 15, GNOMA. Fondé 1949 par Charles de Saint-Savin, Pt : Jean-Michel Girardin, regroupe des « guérisseurs » employant des thérapeutiques naturelles, sans être diplômés docteur en médecine. *Publication : « Thérapeutiques naturelles »* (bimestr.).

■ **En Allemagne,** les guérisseurs *Heilpraktikers* sont reconnus par l'État après examen devant une commission officielle. Leurs patients sont remboursés par les organismes sociaux.

l'homme malade, de faire disparaître des manifestations analogues » (Hahnemann). *Notion d'infinitésimalité :* si l'on diminue progressivement la dose d'une substance médicamenteuse, on accroît son champ d'action, tout en atténuant ses effets toxiques. Le choix de la dilution est généralement fonction de la similitude : plus celle-ci est étendue, plus la dilution est élevée. *Individualisation du malade :* « Il n'y a pas des maladies, mais des malades ; aucun malade ne ressemble totalement à un autre » (Hahnemann).

Diagnostic. Clinique et diagnostic du médicament à prescrire, fondé sur l'étude du terrain (type, tempérament personnel, réaction individuelle des malades), de l'élément d'attaque (microbe, virus, stress...), des symptômes clés (ayant trait au comportement, au caractère).

Médicaments. Comportent une substance active (souche) et un produit de dilution (alcool ou eau distillée, poudre de lactose ou de saccharose). D'origine *végétale* (plantes cueillies fraîches dans la nature et macérées), *animale* (à partir d'animaux entiers, d'organes, de venins), *minérale* (métaux et métalloïdes, sels chimiques complexes) ; dans certains cas à partir de cultures microbiennes.

Statistiques (France). **Enseignement :** officiel (diplôme d'université) et privé : **Médecins :** env. 10 000 pratiquent l'homéopathie parmi d'autres thérapeutiques (dont env. 1 500 l'homéop. seule). **Soins :** dans certains hôpitaux : St-Jacques à Paris, St-Luc à Lyon, certains services de CHU qui assurent des consultations et plusieurs dispensaires dont Hahnemann, St-Augustin, Centre homéopathique Danton (Paris). **Patients :** 10 à 30 % de la pop. se traite par homéopathie. *Part du marché des médicaments :* 2 % (soit 1,7 milliard de F en 1987) dont Laboratoire Boiron 60 %, Dolisos 27 %, Homéothéra 10 %.

☞ **Renseignements.** *Syndicat national des médecins homéopathes français* (Domus medica) : 60, bd de Latour-Maubourg, 75007 Paris. *Faculté de médecine Paris XIII :* 93000 Bobigny. *Centre homéopathique de France :* 228, bd Raspail, 75014 Paris.

☞ A plusieurs reprises, l'Académie de médecine a jugé sévèrement l'homéopathie. En 1987, à la suite d'une étude sur les médecines alternatives, il apparaissait que l'utilité des médicaments homéopathiques était douteuse, leur prescription ne se justifiant que dans des syndromes guérissant spontanément.

Gemmothérapie. Proche de l'homéopathie, utilise jeunes pousses, radicelles et bourgeons. Après macération, le médicament est délivré en 1re dilution décimale hahnemannienne.

Hydrothérapie

Définition. Emploi thérapeutique de l'eau en applications externes, locales ou générales, chaudes ou froides. Très utilisée au cours des cures thermales.

Grandes méthodes. *Bain de siège* de Khune ; *capillothérapie* de Salmanoff ; *bain vertébral* de Sharma ; *affusion* de Kneipp ; *bain froid* de Brandt ; *bain de vapeur ; pédiluve ; douche rectale* de Marchesseau ; *aquapuncture* du Dr Leprince ; *circuit inversé* de Baruch ; *cure d'eau distillée* de Hanish ; *compresses, cataplasmes* et *enveloppements humides,* etc.

But. Accélérer le drainage humoral au niveau des vaisseaux et des émonctoires, donc favoriser l'autoguérison – par l'élimination des déchets et résidus du métabolisme.

Hygiénisme

Définition. Philosophie d'enseignement de la santé naturelle fondée sur l'équilibre physique et psychique de l'organisme. Alimentation détoxinée en compatibilités alimentaires appropriées, alliée à des exercices physiques modulés. Jeûne pour une purification périodique. Techniques respiratoires pour se relaxer (bio-respiration).

Enseignement. *Centre Nature et Vie* 9, rue du Village, 56100 Lorient. *Revue :* Les Hygiénistes.

Iridologie

Définition. Méthode d'étude et d'interprétation des modifications histologiques de l'iris de l'œil (texture, relief, couleur, forme, position, etc.). **Pratique.** *Iridoscopie :* examen de l'iris sur le sujet. *Iridographie :* examen d'une photographie de l'iris. *Iridoexamen télévisé :* permet de conserver l'image de l'iris vivant, en mouvement.

Origine. *Antiquité* connue dans le Proche-Orient et en Chine. Employée par Hippocrate et de nombreux médecins du Moyen Age (dont R. Lulle). *1836,* Ignaz Peczeli (Hongrois, devenu plus tard médecin), l'expérimente sur un oiseau blessé. *1881* il fonde l'iridologie et publie le 1er traité d'ir. systématique. **Recherches :** *Allemagne* (J. Thiel, E. Felcke, R. Schnabel, Maubach, Angerer, Grethman, J. Deck) ; *France* (L. Vannier, G. Verdier, G. Jausas, Dr J.-C. Houdret), *Europe du N.* (M. Liljequist), *Espagne* (L. Ferrandiz), *USA* (H. Lindlarh, J. Haskell Kritrer, B. Jensen), *Canada* (Koegler, Winter), Australie et N.-Zélande (H.-S. Grimes). Autre précurseur : Dr Fortier-Bernoville.

Principes. Un organe commençant à ne plus fonctionner normalement réagit sur les centres nerveux dont il dépend, et sur le système sympathique en particulier, avant qu'une douleur n'attire l'attention. L'iris divisé en 12 secteurs correspondant aux différentes parties du corps en est le témoin. Il garde également l'empreinte du passé pathologique, des affections qui se sont mal terminées ou qui ont laissé des traces dans l'organisme.

Diagnostic. *Signes :* en *relief,* indiquent un excès ; en *creux :* une carence ; *trame irienne affaiblie :* une fragilité ; *coloration anormale* de certaines parties : intoxications d'origine extérieure (médicaments mal éliminés) ou auto-intoxications par mauvaise élimination des toxines.

En France. **Enseignement :** plusieurs écoles privées. *Académie des sciences de l'homme,* 26, rue d'Enghien, 75010 Paris. *Cercle d'études et de recherches en iridologie scientifique et expérimentale* (CERISE) 19, rue Thiers, 10110 Bar-sur-Seine. *Vie et Action-Cerédor,* 06140 Vence. *Faculté de médecine Paris XIII,* 93000 Bobigny. *Institut médical français d'iridologie,* 26, rue Vavin, 75006 Paris. **Nombre d'iridologues :** quelques centaines.

☞ Selon Guy Oppret : « Il faut se garder d'attribuer à des changements morphologiques minimes, à des dispositions pigmentaires subtiles, ou encore à de discrètes modifications géométriques de l'iris, une importance que ni l'expérience, ni la connaissance médicales ne confirment. »

Kinésithérapie

Discipline exercée par des auxiliaires médicaux spécialisés, utilisant le massage, la rééducation motrice (mouvements passifs et actifs) et la mécanothérapie.

Macrobiotique

Introduite en Occident par *Oshawa,* après 1945.

Principes. Fondés sur une réforme alimentaire, axée sur un régime de riz et de soja. Sont exclus, en principe, fruits, laitages et viandes. Les aliments sont classés, suivant la philosophie chinoise, en 2 catégories : *Yin* (dilatateur) et *Yang* (constricteur). **Indications.** Monodiète au riz (ou céréales pauvres, avec légère base azotée), chez les gros mangeurs (hypertendus, pléthoriques, obèses, sanguins, etc.), et pour un temps donné de désintoxication.

Magnétisme

Origine. Connu dans l'Antiquité, utilisé par les Égyptiens, mentionné dans la Bible. Étudié scientifiquement par François Mesmer (1734-1815) dans son livre *Mémoire sur la découverte du magnétisme animal.* Développé en France avec Henri Durville et ses frères Gaston et André à l'origine du naturisme médical.

Principes. Le magnétisme *minéral* s'explique par le mécanisme interne des aimants, le magnétisme *vital* (végétal, animal ou humain) s'explique par le double aurique (effet *Kirlian :* effet de luminescence observé par l'ingénieur soviétique Semen Kirlian). Un objet est placé dans un champ électrique de haute fréquence et de haut voltage qui entraîne une émission électronique impressionnant la plaque sensible en couronne autour de l'objet. D'après Kirlian, ces phénomènes de luminescence seraient spécifiques des structures vivantes et influencées par leur état biologique. Le magnétisme *mental* relève de la suggestion et de l'hypnotisme (sophrologie) et dans certains cas de la *télépathie* (action mentale à distance). Le magnétisme *spirituel* (prière) est de nature métaphysique. Pas d'explication scientifique connue. **Actions :** désinfectante, revitalisante, calmante, cicatrisante.

Mésothérapie

Origine. *1952* docteur Michel Pistor (15-12-24), *1958* propose le nom de *Mésothérapie.*

Principe. Injections sous-cutanées superficielles et intradermiques le plus près possible du lieu de la douleur ou de la maladie, verticalement par rapport à l'organe douloureux ou malade, avec des aiguilles de 4 mm (aiguilles de Lebel) ou des pistolets injecteurs électroniques, de mélanges à base de Procaïne et de médicaments actifs injectables à petites doses (10 à 30 fois moins de médicament). Le « mésopatch » permet la pénétration lente de produits appliqués sur la peau après microperforation indolore.

Indications. *Douleurs :* arthroses, tendinites, névralgies sciatiques, entorses, migraines, céphalées (la cause même de la douleur est souvent traitée). *Infections :* rhinopharyngites, otites, angines. *Allergies :* eczéma, rhinite, asthme. *Insomnie. Constipation. Colites. Médecine esthétique. Presbytie, certaines myopies et surdités.*

La mésothérapie n'est qu'une thérapeutique à piqûres multiples masquant souvent des injections de cortisone. L'acte mésothérapique n'est pas coté à la nomenclature des actes médicaux.

Médecins. Plus de 10 000 en France.

☞ **Renseignements.** *Sté internationale de mésothérapie :* 87, bd Suchet, 75016 Paris. *Sté française de mésothérapie :* 15, rue des Suisses, 75014 Paris, créée 1964, env. 1 500 membres.

Naturothérapie

Origine. Pratiques ancestrales. De nombreux praticiens – médecins ou non – l'ont pratiquée [ex. en Angleterre : Sydenham (médecin du roi) au XVIIe s., Thomson, Stanley, Lief, Benjamin) ; Allemagne : Kuhne, Just, Blitz, Kneipp ; USA : Jackson, Trall, Lindlahr, Tilden, MacFadden]. *1850-1980,* le mouvement se développe. *En France 1920-40,* synthèse réalisée par Paul Carton et les frères Durville. *Depuis 1945,* essais de synthèse proposés par Marchesseau, Passebecq, Roux, Masson, Mérien, avec des conceptions plus ou moins hygiénistes ou symptomatiques, parfois fondamentalistes.

Définition. Ensemble de prescriptions et de pratiques visant à restaurer les défenses immunitaires par des mesures purement naturelles chaque fois que possible. Interviennent notamment : alimentation (diététique), jeûne, ostéopathie, physiothérapie, exercices physiques et respiratoires alternant avec repos, relaxation et sommeil, massages, hydrothérapie, thermalisme, crénothérapie (traitement par les eaux de source à leur point d'émergence), thalassothérapie, réflexologie, étude de l'habitat, du climat, des facteurs psychoaffectifs, etc. Certains y ajoutent la phyto-aromathérapie, la biorespiration, le massage tensionnel et la bioanalyse.

☞ **Renseignements.** *Académie des sciences de l'homme :* 26, rue d'Enghien, 75010 Paris. *Faculté* *libre de médecines naturelles :* 4, rue Chapu, 75016 Paris. *Faculté de médecine Paris XIII :* 93000 Bobigny. *IHMN,* 83511, La Seyne-sur-Mer. *Nature et Vie* (Centre d'éducation vitale) 56100 Lorient. *Vie et Action-Cerédor* (Centre de recherches et d'éducation orthobiologiques), 06140 Vence.

Oligothérapie

Origine. *1890* mise en évidence de la nécessité de métaux pour la vie (13 oligo-éléments sont indispensables aux animaux à sang chaud). *1932* 1res utilisations thérapeutiques chez l'homme par J. Ménetrier puis Henry Picard (1945).

Principes. La plupart des réactions biochimiques de notre organisme nécessitent la présence du métal coenzyme. Risques de troubles divers du fait de carences. Du fait d'une alimentation trop raffinée, d'une augmentation de la pollution qui amène des agents bloquant les « bons » oligo-éléments et des minéraux toxiques (plomb, mercure), un apport supplémentaire en oligo-éléments s'imposerait. Dosage des oligo-éléments dans les cheveux.

Produits utilisés. Ampoules toutes prêtes et solutés ioniques miscibles et adaptés à chaque patient (Laboratoires Oligopharma). Capsules associées aux vitamines et acides gras poly-insaturés (huile de poisson) facilitent la prise (Laboratoire Phyterem).

Statistiques (France). Très peu d'oligothérapeutes spécialisés mais prescription fréquente par homéopathes et médecins classiques.

☞ **Enseignement et renseignements.** *Institut français d'étude et de recherche sur les oligométaux* (Iferom) : 2, rue de l'Isly, 75008 Paris, créé 1986 par le Pr Massol, le Dr Bernard Saal et M. Piquet. *Collège internat. d'oligothérapie et des méd. de terrain :* 13, rue Fortuny, 75017 Paris, Pt : Dr Roger Moatti. *Assoc. de défense des consommateurs de plantes médicinales :* 19, rue Milton, 75009 Paris.

Ozonothérapie

Origine. *1895,* en France. Travaux des docteurs Labbé et Oudin. Essor après 1935.

Principe. Utilise un mélange gazeux composé d'ozone, dilué dans de l'oxygène. *Relance énergétique* par stimulation de la respiration cellulaire, désintoxication de l'organisme et stimulation des défenses immunitaires. *Action anti-infectieuse :* détruit bactéries, champignons et virus.

Indications. Stress, fatigue, tendance dépressive, troubles du sommeil, ankylose ; indications cardiovasculaires (hypertension artérielle, artériosclérose, troubles veineux, artérites) ; rhumatologiques (arthrose, arthrite) ; pneumologiques (bronchite chronique, asthme, emphysème) ; gastro-entérologiques (troubles hépatiques, colites...) ; chirurgicales : propriétés anti-infectieuses, anti-inflammatoires et cicatrisantes de l'ozone (essentiellement plaies chroniques et suintantes, ulcères variqueux, brûlures).

☞ **Renseignements.** *Sté française d'ozonothérapie :* 36, av. Hoche, 75008 Paris, fondée par le Dr Monnier.

Phytothérapie

Définition. Utilisation de plantes et d'extraits de plantes (tisanes, extraits secs, poudre et nébulisats mis en gélules, extraits pour gels [Phytols]). L'*aromathérapie* utilise les essences de plantes aromatiques.

Indications. Exemples : rhumatologie, troubles métaboliques (excès de poids), circulatoires.

En France. Diplôme : aucun délivré dep. 1941. *Prescriptions* faites par médecins, préparations par pharmaciens. *Herboristes* ne délivrent que les plantes sèches (*1987 :* 120, *1939 :* 4 500).

☞ **Renseignements.** *IEPMG :* 13, rue Fortuny, 75017 Paris, fondé par les docteurs Roger Moatti, Bernard Saal et Robert Fauron, Dr en pharmacie. *Faculté de médecine Paris XIII :* 93000 Bobigny. *Adimed :* 2, rue de l'Isly, 75008 Paris. *ADCMP :* 19, rue Milton, 75009 Paris.

Psychosomatique

Définition. Fondée sur l'union étroite du psychique et du corporel. **Traitement** des troubles des fonctions végétatives en relation avec l'affectivité, tr. biologique complété par psychanalyse, thérapeutique de groupe, cure de sommeil et tranquillisants.

Exemples de soins par les plantes

Antispasmodiques : *aubépine* (écorce) tonifie le cœur, action régulatrice sur les vaisseaux. *Olivier* (feuilles) en alternance avec l'aubépine pour l'hypertension artérielle, en préparation aqueuse (20 feuilles d'olivier bouillies dans 300 g d'eau) filtrée et sucrée, matin et soir (consommer chaud). *Gui, valériane* (racine) agit sur le système nerveux central. *Lavande* en infusion avec des fleurs de souci, de la bourrache, du genêt, de la pensée sauvage, active le débit de l'urine et de la sueur (3 à 4 tasses par jour). **Apéritifs :** *serpolet, thym, anis, hysope, menthe, camomille, lavande, mélisse* stimulent l'appétit (1 tasse avant les repas).

Béchiques (plantes contre la toux) : ÉMOLLIENTS : *tisane pectorale* (coquelicot, bouillon-blanc, guimauve et mauve) ; EXPECTORANTS : *aunée, drosera, mouron rouge, gui ;* FLUIDIFIANTS : *réglisse* (racines) calme aussi les douleurs de la gastrite et de l'ulcère gastrique, propriétés anti-inflammatoires sur certaines conjonctivites (en bains oculaires). *Primevère* (légèrement laxative) peut dégager les voies respiratoires en début de grippe (décoction de la racine, à 2 ou 3 %, 3 tasses par jour). Rhume de cerveau : presser, dans la main, la moitié d'un *citron* (coupé en deux) et respirer fortement le jus qui s'écoule ; après avoir éternué plusieurs fois, faire de même avec l'autre moitié.

Dartres, eczéma : prendre à jeun des tisanes de *houblon, salsepareille, douce-amère.*

Dépuratifs : *Bardane* (en décoction à 6 %) agit sur la sécrétion hépato-biliaire, les glandes sudoripares. *Buis,* fébrifuge, agit aussi sur sécrétion biliaire. Tisanes de *serpolet,* de *marrube,* de *millepertuis. Pensée sauvage* et *orme* (écorce moyenne des pousses) pour les dermatoses.

Diarrhées, dysenteries : 25 g d'écorce de racine de *simarouba* (arbre de Guyane) bouillie dans 1 litre de vin jusqu'à réduction de moitié (1 verre le matin et 1 le soir, à jeun : guérison en 24 h). *Pour les enfants :* un blanc d'œuf délayé dans de l'eau sucrée ; dans la journée, tisane de riz. *Pour les adultes :* faire bouillir ensemble 1 verre d'eau et 2 verres de fort vinaigre jusqu'à réduction de moitié ; boire froid le matin à jeun, en 2 fois, et à 20 min d'intervalle.

Diurétiques : *sauge* sous forme de vin de sauge (80 g de feuilles de sauge, vin de Samos ; macéré 8 j), 1 à 3 cuillerées à soupe après les repas, facilite le flux menstruel et la conception. *Barbe de maïs,* calme les douleurs de la cystite chronique. *Fragon* ou petit houx, pour crises hémorroïdaires. *Mâche* ou céleri sauvage, bon aussi pour les engelures (en bains de pieds). *Fenouil* associé aux racines d'asperges, de persil, de petit houx et d'ache. *Pariétaire* ou perce-muraille (seulement fraîche). *Busserole* ou raisin d'ours (en décoction concentrée). *Prêle, sureau, solidago, oignon, piloselle, scille, cassis, bourrache, chiendent* et *queues de cerises.*

Narcotiques et analgésiques : *pavot* [1] renferme une vingtaine d'alcaloïdes (dont morphine, papavérine, codéine, narcéine). L'action sédative de l'opium sur la douleur s'accompagne d'une excitation des autres activités organiques : motricité nerveuse, fonctions respiratoires... *Aconit* [1] analgésiant actif. *Grande ciguë* [1] sédative, s'emploie en extrait alcoolique, en teinture de feuilles ou de semences. **Maux de dents :** *lierre grimpant,* faire bouillir 10 min, dans ½ l de vin, une poignée de feuilles, ajouter une forte pincée de sel de cuisine, passer avec un linge et se gargariser la bouche du côté où les dents font mal ; cracher après quelques minutes. **Goutte et rhumatismes :** *colchique* [1] (bulbe) dont l'alcaloïde, la colchinine, est très active au début des crises de goutte (à utiliser sur ordonnance car elle a un effet inflammatoire sur la muqueuse intestinale). *Bardane,* faire bouillir 120 g de racines sèches dans 2 l d'eau ou de bière pendant 5 min, tenir au frais. Boire 1 litre au moins par jour. **Lumbago, douleur dans un genou ou sur les épaules :** *chou :* feuilles bouillies avec du lait, étendues à chaud en compresse sur la partie souffrante. Maintenir 10 h.

Nota. – (1) Plantes toxiques, vente réglementée effectuée sur prescription médicale.

Purgatifs : *bryone* (racine). *Rhapontic* (poudre des racines) bon purgatif. *Psyllium* (semences) augmente le volume du bol fécal et lubrifie la paroi de l'intestin. *Son* dans une compote de pruneaux frais trempés (1 cuillerée à soupe aux 3 repas). *Frêne* (feuilles en tisane) à prendre chaque matin à jeun, pendant 8 à 10 j. Régime : légumes, laitages.

Toniques : ASTRINGENTS. *Tanin* entre dans leur composition. *Chêne* (écorce) en décoction aqueuse à 100 pour 1 000, conseillé pour hémorragies utérines par fibrome ou métrites, inflammation de la muqueuse de l'utérus, pertes blanches, hémorroïdes. *Marron d'Inde* (écorce) efficace surtout pour hémorroïdes. *Tormentille* (racine) pour diarrhées chroniques, *consoude* (racine). *Peuplier* (bourgeons), action antiputride. TONIQUES AMERS : excitent l'appétit, facilitent la digestion : *gentiane* (racine). *Artichaut* (feuille de la tige) agit sur l'élimination urinaire, abaisse le taux d'urée. *Marrube blanc* (huile essentielle en substance cristallisée), cardiotonique, en sirop simple (4 à 5 cuillerées à entremets par jour). *Houblon* pour gastrites nerveuses, en infusion (15 g de cônes de houblon pour 1 l d'eau).

Vermifuges : *ail* (agit aussi, sous forme d'infusion, sur quintes de toux et vomissements). *Chou cru* (20 à 30 g de suc de chou cru). *Tanaisie* ou herbe aux vers (semences) en infusion ou en poudre, agit contre oxyures et ascaris.

Indications. Asthme, œdème pulmonaire, tuberculose, ulcère d'estomac, colites, crise de foie, tachycardie, perte de tension artérielle, impuissance et frigidité, eczéma et psoriasis.

Radiesthésie

Nom. Inventé en 1890 par l'abbé Bouly (de *radius :* rayon et *aisthêsis :* sensibilité). **Origine.** *147 apr. J.-C.* document le plus ancien traitant de l'art du sourcier : bas-relief représentant l'empereur chinois Yu une baguette à la main. *Renaissance* utilisée en Europe pour rechercher des trésors ; *XVII*ᵉ *s. :* le *pendule,* mentionné pour la 1re fois en 1662 par le père Schott, est réservé à la recherche de l'or. *XVIII*ᵉ *s. :* l'abbé Guinebault ramène de Chine, et l'abbé Gerboin (prof. à Strasbourg) des Indes, des pendules utilisés pour les sources. *XX*ᵉ *s. :* divulguée en France. *1922* fondation de l'Association française et internationale de radiesthésie.

Radiesthésistes célèbres. *XX*ᵉ *s. :* abbé Bouly, curé de Hardelot (1865-1958) ; père Bourdoux ; abbé Mermet (1866-1937), sourcier ; père Henry de France (1872-1937), sourcier ; Joseph Treyve (1877-1946) ; abbé Jean Jurion († 1977), guérisseur, fondateur du Syndicat nat. des radiesthésistes. *Scientifiques :* Turenne, de Belizal, Jean de La Foye, Pagot. *Écrivains :* Luzy, Michel Moine, Christopher Bird.

Principes. Forme de sensibilité possédée par tout être humain à des degrés divers, et qui le pousserait à trouver instinctivement le remède approprié à son mal (comme le ferait l'animal). Le pendule ou la baguette sont des amplificateurs devant permettre à l'opérateur d'obtenir une réponse à une question posée, affirmative ou négative selon le sens de la giration et suivant une convention variant d'un radiesthésiste à l'autre. *Services rendus (médecine) :* le pendule pourrait guider le médecin dans son diagnostic en lui indiquant les causes de la maladie selon un ordre d'importance ; l'aider à choisir le remède adapté ; avoir une action préventive.

☞ **Renseignements.** *Syndicat national des radiesthésistes* (créé 1954), 42, rue Manin, 75019 Paris.

Sophrologie

Définition. Étudie la conscience en harmonie (c'est-à-dire la totalité de l'individu : conscience et inconscience). La *relaxation dynamique* (technique thérapeutique de base créée en 1960 par le Pr Cayado) s'apprend en 3 mois, individuellement et en groupe. Le rythme de la respiration est associé à la méditation sur une pensée (inspiration bouddhique). Au 3ᵉ degré, méditation totale inspirée du Zen, pas de différenciation entre le corps et l'esprit.

Indications. Troubles psychiques, physiologiques (respiratoires, circulatoires, digestifs), préparation à la grossesse et à l'accouchement. **Pratiquants.** 20 000 médecins dans le monde.

Tai-Chi-Chuan ou Tai-Ji-Quan

Origine. Art martial d'origine chinoise, mais le combat ne peut être pratiqué qu'après plusieurs années d'exercice.

Principe. Lié à une conception de l'univers, l'existant est un tout dont l'homme fait partie, ce qui implique l'acceptation des rythmes naturels, principalement du rythme binaire exprimé dans le symbole du *Tao* [un cercle divisé en 2 sortes de virgules (noire et blanche, chacune portant un gros point de la couleur opposée)] qui exprime la juxtaposition d'éléments contraires (féminin-masculin, nuit-jour, etc.), c.-à-d. du Yin et du Yang, se suivant, se détruisant et s'engendrant l'un l'autre. Ce symbole se nomme un Tai-Chi. Le Tai-Chi-Chuan est le *Chuan* (l'action ou la boxe, au sens plus restreint) suivant les lois du Tai-Chi. **Aspects.** *Lao-Jia,* « Vieille Forme », qui mène au combat de la « Nouvelle Forme », ou *Xin-Jia* (technique de santé physique et mentale). **Aspects thérapeutiques :** assouplissement des articulations, maîtrise de soi, meilleure santé. **But.** Ouvrir le pratiquant à la circulation libre du *Chi* (énergie interne, qui intègre l'homme accompli, le Tchenjen, dans l'énergie cosmique « de la Terre et du Ciel »). Au combat, ce ne sera plus la force de l'individu qui agira, mais le *Chi,* transmis à travers le geste.

Étude. Exercices d'enracinement, de souffle, d'assouplissement, des applications non violentes à deux. *Aspect le plus connu :* apprentissage de la Forme (succession réglée de déplacements et de gestes exécutés régulièrement et lentement, sur la vitesse de la respiration).

Championnats internationaux de Tue-Cho (joute) : intermédiaire entre le travail doux et le combat.

☞ **Renseignements.** *Féd. française de karaté et arts martiaux affinitaires :* 122, rue de la Tombe-Issoire, 75014 Paris. *Féd. nationale de Tai-Ji-Quan :* 37, rue Clisson, 75013 Paris (fondée 26-5-1982). *Féd. fr. de Tai-Chi-Chuan :* 24, rue de Babylone, 75007 Paris. *Féd. fr. de Tai-Chi et Kungfu :* 65, quai d'Orsay, 75007 Paris.

Thalassothérapie

Origine. *Antiquité,* les Romains prennent des bains thérapeutiques d'eau de mer dans des piscines chauffées. *Second Empire,* vogue des cures marines. *1866,* le biologiste René Quinton (1866-1925) démontre la similitude entre le plasma désalbuminé et l'eau de mer ramenée à isotonie, et réussit à faire se développer une cellule humaine dans de l'eau de mer isotonique ; il résumera ses travaux dans « L'eau de mer en milieu organique » (1904). *1869,* le Dr de La Bonardière, d'Arcachon, crée le terme de thalassothérapie. *1899,* le Dr Louis Bagot, de Roscoff, crée le 1er centre « moderne » destiné aux rhumatisants. *Années 1950,* expansion. *1964,* rôle médiatique du champion cycliste Louison Bobet (ouverture du centre de Quiberon).

Définition. Utilisation curative ou préventive des éléments du milieu marin : climat, eau de mer, algues, boues marines, sables et autres substances extraites de celui-ci.

Traitement. Bains d'eau de mer chauffée, associés à des soins physiothérapiques (rééducation, gymnastique médicale, massothérapie) et, s'il y a lieu, à des douches, applications de boues marines ou de pâtes d'algues, bains bouillonnants (les bulles effectuent un brassage continu de l'eau qui masse le corps), bains thermo-gazeux, massages par douches sous-marines (la pression de l'eau peut atteindre 4 kg) ; aérosols (inhalations de brouillard d'eau de mer), traitement bucco-dentaire selon l'avis du médecin.

Indications. Affections de l'appareil locomoteur avec atteinte rhumatismale, séquelles d'accident ou de pratique sportive intensive, fatigue fonctionnelle (suites opératoires, surmenage physique, suites de maladies) ; troubles liés au vieillissement et à l'inactivité ; préparation et récupération des sportifs. **Contre-indications.** Affections infectieuses aiguës, cardio-respiratoires décompensées, néoplasiques évolutives non stabilisées ; certaines maladies de peau ; allergies à l'iode ; certaines hyperthyroïdies.

Statistiques. **Centres :** Allemagne 21, Belgique 1, Espagne 2, *France 45,* Roumanie 4, Yougoslavie 5. **Curistes (France) :** *1971 :* 26 741. *1982 :* 40 à 45 000. *1992 :* 150 000.

☞ **Renseignements :** *Fédération Mer et Santé* (créée 1986), 60, bd de La Tour-Maubourg, 75007 Paris. Minitel : 3615 Thalasso.

Thérapeutiques manuelles

☞ « Doctrines irrationnelles et anti-scientifiques » selon le bulletin de l'Académie nationale de Médecine (1987, p. 945-951).

Chiropractie ou chiropraxie

Nom. Du grec *keiros :* main, et *prakticos :* pratique. **Origine.** *Fondée* en 1895 aux USA par le Dr Daniel David Palmer (1844-1913) et le Dr Bartlett Joshua Palmer (1881-1961).

Principe. S'intéresse aux relations existant entre la colonne vertébrale et l'appareil nerveux en considérant l'état de santé général et la personnalité ou *Diathèse* de chaque patient. **Méthodes.** Examens radiologique, thermographique du dos physique. **Correction.** Au moyen d'*ajustements* (micro-manipulation) indolores ne concernant qu'une vertèbre clé à la fois. **But.** Rééquilibrage fonctionnel de l'ensemble crâne-colonne vertébrale-bassin ; aspect préventif et thérapeutique.

Enseignement. Après le bac, cycle long (6 ans, 6 000 h de cours). Diplôme de « Doctor of Chiropractic » (DC) reconnu internationalement. **Statut.** Le chiropracteur, professionnel indépendant, ne peut prescrire de médicaments ni la chirurgie. *En France,* les chiropracteurs sont tolérés. Un Institut français de chiropractie a été créé à Paris en 1984.

☞ **Renseignements.** *Association nationale française de chiropractie (ANFC) :* 44, rue Duhesme, 75018 Paris. *Institut français de chiropractie (IFC) :* 44, rue Duhesme, 75018 Paris.

Ethiopathie

Variante de la chiropraxie. Née à Genève en 1983. Les manipulations sont destinées « à rétablir la place et les fonctions des organes dont la dysharmonie structurale est à l'origine des maladies ». Méthode irrationnelle fondée sur une doctrine verbale dénuée de fondement scientifique (selon l'Académie de médecine).

Ostéopathie

Origine. Fondée par Andrew Taylor Still (1830-1917), médecin, chirurgien et pasteur.

Principes. Dans un corps vivant, toutes les structures anatomiques ont une certaine mobilité ou plasticité ; l'ostéopathie, par son abord manuel, permet de détecter ses troubles et de lui restituer un mouvement physiologique. *Principaux facteurs susceptibles de modifier la fonction d'un organe ou d'un ensemble de cellules :* innervation, circulation d'arrivée ou de retour, déséquilibres permanents inscrits dans les tissus de soutien et modifiant la mobilité rythmique de l'organe.

Indications. Réparation de certains déséquilibres mécaniques (subluxations, entorses, séquelles d'accidents, etc.) ; soins des troubles fonctionnels venant d'une mauvaise circulation des liquides du corps (sang, lymphe, liquide céphalo-rachidien) ou d'une perturbation de la transmission de l'influx nerveux (névralgie faciale, troubles neurovégétatifs, etc.) ; à titre préventif (grossesse) pour préparer l'accouchement ; à la naissance, chez le jeune enfant, lorsque la structure osseuse (en particulier crânienne) fait pressentir des compressions ou des blocages ; pour traiter un grand nombre de problèmes viscéraux. *Séances :* de 1 à 10 selon l'état du patient.

Statistiques (en France). *Nombre d'ostéopathes :* env. 600. *Patients :* + de 3 millions de consultations par an.

☞ **Renseignements.** *Amicale des ostéopathes de la faculté de médecine de Bobigny :* 1, rue de l'Hôpital, 76000 Rouen. *Groupement des collèges ostéopathiques de France :* 10, rue des Grillons, 34470 Perols. *Registre des ostéopathes de France :* Serge Majal, 37, rue de la Campane, 84000 Avignon.

☞ La manipulation vertébrale est un acte thérapeutique (à ne pas confondre avec la kinésithérapie). En relèvent : lumbagos aigus ou chroniques, radiculalgies sciatiques, cruralgies, cervicalgies, dorsalgies. On imprime à l'articulation intéressée un mouvement qui, en respectant l'intégrité anatomique de l'articulation, dépasse l'amplitude du mouvement passif normal.

Inconvénients ou dangers : *aggravations de l'affection traitée,* exacerbation durable d'une douleur lombaire ou sciatique, lombalgies simples devenant lombo-sciatiques, sciatiques simples devenant paralysantes, ou paraplégie avec syndrome de la queue de cheval ; *d'une lésion méconnue,* spondylite infectieuse, ostéoporose ou cancer vertébral, faute d'un diagnostic exact, posé avant la manipulation ; *apparition de troubles nerveux sévères après manipulations cervicales* (céphalées, vertiges, troubles de l'équilibre, bourdonnements d'oreille, nausées, troubles du sommeil réalisant un syndrome semblable au syndrome dit subjectif des traumatisés de la tête et du cou) ; *accidents cérébraux et bulbaires graves* (rares), par ischémie provoquée dans le territoire de l'artère vertébrale ou du tronc vertébro-basilaire.

Thermalisme-crénothérapie

Définition. *Thermalisme :* signifie chaleur ; englobe les thérapeutiques pratiquées dans les villes d'eau. *Crénothérapie :* thérapeutique par les sources (crenos). **Thérapeutiques.** *Internes :* cure de boisson. *Externes :* hydrothérapie (douches, massages secs ou sous l'eau, douches sous-marines, lombo-rénales, pharyngiennes, inhalations, pulvérisations nasales, humages, aérosols), applications de boues très chaudes (peloïdes) très analgésiantes dans les réactions arthrosiques douloureuses, vaporarium.

Spécialisation (France). *Rhumatologie* (stations les plus nombreuses et les plus fréquentées, 74 stations, 25 % de curistes). *Maladies respiratoires* (37 stat., 15 % de cur.). *Mal. de l'appareil digestif* (17 stat.). *Mal. de l'appareil cardio-vasculaire. Gynécologie* (14 stat.). *Dermatologie, affection buccale* (12 stat.). *Mal. rénales et voies urinaires.* Voir « Thermalisme » à l'index.

☞ **Renseignements.** *Synd. nat. des établissements thermaux :* 10, rue Clément-Marot, 75008 Paris. *Union nat. des établissements thermaux :* 16, rue de l'Estrapade, 75005 Paris.

Premiers soins d'urgence

■ **Accidents de la route.** *1°) Prévenir les secours* publics (sapeurs-pompiers, gendarmerie, police), par le 17 ou le 18, en indiquant le lieu exact de l'accident, le nombre de blessés et baliser les abords de l'accident, si possible. *2°) Sauf danger immédiat* (surtout incendie), ne pas sortir un blessé d'un véhicule avant l'arrivée des secours et, si la victime a été éjectée ou si elle se trouve hors du véhicule, l'installer, si elle est inconsciente, en position latérale de sécurité (PLS). Arrêt des hémorragies par compression. Le Samu est obligatoirement alerté lors des accidents graves en même temps que les sapeurs-pompiers par le 15.

■ **Asthme.** En cas de troubles respiratoires aigus, appeler le Samu de toute urgence car risque de mort rapide, et les pompiers qui pourront oxygéner le patient en attendant l'arrivée du Samu.

■ **Brûlures. Thermiques :** mettre le plus vite possible sous l'eau froide pendant au moins 5 min. La gravité dépend de la profondeur et de la surface. **Brûlures superficielles** (1er degré : simple rougeur de la peau ; ex. : coup de soleil ; 2e degré : existence de phlyctènes : cloques) **et peu étendues** (surface inférieure à celle de la main) : pansement stérile (tulle gras), consulter un médecin. **Profondes, même de surface limitée** (3e degré : destruction de la totalité de la peau entraînant la coloration de la peau en marron avec insensibilité) : visite médicale d'urgence. **Brûlures de grande surface :** ne rien appliquer. Envelopper dans un drap propre et appeler le Samu. Ne pas faire boire en attendant les secours. Les victimes de brûlures profondes ou de grande surface doivent être hospitalisées dans un centre spécialisé pour grands brûlés. **Chimiques :** par projections ; de bases et d'acides (soude caustique, acide chlorhydrique, sulfurique, nitrique). Laver abondamment à l'eau courante 15 à 20 min, avis médical obligatoire.

Statistiques (moyenne par an en France) : brûlés 200 000 à 300 000 dont 10 % doivent être hospitalisés, décès 500 à 1 000, handicapés 1 500.

☞ **Renseignements.** *Association des brûlés de France :* 46 bis, quai de la Loire, 75019 Paris. *Assoc. pour la prévention et les soins aux brûlés :* 31, rue Médéric, 75017 Paris. *Sté française d'études et de traitement des brûlures :* 33, bd de Picpus, 75012 Paris.

■ **Céphalées. Siège :** douleurs locales au niveau du crâne, de la nuque ou de la face ; parfois unilatérales, ou généralisées. **Sensations :** brûlure, picotement, fourmillement, écrasement... **Causes :** CÉPHALÉES DE CAUSE GÉNÉRALE : une *infection* (ex. rhume ou grippe) déclenche des maux de tête et une fièvre, éventuellement des insomnies, vertiges ou saignements de nez. CÉPHALÉES ESSENTIELLES OU PSYCHOSOMATIQUES : engendrées par l'anxiété ou par un état dépressif. Douleur généralement peu intense et le plus souvent chronique. Difficiles à diagnostiquer car variables d'un sujet à l'autre. CÉPHALÉES DUES A UNE INTOXICATION : monoxyde de carbone (appareil de chauffage ou chauffe-eau défectueux), fumée d'incendie, alcool éthylique, hypertension artérielle : céphalées quotidiennes, souvent le matin. Douleur localisée à la nuque et autour du crâne, s'accompagnant souvent de fatigue, troubles visuels et hémorragies nasales. CÉPHALÉES DE CAUSE LOCALE : *d'origine cervicale :* douleur soudaine, unilatérale, à la suite d'un mouvement excessif de la tête. Principale cause : l'arthrose ; lésions de la zone charnière entre les vertèbres et le crâne ; affection des dents, oreilles, yeux et sinus. Douleur locale sourde et intense, variant selon la position de la tête. Selon sa localisation, la sinusite s'accompagne de symptômes annexes (diminution de l'odorat, douleurs dentaires ou écoulement nasal). *D'origine vasculaire :* douleur brève et pulsative. Provoque une rougeur de la face, contrairement à la migraine au cours de laquelle le visage devient pâle.

Migraines. **Nom :** du latin *hemicrania* (moitié du crâne). **Manifestation :** mal de tête violent qui atteint d'abord une seule partie du crâne, puis devient rapidement diffus et oppressant. **Origine :** rattachée aux spasmes des artères cérébrales. Crise en 2 étapes : brusque constriction des vaisseaux suivie d'une dilatation réflexe prolongée qui stimule des terminaisons du nerf trijumeau et qui provoque la douleur : phénomènes liés à des substances chimiques présentes dans le cerveau, qui provoquent les désordres vasculaires et inflammatoires (histamine, sérotonine), ou qui interviennent dans le message douloureux (prostaglandine). Les crises, entrecoupées de périodes non douloureuses, durent plusieurs h, généralement 1 j, parfois 2 à 3 j, revenant à intervalles variables. **Symptômes :** brusque fatigue, modification d'appétit, changement d'humeur, troubles de l'attention, vertiges, troubles visuels, sensation de malaise, avec engourdissement, frissons et courbatures. Souvent, au cours de la crise, le malade devient irritable et ne supporte plus aucun bruit (phonophobie) ni aucune lumière (photophobie). Dans les accès sévères, vertiges, nausées ou vomissements.

MIGRAINES OPHTALMIQUES : douleur précédée de signes visuels importants : taches et zigzags lumineux, brouillards, perturbations du champ visuel.

Facteurs favorisants supposés : *Hérédité. Cycle menstruel :* avant le début des règles, il se produit une baisse du taux d'œstrogènes dont la répercussion sur la circulation sanguine induit fréquemment une crise migraineuse ainsi que des douleurs abdominales ; souvent les contraceptifs oraux évitent ces troubles. *Facteurs individuels :* soucis, contrariétés, surmenage entraînant un stress qui peut provoquer une migraine. *Conditions météo :* vent, froid, brusque variation de température. *Odeurs* fortes de certaines plantes ou parfums. *Origine alimentaire* (discutée) : allergie à des aliments (œufs, chocolat, fraises, certains poissons ou crustacés, fromages fermentés, certains vins, etc.) ; repas trop riches et trop copieux et mélanges de boissons alcooliques favorisent les « gueules de bois » ; jeûne (saut d'un repas, notamment petit déjeuner).

Traitement : appliquer une bouillotte remplie de glace sur le crâne, s'allonger dans le noir. *Médicaments : antalgiques* ou *analgésiques* calmant la douleur ; *anti-inflammatoires non stéroïdiens* ; *dérivés de l'ergot de seigle, sumatriptan.*

■ Coma. **Perte prolongée de l'éveil et des réactions,** avec persistance des mouvements de ventilation et du pouls. Installer le sujet sur le côté en position latérale de sécurité pour éviter l'obstruction des voies aériennes. Appeler le Samu par le 15. **Perte de connaissance brève** (quelques minutes) : appeler le médecin après avoir couché le sujet sur le côté. Souvent sans gravité, même si une crise de convulsion a précédé, sauf si elle s'accompagne d'autres signes de détresse. **Hypoglycémie :** chez tous ceux qui ne mangent pas suffisamment et chez le diabétique soumis à un traitement à l'insuline ; traduit un défaut de sucre dans le sang et peut être très grave ; dès les premiers signes annonciateurs (pâleur, crise d'irritation, agitation...), faire croquer 2 ou 3 morceaux de sucre si redevenu conscient.

■ Convulsions. S'accompagnent parfois d'une morsure de la langue qui n'est pas grave habituellement même si celle-ci saigne. Suivies souvent d'une perte de connaissance d'une dizaine de minutes. Chez le jeune enfant surtout, peuvent être provoquées par des toxiques ou une température élevée. Mettre en position latérale de sécurité, en raison du risque d'obstruction des voies aériennes par les vomissements. Appeler médecin ou Samu par le 15.

■ Crise de nerfs. Isoler le sujet au calme, le rassurer et lui conseiller de voir son médecin.

■ Crise de tétanie (hyperventilation). Se déclenche chez des sujets prédisposés, même en bonne santé ou par des crises de panique. Picotements, mains raides, pertes brèves de connaissance. Ne pas pratiquer des piqûres de calmants ou de calcium ; appeler le médecin si l'on n'arrive pas à calmer l'angoisse et l'hyperventilation en demandant au sujet de ne pas respirer trop profondément, ni trop vite.

■ Détresses respiratoires. Quand l'oxygénation du cerveau est insuffisante, l'évolution à court terme aboutit à : une détresse neurologique, des troubles de la conscience, un coma, une inefficacité circulatoire, un arrêt cardiaque. **Causes :** *1°) L'air n'arrive plus aux alvéoles du poumon* en raison d'un obstacle mécanique sur les voies aériennes, le sujet « étouffe », « suffoque » : (œdème de la glotte, piqûre d'insectes ou allergie aiguë), chute de la langue en arrière (état inconscient ou comateux), corps étrangers divers (vomissements, dentiers, aliments, etc.). Si obstacle, il fait du bruit : il « ronfle », « gargouille » (obstruction par la langue ou des liquides stagnant dans l'arrière-gorge). *2°) L'appareil respiratoire est mécaniquement atteint :* muscles paralysés (électrisation), compression et fracture du thorax, maladies respiratoires chroniques (insuffisance respiratoire, asthme grave). *3°) Atteinte des centres nerveux respiratoires de commande du bulbe rachidien :* intoxication par barbituriques, tranquillisants, opiacés, alcool..., overdose de dérivés du pavot. Le sujet est inconscient (coma). *4°) L'air qui arrive aux poumons contient des produits toxiques : a) Pour les globules rouges :* monoxyde de carbone (appareils de chauffage) ; *b) Pour les tissus :* en inhibant la respiration tissulaire (non-utilisation de l'oxygène au niveau des cellules) : cas notamment de l'hydrogène sulfuré (fosses d'aisance), de l'acide cyanhydrique, certaines fumées d'incendie (combustion de matériaux plastiques). *5°) Le transport de l'oxygène des poumons aux tissus n'est plus assuré ;* ainsi, en cas d'arrêt cardiaque. **Conduite à tenir :** *dégagement de la victime :* retrait de l'atmosphère toxique. *Bilan rapide :* état de conscience, de la respiration, cardiaque. *Gestes d'urgence sur place :* dégager et libérer les voies aériennes, dégrafer les vêtements, nettoyer la cavité buccale et l'arrière-gorge (débris alimentaires, dentier, sable, etc.), s'opposer à la chute de la langue en arrière en tirant sur le menton, mettre la victime en position latérale de sécurité, systématiquement si le sujet est inconscient. S'il ne respire pas, lui faire le bouche-à-bouche après avoir dégagé ce qui peut obstruer la bouche, placer sa tête « bien en arrière ». Si on constate un arrêt cardiaque, il faut faire un massage cardiaque externe (voir ci-dessous).

Arrêt respiratoire. Overdose par drogue morphinique ou intoxication médicamenteuse : demander avec insistance au sujet (au besoin en lui criant à l'oreille) de respirer dès qu'il s'arrête plus de 10 secondes (la morphine arrête le centre respiratoire mais souvent l'oreille fonctionne encore). **Bouche-à-bouche :** en cas d'arrêt respiratoire ; allonger à plat dos le patient ; ouvrir largement la bouche et la placer autour de la bouche ouverte du patient ; d'une main pincer ses narines (afin d'éviter des fuites d'air) ; souffler dans la bouche ; vérifier si la poitrine s'est bien soulevée. Lorsque la poitrine du patient s'est affaissée, recommencer l'opération (15 à 20 fois par minute). Alerter pompiers et Samu (par le 15) et surveiller la victime ; les pompiers pourront commencer la respiration artificielle en attendant l'arrivée du SAMU.

Arrêt cardiaque. Arrêt de la circulation (ou inefficacité due à un trouble de la fréquence ou du rythme cardiaque) caractérisé par l'absence de pouls carotidien. **Massage cardiaque externe** (associé au bouche-à-bouche : réanimation cardio-pulmonaire). *Indications :* arrêt cardiaque (absence de pouls carotidien), arrêt des mouvements respiratoires, perte totale de connaissance. *Technique :* coucher le patient sur le dos, sur un plan dur ; se placer à côté, placer les 2 mains l'une sur l'autre, le talon de la main du dessous doit être posé au niveau du sternum, au niveau des mamelons ; exercer alors des pressions rythmiques, en se penchant en avant, bras bien tendus médians et verticaux (la dépression doit atteindre 4 cm environ). Seul le talon de la main doit toucher le sternum afin de réduire la surface de pression et éviter le bris de côtes. *Fréquence :* env. 80 pulsations par minute en associant 2 insufflations pulmonaires pour 15 compressions sternales. Pour un nourrisson, 2 doigts suffisent. Alerter systématiquement le Samu par le 15 et les pompiers comme pour l'arrêt respiratoire.

Corps étranger (obstruction respiratoire par). *Si l'obstruction est totale,* et que l'air ne passe plus, taper dans le dos, puis, si cela ne suffit pas, pratiquer la manœuvre d'Heimlich qui permet d'augmenter la pression à l'intérieur du thorax et d'expulser le corps étranger : si la victime est debout, passer derrière, entourer la taille avec les 2 bras, placer un poing au creux de l'estomac, l'autre main étant sur la 1re, et pratiquer une pression vers le haut. *Si l'obstruction est partielle,* la victime fait un bruit de « corne » en respirant ; ne tenter aucune manœuvre et, surtout chez l'enfant, ne pas mettre la tête en bas en le pendant par les pieds ; laisser la victime à demi assise et alerter le Samu par le 15.

■ Électrisation. Couper le courant au disjoncteur ; écarter le fil conducteur (basse tension 110-120) avec un corps isolant (bois sec, objet de verre) en s'isolant du sol (tabouret, tapis caoutchouté). Ne pas toucher des fils haute tension. Soins en fonction de l'état de la victime. Appeler les secours (sapeurs-pompiers et Samu).

Nota. – Le plus haut voltage auquel un homme ait résisté est 230 000 volts (Brian Latassa, 17 ans, USA). L'ampérage joue plus que le voltage.

■ Entorses (foulures). Extension forcée ou déchirure des ligaments d'une articulation caractérisée par : un œdème, un hématome, une limitation des mouvements. *Bénignes :* immobilisation avec bandage peu serré ; pansement alcoolisé, repos et possibilité de rééducation précoce (*méthode finlandaise :* pendant 10 min, plonger alternativement la cheville dans de l'eau à 0 °C et dans de l'eau aussi chaude que possible, chaque fois 1 min). *Graves :* contrôle radiologique, immobilisation plâtrée (8 à 15 j) souvent nécessaire, voire intervention chirurgicale.

■ Épilepsie (voir Convulsions). En général peu grave (même si le malade bave du sang après s'être mordu la langue) ; réveil env. 15 min après la perte de connaissance. Si les convulsions se répètent ou s'accompagnent d'autres signes de détresse vitale qui durent plus de 15 min, appeler le Samu par le 15.

■ État de choc. *Signes :* pâleur, sueurs froides, anxiété, agitation, soif, pouls lent ou rapide difficile à prendre. *Soins :* coucher à plat dos le sujet et lui remonter les jambes en plaçant un objet sous les jambes si le choc est dû à une perte importante de sang. Le réchauffer et le rassurer ; ne lui donner ni à boire ni à fumer, appeler le Samu par le 15.

■ Fracture. **Crâne :** gravité liée à l'atteinte du cerveau (qui peut être lésé même sans fracture). Attention à l'apparition secondaire (après quelques h, jusqu'à 1 ou 2 j) de troubles de la conscience, de maux de tête ou de vomissements qui peuvent traduire une compression du cerveau. Tout sujet ayant présenté un traumatisme crânien avec perte de connaissance doit être hospitalisé. Appeler le Samu dès qu'il y a coma.

Rachis : un traumatisme des vertèbres peut provoquer une lésion de la moelle épinière au niveau du rachis cervical, et une paralysie (impossibilité de bouger bras ou jambes, fourmillements). Suspecter une lésion chez les victimes inconscientes après un accident de la circulation ou une chute de grande hauteur. Immobiliser la colonne en rectitude axiale sur un plan dur jusqu'à ce qu'une radio soit faite. Appeler le Samu pour assurer le transport à l'aide d'un matériel assurant une immobilisation stricte (matelas coquille ou collier cervical) ; ne retirer le casque d'un motard qu'en respectant ce principe.

Membre supérieur : immobiliser le membre blessé à l'aide d'une attelle de fortune (planche de bois, journal plié) et d'une écharpe. **Inférieur :** immobiliser en utilisant l'autre membre. *Fractures « urgentes » :* lèsent une artère (pas de pouls au-dessous de la fracture, délai 1 h), ouvertes (délai 6 h). Certaines fractures (cuisse ou bassin) provoquent des hémorragies internes de + de 1 litre de sang et exigent l'intervention d'une équipe médicale.

■ Hémorragies. 1°) **Externes :** *plaie superficielle,* se tarit d'elle-même par vasoconstriction des capillaires lésés et coagulation locale ; *profonde :* compression (compresses ou mouchoir propre sur la plaie). Bandes semi-élastiques sur la bande de compresses. Si la compression locale n'est pas suffisante, comprimer, en amont de la plaie, l'artère qui irrigue le membre. *Garrot :* tissu de 5 à 10 cm de largeur sur 1,50 m de long, à poser après avoir fait les gestes précédents et si l'hémorragie ne s'arrête pas, quand il y a beaucoup de blessés et que les secouristes sont débordés (le garrot est douloureux et dangereux). Le blessé doit être vu dans l'heure (risque de devoir amputer le membre menacé de gangrène). 2°) **Extériorisées :** hémorragie nasale (épistaxis) : faire appuyer sur l'aile du nez avec la pulpe de l'index pendant au moins 5 min. Ne pas mettre de coton à cause du risque de récidive chaque fois qu'on l'enlèvera. Si ce traitement ne suffit pas, se faire conduire à l'hôpital ou chez le médecin. Ne pas étendre le sujet à plat dos, car le sang s'accumulerait dans l'arrière-gorge provoquant une sensation désagréable. Crachement ou vomissement de sang et selles sanglantes (une hémorragie digestive d'origine haute n'est pas rouge mais noire comme du goudron lorsqu'elle apparaît dans les selles) ne sont graves que s'ils s'accompagnent de signes d'état de choc. 3°) **Internes :** fracture de la cuisse ; atteinte d'un organe plein (rein ou foie) après un traumatisme de l'abdomen ou du thorax ; rupture de grossesse extra-utérine (grossesse toute récente ; douleur aiguë dans le flanc), si hémorragies graves, appeler le Samu dès les signes d'état de choc.

■ Infarctus du myocarde. Appeler le Samu par le 15 dès les signes prémonitoires (douleur atroce derrière le sternum, qui s'étend aux mâchoires et aux 2 bras) car il y a danger d'arrêt cardiaque dans les 12 premières heures. *En attendant les secours :* 1°) laisser le patient allongé ou en position semi-assise, au calme ; lui conseiller de prendre ses médicaments habituels (en particulier dérivés de la trinitrine) ; 2°) certains traitements appliqués précocement (au chevet même du patient) peuvent limiter l'extension de l'infarctus en détruisant le caillot obstructeur (traitement par « thrombolyse »). Certains

Urgences médicales

En cas d'urgence médicale, *téléphoner* à votre médecin, si vous en avez un ; ou au Samu par le 15. *Précisez :* d'où vous téléphonez (pour qu'on puisse vous rappeler) ; où se trouve la victime (ville, rue, n°, étage, etc.) ; comment réagit la victime lorsqu'on lui parle fort ou lorsqu'on la pince (état de conscience) ; comment elle respire ; ce qui s'est passé, les gestes de premiers secours réalisés. La police ou les pompiers sont tenus d'alerter le Samu en cas d'urgence médicale.

Samu (Service d'aide médicale urgente). Service public rattaché à un centre hospitalier : chargé de coordonner l'ensemble des urgences. Il fonctionne 24 h sur 24, disposant d'un réseau téléphonique et radiotéléphonique. Selon le besoin, il envoie une ambulance professionnelle d'urgence ; un médecin praticien d'urgence ; une unité mobile hospitalière (ambulances médicalisées pour soins intensifs). A chaque Samu sont rattachés des SMUR qui disposent d'ambulances de réanimation, de véhicules de liaison, et peuvent faire appel aux moyens de la Marine, de l'Armée, de la Sécurité civile (hélicoptères, avions, bateaux).

Sapeurs-pompiers. A Paris et à Marseille sont militaires et disposent d'un caisson mobile d'oxygène hyperbare, de plusieurs équipes médicales à bord d'ambulances de réanimation, d'un hélicoptère médicalisé et d'un service de régulation médicale où 24 h sur 24 un médecin reçoit les appels et coordonne les moyens envoyés sur place. La brigade des sapeurs-pompiers est responsable de la mise en œuvre du Plan-Rouge déclenché lors d'accidents (ou attentats) collectifs. Dans les autres départements, leur action est souvent coordonnée à celle du Samu.

Garde départementale des médecins généralistes. Voir annuaire par professions à Médecins. Appeler directement, ou par le 15, ou par le Samu.

Garde départementale d'ambulanciers (Atsu). Appeler directement, ou par le 15, ou par le Samu.

Organismes de secours médicaux aux Français en déplacement. Publics : *Français à l'étranger :* consulat, Samu de Paris. *Français en vol aérien :* Air France, UTA et Samu de Paris. *Français en mer :* littoral : Samu local par les moyens locaux ; en haute mer : Samu de Toulouse par St-Lys. **Privés :** Europe-Assistance, Mondial, Gesa, Intermutuelle.

Organismes divers dans la région parisienne

SOS Médecins. Visites jour et nuit (dans les départements 75, 92, 93, 94).

Urgences des hôpitaux publics à Paris.

Ophtalmologie. *Hôtel-Dieu.* 1, place Parvis Notre-Dame, 75004 Paris. *Hôpital des Quinze-Vingts,* 28, rue de Charenton, 75012 Paris.

Oto-rhino-laryngologie. *Hôpital Necker-Enfants-Malades,* 140, rue de Sèvres, 75015 Paris.

Psychiatrie. *Centre psychiatrique d'orientation et d'accueil (CPOA) de l'hôpital Ste-Anne,* 24 h sur 24, 1, rue Cabanis, 75014 Paris. *Hôtel-Dieu* (Paris), service psychiatrie.

Stomatologie. *La Pitié (Pavillon G.-Cordier),* 47 et 83, bd de l'Hôpital, 75013 Paris.

SOS Drogue. *Ste-Anne,* 1, rue Cabanis, 75014 Paris.

SOS Lyon Médecine. 33, quai d'Arloing, Lyon.

SOS Mains. Si bras, doigt ou main totalement coupé : déposer le membre coupé dans un sac de plastique fermé et posé sur de la glace ; mettre un pansement compressif ; ne pas mettre d'antiseptique sur la blessure, mais de l'ammonium quaternaire ; ne rien boire, ne pas fumer et rester à jeun pour ne pas retarder l'anesthésie. Téléphoner le plus vite possible au Samu. *PARIS :* SOS Mains, *h. Boucicaut, h. Bichat, h. départemental de Nanterre. PROVINCE :* Besançon, *h. St-Jacques ;* Bordeaux, *h. du Tondu ;* Lyon, *h. Édouard-Herriot ;* Marseille, *h. de la Timone ;* Montpellier-Nîmes, *h. ;* Nancy, *h. Jeanne-d'Arc ;* Strasbourg, *h.* 29, allée de la Robertsau ; Tours, *CHU. BELGIQUE :* Liège, *h. de Bavière.*

Urgences pour enfants à Paris

Téléphoner au Samu (15), à son médecin ou aux sapeurs-pompiers (18).

Pédiatrie. *Hôpital Antoine-Béclère,* 157, rue de la Porte-Trivaux, 92140 Clamart ; *Ambroise-Paré,* 9, av. Charles-de-Gaulle, 92100 Boulogne ; *Bicêtre,* 78, rue du Général-Leclerc, 94270 Kremlin-Bicêtre ; *Bretonneau* [1], 2, rue Carpeaux, 75018 Paris ; *Hérold* [1], 7, place Rhin-et-Danube, 75019 Paris ; *Jean-Verdier,* avenue du 14-Juillet, 93140 Bondy ; *Louis-Mourier,* 178, rue des Renouilliers, 92700 Colombes ; *Necker-Enfants-Malades* [1], 149, rue de Sèvres, 75015 Paris ; *St-Vincent-de-Paul* [1], 74, av. Denfert-Rochereau, 75014 Paris ; *Trousseau* [1], 26, rue du Dr-Arnold-Netter, 75012 Paris. **Chirurgie.** *H. : Bretonneau, Hérold, Necker, St-Vincent-de-Paul, Trousseau.* **Psychiatrie.** *La Pitié-Salpêtrière,* 47, bd de l'Hôpital, 75013 Paris.

Nota. – (1) Hôpitaux d'enfants.

Statistiques

Nombre d'accidents annuels d'enfants de moins de 14 ans en France. 250 000 dont 25 000 *intoxications* par médicaments (aspirine, sédatifs, antitussifs, analgésiques, antiseptiques) : 52,8 % ; produits ménagers (eau de Javel, caustiques, détartrants, produits de nettoyage et de bricolage) : 36,2 %. 12 000 enfants *brûlés,* 7 000 *asphyxiés* ou *étouffés,* 1 000 *électrocutés,* 40 000 victimes de *fractures* diverses, plus de 100 000 blessés avec des couteaux, des ciseaux ou un *objet tranchant,* près de 50 000 cas d'hospital. pour *empoisonnement.*

☞ **Diplômes de secourisme.** Brevet national, plusieurs options spécialisées : réanimation, secourisme routier, rural, aquatique, sportif.

infarctus peuvent ne se manifester que par des douleurs thoraciques plus ou moins vagues, peu importantes, plus ou moins accompagnées d'un malaise général avec nausées. Les signes peuvent être uniquement digestifs (nausées, vomissements, douleurs abdominales) et retarder le diagnostic.

■ **Insolation** (hyperthermie ou coup de chaleur de plus de 40 °C). *Cause :* exposition trop longue à une température élevée et humide. *Forme grave :* élévation de température, troubles neurologiques, maux de tête, troubles de la conscience, convulsions, hyperthermie (fièvre élevée). *Soins :* dévêtir le malade, le coucher sur le côté dans un endroit frais ; compresses ou vessie de glace sur la tête, le thorax, le cou ; jamais d'alcool ; enfant : tremper dans un bain tiède (la temp. rectale diminuée de 2 °C). Alerter le médecin ou le Samu qui enverra le secours nécessaire.

■ **Intoxications.** *Par inhalation de gaz toxiques :* monoxyde de carbone, gaz industriels, etc. En cas d'intoxications oxycarbonées (nausées, vomissements, malaises, perte de connaissance, maux de tête) : ouvrir les fenêtres, arrêter tout chauffage et prévenir sapeurs-pompiers et Samu qui peuvent trouver des traces de monoxyde de carbone dans l'air [l'intox. par monoxyde de carbone est fréquente (chauffe-eau mal réglé, pièce non ventilée, chauffage d'appoint à gaz)]. Si la victime est inconsciente, en état de choc ou avec des troubles respiratoires, appeler les sapeurs-pompiers, qui pourront pénétrer dans les locaux dangereux grâce à leur équipement de protection, ou le Samu et mettre en route les premiers secours. *Par ingestion de produits toxiques ou substances vénéneuses* [médicaments (ex. : surdosages médicamenteux accidentels ; somnifère donné à un enfant ; à un malade présentant une bronchite chronique : risque de coma et de troubles ventilatoires), toxiques agricoles, industriels, ménagers]. *Par intoxication alimentaire :* aliments avariés [botulisme (conserves) ; trichinose (viande infestée de parasites)]. **Statistiques :** *% des causes dans l'ensemble des cas et,* entre parenthèses, *chez les – de 4 ans :* médicaments 52 (47). Prod. ménagers 22,4 et insecticides ménagers 0,7 (les 2 : 23,1). Prod. industriels 6,5 (3,4). Pesticides 4,4 (3). Cosmétiques 2,5 (4,7). Plantes 2,6 (2,4). Animaux 1 (0,8). Aliments (dont alcool éthylique) et div. 7,7 (5,1).

☞ **Intoxication au talc Morhange (1972).** De l'hexachlorophène (bactéricide), mélangé (6,35 %) à un lot de 600 kg de talc pur par une entreprise chargée de conditionner le talc Morhange avait provoqué la mort de 36 bébés et des handicaps chez 145 enfants. *Lors du procès,* les familles ont accepté env. 8 millions de F d'indemnisation. 5 principaux inculpés ont été condamnés de 1 à 20 mois de prison (peine réduite à 12 mois au maximum en appel).

Intoxications dues aux champignons. *Symptômes : troubles digestifs, précoces* de 1 à 3 h après l'ingestion : signes nerveux (excitation, délire, hallucinations), signes digestifs (salivation, sueurs, vomissements, diarrhées) ; évolution souvent favorable après soins en milieu hospitalier ; *tardifs* environ 12 h après : mortelles dues aux amanites phalloïdes. Dans tous les cas, garder les restes de repas ou les épluchures, alerter le Samu. *Décès* (France) : de 10 à 30 par an (dont 80 % dus aux amanites).

■ **Luxation.** Déboîtement d'une articulation. Immobiliser le membre comme pour une fracture, prévenir le médecin ou faire transporter à l'hôpital.

■ **Mal de mer.** Malaise provoqué par les mouvements du bateau. *Formes :* céphalée, somnolence, sueurs froides, nausées. *Cause :* une excitation anormale des canaux semi-circulaires de l'oreille interne, régulateurs de l'équilibre. Accentué par froid, manque de sommeil, anxiété, faim, chaleur et manque d'air. *Remèdes préventifs :* consulter un médecin ou pharmacien (certains produits ayant des effets secondaires gênants ou des contre-indications). *Remèdes :* s'allonger, tête basse, sommeil ou air frais. Ne pas rester à jeun, ne pas fumer.

■ **Morsure par animal. Chien** (voir Rage p. 131 b). **Rat :** souvent profonde et souillée de spores tétaniques ou d'autres germes. Consulter tout de suite un médecin pour éviter le tétanos. Il vaut mieux être vacciné (le sérum a un effet de courte durée et est parfois dangereux). **Chat :** morsure et griffure peuvent provoquer chez les enfants une inflammation ganglionnaire à l'aisselle ou au cou. Consulter un médecin.

Vipère ou serpent mal connu : appeler le Samu par le 15. On a 2 h pour agir. Ne pas courir ni s'énerver, ni faire aucun effort musculaire (afin de restreindre la diffusion du venin dans l'organisme), s'allonger. Refroidir le membre mordu à l'aide de glace entourée de linge ; nettoyer et désinfecter la plaie à l'eau savonneuse ou à l'eau de Javel allongée à 5 ou 6 fois son volume d'eau ; prévoir un transfert immédiat vers un hôpital avec un accompagnement médical. *Attention :* ne pas inciser la plaie ; ne pas exprimer le sang même par succion (on court un risque grave si l'on a la moindre plaie dans la bouche) ; on peut éventuellement mettre une bande élastique. Le sérum n'est pas toujours efficace et peut provoquer des accidents allergiques.

☞ On reconnaît la vipère par sa tête triangulaire, le rétrécissement brusque de sa queue et les nombreuses plaques qu'elle a entre les 2 yeux. On trouve les vipères dans les pierriers et vieux murs exposés au sud, les lisières des bois, les anciennes carrières et le long des voies ferrées. Parce qu'elles avalent des millions de rongeurs et protègent les récoltes, une loi de 1980 a en France interdit de les tuer. Autrefois chaque département avait son chasseur de vipères (certains en ramassaient 1 000 par an). Chaque année, plusieurs centaines de Français sont mordus, mais la mort est exceptionnelle.

☞ En cas de morsure par un animal sauvage ou inconnu, consulter immédiatement le médecin traitant ; si l'on a pu capturer l'animal, le remettre à la police ou la gendarmerie, qui le confiera à un vétérinaire pour observation.

■ **Mort apparente ou arrêt cardiaque.** Perte totale de la conscience avec arrêt des mouvements respiratoires et du pouls, dilatation bilatérale des 2 pupilles ; coloration blême, livide de la peau. Peut survenir inopinément lors d'infarctus du myocarde dès les 12 premières heures ; à craindre pendant une électrisation. *Gestes d'urgence :* bouche-à-bouche, massage cardiaque. *Pour arrêt cardiaque :* le Samu met en œuvre perfusion, choc électrique, injection de médicaments ; mais il faut commencer la réanimation avant son arrivée (ce qui peut être réalisé par les premiers témoins puis par les pompiers) sinon le cerveau ne « survit » que 3 min. Si un arrêt cardiaque survient dans le froid (neige, glace, hiver), on peut pratiquer la réanimation pendant un délai plus long (max. 45 min en 1982). Aujourd'hui, l'intervention du Samu dans la première demi-heure évite la mort subite par les troubles du rythme.

■ **Noyade. Causes :** *1°) Sujet ne sachant ou ne pouvant pas nager* et tombant à l'eau ; *2°) Sachant nager, mais épuisé ; 3°) Hydrocution :* syncope survenant dans l'eau, ou au moment de la pénétration, dans certaines circonstances (exposition prolongée au soleil avant le bain ; immersion par plongeon sans adaptation progressive ; effort physique intense avant le bain ; période digestive après un repas riche). Cette syncope est liée à un déséquilibre circulatoire et à des réactions vasomotrices quand il y a une différence importante entre la température de la peau et celle de l'eau. Des signes d'alarme (frissons, tremblements, sensations d'angoisse vive ou de fatigue intense et brutale, vertiges, nausées, troubles visuels ou auditifs, crampes) l'annoncent parfois. Ne pas se baigner quand on ne se sent pas bien dans l'eau (en particulier si l'on a de l'urticaire) ; *4°) Chute dans l'eau après une perte de connaissance.*

Conduite à tenir : tendre perche, corde, lancer une bouée. Mettre la victime en position latérale de sécurité : si coma, l'allonger en dégageant les voies aériennes supérieures (nettoyage de la cavité buccale) ; si elle ne respire pas, bouche-à-bouche et massage cardiaque externe (si arrêt cardiaque). Se rappeler que des noyés ont pu être sauvés après plusieurs heures de réanimation (voir ci-contre, hypothermie).

Précautions : *lors du 1er bain, ou si la température de l'eau est à - de 20 °C (24 °C pour l'enfant) :* se baigner en compagnie, ne pas se baigner à + de 10 m de la rive ou en eau profonde à + de 5 m, entrer progressivement, rester dans l'eau 15 min maximum à 18 °C. Sortir si l'on a froid, si l'on ressent un malaise, des crampes, de l'urticaire. Éviter : exposition prolongée au soleil, entrées dans l'eau et sorties successives, choc émotif, période digestive avant le bain, qui tous favorisent l'hydrocution.

Statistiques (en France) : env. 2 000 personnes se noient chaque année, dont 800 entre le 1-6 et le 30-9. Env. 33 % se noient en mer, 13 % ont - de 20 ans.

■ **Nuage toxique.** Ex. : incendies d'usines, accidents dans des complexes industriels. Sauf avis contraire des autorités, rester chez soi, portes et fenêtres fermées en se calfeutrant, suivre les consignes des autorités en écoutant la radio.

■ **Oreille (obstruction). Insecte :** baisser la tête dans le sens opposé à celui de l'oreille où se trouve l'insecte, mettre de l'eau ou de l'huile d'olive pour noyer l'insecte. **Objet enclavé :** lavage avec poire ou seringue (de préférence par un médecin).

■ **Overdose.** Provoque un arrêt ventilatoire. Coucher le malade sur le côté. Faire le bouche-à-bouche s'il s'arrête de respirer. Le drogué est en danger dès qu'il ralentit sa respiration à moins de 1 respiration par 10 secondes (pauses respiratoires). Le stimuler pour qu'il respire et appeler le Samu par le 15.

■ **Pendaison ou strangulation.** Les pendus avec chute brutale peuvent mourir immédiatement. Les pendus incomplètement survivent avec parfois des séquelles de l'anoxie du cerveau (compression des carotides), lésions laryngées. *Gestes d'urgence* en fonction de l'état cardio-respiratoire et neurologique de la victime. (Voir Détresse respiratoire p. 145 a). Dépendre ou desserrer et se conformer à la marche à suivre en cas d'arrêt cardiaque. Voir ci-contre.

■ **Piqûres. Abeilles, guêpes, frelons :** le dard ne doit pas être extrait avec les ongles ou avec une pince à épiler (qui risque de vider le sac à venin), mais par pression de la peau. Répandre un peu d'ammoniaque. Chauffer l'endroit piqué (approcher une cigarette allumée, ou mieux, au soleil, utiliser une loupe pour qu'elle donne une image de 1,5 à 2 cm). **Réactions.** *Normale :* rougeur et œdème d'env. 2 cm disparaissant en 2 ou 3 h. *Locale mais étendue :* œdème, atteinte d'au moins 2 articulations pendant plus de 24 h. *Généralisée :* urticaire générale, démangeaisons, anxiété, oppression thoracique, douleurs abdominales, diarrhées ; parfois grave et accompagnée de difficultés à respirer, déglutir, parler. *Choc anaphylactique :* réaction la plus dangereuse associant aux symptômes déjà décrits, hypotension, syncope. Les accidents généraux sont rares (fièvre, sueurs, malaises, difficultés à respirer) ; chez des sujets piqués déjà plusieurs fois et devenus allergiques (certains au contraire sont immunisés), des signes graves d'état de choc peuvent apparaître. Appeler le Samu en cas d'étouffement ou de malaise général avec vomissements, pâleur... **Statistiques** (en France) : chaque année, 20 à 25 personnes meurent du choc allergique brutal (choc anaphylactique) provoqué par une piqûre d'hyménoptère, abeille, guêpe ou frelon (soit 3 fois plus que celles qui meurent de morsures de serpent). 500 piqûres peuvent entraîner la mort (5 à 10 chez des sujets allergiques) si les secours médicaux n'interviennent pas à temps.

Aoûtats : se fixent sur la peau (surtout sur les membres inférieurs), provoquent des démangeaisons qui, par grattage, entraînent une infection secondaire. Appliquer une lotion au benzoate de benzyle.

Animaux marins : *raie, grande et petite vives :* peuvent provoquer des enflures (lymphangite), des vertiges, sueurs, fièvres, paralysie motrice. Retirer l'épine, désinfecter et consulter le médecin. *Murène* (morsure) : nettoyer et aseptiser la plaie, appeler le médecin. *Actinies* (anémones de mer), *méduses, physalies* peuvent inoculer des toxines par contact avec la peau provoquant urticaire, démangeaisons, malaise général allant jusqu'à la perte de connaissance brève si on n'étend pas le malade.

Malmignatte (araignée dont l'abdomen noir porte 13 taches rouge vif ; Midi et Corse) : peut provoquer une raideur musculaire, un ralentissement cardiaque, de l'hypertension. Appeler le Samu (par le 15).

Délais d'intervention

Délais immédiats. Dégager, évacuer des victimes potentielles (par ex. en tirant par les chevilles un inconscient gisant au milieu d'une chaussée où il risque d'être écrasé). Coucher sur le côté un sujet inconscient. Étendre à plat dos ceux qui s'évanouissent dès qu'ils sont assis ou debout. Arrêter par compression locale les saignements à flots. Réaliser un bouche-à-bouche sur ceux qui s'arrêtent de respirer (overdose, mort subite du nourrisson). **Délais de 3 minutes.** Un arrêt du cœur de plus de 3 minutes qui ne fait l'objet d'aucun secours compromet définitivement la survie cérébrale.

Premiers soins en situation de catastrophe

En cas d'urgence collective (attentats, explosions, accidents de chemin de fer, etc., avec de nombreux blessés) : prévenir les services publics via la police ou les pompiers ; éviter toutes évacuations « sauvages » vers les hôpitaux dans des moyens non adaptés et sans soins médicaux préalables ; limiter les soins aux blessés les plus graves : ceux qui saignent abondamment, qui sont inconscients, qui respirent très mal ; rassembler les blessés légers au même endroit, dans une zone abritée (café, gare, lieux publics...) ; guider les secours dès leur arrivée et se mettre à leur disposition.

☞ L'organisation officielle des secours lors des catastrophes et urgences collectives s'appelle plan Orsec sous l'autorité du préfet.

Tiques (parasites des animaux domestiques) : se fixent parfois sur l'homme [généralement inoffensives (cas possibles de paralysie ascendante à tique dont les symptômes ressemblent à ceux de la poliomyélite)]. Avant d'enlever les tiques avec des pinces, mettre dessus quelques gouttes de toluène.

■ **Plaies.** *Simples* (peu profondes, peu étendues, sans saignement important et sans corps étranger) : désinfection (eau savonneuse, eau de Dakin, eau javellisée, liquides antiseptiques) ; recouvrir d'un pansement stérile maintenu à l'aide d'une bande ; quelquefois nécessitent une suture. *Graves* [profondes, étendues ou saignant abondamment ou plaies spéciales (œil, cavité buccale, abdomen, thorax)] : arrêter l'hémorragie (voir Hémorragies p. 145 c) ; recouvrir d'un pansement stérile sans désinfection préalable ; immobiliser le membre blessé ; diriger sur service hospitalier pour exploration chirurgicale et traitement.

■ **Syncope.** « Arrêt cardiaque » de quelques secondes (en fait cœur très lent pendant la crise). Le sujet se réveille après quelques mouvements convulsifs. S'il récidive et ne respire pas pendant plus de 30 s, lui donner 4 ou 5 « coups de poing » sur le sternum pour faire « repartir » le cœur. Appeler le Samu par le 15.

■ **Température.** Doit être prise après ½ h au moins de repos et la digestion terminée. Prise dans la bouche, sous l'aisselle, rectale (la plus fidèle).

Hyperthermie. *Cas de Kalow* (1970) : 44,4 °C (femme anesthésiée à l'Halothane). *Coureurs de marathon :* 41 °C par temps chaud. *Dans un sauna,* on supporte une température de 140 °C. *Hyperthermie maligne :* peut tuer très rapidement ou laisser des séquelles cérébrales.

Hypothermie. Modérée, température centrale en dessous de 36 °C, jusqu'à 31 ou 32 °C (frissons, obnubilations, confusion), **profonde** jusqu'à 27 °C (coma, troubles cardiaques et respiratoires) ; en dessous de 27 à 25 °C, elle peut provoquer un état de mort apparente ; en dessous de 11 °C, mort cellulaire irrémédiable. Il faut y penser devant un sujet resté comateux au froid (accident de circulation, ivresse aiguë). *Si le sujet est conscient :* boissons chaudes, hospitalisation ; *s'il est inconscient,* appeler le Samu. Respiration artificielle et massage cardiaque externe si état de mort apparente. Pas de frictions ni de bouillottes. **Cas extrêmes.** *Noyés :* en 1987, après 6 h de réanimation, on a pu sauver, à Lyon, un enfant de 7 ans qui était resté 20 minutes sous l'eau, car il était hypothermique. En 1978, le centre hospitalier universitaire du Michigan publiait les observations de 15 « noyés » qui avaient séjourné plus de 4 min (38 min pour l'un d'eux) dans les eaux glacées des Grands Lacs et que l'on avait récupérés sans pouls, sans respiration, les pupilles dilatées, en état de « mort apparente ». Soumis à une réanimation intensive dans un centre spécialisé, ils ressuscitèrent sans séquelle. *Ensevelis sous la neige :* une femme de 25 a., prisonnière d'une avalanche 9 h, ne respirant plus, ayant le cœur arrêté et une température rectale de 28 °C, a été réanimée après 45 min de massage cardiaque et 3 chocs électriques. Un homme de 42 a., enseveli sous 7 m de neige, dégagé au bout de 5 h en état de « mort évidente », ayant une température de 19 °C a pu être réanimé. En 1984, on a sauvé une skieuse de fond restée 70 min en arrêt cardiaque et respiratoire, ayant une température de 18 °C. On connaît 2 cas où le malade a survécu à une température de 16 °C.

■ **Victimes psychiques.** Ayant subi des traumatismes psychiques lors d'événements dramatiques [prises d'otages, attentats, explosions, accidents collectifs (avions, trains)]. *Prises en charge :* hôpitaux, ex. : hôpital St-Antoine, Service psychiatrie, Paris, ou organismes spécialisés (Institut national d'aide aux victimes et de médiation, Inavem).

Principaux médicaments

☞ **Médicaments génériques.** Copie d'un médicament qui n'est plus protégé par un brevet (durée 20 ans). *Ventes en France :* moins de 3 % du marché total (USA 12 %, All. 3 ou 4 %).

Statistiques

☞ Voir Industrie pharmaceutique à l'Index.

Nombre de présentations en 1989. Allemagne 22 700, Italie 10 300, Espagne 9 500, *France 8 500,* G.-B. 6 000.

Consommation en France (en milliards de F). *1960 :* 3,52 ; *65 :* 6,6 ; *70 :* 10,73 ; *75 :* 20,26 ; *80 :* 33,69 ; *85 :* 64,2 ; *90 :* 95,92. **Coût des médicaments consommés hors de l'hôpital en 1990 :** *France* 1 700 F par personne (1,5 % du PIB) ; G.-B., Japon, USA 0,6 % à 0,7 %, Allemagne 1,7 %.

Médicaments les plus vendus en 1986. Doliprane [1], Efferalgan [1], Temesta [2], Halcion [5], Tanakan [3], Aspegic [1], Clamoxyl [4], Aspirine eff. Upsa [1], Praxilène [3], Sermion [3], Glifanan [1], Voltarène [7], Fluocaril [6], Flugum [6], Tranxène [2], Nifluril [4].

Nota. – (1) Antalgique. (2) Anxyolytique. (3) Vasodilatateur. (4) Anti-infectieux. (5) Hypnotique. (6) Dentifrice. (7) Anti-inflammatoire.

Répartition du marché intérieur (en prix production, hors taxe, en milliards de F, estim. 1990). *Ventes en France* 63,3 dont ventes aux hôpitaux 7,3 ; aux ménages 56 (dont 28,6 % cardio-vasculaires).

Prix d'un médicament (moy., en %). Laboratoires 62, pharmaciens 29, grossistes 6,7, TVA 2,1.

Classification

■ **Analeptiques.** Terme général s'appliquant aux médicaments qui stimulent les fonctions de l'organisme (par ex. : anal. respiratoire, anal. cardiaque).

■ **Analgésiques.** Suppriment la douleur. Acétanilide, antipyrine, pyramidon, paracétamol, aspirine, glafénine (retirée du marché), amydopirine.

■ **Anesthésiques.** *Généraux,* provoquent un sommeil profond : protoxyde d'azote, cyclopropane (gazeux), chloroforme, éther éthylique, éther divinylique, halothane (liquides volatils), barbituriques par voie veineuse. *Locaux,* exercent une action localisée : cocaïne, procaïne, tétracaïne, dextrocaïne, butacaïne... ; effet du froid local (liquides volatils à action réfrigérante, application de glace).

■ **Anorexigènes.** Freinent l'appétit, généralement dérivés de la phényléthylamine (amphétamine).

■ **Antalgique stupéfiant.** Morphine et certains de ses dérivés. Morphiniques de synthèse.

■ **Antiarythmiques.** Visent à régulariser le rythme cardiaque en abolissant ou en atténuant les troubles de l'excitabilité du myocarde ; ex. : quinidine, procaïnamide, disopyramide, etc.

■ **Antibiotiques. 1°) Sulfamidés,** synthétiques. *1935,* Gerhard Domagk (1895-1964) obtient le protonsil ou rubiazol, 1er médicament contenant un groupement sulfanilamide (commercialisé en 1936 sous le nom de Septoplix) ; J. Tréfouel, Mme Tréfouel, F. Niti et D. Bovet montrent que c'est le groupement sulfanilamide qui est actif. Plusieurs dérivés de sulfamidés (sulfathiazol, sulfadiazine, sulfaguanidine) seront employés un peu avant 1939. Retardent ou empêchent la multiplication des bactéries. Utilisés dans de nombreux cas ; ex. : érysipèle, blennorragie, méningite à méningocoques, colibacilloses, pneumococcies, entérocolites. *Noms chimiques :* sulfanilamide, sulfamidochrysoïdine, sulfapyridine, sulfathiazol, sulfathiourée, sulfadiazine, sulfaguanidine. Pour chacun, plusieurs noms de marque déposés.

2°) **Fongiques** (ex. : pénicilline). Effets secondaires indésirables : troubles intestinaux (par destruction de la flore intestinale) ; troubles otitiques consécutifs à la streptomycine ; accidents allergiques et toxiques. Résistance microbienne aux antibiotiques. *1ers antibiotiques :* chloromycétine (déc. en 1947 par Burkholder) ; érythromycine (1952, Mac Guire) ; pénicilline (1928, Fleming) ; tétracyclines et dérivés, ex. : chlortétracycline (1948, Duggar), oxytétracycline (1950, Finlay) ; streptomycine (*aminoside,* 1943, Waksman). *Antibiotiques hémi-synthétiques* (ex. : ampicilline). *Nouveaux antibiotiques* très puissants ou spécifiques de certains germes : céphalosporines (sous famille de beta lactamine, ex : Ceftriaxone) ; gentamycine : (molécule du groupe des aminosides).

Traitement : quelques jours, parfois plusieurs mois (acné, tuberculose) ou en une seule fois (traitement minute de la blennorragie). Réduire la dose ou arrêter trop tôt le traitement sous prétexte que la température a diminué, c'est risquer une rechute ou un retard de la guérison. Éviter de sortir en cas d'infections des voies respiratoires ; boire beaucoup d'eau (facilite l'assimilation du médicament et contribue à son efficacité) ; supprimer alcool et tabac ; prendre des repas légers pour éviter de surcharger l'organisme déjà fatigué par l'infection. **Effets indésirables. Allergies** à certains antibiotiques comme les pénicillines, céphalosporines, sulfamides : signes cutanés en général bénins (rougeurs, démangeaisons, urticaire) ou généraux et parfois graves (œdème du visage et des lèvres, chute brutale de la tension, état de choc, fièvre). Arrêter immédiatement le traitement et appeler le médecin. *Réaction photoallergique* dite de photosensibilisation (manifestations cutanées aux régions non couvertes par les vêtements). *Grossesse :* certains antibiotiques sont contre-indiqués, notamment les tétracyclines, qui forment des complexes avec le calcium, se fixent sur les bourgeons dentaires et colorent les dents de l'enfant.

Mortalité avant et, entre parenthèses, **après la découverte des antibiotiques** (en %) : méningite tuberculeuse 100 (7) ; broncho-pneumonie 32,4 (6,3) ; pneumonie 31,1 (7,1) ; typhoïde 10 (3,2).

■ **Anticoagulants.** Corrigeant le taux sanguin de la prothrombine. *Modernes :* héparine (1935), dicoumarol (synthétisé en 1940) et ses analogues (tromexane : 1944 ; narcoumar, counopyran, dipaxine : 1952), dérivés de l'indane-dione (phénindione).

■ **Antidiabétiques de synthèse.** Hypoglycémiants faisant baisser le taux de sucre dans le sang, essentiellement dérivés des sulfamides (sulfonylurées) ou des biguanides.

■ **Antihémorragiques.** Hémostatiques (ayant la propriété d'arrêter une hémorragie) généraux (vitamines K...) et locaux (gélatine, thrombine...).

■ **Antihistaminiques.** S'opposent à l'histamine libérée lors des allergies. Action sédative puis hypnotique.

■ **Anti-inflammatoires.** S'opposent aux éléments constituant la réaction inflammatoire (vasodilatation, diapédèse leucocytaire) par différentes propriétés dont l'inhibition de la synthèse des prostaglandines. 2 sortes : *1°) Dérivés des hormones corticosurrénaliennes (corticoïdes) :* les plus puissants. Le 1er fut la cortisone. Agissent sur différents organes (tissu osseux, estomac, muscles) et différents métabolismes (sucres, eau et sel) ; l'emploi prolongé comme anti-inflammatoires est dangereux. *2°) Anti-infl. non dérivés des corticoïdes :* pyrazolés (phénylbutazone) ; indoliques (indométacine) ; propioniques (ketoprofène, ibuprofène, naproxène) ; anthraniliques (acide niflumique, ac. flufénamique).

■ **Antimitotiques.** Inhibent les proliférations cellulaires (anticancéreux).

■ **Antipaludéens** (ou antimalariques). Contre le paludisme : quinine, nombreux corps de synthèse dérivés, notamment, de la quinoléine (chloroquine, amodiaquine, pentaquine...), de l'acridine (mépacrine) et du biguanide (proguanil).

■ **Antipyrétiques.** Combattent la fièvre. Aspirine [acide acétylsalicylique ; marque déposée par Bayer en 1899 en Allemagne. « A » pour Acétyl, « spir » pour Spirsaüre (en all. « acide de la pirée », nom scientifique de la reine-des-prés) et « ine » (suffixe classique en chimie ind.) ; jusqu'à la guerre de 1914-18, Bayer garda la propriété exclusive de la marque ; en 1829, Henri Leroux avait isolé la salicine (principe chimique actif de l'écorce de saule)], quinine.

■ **Antiseptiques.** Tuent les microbes par action locale. Alcool éthylique, chlorexidine, formol, teinture d'iode.

■ **Antispasmodiques** (combattent les spasmes). Atropine, alcaloïde de la belladone ; antispasmodiques de synthèse.

■ **Antitussifs** (combattent la toux). Produits variés : codéine et dérivés, antihistaminiques.

■ **Anxiolytiques.** Tranquillisants. Benzodiazépines (consommateurs réguliers : 8 millions en France).

■ **Barbituriques.** Dérivés de l'acide barbiturique, ils provoquent le sommeil : phénobarbital (ex. : gardénal). Utilisés dans l'anesthésie : hexobarbital (ex. : évipan), thiopenthal sodique.

■ **Cholérétiques.** Augmentent la production de bile : artichaut (cynarine), boldo (boldine), nombreuses substances de synthèse. *Cholagogues :* font vider la vésicule biliaire (sulfate de magnésie).

■ **Curarisants.** Provoquent un relâchement musculaire (en entraînant des modifications de la chronaxie des nerfs) : curare, d-tubocurarine (substances naturelles), ammoniums quaternaires synthétiques comme la gallamine triéthiodure.

■ **Diurétiques.** Augmentent la diurèse. On utilise des dérivés sulfamidés, des antagonistes de l'aldostérone (spironolactone) et divers produits de synthèse, dont le mode et le niveau d'action déterminent les conditions d'emploi. Sulf. diurétiques.

■ **Ganglioplégiques.** Interrompent la conduction de l'influx nerveux au niveau des ganglions du système nerveux autonome, empêchant sa transmission de la fibre préganglionnaire à la postganglionnaire. Certains alcaloïdes naturels (nicotine, spartéine, lobéline) possèdent cette activité, mais surtout des ammoniums quaternaires de synthèse.

■ **Hormones.** Sécrétées par les glandes, elles agissent à distance après avoir été transportées par le sang (Voir Index). Cortisone et ses dérivés : anti-inflammatoires. Insuline : traitement du diabète. *Prostaglandines :* (substances hormonales complexes) utilisées notamment en gynécologie (déclenchement de l'accouchement, avortement précoce) et pour traiter la stérilité masculine. Coût très élevé.

■ **Hormones sexuelles, hypophysaires et hypothalamiques.** Élaborées par les gonades (testostérone, folliculine, progestérone), l'hypophyse (gonadostimulines, corticotrophine ou ACTH, thyréostimuline, somatotrophine, intermédine...) et l'hypothalamus *(releasing hormones* et *inhibiting hormones).*

■ **Hypotenseurs antihypertenseurs.** Abaissent la tension artérielle ; de groupes divers (alcaloïdes du rauwolfia et dérivés, ganglioplégiques, salidiurétiques, dérivés guanidiques bêta-bloquants...).

■ **Laxatifs.** Facilitent ou provoquent l'évacuation des selles : essentiellement lubrifiants (huile de paraffine), mucilages (agar-agar, lin, psyllium...), salins (sulfates de sodium et de magnésium), péristaltogènes (à anthraquinones tels aloès, séné...), glucidiques (miel, manne, pulpes de fruits...).

■ **Myorelaxants.** Provoquent un relâchement musculaire en agissant au niveau de la jonction neuromusculaire ou à l'étage médullaire ou central.

■ **Psychotropes.** Modifient le comportement et corrigent les troubles psychiques ; tranquillisants, psychotoniques ou antidépresseurs.

■ **Sédatifs.** Calment le système nerveux. Bromure de calcium (sodium, potassium) ; voir Barbituriques.

■ **Sérums.** Confèrent une immunité passive contre une infection ou une intoxication grâce à des *anticorps* formés dans le sang d'un animal ou d'un sujet humain qui est alors un donneur de gammaglobulines spécifiques, immunisé contre l'agent pathogène ou la toxine responsable. *Sérum anti- :* botulinique, charbonneux, coquelucheux, diphtérique, gangréneux, tétanique, venimeux. *Sérums cytotoxiques :* Bogomoletz (toxines injectées sous la peau pour exciter les réactions de défense) ; antiréticulocytotoxique (SAC) (sérum de lapins ayant reçu des injections d'antigènes à base de cellules humaines pour stimuler l'organisme). – On appelle improprement sérums des solutés injectables massifs (à base de chlorure de sodium ou de glucose par ex.) utilisés en perfusions.

■ **Tonicardiaques.** Renforcent et régularisent les contractions du cœur. Digitaliques, dérivés de la scille, du strophantus.

■ **Vasodilatateurs.** Provoquent une dilatation des vaisseaux. Agissent par l'intermédiaire du système nerveux autonome (acétylcholine, yohimbine, histamine, adrénolytiques de synthèse...) ou sur les muscles lisses des vaisseaux : papavérine, dérivés nitrés...

■ **Vitamines** (terme créé par Casimir Funk en 1912). Sont, comme les enzymes, des catalyseurs biologiques. L'organisme humain étant incapable d'en opérer la synthèse, elles doivent venir toutes faites de l'extérieur. Si cet apport n'est pas possible, l'avitaminose se traduit par une maladie carentielle (notion connue depuis longtemps en Orient).

☞ *Interféron,* découvert en 1957 par Alick Isaacs (Anglais) et Jean Lindenmann (Suisse) : protéine naturelle sécrétée par les cellules humaines attaquées par un virus et qui les rend incapables d'être attaquées par un autre virus en même temps ; agit aussi sur le système immunitaire (renforce les défenses naturelles de la cellule contre un agresseur). 1res expériences positives dans les années 1970 pour grippe, hépatite, herpès ; essais en cours pour le cancer ; production coûteuse (180 millions de F le g d'interféron pur).

☞ *Selon le professeur Philippe Meyer* (prof. de pharmacologie à Necker), les Français abusent des médicaments (ils en consomment 5 fois plus que les Suédois). En cas de forte fièvre, la prise systématique d'antibiotiques peut gêner le diagnostic d'infections localisées et sérieuses. Même l'aspirine doit être utilisée avec prudence, car la température permet au corps de se défendre contre les virus. *Les médicaments* contre varices, hémorroïdes, fatigue, grippe ne sont guère efficaces mais ils rassurent les malades.

VACCINATIONS

■ GÉNÉRALITÉS

■ **Principe.** Censées conférer une immunité active, spécifique contre une maladie déterminée, en introduisant dans un organisme l'agent pathogène atténué ou inactivé de cette maladie ou sa toxine préalablement détoxifiée.

■ **Dates d'invention.** Vaccins *antivariolique* (1796), Jenner, G.-B. ; *antirabique* (1885), Pasteur, France (a vacciné Joseph Meister le 6-7-1885) ; *antityphoïdique* (1888), Chantemesse et Widal, Fr. (1896), sir Almroth Wright, G.-B. ; *anticholérique* (1884), Jaime Ferran, Esp. (réaction forte : abandonné) ; (1892), Waldemar Mordecai Haffkine, Russie, travaillait à l'Institut Pasteur de Paris ; *BCG* (1921), Albert Calmette et Camille Guérin, Fr. ; *antidiphtérique* (1923), Gleeny, G.-B. ; (1923), Gaston Ramon, Fr. ; *antitétanique* (1927), Pierre Descombey et G. Ramon, Fr. ; *anticoquelucheux* (1935), Leslie Gardner, USA ; *antiamaril* (vaccin contre la fièvre jaune) (1932), Sellard et Laigret, Fr., travaillaient à l'Institut Pasteur de Dakar (abandonné) ; (1937), Theiler souche 17D, USA ; (1939), Peltier, Durieux et collab., Fr., Institut Pasteur de Dakar ; *antigrippal* (1937), Francis et Magill, USA ; *antipoliomyélitique* (1954), J. Salk, USA ; (1955), Pierre Lépine, Fr. ; *antirougeoleux* (1960), Enders ; *antirubéoleux* (1962), Weller, Neva et Parkmann ; *antiourlien* (1966), Weibel, Buynach, Hillemann ; *antiméningococcique C* (1968), Gotschilch ; *antiméningococcique A* (1971), Gotschlich ; *anti-hépatite B* (1976), Maupas, Fr. ; Hillemann, USA.

■ **Résultats.** Régression de maladies infectieuses graves. En France : **Coqueluche :** *1961 :* 5 516 cas (207 décès) ; *71 :* 668 c. (29 d.) ; *85-87 :* 1 065 c. **Diphtérie :** *1961 :* 726 c. (23 d.) ; *71 :* 38 c. (1 d.) ; *85 :* 4 c. ; *89 :* 1 c. **Méningite :** *1989 :* 510 c. **Oreillons :** *1989 :* 162 c./100 000 hab. **Poliomyélite :** *1961 :* 1 513 c. (126 d.) ; *71 :* 48 c. (9 d.) ; *76 :* 6 c. (sujets non vaccinés) (0 d.) ; *85 :* 2 c. ; *89 :* 2 c. **Rougeole :** *1989 :* 269 c./100 000 hab. **Rubéole congénitale :** *1988 :* 4 c. **Tétanos :** *1989 :* 61 c. **Tuberculose pulmonaire :** *1989 :* 7 163 c. ; *90 :* 9 030 ; *91 :* 8 510.

☞ D'après l'OMS, 80 % des enfants du monde en 1990 sont immunisés contre les 6 principales maladies infantiles (rougeole, diphtérie, coqueluche, tétanos, poliomyélite, tuberculose). En 1991, France : 72 % des – de 6 ans vaccinés contre rougeole, 66 % rubéole, 56 % oreillons.

■ PRINCIPAUX VACCINS

Anti-amarile (fièvre jaune). 1 injection au moins 10 j avant le départ. Valable 10 ans, 10 j après une primovaccination, le j même d'une revaccination. L'analyse d'urines systématique préalable aux vaccinations a été supprimée par la circulaire du 3-10-84 (y compris pour les v. internationales).

Anticholérique. N'est plus recommandé par l'OMS, mais continue d'être exigé dans certains pays. Une injection sous-cutanée est suffisante. Protection de 50 %, limitée à 6 mois. On recommande un intervalle de 3 semaines entre une vaccination anticholérique et une vaccination anti-amarile. Un vaccin oral très efficace est expérimenté.

Antidiphtérique. Présent dans les associations : DT, DTP-DTCP, DT-TAB.

Antigrippal. Conseillé tous les automnes. En 1989, 11 % des Français ont été vaccinés (dont 66 % des plus de 65 ans). Efficacité : 70 à 80 %.

Antipoliomyélitique. Obligatoire chez l'enfant avant 18 mois. Recommandé aux adultes.

Antirubéolique. Voir le calendrier vaccinal p. 132 b et ci-dessous. Peut être faite chez le petit enfant et chez la fillette avant la puberté sans sérologie préalable.

Antitétanique. 2 injections à un mois d'intervalle, rappel au bout d'un an, puis tous les 10 ans.

Antituberculeux.

Antityphoïdique. **TAB** (typhoïde-paratyphoïdique A et B). 3 injections à une semaine d'intervalle au minimum, rappel au bout d'un an. Vaccin typhoïdique monovalent, administré en 1 seule injection, protège 2 à 3 ans.

Antivariolique. N'est plus obligatoire : G.-B. dep. 1949 (déconseillée dep. 1971), P.-Bas 1975, Suède et Danemark 1976, Italie 1977, *France :* primo-vaccination dep. juillet 1979 ; revaccination dep. loi du 30-5-1984.

Calendrier vaccinal en France

Adopté par le Conseil supérieur d'hygiène publique de France. *Légende.* BCG : Bacille Calmette et Guérin. C. : Coqueluche. D. : Diphtérie. P. : Poliomyélite. T. : Tétanos.

Vaccinations recommandées non obligatoires

La vaccination BCG doit être pratiquée à l'entrée en collectivité. Le BCG précoce est réservé aux enfants de milieu à risque. L'épreuve tuberculinique doit être pratiquée 3 à 12 mois plus tard.

Dès le 1er mois : BCG. **A partir de 2 mois :** DTCP 1re injection. Le v. polio injectable est recommandé, surtout pour les primo-vaccinations, en réservant le polio oral pour des cas particuliers. Sauf contre-indication laissée à l'appréciation du médecin traitant, il est recommandé de pratiquer l'association DTCP Haemophilus influenzae b (Hib). **3 mois :** DTCP et Hib, 2e injections. **4 mois :** DTCP et Hib 3e injections. **A partir de 12 mois :** rougeole-rubéole-oreillons. Vacc. associée recommandée pour garçons et filles. *V. contre la rougeole* à partir de 9 mois pour les enfants vivant en collectivité, revaccination 6 mois plus tard en association avec rubéole et oreillons. Si menace d'épidémie dans une collectivité d'enfants, on peut vacciner tous ceux supposés réceptifs de plus de 9 mois ; la vacc. immédiate peut être efficace si elle est faite moins de 3 j après le contact. On peut faire simultanément, en un site d'injection séparé, le rappel DTCP. **16-18 mois :** DTCP et Hib 1er rappel. **5-6 ans :** DTP 2e rappel, rougeole-rubéole-oreillons. Vacc. associée recommandée chez les enfants non encore vaccinés. Elle peut être injectée simultanément, en un site séparé, au rappel diphtérie, tétanos, polio et/ou BCG. **Avant 6 ans :** BCG. **11-13 ans :** DTP. Oreillons pour les garçons non vaccinés et n'ayant pas eu la maladie. Rubéole pour toutes les filles, en primo- ou en revaccination. Épreuve tuberculinique suivie du BCG en cas de négativité. **16-21 ans :** DTP Rubéole pour les filles non vaccinées. Recommandée lors d'une visite de contraception ou prénuptiale. La vacc. peut être faite sans sérologie préalable. Le contrôle sérologique post-vaccinal n'est pas nécessaire. En raison d'un risque tératogène, s'assurer de l'absence d'une grossesse débutante (1er mois) et éviter une grossesse dans les 2 mois suivant la vaccination. Si la sérologie prénatale est négative, la vaccination devra être pratiquée immédiatement après l'accouchement, avant la sortie de la maternité. Épreuve tuberculinique suivie du BCG en cas de négativité. **21-60 ans :** T. Polio tous les 10 ans. Rubéole pour les femmes non immunisées jusqu'à 45 ans. **A partir de 70 ans :** Tétanos, Polio (tous les 10 ans), vaccination grippale tous les ans.

Obligations dans quelques pays. *Allem. :* aucune. *Belgique :* polio. *Danemark :* aucune. *Espagne :* aucune (vaccinations demandées à l'inscription dans un établissement scolaire, mais sans obligation légale). *Finlande :* aucune. *France :* diphtérie, tétanos, polio obligatoires avant 18 mois, rappel 1 an après sauf contre-indication ; BCG de 6 ans à 25 ans pour les sujets présentant une réaction négative à la tuberculine. Ces vacc. sont exigées dans les établissements scolaires. *G.-B. :* aucune. *Irlande du S. :* aucune. *Islande :* aucune. *Italie :* obligatoires : diphtérie, polio, exigées pour les établissements scolaires. *Luxembourg :* aucune. *Pays-Bas :* aucune. *Portugal :* obligatoires : diphtérie, tétanos pour les enfants de 12 à 18 mois. *Suède :* aucune. *Suisse :* aucune.

Contestations

Adversaires. La *Ligue nationale pour la liberté des vaccinations* (4, rue Saulnier, 75009 Paris) considère l'obligation d'un acte médical comme une grave atteinte aux libertés individuelles, d'autant plus grave que les vaccins à germes vivants activent le virus du sida chez les porteurs asymptomatiques. S'appuyant sur le rapport n° 787 de l'OMS, ils affirment que la plupart des vaccins fabriqués à partir de lignées cellulaires et/ou par génie génétique (polio, ROR, rage, hépatite B...) présentent des risques.

Refus de vaccinations obligatoires : amende de 600 à 1 000 F et 10 j à 1 mois de prison, sauf contre-indication médicale (décret du 21-5-1973) ; un enfant peut être écarté d'un établissement (scolaire public ou privé, classe de neige, centre d'apprentissage), par décision de l'inspecteur d'académie ou du préfet uniquement s'il ne présente ni certificat de contre-indication ni de vaccination. **Désaccord entre son médecin et le directeur départemental de la Santé :** le Code de la santé prévoit l'arbitrage d'un spécialiste pour le BCG (pour les autres vac. le médecin de famille est seul juge et peut établir un certificat de contre-indication sans être tenu d'en préciser le motif). **Accident provoqué par une vaccination obligatoire :** l'État est responsable (lois de 1964 et 1975) ; il faut des années de procédure (pas d'indemnité pour les vaccins facultatifs).

En cas de retard dans le calendrier indiqué, il suffit de reprendre le programme au stade où il a été interrompu et de compléter la vaccination en réalisant le nombre d'injections requis en fonction de l'âge. Un délai minimal de 4 semaines est requis entre chaque injection. Faire mentionner vaccinations et dates d'injection sur un *carnet de vaccination.*

Nota. – Éviter les boissons alcoolisées le jour du vaccin. – Les rappels DTP tous les 5 ans, ainsi que les vac. contre rougeole, rubéole, coqueluche et oreillons sont recommandés mais non obligatoires (en cas d'accident, les victimes ne disposent d'aucun recours s'il s'agit d'une vaccination seulement recommandée).

☞ La vaccination est gratuite si elle est faite à l'école, ou remboursée par la Séc. sociale (ticket modérateur) si les parents font appel à leur médecin.

Risques professionnels

■ **Personnels de santé** (soumis à l'arrêté du 6-2-1991). **Vaccinations obligatoires à l'embauche :** *DT* complètes dont le dernier rappel a été effectué dep. – de 10 ans ; *Polio* complète, dernier rappel – de 10 ans (vaccin inactivé recommandé en primo-vaccination et atténué en situation épidémique ou en rappel). *Hépatite B* complète et rappel de – de 5 ans. **Rappels :** *TP* tous les 10 ans ; *Hépatite B* 5 ans.

La vaccination antityphoïdique est réservée à ceux exerçant dans un laboratoire d'analyses de biologie médicale (à l'embauche : vacc. de – de 3 ans. Rappel : tous les 3 ans). BCG ou IDR + : jusqu'à 25 ans si l'IDR est négative. L'art. 6 de l'arrêté du 6-2-1991 prévoit la présentation d'un certificat de contre-indication temporaire (DTP, hépat., typh.).

■ **Autres catégories professionnelles. Vaccinations recommandées.** *Tétanos :* tout individu, tous les 10 ans. *Leptospirose :* égoutiers, employés de voierie, gardes-pêche, travailleurs agricoles (en particulier des rizières). *Brucellose :* laboratoires, abattoirs, vétérinaires et services vétérinaires, agriculteurs en zone d'endémie. *Rage :* services vétérinaires, laboratoires manipulant du matériel contaminé ou susceptible de l'être, équarrisseurs, fourrières, naturalistes, taxidermistes, gardes-chasse, gardes forestiers, abattoirs.

■ **Risques particuliers.** *Vaccination grippale :* tous les ans. *V. pneumococcique :* tous les 5 ans, insuffisants cardiaques et respiratoires. *V. contre l'hépatite B :* insuffisants rénaux, entourage proche de sujets Ag HB s. positif, nouveau-nés de mère porteuse Ag HB s. positif, polytransfusés, hémophiles, homosexuels, partenaires sexuels de sujets Ag HB s., sujets ayant des partenaires sexuels multiples, toxicomanes utilisant des drogues parentérales.

■ **Voyages à l'étranger.** *Fièvre jaune :* si exigée + pays endémiques. *Choléra :* si exigée (ordre : *fièvre jaune ;* 3 semaines après : *choléra*). *Tétanos et polio :* pour tout voyageur. *Typhoïde, hépatite B et méningocoque A + C :* recommandées dans certaines circonstances.

Vérifier auparavant à quand remonte *le rappel antipoliomyélitique* et *antitétanique :* vaccin, puis rappel tous les 10 ans (tétanos) ; tous les 5 ans (polio) ; *antituberculeuse :* BCG et contrôle par cuti-réaction tous les ans ou tous les 2 ans ; *antityphoïdique :* conseillée surtout en cas de voyage dans de mauvaises conditions d'hygiène ; *vaccins* préconisés.

Drogues et toxicomanie

Définitions

Drogue. Substances étrangères à l'organisme qui ne sont pas utilisées comme aliment, mais doivent être éliminées après avoir subi des modifications de structures dans les cellules. Elles agissent en doses très faibles, ont pour cible principale le cerveau limbique ou paléo-cortex. Drogues, au sens des Nations unies, définies dans 3 Conventions internationales : sur les *stupéfiants* (1961), *psychotropes* (1971), *stupéfiants et psychotropes* (1988).

Pharmaco-dépendance. État psychique et parfois physique résultant de l'interaction entre un organisme vivant et une drogue ; se caractérise par des modifications du comportement et d'autres réactions qui comprennent toujours une pulsion à prendre de la drogue afin de retrouver ces effets psychiques et quelquefois d'éviter le malaise de la privation (définition de l'OMS).

Toxicomanie. État d'intoxication périodique ou chronique, psychique et/ou physique engendrée par l'absorption périodique ou continuelle d'une ou de plusieurs drogues. *Caractéristiques :* invincible désir ou besoin (obligation) de continuer à consommer la drogue et de se la procurer par tous les moyens ; tendance à augmenter les doses pour obtenir les mêmes effets (tolérance) ; dépendance d'ordre psychique et parfois physique à l'égard des effets de la drogue ; effets nuisibles à l'individu et à la société.

Catégories de toxicomanes. 1°) *Usage expérimental :* un essai, sans suite et sans conséquences. 2°) *Usage occasionnel :* l'utilisateur peut faire un usage expérimental « à répétition », ou il peut, en certaines occasions, prendre un produit pour modifier son psychisme et donc être relativement dépendant psychologiquement (dissimuler son angoisse dans des situations bien précises). 3°) *Usage habituel :* l'utilisateur est déjà dépendant psychologiquement du produit toxique, mais les symptômes du manque (issus de la dépendance physique liée aux opiacés, aux benzodiazépines et aux barbituriques) n'apparaissent pas encore. 4°) *Usage toxicomaniaque :* l'utilisateur est dépendant psychologiquement et aussi – quand c'est le cas – physiquement. Il centre sa vie autour du produit toxique : il devra augmenter sa dose et la fréquence de ses prises ; pour se procurer de la drogue, il se livrera à un trafic, à la prostitution, au vol, aux faux et usages de faux ou à des hold-up.

Produits utilisés

Analgésiques. Naturels (opium, morphine, codéine), de demi-synthèse (héroïne) ou de synthèse (péthidine, dextromoramide, méthadone, buprénorphine) ; la synthèse clandestine de péthidine s'est développée aux USA et la substance obtenue, souvent polluée par un dérivé, a provoqué un syndrome de Parkinson irréversible chez de nombreux jeunes toxicomanes. Les fabricants clandestins (« combinards », aux USA « designers drugs ») ne savent pas exactement ce qu'ils synthétisent, les toxicomanes ne savent pas ce qu'ils utilisent et les médecins ne savent pas ce qu'ils essayent de traiter. Le Mexique produit une héroïne noire : black tar (goudron noir), d'après son apparence, utilisée par voie intraveineuse.

Cannabis. Produit actif (le tétrahydrocannabinol dit THC) utilisé sous 3 formes : *herbe* (feuilles et fleurs séchées : kif, marijuana...) ; *haschich* (résine : hasch, shit..., revendue au détail sous forme de « barrettes ») ; *huile* (goudronneuse). En France, généralement en le fumant, le plus souvent mélangé à du tabac (cigarettes de kif, « joints », « pétards », etc.). Peut se cultiver partout, mais il vient du Maroc, Colombie, Mexique, Jamaïque, Afrique noire, Afghānistān, Liban, Népal, Indonésie, Kazakhstan (à l'état sauvage sur 4 000 000 d'ha). Drogue la plus répandue et la moins chère. En Espagne, projet de loi visant à renforcer la répression du trafic ; polémique sur la re-pénalisation de l'usage de toutes les drogues.

Coca. **Culture :** Pérou, Bolivie, Équateur, Brésil, Colombie. *Transformée* en cocaïne, principalement en Colombie, et acheminée ensuite en Amérique du Nord et en Europe. **Usage :** dans la zone de production, on fume la pâte de coca (produit du premier traitement de la feuille de coca, contenant env. 50 % de cocaïne). Souvent utilisée en association avec le cannabis ou les morphiniques. La coca, il y a *env. 4 500 ans,* servait à des fins religieuses et rituelles en Amérique centrale et du Sud. *1551,* après la conquête espagnole, le concile de Lima en interdit l'usage. *1573,* le vice-roi l'autorise car elle accroît la productivité dans les mines de Potosi, et devient alors la principale forme de rémunération de la main-d'œuvre. *1860,* Albert Nieman (All.) élabore le produit purifié connu sous le nom de cocaïne. *1863,* Angelo Mariani, chimiste corse, commercialise un vin « remontant » (il lui donne son nom). *1886,* naissance du Coca-Cola (mélange d'extrait de coca, caféine et noix de kola avec de l'eau et du gaz carbonique). *1887,* Freud, qui en a fait lui-même usage, constate les dangers de la cocaïne.

« Crack » (bruit qu'il fait lorsqu'on le chauffe) ou « Rock » (gros cristaux beige ou marron). Apparu aux USA vers 1985 : cocaïne sous forme de base libre à env. 70 % (puissance 5 à 10 fois celle de la cocaïne classique) ; obtenu en traitant un *sel* de cocaïne impur par un alcalin (ex : ammoniaque ou bicarbonate de sodium). Se fume avec une pipe à eau, pur ou mélangé à du cannabis ou du tabac. Aspiré par la bouche très brusquement, il pénètre ainsi dans le cerveau plus rapidement qu'après reniflage, injection ou après une cigarette. Il crée en 2 ou 3 semaines une très forte dépendance physique.

Hallucinogènes. Produits naturels (mescaline, psilocybine), de semi-synthèse (LSD 25) ou de synthèse (STP, DMA, DMT, etc.). Fabrication relativement aisée en laboratoire, mais dosage délicat : de l'ordre du µg/kg. On trouve dans tous les pays des substances hallucinogènes naturelles (plantes, champignons). La PCP (phencyclidine, produit de synthèse créant des accidents très graves) : est classée aux USA comme hallucinogène, bien qu'à l'origine elle soit un anesthésique utilisé en médecine dentaire, puis vétérinaire. L'*Ecstasy (XCT ou Adam)* est un hallucinogène très puissant et très toxique : MDMA (Méthylène Dioxy - 3,4 - Méthamphétamine). Les hallucinogènes peuvent entraîner la folie ou de graves désordres psychotiques.

Inhalants. Éther. Produits d'usage ménager, de nettoyage ou de beauté qui, pour la plupart, contiennent des dérivés d'hydrocarbures (« spiromanie au solvant »). **Effets :** *premiers recherchés :* ébriété, euphorie, hallucinations ; *secondaires non désirés :* céphalées, douleurs abdominales, asthénie ; *à long terme :* irritation des muqueuses, atteintes d'organes : reins, foie, cœur. Effets réversibles sauf cas (rares) de lésion cérébrale et d'encéphalopathie. Nombreux accidents dus au mode de prise (dans un sac plastique, « sniffing ») et aux risques dus à la baisse de vigilance.

Khat ou Kat. *Thé des Abyssins* ou *thé d'Arabie :* feuilles d'un arbuste *(Catha edulis),* mastiquées, anorexigènes et stimulantes. *Consommation :* Madagascar, Kenya, Abyssinie, Yémen. Érythrée ; Europe (transports aériens de plante fraîche).

Médicaments. *Hypnotiques barbituriques, non barbituriques et tranquillisants :* détournés de leur usage médical comme sédatifs et somnifères ou pour calmer une angoisse. *Amphétamines :* on en trouve dans des anorexigènes ou des produits décongestionnant des voies nasales. Utilisés dans le « doping » des sportifs. *Benzodiazépines :* souvent des anxiolytiques, induisent le sommeil. *Temgésic* (Buprénorphine) : antalgique détourné comme substitut à l'héroïne.

Stimulants. *Ice* (glace) ou *Crystal meth :* méthamphétamine sous forme de cristaux (ressemblant à du gros sel ou à du sucre candi) qui se fume et dont l'action est beaucoup plus longue que celle du crack.

Substances volatiles. *Solvants :* colles plastiques ou à séchage rapide, utilisées pour modèles réduits, solvants et diluants pour peinture ; laque (contient du toluène et des alcools) ; produits à base de pétrole (essence, kérosène et essence à briquet). *Agents propulsants* contenus dans les aérosols (le plus souvent du difluorodichlorométhane et de l'hydrocarbone isobutane). *Produits anesthésiants.* **Toxicité :** *à court terme :* faible pour l'oxyde nitreux, élevée pour les fréons ; *à long terme :* troubles du foie, des reins, troubles nutritionnels dus à une perte d'appétit. *Tolérance :* peut se développer en 2 à 3 mois en cas d'inhalation régulière. *Dépendance physique :* vraisemblable.

Nota. – La drogue est utilisée très diluée : cocaïne 10 à 30 %, héroïne 1 à 5 %.

Lexique

Accro : accroché, soumis à l'effet de dépendance de la drogue. *Acid :* LSD. *Afghan :* résine de cannabis d'Afghānistān. *Amphés :* amphétamines. *Baba cool :* hippie des années 60. *Barbis :* barbituriques. *Bassouko ou Bazzuko :* crack colombien. *Brown-sugar :* héroïne n° 3. *Coke :* cocaïne. *Être cool :* éprouver un sentiment de bien-être et d'apaisement. *Dealer :* petit revendeur de drogue. *Défonce :* abus de drogue. *Flash :* impression ressentie après un shoot. *Fix :* injection intraveineuse. *Flipper :* ressentir l'angoisse du manque. *Hook :* drogué. *Joint :* cigarettes de tabac et cannabis. *Julie :* cocaïne. *Junky :* toxicomane « lourd ». *Naphtaline :* héroïne. *Neige :* cocaïne. *Poudre, blanche :* héroïne. *Rails :* lignes de cocaïne. *Shit :* hachisch. *Shoot :* une piqûre et son effet. *Sniffer :* renifler. *Speed :* amphétamines. *Tango and Cash :* mélange d'héroïne et de méthylfentanyl. *Trip :* prise de LSD, voyage imaginaire sous l'effet de la drogue.

Statistiques

Monde

Production

Production licite (1989, monde, en t) *d'opium :* 505 (dont Inde 437) ; *paille de pavot* (en t d'équivalent morphine) : 115 dont Australie 15, *France 22,* Turquie 7, Espagne 5. Autres 66.

Production illicite (en t, estim.). **Opium :** *1986 :* 1 900 t, *1989-90 :* 5 000 dont Triangle d'or 3 000 (Birmanie 2 600, Laos 350, Thaïlande 50), Croissant d'or 1 500 à 2 000 t (Afghanistan 1 000, Pakistan 165, Iran). Mexique 85, Inde 55. Hong Kong : 20 t d'héroïne par an dont 2/3 sont revendus sur place, 6 à 7 t sont disponibles sous forme de granulés orange ou grisâtres (brown sugar). **Cocaïne :** surfaces cultivées et production (Source : OIPC-Interpol). *Bolivie :* 7 000 ha, 483 t de cocaïne HCl (Hydrochloride : poudre blanche)/an, 75 % des exportations. *Pérou :* 100 000 ha, 300 à 1 000 t, 14 % des export. *Colombie :* 25 000 à 60 000 ha, 40 à 60 t, 13 % des export.

☞ *Pour obtenir 1 kg d'héroïne :* il faut 150 000 fleurs de pavot (2/3 ha), *1 kg de morphine base :* 10 kg d'opium, *1 kg de cocaïne :* 180 à 500 kg de feuilles de coca.

☞ Consommation globale licite (en 1990, 200 t équivalent-morphine dont codéine 160, dihydrocodéine 19, morphine 7).

Répression

Saisies (1990, en t). **Cannabis** 500 dont USA 153, Thaïlande 129, Inde 39, Canada 35, P.-Bas 19, Afghanistan 12, Égypte 9, Allemagne 8, Iran 5, Danemark 3, *France 0,453.* **Résine de cannabis** 321 dont P.-Bas 90, Espagne 70, Canada 66, *France 21,* Portugal 9, USA 8, Belgique 7,3, Inde 6, Allemagne 4,6, Afghanistan 3, Danemark 1,2. **Cocaïne** 107 dont USA 75, Espagne 5,5, P.-Bas 4,2, Allemagne 2,4, *France 1,8,* Îles Caïmanes 1,8, Cuba 1,4, Équateur 1, Belgique 0,5, Arabie 0,4, Canada 0,2. **Héroïne** 13 dont Pakistan 6, Inde 2,1, Iran 1,8, Thaïlande 1, Turquie 1, Italie 0,9, Espagne 0,8, Afghanistan 0,6, G.-B. 0,6, P.-Bas 0,53, USA 0,5, *France 0,4.*

Importantes saisies de substances utilisées dans la fabrication illicite de drogues : anhydride acétique (synthèse de l'héroïne) en Chine, Turquie, Thaïlande, Malaisie. Démantèlement de laboratoires clandestins en Europe (26 d'Ecstasy) et dans l'ex-URSS (méthadone et Fentanyl).

Saisies records (en une fois, en kg). **Cocaïne :** *1988 :* Espagne 417. *1989 :* USA 20 000 (29-9, record mondial). Suisse 300. *1990 :* Allemagne (nov.) 1 000. France (en 1 an) 6 000. P.-Bas (mars) 3 000. Mexique (sept.) 6 000. Suisse 339. *1991 :* Colombie (avril) 11 000. France (oct.) 240. **Héroïne :** *1989 :* Suisse 50. *1990 :* Suisse 187. **Haschisch :** *1991 :* France (20-10) 10 391.

Répression. *Iran :* + de 1 000 personnes ont été pendues en 1990 pour trafic de stupéfiants. *Malaisie :* dep. 1983, + de 25 étrangers condamnés à mort et exécutés pour trafic de drogue. *Chine :* 35 trafiquants exécutés en oct. 1991. *Émirats Arabes Unis :* 3 exécutés le 27-10-1992.

Toxicomanes dans le monde. **États-Unis :** *1985 :* 23 000 000, *90 :* 13 000 000 (dont 500 000 usagers du crack). 38 000 nouveau-nés affectés par la drogue ; 17 % des hommes de 25-44 ans s'injectent de la drogue par voie intraveineuse. 53 % des morts du sida étaient des drogués. **Iran :** 600 000. **Pakistan :** 1 000 000 d'héroïnomanes. 2 500 médecins toxicomanes, dénoncés par leurs confrères, ont été traités. **Suisse :** *1990 :* 25 000 héroïnomanes et cocaïnomanes. **Tchécoslovaquie :** 30 000 tox. **URSS :** *1991 :* 1 500 000 tox.

Chiffre d'affaires dans le monde (en milliards de $). 300 à 500. **Importations totales de drogue en Europe et aux USA** (au prix de gros) : 30. **Importance financière.** D'après un rapport du 7-2-1990 du groupe d'action financière sur le blanchiment des capitaux venant de la drogue, les trafics illicites d'héroïne, cocaïne et cannabis en Europe et aux USA génèrent 122,5 milliards de $ dont 85,4 seraient investis ou blanchis. En févr. 1990, la Commission des Stupéfiants de l'ONU a recommandé de ratifier et de faire entrer en vigueur dans les meilleurs délais la Convention du 20-12-1988 contre le trafic illicite. En déc. 1990, une saisie de 50 millions de $ (venant du trafic illicite) a été faite en Europe, placés dans 14 pays dont G.-B., All., France (27 millions de F confisqués dans 5 banques parisiennes).

Prix de la drogue (en F) des pays producteurs au kg, entre crochets : prix à Paris au kg, entre parenthèses : prix au g à Paris et à Marseille. **Cannabis** *herbe* 800 à 1 200 [5 000 à 6 000 (20 à 25/40 à 50)] ; *résine du Maroc* 1 200 à 1 500 [12 000 à 17 000 (25 à 35/50 à 70)] ; *du Liban* 1 800 à 2 000 [3 000 à 4 000 (35 à 50/70 à 100)] ; *huile du Liban* 3 000 à 4 000 (40 à 50). **Feuilles de coca (500 g)** 3 000 à 4 000. **Pâte (base 2,5 kg)** 7 000 à 8 000. **Cocaïne (base 1 kg)** 28 000 à 30 000. **Chlorydrate de cocaïne (1 kg)** 65 à 80 000 [180 000 à 200 000 (800 à 1 000)]. **Opium brut Triangle d'or** 2 500. **Croissant d'or** 1 800 à 2 000. **Héroïne laboratoire Triangle d'or** 35 000. **Croissant d'or** 30 000. **N° 4 Triangle d'or** 50 000 à 60 000 [250 000 à 400 000 (600/1 000)].

La répression menée en 1990 en Amérique latine a provoqué une baisse du prix de la feuille de coca dans les pays andins. Cette baisse s'est traduite, dans plusieurs pays consommateurs, par une diminution, au moins momentanée, des quantités disponibles de cocaïne et, donc, par une hausse des prix de détail.

☞ En 1991, 1 paysan de Colombie gagnait 2 800 F/an sur 1 ha de terre ; avec 1 ha de coca, 28 000 F.

France

■ Affaires enregistrées par l'Office central pour la répression du trafic illicite des stupéfiants (ensemble des services opérant sur le territoire national : Gendarmerie, Police nat. et Douanes), *1991* (entre parenthèses, *1990*) : 26 212 (20 564), 45 063 (34 213) interpellations dont 34 311 (29 015) usagers simples, 5 449 (4 159) usagers-revendeurs, 4 214 (3 873) trafiquants locaux, 1 089 (1 325) trafiquants internationaux. En 1991, augmentation des infractions liées à la drogue : 62 021 (+ 9,73 %) ; au trafic + 2,02 %, à la consommation + 37,03 %.

■ Pharmacies volées. *1971 :* 21 ; *75 :* 795 ; *80 :* 900 ; *85 :* 551 ; *86 :* 436 ; *87 :* 297 ; *88 :* 205 ; *89 :* 207 ; *90 :* 135 ; *91 :* 131 + *tentatives :* 10, *vols violences pharmaciens-médecins :* 34 (1982 : 102), *vols toxiques dans d'autres établissements :* 54, *vols au préjudice des médecins :* 173, *total :* 402 (1982 : 1 636).

■ Saisies. **Produits** (en kg). *1990* (entre parenthèses, *saisie record depuis 1982). Opium* 3,7 (1982 : 15,9). *Morphine* 0,2 (1982 : 5,8). *Héroïne* 561 (record). *Cocaïne* 831 (1 844). *Cannabis,* résine 31 836 (record) ; herbe 1 278 (1982 : 18 818,7) ; huile 6,5 (1984 : 53,5) ; pieds 3 461 (record). *Amphétamines* 19,7. *LSD 25* 27 482 doses (record). *MDA* et *MDMA* 62 079 doses (record). *1992 :* 32 t (dont cannabis 29, cocaïne 1,3 et 127 000 doses de LSD).

☞ *Difficultés du contrôle du trafic de la drogue en France :* frontières terrestres 2 970 km, maritimes 2 700 ; franchissements (annuels) : individus 240 millions, marchandises 400 millions de t, camions 7,4 millions, wagons 255 000, avions 382 000.

■ Trafiquants interpellés et déférés à la justice. *1981 :* 1 336 ; *82 :* 1 581 ; *83 :* 2 004 ; *84 :* 2 558 ; *85 :* 4 045 ; *88 :* 4 244 ; *89 :* 4 418 ; *90 :* 5 198 ; *91 :* 5 303 dont 1 089 traf. internationaux, 4 214 traf. locaux dont 2 562 étrangers dont 582 Algériens, 497 Marocains, 200 Tunisiens, 121 Sénégalais, 109 Turcs, 108 Italiens, 98 Zaïrois.

■ Toxicomanes. **Nombre :** *1946-49 :* env. 5 000 à 8 000, la plupart d'origine thérapeutique ; 768 détectés dans la Seine (dont, en %, femmes : 53,6. H : 35,1 ; M : 28,2 ; C : 3 ; cannabis : 1,2). *De* *nov. 1948* (mesures de contrôle de l'emploi médical des stupéfiants) *à 1966 :* env. 1 000. *Dep. 1967 :* recrudescence du cannabis puis morphine ou héroïne ; de médicaments psychotropes (ex. : amines de réveil). *1976 :* 60 000 à 100 000 tox. *1991 :* env. 200 000 héroïnomanes ; la cocaïnomanie augmente dep. 1985 (41 % des cas en 1991). *1992 :* multiplication des polytoxicomanies avec augmentation de la mortalité.

Drogue et sida. 26 % des sidaïques seraient des toxicomanes. **En prison :** 30 % des prisonniers sont toxicomanes [Fleury-Mérogis, sur 3 000 femmes, 80 % sont toxicomanes, 45 % séropositives (1990)].

Toxicomanes veillés dans les centres spécialisés. *Centre médical Marmottan* (en 1991 et entre parenthèses en 1990) : nouveaux toxicomanes 1 722 (1 522), consultations 18 489 (15 866). *Espace Murger à Fernand-Widal* (en 1991 et entre parenthèses en 1989) : consultants 999 (1 152) ; hospitalisations 207 dont 64 en réanimation. *Trait d'Union à Boulogne* (en 1990 et entre parenthèses en 1989) : consultations 4 682 (4 700) ; visites en prison 1 198 (1 317). *Centre Pierre-Nicolle 1989* 14 lits d'hospitalisation et 4 chambres spécifiquement consacrées à une mère toxicomane séropositive et à son nourrisson. *1990* 3 872 nuits, accueil en famille 1 755 nuits, consultations 1 325 (951). 1 toxicomane sur 2 est soigné en Île-de-France. *Centre Didro* 1991 : 1 269 consultations (1 325).

Usagers interpellés (entre parenthèses, *% des femmes*) : *1971 :* 1 855 (21,36) ; *75 :* 2 593 (16,02) ; *80 :* 8482 (16,73) ; *85 :* 25 704 (12,94) ; *90 :* 29 015 (10,55) ; *91 :* 39 760 (9,93) dont 34 311 usagers, 5 449 usagers revendeurs [dont cannabis 27 928 (70,24), héroïne 10 499 (26,41), cocaïne 803 (2,02), psychotropes 391 (0,9), LSD 93 (0,23), opium 28 (0,08), morphine 13 (0,03)].

Usagers par âge (en %) : *- de 16 a. :* 0,83. *16 à 20 a. :* 30,34. *21 à 25 a. :* 37,86. *26 à 30 a. :* 19,97. *31 à 35 a. :* 7,35. *36 à 40 a. :* 2,37. *+ de 40 a. :* 1,28.

Morts par surdose. *1969 :* 1 ; *70 :* 5 ; *71 :* 11 ; *72 :* 6 ; *73 :* 13 ; *74 :* 29 ; *75 :* 37 ; *76 :* 59 ; *77 :* 72 ; *78 :* 109 ; *79 :* 117 ; *80 :* 172 ; *81 :* 141 ; *82 :* 164 ; *83 :* 190 ; *84 :* 237 ; *85 :* 172 ; *86 :* 185 ; *87 :* 228 ; *88 :* 236 ; *89 :* 318 ; *90 :* 350 ; *91 :* 411 dont (en %) héroïne 89,54, médicaments 7,54, solvants 1,46, cocaïne 1,22, indéterminés 0,24 (comparaisons : *1990 :* Espagne 667, Suisse 280) ; *91 :* 408.

Produits utilisés (en % en 1991 et, entre parenthèses, **1978).** Cannabis 70,24 (60,7). Haschisch 40 à 100 t/an. Héroïne 26,41 (16,22). Cocaïne 2,02 (2,07). LSD 0,23 (3,38). Psychotropes 0,98 (14,42). Opium 0,08 (0,55). Morphine 0,01 (2,55). Buprénorphine, Temegesic. Le crack a fait son apparition début 1989 (aux Antilles) ; l'ecstasy dep. 1987.

■ **Chiffre d'affaires de la drogue en France.** Env. 20 milliards de F (les saisies représentent 4 à 5 % de la marchandise circulant). **1989 et,** entre parenthèses **1988, en millions de F :** 200 (250) dont *prévention* 16,4 (77,9), *répression* 43,3 (69,3), *accueil et soins* 110 (98,6), *formation* 17,3, *action internationale* 0,24. **1990 :** 270.

■ **Organismes. Comité interministériel de lutte contre la drogue.** *Créé* par le décret du 6-12-1989. *Présidé* par le Premier ministre. **Délégation générale à la lutte contre la drogue et la toxicomanie (DGLDT).** 137, rue du Fbg St-Honoré 75008 Paris. *Créée* par décret du 6-12-1989. Rattachée au 1er ministre. *Déléguée générale :* Mme Georgina Dufoix. *Dél. gén. adjointe :* Mme Domenach-Chich. *Centre Didro,* 9, rue Pauly, 75014 Paris. *Centre national de documentation sur la toxicomanie (CNDT) : Université Lyon-II,* 14, av. Berthelot, 69007 Lyon. *Fondation toxicomanie et prévention jeunesse.* Créée 1980 au sein de la Fondation de France et présidée par Mme Micheline Chaban-Delmas, 18-20, rue de Gergovie, 75014 Paris. *Centre médico-psychologique,* 8, av. Joyeuse, 94340 Joinville-le-Pont. *Monceau,* centre de thérapie familiale, 62, rue de Monceau, 75008 Paris. *Direction départementale de l'action sanitaire et sociale (DDASS)* dans chaque département. *Union nationale familiale de lutte contre la toxicomanie (UNAFALT),* 42, avenue Jean-Moulin, 75014 Paris. *Centre Marmottan,* directeur : Dr Claude Olievenstein, 19, rue d'Armaillé, 75017 Paris. *Centre Pierre-Nicolle,* 27, rue Pierre-Nicolle, 75005 Paris. *Bureau d'aide psychologique universitaire,* 44, rue Henri-Barbusse, 75005 Paris. *Toxibase,* 14, av. Berthelot, 69007 Lyon. *Toxitel :* service minitel : 3615 GP2.

Beaucoup de services hospitaliers organisent des cures de sevrage et le suivi médical des toxicomanes. Env. 800 centres d'accueil et de soins spécialisés.

Lutte contre le blanchiment de l'argent. *Traitement du renseignement et de l'action contre les circuits clandestins (Tracfin).* Créé 9-5-1990. 23 bis, rue de l'Université, 75007 Paris. Dépend du ministère des Finances. *Office central pour la répression de la grande délinquance financière (OCRGDF).* Créé 12-7-1990. 11, rue des Saussaies, 75008 Paris. Dépend du ministère de l'Intérieur.

Législation

■ Convention unique sur les stupéfiants de 1961

Interdit aux États de permettre la détention de stupéfiants sans autorisation légale. Oblige les États à prendre toutes les mesures possibles pour prévenir l'abus des stupéfiants et pour assurer le prompt dépistage, le traitement, l'éducation, la posture, la réadaptation et la réintégration sociale des personnes intéressées. Le choix est laissé aux États de répondre à l'usage par des dispositions répressives ou sanitaires et préventives ou les trois à la fois.

■ Convention de Vienne de 1988

De l'ONU ratifiée par 67 États (dont la France), obligeant les États à réprimer le trafic de stupéfiants sous toutes ses formes (achat et détention de stupéfiants et substances psychotropes destinés à la consommation personnelle), l'association ou l'entente en vue de s'y livrer ainsi que le blanchiment de l'argent de la drogue. Elle organise l'entraide répressive internationale (transferts de procédures, confiscations, extraditions, livraisons surveillées) et toutes formes de coopération internationale. Elle met en place un système de contrôle de la production et du commerce des produits chimiques entrant dans la fabrication des drogues (précurseurs). Des mesures de traitement, d'éducation, de post-cure, de réadaptation ou de réinsertion sociale peuvent remplacer la condamnation ou la peine ou s'y ajouter. **Siège :** Vienne. **Organes.** *Commission des stupéfiants* (de type exécutif). *Organe de Contrôle* (indépendant, semi-judiciaire chargé de contrôler l'application des conventions internationales sur les stupéfiants).

Répression de l'usage de stupéfiants. Directe : CEE, usage interdit dans tous les cas (France, Italie, Luxembourg) ; sanctionné dans certains cas : Belgique (usage collectif), Irlande et G.-B. (opium), Grèce (usager non toxicomane). **Indirecte :** Allemagne, Belgique, Italie (acquisition de stup. pour un usager en vue de l'usage). Allemagne, Belgique, Danemark, Irlande, Italie, Portugal, G.-B. (possession de stup.). **Absence de répression.** Espagne, Pays-Bas.

■ Législation française

Trafic de stupéfiants. *Culture, fabrication, importation :* 10 à 20 ans d'emprisonnement et/ou une amende ; *transport, détention, cession de stupéfiants :* 2 à 10 ans d'empr. et/ou une amende ; *usagers qui fournissent de la drogue à d'autres usagers pour financer leur propre consommation :* 1 à 5 ans d'empr. et/ou une amende.

Trafic. Loi du 23-12-1988 : crée un nouveau délit douanier relatif aux opérations financières entre la Fr. et l'étranger liées au trafic de drogue. **Décret du 26-3-1990 :** interdit la vente ou la distribution gratuite au public des prod. de type « popers » contenant des nitrites de butyle et de pentyle ou leurs isomères. **Loi du 12-7-1990 :** organise la participation des organismes financiers à la lutte contre le blanchiment de l'argent notamment via la déclaration obligatoire des opérations suspectes avec levée du secret bancaire. **Loi du 14-11-1990 :** adapte la législation française aux dispositions de l'art. 5 de la convention de l'Onu (20-12-1988) contre le trafic illicite de stupéfiants et substances psychotropes. **Règlement no 3677/90 du Conseil des Communautés européennes du 13-12-1990 :** fixe les normes pour empêcher le détournement de certaines substances vers une fabrication illicite de stupéfiants en psychotropes. **Loi du 19-12-1990 :** police judiciaire et douanes peuvent procéder à la livraison surveillée de stupéfiants et se livrer à certains actes d'infiltration pour remonter les filières. **Directive des Communautés européennes du 10-6-1991 :** prévention de l'utilisation du système financier aux fins de blanchiment de capitaux. **Loi du 19-12-1991 :** renforce la lutte contre le trafic des stupéfiants : trafic de drogue, provocation délictueuse des agents de l'autorité et permission de la loi. **Loi du 22-7-1992.**

Usage de stupéfiants. Répression : l'usage de tous les stupéfiants (y compris cannabis) *individuel ou collectif, occasionnel ou habituel* est interdit et réprimé : 2 mois à 1 an d'empr. et/ou une amende de 500 à 15 000 F. Le juge peut choisir entre un simple avertissement [pour l'usager *occasionnel* (quel que soit le produit stupéfiant utilisé) s'il présente de *bonnes garanties d'insertion sociale, familiale et professionnelle*], le déclenchement effectif de poursuites, ou l'injonction thérapeutique qui entraîne exonération de poursuites si elle est respectée.

Prévention, soins, répression. Traitement volontaire : les toxicomanes peuvent se présenter spontanément dans un dispensaire ou dans un établissement hospitalier afin d'y être soignés gratuitement et demander à bénéficier de l'anonymat. Par la suite, ils ne peuvent faire l'objet de poursuites judiciaires pour les faits d'usage antérieurs à cette *démarche volontaire.*

Signalement : l'autorité sanitaire saisie du cas d'un usager par une assistante sociale ou un médecin peut enjoindre à l'intéressé de se placer, tout le temps nécessaire, sous la surveillance médicale, soit du médecin choisi par elle, soit d'un dispensaire d'hygiène sociale ou d'un établissement agréé.

Traitement incitatif (injonction thérapeutique) : en cas d'usage de stupéfiants, le procureur peut renoncer, au moins provisoirement, à engager des poursuites et recourir à l'injonction thérapeutique. L'autorité sanitaire enjoignant à l'usager de suivre une cure de désintoxication ou à se placer sous surveillance médicale. *Traitement forcé (astreinte) :* en cours de poursuites pénales, l'usager peut être astreint à entreprendre une cure ou à se placer sous surveillance médicale. Si le traitement est bien suivi, la juridiction de jugement peut ne pas prononcer de peine. Si l'usager ne se prête pas à l'obligation faite, il risque un emprisonnement de 2 mois à 1 an et une amende de 500 à 15 000 F.

Santé

Hôpitaux

■ Statistiques

■ **Hôpitaux publics** (1991). **Établissements :** 1 072 dont centres hospitaliers régionaux 29, centres hospitaliers 500, hôp. locaux et ruraux 320, centres de moyen et/ou long séjour 116, centres spécialisés en psychiatrie 98, autres 9. **Nombre de lits** (1991). 469 383 (dont section hôpital 358 450, lits d'hébergement 108 705, sections annexes 2 228).

Journées d'hospitalisation ou d'hébergement en hosp. complète (1991, en milliers) : 138 288 (dont séjour court 49 417, moyen 12 113, long 36 594, lutte contre mal. mentales et toxicomanie 20 108). **Entrées** (1991, en milliers) : 7 677,4 (dont médecine 3 780,9, chirurgie 2 322,5, obstétrique 762,2, séj. moyen 336,3, long 49,6, lutte contre mal. mentales et tox. 345,5).

Personnel (au 1-1-1991). 758 300 dont *médical* 103 800, (médecins et biologistes 34 200, attachés 32 400, internes, résidents et faisant fonction d'int. 36 200) ; *non médical* 654 500 (soignant et éducatif 453 200, technique 100 800, administratif 68 900, médico-techn. 31 600).

Durée moyenne de séjour (en jours, 1991) : 13,31. Médecine 7,7 ; chirurgie 6,4 ; gynéco-obstétrique 5,4 ; lutte contre maladies mentales et tox. 54. Moyen séjour 35,5. Long séj. 440,4 (en 1989).

Prix de la journée (en F, 1992) (prix de l'Assistance publique – Hôpitaux de Paris). *Court séjour :* médecine générale 2 232, spécialisée 3 196 ; chirurgie générale et maternité 3 610 ; spécialités coûteuses 7 156, très coûteuses 8 284, hôp. de jour 1re cat. 5 413,

2e cat. 3 001, 3e cat. 992, dialyses 4 509, chimiothérapie 2 680 ; hôp. de nuit 802 ; hospitalisation domicile 1re cat. 952, 2e cat. 475 ; nutrition parentérale à domicile adultes 1 452, enfants 1 076. *Moyen séjour :* convalescents 1 068 ; rééduc. spé. 1 556. *Long séjour :* forfait soins 202,2. *Cure médicale :* forfait soins 124,90. *Soins à domicile/placement familial :* forfait soins 153,20. *Valides :* 208.

Hospitalisation partielle (1991) : venues d'hôpital de jour 3 922 371 dont psychiatrie 2 919 017. Séances de dialyse 997 587, de chimiothérapie 135 201.

■ Privés (1-1-1991, France métrop.). **Établissements.** 2 754 (dont à but lucratif 1 510, non lucratif 1 244). **Lits** (total) : 194 305 (lucr. 107 975, non lucr. 86 330) dont 281 hôpitaux psychiatriques ou établissements privés de lutte contre les maladies mentales (26 349 lits installés). **Admissions** (1990) : 5 551 734. **Journées d'hospitalisation** (1990) : 61 176 487. **Personnel.** (au 1-1-1990). 282 700 dont *médical* (médecins et biologistes 95 %, internes 5 %) 47 200 (plein temps 13 688, temps partiel 33 512) ; *non médical* 235 500. **Recettes** (1988). Env. 30 % de l'ensemble des frais d'hospitalisation, 15 % de la consom. méd. finale.

■ Hospitalisation à domicile. **Statistiques** (1988). 33 centres (11 services publics dépendant des hôpitaux, 21 associations, 1 Sté à but lucratif) ; 3 000 lits sur 27 départements (50 % en région parisienne).

Services de soins à domicile (nombre et, entre parenthèses, capacité d'accueil). *1981 :* 92 (3 000).

Statut

Organisation hospitalière. **Secteur public :** *centres hospitaliers généraux* (CHG), *régionaux* (CHR), *spécialisés* (CHS) (anciens centres hospitaliers psychiatriques), *hospitalo-universitaires* (CHU) (CHR ayant passé une convention avec une université locale) possèdent également : un centre anti-poison, un service d'assistance médicale d'urgence (Samu) avec centre de réception et de régulation des appels (par le 15), *hôpitaux locaux* (ex-hôpitaux ruraux) créés 1970, où des praticiens libéraux assurent des soins de médecine, sous condition d'une convention avec un CH ; peuvent recevoir des malades graves en phase aiguë. **Autres établissements du secteur public :** *centres de moyen séjour* (foyers de postcure pour malades mentaux, alcooliques..., unités de convalescence ou de rééducation fonctionnelle ou de réadaptation) demandent à l'entrée dossier médical ou médico-social. *Unités de long séjour* (ex-hospices), pour personnes ayant perdu leur autonomie de vie ou ayant besoin d'une surveillance médicale constante.

Secteur privé (cliniques) : *établissements privés à but lucratif, ou « cliniques »* (tiers de l'hospitalisation privée). Propriétés de médecins ou chirurgiens, de sociétés civiles ou commerciales, dans lesquelles les médecins peuvent posséder des parts. Ne répondent pas au critère de *« gestion désintéressée ».* Ne participent pas au service public. La plupart sont conventionnées. *A but non lucratif* (hôpitaux de la Croix-Rouge, centres de lutte contre le cancer, établissements mutualistes ou gérés par assoc., fondations ou caisses locales d'assurances maladie) : participent au service public. **Consultations externes :** CH, CHR, CHU, CHS sont tenus d'en avoir, assurées par personnel qualifié (à partir de 9 h, 6 malades par heure au maximum). Prix des consultations : le même pour tous les médecins consultés ; le patient ne paie que le ticket modérateur si affilié à la Séc. soc. ; éventuellement rien si affilié à une mutuelle. Pour les non-assurés sociaux : prix d'une consultation de généraliste ou de spécialiste. En ville, les spécialistes « secteur II » ont des honoraires libres (200 à 400 F), dont une partie remboursée par les caisses d'assurance maladie. **Hospitalisation à domicile :** (HAD). En cas de maladie grave ou si présence à la maison souhaitable (grossesse à risques, jeunes accouchées, bébés malades...). *Coût :* gratuit pour le malade (l'organisme se fait rembourser par la Séc. soc.). Revient à environ 600 F/jour au lieu d'env. 1 800 F dans un service de médecine à l'hôpital. 900 F pour le sida car prix élevé des médicaments. **Hôpital de nuit :** plutôt réservé aux malades mentaux exerçant une activité de jour. **Hôpital de jour :** pour malades vivant chez eux ou travaillant.

☞ Les médecins employés à plein temps par l'hôpital peuvent consacrer un cinquième de leur activité, pris sur leur temps de travail salarié, à titre libéral, à condition de ne pas gêner le service public : en donnant des consultations privées 2 demi-journées maxi. par semaine ; en utilisant des lits du public (2 au moins, 4 au plus par médecin sans excéder 8 % des lits du service) ; en consacrant une demi-journée par semaine à donner des consultations et à utiliser des lits du service public. Aucun lit ni aucune installation ne peuvent être réservés à l'activité libérale et les médecins ayant passé contrat d'activité libérale doivent effectuer en personne actes et consultations privés.

Régime tarifaire. **Établissements publics et privés participant au SPH :** financés par dotation globale, arrêtée par le préfet et versée par une caisse d'assur. maladie dite caisse pivot. Des tarifs de prestations (correspondant aux anciens prix de journée) sont opposables aux malades non assurés sociaux (loi du 19-01-1983) et pour le calcul des frais laissés à la charge des assurés sociaux (ticket modérateur). **Établissements privés à but non lucratif** *ne participant pas au SPH et recevant des bénéficiaires de l'aide sociale et les établ. (à but lucratif ou non lucratif) de lutte contre la tuberculose, de réadaptation fonctionnelle et maisons d'enfants à caractère sanitaire :* financés par un prix de journée « tout compris » arrêté par le préfet (loi du 3-02-1953). **Autres établissements commerciaux :** financés par convention avec la caisse régionale d'assur. maladie selon un tarif à la journée ne comprenant pas les honoraires médicaux et certaines prestations médico-techniques et pharmaceutiques.

Frais d'hospitalisation pris en charge par l'assurance maladie : 80 % les 30 premiers j, sauf pour pathologies lourdes et certains hospitalisés (invalides de guerre, accidentés du travail, femmes enceintes) ; 100 % à partir du 31e j. Un forfait journalier reste à la charge des hospitalisés (loi du 19-01-1983), 50 F (au 1-01-92). *Recours contentieux,* contre les tarifications arrêtées par le préfet, possibles (dans le délai d'un mois pour toute personne appelée à les supporter ou les encaisser) devant la commission interrégionale de la tarification sanitaire et sociale, et en appel devant la commission nat. du contentieux de la tarification sanitaire et sociale (loi du 23-01-1990).

Établissements sociaux

■ Enfance. **Ét. d'éducation spéciale pour l'enfance handicapée** (au 31-10-1985) : 1 877 (120 887 pl.). **Ét. de l'Aide sociale à l'enfance** (1-1-1988) : *foyers de l'enfance* 163 (9 064 pl.), *maisons d'enfants à caractère social* et *centres de placement familial* 1 116 (46 998 pl.), *centres maternels* 69 (2 789).

■ Adultes handicapés (travail protégé, réinsertion professionnelle, hébergement) (au 1-1-1988). 2 681 ét. (130 809 pl.). Voir p. 136.

■ Familles et jeunes travailleurs (familles en difficulté : hébergement, réadaptation et réinsertion sociale au 1-1-1988). 873 ét. (32 560 pl.).

■ Accueil des personnes âgées. 600 000 vieillards sont hébergés dans les hospices. *Coût :* 4 720 F à 30 000 F par mois, dépenses à la charge de la collectivité (prix maximal pour des personnes âgées recevant le minimum vieillesse).

Établissements sociaux et médicosociaux (nombre de places et, entre parenthèses, coût en F en 1988). Logements-foyers 126 166 (7 380), hospices et maisons de retraite 98 394 (4 980), sections de cure 52 597, maisons de retraite privées 117 167 (4 720).

Établissements spécialisés

■ Maladies mentales. **Catégories d'établissements** (1988). **Publics :** *98 centres hospitaliers spécialisés en psychiatrie (CHS) :* 27 hôpitaux privés psychiatriques (HPP) faisant fonction d'hôpitaux publics, liés au département par un contrat ; 167 *services de psychiatrie (SP)* [annexés à des hôpitaux généraux], gérés par la commission administrative de l'hôpital dont ils font partie. **Privés :** *maisons de santé* pour malades mentaux [qui, sauf exception, ne peuvent recevoir des malades placés au titre de la loi du 28-6-1990 (malades en placement d'office ou volontaires)], services de psychiatrie des cliniques générales.

Nota. – La France est divisée depuis 1960 en secteurs psychiatriques (sur une base d'env. 70 000 h.), regroupant les moyens hospitaliers et extra-hospit., placés sous la responsabilité d'un psychiatre chef de section et de service [1 300 env. sur 1 800 exerçant en France (lois des 25-7 et 31-12-1985)].

Établissements psychiatriques publics. *Lits installés* (1988) : 107 241 dont CHS 70 812, HPP 16 430, service de psych. dépendant d'hôp. généraux 19 999 ; services pour enfants 4 104.

Malades (au 1-1-1988). *En hospitalisation complète :* 93 499 (dont CHS 62 521, HPP 15 307, SP 15 671).

Mouvement hospitalier psychiatrique (1988). *Hospitalisation complète :* entrées : 381 374 (dont CHS 209 606, HPP 42 395, SP 129 370) dont enfants : CHS 8 022, HPP 2 775, SP 6 558. *Réadmissions* (1985) : 57,8 % des entrées normales (dont 77,7 % enfants). *Journées d'hospitalisation* (1988) : 25 742 987, dont CHS 16 927 502, HPP 4 469 670, SP 4 345 725, dont enfants : 816 614 (dont CHS 586 107, HPP 77 415, SP 153 092). *Durée moyenne de séjour :* en CHS 80,8 j, en HPP 105,4 j, en SP 33,6 j dont enfants ; CHS 73,1 j, HPP 27,9 j, SP 23,3 j *Hosp. à temps partiel* (1988, de jour et de nuit) : CHS *venues* 1 975 451 dont jour 1 765 457 ; HPP *venues* 498 780 dont j 469 416 ; SP *venues* 932 217 dont j 853 165.

■ Régimes d'internement. La loi du 28-6-1990 a abrogé la loi du 30-6-1838. Elle distingue l'hospitalisation librement consentie (principe général) de l'hospitalisation sans consentement (exception).

Hospitalisation libre : 68,6 % des malades et 70,6 % des journées d'hospitalis. (1985). Formule créée en 1922 par Édouard Toulouse (hôpital Henri-Rousselle, enceinte de l'hôpital Ste-Anne). Les règles d'admission et de sortie sont celles d'un hôpital général.

Hospitalisation sur demande d'un tiers : 27 % des malades mais 26,1 % des journées d'hospitalis. (1985). Les troubles doivent rendre impossible le consentement du malade dont l'état impose des soins immédiats et une surveillance constante en milieu hospitalier. La demande d'hospitalis. manuscrite et signée, peut être présentée par un membre de la famille ou une personne susceptible d'agir dans l'intérêt du malade à l'exception des soignants de l'établissement d'accueil. Elle est accompagnée de 2 certificats médicaux circonstanciés datant de moins de 15 j dont l'un est établi par un médecin n'exerçant pas dans l'établ. d'accueil (un seul certificat en cas d'urgence). Dans les 24 h suivant l'admission, le psychiatre (différent des 2 premiers) doit signer un certificat la confirmant ou l'infirmant. La procédure est renouvelée au bout de 15 j, puis tous les mois. La mesure prend fin sur certificat du psychiatre, ou à la demande de l'auteur de la demande d'admission, du curateur, d'un conjoint, parent, d'une personne autorisée par le conseil de famille à cet effet, ou de la commission départementale de l'hospitalis. psychiatrique.

Hospitalisation d'office : 3,6 % des malades et 3,3 % des journées d'hospitalis. (1985). Concerne les personnes dont les troubles mentaux compromettent l'ordre public ou la sécurité des personnes. Prononcée par arrêté du préfet. En cas de danger imminent, le maire ou le commissaire de police peut prendre les mesures provisoires nécessaires, à charge d'en référer dans les 24 h au préfet qui doit statuer sans délai. Faute de décision, les mesures provisoires sont caduques au bout de 48 h. Le préfet se prononce au vu d'un certificat médical circonstancié n'émanant pas d'un psychiatre exerçant dans l'établissement d'accueil. Des certificats médicaux sont aussi rédigés au bout de 24 h d'hospitalis., 15 j, puis tous les mois. La mesure prend fin sur décision du préfet après avis d'un psychiatre ou sur proposition de la commission départementale des hospitalisations psychiatriques. Dans tous les cas d'hospitalisation sans consentement : 1°) des sorties d'essai peuvent être accordées (procédure simplifiée) jusqu'à 3 mois (renouvelables) ; 2°) le Pt du tribunal de grande instance et le procureur de la Rép. peuvent être saisis ou se saisir d'office de la situation d'un malade.

■ Centres de lutte contre le cancer. (Établissements privés participant au service public hosp.) (1990). *Nombre :* 20. *Lits en service :* 4 604. Admissions (1991) 244 182, journées d'hospitalisation 1 518 150.

Nouveaux malades. *1968 :* 55 160 ; *70 :* 71 912 ; *75 :* 110 400 ; *77 :* 108 917 ; *78 :* 116 923 ; *80 :* 131 341 ; *81 :* 139 163 ; *82 :* 145 114 admissions.

Service de santé des armées

Histoire. **1708**-*17-1* édit de Louis XIV préparé par Le Tellier et Louvois créant un service de santé militaire. **Révolution et Empire** des hôpitaux militaires sont créés dans des établissements religieux devenus biens nationaux (ex. Val-de-Grâce). **XIXe s.** le service devient autonome. L'école de Strasbourg est remplacée par celles de Lyon et de Bordeaux. **Jusqu'en 1948** chaque service de santé des armées de terre, marine ou air, est géré par une direction. Puis unification des services réalisée en un Service de santé des armées.

Assistance Publique – Hôpitaux de Paris

Histoire. **Origine :** *Hôtel-Dieu* (fondé par St Landri, évêque de Paris en 651), *Grand bureau des pauvres* (créé 1544 par François Ier), *Hôpital général* (créé 1656, comprend plusieurs établissements dont Bicêtre, la Salpêtrière, la Maison de Scipion, etc., doit assurer « le renfermement des pauvres mendiants »). **Loi de vendémiaire an V** unifie hôpitaux et hospices. **Arrêtés consulaires an IX** confie au Conseil général des hospices la gestion des hôpitaux de Paris, les secours à domicile et le service des enfants abandonnés. **1849-12-1** loi transférant les attributions du Conseil à un directeur, début de l'Assistance publique. **Dep. 1961** l'Assistance Publique-Hôpitaux de Paris ne s'occupe plus que du service public hospitalier, ses activités sociales ayant été confiées à la DASS, et **dep. 1969** au Bureau d'aide sociale.

Entretiens de Bichat. *Créés* 1947 à l'hôpital Bichat par les pr. Guy Laroche et Louis-Justin Besançon. Annuels, à la faculté de médecine Pitié-Salpêtrière puis à la Maison de la chimie. En *1992*, 14 000 participants ; 44 tables rondes et débats ; 521 entretiens de médecine, chirurgie, thérapeutique, spécialités, rééducation, podologie, médecine du sport, psychomotricité, colloque infirmier, 52 films médicaux, vidéothèque, vidéodisques, exposition scientifique.

☞ Urgences. En 1991, 886 412 à l'AP-HP, soit env. 50 % des urgences sur l'Île-de-France. 50 à 70 % des patients ne sont pas hospitalisés et 30 % des admis restent moins de 24 h.

Hospitalisation. **Établissements :** 50 dont Île-de-France, Berck (P.-de-C.), Hendaye (Pyr.-Atl.), San Salvadour (Var) (hôp. pour convalescents et déficients mentaux polyhandicapés), et 2 à Liancourt (Oise). **Écoles d'enseign. paramédical :** 32 dont 24 d'infirmières. **Lits** (1991) 30 944 dont court séjour (malades aigus) : 18 000, moyen et long 13 000. *Coeff. d'occupation* (1991) : court séjour (malades aigus) 82 %, moyen 84, long 100.

Personnel hospitalier (1991). Médical 18 933 dont hospitalo-universitaire 2 999 ; non médical 65 256 (dont hospitalier 80 %, administratif 13 %, ouvrier, technique 7 %).

Appareils (en 1991). 37 gamma caméra, 32 app. d'angiographies numérisées, 29 scanners, 15 IRM, 5 lithotripteurs.

Budget consolidé d'exploitation des établissements hospitaliers et budgets annexes (en milliards de F, 1991). *Fonctionnement :* 23 (24,6 en 92). *Investissement :* 1,9 (2,39 en 92).

Personnel médical

Chirurgiens-dentistes et docteurs en chirurgie dentaire

■ **Ordre national des chirurgiens-dentistes.** *Créé* par l'ordonnance du 24-9-1945 : assure le maintien des principes de moralité, de probité et de dévouement de la profession. Nul ne peut exercer s'il n'est inscrit à l'Ordre.

■ **Dossier médical.** Établi par le service hospitalier qui prend en charge le patient et par tout médecin consulté en ville, il comporte l'état civil du malade, les réflexions du médecin, les examens et l'observation du malade, les analyses en laboratoire, les contrôles, l'interprétation de ces examens, les traitements. Selon la charte établie en *1975* par Simone Veil, le patient peut accéder à son dossier à condition de passer par l'intermédiaire d'un médecin de son choix (article 6 de la loi du *17-7-78*) : « le *secret médical* n'est pas opposable au malade dans l'intérêt duquel il a été institué », mais aux tierces personnes.

Refus de communication : s'adresser au directeur de l'hôpital (ou à l'administrateur de garde), ou saisir la Cada (Commission d'accès aux dossiers administratifs, 31, rue de Constantine, 75007 Paris) ou, en dernier ressort, saisir le tribunal administratif. Durée de conservation : 20 ans ; 70 ans (maladies chroniques, pédiatrie, neurologie, stomatologie) ; indéfiniment (maladies héréditaires).

■ **Carte de santé.** Carte à microprocesseur, appartenant au patient. Régulièrement mise à jour, permet, en urgence, d'accélérer le traitement en évitant les examens inutiles. Pour la consulter, il faut disposer d'une carte d'habilitation (avec code confidentiel). *Fin 87 :* carte proposée à 400 000 adhérents de mutuelles.

■ **Droits du malade.** *(Loi du 31-7-1991)* le malade peut choisir l'hôpital qui lui convient. **Refus d'admission :** *aux urgences :* le service doit examiner le malade, donner les 1ers soins, orienter vers service approprié, transférer ou hospitaliser. *En non urgence :* le directeur peut refuser, en cas de surcharge, après avis des médecins. *Cliniques privées à but lucratif :* refus admis, de plus ont interdiction de surcharger. **Refus d'une intervention :** si le malade est conscient et refuse une intervention jugée nécessaire, personne ne peut le contraindre à la subir si elle porte atteinte à son intégrité corporelle. S'il est handicapé à vie à la suite d'un accident ouvrant le versement d'une pension, la compagnie d'assurances peut demander qu'une intervention soit pratiquée pour améliorer son état et réduire les frais. Le malade ne peut s'y opposer que si elle est « sérieuse, douloureuse, avec des résultats incertains pouvant créer un choc mettant la vie en danger ». Son refus sera jugé fautif si l'intervention est simple et sans risque sérieux. **Expériences :** *loi 20-12-1988 (loi Huriet).* Une personne en état végétatif peut servir de « cobaye » dans la mesure où la mort cérébrale est constatée (la personne n'est plus un être humain pour la loi) ; cependant le patient doit au préalable avoir donné son consentement « libre, éclairé et exprès ». Dep. 1985, le Pr. Milhaud avait pratiqué des expériences sur des comas dépassés notamment en 1988 sur un jeune homme de 23 ans (sans l'autorisation de la famille ni celle de l'hôpital) en lui injectant du protoxyde d'azote, afin d'apporter le concours de la médecine expérimentale dans l'affaire criminelle de Poitiers (une jeune femme morte sur la table d'opération à la suite d'une inversion de tuyaux). Le cobaye était mort peu après d'une crise cardiaque. Il fut relaxé.

■ **Nombre.** *1900 :* 1 788 ; *1959 (1-1) :* 14 631 (dont 3 804 femmes) ; *1968 (1-1) :* 20 618 (5 490 f.) ; *1982 (31-12) :* 35 201 ; *1990 (5-1) :* 41 670 (12 483 f.) ; *1992 (31-12) :* 41 840 inscrits ou en transfert d'inscription (12 816 f.). *Thérapeutes :* 38 792 (dont spécialistes qualifiés en ortho. dento-faciale 1210) dont exercices individuels 22 641, associations 11 774, assistanats 4 237, autres fonctions 140 chir.-dent. *Non-thérapeutes :* 2 617 chir.-dent. dont 28 spéc. en ortho. dento-faciale. 266 chir.-dent. ont effectué leur service nat. au Serv. de santé des armées en 1991. Au 1-2-92, 6 chir.-dent. d'active sous statut ORSA (officier de réserve en situation d'activité).

Densité. *Nombre pour 100 000 h.* (au 1-1). *1959 :* 32,5 ; *70 :* 39,3 ; *82 (31-12) :* 60,8 ; *92 :* 72. *Nombre d'h. pour 1 chirurgien-dent.* (au 31-1-92) : 1 pour 1 403. *Densité des thérapeutes* (au 31-1-92) : 66 soit 1 pour 1 522 h. (métropole + DOM-TOM).

■ **Secteur libéral.** *Au 31-1-92 :* 36 320 chirurgiens-dentistes dont 1 175 spéc. en ortho. dento-faciale (spéc. en 4 ans, sanctionnée par certificat d'études cliniques spéciales mention orthodontie : CECSMO) titulaires du DP 657 dont 117 spéc. ; non conventionnés 214. **Secteur salarié.** *Au 31-1-92 :* 2 332 chirurgiens-dentistes dont 35 spéc. en ortho. dento-faciale. **Activité :** 74,9 millions d'actes, 7,4 millions de consultations. **Honoraires** (en milliards de F) : *1990 :* 28,3 ; *91 :* 30,1. Dépassements. *1990 :* 11,8 ; *91 :* 13,4 (44,4 % des honoraires).

Nota. – La pédodontie (soin des dents de l'enfant), la parodontologie (traitement des tissus entourant les dents) et la radiographie ne sont pas des spécialités reconnues légalement même dans le cas où chacune d'elles est pratiquée exclusivement.

■ **Litiges.** Sur 18 000 praticiens adhérents à la Cie l'Assurance dentaire, 8 000 déclarations de sinistres de 1967 à 1987.

■ Médecins

☞ **Ordre des médecins.** *Origine : 1940* (loi, 7-10) créé sous le régime de Vichy (l'idée remontait à 1928 et émanait de députés socialistes). *1945* recréé par de Gaulle (après avoir été dissous). *1981* candidat à la présidence de la Rép., Mitterrand prévoit sa suppression. **Mission :** élaborer et faire appliquer un code de déontologie (soumis au Conseil d'État et promulgué par le gouvernement), publié 1947, puis remanié 1955 et 1979. Tout malade qui s'estime lésé par un médecin peut déposer plainte au conseil départemental, qui la transmettra au conseil régional qui la jugera. *Pt :* Prof. Bernard Glorion (n. 22-9-1928).

Médecins inscrits à l'Ordre. *1955 :* 39 100 ; *60 :* 44 829 ; *65 :* 54 048 ; *70 :* 65 219 ; *80 :* 116 104 ; *90 :* 185 612 ; *91 :* 169 051 (dont généralistes 52 % ; femmes 52,9 %), *99 (est.) :* 206 000 ; *2009 :* 223 000. En juil. 1989, m. à temps partiel compris : en activité 167 470 dont : exercice libéral 96 953 (*1970 :* 46 000 ; *1991 :* 108 000) ; hospitalier 48 675 ; salarié 31 841 ; ex. non précisé 18 703. Il y a en outre (1989) 3 322

Une entreprise au service de la santé, présente dans plus de 100 pays à travers :
• Sanofi Recherche : un potentiel de recherche pluridisciplinaire avec plus de 1700 chercheurs.
• Sanofi Winthrop : un groupe pharmaceutique de dimension internationale figurant parmi les vingt leaders mondiaux.
• Sanofi Diagnostics Pasteur : des positions de leader mondial dans le secteur des diagnostics.
sanofi
PHARMA
SANOFI PHARMA : NOTRE MÉTIER, C'EST VOTRE SANTÉ
Direction Corporate de la Communication • 32-34, rue Marbeuf, 75008 Paris • Tél. : (1) 40 73 40 73

(Information)

Dépenses nationales de santé

■ **Dépenses** (en milliards de F). **Dépenses courantes de santé (1991) :** 646 dont pour malades [soins, biens et services médicaux, subventions au système de soins (prise en charge de cotisations sociales des médecins, subv. aux hôpitaux privés et centres de soins marchands), prestations sociales en espèces pour les indemnités journalières (maladie, maternité, accidents du travail)] 573 *dont* dépenses de soins et biens médicaux 526,78 ; de gestion de la santé et de son financement (admin. générale, gestion des prestations maladie réalisées par les assur. soc.) 8,46 ; de prévention [médecine prév. (méd. du travail, scolaire...) et prév. collective] 14,19 ; en faveur du système de soins (formation et recherche médicale) 12,98.

■ **Budget du min. de la Santé** (1989). 35,7 milliards de F. **Crédits de solidarité et de protection sociale.** 31,4 MdF.

Dépenses de santé (en milliards de F) : *Soins hospitaliers et en sections médicalisées 1980 :* 102,3 ; *85 :* 187,4 ; *90 :* 253,4 ; *soins et biens médicaux 1980 :* 192,3 ; *85 :* 363,5 ; *90 :* 526,8. *Structure des dépenses par secteur de financement (en %) :* Sécurité sociale 73,6, ménages et assurances privées 19,1, mutuelles 6,2, État et collectivités locales 1,1.

Coût total de l'infection par le VIH, en ville et à l'hôpital (1991) : 2,8 milliards de francs.

■ **Dépenses de santé par habitant** (en F). *1980 :* 3 845 ; *81 :* 4 526 ; *82 :* 5 300 ; *83 :* 5 847 ; *84 :* 6 462 ; *85 :* 7 130 ; *86 :* 7 260 ; *87 :* 7 927 ; *88 :* 8 270 (All. 7 848, Italie 6 561, G.-B. 5 542, Esp. 3 873) ; *89 :* 8 920 ; *90 :* 9 540 ; *91 :* 10 051 (dont soins hospitaliers publics 3 481, médicaments 1 800, médecins 1 377, soins hospitaliers privés 1 111, dentistes 670, auxiliaires médicaux 444, analyses 330, prothèses 267, autres 571).

■ **Part de la santé dans les dépenses.** *1985 :* 13 % (après alimentation 21, logement 18, transports 14). *2000 :* 19.

☞ La Séc. soc. finance 89,2 % des dépenses hospitalières, rembourse en moyenne 59,9 % des médicaments, analyses et prothèses et 59,5 % des dépenses de médecine de ville.

■ **Prestations sociales reçues par les ménages** (versées par tous les régimes, les mutuelles et l'aide sociale ; en milliards de F, 1990). *Santé :* maladie, invalidité, infirmité, accident du travail 421. *Maternité-Famille :* maternité 22,7, famille 175,3. *Emploi :* 109,8. *Vieillesse-survie :* 759,6.

Source : Les Comptes de la Nation.

☞ Fin 1987, env. 520 000 adultes étaient hébergés dans des hôpitaux, maisons de retraite ou hospices pour une période indéterminée dont 310 000 vivant en maison de retraite ou hospice, 73 000 en hôpital psychiatrique, 60 000 dans les services de long séjour des hôpitaux, 48 000 handicapés dans des centres.

Équipements

Nombre total d'appareils, dont privés, et nombre d'habitants par appareil. Postes d'hémodialyse : 2 838 (dont 1 230 privés), *h. par ap. 1984 :* 23 500 ; *91 :* 19 600. **Médecine nucléaire** (caméras à scintillation, tomographes à émission) : 311 (111) ; *h. par ap. 1984 :* 370 000 ; *91 :* 181 000. **Radiothérapie oncologique** (accélérateurs de particules et bombes au cobalt) : 355 (253) ; *h. par ap. 1984 :* 162 000 ; *91 :* 158 000. **Angiographie numérisée :** 518 (304). *h. par ap. 1984 :* 193 000 ; *91 :* 110 000. **Imagerie par résonance magnétique nucléaire (IRM) :** 88 (60) ; *h. par ap. 1984 :* 5 010 000 ; *91 :* 650 000. **Lithotripteurs :** 38 (14) ; *h. par ap. 1984 :* 55 115 000 ; *91 :* 1 429 000.

Comparaisons avec l'étranger

■ **Consommation de médicaments. Total** (en millions de $) **en 1988 et, entre parenthèses, par habitant en $.** All. 10 560 (173), *France 7 560 (136),* Italie 7 030 (122), G.-B. 3 700 (65).

■ **Densité médicale.** Nombre de médecins pour 100 000 hab., 1989). Italie 452, Espagne 357, Belgique 329, Grèce 318, *France 289,* Allemagne 287, Portugal 271, Danemark 267, P.-Bas 236, Lux. 222, G.-B. 201, Irlande 159.

■ **Dépenses de santé par rapport au PIB** (en %, 1990). USA 12,4, Canada 9, *France 8,8 (91 : 9,1),* Suède 8,7, Islande 8,5, Autriche 8,4, Allemagne 8,1, Pays-Bas 8, Belgique 7,8, Italie 7,6, Irlande 7,5, Australie 7,5, Finlande 7,4, Suisse 7,4, Luxembourg 7,2, Norvège 7,2, Nouvelle-Zélande 7,2, Irlande 7,1, Portugal 6,7, Espagne 6,6, Japon 6,5, Danemark 6,2, Royaume-Uni 6,2, Grèce 5,3, Turquie 4.

■ **Technologies médicales. Part du marché mondial**[1] (en %, 1990) : USA 46, Japon 20, All. féd. 13, *France 6,* Italie 6, G.-B. 4, divers 5. **Marché français** (en milliards de F) : 10,060 (dont anesthésie-réanimation 0,8, bloc opératoire 0,2, consommable 2,8, électronique médicale 1,2, rééducation fonctionnelle/matériel pour handicapés 0,36, instruments de chirurgie/petits appareils de médecine 0,3, équipements lourds 3,2, prothèses et implants 0,9, désinfection/stérilisation 0,3). Production fr. 3, importations 7 dont en % : USA 24,9, All. féd. 19,8, Japon 10,4, Italie 7,2, Benelux 6,1, G.-B. 5, Pays-Bas 4.

Nota. – (1) Technologies médicales, produits et matériels dentaires et de biologie.

Parc mondial de scanners X et systèmes d'IRM (estim. 1990). Unités, entre parenthèses unités par millions d'habitants. **Scanners :** Monde 16 200 (3) dont Japon 7 200 (60), USA 5 600 (23), Europe 2 875 (8), *France 450 (8).* **IRM :** Monde 3 350 (0,6) dont USA 2 000 (8,8), Japon 800 (7,8), Europe 450 (1,2), *France 70 (1,3).*

médecins dans les DOM-TOM et à l'étranger ; (1992) 2 782 médecins milit. d'active (dont 2 388 dans les unités des 3 armées, hôpitaux et gendarmerie, 394 hors des armées) ; (1991) 1 225 médecins appelés (dont 680 dans unités, 360 dans hôpitaux et établissements santé, 135 hors des armées).

Conventionnement. *Au 31-12-91 :* 109 609 médecins libéraux [dont (en %) : conventionnés sans dépassement 69,8, avec droit au dépassement 29,8 (dont DP : 3,8, secteur 2 : 26), non conventionnés 0,4] dont 58 947 omnipraticiens (dont gynéco-obstétrique 5 716, psychiatrie 4 951, radiologie 4 625, ophtalmologie 4 543, chirurgie 3 738, cardiologie 3 560, anesthésie 3 182, pédiatrie 3 125, dermato-vénérol. 2 995, ORL 2 407, rhumatologie 1 939, appareil digestif 1 911, stomatologie 1 519, neuropsychiatrie 1 113, pneumologie 1 059, RRF 736, médecine interne 700, chir. orthopédique 751, neurologie 531, anapath. 497, endocrinologie 469, urologie 286, néphrologie 198, neurochirurgie 111).

Médecins actifs. *Au 1-1-92 :* 155 896 (dont libéraux 107 431), dont généralistes 79 695 (59 828), spécialistes 76 201 (47 603). **Chômeurs** (1990). 200 000 dans la CEE dont Italie 80 000, Esp. 30 000, All. féd. 20 000 ; *France 20 000.*

Femmes-médecins en activité. *1980 :* 25 649 ; *86 :* 43 120 ; *89 :* 50 593 ; *90 :* 51 770. En 1990, 27,7 % étaient salariées, 28,2 % exerçaient à l'hôpital, 42,07 % sous forme libérale ; exercice non précisé pour 15,6 % (total supérieur à 100 % en raison des exercices mixtes). En 1991, 52,9 % de femmes inscrites au conseil de l'ordre, mais 30,7 % des médecins en activité (22,4 % de manière intermittente, 5,2 % sans activité).

Médecins du travail. *Au 31-12-82 :* 6 059 dont à temps plein 3 005, partiel 3 054. Travailleurs surveillés 11 762 970. **Médecins scolaires** (1990). 950 + 260 vacataires. 1 médecin pour 10 000 enfants (la loi prévoit 1 pour 500). **Médecins universitaires** 400.

Médecins étrangers exerçant en France (au 1-1-1991). 2 473 sur 171 500 actifs dont CEE 1 004 (dont Belges 301, Allemands 159, Italiens 146, Espagnols 134, Grecs 83), Maghreb 801, Asie 273, Afrique noire 170, Europe hors CEE 73, Amérique 61, Moyen-Orient 61, divers 30.

Médecins libéraux. Nouvelles installations : *1989 :* 5 927 ; *90 :* 4 607 ; *91 :* 3 973 dont généralistes 2 088, spécialistes 1 885. **Départs :** *1991 :* 2 178 (1 300 gén., 878 spéc.) dont décès 148, cessation 1 887. **Solde :** 1 795 dont gén. 788, spéc. 1 007.

Omnipraticiens ayant un mode d'exercice particulier (1991). 7 018 dont acupuncture 2 196, homéopathie 1 436, angiologie 642, allergologie 405, médecine d'urgence 308, phlébologie 290, thermalisme 233, médecine physique 230, autres 1 278. Spécialistes 50 662.

Nombre d'actes (1991). 455 876 dont omnipraticiens 263 479 dont généralistes 240 540, EMP 22 939 ; spécialistes 192 937.

Nombres d'actes par médecin (1991). Généralistes 4 757. Spécialistes 4 150 dont radiologie 10 950, cardiologie 6 182, ophtalmologie 4 462, gynécologie-obstétrique 3 475, pédiatrie 3 368, anesthésie 2 956, chirurgie 2 681, psychiatrie 2 300, neurologie 2 200, anapathologie 99.

Prescriptions par médecin (en F, 1991). Total 1 979 364. Omnipraticiens 1 526 197. Spécialistes 453 167.

Honoraires par médecin (en F, 1991). *Secteur 1 :* total 682 941 (spéc. 948 137, omnip. 525 704). *Secteur avec DP :* 808 712 (spéc. 853 241, omnip. 452 763). *Secteur 2 :* 710 076 (spéc. 863 481, omnip. 503 731).

Prescriptions (en milliards de F, 1991). 108,3 sans compter les prescriptions d'AMI, AMO, AMY dont pharmacie 70,6 ; coef. B 7,1 ; coef. AMM 0,58 ; indemn. journalières 0,15.

Densité médicale (taux pour 100 000 hab.). *1959-60 :* 98,6 ; *69 :* 121,5 ; *75 :* 147 ; *80 :* 217 (Paris 356) ; *85 :* 282 ; *90 :* 297 ; *91 :* 296 (Picardie : 208, Île-de-France 400) ; *2000* (prév.) : 360 ; *2008* (prév.) : 378.

☞ **Étudiants en médecine.** Nombre. *1992 :* 3 750 ; *93 :* 3 500. Voir Enseignement à l'Index.

Répartition par âge (en %). En 1989, *moins de 35 ans :* 25,7. *De 35 à 44 a. :* 44,6. *De 45 à 54 a. :* 16,1. *De 55 à 64 a. :* 11,4. *65 a. et + :* 12,2. En 1991, *moins de 40 ans :* 47,7. *65 a et + :* 2,5.

Qualifications accordées dans chaque discipline (en France métropolitaine, au 1-1-91) c. : compétent ; sp. : spécialiste. *Allergologie* c. 1 700. *Anatomie et cytologie pathologique humaine :* 1 001, c. 334. *Anesthésie, réanimation :* sp. 7 508, c. 334. *Angiologie* (vaisseaux sanguins) 1 349. *Biologie médicale* 960. *Cancérologie* 1 117. *Cardiologie :* sp. 4 102, c. 548. *Chirurgie* 5 422, plastique 355. maxillo-faciale 564 ; orthopédique 836 ; pédiatrique 157. *Dermatologie, vénérologie :* sp. 3 194, c. 82. *Diabétologie, nutrition* 354. *Électroradiologie* 1 318. *Endocrinologie* 386. malad. métab. : sp. 604, c. 188. *Gynécologie-obstétrique :* sp. 1 296, c. ex. gynéc. méd. 2 117, c. ex. obst. 178, gynéc. méd. 253, obst. 61, bi c. ex. gynéco. méd. et obst. 2 764, gynéco. méd. et obst. 365. *Maladies de l'appareil digestif :* sp. 2 154, c. 418. *du sang* 105. *Médecine exotique* 361. *Générale* 8 581. *Interne* 2 098. *Légale* 488. *Nucléaire* 200. *Thermale* 472. *Du sport* 6 880. *Du travail* 5 832. *Néphrologie :* sp. 460, c. 209. *Neurologie :* sp. 783, c. 38. *Neurochirurgie :* sp. 205, c. 20. *Neuropsychiatrie :* sp. 1 678, c. 44. *Ophtalmologie* sp. 5 116. *Oto-rhino-laryngologie* 2 787. *Orthopédie* 738. Orth. dent. max. fac. 134. *Pédiatrie :* sp. 4 980, c. 345. *Phoniatrie* 219. *Pneumologie :* sp. 1 732, c. 328. *Psychiatrie :* sp. 7 401, c. 131. *Psy. options enfants adolescents :* sp. 743, c. 15. *Radiologie :* options diagnostics 4 467, thérapeutes 394, diag. et thér. 34. *Réanimation* 284. *Rhumatologie :* sp. 2 151, c. 317. *Rééducation et réadaptation fonctionnelle :* sp. 1 324, c. 349. *Stomatologie* sp. 1 776. *Urologie* c. ex. 34, c. 708. *Total des médecins spécialistes et compétents 97 369.*

Départements ayant le plus de médecins inscrits (au 1-1-1991). Paris 20 573. B.-du-Rh. 8 635. Nord 7 250. H.-de-Seine 6 205. Rhône 6 015. Gironde 4 996. Alpes-Mar. 4 841. V.-de-Marne 4 816. Hte-Gar. 4 476. Hérault 3 754. Bas-Rhin 3 583. **Le moins.** Lozère 177. Creuse 325. T. Belfort 375. Cantal 377. Meuse 403. Ariège 404. Hte-Loire 407. Corse-du-S. 410. Haute-Garonne 413. Lot 423. Htes-Alpes 437. **Le plus de femmes médecins** (au 1-1-91). Paris 8 003. B.-du-Rh. 2 528. H.-de-S. 2 383. Rhône 2 136. Nord 1 918. V.-de-M. 1 703. Hte-Gar. 1 551. Yvelines 1 488. Gironde 1 398. **Le moins.** Lozère 47. Creuse 80. Cantal 84. T. Belfort 86. Hte-Loire 88.

Actes médicaux. Évolution. De 1980 à 1991, nombre de médecins libéraux + 43,9 %. des consultations + 69,4 %, visites à domicile + 15,9 %. Actes techniques (K,KC) + 143 %, actes de radiologie (Z) + 85,2.

Tarifs de l'opération de l'appendicite et de la cure de la hernie (en F au 1-1-1990), G.-B. 6 500, Alle-

Bâton d'Esculape : Arbre sacré symbole de l'équinoxe d'automne, autour duquel le dragon des Hespérides monte la garde (d'où l'idée du serpent = prudence).

Serpent : Symbole antique des médecins (représente le pôle, région où se trouvent les Enfers, royaume de la Mort). *Suivant Pline,* le serpent avait été choisi parce qu'il se renouvelle en changeant de peau et que, par la médecine, l'homme se renouvelle également. *Selon Hyginus,* dans sa « Fable 49 », en observant les serpents Esculape aurait trouvé le secret de ses guérisons. Étant auprès d'un malade, un serpent se roula autour de son bâton, Esculape le tua. Un autre serpent apporta, dans sa gueule, une herbe qui guérit et ressuscita le premier. *Caducée :* insigne d'Hermès puis de Mercure ; à l'origine, tige avec des racines entrelacées (vers le Ve s. : remplacées par l'enlacement de 2 serpents).

Psychanalystes

■ **Orthodoxes. Sté psychanalytique de Paris** (SPP). Fondée 1927 (486 membres dont 102 enseignants) à l'*Institut de Psychanalyse* (392 él.). **Association psychanalytique de France** (APF). Fondée 1965, membre de l'Association psychanalytique internationale ; 58 membres, 24 enseignants, 174 analystes en formation.

■ **« Lacaniens ». École freudienne** [dissidente : 465 m. dont 34 enseignants et 311 dits praticiens (env. 35 % de médecins)] dissoute 1980. **École de la Cause freudienne** *Créée* 1981, dernière institution présidée par Jacques Lacan avant sa mort. **Quatrième groupe** (Organisation psychanalytique de langue française). Fondée 1969, 25 psychanalystes, 150 participants aux activités de recherche et de formation. **Centre de formation et de recherches psychanalytiques** (CFRP). *Créé* 1982. **Association freudienne.** *Créée* 1982. **Convention psychanalytique.** *Créée* 1983. **Coût freudien.** *Créé* 1983. **École laca. de psychanalyse.** *Créée* 1985.

Transcourants. Collège de psychanalystes. *Fondé* 1980.

☞ **Micropsychanalyse.** Technique instaurée par Fanti à partir de la psychanalyse freudienne ; séances quotidiennes (de plusieurs heures), étude de documents personnels de l'analysé (en particulier ses photos) ; lorsque cela est possible vie en commun entre analyste et analysés.

☞ Certains comme le Pr Debray-Ritzen considèrent la psychanalyse comme dépourvue de valeur scientifique et dénuée de tout résultat thérapeutique appréciable.

magne 3 500, Portugal 2 200, Monaco 1 100, Belgique 900, *France 650.*

Associations. **Adua,** (Ass. des usagers de l'administration et services publics) 15, rue de l'Échiquier, 75010 Paris. **Anameva** (Ass. nat. des médecins-conseils de victimes de dommages corporels) 39, av. Kléber, 75016 Paris.

Nota. – Env. 500 procès sont intentés chaque année en France contre les médecins. En 1985, 180 procès étaient en cours contre des chirurgiens ayant oublié des objets dans le corps de leurs patients (compresses, champs opératoires, aiguilles, pinces). Le record a été une « semelle de Pauchet-Duval », instrument de 39 cm de long et 900 g, servant à refouler les viscères, oublié dans l'abdomen d'une opérée. *En 1989* le Groupe des mutuelles médicales qui assure près de 70 % des médecins libéraux a ouvert 2 233 dossiers de responsabilité civile professionnelle.

Statistiques (1991). *Accidents* déclarés par les médecins 2 676, *médecins mis en cause* par les patients 1 300 [dont 24,6 % ont donné lieu à une indemnisation dont : 16,2 % à l'amiable, 8,4 judiciaire (civile 6,43, pénale 1,95)]. *Assurances* (primes encaissées pour couvrir les risques) : 1 milliard de F (soit 17 F par personne).

Pharmaciens

Firent des études de pharmacie. L'humoriste *Alphonse Allais* (1854-1905), reçu à 4 examens de pharmacie, ne se présenta pas au 5e et dernier. *Balard* (célèbre grâce au métro, et non pour sa découverte du brome). *Louis Jouvet* (dipl. le 12-4-1913). *Parmentier* (inventeur de la pomme de terre). *Jacques Séguéla* (publicitaire).

■ **Historique.** *1777* la profession des apothicaires est différente de celle des épiciers, naissance de l'enseignement privé de la pharmacie. *An XI :* la *loi du 21 germinal* consacre le 1er véritable statut de l'officine (en vigueur jusqu'en 1941). *1803* 3 écoles publiques créées (Paris, Montpellier, Strasbourg).

■ **Étudiants en pharmacie.** *1960-61 :* 8 722 ; *70-71 :* 22 161 ; *80-81 :* 37 081 ; *87-88 :* 23 650 (dont 6 944 : 1re inscription en 1re année) (2 200 ét. autorisés à passer de 1re en 2e année, contre 2 250 en 91-92).

■ **Diplômes délivrés.** *1960 :* 1 085. *70 :* 2 312. *80 :* 3 980. *83 :* 3 065. *86 :* 3 634. *87 :* 3 017. *88 :* 2 683.

■ **Régime actuel.** Arrêté du 17-7-1987 relatif au régime des études en vue du diplôme d'État de docteur en pharmacie. Enseign. dispensé dans 24 UFR. Après une 5e année hospitalo-univ. : 6e année option officine ou industrie pour les filières courtes de « ph. générale » (stage obligatoire de 6 mois en officine ou en industrie et soutenance d'une thèse). Les reçus à l'internat en fin de 4e année effectuent la 5e année AHU ; peuvent s'orienter vers le 3e cycle, et préparer un DES (durée : 4 ans) : ph. hospitalière et des collectivités ; ph. industrielle biomédicale ; ph. spécialisée ; biologie médicale. Les étudiants finissent leur scolarité en soutenant une thèse (diplôme d'État de docteur en ph.). Le mémoire des DES tient lieu de thèse. Pour exercer la ph., il faut s'inscrire à l'un des 7 tableaux de l'Ordre nat. des pharm.

Nombre total (1992-1-1) : 52 586 (53 422 avec l'Outre-mer), dont : titulaires d'officines 25 646 (âge moyen env. 40 ans) dont femmes 13 653, étrangers 178 dans 22 231 ph. dont 4 604 en société ; d'hôpitaux et cliniques 3 178 (3 520 postes : les établissements de – de 500 lits ont en général des « gérants » à temps partiel qui peuvent cumuler 2 ou 3 postes si le nombre total des lits est inférieur à 500) ; fabricants (propriétaires ou mandataires sociaux) 620 ; grossistes-répartiteurs et dépositaires (propriétaires ou mandataires sociaux) 92 ; assistants 20 276 (dont en ph. d'officine privée et mutualiste 15 089, établ. de fabrication 1 521, établ. de répartition et dépositaires 350, + divers) ; gérants mutualistes 148 ; biologistes 7 217 (certains cumuls d'activités sont légalement autorisés). *En 1992 :* 263 ph. chimistes milit. d'active (dont 228 en unités et hôpitaux et 35 hors des armées) ; 325 (1991) appelés dans le cadre du service nat. (dont 75 en unités, 160 en hôpitaux et établissements santé, 20 hors des armées) ; une centaine de ph. inspecteurs de la santé, relevant du min. chargé de la Santé (D Ph M). **Nombre inscrits à l'Ordre** (au 31-12-1990) : 52 767.

Titulaires d'officines : *1866 :* 5 661, *1947 :* 13 153, *82 (31-12) :* 21 737, *92 (1-1) :* 25 646.

Densité (1-1-1992) : 1 pharmacie pour 3 765 habitants.

■ **Pharmacies d'officine. Création :** licence, accordée par la préfecture selon un quorum fixé par le Code de la santé publ. (art. L. 571) : 1 pharmacie pour 3 000 h. dans les villes de 30 000 h. et + ; pour 2 500 h. dans v. de 5 000 h. à 30 000 h. ; 1 par tranche de 2 000 h. dans communes de – de 5 000 h. (Alsace-Lorr. : 1 p. 5 000 h.). Dérogation possible si l'intérêt de la santé publique l'exige. (*1991 :* 53 créations par voie normale ; 99 par dérogation). Le ph. d'officine doit employer un ou plusieurs ph. assistants selon son chiffre d'affaires [1 ph. assist. au-delà de 3 800 000 F (hors TVA) et ensuite 1 pharmacien par tranche de 3 800 000 F (hors TVA) ; arrêté du 1-8-91].

Statistiques. **Nombre** (au 1-1-1992) : 22 231 privées ouvertes au public dont (89) communes rurales 7 544, villes moyennes 10 447, grandes villes 3 994. **Densité moy. pour 1 officine** (1989) : Danemark 16 700, P.-Bas 10 500, G.-B. 5 000, Lux. 4 625, Portugal 4 090, Italie 3 650, Allemagne 3 430, Irlande 3 250, USA 3 000. *France 2 550,* Espagne 2 250, Belg. 1 900, Grèce 1 400.

Chiffre d'affaires moyen (est. 1990) : 4 530 000 F. En 1986, la « parapharmacie » (produits diététiques, orthopédie, acoustique, cosmétologie, etc.) représentait 12 à 15 % du CA global. *Bénéfice brut moyen :* env. 30 %.

☞ **Collecte des déchets de médicaments.** *Association nationale pharmaceutique pour la collecte des médicaments (ANPCM),* 4, rue Ruysdael, 75008 Paris. *Œuvres hospitalières françaises de l'Ordre de Malte,* 38 bis, rue Alexis-Carrel, 75015 Paris. *Laboratoire central de la Préfecture de Paris,* 39 bis, rue de Dantzig, 75015 Paris.

Sages-femmes

Inscrites (au 15-11-92) : env. 13 400. **Entrées dans écoles :** *1984 :* 714. *89 :* 633. *90 :* 668. *92 :* 668. **Diplômes obtenus** *(1991-92) :* 566. **Secteur libéral** *(au 31-12-1991) :* 1 168. **Nombre d'actes :** 2 332 989. **Honoraires :** 204 millions de F.

Professions paramédicales

Nombre de pratiquants. 300 000.

Aides-orthopédistes. 600. **Aides-soignantes** (1-12-83) 150 000. **Anesthésistes et réanimateurs** (31-12-87) 6 302. **Assistants et assistantes du service social** (1-1-86) : 32 900 diplômés (1985 : 1 843). **Audioprothésistes** (1-1-86) : 1 083. **Diététiciennes** (1-1-70) : 600. **Ergothérapeutes** 8 écoles, 685 élèves, 195 dipl. (1986). **Infirmiers** (1-1-89) : 301 915 (dont lib. 38 921 au 1-1-92) dipl. d'État et autorisés 240 711, psychiatriques 61 204 ; Dipl. (1986) : 13 488 d'État, 2 359 psych. **Masseurs-kinésithérapeutes** (1-1-89). *Effectifs :* 38 524 (dont, au 1-1-86, sal. 12 943, lib. 29 997 au 1-1-92). 35 écoles, 5 450 élèves, 1 702 dipl. **Orthophonistes** (1-1-89) : 10 148 ; libéraux 7 238 au 1-1-92 ; 649 dipl. (1980). **Orthoptistes** (1-1-89) : 1 387 (dont libéraux 1 056 au 1-1-92). **Pédicures** (1982). 10 écoles, 876 élèves, 342 dipl. *Effectifs* (1-1-89) : 5 677 (dont libéraux 4 236 au 1-1-92). **Préparateurs en pharmacie** (1-1-84) : 22 995 en activité. **Psychomotriciens.** 8 écoles, 984 élèves, 245 dipl. (1986). **Puéricultrices.** 34 écoles, 809 élèves, 743 dipl. (1986), 6 800 en activité en 1978.

☞ **Auxiliaires médicaux libéraux** (en 1991). **Accroissement.** 3 025 dont *infirmiers* 1 838 (install. 3 592, déc. ou cess. *754*) ; *kinésithérapeutes* 832 (1 536,*704*) ; *orthophonistes* 265 (486,*221*) ; *orthoptistes* 21 (57,*36*) ; *pédicures* 69. **Honoraires** (en milliards de F). *Infirmiers* 11 ; *kinésithérapeutes* 10,1 ; *orthophonistes* 1,5 ; *orthoptistes* 0,17 ; *pédicures* 0,1.

Laboratoires d'analyses médicales (secteur libéral)

■ **Nombre** (au 31-12-1991) : 3 905 dont labo. 3 351, labo. mixtes (B + BP) 404, centres de transfusion sanguine 76, labo. anpath. (BP) 74 (soit 6,9 pour 100 000 ha.). **Chiffre d'affaires moyen d'un laboratoire** (en 1991) : 4 100 000 F.

La transfusion sanguine en France

1923. 1er centre de transfusion sanguine créé à Paris (Hôpital St-Antoine) par le docteur Arnault-Tzanck. Les transfusions se font de bras à bras avec des donneurs indemnisés, on ne sait pas encore conserver le sang. **1952** *(21-7)* loi définissant l'utilisation thérapeutique des produits d'origine humaine et les principes de la transfusion et de son organisation. **1954** décret du 16-1 et arrêtés du 22-4 fixant l'organisation générale de la transfusion. **1977** *(11-7)* arrêté modifiant les précédents. **1984** *(15-5)* arrêté modifiant les précédents.

Centre National de Transfusion Sanguine (CNTS). *1949* créé par la Caisse nat. de Sécurité soc. et l'œuvre de la « Transfusion sanguine d'urgence » (créée 1923). *1974* CNTS et Centre de Transfusion Sanguine de l'Hôpital St-Antoine fusionnent pour devenir la Fondation Centre national de transfusion sanguine, de droit privé, investie de missions de service public, qui deviendra la Fondation nationale de transfusion sanguine en 1987. *Dir. gén. :* Dr Najib Diredari (interim dep. 1992). **Employés :** 10 000. **Chiffre d'affaires de la transfusion :** + de 3 milliards de F. **Dons :** 4 millions (de sang total) par an pour + de 2 millions de donneurs bénévoles dont 170 000 obtenus par plasmaphérèse (récupération du plasma et réinjection de globules rouges), 30 000 dons de cellules par cytophérèse. **Receveurs :** 600 000 par an.

Les produits stables (albumine, fractions coagulantes) qui peuvent être conservés sur de longues périodes sont redistribués aux centres de transfusion sanguine. *Chiffre d'affaires :* 1,5 (50 % du CA de la transfusion). *Employés :* 740.

Centres de fractionnement. 7 : Paris (CNTS), Bordeaux, Lille, Lyon, Montpellier, Nancy et Strasbourg. Jusqu'à une date récente, ils disposaient d'une habilitation à « fractionner » le plasma pour en extraire les produits « stables ».

Centres de transfusion sanguine. 180 : collectant les dons de sang et fournissant le plasma aux centres de fractionnement.

Couverture des besoins français en 1990-91 (en %) : 1,2 million de litres dont plasma frais 82, sang placentaire 12, plasma et pâtes importées 6.

Responsables de la transfusion sanguine en 1984-85

Laurent Fabius : Premier ministre, *François Gros :* conseiller scientifique du P.M., *Georgina Dufoix :* ministre des Affaires sociales et de la Solidarité, *Edmond Hervé :* secr. d'État à la Santé, *Pr Jacques Roux :* dir. gén. de la Santé. *Dr Robert Netter :* chargé du contrôle et de la qualité des médicaments et des produits sanguins au Laboratoire national de la Santé, *Pr Jean Ducos :* Pt de la Commission consultative de la transfusion sanguine.

☞ Il a été reproché au Dr Michel Garretta son salaire élevé (1 698 000 F), y compris les indemnités de fonction et intéressement, plus ses revenus d'actionnaire d'Haemonetics (plus gros fournisseur amér. du CNTS). D'après son contrat de travail il bénéficiait de 3 années de salaire en cas de départ, et en cas de procès les frais de justice et les éventuelles condamnations « pécuniaires » devaient être à la charge du CNTS.

Nombre d'hémophiles. Selon la Fédération Mondiale des Hémophiles (FMH) 5 000 en 1990 (dont 45 % contaminés jusqu'en 1984-85). Selon l'Association Française des Hémophiles (AFH) 3 170 (dont 570 majeurs) possèdent – de 1 % de facteur antihémophilique et doivent être régulièrement traités. Sur les 2 676 hémophiles recensés dans les 35 centres de traitement pour hémophiles, 974 étaient séropositifs, 152 avaient développé la maladie et 59 étaient décédés.

CONTROVERSE SUR LA TRANSFUSION

1982 *(juin)* la communauté scientifique internationale acquiert la certitude que le sang transmet le sida. **1983** *(13-1)* Jane Desforges, chercheur britannique, publie dans le *New England Journal of Medicine* une analyse recommandant l'abandon immédiat, dans le traitement des hémophiles, des lots de sang composés d'apports trop nombreux pour être contrôlables. *(Février)* 1re identification du virus VIH (appelé alors LAV) par une équipe du Pr Luc Montagnier. Nul ne peut affirmer que ce virus est la cause du sida. *(Début de l'automne)* l'équipe française est convaincue que le LAV en est la cause. 8 virus du même type ont été isolés chez d'autres malades. Un test expérimental est mis au point, permettant de détecter une fraction significative des infections dues à ce virus. *(Mars)* on découvre aux USA que le virus peut être détruit par la chaleur. *(4-5)* le laboratoire américain Travenol décide de ne plus distribuer que des produits sanguins chauffés (au-delà d'une certaine température, le virus du sida est détruit). *(10-5)* Travenol propose au CNTS, au Dr Michel Garretta, des produits sanguins chauffés. Pas de réponse. *(Juin)* le CNTS informe le ministère de la Santé que 6 hémophiles présentent les symptômes du sida. *(20-6)* le Pr Roux (dir. gén. de la Santé), par circulaire no 569, alerte le corps médical. Une circulaire de la Direction Générale de la Santé (DGS) dénonce le recours aux importations. Cependant en cas de pénurie, des dérivés peuvent être importés par le CNTS sur demande des prescripteurs. Le CNTS estime à 100 millions de F la destruction des stocks (pour un budget d'un peu moins de 1 milliard de F). De nombreuses circulaires sur le danger des collectes sur des groupes à risque restent sans suite. *(15-9)* brevet demandé par le Pr Montagnier. *(23-9)* son équipe envoie un échantillon du LAV à l'équipe américaine de Robert Gallo qui le lui a demandé, et qui s'engage à ne pas l'utiliser à des fins industrielles ou commerciales. *(5-12)* demande d'extension aux USA. **1984** *(23-4)* le secr. d'État à la Santé du gouvernement amér. révèle que R. Gallo a découvert le virus responsable du sida, qu'il appelle HTLV III, et qu'il a mis au point un test de dépistage. Une demande de brevet au nom de R. Gallo et de ses collaborateurs est déposée. *(Septembre)* le Dr Michel Garretta devient dir. général du CNTS. *(Novembre)* rapport de la DGS : le Dr Jean-Baptiste Brunet reconnaît l'efficacité du chauffage. *(Décembre)* la Sté « Diagnostics Pasteur » présente, au Palais des Congrès à Paris, un prototype industriel de son test. **1985** le Pr Jacques Ruffié (Pt du conseil d'administration de la Fondation nationale de transfusion sanguine) évoque les problèmes de trésorerie du CNTS qui n'est en équilibre apparent que grâce à des stocks de sang non chauffé. *(11-2)* la firme amér. Abbott dépose une 1re demande d'enregistrement de son test. *(25-2)* note interne du Dr Leblanc, dir. du département de sociologie médicale du Laboratoire National de la Santé (LNS) au Dr Robert Netter, dir. du LNS : comparé au dossier présenté par « Diagnostics Pasteur » celui d'Abbott est insuffisant, sa fiabilité est inconnue. *(28-2)* « Diagnostics Pasteur » dépose une demande d'enregistrement de son test au LNS. Une technique de chauffage mise au point au CNTS de Lille est validée scientifiquement. *(Mars)* note du Dr J.-B. Brunet au Pr Jacques Roux : « Il est probable que tous les produits sanguins préparés à partir de pools de donneurs sont contaminés. » Le Dr R. Netter demande au Pr J. Roux de différer le test américain. *(2-3)* test Abbott autorisé aux USA. *(7-3)* la Commission consultative de la transfusion sanguine confie à la Sté nationale de transfusion sanguine le soin d'évaluer les tests de dépistage. *(12-3)* note du Dr J.-B. Brunet au Pr J. Roux : « Tous les lots parisiens sont probablement contaminés. » Brunet communique verbalement le contenu de cette note au Dr Claude Weisselberg, conseiller médical d'Edmond Hervé (secr. d'État à la Santé qui sera prévenu vers le 20). *(1-4)* fixation du tarif des produits chauffés. *(23-4)* Abbott fournit un dossier complémentaire. *(25-4)* lettre du Dr R. Netter au cabinet du secr. d'État : « J'envisage d'accorder à l'Institut Pasteur un enregistrement immédiat et de surseoir pour la firme Abbott jusqu'au 13-5. » *(2-5)* une note interne à la DGS précise que « le LNS est prêt à délivrer l'attestation pour le test Pasteur dès que le Cabinet aura donné son feu vert ». *(9-5)* le représentant du ministère des Affaires sociales, bientôt suivi par celui du Budget, refuse de voir l'assurance maladie prendre en charge le test en raison du surcoût (200 millions de F) pour la Sécurité sociale. On évoque aussi la nécessité de ne pas aller trop vite pour ne pas favoriser le test américain. *(28-5)* le brevet est accordé alors que l'Office des brevets amér. n'a pas commencé à examiner la demande du brevet français. Entre-temps, une demande détaillée de nombreux virus VIH isolés à partir de différents malades fait apparaître une ressemblance entre LAV et VIHL III. L'équipe amér., ayant trouvé une lignée cellulaire adéquate l'hiver 1983-84, parvient à rendre commercialisable une trousse de diagnostic. *(29-5)* réunion au CNTS. « Tous nos pools sont contaminés, résume Michel Garretta, qui conclut : C'est aux autorités de tutelle de prendre leur responsabilité et de nous interdire éventuellement de céder des produits, avec les conséquences financières que cela représente. » Pr J. Roux : « L'inactivation du virus par la chaleur apparaît une nécessité urgente. » *(30-5)* la direction de la Séc. soc. est appelée par le cabinet du ministre de la Solidarité à étudier les conditions de financement du dépistage systématique. Remise à Edmond Hervé du rapport « Sida et transfusion sanguine » élaboré par Bahman Habibi (dir. scientifique et médical responsable de la distribution des produits au CNTS) et un groupe de 34 experts formé de transfuseurs, de spécialistes de l'hémophilie et de virologues. Le paragraphe 42 indique que « le dépistage systématique d'anticorps anti-LAV à chaque don du sang doit être appliqué le plus rapidement possible dans tous les établissements français ». Paragraphe 5822. « Si [...] la probabilité est suffisante pour considérer que tous les lots de fabrication sont potentiellement contaminants, le choix semble pouvoir être formulé entre l'abstention de toute intervention au niveau de la distribution ou au contraire le rappel de tous les produits non encore utilisés... » Ce paragraphe qui contredit les positions des experts a été ajouté par B. Habibi sans consulter son groupe. *(19-6)* à l'Assemblée nationale, Laurent Fabius, Premier ministre, annonce, contre l'avis de son cabinet, la généralisation du test de dépistage (obligatoire à partir du 1-8). *(21-6)* le test « Diagnostics Pasteur » est enregistré. *(26-6)* circulaire du Dr M. Garretta aux responsables du CNTS : « La distribution de produits non chauffés reste la procédure normale tant qu'ils sont en stock. » *(1-7)* de nombreux centres de transfusion ont commencé l'utilisation systématique des tests après hésitation des pouvoirs publics pour raisons techniques, économiques et éthiques. Il semble que le gouvernement ait craint de voir Abbott, déjà fortement implanté dans les centres de transfusion, éliminer « Diagnostics Pasteur » du marché français, et donc du marché international. *(3-7)* B. Habibi signe une note précisant que pour les malades séropositifs « les concentrés non chauffés doivent être utilisés jusqu'à l'épuisement des stocks ». *(8-7)* début de la réflexion de la commission d'experts sur les conditions d'information des donneurs dont la séropositivité a été établie. Selon le Pr Soulier (ancien dir. gén. du CNTS) « le travail de cette commission ... aurait pu se dérouler en même temps que le dépistage ». *(12-7)* des propositions conjointes de la DGS et de la Séc. sociale sur le dépistage systématique sont formulées au ministre des Affaires sociales et de la Solidarité. *(23-7)* un arrêté décrète que les produits non chauffés ne seront plus remboursés à partir du 1-10. Mais les lots contaminés sont toujours commercialisés. *(1-8)* dépistage systématique des dons conformément aux dispositions d'un arrêté du ministre des Affaires sociales et du secr. d'État à la Santé du 23-7-1985. *(31-8)* 1re diffusion des lots chauffés fabriqués par le centre des Ulis, au siège du CNTS. *(2-10)* circulaire de la DGS : à compter du 1-10, tout produit sanguin qui n'aurait pas été directement contrôlé auparavant pour l'absence d'anticorps LAV, ne doit être ni délivré dans les établissements de transfusion, ni utilisé par les établ. hospitaliers ; *(22-11)* la Tunisie importe un lot de 50 flacons de sang qui seront administrés à 12 malades. **1986** *(12-2)* l'Institut Mérieux livre à l'Irak 403 flacons de sang facteur 8 non chauffé et non testé pour le sida. *(18-2)* le test « Diagnostics Pasteur » est enregistré aux USA (1 an après Abbott). **1987** *(janvier)* un autre test Abbott plus performant remplaçant le 1er test est homologué (le 1er présentait trop de « faux positifs » et de « faux négatifs »). *(31-3)* accord franco-américain, signé par le Pt Ronald Reagan et Jacques Chirac, prévoit que 20 % des sommes récoltées servent à rémunérer inventeurs américains et français du brevet, 80 % (env. 5 millions de $ par an) sont reversés à une fondation franco-américaine contre le sida. Celle-ci, créée en déc. 1987, reversa 25 % de ces 80 % à d'autres équipes de recherche à travers le monde et redistribua les 75 % restants à part égale, aux Américains et aux Français. L'Institut Pasteur entendait voir réviser cette répartition. *(30-7)* loi mettant en place des centres de dépistage anonymes et gratuits. *(7-12)* dépistage obligatoire aux USA. **1988** *(21-3)* une plainte est déposée pour tromperie sur la qualité substantielle d'une marchandise. Le délai de prescription étant de 3 ans, ce qui s'est passé avant le 22-3-1985 sort du champ des tribunaux. **1989** *(juillet)* les assureurs, l'Association française des hémophiles et le CNTS créent un fonds de 170 millions de F pour indemniser les hémophiles contaminés (max. 250 000 F par victime si elles renoncent à engager une action judiciaire). *(19-11)* enquête du journaliste John Crewdson dans le *Chicago Tribune* mettant gravement en cause le Pr R. Gallo accusé d'avoir voulu s'arroger la paternité de la découverte. **1991** après un long débat avec les assureurs, le gouvernement crée un nouveau fonds, alimenté par l'État et par une contribution forfaitaire de 1,7 milliard versée par les assureurs. Selon l'état de santé des victimes, leur âge et leur situation de famille, l'indemnisation varie entre 500 000 et 2 millions de F. Les familles conservent le droit d'attaquer en justice. Au total, le fonds d'indemnisation a reçu 2 800 demandes (de 1 150 hémophiles et leurs proches, les autres de malades transfusés lors d'actes chirurgicaux). 900 dossiers étaient réglés. *(11-6)* le tribunal adm. de Marseille condamne 2 hôpitaux à verser chacun une indemnité de 300 000 F à un patient transfusé avec du sang contaminé, se fondant sur la seule obligation de résultat de ces établ. hospitaliers. *(20-12)* le tribunal adm. de Paris condamne l'État à verser 2 millions de F à un hémophile, en réparation de la faute commise par l'État qui n'a pas interdit, à partir du 12-3-1985 (note du Dr J.-B. Brunet au dir. de la Santé), la distribution de produits sanguins à partir de pools de plasma estimés contaminés. Ce tribunal a situé entre le 12-3 et le 19-10-1985 la période pendant laquelle l'État pouvait être tenu pour responsable des contaminations post-transfusionnelles par le virus du sida. **1992** *(27-7)* Maîtres Vergès et Dupont-Moretti déposent une plainte pour empoisonnement contre Laurent Fabius, Georgina Dufoix et Edmond Hervé. *(1-8)* une banque de sang amér. est condamnée à Denver (Colorado) à verser 6,5 millions de $ à une femme contaminée à la suite d'une transfusion et décédée la veille du verdict. *(26-8)* la chambre criminelle de la Cour de cassation désigne le tribunal de grande instance de Paris pour instruire l'affaire. *(15-12)* une circulaire publiée au *JO* prescrit à tous les établissements de santé publics ou privés de rechercher dans leurs dossiers médicaux les personnes transfusées entre 1980 et 85 (il y en a plus de 1 million). Il leur est proposé un test de dépistage par l'intermédiaire de leur médecin traitant. Sur 3 000 à 6 000 transfusés contaminés 1 700 ont demandé l'ouverture d'un dossier au Fonds d'indemnisation (en + des 1 200 hémophiles). *(30-12)* Associated Press révèle que les experts de l'Office for Scientific Integrity (OSI) du département de la Santé accusent le Pr R. Gallo de « mauvaise conduite scientifique » au cours de ses travaux de recherche sur le virus du sida. **1993** *(1-1)* hémophiles contaminés 1 200, décédés 256. Coût total d'indemnisation prévu : 10 à 12 milliards de F.

Biologie et Zoologie

Biologie

Caractéristiques des êtres vivants

☞ Les organismes vivants peuvent se diviser en *procaryotes* (dépourvus de noyau) qui comprennent les eubactéries, les bactéries photosynthétiques, les archéobactéries et les cyanobactéries (anciennement algues bleues) et en *eucaryotes* (à noyaux différenciés) comprenant les animaux et les végétaux.

■ **Bactéries.** Êtres unicellulaires, sans vrai noyau. On distingue les bactéries *parasites* (se développant dans des organismes vivants) ; *saprophytes* (sur des matières organiques mortes) ; *autotrophes* [élaborant leur propre substance par chimiosynthèse (ou par photosynthèse pour les bactéries photosynthétiques) à partir de substances minérales] ; *symbiotiques* (vivant en association avec un autre être).

Une *bactérie* placée dans de bonnes conditions se multiplie très vite. Un colibacille peut se diviser en 2 colibacilles fils toutes les 1/2 h. S'il trouvait de quoi se nourrir, sa lignée atteindrait le poids de la Terre en 67 h. Des bactéries ont été trouvées à l'état fossile dans des terrains datés de – 3 800 à 4 000 millions d'années.

■ **Animaux et végétaux.** Se distinguent par leur façon de respirer, se nourrir, rejeter des déchets, croître, se reproduire, se mouvoir, réagir à des excitations, mourir.

Végétaux : la plupart contiennent de la chlorophylle et peuvent réaliser la *photosynthèse.* Certains ne sont pas enracinés ou ne contiennent pas de chlorophylle.

Animaux : ils se nourrissent de vitamines, de sels variés et de matières organiques complexes (protéines, graisses, sucres). Ils ne peuvent, à la différence des végétaux à chlorophylle, élaborer les matières organiques à partir du gaz carbonique de l'atmosphère ; ils sont donc obligés de se nourrir de plantes ou d'autres animaux (qui auront eux-mêmes obtenu leurs matières organiques de plantes ou d'autres animaux, d'où l'existence de *chaînes alimentaires* dont le maillon initial est toujours végétal).

■ **Reproduction. Asexuée.** Ex. : l'amibe, animal unicellulaire, se reproduit par simple division *(mitose) ;* les hydres bourgeonnent de nouveaux individus. Chez certaines formes, alternent des générations à reproduction asexuée et à reproduction sexuée. **Sexuée.** Un nouvel individu résulte de la fusion de 2 cellules reproductrices, appelées gamètes : l'*ovule* (gamète femelle) est fécondé par le *spermatozoïde* (gamète mâle). Les gamètes peuvent se rencontrer au hasard dans le milieu aquatique (nombreux invertébrés). Dans d'autres cas, la femelle pond des œufs qui sont ensuite fécondés par le mâle (Téléostéens, Amphibiens). Chez de nombreux animaux (terrestres en particulier), la fécondation est interne et la rencontre des gamètes a lieu dans les voies génitales de la femelle.

Parthénogénèse (*parthenos :* vierge, en grec). Reproduction d'un animal à partir d'un ovule. Elle existe naturellement chez certains animaux [ex. : *abeilles :* elle aboutit à l'apparition des mâles ; la reine conserve, dans une sorte de réceptacle, le sperme qu'elle a reçu lors de son unique accouplement : les ovules qui descendent ses voies génitales sans être atteints par ce sperme donneront des mâles ; les autres œufs, fécondés normalement, engendreront des femelles (reines ou ouvrières)]. La parthénogénèse naturelle est dite *arrhénotoque* lorsqu'elle donne des mâles (abeilles) et *thélytoque* lorsqu'elle produit des femelles (pucerons). Elle a pu être obtenue artificiellement chez certains animaux (oursins, grenouilles, lapins) et existe aussi chez les rotifères et chez une espèce de lézard du Caucase (les mâles n'existent pas ou plus).

En général les sexes sont séparés **(gonochorisme) :** les individus sont de sexe mâle ou femelle. Mais certains animaux sont bisexués **(hermaphrodites) :** ils ont des organes génitaux mâles et femelles ; vers de terre et escargots sont toutefois obligés de s'accoupler pour échanger leur sperme. Les huîtres sont alternativement mâles et femelles. Les *crepidulas,* qu'il n'est pas rare de rencontrer empilées les unes sur les autres, sur les coquilles de moules, sont femelles à la base, mâles au sommet, et hermaphrodites au milieu de la pile. Sont également hermaphrodites : presque tous les plathelminthes (vers plats), les oligochètes (vers de terre), les hirudinées (sangsues), les crustacés cirripèdes, mais seulement 2 espèces d'insectes (un diptère et une cochenille). Les autres cas relèvent plutôt de l'**intersexualité** (ambiguïté entre les 2 sexes) : lamproies, poissons, amphibiens, etc. Un crabe mâle parasité par la sacculine (cirripède) tend à devenir femelle.

■ **Respiration.** Elle consiste à absorber de l'oxygène, qui sera utilisé pour oxyder les substances organiques, et à rejeter du gaz carbonique. Chez certains animaux, amphibies comme aquatiques, la respiration a lieu par toute la surface du corps. D'autres ont un système respiratoire différencié. Les poissons possèdent des *branchies,* richement vascularisées, au niveau desquelles les gaz dissous (oxygène et gaz carbonique) diffusent entre le sang et l'eau du milieu. Chez l'homme, l'oxygène et le gaz carbonique transitent entre l'air et le sang au niveau des innombrables *alvéoles pulmonaires.* Chez les insectes, l'air est amené à chaque cellule du corps par un réseau de tubules de plus en plus fins, les *trachées.*

■ **Système sanguin.** Le sang distribue l'oxygène et les métabolites à travers le corps. Il n'y a pas de système circulatoire chez les animaux les plus primitifs, chez qui ces éléments se déplacent par diffusion.

■ **Système nerveux.** Très rudimentaire chez certaines espèces (simple réseau de cellules nerveuses, ex. : hydre d'eau douce), il est très élaboré chez d'autres (ex. : vertébrés avec nerfs, ganglions, cerveau).

Constitution chimique de la matière vivante

Éléments

■ **Abondants** (99,99 % de la mat. vivante). 11 ou 12 (sur plus de 100 éléments constituants de la matière). Par ordre d'importance : *carbone* (capable de présenter une grande variété de combinaisons avec d'autres atomes par des liaisons solides) ; *hydrogène ; oxygène ; azote ; soufre ; phosphore ; chlore ; calcium ; magnésium ; potassium ; sodium.* Proportions et combinaisons varient d'une espèce vivante à l'autre (cell. anim. : + de carbone, d'hydrogène, d'azote et de calcium).

■ **Mineurs** (0,01 % de la mat. vivante). *Oligo-éléments* (du grec *oligoï,* peu nombreux) : certains sont des catalyseurs des réactions chimiques. *Fer* (0,005 % du poids total, 3,5 g chez un adulte de 70 kg) ; *zinc* (0,002 %, soit 1,4 g) ; *brome ; aluminium ; silicium ; cuivre* (de 1 à 2 millièmes du poids).

☞ Ces éléments s'assemblent pour former un petit nombre de composés distincts.

Composés

■ **Eau** (de 60 à 90 % du poids de la mat. vivante). Combinaison de 2 atomes d'hydrogène et d'1 d'oxygène.

■ **Glucides** (sucres). Principale source d'énergie de la mat. vivante (on en trouve dans la sève des plantes, le sang des vertébrés). *Hexoses* (contenant 6 atomes de carbone) : glucose, mannose, galactose, sorbose. *Pentoses* (5 at. de C.) : fructose, ribose présent dans l'ARN (acide ribonucléique) ; désoxyribose (qui a perdu un oxygène), caractéristique de l'ADN (acide désoxyribonucléique ; fraction la plus importante du matériel génétique des cellules). Les glucides se trouvent à l'état libre ou liés à d'autres molécules.

■ **Lipides** (matières grasses ou graisses). Combinaison d'acides gras (chaînes à nombre pair d'at. de C. et riches en hydrogène : acide laurique C_{12}, acide palmitique C_{16}, acide stéarique C_{18}) et d'un alcool, le plus souvent glycérol (ex. triglycérides). Les membranes biologiques sont faites de phospholipides, glycolipides et cholestérol.

■ **Protides** (du grec *protos,* premier). Matériaux de construction de la matière vivante. **Structure :** enchaînement de molécules organiques appelées acides aminés dont les 2 *groupements fonctionnels acide et amine* peuvent se lier entre eux par des *liaisons peptidiques* (élimination d'une molécule d'eau entre les 2 groupements). C'est l'ordre précis des acides aminés et la disposition de cette chaîne dans l'espace qui détermine la protéine. Il y a env. 100 000 espèces de protéines dans le corps humain.

Classification. Holoprotéines : *solubles dans l'eau :* protamines (laitance de poisson, graines de végétaux) ; histones ; albumines (sang, lait, blanc d'œuf...) ; globulines (sérum sanguin, lait, muscle). *Insolubles dans l'eau :* collagènes (os, tendon, soie) ; kératine (ongles, cheveux). **Hétéroprotéines** (association d'une protéine avec un groupement variable) ; *glycoprotéines* (association avec des glucides) ; *phosphoprotéines* (caséines, vitelline) contenant de l'acide phosphorique ; *lipoprotéines* (association d'une protéine avec des lipides) ; *chromoprotéines* (hémoglobines, cytochrome) ; *nucléoprotéines* (association avec un acide nucléique).

Les protéines les plus simples contiennent quelques ac. aminés (insuline), les plus grosses, des centaines (+ de 500 pour la sérum-albumine) ou des milliers (hémocyanine) ; leur poids moléculaire varie beaucoup : protamine 8 000, histone du foie de rat 15 000, albumine du sérum 68 500, ovalbumine 40 000, hémoglobine 68 000, hémocyanine 440 000.

Biocatalyseurs favorisant les réactions chimiques

Vitamines. Substances reçues dans l'organisme par l'alimentation ; les cellules animales sont incapables d'en effectuer la synthèse.

Hormones (du grec *hormao,* je stimule). Produites par des glandes dites à sécrétions endocrines, car elles passent directement dans le sang qui les transporte jusqu'à l'organe qu'elles stimulent.

Enzymes (les plus nombreuses). Ce sont des protéines ; capables d'agir *in vitro,* c.-à-d. en dehors des organismes qui les produisent ; elles sont très actives (ex. : 1 g d'uréase à 20 °C libère en 20 min 133 g de NH_3 ; la présure fait coaguler 72 millions de fois son poids de lait en 10 min à 40 °C), mais ne catalysent qu'un seul type de réaction dont elles sont spécifiques. *Rôle :* interviennent dans les diverses réactions de dégradation ou de synthèse (ex. : les phosphorylases fixent de l'ac. phosphorique sur les sucres ; les isomérases transforment une molécule en son isomère en opérant des déplacements d'atomes à l'intérieur de la même molécule).

Cellule

■ **Dimensions.** De 1 (ex : bactéries) à 75 micromètres, le plus souvent env. 20 micromètres. *Cellules géantes :* jaune d'œuf, certaines cell. nerveuses chez les grands vertébrés (plusieurs mètres de long). Leur taille est relativement fixe en rapport, semble-t-il, avec des facteurs héréditaires. Elles peuvent être groupées et jointives pour former des tissus, ou laisser entre elles des espaces.

■ **Formes.** Globuleuses, ovoïdes, parallélépipédiques, cubiques, en croissant, étoilées, ramifiées, sinueuses, etc. Certains êtres vivants sont constitués d'une cellule (protozoaires). Les métazoaires sont formés de nombreuses cellules organisées en tissus.

■ **Composition. Chaque cellule est limitée par la membrane plasmique** (épaisseur 7,5 nanomètres env.). Formée de 2 feuillets lipidiques dans lesquels sont incluses des protéines. Doublée chez végétaux et bactéries d'une enveloppe cellulosique ou polysaccharidique, comme les autres membranes cellulaires. Contrôle les échanges entre le cytoplasme et l'extérieur : perméabilité sélective. Siège de phénomènes d'endocytose (incorporation de particules de faible taille ou de liquide externe : phagocytose, pinocytose) et d'exocytose (libération de substances sécrétées). Intervient dans les phénomènes de reconnaissance cellulaire et de reconnaissance immunologique.

Cytoplasme. Constitué par le *hyaloplasme,* milieu fondamental dans lequel baignent tous les composants cellulaires, notamment les organites cellulaires, dont les principaux sont :

1°) **Réticulum endoplasmique :** système de membranes plus ou moins parallèles, délimitant des espaces (sacs ou tubes) séparés du *hyaloplasme.* Les membranes peuvent porter du côté cytoplasmique des granulations, les *ribosomes* (taille 15 nanomètres) : réticulum endoplasmique granulaire ou ergastoplasme au niveau duquel sont synthétisées des protéines qui s'accumulent dans les citernes, puis passent vers l'appareil de Golgi.

2°) **Appareil de Golgi :** réseau de cavités présentant des empilements de *saccules (dictyosomes)* dont se détachent des vésicules (ou grains) de sécrétion. Rôle : fin de l'élaboration des produits de sécrétion, concentration et empaquetage.

3°) **Lysosomes :** vésicules, limitées par une membrane, contenant les molécules (exogènes ou endogènes) à détruire et les enzymes nécessaires à leur destruction.

4°) **Vacuole :** dans les cellules végétales, compartiment interne, limité par une membrane ; équivalent au compartiment lysosomique des cellules animales.

5°) **Mitochondries.** Délimitées par 2 membranes emboîtées, dont l'une interne repliée en crêtes mitochondriales se projette dans la matrice centrale. Rôle : siège de la respiration cellulaire, production d'ATP.

6°) **Plastes (chloroplastes) :** uniquement dans les cellules végétales. Formés d'une double membrane limitant le plaste ; la membrane interne émet des crêtes ou lamelles générales entre lesquelles sont interposés des *granums* faits d'éléments empilés, contenant les pigments (chlorophylle) et les enzymes de la photosynthèse.

7°) **Centrosome** (dans la plupart des cellules animales et dans certaines végétales) : région du cytoplasme souvent proche du noyau, contenant une paire de **centrioles :** organites cylindriques (diam. 200 mm, longueur 400 mm) dont la paroi est formée de 9 groupes de 3 tubules (∅ 25 mm).

Noyau. Limité par une *enveloppe nucléaire* formée de 2 membranes : une interne, et une externe continue, par endroits, avec celle du réticulum endoplasmique et portant des *ribosomes.* L'enveloppe nucléaire est percée de pores nucléaires (de 100 nm de diamètre) au travers desquels s'effectuent des échanges entre nucléoplasme et cytoplasme. Le nucléoplasme (contenu du noyau) renferme la *chromatine* qui forme les masses denses, dont certaines sont accolées à l'enveloppe nucléaire, et un *nucléole,* masse plus dense composée de fibrilles et de granules de ribonucléoprotéines.

Le noyau contrôle le métabolisme de la cellule et contient la majorité de l'information génétique. Il est indispensable à sa vie.

■ **Division. Méiose :** mode de division de la cellule, où les cellules filles ont moitié moins de chromosomes que la cellule mère (précède la formation des cellules reproductrices).

Mitose (cas général) : intervient au terme d'un cycle cellulaire au cours duquel l'ADN s'est dupliqué (ou répliqué). La division du noyau ou *caryocinèse* se déroule en 4 phases : **1°) Prophase :** à partir du réseau de chromatine s'individualisent des filaments, les *chromosomes,* au nombre constant pour une même espèce. Les nucléoles se désorganisent, l'enveloppe nucléaire disparaît, tandis que s'organise dans le cytoplasme un *fuseau* fait de microtubules qui oriente le sens de la division. **2°) Métaphase :** les chromosomes se fixent sur les fibres du fuseau chromatique et se disposent en plaque, la *plaque équatoriale,* à égale distance des 2 pôles. **3°) Anaphase :** les chromosomes se partagent en 2 lots qui se déplacent vers les pôles *(« ascension polaire »).* **4°) Télophase :** les chromosomes perdent leur individualité et forment à nouveau un réseau autour duquel se reforme une enveloppe nucléaire ; les nucléoles se réorganisent. Le cytoplasme de la cellule mère se répartit en 2 masses égales autour des noyaux des 2 cellules filles qui se séparent : *cytodiérèse.*

Différences entre les mitoses des cellules animales et celles des végétales. C. ANIMALES : en début de prophase, le centrosome se divise, les 2 centrosomes fils s'entourent de microtubules (asters) et migrent vers chacun des pôles de la cellule ; ils déterminent les pôles du fuseau. A la télophase, les 2 cellules filles sont séparées par la constriction d'un anneau contractile situé dans la région équatoriale. C. VÉGÉTALES : chez certains végétaux inférieurs et chez les supérieurs, il n'y a pas de centrosomes, le fuseau est donc dépourvu d'asters. A la télophase, les 2 cellules filles sont séparées par la formation de membranes plasmiques et d'une membrane cellulosique dans le plan équatorial (phragmoplaste).

■ **Fonctionnement.** La cellule est constituée des éléments de base de toute matière vivante (eau, lipides, glucides, protides) qui se renouvellent (métabolisme) ou se dégradent (catabolisme) ou sont remplacés (anabolisme). Dans la cell., l'*ADN* dirige les opérations de fonctionnement spécifiques à l'espèce à laquelle elle appartient, et l'*ARN* assure la production des protéines nécessaires à la construction des matériaux de la cell. Ces opérations nécessitent une énergie stockée ou libérée dans la cellule.

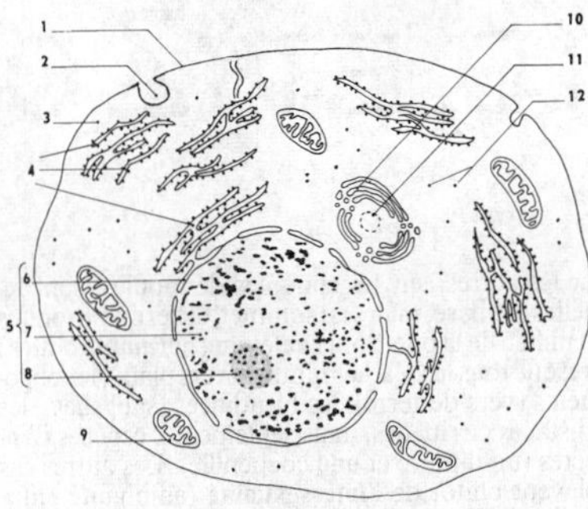

Ultrastructure d'une cellule animale :
1. Membrane plasmique. 2. Vésicule de pinocytose. 3. Hyaloplasme. 4. Réticulum endoplasmique. 5. Noyau. 6. Enveloppe nucléaire. 7. Nucléoplasme et chromatine. 8. Nucléole. 9. Mitochondrie. 10. Appareil de Golgi. 11. Centriole. 12. Ribosomes libres.

ADN (acide désoxyribonucléique). Acide nucléique de masse moléculaire élevée, organisée en une double hélice formée de 2 brins complémentaires constitués chacun d'un enchaînement de *nucléotides.* Un nucléotide comprend : 1 acide phosphorique, 1 sucre (désoxyribose), 1 base [4 types : puriques (adénine et guanine), pyrimidiques (thymine et cytosine)]. Les nucléotides d'un brin ou chaîne sont reliés par des liaisons entre acide phosphorique et désoxyribose. Des liaisons hydrogènes entre les 4 bases complémentaires relient entre eux les nucléotides des 2 chaînes, comme les barreaux d'une échelle.

Dans la cellule, l'ADN, associé à des protéines, notamment les *histones,* forme les *chromosomes.* Dans le noyau des cellules au repos, les chromosomes forment des mottes, colorables, appelées *chromatines.*

Synthèse de l'ADN : réplication. Les 2 chaînes se séparent localement et des nucléotides complémentaires sont ajoutés un à un pour constituer des brins complémentaires associés à chacun des brins initiaux. Il y a formation de 2 chromatides qui se séparent lors de la mitose suivante.

ARN (acide ribonucléique). Chaîne simple de nucléotides dont le sucre est le ribose et où la thymine est remplacée par de l'*uracile.* Plusieurs types d'ARN interviennent dans la synthèse des protéines : *ARN messager :* séquence de nucléotides copiée sur l'ADN (transcription) et codant la séquence d'acides aminés d'une protéine (traduction) ; *ARN ribosomiques ; ARN de transfert :* amenant les divers acides aminés à la molécule protéique en cours de synthèse.

Énergie. Les organismes vivants utilisent de l'énergie : mouvements, échanges de molécules, synthèse de macromolécules, etc. Chez les *hétérotrophes* (ex. : animaux), la source d'énergie vient de l'oxydation des métabolites : sucres simples, acides gras et acides aminés (production de CO_2 et d'eau), dans les *organismes photosynthétiques* (ex. : végétaux chlorophylliens), elle vient de l'énergie lumineuse.

Dans la cellule, la molécule d'ATP (adénosine triphosphate) est le transporteur d'énergie ; elle est produite au cours de l'oxydation des métabolites. Elle libère 30,5 kJ lorsqu'elle est hydrolysée en ADP (adénosine diphosphate) et phosphate inorganique. Aussi, les réactions cellulaires qui nécessitent de l'énergie sont-elles couplées à l'hydrolyse d'ATP.

L'énergie contenue dans une molécule de glucose (2 871 kJ) est libérée par étapes : **1°)** La *glycolyse* se déroule dans le cytoplasme et fournit 2 pyruvates (en C_3), 2 ATP, 1 NADH (2 paires d'électrons sont fixées sur le transporteur d'électrons NAD qui se trouve réduit). **2°)** *Étapes suivantes :* dans la matrice mitochondriale : a) transformation du pyruvate en acétylcoenzyme A avec production de 1 CO_2 et 1 NADH ; b) oxydation de l'acétylcoenzyme A : cycle de l'acide citrique ou cycle de Krebs qui produit 2 CO_2, 1 ATP, 3 NADH, 1 $FADH_2$. **3°)** *Dernière étape : phosphorylation oxydative,* dans la membrane mitochondriale. Les transporteurs d'électrons réduits NADH et $FADH_2$ sont oxydés tandis que les électrons sont transportés vers l'oxygène par la série des transporteurs d'électrons de la *chaîne respiratoire (cytochromes).* 32 ATP sont produits (à partir d'une molécule de glucose) et il se forme de l'eau. Ainsi, la dégradation d'une molécule de glucose aboutit à la formation de 36 ATP (1 100 kJ), d'eau et de CO_2. Rendement : env. 40 %.

Bactéries [1]. Le bacille *Micrococcus radiodurans* résiste à une radiation atomique de 6,3 millions de röntgens (10 000 fois la dose mortelle pour l'homme). La *Beggiatoa mirabilis* mesure de 16 à 45 micromètres (la plus grande bactérie).

Virus [1]. *Variole :* 250 × 300 nanomètres ou 0,0003 mm de diam. ; le plus petit : celui du tubercule de pomme de terre (diam. : – de 20 nanomètres).

Nota. – (1) Ne sont pas des animaux.

ZOOLOGIE

QUELQUES PRÉCISIONS

■ **Accouplement.** *L'âne* monte ou saillit. *Ânesse* baudouine. *Bélier* lutte. *Brebis* béline ou hurtebille. *Étalon* monte ou saillit. *Chien* et *chienne* se lient. *Chienne* jumelle. *Chien,* avec *chienne* d'autres races, mâtine. *Jument* assortit. *Lapin, lièvre* bouquinent. *Oie* jargaude. *Oiseau* mâle côche. *Oiseaux* s'apparient. *Poisson* fraye. *Taureau* monte ou saillit. *Verrat* monte ou saillit. *Vivipares* couvrent.

■ **Ailes** (battements par minute). *Moucheron Forcipomya* 62 760 (133 080 à 37 °C). *Colibri* de 1 200 à 5 400. *Chauve-souris* 960 à 1 200. *Moineau* 600. *Faisan* (à l'envol) 500. *Papillons divers* de 460 à 636. *Martinet* 360. *Machaon* 300. *Canard col-vert* 300. *Pigeon ramier* 300. *Coucou* 280. *Cigogne* 180. *Héron cendré* 120. *Cygne* de 60 à 120. Les grands *vautours* planent des heures (quelquefois 1 batt. par seconde). Les *condors* planent sur 100 km sans 1 seul battement. Les *albatros* peuvent planer pendant des jours.

Certains oiseaux néo-zélandais, les *kiwis (Apteryx)* et de nombreuses espèces insulaires *(cormoran des Galapagos, râles,* jadis *drontes,* etc.), adoptant une vie uniquement terrestre, ont perdu l'usage de leurs ailes devenues minuscules.

■ **Alimentation.** *Antheraea* (papillon du chêne) dévore sitôt éclos, en 48 h, 86 000 fois son poids en feuilles ; *le rat* mange 1/3 de son poids (150 g) chaque jour ; *la taupe* son propre poids (50 à 80 g) ; *les petites chauves-souris brunes* 5 000 petits insectes ou 150 gros, en 1 h ; *un cheval* de club hippique monté 2 h par j consomme par jour 4 à 5 kg de foin, 5 kg d'avoine, 6 de paille, 100 g de vitamines et sels minéraux. Un cheval de course mange jusqu'à 12 kg d'avoine par jour. Un poulain tète de 20 à 30 l de lait par jour. Le sevrage se fait entre 4 et 6 mois. *La baleine bleue* absorbe au moins 5 t de krill par jour et le baleineau 300 à 500 kg.

■ **Altitude** (voir **Vol** p. 164 b). *Bactérie :* à 41 000 m. *Amphipodes* (crustacés) 4 053 m. *Crapaud* (Himalaya) 8 000 m (le plus bas à 340 m sous terre). *Yack* (peut vivre à 6 100 m).

■ **Animaux envahisseurs.** *Abeilles* africaines introduites au Mexique détruisent progressivement les races indigènes, de l'Am. centrale aux USA. Leur piqûre cause des allergies graves. *Acanthaster* (étoile de mer) : ont, dep. 1962, ravagé les récifs coralliens des océans Indien et Pacifique. *Achatines* (escargot géant, coquille de 20 cm), originaires d'Afrique, ont envahi S.-E. asiatique, Hawaii et Floride. *Chien viverrin* (Nyctereutes procyonoides) (Asie) : Europe (Bassin parisien) ; 20 cm, 7 kg, ressemble au raton laveur, se nourrit de petits rongeurs, poissons, œufs, fruits, glands et grenouilles. *Crapaud géant* (25 cm et 1,3 kg), originaire d'Am. du S., a été introduit aux Antilles, aux Hawaii, en N.-Guinée et en Australie. *Écureuil du Cap d'Antibes,* espèce asiatique non identifiée (genre callosciurus), introduit v. 1970. *Grenouille-taureau* (Am. du Nord), introduite en Gironde. *Lucilie bouchère* ou mouche-vampire (Cochliomyia omnivorax) d'Amér. du S., en Afr. dep. 1988 (+ de 40 000 km² infestés en Libye, éradiqués en 1992 grâce à l'importation de plus de 1 milliard de mâles stériles ; coût : 50 millions de $) : ses asticots dévorent vivants les animaux à sang chaud (voire les hommes) dans les plaies desquels ils ont été pondus. *Méduses* (dont des *rhyzostomes* habituellement localisés au Portugal et en Espagne) sur les côtes atlantiques, en Manche-mer du Nord et en Méditerranée été 92, dues à des courants marins inhabituels (« El Niño » du Pacifique Sud) et des températures élevées de l'eau. *Ragondin,* originaire d'Am. du S., et *rat musqué,* originaire d'Am. du N. : minent les berges de rivières et pillent les cultures. *Raton laveur* (Amér. du N.) : Europe (Bassin parisien).

■ **Animaux qui emploient des outils.** *Ammophile* (sorte de guêpe) : dame le sol avec un caillou tenu entre ses mandibules. *Chimpanzé :* introduit des tiges dans des termitières et les suce lorsqu'elles sont couvertes d'insectes (acte réfléchi), et casse des noix ou des noisettes avec des gros cailloux. *Crabe des cocotiers* (de grosse taille) : se nourrit de noix de coco qu'il cueille ; pour les ouvrir, il les frappe contre un rocher ou les hisse au sommet de l'arbre et les laisse tomber. *Éléphant :* se gratte avec une branche qu'il tient dans sa trompe. *Fourmi fileuse :* coud les feuilles avec de la soie. *Loutre de mer :* casse les coquillages sur une pierre en faisant la planche. *Macaque :* nettoie ses aliments avec des feuilles (acte réfléchi). *Mangouste :* projette des œufs sur les rochers pour les casser. *Merle :* déblaie la neige avec une brindille qu'il tient dans son bec pour pouvoir gratter le sol. *Pinson des Galapagos* et *Corbeau néo-calédonien :* empalent les insectes avec des brindilles. *Rat volant Néotoma :* tapisse les sentiers proches de son terrier avec des épines de cactus. *Sajou :* appelé singe mécanicien pour son aptitude à ouvrir des fruits durs. *Tisserin :* passereau des régions chaudes, coud des feuilles pour construire son nid. *Vautour percnoptère :* brise des œufs d'autruche avec des pierres.

Nota. – Des utilisations d'outils ont été observées sur des animaux captifs (singes « peintres », vautour employant un morceau de bois pour « labourer » le sable de sa cage, etc.).

■ **Animaux qui se droguent.** **Comportements naturels :** *Grives* et *Merles :* raisin ; divers autres oiseaux *(Bulbuls) :* fruits fermentés ; *Perroquets :* nectar ; *Pigeons :* chènevis broyé. *Chevaux* et *Moutons :* astragales (Am. du N.) ; *Moutons :* genêt (Europe) ; *Éléphants* et *Babouins :* baies de l'arbre Marula (Afr. du S.) ; *Chat :* papyrus (souvenir de son origine égyptienne ?) et *Nepeta,* ou népète (« herbe-aux-chats ») ; *Poules :* alcool de cassis. Dans les fumeries d'opium, *Mouches, Souris, Araignées* semblent être attirées ; *Fourmis :* sécrétions des pucerons qu'elles élèvent.

Comportements artificiels : *Aigles* de chasse drogués à l'opium (Afghanistan), *Pigeons* au haschisch (Syrie), *Coqs* et *Taureaux* de combat au chanvre indien (Mexique). Jadis, les dresseurs romains excitaient leurs fauves à l'aide d'infusions de riz et de roseau. De nombreuses expériences ont montré que des animaux *(Singes, Rongeurs,* etc.) pouvaient devenir de véritables intoxiqués ; selon les drogues qu'on leur fait ingérer, les *Araignées* construisent des toiles ratées d'aspect variable.

■ **Animaux lumineux.** Généralement abyssaux ou planctoniques. La luminescence est due à des bactéries symbiotiques ou à des réactions chimiques intracellulaires (émission de lumière froide). Ces cellules sont groupées en organes plus ou moins complexes, les photophores. Ex. : *Poissons abyssaux :* Cératidés, Stomiatidés. *Procordés :* Salpes, Pyrosomes. *Céphalopodes :* Thaumatolampas. *Échinodermes :* quelques étoiles de mer. *Mollusques :* Phyllirhoe ; Pholas dactylus. *Crustacés :* Copépodes, Ostracodes ; Streetsia (Amphipode) : Euphausiacés ; Sergestidés (crevettes). *Insectes :* Ver luisant (lampyre femelle ; mâle : lumière plus faible) ; Lucioles ; Pyrophore (Élatéride des Antilles)... *Annélides :* Syllidiens ; Tomopteris. *Pelagia noctiluca :* Méduse Acalèphe.

Luminescence. *De la mer* (et non phosphorescence) : due aux noctiluques (algues flagellées, ne sont donc pas des animaux) ; ils sont de taille microscopique. *D'oiseaux :* a été parfois signalée : il s'agit de chouettes dont le plumage était imprégné de moisissures luminescentes. *Des yeux du chat ou du chien :* due au tapis irisé qui recouvre leur choroïde et agit comme un miroir. *Un scorpion* placé sous une lampe à rayons ultraviolets présente une splendide *fluorescence.* Il en est de même de certains *coraux.*

Nota. – Les Japonais utilisèrent pendant la guerre une poudre d'*ostracodes* (petits crustacés) pour communiquer leurs ordres de nuit par signes.

■ **Animaux « savants ».** Autrefois, certains numéros étaient audacieux, ex. : éléphants marchant sur une grosse corde chez les Romains. Au début du XXe s., sur les scènes parisiennes : cheval plongeur ou aéronaute ; le chimpanzé Consul fumait le cigare, portait le haut-de-forme, allait aux courses ; singes utilisés en Thaïlande pour cueillir des noix de coco [on leur crie *ripe* (mûre, en anglais) pour leur indiquer celles qu'ils doivent cueillir].

Puces savantes : sous Louis XIV : puces attelées à des voitures, canons, corbillards miniatures. Vers 1830 : orchestre de puces, jouant avec des instruments à leur mesure. D'autres se battaient en duel ou dansaient la valse. Certaines, costumées en personnages historiques (le duc de Wellington, le dey d'Alger), chevauchaient d'autres puces harnachées et sellées. Des puces en costumes militaires français et hollandais jouaient le siège d'Anvers. Des dresseurs se produiraient encore en Europe du Nord.

■ **Animaux transgénétiques.** Le Bureau des brevets américains a admis (avril 1987) que les êtres vivants dont le patrimoine génétique a été manipulé, peuvent désormais être brevetés. Un animal dont le programme génétique a été changé (par la « greffe » d'un « gène » étranger, par exemple) est considéré comme la propriété industrielle du chercheur, du laboratoire ou de l'entreprise qui l'a créé. Pour élever ce type d'animal, appelé « transgénétique », il faudra payer une redevance. Dep. 1980, des bactéries et dep. 1988 des animaux (souris Myc Mice) génét. manipulés ont été brevetés aux USA. En France, sont brevetables les micro-organismes dep. 1968, et les plantes « transgénétiques » dep. 1985 (décision qui reconnaissait une différence avec les végétaux sélectionnés).

■ **Animaux utilisés pour la guerre.** **Abeilles :** des assiégés ou des assiégeants ont lancé des ruches pleines d'abeilles sur leurs ennemis, obtenant ainsi une fuite immédiate (par exemple Richard Cœur de Lion à St-Jean-d'Acre). **Bothrops** (crotalinae) : serpents introduits en Martinique et à Ste-Lucie au cours des guerres entre Caraïbes. **Chats :** les Perses auraient pris, en 525 avant J.-C., la ville égyptienne de Péluse, en tenant des chats sur leur poitrine ; les Égyptiens n'osèrent tirer de peur de blesser les chats, sacrés chez eux. Au XVIe s., le maître d'artillerie Christophe de Habsbourg proposa de placer des canons sur le dos des chats : jamais mis en application. **Chauves-souris :** après la bataille de Pearl Harbor, les Américains pensèrent utiliser des chauves-souris pour les lancer d'avion après les avoir munies de bombes incendiaires à retardement (projet X-Ray). 8 millions de chauves-souris furent capturées dans ce but ! Un village expérimental construit dans le désert fut détruit à 80 % par ces animaux. Le projet fut néanmoins abandonné. **Chevaux. Chiens :** molosses des Égyptiens aux colliers à pointes de fer (également chez les Gaulois) ; Henri VIII lança plus de 500 dogues contre l'armée de Charles Quint ; guerre 1941-45 : les Russes dressent 50 000 chiens affamés munis de charges explosives à chercher leur pitance sous les chars allemands. *1941-43 :* les Américains forment + de 20 000 chiens (port de bât, tireur de traîneaux, éclaireur d'infanterie). *Corée :* l'usage systématique des chiens permet de réduire de 60 % les pertes américaines. *1955-62, Algérie :* près de 2 000 équipes « maîtres-chiens » engagées contre les fellaghas (chiens pisteurs, démineurs, de garde ou de grottes : en 6 ans, 157 chiens-soldats tués). **Dauphins :** nombreux projets, peut-être des débuts de réalisation dans les missions de protection ; mais les essais de dressage pour l'attaque d'humains ont échoué et semblent abandonnés. Vers 1973, la marine américaine aurait employé un dauphin « espion » qui aurait permis d'obtenir des informations sur le combustible des sous-marins nucléaires russes. Il aurait posé dans un port étranger, sur la coque de l'un de ces sous-marins, un appareil de détection et serait venu le récupérer quelques semaines plus tard. En 1987, elle a utilisé 5 dauphins dans le golfe Arabo-Persique pour participer au dragage des mines. **Éléphants :** Asie (Perses, Indiens, Mongols, Siamois encore au XIXe s. : ils leur mettaient des canons sur le dos), Afrique (Égyptiens et Carthaginois ; traversée des Pyrénées, du Rhône et des Alpes par les éléphants d'Hannibal). **Lions :** les pharaons égyptiens Amenhotep II et Ramsès le Grand les utilisèrent. **Marsouins :** 3 marsouins auraient été utilisés pendant la guerre du Viêt-nam par la marine américaine. **Moutons :** pour faire sauter les mines. **Pigeons voyageurs :** utilisés depuis l'Antiquité, ils ont joué un rôle important en diverses occasions (guerre d'Indépendance des Pays-Bas, siège de Paris par Henri IV, Waterloo, siège de Paris en 1870-71, Verdun 1916, guerre 1939-45). **Requins :** nourris près des bases aéronavales pour écarter les hommes-grenouilles. **Rhinocéros :** les Indiens l'utilisaient pour enfoncer les lignes adverses. Sa corne était renforcée par un trident de fer. **Sangliers** (?). **Singes :** en 1971 les Indiens les déguisaient en soldats et les envoyaient en éclaireurs ; les Pakistanais en tirant sur eux dévoilaient leurs batteries. **Taureaux. Varans :** en Asie, ils adhéraient si fort aux murs que des soldats assiégeant une ville s'accrochaient à des cordes attachées aux varans.

■ **Animaux venimeux pouvant présenter un danger pour l'homme en France.** ARACHNIDES. **Scorpion languedocien** (région méditerranéenne). **Araignées :** *Latrodecte* ou *Veuve noire* (Corse). *Phoneutria fera* (Brésil). *Tarentule* (peu dangereuse). CNIDAIRES. **Méduses** (contact urticant) ; quelques *Physalies* en Méditerranée. ÉCHINODERMES. **Oursins.** INSECTES. **Hyménoptères :** *Fourmis, Abeilles, Guêpes, Frelons, Bourdons* (la gravité des piqûres dépend de leur nombre, de leur localisation, de l'âge de la victime). Le *faux-bourdon,* qui ne possède pas d'aiguillon, est le mâle de l'abeille ; le *bourdon,* qui lui ressemble, constitue un genre à part. MYRIAPODES. **Scolopendre** (région méditerranéenne). OISEAUX. Les plumes, la chair, la peau du *pitohui* (Nlle-Guinée) sont toxiques (présence d'homobatracotoxine). POISSONS. *Vives, Rascasses et Synancées* (rayons épineux des nageoires), *Raies Pastenagues* et *Mourines* (aiguillon sur la queue), *Murènes* (toxines sécrétées par la muqueuse buccale et salive venimeuse). REPTILES. *Vipère d'Orsini* (Sud-Est). *Vipère péliade* (Nord, Bretagne et Centre). *Vipera aspic* (Sud et Centre, jusqu'à Fontainebleau au nord). *Vipère aspis zinnikeri* (Pyrénées) : venin au moins deux fois plus toxique que celui de la vipère aspic. Leurs prédateurs se raréfient : hérissons (écrasés sur les routes) ; circaète (rapace mangeur de serpents) ; dindons, pintades et poules vivant à l'état libre disparaissent de plus en plus. La capture et la vente des vipères sont interdites (loi du 10-7-1976).

Hybridation de l'homme avec une espèce animale. En 1897, dans une roulotte à Vichy, une fillette qui vivait avec son père et un singe (probablement un chimpanzé) a mis au monde un fœtus monstrueux ayant des caractères simiesques. Mais on ne peut conclure avec certitude sur ce cas. Des expériences ont été tentées : URSS, Chine (1960-70 : une femelle chimpanzé aurait perdu son fœtus), USA, ex.-A-OF.

☞ *Nombre annuel de victimes des serpents venimeux dans le monde :* 1 000 000 dont 3 % de cas mortels. *Serpents dont la morsure est mortelle ou provoque une invalidité grave :* cobra cracheur à cou noir, crotale, serpent marin à bec, s. bananier, s. brun oriental, s. de mort, s. tigré, vipère heurtante, v. à dents de scie, v. levantine, v. de Palestine, v. de Russel, v. européenne (péliade).

■ **Bec.** *Coup : vitesse de frappe :* le bec d'un pivert à tête rouge peut frapper le tronc d'un arbre à 20,9 km/h. Décélération à l'impact d'environ 10 g.

■ **Biomasse.** Les *Lombrics* (ou vers de terre) constituent 80 % du poids global des animaux des milieux terrestres, hommes compris. Ils représentent en moyenne une t à l'ha (de 4 à 5 t/ha dans les milieux les plus favorables). Ils forment la première masse de protéines du globe. Poids total des lombrics de France : de 100 à 200 millions de t (poids total des Français : env. 3 millions de t). Plus de 200 animaux de nos régions mangent des lombrics (qui constituent plus de 90 % du régime de la mouette rieuse). *Biomasse des forêts tempérées par ha :* 300 t d'arbres, 1 t d'herbes, 1 t de lombrics, 8 kg d'oiseaux.

■ **Bois.** **Les plus longs :** cerf géant *Megaloceros giganteus* (envergure) 4,30 m (disparu) ; cerf (enverg.) 2 m.

■ **Cerveau.** **Le plus petit** (relativement) : le *Stegosaurus* (dinosaure cuirassé), 70 g soit 0,00004 % de son poids. **Le plus grand :** *Cachalot mâle* 9,2 kg (long. de l'animal 14,93 m), *éléphant* 4,2 à 5,5 kg en moy. (record 7,5 kg). *Animal domestique :* cheval 700 g.

■ **Chant des baleines (à bosse).** Peuvent émettre 1 000 sons différents. On croirait entendre des cymbales, un orgue ou un piccolo. Le concert dure plusieurs heures. Les chants évoluent d'une semaine à l'autre. Ils comprennent env. 6 thèmes contenant chacun un nombre constant de phrases identiques ou différentes composées de 2 à 5 sons distincts. Seul l'homme a un comportement musical aussi complexe et inventif. Les baleines ne possèdent pas de cordes vocales. Les sons ou « vocalises » sont produits par les mouvements des os de la boîte crânienne et l'élasticité des tissus de la mâchoire ; ils vont du très grave au très aigu.

■ **Combats d'animaux.** *Jeux de cirque* antiques ou plus récemment en Asie (en Inde, fauves variés). *Cailles* (en réalité turnix) : Asie. *Chiens contre rats :* nord de la France. *Chiens :* chez divers peuples ; USA, France jusqu'en 1834. *Coqs :* nord de la France, Belgique, Am. latine, Martinique, Polynésie, Madagascar, Mexique, Sud-Est asiatique ; Rome antique. *Dromadaires :* Turquie. *Grillons :* Chine, Indonésie, Madagascar. *Mouches :* Singapour. *Perdrix :* Afghanistan. *Poissons* (combattants) : Thaïlande. *Serpents contre mangoustes :* Inde.

■ **Concours de chant.** Le *pinson des arbres (Fringilla coeleb)* est capturé au nid et gardé dans une petite cage grillagée ; on soude ses paupières avec un fil de métal rougi au feu : la qualité de son chant est meilleure dans l'obscurité. Par son chant, le mâle marque son territoire, si un intrus y pénètre. Aussi parle-t-on souvent de *combats* ou *assauts* au lieu de concours. Le chant, qui peut différer suivant les régions, se décompose en 3 parties : un prélude, un roulement, un finale ; des onomatopées définissent un trille complet : Rrript... pti, pti, pti, pti... chichuit ! Le gagnant est celui qui en exécute le plus dans une heure. Le concours peut être individuel ou collectif (4 pinsons dont on fera la moyenne de la totalité des trilles émis). Meilleurs mois : avril, mai, juin ; de 5 à 6 h ou de 6 à 7 h. Ouverture officielle : à la cloche, au clairon, à la détonation d'un fusil ou d'un petit canon. Les pinsons s'excitent mutuellement et lancent leurs roulades de plus en plus rapidement. A chaque trille complet, le marqueur trace un trait sur le rillet (règle de 1,20 m, large de 4 cm). Scores : 300 à 1 000 trilles l'heure.

■ **Courses d'animaux.** *Autruches* (Afr. du S.), *chevaux, lévriers* (voir Index et aussi p. 164 b).

Quelques animaux légendaires

Aspic de Cléopâtre. Craignant de figurer comme prisonnière au triomphe d'Auguste après la bataille d'Actium (30 av. J.-C.), Cléopâtre, reine d'Égypte, se fit apporter un aspic dissimulé dans un panier de figues et se laissa mordre. C'était plus vraisemblablement un cobra ou un échis.

Bête de Vaccarès. Décrite début xve s. par Jacques Roubaud, gardian près de l'étang de Vaccarès (Camargue), elle inspire Joseph d'Arbaud (1874-1950) qui publie *la Béstio dou Vacarés* (1924) et Henri Bosco, *Malicroix* (1948).

Cheval de Brunehaut (voir Index).

Cheval de Troie (voir Index).

Dauphin d'Arion. Arion, poète et musicien grec du VIIe s. av. J.-C. rentrait, couvert de présents, de Syracuse où il venait de remporter un prix de musique et de poésie, lorsque ses compagnons de voyage l'agressèrent pour le voler. N'opposant aucune résistance il leur demanda la grâce de chanter en s'accompagnant de son luth, puis il se jeta dans les flots. Or un dauphin, charmé par sa musique, avait suivi le bateau, il le recueillit et le porta jusqu'à la côte de Laconie. Pour ce sauvetage, il fut placé parmi les constellations.

Hydre de Lerne. Serpent monstrueux vivant dans le marais de Lerne en Argolide, qu'Hercule extermina en coupant d'un seul coup ses nombreuses têtes qui renaissaient sans cesse quand on les coupait une à une.

Licorne. Cheval portant au milieu du front une corne torsadée, symbole de puissance virile et de fécondité. Les défenses de narvals que les chasseurs de baleine basques rapportaient des régions subarctiques sont à l'origine de cette légende.

Lion d'Androclès. Androclès, esclave d'un proconsul d'Afrique, fut jeté aux bêtes dans le Colisée pour avoir échappé à son maître. Le lion reconnut l'homme qui jadis l'avait soigné d'une blessure à la patte et se coucha à ses pieds. On fit grâce à l'esclave, on lui donna le lion, qui le suivit comme un chien.

Oies du Capitole. Quand les Gaulois s'emparèrent de Rome en 390 av. J.-C. ils ne rencontrèrent de résistance qu'au Capitole. Ils en firent le siège, et profitant de la nuit, tentèrent de l'envahir par surprise. Mais les oies sacrées consacrées au culte de Junon, effrayées par les assaillants, poussèrent des cris perçants, donnant ainsi l'alerte. Le Capitole fut sauvé.

Énigmes zoologiques

☞ **Société internationale de cryptozoologie.** *Fondée* en 1982, *Pt :* Bernard Heuvelmans, a publié une liste de 110 à 138 animaux inconnus [dont 40 à 52 aquatiques (mers et océans 21 à 24, eau douce 19 à 28), 70 à 85 terrestres], à partir de 20 000 références.

☞ **Hommes sauvages.** Almasty, bigfoot, sasquatch, homme des neiges ou yéti (voir Index).

Améranthropoïde (« anthropoïde américain »). Grand singe sans queue dont un spécimen a été tué au Venezuela en 1920 (on en possède une photo).

Anaconda géant. En Amazonie, spécimens relatés de plus de 10 m.

Coelacanthe espagnol. Une espèce de coelacanthe survivrait en Espagne (Baléares). Un ancien ex-voto en argent le représente : les Espagnols le connaissaient donc bien avant sa découverte officielle (1938).

Éléphant nain. Espèce ou race naine (2 m au garrot) d'éléphant africain, forestière et amphibie ; un film a été pris récemment en Rép. centrafricaine.

Félins mystérieux. Signalés sur la plupart des continents : Afrique (survivance du machairodus ?), USA, G.-B. (affaire des *British big cats*), Australie (marsupiaux carnivores ?), etc.

Grand Pingouin. Survivance au Groenland, en Écosse (Orcades), en Norvège.

Irkouiem. Ours géant du Kamtchatka. A été assimilé à l'Arctodus fossile.

Mammouth. Rumeurs sur sa survie en Sibérie et en Alaska. Témoignages visuels et découvertes d'empreintes et d'excréments.

Mokélé-mbêmbé. Nord du Congo, près du lac Télé. Serait long de 7 à 8 m, long cou, longue queue, massif, amphibie, frugivore. Hypothèses : proboscidien ; crocodilien ; tortue géante (trionyx), varan géant ; dinosaurien sauropode. Niger : ossements d'un dinosaurien apparenté à l'iguanodon *(Ouranosaurus)* qui dateraient de 70 000 ans.

Monstres lacustres d'Europe centrale (Allemagne féd., Pologne) : ne sont sans doute que de grands silures [signalés aussi dans les fleuves français (Saône surtout) depuis 1985].

Monstre du loch Ness (Écosse). Lac d'eau douce, long. 42 km, larg. 1,8 km, prof. 200 à 300 m. Signalé plusieurs fois dep. l'an 565. On en parle surtout depuis 1934. Appelé depuis 1972 *Nessiteras rhombopteryx* (dit *Nessie*). Il serait gris ou brun, long de 4 à 5 m, avec un cou grêle, des nageoires dorsales en « pointe de diamant » et une forte queue. *Hypothèses :* plésiosaure survivant (peu vraisemblable : espèce disparue dep. 70 millions d'années), triton, anguille géante ; « otarie à long cou » pouvant respirer sous l'eau grâce aux « périscopes » qui prolongent les narines, cétacé primitif, stégocéphale, nudibranche géant, etc. Plusieurs explorations ont été tentées (avec bathyscaphe, sous-marins de poche, sonars, dauphins, équipes de caméras et de projecteurs). L'expédition Deepscan (budget : 10 millions de F, en oct. 1987) utilisa 24 vedettes équipées de sonars ; quelques échos peu convaincants ont été obtenus. L'été 1992, l'opération Simrad, patronnée par le British Museum of Natural History, a obtenu un écho de sonar puissant, de 2 min, et découvert des structures, d'origine humaine, au fond du loch. D'autres monstres du même genre ont été signalés en Suède, en Sibérie, au Canada, en Argentine, etc.

Ptérosauriens. Allure de reptiles volants. Présence (?) en Afrique (Cameroun, Namibie, etc.). Noir et blanc, habiterait des cavernes de zones montagneuses, aurait transporté des ossements d'autruches dont la présence s'explique difficilement.

Pythons géants. Divers témoignages en Afrique tropicale ; une photo prise au Katanga en 1959, depuis un hélicoptère, montre un python long de 10 à 14 m.

Serpents géants en France. Jusqu'à 3 m de long. Boas ou pythons échappés ? Énormes couleuvres ?

Serpent de mer. Signalé depuis l'Antiquité dans toutes les mers du globe. Très peu de preuves palpables : une larve de congre de 1,84 m, capturée dans l'Atlantique Sud en 1930, alors qu'elle n'aurait dû mesurer normalement que 10 cm. Au moins 3 reptiles et mammifères marins inconnus semblent avoir été classés sous une même dénomination. Par un recoupement systématique des témoignages, on a distingué les « monstres à tête de cheval », prototypes des dragons chinois et vietnamiens (nombreuses observations dans la baie d'Along au Viêt-nam) ; les « monstres à long cou », dont fait partie celui du loch Ness (voir ci-dessus), parfois présentés comme des cétacés primitifs ou des otaries, capables de se reproduire en haute mer ; des reptiles marins à l'aspect de crocodiles (peut-être des mosasaures) ; des calmars géants (Architeuthis) dont les tentacules peuvent atteindre 17 m (en Floride, en 1896, s'est échouée une pieuvre de 60 m d'envergure : venant sans doute des Bahamas, centre de dispersion des pieuvres géantes). La plupart des « monstres » échoués, signalés de temps à autre, ne sont que des requins pèlerins plus ou moins décomposés.

Observations de « serpents de mer » près du littoral français : Cotentin (1934) ; îles Anglo-Normandes (1923) ; Bretagne (1861, 1879, 1911, 1925, 1930, 1939, 1985) ; côtes atlantiques (1892, 1915, 1945, 1972) ; Camargue (1964, 1983) ; Corse (1907, 1924, 1983).

Singe de mer. A tête de mammifère et queue de requin, observé en 1741, près des îles Aléoutiennes, par le naturaliste allemand G.W. Steller.

Tatzelwurm (« ver à pattes »). Alpes (p. ex. à St-Véran, Hautes-Alpes, en 1974). *Hypothèses :* héloderme (lézard venimeux nord-américain) européen, parent de l'ophisaure (orvet géant des Balkans), salamandre géante cavernicole (la plus vraisemblable). Long. 0,6/1 m et + ; 2 ou 4 pattes.

Thylacine (loup marsupial). Survivrait en Australie et Tasmanie (la Tasmanie offre une prime de 100 000 $ pour une photo de cet animal).

Tzuchinoko. Mystérieux serpent des montagnes du Japon.

Varans géants. Jusqu'à 8 m, en Thaïlande, à Sumatra, en N.-Guinée, en Australie.

Rumeurs modernes inspirées par les animaux

Mygales dans les yuccas. Parfois trouvées dans le tronc de yuccas. En fait, pas de preuves (il est cependant exact que des plantes exotiques transportent araignées, insectes, etc.).

Serpent dans le supermarché. Caché dans un régime de bananes, il mord un client.

Vipères lâchées d'avion. Des écologistes les réintroduiraient de cette façon.

Alligators dans les égouts de New York. Il y en eut un ou deux. **Paris** : mêmes rumeurs.

Loutres de Paris. Signalées sur les quais ou dans les égouts, et au lac d'Enghien.

Gros « rat » mangeur de chats. Rumeur très répandue en Europe.

Chauves-souris suceuses de sang. Croyance répandue dans certaines provinces.

Attaques de rapaces, grands corbeaux, lynx, chats sauvages, etc. Contre les personnes ou les animaux domestiques. Presque toujours dénuées de fondement.

Comportements dont la réalité est discutée. *Hérisson :* transporterait parfois des pommes fichées sur ses épines. *Serpents :* téteraient les vaches. *Martinets :* passeraient quelquefois l'hiver dans nos régions, à l'état de léthargie. *Pêche à la queue :* divers mammifères tremperaient leur queue dans l'eau et attendraient que les écrevisses s'y fixent. *Vol monté :* de petits passereaux voyageraient sur le dos de grands oiseaux (grues). *Sangliers nageurs :* iraient de Provence en Corse et vice versa. *Narval :* embrocherait des flétans avec sa défense. *Tribunaux de corbeaux :* jugeraient parfois l'un des leurs et le mettraient à mort. *Funérailles d'animaux :* signalées (?) chez les singes, les chats, les éléphants (qui recouvrent leurs morts de terre et de feuillage ; explication partielle des « cimetières d'éléphants » ?). *Pluvian :* nettoierait les dents des crocodiles.

■ **Concentrations. Les plus fortes :** les *Tadarida brasiliensis,* chauves-souris molosses du Mexique, se regroupent à plus de 20 millions, les *pinsons du Nord* à 36 millions. Entre le 15 et le 25 août 1875, 12 500 milliards de criquets (25 millions de t) couvrirent 250 000 km² dans le Nebraska (USA).

■ **Constructions.** *Termites (des Bellicositermes) :* en Afrique ; des termitières en terre de 6 m de haut et de 12 à 30 m de diam. *Castors :* barrages de 1,5 à 4 m de haut et 500 m de long : leurs huttes (diam. 2 m, parfois 6 m) ont des entrées sous l'eau, permettant, quand l'eau est gelée, l'accès aux réserves. *Annélides polychètes :* récif, appelé le Banc des Hermelles, dans la baie du Mont-Saint-Michel, 200 à 300 m de long (15 000 à 60 000 tubes d'annélides au m²).

■ **Cornes. Les plus longues :** buffle d'Inde, 4,24 m de pointe à pointe ; bœuf domestique d'Ankole (Botswana), 2,06 m et 46 cm de circonférence ; rhinocéros blanc (Afrique) 1,58 m (petite corne 57 cm) ; Argali (mouflon du Pamir) 1,90 m. **Les plus courtes :** Suni (antilope royale) 3,8 cm. **La plus grande envergure :** bœuf Longhorn 3 m.

■ **Cri des animaux.** *Abeille,* bourdonne (avec ses ailes). *Aigle,* trompette, glapit ou glatit. *Alouette,* tire-lire, grisolle ou turlute. *Ane,* brait. *Bécasse,* croule. *Bélier,* blatère. *Bœuf,* mugit, meugle, beugle. *Bouc,* béguette, bêle ou chevrote. *Buffle,* souffle, beugle ou mugit. *Caille,* pituite, margotte, cacabe, courcaille, carcaille ou margaude. *Canard,* cancane, nasille ou canquette. *Cerf, brocard,* brame, ralle, rote, rée ou rait. *Chacal,* jappe ou aboie. *Chameau,* blatère. *Chat, matou,* miaule, ronronne. *Chat-huant,* chuinte, ulule ou hue. *Cheval, étalon,* hennit, s'ébroue. *Chèvre,* bêle, chevrote ou béguète. *Chevreuil,* brame, rée, rote. *Chien,* aboie, jappe, hurle, grogne, clabaude, clatit, halète. *Chien de chasse,* clatit, donne de la voix. *Chiot,* glapit ou jappe. *Chouette,* hioque, hue, ulule ou chuinte. *Cigale,* craquette, cricelle, criquette (avec ses membranes abdominales) ou stridule. *Cigogne,* craque, craquette, claquette ou glottore. *Cochon, porc, verrat,* grogne. *Colombe,* roucoule. *Coq,* chante, coqueline. *Corbeau,* croasse, croaille, coraille, graille. *Corneille,* corbine, craille, criaille, babille, graille. *Coucou,* coucoule, coucoue. *Crapaud,* coasse. *Crocodile,* pleure, vagit, ancoule. *Cygne sauvage,* trompette, drense, drensite, siffle [la plupart des cygnes domestiques sont muets ou n'émettent que de faibles gloussements. Le « chant du cygne » (qu'ils pousseraient avant de mourir) est une légende]. *Daim,* brame, ralle, rait, rée. *Dindon,* glougloute. *Éléphant,* barète ou barrit. *Épervier,* tiraille, glapit ou piale. *Faisan,* criaille, glapit ou piaille. *Faon,* ralle. *Faucon* huit, réclame. *Fauvette,* zinzinule. *Geai,* cajole, cajacte, cocarde, cageole, gajole, frigulote ou fringote. *Gélinotte,* glousse. *Goéland,* pleure. *Grenouille,* coasse. *Grillon,* grésillonne, craquette (avec ses ailes). *Grue,* glapit, trompette ou craque. *Guêpe,* bourdonne. *Hibou,* ulule, hue, miaule, tutube, bubule ou bouboule. *Hirondelle,* gazouille, trisse, truisotte, tridule. *Hulotte,* hole, ulule. *Huppe,* pupule, pupute. *Hyène,* hurle. *Jars,* criaille, cagnarde, cacarde ou jargonne. *Lapin,* couine, clapit ou glapit. *Lièvre,* couine, vagit. *Lion,* rugit, grogne. *Loup,* hurle. *Marmotte,* siffle. *Merle,* siffle, appelle, babille, flûte, chante. *Mésange,* zinzinule. *Milan,* huit. *Moineau,* pépie, chuchète, chuchote. *Mouche,* bourdonne (bruit fait avec ses ailes). *Mouton, bélier,* bêle. *Oie,* cacarde, criaille, siffle, cagnarde. *Oiseaux de nuit,* ululent. *Ours,* gronde, grogne, hurle. *Panthère,* rugit. *Paon,* braille, criaille, paonne. *Perdrix,* cacabe, rappelle, pirouitte, glousse. *Perroquet,* piaille, parle, siffle, jase, cause. *Perruche,* jacasse, siffle. *Phoque :* bèle, grogne, rugit. *Pie,* jacasse ou jase. *Pigeon,* roucoule ou caracoule. *Pingouin, baudet :* brait. *Pinson,* ramage, siffle, fringote. *Pintade,* cacabe, criaille. *Pivert,* picasse, peupleute. *Poule,* glousse, caquette, claquette, cocaille, coclore, codèque, coucasse ou crételle. *Poulet,* piaille. *Ramier,* caracoule, roucoule. *Rat,* chicote, couine. *Renard,* glapit, jappe. *Rhinocéros,* barète ou barrit. *Rossignol,* chante, trille, quirritte, gringote. *Sanglier,* grogne, grommelle, nasille ou roume. *Sauterelle,* stridule. *Serpent,* siffle. *Singe,* crie, hurle. *Souris,* chicote. *Taureau,* beugle, mugit. *Tigre,* rauque, feule, râle ou miaule. *Tourterelle,* gémit ou roucoule. *Vache,* beugle, mugit, meugle. *Zèbre,* hennit.

■ **Décharges électriques.** Tension le plus souvent faible (quelques volts) pour communication et électro-localisation, et parfois élevée (jusqu'à 700 volts) pour attaque ou défense par électrocution. *Electrophorus electricus* (anguille électrique ou improprement « Gymnote »), poisson d'eau douce de l'Am. du S. : peut émettre une décharge de 400 volts d'1 ampère. Il est le seul pratiquant l'électro-localisation et l'électrocution, grâce à des générateurs distincts. *Malaptérures* (silures électriques), 2 espèces, Afrique, électrocution : 400 volts. *Torpille* (mers), électrocution : 45 volts. Les Romains, constatant que les décharges des torpilles soulageaient les rhumatismes et maux de tête, prescrivaient des applications de torpilles récemment pêchées à leurs malades. *Gymnarques, Mormyres* ou *Poissons-Éléphants* (Afrique) et *Gymnotes vrais* (Am. du S.) : électro-localisation.

Les pêcheurs sud-américains pêchent les anguilles électriques à main nue, après avoir immergé une carcasse d'animal contre laquelle les poissons déchargent toute leur électricité.

■ **Défenses.** **Les plus longues :** Mammouth laineux 5,02 m (courbure externe). Éléphant droite 3,49 m, gauche 3,35 m (poids total 133 kg). **La plus lourde :** Mammouth 150 kg (90 cm de circonférence max., long. env. 3,60 m), Éléphant 117 kg ; *paire :* Mammouth 226 kg (long. 4,20 et 4,15 m), Éléphant 211 kg (3,11 m et 3,18 m). Quelques cas d'éléphants d'Afrique à 4 défenses ; 1 cas à 6 (atrophiées). Voir Index.

■ **Denture record.** *Poisson-chat :* 9 280 dents. *Dauphins* (certains) : 260 (plus que n'importe quel autre mammifère). *Cachalot :* 40 dents sur sa mâchoire inférieure. *Narval :* 2 à la mâchoire sup. chez le mâle, dont une incisive unique en défense torsadée pouvant atteindre 3 m. *Baleine franche* (comme tous les cétacés à fanons) : pas de dents, mais 700 fanons de 2,70 m à 3,60 m de long (60 cm chez le Rorqual bleu) qui retiennent le plancton sur la mâchoire supérieure, la mâchoire inférieure recevant la langue qui « prélève » dans les fanons le « krill » retenu. *Morse* mâle : la canine supérieure peut atteindre 80 cm.

■ **Distances.** **Animaux marins :** *Thon albacore* peut parcourir 8 800 km en 11 mois (du sud-est de Tōkyō au large de Los Angeles). *Saumons* fraient en eau douce et parcourent environ 3 000 km. *Larves d'anguilles* 7 000. **Oiseaux :** *capacités :* d'une seule traite : *courlis de l'Alaska* 3 300 km, *colibri* 1 100, *fauvette, gobe-mouches* 1 000, *aigle* 300, *foulque* 730 km en 2 j, *tournepierre* (petit échassier) 825 km en 25 h. *Pie-grièche écorcheur* 700 km en 20 h (traverse la Méditerranée en 12 ou 13 h, met 3 mois pour arriver en Afr. du S. en automne, et 2 mois pour revenir en Europe au printemps ; parcourt environ 500 km chaque nuit). *Traquet-motteux* 15 000 km. Certains parcourent plus de 19 000 km 2 fois par an (ex. : la *sterne arctique,* de l'Arctique à l'Antarctique, ou le *pluvier doré,* qui pourrait parcourir 5 200 km sans escale ; une sterne a parcouru 22 530 km). *Cigognes* de 10 000 à 20 000 km (325 km/j). Un *pigeon* a volé de Saigon (Viêt-nam) à Arras (France) 11 265 km (8-15 sept. 1931). Un *albatros hurleur,* contrôlé avec une balise Argos (180 g) fixée sur son dos, parti des îles Crozet le 1-2-1989 et revenu le 5-3, a parcouru 15 200 km en 33 j (moy. 56,1 km/h, maxi 81,2 km/h). **Autres animaux :** certains *manchots,* incapables de voler, parcourent à la nage 1 000 km et reviennent à leur plage d'origine pour y élever leurs petits. Les *criquets* 1 000 à 1 500 km en vols de 50 km de large comprenant 250 milliards d'individus. En 1988, des *Criquets pèlerins,* poussés par les vents à partir de l'Afrique, ont, pour la première fois, atteint les Antilles. Un *puceron* peut parcourir de 1 000 à 2 000 km par jour, avec des courants favorables.

Un *Fox-terrier* a parcouru 2 720 km pour rejoindre son maître. On connaît de nombreux autres cas comparables chez les chiens et les chats.

■ **Envergure** (en mètres). **Animaux ailés :** *Albatros hurleur* 3,50 (longueur 1,20 m ; 8 kg). *Condor* 3,20 (2,80 m en moy.) (longueur 1,20 m ; 9 kg). *Albatros migrateur* 3,15 (max. 3,63). *Vautour de l'Himālaya* 2,90. *Vautour moine* 2,87 (7 kg). *Gypaète barbu* 2,80 (6 kg). *Pélican blanc* 2,75 (10 kg). *Pygargue à queue blanche* 2,75 (10 kg). *Marabout d'Afrique* 2,50 (max. 4,06). *Cygne* jusqu'à 3,65, moy. 2,50 (20 kg). *Aigle royal* 2,30 (5 kg). *Grue blanche* 2,28 (6 kg). *Outarde barbue* 2,20 (11 kg). *Frégate superbe* 2,10. *Hibou pêcheur* 1,89 (2 kg). *Kalong* 1,70 (900 g). *Grand Corbeau* 1,20 (1 200 g). *Corneille* 1 (500 g). *Pigeon ramier* 0,75 (500 g). *Perdrix grise* 0,50 (400 g). *Papillon de nuit* (Australie tropicale, Nlle-Guinée) 0,36. *Papillon* (Thysania agrippina du Brésil) 0,31. *Papillon* (Nlle-Guinée) 0,28 (25 g). *Sauterelle de N.-Guinée* 0,25. *Araignée* (Lasiodora) 0,28. *Libellule* (Amér. du S., Bornéo) 0,19 (12 cm de long). *Chauve-souris Bismark* 0,18 (2 g). *Papillon* 0,02. *Oiseau-mouche abeille* 0,02 (1,5 g). *Johanssonia acetosae* (lépidoptère) 0,002. **Animaux aquatiques :** *Calmar géant Architeuthis* 18, *Raie manta* 7, *Crabe Macrocheira du Pacifique* 3,50. *Tortue luth* 3.

■ **Euthanasie.** Des éléphants achèveraient leurs blessés à coups de défense.

■ **Fourmis.** 7 000 espèces (2 000 en Europe, 100 en France). *Taille : 0,8 à 4 cm. Fourmilières : fourmi rousse (Formica rufa)* dans 1 m³, 400 000 fourmis, dont la reine, seule fertile. *Géante :* fourmilière de la *Formica polyctena,* plusieurs millions de fourmis et jusqu'à 5 000 reines. *Vie des adultes :* neutres (ouvrières) : quelques semaines, reine : jusqu'à 12 ans (pond des milliers d'œufs chaque jour pendant plusieurs années).

■ **Free-martin (ou vache-bœuf).** Terme d'éleveur : génisse intersexuée (plus rarement un animal d'une autre espèce : brebis, chèvre, etc.). Quand une vache porte 2 embryons faux jumeaux de sexes différents, les hormones du mâle peuvent gagner, par le sang, l'embryon femelle et le « masculinisent ». Demeure stérile toute sa vie et a l'aspect d'un bœuf castré.

■ **Gestation** (durée en jours). *Opossum* 12-13 (min. 8). *Hamster doré* 16. *Souris* 21. *Rat* 22. *Lapin* 30. *Taupe* 40. *Lièvre* 42. *Renard* 54. *Hérisson* 58. *Chat* 60. *Chien* 63. *Loup* 68. *Cobaye* 68. *Lynx* 70. *Panthère* 93. *Lion* 106. *Porc* 115. *Castor* 128. *Mouton* 150. *Chèvre* 150. *Gazelle* 160. *Chamois* 165. *Hippopotame* 200. *Ours brun* 240. *Daim* 240. *Renne* 246. *Morse* 260. *Chevreuil* 270. *Homme* 270. *Phoque* 276. *Vache* 280. *Chameau* 320. *Cheval* 335. *Baleine* env. 335. *Marsouin* 360. *Ane* 375. *Zèbre* 375. *Girafe* 440. *Cachalot* 480. *Rhinocéros* 560. *Éléphant* 609-760. *Salamandre noire des Alpes* 1 160 (si elle vit au-dessus de 1 400 m d'alt.).

Mise bas. *Biche* faonne, *brebis* agnèle, *chatte* chatte, *chèvre* chevrote ou chevrette, *chevrette* faonne, *chienne* chienne, *daine* faonne, *hase* levrette, *jument* pouline, *lapine* lapine, *louve* louvette, *truie* cochonne, *vache* vêle.

■ **Habitat.** **Désignation :** *Aigle :* aire [l'aigle belliqueux bâtit son aire (mesurant jusqu'à 4,80 m) dans les arbres à 15-25 m]. *Bouc :* étable. *Chevreuil :* bois. *Cochon :* soue. *Faisan :* faisanderie. *Lapin :* terrier. *Lièvre :* gîte, fort, antre. *Ours :* tanière. *Pigeon :* colombier. *Sanglier :* bauge. *Serpent :* repaire. *Souris :* trou, tanière. *Taureau :* bouverie. *Tigre :* repaire. *Tourterelle :* colombier. **Profondeur maximale :** POISSONS : *Charcanopsetta lugubris* 10 912 m, *Bassogigas profundissimus* 7 160 m ; CRUSTACÉ : *Amphipode* 10 500 m ; ÉTOILE DE MER : *Porcellanaster ivanovi* 7 584 m ; ÉPONGES 5 637 m.

■ **Hibernation.** La température du corps s'abaisse. L'animal diminue sa consommation d'oxygène et utilise, goutte à goutte, ses réserves de graisse, le rythme cardiaque s'abaisse également.

Marmotte. S'endort l'hiver dans son terrier pour 6 mois. Ses battements de cœur passent de 88 à 15 par min, ses mouvements respiratoires de 16 à 2, sa température interne de 38/40 à 4,5 °C, sa consommation d'oxygène est 20 fois moindre. En 160 j, elle perd 1/4 de son poids. En pleine hibernation (janv.) se réveille tous les 10/12 j, à la fin (mars) tous les 5/6 j (inactive 80 % de ce temps) pour toilettage, arrangement du « nid », défécation et pour se réalimenter (écureuil : tous les 15 à 20 j, chauve-souris : tous les 30 j, sa température pouvant atteindre 3,5 °C). En cas de froid excessif, elle peut reprendre en 2 ou 3 h et pour 1 ou 2 j sa température d'été. *Autres animaux.* Petit écureuil 9 mois, siciste des bouleaux (rongeur de 13 g) 8 mois, engoulevent de Nutall 88 j.

■ **Hybrides.** Obtenus le plus souvent en captivité par croisement artificiel de 2 espèces différentes, ils sont généralement stériles mais il arrive parfois que l'un des sexes soit fécond.

Âne + Jument : Mulet stérile ou Mule parfois féconde. *Ânesse + Étalon :* Bardot. *Âne + Zèbre :* Dozed ou Donzèbre. *Bélier + Chèvre :* Mouchèvre (obtenu en 1983 en G.-B. par « chimère » embryonnaire) ou Musmon. *Bœuf + Bison :* Cattalo. *Bouc + Brebis :* Ovicapre. *Canard de Barbarie + Cane domestique :* Mulard. *Canard pilet + Canard col-vert. Chameau à 2 bosses + Dromadaire. Cheval + Ânesse :* Bardot ou Bardine. *Cheval + Zèbre :* Zébroïde ou Zébrule. *Chien + Chacal. Faisan-Poule :* Cocquard. *Gibbon + Siamang* (grand gibbon de Sumatra à 50 chromosomes) : Siabon. *Grand Tétras + Tétras-lyre. Jaguar + Panthère :* Jaguapard. *Jaguar + Lionne :* Jaguarion. *Panthère + Lionne :* Léopon. *Lièvre + Lapin :* Léporide (semble parfois viable). *Lion + Tigresse :* Ligre. *Loup + Chienne :* Crocotte. *Mouette rieuse + Mouette mélanocéphale. Mouton + Chèvre :* Chabin (1985, École vétérinaire de Nantes). *Porc + Laie* ou *Sanglier + Truie :* Cochonglier. *Serin et Chardonneret :* Mulet. *Tigre + Lionne :* Tigon (ou Tigron). *Triton à crête + Triton marbré :* Triton de Blasius. *Zébu + Yack :* hybride mâle stérile (zopiok), hybr. femelle parfois fécond (zoom).

Autres hybrides. De nombreuses espèces de papillons ; certains hybrides sont féconds ; les *oies et canards,* notamment entre les divers Fuligules (*Milouin + Morillon* par ex.), et même *Oie rieuse + Bernache nonnette.*

Nota. – Le *Jumart,* prétendu hybride de *Taureau* et de *Jument,* relève du canular ou de la légende, comme le *Catbit* (*Chat + Lapin*).

■ **Insectes.** **Marin :** une seule espèce, l'*halobate* (punaise), glisse sur l'eau (de 2 à 3 km/h), n'a pas d'ailes, vit de plancton, de petits poissons, pond ses œufs sur n'importe quel objet flottant, habite les mers du Sud-Est asiatique. **Poids :** *scarabée* goliath de 70 à 100 g. **Longueur (cm) :** *phasme* géant (Indonésie) 40, *phalène* érèbus 30, *scarabée* longicorne 27 (antenne 19). *Myriapode* (golfe du Bengale) 33 (38 de large). *Libellule* (Am. centrale et du Sud) 12, envergure 19. *Scarabée* Goliath 12. *Papillons de nuit* (Johanssonia acetosea, G.-B. et Stigmella ridiculosa, Canaries) 0,02, *microguêpe* mymar 0,03. **Saut :** *puce* hauteur 20 cm, longueur 33. **Vitesse :** *mouche oestre* du daim 39 à 58 km/h.

■ **Lait** (% de protéines, de graisses entre parenthèses et de glucides en italique). *Chatte* 11 (109) *34. Chèvre* 42 (41) *46. Chienne* 93 (85) *28. Femme* 16 (34) *64. Marsouin* 111 (458) *13. Renne* 102 (224) *25. Vache* 34 (34) *48.* [Record : 90 kg (1 jour), 25 247 kg (365 j)].

■ **Lombrics géants.** France (Vosges, Provence, Aveyron, Languedoc, Pays basque, etc.) : 60/70 cm, 1 m ou plus quand ils s'étirent. Amérique du Sud, Afrique et Australie : jusqu'à 3 m. Voir aussi Biomasse.

■ **Longévité** (en années ; entre parenthèses, records exceptionnels connus). *Abeille mâle* quelques semaines (1/2). *Abeille ouvrière* (de 1 à 6 mois). *Abeille reine* (5). *Aigle* (47). *Alligator* 56. *Ane* 18-20 (46). *Anguille* 5 (55 en élevage). *Anguille électrique* (11 1/2). *Antilope addax* (25). *Araignée* (26). *Autruche* (68). *Baleine* 80. *Belette* 8. *Boa constrictor* (40 a., 3 m., 14 j). *Bigorneau* (3). *Bovins* (30). *Cacatoès* 60 (80). *Cafard* (4 1/2). *Calmar* (4). *Canard* 15 (20 1/2). *Canari* 12-15 (34). *Carpe* 30 (50). *Castor* 20. *Cerf*

QUELQUES NOMS DE LARVES D'INSECTES

Asticot : mouche. *Chenille :* lépidoptère (papillon). *Chenille processionnaire :* chen. de papillons du genre Thaumetopoea. *Diablotin :* empuse. *Portefaix :* phrygane (ou porte-bois). *Ver blanc :* hanneton. *V. coquin :* chenille de conchylis. *V. de farine :* ténébrion (coléoptère). *V. fil de fer :* taupin (coléoptère). *V. gris :* chenille de la noctuelle des moissons. *V. militaire :* certains diptères (sciaridés) forment de longues colonnes qui rampent sur le sol. *V. à queue :* eristale (diptère). *V. à soie :* chenille du bombyx du mûrier. *V. de vase :* chironome (diptère).

☞ *Le fourmilion* doit son nom à sa larve qui chasse les fourmis. *Les tordeuses* sont des papillons dont les chenilles roulent les feuilles en « cigares ». *La nymphe* des lépidoptères est appelée chrysalide, celle des mouches la pupe. *Le cocon* est l'enveloppe de soie qui renferme une nymphe. Les œufs de poux sont appelés *lentes. Les œufs de fourmis* sont en réalité des nymphes. *Le couvain* est l'ensemble des œufs, larves et nymphes, chez l'abeille surtout.

rouge (28). *Chameau* (29 1/2). *Chamois* 20. *Chat* 13-17 (36). *Chauve-souris* (32). *Cheval* 20-25 (62). *Chèvre* 12 (18). *Chien* 8-15 (29 a. 5 m.). *Chimpanzé* 20-35 (55 1/2). *Clam à coquille* (kuahog) (220). *Cobra* (12 1/2). *Cochon d'Inde* 3 (14 a. 10 m. 1/2). *Condor des Andes* (70). *Coq à crête de soufre* (73). *Coquille St-Jacques* (2). *Corbeau freux* (20). *Corneille* 15. *Crapaud* (30 à 50). *Crocodile* jusqu'à 70 (en capt. 66). *Cygne* (29 1/2). *Daim* 10-15 (26). *Daphnie* 0,2. *Dauphin* (32). *Dinde* (12 1/2). *Drosophile* 0,1. *Écureuil* 8-9 (15). *Éléphant* 30, d'Asie (81). *Éponge* (50). *Escargot* 1 (30). *Esturgeon* 30 (48). *Esturgeon bélouga* 75 (118) (36 en mer Noire, 60 en Caspienne). *Étourneau* (16). *Flétan* (40). *Fourmi* (reine) (13). *Gibbon* (50). *Girafe* (33 1/2). *Goéland* (32). *Gorille* (39). *Grenouille* 5 (15 1/2). *Hamster* 2 (4). *Hamster doré* (19). *Hérisson* 4-7 (16). *Hibou* (68). *Hippocampe* (4 1/2). *Hippopotame* 30 (51). *Hirondelle* (8). *Homard* 30 (50), *américain* 50. *Huître* (12). *Huître perlière* 50-60. *Insecte* (Buprestidae, larves 47). *Jaguar* (23). *Jars* (49). *Kangourou* 10-12 (19 1/2). *Lapin* 6-8 (18 a. 10 3/4 m.). *Lézard* (54). *Limace* (1 1/2). *Lion* 10 (49). *Loup* 10-12 (16). *Mainate* 17-20 (30). *Maquereau* (15). *Martinet* (21). *Moineau* 10 (20). *Mouche* (76 j). *Moule d'eau douce* (60). *Moustique* (1 1/2). *Mouton* 12 (26). *Oie* 15-35 (49 a. 8 m.). *Oiseau-mouche* (8). *Opossum* (7). *Orang-outan* (59). *Orque épaulard* (90). *Ours* 15-20 (34 1/2). *Pélican* (52). *Perroquet* 35-40 (gris d'Afr. 72, d'Amazonie 104). *Perruche* 10-12 (29 a.). *Phoque gris* (î. Shetland 46). *Pieuvre* (4). *Pigeon* 10-12 (35). *Pinson* 10-18. *Pogonophores* (invertébrés marins) : pourraient vivre env. 200 000 ans, si l'on tient compte de la vitesse très lente avec laquelle croît le tube dans lequel ils vivent. *Poisson rouge* (41). *Poney* (54). *Porc* 10 (27). *Porc-épic* de Sumatra (27 a. 3 m). *Poule* 7-8 (20). *Poulet* (30). *Punaise* (1 1/2). *Rat* 3 (5 a. 8 m.). *Raton laveur* (14). *Renard* 8-10 (14). *Rhinocéros* 36 (40). *Rossignol* 3-8. *Roussette des Indes* (31). *Salamandre du Japon* (55). *Sangsue* 27. *Sansonnet* 10-20. *Saumon* (13). *Scarabées* Buprestidae + de 30 ans à l'état de larve (Buprestidae aurulenta 47). *Serpent* (6), *à sonnette* (19 1/2). *Silure glane* 60. *Singe* (50). *Souris* 1-3 (7 a. 6 m.). *Sterlet européen* 27. *Tanrec* (16). *Tarentule* (20). *Taureau* (30). *Termite* (15). *Thon* (7). *Tique* (4). *Tortue* 20, géante terrestre 152-200 (record chez les vertébrés) ; la tortue géante du Jardin des Plantes de Paris y est entrée en 1878 ou 1929, à 40 ans min. ; elle a au moins 100 ans et c'est le plus gros spécimen connu. *Tortue marine* (88). *Tortue de Caroline* (138). *Tourterelle* 15-18 (25). *Truite* (41). *Vache* 9-12 (25). *Vautour* (41 1/2). *Ver de terre* (6). *Ver solitaire* (35). *Vison* (10). *Vombatus ursinus* (marsupial) (26). **Vie courte.** *Ephémères* (insectes), vie adulte : de 1 h à quelques semaines suivant les espèces. *Bombyx du mûrier* (papillon du ver à soie) 24 h. *Phryganes* : de 4 j à quelques semaines. *Poux* et certains *hyménoptères* : quelques semaines.

■ **Mammifères du désert.** ONGULÉS : **Bovidés :** *Addax ; Gazelle dorcas ; Oryx algazelle ; Mouflon à manchettes. La gazelle de Grant* possède un système artériel à contre-courant qui amène au cerveau un sang rafraîchi au niveau du museau. Pour tous, un pelage épais amortit le rayonnement solaire (à l'extérieur 70° ; à l'intérieur 40°). **Camélidés :** *Dromadaires.* Ils sont adaptés à la sécheresse : leurs urines quotidiennes ne dépassent pas 1/1 000 de leur poids ; ils respirent par coups brefs, ne perdant pas d'humidité par la langue et le museau.

■ **Migrations d'oiseaux.** La tendance à migrer est déclenchée par la diminution de la longueur du jour ; ils accumulent alors des réserves de graisse (50 % de leur poids), source d'énergie pour la migration. Ils volent de 6 à 8 h par jour à 30-40 km/h (alouettes), à 100-110 km/h (sarcelles). Environ 600 millions d'oiseaux européens viennent en Afrique passer l'hiver. De 400 à 600 millions d'oiseaux migrateurs survolent la France à l'automne et au printemps. Certains oiseaux envahissent l'Europe occidentale l'hiver. Oiseaux nordiques : ex. *bec-croisé des sapins* (ex. en 1990-91), *casse-noix moucheté, jaseur boréal* (autrefois accusé d'annoncer la guerre ou la peste), *roitelet huppé.* d'Asie : *syrrhapte* paradoxal (dernière invasion 1908). Voir Distances p. 161 a et Orientation p. 163 b. **A pied :** oies sauvages (quand la mue des ailes les empêche de voler), râles, foulques, dindons sauvages. **A la nage :** manchots, grand pingouin (autrefois), petit pingouin, guillemot, fou de Bassan, tadorne, harle bièvre (surtout les jeunes).

■ **Mouches et moustiques.** Ordre des diptères (à une seule paire d'ailes). + de 100 000 espèces (dont 36 familles). *Plus grands :* mydas d'Amérique (8 cm de long), tipule de France (4 cm). *Plus petits :* (– de 1 mm) : mouches au sens strict (muscidés), 1 000 esp. européennes. Pondent 300 à 500 œufs (10 j après, ce sont des adultes reproducteurs). *Moustiques (culicidés) :* 2 000 esp. dont 50 en France. Peuvent voler 35 h sans nourriture (7 h chez l'abeille). 600 battements d'ailes par seconde. Seules les femelles piquent : le sang absorbé est un apport énergétique nécessaire pour la ponte. Le moustique nous repère grâce à un dégagement de gaz carbonique au niveau de la peau. L'effet anesthésiant de sa salive passé, les protéines anticoagulantes injectées provoquent des irritations.

■ **Nage.** Des *Élans* vont parfois de Suède au Danemark. Des *Sangliers* iraient de Provence en Corse. Voir aussi migrations.

■ **Nid. Le plus petit :** *Colibri calliope :* diamètre interne 19 mm, hauteur 30 mm. **Les plus grands :** *Cigogne,* jusqu'à 500 kg (branches et terre). *Lupoa ocellé* (Australie) hauteur 4,60 m, diamètre 10,50 m, 300 kg de matériaux. En fait, il s'agit plus d'une « couveuse » que d'un vrai nid. *Aigle royal* (except.) 4,5 m. *Pygargue* (ou *aigle de mer*), nid jusqu'à 2,9 m, prof. 6 m, 2 kg. L'*hirondelle de cheminée* fait environ 1 000 voyages avec de la boue dans le bec pour édifier son nid, formé de 750 à 1 400 boulettes de terre. Un nid de *crocodile* contient env. 60 œufs (développement 2 ou 3 mois).

■ **Odorat.** Le *chien* peut mémoriser plus de 100 000 odeurs. Le *petit paon de nuit* décèle sa femelle à 11 km ; la quantité de substance odorante (phéromone) émise par celle-ci serait suffisante pour attirer un trillion de mâles. La *truie* est attirée par la truffe car celle-ci contient une substance odorante semblable à celle sécrétée par le verrat. Un *doberman pinscher* a suivi un voleur sur 160 km. Un *colley* a retrouvé ses maîtres à 3 200 km (intervention d'un sixième sens ?). *Oiseaux :* en général dépourvus d'odorat (quelques exceptions : kiwis, pétrels, vautours).

■ **Œil.** *Le plus grand :* calmar géant, diam. 38 cm.

☞ **Le cheval** est le mammifère à l'œil le plus grand [diam. : 55 mm ; sa rétine n'a que 12 500 fibres nerveuses par mm² (homme : diam. 24 mm, fibres 160 000 mm²)].

■ **Œufs. Oiseaux :** nombre d'œufs par ponte : *albatros, manchot, pingouin, pétrel, grands rapaces* 1. *Colibri, pigeon* 2. *Mésange* 8 à 10. *Canard sauvage* 8 à 12. *Autruche* 10 à 15. *Perdrix* 8 à 20. **Animaux d'élevage** (par an) : *Poules* près de 300 (max. 371). *Oie* (except.) 50 œufs en 3 mois. *Cane* (except.) 457 œufs en 463 jours. **Poissons** (par an) : *Carpe* 100 000 à 300 000 par kg (une seule ponte à chaque cycle reproducteur), soit 40 000 pour une femelle de 40 cm, 2 000 000 pour une de 85 cm (1,2 à 1,5 mm de diam.). *Lotte de rivière* 1 000 000 par kg, soit 300 000 à 400 000 jusqu'à plus de 3 000 000 pondus en plusieurs fois à chaque cycle (1 à 1,5 mm de diam.). *Poisson-lune* 300 000 000 pondus par une femellle de 1,50 m (cette espèce peut atteindre 4 m, ce qui conduit *théoriquement* à plus de 5 000 000 000 d'œufs !) (1,3 mm de diam.). **Insectes** (par an) : *Termite* jusqu'à 10 000 000 (20 000 par jour). *Abeille* 25 (osmies, abeilles sauvages) à 200 000 (abeilles domestiques). *Mouche* 200 à 400. *Criquet* 100. *Hanneton* 20. *Mouche tsé-tsé* 8 à 10 dans leur vie (3 mois). *Scarabée sacré* 2. **Vers :** *Ascaris* de l'homme ou du cheval 64 000 000 soit 1 700 fois son poids. *Ténia* 80 000 000.

Taille des œufs (en mm) : *Æpyornis maximus* (oiseau fossile de Madagascar) 340 × 240, 856 × 723. *Dinosaure* (Hypselosaurus priscus) 300 × 140 × 90. *Requin-baleine* 300 × 140 × 90 (1953, dans le golfe du Mexique). *Autruche* 150/200 × 100/150 (1 650/1 860 g, except. 2,3 kg) [cuisson à la coque : 40 min, coquille 1,5 mm d'épaisseur]. *Oie* 680 g (record), 340 × 240. *Nandou* 135 × 94 (570 g). *Cygne muet* 120 × 75 (370 g). *Poule domestique* 454 g ; 31 × 23 cm. *Aigle royal* 77 × 59 (145 g). *Alouette des champs* 24 × 17 (3 g). *Mésange* 14 × 11 (0,8 g).

Incubation : *oiseaux :* chez 54 % d'entre eux, les œufs sont couvés alternativement par le mâle et la femelle, 25 % par la femelle seule, 6 % par le mâle seul, 15 % de cas indéterminés. Les *Mégapodes* (7 espèces ; de la taille d'un pigeon ou d'un dindon : Australie, Célèbes, N.-Guinée) ne couvent pas : ils pondent leurs œufs au milieu de végétaux en cours de décomposition : la chaleur de fermentation assure l'incubation. Le *coucou* pond ses œufs (de 5 à 12 env.) dans le nid d'environ 50 espèces (fauvette, rouge-gorge, bergeronnette, troglodyte, rousserolle, etc.).

DURÉE EN JOURS : *Gros-bec* 9 à 10. *Coucou à bec noir* 10. *Passereau* (la plupart) 12 à 15. *Mésange, fauvette, moineau* 13. *Rouge-gorge, pinson, grive* 14. *Hirondelle, merle* 15. *Pigeon* 17. *Poule* 21. *Faisan* 26 à 27. *Canard* 28. *Dindon, héron, oie* 28. *Pintade* 28 à 30. *Faucon* 29. *Cigogne* 30. *Flamant* 30. *Grand duc* 35. *Cygne* 40 à 45. *Autruche* 50. *Vautour* 54 à 60. *Mégapode* 65. *Albatros hurleur* 75 à 82. *Kiwi* 80.

■ **Oiseaux. Espèces ayant niché pour la première fois en France ces dernières années :** *Bécasseau variable :* Finistère (1977). *Busard pâle :* tentative dans les Ardennes en 1990. *Cigogne noire* (1977) : Jura, Pays de Loire, Hte-Marne. *Élanion blanc* (petit rapace) : Sud-Ouest (1990). *Grue cendrée :* Orne (1 couple) en 1986 ; nidification possible dans le Sud-Ouest. *Locustelle fluviatile :* Alsace. *Pluvier guignard :* Pyrénées. Espèces occasionnelles d'autres continents) : oiseaux de haute mer (Albatros, Pétrels, Puffins, etc.) sur les côtes, déportés par les vents ; espèces nord-américaines (petits échassiers, Bruants, etc.) traversent parfois l'Atlantique ; oiseaux africains et asiatiques dans les régions méditerranéennes, notamment. Une origine captive est parfois possible.

Principaux oiseaux exotiques introduits en Europe, avec région d'origine et pays où ils sont implantés : Afrique : *oie d'Égypte* (G.-B., France) ; Afr. tropicale : *ibis sacré* (France), *sénégali ondulé* (Portugal) ; Afrique, Asie : *perruche à collier* (divers pays). Am. du N. : *bernache du Canada* (G.-B., Scandinavie, hiverne et niche en France), *érismature rousse* (G.-B.), *colin de Virginie* et *c. de Californie* (France). Am. du Sud : *flamant du Chili* (Allemagne). Asie : *oie à tête barrée* (Suède, Norvège) ; Asie orientale : *faisan doré* et *faisan de lady Amherst* (diverses régions), *faisan vénéré* (France notamment), *canard mandarin* (G.-B.).

Oiseaux parleurs : *Perroquet* aurait appris 1 000 mots. *Mainate. Étourneau. Corbeau. Corneille. Pie. Geai. Alouette calandre. Ménure (Oiseau-lyre) ;* éventuellement d'autres passereaux.

Plumes : *Nombre habituel* 1 000 à 30 000 (soit 10 % du poids). *Cygne siffleur* 25 216. *Oiseau-mouche* 940. *Coq phœnix* (Japon) possède les plumes les plus longues : jusqu'à 6 m (max. 10,60 m).

Transport des jeunes en vol : *Bécasse* un par un entre ses pattes ou sur le dos, quelquefois sur plus de 100 m. D'autres échassiers entre leurs pattes. *Tadorne* par le bec.

■ **Organes génitaux (volume).** *Éléphant* (1,5 m, 25 kg). *Baleine bleue* (érection : 2,4 m ; par rapport au volume de l'animal, représenterait env. 12 cm pour l'homme). *Gorille* (érection 5 cm). **Record** (proportionnellement à la taille) : la *puce* (pénis 1/4 de sa longueur + 2 pénis subsidiaires).

■ **Pattes. Records :** plusieurs centaines de paires pour certains *myriapodes (mille-pattes) :* les espèces européennes en ont 30 ou 40 environ. Certains millipèdes ont des pattes de 28 cm de long et 2 cm de diam. L'*Illacme plenipes* (Californie, USA) en a 375 paires. Certains *crustacés* ont également de nombreux appendices (14 pattes pour les cloportes).

■ **Plongée.** CÉTACÉS : cachalot peut plonger de 1 200 à 2 500 m sous l'eau pendant 90 min, parfois à + de 3 000 m pour trouver sa nourriture. *Dauphin* 200 à 300 m, pour chasser 600 m, pendant 20 min. max. *Hypérodon* atteindrait 1 300 m et resterait 2 h sous l'eau. Record 1 134 m (pression 118 kg/cm²). *Éléphant de mer* 630 m (record 1 250 m). *Phoque de Weddel* 600 m pendant 45 min. *Manchot empereur* 250 m pendant 18 min (except. 265 m). *Manchot royal* 350 m.

■ **Portées. Records :** *brebis* 8, pas de survivant, *chat* 19 dont 15 survivants, *chien* 23 (saint-bernard, fox), *lapin* 8 à 12 (Blanc de N.-Zélande), *souris* 34, *tanrec sans queue* 31 (30 survivants) moyenne 12 à 15 (les femelles se reproduisent de 3 à 4 semaines après la naissance), *truie* 34.

■ **Prix. Records :** *cheval de course* 40 000 000 $ (Shareef Dancer en 1983). *Couple d'orques,* estim. 20 000 000 $ (Orky et Corky en 1985). *Poulain* (Seattle Dancer en 1985) 13 100 000 $. Chat (Singapour en 1988) 10 000 $. *Pigeon* (en 1991) 850 000 F. *Faucon pèlerin,* un des animaux les plus chers (recherché par les émirs).

■ **Régénération.** Développement d'un organe ou d'une partie de l'organisme après son amputation. Si la cicatrisation consiste en la « réparation » d'un tissu par les cellules de celui-ci, la régénération implique l'action de cellules indifférenciées ou différenciées. Elle existe chez cnidaires, échinodermes, annélides, crustacés, plathelminthes, vertébrés (surtout amphibiens et reptiles, assez peu chez les oiseaux et les mammifères). Ainsi, un bras coupé d'étoile de mer repousse rapidement. Un bras isolé, auquel on a laissé une portion du « disque central », peut reconstituer une astérie entière. *Autotomie :* amputation volontaire d'un organe, par un animal, pour échapper à un ennemi. Le crabe se débarrasse ainsi de ses pattes, et le lézard de sa queue. L'organe amputé se régénère ensuite.

■ **Reproduction. Records :** la *paramécie* (infusoire d'un millionième de milligramme) se reproduit surtout par division transversale. Après 15 j, elle pourrait avoir 1 t de descendants ; au bout d'1 mois, leur masse égalerait celle de la Terre ; après 5 semaines, celle du Soleil... *Puceron du chou (Brevicoryne brassica) :* 822 millions de t de descendants en 1 an.

Quelques animaux prolifiques : *Lapin :* 24 lapins introduits en 1874 en Australie avaient, en 1949, 5 milliards de descendants. *Campagnol :* peut avoir 200 descendants par an. Certains se reproduisent jusqu'à 15 ans. *Rat :* peut avoir 3 à 14 petits 2 à

7 fois/an (soit 100 petits), et 20 millions de descendants en 3 ans. *Douve du foie de mouton* (ver parasite) : pond 100 millions d'œufs, mais n'a que 2 descendants.

Chez les *insectes sociaux,* il y a des *neutres* asexués (mâles ou femelles ayant une alimentation plus réduite que les autres membres de la colonie) : ouvrières des abeilles et des fourmis ; soldats et ouvriers des termites, des *mâles féconduers* (Ex : vol nuptial de *l'abeille*), des *femelles pondeuses* (reines fécondées par plusieurs). A l'automne, les ouvrières chassent de la ruche les mâles d'abeille (ou faux-bourdons), ce qui les condamne à mort.

■ **Requins.** 354 espèces connues. **Non dangereux** (tout au moins à proximité des plages) : *r. pèlerin* pêché pour son huile, peut atteindre 12 m et peser 6 t, ne mange plus que du plancton, se rassemble en groupe pouvant aller jusqu'à 300 ; *r. baleine* se nourrit de plancton ; *r. taupe* de 3 m à 3,50 m dont le foie donne de l'huile et dont la peau est utilisée en maroquinerie ; *r. renard* peut atteindre de 5 à 6 m ; *r. nourrice ; r. de sable ; roussettes* ou *chiens de mer* sont petits. **Dangereux :** *r. blanc* peut atteindre 6 m et peser jusqu'à 3 t, *r. marteau, r. tigre* et *r. mako* (le plus rapide : 50 km/h) peuvent attaquer les baigneurs en Australie, en Afr. du S., sur les côtes de l'océan Indien, dans le Pacifique ou sur la côte Atlantique des USA jusqu'au cap Horn. *R. bleu* ou *peau bleue* de 3 à 6 m (flancs d'un bleu intense), a un comportement dangereux dans les eaux chaudes tropicales ; vivipare, portée de 4 à 6 jeunes, 50 cm à la naissance ; *r. taureau. L'aiguillat noir* ou *sage* (45 cm) est le + petit requin de l'Atlantique. Le requin repère ses proies grâce à sa grande capacité à détecter le sang. 35 espèces de requins ont attaqué, au moins 1 fois, l'homme [des naufragés ou des pêcheurs pratiquant la chasse sous-marine (Polynésie)] surtout dans les eaux chaudes (Afr. du S., Australie, etc.).

■ **Résistance. Jeûne :** *grenouille* peut jeûner 12 mois, *vipère* 20, *python* 24, *serpent à sonnette* 27, *boas* 28, *scorpion* 36. Un *chien* est resté sans manger 47 j (record 112). On a retrouvé 16 *moutons* enfouis sous la neige depuis 50 j (1 survivant). *Oryx* et *addax* (antilopes d'Afrique) peuvent rester 4 mois sans boire. Certains rongeurs du désert ne boivent jamais. **Froid :** *carpe* ou *truite* peut être congelée à – 4 °C et revenir à la vie. *Mille-pattes* résiste à – 50, *oie* à – 100, *escargot* à – 120, *chien* à – 160, *moucheron* (Polypedilum vanderplanki) de – 270 °C à + 102 °C. **Respiration :** *Tuatara* ou *sphénodon* (reptile primitif) peut la retenir 60 min. **Force :** un *scarabée* pesant 0,25 g a pu porter sur son dos une charge égale à 850 fois son poids. Une paire de *chevaux* a tiré une charge de 55 t sur traîneau. Un *saint-bernard* de 80 kg a déplacé sur 4,57 m, en moins de 90 sec., une charge de 2,905 t. Un *escargot de Bourgogne* peut tirer 200 fois son propre poids. Un *cerf-volant* a tenu entre ses mandibules une baguette de verre pesant 200 fois son poids. Une *abeille* développe une force égale à 24 fois son propre poids, certains insectes jusqu'à 40 fois. Un *hanneton* supporte 400 g. Un *gorille* peut porter 850 kg.

■ **Sauts. En hauteur** (en m) : *homme* 2,40. Cheval 2,47. Puma 3. Saumon 3. Kangourou 3,1. Chien 3,58. Chamois, bouquetin 4,5. Dauphin 7. **En longueur** (en m) ; puce ordinaire 0,33. Grenouille 2 (max. 5,35 m ; 10,30 m en 3 bonds). Sauterelle 3 (grâce à la résiline, protéine se trouvant dans l'articulation et restituant 97 % de l'énergie impartie). Chamois, bouquetin 7. Ours polaire 5 à 8. Singe 8. Cheval 8. *Homme 8,95.* Chien 9,20. Antilope de 10 à 12. Kangourou 12,8. Panthère des neiges 15. **En profondeur :** un chat parvient à retomber de 6 m sur ses pattes, sans se blesser. Au-delà, il se brise un membre ou l'os du palais, et peut souffrir de lésions dans la rate. Plus il est lourd, plus il risque de se blesser ou de se tuer. Selon l'association américaine des vétérinaires : sur 22 chats tombés d'une hauteur de 7 étages (env. 25 m), 1 seul est mort sur le coup, 20 ont été blessés (principalement à l'abdomen), dont 1/3 de lésions graves et 1/3 de lésions sérieuses.

Pour le (la)	un saut en hauteur de	représente sa hauteur
Kangourou ..	400 cm	2,5 fois
Grenouille ...	48	6
Sauterelle	40	35
Puce	44	300

Pour le (la)	un saut en longueur de	représente sa hauteur
Kangourou ..	1 280 cm	8 fois
Grenouille ...	200	27
Sauterelle	120	100
Puce	32,5	200

■ **Sevrage.** *Le plus rapide :* tanrec 5 jours. *Le plus tardif :* éléphant de 4 à 7 ans.

■ **Sixième sens des animaux. Orientation :** grâce aux étoiles et repères terrestres (oiseaux, insectes, mollusques). Le pigeon voyageur se repère grâce au champ magnétique terrestre (ferro-magnétite dans son bulbe rachidien). Chiens ou chats retrouveraient leur maître à grande distance, grâce à « quelque chose » d'autre, encore inconnu : le « psy rampant ». **Télépathie :** chiens et chats retrouveraient leur maître grâce à une communication télépathique : un chien placé dans une pièce insonorisée s'agite si l'on fait mine d'attaquer sa maîtresse se trouvant dans une autre pièce. **Prémonition :** des chiens ont eu la prémonition de la mort ou la capacité de la ressentir à distance : ils s'agitent et hurlent à la mort au moment où leur maître décède. **Psychokinèse** (action du cerveau sur la matière) : un chat, des insectes, voire des œufs, seraient capables de divers exploits (ex. : faire s'allumer des lampes). **Chez les poissons.** Les « poissons éléphants » des grands fleuves africains (Congo, Niger, Nil, Volta) sont pratiquement aveugles ; ils se meuvent dans des eaux profondes et boueuses, où la visibilité est nulle. Ils dénichent leurs aliments (larves, vers, mollusques, petits crustacés) grâce à leur museau en forme de trompe qui leur a valu leur surnom d'éléphant. Ils émettent sans arrêt des décharges électriques de faible tension (1 à 2 V) et de faible intensité (quelques mA) qui créent autour d'eux un champ électrique suffisant pour permettre une électrodétection et une électrocommunication.

■ **Sommeil.** *Chat* 14 h par jour dont 27 % de sommeil paradoxal (sommeil de rêve). *Cobaye* 12 h dont 5 % de sommeil paradoxal. *Paresseux* et *opossums* dorment 80 % de leur existence. **Record :** 27 ans chez les vers nématodes (en raison de la sécheresse). Sommeil (anhydrobiose) fréquent chez les petits animaux des mousses tartigrades et anguillules.

■ **Son. Le plus aigu :** *Vampires* et *chauves-souris frugivores* émettent des sons 30 à 60 fois par min de 1 à 5/1000 de s, et captent avec leurs oreilles très développées les échos renvoyés par les obstacles, même les plus ténus (fils de Nylon). Le système est comparable à celui du sonar. En dépit d'un préjugé tenace, les chauves-souris ne se prennent pas dans les cheveux (car elles les détectent). *Éléphant :* possède dans le front un organe émetteur d'infrasons. **Perception des sons :** *Chauve-souris et vampires frugivores* jusqu'à 80 000 Hz, *Dauphin* jusqu'à 150 000 Hz, *Grenouille* de 50 à 10 000 Hz, *Homme* 20 000 Hz, *Insectes* 500 à 50 000 Hz, *Perroquet* de 40 à 14 000, *Poissons rouges* 80 à 4 000. **Le plus bruyant :** *Baleine bleue :* émet des sons de 188 dB détectés à 850 km. Le singe hurleur (*Alouetta*) peut s'entendre jusqu'à 16 km. La *cigale* mâle, 7 400 pulsations par min, émet un son perceptible à plus de 400 m.

■ **Suicides.** Il n'y a pas de suicides chez les animaux. *Scorpion :* cerné par les flammes, ne se tue pas volontairement en se piquant, mais il peut arriver que, terrifié, il se recroqueville et donne l'impression de se frapper de son aiguillon (en fait, il est immunisé contre son propre venin et on a pu ranimer des scorpions après leur « suicide » en les plongeant dans l'eau salée). *Lemmings* (rongeurs, voisins du campagnol) : vivant du nord de l'Europe à l'Asie arctique (les migrants ont moins d'un an, les femelles ne sont pas fécondées), ils quittent les Alpes de Scandinavie vers la mer du Nord ou le golfe de Botnie à la recherche de régions de bouleaux et de genévriers ; arrivés à la mer, ils la prennent pour un cours d'eau semblable à ceux qu'ils ont déjà traversés et vont ainsi se noyer d'épuisement. *Cétacés :* s'échouent en masse pour des causes variées : impulsion migratoire, dérèglement du sonar (des signaux sonores émis par l'animal lui sont renvoyés par des obstacles, ce qui lui permet d'en apprécier l'éloignement) ou des conditions de propagation, troubles dûs aux parasites dans l'oreille interne, obéissance aveugle au chef du troupeau, tempêtes hivernales, sonar des navires militaires et surtout variations du champ magnétique terrestre ; les « routes magnétiques » suivies par les cétacés les feraient s'échouer quand celles-ci sont perpendiculaires à une côte. 300 à 400 mammifères marins dont 150 dauphins, s'échouent tous les ans sur les côtes françaises. Des *dauphins* malades (ex : l'encéphalite) se sont parfois cogné la tête contre leur bassin et se sont tués.

Des *chats* ou des *chiens* se laissent parfois mourir après la mort de leur maître (dépression réactionnelle ou comportement suicidaire).

■ **Surdité.** Les serpents ne possèdent ni oreille interne, ni oreille externe, et sont sourds. Ils n'entendent pas la musique des prétendus « charmeurs de serpents » mais perçoivent seulement les vibrations du sol provoquées par les pieds battant la mesure.

■ **Taille et poids. Les plus grands :** (fossiles, voir Index). 1°) **Marins :** *méduse cyanée arctique géante* envergure 75 m (corps 2,28 m, tentacules 36,50 m) ; la plus petite, 2 cm. *Pieuvre géante* jusqu'à 66 m d'envergure (voir Index). *Lineus longissimus* 55 m. *Baleine bleue* ou *rorqual de Sibbald* 35 m, 150 t, la femelle peut peser 190 t. *Requin-baleine* 15 m, 16 t. *Calmar géant* 17,50 m (dont 14,95 m pour les tentacules), 2 t. *Régalec* 8 m. *Cachalot* 15 m (except. 20,7 m ; 25 m). *Requin pèlerin* (record 12,70 m, 15 t). **Divers :** *Arapaima d'Amazonie* 5 m, 200 kg. *Crabe-araignée géant* 0,30 à 0,35 m (pinces 2,45 à 2,75 m d'envergure, max. 3,65 m, 18,6 kg). *Crapaud marin* (Bufo marinus), une femelle : 0,26 m, 1,3 kg (except.) ; le plus petit : Bufo taitanus teiranus avec 2 cm. *Crocodile* 4 à 5 m, 400 à 500 kg, max. 6,20 m. *Éléphant de mer* 5 m, 2,3 t (max. 6,50 m, 5 t). *Éponge* (Loggerbead des Antilles) 2 m : record Hippospongia canaliculatta de 1,83 m, gonflée d'eau 41 kg, sèche 5,44 kg ; la plus petite : 3 mm (Leucosolenia blanca). *Espadon* 4 m, 300 kg. *Esturgeon Béluga* 9 m, 1 300 kg. *Étoile de mer* 1,38 m d'envergure (diam. au centre 2,6 cm, sèche 70 g), max. 63 cm d'env., 6 kg ; la plus petite mesure 18,3 mm, pèse 10 g. *Gobie* (poisson des îles Marshall) : 12 à 16 mm (le gobie nain pygmée d'eau douce 7,5 à 10 mm, 4 à 5 mg). *Grand requin blanc* 4,5 m, 500 à 750 kg (except. 6,4 m ; 3 313 kg). *Grenouille goliath* 34 cm, 81,5 cm pattes étendues (3,306 kg). *Homard américain* 1,06 m, 20 kg (max. 22 kg). *Octopus appolyon* (pieuvre) 3,7 m ; 25 kg (except. 7 m envergure, 53,8 kg). *Orque épaulard* (« baleine tueuse ») 7,5 m à 10 m. *Poisson-lune* 4,26 m (2,235 t). *Grande raie cornue* 8 m, 3 t (golfe du Mexique). *Rainette* 0,09 m, max. 0,14 m ; la plus petite 0,015 m. *Salamandre géante* 1,10 m, 25 à 30 kg (max. 1,80 m, 65 kg). *Silure glane* 2,50 m, 160 kg (record 300 kg). *Tortue de mer* 1,85 à 2,15 m, 300 à 360 kg (max 2,54 m, 865 kg) ; *luth* 1,8 à 2,15 m, 450 kg (record 2,91 m, 916 kg) ; *Caret* 1,2 m, 450 kg (Méditerranée). *Triton* 0,40 m, 450 g ; le plus petit 0,05 m. **Coquillages :** *Bénitier* 1,2 m. *Clam géant* 1,09 m × 0,73 m, 263 kg. *Conque marine* (Australie) 0,77 m, 1 m circonf., 18 kg. *Praire géante* 1,09 m. *Tridacna gigas* (coquillage bivalve) jusqu'à 333 kg (110 cm) ; record 132 cm. 2°) **Terrestres :** *anaconda* (serpent)

Produits particuliers d'origine animale

Ambre gris : constitué à partir des restes de calmars rejetés par les cachalots.

Bézoard : concrétion du tube digestif des ruminants, surtout des chèvres d'Iran (considérée comme une panacée).

Cantharidine : substance extraite de la cantharide ou « mouche d'Espagne » (Coléoptère), et à laquelle des propriétés vésicantes et aphrodisiaques étaient attribuées.

Carmin rose indien et laque : fournis par les cochenilles.

Castoréum : sécrétion du castor, considérée jadis comme une panacée.

Chagrin : cuir préparé avec de la peau de chèvre.

Colle, farines de poissons : requin, morue, etc.

Corne de rhinocéros : en poudre, connue pour ses vertus aphrodisiaques, en Asie. Depuis la protection du rhinocéros (1989), des négociants japonais lui ont substitué de la poudre de **cœlacanthe** (voir p. 171 b). Prix du cœlacanthe : de 2 000 à 10 000 $.

Crin de cheval : utilisé pour cosmétiques.

Engrais de poissons.

Essence d'Orient : nacre fournie par l'ablette.

Galuchat : peau de sélaciens utilisée en maroquinerie.

Graisse de marmotte : censée soigner les rhumatismes.

Huiles de poissons : requin, morue etc. ; **d'hémiptère :** l'Agonoscelis, au Soudan.

Musc : matière odorante produite par divers mammifères (civette, genette, chevrotain porte-musc).

Poisons de flèche : ex. : les Indiens de Colombie utilisent un poison provenant de la peau de grenouille (batrachotoxine).

Pourpre : matière colorante sécrétée par des mollusques gastéropodes marins *(Murex, Purpura).*

Soie : celle de certaines araignées est aussi utilisée (notamment aux îles Salomon).

Spermaceti : sorte de cire très fine contenue dans l'extrémité antérieure de la tête du cachalot.

Trépang : nom donné aux holothuries en Extrême-Orient, où on les mange.

8,48 m. *Cobra royal* 5,71 m. *Crocodile d'estuaire* 3,70 à 4,30 m, 500 kg. *Lombric mégascolide* 3 m. *Ours Kodiak* 2,40 m. *Python réticulé* 6,20 m, max. 10 m. *Salamandre géante de Chine* 1,15 m, 25 à 30 kg (record 1,80 m, 65 kg). *Serpent à sonnette* 2,36 m, 15 kg. *Tigre de Sibérie* 3,15 m, 265 kg. *Varan de Komodo* 2,25 m, 60 kg (record 3,10 m, 166 kg), *de Salvadori* 4,80 m. *Ver d'Afr. du S.* (Microchaetus rappi) 1,36 m (record 6,70 m, diam. 0,02 m).

☞ La plus grande chauve-souris est le *Pteropus vampyrus* : long. 40 cm, envergure 1,80 m.

Les plus hauts. 1°) **Vertébrés :** *Autruche d'Afrique du Nord* 2,70 m, 156,5 kg. *Capybara* (rongeur) 1 m à 1,40 m, 79 kg. *Cheval* 2 m. *Élan d'Alaska* 2,30 m, 1 180 kg ; *du Cap* 1,65, 943 kg. *Éléphant africain,* h. 4,16 m au garrot, 10,67 m de long, 11 960 kg. *Girafe* 2,50 à 6,09 m, 1 800 kg. *Gorille des montagnes* 1,75 m (except. 1,95 m) 130 à 310 kg. *Gymnure de Raffles* (insectivore) 0,26 à 0,44 m, queue 0,20/0,21 m, 1,4 kg. *Kangourou rouge* 2 m, 80 kg. *Lion d'Afrique* 5 m au garrot, long. 2,70 m, 180 à 185 kg (max. 313 kg, en captivité 375 kg). *Ours kodiak* 2,40 m (2,32 m au garrot), 476 à 533 kg (max. 4,11 m, 751 kg). *Ours polaire* 3,40 m. *Tigre de Sibérie* 3,15 m, 265 kg ; *d'Inde* 3,22 m, 388,7 kg. 2°) **Invertébrés :** *Araignée Theraphosa blondi,* envergure 0,25 m, 56 g. *Escargot géant d'Afrique* 0,39 m, 900 g. *Gastéropode Syrinx aruanus* 0,71 m, circonf. 0,96 m, 15,9 kg. *Millipède Graphidostreptus gigas* (Seychelles, oc. Indien) 0,28 m, diam. 0,02 m. *Phasme des Tropiques* 0,33 m. *Scarabée Dynastes hercules* et *D. neptunus* 0,19 m et 0,18 m ; *longicorne* 0,27 m (antenne 0,19 m). *Scolopendre* 0,33 m, diamètre 0,38 m.

Les plus petits. *Amibe protée* (unicellulaire) 0,5 mm. *Antilope royale* 25 à 30 cm au garrot, 3 à 3,5 kg. *Araignée* Patu marplesi 0,4 mm. *Belette polaire* 18 à 21 cm, 35 à 70 g. *Caméléon nain* 3,2 cm. *Centipèdes* 5 mm. *Chat moucheté* 65 à 75 cm, 1,3 kg. *Chauve-souris de Kitti* (Thaïlande) 16 cm, 1,7 à 2 g. *Cheval falabella* moins de 75 cm (record 35,5 cm), 35 à 45 kg (except. 9,1 kg). *Chevrotain* (S.-E. Asie) 20 à 24 cm, 2,7 à 3,2 kg. *Coléoptère* (fam. Ptiliidés) 0,008 à 0,2 mm. *Coquillage univalve* (G.-B.) 0,5 mm. *Crabe petit pois,* diamètre 6,3 mm. *Crapaud* de Cuba 1,2 cm. *Crocodile* nain du Congo 1,20 m. *Dauphin de Commerson* 23 à 35 kg. *Étoile de mer* (Patiriella parvivipara) 9 mm. *Fauconnet de Bornéo* 35 g. *Gambusie* (Europe) 3,5 cm. *Gecko* (Haïti) 3,6 cm dont 1,7 de queue (record). *Gobie* (de mer) 0,86 à 0,89 cm ; *nain* (eau douce) 0,75 à 1 cm, 0,04 à 0,05 g. *Grenouille venimeuse* (Cuba) 8,5 à 12,5 mm. *Guêpe* (Myrmaridae) 0,2 mm. *Hanneton à ailes velues* 0,2 mm. *Homard* 10 à 12 cm. *Millipède* Polyxenus lagurus 2,1 à 4 mm. *Musaraigne pachyure étrusque* 3,6 à 5,2 cm, 1,5 à 2,5 g ; *à queue plumée* 2,3 à 3,3 cm, 30 à 50 g. *Oiseau de mer* (pétrel) 14 cm. *Oiseau-mouche abeille* (Cuba) 5,6 cm, 1,6 g. *Ouistiti mignon* 25 cm, 50 à 70 g. *Papillon nain bleu* (envergure) 1,4 cm ; *de nuit* (Stainton) et *Stigmella ridiculosa* (envergure 2 mm). *Pétrel pygmée* 14 cm, 28 g. *Phoques marbrés* (Phoca hispida et P. sibirica) 1,70 m, 130 kg (max.). *Planigale d'Ingram* (marsupial) 6 cm, 4 à 5 g. *Poisson* (Schindleria praematurus) 1,2 à 1,9 cm. *Puce d'eau* (Alonella) 0,25 mm. *Pudu* ou *Poudou* (cerf, Équateur) 33 à 38 cm, 8 à 9 kg. *Rainette* (Hyla ocularis) 1,5 cm. *Requin à longue tête* 15 cm. *Roitelet triple bandeau* 10 cm, 4 à 5,5 g. *Salamandre pygmée* (USA) 2 cm. *Souris marsupiale* 4,5 cm, 4 g. *Souris pygmée* (Mexique) 10 cm, 7 à 8 g. *Tortue* (Afrique du Sud) 10 cm. *Toupaye* (marsupial) 23 à 33 cm, 30 à 50 g. *Triton rayé* 5 cm. *Ver* (Chaetogaster annandalei) 0,5 mm.

Poids records. 1°) **Marins :** *crocodile marin* 2 t. *Homard américain* 20,14 kg. *Loutre de mer* 37 kg. *Perche du Nil* 188,6 kg. *Poisson-lune* 2 235 kg (except.). *Rorqual bleu* de 33,58 m, en gestation 195 à 200 t (langue 4,3 t, cœur 698,5 kg). 2°) **Terrestres :** *anaconda* 230 kg. *Bœuf domestique* 2,2 t. *Chat* 21,3 kg. *Cheval pur-sang belge* 1 450 kg. *Chien Mastiff* 75 à 90 kg (record 155 kg). *Élan du Cap* 943 kg. *Éléphant d'Afrique* 5,7 t (record 12 t). *Gorille* 350 kg. *Jument* poids moyen 1 t (record 1,450). *Lapin géant des Flandres* de 7 à 8,5 kg (0,9 m) [record 11,3 kg]. *Ours polaire* 400 kg (record 1 t). *Porc* 1 157,5 kg. *Pudu* ou *Poudou* (Équateur, Colombie) de 33 à 38 cm, de 8 à 9 kg. *Tarentule velue* 85 g. *Taureau* 2,260 t. *Tigre d'Inde* 190 kg (record 389 kg). *Tortue éléphantine* 279 kg. *Vache* 2 268 kg. 3°) **Aériens :** *condor de Californie* 10,5 kg (record 14 kg). *Cygne muet* 18 kg. *Dindon* 35,8 kg. *Outarde barbue* 12 kg et + ; *de Kori* 18 kg. *Poulet « White Sully »* 10 kg.

■ **Température. Animaux à température constante ou homéothermes** (dits improprement « à sang chaud ») : ne variant pas avec celle du milieu extérieur : mammifères, oiseaux et quelques reptiles ; *la plus élevée :* oiseaux, chèvre domestique 39,9 °C, *la plus basse :* hamster doré en hibernation 3,50 °C (record : chauve-souris – 1,3 °C). **A temp. variable ou pécilothermes** (dits « à sang froid » à cause de la sensation ressentie à leur contact) : reptiles, amphibiens, poissons, invertébrés ; leur temp. dépasse celle du milieu ambiant de quelques 1/10 de degré ou, except., quelques degrés ; temp. d'un lézard au soleil : jusqu'à 50-60 °C.

■ **Territoire de chasse.** *Lion :* 3 000 ha. *Buse :* 260 ha. *Cygne :* 120 à 150 ha. *Héron :* 400 m². *Lézard* (petit) : 37 m².

■ **Toile d'araignée.** Tissée par jeunes et femelles (les glandes séricigènes sécrètent un liquide se solidifiant à l'air et se transformant en « soie »), confectionnée dans différentes soies, la toile a des zones lisses et gluantes. L'araignée peut former un fil de 30 m. A diamètre égal, il est plus résistant qu'un fil d'acier (distance maximale au-delà de laquelle le fil se casse : soit 30 à 70 km, acier : 5 à 30).

■ **Troupeau.** *Springboks,* env. 10 millions de têtes, 24 km × 160 km.

■ **Vitesse** (en km/h, sous toutes réserves). **Sur terre.** *Escargot* 0,05 [*en 1987, 1er prix de traînage de pierres,* organisé chaque année à Valle de Trapagua (province de Biscaye, Esp.) pour les escargots : *Es Igual* a déplacé de 50 cm en 10 min un caillou de 240 g]. *Paresseux* 0,1 à 0,2 (max. 4,57 m/min). *Boa* 0,36. *Tortue* 0,37. *Centipède Scrutigera coleoptrata* 1,8. *Cafard* (Dictyoptera) 4,6. *Serpent* (mamba noir ou Dendroaspis polylepis) 11 (max. 24). *Crabe* (terrestre) 12. *Crocodile* 12 à 13. *Poulet courant* 14,4. *Araignée* (Solpuga) 15. *Cochon* 17,6. *Mouton* 24. *Chameau* 25 (max.). *Banteng* (ou *buffle des I. de la Sonde*) 25. *Reptile* (coureur à 6 lignes ou Cnemidophorus sexlineatus) 29 (poursuivi par une voiture). *Gélinotte, Lézard sprinter* 32. *Homme* 37. *Lapin* 38. *Éléphant* 40. *Chien de traîneau* 45 (pointe). *Loup, rhinocéros* 45 (son coup de corne est alors comparable au choc d'une voiture d'une t lancée à 100 km/h). *Daim, kangourou* 48. *Autruche, émeu, girafe, phacochère* 50. *Ane sauvage de l'Inde, chacal, buffle d'Afrique* 55. *Antilope-cheval* 56 (88 sur 800 m). *Chien* 60. *Kangourou géant* (record) 64. *Coyote, hyène tachetée, zèbre* 65. *Cheval* 69,3 (70 sur 400 m ; 48 sur 6 km). *Lévrier afghan* 69,8 (sur 314 m). *Lièvre* 70. *Antilope* 72-100. *Cerf* 78. *Gazelle, gnou, lion* 80. *Antilope américaine* 88,5 sur 800 m. *Springbok* 95. *Chevreuil* 98 (record sur 183 m). *Guépard* 96 à 101 (sur 550 m).

A partir de 80 km/h, les champions se trouvent dans les régions à visibilité étendue : ex. *prairies* où le couvert végétal ne permet pas de se cacher. Un équilibre s'établit entre le poursuivi et le poursuivant (ex. : la gazelle et le lion). L'avantage du guépard (Afr. tropicale, Proche-Orient, Iran, Inde centrale) est compensé : il ne possède pas de griffes rétractiles ; sa patte ne peut pas retenir une proie et il est obligé de chasser à la gueule.

Dans les airs. Mammifères : *Chauve-souris* 16 à 20 battements par sec. : minioptère 55 km/h, sérotine 40, pipistrelle 22 (record *molosse* 51). **Oiseaux :** *Bécasse* 21. *Chardonneret* 30. *Alouette* 32. *Corbeau* 38. *Faucon* 40 (en piqué 350). *Pélican* 48. *Grue* 50. *Faisan* 59. *Pigeon* 63 à 150 (moy. sur 800 km : 45). *Corneille* 76. *Vanneau* 80. *Épervier* 80-110. *Perdrix* 84. *Cygne* 88. *Canard* 90-120. *Sarcelle* 135. *Oie* 142. *Vautour* 150. *Aigle* 161 (aigle belliqueux 50 à 80 en vitesse de croisière, lui permettant de parcourir + de 300 km/j). *Martinet épineux* 171. *Frégate* 200. **Insectes :** *Cératopogon* (moucheron) 0,035. *Insectes* 40 (58 par à-coups). *Sphinx* 50. *Libellule* env. 80. **Poissons :** *volants* 72.

Dans l'eau. Homme nageant 6,451. **Pinnipèdes :** *Lion de Californie* 40. *Otarie* 40. **Cétacés :** *Rorqual bleu* 37 (pendant 10 min en cas de danger). *Cachalot* 40. *Rorqual commun* 45. *Baleine* 48. *Marsouin de Dall* 55,5. *Orque* 55,5. *Dauphin* 15 à 60. **Crustacés :** *Homard* 23. **Mollusques :** *Pieuvre* 6. **Poissons :** *Perche* 2,10. *Chabot* 8. *Épinoche* 11. *Anguille* 12. *Carpe* 12,20. *Mulet* 12,80. *Gardon* 16. *Brochet* 33. *Truite* 37. *Saumon* 40. *Poisson volant* 56. *Poisson volant à 4 ailes* 65 et + (moy. 55). *Merlan, Wahoo, grand Requin bleu, Thon* (à nageoire bleue) 70. *Espadon* 92 (moy. 56 à 64). *Voilier cosmopolite* 110. **Oiseaux :** *Cormoran* (en plongée) 2,5. *Grèbe* 7. *Manchot gentoo* 27,4. *Petit Pingouin* (en plongée) 36 (10 m/s sous l'eau). **Reptiles :** *Crocodile* 20/25. *Tortue luth* 35.

■ **Vol. Altitude :** *Oies sauvages* et *bécasseaux* 3 000 m, *linotte* 3 300 m, *grue cendrée* (Europe) 4 053 m, *barge à queue noire* et *canard pilet* (Himālaya) 5 000 m, *courlis, choucas* (rég. diverses) 6 000 m, *cygnes* 8 230 m, *oies sauvages* (Himālaya, survolent l'Everest) 9 000 m, *vautour* 11 200 m (record). Migrateurs généralement 100 à 700 m (certains 3 000 à 9 000 m). **Vol le plus long :** *oiseaux* (voir p. 164 b). *Poisson* 90 sec. à 11 m de haut sur 1 110 m.

☞ **Peuvent voler :** insectes, ptérosauriens (fossiles), oiseaux et chauves-souris, calmars (décollent parfois), poissons (« vol plané » : exocets, poisson-hachette d'Amérique du Sud, pantodon d'Afrique), amphibiens (grenouille planeuse d'Indonésie), reptiles fossiles et actuels (« dragons volants » et serpents planeurs d'Asie du S.-E.), divers mammifères : phalanger volant, galéopithèque, écureuil volant (une espèce en Europe : le polatouche). Jeunes araignées accrochées à de longs fils de soie (les « fils de la Vierge »).

Oiseaux qui ne volent pas

Autruche : Afrique. **Cagou :** N.-Calédonie. **Canard** aptère : éteint au XVIIIe s., île Amsterdam. **Casoar :** Australie et Nouvelle-Guinée. **Cormoran des Galapagos. Dronte ou Dodo :** disparu vers 1700, vivait à Maurice et à la Réunion. **Émeu :** Australie, peut courir à 45 km/h. **Kiwi :** N.-Zélande, ailes atrophiées de 5 cm de long. **Manchot :** Antarctique, Amérique du Sud, etc. **Moa :** disparu fin XIXe s., vivait en N.-Zélande. **Nandou :** Amérique du Sud. **Grand Pingouin :** Atlantique Nord (disparu en 1844). **Râle de l'île Inaccessible** et beaucoup d'autres espèces insulaires.

■ **Vue. Champ de vision total :** *Chat* 187° (homme 125). *Chouette* 110°, sa vision binoculaire correspond à un angle de 70° mais elle peut faire pivoter sa tête sur 180°. *Marmotte* 300° grâce à la position latérale de ses yeux. **Acuité visuelle :** *Rapaces nocturnes* 50 à 100 fois supérieure à celle de l'homme. Ils peuvent atteindre leurs objectifs à 2 m de distance, avec un éclairage équivalent à celui d'une bougie située à 360 m. Mais ils ne voient cependant pas dans l'obscurité totale. Ils ne sont pas aveugles dans la lumière du jour, mais préfèrent la nuit, parce qu'ils chassent des gibiers surtout nocturnes (souris, rats, mulots, etc.). *Aigle doré* décèle un lièvre de 46 cm de long à 3,2 km d'altitude. *Faucon pèlerin* peut voir un pigeon à + de 8 km.

Classification

■ **Nombre d'espèces connues autrefois :** *Aristote* (384-322 av. J.-C.) ne connaissait guère + de 400 animaux. *Linné* (1707-78) a répertorié + de 4 400 espèces. **Aujourd'hui : dans le monde :** env. 10 à 15 millions dont répertoriées + de 1 800 000 [env. 1 500 000 d'Arthropodes, dont + de 1 000 000 d'Insectes (30 000 000 selon Terry Erwin), 100 000 de Mollusques, 40 000 de Procordés et de Vertébrés, 25 000 de Vers]. **En France :** espèces de Vertébrés : 600 (70 poissons d'eau douce, 26 amphibiens, 29 reptiles, 342 oiseaux dont 264 nicheurs, 99 mammifères terrestres), Invertébrés : 50 000 à 70 000.

☞ Le classement ci-dessous est résumé. Si l'on voulait être complet, on pourrait par exemple définir ainsi un moustique : *embranchement :* Arthropode ; *sous-embranchement :* Mandibulate ; *classe :* Insecte ; *sous-classe :* Ptérygote ; *superordre :* Mécoptéroïde ; *ordre :* Diptère ; *sous-ordre :* Nématocère ; *famille :* Culicidé ; *genre :* Culex (Moustique en latin) ; *espèce :* Culex pipiens (en latin, pipiens : qui pique).

Certains animaux ne correspondent pas à des critères simples. *Ex. :* le dipneuste est un poisson qui dispose de branchies mais également de poumons lui permettant de vivre en léthargie hors de l'eau.

I. Protozoaires

Formés d'une seule cellule. Plus de 30 000 espèces. Forme animale des protistes. Les nummulites (disparus) mesuraient 24,13 mm. Actuellement, *le plus grand* protozoaire est le *Pelomyxa palustris* (15,2 mm) ; *le plus petit : Micromonas pusilla,* diam. 2 micromètres.

■ **Rhizopodes** (se déplacent par pseudopodes). *Amibes :* pas de squelette. *Foraminifères :* squelette externe calcaire ; marins.

■ **Radiolaires** (pseudopodes rayonnants : squelette interne siliceux). Ex. : Hexalonche, Thalassicola.

■ **Flagellés** (se déplacent à l'aide d'un flagelle). Ex. : Trypanosome de la maladie du sommeil.

■ **Ciliés** (se déplacent grâce à des cils vibratiles). Ex. : Paramécie.

■ **Sporozoaires** (ni cils, ni flagelle à l'état non reproducteur ; parasites). Ex. : Coccidie intestinale du lapin, Hématozoaire du paludisme.

II. Métazoaires

Formés de nombreuses cellules groupées en tissus et organes différenciés. Ils sont partagés entre 31 embranchements, dont 30 d'invertébrés.

■ INVERTÉBRÉS

■ **Spongiaires ou Éponges** (aquatiques, surtout marins, toujours fixés ; corps à cavités et canaux ; courant d'eau provoqué par des cellules flagellées ; squelette formé de spicules calcaires ou siliceux et de fibres cornées). 5 000 espèces. *Éponge de toilette :* pas de spicules, seulement des fibres cornées.

■ **Cnidaires** (aquatiques, surtout marins ; corps en forme de sac ; des cellules urticantes : harpons microscopiques). Tentacules. 10 000 espèces. a) **Hydrozoaires :** 2 700 espèces *Hydraires :* alternance polype-méduse ; de petite taille ; marins : ex. : Obelia ; en eau douce : Hydre, à polypes solitaires, et Craspedacusta à phase méduse et phase polype. *Siphonophores :* coloniaux ; parfois de grande taille ; souvent très urticants. Ex. : Physalie, Velelle. b) **Scyphozoaires ou Méduses acalèphes :** grande taille, ex. : Pelagia, Aurelia ; ou très grande taille, ex. : Rhizostoma, Cyanea. 200 espèces. c) **Cuboméduses :** très venimeuses, parfois mortelles (Pacifique sud-ouest). d) **Anthozoaires :** 7 000 espèces ; tous marins ; sans squelette rigide : Anémones de mer, Alcyons. Avec squelette calcaire : Madrépores ou Coraux, Corail rouge. Avec squelette corné : Gorgones, Corail noir ou Antipathaire.

■ **Vers plats ou Plathelminthes (Platodes).** *Turbellariés :* en forme de feuille ; des cils vibratiles : ex. : Planaires. 16 000 espèces. *Trématodes :* en forme de feuille ; pas de cils ; parasites ; ex. : Douve du foie. 2 400 espèces. *Cestodes :* en rubans articulés ; parasites ; ex. : *Ténia* (ver solitaire). 1 500 espèces.

■ **Vers ronds ou Némathelminthes (Nématodes).** Ex. : *Trichine* du porc ; *Ascaris* de l'homme ou du cheval ; *Anguillule* du vinaigre. 10 000 espèces ; nématodes marins ; phytoparasites et nématodes du sol (plusieurs milliers d'espèces de chaque catégorie). *Gastrotriches :* vers libres microscopiques portant de nombreux tubes adhésifs, 500 espèces marines et d'eau douce.

■ **Rotifères** (eaux douces surtout) ; une couronne de cils locomoteurs. Ex. : *Rotifer, Seison.* 1 800 esp. microscopiques < 1 mm.

■ **Annélides** (corps à anneaux porteurs ou non de soies). **Soies nombreuses :** *Polychètes,* 40 000 espèces dont *Néréis :* errants, marins ; *Arénicoles :* creusent une galerie en U, marins ; *Serpules :* vivent dans un tube calcaire, marins. **Soies rares :** *Oligochètes :* Ver de terre (Lombric), 2 500 espèces. **Pas de soies :** *Achètes* ou *Hirudinées : Sangsues,* 300 espèces (utilisées en médecine).

■ **Pogonophores.** Marins, vermiformes avec tentacules. Pas de tube digestif. Bathyaux et abyssaux. **Vestimentifères.** *Riftia* vivant dans les sources hydrothermales des dorsales océaniques.

■ **Brachiopodes.** Coquille bivalve dissymétrique, l'une dorsale, l'autre ventrale. 400 espèces. Ex. : Térébratule, Lingule.

■ **Bryozoaires ou Ectoproctes.** Colonies fixées, paroi chitineuse, souvent calcifiée. Tube digestif périodiquement renouvelé. Couronne de tentacules ciliés. Env. 5 000 espèces pour la plupart marines (ex. : Alcyonidium, Bugula, Membranipora) ; eau douce (Plumatella).

■ **Phoronidiens.** Tubicules vermiformes. 12 espèces. Ex : Phoronis.

■ **Kamptozoaires ou Entoproctes.** Colonies fixées, individus toujours pédonculés. Une couronne tentaculaire entourant les orifices buccal et anal. Souvent ectoparasites. 100 espèces, toutes marines. Ex. : Loxosoma, Pedicellina.

■ **Mollusques** [corps mou, coquille calcaire à 1 ou 2 valves (droite et gauche)]. 100 000 espèces. a) **Lamellibranches ou Bivalves :** coquille à 2 valves, branchies lamelleuses ; pied en forme de soc. Ex. : Moule, Huître, Coquille St-Jacques. 18 000 espèces. b) **Gastéropodes :** coquille à 1 valve souvent en spirale ; des branchies ou un poumon ; se déplacent sur leur pied. Ex. : Escargot, Limace : poumon ; Bigorneau, Ormeau : branchies. 80 000 espèces. c) **Céphalopodes :** des branchies, pied en tentacules. Ex. : Seiche (coquille réduite = os) ; Pieuvre (pas de coquille) ; Nautile (belle coquille). 700 espèces.

■ **Arthropodes ou Articulés** (squelette chitineux externe articulé ; pattes à articles ; croissance par mues). Ensemble animal le plus riche : 80 % de la faune connue, plus de 1 million d'espèces, les Insectes formant à eux seuls les 9/10 des Arthropodes.

A) **Mandibulates :** avec mandibules et antennes.

a) **Crustacés :** respirent par des branchies ; presque tous aquatiques ; 2 paires d'antennes. Corps divisé en 3 parties : tête, thorax, abdomen. 30 000 esp. 1°) INFÉRIEURS, ANCIENS ENTOMOSTRACÉS : ex. : Daphnie, Anatife, Pousse-pied (comestible), Artémie. 2°) SUPÉRIEURS OU MALACOSTRACÉS : 20 000 espèces : *a) corps aplati dorso-ventralement : Isopodes :* ex. : Cloporte (terrestre), Ligie. *b) corps comprimé latéralement : Amphipodes :* Puces de mer (Talitres). *c) une carapace soudant tête et tronc : Décapodes :* abdomen grand : Homard, Langouste, Écrevisse ; abdomen réduit, replié sous le corps : Crabe ; abdomen mou, vit dans une coquille vide de Gastéropode : Pagure ou Bernard-l'ermite.

b) **Myriapodes :** nombreuses pattes (Mille-pattes). 1 paire d'antennes. Scolopendre : crochets venimeux ; carnassière. Iule : herbivore. 10 000 espèces.

c) **Insectes :** 33 ordres actuels ; 6 pattes ; 1 paire d'antennes ; souvent des ailes.

– **1re sous-classe : Aptérygotes. Collemboles :** développement de type protomorphe ; mues imaginales ou « à l'état adulte ». Appendices abdominaux servant le plus souvent au saut. **Protoures :** aveugles et sans antennes, minuscules, dépigmentés. Développement du type anamorphe : changement du nombre des segments (9 chez le jeune, 12 ensuite). **Diploures et Thysanoures :** conservent encore des rudiments d'appendices abdominaux. Cerques (appendices uni ou multi-articulés à l'extrémité de l'abdomen) : Thysanoures vrais 3, Diploures 2.

Nota. – On divise souvent les Aptérygotes en 2 groupes : les *Ectotrophes* à pièces buccales visibles, qui comprennent les Thysanoures vrais ; les *Entotrophes* à pièces buccales masquées par les joues, qui comprennent : Protoures, Diploures et Collemboles.

– **2e sous-classe : Ptérygotes.** Pas d'appendices abdominaux, 1 ou 2 paires d'ailes. Développement du type épimorphe. **1°) Paléoptères.** a) PALÉODICTYOPTÈRES : fossiles. b) ÉPHÉMÉROPTÈRES : pas d'ailerons prothoraciques, presque toujours un 3e cerque impair. *1°) Protoéphémères* (fossiles). *2° Plectoptères :* éphémères actuels. Les ailes peuvent se relever au repos ; la 2e paire est très réduite. Prométaboles. c) ODONATOPTÈRES : 4 500 espèces. Cerques réduits, ailes à plat au repos, sauf chez quelques familles où elles peuvent se relever. Hémimétaboles. *1°) Méganisoptères :* libellules géantes (fossiles). *2°) Odonates :* libellules actuelles. **2°) Polynéoptères.** a) BLATTOPTÉROÏDES : *1°) Dictyoptères :* blattes et mantes. Ailes croisées à plat sur le dos. Pontes s'effectuent en oothèques. *2°) Protoblattoptères* (fossiles). *3°) Isoptères :* termites avec 4 ailes semblables qui ne subsistent que le temps du vol nuptial. *4°) Zoraptères :* voisins des termites, mais ne sont pas sociaux. b) ORTHOPTÉROÏDES : plus évolués ; en général, les ailes sont croisées à plat sur le dos ; pas d'oothèques au sens strict du terme. *1°) Proto-orthoptères* (fossiles). *2°) Plécoptères :* perles (larves aquatiques, la femelle n'a pas d'appareil génital bien différencié en ovipositeur). Chez les ordres suivants, la femelle possède un appareil de ponte plus ou moins développé et les larves sont terrestres. *3°) Notoptères :* quelques rares espèces vivant au froid dans les montagnes d'Amérique (Rocheuses) et du Japon. *4°) Phasmoptères* (ou Chéleutoptères) : phasmes et phyllies, marcheurs. *5°) Orthoptères :* 1 000 espèces. Sauteurs ; chez beaucoup, les ailes ne sont plus typiquement à plat sur le dos, mais leurs gros fémurs postérieurs sont très caractéristiques. Sauterelles, criquets, grillons. *6°) Embioptères :* vivent dans des tubes de soie sécrétée par des glandes des pattes antérieures. c) DERMAPTÉROÏDES : ailes antérieures transformées en élytres. *1°) Protélytroptères* (fossiles). *2°) Dermaptères :* perce-oreilles (forficules) à cerques durcis, formant pince. **3°) Oligonéoptères.** a) COLÉOPTÉROÏDES : 1re paire d'ailes transformée en élytres vrais. Un seul ordre. *Coléoptères :* 300 000 espèces. Broyeurs. Ex. : Hanneton, Doryphore, Coccinelle, Carabe, Staphylin. b) NÉVROPTÉROÏDES : *1°) Mégaloptères :* Sialis aux ailes membraneuses pourvues de grosses nervures ; larves aquatiques. *2°) Raphidioptères :* prothorax très étiré ; larves terrestres, Raphidia. *3°) Planipennes* (ou Névroptères vrais) : pas de grosses nervures, ni de thorax allongé ; larves terrestres et chasseuses. Chrysope, Fourmi-lion. c) MÉCOPTÉROÏDES : suceurs. *1°) Mécoptères :* tête allongée. Panorpe ou Mouche-scorpion. *2°) Trichoptères :* souvent semblables à des papillons dont les ailes postérieures seraient transparentes. Les ailes portent des poils. Phryganes, larves aquatiques dans un fourreau ou porte-bois. *3°) Lépidoptères :* 120 660 espèces. Papillons. Les maxilles se développent en appareil de succion pouvant former une véritable trompe. Larves : chenilles ; nymphe : chrysalide. Ex. : Bombyx du mûrier dont la chenille est le Ver à soie. *4°) Diptères :* 75 000 espèces, 1 paire d'ailes, la 2e étant transformée en « balanciers » ou « haltères ». Mouche (100 000 espèces), Taon, Moustique, Tipule. d) APHANIPTÉROÏDES : Aphaniptères. Puces. e) HYMÉNOPTÉROÏDES : orientés vers le type lécheur. *1°) Hyménoptères :* 100 000 espèces. Abeilles, guêpes, fourmis (12 000 à 15 000 espèces). *2°) Strepsiptères :* larves et femelles sont parasites. Le mâle n'a qu'une paire d'ailes, la 2e ; la 1re est transformée en organes formant haltères. **4°) Paranéoptères.** a) PSOCOPTÉROÏDES : *1°) Psocoptères :* ailés ou aptères. Broyeurs. *2°) Anoploures :* Poux. Parasites exclusifs des mammifères dont ils sucent le sang ; aptères. *3°) Mallophages :* aspect des poux, mais broyeurs se contentant d'ingérer les desquamations tégumentaires de leurs hôtes ; aptères. b) THYSANOPTÉROÏDES : Thysanoptères. Suceurs, ailes frangées de cils. c) HÉMIPTÉROÏDES : 55 000 espèces. *1°) Homoptères :* suceurs, 4 ailes membraneuses. Cigales, Pucerons, Cochenilles. *2°) Hétéroptères :* suceurs. Punaises : 1re paire d'ailes partiellement durcie forme des « hémélytres ». Punaises terrestres et aquatiques, 45 000 espèces.

B) **Chélicérates :** sans mandibules, ni antennes ; des pinces minuscules, les chélicères.

a) **Aériens** (respiration par des trachées et des poumons) : *Arachnides,* 4 paires de pattes ; *Acariens.* 10 000 espèces. : Tiques [1] ; Sarcoptes. *Aranéides :* Araignées (30 000 espèces) dont la moitié tissent des toiles. Myopes. La toile leur permet d'attraper ou d'identifier une proie ; le filage de la toile est inné. *Opilions.* 2 400 espèces : Faucheurs. *Scorpionides.* 600 espèces : Scorpions.

b) **Marins** (respiration par des branchies) : *Limules,* grande taille, aspect d'un sabot de cheval.

Nota. – (1) Tiques, Sarcoptes et araignées sont considérées souvent à tort comme des insectes.

■ **Échinodermes** (marins ; squelette calcaire dans la peau ; symétrie d'ordre 5 ; se déplacent à l'aide de pieds ambulacraires). *Oursins :* globuleux, des piquants. 800 espèces. *Astéries* (Étoiles de mer) : 5 bras. 1 600 espèces. *Holothuries* (Concombres de mer) : cylindriques. 900 espèces. *Ophiures :* petite taille ; 5 bras très grêles. 2 000 espèces. *Crinoïdes :* fixés ; abyssaux. 80 espèces. *Crinoïdes :* littoraux fixés par des crampons : Comatules, 200 espèces ; abyssaux pédonculés : Pentacrines, lys de mer. 100 espèces.

■ **Procordés :** tous marins. Présence chez la larve de la corde dorsale, ébauche de la colonne vertébrale des vertébrés. 3 000 espèces. *Fixés :* Ascidies. Ex. : Ciona, Microcosmus (Vioulet comestible). *Planctoniques :* Appendiculaires, Salpes, Dolioles, Pyrosomes. *Abyssaux :* Sorbéraces. *Nageurs :* Amphioxus.

■ VERTÉBRÉS

■ **Vertébrés.** Squelette avec colonne vertébrale, fentes branchiales pharyngiennes – au moins chez l'embryon, épiderme pluristratifié, appareil circulatoire clos avec cœur ventral, glandes endocrines nombreuses, assurant, sous le contrôle de l'hypophyse, l'homéostasie de l'organisme, reproduction purement sexuée à hermaphrodisme exceptionnel. Système nerveux dorsal complexe formé à partir d'un tube neural et de crêtes neurales.

I – Agnathes. Pas de mâchoire inférieure ni de membres. *Cyclostomes :* 45 espèces ; une ventouse buccale, des branchies ; aquatiques, souvent ectoparasites. Ex. : Lamproie, Myxine.

II – Gnathostomes. Mâchoires et membres.

A) **Poissons :** aquatiques ; respirent par des branchies ; le plus souvent ovipares ; membres pairs représentés par des nageoires.

1°) **Chondrichthyens.** Squelette interne cartilagineux, poissons principalement marins ; quelques espèces en eau douce.

– **Élasmobranches :** 5 à 7 paires de fentes branchiales (en général 5 paires) apparentes, latérales chez les Requins (350 esp.) et ventrales chez les Raies (450 esp.). **a) Superordre des Squalomorphes** (requins « primitifs »). Ordres des *Hexanchiformes* (Requin à collerette, Requin-lézard, Griset, Perlon) ; *Squaliformes* (Squale bouclé, Squale chagrin, Squale liche, Sagres, Squales grogneurs, Laimargues, Centrines, Aiguillats) ; *Pristiophoriformes* (Requins-scies). **b) Superordre des Squatinomorphes,** ordre des *Squatiniformes* (Anges de mer). **c) Superordre des Galéomorphes** (Requins « évolués »). Ordres des *Hétérodontiformes* (Requins dormeurs, Requins à cornes) ; *Orectolobiformes* (Requins-carpettes, Requins-tapis, Requins nourrices, Requin-baleine, Requin-zèbre) ; *Lamniformes* (Requin-taureau, Requin féroce, Requin-lutin, Requin-crocodile, Requin grande gueule, Renards de mer, Requin pèlerin, grand Requin blanc, Taupe bleu, Requin-taupe) ; *Carcharhiniformes* (Roussettes, Émissoles, Requin-hâ, Milandres, Requin-tigre, Requin du Gange, Requin pointe blanche, Requin pointe noire, Requin citron, Requin océanique, Peau bleue, Requins-marteaux). **d) Superordre des Batoïdes,** ordres des *Rajiformes* (Raies, Pocheteaux, Guitares de mer) ; *Pristiformes* (Poissons-scies) ; *Torpediniformes* (Torpilles) ; *Myliobatiformes* (Pastenagues, Aigles de mer, Raies-papillons, Mourines, Mantes).

– **Holocéphales :** 4 paires de fentes branchiales recouvertes par un faux opercule (30 espèces). Familles des *Chimérides* (Chimères) ; *Rhinochimérides*

(Chimères à long nez) ; *Callorhynchidés* (Chimères-éléphants).

2°) **Ostéichthyens.** Squelette interne ossifié.

– **Actinoptérygiens :** nageoires paires soutenues par des rayons. **Chondrostéens :** squelette peu ossifié, vessie natatoire : Esturgeon, Poisson-spatule (25). **Holostéens :** squelette plus ossifié, poissons dulcicoles : Lépisostée, Amia (8). **Téléostéens :** squelette très ossifié ; 30 ordres et env. 20 000 espèces. **Superordre des Élopomorphes :** ordre des *Élopiformes* (Tarpon) ; *Anguilliformes* (Anguille, Congre, Murène) ; *Notacanthiformes.* **Superordre des Clupéomorphes :** ordre des *Clupéiformes* (Sardine, Anchois). **Superordre des Ostéoglossomorphes :** ordre des *Ostéoglossiformes* (Arapaima) ; *Mormyriformes* (Mormyre). **Superordre des Protacanthoptérygiens :** ordre des *Salmoniformes* (Saumon, Éperlan, Argentine, Brochet, Hache d'argent, Poisson-lanterne) ; *Cétomimiformes ; Cténothrissiformes ; Gonorhynchiformes.* **Superordre des Ostariophysaires :** ordre des *Cypriniformes* (Characin, Carpe, Gymnote) ; *Siluriformes* (Poisson-chat). **Superordre des Paracanthoptérygiens :** ordres des *Percopsiformes ; Batrachoïdiformes* (Poisson-crapaud) ; *Gobiésociformes* (Porte-écuelle) ; *Lophiiformes* (Baudroie) ; *Gadiformes* (Morue, Grenadier, Donzelle) ; *Ophidiiformes.* **Superordre des Athérinomorphes :** ordre des *Athériniformes* (Prêtre) ; *Cyprinodontiformes* (Exocet, Orphie, Guppy). **Superordre des Acanthoptérygiens :** ordre des *Béryciformes* (Dorade rose) ; *Zéiformes* (Saint-Pierre) ; *Lampridiformes* (Lampris, Régalec) ; *Gastérostéiformes* (Épinoche, Bécasse de mer, Vipère de mer, Hippocampe) ; *Channiformes ; Synbranchiformes ; Scorpaeniformes* (Rascasse, Grondin, Chabot) ; *Dactyloptériformes* (Grondin volant) ; *Pégasiformes ; Perciformes :* sous-ordres des *Percoïdes* (Serran, Perche, Rémora, Carangue, Coryphène, Lutjan, Pageot, Sargue, Ombrine, Rouget-barbet, Chétodon, Demoiselle) ; *Mugiloïdes* (Mulet) ; *Sphyraenoïdes* (Barracuda) ; *Polynémoïdes* (Capitaine) ; *Labroïdes* (Labre, Poisson-perroquet) ; *Zoarcoïdes ; Notothénioïdes ; Trachinoïdes* (Vive) ; *Blennioïdes* (Blennie) ; *Ammodytoïdes* (Lançon) ; *Callionymoïdes* (Dragonnets) ; *Gobioïdes* (Gobie) ; *Acanthuroïdes* (Poisson-chirurgien) ; *Scombroïdes* (Thon, Maquereau) ; *Stromatéoïdes ; Anabantoïdes ; Luciocéphaloïdes ; Mastacembéloïdes ; Pleuronectiformes* (Turbot, Flétan, Limande, Sole) ; *Tétraodontiformes* (Baliste, Poisson-coffre, Diodon, Poisson-lune).

– **Brachioptérygiens :** écailles losangiques, osseuses, très épaisses ; poissons dulcicoles ; 10 espèces : Polyptère.

– **Dipneustes :** respiration branchiale et pulmonaire, poissons dulcicoles ; 6 esp. : Protoptère, Cératodus, Lépidosirène.

– **Crossoptérygiens :** fossiles connus du Dévonien (300 millions d'années) ; une espèce-relique pêchée en 1938 au large du Mozambique : **Latimeria chalumnae** (Cœlacanthe) ; un vestige de poumon. On fait dériver les Vertébrés tétrapodes de Crossoptérygiens de l'ère primaire.

☞ **Anadromie.** Certaines espèces marines croissent et vivent en mer, mais se reproduisent en rivière, espèces *potamotoques* (ex : saumon, esturgeon, alose). Leur migration génésique est appelée *montaison.*

B) **Tétrapodes.** Terrestres ; respirent par des poumons ; membres pairs marcheurs ; subdivisés en Anamniotes (Amphibiens) et Amniotes (Reptiles, Oiseaux et Mammifères) suivant l'absence ou la présence chez l'embryon d'une annexe embryonnaire, l'amnios, poche de liquide dans laquelle l'embryon effectue son développement.

1°) **Amphibiens ou Batraciens** (peau nue, à métamorphose ; la larve – têtard – respire par des branchies). *Gymniophones* ou *Apodes* (sans pattes) : environ 155 esp., cécilie. *Urodèles* (allongés, pattes courtes, avec queue) : env. 336 esp., salamandre, triton. *Anoures* (courts, pattes longues, sans queue) : env. 2 775 esp., grenouille, crapaud, rainette.

2°) **Reptiles** (recouverts d'écailles, ovipares ou ovovivipares). *Rhynchocéphales* (semblable au lézard) : 1 esp., sphénodon ou hatteria en N.-Zél. *Chéloniens* (avec carapace) : 222 esp., tortue. *Crocodiliens* (de grande taille). 22 esp., crocodile, caïman, alligator, gavial. *Squamates.* Sous-ordre des Sauriens (écailles très fines) : env. 3 536 esp. à 4 membres, lézard, iguane, caméléon, varan ; sans membres, amphisbènes, orvet. Sous-ordre des Ophidiens (sans membres) : env. 2 269 esp., serpents.

3°) **Oiseaux** (couverts de plumes ; ailes, bec corné ; ovipares ; température constante, de 37 à 42 °C).

a) **Sous-classe des Archéornithes :** archéoptéryx [2]. Oiseaux Fossiles reptiliens avec des dents et des mains griffues.

b) **Sous-classe des Énantiornithes :** oiseaux fossiles d'Amér. du Sud.

c) **Sous-classe des Odontornithes :** Hesperornis [2], Ichthyornis [2]. Oiseaux Fossiles marins qui possédaient encore des dents.

d) **Sous-classe des Néornithes : Superordre des Paleognathae :** *Ratites* (coureurs, ne peuvent voler) : Struthioniformes (autruche) ; Rhéiformes (nandous) ; Casuariiformes (émeu, casoars) ; Æpyornithiformes (æpyornis [2]) ; Dinornithiformes [dinornis (moas) [2]] ; Aptérygiformes [aptéryx (kiwis)]. *Tinamous :* Tinamiformes (tinamous). **Superordre des Neognathae :** *Procellariiformes* (bons voiliers ; haute mer) : Diomédéidés (albatros) ; Procellariidés (pétrels, puffins, prions) ; Hydrobatidés (pétrels-tempête) ; Pélécanoïdidés (pétrels plongeurs). *Sphénisciformes* (ne volent pas, adaptés à la nage) : manchots. *Gaviiformes* (bons plongeurs) : Gaviidés (plongeons) ; Podicipédidés (grèbes). *Pélécaniformes* (= Stéganopodes : 4 doigts réunis par une palmure) : Phaéthontidés (phaétons) ; Pélécanidés (pélicans) ; Sulidés (fous) ; Phalacrocoracidés (cormorans) ; Frégatidés (frégates). *Ciconiiformes* (= Ardéiformes. Hautes pattes, long cou) : Ardéidés (hérons, aigrettes, butors) ; Cochléariidés (savacou) ; Balénicipitidés (bec-en-sabot) ; Scopidés (ombrette) ; Ciconiidés (cigognes, becs-ouverts) ; Threskiornithidés (ibis, spatules). *Phoenicoptériformes :* flamants. *Ansériformes :* Anhimidés (kamichis) ; Anatidés [(bec lamellé) : cygnes, oies, tadornes, canards, sarcelles, macreuses, harles]. *Falconiformes* (= Accipitriformes. Bec crochu, serres ; généralement prédateurs) : Cathartidés [(vautours américains) : condors] ; Sagittariidés (serpentaires) ; Accipitridés [aigles, buses, autours, éperviers, circaètes, busards, milans, pygargues, bondrées, vautours de l'Ancien Monde (vautours fauves, gypaètes, percnoptères)] ; Pandionidés (balbuzard) ; Falconidés (faucons). *Galliformes* (ailes courtes et arrondies, bec court et fort) : Mégapodiidés (mégapodes) ; Cracidés (hoccos) ; Tétraonidés [tétras (coqs de bruyère), gélinottes, lagopèdes] ; Phasianidés (faisans, coqs, perdrix, cailles, colins, francolins, paons) ; Numididés (pintades) ; Méléagrididés (dindons) ; Opisthocomidés (hoazins). *Gruiformes* (= Ralliformes. « Échassiers », ailes arrondies) : Mésitornithidés (mésites) ; Turnicidés (cailles bataillleuses) ; Gruidés (grues) ; Aramidés (courlan) ; Psophiidés (agamis) ; Rallidés (râles, poules d'eau, poules sultanes, foulques) ; Héliornithidés (grébifoulques) ; Rhynochétidés (kagou) ; Eurypygidés (caurale) ; Cariamidés (cariamas) ; Phororhacidés (phororhacos [2]) ; Otididés (outardes). *Charadriiformes* (« Échassiers », petite ou moyenne taille, ailes pointues ; généralement mers et marais) : Jacanidés (jacanas) ; Rostratulidés (rhynchées) ; Haematopodidés (huîtriers) ; Charadriidés (pluviers, vanneaux, gravelots) ; Scolopacidés (bécasses, bécassines, bécasseaux, chevaliers, courlis) ; Récurvirostridés (avocettes, échasses) ; Phalaropodidés (phalaropes) ; Dromadidés (pluvier crabier) ; Burhinidés (œdicnèmes) ; Glaréolidés (glaréoles, courvites) ; Thinocoridés (thinocores) ; Chionididés (becs-en-fourreau). *Alciformes :* Alcidés (pingouins, guillemots, macareux). *Lariformes* (« Palmipèdes »), bons voiliers : Stercorariidés (labbes) ; Laridés (goélands, mouettes, sternes, guifettes) ; Rhynchopidés (becs-en-ciseaux) ; *Columbiformes* (bec et pattes faibles) : Ptéroclididés (gangas, syrrhaptes) ; Columbidés (pigeons, tourterelles, gouras, diduncule) ; Raphidés (drontes ou dodos [2], solitaires [2]). *Psittaciformes* (bec crochu, coloration généralement vive et variée) : perroquets, perruches. *Cuculiformes* (souvent parasites : coucous) : Cuculidés (coucous) ; Musophagidés (touracos). *Strigiformes* (nocturnes, carnivores et insectivores) : Strigidés (chouettes, hiboux) ; Tytonidés (effraies). *Caprimulgiformes* (crépusculaires et nocturnes) : Caprimulgidés (engoulevents) ; Podargidés (podarges) ; Nyctibiidés (ibijaux) ; Aegothélidés (aegothèles) ; Stéatornithidés (guacharo). *Apodiformes* (= Micropodiformes. Bons voiliers, pattes courtes) : Apodidés (martinets, salanganes) ; Hémiprocnidés (martinets arboricoles) ; Trochilidés (colibris ou oiseaux-mouches). *Coliiformes :* colious. *Trogoniformes :* couroucous. *Coraciadiformes* (colorés) : Alcédinidés (martins-pêcheurs) ; Todidés (todiers) ; Momotidés (momots) ; Méropidés (guêpiers) ; Coraciadidés (rolliers) ; Brachyptéraciidés (rolliers terrestres) ; Leptosomatidés (courols) ; Upupidés (huppes, moqueurs) ; Bucérotidés (calaos). *Piciformes* (« Grimpeurs ») : Galbulidés (jacamars) ; Bucconidés (paresseux) ; Capitonidés (barbus) ; Indicatoridés (indicateurs) ; Ramphastidés (toucans) ; Picidés (pics, torcols). *Passériformes* (petite taille ; doués en général pour le chant : Alaudidés à Fringillidés) : [Eurylaimidés : eurylaimes] ; [Dendrocolaptidés (dendrocolaptes) ; Furnariidés (fourniers) ; Formicariidés (fourmiliers) ; Conopophagidés (conopophages) ; Rhinocryptidés (tapaculos) ; Cotingidés (cotingas) ; Pipridés (manakins) ; Tyrannidés (tyrans ou gobemouches américains) ; Oxyruncidés (oxyramphes) ; Phytotomidés (raras) ; Pittidés (brèves) ; Xénicidés (xéniques : N.-Zél.) ; Philépittidés (philépittes : Madagascar)] ; [Ménuridés (ménures ou oiseaux-lyres) ; Atrichornithidés (atrichornis : Australie)] ; [Alaudidés (alouettes) ; Hirundinidés (hirondelles) ; Dicruridés (drongos) ; Oriolidés (loriots de l'Ancien Monde) ; Corvidés (corbeaux, corneilles, choucas, chocard, zavattariornis, podoces, pies, geais, casse-noix) ; Cracticidés (gymnorhines, cassicans) ; Grallinidés (grallines) ; Ptilonorhynchidés (oiseaux à berceaux ou oiseaux-jardiniers) ; Paradiséidés (paradisiers ou oiseaux de Paradis) ; Paridés (mésanges) ; Aegithalidés (mésanges à longue queue) ; Sittidés (sittelles) ; Certhiidés (grimpereaux) ; Paradoxornithidés (paradoxornis, mésange à moustaches) ; Timaliidés (grives bruyantes, picathartes) ; Campéphagidés (échenilleurs, minivets) ; Pycnonotidés (bulbuls) ; Chloropsidés (verdins) ; Cinclidés (cincles) ; Troglodytidés (troglodytes) ; Mimidés (moqueurs) ; Turdidés (merles, grives, rossignols, rouges-gorges, rouges-queues, traquets) ; Sylviidés (fauvettes de l'Ancien Monde) ; Régulidés (roitelets) ; Muscicapidés (gobe-mouches de l'Ancien Monde) ; Prunellidés (accenteurs) ; Motacillidés (pipits, bergeronnettes) ; Bombycillidés (jaseurs) ; Artamidés (langrayens) ; Vangidés (vangas : Madagascar) ; Laniidés (pies-grièches) ; Prionopidés (bagadais) ; Calléidés (corneilles caronculées : N.-Zél.) ; Sturnidés (étourneaux, mainates, pique-bœufs) ; Méliphagidés (méliphages) ; Nectariniidés (souï-mangas) ; Dicéidés (dicées) ; Zostéropidés (oiseaux à lunettes) ; Viréonidés (viréos) ; Coerébidés (sucriers) ; Drépanididés (drépanis : Hawaii) ; Parulidés (fauvettes américaines) ; Plocéidés (moineaux, pinsons des neiges, veuves, républicains, tisserins, bengalis, astrilds, quéléas) ; Ictéridés (troupiales, cassiques, molothres) ; Tersinidés (tangaras-hirondelles) ; Thraupidés (= Tanagridés : tangaras) ; Fringillidés (pinsons, serins, chardonnerets, linottes, bouvreuils, gros-becs, becs-croisés, bruants, ortolans, pinsons de Darwin : Galapagos].

Nota – (1) Correspondance avec classifications anciennes. *Coureurs :* Struthioniformes, Rhéiformes, Casuariformes, Aptérygiformes. *Gallinacés :* Galliformes. *Palmipèdes :* Procellariiformes, Sphénisciformes, Gaviiformes, Pélécaniformes, Ansériformes, Lariformes. *Échassiers :* Ciconiiformes, Phoenicoptériformes, Gruiformes, Charadriiformes. *Rapaces diurnes :* Falconiformes. *Rapaces nocturnes :* Strigiformes. *Colombins :* Columbiformes. *Grimpeurs :* Piciformes, Cuculiformes, Psittaciformes. *Passereaux :* Passériformes. (2) Famille ou ordre disparu.

4°) **Mammifères** (en général vivipares ; les petits se nourrissent du lait des mamelles ; en principe température constante de 37 à 40 °C ; dents différenciées en incisives, canines, prémolaires, molaires ; corps poilu). + de 4 000 espèces.

a) **Monotrèmes** (ovipares, sans dents) : Ornithorynque ; 1 espèce. Échidnés ; 2 espèces.

b) **Marsupiaux** (vivipares, nouveau-né achève sa gestation dans une poche). 254 espèces : Kangourous ; 52 espèces. Sarigues ; 73 espèces.

c) **Euthériens ou Mammifères placentaires** (vivipares, nouveau-né entièrement constitué). 19 ordres. **1°) Édentés (Xénarthres).** 29 esp. : pas de dents (fourmiliers) ; dents semblables (tatous, paresseux). **2°) Pholidotes** (pas de dents, recouverts d'écailles). 7 esp. : pangolins. **3°) Insectivores** (denture hérissée de tubercules pointus). 343 esp. : hérissons, musaraignes, taupes. **4°) Tupaiidés** (dents rappelant celles des Insectivores, allure d'écureuil). 16 esp. : tupyes. **5°) Macroscélides** (dents rappelant celles des Insectivores, museau allongé). 15 esp. : rats à trompe. **6°) Dermoptères** (dents rappelant celles des Insectivores, allure d'écureuil volant). 2 esp. : galéopithèques. **7°) Chiroptères ou Chauves-souris.** 950 esp. : vampires (suceurs de sang), pipistrelles (insectivores), roussettes (frugivores). **8°) Carnivores** (canines en crocs ; terrestres). 240 esp. : [Canidés (ressemblent aux chiens) ; 35 esp. : chiens, loups, chacals, renards. Ursidés ; 7 esp. : ours. Procyonidés ; 18 esp. : ratons laveurs, coatis. Ailuropodidés ; 2 esp. : petit panda et grand panda. Mustélidés ; 67 esp. : belettes, martres, gloutons, blaireaux, moufettes, loutres. Viverridés ; 72 esp. : civettes, genettes, mangoustes. Hyénidés ; 4 esp. : hyènes. Félidés (félins) ; 35 esp. : chats, lynx, panthères, jaguar, lion, tigre, guépard]. **9°) Pinnipèdes** (Carnivores amphibies). 34 esp. : phoques, 17 esp. ; éléphants de mer, 2 esp. ; otaries, 14 esp. ; morse, 1 esp. **10°) Cétacés** (marins ; membres antérieurs transformés en nageoires, membres postérieurs atrophiés). 76 esp. A fanons (baleines, rorquals) ; 10 esp. A dents (dauphins, marsouins, 48 esp. ; cachalots, 3 esp. ; narval, 1 esp.). **11°) Siréniens** (aquatiques). 5 esp. : dugongs, 2 esp. ; lamantins, 3 esp. **12°) Tubulidentés** (denture réduite, fouisseur ; Afrique). 1 esp. : oryctérope. **13°) Proboscidiens** (Ongulés : herbivores à sabots recouvrant leurs doigts ; 5 doigts au membre antérieur, nez en trompe, défenses). 2 esp. : éléphants d'Afrique et d'Asie. **14°)**

Hyracoïdes (Ongulés ; glande dorsale ; allure de marmotte). 5 esp. : damans. **15°) Périssodactyles** (Ongulés ; moins de 5 doigts et en nombre impair). 17 esp. : Tapirs ; 4 esp. Rhinocéros ; 5 esp. Équidés [chevaux (28 races homologuées), zèbres, ânes] ; 8 esp. **16°) Artiodactyles** (Ongulés ; nombre de doigts pair). 184 esp. *Non ruminants* (4 doigts, estomac simple) : Sangliers ; 8 esp. Pécaris ; 3 esp. Hippopotames ; 2 esp. *Ruminants* (2 ou 4 doigts, estomac à 3 ou 4 compartiments : panse, bonnet, feuillet, caillette) : Bovidés ; 123 esp. (bœufs, chèvres, moutons, gazelles, antilopes). Camélidés ; 4 esp. (chameaux, dromadaires, lamas). Giraffidés ; 2 esp. (girafes, okapis). Antilocapridés ; 1 esp. (pronghorn). Cervidés ; 34 esp. (cerfs, chevreuils, daims, élans, rennes). Moschidés ; 3 esp. (porte-musc). Tragulidés ; 4 esp. (chevrotains). **17°) Rongeurs** (pas de canines). 1 600 à 3 000 esp. suivant les auteurs : écureuils, marmottes, castors, gerboises, loirs, campagnols, hamsters, rats, souris, porcs-épics. **18°) Lagomorphes** (voisins, mais 4 incisives à la mâchoire sup. au lieu de 2). 54 esp. : lièvres, lapins, pikas. **19°) Primates** (pouce opposable aux autres doigts). 179 esp. Ils comprennent : *Tarsiens :* 3 esp. : Tarsiers (tarsiers spectres). *Lémuriens :* 40 esp. : ayes-ayes, makis, loris, galagos. Hapalemur doré *(Hapalemur aureus),* 29e espèce de lémurien connue, découvert en 1986 à Madagascar (long. 75 cm, environ 1 kg). *Simiens* (Singes) : 135 esp. : Platyrhiniens ou Singes d'Amérique à queue prenante ; 49 esp. : ouistitis, hurleurs, sajous, atèles. Catarhiniens ou Singes de l'Ancien Monde à queue non prenante : 76 esp. : babouins, macaques, magots, cercopithèques, semnopithèques, nasiques, colobes. Anthropoïdes (grande taille, pas de queue) ; 10 esp. : gibbons, orang-outan, chimpanzés, gorille. *Hominiens* (Hommes).

Source : J. Roche, Muséum.

APPARITIONS ET DISPARITIONS

A L'ÉPOQUE PRÉHISTORIQUE

ÉVOLUTION

■ **Évolution générale.** Le *conodont,* aux dents en forme de cône, apparu il y a 515 millions d'années, 1er vertébré prédateur antérieur aux poissons sans dents. Disparu il y a 200 millions d'années, l'*anguille* en descend. Du *cœlacanthe* (200 millions d'années avant le dinosaure) descendrait la lignée évolutive qui a abouti à l'homme. L'*Ichtyostega,* amphibien découvert au Groenland, fut le 1er vertébré connu à s'installer sur la terre ferme, au cours du Dévonien supérieur. Les reptiles *mammaliens* (leurs dents sont comme celles des mammifères, différenciées en incisives, canines, molaires), dont fait partie le *procynosuchus,* apparus il y a env. 280 millions d'années, furent remplacés vers la fin du trias par de petits mammifères (de la taille d'une musaraigne). A cette époque apparurent des reptiles volants et les crocodiles, tortues, lézards et dinosaures. *Ère des dinosaures :* – 248 à – 65 millions d'années (*Staurikosaurus* et *Herrerasaurus* d'il y a env. 230 millions d'années, trouvés en Amér. du S.).

■ **Causes de la disparition des grands reptiles il y a 66 millions d'années (fin du crétacé). Hypothèses principales : 1°)** décimation par des prédateurs plus évolués (carnassiers mammifères) ; **2°)** accroissement excessif de la taille et du poids par rapport au volume de la cervelle ; **3°)** disparition de leurs proies ; **4°)** (de Walter Alvarez, Amér.) : catastrophe planétaire avec froid et raz-de-marée, soit due à la chute d'une météorite de 1 000 milliards de t [cratère de 200 km (Chicxulub au N. du Yucatán, golfe du Mexique) ?] qui aurait aussi provoqué des incendies sur toute la Terre (et qui expliquerait la présence d'iridium dans certaines régions du globe), ou à un volcanisme exceptionnel ; **5°)** recul des mers (régression) et refroidissement du climat (voir Index). **6°)** une pluie de comètes [envoyées par une étoile (Némésis ?) ou une planète (la planète X)] qui auraient frappé la Terre à la fin de l'ère secondaire. Une telle catastrophe surviendrait tous les 28 millions d'années. **7°)** [1985 : A. Hoffmann (New York) et R. Bernas (Orsay)] : période d'inversion du champ magnétique terrestre qui s'annule d'où un bombardement cosmique intense. **8°)** (1987) : baisse de 50 % de la teneur en oxygène de l'atmosphère en quelques dizaines de millions d'années (calculée d'après l'air contenu dans l'ambre fossile).

■ **Types. Dinosaure :** DÉCOUVERTES : *1677 :* le Dr Robert Plot décrit une tête de fémur qu'il attribue à un géant humain. *1788 :* Cuvier découvre des ossements de grands reptiles dans les falaises des Vaches noires près de Villers-sur-Mer (Calvados). *1818 :* William Buckland, professeur de géologie à l'Université d'Oxford (G.-B.), décrit divers ossements découverts à Stonesfield, qui devaient, selon lui, appartenir à un « grand reptile » qu'il baptise du nom de Megalosaurus. *1822 :* le Dr Gideon Mantell trouve dans le Sussex (G.-B.) des dents géantes et conclut qu'elles ressemblent à celles d'un iguane. Il songe dans une lettre adressée à Cuvier le 12-11-1824 à le dénommer Iguanosaurus. En 1825, il le décrit sous le nom d'Iguanodon. *1842 :* Sir Richard Owen, anatomiste et paléontologue, constate qu'il y avait 9 genres de grands reptiles ayant vécu à l'ère secondaire. Ils avaient suffisamment de points communs pour constituer un nouveau groupe : les dinosaures (du grec *deinos :* terrible, et *saura :* lézard). *1800-1900 :* aux USA (Colorado, Montana et Wyoming), Othniel Charles Marsh et Edward Drinker Cope décrivent plus de 130 espèces de dinosaures. Charles H. Sternberg découvre 2 exemplaires de momies de dinosaures, les 2 seules connues. *1878 :* en Europe, à Hainaut (Belgique), on découvre des dinosaures dans une mine à 322 m de profondeur. *1988 :* herrerasaurus découvert en Argentine vieux de 230 millions d'années (env. 150/225 kg, 3/6 m d'envergure). *(15/8) :* stégosaure (squelette presque intact de 3 tonnes) près de Canon City (Rocheuses du Colorado) vieux de 140 millions d'années.

Œufs : DÉCOUVERTES : *au XIXe s.* Accumulations : bassin d'Aix-en-Provence, plateau de Rennes-le-Château, Corbières. *1920* Mongolie. FORME : ronds, ovoïdes ou allongés. *Coquille :* 1 à 2 mm d'épaisseur pour un œuf de 20 cm de long. Une vingtaine de cm pour un œuf de Protocératops (*taille :* 2 m de long). 25 à 30 cm pour un œuf d'Hypselosaurus (*taille :* 12 m de long).

Classification : 600 espèces. Selon Robert Bakker et Peter Galton (1974), les dinosaures devraient être séparés des reptiles pour être réunis aux oiseaux, leurs descendants. *Ordres :* 2 principaux *(Saurischiens* et *Ornithischiens). Poids :* de 1 kg à plusieurs tonnes. La plupart étaient herbivores. Leur disparition (en quelques millions d'années) favorisa le développement des mammifères.

Grandes familles : *Ankylosaures :* herbivores, quadrupèdes cuirassés, aux membres courts et au corps large. Leur armure est formée de plaques osseuses juxtaposées, formant un bouclier continu couvrant tête, dos et flancs. L'euoplocephalus a même des paupières ossifiées. Chez certains la masse osseuse est portée par l'extrémité de la queue. *Cératopsiens :* crâne avec de grandes cornes et une large collerette osseuse couvrant le cou (celle du torosaurus est de 2,6 m de long) ; bec corné. *Ornithopodes :* de 1 m (bipède) à 10 m (quadrupède ou occasionnellement bipède) ; hadrosaurus : 9 m de long ; herbivore. *Pachycéphalosaures :* os du crâne formant un dôme ; herbivores bipèdes, marchant la queue rigide portée au-dessus du sol ; env. 8 m. *Prosauropodes :* petite tête allongée, long cou mobile, grande queue ; quadrupède ou occasionnellement bipède de 2,5 à 10 m de long ; herbivore ; ex : le plateosaurus. *Sauropodes :* petite tête, très long cou, corps massif, longue queue, pattes massives ; ex : le saltasaurus. *Stégosaures :* herbivores quadrupèdes ; double rangée de plaques osseuses fichées dans le dos ; puissantes épines sur la queue ; bec corné ; long. 9 m, poids env. 3 t. *Théropodes :* carnivores, bipèdes aux membres antérieurs très réduits ; certains ne sont pas plus grands qu'un chat ; tyrannosaurus 14 m.

Diplodocus (« double poutre »), dinosaurien, long. env. 26,60 m (cou 6,70 m, corps 4,5 m, queue 15 m), hauteur 3,50 m (au bassin), poids (estimation) 10,56 t (Amér. du Nord, – 150 000 000 ans). 1re reconstitution d'un squelette complet (Diplodocus carnegiei) faite en 1908 au Jardin des Plantes de Paris, par le paléontologue américain Holand, avec les os de 4 sujets différents, extraits de la carrière de Sheep Creek (Wyoming, USA). En 1909, Earl Douglas découvrit dans une carrière de l'Utah, un squelette complet de Diplodocus de 27 m, conservé au musée Carnegie de Pittsburgh (moulage au Muséum de Paris). La carrière est devenue le Centre du Dinosaur National Monument créé en 1915. L'anatomie du crâne n'a été connue correctement qu'en 1975.

Le Diplodocus aurait vécu le plus souvent dans l'eau, car sa pression sanguine (estimée à partir de celle de serpents, notamment le python à tête noire du Queensland) était trop faible pour irriguer normalement son cerveau lorsque sa tête était dressée ; ses œufs très poreux devaient être recouverts d'un amas de végétation jouant le rôle d'un incubateur.

Genres voisins : Brachiosaure, Brontosaure, Gigantosaure. Aux USA, ont été découverts des ossements de Supersaure, Ultrasaure, Séismosaure (long. 40 à 50 m, 135 t).

Reptiles : *Brontosaure* (herbivore) 30 m. *Carnosaure* 4,87 m de haut. *Gigantophis* (serpent) 11 m. *Ichtyosaure* (marin) 10 m. *Iguanodon* 10 m. *Kronosaurus queenslandicus* (marin) 17 m (crâne 3,67 m). *Plésiosaure* (marin) 5 à 15 m. *Ptéranodon* (volant) [8,23 m d'envergure]. *Ptérodactyle* (volant) 1 m d'envergure. *Ramphosuchus,* 15,25 m (N. de l'Inde, – 150 000 000 d'années). *Stégosaure* (à plaques osseuses) 7 m. *Stretosaurus macromerus,* plésiosaure à cou court, 15,50 m. *Tricératops* 8 m (crâne de plus de 1,5 m de large, cerveau 16 à 17 cm). *Tyrannosaure* 13,7 m, 7 t (crâne de 1 m de large).

Amphibiens : *Prionosuchus plummeri* d'env. 9 m de long (– 230 000 000 d'années).

Oiseaux : *Archéoptéryx,* bipède, ancêtre des oiseaux, 30 cm, issu des reptiles bipèdes (pour les uns, il volait ; pour les autres, il ne volait pas). *Æpyornis maximus* (oiseau-éléphant, Madagascar) 2,75 à 3 m, 455 kg, ne pouvait voler. *Condor,* envergure 5 m, 22 kg (Amér. du N., – 10 000 ou 100 000 ans). *Dinornis giganteus* (N.-Zélande) 3,50 m, 227 kg (ne volait pas). *Dromornis stirtoni,* haut. 3 m, plus de 500 kg. *Gigantormis eaglesomei,* envergure 6 m. *Ornithodeomus latidens,* 5 m d'envergure. *Teratornis incredibilis,* 5 m d'envergure.

Mammifères : *Baluchitherium* (rhinocéros sans corne), 11 m de long, h. 5,40 m, poids 20 t (Europe et Asie centrale, entre – 20 et 40 000 000 d'années). *Mégathérium* 4,50 m. *Basilosaure,* 21,33 m, 27 t (découvert en Alabama) : mammifère marin.

Insecte : *Meganeura monyi* (libellule) : 0,70 m d'envergure (fossile découvert dans l'Allier, – 280 000 000 d'années).

ANIMAUX PRÉHISTORIQUES SURVIVANTS

(ÂGE EN MILLIONS D'ANNÉES : MA)

Mammifère. *Okapi* 30 ma ; **aquatique :** *platypus* ou *ornithorynque* 150 ma. **Reptiles.** *Sphénodon* (N.-Zél.) 200 ma, *crocodile* 160 à 195 ma, *tortue* 275 ma. **Amphibien.** *Grenouille de l'île de Stephens* (N.-Zél.) 170 à 275 ma. **Animaux marins.** *Lingule,* brachiopode 500 ma, *néopilina,* mollusque marin, disparu dep. 350 ma, retrouvé par 4 000 m de fond en 1957. **Poissons :** *cœlacanthe* 400 ma (1,40 m, 65 kg, yeux de 6/7 cm de diam.), 1er redécouvert le 22-12-1938 par 65 cm de fond au large de la rivière Chalumna (côte est d'Afr. du S.) par le chalutier du capitaine Goosen, examiné par Miss Courtenay Latimer (assistante au muséum à East London, Af. du S.), identifié par le prof. J.L.B. Smith (univ. de Rhodes, Afr. du S.), appelé *Latimeria chalumnae ;* 2e pêché en 1950 au large d'Anjouan (Comores) ; 1res photos sous-marines de Jacques Stevens en 1965 ; on croyait l'espèce éteinte depuis 60 millions d'années, 200 pêchés de 1938 à 88. *Dipneuste* (pêché en 1869) 200. **Chélicérates :** *limule* 300, *péripate* (Tropiques) 500. **Crustacés :** *neoglyphea* (Philippines) 60 (pêchée en 1908, puis 1976).

☞ Des expériences de résurrection du mammouth par clonage ou par fécondation in vitro (une éléphante porterait l'embryon) seraient en cours en Russie et aux USA.

A L'ÉPOQUE HISTORIQUE

DISPARITIONS

Depuis 3 siècles, plus de 100 espèces de mammifères et env. 150 d'oiseaux ont disparu. 1 espèce animale disparaîtrait chaque semaine (la fréquence serait 100 fois plus rapide qu'au XVIe s.).

Afrique. V. 1800 : *Hippotrague bleu* (antilope, Afr. du Sud). **1875 :** *Zèbre couagga* (Afr. du S.). **1909 :** *Zèbre de Burchell* (Botswana) exploité par les Boers. **Au XXe s. :** *Bubale* (Afr. du N., 1926). Le *Lion* a disparu d'Afr. du Nord (dernier tué en 1922). *L'Ane sauvage.*

Amérique du Nord. 1802 : *Bison de Pennsylvanie,* chassé pour viande et cuir. **V. 1844 :** *Grand pingouin* (Terre-Neuve). **1878 :** *Canard du Labrador,* **1904 :** *Perruche de la Caroline.* **1914 :** *Pigeon migrateur* (USA). Le *Grand Pingouin* habita Terre-Neuve. **1962 :** *Courlis esquimau* (Canada). **1987 :** *Moineau maritime Ammodromus maritimus.*

Amérique du Sud. De gigantesques parents des *Tatous* et des *Paresseux* ont peut-être persisté au début de la période historique. **1765 :** *Ara grossei* (perroquet, Jamaïque) victime de la déforestation. **1876 :** *Loup des Falkland (Malouines). Phoque moine* (Antilles). **1937 :** *Orestias cuvieri* (poisson du Titicaca) mangé par des truites importées.

Asie. **1627 :** *Aurochs* habitait le Proche-Orient dans l'Antiquité. **1768 :** *Rhytine* ou *vache de mer* (mammifère sirénien) [îles du Commandeur, URSS]. **V. 1850 :** *Cormoran à lunettes* (île de Béring, URSS). **1868 :** *Caille de l'Himālaya* (1 500-2 000 m d'altitude). **1927 :** *Hémippe de Syrie* (espèce d'âne sauvage). **1937 :** *Tigre de Bali.* **XXe s. :** *Cerf de Schomburgk* (Thaïlande). Le *Lion,* qui a habité le Proche-Orient dans l'Antiquité, subsiste dans la forêt de Gir, en Inde (survivance en Iran douteuse). *Cheval de Przewalski,* disparu d'Europe en 1850, retrouvé en Mongolie en 1879 par l'explorateur russe dont il porte le nom, n'existe plus à l'état sauvage (dernier placé en 1947 dans une réserve d'Ukraine) : cousin du tarpan, petit cheval à courte crinière, sans « mèche » sur le front, au pelage bourru, il possède 66 chromosomes (autres chevaux : 64) ; 1992 : 1 000 dans le monde (projet de réintroduction dans les montagnes de Mongolie en 1993). **1960 :** *Zalophus californianus japonicus* (lion des mers, Japon) chassé pour sa fourrure.

Europe. **11 000 ans av. J.-C. :** *Cerf mégacéros,* ramures de 2 m d'envergure. **V. 2 000 av. J.-C. :** *Mammouth,* haut. 3,2 m (2,6 île Wrangel), long. 2,7 m, poids 3,5 t, défenses : record 5 m, 200 kg. **Antiquité :** *Éléphant nain de Sicile,* 60 cm au garrot. *Chèvre Myotragus* (Baléares) parmi les 1ers animaux domestiques. **XVIe s. :** *Lagomys* (parent du lapin), en Corse. **1627 :** *Aurochs* (forêt de Jatkorowka en Lituanie, 1,80 à 2 m au garrot, mâle noir, vache rousse, cornes en lyre) ; jusqu'au Moyen Age dans les forêts et marais, a été reconstitué par des croisements entre races bovines de Camargue et d'Espagne. **1844 :** *Grand Pingouin* (Islande), encore sur les côtes normandes au XIXe s. (égaré). **1876 :** *Tarpan* (cheval sauvage d'Europe centrale). Jusqu'au XVIe s. dans les Alpes et les Vosges. **V. 1914 :** *Lynx,* le dernier tué dans les Htes-Alpes ; une cinquantaine de couples de pardelles survivent en Espagne. *Francolin* (sorte de perdrix), dans les régions méditerranéennes ; subsiste en Asie et en Afrique. *Cerf de Corse* (sous-espèce) a disparu vers 1978 ; réintroduit à partir de la Sardaigne. *Loup* (voir index). *Bison* jusqu'au VIIe s. dans les Vosges. *Élan* en Alsace jusqu'au Xe s. *Baleine des Basques,* exterminée par les Basques dans le golfe de Gascogne. *Outarde barbue* (1 m) encore en Champagne au XIXe s. ; apparaît parfois durant les coups de froid. *Ibis chauve* (ou *Waldrapp*) (75 cm) dans le Jura et les Alpes jusqu'au XVIe s. (subsiste en Afr. et au Proche-Orient). *Pélican blanc,* jadis en Camargue. *Sarcelle marbrée* (38 cm) disparue de Camargue. *Érismature à tête blanche* (autre canard, 45 cm) disparue de Corse en 1954.

Madagascar et îles voisines. **XVIe ou XIXe s. :** *Æpyornis* (oiseaux géants, 3 m de haut, 455 kg), plusieurs espèces de *Lémuriens* géants (de la taille du gorille), l'*Hippopotame* et une *Tortue géante.* Les Mascareignes ont perdu à peu près aux mêmes époques : le *Dronte* ou *Dodo* (apparenté aux pigeons) de l'île Maurice (v. 1680), et de la Réunion (v. 1700) ; le *Solitaire* (voisin du dronte) de l'île Rodriguez (1760) ; la *Tortue* de Rodriguez (XVIIIe s.) ; la *« Huppe de Bourbon »* (passereau de la Réunion) [milieu du XIXe s.] ; le *Tribonyx* (1850) ou râle de Madagascar ; une *Poule d'eau* géante (Leguatia) et un *Perroquet* terrestre.

Océanie. **Env. 1 000 ans av. J.-C. :** *Tortue à cornes (Meiolania)* (Pacifique S.), 1,30 m de long, ne sait pas nager, exterminée. **Vers 1700 :** *Dinornis* ou *Moas,* oiseaux gigantesques de N.-Zélande (jusqu'à 3,50 m de haut, 234 kg) tués par les Maoris (22-1-1993 : 1 moa aperçu ?). **Début du XIXe s. :** *Émeu noir* (Austr.). Nombreuses disparitions d'oiseaux aux îles Hawaii. **XXe s. :** *Loup marsupial ; Marsupial insectivore* (Perameles fasciata) ; *Perroquet nocturne* (Austr.) ; *Chouette* (N.-Zélande). Nlle-Calédonie : *perruche, mégapode, crocodile* (au moins 15 ou 20 espèces).

■ Animaux menacés de disparition

Généralités

Causes de disparition. 1°) Responsabilité de l'homme : directe (chasse, pêche, piégeage, fourrures, insecticides, lignes à haute tension, trafics d'animaux vivants, collections, etc.) ou indirecte (destruction des milieux par assèchement des marais, défrichement des forêts, routes, pollution des eaux douces et marais, etc.), surtout pression démographique. 2°) Élimination par des concurrents mieux adaptés. 3°) Compétition avec les troupeaux domestiques.

Statistiques. En 1990, l'UICN (l'Union Mondiale pour la Nature) a répertorié 5 011 espèces déclarées en danger ou menacées de disparition (698 mammifères, 1 047 oiseaux, 191 reptiles, 63 amphibiens, 762 poissons, 2 250 vertébrés). L'effectif des espèces menacées mentionnées ci-dessous est de quelques milliers ou quelques centaines, voire quelques dizaines d'individus. S'il a été évalué, il est mentionné entre parenthèses.

Principaux animaux menacés

Afrique. *Ane sauvage* (Somalie) (400). *Céphalophe de Jentink* (Liberia, Côte-d'Ivoire). *Cercopithèque à face de chouette. Cerf de Barbarie* (Algérie, Tunisie) (500). *Chimpanzé* (Afr. occidentale) (10 000 en 1990). *Crocodile* du Nil. *Drill. Éléphants* (voir p. 170). *Gorilles* (voir p. 171). *Hippotrague* (Antilope noire, variété « variani » de l'Angola). *Ibis chauve* (Maroc) (1 colonie). *Manchot* du Cap. *Oryx. Mandrill. Panthère* (voir p. 171). *Phoque blanc* (Mauritanie). *Rhinocéros* (voir p. 171). *Zèbre* de montagne (Afr. australe) (140). La faune de l'Afr. du Nord, mal protégée, a presque complètement disparu, à part de rares chacals, renards et panthères au Maroc, des singes en Algérie et Maroc, des gazelles Dorcas et de Cuvier, des ibex de Nubie dans le sud de l'Égypte. Le Sahara héberge encore des mouflons à manchettes et de rares addax, oryx et gazelles Dama.

Amérique du Nord. *Bison. Bœuf musqué. Condor* de Californie (considéré comme disparu dans la nature, 29 en captivité en Am. du N.). *Cygne trompette* (2 200). *Grue blanche, cygne trompette* de l'Alaska et du Canada (70). *Jaguar. Loup. Lynx roux. Morse. Ours blanc. Ours grizzly. Pétrel* des Bermudes (50). *Pic à bec d'ivoire* (moins de 20). *Puma. Putois à pattes noires* (disparus dans la nature, important élevage en captivité). *Pygargue à tête blanche.*

Amérique du Sud. *Ara de Spix* (moins de 10). *Caïman à lunettes. Cervidés endémiques. Chinchilla* (Andes). *Jaguar. Loutre géante* du Brésil. Ocelot. Ouistiti. Ours à lunettes (Andes). *Pénélope à ailes blanches* (Pérou, retrouvée vivante en 1977). *Singe-lion* (Brésil). *Tamarin. Tatou géant* (Amazonie). *Tortue géante* des Galapagos.

Antilles. *Crocodile* de Cuba. *Passereaux. Perroquets. Pic à bec d'ivoire* de Cuba. *Solénodon* (Insectivore géant).

Asie. *Aigle mangeur de singes* (Philippines, moins de 100). *Anoa* (Buffle nain) et *Babiroussa* des Philippines. *Cerf du Père David* ou *Milou* (env. 500) (Chine : disparu à l'état sauvage, survit en captivité, échec d'une réintroduction en 1987). *Chameau sauvage* (Asie centrale, peut-être 400). *Cheval de Przewalski* (Asie centrale ; disparu à l'état sauvage). *Crocodile marin. Daim* iranien (30 à 40). *Dauphin lacustre* de Chine (400). *Douc* (singe d'Indochine). *Gavial* du Gange. *Grue* de Mandchourie. Hémione (espèce d'âne sauvage). *Ibis* nippon (10). *Kouprey* ou bœuf gris cambodgien très rare (il a été victime des guerres) ; quelques animaux ont été redécouverts en Indochine et au Cambodge après 20 ans de disparition. *Lièvre à poil dur* (Inde). *Lion* d'Asie (Inde, + de 200). *Nasique. Orang-outan* (Sumatra, Bornéo). *Oryx* d'Arabie (réintroduit en Jordanie en 1983, à Oman et en Arabie Saoudite). *Panda (grand)* (voir p. 174). *Panthère des neiges* (Asie centrale) (env. 1 000) ; *d'Asie ; pongibande. Plataniste* du Gange. *Rhinocéros* de l'Inde (voir p. 174) ; de Sumatra ; de Java. *Rhinopithèques. Salamandre géante* (Chine, Japon). *Sanglier pygmée* (Inde). *Tigre* (voir p. 174). *Varan géant* de Komodo (Indonésie).

Europe. *Bison* d'Europe (voir p. 172). *Cigognes blanches* (noires voir p. 172). *Faucons pèlerins :* G.-B. 750 couples, Italie 350, France 500, All. 120, Suisse 100, Finlande 70, Suède env. 15. *Goéland d'Audouin* (Méditerranée). *Grands rapaces* (Pygargue, Aigle impérial, etc.). *Loutre* (voir Index). *Lynx pardelle* (Espagne). *Ours bruns* (voir p. 172). *Phoque moine.* 200 survivants en 1990 ; extinction prévue entre 1994 et 1998 : victimes de la pollution des eaux, des pêcheurs (tir, dynamite) ; des dérangements (plaisanciers, pêche sous-marine). En Bulgarie, Grèce, Yougoslavie, Sardaigne (et à Madère, dans l'Atlantique), la pêche est réglementée dans les zones où ils habitent, pour ne pas les priver de poisson ; en France, a disparu des îles d'Hyères (1950) et de Corse (v. 1975). *Protée* (Yougoslavie).

Madagascar et environs. *Aigle des serpents. Aye-aye* (lémurien) (20). *Faucon crécerelle* de l'île Maurice (12). *Fouche* ou *Fossa. Indri* (lémurien). *Lépilémur. Propithèque de Verreaux* (lémurien).

Océanie. **Australie :** *Passereaux. Perroquets. Phalanger de Leadbeater* et autres *marsupiaux.* **Hawaii :** *Oie* d'Hawaii ou *néné* (plus de 500). **N.-Calédonie :** *Effraie des clochers* (chouette), *Gecko, Kagou* (échassier), *Papillon bleu ; Perruche* d'Ouvéa. **N.-Zélande :** *Kakapo* ou *perroquet-hibou. Takaké* ou *Notornis* (voisin de la poule d'eau, 200 à 300).

Océans. *Dugong* (océan Indien). Grands cétacés : *baleine des Basques,* quelques centaines ; *b. du Groenland,* quelques dizaines ; *b. bleue, b. franche, b. à bosse. Dauphins :* 7 millions auraient été massacrés ces dernières années dans le Pacifique par les Japonais (?). *Rorqual bleu* (600 à 700, 400 000 il y a 60 ans). *Tortues marines :* intoxiquées par des sacs plastiques confondus avec des proies (méduses). Capture dans les filets, ramassage des œufs, dérangement des plages de ponte.

Quelques animaux menacés en France

Amphibiens. *Euprocte* des Pyrénées (voisin du triton).

Insectes. *Apollon* (papillon, montagnes). *Cerf-volant, hanneton faulon* et autres coléoptères. *Isabelle* (papillon, Queyras).

Mammifères. *Ane du Poitou :* quelques dizaines. *Phoque* (veau marin) : en 1900, il y en avait des centaines dans la baie de la Somme. L'espèce y réapparaît de plus en plus. Chaque année de jeunes phoques venant d'Angleterre s'échouent sur nos côtes. S'ils étaient respectés, les populations se reconstitueraient. *Phoque gris :* archipel d'Ouessant.

Oiseaux. *Aigle de Bonelli :* 27 couples, *royal :* 28. *Butor blongios :* 1 500 couples. *Chevalier combattant* (marais de l'Ouest), *gambette :* moins de 500 couples. *Cigogne blanche :* 30 couples (voir p. 172). *Faucon pèlerin :* recherché par les fauconniers, sensible aux pesticides. 350 couples. *Glaréole* (Camargue). *Gobe-mouches à collier :* quelques centaines. *Grand-duc :* plusieurs centaines de couples en France (voir p. 172). *Grand tétras :* 2 000 à 3 000. *Guifette noire :* env. 250 couples. *Guillemot de Troïl* (Bretagne). *Gypaète barbu* (voir p. 172 c) : vautour géant (3 m d'envergure) ; 5 couples dans les Pyrénées, 8 ou 9 en Corse ; réintroduit dans les Alpes. *Hibou petit-duc :* quelques milliers de couples. *Huppe fasciée :* régression de 40 % en 12 ans. *Macareux moine :* par suite des marées noires. *Merle à plastron* (protégé) : détruit pendant ses migrations d'hiver, surtout en Corse ; quelques centaines de couples dans Alpes et Pyrénées. *Petit pingouin* (Bretagne). *Pingouin torda :* quelques couples. *Sterne de Dougall :* moins de 10 couples. *Vanneau huppé :* 20 000 couples. Voir à l'Index : Animaux protégés.

Poissons. *Esturgeon* (fleuves du S.-O.). *Omble chevalier* (lacs alpins). *Saumon.*

Reptiles. *Cistude* (tortue d'eau) (Brenne). *Tortue d'Hermann* (Provence). *Tortue-luth* (Charente-Mar.). *Vipère d'Orsini* (Hte-Provence).

■ Animaux découverts depuis 1980

☞ De 1900 à 1970, voir Quid 1983, p. 215. De 1970 à 1979 voir Quid 1989 p. 192.

Des centaines d'espèces sont découvertes chaque année (surtout des insectes et des poissons). Parmi les principales, découvertes dep. 1980, on peut citer :

Afrique. **1980 :** *Lemniscomys roseveari,* rat rayé de Zambie. *Nannomys baoulei,* souris de Côte-d'Ivoire. *Myonycteris relica,* roussette du Kenya. *Crocidura usambarae,* musaraigne de Tanzanie. *Crocidura lucina* et *thalia,* musaraignes d'Éthiopie. **1982 :** *Mirafra ashi,* alouette de Somalie. *Ploceus ruweti,* tisserin du Zaïre. **1983 :** *Lemur fulvus flavifrons,* maki de Madagascar. *Glaucidium aubertinum,* chouette

Principaux animaux exotiques introduits en France, avec leur région d'origine

Afrique : ibis sacré, mouche des fruits, oie d'Égypte, wohlfahrtia (mouche). **Am. du N. :** black-bass (deux espèces), crépidule, cristivomer, doryphore, écrevisse américaine, érismature rousse, grenouille-taureau, omble de fontaine (dit saumon de fontaine), lapin de Floride (sylvilagus), perche-soleil, phylloxéra, poisson-chat, rat musqué, raton laveur, tête de boule (poisson), tortue de Floride, truite arc-en-ciel, vison d'Amérique. **Am. du S. :** fourmi d'Argentine, gambusie, ragondin. **Asie occidentale et méridionale :** cerf muntjac, crabe (Hétéropanope), faisan de Colchide. **Australie :** coccinelle (Novius cardinalis), cochenille (Icerya purchasi), wallaby de Bennett. **Europe de l'Est :** hotu, huchon, moule zébrée, sandre, grand silure. **Extrême-Orient :** amour (carpe de Chine, 2 espèces), bombyx de l'ailante, callosciurus (écureuil), cerf sika, chien viverrin, crabe chinois, écureuil de Formose, faisan vénéré, huître japonaise, hydropote, palourde japonaise, pou de San José, sauterelle des serres, tamias de Corée.

Nota. – L'importation des animaux sauvages et exotiques est prohibée pour des motifs sanitaires par arrêté ministériel (autorisations accordées).

chevêchette du Zaïre. *Nectarinia rufipennis,* souï-manga de Tanzanie. **1984 :** *Hipposideros lamottei,* chauve-souris du mont Nimba (Guinée). **1985 :** *Taterillus petteri,* gerbille du Burkina. *Hirundo perdita,* hirondelle du Soudan. **1986 :** *Lamottemys okuensis,* rat du mont Oku (Cameroun). *Hybomys eisentrauti,* rat à bande dorsale (Cameroun). **1987 :** *Hapalemur aureus (doré),* lémurien de Madagascar. **1988 :** *Cercopithecus solatus,* Cercopithèque rayon de soleil, Gabon. **1989 :** *Propithecus tattersalli,* lémurien de Madagascar. *Ploceus burnieri,* tisserin d'Afrique de l'Est. *Allocebus trichotis,* lémurien redécouvert à Madagascar. **1990 :** *Cisticola dorsti.* **1991 :** *Laniarius piberatus,* pie-grièche de Somalie.

Amérique. **1980 :** *Cabassous chacoensis,* tatou du Paraguay. *Tijuca condita,* cotinga du sud-est du Brésil. *Metallura odomae,* colibri du nord du Pérou. **1981 :** *Marmosa handleyi,* sarigue de Colombie. *Otus marshalli,* hibou petit-duc des Andes du Pérou. **1984 :** *Dicrostonyx minutus,* le lemming des lichens (Canada). **1985 :** *Tangara meyerdeschauenseei,* tangara du sud du Pérou. *Saimiri vanzolinii,* singe-écureuil du Brésil. **1986 :** *Onza,* félin du Mexique, sous-espèce du puma. *Chaetomys subspinosus,* rongeur retrouvé vivant au Brésil. **1989 :** *Asthenes luizae,* fournier terrestre (passereau) du Brésil. *Glaucidium hardyi,* petite chouette chevêchette du Brésil. *Leontopithecus caissara,* singe-lion (tamarin) du Brésil. **1990 :** *Asthenes puizac,* le fournier terrestre brésilien, passereau du Brésil.

Asie. **1980 :** *Acomys whitei,* rat épineux du sultanat d'Oman. *Microtus evoronensis,* campagnol de Sibérie orientale. *Brachypteryx cryptica,* petite grive à ailes courtes de l'Inde. **1985 :** *Gazella bilkis,* gazelle du Yémen. **1986 :** *Courvite de Jerdon* qu'on croyait disparu depuis 1900, retrouvé vivant en Inde. *Eublepharis ensafi,* gecko (40 cm, Iran). **1986 :** un faisan du genre *Lophura,* Viêt-nam. **1988 :** *Orcelle d'eau douce* sans dent à Bornéo (dauphin sans dent). **1989 :** un varan au Yémen. **1990 :** *Himantura chaophraia,* raie d'eau douce (500 à 600 kg, Thaïlande). **1992 :** « chèvre » (ou antilope) du Viêt-nam.

Europe. **1980 :** *Baleaphryne muletensis,* alyte de Majorque (crapaud). **1989 :** *pétrel* noir sur l'archipel de Molène (France). **1991 :** *Phoneutria,* araignée venimeuse (Espagne).

Grottes de Moville (Dobroudja, Roumanie). Découvertes à partir de 1986 ; ne renferment que de 1 à 5 % d'oxygène, hébergent bactéries, champignons, protozoaires, vers, crustacés, insectes, myriapodes. 80 % sont des espèces fossiles vivantes. Bactéries capables de transformer le soufre de l'hydrogène sulfuré (contenu dans les eaux souterraines) en substances organiques.

Océanie. **1983 :** *Cichlornis llaneae,* fauvette de l'île Bougainville. *Rheobatrachus silus,* grenouille australienne qui incube ses œufs dans son estomac. **1985 :** *Hipposideros carynophyllus,* chauve-souris de N.-Guinée. **1986 :** *Hoplodactylus delcourti,* gecko (62 cm, Nlle-Zélande ou Nlle-Calédonie). Il était conservé au muséum de Marseille. **1990 :** *Fregetta titan,* pétrel de l'île de Rapa, en Polynésie française. *Dendrolague,* kangourou arboricole géant, en N.-Guinée. **1992 :** 43 genres et une cinquantaine d'espèces de poissons (Nlle-Calédonie).

Océans. **1976 :** *Megachasma pelagios,* ou requin à maquereaux, 4,5 m de long, unique représentant connu des mégachasmidés, de l'ordre des lamniformes. **1980 :** *Hexatrygon,* raie aberrante, côtes d'Afrique du Sud. **1983 :** *Néopiline* (mollusque monoplacophore) près des Açores. *Orcinus glacialis,* orque dans l'Antarctique. **1984 :** une grande pieuvre inconnue filmée dans le Pacifique par la soucoupe plongeante *Cyana.* **1986 :** Échinodermes (Grinoïdes) primitifs batiaux : *Guillecrinus reunionensis* à la Réunion et *Gymnocrinus richeri* en Nlle-Calédonie. **1990 :** *Frigonognathus kabeyai,* requin, au large du Japon.

Terres australes. **1983 :** *Diomedea amsterdamensis,* albatros d'Amsterdam.

PROTECTION

ACCORDS INTERNATIONAUX

1948 : *Convention baleinière internationale,* réglemente la pêche industrielle des cétacés (moratoire dep. 1986), ratifiée par la France, 38 pays signataires. 1971 : *Convention de Ramsar,* relative aux zones humides d'importance internationale, particulièrement comme habitats de la sauvagine ; 39 pays contractants ; signée par la France le 26-7-1984 et ratifiée le 1-10-1986. 1978 : *Convention de Washington (CITES)* sur le commerce international des espèces de faune et de flore sauvages menacées d'extinction, ratifiée par la France (116 pays contractants). Application harmonisée par la CEE à compter du 1-1-1984. 1979 : *Convention de Berne* sur la protection de 109 plantes (dont 9 présentes en France) et 680 espèces animales (dont - de 50 % présentes en France) menacées d'extinction. Élaborée par une vingtaine de pays ; ratifiée par la France le 22-8-1990. Oblige les signataires à protéger les habitats des espèces menacées, interdit « la détérioration des sites de reproduction ou des aires de repos », « la perturbation, notamment durant la période de reproduction et d'hibernation » (art. 6), encourage « la réintroduction des espèces indigènes de la faune sauvage, lorsque cette mesure contribue à leur conservation ». *Convention de Bonn* sur la conservation des espèces migratrices appartenant à la faune sauvage (en cours de ratification par la France). 1981 : *Directive du Conseil de la CEE* concernant la conservation des oiseaux sauvages (entrée en application le 6-4-1981).

☞ Classement des espèces (1975). I : **espèces menacées d'extinction immédiate** pour lesquelles le commerce et la circulation sont interdits (ex. : félins tachetés, tortues marines, éléphants, crocodiles africains, chimpanzés...). II : **considérées comme très vulnérables** et dont le commerce est réglementé (ex. : hippopotame nain, loutres, pangolin d'Inde et de Chine). III : **menacées de disparition dans un pays donné** (ex. : grue cendrée en Tunisie, pangolin géant au Ghana, dauphin de l'estuaire en Uruguay...).

Une législation interdisant la chasse ou la pêche d'une espèce suffit souvent à la sauvegarder. Ex. : après l'accord international de 1911 protégeant l'otarie à fourrure (3 à 4 m, 500 kg, vivant du Kamtchatka à l'Alaska), leur nombre est remonté de 125 000, en 1910, à 2 ou 3 millions.

MÉTHODES

Reproduction en captivité ou semi-captivité. Parfois le seul moyen de sauver certaines espèces : *lions, babouins, daims* se reproduisent facilement, au contraire des *gorilles, rhinocéros, grues* (espaces insuffisants, régimes alim. et mœurs mal connus). On a créé des banques de sperme (notamment pour les éléphants). Le *milou* ou *cerf du Père David,* cerf à queue de vache, ne subsistait au XIXe s. que dans le parc de l'empereur de Chine où un missionnaire français, le père A. David, le découvrit. Des spécimens furent envoyés en Europe, et s'y reproduisirent en captivité. Réintroduit en Chine en 1987.

Surveillance. Ex. : En France comme en Allemagne, des volontaires (recrutés par le Fonds d'intervention pour les rapaces) se relaient 24 h sur 24 pour empêcher le dénichage des rapaces rares.

Parmi les espèces sauvées par des réintroductions. Dans de nombreux pays d'Europe, on tente de réintroduire des espèces animales disparues ou qui menacent de s'y éteindre. Exemples : *Apollon* (papillon) : mont Pilat (Loire). *Bison :* Ardennes françaises (parc de Bel Val), réintroduction à l'étude. *Bouquetin :* 4 sites en Fr. *Castor :* France (13 sites dont Alsace, Poitou, Bretagne, Val de Loire) et Suisse. *Chamois* et *Isard* relâchés dans 8 sites en Fr. *Cheval de Przewalski :* projet de réintroduction en Mongolie en 1993. *Cigogne blanche :* Alsace, Suisse, Belgique (Knokke-Le Zoute). *Grand-duc :* Jura suisse. *Gypaète :* Alpes. *Lynx* (voir Index). *Macareux moines :* Sept-Iles (Côtes-d'Armor depuis les îles Féroé). *Oie naine :* trop chassée en Turquie où elle hiverne, des Suédois en confient des œufs à des Bernaches nonnettes qui hivernent aux Pays-Bas. *Petit pingouin :* Finistère. *Pygargue* (ou aigle de mer) : Iles Hébrides. *Tortue :* centre d'élevage dans le Var. *Vautour fauve :* Cévennes ; *moine :* 6 jeunes réintroduits en 1992 dans les Cévennes. **A l'étude :** réintroduction de l'*Ours* (Pyrénées et Alpes) et du *Phoque moine de Méditerranée* (parc marin de Port-Cros).

ORGANISATIONS

ORGANISATIONS INTERNATIONALES

Chaîne bleue. Association sans but lucratif, av. Guillaume-Gilbert, 10, Ixelles, Belgique. **Conseil mondial d'éthique des droits de l'animal** (World Council for the Ethics of Animal Rights). *Créé :* 1987. *Pt :* Pr Georges Heuse (Belg.). *Siège :* FAIB, rue Washington, 40, 1050 Bruxelles. **Équipe Cousteau,** 233, rue du Fbg-St-Honoré, 75008 Paris. **Ligue internationale des droits de l'animal** (International League for Animal Rights). *Créée :* 1977 par le Pr Georges Heuse (Belg.). *Siège :* B.P. 785, Luxembourg. *Pt :* Pr L. Bollendorff (Lux/). **Ligue internationale des médecins pour l'abolition de la vivisection (LIMAV).** 6517 Arbedo, Suisse. **Ligue luxembourgeoise des droits de l'animal.** B.P. 785, L-2017 Luxembourg. **Ligue nationale pour la protection des animaux.** *Créée* 1908. *Siège :* 33, rue Adolphe, L-1116 Luxembourg. Refuge pour animaux (80, rue Mozart). *Pt :* Lucien Bildgen. **Office international des épizooties** (organisation mondiale de la santé animale). *Créé :* 1924. *Siège :* OIE, 12, rue de Prony, 75017 Paris. **WCMC (Centre mondial de surveillance continue de la conservation de la nature).** Organisation indépendante à but non lucratif établie par l'UICN (Union mondiale pour la nature), le WWF (World Wide Fund for Nature : Fonds mondial pour la nature) et le PNUE (Programme des Nations Unies pour l'environnement). **World Organisation for the Rights of Animals** (Organisation mondiale des droits de l'animal). *Créée :* 1986. *Siège :* 446, Sardarpura, Jodhpur 342003, Inde. *Pt :* Justice V.R. Krishna Iyer (Inde). **World Society for the Protection of Animals (WSPA)** Sté mondiale pour la protection des animaux). 2 Langley Lane, London SW8 1TJ, G.-B. *Née* le 1-1-1981, de la fusion de la *Fédération mondiale pour la protection des animaux (WFPA)* et de la *Sté internationale pour la protection des animaux (ISPA).* **World Wide Fund for Nature (WWF).** *Créé* 1961. *Siège :* avenue du Mont-Blanc, CH 1196 Gland, Suisse. *Pt :* le duc d'Édimbourg. *Section française :* créée 1973. *Siège :* 151, bd de la Reine, 78000 Versailles. *Pt :* Philippe Poiret. Fondation privée de conservation de la nature. *Revue : Panda* (trim.) lancée 1980, 10 000 abonnés. *Symbole :* panda de Chine. *Réalisations :* a collecté plus de 900 millions de F sur env. 4 200 programmes dans le monde, a sauvegardé le tigre de l'Inde et de l'Indonésie, le rhinocéros de Java, l'oryx d'Arabie, l'orang-outan de Sumatra, etc. ; a permis la création de plus de 260 parcs nationaux et réserves ; a contribué, en France, au financement de nombreux projets en faveur des zones humides ; au sauvetage des phoques, à la réintroduction du lynx, à des opérations de sensibilisation et d'information.

ASSOCIATIONS NATIONALES

Aire du chat 102, rue St-Maur, 75011 Paris. **Artus** B.P. 50, 41353 Blois Cedex. Sauvegarde de l'ours brun en France. 12 000 adhérents. **Assistance aux animaux** 23, av. de la République, 75011 Paris. **Association des amis des ânes (Adada)** Pissevache, 19450 Chamboulive. **Assoc. de défense des animaux de compagnie (Adac)** 3, rue de l'Arrivée, B.P. 107, 75749 Paris Cedex 15. **Assoc. française d'information et de recherche sur l'animal de compagnie (Afirac)** 7, rue du Pasteur-Wagner, 75011 Paris. **Assoc. d'information et de protection animale (ASPAS)** 1, rue Pasteur, 29000 Quimper. **Assoc. de protection des animaux sauvages** B.P. 34, 26270 Loriol-sur-Drôme. *Créée* 1983, 15 000 adhérents. **Centres d'hébergement pour équidés martyrs (CHEM)** 3, rue de Lyon, 75012 Paris. *Créé* 1978, 1 500 m. **Confédération nat. des stés de protection des animaux (CNSPA)** 17, place Bellecour, 69292 Lyon Cedex 1. **Fédération française des stés de protection de la nature** (fédère 150 associations) 57, rue Cuvier, 75005 Paris. **Fondation Brigitte Bardot** 83990 St-Tropez et 4, rue Franklin, 75016 Paris. **Fonds d'intervention pour les rapaces** 4 100 m. en 1992. 29, rue du Mont-Valérien, 92210 Saint-Cloud. **France Nature Environnement** 57, rue Cuvier, 75231 Paris Cedex 05. *Créée* 1968. 850 000 membres dans 160 associations. **Greenpeace** 28, rue des Petites-Écuries, 75010 Paris. **Groupement pour la recherche des équidés volés (GREV)** Moulin des Sablons, 61290 Maletable. **Ligue française des droits de l'animal (LFDA)** 61, rue du Cherche-Midi, 75006 Paris. **Ligue française pour la protection du cheval (LFPC)** 22, rue Penthièvre, 75008 Paris. *Fondée* 1909, 2000 m. **Ligue française pour la protection des oiseaux** La Corderie royale, B.P. 263, 17305 Rochefort Cedex et 51, rue Laugier, 75017 Paris. *Créée* 1912, 14 000 adhérents. Pt : Allain Bougrain-Dubourg. **Ligue internationale de la protection du cheval** 3, rue de Lyon, 75012 Paris. **Œuvre d'assistance aux bêtes d'abattoirs (OABA)** 10, place Léon-Blum, 75011 Paris. *Créée* 1961, 4 000 adhérents. **Rassemblement des opposants à la chasse** (Pt : Th. Monod, de l'Institut de France) B.P. 261, F-02106 St-Quentin Cedex. *Créé* 1976, 15 000 inscrits. **Sté nationale pour la défense des animaux** (SNDA et Union antitauromachie) B.P. 30, 94301 Vincennes Cedex. *Créée* 1972, 15 000 m. **Sté protectrice des animaux (SPA)** 39, boulevard Berthier, 75017 Paris (36.15 SPA) : fondée 1845, reconnue d'utilité publique 1860, 70 000 adhérents, 82 filiales. Recueille 200 000 animaux par an dont 100 000 chiens. *Pte :* Jacqueline Faucher. *Pt d'honneur :* Roland Nungesser. *Section éducative des jeunes,* fondée en 1948. 5 000 membres. *Refuge Grammont,* 30, avenue du Gén.-de-Gaulle, 92230 Gennevilliers. Le plus grand d'Europe (7 000 m^2), 25 000 animaux y transitent par an. Les services de recherches retrouvent 20 000 animaux par an, dont 6 000 chiens. *Mensuel : Animaux Magazine.*

☞ Voir **Expérimentation animale** p. 185.

Services et organismes publics. *Ministère de l'Environnement,* 14, bd du Gén.-Leclerc, 92524 Neuilly ; compétent pour la protection des espèces de faune sauvage et des spécimens libres ou captifs. Directions régionales de l'Environnement. *Ministère de l'Agriculture et du développement rural,* 175, rue du Chevaleret, 75646 Paris Cedex 13 ; pour la protection des animaux contre les mauvais traitements et actes de cruauté. *Directions départementales des services vétérinaires ; Procureurs de la République :* chargés de la répression des infractions pénales. *Mairies, commissariats de police, gendarmerie. Circonscriptions régionales du service des haras et de l'équitation.*

DÉCLARATION UNIVERSELLE DES DROITS DE L'ANIMAL

Proclamée à Paris, le 15-10-1978, à l'Unesco. Son texte (publié en 1977) a été révisé et adopté par la Ligue internationale des droits de l'animal à Genève le 21-10-1989.

Préambule. *Considérant* que la vie est une, tous les êtres vivants ayant une origine commune et s'étant différenciés au cours de l'évolution des espèces, – que tout être vivant possède des droits naturels, et que tout animal doté d'un système nerveux possède des droits particuliers, – que le mépris, voire la simple méconnaissance de ces droits naturels provoquent de graves atteintes à la Nature et conduisent l'homme à commettre des crimes envers les animaux, – que la coexistence des espèces dans le monde implique la reconnaissance par l'espèce humaine du droit à l'existence des autres espèces animales, – que le respect des animaux par l'homme est inséparable du respect des hommes entre eux,

Il est proclamé ce qui suit : Article 1. 1°) Tous les animaux ont des droits égaux à l'existence dans le cadre des équilibres biologiques. 2°) Cette égalité n'occulte pas la diversité des espèces et des individus. **2.** Toute vie animale a droit au respect. **3.** 1°) Aucun animal ne doit être soumis à de mauvais traitements ou à des actes cruels. 2°) Si la mise à mort d'un animal est nécessaire, elle doit être instantanée, indolore et non génératrice d'angoisse. 3°) L'animal mort doit être traité avec décence. **4.** 1°) L'animal sauvage a le droit de vivre libre dans son milieu naturel, et de s'y reproduire. 2°) La privation prolongée de sa liberté, la chasse et la pêche de loisir, ainsi que toute utilisation de l'animal sauvage à d'autres fins que vitales, sont contraires à ce droit. **5.** 1°) L'animal que l'homme tient sous sa dépendance a droit à un entretien et à des soins attentifs. 2°) Il ne doit en aucun cas être abandonné, ou mis à mort de manière injustifiée. 3°) Toutes les formes d'élevage et d'utilisation de l'animal doivent respecter la physiologie et le comportement propres à l'espèce. 4°) Les exhibitions, les spectacles, les films utilisant des animaux doivent aussi respecter leur dignité et ne comporter aucune violence. **6.** 1°) L'expérimentation sur l'animal impliquant une souffrance physique ou psychique viole les droits de l'animal. 2°) Les méthodes de remplacement doivent être développées et systématiquement mises en œuvre. **7.** Tout acte impliquant sans nécessité la mort d'un animal, et toute décision conduisant à un tel acte constituent un crime contre la vie. **8.** 1°) Tout acte compromettant la survie d'une espèce sauvage, et toute décision conduisant à un tel acte constituent un génocide, c'est-à-dire un crime contre l'espèce. 2°) Le massacre des animaux sauvages, la pollution et la destruction des biotopes sont des génocides. **9.** 1°) La personnalité juridique de l'animal et ses droits doivent être reconnus par la loi. 2°) La défense et la sauvegarde de l'animal doivent avoir des représentants au sein des organismes gouvernementaux. **10.** L'éducation et l'instruction publique doivent conduire l'homme, dès son enfance, à observer, à comprendre et à respecter les animaux.

LÉGISLATION FRANÇAISE

☞ **Chasse** voir à l'Index.

■ **Loi Grammont.** Votée le 2-7-1850. À l'instigation du général comte de Grammont *(fondateur* de la SPA en 1845). Prévoyait « une amende et un emprisonnement de 1 à 15 j pour ceux qui ont exercé, publiquement et abusivement, de mauvais traitements envers les animaux domestiques ».

Cette loi a été *renforcée le 11-12-1937 : amende :* 5 000 F ; emprisonnement possible (pouvant aller jusqu'à 10 mois) pour qui se livre, publiquement ou non, à la torture ou à des sévices sur les chiens et autres animaux domestiques.

■ **Charte de l'animal.** Loi votée le 10-7-1976 par le Parlement. *Art. 9 :* tout animal, étant un être sensible, doit être placé par son propriétaire dans des conditions compatibles avec les impératifs biologiques de son espèce.

■ **Peines prévues au Code pénal. Article R 38-12.** Amende de 1 300 F à 2 500 F et prison pendant 5 j pour ceux qui auront exercé sans nécessité, publiquement ou non, des mauvais traitements envers un animal domestique ou apprivoisé ou tenu en captivité. En cas de condamnation du propriétaire de l'animal ou si le propriétaire est inconnu, le tribunal pourra décider que l'animal soit remis à une œuvre de protection animale qui pourra librement en disposer (dispositions non applicables aux courses de taureaux et aux combats de coqs lorsqu'une tradition locale ininterrompue peut être invoquée). **Art. R 39.** Prison 10 j en cas de récidive. **Art. 453.** Amende de 500 à 15 000 F et/ou emprisonnement de 15 jours à 6 mois pour quiconque aura, sans nécessité, publiquement ou non, exercé des sévices graves ou commis un acte de cruauté envers un animal domestique ou apprivoisé ou tenu en captivité, ou en cas d'abandon volontaire d'un animal, domestique ou apprivoisé ou tenu en captivité, à l'exception des animaux destinés au repeuplement. **Art. 13-11 de la loi n° 76-629 du 10-7-1976.** La remise de l'animal à une assoc. de protection animale ou à un particulier, en renonçant à tout droit de propriété moyennant signature d'une décharge, ne constitue pas un abandon tel qu'il est défini par la loi. Les associations de protection animale peuvent exercer les droits reconnus à la partie civile. **Art. 454.** Sera puni des peines prévues à l'art. 453 quiconque aura pratiqué des expériences sur les animaux sans autorisation personnelle, délivrée par le min. de l'Agr. (décret du 19-10-1987). Les établissements d'expérimentation et de fourniture des animaux sont soumis à réglementation et à contrôle, afin d'assurer aux animaux la nourriture et l'habitat convenables. Ils doivent tenir un registre indiquant la provenance ou la destination des animaux (arrêtés du 27-4-1988).

QUELQUES ANIMAUX

Légende. Longueur en cm (du museau à la base de la queue) + longueur de la queue en cm ; H : hauteur au garrot en cm.

☞ Voir aussi **Animaux familiers** p. 179 et **Gibier** à l'Index.

ANIMAUX D'AFRIQUE

■ MAMMIFÈRES

■ **Antilopes. Addax** 150 à 170 + 25 à 35 cm, H 95 à 115 cm, poids 60 à 125 kg. *Cornes* 75 cm (record 109), en hélice étirée (2 tours). *Gestation* 330 j. *Longévité* 16/18 ans (en voie de disparition). **Bongo** 170 à 250 + 45 à 65, H 110 à 125, poids 220 kg. *Cornes* 60/70 cm (record 1 m) en forme de lyre, très épaisses, massives, mais élégantes. *Gestation* 230 j. *Longévité* 14/16 ans. **Bubales** ou **Bubales majors** (Hartebeest, nom donné par les Boers : bête dure) 175 à 245 + 45 à 70, H 110 à 150, poids 120 à 225 kg. Haut sur jambes, ligne oblique du dos s'abaissant du garrot à la croupe. *Cornes* 45/55 cm (record 70) annelées à base massive. *Gestation* 8 mois. *Hardes* de 5 à 30. *Longévité :* peut atteindre 19 ans. **Cobs (ou Cobes)** 180 à 220 + 22 à 45, H 120 à 130, poids 170 à 250 kg. *Cornes* 50/80 cm (record 99) simplement arquées, très écartées à leur base. *Hardes* de 10 à 30. 6 espèces dont **C. defassa** ou **C. onctueux** (Waterbuck) et **C. à croissant** *hardes* de + de 30. **C. de Buffon** 125 à 180 + 18 à 45, H 70 à 105, poids 50 à 120 kg. *Cornes* 35/50 cm (record 57) plutôt courtes et épaisses en lyre et courbées. *Gestation* 215/225 j. **Éland de Derby** ou **Éland géant** 275 + 100, H 170. *Cornes* 80/100 cm (record 123). Poids 900 kg (record). **Éland du Cap** ou **Antilope canna** 235 à 345 + 50 à 90, H 140 à 180, poids 800/1 000 kg. *Cornes :* jusqu'à 113 cm. *Gestation* 8 mois 1/2 à 9 mois, *portée* 1. *Habitat* steppe. *Longévité* 15/18 ans. Ressemble à l'élan de Derby. **Gnou à queue noire** (blue wildebeest) 175 à 240 + 70 à 100, H 115 à 145, poids 145 à 250 kg. *Cornes* 60/70 cm (record 83) resserrées et recourbées. **Guib** (ou **Guibe) d'eau, Sitatunga** ou **Limnotrague** 115 à 170 + 30, H 75 à 124, poids 45/50 kg. *Cornes* 55 cm max. assez faibles et en lyre. *Croupe* + haute que le garrot. *Longévité* 8/10 ans. **Hippotrague** 188 à 267 + 37 à 76, H 100 à 160, poids 150 à 300. *Cornes* recourbées en croissant dirigé vers le haut. Élancé, haut sur jambes, profil dorsal un peu tombant. *Gestation* 270/280 j, 1 jeune. *Longévité* 17 ans env. en captivité. *2 espèces :* **antilope rouanne** ou **a. chevaline** (ou hippotrague), *cornes* 50 à 95 cm. **Hippotrague noir** (sable antilope) 225 + 75, H 140 env., poids 250 kg, *cornes* 70 à 173 cm (record 154, 164 pour la race d'Angola). **Koudou** (grand) l'une des plus belles 195 à 245 + 150, H 120 à 150, poids 290 à 320 kg. *Cornes* jusqu'à 168 cm (record 181) spiralées et divergentes. *Hardes* de 6 à 20. *Longévité* 15 ans. *Gestation* 8 mois. **Koudou** (petit) 110 à 140 + 45, H 90 à 105, poids 60 à 100 kg. *Cornes* jusqu'à 90 cm. *Gestation* 7 mois. *Longévité* 12 à 15 ans. **Nyala** 135 à 165 + 60, H 80 à 115, poids 120 à 130 kg. *Cornes* 70/80 cm (record 83). *Gestation* 225 j. *Hardes* de 6 à 40. *Longévité* 14/16 ans ; **de montagne** (à partir de 2 500 m d'alt., en Éthiopie seulement) 190 à 260 + 30, H 90 à 135, poids 215 à 230 kg. *Cornes* 80/100 cm (record 118). *Longévité* 8 ans. *Gestation* 7 mois. **Oréotrague sauteur** (Klipspringer) 75 à 115 + 8 à 13, H 50/60, poids 18 kg. *Cornes* 9 cm (record 15). *Gestation* 215 j. *Longévité* 7 à 9 ans. **Oryx** 160 à 235 + 45 à 90, H 90 à 140, poids 100 à 210 kg. *Cornes* 85 cm (record 109), droites comme une lance ou légèrement recourbées. *Gestation* 290 j. *Longévité* 15 ans. **Oryx algazelle.** *Habitat :* zone sahélienne, déplacements fréquents. Autrefois, animal domestique des anciens Égyptiens ; actuellement, race la plus menacée.

■ **Buffles. B. noir de Cafrerie** ou **du Cap** 250/260 + 80/100, H 170, poids 800 à 1 200 kg. *Cornes* à section semi-circulaire, écartement de + d'1 m. Agile et rapide (50 km/h). *Gestation :* 10 mois env. *Longévité :* 26 ans. *Troupeaux* de 30 à 60. **B. de forêt** ou **nain** 180 + 60, H 100 à 130, poids 400 à 450 kg. *Cornes :* 50/60 cm (record 75) pointues, dirigées vers l'arrière. *Vit* solitaire, en couple ou petite harde. **B. de savane** ou **équinoxial,** taille moyenne, haut sur pattes, H 120 à 140, poids 750 kg. *Gestation :* 245 j. *Longévité :* 15 à 18 ans.

■ **Caracal** (apparenté au lynx). Félidé 55 à 75 + 22 à 33, H 40 à 45. Pelage rouge vineux à gris rougeâtre ou jaune sable, ventre blanchâtre, oreilles grises terminées par long pinceau de poils. *Habitat :* steppes à épineux. *Gestation :* 70 à 78 j. *Portée :* 1 à 4.

■ **Chacal commun ou doré** (ressemble au loup). 70 à 85 + 22 à 28, H 45 à 50, poids 7 à 14 kg. *Gestation :* 63 j. *Portée :* 3 à 8. *Longévité :* 12 ans.

■ **Dromadaire (ou méhari).** H 200, poids jusqu'à 700 kg. Une bosse. Résiste à la soif (5 à 6 j en hiver, 20 à 30 j s'il dispose de pâturages verts). Absorbe 100 l d'eau en 10 min ; évacue très peu d'eau (urines peu abondantes, transpiration nulle au-dessous de 40 °C grâce à sa température corporelle variable entre 34 et 41 °C). Résiste à la faim grâce aux réserves de graisses accumulées dans sa bosse (celle-ci, d'un poids de 15 kg, n'est pas un réservoir d'eau, mais les graisses sont soumises à un régime d'hydratation et de déshydratation, dans lequel les réserves d'eau jouent un grand rôle). Peut perdre 30 % de son poids dans une traversée. Monté, peut marcher 17 h de suite, parcourir 210 km en 1 j, 640 km en 4 j. Lourdement chargé (250 kg), peut faire 70 km/j. *Portée :* 1. *Gestation :* 1 an. *Régime :* herbivore.

■ **Éléphant d'Afrique.** 500 + 150, H 200/350, largeur du pied 40 cm, poids moyen 4 500 kg (record 6 650). Sexe en érection 1,20 (diam. 10 cm). *Défenses :* 100 à 200 cm, 10 à 50 kg [record : 349 et 335 cm. Poids (paire) 132 kg, record du poids 241 kg]. *Différences avec l'éléphant d'Asie :* oreilles très larges couvrant 1/6 de la surface du corps, irriguées de telle sorte que lorsqu'il s'évente, la temp. du sang circulant dans les oreilles s'abaisse de 5 °C. Front régulièrement convexe (chez l'él. d'Asie, le front est concave et l'échine convexe), défenses plus fortes, 2 appendices en forme de doigt terminent la trompe. *Trompe* de 150 à 210 cm lui permet d'absorber 9 l à chaque inspiration. *Cerveau :* 5 kg. *Vitesse :* marche 7 à 15 km/h, trot 45 km/h lorsqu'il charge. Peut parcourir de 30 à 50 km par jour. *Sommeil :* 2 à 4 h par jour. *Nourriture végétale :* 1/5 de son poids par jour :

écorces, feuilles, pousses, herbes, racines et fruits. *Besoins en eau :* env. 200 l par jour. *Gestation :* 21 à 22 mois, la femelle peut se reproduire de 16 à 80 ans ; l'*éléphanteau* mesure 80 à 90 cm au garrot à sa naissance et pèse env. 100 kg. Il tète avec sa bouche, et non sa trompe. Il est sevré à 2 ans. Intervalle entre 2 naissances : 4 ans, quelquefois 8. *Longévité :* mâles 50 ans et plus, femelles 60 ans et plus. Réputé *myope* (il ne distingue pas un obstacle à plus de 30 m), *odorat* et *ouïe* très développés ; sous le vent on peut l'approcher à 20 m, sinon pas à moins de 1 km. *Vit* souvent en troupeaux (hardes) de 4 à 16 ; parfois de plusieurs centaines, conduits par la femelle la plus âgée et la plus grosse, les mâles fermant la marche. De vieux mâles vivent par 2 à 5. 3 sous-espèces : *Loxodonta africana* (él. de savane de 3 m à 3,5 m au garrot) ; *Loxodonta cyclotis* (él. de forêt, de 2,3 m à 2,6 m au garrot), défenses longues et droites ; *Loxodonta pumilio,* él. pygmée de 2 m au garrot, vivrait dans les forêts marécageuses. On peut évaluer la hauteur au garrot d'un él. en multipliant par 2 la circonférence de ses traces. *Nombre : 1970 :* 2 000 000 ; *1992 :* 330 000. *Protégés* partout (sauf régulation locale ou tir de trophées), classés en Annexe I de la Convention de Washington (interdisant le commerce), mais braconnage important. *Ivoire exporté :* 1 000 t par an (dont 40 % vers le Japon), ce qui représente 120 000 éléphants abattus. Autrefois, on trouvait sur le marché des défenses de 13 à 16 kg, actuellement elles ne dépassent pas 3 à 4 kg (on tue donc des petits).

■ **Fennec.** Canidé 35,7 à 40,7, H 17,8 à 30,5, moins de 1,5 kg. Oreilles : plus de 15 cm. Pelage doux et laineux jaune crème, queue touffue. *Habitat :* déserts et zones semi-désertiques (Sahara) ; creuse des terriers dans le sable. *Mœurs :* nocturnes ; *vit* en groupe jusqu'à 10. *Omnivore :* peut rester longtemps sans boire. *Gestation :* 52 j. *Portée :* 2 à 4. *Longévité :* 12 ans.

■ **Fossa** (prononcer *fousse*). Viverridé 80 + 80. Madagascar. Peut-être le plus primitif des carnivores actuels. Ressemble à une grande martre, ou au jaguarondi. Chasse les lémuriens.

■ **Gazelles** (Antilopes de taille moyenne). 26 espèces dont : **G. leptoceros** ou **à cornes grêles** H garrot 70 cm, poids 20 kg ; cornes 25/30 cm (record 40), longues et droites 25/30 cm (record 40). *Habitat :* désert (zones sablonneuses), de plus en plus rare. **G. dorcas** H 60, cornes en lyre. *Longévité :* 10 à 12 ans. A l'âge d'une semaine, peut courir à 75 km/h comme les adultes. *Habitat :* désert et semi-désert (zones pierreuses), en régression. **G. dama** H 70. *Habitat :* autrefois, zone sahélienne. Ne vit plus qu'en captivité. **G. de Grant** 125 + 35, H 85, poids 60/75 kg ; cornes 50 cm (record 80). **G.-girafe** ou **de Waller** 160 + 25, H 95, poids 50 kg ; cornes 25/35 cm (record 44). **Impala** ou **G. à pieds noirs** 160 + 30, H 100, poids 65/75 kg ; cornes seulement chez le mâle, en forme de lyre, 70/75 cm (record 91). Fait des bonds jusqu'à 2,50 m de hauteur et 8 à 10 m en longueur.

■ **Girafe tachetée.** 225 + 80, H 300/550, poids 500 kg dont cœur 12 kg. Tête avec 2 ou 3 cornes, parfois 5. *Se nourrit* essentiellement de feuillage (surtout acacias) : 88 % de sa nourriture. Cueille les feuilles en enroulant sa langue (atteint parfois 45 cm) autour d'elles. *Territoire :* 5 000 ha. *Groupes* de 10 à 30. Parfois la proie des lions. *Gestation :* 450 j. *Portée :* 1. *Longévité :* 25 ans.

■ **Guépard.** 135 + 75, H 80, poids 40 kg. Félidé, mais aux griffes non rétractiles. Peut atteindre 95 km/h ; ne grimpe pas aux arbres. *Habitat :* savane sèche. *Groupes* de 2 à 5. *Gestation :* 3 mois. *Portée :* 2 à 5. *Longévité :* 15 ans. S'apprivoise. *Nombre :* 10 000, menacé de disparition.

■ **Hippopotames.** 2 espèces : **H. amphibie** 400 + 55, H 140, poids 2 400/3 000 kg. Courtes pattes terminées par 4 orteils. Couleur du noir ou brun au rose sale. *Canines* inférieures jusqu'à 60/70 cm de long. L'ivoire, très fin, est plus dur que celui de l'éléphant. *Souvent immergé,* il respire à la surface toutes les 2 à 4 min en ne laissant dépasser que les narines. *Groupes* de 5 à 20 ou 30. *Gestation :* 8 mois (le jeune hippopotame pèse 40 kg à la naissance). **H. nain** 150/170 + 15, H 75, poids 150/170 kg (Guinée, Liberia, Côte-d'Ivoire). *Vit* hors de l'eau et ne s'y rend que pour se baigner.

■ **Hyène tachetée.** 130 + 35, H 1,40, poids 80 kg. *Groupes* de 5 ou 6 individus. **H. rayée.**

■ **Lamantin** (voir Amérique du Sud p. 172).

■ **Lion.** 180 + 90, H 105, poids 180/200 kg. Sauf dans certaines régions (ex. : Congo-Brazzav.), les mâles ont une *crinière* (poils de 50 cm de long) qui apparaît à 4 ans (la lionne, plus petite, n'en a pas). *Polygame,* un gros mâle vit souvent avec 2 ou 3 lionnes et peut s'accoupler à 20 ou 25. 2 à 6 lionceaux naissent aveugles après 3 mois 1/2 de *gestation,* sevrés à 3 mois, chassent à un an, n'ont leur pelage définitif qu'à 2 ans et n'arrivent à pleine maturité qu'à 5 ans. 1re proie à 15 mois. *Attaque* tous les animaux : zèbres, antilopes, girafes, phacochères, buffles. On a constaté, dans une savane d'Afr. orientale, qu'en 1 an, 1 adulte, 2 femelles et 3 lionceaux ont tué : 5 élans, 5 bubales, 9 impalas, 9 girafes, 12 buffles, 25 gazelles de Thomson, 33 zèbres, 107 gnous, 14 divers. Les lions ne chassent que lorsqu'ils sont affamés. Ils peuvent manger jusqu'à 35 kg de viande en une seule fois. Ils vivent en *groupes* (2 ou 3), contrairement à la plupart des félins. *Territoire :* 4 000 à 13 000 ha, selon la taille du groupe et la densité de population des proies (en moy. 1 000 herbivores pour 3 ou 4 lions). Seuls les vieux lions solitaires peu agiles deviennent mangeurs d'hommes. *Vitesse max. :* 80 km/h. *Bonds* de 6,5 m en longueur, 2 m en hauteur. *Longévité :* env. 20 ans. *Habitat :* se trouve essentiellement au S. du Sahara.

■ **Mouflon à manchettes.** Voisin du mouton, mais avec des caractéristiques propres aux chèvres. 130/165 + 25, H 75/100, poids 40 à 140 kg. Pas de barbe, longue crinière à la partie inférieure du cou et sur le devant du poitrail. *Cornes :* 60 cm (record 87). *Habitat :* montagnes du Sahara. *Gestation :* 170 j. *Portée :* 1 ou 2. *Longévité :* 13/15 ans. Rare.

■ **Okapi.** Giraffidé. 210 + 30/40, H 150/170, poids 250 kg. Mammifère ruminant voisin de la girafe, découvert vers 1900 dans la forêt congolaise. *Broute* des feuillages (l'essentiel de sa nourriture). Il se sert de sa langue (presque aussi longue que celle de la girafe) pour saisir les branches. Son ouïe très fine l'alerte des dangers. *Gestation :* 426 j. *Portée :* 1. *Longévité :* 25/30 ans. Animal très rare.

■ **Pangolin géant.** Mammifère à écailles de l'ordre des pholidotes (famille des manidés), 80 + 65. *Se nourrit* de fourmis et termites ; s'enroule en cas de danger. Terrestre et nocturne.

■ **Panthère d'Afrique ou Léopard.** 120 + 95, H 65, poids 70 kg. Grimpe aux arbres, ne dévore pas toujours les animaux abattus. *Chasse* seule et *vit* généralement en solitaire, sauf pendant les périodes de rut. *S'attaque* aux : volailles, pintades, pangolins, petites antilopes, phacochères et potamochères, chacals. *Gestation :* 3 mois. *Portée :* 2 à 5. *Longévité :* env. 20 ans. *Nombre :* environ 100 000. 6 000 tués chaque année (dont 2 000 légalement, pour protéger les troupeaux, et 4 000 victimes du braconnage : les braconniers revendent 600 $ env. chaque peau).

■ **Phacochère** (en grec : cochon à lentille). 130 + 40, H 75, poids 90/105 kg. Porc sauvage, *défenses* 2 supérieures jusqu'à 60 cm (record), généralement 30 cm chez les mâles ; inférieures + petites, rarement + de 15 cm. *Bandes* de 4 ou 5. *Herbivore. Portée :* 4 en moy., quelquefois 8. *Longévité :* 15 ans.

■ **Rhinocéros africains.** 2 espèces : **Rh. noir** 330 + 65, H 150, poids 1 200/1 750 kg. *Corne* antérieure : 55/75 cm (record 158). *Pieds* à 3 doigts, celui du centre étant plus long. *Couleur :* gris beige surtout due à la boue séchée. *Vit* seul, par couple ou groupes de 3 ou 4. *Nourriture :* feuilles, racines et pousses d'arbres. *Vitesse* de charge : 40/45 km/h. *Gestation :* 15/16 mois. *Longévité :* env. 45 ans. *Odorat* et *ouïe* très fins, mais ne distinguent pas les objets situés à plus de 25 m. *Nombre :* 2 500 dont 500 au Zimbabwe où les braconniers en ont tué 1 500. **Rh. blanc (**ou **camus)** 400 + 70, H 165, poids 1 900/2 100 kg. *Couleur :* gris (lors de leur découverte, ils s'étaient vautrés dans une argile blanchâtre : on crut que c'était leur couleur naturelle). *Habitat :* S. Soudan, N.-E. Zaïre, Ouganda, Afr. du S. *Nombre :* 4 000 [dont Kenya 200 (13 000 en 1969)].

■ **Singes. Babouin** ou **Cynocéphale commun** 60/80 + 50, poids 30/65 kg. Aboie. *Groupes* de plus de 100. *Longévité :* jusqu'à 50 ans. *Alimentation :* omnivore. **Cynocéphale d'Abyssinie** ou **Hamadryas** environ 60 cm et parfois plus, queue assez longue en pinceau. La femelle s'apprivoise mieux que le mâle. *Alimentation :* viande, poisson, légumes cuits, quelques fruits, biscuits. **Chimpanzé** H 150/170 cm. Membres antérieurs 80 cm, postérieurs 60 cm, poids 50/70 kg. Sans queue. Surtout *végétarien. Intelligence :* remarquable, grande mémoire. *Longévité :* 50/60 ans. *Gestation :* 8 mois 1/2 [*chimpanzé nain,* rive sud du Congo]. En voie de disparition (il en restait 50 000 en 1982).

Gorille. H 160/200 cm. L des membres antérieurs 100 cm, postérieurs 75 cm, poids 130/200 kg, femelle 60/115 kg. Sans queue ; cage thoracique développée. Tour de poitrine jusqu'à 2,05 m. *Vit* par familles, ou par groupes, jusqu'à 30 à 40. Établit généralement son nid à même le sol, parfois sur des branches basses. *Végétarien* (fruits et pousses). Ne se tient debout que pour regarder au-dessus de la végétation. Herbivore, n'attaque pas l'homme. En cas de danger, pousse des cris sauvages et se livre à des mimiques, qui généralement mettent l'adversaire en fuite ; mais il ne combat pas. *Longévité :* 50 ans. *Territoire :* 40 km². *Nombre : g. de côte (Gorilla gorilla gorilla)* 9 000 au sud du Cameroun, Rép. centrafricaine, Guinée équatoriale ; env. 150 redécouverts récemment dans le S.-E. du Nigeria ; *g. de plaine (Gorilla gorilla graveri)* 4 000 à l'est du Zaïre ; *g. de montagne (Gorilla gorilla beringei)* 365 à la frontière du Rwanda avec Zaïre et Ouganda, et en Ouganda. Sur 48 gorilles capturés, 30 survivent à la captivité, 12 au transport, 6 jusqu'à l'âge adulte, un seul couple se reproduit.

Mandrill. L 90 cm, poids 40-50 kg. Face (rouge et bleue). Queue très courte. *Vit* souvent à terre par groupes de 30 à 40 individus. Un mâle est mort en captivité à 46 ans. **Singes verts** (dont **Grivet** et **Vervet**) 90/125 + 50/70, poids 3/5 kg. Communs et largement répandus. Pelage gris à verdâtre. *Groupes* de 20 à 30, dominés par un mâle. Seuls les vieux mâles vivent en solitaires. Font partie (avec le hocheur, le talapoin, la mone à face bleue) des cercopithèques, appelés aussi **guenons** (*guenon* est employé abusivement dans le sens de « singe femelle »). **S. rouge** ou **Patas** L moyenne, tête, corps et queue : 140 cm, poids 10 kg. Ne grimpe pratiquement jamais aux arbres. *Groupes* de 10 à 20, dirigés par un mâle âgé. *Longévité :* 15/20 ans. *Gestation :* 7 mois.

Talapoin ou **Cercopithèque mignon** ou **singe de mangrove.** 30/40 + 37/50, poids 0,8/1 kg. *Longévité :* 20 ans. S'apprivoise vite, doux, gai et affectueux. *Alimentation :* fruits, raisins secs, œuf dur, aliments en boîte pour chien. *Reproduction :* 1 fois par an. *Gestation :* 200 j env. *Portée :* 1.

■ **Zèbres** (équidés). **Z. Commun** 230 + 80, H 130, poids 250/300 kg. *Couleur :* blanc avec raies noires. *Groupes* de 6 à 20 ou même de plusieurs centaines. *Vitesse :* 65 km/h. *Longévité :* 12 ans. Souvent accompagné de gnous, bubales, damalisques et autruches. **Z. de Grévy** 240 + 100, H 150, poids 280/320 kg. Le plus grand des zèbres ; *vit* en Éthiopie, Somalie, dans le nord du Kenya, par troupeaux de 6 à 30. 2 spécimens furent offerts au Pt Jules Grévy par l'empereur d'Éthiopie. **Z. de montagne** le plus petit des zèbres (120 cm au garrot) *vit* en Afr. australe. Il en reste 120.

■ Oiseaux

■ **Autruche.** H 200/250 cm, poids 100/120 kg. Le plus grand des oiseaux connus. Ne se sert de ses ailes atrophiées que pour se déplacer plus vite ou comme balancier. *Vitesse* d'un adulte : 50 km/h. Craintive et vigilante, ne dort pas plus de 15 min consécutives. *Vit* en troupeaux de 2 à 40. Un seul mâle accompagne les femelles. *Œufs* de 15 cm de long sur 10/12 de large, près de 2 kg. La femelle en pond de 10 à 20, ils sont couvés alternativement par mâle et femelle. A l'éclosion, les petits sont hauts de 30 cm. Elle avale fréquemment des cailloux assez gros (comme les volailles avalent des gravillons minuscules qu'elles stockent dans leur gésier, et qui servent à triturer les grains). Ces cailloux ne vont pas dans leur estomac et l'expression « estomac d'autruche » est fausse. Parfois, par voracité, elle avale des objets non comestibles : cette erreur lui est toujours fatale. L'expression « la politique de l'autruche » (l'a. cachant sa tête sous le sable en cas de danger) repose sur une mauvaise observation (les a. creusent des trous pour leurs œufs, mais ne se cachent pas).

■ **Pélicans.** 140/160 cm, poids 10 kg. Blanc et gris. Long bec, pouvant atteindre 50 cm de long. *Vol* un peu lourd mais rapide (60 km/h). *Se nourrit* principalement de poissons et grenouilles.

■ Reptiles

■ **Crocodile du Nil.** L 5 à 6 m. Ovipare. *Nourriture :* poissons, oiseaux et mammifères (env. 2 kg/j). *Denture :* mâchoire sup. 36 ou 38 dents, inf. 28 ou 30. *Température :* 25 °C. Peut rattraper un homme à la course. *Longévité :* 50 à 80 ans. L'expression *« larmes de crocodile »* s'explique : 1°) ses yeux sont humides à cause d'une sécrétion des paupières ; 2°) ses cris ressemblent à des vagissements de bébé. Menacé de disparition. Élevage au Zimbabwe et en Afr. du Sud.

■ **Python de Seba.** L 4 à 5 m. Non venimeux. Capture généralement sa proie en la frappant d'un coup de tête, puis en s'enroulant autour pour l'étouffer. Ensuite, l'avale lentement et la digère parfois en plusieurs semaines. Ovipare.

■ **Serpent cracheur.** Certains (le cobra égyptien ou naja-haje) crachent leur venin pour aveugler leurs victimes (ne provoque généralement qu'une conjonctivite). Morsure fréquemment mortelle. Ovipare.

■ **Serpent minute.** Typhlopidé (c.-à-d. presque aveugle). L 10/90 cm. Écailles lisses, inoffensif. Son nom (latin *Serpens minutus,* « serpent menu ») a fait croire que son venin donnait la mort en une minute, mais il n'est pas venimeux.

■ **Tortue-léopard.** L 30/50 cm, poids mâle 8/10 kg ; femelle 15/20 kg. Terrestre, 100/150 cm, poids 100/300 kg. Ovipare.

■ **Varan du désert.** L 100 cm, poids 1,5 kg. *Carnivore,* polyphage (lézards, rongeurs, insectes), diurne, héliophile. Ovipare (8 à 12 œufs). Repos hivernal.

■ **Varan du Nil.** L 120/170 cm à 2 m, poids jusqu'à 2 kg. Grimpe aux arbres, nage bien, court vite. *Se nourrit* d'oiseaux, rongeurs, batraciens, d'œufs d'oiseaux et de reptiles. Ne s'attaque pas à l'homme. Ovipare. Menacé de disparition, sauf au Sénégal.

Animaux d'Amérique du Nord et d'Europe

☞ Voir aussi **Chasse** et **Élevage** à l'Index.

Crustacés

■ **Cloporte.** Oniscidé isopode. 2 cm. Corps aplati. 14 pattes. Certaines espèces peuvent se rouler en boule. *Vit* dans les lieux sombres et humides. Souvent considéré à tort comme un insecte.

Mammifères.

☞ Voir aussi **Loup, Loutre, Lynx** à l'Index.

■ **Bison d'Amérique.** 250 + 50, H 200, poids 1 t (femelle 500 kg et H 150). *Vitesse :* 45 km/h au galop. *Nombre :* au XVe s. : env. 75 000 000 ; 1890 : 1 000 000 ; 1992 : env. 35 000 (dans les réserves) dont quelques milliers dans la forêt canadienne. **B. d'Europe** 270 + 80, H 180/195, poids 800/900 kg : env. 2 000 Caucase et forêt de Bialowieza, à la frontière russo-polonaise. Réintroduit en France.

■ **Desman des Pyrénées.** Poids 12 + 14,60 g. Petit *insectivore* à trompe mobile. Petits yeux. Pelage brun. *Habite* les torrents des Pyrénées.

■ **Glouton.** 110, poids 15/30 kg. Le plus gros mustélidé connu. *Carnivore,* surtout charognard. Sa voracité lui permet de dévorer un cadavre entier de cerf ou de renne. *Territoire* de chasse étendu, généralement solitaire. *Vit* dans les forêts de résineux et dans la toundra. *Gestation :* jusqu'à 9 mois. *Portée :* 2 ou 3.

■ **Ours brun** (Europe). 150/240, poids 120/300 kg (croissance rapide : 350 à 400 g à la naissance, aveugle 3 sem., 3 kg à 3 mois, 12 à un an, 40 à 3 ans. Ensuite prend 15 à 16 kg par an pendant 10 à 15 ans). *Longévité :* env. 25 ans. *Habitat :* surtout hêtraies-sapinières entre 1 100 et 1 500 m d'altitude. *Vitesse* (de pointe) : 40 km/h, *rayon d'action :* 30 km (en une nuit de 10 h) ; passe toujours aux mêmes endroits. *Omnivore* à 90 % végétarien, consomme 75 kg de viande par an. N'attaquerait les troupeaux qu'en période de disette : en 1992, 128 bêtes tuées par ours dans le parc national des Pyrénées (147 780 F d'indemnisation). La fin des faines (dont il est friand) correspond à son entrée en hibernation. *Nombre. (chasse autorisée jusqu'en 1962). France :* quelques-uns en P.-Occ., Hte-Garonne, Ariège et P.-Or. (*1937 :* 150 ; *1954 :* 70 ; *1984 :* 20 ; *1991 :* 9). Ont disparu des Vosges et du Massif central au début du XIXe s., du Jura à la fin du XIXe s., des Alpes v. 1937. Projet d'en importer de l'ex-Yougoslavie. *Grèce :* moins de 100. *Hongrie :* 6 à 10. *Italie :* près de 100 (Abruzzes : 90 ; Trentin : moins de 10). *Norvège :* env. 40. *Pologne :* env. 30. *Roumanie :* plus de 3 000. *Russie :* 10 000. *Suède :* 300. *Suisse :* ont disparu au début du XXe s. *ex-Tchécoslovaquie :* 300. *ex-Yougoslavie :* 2 000. **Grizzly** peut atteindre 500 kg. **Kodiak** (Alaska) 2,70 m. Dépasse parfois 850 kg. *Vitesse :* 45 km/h sur de courtes distances. *Régime* carné et végétal. *Gestation :* 7 à 8 mois. *Portée :* 1 à 3.

■ **Ours noir ou Baribal** (Amér. du N.). 150/180 + 12, 150 kg. *Gestation :* 7 mois. *Portée :* 1 à 4.

■ **Pronghorn ou Antilocapre.** 100/150 + 10. Ongulé le plus rapide d'Amér. du Nord : 60 km/h sur de courtes distances, 45 km/h sur plusieurs km. *Nombre :* 10 000 (au XVIIIe s. 40 000 000 env.). L'été, *vit* en petites hardes ; l'hiver, forme de grands troupeaux (100 indiv.) migrant vers le sud. *Portée :* 2.

Oiseaux

☞ Voir aussi **Chasse** dans le chap. Sports.

■ **Aigle impérial** (Europe). 79/84 cm, poids 2,5/3,5 kg. *Carnivore.* Possède des serres moins puissantes que celles de l'aigle royal, ses proies sont les rongeurs, les gallinacés. *Territoire par couple :* 2 000 ha. *Ponte :* 1 à 3, *incubation :* 43 j. **Royal** (Eurasie et Amér. du N.) 80, envergure 210/230, poids max. : femelle 6,5 kg ; mâle 4 kg. Rapace, chasse mammifères de taille moyenne, oiseaux ; parfois charognard. *Territoire :* 9 000 ha par couple. Ne peut enlever des enfants, trop lourds pour son propre poids.

■ **Albatros** (à sourcils noirs). Envergure : 2 m. Fréquente régulièrement les côtes d'Europe (îles Féroé, G.-B. : Shetland, Irlande).

■ **Balbuzard** (voir p. 174 b).

■ **Buse variable.** 53, aile repliée 40, envergure 120, poids 1 kg. Rapace diurne commun en Europe. Plumage brun, variable. Allures indolentes.

■ **Chouette effraie.** 34, envergure 91/95, poids 0,3 kg. Disque facial blanc en forme de cœur, yeux noirs. Dos roux doré. *Carnivore* (essentiellement des rongeurs), chasse même dans les greniers et les maisons habitées des villages et des faubourgs urbains. *Ponte :* 5 à 6 œufs, *incubation :* 30/34 jours. **Chouette hulotte** ou **Chat-huant** 46, aile repliée 27/29,7, poids jusqu'à 0,6 kg. Aspect massif, pas d'aigrettes frontales. Yeux noirs. *Carnivore :* rongeurs, oiseaux, batraciens, lézards. *Ponte :* 2 à 4 œufs, *incubation :* 30 jours.

■ **Cigogne blanche.** 100, aile repliée 60, envergure 180, 3/4 kg. Blanche avec rémiges noires. Bec et pattes rouges. *Niche* sur toits ou arbres. *Nombre de nids :* France 145 en 1991 (Alsace, Char.-Mar., Normandie, Landes). Grâce à l'élevage, 120 en Alsace en 1992 (30 en 1978). P.-Bas : 14 (1970). Allemagne occid. : 1 918 (1968). Danemark : 82 (1966). Belgique, Suisse : quelques nids. Abondante en Espagne, Maghreb, Balkans, Turquie. Hiverne en Afrique noire. **Cigogne noire** même taille. Noire au ventre blanc (Europe centrale), 5 à 10 nids en France en 1990 (Champagne, Jura). Chasse interdite en Europe (sauf Portugal), mais elles souffrent des lignes électriques qu'elles percutent, des produits chimiques fragilisant les coquilles d'œufs, de l'assèchement des marais, de la disparition des bocages contribuant à raréfier petits rongeurs, serpents, criquets, grenouilles. Passent l'hiver en Afrique (Niger), en partent de janvier à mars. Nés en Europe, les jeunes suivent leurs parents en Afrique, 70 j après leur naissance et reviennent en Europe adultes, 2 ans plus tard. En 2 ans, la cigogne s'acclimate au froid et peut vivre dans des enclos protégés.

■ **Condor de Californie.** En voie d'extinction (survit uniquement en captivité). Moins de 20 individus.

■ **Grand Cormoran.** 90, aile repliée 35, envergure 140, poids 2,5 kg. *Piscivore.* Noir, avec long cou. Perche sur arbres et rochers. Niche en colonies. *Ponte :* 3 à 4 œufs, *incubation :* 28 j. **Cormoran huppé** 75, aile repliée 26, poids 1,7 kg. Plus petit, maritime (Bretagne, Provence, Corse, etc.).

■ **Coucou gris** (Europe). 33, aile repliée 20/23, envergure 59/61, poids 90/135 g. *Insectivore* essentiellement. Parties supérieures grisâtres ; inférieures rayées de brun-noir et de blanc, queue longue et ailes pointues. *Ponte :* 2 à 12 œufs. Couvaison par parents nourriciers (12/13 j).

■ **Cygne muet ou tuberculé.** 145/155, aile repliée 54/62, envergure 210/230, poids 10/23 kg. Plumage blanc immaculé, bec orangé, cou long et recourbé en S. *Vit* sur les lacs des villes. A l'état sauvage, se reproduit encore en Europe du Nord. Les mâles attaquent souvent, à coups de bec et d'ailes, leurs congénères. **C. chanteur** ou **sauvage** 125/150, aile repliée 57/64, envergure 210/250, poids 7 à 13 kg. Plumage blanc ; bec jaune à la base ; sans tubercule. **C. trompette américain** plus grand, bec noir. Env. 2 000 (en zones protégées). *Nourriture* exclusivement végétale. *Ponte :* 5 à 7 œufs, *incubation :* 5 semaines.

■ **Étourneau sansonnet.** 21. Europe, introduit en Amérique du Nord. L'hiver, se rassemblent par millions, notamment dans les villes. *Ponte :* 5/7 œufs, *incubation :* 12 j.

■ **Flamant rose.** 5 000 à 6 000 en Camargue (seul lieu de reproduction) ; *se nourrit* de petits crustacés ; avr., parades nuptiales. *Œuf* unique. Vol au bout de 2 mois 1/2. plumage rose à 3 ou 4 ans.

■ **Fou de Bassan.** 90, aile repliée 50, envergure 170, poids 3,5 kg. Atlantique Nord. Blanc avec pointes des ailes noires. Plonge de 30 m de haut sur les poissons. *Niche* en colonies sur les îles maritimes en France, aux Sept-Îles (Côtes-d'Armor) et à Aurigny (île Anglo-Normande).

■ **Goéland argenté.** 57, aile repliée 42, envergure 145. Ailes grises terminées de noir. Bec jaune, pattes roses. Jeune à plumage tacheté. En expansion sur côtes et fleuves. **G. leucophée** semblable au précédent. Méditerranéen. Pattes jaunes.

■ **Grand duc.** 66/71, aile repliée 43/46, poids jusqu'à 0,7 kg. Le plus grand des rapaces nocturnes européens. Couleur fauve, gros yeux orangés. *Carnivore* (les rongeurs représentent 50 % de sa nourriture). *Ponte :* 2 à 5 œufs, *incubation :* 35 j. *Longévité :* 60 ans (en captivité). Peut vivre jusqu'à 5 000 m.

■ **Héron cendré.** 90, aile repliée 45, envergure 180. Gris, avec long cou blanc. En expansion. Commun au bord des étangs. *Niche* en colonies (héronnières) dans de grands arbres.

■ **Moineau domestique.** 14,5. Europe, introduit en Amér. du N. et ailleurs dans le monde. Mâle : dos brun chaud, bavette noire. Femelle : gris-brun terne. *Niche* sur édifices ou arbres. *Ponte :* 5 œufs, *incubation :* 12 jours.

■ **Mouette rieuse.** 37, aile repliée 30, envergure 105. Bec et pattes rouges. « Capuchon » brun au printemps. Commune (l'hiver dans les villes).

■ **Pie bavarde.** 45, aile repliée 19, envergure 51. Noire et blanche avec une longue queue. Nid de brindilles surmonté d'un « toit ». Commune dans les campagnes comme en ville.

■ **Vautour fauve.** 100, aile repliée 70, envergure 270, poids 8 à 10 kg. Grand vautour au plumage beige, avec cou nu et collerette blanche. Pyrénées, réintroduit avec succès dans les Cévennes. **Vautour moine** plus sombre, disparu en France (réintroduit en 1992 dans les Cévennes), subsiste en Espagne. **Gypaète barbu** 108, aile repliée 84, envergure 280, poids 6 kg. Vautour à tête emplumée (voir aussi p. 168 c et 174 b). **Percnoptère** 60, envergure 170. Petit vautour blanchâtre des régions méditerranéennes et des Pyrénées, face nue et jaune. Également présent en Afrique.

☞ **Oiseaux (non nicheurs) observés de plus en plus fréquemment en France,** avec lieu d'origine et régions où ils s'observent principalement. *Bruant* mélanocéphale (Balkans), région méditerranéenne, nain (Europe du Nord-Est). *Fuligule* à bec cerclé (Amér. du Nord), Bassin Parisien. *Gobemouches* nain (Europe de l'Est). *Goéland* à bec cerclé (USA), côtes occidentales (un spécimen à Paris en 1992). *Merle* sibérien (Sibérie). *Phalarope* de Wilson (Amér. du N.), régions littorales. *Pouillot* à grands sourcils (Sibérie), côtes de la Manche, de Pallas (Asie), Flandre maritime, Ouessant. *Puffin* semblable (Açores, Canaries), Ouessant. *Roselin* cramoisi (Europe centrale et du Nord).

Reptiles

■ **Couleuvre.** Serpent (colubridé). 10 espèces, dont : *c. à collier* (150 cm), semi-aquatique ; *c. vipérine* (70 cm), aquatique ; *c. verte et jaune* (Midi, 200 cm) ; *c. d'Esculape* (Midi, 150 cm), bronzée ; *c. de Montpellier* (pourtour Méditerranée, 100/250 cm), venimeuse mais peu dangereuse (crochets postérieurs).

■ **Orvet.** 15/20 cm. Lézard sans pattes. Souvent considéré à tort comme un serpent, car il se déplace en rampant sur le ventre. Appelé « serpent de verre » (sa queue se casse facilement).

■ **Vipère.** Serpent (vipéridé). 10 espèces venimeuses, dont : *v. péliade* (70 cm), sombre avec taches noires en zigzag ; *aspic* (Est, Midi, Bassin parisien), nez retroussé ; *v. d'Orsini* (Alpes du Sud, 50 cm) ; *v. de Seoane* (Pays basque).

Animaux d'Amérique du Sud

Mammifères

■ **Cabiai ou Capybara.** 100/130 cm, H 50 cm, poids 50 kg. Le plus grand rongeur connu. Aquatique. *Vit* au bord des fleuves par bandes d'une trentaine. *Herbivore. Portée :* 2-8. *Gestation :* 110/120 j.

■ **Chinchilla.** 20/28 + 7,5/15, poids 0,5/1 kg. Rongeur. Rare à l'état sauvage parce que massacré pour sa fourrure. *Herbivore. Portée :* 5-6. *Gestation :* 115/125 j. *Longévité :* jusqu'à 20 ans.

■ **Coypou** (voir **Ragondin** p. 173).

■ **Guanaco.** 225 + 25, H 100/120, poids 60 kg. Camélidé, proche du lama. *Végétarien. Vit* jusqu'à 4 000 m d'altitude. *Portée :* 1, parfois 2. *Gestation :* env. 11 mois. *Longévité :* 22 à 28 ans.

■ **Jaguar.** 160/230 + 51/65, poids 60/115 kg (jusqu'à 180 kg). Félin. Peau jaune parsemée d'ocelles noirs. Mélanisme fréquent (jaguar noir). *Portée :* habituellement 2 (de mois de 6 kg). *Gestation :* env. 100 j. *Apprentissage :* long et difficile. Menacé de disparition.

■ **Jaguarondi.** 93/120 + 30/46, H 120/140, poids 60 à 80 kg. Félin, mais proche des mustélidés par son allure. Robe sans taches, noire, rousse ou grise. Agile et souple. *Omnivore. Portée :* 2 ou 3.

■ **Kinkajou.** 88/105 + 46/54. Un des rares *carnivores* à queue préhensile. Gris ou beige. *Portée :* 1 ou 2.

■ **Lama.** 220, H 150, poids 60/80 kg. Utilisé comme bête de bât et pour sa chair, sa laine, son cuir, ses os (armes et ornements) et même ses excréments (« taquia ») qui servaient de combustible. Haut sur pattes, il grignote les broussailles jusqu'à 2 m, mais n'attaque pas l'écorce des arbres. Les coussinets sous ses pattes ne dégradent pas le sol, à la différence des sabots des ongulés. Il avait aussi une grande importance religieuse. Manifeste son mécontentement en crachant avec force et précision un jet d'aliments prédigérés. *Portée* : 1. *Gestation* : 350 j. *Longévité* : 20 ans. *Charge* : 30 à 50 kg. *Parcours maximal journalier* : 15 à 18 km. *Très proches du lama* : guanaco, vigogne (sauvage) et alpaga (domestique). Aujourd'hui en voie de disparition.

■ Lamantin de l'Amazonie. 250/300, poids 140/500 kg. Aquatique. Ordre dit des « siréniens » (a donné naissance à la légende des sirènes). *Portée* : 1 petit 1 fois par an. *Gestation* : 270 j. *Longévité* : 8 ans.

■ Mara ou Lièvre de Patagonie. 69/75 + 4,5, poids jusqu'à 16 kg. Longues pattes conçues pour le saut (2 m d'un seul bond). Au repos se tient assis comme un chien. *Herbivore. Portée* : 1 à 5.

■ Mazama ou Daguet. 70/135 + 8/15, H 35/75, poids 8/25 kg. Petit cerf aux bois courts, sans ramifications. Habitudes nocturnes. *Herbivore. Portée* : 1 ou 2. *Gestation* : 32 semaines.

■ Nutria (espagnol : « loutre ») voir Ragondin.

■ Ocelot. 85/120 + 30/45, poids 4/12 kg. Félin. Teinte variable, couvert de taches. Arboricole et nocturne. *Portée* : 2.

■ Opossum ou Savigne. 32/50 + 25/53, poids 2,5/5 kg. Didelphidé, proche de la sarigue ; pelage doux et fourni. Les femelles ont une poche ventrale (le marsupium) qui renferme 13 mamelles. A l'intérieur les petits, nés à l'état de larves, achèvent leur développement. Une fois sortis de la poche, ils vivent longtemps accrochés au dos de la mère. *Gestation* : 12/13 j. *Portée* : 8/18 petits dont 13 au max. viables. Simule la mort pour décourager ses prédateurs (« faire le mort » en américain se dit « to play opossum »).

■ Ours à lunettes. 150/180, poids jusqu'à 140 kg. Seul ours sud-américain (forêts andines). Marques blanches sur la face. *Végétarien. Portée* : 1 à 3. *Gestation* : 32/34 semaines. *Longévité* : 36 à 39 ans.

■ Paca. 60/80 + 2,5, poids 6/10 kg. *Rongeur.* Chassé pour sa chair. *Portée* : 1 petit 2 fois par an.

■ Paresseux. 50/65 + 6,5, poids 4/9 kg. Édenté (xénarthre) tardigrade, couvert de longs poils. Survit grâce au mimétisme avec la végétation. Dort 80 % du temps. Se déplace avec lenteur dans les arbres. *Végétarien. Portée* : 1. *Gestation* : 5/6 mois.

■ Pécari. 75/110 + 2/5, H 45/55, poids 18/30 kg. Ressemble au porc. Couvert de poils. Une glande sécrète une substance d'odeur pénétrante dont le rôle n'est pas connu. Se déplace en *bandes. Omnivore. Portée* : souvent 2. *Gestation* : 140/160 j. *Longévité* : 25 ans.

■ Pudu ou Poudou. 33/38, poids 8/9 kg (le plus petit cervidé).

■ Puma. 100/150 + 60/90, poids 120 kg max. Félin ressemblant à une lionne. Nocturne. *Portée* : 1 à 6 (aveugles, tachetés, pesant moins de 500 g). *Gestation* : 92 j. Se rencontre aussi en Amér. du Nord.

■ Ragondin. 43/63 + 30/40, poids 7/9 kg. Rongeur évoquant le castor. Adapté à la vie aquatique (les mamelles de la femelle très haut sur les flancs permettent aux jeunes de téter quand leur mère flotte). Construit des refuges. *Végétarien. Portée* : 5/6 petits 2 ou 3 fois par an. *Gestation* : 130 j.

■ Singes. **Alouate** ou **Hurleur** 60/92 + 59/62, poids 7/9 kg. Le plus corpulent d'Amérique. Au lever du jour les mâles poussent des hurlements rauques audibles à plusieurs km (communication entre les hardes du voisinage). *Omnivore. Portée* : 1. *Gestation* : 140 j. **Atèle** ou **S.-araignée** 38/64 + 51/89, poids 6 kg. Queue préhensile. *Vit* en groupes de 10 à 35. *Nourriture* : fruits. *Portée* : 1. *Gestation* : 139 j. *Longévité* : jusqu'à 20 ans en captivité (record).

Douroucouli 24/37 + 32/40, poids 0,6/1 kg. Espèce primitive. Seul singe nocturne. Queue non préhensile. *Omnivore. Portée* : 2. *Longévité* : 25 ans. **Lagotriche** 59/69 + 60/72, poids 5 kg. Abondante bourre laineuse. *Portée* : 1. *Gestation* : 135/150 j. **Ouakari** 51/57 + 15. Queue courte. Face et dessus de la tête rouges. *Omnivore.*

Ouistiti (Brésil). 13/24 + 20/38 queue annelée et noire. *Poids* : 80 à 350 g. *Longévité* : jusqu'à 15 ans. Griffu, son pouce n'est pas opposable aux autres doigts. Ne supporte qu'une semi-captivité (chambre au soleil : il est frileux et fragile). *Alimentation* : fruits, légumes crus, raisins secs, semoule, farine, insectes, viande, poisson. *Gestation* : 145 j env. *Portée* : 2. **Ouistiti mignon** 15 + 15/18, poids 49/80 g. Le plus petit des ouistitis. Communication auditive uniquement par ultrasons. *Nourriture* : fruits et insectes. *Portée* : 2 petits 1 fois par an. *Gestation* : 140 j. *Longévité* : 20 ans.

Saïmiri ou **Singe-écureuil.** 26/36 + 35/43, poids 750/1 100 g. Roux, museau foncé, queue longue et touffue non préhensile. *Vit* en bordure des fleuves. *Nourriture* : insectes, œufs et fruits. *Reproduction* : 1 fois par an. *Gestation* : 170 à 180 j. *Portée* : 1. **Sajou** ou **Capucin** 30/38 + 38/51, poids 1 à 4 kg. Très intelligent. *Fructivore. Portée* : 1. *Gestation* : env. 6 mois. *Longévité* : plus de 32 ans en captivité. 12 à 13 ans sous nos climats. Indépendant et susceptible. *Alimentation* : fruits frais et secs, verdure, cacahuètes, riz, viande hachée très fraîche... *Reproduction* : 1 à 2 fois par an. *Gestation* : 180 j. *Portée* : 1.

Tamarin (Amér. du S.). *T. à crinière de lion ou dorée.* 25/35 + 30/36, poids 490/550 g. *Gestation* : 130 j. *Portée* : 2. *T. impérial, à moustaches, à manteau rouge, à manteau nègre* 15/30 + 29/44, poids 280/400 g. *Alimentation* (voir Ouistiti).

■ Tamandua. 54/58 + 5,5. Édenté insectivore. *Vit* à la cime des arbres. 4 ongles aux membres avant. Capture ses proies en projetant sa langue gluante.

■ Tamanoir ou Grand fourmilier. 100/200 + 65/90, poids 18/23 kg. Édenté insectivore. Très puissant, aux griffes effilées, craint même par le jaguar. Odorat développé. *Gestation* : 190 j environ.

■ Tapir. 180/250 + 5/10, H 75/120, poids 225/300 kg. Ongulé archaïque, proche des rhinocéros et des chevaux. 4 espèces connues en voie de disparition. Corps massif, cou trapu, petite trompe mobile. Bon nageur et grimpeur. *Omnivore. Portée* : 1. *Gestation* : env. 14 mois.

■ Tatou. 37/43 + 25/37, poids 4/8 kg (Tatou géant : 100 + 50, poids 60 kg). Édenté ; protégé par une épaisse cuirasse articulée. Nocturne, *vit* dans des galeries souterraines. *Insectivore.* Chassé pour sa chair et sa carapace (dont on fait des paniers ou des instruments de musique).

■ Tuco-tuco (rongeur appelé aussi *rat à peigne* à cause de poils durs qu'il a à la base des ongles). 17/25 + 6/11, poids 200/700 g. *Vit* en Patagonie. Adapté à la vie souterraine. Yeux sur le dessus de la tête. *Nourriture* : bulbes, racines et tiges. *Portée* : 1 à 5. *Gestation* : 103/107 j.

■ Vampire d'Azara. 7,9/9 + avant-bras 6, poids 15/50 g. Chauve-souris *hématophage.* S'attaque aux gros herbivores, parfois aux hommes, arrache un petit lambeau de peau et aspire le sang (boit env. 3 cl de sang par nuit). Sa salive contient une substance anticoagulante qui empêche la cicatrisation de la blessure. Peut transmettre la rage. *Gestation* : 90/100 j. **Faux vampire** 13 + avant-bras 10,5, poids 145/190 g. C'est la plus grande chauve-souris d'Amérique. *Carnivore.*

■ Vigogne. 160/190 + 15, H 75/110, poids 35/50 kg. Camélidé proche du lama. *Vit* au-dessus de 3 600 m (jusqu'à 5 000 m) (au-dessous des neiges éternelles). Agile et rapide (jusqu'à 60 km/h). *Se nourrit* de feuilles. *Portée* : 1. *Gestation* : 11 mois.

■ Viscache des pampas. 47/66 + 15/20, poids 7/10 kg, femelle 2/5 kg. *Rongeur. Vit* en petites communautés dans des galeries souterraines. Chassé car dangereux pour les chevaux qui trébuchent dans les galeries.

■ Oiseaux

■ Agami. 55 cm. Noir à reflets métalliques.

■ Ara. 95 cm. Le plus grand des psittacidés. Énorme bec. Souvent une dominante rouge. Plusieurs espèces.

■ Colibri ou Oiseau-mouche. 350 formes et 140 genres connus. Le plus petit (oiseau-mouche Hélène) a la taille d'un bourdon, le plus grand (patagon géant) mesure 25 cm et pèse 20 g. Plumage irisé. Mode de vie plus proche de celui des insectes que de celui des oiseaux. Un des oiseaux les plus rapides du monde (100 km/h), l'effort fourni au cours du vol explique son appétit (c'est le vertébré ayant pour son poids l'appétit le plus exigeant). *Portée* : 1 ou 2 œufs, 2 ou 3 fois par an. *Vol* : « bourdonnant », fréquence de 50 Hz chez le Pygmornis ; rythme respiratoire : 300 mouvements/min, 250 au repos.

■ Condor des Andes. Rapace, proche du vautour. Ailes repliées 80/85, queue 35/38, envergure 290, poids 12 kg (mâle). Un des plus grands oiseaux voiliers du monde. Se déplace en solitaire ou en bandes (jusqu'à 60). *Nécrophage. Ponte* : sept. à oct. une année sur 2 (1 œuf).

■ Coq de roche. 27 cm. Passereau orange, avec huppe érectile.

■ Harpie. 80/90 cm, poids 6 kg. Aigle forestier, le plus grand oiseau de proie d'Amérique. Chasse singes et gros oiseaux. *Portée* : 1 œuf.

■ Nandou. 95/170 cm, poids 25 kg maximum. Ressemble à l'autruche en plus petit. *Vit* en groupes de 10 à 20. Voit loin mais ne sent pas. S'associe au cerf qui sent mais ne remarque pas l'approche des prédateurs. Le mâle couve les œufs (20 à 30).

■ Quetzal. 33 cm. Famille des couroucous, ou trogonidés. Jadis adoré par les Aztèques et les Mayas. Très rare. L'un des plus beaux oiseaux du monde. Vert avec de grandes plumes émeraude. Emblème national du Guatemala, *Ponte* : 2 à 4 œufs.

■ Tinamou. 25/45 cm. Ressemble à la perdrix. Mimétisme avec le sol. Le mâle couve l'œuf et s'occupe du poussin.

■ Toucan. 35/60 cm (bec 8/10). Surnommé « clown de la forêt » pour son énorme bec coloré et ses habitudes tapageuses. *Ponte* : 2 à 4 œufs.

■ Vautour pape ou royal. Ailes repliées 50, queue 25, poids 3,5 kg. Plumage blanc. *Ponte* : 1 œuf.

■ Poissons

■ Arapaïma ou Pirarucu. 230 cm, 200 kg. *Habite* les fleuves d'Amazonie.

■ Gymnote électrique ou Anguille tremblante. 180/200 cm. Capable de nager en avant ou en arrière et de produire de l'électricité (jusqu'à 650 volts) pour s'orienter, localiser ses proies et les électrocuter par une forte décharge (200 décharges de 650 volts et 1 ampère consécutives). Respire l'oxygène atmosphérique (toutes les 15 min env.).

■ Piranha. 30/50 cm. Carnassier des eaux douces d'Amazonie. Se déplacent par milliers ; armés de dents tranchantes, ils dépècent de très grosses proies en quelques minutes. Mais ils sont attirés uniquement par l'odeur du sang et n'attaquent jamais un homme s'il n'est pas déjà blessé et ensanglanté.

■ Reptiles

■ Alligator (alligatoridé). 200/600 cm. *Vit* en eau douce. *Ponte* : jusqu'à 50 œufs. Les crocodiles vivant en zone équatoriale hibernent 5 à 7 mois.

■ Anaconda ou Eunecte. 500/1 100 cm. Boa aquatique. Mord sa proie puis s'enroule autour d'elle. La mort se produit par arrêt de la circulation sanguine et par asphyxie. *Portée* : 60 petits mesurant environ 1 m. *Longévité* : 29 ans.

■ Boa. 400 cm. Non venimeux. Étouffe sa proie en s'enroulant autour d'elle. *Longévité* : 23 ans.

■ Caïman (crocodilidé : se distingue de l'alligator par les écailles du ventre, aussi dures que celles du dos). 120/500 cm. *Ponte* : env. 50 œufs. En voie de disparition.

■ Animaux d'Asie

■ Mammifères

■ Antilope. Végétarien. **A. cervicapre.** 120 + 18, H 81, poids 37 kg. Un des plus rapides du monde. Le mâle possède des cornes torsadées (longueur 45 à 68 cm). *Portée* : 1 ou 2. *Gestation* : 180 jours. *Longévité* : 15 ans. **A. tétracère.** 100 + 12,5, H 60. 4 cornes (postérieures 8 à 10 cm, antérieures 2,5 à 3,8 cm). *Portée* : 1 à 3. *Gestation* : 8 mois.

■ Axis. Cervidé. 110/140 + 30, H 75/97, poids 75/100 kg. Bois plus fins et moins ramifiés que ceux du cerf européen (3 andouillers seulement). *Herbivore.*

■ Banteng. Bovidé. 180/200, H 130/170, poids 500/900 kg. Grand bovin du S.-E. asiatique, à robe noire (mâle) ou rouge (femelle). *Vit* en troupeaux en forêts.

■ Binturong. Viverridé, proche de la mangouste. 117/185 + 56/90, poids 9/14 kg. Couvert de poils longs et noirs. Arboricole et nocturne. *Portée* : 2 ou 3. *Gestation* : env. 3 mois.

■ Buffle d'eau. H plus de 180, poids 500/1 000 kg. *Vit* en zones marécageuses. Domestiqué. Rares troupeaux sauvages. *Gestation* : 310 j.

■ Chameau de Bactriane. Domestiqué, mais existant encore à l'état sauvage dans le désert de Gobi. H 210 (du sol au sommet des bosses). 2 bosses (réserves de graisse et non d'eau). Ne transpire qu'à partir de 40 °C, perd en urinant 1 l d'eau par jour. Peut perdre jusqu'à 30 % de son poids et se réhydrater sans danger en buvant 120 l d'eau (les globules rouges, très nombreux, se gonflent et absorbent l'eau sans éclater). Par comparaison, un homme perdant 12 % de son poids (en cas de déshydratation extrême) ne peut absorber une quantité équivalente d'eau sans encourir une indigestion hydrique mortelle. *Vitesse* max. 25 km/h (chargé 3,5). (*Charge* : 250 à 270 kg.)

■ Grande civette de l'Inde. Viverridé. 115/125 + 40/48, poids 7/11 kg. Mœurs nocturnes. Sécrétion odorante des glandes périnéales, qui s'apparente au musc ; utilisée en parfumerie. *Portée* : 2 ou 3.

■ Dhole ou Cuon. Chien sauvage. 76/100 + 28/48, poids 14/21 kg. Apparenté au loup. 4 doigts aux membres antérieurs. *Portée* : 2 à 6. *Gestation* : 9 semaines.

■ **Éléphant d'Asie.** H 300 max., poids jusqu'à 5 t. Front déprimé, dos arqué, oreilles et défenses petites, trompe lisse terminée par un seul appendice. N'existe à l'état sauvage qu'en Assam. *Nombre :* 40 000 env. dont 16 000 domestiqués. *Dressage :* capturé, il est confié à un cornac chargé de le conduire et de le soigner toute sa vie. Au début, 2 sujets déjà apprivoisés l'aident. Après 2 à 3 semaines, sait répondre à « En route ! Debout ! A genoux ! Lève-toi ! » Obéit à 21/24 formules différentes. *Herbivore. Portée :* 1. *Gestation :* 21 mois. *Longévité max. :* 100 ans.

■ **Galéopithèque.** 50/69 + 22/27, poids 1,50 kg. Mammifère (Dermoptère) planeur, allure d'écureuil volant. Sur 136 m, ne descend que de 10 à 12 m. *Végétarien. Portée :* 1. *Gestation :* 60 j.

■ **Gaur.** 260/330 + 85, H 180/200, poids 1 t. Le plus grand bovidé asiatique. Cornes incurvées atteignant 60 cm chez le mâle.

■ **Kouprey.** 220 max., H 190, poids 900 kg. Bovidé (Cambodge). En voie de disparition.

■ **Linsang rayé ou Civette à bandes.** Viverridé. 75/80 + 35 ; 750 g. *Portée :* 2 ou 3. *Gestation :* 2 mois.

■ **Lion d'Asie.** N'existe plus que dans la réserve de Gir (Inde). *Différences avec le lion d'Afrique :* touffe de poils à l'articulation des membres antérieurs, toupet de la queue plus grand, crinière peu fournie.

■ **Muntjac ou Cerf aboyeur.** 89/135 + 13/23, H 50, poids 15/35 kg. Les canines supérieures forment des défenses. Le mâle porte de petits bois. *Vit* en forêt.

■ **Nilgaut.** 180/210 + 45/53, H 120/150, poids 200 kg. Antilope ressemblant au taureau et au cerf. *Mâle :* cornes de 20 cm. Vénéré en Inde. *Végétarien. Portée :* 2. *Gestation :* 245 j. *Longévité :* 15 ans.

■ **Ours.** Omnivore. **O. lippu** 180, H 90, poids max. 120 kg. Redouté à Ceylan (agressif). Nocturne. Mange des termites qu'il aspire avec ses lèvres (il est si bruyant qu'on l'entend à plus de 200 m). *Portée :* 2. *Gestation :* 7 mois. *Longévité :* 30 ans environ. **O. malais** ou **des cocotiers** 125, H 60, poids 70/100 kg. Très agile. Arboricole. *Portée :* 2. *Gestation :* 7 mois. **O. à collier** Tibet, Japon, Asie centrale. 180, poids 130 kg. Arboricole.

■ **Panda. (Grand)** 150 (avec la queue), poids 75/160 kg. *Vit* solitaire ; *se nourrit* de bambous. *Gestation :* 140 j. *Portée :* 1. Décrit en 1869 par le père David comme l'« Ours blanc » *(Ursus melanoleucos)*, n'est pas en fait un ursidé mais un *Ailuropoda melanoleuca*, proche du raton-laveur, du koati et du kinkajou américain. *Nombre :* 1977 : 1 000 ; 1992 : 400 au Sichuan (S.-O. Chine), entre 2 000 et 3 000 m. Seul un couple, offert en 1975 au zoo de Mexico (2 400 m d'altitude), a pu procréer durablement. Tuer un panda est passible en Chine de la peine de mort. **(Petit)** 60, poids 3/4,5 kg, *se nourrit* la nuit de végétaux, bambous, racines, glands. *Gestation :* 90/150 j. *Portée :* 1 ou 2. Femelle en chaleur 2 ou 3 j par an.

■ **Panthère longibande.** 120/190 + 60/91, H 80, poids 14/23 kg. Grisâtre ou fauve ornée de taches. *Portée :* 2 à 4. *Gestation :* 90 j. A la naissance, les petits sont aveugles et pèsent de 140 à 170 g. *Longévité :* 21 ans.

■ **Primates : 1°) Singes : Gibbon** 45/90, H 100, poids 5/12 kg. Membres antérieurs très développés. Bonds de plus de 10 m. Seul primate capable de marcher sur ses pattes arrière. Monogame. La communication se fait surtout par cris. *Omnivore. Portée :* 1. *Gestation :* 200/212 j. *Longévité :* jusqu'à 30 ans en captivité. **Macaque** 38/76 + 0/61, poids jusqu'à 13 kg. Queue absente, moyenne ou longue selon les espèces (12). *Vit* au sol, en groupe ; isolé, ne peut survivre. Utilisé dans les laboratoires en raison de sa similitude physique et psychique avec l'homme (découverte du facteur Rhésus grâce au « macaque Rhésus »). *Omnivore. Portée :* 1. *Gestation :* 5/6 mois. *Longévité :* plus de 30 ans en captivité. **Macaque à bonnet** (Bengale) ou singe crabier (il pêche les crabes avec sa queue). Env. 50 cm, fourrure assez courte, ocre jaune ; oreilles rosâtres et décollées. *Alimentation :* riz cru ou cuit, céréales, légumes verts crus, peu de fruits. *Portée :* 1 par an. **Nasique** 66/76 + 56/76, poids 16/22,5 kg (femelle 54/60, poids 7/11 kg). *Vit* à Bornéo. Seul singe bon nageur (même en mer). Vers 7 ans, le nez du mâle s'allonge démesurément. *Végétarien. Portée :* 1. **Orang-outan** (« homme des bois » en malais) H 150, poids 75/100 kg (femelle H 115, poids 40 kg). Pas de queue. Membres antérieurs plus développés que les postérieurs. *Vit* en solitaire. Coefficient intellectuel proche de celui du chimpanzé. Peu farouche, aisément capturé par l'homme. Arboricole. En captivité devient obèse. *Nourriture :* fruits, feuilles, écorces, œufs. *Portée :* 1. *Gestation :* 8/9 mois. *Longévité :* en liberté 30 à 40 ans, en captivité moins car sensible aux maladies pulmonaires transmises par l'homme. **Semnopithèque** 43/80 + 33/107, poids 7/18 kg. Vénéré en Inde comme animal sacré. *Végétarien. Portée :* 1. *Gestation :* 196 j. 2°) **Tarsier spectre :** 27/35 + 17/22, poids 100/150 g. Nocturne. Îles de la Sonde. Yeux et membres postérieurs démesurés. Se déplace par bonds (jusqu'à 2 m). Doigts préhensiles pourvus de disques. Sa tête peut tourner sur 180°.

■ **Rhinocéros asiatique.** 3 espèces : **Rh. unicorne de l'Inde** 420, H max. 200, poids max. 4 t. Une seule corne de 60 cm. Cuirasse formée de plaques. *Vit* en milieu marécageux. *Végétarien. Nombre :* 2 000 en Inde et Népal. *Portée :* 1. *Gestation :* 560 j. *Longévité :* 40 ans. **Rh. de Java** même aspect, plus petit. *Nombre :* 30. **Rh. de Sumatra** 250/280, H 150, poids max. 1 t. Le plus petit des rh. vivants, le seul en Asie à posséder 2 cornes. Pelage laineux ; dépourvu de plaques. *Nombre :* une centaine. Le rh. d'Asie a été presque entièrement exterminé pour les prétendues vertus aphrodisiaques de la poudre de ses cornes.

■ **Tigre.** 230/300 + 75/91, H 90, poids jusqu'à 300 kg. Pelage jaune (parfois blanc, dans la principauté de Rewah en Inde) rayé de sombre. Originaire de Sibérie, supporte neige et froid. *Solitaire.* Chasse dans l'obscurité. Ouïe très fine. Attaque tous les animaux, parfois l'homme. *Portée :* 2 ou 3 (1/1,5 kg, ouvrent les yeux à 14 j). *Gestation :* 105/113 j. *Longévité :* 25 ans. *Nombre :* Asie env. 7 000 dont Inde 4 000, Sumatra 600 à 800, Sibérie orientale 350-400, Chine 30-40.

■ **Tupaye.** 3/45 + 15/24. Petit mammifère (Tupaiidés) à allure d'écureuil, *insectivore.* Présente des caractères simiens. *Portée :* 2. *Gestation :* 45/50 j.

■ **Yack du Tibet.** H 170, poids 550/700 kg. *Vit* jusqu'à 6 000 m d'alt. Résiste à −40 °C. Mange, quand la nourriture se raréfie, des mousses, des lichens et avale de la neige pour se désaltérer. *Gestation :* 277/290 j. *Portée :* 1.

■ Mammifères aquatiques

■ **Dugong.** 250/280, poids 140/170 kg. Sirénien, proche du lamantin (océan Indien, Pacifique ouest). Chassé pour sa chair, sa graisse et de prétendues propriétés curatives. *Portée :* 1. *Gestation :* 11 mois.

■ **Plataniste du Gange ou Dauphin du Gange.** 250. Cétacé d'eau douce. Aveugle. *Nourriture :* animaux aquatiques. *Portée :* 1.

■ Oiseaux

■ **Balbuzard ou Aigle pêcheur.** 55, aile repliée 40, envergure 160, poids 1,3/1,7 kg. *Ponte :* 3 œufs, *incubation :* 35/38 j.

■ **Coq bankiva.** 65/70 + 27,5/50. A l'origine de toutes les races de coqs domestiques. *Ponte :* 5 à 10 œufs (après chaque ponte, la poule s'éloigne de son nid et caquette pour attirer sur elle l'attention des prédateurs ; ce comportement s'est souvent maintenu chez les races de basse-cour, mais sans utilité). Domestiqué vers 5000 ans av. J.-C.

■ **Gypaète barbu.** Charognard. Vole jusqu'à 9 000 m d'alt. (Himalaya).

■ **Paon bleu.** 150/200. Vénéré en Inde comme l'incarnation du dieu Krishna. *Nourriture :* végétaux, fourmis, petits reptiles. *Portée :* 3/5 œufs.

■ Poissons

■ **Archer cracheur ou Toxotes.** Plus de 30 cm. Capture les insectes en lançant un jet d'eau jusqu'à 2 m.

■ **Périophtalme.** 12/30. Marche à l'aide de nageoires pectorales ressemblant à des bras. Avant d'aller sur le rivage, fait provision d'eau dans de vastes cavités situées de chaque côté de la tête. Voit mieux à l'air libre que dans l'eau.

■ Reptiles

■ **Crocodiles.** 2 espèces : **C. des marais** 300/425 cm. En Inde et à Ceylan. *Ponte :* 15 à 20 œufs. **C. marin** 700/1 000. *Carnivore,* dangereux. *Ponte :* 30 à 50 œufs (pesant de 66 à 140 g). *Incubation :* 2 mois et demi. A la naissance 30 cm. S'alimente d'insectes.

■ **Gavial du Gange.** 450/800 cm. Inde et Birmanie. Gavialidés. Aspect redoutable dû à son immense mâchoire pourvue de dents fines, mais n'est pas dangereux pour l'homme. Va rarement à terre. *Se nourrit* surtout de petits poissons. *Ponte :* jusqu'à 40 œufs (de 9 cm sur 7 cm).

■ **Varan à deux bandes ou varan malais.** 200 cm. Lézard géant. Bon nageur, grimpe aux arbres. *Omnivore. Ponte :* 7 à 30 œufs dans une cavité. **V. de Salvadori** jusqu'à 400 cm et plus. Nlle-Guinée. Très longue queue. **V. de Komodo** jusqu'à 300 cm. Massif. Petites îles à l'est de Java.

Animaux australiens

■ Mammifères

■ **Couscous ou Phalanger.** Marsupial. 40/50 + 25/35. *Vit* dans les arbres. Assez agressif. *Omnivore.*

■ **Dingo.** Chien sauvage. Chasse par bandes. Descend d'un loup d'Asie domestiqué ou d'un chien semi-domestiqué.

■ **Échidné.** 25 cm. Ovipare. Couvert de piquants, bec corné. *Insectivore.* La femelle *pond* puis *porte* ses œufs dans une poche (repli de peau).

■ **Kangourou** (en aborigène signifie animal). *Herbivore. Couleur* k. roux et certains wallaroos : mâle roux, femelle grise ou rousse ; k. géant : tête et haut du corps gris-brun à gris rougeâtre. *Vitesse :* jusqu'à 88 km/h sur trajets courts, bonds exceptionnels de 13,5 m de l. et 3,3 m de h. *Poche* (le marsupium) bien développée chez les femelles, dirigée vers l'avant et contenant 4 tétines. *Gestation :* 30/40 j. *Portée :* 1, mesurant env. 25 mm. Il grimpe par reptation dans la poche et happe une tétine. Y demeure 235 j. *Longévité* (en captivité) : 17 à 18 ans. 3 espèces : **K. roux** mâle 130/160 + 85/105 ; femelle 100/120 + 65/85; 23/70 kg (mâle 2 fois plus lourd que la femelle) ; *vit* en plaine. **K. géant** mâle 105/140 + 95/100; *vit* en forêt. **K. wallaroo** mâle 100/140 + 80/90 ; *vit* en montagne.

■ **Koala.** 60/82, poids 16 kg. Sans queue. Arboricole nocturne lent, mangeant des feuilles d'eucalyptus. *Gestation :* 25/30 j (2 cm de long à la naissance). Reste plus de 6 mois dans la poche ventrale.

■ **Ornithorynque.** 45 + 15. Mammifère ovipare. Description : bec corné, pattes palmées, corps recouvert de fourrure, queue plate lui permettant de creuser des galeries près des étangs où il vit. La femelle pond des œufs, les couve, puis nourrit les petits de son lait.

■ **Wallabie.** Nom d'innombrables petites espèces de kangourous.

■ Oiseaux

■ **Balbuzard** (voir ci-contre).

■ **Émeu.** Famille des casoars, voisin des autruches. H 180 cm, H dos 100 cm, poids 55 kg. 8 à 15 œufs. *Mâle couve* les œufs : 52/60 j (perd 5 kg et +). *Plumage* brun mat. *Court* à env. 50 km/h, peut nager.

■ **Martin-chasseur géant** ou *kookaburra,* dit *« Jean-le-Rieur »* (il ricane). Famille des martins-pêcheurs. *Se nourrit* de petits reptiles, d'insectes, de crustacés.

■ **Oiseau-lyre ou Ménure.** 100 cm max. Doit son nom aux longues plumes recourbées de la queue du mâle. Voix forte et mélodieuse, talent d'imitateur.

■ Reptiles

■ **Crocodile marin.** Au nord de l'Australie (voir ci-contre).

Animaux polaires

■ Arctique

■ **Bœuf musqué.** *Ovibos moschatus.* 180/245 + 7/10, H 110/145, poids 200/300 kg ; femelle beaucoup plus petite que le mâle. *Cornes* recourbées vers le bas, pointes dressées vers le haut. Ruminant. *Pelage* hirsute ; hiver : bourre longue et épaisse qui enveloppe tout le corps sauf mufle et lèvre inférieure, et à l'arrière du corps descend presque jusqu'aux sabots ; les poils du mâle sont plus longs au niveau de la gorge, d'où son nom eskimo : Umimmak (le barbu). Été : quand la bourre est recouverte de poils, le b. musqué a un aspect échevelé. Son odeur vient d'une sécrétion produite pendant la saison du rut. *Gestation :* 8 mois 1/2. *Portée :* 1 tous les 2 ans. Aire de répartition « normale » : Nord Canada, Groenland. Pendant l'ère glaciaire, répandu en Europe centrale.

■ **Harfang des neiges ou Chouette harfang** *(Nyctea scandiaca).* Chasse le jour et s'accommode de la clarté de l'été comme de l'obscurité hivernale. 56/65 cm (la plus grande chouette connue). Mâle : plus petit et d'un blanc pur ou blanc avec des points ou des rayures d'un gris pâle ou brunâtres. Femelle plus foncée, rayures plus prononcées. Présence et reproduction dépendent de l'abondance des rongeurs.

■ **Lemming** (plusieurs genres et espèces). Rongeur proche du rat. *Fourrure* longue, épaisse, ne craignant pas l'eau. Surtout dans les régions polaires, *mange* des végétaux (lichens) et de petites charognes ; en hiver, vit presque exclusivement sous la neige. Prolifique et abondant, facile à capturer, par les renards polaires ou ordinaires, gloutons, hermines, chouettes harfangs, chouettes lapones et rapaces diurnes du Nord, loups arctiques, ours blancs. **L. des forêts** 7,5/11, poids 20/30 g. *Fourrure* : gris ardoisé, dessin brun-rouge sur le dos. La femelle met bas 2 fois l'été. **L. des toundras** 10/13 + 1,8/2,6. *Poids* 40/112 g. Couleur variable. Mauvaise réputation à cause de ses migrations.

■ **Morse.** Mâle 360 cm, poids jusqu'à 1,5 t. Femelle 300 cm, poids 550 kg. Possède des défenses (jusqu'à 1 m chez le mâle adulte). Peut rester jusqu'à 12 min en plongée. *Se nourrit* de mollusques (env. 3 000 palourdes par j).

■ **Ours blanc** *(Ursus maritimus).* Mâle L 241/251 cm, femelle L 180/210 cm, poids 320/410 kg (en Sibérie jusqu'à 1 000 kg). Carnivore en hiver (phoques), omnivore en été (œufs, algues, bois, détritus, cadavres de cétacés). Marche à l'amble (en levant les 2 pattes du même côté) comme tous les ours. Bon grimpeur en dépit de sa taille et de son poids. Peut parcourir en mer 30 km à 10 km/h, mais il ne chasse pas dans l'eau. Les mâles sont solitaires, les femelles et les jeunes vivent en famille 2 ans environ. *Gestation* : 8 mois. *Portée* : souvent 2 (25 à 30 cm, 700 à 900 g). *Effectif* : 20 000 à 25 000 dans le monde (il y a environ 1 300 ours blancs tués chaque année par l'homme).

■ **Petit pingouin** *(Alca torda).* Famille des Alcidés. 40, aile repliée 20, envergure 68. Poids 700 g env. *Vit* dans l'hémisphère Nord (contrairement au manchot, voir ci-dessous) jusqu'en France (falaises bretonnes). *Ailes* relativement petites, vol rapide et impétueux. Excellent nageur et plongeur.

■ **Phoque.** 18 espèces. **Marbré** L 135/165, poids 90 kg, solitaire se déplace peu. **Du Groenland** L 180 cm, poids 180 kg. *Vit* en grande société. *Se reproduit* sur la glace en février et mars. Nombre : *1981* 2 000 000 ; *1991* 5 000 000. **A capuchon** L 315 cm, poids 400 kg. Possède des cavités nasales dilatables qui s'étendent au-dessus des yeux. **Barbu** L 225 cm, poids 225/270 kg. Solitaire. **A rubans** solitaire, vit dans le nord du Pacifique.

■ Antarctique

■ **Manchot.** Palmipède marin. Ailes transformées en nageoires et rendues ainsi impropres au vol, queue triangulaire servant de gouvernail, corps recouvert de plumes courtes et raides, sauf sur la plaque incubatrice. Par colonies, on peut compter plusieurs dizaines de milliers de couples. *Nombre* : des millions dans la zone subantarctique. Peuvent plonger 6 min à 300 m de profondeur, nager à 11 km/h, capturer en 5 j, pendant l'été austral, 5 kg de poissons dont ils rapportent 2 kg à leurs poussins. **M. adélie** *plumage* : noir (dos et tête), blanc (ventre), bec noir, pattes orange. *Queue* : longue. *Long.* : 70 cm ; aileron : 18 cm. *Poids* : 6 kg. *Se nourrit* essentiellement de krill (crustacés planctoniques). *Reproduction* : estivale. *Nid* : constitué de petits cailloux sur lesquels 2 œufs sont pondus. *Incubation* : 33-35 j, *élevage* des poussins (pendant 2 mois env.) effectué en alternance par les 2 partenaires. **M. empereur** bec long, étroit, légèrement recourbé vers le bas, portant à la mandibule inférieure une plaque orange ou violette. *Plumage* : gris bleuté (dos) et blanc (ventre) avec taches orange sur tête et cou. *Long.* : totale 120 cm, aileron 34 cm. *Poids* : 30 à 40 kg. *Alimentation* : poissons, céphalopodes et crustacés. *Reproduction* : hivernale, jusqu'à – 50 °C. *Ponte* : en automne un œuf unique. *Nid* : aucun. Les adultes couvent l'œuf sous leurs pattes. Ils peuvent se déplacer avec et se former en groupes serrés (tortues) pour lutter contre le froid. *Incubation* : 62 à 64 j, par le seul mâle, qui jeûne près de 4 mois entre son arrivée dans la colonie et son départ en fin d'incubation. La femelle, retournée à la mer dès la ponte, revient lors de l'éclosion, les 2 parents alterneront pour alimenter leur jeune. *Mue des adultes* : 3 ou 4 semaines, débute lorsque celle des poussins est achevée. **M. Royal** *(Aptenodytes patagonica)* H 70/75 cm, env. 15 kg.

■ **Phoque.** 4 espèces. *Gestation* : 9 mois, les jeunes naissent sur la glace. **Ph. de Weddell** : L 300 cm, poids 340 à 450 kg, plonge à + de 500 m pour pêcher calmars et poissons. **Léopard de mer** : L 400 cm, poids 380 kg (et + pour la femelle). Solitaire. *Carnassier* : poissons, manchots et jeunes phoques d'autres espèces. **Ph. crabier** : L 260 cm, poids 225 kg. Femelle plus grande. *Se nourrit* de petits crustacés planctoniques. **Ph. de Ross** : L 200/230 cm, poids 215 kg, *mange* varechs et invertébrés mous des fonds océaniens, et céphalopodes. *Se reproduit* sur la glace, croissance rapide (P. de Weddell 29 kg à la naissance, 112 kg à 6 semaines).

Zoos

■ Histoire

Antiquité. Chine, Mésopotamie, chez les Incas et les Aztèques. *Parmi les plus célèbres* : ménagerie d'Auguste (29 av. J.-C.), 3 500 animaux : 20 tigres, 260 lions, 600 bêtes africaines (panthères, guépards, etc.) ; de Gordien (vers 237), 1 000 ours, 100 tigres, 100 girafes ; de Probus (276-282), 1 000 autruches, 1 000 cerfs, 1 000 sangliers, 300 ours.

1re collection d'animaux connue. Celle de Shulgi, gouverneur de la IIIe dynastie d'Ur, de 2094 à 2047 av. J.-C., à Puzurish (Irak).

Zoos modernes. *Nombre* : plus de 2 000 dans le monde (350 millions de visiteurs par an). *1er zoo moderne* : (enclos plus vastes, fossés, cadre plus proche de la nature, programmes d'élevage, reproduction) conçu par Hagenbeck à Hambourg (All.) au début du XXe s. **1res naissances en zoo :** *girafe* : 1836 Londres, 1852 Schönbrunn (Autr.) ; *éléphant* : 1906 Schönbrunn ; *chimpanzé* : 1915 La Havane, 1920 Bronx (USA), 1921 Berlin (All.) ; *orang-outan* : 1928 Berlin ; *gorille* : 1956 Colombus (USA).

■ Zoos français

■ **Nombre en 1992 :** 285 parcs d'animaux sauvages et aquariums.

■ Liste

Légende : date de création, superficie (ha), nombre d'animaux (a), d'espèces (e), de visiteurs par an (v), zoo ou zoologique (z). (1) Privé. (2) Public.

Ambert (P.-de-D.) *Parc z. du Bouy* (1975) [1] 50 ha. 400 a. 35 000 v. **Amiens** (Somme) *Parc z. de la Petite Hotoie* (1952) [2] 6,5 ha. 110 e., 500 a. 76 723 (92), rénovation prévue en 93-94. **Amnéville** (Moselle) *Parc z. du Bois de Coulange* (1986) [1] 7 ha. 600 a. 110 e. 170 000 à 200 000 v. **Ardes-sur-Couze** (P.-de-D.) *Parc animalier de Cézallier* [1] 25 ha. 400 a. **Beaucens** (H.-Pyr.) *le Donjon des Aigles* volerie. **Bel-Val** (Ardennes) *Parc de vision* (1973) 350 ha. 13 e. 35 350 v. **Besançon** (Doubs) *Parc z. du Muséum d'Histoire nat. de la Citadelle* (1963) [2] 3,5 ha. 350 a. 150 e. Aquarium, insectarium. 230 000 v. **Bidagme** (Pyr.-Atl.) *Le Château des Aigles* volerie. **Bordeaux-Pessac** (Gironde) *Parc z.* (1976) [1] 6 ha. 400 a. 110 e. 120 000 v. (1992). **Boutissaint-en-Puisaye** (Yonne) *Parc de vision* (1968) [1] 400 ha, 100 km de chemins, miradors, 400 a. 5 e. 18 000 v. **Cambrai** (Nord) *Parc d'Estourmel* (1967) [1] 6 ha., 200 a. et oiseaux, 25 e.

Château-sur-Allier (Allier) *Parc z. de St-Augustin* (1962) 100 ha. 50 e. 80 000 v. **Châteauneuf-sur-Cher** (Cher) *Parc animalier du château* (1978) 4 ha. 30 000 v. **Clères** (S.-M.) *Parc z.* (1919-20) 13 ha ouverts au public, 13 ha en réserve. 1 500 oiseaux de plus de 250 e., 200 mammifères de 8 e. 100 000 v. 20 employés. **Courzieu** (Rhône) *Fauconnerie* (1980) [1] 23 ha. 200 rapaces. 80 000 v.

Dompierre-sur-Besbre (Allier) *Le Pal* (1973) 23 ha. *Parc animalier* (+ de 500 a.) ; *d'attractions* (1er rafting de France). 220 000 v. **Doué-la-Fontaine** (M.-et-L.) (1960) 10 ha. 500 a. 80 e. 220 000 v. **Émancé** *Parc du Château de Sauvage* (Rambouillet, Yvelines) (1974) 40 ha. ouverts au public, 14 ha en réserve. 200 oiseaux, 300 mamm. en liberté. **Ermenonville** (Oise) *Zoo Jean-Richard* (1956). 7 ha., fermé. **Eschbourg** (B.-Rhin). *Parc ani. du Schwartzbach.* **Fréjus** (Var) *Parc z.* (1971) [1]. 20 ha. 600 a. 130 e. 120 000 v.

Gramat (Lot). 1°) *Parc de vision* (1979) 40 ha. 300 gros a. (faune européenne) 100 e. (300 oiseaux). 100 000 v. 2°) *Parc z. de Padirac.* 2 ha. Oiseaux et petits mammifères tropicaux, toucans. **Heudicourt-sous-les-Côtes** (Meuse) *Parc aux Oiseaux* (1983) 4 ha. 300 oiseaux, 16 000 v. + *réserve Lac de Madine* : + de 2 000 o. migrateurs selon saison. **Jaligny-sur-Bresbe** (Allier) *Les Gouttes, parc de loisirs de Thionne* (1975) 250 ha. 400 grands a. (11 e.) (semi-liberté). 200 oiseaux (20 e.). 100 000 v. **Jurques** (Calvados) *Parc z. de « La Cabosse »* Jurques 10 ha. 500 a. 100 e. (girafes) 120 000 v.

La Barben (B.-du-R.) *Parc z.* (1969) [1] 30 ha. 600 mammifères, 100 oiseaux, 100 reptiles et poissons. Centre d'élevage et reproduction de rhinocéros. **La Boissière-du-Doré** (L.-Atl.) *Espace zoologique* (1984). 9 ha. + de 400 a. (éléphants d'Afr., orangs-outangs, ours bruns, etc.). 185 000 v. (1990). **La Faute-sur-Mer** (Vendée) *Parc de Californie* (1986) [1] 4 ha. 2 500 a. 300 e. 300 variétés d'oiseaux des 5 continents dont 20 de rapaces. 60 000 v. **La Flèche** (Sarthe) *Zoo de La Flèche* (1950) [1] 10 ha. 800 a. 250 e. 4 ha exclusivement africain. **Langoiran** (Gironde) (1971) [1] 1,5 ha. 40 volières, 40 e. de serpents. 30 000 v. **La Palmyre** (Ch.-Mar.) (1966) 10 ha. + de 1 200 a. 140 e. dont 200 singes. 740 000 v. Le plus important z. privé de France. **Le Breil-sur-Mézire** (Sarthe) *Parc animalier du domaine de Pescheray* (1976) 70 ha. 300 a. 55 e. 60 000 v. **Le Guerno** (Morbihan) *Parc de Branféré* (1964) légué à la fondation Paul et Hélène Jourde sous l'égide de la Fondation de France (1988) 50 ha. 2 000 a. en liberté. 100 e. 120 000 v. **Les Abrets** (Isère) *Parc z. Fitilieux Bruniaux* (1968) [1] 30 ha. 250 a. 60 e. 45 000 v. **Lescar** (Pyr.-Atl.) *Parc z.* (1965) env. 100 a., 30 e. 15 000 v. **Les Sables-d'Olonne** (Vendée) *Jardin z.* (1975) [1] 3,5 ha. 200 a. (îles à singes, félins, loups à crinière, pandas roux, grues de Mandchourie) 100 000 v. **Lille** (Nord) *Parc z. municipal* (1953) [2] 6 ha. 40 a. 500 000 v. **Lisieux** (Calvados) *Cerza Parc z.* (1986) [1] 50 ha. 300 a. 40 e. en semi-liberté (ours brun, lynx, tigres, jaguars, chimpanzés, lémuriens, bisons, panthères, oryx). 163 000 v. **Lyon** (Rhône) *Parc de la Tête d'Or.* (1856-58). 105 ha dont lac 16 ha, jardin botanique 6 ha, zool. 6 ha. *Roseraie internat.* (1964) 6 ha. 55 000 rosiers. 400 variétés. 1 000 000 v.

Maubeuge (Nord) *Parc z.* (1955) 7 ha. 600 a. 90 e. 220 000 v. par an. **Merlimont** (P.-de-C.) *Parc d'attractions de Bagatelle* (1955) 26 ha. Zoo classé. 450 a. 25 e. 310 000 v. **Mervent** (Vendée) *Parc z.* (1959) 5 ha. 350 a. (reproductions), 100 000 v. **Montpellier** (Hérault) *Parc z. de Lunaret* (1964) [2]. 80 ha. 778 a. dont 32 reptiles (14 e.), 406 oiseaux (80 e.), 340 mammifères (49 e.). 440 000 v. **Mulhouse** (Ht-Rhin) *Parc z. et botanique de la ville* (1868) 25 ha. 1 200 a. env. 230 e. et sous-e. **Nay** (Pyr.-Atl.) *Jardin exotique d'Asson.* (1964) 3 ha. 275 a. 75 e. 35 000 v.

Obterre (Indre) *Parc de la Haute-Touche* (1980) 480 ha. 900 a. 50 e. de mamm., 27 e. d'oiseaux, 1 e. de reptiles ; e. rares : cerfs Duvaucel, d'Eld, du Père David, oryx algazelle, addax, tigres de Sumatra, lémuriens, élan, baudet du Poitou. 50 000 v. **Oléron** (île d') *Le Marais aux oiseaux* (1982) 10 ha. Plus de 60 e. (environ 400 oiseaux). 41 000 v. **Orcines** (P.-de-D.) *Parc z. des Dômes.* **Orléans** (Loiret) *Parc floral* (1964) 30 ha. Flamants, grues couronnées et de Numidie, canards, oies (surtout sur le Loiret qui ne gèle jamais), émeus, nandous, mouflons, chèvres, daims, oiseaux. 250 000 v. **Ozoir-la-Ferrière** (S.-et-M.) *Parc z. du bois d'Attilly* (1966) [1] 16 ha. 150 mammifères, 600 oiseaux. Vivarium. 100 000 v.

Pardies-Piétat (Pyr.-Atl.) *Parc z. de Piétat* (1974) 1 ha. 270 a. 85 e. 30 000 v. **Paris.** 1°) *Jardin d'Acclimatation* (1860) 19 ha. 176 a. 1 200 000 v. Parc d'attractions. Petite ferme. Musée en herbe. Théâtre. 2°) *Ménageries du jardin des Plantes* (1793) *et vivarium.* 5,5 ha. 60 employés. 1 200 a. 65 e. de mamm., 140 e. d'oiseaux, 78 e. de reptiles, de batraciens, d'insectes et d'arachnéidés. 500 000 v. 3°) *Parc zoologique de Paris* (1931 attraction pour l'Exposition coloniale sur le modèle de celui de Hambourg, 1932 passe de 3 à 15 ha, fossé, 1934 inauguré), dit *zoo de Vincennes.* 130 employés. 1 200 a. 535 mamm. de 80 e., 600 oiseaux de 80 e., 1 000 000 v. ; e. très rares : cerfs d'Eld, cobs de Mrs Gray, hippotragues noirs, okapi, grand panda, rhinocéros blancs, loups du Canada, éléphant d'Asie mâle, lémuriens, guépards. **Peaugres** (Ardèche) *Safari de Peaugres* (1974) 80 ha. 800 a. 260 000 v. **Peumerit** (Finistère) *Parc de la Pommeraie.* **Plaisance-du-Touch** (Hte-G.) *Parc z.* (1970) 5 ha. 35 a. + *Réserve Africansafari* (1990) 60 a. 150 000 v. **Pleugueneuc** (I.-et-V.) *Parc z. de la Bourbansais* (1965) et château XVIe s. (1980) 6,5 ha. 50 e. 80 000 v. **Poitiers** (Vienne). 1°) *Parc de Blossac.* (XVIIIe s.-XIXe s.) 7,5 ha., 150 a., 45 e. 2°) *Parc z. des Bois de St-Pierre* (1970) 248 ha., 300 a., 60 e. 150 000 v. **Pont-Scorff** (Morbihan) *Parc z.* (1973) 10,5 ha. 480 a. 132 e. Plus de 40 félins (14 e.) 112 000 v.

Rambouillet (Yvelines) (1972) 250 ha. *Parc animalier des Yvelines* (en liberté 260 cerfs, chevreuils, sangliers et daims) 45 000 v. **Rhodes** (Moselle) *Domaine de Ste-Croix* (1980) 70 ha. Faune européenne. **Rive-de-Gier** (Loire) *Espace z. de St-Martin-la-Plaine* (1972) [1] 13 ha. 350 a. 60 e. 120 000 v. **Rocamadour** (Lot) *Rocher des Aigles* (1979) 3 ha. 300 rapaces. 44 e. 150 000 v. **Romanèche-Thorins** (S.-et-L.) *Touroparc* (1961) [1] 10 ha. 800 a. 170 000 v. **Rue** (Somme) *Parc ornithologique du Marquenterre* [dominant la réserve de chasse de la baie de la Somme (8 000 ha)] (1973) 300 ha clos. 200 à 2 000 oiseaux (selon migrations). 250 e. (50 e. en permanence). 110 000 v.

St-Aignan-sur-Cher (L.-et-C.) *Zoo. Parc de Beauval* (1980) 8 ha. 120 mammifères, 2 000 oiseaux. 100 000 v. **St-Jean-Cap-Ferrat** (Alpes-Mar.) *Parc d'acclimatation* (1950) [1] ancienne propriété du roi Léopold II de Belgique. 3 ha. 400 a. 100 000 v. **St-Malo** (I.-et-V.) *Exotarium.* **St-Symphorien-des-Monts** (Manche) *Parc animalier d'animaux domesti-*

Syndicat national des directeurs de parcs zoologiques français (SNDPZ). *Créé* 1974. *Siège* : 23, rue Gosselet, 59000 Lille. *Membres* : 44. *Emblème* : le Dodo, oiseau de l'île Maurice exterminé au XIXe s. *Revue* : Inter Zoo. *Bulletin* : la lettre du Dodo.

Association nationale des parcs et jardins zoologiques privés. *Créée* en 1969. *Siège* : Safari de Peaugres, 07340 Peaugres. *Objectif* : décerne un label (licorne blanche sur fond vert) à des zoos répondant à des normes de qualité. *Membres* : 39 actifs (parcs privés), 10 associés (p. d'État).

Syndicat France Parcs. *Créé* 1983. *Siège* : Parc de Bagatelle, 62155 Merlimont. Regroupe 56 parcs dont 42 parcs récréatifs nautiques (Aqualands et Aquacities) 14 millions v. (1991).

que. **Ste-Clotilde (Île de la Réunion)** *Parc z. du Chaudron* (1976) 2,8 ha. 63 e. dont 39 e. d'oiseaux, mammifères 18, reptiles 6. Lémuriens, tortues de terre de Madagascar. 80 000 v. **Stes-Maries-de-la-Mer** (B.-du-Rh.) *Parc ornithologique du Pont de Gau* (1949) [1]. 60 ha. 800 oiseaux. 100 e. (flore et faune sauvage de Camargue). 120 000 v. **St-Vrain** (Essonne) *Parc* (1975) : au XVIIIe s. à la comtesse du Barry, depuis propriété des Mortemart. 130 ha. Animaux en liberté. Reconstitution de scènes préhistoriques. **Sanary-sur-Mer** (Var) *Jardin exotique. Zoo de Sanary-Bandol* (1960) [1] dans un parc tropical de 2 ha. 70 000 v. **Sigean** (Aude) (1974) *Réserve afr.* 206 ha. de garrigue et d'étangs. 2 390 a. (dont 440 mammifères, 1 405 oiseaux, 545 reptiles). 330 000 v.

Thoiry (Yvelines) (1967) 450 ha. 800 a. 110 e. en liberté. Tigres et ligrons, ours, lions, singes, mandrils, oiseaux exotiques, animaux miniature. Château XVIe s. 390 000 v. **Toulon** (Var) *Centre d'élevage et de reproduction de fauves* (1969) [1] 6 ha. 90 a. 120 000 v. **Trégomeur** (C.-d'Armor) (1970) [1] *Jardin z. de Bretagne* 12 ha. 300 a. 60 e. 80 000 v.

Upie (Drôme) *Le jardin aux oiseaux* (1976). 6 ha. Parc ornithologique et botanique. « Serre aux Oiseaux-Mouches ». 1 000 oiseaux. 200 e. Élevage d'espèces menacées. 50 000 v. **Villars-les-Dombes** (Ain) *Parc des oiseaux* (1970) 24 ha. 2 000 oiseaux + 500 à 2 000 migrateurs selon les saisons. 385 e. 300 000 v. **Villedieu-les-Poêles** (Manche) *Parc z. de Champrepus* (1957) 7 ha. 90 e. 85 000 v. **Villiers-en-Bois** (Deux-Sèvres) *Zoorama européen de la forêt de Chizé* (1973) 25 ha., 600 a., 165 e. (européen). 65 000 v. (73 : 35 000).

Principaux zoos étrangers

Afrique du Sud : Pretoria. **Algérie** : Alger. **Allemagne** : Augsburg, Berlin, Cologne, Dresde, Duisbourg, Francfort, Gelsenkirchen, Halle, Hambourg-Stellingen, Hanovre, Krefeld, Leipzig, Munich, Münster, Nuremberg, Osnabruck, Rheine, Stuttgart, Walsrode (parc ornithologique le plus important du monde), Wuppertal. **Australie** : Sydney. **Autriche** : Innsbruck, Vienne. **Belgique** : Anvers, Planckendael, grottes de Hann-sur-Lesse. **Canada** : Québec, Toronto, Montréal (Biodome), St Félicien, Granby. **Chine** : Pékin. **Danemark** : Copenhague. **Égypte** : Alexandrie, Le Caire. **Espagne** : Barcelone, Jerez, Madrid. **Finlande** : Helsinki. **Grande-Bretagne** : Alfriston (Drusillas), Aviemore, Bourton on the Water, Bristol, Canterbury, Chester, Chichester, Edimbourg, Farnham, Glasgow, Jersey, Londres (Regent's Park), Manchester, Port Lympe, Whipsnade. **Hollande** : Amsterdam, Apeldorn, Arnhem, Emmen, Rotterdam. **Hongrie** : Budapest. **Italie** : Naples, Rome. **Maroc** : Rabat. **Pologne** : Varsovie. **Portugal** : Lisbonne. **Sénégal** : Dakar. **Sri Lanka** : Colombo. **Suède** : Stockholm (Skansen). **Suisse** : Bâle, Berne, La Garenne, Rapperswill, Zurich. **Tchécoslovaquie** : Prague. **Tunisie** : Tunis. **Russie** : Moscou. **USA** : Chicago (Lincoln Park, Brookfield), Cincinnati, Cleveland, Detroit, Kansas City, Marineland (Oceanarium), Miami (Oceanarium), New York (Bronx, Central Park), Philadelphie, St-Louis, San Diego, Washington. **Zaïre** : Kinshasa.

Statistiques

■ **Alimentation journalière.** **Carnivores** : *Tigre* ou *lion* : 1 repas : 4 à 5 kg de viande avec os (bœuf, mouton, cheval ou volaille). **Granivores** : *Autruche* : 750 g de mélange de blé, sarrasin, avoine, orge, millet, maïs et chènevis par jour + des feuilles de salade, choux, luzerne verte, compléments minéraux ; 2 repas par jour. **Herbivores** : *Éléphant* : avoine 10 kg, foin ou luzerne 50 à 80 kg, carottes 5 kg ; 2 repas par jour. **Omnivores** : 1 repas par jour. *Ours* : 2 kg par jour de viande cuite, désossée avec bouillon + pâtes alimentaires + croûtes de pain, déchets, biscottes et son ; salade, choux, carottes et pommes crues. *Ours blanc* : poisson cru. *Ours à longues lèvres* : lait, riz cuit, bananes, pain et confiture, pommes et poires. **Piscivores** : 1 repas par jour. *Phoque* : 5 kg de poisson par jour (hareng, merlan, maquereau). *Éléphant de mer* : 10 à 30 kg suivant la taille. *Manchot* : 1 kg de poisson frais (hareng, merlan, maquereau).

Régimes spéciaux. *Girafe* et *okapi* : 2 repas, 8 à 10 kg d'avoine germée, 10 à 15 kg de luzerne sèche fine (1re qualité) et verte, 4 l de lait avec 4 kg de flocons d'avoine et farine d'orge cuite, cresson, oignons, carottes, bananes. *Chimpanzé* : 3 repas, viande grillée (bœuf), lait + farine lactée (1/4 à 1/2 l), pommes de terre cuites, flocons d'avoine cuits, pâtes et riz cuits, salade, carottes, petits pois, haricots verts, pain + confiture, brioches vitaminées (levure, vitamines A, C et D), arachides, figues, bananes, oranges, fruits de saison. *Panda* : lait + farine lactée, bananes, pommes, feuilles de bambou ; 2 repas par jour. *Grand fourmilier* : 2 l de lait + 500 g de viande très finement hachée et 4 œufs, le tout mélangé ; 2 repas par jour.

Nota. – Tous les mammifères reçoivent des compléments minéraux : sel gemme, pierres à lécher ou sels de chaux vitaminés.

■ **Quelques prix européens (en F).** Autruche 10 000. Chimpanzé 10 000. Cygne 500 à 1 500. Éléphant 250 000. Girafe 80 000. Hippopotame 65 000. Lion 500. Lionceau 500. Okapi non commercialisé. Ours 750 à 5 000. Panda non commercialisé. Perroquet 10 000. Rhinocéros d'Asie 450 000, d'Afrique (noir) 920 000. Tigre 1 500 à 10 000.

☞ Le commerce des animaux inscrits à l'annexe I de la Convention de Washington est interdit. Nul ne peut détenir un animal sauvage sans pouvoir justifier qu'il l'a acquis légalement.

Parcs et réserves

Dans le monde

Définitions

Selon l'Union Mondiale pour la Nature [UICN, ex-Union internationale pour la conservation de la nature et de ses ressources *créée* 1948. *Organisation* : 60 États. 95 organismes de droit public, 534 organisations non gouvernementales nationales et internationales, 35 membres affiliés sans droit de vote, 117 pays].

Pour être reconnu comme *parc national* ou *réserve*, un territoire doit bénéficier d'un statut de stricte protection (pas de chasse, pêche, coupe de bois, culture, élevage, exploitation du sous-sol), et ne pas être trop exigu (minimum 1 000 ha).

■ **Réserves naturelles intégrales.** De quelques km² à près de 50 000 km². Ne sont pas entourées de grillage : les animaux s'y réfugient. Fermées au public. **La plus grande du monde** : Wood Buffalo (Alberta, Canada, créée en 1922) 45 500 km² ; **de France** : réserve marine Yves Merlet (Nlle-Calédonie, créée 1970) 167 km².

■ **Parcs nationaux et réserves analogues.** Territoires qui, dans un ensemble homogène généralement non exploité par l'homme, présentent des espèces végétales et animales de grand intérêt. Gestion et surveillance sont assurées par la plus haute autorité compétente du pays. Visite autorisée sous certaines conditions (habituellement contrôle à l'entrée et à la sortie). A l'intérieur, on distingue *les aires naturelles : intégrales* : interdites au public ; *dirigées* : pour protéger une espèce ou un groupe d'espèces particulier (ex. : zèbre de montagne ou de bontebok en Afr. du Sud ; du rhinocéros noir à Miaméré Miadiki en Rép. centrafricaine ; du bison d'Europe, de l'élan et du cheval de Tarpan dans le parc de Bialowieza en Pologne ; du bison, zèbre, gnou, yack, guanaco, nilgaut en URSS) ; *de nature sauvage* : le public peut y circuler suivant des conditions particulières à chaque parc (absence de moyens motorisés, routes, camps aménagés).

1er créé : Yellowstone (USA), en 1872 (899 135 ha). C'était « un domaine mis en réserve par la nation pour servir les aspirations sportives, esthétiques et culturelles de tous ses membres ». **Le plus grand du monde** : parc du N.-O. du Groenland (Danemark, créé 1974), 700 000 km². **De France** : les Ecrins (Htes-Alpes et Isère ; créé 1973) 918 km².

■ **Parcs provinciaux.** Statut de protection fixé par une autorité autre que le gouvernement central.

■ **Nombre de parcs nationaux et aires protégées en 1990.** 6 940 (652,8 millions d'ha) dont *catégorie I* (réserves scientifiques, rés. naturelles intégrales) 658 (51,8 Mha), *II* (parcs nationaux) 1 392 (309), *III* (monuments naturels, éléments nat. marquants) 316 (19), *IV* (rés. de conservation de la nature, rés. nat. dirigées, sanctuaires de faune) 2 944 (195), *V* (paysages terrestres ou marins protégés) 1 630 (78).

☞ Il existe souvent, autour des réserves et parcs, des zones de protection, où la plupart des activités humaines sont permises, sauf la chasse, la capture d'animaux, et la construction de cités d'habitation.

Parcs et réserves en France

☞ **Espaces protégés** (en hectares). Parcs nationaux 363 000, zones périphériques 901 589, parcs régionaux 2 518 400, réserves naturelles 114 137 en 1992.

Parcs nationaux

■ **Définition.** Créés par la loi du 22-7-1960. Un parc national peut comprendre 3 territoires :

1°) **Parc proprement dit** : protège faune, flore et milieu naturel. Les activités agricoles, pastorales et forestières sont réglementées : chasse interdite en général, autorisée mais sévèrement réglementée par exception (parc des Cévennes) ; constructions et tous travaux publics ou privés interdits s'ils altèrent le caractère du parc, autorisés s'ils correspondent à la mission dévolue au parc ; discipline du tourisme (déchets, dérangement minimal, bruits, etc.).

2°) **Zone périphérique ou préparc** : peut être constituée autour du parc comme un domaine de transition permettant l'accueil et l'hébergement des visiteurs. Bénéficie de crédits spécifiques permettant des programmes d'amélioration d'ordre social, économique et culturel, tout en rendant plus efficace la protection de la nature. Seul Port-Cros, parc marin, ne dispose pas de zone périphérique.

3°) **Réserves intégrales** : peuvent être constituées à l'intérieur d'un parc national, pour les besoins de la recherche scientifique, pour la sauvegarde de sites géologiques, d'espèces animales ou végétales particulièrement menacées. Actuellement aucune réserve intégrale n'a été constituée dans les parcs nationaux.

■ **Budget** (en millions de F, en 1992). **Subventions** : Écrins 17,9 ; Cévennes 15,4 ; Pyrénées occidentales 13 ; Mercantour 12,9 ; Vanoise 12,4 ; Guadeloupe 8,5 ; Port-Cros 8 ; C. botanique Porquerolles 2,6 ; Atelier technique 2,4. **Dépenses** de fonctionnement et investissements : 94 et 69. **Crédits** pour l'aménagement des zones périphériques (du Fonds interministériel pour la qualité de la vie) : Cévennes 3 ; Écrins 2 ; Mercantour 2 ; Pyrénées occidentales 2 ; Vanoise 2 ; Guadeloupe 1 ; Port-Cros 0,5.

■ **Parcs créés.** **La Vanoise** (135, rue du Dr.-Julliand, BP 105, 73007 Chambéry). *Créé* 6-7-1963. Parc de haute montagne : 1 250 à 3 855 m. 107 sommets de plus de 3 000 m. Contigu sur 14 km au parc national italien du Grand Paradis. *Concerne* : 29 communes en Savoie, moitié en Maurienne, moitié en Tarentaise. *Zone centrale* : 52 839 ha (11 domaniaux, 47 610 communaux et 5 218 à des particuliers) ; *périphérique* : 144 000 ha. *2 réserves naturelles contiguës* (Tignes-Champagny et Val d'Isère-Bonneval) : 2 490 ha. *Faune* : 700 bouquetins, 4 500 chamois, martre, marmotte, lièvre variable, hermine, 14 couples d'aigle, grand-duc, lagopède, casse-noix, renard, blaireau, campagnol des neiges, tétras-lyre, bartavelle, niverolle, chocard, accenteur alpin, crave, tichodrome, merle de roche. Chasse interdite, pêche autorisée. *Flore* : 1 000 espèces dont 15 uniques ; saule arctique, valériane celtique, bruyère des neiges, mélèzes, épicéas.

Port-Cros (Castel Sainte-Claire, rue Sainte-Claire, 83400 Hyères). *Créé* 14-12-1963. Parc national sous-marin et insulaire du Var ; île de Port-Cros, île de Bagaud, ilots de Rascas et de la Gabinière. *Superficie marine* : 1 800 ha, (600 m autour des côtes de Port-Cros et Bagaud), *terrestre* : 675 ha (PNPC 216, min. Défense/Marine 154, 2 propriétaires privés 302,5, communes et divers 2,5). *Flore* : 4 zones de végétation : côtière résistante aux embruns ; ensuite groupe caractérisé par l'oléastre et le pistachier lentisque ; forêt de chênes verts dans les fonds des vallons et les secteurs plus frais ; maquis élevé : arbousiers et bruyères arborescentes. Sous la mer : posidonies et algues. *Faune : fonds marins* : mérou, corbs, congre, murène, langouste, homard. *A terre* : goéland argenté, puffin cendré, faucon, batraciens, couleuvres, scorpions inoffensifs, papillons, 600 esp. de coléoptères. Etape pour migrateurs : huppes, guêpiers, passereaux. Parc non retenu par l'Onu (protection insuffisante).

Pyrénées occidentales (59, route de Pau, 65000 Tarbes). *Créé* 23-3-1967. *Alt.* : 1 100 à 3 298 m. Longe sur 100 km une zone continue de plus de 100 000 ha de réserves de chasse nationales espagnoles qui englobent le parc national esp. d'Ordesa (1 000 ha), non contigu. *Concerne* : 87 communes, 40 000 hab. (2/3 Htes-Pyrénées, 1/3 Pyrénées-Atl.). *Zone centrale* : 45 707 ha (Pyr.-Atl. 15 120, Htes-Pyr. 30 587 ; 166 domaniaux, 44 347 communaux et 1 194 à des particuliers) ; *périphérique* : 206 352 ha (Pyr.-Atl. 94 192, Htes-Pyr. 112 160). *1 réserve naturelle contiguë* (Néouvielle créée : 1968) : 2 300 ha. *But* : préserver cirques de Troumouse, de Gavarnie, vallée du Marcadau, pic du Midi d'Ossau ; nombreux lacs et torrents peuplés de salmonidés, surtout truites communes. *Faune* : sauvage : env. 15 ours bruns (en majorité en zone périphérique), 4 000 isards, desman des Pyrénées, 60 couples de vautours [fauve, percnoptère (vautours d'Égypte)], 31 aigles (8 couples), 22 gypaètes (5 couples), grand coq de bruyère, lagopède, grand duc ; nombreux animaux communs : marmotte, hermine, genette, chat sauvage, renard, martre, loutre, sanglier. *Flore* : variée, d'espèces rares : ramondia, fritillaire, lys, aster des Pyrénées. *Chasse* interdite. *Pêche* autorisée.

Cévennes (Château de Florac, 48400, Florac). *Créé* 2-9-1970. *Concerne* : 126 communes (4/5 Lozère, 1/5 Gard). *Zone centrale* : 84 409 ha (41 000 hab.) (25 694 domaniaux, 6 344 communaux et 53 683 à des particuliers). *Zone périphérique* : 228 210 ha dont 123 400 Lozère, 81 826 Gard, 22 984 Ardèche. 122 communes, 41 000 hab. *Faune* : richesse particulière en : aigle royal (menacé, 7 couples), circaète Jean le Blanc, faucon pèlerin (menacé), grand-duc (menacé) ; 2 500 sangliers, 150 mouflons, genette ; réintroduits : 97 vautours fauves, 1 couple de percnoptères, petit et grand tétras, castor sur le versant atlantique et en zone centrale : 500 cerfs, chevreuils. *Flore* : riche et diversifiée, sans espèces très rares, mais associations végétales remarquables : narses et tourbières du mont Lozère, hêtraie, sapinière naturelle. Certaines espèces sont menacées : lys martagon, trolle, adonis printanière, sabot de Vénus ; 3 400 ha hêtres et conifères.

Écrins (Domaine de Charance, BP 142, 05000 Gap Cedex). *Créé* 27-3-1973. *Alt.* : 800 à 4 102 m. *Concerne* : 61 communes (2/3 Htes-Alpes, 1/3 Isère). *Zone centrale* : 91 800 ha (Htes-Alpes 57 900, Isère 33 900 ; 21 180 domaniaux, 67 630 communaux et 2 930 à des particuliers) ; *périphérique* : 177 400 ha, 26 400 hab. (Htes-Alpes 124 200, Isère 53 200). *Faune* : riche en insectes, 300 esp. de mammifères : 8 500 chamois, 32 bouquetins, 100 chevreuils, marmotte, campagnol ; 90 esp. d'oiseaux : lagopède, 90 aigles royaux (34 couples), 1 à 2 gypaètes, coq de bruyère, tichodrome ; 12 esp. de reptiles et batraciens : triton alpestre. *Flore alpine* : quelques esp. rares, et beaucoup menacées par la cueillette : reine des Alpes, sabot de Vénus, lys orangé, ancolie des Alpes, génépi : groupements forestiers (du chêne pubescent au pin cembro).

Mercantour (23, rue d'Italie, BP 316, 06300 Nice). *Créé* 18-8-1979. *Alt.* : 490 à 3 143 m. A 50 km de Nice, hautes vallées de la Roya, de la Tinée, de la Vésubie, du Var, du Verdon et de l'Ubaye. Sur 28 communes (Alpes-M. 22, Alpes de Hte-Prov. 6). *Zone centrale* : 68 500 ha (16 500 domaniaux, 41 000 communaux et 11 000 à des particuliers) ; *périphérique* : 146 200 ha, 28 communes, 17 000 hab. *Faune* : 5 000 chamois, 150 bouquetins, 1 000 mouflons, 200 cerfs, lièvre variable, marmotte, hermine, tétras-lyre, lagopède, chouette de Tengmalm, aigle royal (30 couples), insectes remarquables. *Flore* : plus de 2 500 espèces méditerranéennes. *Étage méditerranéen* : chêne vert, olivier, ostrya ; étage de sapins et d'épicéas sur les ubacs, sur les adrets de pins sylvestres ; ét. de pins à crochets et pins cembro ; lande de rhododendrons, pelouse alpine et rochers. Riche en esp. endémiques dont la *Saxifraga florulenta*. *Richesses archéologiques* : notamment gravures rupestres de la vallée des Merveilles.

Guadeloupe (Habitation Beausoleil, Montéran, 97120 St-Claude). *Créé* février 1989 (origine parc naturel créé 1969). Destiné à protéger le massif montagneux de la Guadeloupe (la Basse-Terre) : ensemble forestier de 17 300 ha. Comprend un ha et une zone périphérique qui s'étend sur le territoire des communes de Pointe-Noire, Bouillante et Vieux-Habitants. *1 réserve naturelle* : 3 700 ha sur le littoral (mangrove, marais, forêt marécageuse). *Faune* : racoon (raton laveur), pic noir de la Guadeloupe, grive « pieds jaunes », coucou manioc, colibri. *Flore* : forêt dense primaire. 300 espèces d'arbres et d'arbustes : bois rouge, carapate, gommier, côtelette noire, châtaignier, lianes et épiphytes.

■ Parcs naturels régionaux

■ **Définition.** Territoires habités mais fragiles, au patrimoine naturel et culturel intéressant, où tous les partenaires associent leurs efforts pour inventer un aménagement équilibré, soucieux du respect de l'environnement. A la protection, s'associent le développement de l'accueil, l'éducation et l'information du public sur le patrimoine naturel et culturel. Les parcs sont réalisés sur l'initiative de la région, en accord avec ou sur proposition des collectivités locales ou groupements de collectivités concernées. Ils contribuent au développement économique et social des territoires concernés. Leur existence ne provoque ni interdiction, ni législation spécifique.

Nombre : 27 parcs régionaux : 8 % du territoire national, 2 100 communes, 4 072 720 ha, 1 845 250 habitants. **Le plus petit :** Parc de la Haute Vallée de Chevreuse (19 com., 25 600 ha, 42 000 hab.). **Les plus grands :** + de 150 com. et + de 300 000 ha.

■ **Budget de fonctionnement d'un parc.** Moyenne 5 000 000 F (venant des régions 40 %, départements 27 %, communes du Parc 20 %, ministère de l'Environnement 13 %).

■ **Parcs créés. Armorique** (Finistère, 30-9-1969) 105 000 ha. **Ballons des Vosges** (Ht-Rhin, Belfort, Hte-Saône, Vosges, 5-6-1989) 322 000 ha. **Brenne** (Indre, 22-12-1989) 166 000 ha. **Brière** (Loire-Atl., 16-10-1970) 40 000 ha. **Brotonne** (S.-M., Eure, 17-5-1974) 50 000 ha. **Camargue** (B.-du-R., 25-9-1970) 85 000 ha, autour d'une réserve naturelle botanique et zoologique de 13 500 ha. **Corse** (Hte-C., C.-du-S., 12-5-1972) 250 000 ha. **Forêt d'Orient** (Aube, 16-10-1970) 70 000 ha. **Ht-Jura** (Jura, 21-4-86) 62 000 ha. **Hte vallée de Chevreuse** (Yvelines, 11-12-1985) 25 600 ha. **Ht-Languedoc** (Hérault, Tarn, 22-10-1973) 145 000 ha. **Landes de Gascogne** (Gironde, Landes, 16-10-1970) 206 000 ha. **Livradois-Forez** (Hte-L., P.-de-D., 4-2-1986) 297 000 ha. **Lorraine** (M.-et-M., Meuse, Moselle, 17-5-1974) 206 000 ha. **Luberon** (Vaucl., Alpes de Hte-P., 31-1-1977) 130 000 ha. **Marais du Cotentin et du Bessin** (Manche, Calvados, 14-5-1991) 120 000 ha. **Marais poitevin. Val de Sèvres et Vendée** (Vendée, Ch.-Mar., D.-Sèvres, 3-1-1979) 200 000 ha. **Martinique** (24-8-1976) 70 000 ha. **Montagne de Reims** (Marne, 28-9-1976) 50 000 ha. **Morvan** (C.-d'O., Nièvre, S.-et-L., Yonne, 16-10-1970) 175 000 ha. **Nord-Pas-de-Calais** (*Parc éclaté* N., P.-de-C., 11-2-86) (146 000 ha) en 4 zones : Plaine de la Scarpe et de l'Escaut, Audomarois, Boulonnais. **Normandie-Maine** (Manche, Mayenne, Orne, Sarthe, 23-10-1975) 234 000 ha, autour des forêts d'Écouves, Andaine, Sillé-le-Guillaume. **Pilat** (Loire, 17-5-1974) 65 000 ha, au sud de St-Étienne. **Queyras** (Htes-Alpes, 7-1-1977) 60 000 ha, au sud de Briançon, le long de la frontière ital. **Vercors** (Drôme, Isère, 16-10-1970) 140 000 ha. **Volcans d'Auvergne** (Cantal, P.-de-D., 5-8-1977) 393 000 ha, à l'O. de Clermont-Ferrand, la chaîne des Puys et, dans le Cantal, l'ensemble du massif volcanique. **Vosges du Nord** (B.-Rhin, Moselle, 30-12-75) 120 000 ha, entre Wissembourg, Saverne et Bitche.

■ Réserves naturelles

■ **Définition.** *Créées* au titre des lois du 2-5-1930 (modifiée) et du 10-7-1976 sur la protection de la nature. *Vocation* : conservation de la faune, de la flore, du sol, des eaux, des gisements de minéraux et de fossiles et des milieux naturels (marins ou terrestres) présentant une importance particulière, ou devant être soustraits à toute intervention artificielle susceptible de les dégrader. Pour classer les terrains mis en réserve, il faut un décret simple s'il y a accord des propriétaires (sinon un décret en conseil d'État). *L'acte de classement* peut soumettre à un régime particulier et, le cas échéant, interdire à l'intérieur de la réserve toute action susceptible de nuire au développement naturel de la faune et de la flore et d'altérer le caractère de ladite réserve, notamment la chasse et la pêche, les activités agricoles, forestières et pastorales, industrielles, minières, publicitaires et commerciales, l'exécution de travaux publics ou privés, l'extraction de matériaux concessibles ou non, l'utilisation des eaux, la circulation du public quel que soit le moyen employé, la divagation des animaux domestiques et le survol de la réserve.

■ **Superficie des réserves naturelles** (en ha, 1-8-1990). Montagne 59 040,1 ; zones humides de l'intérieur 5 586,04 ; îles, falaises, marais littoraux et réserves marines 35 477,2 ; rivières et leurs rives 3 549 ; intérêt botanique 5 443 ; grottes et sites d'intérêt géologique et paléontologique 1 343. **Réserve la plus grande :** Hauts plateaux du Vercors 16 662 ha.

■ **Réserves.** CRÉÉES au 15-1-1993, 110 réserves, 119 833 ha. **Ain :** *Grotte de Hautecourt,* 10-9-1980, 10 ha. *Marais de Lavours,* 22-3-1984, 473 ha ; faune, flore. **Aisne :** *Marais d'Isle,* 5-10-1981, 47,5 ha, faune, flore. **Alpes-de-Hte-Provence :** *Digne,* 31-10-1984, 269 ha, alt. 600 à 2 000 m ; intérêt géologique, 18 sites fossilifères (ichtyosaure). **Ardèche :** *Gorges de l'Ardèche* (Ardèche et Gard), 14-1-1980, 1 572 ha ; géomorphologique, faune, flore. **Ardennes :** *Vireux-Molhain,* 14-3-91, 2 ha. ; stratigraphique et paléontologique, base du dévonien moyen. **Aude :** *Grotte du TM 71,* 17-8-1987, 96 ha ; concrétions. **Bas-Rhin :** *Forêt d'Offendorf,* 28-7-1989, 60 ha. *Forêt d'Erstein,* 18-9-1989, 180 ha. *Île de Rhinau,* 6-9-91, 306 ha., 71 a., forêt alluviale rhénane. **Bouches-du-Rhône :** *Camargue,* 24-4-1975, 13 117,5 ha ; zone humide, saumâtre, faune, flore.

Calvados : *Coteaux de Mesnil Soleil,* 28-8-1981 ; 25 ha ; botanique et insectes. *Falaise de Cap Romain,* 16-7-1984, 24 ha dont 23 du domaine public maritime ; géologique. **Charente-Maritime :** *Lilleau des Niges (Fiers d'Ars),* 31-1-1980, 120 ha avec la zone de protection ; avifaune migratrice. *Marais d'Yves,* 28-8-1981, 192 ha ; ornithologique et flore. *Marais de Moeze,* 5-7-1985, 6 500 ha (Domaine public maritime), 220 ha (littoral) ; ornithologique. **Corse-du-Sud :** *Îles Cerbicale,* 3-3-1981, 36 ha ; faune, flore. *Iles Lavezzi,* 8-1-1982, 79 ha et 5 093 ha du dom. mar. ; faune, flore. **Côtes-d'Armor :** *Sept Îles,* 18-10-1976, 320 ha ; oiseaux (macareux, fous de Bassan), phoques gris. **Deux-Sèvres :** *Toarcien,* 27-11-1987 ; 61 a ; géologique. **Doubs :** *Ravin de Valbois,* 26-10-1983, 335 ha ; flore (plantes de rocaille à affinités méditerranéennes), faune entomologique. *Remoray,* 15-4-1980, 426 ha ; avifaune aquatique. **Drôme :** *Ramières,* 2-10-1987, 346 ha ; ripisylves, ornithologique et faunistique. **Essonne :** *Réserve géologique de l'E.,* 13-7-1989, 5 ha.

Finistère : *Iroise,* 12-10-1992, 39,4 ha ; îles rocheuses, faune, flore. *St-Nicolas-des-Glénan,* 18-4-1974, 1,5 ha ; flore (narcisse). **Gironde :** *Banc d'Arguin,* 4-8-1972 et 9-1-1986, sup. variable (domaine public maritime de 150 à 500 ha), îlot sableux à l'entrée du bassin d'Arcachon ; avifaune migratrice (sterne caugek, huîtrier-pie). *Étang du Cousseau,* 20-8-1976, 600 ha ; nidification des oiseaux migrateurs. *Marais de Bruges,* 24-2-1983, 262 ha ; faune (migrations) et flore. *Prés-salés d'Arès et de Lège-Cap-Ferret,* 7-9-1983, 495 ha dont 350 maritimes ; faune (nombreuses espèces prés-salés, marais côtiers). *Réserve géologique de Saucats et La Brède,* 1-9-1982, 75,5 ha. **Guadeloupe :** *Grand Cul-de-Sac Marin,* 27-11-1987, 3 706 ha ; récif corallien, faune marine. **Guyane :** *Île du Grand Connétable,* 15-12-1992, 7 852 ha.

Haute-Corse : *Scandola,* 9-12-1975, partie terr. 919 ha, partie marit. 750 ha ; ornithologie (balbuzard pêcheur), faune et flore sous-marines. *Iles Finocchiarola,* 29-6-1987, 3 ha ; zone de nidification du goéland d'Audouin. **Hautes-Alpes :** mitoyennes du parc national des Écrins. *Hte Vallée de la Séveraisse,* 15-5-1974, 155 ha, alt. 1 150-1 640 m ; faune. *Hte Vallée de St-Pierre,* 15-5-1974, 20 ha ; faune. *Cirque du Grand Lac des Estaris,* 15-5-1974, 145 ha ; faune. *Versant nord des pics du Combeynot,* 15-5-1974, 685 ha, alt. 1 823-3 155 m ; faune, flore. **Hautes-Pyrénées :** *Néouvielle,* 8-5-1968, 2 313 ha, alt. 1 750-3 092 m, mitoyenne du parc national des Pyr. occidentales ; faune (isards), flore (forêts, tourbières, pelouse, milieux lacustres). **Haut-Rhin :** *Petite Camargue alsacienne,* 11-6-1982, 120 ha ; faune, flore. **Haute-Saône :** *Sabot de Frotey,* 28-8-1981, 98 ha ; botanique ; insectes. *Grotte du Carroussel,* 2,31 ha. **Haute-Savoie :** *Aiguilles Rouges,* 23-8-1974, 3 279 ha, alt. 1 200-2 965 m ; faune, flore. *Delta de la Dranse,* 17-1-1980, 45 ha ; flore, faune (sternes). *Marais du bout du lac d'Annecy,* 26-12-1974, 84,5 ha ; faune, flore. *Sixt-Passy,* 2-11-1977, 9 200 ha ; faune, flore. *Roc de Chère,* 2-11-1977, 68 ha ; flore. *Contamines-Montjoie,* 29-8-1979, 5 500 ha ; faune, flore. *Passy,* 22-12-1980, 2 000 ha ; faune, flore. *Carlaveyron,* 5-3-91, 599 ha, alt. 1 000 à 2 300 m ; faune, flore. *Vallon de Bérard,* 17-9-1992, 539,7 ha ;

alt. 1 700 à 2 695 m ; faune, flore. **Hérault :** *Bagnas,* 22-11-1983, 561 ha ; zone humide littorale, ornithologie, flore. *Roque Haute,* 9-12-1975, 158,5 ha ; plateau basaltique, flore. *Étang de l'Estagnol,* 19-11-1975, 78 ha ; lieu d'escale et de nidification pour canards et foulques.

Indre : *Cherine,* 22-7-1985, 145 ha ; zone humide intérieure, ornithologie et flore. **Isère :** *Hts plateaux du Vercors,* 27-2-1985, 16 662 ha (aussi Drôme) ; lapiaz, faune et flore. *Hte Vallée du Vénéon,* 15-5-1974, 90 ha. *Hte Vallée du Béranger,* 15-5-1974, 85 ha, mitoyenne du parc national des Écrins ; faune. *Île de la Platière,* 6-3-1986, 485 ha (aussi Ardèche, Loire) ; zone humide intérieure, ornithologie et flore (ripisylves). *Lac Luitel,* 15-3-1961, 6,2 ha ; lac glaciaire, flore (sphaignes, diatomées, droséracées), tourbières acides d'altitude. **Jura :** *Girard,* 9-7-1982, 94 ha ; faune, flore. *Grotte de Gravelle,* 22-12-1992, 1,36 ha ; biotope espèce rare (chauve-souris). **Landes :** *Courant d'Huchet,* 29-9-1981, 656 ha ; étang landais et courant côtier, cordon dunaire, botanique, faune (loutre, genette), avifaune. *Étang Noir,* 2-7-1974, 59 ha ; faune (batraciens) et flore. **Loire-Atlantique :** *Grand Lieu,* 10-9-1980, 2 694 ha ; plus grande colonie européenne de hérons cendrés. **Loiret :** *Île de St-Pryvé-St-Mesmin,* 19-11-1975, 6,5 ha, île de la Loire en aval d'Orléans ; ornithologie. **Loir-et-Cher :** *Vallées de Grand-Pierre et Vitain,* 23-8-1979, 296 ha ; vallée sèche, flore. **Lot-et-Garonne :** *Étang de la Mazières,* 19-6-1985, 68 ha ; zone humide intérieure, ancienne boucle du lit mineur de la Garonne, ornithologie et flore. *Frayère d'Alose,* 13-5-1981, 45 ha ; faune ; préservation de l'alose.

Manche : *Domaine de Beauguillot,* 17-1-1980, 686 ha ; faune (avifaune migratrice). *Tourbière de Mathon,* 26-9-1973, 16 ha ; plantes rares hydro-et hygrophiles. *Mare de Vauville,* 6-5-1976, 44,5 ha ; faune, flore, phytosociologie, insectes. *Marais de la sangsurière et de l'Adriennerie,* 26-2-91, 396 ha ; flore. *Forêt domaniale de Cérisy* (Manche et Calvados), 2-3-1976, 2 124 ha ; entomologie (protection des carabes dorés). **Martinique :** *Presqu'île de la Caravelle,* 2-3-1976, 517 ha ; faune, flore, milieux variés : littoraux (mangroves), forêt tropicale, savanes. **Morbihan :** *Réserve géologique « François le Bail » Île de Groix,* 23-12-1982, 43 ha ; sites minéralogiques, faune et flore. **Moselle :** *Hettange Grande,* 4-4-1985, 6 ha ; géologie. **Nord :** *Dune Marchand,* 11-12-1974, 83 ha ; flore, géomorphologie.

Pas-de-Calais : *Platier d'Oye,* 9-7-1987, 141 ha, 250 ha de domaine public maritime ; ornithologie. *Baie de Canche,* 9-7-1987, 465 ha et 40 ha de domaine public maritime ; ornithologie. **Puy-de-Dôme :** *Les Sagnes de la Godivelle,* 27-6-1975, 24 ha ; zone humide d'altitude, faune, flore. *Rocher de la Jacquette,* 18-10-1976, 18 ha 38 a ; ornithologie, flore. *Vallée de Chaudefour,* 14-5-91, 820,5 ha, alt. 1 100 à 1 900 m ; botanique, tourbières de pente, avifaune. **Pyrénées-Atlantiques :** *Aires de nidification de vautours fauves en vallée d'Ossau* (2 secteurs), 11-12-1974, 82,3 ha ; ornithologie. **Pyrénées-Orientales :** *Forêt de la Massane,* 30-7-1973, 336 ha, hêtraie, succession rapide des étages de végétation, faune (insectes et micro-arthropodes du sol). *Cerbère-Banyuls,* 26-2-1974, 600 ha ; faune et flore sous-marines. *Conat,* 23-10-1986, 549 ha ; avifaune forestière, flore. *Jujols,* 23-10-1986, 472 ha ; faune, flore. *Mantet,* 17-9-1984, 3 028 ha, alt. 1 400 à 2 700 m ; faune, flore. *Mas Larrieu,* 17-7-1984, 145 ha ; zone humide littorale (estuaire du Tech), faune, flore. *Nohèdes,* 23-10-1986, 2 137 ha ; espace montagnard, faune (blaireau, rapaces), flore. *Prats-de-Mollo,* 14-3-1986, 2 186 ha ; faune (lagopède, aigle royal, isard), flore. *Py,* 17-9-1984, 3 930 ha, alt. 1 000 m à 2 400 m ; faune, flore.

Réunion : *St-Philippe-Mare-Longue,* 28-8-1981, 68 ha ; flore. **Saône-et-Loire :** *La Truchère,* 3-12-1980, 93,04 ha ; flore et ornithologie. **Savoie :** mitoyennes du parc national de la Vanoise ; faune, flore. *Tignes-Champagny,* 24-7-1963, 999 ha, alt. 2 000-3 655 m. *Val d'Isère-Bonneval-sur-Arc,* 24-7-1963, 1 491 ha, alt. 2 100-3 400 m. *Grande Sassière,* 10-8-1973, 2 230 ha, alt. 1 798-3 747 m. *Plan de Tuéda,* 12-7-1990, 1 112 ha. *Hauts de Villaroger,* 28-1-91, 1 114 ha, alt. 1 300 à 3 600 m ; chamois, tétras-lyres. **Somme :** *Étang de St-Ladre,* 11-9-1979. 13 ha, zone humide, flore (sphaignes). **Vaucluse :** *Luberon* (aussi Alpes-de-Hte-Pr.), 16-9-1987, 312 ha ; site géologique. **Vendée :** *St-Denis-du-Payré,* 18-10-1976, 206 ha ; ornithologie. **Vienne :** *Pinail,* 30-1-1980, 135 ha ; faune, flore. **Vosges :** *Massif du Ventron,* 26-5-1989, 1 647 ha. *Tanet-Gazon du Faing,* 28-1-1988, 504 ha ; tourbière, chaumes d'altitude, hêtraie, Grand Tétras. *Tourbière de Machais,* 28-1-1988, 145 ha, tourbière, faune, flore. **Yonne :** *Bois du Parc,* 30-8-1979, 45 ha ; flore et géomorphologie. **Yvelines :** *St-Quentin-en-Yv.,* 14-3-1986, 139 ha + l'étang ; ornithologie, flore, entomologie.

■ Réserves biologiques domaniales et forestières

Créées après une convention passée entre le ministre de l'Environnement, celui de l'Agriculture et le directeur général de l'Office national des Forêts (3-2-1981). *Nombre :* 117 couvrant 18 500 ha. *But :* sauvegarde d'espèces animales ou végétales, rares ou menacées (ours, tétras), ou de celles de milieux fragiles ; protéger des territoires intéressants sur le plan scientifique, et permettre le progrès de nos connaissances, grâce, notamment, à l'observation scientifique prolongée de milieux forestiers typiques laissés à eux-mêmes. La convention de 1981 a été étendue en 1986 aux forêts des communes : 4 réserves biologiques (520 ha) créées depuis.

Certaines réserves sont intégrales (7 700 ha) : toute intervention humaine y est exclue. Exemple : certaines réserves de la forêt de Fontainebleau (S.-et-M.), ou celle d'Offendorf protégeant une forêt rhénane.

Réserves naturelles volontaires

Les propriétaires peuvent demander que celles-ci soient agréées comme réserves naturelles volontaires par le ministre chargé de la protection de la nature. Un décret en Conseil d'État précise la durée de l'agrément (6 ans, renouvelable par tacite reconduction), ses modalités, les mesures conservatoires dont bénéficient ces territoires, ainsi que les obligations du propriétaire, notamment en matière de gardiennage et de responsabilité civile à l'égard des tiers. *Nombre* (1992) : 80 env. totalisant env. 4 800 ha.

Réserves de statut libre

Réserves départementales, communales, privées, réserves gérées par les Stés de protection de la nature, établies par le propriétaire ou le locataire du terrain à son initiative.

Arrêtés de protection de biotope

Arrêtés préfectoraux visant à prévenir dans les zones concernées toute action pouvant porter atteinte à l'équilibre des milieux biologiques nécessaires à la survie d'espèces protégées (protection de sites de nidification, maintien de la valeur écologique des rives, sauvegarde de marais, etc.). *Nombre* (1992) : 221.

■ Réserves de chasse

■ **Statut. 1°) Réserves de chasse et de faune approuvées par arrêté préfectoral :** créées sur l'initiative des propriétaires ou détenteurs du droit de chasse (terrains privés, forêt domaniale) ; interdites à la chasse, sauf à celle des « espèces nuisibles » qui obéissent à une réglementation spéciale. L'approbation offre des garanties (garderie, sanctions pénales) et des avantages (fiscaux notamment). **2°) R. nationales de chasse et de faune sauvage :** constituées par arrêté du ministre chargé de la chasse. Constituées généralement autour d'un noyau de forêts soumises au régime forestier (domaniales et communales), pouvant incorporer des terrains communaux ou privés. Leur budget inclut un gardiennage permanent, et leur gestion est le plus souvent du ressort d'un établissement public [Offices : national de la chasse (ONC) ou des forêts (ONF)]. **3°) R. des ACCA et AICA :** (associations communales et intercommunales de chasse agréées) obligatoirement créées par les associations sur au moins 1/10 de la superficie de leur territoire (même type de sanction que pour les réserves approuvées).

4°) R. du Domaine public maritime : leurs limites sont définies par arrêtés préfectoraux. La gestion revient de droit aux préfets mais elle est en fait confiée par décision préfectorale aux fédérations départementales des chasseurs qui en assurent en particulier la garderie.

5°) R. de chasse communales.

6°) R. naturelles (voir p. 177). L'ONC intervient sur certaines d'entre elles par voie de conventions passées avec les organismes gestionnaires.

■ **Superficie** (1989). 35 réserves nationales, 49 542 ha. En 1986, réserves maritimes 256 315 ha (dont 850 ha de sites), approuvées 262 000 ha.

■ **Liste des principales réserves de chasse. Gibier de terre. Alpes-Marit. :** *Pierlas* [1], 1 100 ha, faune de montagne. *Sept communes ou 4 cantons* [1], 1 418 ha ; chamois, tétras-lyres, aigle royal. **Ariège :** *Orlu* [1], 4 151 ha ; isards, lagopèdes, marmottes, grands tétras : territoire privé ; *Mt-Vallier* [2], 8 815 ha ; chamois, grands tétras, lagopèdes ; forêt domaniale. **Bas-Rhin :** *Petite-Pierre* [3], 2 730 ha ; cervidés et sangliers ; for. dom. 2 642 ha ; for. communale 225 ha. **Deux-Sèvres et Charente-Mar. :** *Chizé* [3], 2 614 ha ; chevreuils, sangliers, for. dom. **Htes-Alpes :** *Combeynot* [2], 4 780 ha ; chamois, petits tétras, lagopèdes ; for. dom. ; *Pelvoux* [2], 10 199 ha ; chamois, petits tétras, lagopèdes ; for. dom. 8 714 ha ; ter. priv. 1 485 ha. **Hte-Corse :** *Asco* [1], 3 511 ha, mouflons. *Bavella* [3], 1 847 ha ; mouflon. **Htes-Pyrénées :** *Moudang* [1], 2 433 ha ; isards ; ter. com., chevreuils, marmottes. **Hérault :** *Le Caroux-Espinouse* [1], 1 810 ha ; mouflons ; for. dom. et ter. priv. **Loir-et-Cher :** *Chambord* [3], 5 440 ha ; cervidés, sangliers ; forêt dom. **Pyrénées-Or. :** *Carlitte* [1], 3 576 ha ; isards, mouflons, grands tétras, lagopèdes ; for. dom. **Savoie et Hte-Savoie :** *Bauges* [3], 5 205 ha ; chamois, mouflons, chevreuils, tétras-lyres, lagopèdes, bartavelles ; for. dom. 3 917 ha ; forêt départ. 126 ha ; ter. priv. 1 515 ha.

Gibier d'eau. Ain : *Réserve ornithologique et botanique de Villars-les-Dombes* [1], chasse interdite, 214 ha ; ter. dép., réserve ornithologique et botanique. **Ardèche (et Drôme) :** *Printegarde* [1], 710 ha. **Ardennes :** *Étang de Bairon,* 152 ha ; domaine public. **Aube :** *Lac de la forêt d'Orient,* 320 ha. **Aude :** *Étang de Campignol,* 200 ha ; dom. publ. marit. **Bouches-du-Rh. :** *Réserves de Camargue,* dom. publ. marit., 9 366 ha. **Hte-Corse :** *Casabianda* [1], 1 748 ha. **C.-d'Armor :** *Les Sept-Îles* [1] : îles et îlots dom. publ. marit., réserve naturelle, 40 ha. **Eure :** *Grand'Mare* [1], 147 ha. **Finistère :** *Îles de Beniguet* [1], 81 ha ; lapins de garenne. **Hérault :** *Estagnol* [1], réserve naturelle, 78 ha ; *Méjean* [1], 81 ha ; *St-Marcel-Mauguio* [1], 37 ha. **Landes :** *Arjuzanx* [1], 2 452 ha. **Loir-et-Cher :** *Malzone* [1], 77 ha. **Loire-Atl. :** *Grand'Lieu* [1], chasse interdite, 650 ha. *Réserve de Loire,* 13 500 m de fleuve ; dom. publ. fluvial ; *Le Massereau* [1], 393 ha ; dom. priv. et dom. publ. marit. **Manche :** *Îles Chausey* [1], 54 ha d'îles et îlots + dom. public marit. ; ter. priv. *Sainte-Marie-du-Mont,* partie terrestre de la baie des Veys [1], 135 ha. *Marais de Gorges* [1], 505 ha. *Carentan et Marais de la Plaine* [1], 359 ha. **Hte-Marne et Marne :** *Lac du Der, Chantecoq* [1], 5 107 ha. **Meuse (et Meurthe-et-Mos.) :** *Lac de Madine et étang de Pannes* [1], 1 120 ha. **Bas-Rh. :** *Île du Rhin* [1], 2 964 ha. **Hte-Saône :** *Vaivre-Vesoul* [1], chasse interdite, 50 ha. **Hte-Savoie :** *Génissiat,* 227 ha. **Somme :** *Hable d'Ault* [1], 60 ha. **Vaucluse :** *Donzère-Mondragon* [1]. (Vaucl.-Drôme), 1 545 ha. **Vendée :** *Chanteloup* [1], 38 ha ; *La pointe d'Arçay* [3], 570 ha + dom. publ. marit., for. dom.

Nota. – (1) ONC, (2) ONF, (3) ONF/ONC.

Aquariums français

Légende. Date de création, a. : nombre d'animaux, e. : d'espèces et v. : de visiteurs par an.

Nota. – (1) Privé. (2) Public.

Antibes (A.-M.). *Aquarium* (1970) [1] 100 e. 17 bacs de 2 000 l. 1 bassin à requins (5 e.) de 180 m^3.

Arcachon (Gir.). *Aquarium* (1865) [2] une centaine d'e. + de 1 000 a. (poissons et invertébrés marins). *Musée :* zoologie, archéologie. *Ouvert* avril à fin oct. 85 000 v.

Banyuls-sur-Mer (Pyr.-Or.). *Aquarium du laboratoire Arago* (1895). *Observatoire océanographique du CNRS et de l'Université Paris VI* [2]. 350 e. Faune et flore marine de Méditerranée. Exposition de 200 e. d'animaux naturalisés du Languedoc-Roussillon 75 000 v.

Biarritz (Pyr.-Atl.). *Aq. du musée de la Mer* (1933, rénov. tot. 1992) 150 e. 2 000 a. 25 aq. (165 m^3), 2 bassins (250 m^3). Tortues, poissons, phoques. Faune locale du golfe de Gascogne. 153 000 v. (2e trim. 1992).

Brioude (Hte-Loire). *Maison du Saumon. Aquarium et musée de la rivière Allier* (1988) 400 a. 30 e. 40 000 v. Poissons d'eau douce. Anneau à saumon unique en Europe, 25 m de circonférence, 30 t d'eau. 11 aquariums.

Courseulles-sur-Mer (Calvados). *Maison de la Mer. Aquarium-tunnel et musée du coquillage* (1987) [1] 100 e. 60 000 v.

Dinard (I.-et-V.). *Laboratoire maritime* (1935) [2] 100 e. (faune marine locale : invertébrés et vertébrés) 24 bacs. 14 000 v. (1992).

Granville (Manche). *Musée océanographique Le Roc* (1961) [1] 60 aq. 200 e. de poissons, 580 poissons, otarie de Bironia. 80 000 v.

La Rochelle (Ch.-M.). *Aq. Coutant-La Rochelle* (1988) [1] *l'un des plus grands de France :* 550 m^3 dont bassin à requins et plongeurs de 250 m^3, tunnel traversant un aq. de 80 m^3. 2 000 a. 350 e. 550 000 v.

Le Croisic (L.-Atl.). *Océarium* (1992) 1 000 a. 200 e. 580 m^3 d'eau de mer dont 1 aquarium de 300 000 l traversé par un tunnel géant unique en Europe (nourriture en plongée). Collection coquillages, cœlacanthes. 300 000 v. attendus.

Monaco (Principauté). *Institut océanographique* (1910) 90 aq., 3 000 poissons, 400 e., expositions, 1 031 811 v. (1992).

Nancy (M.-et-M.). *Aquarium du musée de Zoologie de l'Université et de la Ville* (1970) [2] + de 350 e. + de 2 000 a. 80 000 v.

Paris. *Musée nat. des Arts d'Afrique et d'Océanie* [2], 293 av. Daumesnil, 75012 Paris (1931). *Aquarium du MAAO* [2], porte Dorée. 5 000 poissons. 200 e. 350 000 v.

Roscoff (Fin.). *Aquarium* (1953) [2] 36 bacs de 0,05 à 11 m³. 150 e. 60 000 v.

St-Malo (I.-et-V.). *Aquarium* (1963) [1] 90 aquariums, env. 200 à 300 e. 100 000 v./an. *Exotarium malouin* (1974) [1] 67 terrariums, env. 100 e. reptiles et amphibiens. 100 000 v.

Sarlat (Dordogne). *Aquarium* (1985) [2] *Musée de la Dordogne* [2] 33 e. 20 bacs totalisant 80 m³, 30 000 v. (1991).

Six-Fours-les-Plages (Var, île des Embiez). *Institut océanographique Paul Ricard* (1966) [1]. Rénové 1989. 100 e., 250 a. Recherche océanographique (stages). Musée écologique et archéologique marin méditerranéen, rénové 1990. Reconstitution d'un tombant rocheux. Expositions.

Tours (I.-et-L.). *Aquarium tropical du château de Tours* (1985) [2] 1 500 a., 240 e. des 5 continents, 50 000 v.

Trouville (Calvados). *Aquarium écologique* (1973) [1] 200 à 250 e. 600 m² d'exposition, 70 bacs et vivariums à reptiles. Bassin à requins. 90 000 v.

Vannes (Morb.). *Aquarium océanique et tropical* (1984) 600 e., 6 000 a., 43 aquariums, bac à requins, poissons-scie, nautiles. Reconstitution d'un récif corallien. Crocodile trouvé dans les égouts de Paris. 200 000 v.

Villerville. *Musée Mer et Désert* (1993).

☞ Le **plus grand aquarium du monde.** Floride (USA) : 23,6 millions de litres d'eau, 3 000 poissons, 90 espèces.

Océanariums (delphinariums ou marinelands)

Dans le monde

Le plus ancien. *Marineland* (Floride) en 1938. 26,3 millions de l d'eau de mer pompés par jour. 2 réservoirs : rectangulaire (30,5 m × 12,2 × 5,5 ; 1 700 m³), circulaire (71 m de circonférence et 3,65 m de profondeur ; 1 500 m³).

Les plus grands réservoirs. *Marineland de Hanna Barbera* (Palos Verdes, Californie) ; circonférence 76,65 m, prof. 6,70 m, 2,4 millions de l d'eau de mer. Capacité totale 9 400 m³.

En France

Antibes (A.-M.). Le plus grand show marin d'Europe. 4 ha, 1 bassin circulaire (35 m de diamètre) de 1 800 m³, et un bassin de 8 500 m³, 10 m de prof., 1 700 m² (2ᵉ au monde). Créé (1970) par Roland de La Poype. Cinquantaine d'animaux marins (orques, dauphins, otaries, phoques, éléphants de mer, manchots). 900 000 v. par an. Musée de la Mer et des Aquariums. Salle de projection permanente.

Sites ornithologiques

■ **Nouveaux sites ornithologiques en France.** *Port d'Antifer* (S.-Mar.) : Plongeons et Grèbes d'espèces rares, l'hiver ; un Pélican blanc s'y est fixé depuis 1981. *Lac de Créteil* (V.-de-M.) : nidification du Grèbe huppé ; Canards variés (Milouin, Garrot, etc.). *Lac de la Forêt d'Orient* (Aube). *Lac du Der* (Marne et Hte-Marne) : des milliers de Grues cendrées y font escale, hivernage du Pygargue à queue blanche, du Grand Cormoran, d'Oies et de Cygnes ; parfois Aigle royal, Grande Aigrette, Demoiselle de Numidie, Flamant rose. *Dunkerque* (Nord). La digue du Clipon construite récemment permet l'observation d'oiseaux de mer rares.

■ **Lieux d'observation de migrations.** *Printemps* : Pointe de Grave (Gironde), *automne* (commencent pour certaines espèces tel le milan noir dès juill.) : Montagne-de-la Serre (Auvergne), « col libre » (sans chasseurs) d'Orgambideska (Pyrénées) ouvert de mi-juill. à mi-nov.

Animaux familiers

Données générales (France)

■ **Adresses. Syndicat national des vétérinaires urbains (SNVU)** 10, place Léon-Blum, 75011 Paris. **Organismes** (voir p. 169 et **Chats** et **Chiens** ci-dessous).

■ **Revues** *Animaux Magazine* (mensuel SPA, 40 000 ex.), 39, bd Berthier 75017 Paris. *Trente Millions d'Amis* (mensuel, 140 000 ex.), 14, rue Brunel, 75017 Paris.

■ **Statistiques. Nombre d'animaux domestiques en France** (1991) : 39,5 millions dont chiens 10,1, oiseaux 9,1, chats 7,5, autres 13.

Nombre de chiens et, entre parenthèses, **de chats pour 100 hab.** *France 17 (12),* Belg.-Lux. 15 (16), Irlande 14 (7), Angleterre 12 (11), Danemark 11 (12), Portugal 10 (11), Pays-Bas 9 (14), Italie 9 (10), Espagne 8 (4), All. fédérale 6 (6).

Foyers possesseurs d'animaux en France (1989). 1 foyer sur 2 possède un animal familier. Possèdent des chiens 36 % des foyers, chats 24 %, oiseaux 11,2 %. 28 % des chiens et 31 % des chats vivent en appartement. 72 % des chiens et 69 % des chats vivent en maison individuelle.

Dépenses des Français (en milliards de F, 1990). Pour les animaux de compagnie : 25 (3 % de la consommation des ménages) : chiens et chats 22,5 (dont alimentation 20 dont préparée 7, accessoires 2,5, soins vétérinaires et produits pharmaceutiques 1, transactions 1, assurance 0,5, toilettage 0,1) ; autres animaux 5 (dont accessoires 0,5). **Dépenses de santé** (en F). Bridge pour chien 3 000. *Opération :* cataracte 2 500/5 000, hanche 7 000. Pacemaker 20 000.

Ration journalière et, entre parenthèses, **coût annuel.** *Teckel de 7 kg :* aliment complet sec (croquettes) 190 g (950 F), alimentation familiale 310 g dont 140 g de viande maigre (2 300 F). *Berger allemand de 30 kg :* aliment complet sec 520 g, alim. familiale 870 g dont 390 g de viande maigre (6 100 F). *Chat de 4 kg :* aliment complet sec 100 g à 14 F/kg (520 F), alim. fam. 200 g dont 150 g de viande ou poisson (1 800 F) et pâtée en conserve 200 g à 15 F/kg (1 100 F).

Industries des aliments pour animaux familiers (France 1991). *Chiffre d'affaires :* 9,2 milliards de F (+ 5 % par an). *Effectifs :* 4 000. *Production* (en milliers de t) : 1 300 dont conserves 960, produits secs 340. *Exportations :* 485 000 t. *Importations :* 53 000 t. *Balance commerciale :* 1,2 milliard de F. *Parts de marché* (en valeur) des principaux producteurs (%, source : fabricant-cumul annuel A-S 91) : Unisabi (12 marques, 60 produits dont Pal, Whiskas, Frolic) 49,8 ; Gloria (Friskies, Gourmet) 15,1 ; Quaker (Fido) 12,5 ; Royal Canin 2,7 ; autres 19,9.

☞ *Aliments préparés pour animaux :* inventés par sir James Pratt qui s'est inspiré du pemmican, nourriture à base de viande de bison séchée créée par les Indiens. *Premiers biscuits spéciaux pour chiens :* commercialisés en 1885 en G.-B., en 1921 en France.

Chats

☞ **Ancêtres du chat domestique :** le chat sauvage d'Afrique (80 cm de H., 40 de large), domestiqué il y a + de 10 000 ans ; le chat de steppe asiatique (*Felis ornata*) (corps 63-70 cm, queue 23-33 cm, mince comme chez le chat domestique).

☞ Voir p. 184 et 185. **Achat, Assurance, Décès, Importation, Perte, Responsabilité, Voyage.**

■ **Renseignements. Fédération internationale féline (FIFé)** 23, Boerharelaan 5644BB, Eindhoven, Hollande. Créée 1949, 25 membres, env. 300 000 chats inscrits. **Union nationale des associations félines** BP 28, 76320 Caudebec-lès-Elbeuf. **Association féline de France** 49, av. Foch, 75016 Paris (créée 1959 par M. Estève). **Fédération féline française** 75, rue Claude-Decaen, 75012 Paris, créée 1933 (sous le nom de Société centrale féline), plus de 20 000 adhérents. **Cat Club de Paris** 75, rue Claude-Decaen, 75012 Paris. Créé 1913 par le Dr Jumaud à St-Raphaël. 1924 le Cat Club de Paris devient autonome. Après 1945, la Sté centrale féline, créée 1933, s'y intègre. 3 500 membres. **Cercle félin de Paris** 22, rue E. Givors, 94240 l'Haÿ-les-Roses. **Association de l'école du chat** Villa des Arts, 15, rue Hégésippe-Moreau, 75018 Paris. **Regroupement des chats perdus** (RCP) 82, rue Paul-Doumer, 91330 Yerres, héberge de 150 à 200 chats de la Région parisienne.

■ **Alimentation.** Besoins protidiques supérieurs de 25 % à ceux du chien. Le mou doit être associé à d'autres aliments. Le chat se rationne mieux que le chien (6 à 12 % d'obèses au lieu de 1/4 à 1/3 des chiens). *Par jour :* viande 50 à 75 g, flocons céréales 20 à 30, complément d'équilibre (huile, complément minéral vitaminé, levure sèche) 10 à 15, ou aliment complet sec 50 à 75, humide 130 à 250. Doubler chez femelles en lactation. Tolérance au lait : variable.

■ **Chute** (voir **Sauts** p. 163 a).

■ **Circulation.** Les maires doivent empêcher leur divagation. Est considéré comme en état de divagation tout chat non identifié trouvé à plus de deux cents mètres des habitations ou tout chat trouvé à plus de mille mètres du domicile de son maître et qui n'est pas sous la surveillance immédiate de celui-ci, ainsi que tout chat dont le propriétaire n'est pas connu et qui est saisi sur la voie publique ou sur la propriété d'autrui.

■ **Exposition.** Pour participer à une exposition, il faut adhérer à une association ou un club affiliés à la Fédération féline française. Le chat doit être inscrit au Livre des origines français (LOF) ou au Registre expérimental (RIEX), si le propriétaire ne peut prouver les origines de son animal, et après avis favorable donné par 2 juges au cours d'une exposition où le chat concourra en classe « novices ».

■ **Hygiène.** Un chat fait sa toilette lui-même. Cependant, il faut brosser régulièrement et démêler les poils très longs des chats de race.

■ **Nom de baptême.** Mêmes règles que pour les chiens. **Pedigree :** un chat français ne peut figurer au Livre d'Origines de la Fédération féline française, (LOFF) que si ses parents y sont inscrits jusqu'à la 3ᵉ génération (environ 90 000 chats inscrits). **Fédération féline française** 75, rue Claude-Decaen, 75012 Paris, créée 1933 (sous le nom de Société centrale féline), plus de 20 000 adhérents. *Fichier des chats* de la Région parisienne (700 inscrits) créé à l'initiative des Syndicats des vétérinaires. Tous doivent être tatoués pour y figurer [sur l'oreille ou la face interne de la cuisse (par un vétérinaire)].

■ **Races.** 4 catégories. 1°) **Poils longs :** *Persans :* unicolores (blanc, noir, bleu, chocolat, lilas, rouge, crème), tabbies ou marbrés [brown tabby, blue t., silver t. (peuvent avoir également les yeux orange), red t.], écaille-de-tortue, fumés. 2°) **Poils mi-longs :** *Birmans* ou *Chat sacré de Birmanie :* 6 variétés officiellement reconnues, en tabby : seal point, blue point, chocolat, lilas point, creme et red ; en tortie tabby : seal, bleu, chocolat et lilas. Les pattes sont plus foncées que le reste du corps et se terminent par des « gants ». *Balinais :* Siamois à poil long. Seules sont reconnues les 4 couleurs classiques : seal point, blue, chocolat et lilas. *Chat turc* ou *chat du lac de Van :* poils roux et blancs ; marques rousses autour des oreilles et sur la queue. *Maine Coon :* le plus connu le brown tabby classique, ressemblant à un raton laveur. *Somali :* Abyssin à poil long dû à un gène récessif. *Chat des forêts norvégien :* enregistré en 1977. 3°) **Poils courts :** *Abyssin :* fourrure caractérisée par le « ticking » : chaque poil présente 2 zones de coloration, la plus claire près de la peau, la plus foncée à l'extérieur. Couleurs principales : Abyssin lièvre et Abyssin roux. *Bleu russe :* bleu. *British :* reconnu dans presque toutes les couleurs. *Burmese :* issu du croisement d'un Siamois et d'un chat d'une race non identifiée au pelage foncé. Variété d'origine marron ou zibeline. Autres couleurs apparues : bleu (ou gris argent), chocolat (Burmese champagne), lilas (aussi appelé platine), également écaille-de-tortue (mélange de brun, crème et roux, nettement tranché et sans barres apparentes). *Chartreux :* Origine française. Bleu, en fait gris bleuté. *Manx* ou *Chat de l'île de Man :* sans queue, poil bicolore, tabby, écaille-de-tortue. *Européen* dit de maison (avant : de gouttière) : env. 12 couleurs ; les plus classiques : marbrés brun, rouges, argentés et mouchetés. *Exotique à poil court :* en fait Persan à poil court, résultat de croisement entre Persans et Européens. *Korat :* bleu. *Scottish Fold :* oreilles tombantes ; nombreuses couleurs. *Rex Cornish* ou *Rex Devon :* apparus dans les expositions dans les années 1950, nombreuses couleurs. 4°) **Siamois et orientaux :** *Siamois :* apparus en Europe lors d'une exposition à Londres en 1871 ; couleurs : Seal point d'origine, blue point, chocolat point et lilac point. *Orientaux :* Siamois de couleur uniforme ou bicolore, écaille-de-tortue, tabbies ou tiquetés.

■ **Records. Le plus gros** 21 kg (long. 96,5 cm, tour de cou 38 cm, de taille 84 cm) [poids moyen 5 kg]. **Le plus petit** croisé de siamois mâle, 800 g. **Le plus vieux** 36 ans. **La plus nombreuse portée** 19 nouveau-nés (après césarienne 15 survécurent). **La chatte la plus prolifique** 420 chatons. **Le meilleur chasseur** 28 900 souris en 29 ans. **Le meilleur grimpeur** 21 m le long d'un immeuble. Un chaton de 4 mois a suivi des alpinistes jusqu'à 4 478 m. **Le plus cher,** Miss Myshadows Banghdy Lady, persante de 4 ans, vendue 160 000 $ en nov. 1989 aux USA.

■ **Reproduction.** Possible dès le 10e mois pour la femelle. Conseillée à la 2e chasse. *Période de chaleur* variable : chatte européenne 2 à 4 fois par an, persane printemps et automne, siamoise ou abyssine la plus grande partie de l'année. *Rut :* 6 j. Faire pratiquer la saillie entre 2e et 3e j de « chasses ». *Gestation :* 63 à 67 j en moyenne. Les races à poil court sont plus prolifiques que celles à poil long. *Castration :* très pratiquée pour les mâles. Restreint odeur, saleté, vagabondage. Pour les femelles : ablation des ovaires ou ovariectomie courante. *Stérilisation :* ligature des trompes, vasectomie.

■ **Revue.** *Atout chat :* 60 000 ex. (1992), mensuel fondé en 1985.

■ **Ronronnement.** Son produit par un mouvement aérodynamique. Serait le signe d'une émotion intense. Tous les félidés, y compris la panthère des neiges, ronronnent. Il s'agit d'un murmure.

■ **Santé.** *Respiration :* 25 à 30 mouvements à la min. *Pouls :* 110 à 140 pulsations par min ; le pouls se mesure à la face interne de la cuisse. *Température normale :* 38 °C. **Maladies :** *Leucopénie infectieuse (typhus) :* vaccin. 250 000 † par an en France. *Coryza :* vaccin possible. *Tuberculose :* très rare, communiquée par une viande infectieuse ou par l'homme. Signes : le chat maigrit, tousse, s'essouffle. Il faut l'abattre. *Cancer :* 1 % des chats. **Vie moyenne :** 11 ans (max. 35).

■ **Statistiques. Nombre de chats domestiques :** *Monde :* 400 000 000, *France :* 8 000 000. **Prix d'achat :** chat de race, poil court, siamois 1 500 à 3 000 F, persan 2 000 à 5 000 F et plus (suivant beauté et pedigree), persan chinchilla et sacré de Birmanie de 3 000 à 6 000 F (à la SPA de Gennevilliers 330 F).

■ **Vaccinations.** *Leucopénie infectieuse* (typhus du chat) : à partir de la 10e sem. Rappel 1 mois plus tard, puis tous les ans. *Rage :* à partir de la 10e sem. Rappel 10 à 20 jours plus tard, puis tous les ans.

CHIENS

☞ **Renseignements.** *Société centrale canine (SCC).* 155, av. Jean-Jaurès, 93535 Aubervilliers Cedex. Fédération des Stés régionales et des associations de race affiliées, *Fondée* 1882.

■ **Achats** (voir p. 184 c).

■ **Alimentation.** Le chien avale sans mastiquer ; la salive agit peu. Une abondante sécrétion de suc gastrique (riche en acide chlorhydrique) dans l'estomac assure une bonne digestion de la viande crue et des os tendres. La cuisson détruit 15 à 50 % des vitamines du groupe B.

Donner : *viande* rouge (bas morceaux), pour le phosphore, peu de poisson et d'abats divers en évitant les excès d'aponévroses et tendons (« nerfs » de cartilage, d'os). La viande bouillie, moins attaquable par les sucs, est moins bien assimilée. Cependant la cuisson peut renforcer l'appétit pour la viande. Donner la viande en morceaux plutôt que hachée. *Os :* ne donner que des os plats et friables : omoplates de veau, humérus de bœuf (ni porc ni côtes de mouton). Les gros os à moelle fournissent aux chiots des phosphates de calcium assimilables. Ils doivent être toujours frais ; jamais d'os de volaille et de gibier pouvant former des esquilles. *Légumes verts :* cuits (éviter les excès de carottes et d'épinards), qui participent à la prévention des suralimentations et des constipations, seront hachés et bien mélangés à la viande (le chien les aime peu). *Matières grasses :* 5 à 12 % d'apport d'acides gras indispensable (qualité de la fourrure), et d'énergie sous forme très concentrée (jeunes, nourrices, chiens de travail) : lait (calcium) (aliment complet ; le lait de chienne est 2 fois plus nourrissant que le lait de vache), œufs (1 ou 2 par semaine), yaourts (bons pour l'hygiène digestive) et fromages (excellents pour la croissance), complément minéral vitaminé (aide de croissance très rapide). *Pain, pâtes, riz et autres céréales, pommes de terre...* doivent être bien cuits (l'intestin court n'est pas adapté à la digestion des hydrates de carbone).

Éviter : farineux crus (ne donner du pain que sec et rassis), sauce, soupes trop liquides, à base de pain trempé, ou trop grasses (suif ou saindoux), sucre, chocolat, bonbons, crème glacée (exceptionnellement), repas trop chauds ou glacés. Ne pas alimenter un animal avant un voyage. **Proscrire :** poissons à grosses arêtes, aliments rances, rognures de viande faites de graisse, de tendons ou d'aponévroses riches en collagène (putréfactions intestinales).

Recommander : huile de table riche en acides gras essentiels, levure sèche, complément minéral vitaminé bien adapté pour garantir une ration équilibrée. Veiller à un apport suffisant en magnésium et en fer, en évitant les excès de chlorure de sodium.

Les os sont des compléments. Les aliments secs (granulés, croquettes), semi-humides ou humides (conserves) sont généralement complets et satisfont l'ensemble des besoins.

Ration journalière. Le chien doit absorber 5 à 10 % de son poids en nourriture par jour. 2 repas par jour. *Ration moyenne par jour en g : Races naines et petites (jusqu'à 5 kg) :* viande de bœuf 80 à 130, riz et légumes 50, fruits 5, graisses 5, sels minéraux 2 à 5. Supplément possible : lait de vache 50. *Moyennes (de 15 à 20 kg) :* viande ou foie de bœuf 300 à 500, riz, avoine ou pâtes 200, légumes verts 200, graisses 20, fruits et carottes râpées 1 à 20, sels minéraux 5, lait 100. *Grandes (de 30 kg et plus) :* viande de bœuf crue 350 à 500, abats (foie) 250, riz (flocons d'avoine ou pâtes) 150, graisses 25 à 50, fruits et carottes râpées 25, sels minéraux 20, lait 200. Besoins et ration de travail sont de 1,5 à 4 fois plus importants que ceux d'entretien. *Besoins en calories :* petits chiens 150 par kg, grands 45 par kg. *Eau :* un chien boit env. 60 ml par kg de son poids.

■ **Allaitement.** Au minimum 4 à 6 semaines ; sevrage à partir d'un mois ou, mieux, 6 semaines ; ne laisser que 4 à 5 petits à la mère ou l'aider par un allaitement artificiel complémentaire (lait sec). Dès la fin du mois on épaissit progressivement avec un aliment composé complet, le sevrage sera alors facile et précoce si nécessaire ; donner ensuite 3 à 4 repas, puis 2 par jour. On doit limiter la consommation des aliments plus humides.

■ **Assurance** (voir p. 184 c).

■ **Certificat d'inscription.** Les géniteurs doivent être inscrits définitivement. Il faut déclarer la *saillie* dans les 4 semaines à la Sté centrale canine, puis la naissance dans les 2 semaines. Après vérifications, la SCC adresse à l'éleveur une proposition d'inscription qu'il lui renvoie après avoir radié les chiots décédés entre-temps et en joignant les volets d'identification par tatouage au fichier central ainsi que les frais d'enregistrement. L'*inscription provisoire* au titre de la descendance donne lieu à délivrance d'un certificat provisoire *(certificat de naissance)* lequel est remplacé par un certificat définitif *(pedigree :* mot anglais de l'ancien français : pied de grue) lorsque le chien a été reconnu apte à la confirmation (examen pratiqué à la demande du propriétaire à partir de 12 ou 15 mois suivant les races).

■ **Circulation.** *Art. 9 du décret du 6-10-1904 :* tout chien circulant sur la voie publique en liberté ou en laisse doit être muni d'un collier portant gravés sur une plaque de métal nom et demeure de son propriétaire. *Arr. ministériel du 16-3-1955 :* interdit la divagation des chiens dans les terres cultivées ou non, les prés, vignes, bois, marais, bords des cours d'eau, étangs et lacs ; et la promenade des chiens non tenus en laisse en dehors des allées forestières du 15-04 au 30-06. *Art. 213 du Code rural :* les maires doivent prendre toutes dispositions propres à empêcher la divagation des chiens. Est considéré comme en état de divagation tout chien qui, en dehors d'une action de chasse ou de la garde d'un troupeau, n'est plus sous la surveillance effective de son maître, se trouve hors de portée de voix de celui-ci ou de tout instrument sonore permettant son rappel, ou qui est éloigné de son propriétaire ou de la personne qui en est responsable d'une distance dépassant cent mètres. Tout chien abandonné, livré à son seul instinct, est en état de divagation. Ils peuvent ordonner qu'ils soient tenus en laisse et que les chiens soient muselés ; chiens errants trouvés sur la voie publique, dans les champs ou dans les bois sont conduits à la fourrière et abattus si leur propriétaire reste inconnu et s'ils n'ont pas été réclamés : 4 j après l'entrée en fourrière si l'animal n'est pas tatoué, et 8 j s'il l'est, sauf si le propriétaire vient le récupérer. Ces délais peuvent être prolongés. Propriétaires, fermiers ou métayers peuvent saisir ou faire saisir par le garde champêtre ou tout autre agent de la force publique les chiens divaguant. Ils seront conduits au dépôt et, s'ils n'ont pas été réclamés dans les délais et que dommages et autres frais ne sont pas payés, ils pourront être abattus sur l'ordre du maire.

■ **Collier pour faire taire les chiens** *(Aboistop).* Créé par René Vinci. Lorsque le chien aboie, un microphone, posé contre son cou et relié à un pulvérisateur, provoque un nuage de parfum (citronnelle). Cette odeur, désagréable, fait taire le chien.

■ **Contraception. Mâle :** *Chirurgie :* vasectomie ou castration. **Femelle :** *Bombes déodorantes :* masquent l'odeur mais sont inefficaces ; *culottes* adaptées à la chienne : s'enlèvent facilement. *Contraception transitoire :* pilules (report de quelques semaines), injections (report de 6 mois), mais on ne peut la prolonger plusieurs années ; *définitive :* chirurgie (ovariectomie ou ovario-hystérectomie) ; ligature ou sectionnement des trompes utérines.

■ **Décès** (voir p. 185 b).

■ **Doberman.** Créé 1860 par sélection, par M. Doberman, employé à la fourrière d'un bourg de Thuringe ; apparu en France en 1917.

■ **Hygiène.** *Oreilles :* nettoyer à sec, avec bâtonnet de coton, toutes les semaines. *Yeux :* nettoyer régulièrement avec coton humide. *Poils :* longs : peigne fin ; frisés : étrille ; courts : brosse. *Bain :* 1 fois par mois, d'autres conseillent 4 à 5 fois par an.

■ **Métiers de chiens.** *Assistance* pour aveugles (1 000 en Fr.), handicapés moteurs, sourds (chien dressé à reconnaître sonnerie de porte d'entrée, téléphone, réveil-matin et pleurs de bébé ; amène son maître à la source du bruit) ; *chasse* (courants, d'arrêt, etc.) ; *cirque,* music-hall, théâtre, cinéma ; *course* (lévriers) ; *cuisine* (saint-bernard faisant tourner la broche) ; *défense ; détecteurs de corps ensevelis* [bombardements, avalanches, catastrophes, origine en G.-B. (1939-40) utilisé après les bombardements. En France, lors de la catastrophe du plateau d'Assy (Hte-Savoie), le 16-4-1970. En 1979, création de la cellule catastrophe à la Préfecture de Police. 1re intervention officielle : Joigny (Yonne) le 21-4-1981. Actuellement quelques grands centres urbains en sont dotés], *de drogue ; d'œuvres d'art volées ; destruction des rats ; garde* (troupeaux, locaux) ; *géologues* (détectent les minerais) ; *guerre* (voir p. 159 b) ; *météorologistes ; police et douane* (contrebandiers) ; *sauvetage en mer* (terre-neuve), *en montagne ; traîneau ; trait* (Belgique, Nord de la France) ; *truffiers.*

■ **Mémoire.** Un chien peut mémoriser plus de 100 000 odeurs différentes.

■ **Morsure.** Toute personne mordue a le droit de savoir si le chien mordeur n'est pas atteint de rage : le propriétaire du chien devra donc faire examiner son chien 3 fois à une semaine d'intervalle, le plus tôt possible après la morsure. Chaque année 160 000 personnes mordues dont morsures graves 1 000, mortelles 10 (en 1991 : 2 200 facteurs, 6 200 journées d'arrêt).

■ **Nom de baptême.** Dans le cadre de l'Union nationale des livres généalogiques (UNLG) à laquelle elle est affiliée, la Sté centrale canine attribue aux chiens de race pure nés dans l'année une lettre initiale pour leur nom inscrit au Livre généalogique. Soit en : 1979 P, 1980 R, 1981 S, 1982 T, 1983 U, 1984 V, 1985 A, 1986 B, 1987 C, 1988 D, 1989 E, 1990 F, 1991 G, 1992 H, 1993 I, 1994 J, etc., les lettres K, Q, W, X, Y, Z n'étant pas attribuées. Certains chiens ont des doubles noms. Ex. : Titus « de l'Ombrée ». L'affixe (l'Ombrée) est une dénomination, mais pas une marque au sens légal et juridique du terme,

QUELQUES CHIFFRES (FRANCE)

Nombre de chiens. En 1990 : 9 000 000 dont 2 000 000 d'apparence pure ; 1 500 000 chiens vivants inscrits au Livre généalogique (LOF). 6 422 066 tatoués (au 31-12-1991). 28 % vivent en appartement. **Naissances** (1991) : 150 114 enregistrées au LOF (dont berger all. 16 102, terrier du Yorkshire 6 575, retriever labrador 6 559, husky de Sibérie 5 861, teckel 5 063, berger belge 4 945, setter anglais 4 698, caniches 4 092, berger de Beauce 3 835). *Confirmations :* 50 019.

Chiens retrouvés grâce au fichier central. *1985 :* 28 000. *86 :* 34 490. *88 :* 42 500. *90 :* 46 600. *91 :* 50 300.

Prix. *Chiot de race.* 3 mois (vaccinés, tatoués avec certificat de naissance) de 1 200 (Griffon vendéen) à 4/7 000 F (lévrier afghan, yorkshire). *Prix à la SPA* (Gennevilliers) : 200 à 500 F. *Prix d'un chien d'aveugle :* env. 60 000 F.

Frais divers. *Soins* (consultation simple à Paris) : 30 à 150 F.

QUELQUES RECORDS

Le plus gros. Mastiff anglais 155 kg. **Les plus grands.** Dogue allemand 1,05 m au garrot ; lévrier irlandais plus de 1,05 m au garrot. **Le plus petit.** Yorkshire terrier (record haut. 6,3 cm, long. 9,5 cm, 113 g), chihuahua, caniche toy moins de 450 g (record : 9 cm au garrot, 283 g). **Le plus fort.** Un danois a tiré une charge de 3 438,5 kg ; un saint-bernard 2 905 kg ; un terre-neuve 2 289 kg. **Le plus vieux.** 29 ans et 5 mois (rarement plus de 20 ans).

Le plus rapide. A la course de traîneaux Anchorage-Nome (Alaska en 1981) 1 688 km en 11 j, 2 h 5 mn, 13 s. **Le meilleur sauteur, en hauteur :** un berger allemand 3,58 m ; **en longueur :** un lévrier 9,20 m.

La plus grande portée. Une chienne foxhound, une st-bernard, une danoise, une dogue-allemand 23. **Les plus prolifiques.** Lévriers : 2 414 en 8 ans.

Les plus chers. 110 000 à 400 000 F.

permettant de savoir de quel élevage provient un chien. Il est attribué par la Sté centrale canine sous réserve d'engagements précis de l'éleveur auquel il peut être retiré en cas de manquement à ces engagements.

■ Pension. **Perte** (voir p. 185 b).

■ Pollution. A Paris (200 000 chiens, 20 t de déjections par jour). 100 caninettes (moto-benne-balayeuse-ramasseuse) ratissent 2 500 km de trottoirs parisiens. *Coût :* 37 millions de F par an (personnel et engins). Dep. le 18-5-1992 (art. 99-6 du Règlement sanitaire du Dpt de Paris), amende de 600 F si le chien fait ses déjections hors caniveaux (à New York 100 $). 2 chutes malencontreuses par jour et 650 glissades annuelles.

■ Rage. *Décret 13-9-1976, art. 8.* Dans les départements infectés, les chiens peuvent circuler librement sous la surveillance directe de leur maître, si celui-ci peut présenter un certificat de vaccination valide et une carte d'identification portant le numéro du tatouage ; les chiens et les chats doivent tous être vaccinés (*art. 232-5-1 du Code rural*). Les chiens errants capturés ne peuvent être restitués que s'ils sont tatoués et vaccinés contre la rage. Sinon, le délai de garde est de 4 j pour un animal non tatoué, 8 j pour un animal tatoué. *Art. 9.* Tout animal ayant mordu ou griffé une personne ou un autre animal, si l'on peut s'en saisir sans l'abattre, est soumis à la surveillance d'un vétérinaire (période d'observation 15 j).

■ Reproduction. *Maximum de chances de fécondation :* entre le 9e et le 13e jour des « chasses » de la femelle. Renouveler la saillie 2 j après pour plus de sécurité. Ces « chaleurs » se reproduisent tous les 6 mois et durent 12 à 15 j. Éviter la saillie avant 18 mois (2 ans est mieux). Ne pas faire saillir pour la 1re fois une chienne de 5 à 6 ans. *Gestation :* 59 à 67 j (moy. 60). *Nombre de chiots :* 3 à + de 12 selon les races (record 23). Le chiot double son poids en 8-9 j, le double à nouveau à 28 j. *Mise bas :* pendant les 24 dernières heures, la température tombe au-dessous de la normale (37,3°-37,5°) ; les petits sont mis au monde à la cadence d'un toutes les 20 mn à un toutes les heures ; si la mère est primipare, attendre qu'elle ait nettoyé ses petits et les lui enlever au fur et à mesure afin d'éviter qu'elle ne les mange ; les lui rendre dès la mise bas terminée.

■ Responsabilité. *R. 30 al. 7 et R. 37 al. 2 + Art. 1385 du Code civil :* le propriétaire d'un animal, ou celui qui s'en sert, est responsable du dommage que l'animal a causé, qu'il fût sous sa garde, ou égaré ou échappé. Il existe des assurances. Un chien doit être tenu en laisse à l'extérieur. *Dommages possibles corporels* (morsures) ; *matériels* (plates-bandes dévastées, vêtements déchirés, poulaillers « visités », meubles endommagés), *troubles divers* (aboiements incessants, frayeur chez des cardiaques).

■ Revues. *Revue Chiens 2000,* 8-10 rue P. Brossolette, 92300 Levallois-Perret (mensuel fondé 1973, 60 000 ex.). *Atout Chiens* (mensuel fondé 1986, 60 000 ex.), 1 ter, rue Antoine-Coypel, 78000 Versailles. *Vos Chiens magazine* BP1, 26210 Lapeyrousse-Mornay (mensuel fondé 1984, 55 000 ex.). *Chien Actuel,* BP 10, St-Gervais-d'Auvergne (mensuel fondé 1990, 80 000 ex.).

■ Santé. *Température normale :* 38,5 à 38,7 °C. *Respiration normale :* env. 16 à 18 mouvements à la minute (jeune 18 à 20, vieux 14 à 16). *Pouls :* 90 à 100 pulsations à la minute (jeune 110 à 120, vieux 70 à 80), se mesure à la face interne de la cuisse. **Parasites :** *Puces :* transmettent d'autres parasites internes tels que le ténia. Le chien souvent allergique à la salive de puce se gratte violemment. Prévention : colliers, poudres insecticides d'usage hebdomadaire. Traiter litière et recoins de l'animal. *Tiques :* provoquent souvent des kystes, vecteurs de la piroplasmose. Pour les décrocher, les asphyxier avec un tampon de coton imbibé d'éther (2 min.), puis avec une pince à épiler, saisir la tête à la surface de la peau, tirer doucement mais fermement. Ne pas les brûler avec une cigarette allumée (brûlures). Colliers, bombes ou poudres insecticides pas très efficaces. *Gale :* dermatose causée par des petits acariens aux pattes munies de ventouses, qui creusent dans la peau des galeries à la vitesse de 2 mm par jour. Très contagieuse. **Maladies virales :** *Maladie de Carré :* la plus grave ; symptômes : pus dans les yeux, toux, sécrétion nasale, temp. 39,5 à 40 °C ; vaccination dès 3 mois (vaccin CHL : carré, hépatite, leptospirose), rappel à 4 mois (rappels annuels), sinon traitement par sérums homologues et antibiotiques. *Mal. de Rubarth ou hépatite contagieuse :* fièvre 41°C, amaigrissement ; souvent en même temps que la mal. de Carré ; vaccin commun. *Échinococcose, hydatidose :* prévention : ne jamais donner d'abats, surtout de moutons ; vermifuger. *Ehrlichiose :* lutte contre les tiques, antibiotiques, tétracyclines. *Filariose :* prise quotidienne de Notézine, mensuelle d'Ivermectine. *Leishmaniose :* vaccin à l'étude. *Leptospirose (typhus) :* fièvre 40°C, abattement ; vaccination dès jeune âge, rappel annuel. *Rage :* transmissible à l'homme par morsure ; vaccination à 3 mois, rappel annuel. *Parvovirose :* gastro-entérite provoquant vomissements, diarrhées souvent hémorragiques. Vaccin. *Piroplasmose :* due à des parasites sanguins transmis par les tiques ; température élevée, muqueuses jaunes, urines foncées, traitement efficace. *Tuberculose :* transmissible par l'homme, amaigrissement, toux, essoufflement ; il faut sacrifier l'animal. *Cancer :* 3 à 7 % des chiens. *Coryza :* à partir de 2 mois, 2 injections à 1 mois d'intervalle ; rappel tous les ans. **Vaccinations** [programmes (âge min.)] : *Rage :* 3 mois. *M. de Carré :* 7e à 12e semaine. Rappel 1 mois plus tard, ensuite tous les ans. *Hépatite contagieuse* et *leptospirose :* 7e à 12e semaine. Rappel 1 mois plus tard, puis tous les ans. *Rage :* 7e à 12e semaine. Rappel 15 à 50 jours plus tard, ensuite tous les ans.

■ Tatouage. Effectué sur la face interne de la cuisse ou de l'oreille droite par 7 700 vétérinaires et 2 300 particuliers agréés par le ministère de l'Agriculture. Obligatoire pour chiens de race devant être inscrits au Livre généalogique, cédés par les marchands, transitant par des établissements spécialisés, circulant sous le contrôle de leur maître (chiens qui chassent) dans les départements déclarés officiellement atteints par la rage. Le propriétaire reçoit alors la carte d'immatriculation et un double destiné au fichier central de la Société centrale canine. *Solution de remplacement :* le **Transponder** (implantation d'un équipement de relais radio miniaturisé permettant une identification à vie de l'animal).

■ Titres homologués (par la Sté centrale canine) et inscrits sur les pedigrees. Championnats de France. *Conformité ou standard* [pour être Champion de France, un chien doit obtenir un certain nombre de certificats d'aptitude au Championnat de conformité au standard (CACS) en 2 ans et, pour les races soumises au travail, un minimum de récompenses en travail]. Chaque année, env. 2 champ. de France par race (1 mâle, 1 femelle). *Travail* (un par spécialité, avec des règlements revus régulièrement ; récompense les aptitudes naturelles des chiens et non des épreuves visant à « mécaniser » des chiens) : courses de traîneaux, de pulka (1 homme à ski, 1 pulka, 2 ou 3 chiens), cavage (recherche truffes), courses de lévriers, field trial (concours de chasse), ring (programme avec obéissance, défense, sauts), pistage, agility (sauts d'obstacles), canicross (course à pied d'un homme attaché à son chien), troupeau (concours de chiens de berger), expositions (concours de beauté).

■ Titres divers (non homologués). A l'occasion d'expositions, on décerne souvent le titre de « meilleur chien du groupe » ou « de l'exposition ».

■ Voyage (voir p. 185 c).

Nomenclature

Applicable à partir du 1-1-1989. Nombre d'inscriptions provisoires en France, en 1991.

Groupe I. Chiens de berger et de bouvier (sauf chiens de bouvier suisses) A. CHIENS DE BERGER. **I Bergers allemands :** Berger allemand 16 102. **II B. :** *berger australien* 11. **III B. de Belgique :** *1. Chien de berger belge* dont noir à poil long (Grœnendael) 943 poil long autre que noir (Tervueren) 1 659, à poil court (Malinois) 2 301, ras (Laekenois) 42. *2. Schipperke* 154. **IV B. britanniques :** Collie (Colley) (poil long, poil court) 3 656, Collie barbu (Bearded Collie) 1 619, Border Collie 475, Berger des Shetland 832, Bobtail (Old English Sheepdog) 1 430, Corgi (Welsh Corgi) dont Cardigan Welsh Corgi 13 et Pembroke Welsh Corgi 77. **V Chiens de berger d'Espagne :** *Chien de berger de Catalogne* (Gos d'Atura) 42, *Chien de berger de Majorque (Cao de bestiar)* n.c. **VI B. français :** de Beauce 3 835, de Brie 3 292, de Picardie 333, des Pyrénées (à poil long, à face rase) 1 180. **VII B. hongrois :** (Komondor 39, Kuvasz 1, Mudi n.c., Puli 19, Pumi n.c.). **VIII B. italiens :** de Maremme 4, de Bergame 4. **IX B. des Pays-Bas :** B. hollandais à poil court (Kortharige) 26, long (Langharige) 2, dur (Ruwharige) 0. Schapendoes 151. Chien loup de Saarloos (Saarloos Wolfhond) 3. **X B. polonais :** Berger des Tatras 8, de Vallée 231. **XI B. du Portugal :** portugais (Cão da Serra de Aires) 1. **XII B. russes :** du Caucase 11, de Russie méridionale n.c. **XIII B. tchécoslovaques :** Slovensky Cuvac n.c. **XIV B. yougoslaves :** de Charplanina 369. **B. CHIENS DE BOUVIER. I Des Ardennes** n.c. **II D'Australie** 21. **III Des Flandres :** 665.

II. Chiens de type Pinscher et Schnauzer, chiens de bouvier suisses. Molossoïdes. **A. TYPE PINSCHER-SCHNAUZER. I Pinscher :** Affenpinscher 14. Doberman (noir et feu, marron et feu, bleu et feu) 2 035. Pinscher autrichien à poil court n.c. Pinscher moyen 150, nain 422. **II Deutscher Schnauzer :** moyen (noir ; poivre et sel) 409, géant (noir ; poivre et sel) 568, nain (noir ; poivre et sel ; gris argenté ; blanc) 463. **III Smoushond. B. MOLOSSOÏDES. I Type dogue :** Broholmer, Boxer 2 642, Bulldog 110, Bullmastiff 141, Dogue allemand 1 356, Dogue argentin 21, Dogue de Bordeaux 258, Fila Brasileiro 19, Mastiff 125, Mâtin de Naples 418, Rottweiler 1 230, Shar Pei (très ridé) 664, Tosa n.c. **II Type Montagne :** Aïdi n.c., Cão de Castro Laboreiro n.c., Chien de montagne portugais de la Serra de Estrela (à poil court, ondulé) 9, Chien de montagne des Pyrénées 781, Tibetan Mastiff 110, Hovawart 45, Landseer 44, Léonberg 854, Mâtin espagnol 10, Mâtin des Pyrénées n.c., Terre-Neuve 1 239, Chien de combat majorquin n.c., Rafeiro de Alentejo n.c., Saint-Bernard (à poil court, long) 464, berger d'Asie centrale n.c. Berger d'Anatolie 58. **C. CHIENS DE BOUVIER SUISSES.** Bouvier d'Appenzell 36. B. bernois 677. B. de l'Entlebuch 3. Grand b. suisse 19.

III. Terriers. **I De grande et moyenne taille :** Airedale 692, Bedlington 38, Border Terrier 42, Fox-Terrier (à poil lisse, à poil dur) 1 605, Glen of Imaal Terrier n.c., Terrier irlandais 21, Deutscher Jagdterrier 804, Terrier japonais 1, Kerry Blue Terrier 32, Lakeland Terrier 39, Terrier de Manchester 0, Soft-Coated Wheaten Terrier 33, Terrier noir russe 16, gallois 320, Cesky Terrier 25. **II De petite taille et bassets :** australien 11, Cairn 1 342, Dandie Dinmont 15, de Norfolk 2, de Norwich 43, écossais 610, de Sealyham 24, de l'île de Skye 213, West Highland White Terrier 2 652. **III De type bull :** Staffordshire américain 86, Bull-terrier (English Bull Terrier) 111, miniature n.c., Bull-terrier du Staffordshire 26. **IV. D'agrément :** Silky 123, Toy 1, du Yorkshire 6 575.

IV. Teckels. **TECKELS** 5 063 dont Standard (poil ras, long, dur), Nain (poil ras, long, dur), Kaninchen (poil ras, long, dur).

V. Chiens de type Spitz et type primitif. **A. CHIENS NORDIQUES. I Chiens de traîneau :** Esquimau du Groenland 46, Husky sibérien 5 861, Malamute de l'Alaska 310, Samoyède 215. **II Chiens de chasse :** norvégien de Macareux n.c., d'ours de Carélie 7, d'élan norvégien (gris, noir) n.c., suédois n.c., Laïka a) russo-européen n.c., b) de Sibérie occidentale n.c., c) de Sibérie orientale n.c., Spitz de Norrbotten n.c., finlandais 3. **III Chiens de garde et de berger** (garde et conduite des troupeaux) : Chien d'Islande 14, Buhund norvégien (Norsk buhund) n.c., Chien finnois de Laponie n.c., Berger finnois de Laponie n.c., Chien suédois de Laponie n.c., des Goths de l'Ouest 3. **B. SPITZ ALLEMANDS.** Spitz Loup 118, Grand Spitz (noir, marron, blanc) 8, Spitz moyen (noir, marron, blanc, orange, gris nuagé), Petit Spitz (noir, marron, blanc, orange, gris nuagé), Spitz nain (noir, orange, gris nuagé, autres couleurs) 546. **C. SPITZ ITALIENS.** Volpino Italiano 7. **D. SPITZ ASIATIQUES ET APPARENTÉS. I Spitz japonais :** Akita Inu 257, Hokkaïdo 1, Kai n.c., Kishu n.c., Shiba Inu 12, Spitz japonais n.c., Shikoku n.c. **II Chow-Chow :** (noir, bleu) 549. **III Eurasier :** 190. **E. TYPE PRIMITIF.** Basenji n.c., Chien de Canaan n.c.

VI. Chiens courants et chiens de recherche au sang. **1re Section : CHIENS COURANTS. A. DE GRANDE TAILLE. I Races françaises à poil ras :** Billy 17, Français tricolore 39, blanc et noir 13, blanc et orange n.c. ; Grand anglo-français tricolore 45, blanc et noir 40, blanc et orange 11, Grand bleu de Gascogne 71, Grand gascon saintongeois 132, Poitevin 150. **II A poil long :** Grand griffon vendéen 185. **III Autres races :** 1°) *à poil court :* Coonhound noir et feu n.c., Chien de Saint-Hubert (Bloodhound) 144, Foxhound américain, anglais 9 ; 2°) *à poil long :* Chien de loutre n.c. **B. DE TAILLE MOYENNE. I Races autrichiennes :** Brachet feu n.c., de Styrie à poil dur 1, autrichien à poil lisse n.c. **II Britannique :** Harrier 152. **III Espagnole :** Sabueso Español n.c.. **IV Françaises :** *1°) à poil ras :* Anglo-français de petite vénerie 406, Ariégeois 282, Beagle Harrier 425, Chien d'Artois 107, Porcelaine 356, Petit bleu de Gascogne 308, Petit Gascon saintongeois 80 ; *2°) à poil long :* Briquet griffon vendéen 538, Griffon bleu de Gascogne 141, fauve de Bretagne 257, nivernais 352. **V Grecque :** Chien courant hellénique n.c. **VI Italienne :** Segugio Italiano (poil court, dur) n.c. **VII Scandinaves :** Dunker (norvégien) n.c., Finsk stövare (finlandais) n.c., Hamilton stövare (suédois) n.c., Haldenstövare (norv.) n.c., Hygenhund (norv.) n.c., Schiller stövare (suédois) n.c., Smälandsstövare (suédois) n.c. **VIII Suisses :** Chien courant suisse 12, bernois 41, du Jura (type Bruno 408, type Saint-Hubert 5), lucernois 27, de Schwyzer n.c. **IX Yougoslaves :** Balkanski Gonic n.c., Bosanki Ostradlaki Gonic-Barak n.c., Istarski Kratkodlaki G. n.c. I. Ostradlaki G. n.c., Jugoslovenski Plaminski G. n.c., Trobojni G. n.c., Posavski G. n.c. **X Tchécoslovaque :** Chien courant slovaque n.c. **XI Polonaise :** Brachet polonais n.c. **C. CHIENS COURANTS DE PETITE TAILLE. I Races allemandes :** Brachet allemand du Sauerland n.c., Basset du Sauerland n.c. II **Autrichienne :** Basset des Alpes (Alpenländische Dachsbracke) n.c. III **Britanniques :** Basset Hound 540, Beagle 1 595. IV **Bassets français :** Basset artésien normand 625, bleu de Gascogne 216, fauve de Bretagne 1 279, Grand Basset griffon vendéen 250, Petit Basset griffon vendéen 551, Petit griffon bleu de Gascogne n.c. V **Suédoise :** Drever n.c. VI **Suisses :** Petit chien courant suisse 11, bernois n.c., du Jura n.c., lucernois n.c., de Schwyz n.c.

2e Section : CHIENS DE RECHERCHE AU SANG. Chien de rouge du Hanovre n.c., chien de rouge de Bavière 8.

VII. Chiens d'arrêt. A. CONTINENTAUX. I Braques : *1°) Allemagne :* 2 283 dont Braque allemand à poil court n.c., Drahthaar 1 069, raide n.c. Braque de Weimar (à poil court, long) 912 ; *2°) Danemark :* Gammel Dansk Hönsehund n.c. ; *3°) France :* Braque de l'Ariège 5, d'Auvergne 406, du Bourbonnais 144, Dupuy n.c., français (type Gascogne, grande taille, Pyrénées, petite taille) 576, St-Germain 33 ; *4°) de Hongrie :* Braque hongrois (Vizsla) (à poil court, dur) 231, Erdelikopo n.c. ; *5°) Italie :* Bracco italiano (blanc/orange, marron/rouan) 1. II **Épagneuls :** *1°) Allemagne :* Épagneul de Munster 181 (Langhaar, petit Münsterlander, grand Münsterlander), chien d'arrêt allemand à poil long n.c. *2°) France :* Épagneul bleu picard 89, breton (blanc et orange, autres couleurs) 5 973, français 693, picard 71, de Pont-Audemer 28 ; *3°) Pays-Bas :* Épagneul hollandais de Drente n.c., Stabijhoun n.c. III **Griffons :** d'arrêt à poil dur 1 697, à poil laineux (Griffon Boulet) n.c., Czeski Fousek n.c., Slovensky Hruborsty Ohar n.c., Spinone 7. IV **Autres races :** Perdiguesro de Burgos n.c., Perdigueiro Português 3, Pudelpointer 8. **B. DES ÎLES BRITANNIQUES. I Pointers :** 2 471. II **Setters :** Setter irlandais 795, anglais 4 698, Gordon 915.

VIII. Chiens leveurs de gibier, Rapporteurs et Chiens d'eau. A. RAPPORTEURS DE GIBIER. I Chiens d'Amérique du Nord : Chesapeake Bay Retriever (USA) 3. Novia Scotia Duck Tolling Retriever n.c. II **C. britanniques :** Retriever à poil bouclé (Curly-coated) 8, plat (Flat-coated) 154, du Labrador 6 559, Golden 951. **B. CHIENS LEVEURS DE GIBIER OU BROUSSAILLEURS. I Allemagne :** Épagneul allemand n.c. II **Amérique :** Cocker américain 617. III **Afrique :** Rhodesian Ridgeback 53. IV **Grande-Bretagne :** Cocker (English Cocker Spaniel, noir, rouge et doré, autres couleurs) 3 002, Clumber (Clumber Spaniel) 4, Field Spaniel n.c., Springer anglais (English Springer Spaniel) 915, gallois (Welsh Springer Spaniel) 32, Sussex Spaniel n.c. V **Pays-Bas :** Kooikerhondje n.c.. **C. CHIENS D'EAU. I Amérique :** American Water Spaniel n.c. II **France :** Barbet 30, Frison 3. III **Pays-Bas :** Wetterhoun n.c. IV **Irlande :** Irish Water Spaniel 1. V **Portugal :** Cão de Agua (à poil long ondulé, bouclé) 30.

IX. Chiens d'agrément ou de compagnie. A. BICHONS ET APPARENTÉS. I Bichons : à poil frisé 1 623, bolonais 58, havanais 90, maltais 556. II **Coton de Tuléar :** 1 363. III **Petit chien lion :** 179. **B. CANICHE.** Grand (blanc, marron, noir, gris, abricot) n.c. Moyen (b., m., n., g., a.) n.c. Nain (b., m., n., g., a.) n.c. Miniature (b., m., n., g., a.) n.c. *Total:* 4 092. **C. CHIENS BELGES DE PETIT FORMAT. I Griffons :** Griffon belge 5, bruxellois 18. II **Brabançon** 25. **D. CHIENS NUS.** Chien chinois à crête 75, mexicain à peau nue (Xoloitzcuintle) 7, du Pérou à peau nue (Inca Orchid Moonflower Dog) n.c. **E. CHIENS DU TIBET.** Lhassa Apso 1 595, Épagneul tibétain 150, Shih Tzu 2 408, Terrier tibétain 561. **F. CHIHUAHUA.** Chihuahua à poil court, long 815. **G. DALMATIEN.** 341. **H. ÉPAGNEULS ANGLAIS D'AGRÉMENT. I Cavalier King Charles Spaniel :** 1 811. II **King Charles Spaniel :** 104. **I. ÉPAGNEULS JAPONAIS ET PÉKINOIS. I Épagneul japonais (Chin) :** 116. II **Épagneul pékinois (Pekingese) :** 563. **J. ÉPAGNEULS NAINS CONTINENTAUX.** Papillon (à oreilles droites) 334, Phalène (à oreilles tombantes) 80. **K. KROMFOHRLÄNDER. L. MOLOSSOÏDES DE PETIT FORMAT.** Bouledogue français (bringé, caille), 486, Carlin (Mops Pug, beige à masque noir, noir) 271. Boston Terrier 50.

X. Lévriers et races apparentées. A. LÉVRIERS. I A poil long ou frangé : *1°) Asie :* Afghan 619, Saluki 119. *2°) Russie :* Barzoï 427. II **A poil dur :** lévrier écossais (Deerhound) 8, irlandais (Irish Wolfhound) 114. III **A poil court, oreilles couchées ou tombantes :** Azawakh 36, Galgo 9, Greyhound 158, Magyar Agar 1, Petit Lévrier italien 225, Sloughi 46, Whippet (à poil court, dur) 1 352. **B. RACES APPARENTÉES. Chiens de garenne :** Cirneco de l'Etna 1, Chien du Pharaon 3 ; Podenco Ibicenco (poil dur, lisse) 17, Portuguès 0 ; a) à poil court (grand, moyen, petit) n.c. b) dur (grand, moyen, petit) n.c.

☞ **Les 20 premières races (dans l'ordre décroissant). France 1991 :** Berger allemand, Yorkshire, Labrador, Épagneul breton, Husky de Sibérie, Teckel, Berger belge, Setter anglais, Caniche, Berger de Beauce, Collie, Bichon à poil frisé, Cocker anglais, West Highland White Terrier, Boxer, Pointer, Shitzu, Braque allemand, Doberman, Cavalier King Charles.

AUTRES MAMMIFÈRES

■ **Cobaye** [viendrait du mot indigène (Amér. du Sud) *« cabiai »*], surnommé *cochon d'Inde.* **Origine :** Andes. **Taille :** 15 à 30 cm, pas de queue. **Poids :** 350 à 500 g. Dans la nature, vit en communauté mais s'accommode de la solitude, ne mord pas. **Types :** 3 à *poil lisse,* à *rosettes* (touffes de poil sur le dos), *angora* (mèches de poil de 12 à 15 cm). **Habitation :** volière en grillage fin au sol recouvert de sciure, paille ou copeaux de bois (+ accessoires : fontaine-buvette, mangeoires, râtelier), ou en liberté avec une petite caisse remplie de foin pour dormir. Fait des siestes fréquentes. Mange jour et nuit. **Alimentation :** variée (env. 200 g/jour). Foin, paille, blé, luzerne, graines germées ou sèches (orge, blé, maïs, semoule...), pâtée de riz à l'eau (pendant les froids), verdure propre et jamais humide ni fermentée (pas de chou, chou-fleur, tomate, pomme de terre...), fruits, sandwiches de graines et des granulés spéciaux. Éviter bouton-d'or, digitale, pavot, ciguë, primevère, moutarde... Boisson : eau pure et légère, faiblement minéralisée. **Reproduction :** toute l'année. **Gestation :** 66 j. Isoler la femelle dans une cage à part. La mère allaite 15 j et abandonne ses petits à 1 mois pour recommencer une famille nouvelle. *Adultes* à 9 mois.

■ **Hamster doré** (de l'allemand *hamster,* « accapareur »). **Origine :** rapporté de Syrie en 1930 par le biologiste anglais Aharoui pour étudier son comportement. Un autre avait été rapporté en 1839 par Waterhouse. **Longévité :** 2 à 4 ans. **Taille :** 15 à 30 cm, queue 2 à 5 cm. **Poids :** 50 à 200 g. **Odorat :** très sensible. Ronge tout. **Aspect :** oreilles courtes, corps dodu, pelage roux doré. **Autres types :** hamster plus petit aux tons plus recherchés, h. arlequin à fourrure blanche et taches brunes, h. albinos aux yeux rouges, h. ruby-eyed à fourrure jaune clair et yeux rouges, h. angora à poils longs. Ouïe fine. **Habitation :** aime vivre seul. 2 mâles dans une cage se battent à mort, une femelle vivant dans un lieu exigu dévore sa portée ; cage spacieuse (50 × 50 cm) avec barreaux en métal (sinon il les ronge) et litière absorbante en sciure, rognures de papier, etc. (+ mangeoires, fontaine-buvette, coton, papier, brins de laine) ; à placer dans une pièce saine, à temp. constante d'au moins 15 à 16 °C, sans humidité ni courant d'air ni télévision ; le sortir très souvent. **Achat :** à 3 ou 4 semaines (robe lisse, yeux brillants, queue dressée). Dort le jour et vit la nuit. **Alimentation :** mange dressé sur les pattes arrière, décortique la nourriture avec les antérieures, fait des provisions dans ses bajoues (jusqu'à 500 kg par an) et dans sa cage. Choux, carottes, fruits, graines, viande crue, biscuits secs, fromage, de temps en temps foin des Alpes et quelques gouttes d'huile de foie de morue. Ne pas dépasser 200 g par jour. Boisson : eau pure et légère. **Détermination du sexe :** la femelle a l'arrière-train arrondi, le mâle en forme de poire ; en soulevant la queue et en regardant les deux orifices naturels, ceux de la femelle sont en contact, ceux du mâle séparés par quelques mm. **Reproduction :** à partir de 4 mois. Jusqu'à 6 fois dans l'année de mars à octobre pendant quelques h tous les 4 j. Stérile vers 1 an et demi. **Gestation :** 15 à 18 j. **Portée :** 1 à 10. **Maladies :** *carence alimentaire* (chute du poil, entérite, ajouter à la nourriture une goutte d'une solution buvable polyvitaminée, donner des légumes crus, de l'huile de foie de morue), *diarrhée* (donner de l'eau de riz) ou *constipation* (carottes râpées et huile d'amandes douces), *parasites* (vermifuges en prévention 2 fois par an avec un produit pour chien très dilué, lotion antiparasites et fréquents brossages du poil), *maladies respiratoires* (lui faire inhaler de l'eau chaude additionnée d'un produit balsamique), *otite* (nettoyage de l'oreille), *ophtalmie* (irréversible si l'animal est vieux).

■ **Lapin. Origine :** péninsule Ibérique, domestiqué et disséminé à travers l'Europe par les Romains. **Habitation :** si possible « abri de jardin » avec litière sèche ou cage plus longue que haute (100 × 50 × 50 cm) à 2 « pièces » si possible avec un nid ; ne supporte pas l'humidité ; en appartement prévoir un « plat à chat » ; leur donner les moyens d'user leurs dents et leurs griffes qui poussent continuellement. **Alimentation :** son frais, pain rassis (complet), restes de carottes, choux, granulés spéciaux (70 g par jour, 200 pour une mère allaitant), 200 à 250 g de foin sec ou luzerne l'hiver. Éviter bouton-d'or, digitale, pavot, ciguë, primevère, moutarde. **Détermination du sexe :** appuyer derrière l'orifice urogénital : la femelle a une fente, le mâle un orifice circulaire. **Reproduction :** femelle à env. 7 mois, mâle env. 12 mois. **Gestation :** 31 j ; la lapine prépare son nid vers le 20e j et s'arrache les poils du ventre pour le rendre plus confortable ; elle a alors besoin de beaucoup d'eau comme pendant les 4 semaines d'allaitement et sa ration doit être doublée en fin de gestation. Vers 1 mois, les lapereaux peuvent être sevrés avec du lait à moitié coupé d'eau et un peu de son. Ne jamais soulever un lapin même petit par les oreilles. **Maladies :** *myxomatose* (virus transporté par certains moustiques) : difficilement réversible, déclaration obligatoire à la mairie ou la préfecture. Vaccins préventifs dès 21 j. 1 fois par an. **Parasites :** gros ventre, diarrhées (surveiller l'alimentation, donner herbes fraîches et sèches, thym, ail, bruyère, pissenlit, coquelicot, etc., carottes en morceaux saupoudrées de sulfate de fer). *Coryza :* lui donner vitamines. *Gale :* donner alimentation saine, surveiller sa propreté. **Races :** *Alaska :* petit, noir. *Argenté de Champagne :* moyen, né noir puis argenté après quelques mois, oreilles assez courtes, craint peu l'hiver. *Blanc de Vendée :* 3 à 5 kg, blanc, poil mi-long, longues oreilles droites, assez résistant. *Blanc de Vienne :* blanc plutôt court, yeux bleus. *Californien :* musclé, 3,5 à 5 kg. *Fauve de Bourgogne :* moyen, fauve et ventre blanc, longues oreilles droites, moustaches noires. *Géant blanc du Bouscat :* blanc, longue queue, yeux roses, peu fragile. *Géant de Flandres :* gros (7 à 8 kg), gris brunâtre, oreilles en V. *Néo-zélandais :* 4 à 5,5 kg. *Papillon français :* blanc avec taches noires, oreilles noires droites en V. *Polonais :* minuscule, fourrure épaisse et serrée, argent ou blanc, yeux bleus ou rose. *Russe :* 3 kg, blanc taché de noir aux extrémités, œil rouge. *Zibeline :* petit, poil très soyeux assez long, avec sous-poil ocré, et grands yeux fauves.

■ **Souris blanche. Taille :** 9 cm, queue de 7 cm. **Poids :** 19 à 30 g. **Habitation :** cage métallique avec litière végétale à renouveler souvent (+ fontaine-buvette et mangeoires en verre ou porcelaine) et quelques obstacles si possible ; température moyenne 15 °C ; éviter humidité, courants d'air et proximité de la télévision. **Alimentation :** variée (blé, maïs, orge, sandwiches de graines, biscuits, croûtons de pain rassis). **Reproduction :** à partir de 8 semaines, en toutes saisons, jusqu'à 6 portées par an. **Gestation :** 18 à 20 j, au 15e jour il est préférable de séparer la femelle du mâle. **Portée :** jusqu'à 8. *La souris danseuse japonaise* (*taille :* 6,5 à 8 cm, 13 à 25 g, queue 5 à 7 cm, vit 3 ans maximum, gestation 21 à 24 j) a besoin d'une température constante de 17 °C.

OISEAUX

GÉNÉRALITÉS

■ **Achat (précautions).** Œil bien ouvert, vif (sans larmoiement, croûtes, gonflements), se méfier d'un œil terne, aqueux ; tour de bec bien lisse sans malformation ni bouton, respiration silencieuse et régulière, narines sèches, sans écoulement, ailes se repliant vivement quand on les déploie, plumage brillant, souple et ordonné, pectoraux puissants, région cloacale non irritée ou enflammée, pattes non déformées, sans croûtes, aucun parasite, aucun tremblement ni perte d'équilibre, ventre rose et souple (celui de la femelle rond, couvert d'une petite couche de graisse). L'oiseau, vif, se tient droit ; en respirant, son bec ne s'entrouvre pas ; le perroquet ne doit pas avoir les yeux mi-clos et la tête sous l'aile.

■ **Alimentation.** *Granivores,* surtout graines variées ; *insectivores,* insectes ; *frugivores et baccivores,* fruits et baies ; les *omnivores* mangent de tout ; les *nectivores* du nectar des fleurs ; les *carnivores et les rapaces diurnes ou nocturnes,* des proies. *Boisson :* eau pure et légère, éviter l'eau du robinet. *Graines courantes. Alpiste (ou millet plat) :* nourriture de base des papes, tarins, chardonnerets, perruches, canaris et de nombreux granivores ; graine farineuse riche en protéines ; doit être jaune clair et brillant. *Anis :* dans les mélanges de santé. *Arachide :* convient aux psittacidés, ne pas en abuser. *Avoine pelée ou gruau :* riche en protéines, nourrissante l'hiver, en période de ponte et de mue. *Chènevis* ou *chanvre :* échauffante et nourrissante, ne pas en abuser. *Colza :* convient à tous, agit sur la pigmentation des plumes. *Lin :* riche en lipides. *Maïs :* riche en vitamines A ; sous forme d'épis ou cuits à l'eau. *Millet blanc :* graine maigre ; alimentation de base des petits exotiques ; *de Bordeaux :* pour perruches et astrilds ; *jaune :* canaris. *Navette :* tarins et canaris, ne pas en abuser. *Œillette* ou *pavot :* tous les mélanges en contiennent, pour granivores. *Rizon :* pas de riz précuit ; cuire à l'eau et égoutter. *Tournesol :* riche, ne pas en abuser, pour perroquets, cardinaux, perruches, mésanges...

■ **Espèces. Amaranthe :** Afr. occid., granivore, 10 cm, sociable, assez fragile. **Amazone (front jaune et front bleu) :** Amér. du S. ou centrale, omnivore, 31 cm, robuste, vit jusqu'à 75 ans. **Astrild :** voir Bec-de-Corail, Bengali, Cordon-bleu. **Bec-d'argent :** Afr. occid., granivore, 10 cm, sociable, robuste, reproduction aisée. **Bec-de-corail :** Astrild d'Afr., granivore, 9 cm. **Bengali de Bombay :** Inde, Thaïlande, granivore, 7 à 8 cm, sociable, robuste (volière extérieure avec abri), reproduction aisée. **Bengali de Chine ou Bengali royal :** Extrême-Orient, granivore,

9 cm, robuste, sociable, reproduction aisée. **Bouton-d'or :** Amér. du S., granivore. 12 cm, remuant, robuste, volière extérieure, reproduction aisée. **Bulbul Orphée :** sud de l'Asie, insectivore et frugivore, 20 cm, robuste, vit en groupe.

Cacatoès à huppe jaune : Australie, granivore et frugivore, grand, parle peu, s'apprivoise bien, intelligent, robuste. **Cacatoès à huppe rouge :** moluques, granivore et frugivore, grand, apprend à parler, robuste, vite familier. **Caille de Chine :** Sud-Est asiatique, Australie, granivore et insectivore, moyen, sociable en volière avec d'autres oiseaux, vole peu et mal, court. **Canari :** ancêtre originaire des îles Canaries. Sociable, gai, élevage facile. Nombreuses couleurs obtenues par mutation ou hybridation : jaune, blanc, isabelle, brun, opale, rouge (artificiel), etc. Élevé pour le chant, la couleur ou l'allure, granivore, petit, sociable, fragile, reproduction aisée. **Cap-Moor (Tisserin) :** Afr. du N. et centrale, granivore et insectivore, moyen, peu sociable, s'entend avec les perruches. **Cardinal vert :** Brésil et Argentine, granivore, insectivore et frugivore, 22 à 25 cm, moyennement sociable, siffle plus qu'il ne chante, reproduction variable selon climats. **Cardinal de Virginie :** Amér. du N., granivore, insectivore et frugivore, 22 à 25 cm, relativement sociable, fragile, reproduction rare en volière, chanteur. **Chanteur d'Afrique :** granivore, 10 cm, bon chanteur, peu sociable, reproduction aisée, peut s'accoupler au mozambique et au canari. **Colibri :** Amér. ou Antilles, insectivore et nectarivore, 2,5 à 11 cm, querelleur et agité, très fragile, coûteux. **Colombe-diamant d'Australie** (très résistante en volière extérieure, supporte le gel) et **Colombe-moineau d'Amérique du Nord :** granivores, petites, craignent humidité et courants d'air, plus sociables avec d'autres espèces qu'avec leurs pareilles, reproduction aisée. **Corbeau freux et Corneille noire :** Europe, omnivores, 53 à 69 cm, robustes, intelligents, pas toujours sociables, à installer à part en semi-liberté dans la maison. **Cordon-bleu :** Afr. du N.-O., granivore, insectivore et frugivore, 12 cm, fragile, craint courants d'air et froid, facile à vivre avec des espèces de sa taille, chanteur médiocre, reproduction possible, très insectivore pour nourrir ses petits.

Damier : Inde, Sri Lanka, Java, Viêt-nam, 12 cm, granivore et insectivore, robuste, sociable, reproduction aisée. **Diamant de Gould :** Australie, granivore, 10 à 13 cm. Craint l'humidité, les courants d'air, le stress ; aime le calme. Élevage assez facile mais il peut être prudent de confier ses œufs aux moineaux du Japon, aux mandarins. **Diamant mandarin :** Australie, granivore, 10 cm. Robuste, sociable sauf période de reproduction. Nombreuses variétés. **Étourneau sansonnet :** Europe, omnivore, 18 cm, fragile en captivité, sociable, paisible, bon imitateur, il lui faut de l'espace, se reproduit peu en captivité. **Geai des chênes :** Europe, omnivore, 35 cm, robuste, affectueux, sociable, joyeux, intelligent, imitateur, se reproduit peu en captivité. **Grenadin :** Astrild d'Abyssinie, granivore et insectivore, 10 cm, craint humidité et courants d'air. **Mainate de Java (Grand) :** omnivore, 27 cm, craint courants d'air et fumée de tabac, robuste, sociable, imitateur, à installer seul. **Ministre bleu :** linotte d'Amér. du N., insectivore l'été et granivore l'hiver, omnivore en cage ou volière, 12 cm env., bon chanteur, frileux, se reproduit en captivité. **Mozambique :** Sahara, Afr. du S., Madagascar et Maurice, granivore et frugivore, 10 cm, chanteur, affectueux, reproduction possible.

Pape de Leclancher ou Pape arc-en-ciel : Mexique, 12 à 13 cm, mange seulement des graines d'alpiniste, très frileux, sociable. **Pape de Louisiane aux vives couleurs :** granivore et insectivore, 12 à 14 cm, frileux, peut vivre en volière chauffée et s'y reproduire s'il est seul avec sa femelle. **Paroare huppé ou Cardinal gris :** Argentine, Bolivie, Brésil, granivore, frugivore et insectivore, 19 cm, robuste, peu sociable, aime la proximité de l'eau, chanteur moyen. **Perroquet gris du Gabon ou « Jaco » :** omnivore, 31 cm, robuste, affections digestives et infectieuses faciles à guérir, jaloux, exclusif, à garder en solitaire ou en couple en semi-liberté, parle bien. **Perruche callopsitte :** Australie, omnivore, 33 cm, bon caractère, sociable en volière avec divers passereaux, ne supporte pas la cage, reproduction aisée. **Perruche ondulée :** Australie, granivore, frugivore, 20 cm, robuste mais bruyant, peut vivre en volière extérieure hors des courants d'air, jusqu'à − 5°. Nombreuses variétés de couleurs. **Pie d'Europe (et Pie bleue d'Extrême-Orient) :** omnivore, 48 cm (la bleue a une queue de 40 cm), taquine, curieuse, chapardeuse, parle bien, chasse souris, petits reptiles, doit vivre seule en semi-liberté.

Rossignol du Japon : Chine, Viêt-nam, Inde, frugivore, insectivore, peu granivore, 15 cm, bon chanteur, sociable, curieux, robuste et remuant, exige de la place (volière), reproduction possible. **Tarin rouge du Venezuela :** granivore 10 cm, très beau, donne avec le canari des canaris orangés, reproduction aisée, vite familier. **Tourterelle rose et grise :** Afr. du N.-O., Soudan, granivore, 21 cm, sociable, familière, robuste, reproduction aisée. **Travailleur :** Sénégal, Soudan, Éthiopie, granivore 12 cm, robuste, vif, querelleur, prolifique.

■ **Exposition.** Consulter le *Journal des oiseaux* (59, rue du Faubourg-Poissonnière, 75009 Paris).

■ **Habitation.** Une cage ou une volière de préférence en métal. Haute au maximum (jusqu'à 2 m), largeur minimum de 1,50 m, sol en ciment si elle est extérieure. Éviter miroirs, cloches... qui gênent les oiseaux. Mettre abreuvoirs, baignoires et mangeoires (verre ou porcelaine) ; les nettoyer chaque jour à l'eau et une fois par semaine avec un désinfectant. *Perchoirs :* selon la taille des oiseaux (trop minces ou trop gros ils fatiguent les oiseaux). Pour un canari 1,5 cm de diam. ; oiseau moyen (merle des Indes, cardinal, bulbul...) 2 cm ; grand oiseau (perroquet, toucan, corbeau...) 2,5 à 3 cm. *Nids :* fournir herbes, mousse, brindilles, ficelles, laine, paille. *Éviter :* odeurs de lessive, cuisine, tabac, alcool à brûler, pétrole, vernis, peinture, naphtaline, parfums entêtants, eau de Javel... ; la station prolongée sur un réfrigérateur, les objets en aluminium, fourrure, laine mohair, la lumière fluorescente trop proche. *Température :* 12 à 15 °C (oiseaux courants), éviter les écarts. Exposer à la lumière solaire, à l'ombre pendant les heures les plus chaudes. Laisser une lampe allumée jusqu'à 20 h quand les jours sont courts. Le soir, recouvrir à moitié la cage d'un tissu. *Nettoyer :* ongles, becs, yeux...

■ **Physiologie. Température normale :** 42 à 44 °C. **Appareil digestif :** une perruche mange 1 à 2 cuil. à café en graines et boit 1 à 2 cuil. à café d'eau par j (par comparaison un homme de 70 kg mangerait 22 kg de nourriture par j). Les déchets sont rejetés 1 à 2 h après l'ingestion des aliments ; elle fait 40 fientes par jour. **Pathologies :** *infections bactériennes :* pasteurellose, pseudo-tuberculose, colibacillose, ornithose-psittacose : indolence, anorexie. *Parasitaires :* trichomonose, coccidiose, candidose, aspergillose, vers ronds. *Intoxications :* pesticides et insecticides organo-chlorés, empoisonnement au plomb.

Appareil respiratoire. Les bronches aboutissent aux poumons et à 9 sacs aériens : 2 cervicaux, 1 claviculaire, 2 axillaires, 2 thoraciques antérieurs, 2 thoraciques postérieurs, 2 abdominaux. Cet appareil respiratoire représente env. 20 % du volume du corps (les poumons de l'homme 5 %). Un *canari* au repos a 140 inspirations/mn (un chien en a 20 et un homme 13). Un *pigeon* endormi respire 29 fois, en vol 450 fois par min. **Pathologies :** *mort rapide :* suffocation (hémorragie cérébrale, variole suraiguë, septicémie du canari) ; *mort en 4 ou 5 j :* aspergillose aiguë (mort inévitable), congestion pulmonaire (suffocation, halètement, pneumonie) ; *traitement :* oxygéno- et antibiothérapie, aérosols, quelques gouttes de whisky dilué. *Mal. pouvant durer des semaines ou des mois :* coryza des perruches ou des perroquets (éternuements) dû aux mycoplasmes ; mycoplasmose des canaris : respiration bruyante, petits râles ; variole ou diphtérie des canaris ou mal. de Kikuth ; acariose respiratoire ; syngamose dans la trachée : fréquent chez les faisans d'ornement, les colombidés et les rapaces ; aspergillose chronique : crises de diarrhée, vomissements, gêne respiratoire ; dysplasie de la thyroïde.

Mues. *5 espèces de plumes :* rémiges ou rectrices, plumes de contour ou tectrices, plumes filiformes, duvet, duvet pulvérulent. Le renouvellement annuel est appelé mue. L'oiseau ne chante plus, n'aime plus, devient apathique ; il recherche tranquillité, chaleur et cache parfois sa tête. *Mue juvénile :* entre 2 mois et 10 semaines ; partielle dure 1 mois et demi, le duvet laisse place à des plumes plus fournies et plus chaudes. *Mue des adultes :* commence par la 9e rémige primaire, puis la 8e, la 7e, la 6e jusqu'à la 1re. La plupart des oiseaux de cage ont une mue annuelle, parfois bisannuelle avec parure de noce succédant à plumage éclipse (discret). La pigeonne, qui pond en toutes saisons, a une mue saisonnière qui n'affecte pas son rythme de ponte. Il en est de même pour les perruches qui muent en toutes saisons ou pas du tout. **Pathologies :** déformation, démangeaisons, chute d'origine parasitaire (poux), décoloration d'origine génétique ou alimentaire (carence), gale, boutons (kystes). Assurer alimentation variée et bains fréquents.

Reproduction. Influence de la lumière : les radiations lumineuses (en particulier rouge et orange à grande longueur d'onde) ont une action stimulante sur les glandes sexuelles des oiseaux, par l'intermédiaire de certaines cellules rétiniennes. Ces cellules excitent, grâce au nerf optique, certains noyaux nerveux hypothalamiques qui sécrètent des substances chimiques et activent l'hypophyse antérieure qui lance dans la circulation sanguine des hormones gonadotrophines stimulantes du système génital. Chez quelques espèces de perruches ondulées, c'est la diminution de la lumière qui stimule les glandes génitales. **Pathologies :** kystes ovariens ; rétention d'œufs ; renversement de l'oviducte ; affections diverses de l'œuf ; anomalies de constitution.

■ **Statistiques.** FRANCE : *Canaris :* 4 à 5 millions (60 % du nombre total d'oiseaux), *perruches :* 1 000 000, le reste en oiseaux exotiques. *Éleveurs :* 8 000 inscrits à une société et baguant les oiseaux (800 000 chaque année dont canaris 500 000, perruches 100 000, le reste o. exotiques).

☞ Bibliographie : *les Oiseaux de cage et de volière* (Guide vert, Bordas), *les Maladies des oiseaux de cage et de volière* de J.-P. André, *la Science des beaux oiseaux* de Pomarède.

■ Colombophilie

Définition. Art d'élever et d'entraîner des pigeons voyageurs pour des compétitions.

Caractéristiques des pigeons. Ils peuvent parcourir jusqu'à 1 000 km par jour et leur vitesse varie de 70 à 140 km/h. **Vol le plus long :** 8 700 km (ou 11 250 si le pigeon a évité le Sahara), par le pigeon du duc de Wellington (1769-1852), lâché au large des îles Ichabo (Afrique occidentale) le 8-4-1845, tombé mort à 1 500 m de son colombier, près de Londres, le 1-6, 55 j plus tard. **Vitesse :** 60 à 80 km/h par vent de face ; 90 à 140 par vent arrière. **Orientation :** à la base du cerveau une zone contient de minuscules cristaux de magnétite lui servant de boussole. Des éruptions solaires provoquant une projection d'ondes électriques à très haute énergie peuvent désorienter les pigeons. Longtemps, on les a crus seulement attirés par le pôle Nord (en Europe la plupart des colombophiles se trouvaient dans le Nord, les lâchers se faisaient dans le Sud et les pigeons remontaient vers le Nord).

Concours. 1ers organisés en Belgique en 1818. 1re course sur longue distance 1819 (Londres-Anvers), 36 concurrents. *Concours vitesse* jusqu'à 250 km, *1/2 fond :* de 250 à 550, *fond :* + de 550. **Nombre en France :** *concours de vitesse* 40 000, *1/2 fond* 15 000, *fond* 2 000.

Réglementation. *Jusqu'en 1789,* seuls monastères et châteaux forts avaient le privilège de posséder un colombier (la possession de pigeons était synonyme de puissance et de richesse). *Aujourd'hui* (régime en cours de modification), la colombophilie est placée sous tutelle des ministères de la Défense (en temps de guerre) et de l'Intérieur (en temps de paix) ; avant de devenir colombophile, il faut demander une autorisation à la police (accordée après enquête administrative). La loi interdit de transmettre par pigeon voyageur un message de particulier à particulier et de posséder un ou plusieurs pigeons hors du cadre d'une association sans but lucratif *(loi de 1901).* Chaque pigeon est immatriculé (bague matricule fermée et sans soudure indiquant : matricule, année de naissance et pays d'origine). Chaque année, 850 000 bagues sont délivrées en France. *L'article 11 de la loi du 27 juin 1957* punit d'une amende de 125 F à 1 500 F et d'un emprisonnement de 10 j à 3 mois toute personne qui aura capturé ou détruit, ou tenté de le faire, des p. ne lui appartenant pas (le p. voyageur se distingue par son plumage clair sous les ailes).

Revues. *Colombophilie-Bulletin national* (trimestriel), 30 000 ex., Union des fédérations régionales des associations colombophiles de France, 54, bd Carnot, 59042 Lille Cedex, créée en 1976. *Le Pigeon voyageur de France* (bimensuel) ; tirage 3 000 ex. *L'Union colombophile* (hebdomadaire).

Statistiques (France). Adhérents licenciés : 29 800. **Associations :** 870 [80 % dans le Nord (Roubaix 1849, 1re Sté « le Cercle Union »)]. 1/3 des colombophiles ne participent pas aux concours. **Fédérations régionales :** 20, correspondant aux anciennes régions militaires. **Nombre de pigeons voyageurs à Paris :** env. 35 000.

Poissons d'eau douce

■ Ovulipares

☞ **Reproduction.** La femelle pond une certaine quantité d'*ovocytes* que le mâle fertilise en projetant sur eux une émission de laitance ; les *alevins* sortent des œufs après une incubation plus ou moins longue selon l'espèce et la température de l'eau.

■ **Cyprinidés.** 2 000 espèces. Sans dents ; os broyeurs dans le fond de la gorge sur 1, 2 ou 3 rangées. La plupart ont 2 paires de barbillons et très souvent des « boutons » sur le corps (formations sexuelles secondaires chez les mâles). Il faut parfois 2 mâles pour 1 femelle et éloigner les parents après la ponte.

Poissons rouges (voir encadré). **Barbus :** Inde. 4 à 15 cm. *Éclosion :* 1 à 2 j. 300 espèces dont les poissons-clowns (*Barbus everetti* à reflets émeraude et écailles ourlées de vert), barbeaux à tête pourprée, barbeaux rosés. **Danios géants :** 10 cm max. Bleus avec des bandes roses et violettes, nageoires verdâtres, nageoire anale rouge orangé. *Eau* 20 à 25°. **Petits Danios :** Bengale. **Faux poissons cardinaux :** Chine, à l'état sauvage. 4 cm. *Eau* 20 à 25°. Remuants. **Rasboras :** îles de la Sonde, Malaisie, Inde. 5 cm max. Blanc argenté, reflets bleus et rose saumon. *Ponte :* 2 h. *Incubation :* 18 h. **Bouvières :** très petits cyprins associés à des moules d'eau douce dans lesquelles ils pondent. *Eau* 5 à 20°.

■ **Cyprinodontidés.** 500 espèces. Petite taille. Couleurs vives (surtout les mâles). Pourvus de dents, mais sans barbillons. La lumière empêche les œufs d'éclore. *Reproduction :* hiver. *Ponte :* 1 semaine, parfois plus. *Éclosion :* 2 à 5 sem. **Têtes plates (Epiplatys dageti) :** Afr. occid. 4 à 6 cm. *Eau* 20 à 25°. Carnivores : proies vivantes. *Incubation :* 15 j. **Cap-Lopez (poissons-lyres) :** Afrique. 6 cm. *Eau* 22 à 26°.

■ **Siluridés.** Plus de 2 000 espèces. **Poissons-chats :** Am. du N. 40 cm. Brun-gris. *Eau* 10 à 20°. **Poissons de verre :** on voit leur squelette. *Eau* 20° à 25°.

■ **Cichlidés.** Plus de 1 000 espèces. Formes et couleurs spectaculaires. Chez certaines espèces, la femelle ou le mâle pratique l'incubation buccale. **Scalaires :** Amazonie. Blanc argent, légèrement bruns sur le dos, bandes verticales foncées. Nageoires (surtout dorsales) parfois rougeâtres. *Eau* 20 à 30° C. **Hemichromis à deux taches :** Afr. Querelleurs. 8 à 15 cm. Femelle brun-rouge, mâle tacheté de bleu. *Eau* 15 à 28°. Se nourrissent de viande ou de proies vivantes. **Paratilapie multicolore :** Égypte, 8 cm max. Reflets rouges, verts, bleus. *Eau* 18 à 28°. Se nourrissent de petites proies vivantes. Œufs pondus dans le sable et fécondés par le mâle puis pris par la femelle dans sa bouche. La femelle garde la ponte 15 j, pendant lesquels elle se nourrit peu.

■ **Bélontiidés.** Respirent l'oxygène de l'eau et de l'air extérieur grâce à un organe respiratoire supplémentaire situé au-dessus de la cavité branchiale : le *labyrinthe.* Se contentent d'un faible volume d'eau, peuvent vivre plusieurs heures hors de l'eau. Les mâles construisent à la surface un nid de bulles d'air où les œufs seront incubés. **Combattants (Betta splendens) :** *couleurs* variées. *Eau* 18 à 32°. En Thaïlande, on dresse des bettas pour le combat qui peut durer plusieurs minutes. L'un des 2 finit par refuser le combat ou par tomber au fond de l'aquarium. **Poissons de paradis (Macropodus opercularis) :** T'ai-wan, Viêt-nam. 8 cm max. Corps brun-vert. Femelle plus pâle que le mâle. *Eau* 14 à 25°. Monogames. Craignent les rayons directs du soleil. Variétés albinos rose. **Gouramis grondeurs (Ctenops vittatus) :** Sumatra. 6,5 cm. *Eau* 28 à 30°.

■ **Scatophagidés.** Évoluent dans les eaux tropicales de préférence au voisinage des ports. Leurs nageoires dorsale et anale sont séparées en 2 parties : l'une aux rayons épineux qu'ils peuvent redresser, l'autre aux rayons souples qu'ils font onduler. **Scatophages (Scatophagus argus) :** Inde, Australie. 8 à 12 cm. *Eau* 18 à 25°. Corps gris ou saumon.

■ **Gobiidés.** 2 000 espèces, surtout marines ou d'eau saumâtre. Possèdent sous le thorax une ventouse constituée par les nageoires pelviennes et qui leur permet de se fixer sur les pierres. *Reproduction* difficile en aquarium. **Poissons-abeilles (Brachygobius xanthozonus) :** Viêt-nam, archipel de la Sonde, 5 cm. *Eau* 23 à 28°. Sautent fréquemment hors de l'eau.

■ **Centrarchidés. Pomotis à bandes noires (Mesogonistius chaetodon) :** USA. Argent strié de bandes noires. *Eau* 10 à 12°.

■ **Characiformes.** Afrique (200 esp.), Am. centrale et du S. (1 200). Bouche avec denture. Reproduction difficile pour certains, les parents ayant tendance à dévorer les œufs. **Tétras de Rio (Hyphessobrycon flammeus) :** 5 cm max. Rouges, partie antérieure brun-jaune avec 2 barres noires. *Eau* 18 à 24°. **Tétras noirs (Gymnocorymbus ternetzi) :** Paraguay. 4 à 6 cm. Blanc argenté avec 2 raies noires, noir velouté sur la moitié antérieure. *Eau* 24 à 30°. **Aphyocharax à nageoires rouges :** 4 à 6 cm. Dos vert olive, flancs argentés à reflets bleus ou verts, nageoires rouge sang. *Eau* 10 à 25°. **Pristellas (Pristella maxillaris) :** Amazonie, 4 à 5 cm. Corps jaune-brun transparent. **Feux-de-position (Hemigrammus ocellifer) :** 4,5 cm. Dorés avec tache rouge. Yeux lumineux dans la pénombre s'ils reçoivent les rayons d'une lumière venant d'en haut. *Eau :* 20 à 28°. **Nannostomus (Nannostomus beckfordi) :** ressemblent à des requins en miniature. Amazonie. Dos brun, bande noire bordée d'or et de rouge, nageoires rouges. Fragilité des jeunes. *Eau* 22 à 30°. **Néons (Paracheirodon,** 3 espèces). **Piranhas** (carnivores). **Pacous** (herbivores).

Poissons rouges
(Dorade de Chine, Cyprin doré, Carassin [doré].)

Nom scientifique : Carassius carassius auratus. De la famille des Cyprinidés (+ de 2 000 espèces). *Ovipares.* **Caractéristiques :** *longueur :* 10 à 20 cm, parfois 25 à 30. *Adulte :* mâle 2 ou 3 ans, femelle 3 ou 4. *Longévité :* 10 ans, parfois 30. *Poisson d'eau froide :* température idéale 15°. **Description :** *denture :* 4 dents pharyngiennes sur 1 rangée (la carpe en a 5 sur 3 rangées). Pas de dents buccales. *Nageoires :* caudale, dorsale, ventrales, anale et pectorales. *Vitesse :* 14,5 cm/s soit 5,2 km/h. *Écailles :* 650 env. *Couleurs :* unicolores : rouges, orangés, rosés ou blanchâtres ; tachetés : taches souvent noires, parfois bleutées ; multicolores. **Anatomie :** *estomac* et *intestin* mal individualisés. *Cœur* formé d'un sinus veineux, d'une oreillette, d'un ventricule et d'un bulbe aortique. *Sang,* alimenté en oxygène, pulsé dans les artères, de minuscules vaisseaux alimentent les *branchies.* A ce niveau, le sang va se charger de l'oxygène dissous dans l'eau, et se débarrasser du gaz carbonique. *Vessie natatoire ou v. gazeuse :* poche membraneuse emplie des gaz contenus dans l'air que le poisson respire à la surface de l'eau. Sert à l'équilibre et est relié à l'appareil auditif par des osselets. *Ouïe :* fine : perçoivent des sons jusqu'à 3 480 Hz. **Reproduction :** impossible dans un bac de petite taille (ex. 50 × 30 × 30). L'eau du bac de ponte doit être chauffée au min. à 20°. 1re *ponte :* mi-avril, 2e : fin mai, 3e vers la mi-juin et 4e début juillet. Sitôt la ponte achevée, retirer les poissons qui, sinon, dévoreront les œufs. Les *alevins* (env. 2 mm) adhèrent à l'aquarium ou aux plantes et restent la tête vers le haut 2 ou 3 j jusqu'à résorption complète du *sac vitellin,* dont ils se nourrissent en premier. Puis, ils prennent la position horizontale. Dès le 4e j, il faut les alimenter (infusoires).

Aquarium de 30 cm de profondeur : 70 poissons de 2 cm ou 3 poissons de 10 cm. *Volume minimal* 100 l (90 × 30 × 40 cm), *idéal* 400 l (150 × 50 × 55 cm). *Largeur* plus importante que la hauteur : la surface de contact de l'eau et de l'air doit être la plus grande possible.

■ **Callichthyidés.** Larges plaques osseuses sur le corps. Utiles : friands des déchets et débris. **Corydoras à casque :** Argentine. 8 cm max. *Eau* 13 à 28°. Nettoyeurs.

■ **Cobitidés.** Discrets, se cachent dans le fond de l'aquarium où ils dévorent les débris. Voisins des cyprins (barbillons plus nombreux, écailles plus petites). **Loches de Malaisie :** Java, Sumatra. Orange marbré de taches brunes. *Eau* 7 à 28°.

■ **Loricariidés.** Nombreuses plaques osseuses, bouche en forme de suçoir. Omnivores. **Laveurs de carreaux (loricaires à bouche inférieure) :** 15 cm max. *Eau* 16 à 27°.

Ovovivipares

☞ **Reproduction.** Le mâle fertilise les *ovocytes* dans le ventre de la femelle en s'accouplant à elle. Les œufs restent dans les *oviductes* jusqu'au moment de l'éclosion.

■ **Poeciliidés.** Comme tous les poissons ovovivipares, les 1ers rayons de la nageoire anale du mâle constituent l'organe copulateur ou *gonopode.* Dans l'aquarium il faut un mâle pour plusieurs femelles. Après l'accouplement très rapide, la femelle est fécondée pour 4 ou 5 pontes. **Gambusies (poissons-léopards) :** USA. Mâle 3 cm, femelle 7 cm. Gris pâle avec des reflets bleus ou violets. Friands de proies vivantes. *Eau* 8 à 10°. **Guppys :** Guyane, île de la Trinité. Mâle 2,5 cm, femelle 5 cm. *Eau* 16 à 22°. **Xiphos (porte-glaive ou porte-épée) :** chez le mâle, le prolongement de la partie inférieure de la nageoire caudale évoque une épée. Mâle 8 cm, femelle 12 cm. *Eau* 20 à 28°. **Platys tachetés :** Mexique, Guatemala. Mâle 3 cm, femelle 7 cm. *Eau* 18 à 28°. **Mollies à voilure :** Mexique. Portent un voile sur le dos (développement de leur nageoire dorsale). Mâle 12 cm, femelle 15 cm. *Eau* 22 à 30°.

Tortue

■ **Aquatique (Cistude).** *(Amphibie).* Carapace aplatie, pattes fines, doigts griffus réunis par une palmure. Vit en *2 phases : belle saison,* active ; *saison froide,* s'enfouit dans le sable ou la vase. *Carnassière :* recherche escargots, hannetons, limaces, lombrics, petits mollusques, œufs de batraciens, têtards, larves... Reproduction difficile. *Longévité :* jusqu'à 100 ans. *Taille* maximale : 20 cm. Habite les marais du centre et du sud de la France ; aujourd'hui protégée (détention interdite).

Tortue de Floride ou à tympan rouge. Décorative, se plaît en captivité (temp. constante 25°, éclairage pendant 5 h par j, tubes fluorescents à proscrire). *Taille :* 30 cm env. *Carapace* vert olive striée de jaune ou de noir, peau de la tête et des pattes vert tendre rayée longitudinalement de gris sombre ou d'or clair, touche rouge sur les tympans. *Carnassière :* vers vivants, viande, œufs de poisson, poisson cru émietté. Importation désormais interdite.

Autres espèces. *Peinte, à dos diamanté...* Les traiter comme la cistude et la verte à tympan rouge.

■ **Terrestre.** *Taille :* variable, de la petite tortue grecque ou mauresque à l'éléphantine (250 kg). **Tortue grecque :** carapace bombée, pattes antérieures courtes mais puissantes et armées de griffes qui l'aident à avancer sur le sol, pattes postérieures plus faibles. Vit en *2 phases : saison chaude,* active, se déplace rapidement et constamment ; *froide,* ralentit son rythme vital jusqu'à l'hibernation ou la semi-hibernation. *Omnivore :* salade, fruits, lait, fromage blanc. Boit, se baigne souvent. Reproduction difficile.

Renseignements pratiques

■ **Abandon d'un animal.** *Reptiles :* aquarium écologique de Trouville. *Oiseaux :* s'adresser à la LPO (57, rue Cuvier, 75005 Paris). *Autres animaux :* dans les refuges des associations de protection animale déclarées. *Nombre d'abandons :* 100 000 en 1992.

■ **Abattoirs.** Bovins, ovins, caprins, porcins, équidés, volailles, lapins et gibier doivent être étourdis (plongés immédiatement dans un état d'inconscience), avant la saignée, selon des procédés autorisés (trépanation ou percussion de la boîte crânienne à l'aide d'un pistolet d'abattage à cheville, masselotte captive, électroanesthésie, anesthésie par du CO_2). Il est interdit de suspendre les animaux avant leur étourdissement (sauf volailles, lapins et petit gibier si l'étourdissement est fait immédiatement). *Abattage rituel :* ne peut être pratiqué que dans un abattoir, par des sacrificateurs habilités, mais la loi souvent n'est pas encore respectée. L'animal doit être renversé et maintenu par un dispositif le protégeant des risques de contusion. Pour les bovins, des boxes rotatifs agréés doivent être utilisés. *Les animaux de boucherie :* abattage possible hors de l'abattoir en cas d'urgence (maladie ou accident) ; il faut un certificat vétérinaire ; lapins, volailles, caprins, ovins et porcins peuvent être abattus par celui qui les a élevés et qui réserve la viande à la consommation de sa famille.

■ **Achat d'un animal.** Exiger *un certificat de bonne santé* comprenant (pour les chiens) les vaccinations contre la maladie de Carré et l'hépatite virale faites à 7 ou 8 semaines, *un pedigree* et non un « certificat de race » qui n'a aucune valeur (si le chien est vendu comme animal de race), *un certificat de garantie et une facture détaillée* signée par le vendeur et l'acheteur précisant la date de la vente et de la livraison de l'animal, son identité, son prix de vente et l'adresse du vétérinaire personnel de l'acheteur. Tous les chiens et les chats vendus doivent être tatoués. Depuis le 28-6-1990, la vente est nulle de droit lorsque, dans un certain délai suivant leur livraison, les animaux sont atteints ou soupçonnés d'être atteints d'une des maladies suivantes : *chiens :* maladie de Carré, hépatite contagieuse, parvovirose canine, dysplasie coxofémorale, ectopie testiculaire, atrophie rétinienne ; *chats :* leucopénie, péritonite, infection par virus de l'immuno-dépression et leucémogène. Le diagnostic peut être fait par un vétérinaire ou par un expert nommé par le tribunal d'instance. La réclamation peut être déposée dans le mois qui suit la vente. En cas de problème, s'adresser au service d'enquêtes de la répression des fraudes ou aux services vétérinaires départementaux. L'absence d'attestation est punie d'une amende de 160 à 600 F.

■ **Assurance.** Dans un contrat d'assurance multirisques, faire ajouter une clause couvrant l'animal et les dégâts qu'il peut commettre. Il existe également une *Assurance mutuelle des animaux domestiques* (AMA, 14, rue de l'Armorique, 75015 Paris) qui comprend une assurance responsabilité civile ; *MGF,* 17, rue du Faubourg-St-Honoré, 75008 Paris ou 19-21, rue Chanzy, 72030 Le Mans Cedex ; *Concorde,* 5, rue de Londres, 75009 Paris ; *Avenir et Protection des Animaux* (APA assurance-vie) 117, rue Caulaincourt, 75018 Paris ; *Association St-Bernard,* 3, rue Guesde, 87000 Limoges. **Tarifs :** Assurance santé varie selon franchise, délai de carence ; ex : *Concorde « bonne formule multi-garantie » :* chirurgie accidents 828 F/an, complète 1 440 F/an,

Expérimentation animale

■ **Principe.** La vivisection, et plus généralement l'expérimentation sur l'animal, consistent à utiliser diverses espèces animales comme « matériel » expérimental. **Exemples d'expériences :** *souris :* cancérologie (les générations sont très rapprochées et permettent ainsi de suivre l'évolution génétique), *chats :* neurophysiologie (système nerveux très développé), *lapins :* tératologie (genèse des monstres), *chiens :* chirurgie expérimentale (par leur grande taille), *primates :* pharmacologie et expériences complexes.

■ **Statistiques.** ANIMAUX SACRIFIÉS. Chaque année dans le monde : 800 millions dont USA + de 60 (75 % de souris et rats), France + de 5.

3 645 708 animaux (vertébrés) ont été utilisés en 1990 par 665 laboratoires de recherche. 90 % étaient des rongeurs (souris 2 000 000, rats 830 000, cobayes 120 000, hamsters dorés 25 000, divers 7 000). Autres espèces : lapins 89 000, oiseaux 82 000, poissons 55 000, amphibiens 30 000, porcs 15 000, chiens 7 300, chats 2 500, singes 2 000. 30 % servent à la recherche biomédicale, 70 % aux industries (pharmacie, chimie et cosmétiques pour tester la toxicité des produits).

Env. 85 % des expériences se font sans anesthésie en toxicologie et en neurologie.

■ **Législation.** En France. *Convention européenne* pour la défense des animaux utilisés à des fins expérimentales adoptée par le Conseil de l'Europe en 1985 (directive 86/609/CEE). *Décret* du *19-10-1987* demandant la réglementation de l'expérimentation et le développement des méthodes « alternatives ».

■ **Opposition. Principales associations. Coalition mondiale pour l'abolition de l'expérimentation sur l'homme et sur l'animal** créée 1955 par M. Messerly. 8, chemin du Cèdre, Chêne-Bougeries, 1224 (Genève). *Pt :* Dr Jacques M. Kalmar (France). **Fondation européenne pour la coordination des Recherches en Bio-substitutologie** 35, rue des États-Unis, L 1477, Luxembourg PDT. **Ligue française contre la vivisection et contre les expérimentations sur les animaux** 84, rue Blanche, 75009 Paris, créée 1956 par Jean Duranton de Magny. **Ligue antivivisectionniste de France, Défense des animaux martyrs** 9, rue Paul-Féval, 75018 Paris. **Pro anima** 92, rue Perronet, 92200 Neuilly-sur-Seine. *Pt d'honneur :* Pr Théodore Monnod. *Pt :* Pr Yves Cherruault.

Argumentation. L'animal est d'une fiabilité aléatoire : celui qui a peur et vit en régime concentrationnaire subit des perturbations métaboliques importantes, surtout quand il s'agit d'animaux de compagnie volés ou abandonnés (70 000 chiens, 35 000 chats par an), ce qui était souvent le cas avant le décret du 19-10-1987.

Les résultats obtenus varient selon l'heure, la saison, l'espèce, la souche, l'alimentation, la température. La majeure partie des expérimentations ne sont que la répétition de ce qui a déjà été réalisé ailleurs. L'expérimentation sur l'animal pourrait être remplacée en maintes disciplines par des méthodes substitutives : culture de cellules, modèles mathématiques, instruments divers. Surtout en toxicologie et en pharmacologie où l'animal n'est utilisé que pour répondre aux exigences des réglementations officielles contraignantes et peu conformes aux données scientifiques actuelles qui reconnaissent la complexité humaine et l'influence du psychisme et des milieux de vie.

☞ 6 membres du groupe antivivisection Arche de Noé, qui avait enlevé des animaux de laboratoire et volé des documents à l'Inserm de Lyon, dans la nuit du 20/21-5-1989, ont été condamnés le 1-12-1992 à 6 mois de prison avec sursis par le tribunal correctionnel de Lyon et à verser 1 million de F à l'Inserm pour dommages et intérêts.

■ **La Ligue internationale des Droits de l'animal** s'élève dans sa Déclaration universelle (voir p. 170) contre toute expérimentation douloureuse et se déclare pour l'obligation légale d'utiliser les techniques substitutives.

☞ **En Suisse.** Référendum du 1-12-1985, 70,5 % des voix contre le projet de révision constitutionnelle demandant l'interdiction de la vivisection (88,5 % dans le Valais, de langue française).

plafond annuel 7 000 F, franchise 20 % par acte (minimum 100 F, maximum 400 F), délai de carence 45 j pour la maladie.

■ **Livre des origines français (LOF),** livre généalogique canin ouvert par la *Sté centrale canine* (SCC) en 1885, inscrit en 1957 au Registre des livres généalogiques du ministère de l'Agriculture. Inscription codifiée par décret ministériel en 1966. Seuls les certificats d'inscription délivrés par la SCC sont reconnus par le min. de l'Agriculture. Ils comportent 1 tableau généalogique remontant à 3 générations (pedigree). Le chien sera confirmé par un juge ou un expert qualifié pour la race considérée s'il est capable d'entretenir ou d'améliorer les qualités de la race, et s'il est au minimum conforme aux normes du standard de la race. Environ 36 % des chiens inscrits sont présentés.

■ **Chevaux.** Usage des barbelés interdit autour des enclos.

■ **Décès.** *Chien de + de 40 kg.* L'équarrisseur (ou service d'hygiène) à la mairie doit être averti au plus tôt. Il est interdit d'enterrer un animal de + de 40 kg. *Chien de – de 40 kg.* Doit être enterré à 1 m de profondeur, à au moins 35 m de distance des habitations, puits, sources... **Cimetières.** *4, pont de Clichy, 92600 Asnières :* établissement privé, *créé* 1899, plus de 2 000 tombes ; site protégé dep. 25-6-1987, fermé 31-8-1987 par son propriétaire ; devenu propriété communale, réouvert 3-2-1989. *Route de Tremblay, 93420 Villepinte ; créé* 1957 (env. 3 000 tombes). *« Le Champ du repos » 92081 Paris La Défense Cedex 11.* **Service de pompes funèbres.** SEPFA, Route de Tremblay, 93420 Villepinte. *Forfait de base :* 1 300 F, *concession annuelle :* 290 F, renouvelable. **Incinération.** Admise pour les – de 40 kg. *Collective :* chat : 280 F, chien 450 ; *individuelle :* chat 500, chien 700. *A Paris :* SIAF (Service d'incinération des animaux familiers, 3, rue du Fort, 94130 Nogent-sur-Marne). Déplacement à domicile pour enlèvement du corps. (On peut se faire enterrer avec les cendres de son animal dans son cercueil.)

■ **Importation.** *Animaux destinés à la revente :* il faut au préalable avoir l'autorisation du ministère de l'Agriculture (accordée uniquement aux établissements officiels de vente) pour certaines espèces. En cas de décision favorable, il faut une visite sanitaire au poste de douane d'entrée en France, un certificat sanitaire précisant pour les chiens les vaccinations contre la rage [1], la maladie de Carré, l'hépatite contagieuse ; pour les chats contre la rage [1], le typhus (leucopénie infectieuse). L'importation de chiens et chats de moins de 3 mois est interdite. *Chiens et chats âgés d'au moins 3 mois accompagnant les voyageurs* (3 animaux dont au plus 1 chiot) : entrée en France possible sans autorisation, sur présentation d'un certificat vétérinaire de vaccination antirabique.

Nota. – (1) Le certificat antirabique est remplacé par un certificat vétérinaire pour les pays indemnes de rage dep. + de 3 ans.

■ **Pensions.** La SPA fournit une liste de pensions.

■ **Perte d'un animal. Région parisienne :** aviser SPA, gendarmerie ou commissariat de police les plus proches du lieu où a été perdu l'animal. Leur demander l'adresse de la fourrière. *SPA* (Sté protectrice des animaux), pour Paris, *Refuge Grammont,* 30, av. Charles-de-Gaulle à Gennevilliers. Capacité max. 500 chiens, 500 chats. *Assistance aux animaux,* 90, rue J.-P.-Timbaud, Paris 11ᵉ. *Actions animaux nature,* 36-15 code AAN. *SOS animaux perdus,* 26, rue du Bouloi, 75001. **Province :** gendarmerie. *Confédération nationale des SPA de France,* 17, place Bellecour 69002 Lyon.

■ **Possession.** *La loi du 9-7-1970* autorise la présence d'animaux familiers dans les appartements à condition de ne pas gêner les autres locataires. *Animaux exotiques.* La réglementation actuelle ne permet, en principe, de se procurer que bengalis, mandarins, calfats, ministres, canaris, cardinaux, moineaux du Japon, papes, tortues de Floride. Leur exportation est souvent interdite par le pays d'origine car leur capture engendre généralement des massacres (1 animal sur des dizaines qui sont capturés parvient à bon port). *Animal dangereux :* la police peut intervenir si l'animal est reconnu dangereux pour l'entourage et capable d'occasionner un accident grave. S'il est sale et bruyant et cause des troubles de voisinage, il faut saisir les responsables municipaux de l'environnement.

■ **Taxidermie** (du grec *taxis* « arrangement » et *derma* « peau »). Art de naturaliser les animaux en vue de leur conservation. Science consistant à classer et à présenter leurs dépouilles dans les musées.

Réglementations. La loi du 10-7-1976 réglemente la protection de la nature. Les arrêtés du 17-4-1981 interdisent de ramasser, transporter, vendre ou acheter et naturaliser les sujets d'espèces protégées.

Tarifs des animaux empaillés (en milliers de F, 1992). *Source :* Deyrolle. **Oiseaux.** Autruche (2,50 m) 45. Cacatoès 2,5. Canard 1. C. de Barbarie 1,1. C. exotique 1,5. Coq 1,1. Cygne blanc 4. C. noir 4. Dinde 1,5. Dindon (en roue) 2,5. Faisan commun 1. F. doré 2. F. vénéré 1,6. Grue couronnée 4. Jabiru 2,5. Oies (grise et blanche) 2,5. Paon blanc 10. P. en marche 4,5. Perroquet 1,2. Pintade 1. Poule 1. **Mammifères.** Babouin 9. Bélier 20. Bison (jeune) 40. Blaireau 2,5 à 3,5. Bouc (grandes cornes) 22. Cerf (bramant, debout) 45. C. Sika 25. Chameau 22. Chamois 9. Chat 3,5. Cheval 70. Chevreau 1,5. Chèvre 9,5. C. naine 8. Chevrette 6,5 à 8. Chien cocker 5,5. C. épagneul 5. C. eskimo 15. Daim mâle 30 (femelle 15). Éléphanteau africain 45. Hyène 34. Lion debout 42. L. couché 45. Lionne 36. Lycaon 19. Mandrill 12. Marcassin 2 à 3,5. Mouton noir 8. Orignal 70. Ours blanc 70. O. brun 30. O. noir 35. Poney 30. Porc 18. Ragondin 3. Renard 3,5. Renne 40. Sanglier 10 à 16. Singe 5. Taureau de Camargue 45. Veau debout 9. V. couché 8. Yack 35. Zèbre jeune 11. Z. adulte 45. **Têtes.** Bœuf (roux) 7. Cerf 5,5 à 12. Cheval 7,5. Cob 5,8. Koudou 5,5. Vache 7. Yack 8,5. Waterbuck 6. Zèbre 8.

Taxidermistes : 470 établis (plus 40 à 50 dans les musées d'État). Profession regroupée dep. 1966 au sein du *Syndicat des naturalistes de France,* création d'un CAP le 2-7-1982. Ouverture d'une section Taxidermie au CFA de la Chambre des métiers de Meaux, en sept. 1987.

■ **Testament.** On peut faire un testament en faveur d'une personne ou d'une association stipulant que celle-ci devra prendre soin de l'animal désigné jusqu'à sa mort.

■ **Voyage. Autobus :** *chiens et chats :* autorisés dans panier (max. 45 cm). *Gros chiens :* non admis. **Autocar :** *animaux de – de 5/6 kg :* généralement dans un sac, gratuit. *Gros chiens :* muselés, tenus en laisse, demi-tarif ou prix forfaitairement fixé par la Cie. **Avion :** *animaux de – de 5 kg :* sac Air France : 190 F. *Gros chiens :* 3 sortes de caisses (– de 6,5 kg : 320 F, 8 kg : 400, 12,5 kg : 480. Ajouter le prix du billet : 1,3 % du plein tarif écon. de la destination, + 140 et 50 F lignes intérieures de la France et 70 et 25 F Corse. **Bateau :** *gros chiens :* généralement dans un chenil à bord du bateau ; *chiens, chats :* + petits (5/6 kg) : admis dans cabine. Un certificat récent de bonne santé, et de vaccination antirabique de – de 6 mois est exigé. **Métro :** *chiens et chats de – de 5/6 kg :* autorisés dans panier de 45 × 30 × 25 cm. Gratuit. *Grands animaux :* non admis sauf chiens d'aveugles. **RER :** *petits chiens et chats :* admis dans un sac (max. 45 cm). *Chiens + grands :* muselés, tenus en laisse, aux extrémités avant ou arrière des voitures, billet demi-tarif 2ᵉ cl. **Taxi :** *province :* dans la plupart des départements les chauffeurs ont le droit de refuser les personnes accompagnées d'animaux (sauf chiens d'aveugles). *Paris :* supplément de 3 F par animal transporté. **Taxis spéciaux pour animaux :** *Paris et région parisienne :* « Taxi-canine ». *Dijon et alentours :* « Snoopy service ». *Reims :* « Cabotage ». **Train :** *chats et chiens de – de 5/6 kg :* dans un panier de 45 × 30 × 25 cm, prix forfaitaire 26 F. *Chiens + grands :* demi-tarif 2ᵉ cl. Les petits animaux familiers des enfants titulaires de la *carte kiwi* ne paient pas.

A l'étranger. Pour entrer avec un chien ou un chat, vous devez posséder avant votre départ (sous réserve de modifications) : **Certificat de bonne santé :** Algérie, All., Autriche, Belgique, Danemark, Espagne, Finlande, Grèce, Israël, Lux., Maroc, Norvège, Portugal, Réunion, St-Pierre-et-Miquelon, Suède, Suisse, Tunisie, Yougoslavie. **Certificat antirabique** *datant de moins d'un an et de plus d'un mois :* Algérie, All., Autriche, Belgique, Danemark, Espagne, Finlande, France, Grèce, Israël, Italie, Japon, Luxembourg, Norvège, Pays-Bas, Portugal, St-Pierre-et-Miquelon, Suisse, Tunisie, Turquie, USA. Certificat indispensable pour le retour en France. Ces 2 documents doivent être contresignés par la Dir. des Services vétérinaires du dép. où exerce le vétérinaire qui les a établis. **Quarantaine :** *4 mois* Finlande (+ autorisation), Norvège (entrée interdite aux chiens), Suède ; *6 mois* G.-B., Maurice. **Importation interdite :** Nlle-Calédonie, Polynésie française, Australie, Arabie S., Nlle-Zélande. Se renseigner à l'avance auprès du consulat du pays de destination ou auprès de la Direction générale des douanes.

LES PLANTES

Il y aurait env. 450 000 espèces de plantes (dont 250 000 à fleurs parmi lesquelles 500 carnivores) et chaque année 5 000 espèces nouvelles seraient signalées. En France env. 4 700 dont 170 « strictement » françaises.

CELLULE ET TISSUS

CELLULE

Composition. Noyau baignant dans le *cytoplasme* (limité par la *membrane plasmique* ou *plasmalemme*) et renfermant divers *organites* (mitochondries, dictyosomes, reticulum endoplasmique...).

Différences avec la cellule animale 1°). Elle renferme un organite qui lui est propre : le *plaste. Chloroplaste* (contenant de la chlorophylle) dans les feuilles et autres tissus chlorophylliens, *amyloplaste* (contenant de l'amidon) dans les tissus de réserve, *chromoplaste* (coloré) dans les pétales des fleurs, *proplaste* (peu structuré) dans les cellules très jeunes, *étioplaste* (contenant un corps prolamellaire) dans les cellules de plantes étiolées (croissance à l'obscurité), *leucoplaste* (plaste blanc) dans les tissus non chlorophylliens des plantes. 2°) **Elle est entourée d'une paroi relativement épaisse et rigide,** pecto-cellulosique ou lignifiée, qui confère aux plantes leur « tenue ». *Des plasmodesmes* (perforations transpariétales d'un µm de diamètre) mettent en contact les cytoplasmes de 2 cellules voisines. 3°) **Elle possède un appareil vacuolaire très développé** (occupant souvent plus de 80 % du volume cellulaire) : les vacuoles sont bordées par une membrane, le *tonoplaste,* et renferment des solutions de sels et molécules organiques, assurant la turgescence de la plante.

TISSUS

■ **Définition.** Ensemble de cellules assurant une fonction déterminée.

■ **Tissus essentiels chez les plantes supérieures :**

Parenchymes Chlorophylliens : cellules contenant de très nombreux chloroplastes assurant la photosynthèse. **De réserve :** cellules assurant le stockage de sucres, protéines ou lipides.

Bois ou xylème. Tissus conducteurs de la sève brute. Constitué par *les vaisseaux,* longs tubes à parois lignifiées, épaisses et ponctuées résultant de l'assemblage de plusieurs cellules dont le cytoplasme et le noyau régressent complètement à l'état adulte ; *les cellules parenchymateuses* (à contenu vivant) qui jouent le rôle d'intermédiaire entre les vaisseaux (transporteurs à longue distance) et les tissus irrigués ; *les fibres de soutien,* lignifiées, souvent à proximité des vaisseaux, qui améliorent la rigidité du bois. Dureté et porosité... dépendent beaucoup du milieu d'origine de l'espèce considérée (plus ou moins humide et chaud, par exemple). *Plantes possédant le moins de bois :* plantes aquatiques et de milieux humides, *le plus :* arbres. Sous nos climats, chaque année, une zone génératrice fabrique un anneau ou cerne de bois près de la périphérie des axes ; il est aisé d'y reconnaître le *bois de printemps* (plus poreux et plus clair) et le *bois d'été* (plus dense). Seuls, les cernes des quelques dernières années *(aubier)* assurent la conduction de la sève ; le bois le plus ancien *(cœur)* n'a qu'un rôle de soutien.

Liber ou phloème. Conducteur de la sève élaborée. Il comprend : *les tubes criblés,* à parois transverses et longitudinales percées de nombreux pores, assurant le transport à longue distance ; *le parenchyme libérien* entourant les tubes criblés ; *les cellules compagnes* pouvant se transformer en tubes criblés quand ceux-ci sont obstrués.

Certaines mousses et algues ont également des tissus conducteurs.

Collenchyme. Constitué de cellules à parois cellulosiques épaisses et à contenu cytoplasmique fonctionnel ; joue un rôle de soutien.

Sclérenchyme. Ensemble de cellules à parois lignifiées, épaisses, dont le contenu vivant disparaît à l'état différencié ; rôle de soutien.

Fibres. Cellules allongées à paroi épaisse, cellulosique ou lignifiée, à contenu régressé (comme le sclérenchyme ou comme les vaisseaux du bois) ; rôle de soutien.

QUELQUES DÉFINITIONS

Anémochore. Plantes dont les semences sont disséminées par le vent. *Type planeur léger :* diaspores de faible poids (ex. des spores de Mousses) pouvant être disséminées à des milliers de kilomètres. *Type lourd,* diaspores dont la dissémination est facilitée par ex. par des organes plumeux (graines de Saules), des ailes membraneuses (samares des Frênes ou des Érables). *Type rouleur :* organes ou plantes en boules arrachés par le vent, roulés parfois sur de grandes distances.

Autochore. Plante dont la dissémination des semences s'effectue par elle-même [ex. fruits qui explosent sous l'influence d'un dispositif mécanique (Genêt à balai) ou d'une augmentation de la pression osmotique (Balsamine)].

Autotrophe. Être vivant capable de faire la synthèse de sa propre substance à partir de substances minérales. Les végétaux chlorophylliens sont autotrophes.

Entomophiles. Plantes dont la pollinisation est assurée par les insectes.

Cryophiles. Plantes recherchant le froid.

Chaparral. Formation végétale d'arbustes sclérophylles (à petites feuilles dures et persistantes). Californie et nord du Mexique.

Endozoochore. Semence ou spore qui est disséminée par les animaux en passant à l'intérieur de leur corps.

Éphémérophyte. Plante au cycle biologique très court (quelques semaines au plus).

Épiphyte. Organisme végétal se développant sur une plante (un arbre en général) qui lui sert uniquement de support.

Formes biologiques selon Raunkiaer. Thérophytes : plantes annuelles qui passent la mauvaise saison (période froide ou période sèche) sous forme de *diaspores.* **Cryptophytes :** plantes vivaces dont les organes pérennants sont enfouis dans le sol *(géophytes),* la vase *(hélophytes,* ex. : roseaux), ou l'eau *(hydrophytes).* **Hémicryptophytes :** plantes dont les bourgeons hivernaux sont au ras du sol, entourés d'une rosette de feuilles protectrices. **Chaméphytes :** grandes plantes ligneuses : *nanophanérophytes* (de 50 cm à 2 m) et *macrophanérophytes* (+ de 2 m).

Héliophile. Plante recherchant la lumière.

Hétérotrophe. Être vivant ne pouvant faire la synthèse de ses produits organiques qu'à partir des produits organiques préexistants. Animaux et champignons sont hétérotrophes.

Limnophyte. Plante fixée dans la vase. Certaines parties peuvent être submergées (ex. : *myriophylles*), ou flotter à la surface de l'eau (ex. : *renoncules).*

Psammophyte. Plante croissant dans le sable (ex. : *l'Oyat* sur les dunes).

Phytocénose. Ensemble des végétaux vivant dans un biotope.

Symbiose. Association (à bénéfices réciproques) entre êtres vivants (Lichens/arbre).

Tropisme. Orientation de la croissance suivant certains facteurs externes : lumière *(phototropisme),* humidité *(hydrotropisme),* attraction terrestre *(géotropisme),* contact sur un support *(haptotropisme).*

PLANTES CARNIVORES

Dionée : feuilles composées de 2 lobes réunis par une nervure formant charnière ; mouches, moustiques ou insectes touchant ce piège sont digérés par des enzymes. **Drosera** (ou Rossolis) : espèce des tourbières acides à poils rouges qui engluent les petits insectes puis les digèrent. **Grassette** (10 à 15 cm) : feuilles sécrétant une substance permettant d'engluer et de digérer les insectes. **Utriculaires :** feuilles aquatiques transformées en une petite outre qui sert de piège pour les petits crustacés. **Sarracinie** (marais) : cornet dressé pour attirer les insectes qui ne peuvent remonter à l'intérieur.

PLANTES TOXIQUES

LÉGENDE : *en italique :* substances toxiques. *Al. :* alcaloïdes. *At. :* atropines. *Card. :* cardiotoxiques. *Hét. :* hétérosides. *Inc. :* inconnues. *M. c. :* mal connues. *Sap. :* saponosides. *Sol. :* solanines. (1) Toute la plante. (2) Fruit. (3) Baies. (4) Feuilles. (5) Graines. (6) Racines.

Aconit [1] (plusieurs espèces) *al.* **Actée en épis** [3] *inc.* **Arum** [3] *m. c. (sap.).* **Belladone** [1,3] *al. (at.).* **Bryone** [3,6] *cucurbitacines.* **Chanvre** [1] *dérivés phénoliques.* **Chèvrefeuilles** [3] *m. c.* **Ciguës** [1] *al.* **Colchique** [1] *al. (colchicine).* **Cytise** [1] *al. (cytisine, phytohémagglutinines).* **Daphnés** [3] *hét.* **Datura** [2] *al. (at.).* **Dieffenbachia** [4] *protéase hét.* **Digitales** [1] *hét.* **Douce-amère** [3] *sap. gluco-al.* **Fusain** [2] *hét.* **Glycine** [5] *phytohémagglutinines.* **Gui** [3] *m. c.* **If** [5] *al. (taxine).* **Laurier rose** [1] *hét. card.* **Lierre** [2] *sap.* **Lyciet** [3] *sol. sap.* **Morelle noire** [3] *sol. sap.* **Muguet** [1,3] *hét. card.* **Maïanthème** [3] *card.* **Oenanthe safrané** [1] *oenanthotoxine.* **Parisette** [3] *inc.* **Phytolaque** [3] *sap.* **Redoul** [2] *hét.* **Ricin** [5] *phytotoxines.* **Sceau de Salomon** [3] *sap.* **Tamier** [3] *sap.* **Vératre** [6,1] *al. (vératrine).*

Épiderme. Couche de cellules enveloppant le végétal ; la paroi externe est cutinisée. Percé de *stomates* et éventuellement pourvu de poils ; rôle protecteur : régule l'évapotranspiration de la plante.

Liège ou suber. A la périphérie des troncs et rameaux cellules dont le contenu vivant est remplacé par de l'air ; parois souples. Isole les tissus intérieurs de l'atmosphère ambiante, mais permet les échanges gazeux par des pores de communication ou lenticelles. *Suber le plus épais :* chêne-liège.

Méristèmes. Cellules aptes à la division. *Les méristèmes primaires* sont responsables de la mise en place des cellules des tiges, feuilles et racines. *Les m. secondaires,* ou zones génératrices, édifient le bois, le liber secondaires ainsi que le liège.

Tissus sécréteurs. Constitution cellulaire très diversifiée. Accumulent des produits de sécrétion, ex. : essences dans les poches sécrétrices des orangers, poils de nombreuses labiées (lavande, thym, menthe, mélisse...), résines dans les canaux sécréteurs des conifères du latex, dans les laticifères des Hévéas (arbres à caoutchouc), Euphorbes, Salsifis ou Laitues.

NUTRITION

NUTRITION MINÉRALE

Racines. Elles puisent dans le sol les solutions hydriques (apport d'eau par pluies ou arrosage) complexes, à base de NPK (azote, phosphore et potassium), contenues dans le sol. Les légumineuses (Pois, Soja, Haricot) hébergent dans des nodosités de leurs racines des bactéries symbiotiques (Rhizobium) qui fixent directement l'azote de l'air. La plante a aussi besoin de soufre, phosphore, magnésium, fer et calcium *(macro-éléments),* et, en quantité infime, bore, cobalt, cuivre, manganèse, molybdène et zinc *(oligo-éléments).*

Sève. Liquide nourricier circulant dans les vaisseaux de la plante. *La sève brute,* composée d'eau et de substances minérales (notamment azotées) puisées dans le sol par les racines, circule des racines vers les feuilles ; le moteur de l'ascension de la sève brute est l'évaporation de l'eau à la surface des feuilles (appel transpiratoire). *La sève élaborée,* à base de sucres, circule vers tous les organes de la plante qu'elle va nourrir (*vitesse :* quelques cm à quelques m par heure suivant l'espèce, l'heure, la saison).

NUTRITION CARBONÉE

■ **Plantes sans chlorophylle.** Elles empruntent des matières organiques à d'autres corps morts **(saprophytisme)** ou vivants **(parasitisme** ou **symbiose).**

■ **Plantes à chlorophylle. Photosynthèse :** grâce principalement à la chlorophylle contenue dans les chloroplastes de leurs feuilles, les plantes utilisent l'éner-

gie lumineuse venant du soleil pour combiner le gaz carbonique qu'elles absorbent avec l'hydrogène (apporté par l'eau) et former des substances organiques (sucres en particulier). Elles rejettent alors de l'oxygène.
$6\ CO_2 + 6\ H_2O$ + énergie lumineuse → $C_6\ H_{12}O_6$ (glucose) + $6\ O_2$.

1re PHASE PHOTOCHIMIQUE : le dégagement d'oxygène s'accomplit à la lumière. Grâce à l'énergie lumineuse captée par la chlorophylle, au niveau de 2 photosystèmes, des électrons arrachés à l'eau sont transférés jusqu'au $NADP^+$ par une chaîne de transporteurs d'électrons. Le $NADP^+$ est alors réduit en NADPH + H^+ en prélevant 2 protons dans le stroma plastidial. Au cours de ce transfert, des protons sont accumulés dans le lumen des thylacoïdes, petits sacs constituant les lamelles photosynthétiques et les grana. Un gradient de protons, c'est-à-dire un gradient de pH, s'établit de part et d'autre de la membrane du thylacoïde entre le lumen et le stroma. La libération de ces protons vers le stroma au niveau des ATP synthétases permet la synthèse d'ATP (adénosine triphosphate), à raison de 3 protons par molécule d'ATP formée.

2e PHASE THERMOCHIMIQUE : le gaz carbonique est fixé sans besoin de lumière. Le NADPH + H^+ et l'ATP obtenus sont utilisés pour transformer le gaz carbonique en sucre (glucose). Du point de vue de l'assimilation du CO_2, on distingue : *1°) les plantes en C_3* (surtout arbres des forêts tempérées) pour lesquelles le 1er produit qui suit la fixation du CO_2 est une molécule à 3 atomes de carbone (acide phosphoglycérique). *2°) les plantes en C_4* (maïs, canne à sucre, plantes de régions subtropicales) qui incorporent le CO_2 dans un corps en C_4 (acide malique ou aspartique).

La 1re plante à photosynthèse date de 2 milliards d'années. Les *cyanobactéries* (algues bleues), photosynthétiques sont les ancêtres des cloroplastes.

Importance de l'assimilation chlorophyllienne. Un hectare planté en maïs, depuis le semis jusqu'à la récolte, consomme 3 000 m³ de gaz carbonique ; un km² de forêt par an 350 000 m³ et +. Un hectare planté en tournesols produit 6 à 7 t de matière organique par an, et la totalité des végétaux chlorophylliens de la planète env. 3 × 10^{11} t.

Énergie lumineuse utilisée annuellement par les végétaux chlorophylliens : 7 × 10^7 t de charbon, soit 0,5 × 10^{14} calories (kcal).

Rendement de la photosynthèse : 1 à 2 calories sur 100 apportées par l'énergie lumineuse.

Respiration

Les plantes échangent des gaz (gaz carbonique, oxygène, vapeur d'eau) avec l'atmosphère environnante par les **stomates**, situés à la surface des feuilles, et constitués de 2 cellules en forme de rein qui ménagent entre elles un orifice, l'**ostiole**, par où circulent les gaz. L'ostiole peut être ouvert ou fermé, et les stomates contrôlent ainsi les échanges gazeux de la plante. 1 feuille de chêne contient 350 000 stomates, 1 feuille de tournesol en contient 13 millions.

En respirant, une plante absorbe de l'oxygène et accomplit une série de réactions chimiques se terminant dans les mitochondries, assimilables à la combustion lente des substances mises en réserve. Alors que ces substances sont transformées en gaz carbonique, rejeté par la plante, l'énergie qu'elles contenaient est libérée puis utilisée à divers processus d'entretien et de croissance. Les échanges gazeux liés à la respiration sont inverses de ceux de la *photosynthèse,* les mécanismes des 2 phénomènes ne font pas intervenir les mêmes compartiments cellulaires ni les mêmes enzymes, mais ils présentent certaines homologies de fonctionnement.

Dans la journée, la *photosynthèse* l'emporte sur la respiration. *La nuit,* elle s'arrête faute de lumière, les plantes rejettent alors le gaz carbonique et absorbent l'oxygène de l'atmosphère. C'est pour cette raison que l'on recommande de ne pas garder les plantes la nuit dans une chambre à coucher sauf les plantes à métabolisme photosynthétique en C_4 (ficus, caoutchouc) qui fixent le CO_2 au cours de la nuit. Certaines plantes présentent, en + de la respiration mitochondriale, une photorespiration stimulée par la lumière : au cours de la photosynthèse, les chloroplastes peuvent rejeter une partie du carbone fixé sous forme d'acide glycolique. Cet acide passe

Quelques records

■ **Abondance. Plante la plus répandue :** la *Cynodon dactylon.* En FRANCE, le *paturin des prés* entre 0 et 2 600 m d'altitude. **Fleur la plus rare :** un *souci* entièrement blanc (Iowa, USA) prix Burpee de 1924, un spécimen de *Presidio manzanita* à petites fleurs roses (en Californie).

■ **Arbres. Altitude :** *l'abies squamata* pousse jusqu'à 4 600 m. **Les plus grands :** en AUSTRALIE *eucalyptus regnans* tombé en 1872, aurait atteint env. 132 m. En EUROPE *eucalyptus sempervirens* 92 m (Portugal, 1972). En FRANCE *sapin pectin* de 298 ans (Russey, Doubs) 53 m. Aux USA *sequoias* de Californie, âgés de 3 000 à 4 000 ans, atteignent jusqu'à 84 m, circonférence jusqu'à 25 m ; *pin Douglas* 94,5 m. **Le plus petit :** *le saule arctique ou herbacé :* 2 cm (visible en haute montagne) pousse jusqu'à 83° de lat. Nord (ainsi que le pavot jaune). **Les plus gros troncs :** *« L'arbre des 100 Chevaux »* (Sicile), châtaignier ayant entre 3 600 et 4 000 ans, aurait eu un tronc de 64 m de circ. (détruit en partie par les intempéries, il mesure auj. env. 51 m). *Le banian,* peut avoir plus de 350 gros troncs et 3 000 petits. *Le cyprès* de Santa Maria del Tula (Mexique), d'env. 1 000 ans, 34,25 m. **Les plus vieux** en années : *baobab* 5 000. *Cèdre japonais* 7 200. *Châtaignier commun* 900 à 1 070. *Chêne* 4 000. *Chêne liège* 250 à 500. *Cyprès* 1 970. *Frêne commun* 250 à 275. *If* 3 000. *Larrea tridentata* 11 700. *Olivier* (avec souches recépées) 2 000 à 4 000. *Peuplier noir* 500. *Pinus longaeva* env. 4 900, *aristata* 4 600. *Platane* 800. *Poirier* 700. *Rosier* 1 000. *Sequoia géant* 6 000. *Tilleul* 400. En EUROPE. *Chêne* 500 à 600. *If* 400 à 1 600. En FRANCE. *Chêne d'Allouville* (Seine-Mar.) 1 200 ou 1 300, 15 m de circonférence, h. 25 m, contient 2 chapelles dep. 1696, refaites en 1851 ; *des partisans* (Vosges) 18 m de circonférence, au niveau des racines, 9,8 m à 2,3 m du sol, 32 m de haut ; *de Jupiter* (Île-de-Fr.) 450 ; *St-Jean-de-Compiègne* + de 700. *Cyprès* 250 à 500. *Hêtre de Marchaux* (Doubs) 270 ; *de Montigny* (Normandie) 600. *If de la Motte-Feuilly* (Indre) env. 1 500. *Orme de Cassignas* (Lot-et-G.) 1 000. *Robinier acacia* 386 en 1988 (le plus vieil arbre de Paris). En G.-B. *chêne* près de Nottingham où Robin des Bois et ses compagnons avaient l'habitude de se cacher, 800 : sera soutenu par une structure métallique (coût 20 millions de F). Aux USA *Pin Bristlecone Mathusalem* 4 700 (Californie).

■ **Bambou. Le plus haut :** *Bambusa arundianacea à épines* (Travancore, Inde) : 37 m.

■ **Bois. Le plus lourd :** l'*Olea laurifolia* ou *sidéronxylon* (Afr. du Sud) (1 490 kg/m³), il ne flotte pas. **Le plus léger :** *Aeschynomene hispida* (Cuba) (44 kg/m³). *Balsa* 50 à 385 kg/m³. 240 kg/m³.

■ **Bonzaï.** Arbuste ou arbre miniature cultivé en pot auquel on a donné une forme intéressante. Art d'origine chinoise remontant à la dynastie Song, perfectionné et maintenu dès le XIVe s. par les Japonais. 3 GROUPES : miniature (15 à 20 cm), moyen (30 à 70 cm), jardin (1 à 1,80 m). Sa valeur sera fonction de l'harmonie des proportions entre l'arbre et son contenant et de sa ressemblance avec ses frères vivant à l'état sauvage. On réalise également des plantations sur rochers, des groupes et des paysages miniatures *(saikei).* CULTURE : à partir de graines, de boutures, par des greffes, des marcottes et par récolte. NANIFICATION : par la taille des racines, des branches, du feuillage et par la conduite du tronc et des branches avec du fil de cuivre, vers la forme désirée.

■ **Cactus.** *Saguaro* (Arizona, USA), 16 m, 6 à 10 t, peut vivre 200 ans (grande colonne verte surmontée de branches ayant la forme de candélabres). *Cactus sans piquant :* 24 m (Arizona, USA).

■ **Champignon. Le plus gros :** sparassoides *(Periza Proteana)* 55 kg, long 80 cm (près de Jonage, Isère). Polypore géant *(Meripilus giganteus)* plusieurs dizaines de kg. Vesse-de-loup *(Langermannia gigantea),* 22 kg, 2,64 m de circonférence (Kent, G.-B.).

■ **Croissance. La plus rapide :** *l'Albizzia falcata :* peut atteindre 10,75 m en 13 mois. Un spécimen d'*Hesperoyucca whipplei* a grandi de 3,65 m en 14 jours en 1978 dans les îles Scilly. Certains bambous poussent de 90 cm par j (4 cm/h), et peuvent atteindre 30 m en 3 mois. **La plus lente :** *Puya raimondii :* son panicule apparaît au bout de 80 à 150 ans. Les *bonzaï* atteignent 30 cm de haut. au bout de 98 ans (tronc : 2,5 cm de diam.). Un *Dioon edule* de 120 ans mesure 10 cm.

■ **Étendue.** La *Gay lussacia brachvera* peut recouvrir une surface de 40 ha en 13 000 ans. Un champignon *Armillaria bulbosa* des forêts du Michigan s'étend à lui seul sur 15 ha (âge 1 500 ans, poids 100 t).

■ **Dimensions. Algue :** *macrocystis :* 60 m de long au plus, il croît de 45 cm par jour. Pousse au large des côtes pacifiques de l'Amér. du Nord, et au sud de l'Amér. du Sud.

■ **Feuilles. Les plus grandes :** *Raffia raffia* (îles Mascareignes) et *Raphia toedigera* (palmier d'Amazonie) : jusqu'à 20 m. *Victoria regia (plante aquatique) :* jusqu'à 2 m de diam. *Bananier :* 6 m de long, 1 m de large (except.). **Arbres ayant le plus de feuilles :** *cyprès,* 45 à 50 millions (aiguilles). *Chêne,* env. 250 000.

■ **Fleurs. Les plus grandes :** *Rafflesia arnoldii :* jusqu'à 90 cm de diamètre, 2 cm d'épaisseur, 6 à 7 kg (Sumatra et Java), odeur de viande putréfiée. *Nénuphar sauvage blanc :* 15 cm de diam. (la plus grande fleur en France). *Wisteria géant* (Sierra Madre, Californie) : glycine, branches de 150 m de long, 4 000 m², 230 t, 1 500 000 fleurs. **Les plus petites :** la lentille d'eau *Wolffia angusta* d'Australie : 0,6 mm. *Les Pilea microphylia* (Antilles) : 0,35 mm. **Plantes ayant beaucoup de fleurs :** broméliacée géante *Puya raimondii* dont chaque panicule (diam. 2,5 m, haut. 10,70 m) porte jusqu'à 8 000 fleurs blanches (fleurit pour la 1re fois entre 80 et 150 ans, puis meurt). Sur un *rosier* de Californie, 20 000 fleurs peuvent fleurir chaque année. *Chrysanthème* 1 028 fleurs (hauteur 2,11 m ; tour 6,37 m, parvenu à maturité en 11 mois à partir d'une tige de 10 cm). ALTITUDE : une fleur de l'Himalaya, la *Stellaria decumbens,* a été trouvée à 6 500 m.

■ **Fossiles vivants.** *Ginkgo :* date du jurassique ; il en subsiste un peuplement naturel en Chine ; il y en a dans les parcs de Paris. *Cycas :* datent du trias ; ont des feuilles pennées et un port dressé ; régions tropicales. *Welwitschia mirabilis :* plante aux feuilles rampantes, Afrique du Sud.

■ **Fougère.** *Alsophila excelsa* (île de Norfolk), 18 m.

■ **Fruits.** *Jacques (du jacquier),* 15 à 40 kg ; *Coco de mer,* 18 kg (1 236 graines) ; certaines *orchidées,* 1 g.

■ **Graines.** GERMINATION. Une graine du *Lupin arctique,* datant d'env. 10 000 à 15 000 ans, trouvée en 1954 dans un endroit gelé au Canada, a pu germer en 1966. On a pu faire germer des graines d'autres espèces (datant de 1 000 à 1 700 ans), mais aucun témoignage n'établit avec certitude que l'on ait pu faire germer des graines venant des tombeaux des pharaons. NOMBRE. L'*Acropera* peut compter 74 millions de graines (par plante).

■ **Haies.** *Hêtres* (Écosse), haut. 26 m, long. 550 m, plantée en 1746. *Ifs* (parc d'Earl Bathurst, G.-B.), haut. 11 m, épaisseur 4,50 m. *Buis* (Offal, Irlande), haut. 11 m, plantée au XVIIIe s.

■ **Latitude. Sud :** le *Deschampsia antarctica* fleurit en Antarctique par 68°21′ ; le *Rhinodina frigida* jusqu'à 86°. **Nord :** le *Papaver radicatum* et le *Salix artica* jusqu'à 83°.

■ **Lianes.** *Palmier rotang* dont on tire le *rotin.* Lianes de plus de 100 m, 5 cm de diamètre : on découpe l'écorce de ses longs entre-nœuds en fines lanières pour le cannage.

■ **Mousse. La plus grande :** *Fontinalis :* filaments jusqu'à 90 cm de long. **La plus petite :** *l'Ephemerum.*

■ **Projection.** Le *Hura crepitans* (arbre de 10 à 12 m) projette à 25 m les morceaux de son fruit.

■ **Racines. Les plus profondes,** celles d'un *figuier* sauvage du Transvaal : 120 m. Un seul épi de seigle *(Secale cereale)* peut avoir 620 km de minuscules racines sur 0,051 m³ de terre.

Serres et jardins d'hiver

France. *Vers 1780* 1res serres, parois de verre tenues dans une armature de bois et de métal. *XVIIIe et XIXe s.* Paris (parc Monceau), La Malmaison, Suresnes pour Salomon de Rothschild, Ferrières pour James de Rothschild, château d'Aubigny à Céret (P.-Or.). *1836* Paris (jardin des Plantes), pavillons édifiés par Charles Rohault de Fleury pour végétaux des milieux arides. *1857* Paris (jardin d'Hiver) (100 × 65 m, haut. 18,5 m). *1884* Strasbourg, serre Victoria dans le jardin botanique. *1927* Paris (serres d'Auteuil) (100 × 15 m, haut. 16 m). *1936* Paris (jardin des Plantes) : grand jardin d'hiver 55 × 20 m, haut 16 m, construit par Berger. **G.-B.** *1820-27* Syon. *1826* Chatsworth par Paxton. *V. 1830* Bicton, serre à palmiers (20 × 10 m). *1844-48* 1res serres métalliques. *1851* Londres (Palais de cristal) (562 × 124 m, haut. 33 m).

Langage des fleurs

Achillée mille-feuille : *guerre, mérite caché, guérison.* Adonis : *tendre douleur.* Amaryllis : *fier et volage.* Ancolie : *folie.* Anémone : *abandon,* des prés : *maladie.* Anthémis : *présomption.* Aristoloche : *tyrannie.* Aubépine : *espérance.* Azalée : *amour timide.* Basilic : *haine.* Belle-de-jour : *coquetterie.* Bleuet : *délicatesse.* Bruyère : *rêverie solitaire.* Buglosse : *mensonge.* Camélia : *constance.* Camomille : *énergie dans l'adversité.* Campanule à feuilles rondes : *soumission.* Capucine : *flamme d'amour.* Célosie : *fidélité et constance, immortalité.* Centaurée : *message d'amour, félicité.* Chèvrefeuille : *liens d'amour.* Chrysanthème : *amour.* Clématite : *attachement.* Cobée : *nœuds.* Corbeille-d'argent : *indifférence.* Corbeille-d'or : *tranquillité.* Crocus : *joie, allégresse juvénile.* Cyclamen : *sentiments durables.* Cyprès : *deuil.* Dahlia : *reconnaissance stérile, nouveauté.* Delphinium : *charité ou légèreté.* Dentelaire de Chine : *causticité.* Digitale pourpre : *travail et absence.* Doronic du Caucase : *grandeur.* Euphorbe : *inquiétude.* Fougère : *sincérité.* Fritillaire : *arts ménagers, puissance.* Fuchsia : *gentillesse.* Fusain : *souvenir constant.* Genévrier : *asile secourable.* Giroflée : *fidélité dans le malheur,* quarantaine : *élégance, compassion.* Glaïeul : *défi, indifférence.* Guimauve : *bienfaisance.* Hellébore : *médisance.* Hélénie : *pleurs.* Héliotrope : *éternel amour, amour fou.* Hortensia : *froideur.* Houblon : *méchanceté.* Houx : *insensibilité.* Immortelle : *constance,* jaune : *souvenir.* Impatience : *impatience.* Iris : *message.* Jacinthe : *grâce et douceur, jeu.* Jasmin : *sympathie voluptueuse.* Jonquille : *désir.* Joubarbe : *esprit.* Laurier (branche) : *gloire, victoire,* (couronne) : *récompense du mérite,* (sauce) : *séduction, sincérité.* Lavande : *silence.* Lierre : *attachement, amitié solide.* Lilas : *amour naissant.* Lin : *bienfait.* Lis : *majesté et pureté.* Marguerite : *grandeur et fidélité.* Mauve : *sincérité.* Millepertuis : *retard.* Monnaie-du-pape : *oubli.* Muflier : *présomption.* Muguet de mai : *bonheur.* Myosotis : *ne m'oubliez pas.* Narcisse : *égoïsme.* Nasturtium : *patriotisme.* Nénuphar : *froideur,* blanc : *éloquence.* Nielle : *sympathie.* Noyer : *ferveur.* Œillet : *amour sincère, caprice,* de poète : *finesse,* jaune : *dédain, exigence,* des fleuristes : *amour sincère,* mignardise : *enfantillage.* Olivier (branche) : *paix.* Pâquerette : *affection partagée.* Pavot : *oubli,* blanc : *sommeil du cœur,* coquelicot : *beauté éphémère.* Pensée : *souvenir, pensez à moi.* Pervenche : *amitié sûre, doux souvenir.* Phlox : *unanimité.* Pivoine : *confusion.* Pois de senteur vivace : *délicatesse.* Primevère : *jeunesse.* Reine-marguerite : *variété.* Renoncule : *attraits et danger.* Romarin : *souvenir.* Rose : *amour et beauté,* blanche : *silence,* blanche et rouge : *beauté ardente,* capucine : *éclat,* cent-feuilles : *grâce,* des quatre saisons : *beauté toujours nouvelle,* du Bengale : *complaisance,* en bouton : *jeune fille,* flétrie : *beauté flétrie,* jaune : *infidélité,* moussue : *amour voluptueux,* musquée : *beauté capricieuse,* pompon : *gentillesse,* simple : *simplicité,* trémière : *fécondité.* Sauge : *estime.* Scabieuse : *incertitude ou deuil.* Soleil-vivace : *fausse richesse.* Sureau : *prudence.* Tilleul : *amour conjugal.* Trèfle à quatre feuilles : *promesse de renommée, richesse, amour et santé.* Troène : *défense.* Tulipe : *magnificence,* jaune : *amour désespéré,* rouge : *déclaration d'amour.* Valériane : *facilité, aisance.* Véronique : *fidélité, aveu.* Verveine : *enchantement, vertu des épouses.* Violette blanche : *candeur, innocence,* double : *amitié réciproque,* odorante : *modestie,* en bouquet avec feuilles : *amour caché.* Virone : *refroidissement, calomnie.* Volubilis : *attachement.*

D'où vient leur nom ?

Bégonia. De Michel Bégon (1638-1710), intendant des Îles d'Amériques entre 1682 et 1684. Nom donné par Charles Plumier (1646-1706).

Bignonia. De Jean-Paul Bignon (1662-1743), prédicateur puis bibliothécaire du roi en 1718, académicien. Donné par Joseph de Tournefort en 1694.

Bougainvillée. De Louis-Antoine de Bougainville (1729-1811), diplomate, navigateur, auteur du *Voyage autour du monde* (1771), comte de l'Empire. Donné par Philibert Commerson (1727-73).

Camélia. De G.-J. Kamel, jésuite moravien, botaniste (fin XVIIIe s.) qui rapporte la fleur du Japon en 1739. Donné par Charles de Linné (1707-78). Lautour-Mézeray, surnommé « l'homme au camélia » lança la mode du camélia à la boutonnière.

Cobéa. De Barnabé Cobo (Lopéra, Esp. 1582), jésuite, missionnaire au Mexique et au Pérou. Donné par Cavanillès, directeur du Jardin royal de botanique de Madrid.

Colchique. Du pays de Médée, fille du roi de Colchide (légende de la Toison d'Or).

Dahlia. D'Andréas Dahl (Suède 1751-89), élève de Linné. Donné par Cavanillès (?).

Forsythia. De G. Forsyth (G.-B., 1737-1804), surintendant des jardins royaux. Donné par M. Vahl.

Fuchsia. De Léonard Fuchs (All. 1501-66), botaniste. Donné par Plumier en 1693.

Gardénia. D'Alexander Garden (Écosse, 1728-91), médecin, botaniste amateur. Donné par Linné en 1777.

Hortensia. De *flos hortorum* (« fleur des jardins »). Donné par Commerson, qui, lors d'un séjour en Chine, remarqua cette plante cultivée dans tous les jardins.

Magnolia. De Pierre Magnol (Montpellier, 1638-1715), professeur de botanique. Donné par Plumier en 1737, confirmé par Linné en 1752.

Paulownia. De Anna Paulownia, fille du tsar Paul Ier de Russie.

Pétunia. De *pétun,* nom donné par les Indiens du Brésil et de la Floride, puis pétunie (1828), enfin pétunia. Rapportée par Jean Nicot (v. 1530-1600) en 1560 à Catherine de Médicis, d'abord appelée nicotiane ou l'herbe à la reine.

Rafflesia arnoldii. Découverte par Sir Stamford Raffles (1781-1826), homme d'État et explorateur anglais, et Joseph Arnold, naturaliste et ancien chirurgien de la British Navy, le 20 mai 1918 à Sumatra.

Robinier. De Jean Robin (1550-1629), apothicaire, directeur du Jardin des Plantes et Vespasien Robin († en 1662, neveu de Jean), directeur du Jardin Royal des Plantes. Donné par Linné en 1735.

Zinnia. De Johann Gottfried Zinn (1727-59), botaniste allemand. Donné par Linné en 1763.

dans le cytoplasme puis dans de petits organites (1 µm de diamètre) : les *peroxysomes,* où il se trouve oxydé (en acide glyoxylique) par de l'oxygène au cours d'une réaction dont l'un des produits intermédiaires est l'eau oxygénée ou peroxyde d'hydrogène (qui donne son nom au peroxysomes).

Transpiration

Lorsque la température ambiante s'élève, les plantes luttent contre la chaleur excessive en laissant évaporer à travers les stomates de leurs tiges et de leurs feuilles la plus grande partie de l'eau puisée dans le sol par leurs racines.

En une année, 1 ha de maïs tire du sol 2 800 m³ d'eau mais il n'en gardera finalement que 56 m³. En une saison, un bouleau restitue près de 7 000 l d'eau, un hêtre 9 000 l. Les plantes peuvent arrêter cette transpiration en fermant leurs stomates. Les feuilles des plantes grasses s'épaississent et constituent une réserve d'eau.

Défense

En Australie on a observé que pour protéger des antilopes gourmandes ses feuilles, un acacia en augmente le tanin, les rendant ainsi plus toxiques.

☞ Sous l'effet d'un traumatisme (piqûre, irritation...) ou d'un choc ionique, les tissus de plantes supérieures émettent un potentiel d'action suivi d'une *onde lente de dépolarisation* qui est transmise de cellule à cellule vers les autres tissus de la plante, de préférence en suivant le courant de transpiration. Cette onde est associée (parfois longtemps après) à une modification morphogénétique des tissus de la plante, changements de potentialité de croissance des bourgeons, inhibition de la croissance caulinaire. Cela permet d'expliquer la diminution de taille des arbres exposés aux vents, notamment en association avec les grains de sables, près de la mer, ou la différence de croissance des rameaux soumis aux vents dominants sur un même arbre.

Types d'inflorescences

Certaines fleurs sont isolées (coquelicot, tulipe), mais le plus souvent elles sont rassemblées dans la région sexuée de la plante : ce groupement constitue une *inflorescence.* On en distingue 2 types :

1°) Les grappes au sens de floraison ascendante (fleurs les plus âgées à la base et de plus en plus jeunes vers le haut) ; ex. : muguet. Si à la fin de son développement la grappe a une fleur terminale, elle est dite *définie ;* sinon elle est dite *indéfinie* (cas le plus fréquent). Il existe de nombreux cas particuliers de grappes : *épis :* grappes de fleurs sessiles (sans pédoncule) ; ex. : maïs. *Chatons :* épis de fleurs unisexuées (mâles ou femelles) ; ex. : saule. *Corymbes :* grappes dont les pédoncules ont des longueurs telles que les fleurs se trouvent dans un même plan, ex. : poirier. *Ombelles :* comme dans les corymbes, les fleurs sont dans un même plan mais les pédoncules partent pratiquement d'un même point ; ex. : lierre, et quelques ombellifères (la plupart dans cette famille ont des inflorescences complexes comme des ombelles d'ombellules, des cymes d'ombelles... Voir plus loin). *Capitules :* les fleurs sessiles sont regroupées en une « tête serrée ». Toutes les fleurs de la famille des composées ont un capitule : marguerite, bleuet, pissenlit.

2°) Les cymes au sens de floraison descendante (la fleur la plus âgée est en position terminale ; on observe les fleurs de plus en plus jeunes en descendant le long de l'axe) ; ex. : stellaire.

 Beaucoup de plantes ont en fait des *inflorescences complexes :* cyme de grappes, cyme d'abeilles, cyme de capitules, grappe de grappes.

Classification et reproduction

I. — Thallophytes

Embranchement de végétaux dont les cellules sont assemblées en un *thalle* dont aucune des parties n'est spécialisée comme le sont les tiges, les feuilles ou les racines d'autres plantes. Le thalle entier assure généralement les différentes fonctions (photosynthèse, conduction, absorption...).

1°) Algues. Elles prospèrent en milieu aquatique (surtout marin) [il existe cependant quelques espèces terrestres]. Les *algues vertes,* ou chlorophycées (Ulve, Chlorelle...) possèdent surtout de la chlorophylle. Chez les *algues rouges,* ou rhodophycées (Porphyra, Chondrus...), la chlorophylle est masquée par des pigments surnuméraires rouges et bleus (phycobilines), chez les *algues brunes,* ou phéophycées, par des pigments bruns.

Les thalles peuvent être unicellulaires (Chlorelles) ou pluricellulaires filamenteux (Ulothrix), parenchymateux relativement homogènes (Ulve) ou présentant des ébauches de tissus, notamment conducteurs (Laminaires).

Les modes de reproduction varient : certaines algues rouges ont, par exemple, des cycles à 3 générations morphologiquement différentes.

2°) Champignons (sans chlorophylle). On en compte plus de 100 000 espèces. Monocellulaires (levures) ; en filaments ténus (moisissures) ; champignons visibles à l'œil nu (macromycètes). Ils vivent en **parasites** sur les arbres, les plantes et les cultures (maladies cryptogamiques) ; en **saprophytes** sur les débris animaux et végétaux ; ou en **mycorhize** [association symbiotique du mycélium (partie végétative d'un champignon) et d'une racine, peut être *endotrophe* (vivant à l'intérieur de la racine) ou *ectotrophe* (vivant à l'extérieur de la racine) selon la position du mycélium]. Les *truffes* sont des champignons mycorhiziens.

On répartit également les macromycètes selon leur mode de reproduction, en 2 catégories : les *Basidiomycètes* et les *Ascomycètes.*

3°) Lichens. Association symbiotique d'une algue et d'un champignon. Premiers colonisateurs des terrains nus.

II. — Bryophytes

1°) Mousses. De taille modeste, possèdent des tiges et des feuilles, mais pas de racines. Caractérisées par 2 générations de plantes morphologiquement

Calendrier (floraison)

Fleurs

Légende : mois de floraison (début), nom, couleur des fleurs, date du semis *(s.)* ou de la plantation *(pl.)*, période de floraison en italique.

Janvier. **Hellébore :** fleurs pourpres, *s.* juin-juill., *pl.* 2 ans après, *janv.-mars.*

Février. **Arabette :** blanches, *pl.* sept.-oct. ou mars, *févr.-juin.* **Aconit d'hiver :** jaune citron, *pl.* automne, *févr.* **Chionodoxa :** bleu clair à cœur blanc, *pl.* automne, *févr.-mars.*

Mars. **Aubriète :** rouges et roses, *pl.* sept.-mars, *mars-juin.* **Pâquerette :** blanches à rouges, *pl.* oct.-nov., *mars-oct.* **Crocus :** bleues, violettes, rouges, prune, *pl.* oct., *mars.* **Primevère :** blanches, roses, jaunes, rouges, violettes, *s.* mai-sept., *mars-mai.*

Avril. **Giroflée :** rouges, orangées, *s.* mai, *pl.* oct., *avr.-juin.* **Dicentra :** blanches, *s.* mars, *pl.* oct.-mars l'année suivante, *avr.-juin.* **Drave :** jaunes, *pl.* mars-avril, *avr.* **Couronne impériale :** jaunes, orange rouge, *s.* juill.-août, *avr.* **Giroflée :** blanches, roses, jaunes, rouges, bleues, mauves, *s.* mai-juil., *avr.-août.* **Coucou :** jaunes, *s.* juin-juil. *3 à 7 ans après, en avril.* **Tulipe :** roses, blanches, rouges, jaunes, violacées, panachées, *s.* juil.-août, *repl.* les bulbes un an après.

Mai. **Ancolie :** bleues, *pl.* sept.-mars, *mai.* **Bergénia :** rose violacé, *pl.* oct.-mars, *mai.* **Souci :** jaunes, orangées, *s.* mars, fl. *mai-oct.* **Céraiste :** blanches, *pl.* mars, *mai.* **Œillet des fleuristes :** blanches, roses, rouges, jaunes, *s.* mi-avr., *mi-mai/mi-juin.* **Eremurus :** rose pâle, *pl.* automne, *mai.* **Héliotrope :** blanches à violet foncé, *s.* févr., *mai-oct.* **Iris des marais :** jaunes, *pl.* début déc., *fin mai-début juin.* **Lupin :** bleues, blanches, rouges, jaunes, *pl.* automne ou printemps, *mai-juil.* **Pivoine :** rouges, blanches, roses, *pl.* sept.-mars, *mai.* **Pelargonium :** roses, pourpres, *pl.* début printemps, *mai-oct.*

Juin. **Alysse :** jaune vif *pl.* avr., *juin-août.* **Anthémis :** blanches, jaunes, *pl.* sept.-mars, *juin-août.* **Campanule :** bleu lavande clair, *pl.* sept.-avr., *juin-juil.* **Pied d'alouette :** bleues, violettes, *pl.* sept.-mars, *juin-août.* **Digitale :** tachetées de pourpre, *pl.* automne ou printemps, *juin-juil.* **Vergerette :** jaunes, *pl.* automne ou print., *juin-août.* **Pavot de Californie :** orange, *s.* sept., *juin-oct.* **Gaillarde :** rouges, jaunes, *pl.* mars-mai, *juin-oct.* **Glaïeul :** roses, rouges, blanches, *pl.* mars, *juin-juil.* **Gypsophile :** blanches, *pl.* oct.-mars, *juin-août.* **Julienne :** blanches, mauves, pourpres, *pl.* oct.-mars, *juin.* **Iberis :** blanches, violettes, *pl.* sept.-mars, *juin-sept.* **Balsamine :** roses, *s.* mars-avr. *juin-sept.* **Pois de senteur :** blanches, jaunes, roses, rouges, orangées, *pl.* mars, *juin-sept.* **Lis blanc :** blanches, *pl.* autom. ou print., *juin-juil.* **Chèvrefeuille :** blanches, roses, *pl.* autom., print., *juin.* **Mauves :** blanches, roses, *pl.* oct.-mars, *juin-sept.* **Méconopsis :** bleues, *pl.* mars-avr., *juin-juil.* **Tabac :** blanches, *pl.* mai, *juin-sept.* **Nigelle :** bleues, mauves, pourpres, roses, blanches, *s.* mars, *juin-août.* **Pétunia :** blanches, bleues, roses, rouges, *pl.* fin mai, *juin-nov.* **Réséda :** jaunes, rouges, *s.* mars-avr., sept., *juin-oct.*

Juillet. **Achillée :** jaune citron, *pl.* oct.-mars, *juil.-sept.* **Rose trémière :** blanches, roses, violacées, jaunes, *pl.* avr., *juil.-sept.* **Amaranthe queue de renard :** pourpres, *pl.* mai, *juil.-oct.* **Muflier :** jaunes, rouges, roses, blanches, *pl.* mars-juin, *juil.-oct.* **Reine-marguerite :** rose-rouge, pourpres, blanches, *pl.* mai, *juil.-nov.* **Chrysanthème :** blanches, jaunes, *pl.* avr., *juil.-sept.* **Clarkia :** roses, écarlates, orangées, *s.* mars, *juil.-sept.* **Cléome :** blanches, roses, *pl.* mai, *juil.-nov.* **Chardon bleu :** bleues, *pl.* autom., *juil.-sept.* **Fuchsia :** roses, *pl.* mai, *juil.-oct.* **Gazania :** orange taché de noir, *pl.* juin, *juil.-sept.* **Bec-de-grue :** bleu violacé, *pl.* sept.-mars, *juil-août.* **Soleil, tournesol :** jaunes, *s.* mars-avr. *fin juil.-sept.* **Hélipterum :** roses à cœur jaune, *pl.* mai, *juil.-sept.* **Millepertuis :** jaunes, *pl.* avr., *juil.-sept.* **Ipomée :** rouges, *pl.* mai-juin, *juil.-oct.* **Lavatère :** roses, *pl.* autom., print., *juil.-sept.* **Lobélia :** rouges, *pl.* avr., *juil.-août.* **Lychnis :** roses, magenta, blanches, *pl.* mai, *juil.-sept.* **Belle-de-nuit :** roses, rouges, jaunes, blanches, *pl.* fin mai, *juil.-sept.*

Août. **Anémone :** roses, rouges, blanches, *pl.* oct., *août-oct.* **Cosmos :** roses, blanches, rouges, *pl.* mai, *août-sept.* **Cyclamen de Naples :** mauves, roses, *pl.* début autom., *août-nov.* **Dahlia :** rouges, *pl.* mi-avr., *août-nov.* **Verveine odorante :** mauve pâle, *pl.* fin mai, *août.* **Sauge :** bleues, *pl.* mai, *août-sept.*

Septembre. **Amaryllis :** blanches, roses, *pl.* juin-juil., *sept.-oct.* **Colchique :** blanches, *pl.* août-sept., *sept.-nov.* **Léonitis :** orangées, *pl.* print., *sept.-oct.* **Lis de Guernesey :** roses, *pl.* août, avr., *sept.-nov.* **Orpin :** roses, *pl.* oct.-avr., *sept.-nov.*

Octobre. **Perce-neige :** blanches, *pl.* après la fl., *oct., janv.*

Décembre. **Jacinthe commune :** blanches, roses, jaunes, mauves, bleues, *pl.* mars-avr., *déc.-mai.*

Arbustes

Légende : nom, hauteur en mètres, couleur des fleurs.

Janvier. **Camélia :** 3, roses, blanches. **Chimonanthe :** 3, jaunes.

Février. **Cornouillier mâle :** 2,5 ; jaune d'or. **Mahonia du Japon :** 2,5 ; jaune citron. **Rhododendron :** 0,6 et +, blanches.

Mars. **Cognassier du Japon :** 0,9, rouge orangé. **Forsythia :** 2,5 ; jaune d'or. **Magnolia étoilé :** 2,5 ; blanches.

Avril. **Berberis :** 2,5 ; jaunes. **Genêt à balai :** jaunes. **Spirée :** 1,8 ; blanches.

Mai. **Oranger du Mexique :** 1,5 ; blanches. **Cotonéaster :** 4 ; blanches. **Buisson ardent à feuilles crénelées :** 3 ; blanches.

Juin. **Arbre aux papillons :** 3, jaune orangé. **Deutzia :** 1,8 ; blanches. **Seringat :** 2,5 ; blanches.

Juillet. **Callune :** 0,08 à 0,75 ; blanches, roses, pourpres. **Fuchsia :** 1,2-1,8 ; rouges. **Indigotier :** 1,75 ; pourpres. **Cléthra :** 1,8 ; crème. **Hibiscus :** 2,5 ; blanches à pourpres. **Myrte :** 2,6 ; blanches.

Septembre. **Lespedeza :** 2, roses. **Leycesteria :** 1,8 ; rouge foncé.

Octobre. **Fatsia :** 0,5 ; blanches.

Novembre. **Jasmin d'hiver :** 3 ; jaunes. **Chèvrefeuille de Standish :** 1,4 ; crème. **Viorne odorante :** 3,5 ; rose pâle.

Décembre. **Hamamélis :** 2,2 ; jaunes. **Chèvrefeuille odorant :** 2 ; crème. **Viornetin :** 2,5 ; blanc rosé.

Arbres d'ornement

Légende : nom, hauteur en mètres, couleur des fleurs.

Janvier. **Mimosa :** 6-8, jaune clair.

Février. **Peuplier tremble :** 20, brun-gris, jaunes. **Pêcher à fleurs :** 5-10, roses. **Rhododendron :** 6-12, rouge foncé.

Mars. **Érable rouge :** 23. **Magnolia yulan :** 4, 5-8, blanches. **Arbre de fer :** 6-8, rouge cramoisi.

Avril. **Érable duret :** 20, jaune pâle. **Merisier :** 10-13, blanches.

Mai. **Marronnier rouge :** 4, 5-6, roses. **Arbre de Judée :** 4, 5-6, roses. **Paulownia :** 5-10, bleu lavande.

Juin. **Orne :** 24, blanc crème. **Robinier :** 30, blanches.

Juillet. **Catalpa commun :** 18, blanches. **Tulipier de Virginie :** 10-15, jaune-vert.

Août. **Arbre de soie :** 6-12, roses. **Sophora du Japon :** 15-20, violettes.

Septembre-octobre. **Arbousier :** 10, blanc verdâtre.

Octobre-novembre. **Aulne de l'Himalaya :** 8-15, brunes.

différentes dont l'une parasite l'autre : *la plante feuillée,* qui est productrice de gamètes (gamétophyte), est autotrophe ; *la capsule* (généralement sur une soie) est la 2e génération issue de l'œuf qui germe sur le gamétophyte. Cette capsule produit des spores : c'est le *sporophyte,* parasite du gamétophyte.

Les mousses colonisent des milieux très variés : reviviscentes, certaines espèces sont bien adaptées aux substrats secs *(Polytric poilu)* ; les *Hypnums* et Polytrics des bois s'accommodent de peu de lumière ; les *sphaignes,* avec leurs cellules à réserves d'eau, colonisent les tourbières acides et contribuent à la formation de la tourbe.

2°) Hépatiques. Leur cycle est comparable à celui des mousses. Leur appareil végétatif, de taille toujours réduite, présente des aspects variés : tantôt feuillé (Frullania), tantôt en forme de thalle (Marchantia).

III. — Ptéridophytes (cryptogames vasculaires)

Plantes dépourvues de fleurs, affiliées aux fougères, dont l'appareil végétatif est un *sporophyte ;* les spores germent en donnant un gamétophyte appelé *prothalle* qui porte gamètes mâles et femelles ; en germant, l'œuf redonne un *sporophyte.*

1°) Fougères. A grandes feuilles (frondes ou macrophylles) portant sur leur face inférieure des *sporanges.* Herbacées sous les climats tempérés, elles sont en forme de *rosette* (sans tige aérienne) et possèdent un *rhizome* souterrain. En région tropicale, certaines espèces sont arborescentes.

2°) Prêles. Herbacées, à tige chlorophyllienne pourvue de petites feuilles *(microphylles)* disposées en verticilles. Les sporanges sont groupés en épis. Dans la houille du Carbonifère, on trouve des Prêles géantes de plus de 30 m.

3°) Lycopodes et Sélaginelles. Assez petites, pourvues de tiges rampantes et dressées munies de petites feuilles (microphylles). Les spores sont à l'aisselle des feuilles ou groupés en épis. Sous nos climats, plusieurs espèces de Lycopodes rares sont protégées. Les Sélaginelles sont surtout tropicales.

4) Psilotes. Sans feuilles, à tige chlorophyllienne, représentent peut-être les ancêtres de toutes les plantes de cet embranchement.

IV. — Phanérogames (plantes à fleurs et à graines)

Avec tige, feuilles, racines, fleurs.

La partie mâle **(l'étamine),** en général à filet, est surmontée d'une *anthère* à loges se déchirant à maturité, laissant ainsi échapper le **pollen** (grains de 0,01 millimètre). La partie femelle **(le pistil),** constituée de feuilles modifiées *(carpelles),* comprend un ovaire contenant des ovules, surmonté d'un style terminé par un renflement, le **stigmate,** qui retiendra le pollen transporté par les insectes (pollen entomophile) ou le vent (anémophile). L'ovaire se transforme en fruit et les ovules en graines.

Multiplication des végétaux

Sexuelle. Semis. Moyen le plus naturel et pratiquement le seul pour les plantes qui ne vivent qu'un an.

Asexuée. Bouturage (segment de rameau coupé prenant racine). Les boutures de **méristèmes** en tube à essai sont des boutures par prélèvement de parties microscopiques dans l'extrémité de la tige (boutures dites d'apex). Jouent un grand rôle dans l'obtention de végétaux exempts de viroses. **Marcottage** (tiges rampantes prenant racine). **Greffage** (partie d'une plante insérée dans une autre plante). **Drageonnage** (racines s'étendant autour de la plante-mère et donnant d'autres tiges).

Plantations

Époque. *D'octobre à avril* inclus (sauf pendant les gelées) : plants en paniers, mottes ou racines nues. *Toute l'année* (sauf pendant les gelées) plants en conteneurs. Si l'on ne plante pas immédiatement, mettre : arbres et arbustes à racines en jauge (racines jusqu'au collet en terre meuble ou sable frais) ; végétaux en mottes, pots ou paniers à l'abri du vent et du soleil protégés par une toile ou un plastique noir. En cas d'attente prolongée, déposer les plants en cave ou dans un local non chauffé où il ne gèle pas. Trous : grands végétaux, 70 cm^3, petits, 50 cm^3 minimum.

Fruits charnus. Baies ou fruits à pépins, ex. : raisin, melon. **Drupes** ou fruits à noyau, ex. : pêche, cerise, abricot.

Fruits secs (s'ouvrant à maturité et généralement à plusieurs grains), ex. : pois. **Follicules** (s'ouvrant par une seule fente), ex. : hellébore. **Gousses** (par 2), ex. : haricot. **Siliques** (par 4), ex. : giroflée. **Capsules** venant de plusieurs carpelles coudées, ex. : datura.

Certains fruits secs n'ont qu'une seule graine, ex. : le fraisier [sur le réceptacle charnu (partie comestible) il y a une grande quantité de fruits, les **akènes**], le blé (le grain est un fruit nommé **caryopse** ; les grains sont groupés sur un épi).

A) Angiospermes

A stigmate, à ovules contenus dans un ovaire clos, graines encloses dans un fruit.

Disposition des sexes floraux. Une fleur peut avoir les 2 sexes (étamines et pistil bien constitués), elle est *hermaphrodite* ; ou un seul (fleur mâle ou femelle), elle est dite *dichogame*.

Lorsque les étamines et parfois les carpelles sont transformés en pièces pétaloïdes, la fleur est dite double. Une plante peut avoir : soit des fleurs hermaphrodites ; soit des fleurs entièrement mâles ou des fleurs entièrement femelles, l'espèce est dite *monoïque* ; soit des fleurs mâles et des fleurs femelles, l'espèce est dite *dioïque*.

1. — Monocotylédones

Graine avec un seul cotylédon ; en général, feuilles à nervures parallèles ; pièces florales par 3 ou 6.

Quelques familles

Palmiers. Tige, ou stipe, presque toujours simple terminée par un bouquet de feuilles pennées ou en éventail. Ex. : cocotier, raphia.

Liliacées. Calice floral à 3 sépales pétaloïdes, corolle à 3 pétales, 2 verticilles à 3 étamines, ovaire à 3 loges, stigmate trilobé. Certains à bulbe (lis, tulipe, jacinthe, oignon, poireau) ou à rhizome (asperge, muguet).

Iridacées. 3 étamines, ovaire infère (au-dessous de la corolle et du calice). Ex. : glaïeul, iris, crocus.

Amaryllidacées. 6 étamines, ovaire infère. Ex. : amaryllis, narcisse.

Commelinacées. Comprennent des espèces des pays chauds *(Commelina, Tradescantia)* cultivées comme plantes d'ornement.

Broméliacées. Souvent épiphytes (fixés sur un autre végétal mais non parasites). Ananas.

Orchidacées. Ex. : cattleya, vanille.

Graminées (ou graminacées). Tige creuse, feuilles engainantes, fleurs groupées en épillets, 3 étamines, ovaires à un ovule, fruit : caryopse. Ex. : céréales (blé, maïs, orge, riz, seigle), gazons (paturin, dactyle), bambous, roseaux, canne à sucre.

Cyperacées. Plantes des lieux humides en régions tempérées *(Carex, Souchets).* La moelle du *cyperus papyrus* servait à fabriquer le papier qu'utilisaient, dans l'Antiquité, Égyptiens, Grecs et Romains.

2. — Dicotylédones

Graine à 2 cotylédons ; feuilles à nervures ramifiées ; pièces florales par 4 ou 5.

a — Dialypétales (à pétales séparés)

Quelques familles

Renonculacées. Herbacées à nombreuses étamines aux anthères ouvertes vers l'extérieur, fruits indéhiscents (akène) : renoncule, anémone, clématite ; ou à fente longitudinale (follicules) : hellébore, pivoine, ancolie ; baie : actée.

Autres familles : *Papavéracées :* pavot, coquelicot, œillette. *Malvacées :* mauve, guimauve, rose trémière, cotonnier, baobab. *Tiliacées :* tilleul. *Lauracées :* lauriers. *Nymphéacées :* nénuphar.

Rosacées. Fleurs régulières, 5 sépales verts, 5 pétales, étamines nombreuses en verticilles, feuilles dentées et stipulées : fraisier, framboisier, rose, églantine, pimprenelle, pommier, poirier, aubépine, reine-des-prés, amandier, cerisier, pêcher, prunier.

Légumineuses. Souvent herbacées, corolle irrégulière à 10 étamines dont 9 soudées, ovaire se transformant en gousse. Pois, haricot, fève, lentille *(Papilionoïdées).* Sainfoin, trèfle, luzerne, vesce. Arachide. Robinier, cytise, glycine, acacia *(Mimosoïdées).*

Autres familles : *Linacées :* lin. *Vitacées :* vigne. *Violacées :* violettes, pensées. *Géraniacées :* géranium.

Crucifères (ou brassicacées). Fleurs régulières, 4 sépales, 4 pétales en croix, 6 étamines, ovaire à 2 carpelles soudés par leur bord ; fruit sec : silique. Chou, navet, radis, cresson, colza, giroflée.

Ombellifères (ou apiacées). Herbacées, ovaire à 2 loges, fleurs groupées (ombelles simples ou composées) ; fruit : akène double. Panais, carotte, céleri, persil, ciguë.

b — Gamopétales (à pétales soudés)

Quelques familles

Solanacées. En général herbacées, fleurs régulières à 5 étamines, ovaire libre à 2 loges ; fruit : baie (pomme de terre) ou capsule (tabac).

Autres familles : *Borraginacées :* fruits à 2 carpelles cloisonnés en 4 loges ayant chacune un ovule. Myosotis, bourrache, héliotrope. *Cucurbitacées :* melon, citrouille, potiron, concombre, courge.

Labiacées. Tige quadrangulaire, fleurs à 2 lèvres, à 4 étamines, ovaire libre à 4 loges (ayant chacune un ovule) ; fruit : tétrakène. Thym, menthe, lavande, romarin, sauge.

Autres familles : *Scrofulariacées,* ex. : gueule-de-loup.

Composées. Fleurs groupées en capitules, étamines soudées, ovaire infère à un ovule ; fruit : akène en général à aigrette. Pissenlit, laitue, chicorée. Bleuet, marguerite, pâquerette, dahlia, zinnia, chrysanthème, artichaut, topinambour, salsifis, tournesol.

Autres familles : *Convolvulacées :* liseron. *Éricacées :* myrtille, callune, bruyères, rhododendrons, azalées. *Caprifoliacées :* sureau, yèble, obier, chèvrefeuille. *Valérianacées :* valériane, mâche, lilas d'Espagne. *Dipsacacées :* cardère, scabieuse. *Oléacées :* frêne, troène, lilas...

c — Apétales (pas de corolle distincte)

Amentacées. Arbres à chatons. Chêne, hêtre, châtaignier, noisetier, charme, aulne, bouleau, peuplier, noyer.

Caryophyllacées. En général, tiges avec des nœuds, feuilles opposées, fruits en capsules. *Alsinées :* nielle des blés. *Silénées :* œillet.

Chénopodiacées. Betterave, épinard.

Urticacées. 4 étamines, 1 ovaire : 1 loge, une graine. Ortie, ramie.

Autres familles : *Cannabinacées :* houblon, chanvre. *Ulmacées :* orme. *Polygonacées :* oseille, patience, sarrasin, renouée...

B) Gymnospermes

Ovules et graines nues ; fleurs unisexuées ; mâles : axe portant des étamines serrées ; femelles : ensemble d'écailles portant les ovules.

Comprennent notamment : *Cycadacées :* cycas. *Ginkgoacées :* ginkgo. **Conifères** dont : *Abiétinées :* fleurs femelles groupées en cônes formés de nombreuses écailles : pin, sapin, épicéa, cèdre, mélèze. *Cupressinées :* fleurs femelles groupées en cônes globuleux formés de quelques écailles : cyprès, thuya, genévrier. *Taxinées :* fleurs femelles isolées : if.

Reproduction des gymnospermes. Les ovules sont nus, portés sur des écailles souvent groupées en cônes. La fécondation s'opère de la même façon que chez les angiospermes.

Énigmes

La 1re énigme est évidemment celle de l'origine de l'Univers (voir p. 11).

Nous donnons ci-dessous une liste non exhaustive et accueillerons avec intérêt toutes les suggestions que souhaiteraient nous faire nos lecteurs.

■ Alchimie

Nicolas Flamel. Au XIVe s. à Paris, l'écrivain-juré et alchimiste Nicolas Flamel réalisa par des moyens inexpliqués une fortune considérable. L'étendue de ses libéralités (il dota 14 églises et hôpitaux, dont les Quinze-Vingt, et entretenait tous les pauvres de son quartier) fit croire qu'il avait trouvé le secret de la transmutation des métaux *(pierre philosophale).*

■ Archéologie

Continent Mu. Les géologues qui admettent la théorie de la « dérive des continents » ont longtemps cru que l'Australie et l'Antarctide (ou Antarctique) étaient les deux seuls vestiges d'un continent très ancien, détaché par dérive de l'Afrique et de Madagascar. Ils pensent actuellement que ce bloc continental dérivé ne s'est pas brisé en 2 parties, mais en 3, dont l'une a occupé le Pacifique central et méridional actuel. Or, un colonel anglais, James Churchward, aurait découvert dans les archives d'un monastère tibétain le récit de la disparition (vers 12000 av. J.-C.) d'un continent pacifique, nommé continent *Mu*.

Feu grégeois. Utilisé à partir du VIIe s. par les Byzantins. La formule de sa composition était perdue après le massacre par les Turcs en 1453. A base de salpêtre et de matières bitumineuses, il brûlait même au contact de l'eau.

Miroirs d'Archimède. Selon les historiens antiques, Archimède aurait incendié à distance les navires romains qui assiégeaient Syracuse (214 av. J.-C.) en concentrant les rayons solaires avec des « miroirs ardents ». Les hommes de science (Descartes 1630) se sont montrés incrédules (il aurait fallu un miroir parabolique de dimensions exceptionnelles). Cependant, en 1973, l'ingénieur grec Sakkas incendia un modèle réduit de galère, à 50 m, en utilisant 70 « boucliers-miroirs ».

Pierres d'Ica (Pérou). Le Dr Javier Cabrera, demeurant à Ica, a recueilli dans les environs 11 000 pierres gravées, notamment à Ocucaje. Scènes, souvent à plusieurs personnages, dans lesquelles on peut reconnaître la pratique de techniques modernes (chirurgie, astronomie, entomologie). Il y a également une chasse au dinosaure (animal remontant à 140 millions d'années). Selon le Dr Cabrera, ces pierres constituent une bibliothèque conservant les connaissances scientifiques de l'humanité, depuis une époque infiniment lointaine.

☞ **Voir à l'index.** Antikythera. Atlantide. Blancs d'Amérique. Crâne de Lubaatun (Belize). Glozel. Légendes bibliques. Mammouths des grottes de Rouffignac. Pile électrique de Ctésiphon (Irak). Pistes et dessins de Nazca (Pérou). Secrets des Égyptiens. Statues de l'île de Pâques. Zimbabwe.

■ Assassinats

Paul-Louis Courier (10-4-1825). Retrouvé dans ses bois, tué d'un coup de feu, on crut d'abord à un assassinat politique (Courier était un pamphlétaire). Cependant, 2 valets de ferme, les Dubois (dont l'un était l'amant de Mme Courier) et le garde Frémont furent arrêtés, puis acquittés. A la suite d'un témoignage accablant, il y eut un nouveau procès. Les coupables survivants furent acquittés.

☞ Voir **Attentat. Henri IV** à l'Index.

■ Bilocations

Cas fameux. *St-Philippe de Liguori* (1774) : vu à la fois à son monastère d'Arienzo et à Rome. *Carl Strindberg,* écrivain suédois (1897) : vu en Scandinavie, au cours d'une maladie qui le retenait à Paris. *Padre Pio* († 1968) dont les phénomènes de bilocation ont été constatés par des journalistes. Depuis 1971, les phénomènes de bilocation sont appelés aux USA OOBE (out of body experience : c.-à-d. expériences de projections hors du corps). Ils sont étudiés au laboratoire de psychologie de l'université de Californie.

☞ Suite (voir Table des matières).

LES SCIENCES

MATHÉMATIQUES

HISTOIRE DES MATHÉMATIQUES

■ **Science des nombres (arithmétique).** *V. 3000 av. J.-C.* arithmétique chaldéenne ; arithm. commerciale sumérienne. *2200-1350* tablettes de Nippur (Babylone) : utilisent la base 60 [encore utilisée de nos jours dans le calcul du temps (60 secondes, 60 minutes) et dans la mesure des angles (1 cercle = 6 × 60°)]. *1650* papyrus Rhind en Égypte : utilise la numération de base 10 (décimale). Connaît les signes + (2 jambes marchant vers la gauche) et — (2 jambes marchant vers la droite). *1102* rédaction du traité d'arithmétique chinois, le *Chou-Pei :* les calculs se font avec le boulier (connu également en Inde, au Moyen-Orient, en Égypte ; sera introduit dans le monde gréco-romain sous le nom d'*abacus*). *VIe s. av. J.-C.* Pythagore crée l'arithmétique moderne. Numération décimale [les chiffres sont les 10 premières lettres de l'alphabet ; ils seront supplantés dans le monde méditerranéen par les chiffres romains ; les calculs se font ordinairement avec des tables à calculer, qu'on appellera plus tard des *échiquiers* car elles contiennent des cases (rangées 10 par 10) : il y a la rangée des unités, des dizaines, des centaines, etc. ; les chiffres sont représentés par des cailloux placés sur les cases, d'où le mot de *calcul,* pour désigner les opérations d'arithmétique (latin *calculus,* « petit caillou »)]. La table de multiplication ou « table de Pythagore », qui donnait par écrit les multiples des premiers nombres en utilisant les notations grecques (lettres de l'alphabet), a été conservée avec des chiffres romains.

IVe s. apr. J.-C. 1er traité complet d'arithmétique occidental : Diophante d'Alexandrie, *Arithmetica. 610 apr. J.-C.* traité de l'Indien Aryabatta : extraction des racines carrées et cubiques ; règle de trois : il utilise 9 chiffres et le zéro est figuré par un point. *V. 900* les Arabes utilisent le système indien et remplacent le point du zéro par un petit cercle. *V. 1000* le pape Silvestre II (940-1003) réintroduit en Occident l'ancien *abacus* gréco-romain, utilisé par les Arabes (les mathématiciens sont nommés abacistes). Mais l'usage de la table à calculer reste prédominant, et le calcul écrit est ignoré. *1202* Léonard de Pise (Leonardo Fibonacci, 1175-1240) répand les méthodes de calcul arabe en Occident *(Traité de l'abacus) ;* il adopte les chiffres arabes et le zéro ; il crée la « suite de Fibonacci » : 0, 1, 2, 3, 5, 8, 13, 21, 34, etc. (chaque nombre étant la somme des 2 précédents). *1545 Ars Magna,* de l'Italien Jérôme Cardan (1501-76) : résolution des équations du 3e degré. *1550* manuel d'arithmétique de l'Allemand Adam Riese (1492-1559) : contribue à l'abandon de la table à calculer, du boulier, des chiffres romains, et à l'adoption en Occident du calcul écrit. *1585 Arithmétique* de Simon de Bruges (Simon Stevin, 1548-1620) : substitue les fractions décimales aux fractions communes.

■ **Géométrie.** *VIe s. av. J.-C.* le Grec Thalès (625-550) inscrit un triangle dans un cercle, trouve la hauteur d'un objet d'après la longueur de son ombre, démontre l'égalité des angles opposés par le sommet. *IVe s. av. J.-C.* le Grec Euclide (450-380) expose son « postulat » dans son traité, *les Éléments :* d'un point extérieur à une droite, on ne peut mener qu'une parallèle à cette droite. *IIIe s. av. J.-C.* le Grec Archimède (287-212), dans son traité *Mesure du cercle,* donne la valeur de π (pi) [traité perdu, mais connu indirectement par le mathématicien arabe Al Biruni (973-1048)]. *IIe s. apr. J.-C.* le Grec Hipparque le Rhodien divise le cercle en 360 degrés, selon les normes babyloniennes (V. plus haut). *1637* le Français René Descartes (1596-1650) pose les fondements de la géométrie analytique (utilisant le calcul algébrique). *1639 Traité des coniques* du Français Blaise Pascal (1623-62) ; à 16 ans, il retrouve les lois du Grec Apollonios de Perga (262-180 av. J.-C.). *1768* le Français Jean-Henri Lambert (1728-77) crée la géométrie non euclidienne. Autres théoriciens : le Russe Nikolaï Lobatchewski [(1792-1856) géométrie hyperbolique (1830)] ; l'Allemand Bernhard Riemann (1826-66).

■ **Algèbre.** Mot venant de l'arabe *al djabr,* « réduction », par le latin médiéval *algebra. IIe millénaire av. J.-C.* les Babyloniens (tablettes de Nippur) connaissent l'équation du 1er degré à plusieurs inconnues. *IVe s. apr. J.-C.* Diophante d'Alexandrie adopte les termes de *X* et *Y* pour les inconnues des équations. *825* l'Arabe Mohamed al Kharezmi (né à la fin du VIIIe s.) invente l'élimination des termes égaux de chaque côté du signe =, et le transfert des termes avec changement de signe. *1591* traité du Français François Viète (1540-1603) : *Isagogê in artem analyticum* (« Introduction à l'analyse »), qui fonde l'algèbre moderne ; les inconnues sont désignées par des consonnes et les données par des voyelles. *1572* l'Italien Raffaele Bombelli invente les nombres complexes ou racines imaginaires. *1637* Descartes, dans une annexe au *Discours de la Méthode,* distingue la géométrie de l'algèbre et crée le système de notations algébriques encore utilisé de nos jours.

L'algèbre se divise alors en de nombreuses branches, notamment :

Calcul des probabilités. Précurseurs : l'Italien Luca Pacioli (1445-1510) et aussi Jérôme Cardan (V. ci-dessus). Créateurs : les Fr. Pascal, Georges de Méré (1610-85), Pierre Fermat (1601-65). 1er traité complet : *De ratiociniis in ludo aleae* (« Spéculations sur le jeu de dés », 1656) du Hollandais Christiaan Huygens (1629-95).

Calcul infinitésimal. Précurseur : Pierre Fermat, en 1636. Théoriciens : l'Allemand Gottfried Leibniz (1646-1716) : nouvelle méthode pour déterminer les maximums et les minimums (1684) ; l'Anglais Isaac Newton (1642-1727) : méthode des fluxions et des séries infinies (1671).

Algèbre logique ou « algèbre de Boole ». Créée en 1846 par l'Anglais George Boole (1815-64).

Trigonométrie. Précurseurs : les Grecs Aristarque de Samos (300-230 av. J.-C.) et Hipparque de Nicée (180-135 av. J.-C.). Claude Ptolémée d'Alexandrie (80-160) rédige l'*Almageste.* Les premières tables sont dues à l'Arabe Mohamed al Kharezmi (Voir ci-dessus), mais la notion de sinus a été empruntée par les Arabes à l'Inde (à la fin du XIIIe s.). La trigonométrie sphérique a été conçue par l'Arabe al Battani (858-922), appliquant la trigonométrie classique à l'espace à 3 dimensions. 1er exposé complet : 1770, par le Français Jean-Henri Lambert, devant l'Académie de Berlin (Voir ci-dessus) : *Trigonométrie hyperbolique*.

Logarithmes. Archimède (IIIe s. av. J.-C.) dans son traité de l'*Arenaria* (« études sur les grains de sable »), calculant le nombre de grains de sable nécessaire pour remplir l'univers, donne un nombre équivalent à 10 puissance 51 : il est près de concevoir les logarithmes modernes.

Le Français Nicolas Chuquet (1445-1500) définit les progressions géométriques et arithmétiques ; il invente les exposants négatifs. L'Écossais John Napier (1550-1617) invente le mot et le concept de logarithme, dans sa *Description de la stupéfiante règle des logarithmes* (1614). Son système permet de remplacer les multiplications par des additions et les divisions par des soustractions (en utilisant des nombres plus petits). L'Anglais Henry Briggs (1561-1631) invente en 1617 les logarithmes de base 10 (appelés décimaux ou vulgaires) ; en 1624, il donne les tables logarithmiques de 1 à 20 000 et de 90 000 à 101 000 avec 14 décimales [1res tables logarithmiques (très sommaires) par le Suisse Jobst Bürgi (1552-1632), en 1620].

■ **Mathématiques modernes.** Précurseurs : le Français Évariste Galois (1811-32) dans sa *Lettre à Auguste Chevalier* (1832) ; les Allemands Carl Friedrich Gauss (1777-1855) ; Georg Cantor (1845-1918) : *Théorie des ensembles* (1872-79) ; le Norvégien Niels Abel (1802-1829) : *Théorie des fonctions elliptiques.*

☞ Voir également le chap. **Grands Savants.**

ARITHMÉTIQUE

Dans cette étude on considère uniquement les entiers naturels non nuls (dont l'ensemble est noté ℕ *).

NOMBRES PREMIERS

Définition. Dans ℕ *, un nombre est dit premier si, et seulement si il n'est divisible que par lui-même ou par l'unité. 2 ou plusieurs nombres sont premiers entre eux s'ils admettent pour seul commun diviseur 1.

Ex. : 12 a pour diviseurs 1, 2, 3, 4, 6, 12.
35 a pour diviseurs 1, 5, 7, 35.

Seul diviseur commun 1 : 12 et 35 sont premiers entre eux (quoique aucun des deux ne soit premier).

Décomposition d'un nombre en facteurs premiers. On démontre que tout nombre entier peut s'écrire d'une seule façon comme produit de puissances de nombres premiers.

Exemple : $504 = 2^3 \times 3^2 \times 7^1$ qu'on écrit plus simplement $504 = 2^3 \times 3^2 \times 7$.

Entre 1875 et 1950 le plus grand nombre premier connu était un nombre de 39 chiffres : $2^{127} - 1$. En 1979 le plus grand nombre premier connu (calculé avec ordinateur Cray 1 était : $2^{444\,79} - 1$. Jusque-là, les grands nombres premiers appartenaient à la classe de Mersenne. Actuellement les plus grands nombres premiers connus sont de la forme $m \times 2^n - 1$.

NOMBRES PREMIERS DE 1 À 1 000

2	97	227	367	509	661	829
3	101	229	373	521	673	839
5	103	233	379	523	677	853
7	107	239	383	541	683	857
11	109	241	389	547	691	859
13	113	251	397	557	701	863
17	127	257	401	563	709	877
19	131	263	409	569	719	881
23	137	269	419	571	727	883
29	139	271	421	577	733	887
31	149	277	431	587	739	907
37	151	281	433	593	743	911
41	157	283	439	599	751	919
43	163	293	443	601	757	929
47	167	307	449	607	761	937
53	173	311	457	613	769	941
59	179	313	461	617	773	947
61	181	317	463	619	787	953
67	191	331	467	631	797	967
71	193	337	479	641	809	971
73	197	347	487	643	811	977
79	199	349	491	647	821	983
83	211	353	499	653	823	991
89	223	359	503	659	827	997

NOMBRE PARFAIT

Nombre entier égal à la somme de tous ses diviseurs autres que lui-même.
Ex. : 1 + 2 + 4 + 7 + 14 = 28.

Le plus petit est 6 : 1 + 2 + 3.
Le plus grand connu est : $2^{216091} \times (2^{216090} - 1)$

DÉNOMINATION DE CERTAINS NOMBRES TRÈS GRANDS

On trouvera p. 240 c les dénominations de certains grands nombres adoptées en 1991 par la XIXe Conférence des Poids et Mesures. À titre anecdotique, citons les trois noms suivants, dans l'ordre croissant : asankhyeya = 10^{140} (origine bouddhique) ; centilion = 10^{600} ; gogolplex = 10 élevé à la puissance 10^{100}, terme « inventé » par Edward Kasner († 1955) et James Newman.

P.P.P.C.M. Plus petit commun multiple.
P.G.C.D. Plus grand commun diviseur.
Ces termes se définissent d'eux-mêmes.

Multiples de 12 : 12, 24, 36, 48, 60, 72, ..., ; *de 18* : 18, 36, 54, 72, 90, ... ; *de 24* : 48, 72, 96, ...
P.P.C.M. de 12, 18, 24 : 72.

Diviseurs de 12 : 1, 2, 3, 4, 6, 12 ; *de 18* ; 1, 2, 3, 4, 6, 9, 18 ; *de 24* : 1, 2, 3, 4, 6, 8, 12, 24
P.G.C.D. de 12, 18, 24 : 6.

Pour calculer le P.P.C.M. et le P.G.C.D. de plusieurs nombres, on décompose chacun d'entre eux en facteurs premiers.

P.P.C.M. : on prend le produit des facteurs premiers figurant dans *au moins une* des décompositions, chacun d'eux étant affecté du plus grand exposant avec lequel il figure dans les décompositions des nombres.

P.G.C.D. : on ne prend que le produit des facteurs premiers rencontrés dans *toutes* les décompositions, chacun d'eux étant affecté du plus petit exposant avec lequel il figure dans les décompositions des nombres.

Nota. – Si aucun facteur premier n'est commun à toutes les décompositions, les nombres considérés ont pour P.G.C.D. 1, on dit qu'ils sont premiers entre eux.

Ex. : $7\,425 = 2^0 \times 3^3 \times 5^2 \times 11^1$
$23\,958 = 2 \times 3^2 \times 5^0 \times 11^3$
P.P.C.M. $= 2 \times 3^3 \times 5^2 \times 11^3 = 1\,796\,850$
P.G.C.D. $= 2^0 \times 3^2 \times 5^0 \times 11 = 99$

Divisibilité d'un nombre.
Par 2 ⟺ il se termine par 0, 2, 4, 6 ou 8 ;
3 ⟺ somme des chiffres divisible par 3 ;
4 ⟺ les 2 derniers chiffres sont 2 zéros ou forment un nombre divisible par 4 (ex. : 48 752 est divisible par 4 car 52 est divisible par 4) ;
5 ⟺ il se termine par 0 ou par 5 ;
6 ⟺ il est divisible à la fois par 2 et par 3 ;
7 pas de règle générale ;
8 ⟺ ses 3 derniers chiffres sont 3 zéros ou forment un nombre divisible par 8 ;
9 ⟺ la somme des chiffres est divisible par 9 ;
10 ⟺ il se termine par zéro ;
11 ⟺ la différence entre la somme des termes de rang impair et la somme des termes de rang pair est nulle ou divisible par 11 ;
Exemple : 48 543 est divisible par 11 car $(4 + 5 + 3) - (8 + 4) = 12 - 12 = 0$.
93 819 est divisible par 11 car $(9 + 8 + 9) - (3 + 1) = 26 - 4 = 22$
12 ⟺ il est divisible par 4 et par 3 ;
15 ⟺ il est divisible par 3 et par 5 ;
22 ⟺ il est divisible par 2 et par 11 ;
25 ⟺ il se termine par 00, 25, 50 ou 75.

Congruences

Définition. C'est une relation binaire telle que : $x \equiv x' \ (m) \Leftrightarrow \exists\, n \in \mathbb{N},\ x - x' = nm$.

x et x' ont même reste dans la division euclidienne par m. C'est une relation d'équivalence.

La classe d'équivalence de a est notée $\bar{a} = \{x\,;\, x \equiv a\ (m)\}$.

Ensemble quotient
$\mathbb{Z}/m\mathbb{Z} = \{\bar{0}, \bar{1}, \bar{2}, \ldots \overline{(m-1)}\}$.

Remarque : $\bar{0}, \bar{1}, \bar{2}, \ldots \overline{(m-1)}$ sont appelés entiers modulo m.

Numération

On peut utiliser, comme base de numération, tout nombre entier à partir de 2.

Base dix (numération décimale). Permet de représenter n'importe quel nombre au moyen de 10 symboles appelés chiffres. Ce nombre de 10 symboles a été choisi probablement parce que l'homme a compté très tôt sur ses 10 doigts.
$7\,524 = 4.10^0 + 2.10^1 + 5.10^2 + 7.10^3$

Nota. – La puissance d'exposant zéro d'un entier non nul est égale à 1.

Base deux. On utilise 2 symboles : 0 et 1.
Ex. : $(1011011)_{\text{deux}}$ correspond à
$1 \times 2^0 + 1 \times 2^1 + 0 \times 2^2 + 1 \times 2^3 + 1 \times 2^4 + 0 \times 2^5 + 1 \times 2^6 = 1 + 2 + 0 + 8 + 16 + 0 + 64 = 91$ du système décimal.

Le système binaire, utilisant seulement 2 symboles pour représenter tout nombre entier, est très utilisé dans l'industrie (machines électroniques). En effet, 2 chiffres sont facilement représentables et détectables par 2 niveaux d'une même grandeur physique.

Exemple :
0 = tension ⩽ 1 volt, 1 = tension ⩾ 5 volts.

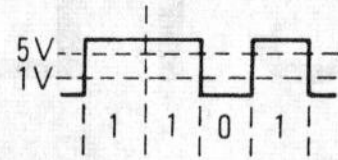

Base quatre. Utilise 4 symboles : 0, 1, 2, 3.
$(3012)_{\text{(quatre)}}$ (lire trois, zéro, un, deux : écrit en base quatre, et non trois mille douze) ;
correspond à : $2 \times 4^0 + 1 \times 4^1 + 0 \times 4^2 + 3 \times 4^3 = 2 + 4 + 0 + 192 = 198$ du système décimal.

Base douze. On utilise 12 symboles : 0, 1, 2, 3, 4, 5, 6, 7, 8, 9, *a, b,* (*a* et *b* sont souvent remplacés par les lettres grecques α et β et représentent 10 et 11).
$(1ab3)_{\text{douze}}$ (lire un, *a, b,* trois, écrit en base douze) correspond dans le système décimal à :
$3 \times 12^0 + 11 \times 12^1 + 10 \times 12^2 + 1 \times 12^3 = 3 + 132 + 1440 + 1728 = 3303$.

Nota. – Problème : Comment écrire dans le système de base cinq, par exemple, le nombre 184 écrit dans le système décimal (base dix) ? Le système de base cinq (symboles 0, 1, 2, 3, 4) utilise :
$5^0 =$ 1 groupe d'ordre zéro ;
$5^1 =$ 5 groupes d'ordre un ;
$5^2 =$ 25 groupes d'ordre deux ;
$5^3 =$ 125 groupes d'ordre trois ;
$5^4 =$ 625 groupes d'ordre quatre ; etc.

On voit que 184 ne contient aucun groupe d'ordre quatre, mais contient un groupe d'ordre trois (184 divisé par 125 donne un quotient entier 1 ; reste 59) ;
$184 = 125 + 59 = 5^3 + 59$.

59 contient 2 groupes d'ordre deux et il reste 9 ;
$184 = 5^3 + 2 \times 25 + 9 = 5^3 + 2 \times 5^2 + 9$.

9 contient un groupe d'ordre un et il reste 4 ;
$184 = 5^3 + 2 \times 5^2 + 1 \times 5^1 + 4$;
et 4 contient exactement 4 groupes d'ordre zéro.
184 s'écrit donc en base cinq : $(1214)_{\text{cinq}}$.

Logique

Introduction

La science mathématique peut être comparée à un jeu de construction. Elle comporte un « matériel de base », constitué de « termes primitifs » (ou « notions premières ») posées *a priori.* Ceux-ci ne sont pas définis (au sens mathématique) puisqu'ils ne sont en relation avec aucun terme antérieur. Exemples de « termes primitifs » : ensemble, élément.

Un assemblage de « termes primitifs » est une **notion dérivée.** Une succession de « termes primitifs » ou de « notions dérivées » est une **proposition.**

La théorie mathématique fournit les « règles du jeu » permettant d'affirmer que tel assemblage est permis ou non.

Ces règles du jeu sont constituées par les **axiomes** qui sont des propositions posées comme vraies au départ, ou des **règles d'assemblage** des termes primitifs ou dérivés pour former de nouveaux termes dérivés.

Une proposition peut être vraie (valeur de vérité notée 1 ou V) ou fausse (valeur de vérité 0 ou F).

Une proposition munie de sa valeur de vérité s'appelle une *assertion :* (2 + 3 = 5, V), (Louis XIV fut roi d'Angleterre, F) sont des assertions.

Négation d'une proposition Axiome du tiers exclu

P étant une proposition, « non P » (noté ⌉ P ou $\bar{P}$) est une proposition appelée *négation* de P.

Ex. : Proposition P : M. X est né à Paris.
Proposition ⌉ P : M. X n'est pas né à Paris.
Quelle que soit P :
P et ⌉ P ne peuvent être vraies ensemble ;
P ou ⌉ P est vraie.
Table de vérité P.

P	⌉ P
V	F
F	V

⌉ P (ou $\bar{P}$) est fausse si P est vraie.
⌉ P est vraie si P est fausse.

Disjonction logique de deux propositions

Si P et Q sont deux propositions, on appelle proposition « P ou Q » (notée P ∨ Q) la proposition vraie si l'une au moins des deux propositions est vraie.

Table de vérité de P ∨ Q.

P	Q	P ∨ Q
V	V	V
V	F	V
F	V	V
F	F	F

Exemple : P : Marie a l'un de ses vêtements rouge. Q : Marie a l'un de ses vêtements vert.
« P ou Q » est vraie si Marie a un vêtement rouge ou a un vêtement vert ou a un vêtement rouge et un vêtement vert.
« P ou Q » n'est fausse que si Marie ne porte aucune de ces 2 couleurs.

Conjonction logique de 2 propositions

Si P et Q sont 2 propositions, on appelle proposition « P et Q » (notée P ∧ Q) la proposition vraie seulement si les 2 propositions sont vraies.

Table de vérité de P ∧ Q.

P	Q	P ∧ Q
V	V	V
V	F	F
F	V	F
F	F	F

Exemple : P : x habite une capitale géographique.
Q : x habite en France.
P ∧ Q : x habite Paris.
Si P ∧ Q n'est jamais vraie, P et Q sont dites propositions incompatibles.
Ex. P : x est new-yorkais.
Q : x est européen.

Implication logique

P et Q étant deux propositions, la proposition dérivée « non P ou Q » (⌉ P ∨ Q) s'appelle « *implication* ».

On écrit P ⟹ Q (on lit « P implique Q » ou quelquefois « Si P, alors Q »).

Table de vérité : P ⟹ Q.

P	Q	⌉ P	⌉ P ∨ Q (ou P ⇒ Q)
V	V	F	V
V	F	F	F
F	V	V	V
F	F	V	V

P ⟹ Q est fausse uniquement dans le cas où P est vraie et Q fausse.

Exemple :
P : Paris est la capitale de la France (V) ;
Q : Bruxelles est la capitale du Maroc (F.) ;
R : 3 + 4 = 7 (V) ; S : 2 × 4 = 10 (F) ;
P ⟹ R (vraie : 1re ligne de la table) ;
P ⟹ Q (fausse : 2e ligne) ;
S ⟹ P (vraie : 3e ligne) ; Q ⟹ S (vraie : 4e l.).

Nota. – Une proposition fausse peut impliquer aussi bien une proposition vraie qu'une proposition fausse. En revanche le « vrai » implique le « vrai ».

Équivalence logique

La proposition « P est logiquement équivalente à Q » est la proposition :
(P ⟹ Q) ∧ (Q ⟹ P).
On la note P ⟺ Q.

Table de vérité : P ⟺ Q.

P	Q	⌉ P	⌉ Q	P ⇒ Q	Q ⇒ P	P ⇔ Q
V	V	F	F	V	V	V
V	F	F	V	F	V	F
F	V	V	F	V	F	F
F	F	V	V	V	V	V

P ⟹ Q est la proposition « ⌉ P ou Q ».
Donc Q ⟹ P est la proposition « ⌉ Q ou P ».
On remarque que P ⟺ Q si P et Q sont vraies ou sont fausses toutes les 2.

Avec les notations de l'exemple du paragraphe précédent, on a : P ⟺ R, Q ⟺ S.

Quantificateurs. *Existentiel,* ∃ : « Il en existe au moins un » ; *universel,* ∀ : « Quel que soit ».
Ex. : soit ℕ l'ensemble des entiers naturels.
$(\exists\, x \in \mathbb{N})\quad x^2 - x = 0$;
$(\forall\, x \in \mathbb{N})\quad (x + 1)^2 = x^2 + 2x + 1$.

Déduction ; raisonnement mathématique. Dans l'implication P ⟹ Q, il n'y a aucune notion de conséquence, contrairement au contenu psychologique du mot « implique », source de nombreuses difficultés.

ENSEMBLES

■ ENSEMBLE - ÉLÉMENTS

La notion d'*ensemble* est une « notion première ». Elle ne peut être définie au sens mathématique du terme. Ex. : ensemble des habitants d'une ville, ensemble des nombres premiers en arithmétique, etc.

Un ensemble est composé d'*éléments*. Ex. : appelons A l'ensemble des nombres entiers de 3 inclus à 14 inclus.

7 « est un élément de » A, ou 7 « appartient à » A. On écrit : $7 \in A$.

2 « n'est pas un élément de » A, ou 2 « n'appartient pas à » A. On écrit : $2 \notin A$.

L'ensemble des nombres pairs terminés par le chiffre 3, l'ensemble des capitales d'Europe commençant par X, sont des « ensembles vides ».

On convient qu'il y a un seul *ensemble vide* noté $\varnothing$.

Un ensemble à un seul élément est appelé *singleton*.

■ INCLUSION - SOUS-ENSEMBLE

L'ensemble C des chevaux est inclus dans l'ensemble Q des quadrupèdes, car tout cheval est un quadrupède. C est dit « sous-ensemble » de Q. On note $C \subset Q$.

On dit que F est un sous-ensemble ou une partie d'un ensemble E si tout élément de F est un élément de E.

L'ensemble vide est un sous-ensemble de tout ensemble E ; on note : $\varnothing \subset E$.

Tout sous-ensemble de E distinct de $\varnothing$ et de E est dit sous-ensemble propre de E.

Nota. - On dit aussi « est inclus dans » pour « est un sous-ensemble de ». L'ensemble des multiples de 6 est inclus dans l'ensemble des nombres pairs.

Sous-ensembles complémentaires : si F est un sous-ensemble de E, on appelle complémentaire de F dans E l'ensemble des éléments de E qui n'appartiennent pas à F ; cet ensemble est noté $\complement_E F$

■ INTERSECTION DE 2 ENSEMBLES

Prenons un jeu de 52 cartes. Soit H l'ensemble des honneurs (valets, dames, rois, as). Soit K l'ensemble des « carreaux ». H et K ont en commun les éléments : valet, dame, roi, as de carreau. L'ensemble I de ces 4 cartes s'appelle *intersection* de H et K.

On écrit $I = H \cap K$ (lire : I égale H inter K). L'intersection de 2 ensembles est l'ensemble des éléments communs aux 2.

Si 2 ensembles n'ont aucun élément commun, on dit qu'ils sont *disjoints*.

Exemple : l'ensemble A des chats et l'ensemble P des poissons sont disjoints : $A \cap P = \varnothing$.

■ RÉUNION DE 2 ENSEMBLES

André et Bernard veulent réunir leurs amis.

Ensemble A des amis d'André : {Paul, Luc, Line, Sylvie}.

Ensemble B des amis de Bernard : {Luc, Sylvie, Jean, Serge, Françoise, Martine}.

L'ensemble C des invités est : C : {Paul, Luc, Line, Sylvie, Jean, Serge, Françoise, Martine}.

L'ensemble C s'appelle *réunion* des ens. A et B. On écrit $C = A \cup B$ (C égale A « union » B).

■ PROPRIÉTÉS DES SYMBOLES

$\subset, \cup, \cap, \complement_E$

Inclusion.

$(A \subset B \text{ et } B \subset C) \Longrightarrow A \subset C$

$(A \subset B \text{ et } B \subset A) \Longrightarrow A = B$

Intersection.

$(x \in X \text{ et } x \in Y) \Longleftrightarrow x \in (X \cap Y)$

$X \cap Y = Y \cap X$

$(X \cap Y) \cap Z = X \cap (Y \cap Z)$

Si $X \subset E$, $X \cap E = X$

$X \cap \varnothing = \varnothing$

Réunion.

$(x \in X \text{ ou } x \in Y) \Longleftrightarrow (X \cup Y)$

$X \cup Y = Y \cup X$

$(X \cup Y) \cup Z = X \cup (Y \cup Z)$

Si $X \subset E$, $X \cup E = E$

$X \cup \varnothing = X$

Distributivité.

$X \cup (Y \cap Z) = (X \cup Y) \cap (X \cup Z)$

$X \cap (Y \cup Z) = (X \cap Y) \cup (X \cap Z)$

Complémentarité ($X \subset E$ et $Y \subset E$).

$x \in \complement_E X \Longleftrightarrow (x \in E \text{ et } x \notin X)$

$Y = \complement_E X \Longleftrightarrow (X \cup Y = E \text{ et } X \cap Y = \varnothing)$

Lois de de Morgan.

$\complement_E (X \cup Y) = \complement_E X \cap \complement_E Y$

$\complement_E (X \cap Y) = \complement_E X \cup \complement_E Y$

■ PRODUIT CARTÉSIEN DE 2 ENSEMBLES

Le produit cartésien d'un ensemble A par un ensemble B est l'ensemble des couples dont le 1er élément appartient à A et le 2e à B ; on le note $A \times B$.

Exemple : A ensemble {Luc, Jean, Paul}, B ensemble {canne, parapluie}.

(Luc, canne) et (Jean, parapluie) sont des éléments de $A \times B$ (lire : A croix B).

(canne, Luc) et (parapluie, Jean) sont des éléments de $B \times A$.

(canne, canne) est un élément de $B \times B$, noté B^2.

(Luc, Jean) est un élément de $A \times A$, noté A^2.

■ RELATION DANS UN ENSEMBLE

Exemple : F = {André, Jean, Jacques, Bob, Bernard, Luc, Jules}.

1°) La proposition « précède dans l'ordre alphabétique » définit dans l'ensemble F une relation $\mathcal{S}$.

Le couple (André, Luc) vérifie la relation. On écrit André $\mathcal{S}$ Luc.

Le couple (Jacques, Bob) ne vérifie pas la relation $\mathcal{S}$; on écrit : Jacques $\not\mathcal{S}$ Bob.

2°) La proposition « a la même initiale que » définit dans l'ensemble F une relation $\mathcal{T}$.

Le couple (Jean, Jules) vérifie la relation $\mathcal{T}$; on écrit : Jean $\mathcal{T}$ Jules.

Le couple (André, Luc) ne vérifie pas la relation $\mathcal{T}$; on écrit : André $\not\mathcal{T}$ Luc.

PROPRIÉTÉS POSSIBLES D'UNE RELATION

D'une façon générale, soit E un ensemble dont les éléments sont désignés par des lettres *a, b, c*, ..., et $\mathcal{R}$ une relation définie dans E.

1°) **Relation réflexive.** $\mathcal{R}$ est réflexive si pour tout élément *a* de E, on a : $a \mathcal{R} a$.

S'il existe au moins un élément *a* tel que $a \not\mathcal{R} a$, la relation n'est pas réflexive.

Exemple : Dans l'ensemble F ci-dessus la relation $\mathcal{T}$ est réflexive ; la relation $\mathcal{S}$ n'est pas réflexive.

2°) **Relation symétrique.** $\mathcal{R}$ est symétrique si, pour tout couple (a, b), on a : $a \mathcal{R} b \Longrightarrow b \mathcal{R} a$.

S'il existe au moins un couple tel que ($a \mathcal{R} b$ et $b \not\mathcal{R} a$), la relation n'est pas symétrique.

Exemple : dans l'ensemble F, la relation $\mathcal{T}$ est symétrique ; $\mathcal{S}$ n'est pas symétrique.

3°) **Relation transitive.** $\mathcal{R}$ est transitive, si, pour tout triplet (a, b, c), on a : $(a \mathcal{R} b \text{ et } b \mathcal{R} c) \Longrightarrow a \mathcal{R} c$.

S'il existe au moins un triplet (a, b, c) tel que ($a \mathcal{R} b$ et $b \mathcal{R} c$ et $a \not\mathcal{R} c$), la relation n'est pas transitive.

Exemple : dans l'ensemble F les relations $\mathcal{T}$ et $\mathcal{S}$ sont transitives.

4°) **Relation antisymétrique.** $\mathcal{R}$ est antisymétrique si pour tout couple (a, b), on a :

$(a \mathcal{R} b \text{ et } b \mathcal{R} a) \Longrightarrow (a = b)$.

Exemple : dans l'ensemble $\mathbb{N}$, la relation « est supérieur ou égal à » est antisymétrique. En effet, quels que soient les entiers naturels *a* et *b*, on a : $(a \geqslant b \text{ et } b \geqslant a) \Longrightarrow (a = b)$.

Relation d'équivalence. Relation à la fois réflexive, symétrique et transitive. $\mathcal{T}$ est une relation d'équivalence ; $\mathcal{S}$ n'est pas une relation d'équivalence.

Classe d'équivalence. On appelle classe d'équivalence d'un élément *a* l'ensemble des éléments de E en relation avec *a*.

Exemple : dans l'ensemble F, et pour la relation d'équivalence $\mathcal{T}$, la classe d'équivalence de Jean est {Jean, Jacques, Jules} ; celle de Bob est {Bernard, Bob} ; celle de Luc est le singleton {Luc}.

Relation d'ordre. *Ordre large* : relation à la fois réflexive, antisymétrique et transitive.

Exemple : la relation $\leqslant$ dans $\mathbb{N}$

Ordre strict : relation transitive, non réflexive et non symétrique.

Exemple : la relation $>$ dans $\mathbb{R}$.

REPRÉSENTATION SAGITTALE D'UNE RELATION (DU LATIN SAGITTA « FLÈCHE »)

Soit l'ensemble A = {21, 23, 34, 43, 51} et la relation « a le même chiffre des unités que » on peut représenter graphiquement cette relation de la façon suivante :

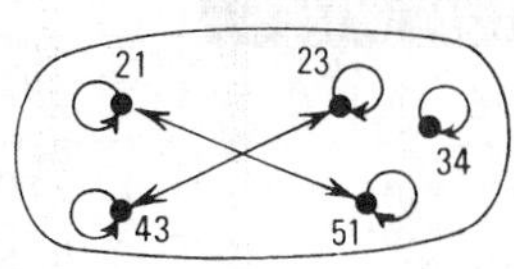

Nota. - La relation est réflexive ; il y a une « boucle » autour de chaque élément.

■ RELATION D'UN ENSEMBLE A VERS UN ENSEMBLE B

Soient les ensembles :

A = {Loire, Mékong, Pô, Rhône},

B = {Espagne, France, Italie, Suisse}.

Représentation sagittale de la relation « coule dans » :

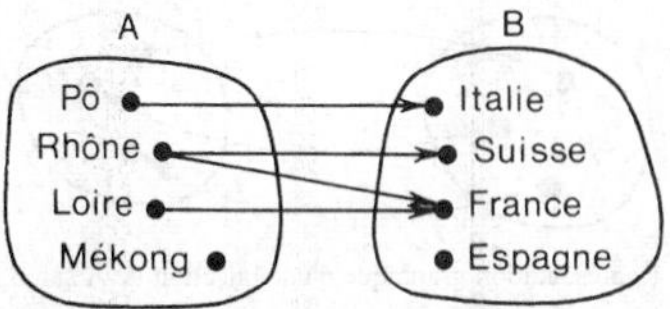

On dit que l'Italie est une « image » de Pô ou encore que Pô est un « antécédent » d'Italie.

L'élément Rhône a 2 images ; l'élément Mékong n'a pas d'image dans B.

L'élément France a 2 antécédents ; l'élément Espagne n'a pas d'antécédent dans A.

APPLICATION - FONCTION

Une relation d'un ensemble A vers un ensemble B est appelée « application » ou « fonction » si de chaque élément de A il part au plus une flèche, c'est à dire soit 0 flèche, soit une flèche. Chaque élément de A a au + une image dans B. Le nom de fonction est plutôt réservé au cas où A et B sont des ensembles numériques.

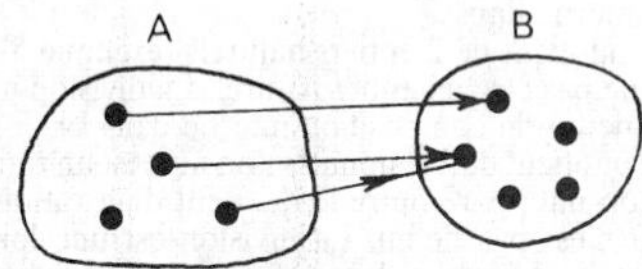

Représentation sagittale d'une application de A vers B.

PROPRIÉTÉS POSSIBLES D'UNE APPLICATION

1°) **Surjection.** Une application de A dans B est surjective (ou encore une surjection de A sur B) si tout élément de B a au moins un antécédent dans A. Dans la représentation sagittale d'une surjection, il arrive au moins une flèche à chaque élément de B.

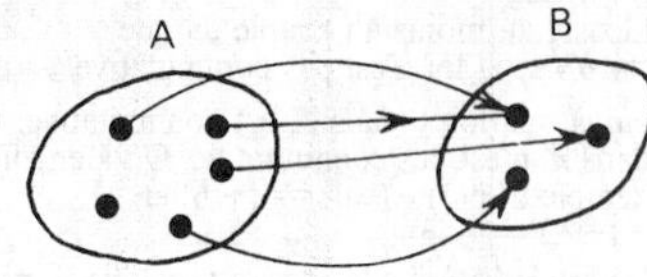

Représentation sagittale d'une surjection de A sur B.

2°) **Injection.** Une application de A dans B est injective (ou une injection de A dans B) si un élément de B a au plus un antécédent dans A. 2 éléments distincts de A ne peuvent avoir la même image dans B. Dans la représentation sagittale d'une injection, il arrive au plus une flèche à chaque élément de B.

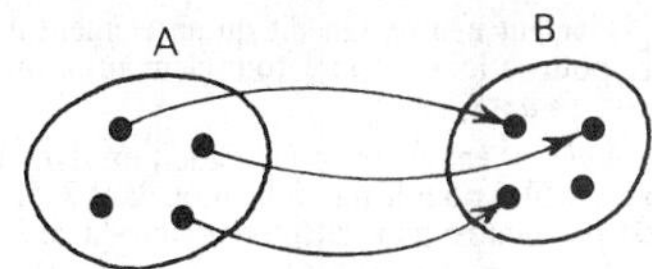

Représentation sagittale d'une injection de A dans B.

3°) **Bijection.** Une application de A dans B est bijective (ou encore une bijection de A sur B) si chaque élément de B a exactement un antécédent dans A. Une bijection de A sur B est à la fois injective et surjective. Dans la représentation sagittale d'une bijection, il part exactement une flèche de chaque

SYMBOLES

$+$	plus
$-$	moins
$\times$	multiplié par
$.$	multiplié par
$:$	divisé par
$\lvert a \rvert$	valeur absolue de a
$\lVert \vec{u} \rVert$	norme du vecteur $\vec{u}$
$\sqrt[2]{\ }$ ou $\sqrt{\ }$	racine carrée
$\sqrt[3]{\ }$	racine cubique
$\sqrt[n]{a}$	racine $n^{ième}$ de a
$=$	égal à
$\equiv$	identique à ou congru à
$\neq$	différent de
$\simeq$	environ (à peu près égal à)
$<$	strictement inférieur à
$\leqslant$	inférieur ou égal à
$\ll$	très inférieur à
$>$	strictement supérieur à
$\geqslant$	supérieur ou égal à
$\gg$	très supérieur à
$\forall$	quel que soit
$\exists$	il existe
$\rightarrow$	tend vers
$\nearrow$	croissant
$\searrow$	décroissant
$+\infty$	plus l'infini
$-\infty$	moins l'infini
$!$	factorielle
Σ	sigma de (somme de)
π	pi de (produit)
$\in$	appartient à
$\notin$	n'appartient pas à
$\subset$	inclus dans
$\not\subset$	non inclus dans
$\cup$	symbole d'union
$\cap$	symbole d'intersection
Δ	différence symétrique
$\complement_E^A$	complémentaire de A dans E
$\varnothing$	ensemble vide
$\mathbb{N}$	ensemble des entiers naturels
$\mathbb{Z}$	ensemble des entiers relatifs
$\mathbb{Q}$	ensemble des nombres rationnels
$\mathbb{Q}_+$	ensemble des nombres rationnels positifs ou nuls
$\mathbb{Q}_+^*$	ensemble des nombres rationnels strictement positifs
$\mathbb{R}$	ensemble des nombres réels
$\mathbb{C}$	ensemble des nombres complexes
$\Longrightarrow$	implique ou entraîne
$\Leftrightarrow$	équivalent à
$\vee$	« ou » propositionnel
$\wedge$	« et » propositionnel
$\perp$	perpendiculaire à
$//$	parallèle à

élément de A et il arrive exactement une flèche à chaque élément de B.

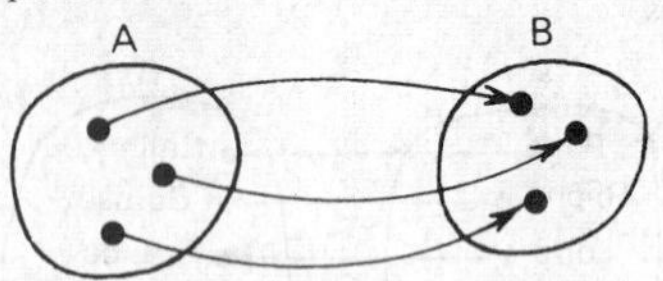

Représentation graphique d'une bijection de A sur B

Nota. – Si A et B sont finis, et s'il existe une bijection de A sur B, ces 2 ensembles ont le même nombre d'éléments.

LOIS DE COMPOSITION INTERNE DANS UN ENSEMBLE

La somme de 2 entiers naturels quelconques est toujours un entier naturel. On dit que l'addition est un loi de composition interne dans $\mathbb{N}$, ou encore une opération partout définie dans $\mathbb{N}$.

Par contre la différence de 2 entiers naturels, par exemple 2-7, peut ne pas être un entier naturel. La soustraction n'est pas une loi de composition interne dans $\mathbb{N}$.

La différence de 2 entiers relatifs est toujours un entier relatif. La soustraction est une loi de composition interne dans $\mathbb{Z}$.

Le quotient de 2 entiers naturels (exemple 5 : 2) peut ne pas être un entier naturel. La division n'est pas une loi de composition interne dans $\mathbb{N}$.

Le quotient de 2 rationnels non nuls est un rationnel non nul ; par contre le quotient d'un rationnel par 0 n'est pas défini. La division est une loi de composition interne dans $\mathbb{Q}^*$; ce n'est pas une loi de composition interne dans $\mathbb{Q}$.

PROPRIÉTÉS POSSIBLES D'UNE LOI DE COMPOSITION INTERNE

D'une façon générale, soit E un ensemble dont les éléments sont désignés par des lettres *a, b, c*... et une loi de composition interne dans E notée $*$.

1°) **Commutativité.** La loi $*$ est commutative si pour tout couple (a, b) d'éléments, on a :
$a * b = b * a$.

S'il existe au moins un couple tel que
$a * b \neq b * a$, la loi n'est pas commutative.

Exemple : la loi + dans $\mathbb{Z}$ est commutative. La loi – dans $\mathbb{Z}$ n'est pas commutative. On a en effet, par exemple : $(+2) - (-4) = (+6)$ et
$(-4) - (+2) = (-6)$.

2°) **Associativité.** La loi $*$ est associative si, pour tout triplet (a,b,c) d'éléments, on a
$(a * b) * c = a * (b * c)$.

S'il existe au moins un triplet tel que
$(a * b) * c \neq a * (b * c)$, la loi n'est pas associative.

Exemple : la loi + dans $\mathbb{Z}$ est associative. La loi – dans $\mathbb{Z}$ n'est pas associative on a, par exemple,
$\big((+1) - (-2)\big) - (-1) = (+4)$ et
$(+1) - \big((-2) - (-1)\big) = (+2)$.

3°) **Élément neutre.** On dit qu'un élément e est neutre pour la loi $*$ si, pour tout élément a, on a :
$a * e = e * a = a$.

Exemple : 0 est neutre pour l'addition dans $\mathbb{N}$; (+ 1) est neutre pour la multiplication dans $\mathbb{Z}$; mais 0 n'est pas neutre pour la soustraction dans $\mathbb{Z}$.

4°) **Symétrique.** Si la loi $*$ possède un élément neutre e, on dit que a admet un symétrique a' s'il existe un élément a' de E tel que :
$a * a' = a' * a = e$.

Exemple : la loi + dans $\mathbb{N}$ admet 0 pour élément neutre, mais aucun élément non nul de $\mathbb{N}$ n'admet de symétrique. La loi + dans $\mathbb{Z}$ admet 0 pour élément neutre ; tout élément a de $\mathbb{Z}$ admet un symétrique, noté $-a$.

La multiplication dans $\mathbb{Q}$ admet 1 pour élément neutre. 0 n'a pas de symétrique ; mais tout rationnel non nul a admet un symétrique noté $\frac{1}{a}$ et appelé inverse de a.

LOI DE COMPOSITION EXTERNE

Soit E un ensemble non vide. On appelle loi de composition externe définie sur E, à opérateurs dans $\mathbb{R}$ toute application cartésien $\mathbb{R} \times E$ dans E.

Exemple : considérons l'ensemble E des fonctions affines f définies par $f(x) = ax + b$. Soit x un réel ; au couple (α, f), nous associons la fonction $\alpha \,.\, f$ définie par : $(\alpha \,.\, f)(x) = \alpha f(x) = \alpha\, a\, x + \alpha\, b$.

Nous notons : $\mathbb{R} \times E \rightarrow E$
$(\alpha, f) \mapsto \alpha \,.\, f$.

STRUCTURES

Groupes. Un ensemble G muni de la loi $*$ est un groupe si les trois propriétés suivantes sont vérifiées :

1°) la loi $*$ est associative ;

2°) la loi $*$ admet un élément neutre e dans G ;

3°) tout élément de G admet un symétrique pour la loi $*$. On note ce groupe $(G, *)$.

Si, de plus, la loi $*$ est commutative, on dit que $(G, *)$ est un groupe *abélien*, ou groupe *commutatif*.

Exemple : $(\mathbb{Z}, +)$ et $(\mathbb{Q}^*, \times)$ sont des groupes commutatifs.

Anneaux. Un ensemble A muni de 2 lois de composition interne est un anneau si les 3 propriétés suivantes sont vérifiées :

1°) la 1re loi confère à A une structure de groupe abélien ;

2°) la 2e loi est associative ;

3°) la 2e loi est distributive par rapport à la 1re.

Exemple : $(\mathbb{Z}, +, \times)$ et $(\mathbb{Q}^*, +, \times)$ sont des anneaux. En effet $(\mathbb{Z}, +)$ est un groupe abélien ; de plus, quels que soient les entiers relatifs *a, b, c*, on a :
$(a \times b) \times c = a \times (b \times c)$ Associativité.

$$\left.\begin{array}{l}(a + b) \times c = (a \times c) + (b \times c)\\ c \times (a + b) = (c \times a) + (c \times b)\end{array}\right\}\ \text{Distributivité}$$

Corps. Un ensemble K muni de 2 lois de composition interne est un corps si les deux propriétés suivantes sont vérifiées :

1°) K est un anneau.

2°) K privé de l'élément neutre de la 1re loi est un groupe pour la 2e loi.

Si, de plus, la 2e loi est commutative, on dit que K est un corps commutatif.

Exemple : l'ensemble $\mathbb{Q}$ muni des lois + et $\times$ est un corps commutatif, noté $(\mathbb{Q}, +, \times)$.

Rappelons dans le détail les six propriétés qui font que $(\mathbb{Q}, +, \times)$ est un corps.

1°) loi + est associative dans $\mathbb{Q}$;

2°) la loi + admet 0 pour élément neutre ;

3°) tout élément a admet pour l'addition un symétrique $-a$;

4°) la loi $\times$ est associative dans $\mathbb{Q}$ et distributive par rapport à la loi d'addition + ;

5°) la loi $\times$ admet 1 pour élément neutre ;

6°) tout élément a de $\mathbb{Q}^*$, c'est-à-dire de $\mathbb{Q} - \{0\}$, admet un inverse $\frac{1}{a}$ dans $\mathbb{Q}^*$.

CALCULS NUMÉRIQUES

ENSEMBLES NUMÉRIQUES USUELS

$\mathbb{N}$ **: ensemble des entiers naturels.**
$\mathbb{N} = \{0, 1, 2, 3,....\}$ $\quad \mathbb{N}^* = \mathbb{N} - \{0\} = \{1,2,3,...\}$

$\mathbb{Z}$ **: ensemble des entiers relatifs.** Entiers précédés du signe + pour les entiers strictement positifs, du signe – pour les entiers strictement négatifs. Le nombre 0 n'est précédé d'aucun signe.

$\mathbb{Z} = \{..., -3, -2, -1, 0, +1, +2,...\}$
$\mathbb{Z}^* = \mathbb{Z} - \{0\} = \{..., -2, -1, +1, +2,...\}$

$\mathbb{Q}$ **: ensemble des nombres rationnels.** Ensemble des nombres qui peuvent être écrits comme rapport d'un élément de $\mathbb{Z}$ et d'un élément de $\mathbb{N}^*$.

$\mathbb{R}$ **: ensemble des nombres réels.** Nombres qui peuvent être rationnels ou non rationnels comme π ou $\sqrt{2}$.
$\mathbb{R}^* = \mathbb{R} - \{0\}$.

On a la relation : $\mathbb{N} \subset \mathbb{Z} \subset \mathbb{Q} \subset \mathbb{R}$.

ÉQUATIONS

■ **Équation algébrique à une inconnue.** Égalité *conditionnelle* entre 2 expressions algébriques contenant une variable inconnue. On appelle *solution* ou *racine* de l'équation toute valeur de l'inconnue pour laquelle l'égalité conditionnelle est vérifiée. *Résoudre* une équation c'est déterminer l'ensemble de ses solutions.

■ **Équation du 1er degré à 1 inconnue.** $ax + b = 0$.

Si $a \neq 0$, une solution unique le réel $-\frac{b}{a}$

Ex : l'équation : $3x - 6 = 0$ a une solution unique égale à 2.

■ **Équation du 2e degré à 1 inconnue.**
$ax^2 + bx + c = 0$.

Le réel Δ (delta) $= b^2 - 4ac$ est appelé *discriminant.* 3 cas possibles :

1er cas : Δ est négatif $(\Delta < 0)$. Il n'y a pas de racine : aucune valeur réelle de x ne satisfait l'équation.

2e cas : Δ est nul $(\Delta = 0)$. Il y a une seule solution, appelée *solution double,* le réel $-\frac{b}{2a}$

3e cas : Δ est positif $(\Delta > 0)$. Il y a deux solutions distinctes :

$$x' = \frac{-b - \sqrt{b^2 - 4ac}}{2a} \quad x'' = \frac{-b + \sqrt{b^2 - 4ac}}{2a}$$

Ex. : $x^2 - 3x + 2 = 0$
$\Delta = 9 - 4 \times 2 = 9 - 8 = 1$

$$x' = \frac{+3 - \sqrt{1}}{2} = 1. \quad x'' = \frac{+3 + \sqrt{1}}{2} = 2.$$

■ **Somme et produit des racines de l'équation.** $ax^2 + bx + c = 0$.

Si elles existent, les racines ont pour somme :

$S = -\frac{b}{a}$ et pour produit $P = \frac{c}{a}$

Réciproquement, si 2 nombres ont pour somme S et pour produit P, ils sont solutions de l'équation $x^2 - Sx + P = 0$.

Soit le système $y + z = 5$ et $y \times z = 6$, y et z sont solutions de l'équation : $x^2 - 5x + 6 = 0$.
$\Delta = 25 - 24 = 1$,

$$x' = \frac{5 - \sqrt{1}}{2} = 2, \quad x'' = \frac{5 + \sqrt{1}}{2} = 3.$$

On a $y = 2$, $z = 3$ (ou $z = 2$, $y = 3$).

■ **Système de 2 équations du 1er degré à 2 inconnues.**

$$\begin{cases} ax + by = c \\ a'x + b'y = c' \end{cases}$$

Méthodes pour les résoudre :

1) **Méthode par substitution.** On exprime l'une des inconnues en fonction de l'autre dans l'une des équations et on remplace, dans l'autre équation, cette inconnue par l'expression équivalente tirée de la 1re.

2) **Méthode par comparaison.** On exprime une inconnue en fonction de l'autre dans les 2 équations et on égale les 2 expressions ainsi obtenues.

3) **Méthode par combinaison linéaire.** On multiplie les 2 équations par des coefficients convenables de façon qu'en ajoutant membre à membre on ob-

tienne une équation ne renfermant plus qu'une inconnue.

4) **Méthode des déterminants.** Le déterminant de 4 nombres a, b, a', b' est le nombre $ab' - ba'$; il est noté :

$$\begin{vmatrix} a & b \\ a' & b' \end{vmatrix}$$

Ex. : $\begin{vmatrix} 3 & 2 \\ 4 & 7 \end{vmatrix} = 3 \times 7 - 2 \times 4 = 13$

$\begin{vmatrix} +9 & +2 \\ -3 & -4 \end{vmatrix} = +(+9) \times (-4) - (+2) \times (-3) = (-36) - (-6) = -30.$

Résolution d'un système de 2 équations du 1er degré à 2 inconnues :

$$\begin{cases} ax + by = c \\ a'x + b'y = c' \end{cases}$$

coefficients de x — coefficients de y — termes constants

$$\begin{pmatrix} a & b & c \\ a' & b' & c' \end{pmatrix}$$

On extrait les 3 déterminants :

$D = \begin{vmatrix} a & b \\ a' & b' \end{vmatrix} = ab' - a'b$ (déterminant principal du système).

$D_x = \begin{vmatrix} c & b \\ c' & b' \end{vmatrix} = cb' - c'b$ (déterminant relatif à x), obtenu en remplaçant dans le tableau la colonne des coeff. de x par celle des termes écrits dans le 2e membre.

$D_y = \begin{vmatrix} a & c \\ a' & c' \end{vmatrix} = ac' - a'c$ (déterminant relatif à y), obtenu en remplaçant dans le tableau la colonne des coeff. de y par celle des termes écrits dans le 2e membre.

Solution :

1er cas : $D \neq 0$. Il y a un couple (x, y), unique solution.

$$x = \frac{D_x}{D} = \frac{cb' - c'b}{ab' - a'b}$$

$$y = \frac{D_y}{D} = \frac{ac' - a'c}{ab' - a'b}$$

2e cas : si $D = 0$, alors il y a soit impossibilité, soit indétermination.

CALCULS DANS IR

■ **Fractions.** Pour tout $m \neq 0$ on a $\frac{b}{a} = \frac{mb}{ma}$;

$\frac{a}{b} + \frac{c}{d} = \frac{ad + bc}{bd}$ avec b et $d \neq 0$;

$\frac{a}{b} \times \frac{c}{d} = \frac{ac}{bd}$ avec b et $d \neq 0$;

division par un nombre : $\frac{\frac{a}{b}}{c} = \frac{a}{bc}$;

division par une fraction : $\frac{\frac{a}{b}}{\frac{c}{d}} = \frac{ad}{bc}$.

■ **Identités.** Égalités entre 2 expressions algébriques valables quelles que soient les valeurs données aux *paramètres* ou *variables* qu'elles contiennent.

Exemple : $(x + a)^2 = x^2 + 2ax + a^2$ quels que soient a et x.

Identités remarquables.

$(a + b)^2 = a^2 + 2ab + b^2$
$(a - b)^2 = a^2 - 2ab + b^2$
$a^2 - b^2 = (a + b)(a - b)$
$a^3 + b^3 = (a + b)(a^2 - ab + b^2)$
$a^3 - b^3 = (a - b)(a^2 + ab + b^2)$
$(a + b)^3 = a^3 + 3a^2b + 3ab^2 + b^3$
$(a - b)^3 = a^3 - 3a^2b + 3ab^2 - b^3$

Si n entier $\geqslant 2$,
$a^n - b^n = (a - b)(a^{n-1} + a^{n-2}b + a^{n-3}b^2 + ... + ab^{n-2} + b^{n-1})$.

$$(a + b)^n = \sum_{k=0}^{n} C_n^k a^k b^{n-k} = \sum_{k=0}^{n} C_n^k a^{n-k} b^k$$

(binôme de Newton).

Nota - C_n^k est le nombre des combinaisons de n objets pris p à p. (Voir Analyse combinatoire).

■ **Puissances.** Si n est un entier supérieur à 1, on appelle puissance n^{ieme} du réel a le produit de n facteurs égaux à a ; on note : a^n ; l'entier n est l'exposant. Par convention, on pose :
$a^1 = a$ et, si $a \neq 0$, $a^0 = 1$.
La notation 0^0 n'est pas définie.

Propriétés :
1) $a^m a^n = a^{m+n}$ $\quad a^5 \times a^7 = a^{12}$
2) $(abc)^m = a^m b^m c^m$ $\quad (2 \times 4 \times 5)^3 = 2^3 \times 4^3 \times 5^3$.
3) $(a^m)^n = a^{m \times n}$ $\quad (a^5)^4 = a^{20}$.
4) $\left(\frac{a}{b}\right)^m = \frac{a^m}{b^m}$ $\quad \left(\frac{3}{4}\right)^2 = \frac{3^2}{4^2} = \frac{9}{16}$

Puissances entières relatives :

Calcul de $\frac{a^m}{a^n}$ avec $a \neq 0$, $m \in \mathbb{N}$, $n \in \mathbb{N}$:

$\frac{a^m}{a^n} = a^{m-n}$, $\quad a^{-n} = \frac{1}{a^n}$

Puissance rationnelle. On convient d'écrire, si m et n sont 2 entiers arithmétiques et $a \geqslant 0$:

$\sqrt[m]{a^n} = a^{\frac{n}{m}}$. $\quad$ *Ex. :* $\sqrt[5]{a^9} = a^{\frac{9}{5}}$.

Les propriétés des puissances entières relatives sont encore vraies.

Exemple :

$\sqrt[2]{64} \times \sqrt[3]{64} = 64^{\frac{1}{2}} \times 64^{\frac{1}{3}} = 64^{\frac{1}{2}+\frac{1}{3}} = 64^{\frac{5}{6}} = 32.$

■ **Racine carrée d'un nombre algébrique.** On appelle racine carrée d'un nombre réel A tout nombre réel, s'il y en a, dont le carré est égal à A.

Ex. : + 9 a pour racines carrées − 3 et + 3, car $(-3)^2 = +9$, $(+3)^2 = +9$.

Le nombre 0 a pour seule racine carrée 0. Les nombres négatifs n'ont pas de racine carrée. Tout nombre positif A a 2 racines carrées opposées. La racine positive se note $\sqrt{A}$, l'autre, négative $-\sqrt{A}$.

Propriétés (valables seulement pour des nombres positifs ou nuls) :

$\sqrt{a \times b \times c} = \sqrt{a} \times \sqrt{b} \times \sqrt{c}$;

si $a \geqslant 0$ et $b > 0$, $\quad \sqrt{\frac{a}{b}} = \frac{\sqrt{a}}{\sqrt{b}}$.

Attention ! $\sqrt{a + b} \neq \sqrt{a} + \sqrt{b}$
$\sqrt{a - b} \neq \sqrt{a} - \sqrt{b}$.

■ **Majorants, minorants.** Soit A un ensemble ordonné de réels. M est un majorant de A si tout élément de A est inférieur ou égal à M. Un réel m est un minorant de A si tout élément de A est supérieur ou égal à m.

On appelle borne supérieure de A le plus petit des majorants et borne inférieure le plus grand des minorants.

Exemple : soit $0 < q < 1$ et $n \in \mathbb{N}$. L'ensemble A des réels de la forme $\frac{3}{2 - q^n}$ admet pour majorants les réels 3, 4, 17, ... et pour minorants les réels 1, − 2, ...

La borne sup. est 3 ; elle appartient à A ; la borne inf. est $\frac{3}{2}$; elle n'appartient pas à A.

Un ensemble ordonné peut ne pas avoir de majorant ou de minorant.

Exemple : l'ensemble $\mathbb{Z}$ des entiers relatifs n'a ni majorant ni minorant.

PROGRESSIONS

Progression arithmétique. Suite de termes tels que chacun est égal à la somme du précédent et d'un nombre réel constant appelé *raison.*

Exemple : 3, 7, 11, 15, 19,... (raison : + 4).
7, 3, − 1, − 5, − 9, − 13,... (raison : − 4).

Si a est le premier terme et r la raison, le n^{ieme} terme est $l = a + (n - 1)r$.

La somme des n termes consécutifs est :

$$S_n = (a + l) \times \frac{n}{2} = [2a + (n - 1)r] \times \frac{n}{2}.$$

Progression géométrique. Suite de termes tels que chacun est égal au produit du précédent par un nombre constant appelé *raison.*

Exemple : 3, 6, 12, 24, 48, 96... (raison : 2).
1, − 5, + 25, − 125, + 625... (raison : − 5 : suite dite *alternée*).

Si a est le 1er terme et q la raison, le n^{ieme} terme est $l = a \times q^{n-1}$.

Si $q = 1$, la somme des n termes consécutifs est $S_n = na$.

Si $q \neq 1$, la somme de ces n termes est :

$$S = \frac{a(q^n - 1)}{q - 1}.$$

Nota - Si $q < 1$, la somme S_n a une limite lorsque n tend vers l'infini. Cette limite est :

$$S = \frac{a}{1 - q}.$$

Application : le paradoxe de Zénon d'Élée (490 av. J.-C.). Zénon « démontrait » qu'Achille ne pouvait jamais rattraper à la course une tortue partie avant lui.

Supposons, disait-il, que la tortue ait 100 m d'avance et qu'elle parcoure 1 m en 1 s, tandis qu'Achille parcourt 10 m en 1 s, que va-t-il se passer ? Achille parcourt les 100 m de son retard en 10 s pendant lesquelles la tortue a avancé de 10 m. Pour rattraper ces 10 m de retard, Achille mettra 1 s pendant laquelle la tortue a avancé de 1 m. Pour rattraper ce m, Achille mettra 1/10 de s pendant lequel la tortue a avancé d'1/10 de m, etc. Le temps nécessaire pour rattraper la tortue peut s'écrire ; 10 s + 1 s + 1/10 s + 1/100 s + 1/1 000 s etc., ce qui est une suite infinie et « prouve » que par conséquent Achille ne rattrapera jamais la tortue.

En réalité, il s'agit d'une progression infinie de raison $q < 1$. Sa somme a pour limite :

$$S = \frac{a}{1 - q} = \frac{10}{1 - 1/10} = \frac{100}{9} = 11\ 1/9$$

Achille rattrapera la tortue au bout de 11 s 1/9.

Suites. On appelle suite d'éléments de E une application de $\mathbb{N}^*$ dans E.

On la note : $(x_1, x_2, ..., x_n)$, ou plus simplement (x_n).

Égalité de 2 suites (x_n) et (y_n) :
$(x_n) = (y_n) \Leftrightarrow \forall n \in \mathbb{N}^*, x_n = y_n$.

Somme de 2 suites : $(x_n) + (y_n) = (x_n + y_n)$.

Produit de 2 suites : $(x_n) \times (y_n) = (x_n\ y_n)$

Convergence d'une suite : une suite (x_n) converge vers x_0 quand n tend vers l'infini s'il existe un entier p tel que $n > p$ entraîne pour tout réel positif ϵ l'inégalité : $x_n - x_o < \epsilon$. On note :

$\forall \epsilon > 0, \exists p \in \mathbb{N}^*$ tel que : $n > p \Longrightarrow x_n - x_o < \epsilon$.

CALCULS FINANCIERS

■ **Intérêts simples.** Somme placée a. La somme s obtenue au bout de n années par placement à intérêts simples au taux r est : $s = a(1 + nr)$.

Ce cas correspond à celui d'une *rente* où les intérêts sont versés au créancier chaque année. La somme placée a est donc constante.

■ **Intérêts composés.** Les intérêts produits s'ajoutent à la fin de chaque année au capital et produisent à leur tour des intérêts (capitalisation).

Somme placée a ; somme obtenue au bout de n années : $s = a(1 + r)^n$.

■ **Annuités** (constitution d'un capital par annuités constantes). On place au début de chaque année une somme a (annuité) qui est capitalisée au taux r. Le capital obtenu à la fin de la n^e année est :

$$s = a(1 + r)\frac{(1 + r)^n - 1}{r}.$$

■ **Amortissements** (remboursement d'une dette par annuités constantes). On a emprunté une somme s ; on la rembourse par annuités constantes, la première étant versée à la fin de la 1re année. L'amortissement de la dette s est réalisé par le versement de n annuités $a = s\,\frac{r(1 + r)^n}{(1 + r)^n - 1}$.

ANALYSE COMBINATOIRE

Factorielle. Si n est un entier > 1, on appelle factorielle n et on note $n\,!$ le produit de ses n premiers entiers naturels non nuls.

Si $n = 1$, on pose : $1\,! = 1$; si $n = 0$, on pose : $0\,! = 1$.

Arrangements. On appelle arrangements de n objets (d'un ensemble E) pris p à p ($p \leqslant n$) tout sous-ensemble ordonné de E contenant p objets distincts. On démontre que leur nombre est :

$$A_n^p = \frac{n!}{(n - p)!}$$

A_n^p est le nombre d'injections d'un ensemble à p éléments dans un ensemble à n éléments.

Exemple : Supposons 17 chevaux au départ d'une course. La notion de *tiercé dans l'ordre* correspond à celle d'arrangement de ces 17 chevaux pris par 3. 2 tiercés joués diffèrent soit parce qu'ils ne contiennent pas les mêmes chevaux, soit parce qu'ils contiennent les mêmes chevaux, mais pas dans le même ordre [(chevaux A, B, C) et (chevaux C, A, B)]. Nombre de tiercés possibles dans l'ordre pour 17 chevaux :

$$A_{17}^3 = \frac{17!}{(17 - 3)!} = \frac{17!}{14!} =$$

$$\frac{1 \times 2 \times 3 \times 4 \times ... \times 13 \times 14 \times 15 \times 16 \times 17}{1 \times 2 \times 3 \times 4 \times ... \times 13 \times 14} =$$

$15 \times 16 \times 17 = 4\,080.$

Permutations. Dans le cas où $p = n$, l'arrangement prend le nom de permutation.

Nombre de permutations de n objets :

$$A_n^n = \frac{n\,!}{(n-n)\,!} = \frac{n\,!}{0\,!} = n\,! \qquad P_n = n\,!$$

P_n est le nombre de bijections d'un ensemble sur lui-même.

Valeurs des premières factorielles.

$1! = 1 = 1.$
$2! = 1 \times 2 = 2.$
$3! = 1 \times 2 \times 3 = 6.$
$4! = 1 \times 2 \times 3 \times 4 = 24.$
$5! = 1 \times 2 \times 3 \times 4 \times 5 = 120.$
$6! = 1 \times 2 \times 3 \times 4 \times 5 \times 6 = 720.$
$7! = 1 \times 2 \times 3 \times 4 \times 5 \times 6 \times 7 = 5\,040.$
$8! = 1 \times 2 \times 3 \times 4 \times 5 \times 6 \times 7 \times 8 = 40\,320.$
$9! = 1 \times 2 \times 3 \times 4 \times 5 \times 6 \times 7 \times 8 \times 9 = 362\,880.$
$10! = 1 \times 2 \times 3 \times 4 \times 5 \times 6 \times 7 \times 8 \times 9 \times 10 = 3\,628\,800.$

Exemple : De combien de façons 6 personnes peuvent-elles se placer sur un banc ?

Ce nombre est celui des permutations : $n! = 6! = 720$.

Mais le nombre de façons possibles pour placer ces 6 personnes autour d'une table ronde est : $(n - 1)\,! = 5! = 120$.

Combinaisons. On appelle combinaison de n objets (d'un ensemble E) pris p par p ($p \leqslant n$) tout sous-ensemble de E contenant p objets distincts.

Leur nombre, noté C_n^p, est $C_n^p = \dfrac{n\,!}{p\,!\,(n-p)\,!}$

Soit 17 chevaux au départ d'une course. La notion de *tiercé dans le désordre* correspond à celle de la combinaison de 17 chevaux pris 3 à 3.

2 tiercés dans le désordre ne diffèrent que s'ils ne contiennent pas les mêmes chevaux : {A, B,C} et {B, A, C} représentent le même tiercé dans le désordre ou la même combinaison de 17 chevaux 3 par 3.

Nombre de tiercés possibles dans le désordre pour 17 chevaux :

$$C_{17}^{3} = \frac{17\,!}{14\,!\,3\,!} = 680.$$

Nombres complexes

Définition. On appelle *nombre complexe* toute écriture de la forme $a + bi$ où a et b sont des réels et i représente un nouvel élément tel que $i^2 = -1$. Les équations du 2e degré qui n'ont pas de solutions réelles ont toutes des solutions dans l'ensemble des nombres complexes

Exemple : $x^2 - 2x + 4 = 0$; $\Delta = 4 - 16 = -12$. Pas de solution réelle.

On démontre qu'il y a 2 solutions complexes $1 + i\sqrt{3}$ et $1 - i\sqrt{3}$.

Corps $\mathbb{C}$. L'ensemble $\mathbb{C}$ des nbres complexes muni de l'addition et de la multiplication a une structure de corps.

Pour additionner, soustraire ou multiplier les nombres complexes, on procède exactement comme pour additionner, soustraire ou multiplier des nombres réels en tenant compte (chaque fois que cela se présente) du fait que $i \times i = -1$.

Exemple :

$$(2 + 3i)(-1 + 4i) = -2 + 8i - 3i + 12i^2$$
$$= -2 + 8i - 3i - 12 = -14 + 5i.$$

Forme trigonométrique. On appelle *module du complexe* $z = x + iy$ le réel $\rho = \sqrt{x^2 + y^2}$; on note : $\rho = |z|$. Soit θ l'angle défini par : $\cos\theta = \dfrac{x}{\rho}$ et $\sin\theta = \dfrac{y}{\rho}$; on appelle *argument* de z le réel défini par : $\arg z = \theta + k.2\pi$.

La forme trigonométrique est :

$z = \rho\,(\cos\theta + i\,\sin\theta)$, ou encore : $z = [\rho, \theta]$.

Conjugué. C'est le complexe $x - iy$; il est noté $\bar{z}$.

$\bar{z} = \rho\,(\cos\theta - i\,\sin\theta) = [\rho, -\theta]$

Opérations dans $\mathbb{C}$.

$z + z' = (x + x') + i\,(y + y')$
$z - z' = (x - x') + i\,(y - y')$.
$zz' = xx' - yy' + i\,(xy' + yx')$

Si $z' \neq 0$, $\dfrac{z}{z'} = \dfrac{xx' + yy' + i\,(-xy' + yx')}{x'^2 + y'^2}$

$$zz' = \rho\rho'\,[\cos(\theta + \theta') + i\,\sin(\theta + \theta')] = [\rho\rho', (\theta + \theta')]$$

Si $\rho' \neq 0$, $\dfrac{z}{z'} = \dfrac{\rho}{\rho'}\,[\cos(\theta - \theta') + i\,\sin(\theta - \theta')] = \left[\dfrac{\rho}{\rho'}, \theta - \theta'\right]$.

$z^n = \rho^n\,(\cos n\theta + i\,\sin n\theta) = [\rho^n, n\theta]$ (formule de Moivre).

Propriétés.

$|z|^2 = |\bar{z}|^2 = z\bar{z}$

z réel $\Leftrightarrow z = \bar{z}$; z complexe pur $\Leftrightarrow z + \bar{z} = 0$;

$\overline{z + z'} = \bar{z} + \overline{z'}$; $\overline{zz'} = \bar{z}\,\overline{z'}$; $\overline{\left(\dfrac{z}{z'}\right)} = \dfrac{\bar{z}}{\overline{z'}}$.

P polynôme à coefficients réels : $\overline{P(z)} = P(\bar{z})$.

Conséquence : $P(z_o) = 0 \Leftrightarrow P(\bar{z}_o) = 0$.

Vecteurs

Espaces vectoriels

Espace vectoriel. Soit un ensemble E muni d'une loi de composition interne notée +, et d'une loi de composition externe à opérateurs dans $\mathbb{R}$ notée **.** Cet ensemble est un espace vectoriel sur $\mathbb{R}$ si les conditions suivantes sont vérifiées :

1°) (E, +) est un groupe abélien ;
2°) pour tout élément a de E, on a : $1 \,.\, a = a$;
3°) quels que soient les réels α, β et l'élément a de E, on a : $\alpha \,.\, (\beta \,.\, a) = (\alpha \times \beta) \,.\, a$;
4°) Quels que soient les réels α, β et l'élément a de E, on a : $(\alpha + \beta) \,.\, a = \alpha \,.\, a + \beta \,.\, a$;
5°) Quels que soient le réel α et les éléments a et b de E, on a : $\alpha \,.\, (a + b) = \alpha \,.\, a + \alpha \,.\, b$.

Le vecteur nul de E est noté 0_E.

Bases d'un espace vectoriel. Les éléments d'un espace vectoriel E sont appelés vecteurs.

– Une famille $(e_1, e_2, ..., e_n)$ de vecteurs de E est une **base** de E si, pour tout vecteur x de E il existe un *unique* n-uplet de réels $(\alpha_1, \alpha_2, ... \alpha_n)$ tels que : $x = \Sigma\, \alpha_i\, e_i$.

– Une famille $(x_1, x_2, ..., x_n)$ de vecteurs de E est **linéairement dépendante** ou **liée** s'il existe des réels $(\alpha_1, \alpha_2, ..., \alpha_n)$ *non tous nuls* tels que : $\Sigma\, \alpha_i\, x_i = 0_E$.

– Une famille $(x_1, x_2, ..., x_n)$ est **linéairement indépendante** ou **libre** si l'on a : $\alpha_1 x_1 + \alpha_1 x_2 + ... + \alpha_n x_n = 0_E \Longrightarrow \alpha_1 = \alpha_2 = ... = \alpha_n = 0$.

– Une famille $(e_1, e_2, ..., e_n)$ est **génératrice** si, pour tout vecteur x de E, il existe *au moins* un n-uplet de réels $(\alpha_1, \alpha_2, ..., \alpha_n)$ tels que : $x = \Sigma \alpha_i e_i$.

– Une base de E est donc une famille libre et génératrice.

Applications linéaires

Soient E et F deux espaces vectoriels sur $\mathbb{R}$, et f une application de E dans F. On dit que f est une application **linéaire** de E dans F si les 2 propriétés suivantes sont vérifiées :

1°) Quels que soient les vecteurs a et b de E, on a : $f(a + b) = f(a) + f(b)$.
2°) Quels que soient le réel α et le vecteur a, on a : $f(\alpha \,.\, a) = \alpha \,.\, f(a)$.

On dit aussi que cette application linéaire est un **homomorphisme** de E dans F. Pour tout homomorphisme f de E dans F, on a : $f(0_E) = 0_F$, et pour tout vecteur a de E, on a : $f(-a) = -f(a)$.

On appelle **noyau** de l'homomorphisme f l'ensemble des éléments de E dont l'image est 0_F.

Isomorphisme. On appelle isomorphisme de E sur F tout homomorphisme f bijectif de E dans F. L'application bijective réciproque de F dans E est aussi un isomorphisme noté f^{-1}.

Endomorphisme. Automorphisme : si E = F, un homomorphisme de E dans E est appelé un endomorphisme de E, et un isomorphisme de E sur E est appelé un automorphisme de E.

Vecteurs du plan (ou de l'espace)

Bipoint. C'est un couple (A,B) de points du plan (ou de l'espace). A est l'origine, B l'extrémité.

Bipoints équipollents. Les bipoints (A, B) et (C, D) sont dits équipollents si les segments AD et BC ont le même milieu.

Vecteur (du plan ou de l'espace). La relation d'équipollence est une relation d'équivalence. Un vecteur est une classe de bipoints équipollents. On note $\overrightarrow{AB}$ le vecteur dont un représentant est le bipoint (A, B).

(A, B) et (C, D) équipollents $\Leftrightarrow \overrightarrow{AB} = \overrightarrow{CD}$

$\overrightarrow{AB} = \overrightarrow{CD} \Leftrightarrow \overrightarrow{AC} = \overrightarrow{BD}$

Vecteur nul. C'est le vecteur dont 1 représentant est le bipoint (A, A) ; on le note $\vec{0}$.

Direction d'un vecteur non nul. Si $A \neq B$, la direction de $\overrightarrow{AB}$ est celle de la droite (AB).

Vecteurs opposés. Ce sont 2 vecteurs ayant des représentants de la forme (A, B) et (B, A). On a : $\overrightarrow{BA} = -\overrightarrow{AB}$.

Vecteurs colinéaires. 2 vecteurs non nuls sont colinéaires s'ils ont la même direction. Le vecteur nul est dit colinéaire à tout autre vecteur.

Vecteurs coplanaires. 3 vecteurs non nuls de l'espace sont coplanaires si leurs représentants (A, B), (A, C), (A, D) de même origine A sont coplanaires.

Nota. – 2 vecteurs sont *toujours* coplanaires.

Espace vectoriel. L'ensemble des vecteurs du plan et l'ensemble des vecteurs de l'espace (munis de l'addition vectorielle et de la multiplication par les réels) possèdent une structure d'espace vectoriel.

Opérations sur les vecteurs

Somme de 2 vecteurs. Soient 2 vecteurs $\vec{V}_1$ et $\vec{V}_2$, et (O, A) et (O, B) leurs représentants de même origine O. On construit le parallèlogramme (aplati ou non) OASB. La somme des vecteurs $\vec{V}_1$ et $\vec{V}_2$ est le vecteur $\vec{V}$ dont un représentant est le bipoint (O, S).

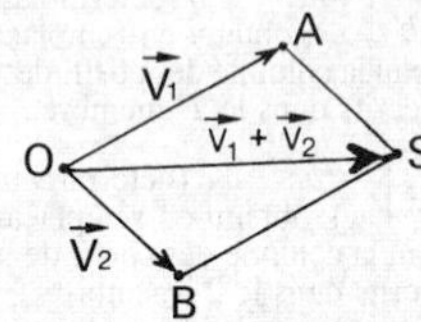

Produit d'un vecteur par un réel. Soient un réel non nul α et (O, A) un représentant du vecteur non nul $\vec{V}$. Marquons sur la droite (O, A) le point B ainsi défini : A et B sont d'un même côté de O si α est positif, de part et d'autre de O si α est négatif. De plus on a : $OB = |\alpha| \,.\, OA$. Le produit $\alpha \,.\, \vec{V}$ est le vecteur de représentant (O, B).

Sur la figure, on a : $\overrightarrow{OB} = -2\,\overrightarrow{OA}$ ($\alpha = -2$).

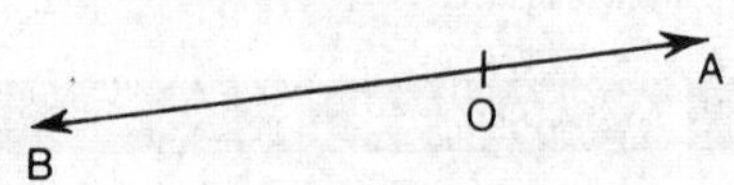

Produit scalaire

Soit E un espace vectoriel. La multiplication scalaire est une application de E × E dans $\mathbb{R}$ qui vérifie les propriétés suivantes :

Quels que soient les vecteurs $\vec{V}_1$, $\vec{V}_2$, $\vec{V}_3$ et les réels λ et μ, on a :

$\vec{V}_1 \,.\, \vec{V}_2 = \vec{V}_2 \,.\, \vec{V}_1$
$\vec{V}_1 \,.\, (\vec{V}_2 + \vec{V}_3) = \vec{V}_1 \,.\, \vec{V}_2 + \vec{V}_1 \,.\, \vec{V}_3$
$(\lambda\,\vec{V}_1) \,.\, \vec{V}_2 = \lambda\,(\vec{V}_1 \,.\, \vec{V}_2)$
$(\lambda\,\vec{V}_1) \,.\, (\mu\,\vec{V}_2) = \lambda\mu\,(\vec{V}_1 \,.\, \vec{V}_2)$
$\vec{0} \,.\, \vec{V} = 0$

Si $\vec{V}_1 \neq \vec{0}$, $\vec{V}_1 \,.\, \vec{V}_1 > 0$.

Inégalité de Schwarz :

$(\vec{V}_1 \,.\, \vec{V}_2)^2 \leqslant (\vec{V}_1 \,.\, \vec{V}_1)\,(\vec{V}_2 \,.\, \vec{V}_2)$.

Produit scalaire de deux vecteurs non nuls.

$\overrightarrow{OA} \,.\, \overrightarrow{OB} = OA \,.\, OB \cos\theta$, avec $\theta = (\widehat{\overrightarrow{OA}, \overrightarrow{OB}})$.

Si $\overrightarrow{OA}$ et $\overrightarrow{OB}$ colinéaires, $\overrightarrow{OA} \,.\, \overrightarrow{OB} = \overline{OA} \,.\, \overline{OB}$.

Si H est la projection orthogonale de B sur la droite (O, A), on a : $\overrightarrow{OA} \,.\, \overrightarrow{OB} = \overline{OA} \,.\, \overline{OH}$.

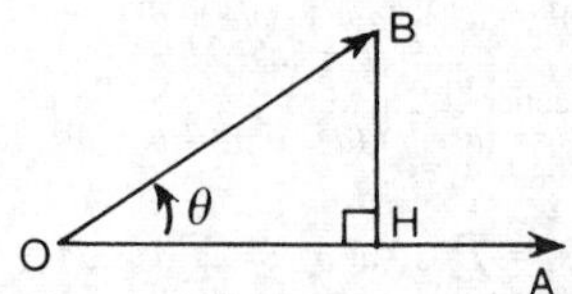

Norme d'un vecteur (anciennement "module"). La norme d'un vecteur $\vec{V}$ est le réel $\sqrt{\vec{V} \,.\, \vec{V}}$; on la note $\|\vec{V}\|$.

$\|\vec{0}\| = 0$, et si $\vec{V} \neq \vec{0}$, $\|\vec{V}\| > 0$.

$\|\vec{V}_1 + \vec{V}_2\| \leqslant \|\vec{V}_1\| + \|\vec{V}_2\|$

Si $\vec{V}$ a pour représentant le bipoint (A, B), $\|\vec{V}\|$ est la distance AB.

Vecteurs orthogonaux. 2 vecteurs non nuls sont dits orthogonaux si leur produit scalaire est nul. Leurs représentants de même origine O ont des supports perpendiculaires.

PRODUIT VECTORIEL DE 2 VECTEURS

Définition : Soient (O, A) et (O, B) des représentants des vecteurs $\vec{u}$ et $\vec{v}$.

Le produit vectoriel de $\vec{u}$ par $\vec{v}$ est le vecteur $\vec{w}$ ainsi défini :

Si $\vec{u}$ et $\vec{v}$ sont colinéaires, $\vec{w} = \vec{0}$.

Si $\vec{u}$ et $\vec{v}$ ne sont pas colinéaires, le vecteur $\vec{w}$ admet pour représentant le bipoint (O, C) tel que la droite (OC) soit perpendiculaire au plan (AOB), le trièdre (OA, OB, OC) est direct, $OC = OA \,.\, OB \,.\, |\sin\theta|$ avec $\theta = (\overrightarrow{OA}, \overrightarrow{OB})$.

Propriétés : *1)* le produit vectoriel de 2 vecteurs est distributif par rapport à la somme :
$\vec{u} \wedge (\vec{v} + \vec{w}) = \vec{u} \wedge \vec{v} + \vec{u} \wedge \vec{w}$.
$(\vec{v} + \vec{w}) \wedge \vec{u} = \vec{v} \wedge \vec{u} + \vec{w} \wedge \vec{u}$
2) Quels que soient $\vec{u}$ et $\vec{v}$, on a :
$\vec{u} \wedge \vec{v} + \vec{v} \wedge \vec{u} = \vec{0}$.

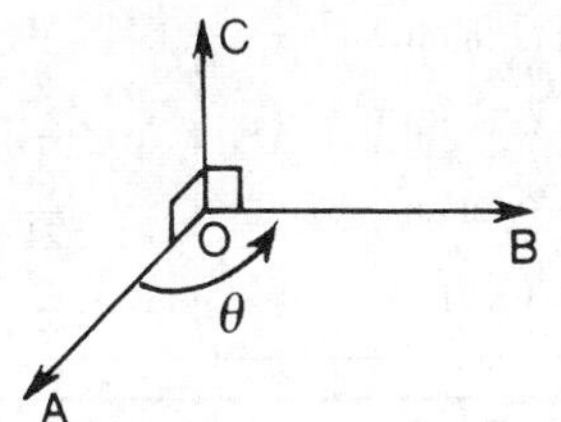

ANALYSE

COORDONNÉES CARTÉSIENNES

DANS LE PLAN

Repère cartésien. C'est un triplet $(O, \vec{i}, \vec{j})$ formé d'un point O et de deux vecteurs non colinéaires $\vec{i}$ et $\vec{j}$ pas nécessairement de même norme.

Repère cartésien normé. Si $\|\vec{i}\| = \|\vec{j}\|$, le repère cartésien $(O, \vec{i}, \vec{j})$ est dit normé.

Repère orthonormé. Si, de plus, les vecteurs $\vec{i}$ et $\vec{j}$ sont orthogonaux, le repère est dit orthonormé.
On a alors : $\|\vec{i}\| = \|\vec{j}\|$ et $\vec{i} \,.\, \vec{j} = 0$.

Coordonnées cartésiennes d'un point. $(O, \vec{i}, \vec{j})$ repère cartésien. Les droites orientées $(O, \vec{i})$ et $(O, \vec{j})$ passant par O et de vecteurs directeurs respectifs $\vec{i}$ et $\vec{j}$ sont les *axes de coordonnées.* Par un point M du plan, menons les parallèles aux axes. Nous obtenons un point M′ sur $(O, \vec{i})$ et un point M″ sur $(O, \vec{j})$. Soient x et y les réels définis par : $\overrightarrow{OM'} = x\vec{i}$ et $\overrightarrow{OM''} = y\vec{j}$. x est l'*abscisse* de M, y est l'*ordonnée ;* le couple (x, y) forme les *coordonnées* de M. x et y sont aussi les *composantes* du vecteur $\overrightarrow{OM}$ dans la base $(\vec{i}, \vec{j})$

Ex. Sur la figure, on a : $\overrightarrow{OM'} = -2\,\vec{i}$ et $\overrightarrow{OM''} = \frac{3}{2}\vec{j}$
Les coordonnées de M sont $(-2, \frac{3}{2})$.

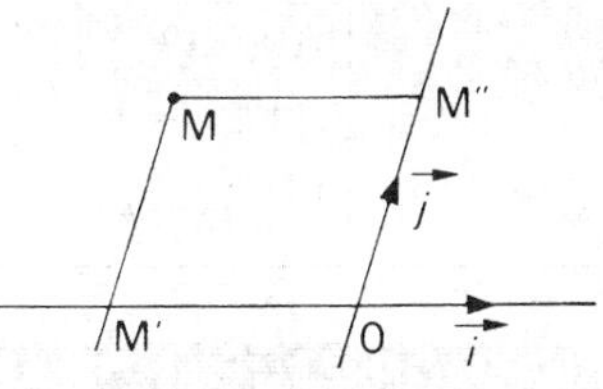

CHANGEMENT D'AXES

Translation des axes (repère cartésien). Soit $(O', \vec{i}, \vec{j})$ un nouveau repère cartésien défini par les coordonnées (a, b) de la nouvelle origine O′ dans l'ancien repère $(O, \vec{i}, \vec{j})$. Les coordonnées (X, Y) du point M dans le nouveau repère sont :
$X = x - a$; $Y = y - b$.

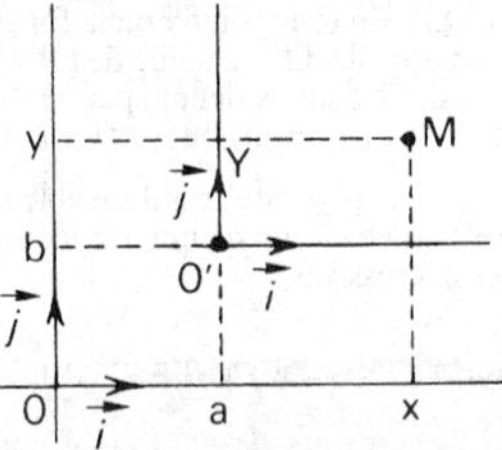

Rotation des axes autour de l'origine (repère orthonormé). Soit $(O, \vec{I}, \vec{J})$ le repère obtenu par rotation des axes d'angle α : $(\vec{i}, \vec{I}) = (\vec{j}, \vec{J}) = \alpha$. Les coordonnées (X, Y) du point M dans le nouveau repère sont :
$X = x\cos\alpha + y\sin\alpha$; $Y = -x\sin\alpha + y\cos\alpha$.

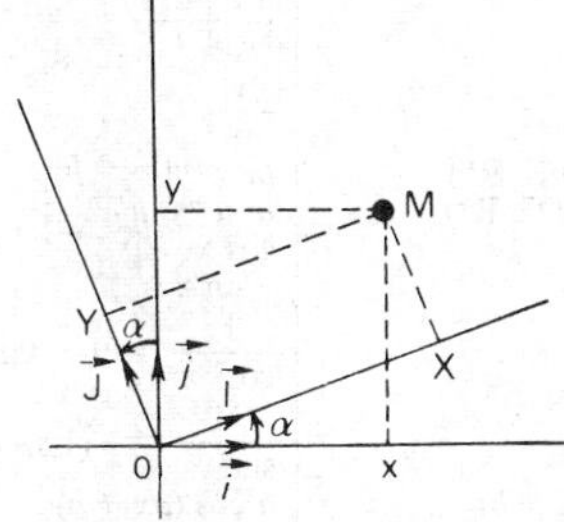

Coordonnées du milieu M d'un segment AB (repère cartésien)

$$x_M = \frac{x_A + x_B}{2} \;; \quad y_M = \frac{y_A + y_B}{2}.$$

Distance de 2 points (repère orthonormé)
$d(A, B) = \sqrt{(x_B - x_A)^2 + (y_B - y_A)^2}$.

Coordonnées polaires. Les coordonnées polaires de M sont le couple (ρ, α) où l'on a : $\rho = d(O, M)$ et $\alpha = (\vec{i}, \overrightarrow{OM})$.

Formules de passage des coordonnées polaires aux coordonnées cartésiennes (repère orthonormé) :
$x = \rho\cos\alpha$; $y = \rho\sin\alpha$.

$$\rho = \sqrt{x^2 + y^2} \;;\; \cos\alpha = \frac{x}{\sqrt{x^2 + y^2}} \;;\; \sin\alpha = \frac{y}{\sqrt{x^2 + y^2}}$$

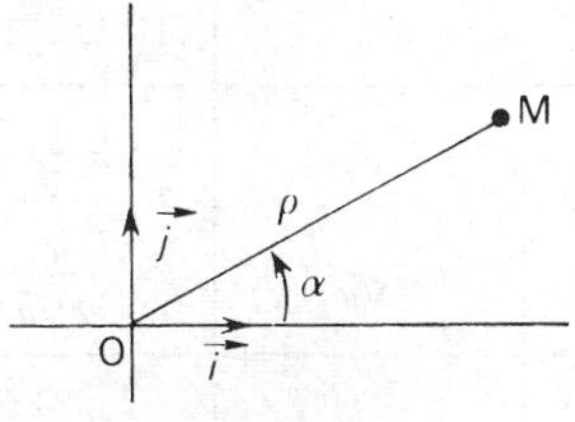

DANS L'ESPACE

Repère cartésien. Quadruplet $(O, \vec{i}, \vec{j}, \vec{k})$ formé d'un point O et de 3 vecteurs non coplanaires $\vec{i}, \vec{j}, \vec{k}$, pas nécessairement de même norme.

Les droites orientées $(O, \vec{i})$, $(O, \vec{j})$, $(O, \vec{k})$ passant par O et de vecteurs directeurs respectifs $\vec{i}, \vec{j}, \vec{k}$ sont les axes de coordonnées.

Repère cartésien orthonormé. C'est un repère cartésien dont les vecteurs $\vec{i}, \vec{j}, \vec{k}$ ont la même norme et sont 2 à 2 orthogonaux.
$\|\vec{i}\| = \|\vec{j}\| = \|\vec{k}\|$; $\vec{j}.\vec{k} = \vec{k}.\vec{i} = \vec{i}.\vec{j} = 0$.

Coordonnées d'un point. Par un point M de l'espace menons la parallèle à l'axe $(O, \vec{k})$; elle coupe en M′ le plan $(O, \vec{i}, \vec{j})$.

Les parallèles menées par M′ à $(O, \vec{j})$ et $(O, \vec{i})$ coupent les axes en M_1 et M_2 ; la parallèle menée par M au plan $(O, \vec{i}, \vec{j})$ et coupant $(O, \vec{k})$ rencontre cet axe en M_3.

Soient x, y, z les réels définis par $\overrightarrow{OM_1} = x\vec{i}$; $\overrightarrow{OM_2} = y\vec{j}$; $\overrightarrow{OM_3} = z\vec{k}$. x est l'abscisse de M ; y est l'ordonnée ; z est la cote ; le triplet (x, y, z) forme les coordonnées du point M dans le repère $(O, \vec{i}, \vec{j}, \vec{k})$.

Ce sont les composantes du vecteur $\overrightarrow{OM}$ dans la base $(\vec{i}, \vec{j}, \vec{k})$.

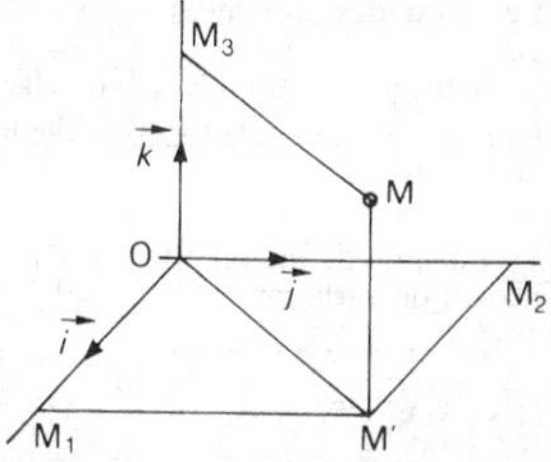

Composantes du produit vectoriel (repère orthonormé).
Composantes de $\vec{u}$: (x, y, z).
Composantes de $\vec{v}$: (x', y', z').
Composantes de $\vec{u} \wedge \vec{v}$:
$(yz' - zy', zx' - xz', xy' - yx')$.

Coordonnées sphériques (repère orthonormé).
Ce sont les 3 réels :
$d(O, M) = \rho$; $(\vec{i}, \overrightarrow{OM'}) = \varphi$; $(\overrightarrow{OM'}, \overrightarrow{OM}) = \theta$.

FONCTIONS NUMÉRIQUES D'UNE VARIABLE RÉELLE

Une fonction numérique d'une variable réelle est une application f de $\mathbb{R}$ dans $\mathbb{R}$.

Ensemble de définition. Si l'ensemble de définition D n'est pas fixé par l'énoncé, on prend pour D l'ensemble des valeurs de x pour lesquelles le réel $f(x)$ existe.
D est en général un intervalle ou une réunion d'intervalles.

Étude d'une fonction. On détermine l'ensemble de définition D.
Sur chacun des intervalles dont la réunion est D, on cherche le sens de variation de f ; on trace enfin le tableau de variations, puis la représentation graphique.

Fonction affine. a et b étant fixés, c'est la fonction définie par $x \mapsto ax + b$
1°) Ensemble de définition : $\mathbb{R}$.
2°) Si $a > 0$, elle est strictement croissante sur $\mathbb{R}$;
si $a < 0$, elle est strictement décroissante sur $\mathbb{R}$;
si $a = 0$, elle est constante sur $\mathbb{R}$.
3°) Courbe représentative : c'est la droite d'équation $y = ax + b$. Elle passe par le point de coordonnées (0, 1) et a pour vecteur directeur le vecteur de composantes $(1, a)$.

Fonction trinôme du second degré. a, b, c étant fixés, avec $a \neq 0$, c'est la fonction :
$x \mapsto ax^2 + bx + c$.
1°) Ensemble de définition : $\mathbb{R}$.

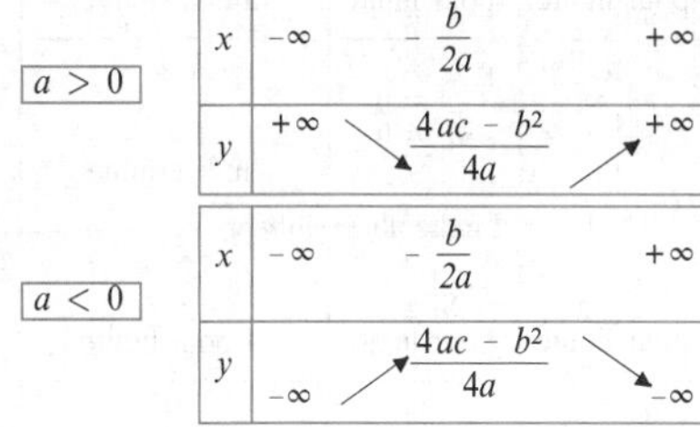

$a > 0$	x	$-\infty$	$-\frac{b}{2a}$	$+\infty$
	y	$+\infty$ ↘	$\frac{4ac - b^2}{4a}$	↗ $+\infty$
$a < 0$	x	$-\infty$	$-\frac{b}{2a}$	$+\infty$
	y	$-\infty$ ↗	$\frac{4ac - b^2}{4a}$	↘ $-\infty$

2°) Courbe représentative : parabole dont la concavité est tournée vers les « y positifs si a est positif », vers les « y négatifs si a est négatif ».

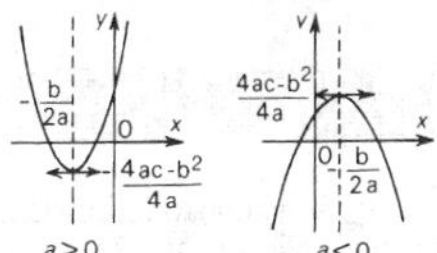

Le point S de coordonnées $(-\frac{b}{2a}, \frac{4ac - b^2}{4a})$ est le sommet de la parabole.

La droite (T) d'équation $y = \frac{4ac - b^2}{4a}$ est la tangente au sommet.

La droite (A) d'équation $x = -\frac{b}{2a}$ est l'axe de symétrie de la parabole.

Nota. - Si $b = c = 0$, la fonction est : $x \mapsto a\,x^2$. Le sommet est l'origine O des coordonnées ; la tangente au sommet est l'axe des abscisses ; l'axe de symétrie est l'axe des ordonnées.

Fonction homographique. a, b, c, d étant fixés, avec $c \neq 0$ et $ad - bc \neq 0$, c'est la fonction définie par : $x \mapsto \dfrac{ax + b}{cx + d}$.

1°) Ensemble de définition : $\mathbb{R} - \{-\frac{d}{c}\}$.

2°) Tableau de variation :

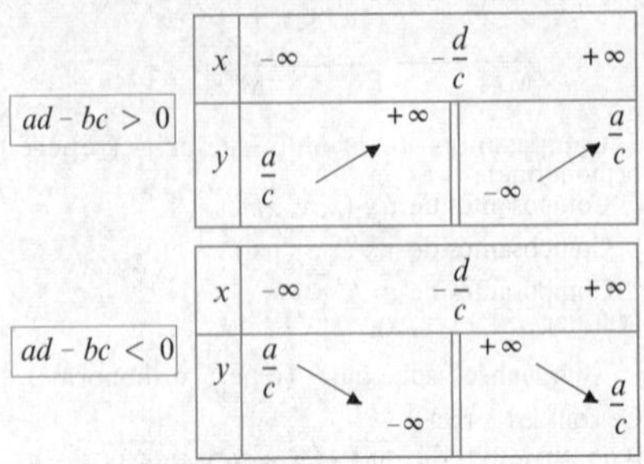

3°) Courbe représentative : hyperbole.

Le point de coordonnées $(-\frac{d}{c}, \frac{a}{c})$ est le centre de symétrie. Les droites D et D' d'équations respectives : $x = -\frac{d}{c}$ et $y = \frac{a}{c}$ sont les asymptotes. (Une droite D est asymptote à une courbe si la distance d'un point M de la courbe à D tend vers 0 lorsque M s'éloigne indéfiniment sur la courbe).

Nota. - Si $a = d = 0$ et $c = 1$, la fonction est : $x \mapsto \frac{b}{x}$. Le centre de symétrie est l'origine, les asymptotes sont les axes de coordonnées.

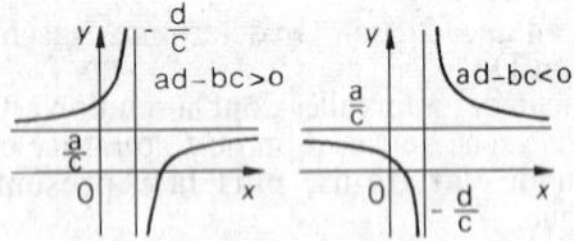

Théorèmes sur les limites

Limite d'une somme

Si f a pour limite	Si g a pour limite	$f + g$ a pour limite
a	b	$a + b$
$+\infty$	b ou $+\infty$	$+\infty$
$-\infty$	b ou $-\infty$	$-\infty$
$+\infty$	$-\infty$	indéterminé
$-\infty$	$+\infty$	indéterminé

Limite d'un produit

Si f a pour limite	Si g a pour limite	$f \times g$ a pour limite
a	a'	$a\,a'$
$+\infty$	$a \neq 0$	∞
$-\infty$	$a \neq 0$	∞
0	∞	indéterminé

Limite d'un quotient

Si f a pour limite	Si g a pour limite	$\frac{f}{g}$ a pour limite
$a \neq 0$	0	∞
a	∞	0
∞	∞	indéterminé
0	0	indéterminé

Dérivées

Nombre dérivé. Soit f une fonction définie et continue sur une intervalle $[a, b]$. On appelle nombre dérivé de la fonction f en un point x_0 de l'intervalle la limite, si elle existe, du rapport $\dfrac{f(x_1) - f(x_0)}{x_1 - x_0}$ lorsque x_1 tend vers x_0.

Fonction dérivée. Si f est dérivable en tout point de $[a, b]$ on dit qu'elle est dérivable sur cet intervalle. La fonction, notée f', qui à tout point x_0 de l'intervalle associe le nombre dérivé en x_0 est appelée fonction dérivée de f sur l'intervalle.

Dérivée logarithmique d'une fonction f. C'est la fonction $\dfrac{f'}{f}$.

Différentielle. En tout point x où la fonction f est dérivable, on appelle différentielle de cette fonction l'application de $\mathbb{R}$ dans $\mathbb{R}$ définie par : $h \mapsto f'(x)\,h$. On note encore : $dx \mapsto df$, ou : $dx \mapsto f'(x)\,dx$.

Dérivées successives. Si f' est dérivable sur $[a, b]$, sa dérivée est notée f'' ; on définit de façon analogue les dérivées successives.

Fonctions dérivées usuelles

Fonction	Dérivée
k (constante)	0
$k\,u$	$k\,u'$
$f(u)$	$f'(u)\,u'$
$u + v + w$	$u' + v' + w'$
uv	$u'\,v + u\,v'$
uvw	$\Sigma\, u'vw$
$\dfrac{u}{v}$	$\dfrac{u'v - uv'}{v^2}$
$\dfrac{1}{v}$	$\dfrac{-v'}{v^2}$
$x^m\ (m \in \mathbb{R}^*)$	$m\,x^{m-1}$
$u^m\ (m \in \mathbb{R}^*)$	$m\,u^{m-1}\,u'$
$\sin x$	$\cos x$
$\cos x$	$-\sin x$
$\tan x$	$\dfrac{1}{\cos^2 x} = 1 + \tan^2 x$
$\cot x$	$\dfrac{-1}{\sin^2 x} = -(1 + \cot^2 x)$
$\sin(ax + b)$	$a\cos(ax + b)$
$\cos(ax + b)$	$-a\sin(ax + b)$
$\ln x$	$\dfrac{1}{x}$
e^x	e^x
e^{ax+b}	ae^{ax+b}

Nota. - Si m est égal à -1, à $\frac{1}{2}$ ou à un rationnel $\frac{p}{q}$, il est parfois plus pratique de noter par exemple : $x^{-1} = \frac{1}{x}$; $u^{\frac{1}{2}} = \sqrt{u}$; $u^{\frac{p}{q}} = \sqrt[q]{u^p}$. Au lieu d'écrire les dérivées sous la forme $m\,x^{m-1}$ ou $m\,u^{m-1}\,u'$, on utilise alors des notations plus courantes.

	Fonction	Dérivée
$m = -1$	$\dfrac{1}{x}$	$-\dfrac{1}{x^2}$
	$\dfrac{1}{u}$	$-\dfrac{u'}{u^2}$
$m = \frac{1}{2}$	$\sqrt{x}$	$\dfrac{1}{2\sqrt{x}}$
	$\sqrt{u}$	$\dfrac{u'}{2\sqrt{u}}$
$m = \frac{p}{q}$	$\sqrt[q]{x^p}$	$\dfrac{p}{q}\,x^{\frac{p-1}{q}}$
	$\sqrt[q]{u^p}$	$\dfrac{p}{q}\,u^{\frac{p-1}{q}}\,u'$

Dérivées d'ordre *n*

Fonction	Dérivée d'ordre n
x^m (m rationnel)	$m(m-1)\dots(m-n+1)\,x^{m-n}$
$\dfrac{1}{1+x}$	$\dfrac{(-1)^n.n!}{(1+x)^{n+1}}$
$\dfrac{1}{1-x}$	$\dfrac{n!}{(1-x)^{n+1}}$
a^x	$a^x(\ln a)^n$
e^x	e^x
$\sin x$	$\sin\left(x + n\frac{\pi}{2}\right)$
$\cos x$	$\cos\left(x + n\frac{\pi}{2}\right)$
$\sin(ax + b)$	$a^n\sin\left(ax + b + n\frac{\pi}{2}\right)$
$\cos(ax + b)$	$a^n\cos\left(ax + b + n\frac{\pi}{2}\right)$

Valeurs approchées usuelles

Dans le tableau qui suit, x est voisin de 0 :

Expression	Valeur approchée	Ordre de grandeur de l'erreur
$(1+x)^2$	$1 + 2x$	x^2
$(1-x)^2$	$1 - 2x$	x^2
$(1+x)^n$	$1 + nx$	$\dfrac{n(n-1)x^2}{2}$
$(1-x)^n$	$1 - nx$	$\dfrac{n(n-1)x^2}{2}$
$\dfrac{1}{1+x}$	$1 - x$	x^2
$\dfrac{1}{1-x}$	$1 + x$	x^2
$\sqrt{1+x}$	$1 + \dfrac{x}{2}$	$\dfrac{x^2}{8}$
$\sqrt{1-x}$	$1 - \dfrac{x}{2}$	$\dfrac{x^2}{8}$
$\sqrt[n]{1+x}$	$1 + \dfrac{x}{n}$	$\dfrac{(n-1)x^2}{2n^2}$
$\sqrt[n]{1-x}$	$1 - \dfrac{x}{n}$	$\dfrac{(n-1)x^2}{2n^2}$
$\sin x$ (x en rd)	x	$\dfrac{x^3}{6}$
$\tan x$ (x en rd)	x	$\dfrac{x^3}{3}$
$\cos x$ (x en rd)	$1 - \dfrac{x^2}{2}$	$\dfrac{x^4}{24}$
$\ln(1+x)$	x	$\dfrac{x^2}{2}$

Calcul intégral

Primitives

Définition d'une fonction primitive. Soient F et f 2 fonctions définies sur un intervalle $[a, b]$. On dit que F est une primitive de f sur $[a, b]$ si F est dérivable et admet f pour dérivée sur $[a, b]$.

Existence des primitives. Si f admet sur $[a, b]$ une primitive F, elle admet une infinité de primitives de la forme F + k, où k est une réel arbitraire. Nous admettons que toutes les fonctions continues, monotones sur $[a, b]$ admettent une primitive sur $[a, b]$. Souvent cette primitive ne peut s'exprimer à l'aide des symboles usuels.

Primitives usuelles

Fonction	Primitive
0	k
a	$ax + k$
$x^m\ (m \in \mathbb{R} - \{-1\})$	$\dfrac{x^{m+1}}{m+1} + k$
$\dfrac{1}{x}$	$\ln\lvert x\rvert + k$
$\dfrac{1}{\sqrt{x}}$	$2\sqrt{x} + k$
$\cos x$	$\sin x + k$
$\sin x$	$-\cos x + k$
$\tan x$	$-\ln\lvert\cos x\rvert + k$
$\cot x$	$\ln\lvert\sin x\rvert + k$
$\cos(ax + b)$	$\dfrac{1}{a}\sin(ax + b) + k$
$\sin(ax + b)$	$-\dfrac{1}{a}\cos(ax + b) + k$
$\dfrac{1}{\cos^2 x}$	$\tan x + k$
$\dfrac{1}{\sin^2 x}$	$-\operatorname{cotg} x + k$
e^x	$e^x + k$
e^{ax+b}	$\dfrac{1}{a}\,e^{ax+b} + k$

Intégrales

Calcul d'une aire plane

Soit f une fonction définie, continue et positive sur un intervalle $[a, b]$, et C sa courbe représentative dans un repère orthonormé.

Soit A l'aire de la partie du plan comprise entre l'axe des abscisses, la courbe C et les droites d'équations respectives : $x = a$ et $x = b$.

Cette partie du plan, hachurée sur la figure, est définie par : $a \leqslant x \leqslant b$ et $0 \leqslant y \leqslant f(x)$. Si F est une primitive de f sur $[a, b]$, on a : $\mathcal{A} = F(b) - F(a)$

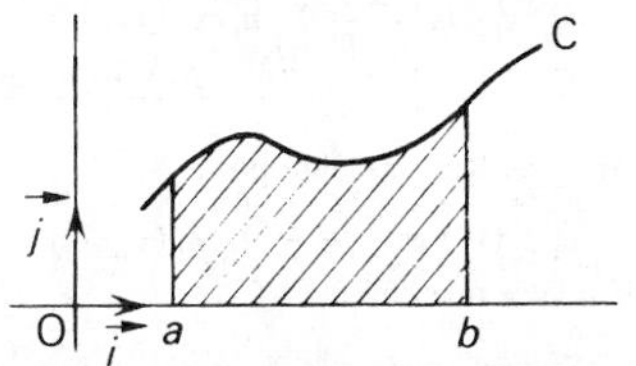

Nota : 1°) Si, sur $[a, b]$, la fonction f est négative, le réel $F(b) - F(a)$ est négatif et l'on a : $\mathcal{A} = |F(b) - F(a)|$

2°) Si, sur $[a, b]$, la fonction f est tantôt positive, tantôt négative, on décompose l'intervalle $[a, b]$ en intervalles partiels sur lesquels f garde un signe constant et l'on calcule séparément chacune des aires situées soit au-dessus, soit au-dessous de l'axe des abscisses.

Définition d'une intégrale. Le réel F (b) - F (a) est appelé *intégrale de f* de a à b. On note :

$$F(b) - F(a) = \int_a^b f(x)\, dx.$$

Approche de la notion d'aire. Sommes de Riemann. Soit une fonction f, définie, continue et positive sur $[a, b]$. Effectuons une subdivision de $[a, b]$ par des réels strictement croissants $x_1, x_2, ...x_i, ...x_{n-1}$.

Soit λ_i un réel de l'intervalle $]x_{i-1}, x_i[$.

Le réel $f(\lambda_i)(x_i - x_{i-1})$ est l'aire du rectangle représenté sur la figure.

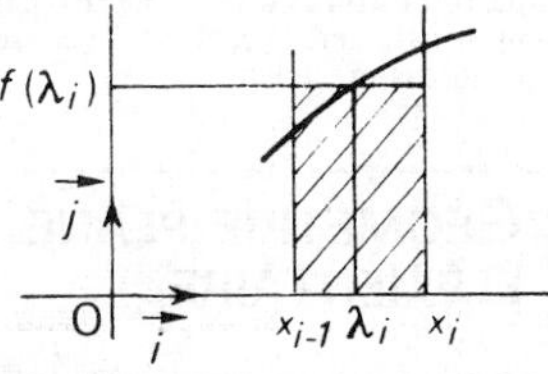

On appelle *somme de Riemann* relative à cette subdivision le réel $\sum_{i=1}^{n} f(\lambda_i)(x_i - x_{i-1})$. La fonction f est intégrable au sens de Riemann sur $[a, b]$ si, lorsque le plus grand des intervalles $[x_{i-1}, x_i]$ tend vers 0, la somme de Riemann admet une limite indépendante de la subdivision envisagée.

Cette limite est l'intégrale $\int_a^b f(x)\, dx$: somme sur l'intervalle $[a\ b]$ des aires élémentaires $f(x)\, dx$, où dx représente un accroissement infinitésimal de la variable autour de la valeur x, et $f(x)$ la valeur correspondante de la fonction.

LOGARITHMES

Nous utilisons pour désigner le logarithme népérien et le logarithme décimal les notations ln et lg. Ce sont les notations AFNOR du 11 sept. 1981. Elles remplacent les notations Log et log.

Fonction logarithme népérien. On appelle fonction logarithme népérien la primitive de la fonction $x \mapsto \frac{1}{x}$ sur $\mathbb{R}_+^*$ qui s'annule pour $x = 1$.

On la note : $x \mapsto \ln x$.

Si l'on pose : $y = \ln x$, on a : $y' = \frac{1}{x}$. La fonction $x \mapsto \ln x$ est une bijection de $\mathbb{R}_+^*$ sur $\mathbb{R}$.

Propriétés. Pour $a > 0$, $b > 0$, $n \in \mathbb{Z}$, on a :
$a < b \Leftrightarrow \ln a < \ln b$;
$\ln ab = \ln a + \ln b$;
$\ln a^n = n \ln a$.

Il existe un réel e tel que $\ln e = 1$. Ce réel, base des logarithmes népériens est irrationnel, ; une valeur approchée à 10^{-12} près est 2,718 281 828 495.

Logarithme décimal. Pour tout réel strictement positif a le logarithme décimal de a est égal à $\frac{\ln a}{\ln 10}$; On note : $\lg a = \frac{\ln a}{\ln 10}$

Comme pour les logarithmes népériens, on a, pour $a > 0$, $b > 0$, $n \in \mathbb{Z}$:
$a < b \Leftrightarrow \lg a < \lg b$;
$\lg ab = \lg a + \lg b$;
$\lg a^n = n \lg a$.

Relations entre ln 10 et lg e. On a : $\ln 10 \times \lg e = 1$.
Si l'on désigne par M le réel $\lg e$ ou $\frac{1}{\ln 10}$; on a : $\lg a = M \ln a$, ou $\ln a = \frac{1}{M} \lg a$.
Les valeurs approchées de M et de $\frac{1}{M}$ à 10^{-12} près sont :
$M \approx 0{,}434\ 294\ 481\ 903$
$\frac{1}{M} \approx 2{,}302\ 585\ 092\ 994$

Logarithmes de base a. Soit a un réel strictement positif et **différent de** 1. Le logarithme de base a d'un réel strictement positif x est défini par : $\log_a x = \frac{\ln x}{\ln a}$.

Propriétés :
$\log_a 1 = 0$; $\log_a a = 1$
$\log_a xy = \log_a x + \log_a y$
$\log_a x^n = n \log_a x \quad (n \in \mathbb{Z})$
$\log_a \frac{x}{y} = \log_a x - \log_a y$.

Changement de base :
$\log_a b \times \log_b a = 1$;
$\log_a x = \log_b x \times \log_a b$.

Variations de la fonction : $x \mapsto \log_a x$.

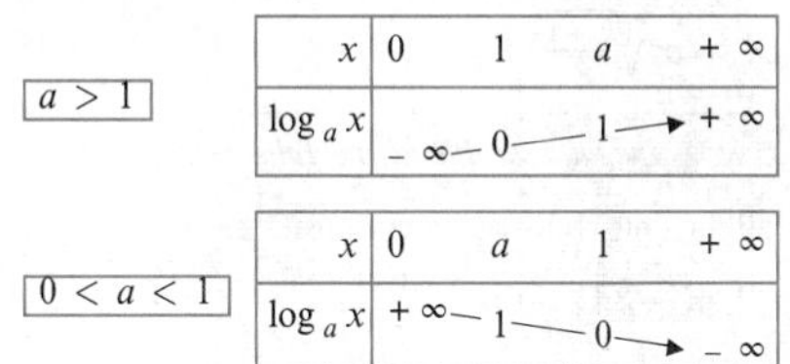

$a > 1$

x	0	1	a	$+\infty$
$\log_a x$	$-\infty$ ↗	0 ↗	1 ↗	$+\infty$

$0 < a < 1$

x	0	a	1	$+\infty$
$\log_a x$	$+\infty$ ↘	1 ↘	0 ↘	$-\infty$

Si $aa' = 1$, les 2 courbes sont symétriques par rapport à l'axe des abscisses.

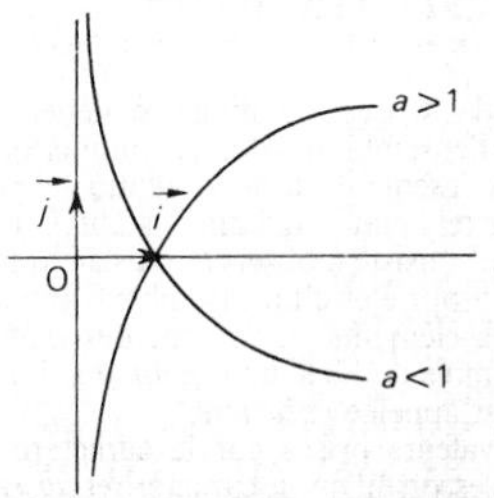

FONCTION EXPONENTIELLE

La fonction logarithme népérien est une bijection de $\mathbb{R}_+^*$ sur $\mathbb{R}$.

La fonction réciproque est appelée fonction exponentielle de base e, ou simplement, fonction exponentielle. Elle est notée : $x \mapsto \exp x$, ou encore : $x \mapsto e^x$.

C'est une bijection de $\mathbb{R}$ sur $\mathbb{R}_+^*$. Le réel e^x est défini pour tout réel x et il est strictement positif : $\forall x \in \mathbb{R}, \forall y \in \mathbb{R}_+^*, y = e^x \Leftrightarrow x = \ln y$.

On en déduit pour tout couple de réels (a, b) et pour tout entier relatif n :
$a < b \Leftrightarrow e^a < e^b$; $e^a \cdot e^b = e^{a+b}$; $(e^a)^n = e^{an}$.

La fonction dérivée de : $x \mapsto e^x$ est la fonction : $x \mapsto e^x$.

Fonction exponentielle de base a. Soit a un réel strictement positif et différent de 1.

La fonction $x \mapsto \log_a x$ est une bijection de $\mathbb{R}_+^*$ sur $\mathbb{R}$. La bijection réciproque est une bijection de $\mathbb{R}$ sur $\mathbb{R}_+^*$, notée $x \mapsto a^x$. Le réel a^x est défini pour tout réel x et il est strictement positif :
$\forall x \in \mathbb{R}, \forall y \in \mathbb{R}_+^*, y = a^x \Leftrightarrow x = \log_a y$.

On a de plus : $\log_a y = \frac{\ln y}{\ln a}$; d'où : $a^x = e^{x \ln a}$.

On définit ainsi les puissances d'exposant réel d'un réel strictement positif.

Propriétés : $a^0 = 1$; $a^1 = a$;
$a^x \cdot a^y = a^{x+y}$; $(a^x)^n = a^{nx}$ $(n \in \mathbb{Z})$.

La fonction dérivée de : $x \mapsto a^x$ est la fonction : $x \mapsto a^x \ln a$.

Variation de la fonction : $x \mapsto a^x$

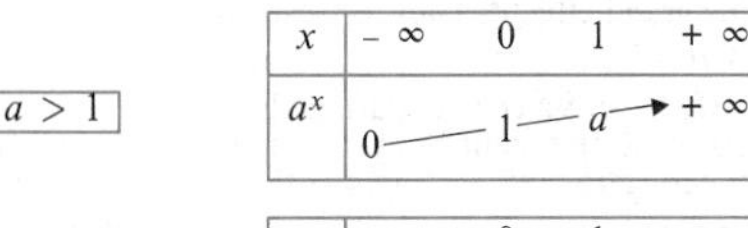

$a > 1$

x	$-\infty$	0	1	$+\infty$
a^x	0 ↗	1 ↗	a ↗	$+\infty$

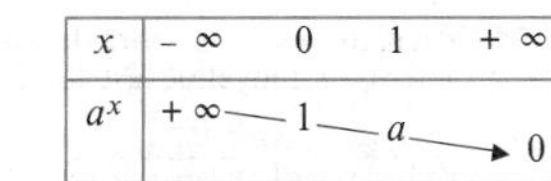

$0 < a < 1$

x	$-\infty$	0	1	$+\infty$
a^x	$+\infty$ ↘	1 ↘	a ↘	0

Si $aa' = 1$ les courbes représentatives de $x \mapsto a^x$ et $x \mapsto a'^x$ sont symétriques par rapport à l'axe des ordonnées.

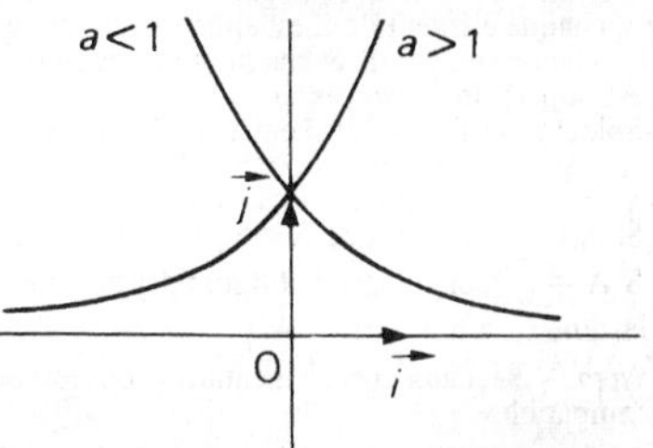

Limites où interviennent les fonctions ln et exp

$\lim_{x \to 0^+} \ln x = -\infty$; $\lim_{x \to +\infty} \ln x = +\infty$

$\lim_{x \to 0^+} x \ln x = 0$; $\lim_{x \to +\infty} \frac{\ln x}{x} = 0$

$\lim_{x \to -\infty} e^x = 0$; $\lim_{x \to +\infty} e^x = +\infty$

$\lim_{x \to -\infty} x e^x = 0$; $\lim_{x \to +\infty} \frac{e^x}{x} = +\infty$

$\lim_{x \to 0} \frac{\ln(1+x)}{x} = 1$; $\lim_{x \to 0} \frac{e^x - 1}{x} = 1$

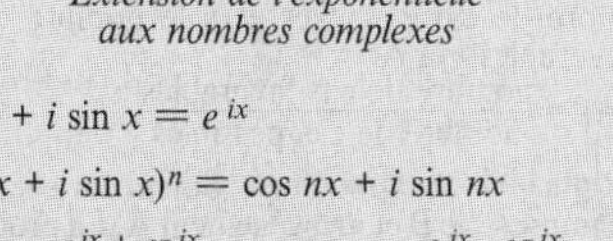

Extension de l'exponentielle aux nombres complexes

$\cos x + i \sin x = e^{ix}$

$(\cos x + i \sin x)^n = \cos nx + i \sin nx$

$\cos x = \frac{e^{ix} + e^{-ix}}{2}$; $\sin x = \frac{e^{ix} - e^{-ix}}{2i}$

ÉQUATIONS DIFFÉRENTIELLES

Soit f une fonction numérique définie, continue et plusieurs fois dérivable sur $\mathbb{R}$.

Traditionnellement, on pose : $y = f(x)$ et on désigne par y', y'', ... $y^{(n)}$ les dérivées successives. Une équation différentielle est une relation de la forme $\varphi(x, y, y', y'', ..., y^{(n)}) = 0$.

Si φ comporte la dérivée d'ordre n, mais ne comporte pas de dérivée d'ordre supérieur, on dit que l'équation différentielle est d'ordre n. Résoudre l'équation différentielle c'est déterminer l'ensemble des fonctions n fois dérivables qui vérifient cette équation.

Équation différentielle $y' = ay$. L'ensemble des solutions est un sous-espace vectoriel de dimension 1 de l'ensemble des applications de $\mathbb{R}$ dans $\mathbb{R}$.
$\frac{y'}{y} = a \Longrightarrow \ln|y| = ax + b$
$\ln|y| = ax + b \Longrightarrow |y| = e^{ax+b}$
L'ensemble des solutions est défini par : $y = k\, e^{ax}$.

Équation différentielle $y'' + \omega^2 y = 0$. L'ensemble des solutions est un sous-espace vectoriel de dimension 2 de l'ensemble des applications de $\mathbb{R}$ dans $\mathbb{R}$. L'ensemble des solutions est défini par : $y = a \cos \omega x + b \sin \omega x$. On peut la mettre sous la forme : $y = k \cos(\omega x + \theta)$ avec :
$k = \sqrt{a^2 + b^2}$, $\cos\theta = \frac{a}{\sqrt{a^2 + b^2}}$, $\sin\theta = \frac{b}{\sqrt{a^2 + b^2}}$

PROBABILITÉS

Exemple. On jette un dé cubique, dont les faces sont marquées 1, 2, 3, 4, 5, 6.

L'ensemble E = {1, 2, 3, 4, 5, 6} est appelé ensemble des éventualités, ou *univers.*

« Il sort un 3 » est une éventualité, ou *événement élémentaire.*

« Il sort un nombre pair » est l'*événement* correspondant au sous-ensemble {2, 4, 6}.

« Le nombre est pair » et « il sort 3 ou 5 » sont deux événements *incompatibles.*

« Il sort un nombre inférieur à 9 » est un événement *certain.*

« Il sort un 8 » est un événement *impossible.*

« Il sort un nombre pair » et « il sort un nombre impair » sont des événements *contraires*.

Vocabulaire. D'une façon générale, si E est l'*univers,* chaque élément de E est appelé éventualité ou *événement élémentaire,* et chaque sous-ensemble de E est appelé un *événement*.

Soient A et B deux événements. Si $A \cap B = \emptyset$, on dit que A et B sont *incompatibles.*

Si A = E, on dit que A est *certain*.

Si $A = \emptyset$, on dit que A est *impossible*.

Si $A = \complement_E B$, on dit que A et B sont des événements *contraires* ; on note : $B = \overline{A}$.

Nota. – 2 événements élémentaires sont toujours incompatibles.

Loi de probabilité. Soit P une application de l'ensemble des parties de E dans [0,1]. On dit que P est une loi de probabilité sur E si l'on a :
P (E) = 1 et si, quels que soient les événements incompatibles A et B, on a :
$P(A \cup B) = P(A) + P(B)$.

La loi de probabilité P peut être déterminée par la donnée des probabilités de chaque événement élémentaire. Si E est l'ensemble $\{e_1, e_2, e_3, ..., e_n\}$, la probabilité de l'événement $A = \{e_1, e_2, e_3\}$ est : $P(A) = P(e_1) + P(e_2) + P(e_3)$.

Propriétés : $P(\emptyset) = 0$; $P(\overline{A}) = 1 - P(A)$

Si A et B sont 2 événements quelconques, $P(A \cup B) = P(A) + P(B) - P(A \cap B)$.

Équiprobabilité. Soit *n* le nombre d'événements élémentaires. On dit que P est une loi d'équiprobabilité si la probabilité de chaque événement élémentaire est égale à $\frac{1}{n}$.

Si A est un ensemble de *p* événements élémentaires, on a : $P(A) = \frac{p}{n}$. On dit parfois que *n* est le nombre de cas possibles et *p* le nombre des cas « favorables » à A.

$$P(A) = \frac{\text{nombre de cas favorables}}{\text{nombre de cas possibles}}.$$

Probabilité conditionnelle. Soient un événement non impossible B et un événement A. La probabilité conditionnelle de A si B est réalisé est définie par $\frac{P(A \cap B)}{P(B)}$.

On la note : P (A/B) ou encore : $P_B(A)$.

De l'égalité : $P_B(A) = \frac{P(A \cap B)}{P(B)}$, il résulte : $P(A \cap B) = P(B) \times P_B(A)$.

Cette dernière égalité traduit le théorème des *probabilités composées.*

Événements indépendants. On dit que 2 événements A et B sont indépendants si l'on a : $P(A \cap B) = P(A) \times P(B)$.

Exemple : E est un jeu de 52 cartes. On extrait une carte du jeu. Soient les événements :
A : la carte tirée est un roi ;
B : la carte tirée est un cœur ;
C : la carte tirée est un honneur (As, ou R, ou D, ou V).

Nous avons : $P(A) = \frac{4}{52} = \frac{1}{13}$;
$P(B) = \frac{13}{52} = \frac{1}{4}$; $P(C) = \frac{16}{52} = \frac{4}{13}$

L'événement $A \cap B$ est : la carte tirée est le roi de cœur $P(A \cap B) = \frac{1}{52}$.

Par ailleurs, $P(A) \times P(B) = \frac{1}{13} \times \frac{1}{4} = \frac{1}{52}$.
Donc : $P(A \cap B) = P(A) \times P(B)$. Les événements A et B sont indépendants.

L'événement $A \cap C$ est réalisé dès que A est réalisé ; on a donc : $P(A \cap C) = P(A) = \frac{1}{13}$.

Par ailleurs, $P(A) \times P(C) = \frac{1}{13} \times \frac{4}{13} = \frac{4}{169}$.
Les événements A et C ne sont pas indépendants.

Aléa numérique ou variable aléatoire. On appelle aléa numérique, ou encore variable aléatoire X définie sur l'univers E toute application de E dans $\mathbb{R}$. L'image X (E) est donc un ensemble de réels $\{x_1, x_2, ..., x_k\}$.

Pour tout entier *i* tel que $1 \leqslant i \leqslant k$, on convient de noter $\{X = x_i\}$ l'ensemble des éléments de E qui ont pour image x_i par X. La probabilité pour que X prenne la valeur x_i est notée $P(X = x_i)$; on pose plus simplement, pour chaque valeur x_i de X, la notation : $P(X = x_i) = p_i$.

Exemple : on lance simultanément 2 dés cubiques marqués de 1 à 6.

L'univers E est l'ensemble des résultats d'un lancer.

X est la somme des points obtenus dans ce lancer.

Le nombre d'éléments de E est : 6 × 6 = 36. L'image X (E) est l'ensemble {2, 3, 4, 5, ... 11, 12}.

L'événement (X = 2) est obtenu seulement pour le lancer (1, 1) ; on a : $P(X = 2) = \frac{1}{36}$.

L'événement (X = 5) est obtenu pour chacun des couples (1, 4), (2, 3), (3, 2), (4, 1) ; on a donc : $P(X = 5) = \frac{4}{36} = \frac{1}{9}$.

Espérance mathématique d'un aléa numérique. C'est le réel noté $\overline{X}$ défini par : $\overline{X} = \sum_{i=1}^{k} p_i x_i$; l'espérance mathématique est la valeur la plus probable d'un tirage.

Un alinéa numérique est dit centré si son espérance mathématique est nulle.

Variance. Écart type. La variance est le réel noté V (X) défini par : $V(X) = \sum_{i=1}^{k} p_i (x_i - \overline{X})^2$.

L'écart-type est le réel noté σ (X) défini par : $\sigma(X) = \sqrt{V(X)}$.

La variance et l'écart-type caractérisent la dispersion probable autour de l'espérance mathématique.

Nota. – Certaines calculatrices de fabrication américaine ou japonaise donnent pour écart-type le réel

$$\sigma' = \sigma \sqrt{\frac{k-1}{k}}.$$

Inégalité de Bienaymé-Tchebycheff

Pour tout réel strictement positif ϵ, on a :

$$P(|X - \overline{X}| \geqslant \epsilon) \leqslant \frac{(V(X))^2}{\epsilon^2}$$

STATISTIQUE

Vocabulaire. Les statistiques étaient, à l'origine, l'étude de l'ensemble des données numériques découlant de recensements de la population et permettant d'en décrire l'état (en latin : status). Une étude statistique consiste à observer puis à étudier une ou plusieurs propriétés d'un ensemble E appelé la *population ;* les éléments de E sont des *individus ;* un sous-ensemble de E est un *échantillon.* La propriété étudiée est appelée *caractère.*

Si les valeurs prises par le caractère sont peu nombreuses, on dit que le caractère est *discret. Exemples :* nombre de frères et sœurs d'un élève dans l'ensemble des élèves d'un lycée, nombre des pièces d'une résidence principale dans une ville donnée.

Si le caractère peut prendre un grand nombre de valeurs, le caractère est dit *continu. Exemples :* tailles en cm des élèves d'un lycée, salaires mensuels des travailleurs d'une ville.

Étude d'un caractère discret. *Exemple :* nombre de frères et sœurs d'un enfant dans un ensemble de 105 adolescents. La question posée effectivement à 105 adolescents a donné lieu aux réponses consignées dans le tableau suivant :

Nbre de frères ou sœurs : x_i	0	1	2	3	4
Effectif : n_i	15	41	28	12	9

Effectif d'une valeur. Nombre d'individus qui présentent cette valeur du caractère.

Fréquence d'une valeur. Quotient de l'effectif de la valeur par l'effectif de la population (effectif total). Si n_i est l'effectif de la valeur x_i et *n* l'effectif total, on a : $f_i = \frac{n_i}{n}$. On exprime souvent la fréquence f_i en *pourcentage.* Dans l'exemple étudié, on a :

x_i	0	1	2	3	4
f_i	14,3 %	39,0 %	26,7 %	11,4 %	8,6 %

Mode ou **dominante.** Valeur du caractère qui a le plus grand effectif. Dans cet exemple, le mode est 1 (effectif $n_1 = 41$).

Médiane. Valeur qui partage E en 2 sous-ensembles de même effectif. Souvent ce n'est pas une valeur du caractère.

Moyenne. Si *p* est le nombre de valeurs distinctes du caractère, la moyenne est le réel défini par : $m = \sum_{i=1}^{p} f_i x_i = \frac{1}{n} \sum_{i=1}^{p} n_i x_i$.

Dans l'exemple étudié, on a :

$$m = \frac{1 \times 41 + 2 \times 28 + 3 \times 12 + 4 \times 9}{105} \approx 1{,}609.$$

Ce n'est pas une valeur du caractère.

Écart-moyen. Réel défini par :

$$e = \sum_{i=1}^{p} f_i |x_i - m| = \frac{1}{n} \sum_{i=1}^{p} n_i |x_i - m|.$$

$$e = \frac{(15 \times |0 - 1{,}61|) + (41 \times |1 - 1{,}61|) + (28 \times |2 - 1{,}61|) + (12 \times |3 - 1{,}61|) + (9 \times |4 - 1{,}61|)}{105} \simeq 0{,}94$$

Écart-type. Réel σ défini par :

$$\sigma^2 = \sum_{i=1}^{p} f_i (x_i - m)^2 = \frac{1}{n} \sum_{i=1}^{p} n_i (x_i - m)^2.$$

On démontre que l'on a :

$$\sigma^2 = \sum_{i=1}^{p} f_i x_i^2 - m^2 = \frac{1}{n} \sum_{i=1}^{p} n_i x_i^2 - m^2.$$

En pratique, on dispose les calculs dans un tableau analogue au suivant :

x_i	0	1	2	3	4
n_i	15	41	28	12	9
x_i^2	0	1	4	9	16
$n_i x_i^2$	0	41	112	108	144

$$\sigma^2 = \frac{0 + 41 + 112 + 108 + 144}{105} - 1{,}61^2 \approx 1{,}27,$$ et par suite : $\sigma \approx 1{,}13$.

Étude d'un caractère continu. Le grand nombre de valeurs prises dans ce cas par le caractère empêche de dresser un tableau du type précédent. Pour réduire le nombre de ces valeurs, on effectue un regroupement en **classes**. Par exemple, pour les tailles des élèves du lycée, on peut prendre pour classes des tranches de 5 cm (ou 10 cm) ; pour les salaires des tranches de 100 F (ou 200 F ou 500 F). On prend pour valeur du caractère le centre de la classe et l'on est ramené au cas précédent.

GÉOMÉTRIE PLANE ÉLÉMENTAIRE

SEGMENTS – ANGLES

Médiatrice d'un segment d'extrémités A et B. Droite passant par le milieu du segment et perpendiculaire au support du segment. Cette médiatrice est le lieu géométrique des points du plan équidistants des points A et B.

Bissectrice d'un angle saillant. Demi-droite issue du sommet de l'angle et qui le partage en 2 angles superposables. Cette bissectrice est le lieu géométrique des points du plan équidistants des 2 côtés de l'angle.

Le lieu géométrique des points du plan équidistants de 2 droites sécantes D et D′ est formé de 2 droites perpendiculaires Δ et Δ′, réunion des bissectrices des 4 angles saillants formés par D et D′.

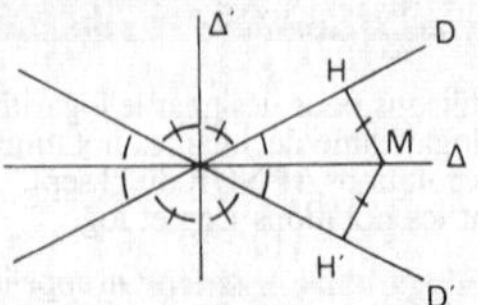

TRIANGLES

Définition. Polygone qui a 3 côtés, et donc 3 angles.

Médiane. Segment joignant un sommet au milieu du côté opposé. Les 3 médianes d'un triangle concourent en un point G situé au tiers de chacune d'elles à partir du côté ; G est le centre de gravité du triangle.

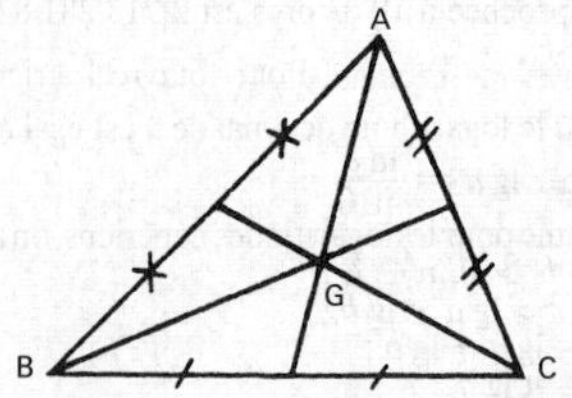

Médiatrice. Médiatrice d'un côté du triangle. Les 3 médiatrices concourent en un point O, centre du cercle circonscrit au triangle.

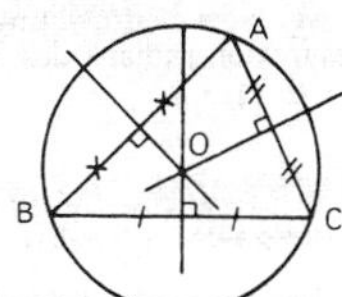

Hauteur. Droite passant par un sommet et perpendiculaire au support du côté opposé. Les 3 hauteurs concourent en un point H, orthocentre du triangle.

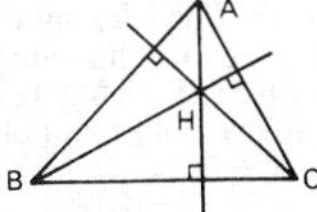

Bissectrice intérieure. Bissectrice d'un angle du triangle. Les 3 bissectrices intérieures concourent en un point I, centre du cercle inscrit dans le triangle.

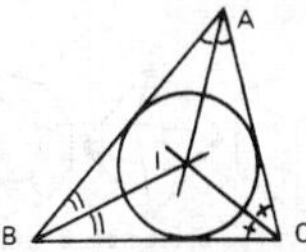

Bissectrice extérieure. Droite passant par un sommet et perpendiculaire à la bissectrice intérieure correspondante. 2 bissectrices extérieures et la 3e bissectrice intérieure concourent en un point centre d'un cercle exinscrit au triangle (tangent à un côté et aux prolongements des deux autres).

Inégalités dans un triangle. Dans un triangle, la longueur d'un côté est comprise entre la somme et la valeur absolue de la différence des deux autres.

Dans un triangle, à l'angle ayant la plus grande mesure est opposé le côté ayant la plus grande longueur.

Relations métriques dans un triangle quelconque (I milieu de BC ; AH hauteur).

$AB^2 = CA^2 + CB^2 - 2\,\overline{CB}\cdot\overline{CH}$,

$AB^2 + AC^2 = 2\,AI^2 + \dfrac{BC^2}{2}$,

$AB^2 - AC^2 = 2\,\overline{BC}\cdot\overline{IH}$.

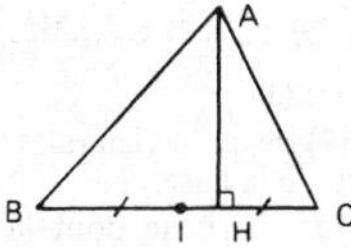

Soient D et D′ les pieds respectifs de la bissectrice intérieure et de la bissectrice extérieure de l'angle A sur le support du côté BC.

$AB \cdot AC = AD^2 + DB \cdot DC$

$AB \cdot AC = D'B \cdot D'C - AD'^2$.

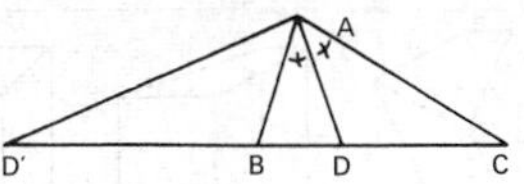

Triangle rectangle. Triangle dont un angle est droit. Le côté opposé à l'angle droit est appelé *l'hypoténuse.* Si BC est l'hypoténuse, et H la projection orthogonale de A sur cette hypoténuse, on a :

$AB^2 + AC^2 = BC^2$ (1) ; $AB^2 = \overline{BC}\cdot\overline{BH}$;

$AC^2 = \overline{CB}\cdot\overline{CH}$; $\overline{HB}\cdot\overline{HC} = -HA^2$;

$\dfrac{AB^2}{AC^2} = -\dfrac{\overline{HB}}{\overline{HC}}$; $AB \cdot AC = AH \cdot BC$;

$\dfrac{1}{AB^2} + \dfrac{1}{AC^2} = \dfrac{1}{AH^2}$. L'égalité (1) est connue sous le nom de théorème de Pythagore.

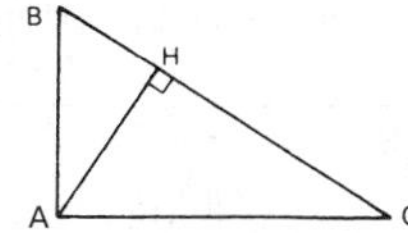

Réciproquement, si dans un triangle ABC, de hauteur AH, on a l'une des égalités suivantes :

$AB^2 + AC^2 = BC^2$; $AB^2 = \overline{BC}\cdot\overline{BH}$;

$AC^2 = \overline{CB}\cdot\overline{CH}$; $\overline{HB}\cdot\overline{HC} = -AH^2$,

le triangle est rectangle en A.

Propriétés de l'hypoténuse : l'hyp. est un diamètre du cercle circonscrit au triangle ; sa longueur est le double de celle de la médiane issue du sommet de l'angle droit.

Triangle isocèle. Triangle qui a 2 côtés de même longueur. Le sommet commun à ces 2 côtés est appelé sommet principal ; le côté opposé au sommet principal est appelé la base du triangle. Si A est le sommet principal, les angles $\widehat{B}$ et $\widehat{C}$ ont la même mesure.

La médiatrice de la base est confondue avec la hauteur, la bissectrice et le support de la médiane ; c'est un axe de symétrie.

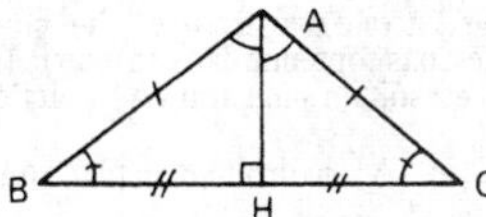

Triangle équilatéral. Triangle dont les 3 côtés ont la même longueur. Les 3 angles ont la même mesure 60° (ou $\frac{\pi}{3}$ Rad.). Ce triangle admet 3 axes de symétrie. Chacun de ces axes est la médiatrice, la hauteur, et le support de la médiane relative à un côté ; c'est aussi la bissectrice de l'angle opposé. Les 3 axes concourent en un point O qui est le centre de gravité, l'orthocentre, le centre du cercle circonscrit et le centre du cercle inscrit.

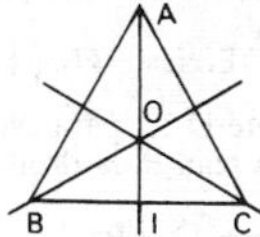

Relations métriques : a longueur du côté ; *h* hauteur ; R rayon du cercle circonscrit ; *r* rayon du cercle inscrit : $h = a\dfrac{\sqrt{3}}{2}$; $R = 2r = a\dfrac{\sqrt{3}}{3}$

Polygones réguliers convexes

Définition. Si l'on divise un cercle C en un certain nombre d'arcs de même longueur, et si l'on joint les points de division consécutifs, on obtient un polygone régulier convexe. Tous les côtés ont la même longueur ; tous les angles ont la même mesure.

Le centre O du cercle C est appelé centre du polygone. Si le nombre des côtés est pair, O est un centre de symétrie du polygone ; si le nombre des côtés est impair, O n'est pas un centre de symétrie du polygone.

Un polygone régulier convexe de *n* côtés possède *n* axes de symétrie. Si *n* est impair, la médiatrice d'un côté passe par un sommet. Si *n* est pair, la médiatrice d'un côté est aussi la médiatrice du côté opposé, et les sommets sont 2 à 2 diamétralement opposés.

Apothème. Distance *a* du centre O à chacun des côtés. Le cercle C′ de centre O et de rayon *a* est tangent à tous les supports des côtés ; c'est le cercle inscrit dans le polygone.

Expressions du rayon R et de l'apothème *a* en fonction de la longueur *c* d'un côté

Polygones	Rayon du cercle circonscrit	Apothème
Triangle équilatéral	$c\dfrac{\sqrt{3}}{3}$	$c\dfrac{\sqrt{3}}{6}$
Carré	$c\dfrac{\sqrt{2}}{2}$	$\dfrac{c}{2}$
Pentagone	$\dfrac{c}{10}\sqrt{50 + 10\sqrt{5}}$	$\dfrac{c}{10}\sqrt{25 + 10\sqrt{5}}$
Hexagone	c	$c\dfrac{\sqrt{3}}{2}$
Octogone	$\dfrac{c}{2}\sqrt{4 + 2\sqrt{2}}$	$\dfrac{c}{2}(1 + \sqrt{2})$
Décagone	$\dfrac{c}{2}(1 + \sqrt{5})$	$\dfrac{c}{2}\sqrt{5 + 2\sqrt{5}}$
Dodécagone	$\dfrac{c}{2}(\sqrt{6} + \sqrt{2})$	$\dfrac{c}{2}(2 + \sqrt{3})$

Cercle

Définition. Ensemble des points du plan situés à une distance donnée (rayon R) d'un point donné (centre O).

Tangente en un point A du cercle. Perpendiculaire en A à la droite (OA).

Périmètre du cercle de rayon R. $2\pi R$.

Aire du cercle de rayon R. πR^2.

Puissance d'un point par rapport à un cercle

Soient un cercle C de centre O et de rayon R, et un point M ; on pose : $OM = d$.

1. Une droite Δ passant par M coupe le cercle en A et B ; le produit $\overline{MA}\,.\,\overline{MB}$ est indépendant de la droite Δ. On l'appelle puissance d'un point M par rapport au cercle ; elle est égale à $d^2 - R^2$.

Cette puissance est positive si M est extérieur à C ; elle est nulle si M appartient à C ; elle est négative si M est intérieur à C.

Réciproquement : si 2 droites (AB) et (A′B′) se coupent en M tel que : $\overline{MA}\,.\,\overline{MB} = \overline{MA'}\,.\,\overline{MB'}$ les 4 points A, B, A′, B′ appartiennent à un même cercle. On dit aussi qu'ils sont cocycliques.

2. Supposons M extérieur au cercle.

Si l'on trace une tangente (MT) et une sécante coupant le cercle en A et B, on a : $\overline{MA}\,.\,\overline{MB} = MT^2$.

Réciproquement : si 2 droites (AB) et Δ se coupent en un point M, et si sur Δ on marque un point T tel que $MT^2 = \overline{MA}\,.\,\overline{MB}$, le cercle circonscrit au triangle TAB est tangent à la droite Δ.

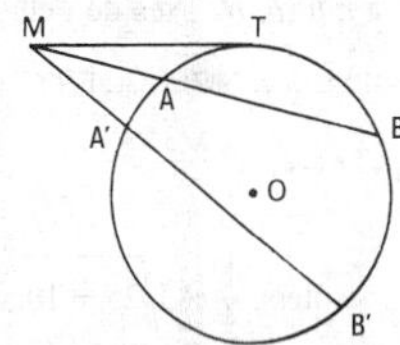

Équation du cercle. Dans un repère cartésien orthonormé un cercle de centre O (a, b) et de rayon R a pour équation : $(x - a)^2 + (y - b)^2 = R^2$. Voir aussi coniques dont le cercle est un cas particulier.

Recherches sur le nombre π

Vers 2000 av. J.-C. : dans les papyrus Rhind (Ahmès donne la valeur $\frac{32}{9}$ soit un peu + de 3,55). *IIe s. av. J.-C. :* Archimède donne entre $3 + \frac{10}{71}$ et $3 + \frac{10}{70}$ (soit 3,14085 et 3,14286). *IIe s. ap. J.-C. :* Ptolémée $3 + \frac{8}{60} + \frac{30}{60^2}$ (fractions dont les dénominateurs sont des puissances de 60) ; valeur approchée

La valeur des 31 premiers chiffres de π, soit 3,1415926535897932384626433832795, peut se retenir par ce quatrain (le nombre de lettres des mots indique un chiffre) :

Que j'aime à faire apprendre un nombre utile aux sages
3 1 4 1 5 9 2 6 5 3 5

Immortel Archimède, artiste, ingénieur
8 9 7 9

Qui de ton jugement peut priser la valeur ?
3 2 3 8 4 6 2 6

Pour moi, ton problème eut de pareils avantages.
4 3 3 8 3 2 7 9

Fractal

Du latin *frangere :* briser et *fractus :* irrégulier, morcelé. Figure géométrique de forme irrégulière, voire fragmentée, quelle que soit l'échelle. Elle possède des éléments spécifiques et ses parties ont la même structure que le tout. Étudiés entre 1965 et 1975 par Benoît Mandelbrot (Français d'origine polonaise, n. 1924), les objets fractals sont à l'origine d'une nouvelle géométrie décrivant mieux la nature que ne le faisait la géométrie traditionnelle. Le calcul des fractals s'applique aux transmissions téléphoniques, à l'astronomie, météorologie, à l'hydrographie, à la médecine. Leur domaine fut d'abord celui des turbulences (fusée, avion, automobile) et fut illustré par la carte des côtes de Bretagne.

3,14166 à 10^{-5} près. *XVIe s. :* la notation π apparaît chez Adrien Romain. *Vers 1650 :* Adriaensz Métius $\frac{355}{113}$, approchée par excès à 10^{-6} près. *1699 :* Sharp 72 décimales (dont 71 exactes). *1704 :* John Machin 100 (toutes exactes). *1719 :* Laguy 127 (dont 112 exactes). *1794 :* Véga 140 (dont 136). *1795 :* Callet 154 (dont 152). *1841 :* Rutherford 208 (dont 152). *1844 :* Dahse 205 (dont 200). *1847 :* Clausen 250 (dont 248). *1853 :* Rutherford 440 (toutes exactes). *1873 :* William Shancks 707 figurant au Palais de la Découverte à Paris (mais sont fausses à partir de la 528e). *XXe s. :* calculs repris aux U.S.A. avec de puissantes machines à calculer puis électroniques. *1985 :* le Japonais Yasumara Kaneta a établi 536 870 000 décimales. *1989 (juin) :* Gregory et David Chudnorsky 1 001 196 691 décimales (record actuel).

AIRES PLANES

Triangle (1). $\frac{1}{2}\,b\,h$ (*b* : base, *h* : hauteur).

Rectangle. *a b* (*a, b* : côtés).

Losange (2). $\frac{d\,d'}{2}$ (*d, d'* : diagonales).

Trapèze (3). $\frac{(b+b')\,h}{2}$ (*b, b'* : bases ; *h* : hauteur).

Parallélogramme. B × *h* (B : base, *h* : hauteur).

Cercle. πR^2 (R : rayon).

Secteur circulaire (4). $R^2\frac{\alpha}{2}$ (α rad) ou $\pi R^2 \frac{\beta}{360}$ (β : degrés).

Couronne circulaire (5). $\pi(R^2 - r^2)$ (R et *r* rayons des cercles ext. et int.).

Ellipse (6). π *a b* (*a, b* : axes de l'ellipse).

AIRES DE POLYGONES RÉGULIERS DE CÔTÉ c

Triangle équilatéral. $c^2\frac{\sqrt{3}}{4}$.

Carré. c^2.

Pentagone (5 côtés). $\frac{1}{4}c^2\sqrt{25+10\sqrt{5}}$.

Hexagone (6 côtés). $\frac{3}{2}c^2\sqrt{3}$.

Heptagone (7 côtés). $\frac{7}{4}c^2\cot\frac{\pi}{7}$.

Octogone (8 côtés). $2c^2(1+\sqrt{2})$.

Ennéagone (9 côtés). $\frac{9}{4}c^2\cot\frac{\pi}{9}$.

Décagone (10 côtés). $\frac{5}{2}c^2\sqrt{5+2\sqrt{5}}$.

Undécagone (11 côtés). $\frac{11}{4}c^2\cot\frac{\pi}{11}$.

Dodécagone (12 côtés). $3c^2(2+\sqrt{3})$.

Aire d'un polygone régulier convexe quelconque d'apothème *a* et de périmètre *p* : $\frac{a\times p}{2}$

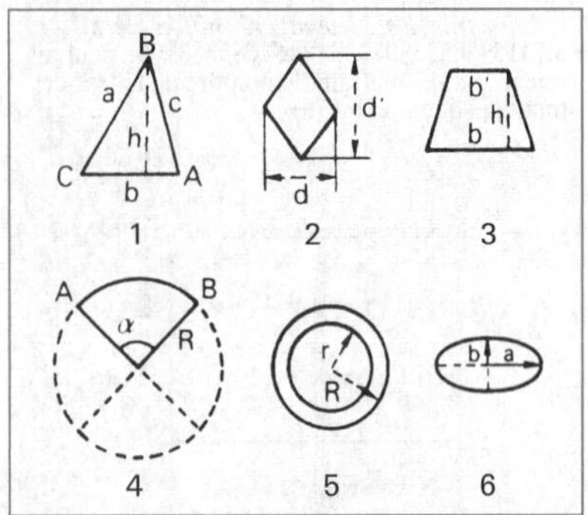

GÉOMÉTRIE ÉLÉMENTAIRE DANS L'ESPACE

DROITES ET PLANS

PARALLÉLISME

Plan. 1°) Toute droite qui a 2 points dans un plan est contenue dans ce plan.

2°) 3 points non alignés déterminent un plan unique.

Une droite contenue dans un plan détermine 2 *demi-plans* dont elle est la *frontière* commune.

Position relative de deux droites de l'espace. S'il existe un plan contenant D et D', on dit que D et D' sont **coplanaires.** S'il n'existe aucun plan contenant D et D', on dit que D et D' sont **non coplanaires.**

Si D et D' sont distinctes et coplanaires, leur intersection est soit un singleton (droites sécantes), soit l'ensemble vide (droites strictement parallèles).

Nota. – La notation D // D' signifie que D et D' sont soit confondues, soit strictement parallèles.

Position relative d'une droite et d'un plan. Si une droite D n'est pas contenue dans un plan P, l'intersection P ∩ D est soit un singleton {A}, soit l'ensemble vide.

Si P ∩ D = {A}, la droite et le plan sont sécants en A.

Si P ∩ D = ∅, la droite D est strictement parallèle au plan.

Nota. – La notation D // P signifie que l'on a soit D ⊂ P, soit P ∩ D = ∅. La droite D est contenue dans P ou strictement parallèle à P.

Position relative de deux plans distincts. Si 2 plans P et P' sont distincts, leur intersection est soit une droite D (plans sécants), soit l'ensemble vide (plans strictement parallèles).

Nota. – La notation P // P' signifie que P et P' sont soit confondus, soit strictement parallèles.

PROPRIÉTÉS DU PARALLÉLISME

1°) Si une droite D est parallèle à une droite Δ contenue dans un plan P, la droite D est parallèle à P.
D // Δ et Δ ⊂ P ⟹ D // P.

2°) Si 2 droites sécantes D et D' contenues dans un plan P' sont parallèles à un plan P, le plan P' est parallèle à P.

3°) Si un plan P est parallèle à un plan P' et si P' est parallèle à un plan P", les plans P et P" sont parallèles.
P // P' et P' // P" ⟹ P // P".

ORTHOGONALITÉ

Droites orthogonales. Soient Δ et Δ' 2 droites de l'espace. Si par un point A on trace une droite D parallèle à Δ et une droite D' parallèle à Δ', et si les droites D et D' sont perpendiculaires, on dit que Δ et Δ' sont orthogonales ; on note Δ ⊥ Δ'.

Si 2 droites Δ et Δ' sont orthogonales, toute parallèle à Δ est orthogonale à toute parallèle à Δ'.

Droite perpendiculaire à un plan. On dit qu'une droite Δ est perpendiculaire à un plan P si Δ est orthogonale à toutes les droites de P ; on note : Δ ⊥ P. Pour qu'une droite soit perpendiculaire à un plan, il suffit qu'elle soit orthogonale à 2 droites concourantes de ce plan.

Plan médiateur d'un segment. Plan passant par le milieu d'un segment et perpendiculaire au support du segment.

Plans perpendiculaires. On dit que 2 plans sont perpendiculaires si l'un d'eux contient une droite perpendiculaire à l'autre ; on note P ⊥ P'.

DIÈDRES ET TRIÈDRES

Angle dièdre (ou simplement dièdre). Partie de l'espace limitée par 2 demi-plans P et Q de même frontière Δ ; on le note : P Δ Q.

Les demi-plans P et Q sont les faces du dièdre, Δ est l'arête.

Rectiligne d'un dièdre. Angle $\widehat{xAy}$ obtenu en coupant le dièdre par un plan perpendiculaire à l'arête Δ. Avec des unités cohérentes, la mesure d'un angle dièdre et celle de son rectiligne sont exprimées par le même nombre.
Par ex., la mesure en radians des 4 dièdres déterminés par deux plans perpendiculaires est $\frac{\pi}{2}$.

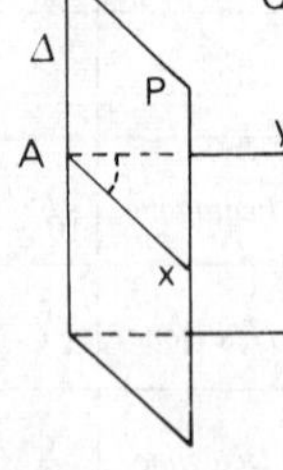

Trièdre. Partie de l'espace limitée par trois demi-droites A*x*, A*y*, A*z* de même origine et non coplanaires. Les angles $\widehat{yAz}$, $\widehat{zAx}$, $\widehat{xAy}$ sont les faces du trièdre ; un dièdre tel que le dièdre d'arête A*x* dont les faces contiennent respectivement A*y* et A*z* est un dièdre du trièdre. Un trièdre a 3 arêtes, 3 faces et 3 dièdres.

Somme des mesures des faces d'un trièdre. Soient *a, b, c* les mesures en radians des trois faces ; on a : $0 < a + b + c < 2\pi$.

Somme des mesures des dièdres d'un trièdre. Soient A, B, C les mesures en radians des 3 dièdres ; on a : $\pi < A + B + C < 3\pi$.

POLYÈDRES

Définition. Solide limité par des polygones plans ayant deux à deux un côté commun, de manière que chaque côté soit commun à exactement 2 polygones. Les polygones, leurs sommets, leurs côtés sont appelés faces, sommets, arêtes du polyèdre.

Polyèdre convexe. Polyèdre situé tout entier du même côté du plan de chacune de ses faces. F : nombre des faces ; S : nombre des sommets ; A : nombre des arêtes. Pour tout polyèdre convexe, on a : F + S = A + 2.

POLYÈDRES RÉGULIERS CONVEXES

Polyèdres dont toutes les faces sont des polygones réguliers convexes. Il existe 5 formes de polyèdres réguliers convexes.

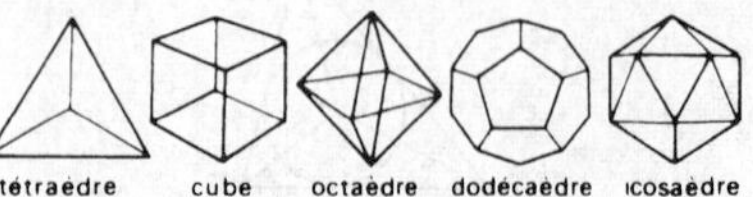

Tétraèdre régulier. Les 4 faces sont des triangles équilatéraux groupés 3 par 3 autour de chaque sommet ; il y a 6 arêtes. F = 4 ; S = 4 ; A = 6.

Cube ou Hexaèdre. Les 6 faces sont des carrés groupés 3 par 3 autour de chacun des 8 sommets ; il y a 12 arêtes. F = 6 ; S = 8 ; A = 12.

Octaèdre régulier. Les 8 faces sont des triangles équilatéraux groupés groupés 4 par 4 autour de chacun des 6 sommets ; il y a 12 arêtes.
F = 8 ; S = 6 ; A = 12.

Dodécaèdre régulier. Les 12 faces sont des pentagones réguliers groupés 3 par 3 autour de chacun des 20 sommets ; il y a 30 arêtes.
F = 12 ; S = 20 ; A = 30.

Icosaèdre régulier. Les 20 faces sont des triangles équilatéraux groupés 5 par 5 autour de chacun des 12 sommets ; il y a 30 arêtes.
F = 20 ; S = 12 ; A = 30.

POLYÈDRES USUELS

Prisme. Figure (1).

Prisme droit (2) : les arêtes latérales sont perpendiculaires au plan de la base.

Parallélépipède : prisme dont la base est un parallélogramme.

Pavé droit, ou *parallélépipède rectangle* (3) : parallélépipède droit dont la base est un rectangle.

Cube : pavé droit dont toutes les faces sont des carrés.

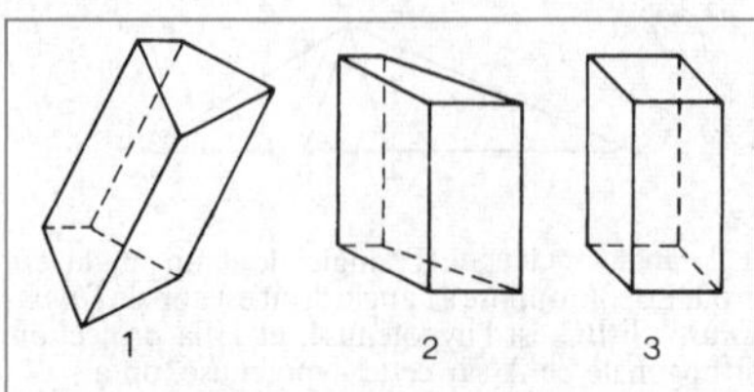

Pyramide. Figure (1). S est la sommet principal. Une *pyramide* est *régulière* (2) si la base est un polygone régulier et si la droite qui passe par le centre de ce polygone et par le sommet principal est perpendiculaire au plan de la base.

Un tronc de pyramide est le solide limité par une pyramide et un plan parallèle à la base. Si la pyramide est régulière, les faces latérales du *tronc de pyramide régulier* (3) sont des trapèzes isocèles superposables ; la hauteur de chacun des trapèzes est l'apothème du tronc.

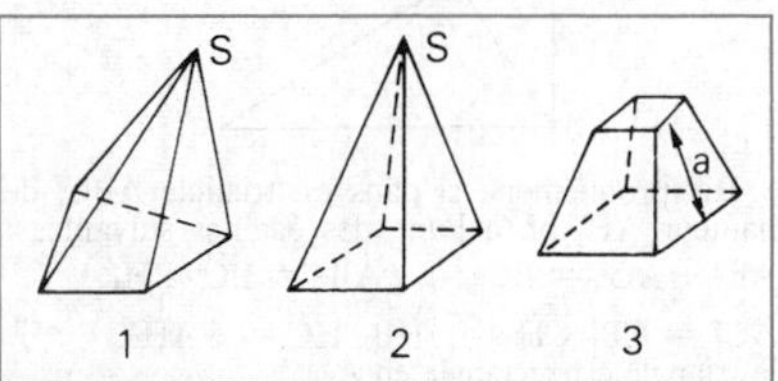

Autres formes de solides

Cylindre. Figure (1). Les droites telles que (A A′) sont les génératrices.

Cylindre droit (2) : cyl. dont les génératrices sont perpendiculaires au plan de la base.

Cylindre de révolution (3) : cyl. droit dont la base est un cercle ; il peut être engendré par la rotation d'un rectangle autour d'un de ses côtés.

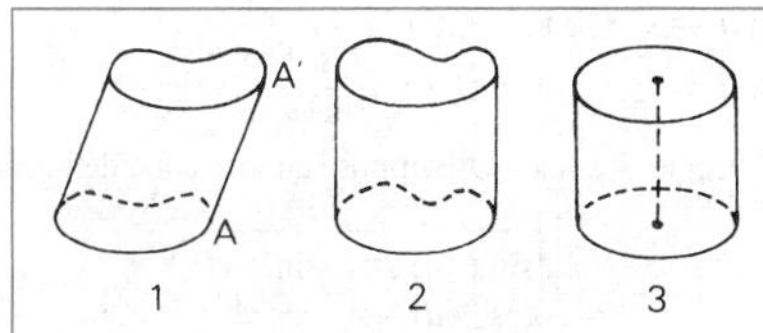

Cône. Figure (1). Les droites qui passent par le sommet et rencontrent la base sont les génératrices du cône.

Cône de révolution (2) : la base est un cercle et la droite qui passe par le sommet et par le centre du cercle est perpendiculaire au plan de la base ; il peut être engendré par la rotation d'un triangle rectangle autour d'un côté de l'angle droit.

Tronc de cône de révolution (3) : solide limité par un cône de révolution et un plan parallèle à la base ; toutes ses génératrices ont la même longueur.

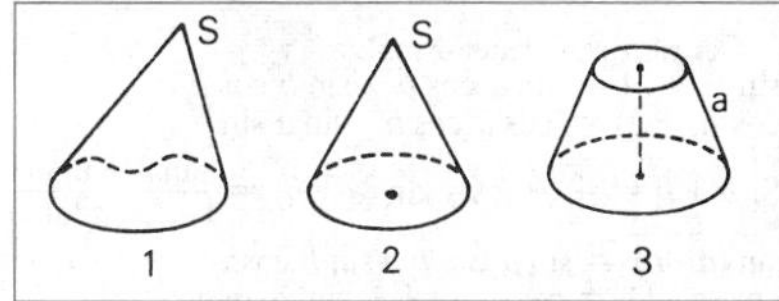

Sphère. Ensemble des points de l'espace situés à une distance donnée (rayon R) d'un point donné (centre O) (1).
Si une sphère et un plan ont plusieurs points communs, leur intersection est un cercle (2).
Le plan passant par un point A de la sphère et perpendiculaire à la droite (OA) est tangent à la sphère (3).

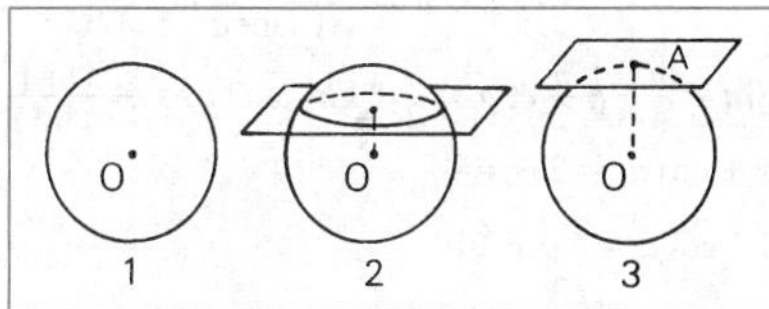

Tore. Solide engendré par la rotation d'un cercle C autour d'une droite Δ contenue dans son plan.

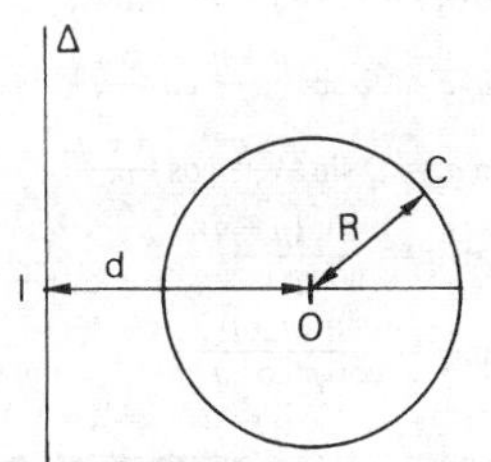

Aires dans l'espace

Légende. Les chiffres entre parenthèses renvoient aux figures ci-après.

Cube. Aire totale $6\,a^2$ (a arête).

Pavé droit (1). Aire tot. $2\,(bc + ca + ab)$ (a, b, c arêtes).

Prisme droit (2). Aire lat. $p\,l$ (p périmètre de base, l arête).

Prisme oblique. Aire lat. $p'\,l$ (p' périmètre section droite, l arête).

Pyramide régulière (3). Aire lat. $\frac{1}{2}\,p\,a$ (p périmètre de base, a apothème).

Tronc de pyram. régul. Aire lat. $\frac{1}{2}\,(p + p')\,a$ (p, p' périmètres des bases, a apoth.).

Cylindre de révolution (4). Aire lat. $2\,\pi\,R\,l$ (R rayon de base, l génératrice).

Cône de révolution (5). Aire lat. $\pi\,R\,l$ (R rayon de base, l génératrice).

Tronc de cône de révol. (6). Aire lat. $\pi\,(R + r)\,l$ (R, r rayons des bases, l génératrice).

Sphère (7). Aire totale $4\,\pi\,R^2$ (R rayon).

Fuseau sphérique (7). $2\,R^2\,\alpha$ (R rayon, α mes. du dièdre en radians).

Zône sphérique (8). Aire lat. $2\,\pi\,R\,h$ (R rayon, h hauteur).

Tore (9). Aire $4\,\pi^2\,R\,d$ (R rayon du cercle, d distance OI).

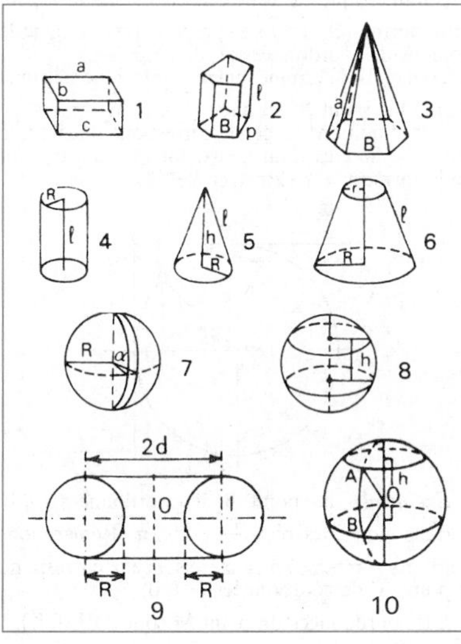

Volumes

Légende. Les chiffres entre parenthèses renvoient aux figures ci-dessus.

Cube. a^3 (a arête).

Pavé droit (1). abc (a, b, c arêtes).

Prisme (2). B h (B aire base, h hauteur).

Pyramide (3). $\frac{1}{3}$ B h (B aire base, h hauteur).

Tronc de pyramide. $\frac{h}{3}(B + b + \sqrt{B\,b})$ (B et b aires des bases, h hauteur).

Cylindre (4). $\pi\,R^2\,h$ (R rayon de base, h hauteur).

Cône (5). $\frac{1}{3}$ B h (B aire base, h hauteur).

Tronc de cône (6). $\frac{\pi\,h}{3}(R^2 + r^2 + Rr)$ (R, r rayons des bases, h hauteur).

Sphère (7). $\frac{4}{3}\,\pi\,R^3$ (R rayon).

Coin sphérique (7). $\frac{2}{3}\,R^3\,\alpha$ (R rayon, α mes. du dièdre en radians).

Secteur sphérique (10). $\frac{2}{3}\,\pi\,R^2\,h$ (R rayon, h hauteur).

Anneau sphérique. $\frac{1}{6}\,\pi\,h\,AB^2$ (h hauteur, AB longueur de la corde).

Tore (9). $2\,\pi^2\,R^2\,d$ (R rayon du cercle, d distance OI).

Aires et volumes des polyèdres réguliers convexes d'arête *a*

Polyèdre	Aire totale	Volume
Tetraèdre	$a^2\sqrt{3}$	$\frac{1}{2}a^3\sqrt{2}$
Hexaèdre	$6\,a^2$	a^3
Octaèdre	$2\,a^2\sqrt{3}$	$\frac{1}{3}a^3\sqrt{2}$
Dodécaèdre	$3\,a^2\sqrt{25 + 10\sqrt{5}}$	$\frac{1}{4}a^3\,(15 + 7\sqrt{5})$
Icosaèdre	$5\,a^2\sqrt{3}$	$\frac{5}{12}a^3\,(3 + \sqrt{5})$

Éléments de géométrie analytique

Géométrie analytique plane

Représentation paramétrique d'une droite Δ

Vecteur directeur de Δ : vecteur $\vec{u}$ dont un représentant est un bipoint non nul de Δ.

Repère cartésien de Δ : couple (A, $\vec{u}$) formé d'un point A(x_A, y_A) de Δ et d'un vecteur directeur $\vec{u}(\alpha, \beta)$.

Représentation paramétrique de Δ :

$$\begin{cases} x = x_A + k\,\alpha \\ y = y_A + k\,\beta \end{cases}$$

Équation cartésienne de Δ

$$\begin{vmatrix} x - x_A & \alpha \\ y - y_A & \beta \end{vmatrix} = 0, \text{ ou : } \beta(x - x_A) - \alpha(y - y_A) = 0$$

Si $\alpha\beta \neq 0$, on l'écrit aussi : $\frac{x - x_A}{\alpha} = \frac{y - y_A}{\beta}$

Équation de la droite passant par A et B :

$$\begin{vmatrix} x - x_A & x_B - x_A \\ y - y_A & y_B - y_A \end{vmatrix} = 0$$

Vecteur directeur : la forme générale de l'équation d'une droite est : $ax + by + c = 0$. Le vecteur $(-b, a)$ est un vecteur directeur.

Parallélisme : les droites $ax + by + c = 0$ et $a'x + b'y + c' = 0$ sont parallèles si et seulement si $\begin{vmatrix} a & b \\ a' & b' \end{vmatrix} = 0$, ou encore : $ab' - ba' = 0$.

Orthogonalité : dans un repère *orthonormé,* ces droites sont perpendiculaires si et seulement si $aa' + bb' = 0$.

Distance du point N (x_N, y_N) à la droite $ax + by + c = 0$.

$$d = \frac{|ax_N + by_N + c|}{\sqrt{a^2 + b^2}}$$

Géométrie analytique dans l'espace

Représentation paramétrique d'un plan P

Vecteurs directeurs de P : vecteurs $\vec{u}$ et $\vec{v}$ non colinéaires dont des représentants sont des bipoints non nuls de P.

Repère cartésien de P : triplet (A, $\vec{u}$, $\vec{v}$) formé d'un point A (x_A, y_A, z_A) de P et de deux vecteurs directeurs $\vec{u}$ (α, β, γ) et $\vec{v}$ (α′, β′, γ′).

Représentation paramétrique de P :

$$\begin{cases} x = x_A + k\alpha + k'\alpha' \\ y = y_A + k\beta + k'\beta' \\ z = z_A + k\gamma + k'\gamma' \end{cases}$$

Équation cartésienne de P

Déterminant du 3e ordre : c'est un nombre D noté

$$\begin{vmatrix} a & b & c \\ a' & b' & c' \\ a'' & b'' & c'' \end{vmatrix}.$$

Par définition, on a :

$$D = a\begin{vmatrix} b' & c' \\ b'' & c'' \end{vmatrix} - a'\begin{vmatrix} b & c \\ b'' & c'' \end{vmatrix} + a''\begin{vmatrix} b & c \\ b' & c' \end{vmatrix},$$

c'est-à-dire :

$D = ab'c'' - ab''c' - a'bc'' + a'b''c + a''bc' - a''b'c.$

Équation du plan P de repère (A, $\vec{u}$, $\vec{v}$) :

$$\begin{vmatrix} x - x_A & \alpha & \alpha' \\ y - y_A & \beta & \beta' \\ z - z_A & \gamma & \gamma' \end{vmatrix} = 0$$

ou encore :

$$(x - x_A)\begin{vmatrix} \beta & \beta' \\ \gamma & \gamma' \end{vmatrix} - (y - y_A)\begin{vmatrix} \alpha & \alpha' \\ \gamma & \gamma' \end{vmatrix} + (z - z_A)\begin{vmatrix} \alpha & \alpha' \\ \beta & \beta' \end{vmatrix} = 0$$

Équation du plan passant par 3 points A, B, C non alignés.

$$\begin{vmatrix} x - x_A & x_B - x_A & x_C - x_A \\ y - y_A & y_B - y_A & y_C - y_A \\ z - z_A & z_B - z_A & z_C - z_A \end{vmatrix} = 0$$

La forme générale de l'équation d'un plan est : $ax + by + cz + d = 0$.

Vecteur normal au plan : dans un repère orthonormé, le vecteur (a, b, c) est normal au plan.

Orthogonalité : dans un repère orthonormé, les plans $ax + by + cz + d = 0$ et $a'x + b'y + c'z + d' = 0$ sont orthogonaux si et seulement si $aa' + bb' + cc' = 0$.

Distance δ du point $N(x_N, y_N, z_N)$ au plan $ax + by + cz + d = 0$.

$$\delta = \frac{|ax_N + by_N + cz_N + d|}{\sqrt{a^2 + b^2 + c^2}}$$

Représentation paramétrique d'une droite

Droite Δ passant par $A(x_A, y_A, z_A)$ et de vecteur directeur $\vec{u}\,(\alpha, \beta, \gamma)$: $\begin{cases} x = x_A + k\alpha \\ y = y_A + k\beta \\ z = z_A + k\gamma \end{cases}$

Équations cartésiennes d'une droite : dans l'espace, une courbe est définie par les équations de deux surfaces dont elle est l'intersection. Une droite est donc définie par les équations de deux plans non parallèles $\begin{cases} ax + by + cz + d = 0 \\ a'x + b'y + c'z + d' = 0. \end{cases}$

Équation d'un cercle : elle est définie par l'équation d'une sphère et d'un plan sous condition qu'ils se coupent, c'est-à-dire que la distance du plan au centre de la sphère (voir p. 203 a) soit inférieure au rayon.

Équations de quelques surfaces usuelles

Cylindre de révolution d'axe Oz et de rayon R. $x^2 + y^2 - R^2 = 0$.

Cône de révolution d'axe Oz. $x^2 + y^2 - k^2z^2 = 0$ avec $k \neq 0$.

Sphère du centre A (a, b, c) et de rayon R. $(x - a)^2 + (y - b)^2 + (z - c)^2 - R^2 = 0$.

Trigonométrie

Cercle trigonométrique. Cercle dont le rayon est l'unité de longueur et sur lequel on choisit une origine et un sens de parcours. Ce sens, appelé sens positif (ou direct) est traditionnellement le sens inverse de marche des aiguilles d'une montre ; l'autre sens est appelé négatif (ou rétrograde).

Radian (unité légale de mesure des angles). Symbole : rd. Mesure d'un angle déterminé par 2 rayons qui interceptent un arc de même longueur que le rayon du cercle.

Un angle plat a pour mesure π rd, un angle droit $\frac{\pi}{2}$ rd.

1 rd = 57°,2957795131 = 57°17'44",80624716.

$1' \simeq 3 \cdot 10^{-4}$ rd

Correspondance entre les mesures d'un angle en radians et en degrés

$$\frac{\text{mesure en rd}}{\pi} = \frac{\text{mesure en degrés}}{180}$$

Si x est la mesure en radians de l'angle au centre, la longueur de l'arc intercepté sur un cercle de rayon R est R x.

Angle orienté. Arc orienté. Partant de A pour aller en M sur le cercle en conservant le même sens de parcours, on parcourt par exemple un arc de $\frac{\pi}{3}$ dans le sens positif (on dit $+ \frac{\pi}{3}$). Mais si, parti de A, on parcourt un arc de $+ \frac{\pi}{3} + 2\pi$, soit $\frac{7\pi}{3}$, on se retrouve en M. De même, si on parcourt à partir de A un arc de $\frac{\pi}{3} - 2\pi$, soit $- \frac{5\pi}{3}$, on se retrouve encore en M.

D'une façon générale l'arc orienté d'origine A et d'extrémité M a une infinité de mesures qui s'écrivent $\frac{\pi}{3} + k \cdot 2\pi$, où k est un entier relatif.

Un angle orienté dont le côté origine est la demi-droite OA et le côté extrémité la demi-droite OM, noté $(\overrightarrow{OA}, \overrightarrow{OM})$, a aussi une infinité de mesures égales à $\frac{\pi}{3} + k \cdot 2\pi$, avec $k \in \mathbb{Z}$.

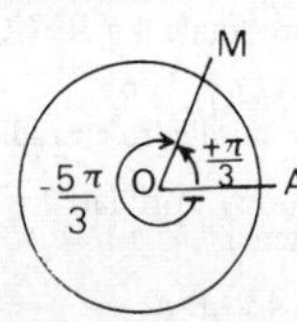

Rapports trigonométriques d'un réel x. Au cercle trigonométrique de centre O associons le repère orthonormé $(O, \vec{i}, \vec{j})$ et prenons pour origine le point A de coordonnées (1, 0).

Tout réel x détermine sur le cercle trigonométrique un unique point M tel que : $(\overrightarrow{OA}, \overrightarrow{OM}) = x$.

A tout point M du cercle correspond une infinité de réels. Si x est l'un d'eux, tous les autres sont de la forme $x + k \cdot 2\pi$ avec $k \in \mathbb{Z}$.

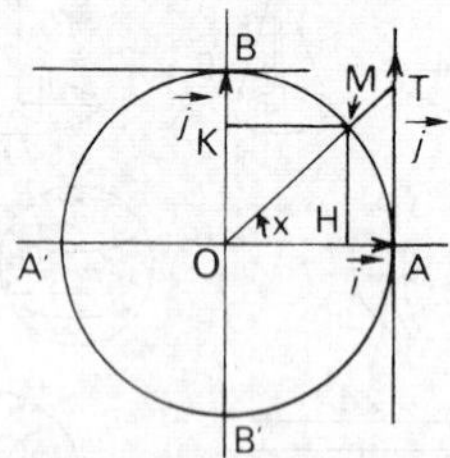

Exemples : au point B de coordonnées (0, 1) correspondent les réels $\frac{\pi}{2} + k \cdot 2\pi$. Remarquons que l'on a : $-\pi = \pi - 2\pi$; aux réels $-\pi$ et π correspond le point A' de coordonnées (– 1, 0).

Les coordonnées du point M sont $(\overline{OH}, \overline{OK})$.

Par définition, on pose : $\overline{OH} = \cos x$ (cosinus x) et $\overline{OK} = \sin x$ (sinus x). La droite OM coupe la tangente en A au cercle au point T ; on pose : $\overline{AT} = \tan x$ (tangente x). La notation $\tan x$ est conforme à la norme AFNOR.

$\overline{OH} = \cos x$	$\overline{OK} = \sin x$	$\overline{AT} = \tan x$

Si $\tan x \neq 0$, l'inverse est appelé cotangente x et notée $\cot x$.

Rapports trigonométriques dans un triangle

Soient A, B, C les mesures en radians des angles d'un triangle et a, b, c les longueurs des côtés.

Triangle rectangle d'hypoténuse a

$\cos B = \sin C = \frac{c}{a}$ $\qquad$ $\sin B = \cos C = \frac{b}{a}$

$\tan B = \cot C = \frac{b}{c}$ $\qquad$ $\cot B = \tan C = \frac{c}{b}$

Triangle quelconque

$A + B + C = \pi$

$\frac{a}{\sin A} = \frac{b}{\sin B} = \frac{c}{\sin C}$

$a^2 = b^2 + c^2 - 2\,bc \cos A$
$b^2 = c^2 + a^2 - 2\,ca \cos B$
$c^2 = a^2 + b^2 - 2\,ab \cos C$
$a = b \cos C + c \cos B$
$b = c \cos A + a \cos C$
$c = a \cos B + b \cos A$

Rapports trigonométriques simples

α	0	$\frac{\pi}{6}$	$\frac{\pi}{4}$	$\frac{\pi}{3}$	$\frac{\pi}{2}$
sin α	0	$\frac{1}{2}$	$\frac{\sqrt{2}}{2}$	$\frac{\sqrt{3}}{2}$	1
cos α	1	$\frac{\sqrt{3}}{2}$	$\frac{\sqrt{2}}{2}$	$\frac{1}{2}$	0
tan α	0	$\frac{\sqrt{3}}{3}$	1	$\sqrt{3}$	╳
cot α	╳	$\sqrt{3}$	1	$\frac{\sqrt{3}}{3}$	0

Formulaire trigonométrique

Relations fondamentales.

$\sin^2 a + \cos^2 a = 1$

Si $a \neq \frac{\pi}{2} + k\pi$, $\tan a = \frac{\sin a}{\cos a}$

Si $a \neq k\pi$, $\cot a = \frac{\cos a}{\sin a}$

Si $a \neq k\frac{\pi}{2}$, $\tan a \cdot \cot a = 1$

Si $a \neq \frac{\pi}{2} + k\pi$, $1 + \tan^2 a = \frac{1}{\cos^2 a}$

Si $a \neq k\pi$, $1 + \cot^2 a = \frac{1}{\sin^2 a}$

Angles associés. On suppose $\tan a$ et $\cot a$ définies

$\sin(-a) = -\sin a$
$\cos(-a) = \cos a$
$\tan(-a) = -\tan a$

$\sin(\pi - a) = \sin a$	$\sin(\pi + a) = -\sin a$
$\cos(\pi - a) = -\cos a$	$\cos(\pi + a) = -\cos a$
$\tan(\pi - a) = -\tan a$	$\tan(\pi + a) = \tan a$
$\sin(\frac{\pi}{2} - a) = \cos a$	$\sin(\frac{\pi}{2} + a) = \cos a$
$\cos(\frac{\pi}{2} - a) = \sin a$	$\cos(\frac{\pi}{2} + a) = -\sin a$
$\tan(\frac{\pi}{2} - a) = \cot a$	$\tan(\frac{\pi}{2} + a) = -\cot a$

Formules de transformation

$\sin(a + b) = \sin a \cos b + \sin b \cos a$
$\cos(a + b) = \cos a \cos b - \sin a \sin b$

Si $a + b \neq \frac{\pi}{2} + k\pi$, $\tan(a + b) = \frac{\tan a + \tan b}{1 - \tan a \tan b}$

$\sin(a - b) = \sin a \cos b - \sin b \cos a$
$\cos(a - b) = \cos a \cos b + \sin a \sin b$

Si $a - b \neq \frac{\pi}{2} + k\pi$, $\tan(a - b) = \frac{\tan a - \tan b}{1 + \tan a \tan b}$

$\cos 2a = \cos^2 a - \sin^2 a$
$\cos 2a = 2\cos^2 a - 1 = 1 - 2\sin^2 a$
$\sin 2a = 2 \sin a \cos a$

Si $a \neq \frac{\pi}{2} + k\pi$, $\cos 2a = \frac{1 - \tan^2 a}{1 + \tan^2 a}$

et $\sin 2a = \frac{2 \tan a}{1 + \tan^2 a}$

Si $a \neq \frac{\pi}{4} + k\frac{\pi}{2}$ et $a \neq \frac{\pi}{2} + k\pi$, $\tan 2a = \frac{2 \tan a}{1 - \tan^2 a}$

$1 + \cos a = 2 \cos^2 \frac{a}{2}$

$1 - \cos a = 2 \sin^2 \frac{a}{2}$

$\cos p + \cos q = 2 \cos \frac{p + q}{2} \cos \frac{p - q}{2}$

$\cos p - \cos q = -2 \sin \frac{p + q}{2} \sin \frac{p - q}{2}$

$\sin p + \sin q = 2 \sin \frac{p + q}{2} \cos \frac{p - q}{2}$

$\sin p - \sin q = 2 \sin \frac{p - q}{2} \cos \frac{p + q}{2}$

$\tan p + \tan q = \frac{\sin(p + q)}{\cos p \cos q}$

$\tan p - \tan q = \frac{\sin(p - q)}{\cos p \cos q}$

Fonctions trigonométriques

On appelle ainsi les fonctions :

$x \mapsto \cos x$, $\quad x \mapsto \sin x$, $\quad x \mapsto \tan x$

On dit aussi fonctions circulaires.

Fonction : $x \mapsto \cos x$

Fonction. Définie et continue sur $\mathbb{R}$.

Périodique. Période 2π.

Fonction paire. $\cos(-x) = \cos x$.

Intervalle d'étude $[0, \pi]$, puis symétrie d'axe $(O, \vec{j})$, puis translations $k \cdot 2\pi\,\vec{i}$.

Fonction dérivée. $x \mapsto -\sin x$.

Courbe représentative. Sur $[0, \pi]$.

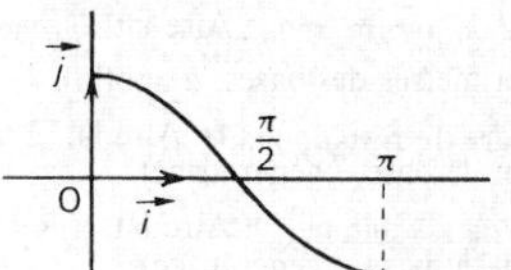

■ Fonction : $x \mapsto \sin x$

Fonction. Définie et continue sur ℝ.

Périodique. Période 2π.

Fonction impaire. $\sin(-x) = -\sin x$.

Intervalle d'étude. $[0, \pi]$, puis symétrie de centre O, puis translations $k \cdot 2\pi \vec{i}$.

Fonction dérivée. $x \mapsto \cos x$.

Courbe représentative. Sur $[0, \pi]$.

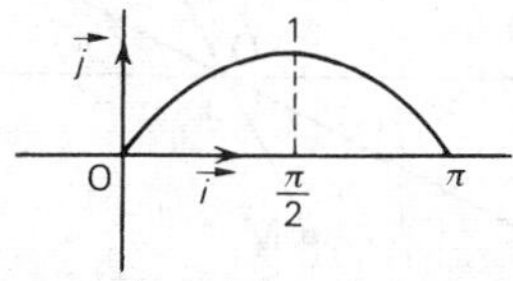

■ Fonction : $x \mapsto \tan x$

Fonction. Définie si $x \neq \frac{\pi}{2} + k\pi$.

Périodique. Période π.

Fonction impaire. $\tan(-x) = -\tan x$.

Intervalle d'étude. $[0, \frac{\pi}{2}[$, puis symétrie de centre O, puis translations $k \cdot \pi \vec{i}$.

Courbe représentative. Sur $[0, \frac{\pi}{2}[$.

Les droites d'équation $x = \frac{\pi}{2} + k\pi$ sont asymptotes à la courbe.

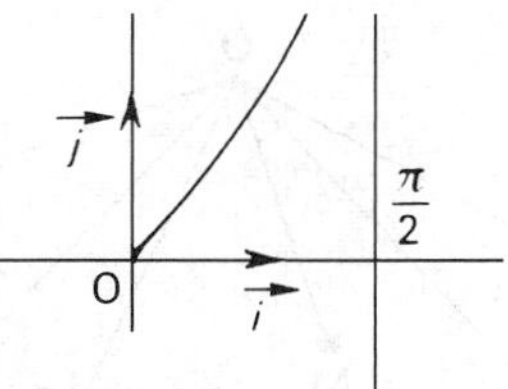

■ Fonctions dérivées

Fonctions	Fonctions dérivées
$x \mapsto \cos x$	$x \mapsto -\sin x$
$x \mapsto \sin x$	$x \mapsto \cos x$
$x \mapsto \tan x$	$x \mapsto \frac{1}{\cos^2 x}$
$x \mapsto \cos(ax+b)$	$x \mapsto -a\sin(ax+b)$
$x \mapsto \sin(ax+b)$	$x \mapsto a\cos(ax+b)$
$x \mapsto \tan(ax+b)$	$x \mapsto \frac{a}{\cos^2(ax+b)}$

■ Fonctions primitives

Fonctions	Fonctions primitives
$x \mapsto \cos x$	$x \mapsto \sin x + k$
$x \mapsto \sin x$	$x \mapsto -\cos x + k$
$x \mapsto \tan x$	$x \mapsto -\ln\lvert\cos x\rvert + k$
$x \mapsto \cos(ax+b)$	$x \mapsto \frac{1}{a}\sin(ax+b) + k$
$x \mapsto \sin(ax+b)$	$x \mapsto -\frac{1}{a}\cos(ax+b) + k$
$x \mapsto \tan(ax+b)$	$x \mapsto -\frac{1}{a}\ln\lvert\cos(ax+b)\rvert + k$

■ Trigonométrie sphérique

Relations fondamentales. Soient un trièdre de sommet O, les mesures a, b, c de ses faces, les mesures A, B, C de ses dièdres.

$$\frac{\sin a}{\sin A} = \frac{\sin b}{\sin B} = \frac{\sin c}{\sin C}$$

$$\cos a = \cos b \cos c + \sin b \sin c \cos A$$
$$\cos b = \cos c \cos a + \sin c \sin a \cos B$$
$$\cos c = \cos a \cos b + \sin a \sin b \cos C$$

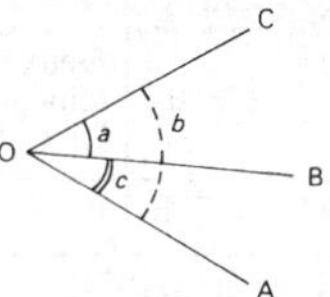

Les coniques

Parabole

■ Étude géométrique

Définition. Droite Δ (directrice) ; point F (foyer) ; distance de F à Δ : p (paramètre).

La parabole est l'ensemble des points équidistants du foyer et de la directrice : MF = MK.

Axe. Sommet. La droite D passant par F et perpendiculaire à la directrice est appelée axe de la parabole (axe de symétrie). Le point d'intersection de l'axe et de la parabole est le sommet S.

Tangente. La tangente au point M est la bissectrice de l'angle $(\overrightarrow{MF}, \overrightarrow{MK})$; c'est aussi la médiatrice du segment FK.

La tangente au sommet est la médiatrice Δ′ du segment HF.

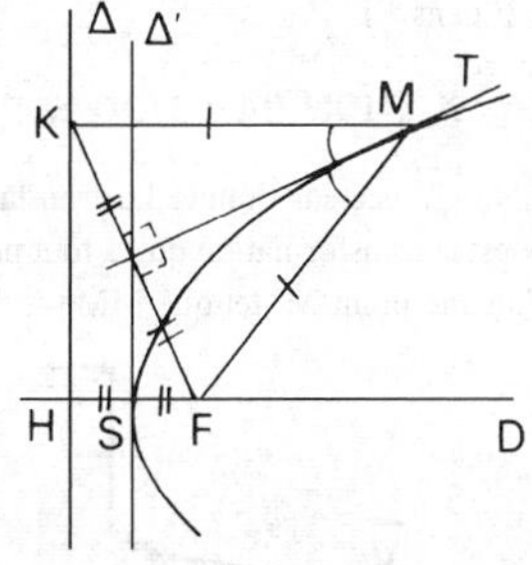

■ Étude analytique

Équation réduite. Repère orthonormé $(S, \vec{i}, \vec{j})$; $\vec{i}$ vecteur directeur de D, $\vec{j}$ vecteur directeur de Δ′ : $y^2 = 2px$.

Représentation paramétrique. $\begin{cases} x = \frac{t^2}{2p} \\ y = t \end{cases}$

Équation de la tangente. Au point (x_o, y_o) $yy_o = p(x + x_o)$.

Ellipse

■ Étude géométrique

Définition bifocale. F et F′ (foyers) ; FF′ = $2c$ (distance focale). Ensemble des points dont la somme des distances aux foyers est égale à un réel $2a$ $(a > c)$: MF + MF′ = $2a$.

Axes. La droite (FF′) coupe l'ellipse en 2 points A et A′ (sommets du grand axe). La médiatrice du segment FF′ coupe l'ellipse en 2 points B et B′ (sommets du petit axe). La distance BB′ est notée $2b$; on a : $a^2 = b^2 + c^2$.

Les supports respectifs du grand axe et du petit axe sont des axes de symétrie de l'ellipse.

Cercle principal. Cercle de diamètre AA′ = $2a$

Cercles directeurs. Cercles de rayon $2a$ et de centres respectifs F et F′.

Tangente. La tangente T à l'ellipse en M est la bissectrice de $(\overrightarrow{F'M}, \overrightarrow{MF})$.

Les projections orthogonales H de F et H′ de F′ sur la tangente appartiennent au cercle principal.

Le symétrique de F par rapport à la tangente appartient au cercle directeur de centre F′.

L'ellipse est le lieu géom. des centres des cercles passant par un foyer et tangents au cercle directeur de centre l'autre foyer.

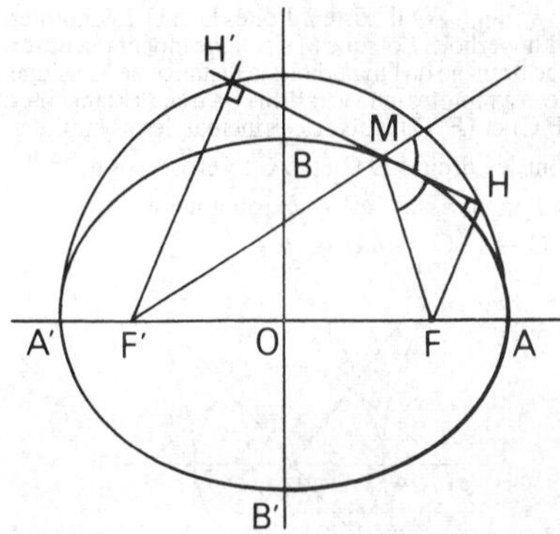

Directrice associée à un foyer. Il existe 2 droites Δ et Δ′ perpendiculaires au grand axe telles que : $\frac{MF}{MK} = \frac{MF'}{MK'} = \frac{c}{a}$. Le nombre $\frac{c}{a}$, noté e, est l'excentricité de l'ellipse : $0 < e < 1$.

Δ est la directrice associée à F. Δ′ est la directrice associée à F′.

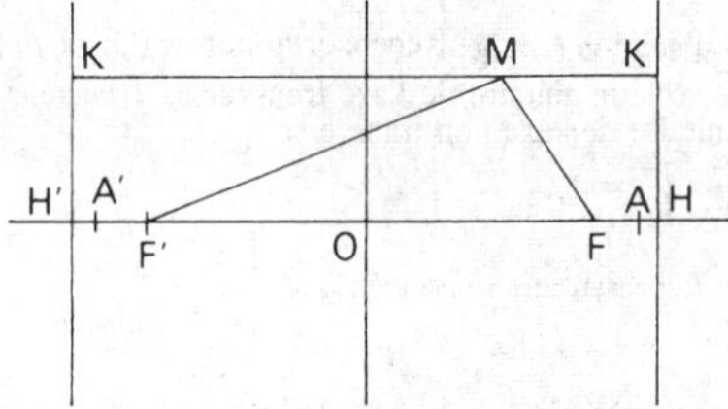

■ Étude analytique

Équation réduite. Repère orthonormé $(O, \vec{i}, \vec{j})$; $\vec{i}$ vecteur directeur du grand axe ; $\vec{j}$ vecteur directeur du petit axe : $\frac{x^2}{a^2} + \frac{y^2}{b^2} = 1$.

Représentation paramétrique. $\begin{cases} x = a\cos t \\ y = b\sin t \end{cases}$

Équation de la tangente. Au point (x_o, y_o) : $\frac{x x_o}{a^2} + \frac{y y_o}{b^2} = 1$.

Hyperbole

■ Étude géométrique

Définition bifocale. F et F′ (foyers) ; distance FF′ = $2c$ (distance focale). Ensemble des points dont la valeur absolue de la différence des distances aux foyers est égale à un réel positif $2a$ $(a < c)$: $\lvert MF - MF' \rvert = 2a$.

Axes. La droite (FF′) coupe l'hyperbole en 2 points A et A′ appelés sommets de l'hyperbole tels que AA′ = $2a$; cette droite est un axe de symétrie (axe transverse). La médiatrice de FF′ ne coupe pas l'hyperbole ; c'est aussi un axe de symétrie (axe non transverse).

Branches. L'axe non transverse détermine 2 demi-plans. L'hyperbole est la réunion de 2 branches : celle qui entoure F définie par : MF′ − MF = $2a$, celle qui entoure F′ définie par : MF − MF′ = $2a$.

Cercle principal ; cercles directeurs. Mêmes définitions que pour l'ellipse.

Tangente. La tangente en M à l'hyperbole est la bissectrice de l'angle $(\overrightarrow{MF}, \overrightarrow{MF'})$. Les projections orthogonales H de F et H′ de F′ sur la tangente appartiennent au cercle principal. Le symétrique de F par rapport à la tangente appartient au cercle directeur relatif à l'autre foyer. L'hyperbole est l'ensemble des centres des cercles passant par un foyer et tangents au cercle directeur relatif à l'autre foyer.

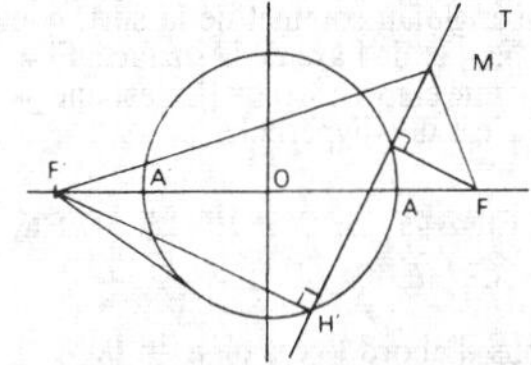

Asymptotes. Il existe 2 droites D et D′ asymptotes à l'hyperbole. Lorsque M s'éloigne indéfiniment sur une branche de l'hyperbole, la distance de M à l'une des asymptotes tend vers 0. Si l'on trace les tangentes (F C) et (F′ C′) au cercle principal, les asymptotes sont les droites O C et O C′. On a : $\cos \alpha = \frac{a}{c}$.
Si l'on pose : $c^2 - a^2 = b^2$, on a aussi :

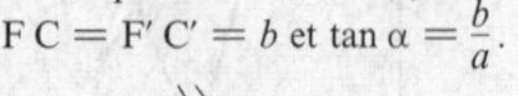

$\mathrm{F\,C} = \mathrm{F'\,C'} = b$ et $\tan \alpha = \frac{b}{a}$.

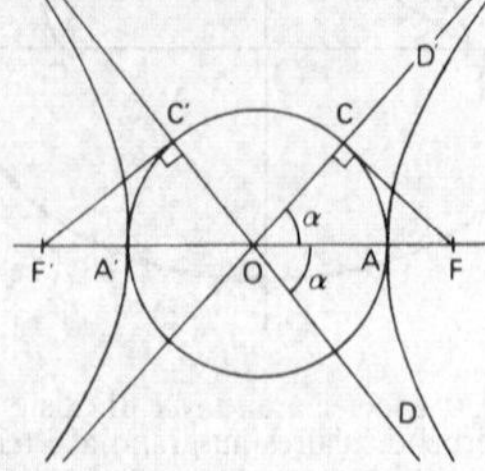

Directrice associée à un foyer. Même définition et mêmes propriétés que pour l'ellipse. Le rapport $\frac{c}{a}$, excentricité de l'hyperbole, est supérieur à 1.

■ ÉTUDE ANALYTIQUE

Équation réduite. Repère orthonormé $(O, \vec{i}, \vec{j})$; $\vec{i}$ vecteur unitaire de l'axe transverse. $\vec{j}$ vecteur unitaire de l'axe non transverse :
$\frac{x^2}{a^2} - \frac{y^2}{b^2} = 1$.

Représentation paramétrique. $\begin{cases} x = \dfrac{a}{\cos t} \\ y = b \tan t \end{cases}$

Équation de la tangente. Au point (x_o, y_o) :
$\frac{x\,x_o}{a^2} - \frac{y\,y_o}{b^2} = 1$.

Équation de l'ensemble des asymptotes.
$\frac{x^2}{a^2} - \frac{y^2}{b^2} = 0$.

Hyperbole équilatère. On dit qu'une hyperbole est équilatère si elle possède une des propriétés suivantes :

On a : $c = a\sqrt{2}$, ou : $a = b$.

Les asymptotes sont perpendiculaires.
Chacune d'elles entraîne les deux autres.

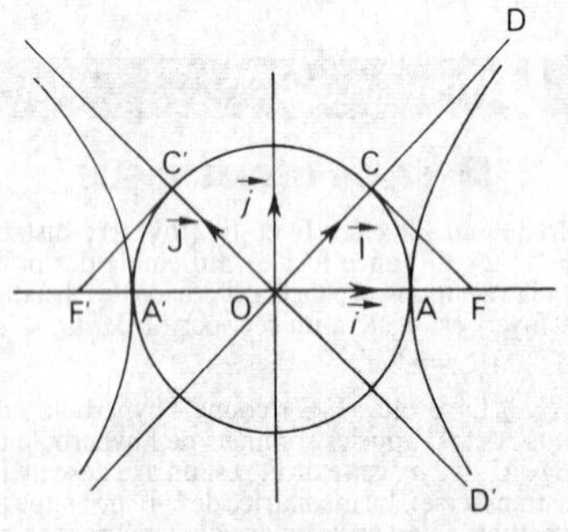

Équation réduite d'une hyperbole équilatère rapportée à ses asymptotes. Repère orthonormé :
$\left(O, \vec{I}, \vec{J}\right)$ déterminé par : $(\vec{i}, \vec{I}) = \frac{\pi}{4}$.
L'équation réduite est : $XY = \frac{c^2}{4}$.

■ PROPRIÉTÉS COMMUNES AUX TROIS CONIQUES

■ SECTIONS PLANES D'UNE SURFACE CONIQUE DE RÉVOLUTION

La section d'un cône de révol. par un plan qui ne passe pas par le sommet est une conique.

α demi-angle au sommet de la surf. conique ; β angle du plan et de l'axe de la surface. Si $\alpha < \beta$, la section est une ellipse ; si $\alpha = \beta$, c'est une parabole ; si $\alpha > \beta$ c'est une hyperbole.

■ ENSEMBLE DES POINTS VÉRIFIANT : $y^2 = ax^2 + bx + c$

Étudions d'abord **le cas où $a = 0$.**

$a=0$	$b=0$	$c<0$	Ensemble vide
		$c=0$	Axe des abscisses
		$c>0$	Deux droites strictement parallèles à l'axe des abscisses
	$b \neq 0$	$\forall\, c \in \mathbb{R}$	Parabole

Si a est différent de 0, on effectue la translation des axes définie par : $X = x + \frac{b}{2a}$; $Y = y$ et l'on pose : $\Delta = b^2 - 4ac$.
On obtient alors les résultats suivants :

$a<0$	$\Delta<0$	Ensemble vide
	$\Delta=0$	Un singleton, le point $(X=0, Y=0)$
	$\Delta>0$	Ellipse
$a>0$	$\Delta<0$	Hyperbole d'axe focal $(O, \vec{j})$
	$\Delta=0$	Deux droites : $Y = \sqrt{a}\,X$ et $Y = -\sqrt{a}\,X$
	$\Delta>0$	Hyperbole d'axe focal $(O, \vec{i})$

TRANSFORMATIONS AFFINES

Définitions : on appelle transformation affine du plan P (ou de l'espace E) toute application de P dans P (ou de E dans E).

■ TRANSLATION (PLAN OU ESPACE)

Définition : $\vec{V}$ vecteur donné. La translation de vecteur $\vec{V}$ est la transformation qui, à tout point M, associe l'unique point M′ tel que $\overrightarrow{MM'} = \vec{V}$.

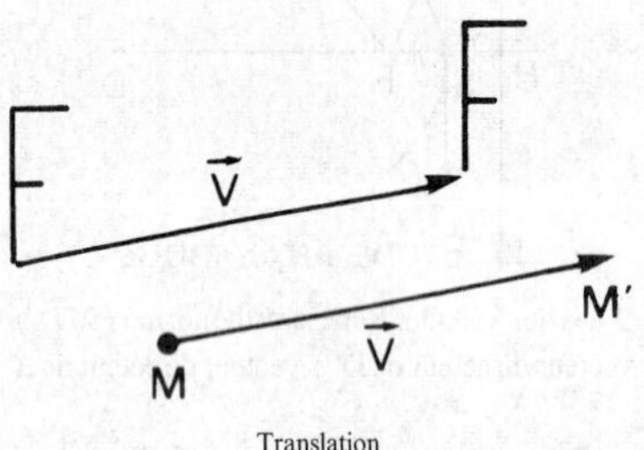

Translation

Propriété. Une translation conserve les distances.

Composée de 2 translations de vecteurs $\vec{V}$ et $\vec{V'}$: c'est la translation de vecteur $\vec{V} + \vec{V'}$.

■ HOMOTHÉTIE (PLAN OU ESPACE)

Définition : point O donné ; réel non nul k. L'homothétie de centre O et de rapport k est la transformation qui, à tout point M, associe l'unique point M′ tel que $\overrightarrow{OM'} = k\,\overrightarrow{OM}$.

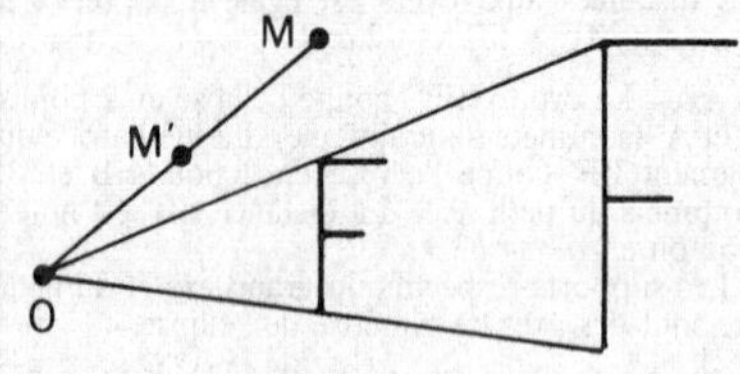

Homothétie de rapport $\frac{1}{2}$

Propriétés. Une homothétie de rapport k multiplie les distances par $|k|$, les aires par k^2, et dans l'espace, les volumes par $|k|^3$. Elle conserve les alignements, le parallélisme, les barycentres, les mesures des angles géométriques et des angles orientés, et dans l'espace celles des dièdres.

Composée de 2 homothéties de rapports k et k'. Si $kk' \neq 1$, c'est une homothétie ; si $kk' = 1$, c'est une translation.

■ SYMÉTRIE CENTRALE (PLAN OU ESPACE)

Définition : point O donné. La symétrie centrale de centre O est la transformation qui, à tout point M, associe l'unique point M′ tel que O soit le milieu du segment (MM′).

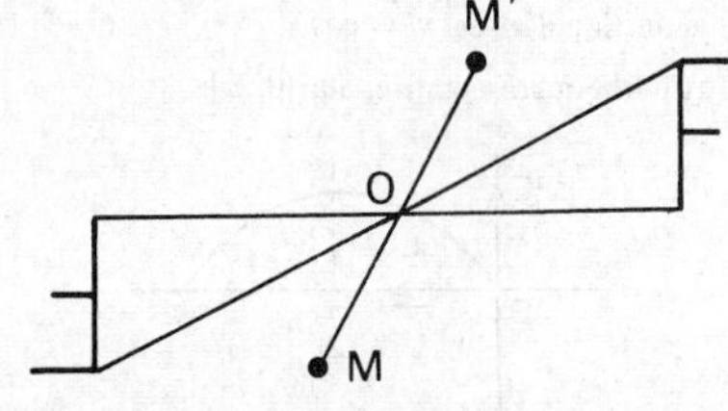

Symétrie de centre O

Propriété. Une symétrie centrale conserve les distances.

Composée de 2 symétries centrales de centres O et O′. C'est la translation de vecteur $2\,\overrightarrow{OO'}$.

■ ROTATION PLANE

Définition : dans un plan orienté P, point O donné, et mesure algébrique θ d'un angle orienté (définie à $2k\pi$ près). La rotation plane de centre O et d'angle θ est la transformation qui, à tout point M de P, associe l'unique point M′ tel que :
$OM' = OM$ et $(\overrightarrow{OM}, \overrightarrow{OM'}) = \theta$.

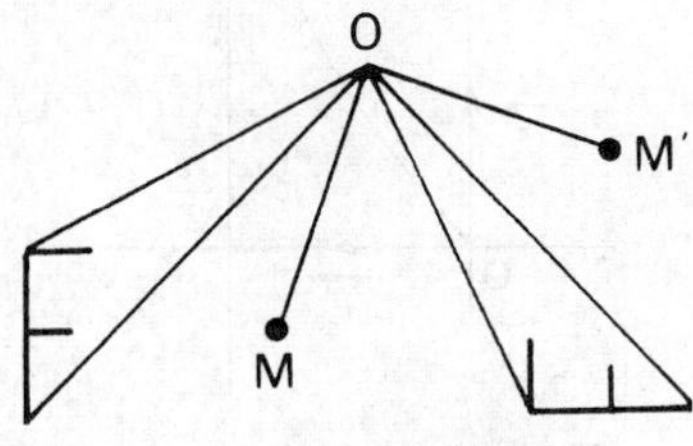

Rotation plane d'angle $+\frac{\pi}{2}$

Propriété. Une rotation plane conserve les distances.

Composée de 2 rotations d'angles θ et θ′ :
Si $\theta + \theta' = 2k\pi$, c'est une translation ;
si $\theta + \theta' \neq 2k\pi$, c'est une rotation.

Remarque. Une rotation plane d'angle π est une symétrie centrale.

■ ROTATION DANS L'ESPACE

Définition : dans l'espace E, axe $\vec{\Delta}$ donné, orienté par un vecteur unitaire $\vec{n}$; mesure algébrique θ (définie à $2k\pi$ près) d'un angle orienté dans un plan Q orthogonal à Δ. La rotation dans E d'axe $\vec{\Delta}$ et d'angle θ est la transformation qui, à tout point M de E associe le point M′ ainsi défini : soit Q_1 le plan passant par M, orthogonal à Δ, orienté par $\vec{n}$ et coupant Δ en O. Le point M′ est, dans Q_1, l'image de M par la rotation plane de centre O et d'angle θ.

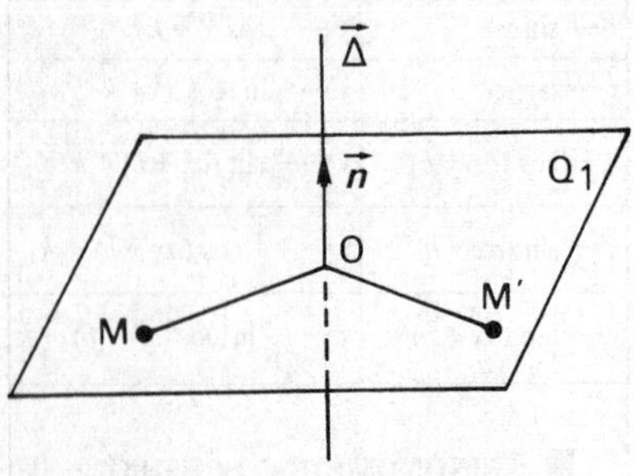

Rotation d'axe $\vec{\Delta}$

Propriété. Une rotation dans l'espace conserve les distances.

Demi-tour. Une rotation d'angle π est appelée un demi-tour.

Composée de 2 rotations dans l'espace d'axes $\vec{\Delta}$ et $\vec{\Delta'}$:
Si $\Delta \parallel \Delta'$ et $\theta + \theta' = 2k\pi$, c'est une translation ; si $\Delta \parallel \Delta'$ et $\theta + \theta' \neq 2k\pi$, c'est une rotation d'axe $\parallel \Delta$; si $\Delta \cap \Delta' = \{O\}$, c'est une rotation dont l'axe passe par O ; si Δ et Δ' non coplanaires, la composée est appelée **vissage** ou **déplacement hélicoïdal.**

Vissage. Un vissage peut être considéré de façon unique comme la composée d'une rotation d'axe $\vec{\Delta}$ par une translation dont le vecteur $\vec{V}$ admet Δ pour direction.

Réflexion plane (Symétrie orthogonale)

Définition : dans un plan P, droite donnée Δ. La réflexion (ou symétrie orthogonale) de base Δ est la transformation qui laisse invariant tout point de Δ, et qui, à tout point $M \notin \Delta$ associe l'unique point M′ de P tel que Δ soit la médiatrice du segment (MM′).

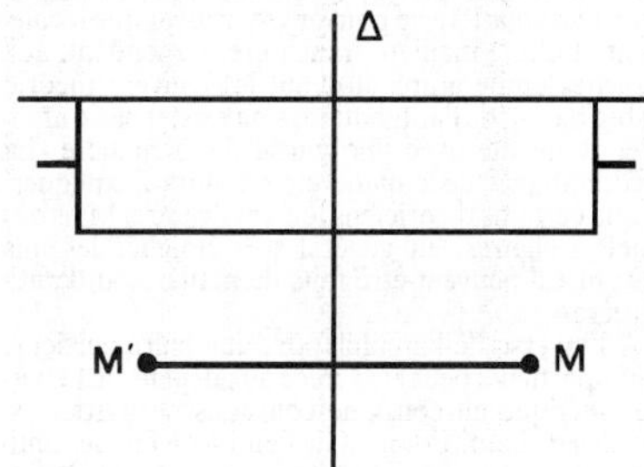

Réflexion plane de base Δ

Propriété. Une réflexion plane conserve les distances.

Composée de 2 réflexions planes de bases Δ et Δ'. Si $\Delta \parallel \Delta'$, c'est une translation ; si $\Delta \cap \Delta' = \{O\}$, c'est une rotation de centre O.

Réflexion dans l'espace (Symétrie orthogonale)

Définition : dans l'espace E, plan donné Q. La réflexion (ou symétrie orthogonale) de base Q est la transformation de E qui laisse invariant tout point de Q, et qui, à tout point $M \notin Q$ associe l'unique point M′ tel que Q soit le plan médiateur du segment (MM′).

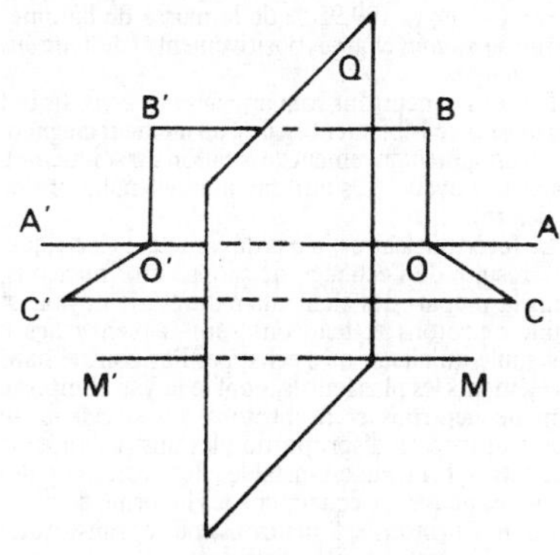

Réflexion de base Q

Propriété. Une réflexion dans l'espace conserve les distances.

Composée de 2 réflexions dans l'espace de bases Q et Q′. Si $Q \parallel Q'$, c'est une translation ; si $Q \cap Q' = \Delta$, c'est une rotation d'axe $\vec{\Delta}$.

Isométries affines

Définition. On appelle isométrie affine du plan P (ou de l'espace E) toute transformation de P (ou de E) qui conserve les distances.

Propriétés. Une isométrie de P (ou de E) conserve aussi les alignements, le parallélisme, l'équipollence, les barycentres, les mesures des angles géométriques et les aires ; de plus, dans E, elle conserve les mesures des dièdres et les volumes.

Isométries planes

Déplacement plan : si une isom. plane conserve en plus les mesures des angles orientés, on l'appelle isom. positive ou **déplacement plan.** Une figure et son image sont superposables par glissement dans le plan. Tout déplacement plan est soit une **translation** soit une **rotation**.

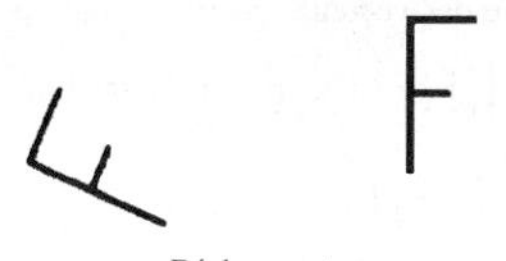
Déplacement

Antidéplacement plan : si une isom. plane change la mesure d'un angle orienté en son opposé, on l'appelle isom. négative ou **antidéplacement plan.** Une figure et son image sont superposables après « retournement » de l'une d'elles. Tout antidéplacement plan est soit une **réflexion plane** soit **la composée d'une réflexion par un déplacement.**

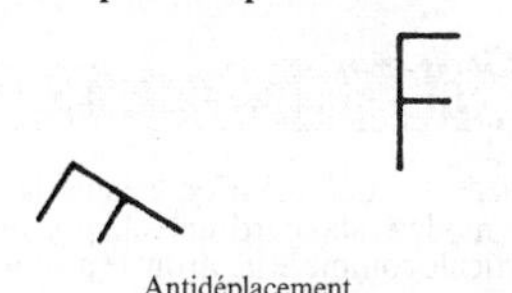
Antidéplacement

Isométries dans l'espace

Image d'un trièdre : l'image d'un trièdre T par une isométrie de E est un trièdre T′. Les mesures des faces et des dièdres de T′ sont respectivement égales à celles de leurs antécédents dans T.

Déplacement dans E : si T et T′ sont de même orientation, on dit que c'est une isom. positive ou un **déplacement** dans E. Une figure et son image sont superposables. Tout déplacement dans E est soit une **translation**, soit une **rotation**, soit un **vissage**.

Antidéplacement dans E : si T et T′ sont d'orientations contraires, on dit que c'est une isom. négative ou un **antidéplacement** dans E. Une figure et son image ne sont pas superposables en général. Tout antidéplacement de E est soit une **réflexion,** soit la **composée d'une réflexion par un déplacement.**

Composée de 2 isométries

Dans P (ou dans E), la composée de 2 déplacements ou de 2 antidéplacements est un déplacement ; la composée d'un déplacement par un antidéplacement est un antidéplacement.

Transformations géométriques liées à l'application : $z \mapsto az + b$

$\mathbb{C}$ corps des complexes, a, b, z nombres complexes.

Si $a = 0$, f est une application constante.

Si $a = 1$ et $b = 0$, f est l'application identique.

Si $a = 1$ et $b \neq 0$, f est une translation.

Si $a \in \mathbb{R}^*$ et $a \neq 1$, f est une homothétie de rapport a ; l'affixe du centre est $\frac{b}{1-a}$.

Si $a \notin \mathbb{R}$ et $|a| = 1$, f est la rotation dont le centre a pour affixe $\frac{b}{1-a}$ et dont l'angle est Arg a

Si $a \notin \mathbb{R}$ et $|a| \neq 1$, f est la similitude directe dont le centre a pour affixe $\frac{b}{1-a}$, dont l'angle est Arg a et le rapport $|a|$.

Isométries vectorielles

Dans l'étude des matrices et des isométries vectorielles, l'ensemble $\mathcal{V}$ est un espace vectoriel sur $\mathbb{R}$ de dimension 2 (Plan vectoriel) et $(\vec{i}, \vec{j})$ une base de $\mathcal{V}$.

Ensemble des matrices carrées d'ordre 2

Matrice d'un endomorphisme. Soit f un endomorphisme de $\mathcal{V}$; il est déterminé par les images $f(\vec{i})$ et $f(\vec{j})$ des vecteurs de la base : $\begin{cases} f(\vec{i}) = a\vec{i} + b\vec{j} \\ f(\vec{j}) = c\vec{i} + d\vec{j} \end{cases}$

On appelle matrice M de f le tableau carré $\begin{pmatrix} a & c \\ b & d \end{pmatrix}$.

L'ensemble des matrices carrées d'ordre 2 est noté $\mathcal{M}_2$.

Addition de deux matrices.

$$\begin{pmatrix} a & c \\ b & d \end{pmatrix} + \begin{pmatrix} a' & c' \\ b' & d' \end{pmatrix} = \begin{pmatrix} a+a' & c+c' \\ b+b' & d+d' \end{pmatrix}$$

L'addition est commutative, associative ; elle admet pour élément neutre la matrice $\begin{pmatrix} 0 & 0 \\ 0 & 0 \end{pmatrix}$.

La matrice $\begin{pmatrix} a & c \\ b & d \end{pmatrix}$ admet pour symétrique la matrice $\begin{pmatrix} -a & -c \\ -b & -d \end{pmatrix}$.

Multiplication par un réel λ.

$$\lambda \begin{pmatrix} a & c \\ b & d \end{pmatrix} = \begin{pmatrix} \lambda a & \lambda c \\ \lambda b & \lambda d \end{pmatrix}$$

Si M et M′ sont deux matrices carrées d'ordre 2, et λ, μ deux réels, on a :
$1 \cdot M = M$;
$\lambda \cdot (\mu \cdot M) = (\lambda \mu) \cdot M$;
$(\lambda + \mu) \cdot M = \lambda \cdot M + \mu \cdot M$;
$\lambda \cdot (M + M') = \lambda \cdot M + \lambda \cdot M'$.

Espace vectoriel $\mathcal{M}_2$. Les propriétés précédentes confèrent à $\mathcal{M}_2$ une structure d'espace vectoriel sur $\mathbb{R}$.

Multiplication de deux matrices.

$$\begin{pmatrix} a & c \\ b & d \end{pmatrix} \times \begin{pmatrix} a' & c' \\ b' & d' \end{pmatrix} = \begin{pmatrix} aa' + cb' & ac' + cd' \\ ba' + db' & bc' + dd' \end{pmatrix}$$

La multiplication n'est pas commutative ; elle est associative et admet pour élément neutre la matrice $\begin{pmatrix} 1 & 0 \\ 0 & 1 \end{pmatrix}$; elle est distributive par rapport à l'addition.

Structure d'anneau. Les propriétés précédentes confèrent à $\mathcal{M}_2$ une structure d'anneau unitaire non commutatif.

Déterminant d'une matrice. C'est un réel Δ défini par :

$$\Delta = \text{dét} \begin{pmatrix} a & c \\ b & d \end{pmatrix} = \begin{vmatrix} a & c \\ b & d \end{vmatrix} = ad - bc.$$

Inversion d'une matrice. Si $\Delta \neq 0$, on dit que la matrice est régulière ou inversible ; elle admet une matrice inverse $= \frac{1}{\Delta} \begin{pmatrix} d & -c \\ -b & a \end{pmatrix}$.

Matrice orthogonale. Matrice du type $\begin{pmatrix} a & -b \\ b & a \end{pmatrix}$ ou $\begin{pmatrix} a & b \\ b & -a \end{pmatrix}$ avec $a^2 + b^2 = 1$.

Isométries vectorielles de $\mathcal{V}$

Définition. Endomorphisme qui conserve la norme de tout vecteur ; elle conserve aussi le produit scalaire de tout couple de vecteurs.

Exemple : l'application identique de $\mathcal{V}$, notée $id_{\mathcal{V}}$, est une isométrie vectorielle.

Propriétés. L'image d'une base orthonormée par une isométrie vectorielle est une base orthonormée. La matrice d'une isométrie vectorielle est une matrice orthogonale : $|\Delta| = 1$.

Rotation vectorielle. Isométrie vectorielle pour laquelle le déterminant de la matrice orthogonale associée est égale à + 1.

Exemple : La matrice $\begin{pmatrix} -1 & 0 \\ 0 & -1 \end{pmatrix}$ définit une symétrie vectorielle s ; c'est l'isométrie qui transforme tout vecteur $\vec{u}$ en $-\vec{u}$.

Jeu

Avec trois chiffres a : Quel est le plus grand nombre x que l'on peut écrire en utilisant 3 fois le chiffre a ?

Si $a = 1$, $x = 111$; si $a = 2$, $x = 2^{22}$ (= 4 194 304) ; si $a = 3$, $x = 3^{33}$ (nombre de 15 chiffres commençant par 555 906 057) ; si $a \geqslant 4$, $x = a^{(a^a)}$.

Le plus grand nombre est obtenu pour $a = 9$; c'est $9^{(9^9)}$, c'est-à-dire le produit de 387 420 489 facteurs égaux à 9 ; c'est un nombre de 369 693 101 chiffres, commençant par 9 431 549.

Attention ! Ne pas confondre $9^{(9^9)}$ et $(9^9)^9$. Ce dernier nombre est 9^{81}, nombre de 77 chiffres commençant par 196 627 050.

La matrice d'une rotation vectorielle est du type $\begin{pmatrix} \cos\alpha & -\sin\alpha \\ \sin\alpha & \cos\alpha \end{pmatrix}$.

Si $\alpha = k.\,2\,\pi$, c'est l'application identique *id* $\mathfrak{V}$.

Si $\alpha \neq k.\,2\,\pi$, le seul vecteur invariant est le vecteur nul : $\{\vec{0}\}$.

Symétrie vectorielle. Isométrie pour laquelle le déterminant de la matrice associée est égal à – 1.

Exemple : l'endomorphisme *f* de $\mathfrak{V}$ dont la matrice est $\begin{pmatrix} 2 & -3 \\ 1 & -2 \end{pmatrix}$ est une isométrie vectorielle. Cherchons l'ensemble des vecteurs invariants par *f*.

Soit $\vec{u}\begin{pmatrix} x \\ y \end{pmatrix}$ un vecteur ; son image par *f* est :

$$f(\vec{u})\begin{pmatrix} 2\,x + y \\ -3\,x - 2\,y \end{pmatrix}$$

$\vec{u}$ est invariant par *f* si et seulement si l'on a :

$$\begin{cases} 2\,x + y = x \\ -3\,x - 2\,y = y \end{cases} \quad \text{c'est-à-dire : } x + y = 0.$$

$\vec{u}$ est donc invariant si ses composantes ont une somme nulle : $\vec{u} = x\,\vec{i} - x\,\vec{j}$.

L'ensemble des vecteurs invariants est la droite vectorielle engendrée par $(\vec{i} - \vec{j})$.

PHYSIQUE ET CHIMIE

I — PHYSIQUE ATOMIQUE MATIÈRE ET ANTIMATIÈRE

☞ Voir **Mesures** p. 238.

MATIÈRE

Définition. Par matière, on entend tout ce qui est localisable et possède une masse.

Éléments. La matière est constituée d'éléments chimiques différents qui peuvent se trouver à l'état pur (corps simples), combinés chimiquement entre eux (corps composés) ou mélangés (alliages pour les métaux). Voir p. 234 liste des 110 éléments naturels ou synthétisés.

Structure microcospique. D'aspect continu, la matière possède en fait une structure granulaire à l'échelle microscopique. Elle est composée d'atomes, eux-mêmes constitués de protons, neutrons et électrons dont le nombre varie selon l'élément considéré.

L'atome est la plus petite partie d'un corps simple susceptible d'entrer dans une combinaison chimique. Les atomes peuvent se grouper en **molécules.** On appelle molécule la plus petite quantité de matière pouvant exister à l'état libre.

Dans un *corps composé,* la *molécule* peut, suivant les corps, contenir de 2 atomes à des milliers. Toutes les molécules comprennent les mêmes éléments de base et toujours dans les mêmes proportions ; ainsi toutes les molécules d'eau comprennent 2 atomes d'hydrogène et 1 atome d'oxygène, ce qui s'écrit H_2O. Les molécules peuvent être « cassées », libérant alors les éléments de base ; ainsi, l'on peut casser une molécule d'eau par électrolyse et l'on obtiendra 2 atomes d'hydrogène et 1 d'oxygène pour chaque molécule cassée. Les atomes libérés se recombinent en engendrant des molécules d'hydrogène (H_2) et d'oxygène (O_2).

Dans un **mélange,** toutes les molécules ne sont pas identiques, les composants peuvent être mélangés en proportion variable (ex. le pétrole brut).

État de la matière. Elle peut, dans notre environnement, se présenter au moins sous 3 états différents : *gazeux, liquide, solide.* Mais d'autres formes se rencontrent dans l'Univers : *plasmas, états superdenses,* etc. La classification des états de la matière en solides, liquides et gaz est insuffisante car les cristaux de plusieurs milliers de produits chimiques ne conduisent pas, par fusion, directement à l'état liquide mais à des états intermédiaires entre le solide et le liquide. La matière présente alors des propriétés des liquides (la fluidité) et des pr. rappelant celles des solides (en particulier pour le comportement vis-à-vis de la lumière). Ces états intermédiaires *(mésophases)* sont classés en catégories : *nématiques* (du grec *nêma,* « fil » : les molécules, de forme allongée, sont disposées parallèlement à une même direction), *cholestériques* (à cause du *cholestérol* dont la plupart de ces produits dérivent), structure hélicoïdale et texture lamellaire, *smectiques* (de la racine grecque *smêkh,* idée de nettoyage et de savon : les mêmes molécules sont disposées perpendiculairement à une surface parallèle). Les diverses sortes correspondent à des arrangements différents des molécules les unes à côté des autres (c.-à-d. à des structures variées). Le plasma est un milieu gazeux ionisé, c'est-à-dire composé d'ions positifs et d'électrons (négatifs) libres, la charge spatiale globale étant nulle. Il se rencontre dans les étoiles et les espaces interstellaires et peut être créé artificiellement par arc électrique ou impact laser sur la matière.

ANTIMATIÈRE

Antiparticule. Les théories, depuis la relativité jusqu'au modèle standard actuel, prévoient qu'à toute particule comme le neutron, le proton et l'électron doit correspondre une antiparticule de même masse ; en revanche, toute grandeur intrinsèque pourvue d'un signe a des signes opposés pour la particule et l'antiparticule : charge électrique, moment magnétique propre, etc. Si ces grandeurs sont toutes nulles pour une particule (dite alors *absolument neutre*), celle-ci est identique à son antiparticule ; c'est le cas du *photon,* particule du champ électromagnétique (ondes hertziennes, lumière, rayons ultraviolets, X et γ). L'expérience a confirmé l'existence des antiparticules : le **positon** ou électron positif, découvert en 1932 ; l'**antiproton** et l'**antineutron,** obtenus à Berkeley en 1955.

L'antimatière est constituée d'antineutrons, antiprotons et électrons positifs de la même manière que la matière est constituée de neutrons, protons et électrons négatifs. Matière et antimatière ne peuvent voisiner : des masses égales de ces deux espèces s'« annihileraient » très rapidement en particules très légères (finalement en photons, électrons et neutrinos) qui emporteraient toute l'énergie correspondant à la destruction de ces masses. Certains théoriciens ont supposé qu'il pouvait exister des galaxies faites de matière et d'autres d'antimatière, ou même que les 2 variétés pouvaient coexister dans une même galaxie. Mais l'absence d'antinoyaux dans les rayons cosmiques primaires infirme cette dernière hypothèse pour notre Galaxie et même notre amas galactique ; aussi croit-on généralement que l'Univers est fait actuellement de matière, l'antimatière ne pouvant se trouver que localement et d'une manière transitoire. Cependant, aux énormes températures du début de l'Univers (théorie du big-bang), de l'antimatière a pu exister et s'« annihiler » ensuite avec une partie de la matière. La prédominance de la matière reste alors à expliquer, ce que certains théoriciens tentent de faire. Mais des objets stellaires, en général très éloignés les uns des autres, peuvent être faits de matière ou d'antimatière.

À l'inverse de l'annihilation, une paire particule + antiparticule peut être créée aux dépens de l'énergie cinétique au cours de collisions de particules. En plus de l'antiproton et de l'antineutron, des antinoyaux légers ont été obtenus ainsi : antideutérium à Berkeley (USA 1968) ; antihélium 3 à Serpoukhov (URSS 1970, Pr Prokochkine). *En juillet 1978,* des physiciens du Cern ont « stocké » pendant 85 h plusieurs centaines d'antiprotons, mais la production d'antimatière pour des applications industrielles ou militaires semble hors de portée (pour certains, il faudrait au Cern « un million d'années pour en produire 1 seul mg »).

QUELLES SONT LES FORCES FONDAMENTALES ?

On parle généralement de 4 forces (ou interactions) fondamentales (l'hypothèse d'une 5e force, émise en 1986, n'a pas résisté aux analyses ultérieures) qui sont : *l'interaction gravitationnelle* (dite plus couramment *la gravitation*) : force attractive s'exerçant entre toutes les particules de l'Univers ; *l'interaction électromagnétique* (qui lie les électrons au noyau des atomes) ; *l'interaction forte* (à laquelle on doit la cohésion de ce noyau) et *l'interaction faible* [principalement responsable de la désintégration de certaines particules (radioactivité)].

Cependant, dans les années 1970, est née la théorie électrofaible dont l'ambition est de représenter à la fois les interactions faibles et électromagnétiques, ce qui réduit à 3 le nombre de forces fondamentales. Des confirmations expérimentales ont été apportées, notamment avec la découverte au Cern en 1984 par Carlo Rubbia (It., n. 1934) et Simon Van der Meer (P.-Bas, n. 1925), des bosons W et Z_0. Des efforts d'unification de la théorie se poursuivent afin de réduire encore le nombre d'interactions fondamentales. En particulier, les théoriciens pensent qu'à la naissance de l'Univers, les 4 forces n'en faisaient qu'une et se sont progressivement séparées et figées à mesure que l'énergie (la température) a baissé.

La force électromagnétique se propage sous la forme d'ondes (ondes radio, par exemple), ou, ce qui est équivalent en raison de la dualité onde-particule, sous la forme de photons qui en sont le « vecteur ». Dans la théorie unifiée, les *bosons* W et Z_0 sont les vecteurs de l'interaction faible, et les *gluons* ceux de l'interaction forte.

La détection directe d'ondes gravitationnelles, pas encore observées, est l'objet de plusieurs projets dont le programme franco-italien Virgo auquel collaborent notamment les 2 instituts du CNRS, l'IN2P3 (Institut National de Physique Nucléaire et de Physique des Particules) et l'INSU (Institut Nat. des Sciences de l'Univers).

ATOME ET PARTICULES

ATOME

■ **Composition.** L'atome comprend :

1°) **Un noyau** (99,95 % de la masse de l'atome) formé de *protons* chargés positivement et de *neutrons* non chargés.

Protons et neutrons sont appelés *nucléons.* Ils ont des masses sensiblement égales, un **moment magnétique** et un **spin** (mouvement de rotation sur soi-même). Dans le noyau, ils s'attirent mutuellement **(force nucléaire).**

La force nucléaire n'a pas de caractère électrique. Elle résulte de l'échange de pions entre nucléons. Pour la plupart des éléments naturels, le noyau est stable : protons et neutrons sont si bien « liés » ensemble qu'aucun ne s'échappe. Par contre, dans les éléments les plus lourds, dont le noyau comporte trop de neutrons et de protons, ou si ceux-ci se trouvent trop en disproportion les uns par rapport aux autres, le noyau est instable ; des protons ou des neutrons peuvent s'échapper sous la forme de particules α (2 protons + 2 neutrons) ou se transformer l'un en l'autre. Ces éléments sont dits **radioactifs**.

2°) **Des électrons** qui gravitent autour du noyau sur une ou plusieurs couches. La 1re peut avoir 2 électrons ; la 2e 8 ; la 3e 18 ; la 4e 32 ; etc. Les éléments **transuraniens** pourraient avoir plus de 7 couches mais les éléments actuellement connus n'en ont pas plus de 7. Chaque couche est divisée en sous-couches. Ainsi les 8 électrons de la 2e couche sont répartis en 2 sous-couches de 2 et 6 électrons. La 3e couche est divisée en 3 sous-couches de 2, 6 et 10 électrons.

Les électrons sont chargés négativement et ont un **moment magnétique** et un **spin.** C'est-à-dire que par sa rotation (spin) l'électron acquiert les propriétés d'un aimant (les aimants sont caractérisés par une valeur de *moment magnétique* $\mathcal{M}$).

■ **Charge électrique.** Électron $1{,}6 \times 10^{-19}$ coulombs. La charge totale de l'atome est nulle, la charge des protons positifs étant équilibrée par celle des électrons négatifs.

■ **Nombre atomique.** Le nombre de protons, de neutrons et d'électrons varie suivant les corps, mais dans chaque atome neutre d'un corps déterminé il y a autant de protons que d'électrons. Ce nombre de protons (ou d'électrons) est appelé *nombre atomique.* Le total des protons et des neutrons est égal au

nombre de masse (masse des électrons négligeable). Pour connaître le nombre de neutrons d'un atome (ex. : le fer), il suffit donc de retrancher de son nombre de masse (ici 56) le nombre atomique (ici 26, d'où le résultat 30).

■ **Masse atomique** (dite aussi **poids atomique**). Masse de l'atome en prenant celle du carbone [poids 12 u.m.a. (unités de masse atomique)] comme référence. Elle est rarement un nombre entier en raison des pertes de masse correspondant aux énergies de liaison des neutrons et des protons.

■ **Atome-gramme.** Quantité exprimée en g qui correspond à la masse atomique du corps (ex. : 12 g pour le carbone). Il contient 6,022 × 10^{23} atomes du corps **(nombre d'Avogadro).** On peut avoir une idée du poids d'un atome en divisant la masse atomique par le nombre d'Avogadro [Amedeo di Quaregna, Cte (It., 1766-1856)], ce qui donne 1,67.10^{-24} g pour l'atome d'hydrogène et 26.10^{-24} pour l'atome d'oxygène.

■ **Isotope.** Un élément, caractérisé par son numéro atomique, peut se présenter avec des noyaux n'ayant pas le même nombre de neutrons. Ex. : dans la nature, la plupart des atomes de fer contiennent 30 neutrons, mais certains 28, 31 ou 32 ; $^{238}_{92}U$ représente un isotope de l'uranium dont le noyau comprend 92 protons et 146 neutrons, 238 étant le nombre de masse ; $^{235}_{92}U$ ne comporte que 143 neutrons. De tels atomes sont appelés *isotopes ;* leurs masses atomiques sont différentes. Certains sont instables, donc radioactifs.

■ **Dimensions.** Entre ces 2 barres : || distantes de 1 mm, on pourrait mettre en ligne de 2 à 5 millions d'atomes. En 1974, la combinaison de plusieurs méthodes d'agrandissement a permis d'obtenir les images des atomes de néon et d'argon. Il existe un grand vide dans l'atome. Si, pour représenter l'atome, on donnait au noyau la taille d'une boule de billard, on devrait placer ses électrons à plus d'1 km. Si cet espace n'existait pas dans l'atome, une tête d'épingle pèserait 100 000 t.

Diamètre en millimètres

Molécule . . . . 0,000 000 1 et plus.
Atome lourd (uranium) . . . 0,000 000 4.
Atome léger (hydrogène) . . 0,000 000 1.
Noyau d'uranium 238 . . . . . 0,000 000 000 016.
Proton . . . . 0,000 000 000 002.
Électron : ponctuel (à l'échelle des dimensions jusqu'ici accessibles) : < 10^{-14}.

Constantes physiques

Accélération normale de la pesanteur : g = 9,806 m/s ^{2}
Pression normale : H = 1,01325 × 10^5 Pa
Zéro de l'échelle Celsius des températures To = 273,15 K
Vitesse de la lumière dans le vide : c = 299 792 458 m/s.
Nombre d'Avogadro : N = (6,022 17 ± 0,000 4) × 10^{23} (nombre d'atomes par atome-gramme).
Charge de l'électron : e = (1,602 192 ± 0,000 007) × 10^{-19} coulombs.
Masse de l'électron au repos : m_e = (9,109 534 ± 0,000 05) × 10^{-31} kg.
Masse du neutron au repos : m_a = (1,674 954 ± 0,000 01) × 10^{-27} kg.
Masse du proton au repos : m_p = (1,672 648 ± 0,000 01) × 10^{-27} kg.
Facteur de conversion de la masse en énergie : 1 g = (5,610 000 ± 0,000 11) 10^{26} MeV.
Constante de Planck : h = (6,626 176 ± 0,000 06) × 10^{-34} joules × seconde (énergie de radiation).
Constante de Boltzmann : k = 1,380 662 × 10^{-23} joules/degré absolu.

Particules

Comportement

Modèle Standard. Selon les théories actuelles, l'Univers est constitué de particules de matière, et des forces d'interaction. *Particules :* ce sont d'une part les *quarks,* à partir desquels sont construits les *hadrons* (protons, neutrons, mésons...) et d'autre part les *leptons* (dont l'électron). Chaque particule a une antiparticule de même masse, mais de charge électrique opposée. Les forces agissent par l'intermédiaire d'autres particules, les *bosons de jauge,* qui en sont les vecteurs (les messagers), tel le photon pour la force électromagnétique.

☞ En France, la physique des particules est développée, en utilisant principalement les accélérateurs du Cern, par l'Institut National de Physique Nucléaire et de Physique de particules (IN2P3 - CNRS) et par le CEA. Les résultats obtenus récemment au LEP (collisionneur électro-positon du Cern) montrent qu'il n'existe que 6 variétés de leptons donc de quarks.

Quark

Le physicien américain Murray Gellman (USA, n. 1929) a émis l'hypothèse que les hadrons seraient constitués par 3 particules fondamentales qu'il a baptisées **quarks,** dont les charges seraient fractionnaires par rapport à celle du proton $\left(\frac{2}{3} \text{ et } -\frac{1}{3}\right)$. Le mot *quark* a été forgé par le romancier irlandais James Joyce, qui lui donne à peu près le sens d'« ordure ».

Jusqu'en 1914, tous les hadrons connus pouvaient s'interpréter par des combinaisons des 3 quarks u, d et s [up, down et « strange » (étrange)].

En 1974, des expériences faites à Brookhaven (USA), utilisant un accélérateur à protons, et à Stanford (USA), utilisant un anneau de collisions e^-e^+, ont montré des résonances mésoniques lourdes (3,1 et 3,7 GeV) relativement stables (10^{-19} s) impliquant l'existence d'un 4e quark plus lourd dit *charme* ou quark charmé, prévu par certaines théories. Ceci a été confirmé en 1976 par l'observation de résonances mésoniques « charmées » (qui seraient formées d'un quark charmé et d'un quark ordinaire). Une nouvelle résonance mésonique très lourde (9,5 GeV) et relativement stable découverte en 1977 implique l'existence d'un 5e quark encore plus lourd, dénommé b pour beauté puis pour bottom (bas). Un 6e quark (le top) est attendu, car il y a des raisons théoriques pour que le nombre des quarks soit pair. Cependant, tous les efforts expérimentaux pour découvrir les quarks isolés ont échoué jusqu'ici, et la plupart des théoriciens admettent maintenant qu'ils sont nécessairement toujours liés par 3 ou par paires quark + antiquark. Le « liant universel » groupant les quarks est le **champ gluonique** dont les particules associées (quanta de ce champ) sont appelées **gluons ;** comme les quarks, elles sont « confinées » dans les hadrons. Mais une expérience faite en 1979 apporte la confirmation indirecte de leur existence.

Théorie de la chromodynamique quantique. On explique que les états à 3 quarks (ou quark + antiquark) existent seuls en leur attribuant 3 « couleurs » quelle que soit par ailleurs leur « saveur » (charge, isospin, etc.). Les seuls états observés de baryons sont « blancs » (1 bleu + 1 jaune + 1 rouge) ; il en est de même pour les états de mésons : 1 bleu + 1 rouge par exemple où bleu = jaune + rouge. La chromodynamique quantique a servi de base pour tenter d'unifier toutes les interactions autres que la gravitation (théories unifiées), l'objectif final étant de les unifier toutes suivant l'espoir qu'avait exprimé Einstein en son temps.

Hadrons

Protons. Constituants de tous les noyaux (et seul constituant du noyau d'hydrogène), le proton, chargé positivement, est composé de 3 quarks (u, u, d). Sa stabilité sur des périodes très longues a été mise en question par certaines théories. Cependant les expériences n'ont pas pu mettre en évidence sa désintégration.

Neutrons. Constituant du noyau, non chargé, composé de 3 quarks (d, d, u). Stable à l'intérieur du noyau, il est instable lorsqu'il est libre. Il se désintègre alors spontanément, par radioactivité β, avec une vie moyenne de 17 minutes. Sa désintégration donne naissance à 1 proton, 1 électron négatif, et 1 antineutrino.

Baryons. A la suite de collisions violentes, neutrons et protons peuvent être excités sous forme de résonance baryonique (ou baryons). Ceux-ci sont constitués de 3 quarks intimement liés, mais font apparaître d'autres types de quarks, comme le quark étrange (s), composant des hypérons $\Sigma\pm$, Σ_0 et Λ.

Mésons. De durée de vie fugace, constitués d'une paire quark-antiquark. Des échanges permanents de mésons π (pions) se produisant entre les nucléons (neutrons et protons) au sein du noyau expliqueraient la cohésion de ce dernier. Les *kaons* sont des mésons étranges (s$\bar{u}$ ou u$\bar{s}$, $\bar{u}$ désignant l'antiparticule du quark u).

Leptons

Particules insensibles à l'interaction forte. *Familles de leptons :* le couple *électron-neutrino,* le *muon,* associé au neutrino muonique et le *tau* associé au neutrino tauique. Un électron et un antineutrino apparaissent lors de la transformation d'un neutron en proton par désintégration β (neutron ↦ proton + électron + antineutrino). Cette désintégration met en jeu l'interaction faible. L'électron est stable, mais le muon et le tau sont instables. Le muon se désintègre en neutrino, antineutrino, et électron.

Bosons (de jauge)

■ **Photons.** Ce sont des quantités *(quanta)* de radiation électromagnétique. Leur énergie est égale au produit de la fréquence de la radiation par la constante de Planck h (voir ci-dessus le tableau des constantes). Leur masse est nulle.

■ **Graviton.** C'est le vecteur de la force d'attraction universelle (Newton). Sa détection, non encore réussie expérimentalement, fait l'objet de programmes amér. et européens (voir encadré Forces p. 208).

■ **Gluons.** Particules associées à l'interaction forte ou plus précisément à la *force de couleur* qui s'exerce entre les quarks. Selon le modèle standard, il y a 8 sortes de gluons, tous de masse nulle.

■ **Bosons intermédiaires** (bosons vectoriels faibles) W^+ W^- (chargés) et Z^0 (neutres). Vecteurs de l'interaction faible. On les obtient en projetant l'une contre l'autre 2 particules accélérées. Le Z^0 se désintègre après 10^{-27} secondes et engendre toutes les particules qui composent la matière dans les mêmes proportions. Découvert en 1983 dans les interactions proton-antiproton au grand synchrotron du Cern transformé en collisionneur. Depuis 1989, il est produit et étudié en détail au LEP. Ces mesures permettent de vérifier avec précision la validité de la théorie unifiée des diverses forces élémentaires.

Particules de matière		Bosons de jauge (masse)
Quarks (masse)	Leptons (masse)	
u (100 MeV)	électron (0,51 MeV)	photon (0)
d (100 MeV) s (0,2 GeV)	neutrino ν_e (0) muon (105,6 MeV)	gluon (0) (8 espèces)
c (1,5 GeV)	neutrino ν_μ (0)	{$W\pm$ (85 GeV) Z^0 (94 GeV)
b (5 GeV) t[1] (25 GeV)	tau (1 784 GeV) neutrino ν_τ[1] (< 200 MeV)	graviton[1]

Nota. – (1) Particules non encore observées expérimentalement.

Dualité onde - particule

1°) Il se produit des échanges d'énergie entre la matière et le rayonnement électromagnétique (ex. la lumière) mais d'une manière discontinue par « quanta ». La quantité d'énergie de chaque quantum est donnée par : $E = h\nu$, sachant que h = 6,62 × 10^{-34} joule-seconde (h est la constante de Planck, ν est la fréquence de la vibration électromagnétique).

2°) Le photon est le quantum d'énergie électromagnétique, sa masse et sa charge électrique sont nulles. Par contre il a une quantité de mouvement et une énergie telles que : $E = p\,c$. La vitesse du photon est : $c = 3 \times 10^8$ m/s. On peut exprimer la quantité de mouvement du photon en fonction de la fréquence de la lumière : $p = \frac{h\nu}{c}$, or $\lambda = \frac{c}{\nu}$, donc $p = \frac{h}{\lambda}$.

3°) Il peut y avoir diffusion de photons avec perte d'énergie ; c'est l'effet Compton qui confirme l'hypothèse de la nature corpusculaire de la lumière.

4°) Il y a donc deux concepts, d'onde ou de particule, pour un même phénomène physique. La relation fondamentale de la mécanique ondulatoire $\lambda = \frac{h}{p}$ généralise ce concept en attribuant à toute particule de quantité de mouvement p une onde associée de longueur d'onde : λ ; découverte de Louis de Broglie.

5°) Les limites de la microscopie optique [atteintes lorsque les détails à explorer ont des dimensions de l'ordre de la longueur d'onde de la lumière qui les éclaire ($\lambda \simeq 0{,}5\ \mu m$)] peuvent être reculées en « éclairant » l'objet par un faisceau d'électrons (microscopie électronique).

Radioactivité

☞ Voir **Radioactivité** à l'Index.

■ **Découverte.** La radioactivité est l'émission de radiations invisibles par le noyau de certains atomes,

■ Accélérateurs

■ **Définition.** Appareils accroissant l'énergie cinétique des particules chargées électriquement (électrons, protons, deutons, particules alpha, ions lourds, c'est-à-dire noyaux de tous éléments) qui servent de projectiles pour produire des réactions nucléaires ou de nouvelles particules. On distingue :

■ **1°) accélérateurs électrostatiques** qui permettent d'atteindre une dizaine de MeV (million d'électrons-volts) pour les particules lourdes (protons, deutons, alpha). Ex. : le multiplicateur de tension de Cockroft et Walton, le générateur électrostatique de Van de Graaf (ex-tandem d'Orsay).

■ **2°) accélérateurs linéaires,** surtout utilisés pour les *électrons*. On y utilise un champ électrique accélérateur de haute fréquence qui est appliqué à des électrodes échelonnées le long de la trajectoire rectiligne du faisceau de particules et « suit » leur mouvement. *Les plus grands : Stanford* (USA) 45 GeV, *France,* Orsay : 2,5 GeV. Ils sont souvent associés à des « anneaux de stockage » qui maintiennent sur des trajectoires circulaires les électrons accélérés, réalisant finalement des « anneaux de collisions » où 2 faisceaux tournent en sens inverse.

■ **3°) accélérateurs circulaires** qui dérivent tous du cyclotron.

Cyclotron : les ions animés au départ d'une vitesse assez faible parcourent, sous l'action d'un champ magnétique de guidage fixe, une orbite en spirale : à chaque demi-tour, une différence de potentiel est appliquée à la particule par des électrodes, augmentant ainsi graduellement son énergie cinétique. **Supraconducteurs :** les aimants sont refroidis à quelques degrés au-dessus du 0 absolu (moins 273,15 degrés Celsius), par de l'hélium liquide. A cette basse température, le métal qui constitue le bobinage des aimants devient supraconducteur. On peut donc faire passer des courants beaucoup plus intenses que dans un conducteur normal et créer ainsi des champs magnétiques plus forts permettant finalement de donner aux particules des énergies plus élevées. *Exemples de cyclotron « conventionnel » :* Ganil (Grand Accélérateur National d'Ions Lourds), IN2P3/CEA en service à Caen constitué de 2 cyclotrons de 6 m de diamètre supraconducteurs *K 1 200. Cyclotron supraconducteur en fonctionnement :* Agor (accélérateur Groningen-Orsay) : cyclotron supraconducteur en fin de construction à Orsay (Institut de Physique Nucléaire).

Le cyclotron est utilisable seulement pour des énergies où la dynamique est non relativiste (petites devant Mc^2, M étant la masse au repos de la particule). Ex. : petites devant 1 GeV (1 giga électrons-volts soit 1 milliard d'électrons-volts) pour le proton. Au-delà, on doit utiliser le synchrocyclotron (cyclotron dans lequel le champ électrique accélérateur a une fréquence variable), puis le synchrotron.

Synchrotron : cyclotron en anneau dont le champ magnétique de guidage est variable pour maintenir la particule toujours sur la même orbite au cours de son accélération. Le *bêtatron* est un accélérateur circulaire type synchrotron accélérant des électrons. **Synchrotrons à protons :** *Saturne* (CEA/IN$_2$P3 Saclay, France) 3 GeV adapté pour accélérer des deutons (noyau d'hydrogène lourd formé d'un proton et d'un neutron) et des ions lourds. *Supraconducteurs : Fermi National Laboratory* (Batavia, Illinois, USA) 1 000 GeV (installé dans un tunnel annulaire long de 6,4 km ; les protons sont maintenus sur leur orbite par + de 1 000 aimants, chacun long de 7 m, refroidis à l'hélium liquide.

Projets. *SSC (Superconducting Super Collider)* (Waxahachie, Texas, USA) 40 000 GeV, anneau de 87 km (3 projets, coût 8,5 milliards de $ minimum) ; CERN *LHC (Large Hadron Collider,* anneau de 27 km de circ. dans le tunnel existant du LEP (15 000 GeV, coût 7 milliards de F), décision fin 1993 ; *Hera* (Hambourg, All.), plus grand collisionneur électron-proton, anneau de 6,3 km de circ.

Synchrotrons à électrons : *LEP (Large Electron Positron Ring)* du Cern, Genève (Suisse), anneau de 27 km de circonférence, son énergie égale à 2 × 50 GeV atteindra 2 × 100 GeV. Coût : 4,7 milliards de F. *ESRF (European Synchrotron Radiation Facility),* Grenoble (utilisable 1994, fin construction est prévue 1998), anneau de 850 m de diamètre ; machine conçue principalement pour utiliser le rayonnement synchrotron (rayonnement électromagnétique X émis par le faisceau d'électrons dévié par les aimants de l'accélérateur).

Détecteurs : placés en des points privilégiés de l'anneau, pour détecter les nouvelles particules produites par les collisions haute énergie dans l'accélérateur et analyser leur trajectoire. *Chambres à bulles :* détectaient en moyenne 1 particule par min. *Chambres à étincelles :* 1 000 par sec. *Chambres à fil de Georges Charpak (prix Nobel) :* 100 millions par sec.

dits radioactifs. Découverte en 1896 par Henri Becquerel (Fr., 1852-1908), elle fut étudiée par Pierre (Fr., 1859-1906) et Marie (Fr. d'or. polonaise, 1867-1934) Curie qui lui donnèrent son nom et reçurent le prix Nobel avec Becquerel en 1903. Provenant de minerai d'uranium, présent dans la nature, on parla de radioactivité naturelle.

■ **Types de radiations.** On en distingue plusieurs dont : **a) Radiation alpha** (α). La particule α (identique au noyau de l'atome d'hélium) comprend 2 protons et 2 neutrons liés. *Énergie :* 4 à 9 MeV. *Vitesse :* environ 10 000 km/s. *Portée dans l'air :* 2,5 à 8,5 cm ; les solides : 10 à 100 microns (une feuille de papier l'arrête).

b) Radiation bêta (β). La particule β est soit un électron (chargé négativement et appelé *négaton*), soit un électron positif (*positon*). *Énergie maximale :* de quelques centaines d'eV à quelques MeV. *Vitesse :* 0 à 300 000 km/s. *Portée dans l'air :* quelques m ; les solides : quelques mm (100 feuilles de papier l'arrêtent). En même temps que la particule β, le noyau émet une autre particule non chargée que l'on suppose sans masse au repos et qui peut traverser toute matière sans laisser de trace (de rares traces dans des expériences à haut flux de neutrinos). Si la particule β est un électron positif, c'est un **neutrino.** Si la particule β est un électron négatif, c'est un **antineutrino.** Les émissions α et β changent le nombre atomique du noyau. Un corps nouveau apparaît qui, s'il n'est pas stable, continuera à émettre des radiations, changeant de nature à son tour jusqu'à ce qu'il devienne un corps stable. De l'uranium donnera ainsi finalement du plomb.

c) Radiation gamma (γ). Onde électromagnétique très courte et très pénétrante, non chargée électriquement, voyageant à la vitesse de la lumière et transportant de l'énergie jusqu'à plusieurs MeV.

Un même corps émet très rarement à la fois des particules α et des β, mais fréquemment les radiations γ accompagnent des radiations α ou β.

■ **Période** (temps nécessaire pour que la moitié de la masse d'un corps radioactif se décompose en un corps différent). *Polonium 212* 3.10^{-7} s, *polonium 214* 1,6.10^{-4} s, *iode 128* 25 mn, *sodium 24* 15 h, *radon 222* 3,8 jours, *iode 131* 8 j, *phosphore 32* 14,3 j, *cobalt 60* 5,3 ans, *krypton 85* 10 ans, *strontium 90* 28 a, *césium 137* 33 a, *radium 226* 1 620 a, *plutonium 239* 24 100 a, *uranium 234* 0,25.10^4 a (2 500 000), *uranium 235* 710.10^6 a, *uranium 238* 4,5.10^9 a (4,5 milliards d'années), *thorium 232* 14.10^9 a. On suppose qu'au début de la Terre, il existait beaucoup de noyaux instables qui se seraient transformés ensuite.

■ **Radioactivité artificielle ou provoquée.** Découverte en 1934, par Irène (1897-1956) et Frédéric (1900-58) Joliot Curie (Nobel 1935) en bombardant des corps stables par des particules α issues elles-mêmes d'une source radioactive naturelle. En fait il s'agit de la synthèse de nouveaux isotopes radioactifs, par modification du nombre de protons ou de neutrons du noyau initial. De nombreux isotopes radioactifs ont été créés depuis par bombardement de noyaux stables par des protons (dans un accélérateur de particules), des neutrons (dans un réacteur atomique) ou des ions lourds accélérés. Certains de ces isotopes radioactifs ont des applications intéressantes en biologie ou en médecine (traceur, imagerie). Récemment de nouveaux types de radioactivité (par émission de ^{14}C par exemple) ont été découverts. Ils font l'objet d'études, notamment à l'Institut de Physique Nucléaire d'Orsay.

■ **Réactions en chaîne** (voir Index).

II — Mécanique

Cinématique

Étude des mouvements indépendamment des causes qui les produisent.

■ Généralités

Trajectoire. Dans un repère orthonormé (O, $\vec{i}$, $\vec{j}$, $\vec{k}$), la position d'un point mobile A est définie, en fonction du temps compté à partir d'une date origine, par ses coordonnées : $x = f(t)$, $y = g(t)$, $z = h(t)$. L'ensemble des positions de A est la *trajectoire*. Sur cette trajectoire orientée, la position de A est définie par l'abscisse curviligne $s = \varphi(t)$ comptée à partir d'une origine I.

Vecteur-vitesse. Si A et A' sont les positions du mobile aux instants t et t' le vecteur-vitesse $\vec{V}$ à la date t est défini par : $\vec{V} = \lim_{t' \to t} \frac{\overrightarrow{AA'}}{t'-t} = \frac{d\overrightarrow{OA}}{dt}$.

$\vec{V}$ est un vecteur directeur de la tangente à la trajectoire ; sa mesure algébrique est : $v = \frac{ds}{dt} = \varphi'(t)$.

Ses coordonnées sont $f'(t)$, $g'(t)$, $h'(t)$; ce sont les vitesses algébriques des projections de A sur les axes.

On a : $[\varphi'(t)]^2 = [f'(t)]^2 + [g'(t)]^2 + [h'(t)]^2$

Vecteur-accélération. Il est défini à la date t par : $\vec{G} = \lim_{t' \to t} \frac{\vec{V}' - \vec{V}}{t'-t} = \frac{d\vec{V}}{dt}$.

Ses coordonnées sont $f''(t)$, $g''(t)$, $h''(t)$; ce sont les accélérations algébriques des projections de A sur les axes. Le vecteur-accélération $\vec{G}$ peut être considéré comme la somme de 2 vecteurs $\vec{G}_T$ et $\vec{G}_N$.

Le vecteur-accélération tangentielle $\vec{G}_T$ est un vecteur directeur de la tangente à la trajectoire. $\|\vec{G}_T\| = \left|\frac{dv}{dt}\right| = |\varphi''(t)|$.

Le vecteur-accélération normale $\vec{G}_N$ est un vecteur directeur de la normale à la trajectoire ; son représentant d'origine A est dirigé vers la concavité. $\|\vec{G}_N\| = \frac{v^2}{R}$ (R rayon de courbure géométrique de la trajectoire en A).

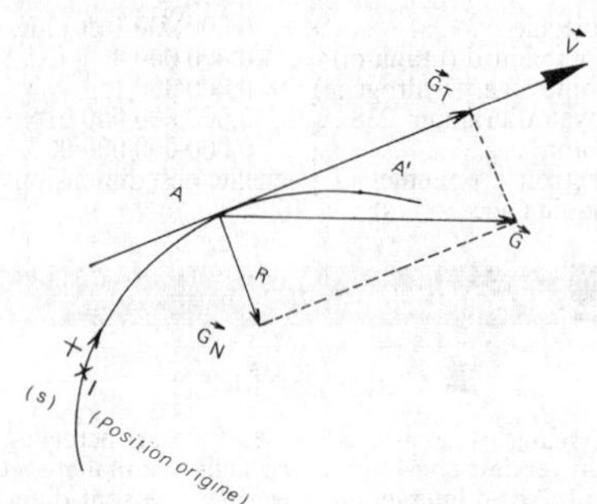

Mouvement uniforme. Si la vitesse algébrique v est constante, on dit que le mouvement est uniforme. On a alors : $s = vt + s_0$ et $\vec{G}_T = \vec{O}$.

$\vec{G}$ est un vecteur directeur de la normale à la trajectoire.

■ Cas particuliers

1°) Mouvement rectiligne. La trajectoire est orientée par un repère cartésien (O, $\vec{i}$). La position du mobile est repérée par son abscisse x = f(t). La vitesse algébrique moyenne entre 2 instants, t et t', correspondant respectivement aux positions A et A' du mobile est $v_m = \frac{\overline{AA'}}{t'-t} = \frac{\Delta x}{\Delta t}$ · La vitesse algébrique à l'instant t est la limite de v_m quand Δt tend vers zéro : $v = \frac{dx}{dt} = x'(t)$; c'est la dérivée de l'abscisse par rapport au temps.

Le vecteur vitesse $\vec{V}$ à l'instant t est un vecteur directeur de la trajectoire ; sa mesure algébrique sur l'axe est v, son sens est celui du mouvement.

L'**accélération algébrique moyenne** est :

$$g_m = \frac{v' - v}{t' - t}.$$

L'*accélération instantanée* est la limite de g_m quand t' tend vers t :

$$g = \frac{dv}{dt} = \frac{d^2x}{dt^2} = x''(t).$$

Le **vecteur accélération** $\vec{G}$ est un vecteur directeur de la trajectoire ; sa mesure algébrique sur cet axe est g.

2°) Mouvement rectiligne uniforme. Cas particulier où le mobile se déplace à vitesse constante v_o.

L'*accélération* est nulle, l'abscisse est une primitive de v_o :

$$x = v_o t + x_o,$$

x_o étant l'abscisse à l'instant origine.

3°) **Mouvement rectiligne uniformément varié.** L'*accélération* est constante : $g = v'(t) = k$.

La *vitesse* est : $v = gt + v_o$, v_o étant la vitesse algébrique à l'instant initial. L'*équation horaire* a pour expression :

$$x = \frac{1}{2} gt^2 + v_o t + x_o.$$

Si v_o et g sont de signes contraires, la vitesse s'annule à un instant donné : le mobile rebrousse chemin. Le mouvement est accéléré quand la valeur absolue de la vitesse croît, donc quand $vg > 0$. Il est retardé quand $vg < 0$. Si on élimine t entre les équations : $x - x_o = \frac{1}{2} gt^2 + v_o t$ et $v - v_o = gt$, il vient : $v^2 - v_o^2 = 2g(x - x_o)$.

4°) **Mouvement rectiligne sinusoïdal.** Projection d'un mouvement circulaire uniforme sur 1 axe passant par le centre du cercle de rayon a. L'*abscisse* du mobile sur l'axe est $x = a \cos(\omega t + \varphi)$ où a est l'*amplitude* du mouvement, ω sa pulsation, φ la phase (ou angle à l'origine des temps, soit pour t = 0). Le mouvement est limité aux points d'abcisse + *a* ou – *a*. Le mouvement a pour période $T = 2\pi/\omega$. La *vitesse* instantanée s'annule lorsque l'élongation est maximale ou minimale.

$$v = x'(t) = -a\,\omega \sin(\omega t + \varphi)$$

Accélération :

$$g = x''(t) = -a\omega^2 \cos(\omega t + \varphi) = -\omega^2 x.$$

Réciproquement, si à chaque instant l'accélération est, au coefficient ω^2 près, opposée à l'élongation, on a un mouvement sinusoïdal de pulsation ω.

5°) **Mouvement circulaire.** Le mobile peut être repéré par son abscisse curviligne $\overset{\frown}{OA} = s$ ou par l'angle $\alpha = (\overrightarrow{CO}, \overrightarrow{CA}) = f(t)$, avec $s = R\alpha$. Le vecteur vitesse a pour mesure algébrique : $v = R\alpha'(t)$; $\alpha'(t)$ est la vitesse angulaire.

L'**accélération tangentielle** est : $g_t = R\alpha''(t)$, et l'**accélération normale** $g_n = R\alpha'^2(t) = \frac{v^2}{R}$.

Dans un mouvement circulaire uniforme, α' est constante ; le vecteur accélération est centripète et de norme constante : $g = R\alpha'^2 = \frac{v^2}{R}$.

6°) **Changement de repère.** Connaissant le mouvement d'un mobile A dans le repère Oxyz, animé lui-même d'un mouvement d'entraînement par rapport à un repère fixe $O'x_oy_oz_o$, on peut connaître le mouvement absolu de A dans le repère fixe. La relation $\overrightarrow{O'A} = \overrightarrow{O'O} + \overrightarrow{OA}$ donne :

$$\overrightarrow{Va} = \frac{d\overrightarrow{O'A}}{dt} = \frac{d\overrightarrow{O'O}}{dt} + \frac{d\overrightarrow{OA}}{dt} \text{ ou}$$

$\overrightarrow{Va} = \overrightarrow{Ve} + \overrightarrow{Vr}$, $\overrightarrow{Vr}$ étant le vecteur vitesse relative de A dans Oxyz et $\overrightarrow{Ve}$ le vecteur vitesse d'entraînement, vecteur vitesse dans $O'x_oy_oz_o$ du point de Oxyz coïncidant avec A à l'instant t.

Le vecteur vitesse absolue Va est la somme du vecteur *vitesse relative* et du vecteur *vitesse d'entraînement.*

Si le mouvement d'entraînement est une translation, il existe une relation analogue entre ces accélérations : $\overrightarrow{Ga} = \overrightarrow{Ge} + \overrightarrow{Gr}$. Dans le cas général : $Ga = Ge + Gr + Gc$, Gc est l'**accélération de Coriolis.** En particulier, si Oxyz est animé autour de l'axe O'z d'un mouvement de rotation de vitesse angulaire ω, l'accélération complémentaire a pour expression : $\overrightarrow{Gc} = 2\vec{\omega} \wedge \overrightarrow{Vr}$, ω désignant un vecteur porté par O'z définie par Gaspard Coriolis (Fr., 1792-1843).

Vitesse en coordonnées polaires. Si la trajectoire est plane, la position du mobile est définie par le vecteur $\overrightarrow{OA}$ de module ρ et d'angle polaire $\alpha = (\vec{i}, \vec{u})$. Le mouvement est la somme d'un mouvement relatif sur OA, de vecteur vitesse $\overrightarrow{Vr} = \vec{u}\,\frac{dOA}{dt}$, et d'un mouvement d'entraînement, rotation de $\overrightarrow{OA}$ autour de O, de vecteur vitesse $\overrightarrow{Ve} = \vec{v}\,\rho\alpha'$ ($\vec{u}$ et $\vec{v}$, vecteurs unitaires colinéaire et normal à OA). On a $\vec{V} = \overrightarrow{Vr} + \overrightarrow{Ve}$ et $V^2 = V^2r + V^2e$.

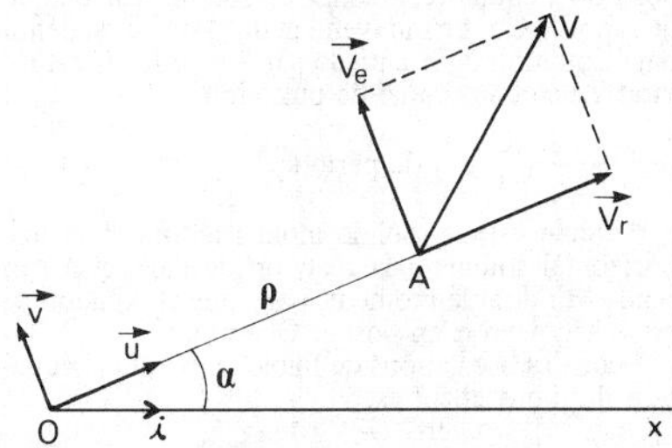

■ Cinématique du corps solide

Translation. Les trajectoires des divers points se déduisent les unes des autres par translation. Tous les points ont même vecteur vitesse et même vecteur accélération.

Rotation autour d'un axe Δ. Les trajectoires des divers points sont des cercles d'axe Δ. A un instant donné, les vitesses angulaires algébriques des divers points sont égales.

Statique

Définition. Étude de l'équilibre des corps. Force exercée par un fluide en équilibre sur une portion de paroi. Pression en un point d'un fluide en équilibre, dans une direction donnée : pression qui s'exercerait sur une face d'une très petite paroi plane normale à cette direction et centrée sur le point.

En un point d'un liquide, la pression conserve une valeur constante, indépendante de l'orientation de l'élément de surface centré sur le point considéré. Conclusion : en un point d'un fluide en équilibre, la pression est la même dans toutes les directions.

1°) **Pression moyenne sur une portion de paroi plane d'aire S.** Cette surface est soumise à des forces pressantes, f, qui lui sont perpendiculaires. Il existe une résultante, F, perpendiculaire à la portion de paroi et appliquée en un centre de poussée. La pression moyenne est :

$$p_m = \frac{F}{S}.$$

2°) **Pression autour d'un point M.** Soit f la résultante des poussées qui s'exercent sur s. La force f est normale à l'élément de surface. La pression au point M est :

$$p = \frac{f}{s}.$$

■ Généralités

Force. Ensemble des causes capables de déformer un corps ainsi que de produire ou de modifier le mouvement d'un corps. Les forces sont : *de contact* (interaction de 2 corps en tout point de leur surface de contact), *à distance* (interaction de 2 corps électrisés ou aimantés, forces de gravitation). En particulier, le poids d'un corps est la force d'attraction que la Terre exerce sur lui. On la mesure avec une balance. On caractérise une force par sa *ligne d'action,* son *sens,* son *intensité,* son *point d'application.* On la représente par un *vecteur.* Lorsque la force est appliquée à un système indéformable, son effet est le même quand on la déplace sur sa ligne d'action.

Mesure d'une force. On mesure une force par la déformation qu'elle fait subir à un ressort ; l'instrument utilisé est le **dynamomètre.** 2 forces sont égales si elles produisent la même déformation. La force est liée à l'allongement Δl du ressort à spires par la relation $F = k\Delta l$ (k constante de raideur du ressort).

Moment d'une force par rapport à un point O. C'est un vecteur défini par :

$$\vec{\mathcal{M}} = \overrightarrow{OH} \wedge \vec{F}.$$

Il est normal au plan déterminé par le point O et la force, et son module vaut OH × F.

Moment d'une force $\vec{F}$ par rapport à un axe Δ. Soit $\vec{\mathcal{M}}$ le moment de $\vec{F}$ par rapport à un point O de Δ et $\overrightarrow{OA}$ le représentant de $\vec{\mathcal{M}}$ d'origine O. Le moment de $\vec{F}$ par rapport à Δ est le vecteur $\vec{\mathcal{M}}'$ représenté par $\overrightarrow{OA'}$ où A' est la projection orthogonale de A sur Δ.

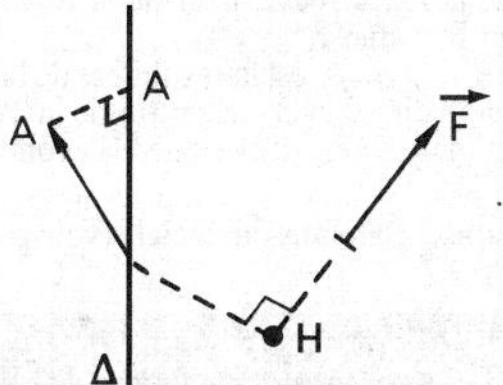

Couple. Ensemble de 2 forces parallèles de sens opposés et de même intensité. Il tend à faire tourner le système auquel il est appliqué. Son effet est d'autant plus grand que son moment, vecteur normal au plan des 2 forces et d'intensité $M = F \times d$ (d = distance des 2 forces ou bras de levier du couple), est plus grand. Le système est en équilibre lorsque la rotation a amené les 2 forces à avoir une même ligne d'action.

Un fil tordu tend à revenir à sa position initiale en exerçant un couple de torsion dont le moment est proportionnel à l'angle de torsion $M = C\alpha$, C étant la constante de torsion du fil.

■ Équilibre d'un solide

Condition. Il faut et il suffit que la somme géométrique des forces appliquées et la somme des moments de ces forces par rapport à un point quelconque soient nulles. Si la 1re condition est vérifiée, il suffit que la somme des moments par rapport à un point particulier soit nulle pour que la 2e condition soit vérifée pour tous les points.

Un système soumis à 2 forces est en équilibre si ces forces ont même ligne d'action, même intensité et des sens opposés.

Action et réaction. Si un corps A exerce sur un corps B une force $\vec{F}$, le corps B exerce sur le corps A une force $\vec{F}'$ opposée : $\vec{F}$ et $\vec{F}'$ ont même ligne d'action, même intensité et des sens opposés.

Une surface polie exerce sur un solide en contact avec elle une réaction normale à la surface de contact ; une surface rugueuse exerce une réaction oblique formant avec la normale à la surface un angle φ dont la tangente, appelée coefficient de frottement, est indépendante de l'aire de la surface de contact.

Coefficient de frottement. Bois sur bois = env. 0,4 ; métal sur bois = env. 0,5 ; métal sur métal sans lubrifiant = env. 0,2 ; avec = env. 0,05.

Cas particuliers. Solide soumis à 3 forces parallèles. Il y a équilibre si la force dont la ligne d'action est entre les 2 autres, est de sens opposé aux 2 autres, d'intensité égale à la somme des 2 autres et si la somme des moments de $\vec{F_1}$ et $\vec{F_2}$ par rapport à un point de $\vec{F_3}$ est nulle : $F_1 d_1 = F_2 d_2$.

Ensemble de forces parallèles et de même sens. Elles sont équivalentes à une force unique dont l'intensité est égale à la somme des intensités de chacune des forces et dont la ligne d'action passe par le centre des forces parallèles G tel que : $F \cdot OG = F_1 \cdot OA + F_2 \cdot OB + F_3 \cdot OC...$

O étant un point quelconque et A, B, C étant les points d'application des diverses forces.

Si ces forces sont les poids des différents éléments d'un système, G est le centre de gravité ou centre d'inertie.

Solide mobile autour d'un axe. La somme géométrique des réactions de l'axe est égale et opposée à la somme des forces agissantes puisque le solide ne subit pas de translation. Comme le moment de ces réactions par rapport à l'axe est nul, la condition d'équilibre est que la somme algébrique des moments par rapport à l'axe des forces appliquées soit nulle.

Centre d'inertie d'un solide. Loi de l'inertie : lorsqu'un solide est soumis à des actions qui se compensent, il existe un point G, unique, lié à ce solide. G a un mouvement rectiligne et uniforme, par rapport à la Terre. *G est appelé le centre d'inertie.*

Le centre d'inertie est le barycentre des masses m_A et m_B de ses deux parties A et B.

$\overrightarrow{GG_A}$ et $\overrightarrow{GG_B}$ sont colinéaires ;

$m_A \cdot \overrightarrow{GG_A} + m_B \cdot \overrightarrow{GG_B} = \vec{0}$; finalement :

$$\overrightarrow{OG} = \frac{m_A \cdot \overrightarrow{OG_A} + m_B \cdot \overrightarrow{OG_B}}{m_A + m_B}.$$

G est aussi appelé centre de masse.

■ Quantité de mouvement

Une masse ponctuelle m animée d'une vitesse $\vec{v}$ possède une quantité de mouvement $\vec{p} = m\,\vec{v}$ dont le module s'exprime dans le système SI en kilogramme-mètre par seconde. La quantité de mouvement d'un ensemble de points matériels : $\vec{p} = \Sigma m\vec{v}$ est égale à celle de son centre de gravité considéré comme un point matériel de masse égale à la somme des masses $\vec{p} = M\vec{v}_G$. Si la somme des forces appliquées au système est nulle, la quantité de mouvement est constante.

Exemples. Fusée : soit, aux dates t et t + dt, respectivement les masses M et M – dM de la fusée, V et V + dV ses vitesses comptées dans le sens du mouvement ; $q = \frac{dM}{dt}$, le débit par seconde des gaz éjectés ; u la vitesse d'éjection des gaz par rapport à la fusée et V – u leur vitesse réelle ; ΣF la force (poids, résistance de l'air) appliquée au système. La variation de la quantité de mouvement du système entre t et t + dt obéit à la relation "soit, au 2e ordre près" :

$$(MdV - udM) = \Sigma Fdt \ ;$$

soit : $M \frac{dv}{dt} = uq + \Sigma F$.

L'accélération est donc la même que si la fusée avait une masse constante et était soumise, outre les forces extérieures, à la poussée uq.

III — Dynamique

Étude des relations entre les forces et les mouvements qu'elles produisent.

Généralités

Dans un référentiel galiléen, un point matériel qui n'est soumis à aucune force conserve son vecteur vitesse, donc est soit immobile ($\vec{v} = \vec{O}$), soit animé d'un mouvement rectiligne uniforme. Le **repère de Copernic,** centré au centre de gravité du système solaire, et dont les axes passent par 3 étoiles fixes, et tout autre repère animé, par rapport au repère de Copernic, d'un mouvement de translation rectiligne et uniforme sont des repères galiléens. Un repère terrestre n'est pas galiléen puisque la Terre tourne sur elle-même et autour du Soleil. Mais, comme les mouvements sont lents, tout repère terrestre peut être considéré comme galiléen.

Masse. Principe fondamental de la dynamique : dans un repère galiléen, une force F appliquée à un point matériel lui communique une accélération de même support et de même sens : $\vec{F} = m\vec{\gamma} = m \frac{d\vec{V}}{dt}$.

Cette relation définit la masse inerte du point matériel.

2 points matériels distants de d et de masse gravitationnelle m_1 et m_2 exercent l'un sur l'autre une force attractive portée par la droite qui les joint et d'intensité

$$F = \varepsilon \frac{m_1 \times m_2}{d^2} \, .$$

$\varepsilon = 6{,}67 \times 10^{-11}$ dans le système SI.

Masse gravitationnelle et masse inerte sont égales. C'est le **principe d'équivalence d'Einstein,** base de la relativité générale.

En mécanique classique, la **masse d'un corps** est égale à la somme des masses des diverses parties qui le constituent. La **masse volumique** d'un corps homogène est la masse de l'unité de volume $\rho = \frac{m}{V}$.

La **densité** est le rapport de la masse d'un certain volume d'un corps à la masse du même volume du corps de référence, généralement l'eau.

$$d = \frac{\mu}{\mu^e} \, ,$$

μ est la masse volumique du solide ; $\mu^e = 10^3$ kg/m³ ; d s'exprime sans unité.

Densité (par rapport à l'eau)

Liquides.		Platine	21,40
Eau de mer	1,03	Rhénium	21,00
Lait	1,03	Plutonium	19,70
Vin	0,99	Or	19,30
Huile d'olive	0,92	Tungstène	19,10
Pétrole	0,80	Uranium	18,70
Bois.		Mercure	13,59
Chêne rouge d'Australie	1,32	Plomb	11,34
If	1	Argent (comprimé après fusion)	10,49
Amandier	0,99	Cuivre	8,94
Abricotier	0,89	Bronze	8,40-9,20
Pommier	0,88	Fer électr.	7,90
Chêne-liège	0,86	Acier	7,80
Chêne d'Europe	0,80	Fonte blanche	7,40
Noyer	0,80	Laiton	7,30-8,40
Érable	0,70	Étain blanc	7,30
Cerisier	0,70		
Mûrier	0,70	**Substances diverses.**	
Hêtre	0,65		
Peuplier	0,45		
Tilleul	0,45	Diamant	3,51
Balsa	0,10-0,16	Cristal ord.	3,35
Métaux et alliages.		Verre à vitre	2,53
		Sucre	1,60
Iridium	22,64	Corps hum.	1,07
Osmium	22,59	Graisse	0,94

Le poids est proportionnel à la masse ; on compare les masses de 2 corps en comparant leurs poids.

A la surface de la Terre, l'intensité de la pesanteur, variable avec le lieu, est voisine de 9,8 m/s² (surface de la Lune : 1,65).

Dynamique des systèmes matériels

Le centre de gravité (ou d'inertie) d'un système a même mouvement qu'un point matériel de masse égale à la masse totale du système, et auquel seraient appliquées toutes les forces extérieures agissant sur le système.

Chute des corps dans le vide. Ils ne sont soumis qu'à la pesanteur supposée constante sur toute la trajectoire. La trajectoire est verticale. La relation fondamentale de la dynamique s'écrit mz″ = mg (z : altitude). Le mouvement, indépendant de la masse du corps, est uniformément varié et de loi :

$$z = \frac{1}{2} gt^2 + v_o t + z_o, \quad v = gt + v_o$$

(v_o et z_o : vitesse et position initiales).

Si $v_o = 0$ (chute libre) et $z_o = 0$, le mouvement est uniformément accéléré :

$$z = \frac{1}{2} gt^2, \quad v = gt = \sqrt{2\,gz}.$$

Si le mobile est lancé vers le haut, il s'élève suivant un mouvement uniformément retardé (v < 0 et g > 0) jusqu'au moment où sa vitesse s'annule, puis il descend suivant un mouvement accéléré.

Mouvements des projectiles. La résistance de l'air est négligée. Le projectile est assimilé à un point matériel lancé à partir d'un point O avec un vecteur-vitesse initiale $\vec{V_o}$ de norme v_o. Le plan de la trajectoire est rapporté à un repère orthonormé (O, $\vec{i}$, $\vec{k}$) où $\vec{k}$ est un vecteur directeur de la verticale ; soit θ la mesure de l'angle ($\vec{i}$, $\vec{V_o}$). On a :

$x'' = o, \quad z'' = -g$, d'où

$x' = v_o \cos\theta, \quad z' = -gt + v_o \sin\theta$ et enfin

$x = v_o \cos\theta\, t, \quad z = -\frac{1}{2} gt^2 + v_o \sin\theta\, t.$

L'équation de la trajectoire s'obtient en éliminant t entre ces relations :

$$z = \frac{-g x^2}{2 v_o^2 \cos 2\theta} + x \operatorname{tg} \theta.$$

C'est une parabole.

La portée $OM = \frac{v_o^2 \sin 2\theta}{g}$ est la même pour 2 inclinaisons complémentaires θ (tir tendu) et $\frac{\pi}{2} - \theta$ (tir plongeant) ; elle est maximale pour θ = 45°.

Si l'accélération d'un mobile dans un repère non galiléen est $\vec{g_r}$ et si $\vec{g_e}$ et $\vec{g_c}$ sont l'accélération d'entraînement et de Coriolis de ce repère par rapport à un repère galiléen, la relation fondamentale de la dynamique s'exprime par :

$$\vec{F} = m(\vec{g_r} + \vec{g_e} + \vec{g_c}),$$

$$\text{soit : } m\,\vec{g_r} = \vec{F} - m\,(\vec{g_e} + \vec{g_c}) \ ;$$

$\vec{g_r}$ s'obtient donc en ajoutant à la force réelle $\vec{F}$ une force d'inertie $-m\,(\vec{g_e} + \vec{g_c})$.

Mouvement circulaire uniforme. Il ne peut se produire que sous l'action d'une force centripète

$$F = m \frac{v^2}{r} = m\omega^2 r.$$

Nota. – ω est la vitesse angulaire de rotation (en radians/seconde), ω = 2 π f. f : fréquence de rotation (en tours/s).

Le point paraît immobile pour un observateur situé dans un repère tournant avec lui autour de l'axe du cercle ($\vec{g_r} = \vec{0}$, $\vec{g_c} = \vec{0}$) ; la relation fondamentale de la dynamique s'écrit alors $\vec{F} = m\vec{g_e} = \vec{0}$.

Le point est donc en équilibre relatif sous l'influence de la force réelle $\vec{F}$ et de la force d'inertie centrifuge F = mω²r.

Le **poids d'un corps** est la résultante de l'attraction newtonienne dirigée vers le centre de la Terre et de la force d'inertie centrifuge due à la rotation de la Terre.

Application. Satellites artificiels (voir p. 28).

Résistance des fluides au mouvement

Un fluide (ex. l'air) exerce sur un corps en mouvement des forces de frottement (viscosité) et de pression (surpression à l'avant, dépression à l'arrière). Si le solide a un axe de symétrie, elles se réduisent à une force unique R, en sens inverse de la vitesse et dont l'intensité est fonction du nombre de Mach, $M = \frac{V}{V_o}$, rapport de la vitesse du mobile à la vitesse du son dans le fluide.

Pour M < 0,15, R est proportionnel à la vitesse ; dans le cas d'une sphère de rayon r, R = 6 π ηrV, η étant le coefficient de viscosité du fluide (formule de Stokes). Pour 0,15 < M < 0,8, R = CaSV² ; C constante liée à la forme du corps ; a masse volumique du fluide ; S maître couple, aire de la projection du corps sur un plan normal à la direction du mouvement. Lorsque le mobile franchit le mur du son, il apparaît une onde de choc. Pour M > 1,2 (vitesses hypersoniques), il se produit 2 ondes de choc, l'une à l'avant du mobile, l'autre à l'arrière, qui forment le « double bang ».

Au cours de la chute d'un mobile, la vitesse, d'abord croissante, atteint une valeur limite lorsque la résistance du fluide devient égale au poids ; à partir de ce moment, le mouvement est uniforme, de vitesse

$$v = \sqrt{\frac{mg}{CaS}} \, .$$

Rotation d'un solide autour d'un axe fixe

Définitions. Soit un élément de solide de masse m, décrivant un cercle de rayon r à la vitesse angulaire α′. Le moment par rapport à l'axe de la force qui le sollicite est :

$$\mathcal{M}\,\vec{F} = \mathcal{M} m\vec{\gamma}.$$

Or γ a une composante radiale (dont le moment est nul puisqu'elle rencontre l'axe) et une composante tangentielle rα″. Soit M la valeur algébrique du moment sur l'axe de rotation orienté. On a :

$$M = m.r.r\alpha'' = mr^2\alpha''.$$

Tous les éléments du solide ayant même vitesse et même accélération angulaires,

$$\Sigma.\ M = \alpha'' \Sigma mr^2.$$

J = Σmr² est appelé **moment d'inertie** du solide par rapport à l'axe de rotation.

Le **moment cinétique** d'un élément par rapport à l'axe, moment de sa quantité de mouvement, est rmrα′. Le moment cinétique du solide est :

$$\sigma = \Sigma\, mr^2\alpha' = J\alpha' \ ;$$

$$\text{d'où } J\alpha'' = \frac{d\sigma}{dt} = \sum M$$

La dérivée par rapport au temps du moment cinétique du solide par rapport à l'axe est égale au moment des forces agissantes. Si ce moment est nul (force nulle ou rencontrant l'axe), il y a conservation du moment cinétique : le solide est au repos ou en rotation uniforme.

Principaux moments d'inertie. *Circonférence pesante* par rapport à son axe : J = mR², par rapport à un diamètre : J = 1/2 mR². *Disque circulaire* par rapport à son axe : J = 1/2 mR², par rapport à un diamètre : J = 1/4 mR². *Cylindre de révolution* par rapport à son axe : J = 1/2 mR². *Sphère* par rapport à un diamètre : J = 2/5 mR². *Tige rectiligne* de longueur l par rapport à un axe perpendiculaire à la tige en son milieu : J = 1/12 ml².

Théorème de Huyghens. Le moment d'inertie d'un solide par rapport à un axe quelconque Δ′ est égal à son moment d'inertie par rapport à un axe Δ, parallèle à Δ′ et passant par le centre de gravité, augmenté du produit de la masse du solide par le carré de la distance des deux axes :

$$J\,(\Delta') = J\,(\Delta) + md^2.$$

Application : le pendule

Pendule de torsion. Un fil de constante de torsion C fixé à une de ses extrémités supporte un solide de moment d'inertie J par rapport au fil. Si l'on tord cette dernière extrémité d'un angle α à partir de la position d'équilibre, le solide est soumis à un couple de rappel – Cα. Le mouvement du système est défini par l'équation différentielle : Jα″ = – Cα. C'est un mouvement sinusoïdal de pulsation :

$$\omega = \sqrt{\frac{C}{J}} \text{, et de période } T = 2\,\pi \sqrt{\frac{J}{C}} \, .$$

Pendule pesant. Solide mobile autour d'un axe horizontal soumis à la réaction de l'axe et à son poids Mg dont le moment, pour une élongation α, est – Mg a sin α en posant OG = a.

Pour des oscillations de faible amplitude, l'équation du mouvement est :

$$J\alpha'' \simeq -Mga\alpha.$$

Dans ces conditions, le mouvement est sinusoïdal, de période $T = 2\pi\sqrt{\frac{J}{Mga}}$.

Pendule simple. Constitué par une masse ponctuelle, suspendue à un axe horizontal par un fil inextensible, sans masse, de longueur l ; $J = ml^2$; $a = l$.

La période $T = 2\pi\sqrt{\frac{l}{g}}$ est indépendante de la masse du pendule et de sa nature.

Pour une petite sphère de rayon r, suspendue à un fil, et dont le centre est à la distance l de l'axe, $J = ml^2 + \frac{2}{5}mr^2$.

La période est $T = 2\pi\sqrt{\frac{1 + \frac{2r^2}{5l}}{g}}$.

L'ensemble est assimilable à un pendule simple avec une erreur relative sur la période $\frac{\Delta T}{T} = \frac{r^2}{5l^2}$.

Mouvement perpétuel. Un volant parfaitement équilibré, tournant dans le vide sans aucun frottement, conserverait son énergie sous forme cinétique et ne s'arrêterait jamais de tourner. Mais cette rotation perpétuelle est irréalisable en pratique : les frottements existent, si faibles soient-ils, et l'énergie cinétique du volant se dissipera peu à peu en chaleur équivalente. Il faudra donc un apport d'énergie extérieur pour maintenir la rotation.

IV — Hydrostatique, hydrodynamique

Hydrostatique

Pression en un point d'un liquide. Toute surface au sein d'un fluide est soumise à une force normale, dirigée vers la surface du liquide. La pression est :

$$p = \frac{F}{S}.$$

Relation fondamentale de l'hydrostatique. La différence de pression entre 2 points d'un même fluide en équilibre est égale au poids d'une colonne de liquide, de section unité et de hauteur égale à la dénivellation h entre les deux points : $p' - p = h\rho g$, ρ étant la masse volumique du liquide et g l'intensité de la pesanteur.

Transmission des pressions par un liquide. Alors qu'un solide transmet les forces, un liquide fluide incompressible transmet intégralement et dans toutes les directions les variations de pression qu'on lui fait subir.

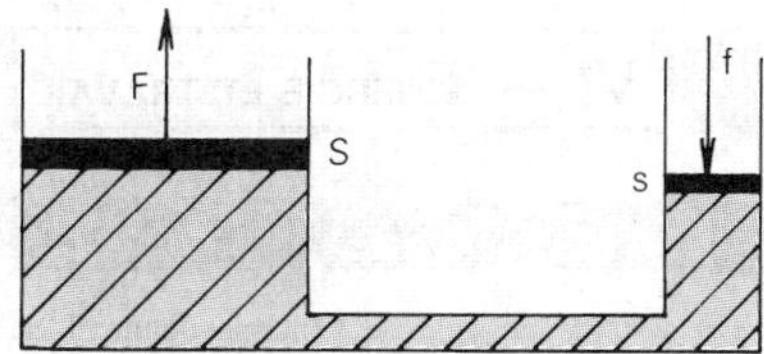

Applications : la presse hydraulique, système de vases communicants : si, sur un piston à la surface s de l'un d'eux, on exerce une force f, un piston à la surface S de l'autre permet d'obtenir une force F telle que $\frac{F}{S} = \frac{f}{s}$ ou $F = f\frac{S}{s}$.

Le système de freinage des automobiles utilise ce procédé.

Mesure de la pression. Dans un gaz de faible volume, la pression est la même en tous les points. On la mesure à l'aide de **manomètres :** en général, tubes en U contenant un liquide (eau ou mercure) ; une des branches est reliée à l'enceinte contenant le gaz, l'autre à une enceinte de référence (atmosphère ou vide). La dénivellation mesure la différence de pression entre les 2 enceintes.

Principe d'Archimède. Un fluide exerce sur un solide immergé des forces pressantes, qui se réduisent à une force unique ascendante portée par la verticale du centre de gravité du fluide déplacé. Son intensité est égale au poids du fluide déplacé (c'est-à-dire au poids du fluide que contiendrait un volume égal à celui du solide). Si le solide est entouré par 2 fluides superposés, la poussée qu'il subit est la résultante des poussées que subirait chaque partie du solide entièrement plongée dans le fluide. Si un corps flotte à la surface d'un liquide, le poids de l'air déplacé est négligeable vis-à-vis de celui du liquide déplacé, qui représente pratiquement la poussée totale.

Hydrodynamique

Théorème de Bernoulli. Si un liquide non visqueux, de masse volumique ρ, s'écoule en régime permanent dans un tuyau épousant la forme d'une veine de courant, il n'existe pas de remous ; les seules forces intervenant sont la force de pesanteur et les forces pressantes à l'amont et à l'aval.

L'application du théorème de l'énergie cinétique à une tranche de la veine comprise entre une section S de cote z, où la pression est p et la vitesse v, et une autre section S' de cote z', où la pression est p' et la vitesse v', conduit à la relation :

$$p + \rho gz + \tfrac{1}{2}\rho v^2 = \text{constante}.$$

Théorème de Torricelli. La vitesse d'écoulement à travers un orifice étroit d'un liquide contenu dans un récipient de large section est obtenue par application du théorème de Bernoulli. La vitesse d'écoulement au niveau supérieur étant négligeable, si H désigne la pression atmosphérique, il vient :

$$H + \rho gz + O = H + \rho gz' + \tfrac{1}{2}\rho v^2,$$

d'où $v = \sqrt{2g(z - z')} = \sqrt{2gh}$, h étant la hauteur de chute.

Le liquide sort avec la même vitesse que s'il était tombé en chute libre. Cette vitesse, et par conséquent le temps de vidange, est indépendante de la masse volumique du liquide, pourvu que la viscosité soit négligeable.

Fluide visqueux ; loi de Poiseuille. En raison du frottement du liquide sur les parois et entre les diverses couches, il existe dans un tube horizontal une chute progressive de pression (perte de charge). Dans un tube capillaire de longueur l et de rayon r, le débit par seconde a pour expression $q = \frac{\pi r^4 P}{8\eta l}$, P étant la différence des pressions aux extrémités et η le coefficient de viscosité.

Diffusion d'un gaz à travers une paroi poreuse. La vitesse de diffusion en fonction de la densité du gaz s'exprime par :

$$v = \frac{k}{\sqrt{d}}.$$

V — Chaleur et thermodynamique

Thermométrie

■ **Repère de la température.** A partir des variations au chaud et au froid d'une grandeur physique d'un corps (longueur, volume, pression). La mesure de cette grandeur et la température sont liées linéairement : $l = at + b$.

Pour déterminer a et b, on choisit 2 points fixes : fusion de la glace et ébullition de l'eau sous pression de 760 mm de mercure. A ces points fixes, on attribue les températures de 0° et 100° dans l'échelle Celsius, 0° et 80° dans l'échelle Réaumur, 32° et 212° dans l'échelle Fahrenheit. Dans une enceinte protégée de toute action extérieure, le thermomètre se met en équilibre thermique avec les corps placés dans l'enceinte dont il indique ainsi la température.

Dans l'échelle légale, le phénomène utilisé est la variation de pression d'un gaz à volume constant. Si p_o est la pression à 0 °C et p_1 celle à 100 °C, la relation thermométrique est : $\frac{p - p_o}{t - o} = \frac{p_1 - p_o}{100 - o}$,

ou $p = p_o\left[1 + t\frac{p_1 - p_o}{100\,p_o}\right] = p_o(1 + \beta t)$.

Si on utilise un gaz sous faible pression initiale, le coefficient thermométrique β est indépendant de la nature du gaz (le gaz est dit « parfait ») :

$$\beta = \frac{1}{273,15}.$$

On définit ainsi l'échelle légale ou échelle du thermomètre à gaz parfait. La pression d'un gaz ne peut devenir nulle : la plus faible température théoriquement réalisable est :

$$t = -\frac{1}{\beta} = -273,15\ °C \text{ (zéro absolu).}$$

La temp. thermodynamique qui seule a une valeur physique est $T_k = t + 273,15$ (échelle Kelvin).

■ **Thermomètres liquides.** On repère la température à partir de la dilatation apparente d'un liquide dans un tube de verre comprenant un réservoir et une tige graduée. Le *th. à mercure* est utilisable entre − 30 °C et + 600 °C ; *à alcool* jusqu'à − 100 °C et le th. *à pentane* jusqu'à − 200 °C. Dans le *thermomètre médical,* un étranglement du tube à la sortie du réservoir empêche le mercure de rétrograder quand il a atteint son niveau supérieur. On ramène le mercure dans le réservoir en secouant l'appareil.

Autres thermomètres. *A variation de la résistance* d'un fil de platine ou *à variation de la f.e.m.* (force électromotrice) *de contact* entre 2 métaux (couples thermoélectriques) ; ou encore *à rayonnement lumineux* (pyromètres optiques).

Dilatation

■ **Dilatation des solides.** Une tige de longueur lo à 0 °C a, à t °C, la longueur $l = lo(1 + \lambda t)$. Le coefficient de dilatation linéaire λ est d'env. 10^{-5} pour la plupart des métaux (10^{-6} pour l'invar, alliage Cu + Ni).

Un corps plein se dilate dans toutes ses dimensions ; si vo est son volume à 0 °C, à t °C il est : $v = vo(1 + kt)$, k est le coefficient de dilatation cubique. Un cube d'arête a, à 0 °C, occupe à t °C le volume : $v = a^3(1 + \lambda t)^3 = a^3(1 + kt)$, d'où : $k = 3\lambda$, en négligeant les termes petits en λ^2t^2 et λ^3t^3.

Application : bilame (formé de 2 bandes de métaux de coefficient de dilatation différent, soudés sur leur longueur) s'incurvant quand on le chauffe. Utilisé par ex. comme sécurité sur un chauffe-eau à gaz : quand on allume la veilleuse, il se dilate et ouvre la soupape d'arrivée du gaz ; si la veilleuse s'éteint, il se refroidit et la soupape se ferme.

Masse volumique et température. Un corps chauffé conserve sa masse. Si ρ_o et ρ désignent les masses volumiques à 0 °C et à t °C, $m = \rho_o v_o = \rho v_o(1 + kt)$, d'où : $\rho_o = \rho(1 + kt)$.

■ **Dilatation ou compression des gaz, loi de Mariotte** (1676). Pour une masse donnée de gaz à température constante, la pression et le volume sont inversement proportionnels.

$p = \frac{A}{v}$ ou $pv = A$, A constante dépendant de la température, de la masse et de la nature du gaz.

Les gaz sont très compressibles. La loi de Mariotte loi limite, applicable à l'état gazeux parfait, n'est à peu près exacte que pour les gaz difficilement liquéfiables et au voisinage de la pression atmosphérique. Sous 3 000 atmosphères, la compressibilité de l'oxygène est à peu près celle de l'alcool, et sa densité un peu supérieure à celle de l'eau.

Dilatation sous pression constante (loi de Gay-Lussac). Entre le volume v à t °C d'une masse gazeuse, dont la pression reste constante, et le volume vo à 0 °C, existe la relation $v = v_o(1 + \alpha t)$. Le coefficient de dilatation α est indépendant de la température, de la pression et de la nature du gaz,

$$\alpha = \frac{1}{273,15}.$$

Augmentation de pression à volume constant (loi de Charles). La pression p à t °C d'un gaz dont le volume reste constant est liée à la pression à 0 °C par la relation $p = p_o(1 + \beta t)$; β, coefficient d'augmentation de pression à volume constant, est indépendant de la température, de la pression et de la nature du gaz.

$$\beta = \alpha = \frac{1}{273,15}.$$

Nota. – Ces lois sont des lois limites qui ne sont qu'approximativement vérifiées. Elles le sont d'autant mieux que le gaz est plus éloigné de ses conditions de liquéfaction (température élevée, pression faible). Le gaz obéit rigoureusement à ces lois.

Équation d'état d'un gaz parfait. C'est la relation entre la pression p, le volume v, la température t d'une masse donnée de gaz (état 2) et la pression p_o, le volume v_o à 0 °C (état 1). On peut passer d'un état à l'autre, d'abord par dilatation sous pression constante jusqu'à t °C [état défini par p_o, $v_o(1 + \alpha t)$], puis par compression isotherme à t °C, il vient :

$$\frac{pV}{1 + \alpha t} = C^{te}$$

(T = température Kelvin). Si la masse de gaz correspond à une mole,

$$pV = p_o V_o \frac{T}{T_o} = RT\,;$$

V_o étant une constante (22,4 litres dans les conditions normales) ; R est une constante universelle égale à 8,32 unités SI.

Pour N moles, l'équation devient :
$pv = N\,RT$.

Mélange de gaz parfaits. Si $p_1\,v_1\,T_1$, $p_2\,v_2\,T_2$, etc., sont les caractéristiques initiales des gaz pvT, celles du mélange sont :

$$\frac{pv}{T} = \frac{p_1 v_1}{T_1} + \frac{p_2 v_2}{T_2} + ...$$

La *densité* d'un gaz (d) est le rapport de la masse d'un certain volume de ce gaz à la masse du même volume d'air dans les mêmes conditions.

Si v est le volume du gaz, v_o son volume (ou celui de l'air) dans les conditions normales, a_o la masse volumique de l'air dans ces conditions, on a :

$$m_{air} = a_o v_o = a_o \frac{p}{p_o} v \frac{T_o}{T} \text{ ; d'où :}$$

$$m = a_o\, d \frac{p}{p_o}\frac{T}{T_o} = a_o\, d \frac{P}{76}\frac{1}{1 + \alpha t},$$

p étant la pression du gaz en cm de mercure.

Extension aux gaz du théorème fondamental de l'hydrostatique qui peut s'écrire :

$$F_B - F_A - P = O,$$
$$(p_B - p_A)\,S = P.$$

On ne peut pas appliquer aux gaz (compressibles) la formule $p_B - p_A = \omega h$ car le poids volumique varie d'un point à l'autre dans le même sens que la pression.

La différence de pression entre deux points d'un fluide en équilibre est numériquement égale au poids d'une colonne verticale de ce fluide, de section horizontale égale à l'unité d'aire et de hauteur égale à la différence des niveaux entre les deux points. Par exemple : la différence de pression $p_1 - p_2$ entre la base et la partie supérieure d'un récipient haut de 1 mètre, contenant de l'air de poids volumique moyen 1,3 kgf/m³ et dont la pression à la partie inférieure est $p_1 = 10^5$ Pa. L'unité de surface est 1 m², la différence de pression $p_1 - p_2$ est exprimée par le même nombre que le poids de 1 m² × 1 m = 1 m³ d'air, soit 1,3 kgf, ou 9,8 × 1,3 = 12,74 N. Donc $p_1 - p_2 = 12{,}74$ N/m², ou Pa.

■ **Transmission des pressions dans les liquides. Théorème de Pascal :** considérons un récipient fermé, rempli d'un liquide en équilibre, de poids volumique ω. La différence de pression entre deux points A et B, séparés par la distance verticale h, est $p_B - p_A = \omega h$. Supposons que la pression p_A augmente et devienne $p'_A = p_A + a$. Le liquide est incompressible, par conséquent son poids volumique ne varie pas et la différence entre les nouvelles pressions p'_B et p'_A est encore ωh ;

$p'_B - p'_A = p_B - p_A$, d'où $p'_B - p_B = p'_A - p_A = a$.

Toute variation de pression en un point d'un liquide en équilibre est transmise intégralement à tous les autres points du liquide.

Manomètres. A liquides : à air libre, barométrique. Fidèles, fragiles, encombrants et difficiles à transporter. **Métalliques :** anéroïdes ou de Vidi, de Bourdon. Robustes, peu encombrants, peuvent être montés en instruments enregistreurs, ne sont pas fidèles.

Calorimétrie

Principe. Si un corps reçoit de la chaleur, sa température s'élève ou il change d'état physique. La quantité de chaleur qui fait passer M grammes d'eau de t1 à t2 est Q = M (t2 - t1). Q est mesuré en calories. L'unité de quantité de chaleur employée par les physiciens est le *joule :* 1 calorie = 4,18 joules.

Si un corps subit 2 transformations inverses, la quantité de chaleur qu'il reçoit dans l'une est égale à celle qu'il cède dans l'autre.

Lorsqu'il y a uniquement échange de chaleur entre 2 corps, la quantité de chaleur cédée par le plus chaud est égale à celle gagnée par le plus froid.

Mesure d'une quantité de chaleur. On la fait dégager dans une masse connue M d'eau, dont on mesure l'élévation de température. On utilise un calorimètre, protégé contre tout échange avec l'extérieur.

Chaleur massique. C'est la quantité de chaleur nécessaire pour élever de 1 °C la température de 1 g du corps. Pour l'eau, c = 1 cal/g. Pour élever de t1 à t2 la température de mg du corps, il faut fournir Q = mc (t2 - t1) ; mc est la *capacité calorifique.*

Loi de Dulong et Petit. La capacité calorifique atomique Ac d'un corps simple solide est voisine de 6,4.

☞ Voir également p. 243 les unités calorifiques.

Cryoscopie, ébullioscopie

Solution. Mélange homogène d'un corps dit « soluté » dans un liquide « solvant ». A une température donnée, la dissolution n'est plus possible dès que la concentration $s = \frac{m''}{m}$ (rapport de la masse du soluté à la masse du solvant) atteint une certaine valeur appelée « solubilité ». Il y a alors en présence le soluté solide et la solution dite « saturée ».

La température de congélation commençante d'une solution est inférieure à la temp. de congélation du solvant pur. Pour une solution étendue non électrolysable, Raoult a montré que l'abaissement de cette temp. est proportionnel à la concentration et inversement proportionnel à la masse molaire du soluté :

$$\Delta\Theta = K \frac{s}{M}$$

(K, **constante cryoscopique,** ne dépend que du solvant ; pour l'eau, K = 1 850).

De même, la température d'ébullition commençante d'une solution d'un soluté non volatil est supérieure à la température d'ébullition du solvant pur. Pour une solution étendue non électrolysable, l'élévation est proportionnelle à la concentration et inversement proportionnelle à la masse molaire du soluté :

$$\Delta\Theta = K' \frac{s}{M}.$$

(K', **constante ébullioscopique,** ne dépend que du solvant ; pour l'eau, K' = 520).

Les *lois de Raoult* permettent de déterminer la masse molaire approximative d'un soluté.

Thermodynamique

Étude des relations entre les phénomènes thermiques et les phénomènes mécaniques.

Chaleur-travail : équivalence. *Un corps chaud fournit spontanément de la chaleur à un corps froid.* C'est ainsi que peuvent se produire l'égalisation des températures de 2 corps en présence ou le changement d'état physique d'un des 2 corps (vaporisation d'un liquide, fusion ou sublimation d'un solide).

Les frottements mécaniques entre solides, ou entre un solide et un fluide (résistance de l'air) peuvent provoquer une élévation de température ou un changement d'état. Dans ce cas, *le travail des forces de frottement a été transformé en chaleur.*

Les moteurs thermiques (machine à vapeur, moteur à explosion) utilisent la chaleur dégagée par la combustion du charbon, du mazout ou de l'essence pour fournir un travail. *Ils transforment la chaleur en travail mécanique.*

Premier principe de la thermodynamique. Le plus souvent, une transformation amenant un système d'un état initial à un état final s'effectue par échange de chaleur (Q) et de travail (W).

Dans toutes les transformations qui, par échanges de chaleur et de travail avec le milieu extérieur, font passer un système déterminé d'un état initial à un état final fixe, la somme algébrique W + Q est constante, indépendante de la transformation envisagée. C'est le principe de l'état initial et de l'état final.

Cas particulier d'un cycle : lorsqu'un système qui n'échange avec le milieu extérieur que de la chaleur et du travail décrit un cycle, c'est-à-dire lorsque son état final est en tous points identique à son état initial, *l'énergie totale échangée avec le milieu extérieur est nulle :* W + Q = 0. Donc lorsqu'un système subit une suite fermée de transformations en n'échangeant avec le milieu que de la chaleur et du travail : 1) s'il reçoit du travail, il fournit de la chaleur ; 2) s'il reçoit de la chaleur, il fournit du travail ; 3) les valeurs numériques des quantités de chaleur et de travail, exprimées avec les mêmes unités, sont égales.

Énergie interne : soit un système qui n'échange avec le milieu extérieur que de la chaleur et du travail. S'il subit une transformation l'amenant d'un état initial A à un état final B, son énergie interne a augmenté de la quantité : $\Delta U = W + Q$. U est analogue à une énergie potentielle dont on ne peut calculer que les variations. $U_B - U_A = W + Q$.

Deuxième principe de thermodynamique ou principe de Carnot. Une machine thermique ne peut, au cours d'un cycle, fournir de travail que si elle emprunte une quantité de chaleur ($Q_1 > 0$) à une source chaude et si elle en restitue une partie ($Q_2 < 0$) à une source froide. Le travail qu'elle fournit a pour valeur algébrique $W = Q_1 - Q_2$ ($W < 0$).

Rendement d'un moteur thermique. C'est le taux de convertibilité de la chaleur en travail ;

$$r = \frac{|W|}{Q_1}.$$

Rendement thermique maximal, théorème de Carnot (Nicolas Lazare Sadi Carnot, 1796-1832 ; fils de Lazare Carnot). Le rapport des quantités de chaleur échangées avec les 2 sources, dans les conditions optimales de fonctionnement d'un moteur thermique, est indépendant de l'agent thermique utilisé ; sa valeur absolue est égale au rapport des températures absolues des 2 sources correspondantes :

$$\frac{Q_1}{Q_2} = \frac{T_1}{T_2} \quad \text{(T = température absolue).}$$

L'expression pratique est : $r = 1 - \frac{T_2}{T_1}$.

Applications. Réfrigérateurs : moteur thermique fonctionnant en sens inverse : on lui fournit du travail et il fait passer de la chaleur d'une source froide sur une source chaude. Le moteur reçoit de l'extérieur une énergie W ($W > 0$) (sur une prise de courant). Une quantité de chaleur Q sera extraite de la source froide : « freezer » ($Q_2 > 0$). La quantité de chaleur Q_1 sera envoyée à la source chaude ($Q_1 < 0$).

$$Q_2 = \frac{WT_2}{T_1 - T_2}$$

Un réfrigérateur sera d'autant plus avantageux que les températures T_1 et T_2 seront plus voisines, car à une consommation minime d'énergie W correspondra une grande valeur de Q_2.

L'expression $\frac{Q_1}{Q_2} = -\frac{T_1}{T_2}$ n'a plus de sens si on y fait $T_2 = 0$. Donc une machine thermique ne permet pas d'obtenir le zéro absolu.

Thermopompe analogue à un réfrigérateur, mais on utilise la quantité de chaleur |Q1| pour le chauffage.

$$Q_1 = \frac{-WT_1}{T_1 - T_2} \text{ ou } |Q_1| = \frac{WT_1}{T_1 - T_2}.$$

La source froide est l'eau d'une rivière ou d'un lac ; la source chaude est l'eau du radiateur de chaleur qui se trouve ainsi chauffée et peut par thermosiphon circuler dans les radiateurs d'un chauffage central. Le système est très intéressant quand il combine une patinoire (source froide) et une installation de chauffage (source chaude).

■ **Froid. Zéro absolu :** 0 Kelvin (soit - 273,15 °C ou 459,6 °F). Il n'existe pas à l'état naturel (noyau du Soleil 15 millions de °C) ; l'espace interstellaire est à + 3K. **Température la plus basse obtenue :** 2 pico Kelvin (milliardième de degré), à l'université de technologie d'Helsinki [record précédent : 1,1 micro K à l'univ. de Colorado. Plus basse température cynétique (de mouvement des atomes) : 2,5 à l'École normale supérieure à Paris]. **Température la plus basse utilisée dans les applications pratiques :** celle de l'hydrogène liquide servant pour la propulsion des fusées (- 253 °C). On utilise fréquemment l'hélium liquide (- 271,6 °C) pour les supraconducteurs (aimants très puissants, projet d'ordinateur supracond. chez IBM).

■ **Chaleur maximale obtenue :** en nov. 1991, on a porté pendant une demi-seconde un plasma à env. 200 millions de degrés dans le JET (Joint European Torus), Culham (G.-B.).

VI — Énergie et travail

Généralités

Un système possède de l'énergie quand il est susceptible de produire du travail. L'énergie existe sous diverses formes : mécanique (cinétique et potentielle), calorifique, électrique, chimique, rayonnante, nucléaire, etc., qui peuvent se transformer les unes en les autres.

Principe de la conservation. L'énergie totale d'un système isolé (n'échangeant rien avec l'extérieur) reste constante ; les éventuels échanges internes se compensent exactement.

Travail d'une force F qui effectue un déplacement infiniment petit dl. C'est le produit scalaire :

$$\vec{F}.\,\vec{dl} = F.\,dl.\cos\alpha,$$

α étant l'angle de la force et du déplacement. Pour un déplacement fini,

$$T = \int F dl \cos\alpha.$$

Le travail d'une force est la somme des travaux de ses composantes.

Travail de la pesanteur. Quand un corps se déplace entre 2 points d'altitude z_1 et z_2, le travail de son poids est :

$$T = mg \int \cos\alpha\, dz = mg\,(z_1 - z_2)\,;$$

il ne dépend que de la différence d'altitude.

Travail d'un couple. Il est égal au produit du moment du couple par l'angle de rotation évalué en radians :

$$T = \mathcal{M}\,\alpha.$$

Énergie cinétique. Pour un point matériel de masse m animé d'une vitesse v, elle est :

$$E_c = \frac{1}{2} mv^2.$$

Pour un ensemble de masses, on aura :

$$E_c = \Sigma \frac{1}{2} mv^2.$$

Si un solide de masse M est en translation, tous les points, en particulier le centre de gravité, ont la même vitesse, $E_c = \frac{1}{2} Mv^2$. Si le solide est animé d'un mouvement de rotation autour d'un axe, tous ses points ont même vitesse angulaire ; l'énergie cinétique est :

$$E_c = \frac{1}{2} J\alpha'^2,$$

J étant le moment d'inertie autour de l'axe de rotation.

Un mouvement quelconque est la résultante d'une translation du centre de gravité avec la vitesse v de ce point et d'une rotation autour d'un axe de direction fixe, passant par ce centre de gravité ; l'énergie cinétique est :

$$E_c = \frac{1}{2} MV_G^2 + \frac{1}{2} J_G \alpha'^2.$$

Théorème de l'énergie cinétique. La variation de l'énergie cinétique d'un système entre 2 instants est égale à la somme des travaux, entre ces 2 instants, de toutes les forces, intérieures et extérieures, agissant sur les diverses parties du système : $T = E_{2c} - E_{1c}$. Si le solide est indéformable, le travail des forces intérieures est nul ; seules interviennent les forces extérieures. L'énergie cinétique s'évalue en joules.

Exemple. Pour arrêter, après N tours, un volant de moment d'inertie J tournant à la vitesse angulaire α', il faut lui appliquer un couple dont le moment sur l'axe de rotation ait pour valeur albébrique $\mathcal{M}$ telle que :

$$\frac{1}{2} J\alpha'^2 = \mathcal{M} \alpha = \mathcal{M} \alpha 2\pi N.$$

Énergie potentielle. Si l'on peut faire agir les forces intérieures d'un système, on récupère un travail qui est égal à la diminution ΔE_p de l'énergie potentielle du système. L'énergie potentielle E_p est définie à une constante près.

EXEMPLES : *a) Énergie potentielle de pesanteur :* pour le système formé par la Terre et un corps, le poids du corps est une force intérieure qui fournit le travail $T = mg (z_1 - z_2) = \Delta E_p$ au cours du passage de l'altitude z_1 à l'altitude z_2. L'énergie potentielle du système Terre-corps est $E_p = mgz$.

b) Énergie potentielle d'un ressort : la force qui tend à ramener le ressort tendu de raideur k et allongé de x est F = kx. Son travail est :

$$T = \Delta E_p = \int_x^o - kxdx = \frac{1}{2} kx^2.$$

c) Énergie potentielle d'un fil de torsion : le travail du couple de torsion de moment $C\alpha$, dans le retour à la position d'équilibre, est :

$$\int_\alpha^o - C\alpha d\alpha.$$

L'énergie potentielle du fil tordu est :

$$E_p = \frac{1}{2} C\alpha^2.$$

Énergie mécanique totale. Somme des énergies potentielle et cinétique : $E_t = E_p + E_c$. Dans un système isolé (qui ne subit aucune action extérieure) où les frottements sont négligeables, elle reste constante. S'il existe des frottements, une partie se transforme en chaleur. Pour un système isolé :

$$E_p + E_c + Q = \text{constante}.$$

Pour un satellite de masse m, à une distance r du centre de la Terre, l'énergie potentielle de pesanteur est : $E_p = -\frac{\varepsilon Mm}{r}$. (m : masse de la Terre).

Son énergie totale est : $E_t = \frac{1}{2} mv^2 - \frac{\varepsilon Mm}{r}$.

Pour que le satellite lancé en un point de la Terre (de rayon R) s'éloigne indéfiniment, il faut que son énergie totale soit positive ; la vitesse minimale de lancement, ou vitesse de libération, est telle que :

$$\frac{1}{2} v^2 m - \frac{\varepsilon Mm}{R} > 0.$$

On trouve v = 11,2 km/s.

MÉCANIQUE QUANTIQUE

Contrairement à la mécanique classique, les échanges d'énergie (émission ou absorption) ne peuvent s'effectuer que d'une manière discontinue, par sauts brusques, multiples entiers d'un quantum représentant l'**unité élémentaire d'énergie :** $E = h\nu$ [ν : fréquence du rayonnement ; $h = (6{,}62619 \pm 0{,}00006) \times 10^{-34}$ joules × seconde], constante de Planck.

Cette hypothèse permet d'expliquer :

1) Les lois expérimentales du rayonnement du **corps noir,** corps idéal qui absorbe toutes les radiations qu'il reçoit et qui peut être approximativement réalisé par une enceinte fermée, à température constante, munie d'une petite ouverture.

2) Les variations avec la température de la chaleur massique des solides.

3) L'effet photoélectrique (voir p. 226).

4) Les lois de l'émission des **raies spectrales.** Un électron gravitant autour du noyau est assimilable à un courant électrique ; il doit donc rayonner de l'énergie, et, de ce fait, il devrait se rapprocher du noyau et finir par tomber sur lui. Bohr admet qu'il existe des orbites particulières, correspondant à des états stationnaires de l'atome, pour lesquelles il n'y a pas d'énergie rayonnée ; elles sont telles que le moment cinétique mvr de l'électron est un multiple entier de $\frac{h}{2\pi} = h$, soit mvr = nh.

Il n'y a émission de lumière que lorsque l'électron passe d'une orbite à une autre, l'atome passant d'un état d'énergie E2 à un état d'énergie E1 inférieur à E2, la fréquence de la lumière émise étant telle que $h\nu = E2 - E1$.

MÉCANIQUE ONDULATOIRE

Définition. Élaborée par Louis de Broglie (Fr., 1892-1987), entre 1911 et 1929, pour concilier l'aspect ondulatoire et l'aspect corpusculaire de la lumière. Tout corpuscule de quantité de mouvement p est guidé par une onde associée de longueur d'onde

$$\lambda = \frac{h}{p} = \frac{h}{mv}.$$

La trajectoire d'un électron dans l'atome étant fermée, le mouvement ne pourra se maintenir que si l'onde est stationnaire, c'est-à-dire si l'on peut placer un nombre entier de longueurs d'onde sur l'orbite de Bohr : $2 \pi r = n\lambda = n \frac{h}{mv}$.

Les propriétés ondulatoires de l'électron ont été vérifiées par Joseph Davisson (Amér., 1881-1958) et Lester Germer (Amér., 1896-1971) ; en envoyant un faisceau d'électrons sur un cristal de nickel, ils obtinrent des phénomènes de diffraction analogues à ceux obtenus avec des rayons X et vérifièrent quantitativement la formule de Louis de Broglie.

Les ondes associées aux particules matérielles en mouvement étant de plus grande fréquence que les ondes lumineuses, on a pu réaliser des microscopes électroniques ou protoniques ayant de meilleures limites de résolution que les microscopes ordinaires.

L'aspect corpusculaire et l'aspect ondulatoire du rayonnement ne sont pas contradictoires, mais complémentaires. Les 2 aspects ne peuvent se manifester simultanément. On peut observer l'effet corpusculaire lorsque l'on peut attribuer une position définie au corpuscule ; dans le cas contraire, il se comporte comme une onde de longueur d'onde définie.

Relation d'incertitude. En mécanique classique, l'état d'une particule est défini par sa position et sa vitesse. En mécanique ondulatoire, il est impossible de déterminer rigoureusement, au même instant, ces 2 grandeurs, donc de définir exactement la trajectoire de la particule. Cela parce que l'instrument qui permet de mesurer le phénomène perturbe la mesure. L'incertitude Δx sur la position est liée à l'incertitude Δp sur la quantité de mouvement par la formule de Heisenberg :

$$\Delta x \,.\, \Delta p \geqslant h.$$

On peut seulement faire correspondre à chaque état d'une particule une fonction d'onde Ψ, fonction du temps et de paramètres géométriques, et telle que la probabilité de trouver la particule dans un volume dv autour d'un point M(x,y,z) est :

$$dP = \psi (x,y,z,t) \,.\, \bar{\psi} (x,y,z,t) \, dv,$$

$\bar{\psi}$ étant la fonction imaginaire conjuguée de ψ. A la notion d'orbite d'un électron dans un atome doit être substituée celle de zone de probabilité de présence ou de nuage électronique.

L'équation d'évolution qui remplace la relation $F = \frac{dp}{dt}$ de la mécanique classique est l'équation de Erwin Schrödinger (Aut., 1887-1961) :

$$\frac{d^2\psi}{dx^2} + \frac{d^2\psi}{dy^2} + \frac{d^2\psi}{dz^2} + \frac{2m}{h^2} (E - Ep) \psi = 0.$$

Mécanique quantique et mécanique ondulatoire se réduisent à la mécanique classique quand les échanges d'action sont des multiples très élevés de la constante de Max Planck (All., 1858-1947).

LA RELATIVITÉ

Elle a permis de répondre au problème soulevé par l'expérience de l'Américain Albert Michelson (1852-1931) en 1887 : la vitesse de la lumière reste la même pour tous les référentiels galiléens (animés d'un mouvement rectiligne et uniforme les uns par rapport aux autres), que la source lumineuse soit fixe ou mobile par rapport à l'observateur. Cette expérience a été faite à l'aide d'un *interféromètre stellaire,* projetant successivement 2 rayons lumineux, l'un en direction du mouvement terrestre, l'autre perpendiculairement à ce mouvement.

■ **Relativité restreinte. Principe.** Les lois physiques sont les mêmes dans tous les repères galiléens. L'application de ce principe aux lois de l'électromagnétisme a conduit Hendrik Anton Lorentz (P.-B., 1853-1928) à établir de nouvelles formules de changement de coordonnées : la relation de mécanique classique Va = Vr + Ve, entre la vitesse absolue Va, la vitesse relative Vr et la vitesse d'entraînement Ve, devient :

$$Va = \frac{Vr + Ve}{1 + \frac{VrVe}{c^2}}$$

Contraction des longueurs. Soit une règle de longueur l pour un observateur A qui lui est lié ; pour un observateur B, animé par rapport à A d'une vitesse relative V, la longueur de la règle, supposée parallèle à la direction du mouvement, est :

$$l' = l \left(1 - \frac{v^2}{c^2} \right)^{\frac{1}{2}}.$$

Dilatation des temps. Pour un observateur animé de la vitesse V, le temps n'a pas même mesure que pour un observateur au repos ; il est multiplié par :

$$\left(1 - \frac{v^2}{c^2} \right)^{-\frac{1}{2}}.$$

Une horloge dans un système en mouvement ralentit par rapport aux horloges extérieures. Les mésons μ qui, dans un système au repos, ont une durée de vie de 2 μs, leur permettant de parcourir au maximum 600 m, peuvent atteindre la Terre alors qu'ils ont été produits à une altitude de 10 km.

Ainsi le temps et l'espace sont liés : nous évoluons dans un espace-temps.

Relation entre la masse et la vitesse. La masse d'une particule évoluant à la vitesse v est liée à la masse au repos m_o par la formule :

$$m = m_o \left(1 - \frac{v^2}{c^2} \right)^{-\frac{1}{2}}.$$

La variation de masse n'est appréciable que pour des particules dont la vitesse est proche de celle de la lumière.

La quantité $\left(1 - \frac{v^2}{c^2} \right)^{-\frac{1}{2}}$ ne peut exister que si $v < c$: la vitesse de la lumière apparaît donc comme une limite qui ne peut être dépassée.

Cela interdit l'instantanéité des actions à distance.

La relation fondamentale de la dynamique est :

$$\vec{F} = \frac{d\,(\overrightarrow{mv})}{dt} = \frac{\overrightarrow{dp}}{dt} \text{ et non : } \vec{F} = m\frac{\overrightarrow{dv}}{dt}.$$

Équivalence de la masse et de l'énergie. Une masse m est équivalente à une énergie $E = mc^2$. Le principe de conservation de l'énergie de la mécanique classique reste valable si l'on tient compte de cette relation due à Einstein.

Énergie cinétique. Différence entre l'énergie d'un mobile de vitesse v et son énergie au repos : $Ec = mc^2 - m_oc^2$, soit :

$$Ec = m_oc^2 \left[(1 - \frac{v^2}{c^2})^{-\frac{1}{2}} - 1 \right].$$

Aux faibles vitesses,

$$Ec = m_oc^2 \left[1 + \frac{1}{2} \frac{v^2}{c^2} - 1 \right] = \frac{1}{2} m_ov^2,$$

on retrouve l'expression utilisée en mécanique classique.

■ **Relativité générale.** Fondée sur le principe d'équivalence de la masse inerte $m = \frac{F}{g}$ et de la masse pesante $m' = \frac{F}{g}$, établi par Einstein, qui avait noté que les effets de la gravitation sont comparables à ceux d'une force d'inertie ; c'est-à-dire que le champ de gravitation est équivalent à un champ de forces créé par 1 système accéléré et qu'il est impossible de les distinguer.

Par ailleurs, un rayon lumineux possédant une énergie, donc une masse, doit être courbé dans un champ de gravitation intense. On constate en effet que les étoiles, situées dans la direction du Soleil et que l'on peut observer au cours des éclipses, paraissent déplacées en position. Ce déplacement et celui du périhélie de Mercure, dont la valeur observée est voisine de la valeur prévue, constituent un début de vérification du principe de la relativité générale.

En raison de la courbure de l'espace-temps, il peut être énoncé ainsi : les lois de la physique sont les mêmes dans tous les repères, quel que soit leur mouvement.

Toute source d'énergie sur Terre provient directement ou indirectement du Soleil ou des réactions de fission des atomes des éléments radioactifs existant dans la masse de la Terre.

Conservation de la masse et de l'énergie. Dans un système isolé, la somme de l'énergie et du produit m c^2, où m est la masse totale et c la vitesse de la lumière dans le vide, reste constante, quelles que soient les transformations que subit le système.

En mécanique newtonienne, lorsque les vitesses restent petites par rapport à celle de la lumière, l'énergie et la masse restent toutes deux constantes.

Conservation de l'énergie mécanique. Soit un système formé d'une bille de masse M, de poids p et de la Terre, entre lesquelles n'agit d'autre force que la pesanteur. L'énergie potentielle de la bille est le travail qu'accomplirait la pesanteur en transportant la bille au centre de la Terre. Cette bille, tombant d'une hauteur h, acquiert une vitesse v, et son énergie cinétique :

$$\frac{1}{2}\,Mv^2 = \frac{1}{2}\,M\left(\sqrt{2gh}\right)^2 = Mgh = ph.$$

Mais elle a perdu en énergie potentielle ph ; énergie cinétique acquise = énergie potentielle dépensée.

Le principe de la conservation de l'énergie est général, et la quantité totale d'énergie d'un système isolé est constante, quelles que soient les transformations de cette énergie à l'intérieur du système.

☞ On distingue l'*énergie calorifique* (ou thermique), l'*énergie mécanique* et l'*énergie chimique.* Ces énergies se transforment l'une dans l'autre ; on transforme la chaleur en travail mécanique, et réciproquement. Cependant, le travail mécanique est une énergie plus « noble » que la chaleur, car si l'on peut transformer intégralement un travail en chaleur, la réciproque n'est pas vraie : la chaleur, pour se transformer en travail, laisse un résidu de chaleur à plus basse température. De même, la fission de l'atome d'uranium, qui dégage de la chaleur, n'est pas réversible. Dans l'ensemble de l'univers, il y a dégradation de l'énergie.

VII — MOUVEMENTS VIBRATOIRES

GÉNÉRALITÉS

Un phénomène est périodique s'il se reproduit, identique à lui-même, à des intervalles de temps égaux appelés **période** T. L'inverse de la période est la **fréquence** :

$$N = \frac{1}{T} \text{ évaluée en hertz (Hz).}$$

La vibration sinusoïdale est la plus courante. L'élongation y est définie en fonction du temps t par la relation :

$$y = a \sin (\omega t + \varphi),$$

a étant l'amplitude, ω la pulsation et φ la phase.

La période T satisfait à la relation ωT = 2π soit encore $T = \frac{2\pi}{\omega} = 2\pi N$

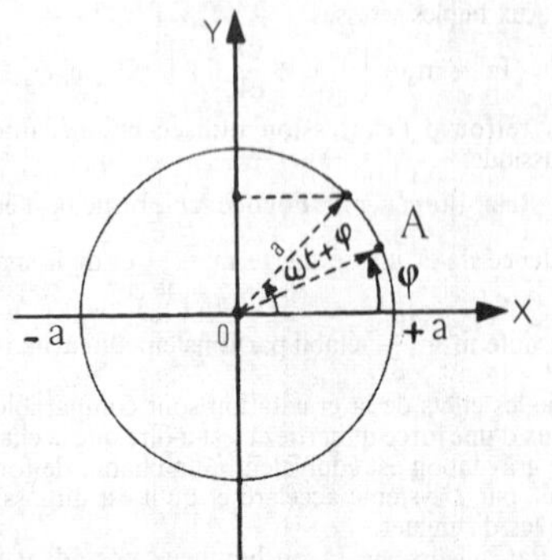

L'étude d'un phénomène périodique peut être faite : par enregistrement graphique (cylindre enregistreur), par balayage optique, par *stroboscopie.* On éclaire le système vibrant, de fréquence N, par des éclairs de fréquence N' : si N = N' ou N = kN' (k entier), le système paraît immobile ; si N ≠ N', le système a un mouvement périodique apparent de fréquence v = N – N' de même sens que le mouvement réel si N > N', de sens inverse si N < N'.

Quand un milieu élastique subit une déformation locale, cette déformation se propage avec une célérité V constante, qui dépend du milieu. La vibration est transversale si la déformation est normale à la direction de propagation (vibrations d'une corde) ; elle est longitudinale si la matière vibre dans la direction de propagation (compression et dilatation d'un ressort). Les solides permettent la propagation des 2 types de vibrations ; les fluides ne transmettent à leur intérieur que des vibrations longitudinales ; mais la surface d'un liquide qui se comporte comme une membrane peut transmettre des vibrations transversales (rides à la surface de l'eau).

La longueur d'onde est la distance parcourue par la vibration pendant une période, λ = VT = V/N.

Théorème de Joseph Fourier (Fr., 1768-1830). Une fonction périodique de fréquence N peut toujours se décomposer d'une seule façon en une somme de fonctions sinusoïdales de fréquence N, 2N..., kN. Le terme de fréquence N est le *fondamental,* les autres sont les *harmoniques.*

Onde progressive. Si le mouvement de la source, en O, est y = a sin ωt, le mouvement d'un point M à la distance x est celui qu'avait la source, $\frac{x}{V}$ secondes auparavant :

$$y = a \sin \omega \left(t - \frac{x}{v}\right) = a \sin 2\pi \left(\frac{t}{T} - \frac{x}{\lambda}\right).$$

2 points distants de kλ (k entier) sont en phase ;

2 points distants de $(2k + 1)\frac{\lambda}{2}$ sont en opposition de phase. Tous les points du milieu reproduisent à des instants différents le mouvement de la source. La propagation d'une vibration correspond à un transport de matière ; les frottements absorbant de l'énergie, l'amplitude diminue au fur et à mesure de la propagation : il y a amortissement.

Les phénomènes vibratoires entretenus peuvent être de nature très diverse : phénomènes vibratoires mécaniques, acoustiques, électriques (la tension du secteur), magnétiques... La période T est la durée d'une oscillation.

1°) Soit une corde élastique AB, très longue, dont l'extrémité A est animée d'un mouvement vibratoire entretenu de période T et dont l'extrémité B est liée à un support fixe.

Tout point M de la corde atteint par l'onde progressive est animé d'un mouvement vibratoire de même période T que la source de vibrations A.

Le mouvement vibratoire du point M s'effectue avec un retard horaire $\Theta = \frac{d(A,M)}{c}$, par rapport à celui du point source A, c étant la célérité du signal.

2°) Pour que deux points M_1 et M_2 d'un milieu propagateur unidirectionnel soumis à une onde progressive vibrent en concordance, il faut et il suffit que leur distance soit égale à un nombre entier de longueurs d'onde.

a) Périodicité dans le temps : chaque point M du milieu propagateur est animé d'un mouvement vibratoire de période T.

b) Périodicité dans l'espace : à chaque date t, le fil présente une succession de « motifs » identiques de longueur égale à la longueur d'onde λ.

Conclusion : à toute date t fixée, la grandeur u, caractéristique de l'onde progressive, se renouvelle identiquement à chaque variation d'abscisse x égale à la longueur d'onde λ.

Superposition des petits mouvements. Quand un point reçoit des vibrations de plusieurs sources, son élongation, à chaque instant, est égale à la somme géométrique des différentes élongations qu'il aurait du fait de chaque source prise séparément, à condition que l'amplitude reste suffisamment petite. On appelle *interférences* cette superposition des vibrations en un point.

Cas de 2 sources synchrones produisant des déformations de même direction. Si

$$y_1 = a_1 \sin (\omega t + \varphi_1)$$
$$\text{et } y_2 = a_2 \sin (\omega t + \varphi_2)$$

sont les déformations que produirait chacune d'elles au point M, l'élongation de ce point est $Y = y_1 + y_2$, fonction sinusoïdale de même période, donc de même pulsation, Y = A sin (ωt + φ).

Construction de Fresnel. Représentation pratique élaborée par Augustin Fresnel (1788-1827) lors de l'étude des interférences lumineuses. Soit un axe OX de référence fixe. Représentons la vibration

$$s = a \cos (\omega t + \varphi)$$

par un vecteur $\overrightarrow{OA}$ de longueur a et faisant avec l'axe l'angle ωt + φ. φ est l'angle du vecteur $\overrightarrow{OA}$ avec l'axe origine des angles, à l'origine des temps. ω est la pulsation, c'est-à-dire l'angle décrit, à partir de sa position d'origine, par $\overrightarrow{OA}$ pendant l'unité de temps.

Représentons de même le mouvement

$$s' = a' (\omega t + \varphi')$$

par le vecteur $\overrightarrow{OA'}$.

Construisons la résultante $\overrightarrow{OR}$: sa projection OS sur OX représente bien l'élongation S résultant de la superposition des mouvements s et s', puisque :

proj. $\overrightarrow{OR}$ = proj. $\overrightarrow{OA}$ + proj. $\overrightarrow{AR}$

soit : $\overline{OS} = a \cos (\omega t + \varphi) + a' \cos (\omega t + \varphi')$.

Les vecteurs $\overrightarrow{AR}$ et $\overrightarrow{OA}$ étant équipollents, le vecteur $\overrightarrow{OR}$ représente le mouvement cherché.

En pratique, la forme du parallélogramme de composition des vecteurs ne dépend que de φ et φ', et il est inutile de faire figurer l'angle ωt dans la construction.

2 mouvements vibratoires de même période ont pour résultante un mouvement qui a cette même période. L'amplitude r du mouvement résultant vaut : $r^2 = a^2 + a'^2 + 2aa' \cos (\varphi + \varphi')$. Si les vibrations arrivent en phase au point M, φ – φ' = 2kπ (k entier), l'amplitude résultante est : A = a1 + a2 ; si elles sont en opposition de phase, φ – φ' = (2k + 1)π, l'amplitude est minimale : A = a1 – a2 ; elle est nulle si a1 = a2.

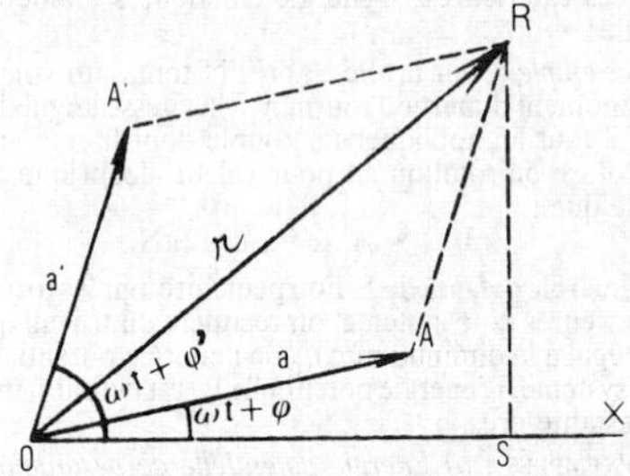

Battements. Lorsque 2 vibrations de pulsations voisines ω et ω' = ω + ε se superposent, les 2 vecteurs associés ne tournent pas à la même vitesse ; le parallélogramme de Fresnel se déforme. L'amplitude de la vibration résultante varie périodiquement ; elle est maximale lorsque les vecteurs sont colinéaires et de même sens : l'un a fait un tour de plus que l'autre ; elle est minimale lorsqu'ils sont colinéaires et de sens opposé. La vibration est donc intense à intervalles de temps égaux Θ tels que :

$$\omega'\Theta - \omega\Theta = 2\pi \text{ soit } \Theta = \frac{2\pi}{\omega' - \omega}.$$

La fréquence des battements est donc :

$$v = \frac{1}{\Theta} = N' - N.$$

Réflexions des ondes. Ondes stationnaires : lorsqu'une onde arrive à l'extrémité d'un milieu élastique, elle se réfléchit et repart en sens inverse avec la même célérité. Si l'extrémité est fixe (cas d'une corde attachée à un mur), la vibration résultante en ce point est nulle : cela exige que l'élongation change de signe à la réflexion (le mouvement subit un retard de phase de π). Si l'extrémité est libre (cas d'une onde sonore dans un tuyau ouvert), la réflexion se fait sans changement de signe.

Extrémité libre : soit $y = a \sin 2\pi \frac{t}{T}$; la vibration de la source S. En un point M, à la distance x de O' : l'onde incidente qui a parcouru 1 – x est :

$$y_1 = a \sin 2\pi \left(\frac{t}{T} - \frac{1 - x}{\lambda}\right);$$

l'onde réfléchie qui a parcouru 1 + x est :

$$y_2 = a \sin 2\pi \left(\frac{t}{T} - \frac{1 + x}{\lambda}\right);$$

L'amplitude de l'onde résultante $Y = y_1 + y_2$ est :

$$r = 2a \cos \frac{\Delta\varphi}{2} = \cos 2\pi \frac{x}{\lambda}.$$

Elle est à tout instant : maximale en des points appelés *ventres,* d'abscisse $x = k\frac{\lambda}{2}$; nulle en des points appelés *nœuds,* d'abscisse :

$$x = k\frac{\lambda}{2} + \frac{\lambda}{4}.$$

Extrémité fixe : en raison du retard de π subi par l'onde réfléchie, dont l'élongation en M est :

$$y_2 = a \sin \left[2\pi \left(\frac{t}{T} - \frac{1 + x}{\lambda}\right) + \pi\right]$$

$$A = 2a \cos \frac{\Delta\varphi}{2} = 2a \sin \frac{2\pi x}{\lambda}.$$

Les abscisses des nœuds sont $x = k\frac{\lambda}{2}$; celles des ventres sont $x = k\frac{\lambda}{2} + \frac{\lambda}{4}$. Dans les 2 cas, 2 nœuds (ou 2 ventres) consécutifs sont distants de $\frac{\lambda}{2}$; un ventre est distant de $\frac{\lambda}{4}$ des 2 nœuds qui l'encadrent. Il y a un nœud à l'extrémité si elle est fixe, et un ventre dans le cas contraire.

De part et d'autre d'un nœud, la tension (ou la compression) est maximale ; en un ventre, la tension est nulle ; les nœuds de mouvement sont des ventres de tension, les ventres de mouvement sont des nœuds de tension.

Les *ondes stationnaires* ne se propagent pas : tous les points situés entre 2 nœuds consécutifs vibrent en phase ; les points situés de part et d'autre d'un nœud vibrent en opposition de phase.

Les *ondes réfléchies* se réfléchissent de nouveau sur la source S, puis de nouveau à l'extrémité, etc. Un régime stable ne s'établit que si la longueur SO′ vaut : $\frac{k\lambda}{2}$ si l'extrémité est fixe, $k\frac{\lambda}{2} + \frac{\lambda}{4}$ si l'extrémité est libre. Dans ce cas, il y a *résonance* ; l'amplitude aux ventres est alors très grande.

Résonateurs. Soit un pendule élastique vertical constitué par un cylindre d'acier suspendu à l'extrémité d'un ressort à boudin. En tirant le cylindre vers le bas, on provoque des oscillations. Si, de plus, on plonge le cylindre dans une éprouvette remplie d'eau, ces oscillations seront plus ou moins amorties.

Soit ω_o la pulsion propre de ce pendule élastique ; un moteur électrique communique à un dispositif relié à l'extrémité supérieure du ressort un mouvement de fréquence N. Ce dispositif est le dispositif excitateur. Quand le résonateur est très amorti, l'excitateur lui impose sa fréquence N et lui fait accomplir des vibrations forcées. Lorsque l'amortissement du résonateur est faible, l'amplitude de ses vibrations croît brutalement lorsque la fréquence excitatrice tend vers $N_o = \frac{1}{\omega_o}$. La résonance est alors aiguë.

En résumé : tout système qui peut vibrer avec une fréquence déterminée oscille avec une amplitude qui peut être très grande quand on lui communique des impulsions périodiques dont la fréquence est voisine de celle du système.

1°) *En électroacoustique,* le phénomène de résonance trouve de nombreuses applications : haut-parleur, micro, écouteur téléphonique. Le tympan de l'oreille humaine est un résonateur amorti sensible aux excitations de 20 Hz à 20 000 Hz.

2°) *En mécanique,* si la fréquence de l'excitation est proche de la fréquence propre du résonateur et si l'amortissement de ce dernier est faible, l'amplitude de ses oscillations peut devenir très importante. A Angers, en 1850, un pont a été mis en résonance par le pas cadencé d'une troupe et s'est rompu.

3°) *En radiotechnique,* le phénomène de résonance est utilisé grâce aux circuits résonants composés d'une self-induction et d'une capacité reliées soit en série, soit en dérivation.

Dans un tel circuit, l'intensité de courant atteint la valeur maximale quand la fréquence des tensions appliquées est :

$$N = \frac{1}{2\pi}\sqrt{\frac{1}{LC} - \frac{R^2}{4L^2}}.$$

L est la self-induction (henrys), C est la capacité (farads), R est la résistance (ohms).

Ondes électromagnétiques

Oscillations électriques

Soit un circuit formé d'un condensateur C, d'une bobine d'inductance L de résistance *r très faible* et d'un interrupteur. On relie les bornes de l'inductance aux bornes A et B d'un oscillographe. On charge le condensateur, puis on ferme l'interrupteur K. L'oscillographe indique que le circuit est le siège d'un courant sinusoïdal. Le condensateur se décharge à travers l'inductance, puis se charge en sens inverse, et ainsi de suite. Ce phénomène est une oscillation électrique, et le circuit est un circuit oscillant.

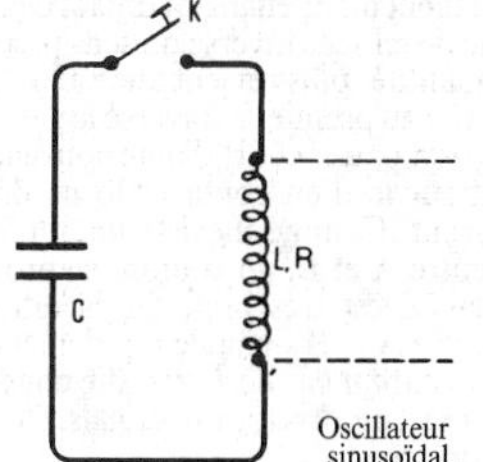

Oscillateur sinusoïdal

Si la charge du condensateur à l'instant t est q, la différence de potentiel entre ses armatures est :

$$v = q/C.$$

Il apparaît aux bornes de la bobine L une force électromotrice d'auto-induction :

$$v = - L\, di/dt.$$

Or : $q/C = - L\, di/dt$ et : $i = dq/dt$.

En dérivant une fois la relation précédente, on obtient :

$$\frac{i}{C} = - L\frac{d^2i}{dt^2} \text{ ; soit : } \frac{d^2i}{dt^2} + \frac{1}{LC}\, i = 0.$$

La solution de cette équation est une fonction sinusoïdale :

$$i = I_m \sin \omega t,$$

de pulsation : $\omega = 1/\sqrt{LC}$

et de période : $T = 2\pi\sqrt{LC}$ (formule de Thomson). Cette période est la période propre du circuit oscillant.

Si la résistance R de la bobine est notable, supérieure à la valeur critique, $2\sqrt{(L/C)}$, les oscillations disparaissent ; la décharge est apériodique.

Dans un circuit oscillant, l'énergie électrique (1/2) Cv^2 du condensateur (potentielle) se transforme en énergie magnétique d'inductance (1/2) Li^2 (cinétique), laquelle recharge à nouveau le condensateur dans l'autre sens, et ainsi de suite. Pour obtenir des oscillations permanentes, il faudra coupler le circuit oscillant à un dispositif d'entretien qui fournira l'énergie nécessaire pour compenser les pertes par effet Joule dans la résistance R.

Propriétés des courants H.F.

Antenne. Le courant électrique est dû à la circulation d'électrons dans les conducteurs. Lorsqu'il s'agit d'un courant périodique de fréquence F, à cette propagation correspond une longueur d'onde λ¹ = V/F avec F = 1/T, où V est la vitesse de propagation de l'onde.

Dans une antenne verticale liée au sol et dans laquelle on produit par induction des oscillations de haute fréquence, il s'établit un système d'ondes stationnaires si sa longueur est $(2k + 1)\lambda/4$.

– *A extrémité libre :* un nœud d'intensité (le courant ne passe pas) et un ventre de potentiel (le potentiel peut varier librement) ;

– *Au point de contact avec le sol :* un ventre d'intensité (le courant passe librement) et un nœud de potentiel (le potentiel du sol est constant).

Nota. – (1) Voir champ électromagnétique.

Impédance. La *pulsation* d'un courant de haute fréquence, par convention $\omega = 2\pi F$, étant très grande, la *réactance* d'inductance $L\omega$ est également très élevée, et une bobine contenant du fer interdit le passage d'un courant de haute fréquence.

Au contraire, un condensateur a une réactance de capacité $1/C\omega$ d'autant plus faible que la fréquence du courant est plus élevée ; il a pour effet d'avancer le courant d'un quart de période sur la tension à ses bornes.

Effets d'induction. Un conducteur parcouru par un courant de haute fréquence crée dans l'espace un champ magnétique alternatif de même fréquence, et, si l'on place dans son voisinage un circuit fermé normal au champ magnétique, celui-ci sera traversé par un flux alternatif $\Phi = \Phi_m \sin \omega t$; il sera donc le siège d'une force électromotrice induite :

$$e = d\Phi/dt = \omega\Phi_m \cos \omega t,$$

d'autant plus grande que la fréquence du courant sera plus élevée, puisque $\omega = 2\pi F$. On utilise ces effets d'induction pour produire des courants de haute fréquence dans des circuits voisins réglés à la résonance sur le circuit émetteur.

Effets physiologiques. L'établissement ou la variation de courant à travers le corps humain se traduisent par des sensations de douleur et des contractions musculaires qui se font sentir très peu de temps après la variation de courant. Dans le cas des basses fréquences, comme les 50 Hz du réseau de distribution d'EDF, les variations répétées de courant peuvent provoquer des contractions dangereuses allant jusqu'à la tétanisation musculaire. Les courants de haute fréquence ne peuvent pas provoquer ces sensations douloureuses ou ces contractions musculaires, car l'organisme a une inertie. Leur passage à travers l'organisme se manifeste par un dégagement de chaleur utilisé en diathermie (élévation provoquée de température interne sans brûlure superficielle). On utilise l'effet congestif qui en résulte dans le traitement des rhumatismes, névralgies. Autres applications : le bistouri électrique qui provoque une destruction et une coagulation des cellules par élévation de température très localisée sans hémorragie ; le four à micro-ondes ($E = 2250\ MH_2$).

Propagation des ondes électromagnétiques

Champ électromagnétique. Soit un oscillateur linéaire, ou antenne, dans lequel s'est établi un système d'ondes stationnaires de haute fréquence. Ses extrémités présentent des nœuds de courant, donc des ventres de potentiel ; en ces ventres, distants de λ/2, les vibrations sont en opposition de phase et il existe une différence de potentiel sinusoïdale entre les extrémités de l'antenne. Cette différence de potentiel crée, en chaque point de l'espace, un champ électrique $\vec{E}$. En un point M sur la médiatrice de l'antenne, ce champ est parallèle à l'antenne. Le courant oscillant dans l'antenne crée également en un point M′ de l'espace une induction sinusoïdale $\vec{B}$, normale au plan défini par M et l'antenne. L'ensemble des 2 champs oscillants rectangulaires $\vec{E}$ et $\vec{B}$ constitue le champ électromagnétique produit dans l'espace par l'antenne.

A une distance assez grande de la source émettrice, on peut considérer que les ondes $\vec{E}$ et $\vec{B}$ sont planes. En chaque point existent alors une induction magnétique et un champ électrique alternatifs rectangulaires, normaux à la direction de propagation : l'onde est transversale. Ces 2 champs sont en phase. Une telle onde est polarisée rectilignement puisque le support des vecteurs-champs a une direction fixe. Au contraire, à petite distance, $d < \lambda' \pm 2\pi$, le champ est pratiquement statique, E celui d'un dipôle électrique, B celui d'un dipôle magnétique.

Propriétés des ondes électromagnétiques. Semblables à celles des ondes lumineuses :

1°) Elles se propagent à la vitesse de la lumière dans le vide et dans les isolants dits parfaits, mais un écran métallique les arrête.

2°) Elles peuvent se réfléchir sur une plaque ou un grillage métalliques. Ces phénomènes de réflexion sont utilisés pour l'obtention de faisceaux dirigés, par exemple au moyen de miroirs paraboliques, ou de cornets dans le radar. Les ondes émises se réfléchissent lorsqu'elles rencontrent un obstacle (avion, bateau, rochers...) ; la réception de l'écho permet de déceler l'obstacle et de calculer sa distance.

Propagation d'une onde plane électromagnétique polarisée

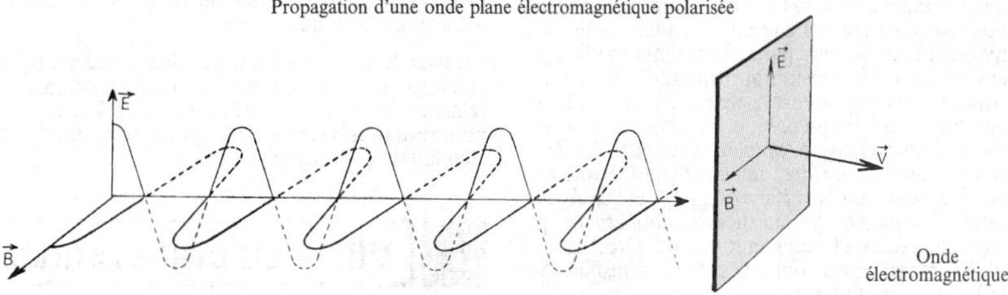

Ondes de radio	*Longueur d'onde*	*Fréquence*
Ondes de radio	supérieure à 1 mm	Inférieure à 3 × 10¹¹ Hz
Infrarouge	1 mm à 0,8 μ	3 × 10¹¹ à 4 × 10¹⁴ Hz
Spectre visible	0,8 μ à 0,4 μ	3,7 × 10¹⁴ à 7,5 × 10¹⁴ Hz
Ultraviolet	0,4 μ à 500 Å	7,5 × 10¹⁴ à 6 × 10¹⁵ Hz
Rayons X	500 Å à 1/100 Å	6 × 10¹⁵ à 3 × 10²⁰ Hz
Rayons γ	inférieure à 1/100 Å	supérieure à 3 × 10²⁰ Hz

Nota. – μ : abréviation de μm, micromètre ou 10^{-6} m = 10^{-3} mm. Å = o.1 nm = 10^{-10} m.

3°) Elles peuvent donner naissance à des ondes stationnaires.

4°) Elles peuvent se réfracter en passant d'un milieu transparent à un autre, différent.

Dans ce cas, les nœuds du champ électrique sont les ventres du champ magnétique, et inversement ; en chaque point $\vec{E}$ et $\vec{B}$ sont en quadrature.

La mesure de la distance entre 2 nœuds permet de déterminer la longueur d'onde λ ; si on connaît la fréquence F, on en déduit la célérité c = λ F.

Ondes radioélectriques. Utilisées dans les radiocommunications : radiotélégraphie, radiotéléphonie, radiodiffusion, télévision, radionavigation, radar, télécommande, etc. ; elles ont également des applications thermiques (fours à haute fréquence, fours à micro-ondes, traitements des métaux et des plastiques, séchage des poudres, etc.), thérapeutiques (diathermie, etc.).

Elles sont caractérisées par leur fréquence ou par leur longueur d'onde et l'énergie qu'elles transportent à travers une surface donnée proportionnelle au produit $|E| \times |H|$; l'énergie présente dans un élément de volume dv en régime permanent, autrement dit « entretenu », est εr εo μr μo E.B dv.

Fréquence	*Longueur d'onde*
3 à 30 kHz	myriamétriques
30 à 300 kHz	kilométriques
300 à 3 000 kHz	hectométriques
3 à 30 MHz	décamétriques
30 à 300 MHz	métriques
300 à 3 000 MHz	décimétriques
3 à 30 GHz	centimétriques
30 à 300 GHz	millimétriques

Nota. – kHz : kilohertz. MHz : mégahertz. GHz : gigahertz. THz : térahertz. m/s : mètres/seconde. k = x 1 000 ; M = x 10^6 ; G = x 10^9 ; T = x 10^{12}.

On entend, par **audiofréquences,** les fréquences audibles (jusqu'à 15 kHz env.) ; **radiofréquences,** celles qui permettent le rayonnement à grande distance (15 kHz env. à 30 MHz) ; **hyperfréquences,** celles au-delà de 3 000 MHz, correspondant aux micro-ondes.

Les ondes myriamétriques (avec des puissances d'émission élevées) et les ondes décamétriques ont une portée qui atteint les antipodes et peut faire 1, 2 ou 3 tours de la Terre. Le **radar** utilise des ondes centimétriques ou millimétriques souvent émises par impulsions périodiques de très courte durée ; la puissance instantanée peut ainsi atteindre plusieurs mégawatts. Les *communications spatiales* utilisent des ondes centimétriques pour traverser la couche ionisée de l'ionosphère ou couche de Kemly-Heaviside. Radio-communications et radar emploieront prochainement des ondes beaucoup plus courtes, dans le domaine de l'infrarouge et au-delà, grâce aux lasers, générateurs de lumière parallèle, cohérente dans le temps et l'espace, et puissante. Le **laser** fonctionne avec des ondes électromagnétiques dont les longueurs d'ondes se situent dans la partie visible et infrarouge du spectre de la lumière, alors que le **maser** travaille sur des ondes de longueurs plus grandes, du domaine des micro-ondes : d'où l'apparition de *microwave* (micro-onde) dans le mot maser, et de *light* (lumière) dans le laser. Le laser a permis de raccorder les hyperfréquences avec la lumière infrarouge maintenant visible. La fréquence d'un laser se mesure en térahertz. En mesurant sa longueur d'onde, on obtient une détermination très précise de la vitesse des ondes électromagnétiques (officiellement : 299 792 458 m/s).

Les *ondes entretenues* permettent plus aisément que les ondes amorties la transmission de l'information (sons, images ou autres). A cet effet, elles sont modulées, un de leurs paramètres étant modifié par le courant ou la tension qui traduit l'information. Ainsi, les ondes porteuses peuvent être modulées en amplitude, en fréquence ou en phase. Selon leur mode de propagation, on peut distinguer l'*onde directe* ou *onde de surface,* qui, en allant de l'émetteur au récepteur, suit la surface du globe, et l'*onde indirecte,* ou *onde réfléchie,* ou encore *onde d'espace,* qui, entre émetteur et récepteur, a subi zéro, une ou plusieurs réflexions contre la couche ionosphérique et la Terre ou l'Océan.

ONDES LUMINEUSES

Théories. Depuis la découverte de l'effet photoélectrique, il faut admettre que la lumière est formée d'ondes et de corpuscules qui constituent comme deux aspects complémentaires de la réalité.

Louis de Broglie a avancé en 1924 que les corpuscules de matière étaient eux aussi accompagnés d'une onde.

Si l'on pratique dans le volet d'une chambre noire une petite ouverture par laquelle on laisse pénétrer les rayons solaires et qu'on les reçoive sur une des faces d'un prisme, ces rayons seront déviés de leur direction naturelle et décomposés en un **spectre** coloré dans lequel 7 couleurs élémentaires se présentent dans l'ordre suivant : violet, indigo, bleu, vert, jaune, orangé, rouge. La différence entre les indices de réfraction des rayons violets et des rayons rouges est appelée **coefficient de dispersion.** La dispersion des verres est d'autant plus importante qu'ils sont plus denses (flint opposé au crown, léger) mais ils sont absorbants dans l'ultraviolet.

Inversement, on peut recomposer la lumière blanche par la superposition des diverses radiations du spectre ; en particulier, si l'on fait tourner un disque de carton divisé en secteurs colorés convenables *(disque de Newton),* on obtient à l'œil la sensation de la lumière blanche à cause de la persistance des impressions lumineuses sur la rétine. Au-delà du violet visible s'étend une zone d'activité chimique : les radiations qui la provoquent sont dites **« ultraviolettes » ;** au-delà du rouge se trouvent également des radiations invisibles à propriétés calorifiques ; on les appelle **« infrarouges ».** L'indice de réfraction étant décroissant lorsque la longueur d'onde du rayon considéré croît, l'étude des spectres permet de déterminer la nature d'un rayonnement donné.

On a réparti en 2 classes les émissions électromagnétiques : *classe A, émission d'ondes entretenues,* c'est-à-dire dont les oscillations successives sont identiques en régime permanent ; *classe B, émission d'ondes amorties,* ondes composées de trains successifs dans lesquels l'amplitude des oscillations, après avoir atteint un maximum, décroît graduellement par suite de la discontinuité de la décharge et des pertes d'énergie dans les circuits.

L'émission lumineuse est généralement discontinue, et rarement monochromatique. Pour obtenir des interférences, il faut dédoubler une source unique en 2 sources de lumière cohérente. Ce dédoublement n'est plus nécessaire dans le cas des oscillations électriques. Le *laser* a permis d'obtenir des sources de lumière monochromatique et cohérente sur une surface de l'ordre de 1 cm^2, ce qui facilite l'obtention des interférences.

■ **Longueur d'ondes.** *Ondes électriques, radioélectriques ou hertziennes* de quelques millimètres à 30 000 m, *ondes lumineuses :* de 0,75 μ (micron) soit 0,00075 mm pour les rayons rouges, 0,65 μ (orange), 0,55 μ (jaune), 0,51 μ (vert), 0,47 μ (bleu), 0,44 μ (indigo), 0,42 μ (violet). Les rayons infrarouges peuvent atteindre 1 m.

■ **Lumière la plus vive.** Les *rayons laser* ont une luminosité plus de 1 000 fois supérieure à celle du Soleil, qui atteint déjà 500 candelas/cm^2. **Rayon laser le plus puissant obtenu :** 55 tW (équipé franco-amér., université de Michigan), objectif 1 000 tW. **Source de lumière la plus puissante :** l'arc à argon de la société Vortek (Can.) sous haute pression de 313 kW qui produit une lumière de 1 200 000 bougies. **Rayons lumineux les plus puissants :** radiation synchrotonique émise par une fente de 100 × 2,5 mm au bout de l'accélérateur linéaire de Standford (Californie, USA). Flash ultraviolet de 1 picoseconde (10^{-12} s) et 5.10^{15} watts.

Un **spectre** est dit normal lorsque la distance des raies sur l'écran est proportionnelle à l'écart de longueur d'onde des rayons correspondants. Ce spectre est obtenu directement par diffraction de la lumière sur les réseaux. La position des raies est déterminée par une échelle micrométrique projetée sur l'écran parallèlement au spectre à étudier.

Fibres de verre. Nouveau support de transmission dans les longueurs d'onde du rouge et très proche infrarouge, distances intraville et intervilles.

Laser. Source de lumière parallèle cohérente (dans le temps et l'espace). Pour les communications, des relais optiques sont insérés tous les 50 km environ pour restaurer la forme et l'amplitude des impulsions élémentaires du signal.

VIII — ÉLECTROSTATIQUE

■ **Champ électrique.** L'électricité, comme la matière, a une structure discontinue ou granulaire. *L'électron* est le plus petit grain d'électricité négative. Tous les électrons sont identiques. Un corps sera d'autant plus électrisé qu'il aura cédé ou gagné plus ou moins d'électrons ; c'est-à-dire qu'il portera une charge électrique plus ou moins grande.

Les forces d'attraction ou de répulsion s'exerçant entre 2 charges ponctuelles sont inversement proportionnelles au carré de la distance. Le module de chacune de ces forces peut se calculer par la relation suivante : $f = 9.10^9 \frac{qq'}{r^2}$; f : force exprimée en newtons (N), q et q' : charges exprimées en coulombs (C), r : distance des charges exprimée en mètres (m).

Lorsqu'on place une charge électrique en un point de l'espace, les propriétés de cet espace sont modifiées tout autour de la charge et jusqu'à de très grandes distances. L'espace modifié est le siège d'un **champ électrique** qui apparaît comme un vecteur caractérisant chaque point de l'espace.

Une charge électrique quelconque q placée en un point quelconque subit une force $\vec{f}$ telle que : $\vec{f} = q\vec{E}$.

Si la charge q est positive, $\vec{f}$ a le sens de $\vec{E}$; si la charge q est négative, $\vec{f}$ a le sens contraire à $\vec{E}$. Les champs électriques se composent vectoriellement.

Électret. Champ électrique constant entretenu par un matériau isolant (diélectrique), qui demeure électrisé après avoir été soumis à un champ temporaire (équivalent électrique de l'aimant permanent). *Applications pratiques :* microphones, relais, commutateurs optiques, boutons pressoirs de calculatrices, microphones pour acoustiques sous-marines, capteurs de pression biomédicaux.

Une **ligne de champ** est une courbe de l'espace telle qu'en chacun de ses points le champ électrique lui soit tangent ; on l'oriente par continuité dans le sens du champ. Généralisation : chaque fois qu'il y a force à distance, on peut parler de champ : ch. newtonien de l'attraction universelle, ch. magnétique.

Travail, potentiel. Lorsqu'une charge q placée dans un champ électrique se déplace d'un point A à un point B, le travail de la force électrique appliquée à cette charge est proportionnel à la charge q et indépendant du chemin suivi par la charge entre A et B ; il ne dépend que des positions de A et de B : W × a (a : projection de AB sur la direction des lignes de champs).

La relation s'écrit : $W = q(V_A - V_B)$.

On dit que la charge q passant de A en B subit une **chute de potentiel** de $(V_A - V_B)$ volts.

CONDENSATEURS

■ **Définition.** On appelle condensateur un ensemble de conducteurs séparés par un isolant. Chaque conducteur constitue une armature.

■ **Charge et décharge d'un condensateur.** Un condensateur AB est placé en série avec un galvanomètre G. Un commutateur OM permet de mettre un générateur en circuit, lorsque M est sur le plot a. Si M est sur le plot b, le générateur est hors circuit, mais les armatures A et B sont court-circuitées à travers le galvanomètre.

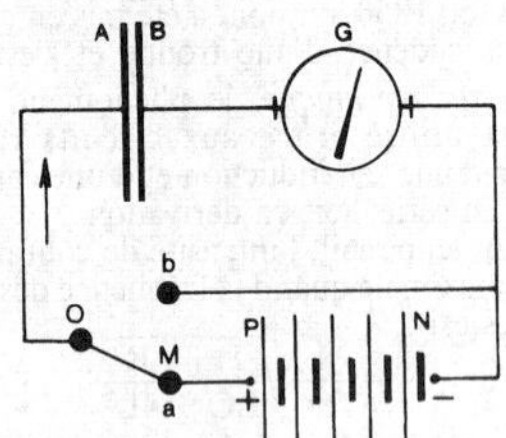

1°) On établit le contact Oa. Le galvanomètre dévie et revient rapidement au 0 ; il a été traversé par un courant bref qui lui a communiqué une impulsion. On coupe le contact Oa et on le rétablit : le galvanomètre ne dévie plus ; aucun courant ne s'est produit. Le courant observé correspond au transport de charges électriques du générateur sur les armatures du condensateur : c'est le *courant de charge* du condensateur. Ce courant ne peut être permanent puisque l'isolant du condensateur constitue une coupure du circuit. A la fin de cette première expérience, le condensateur est chargé et, à ce moment, il n'existe plus de différence de potentiel ni entre P et A, ni entre B et N.

2°) On établit maintenant le contact Ob. Le galvanomètre dévie en sens inverse du sens précédent, de la même quantité, puis revient au 0. Un courant de sens contraire au premier a traversé le galvanomètre pendant un temps très court. Toute nouvelle coupure de contact suivie d'un contact Ob ne décèle plus aucun courant. Comme il existe une différence de potentiel entre A et B, un courant se produit de A vers B, mais il est très bref, car la différence de potentiel entre A et B s'annule rapidement. Ce courant est le *courant de décharge* du condensateur. Applications : temporisation des relais, filtrage d'une tension redressée.

La charge d'un condensateur est proportionnelle à la différence de potentiel de charge : $Q = C\ (V_A - V_B)$. C'est la capacité, proportionnelle à la surface S commune aux armatures en regard, et inversement proportionnelle à la distance des armatures :

$$C = \frac{1}{36.\ \pi.\ 10^9} \cdot \frac{\varepsilon_r S}{e}.$$

Le coefficient ε_r dépend de la nature de l'isolant qui sépare les armatures ; c'est sa *permitivité relative* ou *pouvoir inducteur spécifique*. Dans le vide $\varepsilon_r = 1$; dans l'air 1,003 ; le papier 2 à 2,8 ; la paraffine 2,3 ; le verre 3 à 7 ; le mica 8.

L'énergie d'un condensateur chargé est mesurée par l'énergie qu'il restitue au cours de sa décharge :

$$W = \tfrac{1}{2}\ C\ (V_A - V_B)^2.$$

■ **Claquage des condensateurs.** Pour accroître l'énergie emmagasinée par un condensateur, on augmente sa capacité C et la différence de potentiel de charge $V_A - V_B$. L'augmentation de la capacité se fera, pour éviter un encombrement excessif, par diminution de l'épaisseur de l'isolant (0,5 μ dans les condensateurs électrolytiques). Cependant, on ne peut la diminuer sans inconvénient ; il existe une tension de charge au-delà de laquelle, pour une valeur de e fixée, une étincelle éclate entre les deux armatures. On dit que le condensateur est *claqué*.

Tension de claquage, pour 1 cm (en volts) : pour l'air 32 000 ; verre 75 000 à 300 000 ; papier 40 000 à 100 000 ; papier paraffiné 400 000 à 500 000 ; mica 600 000 à 750 000.

Groupement des condensateurs

1°) **En parallèle :** $C = C_1 + C_2 + ...$ On utilise cette association pour augmenter la capacité.

2°) **En série :** $\frac{1}{C} = \frac{1}{C_1} + \frac{1}{C_2} + ...$ On utilise ce mode d'association pour obtenir une batterie de condensateurs chargée sous une grande différence de potentiel.

IX — Électro-cinétique

Courant électrique

Définition. Le courant électrique est dû à une circulation d'électrons. **Intensité.** Elle est caractérisée par la charge électrique q qui traverse la section du conducteur par unité de temps :

$$I = q/t$$

Elle est à chaque instant la même en tous points d'un circuit unique. Cela signifie que le débit d'électrons est le même partout. Mais ce débit d'électrons peut être variable au cours du temps ; c'est ce qui se produit lorsque l'on charge un condensateur au moyen d'un générateur ; le courant, d'abord intense, diminue progressivement d'intensité, pour s'annuler lorsque le condensateur est complètement chargé. Un tel courant est appelé *courant variable.* Si, au contraire, l'intensité reste constante au cours du temps, nous avons un *courant continu.*

■ **Effets.** Le passage d'un courant dans un circuit se manifeste par 3 effets : chimique, calorifique, magnétique.

Sens du courant. Choisi arbitrairement, il va, dans une cuve à électrolyse contenant de l'eau acidulée, de l'électrode d'où se dégage l'oxygène [anode (du grec anodos, « en haut du chemin »)] à celle d'où se dégage l'hydrogène [cathode (« cathodos »)]. Ce choix implique que, dans le circuit extérieur au générateur, le courant va du pôle positif au pôle négatif.

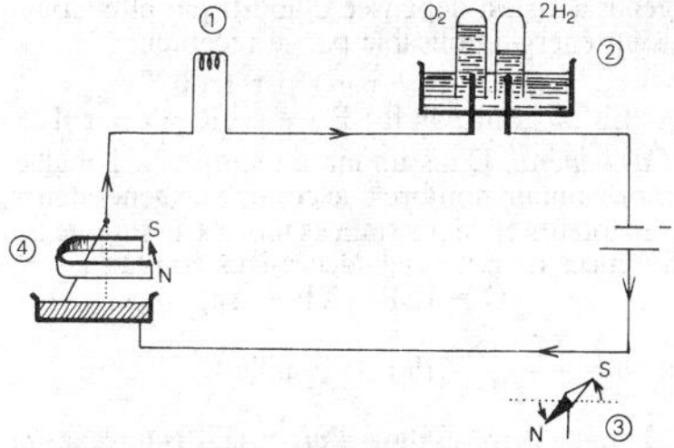

Effets du courant : (1) échauffement du filament ; (2) électrolyse de l'eau additionnée de SO_4H_2 ; dégagement d'oxygène et d'hydrogène ; (3) action du courant sur un aimant (déviation de la boussole) ; (4) action d'un aimant sur un courant (déplacement du fil conducteur). Si nous ouvrons l'interrupteur, nous « coupons » le courant, tous ces effets cessent.

Le courant électrique réel est un courant d'électrons qui circulent dans le métal en sens inverse du sens conventionnel du courant.

La vitesse de déplacement de l'ensemble des électrons dans un métal est faible (env. 0,1 millimètre par seconde) mais les effets du courant se manifestent instantanément d'un bout à l'autre du circuit car le champ électrique qui commande le mouvement d'ensemble des électrons se propage le long du fil électrique de façon quasi instantanée.

En chaque point d'un conducteur parcouru par un courant, il existe un champ électrique $\vec{E}$, dirigé dans le sens du courant. Entre deux points quelconques, A et B, du circuit extérieur au générateur, il existe une différence de potentiel.

■ **Électrolyse.** Lorsqu'un courant électrique traverse un électrolyte (solution d'acides, de bases, de sels, ou des bases ou des sels fondus), son passage s'accompagne de l'apparition aux électrodes de produits chimiques.

La cuve où se produit l'électrolyse est appelée un **voltamètre.**

■ **Lois de Faraday.** 1°) Au cours d'une électrolyse, les produits libérés n'apparaissent qu'aux électrodes (à la cathode, dégagement d'hydrogène ou dépôt de métal ; à l'anode, produits variés tels qu'oxygène, chlore...), et la masse d'un corps dégagé ou déposé à l'une des électrodes, pendant un temps donné et pour une intensité de courant fixée, est indépendante de la forme du voltamètre et de la surface des électrodes.

2°) Dans une électrolyse où un seul corps simple apparaît aux électrodes (anode ou cathode), la masse de substance déposée ou dégagée à chaque électrode est proportionnelle à la quantité d'électricité qui a traversé le voltamètre.

3°) Dans une électrolyse où un seul corps simple apparaît aux électrodes, la masse de ce corps libérée en un temps donné est proportionnelle à sa masse atomique A et inversement proportionnelle à sa valence n :

$$m = \frac{1}{96500}\ \frac{A}{n}\ It$$

d'où 96 500 coulombs libèrent 1 valence-gramme $\frac{A}{n}$.

1 faraday F vaut 96 500 coulombs. C'est la charge électrique portée par une *mole* (molécule-gramme). Ces ions (individus chimiques stables en solution) existent dans les solutions d'électrolyte, indépendamment du passage du courant. Ils sont constitués d'un ou plusieurs atomes réels ayant perdu ou gagné un ou plusieurs électrons. Les ions négatifs sont appelés *anions,* les ions positifs, *cations.*

Lorsque les 2 électrodes d'un voltamètre sont réunies aux pôles d'un générateur, il s'établit une différence de potentiel entre les électrodes, qui crée un champ électrique $\vec{E}$ dans l'électrolyte. De ce fait, les ions positifs sont soumis à des forces qui s'exercent dans le sens du champ, de l'anode vers la cathode ; ils se dirigent vers la cathode. Les ions négatifs, soumis à des forces opposées aux précédentes, vont à l'anode.

Au contact des électrodes, les ions *échangent des électrons* avec le courant qui circule dans le conducteur reliant les électrodes au générateur. Les anions sont oxydés à l'anode, c'est-à-dire qu'ils perdent des électrons. Les cations sont réduits à la cathode, ils gagnent des électrons.

Le nombre d'atomes contenu dans une mole d'atomes est $N = 6{,}02 \times 10^{23}$. C'est le **nombre d'Avogadro.** L'apparition d'un atome réel sur l'une des électrodes met en jeu une quantité d'électricité :

$q = \frac{nF}{N} = ne$, en posant $e = \frac{F}{N}$. Il y a donc au niveau des atomes échange de grains d'électricité de charge e.

$e = \frac{96\ 500}{6{,}02 \times 10^{23}}\ 1{,}6 \times 10^{-19}$ coulombs, valeur absolue de la charge de l'électron.

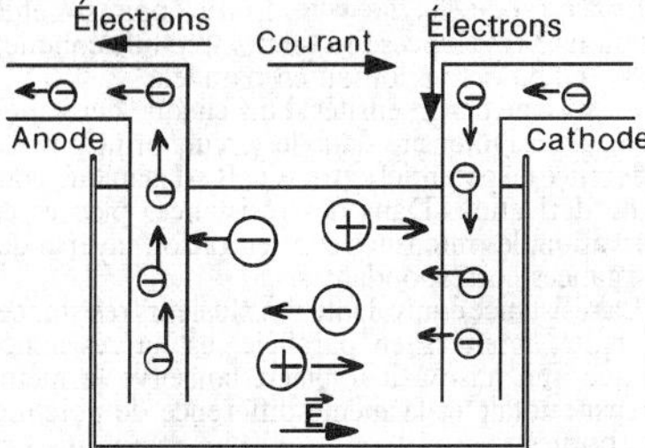

Valence	Symbole	Nom
Cations		
1	Na^+	sodium
1	K^+	potassium
1	Ag^+	argent
1	NH_4^+	ammonium
2	Fe^{++}	ferreux
2	Zn^{++}	zinc
2	Cu^{++}	cuivrique
3	Al^{+++}	aluminium
3	Au^{+++}	or
3	Fe^{+++}	ferrique
Anions		
1	Cl^-	chlorure
1	OH^-	oxhydryle
1	MnO_4^-	permanganate
1	NO_3^-	nitrate
2	SO_4^{-}	sulfate
2	CO_3^-	carbonate
2	$Cr_2O_7^-$	bichromate
3	PO_4^-	phosphate

Applications. *Électrochimie :* préparation de certains corps simples et de raffinage de certains métaux (chlore, hydrogène, oxygène, aluminium). *Raffinage électrolytique des métaux,* utilisé pour préparer le cuivre très pur (électro), le fer « électro », l'or « fin », l'argent « vierge »... *Galvanoplastie :* réalisation d'un dépôt métallique sur un autre métal ou sur un moule ; utilisée pour la reproduction de médailles, monnaies, clichés typographiques, l'argenture des couverts, la dorure de pièces décoratives, le chromage et le nickelage destinés à la protection des métaux contre la corrosion.

Énergie électrique

Transformation. Toutes les applications du courant sont des transformations d'énergie électrique en énergie thermique, mécanique ou chimique.

Générateur. Appareil transformant en énergie électrique d'autres formes d'énergie.

Différence de potentiel. Soit 2 points d'un circuit ne comportant pas de générateur entre ces 2 points : le passage du courant entre ces points se traduit par le transport d'une charge q et par une apparition d'énergie calorifique, mécanique ou chimique entre ces points. Les forces appliquées à la charge q effectuent lors de son déplacement un travail W_{AB} qui permet de définir la différence de potentiel entre ces points :

$$W_{AB} = q\ (V_A - V_B).$$

Ce travail représente l'*énergie électrique consommée* entre les deux points A et B :

$$W_{AB} = (V_A - V_B)\ I.t,$$

I étant l'intensité du courant et t la durée de son passage.

Loi de Joule (James ; G.-B. : 1818-89). La quantité de chaleur dégagée par le passage d'un courant électrique dans un conducteur est proportionnelle à la durée de passage du courant ; est proportionnelle au carré de l'intensité ; dépend du conducteur :

$$W = RI^2t,$$

où W désigne la quantité de chaleur dégagée pendant un temps t par un courant d'intensité I. R est la résistance que le conducteur oppose au passage du courant ; plus elle est grande, plus les électrons éprouvent de difficulté à se déplacer et plus important est le dégagement de chaleur. En même temps, le conducteur cède de la chaleur au milieu ambiant, surtout par rayonnement. La température du fil parcouru par un courant va donc croître lentement jusqu'au moment où il rayonnera toute la chaleur apparue par effet Joule ; la température du fil n'augmente plus, c'est sa température d'équilibre.

Si le courant est plus intense que prévu, on peut atteindre la température de fusion du conducteur ; c'est le principe des **coupe-circuit** ou **fusibles** calibrés de façon à fondre pour une intensité supérieure à 5 ampères, 10 ampères...

Résistance des conducteurs

Importance. La résistance d'un conducteur cylindrique de nature donnée est proportionnelle à sa longueur l et inversement proportionnelle à sa section S (en cas de **conducteurs placés en série,** leurs résistances s'ajoutent) :

$R = \rho\ \frac{l}{S}$, ρ étant la résistivité du conducteur.

Plus le degré de pureté d'un métal est grand, plus faible est sa résistivité. La résistance du métal pur croît proportionnellement à la température absolue : $\rho = AT$.

En pratique : $\rho = \rho_0 (1 + at)$;
a est le coefficient de température :
$a = 4.10^{-3}$ pour un cristal unique parfait, 0,02 pour les électrolytes.

En refroidissant les métaux, on les rend plus conducteurs. En refroidissant l'aluminium à 17 K, le sodium à 8 K par cette technique appelée *cryogénique,* on réduit de 10 % les pertes par effet Joule.

Supraconducteurs. Si l'on refroidit davantage certains métaux (étain, plomb) ou alliages (niobium-étain ou niobium-zirconium), pour une température T, caractéristique de chaque matériau, la résistivité tombe brusquement et n'est plus mesurable. C'est la *supraconductivité.* La température la moins basse correspondant à l'existence de ce phénomène est actuellement égale à 125 K, température de l'oxyde $Tl_2 Ba_2 Ca_2 Cu_3 O_{10}$. On recherche maintenant des matériaux où la supraconductivité pourrait être acquise par chauffage ou même à température ambiante (facilité de mise en œuvre).

Température de supraconductivité de quelques métaux en Kelvin. Zinc 0,79, aluminium 1,14, étain 3,69, mercure 4,12, plomb 7,26.

RÉSISTIVITÉ À 15 °C EN OHMS-MÈTRES (Ω.m)

Métaux. Argent		$1,5.10^{-8}$
Cuivre		$1,6.10^{-8}$
Aluminium		$2,5.10^{-8}$
Tungstène		$5,33.10^{-8}$
Zinc		6.10^{-8}
Fer		10.10^{-8}
Nickel		12.10^{-8}
Plomb		20.10^{-8}
Mercure		95.10^{-8}
Alliages. Maillechort (60 % Cu, 25 % Zn, 15 % Ni)		10^{-8}
Manganine (85 % Cu, 11 % Mn, 4 % Ni)		42.10^{-8}
Constantan (60 % Cu, 40 % Ni)		49.10^{-8}
Ferronickel (75 % Fe, 24 % Ni, 1 % C)		80.10^{-8}
Nichrome (60 % Ni, 12 % Cr, 28 % Fe)		80.10^{-8}
Électrolyses. Solution		
H_2SO_4	à 5 %	$4,8.10^{-2}$
	à 10 %	$2,5.10^{-2}$
	à 30 %	$1,35.10^{-2}$
$CuSO_4$	à 5 %	20.10^{-2}
	saturée	53.10^{-2}
NaCl saturée		$4,6.10^{-2}$
NaOH à 10 %		$3,2.10^{-2}$

SEMI-CONDUCTEURS

Source : F. Milsant, *Cours d'électronique* (5 vol.), t. II. Éd. Eyrolles, 1984.

SEMI-CONDUCTEURS INTRINSÈQUES

Semi-conducteurs les plus utilisés. Le silicium a remplacé le germanium. Pour les s.c. rapides on utilise l'anséniure de gallium. Lorsqu'ils sont à l'état pur, on les appelle *intrinsèques.* L'atome de silicium (valence 4) a un noyau de 14 protons entouré de 14 électrons. Ces derniers sont répartis en 3 couches d'orbites dont la dernière a 4 électrons. Ces électrons confèrent au corps sa valence, le faisant ainsi figurer avec le germanium dans le groupe IV du tableau de Mendeleïev (voir p. 235). Si nous essayons de rassembler les atomes pour en faire un cristal, chaque atome met en commun ses électrons avec les 4 atomes les plus proches. Tous les noyaux sont alors entourés de 8 électrons périphériques, ce qui correspond à une grande stabilité.

On représente symboliquement le cristal de silicium et ses bandes énergétiques par les schémas ci-dessous :

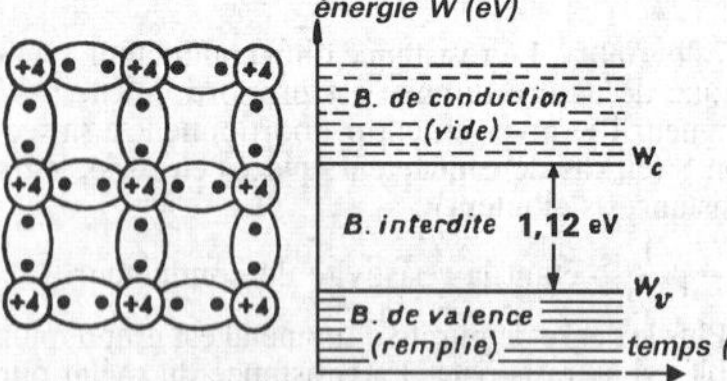

Excitation des semi-conducteurs. *A très basse température,* ils ne comportent aucune charge électrique dans leur structure ; *à température ambiante,* la chaleur leur apporte de l'énergie qui va être absorbée en priorité par les électrons ; ceux-ci engagés dans des liaisons avec les électrons d'autres atomes, possèdent une énergie comprise dans une plage appelée « bande de valence ». Si l'énergie apportée par l'excitation est suffisante, certains passeront dans une autre plage, dite « bande de conduction ». Entre ces 2 bandes se trouve la bande interdite, d'une valeur de 1,12 eV pour le silicium contre 0,7 eV pour le germanium. Il n'y a pas d'électron dont l'énergie corresponde à cette plage à cause de la répartition quantique des niveaux d'énergies.

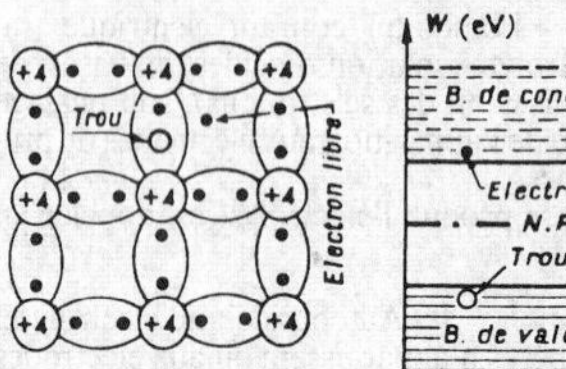

Le passage d'électrons dans la bande de conduction rend le cristal conducteur (très faiblement) ; mais rapidement, du fait des collisions qui se produisent entre électrons, ceux-ci vont perdre leur énergie. Ils quitteront alors la bande de conduction pour retrouver la bande de valence où ils reprendront leur place. A 20 °C, il y a ainsi dans la bande de valence en moyenne 10^6 électrons libres/cm³ de silicium. Pendant ce temps, l'atome est resté électriquement neutre. Exciter un cristal de semi-c. pur, à l'aide de chaleur ou d'une tension électrique, permet donc d'en modifier les caractéristiques de conduction pendant un laps de temps très court mais ne permet pas d'envisager de contrôle permanent.

Dopage des semi-conducteurs. Pour rendre le cristal conducteur, on le dope en introduisant dedans des impuretés susceptibles de fournir des charges électriques excédentaires en quantités contrôlées. Ces impuretés auront, sur leur couche externe, plus ou moins d'électrons que le semi-c. considéré. Leur taille atomique devra être voisine de celle du cristal. Elles auront donc des numéros atomiques voisins. Pour le silicium de numéro atomique 14, ses dopants possibles sont le bore (5) et l'aluminium (13) d'un côté, et le phosphore (15) de l'autre.

Plus la quantité d'impuretés introduite dans le cristal est grande, plus sa conductivité électrique augmente. Cependant au-dessus de 10^{19} atomes de dopants/cm³, soit 1 pour 10 000 atomes de silicium, l'édifice cristallin tend à se désagréger.

Dopage p (positif). Introduisons dans un cristal un atome de bore (B) qui n'a que 3 électrons sur sa couche périphérique. Il mettra en commun ses 3 électrons avec 3 des 4 atomes de silicium voisins. N'ayant rien à partager avec le 4ᵉ, il va manquer de façon permanente 1 électron dans la structure (excès de 1 charge positive que nous appelerons « trou »). Ce dopage crée dans le cristal des charges positives en nombre égal à celui des atomes d'impuretés introduits.

Dopage n (négatif). Si nous dopons le cristal avec du phosphore (P) celui-ci possédant 5 électrons sur sa couche externe, réalisera 4 liaisons avec les 4 atomes voisins et conservera le 5ᵉ disponible (libre de se déplacer dans la structure). Il y a maintenant une charge négative en excédent dans le cristal.

LOI D'OHM

La différence de potentiel entre 2 points d'un conducteur, dans lequel l'énergie électrique est intégralement transformée en chaleur, se mesure par le produit de l'intensité du courant par la résistance du conducteur :

$V_A - V_B = RI$.

Conservation de l'intensité. Entre 2 points A et B, montons 3 résistances (ou un nombre quelconque), r_1, r_2, r_3, en dérivation ou en parallèle.

La somme des intensités dans chaque dérivation est égale à l'intensité dans le circuit principal. La différence de potentiel entre A et B est la même pour toute dérivation. Dans des résistances placées en dérivation, les intensités sont en raison inverse des résistances correspondantes.

La résistance équivalente R à plusieurs résistances r_1, r_2, r_3 montées en parallèle, est la résistance unique qui, mise à leur place, conserve la même intensité totale et la même différence de potentiel aux bornes.

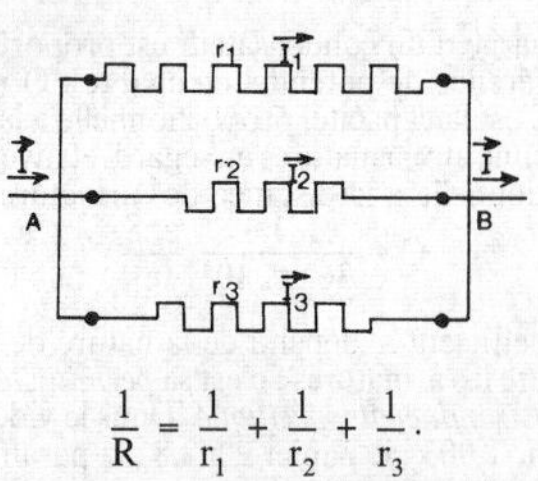

$$\frac{1}{R} = \frac{1}{r_1} + \frac{1}{r_2} + \frac{1}{r_3}.$$

Générateur. C'est un appareil qui *transforme* en énergie électrique une autre forme d'énergie. Placé dans un circuit, il produit un courant qui transporte de l'énergie. La borne *par où sort le courant* est la *cathode* C ; c'est le pôle positif. La borne *par laquelle il entre* est l'*anode* A ; c'est le pôle négatif.

Pendant un certain temps t, le générateur fournit à la quantité d'électricité q qui le traverse une certaine énergie W, fonction de la nature du générateur employé et de son efficacité d'électromoteur :
W = Eq, E est la force électromotrice (f.é.m.) du générateur.

Exprimée en volts, elle est égale au quotient du nombre qui mesure la puissance totale mise en jeu par le générateur, exprimée en watts, par le nombre qui mesure l'intensité du courant, exprimé en ampères :

$$\underset{\text{watts}}{P} = \underset{\text{volts}}{E} \times \underset{\text{ampères}}{I}$$

Si plusieurs générateurs sont associés en série, leurs forces électromotrices s'ajoutent.

Récepteur. C'est un système qui, parcouru par un courant électrique, fournit de l'énergie sous une autre forme que la chaleur. L'énergie utile, W, fournie, est proportionnelle à la quantité d'électricité q qui a traversé le recepteur pendant le même temps t :
W = eq, e est la force contre-électromotrice du récepteur (f.c.é.m.).

Différence de potentiel. Le générateur oppose une certaine résistance intérieure au passage du courant : bobinage des dynamos, liquide électrolytique.

La chute de potentiel à la traversée d'un générateur est :
$V_A - V_C = rI - E$ *dans le sens du courant.*

Il existe, entre les pôles d'un générateur en circuit ouvert, une différence de potentiel $V_C - V_A = E_s$. Il existe donc un *champ électrostatique* E_s, dirigé de C vers A. Un 2ᵉ *champ électrique,* différent du champ électrostatique, annule ce dernier en chaque point : c'est le *champ électromoteur* E_m. Les charges mobiles (ions et électrons) soumises aux 2 champs ne se déplacent pas.

La différence de potentiel aux bornes d'un récepteur traversé par un courant d'intensité I est :
$V_A - V_C = rI + e$ *dans le sens du courant.*

Un générateur remonte le potentiel dans le sens du courant.

Un récepteur ne peut fonctionner que si la d.d.p. entre ses bornes est au moins égale à sa f.c.é.m.

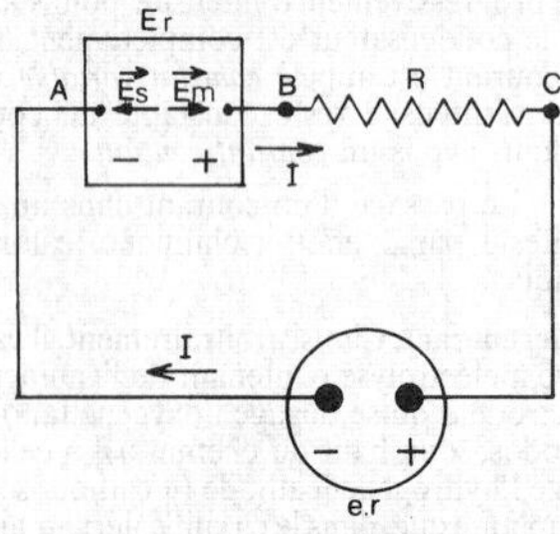

Application à un circuit fermé. Pendant le temps t, l'intensité du courant étant I, l'énergie fournie par le générateur est dépensée d'abord par effet Joule, puis en énergie utilisable par le récepteur :

$$EIt = (R + r + r')I^2t + eIt.$$

En divisant par It : $E - e = (R + r + r')I$.

Cas général. Dans un circuit simple (à 1 maille) comprenant un nombre quelconque de générateurs, de récepteurs et de résistances mortes, la somme des différences de potentiel successives conduit à :

$$0 = I\Sigma R - \Sigma E + \Sigma e,$$

soit : $I = \dfrac{\Sigma E - \Sigma e}{\Sigma R}$ (loi de Pouillet).

Méthode de résolution d'un circuit complexe *(ou réseau à 2 nœuds).* Résoudre un circuit, c'est trouver les valeurs des intensités des courants dans chaque branche.

On appelle *nœuds* les points communs à plusieurs dérivations. Il n'y a nulle part accumulation d'électricité ; donc, la somme des intensités des courants arrivant à un nœud est égale à la somme des intensités des courants qui en partent *(loi des nœuds* ou 1re loi de Kirchhoff). La différence de potentiel entre 2 nœuds est commune à toutes les déviations attachées à ces nœuds.

Pile de Volta. La 1re pile (1800) était composée d'une série de disques de cuivre et de zinc isolés les uns des autres par des rondelles de drap ou de carton trempées dans de l'eau acidulée ; un fil métallique, reliant le dernier disque de cuivre au dernier disque de zinc, était parcouru par un courant.

Pile au bichromate de potassium. Type classique : 2 plaques de charbon de cornue, servant de pôle positif, sont disposées de chaque côté d'une lame de zinc coulissante (négatif) ; le tout plonge dans une solution acide de bichromate de potassium. Dès l'immersion de la lame métallique, le courant se produit en vertu des réactions suivantes : un sulfate double de potassium et de chrome se forme, tandis qu'il y a dégagement d'oxygène, dont la combinaison avec l'hydrogène empêche la polarisation. Ces piles ont une force électromotrice de 2 V.

La plus pratique des piles à un seul dépolarisant solide est l'élément *Leclanché :* une tige de zinc plongeant dans une solution de chlorure d'ammonium forme le pôle négatif ; au centre, un vase poreux ou un sac de toile renferme une plaque de charbon de cornue (positif), contre laquelle on a aggloméré par pression du bioxyde de manganèse ; cette pile donne une force électromotrice de 1,5 V.

Pile Daniell. Elle se compose d'un vase contenant une tige de zinc (pôle négatif), plongée dans du sulfate de zinc. A l'intérieur, un vase poreux renferme une cylindre de cuivre (pôle positif) entouré d'une solution saturée de sulfate de cuivre. Cette pile donne une force électromotrice de 1,08 V.

X — COURANT ALTERNATIF

DÉFINITION

Si l'on fait tourner une petite bobine dans l'entrefer d'un aimant, les spires de la bobine sont traversées par un flux d'induction dû à l'aimant. Lorsque la bobine tourne, ce flux varie. La bobine est donc le siège d'une f.é.m. induite qui se manifeste par une différence de potentiel. Si la bobine comporte N spires de surface S chacune, le flux à travers toutes les spires est : $\Phi = NSB \cos \Theta$. Si la bobine tourne régulièrement, à raison de n tours par seconde, l'angle Θ augmente de $2\pi n$ radians par seconde, et l'on peut écrire :

$$\Theta = 2\pi nt,$$

t étant le temps.

On a donc : $\Phi = NSB \cos 2\pi nt$.

On sait que la f.é.m. d'induction a pour valeur :

$$e : -\frac{d\Phi}{dt} = 2\,\rho nNSB \sin 2\pi nt,$$

relation que l'on peut écrire :

$$e = E_m \sin 2\pi nt,$$

avec : $E_m = 2\pi nNSB$.

Cette f.é.m. est *alternative* (sinusoïdale). Il en est de même pour la différence de potentiel $V_A - V_B = e$, entre les bornes A et B, le circuit étant ouvert.

On obtient le même résultat en faisant tourner un aimant devant 1 bobine fixe.

Si on établit une différence de potentiel alternative aux bornes d'une résistance R, à chaque instant t, l'intensité i du courant sera donnée par la loi d'Ohm :

$$i = \frac{v}{R} = \frac{V_m}{R} \sin 2\pi nt = I_m \sin 2\pi nt.$$

Cette intensité est celle d'un *courant alternatif.* Elle est sinusoïdale et atteint sa valeur maximale $|\pm I_m|$ chaque fois que $\sin 2\pi nt$ prend les valeurs ± 1.

A chaque fois que le temps t augmente de $T = \frac{1}{n}$, l'argument $2\pi nt$ augmente de 2π, et le sinus, donc l'intensité, reprend la même valeur en grandeur et en signe. T est la *période* du courant.

Son inverse $n = \frac{1}{T}$ est la *fréquence* du courant ; on l'exprime en hertz (Hz).

Le courant alternatif industriel a une fréquence de 50 hertz. En radioélectricité, on utilise des hautes fréquences de l'ordre du milliard de hertz.

$\omega = 2\pi n$ est la *pulsation ;* elle s'exprime en radians par seconde, puisque 2π est en radians et que $n = \frac{1}{T}$ est l'inverse d'un temps.

EFFETS DU COURANT ALTERNATIF

Effet chimique. Si on fait passer un courant alternatif dans un voltamètre à eau acidulée, pendant une alternance, l'une des électrodes est anode, l'autre est cathode ; de la première se dégage de l'oxygène, de l'autre de l'hydrogène ; pendant l'alternance suivante, le courant a changé de sens : anode et cathode ont permuté. On constate en fin d'expérience que les 2 tubes du voltamètre contiennent des mélanges détonants de même volume ; $2\,H_2 + O_2$.

Effet Joule. Proportionnel au carré de l'intensité et indépendant de son sens, il varie en fonction du temps, ce qui se traduit, par ex., par une variation de luminosité du filament d'une lampe.

Effets magnétiques. Le champ magnétique créé par un courant en un point sera alternatif et de même fréquence que le courant. Si on approche un pôle d'aimant d'une lampe à filament de carbone alimentée par le secteur, la boucle présente alternativement une face sud et une face nord devant le pôle d'aimant : il y aura une attraction et une répulsion à chaque période, et le filament se mettra à vibrer avec la fréquence du courant. Si la lampe était alimentée en courant continu, la boucle serait constamment attirée (ou repoussée, selon la position de ses faces nord et sud).

Effet Kelvin. Un courant continu se répartit également dans toute la section d'un fil conducteur. Mais un courant alternatif produit un champ magnétique variable, et un tel courant se propage surtout par la partie périphérique du conducteur : c'est l'*effet Kelvin,* ou *effet skin* (eff. de peau). Ce phénomène est d'autant plus important que le conducteur est plus gros, plus conducteur, et que la fréquence est plus élevée. Pour les hautes fréquences, le centre du conducteur ne transporte pratiquement plus de courant, et on peut remplacer, sans rien changer, un conducteur plein par un tube. L'effet Kelvin a pour conséquence d'augmenter l'effet Joule puisque le courant n'utilise qu'une section de conducteur plus petite que la section réelle, et la résistance apparente se trouve augmentée ; pour un fil de cuivre de 1 cm de diamètre, cette variation est de 1 pour 1 000 pour une fréquence de 50 hertz, et de 180 pour 1 000 pour une fréquence de 500 hertz. On peut négliger l'effet skin avec les fréquences industrielles.

VALEURS EFFICACES

Intensité efficace. Par suite de sa fréquence assez élevée, on observe pratiquement les *effets moyens* du courant alternatif. L'*intensité efficace* d'un courant variable i(t) est l'intensité I du courant continu qui produirait le même dégagement de chaleur que i(t), s'il passait, pendant le même intervalle de temps, dans la même résistance. Dans les calculs de l'effet Joule en courant alternatif, il suffit d'appliquer la même relation qu'en courant continu, avec l'intensité efficace : $P = RI^2$ avec :

$$I = \frac{I_m}{\sqrt{2}} \text{ (valeur moyenne d'un courant sinusoïdal) ;}$$

$$\text{de même : } V = \frac{V_m}{\sqrt{2}}\,;\ E = \frac{E_m}{\sqrt{2}}.$$

PRINCIPE DES ALTERNATEURS

Les alternateurs sont des générateurs industriels de tension alternative.

Description. L'*inducteur,* ou le **rotor** de l'alternateur, entraîné par un moteur, est formé par une succession d'*électroaimants,* disposés à la périphérie d'un volant. Les électroaimants sont en nombre pair et présentent successivement un pôle nord, N, et un pôle sud, S. A cet effet, ils sont montés en série, mais les enroulements changent de sens quand on passe de l'un à l'autre.

Le courant d'excitation des électroaimants est un courant continu à basse tension fourni par une dynamo auxiliaire ; il arrive par 2 frotteurs sur 2 colliers, c et c', liés à l'axe de rotation, et auxquels sont soudées les extrémités du circuit d'alimentation des électroaimants.

L'*induit,* ou **stator,** est formé d'une succession de bobines, B, B', B″, disposées à l'intérieur d'une couronne fixe, en nombre égal à celui des pôles de l'inducteur.

La *couronne* est formée de tôles juxtaposées, afin d'éviter des pertes d'énergie par **courants de Foucault,** courants induits dans le métal par les lignes d'induction coupées. Toutes les bobines sont montées en série, mais, comme pour les électroaimants de l'inducteur, le sens d'enroulement change quand on passe de l'une à l'autre. Les bornes sont P_1 et P_2.

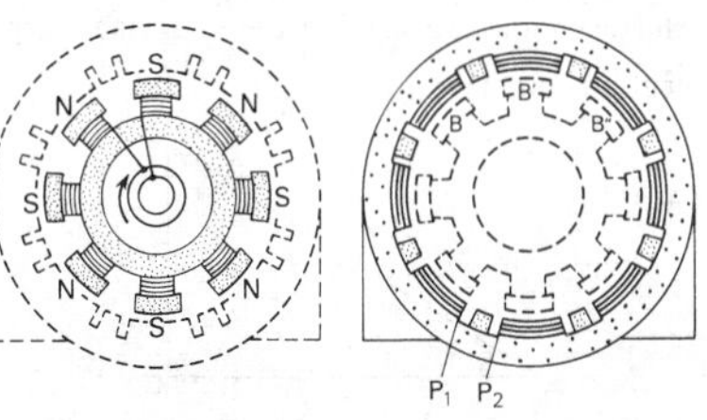

Rotor (inducteur) Stator (induit)

Fonctionnement. Lorsqu'un pôle nord, N, s'approche de la bobine B, le flux magnétique augmente dans B qui est le siège d'une force électromotrice d'induction ; il en est de même pour la bobine B″, et ainsi de suite, de 2 en 2. Mais en même temps, un pôle sud s'approche des bobines intermédiaires B', et ainsi de suite de 2 en 2 : ces bobines sont le siège d'une force électromotrice d'induction en sens contraire de celles qui apparaissent dans les bobines précédentes. Mais comme les sens des enroulements sont alternés quand on passe d'une bobine à la suivante, il en résulte que toutes les forces électromotrices s'ajoutent, et leur somme apparaît aux bornes P_1 et P_2 de l'induit. Puis ce sont des pôles sud qui s'approchent des bobines B, B″, etc., des pôles nord qui s'approchent des bobines B', etc. : tout est pareil, sauf le signe qui a changé. Enfin, on retrouvera une nouvelle période lorsque, à nouveau, un pôle nord s'approchera de B, un pôle sud de B', comme au début. L'entrefer ne dépasse pas quelques millimètres.

On dispose donc en P_1 et P_2 d'une *force électromotrice alternative.*

Principe des transformateurs. D'un emploi constant dans l'industrie, la distribution du courant et les usages domestiques (sonneries d'appartements), ils comprennent un circuit magnétique feuilleté M sur lequel sont enroulés un circuit primaire P de n_1 spires soumis à une tension alternative V_1, et un circuit secondaire S de n_2 spires aux bornes duquel on recueille la tension alternative V_2, donc un courant si le secondaire débite en circuit fermé. Le courant primaire crée dans M un flux magnétique alternatif qui induit dans S une force électromotrice.

On a la relation pratique : $\frac{V_2}{V_1} = \frac{n_2}{n_1}$.

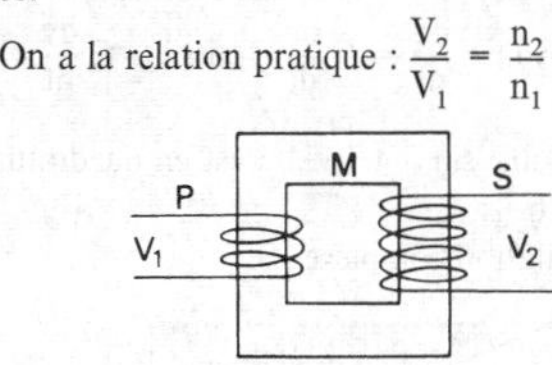

LOI D'OHM EN COURANT ALTERNATIF

Résistance pure. Aux bornes d'une résistance pure, c'est-à-dire ne présentant pas d'inductance :

1°) le courant est toujours en phase avec la tension ;

2°) on peut appliquer la loi d'Ohm du courant continu aux valeurs efficaces : V = RI.

Self-induction. Si la résistance présente une inductance, le rapport $\frac{V}{I}$ reste constant, mais il est supérieur à la résistance R du circuit :

$$\frac{V}{I} = Z > R,\ I < \frac{V}{R}.$$

Conformément à la loi de Lenz, le courant de self-induction qui s'établit dans la bobine s'oppose à la cause qui le produit et a pour effet de freiner l'établissement du courant principal : d'où une résistance apparente ou impédance Z, supérieure à la résistance ohmique. Le courant i sera en retard par rapport à celui qui passerait dans la résistance pure de même valeur, c'est-à-dire en retard de phase par rapport à la tension v appliquée.

Calcul de l'impédance : l'emploi du calcul complexe permet de trouver la somme $V_1 + V_2$ de ces 2 fonctions sinusoïdales. Un nombre complexe (V. Mathématiques) est de la forme a + jb, où le symbole j est tel que $j^2 = -1$. Dans le plan complexe le vecteur $\vec{V} = \vec{a} + \vec{jb}$ est la somme de 2 vecteurs orthogonaux

$\vec{a}$ et $\vec{b}$, le symbole j correspondant à une rotation $+\frac{\pi}{2}$, et $\frac{1}{j}$ ou $-j$ à une rotation de $-\frac{\pi}{2}$.

Le module de $\vec{V}$ est : $V = \sqrt{a^2 + b^2}$; c'est aussi celui du complexe $a + jb$; $\text{tg}\,\varphi = \frac{b}{a}$, φ étant l'argument du complexe.

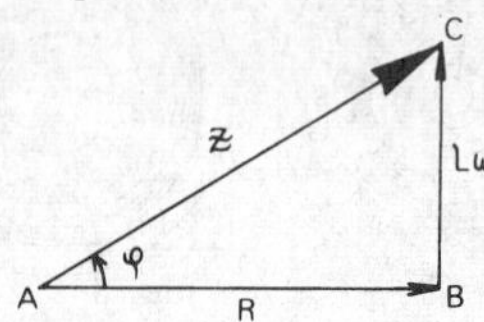

Si on applique ces résultats à la tension traversant une self, l'impédance correspondant à une résistance pure se réduit à sa partie réelle : Ƶ = R.

Le terme Li est représenté par un vecteur colinéaire à R et de module L. Pour passer au terme $L\frac{di}{dt}$, il faut faire tourner de $+\frac{\pi}{2}$ ce vecteur, après l'avoir multiplié par ω. Donc le terme $v_2 = L\frac{di}{dt}$ est représenté par le vecteur $\overrightarrow{BC}$ de module Lω. Donc, l'impédance complexe d'une self pure est purement imaginaire : Ƶ = Ljω.

La tension $v_1 + v_2$ a donc pour module :

$$|Ƶ| \text{ (module de Ƶ)} = \sqrt{R^2 + L^2\omega^2}.$$

et pour argument, c'est-à-dire avance de phase par rapport à v_1 et i : $\text{tg}\,\varphi = \frac{L\omega}{R}$.

L'impédance Ƶ augmente avec la résistance, le coefficient de self, mais aussi avec la fréquence du courant :

$$\cos\varphi = \frac{R}{Ƶ}.$$

Capacité. En courant alternatif, le condensateur se charge, se décharge, se charge dans l'autre sens, et ainsi de suite, avec une fréquence égale à celle de la tension appliquée. On a l'illusion que le courant alternatif traverse le condensateur.

Calcul de l'impédance : soit v la tension appliquée à chaque instant aux armatures du condensateur de capacité C ; la charge q est à chaque instant : q = Cv.

En dérivant : $\frac{dq}{dt} = C\frac{dv}{dt}$, ou : $i = C\frac{dv}{dt}$.

Or : $\frac{dv}{dt}$ V mω sin $(\omega t + \frac{\pi}{2})$, i est en quadrature avance sur V.

Représentation complexe :

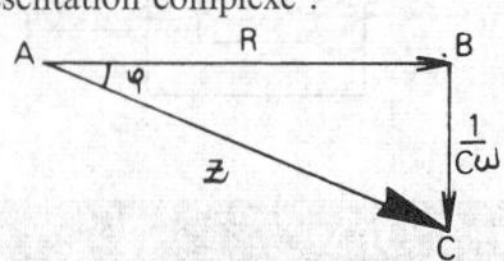

L'impédance complexe correspondant à 1 condensateur est purement imaginaire :

$$Ƶ = -\frac{j}{C\omega}.$$

Cas général

1°) **Montage en série.** Si on établit une tension alternative v aux bornes d'une self, d'une résistance et d'une capacité montées en série, l'impédance complexe vaut :

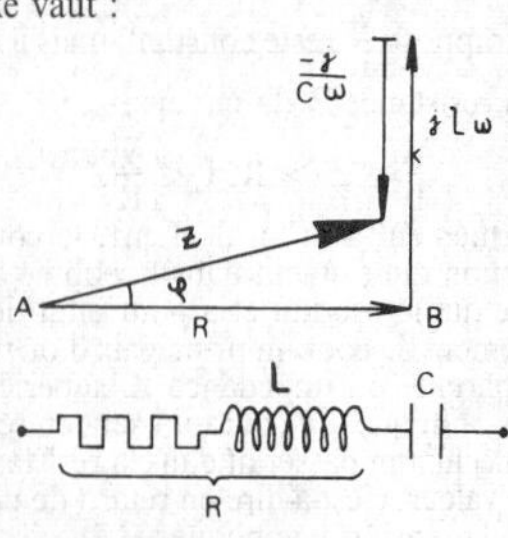

$$Ƶ = R + j\left(L\omega - \frac{1}{C\omega}\right),$$

avec pour module :

$$|Ƶ| = \sqrt{r^2 + \left(L\omega - \frac{1}{C\omega}\right)^2}$$

et déphasage : $\text{tg}\,\varphi = \dfrac{L\omega - \frac{1}{C\omega}}{R}$.

$$\cos\varphi = \frac{R}{|Ƶ|}.$$

Résonance. Elle se produit quand l'effet de self compense exactement l'effet de capacité :

$$L\omega - \frac{1}{C\omega} = 0 \text{ ou } LC\omega^2 = 1 ;$$

ou encore, en fonction de la période :

$$T = \frac{2\pi}{\omega}.$$

$T = 2\pi\sqrt{LC}$ (formule de Thomson).

Dans ce cas, l'impédance a pour valeur :

$$Z = \sqrt{R^2 + O} = R ;$$

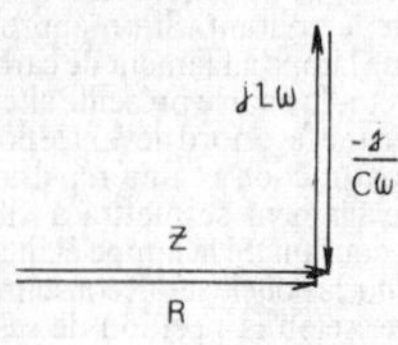

c'est sa plus petite valeur possible. Le retard du courant sur la tension est :

$$\text{tg}\varphi = \frac{L\omega - \frac{1}{C\omega}}{R} = 0.$$

2°) **Montage en parallèle.** Le théorème des conductances pour les résistances pures en courant continu s'applique au calcul complexe :

$$\frac{1}{Ƶ} = \frac{1}{Ƶ_1} + \frac{1}{Ƶ_2}$$

Condensateur shunté (schéma ci-contre). On monte en parallèle une capacité C et une résistance R (en anglais, *to shunt* ; = dériver). L'impédance Z de ce montage entre A et B est telle que :

$$\frac{1}{Ƶ} = \frac{1}{R} + \frac{1}{Ƶ_C} = \frac{1}{R} + jC\omega.$$

$$Ƶ = \frac{R}{1 + C^2R^2\omega^2} - j\frac{CR^2\omega^2}{1 + C^2R^2\omega^2} \times \frac{1}{\omega}.$$

Ƶ équivaut donc à une résistance :

$$R' = \frac{R}{1 + C^2R^2\omega^2R^2\omega^2}$$

et à une capacité : $C' = \frac{1 + C^2R^2\omega^2}{CR^2\omega^2}$ montées en série.

Circuit bouchon (voir schéma ci-dessous). On monte en parallèle une capacité C et une bobine d'inductance L et de résistance négligeable :

$$\frac{1}{Ƶ} = \frac{1}{Ƶ_L} + \frac{1}{Ƶ_C} = \frac{1}{jL\omega} + jC\omega ;$$

$$Ƶ = \frac{jL\omega}{1 - LC\omega^2}.$$

Le montage équivaut donc à une self unique, d'impédance :

$$|Ƶ'| = \frac{L\omega}{1 - LC\omega^2}.$$

Si la condition de résonance est satisfaite : $LC\omega^2 = 1$, alors l'impédance Z' est infinie et il ne passe aucun courant dans le circuit principal. Si le courant alternatif n'est pas sinusoïdal, ce circuit bouchon arrêtera l'harmonique de pulsation ω.

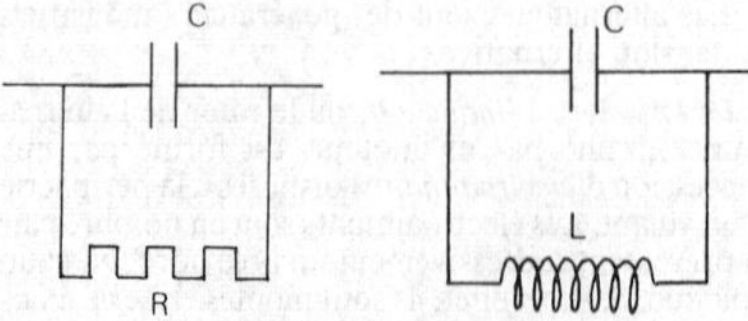

1. Condensateur shunté ; 2. Circuit bouchon.

PUISSANCE EN COURANT ALTERNATIF

Définition. La puissance réelle dissipée P est inférieure à la puissance apparente S :

$$S = V \times I ; P = kS, \text{ avec}$$

$k = \frac{R}{Z} = \cos\varphi$; c'est le facteur de puissance.

Donc : $P = VI\cos\varphi$.

La puissance réelle s'exprime en watts ; la puissance apparente, en voltampères (VA). Le facteur de puissance cos φ est toujours compris entre 0 et 1.

Conséquences pratiques. Dans la pratique, on utilise un courant alternatif pour faire fonctionner des appareils divers.

Si un consommateur branche sur le secteur un appareil de puissance P, la tension à la prise de courant étant V, l'intensité efficace sera :

$$I = \frac{P}{V} = \frac{1}{\cos\varphi}.$$

Si le facteur de puissance cos φ est petit, I est grand et l'EDF perd de l'énergie par effet Joule dans les lignes. Aussi les installations doivent-elles avoir un facteur de puissance compris entre 0,8 et 0,9 ; en dessous de 0,8, le consommateur est pénalisé ; au-dessus de 0,9, il profite d'une remise. On peut améliorer le facteur de puissance en disposant convenablement des condensateurs qui compensent un peu les effets du self dus aux bobinages des moteurs.

Mesure de la puissance. Principe du wattmètre. Le courant traversant un moteur passe dans une bobine b montée en série avec lui ; on utilise pour cela les bornes A et B, appelées bornes du « circuit des ampères ». Une bobine b', pouvant tourner, est montée en dérivation aux bornes du moteur, en utilisant les bornes C et C' appelées bornes du « circuit des volts ». La bobine b est ainsi parcourue par le courant i, et la bobine b' est parcourue par un courant i' proportionnel à v. Le couple électromagnétique qui tend à faire tourner b' pour qu'elle reçoive par sa face sud un flux maximal est proportionnel à i × i', donc à p = v × i, et la puissance moyenne sera : P = UI cos φ que mesure le wattmètre.

XI — ÉLECTROMAGNÉTISME

GÉNÉRALITÉS

Aimants. Le magnétisme est l'ensemble des phénomènes qui se rattachent aux 2 propriétés des aimants : ils attirent des morceaux de fer (clous ou limaille) et peuvent s'orienter à la surface de la Terre lorsqu'on les rend mobiles. Le pôle nord d'un aimant est celui des 2 pôles qui se dirige spontanément vers le nord géographique. Lorqu'on approche 2 aimants l'un de l'autre, les pôles de même nom se repoussent ; les pôles de noms contraires s'attirent. L'oxyde de fer Fe_3O_4 (appelé oxyde magnétique de fer) est un aimant naturel.

Champ magnétique. Les actions électromagnétiques sont des actions à distance ; on les attribue à l'existence d'un « champ » particulier, appelé champ magnétique. Une région de l'espace est le siège d'un champ magnétique si une aiguille aimantée placée en un point de cette région subit des actions qui tendent à l'orienter. Il existe à la surface de la Terre un champ magnétique particulier (une aiguille aimantée s'oriente lorsqu'elle est au voisinage de la Terre : boussole).

Un barreau aimanté placé dans un champ magnétique uniforme est soumis à un couple. Le *moment* du couple est proportionnel à une grandeur caractéristique de l'aimant, appelée son moment magnétique, ℳ, représenté par un vecteur, $\vec{ℳ}$, parallèle à la ligne des pôles de l'aimant, dirigé dans le sens SN.

Champ magnétique le plus fort : en statique, induction de 35,3 teslas, obtenue au Francis Bitter National Magnet Laboratory (NML) de Cambridge, le 26-5-1988 (le champ magnétique terrestre est de 0,5 gauss). En dynamique (champ pulsé) on obtient beaucoup plus.

Vecteur induction magnétique. Le couple exercé par un champ uniforme sur un aimant dépend du champ ; il est proportionnel à l'intensité d'une grandeur, $\vec{B}$, appelée induction magnétique en ce point.

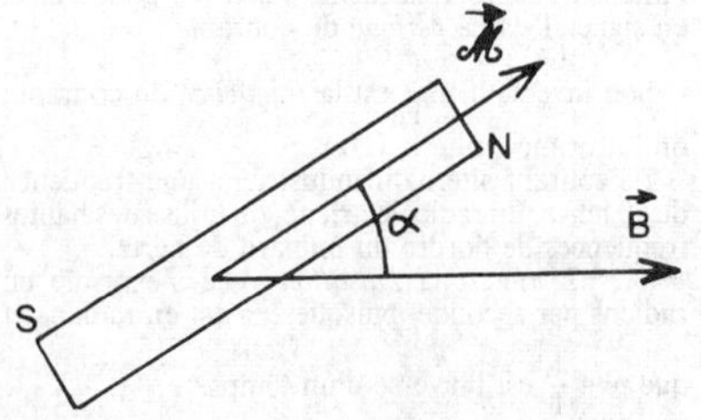

Le moment du couple exercé par un champ d'induction magnétique $\vec{B}$ sur un aimant de moment magnétique $\vec{\mathcal{M}}$ est proportionnel au sinus de l'angle que font entre eux les vecteurs $\vec{\mathcal{M}}$ et $\vec{B}$.
$T = \mathcal{M} . B . \sin \alpha$ (N × m) (A × m²) (teslas).

Une *ligne de champ* est une courbe qui est tangente au vecteur induction magnétique en chacun de ses points. On l'oriente dans le sens de l'induction. *Spectre magnétique :* ensemble de lignes de champ.

CHAMPS MAGNÉTIQUES CRÉÉS PAR LES COURANTS

Lorsqu'on fait passer un courant dans un fil conducteur, l'aiguille d'un aimant placé à proximité dévie.

Champ d'un courant rectiligne. Le pôle nord de l'aiguille aimantée dévie vers la gauche d'un observateur (*bonhomme d'Ampère,* ainsi appelé car il possède une gauche et une droite comme un être humain) qui, regardant l'aiguille, est couché le long du fil de façon que le courant entre par ses pieds et sorte par sa tête. Le champ d'un courant rectiligne a pour module :

$$B = \frac{2}{10^7}\frac{I}{a} ;\ a = \text{distance OA.}$$

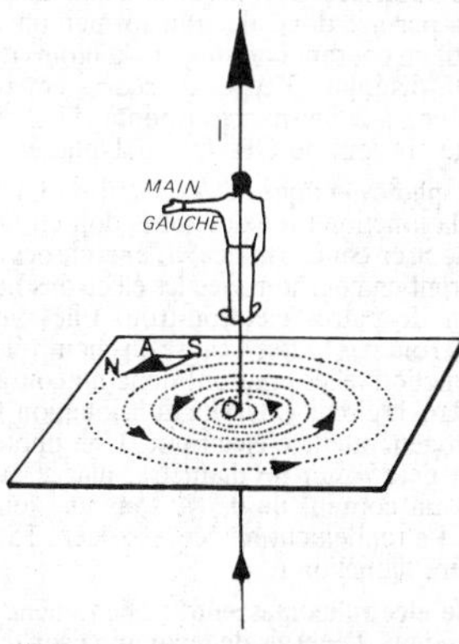

Champ d'un courant circulaire. Une bobine circulaire plate possède une face nord et une face sud. La face sud d'un tel circuit est celle devant laquelle il faut se placer pour voir le courant tourner dans le sens des aiguilles d'une montre.

Au centre du cercle, l'induction est normale au plan de la spire, dirigée de la face sud vers la face nord, et a pour valeur :

$$B = \frac{2\pi}{10^7}\frac{NI}{R}.$$

R (rayon de la bobine) s'exprime en mètres, N est le nombre de spires.

Champ d'un solénoïde. Un solénoïde est formé d'une série de spires circulaires jointives. Il possède une face nord et une face sud, comme un aimant. La face sud est celle devant laquelle il faut se placer pour voir le courant tourner dans le sens des aiguilles d'une montre. Les lignes de force pénètrent par la face sud pour sortir par la face nord.

La face nord d'un solénoïde est située à gauche d'un bonhomme d'Ampère placé le long d'un fil conducteur et regardant l'axe du solénoïde, le courant entrant par ses pieds et sortant par sa tête.

Au voisinage du centre, l'induction est uniforme et a pour valeur :

$$B = \frac{4\pi}{10^7}\frac{N}{l} I.$$

N est le nombre de spires correspondant, soit au solénoïde total de longueur l, soit, s'il est infiniment long, au nombre de spires (régulièrement réparties) par unité de longueur. Dans ce cas la formule devient :

$$B = \frac{4\pi}{10^7} N_1 I$$

Le quotient $n_1 = \frac{N}{l}$ caractérise l'enroulement.

Le produit NI s'appelle le nombre d'ampères-tour.

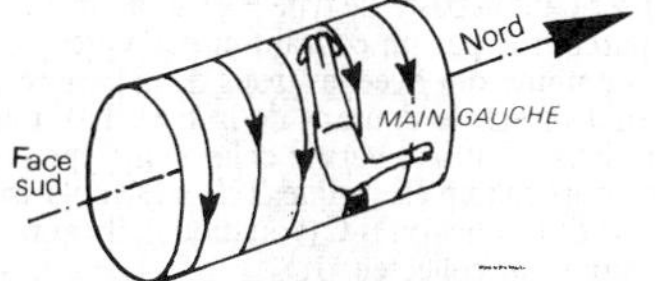

INTENSITÉ D'AIMANTATION

Un petit volume, v, de matière aimantée, est caractérisé par un vecteur, moment magnétique. L'intensité d'aimantation de ce volume est le quotient :

$$\vec{J} = \frac{\vec{\mathcal{M}}}{v}.$$

Son module, $\mathcal{J}$, s'exprime en *ampères par mètre* ($\mathcal{M}$ s'exprime en ampères × m² ; v en m³).

En un point donné d'un matériau, on a toujours :
$B = H + J.$

ACTION D'UNE INDUCTION MAGNÉTIQUE SUR UN COURANT

La force d'origine électromagnétique qui s'exerce sur une portion de circuit placée dans un champ magnétique est située dans un plan perpendiculaire aux lignes de force. Elle change de sens, soit avec le courant, soit avec l'induction.

Loi de Laplace. Une portion de conducteur l, parcourue par un courant d'intensité I, placée dans un champ d'induction magnétique $\vec{B}$ qui fait un angle α avec le conducteur, est soumise à une force perpendiculaire au plan défini par l'élément de conducteur et l'induction ; elle est dirigée vers la gauche d'un observateur d'Ampère qui regarde dans le sens du champ ; son intensité est donnée par la relation :
$F = I . l . B . \sin \alpha.$
(newtons) (ampères) (mètres) (teslas)

Un circuit plan, de surface S, parcouru par un courant I, placé dans un champ d'induction uniforme, est soumis à un couple identique à celui qui s'exercerait sur un aimant de moment magnétique $\vec{\mathcal{M}}$ porté par la normale au circuit, sortant par sa face nord, et de valeur $\mathcal{M} = I.S.$

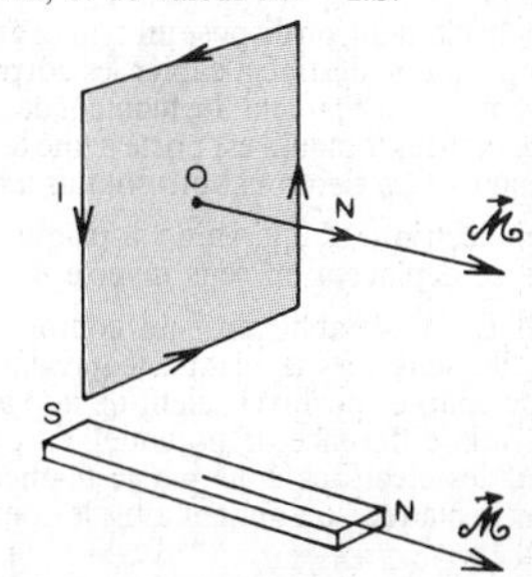

Analogie entre les courants et les aimants. Toute parcelle de matière aimantée est équivalente à un courant électrique ayant même moment magnétique que la particule. C'est l'hypothèse des courants particulaires.

Action mutuelle de 2 courants rectilignes parallèles. Soit 2 conducteurs parallèles indéfinis, XY, X'Y', parcourus par des courants I et I' de même sens ; le conducteur XY crée en un point A du conducteur X'Y' un champ d'induction $\vec{B}$. Sous l'action de ce champ, le conducteur X'Y' est soumis à une force $\vec{F}$ dirigée de A vers O ; c'est une force d'attraction.

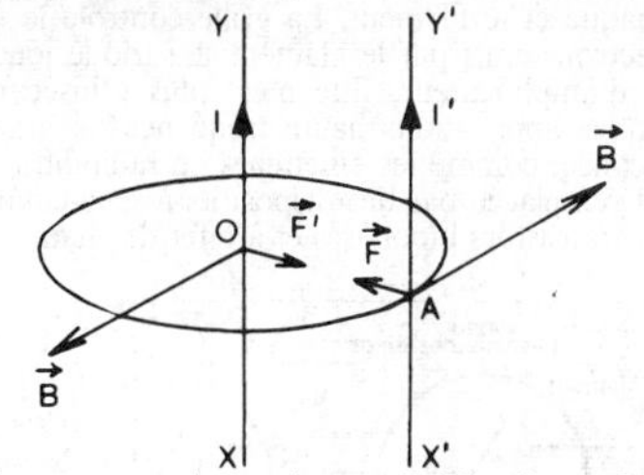

Inversement, le conducteur X'Y' crée en O une induction B' qui, agissant sur XY, provoque une force $\vec{F'}$ dirigée vers A. On a donc une attraction mutuelle des deux courants : $F = \frac{2}{10^7} I.I' \frac{1}{a}.$

Flux d'induction. Le flux d'induction magnétique ΔΦ à travers un élément de surface ΔS est le produit de ΔS par la projection du vecteur induction sur la normale à ΔS : $\Delta\Phi = B.\Delta S. \cos \Theta.$

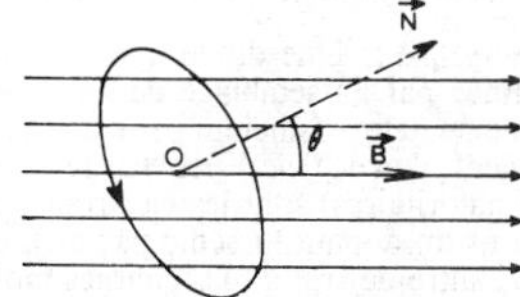

Théorème du flux coupé. Le travail des forces électromagnétiques, au cours du déplacement d'un circuit parcouru par un courant constant dans un champ d'induction indépendant du temps, est égal au produit de l'intensité du courant par la variation du flux d'induction à travers le circuit : $W = I\,\Delta\,\Phi.$

Règle du flux maximal. Lorsqu'un circuit parcouru par un courant se déplace sous l'action d'une induction magnétique, le flux entrant par sa face sud augmente. La position d'équilibre est atteinte lorsque le flux est maximal. La principale application de l'action d'un champ d'induction sur un circuit parcouru par un courant est le moteur électrique. Le travail des forces électromagnétiques est le travail fourni par le moteur, travail d'autant plus grand que l'intensité I et le flux d'induction coupé seront plus grands. Mais une augmentation de l'intensité conduit à un effet Joule important ; il est donc nécessaire d'utiliser de grands flux d'induction que l'on peut obtenir au moyen d'électroaimants.

HYSTÉRÉSIS

Aimantation du fer et de l'acier. Les substances ferromagnétiques (fer, cobalt, nickel et alliages) acquièrent des propriétés magnétiques lorsqu'elles sont placées dans un champ magnétique.

Phénomène d'hystérésis. Si, après avoir fait croître la valeur du champ magnétisant H_o, on le diminue progressivement, on constate que l'intensité d'aimantation diminue, mais on ne retrouve pas la courbe de première aimantation. La désaimantation se fait avec un certain retard. La courbe obtenue montre que, si on revient à J = 0, une aimantation subsiste qui est appelée l'*aimantation rémanente.*

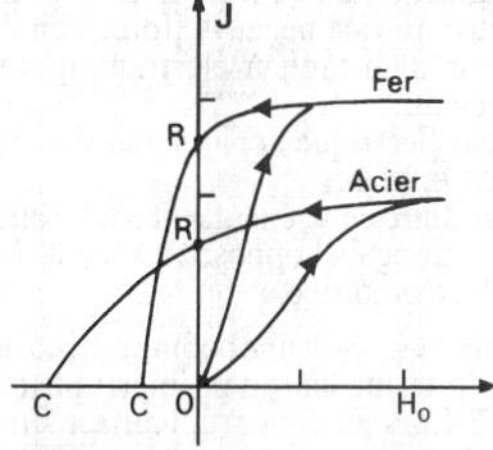

Pour annuler toute aimantation, il faut soumettre l'échantillon à un champ H_o négatif, c'est-à-dire en sens contraire de la précédente. Au point C de la courbe, l'aimantation a disparu ; la valeur de H_o en C est appelée *champ coercitif.*

Perméabilité. Si nous plaçons un barreau de fer doux dans un champ magnétique uniforme, les lignes de champ viennent se concentrer vers les pôles S et N que ce barreau a acquis, comme si elles traversaient plus facilement le fer que l'air. Nous dirons que le fer est plus perméable que l'air.

L'induction B dans le fer doux est supérieure à celle qui existait dans le vide B_o. Le rapport $\mu = \frac{B}{B_o}$ s'appelle la perméabilité magnétique de la substance.

L'acier a une perméabilité d'env. 120 pour un champ appliqué d'env. 8 000 A/m ; le fer doux 16 000 pour un champ de 24 A/m.

INDUCTION ÉLECTROMAGNÉTIQUE

Courant induit. 1°) Une induction magnétique $\vec{B}$ crée, dans un **conducteur en mouvement** qui coupe ses lignes, une force électromotrice E.

La force électromotrice induite crée un courant I qui subit de la part du champ d'induction B une force s'opposant au déplacement.

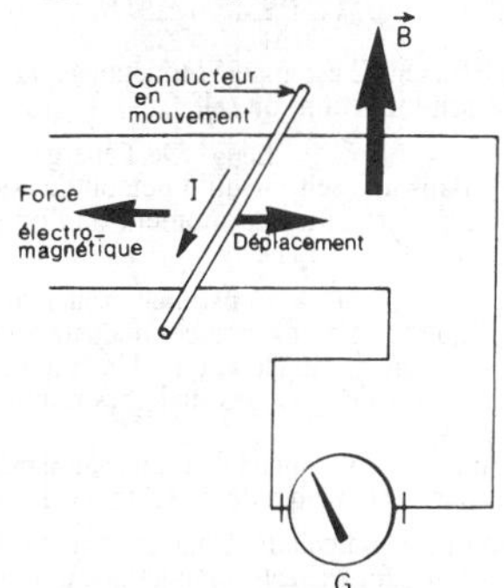

2°) **Une bobine fixe traversée par un flux d'induction B variable** avec le temps est le siège d'une force électromotrice qui provoque un courant induit I' si le circuit est fermé. Le flux d'induction dû au courant induit s'oppose à la variation du flux qui a produit ce courant. Lorsqu'on ferme, ou ouvre l'interrupteur M, le galvanomètre G dévie puis revient au zéro.

La force électromotrice induite est proportionnelle à la variation de flux d'induction qui traverse le circuit ; elle est inversement proportionnelle à la durée de cette variation : $e = -\frac{\Delta\Phi}{\Delta t}$.

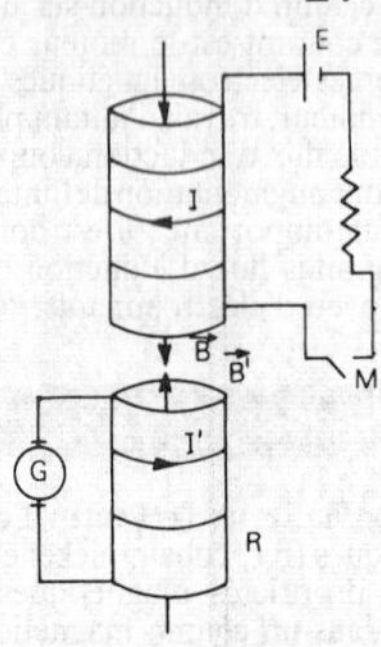

Le signe – est imposé par la **loi de Lenz.** La normale N au circuit étant orientée, il lui correspond un sens positif de circulation du courant.

Une augmentation de flux ($\Delta \Phi > 0$) induit une force électromotrice négative [force contre-électromotrice (cas d'un moteur électrique)] qui crée un courant négatif.

L'énergie électrique apparue dans le circuit est : $W = EI\ \Delta t = I\Delta\Phi$.

Pour produire cette énergie, il a fallu effectuer un travail moteur égal et opposé au travail résistant de la force électromotrice.

Auto-induction. Soit une bobine reliée à un générateur E par l'intermédiaire d'un interrupteur K et d'un rhéostat R. Lorsque l'interrupteur est fermé, le circuit est parcouru par un courant I qui crée un champ magnétique proportionnel à I en tout point de l'espace. La spire est traversée par un flux d'induction Φ proportionnel à I.

Si l'on fait varier l'intensité I du courant, le circuit est le siège d'une variation de flux, donc d'un *courant induit* qui, d'après la **loi de Lenz,** s'oppose à la variation de I. Il y a donc induction du courant sur lui-même ; c'est le phénomène d'auto-induction, appelé encore *self-induction.* En particulier, à la fermeture du circuit, le flux passe de 0 à Φ : le courant de self-induction est de sens contraire au courant fourni par le générateur. Il retarde donc l'établissement du courant dans le circuit. A la rupture du circuit, le flux passe de la valeur Φ à 0 ; le circuit d'auto-induction tend à prolonger le courant primitif. Il se produit une étincelle de rupture manifestant le passage de cet extra-courant. Cette étincelle peut se transformer en arc si le circuit comporte une grosse self (électroaimant).

Les phénomènes d'auto-induction, appelés **« effets de self »,** n'apparaissent qu'au moment de la variation du courant, donc à la fermeture ou à la rupture du circuit si le courant est continu ; ils sont au contraire permanents en courant alternatif. Ils se manifestent surtout dans les circuits comprenant des solénoïdes à noyau de fer doux.

En un point voisin d'un circuit existe un flux proportionnel au courant : $\Phi = L\ I$.

Si I varie de ΔI en Δt : $\Delta\Phi = L\Delta I$.

La force électromotrice d'auto-induction vaut :

$$E = -\frac{\Delta\Phi}{\Delta t} = -L\frac{\Delta I}{\Delta t}.$$

Le coefficient L est appelé inductance, ou coefficient de self-induction, ou self.

Énergie électromagnétique. De l'énergie est accumulée dans une self lorsqu'on établit le courant. Cette énergie est cédée au moment où l'on coupe le courant : $W = \frac{1}{2} L\ I^2$.

Sonde à effet Hall. Constituée principalement d'une plaquette de corps semi-conducteur (silicium) insérée dans un circuit électrique. Un courant dont l'intensité I est de quelques dixièmes d'ampère la traverse.

Introduisons la plaquette dans un champ magnétique. Disposons la plaquette de sorte que le vecteur $\vec{B}$ lui soit perpendiculaire. Chaque charge est alors soumise à une force électromagnétique dont le sens est donné par la règle de la main droite. Les trajectoires des charges sont déviées vers le haut. Il apparaît un excès de charges positives sur une face et, par conséquent, un excès de charges négatives sur l'autre face ; il y a donc apparition d'un champ électrique et création d'une différence de potentiel entre les 2 faces, dite tension de Hall, U_h.

La tension de Hall est proportionnelle au courant I et au module B du vecteur-champ magnétique :

$$U_h = KIB.$$

La force magnétique $\vec{f}$ exercée sur une particule portant une charge q, animée d'une vitesse $\vec{v}$ en un point d'un champ magnétique où le vecteur-champ est $\vec{B}$, est donnée par : $\vec{f} = q\vec{v} \wedge \vec{B}$.

$$B = \frac{f}{v\,|q.\sin\alpha|}.$$

B en teslas, |q| en coulombs, v en mètres par seconde, F en newtons.

Ordre de grandeur de quelques champs magnétiques : aimant artificiel : 0,1 à 1 T ; pôle d'électro-aimant de machines électriques : 1 à 2 T.

XII — ÉLECTRONIQUE

EFFET THERMOÉLECTRONIQUE

Lampe diode. C'est une ampoule à vide très poussé (un millionième de mm de mercure), contenant un filament de tungstène qui peut être porté à une température très élevée (2 000 °C) grâce au courant produit par une batterie de piles ou d'accumulateurs.

Autour du filament, on dispose un cylindre métallique, ou « plaque », destiné à capter les corpuscules électrisés émis par le filament. Le filament de la diode émet des électrons lorsqu'il est porté à une température suffisante. Ces électrons sont soumis à l'action du champ électrique $\vec{E}$ qui va de la plaque au filament ; ils se déplacent en sens inverse du champ électrique $\vec{E}$: il s'établit ainsi un courant d'électrons du filament vers la plaque, équivalant à un courant de charges positives allant de la plaque au filament. Si la différence de potentiel Vp est suffisante, tous les électrons émis par le filament sont captés par la plaque : on obtient ainsi le courant de saturation Ig.

Si Vp est négatif, le champ électrique $\vec{E}$ est dirigé du filament vers la plaque, et les électrons émis sont ramenés vers le filament : aucun courant ne peut s'établir entre la plaque et le filament.

Les électrons d'un métal qui participent au passage du courant dans ce métal, dits de conductivité, ne peuvent pas sortir du métal s'ils n'ont pas une énergie suffisante. Si la température s'élève, leur vitesse d'agitation augmente, donc leur énergie croît, et certains peuvent s'échapper.

Triode. Lee De Forest perfectionna la diode en introduisant une 3ᵉ électrode, la grille, située entre la plaque et le filament. La grille contrôle le flux d'électrons émis par le filament. La triode joue le rôle d'amplificateur. Elle n'est plus utilisée que pour les applications haute fréquence de grande puissance, comme les émetteurs de radiodiffusion mais remplacée par des dispositifs à semi-conducteur, transistors bipolaires et à effet de champ.

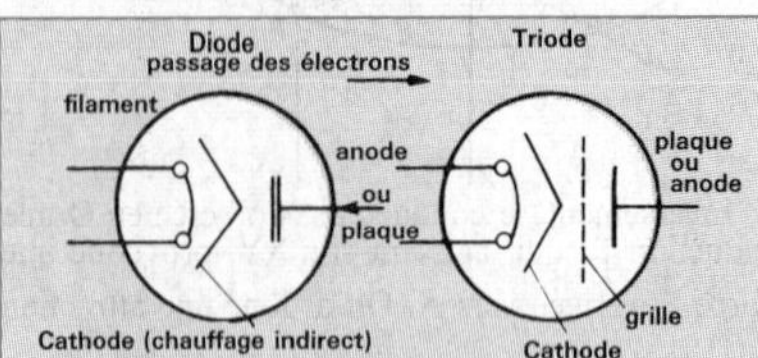

SEMI-CONDUCTEURS

DIODE À SEMI-CONDUCTEUR

Fonctionnement. Une diode à semi-conducteur est constituée par l'assemblage de 2 semi-conducteurs de même nature (silicium par ex.), mais dopés différemment : l'un de *type N* [les charges électriques mobiles (majoritaires) sont les électrons ; les fixes sont les ions du dopant (arsenic par ex.), qui sont positifs] ; l'autre de *type P* [les charges mobiles (et majoritaires) sont les trous (positifs) et les fixes sont les ions négatifs du dopant].

Si l'on n'applique pas de tension extérieure : il y a, à la frontière séparant les régions, un champ électrique dû aux ions immobiles dans le semi-conducteur. Ce champ, dirigé de la zone N vers la zone P, va repousser les électrons dans la zone N et les trous dans la zone P, créant ainsi une région désertée par les charges mobiles majoritaires (voir croquis p. 225).

En appliquant une tension extérieure inverse : on augmente le champ électrique à la frontière des régions P et N, donc on chasse encore plus loin les charges mobiles ; la zone désertée s'élargit, le courant ne peut pas passer, la diode est non passante ou bloquée (il ne subsiste qu'un très faible courant de fuite dû aux porteurs minoritaires : trous de la région N qui rencontrent les électrons de la région P ; ils sont des milliards de fois moins nombreux que les porteurs majoritaires).

En appliquant une tension extérieure directe suffisante (0,2 V pour le germanium, et 0,7 V pour le silicium) : on annule le champ électrique de la zone frontière et les électrons de la région iront à la rencontre des trous de la région P (ce sont les porteurs majoritaires, et ils sont très nombreux), donc le courant passera. A la frontière, un électron comble un trou, il y a de très nombreuses recombinaisons de paires électron-trou.

■ **Applications. Redressement du courant alternatif :** la diode ne laisse passer le courant que dans un seul sens, et permet donc de transformer un courant alternatif en courant continu, ou du moins de même sens. On distingue 3 types de redressements : à 1 alternance ; à 2 alternances (montage à 2 diodes et montage en pont de Graëtz) ; polyphasé.

Effet photovoltaïque. *Piles solaires.* La lumière éclaire la jonction (une des zones doit être transparente, donc en couche mince). L'énergie des photons qui entrent en collision avec les électrons permet la création de paires électron-trou. Elles ne se recombineront pas toutes à cause du champ électrique de la jonction, elles créeront donc un courant électrique dans le circuit extérieur de la jonction. On aura ainsi un générateur d'électricité. Une photopile au silicium de 55 mm de diamètre, placée au Soleil, produit un courant de 0,5 A sous une tension de 0,45 V. Le rendement ne dépasse guère 15 %, mais on espère l'améliorer.

Diode électroluminescente : phénomène inverse du précédent : l'énergie de recombinaison d'un électron et d'un trou est transformée en énergie lumineuse. *Applications :* voyants de contrôle, chiffres des calculatrices, transmissions de signaux lumineux à faible puissance (ex. : transmission infrarouge dans une pièce, pour un casque d'écoute haute-fidélité sans fil, télécommande de TV).

Diode à capacité variable : la zone désertée constitue l'isolant d'un condensateur. Son épaisseur, donc sa capacité, varie avec la tension inverse appliquée à la diode. *Applications :* commande de l'accord d'un circuit haute fréquence par une tension continue, dans les récepteurs de modulation de fréquence et de télévision.

■ **Diode Zener.** Diode utilisée en inverse. Son dopage est calculé pour obtenir une avalanche du courant inverse à partir d'une tension donnée. *Utilisation :* stabilisation de tension.

TRANSISTOR BIPOLAIRE (OU À JONCTIONS)

Constitué de 2 jonctions P-N, très proches. *2 types :* transistors N-P-N, et P-N-P ; le transistor (abréviation de : *transfer resistor*) est formé de 3 zones, reliées à 3 électrodes : l'émetteur, la base et le collecteur. La base est très mince (quelques microns) ; les performances du transistor dépendront de son épaisseur et de la géométrie des jonctions.

Circuits intégrés. Formés de milliers de transistors gravés sur la même plaquette de silicium et interconnectés.

Principes du transistor de type N-P-N. (Pour un transistor de type P-N-P, il suffit d'inverser le sens des courants et des tensions.)

Effet transistor : en fonctionnement « normal », la jonction E-B est polarisée dans le sens passant, et la jonction B-C est bloquée. Les électrons, majoritaires dans l'émetteur (de type N), vont, en partie, diffuser dans la base (de type P), car la jonction E-B est parcourue par un courant direct. Quelques-uns se recombineront avec les trous de la base (c'est le courant direct, le courant de la base IB), mais la majorité sera attirée vers le collecteur (type N) par le très fort champ électrique créé par la polarisation inverse de la jonction B-C (voir diode). Il y aura donc un important collecteur IC.

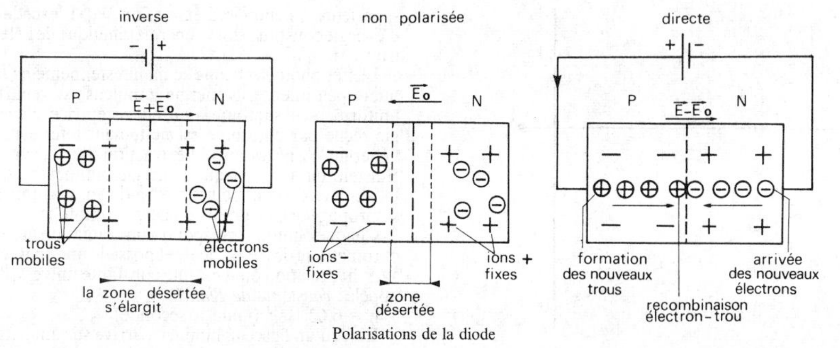

Polarisations de la diode

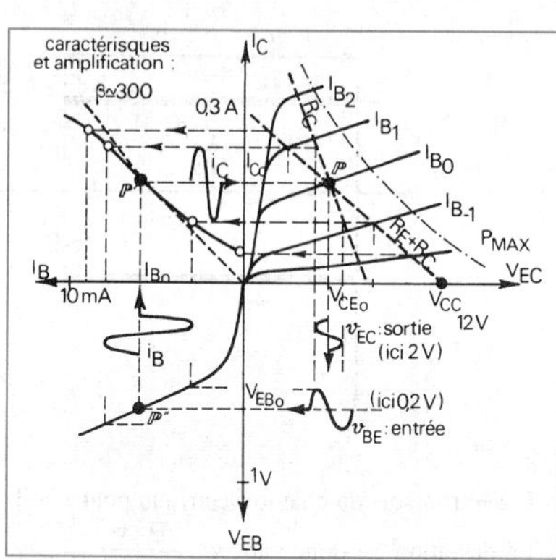

Cas du montage émetteur commun

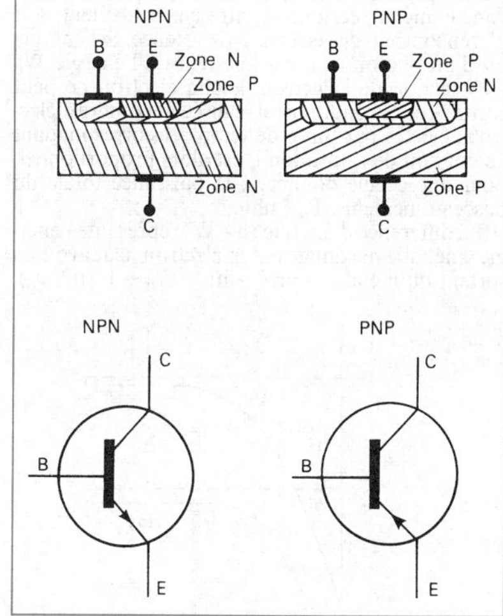

Transistors à jonctions

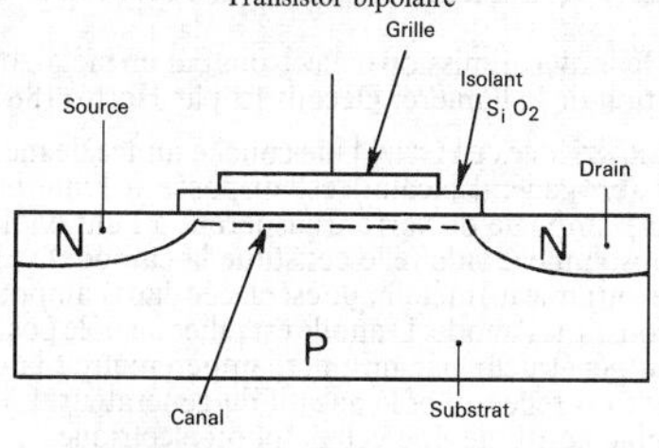

Transistor bipolaire

Transistor à effets de champ à grille isolée (MOS : Métal Oxyde Semi-conducteur)

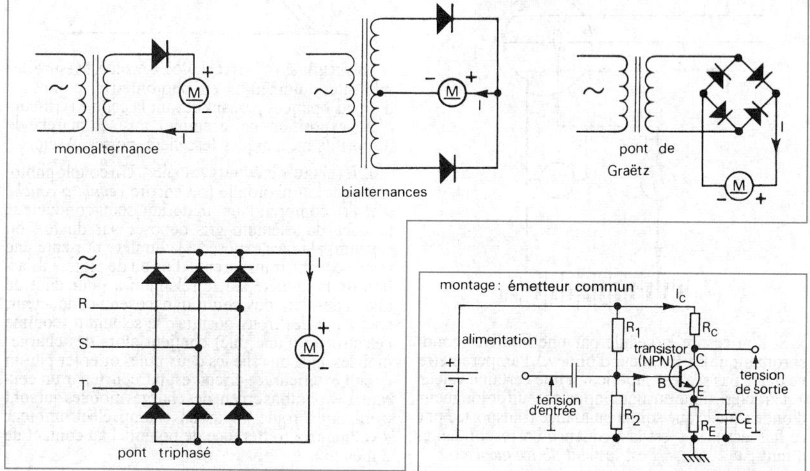

Ce courant collecteur IC est à peu près proportionnel au courant direct dans la base I_B :

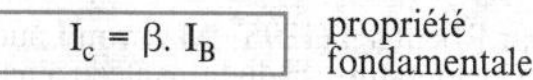

$I_c = \beta . I_B$ propriété fondamentale

β est le gain en courant du transistor (de 10 à 1 000 selon le type de transistor). Ce gain dépend beaucoup de l'épaisseur de la base, et varie pour un même type de transistor (même immatriculation du fabricant) d'un échantillon à l'autre.

Transistor à effet de champ

Constitué d'une couche de semi-conducteurs N, où passe le courant, prise entre 2 régions P laissant subsister un canal étroit.

Fonctionnement. La polarisation inverse de la jonction P-N (entre source et grille) détermine la largeur de la zone désertée, et donc la section du canal restée disponible pour le passage des électrons. Si cette polarisation est grande, il y a pincement et le transistor est bloqué. La tension négative entre la source S et la porte G (de l'anglais *gate*, « porte ») commande le courant entre S et le drain D.

De par leur commande en tension (qui peut même se faire électrostatiquement dans les transistors à grille), ces transistors à effet de champ rappellent le fonctionnement des tubes triodes. Ils sont surtout employés dans les circuits intégrés à très grande intégration (VLSI). (Voir schéma ci-dessus.)

Il existe 2 types de transistors MOS (Metal Oxyde Semi-conducteur) : le *N-MOS* (ou MOS canal N) dont le substrat est un silicium de type P, et la source et le drain en silicium de type N ; le *P-MOS* (ou MOS canal P) qui utilise le type N pour son substrat et le type P pour sa source et son drain. L'association de ces 2 types (appelée C-MOS) est équivalent à un interrupteur ne nécessitant que peu d'énergie. *Application :* montres électroniques.

Dynamique des électrons

Accélération par un champ électrique. Soit une cathode chaude (à chauffage indirect) qui émet des électrons. Cette cathode est reliée à l'armature négative d'un condensateur plan dont l'armature positive est percée d'un orifice étroit qui laisse passer un pinceau d'électrons parallèles de même vitesse (faisceau homocinétique).

Entre les armatures du condensateur, il existe un champ uniforme électrique E ; un électron est donc soumis à une force : F = − eE, constante en grandeur et direction.

Soit m la masse de l'électron. Le mouvement de l'électron sera uniformément accéléré ; accélération :

$$\vec{\gamma} = \frac{\vec{F}}{m} = -\frac{e\vec{E}}{m}.$$

Vitesse d'un électron qui passe par l'orifice (en supposant négligeable sa vitesse d'émission par la cathode chaude) : le théorème de l'énergie cinétique donne : $\frac{1}{2}mv^2 = W$ (W : le travail de la force F lorsque l'électron se déplace d'une armature à l'autre). Soit l la distance de ces 2 armatures : W = F.l = eE.l.

Or E.l est la différence de potentiel entre les 2 armatures, donc : $\frac{1}{2}mv^2 = eU$.

La valeur de la vitesse est donc : $v = \sqrt{\frac{2eU}{m}}$.

W se mesure en électrons-volts [1 eV = $1{,}6 . 10^{-19}$ joule.

Lorsqu'un faisceau d'électrons arrive sur une substance, des échanges d'énergie se produisent entre le faisceau d'électrons et la matière : excitation de la fluorescence de certaines substances comme le verre, le sulfure de zinc, le platinocyanure de baryum ; impression de la plaque photographique, production d'un rayonnement appelé rayonnement X ; échauffement de la substance.

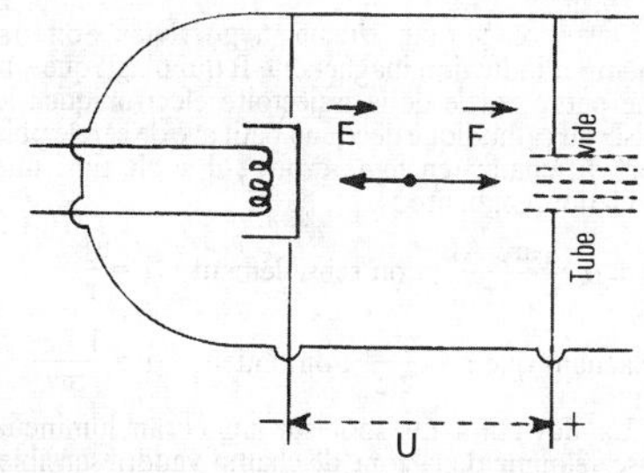

Déviation par un champ électrique uniforme. On fait passer le pinceau électronique sortant du canon à électrons entre les plateaux d'un condensateur plan, et parallèlement aux plateaux. Lorsque le condensateur est chargé, il s'établit entre les plateaux un champ uniforme $\vec{E}$. L'électron est soumis à une force, dirigée vers l'armature positive :

$$\vec{F} = e\vec{E}$$

(le poids de l'électron est négligeable devant cette force). Voir schéma p. 226.

Soit $\vec{V}o$ la vitesse d'un électron lorsqu'il pénètre dans le champ électrique uniforme. Prenons comme axe de coordonnées l'axe Ox, dirigé selon OA, et l'axe Oy perpendiculaire. Soit m la masse de l'électron, la relation fondamentale de la dynamique s'écrit :

$$\vec{F} = m\vec{\gamma} \text{ (F est parallèle à Oy).}$$

Sa projection sur Ox est nulle :

$$0 = m\gamma_x, \quad \text{d'où} : \gamma_x = 0$$

et v_x = Cte = v_o, x = $v_o t$ (pour t = 0, x = 0).

La projection sur Ox est soumise à un mouvement rectiligne et uniforme. Sa projection sur l'axe Oy vaut :

$$eE = m\gamma_y, \quad \text{d'où} : \gamma_y = \frac{eE}{m}.$$

La projection sur Oy est soumise à un mouvement rectiligne uniformément accéléré.

Examinons la trajectoire de l'électron dans le condensateur : $y = \frac{1}{2}\frac{eE}{m}\frac{l^2}{v_o^2}$.

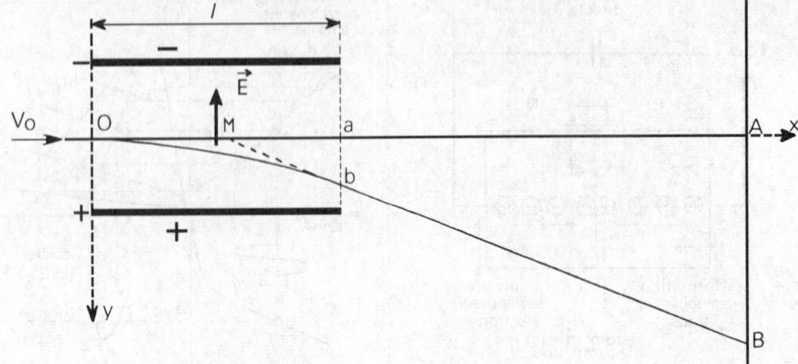

L'électron sort du champ électrique pour x = 1.

La déviation est donc : $ab = \frac{1}{2} \frac{eE}{m} \frac{x^2}{v_o^2}$.

Après le point b, l'électron n'est plus soumis à aucune force : il décrit la droite bB (principe de l'inertie) tangente à la parabole en b, et arrive sur l'écran en B.

Trajectoire d'un électron dans un champ d'induction magnétique uniforme. Sa vitesse v étant normale au champ $\vec{B}$, la particule décrit un mouvement circulaire uniforme, de vitesse constante $v = v_o$ et de rayon :

$$R = \frac{mv_o}{eB}.$$

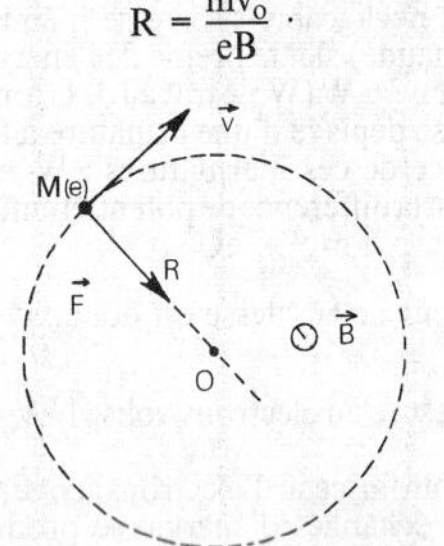

La durée d'une révolution, ou *période gyromagnétique,* est : $T = \frac{2\pi R}{v_o} = \frac{2\pi m}{eB}$ (indépendante du rayon de la trajectoire et de la vitesse de l'électron).

Déviation par un champ magnétique. Soit un champ d'induction magnétique B qui n'agit que sur une petite partie de la trajectoire électronique ; le faisceau cathodique décrit un petit arc de cercle puis sort du champ en ligne droite ; il subit ainsi une déviation angulaire :

$$\alpha = \frac{\text{arc AB}}{r}, \text{ ou sensiblement : } \alpha = \frac{d}{r}.$$

$$\text{Sachant que } r = \frac{mv_o}{Be}, \text{ on obtient : } \alpha = \frac{1\,Be}{mv_o}.$$

La déviation du spot sur un écran lumineux assez éloigné de la zone de champ vaudra sensiblement :

$$EE' = D.\alpha = IDB \frac{e}{mv_o}.$$

Application : balayage de l'écran de T.V.

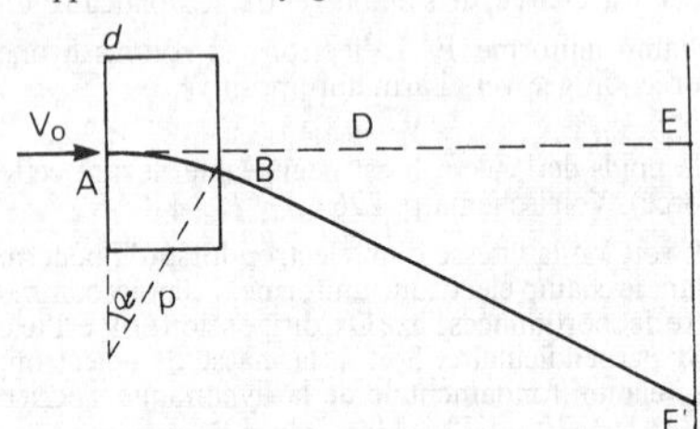

Oscilloscope cathodique

Un oscilloscope cathodique est constitué essentiellement d'un tube à vide dont une partie évasée est fermée par un écran luminescent.

A l'intérieur se trouvent : *un canon à électrons* formé par une cathode chaude à chauffage indirect, et des cylindres formant lentilles électrostatiques A et B donnant sur l'écran luminescent une image ponctuelle ; *2 condensateurs C_1 et C_2* pouvant provoquer, lorsqu'ils sont chargés, des déviations horizontale ou verticale du faisceau (chacune étant proportionnelle à la différence de potentiel entre les armatures du condensateur correspondant).

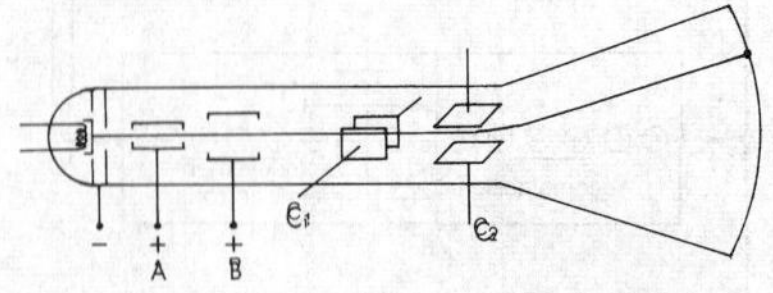

Effet photoélectrique

Définition. Émission d'électrons par un métal sous l'action de la lumière. Découvert par Hertz (1887).

Expérience de Hertz. Une couche mince de métal pur (en général alcalin) est disposée à l'intérieur d'une ampoule de verre transparent à l'ultraviolet, et absolument vide (elle constitue la cathode) ; une tige (ou anneau) métallique est placée dans l'ampoule et constitue l'anode. L'anode est reliée au pôle positif d'un générateur par un microampèremètre ; la cathode est reliée au pôle négatif du générateur. L'ensemble constitue une cellule photoélectrique.

Un voltmètre mesure la différence de potentiel V aux bornes de la cellule.

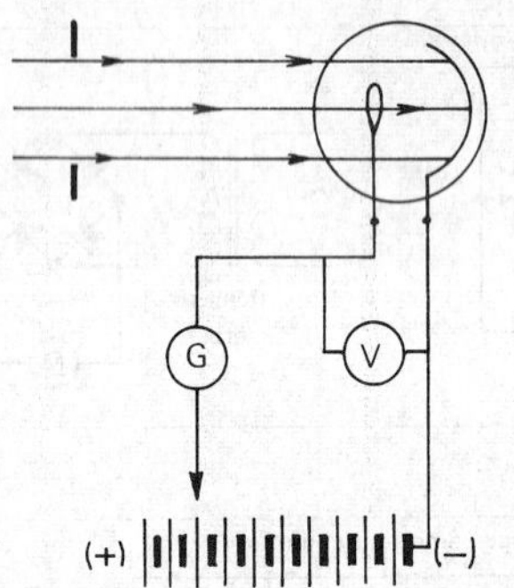

Si l'on éclaire la cellule par une lumière monochromatique (de longueur d'onde λ), l'ampèremètre ne dévie pas si λ est supérieur à une certaine valeur λ_o caractéristique du métal, appelée seuil de longueur d'onde (quelle que soit la puissance transportée par ce faisceau). Si ν est la fréquence correspondante, il faut : $\nu > \nu_o$; ν_o est le *seuil de fréquence.*

Seuil photoélectrique pour quelques métaux purs λ_o en μm. Radiations visibles : Cs 0,65 ; K 0,54 ; Na 0,52 ; Ba 0,50. *Ultraviolettes :* Zn 0,37 ; Mo 0,30 ; Cu 0,29 ; W 0,27.

Si la condition précédente est réalisée, un courant s'établit.

Pour une puissance constante du faisceau monochromatique, l'intensité du courant augmente avec V et tend vers un courant de saturation i_s. Si V = 0, l'intensité n'est pas nulle ; si on change la puissance transportée par le faisceau, i_s varie proportionnellement.

Pour annuler le courant photoélectrique, il faut repousser les électrons émis par la cathode en portant l'anode à un potentiel négatif (potentiel d'arrêt) qui ne dépend pas de l'intensité du faisceau monochromatique, mais de la fréquence ν de la radiation éclairante. V_o est fonction croissante de ν.

L'énergie cinétique maximale des électrons émis par la cathode est indépendante de la puissance du faisceau monochromatique reçu par la cathode, mais croît avec la fréquence ν de la lumière monochromatique incidente.

Mécanisme de l'effet photoélectrique. Mis en évidence par Einstein (1905), il lui valut le prix Nobel en 1921. Pour extraire un électron d'un métal pur, il faut communiquer à cet électron une énergie W supérieure à l'énergie d'extraction W_o. L'excédent d'énergie constitue alors l'énergie cinétique de l'électron : $W - W_o = \frac{1}{2} mv^2$.

L'effet photoélectrique se manifeste même en lumière peu intense. L'énergie lumineuse se répartit uniformément sur toute la surface réceptrice ; l'énergie reçue par un atome est nettement inférieure à l'énergie W_o nécessaire à l'extraction d'un électron. Einstein en a déduit que l'énergie lumineuse était localisée en certains points, c'est-à-dire que la lumière se propageait par grains d'énergie (photons).

Chaque photon correspond à une radiation monochromatique de fréquence ν et possède une énergie : W = hν, relation où h est une constante universelle, appelée *constante de Planck :*

$h = 6{,}62.10^{-34}$ (joule × seconde).

Lorsqu'un faisceau lumineux arrive sur un métal, un grand nombre n de photons viennent frapper sa surface par unité de temps, et pénètrent plus ou moins dans le métal ; certains d'entre eux seulement, soit n', rencontrent des électrons de valence. Si l'énergie hν d'un photon actif est inférieure à l'énergie W_o d'extraction de l'électron, aucun électron ne peut sortir. Si cette condition est réalisée, le nombre d'électrons éjectés par unité de temps et correspondant au courant de saturation i_s est alors proportionnel, pour une cellule donnée, à la puissance totale du faisceau incident : P = nhν.

La différence d'énergie : $h - W_o$ représente l'énergie cinétique maximale qu'un électron peut avoir en sortant du métal : $\frac{1}{2} mv^2 = h\nu - W_o = h(\nu - \nu_o)$.

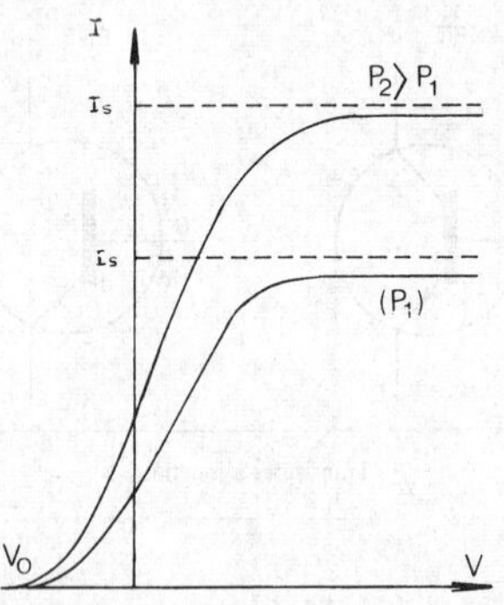

Applications de l'effet photoélectrique. Mesure des intensités lumineuses en photométrie, comptage d'objets opaques passant devant la cellule (visiteurs d'une exposition, par exemple), mise en marche de dispositifs mécaniques (escaliers, portes...), etc.

Effet photovoltaïque (photopile). Un couple photovoltaïque ou photopile (ou encore *cellule à couche d'arrêt*) comprend un matériau semi-conducteur (couche de sélénium gris déposée sur du fer, ou silicium) ; la face exposée à la lumière présente une mince couche transparente d'or ou de platine. L'action de la lumière sur le sélénium a pour effet de libérer des électrons, ce qui, dans ce semi-conducteur, crée aussi des trous positifs ; le sélénium (comme l'électrolyte d'une pile) contient alors des charges mobiles, et si on relie les deux pôles or et fer par un circuit extérieur, ce circuit est parcouru par un courant. Les photons créent des charges mobiles qui sont « mises en route » par un champ électromoteur « voltaïque » (différence de potentiel au contact de 2 métaux).

Rayons X

Découverts par Röentgen (1895). Max von Laue détermina en 1912 leur nature : radiations électromagnétiques de très courte longueur d'onde (10^{-4} μ).

Tube de Coolidge. Constitué par une ampoule sous vide, il comporte une cathode (filament de tungstène chauffé) et une anode (bloc de métal peu fusible et assez épais, placé au centre du miroir concave formé par la cathode). Le faisceau d'électrons émis par la cathode est accéléré par une haute tension. Un rhéostat permet de régler le chauffage du filament de tungstène, donc de modifier le nombre d'électrons émis par la cathode, et par suite l'intensité des rayons X. La tension anode-cathode va de quelques dizaines de milliers de volts à plusieurs centaines de milliers dans les appareils industriels.

Propriétés fondamentales. Les rayons X provoquent la fluorescence du sulfure de zinc, du platinocyanure de baryum (lumière verte), du tungstène de cadmium (lumière bleue). Ils impressionnent les émulsions photographiques. Ils provoquent l'ionisation des gaz (ils arrachent des électrons aux molécules des gaz, créant ainsi des ions positifs et négatifs).

Les rayons X se propagent en ligne droite, en traversant de nombreuses substances et en subissant une absorption qui dépend : de l'*épaisseur de la substance* ; des *atomes*, et non des édifices atomiques (ions ou molécules) constituant la substance. L'absorption est une *propriété atomique* : elle augmente beaucoup avec le *numéro atomique Z* de l'atome et la *longueur d'onde* des rayons X utilisés.

Dans les cristaux, les atomes ou les ions sont disposés régulièrement aux sommets des mailles du réseau cristallin. On peut alors définir dans le cristal des plans parallèles et équidistants passant par ces atomes ; ce sont des plans réticulaires. Un faisceau de rayons X pénétrant à l'intérieur du cristal subit une diffraction analogue à celle d'un faisceau lumineux tombant sur une série de fentes parallèles et équidistantes. Les angles de diffraction dépendent de la longueur d'onde du faisceau X et de l'équidistance des plans réticulaires. Si l'on connaît l'une de ces grandeurs, on peut déduire l'autre.

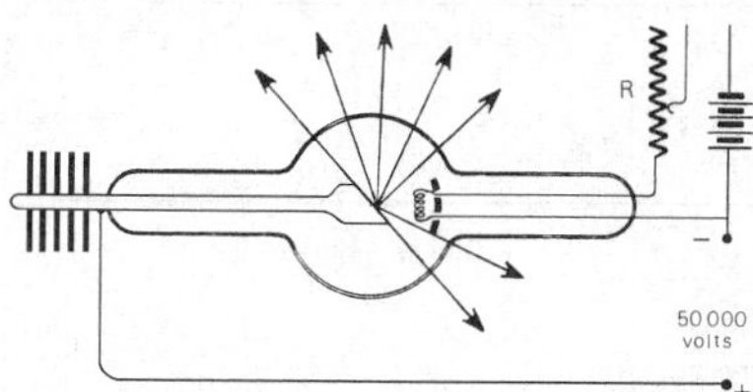

Tube de Coolidge

Nature des rayons X. Ce sont des photons X. Dans le tube de Coolidge, les électrons arrivent sur l'anticathode avec une certaine énergie cinétique. Pour certains d'entre eux, toute cette énergie se transforme en énergie rayonnante en donnant un photon de fréquence γ_0. Si une partie seulement de l'énergie W est transformée, les photons X produits auront une fréquence γ telle que : $h\gamma < W$.

$$\text{Comme } v < c, \text{ il vient : } \lambda > \frac{hc}{W}.$$

On observe donc toutes les longueurs d'onde possibles supérieures à :

$$\lambda_o = \frac{hc}{W}, \text{ soit } \lambda \geqslant \lambda_o.$$

En augmentant la tension, le seuil d'émission diminue ; on obtient des rayons plus durs sous haute tension.

☞ Voir p. 243 b définition du coulomb/kg.

En revanche, l'intensité du rayonnement, caractérisé par le nombre de photons émis, croît avec le nombre d'électrons émis par le filament, donc avec la température du filament.

XIII — Optique géométrique

Généralités

L'optique étudie des phénomènes lumineux, c'est-à-dire qui impressionnent l'œil. On distingue des *objets lumineux par eux-mêmes* (Soleil, lampes à incandescence), et des *objets éclairés* qui diffusent la lumière qu'ils reçoivent d'une source (tout objet visible).

Certaines substances, telles que l'eau, le verre, se laissent traverser par la lumière. Elles sont *transparentes* (en fait, une partie seulement de la lumière les traverse ; elles sont plus ou moins absorbantes). D'autres arrêtent complètement la lumière : ce sont des corps *opaques*. Enfin, certains corps laissent passer la lumière mais ne permettent pas de distinguer la forme des corps placés derrière eux ; ce sont des corps *translucides*.

Principe fondamental. Dans un milieu transparent homogène, la lumière se propage en ligne droite. On appelle **rayon lumineux** tout trajet rectiligne suivi par la lumière. Cette définition est purement géométrique, car on ne peut isoler un rayon.

Un **faisceau lumineux** est un ensemble de rayons. Tous les rayons issus d'un point forment un *faisceau divergent* ; tous les rayons aboutissant à un point forment un *faisceau convergent*.

Le *diamètre apparent d'un objet* est l'angle des 2 rayons issus des extrémités de l'objet et pénétrant dans l'œil. L'œil voit, en moyenne, comme un point, tout objet dont le diamètre apparent est inférieur à minute sexagésimale, soit à environ $\frac{3}{10\,000}$ radian.

Lois de la réflexion

Miroir plan. Un miroir plan donne d'un objet B une image B', symétrique par rapport au plan du miroir. L'image a la même dimension que l'objet. **1re loi :** le rayon incident, la normale au point d'incidence et le rayon réfléchi sont dans un même plan. **2e loi :** l'angle de réflexion est égal à l'angle d'incidence.

Si un rayon lumineux BI pénètre dans un système optique quelconque pour en ressortir suivant IR, inversement un rayon lumineux entrant dans le système suivant RI ressortira suivant IB.

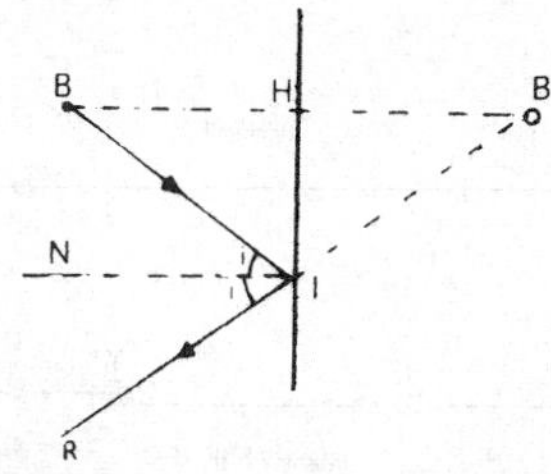

Objets ou images réels ou virtuels. Un appareil optique donne des images d'objets. A l'entrée de l'appareil se trouve le domaine de l'objet, ou *espace objet* ; à sa sortie, se trouve le domaine de l'image, ou *espace image*. Dans l'espace objet, si le faisceau tombant sur l'appareil est divergent, il émanera d'un point *objet réel*, c'est-à-dire réellement situé en avant du système. Si, au contraire, le faisceau incident est convergent, son point de convergence, A, situé en arrière de la face d'entrée, sera appelé point *objet virtuel*. Dans le cas intermédiaire d'un faisceau incident parallèle, on dit que l'objet est à l'infini.

Les définitions sont exactement inverses pour le milieu image. Si le faisceau sortant de l'appareil converge en un point A', on dit que A' est une *image réelle* : une telle image peut se recevoir sur un écran. Si le faisceau diverge, ses rayons semblent provenir d'un point A' situé avant la sortie de l'appareil ; A' est alors une *image virtuelle*. On ne peut pas observer cette image sur un écran ; il faut regarder dans l'appareil.

Miroirs sphériques. Concave : il est réfléchissant par sa face creuse. Un rayon incident parallèle à l'axe se réfléchit en passant par le foyer F, à égale distance du sommet S et du centre C de la sphère originelle. Un tel miroir donne toujours une *image réelle* (télescope) sauf quand l'objet réel est entre le sommet S et le foyer F (miroir grossissant).

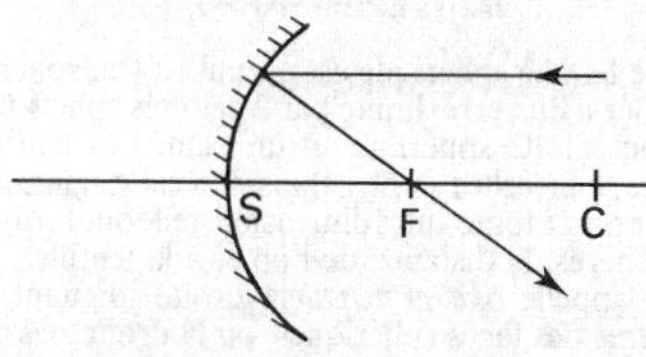

Convexe : il est réfléchissant par sa face bombée. Un rayon incident parallèle à l'axe se réfléchit comme s'il provenait du foyer F (virtuel) équidistant de C et de S. Un tel miroir donne toujours une *image virtuelle* (rétroviseur) sauf quand l'objet virtuel est situé entre le sommet S et le foyer F.

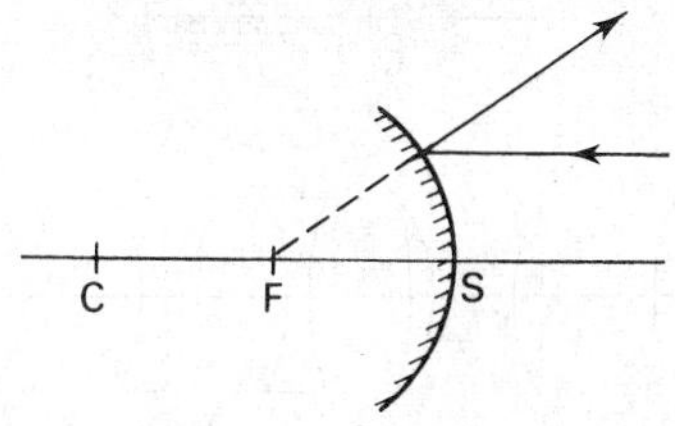

Lois de la réfraction

Il y a réfraction lorsqu'un faisceau lumineux se propageant dans un milieu optique passe dans un autre en changeant de direction. **1re loi :** le rayon incident, la normale au point d'incidence et le rayon réfracté sont dans un même plan. **2e loi :** le sinus de l'angle d'incidence est dans un rapport constant avec le sinus de l'angle de réfraction : $\sin i = n \sin r$ [n s'appelle l'*indice de réfraction* du second milieu par rapport au premier].

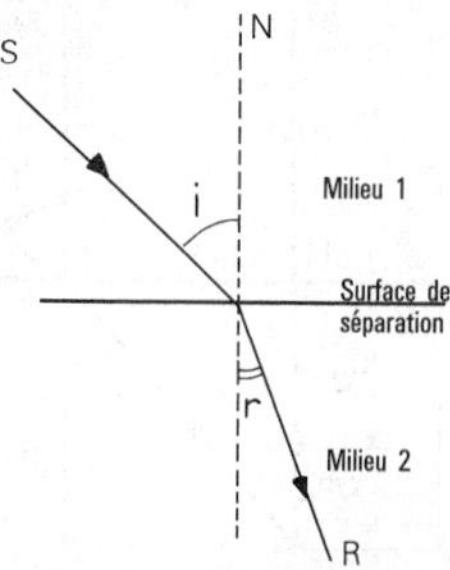

Indices de réfraction. Absolus. Si le 1er milieu est le vide, l'indice s'appelle l'*indice* absolu N.

Si c = 300 000 km/s (vitesse de la lumière dans le vide), sa vitesse v dans le milieu considéré est telle que :

$$N = \frac{c}{v}.$$

La vitesse de la lumière dans un milieu transparent est toujours inférieure à la vitesse de la lumière dans le vide : $v < c$. L'indice absolu N est donc toujours supérieur à l'unité.

Indices absolus. Solides : verre ordinaire 1,52 ; verre baryté 1,57 ; cristal 1,60 ; cristal lourd 1,96 ; diamant 2,42. **Liquides :** eau 1,33 ; alcool 1,36 ; glycérine 1,47 ; benzine 1,50 ; sulfure de carbone 1,63.

Indices relatifs. Si le 1er milieu n'est pas le vide, mais par exemple l'air, l'eau, le verre... :

$$n = \frac{v_1}{v_2} \text{ ou } n = \frac{N_2}{N_1}.$$

La 2e loi de la réfraction peut donc aussi se formuler, avec les indices absolus :

$$\sin i_1 = \frac{N_2}{N_1} \sin i_2, \text{ ou : } N_1 \sin i_1 = N_2 \sin i_2.$$

La symétrie de cette relation exprime le principe du retour inverse.

Discussion. 1°) *La lumière passe d'un milieu moins réfringent dans un milieu plus réfringent :*

$$\sin i = n \sin r, \text{ avec } n = \frac{N_2}{N_1} > 1,$$

$$r \text{ existe toujours puisque } \frac{\sin i}{n} < 1.$$

Il en résulte que $r < i$, et le réfracté se rapproche de la normale.

Un rayon d'incidence rasante (i = 90°) se rapproche de la normale et fait avec celle-ci l'*angle de réfraction limite* : $\lambda < 90°$ auquel il ne peut pas y avoir d'angles de réfraction supérieurs :

$$\sin \lambda = \frac{1}{n}.$$

(Ex. de l'air dans l'eau : λ = 48°36'.)

2°) *La lumière passe d'un milieu plus réfringent dans un milieu moins réfringent : réflexion totale.* Pour qu'un rayon puisse pénétrer dans le 2e milieu, il faut que l'angle d'incidence soit inférieur ou égal à l'angle de réfraction limite. Pour les rayons dont l'incidence est supérieure à l'angle limite et qui ne peuvent se réfracter, toute la lumière incidente est réfléchie. On dit qu'il y a *réflexion totale*.

Si l'angle d'incidence est inférieur à l'angle limite, il y a toujours un rayon réfléchi (réflexion dite *vitreuse*), mais la plus grande partie de la lumière passe dans le rayon réfracté ; on dit qu'il y a *réflexion partielle*.

Une application pratique se rencontre dans le prisme à réflexion totale. La lumière arrivant du verre sur l'air avec une incidence de 45° doit se réfléchir totalement, puisque l'angle de réfraction limite est 41°29' < 45°. De tels prismes sont utilisés dans les jumelles à prismes et dans les périscopes.

Déviation du rayon lumineux. C'est l'angle dont il faut faire tourner la direction positive du rayon incident pour l'amener sur la direction positive du rayon réfracté : D = i - r.

On démontre que la déviation croît constamment avec i ; elle est nulle pour i = 0 et devient 90° - λ pour l'incidence rasante si $N_2 > N_1$.

Dioptre plan

C'est l'ensemble de 2 milieux inégalement réfringents, séparés par une surface plane. Il n'y a pas d'image de A_1 pour une incidence quelconque, mais il y en a pour des rayons peu inclinés sur la normale (approximation de Gauss).

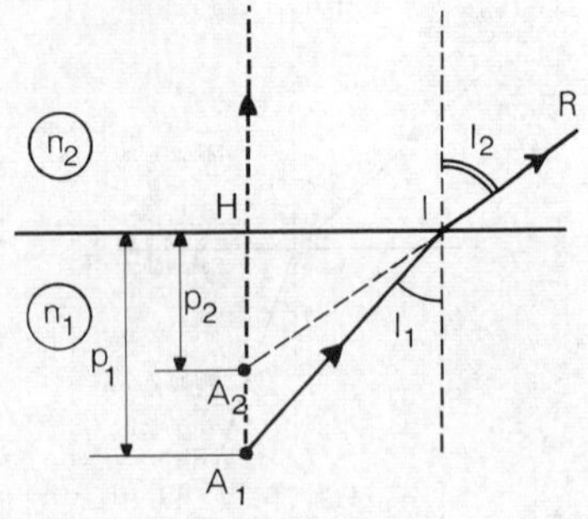

Le dioptre plan donne d'un objet réel une image virtuelle, et d'un objet virtuel une image réelle. Ces images sont droites, égales à l'objet, et leur position par rapport au dioptre est donnée par la formule :

$$\frac{n_1}{p_1} = \frac{n_2}{p_2}.$$

Lame à faces parallèles

Elle est constituée par 2 dioptres plans parallèles séparant un milieu transparent de 2 autres milieux transparents. Lorsqu'elle sépare 2 milieux d'indices différents, les relations entre les angles d'incidence et d'émergence sont les mêmes que si la lame n'existait pas :

$n_1 \sin i_1 = n \sin r$ (à l'entrée),
$n \sin r = n_2 \sin i_2$ (à la sortie),
$n_1 \sin i_1 = n_2 \sin i_2$.

Une lame à faces parallèles donne d'un objet plan et parallèle à elle une image droite et égale à l'objet. Les images ne seront donc acceptables que dans l'approximation de Gauss.

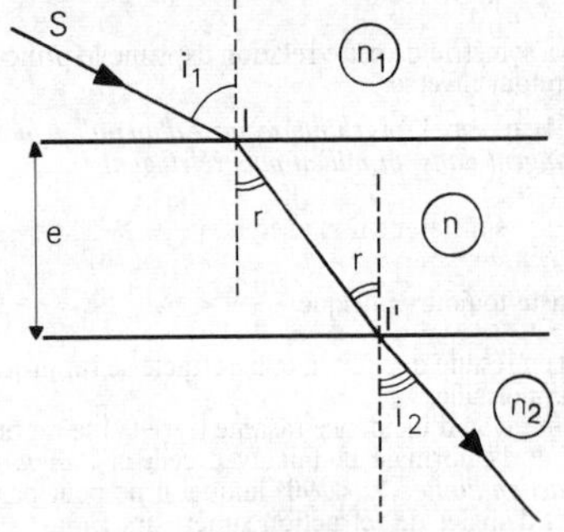

Lorsque les milieux extrêmes sont identiques, le déplacement $d = A_1A_3$ vaut :

$$d = e\left(1 - \frac{1}{n}\right)$$

Il s'effectue toujours dans le sens de la lumière.

Prisme

Définition. C'est un milieu transparent limité par 2 faces planes non parallèles. Ces 2 faces forment un *dièdre ;* l'angle du dièdre est l'*angle du prisme ;* l'arête du dièdre est l'*arête du prisme.* On appelle *section principale* du prisme toute section perpendiculaire à l'arête. C'est le plan d'incidence et de réfraction de tous les rayons contenus dans la section principale (1re loi de Descartes).

Éclairons une fente par de la lumière blanche, et, à l'aide d'une lentille convergente, formons une image réelle F' de F. Interposons après la lentille un prisme A d'arête parallèle à la fente F. Il n'y a plus d'image en F', mais sur l'écran E nous obtenons une infinité d'images.

Si nous envoyons sur un prisme un faisceau de lumière blanche, il se produit à la fois une *déviation* du faisceau et une décomposition *(dispersion)* de la lumière blanche. La déviation est plus importante pour le violet que pour le rouge. Toute lumière qui n'est pas dispersée par le prisme est appelée une lumière monochromatique.

Formules du prisme.

$\sin i = n \sin r, \quad \sin i' = n \sin r',$
$A = r + r', \quad D = i + i' - A.$

La déviation augmente avec l'angle du prisme, avec l'indice du prisme. Quand l'angle d'incidence varie, la déviation passe par un minimum ; à ce moment, i = i', et le trajet de la lumière est symétrique par rapport au prisme.

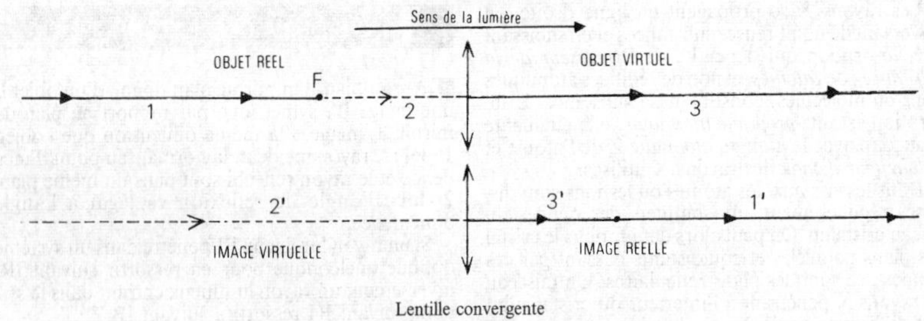

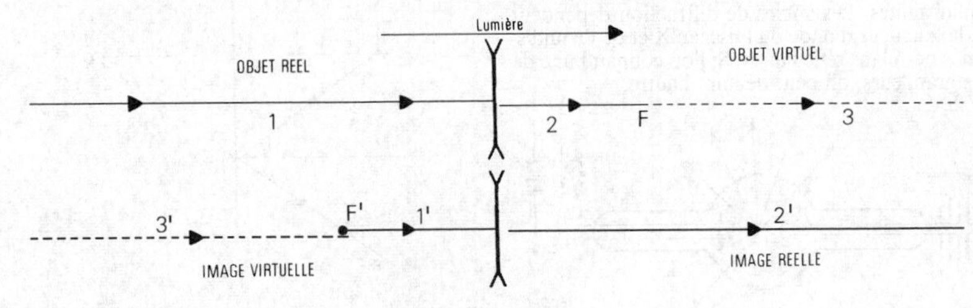

Si l'angle du prisme est faible, la déviation est égale à :

$$D = (n - 1) A.$$

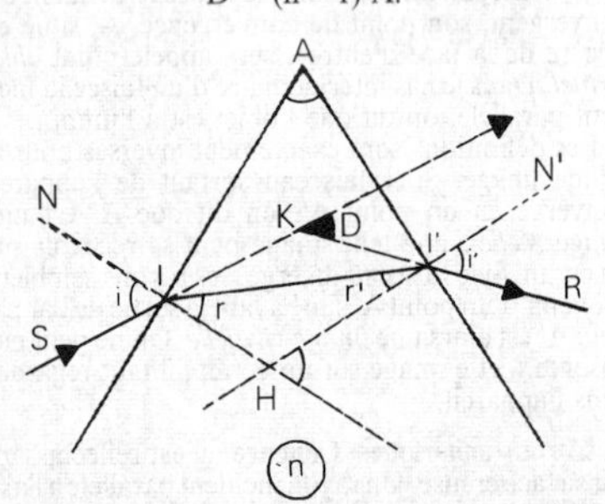

Lentilles sphériques minces

Définitions

Une lentille sphérique est un milieu transparent, en général du verre, limité par 2 calottes sphériques ou une calotte sphérique et un plan. Les lentilles minces sont celles dont l'épaisseur est négligeable par rapport à toute autre dimension, telle que le rayon des sphères, la distance de l'objet à la lentille.

On appelle *axe principal* la droite joignant les 2 centres des faces sphériques, ou la droite passant par le centre de la face sphérique et perpendiculaire à la face plane. Le *centre optique* O est le point de rencontre de l'axe principal avec les 2 dioptres limitant la lentille, l'épaisseur étant négligeable.

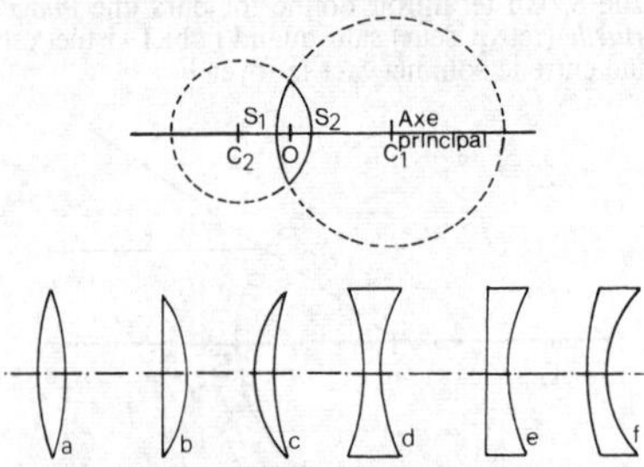

On classe les lentilles en 2 catégories : **lentilles convergentes,** à bord mince : biconvexe (a), plan convexe (b), ménisque (c). Elles transforment un faisceau incident parallèle en faisceau convergent. **Lentilles divergentes,** à bord épais : biconcave (d), plan concave (e), ménisque (f). Elles transforment un faisceau incident parallèle en faisceau divergent.

Catégories de lentilles

■ **Lentille convergente.** Une lentille convergente ne donne d'images nettes que : si elle est diaphragmée (rayons traversant la lentille à une petite distance de l'axe) ; si l'objet est petit et se trouve au voisinage de l'axe (rayons peu inclinés sur l'axe).

Tout rayon lumineux passant par le centre optique d'une lentille ne subit aucune déviation en traversant la lentille. Un rayon lumineux incliné sur l'axe principal et passant par le centre optique définit la direction d'un axe secondaire.

Foyer image et plan focal image. La lentille transforme un faisceau parallèle à l'axe principal en un faisceau convergent passant par un point F' de l'axe, appelé *foyer image.* La distance OF' est la **distance focale image f'.** Le foyer image est donc l'image du point à l'infini situé sur l'axe principal. Tout point lumineux à l'infini a son image dans le plan focal image.

Foyer objet et plan focal objet. Tout rayon incident passant par le foyer objet donne naissance à un rayon émergent parallèle à l'axe. Le foyer objet est donc le point de l'axe dont l'image est rejetée à l'infini. Tout point lumineux S du plan focal objet a son image rejetée à l'infini dans la direction SO. Les 2 plans focaux, objet et image, sont symétriques par rapport à la lentille.

Relations. *Conjugaison image-objet :*

$$\frac{1}{p} + \frac{1}{p'} = \frac{1}{f} \text{ (formule de Descartes).}$$

Cette formule est valable dans tous les cas de figure, à condition de compter : p positif si l'objet est réel et négatif s'il est virtuel ; p' positif si l'image est réelle et négatif si elle est virtuelle.

Grandissement : $y = \frac{I}{O} = -\frac{p'}{p}$,

y positif si l'image est droite par rapport à l'objet, négatif si elle est renversée.

Dans une lentille, l'objet et l'image se déplacent toujours dans le même sens.

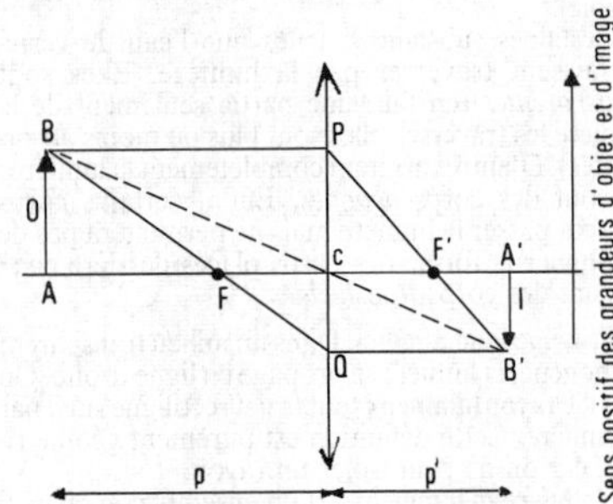

Image donnée. Une lentille convergente donne toujours une *image réelle* sauf quand l'objet réel est situé entre le foyer objet et la lentille.

■ **Lentille divergente.** Tout rayon incident parallèle à l'axe émerge en semblant venir du foyer virtuel image. Tout rayon se dirigeant sur le foyer virtuel objet émerge parallèlement à l'axe. Quelle que soit la forme de la lentille, les foyers virtuels objet et image sont symétriques par rapport au centre optique.

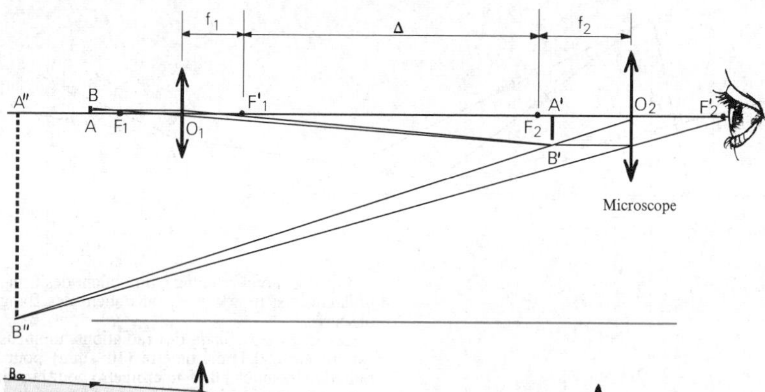

Microscope

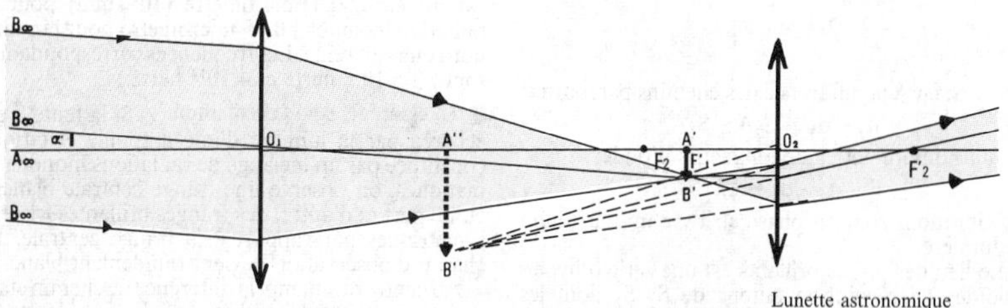

Lunette astronomique

Relations. Les formules des lentilles convergentes s'appliquent en donnant à f une valeur négative.

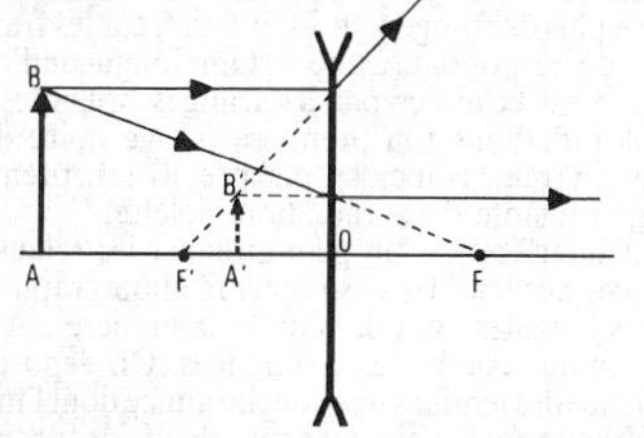

Image donnée. Une lentille divergente ne donne jamais d'image réelle, sauf quand l'objet virtuel est situé entre la lentille et son foyer objet.

■ Convergence d'une lentille

Une *lentille à bord mince* a tendance à faire converger la lumière qu'elle reçoit. Une lentille à bord épais a tendance à la faire diverger.

$$C_{\text{dioptries}} = \frac{1}{f_{\text{mètres}}}.$$

Cette formule s'applique aussi aux lentilles divergentes, en donnant à f une valeur négative.

Plusieurs lentilles minces accolées équivalent à une lentille unique dont la convergence est égale à la somme algébrique des convergences de chaque lentille.

$$C = c_1 + c_2 + c_3 + \text{etc.}$$

■ **Valeur de la convergence d'une lentille.** Dans cette relation : n est l'indice de la lentille ; R_1 est le rayon de courbure (rayon de la sphère) de la face d'entrée ; R_2 celui de la face de sortie :

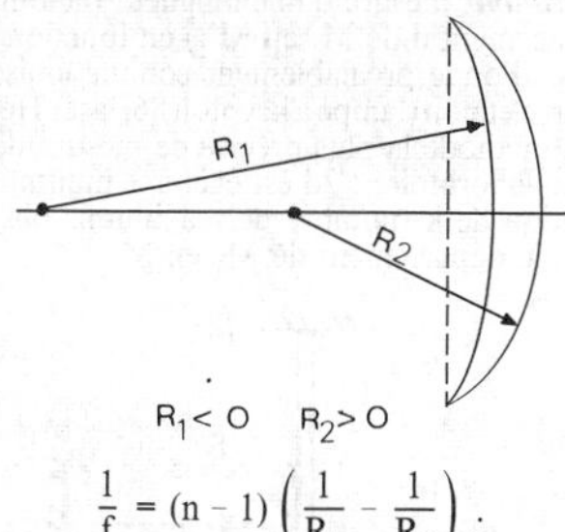

$$\frac{1}{f} = (n - 1)\left(\frac{1}{R_1} - \frac{1}{R_2}\right).$$

– R_1 et R_2 sont comptés positivement si la face correspondante est bombée, négativement si la face est creuse. L'indice n étant toujours supérieur à 1, le terme (n – 1) est toujours positif. Le signe de la convergence sera donc déterminé d'après les signes de R_1 et de R_2. Dans le cas d'une face plane, R est infini.

Instruments d'optique

☞ Voir également **Œil** à l'Index.

Tout instrument d'optique d'observation a comme but principal d'améliorer la perception des détails d'un objet ; pour cela, il substitue à l'objet une *image virtuelle de diamètre apparent plus grand.* On dit qu'il « grossit ».

■ Loupe

Définition. Lentille convergente de petite distance focale. Pour obtenir une image virtuelle agrandie, il faut placer l'objet entre le plan focal objet et la loupe. La *latitude de mise au point* (de quelques mm) est la distance des 2 positions extrêmes entre lesquelles on peut déplacer l'objet pour que l'image puisse toujours être observée par l'œil.

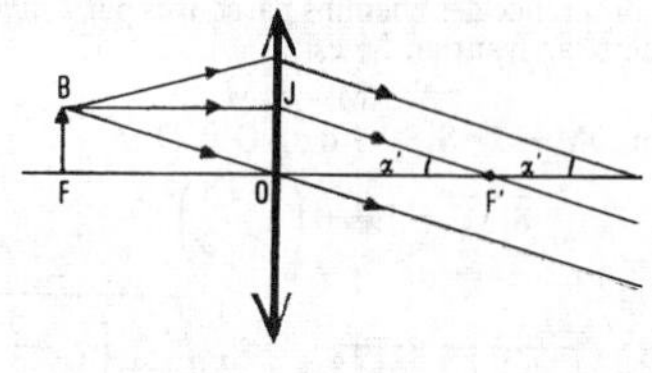

Puissance. Mesurée par le rapport de l'angle α′ exprimé en radians à la longueur AB de l'objet : $P = \frac{\alpha'}{\alpha}$. S'exprime en *dioptries* si AB est exprimé en *mètres et α′ en radians.* Si l'image est rejetée à l'infini, la puissance est égale à la convergence ; c'est sa puissance intrinsèque $P = \frac{1}{f}$: pratiquement comprise entre 5 et 100 dioptries.

Grossissement [égal au rapport du diamètre apparent α′ de l'image au diamètre apparent α de l'objet vu à l'œil nu dans les meilleures conditions, c'est-à-dire lorsque l'objet est à la *distance minimale*] *de vision distincte :* $G = \frac{\alpha'}{\alpha}$. On peut écrire :

$$G = \frac{\alpha'}{\alpha} = \frac{\alpha'}{AB} \times \frac{AB}{\alpha},\ G = P \times \delta,$$

[P est en dioptries, δ = (distance minimale de vision distincte) est en mètres].

Comme δ varie avec l'observateur, a choisi pour pouvoir cataloguer les loupes :

$$\delta = 0{,}25 \text{ m} = \frac{1}{4} \text{ m}.$$

Grossissement commercial : défini par un nombre égal au quart de la puissance en dioptries. La distance focale d'une loupe doit toujours être inférieure à la distance minimale de vision distincte.

■ Microscope

Définition. Système très convergent (l'objectif) donnant de l'objet à observer une image réelle très agrandie (mais renversée), que l'on examine à travers un oculaire jouant le rôle de loupe.

Construction de l'image. D'un petit objet AB, l'objectif O_1 de distance focale f_1 donne une image réelle et renversée A′B′, y fois plus grande que l'objet AB. Cette image intermédiaire sert d'objet pour l'oculaire O_2, de distance focale f_2, fonctionnant comme loupe ; elle est placée entre le foyer objet F_2 de l'oculaire et la lentille ; l'oculaire en donne une image virtuelle définitive A″B″, droite par rapport à A′B′, mais renversée par rapport à l'objet initial AB.

> **Microscope électronique le plus puissant de France :** il se trouve à Toulouse au labo d'optique électronique du CEMES (CNES). Tension d'accélération 3 000 000 d'eV. Résolution de l'ordre de l'angström. **Meilleur pouvoir séparateur :** microscope de Grenoble (résolution 1,6 angström).

Puissance

$$P = \frac{\alpha'}{AB} = \frac{\alpha'}{A'B'} \times \frac{A'B'}{AB}.$$

Le 1er rapport exprime la puissance p de l'oculaire ; le second, le grandissement donné par l'objectif :

$$P = p \times y.$$

L'image A′B′ est toujours extrêmement près du foyer F_2 :

$$y = \frac{A'B'}{AB} = \frac{\Delta}{f_1},$$

Δ est appelé *intervalle optique* entre l'objectif et l'oculaire.

Si l'image est rejetée à l'infini :

$p = \frac{1}{f_2}$, la relation P = py donne :

$$P_i = \frac{\Delta}{f_1 f_2}.$$

La puissance varie ordinairement de 100 à 2 500 dioptries (dans certains cas 5 000).

Grossissement

$G = \frac{\alpha'}{\alpha}$. Il vaut : G = P × δ,

P en dioptries, δ en mètres.

Grossissement commercial : $G_c = \frac{P}{4}$.

■ Lunette astronomique

Définition. Comprend 2 systèmes optiques, un *objectif* et un *oculaire* (voir aussi à l'Index). L'objectif est un système convergent assimilable à une lentille mince convergente ; il donnera de l'objet à l'infini une image dans son plan focal image. Les distances focales de l'objectif varient de 1 m à 20 m.

Construction de l'image. D'un astre AB vu de la Terre, sous un diamètre apparent α, l'objectif O_1 donne une image renversée A′B′ = F × α, située dans son plan focal image, F étant la distance focale de cet objectif. On sait que A′B′ doit se trouver entre le foyer objet F_2 de l'oculaire et cette lentille, qui en donne l'image finale A″B″, virtuelle, droite par rapport à A′B′, mais renversée par rapport à AB.

La lunette astronomique renverse les images. Elle est dite *afocale* lorsque le foyer image de l'objectif coïncide avec le foyer objet de l'oculaire ; l'image d'un objet à l'infini est elle-même à l'infini.

Grossissement. C'est le rapport du diamètre apparent de l'image au diamètre apparent de l'objet :

$$G = \frac{\alpha'}{\alpha} = \frac{F}{f}.$$

G est aussi égal à : $G = \frac{R}{r}$,

R : rayon de l'objectif, r : rayon du cercle oculaire (image de l'objectif à travers l'oculaire).

La nature ondulatoire de la lumière fait que l'image donnée par l'objectif ne peut être parfaitement fine. Si on appelle α′ le diamètre apparent sous lequel l'œil voit 2 points de l'image qu'il peut tout juste distinguer, et R le rayon de l'objectif, cet angle α′ est donné par la règle de Foucault :

$$\alpha_{\text{minutes}} = \frac{1}{R_{\text{mm}}}.$$

Un objectif de 12 (c'est-à-dire de 12 cm de diamètre) sépare la seconde.

Dans la lunette de *Galilée,* l'oculaire est une lentille divergente (dispositif des jumelles de théâtre).

XIV — Optique physique

Théorie

Une lumière monochromatique est une onde vibratoire sinusoïdale de période T ; sa fréquence est

$$\nu = \frac{1}{T}.$$

Dans le vide, toutes les radiations monochromatiques se propagent avec une célérité c indépendante de la fréquence et de la direction de propagation. Les *surfaces d'onde* correspondant à une source ponctuelle S sont les ensembles des points atteints par la lumière au même instant t. Ce sont des sphères de centre S. En tous les points d'une surface d'onde de rayon R, les vibrations lumineuses sont en phase et présentent avec la source un retard de phase :

$$\varphi = 2\pi\frac{R}{ct}.$$

On représente la vibration à la source S par :

$y = a \sin 2\pi\frac{t}{T}$ et, en un point de la surface d'onde,

par : $y = a \sin 2\pi\left(\frac{t}{P} - \frac{R}{ct}\right)$.

La longueur d'onde dans le vide de la radiation lumineuse vaut :

$$\lambda_o = cT = \frac{c}{\nu}.$$

Dans un milieu transparent, d'indice n pour la radiation considérée, la *célérité de la lumière* pour cette radiation est :

$$v = \frac{c}{n}.$$

Le milieu est dit *isotrope* si cette célérité est indépendante de la direction de propagation. Dans un tel milieu, la longueur d'onde λ est toujours inférieure à la longueur d'onde λ_o dans le vide :

$$\lambda = vT = \frac{cT}{n} ; \lambda = \frac{\lambda_o}{n}.$$

L'indice de l'air pour les radiations lumineuses vaut sensiblement n = 1,0003.

Interférences

■ **Miroirs de Fresnel** (Fr., 1788-1827). Soit 2 miroirs plans, M_1 et M_2, faisant entre eux un très petit angle α et éclairés par une source ponctuelle S de lumière monochromatique (lumière jaune d'une lampe au sodium, lumière d'un arc électrique « filtrée » par un verre rouge). Les miroirs donnent de la source S 2 images virtuelles, S_1 et S_2, d'où proviennent 2 faisceaux réfléchis, l'un de sommet S_1 s'appuyant sur le miroir M_1 (de trace OM_1 sur la figure), l'autre de sommet S_2 s'appuyant sur le miroir M_2 (de trace OM_2). Ces 2 faisceaux réfléchis se superposent sur une partie commune A_1OA_2.

En coupant les faisceaux réfléchis par un écran E, on observe dans la partie A_1A_2 des raies alternativement brillantes et obscures, appelées franges. Ces franges existent dans toute la partie commune aux 2 faisceaux, quelle que soit la position de l'écran. Elles ne sont donc pas localisées.

En un point A arrivent 2 rayons lumineux réfléchis, SIA et SJA. S_1 et S étant symétriques par rapport au miroir M_1, le trajet SIA est égal au trajet S_1IA ; de même, $SJA = S_2JA$.

La différence de phase des vibrations lumineuses arrivant en A vient de la différence des chemins parcourus : $d_1 = S_1IA$ et $d_2 = S_2JA$.

Nous pouvons donc remplacer la source S par ses 2 images S_1 et S_2 qui sont synchrones (de même période) et en phase l'une par rapport à l'autre.

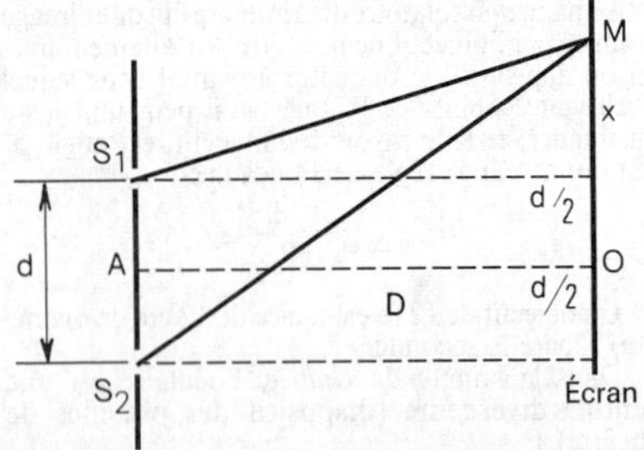

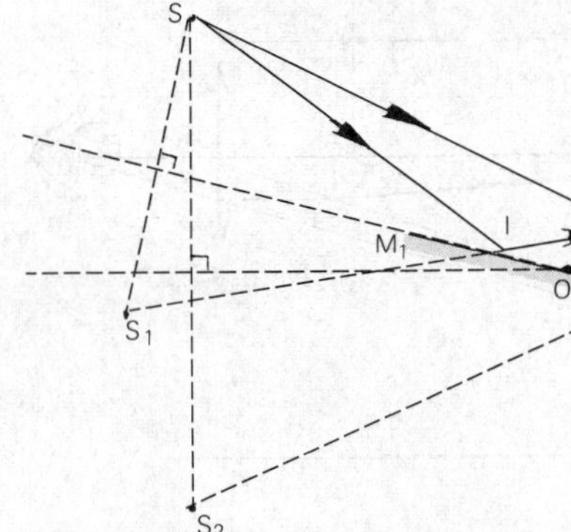

1°) Si en A la différence des chemins parcourus :

$$d_2 - d_1 = S_2A - S_1A$$

est un nombre entier de longueurs d'onde,

$$d_2 - d_1 = k\lambda,$$

les vibrations sont en phase et il y a un maximum de lumière.

Le lieu des points brillants est une série d'hyperboloïdes de révolution autour de S_1 S_2 dont les méridiennes sont des hyperboles de foyer S_1S_2. Les franges brillantes sont formées par l'intersection de ces surfaces et de l'écran d'observation.

2°) Si en un point A′, la différence des chemins parcourus est un nombre impair de demi-longueurs d'onde,

$$d_2 - d_1 = (2k + 1)\frac{\lambda}{2},$$

les vibrations en A′, en opposition de phase, se détruisent : il y a obscurité.

Le lieu des points A′ est une autre série d'hyperboloïdes de révolution autour de S_1S_2, qui s'intercalent entre les premiers ; sur un écran, on observe une alternance de franges brillantes et obscures.

La différence des chemins parcourus par 2 rayons lumineux arrivant en M est :

$$l = S_2M - S_1M.$$

Soit OM = x ; S_1S_2 = d ; AO = D :

$$\overline{S_1M}^2 = D^2 + \left(x - \frac{d}{2}\right)^2.$$

$$S_1M = \sqrt{D^2 + \left(x - \frac{d}{2}\right)^2} = D\sqrt{1 + \frac{\left(x - \frac{d}{2}\right)^2}{D^2}}$$

Or x et d sont toujours petits vis-à-vis de D :

$$S_1M = D\left|1 + \frac{\left(x - \frac{d}{2}\right)^2}{2D^2}\right|.$$

De même :

$$S_2M = D\left|1 + \frac{\left(x + \frac{d}{2}\right)^2}{2D^2}\right|.$$

La différence des chemins parcourus est donc :

$$l = S_2M - S_1M = \frac{1}{2D}\left|\left(x + \frac{d}{2}\right)^2 - \left(x - \frac{d}{2}\right)^2\right|$$

$$l = \frac{1}{2D}2\,dx, \text{ ou } l = \frac{dx}{D}.$$

Pour les franges brillantes :
$l = k\lambda$ (k étant un nombre entier), soit : $x = k\frac{\lambda D}{d}$.

On observera donc une frange centrale brillante en O (k = 0).

2 franges brillantes consécutives correspondant à 2 valeurs entières consécutives de k sont distantes de :

$$i = (k + 1)\frac{\lambda D}{d} - k\frac{\lambda D}{d} = \frac{\lambda D}{d}.$$

On voit que toutes les franges brillantes sont équidistantes. Cette équidistance s'appelle l'*interfrange* i ;

$$i = \frac{\lambda D}{d}.$$

On observe des franges obscures si :

$$l = \frac{dx}{D} = (2k + 1)\frac{\lambda}{2}$$

et leur interfrange est la même.

L'*ordre d'interférence* est : $p = \frac{l}{\lambda}$.

Si p = k (nombre entier), on obtient des franges brillantes ; si p = k + ½, on obtient des franges obscures.

Les *longueurs d'onde* des radiations lumineuses varient entre 0,4 micromètre (10^{-3} mm) pour la radiation violette et 0,75 micromètre pour la radiation rouge extrême. Les fréquences correspondantes sont : $7{,}5.10^{14}$ hertz et 4.10^{14} hertz.

■ **Interférences polychromatiques.** Si la fente S est éclairée par la lumière d'une ampoule électrique constituée par un mélange de radiations monochromatiques, on observe une frange centrale blanche et, de part et d'autre, des franges brillantes irisées ; symétriques par rapport à la frange centrale. Le champ d'observation devient rapidement blanc.

Au centre du champ, la différence de chemin étant nulle pour toutes les radiations, chacune donne en ce point une frange brillante ; la superposition de ces franges brillantes donne une frange centrale blanche. En s'éloignant de la frange centrale, on ne trouve plus de frange tout à fait noire, car les franges noires correspondant à une certaine longueur d'onde se trouvent éclairées par les franges brillantes des autres radiations ; la première frange noire de la radiation rouge coïncide à peu près avec la première frange brillante de la radiation violette.

Par interférence, on peut atténuer les reflets sur les faces des lentilles des objectifs photographiques ou des jumelles, afin de réduire la lumière parasite qui nuit aux contrastes des images. On dépose sur la surface des lentilles une couche mince dont l'indice de réfraction et l'épaisseur sont calculés de façon que les rayons réfléchis par les 2 faces de la couche aient la même intensité et une différence de marche λ/2 : l'interférence de ces 2 rayons est destructive et la réflexion parasite est supprimée pour la longueur d'onde λ choisie dans le jaune ; elle n'est qu'atténuée pour le violet et le rouge, d'où l'aspect bleuté ou pourpre des lentilles ainsi traitées. Un phénomène semblable explique les couleurs irisées des couches d'huile sur l'eau. Les couleurs de certains coléoptères et de certains papillons sont produites par interférence sur une cuticule transparente.

Interféromètre de Michelson

Un rayon venant d'une source lumineuse monochromatique L est divisé en 2 rayons partiels, l'un réfléchi, l'autre transmis par un miroir semi-transparent (la séparatrice S). Après réflexion normale sur 2 miroirs plans M_1 et M_2, ces rayons partiels se superposent : on observe des interférences au moyen du récepteur R. Chaque fois que la différence de trajet $2\,SM_2 - 2\,SM_1$ des rayons partiels est kλ (k entier, λ longueur d'onde), on a un maximum de lumière sur R.

Application : mesure d'une longueur (la longueur du déplacement d de M_1 en M'_1) en fonction de la longueur d'onde préalablement connue émise par une source étalon (lampe à krypton 86, laser He-Ne). C'est la méthode la plus précise de mesure de longueur au laboratoire : 2d est égal à λ multiplié par la variation de k (nombre de maximums observés pendant le déplacement de M_1 en M'_1).

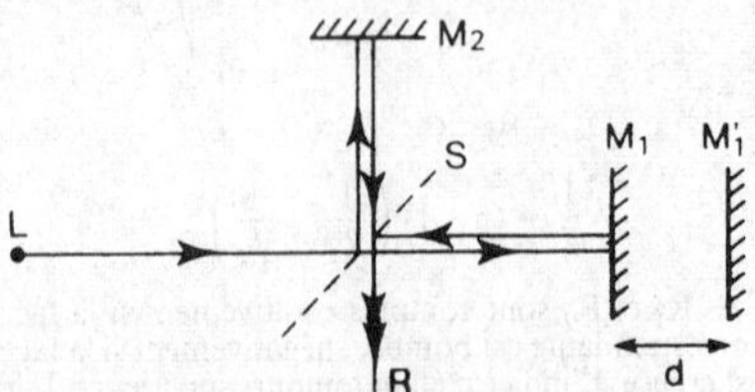

Diffraction

Une expérience simple de diffraction met en défaut le principe de la propagation rectiligne de la lumière. Prenons une source lumineuse fine (fente fortement éclairée), et intercalons entre cette source et l'écran un diaphragme de largeur variable ; nous observons sur l'écran une tache lumineuse conforme au principe de propagation rectiligne, homothétique de l'ouverture du diaphragme.

Diminuons l'ouverture du diaphragme. Lorsque celle-ci devient de l'ordre de 0,2 mm, nous commençons à constater que la tache sur l'écran s'élargit de plus en plus ; la lumière s'est propagée en dehors du cône d'ombre géométrique.

On interprète ce phénomène en considérant que la lumière se propage par ondes.

Soit une onde circulaire Σ provenant d'une source S. Pour obtenir l'onde Σ′ à l'instant t + Δt, on peut imaginer que chaque point s de S est source émettant une onde circulaire ; tous ces points vibrent en phase, et à l'instant t + Δt, chaque onde élémentaire est une circonférence de rayon vΔt. L'onde Σ′ est l'onde-enveloppe de ces circonférences.

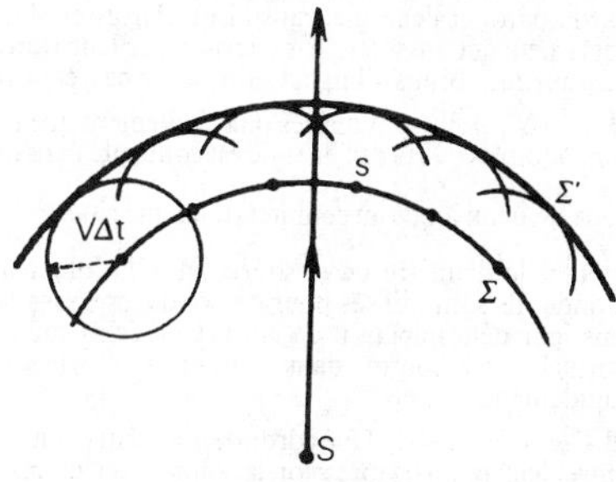

Réseau. C'est un ensemble de fines fentes parallèles équidistantes, situées dans un même plan. Le pas est la distance d entre 2 fentes consécutives. Un faisceau de lumière monochromatique frappant le réseau sous l'angle d'incidence i est diffracté. Un rayon diffracté dans une direction faisant l'angle Θ avec la normale au réseau présente avec le rayon incident une différence de marche :

$$\delta = MJ - IN = d\,(\sin i - \sin \Theta).$$

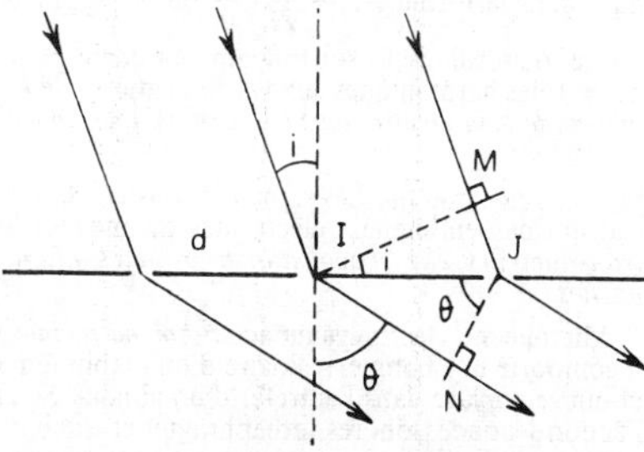

Tous les rayons diffractés dans la direction Θ sont en phase si $\delta = k\lambda$ (k entier). On a alors un maximum de lumière. Dans toute autre direction, les vibrations s'annulent. Si le faisceau incident est en lumière blanche, à chaque radiation correspond une direction d'intensité maximale d'autant plus écartée de la normale que λ est plus grand (le rouge est plus dévié que le bleu). Le réseau peut être utilisé par réflexion.

Spectroscope. Appareil composé d'un prisme ou d'un réseau sur lequel on fait tomber un faisceau de lumière parallèle. Par réfraction ou réflexion, ce faisceau donne autant de faisceaux parallèles qu'il y a de radiations dans la lumière.

Dans le plan focal image de l'objectif d'une lunette placée à la suite, on obtient autant d'images de la fente qu'il y a de radiations.

FIBRES OPTIQUES

Définition. Tubes capillaires de faible diamètre composés de 2 types de matériaux naturels ou synthétiques. Ils transmettent la lumière le long d'un trajet rectiligne ou incurvé suivant le principe de réflexion interne. Ils possèdent un cœur central et en général une seule couche de revêtement externe (gaine).

Principe. Un rayon lumineux pénètre dans la fibre sous un angle faible. L'aptitude d'une fibre à recevoir de la lumière est déterminée par son ouverture numérique donnée par la relation : O.N. = $n_o \sin\alpha_o = (n_1^2 - n_2^2)^{0,5}$ (n_o = indice de réfraction de l'air, α_o = angle sous lequel le rayon lumineux atteint l'interface entre le cœur et le revêtement, n_1 = indice de réfraction du cœur, n_2 = indice de réfraction du revêtement). Jusqu'à ce qu'il rencontre l'interface entre le cœur et le revêtement, le rayon se propage linéairement. A l'interface, le rayon est réfléchi et suit la courbure du cœur de la fibre. Une réflexion interne se produit à l'interface car l'indice de réfraction du revêtement est supérieur à celui de l'air mais inférieur à celui du cœur ($n_I > 1{,}4$).

Propriétés. a) *Optiques :* un certain nombre délimité de longueurs lumineuses peuvent transmettre la lumière et sous un certain angle. b) *Thermiques :* utilisation entre – 40 + 80 °C. c) *Électriques :* ne conduisent pas l'électricité. d) *Acoustiques :* le transport des ondes acoustiques sous forme d'ondes lumineuses entraîne une perte acoustique de quelques dB/km due à la réflexion du rayon lumineux. e) *Mécaniques :* faible diamètre, fragile et flexible.

Différentes sortes. 1°) *Fibres monomodes :* elles ont une bande passante (taux de transmission des informations) élevée (plusieurs GHz.km), un cœur de diamètre de l'ordre du micromètre et pas de revêtement.

2°) *Fibres multimodes :* a) *à gradient d'indice.* Diamètre du cœur, 50 micromètres, revêtement 120 micromètres. Leur faible atténuation acoustique (3 dB.km) et leur bande passante de l'ordre de 400 MHz.km permettent leur utilisation dans la télédistribution et les liaisons informatiques à haut débit. b) *à saut d'indice :* dimensions du cœur et du revêtement, de l'ordre du mm. Surtout utilisées pour des liaisons industrielles et militaires. Bande passante, quelques dizaines de MHz.km.

Applications. 1°) *Transmission et transport de la lumière d'un espace limité vers un espace non limité :* ex. : lampe décorative constituée de fibres optiques diffusant de la lumière d'une ampoule située à l'extrémité inférieure des fibres.

2°) *D'un espace non limité vers un espace limité :* ex. : pour examiner les petits objets d'habitude inaccessibles. a) Microscopes et projecteurs de profil. *Endoscopes souples :* la lumière envoyée est renvoyée avec son image réelle. b) Pour la recherche sur le cerveau et le cœur on utilise des filaments de fibre sans revêtement ; l'image est visualisée sur un écran de télévision. c) De courtes fibres optiques sont assemblées en un disque que l'on peut employer comme « renforçateur » d'image devant une caméra de télévision.

3°) *Transmettre de la lumière invisible d'un espace non limité vers un autre espace non limité.* Dans les télécom., on code les ondes acoustiques de la parole sous forme d'impulsions lumineuses et on les envoie dans des fibres optiques. Ce système est insensible aux interférences électromagnétiques, d'un poids et d'un encombrement réduits par rapport aux fils de cuivre, résiste aux vibrations et ne brûle pas. Raccordement et câblage des fibres optiques entraînent une perte acoustique négligeable (0,1 dB ou la fibre elle-même).

HOLOGRAPHIE

Origine. Principe découvert par Dennis Gabor (G.-B. d'origine hongroise, 1900-79) en 1947. Application pratique en 1962 avec la découverte du laser.

Principe. Donne un double parfait en 3 dimensions de l'objet enregistré grâce à un codage de la lumière par un système d'interférence de 2 faisceaux issus d'une même source.

Obtention de l'hologramme. La lumière monochromatique et cohérente d'un laser traverse une glace semi-transparente où elle se scinde en 2 faisceaux amplifiés avec une lentille divergente, le f. de référence R étant dirigé par l'intermédiaire d'un miroir vers une plaque photosensible, le dévié (D) vers l'objet à holographier. L'objet émet alors une lumière modulée qui vient frapper la plaque photosensible. La rencontre des 2 faisceaux (R) et (D) forme sur la plaque un système d'interférences qui contient l'état lumineux de l'objet. Le développement de la plaque photosensible permet l'obtention d'un hologramme.

Formation de l'image holographique. Après développement, le faisceau (R) éclaire la plaque photosensible impressionnée et restitue le front d'ondes lumineuses contenues dans l'objet [faisceau (D)]. L'observateur voit ainsi l'objet en relief reconstitué au 1/10 de micromètre près.

Applications. *Le procédé Bonnet* donne en même temps plusieurs vues d'un même objet sous des angles différents grâce à un film gaufré plaqué par émulsion photographique.

Le procédé Multiplex composé d'un ensemble d'environ un millier d'hologrammes. Chaque hologramme représente une vue d'un film décrivant un cercle autour du sujet. Un observateur déplacé latéralement voit défiler une suite de vues réalisant une scène animée.

La représentation d'un objet imaginaire (prototype d'une voiture) peut se faire avec un hologramme calculé, qui est inscrit sur une plaque sensible par l'intermédiaire d'un ordinateur.

Le *conoscope* (ENST) utilise un cristal biréfringent qui sépare en deux tout rayon venant d'une source lumineuse banale. Un équipement vidéo couplé à un micro-ordinateur peut remplacer la pellicule. Le conoscope permettra le guidage de robot, la reconnaissance de forme, le calcul des coordonnées des points d'une maquette d'automobile ou d'avion qu'on pourra introduire dans un système CAO, et le cinéma en relief.

POLARISATION

A chaque train d'ondes émis par un atome correspond un vecteur vibrant normal au rayon. Les trains successifs étant répartis au hasard, les vecteurs vibrants d'une lumière naturelle ont toutes les directions dans le plan normal au rayon. Si la lumière naturelle tombe sur un miroir à l'incidence brewstérienne [1], i, telle que tg i = n (n, indice du milieu sur lequel se produit la réflexion), seul est réfléchi le vecteur vibrant normal au plan d'incidence qui est dit plan de polarisation. La lumière est polarisée. Pour une incidence i différente, la lumière est partiellement polarisée.

Lorsque le rayon polarisé tombe sur un 2ᵉ miroir tel que le plan d'incidence fasse un angle Θ avec le plan de polarisation, l'intensité de la lumière réfléchie est : $I = I_o \cos^2 \Theta$ (loi de Malus). Si Θ = 90°, le rayon réfléchi est éteint.

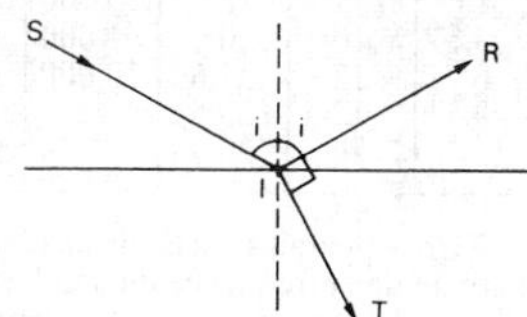

SI rayon incident. IR rayon réfléchi. IT rayon réfracté. Incidence brewstérienne (angle i).

Nota. – (1) L'incidence brewstérienne [définie en 1815 par le physicien écossais David Brewster (1781-1868)] indique la valeur particulière de l'angle d'incidence d'un rayon lumineux, telle que le rayon réfléchi soit entièrement polarisé (verre ordinaire : 55°).

De nombreux cristaux présentent le phénomène de double réfraction. Il est très net avec le spath d'Islande, variété pure de carbonate de calcium. Si l'on pose une lame de spath convenablement taillée sur un objet, on aperçoit 2 images de cet objet. Il y a donc 2 rayons sortants pour 1 seul rayon incident ; ces 2 rayons sont polarisés dans des plans rectangulaires. La *tourmaline* (borosilicate naturel d'alumine) présente à la fois une double réfraction et une absorption inégale des 2 rayons réfractés. Une lame de tourmaline de 1 mm d'épaisseur et convenablement taillée absorbe complètement l'un des rayons polarisés.

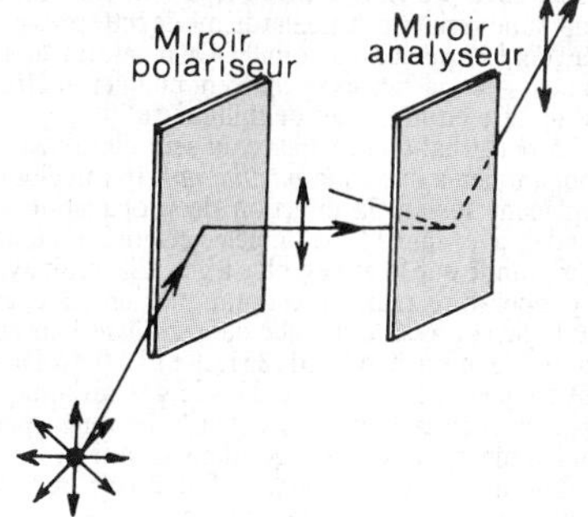

On construit, depuis 1934, des lames polarisantes appelées **Polaroïds.** La polarisation est produite par des cristaux microscopiques de substances synthétiques (iodure de quinine) qui absorbent l'un des rayons. Il faut que tous ces cristaux soient orientés de la même façon : cette orientation se fait spontanément sur la couche de gélatine d'un film ordinaire.

La lumière peut être polarisée d'une façon circulaire. Elle est alors caractérisée par un vecteur vibration de module constant mais tournant d'un mouvement uniforme autour de la direction de propagation.

XV — ACOUSTIQUE

Voir aussi **bruit** et **son** à l'Index.

DONNÉES GÉNÉRALES

■ **Définition.** Bien qu'étymologiquement l'acoustique soit l'étude des phénomènes concernant l'ouïe, elle constitue en fait la partie de la physique qui traite des propriétés des sons (production, propagation, réception) et des techniques qui font intervenir ces phénomènes dans les applications pratiques. Déjà, dans l'Antiquité, Pythagore, Aristote et Ptolémée ont étudié les relations mathématiques entre les différents intervalles musicaux. Vitruve a posé les premières bases de l'acoustique architecturale.

L'acoustique moderne et l'électroacoustique datent d'une centaine d'années (travaux des physiciens lord Rayleigh, Helmholtz et Sabine, ou des inventeurs Bell, Cros, Edison, Poulsen...), mais depuis les années 60 l'évolution est spectaculaire.

■ **Phénomènes vibratoires.** A l'origine de toute sensation sonore il y a un système qui vibre et constitue une *source sonore.* Ce système peut être solide (lame vibrante, corde de violon, membrane de haut-parleur), liquide, ou même gazeux (colonne d'air d'un tuyau d'orgue ou de clarinette). La vibration ainsi produite est un phénomène alternatif souvent complexe, mais que nous supposerons périodique pour simplifier (on suppose qu'il se reproduit identiquement à lui-même à des intervalles de temps égaux appelés **périodes**). Cette vibration est caractérisée par 3 paramètres : *amplitude, fréquence* [inverse de la période et mesurée en nombre de périodes par seconde ou *hertz* (Hz)], et *forme* du signal vibratoire.

Lorsque la source sonore est placée au sein d'un milieu élastique (généralement l'air), mais qui peut être aussi liquide ou solide, la vibration produit dans ce milieu une perturbation se propageant sous la forme d'une **onde sonore,** qui parvient finalement à l'oreille où elle provoque une *sensation sonore,* caractérisée : 1°) par la *hauteur* du son (sa **tonie**), qui dépend essentiellement de la fréquence de la vibration et qui permet de distinguer un son grave d'un son aigu ; 2°) par son *intensité physiologique* (ou **sonie**), qui est fonction de l'amplitude de la vibration ; 3°) par son **timbre,** qui est lié à la forme de la vibration et permet de différencier le son d'un violon de celui d'un hautbois.

Sons audibles : phénomènes vibratoires dont la fréquence est comprise entre 20 et 20 000 hertz env. *Infrasons :* sons dont la fréquence est inférieure à 20 hertz. *Ultrasons :* sons de + de 15 000 ou 20 000 hertz. Entendus par certains animaux (ex. : chat : 40 000 hertz, chien : 80 000, chauve-souris : 120 000).

■ **Propagation des ondes sonores. Dans un fluide gazeux :** la perturbation du milieu se traduit par une modification de l'état du gaz (notamment par une variation de sa pression) et par un déplacement alternatif des particules de gaz autour d'une position d'équilibre (les particules ne suivent pas la propagation de l'onde). En fait, la perturbation est très faible : pour un son relativement intense, la variation de pression [dénommée *pression acoustique* et mesurée en *pascals* (Pa)], est d'environ 1 millionième de la pression statique. Des sons correspondant à une variation du milliardième de cette pression peuvent être perçus par l'oreille. De même les déplacements des particules se chiffrent en micromètres, c'est-à-dire en millièmes de millimètre.

La perturbation se déplace au sein du milieu en donnant lieu à une *onde longitudinale* (particules se déplaçant suivant la direction de propagation de l'onde), avec une vitesse (appelée **célérité**) d'autant plus grande que le gaz est plus léger. Elle croît avec la température, mais elle est pratiquement indépendante de la pression statique du gaz. Dans l'air elle est de 343 m/s à 20 °C, et de 331,29 m/s à 0 °C. Dans l'hydrogène, de 1 270 m/s, dans le gaz carbonique (gaz relativement lourd), de 258 m/s. Le son ne peut évidemment pas se propager dans le vide.

Pour un gaz sensiblement parfait, la célérité C est donnée par la formule de Laplace :

$$C = \sqrt{\frac{\gamma p}{\rho}} = \sqrt{\frac{\gamma RT}{M}}$$

γ rapport des chaleurs massiques à pression et à volume constants, p pression statique du gaz, ρ sa masse volumique, T sa température thermodynamique, M sa masse molaire, R constante molaire des gaz. *Longueur d'onde :* distance parcourue par une onde pendant la durée d'une période vibratoire, elle ne dépend pas de l'amplitude de la vibration, mais est inversement proportionnelle à la fréquence. Dans l'air, elle varie entre 15 m env. pour les sons les plus graves et quelques cm pour les sons les plus aigus.

Dans les liquides : les célérités sont en général nettement plus grandes : dans l'eau, 1 450 m/s, dans l'alcool éthylique, 1 170 m/s.

Dans les solides : les phénomènes de propagation sont plus complexes. A côté des *ondes longitudinales* analogues à celles qui se propagent dans les fluides, on trouve des *ondes transversales* (les particules se déplacent perpendiculairement à la direction de propagation des ondes), et des *ondes superficielles* qui prennent naissance à la surface des solides. Les célérités de ces différentes ondes ne sont pas identiques. *Célérités (en m/s) :* aluminium 5 200, acier 5 050, plomb 1 250, bois 1 000 à 4 000 selon la dureté, verre 3 500 à 5 000 selon la composition.

■ **Notation en décibels. Niveaux.** Les amplitudes de vibrations et les pressions acoustiques rencontrées dans la pratique varient beaucoup. Ainsi le rapport des amplitudes de vibration (ou des pressions acoustiques) correspondant à un bruit de réacteur d'avion et au seuil d'audibilité (c'est-à-dire au plus faible son qu'une oreille est susceptible de percevoir) est de l'ordre de 10^7, soit dix millions. Par ailleurs la sensation auditive, obéissant à la loi de Fechner, est proportionnelle au logarithme de l'excitation. Autrement dit, l'augmentation de l'intensité subjective est la même quand la pression acoustique varie entre 1 et 2 pascals ou bien entre 0,01 et 0,02 pascal. Aussi utilise-t-on en acoustique, pour caractériser une amplitude vibratoire ou une intensité subjective, une notation logarithmique, le *décibel* (dB). Introduit à l'origine pour caractériser un rapport de 2 énergies ou de 2 puissances, le décibel est maintenant utilisé pour toutes sortes de grandeurs, et l'on adopte 2 définitions, selon que l'on considère une grandeur « de puissance » (proportionnelle à une puissance) ou une grandeur « de champ » (proportionnelle à la racine carrée d'une puissance). En acoustique, pression acoustique, amplitude vibratoire et vitesse des particules constituent des grandeurs de champ. Le rapport de 2 grandeurs de puissance, exprimé en décibels, est égal à 10 fois le logarithme décimal de ce rapport ; s'il s'agit de 2 grandeurs de champ, on prend 20 fois le logarithme décimal du rapport. Quand on compare 2 états vibratoires, le nombre de décibels est le même, quelle que soit la grandeur considérée pour caractériser ces 2 états.

Le rapport d'une grandeur à une grandeur de même espèce prise comme référence définit le *niveau* de cette grandeur, exprimé en décibels. Ainsi, si l'on choisit comme pression acoustique de référence $p_o = 2.10^{-5}$ pascals, ce qui correspond sensiblement à la plus faible pression acoustique perceptible par une oreille humaine, on définit le niveau de pression acoustique L correspondant à une pression p par l'expression :

$$L = 20 \lg \frac{p}{p_o}.$$

Voir à l'index « Ouïe » niveaux de pression.

Conversion de rapport de grandeurs de champ en décibels (valeurs arrondies)

R	dB	R	dB	R	dB
1	0	5	14	30	29,5
1,1	0,8	6	15,6	50	34
1,2	1,6	8	18	100	40
1,5	3,5	10	20	1 000	60
2	6	12	21,6	10 000	80
3	9,5	15	23,5		
4	12	20	26		

■ **Effet Doppler.** Apparaît sous la forme d'une altération apparente de la fréquence du son lorsque la source et l'observateur sont en mouvement relatif (ex. : le passage d'un véhicule devant un piéton se traduit par une variation de la hauteur du son, suivant que le véhicule s'approche ou s'éloigne).

■ **Rayonnement des sources sonores.** La propagation d'une onde sonore correspond à une propagation de l'énergie acoustique produite par la source. On peut donc caractériser le rayonnement d'une source sonore par sa *puissance acoustique.* Le rayonnement dépend du rapport entre les dimensions de la source sonore et la longueur d'onde du son émis. Si ce rapport est petit, le rayonnement est faible ; si ce rapport devient très supérieur à 1, le rayonnement devient important, mais se complique d'un phénomène de *directivité* (la source rayonne suivant des directions privilégiées). Ainsi, pour que des sons graves rayonnent au moyen d'un haut-parleur, il faut des membranes de grand diamètre animées de mouvements de grande amplitude. Par contre, un *tweeter* de quelques cm de diamètre suffit pour qu'un son aigu intense rayonne, mais ce rayonnement est localisé au voisinage de l'axe du *tweeter.* (En pratique, cet effet directif est masqué par les réflexions des ondes sur les parois de la salle d'écoute.)

Les puissances acoustiques mises en jeu sont en général très faibles, de l'ordre du milliwatt ou du microwatt. Cependant, en raison du faible rendement des sources (env. 1 % pour un haut-parleur), il faut utiliser des amplificateurs de plusieurs dizaines de watts pour les chaînes à haute fidélité.

■ **Transmission des sons.** Lorsqu'une onde sonore frappe une paroi, la variation de pression ainsi créée entraîne la vibration de celle-ci, qui rayonne un son. Le son ainsi transmis est d'autant plus intense que la paroi est plus légère et que la fréquence est plus basse. En pratique, on caractérise acoustiquement un mur ou une cloison par son *indice d'isolement acoustique* (rapport en décibels, entre l'énergie reçue par la paroi et l'énergie transmise). Parois et planchers peuvent aussi être caractérisés par leur transmission des « bruits d'impact » (bruits de pas, chocs).

■ **Ultrasons.** Ils sont dirigés plus facilement que les sons audibles ; 90 % de l'énergie est contenue dans un cône de demi-angle au sommet α, tel que $\sin \alpha = \frac{\lambda}{d}$, d étant le diamètre de la source et λ la longueur d'onde. Ils sont utilisés pour les sondages sous-marins, par détermination de la durée d'écho sur un obstacle. Par contre, dans l'air, ils s'amortissent rapidement.

■ **Cordes vibrantes.** Une corde de longueur *l,* tendue entre deux points, vibre si on la frappe avec un marteau (piano), si on la pince (harpe), si on la frotte avec un archet (violon). Elle est le siège d'ondes stationnaires de grande amplitude si elle contient un nombre entier de fuseaux, $l = k\frac{\lambda}{2}$. La célérité des ondes ayant pour expression $V = \sqrt{\frac{F}{\mu}}$, F étant la tension de la corde (en newtons) et m la masse linéique (en kg/m), les lois des cordes vibrantes sont contenues dans la formule $N = \frac{k}{2l}\sqrt{\frac{F}{\mu}}$ où N est la fréquence du son émis. Le son fondamental correspond à $k = 1$, les harmoniques aux valeurs entières de *k : une corde peut émettre tous les harmoniques du son fondamental.*

■ **Électroacoustique.** Les signaux acoustiques sont transformés en signaux électriques au moyen de *transducteurs électroacoustiques* appelés *microphones.*

Microphone électrodynamique *à bobine mobile :* il comporte une bobine, solidaire d'un diaphragme et qui se déplace dans l'entrefer d'un aimant. Sous l'action des ondes sonores, le diaphragme et la bobine sont soumis à un mouvement alternatif qui crée par effet électromagnétique une tension électrique aux bornes de la bobine.

Microphone électrostatique *à condensateur :* il repose sur les variations de capacité d'un condensateur électrique constitué par une membrane qui vibre sous l'action des ondes sonores et par une plaque fixe située à très faible distance. Le condensateur est polarisé par une tension continue à travers une résistance de forte valeur. Les mouvements de la membrane se traduisent par une variation de capacité qui entraîne une variation de tension aux bornes du condensateur.

Microphone à électrets : il conserve, grâce à un traitement spécial d'une des électrodes, une polarisation permanente. Ainsi, la tension de polarisation extérieure n'est plus nécessaire.

Autres types de microphones : piézoélectriques, à ruban, à charbon, électromagnétiques, etc.

Selon leur principe de fonctionnement et leur construction, les microphones sont conçus pour être *directionnels,* c'est-à-dire pour être plus sensibles à des ondes se propageant dans une ou plusieurs directions privilégiées, ou au contraire *omnidirectionnels.*

Haut-parleurs et **écouteurs.** Le plus courant *h.-p. électrodynamique à bobine mobile,* constitué par une membrane conique solidaire d'une bobine qui se déplace dans l'entrefer d'un aimant. Lorsque la bobine est parcourue par un courant alternatif (fourni par un amplificateur par exemple), il se produit des forces électromagnétiques qui mettent la membrane en vibration. Celle-ci rayonne alors une onde acoustique dans l'espace environnant.

■ **Enregistrement et reproduction du son.** On utilise un *support* qui défile devant un dispositif d'enregistrement auquel sont appliquées, sous forme de signaux électriques, venant par exemple d'un microphone, les informations à conserver et qui sont ainsi fixées sur ce support. Lors de la lecture, on fait défiler le support devant un dispositif de lecture qui transforme l'information enregistrée en signaux électriques. Ceux-ci sont amplifiés et transformés en ondes acoustiques au moyen d'un haut-parleur par exemple.

Enregistrement sur disques (voir Index).

Enregistrement magnétique. *Support : bande magnétique* (ruban plastique recouvert d'une couche ferromagnétique). Ont en général 2 ou 4 pistes, pour permettre un enregistrement stéréophonique. En retournant la bande, on peut doubler la durée de l'enregistrement. Professionnels, bandes larges qui peuvent contenir jusqu'à 30 pistes. Pour le cinéma sonore, on a longtemps utilisé un enregistrement photographique sur une piste située sur le film cinématographique et modulée en amplitude ou en opacité. On obtient de meilleurs enregistrements en disposant sur le bord du film une piste magnétique que l'on enregistre selon le procédé habituel. *Enregistrement :* est constitué par une *tête d'enregistrement* qui produit dans la bande un champ d'induction variable et modifie son état magnétique. *Lecture :* les variations de flux magnétique créées par le défilement de la bande devant une *tête de lecture* produisent par induction une tension électrique aux bornes de la tête. On peut, après utilisation, effacer l'information enregistrée sur la bande avec une *tête d'effacement.*

CHIMIE

CORPS SIMPLES ET CORPS COMPOSÉS

La **chimie minérale** (« chimie inorganique ») étudie les corps simples et leurs composés, sauf les composés du carbone qui sont à la base des matières végétales et animales et qu'étudie la **chimie organique.**

REPRÉSENTATION DES CORPS

■ **Éléments.** Au nombre d'une centaine, les *éléments* sont les constituants de la matière, en principe immuables dans les transformations dites chimiques. Certains peuvent subir des transmutations dites radiochimiques engendrant d'autres éléments. Chaque élément est représenté par un symbole (O représente l'élément oxygène, Cl représente le chlore, H l'hydrogène, etc.).

Les éléments naturels peuvent être des individus uniques, mais la plupart d'entre eux sont des mélanges d'*isotopes.*

■ **Corps composés.** Ils comprennent plusieurs éléments. **Composés gazeux** (la majorité) : formés de particules toutes semblables, qu'on appelle *molécules.* Ainsi, l'oxygène est formé de molécules renfermant 2 atomes et est représenté par la formule O_2. L'eau *gazeuse* est formée de molécules associant 2 atomes d'hydrogène à 1 atome d'oxygène ; on la représente par la formule H_2O. **Non gazeux. A l'état liquide :** les molécules d'eau sont associées, c'est-à-dire faiblement attachées les unes aux autres ; on conserve cependant la formule H_2O. D'autres liquides, comme le sulfure de carbone CS_2, sont peu associés. **A l'état solide :** cas plus complexe. Ainsi le camphre solide est constitué de molécules $C_{10}H_{16}O$ à peu près indépendantes, mais ce n'est pas le cas de la plupart des composés solides minéraux. Un cristal de diamant C est une gigantesque molécule formée exclusivement de carbone ; un cristal de chlorure de sodium est un agrégat gigantesque d'*ions* Cl^- (atome de chlore ayant accepté 1 électron) et d'*ions* Na^+ (atome de sodium ayant perdu 1 électron). On le représente néanmoins par la formule NaCl, qui ne signale pas la positivité et la négativité mais indique seulement la proportion des composants [**stœchiométrie** (du grec *stoikheion,* « élément »)]. La même remarque s'applique à tous les sels : la formule du sulfate de sodium Na_2SO_4 rappelle l'égalité électrique entre les ions SO_4^{--} et les ions Na^+.

Molécule-gramme ou mole. La mole d'eau (18 g) renferme $6{,}02.10^{23}$ molécules élémentaires. La mole de chlorure de sodium (58,5 g) renferme $6{,}02.10^{23}$ ions Cl^- et $6{,}02.10^{23}$ ions Na^+.

Il existe des *composés minéraux non stœchiométriques* [c.-à-d. en contradiction avec la loi de Proust (Joseph-Louis, 1754-1826) ou *Loi des proportions définies,* selon laquelle les éléments s'unissent entre eux selon des proportions invariables] et des *macromolécules.* Celles-ci, d'origine naturelle (amidon, cellulose) ou synthétique, constituent l'ensemble des résines synthétiques ; leur masse moléculaire est généralement élevée mais variable. Ex. : le polythène, résine venant de la polymérisation de l'éthylène, est représenté par la formule $(-CH_2\text{-}CH_2-)_n$.

CLASSIFICATION

■ ÉLÉMENTS (OU CORPS SIMPLES)

I - Métaux. Ils sont solides à la température ordinaire (sauf le mercure). La plupart ont, quand ils sont polis, un éclat métallique. Ils sont en général bons conducteurs de l'électricité et de la chaleur : malléables, ductiles (étirables), tenaces (résistants à la rupture), durs. Ils se combinent avec l'oxygène, donnant un ou plusieurs **oxydes** basiques. Certains se combinent avec l'hydrogène, donnant des **hydrures.**

Métaux nobles. Métaux qui ne s'oxydent ni à l'air ni dans l'eau. Les acides les attaquent difficilement. Ex. : or, platine.

Métaux alcalins et alcalino-terreux. Métaux qui s'oxydent facilement. Ex. : lithium, sodium, potassium, rubidium, calcium, baryum.

II - Non-métaux (terme remplaçant officiellement celui de **métalloïdes**). Ils ne possèdent pas, généralement, les qualités des métaux. Ils sont sans éclat, mauvais conducteurs, non malléables, non étirables, peu résistants, peu durs, sauf le bore et le carbone sous forme de diamant. Tous leurs composés oxygénés sont neutres ou acides, jamais basiques. Ils se combinent avec l'hydrogène. Voir liste des éléments p. 234.

Élément métallique le moins dense : lithium (0,5334 g/cm³). *Le plus dense :* iridium (22,64 g/cm³). *Le plus ductile :* or (1 g/2,4 km). *La plus grande résistance à la traction :* bore (26,8 GPa). *Le plus bas point de fusion/d'ébullition :* hélium (– 272,375 °C sous une pression de 24,985 atmosphères et – 268,928 °C). *Le plus haut point d'ébullition/de fusion :* tungstène (3 422 °C et 5 730 °C). *Le plus dilatable (dilatation négative) :* plutonium ($-5{,}8 \times 10^{-5}$ cm/cm/ °C entre 450 et 480 °C (allotrope delta prime découvert en 1953).

Suivant leurs propriétés, on peut les classer en 5 groupes : 1°) halogènes (c.-à-d. donnant des composés binaires non oxygénés avec un métal) : fluor, chlore, brome, iode, astate ; 2°) oxygène, soufre, sélénium, tellure ; 3°) azote, phosphore, arsenic ; 4°) carbone, silicium (bore apparenté) ; 5°) hydrogène.

III - Gaz rares. Gazeux à la température ordinaire. Ce sont : *hélium, néon, argon, krypton, xénon.* Jusqu'en 1962, on a cru qu'ils ne pouvaient pas se combiner avec un autre corps, mais qu'ils pouvaient seulement entrer dans des mélanges (ex. : dans l'air). Depuis, des combinaisons avec le fluor ont été obtenues (XeF_2 ; XeF_4...) sauf pour He, Ne et A.

■ COMPOSÉS DÉFINIS (OU STŒCHIOMÉTRIQUES)

Les éléments se combinent dans des proportions variant suivant leur *valence.* Celle-ci dépend du nombre d'électrons situés sur la couche extérieure de l'atome. Ce nombre n'est pas toujours constant dans certains corps qui peuvent ainsi avoir plusieurs valences. Dans un composé binaire, les éléments s'unissent en proportions telles que les valences de chacun d'eux s'équilibrent.

Ex. : Al (valence 3) + O (valence 2) donne Al_2O_3.

En se combinant, les corps composés peuvent en donner d'autres ou libérer des corps simples.

PRINCIPAUX TYPES DE COMPOSÉS

Composés oxygénés. Oxyde : un corps en se combinant avec l'oxygène peut donner un ou plusieurs oxydes. S'il n'en donne qu'un, on appelle l'oxyde du nom du corps (ex. : oxyde de zinc). S'il en donne 2, on utilise 2 terminaisons (ex. : oxyde *ferrique* pour le plus oxygéné Fe_2O_3, *ferreux* pour le moins oxygéné FeO).

Anhydride : oxyde qui, en se combinant avec l'eau, donne un ou plusieurs acides. Si le corps donne un seul anhydride, on utilise la terminaison *-ique* (ex. : anhydride carbonique). S'il en donne 2, on utilise 2 terminaisons (ex. : anhydride *nitrique* pour le plus oxygéné N_2O_5, *nitreux* pour le moins oxygéné N_2O_3).

Composés binaires non oxygénés : souvent combinaison d'un métal et d'un non-métal. On les appelle *chlorure, bromure, iodure, sulfure, carbure.* Si le métal donne une combinaison, on dira par ex. : chlorure de sodium. S'il en donne 2, on dira chlorure *mercureux* pour le moins chloré, *mercurique* pour le plus chloré.

Autres composés ternaires, quaternaires, etc. : corps à base de 3, 4, etc., éléments qui peuvent revêtir de nombreux aspects. Parmi ceux-ci, on distingue notamment les *hydroxydes métalliques* (ou *bases*), oxydes qui se sont combinés avec de l'eau. Ex. : hydroxyde de calcium $Ca(OH)_2$.

Acide - Base : selon la théorie de Brönsted (ou d'Arrhenius), un acide est un composé AH qui, dans l'eau, est capable de céder des protons solvatés H_3O^+ selon : $AH = H^+ + A^-$. A^- est appelé *base conjuguée de l'acide AH.* Inversement, une base est capable de fixer des protons. AH/A^- constitue un couple acide/base. Si l'équilibre ci-dessus est totalement déplacé vers la droite, AH est un acide fort (ex. : HNO_3) et sa base conjuguée (NO_3^-) est infiniment faible. A un acide faible (acide acétique), caractérisé par une constante d'acidité $K_a = (H^+)(A^-)/(AH)$ correspond une base conjuguée faible (ion acétate). Il existe aussi des bases fortes (ex. : OH^-). L'ancienne définition de la base, selon Arrhenius (composé qui contient OH^-), est insuffisante car elle ne rend pas compte de la basicité de composés tels que l'ammoniac NH_3.

L'électrolyse d'un acide libère de l'hydrogène à la cathode. Donne avec une base : eau + sel + chaleur ; avec certains métaux, sel + hydrogène sauf exception (acide nitrique). L'électrolyse d'une base peut libérer le métal à la cathode. Si ce n'est pas le cas, il se dégage de l'hydrogène et des ions OH^- sont créés (ex. : électrolyse d'une solution de soude). Avec un acide, donne eau + sel + chaleur.

Sel : composé résultant de l'action d'un acide sur un métal ou une base, et d'écriture générale : A_aC_c, dans laquelle A est l'anion (ion négatif, de charge $z_a < 0$) et C le cation (ion positif, de charge z_c). Le sel est électriquement neutre : $a\,z_a + c\,z_c = 0$. Une solution saline peut être soit acide, soit neutre (pH=7), soit basique.

pH *(potentiel hydrogène) :* le pH d'une solution est égal au cologarithme de la concentration en ions H^+ (notée $[H^+]$) dans ce milieu. En solvant aqueux, l'échelle des pH est comprise entre 0 et 14. La solution est dite acide si son pH est inférieur à 7. La valeur 7 correspond à la « neutralité ». Ex. : monoacide fort à la concentration M/1 000 : $[H^+] = 10^{-3}$M ; pH = 3. Le pH d'une solution se détermine à l'aide d'un « pH-mètre » (voltmètre qui mesure la différence de potentiel entre une électrode de verre et une électrode de référence ; la ddp est une fonction affine du pH). Plus simplement, on évalue le pH à l'aide d'un indicateur coloré [solution diluée d'un acide faible AH et de sa base conjuguée A^- (constante d'acidité = Ka ; $pK_a = -\log K_a$)]. AH et A^- étant de couleur différente, si pH < pKa, AH est l'espèce majoritaire et impose sa couleur à la solution. Si $pH > pK_a$, A^- est majoritaire. Aux pH voisins de pK_a, AH et A^- sont en quantités comparables ; on observe une couleur intermédiaire. Ex : le bleu de bromothymol est jaune à pH acide et bleu en milieu basique. Domaine de virage : 6,0 < pH < 7,6 (couleur verte).

Il existe des « indicateurs universels » constitués d'un mélange d'indicateurs colorés possédant des domaines de virage suffisamment distincts et des espèces chimiques de colorations différentes. Une solution dans laquelle on introduit quelques gouttes d'indicateur universel prend une couleur caractéristique permettant un repérage semi-quantitatif de son pH. Les bandelettes de « papier pH » sont imprégnées d'un indicateur universel.

CHIMIE MINÉRALE

Les alliages, qui sont des mélanges homogènes de métaux à l'échelle macroscopique ou de métaux avec

LISTE DES ÉLÉMENTS

Élément et date de découverte	Symb.	Masse atomique	Nbre	Tempér. en °C Fusion ou	Ébull.	Valence	Masse volum. (g/cm3)	Structure électronique
Actinium (1899 Debierne)	Ac	227	89	1050	3200	3	10,1	(Rn)$6d^{1}7s^{2}$
Aluminium (1827 Wöhler)	Al	26,9815	13	660,3	2467	3	2,7	(Ne)$3s^{2}3p^{1}$
Américium [1, 10] (1945 Seaborg [25])	Am	243	95	994	2607	2, 3, 4, 5, 6, 7	13,7	(Rn)$5f^{7}6d^{0}7s^{2}$
Antimoine (1450)	Sb	121,75	51	630,7	1750	3, 5	6,69	(Kr)$4d^{10}5s^{2}5p^{3}$
Argent (av. J.-C.)	Ag	107,87	47	961,9	2212	1	10,5	(Kr)$4d^{10}5s^{1}$
Argon [3] (1894 Rayleigh [16])	Ar	39,948	18	- 189,2	- 185,7	n.c.	1,4	(Ne)$3s^{2}3p^{0}$
Arsenic [4] (XIIIe Albert le Gd)	As	74,9216	33	817*(a)*	613*(b)*	3,5	5,72	(A.)$3d^{10}4s^{2}4p^{3}$
Astate [4] (1940 Corson [25])	At	210	85	302	337	1, 3, 5, 7	—	(Xe)$4f^{14}5d^{10}$
Azote [4] (1772 Rutherford)	N	14,0067	7	- 209,9	- 195,8	3 ou 5	0,81	$1s^{2}2s^{2}2p^{3}$
Baryum (1808 Davy)	Ba	137,34	56	725	1640	2	3,5	(Xe)$6s^{2}$
Berkélium [2, 10] (1949 Seaborg [25])	Bk	247	97	n.c.	n.c.	3, 4	—	(Rn)$5f^{9}6d^{0}7s^{2}$
Béryllium [6] (1798 Vauquelin)	Be	9,012	4	1278	2970	2	1,85	$1s^{2}2s^{2}$
Bismuth (1753 Geoffroy)	Bi	208,98	83	271,3	1560	3, 5	9,8	(Xe)$4f^{14}5d^{10}6s^{2}6p^{3}$
Bore [4] (1808 Gay-Lussac [11])	B	10,811	5	2300	2550	3	2,34	$1s^{2}2s^{2}2p^{1}$
Brome [4] (1826 Balard)	Br	79,904	35	- 7,2	58,78	1, 3, 5	3,12	(A)$3d^{10}4s^{2}4p^{5}$
Cadmium (1817 Stromeyer)	Cd	112,40	48	320,9	765	2	8,65	(Kr)$4d^{10}5s^{2}$
Calcium (1808 Davy)	Ca	40,08	20	839	1484	2	1,55	(A)$4s^{2}$
Californium [2, 10] (1950 Seaborg [25])	Cf	251	98	n.c.	n.c.	2, 3, 4	—	(Rn)$5f^{10}6d^{6}7s^{2}$
Carbone [4] (av. J.-C.)	C	12,011	6	3550	4827	2, 3 ou 4	2,26	$1s^{2}2s^{2}2p^{2}$
Cérium [5] (1803 Berzelius [12])	Ce	140,12	58	799	3426	3, 4	6,67	(Xe)$4f^{2}5d^{0}6s^{2}$
Césium (1860 Bunsen [17])	Cs	132,905	55	28,4	678,4	1	1,87	(Xe)$6s^{1}$
Chlore [4] (1774 Scheele)	Cl	35,453	17	- 100,98	- 34,6	2, 3, 5, 7	1,56	(Ne)$3s^{2}3p^{5}$
Chrome (1797 Vauquelin)	Cr	51,996	24	1857	2672	2, 3, 6	7,19	(A)$3d^{5}4s^{1}$
Cobalt (1756)	Co	58,9332	27	1495	2870	2, 3	8,9	(A)$3d^{7}4s^{2}$
Cuivre (av. J.-C.)	Cu	63,54	29	1083,4	2567	1, 2	8,96	(A)$3d^{10}4s^{1}$
Curium [2, 10] (1945 Seaborg [25])	Cm	247	96	1340	n.c.	3, 4	13,5	(Rn)$5f^{7}6d^{1}7s^{2}$
Dysprosium [5] (1886 Boisbaudran)	Dy	162,50	66	1412	2562	3	8,54	(Xe)$4f^{10}5d^{0}6s^{2}$
Einsteinium [2, 10] (1955 Ghiorso [25])	Es	254	99	n.c.	n.c.	2,3	—	(Rn)$5f^{11}6d^{0}7s^{2}$
Unnilhexium 106 [10] (1974)	Unh	263	106	n.c.	n.c.	n.c.		(Rn)$5f^{14}6d^{4}7s^{2}$
Nielsbohrium 107 [10] (1981)	Uns	261	107	n.c.	n.c.	n.c.		(Rn)$5f^{14}6d^{5}7s^{2}$
Hassium 108 [10] (1984)	Uno	265	108					(Rn)$5f^{14}6d^{6}7s^{2}$
Meitnerium 109 [10] (1982)	Une	266	109					(Rn)$5f^{14}6d^{7}7s^{2}$
Erbium [4, 5] (1843 Mosander)	Er	167,26	68	1529	2863	3	9,05	(Xe)$4f^{12}5d^{0}6s^{2}$
Étain (av. J.-C.)	Sn	118,69	50	231,96	2270	2,4	7,3	(Kr)$4d^{10}5s^{2}5p^{2}$
Europium [4,5] (1901 Demarcay)	Eu	151,96	63	822	1597	2,3	5,26	(Xe)$4f^{7}5d^{0}6s^{2}$
Fer (av. J.-C.)	Fe	55,847	26	1535	2750	2, 3, 6	7,87	(A.)$3d^{6}4s^{2}$
Fermium [2, 10] (1953 Ghiorso [25])	Fm	257	100	n.c.	n.c.	2, 3	—	(Rn)$5f^{12}6d^{0}7s^{1}$
Fluor [4] (1886 Moissan)	F	18,9984	9	- 219,62	- 188,14	1	1,11	$1s^{2}2s^{2}2p^{2}$
Francium [1] (1939 Perey)	Fr	223	87	27	677	1	—	(Rn)$7s^{1}$
Gadolinium [3,5] (1886, Marignac)	Gd	157,25	64	1313	3266	3	7,89	(Xe)$4f^{7}5d^{1}6s^{2}$
Gallium (1875 Boisbaudran)	Ga	69,72	31	29,78	2403	2, 3	5,91	(A)j$3d^{10}4s^{2}4p^{1}$
Germanium (1885 Winkler)	Ge	72,59	32	937,4	2834	4	5,32	(A)$3d^{10}4s^{2}4p^{2}$
Hafnium (1923 Coster [18])	Hf	178,49	72	2231	4602	4	13,3	(Xe)$4f^{14}5d^{2}6s^{2}$
Hahnium [10] (1967-70)[8]	Ha	262	105	n.c.	n.c.	5 (?)		
Hélium [3] (1895 Janssen)	He	4,0026	2	- 269,7*(c)*	- 268,93	n.c.	0,126	$1s^{2}$
Holmium [5] (1879 Delafontaine [19])	Ho	164,93	67	1474	2695	3	8,8	(Xe)$4f^{11}5d^{0}6s^{2}$
Hydrogène [4] (1766 Cavendish)	H	1,00797	1	- 259,14	- 252,87	1	0,071	$1s^{1}$
Indium (1863 Reich [20])	In	114,82	49	156,6	2080	1, 3, 4	7,31	(Kr)$4d^{10}5s^{2}5p^{1}$
Iode [4] (1811 Cortois)	I	126,9045	53	113,5	184,35	1, 3, 5, 7	4,94	(Kr)$4d^{10}5s^{2}5p^{5}$
Iridium (1803 Tennant)	Ir	192,2	77	2443	4428	3, 4, 2, 2	22,5	(Xe)$4f^{14}5d^{7}6s^{2}$
Krypton [3] (1898 Ramsay [21])	Kr	83,8	36	- 156,6	- 152,3	2	2,6	(A)$3d^{10}4s^{2}4p^{6}$
Lanthane [5] (1839 Mosander)	La	138,91	57	921	3457	3	6,14	(Xe)$5d^{1}6s^{2}$
Lawrencium [2, 10] (1961 Ghiorso [25])	Lr	257	103	n.c.	n.c.	3	—	(Rn)$5f^{14}6d^{1}7s^{2}$
Lithium (1817 Arfuedson)	Li	6,941	3	180,5	1347	1	0,53	$1s^{2}2s^{1}$
Lutécium [5] (1907 Urbain)	Lu	174,97	71	1663	3395	3, 4	9,84	(Xe)$4f^{14}5d^{1}6s^{2}$
Magnésium (1829 Blach)	Mg	24,305	12	648,8	1090	2	1,74	(Ne)$3s^{2}$
Manganèse (1774 Gahn [13])	Mn	54,9380	25	1244	1962	2, 3, 4, 6, 7,	7,43	(A)$3d^{5}4s^{2}$
Mendélévium [2, 10] (1957 Ghiorso [25])	Md	258	101	n.c.	n.c.	1, 2, 3	—	(Rn)$5f^{13}6d^{0}7s^{2}$
Mercure (av. J.-C.)	Hg	200,59	80	- 38,87	356,6	1, 2	13,6	(Xe)$4f^{14}5d^{10}6s^{2}$
Molybdène (1782 Scheele)	Mo	95,94	42	2617	4612	2, 3, 4, 5, 6	10,2	(Kr)$4d^{5}5s^{1}$
Néodyme [5] (1885 von Welsbach)	Nd	144,24	60	1016	3068	3	7,0	(Xe)$4f^{4}5d^{0}6s^{2}$
Néon [3] (1898 Ramsay [21])	Ne	20,179	10	- 248,7	- 246	n.c.	1,21	$1s^{2}2s^{2}2p^{6}$
Neptunium [1, 10] (1940 MacMillan [22])	Np	237	93	640	3902	3, 4, 5, 6, 7	20,2	(Rn)$5f^{4}6d^{1}7s^{2}$
Nickel (1751 Cronstedt)	Ni	58,71	28	1453	2732	n.c.	8,9	(A)$3d^{8}4s^{2}$
Niobium [7] (1802 Hatchett)	Nb	92,9064	41	2468	4742	3, 5	8,4	(Kr)$4d^{4}5s^{1}$
Nobelium [2, 10] (1957 Ghiorso [25])	No	254	102	n.c.	n.c.	2, 3	—	(Rn)$5f^{14}6d^{0}7f^{2}$
Or (av. J.-C.)	Au	196,967	79	1064,4	2807	1, 3	19,3	(Xe)$4f^{14}5d^{10}6s^{1}$
Osmium (1803 Tennant)	Os	190,2	76	3045	5027	2, 3, 4, 6, 8	22,6	(Xe)$4f^{14}5d^{6}6s^{2}$
Oxygène [4] (1772 Preistley)	O	15,9994	8	- 218,4	- 182,96	2	1,14	$1s^{2}2s^{2}2p^{4}$
Palladium (1803 Wollaston)	Pd	106,4	46	1552	3140	2, 4	12,0	(Kr)$4d^{10}5s^{0}$
Phosphore [4] (1669 Brand)	P	30,9738	15	44,1	280	3, 5	1,82	(Ne)$3s^{2}3p^{3}$
Platine (1735 Ulloa)	Pt	195,09	78	1772	3830	2, 4	21,4	(Xe)$4f^{14}5d^{9}6s^{1}$
Plomb (av. J.-C.)	Pb	207,19	82	327,5	1620	2, 4	11,4	(Xe)$4f^{14}5d^{10}6s^{2}6p^{2}$
Plutonium [1, 10] (1940 Seaborg [25])	Pu	244	94	641	3232	3, 4, 5, 6, 7	—	(Rn)$5f^{6}6^{10}7s^{2}$
Polonium [1] (1898 Curie)	Po	210	84	254	962	2, 4, 6	9,3	(Xe)$4f^{14}5d^{10}6s^{2}6p^{2}$
Potassium (1807 Davy)	K	39,102	19	63,65	770	1	0,86	(A)$4s^{1}$
Praséodyme [5] (1885 von Weisbach)	Pr	140,907	59	931	3512	3, 4, 6	6,77	(Xe)$4f^{3}5d^{0}6s^{2}$
Prométhéum [5] (1926)	Pm	145	61	1080	2460	3	7,2	(Xe)$4f^{5}5d^{0}6s^{2}$
Protactinium [1] (1918 Hahn [23])	Pa	231,03	91	1600	n.c.	3, 4, 5	15,4	(Rn)$5f^{2}6d^{1}7s^{2}$
Radium [1] (1898 P. et M. Curie)	Ra	226,03	88	700	(1140)	2	5,0	(Rn)$7s^{2}$
Radon [1] (1900 Dorn)	Rn	222	86	- 71	- 62	6	—	(Xe)$4f^{14}5d^{10}6s^{2}6p^{6}$
Rhénium (1925 Noddach [14])	Re	186,2	75	3180	5596	3, 4	21,0	(Xe)$4f^{14}5d^{5}6s^{2}$
Rhodium (1803 Wollaston)	Rh	102,9055	45	1960	3730	1, 3	12,4	(Kr)$4d^{8}6s^{1}$
Rubidium (1861 Bunsen [17])	Rb	85,47	37	39	688	1	1,53	(Kr)$5s^{1}$
Ruthénium (1843 Klaus)	Ru	101,07	44	2250	4150	3, 4, 6, 8	12,4	(Kr)$4d^{7}5s^{1}$
Rutherfordium [10, 11] (1969) [9]	Rf	257	104	n.c.	n.c.	4		(Xe)4f
Samarium [5] (1878 Boisbaudran)	Sm	150,35	62	1077	1791	2, 3	7,54	(Xe)$4f^{8}d^{0}6s^{2}$
Scandium (1879 Nilson)	Sc	44,956	21	1541	2831	3	3,0	(A)$3d^{1}4s^{2}$
Sélénium [4] (1817 Berzelius)	Se	78,96	34	217	685	2, 4, 6	4,79	(A)$3d^{10}4s^{2}4p^{4}$
Silicium [4] (1823 Berzelius)	Si	28,086	14	1410	2355	4	2,33	(Ne)$3s^{2}3p^{2}$
Sodium (1807 Davy)	Na	22,9898	11	97,81	882,9	1	0,97	(Ne)$3s^{1}$
Soufre [4] (av. J.-C.)	S	32,064	16	112,8	444,67	2, 4, 6	2,07	(Ne)$3s^{2}3p^{4}$
Strontium (1790)	Sr	87,62	38	769	1381	2	2,54	(Kr)$5s^{2}$
Tantale (1802 Eheberg)	Ta	180,948	73	2985	5425	3, 5	16,65	(Xe)$4f^{14}5d^{3}6s^{2}$
Technétium (1937 Perrier [24])	Tc	98,91	43	2172	4877	2, 4, 5, 6, 7	11,5	(Kr)$4d^{3}5s^{2}$
Tellure [4] (1782 von Reichenstein)	Te	127,60	52	449,5	989,4	2, 4, 6	6,24	(Kr)$4d^{10}5s^{2}5p^{4}$
Terbium [5] (1843 Mosander)	Tb	158,9254	65	1356	3123	3, 4	8,23	(Xe)$4f^{9}5d^{0}6s^{2}$
Thallium (1861 Crookes)	Tl	204,3	81	303,5	1457	1, 3	11,85	(Xe)$4f^{14}5d^{10}5s^{2}6p^{1}$
Thorium (1828 Berzelius)	Th	232,0381	90	1750	4790	3, 4	11,7	(Rn)$5f^{0}6d^{2}7s^{2}$
Thulium [5] (1878 Cleve)	Tm	168,9342	69	1545	1947	2, 3	9,33	(Xe)$4f^{13}5d^{0}6s^{2}$
Titane (1783 Gregor)	Ti	47,90	22	1660	3287	3, 4	4,54	(A)$3d^{3}4s^{2}$
Tungstène (1761 J. et F. d'Elhuyar)	W	183,85	74	3410	5660	2, 4, 5, 6	19,3	(Xe)$4f^{14}5d^{4}6s^{2}$
Uranium [1] (1789 Peligot)	U	238,03	92	1132,3	3818	2, 3, 4, 5, 6	19,07	(Rn)$5f^{3}6d^{1}7s^{2}$
Vanadium [3] (1801 del Rio)	V	50,9414	23	1890	3380	2, 3, 4, 5	6,1	(A)$3d^{3}4s^{2}$
Xénon (1898 Ramsay [21])	Xe	131,3	54	- 111,9	- 107,1	2, 4, 6	3,06	(Kr)$4d^{10}5s^{2}5p^{6}$
Ytterbium [5] (1878 Marignac)	Yb	173,04	70	819	1194	2, 3	6,98	(Xe)$4f^{14}5d^{0}6s^{2}$
Yttrium (1794 Gadolin)	Y	88,9059	39	1522	3338	3	4,47	(Kr)$4d^{1}5s^{2}$
Zinc (av. J.-C.)	Zn	65,37	30	419,58	907	2	7,14	(A)$3d^{10}4s^{2}$
Zirconium (1789 Klaproth)	Zr	91,22	40	1852	4377	4	6,50	(Kr)$4d^{2}5s^{2}$

◄ Il existe plusieurs autres classifications, en particulier celle de Francis Perrin (1974). Elles ne modifient pas les connaissances de l'atome. **Légendes :** *(a)* A 36 atmosphères. *(b)* Tempér. de sublimation. *(c)* A 43 atmosphères. (1) Uranide. (2) Curide (radioélément ou actinide). (3) Gaz rare. (4) Non-métal. (5) Terre rare (ou lanthanide). (6) D'abord appelé glucinium (Gl). (7) D'abord appelé columbium (Cb). (8) Appelé aussi nielsbohrium. (9) Appelé aussi kourchatovium, aurait été découvert 1965. (10) Éléments de nombre atomique supérieur à 92, dits **transuraniens** obtenus par transmutation nucléaire artificielle. (11) Av. Thénard, Davy. (12) Av. Hisinger, Klaproth. (13) Av. Scheele, Bergman. (14) Av. Berg et Tackle. (16) Et Ramsay. (17) Et Kirchoff. (18) Et von Hevesy. (19) Et Soret. (20) Et Richtev. (21) Et Travers. (22) Et Abelson. (23) Et Meitnev. (24) Et Segré. (25) Et collaborateurs. Pour éléments 104 à 109 : noms provisoires.

On ne trouve sur la Terre que 89 éléments (les 92 premiers moins 3 éléments naturellement radioactifs qui sont éteints : technétium, prométhéum, francium). Les autres se désintègrent spontanément et aboutissent à la forme plomb ou bismuth. Ainsi le *plutonium 239* s'éteint de moitié en env. 24 000 ans. Dans 1 million d'années, les tonnes de plutonium synthétisées depuis 20 ans et entreposées seront transformées en *uranium 235* par le jeu des transmutations spontanées. On a pu synthétiser les éléments *transuraniens* en faibles quantités : quelques t pour le plutonium, quelques kg pour l'américium et le curium, quelques g pour le berkélium et le californium, des millionièmes de g et même seulement quelques atomes pour les autres.

des métalloïdes, n'entrent pas dans la catégorie des composés ci-dessous, qui résultent d'une réaction chimique, avec variation de la valence des éléments constituants. Les alliages de mercure sont appelés amalgames.

■ COMPOSÉS MINÉRAUX

■ **Composés binaires.** Pour les composés formés de l'union d'un non-métal et d'un métal, ou de deux non-métaux, on nomme en premier l'élément le plus électronégatif, terminé par la désinence *-ure,* et on fait suivre ce terme du nom de l'élément le plus électropositif (chlorure d'argent AgCl, chlorure de soufre S_2Cl_2, sulfure de carbone CS_2, fluorure d'oxygène OF_2). L'oxygène est, après le fluor, le plus électronégatif des éléments ; par exception Cl_2O est un oxyde de chlore, N_2O un oxyde d'azote, MnO un oxyde de manganèse. Ex. : chlorure ferreux $FeCl_2$, chlorure ferrique $FeCl_3$; sulfure stanneux SnS, sulfure stannique SnS_2 ; oxyde azoteux ou nitreux N_2O, oxyde azotique ou nitrique NO (les composés en *-eux* sont ceux dans lesquels la valence de l'élément électropositif est la plus faible).

Les **oxydes** sont très nombreux : anhydride sulfureux SO_2, anhydride sulfurique SO_3, anhydride nitreux N_2O_3, anhydride nitrique N_2O_5 ; anhydride permanganique Mn_2O_7.

Les composés binaires que l'hydrogène donne avec les métaux sont les **hydrures** ; on appelle carbure d'hydrogène un composé de carbone et d'hydrogène. Le cas des composés de l'hydrogène avec les halogènes et le soufre est particulier : acide chlorhydrique, acide sulfhydrique, dont les sels sont les chlorures, sulfures des divers métaux ; composés binaires eux-mêmes, HCl, on les nomme H_2S, chlorure, sulfure d'hydrogène.

■ **Composés ternaires.** 1°) **Acides :** ce sont les oxacides ou oxyacides. Les acides se nomment, en *-eux* pour le moins oxygéné, en *-ique* pour le plus oxygéné (acide sulfureux H_2SO_3, acide sulfurique H_2SO_4). Pour des cas plus complexes : on utilise des préfixes *hypo-, per-,* pour distinguer les divers acides ; ainsi anhydride et acide hypochloreux Cl_2O et HClO ; acide chloreux $HClO_2$; acide chlorique $HClO_3$; anhydride et acide perchlorique Cl_2O_7 et $HClO_4$.

2°) **Bases :** soude, potasse, ammoniaque, chaux. Le nom générique est hydroxyde, suivi du nom du métal ; hydroxyde ferreux $Fe(OH)_2$, hydroxyde ferrique $Fe(OH)_3$.

3°) **Sels :** les acides en *-hydrique* donnent des sels en *-ure :* acide chlorhydrique HCl, chlorure de sodium NaCl ; les acides en *-eux* donnent des sels en *-ite :* acide nitreux HNO_2, nitrite de sodium $NaNO_2$; les acides en *-ique* donnent des sels en *-ate :* acide nitrique HNO_3, nitrate de sodium $NaNO_3$. Les polyacides et les polybases donnent plusieurs sels. Si le métal a plusieurs valences, il peut donner plusieurs sels avec un acide : sulfate ferreux $FeSO_4$ ou sulfate de fer II ; sulfate ferrique $Fe_2(SO_4)_3$ ou sulfate de fer III. La formule de nombreux sels (dits hydratés) fait intervenir des molécules d'eau.

CHIMIE ORGANIQUE

■ PRINCIPAUX GROUPEMENTS FONCTIONNELS

■ **Définitions. Substances organiques :** substances contenant du *carbone,* un élément dont les atomes peuvent se souder en *chaînes.* Ces enchaînements peuvent être courts ou longs, linéaires ou ramifiés, acycliques ou cycliques. Les hydrocarbures **saturés** sont exclusivement formés de carbone quadrivalent

Tableau périodique des éléments de Mendeleïev

États des corps chimiques dans des conditions ordinaires de température et de pression (le sodium Na peut être fondu et vaporisé) : solide, gaz, liquide "blanc", •• obtenu par synthèse.

Non-métaux : à droite du trait gras plein « escalier ».

Éléments de transition

Groupe IA	IIA	IIIB	IVB	VB	VIB	VIIB	VIII	VIII	VIII	IB	IIB	IIIA	IVA	VA	VIA	VIIA	VIIIA
1 H Hydrogène																	2 He Hélium
3 • Li Lithium	4 • Be Beryllium											5 • B Bore	6 • C Carbone	7 N Azote	8 O Oxygène	9 F Fluor	10 Ne Néon
11 • Na Sodium	12 • Mg Magnésium											13 • Al Aluminium	14 • Si Silicium	15 • P Phosphore	16 • S Soufre	17 Cl Chlore	18 Ar Argon
19 • K Potassium	20 • Ca Calcium	21 • Sc Scandium	22 • Ti Titane	23 • V Vanadium	24 • Cr Chrome	25 • Mn Manganèse	26 • Fe Fer	27 • Co Cobalt	28 • Ni Nickel	29 • Cu Cuivre	30 • Zn Zinc	31 Ga Gallium	32 • Ge Germanium	33 • As Arsenic	34 • Se Sélénium	35 Br Brome	36 Kr Krypton
37 • Rb Rubidium	38 • Sr Strontium	39 • Y Yttrium	40 • Zr Zirconium	41 • Nb Niobium	42 • Mo Molybdène	43 • Tc Technétium	44 • Ru Ruthénium	45 • Rh Rhodium	46 • Pd Palladium	47 • Ag Argent	48 • Cd Cadmium	49 • In Indium	50 • Sn Etain	51 • Sb Antimoine	52 • Te Tellure	53 • I Iode	54 Xe Xénon
55 Cs Cesium	56 • Ba Baryum	57 • La* Lanthane	72 • Hf Hafnium	73 • Ta Tantale	74 • W Tungstène	75 • Re Rhénium	76 • Os Osmium	77 • Ir Iridium	78 • Pt Platine	79 • Au Or	80 Hg Mercure	81 Tl Thallium	82 • Pb Plomb	83 • Bi Bismuth	84 • Po Polonium	85 • At Astate	86 Rn Radon
87 Fr Francium	88 • Ra Radium	89 • Ac** Actinium	104 • Unq Unnilquadium														

*	58 • Ce Cérium	59 • Pr Praséodyme	60 • Nd Néodyme	61 •• Pm Promethium	62 • Sm Samarium	63 • Eu Europium	64 • Gd Gadolinium	65 • Tb Terbium	66 • Dy Dysprosium	67 • Ho Holmium	68 • Er Erbium	69 • Tm Thulium	70 • Yb Ytterbium	71 • Lu Lutétium
**	90 • Th Thorium	91 • Pa Protactinium	92 • U Uranium	93 •• Np Neptunium	94 •• Pu Plutonium	95 •• Am Américium	96 •• Cm Curium	97 •• Bk Berkelium	98 •• Cf Californium	99 •• Es Einsteinium	100 •• Fm Fermium	101 •• Md Mendélévium	102 •• No Nobélium	103 •• Lw Lawrencium

Les propriétés chimiques de l'élément sont déterminées par la couche périphérique d'électrons qui gravite autour de l'atome. Considérons le tableau de Mendeleïev (1834-1907) établi en 1869. Si l'on dispose les éléments par masse atomique croissante en plaçant dans une même colonne verticale les corps qui ont des propriétés identiques, on constate que le nombre atomique (nombre total d'électrons) croît d'une unité en suivant les lignes. De plus, les éléments d'une même colonne ont le même nombre d'électrons périphériques. Ainsi les métaux alcalins (ex. : sodium) n'en ont qu'un seul, les halogènes (ex. : fluor) en ont 7. Les corps, tel le néon, dont la dernière couche est complète sont parfaitement stables (ils s'allieront difficilement à d'autres corps). Par contre, si la dernière couche est incomplète, les corps sont actifs du point de vue chimique : le sodium, qui possède un seul électron sur la dernière couche, alors que la couche précédente est complète, tend à perdre cet électron pour devenir stable. Il s'allie en particulier très bien avec le fluor, qui cherche un électron pour compléter sa couche extérieure. L'électron périphérique du sodium va permuter entre les 2 éléments pour donner 2 édifices parfaitement stables.

---

et d'hydrogène. Si dans la formule d'un carbure saturé on retire 2 atomes d'hydrogène pris à des carbones voisins, on dit que ces carbones sont doublement liés ; si on en retire 4, ils sont dits triplement liés.

Mais les *fonctions* proprement dites résultent de la substitution, dans 1 hydrocarbure, de 1 hétéroatome (atome différent de C et de H) à 1 ou à plusieurs atomes d'hydrogène liés à 1 même carbone. Si certaines fonctions (la fonction acide carboxylique par exemple) sont caractérisées par la présence d'un *groupe fonctionnel* unique $-CO_2H-$, à d'autres fonctions (la fonction amine par exemple) correspondent de très nombreux groupes fonctionnels.

Une même molécule peut porter de nombreuses fonctions identiques ou différentes ; mais la substitution, sur un même carbone, de plusieurs hétéroatomes crée, non pas 2 fonctions, mais une seule autre fonction ; ainsi, si sur un groupe CH_2, on substitue O à 2 H et Cl à 1 H, on n'obtient pas un aldéhyde chloré, mais un chlorure d'acide R COCl.

On appelle **isomères** des composés ayant même formule brute, mais dans lesquels les atomes sont diversement associés ; **homologues** des composés dont la chaîne carbonée est de longueur différente, mais qui portent les mêmes fonctions.

Nombre de substances organiques rencontrées dans la nature ou obtenues artificiellement. En 1960, leur nombre dépassait le million ; chaque année, il en naît plusieurs dizaines de mille. Théoriquement, il y aurait des milliards de composés possibles renfermant moins de 25 atomes de carbone.

■ **Hydrocarbures.** **Saturés :** méthane CH_4, éthane C_2H_6 ; formule générale C_nH_{2n+2}. **Éthyléniques :** éthylène $CH_2 = CH_2$. **Acétyléniques :** acétylène $CH \equiv CH$. **Cyclaniques :** cyclohexane C_6H_{12}. **Aromatiques :** benzène C_6H_6, plus complexes, ex. : naphtalène $C_{10}H_8$, etc. **Organométalliques :** ex. : bromure d'éthylmagnésium $CH_3 - CH_2MgBr$, phényllithium C_6H_5Li, etc.

Nota. – Le double tiret dans la formule de l'éthylène indique qu'il y a double liaison (par électron) entre les groupements CH_2 ; le triple tiret (acétylène) indique une triple liaison.

■ **Fonctions univalentes** (RH représentant un hydrocarbure).

Halogénures d'alkyle. RCl, RBr, RI. Ex. : bromoéthane ou bromure d'éthyle $CH_3 - CH_2Br$.

Alcools. ROH. Ex. : méthanol CH_3OH, éthanol $CH_3 - CH_2OH$.

Éthers oxydes. Ex. : oxyde d'éthyle ou éther ordinaire $CH_3 - CH_2 - O - CH_2 - CH_3$.

Amines. $R - NH_2$, $R - NH - R'$, $R - N R' - R''$. Ex. : méthylamine CH_3NH_2, diméthylamine $(CH_3)_2NH$, triméthylamine $(CH_2)_3N$.

Dérivés nitrés. Nitrométhane $CH_3 - NO_2$.

■ **Fonctions bivalentes.** **Aldéhydes :** formique HCHO ; acétique $CH_3 - CHO$.

Cétones : acétone $CH_3 - CO - CH_3$, généralement $R - CO - R'$.

■ **Fonctions trivalentes.** **Acides carboxyliques :** formique HCO_2H ; acétique $CH_3 - CO_2H$. Généralement $R - CO_2H$.

■ **Fonctions dérivées.** Chlorure d'acide R – COCl. Anhydride $(R - CO)_2O$. Ester R – COOR′. Amide R – CONR′R″. Nitrile R – C ≡ N.

■ **Fonctions quadrivalentes.** Ex. : phosgène $COCl_2$, urée $CO(NH_2)_2$.

■ **Fonctions sur les noyaux aromatiques.** Phénol C_6H_5OH. Aniline $C_6H_5NH_2$.

■ **Composés à fonction multiple.** Ex. : glycol $CH_2OH - CH_2OH$ (2 fois alcool), glycérol (glycérine) $CH_2OH - CHOH - CH_2OH$ (3 fois alcool), etc.

Acide succinique $HOCO(CH_2)_2COOH$ (2 fois acide), etc.

■ **Composés à fonction mixte.** Acide lactique (acide alcool) $CH_3 - CHOH - CO_2H$.

Alanine (acide aminé) $CH_3 - CH(NH_2) - COOH$.

Acide pyruvique (acide cétonique) $CH_3 - CO - COOH$, etc.

■ Principaux composés naturels

■ **Composés simples.** Carbures (pétroles). Alcools (fermentation, huiles essentielles). Aldéhydes, cétones, esters (huiles essentielles). Acides (très répandus, libres ou sous forme de sels ou d'esters).

■ **Lipides.** Principalement constitués par des triesters du glycérol (huiles et graisses végétales et animales).

■ **Glucides.** Leurs noms sont terminés par le suffixe *-ose* quand ils sont simples ou non hydrolysables ; par *-oside* quand ils ne sont pas simples. *-Oses :* polyalcools, en outre aldéhydes ou cétones (aldoses ou cétoses). Ex. : glucose $C_6H_{12}O_6$ (aldose), fructose $C_6H_{12}O_6$ (cétose). *Holosides :* anhydrides entre plusieurs oses. Ex. : saccharose $C_{12}H_{22}O_{11}$ (anhydride entre glucose et fructose). *Polyosides :* osides très condensés. Ex. : amidon, cellulose $(C_6H_{10}O_5)n$, H_2O (anhydrisation entre *n* molécules de glucose). *Hétérosides :* anhydrisation entre un ose et autre chose. Ex. : amygdaloside, digitaloside, etc.

■ **Protides.** Principalement constitués par l'anhydrisation entre *n* acides aminés : albumine, caséine, gélatine, etc.

■ **Alcaloïdes.** Composés basiques renfermant au moins un atome d'azote. Ex. : atropine, quinine, cocaïne, etc.

■ **Vitamines.** Constitutions très diverses. Ex. : acide ascorbique, calciférol, etc.

■ **Hormones.** Constitutions très diverses. Ex. : équilénine, androstérone, etc.

■ **Antibiotiques.** Constitutions très diverses. Ex. : pénicilline, streptomycine, etc.

■ Chaîne carbonée des alcanes

1. Molécule de méthane :

```
    H
    |
H – C – H        ou        ou CH4
    |
    H
formule développée plane        formule brute
```

Le méthane est une molécule tétraédrique.

2. Molécule d'éthane :

```
    H   H
    |   |
H – C – C – H        ou        C2H6
    |   |
    H   H
formule développée plane        formule brute
```

3. Propanes et butanes :

Formules brutes : propane $CH_3 - CH_2 - CH_3$; butanes C_4H_{10}.

```
    H   H   H
    |   |   |
H – C – C – C – H    ou CH3 – CH2 – CH3
    |   |   |
    H   H   H
formule développée        formule semi-développée
```

$CH_3 - CH_2 - CH_2 - CH_3$ et $CH_3 - CH(CH_3) - CH_3$

butane normal (ou n-butane) — isobutane (ou méthyl-2 propane)

Remarques : 1°) L'isobutane a la même formule brute que le butane mais une formule développée différente : le butane a 2 isomères. 2°) Le cyclopropane, de formule brute C_3H_6, est un cyclane et non un alcane ; sa réactivité est plus grande que celle du propane. Il a pour formule développée :

$$H_2C(CH_2)(CH_2) \quad \text{ou} \quad CH_2 - CH_2 \text{ (cycle avec } CH_2\text{)}$$

4. Généralisation. Les alcanes

C_5H_{12}	C_6H_{14}	C_7H_{16}	C_8H_{18}	C_9H_{20}	$C_{10}H_{22}$...
pentane	hexane	heptane	octane	nonane	décane...

répondent à la formule générale : C_nH_{2n+2}.

Le cycle aromatique. *Substitutions avec le brome :* les atomes d'hydrogène dans HBr viennent du benzène, car il s'agit d'une réaction de substitution entre le benzène et le brome : $C_6H_6 + Br_2 \rightarrow C_6H_5Br + HBr$. (bromobenzène)

Substitution avec l'acide nitrique : la réaction de nitration s'écrit : $C_6H_6 + HNO_3 \rightarrow C_6H_5NO_2 + H_2O$.

Addition de chlore : $C_6H_6 + 3\ Cl_2 \rightarrow C_6H_6Cl_6$. (L'hexachlorocyclohexane est employé comme insecticide.)

Quelques groupes fonctionnels azotés

Amines. Composés organiques azotés. 3 classes : primaires $R - NH_2$, secondaires $R - NHR'$, tertiaires $R - NR'R''$.

Amides. Formule générale : $R - C(=O) - NR'R''$.

ex. : acétamide : $CH_3 - C(=O) - NH_2$.

Groupement peptidique, *a) Les acides aminés ou aminoacides :*

$$H_2N - CH(R) - CO_2H.$$

b) La liaison peptidique :

$$H - N(H) - CH(R) - C(=O) - \boxed{OH\ H} - N(H) - CH(R) - C(=O) - OH$$

$$NH_2 - CH(R) - C(=O) - N(H) - CH(R) - C(=O) - OH + H_2O.$$

liaison peptidique

Oxydation de l'éthanol.

$$CH_3 - CH_2(OH) + \tfrac{1}{2}\ O_2 \rightarrow H_2O + CH_3 - C(=O) - H$$

éthanol — éthanal

Oxydation de l'éthanal.

$$CH_3 - C(=O) - H + \tfrac{1}{2}\ O_2 \rightarrow CH_3 - C(=O) - OH.$$

éthanal — acide acétique

Obtention d'un ester.

estérification

$$R - C(=O) - OH + R'OH \rightarrow R - C(=O) - OR' + H_2O.$$

acide + alcool — ester + eau

Réaction chimique

Définition

Modification de la nature chimique d'un ensemble de composés définis en engendrant un autre.

Ainsi l'hydrogène H_2 et le chlore Cl_2 réagissent l'un sur l'autre en formant le chlorure d'hydrogène (ou gaz chlorhydrique) ; cette réaction se symbolise ainsi : $H_2 + Cl_2 = 2\ HCl$.

Une réaction peut être quasiment totale (ou *irréversible*) : c'est le cas de l'exemple choisi et l'on tend de plus en plus à écrire : $H_2 + Cl_2 \rightarrow 2\ HCl$.

Mais d'autres réactions peuvent être réversibles, c'est-à-dire s'exercer dans l'un ou l'autre sens. Vers 350 °C, un mélange d'oxygène O_2 et d'anhydride sulfureux SO_2 engendre partiellement l'anhydride sulfurique SO_3 ; mais, à partir de ce dernier et à la même température, il y a régénération partielle de O_2 et de SO_2. La réaction est réversible et on écrit :

$$2\ SO_2 + O_2 \rightleftarrows 2\ SO_3.$$

Le résultat est le même si l'on part des composés du 1er membre ou du composé du 2e membre ; on dit qu'il y a *équilibre chimique.*

Les réactions peuvent être très rapides (quasiment instantanées) ; c'est le cas pour la réaction $H_2 + Cl_2 \rightarrow 2\ HCl$ lorsqu'on enflamme le mélange. C'est une réaction explosive, dégageant lumière et chaleur.

Réactions non instantanées. Certaines réactions, qui dégagent au total des quantités de lumière et de chaleur équivalant à celles des réactions explosives, sont si lentes que ces dégagements paraissent très faibles ou même sont totalement imperceptibles. *Ex. :* l'oxydation du fer par l'air humidifié (chaleur importante mais dégagée en plusieurs mois).

La vitesse d'une réaction augmente généralement lorsque la température croît, mais, à température constante, elle peut être augmentée par la présence d'une substance ne participant pas, définitivement du moins, à la réaction. Cette substance est appelée *catalyseur.* Il permet des réactions insensibles en son absence. A l'obscurité, Cl_2 et H_2 ne réagissent pratiquement pas à la température ambiante, mais l'introduction de mousse de platine déclenche une réaction exothermique qui élève la température jusqu'à en provoquer l'explosion. Une vive lumière provoque le même phénomène, mais il est incorrect de dire que la lumière est un catalyseur.

Constance des masses. Après une *réaction,* la masse des produits obtenus sera égale à la masse des produits d'origine.

Exemple : (acide sulfurique) + (zinc) → (sulfate de zinc) + (hydrogène).

$$H_2SO_4 + Zn \rightarrow ZnSO_4 + H_2.$$

H_2	=	2 (2 × 1, masse d'un atome de H).
S	=	32 (masse d'un atome de S).
O_4	=	64 (4 × 16, masse d'un atome d'O).
Zn	=	65 (masse d'un atome de Zn).
Total :		*163 (masse des corps en présence).*

S	=	32 (masse d'un atome de S).
O_4	=	64 (4 × 16, masse d'un atome d'O).
Zn	=	65 (masse d'un atome de Zn).
H_2	=	2 (2 × 1, masse d'un atome de H)
Total :		*163 (masse des corps obtenus).*

Principaux types de réaction

Réactions d'oxydoréduction

Les réactions d'oxydoréduction sont des réactions d'échange d'électrons faisant intervenir des « couples oxydant-réducteur ». Elles peuvent avoir lieu en solution ou en phase sèche.

L'ancienne définition d'un oxydant (composé qui cède facilement de l'oxygène qu'il contient ou qui enlève facilement l'hydrogène) est insuffisante ou incorrecte (ex. : en chimie des solutions). La définition correcte stipule qu'un oxydant (Ox) accepte des électrons et qu'un réducteur (Red) cède des électrons. Un couple rédox associe une espèce Ox et une espèce Red, qui peuvent s'échanger un ou plusieurs électrons.

Une réaction d'oxydation est toujours couplée à une réaction de réduction faisant intervenir un autre couple rédox. La superposition de 2 demi-équations rédox constitue une réaction d'oxydoréduction, au cours de laquelle l'oxydant le plus fort des 2 couples mis en jeu réagit sur le réducteur le plus fort (appartenant à l'autre couple) :

1er couple : $Ox_1 + n_1e^- = Red_1$

2e couple : $Ox_2 + n_2e^- = Red_2$

La réaction globale équilibrée ne doit plus faire intervenir d'électrons :

$$n_2\ Ox_1 + n_1\ Red_2 \rightarrow n_2\ Red_1 + n_1\ Ox_2$$

Ox_1 est réduit à l'état Red_1 tandis que Red_2 est oxydé en Ox_2.

Exemples d'oxydoréduction en solution aqueuse. Soient les 2 couples rédox Fe^{3+}/Fe^{2+} et MnO_4^-/Mn^{2+}, intervenant dans les demi-équations :

$$Fe^{3+} + e^- = Fe^{2+}$$

$$MnO_4^- + 8H^+ + 5\ e^- = Mn_2^+ + 4\ H_2O$$

Fe^{3+} (ion ferrique) et MnO_4^- (ion permanganate) sont des oxydants tandis que Fe^{2+} (ion ferreux) et Mn^{2+} (ion manganeux) sont des réducteurs.

Dans certains cas, les ions H^+ et/ou l'eau interviennent dans les demi-équations et/ou dans la réaction globale équilibrée. Exemple de l'oxydation du sulfate ferreux par le permanganate de potassium acidifié :

$$MnO_4^- + 8H^+ + 5\ Fe^{2+} \rightarrow Mn^{2+} + 4\ H_2O + 5\ Fe^{3+}$$

ou :

$$2\ KMnO_4 + 8\ H_2SO_4 + 10\ FeSO_4 \rightarrow 2\ MnSO_4 + 8\ H_2O + 5\ Fe_2(SO_4)_3 + K_2SO_4$$

Exemples d'oxydoréduction en phase sèche. a) Dans ce groupe, les **oxydations** jouent un grand rôle ; elles peuvent être fortement exothermiques, comme la combinaison de Mg à O_2 : $Mg + \tfrac{1}{2}\ O_2 \rightarrow MgO$, ou de O_2 à H_2 : $H_2 + \tfrac{1}{2}\ O_2 \rightarrow H_2O$; on les appelle *combustions.* On peut ranger parmi les combustions les oxydations de composés déjà partiellement oxydés ; ex. le monoxyde de carbone :

$$CO + \tfrac{1}{2}\ O_2 \rightarrow CO_2$$

ou celle de composés éminemment combustibles comme le méthane CH_4 : $CH_4 + 2\ O_2 \rightarrow 2\ H_2O + CO_2$. La réaction inverse de l'oxydation est la dissociation d'un oxyde : à 350 °C, l'oxyde mercurique HgO se dissocie : $HgO \rightarrow Hg + \tfrac{1}{2}\ O_2$.

Nota. – La réaction du chlore sur le magnésium est un autre exemple de réaction d'oxydation de ce métal : le chlore joue le rôle d'oxydant en captant 2 électrons au magnésium :

$$Mg + Cl_2 \rightarrow Mg^{2+} + 2Cl^-$$

Ici, le réducteur Mg est oxydé en ions Mg^{2+} et l'oxydant Cl_2 est réduit à l'état d'ions chlorures.

b) **Réduction.** *Exemples :* retrait d'O_2 à un oxyde sous l'action d'un composé avide d'O_2 (réducteur). L'un d'eux est H_2. Vers 400 °C, H_2 réduit l'oxyde cuivrique : $CuO + H_2 \rightarrow H_2O + Cu$. En métallurgie le carbone est un réducteur très important ; réduction de l'oxyde de zinc : $ZnO + C \rightarrow CO + Zn$.

Les réactions d'*oxydoréduction* ont un rôle fondamental en chimie minérale, en chimie organique.

☞ **Phlogistique.** Du grec *phlogistos* (inflammable). Selon Becher, toute matière était constituée d'air, d'eau et des 3 « terres » [l'inflammable (terra finguis), la mercurielle et la fusible (ou vitreuse) : correspondant aux 3 principes des alchimistes (sel, soufre et mercure)]. La combustion était perte de matière. Stahl imagina qu'un phlogistique s'échappait lors de la combustion en se transformant en d'autres substances. A la chaleur, on avait cette réaction : « métal zinc + air + chaleur » = « chaux de zinc + phlogistique ».

Électrolyse. Dans une électrolyse, de l'énergie électrique est convertie en énergie chimique ; la réaction d'oxydoréduction a lieu dans le sens inverse du processus spontané. Par exemple, le courant électrique décompose l'eau rendue conductrice par de la soude : on recueille à la cathode 2 volumes d'hydrogène contre 1 volume d'oxygène à l'anode : $2\ H_2O \rightarrow 2\ H_2 + O_2$. La réaction spontanée est l'oxydation de H_2 par O_2 pour former de l'eau.

De même, le courant électrique décompose le chlorure de sodium fondu : le sodium apparaît à la cathode et le chlore se dégage à l'anode.

Piles et accumulateurs. Dans une pile ou un accumulateur a lieu le processus inverse d'une électrolyse : l'énergie chimique libérée par une réaction d'oxydoréduction spontanée est convertie en énergie électrique. La pile saline type Leclanché :

Zn + 2 Mn(IV) → Zn(II) + 2 Mn(III)

Une batterie d'accumulateurs peut se recharger, contrairement à une pile. L'accumulateur au plomb :

Pb + Pb(IV) → 2 Pb(II) pendant la décharge

2 Pb(II) → Pb + Pb(IV) pendant la charge.

(Les chiffres romains entre parenthèses indiquent le degré d'oxydation des éléments.)

Réactions ioniques

Ces réactions font intervenir des ions (entités électriquement chargées). On peut distinguer les *réactions acide-base* (don d'un proton H^+ d'un acide à une base), les *réactions de complexation* (formation d'un complexe) et les *réactions de précipitation* (formation d'un composé insoluble en solution).

En solution les espèces ioniques sont dissociées. Par ex., un mélange équimolaire de chlorure de sodium et de bromure de potassium est en fait une solution contenant des ions Na^+, K^+, Cl^-, Br^-. La même solution peut être obtenue en mélangeant les quantités identiques de chlorure de potassium et de bromure de sodium.

La réalisation d'un mélange de ce type ne correspond pas à une réaction chimique. On peut effectivement parler de réaction chimique lorsque l'on engendre des molécules d'eau (réaction acide-base), ou une espèce qui disparaît de la phase liquide par dégagement gazeux (HCl) ou précipitation [$Fe(OH)_3$;

AgCl]. Dans les exemples ci-dessous, on peut omettre l'écriture des ions spectateurs.

1 acide fort et 1 base forte engendrent 1 sel avec élimination d'eau : $HCl + NaOH \rightarrow H_2O + NaCl$.

Cette réaction s'écrit plus simplement :

$$H^+ + OH^- \rightarrow H_2O.$$

1 acide peut réagir sur 1 sel en donnant 1 nouvel acide volatil (HCl) et 1 nouveau sel :

$$H_2SO_4 \text{ (à 300 °C)} + NaCl \rightarrow HNaSO_4 + HCl.$$

De même, 1 base peut agir sur 1 sel en libérant 1 nouvelle base insoluble, $Fe(OH)_3$, et 1 nouveau sel ; action de la soude sur le chlorure ferrique : $FeCl_3 + 3NaOH \rightarrow Fe(OH)_3 + 3 NaCl$.

Enfin, 1 sel peut réagir sur 1 autre sel pour former 2 nouveaux sels dont l'un est insoluble : le nitrate d'argent et le chlorure de sodium engendrent le nitrate de sodium et le chlorure d'argent : $AgNO_3 + NaCl \rightarrow NaNO_3 + \underline{AgCl}$. Cette réaction s'écrit aussi :

$$Ag^+ + Cl^- \rightarrow \underline{AgCl}.$$

Ces réactions sont pratiquement quantitatives si l'un des 4 sels (ici AgCl) est insoluble, alors que les 3 autres sont solubles dans l'eau.

Chimie organique

Les types de réaction sont beaucoup plus nombreux.

Addition. Il s'agit de la fusion de 2 molécules en 1 ; le chlore s'unit à l'éthylène pour former le chlorure d'éthylène (ou dichloro-1-2 éthane) :

$$Cl_2 + CH_2 = CH_2 \rightarrow CH_2Cl - CH_2Cl.$$

Élimination. Réaction inverse. Sur alumine vers 400 °C, l'alcool éthylique (éthanol) se déshydrate en éthylène : $CH_3 - CH_2OH \rightarrow H_2O + CH_2 = CH_2$.

Élimination d'eau entre 2 molécules avec soudure des restes. Cas de l'*estérification,* ou action d'un acide organique sur un alcool (aboutissant à un ester). L'éthanol C_2H_5OH et l'acide acétique CH_3-COOH engendrent ainsi, avec équilibre, l'acétate d'éthyle CH_3-$COOC_2H_5$.

Substitution. La subst. de Cl à H est réalisable en présence de lumière ; le méthane se chlore progressivement 4 fois : $CH_4 + Cl_2 \rightarrow HCl + CH_3Cl$

$$CH_3Cl + Cl_2 \rightarrow HCl + CH_2Cl_2, \text{ etc.}$$

Les halogènes liés au carbone sont remplaçables par des radicaux organiques : le bromure de méthyle réagit sur le méthylate de sodium CH_3ONa pour former l'éther méthylique : $CH_3Br + CH_3ONa \rightarrow NaBr + CH_3 - O - CH_3$.

Oxydation et réduction. Très fréquentes ; l'*oxydation* d'un alcool primaire conduit à un aldéhyde puis à un acide : $CH_3 - CH_2OH + [O] \rightarrow CH_3 - CHO$ (aldéhyde) + H_2O

$CH_3 - CHO + [O] \rightarrow CH_3 - COOH$ (acide).

[O] désignant un oxydant (exemple : oxygène, permanganate de potassium $KMnO_4$).

La réduction d'une cétone engendre un alcool secondaire : $CH_3 - CO - CH_3$ (acétone) + $H_2 \rightarrow CH_3 - CHOH - CH_3$.

Polycondensation. Un acide et une amine engendrent un amide : $CH_3 - COOH + CH_3 - NH_2$ (amine) $\rightarrow H_2O + CH_3 - CO - NH - CH_3$.

Un composé à la fois acide et amine subit une polycondensation par action réciproque des fonctions, d'où un superpolyamide (ex. : le textile appelé *rilsan*) : $n\ NH_2 - (CH_2)_{10} - CO_2H \rightarrow (n-1)\ H_2O + NH_2 - (CH_2)_{10} - CO - [NH - (CH_2)_{10} - CO]_{n-2} - NH - (CH_2)_{10} - CO_2H$.

Polymérisation. De nombreux composés non saturés se polymérisent indéfiniment. Sous l'action d'organoaluminiques (catalyseur), n molécules d'éthylène se condensent en polythène : $n(CH_2 = CH_2) \rightarrow CH_3 - CH_2 (CH_2 - CH_2)_{n-2} - CH = CH_2$ (polythène).

Polycondensation et polymérisation conduisent à des textiles, verres, élastomères, résines synthétiques. On utilise aussi l'acide phosphorique comme catalyseur pour polymériser l'éthylène et le propylène, ainsi que l'acide sulfurique pour l'isobutylène. Autres polymérisations courantes : celles des amines, des esters, des glycols.

Composés définis

États des composés

Quand on parle de solide, de liquide ou de gaz, on désigne généralement des corps ayant cet état à la température ordinaire (le fer est ainsi un solide, l'eau un liquide, l'oxygène un gaz). Cependant, beaucoup de corps peuvent se présenter alternativement sous l'état solide, liquide ou gazeux suivant la température. Ex. : l'eau, solide au-dessous de zéro (glace), gazeuse au-dessus de 100 °C (vapeur), liquide entre 0 et 100 °C à pression normale (sous pression plus forte, la glace fond au-dessous de 0 °C et l'eau reste liquide au-dessus de 100 °C).

1°) État gazeux. *Pression :* les gaz n'ont ni forme ni volume propres ; ils ont tendance à occuper tout l'espace qui leur est offert. Ils sont constitués par des molécules se déplaçant à peu près librement et animées d'un mouvement incessant d'autant plus important que la température est plus élevée. Cette agitation se manifeste par la pression exercée sur les parois des récipients qui les contiennent (ex. : l'air dans une chambre à air). Les actions intermoléculaires, en général faibles, sont négligeables dans le cas d'un **gaz parfait** (système idéal). Des volumes égaux de gaz parfait pris dans les mêmes conditions de température et de pression renferment le même nombre de molécules : 22,4 litres d'un gaz parfait dans les conditions normales (température 0 °C, pression 760 mm de mercure) contiennent N = $6{,}022.10^{23}$ molécules *(nombre d'Avogadro).*

Les *manomètres* mesurent la pression des gaz.

Pression atmosphérique : l'air de l'atmosphère exerce de même une pression sur tous les objets qui sont autant de parois s'opposant à son expansion. V. Pression atmosphérique à l'Index. Les *baromètres* mesurent la pression atmosphérique.

Masse des gaz : les gaz sont pesants (ex. : 1 l d'air à 0 °C sous une pression de 760 mm de mercure pèse 1,293 g).

Principe d'Archimède appliqué aux gaz : tout corps plongé dans un gaz subit une poussée verticale égale au poids du volume du gaz déplacé. Si le corps a une densité moins grande que celle du gaz déplacé, il « flotte » (cas des ballons plus légers que l'air).

2°) État liquide. Les molécules d'un liquide sont « attachées » ensemble par les forces de Van der Waals (qui assurent au liquide un volume bien défini), mais elles n'ont pas perdu leurs mouvements ; elles peuvent se chevaucher, s'écouler. Les liquides n'ont pas de forme propre, ils prennent la forme du récipient qui les contient. Sous un faible volume, laissés à eux-mêmes, ils forment des boules *(gouttes).* Beaucoup moins compressibles que les gaz, ils sont dans la pratique considérés comme incompressibles.

Principe d'Archimède. Un corps plongé dans un liquide subit une poussée verticale, de bas en haut, égale au poids du liquide déplacé et appliquée au centre de gravité de ce liquide déplacé. Si la densité du corps est supérieure à celle du liquide déplacé, le corps coule. Si elle est égale, le corps reste en équilibre. Si elle est inférieure, le corps flotte.

3°) État solide. Les molécules ont perdu leurs mouvements. L'état solide parfait est l'**état cristallin** où les éléments constituants (molécules, atomes, ions) sont disposés régulièrement dans des plans réticulaires. On distingue des cristaux ioniques (chlorure de sodium), moléculaires (iode, naphtaline), atomiques (carbone diamant). Les particules du réseau peuvent se déplacer un peu de part et d'autre de leur position moyenne ; l'amplitude des vibrations croît avec la température. Dans tous les cas, l'état cristallin est un état anisotrope.

Passage d'un état à l'autre

Sous pression constante, le changement d'état d'un corps pur se fait à température fixe (caractéristique du corps ; elle varie en général avec la pression). Un changement d'état s'accompagne d'un changement de volume et met en jeu de la chaleur : la **chaleur latente** est la quantité de chaleur que doit absorber sans changement de température 1 g de corps solide pour passer à l'état liquide ou 1 g de corps liquide pour passer à l'état gazeux. (Respectivement chaleurs latentes de fusion et de vaporisation.)

■ **De l'état gazeux à l'état liquide.** *Par compression :* les molécules rapprochées s'attachent. *Par refroidissement :* les mouvements des molécules se ralentissent et les molécules ont tendance à se rapprocher au-dessous du point de condensation.

■ **De l'état liquide à l'état solide.** *Par refroidissement :* le mouvement des molécules se ralentit au point qu'elles ne peuvent plus se chevaucher à partir du point de solidification. En se solidifiant, les corps diminuent en général de volume, sauf l'eau qui augmente d'environ 9 % (d'où l'éclatement des radiateurs gelés). Un liquide refroidi peut subsister à l'état liquide à une température inférieure à celle de fusion. On fait cesser la *surfusion* en mettant un cristal du corps au contact du liquide surfondu. Si la surfusion est trop forte, la viscosité empêche la cristallisation (verre).

Par compression : en avr. 1979, Jean-Michel Besson et Jean-Pierre Pinceaux ont obtenu de l'hélium solide à température ambiante, sous une pression de 115 000 atmosphères (utilisation de l'enclume-diamant).

■ **De l'état solide à l'état liquide.** *Par réchauffement :* les molécules reprennent leurs mouvements au point de fusion. En général, un corps augmente de volume en fondant. L'eau fait exception. La chaleur de fusion de la glace est 80 cal/g. La température de fusion dépend peu de la pression ; dans le cas de l'eau, elle décroît quand la pression croît.

■ **De l'état liquide à l'état gazeux.** *Par évaporation :* un corps reste liquide si la pression exercée sur lui est suffisante, mais si l'on remplit à moitié un récipient dans lequel on a fait le vide (il n'y a plus de pression de l'air), une partie du liquide se vaporise instantanément. Cette vaporisation s'arrêtera cependant à un certain moment dit **point de saturation** (ou **point de vapeur saturante**). A ce point, la pression exercée sur le liquide par la vapeur évaporée est trop forte pour que l'évaporation continue.

Le point de saturation varie selon la température et s'élève avec elle (plus le récipient sera chaud et plus le liquide pourra s'évaporer).

L'absorption de calories au cours de la vaporisation de gaz liquéfiés (ammoniac, gaz sulfureux, Fréon C F2 Cl2) est utilisée dans les machines frigorifiques.

Les liquides s'évaporent également *dans l'atmosphère,* mais plus lentement. Cette évaporation dépend de l'agitation de l'air (vent), de la température, l'air ambiant étant saturé alors plus ou moins tôt, et surtout du degré hygrométrique quand il s'agit de l'eau.

Pression de vapeur (à 20 °C en mm de mercure) : éther 440, acétone 185, chloroforme 161, tétrachlorure de carbone 91, benzène 74,6, alcool 44,5, eau 17,5, mercure 0,0013. Les corps à pression de vapeur élevée (ex. : l'éther) sont dits *volatils.*

Ébullition : un liquide est en ébullition quand il se vaporise dans sa masse (et pas seulement en surface comme dans le cas de l'évaporation). Cette ébullition se produit quand la pression de vapeur égale la pression atmosphérique.

L'eau bout à :	Altitude en mètres	Pression atm. en mm de merc.
100°	0	760
99°	300	732
98°	590	706
97°	865	682
96°	1 150	658
95°	1 450	634
90°	2 100	526
80°	6 080	355

Dans les récipients fermés, les liquides ne bouillent pas et conservent l'état liquide au-dessus de leur point d'ébullition (ex. : l'eau dans un *autoclave*). Pour vaporiser 1 g d'eau à 100 °C, il faut fournir 540 calories. L'alcool bout à 78 °C.

■ **De l'état solide à l'état gazeux.** *Par sublimation,* sans passer par l'état liquide. Ainsi, à la pression atmosphérique, l'anhydride carbonique solide *(neige carbonique)* prend l'état gazeux dès que la température dépasse – 93 °C. Mais en vase clos il se liquéfie à – 80 °C, et sous une pression voisine de 20 atmosphères il passe de l'état liquide à l'état gazeux vers 0 °C. De même, mais cette fois par évaporation, le linge gelé sèche à l'air libre à – 5 °C sans passage par l'état liquide.

États particuliers

États vitreux. Les verres sont des liquides surfondus. Au cours du refroidissement, la cristallisation ne s'est pas produite : la viscosité empêche le mouvement des molécules qui sont disposées au hasard. Tout en ayant les propriétés mécaniques des solides, les verres sont donc **isotropes,** c.-à-d. que la lumière s'y propage de la même manière dans toutes les directions.

État colloïdal. Les colloïdes sont formés de **micelles,** assemblages de molécules souvent visibles à l'ultramicroscope, qui ne traversent pas les membranes de parchemin. Les solutions colloïdales, ou *sols,* peuvent donner des gels par *floculation* (coagulation sous forme de flocons).

États mésomorphes et plasmas (voir p. 208).

Classification des systèmes dispersés

phase dispersante φ_1	corps dispersé φ_2	diamètre des particules dispersées	nom du système dispersé
gaz	liquide	10 à 100 μ	brouillards
	solide	10 à 100 μ	fumées
liquide	gaz	très variable	mousses
	liquide	ordre de 0,1 μ	émulsion
		10 à 0,2 μ	suspension
	solide	0,2 μ à 2 mμ	sol
		inférieur à 2 mμ	solution vraie

Thèmes d'application

Élaboration de l'aluminium

Principe. *Fabrication de l'alumine* à partir de la bauxite : l'aluminate de sodium est, par suite de réactions, traité jusqu'à obtention de l'alumine (Al_2O_3) pure. *Fabrication de l'aluminium* à partir de l'alumine par une méthode de réduction électrochimique : le passage de Al_2O_3 à Al est une réduction. L'aluminium étant un métal très réducteur, l'alumine Al_2O_3 est un oxyde très stable.

On obtient un alliage en fondant ensemble deux ou plusieurs métaux, ou en incorporant à un métal de petites quantités d'éléments non métalliques.

Alliages légers. **Duralumin** contenant 94 % d'aluminium, 4 % de cuivre, du magnésium. **Alpax** 87 % d'aluminium et 13 % de silicium. **Almelec** 98,5 % d'aluminium et 1 % de magnésium, silicium, fer.

Transformation du soufre

Du soufre au dioxyde de soufre. Le passage de S à SO_2 est une oxydation, il suffit de faire brûler du soufre dans de l'air : $S + O_2 \rightarrow SO_2$. La réaction libère 296 kJ par mole de soufre brûlé : le gaz sortant contient environ 10 % de SO_2. L'industrie prépare aussi le dioxyde de soufre à partir des pyrites.

$$\underset{\text{pyrite}}{2\,FeS_2} + \frac{11}{2}\,O_2 \rightarrow \underset{\text{oxyde ferrique}}{Fe_2O_3} + 4\,SO_2.$$

Du dioxyde de soufre au trioxyde de soufre : on opère à la température de 450 °C sous la pression atmosphérique normale en présence d'un catalyseur à base d'oxyde de vanadium (procédé de contact). Dans ces conditions, rendement de 97 %.

$$SO_2 + \frac{1}{2}\,O_2 \rightarrow SO_3.$$

Passage à H_2SO_4. Il s'agit d'une réaction d'hydratation qui s'écrit : $SO_3 + H_2O \rightarrow H_2SO_4$.

Le trioxyde de soufre étant difficilement soluble dans l'eau, on le fait réagir sur une solution diluée d'acide sulfurique. Quand il ne reste plus d'eau, on obtient l'acide sulfurique pur. Si l'on continue à ajouter du trioxyde de soufre, on obtient un *oléum* (acides sulfuriques contenant plus d'anhydride SO_3 que l'acide normal H_2SO_4).

On obtient ces acides fumants en faisant absorber l'anhydride par un acide concentré, et l'on peut arriver jusqu'à l'oléum à 80 % (80 g de SO_3 pour 100 g de H_2SO_4). Les oléums servent dans les réactions de sulfonation et de nitration (industries des matières colorantes, des explosifs, des plastiques, etc.).

Engrais

Eau. Considérée comme « engrais » dans la mesure où elle contient des sels en solution.

Carbone. Non puisé dans le sol.

Azote. Entre dans la constitution des albumines ou protéines, substances fondamentales de la cellule vivante. L'azote à l'état gazeux doit d'abord être capté par les micro-organismes du sol, qui le transforment en sels ammoniacaux et en nitrates. C'est également sous ces formes qu'on trouve l'azote dans les engrais, sauf en ce qui concerne les engrais dits organiques (fumier).

Phosphore. Exprimé en P_2O_5, il règle la nutrition et la reproduction des plantes, il est indispensable à la fécondation, à la fructification, à la maturation et à la mise en réserve des sucres. Il favorise la vie microbienne dans le sol. Le superphosphate résulte de l'action de l'acide sulfurique sur le phosphate. Le phosphate d'ammoniaque est maintenant très utilisé.

Potassium. Exprimé en K_2O. Base capable de former des sels avec les acides organiques produits par les tissus végétaux. Ces sels sont solubles, ce qui facilite leur migration et les transformations qui en résultent.

Autres éléments. Utilisés à doses moindres, calcium, magnésium, soufre, sodium, silicium et chlore (éléments secondaires), fer, manganèse, zinc, cuivre, bore et molybdène (éléments rares ou oligoéléments).

Chimie du fluor

L'élément fluor (F) se trouve à l'état naturel principalement dans 3 minéraux : *cryolithe* $Na_3\,AlF_6$, utilisée dans la préparation de l'aluminium ; *fluorine* CaF_2, nécessaire à la préparation de l'acide fluorhydrique ; *fluoroapatite*.

L'acide fluorhydrique HF est souvent employé : dépolissage du verre, décapage des métaux, préparation d'autres dérivés fluorés minéraux ou organiques (utilisés pour médicaments, substituts du sang, agents propulseurs d'aérosols, polymères, fluoration de l'eau potable par un fluorure alcalin, fluorophosphates inclus dans les dentifrices).

Le fluor est le plus électronégatif et le plus réactif de tous les éléments ; le gaz F_2 est très corrosif, il réagit pratiquement avec toutes les substances, sauf 3 gaz rares (hélium, néon, argon), quelques polymères organiques fluorés et certains alliages spéciaux. Il n'a été isolé qu'en 1886 par Henri Moissan (1852-1907, Nobel de Chimie 1906).

Dérivés benzéniques

Carbures ou composés à fonctions diverses, se déduisant du benzène par remplacement d'un au moins des atomes d'hydrogène par un radical quelconque.

Les dérivés du benzène participent, en principe, aux propriétés du noyau et à celles des fonctions ou des chaînes carbonées substituées ; cependant, les chaînes ou fonctions substituées modifient plus ou moins profondément les propriétés du noyau, et réciproquement. Une fonction est dite *nucléaire* si elle est portée directement par un carbone du noyau : les **phénols** sont des dérivés hydroxylés nucléaires. Si, par sa nature, une fonction ne peut être portée par un carbone du noyau, elle est encore dite nucléaire, si elle est aussi près que possible du noyau : l'*acide benzoïque* est un acide nucléaire.

Cas contraire, la fonction est dite *extra-nucléaire : l'acide phénylacétique* est un acide extra-nucléaire. Ces définitions s'appliquent aux dérivés des carbures à noyaux polycondensés.

Matières plastiques

☞ Voir aussi l'Index.

Obtenues par *polymérisation* ou par *polycondensation.*

1°) Polymérisation. *a) Polythène :* $(CH_2)n$. Usage : objets ménagers, isolation électrique.

b) Polytétrafluoroéthylène (Téflon) : $(-CF_2-CF_2-)_n$. Usage : isolation électrique, « fartage » des skis.

c) Polystyrène : $(C_6H_5-CH-CH_2)n$;

Usage : revêtement de meubles.

d) Chlorure de polyvinyle : $(CH_2-CHCl)n$.

Usage : objets ménagers.

e) Acétate de polyvinyle :

$(CH_3-CO-CH-CH_2)n$. Usage : vernis.

f) Polyméthylacrylate de méthyle (Plexiglas) :

$$(CH_2-\overset{\displaystyle CH_3}{\overset{|}{C}}-\underset{\displaystyle O}{\underset{\|}{C}}-OCH_3)n.$$

g) Caoutchoucs synthétiques. Le constituant essentiel en est le butadiène :

$$CH_2=CH-CH=CH_2.$$

h) Silicones. Les silicones sont du type :

$$(-O-\overset{\displaystyle R}{\overset{|}{\underset{\displaystyle R}{\underset{|}{Si}}}}-)\ n.$$

Usages : vernis, cires, etc.

2°) Polycondensation. *a) Résines formol-urée.* Usages : verres organiques. *b) Polyesters :* le Glyptal est une résine glycérophtalique obtenue par polycondensation du glycérol $CH_2OH\text{-}CHOH\text{-}CH_2OH$ et de l'anhydride phtalique. *Résines alkyds.* Usages : matières plastiques très résistantes. *c) Phénoplastes.* On obtient la *Bakélite.* Usages : vernis durcissables.

Parfums

Les parfums synthétiques viennent des produits chimiques extraits du goudron de houille. L'acétate de benzyle a une odeur qui rappelle le jasmin. Le musc cétone rappelle la fleur d'oranger.

Explosifs

Dynamite : à base de nitroglycérine (pour 15 à 95 %) ; nitrocellulose, nitrates de potassium, de sodium et d'ammonium, matières combustibles telles que poudre d'aluminium, dinitrotoluène. *Explosifs chloratés :* à base de perchlorate d'ammonium. *Explosifs nitratés :* à base de nitrate d'ammonium. *Explosifs nitrés :* esters nitriques et dérivés nitrés.

Unités de mesure

Systèmes anciens

Antiquité

Les unités de longueur choisies par les Anciens (Grecs, Latins, Celtes) se rapportaient en général aux dimensions du corps de l'homme ou à la mesure de ses activités physiques : le *pouce* ou le *doigt* (en largeur), le *palme* ou l'*empan*, la *coudée* (avant-bras), le *bras* (un bras étendu), les 2 bras étendus (brasse) ; le *pas*, le double pas, le millier de pas, l'*heure de marche* (lieue). Les unités de surface et de volume étaient souvent les mêmes unités mises au carré ou au cube (exception : la *boisse* celtique était la capacité des 2 mains creuses). Les unités de poids dérivaient le plus souvent des unités de capacité (tel volume de certains corps, p. ex. : l'argent).

Grèce (système attique)

Longueur. *Doigt* (largeur du doigt) : env. 2 cm. *Pied :* 30,8 cm. *Coudée :* 0,48 m. *Pas :* 0,74 m. *Brasse* (*orguia*, 4 coudées) : 1,92 m. *Acène* (*akaina*, « aiguillon ») : 2,96 m. *Plèthre :* 29,60 m. *Stade :* 177,60 m (240 pas).

Poids. *Obole :* 0,72 g. *Drachme :* 4,32 g (6 oboles). *Mine :* 432 g (100 drachmes). *Talent :* 25,920 kg (60 mines).

Superficie. *Plèthre carré :* 10 000 pieds c. (870 m²).

Capacité. **Liquides :** *Cotyle :* 0,27 L(litre). *Conge* (*khous*) : 12 cot. (3,24 L). *Amphore ou métrète italique :* 19,44 L. *Métrète :* 144 cot. (38,38 L). **Solides :** *Cotyle :* 0,27 L(litre). *Chénix :* 4 cotyles (1,08 L). *Hecteus* (setier : 1/6 de médimne) : 32 cotyles (8,64 L). *Médimne :* 192 cotyles (51,84 L).

Rome

Capacité. **Solides :** *Hemina* (hémine = 1/32 modius) : 0,274 L(litre). *Sextarius* (setier = 1/16 modius) : 0,548 L. *Semodius* (demi-muid = 1/2 modius) : 4,394 L. *Modius* (muid = 1/3 quadrantal) : 8,788 L. **Liquides :** *Sextarius* (setier = 1/48 quadrantal) : 0,547 L. *Congius* (conge grec = 1/8 Q) : 3,283 L. *Urna* (urne = 1/2 Q) : 13,132 L. *Quadrantal* (ou *amphora* ou métrète italique ou 1 pied cubique) : 26,364 L. *Culleus* (tonneau = 20 Q) ; 527,28 L.

Longueur. *Digitus* (doigt ou pouce) : 0,0184 m. *Palmus* (palme ou empan = 4 doigts) : 0,0736 m. *Pes* (pied = 4 palmes) : 0,2944 m. *Palmipes* (= 1 pied + 1 palme = 20 doigts) : 0,3680 m. *Cubitus* (coudée = 1 pied + 2 palmes = 24 doigts) : 0,4416 m. *Gradus* (pas simple = 2 pieds + 2 palmes) : 0,736 m. *Passus* (pas double = 5 pieds) : 1,472 m. *Milia passuum* (mille = 1 000 pas) : 1,472 m.

■ **Poids.** *Uncia* (once = 1/2 livre) : 27,25 g [sous-multiples : *semuncia* 1/2 once ; *scripulum* 1/24 once ; multiples : *quincunx* (5) ; *septunx* (7) ; *bes* (8) ; *dodrans* (9) ; *dextans* (10) ; *deunx* (11)]. *Libra* ou *as* (livre = 12 onces) : 327 g [sous-multiples : *semis* (1/2 = 6 onces = 163,5 g) ; *triens* (1/3 = 4 onces) ; *quadrans* (1/4 = 3 onces) ; *sextans* (1/6 = 2 onces)].

Nota. – *Sicles bibliques.* Or : s. du sanctuaire (déposé par Moïse dans le Tabernacle) 8,41 g. Argent : s. vulgaire (phénicien) = 14,92 g.

■ **Superficie.** *Quadratus pes* (1 pied carré) : 0,086 m². *Decempeda quadrata* (= 10 p × 10 p = 100 p²) : 8,66 m². *Jugerum* (arpent = 240 p × 120 p = 28 800 p²) : 25 ares. *Heredium* (= 2 jugères) : 50 ares. *Centuria* (= 100 heredia) : 50 ha. *Saltus* (= 4 centuries) : 200 ha.

France (Ancien Régime)

■ **Caractéristiques.** Les unités, les valeurs, les affectations sont différentes (par ex. : « pied de terre » et « pied de vitrier ») ; leurs divisions sont irrégulières (un pied peut avoir 10 ou 12 pouces selon les régions ; une livre peut compter 12, 14 ou 15 onces selon les villes et même les quartiers urbains). *Dans le Toulousain :* il y a 16 mesures pour le vin (5 noms différents : pot, quart, juste, pinte, méga ; chacun désigne 3 ou 4 mesures différentes divisées chacune de 4 façons différentes) : uchau (8e), pouchou, mesure, petit. L'uchau varie de 0,364 L à 0,60 L en Toulousain ; de 0,406 L à 1,060 L dans le comté de Foix ; de 0,771 L à 1,582 L en Béarn.

■ **Capacité. Liquides :** *Roquille* (contenu d'une écorce d'orange appelée « roquille ») : 0,030 L (litre). *Demi-posson* (2 roquilles) : 0,060 L. *Posson* (doublet de potion, « coup à boire ») (4 roquilles) : 0,119 L. *Demi-setier* (2 possons) : 0,238 L. *Chopine* (primitivement mesure germanique de la bière, env. 0,33 L.) ou *setier* (du latin *sextarius,* « sixième ») : 0,476 L. *Pinte de Paris* (2 chopines) : env. 0,93 L ou 48 pouces cubes. *Pot ou quade* (ou *cade*) (2 pintes). *Velte* (du latin médiéval *gualguita,* « petite jauge ») (8 pintes) : 7,62 L. *Quartaut* (9 veltes) : 68,5 L. *Feuillette* (tonneau marqué d'une feuillure, « entaille de jauge ») (2 quartauts) : 137 L. *Muid* (du latin modius, « mesure ») (288 pintes) : 274 L. *Muid de Bourgogne* (2 feuillettes) : 268 L.

Matières sèches (à Paris) : *Litron :* 0,79 L. *Boisseau* [de *boisse,* bas-latin *bostia,* gaulois *bosta,* « creux de la main » (16 litrons)] : 12,7 L (utilisé pour blé, avoine, sel, charbon de terre, charbon de bois). *Setier* (12 boisseaux) : 152 L. *Minot* (de mine : du gréco-latin *hemina,* « mesure de 28 cl ») (avoine, charbon de terre valant : 6 boisseaux ; sel : 4 ; blé : 3 ; charbon de bois : 2). *Double minot* (la mine) : *muid* [(moitié d'un setier ; mais le « demi-setier » est un 32e du setier) valant pour charbon de bois 20 mines (client) ou 16 (commerçant), de terre 7 mines ½; plâtre 72 (ou 36 sacs) ; avoine 288 ; sel 192 ; blé 144]. En outre, chaque boisseau change de valeur selon les façons (fixées par l'usage) de le remplir : bon poids ou poids courant ; comble ou ras, etc.

■ **Longueur.** *Point :* 0,188 mm. *Ligne* (12 points) : 0,226 cm. *Pouce* (12 lignes) : 2,707 cm. *Pied du roi,* censé être celui de Charlemagne (12 pouces) : 0,325 m. *Toise* [du latin *(ex) tensa,* « étendue »] (6 pieds) : 1,949 m. *Pas :* 0,624 m. *Perche de Paris* (18 pieds) : 5,847 m ; *ordinaire* (20 pieds) : 6,496 m ; *des Eaux et Forêts* (22 pieds) : 7,146 m. *Lieue de poste* (du gaulois *leuca,* « distance entre 2 pierres ») : 3,9 km, soit 2 000 toises anciennes. *De Paris :* jusqu'en 1674 : considérée comme valant 1 666 toises ; *1674 à 1737 :* 2 000 (3,898 km) ; *1737 :* pour les tarifs du transport de grains 2 400, Ponts et Chaussées 2 000, les Postes 2 200. En fait, le nombre de lieues d'une ville à l'autre est fixé traditionnellement et la valeur de la lieue change pour que ce nombre reste constant malgré les variations des itinéraires.

Nota. – De 1812 à 1840 : toise métrique : 2 m ; pied métrique : 0,33 m ; pouce métrique : 0,0275 m ; ligne : 0,0023 m.

Étoffes : *Aune de Paris* [du francique *elina* (latin *ulna*), « avant-bras » ; 4 pieds romains] : 1,188 m [fixée officiellement en 1540 par François Ier (3 pieds, 7 pouces, 8 lignes) ; chiffres confirmés en 1554, 1557, 1714, 1736 ; en 1745, cette longueur est oubliée, une 6e ordonnance est nécessaire].

Marine : *Brasse* (longueur de corde entre les bras étendus) (5 pieds) : 1,624 m. *Encâblure* (1/10 mille) : 185,2 m (ou 194,9). *Lieue marine* de 20 au degré (3 milles marins) : 5 556 m.

■ **Masse.** *Grain :* 53 mg. *Denier* (24 grains) : 1,275 g. *Gros* (3 deniers) : 3,824 g. *Once* (8 gros) : 30,59 g. *Quarteron* (1/4 de livre ou 4 onces) : 122,4 g. *Marc* (unité allemande dont les poids étaient importés de Nuremberg : du goth. *marka,* « demi-livre ») (8 onces) : 244,75 g. *Livre* (latin *libra*) (16 onces) : 489,5 g. *Quintal* (100 livres) : 48,95 kg. *Millier* (1 000 livres) : 489,5 kg. *Tonneau de mer* (primitivement, mesure de capacité) (2 000 livres) : 979 kg.

Nota. – L'étalon officiel : la *pile* dite de Charlemagne (livre, poids de marc), faite à Paris de 13 poids-godets creux, de plus en plus petits, empilés les uns dans les autres.

■ **Superficie.** Toutes les mesures de longueur citées ci-dessus au carré et en outre : **pour les bois :** *Arpent des Eaux et Forêts* (du gaulois *arepenn,* « portée de flèche ») : 100 perches de 22 pieds de côté, soit 48 400 pieds carrés (5 107,2 m²) ; *ordinaire :* 4 221 m² ; *de Paris :* 3 418,87 m², 32 400 pieds carrés, 900 toises carrées. *Perche des Eaux et Forêts :* 22 pieds de côté soit 484 pieds carrés (51,062 m²) ; *de Paris :* 18 pieds de côté soit 324 pieds carrés (34,182 m²). *Verge* [terme sans doute préceltique *vège* (espagnol *vega,* « champ plat »), contaminé par *vergée,* « terrain mesuré à la verge »] (1/4 arpent) : 1 276 m². **Pour les terres :** *à Paris :* arpent de 100 perches carrées. *Normandie :* terres et prés par acres (1 acre = 160 perches) [bois et bocages par arpents, vignes et vergers par quartiers (le quartier = 25 perches)]. *Bourgogne :* journal (étendue de terre que 8 hommes peuvent faire et bêcher un jour d'été, limité à 360 perches de 9 pieds et demi ; pied = 12 pouces) [bois à l'arpent (de 440 perches)]. *Dauphiné :* sesterées de 900 cannes quarrées (sesterée = 4 cartelées ; cartelée = 4 civadiers ; civadier = 4 picotins). *Provence :* saumée de 1 500 cannes quarrées (saumée = 2 cartelées et demie ; cartelée = 4 civadiers ; civadier = 4 picotins). *Languedoc :* saumée de 1 600 cannes quarrées (canne = 8 pans ; pan = 8 pouces 9 lignes). *Bretagne :* journal de 22 seillons un tiers (seillon = 6 raies ; raie = 2 gaules et demie ; gaule = 12 pieds). *Touraine :* arpent de 100 chaînes ou perches (perche = 25 pieds ; pied = 12 pouces). *Lorraine :* journal de 250 toises quarrées (toise = 10 pieds ; pied = 10 pouces). *Orléanais :* arpent de 100 perches quarrées (perche = 20 pieds ; pied = 12 pouces). *Journal :* surface labourable par un homme en une journée (ex. St-Brieuc : 40 ares, Mamers 44, nord de la Mayenne 50, Domfront 50).

■ **Volume.** Les mesures de longueur au cube et pour le bois : *Voie de Paris* (voie = voyage, c.à-d. charretée) : 1,920 m³.

■ **Projets d'unification.** Nombreux, ils se heurtèrent tous aux résistances locales. **Exemples pour Paris : 1668** création au Châtelet de la *toise* de 6 « pieds de roi » ; **1669** définition de l'*arpent* (calculé en pieds de roi) ; **1670** définition du *boisseau ;* **1735** création de la toise-étalon ; elle eut *2 copies : 1°)* – l'une dite *du Pérou* ou *de l'équateur,* emportée au Pérou de 1735 à 1748 pour servir à la mesure de la courbure de la Terre près de l'équateur. Elle revint intacte en 1748 ; l'Académie des sciences refusa d'en faire un étalon officiel, mais plus tard, elle servit à définir le mètre. *2°)* – la *toise du Nord,* qui servit aux mêmes travaux en Suède, mais revint endommagée. **1742** définition de la *pinte.* **Royaume :** projets de Charles le Chauve, Louis le Hutin, Philippe le Long. Édits de François Ier sur l'aunage (1540-45), d'Henri II (1557-58). Suppliques des états généraux (1560, 76, 1614). Projet d'Henri IV, puis de Colbert. Tentatives de Laverdy en 1764, de Trudaine de Marigny en 1766 (80 copies de la « toise du Pérou » envoyées en province). En 1788, dans les cahiers de doléances, le principe : « Un roi, une loi, un poids et une mesure » est fréquemment rappelé.

Principales collections de mesures anciennes. Musées : Angers, Albi, Vieux-Lyon, Paris (musée national des Techniques).

Le système métrique

☞ BIBLIOGRAPHIE : H. Moreau : *le Système métrique* (éd. Chiron).

Origine

■ Projets d'avant 1789

Abbé Gabriel Mouton (1670) : unité de longueur égale au 1/1 000 du mille marin (une minute sexagésimale du méridien) ; mais cette unité (environ 1,80 m) est trop longue pour être pratique. *Abbé Jean Picard* (1620-82) dans *la Mesure de la Terre* (1671), *Christiaan Huygens* (Hollande 1629-95) (1673) : longueur d'un pendule battant la seconde (ce qui aurait unifié les notions de longueur et de temps) ; ce projet fut défendu par Charles Marie de La Condamine (France, 1701-74), John Riggs-Miller (G.-B., 1744-98), Thomas Jefferson (USA, 1743-1826), mais on buta sur le choix du point où devaient être mesurés les battements du pendule (inégaux selon l'attraction terrestre ; serait-ce l'Équateur (Quito), ou le 45e parallèle (Bordeaux) que Turgot choisirait en 1775 (mais il fut disgracié avant que la mesure soit réalisée) ? Projet d'unifier les 2 notions de longueur et de poids (masse) en pesant un volume d'eau défini par des unités de longueur [*Observations sur les principes métaphysiques de la géométrie* (1758) de Louis Dupuy (1709-95)]. Jefferson avait par ailleurs calculé que le pied cubique d'eau pesait exactement 1 000 onces, ce qui aurait prouvé que la relation poids-longueur existait dans la nature.

■ Travaux après 1789

Choix de l'unité de base. Le *8-5-1790,* sur proposition de Talleyrand, l'Assemblée nationale constituante se prononça pour la création d'un système de mesure stable, uniforme et simple. L'unité de base choisie est le pendule battant la seconde. Des délégués sont envoyés en Espagne, Angleterre, États-Unis (où le Pt Jefferson se montre très favorable) mais, le *26-3-1791,* sur proposition de l'Académie des sciences, la Constituante adopte le principe « méridien » : le mètre sera la 10 millionième partie de la distance comprise depuis le pôle jusqu'à l'équateur ; elle désigne Delambre et Méchain pour la mesurer. Les pays étrangers refusent dès lors leur collaboration.

Le choix du nom **mètre,** du grec *metron,* « mesure », est attribué à Charles de Borda (1733-89) mais ce mot avait déjà été proposé en 1675 par l'Italien Tito Livio Burattini, pour désigner la longueur du pendule battant la seconde (≃ 0,994 m) et en mai 1790 par Auguste-Savinien Leblond (1760-1811) pour le pied astronomique (1 degré de grand cercle = 345 600 pieds astronomiques).

■ **Instauration du système** (décret du 1-8-1793). Il institue un système de mesures décimales provisoires. **Longueur :** unités fondées sur des calculs géodésiques de l'abbé Louis de Lacaille, remontant à 1740 (qui avait évalué le 1/4 de méridien à 5 132 430 toises de Paris) : quart de méridien, grade (du latin *gradus,* « pas simple ») ou degré décimal (100 000 m), milliaire [de l'adj. latin *milliarius* désignant les bornes placées tous les mille pas (1 000 m)], mètre (le 1er étalon métrique légal est exécuté par le constructeur Lenoir, le 9-6-1795), décimètre, centimètre, millimètre. **Superficie :** l'*are* (du fém. latin *area,* « surface », mis au masculin) avec des sous-multiples, déciare et centiare. **Volume :** le *cade* [du grec *kados,* « baril » ; utilisé par les sauniers provençaux), 1 m³], décicade, centicade, pinte [du vieux fr. *pinte,* « peinte », car la marque de contrôle était peinte sur le récipient ; appelée *cadil* (diminutif de *cade*) le 19-1-1794, puis *litre* (du gréco-latin *litra,* « poids de 12 onces », mis au masculin) le 18 germinal an III]. **Poids :** le *bar* (du grec *barus,* « lourd ») ou millier, décibar, centibar, *grave* (du latin *gravis,* « lourd »), décigrave, centigrave, gravet, décigravet, centigravet, milligravet, finalement (en avril 1795) *gramme* (du grec *gramma,* « marque écrite », désignant 1/24 d'once). **Monnaie :** le *franc* d'argent.

Loi du 18 germinal an III (7-4-1795). Elle fixe la nomenclature des unités (telle qu'elle existe encore actuellement) et donne la **1re définition du mètre :** fraction du méridien terrestre mesuré par la Commission Delambre-Méchain sur l'axe Dunkerque-Barcelone (5 130 740 toises de Paris ; différence avec le chiffre de Lacaille : 1 690 toises).

Constitution du Directoire (5 fructidor an III, 22-8-1795). Elle consacre 2 paragraphes aux nouvelles unités de mesure. En prairial an VI (mai-juin 1798), les contacts seront pris avec Espagne, Danemark, Sardaigne, Républiques batave, cisalpine, helvétique, ligurienne, romaine, toscane. Les rapports définitifs sur les unités de longueur (mètre) et de poids (dm³ d'eau) seront signés par un Hollandais (Van Swinden) et un Suisse (Trallès). Les prototypes du mètre et du kilogramme définitifs, en platine, seront déposés aux Archives le 22-6-1799.

Loi du 19 frimaire an VIII (10-12-1799). Elle fixe les étalons définitifs et donne la **2e définition du mètre :** mesure de l'étalon des Archives (en platine construit selon le module de Borda), soit 3 pieds et 11, 296 lignes de la toise de Paris (raccourcie de 0,144 ligne par rapport au mètre provisoire de Lacaille, mais sans référence au méridien). Elle rend obligatoire le système métrique, mais il se répandra lentement : les illettrés savaient tous diviser les longueurs par 2, par 4 et par 8, en pliant 1 fois, 2 fois ou 3 fois une ficelle ou un mouchoir, mais ne savaient pas diviser par 10. En 1812, l'utilisation de mesures transitoires dites usuelles (ex. : toise de 2 m, aune de 1,20 m, boisseau de 1/8 d'hectolitre) fut autorisée.

Loi du 4-7-1837. Tenant compte des progrès de l'enseignement primaire, elle rend le système métrique définitivement obligatoire à partir du 1-1-1840.

☞ La 1re Commission internationale du Système métrique, nommée le 8-4-1869, délégua à sa section française la construction, dans le plus pur platine, d'étalons copiés sur les prototypes des Archives. Sainte-Claire Deville en fut chargé. La coulée réalisée en 1874, au Conservatoire des Arts et Métiers ne contenait que quelques traces de fer et de ruthénium. Les étalons furent établis suivant des profils dessinés par Tresca, afin que la graduation ne subisse pas de déformation [profil en forme de X comportant une ligne axiale (fibre neutre), ni tendue ni comprimée (selon la théorie des moments de flexion), quand la règle est légèrement fléchie, et qui conserve la même longueur]. En 1875 la convention du mètre fut signée par 19 nations.

3e définition : donnée par le Bureau international des poids et mesures [créé à Paris (Sèvres) en 1875]. Le mètre n'est plus défini par rapport à la longueur du méridien, mais comme la distance, à la température de 0 °C, des axes des 2 traits médians tracés sur le prototype en platine iridié (dit Mètre international), sanctionné par la Conférence générale (internationale) des poids et mesures, tenue en 1889 à Paris. Pour déposer ce prototype international, la France a remis au Comité international des poids et mesures, le 22-4-1876, le domaine du pavillon de Breteuil, à Sèvres (Hauts-de-Seine). D'une superficie de 25 153 m², portée à 43 517 m² en 1964, ce domaine est une enclave internationale jouissant du privilège d'exterritorialité. Il n'a pas été occupé par les Allemands en 1940-44. L'étalon légal pour la France fut la copie no 8 de ce prototype (loi 11-7-1903), conservée au Laboratoire national d'essais, 1, rue Gaston-Boissier, 75015 Paris.

Nota. – Cherchant le métal le plus « invariable » sous les différentes températures, Ch.-Éd. Guillaume a découvert, à la fin du XIXe s., l'*invar* (alliage de nickel, fer et chrome). Étiré en fils, l'invar deviendra un étalon pour les bases de triangulation géodésiques.

4e définition : adoptée le 14-10-1960 (décret 3-5-1961). Le mètre est égal à 1 650 763,73 longueurs d'onde dans le vide de la radiation orangée du krypton 86, le krypton de masse atomique 86 étant l'un des 6 isotopes du krypton naturel. Cet étalon optique est 100 fois plus précis que l'étalon de 1889.

5e définition : adoptée le 20-10-1983 par la 17e Conférence générale des poids et mesures (France, décret du 30-12-1985). Elle s'appuie sur une constante physique universelle, la vitesse de la lumière dans le vide (299 792 458 m/s).

Dates d'adoption du système métrique

Légende : entre parenthèses, date d'entrée en vigueur de la décision officielle ou mise en application définitive. (1) Pays pour lequel la date d'adoption n'a pu être précisée. (2) Pays où la conversion métrique est en cours ou décidée. (3) Adoption à titre facultatif. (4) Pays non métrique.

Açores 1852. Afghanistan 1926. Afr. du Sud 1922 [3] ; 1967 (1974). Albanie 1951. Algérie 1843. Allemagne (Rép. dém. et Rép. féd.) 1871 (1872). Andorre [1]. Angleterre (voir Royaume-Uni). Angola 1905 (1910). Antilles néerlandaises 1875 (1876). Arabie Saoudite 1962 (1964). Argentine 1863 (1887). Australie 1961 [3] ; 1970. Autriche 1871 (1876). Bahamas [2]. Bahreïn (1977-80). Bangladesh [4]. Barbade 1977. Belgique 1816 (1820). Belize [2]. Bénin 1884-91. Bermudes 1971. Bhoutan [2]. Birmanie ou Myanmar 1920 [3]. Bolivie 1868 (1871). Botswana 1969-70 (1973). Brésil 1862 (1874). Brunei (1986-91). Bulgarie 1888 (1892). Burkina 1884-1907. Burundi [1]. Cambodge 1914. Cameroun 1894. Canada 1871 [3] ; 1970. Cap-Vert (Iles du) 1891. Centrafricaine (Rép.) 1884-1907. Chili 1848 (1865). Chine (Rép. pop.) 1929 (1930-59). Chypre 1972-74. Colombie 1853. Comores 1914. Congo (Rép. pop.) 1884-1907. Cook (Iles) [2]. Corée (Rép.) 1949. Corée (Rép. dém.) 1947. Costa Rica 1881 (1912). Côte-d'Ivoire 1884-90. Cuba 1882 (1960). Danemark 1907 (1912). Djibouti 1898. Dominicaine (Rép.) 1849 (1942-55). Égypte 1939 (1951-61). El Salvador : voir Salvador. Émirats arabes unis [2]. Équateur 1865-71. Espagne (et possessions) 1849 (1871). États-Unis 1866 [3] (voir p. 243 c). Éthiopie 1963. Fidji 1972. Finlande 1886 (1892). France 1795 (1840) (Guadeloupe 1844, Guyane 1840, Martinique 1844, Réunion 1839, Nlle-Calédonie 1862, Polynésie 1847, St-Pierre-et-Miquelon 1824-39). Gabon 1884-1907. Gambie 1979. Ghana 1972 (1975). Gibraltar 1970. Gilbert et Ellice (Iles) [2]. Grèce 1836 [2] (1959). Guatemala 1910 (1912). Guinée 1901-06. Guinée-Bissau 1905 (1910). Guinée-Équatoriale [1]. Guyane (Rép.) 1977. Haïti 1920 (1922). Honduras 1910 (1912). Hong Kong [2]. Hongrie 1874 (1876). Inde 1920 [3] ; 1956. Indonésie 1923 (1938). Irak 1931 [3] ; 1960. Iran 1933 (1935-49). Irlande 1897 [3] ; 1968-69. Islande 1907. Israël 1947 (1954). Italie 1861 (1863). Jamaïque 1973. Japon 1893 [3] ; 1951 (1959-66). Jordanie 1953 (1954). Kenya 1951 [3] ; 1967-68. Koweït 1961 (1964). Laos (fin XIXe s.). Lesotho 1970. Liban 1935. Liberia [4]. Libye 1927. Liechtenstein 1875 (1876). Luxembourg 1816 (1820). Macao 1957. Madagascar 1897. Madère 1852. Malaisie 1971-72. Malawi [2] 1979. Maldives [3] (Rép.). Mali 1884-1907. Malte 1910 (1921). Maroc 1923. Maurice 1876 (1878). Mauritanie 1884-1907. Mexique 1857 (1896). Monaco 1854. Mongolie [1]. Mozambique 1905 (1910). Namibie 1967. Nauru (Ile) 1973-80. Népal 1963 (1966-71). Nicaragua 1910 (1912). Niger 1884-1907. Nigeria 1971-76. Niue (Ile) [2]. Norvège 1875 (1882). Nlle-Zélande 1925 [3] ; 1969-79. Oman [2]. Ouganda 1950 [3] (1967-69). Pakistan 1967-72. Panamá 1916. Papouasie-Nlle-Guinée 1970. Paraguay 1899. Pays-Bas 1816 (1832). Pérou 1862 (1869). Philippines 1906 (1973-75). Pologne 1919. Puerto Rico 1849. Portugal 1852 (1872). Qatar [2]. Roumanie 1864 (1884). Royaume-Uni 1897 [3] (1965) (voir p. 243 c). Rwanda [1]. St-Marin 1907. Salomon britanniques (Iles) 1970. Salvador 1910 (1912). Samoa occidentales (Iles). São Tomé et Príncipe 1891. Sénégal 1840. Seychelles (Iles) 1880. Sierra Leone [2]. Singapour 1968-70. Somalie 1950 [2] (1973). Soudan 1955. Sri Lanka 1970 (1974). Suède 1878 (1889). Suisse 1868 (1877). Surinam 1871 (1916). Swaziland 1969 (1973). Syrie 1935. T'ai-wan 1954. Tanzanie 1967-69. Tchad 1884-1907. Tchécoslovaquie 1871 (1876). Thaïlande 1923 (1936). Timor 1957. Togo 1924. Tokelau (Iles) [2]. Tonga (Iles) 1975. Trinité-et-Tobago 1970-71. Tunisie 1895. Turquie 1869 ; 1931 (1933). Russie 1899 [3] ; 1918 (1927). Uruguay 1862 (1894). Venezuela 1857 (1912-14). Viêt-nam 1911. Yémen (Rép. arabe). Yémen (Rép. dém.). Yougoslavie 1873 (1883). Zaïre 1910. Zambie 1937 [3] ; 1970. Zimbabwe 1969.

Unités de base internationales

■ **Système international d'unités (SI).** Système métrique redéfini par la XIe Conférence gén. des poids et mesures (1960). Il comprend actuellement 7 unités de base et des unités supplémentaires et dérivées. Il autorise l'emploi de certaines unités hors système. C'est le seul système légal en France depuis le 1-1-1962. *Décrets relatifs aux unités légales en France :* décret no 61-501 du 3-5-1961 modifié par les décrets no 66-16 du 5-1-1966, 75-1200 du 4-12-1975, 82-203 du 26-2-1982 et 85-1500 du 30-12-1985.

Unités de base : *mètre* (longueur) ; *kilogramme* (masse) ; *seconde* (temps) ; *ampère* [du physicien français André-Marie Ampère, 1775-1836 (intensité de courant électrique)] ; *kelvin* [du physicien anglais William Thomson, lord Kelvin, 1824-1907 (température thermodynamique)] ; la *mole* [abréviation de molécule-gramme (quantité de matière)] ; la *candela* [« chandelle », en latin (intensité lumineuse)].

■ **Systèmes utilisés temporairement** (et qui ne sont plus légaux en France dep. le 1-1-1962). **CGS** (centimètre, gramme, seconde), créé par l'Association britannique pour l'avancement des sciences (par lord Kelvin en 1873, adopté en 1881 par le Ier Congrès intern. d'électricité). **MTS** (mètre, tonne, seconde), légal en France de 1919 à 1961, codifié par la loi du 2-4-1919 et le décret du 26-7-1919, les unités CGS ayant été reconnues trop faibles. Unités principales : mètre, tonne, seconde, ohm, ampère, degré centésimal, bougie décimale. **MKS** [mètre, kilogramme (– masse), seconde], variante du précédent. **MKfS** [mètre, kg-force (tenant compte de l'attraction terrestre), seconde], abandonné à cause des variations de la force d'attraction selon les points du globe. **MKSA** (mètre, kilogramme-masse, seconde, ampère), créé par l'ingénieur italien Giorgi (1871-1950) en 1901 ; adopté par la Commission électrotechnique internationale en 1935-50.

Extrait du décret du 26-2-1982 sur les unités de mesure

« Il est interdit, sous réserve des nécessités du commerce international hors de la Communauté économique européenne et des dérogations prévues aux articles 8 et 13 d'employer des unités de mesure autres que les unités légales mentionnées au décret du 26-2-1982 et dans son annexe, pour la mesure des grandeurs dans les domaines de l'économie, de la santé et de la sécurité publique ainsi que dans les opérations à caractère administratif. Toutefois, sans préjudice des dispositions de l'article 12, les indications exprimées en d'autres unités peuvent être ajoutées à l'indication en unité de mesure légale, à condition qu'elles soient exprimées en caractères de dimensions au plus égales à l'indication exprimée dans l'unité de mesure légale. Les dispositions de l'article 8 ne mettent pas obstacle à l'impression et à l'emploi de tables de concordance entre les unités. »

Formation des multiples et sous-multiples de l'unité

Facteur par lequel est multipliée l'unité. Préfixe et symbole à mettre avant celui de l'unité.

Exemple: 10^3 mètres équivalent à 1 kilomètre, dont le symbole est km.

Multiples

10^{24}	1 000 000 000 000 000 000 000 000	(yotta ; Y) *
10^{21}	1 000 000 000 000 000 000 000	(zetta ; Z) *
10^{18}	1 000 000 000 000 000 000	(exa ; E)
10^{15}	1 000 000 000 000 000	(peta ; P)
10^{12}	1 000 000 000 000	(téra ; T)
10^{9}	1 000 000 000	(giga ; G)
10^{6}	1 000 000	(méga ; M)
10^{3}	1 000	(kilo ; k)
10^{2}	100	(hecto ; h)
10^{1}	10	(déca ; da)

Sous-multiples

10^{-1}	0,1	(déci ; d)
10^{-2}	0,01	(centi ; c)
10^{-3}	0,001	(milli ; m)
10^{-6}	0,000 001	(micro ; µ)
10^{-9}	0,000 000 001	(nano ; n)
10^{-12}	0,000 000 000 001	(pico ; p)
10^{-15}	0,000 000 000 000 001	(femto ; f)
10^{-18}	0,000 000 000 000 000 001	(atto ; a)
10^{-21}	0,000 000 000 000 000 000 001	(zepto ; z) *
10^{-24}	0,000 000 000 000 000 000 000 001	(yocto ; y) *

Nota. – * Préfixes adoptés par la XIXe Conférence générale des poids et mesures en oct. 1991.

☞ *Atto :* (adopté 1964) du danois atten, 18. *Centi :* (1793) du latin centum, cent. *Déca :* du grec deka, dix. *Déci :* du latin decimus, dixième. *Exa :* du grec hexa, six. *Femto :* du danois femten, 15. *Giga :* du grec gigas, géant. *Hecto:* du grec hekaton, cent. Kilo : du grec khilioi, mille. *Méga :* du grec mégas, grand. *Micro :* du grec mikros, petit. *Milli :* du latin mille, mille. *Peta :* du grec penta, cinq. *Pico :* de l'italien piccolo, petit. *Téra :* du grec téras, monstre. *Yocto et yotta :* évoquent 8 (8e puissance de 10^{-3} et 10^3). *Zepto et zetta :* évoquent 7 (7e puiss. de 10^{-3} et 10^3).

En France, on ne doit plus mettre de points pour séparer les tranches de 3 chiffres ; pour faciliter la lecture, les nombres peuvent être partagés en tranches de 3 chiffres par un petit espace. La virgule n'est utilisée que pour séparer la partie entière des nombres de leur partie décimale. Cette règle qui résulte d'une résolution de la 9e Conférence générale des poids et mesures (1948) a été incorporée en 1950 dans les normes de l'Afnor et figure pour la 1re fois dans le décret sur les unités de mesure de déc. 1975 (certains pays ont gardé l'usage britannique de mettre le point avant les décimales). Dans quelques pays (Inde et Pakistan), les nombres entiers sont séparés par paires, sauf les 3 premiers (10,00,000 = 1 000 000).

Énoncé des grands nombres

Équivalences. Selon la règle (N) légale en France dep. le 3-5-1961 (utilisée en Allemagne, G.-B. et autres pays) : 10^6 million, 10^{12} billion, 10^{18} trillion, 10^{24} quatrillion, 10^{30} quintillion, 10^{36} sextillion, etc. **Selon la règle (n – 1)** dite **règle latine,** utilisée précédemment en France (et encore maintenant aux USA, en Italie et dans d'autres pays) : 10^6 million, 10^9 billion, 10^{12} trillion, 10^{15} quatrillion, 10^{18} quintillion, 10^{21} sextillion, etc.

Le **milliard** (10^9), qui vaut 1 000 millions, n'a pas d'« existence légale ». Le mot sert néanmoins pour traduire le mot **billion** dans son acception américaine et italienne.

1 milliard de francs en billets de 100 F mis les uns sur les autres formerait une tour haute de 1 km. 1 milliard de secondes correspond à 31 ans et 8 mois et demi.

Pour transporter 1 milliard de grammes, il faudrait un train de 40 wagons de 25 t chacun ; le train aurait 470 m de long.

INCERTITUDE DES MESURES

Les mesures physiques sont toujours entachées d'une incertitude : défaillance ou erreur systématique des appareils, insuffisance de l'expérimentation. Il faut indiquer une valeur maximale et une valeur minimale entre lesquelles se trouve probablement le résultat de la mesure.

Incertitude sur 2 facteurs indépendants. x et y connus à Δx et Δy près en plus ou en moins, avec $\Delta x > 0$ et $\Delta y > 0$. *Somme :* la valeur exacte $S = x + y$ appartient à l'intervalle $[S - \Delta S, S + \Delta S]$ avec une incertitude absolue $\Delta S = \Delta x + \Delta y$. *Différence :* $D = x - y$; $\Delta D = \Delta x + \Delta y$. *Produit :* $P = xy$; on mesure l'incertitude absolue
$\Delta P = x\Delta y + y\Delta x$ et l'incertitude relative

$$\frac{\Delta P}{P} = \frac{\Delta x}{x} + \frac{\Delta y}{y}.$$

$$\textit{Quotient} = Q = \frac{x}{y};\ \frac{\Delta Q}{Q} = \frac{\Delta x}{x} + \frac{\Delta y}{y}.$$

UNITÉS GÉOMÉTRIQUES

En gras, unité de base ou unité exprimée à partir des unités de base.

■ **Longueur (L). Mètre (m = 100 cm) :** (du grec *metron*, mesure) longueur du trajet parcouru dans le vide par la lumière pendant 1/299 792 458 de seconde.
mégamètre (Mm) : 1 000 000 m.
kilomètre (km) : 1 000 m.
hectomètre (hm) : 100 m.
décamètre (dam) : 10 m.
décimètre (dm) : 0,1 m ou 10 cm.
centimètre (cm) : 0,01 m ou 10 mm.
millimètre (mm) : 0,001 m.
micromètre (μm) : 0,000 001 m [dit avant 1967 micron (μ)].
nanomètre (nm) : 0,000 000 001 m.

Mesure utilisée dans la marine. Le *mille marin :* égal à un arc de 1 minute compté sur le méridien, soit 1 852 m.

Nombre d'ondes : 1 par mètre (m^{-1}). Nombre d'ondes d'une radiation monochromatique dont la longueur d'onde est égale à 1 mètre.

Mesures utilisées en astronomie. *Année de lumière :* distance parcourue en un an par la lumière = 9 461 milliards de km ou 63 300 UA ou 0,307 parsec. *Unité astronomique* (UA) : longueur du rayon de l'orbite circulaire non perturbée d'un corps de masse négligeable en mouvement autour du Soleil avec une vitesse angulaire sidérale de 0,017 202 radian par jour de 86 400 secondes des éphémérides. On admet 1 UA ≈ 149 600 000 km, 0,000 015 8 année de lumière, 4,848 14 × 10^{-6} parsec. L'unité astronomique est très voisine de la distance moyenne de la Terre au Soleil. *Parsec* (pc) (abréviation de *parallaxe-seconde*) : distance à laquelle une unité astronomique sous-tend un angle de 1 seconde d'arc = 30 857 milliards de km, 3,26 années de lumière, 206 26 UA.

Mesure des longueurs d'onde des rayons X. *Unité X* = 1,002 × 10^{-4}nm.

☞ *Unités à ne plus employer :* le *micron* (μ) valant un micromètre ; *l'angström* (Å) (du nom du physicien suédois Anders Ångström, 1814-74) : 0,000 000 000 1 m ; le *myriamètre* (10 000 m).

■ **Aire ou superficie (L^2). Mètre carré (m^2 = 10 000 cm^2) :** carré de 1 m de côté.
kilomètre carré (km^2) : 1 000 000 m^2.
hectomètre carré (hm^2) : 10 000 m^2.
décamètre carré (dam^2) : 100 m^2.
décimètre carré (dm^2) : 0,01 m^2.
centimètre carré (cm^2) : 0,000 1 m^2.
millimètre carré (mm^2) : 0,000 001 m^2.

Mesures des surfaces agraires : hectare (ha) : 100 ares (10 000 m^2). *are (a) :* 1 a ou 100 centiares (100 m^2). *centiare (ca) :* 0,01 are (1 m^2).

☞ *Unité à ne plus employer : barn* (b) [de l'anglais *barn,* « grange », par antiphrase humoristique : on dit « vaste comme une grange » (= 10^{-28} m^2 ou 10^{-24} cm^2)], unité de section efficace de choc entre les noyaux d'atomes.

■ **Angle plan. Radian (rad)** (du latin *radius,* « rayon ») : angle qui, ayant son sommet au centre d'un cercle, intercepte, sur la circonférence de ce cercle, un arc d'une longueur égale à celle du rayon du cercle.

1 rad = 180°/π, soit 57°17'44", ou 63,662 gons.
angle droit (D) : 100 grades ou 90 degrés.
grade ou *gon* (gon) (du grec *gônia,* « angle ») : 0,01 D ou (π/200) rad.
décigrade (dgon) : 0,001 D.
centigrade (cgon) : 0,0001 D.
milligrade (mgon) : 0,000 01 D.
degré (°) : 1/90 de D ou 60 minutes ou (π/180) rad.
minute (du latin *minuta,* « menue ») *d'angle* (') : 1/60 de degré ou (π/10 800) rad.
seconde [du latin *secunda,* « deuxième » (sous-entendu : subdivision)] *d'angle* ('') : 1/3 600 de degré ou (π/648 000) rad.
tour (tr) : 4D ou 2 π rad.

Mesures utilisées en astronomie et en navigation.

L'*heure d'angle* vaut $\frac{2\pi}{24}$ radian, soit 15 degrés.
Le *degré géographique* vaut la 1/360 partie du méridien terrestre (= 360°), en moyenne 111,11111 km. Il varie suivant la latitude (à l'équateur : 111,307 km).

■ **Angle solide. Stéradian (sr)** (*ste* vient du grec *stereos,* « solide ») : angle solide qui, ayant son sommet au centre d'une sphère, découpe sur la surface de celle-ci une aire équivalant à celle d'un carré dont le côté est égal au rayon de la sphère.

■ **Capacité. Litre (l ou L) :** défini de 1901 à 1964 comme étant le volume occupé par 1 kg d'eau pure à la température de 4 °C et sous la pression de 760 mm de mercure. 1 L valait 1,000 028 dm^3. Aujourd'hui le mot litre peut être utilisé comme un nom spécial donné au dm^3.
hectolitre (hl) : 100 L ou 100 dm^3.
décalitre (dal) : 10 L ou 10 dm^3.
décilitre (dl) : 0,1 L ou 100 cm^3.
centilitre (cl) : 0,01 L ou 10 cm^3.
millilitre (ml) : 0,001 L ou 1 cm^3.

■ **Volume (L^3). Mètre cube (m^3) :** cube de 1 m de côté ou 1 000 dm^3 ou 1 000 000 cm^3 ou 1 000 litres.
kilomètre cube (km^3) : 1 000 000 000 m^3.
décimètre cube (dm^3 ou litre) : 0,001 m^3 ou 1 000 cm^3.
centimètre cube (cm^3) : 0,000 001 m^3 ou 1 000 mm^3.
millimètre cube (mm^3) : 0,000 000 001 m^3.

Évaluation de la hauteur d'un arbre. On peut compter une certaine distance, par ex. 50 m à partir de son pied, et à ce point planter un bâton, puis on se met à plat sur le sol et on place son œil de façon que le haut du bâton soit aligné sur le sommet de l'arbre : AC est à AX comme BC à la hauteur du bâton.

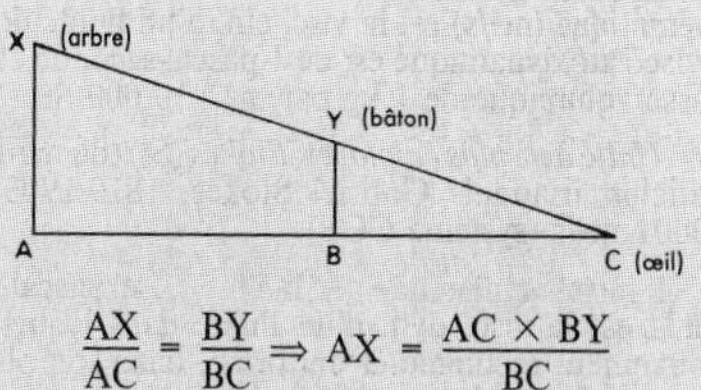

$$\frac{AX}{AC} = \frac{BY}{BC} \Rightarrow AX = \frac{AC \times BY}{BC}$$

Évaluation d'une distance. On voit clairement les yeux et la bouche d'une personne à 50 m ; les yeux comme des points à 100 m ; les détails du vêtement à 200 m ; le visage à 300 m ; le mouvement des jambes à 400 m ; par bon éclairage, la couleur du vêtement à 500 m. La distance d'un tireur lointain que l'on voit tirer s'évalue par le nombre de secondes, puis par le son (il parcourt 340 m par seconde).

Par *temps brumeux,* les distances paraissent plus grandes et par *temps clair,* plus courtes. Si de nombreux objets nous séparent d'un point, celui-ci paraît plus éloigné.

UNITÉS DE MASSE

■ **Masse (M). Kilogramme (kg = 1 000 g) :** définition historique : poids d'un décimètre cube (litre) d'eau. Actuellement, masse du prototype en platine iridié, sanctionné par la Conférence générale des poids et mesures en 1889 (loi du 11-7-1903) et déposé au Bureau international des poids et mesures. Pour la France, l'étalon du kg est la copie n° 35 du kg prototype international.
tonne (t) : 1 000 kg.
quintal (q) : 100 kg (n'est plus légal en France).
hectogramme (hg) : 0,1 kg ou 100 g.
décagramme (dag) : 0,01 kg ou 10 g.
gramme (g) : 0,001 kg ou 10 dg.
décigramme (dg) : 0,0001 kg ou 10 cg.
centigramme (cg) : 0,000 01 kg ou 10 mg.
milligramme (mg) : 0,000 001 kg ou 1 000 μg.
microgramme (μg) [dit aussi autrefois gamma (γ)] : 0,000 000 001 kg.

■ **Concentration. Kilogramme par mètre cube** (kg/m^3) : concentration d'un échantillon homogène contenant 1 kilogramme du corps considéré dans un volume total de 1 mètre cube.

L'emploi d'appellations telles que degré Baumé, degré Brix, etc., pour désigner des concentrations, densités ou titres est interdit.

Mole par mètre cube (mol/m^3). Concentration d'un échantillon homogène contenant 1 mole du corps considéré dans 1 volume total de 1 m^3.

Nota. – Le *titre,* en un corps donné, d'un échantillon homogène est le rapport, exprimé en nombre décimal, de la mesure, relative à ce corps, d'une grandeur déterminée et de la mesure, relative à la totalité composite de l'échantillon, de la même grandeur. En un mot, c'est la proportion du corps considéré dans l'échantillon. Le mot titre doit être accompagné d'un qualificatif tel que « massique » ou « volumique » : à défaut de qualificatif, titre doit s'entendre comme titre massique.

Le *titre alcoométrique* d'un mélange d'eau et d'alcool est le rapport entre le volume d'alcool absolu, à la température de 15 degrés Celsius, contenu dans ce mélange, et le volume total de celui-ci à la température de 15 degrés Celsius. Il s'exprime en % vol.

☞ *Unité à ne plus employer.* Le *degré alcoométrique* [(°GL), degré de l'échelle centésimale de Gay-Lussac, dans laquelle le titre alcoométrique de l'eau pure est 0 et celui de l'alcool absolu 100], est remplacé par le kilogramme par m^3.

■ **Masse des diamants, perles fines, pierres précieuses. Carat** (arabe *qirat,* venu du grec *keration,* « gousse » ou « 1/24 d'obole ») métrique (0,2 g). Avant 1912, le carat équivalait à 0,205 5 g. Ce carat ne doit pas être confondu avec *le carat utilisé pour l'or.* Un lingot d'or comprenait 24 parties égales appelées carats et, suivant qu'il contenait 18, 20, 22 ou 23 parties d'or pur, on disait qu'il était à 18, 20, 22 ou 23 carats. Ce carat se divisait en demis, quarts, huitièmes, seizièmes et trente-deuxièmes ou grains de fin.

■ **Masse atomique. Unité de masse atomique (u)** égale à la fraction 1/12 de la masse d'un atome du nucléide ^{12}C = 1,660 540 × 10^{-27} kg.

■ **Masse linéique. Kilogramme par mètre (kg/m) :** masse linéique d'un corps homogène de section uniforme dont la masse est 1 kilogramme et la longueur 1 mètre. *tex :* employé dans le commerce des fibres textiles et des fils (1 tex = 10^{-6} kg/m = 1 g/km).

■ **Masse surfacique. Kilogramme par mètre carré (kg/m^2) :** masse surfacique d'un corps homogène d'épaisseur uniforme dont la masse est 1 kilogramme et la surface 1 mètre carré.

■ **Volume massique. Mètre cube par kilogramme (m^3/kg) :** volume massique d'un corps homogène dont le volume est 1 mètre cube et la masse 1 kilogramme.

■ **Masse volumique (ML^{-3}). Kilogramme par m^3 (kg/m^3) :** masse volumique d'un corps homogène dont la masse est 1 kg et le volume 1 m^3. gramme par cm^3 (g/cm^3) : 0,001 kg/cm^3, ou 1 kg/dm^3.

UNITÉS DE QUANTITÉ DE MATIÈRE

■ **Quantité de matière. Mole (mol) :** quantité de matière d'un système contenant autant d'entités élémentaires qu'il y a d'atomes dans 0,012 kilogramme de carbone 12. Quand on emploie la mole, les entités élémentaires doivent être spécifiées et peuvent être des atomes, des molécules, des ions, des électrons, d'autres particules ou des groupements spécifiés de telles particules.

■ **Concentration molaire.** Mole par m^3 (mol/m^3).

■ **Molalité.** Mole par kilogramme (mol/kg).

■ **Volume molaire.** Mètre cube par mole (m^3/mol).

UNITÉS DE TEMPS

■ **Temps (T). Seconde :** durée de 9 192 631 770 périodes de la radiation correspondant à la transition entre les deux niveaux hyperfins de l'état fondamental de l'atome de césium 133 (décret du 4-12-1975). – Elle avait été définie comme la fraction 1/86 400 du jour solaire moyen (seconde de temps moyen) jusqu'en 1960 (décret 3-5-1961), puis comme la fraction 1/31 556 925,974 7 de l'année tropique au 1-1-1900, à 12 h de temps des éphémérides. Les définitions successives de la seconde ont été choisies de façon que les durées correspondantes soient égales dans la limite de l'imprécision des mesures.
minute (min ou m s'il n'y a pas ambiguïté) : 60 s.
heure (h) : 3 600 s ou 60 min.
jour (j ou d) : 86 400 s ou 1 440 min ou 24 h.

■ **Fréquence (T^{-1}). Hertz (Hz)** (du nom du physicien allemand Heinrich Hertz, 1857-94 ; appelé parfois

aussi cycle par seconde) : fréquence d'un phénomène périodique dont la période est une seconde.
kilohertz (kHz) : 1 000 Hz.
mégahertz (MHz) : 1 000 000 Hz.

UNITÉS MÉCANIQUES

Nota. – (1) Emploi non autorisé dep. 1-1-1986.

■ Accélération angulaire (T^{-2}). **Radian par seconde par seconde (rd/s²)** : accélération angulaire d'un corps qui est animé d'une rotation uniformément variée autour d'un axe fixe et dont la vitesse angulaire varie, en 1 seconde, de 1 radian par seconde.

■ Accélération linéaire (LT^{-2}). **Mètre par seconde par seconde (m/s²)** : accélération d'un mobile animé d'un mouvement uniformément varié, dont la vitesse varie, en 1 s, de 1 m/s.

Gal (du nom de Galilée, 1564-1647) : unité spéciale employée en géodésie et en géophysique pour exprimer l'accélération due à la pesanteur = 0,01 m/s².

■ Chaleur (quantité de) (ML^2T^{-2}). On utilise le **joule (J)** [nom du physicien anglais James Joule, 1818-89], unité d'énergie.

☞ *Unités à ne plus employer.* [*Calorie :* quantité de chaleur nécessaire pour élever de 1 °C la température de 1 gramme d'un corps dont la chaleur massique est égale à celle de l'eau à 15 °C sous la pression atmosphérique normale (101 325 pascals).] *Thermie* (th) ou mégacalorie (Mcal) : 4,185 5 × 10^6 J ou 10^6 calories. *Millithermie* (mth) ou kilocalorie (kcal) ou grande calorie : 0,001 th. *Microthermie* (μth) : 0,000 001 th ou 4,185 5 J ou 1 calorie (cal).

Officiellement la calorie, la thermie et la frigorie ont disparu depuis le 1-1-1978.

■ Contrainte et pression ($ML^{-1}T^{-2}$). **Pascal (Pa)** (nom du physicien et philosophe français Blaise Pascal, 1623-62) : contrainte qui, agissant sur une surface plane de 1 m², exerce sur elle une force totale de 1 newton ; dit aussi newton par m² (N/m²) [et autrefois millipièze (mpz)] : 10 baryes.

La pression uniforme qui, agissant sur une surface plane de 1 mètre carré, exerce perpendiculairement à cette surface une force totale de 1 newton. La contrainte s'exerçant sur un élément de surface est le quotient, par l'aire de cet élément, de la force qui lui est appliquée. C'est un vecteur dirigé comme la force. Ce vecteur peut être oblique : s'il est normal, on le nomme *pression* ; s'il est tangentiel, on le nomme *cission.* La notion de contrainte intervient surtout dans l'étude de la résistance des matériaux. Le *bar* (bar) [dit autrefois hectopièze (hpz)] :
100 000 Pa ou 100 pz ou 0,98 atmosphère.
centibar (cbar) : 1 000 Pa.
millibar (mbar) : 100 Pa.
microbar (μbar) [dit autrefois *barye*] : 0,1 Pa.
kilogramme force par cm² (kgf/cm²) : 0,98 bar ou 9,8 × 10^4 Pa.

La **pression atmosphérique** normale est par définition 101 325 pascals. Elle est égale à la pression exercée par une colonne de mercure de 0,76 m de hauteur à 0 °C, et sous l'accélération normale de la pesanteur : 9,806 65 m/s². Elle est exprimée en millibars (mbar) ou en millimètres de mercure (mmHg).

Le *millimètre de mercure* est une unité de pression sanguine : 1 mm Hg = 133,322 Pa.

☞ *Unités à ne plus employer.* La *pièze* (du grec *piezein,* « comprimer ») : pression produite par une force de 1 sthène sur une surface de 1 m². Le *barye* (du grec *barus,* « lourd ») : pression produite par une force de 1 dyne sur une surface de 1 cm². Le *torr* (du nom de l'Italien Evangelista Torricelli, 1608-47) : pression exercée par une colonne de mercure à 0 °C ayant une hauteur de 1 mm.

■ Force (MLT^{-2}). Le **newton (N)** (du nom de l'astronome anglais Isaac Newton, 1642-1727) est la force qui communique à un corps ayant une masse de 1 kg une accélération de 1 m par seconde.

☞ *Unités à ne plus employer. Tonne poids* (tp) ou *tonne force* (tf) [9,806 65 sn (sthène : du grec *sthénos* « robuste » : 1 000 N)]. *Kilogramme poids* (kgp) ou *kilogramme force* (kgf) [9,81 N]. *Gramme poids* (gp) ou *gramme force* (gf) [981 dyn (dyne : du grec *dunamis,* « force » : 0,000 01 N)] (il mesure la *pesanteur* à Paris : c'est la force avec laquelle une masse de 1 g y est attirée par la Terre). *Milligramme poids* (mgp) ou *milligramme force* (mgf) [0,981 dyn].

■ Intensité énergétique. **Watt par stéradian (W/sr).**

■ Moment d'une force. **Newton-mètre (Nm).**

■ Puissance, flux énergétique, flux thermique (ML^2T^{-3}). Le **watt (W)** (du nom du physicien anglais James Watt, 1736-1819) c'est la puissance d'un système énergétique dans lequel est transférée uniformément une énergie de 1 joule pendant 1 seconde (ou 0,1019 kgm/s). Noms spéciaux du watt : le nom *voltampère,* symbole « VA », est utilisé pour le mesurage de la puissance apparente de courant électrique alternatif, et le nom *var,* symbole « var », pour le mesurage de la puissance électrique réactive.
kilowatt (kW) : 1 000 W.
microwatt (μW) : 0,000 001 W.

☞ *Unités à ne plus employer. Cheval vapeur* (ch) : 735,5 W ou 75 kgm/s. Unité créée en 1784 par James Watt lors de l'obtention de la 1re patente de ses machines à vapeur. Il avait calculé que les plus forts chevaux de brasseurs de Londres pouvaient fournir un travail de 33 000 livres élevées à 1 pied par minute. La livre étant de 0,4536 kg et le pied de 0,3048 m, cela représente 76,04 kgm/s (chiffre arrondi à 75). Le *cheval nominal* (défini également par Watt) est la puissance d'une machine corrigée par le coefficient de rendement.

Erg par seconde (erg/s) : 10^{-7} W.

■ Tension capillaire. **Newton par mètre (N/m).**

■ Travail et énergie. **Quantité de chaleur (ML^2T^{-2}) :** le *joule* (J) est le travail produit par une force de 1 newton dont le point d'application se déplace de 1 m dans la direction de la force : 10 000 000 ergs ou 0,101 972 kgm. Le *wattheure* (Wh) est le travail effectué pendant 1 h par une machine dont la puissance est de 1 watt ; 3 600 J ou 860 cal.
mégajoule (MJ) : 1 000 000 J.
kilojoule (kJ) : 1 000 J.
kilowattheure (kWh) : 3,6 MJ ou 367 098 kgm.

☞ *Unités à ne plus employer. Erg* (du grec *ergon,* « travail ») : travail de 1 dyne dont le point d'application se déplace de 1 cm : 0,000 000 1 J. *Kilogrammètre* (kgm) : travail de 1 kg force dont le point d'application se déplace de 1 m : 9,81 J.

L'énergie électrique se mesure en wattheure (énergie fournie en 1 h par une puissance de 1 W).

Mesure de l'énergie des particules : l'électronvolt (eV) : énergie cinétique acquise par un électron accéléré sous une différence de potentiel de 1 V : 1,60219 × 10^{-19} J.
gigaélectronvolt (GeV) : 10^9 eV ou 1,6 × 10^{-10} J.
mégaélectronvolt (MeV) : 10^6 eV ou 1,6 × 10^{-13} J.

■ Viscosité cinématique (L^2T^{-1}). **L'unité de viscosité cinématique (m²/s)** est la visc. cin. d'un fluide dont la viscosité dynamique est de 1 pascal-seconde et la masse volumique de 1 kg par m³ : 10 000 St.

☞ *Unité à ne plus employer. Stokes* (St) (du mathématicien irlandais Gabriel Stokes, 1819-1903) : 0,0001 m²/s (système CGS).

■ Viscosité dynamique ($ML^{-1}T^{-1}$). **Le pascal-seconde** est la visc. dyn. d'un fluide dans lequel le mouvement rectiligne et uniforme, dans son plan, d'une surface plane, solide, indéfinie, donne lieu à une force retardatrice de 1 newton par m² de la surface en contact avec le fluide homogène et isotherme en écoulement relatif devenu permanent, lorsque le gradient de la vitesse du fluide, à la surface du solide et par mètre d'écartement normal à ladite surface, est de 1 m/s : *pascal-seconde* (Pa.s) ou 10 P.

☞ *Unités à ne plus employer. Poise* (P) (du nom du médecin et physiologiste français Jean Poiseuille, 1799-1869) : 1 P = 0,1 Pa.s. *Sthène seconde par m²* (sn.s/m²) : 10 000 P.

■ Vitesse angulaire (T^{-1}). **Radian par seconde (rad/s) :** voir p. 241 unités géométriques.
tour par minute (tr/min) : (π/30) rad/s.

■ Vitesse linéaire (LT^{-1}). Le **mètre par seconde** est la vitesse d'un mobile qui, animé d'un mouvement uniforme, parcourt une distance de 1 m en 1 seconde.

kilomètre par heure (km/h) : $\frac{1}{3,6}$ m/s.

Nota. – Le *nœud* 0,514 m/s (soit 1 852 m/h) est la vitesse uniforme qui correspond à 1 mille par heure. Son emploi est autorisé seulement en navigation (maritime ou aérienne).

UNITÉS ÉLECTRIQUES

■ Capacité électrique ($M^{-1}L^{-2}T^4I^2$). Le **farad (F)** (abréviation du nom du chimiste anglais Michael Faraday, 1791-1867) est la capacité d'un condensateur électrique entre les armatures duquel apparaît une différence de potentiel de 1 volt lorsqu'il est chargé d'une quantité d'électricité égale à 1 coulomb.
microfarad (μF) : 0,000 001 F.
picofarad (pF) ; 0,000 000 000 001 F.

■ Champ magnétique (IL^{-1}). **Ampère par mètre (A/m).**

☞ *Unité à ne plus employer. Œrsted* (Œ) (du chimiste danois Christian Œrsted, 1777-1851) : $\frac{10^3}{4}$ A/m (syst. CGS).

■ Conductance électrique ($M^{-1}L^{-2}T^3I^2$). Le **siemens (S)** (nom de l'ingénieur allemand Werner von Siemens, 1816-92 ; unité appelée jusqu'en 1919 *Mho,* anagramme de *Ohm*) est la conductance d'un conducteur dont la résistance est égale à 1 ohm : 1Ω⁻¹.

■ Densité de courant (IL^{-2}). **Ampère par m².**

■ Flux d'induction magnétique ($ML^2T^{-2}I^{-1}$). Le **weber (Wb)** (nom du physicien allemand Wilhelm Weber, 1804-91) est le flux magnétique qui, traversant un circuit d'une seule spire, y produit une force électromotrice de 1 volt si on l'amène à zéro en une seconde par décroissance uniforme.

☞ *Unité à ne plus employer. Maxwell* (Mx) (du physicien anglais James Maxwell, 1831-79) : 0,000 000 01 Wb (système CGS).

■ Force électromotrice et différence de potentiel (ou tension) ($ML^2T^{-3}I^{-1}$). Le **volt (V)** (abréviation du nom du physicien italien Alessandro Volta, 1745-1827) est la différence de potentiel qui existe entre 2 points d'un fil conducteur parcouru par un courant constant de 1 ampère, lorsque la puissance dissipée entre ces points est égale à 1 watt.
mégavolt (MV) : 1 000 000 V.
kilovolt (kV) : 1 000 V.
millivolt (mV) : 0,001 V.
microvolt (μV) : 0,000 001 V.

■ Force magnétomotrice. **L'ampère (A)** (nom du physicien français André-Marie Ampère, 1775-1836), voir ci-dessous : force magnétomotrice produite le long d'une courbe fermée quelconque qui entoure une seule fois un conducteur parcouru par un courant électrique de 1 ampère.

■ Inductance électrique, perméance ($ML^2T^{-2}I^{-2}$). Appelée autrefois *coefficient de self-induction.* Le **henry (H)** (nom du physicien américain Joseph Henry, 1797-1878) est l'inductance électrique d'un circuit fermé dans lequel une force électromotrice de 1 volt est produite, lorsque le courant électrique qui parcourt le circuit varie uniformément à raison de 1 ampère par seconde.
millihenry (mH) : 0,001 H.
microhenry (μH) : 0,000 001 H.

■ Induction magnétique ($MT^{-2}I^{-1}$). Le **tesla (T)** (nom de l'ingénieur yougoslave Nikola Tesla, 1856-1943), ou weber par m², est l'induction magnétique uniforme qui, répartie normalement sur une surface de 1 m², produit à travers cette surface un flux magnétique total de 1 weber.

☞ *Unité à ne plus employer. Gauss* (G) (de l'astronome allemand Carl Gauss, 1777-1855) : 0,0001 T (système CGS).

■ Intensité de champ électrique ($MLT^{-3}I^{-1}$). Le **volt par mètre (V/m)** est l'intensité d'un champ électrique exerçant une force de 1 newton sur un corps chargé d'une quantité d'électricité de 1 coulomb.

■ Intensité de courant électrique (I). **L'ampère (A)** (nom du physicien français André-Marie Ampère, 1775-1836) est l'intensité d'un courant électrique constant qui, maintenu dans 2 conducteurs parallèles, rectilignes, de longueur infinie, de section circulaire négligeable, et placés à une distance de 1 m l'un de l'autre dans le vide, produirait entre ces conducteurs une force de 2 × 10^{-7} newton par m de longueur.
kiloampère (kA) : 1 000 A.
décaampère (daA) : 10 A.
milliampère (mA) : 0,001 A.
microampère (μA) : 0,000 001 A.

☞ *Unité à ne plus employer. Biot* (Bi) (du physicien français Jean-Baptiste Biot, 1774-1862) : 10 A (syst. CGS).

■ Permittivité. **Farad par mètre (F/m).**

■ Puissance (ML^2T^{-3}). Le **watt (W)** : 1 J/s ou 1 VA (voir unités mécaniques).

Puissance apparente voltampère (VA). *Puissance réactive* var (var).

■ Quantité d'électricité, charge électrique (IT). Le **coulomb (C)** (nom du physicien français Charles de Coulomb, 1736-1806) est la quantité d'électr. transportée en 1 seconde par un courant de 1 ampère.
kilocoulomb (kC) : 1 000 C.
millicoulomb (mC) : 0,001 C.
ampère-heure (Ah) : 3 600 C.
Constante de Faraday (F) : 96 500 C par mole.

☞ *Unité à ne plus employer. Franklin* (Fr) (du physicien américain Benjamin Franklin, 1706-90) : 0,3336 × 10^{-9} C (syst. CGS).

■ Réluctance. **Henry à la puissance moins un (H^{-1}).**

■ **Résistance électrique, impédance, réactance** ($ML^2T^{-3}I^{-2}$). L'**ohm** (Ω) (nom du physicien allemand Georg Ohm, 1787-1854) est la résistance électrique qui existe entre deux points d'un fil conducteur lorsqu'une différence de potentiel de 1 volt, appliquée entre ces 2 points, produit dans ce conducteur un courant de 1 ampère, ledit conducteur n'étant le siège d'aucune force électromotrice.
mégohm (MΩ) : 1 000 000 Ω.
microhm (μΩ) : 0,000 001 Ω.

Unités calorifiques

☞ **Chaleur (quantité de).** Voir Unités mécaniques, p. 242.

■ **Chaleur massique, entropie massique. Joule par kilogramme-kelvin [J/ (kg Θ K)] :** chaleur massique d'un corps homogène de masse 1 kilogramme dans lequel l'apport d'une quantité de chaleur de 1 joule produit une élévation de température thermodynamique de 1 kelvin.

Capacité thermique, entropie. Joule par kelvin (J/K) : augmentation de l'entropie d'un système recevant une quantité de chaleur de 1 joule à la température thermodynamique constante de 1 kelvin, pourvu qu'aucun changement irréversible n'ait lieu dans le système.

Conductivité thermique. Watt par mètre-kelvin [W/(m.K)] : conductivité thermique d'un corps homogène isotrope dans lequel une différence de température de 1 kelvin produit entre deux plans parallèles, ayant une aire de 1 mètre carré et distants de 1 mètre, un flux thermique de 1 watt.

■ **Température** (Θ). **Celsius** [échelle, dite centésimale avant 1948, attribuée au Suédois Anders Celsius (1701-44) ; utilisée légalement en France et dans les pays « métriques »]. 1 °C (degré Celsius, dit avant 1948 Centigrade) = 1 K ou 1,8 °F. Zéro absolu : – 273,15 °C ; gel : 0 °C ; température du corps humain : 37 °C ; ébullition de l'eau : 100 °C.

Kelvin (K) [de l'Anglais Lord Kelvin (1824-1907)]. Fraction 1/273,16 de la température thermodynamique du point triple [1] de l'eau. 1 K = 1 °C ou 1,8 °F. Zéro absolu : 0 K ; gel : 273,15 K ; ébullition de l'eau : 373,15 K.

Nota. – (1) Le point triple appartient en même temps aux 3 courbes de transformation : solide-liquide, liquide-gaz, solide-gaz.

☞ *Unités à ne plus employer. Fahrenheit :* inventée par le Prussien Gabriel-Daniel Fahrenheit (1686-1736) ; utilisée légalement aux USA, en G.-B. et dans les pays anglo-saxons. 1 °F = 0,56 K ou 0,56 °C. Zéro absolu : – 459,67 °F ; 0° F correspondrait à une température très basse observée à Dantzig en 1709, considérée probablement comme le froid extrême ; gel : 32 °F ; température du corps humain : 98,4 °F ; ébullition de l'eau : 212 °F. *Rankine :* inventée par l'Écossais William Rankine (1820-1872). Zéro absolu : 0 °R ; gel : 491,67 °R ; ébullition de l'eau : 671,67 °R. *Réaumur :* inventée par le Français René Antoine Ferchault de Réaumur (1683-1757). Gel : 0° ; ébullition de l'eau : 80°.

Unités optiques

■ **Éclairement** (ΦL^{-2}). Le **lux (lx)** (mot latin, « lumière ») est l'éclairement d'une surface qui reçoit, d'une manière uniformément répartie, un flux lumineux de 1 lumen par mètre carré : 1 lm/m².

☞ *Unité à ne plus employer. Phot* (ph) (du radical grec *photo,* « lumière ») : 10 000 lx (syst. CGS).

■ **Exitance. Lumen par m² (lm/m²).**

■ **Flux lumineux** (Φ). Le **lumen (lm)** (mot latin, « lumière ») est le flux lumineux émis dans 1 stéradian par une source ponctuelle uniforme placée au sommet de l'angle solide et ayant une intensité lumineuse de 1 candela.

■ **Intensité lumineuse (I).** La **candela (cd)** (mot latin « chandelle ») est l'intensité lumineuse dans une direction donnée d'une source qui émet un rayonnement monochromatique de fréquence 540 × 10^{12} hertz, et dont l'intensité énergétique dans cette direction est de 1/683 watt par stéradian.

☞ *Unités à ne plus employer. Bougie décimale :* utilisée jusqu'en 1948, égale au 1/20 de l'étalon Violle [établi en 1884 par le Fr. Jules Violle (1841-1923) : lumière émise par 1 cm² de platine en fusion]. *Luminance* du radiateur intégral (corps noir) à la température de congélation du platine, utilisée de 1948 à 1980. Le *carcel* [de Bertrand Carcel (1750-1812), inventeur de la lampe Carcel (l. à huile avec mouvement d'horlogerie)] qui était la luminosité d'une lampe à huile dont la mèche avait 7 mm de diamètre et qui brûlait 42 g d'huile de colza à l'heure.

> **Métrologie légale.** Garantie de l'exactitude et de l'usage loyal des instruments de mesure intervenant dans commerce, expertise judiciaire ou fixation de salaire [balances du commerce de détail, distributeurs routiers de carburant, compteurs domestiques (eau, électricité, gaz), compteurs de fuel et de propane ou butane liquides, taximètres, cinénomètres radars de la police, chronotachygraphes des transporteurs routiers, appareils de mesure des oxydes de carbone contenus dans les gaz d'échappement des véhicules, ou dans des échanges entre professionnels (saccharimètres, humidimètres, réfractomètres servant à des transactions agricoles, jaugeage des pétroliers et des bacs de stockage d'hydrocarbures, etc.)].
>
> **Contrôle des instruments de mesure.** Il est exercé en France par : *1°) la sous-direction de la métrologie* 30-32, rue Guersant, 75840 Paris Cedex 17 ; rattaché au ministère chargé de l'Industrie. *2°) les subdivisions de métrologie* sous l'autorité des directeurs régionaux de l'industrie et de la recherche.

■ **Luminance lumineuse** (IL^{-2}). **Candela par m² (cd/m²).**

☞ *Unités à ne plus employer. Nit* (nt) (nom déconseillé, du latin *nitere,* « luire », « briller »). *Lambert* (L) (du mathématicien français Jean Henri Lambert, 1728-77) :  $\frac{10^4}{\pi}$ cd/m² = 3 183 cd/m². *Stilb (sb)* (du grec *stilbein,* « briller ») : 10 000 cd/m² (syst. CGS).

■ **Vergence des systèmes optiques** (L^{-1}). La **dioptrie** (δ) est la vergence d'un système optique ayant un mètre de distance focale dans un milieu dont l'indice de réfraction est 1.

Nota. – La *convergence* est la vergence positive ; la *divergence,* la vergence négative.

Unités des rayonnements ionisants

Nota. – (1) Emploi non autorisé dep. 1-1-1986.

■ **Activité nucléaire. Becquerel (Bq)** (s^{-1}) (nom du physicien français Henri Becquerel, 1852-1908) : activité d'une quantité de nucléide radioactif pour laquelle le nombre moyen de transitions nucléaires spontanées par seconde est égal à 1.

☞ *Unité à ne plus employer. Curie*[1] (Ci) [nom du couple de physiciens français Pierre (1859-1906) et Marie (1867-1934) Curie] : 1 Ci = 3,7 × 10^{10} Bq.

■ **Dose absorbée. Gray (Gy) (J/kg)** (nom du physicien anglais Louis Harold Gray, 1905-65) : dose absorbée dans une masse de matière de 1 kg à laquelle les rayonnements ionisants communiquent en moyenne de façon uniforme une énergie de 1 joule.

☞ *Unité à ne plus employer. Rad*[1] (rad ou rd) : 1 rad = 0,01 Gy.

■ **Énergie communiquée massique. Gray (Gy)** énergie communiquée massique telle que l'énergie communiquée par les rayonnements ionisants à une masse de matière de 1 kg est égale à 1 joule.

■ **Kerma** [de l'anglais « Kinetic Energy Released in Matter » (énergie cinétique libérée dans la matière)] : gray (Gy) : kerma dans une masse de matière de 1 kg dans laquelle sont libérées des particules ionisantes non chargées, la somme des énergies cinétiques initiales des particules ionisantes chargées étant en moyenne égale à 1 joule.

■ **Équivalent de dose. Sievert (Sv)** (nom du physicien suédois Rolf Sievert, 1896-1966). 1 Sv = 1 J/kg.

☞ *Unité à ne plus employer. Rem*[1] (Röntgen Equivalent for Man) : dose de rayonnement qui produit les mêmes effets biologiques qu'un rad de rayons X, 1 rem = 0,01 Sv.

■ **Exposition. Coulomb par kg (C/kg) :** exposition telle que la charge de tous les ions d'un même signe produits dans l'air, lorsque les électrons (négatifs et positifs) libérés par les photons de façon uniforme dans une masse d'air égale à 1 kilogramme sont complètement arrêtés dans l'air, est égale en valeur absolue à 1 coulomb.

☞ *Unité à ne plus employer. Röntgen*[1] : (R) (nom du physicien allemand Wilhelm Röntgen, 1845-1923) : 1 R = 2,58 × 10^{-4} C/kg.

Quantum d'action : joule-seconde (Js).

Unités de mesure diverses non légales

■ **Bel (B)** (du nom de l'inventeur américain Graham Bell, 1847-1922). En acoustique et en radioélectricité, et plus généralement en électronique, sert à mesurer un rapport d'énergies ou de puissances (amplification) exprimé sous forme logarithmique. Ainsi, si l'on applique à l'entrée d'un système une énergie *W1,* et que l'on retrouve à la sortie une énergie *W2,* l'amplification (ou l'atténuation) d'énergie est mesurée en bels par $\log_{10}$ *(W2/W1).* Pratiquement, on emploie toujours le décibel (dB) égal à 0,1 B. S'agissant d'un rapport, c'est un coefficient sans dimension.

■ **Debye** (nom du chimiste hollandais Petrus Debye, 1884-1966). Couramment employé par les physiciens, mesure le moment dipolaire électrique des molécules. Il vaut 10^{-18} unités CGS es, l'unité électrostatique de moment dipolaire étant le moment dipolaire $e \times l$ de 2 charges électriques $+e$ et $-e$ de signes contraires, égales en valeur absolue à 1 unité CGS es et distantes de l = 1 centimètre.

■ **Point typographique** (voir Point p. 341 c).

Unités étrangères

Unités anglo-saxonnes

Légendes : (a) Mesures non utilisées. (b) L'usage de ces unités est illégal pour le commerce. (c) Toujours légal pour les transactions de métaux précieux.

■ **Origine commune.** Les unités de mesure anglaises, plus homogènes que celles du royaume de France, ont été communes à la Grande-Bretagne et à ses colonies d'Amérique jusqu'à la révolution américaine. Des étalons, plus ou moins fidèles, de la livre et du yard avaient été transportés outre-Atlantique par les colons. Jusqu'en 1824, les différences entre mesures américaines et anglaises n'étaient pas plus considérables que celles qui pouvaient exister entre différentes mesures régionales anglaises.

En 1824, l'Angleterre adopta pour elle et pour ses colonies un système standardisé (le système impérial britannique), que les États-Unis ne reconnurent pas. Il en résulta des divergences pour la plupart minimes, mais considérables pour le *gallon,* et pour les subdivisions des mesures de capacité. Néanmoins, les 2 systèmes restent liés, les mesures américaines (système coutumier américain) étant définies par rapport aux mesures impériales britanniques.

Le 5-4-1893, les États-Unis, par l'ordonnance Mendenhall, décidèrent de définir toutes les mesures par rapport aux unités du système métrique, coupant tous les liens de leur système coutumier avec le système impérial britannique. Ils avaient, dep. le 28-7-1866, admis légalement l'usage parallèle du système métrique. Le *23-12-1975* Metric Conversion Act visant à accélérer une conversion volontaire. De *1978 à 82* mise en pratique par le Bureau métrique (US Metric Board) et dep. oct. 1982 par le ministère du Commerce. En *1988* amendement prévoyant que les agences gouvernementales doivent se convertir au système métrique pour 1992.

En 1907, la Chambre des communes convaincue par la « Decimal Association » faillit voter l'adoption officielle du système métrique, mais Lloyd George s'y opposa, en objectant que le système avait fait faillite en France.

Accord international anglo-saxon de 1959. Au Royaume-Uni, le système métrique fut toléré en 1864, puis légalement autorisé en 1897. Le 1-1-1959, Royaume-Uni, Canada, Australie, Afrique du Sud et Nouvelle-Zélande signèrent un accord définissant, sur le plan international, leurs mesures de longueur et de masse par rapport au système métrique. Toutefois, le service géodésique américain (US Coast and Geodetic Survey) continue à employer la relation fixée en 1893 : 1 *survey foot* = 1 200/3 937 m = 0,304 800 6 m.

Acte britannique du 30-7-1963. Prévoit que l'usage des pennyweight (masse), peck et bushel (capacité), est illégal pour le commerce à compter de juillet 1968. Des règlements d'application interdisent l'emploi des unités impériales pour les médicaments à partir du 1-1-1971 : minims (capacité) et onces d'apothicaire (masse).

Acte britannique du 30-10-1985. La définition des mesures britanniques en termes du système métrique international est adoptée pour l'intérieur du

Royaume-Uni : le mètre et le kilogramme sont définis comme unités de référence pour les autres unités de mesure, au même titre que le yard et la livre *(pound)* dite *avoirdupois* (mot français médiéval désignant toutes les unités légales de masse dans le système traditionnel britannique).

Le *yard* vaut 0,9144 m exactement (il était réputé mesurer la longueur du bras de Henri Ier), et le *pound* 0,453 592 37 kg exactement. L'étalon primaire du yard est représenté par la distance à 62 °F (16 2/3 °C) de 2 traits gravés sur des pastilles d'or portées par une barre en bronze. L'étalon primaire de la livre « avoirdupois » est la masse d'un étalon en platine.

☞ Entrant dans le Marché commun européen, le Royaume-Uni restera dans une phase de transition (prévue par les directives communautaires) jusqu'à 1999 (éventuellement au-delà pour certaines exceptions dont la signalisation routière). De 1969 à 1980, un office de « métrication » (Metrication Board) a planifié et coordonné cette conversion.

Capacité. Mesures britanniques. Unité minimale des liquides ou goutte [*fluid minim* ou *drop* (min ou m) [b]] : 0,059 mL. Drachme liquide ou petit verre [*fluid drachm* ou *dram* (fl drm) [b]] : 3,552 mL (60 minims).Once liquide [*fluid ounce* (fl.oz)] : 28,413 ml (8 fl drm). Quart de pinte [*gill* (gi)] : 0,142 07 L (5 fl. oz). Pinte [*pint* (pt)] : 0,568 26 L (4 gills). Quart de gallon [*quart* (qt)] : 1,136 5 L (2 pints). Gallon (gal) : 4,54 609 L (4 quarts ou 277, 42 cu in). Double gallon [*peck* (pk) [b]] : 9,092 L (2 gallons). Boisseau [*bushel* (bush ou bu) [b]] : 36,368 7 L (4 pecks).

Mesures américaines. *Liquides.* Minim : 0,061 611 5 mL. Liquid dram (liq dr) : 3,696 69 mL (60 minims). Liquid ounce (liq oz) : 29,573 5 mL (8 liquid drams). Quart de pinte [*gill* (gi)] : 0,118 294 L. Pinte liquide [*liquid pint* (pt)] : 0,473 176 L (4 gills). Quart de gallon liquide [*liquid gallon* (qt)] : 0,946 353 L (2 pints). Gallon (gal) : 3,785 4 L (4 quarts ou 231 cu in). Baril [*barrel* (bbl)] : 117,35 à 158, 99 L [c] sont de 31 à 42 gallons suivant les États [le baril mesurant les produits pétroliers vaut 42 (soit 35 gallons anglais), selon la densité, 1 tonne métrique de pétrole comprend de 7 à 7,7 barils].

Matières sèches. Pinte sèche *(dry pint)* : 0,550 6 L. Quart de gallon sec *(dry quart)* : 1,101 221 L (2 pints). Double gallon *(peck)* : 8,809 77 L (8 quarts). Boisseau [*bushel* (bu)] : 35,239 07 L (4 pecks).

■ **Chaleur (quantité de).** British Thermal Unit (BTU) : 1 055,06 joules.

■ **Consommation de carburant.** En général indiquée en *miles par gallon* : 10 miles par gallon britannique correspondent à 28,247 litres pour 100 km, 10 miles par gallon US à 23,521 litres pour 100 km. 10 litres pour 100 km correspondent à 28,247 miles par gallon britannique, 23,521 miles par gallon US.

■ **Contrainte, pression.** Livre par pouce carré [*pound per square inch* (lbf/in² ou psi)] : 6,894 8.10^3 pascals. Tonne longue par pouce carré [*long ton per square inch* (ton/in²)] : 1,544.10^7 pascals.

■ **Éclairement.** *Footcandle* : 10,764 lux.

■ **Énergie.** *Foot pound-force* (ft. lbf) : 1,355 8 joule. *Foot poundal* (ft pdl) : 0,042 14 joule.

■ **Force.** *Poundal* (pdl) : 0,138 25 newton. Livre poids (lbf), *pound-force* : 4,448 2 newtons. Tonne-poids longue, *long ton-force* : 9 964,02 newtons ; courte, *short ton-force* : 8 896,44 newtons.

■ **Longueur.** Ligne, *line* : 2,117 mm. *Mil* (ou « thou », 0,001 inch) : 0,025 4 mm. Pouce (in ou "), *inch* : 25,4 mm (12 lines). Main, *hand* : 10,16 cm. Pied (ft ou '), *foot* (pluriel *feet*) : 30,48 cm (12 inches). *Yard* (yd) : 0,914 4 m (3 feet). Perche (po), *pole, perch* ou *rod* : 5,029 2 m (5,5 yards) [a]. Huitième de mile (fur), *furlong* : 201,168 m (40 poles). Mile (st mi), *statute mile* : 1 609,344 m (1 760 yards ou 5 280 feet). Lieue terrestre [a], *land league* : 4 828,032 m (3 miles).

La marine utilise : Brasse (fath), *fathom* : 1,828 8 m (6 feet). Encablure, *cable length* : 219,456 m (120 fathoms ou 720 feet). Nœud, *knot* : 1 852 m/h. Mille marin, *nautical mile* : 1 852 m exactement [ancienne valeur du mille marin en G.-B. : 1 853,184 m (6 080 ft)]. Lieue marine, *nautical league* : 5 556 m.

Les arpenteurs utilisent : le Gunter's surveyors system *(a)* et l'Engineer's system *(b)* ; maillon (li) [a], *link* : 0,201 m *(a)* ; 0,305 *(b)*. Chaîne (chn), *chain* : 20,116 8 m *(a)* ; 30,480 m *(b)*.

■ **Luminance.** Candela par pouce carré. *Candela per square inch* : 1 550 cd (candela)/m² ; par pied carré, *per square foot* : 10,764 cd/m². *Foot-lambert* : 3,426 cd/m².

■ **Masse. Système avoirdupois** (G.-B. et USA). *Grain* (gr) : 0,064 8 g. *Dram* [b] (dr) : 1,771 8 g (27,34 grains). *Once* (oz), *ounce* : 28,349 5 g (16 drams). Livre (lb), *pound* : 0,453 6 kg (16 ounces). Unité des turfistes (st), *stone* [b] : 6,350 3 kg (14 pounds). Quartaut (qr), *quarter* [b] : 12,700 6 kg (2 stones). Quintal court, *cental* [b] *(short hundredweight)* : 45,359 kg (100 pounds). Quintal long (cwt), *hundredweight* [b] : 50,802 3 kg (4 quarters ou 8 stones, ou 112 pounds). Tonne courte (US ton), *short ton* : 907,184 7 kg (2 000 pounds). Tonne longue (ton) *long ton* [b] : 1 016,046 9 kg (20 hundredweights ou 2 240 pounds).

Systèmes troy (du nom de la ville de Troyes, en Champagne). *Grain* (gr) : 0,064 8 g. *Carat* [a] : 0,259 2 g (4 grains). Denier de 24 grains (dwt) [a], *pennyweight* : 1,555 2 g ou 6 carats (24 gr). Once (oz t) [c], *ounce* : 31,103 5 g (20 dwt). Livre (lb t) [b], *pound* : 373,242 g (12 ounces).

Système d'apothicaire. *Grain* (gr) [a] : 0,064 8 g. Scriplum (scr) [a], *scruple* : 1,296 g (20 grains). Drachme (drm) [a], *drachm* : 3,887 9 g (3 scruples). Once (ap oz) [a], *ounce* : 31,103 5 g (8 drachmes). Livre (lb) [a], *pound* : 373,2 g (12 ounces).

■ **Puissance.** Livre poids-pied par seconde (ft lbf/s), *foot pound-force per second* : 1,355 8 watt. Poundal-pied par seconde (ft pdl/s), *foot poundal per second* : 0,042 14 watt. Cheval-vapeur brit. (hp), *horse-power* : 745,699 watts.

■ **Superficie.** Pouce carré (sq in ou in²), *square inch* : 6,451 6 cm². Pied carré (sq ft ou ft²), *square foot* : 929,030 4 cm² (144 sq in). Yard carré (sq yd ou yd²), *square yard* : 0,836 127 36 m² (9 square feet ou 1 296 sq in). Perche carrée (sq po) [a], *square pole* : 25,293 m² (30,25 sq yd). Quart d'acre ou vergée, *rood* : 1 011,718 m² (40 sq po, ou 1 210 sq yd, ou 10 890 sq ft). *Acre* (ac) : 4 046,873 m² ; 0,404 7 ha (4 square roods ou 4 840 sq yd). Mile carré (sq. mi. ou mi²), *square mile* : 2,589 988 km² ; 258,999 ha (640 acres).

■ **Température.** Degré Fahrenheit. Formules permettant les conversions :

1°) de °F en °C : $t_C = \frac{5}{9}(t_F - 32)$;

2°) de °C en °F : $t_F = \left[\frac{9}{5}(t°C)\right] + 32$.

TABLEAU DE CONVERSION

Exemple : - 50 °C valent - 58 °F. - 50 °F valent - 45,6 °C.

En °C	°C ou °F	En °F	En °C	°C ou °F	En °F
- 45,6	- 50	- 58	26,7	80	176
- 40	- 40	- 40	29,4	85	185
- 34,4	- 30	- 22	32,2	90	194
- 28,9	- 20	- 4	35	95	203
- 23,3	- 10	+ 14	37,8	100	212
- 17,8	0	+ 32	48,9	120	248
- 15	+ 5	41	60	140	284
- 12,2	+ 10	50	71,1	160	320
- 9,4	15	59	82,2	180	356
- 6,6	20	68	93,3	200	392
- 3,9	25	77	121	250	482
- 1,1	30	86	149	300	572
+ 1,7	35	95	177	350	662
+ 4,4	40	104	204	400	752
7,2	45	113	232	450	842
10	50	122	260	500	932
12,8	55	131	315	600	1 112
15,6	60	140	371	700	1 292
18,3	65	149	426	800	1 472
21,1	70	158	482	900	1 652
23,9	75	167	538	1 000	1 832

■ **Volume.** Pouce cubique (cu in ou in³), *cubic inch* [b] : 16,387 cm³. Pied cubique (cu ft ou ft³), *cubic foot* [b] : 28 317 cm³ (1 728 cubic inches). Yard cubique (cu yd ou yd³), *cubic yard* [a] : 764 555 cm³ (27 cubic feet). Tonneau anglais, *shipping ton* : 1,132 674 m³ (40 cubic feet). Tonneau de jauge international (rt), *register ton* : 2,831 685 m³ (100 cubic feet).

AUTRES PAYS

Quelques unités anciennes locales. N.s. nouveau système ; v.s. vieux système.

Afrique du Sud. Livre hollandaise 494 g. Pied du Cap 31,5 cm. Balli 46 L. Gantang 9,2 L. Mud 109,1 L. Morgen 0,857 ha.

Allemagne. Zoll (pouce) 0,026 15 m. Fuss (pied) 0,313 85 m. Rute (verge) 3,776 m. Meile (mille) 7,532 5 km [Grand 9,2208 km, ordinaire ou géographique 7,4166 km, petit 6,2676 km, de Prusse 7,7488]. Morgen (demi-arpent) 25,532 a. Pfund (livre) 0,5 kg. Zentner (demi-quintal) 50 kg. Doppelzentner (quintal) 100 kg. *Mesures non légales* : Kilopond (kp) : kg-force. Pond (p) : g-force.

Autriche. Mile 7,586 km.

Bulgarie. Dékare 1 000 m², untzia (cocon) 30 g.

Cambodge. Hat 50 cm. Phyéam 2 m. Sen 40 m. Yoch 16 km. Kantang 7,5 L. Tao 15 L. Thang 30 L. Lin 3,75 cg. Hun 3,75 dg. Chin 3,75 g. Tael 37,5 g. Néal 600 g. Chong 30 kg. Hap ou picul 60 kg.

Canada. *Longueur* : point typographique 4,089 4 mm, arpent 58,46 m. *Surface* : arpent (Québec) 0,342 ha, section (Manitoba, Alberta, Saskatchewan) 259 ha. *Capacité* : minot 38,91 hl. *Masse* : hundredweight 45,359 2 kg, ton 907,185 kg.

Chine. *Longueur* : Chang 3,34 cm. Ch'ih 91 cm (v.s.) 33,27 cm (n.s.). Fen 0,33 cm. Li 645-681 m (v.s.) 500 m (n.s.) Ts'un 3,58 cm (v.s.) 13,34 cm (n.v.). *Surface* : Ch'ing (n.s.) 6,66 ha. Maw 0,65 ha. Mou 0,065 ha. *Masse* : Catty (ou Chang, Chin, Kan, Kati, Kon) 0,603 kg (v.s.) 0,5 kg (n.s.). Candareen (ou Fen) 0,378 g (v.s.) 0,283 g (n.s.). Fan 0,378 g (v.s.) 0,311 g (n.s.). Liang (ou Tael) 37,8 g (v.s.) 31,18 g (n.s.). Mace 3,78 g (v.s.) 3,11 g (n.s.). Picul (ou tam) 60,48 kg (v.s.) 50 kg (n.s.). Tan 60,48 kg (v.s.) 50 kg (n.s.).

Danemark. Tomme 2,615 cm. Mile 7,532 km. Tondeland 55,162 a. Pund 500 g. Centner 50 kg.

Égypte. Diraa Baladi 0,58 m. Kasaba (pluriel : *kesabag*) 3,55 m. Feddan 4 200 m². Kirat (1/24 de feddan) 175 m². Ardab 198 L. Qantar 44,9 kg.

Espagne et pays sud-américains. Unités anciennes espagnoles, transportées en Amérique par les colons et pouvant varier notablement. Ex. : Chili : Vara 83,59 cm. Braza 1,672 m². Cuadra 125,49 m. Legua 4,514 km. Cuadra ² 1,572 5 ha. Onza 28,75 g. Libra 460 g. Arroba 35,5 ou 40 L, 11,5 kg.

Éthiopie. Metir ou netir 453,59 g. Senzer 23,144 cm. Cabaho 5,91 L. Kuma 5 L. Messe 1,477 L. Gasha 40 ha.

Grèce. Stremma 10 a.

Inde. *Longueur* : Coss 1 920,2 m. Danda 1,83 m. Gudge au Bengale 91,44 cm, à Bombay 68,58 cm, à Madras 83,82 cm. Hath 45,72 cm. Ungul 1,9 cm. *Capacité* : Ser 1 L. *Surface* : Bigha 0,253 ha. Cawny 0,534 ha. *Masse* : Candy à Bombay 254 kg, à Madras 226,8 kg. Chittak 57,5 g. Maund officiel 37,29 kg, à Bombay 12,7 kg, à Madras 11,34 kg. Pa 235 g. Picul (outam) 60,48 kg. Seer officiel 0,93 kg, à Madras 0,28 kg, à Bombay 0,33 kg. Tola 11,66 g. Visham 1,36 kg.

Indonésie. *Longueur* : Tjengkal 15-20 cm. El 68,8 cm. *Surface* : Bahungkal 0,709 ha. Paal 227,08 ha. *Masse* : Kati 0,617 kg. Picul 61,76 kg.

Iran. Bahar 3,25 cm. Gireh 6,5 cm. Ourob 13 cm. Charac 26 cm. Zar ou gaz 1,04 m (ou 1 m). Farsakh ou farsang 6,24 km (ou 8,9 km), kafiz 1 a. Jerib 1 ha.

Islande. Tomma ou thumlungur 2,54 cm. Sjomila 1,855 km. Enjgateigur 0,319 ha. Sildartunna 118-120 L. Sildarmal 150 L.

Italie. Anciennes unités variables selon les États (mille : en général 1 654 m, Venise 1 835 m).

Japon. *Longueur* : Bu 0,3 cm. Cho 109,08 m. Jo 3,03 m. Ken 1,82 m. Ri 3,926 km. Rin 0,3 mm. Shaku 30,3 cm. Sun 3,03 cm. *Capacité* : Go 0,18 L. Koku 180,39 L. Shaku 0,018 L. Sho 1,8 L. To 18,039 L. *Surface* : Bu (= Tsubo) 3,3 m². Cho 1 ha. Se 1 a. Tan 0,1 ha. *Masse* : Kwan 3,75 kg. Momme (= Me) 3,75 g.

Liban. Kirat 2,83 cm (textiles), 3,16 (agriculture). Drah ou zirah ou pic 68 et 75,8 cm. Dönüm 919 m². Kadine 23-35 a. Dirham 3,205 g. Okiya 213 g. Oke 1,282 kg. Ratl 2,564 kg. Kantar 256,4 kg.

Maroc. Kala 50 cm. Tamna 225 m². Courd (moud, rabia ou tarabiît) 450 m². Aftari (saa ou tmen) 900 m². Khedem 10 a. Abraa (izenbi ou sdal) 18 a. Tarialte 36 a. Gouffa 50 a. Kard 10 L. Kharrouba 40 L. Oukeia 125 g. Rabâa 250 g. Ratl 500 g. Kantar 100 kg.

Maurice. Pied français 32,5 cm. Corde 3,584 m³.

Norvège. Fot 0,313 7 m. Mile 11,299 km.

Pays-Bas. Ure 5,565 km.

Philippines. *Longueur* : Pulgada 2,31 cm. *Capacité* : Cavan 75 L. Chupa 0,37 L. Ganta 3 L. *Masse* : Arroba 11,5 kg. Quintal 46 kg.

Portugal. Legua 6,18056 km.

Russie (ancienne). *Longueur* : Meile 1 217 m. Verste (500 sagènes) 1 066,78 m. Sagène (3 archines) 2,134 m. Archine (16 verchoks) 0,711 9 m. Verchok 0,044 m. *Superficie* : Deciatine (240 sagènes) 109,25 ares. *Masse* : Poud 16,38 kg. *Liquides* : Vedro 12,299 41 L (= 3 ankers, 10 krouckkas, 100 tcharkas). *Matières sèches* : Garnetz 3,298 42 L (= 2 polougarnetz, 8 tchetveriks, 32 tcheverkas ou osminas, 64 tchetverts).

Soudan. Busa 2,54 cm. Kadam 30,48 cm. Ardeb 198,024 L. Kadah 2,063 L. Keila 16,502 L. Ratl 0,568 L. Feddan 4,201 m².

Sri Lanka. Candy (pour le coprah) 254 kg.

Suède. Fot 0,296 9 m. Mil 10 689 m.

Suisse. Lieue 8,656 km. Stunde 4,808 km. Lägel 40 ou 50 lieues.

Turquie. Archine (ou pic, card, guz) 0,64 à 0,76 m. Kilé 32 à 43 L.

Ex-Yougoslavie. Hvat 1,896 m. Hvat ² 3,597 m². Hvat ³ 6,821 m³. Jutro (1 600 hvats²) 5 755 m². Lanac (2 000 hvats²) 7 192 m². Dulum 1 000 m².

MESURE DU TEMPS

HISTOIRE

☞ **De l'Antiquité à la Renaissance.** On ne dispose que d'objets de fouilles, de restes archéologiques ou de quelques textes difficiles à interpréter [le mot latin *horologium* recouvre tout instrument susceptible de « dire l'heure » : indicateurs solaires, clepsydres ou horloges à eau (au Moyen Age, chandelles horaires, récitations de psaumes, premières horloges à échappement)].

OBSERVATION DE L'OMBRE

Constructions architecturales. Reposent sur des observations astronomiques définissant des longues durées. Ex. : dolmens de Locmariaquer (Fr., v. 2000 av. J.-C.) ; alignements de Stonehenge (G.-B., v. 1400 av. J.-C.), Carnac (Fr., 2000-1400 av. J.-C.).

Gnomon. Bâton (en grec) ou objet vertical. On mesure la longueur de son ombre pour déterminer les saisons puis étudier les mouvements apparents du Soleil. En notant les longueurs de l'ombre au long de la journée, on dispose d'un 1er cadran solaire dont le gnomon est l'homme. Le cadran fut ensuite un objet creusé en forme d'hémisphère muni d'un style vertical puis horizontal (polos, scaphe) avant de devenir une surface plane. Nombreux exemplaires des 2 types gréco-romains (IVe s. av. J.-C. ou IIIe s. apr. J.-C.) ; longtemps utilisés, indiqueront les moments de la journée, les offices, les heures inégales (cadrans monastiques).

Cadran solaire de direction. VIIIe-XVe s. : l'Occident redécouvre les Anciens : 1°/ *cadran à heures égales* (décrit par Bède) ; 2°/*cadrans hyperboliques* à heures temporaires ; 3°/*cadrans à style axe,* indiquant les heures modernes « égales » (leur style, visant le nord, est parallèle à l'axe de la Terre). Avec les cadrans portatifs, l'inclinaison du style sera réglable en fonction de la latitude du lieu.

OBSERVATION DES ASTRES

Astrolabe. Inventé par Hipparque, décrit par Synésios puis Philopon au VIe s. Utilisé par Arabes, Espagnols, astrologues et marins. Il sert notamment à déterminer la hauteur du Soleil, donc le moment de la journée correspondant, grâce aux tables astronomiques, et à déterminer la position des étoiles à une date donnée.

Instruments divers. Quart de cercle, bâton de Jacob, triquetum, torquetum, lunettes astronomiques.

ÉCOULEMENT D'UN FLUIDE

Clepsydre (du grec *klepto,* « je dissimule » et *hudor,* « eau »). Très ancienne. Percé, ou non, à sa base, un récipient se vide ou se remplit en un temps déterminé à l'avance. Il y a au musée du Caire une clepsydre datant de 1530 av. J.-C.

Horloge à eau. V. le IIe ou le IIIe s. av. J.-C. *1res h. ;* la variation de hauteur du niveau d'eau est utilisée pour commander certains mécanismes. Un flotteur, posé sur un réservoir d'eau dont le niveau monte ou descend régulièrement, anime un mécanisme qui va du simple axe tournant faisant évoluer un index à un ensemble complexe pouvant comporter des automates. *Antiquité :* h. de la tour des Vents d'Athènes. *Moyen Age : 511,* Théodoric offre une h. à Gondebaud ; *807,* Haroun al-Rachid en offre une à Charlemagne ; *1206,* h. de Bagdad décrite par Al Gazari ; *1308,* h. à automates de Tlemcen ; *1357,* celle de Fez. *Chine, 90,* Chang Heng parle d'un moyen de faire tourner une sphère céleste avec l'eau d'une clepsydre (tentative notée en 682-727) de I-Hsing ; *1090,* l'h. astronomique de Su Song comprend un régulateur qualifié d'échappement.

Le temps est fractionné en heures temporaires pour les besoins courants. Le *nycthémère* est partagé en heures de nuit, du coucher au lever du Soleil, et en heures de jour, du lever au coucher du Soleil, de durée variable suivant la saison. Avec les *horomètres* à fonctionnement indépendant du Soleil, principalement les horloges mécaniques, l'usage des heures égales, jusque-là propre aux mathématiciens astrologues, va se généraliser.

HORLOGE MÉCANIQUE

■ **Débuts.** Mal connus. Les engrenages sont grossiers ; le contrepoids deviendra moteur au XIIe s. à la cour de France, puis avec l'horloge à mercure d'Alphonse le Sage et la clepsydre de Drover (1270) ; les systèmes de régulation sont avant tout des ralentisseurs de la chute du poids moteur, d'abord sous forme de flotteur d'un vase horaire, puis de tambour hydraulique compartimenté.

■ **Horloges à échappement.** Implicitement évoquées en *1300* dans les *Comptes du Roi de France* (Pipelard), le *Roman de la Rose* de Jean de Meung (v. 1305), *la Divine Comédie* (1314-18) de Dante, puis de façon explicite par Froissart (*li Orologe amoureus,* 1360). *1335,* Milan, l'horloge de St-Gothard est admirée de tous. *1344,* Jacopo Dondi construit une horloge pour Padoue. *1364* Giovanni Dondi, son fils, termine l'horloge de Pavie « en laiton et en cuivre ». Pour rendre les horloges mobiles, le remplacement des poids moteurs est assuré par le ressort. L'irrégularité de la force restituée nécessite un système de compensation. En France, un mulet portant une horloge accompagne Louis XI en voyage.

■ **Jacquemarts.** Automates « marteleurs » actionnés par un sonneur, puis par un mécanisme relié à une horloge, frappant une cloche. **Origine.** Orient (époque des croisades). **Après le XVIIIe s. :** déclin du spectacle s'effaçant devant l'utilité des horloges publiques (cadran visible de loin) et pendules d'intérieur. **Statistiques. France.** *Nombre :* env. 20. Personnages généralement en bois de chêne, polychrome, parfois recouvert de fer-blanc, certains en cuivre (Dijon) ou en bronze (mince paroi, Cambrai). *Tailles :* à Romans-sur-Isère 2,60 m, Cambrai 2,50 m, Thann 1,18 m, Auffay 1 m, Lyon 40 cm. *Nombre de statuettes :* à Auffay, Feurs, Molsheim, Thann, Cambrai : 2 ; Aigueperse, Clermont-Ferrand, Compiègne, Montbard, Benfeld 3 ; Avignon, Lambesc, Lyon, Montdidier, Moulins, Dijon 4. *Types :* Avignon, Beaumont-le-Roger, Benfeld, Besançon, Lavaur, Moulins, etc. : « homme d'armes » ; Molsheim : « épouse et enfant angelot » ; Lyon : « Guignol et Gnafron » ; Clermont-Ferrand : « Mars », « Temps », « faune » ; Cambrai : « Maure » ; Benfeld, Thann : « la Mort » ; Dijon : « Jacquemart, Jaquette, Jacquelinet, Jacquelinette ».

■ **Fusée.** Une arbalète, citée par Keyser dans *Bellifortis,* montre ce dispositif, repris par Taccola, ami de Brunelleschi (1377-1446). La Volpaille combine, plus tard, la fusée et un ressort hélicoïdal travaillant longitudinalement. La fusée est un égalisateur de force intercalé entre le ressort et le rouage du mouvement horloger ; c'est un tronc de cône sur lequel s'enroule la corde à boyau accrochée au ressort (à l'armage maximal correspond le rayon le plus petit de la fusée). Brunelleschi, le 1er, « aurait utilisé » un ressort moteur spiral associé à une fusée.

■ **Montres.** *1488,* Ludovic Sforza aurait remplacé un bouton de costume par une petite horloge ou « montre ». Le ressort moteur est enroulé dans une boîte ou barillet tirant, en se désarmant, la corde à boyau enroulée préalablement sur la fusée. *1500,* Allemagne, l'évêque de Cologne possède une canne avec une montre dans son pommeau. *1518,* France, le roi a 2 dagues ainsi équipées. Dans les montres et les horloges d'appartement, le laiton tend à remplacer le fer qui continuera à être employé jusqu'au XIXe s., surtout dans les horloges rustiques ou de clocher.

XVIe s. Les vis commencent à remplacer les clavettes au milieu du XVIe s. Un dispositif égalisateur

MONTRES À QUARTZ

Cristal de quartz. Est « piézoélectrique » : une plaquette de ce cristal, pièce maîtresse d'un circuit oscillant, stimulée par une pile, est animée de vibrations mécaniques de haute fréquence (8 000 à 4 000 000 d'oscillations par seconde) qui imposent leur rythme aux vibrations électriques. Un diviseur de fréquences reçoit ces vibrations électriques très régulières et les transforme en vibrations plus lentes, d'une à quelques vibrations par seconde, mais aussi stables. (Ces derniers signaux peuvent exciter un micromoteur électrique actionnant des aiguilles, ou modifier l'état électrique d'un registre à mémoire qui commande à son tour un affichage numérique, tel qu'un module à cristaux liquides ou à diodes luminescentes.) *Affichage électronique pseudo-analogique :* mode d'indication simulant par un moyen électronique (en général avec des cristaux liquides) l'apparence d'aiguilles se déplaçant de façon presque continue sur un cadran circulaire ; appliqué sur certaines montres à quartz : Texas Instruments 1978.

Diode luminescente (LED, « light emitting diode »). Est formée d'un cristal semi-conducteur (arséniure ou phosphure de gallium, etc.) qui émet une lumière le plus souvent rouge quand il est traversé par un courant. Par un arrangement de petits rectangles lumineux en groupes de 7 « segments », comme ceux des cristaux liquides, on peut dessiner n'importe quel chiffre et afficher, en juxtaposant plusieurs de ces groupes, l'indication des heures, minutes, secondes et dates. Cette indication est visible dans l'obscurité, mais la puissance électrique utilisée (quelques dizaines de milliwatts) est telle que l'affichage ne doit être provoqué que sur demande par action sur un contact à pression afin d'économiser les piles. Pratiquement abandonnée, sauf en instrumentation.

Cristal liquide (LCD, « liquid cristal display »). Alors que dans un cristal solide les molécules sont toutes orientées de façon régulière, dans un cristal liquide (corps se présentant à la température ordinaire dans un état *mésomorphe* intermédiaire entre les états *solide cristallisé* et *liquide amorphe*), elles peuvent changer d'orientation ou la perdre dans certaines circonstances.

État mésomorphe : état *nématique* dans lequel les molécules allongées demeurent parallèles en l'absence d'influence extérieure, même quand elles se déplacent les unes par rapport aux autres ; mais elles peuvent basculer sous l'effet d'un champ électrique, ou s'orienter selon les rayures d'une paroi au voisinage de celle-ci. La transparence optique diffère selon l'orientation des molécules. Exemples : méthoxybenzilidène-butyl-aniline (MBBA) stable de 21 à 47 °C ; éthoxybenzilidène-butyl-aniline (EBBA) stable de 32 à 68 °C. Des mélanges de ces corps dont l'état nématique est stable de 0 à 60 °C peuvent être utilisés aux températures ambiantes usuelles. En excitant électriquement une région d'un cristal liquide nématique compris entre 2 lames de verre, on peut modifier la transparence de cette région et la faire apparaître plus sombre ou plus claire que les régions voisines. En dessinant par exemple des régions rectangulaires ou « segments » grâce à des électrodes transparentes, on peut faire apparaître des symboles : 7 segments groupés suffisent pour définir à tour de rôle n'importe quel chiffre. En juxtaposant plusieurs groupes, on forme de 4 à 6 chiffres (heures, minutes, éventuellement secondes ou dates). Quelques microwatts les rendent visibles à la lumière ambiante.

Autres méthodes d'affichage en développement : électrophorèse-électrochromie-ferroélectrique.

de force, associé à un ressort spiral libre, apparaît en Allemagne (Stackfreed), réduisant l'encombrement de la partie motrice. Il s'effacera devant la fusée, de meilleur rendement. L'échappement à verge, dit à roue de rencontre, comprend un foliot droit, remplacé par un balancier.

XVIIe s. *1657 ;* poursuivant les travaux de Galilée, le mathématicien hollandais Christiaan Huygens (1629-95) applique aux horloges un pendule chargé de régulariser leur marche. Il charge Salomon Coster de construire la 1re horloge de ce type qui, bientôt, portera le nom de *pendule*. *1664*, Gruel remplace dans les montres la corde à boyau par une chaînette, plus sûre. *1675*, Huygens fait exécuter par Isaac Thuret († 1706) la 1re montre à ressort spiral réglant (progrès décisif vers la précision, invention contestée notamment par Hooke). *Fin XVIIe s.*, l'Anglais Daniel Quare (1649-1724) adapte l'aiguille des min. au centre de la montre.

1700-50. *V. 1700*, Angleterre, utilisation de pierres percées comme coussinet de pivotement, pour les balanciers d'abord. *1714*, avec d'autres États, le Parlement anglais met au concours « toute méthode capable de déterminer la longitude en mer » avec une prime de 10 000 livres pour un résultat n'excédant pas 1 degré d'erreur, de 15 000 livres pour 40 minutes et 20 000 livres pour 1/2 degré et moins. L'Angleterre était atterrée par les désastres dus à des erreurs de longitude, ex. : perte de l'escadre de sir Cloudesley Shovel (1650-1707) qui se jeta sur les îles Scilly (ou Sorlingues) alors qu'il croyait entrer dans la Manche (1707). *1718*, George Graham (Angl., 1673-1751) améliore l'échappement en « auge de cochon » (éch. à cylindre), inventé par Thomas Tompion (1639-1713), Booth (Edward Barlow *dit*, 1639-1719) et Houghton. *1725*, John Harrisson (Angl., 1693-1776) invente le pendule compensateur, composé de 2 métaux différents par leur coefficient de dilatation ; appelé *gridiron*, ce pendule rend l'horloge insensible aux changements de température. *1748 et 1754*, Pierre Le Roy (Fr., 1717-85) applique, le 1er, l'échappement à détente.

1750-1800. *1751*, John Harrisson obtient la 1re partie de la prime offerte par le Parlement anglais, après son 4e chronomètre, et en *1773* la 2e moitié après son 5e chronomètre. *1767-69*, F. Berthoud (Fr. d'orig. Suisse, 1727-1807), mécanicien de la Marine, construit des montres marines, tandis que Pierre Le Roy obtient les 2 prix successivement offerts par l'Académie des sciences pour « la meilleure manière de mesurer le temps en mer ». *1771*, Louis Abraham Breguet (Fr. d'or. suisse, 1747-1823) invente un système de remontoir et de mise à l'heure « au pendant ». Plusieurs horlogers prendront des brevets à ce sujet au XIXe s., mais ce système ne s'imposera définitivement qu'à la fin du siècle (la fabrication des montres à clef s'arrêtera v. 1890-1900). *1790*, Genève : 1er concours de précision entre chronomètres. Leur degré de perfection est apprécié par un système de points définitivement fixé en 1879 par Émile Plantamour, directeur de l'Observatoire de Genève [Autres concours : Kew et Teddington (G.-B.), 1884 ; Besançon (France), 1885]. *1793 (5-10)*, la Convention décrète la décimalisation du temps (échec). *1795 (7-4)*, décret suspendant son application pour une durée indéterminée.

XIXe s. Nombreux progrès : précision et régularité. Nombreux brevets (Europe, Amérique). *1840*, 1re horloge électrique d'Alexandre Bain (Angl., 1811-1877). *1868* « montre à 20 F », de Georges-Frédéric Roskopf (Suisse, 1813-89), 1re montre fiable d'usage courant. *1873 (1-1)*, le Japon abandonne les heures temporaires et adopte le système européen des h. équinoxiales ; début de l'industrie horlogère jap. *1876*, 1re montre antimagnétique (Paillard, All., installé en Suisse). *1896*, la marine allemande adopte, pour ses officiers, des montres retenues au poignet par une chaînette.

XXe s. Vers *1910*, on porte au poignet les premières montres de sautoir, dans un bracelet adapté ; des anses de fil ayant été ajoutées, la montre est directement maintenue par un bracelet du type courroie. *1926*, pendule Atmos, à balancier atmosphérique, mise au point par Jean-Léon Reutter, prévue pour marcher 600 ans (sans intervention humaine) ; se remonte grâce à un mélange gazeux (chlorure d'éthyle) contenu dans une capsule qui se rétracte et se dilate à chaque variation de température [une variation d'un degré assure une autonomie de 48 h (1 journée d'une saison normale donne 1 année de réserve)], n'oscille que 2 fois par minute (au lieu de 300 fois pour une montre-bracelet classique). *1928*, remontage automatique. *1933*, 1re horloge à quartz oscillant (16 384 alternances par seconde). *1949*, 1re horloge moléculaire à ammoniac. *1952*, montre électrique. *1954*, 1re horloge atomique. *1959*, montre électronique. *V. 1968*, montre à quartz analogique. *1970*, montre à quartz numérique, à diodes luminescentes, puis à cristaux liquides. *1975*, montre calculatrice. *1979*, montre-réveil multiprogrammable. *1984*, montre ordinateur, la montre à affichage analogique devance celle à aff. numérique en Occident. *1988*, horloge commerciale, radioélectrique. *1990*, montre-bracelet radioélectrique ; montre radiopilotée Junghans (Sté allemande créée 1861), bracelet muni d'une antenne flexible qui reçoit de l'émetteur (portée 1 500 km) les informations sur grandes ondes venant de l'horloge atomique mère. Un microprocesseur compare ces messages avec sa propre horloge interne à quartz et se réajuste automatiquement en cas de différence. *1991*, montre-bracelet parlante. *1992*, montre radiopilotée solaire.

■ **Horloges atomiques. A césium.** Reposent sur l'hypothèse que les propriétés atomiques sont immuables, notamment les *fréquences* des radiations correspondant aux transitions entre niveaux d'énergie. L'étalon atomique comprend un résonateur atomique qui fournit la référence ultime, et une partie électronique générant, à partir d'un oscillateur à quartz à 5 MHz, un signal d'excitation vers 9,191 GHz. L'interaction de ce dernier avec le « jet » atomique dans le résonateur fournit un signal d'erreur qui vient corriger en permanence la fréquence de l'oscillateur à quartz qui se trouve ainsi asservie à un étalon hyperstable.

Les atomes de césium 133 sont stables (l'étalon « atomique » n'utilise pas la radioactivité). Les meilleures horloges à césium ont une exactitude proche de 1×10^{-14} (une seconde au bout de 3 millions d'années). Les appareils commerciaux pèsent env. 30 kg avec des charges de césium pouvant fonctionner continuellement pendant 5 à 10 ans.

Nota. – En 1992, expérimentation d'une horloge à atomes ultrafroids, cent fois plus précise.

Autres types. Moins exacts : masers à hydrogène (les plus stables jusqu'à 1 s en 3 000 ans), à rubidium (les moins chères), à ions de mercure confinés (stables à long terme mais en cours d'expérimentation).

■ **Horloge parlante. Responsables.** L'Observatoire de Paris, qui réalise le temps légal, est responsable de l'exactitude de l'information horaire diffusée par l'horloge parlante. France-Télécom assure l'acheminement du message horaire de l'Observatoire à l'utilisateur. **Histoire.** Inventée par Ernest Esclangon, directeur de l'Observatoire de Paris, qui adapte un système vocal à une horloge de la maison Brillé (auparavant, heure donnée par téléphone d'après lecture de la pendule). Présentée à l'Académie des Sciences le 14-3-1932. Mise en service et reliée au réseau téléphonique le 14-2-1933 (il y aura 140 000 appels, dont 20 000 seront satisfaits). *Voix utilisée :* Marcel Laporte, dit Radiolo (animateur radio de Radio-Paris). Les heures, minutes, secondes, ainsi que *au 4e top, il sera exactement...* sont enregistrés optiquement et lus sur des cylindres rotatifs, contrôlés par une pendule. *1954*, Hélène Garaud (comédienne, arrêta après 24 h, à cause d'une mauvaise réception des aigus). *1965*, Henri Thiollière (postier, membre de la troupe des comédiens des PTT), les bandes étant usées. *1975*, « top » sonore commandé par 3 horloges indépendantes, reliées à des oscillateurs atomiques au césium. Si l'une diverge par rapport aux 2 autres, elle est mise hors circuit provisoirement. En raison du temps de transmission de l'heure sur le réseau (à Nice par ex.), l'heure peut arriver avec un retard d'env. 20 millisecondes. Depuis le *18-9-1991*, nouvelle horloge entièrement électronique (précise au millionième de seconde à l'Observatoire de Paris). *Voix enregistrées :* 1 homme et 1 femme (la comédienne Sylvie Behr), la voix changeant chaque minute. *Coût :* 500 000 F. Les mots, nécessaires à la construction des messages, sont enregistrés sur disque compact puis stockés dans les mémoires électroniques de la machine sous forme de locutions élémentaires comme « vingt », « tren », « té un », « te deux ». Ces sons, une fois regroupés par l'ordinateur, forment le message. Grâce à ce procédé, 4 minutes d'enregistrement ont permis de constituer un dictionnaire complet jusqu'en... 2090. Le temps transmis est le temps légal français. *Renseignements donnés :* énoncé du jour, du mois, de l'année et de l'heure une fois par minute, messages et « tops » horaires diffusés toutes les 10 secondes. *Nombre d'appels :* + de 200 000 par jour (facturés chacun 73 c). *Revenus :* 55 millions de F par an, dont 350 000 F pour l'Observatoire (– de 1 %). *Numéro d'appel :* 3 699.

■ **Heure de France Inter.** Dep. 1982, diffuse une heure précise avec le signal de son émetteur grandes ondes à Allouis (Cher) qui émet 2 MW le jour, 1 MW la nuit, 24 h sur 24 en modulation d'amplitude sur 162 KHz. Le CNET emprunte ce signal pour émettre, sans perturber les programmes de France Inter, une fréquence étalon et des signaux de temps codés. La fréquence diffusée par France Inter est comparée en permanence à l'étalon français élaboré par le Laboratoire primaire du temps et des fréquences (LPTF) de l'Observatoire de Paris. Pour capter l'heure qui se glisse dans le signal de la station de radio, il faut un récepteur décodeur (coût : env. 10 000 F). Pour avoir la même heure partout, les récepteurs sont étalonnés en fonction du lieu où ils sont implantés, permettant de recevoir l'heure avec une précision de la milliseconde. *Récepteurs en service en France :* 5 000 à 10 000 [notamment pour contrôler le trafic routier : récepteurs installés sur des feux rouges pour synchronisation des radars, pompiers, P et T, qui synchronisent les horloges, déclenchant les changements de tarifs téléphoniques (heures rouges, blanches, bleues...)].

NOTION DE TEMPS

■ **Temps universel (UT).** Fourni par la rotation de la Terre. Il correspond au *temps solaire moyen de Greenwich* (c'est-à-dire au méridien origine des longitudes) ; mais il est calculé sur minuit (c.-à-d. le temps du passage inférieur du Soleil). Le GMT (Greenwich Mean Time) est une mesure astronomique, qui est calculée sur midi (c.-à-d. le temps du passage supérieur du Soleil). C'est donc à tort qu'on emploie l'expression GMT pour désigner l'heure à laquelle se produit un événement dans le système d'UT. Dans les travaux de précision, on applique à l'UT des corrections pour tenir compte des petits mouvements quasi périodiques des pôles terrestres par rapport au sol (mouvements d'une dizaine de mètres d'amplitude) ; on désigne par UT1 l'UT ainsi corrigé.

Jusqu'à la fin du siècle dernier on a pensé que le UT1 était pratiquement uniforme. Puis on a découvert les irrégularités de la rotation terrestre qui peuvent apporter des avances ou retards de quelques secondes par an au UT 1 par rapport au temps uniforme. Elles sont dues pour l'essentiel aux mouvements atmosphériques et océaniques ainsi qu'aux mouvements du noyau fluide de la Terre ; elles restent imprévisibles, de sorte que l'unité de temps liée au UT 1, la seconde de temps moyen, subissait des fluctuations relatives de l'ordre 10^{-7} ; elle n'avait qu'une médiocre valeur métrologique. C'est pourquoi la seconde a été redéfinie, d'abord en 1960 comme une fraction de l'année (l'année est plus régulière que le jour), puis en 1967 à partir d'une transition atomique du césium 133.

Cependant, l'UT1 reste nécessaire pour connaître la position angulaire de la Terre autour de son axe dans les travaux de géophysique, d'astronomie, de recherche spatiale, et l'on continue à le mesurer avec toute la précision possible, par l'interférométrie sur radiosources extragalactiques et par la télémétrie par laser appliquée à des satellites artificiels (Lageos notamment), ou des panneaux réflecteurs posés sur la Lune par USA et URSS. Le Service international de la rotation terrestre (SIERT), à l'Observatoire de Paris, centralise les mesures d'UT1 et publie les écarts entre l'UT1 et l'UTC (temps universel coordonné), diffusé par les signaux horaires. Précision actuellement obtenue : 0,0001 seconde.

Bureau international de l'heure (BIH). Créé le 26-7-1919 (siège : Observatoire de Paris) ; était chargé dep. le 1-1-1920 de centraliser (grâce à la réception mutuelle de tous les signaux horaires) les déterminations de l'heure faites dans le monde, de les analyser et d'en déduire l'échelle de *Temps universel* (sous la forme de corrections aux signaux horaires ou aux observations analysées). Le 1-1-1988, ses activités ont été confiées à 2 organismes : la section du Temps du *Bureau International des Poids et Mesures* responsable de la référence de temps scientifique appelée Temps atomique international (TAI) ; le SIERT responsable des paramètres de rotation de la Terre.

■ **Temps atomique international (TAI).** Le premier étalon atomique à jet de césium considéré comme étalon de temps a été mis en service régulier en 1955 au National Physical Laboratory, Teddington, Middlesex (G.-B.). Depuis, de nombreux étalons atomiques de temps ont été construits. Diverses méthodes permettent de comparer en permanence ces étalons à des distances intercontinentales, avec des incertitudes de quelques dizaines de nanosecondes, la plus employée étant la réception simultanée des signaux émis par le système de positionnement par satellites GPS. On peut ainsi calculer une moyenne qui constitue le Temps atomique international TAI. On se garantit donc contre les risques d'arrêt.

En 1993, le TAI repose sur près de 200 étalons de temps. Sa stabilité est telle qu'il ne peut prendre une avance ou un retard de plus de 1 microseconde par an par rapport à un temps strictement uniforme (il est un million de fois plus uniforme que le Temps universel). Le BIPM publie le retard ou l'avance de chacune des horloges qui ont servi à établir le TAI. Par convention on a fait coïncider TAI et UT1 le 1-1-1958. Depuis, UT1 a pris du retard par rapport à TAI, la différence TAI-UT1 atteindra 28 s en 1993. L'écart continue à s'accroître au rythme approximatif de 0,7 s par an.

☞ Les *horloges atomiques les plus exactes* utilisent la transition du césium 133. La plus précise au monde est située au Physikalisch-Technische Bundesanstalt (Brunswick, Allemagne) (marge d'erreur : 1 seconde en 3 millions d'années). Elle émet des signaux horaires codés, transmis par un émetteur à Mainflingen (24 km de Francfort), qui est la base de temps officiel en Allemagne, le top horaire et la fréquence étalon. Des horloges de types nouveaux, meilleures, sont à l'étude (voir p. 245).

Le TAI n'est pas directement diffusé. Il est réservé aux usages scientifiques et, notamment, à l'interprétation dynamique des mouvements des corps célestes naturels et artificiels. L'exactitude et la stabilité des étalons atomiques de temps sont telles qu'il est maintenant nécessaire de prendre en compte les effets relativistes dans leurs applications les plus précises, par ex., dans les systèmes de positionnement par satellites.

■ **Temps universel coordonné (UTC).** Compromis entre le TAI et UT1 adopté le 1-1-1972 ; la détermination du point astronomique à la mer requérant, en effet, la connaissance immédiate du UT1 et une imprécision d'env. 1 seconde n'apportant pas de gêne à la navigation.

L'UTC diffère du TAI d'un nombre entier de secondes choisi de sorte que l'écart entre UTC et UT1 reste inférieur à 0,9 s ; il peut donc y avoir, de temps en temps (à la fin d'un mois), des sauts d'une seconde exactement, afin de tenir compte des irrégularités de la rotation terrestre. De 1972 à 1993 on a introduit 17 secondes intercalaires (1 par an ou 1 tous les 2 ans). A partir de l'UTC, les utilisateurs scientifiques peuvent rétablir le TAI.

L'UTC est l'échelle de temps commune aux diffusions de signaux horaires. Il est la base du temps en usage dans tous les pays. Les horloges maîtresses des laboratoires horaires réalisent pratiquement l'UTC à quelques microsecondes près. *L'UTC est, en France, la base du temps légal* (décret du 9-8-1978) ; les horloges publiques, l'horloge parlante, TDF diffusent UTC + 1 h (h d'hiver), ou UTC + 2 h (h d'été).

■ **Temps atomique français [TA (F)].** En France, le Bureau national de métrologie a chargé le Laboratoire primaire du temps et des fréquences situé à l'Observatoire de Paris d'établir, de maintenir et d'améliorer les références françaises du temps et des fréquences. Il établit, d'une part, le TA (F) en utilisant les données de ses étalons à césium et d'autres étalons de divers laboratoires nationaux ; d'autre part, il maintient une horloge maîtresse fournissant la version française de l'UTC, appelée UTC (OP), l'écart avec UTC ne dépassant pas 1 µs. Il diffuse l'heure nationale, déduite de l'UTC (OP) par l'horloge parlante et par des lignes directes. Il fournit aussi la référence à divers systèmes de diffusion publique du temps et des fréquences, notamment par l'intermédiaire de la fréquence porteuse de France Inter (stabilisation en fréquence et signaux horaires codés transmis par modulation de phase).

DIVISION DU TEMPS

En principe, le temps devrait être divisé en prenant pour base la seconde (voir unités de temps p. 241). Cependant, l'on a conservé d'autres divisions :

La plus grande mesure du temps est le **kalpa,** notion philosophique des hindous, correspondant à 4 320 millions d'années (pour certains à 12 millions) ; **la plus petite** (mesurable) est la femtoseconde : $1{,}0 \times 10^{-14}$ s.

■ LES FUSEAUX HORAIRES

Il existe une heure différente en chaque point de la Terre puisque la notion d'heure est liée au mouvement apparent du Soleil (qui résulte de la rotation terrestre), ce dernier ayant une position différente vue de chaque point de la Terre. On ne retient cependant – par commodité – que les heures de certains méridiens. La Terre a été divisée ainsi (dep. 1887) en 24 fuseaux horaires.

Origine des fuseaux. On eut d'abord l'idée d'établir une *heure universelle,* permettant à chacun de trouver par un calcul simple, en partant du temps local civil observé, le temps qu'il est sur une horloge fictive et unique qui servirait à compter les instants de l'humanité. Les géodésiens, réunis à Rome au congrès de 1883, préparèrent un avant-projet. On convint de choisir un méridien unique à partir duquel on compterait les longitudes, et celui de Greenwich (Angleterre) fut adopté sans discussion. Le Français Faye proposa de prendre comme heure universelle le temps civil de Greenwich, en comptant les longitudes de 0 à 12 h à partir de Greenwich, avec le signe + à l'Est et le signe – à l'Ouest (temps universel = temps local – longitude). Cette heure avait un défaut, elle faisait, par exemple, se lever le Soleil à 9 h du soir au Japon. On convint alors, la formule de Faye ayant été adoptée, de diviser les 360° de la circonférence en 24 fuseaux de 15° de longitude, chacun d'eux correspondant à 1 h. Ces fuseaux avaient donc comme longueur :

$$\frac{15 \times 60 \times 1\,852}{1\,000} = 1\,667 \text{ km}$$

à l'équateur et 750 km env. à la latitude de 60°. Ils reçurent des noms et des lettres indicatrices. Le 1er avait pour axe Greenwich et s'étendait à 7° 30′ dans l'Est et à 7° 30′ dans l'Ouest. Pour chacune des localités situées dans un fuseau, l'heure légale était l'heure temps moyen des pays situés sur le méridien axial du fuseau.

Les divergences entre le temps légal et le temps moyen local étaient ainsi d'une demi-heure au maximum. Pour États-Unis et Canada étendus en longitude, avec de grandes voies ferrées dirigées dans le sens des parallèles, la réforme fut intégrale. En Europe, les États, plus petits, ayant à peu près la largeur d'un fuseau, on pensa que les limites des fuseaux devaient suivre le tracé des frontières. Par l'emploi des fuseaux, les heures étaient réduites de 74 à 5 pour l'Amérique et de 27 à 3 pour l'Europe. Les décisions du congrès n'engageaient pas les États représentés, et les h légales s'établirent peu à peu après délibération dans les corps législatifs. Au congrès de Washington (1884), on choisit le 1er méridien. La France réclamait l'adoption d'un méridien universel. M. Janssen proposa celui de l'île de Fer (Canaries) que Louis XIII avait choisi en 1634 pour le partage des terres découvertes. M. de Chancourtois, celui qui passe par les îles Fortunées et St-Michel des Açores, évitant l'Islande. Struve, directeur de l'Observatoire de Poulkovo (Russie), proposa de prendre un nombre entier d'h à partir de Greenwich, à condition, toutefois, que le méridien ainsi défini tombât dans l'océan. Mais, comme le choix d'un méridien universel et indépendant de toute nationalité aurait demandé des mesures précises et longues pour le rattacher aux observatoires existants, le congrès préféra choisir un méridien déjà existant. Sur 27 États représentés, la France, le Brésil et St-Domingue s'opposèrent seuls alors à l'adoption du zéro de Greenwich. Le Japon l'adopta en 1888, l'Allemagne en 1891 et la France en 1911. L'heure du méridien origine est le temps universel (UT) (appelé à tort autrefois GMT : Greenwich Mean Time). Chaque région ou pays devrait être à l'heure du fuseau sur lequel il est situé. Cependant, pour des raisons diverses (habitudes locales, voisinage, économies d'énergie, étalement sur plusieurs fuseaux), ils adoptent souvent *une heure civile (ou légale)* différente. Ainsi, la France, presque entièrement située dans le fuseau Z (Greenwich), adopte en hiver l'heure du fuseau horaire voisin A plus à l'Est (1 h d'avance sur Z), et en été, celle du fuseau B (2 h d'avance sur Z).

Il existe une ligne de changement de date suivant en gros le méridien antipode de Greenwich. En effet, un voyageur qui, partant du méridien origine, aurait fait la moitié du tour de la Terre vers l'Ouest, aurait perdu 12 h ; un autre dans l'autre sens aurait gagné 12 h (différence totale 24 h) ; en arrivant aux antipodes, les 2 voyageurs sont donc à la même heure, mais pas à la même date, s'ils ne sont pas du même côté de la ligne. On gagne 1 jour si on la franchit d'Ouest en Est et vice versa.

■ **Ère** (*aeris,* génitif de *aes,* « airain »). **A Rome,** après un événement mémorable, le grand prêtre chargé du calendrier enfonçait un clou d'airain dans le mur du temple, indiquant ainsi qu'une série d'années commençait. On appelle donc *ère* en chronologie un fait culminant servant de point de départ au calcul des années. Chaque peuple a souvent choisi plusieurs ères au cours de son histoire. *Ère* (vocable étranger) a aussi pu être employé par les mercenaires pour désigner les années. Ils auraient pris la forme plurielle *aera* pour un féminin singulier, ce qui expliquerait la forme moderne de ce mot.

Ère de Rome. Ère de fondation de la ville [AUC – *Anno Urbis Conditae* – : 753 avant J.-C. (21 avril)].

Ère olympique. Grèce, 1-7-776 avant J.-C.

Ère de Nabonassar (dont s'est servi Ptolémée). 26-2-746 avant J.-C.

Ère du monde. Utilisée par les chrétiens en calculant la date de la création du monde par l'étude de la Bible. **Ère alexandrine** 5500 av. J.-C. Établie par Jules Africain en 221, réformée fin 284 de l'ère chrétienne : on retrancha 10 ans, ainsi la fin de notre année 284 (pour eux l'an 287 de J.-C.) et l'an du monde 5787 devinrent l'an 277 de J.-C. et l'an du monde 5777. **Ère d'Antioche** 5493 av. J.-C. Le moine égyptien Panodore retrancha 10 ans aux calculs de Jules Africain. Comme, en 284, les Alexandrins avaient aussi retranché 10 ans, les deux ères se confondent à cette époque, mais la 1re année de l'ère chrétienne concorde avec la fin de l'année 5493 et le commencement de l'année 5494, tandis que depuis la réforme des calculs de Jules Africain la 1re année de notre ère correspond à la 2e partie de l'année 5490 et à la 1re de l'année 5491 de l'ère mondaine d'Alexandrie. **Ère de Constantinople** 5509 av. J.-C. La 1re année de l'Incarnation (naissance de Jésus) correspond aux 8 derniers mois de l'an du monde 5509. En usage à Constantinople avant le milieu du VIIe s., ensuite suivie par l'Église grecque et pratiquée en Russie jusqu'à Pierre le Grand. L'année ecclésiastique commença tantôt le 21 mars, tantôt le 1er avril, et l'année civile commença le 1er septembre et peut-être aussi le 1er janvier. Plus tard, Joseph-Juste Scaliger, philosophe protestant (1540-1609) indiqua 3950 ; le père Paul Pezron, cistercien (1639-1707), 5873 ; James Usher (1581-1656) 4004 (date retenue par Bossuet dans son *Histoire universelle*).

Cycle julien de Joseph-Juste Scaliger : créa un cycle de 7 980 années (produit des nombres 28, 19 et 15 : durée des cycles solaire, lunaire et d'indiction). Il lui donna pour origine l'an 3950 av. J.-C. (année qui était en même temps l'origine des 3 cycles considérés). Le système permet par simple addition ou soustraction de passer d'une ère à l'autre : pour l'ère chrétienne, ajouter 3 950 ; pour l'ère de Constantinople, ajouter 475 ; pour l'ère d'Isdégerde, ajouter 632, etc. Il a été utilisé par les historiens de l'Antiquité pendant quelques générations, avant la naissance de l'histoire antique.

Ère de Sähiväha (Inde) 78 av. J.-C., etc.

Ère chrétienne, dite aussi **ère vulgaire, ère de l'Incarnation, ère de la Rédemption.** Année de la naissance du Christ (supposée en l'an 753 de Rome), date calculée par un moine scythe, Denys le Petit.

Ère évangélique. 5 av. J.-C. (en considérant que J.-C. était né 5 ans plus tôt, en 748 de Rome).

Ère de Dioclétien (ère des martyrs). Ses années étant réglées sur le calendrier égyptien, l'année se composait de 12 mois de 30 j chacun (+ à la fin de l'année 5 j intercalaires nommés épagomènes.

Ère des astronomes. Elle a une année 0, qui est l'an 1 av. J.-C. Les années 2, 3, 4, 5, etc. avant J.-C. sont appelées – 1, – 2, – 3, – 4, etc.

Ère mahométane (ou hégire). 622 après J.-C.

Ère républicaine. Ère de la liberté : 1-1-1789. Décret de l'Assemblée législative du 2-1-1792. **Ère de l'Égalité :** an I en 1792. Mentionnée par *le Moniteur* du 21-8-1792. **Ère française :** 22-9-1792 (j de fondation de la République), Constitution du 3 vendémiaire an IV (25-9-1795), art. 373.

Ère luni-solaire de Cassini. Durée 11 600 ans. Créée par Jean-Dominique Cassini (1625-1713), astronome de Louis XIV. Période au bout de laquelle les cycles lunaires se reproduisent exactement aux mêmes dates par rapport aux cycles solaires.

Ère espagnole. Débute le 1er janvier de l'an de Rome 716, en 38 av. J.-C. L'an 1 de l'ère chrétienne coïncide avec l'an 39 de l'ère d'Espagne. Il s'agit peut-être d'une ère provinciale du monde romain, ayant pour point de départ la date de la réduction du pays en province romaine, ou d'une ère ecclésiastique liée aux tables de Pâques en vigueur au Ve s. et marquant le commencement d'un cycle pascal. Les royaumes de Castille et de León l'ont employée officiellement jusqu'en 1383. Le Portugal, indépendant dep. 1139, l'utilisa jusqu'en 1422 ; le 22-8, dom João Ier substitua à l'« ère de César » le compte des années à partir de la naissance du Christ.

Période sothiaque (ou Grande Année). Cycle de 1 460 ans, lié aux révolutions de Sirius (astronomie égyptienne). Le « lever héliaque » de Sirius ne se reproduit aux mêmes dates solaires qu'après un cycle de 1 460 ans. Le Grec Aristote (384-322 av. J.-C.), qui avait hérité la notion traditionnelle de Grande Année sans la comprendre, la définissait comme le cycle au bout duquel toutes les planètes se retrouvaient ensemble à une position de départ.

■ **Siècle.** Durée de 100 années. D'après les *libri rituales* des aruspices toscans, chaque siècle avait pour terme la mort de celui des citoyens qui existait déjà à l'ouverture de la période et qui vivait le plus longtemps ; cette durée dépendait de 2 événements impossibles à constater ; les dieux envoyaient des prodiges exceptionnels qui en marquaient l'échéance. Les 4 1ers siècles étrusques eurent ainsi 100 ans, le 5e : 123, les 6e et 7e : 118. Puis les Romains adoptèrent le siècle invariable de 100 ans. Pour Hésiode (Grec, VIIIe s. av. J.-C.), la durée de vie humaine est de 96 ans. Les astronomes utilisent le *siècle julien* de 36 525 j exactement.

Heure légale

Tableau donné sous toutes réserves, il n'existe pas de source officielle centralisant ces renseignements.

Pays	Heure
Afrique	
Açores*	− 1
Afrique du S.	+ 2
Algérie	+ 1
Angola	+ 1
Bénin	+ 1
Botswana	+ 2
Burundi	+ 2
Burkina-Faso	0
Cameroun	+ 1
Canaries*	0
Cap-Vert	− 1
Centrafricaine	+ 1
Comores	+ 3
Congo	+ 1
Côte-d'Ivoire	0
Djibouti	+ 3
Égypte	+ 2
Éthiopie	+ 3
Gabon	+ 1
Gambie	0
Ghana	0
Guinée	0
Guinée-Bissau	0
Guinée-Équat.	+ 1
Kenya	+ 3
Kerguelen (îles)	+ 5
Lesotho	+ 2
Liberia	0
Libye*	+ 1
Madagascar	+ 3
Madère*	0
Malawi	+ 2
Mali	0
Maroc*	0
Maurice (île)	+ 4
Mauritanie	0
Mozambique	+ 2
Namibie	+ 2
Niger	+ 1
Nigeria	+ 1
Ouganda	+ 3
Réunion	+ 4
Rwanda	+ 2
Sainte-Hélène	0
São Tomé et P.	0
Sénégal	0
Seychelles	+ 4
Sierra Leone	0
Somalie	+ 3
Soudan	+ 2
Swaziland	+ 2
Tanzanie	+ 3
Tchad	+ 1
Togo	0
Tunisie	+ 1
Zaïre	+ 1
Kinshasa	+ 1
occid.	+ 2
Zambie	+ 2
Zimbabwe	+ 2
Amérique centrale	
Antilles néerlandaises	−4
Bahamas*, Turks et Caïcos*	− 5
Belize	− 6
Bermudes*	− 4
Caïmans	− 5
Costa Rica	− 6
Cuba*	− 5
Dominicaine	− 4
Guatemala*	− 6
Haïti*	− 5
Honduras	− 6
Jamaïque	− 5
Nicaragua	− 6
Panamá	− 5
Puerto Rico	− 4
Salvador	− 6
Îles Sous-le-Vent (Leeward)[1]	− 4
Îles du Vent (Windward)[2]	− 4
Amérique du Nord	
Canada*	
T.-Neuve*	− 3.30
Labrador*	− 4
Nouv.-Brunswick, Nlle-Écosse, île du Pce-Édouard, Québec à l'E. de 63° O.	− 4
Terr. du N.-O. (est), Ontario, Ottawa, Québec à l'Ouest de 63° O. (Montréal, Québec)	− 5
Terr. du N.-O. (centre), Manitoba	− 6
Terr. du N.-O. (Mountain), Saskatchewan, Alberta	− 7
Terr. du N.-O. (ouest), Colombie brit.	− 8
Yukon	− 8
États -Unis*	
Côte Est, New York, Washington	− 5
Nlle-Orléans, Houston, Chicago	− 6
Denver	− 7
Côte Ouest	− 8
Alaska, E. de 169°30′ W.	− 9
Aléoutiennes, O. de 169°30′ W.	− 10
Groenland*	
Nuuk (ex-Godthaab)	+ 3
Thulé	+ 4
Mexique or.	
Côte E., E. par 92° 5′ O. (Acapulco)	− 6
Côte E., O. par 92° 5′ et côte O., S. par 20° 7′ N. (dt Mexico)	− 6
Côte O., N. par 20° 7′ N.	− 7
sauf Basse-Calif. N. par 28° N.	− 8
St-Pierre-et-M.*	− 3
Désignations usuelles	
NST[3]	− 3.30
IST[3]	− 4
EST[3]	− 5
CST[3]	− 6
MST[3]	− 7
PST[3]	− 8
AST[3]	− 10
Amérique du Sud	
Argentine	− 3
Mendoza	− 4
Bolivie	− 4
Brésil* oriental (Rio)	− 3
– central	− 4
– occidental	− 5
Chili*	− 4
Colombie	− 5
Équateur	− 5
Falkland	− 4
Guyana	− 3
Guyane fr.	− 3
Pâques (île de)*	− 6
Paraguay*	− 4
Pérou*	− 5
Surinam	− 3
Trinidad* (Atl. Sud)	− 2
Tristan da Cunha	0
Uruguay	− 3
Venezuela	− 4
Désignations usuelles	
H. de l'Atl. S.	− 2
H. de Paramaribo	− 3.30
H. du Venezuela	− 4
Antarctique	
Terre Adélie	+ 9
Terre de Graham	− 3
Asie	
Afghanistan	+ 4.30
Arabie Saoud.	+ 3
Bahrein	+ 3
Bangladesh	+ 6
Brunei	+ 8
Cambodge	+ 7
Chine*	+ 8
Christmas (oc. Indien)	+ 7
Chypre Nord*	+ 2
Chypre Sud*	+ 2
Corée du N.	+ 9
Corée du S.	+ 9
Émirats Ar. U.	+ 4
Hong Kong	+ 8
Inde	+ 5.30
Indonésie : Bali, Java, Madura, Sumatra	+ 7
Bornéo, Célèbes, Sumba, Loro Sae	+ 8
Moluques, Irian Jaya	+ 9
Iran	+ 3.30
Iraq	+ 3
Israël*	+ 2
Japon sauf B.	+ 9
Bonin	+ 10
Jordanie*	+ 2
Kazakhstan*	+ 6
Kirghizistan*	+ 5
Koweït	+ 3
Laos	+ 7
Liban*	+ 2
Macao	+ 8
Malaisie	+ 8
Maldives	+ 5
Mongolie	+ 8
Myanmar	+ 6.30
Népal	+ 5.45
Oman	+ 4
Ouzbékistan*	+ 6
Pakistan	+ 5
Philippines	+ 8
Qatar	+ 3
Russie* :	
Iakoutsk	+ 9
Irkoutsk	+ 8
Khabarovsk	+ 10
Krasnoïarsk	+ 7
Magadan	+ 11
Novosibirsk	+ 7
Okhotsk	+ 10
Omsk	+ 6
Sakhaline	+ 11
Tiksi	+ 9
Vladivostok	+ 10
Wrangel	+ 13
Singapour	+ 8
Sri Lanka	+ 5.30
Syrie*	+ 2
T'ai-wan	+ 8
Thaïlande	+ 7
Turkménistan*	+ 5
Viêt-nam	+ 7
Yémen	+ 3
Désignations usuelles	
H. d'Aden	+ 3
H. de l'Inde	+ 5.30
Europe	
Albanie*	+ 1
Allemagne*	+ 1
Andorre*	+ 1
Arménie*	+ 3
Autriche*	+ 1
Azerbaïdjan*	+ 3
Belgique*	+ 1
Bosnie	+ 1
Bulgarie*	+ 2
Croatie	+ 1
Danemark*	+ 1
Espagne*	+ 1
Estonie*	+ 2
Féroé (îles)*	0
Finlande*	+ 2
France*	+ 1
Géorgie*	+ 3
Gibraltar*	+ 1
G.-Bretagne*	0
Grèce*	+ 2
Hongrie*	+ 1
Irlande*	0
Islande	0
Italie*	+ 1
Lettonie*	+ 3
Liechtenstein	+ 1
Lituanie*	+ 2
Luxembourg*	+ 1
Macédoine	+ 1
Malte*	+ 1
Moldavie*	+ 2
Monaco*	+ 1
Monténégro	+ 1
Norvège*	+ 1
Pays-Bas*	+ 1
Pologne*	+ 1
Portugal*	0
Roumanie*	+ 2
Russie* :	
Arkhangelsk	+ 3
Moscou	+ 3
St-Pétersbourg	+ 3
Sverdlovsk	+ 5
Volgograd	+ 4
Saint-Marin	+ 1
Serbie	+ 1
Slovénie	+ 1
Spitzberg	+ 1
Suède*	+ 1
Suisse*	+ 1
Tchécoslov.*	+ 1
Turquie (Eur. et Asie)*	+ 2
Ukraine*	+ 3
Vatican*	+ 1
Ex-Yougoslavie*	
Désignations usuelles	
H. de l'Eur. occid. [ou Tps univ. (UT)]	0
centrale	+ 1
H. de l'Eur. orientale	+ 2
Océanie	
Australie* (sauf Queensland et Terr. du N.) (occ.), Perth	+ 8
Broken Hill, Terr. du N., Austr. Mér.	+ 9.30
Sydney, Canberra, Melbourne Tasmanie	+ 10
Carolines ouest Pingelap	+ 12
Christmas (oc. Pacifique)	− 10
Cook*	− 10
Fanning	− 10
Fidji	+ 12
Hawaii	− 10
Kiribati	+ 12
Banaba	+ 11.30
Mariannes	+ 10
Marshall	+ 12
Eniwetok, Kwajalein	− 12
Micronésie :	
Chuuk, Yap	+ 10
Pohnpei	+ 11
Kosrae	+ 12
Midway	− 11
Nauru	+ 12
Nlle-Calédonie Loyauté	+ 11
Nlle-Zélande*	+ 12
Chatham	+ 12.45
Palau	+ 9
Papouasie	+ 10
Polynésie fr.	− 10
– sauf Gambier	− 9
– et Marquises	− 9.30
Salomon	+ 11
Samoa	− 11
Tonga	+ 13
Tuvalu	+ 12
Vanuatu*	+ 11
Wallis-et-F.	+ 12
Désignations usuelles	
H. de l'Austr. méridion.	+ 9.30
H. de la Nlle-Zélande	+ 12
H. des îles Fidji	+ 12
H. des îles Samoa	− 11

Correction en h et min. Pour les pays marqués d'un astérisque, ajouter une correction supplémentaire (en général 1 h) pendant une partie de l'année (période des jours longs). Exemple : s'il est midi à Paris le 1er janvier, quelle heure est-il à New York ? La France étant en hiver en avance de 1 h sur le UT, il est 11 h en UT, et New York étant en retard de 5 h sur le UT, il est 11 − 5 = 6 h du matin à New York. En 1981, les pays d'Europe de l'Ouest ont adopté les mêmes heures d'été, de fin mars à fin septembre (Grande-Bretagne au jour suivant le 4e dimanche d'octobre).

Nota. – (1) St-Martin, Antigua et Barbuda, St-Christophe, Guadeloupe, Dominique, Montserrat. (2) Martinique, Ste-Lucie, St-Vincent, Barbade, Grenade. (3) NST : Northern Stand Time, IST : Atlantic ou intercolonial St. Time, EST : Eastern St. T., CST : Central St. T., MST : Mountain St. T., PST : Pacific St. T., AST : Alaska St. T.

Année de début des siècles : pour les historiens, l'année qui précède l'an 1 est comptée pour la 1re avant J.-C. (1 av. J.-C.) ; elle fut bissextile ; mais dep. Cassini (1770), les astronomes comptent autrement les années antérieures à l'an 1 : ils qualifient d'année zéro celle qui précède l'an 1 et comptent négativement les suivantes. Par ex., l'an 46 av. J.-C. des historiens correspond à l'an − 45 des astronomes (la notation − 46 av. J.-C. est un non-sens) ; jusqu'en 1800, on considérait que les siècles commençaient dès que les 2 premiers chiffres changeaient : 1600, 1700, 1800. Le Bureau des longitudes a décidé que la 1re année du 1er siècle d'une ère serait l'an 1 et non l'an 0 ; le 31-12 de cette année, c.-à-d. le 31-12-1, il y a une année écoulée, et le 31-12-100, il y en a cent ou un siècle : donc le IIe s. a commencé le 1-1-101, le XXe s. le 1-1-1901 ; il se terminera le 31-12-2000 et le XXIe s. commencera le 1-1-2001.

■ **Année. Origine du nom :** de la même racine que *anus,* « anneau » : suggère le retour cyclique des saisons et des mois. On suppose que les hommes préhistoriques des zones tempérées (pasteurs et chasseurs) avaient une conscience aiguë de l'alternance des périodes de froid et de chaleur.

1°) **Année anomalistique.** Temps écoulé entre 2 passages du Soleil au même point de son orbite apparente : 365 j 6 h 13 min 52,53 s en temps atomique en 2000 (31 558 432,53 s).

2°) **Année civile.** Temps moyen mis par la Terre à tourner autour du Soleil.

3°) **Année draconitique.** Intervalle de temps qui sépare 2 passages consécutifs du Soleil par le nœud ascendant de l'orbite lunaire sur l'écliptique : 346,6 j. C'est la 19e partie du *saros,* période qui règle approximativement le retour des éclipses.

4°) **Année sidérale.** Temps écoulé entre 2 passages du Soleil en un point donné du ciel : 365 j 6 h 9 min 9,77 s, en temps atomique, en 2000.

5°) **Année tropique** (ou équinoxiale). Temps mis par la Terre à tourner autour du Soleil entre 2 équinoxes de printemps : 365 j 5 h 48 min 45,183 s, en temps atomique, en 2000.

Les Romains estimaient l'année tropique à 365 j 1/4 (365,25 j). Pourtant, Hipparque (IIe s. av. J.-C.) avait déjà atteint une précision supérieure : 365 j 5 h 55 min (au lieu de 49 min). Si ces chiffres avaient été adoptés lors de la réforme césarienne (voir p. 250), le retard pris par le calendrier julien en 1582 (réforme grégorienne) n'aurait été que de 6 j au lieu de 10. C'est l'année tropique qui règle le retour des saisons.

6°) **Année cosmique.** Période de rotation du Soleil autour du centre de la galaxie de la Voie lactée : 225 millions d'années. L'*année de lumière* n'est pas une mesure de temps, mais de distance (9 461 milliards de km), celle parcourue en 1 année par la lumière à 300 000 km/s.

■ **Mois lunaire** (ou *lunaison*) ; en anglais, les mots *moon* « lune » et *month* « mois » ont la même racine. Valeur moyenne de l'intervalle de temps écoulé entre 2 conjonctions successives de la Lune et du Soleil (nouvelles lunes) : 29 j 12 h 44 min 2,8 s (la durée varie de 29 j 12 h à 29 j 20 h). Le calendrier moderne, bien que divisé en mois primitivement lunaires, ne tient plus compte des lunaisons.

Certains calendriers sont restés purement lunaires, par exemple chez les Indiens d'Amérique et les Tahitiens, qui ignorent l'année solaire. Les musulmans connaissent l'année solaire, mais donnent priorité aux lunaisons, la date du début de chaque année étant variable, et dépendant des phases de la Lune.

■ **Semaine.** Durée de 7 j. Utilisée chez les Hébreux. Employée en Occident à partir du IIIe s. de notre ère. Sa durée correspond à peu près aux phases de la Lune (7 j 1/4). Les noms des 5 planètes connues de l'Antiquité (+ Lune et Soleil) ont été donnés aux 7 j de la semaine par les Égyptiens, à cause de la coïncidence 7 et 7. L'explication donnée par les Hébreux (6 j de travail, 1 j de repos) a été reprise par la tradition chrétienne, assurant que c'était le rythme « naturel » du travail humain (chiffres admis actuellement : 5 et 2). L'Occident (Grecs d'Alexandrie) n'a adopté la semaine de 7 j qu'au IIIe s. apr. J.-C.

■ **Décade.** Adoptée par décret de l'Assemblée nationale du 4 frimaire an II. L'après-midi des quintidis était repos ainsi que les décadis. Abandonnée 1806.

■ **Jour.** *Étymologie :* ancien adjectif : *diurnus,* « diurne » ; en vieux français : *jorn.*

Jour civil. Nom donné par les Romains à une durée de 24 h (1 j + 1 nuit) par opposition au *jour naturel,* du lever au coucher du Soleil. Ils le comptaient de minuit à minuit (1/2 nuit + 1 j + 1/2 nuit), à la différence des Grecs, des Gaulois et des Germains, qui comptaient par *nuit* (d'un coucher de Soleil à l'autre, c.-à-d. jamais exactement 24 h).

Jour sidéral. Durée d'une rotation complète de la Terre par rapport au 1er point vernal (point d'intersection écliptique/équateur) : 23 h 56 min 4,09 s.

Jour solaire. Temps écoulé entre 2 passages du Soleil au méridien. Il est plus long que le jour sidéral, car la Terre change sa position par rapport au Soleil, alors que cette position ne change pas par rapport aux étoiles considérées à l'infini. Le **jour solaire vrai** n'est pas constant, car la translation de la Terre sur son orbite se fait à une vitesse angulaire inégale et l'orbite ne coïncide pas avec le plan équatorial. Aussi parle-t-on souvent de **jour solaire moyen.**

L'équation du temps est la différence entre le jour solaire moyen et le jour solaire vrai : elle est maximale en février (+ 14 min) et en novembre (− 16 min), et nulle 4 j seulement par an (v. les 15-4, 14-6, 1-9, 25-12). Le jour civil et le jour solaire moyen sont égaux, mais ce dernier est compté de midi à midi.

■ **Heure.** La division du jour en heures est probablement d'origine chaldéenne. Les Babyloniens comptaient par couples d'heures, appelées *Kaspar* (12 Kaspar par jour). En Chine, le jour est divisé en 12 Tokis. **Heure civile :** 24e partie du jour. **Heure sidérale :** 24e partie du jour sidéral ; plus courte que l'heure civile. **Heure solaire vraie :** 24e partie du jour solaire vrai.

L'heure en France. La loi du 17-2-1891 instaura comme heure légale en France et en Algérie le temps moyen de Paris [heure déterminée à partir du méridien de Paris, défini par l'axe central de l'Observatoire (matérialisé par une règle de laiton enchâssée dans le marbre), et correspondant au temps solaire moyen calculé par rapport à la méridienne de France, référence nationale pour l'origine des longitudes]. Elle fut appliquée à partir du 15-3-1891. Le 10-2-1911, la loi fut modifiée : l'heure légale en France et en Algérie est l'heure temps moyen de Paris retardée de 9 min 21 s. Le projet de loi avait été déposé le 8-3-1897. La Chambre des députés le vota le 24-2-1898, et le Sénat le 9-3-1911. La France s'alignait ainsi sur l'heure de Greenwich. La loi fut appliquée à partir du 11-3-1911. Jusque-là, chaque ville avait son heure particulière ; ainsi, quand il était midi à Paris, il était 12 h 19 min 46 s à Nice et 11 h 42 min à Brest. Dans toute la France, les pendules furent retardées de 9 min 21 s. L'abandon du méridien de Paris fut considéré à l'époque comme une « capitulation ». Le député nationaliste Grandmaison demanda à la Chambre d'adopter au moins la formule « *méridien de Saumur* », le méridien de Greenwich passant tout près de cette ville. On a proposé aussi le « *méridien d'Argentan* ». On aurait pu proposer *La Flèche* où il passe (il y a une stèle). En 1912, on adopta pour les usages de la vie civile le décompte des heures de 0 à 24. **Jusqu'en 1911,** l'heure intérieure des gares retardait de 5 min sur l'heure extérieure. **De 1916 à 1940,** on adopta pendant 6 mois de l'année l'*heure d'été* (en avance de 1 h sur l'heure normale de notre fuseau horaire). **De 1941 à 1945,** l'heure d'été fut en avance de 2 h sur l'heure du fuseau et l'heure d'hiver en avance de 1 h, sauf dans les territoires occupés par les Allemands, où l'heure fut en avance de 2 h du 9-5-1940 au 2-11-1942. **De 1946 à 1976,** on a conservé une avance permanente de 1 h sur l'heure du fuseau (but : économies de lumière et meilleure unification de l'heure en Europe). **Depuis 1976,** on est revenu au système de l'heure d'été avancée de 1 h sur l'heure d'hiver (soit 2 h d'avance sur l'heure du fuseau).

L'heure en Europe. La 5e directive du Conseil de l'Europe du 21-12-1988 a fixé pour 1990, 1991 et 1992 les dates de la période d'été : début 25-3-90, 31-3-91, 29-3-92 ; fin 30-9-90, 29-9-91, 27-9-92. Elle introduit une date et une heure communes dans la CEE sauf pour Irlande et G.-B., pour lesquelles la période d'été s'achève fin oct. La CEE est sur 3 fuseaux horaires : Angleterre, Irlande, Portugal (GMT) ; Belgique, Danemark, Espagne, France, Italie, Luxembourg, P.-Bas, All. (GMT + 1) ; Grèce (GMT + 2). Une 6e directive a prorogé l'heure d'été pour 1993 et 1994. La France a demandé que des débats d'experts préparent la décision à prendre pour 1995 et 1996, compte tenu du courant d'opinion qui conteste les avantages de l'heure d'été (*Ache, Association française contre l'heure d'été,* 14, av. de Saint-Germain, 78160 Marly-le-Roi). *Avantage de l'heure d'été en France :* elle permettrait d'économiser de 250 000 à 300 000 t d'équivalent pétrole par an sur la consommation des particuliers (soit pendant 1 semaine la consommation totale du parc auto). *Inconvénients :* perturbation des rythmes biologiques ; circulation plus importante aux heures claires, or l'action des ultraviolets d'origine solaire sur les oxydes d'azote et des hydrocarbures (produits par la circulation routière) favorise la production d'ozone oxythite dans les basses couches de l'atmosphère (l'heure d'été l'augmenterait de 15 %), tendant à dégrader les matériaux et à attaquer les végétaux.

☞ **Jusqu'en 1918.** On comptait les heures en partant de minuit et, arrivé à midi, on recommençait la numérotation, 1, 2, 3, etc. Après 1918, on adopta la numérotation de 1 à 24, sans grand succès pratique (elle était déjà pratiquée dans les chemins de fer dep. le 1-6-1912). En Italie, on partait de 6 h du soir, 7 h du matin était ainsi la 13e h et 6 h du soir la 24e.

Heure républicaine. Du 24-11-1793 au 7-4-1795 (décret du 18 germinal an III suspendant son application). *Nychtéinère* partagé en 10 h (qui valaient chacune 2 h 24 min anciennes), en 100 centi-jours (valant 14,4 min anciennes).

« Heures » dans la mythologie grecque. Déesses appelées *Hôrai* (transcription latine : *horae,* d'où « heures »). *Avant le Xe s.* av. J.-C. : personnifications des phénomènes naturels : rosée, brumes, chaleurs fertilisantes. *Temps homériques IXe s. :* divinités mineures, mais bienfaisantes, compagnes des Nymphes et des Grâces ; suivantes des dieux et déesses comme Apollon, Déméter, Aphrodite. *IVe s.* : elles sont 4, personnifiant les saisons de l'année. *IIIe s.* : à Alexandrie, puis à Rome : elles sont 12, compagnes de la déesse Aurore *(Eôs)*. Celle-ci les place chaque jour dans le ciel à des intervalles réguliers, pour qu'elles guident le char du dieu Soleil.

A Rome. Jusqu'à la fin du Moyen Âge, double système, équatorial pour astronomes, temporaire pour la population. Durée variable : la 12e partie du temps compris entre le lever et le coucher du Soleil (plus courtes en hiver qu'en été). Ex. : 23 déc. : 44 min 30 s (jour à Rome : 8 h 54 min) ; 25 juin : 75 min 30 s (15 h 6 min).

Au début, horaires approximatifs : la mi-journée était proclamée (mini officiel) par le consul quand le Soleil passait entre les Rostres et le Graecostasis, puis l'avant et l'après-midi. Enfin la 1re h *(prime)* au lever du Soleil ; la 3e h *(tierce)* entre 8 h 15 et 10 h de nos heures ; la 9e h *(none)* entre 14 h et 15 h 45.

■ **Minute.** 60e partie de l'heure.

■ **Seconde.** 60e partie de la minute, la 86 400e partie du jour ; unité adoptée par les Grecs et les Romains, utilisée universellement et devenue unité de base du système international d'unités, pour le temps. Définie en 1967 comme la durée de 9 192 631 770 périodes de la radiation correspondant à la transition entre les 2 niveaux hyperfins de l'état fondamental de l'atome de césium 133 (seconde atomique). Le seul système de mesure du temps ayant écarté la division sexagésimale a été le système républicain (1791-1804), avec 10 heures de 100 minutes (système horaire décimal).

CALENDRIERS

DÉFINITION

Étymologie. Calendrier contient la racine *calendes* (mot étrusque, désignant le 1er du mois chez les Romains). Le *calendarium* était un livre de comptes (on payait les factures en début de mois).

Autres noms des calendriers. Parapegme (grec) : indiquant les jours fastes et défavorables. **Almanach** (de l'article arabe *al* et de la racine grecque arabisée *méné* désignant la lunaison) : calendrier lunaire. A pris ultérieurement le sens de « livre de prévision astrologique ».

NOTRE CALENDRIER

■ ORIGINE

■ **Ère chrétienne.** En 532, sur une proposition du moine scythe Denys le Petit († 540 à Rome), l'Eglise décida de compter les années à partir du 1er janvier qui suivit la naissance de Jésus (le 25 décembre), c'est-à-dire que le 1er janvier de l'an de Rome 754 devint rétrospectivement le 1er janvier de l'an 1 de l'ère chrétienne. Les historiens n'appellent pas l'année de la naissance du Christ l'année 0, et l'on saute de l'an 1 av. J.-C. à l'an 1 de l'ère chrétienne. La France adopta cette manière de compter vers le VIIIe s. (pour dater les capitulaires de Carloman et de Pépin maires du palais), l'Angleterre au VIIIe s., l'Espagne au XIVe s., la Grèce au XVe s. Voir Année de début des siècles p. 248 a.

Début de l'année. Le jour à partir duquel on change le millésime de l'année a été fixé en France de 9 façons différentes depuis l'adoption de l'ère chrétienne : 1°) au 1er mars (tradition romaine ancienne) ; 2°) au 1er janvier [tradition romaine dep. le règne de Numa Pompilius (715-672 av. J.-C.)] ; 3°) 25 décembre (naissance du Christ) ; 4°) 25 mars (Incarnation du Christ ; le plus fréquent, d'où l'expression « An de l'Incarnation » pour désigner les années de l'ère chrétienne) ; 5°) 25 mars, avec 1 an de retard ; 6°) Pâques ; 7°) Pâques, avec un an de retard ; 8°) 1er janvier avec un an de retard (très petite minorité). Le choix définitif et obligatoire du 1er janvier sans année de retard date du règne de Charles IX [édit de Roussillon (9-8-1564)]. L'année *1561* dura du samedi soir 5-4 au samedi 28-3 ; *1562 :* du sam. 28-3 au sam. 10-4 ; *1563 :* du sam. 10-4 au sam. 1-4 ; *1564 :* du sam. 1-4 au 31-12 (elle n'eut donc que 9 mois).

■ **Calendrier grégorien.** Le pape Grégoire XIII décida en 1582 de réformer le *calendrier julien,* le retard accumulé depuis son adoption (45 av. J.-C.) étant de 11 min 14 s par an (soit 18 h 40 min par siècle) atteignait 13 j, mais la réforme ne tint compte que des 10 j de retard accumulés après le concile de Nicée, négligeant le retard de 3 j accumulés depuis l'adoption du calendrier julien en 45 av. J.-C. jusqu'à l'époque du concile de Nicée en 345 ap. J.-C. Il y avait déjà eu de vaines tentatives de réforme, en 1414 (card. Pierre d'Ailly) et en 1545 (concile de Trente).

Le jeudi 4-10-1582 (julien) fut suivi du vendredi 15-10 (grégorien), la succession des jours de la semaine étant respectée (en France, il fallut attendre l'ordonnance royale de novembre 1582 : le lundi 10-12 devint le 20-12). L'année resta de 365 j, mais certaines années *bissextiles* furent supprimées. Désormais sont bissextiles les années divisibles par 4, à l'exception des années multiples de 100 qui ne sont pas divisibles par 400 (ex. : 1900), l'année 2000 sera donc bissextile. Cette année réformée est encore trop longue de 25 s (soit 1 j en 3 456 ans).

Inexactitude du calendrier grégorien. 1°) L'année grégorienne a été calculée avec une précision insuffisante ; elle est trop longue de 0,0003 j, c.-à-d. 3 jours de trop en 10 000 ans. 2°) Il ne tient pas compte de l'allongement de l'année, dû au ralentissement de la rotation terrestre (0,60 s au bout de 1 siècle).

Date d'adoption. 1582 : Italie, Espagne, Portugal, *France,* Pays-Bas catholiques. 1584 : Autriche, Allemagne et Suisse catholiques. 1586 : Pologne. 1587 : Hongrie. 1610 : Prusse. 1700 : Allemagne et Pays-Bas protestants, Danemark, Norvège. 1752 : Grande-Bretagne, Suède. 1753 : Suisse protestante. 1873 : Japon. 1911 : Chine. 1916 : Bulgarie. 1919 : Roumanie, Yougoslavie. 1923 : URSS (les journées d'octobre 1917, qui marquent le début de la révolution russe, sont ainsi depuis 1923 commémorées en novembre), Grèce. 1926 : Turquie.

Ces pays avaient tous le calendrier julien, sauf le Japon et la Chine (calendrier national), et la Turquie (calendrier musulman). Pendant une période transitoire, on écrivit par ex. le 10/23 janvier 1920 (10 vieux style, 23 nouveau style ou grégorien).

En Europe occidentale, les *pays protestants* furent parmi les derniers à s'incliner. « Les protestants, disait Kepler, aiment mieux être en désaccord avec le Soleil que d'accord avec le pape. » La décision de 1752, en Angleterre, provoqua des émeutes : le peuple estimait qu'on lui avait volé 3 mois (en outre le début de l'année était fixé au 1er janvier et non plus au 25 mars). Les *orthodoxes* orientaux ont rejeté la réforme pour des raisons dogmatiques : l'ordre des jours de la semaine a été créé par Dieu. Il est impie d'y toucher.

■ **Jours juliens.** On désigne souvent en astronomie une date par le nombre de jours écoulés depuis le commencement de la *période julienne,* qui est situé à 12 h de Temps universel le 1er janvier de l'année −4712 (ou 4713 avant J.-C.). Par exemple, le numéro du jour julien qui commence à 12 h UT le 1-1-1990 est 2 447 893. Par extension, on emploie la *date julienne* qui comprend une fraction décimale du jour comptée depuis 12 h UT et qui peut servir à fixer l'instant d'un événement dans un système purement décimal.

Dans de nombreuses applications scientifiques, on préfère la *date julienne modifiée,* MJD, obtenue en retranchant 2 400 000,5 à la date jul. Le jour de MJD commence donc en même temps que le jour à UT (MJD = 46 796,00 le 1-1-1987 à 0 h UT). Bien que le système de datation se rapporte en principe à UT, il est courant, dans des applications demandant une grande précision, de spécifier la date MJD dans l'échelle du Temps atomique international.

☞ Le même calendrier peut revenir tous les 11 ans mais s'il s'agit d'année bissextile, l'écart peut être de 84 ans. Ainsi, 1992 correspond à 1908. Cependant, à l'échelle de l'heure la correspondance n'est pas totale (l'emplacement de la Lune étant différent). De même, le printemps avait commencé le 21-3 à 0 h 30 en 1908 (le 20-3 à 8 h 48 en 1992).

■ PROJETS DE RÉFORME

■ **Défauts du système actuel.** 1°) Les mois étant de longueur variable, le nombre des j ouvrables mensuels subit des variations allant jusqu'à 12 %, ce qui perturbe les statistiques économiques.

2°) La mobilité de certaines fêtes chômées (lundis de Pâques et de Pentecôte, Ascension), la coïncidence possible d'un jour férié et d'un dimanche (1er mai, 15 août) compliquent les plannings mensuels.

■ **Principaux types de projets.** 1°) **4 trimestres de 91 jours avec des mois de 30 et 31 j.** *Calendrier universel,* élaboré en 1887 par Armelin et Hanin ; adopté en 1901, publié en 1912, par Camille Flammarion (1842-1925). Chaque mois porte le nom d'un concept philosophique. L'année comprend 364 j comptés (12 mois et 52 semaines), plus 1 j supplémentaire, stabilisateur, férié et non daté (le j blanc) à la fin de décembre. Le j bissextile est le samedi *bis* 31 juin. Chaque date correspond à un j de la semaine bien déterminé : le calendrier est perpétuel. Désavantage : le mois n'est pas multiple de la semaine ; des mois inégaux (31 j) sont conservés. Avantage : 26 j ouvrables chaque mois, trimestres identiques (91 j : 31 + 30 + 30). *Calendrier mondial* d'Elisabeth Achelis (All., 1931) soumis depuis 1947 à l'ONU, en vue de son adoption : 4 trimestres avec des mois de 31, 30, 30 j, soit 364 j. Tous les ans 1 j W supplémentaire (*World Day,* « jour mondial ») ; tous les 4 ans, 1 j W bissextile. Toutes les années et tous les trimestres

---

Poissons d'avril. On a dit qu'à l'origine ils étaient des pseudo-cadeaux que l'on se faisait par plaisanterie après la suppression du Nouvel An du 1er avril. Mais la coutume serait plutôt liée à la fermeture de la pêche, généralisée en France au 1er avril, depuis des siècles, à cause du frai. Pour taquiner les pêcheurs en eau douce, privés de poissons, on leur envoyait des harengs.

Vendredis 13. *Nombre :* par an de 1 à 3. *Symboles :* lors de la Cène, les 12 apôtres dont Judas (qui allait trahir le Christ) étaient avec Jésus 13. Le chiffre 13 est devenu fatidique. Aux États-Unis, on passe souvent directement du 12e au 14e étage dans les hôtels, il n'y a pas de rangée 13 en avion. A Paris, dans beaucoup de rues, un 11 bis remplace le 13.

commenceraient par un dimanche. Tous les 1ers mois de 30 j par un mercredi ; les 2es par un vendredi. *Autres projets :* abbé Mastrofini (Italien) 1837 (j bissextile : mardi *bis* 29 fév.), Grosclaude 1900, Alexander Philips (Angl.) 1900, Carlos de la Plaza (Esp.) 1911, Gabriel Nahapetian [moine arménien (mékhitariste) de Venise] 1911-15, Arnaud Baar (Belge) 1912.

2°) **13 mois de 28 jours.** *Calendrier fixe* d'Auguste Comte (1798-1847), publié en 1849, nommé en 1911 par l'Américain Eastman. Chaque mois porte le nom d'un grand homme. Un nouveau mois, « sol », s'intercalerait entre juin et juillet. Le j de l'an, le 29 décembre, ne ferait partie d'aucune semaine et serait férié. Comme le j bissextile, placé le 29 juin tous les 4 ans. *Autres projets :* Moses Cotsworth (Canadien) 1914, Robert Heinicke (Allemand), Paul Delaporte (Français) 1916.

3°) **4 trimestres avec 2 mois de 28 jours** (4 semaines) **et 1 mois de 35 j** (5 semaines). John Robertson (Écossais), Arnold Kampe (All.), Henry Dalziel.

4°) **53e semaine ajoutée à certaines années.** Frédéric Black (Angl.) : années de 364 j, puis 1 année de 371 j tous les 5 ou 6 ans. Variante : P. Searle (Amér.), Alsa Koopman (Holl.).

5°) **Régulation des bissextiles.** Projet russe (Madler, Glasenapp), repris par Lord Grinthorp (Angl.), Ghazi Moukhtar Jacha (Turc) : supprimer 1 j tous les 128 ans, ce qui permet aux années de commencer toujours par le même jour de la semaine.

6°) **Projet décimal.** Inspiré par celui de la Révolution française. *Unité :* l'heure. 1 j : 1 décaheure ; 10 j : 1 hectoheure ; 100 j : 1 kiloheure, etc.

☞ En 1924, la SDN a établi un Comité spécial d'étude de la réforme du calendrier. Les nombreux calendriers proposés étaient parents, soit de celui d'Auguste Comte, soit de celui de Flammarion. Mais aucune suite ne fut donnée.

Calendrier ecclésiastique

Généralités

Il est à la fois lunaire et solaire. Certaines fêtes (ex. *Noël* ou l'*Assomption*) sont fixes par rapport à notre cal. civil, qui est solaire. D'autres (*Pâques* et fêtes qui s'y rattachent) sont mobiles par rapport à notre cal., mais fixes par rapport au cal. lunaire (Pâques étant fixé à la 1re nuit de samedi à dimanche après la pleine lune de printemps, laquelle a lieu soit le jour de l'équinoxe, le 21 mars, soit après).

■ **Date de Pâques. Jusqu'au concile de Nicée (325) :** chaque Église chrétienne eut sa façon particulière de calculer Pâques : certaines (par ex. Antioche) se référaient à la Pâque juive ; on laissait les juifs calculer leur Pâque et on prenait le dimanche suivant. La plupart se référaient à l'anniversaire de la mort de Jésus, en ne prenant pas le jour anniversaire lui-même, mais la pleine lune qui le suivait. Dans ce système, 2 sources de divergences : 1°) les Églises *quatuordécimantes* mettaient leur Pâque au 14e j, qu'il soit un dimanche ou non, alors que Rome et Alexandrie choisissaient toujours le dimanche ; 2°) la date de la résurrection du Christ n'est pas fixée de façon uniforme, car on choisit pour sa mort les années 29, 30, 31, 32 ou 33 ; elle varie ainsi du 3 au 17 avril.

Depuis le concile de Nicée (325) : la date de Pâques est fixée au dimanche qui suit le 14e jour de la Lune, qui atteint cet âge au 21 mars ou immédiatement après. Il y eut de nombreuses réticences (notamment l'Église d'Irlande, au bord d'un schisme d'origine « pascale » jusqu'au VIIIe s.). *Recul de Pâques jusqu'en 1532 ;* le retard de l'année julienne sur le calendrier réel retarde considérablement la fête de Pâques jusqu'en 1523. L'équinoxe se produisant avant le 21 mars, la lune prise en considération pour le calcul de Pâques était toujours celle d'avril-mai, et Pâques tombait parfois à la mi-juin.

☞ Il y a désaccord sur la *date réelle* de l'anniversaire de la *Résurrection* de Jésus-Christ qu'on célèbre le 3e jour après sa mort.

Nombre de jours avant et après Pâques : Mercredi des Cendres 46 [comme il est interdit de jeûner les dimanches, pour obtenir 40 j de jeûne (ce qui a été la durée de jeûne de Jésus dans le désert), en comptant Vendredi et Samedi Saints, en soustrayant les 6 dimanches, le début du jeûne fut avancé de 4 j]. Quadragésime 42. Reminiscere 35. Oculi 28. Laetare 21. Passion 14. Rameaux 7. *Pâques.* Quasimodo 7. Ascension 39. Pentecôte 49. Trinité 56. Fête-Dieu 60.

Dates de Pâques de 1900 à 2049

Légende : Chiffres en romain : il s'agit du mois d'avril ; en italique : il s'agit du mois de mars.

Années	0	1	2	3	4	5	6	7	8	9
1900	15	7	*30*	12	3	23	15	*31*	19	11
1910	*27*	16	7	*23*	12	4	23	8	*31*	20
1920	4	*27*	16	1	20	12	4	17	8	*31*
1930	20	5	*27*	16	1	21	12	*28*	17	9
1940	*24*	13	5	25	9	1	21	6	*28*	17
1950	9	*25*	13	5	18	10	1	21	6	*29*
1960	17	2	22	14	*29*	18	10	*26*	14	6
1970	*29*	11	2	22	14	*30*	18	10	*26*	15
1980	6	19	11	3	22	7	*30*	19	3	*26*
1990	15	*31*	19	11	3	16	7	*30*	12	4
2000	23	15	*31*	20	11	*27*	16	8	*23*	12
2010	4	24	8	*31*	20	5	*27*	16	1	21
2020	12	4	17	9	*31*	20	5	*28*	16	1
2030	21	13	*28*	17	9	*25*	13	5	25	10
2040	1	21	6	*29*	17	9	*25*	14	5	18

Nota. – Limites extrêmes : *Pâques* 22 mars-25 avril ; *Pentecôte* 10 mai-13 juin. Les termes *septuagésime* (63 j avant Pâques), *sexagésime* (56), *quinquagésime* (49) ne sont plus utilisés depuis le 1-1-1971, la période liturgique correspondante (servant de préface au Carême) ayant été supprimée.

■ **Noël.** A vu le jour à Rome vers 330 et s'est imposé en Orient 1 siècle plus tard [Palestine 2 siècles (570)]. En effet, les Orientaux célébrant la naissance du Christ le 6 janv., en même temps que l'adoration des mages, la circoncision et le baptême, l'*Épiphanie* est restée pour eux la fête majeure.

Dates des fêtes mobiles

	Cendres	Pâques	Ascens.	Pent.	Avent
1992	4-3	19-4	28-5	7-6	29-11
1993	24-2	11-4	20-5	30-5	28-11
1994	16-2	3-4	12-5	22-5	27-11
1995	1-3	16-4	25-5	4-6	3-12

Comput ecclésiastique

Ensemble d'opérations permettant de calculer les dates des fêtes religieuses mobiles et particulièrement celle de Pâques, le comput ne tient pas compte des inégalités du mouvement de la Lune, et parfois les indications du calendrier ecclésiastique sont en désaccord avec son mouvement réel.

■ **Éléments du comput. Nombre d'or.** Nombre compris entre 1 et 19 qui indique le rang d'une année donnée dans un cycle de 19 ans, au bout duquel les phases de la Lune se reproduisent aux mêmes dates. L'astronome grec Méton aurait découvert en 432 av. J.-C. que 19 années valent 235 lunaisons.

Épacte. Nombre qui indique l'âge de la Lune à la veille du 1er janvier en convenant de désigner par 0 son âge le jour où elle est nouvelle. Comme une lunaison compte 29 j et quelques h, l'épacte peut varier de 0 à 29. De la valeur de l'épacte, on déduit la date de la pleine lune (le 21 mars ou immédiatement après). Puis, par la lettre dominicale, on obtient la date du dimanche suivant : le jour de Pâques.

Lettre dominicale, Indique les dimanches d'une année avec la convention suivante : on désigne à partir du 1er janvier les jours successifs de l'année par A,B,C,D,E,F,G, en recommençant la série des 7 lettres quand elle est épuisée. Les jours de même nom sont donc désignés par la même lettre. Si le 1er janvier est un lundi, A désigne les lundis, B les mardis, ..., G les dimanches : alors G est la lettre dominicale de l'année. Dans les années bissextiles, le 29 février usurpe la lettre qui devrait revenir au 1er mars. Il faut donc indiquer, pour les 10 derniers mois de l'année, une 2e lettre dominicale qui eût été normalement celle de l'année suivante.

Cycle dominical (ou, improprement, **cycle solaire**). 28 ans, au bout desquels reviennent les mêmes lettres dominicales. Chaque année peut être caractérisée par son rang (entre 1 et 28) dans ce cycle.

Indiction romaine. Période de 15 années, conventionnelle, n'ayant aucune signification astronomique. Les papes, depuis Grégoire VIII, ont fait commencer l'indiction au 1-1-313. Depuis, les années portent un numéro compris entre 1 et 15, qui porte aussi le nom de l'indiction romaine.

Exemple : *année 1992 et 1993.* Nombre d'or : 18. Épacte : 6. Lettre dominicale : C. Cycle solaire : 14. Indiction romaine : 1.

Calendrier romain

■ **A l'origine. Calendrier lunaire.** Années de 304 j divisées en 10 mois, comptées de la date de la fondation de Rome (en 753 av. J.-C. sous Romulus).

Lustre. A l'origine, fête expiatoire instituée par Servius Tullius, puis période de 4 années (dite Olympiade chez les Grecs) puis de 5 années.

Nom des mois. *D'abord adjectifs numéraux,* terminés en ilis : aprilis (2e), quintilis (5e), sextilis (6e), ou en ber : september (7e, septem ab imbre : le 7e après les neiges), october (8e), november (9e), december (10e). *Puis, on en dédia à des divinités :* le 1er, martius, à Mars, dieu de la guerre ; le 3e, maïus, à Maïus ou Maïa, divinités préromaines ; le 4e, junius, à Junon, épouse de Jupiter. On ajoutait, après le dernier mois, le nombre de j nécessaires pour égaler l'année solaire ; ces j n'eurent d'abord pas de nom. Puis on en fit 2 mois, placés, après décembre, à la fin de l'année. L'un fut ensuite placé avant martius et appelé januarius (il était consacré à Janus, ou Dianus, divinité préromaine). L'autre, februarius, resta d'abord après décembre. Les mois eurent un nombre de j impair (les Romains croyaient que le nombre impair portait bonheur). Le total donnait 354 j ; pour avoir un nombre impair on donna à l'année 355 j en ajoutant 1 jour au dernier mois qui, de 27 j, passa à 28 j. Ce nombre pair, en faisant un mois néfaste, fut consacré à des cérémonies expiatoires, d'où son nom de februarius (*februare,* verbe archaïque d'origine sabine, signifie : purifier). Vers l'an 400 de Rome, februarius fut déplacé entre januarius et martius, et devint le 2e mois.

L'année, qui débutait vers l'équinoxe de printemps, commença alors vers le solstice d'hiver. Comme elle était plus courte que l'année solaire, on essaya (Numa ou les décemvirs) de la faire coïncider avec les saisons en établissant un cycle de 4 ans, au cours duquel on ajouta, de 2 en 2 ans, un 13e mois (appelé *mercedonius* parce que les mercenaires étaient payés à ce moment) tantôt de 23 j, placés entre le 24 et 25 février, tantôt de 22 j, entre le 23 et 24. Dans ce cycle, la 1re année avait 355 j, la 2e 355 + 22 = 377 ; la 3e 355 et la 4e 355 + 23 = 378. *Total* 1 465 j pour 4 ans (au lieu de 1 461).

Pour remédier à cet excès de 4 j, les décemvirs adoptèrent, en 450 av. J.-C., l'**octaëtéride** de Cléostrate de Tenedos, période de 8 ans : pendant 3 octaëtérides, on devait intercaler 5 mois (au lieu de 6) de 22 j. Comme il restait encore 2 j en plus, les pontifes furent chargés d'assigner au mois mercedonius le nombre de j requis pour maintenir la concordance entre année civile et année vraie, mais ils le firent d'une façon arbitraire ; le désordre augmenta : en 46 av. J.-C., l'équinoxe civile différait de l'astronomique d'env. 3 mois. Le début de l'année fut fixé au 1er janvier à partir de 152 ou 153 avant J.-C.

■ **Réforme julienne. Date :** sous Jules César, 708 de Rome, 45 av. J.-C. ; à partir du 1er janv. (jusque-là, l'année changeait de chiffre seulement le 1er mars). **Motif :** mettre fin au pouvoir abusif des pontifes (il arrivait qu'un pontife raccourcisse une année pour faire sortir de charge un ennemi). **Principe astronomique :** César, conseillé par l'Égyptien Sosigènes, commença par ajouter à l'année courante, en plus du mois de 23 j intercalé cette année-là, 2 autres mois de 33 et 34 j, entre novembre et décembre, pour regagner le retard. Cette année de 455 j est connue sous le nom d'**année de confusion.** Puis il déclara que l'année, désormais réglée principalement sur le cours du Soleil, aurait 365 j ; en raison de l'excédent évalué à 6 h (soit 24 h en 4 ans), on ajouterait 1 j chaque 4e année. Placé après le 24 février (appelé *sexto ante calendas martii*), ce j fut nommé *bis sexto ante calendas martii,* d'où son nom de jour **bissextile,** l'année qui le contient étant une année bissextile. Les 10 j supplémentaires furent distribués parmi les mois qui eurent alors 30 ou 31 j alternativement, sauf février qui, de 30 les années bissextiles, n'en eut que 29 les années ordinaires. En 716 de Rome, sur la proposition d'Antoine, le mois quintilis (c.-à-d. cinquième) fut appelé *julius* en hommage à Jules César.

La réforme julienne fut d'abord mal appliquée. Les pontifes intercalèrent une année bissextile tous les 3 ans. Au bout de 36 ans, on avait intercalé 12 années bissextiles au lieu de 9. Auguste ordonna alors que pendant 12 ans on ne fît aucune année bissextile. La réforme julienne reprit sa justesse. En récompense, le Sénat romain décréta, en 746 de Rome (8 av. J.-C.), qu'on donnerait à sextilis (sixième mois) le nom d'*augustus.* Auguste n'étant en rien inférieur à César, on enleva donc à février un jour (il n'eut plus alors que 28 j ou 29 j les années bissextiles). Pour qu'il n'y eût pas à la suite 3 mois de 31 j, on donna le 31 de septembre à octobre et le 31 de novembre à décembre.

Division du mois. En 3 parties inégales, dont les noms sont d'origine étrusque : les **calendes** désignaient le 1er jour du mois, elles n'existaient pas chez les Grecs : d'où l'expression « renvoyer aux calendes grecques » pour dire renvoyer *sine die,* les **nones** le 5e j (ou le 7e pour mars, mai, juillet, oct.), les **ides** le 13e (ou le 15e pour mars, mai, juillet, oct.). Les jours se comptaient en rétrogradant à partir de ces

Calendrier républicain

ÈRE RÉPUBLICAINE	I	II	III	IV	V	VI	VII	VIII	IX	X	XI	XII	XIII	XIV
ÈRE GRÉGORIENNE	1792	1793	1794	1795	1796	1797	1798	1799	1800	1801	1802	1803	1804	1805
1er *Vendémiaire* .... Septembre	22	22	22	23	22	22	22	23	23	23	23	24	23	23
1er *Brumaire* .... Octobre	22	22	22	23	22	22	22	23	23	23	23	24	23	23
1er *Frimaire* .... Novembre	21	21	21	22	21	21	21	22	22	22	22	23	22	22
1er *Nivôse* .... Décembre	21	21	21	22	21	21	21	22	22	22	22	23	22	22
ÈRE GRÉGORIENNE	1793	1794	1795	1796	1797	1798	1799	1800	1801	1802	1803	1804	1805	
1er *Pluviôse* .... Janvier	20	20	20	21	20	20	20	21	21	21	21	22	21	
1er *Ventôse* .... Février	19	19	19	20	19	19	19	20	20	20	20	21	20	
1er *Germinal* .... Mars	21	21	21	21	21	21	21	22	22	22	22	22	22	
1er *Floréal* .... Avril	20	20	20	20	20	20	20	21	21	21	21	21	21	
1er *Prairial* .... Mai	20	20	20	20	20	20	20	21	21	21	21	21	21	
1er *Messidor* .... Juin	19	19	19	19	19	19	19	20	20	20	20	20	20	
1er *Thermidor* .... Juillet	19	19	19	19	19	19	19	20	20	20	20	20	20	
1er *Fructidor* .... Août	18	18	18	18	18	18	18	19	19	19	19	19	19	

Correspondance. Ex. : A quelle date correspond le 18 brumaire de l'an VIII ? *Le 1er brumaire correspondant au 23 octobre 1799, le 18 brumaire correspondra au 23 + 17* (le chiffre à ajouter est diminué d'une unité pour ne pas avoir à compter le jour même du départ du mois) = *40 octobre, c'est-à-dire au 9 novembre 1799.*

Origine. A partir de 1790, sans décision législative, l'usage s'établit de désigner l'année sous le nom d'*an II de la Liberté* (le « Moniteur » du 14-7-1790 est pour la 1re fois daté du 1er jour de l'an II de la Liberté). Une confusion s'ensuit : les uns prenant pour point de départ de l'ère nouvelle le 14-7-1789, date de l'an II jusqu'en juillet 1791 ; d'autres, comptant 1789 pour une année entière, commencent à dater de l'an III en janvier 1791. Amenée à trancher, l'Assemblée législative décrète, le 2-1-1792, que tous les actes publics, civils et judiciaires, portent désormais la mention de l'ère de la Liberté, et que l'an IV de la Liberté a commencé le 1-1-1792. Le « Moniteur » appliquera ce décret à partir de son numéro du 5-1-1792 daté de l'an IV, alors que son numéro du 4 était daté de l'an III. Après le 10-8, on ajoute l'an de l'Égalité (à partir du 21-8-1792, le « Moniteur » porte la mention : L'an IV de la Liberté et le I de l'Égalité).

Sous la Convention. Dès sa 1re séance, après avoir aboli la Monarchie, elle décrète, le 22-9-1792, sur la proposition de Billaud-Varenne (1756-1819), que ce jour ouvre l'ère de la République et que tous les actes seront désormais datés de l'an I de la République. « Le même jour à 9 h 18 min 30 s du matin (pour l'Observatoire de Paris), le Soleil est arrivé à l'équinoxe vrai, en entrant dans le signe de la Balance. L'égalité des jours égaux aux nuits était marquée dans le ciel, au moment même où l'égalité civile et morale était proclamée par les représentants du peuple français comme le fondement sacré de son nouveau gouvernement. » Pour mettre les années de l'ère nouvelle en concordance avec le calendrier en usage, la Convention décrète le 2-1-1793 que l'an II commencerait le 1-1-1793, mais bientôt elle songe à remanier tout le calendrier. Le Comité d'instruction publique charge une commission présidée par Romme (n. 1750) (condamné et suicidé 17-6-1795) comprenant : Lagrange, Monge, Lalande, Guyton, Pingré, Dupuis, etc., de préparer un projet. Sur la proposition de cette Commission, la Convention décrète le 5-10-1793 (14 vendémiaire an II) que le point de départ de l'ère républicaine et le commencement de l'an I sont fixés à la date de la proclamation de la République, qui se trouve coïncider avec l'équinoxe vrai d'automne au 22-9-1792. Le décret qui fixait le commencement de la 2e année au 1-1-1793 est rapporté. Tous les actes datés de l'an II de la République, passés dans le courant du 1-1 au 22-9 exclusivement, sont regardés comme appartenant à la 1re année de la République. Le même décret établit un *calendrier révolutionnaire.* Le 18-10-1793, la Convention charge David, Chénier, Fabre d'Églantine et Romme de lui présenter une nouvelle nomenclature. Celle-ci est adoptée le 24-10-1793 (3 brumaire an II) et elle est promulguée par décret du 4 frimaire an II (24-11-1793). Ce calendrier demeura en vigueur jusqu'au 1-1-1806.

Organisation du calendrier. Le commencement de l'année est fixé « à minuit avec le jour où tombe l'équinoxe vrai d'automne pour l'Observatoire de Paris » (décret du 4 frimaire an II, art. 3). Les astronomes doivent déterminer pour chaque année le moment exact du passage du Soleil par le plan de l'équateur, et un décret spécial fixera ensuite le commencement de l'année. Les années commencent ainsi tantôt le 22, le 23 ou le 24 septembre. Si le passage du Soleil au point équinoxial a lieu vers minuit, les calculateurs peuvent être embarrassés pour fixer avant ou après l'heure exacte de minuit et par conséquent décider si l'année doit commencer un jour ou l'autre.

Divisions de l'année. L'année, de 365 j, est divisée en 12 *mois* de 3 *décades* de 10 j, pour se conformer aux règles du système métrique, et se termine par 5 j *complémentaires.* Du 5 au 24-10-1793, on a désigné mois et jours par des numéros d'ordre, puis on adopta pour les jours les noms de primidi (d'abord orthographié primdi, puis officiellement prime-di), duodi, tridi, quartidi, quintidi, sextidi, septidi, octidi, nonidi, décadi. Les j complémentaires furent appelés, à partir du 24-11-1793 (décret du 3e j du 2e mois de l'an II) sans-culottides, puis à partir du 24-8-1794 (décret du 7 fructidor an III) : fête 1°) de la vertu, 2°) du génie, 3°) du travail, 4°) de l'opinion, 5°) des récompenses.

En mémoire de la Révolution qui, après 4 ans, a conduit la France au gouvernement républicain, la période bissextile de 4 ans [dite sextile dep. le décret du 19 brumaire an II (9-11-1793)] est appelée la *Franciade* et le jour intercalaire qui doit la terminer *« jour de la Révolution », Le nom des mois* a été établi par le poète Fabre d'Églantine qui leur a donné des terminaisons semblables pour chaque saison : automne : -aire ; hiver : -ôse ; printemps : -al ; été : -or. (Thermidor fut d'abord appelé Fervidor, de Fervidus : brûlant.) Chaque jour recevait le nom d'une production végétale (ex. raisin, safran, châtaigne, potiron) ; ou, pour le quintidi, animale (ex. cheval, oie, dindon, faisan). Le décadi était appelé du nom d'un instrument rural (ex. cuve, pressoir, tonneau).

Les noms choisis correspondaient au climat de la France et de ses proches acquisitions. Ce calendrier, qui se prétendait être universel, était déjà absurde dans les territoires français d'outre-mer.

Divisions du jour. D'après l'art. 11 du décret du 5-10-1793 (14 vendémiaire an II), chaque jour, entre minuit et minuit, est divisé en 10 parties égales, chacune d'entre elles étant divisée en 10 autres subdivisions et ainsi de suite jusqu'à la limite des unités divisibles raisonnablement. Cet article fut modifié par le décret du 24-11-1793 (4 frimaire an II) : la 100e partie de l'heure est connue sous le nom de minute décimale et la 100e partie de cette dernière sous celui de seconde décimale. Les 12 h d'une montre ancien style devaient ainsi correspondre à 5 h d'une montre nouveau style ; le 10e d'une h nouvelle valait 14 min et 24 s anciennes, etc. Le décret du 9-2-1794 (21 pluviôse an II) organisa un concours pour stimuler la recherche de solutions techniques par les savants et les fabricants. Diverses propositions furent faites mais les montres ou pendules fabriquées aux nouvelles normes resteront des objets de collection. Par le décret du 7-4-1795 (18 germinal an III), suspendant la loi pour une période indéterminée, les citoyens n'eurent plus à craindre d'être traduits devant les tribunaux pour le simple fait de posséder une montre indiquant l'heure traditionnelle.

Usage. Sous la Révolution et l'Empire [du 24-11-1793 au 1-1-1806 (11 nivose an XIV)]. A la fin de la Révolution, le calendrier républicain, tombé en désuétude, n'était plus employé que dans les documents officiels. Selon l'arrêté des consuls du 7 thermidor an VIII, l'observation du décadi n'était plus obligatoire que pour autorités constituées et fonctionnaires. Après le Concordat, cet arrêté fut abrogé. La loi relative à l'organisation des cultes du 18 germinal an X (8-4-1802) spécifia dans l'article 57 : le repos des fonctionnaires est fixé au dimanche. (Il fallait que les fonctionnaires puissent aller à la messe.) Un arrêté des consuls du 13 floréal an X (3-5-1802) prescrivit que désormais la publication de mariage ne pourrait avoir lieu que le dimanche.

Sous la Commune (1871). Le *Journal officiel* emploie le calendrier grégorien, mais certaines mesures sont datées suivant le calendrier révolutionnaire. Ainsi, *le 6 mai,* le JO publie l'arrêté du Comité de salut public du 16 floréal an 79 prescrivant la démolition de la Chapelle expiatoire. *Le 10 mai 1871,* le Comité de salut public prescrit la démolition de la maison de Thiers (21 floréal an 79).

☞ Le 23-9-1990 correspond au 1er vendémiaire 199, et le 23-9-1991 au 1er vendémiaire 200.

dates. Cette division remonte à l'époque où les habitants du Latium avaient établi une concordance entre les cycles de la Lune et les j du mois. Les calendes correspondaient au 1er j de la nouvelle lune, les ides à la pleine lune et les nones au 9e j avant les ides. **Noms des jours :** les mêmes que ceux des 7 astres connus des Chaldéo-Assyriens, se retrouvent dans plusieurs langues modernes : Solis dies (sunday, anglais), Lunae dies (lundi), Martis dies (mardi), Mercurii dies (mercredi), Jovis dies (jeudi), Veneris dies (vendredi), Saturni dies (saturday, anglais). Dimanche tire son origine de dies dominica (j du seigneur), et samedi de sabbati dies (j du sabbat).

Retard du calendrier julien

Jours	Date julienne	Date grégor.
10	5 oct. 1582	15 oct. 1582
11	1er mars 1700	12 mars 1700
12	1er mars 1800	13 mars 1800
13	1er mars 1900	14 mars 1900
14	1er mars 2100	15 mars 2100

■ **Heures.** La journée se divise en 12 h de jour (comptées du lever du soleil à son coucher) et 12 h de nuit. Aussi la durée des h varie-t-elle selon la saison. Elles ne sont égales qu'aux équinoxes. La journée est divisée jusqu'au IVe s. av. J.-C. en *ante meridiem* et *de meridie,* au IIIe on dit *mane* (le matin) et *suprema* (le soir) ; les différents moments de la journée (approximatifs) portent des noms particuliers : diluculum (point du jour), mane (le matin), ad meridiem (vers midi), meridies (milieu du jour), de meridie (après midi), suprema (le coucher du soleil), vespera (le soir), crepusculum (le crépuscule), prima fax (première torche), concubium (nuit avancée), intempesta nox (nuit profonde), media nox (milieu de la nuit), gallicinium (chant du coq).

■ **Usage actuel du calendrier julien.** L'Église orthodoxe russe conserve le calendrier julien (elle fête Noël le 7 janvier). D'autres orthodoxes, les patriarcats de Constantinople et d'Antioche, les Églises de Grèce et de Finlande célèbrent Noël le 25 déc., mais gardent le calendrier julien pour fixer la date de Pâques.

A Paris, la cathédrale orthodoxe (rue Daru) célèbre 2 fois Noël : en français le 25 décembre, en russe le 7 janvier. La cathédrale ukrainienne (rue des Saints-Pères), unie à Rome, célèbre Noël le 7 janvier « pour être aux côtés des fidèles restés en URSS ».

Concordance pour 1994

Calendrier julien 1-1 (14-1 du calendrier grégorien). **Musulman** 14 14 18, Radjab (1-1 du cal. grégorien). 1 Cha'ban (14-1), 1 Ramadan (12-2), 1 Chaououal (14-3), 1 Dou-l-Qa'da (12-4), 1 Dou-l-Hidjja (23-5). *1415* 1 Mourharram (10-6), 1 Safar (10-7), 1 Rabi'-oul-Aououal (8-8), 1 Rabi'-out-Tani (7-9), 1 Djou-mada-1-Oula (6-10), 1 Djoumada-t-Tania (5-11), 1 Radjab (4-12). **Copte** *1710* 23 Keihak (1-1), 1 Toubah (9-1), 1 Amchir (8-2), 1 Barmahat (10-3), 1 Barmoudah (9-4), 1 Bachnas (9-5), 1 Bou'nah (8-6), 24 Bou'nah (1-7), 1 Abib (8-7), 1 Masari (7-8), 1 J. Epag (6-9), *1711* 1 Tout (11-9), 1 Babah (11-10), 1 Hâtour (10-11), 1 Keihak (10-12).

Calendriers divers

Aztèques. Calendrier civil : 18 mois de 20 j, soit 360 j, plus 5 j néfastes *(nemontemi),* qui n'ont pas de signes. Siècle de 52 ans *(xiuhmolpilli).* Chaque année a un des quatre signes suivants : roseau *(acatl),* couteau sacrificiel *(tecpatl),* maison *(calli),* lapin *(tochtli).* **C. religieux :** année divinatoire *(tonalpohualli)* de 260 j. Chaque j a un signe (série de 20 signes)

Pour trouver le jour correspondant à une date

Tableau I

Années						
00	01	02	03	–	04	06
06	07	–	08	09	10	11
–	12	13	14	15	–	16
17	18	19	–	20	21	22
23	–	24	25	26	27	–
28	29	30	31	–	32	33
34	35	–	36	37	38	39
–	40	41	42	43	–	44
45	46	47	–	48	49	50
51	–	52	53	54	55	–
56	57	58	59	–	60	61
62	63	–	64	65	66	67
–	68	69	70	71	–	72
73	74	75	–	76	77	78
79	–	80	81	82	83	–
84	85	86	87	–	88	89
90	91	–	92	93	94	95
–	96	97	98	99	–	–

Siècles : Juliens (jusqu'au 4 octobre 1582)				Siècles : Grégoriens (depuis le 15 octobre 1582)											
0	7	14			–	17	21	25	6	0	1	2	3	4	5
1	8	15			–	–	–	–	5	6	0	1	2	3	4
2	9	–			–	18	22	26	4	5	6	0	1	2	3
3	10	–			–	–	–	–	3	4	5	6	0	1	2
4	11	–			15	19	23	27	2	3	4	5	6	0	1
5	12	–			16	20	24	28	1	2	3	4	5	6	0
6	13	–			–	–	–	–	0	1	2	3	4	5	6

Tableau II

	Mai	Août Fév. (B)	Fév. Mars Nov.	Juin	Sept. Déc.	Avr. Juill. Janv. (B)	Janv. Oct.
1	2	3	4	5	6	0	1
2	3	4	5	6	0	1	2
3	4	5	6	0	1	2	3
4	5	6	0	1	2	3	4
5	6	0	1	2	3	4	5
6	0	1	2	3	4	5	6
0	1	2	3	4	5	6	0

Tableau III

	1 8 15 22 29	2 9 16 23 30	3 10 17 24 31	4 11 18 25 –	5 12 19 26 –	6 13 20 27 –	7 14 21 28 –
1	D.	L.	m.	M.	J.	V.	S.
2	L.	m.	M.	J.	V.	S.	D.
3	m.	M.	J.	V.	S.	D.	L.
4	M.	J.	V.	S.	D.	L.	m.
5	J.	V.	S.	D.	L.	m.	M.
6	V.	S.	D.	L.	m.	M.	J.
0	S.	D.	L.	m.	M.	J.	V.

Exemple. Quel était le jour de la délivrance d'Orléans par Jeanne d'Arc, le 8 mai 1429 ?
Tableau I : à l'intersection de la colonne verticale où se trouve le nombre 29 sur le tableau des années et de la ligne horizontale où se trouve le nombre 14 sur le tableau des siècles correspond le chiffre 0. *Tableau II :* ce 0 reporté dans la première colonne des mois donne 1 dans la colonne mai. *Tableau III :* à l'intersection de ce chiffre 1 (1re colonne du tableau III) et du quantième 8, correspond la lettre D. Le 8-5-1429 était donc un dimanche.

Nota. – Pour les années bissextiles on utilise les mois de janvier et de février suivis de la lettre (B).

et un nombre (1-13). **C. vénusien :** année de 584 j solaires. Au bout de 56 années vénusiennes (104 années solaires, soit 2 siècles), les 3 calendriers retrouvent la même date.

Bahá'í. L'ère bahá'ie commence le 21-3-1844. Année solaire de 19 mois de 19 j, plus 4 j intercalaires (5 les années bissextiles) commençant à l'équinoxe de printemps (21-3). Chaque mois est nommé d'après les attributs de Dieu : Splendeur, Gloire, etc. Les jours commencent au coucher du soleil. *Fêtes :* v. Index.

Cambodge et Laos. Calendrier d'origine indienne : luni-solaire (année solaire de 365 ou 366 j ; mois lunaires de 29 ou 30 j). 1 mois intercalaire est ajouté tous les 3 ou 4 ans et 1 j tous les 5 ou 6 ans. Cycle de 60 années combinant un cycle duodécennal avec un cycle décennal. **Ères :** 1°) *Petite ère* (tiounla-sakaraj) : d'origine birmane, commençant le 21-3-638 après J.-C. et commémorant un événement mal connu ; l'an 1 correspond à 639 ; sert en astronomie. 2°) *Ère bouddhique* (budha-sakaraj) ; commençant au j de la pleine lune du mois de Vissakha (ou 6e mois) 544 av. J.-C., année de la mort de Bouddha d'après la tradition cinghalaise. L'an 1 correspond à 543. Cette ère, employée au Laos par le clergé bouddhique, est devenue depuis 1913 l'ère officielle thaïlandaise. *Grande ère* (maha-sakaraj, datant de 78 apr. J.-C.) : n'est plus utilisée.

Chine. Calendrier luni-solaire : comprenait des années courtes de 354 ou 355 j et des années longues de 383 et 384 j. En vigueur jusqu'en 1911. **Numérotation des années lunaires** à partir du début de l'ère chinoise encore employée, et chaque année reçoit un nom symbolique. Ex. *1978* (4676) Cheval, *1979* (4677) Mouton, *1980* (4678) Singe, *1981* (4679) Coq, *1982* (4680) Chien, *1983* (4681) Porc (ou Sanglier), *1984* (4682) Rat, *1985* (4683) Bœuf (buffle), *1986* (4684) Tigre, *1987* (4685) Lapin (lièvre), *1988* (4686) Dragon, *1989* (4687) Serpent, *1990* (4688) Cheval, *1991* (4689) Chèvre, *1992* (4690) Singe, *1993* (4691 début : 23-1) Coq, *1994* (4692 déb. : 10-2) Chien, *1995* (4693) Porc (sanglier), *1996* Rat.

Égypte. Calendrier vague ou civil : à partir du 5e millénaire avant notre ère. Fondé sur l'apparition de Sirius (lever héliaque) dans le ciel : le 19 juillet, choisi comme 1er j de l'année solaire. Estimation de l'année : 365,25 j, division : 12 mois de 30 j (3 décades), plus 5 j intercalaires (*épagomènes ;* 6 tous les 4 ans lorsque le millésime de l'année suivante est multiplié par 4). 3 saisons (inondation, végétation, récoltes). *An 1 copte :* correspond à l'an Julien 284. Modèle du calendrier républicain de 1793, qui apporta la correction des années sextiles.

Éthiopie. Calendrier copte : inspiré du calendrier vague égyptien ancien ; luni-solaire : 12 mois de 30 j suivis par 5 j complémentaires formant un mois *épagomène,* devenant un mois de 6 j les années bissextiles. Année bissextile tous les 4 ans. *Date origine :* naissance du Christ, selon le comput de l'ère alexandrine mineure fixée en l'an 5493 de la création du monde.

Grèce ancienne. Calendrier lunaire : avec cycle de 4 ans correspondant aux jeux Olympiques. Les villes avaient des calendriers particuliers. *Athènes :* année lunaire de 12 mois alternativement de 29 et 30 j. Tous les 2 ans, on intercalait 1 mois supplémentaire (second Poséidon) alternativement de 22 et 23 j.

Inde. Calendrier grégorien : pour les usages officiels. **Calendrier national :** fondé sur l'*ère saka* (adoptée à partir du 22-3-1957). Année de 365 j. Longtemps coexistèrent les 2 types de calendriers : les lunaires (354 j), dont les mois correspondaient aux phases de la Lune, ou au passage de la Lune dans les signes du zodiaque ; et les solaires (365 j + une fraction de j différente selon les régions), dont les mois correspondaient au passage du Soleil dans les signes du zodiaque. Puis les mois lunaires ont été confondus avec les mois solaires. Le 1 Chaitra (1er mois) correspond au 22 mars une année ordinaire (21 mars une année bissextile). Point de départ : 3-3-78 apr. J.-C. *1993* correspond donc à *Saka* 1915. **Ères :** *Samvat* ou *vikramâditya* (ou *vikramâjit*), prédominante dans le N. de l'Inde ; début 23-2-57 av. J.-C. *1993* correspond donc à *Samvat* 2049-51. Utilisée pour les almanachs avec les mois lunaires, commençant à la pleine ou nouvelle lune, selon les régions.

Iran. *Nouvel An,* le 21 mars, 1er j de l'an [Now Rouz (nouveau jour)], 1er j du printemps [les Iraniens s'assemblent autour de la nappe du « Halt Sin » sur laquelle se trouvent 7 produits commençant par « S » : Sib (pomme), Senjed (olive de Bohême), Somaq (Sumac), Sir (ail), Sabzeh (grains de blé ou de lentille germés dans une assiette), Serkeh (vinaigre), Sekkeh (pièces de monnaie). On croit que le moment précis de l'entrée du Soleil dans le signe zodiacal du bélier est indiqué par un petit mouvement d'une feuille qui flotte dans un bol. On échange alors des cadeaux, souvent des pièces d'or].

Israélite. Calendrier luni-solaire : adopté au IVe s. après J.-C. après réforme du calendrier ancien, et fondé sur les lunaisons et l'année tropique. Le calendrier ancien (1re mention au début du 1er millénaire av. J.-C.) fixait déjà les règles du calcul de la **Pâque juive :** 14e j de la lunaison de Nissan, qui avait été celle de l'équinoxe du printemps, l'année de l'Exode. Cette date subissait des déplacements du fait du désaccord entre 2 cycles de la Lune et du Soleil : *le cycle lunaire* (de 19 ans) comprend *12 années communes* de 12 mois (alternativement de 30 ou 29 j), soit 354 j, mais parfois 353 ou 355 suivant le j où tombe le 1er j de l'année, et *7 années embolismiques* (les 3e, 6e, 8e, 11e, 14e, 17e, 19e) de 13 mois (alternativement de 30 ou 29 j), soit 384 j, mais parfois 383 ou 385 suivant le j où tombe le 1er j de l'année. Le 13e mois (Véadar) est intercalé entre Adar et Nissan. La date de la Pâque avance donc chaque année de 11 j par rapport à l'année solaire, puis recule de 30 j aux années embolismiques. La fête de Shavouot – Pentecôte – se situe après les 49 j de la période de l'Omer qui commence le 2e soir de Pessah (Pâque juive). La sem. de 7 j commence le 1er j après le **Sabbat,** correspondant au dimanche chrétien. **Jour** commence au coucher du Soleil et finit à la tombée de la nuit suivante ; divisé en 1 080 parties de 76 instants. **Jour origine :** correspond au 7 oct. 3761 av. J.-C., date présumée de la Création. *Fêtes :* voir à l'Index. **Année 5754.** 1er Tisseri 16-9-1993, 1er Hesvan 16-10, 1er Kislev 15-11, 1er Tébeth 15-12, 1er Shébat 13-1-1994, 1er Adar 12-2, 1er Nissan 13-3, 1er Iyar 12-4, 1er Sivan 11-5, 1er Tamouz 10-6, 1er Ab 9-7, 1er Elloul 8-8. **5755** 1er Tisseri 6-9, 1er Hesvan 6-10, 1er Kislev 4-11, 1er Tébeth 4-12.

Japon. Calendrier grégorien : assorti d'époques correspondant aux règnes de l'Empereur, ex. : *Meiji :* 13-10-1868/29-7-1912 (Mutsuhito) ; *Taisho :* 30-7-1912/24-12-1926 (Yoshihito) ; *Showa :* 25-12-1926/7-1-1989 (Hirohito). *Heisei :* 8-1-1989.

Mayas. Calendrier civil : 18 mois de 20 j, plus 5 j néfastes (« uayeb »). **C. religieux :** année divinatoire de 260 j, chaque j ayant un signe (série de 20 signes) et un nombre (1 à 13). COMPTE LONG : succession de périodes dont l'unité est le kin (jour) : uinal (20 j), tun (18 uinales = 360 j), katun (20 tunes = 7 200 j), baktun (20 katunes = 144 000 j) ; périodes plus grandes : pictun, calabtun, kinchiltun, alautun (env. 63 millions d'années). *C. lunaire.* 2 semestres où alternent les mois de 30 et de 29 j. *C. vénusien.* Année de 584 j solaires. CYCLE ÉSOTÉRIQUE : *9 signes* correspondant à 9 divinités accompagnatrices (nocturnes) ; *de 819 j :* résultat de la combinaison de 7 divinités terrestres, 9 du monde inférieur et 13 des cieux.

Musulman. Calendrier lunaire : adopté vers 632 après J.-C. **Jour origine :** le 1er j de l'an I de l'ère musulmane (dite *hégire*) correspond au 16-7-622, jour où Mahomet quitta La Mecque pour Médine.

Année de 12 mois (ou lunaisons) ayant alternativement 29 et 30 j (comptés à partir du coucher du Soleil du j civil précédent). Une année normale est ainsi de 354 j. Pour corriger, 11 années sur 30 sont augmentées de 1 j *(années abondantes)* au dernier mois (années 2, 5, 7, 10, 13, 16, 18, 21, 24, 26 et 29 d'un cycle de 30 ans). *Fêtes :* voir à l'Index. **Concordance du 1er jour de l'année musulmane avec le calendrier grégorien.** *1412* (13-7-1991). *1313* (2-7-1992). *1414* (26-1-1993). *1415* (10-6-1994). *1416* (31-5-1995).

Viêt-nam. Calendrier grégorien : adopté pour les actes officiels. **Calendrier chinois :** calendrier lunaire (année de 12 mois complets de 30 j ou incomplets de 29 j avec tous les 2 ou 3 ans 1 mois embolismique variable). *Cycle* de 60 ans et période arbitraire. *Fêtes :* du Têt (Nouvel An lunaire), fin janvier et début février ; du Nouvel An : 1-1 ; du Travail : 1-5 ; Nationale : 2-9. Pour la dernière dynastie, celle des Nguyen, l'usage identifiait la période au règne : périodes *Gia-Long* (1802-20), *Minh-Mang* (1820-41), *Thiêu-Tri* (1841-47), etc., jusqu'à *Bao-Daï* (1er an : 1926).

Adjectifs exprimant la périodicité et la durée. *Qui dure 1 an ou qui revient 1 fois par an :* annuel ; *qui dure 2 ans ou qui revient 1 fois tous les 2 ans :* biennal ; *3 ans :* triennal ; *4 ans :* quadriennal ; *5 ans :* quinquennal ; *6 ans :* sexennal ; *7 ans :* septennal ; *8 ans :* octennal ; *9 ans :* novennal ; *10 ans :* décennal ; *11 ans :* undécennal ; *12 ans :* duodécennal ; *15 ans :* quindécennal ; *16 ans :* sexdécennal ; *17 ans :* septemdécennal ; *18 ans :* octodécennal ; *19 ans :* novodécennal ; *20 ans :* vicennal ; *30 ans :* tricennal ; *40 ans :* quadragennal ; *50 ans :* quinquagennal ; *60 ans :* sexagennal ; *70 ans :* septuagennal ; *80 ans :* octogennal ; *90 ans :* nonagennal.

Adjectifs exprimant seulement la périodicité. *Bihebdomadaire* (2 fois par semaine), *bimensuel* (2 fois par mois), *bimestriel* (1 f. tous les 2 mois), *biquotidien* (2 f. par jour), *bisannuel* (1 f. tous les 2 ans) [*synonyme :* biennal], *hebdomadaire* (1 f. par semaine), *mensuel* (1 f. par mois), *quotidien* (1 f. par jour), *séculaire* (1 f. tous les 100 ans), *semestriel* (1 f. tous les 6 mois), *trihebdomadaire* (3 f. par semaine), *trimensuel* (3 f. par mois), *trimestriel* (1 f. tous les 3 mois), *trisannuel* (1 f. tous les 3 ans) [*synonyme :* triennal].

GRANDS SAVANTS

Légende. Nationalité indiquée par pays : *All.* : Allemagne. *Ar.* : Arabe. *Autr.* : Autriche. *Belg.* : Belgique. *Bulg.* : Bulgarie. *Can.* : Canada. *Cu.* : Cuba. *Dan.* : Danemark. *Éc.* : Écosse. *Ég.* : Égypte. *Fl.* : Flamand. *Fr.* : France. *G.-B.* : Grande-Bretagne. *Gr.* : Grèce. *Ho.* : Hongrie. *Irl.* : Irlande. *It.* : Italie. *Jap.* : Japon. *Lat.* : Latin. *Mex.* : Mexique. *P.-B.* : Pays-Bas. *Pol.* : Pologne. *Port.* : Portugal. *R.* : Russie. *Suè.* : Suède. *Sui.* : Suisse. *Tchéc.* : Tchécoslovaquie. *Youg.* : Yougoslavie.

Profession : (1) Agronome. (2) Alchimiste. (3) Anatomiste. (4) Anthropologue. (5) Architecte. (6) Astronome. (7) Bactériologiste. (8) Biochimiste. (9) Biologiste. (10) Botaniste. (11) Cardinal. (12) Cardiologue. (13) Chimiste. (14) Chirurgien. (15) Dentiste. (16) Écrivain. (17) Évêque. (18) Égyptologue. (19) Entomologiste. (20) Ethnologue. (21) Explorateur. (22) Général. (23) Généticien. (24) Géographe. (25) Géologue. (26) Gynécologue. (27) Historien. (28) Homme d'État. (29) Imprimeur. (30) Ingénieur. (31) Ingénieur électricien. (32) Ingénieur mécanicien. (33) Ingénieur métallurgiste. (34) Inventeur. (35) Laryngologiste. (36) Logicien. (37) Marin. (38) Mathématicien. (39) Médecin. (40) Microbiologiste. (41) Minéralogiste. (42) Naturaliste. (43) Neurologue. (44) Neuropsychologue. (45) Obstétricien. (46) Officier. (47) Paléontologue. (48) Pathologiste. (49) Peintre. (50) Pharmacien. (51) Philologue. (52) Philosophe. (53) Photographe. (54) Physicien. (55) Physiologiste. (56) Physicien biologiste. (57) Psychologue. (58) Radioastronome. (59) Savant. (60) Sculpteur. (61) Sismologue. (62) Théologien. (63) Vétérinaire.

Nés avant J.-C.

Alcméon de Crotone (VIe s.), Gr. [39]
Anaxagore de Clazomènes (v. 500-428), Gr. [52]
Anaximandre de Milet (v. 610-v. 547), Gr. [38, 52]
Antisthène (v. 444-365), Gr. [52]
Apollonios de Perga (v. 262-v. 180), Gr. [38]
Archimède (287-212), Gr. [38, 54]
Aristarque de Samos (310-230), Gr. [6]
Aristippe (Ve s.), Gr.[52]
Aristote (384-322), Gr. [52, 59]
Confucius (551-479), Chine [52]
Démocrite (v. 460-v. 370), Gr. [52, 59]
Diogène le Cynique (413-327), Gr. [52]
Empédocle (490-430), Gr. [52, 59]
Épicure (341-270), Gr. [52, 59]
Érasistrate († v. 280), Gr. [3]
Ératosthène (276-196), Gr. [38]
Euclide (IVe-IIIe s.), Gr. [38]
Héraclite (v. 540-v. 480), Gr. [52, 59]
Hipparque de Nicée (IIe s.), Gr. [6]
Hippocrate de Cos (v. 460-v. 337), Gr. [39]
Métrodore de Chio (IVe s.), Gr. [39, 52]
Parménide (540/510-450/440), Gr. [52, 59]
Philon de Byzance (IIIe s.), Gr. [38, 54]
Platon (428-348/7), Gr. [52]
Pythagore de Samos (VIe s.), (v. 580-504), Gr. [38, 52]
Socrate (v. 470-399), Gr. [52]
Thalès de Milet (VIe s.), (v. 625 – v. 550), Gr. [38, 52]
Théophraste (v. 372-v. 287), Gr. [10, 52, 57]
Varron (116-27), Lat. [59]
Vitruve (Ier s.), Lat. [5, 30]
Zénon d'Élée (né v. 490-485), Gr. [52]

Nés entre l'an 1 et 1000 apr. J.-C.

Al Battani (v. 900), Ar. [6]
Al Biruni (973-1050), Ar. [6, 27, 38]
Alcuin (v. 735-804), orig. anglo-sax. [57, 59]
Al Hazin (965-1039), Ég. [38, 54]
Augustin, Saint (354-430), Lat. [62]
Avicenne (Ibn Sina) (980-1037), Ar. [52, 39]
Cyrille de Salonique, St (826/27-869), Bulg. [53, 59, 63]
Galien, Claude (v. 131-v. 201), Gr. [39]
Gerbert d'Aurillac (Xe s.) (Pape Sylvestre II : 999), Fr. [6, 38]
Grégoire de Nazianze, Saint (330-390), Gr. [62]
Héron (Ier s.), Gr. [38, 54]
Isidore de Séville (v. 560-636), [59]
Jérôme, Saint (v. 347-420), Lat. [52, 62]
Pline l'Ancien (23/24-79), Lat. [59]
Ptolémée, Claude (IIe s.), (v. 90-170), Gr. [6, 24]

Nés de 1000 à 1500

Abélard, Pierre (1079-1142), Fr. [52, 62]
Abulcasis (Xe s.), Ar. [15]
Albert le Grand (v. 1200-1280), All. [52]
Al-Gazal (1058-1111), Ar. [62]
Averroès (1126-98), Ar. [52, 59]
Bacon, Roger (1214-94), G.-B. [52, 59]
Bonaventure, Saint (1221-74), It. [52, 62]
Chuquet, Nicolas (1445-1500), Fr. [38]
Copernic, Nicolas (1473-1543), Pol. [6]
Cusa, Nicolas de (1401-64), All. [11, 54]
Eckhart, Johann, dit Maître (v. 1260-1327), All. [62]
Érasme (1467-1536), P.-Bas [52, 59]
Fernel, Jean (1497-1558), Fr. [6, 38, 39]
Fibonacci, Leonardo (v. 1175-apr. 1240), It. [38]
Gutenberg, Johannes Gensfleisch, dit (v. 1394/99-1468), All. [29]
Lulle, Raymond, dit l'Illuminé catalan (v. 1235-1315) [2, 17]
Luther, Martin (1483-1546), All. [62]
Maimonide (1135-1204), Juif catalan [2, 39, 52]
Michel-Ange, Michelangelo Buonarroti, dit (1475-1564), It. [5, 49]
Oresme, Nicole d' (v. 1325-82), Normand [17, 38]
Paracelse, Theophrastus von Hohenheim, dit (1493?-1541), Sui. [39]
Thomas d'Aquin, Saint (1225-74), It. [52, 62]
Vinci, Léonard de (1452-1519), It. [5, 30, 49, 59, 60]

Nés de 1500 à 1600

Bacon, Francis (1561-1626), G.-B. [52]
Brahé, Tycho (1546-1601), Dan. [6]
Bruno, Giordano (1548-1600), It. [6]
Calvin, Jean (1509-64), Fr. [62]
Cardan, Jérôme (1501-76), It. [38, 52]
Desargues, Gérard (1593-1662), Fr. [38]
Descartes, René (1596-1650), Fr. [38, 52]
Galilée, Galileo Galilei, dit (1564-1642), It. [6, 38, 54]
Gassendi, Pierre Gassend, dit (1592-1655), Fr. [38, 52]
Harvey, William (1578-1657), G.-B. [39]
Helmont, J.B. van (1577-1644), Flam. [13, 39]
Jung, Joachim (1587-1657), All. [42, 38]
Kepler, Johannes (1571-1630), All. [6]
Mercator, Gerhard Kremer, dit (1512-94), Flam. [24, 38]
Neper ou Napier, John, Bon de Merchiston (1550-1617), Écos. [38]
Paré, Ambroise (v. 1509-90), Fr. [14]
Servet, Michel (1511-53), Esp. [39]
Tartaglia, Niccolo Fontana, dit. (v. 1499-1557), It. [38]
Ubaldi, Guido (XVIe), It. [38]
Vésale, André (1514-64), Flam. [3]
Viète, François (1540-1603), Fr. [38]

Nés de 1600 à 1700

Bayle, Pierre (1647-1706), Fr. [16]
Berkeley, George (1685-1753), G.-B. [38]
Bernoulli, Jacques (1654-1705), Sui. [38]
Bernoulli, Jean (1667-1748), Sui. [38]
Boyle, Robert (1627-91), Irl. [13, 54]
Bradley, James (1693-1762), G.-B. [6]
Browne, Thomas (1605-82), G.-B. [5, 39]
Cassini, Giovanni (1625-1712), Fr. [6]
Delisle, Joseph (1688-1768), Fr. [6]
Farenheit, Gabriel (1686-1736), All. [52]
Fauchard, Pierre (1678-1763), Fr. [15]
Fermat, Pierre de (1601-65), Fr. [38]
Fontenelle, Bernard Le Bovier de (1657-1757), Fr. [52, 59]
Graaf, Reinier de (1641-73), P.-B. [39, 55]
Guericke, Otto von (1602-86), All. [54]
Halley, Edmond (1656-1742), G.-B. [6]
Huygens, Christiaan (1629-95), P.-B.[6, 54]
Jussieu, Antoine de (1686-1758), Fr. [39]
Leeuwenhoek, Anthonie Van (1632-1723), P.-B.[3]
Leibniz, Gottfried Wilhelm (1646-1716), All. [38, 52]
Lémery, Nicolas (1645-1715), Fr. [13]
Malpighi, Marcello (1628-94), It. [3]
Mariotte, Abbé Edme (v. 1620-84), Fr. [54]
Maupertuis, Pierre (1698-1759), Fr. [38]
Mercator, Nicolaus Kaufmann (v. 1620-87), All. [6, 38]
Moivre, Abraham de (1667-1754), Fr. [38]
Morgagni, Giambatt. (1682-1771), It. [3]
Newcomen, Thomas (1663-1729), G.-B. [32]
Newton, Sir Isaac (1642-1727), G.-B. [6, 38, 52, 54]
Papin, Denis (1647-1714), Fr. [34]
Pascal, Blaise (1623-62), Fr. [38, 52, 54]
Périer, Florin (1605-72), Fr. [54]
Picard, Jean (1620-82), Fr. [6]
Réaumur, René Antoine Ferchault de (1683-1757), Fr. [42, 54]
Roberval, Gilles Personier de (ou Personne) (1602-75), Fr. [38, 54]
Römer, Olaüs (1644-1710), Dan. [6]
Stahl, Georg Ernst (1660-1734), All. [39]
Stenon, Nicolas (1638-86), Dan. [3, 25]
Sydenham, Thomas (1624-89), G.-B. [39]
Torricelli, Evangelista (1608-47), It. [54]

Nés de 1700 à 1800

Addison, Thomas (1793-1860), G.-B. [39]
Alembert, Jean le Rond d' (1717-83), Fr. [16, 38]
Ampère, André (1775-1836), Fr. [38, 54]
Appert, Nicolas (1749-1841), Fr. [34]
Arago, François (1786-1853), Fr. [6, 54]
Atwood, George (1746-1807), G.-B. [54]
Augenbrugger, Léopold (1722-1809), Autr. [39]
Avogadro, Cte Amedeo di Quaregna (1776-1856), It. [54]
Baudelocque, Jean-Louis (1746-1810), Fr. [14, 45]
Baumé, Ant. (1728-1804), Fr. [50]
Becquerel, Antoine (1788-1878), Fr. [54]
Bernoulli, Daniel (1700-82), Sui. [54]
Berthollet, Claude (1748-1822), Fr. [13]
Berzelius, Bon Jacob (1779-1848), Suè. [13]
Bessel, Friedrich (1784-1846), All. [6]
Bichat, Xavier (1771-1802), Fr. [3, 55]
Biot, Jean-Baptiste (1774-1862), Fr. [54]
Bode, Jean-Elert (1747-1826), All. [6]
Borda, Charles de (1733-99), Fr. [37, 38, 54]
Boucher de Crèvecœur de Perthes, Jacques (1788-1868), Fr. [47]
Brewster, Sir David (1781-1868), Écos. [54]
Brongniart, Alexandre (1770-1847), Fr. [25, 41]
Broussais, François (1772-1838), Fr. [39]
Brown, Robert (1773-1858), G.-B. [10]
Buffon, Georges Louis Leclerc Cte de (1707-88), Fr. [42]
Carnot, Lazare (1753-1823), Fr. [22, 28, 38]
Carnot, Nicolas Sadi (1796-1832), Fr. [58]
Cauchy, Auguste-Louis (1789-1857), Fr. [38]
Cavendish, Henry (1731-1810), G.-B. [13, 54]
Celsius, Anders (1701-44), Suè. [54]
Champollion, Jean-François (1790-1832), Fr. [18]
Chappe, Claude (1763-1805), Fr. [30]
Chaptal, Jean, Cte de Chanteloup (1756-1832), Fr. [13]
Charles, Jacques (1746-1823), Fr. [54]
Chasles, Michel (1793-1880), Fr. [38]
Chevreul, Eugène (1786-1889), Fr. [13]
Clapeyron, Émile (1799-1864), Fr. [54]
Condorcet, Antoine Caritat, Mis de (1743-94), Fr. [38, 52]
Coriolis, Gaspard (1792-1843), Fr. [38]
Coulomb, Charles de (1736-1806), Fr. [54]
Courtois, Bernard (1777-1838), Fr. [13, 50]
Cuvier, Bon Georges (1769-1832), Fr. [42]
Dalton, John (1766-1844), G.-B. [13, 54]
Daubenton, Louis (1716-1800), Fr. [42]
Davy, Sir Humphry (1778-1829), G.-B. [13]
Delessert, Étienne (1735-1816), Fr. [1]
Désault, Pierre-Joseph (1744-95), Fr. [14]
Diderot, Denis (1713-84), Fr. [52]
Dupuytren, Guill. (1777-1835), Fr. [14]
Euler, Leonhard (1707-83), Sui. [38]
Faraday, Michael (1791-1867), G.-B. [54]
Flourens, Pierre (1794-1867), Fr. [55]
Fourcroy, Antoine, Cte de (1755-1809), Fr. [13]
Fourier, Jos., Bon (1768-1830), Fr. [38]
Franklin, Benjamin (1706-90), USA [28, 52, 54]
Fresnel, Augustin (1788-1827), Fr. [54]
Gall, Franz Josef (1758-1828), All. [39]
Galvani, Luigi (1737-98), It. [39, 54]
Gauss, Carl Friedrich (1777-1855), All. [6, 38, 54]
Gay-Lussac, Louis Joseph (1778-1850), Fr. [13, 54]
Geoffroy St-Hilaire, Étienne (1772-1844), Fr. [42]
Guettard, J.-Étienne (1715-86), Fr. [42]
Haüy, René-Just (1743-1822), Abbé, Fr. [41]
Henderson, Thomas (1798-1844), Écos. [6]
Herschel, Sir John (1792-1871), G.-B. [6]
Herschel, Sir William (1738-1822), G.-B. (or. all.) [6]
Humboldt, Alexander, Bon de (1769-1859), All. [24, 25, 42]
Hutton, James (1726-97), G.-B. [13, 25]
Jacquard, Joseph-Marie (1752-1834), Fr. [32]
Jenner, Edward (1749-1823), G.-B. [39]
Jussieu, Antoine-Laurent de (1748-1836), Fr. [10]
Lacépède, Ét., Cte de (1756-1825), Fr. [42]
Laennec, René (1781-1826), Fr. [39]
Lagrange, Cte Louis de (1736-1813), Fr. [6, 38]
Lamarck, Jean-Baptiste de Monet de (1744-1829), Fr. [42]
Lambert, Jean Henri (1728-77), Fr. [38]
Laplace, Pierre, Mis de (1749-1827), Fr. [6, 38, 54]
Lavoisier, Antoine Laurent (1743-94), Fr. [13]
Legentil de la Galaisière, Guillaume (1725-92), Fr. [6]
Lichtenberg, Georg Christoph (1742-99), All. [54]
Linné, Carl von (1707-78), Suè. [42]
Lobatchevski, Nicolaï Ivanovitch (1792-1856), R. [38]
Lomonossov, Mikhaïl (1711-65), R. [54]
Magendie, François (1783-1855), Fr. [43, 55]
Malus, Étienne Louis (1775-1812), Fr. [54]
Messier, Charles (1730-1817), Fr. [6]
Minckeleers, Jean-Pierre (1748-1824), Belg. [54]
Möbius, August (1790-1868), All. [38]

MONGE, Gaspard, Cte de Péluse (1746-1818), Fr. [38]
MORIN, Arthur (1795-1880), Fr. [54]
MORSE, Samuel (1791-1872), USA [49, 54]
NICOL, William (v. 1768-1851), G.-B. [54]
NIEPCE, Nicéphore (1765-1833), Fr. [54]
OERSTED, Christian (1777-1851), Dan. [54]
OHM, Georg (1789-1854), All. [54]
POISEUILLE, Jean (1799-1869), Fr. [54]
POISSON, Denis (1781-1840), Fr. [38]
PONCELET, Jean Victor (1788-1867), Fr. [22, 38]
PRÉVOST, Constant (1787-1856), Fr. [25]
PRIESTLEY, Joseph (1733-1804), G.-B. [13, 62]
PRONY, Marie RICHE, Bon de (1755-1839), Fr. [30]
PROUST, Louis (1754-1826), Fr. [13]
RASPAIL, François (1794-1878), Fr. [13]
RICHTER, Jeremias (1762-1807), All. [54]
RUMFORD, Benjamin, Cte (1753-1814), USA [54]
RUSH, Benjamin (1745-1813), USA [39]
SAUSSURE, Horace Bénédict de (1740-99), Sui. [42, 54]
SCHEELE, Carl Wilhelm (1742-86), Suè. [13]
SEGUIN, Armand (1767-1835), Fr. [30]
SEGUIN, Marc (1786-1875), Fr. [30]
SIMPSON, Thomas (1710-61), G.-B. [38]
SPALLANZANI, Lazaro (1729-99), It. [9]
STEPHENSON, George (1781-1848), G.-B. [30]
STRUVE, Wilhelm (1793-1864), R. [6]
THÉNARD, Louis-Jacques (1777-1857), Fr. [13]
TITIUS, Johann (1729-96), All. [38]
VAUCANSON, Jacques de (1709-82), Fr. [32]
VAUQUELIN, Nicolas Louis (1763-1829), Fr. [13]
VOLTA, Alessandro, Cte (1745-1827), It. [54]
WATT, James (1736-1819), Écos. [32]
WEBER, Ernst (1795-1878), All. [3, 55]
YOUNG, Arthur (1741-1820), G.-B. [1]
YOUNG, Thomas (1773-1829), G.-B. [39, 54]

NÉS DE 1800 À 1900

ABBE, Cleveland (1838-1916), USA [54]
ADLER, Alfred (1870-1937), Autr. [57]
AGRAMONTE, Aristides (1869-1931), Cub. [39]
ALBEE, F. H. (1876-1945), USA [14]
ANGSTRÖM, Anders Jonas (1814-74), Suè. [54]
ARRHENIUS, Svante (1859-1927), Suè. [54]
ARSONVAL, Arsène d' (1851-1940), Fr. [54]
AUER, Carl, Bon von Welsbach (1858-1929), Autr. [13]
BAADE, Walter (1893-1960), USA [6]
BANTING, Sir Frederick (1891-1941), Can. [39, 54]
BEAU DE ROCHAS, Alphonse (1815-1893), Fr. [30]
BECQUEREL, Edmond (1820-91), Fr. [54]
BECQUEREL, Henri (1852-1908), Fr. [54]
BECQUEREL, Jean (1878-1953), Fr. [54]
BEHRING, Emil von (1854-1917), All. [7, 39]
BELIN, Édouard (1876-1963), Fr. [53]
BELL, Alexander Graham (1847-1922), USA [54]
BERNARD, Claude (1813-78), Fr. [55]
BERT, Paul (1833-86), Fr. [55]
BERTHELOT, Marcelin (1827-1907), Fr. [13, 28]
BERTRAND, Gabriel (1878-1953), Fr. [9, 13]
BESSEMER, Sir Henry (1813-98), G.-B. [30]
BEST, Charles H. (1899-1978), Can. [39, 54]
BLALOCK, Alfred (1899-1964), USA [14]
BLONDEL, André (1863-1938), Fr. [54]
BOHR, Niels (1885-1962), Dan. [54]
BOLTZMANN, Ludwig (1844-1906), Autr. [54]
BOOLE, George (1815-64), G.-B. [38]
BOREL, Émile (1871-1956), Fr. [38]
BOUSSINESQ, Joseph (1842-1929), Fr. [38, 54]
BOUSSINGAULT, J.-Bapt. (1802-87), Fr. [13]
BRANLY, Édouard (1844-1940), Fr. [54]
BREUIL, Abbé (1877-1961), Fr. [47]
BROCA, Paul (1824-80), Fr. [4, 14]
BROGLIE, Louis, Duc de (1892-1987), Fr. [54]
BROGLIE, Maurice de (1875-1960), Fr. [38]
BROWN-SÉQUARD, Édouard (1817-94), Fr. [39, 55]
BUNSEN, Robert (1811-99), All. [13, 54]
BURGER, Hans (1873-1941), All. [44]
CALMETTE, Albert (1863-1933), Fr. [7]
CANNIZZARO, Stanislas (1826-1910), It. [13]
CANTOR, Georg (1845-1918), All. [38]
CARREL, Alexis (1873-1944), Fr. [14, 55]
CARTAN, Élie (1869-1951), Fr. [38]
CHADWICK, Sir James (1891-1974), G.-B. [54]
CHANCOURTOIS, Alexandre Émile Béguyer de (1820-86), Fr. [13, 25]
CHARCOT, Jean-Bapt. (1867-1936 en mer sur le « Pourquoi-pas »), Fr. [21, 39]
CHARCOT, Jean-Martin (1825-93), Fr. [39, 43]
CLAUDE, Georges (1870-1960), Fr. [13, 54]
CLAUSIUS, Rudolph (1822-88), All. [54]
COCKCROFT, Sir John Douglas (1897-1967), G.-B. [54]
COOLIDGE, William David (1873-1975), USA [54]
COTTON, Émile (1872-1950), Fr. [54]
COUDER, André (1897-1979), Fr. [6]
CURIE, Pierre (1859-1906) et Marie CURIE née SKLODOWSKA (1867-1934), Fr. [54]
CUSHING, Harvey (1869-1939), USA [14]
DANJON, André (1890-1967), Fr. [6]
DARWIN, Charles (1809-82), G.-B. [42, 9]
DAVIS, John Staige (1872-1946), USA [14]
DESLANDES, Henri (1853-1948), Fr. [6]
DICK, George (1881-1967) et Gladys (1881-1963), USA [39]
DOMAGK, Gerhard (1895-1964), All. [9]
DOPPLER, Christian (1803-53), Autr. [54]
DREYER, Jules (1852-1926), Irl. [6]
DUMAS, Jean-Baptiste (1800-84), Fr. [13]
EDDINGTON, Sir Arthur Stanley (1882-1944), G.-B. [6, 54]
EDISON, Thomas (1847-1931), USA [54]
EHRLICH, Paul (1854-1915), All. [39]
EINSTEIN, Albert (1879-1955), All. (natur. Amér. 1940) [54]
EINTHOVEN, Willem (1860-1927), P.-B. [55]
EOTVOS, Lorant von (1848-1919), Ho. [54]
ESNAULT-PELTERIE, Robert (1881-1957), Fr. [30]
FABRE, Jean Henri (1823-1915), Fr. [19]
FABRY, Charles (1867-1945), Fr. [54]
FINLAY, Carlos Juan (1833-1915), Cub. [39]
FISCHER, Emil (1852-1919), All. [13]
FIZEAU, Armand (1819-96), Fr. [54]
FLAMMARION, Camille (1842-1925), Fr. [6]
FLEMING, Sir Alexander (1881-1955), G.-B. [39]
FLEMING, Sir John Ambrose (1849-1945), G.-B. [31]
FOREL, François Alphonse (1841-1912), Sui. [24]
FOUCAULT, Léon (1819-68), Fr. [54]
FOURNEAU, Ernest (1872-1949), Fr. [38]
FRÉMY, Edmond (1814-94), Fr. [16]
FREUD, Sigmund (1856-1939), Autr. [57]
GALOIS, Évariste (1811-32), Fr. [38]
GEIGER, Hans (1882-1945), All. [54]
GIBBS, Josiah Willard (1839-1903), USA [54]
GODDARD, Robert Hutchings (1882-1945), USA [30]
GOLDSTEIN, Eugen (1850-1930), All. [54]
GRAMME, Zénobe (1826-1901), Belg. [31]
GUÉRIN, Camille (1872-1961), Fr. [63]
HADAMARD, Jacques (1865-1963), Fr. [38]
HAECKEL, Ernst (1834-1919), All. [9]
HAHN, Otto (1879-1968), All. [54]
HALDANE, John Scott (1860-1936), G.-B. [55, 57]
HELMHOLTZ, Hermann von (1821-94), All. [54, 55]
HENRY, Paul (1848-1905), Fr. [6]
HERMITE, Charles (1822-1901), Fr. [38]
HÉROULT, Paul (1863-1914), Fr. [33]
HERTZ, Heinrich (1857-94), All. [54]
HERTZPRUNG, Ejnar (1873-1967), Dan. [6]
HILBERT, David (1862-1943), All. [38]
HOFF, Jacobus Henricus van't (1852-1911), P.-B. [13, 54]
HOPKINS, Sir Frederick (1861-1947), G.-B. [13, 55]
HUBBLE, Edwin Powell (1889-1953), USA [6]
HUMASON, Milson La Salle (1891-1973), USA [6]
HUXLEY, Sir Julian (1887-1975), G.-B. [9, 28]
HUXLEY, Thomas (1825-95), G.-B. [42]
JACKSON, Chevalier (1865-1953), USA [35]
JAMOT, Eugène (1879-1937), Fr. [39]
JEANS, James Hopwood (1877-1946), G.-B. [6]
JOLIOT-CURIE, Irène (1897-1956), Fr. [54]
JOULE, James (1818-89), G.-B. [54]
JOY, Alfred (1882-1973), USA [6]
JUNG, Carl Gustav (1875-1961), Sui. [57]
KAPITSA, Piotr (1895-1984), R. [54]
KÁRMÁN, Theodor von (1881-1963), H., USA [54]
KEKULE, August (1829-96), All. [13]
KELVIN, Sir William Thomson, Lord (1824-1907), G.-B. [54]
KENDALL, Ed. Calvin (1886-1972), USA [8]
KIRCHHOFF, Gustav (1824-87), All. [54]
KITASATO, Shibasaburo (1852-1931), Jap. [39]
KLEBS, Edwin (1834-1913), All. [39]
KOCH, Robert (1843-1910), All. [7]
KOENIG, Karl Rudolf (1832-1901), Fr. (or. all.) [54]
KUNDT, August (1839-94), All. [54]
LACROIX, Alfred (1863-1948), Fr. [41]
LANDSTEINER, Karl (1868-1943), Autr. [9]
LANGEVIN, Paul (1872-1946), Fr. [54]
LARTET, Édouard (1801-71), Fr. [47]
LECOMTE DU NOÜY, Pierre (1883-1947), Fr. [9]
LENOIR, Étienne (1822-1900), Belg. [54]
LENZ, Heinrich (1804-65), Balte [54]
LE VERRIER, Urbain (1811-77), Fr. [6]
LIEBIG, Justus, Bon von (1803-73), All. [13]
LIOUVILLE, Joseph (1809-82), Fr. [38]
LISTER, Joseph (1827-1912), G.-B. [14]
LORENTZ, Hendrik Antoon (1853-1928), P.-B. [54]
LUMIÈRE, Auguste (1862-1954), Fr. [9]
LUMIÈRE, Louis (1864-1948), Fr. [13]
LUNDMAN, Knut (1889-1958), Suè. [6]
LUYTEN, Willem Jacob (1899), USA [6]
LYSSENKO, Trophim (1898-1976), R. [9]
MACH, Ernst (1838-1916), Autr. [54]
MACLEOD, John J.R. (1876-1935), Écos. [39]
MARCONI, Guglielmo (1874-1937), It. [54]
MAREY, Étienne Jules (1830-1904), Fr. [39, 55]
MAXWELL, James Clerk (1831-79), Écos. [54]
MAYO, William James (1861-1939) et Charles Horace (1865-1939), USA [14]
MEITNER, Lise (1878-1968), Autr. [54]
MELDE, Franz (1832-1901), All. [54]
MENDEL, Johann Gregor, moine (1822-84), Autr. [10]
MENDELEEV, Dimitri (1834-1907), R. [13]
MENNINGER, Karl Augustus (1893-1990) et William Claire (1899-1966), USA [57]
METCHNIKOFF, Élie (1845-1916), R. (nat. Fr.)[9]
MICHELSON, Albert (1852-1931), USA [54]
MILNE, John (1850-1913), G.-B. [61]
MILNE-EDWARDS, Henri (1800-85), Fr. [42, 55]
MINKOWSKI, Rudolph (1895-1976), USA [6]
MITCHOURINE, Ivan (1855-1935), R. [1]
MOISSAN, Henri (1852-1907), Fr. [13]
MONZ, Egas (1874-1955), Port. [43]
MORGAN, Thomas Hunt (1866-1945), USA [9]
MORTON, William T.G. (1819-68), USA [15, 39]
MOSELEY, Henry Gwyn-Jeffreys (1887-1915), G.-B. [54]
MÜLLER, Johannes Peter (1801-58), All. [55]
NÉLATON, Auguste (1807-73), Fr. [14]
NICOLLE, Charles (1866-1936), Fr. [7]
NIPKOV, Paul (1860-1940), All. [54]
NOBEL, Alfred (1833-96), Suè. [13]
NOGUCHI, Hideyo (1876-1928), Jap. [7]
OSTWALD, Wilhelm (1853-1932), All. [13]
PACINOTTI, Antonio (1841-1912), It. [54]
PAINLEVÉ, Paul (1863-1933), Fr. [28, 38]
PAPANICOLAOU, George Nicolas (1883-1962), USA [39, 55]
PASTEUR, Louis (1822-95), Fr. [9, 13]
PAULI, Karl (1839-1901), All. [55]
PAVLOV, Ivan (1849-1936), R. [55]
PELOUZE, Jules (1807-67), Fr. [13]
PERRIN, Jean (1870-1942), Fr. [54]
PICARD, Émile (1856-1941), Fr. [38]
PLANCK, Max (1858-1947), All. [54]
PLANTÉ, Gaston (1834-89), Fr. [54]
PLATEAU, Joseph (1801-83), Belg. [54]
PLÜCKER, Julius (1801-68), All. [38, 54]
POINCARÉ, Henri (1854-1912), Fr. [38]
RABI, Isaac Isidor (1898-1988), USA [54]
RAMANUJAN, Srinivasa (1887-1920), Inde [38]
RANKINE, William (1820-72), Écos. [30]
RAYLEIGH, John Strutt (1842-1919), G.-B. [54]
REED, Walter (1851-1902), USA [39]
REGNAULT, Henri-Victor (1810-78), Fr. [54]
RICHET, Charles (1850-1935), Fr. [55]
RICKETTS, Howard Taylor (1871-1910), USA [47]
RIEMANN, Bernhard (1826-66), All. [38]
RÖNTGEN, Wilhelm Conrad (1845-1923), All. [54]
ROSS, Sir Ronald (1857-1932), G.-B. [39]
ROSTAND, Jean (1894-1977), Fr. [9]
ROUX, Émile (1853-1933), Fr. [9]
RUSSELL, Sir Bertrand (1872-1970), G.-B. [38, 52]
RUSSELL, Henry Norris (1877-1957), USA [6]
RUTHERFORD, Lord Ernest (1871-1937), G.-B. [54]
SAINTE-CLAIRE DEVILLE, Henri (1818-81), Fr. [13]
SCHICK, Béla (1877-1967), Ho. [39]
SCHMIDT, Otto (1892-1956), R. [38]
SCHWANN, Theodor (1810-82), All. [9]
SCHWEITZER, Albert (1875-1965), Fr. [39, 52]
SECCHI, Angelo (1818-78), It. [6]
SEMMELWEIS, Ignác Fülöp (1818-65), Ho. [39]
SIEMENS, Werner von (1816-92), All. [30]
SIMS, James (1813-83), USA [26]
SNOW, John (1813-58), G.-B. [39]
STEFAN, Joseph (1835-93), Autr. [54]
STOKES, Sir George (1819-1903), Irl. [38, 54]
SULLIVAN, Harry Stack (1892-1942), USA [57]
SZILARD, Léo (1898-1964), USA (or. Ho.) [54]
TEILHARD DE CHARDIN, Pierre (Jésuite) (1881-1955), Fr. [47, 52]
TEISSERENC de BORT, Léon (1855-1913), Fr. [54]
TELLIER, Charles (1828-1913), Fr. [30]
TESLA, Nikola (1856-1943), Youg. [54]
THOMSON, Sir Joseph John (1856-1940), G.-B. [54]
TREFOUEL, Jacques (1897-1977), Fr. [38]
TRUMPLER, Robert (1886-1956), USA [6]
TYNDALL, John (1820-93), Irl. [54]
UREY, Harold (1893-1981), USA [13]
VIRCHOW, Rudolf (1821-1902), All. [39]
VRIES, Hugo de (1848-1935), P.-B. [10]
WAKSMAN, Selman A. (1888-1973), USA [40]
WALLACE, Alfred (1823-1913), G.-B. [42]
WASSERMANN, Aug. von (1866-1925), All. [39]
WEISS, Pierre (1865-1940), Fr. [54]
WHEATSTONE, Sir Ch. (1802-75), G.-B. [54]
WHITEHEAD, Alfred North (1861-1947), G.-B. [36, 38]

WIDAL, Fernand (1862-1929), Fr. [39]
WIENER, Norbert (1894-1964), USA [38]
WILSON, Charles Thomson Rees (1869-1959), Écos. [54]
WÖHLER, Friedrich (1800-82), All. [13]
WOOD, Robert Williams (1868-1955), USA [54]
YERSIN, Alexandre (1863-1943), Fr. [39]
YOUNG, James (1811-83), Écos. [14]
ZWICKY, Fritz (1898-1974), Sui. [6]

NÉS DEPUIS 1900

ABRAGAM, Anatole (1914), Fr. (nat. R.) [54]
ALFVEN, Hannes (1908), Suè. [54]
AMBARTSUMIAN, Victor (1908), R. [54]
ANDERSON, Carl (1905-91), USA [54]
BARDEEN, John (1908-91), USA [54]
BETHE, Hans (1906), USA [54]
BOUET, Daniel (1907-92), Fr. [38]
BOURBAKI, Nicolas. Pseudonyme collectif de math. fr. créé vers 1934, (voir p. 256 c).
BRAUN, Wernher von (1912-77), All. (nat. amér.) [30].
CAMERON, Donald (1912), USA [6]
CHAIN, Ernest B. (1906-79), G.-B. [8]
CHANDRASEKHAR, Subrahmanyan (1910), Ind. [6]
CRICK, Francis H.C. (1916), G.-B. [9]
CRITCHFIELD, Charles (1910), USA [6]
DIEUDONNÉ, Jean (1906-92), Fr. [38]
DIRAC, Paul (1902-84), G.-B. [54]
DOBZHANSKY, Theodosius (1900-75), USA [23]
DUBOS, René (1901-82), Fr. [39]
DUCHESNE, Maurice (1913), Fr. [6]
FERMI, Enrico (1901-54), It. [54]
GLASER, Donald Arthur (1926), USA [54]
GÖDEL, Kurt (1906-78), Autr. [38]
GOLLEN, Frank (1910-88), Tchéc. [39]
HARO, Guillermo (1913), Mex. [6]
HAWKING, Stephen (1942), G.-B. [54] atteint d'une sclérose amyotrophi-que latérale, ne marche pas, ne parle pas, communique par l'intermédiaire d'un ordinateur (10 à 15 mots/minute), marié, père de 3 enfants.
HEISENBERG, Werner (1901-76), All. [54]
HERBIG, George Howard (1920), USA [6]
HOYLE, Fred (1915), G.-B. [6]
HUGGINS, Charles (1901), USA [13, 39]
JACOB, François (1920), Fr. [8]
JENSEN, Hans (1907-73), All. [54]
JOLIOT-CURIE, Frédéric (1900-58), Fr. [54]
KASTLER, Alfred (1902-84), Fr. [54]
KOLMOGOROV, Andreï (1902-87), R. [38]
KOWARSKI, Lew (1907-79), Fr. (orig. R.) [54]
KUIPER, Gerard (1905-73), USA [6]
LALLEMAND, André (1904-78), Fr. [6]
LANDAU, Lev (1908-68), R. [54]
LAWRENCE, Ernest O. (1901-58), USA [54]
LEAKEY, Louis (1903-72), G.-B. [47]
LEE, Tsung Dao (1926), Sino-USA [54]
LÉPINE, Pierre (1901-89), Fr. [38]
LÉVI-STRAUSS, Claude (1908), Fr. [20]
LORENZ, Konrad (1903-89), Autr. [39]
LWOFF, André (1902), Fr. [9]
MONOD, Jacques (1910-76), Fr. [8]
NÉEL, Louis (1904), Fr. [54]
OORT, Jan Hendrik (1900), P.-B. [6]
OPPENHEIMER, Robert (1904-67), USA [54]
PARENAGO, Paul (1906), R. [6]
PAULI, Wolfgang (1900-58), Autr. [54]
PAULING, Linus Carl (1901), USA [13]
RUSK, Howard (1901), USA [39]
RYLE, Martin, Sir (1918-84), G.-B. [6]
SABIN, Albert (1906-93), USA [39]
SAKHAROV, Andreï (1921-89), R. [54]
SALK, Jonas (1914), USA [7]
SCHATZMANN, Evry (1920), Fr. [6]
SCHWARTZ, Laurent (1915), Fr. [38]
SHKLOVSKY, Joseph (1916-85), R. [6]
STANLEY, Wendell M. (1904-71), USA [8]
TOWNES, Charles Hard (1915), USA [54]
VAN DE HULST, Hendrik (1918), P.-B. [58]
WALKER, Merle (1926), USA [6]
WATSON, James Dewey (1928), USA [9]
WEIZSÄCKER, Carl von (1912), All. [54]
WIGNER, Eugène (1902), USA [54]
WILKINS, Maurice H.F. (1916), G.-B. [9]
YUKAWA, Hideki (1907-81), Jap. [54]

Nota. – Voir aussi Prix Nobel et Académie des Sciences.

GRANDES INVENTIONS

☞ Il est souvent difficile de fixer avec certitude l'origine d'une invention ou d'une découverte. Beaucoup ont lieu simultanément dans de nombreux pays, ou plusieurs personnes trouvent des aspects différents et complémentaires d'une même invention. Sont indiqués ci-après le sujet ou le nom de la découverte, sa date, le nom de l'inventeur, son pays d'origine.

Accumulateur électrique 1860, Planté, Fr.
Acétylène 1836, F. Davy, G.-B.
Aérosol 1948, J. Estignard, Fr.
Air, densité v. 1600, Galilée, It. ; *composit.* 1770, Lavoisier, Fr. ; 1781, Cavendish, G.-B.
Air liquide 1895, K. von Linde, All. ; 1902, G. Claude, Fr.
Allumette chimique 1805, Chancel, Fr. ; *à friction* 1831, C. Sauria, Fr. ; *de sûreté* 1852, Lundström, Suède ; *de ménage* 1864, Lemoine, Fr.
Aluminium, prép. 1854, Ste-Claire Deville, Fr.
Ammoniac 1908, F. Haber, All.
Anémomètre 1910, capitaine Etévé, Fr. ; R. Badin, Fr. ; *à palette* 1644, R. Hooke, G.-B. ; *à pression* 1775, J. Lind, Irl. ; *à coupelles* 1846, T. R. Robinson, Irl.
Anesthésie 1799, Davy, G.-B.
Antibiotiques 1889, Vuillemin, Fr. ; *gramicicline* 1938-39, René Dubos, Fr. ; *chloramphénicol* 1947, J. Ehrlich, P. Burkhoder et D. Gottlieb ; *auréomycine* 1948, H. Duggar ; *terramycine* 1950, G. Findlay.
Arracheuse de betteraves 1886, A. Bajac, Fr.
Ascenseur à vapeur 1857, Otis, USA (réal. pratique 1867, Édoux, Fr.) ; *électr.* 1880, Werner von Siemens, All.
Aspirateur 1869, Mac Gaffey, USA ; 1901, J. Spangler.
Aspirine 1853, Gerhardt, Fr.
Astrolabe IIe s. av. J.-C., Hipparque, Grèce.
Atome, théorie 1803, Dalton, G.-B. ; 1858, Cannizzaro, It. ; *structure* 1911, Rutherford, G.-B. ; 1913, Bohr, Dan.
Attraction univ. 1687, Newton, G.-B.
Autochromes 1903, L. et A. Lumière, Fr.
Automobile (voir Moteur et voir Index).
Aviation (voir Index).
Bactéries 1681, Leeuwenhoek, P.-Bas.
Bakélite 1909, Baekeland, Belg.
Balance à 2 fléaux 1670, Roberval, Fr.
Balle dum-dum 1897, G.-B.
Bande magnétique 1928, F. Pfleumer, All.
Baromètre 1643, Torricelli, It.
Bas Nylon 1938, W. Carothers, USA.
Bateau (voir Index).
BCG 1906-1923, Calmette, Guérin, Fr.
Béchamel 1700, L. de Béchameil, Fr.
Bélier hydraulique 1796, J. et E. de Montgolfier, Fr.
Bicross 1972, USA.
Bicyclette. Vélocipède 1816, Drais, All. *Pédalier* 1842, MacMillan, Écos. *Entraînement direct* 1861, Michaux, Fr. *Transmission par chaîne* 1879, Lawson, G.-B.
Billard électrique 1938, S. Gensberg, USA.
Boîte de conserve 1795, N. Appert, Fr. ; *en fer blanc* 1810, P. Durand, Fr. ; 1812, B. Donkin et J. Hall, G.-B.
Braille (alphabet) 1829, Braille, Fr. ; *écriture en relief* 1786, Valentin Haüy 1745-1822, Fr.
Briquet à gaz 1777, Volta 1745-1827, It. *Pierre à briquet,* K. Auer 1858-1929, Autr.
Brouette XIIe s. ; sur vitrail de Chartres.
Brûleur à gaz 1855, Bunsen, All.
Cadran solaire 550 av. J.-C., Anaximandre, Grec.
Calcul des probabilités 1656, C. Huygens, Holl. ; *différentiel* 1660, Leibniz, All. ; 1665, Newton, G.-B. *Calculatrice électronique de poche* 1972, J.S. Kilby, J. D. Merryman et J. H. Van Tassel, USA.
Calorimètre 1783, Lavoisier, P.S. Laplace, Fr.
Calotype 1840, H.F. Talbot, Fr.
Camescope 1983, Sanyo, Japon.
Canon XIVe s., arabe, apparaît en Occ. en 1346 (Crécy) ; *antichar* 1944 ; *sans recul* 1910, Davis, USA.
Caoutchouc synth. 1879, Bouchardat, Fr.
Carburateur à ess. 1876, Daimler, All.
Carte à mémoire 1974, R. Moréno, Fr. ; *de crédit* 1950, R. Scheider, USA ; *du monde* 1538, Mercator, Flandres.
Cartouches 1832, C. Lefaucheux, Fr.
Ceinture de sauvetage 1769, abbé de Lachapelle, Fr.
Cellophane 1892, C.F. Cross 1855-1935 ; E.J. Bevan 1856-1921, G.-B. ; *prod. ind.* 1911, J. Brandenberger, Suisse.
Cellule photoélectrique 1895, J. Elster et H. F. Geitel, All. ; *photovoltaïque* 1839, A. Becquerel, Fr.
Celluloïd 1865, Parkes, G.-B. *Réal. industr.* 1869, Frères Hyatt, USA.
Cerveau électronique 1931, Vannevar Bush, USA.
Chalumeau oxhydrique 1801, R. Hare ; *c. à hydrogène atomique* (4 200 oC) 1920, I. Langmuir, USA ; *c. à plasma* (20 000 oC) 1951, Maecker, USA.
Chargeur de foin 1874.
Chasse d'eau 1595, J. Harington, G.-B. ; 1775, A. Cunnings, G.-B. ; 1778, J. Bramah, G.-B.
Chatterton 1860, Chatterton G.-B.
Chewing-gum 1872, T. Adams, USA.
Chloroforme 1831, S. Guthrie, USA.
Chronomètre de marine 1776, J. Harrison, G.-B.
Chute des corps (loi) 1602, Galilée, It.
Cinéma (voir Index).
Circuits intégrés v. 1929, Texas Instrument, USA.
Circul. du sang 1628, W. Harvey, G.-B.
Cocotte-Minute 1680, D. Papin, Fr. ; 1927, Hautier, Fr. ; 1953, F., J. et H. Lescure, Fr.
Coke (sidérurgie) 1735, Abraham Darby, G.-B.
Comptabilité en partie double-contrôle des comptes XVe s.. L. Paciolo, It.
Concasseur 1858, E. Whitney, USA.
Conserves 1795, N. Appert, Fr.
Cortisone 1937, E.C. Kendall, USA.
Coton parcheminé 1833, Swan, G.-B. traité de l'acide sulfurique.
Coton-Poudre 1847, C. Schonbein, All.
Coussin d'air 1961, L. Duthion, Fr.
Couveuse artificielle (n.c.), J.F. Braille, Fr. ; *électrique* 1881, P. Cornu, Fr.
Cuir synthétique 1942, Sté Dupont de Nemours, USA.
Cybernétique 1947, N. Wiener, USA.
Cyclotron v. 1934, E.O. Lawrence, USA.
DDT synthèse 1874, Seidler, All. ; *propriétés* 1939, P. Müller, Suisse ; *fabrication ind.* 1942, Frey, Suisse.
Diapason 1711, J. Shore, G.-B.
Diesel (moteur) 1893, Diesel, All.
Différentiel 1827, O. Pecqueur, Fr.
Diode 1905, Sir J. A. Fleming, G.-B.
Dirigeable rigide 1900, von Zeppelin, All.
Disque (voir Index).
Distributeur d'engrais centrifuge 1908, Severin, Fr.
Dolby 1967, R. Dolby, USA.
Duralex 1939, St-Gobain, Fr.
Dynamite 1866, Nobel, Suède.
Dynamo 1871, Gramme, Belg.
Eau (composition) 1804, Gay-Lussac, Fr., et Humbolt, All. ; *de Javel* 1789, C. Berthollet, Fr. ; *oxygénée* 1818, L.J. Thénard, Fr.
Ébonite 1840, Th. Hancock, G.-B.
Électromagnétisme 1819-1820, Oersted, Dan., Ampère, Fr.
Électron 1881, Helmholtz, All.
Électroscope 1747, C.F. Du Fay.
Enzyme (synthèse) 1969, Univ. de Rockfeller et Laboratoires Merck.
Épandeur de fumier 1865.
Épingle de sûreté XIXe s., Rollin White, USA.
Équation du 3e degré (solution) 1545, Cardan, It.
Escalier roulant 1892, J. Reno, USA.
Étoile (nature) 1915, P. Langevin et J. Perrin, Fr.
Faucheuse à foin mécanique 1822, USA.
Fer à repasser IVe s., Chine ; *électrique* 1882, H. W. Seely, USA ; *à vapeur* 1921 ; *sans fil* 1978, H. O. Freckleton et J. S. Bird, G.-B.
Fermeture Éclair 1851, Elias Howe, USA dépôt du brevet ; 1890, W. Judson, USA.
Feu d'artifice VIIe s., Chine.
Fibre de verre 1836, I. Dubus-Bonnel, Fr. ; *optique* 1955, N. Kapany, G.-B.
Fil de fer barbelé 1874, J. Farewell, Glidden, USA.
Forceps XVIIIe s.. A. Levet, Fr.
Four à micro-ondes 1945, P. le baron Spencer, USA ; *solaire* 1952, Félix Trombe, Fr.
Frein à air comprimé 1868, Westinghouse, USA ; *à disque* 1902, Lanchester, G.-B.
Frigidaire 1913, USA.
Funiculaire 1879, Egben, Suisse.
Fusée-missile 1232, Chine ; *f. à carburant liquide* 1903, URSS ; *f. à étages* 1936, L. Damblanc, Fr. ; *f. sol-air* 1916, France ; *à liquide lancée* 1926, T. Goddard, USA ; *f. postale* 1931, F. Schmiedl, Autr. ; *missile air-mer* 1940, All. ; *f. à étages* 1948, USA.
Fusil Chassepot 1866, A. Alphonse, Fr. ; *à répétition* 1866, N. Lebel, Fr. ; *antichar* 1918, All. ; *à laser* 1964, USA ; *à tirer dans les coins* XIXe s., Fr.
Galvanisation 1786, Galvani, It.
Galvanomètre 1808, Jean Salomon Schweigger 1779-1857, All.
Gaz d'éclairage 1783, J.-P. Minckeleers, Belg. ; 1787, Ph. Lebon, Fr. ; 1792, Murdoch ; *exploitation* 1805, Winzler, G.-B.
Gazogène 1883, E. Dowson, G.-B.
Géode 1985, A. Fainsilber et Chamayou, Fr.
Géométrie anal. 1637, Descartes, Fr. *Non euclidienne* 1826, Lobatchevski, Russie.
Glace fabrication 1857, Carré, Fr.
Glycérine 1779, Scheele, Suède.
Groupes sang. 1901, Landsteiner, Autr.
Gyrocompas 1911, Sperry, USA.
Gyroscope 1852, Foucault, Fr.
Hélice marine 1827, Jos. Ressel, Autr. ; 1837, Sauvage, Fr. ; *nav.* 1839, Smith, G.-B.
Hibernation artif. 1905, Simsom, G.-B.
Hologramme 1948, D. Gabor, G.-B. ; *matricé* 1975, Japon ; *« alcôve »* 1986, S. Benton et le MIT, USA.
Homéopathie 1789, S. Hahnemann, All.
Horloge électrique 1839, C. von Steinhell, All. ; *à quartz* 1929, W. Marrison, A. Scheibe, V. Adelsberger ; *atomique* 1949, USA.

Houille blanche 1867, Bergès, Fr.
Hovercraft (voir Index).
Hygromètre, N. de Cusa 1401-1464, All. ; *à cheveu* 1783, Saussure, Fr.
Imperméable caout. 1819, MacIntosh, Éc.
Imprim. car. mob. v. 1436, Gutenberg, All.
Induction magnétique 1831, Faraday, G.-B.
Informatique (voir Index).
Insuline 1921, Paulesco, Roumanie ; 1922, Frederic Banting, Canada ; et Charles Herbert Best, USA.
Iode 1811, B. Courtois, Fr.
Jumelles à lentille divergente v. 1600, Galilée ; *à prismes* 1850, I. Porro, It.
Kaléidoscope 1817, Brewster, Écos.
Kinétoscope 1887, Edison, USA.
Lampe à arc 1879, Brush, USA ; *à incand.* 1878, Edison, USA ; *à vapeur de mercure* 1901, Hewitt, USA ; *au néon* 1910, G. Claude, Fr. ; *à filament de tungstène* 1906, Coolidge, USA.
Laser 1958, Gordon Gould, puis Townes et Schawlow, USA.
Lave-vaisselle 1850-65, USA.
Linoléum v. 1860, Walton, G.-B.
Linotype 1884, Mergenthaler, All.
Liquéfaction des gaz 1833, Faraday, G.-B.
Lithographie 1796, Senefelder, Autriche.
Locomotive (voir Index).
Logarithmes 1614, Napier ou Neper, G.-B.
Lunettes correctr. 1315, Salvino Degli Armati, It.
Machine à calculer 1639, Pascal, Fr. *A coudre* début XIXe s., Thomas Stone et John Anderson ; 1815-1840, Joseph Madersperger, Autr., *1er chas dans la pointe de l'aiguille ;* 1829, Thimonnier, Fr. ; 1834, Walter Hunt ; 1846, Helias Howe, USA ; 1851, Singer, USA. *A écrire* 1714, H. Mill ; typographe 1828, W. Austin Burt ; frappe radiale 1843, Thurber, G.-B., Guillemot, Fr. 1859 ; 1866, Peter Mitterhofer, Autr. ; production en série 1867, Sholes, USA ; à boule imprimante 1878, Danemark ; portative 1906 ; électrique 1914, J. Field Smather. *A laver le linge,* manuelle 1851, J. King ; électr. 1907, Alva Fisher, USA. *A vapeur.* V. *moteur à vapeur, pompe à feu.*
Magnétomètre n.c., Carl Gauss 1777-1855, All.
Magnétophone 1934, AEG, IG Farben.
Magnétoscope 1954, RCA, USA ; Ampex 1953, C. P. Ginsburg, USA ; *Bande magnétique vidéo* 1956, M. Sater et J. Mazzitello, USA ; *couleurs* 1958, USA ; *à cassette* 1970, Sony, JVC et Matsushita, Japon ; Betamax 1975, Sony, Japon, VHS 1975, JVC, Japon ; *hi-fi* 1983, Sony, Japon ; *numérique* 1985, Sony, Japon ; *ponctuels* 1985, Blaupunkt, All. ; *à fenêtres* 1987, Japon et USA.
Manomètre n.c., P. Vargnon 1654-1722 ; *manoscope* v. 1650, Otto von Guericke, All. ; *métallique* 1849, E. Bourdon, Fr.
Margarine 1869, H. Mège-Mouriès, Fr.
Marteau pneumatique 1871, S. Ingersoll, USA.
Maser 1951, Townes, USA, Bassov et Prokhorov, URSS.
Massicot 1844, G. Massicot ou Massiquot, France.
Mécanique ondul. 1924, L. de Broglie, Fr.
Mélinite ou poudre à obus n.c., H. Sprengel 1834-1906.
Métier à filer 1768, Hargreaves, G.-B. *A peigner* 1790, Cartwright, G.-B. *A tisser* 1745, Vaucanson, Fr. ; 1790, Jacquard, Fr. ; 1790, Whittemore, G.-B.
Mierobes anaérobies 1862, Pasteur, Fr.
Microphone 1877, D. Hughes, E. Gray et G. Bell, USA.
Microscope 1604, Jansen, Holl. ; 1610, Drebbel ; 1663, Hudde, Holl. ; *électronique* 1932, M. Knoll, Ruska, All.
Microsillon (voir Index).
Mini-ordinateur de poignet 1977, Sté Hewlett-Packard, USA.
Mitrailleuse 1860, Gatling, USA. *Perfect.* 1872, Hotchkiss, USA. *Automat. à canon unique* 1833, Maxim, USA.
Moissonneuse à barre de coupe 1831, Cyrus Hall McCormick, USA ; 1853, Patrick Bell, Éc. *Moissonneuse-batteuse* 1828, USA ; *batteuse simple* 1790, Andrew Meikle, Éc. ; *lieuse* 1890, Cyrus Hall McCormick, USA.
Molécule 1811, Avogadro, It.
Monotype 1887, Lanston, USA.
Montre (voir Index).
Morphine 1811, B. Courtois, Fr.
Morse 1840, Morse, USA.
Moteur à explosion 1862, Beau de Rochas, Fr. [cycle à 4 temps non réalisé] ; *d'auto* 1886, Benz, All. ; *à électro-aimants* 1833, Moritz Jacobi, All. ; *à essence* 1870, Siegfried Marcus, Autr. ; 1872, Brayton, USA ; 1887, Daimler, All. ; 1891, Levassor, Fr. ; *à gaz de charbon* 1860, Lenoir, Belg. moteur industriel ; 1867, Otto, All. moteur de Lenoir sur véhicule ; *à vapeur* v. 1625, Salomon de Caus parle d'une machine à vapeur ; 1705, les Anglais Savery et Newcomen réalisent la 1re machine à vapeur ; 1707, Denis Papin publie les résultats de ses expériences ; 1769, Watt leur apporte des améliorations, G.-B. ; 1781, Hornblower, G.-B. ; *électrique* 1860, A. Pacinotti, It. publ. 1865 ; 1873, Gramme, Belg. (réversion de sa *dynamo*).
Moulin à légumes 1931, Jean Mantelet, Fr.
Néon (tube).
Neutron 1932, Chadwick, G.-B.
Nitroglycérine 1847, Sobrero, It.
Nylon 1935, W. Carothers (Lab. Dupont de Nemours), USA.
Offset 1904, W. Rubel, USA.
Oncogènes 1981, R. Weinberg, G. Cooper, M. Wigler, USA.
Ondes électriques 1887, Hertz, All. ; *électromagnétiques* 1887, Hertz, All.
Opinel 1890, Joseph Opinel, Fr.
Oxygénée (eau) 1818, Baron Thénard, Fr.
Parachute 1783, Lenormand, Fr. ; 1785, Blanchard, Fr. ; 1797, Garnerin, Fr.
Paratonnerre 1752, Franklin, USA.
Parcmètre 1935, C. Magee, USA.
Pasteurisation 1865, Pasteur, Fr.
Patins à roulettes 1863, J. Plimpton, USA.
Pendule 1657, Huyghens, P.-Bas.
Pénicilline 1928, Alexandre Fleming, G.-B.
Périscope 1893, Tony Garnier, Fr.
Pétrole Hahn 1855, Hahn, Sui.
Phonographe (voir Phonogramme à l'Index).
Photographie 1827 (voir Index).
Photon 1900, Planck, All.
Piano 1711, Cristofori, It.
Pile atomique 1942, Fermi, It. ; *à combustible* 1839, W.R. Grove ; *hydro-électrique* 1800, Volta, It. ; 1868, Leclanché, Fr. (*sèche* 1890, Palmiers, It.).
Pilote automatique 1913, Elmer Sperry.
Pneu bicyclette 1887, Dunlop, Irl.
Poêle Téfal 1954, M. Grégoire, Fr.
Polarimètre 1828, William Nicol, G.-B. ; 1830, Lüdwig Seebeck, All.
Polaroïd 1947, Ed. H. Land 1909-91, USA.
Pompe à feu 1688, Denis Papin, France ; 1698, Savery, G.-B. ; 1705, Newcomen, G.-B. ; *à vide* 1654, Otto von Guericke, All. ; *solaire* 1615, S. de Caus.
Positon 1932, C.D. Anderson, USA.
Poubelle 1884, E. Poubelle, Fr.
Poudre v. 1000 av. J.-C., Chinois (composition révélée 1248 par R. Bacon) ; *sans fumée* 1863, Schultze, All. ; 1884, Vieille, Fr.
Poumon d'acier 1876, Eug. Woillez, Fr. *(« spirophore ») ;* 1928, Drinken, Slaw, USA.
Presse à foin 1853, USA. ; *à poste fixe* 1872.
Presse rotative 1847, Marinoni, Fr.
Pression atmosphérique 1648, Pascal, Fr.
Proton 1916, J.J. Thomson, G.-B.
Protozoaires 1715, Van Leeuwenhoek, Holl.
Pscillomètre (pression artérielle) 1909, Pachon, Fr.
Pulvérisateur 1884, V. Vermorel, Fr.
Pyromètre n.c., J. Wedgwood 1730-1795, G.-B.
Quanta 1900, Planck, All.
Quinine 1820, Pelletier, Caventou, Fr. ; 1853, Pasteur, Fr.
Radar 1904, Hulfsmeyer, All. ; 1922, Taylor, Young, USA ; 1934, P. David, Gutton, Ponte, Fr. ; Watson Watt, G.-B.
Radioactivité 1896, Becquerel, Fr. ; *artificielle* 1934, F. et I. Joliot-Curie, Fr.
Radiodiffusion 1890, Branly *(cohéreur),* France ; 1893, Popov *(antenne),* URSS ; 1896, Marconi, Italie.
Radiothérapie 1899, T. Stenbeck.
Radium 1898, P. et M. Curie, Fr.
Ramasseuse-presse 1932, USA.
Rasoir de sûreté 1895, Gillette, USA ; *électrique* 1931, Schick, USA.
Rayonne 1884, Hilaire Bernigaud de Chardonnet, Fr. (nommé par lui *« soie artificielle »*).
Rayons X 1895, Röntgen, All. ; *cathodiques* 1850, H. Geissler, All. ; 1879, Sir W. Crookes, G.-B. ; 1895, J. Perrin, Fr.
Réacteur (voir Index).
Réfrigérateur 1834, J. Perkins, USA.
Règle à calcul 1620, E. Gunter, G.-B. ; *à réglette coulissante* 1750, Leadbetter, G.-B.
Relativité restreinte 1905, *universelle* 1912-17, Einstein, All.
Revolver 1815, Lenormand, Fr. ; 1835, Colt, USA.
Rhéostat 1879, L. Clerc, Fr.
Rhésus 1941, Landsteiner Autr., Wiener, USA.
R.M.N. 1946, F. Bloch et E. Mills Purcell, USA.
Rouleau compresseur n.c., L. Cessart 1719-1806.
Rubis synthétique 1860, Frémy, Fr. ; 1892, Verneuil, Fr.
Saxophone 1842, A. Sax, Fr.
Scalpel cryogénique 1962, USA ; *à plasma* 1965, C. Sheer, USA.
Scanner 1971, G.-N. Hounstfield, G.-B., A. MacLeold Cormack, USA.
Scooter 1902, G. Gauthier, Fr.
Semi-conducteur 1929, F. Bloch, USA.
Serrure de précision 1829, A. Fichet, Fr. ; *à combinaison* 1846, A. Fichet.
Sérum physiologique 1879, Kronecker, All.
Sextant 1730, Hadley, G.-B.
Siège éjectable 1944, James Martin, Irl.
Sifflet à ultrasons 1883, F. Galton, G.-B.
Soude (prép. à l'ammo.) 1863, Solvay, Bel.
Sous-marin 1776, Bushnell, USA ; 1885, Nordenfelt, Suè. ; 1887, Zédé, Fr. ; 1899, Laubœuf, Fr.
Spectroscope 1859, Kirchoff, Bunsen, All.
Spirographe 1925, De Benedict.
Stéthoscope 1815, Laennec, Fr.
Streptomycine 1945, Waksman, USA.
Stylo 1864, Mallat, Fr. ; 1884, Waterman, USA. *A bille* 1888, Loud, USA [*réalisé* 1938, Lazslo et Georg Biro, Hongr. ; *cartouche* 1927, Perraud, Fr. ; *pentabille* (stylo à 4 couleurs) 1947].
Sulfamide 1935, Domagk, All. ; Tréfouël, Fourneau, Fr.
Supraconductivité 1911, Heike Kamerlingh Onnes, P.-Bas, Gilles Holst, P.-Bas.
Surgélation 1929, Birdseye, USA.
Tank 1914, Swinton, G.-B. ; 1915, Estienne, Fr.
Téflon 1938, R. J. Plunkett, USA.
Télautographe 1847, Bakewell ; 1855, Jones ; 1885, Gray.
Télécommande (ou *radiocommande*) 1924, E. Fiamma, It. *Système « Actadis »* 1928, J. Bethenod et J.-L. Routin, Fr. ; *« Durlat »* 1907, M. Durepaire et A. Perlat, Fr.
Télégraphe aérien 1793, Chappe, Fr. *Électrique* 1820, Ampère, Fr. ; 1838, Wheatstone, G.-B. ; 1843, Morse, USA.
Téléphone 1854, Bourseul, Fr. ; 1861, Reiss, All. ; 1876, Bell, USA.
Télescope 1608, Lippershey, Holl. ; 1609, Galilée, It. *Astronomique* 1611, Kepler, All. *A miroir* 1671, Newton, G.-B.
Télétype 1928, Morkrum, Kleinschmidt, USA.
Télévision 1884, P. Nipkow, All. ; 1926, J.-L. Baird, Écos. ; 1907, B. Rosing, URSS, V. Zworykin, URSS.
Tension artérielle (appareil de prise) 1880, P. Potain, Fr. ; *brassard pneumatique* 1890, Rocci, It.
Test (d'intelligence) 1905, Alfred Binet, Théodore Simon, Fr.
Théodolite n.c., J. Ramsden 1735-1800, G.-B.
Thermodynamique 1730, D. Bernoulli, Fr., Mariotte, Fr., Boyle, G.-B. ; 1824, Carnot, Fr. ; 1845, Joule, G.-B. ; Maxwell, G.-B. ; 1877, Boltzmann, Autr. ; Gibbs, USA.
Thermomètre av. 1597, Galilée, It.
Tondeuse à gazon 1829, Budding, G.-B.
Tout-à-l'égout n.c., E. Belgrand 1810-1878, Fr.
Tracteur 1849, P. Barat, Fr. ; *à moteur à pétrole* 1894 ; *à chenilles* 1904, B. Holt, USA ; *diesel* 1929.
Transistor 1948, Bardeen, Brattain et Shockley, USA.
Trombone (attaches) 1900, J. Waler, Norv.
Turbine à gaz 1899, Curtis, USA.
Turbine hydraulique 1849, Francis, USA ; 1824, Bourdin, Fr. ; 1827, Fourneyron ; 1873, Fontaine, Fr. ; 1919, Viktor Kaplan, Autr. *A vapeur* 1884, Charles Parson, G.-B. ; 1898, Aug. Rateau, Fr.
Turboréacteur 1930, F. Whittle, G.-B.
Ultracentrifugeuse 1923, T. Svedberg, Suè.
Ultramicroscope 1903, Zsigmondy, Autr.
Vaccin anticoqueluche 1931, Leslie, Gardner. *Antipolio.* 1955, Salk, USA ; 1960, Lépine, Fr. *Antirabique* 1885, Pasteur, Fr. *Antityphique* 1889, Chantemesse et Widal, Fr. *Antivariolique* 1794, Rabaud-Pommier, Fr. ; 1796, Jenner, G.-B.
Velcro (bande) 1954, Georges de Mestral, Sui.
Velpeau (bande) 1860, Alfred-Marie Velpeau, Fr.
Vitamines 1901, Wildiers, Belg. ; 1906, Hopkins, G.-B. ; 1910, Funk.
Vulcanisation caoutchouc 1839, Goodyear, USA.
Walkman 1979, Sony.

ASSOCIATIONS

GROUPE BOURBAKI

Origine. *Fondé* vers 1934 à Paris par des mathématiciens, anciens élèves de l'École normale sup., dont Henri Cartan 1904, Claude Chevalley 1909-84, Jean Delsarte 1903-68, Jean Dieudonné 1906-92, André Weil 1906. Leur nom rappelle un « canular » : vers 1880, un élève déguisé s'était présenté au directeur de l'école comme le Gal Claude Bourbaki et avait eu droit à la visite commentée de l'établissement. **Recrutement.** Par cooptation, parmi les jeunes mathématiciens, normaliens ou non. Démission obligatoire à 50 ans. **Objectif primitif.** Refaire l'exposé de toutes les mathématiques, en les prenant à leur point de départ logique, selon la pensée de l'All. David

Hilbert 1862-1943. Publications. 45 monographies (6 000 pages) toutes signées d'un nom collectif : Nicolas Bourbaki, qui constituent le début d'un traité (*Éléments de mathématiques* 1939, *Éléments d'histoire des mathématiques* 1960). Séminaire **N. Bourbaki.** *Créé* 1948. Présente les résultats les plus récents des mathématiques ; réunit deux jours trois fois par an plusieurs centaines de mathématiciens (publ. des exposés).

Mouvement Pugwash

Origine. Fondé en 1957 à Pugwash, Nouvelle-Écosse (Canada) par Bertrand Russell et Albert Einstein. Objectif. Organiser la paix grâce à des échanges de vue réguliers entre des savants et des universitaires venus de l'Est et de l'Ouest. Activités. Conférences (42 depuis la fondation) ; dernière en date : Berlin (All.) 11/17-9-1992.

Prix

Médaille John H. Dillon

Création. 1984, par la Sté américaine de physique (APS) pour récompenser un jeune scientifique ayant passé sa thèse depuis moins de 10 ans. Lauréat. **1991 :** Jean-Michel Guinet, chargé de recherches au CNRS.

Académie des Sciences (Grands prix de)

Total des prix attribués pour 1991. 2 549 000 F dont 1 580 000 F pour 14 grands prix. Lauréats. **1991** *Prix Charles-Léopold Mayer* 250 000 F : Jean-Charles Schwartz ; *Ampère de l'électricité de France* 200 000 F : Pierre-Louis Lions ; *du Commissariat à l'énergie atomique* 200 000 F : Bernard Guinot ; *du Gaz de France* 200 000 F : Michel Delhaye et Roland Borghi ; *de l'Institut français du pétrole* 200 000 F : Dominique Langevin et Jacques Meunier ; *Léon Velluz* 120 000 F : François Lavelle, Françoise Guéritte-Voegelein et Daniel Guénard ; *Pechiney* 100 000 F : Thierry Magnin ; *Jaffé* 50 000 F : Jean-Christophe Yoccoz ; *fondé par l'État* 50 000 F : Maurice Israël ; *Alexandre Joannides* 50 000 F : Richard Kerner ; *Kodak-Pathé-Landucci* 40 000 F : Jacqueline Belloni et Jean-Louis Marignier ; *Paul Doistau-Émile Blutet* 40 000 F : Jean Neel ; *Lutaud* 40 000 F : Ramon Capdevila ; *Léon-Alexandre Etancelin* 40 000 F : Gilles Thomas.

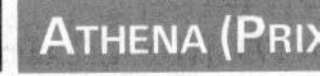

Athena (Prix)

Création. 1984, par le Groupe des Populaires d'Assurances. Décerné depuis 1990 par la Fondation Athena-Institut de France. Académie des Sciences consultée pour le choix définitif du lauréat. Montant. 450 000 F. Lauréats. **1991** Michel Lazdunski, prof. de biochimie à l'Université de Nice. **1992** Claude Griscelli, prof. de pédiatrie à l'hôpital Necker-Enfants malades.

Balzan (Prix)

■ Création. Fondation internationale créée en 1956 par Angela Balzan (1892-1957), épouse Danieli, en mémoire de son père Eugenio Balzan (1874-1953), admin. du « Corriere della Sera » (journal de Milan). Divisée en 2 organismes : Fondation-Prix (siège à Milan), et Fondation-Fonds (à Zurich) qui administre le patrimoine. Prix : décernés par la Fondation-Prix (reconnue 10-2-1962). Montant : 1 à 4 prix annuels de 350 000 FS chacun (sauf : Humanité, paix et fraternité entre les peuples 700 000 FS).

■ Lauréats. **Humanité, paix et fraternité entre les peuples.** *61 :* Fondation Nobel. *62 :* Jean XXIII (1881-1963, It.). *78 :* Mère Teresa de Calcutta (n. 1910, Agnès Gonxha Bojaxhiu, Youg. d'orig. albanaise). *86 :* Haut-Commissariat des Nations unies pour les réfugiés. *91 :* Abbé Pierre (1912, Henri Groues, Fr.)

Sciences de l'Antiquité [1], **sciences orientales** [2], **philologie, critique littéraire** [3] **et d'art** [4], **littérature comparée** [5]. *80* [3] *:* Jorge Luis Borges (1899-1986, Arg.). *82* [2] *:* Massimo Pallotino (1909, It.). *83* [2] *:* Francesco Gabrieli (1904, It.). *84* [3]*:* Jean Starobinski (1920, Sui.). *85* [4]*:* Ernst Hans Josef Gombrich (1909, G.-B., d'orig. autr.). *88* [5]*:* René Etiemble (1909, Fr.). *90* [1] *:* Walter Burkert (1931, All.). *92* [3, 4]*:* Giovanni Macchia (1912, It.).

Philosophie [1], **sciences sociales et politiques** [2], **sociologie** [3]. *79* [2] *:* Jean Piaget (1896-1980, Sui.). *81* [1] *:* Josef Pieper (1904, All.). *82* [2] *:* Jean-Baptiste Duroselle (1917, Fr.). *83* [3] *:* Edward Shils (1910, USA). *88* [3]*:* Shmuel Noah Eisenstadt (1923, Israël). *89* [1] *:* Emmanuel Lévinas (1905, Fr., d'orig. lituanienne).

Histoire. *62 :* Samuel Eliot Morison (1887-1976, USA). *79 :* Ernest Labrousse (1895-1988, Fr.). Giuseppe Tucci (1894-1984, It.). *87 :* Sir Richard Southern (1912, G.-B.). *91 :* Vitorino Magalhães Godinho (1918, Port.).

Histoire de la science. *86 :* Otto Neugebauer (1899, USA).

Musique. *62 :* Paul Hindemith (1895-1963, All.). *91 :* György Ligeti (1923, Autr. depuis 1967).

Architecture, urbanisme. *80 :* Hassan Fathy (1899-1989, Ég.).

Biologie [1], **botanique** [2], **géologie et géophysique** [3], **zoologie** [4], **génétique** [5], **océanographie-climatologie** [6], **psychologie humaine** [7], **anthropologie physique** [8], **éthologie** [9], **médecine préventive** [10]. *62* [1] *:* Karl von Frisch (1886-1982, All.). *79* [1]*:* Torbjörn Caspersson (1910, Suè.). *81* [3] *:* Dan Peter McKenzie (1942, G.-B.), Drummond Hoyle Matthews (1931, G.-B.), Frederick John Vine (1939, G.-B.). *82* [2] *:* Kenneth Vivian Thimann (1904, USA). *83* [4] *:* Ernst Mayr (1904, All.). *84* [5]*:* Sewall Wright (1889-1988, USA). *86* [6]*:* Roger Revelle (1909-91, USA). *87 :* Jérôme Seymour Bruner (1915, USA) [7], Phillip V. Tobias (1925, Afr. du S.) [8]. *88* [2]*:* Michael Evenari (1904-89, Israël) et Otto Ludwig Lange (1927, All. féd.). *89* [9]*:* Leo Pardi (1915-90, It.). *90* [3]*:* James Freeman Gilbert (1931, USA). *91* [5] *:* John Maynard Smith (1920, G.-B.). *92* [10]*:* Ebrahim M. Samba (1932, Gambie).

Mathématiques. *62 :* Andrej Kolmogorov (1903-87, URSS). *80 :* Enrico Bombieri (1940, It.). *85 :* Jean-Pierre Serre (1926, Fr.). *92 :* Armand Borel (1923, Sui. et Amér.).

Astrophysique. *84 :* Jan Hendrik Oort (1900-92, P.-Bas). *89 :* Martin John Rees (1942, G.-B.).

Droit international public. *81 :* Paul Reuter (1911-90, Fr.). **Droit international privé.** *90 :* Pierre Lalive d'Épinay (1923, Sui.). **Droits fondamentaux de la personne.** *86 :* Jean Rivero (1910, Fr.).

Mode d'existence juste (Prix pour un)

Création. 1980, par Jakob von Uexhull pour honorer ceux qui, par leur travail, contribuent à assainir notre planète, choisissent de respecter la vie dans son intégralité, transmettent leur inspiration à la communauté humaine. Montant. 185 000 $. Lauréats. **1992 :** assoc. Gonoshasthaya Kendra (Bangladesh), Helen Marck (Guatemala), Prof. John Gofman (USA), Alla Yaroshinskaya (Ukraine).

Lépine (Concours)

Création. 1901 par le préfet de police Louis Lépine (1846-1933). Se déroule dans le cadre de la Foire de Paris (surface : 4 000 m²). Durée. 12 j début mai. Droits de participation (frais du salon). Env. 2 000 F par stand. But. Offrir à des inventeurs et fabricants une occasion de se faire connaître et d'étudier des débouchés commerciaux. Organisateur. Association des inventeurs et fabricants français (AIFF), 12, rue Béccaria, 75012 Paris. *Créé 1902. Pt :* Georges Lavergne. *Jury :* 52 membres. Récompenses. Grand Prix du Pt de la Rép. (en général vase de Sèvres), Grand Prix de l'AIFF. Coupes et médailles de l'AIFF, de ministères et organismes publics ou privés, prix en espèces. *Nombre des primes :* env. 100 par an. Revue. Invention-magazine.

Kalinga (Prix)

Création. 1951 par Unesco grâce au don de la « Kalinga Fondation Trust » (Inde), prix de vulgarisation scientifique (1 000 £) attribué chaque année dep. 1952 (sauf 1973 et 1975). Sur 47 lauréats en octobre 1992, 10 Britanniques, 8 Américains, 5 Français, 4 Soviét., 3 Vénézuéliens, 2 Indiens, 2 Brésiliens. Lauréats. **1992** Jorge Flores Valdes (Mexique), Peter Okebukola (Afr.).

Albert Lasker (Prix)

Création. Par Mrs Mary Lasker (n. 30-11-1899) en souvenir de son mari. Délivré dep. 1944 avec la coopération de l'American Public Health Association. Chaque année, 6 à 12 lauréats. Beaucoup ont reçu plus tard le prix Nobel de Médecine (50 de 1944 à 1992). Prix individuel : une réduction de la Victoire de Samothrace dorée + une somme : *1946 :* 1 000 $, *1957 :* 2 500, *1991 :* 15 000. Lauréats **1991** *Génétique :* Edward B. Lewis (USA) et Christiane Nusslein-Volhard (All.), pour leur découverte du complexe du bithorax chez la mouche drosophile. Yuet Wai Kan (USA), pour sa recherche sur les bases génétiques des maladies humaines. **1992** aucun prix.

Japan Prize

Création. 1983 par Konosuke Matsushita. Décerné par la Fondation du Japon pour la science et la technologie. Montant. 50 millions de yens par lauréat (env. 1,8 million de F). Lauréats. **1985** John R. Pierce (1910, USA), Ephraïm Katchalski Katzir (1916, Israël). **86** David Turnbull (1915, USA), William J. Kolff (1911, USA). **87** Henry M. Beachell (USA), Gurdev S. Khush (Inde), Theodore H. Malman (1927, USA). **88** Georges Vendryes (1920, Fr.), Donald A. Henderson (1928, USA), Isao Arita (1926, Jap.), Frank Fenner (1914, Austr.), Luc Montagnier (1932, Fr.), Robert C. Gallo (1937, USA). **89** Frank Sherwood Rowland (1927, USA), Elias James Corey (1925, USA). **90** Marvin Minsky (1927, USA), William Jason Morgan (1935, USA), Dan Peter McKenzie (1942, G.-B.), Xavier Le Pichon (1937, Fr.). **91** Jacques-Louis Lions (1928, Fr.) math., John Julian Wild (1914, USA) méd. **92** Gerhard Ertl (1936, All.), Ernest John Christopher Polge (1926, G.-B.).

Fields (Médaille)

Création. 1936 [fonds résultant du bilan positif du financement du Congrès de Toronto, de 1924, présidé par le Pr John Charles Fields (1863-1932), Canadien, et du Congrès de Vancouver, de 1974]. 2 à 4 médailles, décernées, au plus tous les 4 ans, à de jeunes mathématiciens, au cours du Congrès international de mathématiciens, par un comité émanant de l'Union mathématique intern. (*Pt :* Pr J.-L. Lion ; *secr. gén. :* Pr J. Palis). Montant. 10 500 F max. par lauréat. Lauréats. **1936** Lars Ahlfors (1907, Finl.), Jesse Douglas (1897-1965, USA). **50** Laurent Schwartz (1915, Fr.), Atle Selberg (1917, Norv.). **54** Kunihiko Kodaira (1903, Japon), Jean-Pierre Serre (1926, Fr.). **58** Klaus Friedrich Roth (1925, G.-B.), René Thom (1923, Fr.). **62** Lars Hörmander (1931, Suè.), John Milnor (1931, USA). **66** Michael F. Atiyah (1929, G.-B.), Paul J. Cohen (1934, USA), Alexandre Grothendieck (1928, Fr.), Stephen Smale (1930, USA). **70** Alan Baker (1939, G.-B.), Heisuke Hironaka (1931, USA, or. Jap.), S. Novikov (1938, URSS), John C. Thompson (G.-B.). **74** Enrico Bombieri (1940, It.), David Mumford (1937, USA). **78** Pierre Deligne (1944, Belg.), Charles Fefferman (1949, USA) et Daniel Quillen (1940, USA), Grigory Alexandre Margoulis (1946, URSS). **82** Alain Connes (1947, Fr.), William P. Thurston (1946, USA), Shing Tung-Yau (1949, USA). **86** Simon Donaldson (1957, G.-B.), Gerd Faltings (1954, RFA), Michael Freedman (1951, USA). **90** V.G. Drienfeld (1954, URSS), Vaughan F.R Jones (1952, USA), Shigefumi Mori (Jap.), Edward Witten (1951, USA).

Philip Morris (Prix)

Création. 1988. Jury. 7 personnalités scientifiques françaises. *Pt :* Pr. Yves Coppens. Montant (pour 3 prix et 1 mention spéciale) : 550 000 F. Décerné à des équipes de chercheurs dans 3 disciplines. Lauréats. **1992** *Biologie :* Claude Lazdunski, Franc Pattus. *Climatologie :* Jean Jouzel, Laurent Labeyrie, Monique Labracherie, Dominique Raynaud (*Mention spéciale :* Hervé Le Treut). *Sciences du vivant dans l'espace :* Pr. Christian Alexandre. Thèmes 93 : *Physique, Démographie, Biodiversité.*

Pritzker (Prix)

Création. 1979 par la fondation américaine Hyatt. Montant. 100 000 $ (650 000 F).

Rolf Nevanlinna (Prix) (Science de l'information)

Création. 1982 par l'Union mathématique internationale. **Nom** donné en mémoire du Pr finlandais Rolf Nevanlinna (1895-1980), ancien Pt de l'Union. Décerné par l'Université d'Helsinki (Finlande) lors du Congrès international des mathématiciens. Attribué tous les 4 ans à un jeune mathématicien pour les aspects mathématiques des sciences de l'information. **Montant.** 5 000 FS. **Lauréats. 1982** Robert E. Tarjan (1948, USA). **86** Leslie Valiant (1949, G.-B.). **90** A.A. Razborov (URSS).

Prix Nobel

Origine. Institués par le savant suédois Alfred Bernhard Nobel (Stockholm, 21-10-1833 - San Remo, 10-12-1896). Nobel passa son enfance à Stockholm et fit ses études à St-Pétersbourg (où son père avait une usine de mécanique). En 1864, il installa à Heleneborg, à Stockholm (Suède), une petite usine de nitroglycérine, elle sauta, causant plusieurs morts dont son plus jeune frère. Il vécut en Allemagne et voyagea beaucoup avant de s'établir à Paris de 1873 à 1891, puis à San Remo (Italie) ; pensant revenir en Suède, il avait acheté en 1893-94 les aciéries Bofors. En 1866, il inventa la *dynamite* [1 part de nitroglycérine pour 4 de kiselguhr (terre contenant de la silice)], moins dangereuse que la nitroglycérine ; elle fut adoptée pour la construction de tunnels, canaux, ports, exploitation des minéraux.

Nobel fonda de nombreuses usines de dynamite dans le monde. En 1886, il avait 60 Cies qu'il rassembla dans 2 trusts. L'un, le Latin trust (sous l'égide de la Cie française), l'autre, comprenant les Cies anglaises, allemandes et est-européennes. En 1875, il inventa la gélatine explosive (combinaison de nitroglycérine et nitrocellulose) et en 1885, la *poudre sans fumée* qui révolutionna l'industrie des munitions. En 1894, il déposa des brevets pour des matériaux artificiels tirés de la nitrocellulose (caoutchouc et cuir synthétiques, cire artificielle, laques, vernis). Peu avant sa mort, il avait envisagé de développer ceux-ci sur une large échelle. En tout, dans des pays variés, il avait déposé env. 350 brevets représentant 150 inventions.

Nobel rêvait de découvrir une substance ou une « machine » dont les effets seraient si destructeurs que la guerre en deviendrait impossible. Il écrivait des poèmes. Il avait proposé au préfet de Paris de créer un hôtel des suicidés où les « hôtes » pourraient trouver un bon repas, passer une bonne soirée puis mourir d'une façon rapide et indolore. Sa fortune, venant pour plus de 90 % de la création d'explosifs à usage civil (mines, routes, tunnels) et pour 1/7 des actions possédées par la famille Nobel dans les pétroles de Bakou, lui permit de laisser à sa mort un capital de 33 200 000 couronnes sué. pour créer une fondation.

Selon son testament du 27-11-1895, signé à Paris, le capital devait être placé en valeurs mobilières sûres dont les revenus seraient distribués chaque année à titre de récompense aux personnes qui, au cours de l'année écoulée, auraient rendu à l'humanité les plus grands services. Ces revenus seraient divisés en 5 parties égales. La 1re serait attribuée à l'auteur de la découverte ou de l'invention la plus importante dans le domaine de la physique ; la 2e à l'auteur de la découverte ou de l'invention la plus importante en chimie ; la 3e à l'auteur de la découverte la plus importante en physiologie et en médecine ; la 4e à l'auteur de l'ouvrage littéraire le plus remarquable d'inspiration idéaliste ; la 5e à celui qui aurait le plus ou le mieux contribué au rapprochement des peuples, à la suppression ou à la réduction des armées permanentes, à la réunion et à la propagation des congrès pacifistes... Nobel ne créa pas de prix de mathématiques, en raison – a-t-on dit – des rapports qu'entretenait sa femme avec le mathématicien Mittag Lefler.

Il faudra 4 ans pour résoudre les problèmes posés par l'ouverture de son testament, les membres de la famille contestant sa validité. Les biens de Nobel étaient dispersés à travers l'Europe. En 1900, le roi Oscar II de Suède promulgua les statuts de la Fondation Nobel. Les 1ers prix furent accordés en 1901.

Attribution des prix. *Physique et Chimie :* par l'Académie royale des Sciences de Suède. *Physiologie et Médecine :* par l'Assemblée Nobel de l'Institut Carolin (f. 1810). *Littéraire :* par l'Académie suédoise. *Paix :* par le Comité Nobel norvégien nommé par le Storting (parlement norvégien). *Sciences économiques* (institué en 1968 par la Banque de Suède lors de son tricentenaire, à la mémoire d'Alfred Nobel) : par l'Académie royale des Sciences de Suède. **Remise :** le 10 décembre (anniversaire de la mort de Nobel) *à Stockholm* (Palais des concerts) par le roi de Suède (en 1991, année du 90e anniversaire du prix, à l'Arena Globe, devant les anciens lauréats ; en 92 au Palais des concerts) : Physique, Chimie, Physiologie et Médecine, Littérature, Économie ; *à Oslo* (Hôtel de Ville) : Paix. **Récompense** (pour chaque lauréat) : diplôme, médaille Nobel + paiement variant selon le revenu net du capital de la fondation. **Montant** (pour chaque prix) en couronnes suédoises et entre parenthèses équivalence en millions de F (1990-91) : *1901 :* 150 800 (3,4) ; *23 :* 115 000 (montant le + bas) ; *50 :* 164 300 ; *60 :* 226 000 (1,5) ; *70 :* 400 000 ; *80 :* 880 000 (1,6) ; *86 :* 2 000 000 (1,9) ; *90 :* 4 000 000 (3,65) ; *91 :* 6 000 000 (5,6) ; *92 :* 6 500 000 (6,05).

☞ **Le plus jeune prix Nobel.** *Prix de Physique :* l'Anglais Sir William Lawrence Bragg (1890-1971) à 25 ans, en 1915, avec son père Sir William Henry Bragg (1862-1942). *De Littérature :* l'Anglais Kipling (1865-1936) à 41 ans, en 1907. *De la Paix :* la Guatémaltèque Rigoberta Menchú Tum (1959) à 33 ans. **Les plus âgés.** *Prix de Médecine :* l'Américain Francis Peyton Rous (1879-1970) en 1966, et l'Allemand Karl von Frisch (1886-1982) en 1973 (tous les 2 à 87 ans). **Ont reçu 3 fois le prix :** Comité international de la Croix-Rouge de Genève (1917, 44, 63 avec la Ligue internationale des Stés de Croix-Rouge). **2 fois :** Marie Curie, Fr. : Physique (1903, partagé avec son mari Pierre Curie et Henri Becquerel), Chimie (seule, 1911). Linus Pauling (USA) : Chimie (1954), Paix (1962). John Bardeen, USA : Physique (1956 et 1972), les 2 fois, prix partagé. Frederick Sanger, G-B : Chimie [1958 (seul), 1980 (partagé)]. **1er ouvrier à avoir reçu le prix de la Paix.** Lech Walesa, Pol. (1983). **Ont refusé le prix.** Pasternak, URSS (Littérature, 1958), contraint par le gouvernement soviétique. Jean-Paul Sartre, Fr. (Littérature, 1964) et Le Duc Tho, Viêt-nam (Paix, 1973) l'ont refusé d'eux-mêmes. Richard Kuhn (Chimie, 1938) et Gerhard Domagk (Physiologie-médecine, 1939) All., contraints par Hitler (décret de 1937).

☞ **Profession des pères des prix Nobel** (en %, nés avant 1880 et, entre parenthèses, nés après 1910) : Ouvrier 1 (4). Artisan 6 (6). Employé, fonctionnaire 7 (7). Petit commerce 4 (8). Librairie 4 (0). Artiste 3 (2). Instituteur 3 (7). Clergé 8 (3). Professeur 9 (16). Médecin, vétérinaire ou pharmacien 12 (7). Négoce 10 (10). Avocat, juge, etc. 6 (2). Ingénieur 3 (10). Industriel 4 (5). Banquier, agent de change, notaire 3 (3). Politique, diplomate 2 (0). Exploitant agricole 5 (5). Officier, armée 5 (0). Propriétaire 6 (2).

Lauréats du prix Nobel

Chimie

01 Jacobus van't Hoff (1852-1911) (P.-B.).
02 Emil Fischer (1852-1919) (All.).
03 Svante Arrhenius (1859-1927) (Suède).
04 Sir William Ramsay (1852-1916) (G.-B.).
05 Adolf von Baeyer (1835-1917) (All.).
06 Henri Moissan (1852-1907) (Fr.).
07 Eduard Buchner (1860-1917) (All.).
08 Lord Ernest Rutherford (1871-1937) (G.-B.).
09 Wilhelm Ostwald (1853-1932) (All.).
10 Otto Wallach (1847-1931) (All.).
11 Marie Curie (1867-1934) (Fr., d'orig. polon.).
12 Victor Grignard (1871-1935), Paul Sabatier (1854-1941) (Fr.).
13 Alfred Werner (1866-1919) (Sui., d'orig. all.).
14 Theodore Richards (1868-1928) (USA).
15 Richard Willstätter (1872-1942) (All.).
16-17 *Non décerné.*
18 Fritz Haber (1868-1934) (All.).
19 *Non décerné.*
20 Walther Nernst (1864-1941) (All.).
21 Frederick Soddy (1877-1956) (G.-B.).
22 Francis Aston (1877-1945) (G.-B.).
23 Fritz Pregl (1869-1930) (Autr.).
24 *Non décerné.*
25 Richard Zsigmondy (1865-1929) (Autr.).
26 Theodor Svedberg (1884-1971) (Suède).
27 Heinrich Wieland (1877-1957) (All.).
28 Adolf Windaus (1876-1959) (All.).
29 Sir Arthur Harden (1865-1940) (G.-B.). Hans von Euler-Chelpin (1873-1964) (Suède, d'orig. all.).
30 Hans Fischer (1881-1945) (All.).
31 Carl Bosch (1874-1940) (All.), Friedrich Berguis (1884-1949) (All.).
32 Irving Langmuir (1881-1957) (USA).
33 *Non décerné.*
34 Harold Urey (1893-1981) (USA).
35 Frédéric (1900-58) et Irène Joliot-Curie (1897-1956) (Fr.).
36 Peter Debye (1884-1966) (P.-Bas).
37 Sir Walter Haworth (1883-1950) (G.-B.)., Paul Karrer (1889-1971) (Suisse, d'orig. autr.).
38 Richard Kuhn (1900-67) (Autr.).
39 Adolf-Friedrich Johann Butenandt (1903) (All.), Léopold Ruzicka (1887-1976) (Suisse, d'orig. autr.).
40-42 *Non décerné.*
43 George de Hevesy (1885-1966) (Hong.).
44 Otto Hahn (1879-1968) (All.).
45 Arturi Ilmari Virtanen (1895-1973) (Fin.).
46 James Summer (1887-1955), John Northrop (1891-1987), Wendell Stanley (1904-71) (USA).
47 Sir Robert Robinson (1886-1975) (G.-B.).
48 Arne Tiselius (1902-71) (Suède).
49 William Francis Giauque (1895-1982) (USA).
50 Otto Diels (1876-1954), Kurt Alder (1902-58) (All. féd.).
51 Glenn Seaborg (1912), Edwin McMillan (1907-91) (USA).
52 Archer Martin (1910), Richard Synge (1914) (G.-B.).
53 Hermann Staudinger (1881-1965) (All. féd.).
54 Linus Pauling (1901) (USA).
55 Vincent du Vigneaud (1901-78) (USA).
56 Sir Cyril Hinshelwood (1897-1967) (G.-B.), Nicolaï Semenov (1896-1986) (URSS).
57 Lord Alexander Todd (1907) (G.-B.).
58 Frederik Sanger (1918) (G.-B.).
59 Jaroslav Heyrovsky (1890-1967) (Tchéc.).
60 Willard Libby (1908-80) (USA).
61 Melvin Calvin (1911) (USA).
62 Sir John C. Kendrew (1917) (G.-B.), Max F. Perutz (1914) (G.-B., d'orig. autr.).
63 Karl Ziegler (1898-1973) (All. féd.), Giulio Natta (1903-79) (It.).
64 Dorothy Crowfoot Hodgkin (1910) (G.-B.).
65 Robert Burns Woodward (1917-79) (USA).
66 Robert S. Mulliken (1896-1986) (USA).
67 Manfred Eigen (1927) (All. féd.), Ronald George Wreyford Norrish (1897-1978) et Sir George Porter (1920) (G.-B.).
68 Lars Onsager (1903-76) (USA, d'orig. norv.).
69 Sir Derek Harold Barton (1918) (G.-B.), Odd Hassel (1897-1981) (Norv.).
70 Luis F. Leloir (1906-87) (Argentine).
71 Gerhard Herzberg (1904) (Canada, d'orig. all.).
72 Christian Anfinsen (1916), Stanford Moore (1913-82), Wil. H. Stein (1911-80) (USA).
73 Ernst Otto Fischer (1918) (All. féd.). Geoffrey Wilkinson (1921) (G.-B.).
74 Paul John Flory (1910-85) (USA).
75 Vladimir Prelog (1906) (Suisse, d'orig. youg.), John Cornforth (1917) (G.-B.).
76 William N. Lipscomb (1919) (USA).
77 Ilya Prigogine (1917) (Belg., d'orig. russe).
78 Peter Mitchell (1920) (G.-B.).
79 Herbert C. Brown (1912) (USA), Georg Wittig (1897-1987) (All. féd.).
80 Paul Berg (1926) (USA), Walter Gilbert (1932) (USA), Frederick Sanger (1918) (G.-B.).
81 Kenichi Fukui (1920) (Jap.), Roald Hoffmann (1937) (USA, d'orig. pol.).
82 Aaron Klug (1926) (G.-B.).
83 Henry Taube (1915) (USA, d'orig. can.).
84 Bruce Merrifield (1921) (USA).
85 Herbert A. Hauptman (1917) (USA), Jérôme Karle (1918) (USA).
86 Dudley R. Herschbach (1932) (USA), Yuan Lee (1936) (USA), John Polanyi (1929) (Canada).
87 Cram Donald (1919) (USA), Lehn Jean-Marie (1939) (Fr.), Pedersen Charles J. (1904-89) (USA).
88 Johann Deisenhofer (1943) (All.), Robert Huber (1937) (All.), Hartmut Michel (1948) (All.).
89 Altman Sidney (1939) (USA), Cech Thomas (1947) (USA).
90 Elias J. Corey (1928) (USA).
91 Richard D. Ernst (1933) (Suisse).
92 Rudolph A. Marcus (1923) (USA).

Littérature

01 Sully Prudhomme (1839-1907) (Fr.).
02 Theodor Mommsen (1817-1903) (All.).
03 Bjornstjerne Bjornson (1832-1910) (Norv.).
04 Frédéric Mistral (1830-1916) (Fr.), José Echegaray (1833-1916) (Esp.).
05 Henryk Sienkiewicz (1846-1916) (Pol.).
06 Giosue Carducci (1835-1907) (It.).
07 Rudyard Kipling (1865-1936) (G.-B.).
08 Rudolf Eucken (1846-1926) (All.).
09 Selma Lagerlöf (1858-1940) (Suède).
10 Paul Heyse (1830-1914) (All.).
11 Comte Maurice Maeterlinck (1862-1949) (Belg.).
12 Gerhart Hauptmann (1862-1946) (All.).
13 Rabindranath Tagore (1861-1941) (Inde).
14 *Non décerné.*
15 Romain Rolland (1866-1944) (Fr.).
16 Verner von Heidenstam (1859-1940) (Suède).
17 Karl Gjellerup (1857-1919) (Dan.), Henrik Pontoppidan (1857-1943) (Dan.).
18 *Non décerné.*
19 Carl Spitteler (1845-1924) (Suisse).
20 Knut Hamsun (1859-1952) (Norv.).
21 Anatole France (1844-1924) (Fr.).

22 Jacinto Benavente (1866-1954) (Esp.).
23 William Butler Yeats (1865-1939) (Irl.).
24 Wladyslaw Reymont (1868-1925) (Pol.).
25 George B. Shaw (1856-1950) (G.-B.).
26 Grazia Deledda (1871-1936) (It.).
27 Henri Bergson (1859-1941) (Fr.).
28 Sigrid Undset (1882-1949) (Norv.).
29 Thomas Mann (1875-1955) (USA).
30 Sinclair Lewis (1885-1951) (USA).
31 Erik Axel Karlfeldt (1864-1931) (Suède).
32 John Galsworthy (1867-1933) (G.-B.).
33 Ivan Bounine (1870-1953) (URSS, apatr.).
34 Luigi Pirandello (1867-1936) (It.).
35 *Non décerné.*
36 Eugène O'Neill (1888-1953) (USA).
37 Roger Martin du Gard (1881-1958) (Fr.).
38 Pearl Buck (1892-1973) (USA).
39 Frans Eemil Sillanpää (1888-1964) (Finl.).
40-43 *Non décerné.*
44 Johannes Vilhelm Jensen (1873-1950) (Dan.).
45 Gabriela Mistral (1889-1957) (Chili).
46 Hermann Hesse (1877-1962) (Suisse, d'orig. all.).
47 André Gide (1869-1951) (Fr.).
48 Thomas Stearns Eliot (1888-1965) (G.-B.).
49 William Faulkner (1897-1962) (USA).
50 Earl Bertrand Russell (1872-1970) (G.-B.).
51 Pär Lagerkvist (1891-1974) (Suède).
52 François Mauriac (1885-1970) (Fr.).
53 Winston Churchill (1874-1965) (G.-B.).
54 Ernest Hemingway (1898-1961) (USA).
55 Halldór Kiljan Laxness (1902) (Islande).
56 Juan Ramón Jiménez (1881-1958) (Esp.).
57 Albert Camus (1913-60) (Fr.).
58 Boris Pasternak (1890-1960) (URSS) (refusé).
59 Salvatore Quasimodo (1901-68) (It.).
60 St-John Perse (Alexis Léger) (1887-1975) (Fr.).
61 Yvo Andric (1891-1975) (Youg.).
62 John Steinbeck (1902-68) (USA).
63 Giorgos Seferis (1900-71) (Gr.).
64 Jean-Paul Sartre (1905-80) (Fr.) (prix refusé).
65 Mikhaïl Cholokhov (1905-84) (URSS).
66 Samuel Jos. Agnon (1888-1970) (Isr.), Nelly Sachs (1891-1970) (All. nat. suéd.).
67 Miguel Angel Asturias (1899-1974) (Guat.).
68 Kawabata Yasunari (1899-1972) (Japon).
69 Samuel Beckett (1906-89) (Irl.).
70 Alexandre Soljenitsyne (1918) (URSS).
71 Pablo Neruda (Neftali Reyes Bascalto) (1904-73) (Chili).
72 Heinrich Böll (1917-85) (All. féd.).
73 Patrick White (1912-90) (Austr.).
74 Eyvind Johnson (1900-76) (Suède), Harry Martinson (1904-78) (Suède).
75 Eugenio Montale (1896-1981) (It.).
76 Saul Bellow (1915) (USA).
77 Vicente Aleixandre (1898-1984) (Esp.).
78 Isaac Bashevis Singer (1904-91) (USA).
79 Odysseus Alepoudhelis, dit Elytis (1911) (Gr.).
80 Czeslaw Milosz (1911) (Pol. et USA).
81 Elias Canetti (1906) (G.-B., d'orig. bulg.).
82 Gabriel García Márquez (1928) (Colombie).
83 William Golding (1911) (G.-B.).
84 Jaroslav Seifert (1901-86) (Tchéc.).
85 Claude Simon (1913) (Fr.).
86 Wole Soyinka (1934) (Nigeria).
87 Joseph Brodsky (1940) (USA, d'orig. URSS).
88 Naguib Mahfouz (1911) (Égypte).
89 Camilo José Cela (1916) (Esp.).
90 Octavio Paz (1914) (Mexique).
91 Nadine Gordimer (1923) (Afr. du S.).
92 Derek Walcott (1930) (Ste-Lucie).

PAIX

01 Henri Dunant (1828-1910) (Suisse), Frédéric Passy (1822-1912) (Fr.).
02 Elie Ducommun (1833-1906), Albert Gobat (1843-1914) (Suisse).
03 Sir William Cremer (1838-1908) (G.-B.).
04 Inst. de droit intern., Gand (1873) (Belg.).
05 Bertha von Suttner (1843-1914) (Autr.).
06 Theodore Roosevelt (1858-1919) (USA).
07 Ernesto Moneta (1833-1918) (It.), Louis Renault (1843-1918) (Fr.).
08 Klas Arnoldson (1844-1916) (Suède), Fredrik Bajer (1837-1922) (Dan.).
09 Auguste Beernaert (1829-1912) (Belg.), Paul d'Estournelles de Constant (1852-1924) (Fr.).
10 Bureau international permanent de la paix, Berne (1891) (Suisse).
11 Tobias Asser (1838-1913) (P.-Bas), Alfred Fried (1864-1921) (Autr.).
12 Elihu Root (1845-1937) (USA).
13 Henri La Fontaine (1854-1943) (Belg.).
14-16 *Non décerné.*
17 Croix-Rouge internationale (1863).
18 *Non décerné.*
19 Th. Woodrow Wilson (1856-1924) (USA).
20 Léon Bourgeois (1851-1925) (Fr.).
21 Hjalmar Branting (1860-1925) (Suède), Christian Lange (1869-1938) (Norv.).
22 Fridtjof Nansen (1861-1930) (Norv.).
23-24 *Non décerné.*
25 Sir Austen Chamberlain (1863-1937) (G.-B.), Charles Dawes (1865-1951) (USA).
26 Aristide Briand (1862-1932) (Fr.), Gustav Stresemann (1878-1929) (All.).
27 Ferdinand Buisson (1841-1932) (Fr.), Ludwig Quidde (1858-1941) (All.).
28 *Non décerné.*
29 Frank Billings Kellogg (1856-1937) (USA).
30 Nathan N. Söderblom (1866-1931) (Suède).
31 Jane Addams (1860-1935), Nicholas Murray Butler (1862-1947) (USA).
32 *Non décerné.*
33 Sir Norman Angell (1874-1967) (G.-B.).
34 Arthur Henderson (1863-1935) (G.-B.).
35 Karl von Ossietzky (1889-1938) (All.).
36 C. Saavedra Lamas (1878-1959) (Arg.).
37 Lord Cecil of Chelwood (1864-1958) (G.-B.).
38 Office intern. Nansen pour les réfugiés (1921) (Suisse).
39-43 *Non décerné.*
44 Croix-Rouge internationale.
45 Cordell Hull (1871-1955) (USA).
46 Emily Balch (1867-1961) et John R. Mott (1865-1955) (USA).
47 Am. Friend's Serv. Com. (USA), Br. Soc. of Friend's Serv. Coun. (G.-B.).
48 *Non décerné.*
49 Lord John B. Orr of Brechin (1880-1971) (G.-B.).
50 Ralph Bunche (1904-71) (USA).
51 Léon Jouhaux (1879-1954) (Fr.).
52 Albert Schweitzer (1875-1965) (Fr./All.).
53 George Marshall (1880-1959) (USA).
54 Haut Commissariat de l'ONU pour réfugiés.
55-56 *Non décerné.*
57 Lester Pearson (1897-1972) (Canada).
58 Rév. D. G. Henri Pire (1910-69) (Belg.).
59 Philip John Noel-Baker (1889-1982) (G.-B.).
60 Albert-John Lutuli (1898-1967) (Afr. du S.). Prix décerné en 1961.
61 Dag Hammarskjöld (1905-61) (Suède).
62 Linus Pauling (1901) (USA).
63 Croix-Rouge internationale et Ligue des Soc. de Croix-Rouge.
64 Martin Luther King (1929-68) (USA).
65 FISE (UNICEF).
66-67 *Non décerné.*
68 René Cassin (1887-1976), Pt de la Cour européenne des droits de l'homme (Fr.).
69 Organisation internationale du travail.
70 Norman E. Borlaug (1914) (USA).
71 Willy Brandt (1913-92) (All. féd.).
72 *Non décerné.*
73 Henry A. Kissinger (1923) (USA), Le Duc Tho (1911-90) (Viêt-nam N.) qui le refuse.
74 Sato Eisaku (1901-75) (Jap.), Sean MacBride (1904-88) (Irl.).
75 Andréi Sakharov (1921-89) (URSS).
76 Mairead Corrigan (1944) (Irl. du N., G.-B.), Betty Williams (1943) (Irl. du N., G.-B.).
77 Amnesty International.
78 Anouar el-Sadate (1918-81) (Égypte). Menahem Begin (1913-92) (Israël, d'orig. pol.).
79 Mère Teresa (Inde ; n. 1910 en Youg.).
80 Adolfo Pérez Esquivel (1931) (Arg.).
81 Haut-Commissariat de l'ONU pour réfugiés.
82 Alva Myrdal (1902-86) (Suède), Alfonso García Robles (1911-91) (Mexique).
83 Lech Walesa (1943) (Pologne).
84 Desmond Tutu (1931) (Afr. du S.).
85 Internationale des médecins contre la guerre nucléaire.
86 Élie Wiesel (1928) (USA).
87 Oscar Arias Sanchez (1941) (Costa Rica).
88 Forces des Nations unies, gardiennes de la paix.
89 Dalaï Lama (Tenzin Gyatso, 1935) (Tibet).
90 Mikhaïl Gorbatchev (1931) (URSS).
91 Aung San Sou Kyi (1945) (Birmanie).
92 Rigoberta Menchú Tum (1959) (Guatemala).

PHYSIOLOGIE ET MÉDECINE

01 Emil von Behring (1854-1917) (All.).
02 Sir Ronald Ross (1857-1932) (G.-B.).
03 Niels Finsen (1860-1904) (Dan.).
04 Ivan Pavlov (1849-1936) (Russie).
05 Robert Koch (1843-1910) (All.).
06 Camillo Golgi (1843-1926) (It.), Santiago Ramon y Cajal (1852-1934) (Esp.).
07 Charles Laveran (1845-1922) (Fr.).
08 Paul Ehrlich (1854-1915) (All.), Elie Metchnikoff (1845-1916) (Russie).
09 Theodor Kocher (1841-1917) (Suisse).
10 Albrecht Kossel (1853-1927) (All.).
11 Allvar Gullstrand (1862-1930) (Suède).
12 Alexis Carrel (1873-1944) (Fr.).
13 Charles Richet (1850-1935) (Fr.).
14 Robert Bárány (1876-1936) (Autr.).
15-18 *Non décerné.*
19 Jules Bordet (1870-1961) (Belg.).
20 August Krogh (1874-1949) (Dan.).
21 *Non décerné.*
22 Sir Archibald Hill (1886-1977) (G.-B.), Otto Meyerhof (1884-1951) (All.).
23 Sir Frederick G. Banting (1891-1941), John J.R. MacLeod (1876-1935) (Canada).
24 Willem Einthoven (1860-1927) (P.-Bas).
25 *Non décerné.*
26 Johannes Fibiger (1867-1928) (Dan.).
27 Julius Wagner-Jauregg (1857-1940) (Aut.).
28 Charles Nicolle (1866-1936) (Fr.).
29 Charles Eijkman (1858-1930) (P.-Bas), Sir Frédérick Hopkins (1861-1947) (G.-B.).
30 Karl Landsteiner (1868-1943) (Autr.).
31 Otto Warburg (1883-1970) (All.).
32 Sir Charles Sherrington (1857-1952), Lord Edgar Adrian (1889-1977) (G.-B.).
33 Thomas Morgan (1866-1945) (USA).
34 George Whipple (1878-1976), W. Parry Murphy (1892-1987), G. Minot (1885-1950) (USA).
35 Hans Spemann (1869-1941) (All.).
36 Sir Henry Dale (1875-1968) (G.-B.)., Otto Lœwi (1873-1961) (Autr., d'orig. all.).
37 Albert Szent-Györgyi von Nagyrapolt (1893-1986) (Hong.).
38 Corneille Heymans (1892-1968) (Belg.).
39 Gerhard Domagk (1895-1964) (All.).
40-42 *Non décerné.*
43 Edward Adelbert Doisy (1893-1986) (USA), Henrik Dam (1895-1976) (Dan.).
44 Joseph Erlanger (1874-1965), Herbert Spencer Gasser (1888-1963) (USA).
45 Sir Alexander Fleming (1881-1955), Sir Ernst Boris Chain (1906-79), Lord Howard Florey (1898-1968) (G.-B.).
46 Hermann Muller (1890-1967) (USA).
47 Carl (1896-1984) et Gerty Cori (1896-1957) (USA, d'orig. autr.), Bernardo Houssay (1887-1971) (Arg.).
48 Paul Müller (1899-1965) (Suisse).
49 Walter Hess (1881-1973) (Suisse), Antonio de Abreu Freire Egas Moniz (1874-1955) (Port.).
50 Philip Hench (1896-1965), Edward Kendall (1886-1972) (USA), Tadeus Reichstein (1897) (Suisse, d'orig. pol.).
51 Max Theiler (1899-1972) (Afr. du S.).
52 Selman Waksman (1888-1973) (USA, d'orig. russe).
53 Fritz Lipmann (1899-1986) (USA, d'orig. all.), Sir Hans Krebs (1900-81) (G.-B., d'orig. all.).
54 John Enders (1897-1985), Thomas Weller (1915), Fréd. Robbins (1916) (USA).
55 Hugo Theorell (1903-82) (Suède).
56 Dickinson Richards (1895-1973) (USA), Werner Forssmann (1904-79) (All. féd.), André Cournand (1895-1988) (USA, d'orig. fr.).
57 Daniel Bovet (1907-92) (It.).
58 Joshua Lederberg (1925), George Beadle (1903-89), Edward Tatum (1909-75) (USA).
59 Severo Ochoa (1905) (USA, d'orig. esp.), Arthur Kornberg (1918) (USA).
60 Sir Frank Macfarlane Burnet (1899-1985) (Austr.), Sir Peter Brian Medawar (1915-87) (G.-B.).
61 Georg von Bekesy (1899-1972) (USA, d'orig. hongr.).
62 James Dewey Watson (1928) (USA), Francis Harry Compton Crick (1916), Maurice Hugues Fréd. Wilkins (1916) (G.-B.).
63 Sir John Carew Eccles (1903) (Austr.), Sir Alan Lloyd Hodgkin (1914), Sir Andrew Fielding Huxley (1917) (G.-B.).
64 Konrad Bloch (1912) (USA, d'orig. all.), Feodor Lynen (1911-79) (All. féd.).
65 François Jacob (1920), André Lwoff (1902), Jacques Monod (1910-76) (Fr.).
66 Charles B. Huggins (1901) et Francis Peyton Rous (1879-1970) (USA).
67 Ragnar Granit (1900-91) (Suède), Haldan Keffer Hartline (1903-83) (USA) et George Wald (1906) (USA).
68 Robert Holley (1922-93), Har Gobind Khorana (1922), Marshall Nirenberg (1927) (USA).
69 Max Delbrück (1906-81) (USA, d'orig. all.), Alfred Hershey (1908), Salvador Edward Luria (It., 1912-91) (USA).
70 Sir Bernard Katz (1911) (G.-B.), Ulf von Euler (1905-83) (Suède), Julius Axelrod (1912) (USA).
71 Earl Sutherland (1915-74) (USA).
72 Gerald Edelman (1929), Rodney Robert Porter (1917-85) (G.-B.).
73 Karl von Frisch (1886-1982) (Autr.), Konrad Lorenz (1903-89) (Autr.), Nikolaas Tinbergen (1907-88) (G.-B., d'orig. néerl.).
74 Albert Claude (1898-1983) (Belg.), Christian de Duve (1917) (Belg.), George Emil Palade (1912) (USA, d'orig. roum.).
75 Howard Martin Temin (1934) (USA), Renato Dulbecco (1914) (USA, d'orig. it.), David Baltimore (1938) (USA).

76 Baruch S. Blumberg (1925) (USA), D. Carleton Gajdusek (1923) (USA).
77 Rosalyn Yalow (1921) (USA), Roger Guillemin (1924) (USA, d'orig. fr.), Andrew Schally (1926) (USA, d'orig. pol.).
78 Werner Arber (1929) (Suisse), Daniel Nathans (1928) (USA), Hamilton Smith (1931) (USA).
79 Allan Cormack (1924) (USA), Godfrey N. Hounsfield (1919) (G.-B.).
80 Baruj Benacerraf (1920) (USA), Jean Dausset (1916) (Fr.), George D. Snell (1903) (USA).
81 Roger W. Sperry (1913) (USA), David H. Hubel (1926) (USA, d'orig. can.), Torsten N. Wiesel (1924) (USA, d'orig. suéd.).
82 Sune Bergström (1916) (Suède), Bengt I. Samuelson (1934) (Suède), Sir John R. Vane (1927) (G.-B.).
83 Barbara McClintock (1902) (USA).
84 Niels Jerne (1911) (Dan.), Georges Köhler (1946) (All. féd.), Cesar Milstein (1927) (G.-B., d'orig. argentine).
85 Michael Brown (1941) (USA), Joseph Goldstein (1940) (USA).
86 Stanley Cohen (1922) (USA), Rita Levi-Montalcini (1909) (It./USA).
87 Tonegawa Susumu (1939) (Jap.).
88 Sir James Black (1924) (G.-B.), Gertrude B. Elion (1918) (USA), George H. Hitchings (1906) (USA).
89 J. Michael Bishop (1936) (USA), Harold E. Varmus (1939) (USA). De nombreux savants français ont regretté que Dominique Stehelin (qui a découvert le 1er oncogène alors qu'il n'était que stagiaire post-doctoral en 1976 dans le laboratoire de Bishop et Varmus, à l'Université de Californie à San Francisco) n'ait pas été appelé à partager ce prix.
90 Joseph E. Murray (1919) (USA), E. Donnall Thomas (1920) (USA).
91 Erwin Neher (1944) (All.), Bert Sackmann (1942) (All.).
92 Edmond H. Fischer (1920) (USA et Suisse), Edwin G. Krebs (1918) (USA).

Physique

01 Wilhelm Röntgen (1845-1923) (All.).
02 Hendrik Lorentz (1853-1928) et Pieter Zeeman (1865-1943) (P.-Bas).
03 Henri Becquerel (1852-1908), Pierre (1859-1906) et M. Curie (1867-1934) (Fr., d'orig. pol.).
04 John Strutt (Lord Rayleigh) (1842-1919) (G.-B.).
05 Philipp von Lenard (1862-1947) (All.).
06 Sir Joseph Thomson (1856-1940) (G.-B.).
07 Albert Michelson (1852-1931) (USA, d'orig. all.).
08 Gabriel Lippmann (1845-1921) (Fr.).
09 Guglielmo Marconi (1874-1937) (It.), Ferdinand Braun (1850-1918) (All.).
10 Joh. D. van der Waals (1837-1923) (P.-B.).
11 Wilhelm Wien (1864-1928) (All.).
12 Gustaf Dalén (1869-1937) (Suède).
13 Heike Kamerlingh-Onnes (1853-1926) (P.-Bas).
14 Max von Laue (1879-1960) (All.).
15 Sir William Henry Bragg (1862-1942), Sir William L. Bragg (1890-1971) (G.-B.).
16 *Non décerné.*
17 Charles Barkla (1877-1944) (G.-B.), pour la découverte du rayonnement J, qui n'existe pas.
18 Max Planck (1858-1947) (All.).
19 Johannes Stark (1874-1957) (All.).
20 Charles-Éd. Guillaume (1861-1938) (Suisse).
21 Albert Einstein (1879-1955) (All./Suisse), pour la découverte des lois régissant l'effet photoélectrique (dep. 1912, il avait été présenté pour la théorie de la relativité).
22 Niels Bohr (1885-1962) (Dan.).
23 Robert Millikan (1868-1953) (USA).
24 Karl Siegbahn (1886-1978) (Suède).
25 James Franck (1882-1964), Gustav Hertz (1887-1975) (All.).
26 Jean Perrin (1870-1942) (Fr.).
27 Arthur Compton (1892-1962) (USA), Charles Wilson (1869-1959) (G.-B.).
28 Sir Owen Richardson (1879-1959) (G.-B.).
29 Prince Louis-Victor de Broglie (1892-1987) (Fr.).
30 Sir Chandrasekhara Venkata Raman (1888-1970) (Inde).
31 *Non décerné.*
32 Werner Heisenberg (1901-76) (All.).
33 Erwin Schrœdinger (1887-1961) (Autr.), Paul Dirac (1902-84) (G.-B.).
34 *Non décerné.*
35 Sir James Chadwick (1891-1974) (G.-B.).
36 Victor Hess (1883-1964) (Autr.), Carl David Anderson (1905-91) (USA).
37 Clinton Davisson (1881-1958) (USA), Sir George Thomson (1892-1975) (G.-B.).
38 Enrico Fermi (1901-54) (It.).
39 Ernest O. Lawrence (1901-58) (USA).
40-42 *Non décerné.*
43 Otto Stern (1888-1969) (USA, d'orig. all.).
44 Isidore Isaac Rabi (1898-1988) (USA, d'orig. autr.).
45 Wolfgang Pauli (1900-58) (Autr.).
46 Perey W. Bridgman (1882-1961) (USA).
47 Sir Edward Appleton (1892-1965) (G.-B.).
48 Lord Patrick Blackett (1897-1974) (G.-B.).
49 Hideki Yukawa (1907-81) (Jap.).
50 Cecil Franck Powell (1903-69) (G.-B.).
51 Sir John Douglas Cockcroft (1897-1967) (G.-B.), Ernest Walton (1903) (Irl.).
52 Edward Mills Purcell (1912), Félix Bloch (1905-83) (USA, d'orig. suisse).
53 Fritz Zernike (1888-1966) (P.-Bas).
54 Max Born (1882-1970) (G.-B., d'orig. all.), Walther Bothe (1891-1957) (All. féd.).
55 Polykarp Kusch (1911) (USA, d'orig. all.), Willis Lamb (1913) (USA).
56 William Shockley (1910-89) (USA, d'orig. G.-B.), Walter Brattain (1902-87), John Bardeen (1908-91) (USA).
57 Tsung Dao Lee (1926), Chen Ning Yang (1922) (Chine).
58 Pavel Tcherenkov (1904-90), Ilia Michajlovic Frank (1908-90), Igor Tamm (1895-1971) (URSS).
59 Emilio Segré (1905-89) (USA, d'orig. it.), Owen Chamberlain (1920) (USA).
60 Donald Glaser (1926) (USA).
61 Robert Hofstadter (1915-90) (USA), Rudolf Mössbauer (1929) (All. féd.).
62 Lev Landau (1908-68) (URSS).
63 Eugen Wigner (1902) (USA, d'orig. hongr.), Maria Goeppert-Mayer (1906-72) (USA, d'or. all.), Hans Jensen (1907-73) (All. féd.).
64 Charles Hard Townes (1915) (USA), l'autre moitié : Nikolai Basov (1922) et Aleksandr Prokhorov (1916) (URSS).
65 Richard P. Feynman (1918-88) (USA), Julian Schwinger (1918) (USA), Sinitiro Tomonaga (1906-79) (Jap.).
66 Alfred Kastler (1902-84) (Fr.).
67 Hans A. Bethe (1906) (USA, d'orig. all.).
68 Luis W. Alvarez (1911-88) (USA).
69 Murray Gell-Mann (1929) (USA).
70 Hannes Alfvén (1908) (Suède), Louis Neel (1904) (Fr.).
71 Dennis Gabor (1900-79) (G.-B., d'orig. hongr.).
72 John Bardeen (1908-91), Léon N. Cooper (1930), John R. Schrieffer (1931) (USA).
73 Léo Esaki (1925) (Jap.), Ivar Giaever (1929) (USA, d'orig. norv.), Brian D. Josephsón (1940) (G.-B.).
74 Sir Martin Ryle (1918-84) (G.-B.), Sir Antony Hewish (1924) (G.-B.).
75 Aage Bohr (1922) (Dan.), Ben Mottelson (1926) (Dan., d'orig. USA), James Rainwater (1917) (USA).
76 Burton Richter (1931) (USA), Samuel C.C., Ting (1936) (USA).
77 Philip Anderson (1923) (USA), Sir Nevill Mott (1905) (G.-B.), J.-H. Van Vleck (1899-1980) (USA).
78 Piotr L. Kapitza (1894-1984) (URSS), Arno Penzias (1933) (USA, d'orig. all.), Robert Wilson (1926) (USA).
79 Sheldon L. Glashow (1932) (USA), Abdus Salam (1926) (Pak.), Steven Weinberg (1933) (USA).
80 James W. Cronin (1931) (USA), Val L. Fitch (1923) (USA).
81 Nicolaas Bloembergen (1920) (USA, d'orig. néerl.), Arthur L. Schawlow (1921) (USA), Kai M. Siegbahn (1918) (Suède).
82 Kenneth G. Wilson (1936) (USA).
83 Subrahmanyan Chandrasekhar (1910) (USA, d'orig. ind.), William A. Fowler (1911) (G.-B.).
84 Carlo Rubbia (1934) (It.), Simon Van der Meer (1925) (P.-Bas).
85 Klaus von Klitzing (1943) (All. féd.).
86 Ernst Ruska (1906-88) (All. féd.), Gerd Binnig (1947) (Suisse), Heinrich Rohrer (1933) (Suisse).
87 Bednorz J. Georg (1950) (All. féd.), Müller K. Alexander (1927) (Suisse).
88 Leon Lederman (1922) (USA), Melvin Schwartz (1932) (USA), Jack Steinberger (1921) (USA).
89 Norman M. Ramsey (1915) (USA), Hans G. Dehmelt (1922) (USA).
90 Jerome I. Friedman (1930) (USA), Henry W. Kendall (1926) (USA), Richard E. Taylor (1929) (USA, d'orig. can.).
91 Pierre-Gilles de Gennes (1932) (Fr.).
92 Georges Charpak (Pol. 1924) (Fr.).

Sciences économiques

69 Ragnar Frisch (1895-1973) (Norv.), Jan Tinbergen (1903) (P.-Bas).
70 Paul A. Samuelson (1915) (USA).
71 Simon Kuznets (1901-85) (USA).
72 Sir John R. Hicks (1904-89) (G.-B.), Kenneth J. Arrow (1921) (USA).
73 Wassily Leontieff (1906) (USA, d'orig. URSS).
74 Gunnar Myrdal (1898-1987) (Suède), Friedrich von Hayek (1899-1992) (G.-B., d'orig. autr.).
75 Tjalling Charles Koopmans (1910) (USA, d'orig. néerl.), Léonide Kantorovitch (1912-86) (URSS).
76 Milton Friedman (1912) (USA).
77 Bertil Ohlin (1899-1979) (Suède), James Meade (1907) (G.-B.).
78 Herbert Simon (1916) (USA).
79 Theodore W. Schultz (1902) (USA), Sir Arthur Lewis (1915-91) (G.-B., d'orig. Ind. occ.).
80 Lawrence R. Klein (1920) (USA).
81 James Tobin (1918) (USA).
82 George J. Stigler (1911) (USA).
83 Gérard Debreu (1921) (USA, d'orig. fr.).
84 Richard Stone (1913) (G.-B.).
85 Franco Modigliani (1918) (USA, d'orig. ital.).
86 James Buchanan (1919) (USA).
87 Robert M. Solow (1924) (USA).
88 Maurice Allais (1911) (Fr.).
89 Trygve Haavelmo (1911) (Norv.).
90 Harry M. Markowitz (1927) (USA), Merton H. Miller (1923) (USA), William F. Sharpe (1934) (USA).
91 Ronald H. Coase (1910) (G.-B.).
92 Gary S. Becker (1930) (USA).

■ Distribution par pays

Chimie. USA 35, All. 28, G.-B. 22, *Fr. 7,* Suisse 4, Autr., Suède 3, Can., P.-Bas 2, Argent., Austr., Belg., Finl., Hongrie, It., Jap., Norv., Tchéc., URSS 1.

Littérature. *Fr. 12,* USA 10, G.-B. 8, All. 7, Suède 6, It., URSS, Esp. 5, Norv., Dan., Pol. 3, Suisse, Chili, Austr., Gr., Irl. 2, Belg., Colombie, Égypte, Finl., Guatemala, Inde, Islande, Jap., Nigeria, Tchéc., Youg., Mex., Afr. du S. 1.

Médecine. USA 66. G.-B. 24. All. 9. *Fr. 6.* Suède 6. Suisse, Autr., Dan. 5. Belg., Hongrie, It. 3. Afr. du S., P.-Bas, URSS 2. Argent., Austr., Can., Esp., Port., Jap. 1.

Paix. USA 17. *Fr. 9.* G.-B. 9, Suède 5. All. 4. Suisse, Belg. 3. URSS 2. Norv., Égypte, Irl., Israël, It., Jap., Mex., P.-Bas, Pol., Viêt-nam, Afr. du S., Youg., Costa Rica, Tibet, Birmanie 1. Institutions 14 (dont la Croix-Rouge 3, ONU 1). 20 fois non décerné.

Physique. USA 51. G.-B. 21. All. 17. *Fr. 11.* URSS 7. P.-Bas 6. Suède 4. Autr., Jap., Dan., It., Chine, Suisse 3. Inde, Irl., Pakistan 1.

Sciences économiques. USA 18. G.-B. 6. Norvège, Suède 2. *Fr. 1,* P.-Bas, Autr., URSS 1.

Total. USA 194. G.-B. 87. All. 64. *Fr. 45.* Suède 26. URSS, Suisse 17. It., Dan., Institutions, Autr. 14. P.-Bas 12. Belg., Norv., Esp. 8. Jap. 7. Afr. du S. 6. Argent., Austr., Hongrie, Irl., Pol. 4. Nigeria, Tchéc., Costa Rica, Tibet, Mex., Birmanie 1. *Non décernés :* Chimie 3 fois. Littérature 7. Paix 20. Physiol. méd. 9. Physique 6.

☞ Une conférence a réuni du 18 au 21-1-1988, à Paris, à l'initiative du Pt Mitterrand et d'Élie Wiesel (prix Nobel de la Paix), 75 lauréats du prix Nobel. *Thème :* « menaces et promesses à l'aube du XXIe s. ». Elle émit 16 conclusions dont celles-ci : *1)* Toutes les formes de vie doivent être considérées comme un patrimoine essentiel de l'humanité. Endommager l'équilibre écologique est donc un crime contre l'avenir. *2)* L'espèce humaine est une, et chaque individu qui la compose a les mêmes droits à la liberté, l'égalité et la fraternité. *3)* La richesse de l'humanité est aussi dans sa diversité. Elle doit être protégée dans tous ses aspects, culturel, biologique, philosophique, spirituel. Pour cela, la tolérance, l'écoute de l'autre, le refus des vérités définitives doivent être sans cesse rappelés. *7)* L'éducation doit devenir la priorité absolue de tous les budgets et doit aider à valoriser tous les aspects de la créativité humaine. *9)* Si la télévision et les nouveaux médias constituent un moyen essentiel d'éducation pour l'avenir, l'éducation doit aider à développer l'esprit critique face à ce que diffusent ces médias.

Wolf (Prix)

Création. 1978 par Ricardo Wolf (1887-1981). **But.** Promouvoir les sciences et les arts au bénéfice de l'humanité. **Montant.** 100 000 $. **Lauréats.** *1993 :* Michel Gromov (Fr.), Jacques Tits (Fr.), mathématiciens.

LES LETTRES

PRINCIPAUX AUTEURS ET PRINCIPALES ŒUVRES

☞ Pour plus de renseignements, consulter *Le Dictionnaire des œuvres.* Collection Bouquins – Éditions Robert Laffont.

Liste des abréviations

Académie Fr. :	Dramaturge : D	Grammairien : Gram	Médecin : Méd	Polémiste : Polé	Prosateur : Pros
Avocat : Av	Économiste : Ec	Historien : H	Mémorialiste : Mém	Politique (écr.) : Pol	Psychologue : Psycho
Biologiste : Bio	Écrivain : E	Historien d'art : H d'a	Moraliste : Mor	Prédicateur : Préd	Rhétoricien : Rhé
Chansonnier : Chan	Encyclopédiste : Ency	Humoriste : Hum	Nouvelliste : Nouv.	Prix Fémina : F	Romancier : R
Chroniqueur : Chr	Entomologiste : Ento	Journaliste : J	Orateur : Or	Prix Goncourt : G	Savant : Sav
Cinéaste : C	Érudit : Eru	Jurisconsulte : Jur	Peintre : Pe	Prix Interallié : I	Sociologue : Soc
Critique : Cr	Essayiste : Es	Linguiste : Ling	Philosophe : Ph	Prix Médicis : M	Théâtre : Th
– d'art : Cr. d'a	Ethnologue : Ethn	Livre : L	Physiologiste : Phy	Prix Nobel : N	Théologien : Théo
Dialoguiste : Dia	Fabuliste : Fab	Mathématicien : Math	Poète : P	Prix Renaudot : Ren	

Quelques dates avant J.-C. Vers 35000 apparition des images et du langage chez l'*Homo sapiens.* **30000** peintures pariétales en Europe ; entailles sur os (moyens mnémotechniques). **15000** peintures des grottes de Lascaux et d'Altamira. **9000** galets peints de la culture azilienne. **3300** invention de l'écriture *pictographique* en basse Mésopotamie (Uruk IV b). **3100** début de l'écriture *hiéroglyphique* égyptienne. **2800-2600** l'écriture sumérienne devient cunéiforme. **2500** le *cunéiforme* commence à se répandre dans tout le Proche-Orient. **2300** écriture originale non déchiffrée des peuples de la vallée de l'Indus. **1800** l'*akkadien* devient la langue diplomatique internationale de tout le Proche-Orient. **1500** invention du système hiéroglyphique hittite. Ecriture alphabétique au Sinaï ; chinoise idéographique sur vases de bronze et os oraculaires ; minoenne dite « linéaire B » en Crète. **1400** alphabet cunéiforme consonantique sémitique utilisé à Ugarit. **1100** inscriptions connues en alphabet linéaire phénicien. **900** les Phéniciens répandent leur alphabet consonantique, précurseur de notre alphabet, à travers la Méditerranée. **800** les Grecs inventent l'alphabet moderne avec voyelles.

LITTÉRATURE ALLEMANDE

☞ Voir p. 273 littérature autrichienne.

XIIIe-XIVe SIÈCLE

Nibelungenlied. Poèmes épiques nationaux, dans la lignée des sagas scandinaves. Mélange d'éléments chrétiens, courtois et de sauvagerie barbare. Auteurs anonymes.

Minnesang. Poésie lyrique amoureuse. Heinrich von Morungen (v. 1200), Walther von der Vogelweide (1170-1228).

XVIIe-XVIIIe-XIXe SIÈCLE

École baroque. Poésies mystiques et piétistes à l'imitation des lyriques religieux espagnols. Friedrich Spee von Langenfeld (1591-1635), Martin Opitz (1597-1639), Paul Fleming (1609-40), Andreas Gryphius (1616-64), Christoffel von Grimmelshausen (1622-76), Jean-Christian Günther (1695-1723).

Aufklärung (Siècle des Lumières). Émancipation de l'homme de la tutelle de l'Église, du mysticisme ; vise la tolérance ; croyance dans le progrès de l'humanité et la science ; recherche d'un équilibre harmonieux avec la nature. Johann Christoph Gottsched (1700-66), Friedrich Gottlieb Klopstock (1724-1803), Gotthold Ephraim Lessing (1729-81).

Sturm und Drang (« Tempête et Passion »). Titre d'un drame de Friedrich Klinger (1752-1831), utilisé pour désigner la littérature de toute une génération. Poésies imprégnées de « sensibilisme » anglais, mais utilisant les procédés de style des classiques attardés français. Friedrich Klopstock (1724-1803), Christof Wieland (1733-1813). Théoricien et prosateur : Gottfried Herder (1744-1803).

Époque classique. Johann Wolfgang von Goethe (1749-1832) et Friedrich Schiller (1759-1805). Font partie du *Sturm und Drang* et ont influencé le romantisme. Au-dessus des écoles littéraires de l'époque, ils ont atteint la dimension de classiques universels.

Romantisme. Créé par 2 critiques littéraires philosophes, les frères Schlegel : August (1767-1845) et Friedrich (1772-1829). Veulent imprégner de « poésie », c.-à-d. de lyrisme exprimant les grandes émotions personnelles ou collectives, toute la littérature, du théâtre à la philosophie. Nicolas Lenau (1802-50), Novalis [Friedrich von Hardenberg (1722-1801)], Ernst Theodor Amadeus Hoffmann (1776-1882), Achim von Arnim (1781-1831).

Réalisme. Caractérisé par un penchant pour la résignation et l'ironie, plus que par la critique sociale. Adalbert Stifter (1805-68), Friedrich Hebbel (1813-63), Gustav Freytag (1816-95), Theodor Storm (1817-88), Theodor Fontane (1819-98).

XXe SIÈCLE

Expressionnisme. Antinaturalisme sans idéologie précise où chaque écrivain s'intéresse surtout à réaliser son *moi* et à décrire son univers intérieur. L'écriture est pour eux un moyen de conjurer leurs fantasmes. Rainer Maria Rilke (1875-1926) : obsession de la mort, impuissance à être. Franz Kafka (1883-1924) : angoisse de l'individu devant la force d'agression des autres. Else Lasker-Schüler (1869-1945), Alfred Döblin (1878-1957), Georg Trakl (1887-1914), Franz Werfel (1890-1945).

Renouveau épique populaire. Se manifeste surtout chez Bertolt Brecht (1898-1956) dont l'idéologie a évolué vers le marxisme mais qui reste un classique du théâtre. Ernst Toller (1895-1939) : plus proche des expressionnistes.

NÉS AVANT 1600

Anonymes : Chant de Hildebrand (820), Heliand (830), Roman de Renart (v. 1180), Chant des Nibelungen (v. 1200), Gudrun (v. 1230), Till l'Espiègle (1480), Histoire de Faust (1587).

Albert le Grand (Saint) [Ph, Théo] (v. 1193-1280).

Böhme, Jakob [Ph] (1575-1624).

Brant, Sebastian [P] (1458-1521) : la Nef des fous.

Eckhart, Heinrich, dit le Maître [Théo] (v. 1260-v. 1327) : le Livre de la consolation divine, Sermons, Traités.

Gottfried de Strasbourg [P] (début XIIIe s.) : Tristan.

Gottschalk [Théo] (v. 805-v. 868).

Hartmann von Aue [P] (v. 1165-v. 1215) : Erec, Iwein, le Pauvre Henri.

Konrad de Wurtzbourg [P] (v. 1220-87).

Luther, Martin [Théo] (1483-1546) : Trad. de la Bible, Commentaires, Lettres. Voir Index.

Melanchthon (Philipp Schwarzerd) [Théo] (1497-1560) : le Livre de l'âme.

Nicolas de Cues [Ph] (1401-64) : De docta ignorantia.

Opitz, Martin [P] (1597-1639) : le Livre de la poésie allemande.

Ottfried de Wissembourg [P] (v. 875) : le Livre des Évangiles.

Reuchlin, Johannes [E] (1445-1522) : Traductions du grec et de l'hébreu.

Sachs, Hans [P] (1494-1576) : le Rossignol de Wittenberg, Théâtre, Dialogues.

Suso, Heinrich [Théo] (v. 1296-1366) : l'Exemplaire, l'Horloge de Sapience, Lettres.

Tauler, Johann [Théo] (v. 1300-61) : Sermons mystiques.

Wolfram d'Eschenbach [P] (v. 1170-v. 1220) : Parzival.

NÉS ENTRE 1600 ET 1700

Gerhardt, Paul [Théo, P] (1607-76).

Grimmelshausen, Hans Jakob Christoph von [R] (v. 1621-76) : Simplicius Simplicissimus.

Günther, Johann Christian [P] (1695-1723).

Leibniz, Gottfried Wilhelm [Ph, Sav] (1646-1716) : Nouveaux Essais sur l'entendement humain (1704), Théodicée (1710), la Monadologie (1714). – *Biogr. :* fils d'un Tchèque, prof. de philos. à Leipzig. Orphelin de père à 6 ans, élevé par sa mère, fille d'un savant, qui lui enseigne latin et grec. *1663* bachelier en philos. ancienne. *1666* docteur en droit à Nuremberg ; initié Rose-Croix. *1672-76* séjour à Paris. *1676* bibliothécaire des ducs de Hanovre, demeurera 40 ans à leur cour, admiré par toute l'Europe.

Moscherosch, Michael [E] (1601-69) : les Visions de Philander von Sittenwald.

Wolff, Christian, Bon von [Ph] (1679-1754).

NÉS ENTRE 1700 ET 1800

Adelung, Johann Christopher [Ency] (1732-1806).

Arndt, Ernst Moritz [P] (1769-1860) : Chants de guerre, l'Esprit du temps.

Arnim, Achim von [P, R] (1781-1831) : Contes fantastiques.

Brentano, Clemens [P, R] (1778-1842) : Godwi, le Cor merveilleux de l'enfant.

Bürger, Gottfried August [P] (1747-94) : Ballades (Lénore), le Baron de Crack (1786).

Carus, Carl Gustav [Sav] (1789-1811) : Psyché.

Chamisso, Adalbert von (or. franç.) [E] (1781-1838) : Peter Schlemihl (1814).

Clausewitz, Karl von [H] (1780-1831) : De la guerre (1816-30).

Droste-Hülshoff, Annette, Bonne von [P] (1797-1848) : Dons suprêmes, l'Année spirituelle.

Eichendorff, Josef, Bon von [P] (1788-1857) : Scènes de la vie d'un propre à rien (1826), Poèmes.

Fichte, Johann Gottlieb [Ph] (1762-1814) : Discours à la nation allemande (1807-08).

Goethe, Johann Wolfgang von [P, R, D] (1749-1832) : *Théâtre :* Goetz von Berlichingen (1774), Iphigénie en Tauride (1779), Egmont (1787), Torquato Tasso (1789), Faust (1808), Second Faust (1833). *Roman et autobiogr. :* Werther (1774), Wilhelm Meister (1796), les Affinités électives (1809), Poésie et Vérité (1811-33), Voyage en Italie (1816-29), Campagne de France (1817). *Poésie :* Élégies (1793-98), Hermann et Dorothée (1797), l'Apprenti sorcier (1797), la Fiancée de Corinthe (1797), Divan occidental et oriental (1819), Élégie à Marienbad (1823). – *Biogr. :* famille bourgeoise (père conseiller de Francfort, grand-père maternel échevin), éducation française et italienne. *1765-68* étudiant en droit à Leipzig. *1770-72* à Strasbourg (rencontre avec Herder ; idylle avec Frédérique Brion). *1772* reçu docteur ; rentre à Francfort ; magistrat à Wetzlar, *1773* débuts en littérature. *1775* attaché à la cour grand-ducale de Weimar. *1782* liaison avec Charlotte von Stein. *1786* s'en éloigne en fuyant en Italie. *1788* retour à Weimar ; ministre du grand-duc ; vit maritalement avec Christiane Vulpius (1765-1816, épousée 1807). *1791* directeur du Théâtre ducal (jusqu'en 1817). *1792* suit la Campagne de France (Valmy). *1794* début de l'amitié avec Schiller († 1805). *1808* rencontre Napoléon à Erfurt (décoré de la Légion d'honneur). *1814-19* passion pour Marianne von Willemer. *1822* demande en mariage Ulrike von Levetzow (16 ans) ; échec. Termine sa vie célèbre (surnommé le « Sage de Weimar »).

Görres, Josef von [H] (1776-1848).

Gottsched, Johann Christof [E] (1700-66).

Grimm, Jacob [E] (1785-1863) : en collab. avec Wilhelm Grimm : Contes populaires.

Grimm, Wilhelm [E] (1786-1859) : Dictionnaire allemand (avec Jacob Grimm).

Günderode, Karoline von [P] (1780-1806) : La faim, nous l'appelons amour.

Hamann, Johann Georg [Ph] (1730-88).

Hebel, Johann Peter [Chr] (1760-1826).

Hegel, Friedrich [Ph] (1770-1831) : la Phénoménologie de l'esprit (1807), Encycl. des Sciences philosophiques (1817), Leçons sur la philosophie de l'histoire (1837-40), Logique (1840). – *Biogr. :* fils d'un fonctionnaire du duc de Wurtemberg. *1788-93* étudiant en théologie à Tübingen. *1793-96* préceptorat en Suisse. *1797-1800* à Francfort. *1801* professeur de philo. à Iéna (influence de Schelling). *1808-16* directeur de lycée à Nuremberg. *1816-18* prof. à Heidelberg. *1818-31* à Berlin.

Heine, Heinrich [P] (1797-1856) : De l'Allemagne (1834), les Deux Grenadiers, la Lorelei, Livre des chants (1827-44), Images de voyages, Romanzero (1851).

Herder, Johann Gottfried [Ph] (1744-1803) : Phil. de l'histoire.

Hoffmann, Ernst Theodor Amadeus [E] (1776-1822) : *Nouvelles :* Fantaisies à la manière de Callot (1814-15), les Frères Sérapion (1819-21). *Romans :* les Élixirs du Diable (1815-16), le Chat Murr (1821).

Hölderlin, Friedrich [P] (1770-1843) : Hymnes, Hyperion (1797-99).

Humboldt, Wilhelm, B^{on} von [Ph, Ling, Cr] (1767-1835).

Jean-Paul (Friedrich Richter, dit) [R] (1763-1825) : la Loge invisible (1793), Hesperus (1795), Siebenkäs (1796), Titan (1800-04).

Kant, Emmanuel [Ph] (1724-1804) : Critique de la raison pure (1781), Fondement de la métaphysique des mœurs (1785), Cr. de la raison pratique (1788), Cr. du jugement (1790), Vers la paix perpétuelle (1795). – *Biogr. :* fils d'un sellier de Königsberg (Prusse) ; 4e d'une famille de 11 (mesure 1,50 m). Études au collège piétiste. *1740* étudiant en théologie. *V. 1742* renonce au pastorat, suit des cours de philo. et de math. *1746-55* précepteur de familles nobles en Prusse. *1755* maître de conférences à la fac. de philo. de Königsberg. *1770* prof. titulaire (logique et métaphysique). *1781 Critique de la raison pure :* célébrité. *1794-97* le roi de Prusse, Frédéric-Guillaume II, lui interdit d'écrire sur la religion. *1797* à la mort du roi, reprend sa liberté (mais démissionne de sa chaire, pour raisons de santé). *1800* sénile.

Kleist, Heinrich von [D, P] (1777-1811) : la Cruche cassée (1803), Penthésilée (1808), la Bataille d'Arminius (1808), le Prince de Hombourg (1810), la Marquise d'O (1810), Michael Kohlhaas (1810).

Klinger, Friedrich Maximilian von [P] (1752-1831) : Sturm und Drang (Tempête et Passion, 1776).

Klopstock, Friedrich [P] (1724-1803) : la Messiade, Odes.

Körner, Theodor [P] (1791-1813) : Chants de guerre.

Kotzebue, August von [E] (1761-1819) : Misanthropie et Repentir, l'Ane hyperboréen. *Th. :* 26 pièces.

La Motte-Fouqué, Friedrich, B^{on} de [E] (1777-1843) : le Héros du Nord, Ondine.

Lessing, Gotthold Ephraim [E, D] (1729-81) : Dramaturgie de Hambourg, Minna von Barnhelm (1767), Emilia Galotti, Nathan le Sage (1779), Éducation du genre humain (1780). – *Biogr. :* fils d'un pasteur de Lusace (aîné de 10 garçons) ; études au séminaire protestant de Meissen (Afraneum). *1746* théologie à Leipzig. *1747* médecine ; vit chez son cousin Mylius, auteur comique. *1748* débute au théâtre avec lui. *1751* philologie à Wittemberg. *1752* maîtrise de lettres ; commence à vivre de sa plume. *1756-58* préceptorat ; voyage en Angleterre. *1767* directeur du théâtre de Hambourg. *1769* bibliothécaire du duc de Brunswick à Wolfenbüttel. *1776* épouse Eva König († en couches 1778). *1778-81* dépressif.

Lichtenberg, Georg Christoph [E, S] (1742-99) : Aphorismes (1800-06).

Moritz, Karl Philipp [E] (1756-93) : Anton Reiser (1785).

Novalis, Friedrich (B^{on} von Hardenberg, dit) [P] (1772-1801) : Hymnes à la nuit (1797), Fragments (1798), Henri d'Ofterdingen (1802).

Platen, August von [P] (1796-1835) : la Pantoufle de verre.

Ranke, Leopold von [H] (1795-1886) : Hist. des papes.

Rückert, Friedrich [P] (1788-1866).

Schelling, Friedrich Wilhelm [Ph] (1775-1854) : Système de l'idéalisme transcendantal (1800), Philosophie et Religion (1804), Philosophie de la Révélation (1856).

Schiller, Friedrich von [R, D, S] (1759-1805) : *Théâtre :* les Brigands (1781), Don Carlos (1787), Wallenstein (1796), Marie Stuart (1799), la Pucelle d'Orléans (1801), la Fiancée de Messine (1803), Guillaume Tell (1804). *Histoire :* Hist. de la guerre de Trente Ans (1791-93). *Essai :* la Grâce et la Dignité (1793-94). *Poésie :* Poèmes philosophiques, Hymne à la joie (1785). – *Biogr. :* fils d'un chirurgien aux armées wurtembergeois. *1773-80* cadet de l'académie militaire de Stuttgart. *1780* médecin militaire. *1782* fait jouer sa 1re pièce sans autorisation, et déserte. *1783* recueilli en Thuringe par la famille Wolzogen. *1784* auteur attitré du théâtre de Mannheim. *1785* contrat rompu. *1785-87* recueilli par des admirateurs à Leipzig, puis à Dresde. *1788* prof. d'histoire sans traitement à l'université d'Iéna (existence précaire). *1790* épouse Charlotte von Lengefeld. *1791* pensionné par le prince Frédéric-Christian d'Augustenbourg. *1794* ami de Goethe qui le pousse vers le journalisme satirique. *1799* se fixe à Weimar, près de Goethe ; tuberculeux, meurt à 46 ans.

Schlegel, Friedrich von [P] (1772-1829).

Schlegel, Wilhelm von [E] (1767-1845).

Schleiermacher, Friedrich [Ph] (1768-1834) : De la religion.

Schopenhauer, Arthur [Ph] (1788-1860) : le Monde comme volonté et comme représentation (1818). – *Biogr. :* fils d'un riche commerçant (républicain) de Dantzig, voyage en Europe (1800-05). *1805* son père meurt, sa mère ouvre un salon littéraire à Weimar et écrit des romans. *1809* médecine à Göttingen. *1810* philosophie. *1813* docteur. *1814-18* brouillé avec sa mère, vit seul à Dresde, lisant et écrivant. *1820* maître de conférences à Berlin (démissionne après 6 mois). *1825* vit de ses rentes. *1833* à Francfort.

Tieck, Ludwig [R] (1773-1853) : le Blond Eckbert, le Monde à l'envers, Contes.

Uhland, Ludwig [P] (1787-1862) : Ballades.

Voss, Johann Heinrich [P] (1751-1826) : Louise, Traductions d'Homère.

Wackenroder, Wilhelm Heinrich [E] (1773-98) : Épanchements d'un moine ami des arts.

Wagner, Heinrich Leopold [D] (1747-79) : l'Infanticide.

Werner, Zacharias [Ec] (1768-1823) : *Théâtre :* le Fils de la vallée (1803), la Croix sur la Baltique (1806), le 24 février, la Mère des Macchabées (1820).

Wieland, Christof Martin [R, P] (1733-1813) : *Romans :* Agathon, Musarion, les Abdéritains. *Poésie :* Obéron.

Winckelmann, Johann Joachim [H] (1717-68) : Hist. de l'art chez les Anciens.

NÉS ENTRE 1800 ET 1900

Becher, Johannes [P] (1891-1958) : De Profundis Domine (1913), A l'Europe, A la Fraternité (1916), Poèmes de l'Exil (1933-45).

Benjamin, Walter [Es, Pros] (1892-1940) : Passage de W. Benjamin, Journal de Moscou, l'Œuvre des passages, Rastelli raconte... et autres récits (suivi de le Narrateur).

Benn, Gottfried [P] (1886-1956) : Morgue (1912), Double Vie (1950), Poèmes.

Bergengruen, Werner [R] (1892-1964) : la Rose du sultan (1946), le Dernier Capitaine de cavalerie (1952), l'Arbre merveilleux.

Bloch, Ernst [Ph] (1885-1977) : l'Esprit de l'utopie (1918), Thomas Münzer, théologien de la Révolution (1921), le Principe Espérance (1949-59).

Brecht, Bertolt [D] (1898-1956) : *Théâtre :* Tambours dans la nuit, l'Opéra de quat'sous (1928), Maître Puntila et son valet Matti (1940), la Résistible Ascension d'Arturo Ui (1941), Mère Courage (1941), Galileo Galilei (1943), le Cercle de craie caucasien (1945). *Poésie :* les Sermons domestiques (1927). – *Biogr. :* famille bavaroise modeste, études secondaires à Augsbourg. *1917-19* médecine à Munich. *1919-28* fréquente les milieux littéraires anarchistes. *1924* avec l'actrice Hélène Weigel, rejoint à Berlin le Deutsches Theater de Reinhardt, qui monte ses pièces. *1928* épouse Hélène, devient marxiste. *1933-40* exilé au Danemark. *1940-41* en Finlande, puis en Russie. *1941-47* en Californie. *1949* avec sa femme, fonde à Berlin-Est le Berliner Ensemble, crée le « Théâtre épique », d'inspiration marxiste.

Büchner, Georg [D, P] (1813-37) : la Mort de Danton (1835), Woyzeck, Léonce et Léna (1836).

Bultmann, Rudolf [Théo] (1884-1976).

Burckhard, Karl Jacob [Es, H] (1891-1974) : Souvenirs sur Hofmannsthal, Biographies, Figures et Pouvoirs (1941).

Carossa, Hans [R] (1878-1956) : Poésies (1910), le Docteur Gion (1931), Mondes inégaux (1951).

Curtius, Ernst Robert [Ph, Cr] (1886-1956).

Dehmel, Richard [P] (1863-1920) : la Femme et le Monde (1896).

Dilthey, Wilhelm (1833-1911).

Döblin, Alfred [R] (1878-1957) : Berlin Alexanderplatz (1929), Voyage babylonien (1934), Pas de quartier (1935), le Tigre bleu, Bourgeois et Soldats, Novembre 1918.

Elias, Norbert [Soc] (1897-1990) : la Civilisation des mœurs et la Dynamique de l'Occident (1939).

Engels, Friedrich [Ph, Pol] (1820-95) : Manif. du parti com. (avec Marx) (1848).

Ernst, Paul [R, D] (1866-1933) : l'Étroite Voie du bonheur (1904), Demetrios (1905), Canossa (1908).

Eucken, Rudolf [Théo] (1846-1926) : [N. 1908].

Fallada, Hans (Rudolf Ditzen dit) [R] (1893-1947) : Et puis après (1932), Nous avions un enfant (1934), Vieux Cœur en voyage (1936), Loup parmi les loups (1937), Seul dans Berlin.

Fechner, Gustav Theodor [Ph] (1801-87).

Feuchtwanger, Lion [R] (nat. américain) (1884-1958) : le Juif Süss (1925).

Feuerbach, Ludwig [Ph] (1804-72) : Essence du christianisme (1851).

Fontane, Theodor [P, R] (1819-98) : Journal de captivité (1870), l'Adultère, Errements et Tourments (1888), Effi Briest (1896), Stechlin (1899).

Freiligrath, Ferdinand [P] (1810-76) : Profession de foi (1844), Nouv. Poésies polit. et soc. (1849).

Freytag, Gustav [E] (1816-95) : Doit et Avoir (1855), les Ancêtres (1873-81).

George, Stefan [P] (1868-1933) : le Septième Anneau (1907), l'Étoile d'alliance (1914).

Grabbe, Christian-Dietrich [D] (1801-36) : le Duc Théodore de Gotland (1827), Don Juan et Faust (1829), Henri VI (1830), Napoléon (1831).

Groth, Klaus [P] (1819-99).

Guardini, Romano [Ph] (1895-1968) : le Seigneur, Pascal, la Fin des temps modernes, Méditations, le Dieu vivant, Liberté, Grâce et Destinée.

Gutzkow, Karl [R, D, E] (1811-78) : Wally la sceptique (1835), Perruque et Épée (1844).

Haecker, Theodore [J et Polé] (1879-1945) : Qu'est-ce que l'homme ?, le Livre des jours et des nuits.

Hartmann, Eduard von [Ph] (1842-1906).

Hauptmann, Gerhart [D] (1862-1946) : *Drames :* Avant l'aube (1889), Ames solitaires (1891), les Tisserands (1892), Florian Geyer (1896), le Voiturier Henschel, Pauvre Fille, Rose Bernd (1903). *Com. :* la Pelisse de castor (1893) [N 1912].

Hebbel, Friedrich [D, P] (1813-63) : Marie-Madeleine (1844), les Nibelungen (1862).

Heidegger, Martin [Ph] (1889-1976) : l'Être et le Temps (1927), Qu'est-ce que la métaphysique ? (1929), De l'essence de la vérité (1943), Lettre sur l'humanisme (1947), Chemins qui ne mènent nulle part (1950).

Hesse, Hermann [P, R] (naturalisé suisse 1923) (1877-1962) : *Romans et nouvelles :* Fiançailles (1903-12), l'Ornière (1905), Gertrude (1910), Demian (1919), le Dernier Eté de Klingsor (1920), Siddhartha (1922), le Loup des steppes (1927), Narcisse et Goldmund (1930), le Voyage en Orient (1932), le Jeu des perles de verre (1943) [N 1946].

Heyse, Paul von [P, D, R] (1830-1914) : *Drames :* Hans Lange et Colberg. *Romans :* les Enfants du Monde, Au Paradis, Merlin (1880) [N 1910].

Holz, Arno [E] (1863-1929) : la Famille Selicke (avec J. Schlaf) (1890), Phantasus (1898), Poèmes.

Horkheimer, Max [Ph] (1895-1973).

Huch, Ricarda [E] (1864-1947) : Poèmes (1891), les Romantiques allemands (1908), Histoire de l'Allemagne au XIXe s.

Husserl, Edmund [Ph] (1859-1938) : Intr. gén. à la phénoménologie pure (1913).

Jahnn, Hans Henny [R] (1894-1959) : Perrudja (1929), le Fleuve sans rives (1949-61), la Nuit de plomb (1956), Perrudja II.

Jaspers, Karl [Ph] (nat. américain) (1883-1969) : Phil. de l'existence (1938), Raison et déraison de notre temps (1950), Introduction à la philosophie (1951), Origine et Sens de l'histoire (1954).

Jünger, Ernst [R, E] (1895) : Orages d'acier (1920), le Lieutenant Sturm (1923), Jeux africains (1936), Sur les falaises de marbre (1939), les Jardins et les Routes, la Paix (1945), Héliopolis (1949), Visite à Godenholm (1952), les Abeilles de verre (1957), le Mur du temps [Journal (1959)], Chasses subtiles (1967), le Lance-pierres (1973), le Contemplateur solitaire, Eumeswil (1977), l'Auteur et l'Écriture, Une dangereuse rencontre (1985), les Ciseaux.

Kasack, Hermann [R] (1896-1966) : la Ville au-delà du fleuve (1947), le Grand Filet (1952).

Kästner, Erich [E] (1899-1974) : Émile et les Détectives (1929), la Classe volante (1933).

Keyserling, Hermann von [E] (1880-1946) : Système du monde (1906), Journal d'un philosophe, Analyse spectrale de l'Europe (1928), Méditation sud-américaine.

Kolb, Annette [E] (1875-1967).

Langbehn, August [Cr. d'a] (1851-1907).

Lange, Friedrich Albert [Ph] (1828-75) : Histoire du matérialisme.

Langgässer, Elisabeth [R] (1899-1950) : le Sceau indélébile (1946), les Argonautes de Brandebourg.

Lasker-Schüler, Else [P, D] (1876-1945) : Die Wupper (1909), Mon Piano bleu (1943).

Lassalle, Ferdinand [Pol] (1825-64) : la Guerre d'Italie et la Mission de la Prusse (1859), Capital et Travail (1862).

Le Fort, Gertrud von [P, R] (1876-1971) : Hymnes à l'Église (1924), le Voile de Véronique (1928-46), la Dernière à l'échafaud (1931), la Couronne des anges (1946), la Fille de Farinata, l'Enfant étranger (1961).

Liliencron, Detlev von [P] (1844-1909) : Nouvelles de guerre (1885), Poèmes (1889).

Ludwig, Emil (Cohn) [H] (1881-1948) : Goethe (1920), Napoléon (1925), Bismarck (1926).

Ludwig, Otto [E] (1813-65) : le Forestier héréditaire (1853), Entre ciel et terre (1856).

Mann, Heinrich [R] (1871-1950) : les Déesses ou les Trois Romans de la duchesse d'Assy (1903), Professeur Unrat (1905), la Petite Ville (1909), le Sujet (1918), les Pauvres (1918), la Tête (1925), le Guerrier pacifique (1938).

Mann, Thomas [R] (1875-1955) : les Buddenbrook (1901), Tristan (1903), la Mort à Venise (1912), Tonio Kröger (1914), la Montagne magique (1924), Histoires de Jacob, le Jeune Joseph (1934), Joseph en Égypte (1936), Charlotte à Weimar (1939), Docteur Faustus (1947), l'Élu (1951), les Confessions du chevalier d'industrie Félix Krull (1954). – *Biogr. :* fils d'un négociant en grains de Lübeck, sud-amér. sénateur ; frère de Heinrich (voir ci-dessus). *1891* son père mort, sa famille va vivre à Munich. *1905* épouse Katja Pringsheim (vivra à Munich jusqu'en 1933, et aura 6 enfants). *1929* Nobel de littérature. *1933-38* exil en Suisse. *1938* professeur (Princeton, USA) *1941-52* en Californie. *1952* naturalisé amér., retiré en Suisse.

Marx, Karl [Ph, Ec] (1818-83) : l'Idéologie allemande (1846), Misère de la philosophie (1847), le Manifeste du parti communiste (avec Engels) (1848), le 18 Brumaire de Louis Bonaparte (1852), le Capital (1867).

Mommsen, Theodor [H] (1817-1903) : Histoire romaine (1856) [N 1902].

Morgenstern, Christian [P] (1871-1914) : Chants du gibet (1905).

Mörike, Eduard [P] (1804-75) : Poésies (1838), le Voyage de Mozart à Prague (1856).

Natorp, Paul [Ph] (1854-1924) : les Fondements logiques de la science exacte (1910).

Nietzsche, Friedrich [Ph] (1844-1900) : le Gai Savoir (1883-87), Ainsi parlait Zarathoustra (1883-85), Par-delà le bien et le mal (1886). – *Biogr. :* famille de pasteurs ; orphelin de père à 4 ans. *1856* séminariste luthérien à Pforta. *1861* étudiant à Bonn. *1867* élève officier, réformé après chute de cheval. *1868* prof. de grec à Bâle. *1869* démissionne (syphilis) ; vit en Italie (hivers à Nice). *1889* paralysie générale ; interné à Iéna jusqu'à sa mort.

Panofsky, Erwin [H d'a] (1892-1968).

Plievier, Theodor [R] (1892-1955) : Stalingrad (1945), Moscou (1952), Berlin (1954).

Raabe, Wilhelm [R] (1831-1910) : le Pasteur de la faim (1857), la Chronique de la Rue aux moineaux (1864), publiée sous le pseudo. de Jacob Corvinus.

Reichenbach, Hans [Ph] (1891-1953).

Remarque, Erich Maria [R] (1898-1970) (nat. américain) : À l'ouest rien de nouveau (1928), Arc de triomphe (1938), les Camarades (1946).

Reuter, Fritz [R] (1810-74) : Drôleries et Rimailleries (1853-58), Sans maison (1858).

Röpke, Wilhelm [Ec] (1899-1966) : Explication écon. du monde moderne, Gegen die Brandung.

Sachs, Nelly [P] (1891-1970) : Brasier d'énigmes (1963), Présence de la nuit, Juifs en errance [N. 1966].

Scheler, Max [Ph] (1874-1928) : L'Éternel dans l'homme (1921), Mort et Survie.

Seidel, Ina [P, R] (1885-1974) : le Labyrinthe (1922), l'Enfant du destin (1930), Lennacker (1938).

Sieburg, Friedrich [Es] (1893-1964) : Dieu est-il français ? (1929), Napoléon (1956), Chateaubriand. Romantisme et politique (1959).

Simmel, Georg [Ph, Soc] (1858-1918) : les Problèmes de la philosophie de l'histoire (1892), Philosophie de l'argent (1900), Sociologie (1908).

Sombart, Werner [H] (1863-1941).

Spengler, Oswald [Ph, H] (1880-1936) : le Déclin de l'Occident (1918-22).

Sternheim, Carl [D, R] (1878-1942) : le Snob (1914), le Contemporain déchaîné (1920).

Storm, Theodor [R] (1817-88) : Immensee (1852), l'Homme au cheval blanc (1888).

Strauss, Emil [R] (1866-1960) : l'Ami Hein (1902), le Jouet des géants (1934).

Sudermann, Hermann [R, D] (1857-1928) : l'Honneur (1890), la Fin de Sodome (1891).

Tucholsky, Kurt [P] (1890-1935) : Un livre des Pyrénées (1930-83), Apprendre à vivre sans pleurer (1931), Un été en Suède (1931), Chroniques allemandes 1918-35, Bonsoir révolution allemande.

Unruh, Fritz von [P] (1885-1970) : le Sacrifice (Verdun) (1916), Ce n'est pas encore la fin (1947).

Wassermann, Jakob [R] (1873-1934) : les Juifs de Zirndorf (1897), Gaspard Hauser ou la Paresse du cœur (1908), l'Affaire Maurizius (1928), Etzel Andergast (1930), la Vie de Stanley (1932).

Weber, Max [Soc, Ec] (1864-1920) : Philosophie de l'histoire, l'Éthique protestante et l'Esprit du capitalisme (1920), le Savant et le Politique (1921), Économie et Société, Essais sur la théorie de la science (1922).

Wedekind, Frank [D] (1864-1918) : l'Éveil du printemps (1891), la Boîte de Pandore (1904), Un mauvais démon, le Coup de foudre (1905-1908).

Wertheimer, Max [Ph] (1880-1943).

Wiechert, Ernst [R] (1887-1950) : l'Enfant élu (1929), la Grande Permission (1931), la Vie simple (1939), le Bois des morts (1945), les Enfants Jéromine (1945), Missa sine nomine (1950).

Wölfflin, Heinrich [H d'art] (1864-1945).

Wundt, Wilhelm [Ph, Psycho] (1832-1920) : Logique (1880-83), Psychologie des peuples (1900-20).

Zuckmayer, Carl [E] (1896-1977) : le Général du diable (1946), le Chant dans la fournaise (1950), Meurtre au Carnaval (1959).

Zweig, Arnold [R] (1887-1968) : le Cas du sergent Grischa (1927), l'Éducation héroïque devant Verdun (1935), la Hache de Wandsbek (1947).

Nés depuis 1900

Achternbusch, Herbert [R, Pros] (1938) : le Jour viendra (1973), l'Heure de la mort, Ella, Susn, Gust.

Adorno, Theodor W. [Ph] (1903-69) : Philosophie de la nouvelle musique (1949-58), Minima moralia (1951), Mahler, une physionomie musicale (1960), Dialectique négative (1966).

Andersch, Alfred [R] (1914-80, naturalisé suisse) : les Cerises de la liberté (1952), Un amateur de demi-teintes (1953), Zanzibar (1957), le Voyage d'Italie (1961), Ephraïm (1967), Winterspelt (1974), la Femme aux cheveux roux.

Andres, Stefan [R] (1906-70) : Utopia (1943), le Chevalier de justice (1948).

Arendt, Hannah [H] (1906-75) : le Concept d'amour chez Augustin (1929), Auschwitz et Jérusalem (1941-60), la Vie de l'esprit, Penser l'événement, les Origines du totalitarisme (1951), la Nature du totalitarisme.

Augustin, Ernst [R] (1927) : la Tête (1962), Évelyne ou le Voyage autour de la folie (1976).

Becker, Jurek [R] (1937) : Jakob le menteur, Histoire de Gregor Birnek, l'Heure du réveil, les Enfants Bronstein.

Becker, Thorsten [R] (1960) : la Caution.

Becker, Ulrik [R] (1910) : l'Heure juste, la Chasse à la marmotte, l'Ex. Casino Hôtel.

Bense, Max [Ph] (1910-90).

Bieler, Manfred [E] (1934) : Boniface ou le Matelot dans la bouteille (1963), Maria Morzeck ou le Lapin c'est moi (1969).

Bienek, Horst [E] (1930-90) : Bakounine (1970), la Première Polka (1975), Lumière de septembre.

Bobrowski, Johannes [P, R] (1917-65).

Böll, Heinrich [R] (1917-85) : Le train était à l'heure (1949), Rentrez chez vous Bogner (1953), les Enfants des morts (1954), le Pain des jeunes années (1955), les Deux Sacrements (1959), la Grimace (1963), Fin de mission (1966), Portrait de groupe avec dame (1971), Kolossal, l'Honneur perdu de Katharina Blum (1974), Protection encombrante, Femmes devant un paysage fluvial (1985), Der schweigende Engel (1992). *Souvenirs :* Journal irlandais (1937) [N 1972].

Borchert, Wolfgang [E] (1921-47) : Dehors, devant la porte, Nouvelles (1947).

Born, Nicolas [E] (1937-79) : la Face cachée de l'histoire (1976), la Falsification (1979), Esquisse d'un malfaiteur (1983).

Brasch, Thomas [D, Pros] (1945) : Les fils meurent avant les pères (1977), Mercedes.

Braun, Volker [P] (1939) : le Roman de Hinze et Kunze.

Breitbach, Joseph [R] (1903-80) : le Liftier amoureux, Rival et Rivale, Clément (1937-38), Rapports sur Bruno (1962). *Théâtre :* la Jubilaire.

Brinkmann, Rolf Dieter [E] (1940-75).

Bruyn, Günter de [R] (1926).

Buber-Neumann, Margarete [E] (1901-89) : Prisonnière de Staline et d'Hitler (2 vol.), De Potsdam à Moscou, les Champs de bataille de la Révolution, l'Underground communiste (1970), Milena.

Buch, Hans Christoph [R] (1944) : Haïti chérie, le Mariage de Port-au-Prince, Voyage au creux du désordre.

Canetti, Elias : voir p. 274 a.

Domin, Hilde [P] (1912).

Dorst, Tankred [D] (1925) : Excursion d'automne (1959), Grande Imprécation devant les murs de la ville (1961), Toller (1968).

Eich, Günther [P] (1907-72).

Elsner, Gisela [R] (1937-92) : les Nains géants (1964), Vainqueur aux points (1977).

Enzensberger, Hans Magnus [P] (1929) : *Poésies :* Parler allemand. *Essais :* Culture ou Mise en condition ? (1962), les Épopées germaniques, le Bref Été de l'anarchie (1972), le Naufrage du Titanic (1978), Mausolée, Médiocrité et Folie.

Fassbinder, Rainer Werner [D] (1946-82) : les Larmes amères de Petra von Kant (1971), l'Ordure, la Ville et la Mort (1975), l'Anarchie de l'imagination.

Fichte, Hubert [E] (1935-86) : l'Orphelinat (1965), la Palette (1968), Puberté (1974).

Goes, Albrecht [R] (1908) : Jusqu'à l'aube (1950), la Flamme du sacrifice (1961).

Goetz, Reinald [D, R] (1954) : *Romans :* Chez les fous (1983), Contrôlé (1988). *Théâtre :* Guerre.

Grass, Günter [R, D] (1927) : *Théâtre :* la Crue, les Méchants Cuisiniers (1957), Les plébéiens répètent l'insurrection (1966). *Romans :* le Tambour (1959), le Chat et la Souris (1961), les Années de chien (1963), Anesthésie locale (1969), Journal d'un escargot (1972), le Turbot (1978), Une rencontre en Westphalie (1980), la Rate, l'Appel du crapaud (1992). *Essais :* Évidences politiques (1968), Lettres par-dessus la frontière (1969), Propos d'un sans-patrie.

Habermas, Jürgen [Ph, Soc] (1929) : la Technique et la science comme idéologie (1968), Raison et légitimité, Profils philosophiques et politiques (1970/84), Connaissances et intérêt (1973), Morale et communication (1983).

Hacks, Peter [D] (1928).

Härtling, Peter [R] (1933) : Janek (1966), Niembsch ou l'Immobilité (1964), la Fête de famille (1969), Une femme (1974), Hölderlin (1978).

Hein, Christoph [R] (1944) : Invitation au lever bourgeois, la Fin de Horn, le Joueur de tango, l'Ami étranger.

Heissenbüttel, Helmut [E] (1921) : la Fin d'Alembert (1970).

Herburger, Günter [Pros] (1932) : la Prise de la citadelle (1972).

Hermlin, Stephan [Pros, R] (1915) : Crépuscule (1979), Dans un monde de ténèbres (1982).

Heym, Stefan [R] (1913) : les Croisés, les Yeux de la raison, l'Age cosmique, Une semaine en juin, Berlin 1953, Ahasver (1981).

Hildesheimer, Wolfgang [E, D] (1916-91) : le Retard (1961), Mozart (1977).

Hochhuth, Rolf [D] (1931) : le Vicaire (1963), Soldats, Nécrologie pour Genève, Lysistrate.

Hofmann, Gert [R] (1932) : le Cheval de Balzac (1983), Juste avant les pluies (1990).

Huchel, Peter [P] (1903-81) : Poèmes.

Jens, Walter [R, Es] (1923) : le Monde des accusés (1950), l'Aveugle (1951), Visages oubliés (1952).

Jeremias, Joachim [Théo] (1900-79).

Johnson, Uwe [R] (1934-84) : la Frontière (1959), l'Impossible Biographie, Deux Points de vue (1965), Une année dans la vie de Gesine Cresspahl, Une visite à Klagenfurt.

Kaschnitz, Marie-Louise [P] (1901-74).

Kempowski, Walter [R] (1929) : Tadellöser et Wolff (1971).

Kesten, Hermann [Es] (1900) : Ferdinand et Isabelle (1936), Philippe II, le démon de l'Escurial (1938-50), les Enfants de Guernica (1939).

Keun, Irmgard [E] (1910-82) : Gilgi, jeune fille des années 30 (1931), Après minuit (1937).

Kieseritzky, Ingomar [Pros, E] (1944) : l'Un comme l'autre (1971).

Kipphardt, Heinar [D] (1922-82) : le Chien du général (1962), le Dossier J. Robert Oppenheimer (1964), Joel Brand, histoire d'une affaire (1964-65).

Kirsch, Sarah [P] (1935).

Kirst, Hans Hellmut [R] (1914-89) : 08/15 (1954-55), Dieu dort en Mazurie (1956), les Loups de Maulen (1967), Condamné à la vérité (1972).

Koepf, Gerhard [R] (1948) : le Chemin (1985), la Communauté des héritiers (1987).

Koeppen, Wolfgang [R] (1906) : Un amour malheureux (1934), Pigeons sur l'herbe (1951), la Mort à Rome (1954), Jeunesse (1976).

Kreuder, Ernst [R, P] (1903-72) : la Société du grenier (1946), les Introuvables (1948).

Krolow, Karl [P] (1915) : Corps étranger (1959), Rien d'autre que vivre (1970).

Quelques personnages de la littérature allemande

Abbé de Calemberg : héros de vieux contes allemands (à l'origine du mot calembour).
Gudrun : épopée anonyme des Nibelungen (la princesse de légende).
Parsifal : épopée (1200-16) de Wolfram d'Eschenbach (le chevalier errant).
Till l'Espiègle : légende anonyme (v. 1483) (mystificateur).
Hanswurst (« Jean Saucisse ») : théâtre populaire (XIVe s.) (bouffon cynique et maladroit).
Simplicius Simplicissimus : roman (1669) de Grimmelshausen (reître candide).
La Mère Courage : roman de Grimmelshausen (1670), puis drame de Brecht (1941) (fille à soldats et vagabonde).
Minna de Barnhelm : drame (1767) par Ephraim Lessing (dame noble et généreuse).
Lénore : ballade (1770) de Bürger (amoureuse romantique que sa passion mène à la mort).
Le Baron de Crack (de Münchhausen) : récit (1786) de Bürger (le joyeux conteur d'aventures imaginaires).
Goetz de Berlichingen : drame (1773) de Goethe (guerrier impitoyable).
Werther : roman (1774) de Goethe (amoureux romantique et désespéré).
Le Roi de Thulé : poème (1774) de Goethe (l'amant éternellement fidèle).
L'Apprenti sorcier : poème (1797) de Goethe (présomptueux ; fauteur de catastrophe).
Faust : (1806-32) de Goethe (le surhomme pétri d'orgueil).
Méphistophélès : personnage du Faust de Goethe (le Tentateur).
Marguerite : personnage du Faust de Goethe (pitoyable victime des corrupteurs).
Ondine : ballade (1811) de La Motte-Fouqué (l'adolescente envahie par l'amour).
Blanche-Neige : conte (1812) des frères Grimm (jeune fille au cœur pur).
Hansel et Gretel : conte des frères Grimm ; repris en 1893 dans un opéra de Humperdinck (enfants aux prises avec le merveilleux).
Zarathoustra : Ainsi parlait Z. (essai, 1883) de Nietzsche (le surhomme impitoyable).

Kühn, Dieter [E] (1935).
Kunert, Günter [P] (1929).
Kunze, Reiner [P] (1933) : les Années merveilleuses (1976).
Lange, Hartmut [D] (1937) : Trotski in Coyoacán (1973), Staschek oder das Leben des Ovid (1973), le Récital, la Sonate « Waldstein », la Promenade sur la grève (1990).
Lenz, Siegfried [E] (1926) : la Nuit des otages, la Leçon d'allemand (1968), Musée de la patrie (1978), le Bateau-Phare.
Lettau, Reinhard [E] (1929) : Promenade en carrosse (1960), Propos de petit déjeuner à Miami.
Loest, Erich [R] (1926).
Maron, Monika [R] (1941) : le Transfuge, le Malentendu.
Moltmann, Jürgen [Théo] (1926).
Morgner, Irmtraud [Pros, R] (1933-90) : Vie et aventures de la Trobairitz Béatrice d'après le témoignage de sa ménestrelle Laura (1974).
Müller, Heiner [D] (1929) : Zement (1973), Herakles (1974), Avis de décès, la Comédie des femmes, Germania mort à Berlin (1977), Hamlet-machine, le Briseur de salaires.
Müller, Herta [E] (Roumaine, 1953) : Basses Terres (1984), L'homme est un grand faisan sur terre (1986), Février aux pieds nus (1988).
Nossack, Hans Erich [R] (1901-77) : *Romans :* la Dérive (1955), Spirales, Roman d'une nuit d'insomnie (1956), le Frère cadet (1958), Avant la dernière révolte (1961). *Récits :* Nekya, Récit d'un survivant (1947), Interview avec la mort (1948).
Noth, Ernst Erich [R] (nat. américain) (1909-83) : l'Enfant écartelé, Un homme à part, la Voie barrée, Mémoires d'un Allemand.
Novak, Helga M. [P, Pros, R] (1935).
Pausewang, Gudrun [R] (1928) : Plaza Fortuna (1966), Mariage bolivien (1968), l'Enlèvement de Doña Agata (1971).
Plenzdorff, Ulrich [D, R] (1934).
Plessen, Elisabeth [R] (1944) : Lettre ouverte à la noblesse (1976).
Rahner, Karl [Théo] (1904-84).
Richter, Hans Werner [R] (1908) : les Vaincus (1949), Tombés de la main de Dieu (1951), Empreintes sur le sable, Tu ne tueras point (1955).
Rinser, Luise [R] (1911) : les Anneaux transparents (1940), Jean Lobel de Varsovie (1948), Histoire d'amour (1950), Pars si tu peux, la Joie parfaite, Je suis Tobias (1966), Chantier, l'Ane noir (1974).
Roth, Friederike [D, E] (1948) : Tollkirschenhochzeit (1978), Ritt auf die Wartburg.
Rühmkorf, Peter [P] (1929).
Salomon, Ernst von [R] (1902-72) : les Réprouvés (1930), les Cadets (1933), le Questionnaire (1951), la Chaîne des mille hérons, Histoire proche.
Schädlich, Hans Joachim [Pros] (1935) : Tentative d'approche (1977), Tallhover.
Schmidt, Arno [R] (1914-79) : Brand's Haide (1951), Scènes de la vie d'un faune (1953), la République des savants (1957), Léviathan (1963), Zettels Traum.
Schneider, Peter [E] (1940) : Lenz (1973), Te voilà un ennemi de la Constitution, le Couteau dans la tête, le Sauteur de mur (1982), Paarungen (1992).
Seghers, Anna [R] (1900-83) : la Septième Croix (1942), Transit, Légendes d'Artémis, la Force des faibles, Les morts restent jeunes (1949).
Strauss, Botho [D, Pros] (1944) : la Dédicace (1977), Grand et Petit (1978), Raffut (1980), Couples, passants, Kalldewey Farce (1983), le Jeune Homme (1984), Personne d'autre (1989).
Süskind, Patrik [R] (1949) : le Parfum, le Pigeon.
Szondi, Peter [E, P] (Budapest 1929-71).
Theobaldy, Jürgen [P, R] (1944) : Cinéma le dimanche (1978).
Uwe, Johnston [R] (1934-84) : Une année dans la vie de Gesine Cresspahl (1970-83).
Walser, Martin [R, D] (1927) : *Romans et nouvelles :* Quadrille à Philippsbourg (1957), Histoires pour mentir (1964), la Licorne (1966), Je ne sens pas bon (1972), Au-delà de l'amour (1976), Un cheval qui fuit (1978), Fiction, Travail d'âme, la Maison des cygnes (1980), la Lettre à Lord Liszt (1982), Ressac (1988), Wolf et Doris (1990), Dorn ou le Musée de l'enfance (1992). *Théâtre :* Chêne et lapins angoras, le Cygne noir (1964).
Weisenborn, Günther [R, D] (1902-69) : *Romans :* Furies tropicales (1937), l'Exécuteur (1961). *Théâtre :* U-Boot (1928), la Mère (d'après Gorki) (1931). *Essai :* Mémorial.
Weiss, Peter [D, R] (1916-82) : Point de fuite (1962), la Persécution et l'Assassinat de Jean-Paul Marat représentés par le groupe théâtral de l'hospice de Charenton sous la direction de M. Sade (1964), l'Instruction (1965), le Chant du fantoche lusitanien (1967), Trotski en exil.
Wellershoff, Dieter [Es, E] (1925) : Un beau jour, Chasse à l'homme dans la campagne tranquille.
Wohmann, Gabriele [E] (1932) : Abschied für Länger (1965), Ernste Absicht (1970), Schönes Gehege, Excursion avec la mère (1976), Pas de deux (1979), le Cas de Marlène Z. (1980).
Wolf, Christa [E] (1929) : Christa T. (1968), Trame d'enfance (1975), Aucun lieu, nulle part, Ce qui dérange, Scènes d'été, Ce qui reste, Cassandre (1980), Changement d'optique.

Littérature américaine

Nés avant 1800

Audubon, John James [E] (1785-1851) : Journal du Missouri (1929).
Barlow, Joel [P] (1754-1812) : la Colombiade (1807).
Bradford, William [H] (1590-1657) : Histoire de la plantation de Plymouth.
Bradstreet, Anne Dudley [P] (1612-72) : la 10e Muse apparue récemment en Amérique.
Brown, Charles Brockden [R] (1771-1810) : Wieland (1798), Edgar Huntly.
Bryant, William Cullen [P] (1794-1878) : Thanatopsis (1817).
Cooper, James Fenimore [R] (1789-1851) : l'Espion (1821), le Dernier des Mohicans (1826), la Prairie (1827).
Crèvecœur, Michel-Guillaume de [Chr] (Franç. 1735-1813).
Edwards, Jonathan [Théo] (1703-58).
Franklin, Benjamin [Pol] (1706-90) : la Science du bonhomme Richard (1732), Autobiographie (1792).
Irving, Washington [R, H] (1783-1859) : Rip Van Winkle (1819), Vie de Washington.
Mather, Cotton [Théo] (1663-1728) : Magnalia Christi Americana.
Otis, James [Pol] (1725-83).
Paine, Thomas [Polé] (1737-1809) (natur. franç.) : le Siècle de raison (1795).
Prescott, William [H] (1796-1859).
Taylor, Edward [P] (1642-1729) : Méditations sacramentelles.
Tyler, Roynll [Polé] (1757-1826).
Williams, Roger [E] (v. 1603-83).

Nés entre 1800 et 1900

Adams, Henry (Brooks) [H] (1838-1918) : Démocratie (1879), Histoire des États-Unis de 1801 à 1817 (9 vol., 1889-91), Mémoires d'Arii Taimai (1893), Mon éducation (1918).
Aiken, Conrad (Potter) [P, R] (1889-1973) : Voyage bleu, le Grand Cercle, Ouessant (1952), Chant matinal de Lord Zéro (1963).
Alcott, Louisa May [R] (1832-88) : les 4 Filles du Dr March (1867).
Anderson, Maxwell [D] (1888-1959) : Elizabeth reine, Jeanne la Lorraine.
Anderson, Sherwood [R] (1876-1941) : Winesburg, Ohio 1919, Pauvre Blanc (1920).
Bancroft, George [H] (1800-91) : Histoire des États-Unis (1834-76).
Beecher Stowe, Harriet [R] (1811-96) : la Case de l'oncle Tom (1852).
Benedict, Ruth [Ant.] (1887-1948) : le Chrysanthème et le sabre (1946).
Benet, Stephen Vincent [P] (1898-1943) : John Brown's Body.
Bierce, Ambrose [E] (1842-1913) : Au cœur de la vie (1891), le Dictionnaire du Diable (1906).
Bromfield, Louis [R] (1896-1956) : Emprise, Précoce Automne, Vingt-Quatre Heures, Un héros moderne, la Mousson (1937), Mrs. Parkington (1942), la Folie Mac Leod (1948). – *Biogr. :* fils d'un agriculteur de l'Ohio ; études à Colombia. *1916-18* ambulancier en France. *1923* critique littéraire de *Time,* en France jusqu'en 1939. *1940* retour aux USA (Ohio), achète un domaine agricole.
Buck, Pearl (Joan Sedges) [R] (1892-1973) : Vent d'est vent d'ouest (1930), la Terre chinoise (1931), Fils de Dragon, la Mère (1934), Pavillon de femmes (1946), Pivoine, le Sari vert, le Pain des hommes [N 1938] (voir p. 337 b). – *Biogr. :* fille d'un missionnaire presbytérien, le rév. Sydenstricker, née en Virginie Occidentale, élevée en Chine, études secondaires à Shanghai, supérieures en Virginie. *1914* retourne en Chine ; prof. à Nankin. *1917* épouse un missionnaire en Chine, John Buck. *1923* publie des nouvelles. *1932* la *Terre chinoise* a le prix Pulitzer. *1934* divorce. *1935* épouse l'éditeur new-yorkais Richard J. Walsh et se fixe aux USA.
Burke, Kenneth [E, Cr] (1897).
Cabell, James Branch [R] (1879-1958) : Jurgen (1919), Figurines (1921).
Carnap, Rudolf [Ph, logicien] (or. all. 1891-1970) : la Syntaxe logique de la langue.
Cather, Willa Sibert [R] (1873-1947) : Mon Antonia (1918), Un des nôtres (1922), Une dame perdue (1923), la Mort de l'archevêque (1927), Ombres sur le rocher (1931).
Cowley, Malcolm [E] (1898-1989).
Crane, Hart [P] (1899-1932).
Crane, Stephen [R] (1871-1900) : Maggie (1893), la Conquête du courage (1895).
Crawford, Francis Marion [R] (1854-1909).
Cummings, Edward Estlin [P] (1894-1962).
Dana, Richard Henry [R] (1815-82) : Deux années sur le gaillard d'avant (1840).
Deutsch, Babette [P, Cr] (1895-1982) : Un feu dans la nuit, Poésie contemporaine.
Dewey, John [Ph, Psycho] (1859-1952).
Dickinson, Emily [P] (1830-86).
Dodge, Mary Mapes [R] (1831-1905) : Hans Brinker (1865).
Dos Passos, John Roderigo [R] (1896-1970) : Trois Soldats (1921), Manhattan Transfer (1925), USA [trilogie : le 42e Parallèle (1930), 1919 (l'An premier du siècle) (1932), la Grosse Galette (1936)], Aventures d'un jeune homme (1939), Bilan d'une nation (1951). – *Biogr. :* né à Chicago d'un immigrant portugais devenu avocat ; études à Harvard. *1916* en Espagne étudie l'architecture. *1917-18* volontaire de la Croix-Rouge sur le front français. *1919-20* à Montparnasse. *1920-27* reporter (Espagne, Mexique, France, Moyen-Orient). *1927* prend parti pour Sacco et Vanzetti, collabore à *New Masses* (communiste). *1938* rompt avec la gauche, devient nationaliste. *1964* soutient Goldwater aux présidentielles.
Dreiser, Theodore [R] (1871-1945) : Sister Carrie (1900), Jennie Gerhardt, le Financier, le Titan, Une tragédie américaine.
Dunbar, Paul Laurence [P] (1872-1906).
Eliot, T.S. [P] (1888-1965) : voir p. 269 c.
Emerson, Ralph Waldo [Es, Ph] (1803-82) : la Nature, l'Intellectuel américain (1837), l'Ame anglaise.
Faulkner, William (Falkner, dit) [R] (1897-1962) : Monnaie de singe (1926), le Bruit et la Fureur (1928), Sartoris (1929), Sanctuaire (1931), Lumière d'août (1932), Absalon ! Absalon ! (1936), le Hameau (1940), Requiem pour une nonne (1951), la Ville (1957), le Domaine (1959), les Larrons (1962). – *Biogr. :* famille d'industriels sudistes, ruinés et devenus quincailliers au Tennessee. *1918* élève-pilote

au Canada. *1919-21* étudiant en français à l'univ. du Mississippi. *1921* études inachevées ; employé de chemin de fer. *1925* voyage en Europe. *1926-31* peintre et charpentier ; dans la gêne à Oxford (Mississippi). *1931* célèbre grâce à *Sanctuaire ;* s'achète la villa Rowanoak à Oxford [N 1949].

Ferber, Edna [R] (1887-1968) : Show Boat (1926), Saratoga (1941).

Field, Eugene [P] (1850-95).

Fitzgerald, Francis Scott [R] (1896-1940) : l'Envers du paradis (1920), les Heureux et les Damnés (1922), Gatsby le Magnifique (1925), Tendre est la nuit (1934), Un diamant gros comme le Ritz (1935), le Dernier Nabab (1941), la Fêlure (1945). – *Biogr. :* fils d'un représentant de commerce irlandais de St Paul (Minnesota) ; études à Princeton (*1917,* sans diplôme, s'engage). *1918* démobilisé comme sous-lieutenant, employé dans la publicité. Commence à boire. *1920* 1er succès *(l'Envers du paradis) ;* épouse Zelda Sayre, fille d'un sénateur. *1921,* rejoint Hemingway à Paris ; sombre dans l'alcoolisme. *1929* pauvreté. *1930* Zelda internée. *1931-40* misère, crise de delirium (tente 2 fois de se suicider). *1948* Zelda meurt dans l'incendie de son asile.

Fletcher, John Gould [P] (1886-1950).

Frost, Robert Lee [P] (1874-1963) : Testament d'un garçon (1913), Un masque de pitié (1947).

Fuller, Margaret [Cr] (1810-50) : Littérature et Art (1846).

Gallico, Paul [R] (1897-1976) : Jennie, l'Aventure du Poséidon, l'Oie des neiges (1941).

Gardner, Dora [E] (1889).

Gardner, Erle Stanley [R] (1889-1970) : romans policiers.

Garland, Hamlin [R] (1860-1940) : les Routes à gros trafic, Vu de ma terrasse, Dix degrés au nord de Frederick.

Glasgow, Ellen [R] (1874-1945) : Dans un corps pur, la Vie oubliée (1941).

Grey, Zane [P] (1875-1939) : les Cavaliers de la sauge violette (1912).

Harris, Joel Chandler [R] (1848-1908) : l'Oncle Remus (1881-1906).

Harte, Francis Bret [R] (1836-1902) : la Chance de Roaring Camp (1870).

Hawthorne, Nathaniel [R] (1804-64) : la Lettre écarlate (1850), le Faune de marbre (1860).

Hemingway, Ernest [R] (1898-1961) : Le soleil se lève aussi (1926), l'Adieu aux armes (1929), Mort dans l'après-midi (1932), les Neiges du Kilimandjaro (1935), En avoir ou pas (1937), Paradis perdu, Pour qui sonne le glas (1940), le Vieil Homme et la mer (1952), Paris est une fête (1964) [N. 1954]. Voir p. 338 b. – *Biogr. :* fils d'un médecin de l'Illinois, passionné de pêche et de chasse ; études secondaires en France (bilingue). *1914* reporter à Kansas City (16 ans). *1918* volontaire, blessé sur le front italien. *1921* à Montparnasse (principaux compagnons : Sherwood Anderson, Ezra Pound, Gertrude Stein). *1926* succès littéraire et fortune, avec *Le soleil se lève aussi. 1927-36* en Floride et à Cuba. *1936-38* correspondant de guerre en Espagne. *1961-2-7* se suicide d'une balle dans la tête.

Heyward, Du Bosc [R] (1885-1940) : Porgy (1925).

Holmes, Olivier Wendell [E] (1809-94) : le Poète et l'Autocrate à table.

Howe, Julia [P] (1819-1910) : les Passiflores (1854).

Howells, William Dean [R] (1837-1920) : Une rencontre (1873), la Fortune de Silas Lapham (1885).

James, Henry [R] (1843-1916) : Roderick Hudson (1876), les Européens (1878), Daisy Miller (1879), Washington Square (1881), Un portrait de femme (1881), les Bostoniennes (1886), Reverberator, la Muse tragique (1890), les Dépouilles de Poynton (1897), Ce que savait Maisie (1897), le Tour d'écrou (1898), les Ailes de la colombe (1902), les Ambassadeurs (1903), la Coupe d'or (1904), les Papiers de Jeffrey Aspern. – *Biogr. :* fils de Henry James [E] (New York 1811-82) et frère de William ; famille riche ; adolescence en Europe avec son précepteur. *1862* études à Harvard ; commence à écrire. *1864* à Cambridge (Massachusetts). *1869-70* et *1872-74* séjours en Italie. *1876* à Paris, mais va souvent à Londres. *1881* et *1904-05* visites aux USA. *1905* élu à l'American Academy. *1915* naturalisé anglais.

James, William [Ph] (1842-1910).

Jeffers, Robinson [P] (1887-1962).

Johnson, James Weldon [P] (1871-1938) : les Trombones de Dieu (1927).

Kaufman, Georges [D] (1889-1961).

Kelly, George [D] (1887-1974) : le Vantard (1924), la Femme de Craig, Faiblesse.

Keyes, Frances Parkinson [R] (1885-1970) : l'Ambassadrice, le Dîner chez Antoine.

Kilmer, Joyce [P] (1896-1918) : les Arbres.

Koffka, Kurt [Ph, psycho] (or. all. 1886-1941) : Principes de la psychologie de la forme (1938).

Lanier, Sidney [P] (1842-81) : la Science des vers anglais (1880), le Roman anglais.

Lardner, Ringgold [Hum] (1885-1933) : les Ballades de Bib (1915), Perds avec le sourire (1933).

Lazarus, Emma [P] (1849-87) : Danse macabre [N 1936].

Lewis, Sinclair [R] (1885-1951) : Main Street (1920), Babbitt (1922), Elmer Gantry, Arrowsmith Dodsworth, De sang royal, Notre monde immense. – *Biogr. :* fils d'un médecin du Minnesota. *1906* interrompt ses études à Yale, entre au phalanstère d'Upton Sinclair (New Jersey), Helicon Home. *1907* incendie du Helicon ; vie difficile, journaliste. *1920* succès grâce à *Main Street. 1930* 1er Américain prix Nobel de Littér. *1950* à Florence.

Lindsay, Nicholas Vachel [P] (1879-1931) : le Congo et autres poésies (1914).

London, Jack (John Griffith) [R] (1876-1916) : l'Appel de la forêt (1903), le Loup des mers (1906), Croc-Blanc (1907), Martin Eden (1909), le Peuple de l'abîme (1913). – *Biogr. :* enfant naturel (père astrologue, mère spirite), abandonné à San Francisco. *1891* écumeur de parcs à huîtres. *1892-93* chasseur de phoques au Japon. *1897* chercheur d'or en Alaska. *1898* journaliste pigiste, racontant ses aventures. *1900* succès avec *Croc-Blanc. 1910* millionnaire ; sombre dans l'alcoolisme. *1916* suicide.

Longfellow, Henry Wadsworth [P] (1807-82) : les Voix de la nuit, Ballades et autres poèmes, Évangéline (1847), Hiawatha (1855), Miles Standish (1858).

Lovecraft, Howard [R] (1890-1937) : Dans l'abîme du temps (1936), les Montagnes hallucinées (1936).

Lowell, Amy [P] (1874-1925).

Lowell, James Russell [E] (1819-91) : les Carnets de Biglow (1867).

Mac Leish, Archibald [P] (1892-1963) : Conquistador (1932).

Marcuse, Herbert [Ph] (Berlin, 1898-1979, Américain dep. 1940) : Éros et Civilisation (1955), le Marxisme soviétique (1958), l'Homme unidimensionnel (1964), la Fin de l'utopie (1967). – *Biogr. :* famille israélite ; études à Berlin et Fribourg. *1934* aux USA ; attaché à l'Institut de recherches sociales de Columbia (jusqu'en 1940). *1941-50* mobilisé au Bureau des services stratégiques, puis au Département d'État. *1951-53* prof. à Harvard. *1954-65* à l'univ. de San Diego.

Marquand, John Phillips [R] (1893-1960) : Feu George Apley, le Vice-Président (1949).

Masters, Edgar Lee [P] (1868-1950) : l'Anthologie de Spoon River (1915).

Mayo, Elton [Soc] (1880-1949).

Mead, George Herbert [Soc] (1863-1931).

Melville, Herman [R, C, P] (1819-91) : Typee (1846), Mardi, Moby Dick (1851), Billy Budd, gabier de misaine (posth. 1924).

Mencken, Henry Louis [Es] (1880-1956) : Préjudices (1919-27).

Millay, Edna St Vincent [P] (1892-1950).

Miller, Henry [R] (1891-1980) : Tropique du Cancer (1934), Max et les Phagocytes (1938), Tropique du Capricorne (1939), le Colosse de Maroussi (1941), le Cauchemar climatisé (1945), Rimbaud (1953), la Crucifixion en rose [trilogie : Sexus (1940), Plexus (1953), Nexus (1960)], le Temps des assassins (1956), Un diable au paradis (1956), Jours tranquilles à Clichy (1966), J'suis pas plus con qu'un autre (1977). – *Biogr. :* fils d'un tailleur new-yorkais, immigrant allemand récent ; enfance miséreuse à Brooklyn. *1920-24* fréquente les milieux anarchistes. *1924* se marie ; Compagnie du téléphone ; abandonne femme et fils pour une entraîneuse, Mona. *1930* abandonne Mona, se fixe à Paris ; journaliste au *Phœnix. 1938-39* à Athènes. *1940* aux USA ; s'installe en Californie avec sa 4e femme et ses enfants. *1967* 5e mariage avec une Japonaise.

Miller, Joaquin [P] (1841-1913) : Chants des sierras, Lumière.

Moore, Marianne Craig [P] (1887-1972).

Motley, John Lothrop [H] (1814-77).

Mumford, Lewis [Soc] (1895-1990) : Technique et civilisation, la Cité à travers l'histoire, le Déclin des villes, le Mythe de la machine. *Autobiographie :* Sketches from Life.

Nabokov, Vladimir [R, P] (1899-1977) : Machenka (1926), la Défense Loujine (1929), le Guetteur (1930), Chambre obscure (1932), l'Exploit, la Méprise, le Don, Invitation au supplice (1935), la Vraie Vie de Sebastian Knight (1941), Brisure à senestre, Lolita (1955), Pnine (1957), Feu pâle (1962), Autres Rivages (1967), Ada ou l'Ardeur (1969), la Transparence des choses (1972), l'Extermination des tyrans (1975), Regarde, regarde, les Arlequins ! (1975), l'Enchanteur, la Vénitienne. – *Biogr. :* famille russe noble de St-Pétersbourg. *1917* exil à Berlin. *1939* à Paris (fuit le nazisme : femme d'origine juive). *1940* aux USA, professeur (littér., russe, ethnologue). *1955 Lolita* (histoire d'une nymphette : scandale). *1960-77* à Montreux (Suisse). Après quelques nouvelles en russe, écrit en anglais.

Nasby, Petroleum (David Rose Locke) [R] (1833-1888) : le Démagogue (1891).

Norris, Frank [R] (1870-1902) : la Pieuvre (1901), la Fosse (1903).

O'Hara, Mary [R] (1885-1980) : Mon Amie Flicka.

O'Henry (William Sydney Porter, dit) [R] (1862-1910) : les Quatre Millions.

O'Neill, Eugene [D] (1888-1953) : l'Empereur Jones, Par-delà l'horizon (1920), Anna Christie (1921), le Désir sous les ormes, Le deuil sied à Électre (1931), Long Voyage dans la nuit (1940) [N 1936].

Park, Robert Ezra [Soc] (1864-1944).

Parkman, Francis [H] (1823-93) : Pionniers français du Nouveau Monde (1865).

Parsons, Talcott [Soc] (1902-1979).

Peirce, Charles Sanders [Ph] (1839-1914) : Œuvres posthumes (1931-51).

Poe, Edgar Allan [R, P] (1809-49) : Aventures d'Arthur Gordon Pym (1838), la Chute de la maison Usher (1839), Hist. extraordinaires (1840), Nouvelles Histoires extraordinaires (1845, dont : le Double Assassinat de la rue Morgue, la Lettre volée), le Corbeau (1845), Annabel Lee (1849). – *Biogr. :* fils de comédiens ambulants (père alcoolique, 1810) ; va dans le Sud avec sa mère († 1811 dans un incendie). *1812* recueilli par Richard Allan (négociant à Richmond). *1815-20* études secondaires en G.-B. *1820* retour à Richmond ; adolescence dissipée (études à l'univ. de Virginie). *1827* alcoolique ; chassé par les Allan. *1827-31* engagé volontaire. *1831* exclu de l'armée pour ivrognerie, se réfugie chez une tante, Maria Clemm. *1833* succès littéraire à Richmond. *1836* épouse sa cousine, Virginie Clemm ; vit pauvrement à Baltimore. *1837* éthylisme ; s'enfuit à New York. *1841-42* dir. littéraire du *Graham's Magazine ;* vie aisée. *1845* propriétaire du *Broadway Journal. 1846* Virginie meurt de tuberculose ; tente de se suicider ; retombe dans l'alcoolisme. *1849* retour à Richmond ; fiancé à sa voisine, il meurt (delirium) à Baltimore, quelques jours avant le mariage.

Porter, Katherine Anne [R] (1890-1980) : l'Arbre de Judée (1930), Hacienda (1934), le Vin de midi (1937), la Tour penchée (1944), la Nef des fous (1962).

Pound, Ezra [P] (1885-1972) : Hugh Selwyn Mauberley (1920), Cantos (1972), Je rassemble les membres d'Osiris.

Rawlings, Marjorie Kinnan [R] (1896-1953) : le Yearling (1938).

Riley, James Whitcomb [P] (1849-1916).

Robinson, Edwin Arlington [P] (1869-1935) : les Enfants de la nuit, Merlin, Lancelot, Tristram (1927).

Rölvaag, Ole [R] (1876-1931) : les Géants de la terre (I. Pierre le vainqueur, II. le Jour béni).

Runyon, Damon [Hum] (1885-1946).

Sandburg, Carl [P] (1878-1967) : Chicago, Abraham Lincoln, le Peuple, Oui.

Santayana, George [Ph] (Esp. 1863-1952) : le Dernier Puritain.

Schumpeter, Joseph : voir p. 274 a.

Sherwood, Robert [D] (1896-1955) : Abraham Lincoln en Illinois (1938).

Sinclair, Upton [R] (1878-1968) : la Jungle (1906), le Roi Charbon (1917), le Pétrole (1927), les Griffes du dragon (1942), Pamela (1950).

Stein, Gertrude [R] (1874-1946) : Trois Vies (1909), Brewsie et Willie, Américains d'Amérique (1925). *Mémoires :* Autobiographie de tout le monde (1937), Guerres que j'ai vues (1945).

Stevens, Wallace [P] (1879-1955).

Stout, Rex [R] (1886-1975) : Graines au vent, Feu de forêt.

Tarkington, Booth [R] (1869-1946) : Penrod.

Tate, Allen [R, P] (1899-1979) : les Ancêtres (1938), le Démon sans espoir (1953).

Teasdale, Sara [P] (1884-1933) : Sonnets à Dase, les Fleuves de la mer.

Thoreau, Henry David [E] (1817-62) : Walden ou la Vie dans les bois (1854), Journal.

Thurber, James [Hum] (1894-1961).

Twain, Mark (Samuel Langhorne Clemens, dit) [Hum] (1835-1910) : Tom Sawyer (1876), Huckleberry Finn (1884), Un Yankee à la cour du roi Arthur (1889), le Soliloque du roi Léopold (1905), le Mystérieux Étranger (1908). – *Biogr. :* fils d'un épicier du Mississipi ; enfance pauvre, éducation puritaine. *1847-52* apprenti typographe. *1852-54* imprimeur ambulant en N.-Anglet. *1854-61* batelier (*mark twain* « profond de 2 brasses », vient du vocabulaire marin). *1861-65* chercheur d'or dans l'Ouest. *1865* journaliste à New York. *1869* reporter en Europe. *1870* épouse Olivia Langdon, riche bourgeoise new-yorkaise. *1875* se fait bâtir un château à Redding (Connecticut). *1884* monte sa maison d'édition. *1894* faillite. *1895-97* conférences en Europe : fortune. *1898-1910* sa femme et 2 de ses filles meurent ; dépression ; meurt solitaire à Redding.

Untermeyer, Louis [P] (1885-1977) : Du rôti de Léviathan (1923), le Buisson ardent (1928).

Van Doren, Mark [Cr] (1894-1972) : le Critique heureux.

Wallace, Lewis [R] (1827-1905) : le Vrai Dieu, Histoire de la conquête du Mexique (1873), Ben-Hur (1880), le Prince des Indes (1893).

Ward, Artemus [R] (1834-67).

Watson, John, Broadus [Ph, Psycho] (1878-1958) : A l'origine du béhaviorisme.

Wharton, Edith [R] (1862-1937) : le Fruit de l'arbre (1907), Ethan Frome, l'Age de l'innocence (1920).

White, Elwyn Brooks [E, Es, P] (1899-1985).

Whitman, Walt [P, E] (1819-92) : les Feuilles d'herbe (1855), Jours exemplaires (1882).

Whittier, John Greenleaf [P] (1807-92) : Mogg Megone, les Voix de la liberté.

Wilder, Thornton [R, D] (1897-1975) : *Rom.* : le Pont de San Luis Rey (1927). *Th.* : Notre petite ville (1938), la Peau de nos dents (1943), les Ides de Mars (1948), Hello, Dolly ! (1963).

Williams, William Carlos [P] (1883-1963) : Tableaux d'après Bruegel (1962).

Willis, Nathaniel Parker [P] (1806-67).

Wilson, Edmund [Cr] (1895-1972) : Essais de critique et d'économie (1950).

Woollcott, Alexandre [Cr] (1887-1943) : Histoire d'Irving Berlin (1925).

Nés depuis 1900

Abish, Walter [E] (Vienne, 1931). Alphabetical Africa (1974), Allemand, dites-vous ? (1980).

Albee, Edward [D] (1928) : Zoo Story, la Mort de Bessie Smith, Qui a peur de Virginia Woolf ? (1962), Délicate Balance, Tout dans le jardin (1972).

Algren, Nelson [R] (1909-81) : Le matin se fait attendre (1942), l'Homme au bras d'or (1949), la Rue chaude (1956), le Désert du néon (1962).

Ashbery, John [P] (1927).

Asimov, Isaac [Sav, E] (1920-92) : Vie et Énergie, les Origines de la vie. Voir science-fiction p. 271.

Auster, Paul [P, R] (1946) : la Cité de verre, l'Invention de la solitude, la Chambre dérobée, Revenants, le Voyage d'Anna Blume, Moon Palace, la Musique au hasard, Léviathan.

Baldwin, James [P, R, E] (Noir, 1924-87) : les Élus du Seigneur, Va le clamer sur la montagne (1953), Encore un coup ça flambe, Si Beale Street pouvait parler, Personne ne sait mon nom (1961), Face à l'homme blanc (1965), Chassés de la lumière (1972), le Jour où j'étais perdu, Meurtres à Atlanta, Harlem Quartet (1979).

Ball, John (1911-88) : Dans la chaleur de la nuit, la Fourgonnette (1989).

Banks, Russell [R] (1940), Terminus Floride (1985), Affliction (1989).

Baraka, Imamu Amiri [R, P, D] (1934) : le Métro fantôme (1964), l'Esclave (1964).

Barth, John [R] (1930) : l'Opéra flottant (1956), l'Enfant bouc, Chimère (1972), Lettres (1979).

Barthelme, Donald [R] (1933-89) : Blanche-Neige, Pratiques innommables, La ville est triste.

Begley, Louis [E] (1933 en Pologne) : Une éducation polonaise.

Bellow, Saul [R] (1915) : l'Homme de Buridan (1944), la Victime (1947), les Aventures d'Augie March (1953), Au jour le jour (1956), le Faiseur de pluie (1959), Herzog (1964), Retour de Jérusalem (1976), l'Hiver du doyen (1982), La journée s'est-elle bien passée ? (1985), la Bellarosa Connection, Un larcin [N 1976].

Berryman, John [P] (1914-72).

Bettelheim, Bruno [Es, Soc] (1903-suicidé 1990) : Dialogue avec les mères (1973), Un lieu où renaître (1975), Psychanalyse des contes de fées, Survivre (1979), la Lecture et l'enfant, Pour être des parents acceptables, le Poids d'une vie (1991).

Bishop, Elizabeth [P] (1911-79).

Blatty, P. William [R] (1928) : l'Exorciste, l'Esprit du Mal.

Bowles, Paul [E] (1910) : Des airs du temps (1982).

Boyle, Tom Coraghessan [E] (1948) : Water Music (1981).

Bradbury, Ray [R] (1920) : voir encadré p. 271.

Bradley, David [R] (1950) : South Street (1975), l'Incident (1982).

Brautigan, Richard [R] (1935-suicidé 1984) : Un général sudiste de Big Sur (1964), la Pêche à la truite en Amérique (1967), Retombées de sombrero (1976), Tokyo-Montana Express (1980).

Brodkey, Harold [Nouv] (1930) : Premier Amour et autres chagrins, A Party of Animals, Ange.

Brooks, Gwendolyn [P] (1917).

Bukowski, Charles [P, R] (1920) : Women, Au sud de nulle part, Souvenirs d'un pas-grand-chose.

Burnham, James [Soc] (1905-87) : l'Ère des managers (1941).

Burns, John Horne [R] (1916-53) : On meurt toujours seul, le Diable au collège.

Burroughs, William S. [R] (1914) : voir p. 271 c.

Caldwell, Erskine (Preston) [R] (1903-87) : *Romans* : le Bâtard (1929), le Petit Arpent du Bon Dieu (1933), Un p'tit gars de Géorgie (1943), la Dame du Sud (1947), le Quartier de Medora (1949). *Théâtre* : la Route au tabac (1932). – *Biogr.* : fils d'un pasteur presbytérien de Géorgie ; jeunesse errante dans le Sud (déplacements du père). *1925* à l'univ. de Virginie. *1926* reporter dans le Maine. *1930-34* scénariste à Hollywood. *1933* succès grâce au prix littéraire de la *Yale Review*. *1938-39* grand reporter en Tchécoslovaquie, Espagne, Mexique. *1941-44* sur le front russe. *1942-43* à Hollywood ; dirige jusqu'en 1955 la revue *American Folkways.*

Capote, Truman (Truman Persons, dit) [R] (1924-84) : les Domaines hantés (1948), Un arbre de nuit (1949), Les muses parlent (1956), De sang-froid (1966), Petit Déjeuner chez Tiffany (1958), Les chiens aboient (1973), Musique pour caméléons (1981), Un Noël (1983), Prières exaucées (1987).

Carson, Rachel [Sav] (1907-64) : Cette mer qui nous entoure (1951).

Carver, Ray [Nouv] (1938-88) : Parlez-moi d'amour, Vitamines du bonheur.

Chase-Riboud, Barbara [R] (1939) : le Nègre de l'Amistad.

Cheever, John [R] (1912-82).

Cleaver, Eldridge [Es] (1936) : Des âmes sur la glace.

Collins, Larry [R] (1930) : Fortitude, Dédale (1989) ; voir Lapierre p. 300 a.

Commager, Henry Steele [H] (1902) : l'Esprit américain (1965).

Connell, Evan S. Jr [Nouv, R] (1924) : Mrs Bridge (1959), Mr Bridge (1969).

Conroy, Pat [R] (1945) : Un cri dans le désert (1967), le Prince des marées (1988).

Coover, Robert [R] (1932) : Origin of the Brunists (1966), la Flûte de Pan (1969), le Bûcher de Times Square (1977), Au lit un soir (1983), Une éducation en Illinois (1987).

Cozzens, James Gould [R] (1903-78) : le San Pedro (1931), la Garde d'honneur, Saisi par l'amour.

Crumley, James [R] (1939) : le Dernier Baiser.

Cullen, Countee [P] (1903-46).

Davenport, Guy [Es, Nouv] (1927).

De Vries, Peter [E] (1910).

Delillo, Don [R] (1936) : les Noms (1982), Bruits de fond (1984).

Dick, Philip K. [R] (1928-82) : voir p. 271 c.

Dickey, James [P, R] (1923) : Délivrance (1971).

Didion, Joan [R] (1935) : Maria avec ou sans rien, The Book of Common Prayer (1977).

Dillard, Annie [P, R] (1945) : Pèlerinage à Tinker Creek (1974).

Discon, Stephen [Nouv, R] (1936).

Doctorow, Edgar L. [R] (1931) : Big as Life (1966), le Livre de Daniel (1971), Ragtime (1975), Billy Bathgate (1989).

Donleavy, James Patrick [R] (1926) : Homme de gingembre, Barbe-Rousse (1955), le Tennis d'Alfonce (1984).

Eberhart, Richard [P] (1904).

Ellis, Bret Easton [R] (1964) : Moins que zéro (1985), Lois de l'attraction (1987).

Ellison, Ralph [R] (1914) : l'Homme invisible (1952).

Ellroy, James [E] (1948) : le Grand Nulle Part, le Dahlia noir (1987), Trilogie noire, White Jazz.

Erdrich, Louise [Nouv, P, R] (1954) : l'Amour sorcier, la Branche cassée, la Forêt suspendue.

Fante, John [R] (1909-83) : Bandini, Demande à la poussière, l'Orgie, le Vin de la jeunesse, Plein de vie, Rêves de Bunker Hill (1982), la Route de Los Angeles (1985).

Farmer, Philip José [R] (1918) : voir p. 271 c.

Farrell, James (Thomas) [R] (1904-79) : le Petit Lonigan (1932), Un monde que je n'ai jamais fait (1936), le Jugement dernier.

Fast, Howard [R] (1914) : les Deux Vallées, l'Invincible, Spartacus, les Bâtisseurs (1977), Seconde Génération (1979).

Personnages de la littérature américaine

Rip Van Winckle : Conte (1819) de Washington Irving (garçon qui s'endort pour 20 ans au milieu des montagnes d'Amérique du Nord).

Œil-de-Faucon (Natty Bumppo) : récits des Bas-de-cuir (1823-41) par John Fenimore Cooper (aventurier blanc dans l'Ouest).

L'Oncle Tom : la Case de l'O.T. (roman, 1851) de Harriet Beecher Stowe (esclave au grand cœur).

Tom Sawyer : les Aventures de T. S. (1876) par Mark Twain (gamin ingénieux et hardi).

Ben-Hur : roman du même titre (1880) par Lewis Wallace (un redresseur de torts).

Le Capitaine Achab : Moby Dick (roman, 1891) de Herman Melville (aventureux à idée fixe).

Babbitt : roman (1922) par Sinclair Lewis (homme d'affaires à la fois réaliste et naïf).

Scarlett : Autant en emporte le vent (roman, 1936) par Margaret Mitchell (héroïne sudiste).

Lolita : roman (1955) par Vladimir Nabokov (nymphette aimée d'un homme mûr).

Ferlinghetti, Lawrence [P] (1919) : la Quatrième Personne du singulier (1961).

Ford, Richard [R] (1944) : The Sportswriter (1986).

Forsythe, Frederick [J, R] (1938) : Chacal, l'Alternative du diable (1980), le Quatrième Protocole, le Négociateur (1989).

Friedman, Milton [Ec] (1912) : Capitalisme et Liberté, Histoire monétaire des États-Unis.

Gaddis, William [R] (1922) : les Reconnaissances (1955), Gothique Charpentier (1985), J. R. (1993).

Gaines, Ernst [R] (1933) : l'Autobiographie de Miss Jane Pitman, Colère en Louisiane (1984).

Gaitskill, Mary [E] (1958) ; Mauvaise Conduite.

Galbraith, John Kenneth [Ec, Soc] (1908) : l'Ère de l'opulence (1961), les Conditions actuelles du développement économique (1962), l'Heure des libéraux (1963), le Capitalisme américain (1966), le Nouvel État industriel (1968), le Triomphe (1969), Voyage en Chine (1973), l'Argent (1977), le Temps des incertitudes (1978), Une vie dans son siècle, Anatomie du pouvoir (1985).

Gangemi, Kenneth [R] (1937) : Lydia (1970).

Gardner, John [R] (1933-1982) : la Symphonie des spectres, On Moral Fiction.

Gibbons, Kaye [E] (1960) : Ellen Forster (1988).

Gilchrist, Ellen [E] (1935) : Un air de vérité (1988).

Ginsberg, Allen [P] (1926) : Hurlement (1956), Miroir vide, Sandwichs à la réalité.

Goodis, David [R] (1918-67) : Cauchemar, Tirez sur le pianiste, la Lune dans le caniveau.

Goyen, William [Nouv, R] (1915-83) : la Maison d'haleine (1950), Arcadio, Une forme sur la ville.

Green, Gerald [R] (1922) : Holocauste (1978), les Enfants d'Hippocrate (1979).

Haley, Alex [Ec] (1921-92) : l'Autobiographie de Malcom X, Racines (1977), le Cavalier blanc.

Harrison, Jim [R] (1937) : Sorcier, Un beau jour pour mourir, Faux Soleil, Dalva, Légendes d'automne.

Hart, Moss [D] (1904-61) (coauteur avec Kaufman) : Une fois dans la vie (1930), l'Homme qui vient dîner.

Hawkes, John [R] (1925) : le Cannibale (1949), la Patte du scarabée (1951), le Gluau (1961), les Oranges de sang (1972), Aventures dans le commerce des peaux en Alaska (M. étr. 1986).

Heller, Joseph [R] (1925) : Catch 22, Panique (1974), Dieu sait (1984 ; M. étr. 1985).

Hellman, Lillian [D] (1905-84) : l'Heure enfantine (1934), la Garde sur le Rhin (1941).

Helprin, Mark [R] (1947) : Ellis Island (1981), Conte d'hiver (1983).

Hersey, John [R] (1914-93) : Une cloche pour Adano (1944), Hiroshima, le Mur (1950).

Hite, Shere [Es] (1943) : le Rapport Hite, les Femmes et l'amour (1988).

Hopkins, John [R] (1922) : l'Arpenteur (1967), les Mouches de Tanger, le Vol du pélican (1983).

Horgan, Paul [R, H] (1903) : Loin de Cibola, le Rio Grande, les Conquistadors dans l'hist. nord-américaine.

Hughes, Langston [P] (1902-67).

Inge, William [D] (1913-73).

Irish, William (George Hopley-Woolrich) [R] (1903-68). La mariée était en noir (1940), la Sirène du Mississippi (1947), J'ai épousé une ombre (1949), Concerto pour l'étrangleur, Irish Cocktail, Noir, c'est noir.

Irving, John [R] (1942) : le Monde selon Garp (1978), Hôtel New Hampshire, Un mariage poids moyen, l'Œuvre de Dieu, la Part du Diable, l'Épopée du buveur d'eau, Une prière pour Owen, Liberté pour les ours (1991).

Isherwood, Christopher [R, D] (Angl. naturalisé, 1904-86) : *Romans* : Tous les conspirateurs (1928), le Mémorial (1932), M. Norris change de train, Adieux à Berlin (1939), le Lion et son ombre, la Violette du Prater, l'Ami de passage, Octobre.

Jarrel, Randall [P] (1914-65).

Johnson, Denys [P, R] (1949) : la Débâcle des anges (1983), Fiskadoro (1985).

Jones, James [R] (1921-77) : Tant qu'il y aura des hommes (1951), le Retour (1982).

Jong, Erica [R] (1942) : le Complexe d'Icare, la Planche de salut, Fanny, les Parachutes d'Icare, Nana Blues.

Kaufman, Bob [P] (1925-86).

Kennan, George F. [H] (1904).

Kennedy, William [R] (1926) : l'Herbe de fer, Billy Phelan, Jack Legs Diamond.

Kerouac, Jack [R, P] (1922-69) : Avant la route (1950), Sur la route (1957), les Clochards célestes, le Vagabond solitaire, Visions de Gérard (1963), les Anges vagabonds. *Poésie* : Mexico City Blues (1959), Rimbaud, Satori à Paris, Tristessa (1982).

Kesey, Ken [R] (1935) : Vol au-dessus d'un nid de coucou (1962), Demon Box (1986).

King, Stephen [R] (1947) : Carrie (1973), Dead Zone (1975), l'Accident, Misery (1989), la Part des ténèbres, Needful Things, Minuit 2, Bazaar.

Kingsley, Sidney [D] (1906) : Des hommes en blanc (1933), les Patriotes, Histoire de détective.
Korda, Michael [R] (1933) : l'Héritage, la Succession Bannerman (1989).
Kosinski, Jerzy [E] (or. pol. 1933-arrive USA 57-suicidé 91) : the Future is ours, Comrade (1960), l'Oiseau bariolé (1965), Being there (1971), Cockpit (1975), le Jeu de la passion, Flipper (1982), l'Ermite de la 69e Rue (1988).
Krantz, Judith [R] (1928) : Scrupules (1978), Princesse Daisy (1980), l'Amour en héritage (1983).
Kunitz, Stanley [E, P] (1905).
Laurents, Arthur [D] (1918) : West Side Story (1957).
Lazarsfeld, Paul Felix [Soc] (1901-76).
Leavitt, David [Nouv, R] (1961).
Lee, Harper [R] (1926) : Mort d'une pie moqueuse.
Lowell, Robert [P] (1917-77) : le Château de Lord Weary (1947), Benito Cereno (1967), Prometheus Bound (1971).
Lowery, Bruce [R] (1931).
Ludlum, Robert [R] (1927) : l'Héritage Scarlatti (1970), la Mémoire dans la peau, la Mort dans la peau, la Route de Gondolfo, l'Agenda Icare (1989), l'Échange Rhinemann, la Vengeance dans la peau, le Manuscrit Chancellor.
Lurie, Alison [R] (1926) : Liaisons étrangères (1987), la Vérité sur Lorin Jones.
McCarthy, Mary [R] (1912-89) : Dis-moi qui tu hantes (1942), A contre-courant (1963), les Bosquets d'Académe, le Groupe (1963), le Procès du capitaine Medina (1973), les Oiseaux d'Amérique, Cannibales et missionnaires (1981).
McCullers, Carson [R, D] (1917-67) : Le cœur est un chasseur solitaire, Reflets dans un œil d'or, Frankie Adams, la Ballade du café triste, le Cœur hypothéqué, l'Horloge sans aiguille.
McElroy, Joseph [R] (1930) : A Smuggler's Bible (1966), Hind's Kidnap (1969), Ancient History (1971), Women and Men (1987).
McGuane, Thomas [R] (1939) : 33° à l'ombre, Comment plumer un pigeon, L'homme qui avait perdu son nom.
McMurtry, Larry [R] (1936) : la Dernière séance (1966), Anything for Billy (1988).
Mailer, Norman [R] (1923) : les Nus et les Morts (1948), le Parc aux cerfs (1955), Un rêve américain (1965), Pourquoi sommes-nous au Viêt-nam ? (1967), les Armées de la nuit, Mémoires imaginaires de Marilyn (1973), le Chant du bourreau (1979), Nuits des temps (1983), Les vrais durs ne dansent pas, Morceaux de bravoure, Harlot et son fantôme (1992).
Malamud, Bernard [R] (1914-86) : le Commis, les Idiots d'abord (1965), l'Homme de Kiev (1967), Portrait de Fidelman (1969), les Locataires (1971), Dubin's Live (1979), la Grâce de Dieu (1983).
Malcolm X (Malcolm Little) [Pol] (1925-65) : Autobiographie (1965).
Manchester, William [R] (1922) : Mort d'un président, les Armes des Krupp, la Splendeur et le rêve, Winston Churchill (2 vol.) 1990.
Mayer, Arno [H] (n.c.) : la « Solution finale » dans l'histoire (1988).
Mead, Margaret [Soc] (1901).
Michener, James A. [R] (1907) : Pacifique-Sud (1947), Chesapeake (1979), Alaska (1989).
Miller, Arthur [D, R] (1915) : Ils étaient tous mes fils (1947), la Mort d'un commis voyageur (1949), les Sorcières de Salem (1953), Vu du pont, les Désaxés (1961), Après la chute (1964), le Prix (1968). *Autobiogr.* : Au fil du temps (1988). – *Biogr.* : famille d'industriels, ruinés par la crise de 1929 ; *1931* étudiant, reçoit un prix pour sa pièce *L'herbe pousse encore. 1938* diplômé de l'univ. de Michigan, tente de créer un théâtre fédéral américain (échec). *1938-44* journaliste (critique dramatique). *1947* 1er succès au théâtre : *Ils étaient tous mes fils. 1949* prix Pulitzer. *1956* épouse l'actrice Marilyn Monroe (son 3e mariage ; div. 1961). *1959* American Academy.
Millett, Kate [R] (1936) : En vol, la Politique du mâle (1970), Sita.
Mills, Charles Wright [Soc] (1916-62) : l'Élite du pouvoir (1956).
Mitchell, Margaret (Munnerlyn ; Mme John R. Marsh) [R] (1900-49) : Autant en emporte le vent [tirage : 25 millions dans le monde (50 000 ex. le j de sa parution le 30-6-1936) ; une suite : Scarlett (d'Alexandra Ripley), publiée 1991].
Moore, Lorrie [E] (1957) : Histoires pour rien (1985), Anagrammes (1986).
Morrison, Toni [R] (1931) : l'Œil le plus bleu (1970), Sula (1974), la Chanson de Salomon, Tar Baby, Beloved (1987), Jazz, Playing in the Dark : Whiteness and the Literary Imagination.
Nash, Ogden [Hum] (1902-71) : le Parc animalier (1965).
Nemerov, Howard [Es, P] (1920-91).
Nin, Anaïs [R] (1903-77) : les Miroirs dans le jardin, Collages, la Séduction du Minotaure, Journal (1966-80), Etre une femme, Un hiver d'artifice, les Cités intérieures, les Petits Oiseaux, Vénus Erotica (1968), Ce que je voulais vous dire, Cahiers secrets, Correspondance passionnée (1989).
Oates, Joyce Carol [R] (1938) : Eux (1969), Mariages et infidélités (1980), Bellefleur (1981), Amours profanes (1982), Une éducation sentimentale (1983), la Légende Bloodsmoor (1985), L'homme que les femmes adoraient (1986), les Mystères de Winterthurn (1987), Marya, Ailes de corbeau (1989), Souvenez-vous de ces années-là, Cette saveur amère de l'amour (1990), American Appetites (1991).
O'Connor, Flannery [R] (1925-64) : la Sagesse dans le sang (1952), Les braves gens ne courent pas les rues (nouvelles, 1955), Et ce sont les violents qui l'emportent, Mon mal vient de plus loin, Pourquoi ces nations en tumulte ?, le Mystère et les Mœurs, l'Habitude d'être (1979).
Odets, Clifford [D] (1906-63) : Rocket to the Moon (1938), le Grand Couteau (1957).
O'Hara, John H. [R] (1905-70) : Rendez-vous à Samarra (1934), Ourselves to Know (1960), Le cheval connaît la route (1961).
Oppen, George [P] (1908-84) : Itinéraire.
Olson, Charles [P, Es] (1910-70).
Paley, Grace [R] (1925) : les Petits Riens de la vie, Plus tard le même jour.
Percy, Walker [R] (1916-90) : le Cinéphile (1961), le Syndrome de Thanatos (1987).
Potok, Chaim [R] (1929) : le Livre des lumières.
Prokosch, Frederic [R] (1908-89) : les Asiatiques, Sept Fugitifs, Voix dans la nuit.
Purdy, James [R] (1923) : Malcolm (1959), le Neveu, le Satyre (1964), l'Oiseau de paradis.
Puzo, Mario [R] (1920-89) : le Parrain (1969), C'est idiot de mourir (1978), le Sicilien (1985).
Pynchon, Thomas [R] (1937) : V (1963), la Vente à la criée du lot 49, l'Arc-en-ciel de la gravité, l'Homme qui apprenait lentement, Vineland (1990).
Riding, Laura [P] (1901-91).
Roethke, Theodore [P] (1908-63).
Rorty, Richard [Ph] (1931).
Rostow, Walt Whitman [Ec] (1916) : les Étapes de la croissance économique (1952), les Étapes du développement politique (1974), Comment tout a commencé : origines de l'économie moderne (1975).
Roth, Philip [R] (1933) : Goodbye, Columbus (1959), Portnoy et son complexe (1969), l'Écrivain des ombres (1979), la Leçon d'anatomie (1982), la Contrevie, Conversation à Prague, Patrimoine.
Salinger, Jerome David [R] (1919) : l'Attrape-cœur (1951), Un jour rêvé pour le poisson-banane, Franny et Zooey (1961), Dressez haut la poutre maîtresse, charpentiers (1963), Seymour, une introduction (1963).
Salinger, Pierre [R] (1925) : le Scoop (1985), le Nid du faucon (1988).
Samuelson, Paul Anthony [Ec] (1915).
Saroyan, William [R, D] (1908-81) : Nouvelles, le Temps de notre vie, Maman je t'adore, Papa tu es fou, Toujours en vie. *Théâtre :* Mon cœur est dans les Highlands.
Schaefer, Jack [R] (1907-91).
Schlesinger, Arthur, Jr. [E] (1917) : Un héritage amer : le Viêt-nam (1967), la Crise de confiance, Kennedy et son temps (1979).
Schulberg, Budd [R] (1914) : Qu'est-ce qui fait courir Sammy ?, le Désenchanté (1951).
Segal, Erich [R] (1937) : Love Story (1970), Oliver's Story (1976), Un homme, une femme, un enfant (1980), la Classe (1986). Voir p. 339 b.
Selby, Hubert [R] (1928) : Dernière sortie pour Brooklyn (1964), la Geôle, Retour à Brooklyn (1978).
Shapiro, Karl [P] (1913) : Lettres d'un vainqueur et autres poèmes (1944).
Shaw, Irwin [R] (1913-84) : le Bal des maudits (1948), Entrez dans la danse, le Riche et le Pauvre, le Mendiant et le Voleur, la Croisée des pistes (1980).
Shepard, Sam [D] (1943).
Simon, Neil [D] (1927) : Pieds nus dans le parc, le Bon Docteur.
Singer, Isaac Bashevis [R] (n. Pologne 1904-91) : Une histoire d'autrefois (1933), la Corne du bélier (1935), la Famille Moskat (1950), le Magicien de Lublin (1960), le Manoir, le Domaine (1967), Ennemies, une histoire d'amour (1973), Shosha (1978), Old Love (1979), Perdu en Amérique (1981), le Pénitent (1984), le Petit Monde de la rue Krochmalna [N 1978].
Slaughter, Franck [R] (1908) : Afin que nul ne meure (1941), la Divine Maîtresse (1949).
Sorrentino, Gilbert [P, R] (1929).
Spillane, Mickey (Frank Morrison) [R] (1918) : le Dogue, Mike Hammer.
Steel, Danielle [R] (1947).
Steinbeck, John [R, D] (1902-68) : *Romans :* Tortilla Flat (1935), En un combat douteux (1936), Des souris et des hommes (1937), les Raisins de la colère (1939), la Mer de Cortez (1941), Rue de la Sardine (1945), la Perle (1948), A l'est d'Eden (1952) [N 1962]. – *Biogr.* : famille germano-irlandaise immigrée en Californie ; enfance à Salinas, études à Stanford, puis retour à Salinas (travailleur agricole). *1930* sans travail (crise), se tourne vers le socialisme. *1936* succès du roman communisant : *En un combat douteux. 1940* prix Pulitzer pour *les Raisins de la colère.* Après *1952* abandonné par son public, écrit plusieurs livres réactionnaires (dont un pamphlet antifrançais : *le Règne éphémère de Pépin IV).*
Stone, Irving [R] (1903-89).
Styron, William [R] (1925) : Un lit de ténèbres, la Marche de nuit (1952), la Proie des flammes, les Confessions de Nat Turner (1967), le Choix de Sophie (1979), Cette paisible poussière et autres écrits, Face aux ténèbres.
Sukenick, Ronald [R] (1932) : Up (1968), The Death of the Novel and Other Stories (1969), Out (1973), Blow Away (1986).
Susann, Jacqueline [R] (1921-74) : la Vallée des poupées, Love Machine, Une fois ne suffit pas.
Taylor, Peter [Nouv, R] (1917).
Theroux, Paul [R] (1944) : Railway Bazaar (1975), le Royaume des moustiques (1982), la Double Vie de Lauren S. (1984), Patagonie Express (1988), Mon Histoire secrète (1991).
Töffler, Alvin [E] : le Choc du futur (1974), la Troisième Vague (1982), les Nouveaux Pouvoirs.
Toole, John Kennedy [R] (1938-69, suicidé) : la Conjuration des imbéciles (1981), la Bible de néon (1989).
Triffin, Robert [Ec] (Belgique, 1911).
Trumbo, Dalton [J] (1905-76) : Johnny s'en va-t-en guerre (1939).
Tuchman, Barbara W. [E, R] (1912-89).
Tyler, Anne [R] (1941) : Toujours partir, A la recherche de Caleb, le Déjeuner de la nostalgie, le Voyageur malgré lui.
Updike, John [R] (1932) : Cœur de lièvre (1960), le Centaure (1963), la Ferme, Couples (1968), Bech voyage (1970), Rabbit rattrapé (1971), Épouse-moi (1976), Un mois de dimanches (1977), le Putsch (1978), Bech est de retour, Ce que pensait Roger (1987), la Déprime, Confiance, confiance.
Uris, Leon [R] (1924) : Exodus (1957), Topaze (1967), Trinité (1976), Hadj (1984).
Van Vogt, Alfred [R] (1912) : voir encadré p. 271 c.
Vidal, Gore [R, D] (1925) : Julien (1964), Burr (1973), les Faits et la Fiction (1980), Messiah (1965), Création (1981), Empire (1987).
Vonnegut, Kurt [R] (1922) : voir encadré p. 271.
Walker, Alice [R] (1944) : La Couleur pourpre (1982), Cher Bon Dieu (1988).
Wallace, Irving [R] (1916-90) : le Signe du Poisson, le Club (1977).
Warren, Robert Penn [R, P] (1905-89) : le Cavalier de la nuit (1939), Aux portes du ciel (1943), les Fous du roi (1946), le Grand Souffle (1950), la Caverne, Les eaux montent (1964), Un endroit où aller (1977).
Welty, Eudora [R] (1909) : Mariage au Delta (1945), The Golden Apples (1949), The Ponder Heart (1954), Losing Battles (1970).
West, Nathanael (Weinstein) [R] (1902-40) : Courrier du cœur (1933), Un million tout rond, l'Incendie de Los Angeles (1939).
White, Edmund [R] (1940) : Forgetting Elena (1973), Un jeune Américain (1982), le Héros effarouché, l'Écharde (1987), la Tendresse sur la peau (1988).
Wilbur, Richard [P] (1921).
Williams, Tennessee (Thomas Lanier) [D] (1914-83) : la Ménagerie de verre (1945), Un tramway nommé Désir (1947), la Rose tatouée, la Chatte sur un toit brûlant (1955), Baby Doll (1957), Soudain l'été dernier (1958), la Nuit de l'iguane (1961). *Roman, nouvelle :* la Statue mutilée (1948), la Quête du chevalier (1966). – *Biogr.* : fils d'un commis voyageur sudiste ; enfance pauvre (né dans le Mississippi). *1923* élevé à St Louis. *1929* univ. du Missouri. *1930* dans l'indigence. *1930-33* ouvrier (chaussures). *1933* univ. de l'Iowa, puis celle de St Louis. *1939* 1re pièce. *1940* boursier de la Fondation Rockfeller. *1940-44* scénariste à Hollywood. *1945* succès de *la Ménagerie de verre. 1948* prix Pulitzer. *V. 1950* proche de Simone de Beauvoir. *1955* 2e prix Pulitzer.
Wolfe, Thomas [R] (1900-38) : l'Ange exilé, Aux sources du fleuve (1929), Au fil du temps (1935), la Toile et le Roc, l'Impossible Retour (1940).
Wolfe, Tom [Cr, R] (1931) : l'Étoffe des héros (1979), le Bûcher des vanités (1987).
Woolf, Douglas [R] (1922) : les Croulants (1959), D'un mur à l'autre (1962).
Wouk, Herman [R] (1915) : Ouragan sur le Caine (1951), le Souffle de la guerre, les Orages de la guerre.
Wright, Richard [R] (1908-60) : les Enfants de l'oncle Tom (1938), Un enfant du pays (1940), Black Boy (1945).
Wurlitzer, Rudolph [R] (1938) : Nog (1969), Flats (1970), Quelle secousse ! (1972), Slow Fade (1984).
Yates, Richard [R] (1926) : Revolutionary Road (1961), Fauteur de troubles (1975).

LITTÉRATURE ANGLAISE

NÉS AVANT 1500

ÉCRIVAINS DE LANGUE LATINE

Alcuin [Sav] (v. 735-804).
Bacon, Roger, dit le Docteur admirable, moine [Ph, Théo] (1214-94).
Bède le Vénérable [Eru, H] (673-735).
Duns Scot, John, dit le Docteur subtil [Ph, Théo, béatifié 20-3-1993] (Écos.) (v. 1266-1308) : Traité du principe de toutes choses, Livre des sentences.
Geoffroi, de Monmouth [H] (1100-54) : Histoire des rois de Bretagne.
Grosseteste, Robert [Ph] (1175-1253).
Guillaume, d'Ockham [Ph] (1290-1349).
More, ou **Morus,** Sir Thomas [Ph, Pol] (1478-1535) : l'Utopie (1516). A écrit aussi en anglais.
Scot Érigène, Jean [Ph, Théo] (Écos. ou Irl.) (IXe siècle).

ÉCRIVAINS DE LANGUE SAXONNE OU ANGLAISE

Anonymes : Beowulf (v. 1000), Sire Gauvain et le Chevalier vert (XIVe s.), Robin des Bois (v. 1340).
Aelfric [Préd, Mor] (v. 995-v. 1020).
Alfred, roi du Wessex [H, Ph] (849-901) : traduction d'ouvrages latins.
Caedmon [P] (v. 680) : Poèmes « caedmoniens » (apocryphes).
Chaucer, Geoffrey [P] (v. 1340-1400) : Troïlus et Cressida (1380), Contes de Cantorbéry (1387-1400).
Cynewulf [P] (v. 750-v. 800) : Hélène.
Dunbar, William [P] (v. 1465-v. 1520) : le Chardon et la Rose.
Gower, John [P] (v. 1330-1408). Écrit également en latin et en français.
Henryson, Robert [Fab] (Ecos.) (v. 1425-1500).
Heywood, John [D, P] (1497-1580) : Interludes.
Langland, William [P] (v. 1330-v. 1400) : la Vision de Pierre le Laboureur.
Layamon [P] (?-1205).
Lydgate, John [P] (v. 1370-v. 1451) : le Livre de Troie (v. 1420).
Malory, Sir Thomas [P] (v. 1408-71) : la Mort d'Arthur (1469).
Occleve, Thomas [P] (v. 1368-v. 1450).
Skelton, John [P] (v. 1460-1529) : Satires, Élégie sur Philippe le Moineau, la Guirlande de laurier (1523).
Tyndale, William [Théo, Pol] (v. 1477-1536) : De l'obéissance du chrétien (1528).
Wulfstan [Préd] (1023) : Sermons.
Wyclif, John [Théo] (v. 1320-84) : traduction de textes bibliques.

NÉS ENTRE 1500 ET 1600

Ascham, Roger [Eru] (1515-68) : le Maître d'école.
Bacon, Sir Francis [Es, Ph] (1561-1626) : Essais, Novum Organum (1620).
Burton (Robert) [E] (1577-1640) : l'Anatomie de la mélancolie.
Campion, Thomas [P] (1567-1620).
Dekker, Thomas [D] (v. 1572-v. 1632) : l'Honnête Courtisane, le Diable du village.
Donne, John [P] (1572-1631) : Satires.
Fletcher, John [D] (1579-1625) et **Beaumont,** Francis (1554-1616) : le Chevalier de l'ardent pilon (1607), le Misogyne (1607), Philaster (1610), Tragédie de la jeune fille.
Ford, John [D] (1586-apr. 1639) ; Dommage qu'elle soit une putain, le Cœur brisé.
Greene, Robert [D, R] (v. 1558-92).
Herbert, George [P] (1593-1633) : le Temple.
Herrick, Robert [P] (1591-1674).
Heywood, Thomas [D] (v. 1574-1641).
Hobbes, Thomas [Ph] (1588-1679) : le Citoyen (1649), Léviathan (1651).
Jonson, Ben [D] (1572-1637) : Chacun dans son caractère, Chacun hors de son caractère, Catilina, Volpone (1606), Le Diable est un sot (1616).
Kyd, Thomas [D] (v. 1558-94) : Arden de Feversham (1586), Tragédie espagnole.
Lodge, Thomas [P] (1558-1625) : Rosalinde.
Lyly, John [D, Nouv] (v. 1553-1606) : Euphues (1578).
Marlowe, Christopher [D] (1564-93) : la Vie et la mort du docteur Faust (1588), Edouard II (1592). *Voir* Shakespeare.
Massinger, Philip [D] (1583-1648.)
Middleton, Thomas [D] (1580-1627) : Que les femmes se défient des femmes.
Nashe, Thomas [Polé, R] (1567-1601) : le Voyageur infortuné (1594).
Norton, Thomas [D] (1532-84) : Gorboduc (1561) (écr. avec Sackville).
Peele, George [D, P] (v. 1558-97).
Sackville, Thomas, Bon (v. Norton) [D, P] (1536-1608).
Shakespeare, William [D, P] (1564-1616) : *Sonnets* (1600-09). *Théâtre :* Henri VI (1590-92), la Mégère apprivoisée (1594), Roméo et Juliette (1595), le Songe d'une nuit d'été (1595), Richard II (1597), Richard III (1597), Henri IV (1597-98), les Joyeuses Commères de Windsor (1598), Jules César (1599), le Marchand de Venise (1600), Henri V (1600), Beaucoup de bruit pour rien (1600-23), la Nuit des rois (1600), Hamlet (1602), Troïlus et Cressida (1602), Tout est bien qui finit bien (1602-03), Othello (1604), Mesure pour mesure (1604), Macbeth (1605), Antoine et Cléopâtre (v. 1607), Timon d'Athènes (1608), le Roi Lear (1608), Coriolan (1608-23), la Tempête (1611), Henri VIII (1612), Comme il vous plaira (1623). – *Controverses :* sauf quelques poèmes, Sh. n'a rien publié de son vivant et l'on ne connaît aucun manuscrit de lui. Simple acteur, il n'eut guère l'occasion de voyager. Certains ont estimé qu'il n'aurait jamais pu écrire des pièces se déroulant dans des régions et à des époques très variées. On a ainsi vu « sous le masque de Sh. » le philosophe Francis Bacon ; Edward de Vere, 17e comte d'Oxford ; Roger Manners, comte de Rutland ; William Stanley, 6e comte de Derby ; Christopher Marlowe [poète aventurier, agent secret, compromis pour athéisme, il aurait jugé prudent de « disparaître » en 1593, faisant croire à sa mort dans une rixe au cabaret ; caché chez un protecteur (le Cte d'Oxford), il aurait ensuite écrit des drames].
Shirley, James [D, P] (1596-1666) : le Mariage, le Cardinal.
Sidney, Sir Philip [R, P] (1554-86) : l'Arcadie, Astrophel et Stella.
Spenser, Edmund [P] (1552-99) : le Calendrier du berger, la Reine des fées (1579), l'Allégorie, Epithalame. (Créateur de la strophe spensérienne.)
Surrey, Henry Howard, comte de [P] (1517-47) : Sonnets.
Walton, Izaak [Chr] (1593-1683) : le Parfait Pêcheur à la ligne.
Watson, Thomas [P] (v. 1557-v. 1592) : Sonnets.
Webster, John [D, E] (1578-1632) : le Démon blanc, la Duchesse de Malfi.
Wyatt, Sir Thomas [P] (v. 1503-42) : Sonnets.

NÉS ENTRE 1600 ET 1700

Addison, Joseph [E, P] (1672-1719) : fonda avec Steele le journal « The Spectator » ; Caton (1713).
Arbuthnot, John [Polé] (1667-1735) : Histoire de John Bull (1712).
Bentley, Richard [Cr] (1662-1742).
Berkeley, George [Ph] (Irl.) (1685-1753) : Nouvelle Théorie de la vision (1709), Siris.
Browne, Sir Thomas [Es] (1605-82).
Bunyan, John [R] (1628-88) : le Voyage du pèlerin (1678-84).
Butler, Samuel [P] (1612-80) : Hudibras.
Chesterfield, Philip Stanhope, Lord [E] (1694-1773) : Lettres à mon fils (1774).
Congreve, William [D] (1670-1729) : Amour pour amour (1695), Ainsi va le monde (1700).
Cowley, Abraham [P] (1618-76).
Crashaw, Richard [P] (v. 1613-49) : les Marches du temple (1646).
Defoe, Daniel [R] (v. 1660-1731) : Robinson Crusoé (1719), le Capitaine Singleton (1720), Moll Flanders (1722), Journal de l'année de la peste (1722), les Chemins de fortune (1724).
Denham, John [P] (1615-69) : la Colline de Cooper.
Dryden, John [D, P] (1631-1700) : Essai sur la poésie dramatique (1667).
Etherege, Sir George [D] (v. 1634-91) : l'Homme à la mode (1675).
Farquhar, George [D] (Irl.) (1678-1707) : Stratagèmes des petits-maîtres (1707), Modeste Proposition (1729).
Gay, John [D] (1685-1732) : l'Opéra des gueux (1728).
Locke, John [Ph] (1632-1704) : Essai sur l'entendement humain (1690), Traités du gouvernement civil (1690).
Lovelace, Richard [P] (1618-58).
Marvell, Andrew [P] (1621-78) : Poèmes choisis.
Milton, John [E, P] (1608-74) : Défense du peuple anglais (1651), le Paradis perdu (1667), Samson combattant (1671), le Paradis reconquis (1671). – *Biogr. :* fils d'un notaire puritain ; commence à écrire à 10 ans ; destiné à la prêtrise, études à Oxford. *1630* refuse les ordres (méprise le clergé). *1630-38* vit chez son père près de Windsor. *1638-39* voyage France et Italie. *1639-42* à Londres, précepteur de ses neveux. *1643* se marie (4 enfants de 1646 à 52). *1643-48* partisan de Cromwell ; écrit un traité justifiant l'exécution du roi. *1649* secrétaire latin du Conseil d'État. *V. 1650* perd la vue. *1656* veuf, se remarie. *1657* redevient veuf. *1660* épuré à la Restauration, puis gracié. *1662* perd ses biens (faillite de son notaire). *1663* épouse Elizabeth Minshull (17 ans), qui se dévoue pour lui jusqu'à sa mort (attaque de goutte).
Newton, Sir Isaac [Sav] (1642-1727).
Otway, Thomas [D] (1652-85) : Don Carlos, l'Orpheline ou le Mariage malheureux (1680), Venise sauvée (1682).
Pepys, Samuel [E] (1633-1703) : Journal.
Pope, Alexander [P, Ph] (1688-1744) : Essai sur l'homme, Epîtres, Satires.
Richardson, Samuel [R] (1689-1761) : Pamela (1740), Clarisse Harlowe (1747-48), l'Hist. de Sir Charles Grandison (1754).
Shaftesbury, Anthony, comte de [Ph] (1671-1713) : Traits caractéristiques des hommes, des coutumes, des opinions et des temps.
Steele, Sir Richard [D] (Irl.) (1672-1729).
Suckling, Sir John [D, P] (1609-42).
Swift, Jonathan [R] (Irl.) (1667-1745) : Conte du tonneau (1704), Voyages de Gulliver (1726).
Vanbrugh, Sir John [D] (1664-1726).
Vaughan, Henry [P] (1622-95).
Wycherley, William [D] (v. 1640-1716) : l'Épouse campagnarde (1673).
Young, Edward [P] (1683-1765) : Nuits (1742-45).

NÉS ENTRE 1700 ET 1800

Austen, Jane [R] (1775-1817) : Orgueil et Préjugé (1813), Emma (1815), Persuasion (1818).
Bentham, Jeremy [Ph, Jur] (1748-1832).
Blake, William [P] (1757-1827) : Chants d'innocence (1789), Jérusalem (1804-20).
Boswell, James [E] (1740-95) : Vie de S. Johnson.
Burke, Edmund [Es, Pol] (1729-97) : Réflexions sur la Révol. française (1790).
Burney, Frances (Madame d'Arbley) [Nouv, R] (1752-1840) : Evelina (1778), Cecilia (1782), Journal.
Burns, Robert [P] (Écos.) (1759-96) : Chansons populaires d'Écosse (1786).
Byron, George Gordon, Lord [P] (1788-1824) : le Chevalier Harold (1812), la Fiancée d'Abydos (1813), le Corsaire (1814), Lara (1814), le Siège de Corinthe (1816), le Prisonnier de Chillon (1816), Manfred (1817), Mazeppa (1819), Don Juan (1819-24). – *Biogr. :* noblesse écossaise sans fortune. Pied-bot. *1798* hérite (de son oncle, Lord Byron). *1801-05* études à Harrow ; sportif malgré son infirmité. *1805-08* études à Cambridge. *1808* prend possession de son domaine de Newstead et siège à la Chambre des lords. *1810* croisière en Méditerranée. *1813* liaison incestueuse avec sa sœur Augusta. *1815-16* épouse Annabella Milbanke (la chasse pour reprendre Augusta). *1816-24* séjourne en Italie ; fréquente les carbonari. *1824-19-4* rejoint les insurgés grecs à Missolonghi ; meurt de maladie au bout de 3 mois.
Carlyle, Thomas [Es, Cr] (1795-1881) : Sartor Resartus (1833), Frédéric le Grand (1858-65).
Chatterton, Thomas [P] (1752-70).
Cleland, John [R] (1707-n.c.) Fanny Hill (1749).
Coleridge, Samuel Taylor [P] (1772-1834) : Ballades lyriques (dont le Vieux Marin) (1798), Christabel (1816), Kubla Khan (1816).
Collins, William [P] (1721-59) : Odes.
Cowper, William [P] (1731-1800) : la Tâche, Lettres.
Fielding, Henry [R] (1707-54) : Joseph Andrew (1742), Tom Jones (1749), Amelia (1751).
Gibbon, Edward [H] (1737-94) : Hist. de la décadence et de la chute de l'Empire romain (1776-88), Mémoires.
Godwin, William [R] (1756-1836) : Caleb Williams (1794).
Goldsmith, Oliver [E, Nouv, P] (1728-74) : le Vicaire de Wakefield (1766), le Village abandonné (1770), Elle s'abaisse pour vaincre (1773).
Graves, Richard [R] (1715-1804) : le Don Quichotte.
Gray, Thomas [P] (1716-71) : Élégie écrite dans un cimetière de campagne (1751).
Hamilton, Sir William [Ph] (Écos.) (1788-1856), la Philosophie de l'inconditionnel (1829).
Hazlitt, William [Cr, Es] (1778-1830) : Panorama du théâtre anglais (1818).
Hume, David [E, Ph] (1711-76) : Essais sur l'entendement humain (1748).
Johnson, Samuel [E] (1709-84) : Dictionnaire, Vie des poètes anglais (1779-81).
Keats, John [P] (1795-1821) : Endymion (1818), Odes [à un rossignol, à l'automne (1819-20)], la Veille de la Sainte Agnès, la Belle Dame sans merci (1820).
Lamb, Charles (1775-1834) et Mary (1764-1847) [E] : Contes tirés de Shakespeare (1807), Essais d'Elia (1820-25).
Landor, Walter Savage [P, Pros] (1775-1864).
Lewis, Matthew Gregory [R] (1775-1819) : le Moine (1796).

Mackenzie, Henry [Nouv] (1745-1831) : Julia de Roubigné (1777).

Macpherson, James [P] (Écos.) (1736-96) : Poèmes « d'Ossian » (1760), Fingal (1761), Temora (1763).

Malthus, Thomas Robert [Ec] (1766-1834) : Essai sur le principe de population (1798), Principes d'économie politique (1819).

Mill, James [Ph, H, Ec] (1773-1836).

Moore, Thomas [P] (Irl.) (1779-1852) : Mélodies irlandaises (1807-34), Lalla Rookh (1817).

Peacock, Thomas Love [Hum] (1785-1866).

Percy, Thomas [Eru] (1729-1811).

Quincey, Thomas de [E] (1785-1859) : Confessions d'un mangeur d'opium (1821), De l'assassinat considéré comme un des beaux-arts (1827), les Derniers Jours d'Emmanuel Kant, Judas Iscariote.

Radcliffe, Ann [R] (1764-1823) : les Mystères d'Udolphe (1794).

Reid, Thomas [Ph] (1710-96).

Ricardo, David [Ec] (1771-1823) : les Principes de l'économie politique et de l'impôt (1817).

Roget, Peter Mark [Ency] (1779-1869) : Roget's Thesaurus of English Words and Phrases.

Scott, Sir Walter [P, R] (Écos. 1771-1832) : Rob Roy (1818), la Fiancée de Lammermoor (1819), Ivanhoé (1820), Kenilworth (1821), Quentin Durward (1823). – *Biogr.* : (père attorney, à Édimbourg), maladif. *1787* secrétaire au tribunal de son père. *1792* avocat. *1799* shérif du Selkirkshire. *1806-31* greffier au Parlement d'Édimbourg. *1808* dans les affaires (imprimerie, maison d'édition, théâtre, etc.), se ruine. *1814* romans (anonymes) pour payer ses dettes. *1820* baronet. *1824* reconstruit son château d'Abbotsford (acheté 1810). *1825* faillite (130 000 livres de dettes). *1828* rembourse 40 000 livres. *1830* surmené, paralysé, meurt.

Shelley, Percy Bysshe [P] (1792-1822) : Alastor, la Sensitive, Ode au vent d'ouest, Ode à l'alouette, Adonaïs. – *Biogr.* : fils d'un gentilhomme campagnard ; éduqué à Eton (souffre-douleur de ses camarades), puis à Oxford (chassé pour athéisme). *1811* enlève Harriet Westbrook (16 ans) et l'épouse. *1813* naissance de sa fille Ianthe. *1814* s'enfuit sur le continent avec Mary Godwin. *1815* hérite de sa grand-mère : aisance. *1816* a un fils (William) de Mary : Harriet se suicide ; Sh. épouse Mary et va avec elle en Italie. *1820* à Pise. *1822* se noie au large de La Spezia ; incinéré en présence de Byron.

Sheridan, Richard Brinsley Butler [D] (1751-1816) : les Rivaux, l'École de la médisance (1777).

Smith, Adam [Ec] (Écos.) (1723-90) : Recherches sur la nature et les causes de la richesse des nations (1776).

Smollett, Tobias George [E] (Écos.) (1721-71) : Roderick Random (1748), Peregrine Pickle (1751), les Aventures de Ferdinand comte Fathom (1753), Voyage de Humphry Clinker (1771).

Southey, Robert [P] (1774-1843) : la Vie de Nelson (1813), Vie des amiraux anglais (1834).

Sterne, Laurence [R] (1713-68) : Tristram Shandy (1760-67), le Voyage sentimental (1768).

Stewart, Dugald [Ph] (Écos.) (1753-1828).

Thomson, James [P] (Écos.) (1700-48) : les Saisons (1726-30).

Walpole, Horace, Cte d'Orford [R] (1717-97) : le Château d'Otrante (1764).

Warton, Thomas [P, Cr] (1728-90) : Histoire de la poésie anglaise (1774-81).

Wordsworth, William [P] (1770-1850) : Ballades lyriques (1798), l'Excursion (1814). – *Biogr.* : fils d'un magistrat ; perd sa mère à 7 ans, son père à 13 ans. Élevé à Cambridge. *1791* en France, devient républicain (il a un enfant naturel, né à Blois, qu'il reconnaît). *1793* poursuivi comme girondin, s'enfuit en Angleterre. *1795* petit héritage, vit avec sa sœur à Racedown ; rencontre Coleridge, se consacre à la poésie. *1799* se fixe avec sa sœur à Dove Cottage (Lake District). *1802* épouse sa cousine, Mary Hutchinson. *1822* pension (de Sir George Beaumont) qui lui permet de voyager en Europe. *1842* poète lauréat. *1843* pension royale de 3 000 livres.

Quelques personnages de la littérature anglaise

Les Chevaliers de la Table Ronde : épopées anonymes du « cycle breton » (XIe-XIVe siècle) (les héros mystiques et chevaleresques).

Robin des Bois : récits anonymes (v. 1340) (le redresseur de torts).

La Mégère apprivoisée (comédie, 1594) de Shakespeare (jeune mariée capricieuse et têtue).

Roméo et Juliette (drame, 1595) de Shakespeare (couple idéal de jeunes amoureux).

Falstaff [Henri IV et Henri V, drames, les Commères de Windsor, comédie, 1598] de Shakespeare (brigand truculent, vantard et lâche).

Hamlet (drame, 1600-01) de Shakespeare (le velléitaire désespéré).

Othello (drame le More de Venise, 1604) de Shakespeare (le jaloux tragique).

Lady Macbeth (drame Macbeth, 1606) de Shakespeare (ambitieuse criminelle).

Caliban (drame La Tempête, 1611) de Shakespeare (monstre borné et naïf).

Volpone (comédie, 1607) de Ben Jonson (financier cupide et sans scrupules).

John Bull (histoire de J.B., pamphlet, 1712) d'Arbuthnot (le peuple anglais réaliste et brutal).

Robinson Crusoé (1719), roman de Daniel Defoe (naufragé colonisateur d'une île déserte).

Gulliver (1727), roman de J. Swift (observateur impitoyable mais humoriste des vices).

Lilliputien, même ouvrage (habitant de Lilliput, haut de 6 pouces).

Pamela (roman, 1741), de S. Richardson (l'innocence persécutée).

Lovelace (roman Clarissa Harlowe, 1748) de S. Richardson (pervertisseur cruel).

Childe Harold (1812-18, poème) de Lord Byron (misanthrope épris de voyages).

Manfred (1817, drame) de Lord Byron (romantique au destin maudit).

Ivanhoé (1819, roman) de Walter Scott (héros de la résistance saxonne contre les Normands).

Pickwick (1837), roman de Ch. Dickens (jobard mythomane et mégalomane).

Oliver Twist (1838), roman de Ch. Dickens (enfant dans les bas-fonds de Londres).

Docteur Jekyll et Mr Hyde (1855), roman de Stevenson (nos 2 tendances : bonne et mauvaise).

Enoch Arden (1864), poème de Tennyson (romantique vertueux, se sacrifie par amour).

Alice au pays des merveilles (1865), conte de Lewis Carroll (petite fille voyageant dans l'univers des rêves).

Sherlock Holmes (1891-1927), romans de Conan Doyle (détective lucide et méthodique).

Mowgli (Livre de la Jungle, 1894), de Kipling (petit garçon vivant parmi les bêtes).

Kim (1901), roman de Kipling (jeune Anglais à la vocation colonisatrice).

L'Homme invisible (1897), roman de Wells (être fantastique allant à sa propre destruction).

Lady Chatterley (l'Amant de Lady Chatterley, 1928), roman de David H. Lawrence (femme décidée à conquérir son bonheur).

James Bond (1959-64), série romanesque de Ian Fleming (agent secret redresseur de torts).

Nés entre 1800 et 1900

Aldington, Richard [R, P] (1892-1962) : Mort d'un héros (1929), la Fille du colonel, Sept contre Reeves.

Arnold, Matthew [P, Cr] (1822-88) : Culture et Anarchie (1869).

Bain, Alexander [Ph] (Écos.) (1818-1903) : les Sens et l'Intelligence (1855), Science de l'éducation (1879).

Baring, Maurice [R] (1874-1945) : Daphné Adeane (1926), l'Angoissant souvenir (1928), l'Habit sans couleurs (1929), Friday's business (1933).

Barrie, Sir James [D, R] (Écos.) (1860-1937) : Peter Pan (1904). *Théâtre* : l'Admirable Crichton.

Belloc, Hilaire [P, R, Cr] (or. franç. 1870-1953) : Sur rien, Emmanuel Burden (1904).

Bennett, Enoch Arnold [R] (1867-1931) : Histoire de vieilles femmes (1908), Chayanger (1910).

Beresford, John Davys [R] (1873-1947).

Beveridge, Lord William Henry [Ec, Soc] (1879-1963) : Du travail pour tous dans une société libre (1944).

Blyton, Enid [R] (1897-1968) : les Caprices du fauteuil magique (1937).

Boole, George [Math, Ph] (1815-64).

Borrow, George [Ling, Nouv] (1803-81) : Isopel, la Bible en Espagne (1843).

Bowen, Elizabeth (Dorothea Cole) [R] (1899-1973) : la Maison à Paris (1935), les Cœurs détruits (1938), Emmeline (1941), Pacte avec le diable (1947), Un monde d'amour, les Petites Filles (1964).

Bradley, Francis Herbert [Ph] (1846-1924).

Bridges, Robert [P, Cr] (1844-1930).

Brontë, *Anne* [R] (1820-49) : Agnes Grey (1847), le Fermier de Wildfell Hall (1848). *Charlotte* [R] (1816-55) : le Professeur (1846), Jane Eyre (1847), Shirley (1849), Villette (1853). *Emily* [R] (1818-48) : les Hauts de Hurlevent (1847).

Brooke, Rupert [P] (1887-1915) : le Soldat.

Browning, *Elizabeth* Barrett [P] (1806-61) : Sonnets, Aurora Leigh (1855). *Robert* (son mari) [P] (1812-89) : Hommes et Femmes (1855), l'Anneau et le Livre (1868-69).

Bulwer, Edward, Lord Lytton [R] (1803-73) : les Derniers Jours de Pompéi (1834).

Butler, Samuel [R, Ph] (1835-1902) : Erewhon, Ainsi va toute chair.

Carroll, Lewis (Charles Lutwidge Dodgson) [R] (1832-98) : Alice au pays des merveilles (1865), A travers le miroir (1871), Sylvie et Bruno (1889).

Cary, Arthur Joyce (Lunel) [R] (1888-1957) : Missié Johnson (1939), Sara (1941), la Bouche du cheval (1944), Une joie terrible (1949), la Gracieuse Prisonnière (posth. ; 1959).

Chesterton, Gilbert Keith [E] (1874-1936) : *Romans, nouvelles* : le Napoléon de Notting Hill (1912), le Nommé Jeudi, Hérétique (1930), la Clairvoyance du père Brown (1936), Orthodoxe, la Sphère et la Croix. *Essais* : la Vie de Robert Browning, Dickens, Ce qui cloche dans le monde, le Crime de l'Angleterre. *Théâtre* : Magie. – *Biogr.* : fils d'un agent immobilier. *1891* dessinateur, les romans d'Hilaire Belloc. *1900* journaliste au *Speaker* et au *Daily News.* *1901* épouse France Blogg Battersea. *1903* s'impose comme critique. *1922* converti au catholicisme.

Clarke, Marcus [R] (1846-81).

Clough, Arthur Hugh [P] (1819-61) : Amours de voyage (1849).

Compton-Burnett, Ivy [R] (1892-1969) : Des hommes et des femmes (1931), les Ponsonby, les Vertueux Aînés, la Chute des puissants (1961).

Conrad, Joseph (J.T. Konrad Naleçz Korzeniowski, dit) [R] (1857-1924) : la Folie Almayer (1895), Un paria des îles (1896), le Nègre du « Narcisse » (1897), Lord Jim (1900), Typhon (1902), Nostromo (1904), le Miroir de la mer (1906), l'Agent secret (1907), Sous les yeux d'Occident (1911). – *Biogr.* : né en Podolie (Ukraine) de parents polonais, propriétaires terriens. *1861* indépendantistes, ses parents sont exilés en Russie du N., où ils meurent. *1867* recueilli par un oncle ; études à Cracovie. *1874* s'enfuit à Marseille ; matelot et contrebandier. *1876* combattant carliste en Espagne. *1878* rejoint l'Angleterre ; matelot (Australie et océan Indien). *1886* naturalisé anglais, officier de la mar. marchande. *1893* se met à écrire. *1896* épouse Jessie George ; pension de retraité. *1913* succès de *Chance* ; renonce à sa pension ; finit paralysé (rhumatismes).

Coward, Noel [D] (1899-1973) : les Amants terribles (1930), L'esprit s'amuse (1941).

Cronin, Archibald Joseph [R] (1896-1981) : le Chapelier et son château (1930), la Citadelle (1937), les Clefs du royaume (1941), les Vertes Années (1944), le Destin de Robert Shannon (1948), le Jardinier espagnol (1950). Voir p. 338 a. – *Biogr.* : études médicales à Glasgow. *1917* médecin. *1921-30* à Londres avec sa femme, Mary Gibson, épousée 1921. *1930* congé de maladie, écrit *le Chapelier et son château* : succès foudroyant ; abandonne la médecine ; riche, passe sa vie à voyager.

Darwin, Charles [Nat] (1809-82) : De l'origine des espèces (1859).

Davies, William Henry [P] (1871-1940).

De la Mare, Walter [P, R] (1873-1956).

Dickens, Charles [R] (1812-70) : les Aventures de M. Pickwick (1836-37), Oliver Twist (1838), Nicolas Nickleby (1838-39), le Magasin d'antiquités (1840-41), Martin Chuzzlewit (1843-44), Un chant de Noël (1843), le Grillon du foyer (1845), David Copperfield (1849-50), De grandes espérances (1860-61). – *Biogr.* : né à Portsmouth, 2e de 8 enfants, son père (petit fonctionnaire de la Marine) est mis en prison pour dettes en 1824 ; perpétuels déménagements, pas de scolarité. *1826* son père hérite et l'envoie à Londres apprendre la sténo. *1828-35* sténographe aux Communes. *1835* journaliste au *Morning Chronicle.* *1836* épouse Catherine Hogarth, fille d'un confrère. *1837* succès de *M. Pickwick.* *1841* citoyen d'honneur d'Édimbourg. *1846* fonde le *Daily News.* *1850* fonde *Household Words.* *1858* divorce. *1859* fonde *All the Year Round* (conférences richement payées). *1868* tournée aux USA pour 20 000 £ ; surmené, meurt d'apoplexie.

Disraeli, Benjamin [H, R] (1804-81) : Vivian Grey (1826), Henrietta Temple (1837), Coningsby (1844), Sybil (1845).

Drinkwater, John [D, P] (1882-1937).

Edwards, G.B. [R] (1889-1976) : Sarnia (1983).

Eliot, George (Mary Ann Evans, dite) [E] (1819-80) : Adam Bede (1859), le Moulin sur la Floss (1860), Silas Marner (1860). – *Biogr.* : fille du régisseur (château d'Arbury) d'un baronet du Warwickshire, Francis Newdigate. *1841* va avec son père à Coventry ; renonce au christianisme, sous l'influence du philosophe Charles Hennell. *1849* mort de son père ; voyage en Europe. *1851* directrice adjointe de la *Westminster Review,* se fixe à Londres ; en ménage avec le philosophe George Henry Lewes (1817-78), ouvre un salon littéraire. *1859* succès d'*Adam Bede.* *1863* s'installe avec Lewes à Regent's Park ; *1876* à Witley (Lewes y meurt en 1878). *1880* épouse un banquier américain, J.Walter Cross.

Eliot, Thomas Stearns [D, P] (or. amér.) (1888-1965) : *Théâtre* : Meurtre dans la cathédrale (1935), la Réunion de famille, la Cocktail party (1950), le Secrétaire particulier, Fin de carrière. *Poésie* : The Waste Land (1922), Ash Wednesday (1930) [N 1948].

Flecker, James Elory [P] (1884-1915).

Forester, Cecil Scott [R] (1899-1966) : Paiement différé (1926), le Canon, le Navire, série des Capitaine Hornblower, Un vaisseau de ligne, le Commodore (1944), Hornblower et l'Atropos (1953).

Forster, Edward Morgan [R] (1879-1970) : le Plus Long des Voyages (1907), Avec vue sur l'Arno (1908), le Legs de Mrs Wilcox (1911), Monteriano, le Retour à Penge (1914, publié 1971), Howards End, Route des Indes (1924), Maurice.

Fowler, Henry [E] (1858-1933) : Dictionary of Modern English Usage (1926).

Frazer, Sir James George [Mor, Sav] (1854-1941) : le Rameau d'or (11 vol. 1890-1915).

Galsworthy, John [R] (1867-1933) : la Saga des Forsyte [3 trilogies : I (sans titre) (le Propriétaire 1906, Aux aguets 1920, A louer 1921) ; II Comédie moderne (le Singe blanc 1924, la Cuillère d'argent 1926, le Chant du cygne 1928) ; III la Fin du chapitre (Dinny 1931, Floraison 1932, Sur l'autre rive 1933)], Fraternité [N 1932]. – *Biogr. :* fils d'un riche avoué du Surrey ; éducation à Harrow et Oxford (droit). *1890* au barreau, mais part pour l'Extrême-Orient, se liant avec Joseph Conrad. *1897* débuts en littérature. *1906* au théâtre. *1920* succès avec *les Forsyte.*

Gaskell, Elizabeth Cleghorn [R] (1810-65) : Ruth (1853), Cranford (1853), Épouses et Filles (1864).

Granville-Barker, Harley [D] (1877-1946) : l'Héritage des Voysey, Gaspillage, la Maison de Madras.

Graves, Robert [P, R] (1895-1985) : Moi, Claude (1934), la Déesse blanche (1948), les Mythes grecs (1955).

Hardy, Thomas [R, P, Ph] (1840-1928) : *Romans :* Remèdes désespérés (1871), le Retour au pays natal (1878), le Trompette-Major (1880), les Forestiers (1887), Tess d'Urberville (1891), Jude l'obscur (1896). *Poésie :* The Dynasts (1904-08). – *Biogr.* *1856-62* chez un architecte qui restaure les églises. *1862-63* assistant de l'architecte Arthur Blomfield ; médaille d'architecture. *1867* 1er essai, manuscrit refusé. *1874* triomphe du feuilleton, *Loin de la foule,* paru sans signature et attribué par le public à George Eliot. *1912* veuf (marié dep. 1874) ; se remarie avec Florence Dugdale, romancière pour enfants ; se retire près de Dorchester.

Hartley, Leslie Poles [P, E] (1895-1972) : la Crevette et l'Anémone, Elle et le Diable, le Messager (1953), Chassé-croisé, Le chauffeur est à vos ordres.

Hopkins, Gerard Manley (Jésuite) [P] (1844-89) : Windhover (1918).

Housman, Alfred [P] (1859-1936) : Un gars du Shropshire (1896).

Huxley, Aldous [R] (1894-1963) : Contrepoint (1928), le Meilleur des mondes (1932), l'Éternité retrouvée, Temps futurs (1948), les Diables de Loudun (1952), le Génie et la Déesse, le Plus Sot Animal, Jouvence, Marina di Vezza. – *Biogr. :* petit-fils du biologiste Thomas Henry Huxley ; éducation à Eton puis Balliol ; études médicales, mais perd la vue plusieurs années. *1914-15* études littéraires à Oxford. *1919* épouse Maria Nys, réfugiée belge ; collabore à *Athenaeum. 1923-30* en Italie. *1937* en Californie ; redevient aveugle, adepte du mysticisme oriental.

Jerome, Jerome Klapka [R] (1859-1927) : Trois Hommes dans un bateau (1889), Paul Kelver (1902), Ma vie et mon temps (1926).

Joyce, James [R] (Irl.) (1882-1941) : Gens de Dublin (1914), Dedalus (1916), Ulysse (1922), Finnegan's Wake (1939), Stephen le héros (posth. 1944). – *Biogr. :* famille catholique bohème ; études chez les jésuites de Dublin. *1900* quitte Trinity College haïssant le catholicisme, fréquente les naturalistes de Paris. *1904* se marie, quitte l'Irlande avec sa femme. *1904-14* prof. d'angl. (Italie, Suisse). *1914* rompt avec bourgeoisie dublinoise (publie *Gens de Dublin*). *1920* Paris, fréquente Montparnasse. *1922* succès d'*Ulysse* (interdit aux USA jusqu'en 1933). *1922-40* alcoolique, aidé par amis français. *1940* malade, va en Suisse, y meurt 13-1-41.

Kennedy, Margaret [R] (1896-1967) : Tessa, la nymphe au cœur fidèle (1926), l'Idiot de la famille (1930), Femmes (1941).

Keynes, John Maynard, Lord [Ec] (1883-1946) : Théorie générale de l'emploi, de l'intérêt et de la monnaie (1936).

Kipling, Rudyard [R, P] (1865-1936) : *Essai :* l'Égypte des magiciens. *Romans, nouvelles :* Simples Contes des collines (1888), le Livre de la jungle (1894), Capitaines courageux (1897), Kim (1901), Histoires comme ça (1902), Puck (1906) [N 1907]. – *Biogr. :* né à Bombay d'un pasteur méthodiste, conservateur du musée de Lahore ; élevé en Angl. *1882* aux Indes, collabore à la *Civil and Military Gazette. 1887* publie ses articles en recueil. *1887-89* courts romans imprimés à Allahabad, et vendus une roupie ; notoriété aux Indes. *1889* atteint le public anglais. *1892* épouse Caroline Balestier (amér.) ; vit dans le Vermont, se lance dans la poésie. *1894* succès du *Livre de la jungle. 1895* élu poète lauréat, refuse. *1902* fixé à Burwash, Sussex, passe l'hiver en Afr. du Sud. *1927* fonde la Kipling Sty (patriotique et impériale). *1937* enseveli à Westminster.

Lawrence, David Herbert [R] (1885-1930) : le Paon blanc (1911), l'Arc-en-ciel (1915), Femmes amoureuses (1920), Ile, mon île (1922), le Serpent à plumes (1926), l'Amant de Lady Chatterley (1928), L'homme qui était mort (1929), Jack dans la brousse, Mr Noon. – *Biogr. :* fils d'un mineur du Nottinghamshire et d'une institutrice ; études à Nottingham. *1903-11* instituteur à Croydon. *1911* quitte l'enseignement, vit de sa plume. *1912* s'enfuit en Italie avec la femme (allemande) d'un prof. de faculté ; l'épouse en 1914, après son divorce. *1914-18* retour en G.-B. *1919-22* en Italie. *1924-28* au N.-Mexique, un ami lui a donné un ranch. *1928* chassé de G.-B. et des USA à cause de *l'Amant de Lady Chatterley,* jugé immoral ; meurt tuberculeux, à Vence.

Lawrence, Thomas Edward (Lawrence d'Arabie) [R] (1888-1935) : les Sept Piliers de la sagesse (1926), la Matrice. – *Biogr. :* famille distinguée du Leicestershire, éduqué à Oxford ; homosexuel. *1912-14* assistant de l'égyptologue Flinders Price ; en Égypte. *1914-18* agent de l'Intelligence Service au Moyen-Orient ; commande des guérilleros arabes. *1919-21* *fellow* d'All Souls College à Oxford. *1921* responsable des affaires arabes au Colonial Office. *1922* mécanicien de la Royal Air Force. *1925* affecté en Inde. *1927* se fait appeler Shaw. *1928* rappelé en G.-B. *1935-19-5* se tue dans un accident de moto.

Leacock, Stephan [Hum] (1869-1944).

Lewis, Wyndham [R, Es] (1884-1957).

Macaulay, Rose [P, R] (1881-1958).

Macaulay, Thomas Babington, Lord [P, H] (1800-59) : Histoire d'Angleterre (1848).

Mackenzie, Sir Compton [R] (1883-1972) : l'Impasse (1913-14), Carnaval, Whisky à gogo (1947).

Mc Diarmid, Hugh (Christopher Munay Grieve) [P] (1892-1978).

Mansfield, Katherine (Kathleen Beauchamp) [R] (N.-Zélande 1888-1923) : Félicité (1920), Lettres (1915-22), la Garden Party (1922), Journal (1927).

Marshall, Alfred [Ec] (1842-1924) : Principes d'économie (1890), Industrie et commerce, Monnaie, Crédit et commerce (1923).

Masefield, John [R, D, P] (1878-1967).

Maugham, Somerset [R, D] (1874-1965) : *Romans :* Liza (1897), Servitude humaine (1915), la Lune et six pence (1919), la Passe dangereuse (1925), la Ronde de l'amour (1930), le Fil du rasoir (1944). *Théâtre :* Lady Frederick (1921), le Cercle, Nos chefs (1923). – *Biogr. :* né à Paris (père diplomate), francophone ; orphelin à 9 ans, élevé par un oncle clergyman dans le Kent, apprend l'anglais ; séminaire anglican de Cantorbéry, puis théologie à Heidelberg. *1896* médecine. *1902* reçu docteur, ne peut exercer (tuberculose) ; à Paris, dans la gêne. *1912* succès de *Lady Frederick. 1914-18* agent du service de renseignements (se marie en 1915 avec une aristocrate Lady Wellcome ; divorcera 1927). *1930* achète une villa au cap Ferrat et s'y retire jusqu'à sa mort (91 ans).

Meredith, George [R, P] (1828-1909) : *Poésie :* Amour moderne (1862). *Romans :* Rhoda Fleming (1865), l'Égoïste (1879).

Meynell, Alice [P] (1847-1922).

Mill, John Stuart [Ph, Ec] (1806-73) : Logique inductive et déductive.

Monro, Harold [P] (1879-1932).

Moore, George [E] (Irl.) (1852-1933) : Confessions d'un jeune homme, Héloïse et Abélard (1921).

Morgan, Charles [R, D] (1894-1958) : Portrait dans un miroir (1929), Fontaine (1932), Sparkenbroke (1936), le Fleuve étincelant (1938).

Morris, William [P] (1834-96) : le Paradis terrestre (1868-70), Sigurd le Volsung (1876), Poèmes sur le chemin, Nouvelles de nulle part.

Newman, John Henry [Théo] (1801-90) : Apologia pro vita sua, Grammaire de l'assentiment (1870).

Noyes, Alfred [P, C] (1880-1958).

O'Casey, Sean [D] (Irl.) (1883-1964) : Junon et le Paon, la Charrue et les Étoiles, Roses rouges pour moi (1943), Coquin de coq, On attend un évêque.

O'Flaherty, Liam [R] (Irl.) (1897-1984) : le Mouchard (1926), le Martyr, l'Assassin (1928), Skerret (1932), Famine (1937), Insurrection (1950).

Owen, Wilfred [P] (1893-1918).

Pater, Walter [E] (1839-94) : la Renaissance (1873), Marius l'épicurien (1885).

Patmore, Coventry [P] (1823-96) : Amelia (1878).

Powys, John Cowper [R, P] (1872-1963) : Rodmoor (1916), Wolf Solent (1929), les Enchantements

Quelques mouvements littéraires

■ **XIVe-XVe s. Chaucériens.** Imitateurs des littératures continentales : Roman de la Rose (poésie) et Décaméron de Boccace (prose). Geoffrey Chaucer (v. 1340-1400), William Langland (v. 1300-v. 1400), William Dunbar (v. 1465-v. 1520).

■ **XVIe-XVIIe s. Renaissance anglaise.** Retour de la beauté du monde extérieur (naturalisme) et de la culture classique ; contrairement à la Pléiade française, ne rompt pas avec le Moyen Âge. John Lyly (v. 1553-1606), Philippe Sydney (1554-86), Edmund Spenser (1552-99). Surtout en latin : Thomas Morus (1478-1535).

Théâtre élisabéthain. Tendance au scepticisme : insignifiance de l'homme, vanité des actions terrestres, universalité de la bêtise. Coupure avec le réalisme, la vérité étant recherchée à travers des mensonges qui font choc. William Shakespeare (1564-1616), Christopher Marlowe (1564-93), Ben Jonson (1572-1637).

Biblicisme. En réaction contre la culture païenne de la Renaissance, s'inspire de la piété puritaine. John Milton (1608-74).

■ **XVIIIe s. Classicisme.** Sous l'influence française, attache plus d'importance à la forme (style noble, versification stricte, tendance rhétorique de la prose). Généralisation de l'humour et de l'ironie, utilisant largement la parodie et le pastiche. John Dryden, *précurseur* (1631-1700), Jonathan Swift (1667-1745), Alexander Pope (1688-1744), John Gay (1685-1732), Daniel Defoe (1660-1731), Samuel Johnson (1709-84). Un réalisme bourgeois, qui influencera le théâtre français, se manifeste chez Joseph Addison (1672-1719), Henry Fielding (1707-54), George Smollett (1721-71).

Sensibilisme. Réaction contre la sécheresse et le matérialisme des satiriques classiques. Les poètes retrouvent les grands thèmes de l'inspiration lyrique ; les romanciers et moralistes, la beauté des sentiments pieux. *Poètes :* Edward Young (1683-1765), Thomas Gray (1716-71). *Prosateurs :* Samuel Richardson (1689-1761). Lawrence Sterne (1713-68), Oliver Goldsmith (1728-74).

Préromantisme. Retrouve les sujets médiévaux qui avaient inspiré Chaucer, et les traite généralement sur le ton sensible. *Prose :* Horace Walpole (1717-97), Ann Radcliffe (1764-1823). *Poésie :* James Macpherson, dit Ossian (1736-96).

■ **XIXe s. Lakistes.** Surnom donné aux romantiques de la 1re génération qui chantent les lacs d'Écosse *(lake poets).* Samuel Coleridge (1772-1834), William Wordsworth (1770-1850).

Poètes maudits. Surnom donné aux romantiques de la 2e génération qui cherchent à s'affirmer contre la société. George Byron (1788-1824), Percy Shelley (1792-1822), John Keats (1795-1821). *Prosateurs de la même inspiration :* Walter Scott (1799-1861), Mary Shelley (1797-1851), Emily Brontë (1818-48).

Préraphaélites et victoriens. Romantiques embourgeoisés qui ont le goût de l'art primitif italien, du carbonarisme ou de l'irlandisme. *Poètes :* Alfred Tennyson (1809-92), Robert Browning (1812-89), Christina Rossetti (1830-94). *Prosateurs :* George Meredith (1828-1909), Thomas Hardy (1840-1928), Robert Stevenson (1850-94).

Réalistes. Ont des préoccupations sociales comme Charles Dickens (1812-70), ou le simple goût du roman-reportage comme William Thackeray (1811-63), George Eliot (1819-80).

Impérialistes. Tirent leur inspiration de la grandeur et du dynamisme de la civilisation angl. Rudyard Kipling (1865-1936), H.G. Wells (1866-1946).

■ **XXe s. Romanciers du courant de conscience.** Chef de file : James Joyce [(1882-1941) : le romancier écrit un texte dont les éléments sont à interpréter simultanément, selon différentes grilles, qu'il ne révèle pas forcément à son lecteur (ainsi *Ulysse* est à la fois le roman de l'Odyssée, de la société dublinoise et de Joyce lui-même)]. Place importante du monologue intérieur. Virginia Woolf (1882-1941), Malcolm Lowry (1909-57).

Géorgiens [poètes (1910-36)]. Poètes qui écrivirent, *sous le règne de George V,* sur la nature et la vie rurale ; influencés par William Wordsworth (1770-1850). John Masefield (1878-1967), Robert Graves (1895-1985), A.E. Housman (1859-1936), Harold Monro (1879-1932), Walter de la Mare (1873-1956).

Mouvement du « travel writing » (années 1970). Retour à la fiction, récit, aventure, voyage. Filiation Stevenson-Conrad-Greene : Bruce Chatwin (1940-89), Kenneth White (1936).

Quelques auteurs de science-fiction

Avant 1900

180 (env.) *Histoire véritable :* Lucien de Samosate (Gr., 125-185). **1516** *La Description de l'île d'Utopie :* Thomas Morus (Angl., 1478-1535). **1532** *Pantagruel.* **1534** *Gargantua :* François Rabelais (Fr., v. 1494-1553). **1626** *La Nouvelle Atlantide :* Francis Bacon (Angl., 1561-1626). *Histoire comique de Francion :* Charles Sorel (Fr., 1602-74). **1634** *Somnium :* Johannes Kepler (All., 1571-1630). **1657** *Les États et Empires de la Lune :* Savinien Cyrano de Bergerac (Fr., 1619-55).

1726 *Voyages de Gulliver :* Jonathan Swift (Irl., 1667-1745). **1741** *Voyage de Nicolas Klim dans le monde souterrain :* Louis de Holberg (Dan., 1684-1754). **1752** *Micromégas :* Voltaire (Fr., 1694-1778). **1764** *Le Château d'Otrante :* Horace Walpole (Angl., 1717-97). **1771** *L'An deux mille quatre cent quarante :* Louis-Sébastien Mercier (Fr., 1740-1814). **1772** *Le Diable amoureux :* Jacques Cazotte (Fr., 1719-92). **1781** *La Découverte australe par un homme volant :* Restif de La Bretonne (Fr., 1734-1806). **1794** *Les Mystères d'Udolphe :* Ann Radcliffe (Angl., 1764-1823). **1795** *Le Moine :* Matthew Gregory Lewis (Angl., 1775-1818). **1797** *L'Italien ou le Confessionnal des pénitents noirs :* A. Radcliffe.

1818 *Frankenstein :* Mary Shelley (Angl., 1797-1851). **1820** *Melmoth ou l'Homme errant :* Charles Robert Maturin (Irl., 1782-1824). **1821** *Smarra ou les Démons de la nuit :* Charles Nodier (Fr., 1780-1844). **1822** *Infernaliana :* du même. **1830** *L'Élixir de longue vie :* Honoré de Balzac (Fr. 1799-1850) ; *Contes fantastiques :* Ernst Theodor Amadeus Hoffmann (All., 1776-1822). **1831** *La Peau de chagrin :* H. de Balzac ; *La Cafetière :* Théophile Gautier (Fr., 1811-72). **1832** *Albertus :* T. Gautier ; *La Fée aux miettes :* C. Nodier. **1834** *Onuphrius :* T. Gautier. **1835** *Melmoth réconcilié :* H. de Balzac. **1836** *La Morte amoureuse :* T. Gautier. **1837** *Les Aventures d'Arthur Gordon Pym :* Edgar Allan Poe (Amér., 1809-49) ; *La Vénus d'Ille :* Prosper Mérimée (Fr., 1803-70) ; *Inès de Las Sierras :* C. Nodier. **1845-46** *Le Monde tel qu'il sera :* Émile Souvestre (Fr., 1805-54). **1853** *Sylvie :* Gérard de Nerval (Fr., 1808-55). **1856** traduction par Baudelaire des *Histoires extraordinaires* d'Edgar Allan Poe. **1858** *Le Roman de la momie :* T. Gautier. **1863** *Le Capitaine Fracasse :* T. Gautier. **1865** *De la Terre à la Lune :* Jules Verne (Fr., 1828-1905) ; *Aurélia :* G. de Nerval. **1868** *Lokis :* P. Mérimée. **1872** *Récits de l'infini [Lumen] :* Camille Flammarion (Fr., 1842-1925). **1874** *Les Diaboliques :* Barbey d'Aurevilly (Fr., 1808-89). **1875** *La Main écorchée :* Guy de Maupassant (Fr., 1850-93). **1882-83** *Le Vingtième Siècle :* Albert Robida (Fr., 1848-1926). **1883** *Contes cruels :* Villiers de l'Isle-Adam (Fr., 1838-89). **1884** *Un fou ? :* G. de Maupassant. **1886** *Docteur Jekyll et M. Hyde :* Robert Louis Stevenson (Angl., 1850-94) ; *L'Ève future :* V. de l'Isle-Adam ; *Le Horla :* G. de Maupassant. **1887** *Les Xipéhuz :* J.H. Rosny aîné (Fr., 1856-1940). **1888** *Cent ans après :* Edward Bellamy (Amér., 1850-98). **1888-96** *Les Aventures extraordinaires d'un savant russe :* Henry de Graffigny (Fr., 1863-1942) et Georges Lefaure (Fr., 1858-1953). **1895** *La Machine à explorer le temps.* **1897** *Dracula :* Bram Stocker (Irl., 1847-1912). **1898** *La Guerre des mondes :* H.G. Wells (Angl., 1866-1946).

À partir de 1900

Afrique du Sud. Tolkien, J.R.R. (1892-1973) : the Hobbit (1937), le Seigneur des anneaux (1954-55) : la Communauté de l'anneau, les Deux Tours, le Retour du roi.

Argentine. Bioy Casares, Adolfo (1914) : l'Invention de Morel (1940), le Songe des héros, Journal de la guerre au cochon, Plan d'évasion, Dormir au soleil, le Héros des femmes (1982). *Avec J. L. Borges :* Nouveaux Contes de Bustos Domecq. **Borges,** Jorge Luis (1899-1986) : Fictions (1944).

Autriche. Meyrink, Gustav (1868-1932) : le Golem (1915).

CEI. Strougatski, Arkadi et Boris (1925 et 1923) : Destin boiteux, Il est difficile d'être un dieu, Pique-Nique sur le bord de la route. **Zamiatine,** Eugène (1884-1937) : Nous autres (1920).

France. Andrevon, Jean-Pierre (1937) : le Désert du monde (1977), Sukran (1989). **Barjavel,** René (1911-85) : Ravage (1943), la Nuit des temps (1968). **Brussolo,** Serge (1951) : Sommeil de sang (1981), le Château d'encre (1987). **Curval,** Philippe (1929) : Cette chère humanité (1976). **Drode,** Daniel (1932-84) : Surface de la planète (1959). **Houssin,** Joël (1953) : les Vautours (1985), Argentine (1989). **Ivoi (d'),** Paul (1856-1915) : Miss Mousquetaire (1906). **Jeury,** Michel (1934) : les Yeux géants (1980). **Jouanne,** Emmanuel (1960) : Nuage (1983), le Rêveur de chats (1988). **Klein,** Gérard (1937) : les Seigneurs de la guerre (1971). **Leblanc,** Maurice (1864-1941) : les Trois Yeux (1919). **Le Rouge,** Gustave (1867-1938) : le Prisonnier de la planète Mars (1908). **Limite** (groupe littéraire 1986-87) : Malgré le monde (1987). **Merle,** Robert (1908) : Un animal doué de raison, Malevil (1972), les Hommes protégés, Madrapour. **Messac,** Régis (1893-1943 ?) : la Cité des asphyxiés (1937). **Pelot,** Pierre (1945) : Delirium circus (1977). **Renard,** Maurice (1875-1939) : le Docteur Lerne, sous-dieu (1908), le Voyage immobile (1911), le Péril bleu (1912), Monsieur d'Outrement et autres histoires singulières (1913), les Mains d'Orlac (histoire d'un célèbre pianiste dont les mains broyées dans un accident de train ont dû être remplacées, grâce à une greffe, par les mains d'un criminel) (1920) [adaptations au cinéma : **1924** *Le Cabinet du docteur Caligari* (Robert Wiene avec Conrad Veidt), **1935** Karl Freund avec Peter Lorre, **1960** Edmond T. Gréville], Un homme chez les microbes (1928). **Rosny aîné,** J. H. (1856-1940) : la Mort de la Terre (1910). **Ruellan,** André (1922) : Tunnel (1973). **Spitz,** Jacques (1896-1963) : la Guerre des mouches (1938).

Grande-Bretagne. Aldiss, Brian (1925) : Croisière sans escale (1956), Cycle d'Helliconia (1982-85). **Ballard,** J. G. (1930) : Vermilion, Sands (1957-70), Crash ! (1973). **Brunner,** John (1934) : Tous à Zanzibar (1968). **Burgess,** Anthony (1917) : Orange mécanique (1962). **Clarke,** Arthur (1917) : 2001, l'Odyssée de l'espace (1968). **Doyle,** Arthur Conan (Sir) (1859-1930) : le Monde perdu (1912). **Huxley,** Aldous (1894-1963) : le Meilleur des mondes (1932). **Moorcock,** Michael (1939) : Saga d'Elric le nécromancien (1955-77), Voici l'homme (1969). **Orwell,** George (1903-50) : Et vive l'aspidistra (1936), la Ferme des animaux (1945), 1984 (1949). **Priest,** Christopher (1943) : Le Monde inverti (1974). **Roberts,** Keith (1935) : Pavane (1968). **Stapledon,** Olaf (1886-1950) : Créateur d'étoiles (1937). **Watson,** Ian (1943) : l'Enchâssement (1973).

Pologne. Lem, Stanislaw (1921) : Solaris (1961).

Tchécoslovaquie. Capek, Karel (1898-1938) : RUR (1920).

USA. Anderson, Poul (1926) : la Patrouille du temps (1955-60). **Asimov,** Isaac (1920-92) : Cycle de fondation et des robots (1940-87). **Benford,** Gregory (1941) : Un paysage du temps (1980). **Bester,** Alfred (1913-87) : l'Homme démoli (1952). **Bishop,** Michael (1945) : le Bassin des cœurs indigo (1975). **Blish,** James (1921-75) : Un cas de conscience (1958). **Brackett,** Leigh (1915-78) : le Livre de Mars (1948-64). **Bradbury,** Ray (1920) : Chroniques martiennes (1946-50), l'Homme illustré, Bien après minuit, Fahrenheit 451 (1951-53), A l'ouest d'octobre (1990). **Brown,** Frederic (1906-72) : Martiens, go home (1954). **Burroughs,** Edgar Rice (1875-1950) : le Conquérant de la planète Mars (1912). **Burroughs,** William S. (1914) : les Garçons sauvages (1971), le Festin nu, la Machine molle, Apomorphine, Parages des voies mortes, Cités de la nuit écarlate, les Terres occidentales. **Card,** Orson Scott (1951) : les Maîtres chanteurs (1980). **Coney,** Michael (n.c.) : le Roi de l'île au sceptre. **Delany,** Samuel R. (1942) : Nova (1968). **Dick,** Philip K. (1928-82) : Ubik (1969). **Disch,** Thomas M. (1940) : Camps de concentration (1968). **Ellison,** Harlan (1934) : La bête qui criait amour au cœur du monde (1957-69). **Farmer,** Philip José (1918) : les Amants étrangers (1961), Cycle du fleuve de l'éternité (1965-80). **Galouye,** Daniel (1920-76) : Simulacron 3 (1964). **Gernsback,** Hugo (1884-1976) : Ralph 124 C 41+ (1911). **Gibson,** William (1948) : Neuromancien (1985). **Grimwood,** Ken (n.c.) : Replay (1986). **Haldeman,** Joe (1943) : la Guerre éternelle (1974). **Heinlein,** Robert (1907-88) : Histoire du futur (1939-50), En terre étrangère (1961). **Herbert,** Frank (1920-86) : Cycle de dune (1965-85), le Facteur ascension (1988). **Keyes,** Daniel (1927) : Des fleurs pour Algernon (1966). **Knight,** Damon (1922) : les Univers (1951-65). **Le Guin,** Ursula K. (1929) : les Dépossédés (1974). **Leiber,** Fritz (1910) : le Cycle des épées (1939-77), le Vagabond (1964). **London,** Jack (1876-1916) : le Talon de fer (1907). **Lovecraft,** H.P. (1890-1937) : la Couleur tombée du ciel (1927-36). **McIntyre,** Vanda (1948) : le Serpent du rêve (1978). **Merritt,** Abraham (1884-1943) : le Gouffre de la lune (1919). **Miller,** Walter (1922) : Un cantique pour Leibowitz (1960). **Murphy,** Pat (n.c.) : la Cité des ombres. **Pohl,** Frederik (1919) : la Grande porte (1977). **Robinson,** Spider (1948), avec sa femme Jeanne : la Danse des étoiles (1978). **Russ,** Joanna (1937) : l'Autre moitié de l'homme (1975). **Shaw,** Bob (1931) : les Yeux du temps (1972). **Sheckley,** Robert (1928) : les Univers (1952-65). **Silverberg,** Robert (1936) : les Monades urbaines (1971), l'Oreille interne (1972), Compagnons secrets (1989). **Simak,** Clifford D. (1904-88) : Demain les chiens (1944-73). **Sladek,** John (1937) : Mécasme (1968), Tik-Tok (1986). **Smith,** Cordwainer (1913-66) : les Seigneurs de l'instrumentalité (1950-66). **Spinrad,** Norman (1940) : Jack Barron et l'éternité (1969), les Années fléaux (1990). **Sturgeon,** Theodore (1918-85) : les Plus qu'humains (1953). **Tiptree,** jr. James (1915-87) : Par-Delà les murs du monde (1978). **Trout,** Kilgore (1907) : les Aimants étranglés (1961). **Vance,** Jack (1920) : Cycle de Tschaï (1968-70). **Van Vogt,** A.E. (1912) : Cycle du non-A (1945-84), Créateur d'univers, la Faune de l'espace, l'Homme multiplié. **Varley,** John (1947) : Persistance de la vision (1978). **Vonnegut,** jr., Kurt (1922) : Player Piano (1957), Berceau du chat, Abattoir 5 (1969), Jailbird (1979). **Waldrop,** Horace (n.c.) : Ces chers vieux montres. **Wilhelm,** Kate (1928) : Hier, les oiseaux (1976). **Wolfe,** Bernard (1915-85) : Limbo (1952). **Wolfe,** Gene (1931) : la Cinquième tête de Cerbère (1972), Cycle du livre du nouveau soleil (1981-89, 5 vol.). **Zelazny,** Roger (1937) : l'Ile des morts (1969), Princes d'ambre (1972, 8 vol.).

---

de Glastonbury, Morwyn (1932), le Testament, la Crucifixion, le Miracle, le Déluge, les Sables de la mer (1934), Camp retranché (1936), la Fosse aux chiens (1952).

Priestley, John Boynton [R, D, Cr] (1894-1984) : les Bons Compagnons (1929), Virage dangereux (1932), Un héros (1933), Jours ardents (1946), la Littérature et l'homme occidental (1960), le Trente et Un Juin (1961).

Pusey, Edward Bouveric [Préd, Théo] (1800-82).

Read, Herbert [P] (1893-1968) : Églogues.

Reade, Charles [R,D] (1814-84) : Argent comptant (1863), Tentation terrible.

Richardson, Dorothy [R] (1873-1957) : *Roman-fleuve :* Pèlerinage [(1915-38) Toits pointus (1915), Backwater (1916), Honeycomb (1917), le Tunnel (1919), Interim (1919), Deadlock (1921), Revolving Lights (1923), The Trap (1925), Oberland (1927), la Main gauche de l'aurore (1931), Clear Horizon (1935), le Col des Fossets (4 vol.), (1938)].

Rossetti, Dante [P] (1828-82) : la Damoiselle élue (1847).

Ruskin, John [Cr. d'a] (1819-1900) : les Sources de Wandel (1885).

Russell, Sir Bertrand [Math, Ph, Soc] (1872-1970) : Principia mathematica (1910) [N 1950].

Sackville-West, Vita [R] (1892-1962) : l'Héritier (1919), Pepita, les Édouardiens, Toute passion bue.

Sassoon, Siegfried [P] (Irl.) (1886-1967).

Shaw, George Bernard [D] (1856-1950) : l'Homme aimé des femmes (1893), la Profession de Mrs Warren (1893), le Héros et le Soldat (1894), Candida (1895), l'Homme du destin (1895), On ne peut jamais dire (1896), César et Cléopâtre (1899), Androclès et le Lion (1912), Pygmalion (1912), Sainte Jeanne (1924). – *Biogr. :* fils de bourgeois dublinois (protestants), sans fortune ; formation musicale (mère prof. de mus.). *1871-76 :* employé de banque. *1876-85* à Londres, pauvre (*1883 :* militant socialiste). *1885* critique dramatique à la *Saturday Review.* *1892* auteur de théâtre d'avant-garde. *1894* succès. *1898* se marie, renonce au militantisme politique. *1925* Nobel (littérature). *1949* dernière œuvre (à 93 ans).

Shute, Nevil [R] (1899-1960) : le Testament (1939).

Sinclair, May [E] (1870-1946) : Audrey Craven, le Feu divin, les Trois Sœurs.

Sitwell, Dame Edith [P] (1887-1964).

Spencer, Herbert [Ph] (1820-1903) : Principes de socialisme, De l'éducation.

Standish, Robert [R] (1898-1981) : les Trois Bambous (1940), la Piste des éléphants (1947).

Stephens, James [P] (Irl.) (1882-1950).

Stevenson, Robert Louis (Balfour) [P, R] (1850-94) : Will du moulin (1878), les Nouvelles Mille et une Nuits (1882-85), l'Ile au trésor (1883), Enlevé, l'Etrange Cas du Dr Jekyll et de Mr Hyde (1886).

Strachey, Lytton [E] (1880-1932).

Swinburne, Algernon Charles [P] (1837-1909) : Atalante en Calydon, Maud, Poésies et Ballades, Chants d'avant l'aube.

Synge, John Millington [D] (Irl.) (1871-1909) : la Fontaine aux saints, le Baladin du monde occidental.

Tennyson, Alfred, Lord [P] (1809-92) : la Femme et le Diable, In memoriam (1850), Idylles du roi (1859), Enoch Arden (1864).

Thackeray, William [R] (1811-63) : Mémoires d'un valet de pied (1836), Barry Lyndon (1844), le Livre des snobs (1846-47), la Foire aux vanités (1847-48), Henry Esmond (1852), les Virginiens (1857-59).

Thompson, Francis [P] (1859-1907).

Thomson, James [P] (Écos.) (1834-82).

Toynbee, Arnold [H] (1889-1975) : l'Histoire (1934-61), Un essai d'interprétation (1946), la Civilisation à l'épreuve (1948), la Religion vue par un historien, le Changement et la Tradition, le Défi de notre temps (1966).

Trollope, Anthony [Chr] (1815-82) : le Gardien (1849), les Tours de Barchester (1857), les Dernières Chroniques de Barset (1867), The Claverings (1867), Phinéas Finn (1868), les Diamants d'Eustache (1873), Phinéas Redux (1874).

Walpole, Sir Hugh [R] (1884-1941).

Walsh, Maurice [R] (Irl.) (1879-1964) : l'Homme tranquille (1952).

Webb, Mary [R] (1881-1927) : la Renarde (1917), Sept pour un secret (1922), Sarn (1924).

Wells, Herbert George [R] (1866-1946) : la Machine à explorer le temps (1895), l'Ile du docteur Moreau (1896), l'Homme invisible (1897), la Guerre des mondes (1898), Anne Véronique (1909), Tono-Bongay (1909), Mariage. *Essai :* Esquisse de l'Histoire universelle (1912). – *Biogr. :* mère domestique ; père sportif professionnel, puis boutiquier ; études primaires à Midhurst, puis commis drapier et aide-pharmacien. *1884* boursier de l'institut de biologie de South Kensington ; y a pour maître Huxley. *1888* licencié en biologie, vit pauvrement de l'enseignement primaire. *1891* épouse sa cousine Isabelle Wells, qu'il abandonne en 1893 pour une femme de lettres, Any Robbins (épousée plus tard). *1895* succès de *la Machine à explorer le temps. 1922* au Parti travailliste, rencontre Lénine et Staline en URSS. *1927* veuf, se retire sur la côte d'Azur. *1940* en G.-B.

West, Rebecca (Isabel Fairfield) [R] (1892-1983) : le Retour du soldat (1918), le Juge (1922), la Voix rauque (1936), la Famille Aubrey (1957), la Cour et le Château (1958).

Wilde, Oscar (Fingall O'Flahertie Wills) [R,D,P] (1854-1900) : *Théâtre :* le Crime de lord Arthur Saville (1891), l'Éventail de Lady Windermere (1892), Une femme sans importance (1893), Un mari idéal (1895), De l'importance d'être constant (1895). *Romans et autobiogr. :* le Portrait de Dorian Gray (1891), De profundis (publ. 1905). *Poésie :* Ballade de la geôle de Reading (1898). – *Biogr. :* père chirurgien de Dublin ; études (Dublin, puis Oxford). *1878* prix Newdigate (poème sur Ravenne) ; fonde le mouv. de l'Art pour l'Art ; persécuté à Oxford : jeté dans la Cherwell. *1882* conférences aux USA. *1884* se marie. *1893* sa pièce *Salomé* est interdite à Londres ; la traduit ; jouée à Paris par Sarah Bernhardt. *1895* liaison homosexuelle avec Alfred Douglas ; insulté par le père de celui-ci (Mis de Queensberry), il l'attaque en diffamation, perd, est emprisonné 2 ans à Reading. *1897* libéré, se réfugie en France sous le nom de Sébastien Melmoth ; converti au catholicisme, meurt à Paris.

Williamson, Henry [R] (1896-1977) : Une chronique de l'ancienne lumière du soleil (1951-69), Tarka la loutre, Salar le saumon.

Wiseman, Étienne [R, Théo] (1802-65) : Fabiola.

Wodehouse, Pelham Grenville [R] (1881-1975) : SOS Jeeves, Une pluie de dollars.

Woolf, Virginia [R] (1882-suicidée 28-3-1941) : la Traversée des apparences (1915), Mrs Dalloway (1925), Orlando (1928), les Vagues (1931), Flush (1933), Entre les actes (1941), Journal d'un écrivain (1953), la Fascination de l'étang, Entre les livres.

Yeats, William Butler [D, P] (Irl.) (1865-1939) : la Comtesse Cathleen, l'Escalier tournant, Deirdre (1907), l'Unique Rivale d'Emer, les Mots sur la vitre (1930) [N 1923].

Nés depuis 1900

Acton, Harold [E] (1904) : Pivoines et Poneys.

Amis, Kingsley [R] (1922) : Jim la Chance (1954), J'en ai envie tout de suite, Une fille comme toi, Un Anglais bien en chair, l'Homme vert (1969).

Amis, Martin [R] (1949) : London Fields (1990).

Anand, Malk Raj [R] (1905) : Death of Hero (1963), Morning Face (1968).

Arden, John [D] (1930) : la Danse du sergent Musgrave (1959).

Auden, Wystan Hugh [P, D] (1907-73).

Ayer, Alfred, Jules [Ph] (1910-89).

Balchin, Nigel [R] (1908-70) : la Petite Chambre (1943), la Mort apprivoisée, Anatomie de la vilenie, À travers bois, la Chute d'un moineau (1955).

Barnes, Julian [R] (1946) : le Perroquet de Flaubert, le Soleil en face (1987), Une histoire du monde en 10 chapitres 1/2, Avant moi, Love, etc.

Bates, Herbert [R] (1905-74) : Amour pour Lydia.

Bedford, Sybille [R] (1911) : Puzzle, Visite à Otavio.

Behan, Brendan [D] (Irl.) (1923-64) : *Théâtre :* le Client du matin, Deux Otages. *Récits :* l'Escarpeur, Un peuple partisan, Confessions d'un rebelle irlandais (1986).

Behr, Edward [J, R] (1926) : Y a-t-il ici quelqu'un qui a été violé et qui parle anglais (1979), la Transfuge, Pu-yi le dernier empereur (1987).

Benchley, Peter [R] (1940) : les Dents de la mer, les Chiens de mer (1978).

Betjeman, John [P] (1906-84).

Bolt, Robert [D] (1924) : Un homme pour l'éternité (1960).

Boyd, William [R] (1952) : Un Anglais sous les tropiques (1984), Comme neige au soleil (1985), la Croix et la bannière, les Nouvelles Confessions (1988), la Chasse au lézard, Brazzaville plage.

Bradbury, Malcolm [R] (1932).

Brainbridge, Beryl [R] (1934) : The Bottle Factory Outing (1974), Winter Garden, Filthy Lucre (1986).

Braine, John [R] (1922-86) : Une pièce au soleil.

Brookner, Anita [R] (1928) : Regardez-moi (1986).

Burgess, Anthony (John Burgers Wilson, dit) [R Bio] (1917) : Un temps pour un tigre, l'Extérieur d'Enderley, Un agent qui vous veut du bien, le Testament de l'orange, la Symphonie Napoléon, l'Homme de Nazareth (1977), Du miel pour les ours (1980), la Puissance des ténèbres (1980), le Royaume des mécréants (1985), Pianistes (1986), D. H. Lawrence, Ferraille à vendre. Voir encadré p. 271 b.

Canetti, Elias : voir p. 274 a.

Cartland, Barbara [R] (1901) : Jigsaw (1923), Idylle à Calcutta. A publié 450 romans roses.

Cato, Nancy (Australie) [R, P] (1917).

Chatwin, Bruce [R, P] (1940-89) : En Patagonie (1979), le Vice-Roi du Ouidah, le Chant des pistes (1988), Utz, Qu'est-ce que je fais là ? (1991).

Clavell, James [R] (1925) : Taïpan, Shôgun, Un caïd, Noble Maison, Ouragan.

Crichton, Michael [R] (1942) : Un train d'or pour la Crimée.

Dahl, Roald [E] (1916-90) : Sales Bêtes (1984).

Delanay, Shelagh [D] (1939) : Un goût de miel.

Dennis, Nigel (Forbes) [D, R] (1912-89) : Cartes d'identité (1956).

Drabble, Margaret [R] (1939) : Jerusalem the Golden, The Needle's Eye, l'Âge d'or d'une femme, la Cascade, le Poing de glace, le Milieu de la vie.

Du Maurier, Daphne [R] (1907-89) : l'Auberge de la Jamaïque (1936), Rebecca (1938), le Général du roi, Ma cousine Rachel (1951), les Souffleurs de verre (1963), le Vol du faucon.

Dummett, Michael [Ph] (1925) : les Origines de la philosophie analytique.

Durrell, Lawrence [R] (1912-90) : Citrons acides (1957), le Quatuor d'Alexandrie (1957-60 : Justine, Balthazar, Mountolive, Clea), Cefalu, Tunc, Nunquam, Monsieur ou le Prince des ténèbres, Livia ou l'Enterrée vive, Constance ou les Pratiques solitaires, Actée la princesse barbare, Quinte ou la Version de Landru, le Carrousel sicilien, le Grand Suppositoire. – *Biogr. :* né aux Indes, parents irlandais, missionnaires anglicans ; études primaires à Darjeeling, secondaires au séminaire anglican de Cantorbéry. *1930* à Londres, pianiste de jazz et poète. *1936* à Corfou. *1940-45* mobilisé au Caire, à l'ambassade. *1946-52* prof. de littérature angl. au British Council. *1952-57* chargé des relations publiques du gouv. chypriote. *1957* succès du *Quatuor d'Alexandrie. 1970* retiré à Nîmes.

Follett, Ken [R] (1949) : l'Arme à l'œil, Triangle, le Code Rebecca, l'Homme de St-Pétersbourg, Comme un vol d'aigles, les Lions du Panshir, les Piliers de la terre, la Nuit de tous les dangers.

Foote, Shelby [P, H, R] (1916) : la Guerre de Sécession, l'Amour en saison sèche, l'Enfant de la fièvre, Tourbillon.

Fowles, John [R] (1926) : l'Amateur (1963), le Mage (1966), Sarah et le Lieutenant français (1969), la Tour d'ébène, Daniel Martin (1976), la Créature.

Francis, Dick [R] (1920) : Appellation contrôlée.

Frayn, Michael [R] (1933) : l'Interprète russe, Une vie très privée.

Fry, Christopher (Christopher Harris, dit) [D] (1907) : La dame ne brûlera pas (1949), Vénus au zénith, le Faux Jour (1954), le Songe du prisonnier.

Fugard, Athol [D] (1932) : The Blood Knot, Sizwe Bansi is Dead (1973), The Island (1973).

Golding, William [R, N] (1911) : Sa Majesté des mouches (1954), les Héritiers, Chris Martin, Chute libre, la Nef, la Pyramide, Parades sauvages (1979), Rites de passages (1980), Coup de semonce (1987), la Cuirasse de feu (1991) [N 1983].

Goudge, Elizabeth [R] (1900-84) : le Pays du dauphin vert, l'Arche dans la tempête, la Cité des cloches.

Green, Henry (H. Yorke) [R] (1905-73) : Amour, Conclusion, Rien.

Greene, Graham [R] (1904-91) : *Romans :* le Rocher de Brighton (1938), l'Agent secret (1939), la Puissance et la Gloire (1940), le Fond du problème (1948), le Troisième Homme (1950), la Fin d'une liaison (1951), Un Américain bien tranquille (1955), Notre agent à la Havane (1958), la Saison des pluies (1961), les Comédiens (1966), Voyage avec ma tante (1969), le Consul honoraire (1973), le Facteur humain (1978), Dr. Fisher de Genève (1980), Monseigneur Quichotte (1982), le Dixième Homme. Voir p. 338 b. *Mémoires :* Une sorte de vie (1971). *Théâtre :* Living-Room (1953), l'Amant complaisant (1959), le Capitaine et l'ennemi (1988).

Hampton, Christopher [D] (1946) : Total Eclipse (1968), the Philanthropist (1970), Sauvages (1973).

Harrison, Tony [P] (1937).

Heaney, Seamus [P] (Irl. 1939).

Henriquès, Robert [R] (1905-67) : Sans arme ni armure (1941).

Higgins Clark, Mary [R] (n.c.) : la Nuit du renard (1977), Ne pleure pas ma belle (1987), Dors ma jolie, Recherche jeune femme aimant danser (1991).

Hoyle, Fred [R, Sav] (1915) : la Nuée de l'Apocalypse, A comme Andromède, le Nuage de la vie.

Hughes, Ted [P] (1930).

James, Phyllis Dorothy [R] (1920) : l'Ile des morts, Un certain goût pour la mort.

Jellicoe, Ann [D] (1928) : The Knack (1961).

Johnson, Pamela Hansford [E] (1912-81).

Johnston, Jennifer [R] (Irl., 1930), le Sanctuaire des fous.

Kavanagh, Patrick [R, Es, P] (1905-67) : De tels hommes sont dangereux.

King, Francis [E] (1923).

Koestler, Arthur [R] (Hongrie, 1905-83) (natur. Anglais) : le Testament espagnol (1938), Spartacus (1939), le Zéro et l'Infini (1941), Croisade sans croix (1943), la Tour d'Ezra (1946), les Call-Girls (1972), la Quête de l'absolu. – *Biogr. :* père industriel israélite de Budapest ; études à l'inst. polytechnique de Vienne (trilingue hongrois, allemand, anglais). *1926* reporter de la *Vossische Zeitung* de Berlin (Moyen-Orient, Paris). *1930-32* adhère au parti communiste, aux éditions Ullstein à Berlin. *1932-33* journaliste en URSS. *1932-33* rompt avec le PC ; pigiste à Zurich et Paris. *1936-39* correspondant de guerre (anglais) du *News Chronicle* en Espagne ; capturé par les franquistes, condamné à mort, évadé. *1940-41* interné au Vernet (P.-O.). *1941-45* combattant dans l'armée brit. *1946* naturalisé Anglais ; succès. *1983* suicide avec sa femme.

Laing, Ronald David [Psy] (1927-89).

Larkin, Philip [P] (1922-85).

Le Carré, John [R] (1931) : voir encadré p. 288 c.

Lehmann, Rosamond [R] (1903-90) : Poussière (1927), l'Invitation à la valse (1932), Intempéries (1936), le Jour enseveli (1967).

Lessing, Doris [R] (1919) : Nouvelles africaines, Un homme et deux femmes, les Enfants de la violence (1952-69), le Carnet d'or (1962), Journal d'une voisine, la Terroriste (1986), l'Habitude d'aimer.

Lloyd, G.E.R. [H] (1933) : Magie, raison et expérience (1979).

Lodge, David [R] (1935) : British Museum (1965), Changement de décor, Un tout petit monde (1984), Jeu de société (1988), Nouvelles du paradis (1991).

Lowry, Malcolm [R] (1909-57) : Au-dessous du volcan (1947), Écoute notre voix ô Seigneur, Sombre comme la tombe où repose mon ami.

Macbeth, George (Mann) [P] (1932).

Mac Innes, John [R] (1914-76) : les Blancs-Becs.

Mac Lennan, Hugh [R] (1907) : Deux Solitudes.

Mac Neice, Louis [P] (1907-63).

Mc Cullough, Colleen [R] (Australie) (1937) : Les oiseaux se cachent pour mourir (1977), la Passion du docteur Christian, l'Amour et le Pouvoir.

Mc Gahern, John [R] (1934) : la Caserne (1963), le Pornographe, l'Obscur (1965).

Mitford, Nancy [R] (1904-73) : la Poursuite de l'amour, l'Amour dans un pays froid (1949), Pas un mot à l'ambassadeur.

Monsarrat, Nicholas [R] (1910-79) : Mer cruelle (1951), Smith and Jones (1963).

Mortimer, John [D] (1923) : Que dirons-nous à Caroline ?

Murdoch, Iris [R] (Irl.) (1919) : Dans le filet (1954), le Séducteur quitté, les Eaux du péché, les Cloches, Une tête coupée (1961), le Château de la licorne, les Angéliques, les Demi-Justes, le Rêve de Bruno, Une défaite assez honorable (1970), l'Homme à catastrophes, Henry et Caton (1976), la Mer, la mer (1978), les Soldats et les nonnes (1980), l'Élève du philosophe (1983), le Message à la planète (1989).

Naipaul, Vidiadhr Surajprasad [R] (n. Trinité, or. indienne, 1932) : Une maison pour M. Biswas (1961), l'Illusion des ténèbres (1964), Dis-moi qui tuer, Guerilleros (1975), l'Inde brisée (1977), À la courbe du fleuve, Sacrifices (1984), Une virée dans le Sud, les Hommes de paille, l'Énigme de l'arrivée, l'Inde, un million de révoltes.

Narayan, Rasipuram Krishnaswami [R] (1906) : le Mangeur d'hommes.

Niven, David [Hum.] (1910-83) : Décrocher la lune, Étoiles filantes.

Nolan, Christopher [P, R] (Irl.) (n.c.) : Sous l'œil de l'horloge.

O'Brien, Edna [R] (1932) : la Jeune Irlandaise.

O'Brien, Flann [R, J] (1912-66) : Kermesse irlandaise, Une vie de chien.

O'Connor, Frank (Michael O'Donovan) [E] (Irl. 1903-66).

Orwell, George : voir p. 271 b.

Osborne, John [D] (1929) : la Paix du dimanche, Jeune Homme en colère (1962), Luther, Inadmissible Evidence.

Pinter, Harold [D] (1930) : le Gardien, la Collection, l'Amant (1963), C'était hier.

Popper, Karl [Ph] (or. autr., 1902) : voir p. 274 a.

Powell, Anthony [Nouv, R] (1905) : la Ronde de la musique du temps [1951-75, 12 vol. dont : Une question d'éducation (1951), les Mouvements du cœur (1952), l'Acceptation (1955)], le Roi pêcheur (1986).

Pym, Barbara [R] (1913-80).

Raine, Kathleen (Jesse) [P] (1908).

Rao, Raja [R] (1909).

Rattigan, Terence [D] (1911-77) : Tables séparées, l'Écurie Watson, Lawrence d'Arabie (1960).

Rendell, Ruth [R] (1930) : Un enfant pour un autre, Véra va mourir, Volets clos (1991).

Sampson, Anthony [E] (1923) : Anatomie de l'Angleterre, la Foire aux armes, les Banquiers dans un monde dangereux (1982).

Sansom, William [R] (1912-76) : Son corps.

Saul, John [R] (1947) : Mort d'un général, l'Ennemi du bien (1986), Paradis Blues.

Saunders, James [D] (1925).

Shaffer, Peter [D] (1925) : la Chasse royale du Soleil (1964), Comédie noire (1965), Equus.

Sillitoe, Alan [R] (1928) : Samedi soir, dimanche matin (1958), la Solitude du coureur de fond (1959), Nottinghamshire, les Aventuriers de l'Aldebaran.

Simpson, Norman Frederick [D] (1919) : Balancier sans retour.

Snow, Lord Charles [E] (1905-80) : le Temps de l'espoir (1949), les Hommes nouveaux (1954).

Soyinka, Wole [P, R, E] : voir Litt. anglophone : Nigeria ci-contre.

Spark, Muriel (Sarah) [R] (1918) : Memento mori, les Demoiselles de petite fortune, le Pisseur de copie, Mary Shelley, la Mère de Frankenstein.

Spender, Stephen [P] (1909) : Centre immobile, Monde dans le monde (1952).

Stoppard, Tom [D] (1937) : Rosencrantz et Guildenstern sont morts, les Travestis.

Storey, David [R] (1933) : Radcliffe (1965).

Stuart, Alexander [R] (1955) : Zone dangereuse.

Swift, Graham [R] (1949) : le Pays des eaux.

Thomas, Dylan [P] (1914-53) : 18 Poèmes (1934), Recueil de poèmes (1934-1952). *Autobiographie :* Portrait de l'artiste en jeune chien.

Thomas, Hugh (1931) : la Guerre d'Espagne, Cuba, Histoire inachevée du monde (1979).

Trevor, William [R] (Irl., 1931) : les Splendeurs de l'Alexandra.

Tyler, Anne [R] (1940) : le Voyageur malgré lui.

Tynan, Kenneth [Cr, D] (1927-80) : O Calcutta ! (1970), Show People (1980).

Uhlman, Fred [R] (1901-85) (origine all., réfugié en Angl. 1938) : l'Ami retrouvé (1978), Il fait beau à Paris aujourd'hui (1985), Lettre de Conrad, Sous la lune et les étoiles.

Ustinov, Peter [D, R] (1921) : l'Amour des quatre colonels, Krumnagel, Cher moi, le Désinformateur, le Viel homme et Mr Smith (1993).

Wain, John (Barrington) [R] (1925) : les Diplômés de la vie (1953), Vivre au présent (1955), Et frappe à mort le père (1962), les Rivaux (1982).

Waugh, Evelyn [R] (1903-66) : Scoop, Diableries, Une poignée de cendre, Hissez le grand pavois, Retour à Brideshead (1945), Officiers et Gentlemen (1955), la Capitulation (1961), Un peu de savoir (1964).

Wesker, Arnold [D] (1932) : Trilogie, Soupe de poulet à l'orge, Racines, Je parle de Jérusalem, la Cuisine.

Wesley, Mary [R] (1912) : Jumping the queue, la Pelouse de Camomille (1984), l'Attelage de paons (1985), Rose sainte-nitouche (1987), les Raisons du cœur (1990).

West, Morris [R] (Austr. 1916) : l'Avocat du diable (1959), les Souliers de saint Pierre (1963), la Vallée des maléfices, la Seconde Victoire, le Loup rouge, l'Ambassadeur, la Salamandre, Arlequin, Kaloni le navigateur, Lazare.

West, Paul [E] (nat. Amér., 1930) : le Médecin de Lord Byron, les Filles de Whitechapel et Jack l'éventreur.

White, Kenneth [P, R] (1936, double nat. Fr.-Angl.) : les Limbes incandescents, En toute candeur, la Figure du dehors, la Route bleue, l'Esprit nomade.

White, Patrick [R] (1912-90) (vivait en Australie) : Edenville (1952), Voss (1957), le Char des élus (1965), les Échaudés (1969), le Mystérieux Mandola (1970), le Vivisecteur (1970), l'Œil du cyclone (1973), les Incarnations d'Eddie Twynborn (1979), Des morts et des vivants [N 1973].

Whiting, John [D] (1917-63) : Marching Song.

Wilson, Angus [R, Cr] (1913-91) : Saturnales (1949), la Ciguë et après (1952), Attitudes anglo-saxonnes (1956), les 40 ans de Mrs Eliot (1958), la Girafe et les Vieillards (1961), l'Appel du soir (1964), En jouant le jeu (1967), Embraser le monde (1980).

Wilson, Colin [E] (1931) : l'Homme en dehors.

Wyndham, John (J.B. Harris) [R] (1903-69).

LITTÉRATURE ANGLOPHONE

■ **Afrique du Sud** (voir p. 316).

■ **Antilles. Walcott,** Derek (Ste Lucie) (1930) [N 1992].

■ **Nigeria. Achebe,** Chinua (1930) : le Monde s'effondre (1958), la Flèche de Dieu (1964), le Démagogue (1966), les Termitières de la savane (1987). **Anozie Sunday,** Oghonna (n.c.). **Balogun,** Ola (1945). **Ben Okri** (n.c.) : The Famished Road, Flower and Shadows (1980), Incidents at The Shine (1987), The Land-Landscapes Within, Stars of the New Curfew. **Ekwensi,** Cyprian (n.c.). **Iroh,** Eddie (n.c.). **Osofisan,** Femi (n.c.). **Segun,** Mabel (n.c.). **Soyinka,** Wole (1934). *Poésie :* Idanre (1986), Cycles sombres (1987). *Romans :* Ake, les années d'enfance (1984), Cet homme est mort (1986), Une saison d'anomie (1987), les Interprètes (1988). *Théâtre :* la Route (1965), le Lion et la perle (1968), la Danse de la forêt (1971), les Tribulations de frère Jero (1971), Un sang fort (1971), les Gens des marais (1971), la Mort et l'écuyer du roi (1986). [N 1986]. **Tutuola,** Amos (1920) : l'Ivrogne dans la brousse (1953), Ma vie dans la brousse des fantômes (1954). **Umezimwa Wilberforce** (n.c.).

LITTÉRATURE AUTRICHIENNE

NÉS AVANT 1800

☞ **En latin. Anonymes :** « Théâtre des Jésuites » 9 000 pièces de 1570 à 1760. **Avancinus,** Nicolas [H, P, D] (1611-86) : Poesis dramatica 1675-79.

EN ALLEMAND

Alxinger, Jean-Baptiste [P] (1755-97).

Beer, Johann [R] (1655-1700).

Blumauer, Aloïs [P] (1755-98) : l'Énéide travestie.

Collin, Matthieu von [D] (1779-1828).

Grillparzer, Franz [D, P] (1791-1872) : l'Aïeule, Sapho, la Toison d'or, Médée, les Vagues de la mer et de l'amour (1831), Ottokar, Malheur à qui ment.

Hafner, Philippe [D] (1731-64).

Kringsteiner, Joseph-Ferdinand [D] (1775-1810).

Maximilien, l'Empereur (1459-1519) : Teuerdank.

Neidhart von Reuenthal (1re moitié du XIIIe) : Chansons courtoises paysannes.

Oswald von Wolkenstein [P] (1377-1445).

Raimund, Ferdinand [D] (1790-1836).

Sealsfield, Charles (Karl Postl) [R] (1793-1864) : le Vice-Roi et les Aristocrates (1835), la Prairie du Jacinto (1861).

Steigentesch, Auguste von [D] (1774-1826).

Stranitzky, Joseph-Antoine [D] (1676-1726) : Théâtre de Hanswurst.

Walther von der Vogelweide [P] (v. 1170-v. 1228).

Zedlitz, Josef von [P] (1790-1862).

NÉS ENTRE 1800 ET 1900

Adler, Alfred [Ph] (1870-1937).

Auersperg, Cte Antoine-Alexandre [P] (1806-76) : Promenades d'un poète viennois.

Bauernfeld, Edouard [D] (1802-90) : Aveux (1834), Bourgeois et Romantique (1835).

Baum, Vicki [R] (1888-1960) : Grand Hôtel (1929), Lac aux dames (1932), Prenez garde aux biches.

Beer-Hofmann, Richard [E] (1866-1945) : la Mort de Georges (1900).

Broch, Hermann [R] (1886-1951) : les Somnambules (1930-31), la Mort de Virgile (1945).

Brod, Max [D, Es, R] (1884-1968 ; ami de Kafka, il a publié ses œuvres) : la Formation de l'Hétaïre (1909), Juives, la Voie de Tycho Brahe vers Dieu (1916), Vivre avec une déesse, le Faussaire, Lord Byron n'a plus cours (1929), poèmes.

Bronnen, Arnolt [D, R] (1895-1959).

Doderer, Heimito von [R] (1896-1966) : Ruelles et paysages (1923), le Cas Gütersloh (1930), le Sursis (1940), les Fenêtres éclairées (1950), l'Escalier du Strudlhof (1951), les Démons (1956), les Chutes de Slunj (1963), la Forêt frontalière (1967).

Ebner-Eschenbach, Marie von [R] (1830-1916) : Bozena (1876), Nouvelles du village et du château (1884), l'Enfant assisté (1887).

Freud, Sigmund [Psycho] (1856-1939) : Totem et Tabou (1913), Intr. à la psychanalyse (1916), Malaise dans la civilisation (1930), Moïse et le monothéisme (1939). – *Biogr. :* fils d'un commerçant israélite de Moravie. *1856* ses parents (pauvres) se fixent à Vienne. *1876* assistant dans un laboratoire de neurologie. *1881* diplômé de neurologie. *1885* agrégé ; stage à la Salpêtrière de Paris (Charcot). *1886-96* associé à Vienne du psychiatre Joseph Breuer (1842-1925). *1897* commence son autopsychanalyse. *1905* réunit quelques disciples. *1907* rencontre Jung à Zürich et le prend pour assistant. *1909* part avec lui pour les USA. *1910* fonde avec lui l'Association psychanalytique internationale. *1912* s'en sépare. *1920* prof. à Vienne. *1938* chassé par les Nazis, réfugié à Londres.

Hayek, Friedrich August von [Ec, Ph] (Autr. 1899-1992) : Prix et Production (1931), Nationalisme monétaire et stabilité internationale (1937), la Route de la servitude (1944), Droit, législation et liberté (1973), l'Ordre politique d'un peuple libre (1979).

Hofmannsthal, Hugo von [D] (1874-1929) : l'Empereur et la Sorcière (1897), le Chevalier à la rose (1911), le Grand Théâtre du monde (1922), l'Incorruptible (1923), la Tour (1925).

Kafka, Franz [R] (Prague 1883-Kierling, Autr. 1924) : la Métamorphose (1915), le Procès (1925), le Château (1926), l'Amérique (1927). *Nouvelles :* la Colonie pénitentiaire (1919), la Muraille de Chine (1931). Journal intime (1948), Lettres. – *Biogr. :* fils d'un commerçant juif de Prague. Études de droit. *1908* rédacteur dans une compagnie d'assurances. *1912-17* longues fiançailles, plusieurs fois interrompues, avec une Berlinoise, Félicie Bauer. *1917* tuberculeux. *1919* démissionne ; entre en sanatorium. *1923* liaison à Berlin avec Dora Dymant ; finit sa vie dans un sanatorium près de Vienne, assisté par Dora. Son exécuteur testamentaire, Max Brod, publiera ses œuvres.

Kolbenheyer, Erwin Guido [R] (1878-1962).

Kraus, Karl [E] (1874-1936) : les Derniers Jours de l'humanité (1919).

Kubin, Alfred [Pe, E] (1877-1959) : l'Autre Côté (1909).

Leitgeb, Joseph [P] (1897-1952).

Lenau, Nikolaus (Nikolaus, Franz Niembsch, Edler von Strehlenau, dit) [P, D] (1802-50) : Faust (1836), les Albigeois (1842), Don Juan (1851), Poèmes lyriques.

Meyrink, Gustav [R] (1868-1932) : le Golem (1915), le Visage vert, la Nuit de Walpurgis (1917).

Musil, Robert [R] (1880-1942) : Les Désarrois de l'élève Törless (1906), l'Homme sans qualités (1930-43), Journaux (1976-83), Essais (1978).

Nestroy, Johann Nepomuk [D] (1801-62).

Rilke, Rainer Maria [P] (1875-1926) : les Cahiers de Malte Laurids Brigge (1910), Élégies de Duino (1912-23), Sonnets à Orphée (1923), Lettres à un jeune poète (1929).

Rosegger, Peter [R] (1843-1918) : Dans ma forêt, les Sapins du maître d'école (1875).

Roth, Josef [R] (1894-1939) : Hôtel Savoy (1924), la Fuite sans fin, la Marche de Radetzky (1932), le Roman des Cent-Jours, le Poids de la grâce, la Crypte des capucins (1938), le Prophète muet (1966).

Sacher-Masoch, Leopold von [R] (1836-95) : Récits galiciens (1858), Contes juifs (1878), les Messalines de Vienne, la Vénus à la fourrure. (Le terme masochisme fut forgé vers 1880.)

Saiko, George [R] (1892-1962).

Schnitzler, Arthur [R] (1862-1931) : la Ronde (1900), Vienne au crépuscule, Mourir, Une jeunesse viennoise.

Schumpeter, Joseph Alois [Ec] (1883-1950) : Capitalisme, socialisme et démocratie (1942), Histoire de l'analyse économique (1954).

Stifter, Adalbert [R] (1805-68) : Brigitta (1943), l'Homme sans postérité (1845), Pierres multicolores (1852), l'Été de la Saint-Martin (1857), Witiko (1865-67), les Cartons de mon arrière-grand-père.

Trakl, Georg [P] (1887-1914) : Révélation et destruction (1947).

Ungar, Hermann [R] (1893-1943) : l'Assassinat du capitaine Hanika (1924).

Weiss, Ernst [R] (Moravie 1884-suicidé 1940) : la Galère (1913), la Lutte (1916), l'Aristocrate (1928), le Séducteur (1938), Témoin oculaire (1940).
Werfel, Franz [R] (1890-1945) : la Mort du petit-bourgeois (1927), les 40 Jours de Musa Dagh, le Voleur du ciel, le Chant de Bernadette, l'Étoile de ceux qui ne sont pas nés (1944), Une écriture bleu pâle, Cella ou les Vainqueurs. *Théâtre :* l'Homme dans le miroir (1920).
Wildgans, Anton [P, D] (1881-1932).
Wittgenstein, Ludwig Joseph [Ph, logicien] (Autr.) (1889-1951) : Tractatus logico-philosophicus (1921).
Zweig, Stefan [R, H] (1881-suicidé avec sa femme 23-2-1942) : la Peur (1920), Amok (1922), la Confusion des sentiments (1927), Bâtisseurs du monde (1936), la Pitié dangereuse (1938), le Monde d'hier (1942), le Joueur d'échecs, Ivresse de la métamorphose, l'Amour d'Erika Ewald, Journaux (1912-40), Souvenir d'un Européen.

Nés après 1900

Aichinger, Ilse [R] (1921) : le Grand Espoir.
Artmann, Hans Carl [E] (1921).
Bachmann, Ingeborg [P, R] (1926-73) : la Trentième Année (1961), Un lieu de hasards (1965), Poésie lyrique, Malina (1971), Requiem pour Fanny Goldmann, Un roman inachevé (1987).
Bauer, Wolfgang [D] (1941) : Magic Afternoon.
Bernhard, Thomas [D, R] (1931-89) : Gel (1963), Perturbation (1967), la Plâtrière (1973), Corrections, Oui, l'Imitateur (1978), le Neveu de Wittgenstein, le Naufragé, Des arbres à abattre, Maîtres anciens, Les apparences sont trompeuses. *Autobiographie :* l'Origine (1975), la Cave, le Souffle, le Froid, Un enfant. *Théâtre :* le Président, le Faiseur de théâtre, Minetti, Heldenplatz.
Canetti, Elias [E] (1905 né Bulgarie, nat. brit.) : Autodafé (roman 1931), les Domaines hantés (1936), Masse et Puissance (1960), les Voix de Marrakech (1968), l'Autre Procès (1969), le Territoire de l'homme (1978), la Conscience des mots (1984), le Témoin auriculaire, le Secret de l'horloge. *Autobiographie :* la Langue sauvée (1977), le Flambeau dans l'oreille, Jeux de regards. *Théâtre :* Noces (1932), la Comédie des vanités (1933-34), les Sursitaires. – *Biogr.* famille juive sépharade parlant le « ladino ». Études à Francfort et Vienne. Années 30, écrit en allemand. *1938* à Paris. *1939* (janv.) à Londres. *1981* prix Nobel.
Celan, Paul [P] (1920-70) : Pavot et Mémoire (1952), la Rose de personne (1963).
Fried, Erich [P] (1921-88) : le Soldat et la fille (1960), les Enfants et les fous (1965), la Démesure des choses (1982).
Fussenegger, Gertrud [R] (1912).
Handke, Peter [D, E] (1942) : le Colporteur, Bienvenue au conseil d'administration (1967), Kaspar (1968), l'Angoisse du gardien de but au moment du penalty (1970), les Frelons, Courte Lettre pour un long adieu (1972), l'Heure de la sensation vraie (1975), la Femme gauchère (1977), Le pupille veut être tuteur, Après-Midi d'un écrivain (1988). *Théâtre :* Outrage au public et autres pièces (1966), la Chevauchée sur le lac de Constance (1972).
Haushofer, Marlen [R] (1920-70) : Nous avons tué Stella, le Mur invisible, Dans la mansarde, la Cinquième année (1991).
Hochwälder, Fritz [D] (1911-86) : l'Expérience sacrée (1947), l'Accusateur public (1954).
Horvath, Ödön von [D] (1901-38) : Histoires de la forêt viennoise (1931), la Nuit italienne, Don Juan revient de guerre, Jeunesse sans Dieu (1938).
Illich, Ivan [Pol, Es] (1926) : Libérer l'école, Une société sans école (1971), Libérer l'avenir, Énergie et Équité (1973), la Convivialité (1973), Némésis médicale (1975), le Travail fantôme (1981).
Jandl, Ernst [P] (1925).
Jelinek, Elfriede [R] (1946) : les Amantes (1975), la Pianiste, les Exclus, Lust.
Lavant, Christine [P] (1915-73).
Mayröcker, Friedericke [P] (1924).
Popper, Karl [Ph] (1902, nat. G.-B.) : la Logique de la découverte scientifique (1934), Misère de l'historicisme (1944), la Société ouverte et ses ennemis (1945), la Connaissance objective (1972), L'avenir est ouvert, la Quête inachevée, Un univers de propensions (1990).
Ransmayr, Christoph [R] (1954) : les Effrois de la glace et des ténèbres, le Dernier des mondes (1988).
Rezzori, Gregor von [R] (1914) : Œdipe à Stalingrad, Mémoires d'un antisémite.
Sperber, Manès [E] (1905-84, réfugié en Fr. 1933) : Et le buisson devint cendre (1949), Plus profond que l'abîme (1950), la Baie perdue (1952), Qu'une larme dans l'océan, le Talon d'Achille, Ces temps-là (4 t., 1975-79), les Visages de l'histoire.
Weigel, Hans [E] (1908-91).
Wiesenthal, Simon [E] (1908).

Littérature belge

De langue française

Nés avant 1800

Chastellain, Georges [Chr, P] (1405-75) : Chronique, Recollection des merveilles advenues de mon temps.
Hemricourt, Jacques de [Chr] (1333-1403) : Miroir des nobles de Hesbaye, le Patron de la temporalité.
Le Bel, Jean (Jehan) [Chr] (1292-1370) : les Vraies Chroniques de Messire Jehan le Bel.
Ligne, Charles Joseph (prince de) [Mém] (1735-1814) : Mes écarts ou Ma tête en liberté, Lettres et Pensées (1809), Mémoires et Mélanges historiques.
Marche, Olivier de la [Chr, E] (1425-1502) : Mémoires.
Marnix, Jean de [P] (1580-1631) : les Représentations.
Outremeuse, Jean d' [Chr] (1338-1400) : Geste de Liège, le Miroir des histoires, les Voyages de Sir John Mandeville.
Ste-Aldegonde, Marnix de [Pol] (1540-98) : Tableau des différends de la religion.
Sigebert de Gembloux [Chr] (1030-1112) : Des hommes illustres, Chronique universelle, Lettre apologétique.
Walef, Blaise Henri de Corte, B[on] de [E] (1661-1734) : le Combat des échasses, Rues de Madrid.

Nés entre 1800 et 1900

Adine, France (Mme Coucke, née Cécile Van Dromme) [R] (1890-1977) : la Cité sur l'Arno.
Avermaete, Roger [Es, P, D] (1893-1988).
Ayguesparse, Albert [R, P, Es] (1900) : le Vin de Cahors (1957), Simon-la-bonté (1965), les Mal-pensants (1979).
Baie, Eugène [Es] (1874-1963) : le Siècle des gueux.
Baillon, André [R] (1875-suicidé 1932) : Histoire d'une Marie (1921), Délires (1927), le Perce-oreille du Luxembourg (1928).
Braun, Thomas [P] (1876-1961) : Passion de l'Ardenne.
Burniaux, Constant [R] (1892-1975) : Une petite vie (1929), les Temps inquiets (1944-52), D'humour et d'amour (1968).
Carême, Maurice [P] (1899-1978) : Mère, la Lanterne magique, la Passagère invisible, Brabant.
Courouble, Léopold [R] (1861-1937) : la Famille Kaetebroek (1902-09), Images d'outre-mer (1904).
Crommelynck, Fernand [D] (1886-1970) : le Cocu magnifique (1920), Chaud et Froid (1934).
De Bock, Paul-Aloïse [D, Es, R] (1898-1985) : Terres basses (1953), le Sucre filé (1976), le Pénitent (1981).
De Coster, Charles [E] (1827-79) : la Légende d'Ulenspiegel.
Delattre, Louis [Es, R] (1870-1938) : Carnets d'un médecin de campagne, Légendes des pays wallons.
Des Ombieux, Maurice [R] (1868-1943) : le Joyau de la mitre (1901).
Destrée, Jules [Pol] (1863-1936).
Eekhoud, Georges [R] (1854-1927) : Kees Doorik (1883), le Cycle patibulaire (1892), Libertins d'Anvers (1912).
Elskamp, Max [P] (1862-1931).
Fontainas, André [E] (1865-1948) : les Vergers illusoires (1892).
Gevers, Maria [R] (1883-1975) : Comtesse des digues (1931), Guldentop (1935), Vie et mort d'un étang (1950).
Ghelderode, Michel de [D] (1898-1962) : Don Juan (1926), Hop Signor ! (1936), Fastes d'enfer (1937), l'École des bouffons (1942).
Ghil, René [P] (1862-1925) : Légendes d'armes et de sang (1885).
Gilbert, Oscar-Paul [E, J] (1898-1972) : Pilote de ligne, l'Horizon de minuit.
Gilkin, Iwan [P] (1858-1924) : la Nuit (1897).
Giraud, Albert (Émile Albert Kayenbergh) [P] (1860-1929) : Hors du siècle (1888).
Goffin, Robert [P, Es, R] (1898-1984) : la Proie pour l'ombre, le Voleur de feu, les Filles de l'onde, Sablier pour une cosmogonie, Faits divers, Souvenirs avant l'adieu.
Grevisse, Maurice [Gram] (1895-1980) : le Bon Usage (1936).
Hellens, Franz [E] (1881-1972) : Une femme partagée, Mélusine (1920), le Naïf (1926), le Jeune Homme Annibal (1929), Réalités fantastiques (1931).
Krains, Hubert [R] (1862-1934) : le Pain noir (1904), Mes amis (1921).
Lemonnier, Camille [R] (1844-1913) : les Charniers (1881), Un mâle (1881), le Mort (1882), la Belgique (1883), Happe-Chair (1886), Comme va le ruisseau (1903).
Libbrecht, Géo [P] (1891-1976) : Livres cachés.
Linze, Georges [P] (1900) : Poèmes.
Maeterlinck, Maurice [P, D] (1862-1949) : Serres chaudes (1889), Pelléas et Mélisande (1892), Monna Vanna (1902), l'Oiseau bleu (1902). *Essais :* le Trésor des humbles (1896), la Vie des abeilles (1901), la Vie des termites [N 1911].
Man, Henri de [E, Pol] (1885-1953) : Au-delà du marxisme (1929).
Mockel, Albert [P] (1866-1945).
Mœrman, Ernst [P] (1896-1944).
Norge, Géo (Georges Mogin) [P] (1898-1990, nat. française).
Nothomb, Pierre [R, P] (1887-1966) : la Dame du Pont d'Oye, Norménil.
Nougé, Paul [P, E] (1895-1967) : Histoire de ne pas rire (1956), l'Expérience continue (1966).
Noulet, Émilie [Cr] (1892-1978) : Paul Valéry.
Picard, Edmond [Jur.] (1836-1924) : Scènes de la vie judiciaire.
Pirenne, Henri [H] (1862-1935) : Histoire de Belgique. Jacques (1891-1972, son fils) : les Grands Courants de l'histoire universelle.
Pirmez, Octave [Es] (1832-84) : Jours de solitude, Heures de philosophie.
Plisnier, Charles [P, R] (1896-1952) : Mariages (1936), Faux Passeports (1937), Meurtres (1939-41).
Ray, Jean (Cremer, Jean-Raymond de) [R] (1887-1964) : les Contes du whisky (1925), Harry Dickson (1933-40), la Cité de l'indicible peur (1943).
Rodenbach, Georges [P, R] (1855-98) : Bruges-la-Morte (1892), le Carillonneur (1897), le Règne du silence.
Ruet, Noël [P] (1898-1965).
Séverin, Fernand [P] (1867-1931).
Thiry, Marcel [P, R] (1897-1977) : Échec au temps (1945), Nouvelles du Grand Possible (1960), Statue de la fatigue, la Mer de la Tranquillité, Toi qui pâlis au nom de Vancouver (1975), l'Ego des neiges.
Tousseul, Jean (Olivier Degée) [R] (1890-1944) : la Légende des dogues, l'Épine blanche.
T'Serstevens, Albert [P, Es, R] (1886-1974) : l'Or du Cristobal (1936).
Van Hasselt, André [P] (1806-74).
Van Lerberghe, Charles [P] (1861-1907) : la Chanson d'Ève (1904).
Vanzype, Gustave [D] (1869-1955) : le Patrimoine, les Autres.
Verboom, René [P] (1891-1955).
Verhaeren, Émile [P] (1855-1916) : les Campagnes hallucinées (1893), les Villes tentaculaires (1895), les Forces tumultueuses (1902), la Multiple Splendeur (1906), les Rythmes souverains (1910), Toute la Flandre (1904-11).
Virrès (H. Briers de Lunay, dit Georges) [R] (1869-1946) : la Glèbe héroïque, la Bruyère ardente.
Vivier, Robert [P, Cr] (1894-1989) : la Route incertaine (1921), le Ménestrier (1924), Délivrez-nous du mal (1936), Mesures pour rien (1947), le Calendrier du distrait (1961), Broussailles de l'espace (1974), le Train sous les étoiles (1976), S'étonner d'être (1977).
Waller, Max (Maurice Warlomont) [P, C, R] (1860-89) : le Naturalisme littéraire, la Flûte à Siebel, Daisy.

Nés après 1900

Bal, Willy [Es] (1916) : Henry Pourrat, Dialectologie.
Baronian, Jean-Baptiste [R] (1942) : le Diable Vauvert (1979), la Vie continue (1989).
Bauchau, Henry [R] (1913) : le Régiment noir (1972), Œdipe sur la route (1990).
Beck, Béatrix [R] (1914) : Léon Morin prêtre (G. 1952), Cou coupé court toujours (1967), la Décharge (1979), Devancer la nuit, José Nancy, la Mer intérieure (1981), l'Enfant chat (1984), Un(e) (1989), Recensement, Vulgaires vies (1992), Une lilliputienne (1993).
Bernier, Armand [P] (1902-69) : le Monde transparent, le Sorcier triste.
Bertin, Charles [R, P, D] (1919) : Don Juan, Psaumes sans la grâce, Christophe Colomb, Journal d'un crime, le Bel Age, les Jardins du désert.
Bodart, Roger [P, Es] (1910-73).
Bronne, Carlo [E] (1901-87) : Esquisses au crayon tendre, Léopold Ier et son temps (1942).
Brucher, Roger [P, Es] (1930) : Bibliographie des écrivains de Belgique de 1881 à 1960, Chair de l'hiver, Anthologie des poètes français du Luxembourg.
Chavée, Achille [P] (1906-69) : Décoction II (1974).
Cliff, William [P] (1946) : Marcher au charbon, En Orient (1986).
Closson, Herman [R, D] (1901-82) : le Feu des quatre fils Aymon (1943).
Compère, Gaston [P, R] (1924) : Géométrie de l'absence, Portrait d'un roi dépossédé, Robinson 86.
Cornelus, Henri [P] (1913-83).

Curvers, Alexis [P, R] (1906-92) : Tempo di Roma (1957), Pie XII, le Pape outragé (1964).
Daubier, Louis [P] (1924).
Delaby, Philippe [P] (1914-91).
Delépinne, Berthe [P, R, E] (1902) : Ce mal d'être deux, Erasme, la Beauté des choses.
Desnoues, Lucienne [P] (1921).
Detrez, Conrad [R] (1937-85) : Ludo (1974), l'Herbe à brûler (Ren. 1978), la Lutte finale (1980), la Ceinture de feu (1984).
Doppagne, Albert [Es, Ethn, Ling] (1912) : Chasse aux belgicismes, Esprits et génies du terroir, le Roseau vert, Chronique de langage.
Dubrau, Louis (Louise Janson-Scheidt) [P, R] (1904) : l'An Quarante (1945), A la poursuite de Sandra (1963), le Cabinet chinois (1970), A part entière (1974).
Dumont, Georges-Henri [H, Es] (1920) : Léopold II.
Foulon, Roger [P, Es, R] (1923) : l'Envers du décor, le Dénombrement des choses, Un été dans la fagne, Naissance du monde.
Frère, Maud [R] (1923-79) : l'Herbe à moi, le Délice, les Jumeaux millénaires, l'Ange aveugle.
Gascht, André [P, Cr] (1921).
Gillès, Daniel (Daniel Gillès de Pélichy) [R, E] (1917-81) : Tolstoï, les Brouillards de Bruges, la Rouille, le Festival de Salzbourg.
Goosse, André [Ph] (1926) : Nouvelle Grammaire française, le Bon Usage.
Hanse, Joseph [Gram, Ling] (1902-92].
Haulot, Arthur [P] (1913).
Haumont, Thierry [R] (1949) : les Petits Prophètes du Nord (1980), le Conservateur des ombres (1984).
Hénoumont, René [R] (1922) : la Maison dans le frêne, la Boîte à tartines (1984), Au bonheur des Belges [Ren 1991].
Hons, Gaspard [P] (1937).
Izoard, Jacques [P] (1936).
Jacqmin, François [P] (1929-92).
Jones, Philippe (P. Roberts-Jones) [P, Es] (1924) : Amours et Autres Visages, Être selon, Racine ouverte (1944-75), l'Embranchement des heures (1991).
Juin, Hubert (Loescher) [R, P, Cr] (1926-87) : les Bavards (1956), les Sangliers (1958), la Cimenterie (1962), Chaperon rouge (1963), les Guerriers du Chalco (1976), les Visages du fleuve (1984).
Kalisky, René [D] (1936-81) : le Pique-nique de Claretta (1974), la Passion selon Pier Paolo Pasolini (1977).
Kegels, Anne-Marie [P] (1912).
Kinds, Edmond [P, B, Cr] (1907-92) : le Volet des songes, les Ornières de l'été, le Point mort, le Temps des apôtres.
Lacour, José-André [R, D] (1919) : Panique en Occident, la Mort en ce jardin (1954), l'Année du bac (1959).
Leys, Simon (Pierre Ryckmans) [E] (1935) : Ombres chinoises (1974), Images brisées (1976), la Forêt en feu (1983), l'Humeur, l'honneur, l'horreur (1991).
Lilar, Suzanne [E, Dr] (1901) : le Burlador (1945), le Couple (1963), le Malentendu du deuxième sexe (1969), Une enfance gantoise (1976).
Linze, Jacques-Gérard [P, R] (1925) : la Conquête de Prague (1965), la Fabulation (1968), Danger de mort, Manifestes poétiques, Poèmes de bonheurs insolites.
Lobet, Marcel [Es] (1907-92) : Écrivains en aveux, la Ceinture de feuillage (1966), l'Abécédaire du meunier (1974), le Fils du temple (1978).
Magnes, Claire Anne [P] (1937).
Mallet-Joris, Françoise (Mme J. Delfau née Fr. Lilar) [R] (1930) : le Rempart des béguines (1951), l'Empire céleste (F. 1958), les Personnages (1960), Marie Mancini (1961), Lettre à moi-même, les Signes et les prodiges (1966), la Maison de papier (1970), Allegra (1976), Jeanne Guyon, Dickie Roi, Un chagrin d'amour et d'ailleurs, le Clin d'œil de l'ange (nouvelles), le Rire de Laura, la Tristesse du cerf-volant, Adriana Sposa (1989), Divine (1991).
Marceau, Félicien : voir p. 300 c.
Masoni, Carlo [P, Th] (1921) : les Mains de cendre, Vous serez mes juges, Fugues.
Mertens, Pierre [R, Es] (1939) : l'Inde ou l'Amérique (1969), la Fête des anciens (1971), les Bons Offices (1974), les Éblouissements [M 1987].
Michaux, Henri [P] (1899-1984) : voir p. 292 a.
Miguel, André (Van Vlemmeren) [P] (1920) : Toisons (1959), Fables de nuit (1966), Fleuve-forêt (1968), Boule androgyne (1972), Ovales naturels précédé de Onoo (1979).
Mogin, Jean [D, P] (1921-86) : A chacun selon sa faim (1950), le Rempart de coton, Un mystère, la Reine des neuf jours.
Moreau, Marcel [R, Es] (1933) : Quintes (1962), Bannière de bave (1965), A dos de Dieu (1980).
Moulin, Jeanine [P, Cr] (1912) : Manuel poétique d'Apollinaire, Rue Chair et Pain, les Mains nues, De pierre et de songes (1961-91).
Moulin, Léo [Soc, H] (1906).
Muno, Jean (Robert Burniaux) [R] (1924-88) : le Joker (1972), Ripple-Marks (1976), Histoires singulières (1979).
Nelod, Gilles [R] (1922-89) : les Poings, Des conquistadores de la liberté.
Nicolaï, Marie [R] (1923) : Où reposer la tête, la Gagnante, Des vieux jours.
Orbaix, Marie-Claire d' [P] (1920-90).
Owen, Thomas (Gérald Bertot) [E, R] (1910) : Hôtel meublé, Pitié pour les ombres (1961), le Tétrastome (1990).
Paron, Charles [L, J] (1914-86) : Zdravko le cheval (1945), Marche-avant (1950).
Périer, Odilon-Jean [P, R] (1901-28) : Citadin ou éloge de Bruxelles, le Passager des anges, le Promeneur.
Piron, Maurice [Es, Ph] (1914-86).
Pirotte, Jean-Claude [R] (1939) : la Pluie à Rethel, Un été dans la combe (1982).
Poulet, Georges [Cr, Ph] (1902-91) : Études sur le temps humain (1949-68, 4 t.), les Métamorphoses du cercle (1961), l'Espace proustien (1963), Qui était Baudelaire ? (1964), Benjamin Constant par lui-même (1968), la Conscience critique (1971), la Pensée éclatée (1980), la Pensée indéterminée (1985-90).
Quinot, Raymond [P, Es] (1920).
Radzitzky, Carlos de [P] (1915-85).
Rolin, Dominique [R, P] (1913) : le Souffle (1952), le Lit (1960), le For intérieur (1962), la Maison, la Forêt (1965), Deux (1975), la Voyageuse (1984), l'Enfant-Roi (1985), 20 chambres d'hôtel (1990), Deux femmes un soir (1992).
Savitzkaya, Eugène [R, P] (1955) : le Cœur de schiste, Mongolie plaine sale, Un jeune homme trop gros, la Traversée de l'Afrique, Marin mon cœur.
Scheinert, David [L, R, P] (1916) : le Flamand aux longues oreilles (1959), la Contre-saison (1966).
Schmitz, André [P] (1929).
Scutenaire, Louis [P, E] (1905-87).
Seuphor, Michel (Ferdinand Louis Berckelaers) [R, Es] (1901) : l'Art abstrait (1949).
Simenon, Georges [R] (1903-89) : la Mort de Belle, le Relais d'Alsace (1930), le Testament Donnadieu (1937), les Sœurs Lacroix (1938), Touriste de bananes (1938), les Inconnus dans la maison (1940), Feux rouges, le Blanc à lunettes, le Pendu de St-Pholien, La neige était sale, En cas de malheur, série des Maigret [(créée dep. 1929, inaugurée 1931 par Fayard avec Pietr le Letton), œuvres complètes 330 titres, 72 vol. (1967-73)], le Président (1958), Lettres à ma mère (1974), Un homme comme un autre (1975), Des traces de pas (1976), Vent du nord, vent du sud (1976), Mémoires intimes (1981). – *Biogr. : 1918* arrête ses études et devient apprenti pâtissier, commis de librairie. *1921* série de 17 articles : « le Péril juif ». *1924-31* publie env. 190 romans, sous 17 pseudonymes différents. *1925* passion pour Joséphine Baker. *1938* 13 livres publiés (année record). *1942-43* écrit dans divers journaux collaborationnistes belges et dans « Je suis partout ». *1945* aux USA. *1949* condamné à 2 ans d'interdiction de paraître par le comité d'épuration des Gens de Lettres. *1952* à Paris avant de retourner aux USA. *1955* en Suisse ; dicte sa vie sur magnétophone – 218 romans sous son nom dont 80 Maigret, 300 sous pseudonymes (17 pseud. enregistrés). Tirage total 500 millions d'ex. Diffusion 1 million d'ex. par an. Adaptations : cinéma 52, télévision 211. 22 acteurs ont interprété Maigret (télévision 12, cinéma 10). Prétendait avoir connu 10 000 femmes.
Sion, Georges [D, Es, Cr] (1913) : le Voyageur de Forceloup (1952), la Malle de Paméla (1955), Bruxelles ou les Contes des mille et un ans, Théâtre.
Sodenkamp, André [P] (1906).
Stécyk, Irène [P, R] (1937) : Une petite femme aux yeux bleus (1972), la Balzac (1992).
Steeman, Stanislas André [R] (1908-70) : l'Assassin habite au 21 (1942).
Sternberg, Jacques [R, J] (1923) : Lettre ouverte aux Terriens, le Cœur froid, Sophie, la mer et la nuit.
Swennen, René [E] (1943) : Palais Royal (1983), la Nouvelle Athènes (1985), les Trois Frères (1987).
Thinès, Georges [Ph, R] (1923) : le Tramway des officiers (1974), Logos absent.
Tordeur, Jean [P] (1920).
Trousson, Raymond [Ph, Es] (1936) : Voyages au pays de nulle part, le Soleil des morts, Charles de Coster ou la vie est un songe.
Vandegans, André [Es] (1921) : Anatole France, A. Malraux et l'obsession de la transcendance.
Vandercammen, Edmond [P, Es] (1901-80) : l'Innocence des solitudes, les Abeilles de septembre (1959), le Sang partagé (1963), Horizon de la vigie (1970).
Vandromme, Pol [Es, Cr] (1927) : Un été acide (1961).
Verhesen, Fernand [P, Es] (1913) : les Cartes mitoyennes (1978), Voies et voix de la poésie française.
Walder, Francis (Waldburger) [R] (1906) : Saint-Germain ou la négociation [G 1958].
Weyergans, François [R] (1941) : le Pitre (1973), Macaire le copte (1981), Rire et pleurer (1990), la Démence du boxeur (1992).
Weyergans, Franz [R, Es] (1912-74) : l'Opération.
Willems, Paul [D] (1912) : la Ville à voile (1967), les Miroirs d'Ostende (1974).
Wouters, Liliane [P] (1930) : la Marche forcée, le Bois sec, le Gel, Charlotte ou la nuit mexicaine.

De langue néerlandaise

Anonymes : *Karel ende Elegast* (cycle Charlemagne) XIIIe s. ; *Van den Vos Reinaerde* (Roman de Renart) XIIIe s. ; *Elckerlyc* (Moralité) XIVe s.
Bijns, Anna [Pol] (1493-1575).
Boon, Louis, Paul [R] (1912-79) : le Faubourg s'étend, Menuet.
Claus, Hugo [D, R] (1929) : Sucre, la Fiancée du matin, Vendredi, A propos de Dédée, le Chagrin des Belges.
Conscience, Hendrik [E] (1812-83) : Lion de Flandre.
Daisne, Johan (Herman Thiery) [P, R, D, Cr] (1912-78) : *Romans :* l'Homme au crâne rasé (1947), les Dentelles de Montmirail (1964).
Elsschot, Willem (A. de Ridder) [R] (1882-1960) : le Feu follet, Villa des roses (1913).
Geeraerts, Jef [R] (1930) : Gangrène, Chasser.
Gezelle, Guido [P] (1830-90) : Chansons et prières.
Gijsen, Marnix (J.A. Goris) [R] (1899-1984) : le Livre de Joachim de Babylone (1947).
Hadewijch [P] (XIIIe s.) : Poèmes strophiques.
Lampo, Hubert [R] (1920) : la Venue de Joachim Stiller (1960).
Raes, Hugo [E] (1929) : les Rois fainéants (1961).
Roelants, Maurice [R] (1895-1966).
Ruysbroek, l'Admirable [Théo] (1293-1381) : Écrits mystiques.
Ruyslinck, Ward [R] (1929) : les Dormeurs dégénérés (1957).
Schillebeeckx, Edward [Théo] (1914).
Streuvels, Stijn [E] (1871-1969).
Teirlinck, Herman [D] (1879-1967).
Timmermans, Félix [E] (1886-1947).
Van Aken, Piet [E] (1920-84) : Klinkaart (1954).
Van Assenede, Diederik [D] : « Beatrijs ».
Vandeloo, Jos [R] (1925) : le Danger.
Van de Woestijne, Karel [P] (1878-1929).
Van Maerlant, Jacob [Ency] (v. 1225-apr. 1321).
Van Ostaijen, Paul [P] (1896-1928) : Ville occupée, le Premier Livre de Schmoll.
Van Veldeke, Hendrik [P] († av. 1200) : Énéide, Chanson.
Vermeylen, August [E] (1872-1945) : le Juif errant.
Walschap, Gérard [R] (1898) : Houtekiet, Sœur Virgilia, Noir et Blanc, Un homme de bonne volonté, le Nouveau Deps.

Littérature canadienne

De langue française

Nés avant 1900

Barbeau, Marius [Es] (1883-1969).
Barbeau, Victor [Es] (1896).
Beauchemin, Nérée [P] (1850-1931).
Bégon, Élisabeth [E] (1696-1755) : Lettres au cher fils (1748-53).
Boucher, Pierre [Nat] (1622-1717).
Buies, Arthur [Es] (1840-1901) : Chroniques canadiennes (1873), la Lanterne d'Arthur Bules (1964), Lettres sur le Canada (1978).
Casgrain, Henri (l'abbé) [P] [Es] (1831-1904).
Charbonneau, Jean [P] (1875-1960).
Conan, Laure [R] (1845-1924) : Angéline de Montbrun (1884), A l'œuvre et à l'épreuve (1891), l'Obscure Souffrance (1919).
Cremazie, Octave [P] (1827-79).
Évanturel, Eudore [P] (1852-1919).
Fréchette, Louis Honoré [P, E] (1839-1908) : Pêle-mêle (1881), la Légende d'un peuple (1887), Feuilles volantes (1891), Originaux et détraqués (1892).
Garneau, François-Xavier [H] (1809-66).
Gaspé, Philippe Aubert de [R] (1786-1871) : Anciens Canadiens.
Grignon, Claude, Henri [R] (1894-1976) : les Vivants et les autres (1922), Un homme et son péché, le Déserteur et autres récits de la terre.
Groulx, Lionel (l'abbé) [H] (1878-1967).

Guèvremont, Germaine [E] (1893-1968) : En pleine terre (1942), le Survenant, Marie-Didace.
Hémon, Louis [R] (1880-1913) : Maria Chapdelaine (1916), la Belle que voilà (1923), Colin-Maillard (1924), M. Ripois et la Némésis (publ. 1950), Lettres à sa famille (1968).
Morin, Paul [P] (1889-1963).
Nelligan, Émile [P] (1879-1941).
Ringuet, Philippe Panneton dit, [R] (1895-1960) : Trente Arpents (1938), l'Héritage.
Roquebrune, Robert de [R] (1889-1978): les Habits rouges (1948), Testament de mon enfance, la Seigneuresse, Cherchant mes souvenirs (1968).
Rumilly, Robert [H] (1897-1983).
Savard, Félix-Antoine [R] (1896-1982) : la Minuit (1948), Menaud, maître draveur, le Bouxeuil.
Sulte, Benjamin [J] (1841-1923).

■ Nés après 1900

Aquin, Hubert [R] (1929-77) : Prochain épisode (1965), Neige noire (1974), l'Antiphonaire.
Barbeau, Jean [D] (1945) : Ben Ur (1971), Émile et une nuit.
Beauchemin, Yves [R] (1941) : l'Enfirouapé (1974), le Matou (1981).
Beaulieu, Victor Lévy [R] (1945) : Race de monde (1969), Monsieur Melville (1978), Satan Belhumeur (1981), les Grands-Pères.
Benoît, Jacques [R] (1941) : Jos Carbone.
Bergeron, Léandre [H] (1933).
Bersianik, Louky [R] (1930) : l'Euguélionne (1976), Maternative : les pré-Ancyls (1980).
Bessette, Gérard [R] (1920) : le Libraire, l'Incubation, les Anthropoïdes, Mes romans et moi.
Blais, Marie-Claire [R] (Québec, 1939) : la Belle Bête (1954), Une saison dans la vie d'Emmanuel (M. 1966), le Loup (1972), A cœur joual (1974), les Nuits de l'underground (1978), le Sourd dans la ville (1979), Visions d'Anna ou le Vertige (1982).
Bosco, Monique [R] (1927) : Charles Lévy, m.d., Schabbat, 70-77 (1978), la Femme de Loth.
Boucher, Denise [R] (1935) : les Fées ont soif.
Bourassa, André G. [E] (1936).
Brault, Jacques [P] (1933).
Brossard, Nicole [P] (1943).
Caron, Louis [R] (1942) : les Fils de la liberté, le Bonhomme sept heures.
Carrière, Roch [R, D] (1937) : *Romans :* la Guerre, yes Sir ! (1968), Floralie, le Jardin des délices. *Théâtre :* la Céleste Bicyclette, Les fleurs vivent-elles ailleurs que sur la Terre ?, la Dame qui avait des chaînes aux chevilles, Le Cirque noir.
Chamberland, Paul [P] (1939).
Choquette, Gilbert [P, R] (1929) : Au loin l'espoir (1959), Interrogation (1962), l'Honneur de vivre (1964), Apprentissage (1966), la Défaillance (1969), la Mort au verger, Un tourment extrême (1979).
Choquette, Robert [P] (1905).
Cousture, Arlette : les Filles de Caleb (1986).
Dansereau, Pierre [R] (1911) : le Futur d'un Québec au conditionnel.
Daveluy, Paule [R] (1919) : l'Été enchanté (1958).
Desbiens, Jean-Paul [E] (1927) : les Insolences du frère Untel, Sous le soleil de la pitié (1973).
Desrochers, Alfred [P] (1901-78).
Dion, Léon [Soc] (1922) : la Prochaine Révolution (1973), le Québec et le Canada.
Dubé, Marcel [D] (1930) : Un simple soldat (1967), les Beaux Dimanches (1968), le Réformiste (1977), Entre midi et soir, Octobre (1977).
Ducharme, Réjean [Hum] (1941).
Dumont, Fernand [E] (1927).
Ferron, Jacques [R] (1921-85) : la Nuit (1965), le Ciel de Québec, Dr Cotnoir, l'Amélanchier (1977), les Confitures de coing, Rosaire (1981).
Folch-Ribas, Jacques [R] (1928) : l'Aurore boréale, la Chaire de Pierre (1989).
Garneau, Hector, De Saint Denis [P] (1912-43).
Garneau, Michel [D] (1925-1971) : les Célébrations, Moments (1973), Quatre à quatre (1974).
Gauvreau, Claude [D] (1925-71) : Refus global (1948), Entrails (1981).
Gelinas, Gratien [D] (1909) : Ti-Coq, Bousille et les Justes, Hier, les enfants dansaient.
Germain, Jean-Claude [D] (1939) : Un pays dont la devise est je m'oublie (1976), l'École des rêves (1979), Mamours et conjuguat (1979).
Giguère, Diane [R] (1937) : le Temps des jeux, l'Eau est profonde, Dans les ailes du vent.
Giguère, Roland [R] (1929) : l'Age de la parole, la Main au feu.
Godbout, Jacques [R] (1933) : l'Aquarium (1962), Salut Galarneau ! (1967), l'Isle au dragon (1976), les Têtes à Papineau (1981).
Grandbois, Alain [P] (1900-75).
Grand'maison, Jacques [E] (1931).
Gurik, Robert [D] (1932) : Hamlet, prince du Québec (1977).
Hamel, Réginald [E] (1931).
Hébert, Anne [P, R] (1916) : les Songes en équilibre (1942), le Torrent (1950), le Tombeau des rois (1953), les Chambres de bois, Mystère de la parole, le Temps sauvage (1967), Kamouraska, les Enfants du Sabbat, Héloïse, les Fous de Bassan (1982), l'Enfant chargé de songes.
Hénault, Gilles [R] (1920) : Sémaphore (1962), Signaux pour les voyants.
Jasmin, Claude [E] (1930) : la Petite Patrie (1972), la Sablière, le Veau dort (1979), les Contes du Sommet bleu (1980), Délivrez-nous du mal (1981).
Laberge, Marie [D] (1929) : C'était avant la guerre à l'Anse-à-Gilles (1981), l'Homme gris.
Langevin, André [R] (1927) : l'Elan d'Amérique, Une chaîne dans le parc, le Fou solidaire, Poussière sur la ville.
Langevin, Gilbert [P] (1938).
Languirand, Jacques [R] (1931) : les Insolites.
Lapointe, Gatien [P] (1931).
Lapointe, Paul-Marie [R] (1929) : le Vierge incendié, le Réel absolu.
Lasnier, Rina [P] (1915).
Leclerc, Félix [Chan, R] (1914-88) : Allégro (1945), Pieds nus dans l'aube (1947).
Lemelin, Roger [R] (1919) : Au pied de la pente douce (1944), les Plouffe (1948), Pierre le magnifique (1952), la Culotte en or (1980).
Loranger, Françoise [D] (1913) : Double Jeu (1969), Jour après jour, Un si bel automne (1971).
Maillet, Antonine [R] (1930) : Évangéline Deusse (1975), Mariaagélas (1975), la Sagouine (1976), Corde de bois (1977), Pélagie la charrette [G. 1979], la Gribouille, Crache-à-pic (1984), l'Oursiade, les Confessions de Jeanne de Valois.
Major, André [E] (1942) : l'Épouvantail (1974), les Rescapés, l'Épidémie (1977).
Marcotte, Gilles [R] (1925) : le Poids de Dieu (1962), le Roman à l'imparfait (1976).
Martel, Suzanne [P] (n.c.).
Martin, Claire [R] (1914) : Dans un gant de fer (1965), Markoosie (1971), La petite fille lit (1973).
Miron, Gaston [P] (1928).
Monière, Denis [E] (1947).
Morency, Pierre [P] (1942).
Ouellette, Fernand [R] (1930) : Edgar Varise, les Actes retrouvés, Poésie.
Ouvrard, Hélène [R] (1938) : le Corps étranger (1973), la Noyante, l'Herbe et le varech (1980).
Paradis, Suzanne [P] (1936).
Parizeau, Alice (Cracovie 1930-91) : Les lilas fleurissent à Varsovie (1985).
Perrault, Pierre [P] (1927).
Pilou, Jean-Guy [P] (1930).
Poulain, Jacques [R] (1938) : Faites de beaux rêves, les Grandes Marées, Volkswagen Blues.
Robert, Guy [E] (1933).
Roy, Gabrielle [R] (1909-83) : Bonheur d'occasion (F. 1947), la Petite Poule d'eau, Rue Deschambault, Alexandre Chênevert, la Montagne secrète, la Route d'Altamont, Ces enfants de ma vie, Cet été qui chantait, la Détresse de l'enchantement.
Selye, Hans [M] (1907-82) : Stress sans détresse.
Soucy, Jean-Yves [R] (1945) : Un Dieu chasseur (1978), les Chevaliers de la nuit (1980), l'Étranger au ballon rouge (1981).
Thériault, Yves [R] (1915-83) : Aaron (1954), Agaguk (1958), le Dernier Havre, la Fille laide (1970), Moi, Pierre Humeau, les Aventures d'Ori, le Dompteur d'ours, Tayaout, fils d'Agaguk (1981).
Tremblay, Michel [R, D] (1943) : les Belles Sœurs (1968), La grosse femme d'à côté est enceinte (1979), l'Impromptu d'Outremont (1980), les Chroniques du plateau Mont-Royal.
Trudel, Marcel [H] (1917) : Histoire de la Nouvelle-France, Montréal, la formation d'une société.
Uguay, Marie [P] (1955-81).
Vadeboncœur, Pierre [Es] (1920) : Indépendance (1972), l'Autorité du peuple (1977), les Deux Royaumes (1978), To be or not to be (1980).
Vallières, Pierre [Pol] (1938) : Nègres blancs d'Amérique (1968).
Vigneault, Gilles [Chan] (1928).
Wyczynski, Paul [E] (1921).

De langue anglaise

■ Nés avant 1900

Brooke, Frances (Moore) [R] (1724-1789) : The History of Emily Montague (1769).
Campbell, Wilfred [P] (1861-1918).
Carr, Emily (Artiste) [E] (1871-1945) : Klee Wyck.
Connor, Ralph (Rev. Charles William Gordon, dit) [R] (1860-1937) : The Man from Glengarry (1901), Glengarry School Days (1902).
De la Roche, Mazo [R] (1885-1961) : Jalna (15 romans).
Grove, Frederick Philip [E] (1871-1948).
Haliburton, Thomas Chandler [Hum] (1796-1865) : Sam Slick the Clockmaker (1823).
Jenness, Diamond [Ethn] (1886-1969).
Kirby, William [R] (1817-1906) : le Chien d'or.
Lampman, Archibald [P] (1861-99).
Leacock, Stephen Butler [Hum] (1869-1944).
Montgomery, Lucy Maud [R] (1874-1942) : Anne of Green Gables (1908).
Moodie, Susanna (Strickland) [Pros] (1803-85).
Parker, Gilbert [R] (1862-1932) : The Seats of the Mighty (1896).
Pratt, Edwin John [P] (1883-1964).
Richardson, John [R] (1796-1852) : Wacousta or the Prophecy, A Tale of the Canadas (1832).
Roberts, Charles G.D. [P] (1860-1943).
Sangster, Charles [P] (1822-93).
Scott, Duncan Campbell [P] (1862-1947).
Scott, Francis Reginald [P, Pol] (1899-1985).
Service, Robert William [P] (1874-1958).
Seton, Ernst Thompson [Nat, R] (1860-1946).
Traill, Catharine Parr [Pros] (1802-99).
Wilson, Ethel Davis [R] (1890-1980) : Swamp Angel (1954).

■ Nés après 1900

Acorn, Milton [P] (1923).
Atwood, Margaret [P, R] (1939) : Lady Oracle, la Servante écarlate (1986), Œil-de-Chat (1989).
Berton, Pierre [H] (1955).
Birney, Earle [P, R] (1904).
Bissett, Bill [P] (1939).
Bissoondath, Neil [E] (1955).
Bolt, Carol [D] (1941) : Red Emma : Queen of the Anarchists (1973).
Bowering, George [P, R] (1935) : En eaux troubles, West Window, Konisdale Elegies.
Buckler, Ernest [R] (1908-84) : The Mountain and the Valley (1952), Whirligig.
Callaghan, Morley [R] (1903-90) : Telle est ma bien-aimée (1934), More Joy in Heaven (1937), The Loved and the Lost (1951), Cet été-là à Paris (1963), The Energy of Slaves (1972), Death of a Lady's Man (1977), The Many Coloured Coat (1988).
Cohen, Leonard [P] (1934).
Cohen, Matt [R] (1942) : The Disinherited, Flowers of Darkness, le Médecin de Tolède (1982).
Coleman, Victor [P] (1944).
Coles, Don (n.c.) : Sometimes All Over, The Prinzhorn Collection, K. in Love (1987).
Creighton, Donald Grant [H] (1907-79) : John A. MacDonald (1955), Dominion of the North (1957), The Forked Road (1976).
Davies, Robertson [R, D] (1913-85) : Cinquième Emploi (1970), la Trilogie de Deptford (l'Objet du scandale, le Manticore, le Monde des merveilles), Un homme remarquable, La Lyre d'Orphée (1988).
Engel, Marian [R] (1933-85) : Bear (1976), The Glassy Sea, Lunatic Villas.
Findley, Timothy [R] (1930) : The Wars (1977), Famous Last Words (1981), le Grand Élysium hôtel (1984), Stones (1988).
Freeman, David [D] (1945) : Creeps (1972).
Frye, Northrop [Cr] (1912-91).
Gallant, Mavis [R] (1922) : Home Truths (1981), Rue de Lille (1988), les Quatre Saisons, l'Été d'un célibataire (1989).
Glassco, John [E] (1909-81).
Gray, John [D] (1946) : Billy Bishop Goes to War, Rock and Roll (1982).
Gwyn, Richard [J] (1934).
Harlow, Robert [R] (1923) : Scann (1972), Paul Nolan (1983), The Saxophone Winter (1988).
Herbert, John [D] (1926) : Aux yeux des hommes (1967), Some Angry Summer Songs (1976).
Hodgins', Jack [R] (1938) : Spit Delaney's Island, the Resurrection of Joseph Bourne, The Honourary Patron (1988).
Kinsella, W.P. [R] (1935) : Dance Me Outside (1977), Shoeless Joe Jackson Comes to Iowa (1980).
Klein, A.M. [P, R] (1909-72).
Kroetsch, Robert [R] (1927) : The Studhorse Man (1969), Alibi, Advice to my Friends.
Laurence, Margaret [R] (1926-87) : l'Ange de pierre (1964), les Gracles, Ta maison est en feu.
Layton, Irving [P] (1912).
Lee, Dennis [P] (1939).
Livesay, Dorothy [P] (1909).
MacLennan, Hugh [R] (1907-90) : Two Solitudes (1945), The Watch that Ends the Night (1958), Voices in Time (1980).
McCall-Newman, Christina [J, H] (1936), Grits : an Intimate Portrait of the Liberal Party (1982).
McLuhan, Marshall [Soc] (1911-80) : la Galaxie Gutenberg (1962), Pour comprendre les médias (1964), D'œil à oreille (1977).
Maillard, Keth [R] (1942) : The Knife in my Hands (1981), Cutting Through (1982).
Mistry, Robinton [E] (1952).

Mitchell, W.D. [R] (1914) : Qui a vu le vent (1947), Ladybug (1988).
Moore, Brian [R] (1921) : The Luck of Ginger Coffey (1960), Robe noire.
Mowat, Farley [R, Ethn, Polé] (1921) : People of the Deer (1952), Mes amis les loups (1963), Ouragan aux Bermudes (1979), Virunga (1987).
Munro, Alice [R] (1931) : Lives of Girls and Women (1971), Who do You Think You Are ? (1978), les Lunes de Jupiter (1982).
Newlove, John [P] (1938).
Newman, Peter C. [J] (1929).
Nowlan, Alden [P] (1933-83).
O'Hagan, Howard [R] (1902-82) : Tay John.
Ondaatje, Michael [P, R] (1943) : The Collected Works of Billy the Kid (1970), There's a Trick with a Knife I'm Learning to Do (1979), Running in the Family, Secular Love, la Peau du lion (1987).
Ormsby, Margaret A. [H] (1909).
Page, P.K. [P] (1916).
Reaney, James [P] (1926).
Ricci, Nino [E] (1959).
Richard, David [E] (1950).
Richler, Mordecai [R] (1931) : le Choix des ennemis, Apprentissage de Duddy Kravitz.
Ritchie, Charles [Pol] (1906).
Rooke, Leon [R] (1934) : Fat Woman (1980), Shakespeare's Dog (1983).
Ross, James-Sinclair [R] (1908) : As for Me and My House (1941), The Race and Other Stories.
Saul, John [R] (1947) : l'Ennemi du bien (1986), Paradis Blues (1988).
Simpson, Jeffrey Carl [H] (1949) : Discipline of Power (1980).
Skelton, Robin [P] (1925).
Smart, Elizabeth [R] (1913-86) : By Grand Central Station I Sat Down and Wept (1945).
Stewart, Roderick [B] (1934) : Norman Bethune.
Suknaski, Andrew [P] (1942).
Vanderhaege, Guy [R] (1951) : Man Descending : Selected Stories (1982).
Wade, Mason [H] (1913).
Watkins, Mel [Soc, Pol] (1932).
Watson, Sheila [R] (1909) : The Double Hook.
Webb, Phyllis [P] (1927).
Wiseman, Adele [R] (1928) : the Sacrifice (1956), Crackpot, Letter to the Past : an Autobiography.
Woodcock, George [H, P, R] (1912) : Gabriel Dumont, Faces from History.

LITTÉRATURE ESPAGNOLE

QUELQUES MOUVEMENTS

Lyrisme catalan. Troubadours occitans. Vivace à Barcelone, puis à Valence ; pratique en outre l'allégorisme. Raymond Lulle (1235-1315), Ausias March (1397-1459), Jaime Roïg (1409-78).

Poèmes chevaleresques. *Romanceros :* recueils de récits chevaleresques (versifiés), du type des poèmes épiques français. Au XVe s., Garcia Rodriguez de Montalvo crée dans leur tradition le roman de chevalerie : Amadis de Gaule, modèle de la littérature romanesque entre 1650 et 1750.

Gongorisme (ou cultéranisme). Expression littéraire recherchée de sentiments raffinés. Dans la tradition des troubadours occitans du Moyen Age espagnol, celle du *trobar clus* (poésie hermétique). Luis de Gongora (1561-1627), les frères Argensola : Bartolomé (1562-1631), Lupercio (1559-1613).

Picarisme. Roman de l'antihéros. Les personnages sont des coquins et des antisociaux. Miguel de Cervantès [1547-1616, Sancho Pança (et Don Quichotte est un Amadis ridiculisé)] ; Mateo Alemán (1547?-1614), Vicente Espinel (1550-1624), Lazarillo de Tormes (1554, anonyme), Francisco López de Ubeda (1558-80).

Mystiques. Sainte Thérèse d'Avila (1515-82), saint Jean de la Croix (1542-91).

Génération de 1898. Réaction contre la tendance à la rhétorique. Cherche à exprimer en langage dépouillé. Sens moral chrétien et inquiétude patriotique. Miguel de Unamuno (1864-1936), Jacinto Benavente (1866-1954), Pio Baroja (1872-1956), Azorin (1874-1967), Antonio Machado (1875-1939), Ramiro de Maeztu (1875-1936).

Génération de 1927. Tricentenaire de la mort de Gongora dont plusieurs se réclament : Raphaël Alberti (1902), Dámaso Alonso (1898-1990), Vicente Aleixandre (1898-1984), Miguel Ayllon Altolaguirre (1906-59), José Bergamin (1894-1983), Luis Buñuel (1900-83), Jorge Guillèn (1893-1984), Federico Garcia Lorca (1899-1936).

NÉS ENTRE 1100 ET 1400

Anonymes : le Poème du Cid (Cantar de mio Cid) (vers 1140), Roncevaux, les Sept Enfants de Lara, la Grande Conquête d'outre-mer (XIIIe s.), les Enfances du Cid, Danses de la mort (XIVe s.).
Alphonse X le Savant [P, H, E] (1221-84) (roi de Castille et empereur d'Allemagne) : Cantiques de sainte Marie, Première Chronique générale.
Avicébron (Salomon ibn Gabirol) [Ph] (juif esp. v. 1020-v. 1058) : la Source de vie.
Berceo, Gonzalo de [E] (v. 1198-apr. 1264) : les Miracles de Notre-Dame.
Juan Manuel, l'Infant [Mor] (1282-1348) : Livre de Petronio ou le comte Lucanor.
López de Ayala, Pedro [H] (1332-1407) : Rimado de Palacio.
Lulle Raymond (bienheureux) surnommé le Docteur illuminé [Ph, alchimiste] (v. 1235-1315) : Ars magna, Livre de l'Ami et de l'Aimé.
Maimonide, Moïse [Médecin, Théo, Ph] (juif esp. 1135-1204) : le Guide des égarés.
Mendoza, Iñigo López de (Mis de Santillana) [P] (1398-1458) : Sonnets.
Pérez de Guzmán, Hernán [P, H, E] (v. 1376-v. 1458).
Ruiz, Juan (archiprêtre de Hita) [P] (v. 1285-v. 1350) : le Livre de bon amour.
Sem Tob, le rabbi [Mor] (v. 1300-v. 1370) : Proverbes moraux.

NÉS ENTRE 1400 ET 1500

Boscán, Juan [P] (v. 1495-1542).
Castillejo, Cristóbal de [P] (v. 1490-1550).
Cortés, Hernán [H] (1485-1547) : Lettres sur la conquête du Mexique.
Diaz del Castillo, Bernal [Chr] (1492-1581 ?) : Véritable Histoire de la conquête de la Nouvelle-Espagne (posth. 1632).
Encina, Juan del [D, P] (1468-v. 1529) : Églogues : Cristino et Febea (1509).
Guevara, Fray Antonio de [E, H] (1480-1545) : l'Horloge des princes, Épîtres familières.
Las Casas, Fray Bartolomé de [H] (1474-1566) : Histoire générale des Indes (1552).
Manrique, Gómez [P] (1413-v. 1491).
Manrique, Jorge [P] (v. 1440-78) : Stances sur la mort de son père.
Mena, Juan de [P] (1411-56) : Labyrinthe de fortune ou les trois contes.
Padilla, Juan de [P] (1468-1521).
Rojas, Fernando de [D] (1465-1541) : la Célestine (1499).
Torres Naharo, Bartolomé de [D] (1480-v. 1531) : Hyménée (v. 1515), Propalladia.
Vives, Juan Luis [Ph] (1492-1540).

NÉS ENTRE 1500 ET 1600

Anonyme : le Romancero (recueil de poésies).
Alcazar, Baltasar de [P] (1530-1606).
Alemán, Mateo [R] (1547-1614) : Vie et Aventures de Guzmán de Alfarache (1599).
Argensola, Bartolomé Léonardo de [P, H] (1562-1631). **Lupercio** L. de [P] (1559-1613).
Balbuena, Bernardo de [P, H] (1568-1627).
Castillo y Solórzano, Alonso de [R] (1584-1647) : Hist. et Av. de Doña Rufina.
Castro y Bellvís, Guillén de [D] (1569-1631) : les Enfances du Cid (1618).
Cervantes Saavedra, Miguel de [R] (1547-1616) : Don Quichotte de la Manche (1605-16), Romans exemplaires (1613). *– Biogr. :* famille noble et pauvre de Alcalá de Henares (N.-Castille) ; études à l'université. *1569* cherche fortune en Italie. *1570* s'engage. *1571* Lépante, perd la main gauche. *1573-75* combat en Afrique du N. *1575-80* prisonnier des Barbaresques ; racheté 500 écus. *1581-83* combat (Açores, Algérie). *1584* épouse Catalina de Palacios, s'installe à Esquivias, près de Madrid. *1588-1603* commissaire aux vivres de l'Invincible Armada (séjourne surtout en Andalousie). *1603* près de la Cour, vit mal de ses livres et comédies à Valladolid (1603-06), puis à Madrid.
Céspedes y Meneses, Gonzalo de [P, R] (v. 1585-1638).
Ercilla y Zuñiga, Alonso de [P, H] (1533-94) : l'Araucana (1569-89).
Espinel, Vicente [R] (1550-1624) : Vie de l'écuyer Marcos de Obregón.
Garcilaso de la Vega [P] (1501-36) : Églogues, Élégies.
Góngora y Argote, Luis de [P] (1561-1627) : Sonnets, Romances, Polyphème, les Solitudes.
Herrera, Fernando de [P] (1534-97).
Hurtado de Mendoza, Diego [P, H] (1503-75) : on lui attribue « la Vie de Lazarillo de Tormes » (v. 1526 ; publ. 1554).
Jean de La Croix, saint [P] (1542-91) : Cantique spirituel, Ascension du mont Carmel, Nuit obscure de l'âme.
Luis de Granada, Fray (Or, Théo) (1504-88) : Guide des pécheurs (1556).
Luís de León, Fray [P] (v. 1527-91) : les Noms du Christ (posth. 1631).
Mariana, Juan de [H] (1536-1624) : Histoire d'Espagne.
Montemayor, Jorge de [R, P] (v. 1520-61) : Cancionero (1554), la Diane (1559).
Pérez de Hita, Ginés [H] (v. 1544-v. 1619) : Guerres civiles de Grenade (1595).
Quevedo y Villegas, Francisco Gómez de [E] (1580-1645) : les Songes, Histoire de la vie du Buscón, Don Pablos de Ségovie, Sonnets.
Rueda, Lope de [D] (v. 1510-65).
Ruiz de Alarcón, Juan [D] (v. 1580-1639) : l'Examen des maris, la Vérité suspecte (1630), le Tisserand de Ségovie.
Sahagun, Frère Bernardino de [Théo] (1500 ?-90) : Histoire générale des choses de la Nouvelle Espagne.
Suarez, Francisco (jés.) [Ph, Théo] (1548-1617) : Défense de la foi.
Suarez de Figueroa, Cristobal [Mor, P] (1571-1645?) : le Passager (1617).
Thérèse d'Avila, sainte (de Cepeda y Ahumada ; en religion : Th. de Jésus) [Théo] (1515-82) : Autobiographie (1565), Chemin de la perfection (publ. 1585), Fondations, Château intérieur (1577).
Tirso de Molina (Fray Gabriel Téllez, dit) [D, R] (v. 1584-1648) : le Timide à la cour (1624), les Jardins de Tolède (1624-31), le Séducteur de Séville (1630), les Amants de Teruel (1635).
Valdés, Juan de [E] (v. 1501-41) : Dialogue sur le langage.
Vega Carpio, Félix Lope de [R, D, P] (1562-1635) : Dorothée (1596), Arcadie (1598), l'Étranger dans sa patrie (1604), Odes (1609), le Nouveau Monde (1614), Peribáñez et le Commandeur Ocaña, Fontaux-Cabres, le Chien du jardinier (1618), Aimer sans savoir qui (1630), Le meilleur alcalde, c'est le roi (1635), Fuenteovejuna. *– Biogr. :* noblesse asturienne, fixée à Madrid ; études chez les Théatins de Madrid, puis à l'université de Alcalá. *1582* participe à l'expédition des Açores. *1583-87* secrétaire du Mis de las Navas. *1588* enlève et épouse Isabel de Urbina, s'engage dans l'Invincible Armada. *1588-95* fait partie de la maison du duc d'Albe, puis du Mis d'Alpica. *1598* veuf, se remarie (2 enfants). *1605* célèbre, est pris en charge par le duc de Sessa. *1614* veuf (2e fois) se fait prêtre (chapelain du duc de Sessa jusqu'à sa mort). *1627* le pape Urbain VIII le nomme docteur du Collegium Sapientiae et membre de l'ordre de St-Jean (on l'appelle dès lors Fray Lope).
Vélez de Guevara, Luis [D, H] (1579-1644) : le Diable boiteux, la Reine morte, Théâtre.
Virués, Cristóbal de [P] (1550-apr. 1610).

NÉS ENTRE 1600 ET 1800

Bretón de los Herreros, Manuel [E] (1796-1873) : Marcelle (1831), Descendre de son alpage, Meurs et tu verras, l'École du mariage (1852).
Caballero, Fernán (Cecilia Böhl de Faber) [H] (1796-1877) : Clemencia, la Famille Alvareda (1856), la Mouette.
Cadalso, José [D, P] (1741-82) : Lettres marocaines (1789), Nuits lugubres.
Calderón de La Barca, Pedro [E, D] (1600-81) : La vie est un songe (1631), la Dévotion à la Croix (1634), l'Alcade de Zalamea (1636), le Magicien prodigieux, le Médecin de son honneur (1637), la Fille séduite par Gomez Arias (1672).
Feijóo, Fray Benito Jerónimo [E] (1676-1764) : Théâtre critique, Lettres érudites et curieuses.
Fernández de Moratín, Leandro [D] (1760-1828) : le Oui des jeunes filles (1805), la Comédie nouvelle ou le café (posth. 1838).
Gracián y Morales, Balthasar [D, E] (1601-58) : le Héros, l'Homme de cour, Finesse et art du bel esprit, Criticón, la Pointe ou l'art du génie.
Iriarte, Tomás de [D, P] (1750-91) : Fables.
Isla, Padre Francisco José de [E] (1703-81) : Hist. du fameux prédicateur Frère Gerundio de Campazas alias Zotes (1758).
Jovellanos, Gaspar Melchior de [E] (1744-1811) : le Délinquant honnête (1774), Rapport sur la loi agraire.
La Cruz Cano, Ramón de [H] (1731-94).
Luzán y Claramunt, Ignacio de [P] (1702-54).
Meléndez Valdés, Juan [P] (1754-1817).
Moreto y Cabaña, Agustín [D] (1618-69) : Dédain pour dédain (1652).
Quintana, Manuel José [E, P] (1772-1857) : Vies des Espagnols célèbres (1807-33), Poésies.

Rivas, Ángel de Saavedra, duc de [P] (1791-1865) : Romances historiques, la Force du destin.
Rojas Zorrilla, Francisco de [D] (1607-48) : Garcia del Castañar.
Samaniego, Félix Maria [P] (1745-1801) : Fables morales (1781).
Solis, Antonio de [H] (1610-86) : Hist. de la conquête du Mexique.

Nés entre 1800 et 1900

Alarcón, Pedro Antonio de [R] (1833-91) : Journal d'un témoin de la guerre d'Afrique (1859), le Tricorne (1874), le Scandale (1875).
Aleixandre y Merlo, Vicente [P] (1898-1984) : Des épées comme des lèvres (1932), la Destruction de l'amour (1934), Ombre du paradis (1944), Histoire du cœur (1954), Poésie totale [N 1977].
Alonso, Dámaso [P, Es] (1898-1990).
Azorin (José Martinez Ruiz, dit) [E, R] (1874-1967) : la Volonté (1902), Sur la route de Don Quichotte, Castille, Doña Inés.
Barea, Arturo [R] (1897-1957) : la Forge d'un rebelle (1951), la Route.
Baroja, Pío [R] (1872-1956) : la Maison Aizgorri (1900), Paradox roi, Chemin de perfection (1901), Aurore rouge, Zalacaín l'aventurier (1909).
Bécquer, Gustavo Adolfo [P] (1836-70) : Poésies, Légendes espagnoles.
Benavente y Martinez, Jacinto [D] (1866-1954) : le Nid d'autrui (1894), les Intérêts créés (1907), la Mal-Aimée (1913) [N 1922].
Bergamin, José [E, P, D, Es] (1894-1983) : l'Art de birlibirloque (1930) .
Blasco Ibañez, Vicente [R] (1867-1928) : Terres maudites (1899), Boue et Roseaux (1902), la Cathédrale (1907), Arènes sanglantes (1908), les Quatre Cavaliers de l'Apocalypse (1916).
Campoamor, Ramón de [P] (1817-1901).
Carner, Josep [P, E, R] (1884-1970) : Paliers (1950), Nabi (1959), l'Ébouriffé [1963].
Casona, Alejandro (Rodriguez Alvarez) [D] (1903-65) : Notre Natacha, Les arbres meurent debout, la Dame de l'aube (1963).
Castro, Américo [PH, Es] (1885-1972).
Clarín (Leopoldo Alas, dit) [R, Cr] (1852-1901) : la Régenta (1884), Essais critiques, Contes.
Coloma, Luis [R] (1851-1914) : Bagatelles.
Diego, Gerardo [P] (1896).
Echegaray y Eizaguirre, José [D] (1832-1916) : le Grand Galeoto, le Fils de Don Juan [N. 1904].
Espina, Concha [E] (1877-1955) : la Petite Fille de Luzmela (1910), le Sphinx Maragata (1914).
Espronceda, José de [P] (1808-42) : l'Etudiant de Salamanque, le Diable-Monde.
Felipe, Léon (Felipe Camino Galicia) [P] (1884-1968).
Foix, Josep Vicenç [R] (1893) : Diari 1918, Gertrudis (1927), Krtu (1932).
Ganívet, Angel [R, Cr] (1865-98) : Idearium español, Grenade-la-Belle.
García Lorca, Federico [D, P] (1899-1936) : Romancero gitan (1928), le Public (1930, publ. 1978), Noces de sang (1933), Yerma (1934), la Maison de Bernarda Alba (1936). – *Biogr. :* riche famille de terriens andalous libéraux. *1915-23* licence de droit à Grenade ; pratique surtout musique (piano) et dessin. *1918-27* à Madrid, donne des récitals (poésie et piano). *1928-30* en Amérique ; s'initie au jazz. *1931* République : directeur du Théâtre universitaire et populaire (itinérant). *1933* tournée et conférences en Argentine. *1936* dénoncé aux franquistes par un homosexuel (vengeance) ; fusillé le 19-8.
Gómez de La Serna, Ramón [P] (1888-1963) : Greguerías, Gustave l'incongru, la Veuve noire et blanche.
Guillén, Jorge [P] (1893-1984) : Cantique (1928).
Hartzenbusch, Juan Eugenio [D] (or. all. 1806-80) : les Amants de Teruel (1837).
Jiménez, Juan Ramón [P] (1881-1958) : Chansons tristes (1903), Platero et moi, Journal d'un poète nouveau marié, Éternités (1918) [N. 1956].
Larra, Mariano José de [P, E] (1809-37) : Articles de mœurs.
La Torre, Claudio de [R] (1896-1973) : Hôtel Terminus.
Machado, Antonio [P] (1875-1939) : Solitudes et Galeries, Paysages de Castille (1912), Pages choisies (1917), Poésies complètes (1917).
Machado, Manuel (son frère) [P] (1874-1947) : Julianillo Valcárcel (1926).
Madariaga, Salvador de [Pol] (1886-1978) : Anglais, Français, Espagnols (1929), l'Espagne, Essai d'histoire contemporaine (1978).
Maeztu, Ramiro de [Es] (1875-1936) : la Crise de l'humanisme.
Marañon, Gregorio [H] (1887-1960) : Don Juan.
Marquina, Eduardo [P, R, D] (1879-1946) : Coucher de soleil en Flandre.

Quelques personnages de la littérature espagnole

Le Cid : « romancero » anonyme (XVe siècle) (héros chevaleresque).

La Célestine : Calixte et Melibée (1499) attrib. à Fernando de Rojas (entremetteuse).

Lazarillo de Tormes : roman anonyme de même titre (1554) (jeune aventurier picaresque).

Matamore : comédies populaires (XVIe s., ex. France, Italie) (fanfaron vantard et peureux). Employé par Agrippa d'Aubigné (1578), Corneille (l'Illusion comique, 1636), Scarron (1645) et Théophile Gautier.

Don Quichotte : (1605) de Cervantes (héros chevaleresque caricaturé). *1631* cité par Saint-Amand, *1878* entré dans le dictionnaire de l'Académie. *Dulcinéa de Toboso :* femme idéale.

Sancho Pança : bonhomme terre à terre.

Don Juan : le Séducteur de Séville (1630) par Tirso de Molina (grand seigneur impie et débauché). Origine : au XVIe s., Don Juan Tenorio avait tué, à Séville, le commandeur Ulloa dont il avait enlevé la fille. Repris par Dorimond et Uilliers : *le Festin de pierre ;* Molière : *Dom Juan ou le festin de pierre* (1659).

Martinez Sierra, Gregorio [E] (1881-1947) : Drames, Printemps en automne.
Menéndez Pidal, Ramón [H] (1869-1968) : l'Espagne du Cid (1929 et 1947).
Menéndez y Pelayo, Marcelino [H, Cr] (1856-1912) : Histoire des hétérodoxes espagnols.
Miró, Gabriel [R] (1879-1930) : Notre Père San Daniel, l'Évêque lépreux.
Nuñez de Arce, Gaspar [D, P] (1834-1903).
Ors y Rovira, Eugenio d' [Es] (1882-1954) : la Civilisation dans l'histoire.
Ortega y Gasset, José [Ph, Es] (1883-1955) : l'Espagne invertébrée (1922), Thèmes de notre temps (1923), Écrits en faveur de l'amour, la Révolte des masses (1930), le Spectateur tenté, Histoire comme système (1941).
Palacio Valdés, Armando [R] (1853-1938) ; José (1885), Riverita (1886), le Quatrième Pouvoir (1888), le Village perdu (1911).
Pardo Bazán, Emilia de [R] (1851-1921) : le Château d'Ulloa (1886).
Pereda y Porrúa, José Maria de [R] (1833-1906) : Sotileza (1893), Sur les hauteurs.
Pérez de Ayala, Ramón [R] (1881-1962) : Apollonius et Bellarmin (1921), Juan le tigre (1926).
Pérez Galdós, Benito [R, D] (1843-1920) : Épisodes nationaux, Doña Perfecta (1887), l'Interdit (1884), Fortunata y Jacinta (1887), Angel Guerra, Nazarín (1895), Miséricorde (1897).
Rueda Santos, Salvador [P] (1857-1933) : Chants de Castille.
Salinas, Pedro [P] (1891-1951) : la Voix qui t'est due (1933), Raison d'amour (1936).
Unamuno, Miguel de [P, Ph] (1864-1936) : *Essais :* l'Essence de l'Espagne (1895-1902), le Sentiment tragique de la vie (1913), Brouillard (1914). *Poésie :* Cancionero (posth. 1953). *Journal.*
Valera y Alcalá Galiano, Juan [E, P] (1824-1905) : Pepita Jiménez, la Grande Jeannette, Doña Luz.
Valle-Inclán, Ramón Maria del [D, R, P] (1870-1936) : *Théâtre :* Comédies barbares (1907-22), Divines Paroles (1920), Lumières de Bohême (1924). *Romans :* Sonates (1902-05), Jardin ombreux (1905), Fleur de sainteté (1907), la Guerre carliste, Tirano Banderas.
Zorrilla y Moral, José [D, P] (1817-93) : Don Juan Tenorio (1844).

Nés depuis 1900

Alberti, Rafael [D, P] (1902) : le Marin à terre, Sur les anges, Élégie civique, le Repoussoir.
Aub, Max [R] (1903-72) : le Labyrinthe magique, Jusep Torres Campalans, les Bonnes Intentions.
Azua, Felix de [E, R] (1944) : les Leçons de Iéna, le Paradoxe du primitif, Hautes trahisons.
Benet, Juan [R, Nouv.] (1927-93) : Baalbec, Une tache, Tu reviendras à Région, l'Autre Maison de Mazón, Lances rouillées.
Buñuel, Luis [Cr] (1900-83) : Mon dernier soupir.
Caballero Bonald, José Maria [R, P] (1926) : Deux Jours de septembre.
Cela, Camilo José [R, N] (1916) : San Camilo (1936), la Famille de Pascal Duarte (1942), Pavillon de repos (1943), Nouvelles Aventures et mésaventures de Lazarillo de Tormes (1944), Voyage en Alcarria (1948), la Ruche (1951), Mrs. Caldwell parle à son fils (1953), la Catira (1955), l'Office des ténèbres (1973), Mazurka pour deux morts (1983), le Joli Crime du carabinier [N 1989].
Celaya, Gabriel [P] (1911-91) : Chants ibères (1955), l'Irréductible Diamant, l'Espagne en marche.
Cernuda, Luis [P] (1904-63) : la Réalité et le désir, Ocnos.
Corrales Egea, José [R] (1919-90) : l'Autre Face (1960), Semaine de passion (1976).
Delibes, Miguel [R] (1920) : le Chemin (1950), la Feuille rouge (1959).
Espriu, Salvador [P] (1913-85) : la Peau de taureau.
Fernandez de La Reguera, Ricardo [R] (1914) : Quand vient la mort, le Poids des armes (1954).
Fernandez Santos, Jesús [R] (1926-88) : les Fiers (1954), Extramuros.
Ferrater, Gabriel [Ling] (1922-72) : Théorie des corps.
Ferrater Mora, José [P, R] (1912-91).
Fuster, Joan [Es] (1922-92) : Nous les Valenciens (1962).
García Hortelano, Juan [R] (1928) : Orage d'été.
García Pavón, Francisco [R] (1919) : les Sœurs rouquines, le Rapt des Sabines, Nouvelles Histoires de Pline.
Gimferrer, Pere [P] (1945) : Mer embrasée, Giorgio De Chirico.
Gironella, José Maria [R] (1917) : les Cyprès croient en Dieu, Un million de morts, Un homme.
Goytisolo, Juan [R] (1931) : Jeux de mains, Deuil au paradis, le Ressac, Pièces d'identité, Don Julián, Juan sans terre (1975), la Isla, Makbara, Chroniques sarrasines, Chasse gardée, En los reinos de taifa.
Goytisolo-Gay, Luis [R] (1935) : Du côté de Barcelone.
Grosso, Alfonso [R] (1928) : la Procession.
Guelbenzu, José Maria [R] (1944) : Rivière de lune.
Hernández, Miguel [P] (1910-42) : l'Enfant laboureur (1953).
Herrera Petere, José [P] (1910) : Arbre sans terre, Dimanche vers le sud.
Juan-Arbó, Sebastian [R, Es] (1902) : l'Inutile Combat, Terres de l'Èbre, Sous les pierres grises.
Laforet, Carmen [R] (1921) : Nada (Rien).
Lera, Angel Maria de [R] (1912) : les Trompettes de la peur, la Noce, les Derniers Étendards (1967).
López Pacheco, Jesús [P, R] (1930) : Centrale électrique (1957), Je jure sur l'Espagne (1961).
López Salinas, Armando [R] (1925) : la Mine (1949), Chaque jour compte en Espagne.
March, Susana [E] (1918) : les Ruines et les jours (1955).
Marsé, Juan [P, R] (1933) : Dernières Soirées avec Thérèse (1965), Boulevard du Guinardo (1984).
Martín Gaite, Carmen [E] (1925) : A travers les persiennes (1958).
Martín Santos, Luis [R] (1924-64) : les Demeures du silence (1962).
Matute, Ana María [R] (1926) : le Temps, Plaignez les loups, les Brûlures du matin, les Soldats pleurent la nuit, la Trappe, la Tour de guet.
Mendoza, Eduardo [R] (1943) : la Vérité sur l'affaire Savolta (1987), la Ville des prodiges (1988), l'Île enchantée.
Moix, Terenci [R] (1945) : le Jour où est morte Marilyn (1987).
Otero, Blas de [P] (1916-79) : Je demande la paix et la parole, Parler clair.
Porcel, Baltasar [R] (1937) : les Frères Tambourini (1977), Galop vers les ténèbres (1990).
Puertolas, Soledad [R] (1947) : le Bandit doublement armé (1979), l'Indifférence d'Éva (1983), Reste la nuit (1989).
Quiroga, Elena [R] (1921) : la Sève et le sang.
Rios, Julian [E] (1941) : Larva (1980).
Romero, Luis [R] (1916) : la Noria, les Autres.
Sánchez Ferlosio, Rafael [R] (1927) : Inventions et pérégrinations d'Alfanhui, les Eaux du Jarama.
Sastre, Alfonso [D] (1926) : l'Escouade marche à la mort (1953), Ana Kleiber, Guillaume Tell a l'air triste, le Corbeau.
Semprun, Jorge [ministre de la Culture, 1988-mars 91, R], (1923) : le Grand Voyage (1963), La guerre est finie (1966), l'Évanouissement (1967) ; *écrit en français :* la Deuxième mort de Ramón Mercader (F 1969), Quel beau dimanche, Netchaiev est de retour (1987).
Sender, Ramón [R] (1902) : Contre-Attaque en Espagne, Noces rouges (1942), le Roi et la Reine, la Sphère, le Bourreau affable (1952), Requiem pour un paysan espagnol.
Serrano Plaja, Arturo [P] (1910) : Ombre indécise (1934), Exil éternel (1936).
Torrente Ballester, Gonzalo [R] (1910).
Vazquez Montalban, Manuel [E, J, R] (1939) : le Pianiste, la Rose d'Alexandrie, Happy End.
Zambrano, María [E, Ph] (1904-91).

Littérature hispano-américaine

Acuña, Manuel (Mexique) [P] (1849-73, suicidé).

Alcorta, Gloria (Argentine) [E] (1915) : l'Hôtel de la Lune (1957), En la Casa muerta (1966), l'Oreiller noir (1978).

Alegría, Ciro (Pérou) [P, R] (1909-67) : Vaste est le monde (1941).

Amorím, Enrique (Uruguay) [R, P] (1900-60) : la Roulotte (1932).

Arenas, Reinaldo (Cuba) [R] (1943-90) : le Monde hallucinant (1969), le Puits (1973), le Palais des très blanches mouffettes (1975), Voyage à la Havane, Avant la nuit.

Argüedas, Alcides (Bolivie) [H, R] (1879-1946) : Race de bronze (1919).

Arguedas, José Maria (Pérou) [E] (1914-69) : les Fleuves profonds, Tous sangs mêlés.

Aridjis, Homero (Mexique) [E] (1940) : 1492, les Aventures de Juan Cabezón de Castille.

Arreola, Juan José (Mexique) [R] (1925) : Confabulario, la Foire.

Arrufat, Anton (Cuba) [P, R] (1938).

Asturias, Miguel Angel (Guatemala) [P, R] (1899-1974) : *Romans :* Légendes du Guatemala, Monsieur le Président (1946), Hommes de maïs (1949), l'Ouragan, le Pape vert, les Yeux des enterrés, Une certaine mulâtresse, le Miroir de Lida Sal, le Larron qui ne croyait pas au ciel, Trois des quatre soleils, Vendredi des douleurs (1972). *Poésies :* Messages indiens, Claire Veillée de printemps [N 1967].

Azuela, Mariano (Mexique) [R, E] (1873-1952) : Mauvaise Graine, Ceux d'en bas.

Barnet, Miguel (Cuba) [E] (1940) : Esclave à Cuba (1966), Akeké y la jutía (1979).

Barreiro-Saguier, Rubén (Paraguay) (1930) : Pacte du sang (1971).

Barrios, Eduardo (Chili) [R] (1884-1950) : Frère Ane (1923).

Bello, Andrés (Venezuela) [P] (1781-1864).

Benedetti, Mario (Uruguay) [E] (1920) : Avec et sans nostalgie (1978), la Trève (1960).

Bianciotti, Hector (Argentine) [R] (1930 nat. Français 1981) : voir p. 295 c.

Blest, Alberto (Chili) [R] (1830-1920) : Martín Rivas (1862).

Blest Gana, Guillermo (Chili) [P] (1829-1905).

Borges, Jorge Luis (Argentine) [E] (1899-1986) : Histoire de l'infamie, l'Aleph, Enquêtes, Evaristo Carriego, le Livre de sable, Neuf essais sur Dante, les Conjurés, le Chiffre (1988) : voir aussi p. 271 b.

Britto-Garcia, Luis (Venezuela) [D, E] (1940).

Bryce Echenique, Alfredo (Pérou) [R] (1939) : Julius, Si souvent Pedro, Je suis le roi (1980), la Passion selon Pedro Balbuena (1980), la Vie exagérée de Martín Romana.

Cabrera Infante, Guillermo (Cuba) [R] (1929) : Trois Tristes Tigres (1967), Havane pour une infante défunte (1979).

Calveyra, Arnaldo (Argentine) [P] (1930).

Cardenal, Ernesto (Nicaragua) [P] (1925).

Carpentier, Alejo (Cuba) [R] (1904-80) : le Partage des eaux (1933), le Royaume de ce monde (1949), Guerre du temps (1956), le Siècle des lumières (1962), Concert baroque, le Recours de la méthode (1974), la Harpe et l'ombre, la Danse sacrale (1979), Ekoué-Yamba-O, Histoires de lunes.

Carrera Andrade, Jorge (Équateur) [P, Es] (1902-78) : le Temps manuel (1935), Biographie à l'usage des oiseaux (1937), Inventaire du monde (1940), Dicté par l'eau (1953), Famille de la nuit (1954), l'Homme planétaire (1959).

Casaccia, Gabriel (Paraguay) [R] (1907-80) : la Limace.

Castellanos, Rosario (Mexique) [R] (1925-74) : les Étoiles d'herbe, le Christ des ténèbres.

Cortázar, Julio (Argentine) [R] (1914-84) : les Armes secrètes (1959), Histoires de Cronopes et Fameux, Marelle, Tous les feux, le feu (1966), le Tour du jour en 80 mondes (1967), le Livre de Manuel (1973), Façons de perdre, Nous l'aimons tant, Glenda (1980), Prose de l'observatoire.

Dalton, Roque (Salvador) [P] (1935-75) : les Morts sont de jour en jour plus indociles.

Darío, Rubén (Felix Rubén Garcia-Sarmiento, dit) (Nicaragua) [P] (1867-1916) : Proses profanes, Azul (1888), l'Espagne contemporaine (1901), les Chants de vie et d'espérance (1905), Terres solaires.

Del Paso, Fernando (Mexique) [R] (1935) : Palinure de Mexico, Des nouvelles de l'Empire.

Denevi, Marco (Argentine) [R] (1922) : Josaura vient à dix heures.

Donoso, José (Chili) [R] (1924) : Ce lieu sans limites (1967), l'Obscène Oiseau de nuit (1970).

Droguett, Carlos (Chili) [R] (1912) : Eloy (1960), Pattes de chien.

Dujovne Ortiz, Alicia (Argentine) [R] (1940) : la Bonne Pauline (1980).

Edwards, Jorge (Chili) [R] (1931) : le Poids de la nuit (1964), les Invités de pierre (1978).

Eielsón, J.E. (Pérou) [R, P] (1924) : le Corps de Giulia-non (1971).

Elizondo, Salvador (Mexique) [R] (1932) : Farabeuf (1965), l'Hypogée secret (1968).

Estrazulas, Enrique (Uruguay) [R] (1942) : le Feu du paradis (1980).

Fernández de Lizardi, José Joaquín, dit « le Penseur mexicain » (Mexique) [Polé] (1776-1827) : Periquillo Sarmiento (1816).

Fuentes, Carlos (Mexique) [R] (1928) : la Plus Limpide Région, la Mort d'Artemio Cruz (1962), Chant des aveugles, Zone sacrée, Peau neuve, la Tête de l'hydre, Terra nostra (1979), le Vieux Gringo.

Galeano, Eduardo (Uruguay) [R, Cr] (1940) : la Chanson que nous chantons, Jours et Nuits d'amour et de guerre, Mémoire du feu.

Gallegos, Rómulo (Venezuela) [R] (1884-1969) : Doña Bárbara (1929), Cantaclaro, Canaima.

Galván, Manuel de Jesus (Saint-Domingue) [R] (1834-1910) : Enriquillo (1879-82).

Gálvez, Manuel (Argentine) [R] (1882-1962) : l'Ombre du cloître.

García Calderón, Ventura (Pérou) [E] (1886-1959) : la Vengeance du condor (1923), le Sang plus vite, Amour indien.

García Márquez, Gabriel (Colombie) [R] (1928) : les Étrangers de la banane (1955), Pas de lettre pour le colonel (1961), les Funérailles de la grande mémé (1962), la Mauvaise Heure (1962), Cent ans de solitude (1967), Récit d'un naufragé, la Candide Erendira et sa grand-mère diabolique (1972), l'Automne du patriarche (1975), Chronique d'une mort annoncée (1982), l'Amour au temps du choléra (1987), le Général dans son labyrinthe, 12 Nouvelles vagabondes. [N 1982].

Garcilaso de la Vega, dit l'Inca (Pérou) [H] (1549-1616) : Histoire des Incas, les Commentaires royaux.

Garibay, Ricardo (Mexique) [R, P] (1923) : La maison qui brûle la nuit.

Gavidia, Francisco (Salv.) [D, P] (1863-1955).

Gerbasi, Vicente (Venezuela) [P] (1913) : Mon père l'émigrant, les Espaces chauds.

Giardinelli, Mempo (Argentine) [R] (1947) : la Révolution à bicyclette (1980), la Lune ardente.

Glanz, Margo (Mexique) [R] (1945).

Gomez de Avellenada, Gertrudis (Cuba) [P, R, D] (1814-75) : la Croix, Guatimozín, le Prince de Viana.

Gonzales y Contreras, Gilberto (Salvador) [Es, P, Cr) (1904-54).

Gonzalez Prada, Manuel (Pérou) [Polé] (1848-1918).

Guido, Beatriz (Argentine) [R] (1924-86) : la Maison de l'Ange (1955), la Chute (1985).

Guillén, Nicolás (Cuba) [P] (1902-89) : Chansons cubaines, Elégies antillaises.

Gutiérrez, Gustavo (Pérou) [Théo] (1928).

Guzmán, Martín Luis (Mexique) [R] (1887-1976) : l'Aigle et le Serpent, l'Ombre du Caudillo.

Hernández, Felisberto (Uruguay) [E] (1902-64) : les Hortenses.

Hernández, José (Argentine) [P] (1834-86) : Martín Fierro (1872-79).

Huidobro, Vicente (Chili) [P] (1893-1948) : Vents contraires (1926), Altazor Manifestes.

Ibarbourou, Juana de (Uruguay) [P] (1895-1979) : Langues de diamant (1919).

Icaza, Jorge (Équateur) [R] (1906-78) : Huasipungo, la Fosse aux Indiens (1934), Cholos (1937), l'Homme de Quito (1958).

Isaacs, Jorge (Colombie) [P, R] (1837-95) : Maria.

Juarroz, Roberto (Argentine) [P] (1926).

Latorre, Mariano (Chili) [R] (1886-1955) : l'Ile aux oiseaux.

Lezama Lima, José (Cuba) [P, R] (1912-76) : Paradis (1966).

Liscano, Juan (Venezuela) [P] (1916) : Poèmes.

Lugones, Leopoldo (Argentine) [P, Pol] (1874-1938) : les Montagnes de l'or (1897), les Odes séculaires (1910), la Grande Argentine (1931).

Lynch, Marta (Argentine) [E] (1930).

Mallea, Eduardo (Argentine) [E] (1903) : Chaves, la Barque de glace.

Manet, Eduardo (Cuba) [R, D] (1927) : les Nonnes.

Manzur, Gregorio (Argentine) [D, P, R] (1936) : Solstice du jaguar, la Gorge de l'aigle (1978).

Marechal, Leopoldo (Argentine) [P] (1900-70).

Marmól, José (Argentine) [P, R] (1817 ?-71) : le Pèlerin (1846), Amalia (1851-55).

Martí, José (Cuba) [P] (1853-95) : Notre Amérique.

Masferrer, Alberto (Salvador) [E] (1868-1932).

Mistral, Gabriela (Chili) [P] (1899-1957) : Cordillère, Poèmes, Désolation [N 1945].

Mizón, Luis (Chili) [R] (1942) : la Mort de l'Inca.

Montalvo, Juan (Équateur) [E] (v. 1833-89).

Mujica Lainez, Manuel (Argentine) [R] (1910-84) : Bomarzo.

Mutis, Alvaro (Colombie) [P] (1923) : la Neige de l'amiral, Écoute-moi, Amirbar.

Neruda, Pablo (Neftali Reyes) (Chili) [P] (1904-73) : Résidence sur la terre (1933-47), le Chant général (1950), Odes élémentaires, Vaguedivague, la Centaine d'amour, Mémorial de l'Ile-Noire, l'Épée de flammes (1970), les Pierres du ciel/les Pierres du Chili (1972), J'avoue que j'ai vécu [N 1971].

Ocampo, Victoria (Argentine) [Es] (1891-1979) : Faits divers de la terre et du ciel.

Olmedo, José Joaquin (Équateur) [P] (1780-1847) : Ode à la victoire de Janin.

Onetti, Juan Carlos (Uruguay) [R] (1909) : le Puits (1939), la Vie brève (1950), le Chantier, Tombe anonyme, Trousse-Vioques (trilogie 1961-64), Ramasse-Vioques, les Bas-Fonds du rêve.

Orgambide, Pedro (Argentine) [Es, P, R] (1929) : Mémoires d'un honnête homme (1964), le Désert, Hôtel Familias (1972).

Ortíz, Adalberto (Éq.) [R] (1914) : Juyungo.

Padilla, Heberto (Cuba) [P] (1932) : Hors jeu.

Palma, Ricardo (Pérou) [Pros] (1833-1919).

Paz, Octavio (Mexique) [P, Es] (1914) : Liberté sur parole (1960), le Labyrinthe de la solitude, Aigle ou Soleil ?, l'Arc et la lyre, Pierre de soleil, la Fille de Rappaccini, Conjonctions et disjonctions, Courant alternatif, Mise au net, Sor Juana Inez de la Cruz, L'arbre parle [N 1990].

Pitol, Sergio (Mexique) [E] (1936) : Parade d'amour, les Apparitions intermittentes d'une fausse tortue.

Poniatowska, Elena (Mexique) [J, E] (1933) : Vie de Jesusa, Cher Diego, Quiela t'embrasse, la Fille du philosophe.

Puig, Manuel (Argentine) [R] (1932-90) : le Baiser de la femme araignée (1976).

Quiroga, Horacio (Uruguay) [R] (1878-1937) : Contes d'amour de folie et de mort (1917).

Rama, Angel (Uruguay) [Cr] (1926).

Reyes, Alfonso (Mexique) [E] (1889-1959) : Vision de l'Anáhuac.

Ribeyro, Julio Ramón (Pérou) [R] (1929) : Charognards sans plumes, Chronique de San Gabriel.

Rivera, José Eustasio (Colombie) [P, R] (1889-1928) : la Voragine (1924).

Roa Bastos, Augusto (Paraguay) [E] (1917) : le Feu et la lèpre, Moi le Suprême, Mourance.

Rodó, José Enrique (Uruguay) [Pros] (1871-1917) : Variations sur Protée.

Rodriguez Monegal, Emir (Uruguay) [Cr] (1921) : Neruda, le Voyageur immobile.

Romero de Nohra, Flor (Colombie) [R] (1933) : Crépitant Tropique (1978).

Rulfo, Jean (Mexique) [R] (1918-86) : le Llano en flammes, Pedro Páramo (1955).

Sabato, Ernesto (Arg.) [R] (1911) : le Tunnel (1948), Alejandra, l'Ange des ténèbres (1974).

Saer, Juan Jose (Argentine) [P, R] (1938) : Nadie, Nunca Nada (1979), les Grands Paradis, l'Ancêtre.

Sánchez, Nestor (Argentine) [R] (1935) : Nous deux, Pitre de la langue.

Sanchez Juliao, David (Colombie) [E] (1945).

Sarduy, Severo (Cuba) [R] (1937) : Gestes, Écrit en dansant, Cobra, Colibri.

Sarmiento, Domingo Faustino (Argentine) [R] (1811-83) : Facundo (1845), Souvenirs de province.

Scorza, Manuel (Pérou) [R] (1928) : Roulement de tambours pour Rancas, Garabombo l'invisible.

Silva, Miguel Otero (Venezuela) [R] (1908) : Maisons mortes, Et retenez vos larmes.

Skarmeta, Antonio (Chili) (1940) : Beaux enfants, vous perdez la plus belle rose (1979).

Solarte, Tristán (Panamá) [R] (1924) : le Noyé.

Soriano, Oswaldo (Argentine) [R] (1943) : Quartiers d'hiver (1981).

Sosa, Roberto (Honduras) [P] (1930) : les Pauvres, Un monde divisé pour tous.

Spota, Luis (Mexique) [R] (1925-85) : C'est l'heure, matador.

Tejera, Nivaria (Cuba) [R, P] (1930) : le Ravin, Somnambule du soleil.

Torre, Javier (Argentine) [R] (1950) : Rubita (1975), Quemar las naves (1983).

Torres Bodet, Jaime (Mexique) [P, Es] (1902-74) : Civilisation, l'Éducation sentimentale (1931).

Triana, José (Cuba) [D] (1931) : la Nuit des assassins (1965).

Uribe, Armando (Chili) [F] (1933) : Ces messieurs du Chili (1979).

Uslar Pietri, Arturo (Venezuela) [R, E] (1905) : les Lances rouges (1931), le Chemin de El Dorado (1947), Office des morts (1976).

Valladares, Armando (Cuba) [P] (1937).

Vallejo, César (Pérou) [P] (1892-1938) : les Hérauts noirs, Trilce, Poèmes humains, Espagne écarte de moi ce calice.

Vargas Llosa, Mario (Pérou) [R] (1936) : la Ville et les chiens, la Maison verte (1965), Conversation à la cathédrale, Pantaleón et les visiteuses, l'Orgie perpétuelle (1975), la Guerre de la fin du monde, la Tante Julia et le scribouillard, l'Homme qui parle,

Contre vents et marées, Éloge de la marâtre, Sur la vie et la politique, la Vérité par le mensonge.

Viglietti, Daniel [F] (1939) : Chansons pour notre Amérique (1975).

Yáñez, Agustín (Mexique) [R] (1904-80) : Demain la tempête (1947).

Yurkievich, Saúl (Argentine) [Cr, P] (1931).

Zalamea, Jorge (Colombie) [P] (1905-69) : le Grand Burundun-Burunda est mort (1952).

Zorrilla San Martín, José (Uruguay) [P] (1855-1931) : Tabaré.

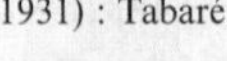

LITTÉRATURE FRANÇAISE

☞ Le Petit Larousse définit 58 700 mots de la langue française. Le Grand Larousse de la langue française en 7 volumes en définit 75 600 (en laissant de côté certains domaines spécialisés).

QUELQUES MOUVEMENTS LITTÉRAIRES

■ XVIe SIÈCLE

La Pléiade. Appelée la « Brigade », puis la « Pléiade » (1556), du nom de la constellation de 6 (7 pour les Grecs anciens) étoiles (filles d'Atlas et de Pléione) donné déjà à une réunion de poètes dans la Grèce antique : rejette la poésie à forme fixe héritée du Moyen Age, et vise à recréer le « grand lyrisme » imité de l'Antiquité (notamment les Odes). Pierre de Ronsard (1524-85), Joachim Du Bellay (1522-60), Jean-Antoine de Baïf (1532-89), Pontus de Tyard (1521-1605), Étienne Jodelle (1532-73), Rémi Belleau (1528-77), Jacques Peletier du Mans (1517-82) [Jean Dorat (1508-88) lui fut substitué dans la liste].

Humanisme. Né au XVe s. en Italie, épanouissement en Europe au XVIe ; influencé par l'Antiquité gréco-latine. Jacques Lefèvre d'Étaples (1450-1537), théol. ; Guillaume Budé (1467-1540), philologue ; Rabelais (v. 1494-1553) ; Amyot (1513-93).

■ XVIIe SIÈCLE

Préciosité. Style littéraire importé d'Espagne [gongorisme, créé par Luis Gongora (1561-1627)]. Recherche l'expression originale et compliquée de sentiments raffinés. Madeleine de Scudéry (1607-1701), d'Urfé (1567-1625), Voiture (1598-1648).

A créé des expressions originales et recherchées. Beaucoup ont passé de mode, ex. : *Achever :* rendre complet ; *Aimer :* avoir un furieux tendre pour ; *Balai :* l'instrument de la propreté ; *Chandelle :* supplément du soleil ; *Chapeau :* l'affronteur des temps ; *Cheminée :* empire de Vulcain ; *Chemise :* compagne perpétuelle des morts et des vivants ; *Chenets :* les bras de Vulcain ; *Chien qui fait sa crotte :* chien qui s'ouvre furieusement ; *Dents :* ameublement de la bouche ; *Eau (verre d') :* bain intérieur ; *Joues :* les trônes de la pudeur ; *Larmes :* les perles d'Iris ; *Main :* la belle mouvante ; *Se marier :* donner dans l'amour permis ; *Miroir :* le conseiller des grâces, le peintre de la dernière fidélité, le singe de la nature, le caméléon ; *Nez :* la porte du cerveau, les écluses du cerveau ; *Peigner (se) :* se délabyrinther les cheveux ; *Perruque :* jeunesse des vieillards ; *Pieds :* les chers souffrants ; *Il pleut :* le troisième élément tombe ; *Poissons :* habitants du royaume de Neptune ; *Sièges :* les commodités de la conversation.

Certaines sont devenues courantes, ex. : avoir bel *air,* un *ajustement,* avoir l'*âme* sombre, être aux *antipodes* de..., *avantageux,* les *bras* m'en tombent, le *centre* du bon goût, *conditionné,* les derniers *confins,* avoir une *conversation* avec quelqu'un, *corps de garde, dauber, demeurée* (l'intelligence), être du *dernier* bourgeois, *donner* dans le vrai, *donner* à la nature son tribut, une taille *élégante,* l'*élément* liquide, une intelligence *épaisse, façonnée,* des baisers *fades,* faire *figure, flatterie,* la *force* des mots, les *incertitudes, incongru, indu,* les *insultes* du temps, être l'*interprète* de, les *inutilités, laisser mourir* la conversation, les *lumières* d'un esprit, *lustré, se lustrer,* un *mouchard, perdre* son sérieux, une *petite* vertu, bien *planté,* à *pleine* bouche, la *portée* de la voix, un *procédé, proprement,* de *qualité, remplir* une solitude, *selon* moi, une vertu *sévère, spirituel,* le *superflu,* le *surcroît, terriblement, tout, uni.*

Quelques phrases : *Inutile, ôtez le superflu de cet ardent,* pour « Laquais, mouchez la chandelle » ; *être de la petite portion* pour « avoir peu de biens » ; *vous m'encendrez et m'encapucinez le cœur* pour « vous me témoignez une grande affection » ; *Portez les miroirs de l'âme sur le conseiller des grâces* pour « Portez les yeux sur ce miroir ».

Burlesque. Réaction contre la préciosité. Exprime des sentiments triviaux dans une langue truculente. Charles d'Assoucy (1605-75), Scarron (1610-60).

Classicisme (règne de Louis XIV). Admiration des Anciens, goût de la rigueur et de la mesure [pour la tragédie *règle des 3 unités :* un seul fait accompli (pas d'intrigues multiples), un seul jour, un seul lieu (pas de changement de décors) ; *Le Cid* de Corneille, tragi-comédie, ne respectait pas ces règles], recherche de la pureté et de la clarté du style. Corneille (1606-84), La Fontaine (1621-95), Molière (1622-73), Pascal (1623-62), Bossuet (1627-1704), Boileau (1636-1711), Racine (1639-99), La Bruyère (1645-96). *Prédécesseurs :* Malherbe (1555-1628), Descartes (1596-1650) ; au XVIIIe s., Voltaire s'en réclame.

Héros cornélien : il croit la volonté humaine plus forte que les impulsions de la sensibilité. Cette volonté est au service d'une morale (créant des devoirs : service du prince, respect d'une foi religieuse, honneur, loyauté envers un proche). Elle entre en conflit dans des situations dites cornéliennes avec le désir de vivre et l'amour individuel. Le héros choisit généralement de sacrifier sa vie et son amour à son devoir, parce que : *1°)* son amour de la vie est en grande partie commandé par la morale (une vie déshonorée est sans valeur) ; *2°)* son amour pour les êtres humains repose avant tout sur l'*estime :* on n'aime pas une personne sans vertu ; on n'a aucune chance d'être aimé si l'on est déshonoré. Le héros se sacrifie en sachant qu'il n'a rien de valable à perdre.

Principales situations cornéliennes : Chimène (dans *le Cid*) demande la mort de son fiancé, pour venger son père : Rodrigue avait renoncé à son amour pour Chimène, en tuant (par devoir) le père de celle-ci. Auguste *(Cinna)* doit compromettre son autorité pour épargner le conspirateur Cinna, qu'il aime tendrement. Le vieil Horace doit sacrifier son seul fils survivant à la gloire de Rome. Polyeucte veut sacrifier sa vie à la gloire du christianisme ; sa femme Pauline sacrifie son amour toujours vivant pour Sévère à son honneur de veuve de martyr. Eurydice *(Suréna)* sacrifie son amour pour Suréna aux intérêts du royaume d'Arménie, etc.

Héros racinien : fataliste, il sait la volonté humaine impuissante en face des pulsions de la sensibilité qui dépendent du Destin (le *Fatum* des Antiques). Cette volonté s'attache surtout à atteindre les objectifs des passions : passion amoureuse (Phèdre), avec comme conséquence le désir de vengeance (Hermione, dans *Andromaque*), jalousie (Roxane, dans *Bajazet,* Néron dans *Britannicus*) ; goût du pouvoir (Néron, Mithridate), fanatisme religieux (Athalie), ambition politique (le Gd vizir Acomat, dans *Bajazet*), amour pour un peuple (Esther), amour maternel (Andromaque), paternel (Agamemnon, dans *Iphigénie*). Souvent la volonté s'avoue trop faible pour résister à l'épreuve imposée par les circonstances : Agamemnon, placé dans une situation cornélienne (son devoir lui impose de sacrifier sa fille), écoute son cœur ; il tâche de faire évader Iphigénie. Bajazet choisit par amour sa propre mort plutôt que celle d'Atalide. Titus et Bérénice capitulent devant le Destin : il n'y a plus de tragédie, mais seulement élégie (lamentation sur la tristesse de la vie).

Jansénisme. Expression littéraire de la doctrine attribuée à Jansenius (1585-1638), représentant une conception religieuse restrictive de la liberté humaine par rapport à Dieu. Défendu par Pascal.

■ XVIIIe SIÈCLE

Encyclopédistes. « Philosophes » subissant l'influence anglaise, rationalistes, anticatholiques, combattant pour la tolérance religieuse et les libertés politiques. Influents, ils occupent vers 1770 les sièges de l'Académie française. Avec les rousseauistes, maîtres à penser des révolutionnaires. Voltaire (1697-1778), Diderot (1713-84), d'Alembert (1717-83).

Rousseauistes et préromantiques. Font passer le sentiment avant la raison, sous l'influence de J.-J. Rousseau (1712-78) : Bernardin de Saint-Pierre (1737-1814), Chateaubriand (1768-1848).

■ XIXe SIÈCLE

Romantiques. Poussent le rousseauisme à l'extrême, et recherchent l'infini dans l'exercice des émotions humaines, sous l'influence allemande : Mme de Staël (1766-1817), Benjamin Constant (1767-1830), Lamartine (1790-1869). En littérature, réaction contre l'idéal classique (véhémence au lieu de mesure) : Hugo (1802-85), Vigny (1797-1863), Stendhal (1783-1842), Balzac (1799-1850), George Sand (1804-76), Musset (1810-57), Alexandre Dumas (1802-70). *Jusqu'à 1830 :* individualiste (exaltation de la sensibilité, imagination ; culte du moi ; goût du pittoresque, de l'exotisme, de la couleur locale). *Après 1830 :* social (humanitarisme, vertus civiques, paix universelle).

Héros romantique : *1°) avant 1830,* personnage aristocratique, individualiste, dédaigneux. Il éprouve le dégoût de la vie (René, de Chateaubriand) ou la tentation de la révolte (Manfred, de Byron), aspire à la solitude, au rêve, à l'amour sans espoir (« ver de terre amoureux d'une étoile »), à l'infini (sentiment religieux, sans appartenance à une religion) ; il comprend les voix secrètes de la nature, mais ne s'engage pas dans l'action par crainte de la malchance (il porte malheur à tout ce qui l'entoure).

2°) après 1830, lancé dans le grand public, le héros romantique parle au peuple (et même pour le peuple ; il deviendra un « mage ») ; enflammé il fait des prophéties sur l'avenir social, de l'apostolat humanitariste, prône l'émancipation des Nations (Pologne, Italie, Grèce) ; il met la poésie et l'histoire au service de l'action ; ses espérances sont infinies (bonheur éternel des peuples par la République universelle). L'individualisme du héros aristocratique a pris la forme d'un attachement passionné à la liberté (qui aboutira plus tard au nihilisme et à l'anarchisme).

Principaux héros romantiques français : *Corinne* (Mme de Staël), *Adolphe* (Benjamin Constant), *Jocelyn* (Lamartine), *Hernani, Quasimodo, Jean Valjean* (Hugo), *Rastignac* (Balzac), *Lélia* (Sand), *Lorenzaccio, Mardoche, Cœlio* (Musset), *Antony* (Dumas).

Réalisme. Réaction contre le romantisme. Recherche précision dans observation et analyse. Influencé par le développement des sciences biologiques, imprégné de philosophie positiviste : Comte (1798-1857), Taine (1828-93). « École de la sincérité dans l'art » : Champfleury (1821-89), Duranty (1833-80), Flaubert (1821-80).

Naturalisme. École groupée autour de Zola (1840-1902), fondant la vérité du roman sur l'observation scrupuleuse de la réalité, même dans ses aspects les plus vulgaires, et sur l'expérimentation : Maupassant (1850-93), les Goncourt (1830-70 et 1822-96), Céard (1851-1924), Paul Alexis (1847-1901), Huysmans (1848-1907). S'y rattachèrent : Alphonse Daudet (1840-97), Mirbeau (1848-1917), Jules Renard (1864-1910), Vallès (1832-85), Rosny (1856-1940), Paul et Victor Margueritte (1860-1918 et 1866-1942). Théâtre : Becque (1837-99).

Parnasse. École poétique (à partir de 1852), condamnant le lyrisme personnel et recherchant une forme impeccable ; 3 recueils collectifs « le Parnasse contemporain » (1866, 71, 76) sont à l'origine du nom (montagne de Grèce, siège d'Apollon : symbolise la poésie classique) : Théophile Gautier (1811-72), Leconte de Lisle (1818-94), Banville (1823-91), Hérédia (1842-1905), Sully Prudhomme (1839-1907), Coppée (1842-1908), Dierx (1832-1912), Verlaine (1844-96) et Mallarmé (1842-98), accueillis dans les 2 premiers fascicules, furent exclus du 3e. Baudelaire (1821-67), qui y figure, n'est pas considéré comme parnassien. *Principaux thèmes :* histoire (tableaux pittoresques, scènes tragiques) ; géographie (paysages exotiques) ; vie sociale (ton parfois moralisateur).

Décadents. Nom donné primitivement (1885) aux futurs symbolistes, par Gabriel Vicaire (1848-1900) et Henri Beauclair (1860-1919), dans leur satire *les Déliquescences,* poèmes décadents d'Adoré Floupette. Ils visaient les disciples de Verlaine, notamment Moréas (1856-1910) qui adoptera cette définition, créant deux revues éphémères : *la Décadence* puis *le Décadent* (1886).

Symbolisme. École poétique et dramatique composée surtout de disciples de Verlaine, se réclamant aussi de Baudelaire (qui a répandu la notion de « symbole »). Un poète doit s'efforcer, non de copier la nature, mais d'exprimer ce qu'elle a d'« ineffable », en l'évoquant au moyen d'images symboliques. *Principaux poètes :* Verlaine, Mallarmé, Moréas, Vielé-Griffin (1863-1937), Régnier (1864-1936), Dujardin (1861-1949). *Dramaturge :* Maeterlinck (Belge) [1862-1949].

■ XXe SIÈCLE

Unanimisme (1906). Doctrine créée par Jules Romains (1885-1972) et Georges Chennevière (1884-1927) : les groupes sociaux connaissent une vie psychique propre comme les individus qui les composent. PRINCIPAUX ROMANS : *les Copains* (1913), *les Hommes de bonne volonté* (1932-1946) de Romains. POÉSIE : *la Vie unanime* (1908) de Romains et *le Printemps* (1911) de Chennevière. THÉÂTRE : *Knock* (1923) de Romains. PROCHE : Charles Vildrac.

Surréalisme. Doctrine littéraire et artistique précisée dans le *Manifeste du surréalisme* d'André Breton (1924), mais déjà pratiquée depuis 1917 par les dadaïstes. Éluard rompt définitivement avec Breton en 1938 ; celui-ci s'exile en Amérique (New York en juil. 1941) et ne revient en Fr. qu'en 1946 ; il est alors combattu par les communistes. *L'Archibras,* dernière revue surréaliste, paraît jusqu'en 1969. Apollinaire (1880-1918), Breton (1896-1966), Aragon (1897-1983), Éluard (1895-1952), Desnos (1900-45), Prévert (1900-77), Char (1907-77), Artaud (1896-1948), Queneau (1908-76). Renouveau en 1971 avec la **Poésie électrique** (Manifeste électrique aux paupières de jupes, signé par 16 jeunes poètes, dont Belteau, Matthieu, Messagier, Alain Jouffroy).

Existentialisme. Mouvement philosophique (le Danois Sören Kierkegaard, 1813-55) animant au XXe s. des romans, drames, essais : l'homme arrive à concevoir l'être, mais n'arrive pas à se concevoir comme un être. Il a conscience d'exister, mais son existence lui semble « absurde » et il se sent destiné au Néant (sentiment de l'Angoisse). *Principaux auteurs français :* Gabriel Marcel (1889-1973), Sartre (1905-80), Camus (1913-60), Simone de Beauvoir (1908-86). Leurs personnages s'engagent dans l'action pour échapper à l'angoisse.

Nouveau Roman. Application, au roman naturaliste, des techniques surréalistes permettant de reconstituer l'atmosphère des rêves : subjectivité (l'auteur brode autour d'un thème qu'il connaît sans le communiquer au lecteur), enchaînement « autistique » des faits (l'histoire ne se déroule ni chronologiquement ni logiquement ; chaque détail du décor peut amener un développement indépendant de l'action), pluriréalité des événements (chaque épisode peut signifier plusieurs choses simultanément). Depuis *1971* (colloque de Cerisy-la-Salle), 7 auteurs ont droit au titre de « nouveaux romanciers » : Butor (1926), Ollier (1923), Pinget (1919), Robbe-Grillet (1922), Nathalie Sarraute (1902), Claude Simon (1913) et Ricardou (auteur du *Nouveau Roman,* 1973). *Principaux auteurs aux techniques analogues :* Claude Mauriac (1914), Le Clézio (1943), Pascal Lainé (1942), Jean-Loup Trassard (1912), Henri Thomas (1912). *Précurseurs* (vers 1950) : Beckett (1906-89), Cayrol (1911), Marguerite Duras (1914).

Théâtre de l'absurde. Genre comprenant aussi essais ou romans, et nommé parfois **Littérature de dérision.** Ne cherche pas à échapper à l'angoisse des existentialistes mais préfère l'assumer, généralement sur le mode bouffon : Beckett, Adamov, Ionesco, Billetdoux, Obaldia, Marguerite Duras (créatrice du roman-dialogue et du roman-poème).

Tel Quel. Groupe d'essayistes décidés à créer un « structuralisme littéraire », et souvent proches des analyses marxistes [précurseur : Roland Barthes (1915-80)]. *Tel quel* revue littéraire fondée en mars 1960 par Philippe Sollers (1936), Jean-Edern Hallier (1936) et 4 autres écrivains. Devint en 1966 philosophique et politique ; recrutant notamment Marcelin Pleynet (1933), Denis Roche (1937), Jean-Pierre Faye (1925, démissionnaire en 1967, fonda *Change* qui abandonne la *structuration* pour la *créativité*). Sollers et les téliquéliens restent fidèles à l'écriture « percurrente » « hallucination réglée », décrite dans le manifeste *Paradis* (1977).

Littérature dite « populiste » (avant 1940) et **« prolétarienne »** (après 1945) : auteurs, autodidactes, parlant des problèmes professionnels et quotidiens des travailleurs. *Précurseurs :* Agricol Perdiguier (1805-75), Marguerite Audoux (1863-1937), Charles-Louis Philippe (1874-1909). *Principaux « populistes » :* Pierre Hamp (1876-1962), Henry Poulaille (1896-1980), Eugène Dabit (1898-1936). *« Prolétariens » :* Bernard Clavel (1925), Michel Ragon (1924).

Hussards. Nom donné en 1952 par Bernard Frank à quelques écrivains : Roger Nimier (auteur du *Hussard bleu,* 1950), Jacques Laurent, Antoine Blondin, puis Michel Déon, Kléber Haedens, Félicien Marceau, opposés à la littérature engagée, se signalent par leur humour et insolence. Culte d'écrivains comme Stendhal, Morand, Gobineau, Fraigneau. *La Parisienne* (fondée par J. Laurent) reflète leurs idées.

Situationnisme. Groupe formé en 1957, animé par Guy-Ernest Debord (séparé en 1952 du lettrisme d'Isidore Isou, publie en 1967 *la Société du spectacle*) ; fonde l'Internationale situationniste (12 numéros entre 1958-69) ; critique la société de consommation, dénonce la dictature de l'image, marque les événements de mai 1968.

Poésie froide. Créée en 1973, en réaction contre le surréalisme, par 4 marxistes, auteurs du *De la déception pure : manifeste froid :* Jean-Christophe Bailly, Serge Sautreau, Yves Buin, André Velter. Préconise une poésie mettant la réalité à nu, avec une rigueur glacée. Choisit ses sujets dans l'actualité politique.

Littérature au magnétophone. Interviewer généralement prosateur professionnel ; met en forme littéraire les textes obtenus. Se contentant de signer un avant-propos ou une postface, ou de présenter le récit sous forme d'une conversation où il prend part (comme poseur de questions), ou, parfois, se faire nommer par le personnage principal.

Nouveaux Philosophes (voir Index).

AUTEURS NÉS AVANT 1100

Anonymes. *Glossaire de Reichenau* (VIIe s.) (Dictionnaire latin-roman). *Serments de Strasbourg* (14-2-842) : prononcés par Charles le Chauve et Louis le Germanique s'alliant contre leur frère Lothaire [le texte du serment de Charles, où les mots d'origine latine ont perdu leurs finales non accentuées, est considéré comme le 1er texte écrit de langue fr. (appelée « romane » à l'époque)]. *Cantilène de sainte Eulalie* (apr. 882) : 29 vers assonancés (1er texte poétique de langue « romane » : les a posttoniques latins sont tous passés à e muet). *Vie de saint Léger* (fin Xe s.) : 240 vers assonancés. *Vie de saint Alexis* (1040) : 625 vers assonancés (de Thibaud de Vernon ? : forte influence littéraire pendant 5 siècles). *Chanson de Roland* (v. 1100), attribuée à Turold (voir Index).

Abélard ou Abailard, Pierre [Théo, Ph] (1079-1142). – *Biogr. :* noblesse d'épée ; renonce à son héritage pour l'étude. *V. 1090* à Paris, élève de Guillaume de Champeaux. *1094* ouvre une école de philosophie sur la montagne Ste-Geneviève. *V. 1100* théologie à Laon, près d'Anselme, puis reprend ses cours à Paris (devient riche et célèbre). *V. 1112* chargé par le chanoine Fulbert de l'éducation de sa nièce Héloïse (1101-64). *V. 1114* Héloïse est enceinte ; le mariage est célébré. *1118* Fulbert fait châtrer Abélard (sans doute par erreur : Héloïse s'était retirée au couvent d'Argenteuil et Fulbert la croyait répudiée). *1119* Héloïse fait ses vœux de religion ; Abélard également. *1120* ouvre une école de théologie au prieuré de Maisoncelle, en Champagne. *1121* déclaré hérétique au concile de Soissons ; se soumet. *1122* élu abbé de St-Gildas, en Bretagne ; construit un nouveau monastère, le Paraclet, où il fait venir, en *1129,* Héloïse et les religieuses d'Argenteuil. *V. 1130* les moines de St-Gildas tentent de l'égorger ; se réfugie au Paraclet. *1136* reprend ses cours à Paris. *1140* déclaré hérétique (concile de Sens) ; ne se soumet pas. *1141* condamné à se retirer au couvent clunisien de St-Marcel, près de Chalon-sur-Saône, où il meurt. *Influence :* créateur, en logique, de la doctrine « antiréaliste » (les concepts sont les mots), et, en morale, de la notion d'intention.

Bernard de Clairvaux, saint [Théo, Ph] (1099-1153) : l'Amour de Dieu (1125), la Grâce et le Libre Arbitre (1128). – *Biogr. :* noblesse militaire bourguignonne (famille des sires de Montbard). *1112* noviciat de Clairvaux. *1115* abbé de Clairvaux. *1128* secrétaire du concile de Troyes. *1130* arbitre en faveur d'Innocent II la querelle de l'élection papale (contre l'antipape Anaclet II). *1138* à la mort d'Anaclet : persuade l'antipape Victor IV d'abdiquer. *1140* fait condamner Abélard au concile de Sens. *1146* prêche la croisade à Vézelay. *1148* fait condamner Gilbert de la Porrée. *1153* mort à Clairvaux. *1173* canonisé. *1830* proclamé docteur de l'Église. *Influence :* créateur de la « Théologie mystique » : la science doit mener à la contemplation. Surnommé la « Colonne de l'Église ».

Gilbert de la Porrée [Ph] (1075-1154) : commentaires de Boèce, des Psaumes, des épîtres de saint Paul.

Guillaume IX, duc d'Aquitaine [P] (1071-1127) : vers occitans (1er troubadour connu). – *Biogr. :* le plus grand feudataire du royaume (également comte du Poitou). Mauvais chrétien, prend part malgré lui à la 1re Croisade (1101-02). Revenu à Poitiers, vie très libre, créant la mystique amoureuse (la femme, objet d'un culte).

Guillaume de Champeaux [Ph] († 1121). Sentences, Commentaires moraux sur Job. – *Biogr. :* Chanoine régulier à St-Victor de Paris. *1113 :* év. de Châlons. *1119 :* envoyé par le pape Calixte II auprès de l'emp. Henri V (querelle des Investitures).

Roscelin [Ph] (XIe s.), fondateur du nominalisme. Prof. de philosophie à Tours, puis chanoine de Compiègne. Condamné par le concile de Soissons en 1102 (pour sa doctrine sur la Trinité). Exilé en Angleterre. Puis réconcilié et nommé chanoine de Besançon. Son œuvre se réduit à des fragments.

NÉS ENTRE 1100 ET 1200

Anonymes. *Folies Tristan* (d'Oxford et de Berne). *Aucassin et Nicolette* [1re moitié du XIIIe s. ; appelé « chantefable », comporte des strophes chantées : 2 adolescents, le noble Aucassin et l'esclave sarrasine Nicolette, connaissent mille aventures, mais finissent par se retrouver (parodie des poèmes courtois)]. *Le Roman de Renart* [certains auteurs connus dont Pierre de Saint-Cloud (1174-1250). *Sujet :* parodie des chansons de geste. Les animaux tiennent le rôle des chevaliers : le « goupil » s'appelle Renart (nom devenu commun) ; le loup, Ysengrin ; le lion, Noble, etc.].

Benoît de Sainte-Maure [P, H] (XIIe s.) : les Arts d'aimer, la Canso de la Crozada (2e partie), Floire et Blancheflor (1162), le Roman de Troie (1165), Chronique des ducs de Normandie (v. 1170).

Béroul [P] (XIIe s.) : Tristan et Iseut (1170-91).

Bodel, Jean [P] (v. 1170-v. 1210) : le Jeu de saint Nicolas.

Brienne, Jean (de) [P] (1148-1237).

Chrétien de Troyes [P] (v. 1135-v. 1183) : Érec et Énide, Yvain ou le Chevalier au Lion, Cligès, Lancelot, Perceval ou le Conte du Graal. – *Biogr. :* vit à la cour de Marie, Ctesse de Champagne, puis de Philippe, Cte de Flandres. Célèbre, dépressif, laisse Geoffroy de Lagny terminer ses derniers poèmes.

Lambert le Tort [P] (XIIe s.) et **Alexandre de Bernay** [P] (XIIe-XIIIe s.) : le Roman d'Alexandre [utilise pour la 1re fois des vers dodécasyllabiques (12 syllabes) qui seront appelés alexandrins].

Marcabru [P] (XIIe s.).

Marie de France [P] (1154-89) : Lais [Yonec (l'Oiseau bleu), le Laostic, du Chèvrefeuille, du Rossignol, des deux amantes], Fables, l'Expurgatoire Saint Patrice. Vécut en Angleterre à la cour d'Henri II Plantagenêt.

Rudel, Jaufré, Pce de Blaye [P] (XIIe s.) : la Princesse lointaine (légende de sa passion pour la Ctesse de Tripoli, aimée sans l'avoir vue, auprès de qui il se serait rendu pour mourir dans ses bras).

Thomas [P] (XIIe s.) : Tristan (v. 1158-v. 1180).

Ventadour, Bernard (de) [P] (XIIe s.).

Villehardouin, Geoffroy de [H] (v. 1150-v. 1218) : la Conquête de Constantinople (1204). – *Biogr. :* haute noblesse champenoise. *1185* maréchal de Champagne (conseiller de Thibaud III). *1199* croisé avec Thibaud. *1200* négocie traité entre Croisés et Venise. *1204* ambassadeur à Rome de l'emp. Baudouin. *1205-12* maréchal de Romanie (commande les troupes de l'Empire latin). *1212-18* on perd sa trace († sans doute en Orient).

Wace [P, H] (v. 1100-75) : Histoire des Normands.

NÉS ENTRE 1200 ET 1300

Anonymes. *Les Fabliaux* (contes). *Richard de Lison.*

Adam de la Halle, Adam le Bossu dit [D] (v. 1240-v. 1285) : le Jeu de la feuillée, le Jeu de Robin et de Marion.

Adenet le Roi [P] (v. 1240-1300) : Berthe aux grands pieds (v. 1275).

Buridan, Jean [Théo, Ph] (v. 1290-apr. 1358).

Guillaume de Lorris [P] (v. 1200-v. 1240) : Roman de la Rose (1re partie ; 4 000 vers).

Joinville, Jean de [Chr] (1225-1317) : Mémoires (1309). – *Biogr. :* haute noblesse champenoise (sénéchaux héréditaires des comtes de Champagne). *1248* prend part à la 7e croisade ; prête, à Chypre, l'hommage lige à St Louis. *1254* conseiller de St Louis à Paris ; intermédiaire entre les cours de Paris et de Troyes. *1270* refuse de prendre part à la 8e croisade où meurt St Louis. *1300-09* à la demande de Jeanne de Navarre, écrit une vie de St Louis. *1314* prend part à une ligue féodale contre Philippe le Bel.

Lancastre, Henri, duc de (Angl.) [Es] (1299-1361) : le Livre des saintes médecines (1354).

Meung, Jean Clopinel ou Chopinel dit Jean de [E] (1240?-1305?) : Roman de la Rose (suite, 1275-80 ; 12 000 vers).

Pierre Oriol ou d'Auriole [Théo] (?-1321).

Rutebeuf [E, D, P] (v. 1230-v. 1285) : le Miracle de Théophile, le Dict de l'herberie. – *Biogr. :* jongleur parisien ; vie errante, réclame l'aide de protecteurs (Louis IX, Alphonse de Poitiers). Mariage malheureux (décrit : le *Mariage Rutebeuf*).

NÉS ENTRE 1300 ET 1400

Ailly, Pierre d' [Prélat, Théo, Ph] (1350-1420).

Chartier, Alain [P, Pol] (v. 1385-1433) : la Belle Dame sans merci, le Quadrilogue invectif.

Deschamps, Eustache (P) (v. 1346-v. 1406) : Ballades, Lais, Rondeaux.

Froissart, Jean [Chr] (1333 ou 1337-v. 1410) : Chroniques. – *Biogr. :* originaire du Hainaut ; clerc, ordonné prêtre tard (date inconnue). *1361* secrétaire de Philippine de Hainaut, devenue reine d'Angl. *1369* à la mort de celle-ci, au service de Wenceslas de Luxembourg. *V. 1380* chapelain de Guy de Châtillon, comte de Blois, époux de la comtesse de Namur. *1388-89* dans le Midi français. *1394-95* séjour à la cour de Richard II d'Angl. On perd sa trace alors ; finit chanoine de Chimay.

Gerson, Jean Charlier dit de [Th, Ph] (1363-1429).

Guillaume de Machault [P] (v. 1300-1377) : Confort d'ami.

La Sale, Antoine de [Mor] (v. 1385-1461) : la Salade (1442), la Sale (1452).

Mandeville, Jean de [Pros] (v. 1300-72) : Voyage d'outre-mer (1356).

Orléans, Charles d' [P] (1391-1465) : Ballades, Rondeaux. – *Biogr. :* petit-fils de Charles VI, père de Louis XII. *1410* chef des Armagnacs, contre les Bourguignons (il est le gendre de Bernard d'Armagnac). *1415* blessé et prisonnier à Azincourt. *1415-40* captif en Angleterre ; y écrit des vers. *1447* ne peut conquérir sur les Sforza le duché de Milan, dont il est l'héritier (par sa mère, Valentine Visconti). *1448* se retire dans son château de Blois, entouré de poètes, dont Villon. Son œuvre ne sera découverte qu'au XIXe s., par Lanson, Faguet, Gaston Paris.

Pisan, Christine de [P] (Ital. v. 1364-v. 1430) : Ballades, Livre des faits et des bonnes mœurs du roi Charles V.

Nés entre 1400 et 1500

Anonymes. *La Farce de maître Pathelin* (v. 1464), *les Quinze Joyes de mariage* (déb. XVe s.).

Bouchet, Jean [H, P] (1476-1550) : Annales d'Aquitaine (1524), les Renards traversants.

Budé, Guillaume [Éru] (1467-1540).

Bueil, Jean de [Pros] (1405-77) : le Jouvenel (1453).

Chastellain, Georges : voir Belgique p. 274 b.

Commynes, Philippe de [Chr] (v. 1447-1511) : Mémoires (posth. 1524-28). – *Biogr. :* noblesse de robe artésienne (fonctionnaires de l'État bourguignon). *1464* écuyer du Cte de Charolais. *1465* conseiller de Philippe le Bon. *1468* à l'entrevue de Péronne, se laisse acheter par Louis XI. *1470-71* ambassadeur de Charles le Téméraire en Bretagne, Angl., Esp. *1472* se rallie à Louis XI. *1473* nommé prince de Talmont et conseiller du roi. *1475* négocie le tr. de Picquigny. *1483* mort de Louis XI, doit restituer Talmont aux La Trémoille. *1487* emprisonné par Charles VIII. *1489* exilé à Dreux. *1494-95* rentrée provisoire en grâce. *1495* disgrâce définitive.

Gréban, Arnoul [D] (v. 1420-v. 1471) : Mystère de la Passion (v. 1450).

Lefèvre, Jacques [Théo] (1450-1537) : traduction de la Bible, d'Aristote.

Lemaire de Belges, Jean [P, E] (1473-apr. 1520) : la Légende des Vénitiens.

Marot, Clément [P] (1496-1544) : Épîtres, Épigrammes, Ballades, Élégies. – *Biogr. :* originaire du Quercy, fils d'un poète de cour. *V. 1510* clerc à la chancellerie. *1518* valet de chambre de Marguerite d'Angoulême. *1521* fréquente les « bibliens » parisiens (protestants). *1526* dénoncé et emprisonné au Châtelet, pendant la captivité de François Ier. *1527* libéré et nommé valet de chambre du roi. *1534* compromis dans l'affaire des Placards (protestantisme), s'enfuit à la cour de Nérac, puis à Ferrare où il devient le secrétaire de la princesse Renée de France. *1535* rencontre Calvin à Ferrare et devient ouvertement protestant. *1536* abjure et revient à la cour de Paris. *1542* poursuivi par la Sorbonne pour la parution de ses *Psaumes* en français ; se réfugie à Genève. *1543* brouillé avec Calvin, s'enfuit de Genève et meurt obscurément en Savoie.

Meschinot, Jean [P] (1421-91) : les Lunettes des Princes.

Molinet, Jean [Chr] (1435-1507).

Navarre, Marguerite d'Angoulême, reine de [Pros] (1492-1549) : l'Heptaméron (posth. 1559).

Rabelais, François [E] (La Devinière, 1483 ou 1490-1553) : Pantagruel (1532), Gargantua (1534). Signe d'un anagramme (Maître Alcofrybas Nasier) ses 2 premiers livres. – *Biogr. :* sa mère mourut à sa naissance, père avocat (Chinon) ; études chez les bénédictins. *1520* religieux franciscain à Fontenay-le-Comte. *1524* bénédictin (Ligugé). *1530* médecine à Montpellier. *1532* médecin à Lyon. *1534* médecin du cardinal du Bellay, diplomate ; séjours en Italie. *1541* condamné par la Sorbonne (comme humaniste et pamphlétaire) se cache plusieurs années en Touraine et sans doute en Italie. *1545* protégé par François Ier, revient d'exil ; nommé curé de Meudon. *1546-48* réfugié à Metz après la parution du *Tiers Livre*. *1552* condamné par la Sorbonne pour le *Quart Livre ;* perd sa cure de Meudon.

Saint-Gelais, Mellin de [P, D] (1491-1558) : Traduct. fr. de la Sophonisbe de Trissino (It., 1478-1550).

Villon, François (F. de Montcorbier, dit) [P] (1431-apr. 1463) : le Lais, le Testament, Ballade des pendus. – *Biogr. :* origine sans doute assez humble, s'appelait Fr. des Loges, ou de Montcorbier. Élevé par Guillaume de Villon, chapelain de St-Benoît, dont il prit le nom. *1452* reçu maître ès arts à la Sorbonne. *1455* tue un prêtre au cours d'une rixe et quitte Paris. *1456* impliqué dans le vol du collège de Navarre, quitte Paris à nouveau. On le retrouve à Bourges, à Blois (auprès de Ch. d'Orléans). *1461* emprisonné à Meung, gracié par Louis XI. *1462* emprisonné à Paris, libéré, puis condamné à mort à la suite d'une nouvelle rixe. Il fait appel : le Parlement annule la sentence et l'exile pour 10 ans. *1463* on perd sa trace.

Nés entre 1500 et 1600

Anonymes. *Les Amadis* (12 vol. 1540-66), *les Contredits de Songe-Creux* (1530), *la Satire Ménippée* (1593).

Amyot, Jacques [Mém] (1513-93) : Traductions d'Héliodore (les Amours de Théagène et de Chariclée) ; Vie des hommes illustres, de Plutarque.

Aubigné, Agrippa d' [P, H] (1552-1630) : les Tragiques (1616), Hist. universelle. – *Biogr. :* famille de hobereaux saintongeais, protestants ; précoce, lit le grec à 9 ans. *1570* combat au siège d'Orléans. *1572* séjour à Genève, chez Théodore de Bèze. *1574* officier de l'armée d'Henri IV. *1585* prisonnier des catholiques, condamné à mort, puis gracié. *1589* se sépare d'Henri IV après l'abjuration et se retire sur ses terres. *1620* condamné à mort par le Parlement après la publication de l'*Histoire universelle,* se réfugie à Genève. *1624* s'y remarie avec une riche veuve.

Baïf, Jean-Antoine de [P] (1532-89) : les Passe-Temps (1573). *Poèmes :* Amours de Méline (1552).

Balzac, Jean-Louis Guez de [Pros, Es] (1597-1654) : le Prince (1631), les Entretiens (posth. 1657), l'Aristippe (posth. 1658).

Belleau, Rémi [P] (1528-77) : Petites Inventions (1556), la Bergerie (1565).

Bèze, Théodore de [Théo, D] (1519-1605) : Abraham sacrifiant (1552).

Bodin, Jean [Ec, E] (1530-96) : De la République (1576).

Bouchet, Guillaume [Hum] (1514-94) : les Sérées (posth. 1608).

Brantôme, Pierre de Bourdeille, abbé de [Mém] (1540-1614) : Vie des dames galantes (posth. 1666). – *Biogr. :* haute noblesse périgourdine. *1553 :* abbé commendataire de Brantôme (ordres mineurs, célibat). *1557-73 :* combattant (Turcs et Huguenots). *1584 :* chute de cheval ; paralysé ; se retire dans son abbaye, écrivant ses mémoires.

Calvin, Jean Cauvin dit [Théo] (1509-64) : l'Institution de la religion chrétienne (1536).

Champlain, Samuel de (1570-1635) : Voyages.

Charron, Pierre [Mor] (1541-1603) : les Trois Vérités (1594), Traité de la sagesse (1601).

Crenne, Hélisenne de (Marguerite Briet) [Pros] (v. 1510-v. 1555) : Épîtres familières (1539), les Angoisses douloureuses qui procèdent d'amours (1541), le Songe de madame Hélisenne (1543).

Daurat ou Dorat (Jean Dinemandi) [Éru] (1508-88) : Poematia (1586).

Descartes, René [Ph, Math] (1596-1650) : Discours de la méthode (1637), Méditations métaphysiques (1641), Principes de la philosophie (1644-47), Traité des passions (1649). – *Biogr. :* noblesse de robe tourangelle. Orphelin de mère, élevé par sa grand-mère. *1604-14* interne au collège jésuite de La Flèche. *1616* officier de Maurice de Nassau, en Hollande. *1618* rencontre à Breda le physicien Beekman. *1620* se bat à la Montagne Blanche comme officier holl. *1622-23* en France. *1623-24* voyage en Italie. *1626-27* travaux de maths et physique à Paris. *1628* fixé en Hollande. *1642* célèbre, protégé par princesse palatine Élisabeth, lui enseigne philosophie et physique. *1649* les Hollandais l'accusant de pélagianisme, se réfugie à Stockholm. Meurt d'une pneumonie contractée en allant voir la reine Christine.

Des Périers, Bonaventure [Pros] (v. 1510-suicidé 1544) : Cymbalum Mundi (1537), Nouvelles Récréations et Joyeux Devis (posth. 1558).

Desportes, Philippe [P] (1546-1606) : Stances et Élégies (1573), les Amours d'Hippolyte.

Du Bartas, Guillaume [P] (1544-90) : la Semaine (1573).

Du Bellay, Joachim [P] (1522-60) : Défense et Illustration de la langue française (1549), les Antiquités de Rome, les Regrets (1558). – *Biogr. :* famille de soldats et de diplomates angevins. Droit à Poitiers. *1547* rencontre Ronsard qu'il suit à Paris, interne au collège Coqueret (recteur : Jean Dorat). *1549* prend part à la fondation de la Brigade, future Pléiade. *1553* à Rome, comme secrétaire de son oncle, le cardinal Jean du Bellay. *1557* en revient malade, sans doute phtisique.

Fauchet, Claude [H] (1530-1602) : Antiquités gauloises et françaises (1579-1602).

François de Sales, saint [Théo] (1567-1622) : Introduction à la vie dévote (1608-09), Traité de l'amour de Dieu (1616).

Garnier, Robert [D] (1544-90) : Bradamante (1582), les Juives (1583).

Gassendi, (abbé Pierre Gassend dit) [Math, Ph] (1592-1655) : De la vie et des mœurs d'Épicure.

Gaultier-Garguille, Hugues Guéru ou Guéry [E, Acteur] (1573-1634) : Chansons (1632).

Guillet, Pernette du [P] (1520-45) : Rymes.

Hardy, Alexandre [D] (1570-1632) : 600 pièces (34 publiées) dont Didon (1603), Marianne (1610).

Jodelle, Étienne [P, D] (1532-73) : *Tragédie :* Cléopâtre captive (1553), Didon se sacrifiant (1555). *Comédie :* Eugène ou la Rencontre (1552).

Labé, Louise (L. Charly, dite) [P] (v. 1524-66) : Œuvres (1555).

La Boétie, Étienne de [Es] (1530-63) : Discours de la servitude volontaire (1574).

La Mothe le Vayer, François de [Mor] (1588-1672) : De la vertu des païens (1642).

Larivey, Pierre Giunto [D] (v. 1540-v. 1619) : les Esprits (1579), les Écoliers (1579).

L'Estoile, Pierre de [Chr] (1540-1611) : Journal d'un bourgeois de Paris.

Loyal Serviteur [Le] (Jacques de Mesmes) : Histoire de Bayard (1527).

Magny, Olivier (de) [P] (1529-61).

Malherbe, François de [P] (1555-1628) : Odes, stances et sonnets (posth. 1630). – *Biogr. :* noblesse de robe normande protestante (mais il reste catholique). Études à Bâle, puis Heidelberg. *1576* secrétaire d'Henri d'Angoulême, gouverneur de Provence, à Aix. *1581* épouse Madeleine de Corioli, fille du Pt du Parlement d'Aix. *1586* assassinat d'Henri d'Ang. *1587-95* dans sa famille, à Caen (élu échevin en *1594*) ; gloire littéraire. *1595-98* et *1599-1605* séjours à Aix-en-Pr. ; protégé du cardinal Du Perron. *1605* poète de la cour à Paris ; pensionné, entouré de jeunes poètes. *1620* trésorier de France. *1624* son fils est tué en duel. *1624-28* atteint d'idée fixe (faire exécuter le meurtrier de son fils), se brouille avec le roi et Richelieu ; meurt de chagrin près de Caen.

Maynard, François [P] (1582-1646) : Philandre (1619), Épigrammes (1646).

Monluc, Mal Blaise de [Mém] (1502-77) : Lettres choisies, Commentaires et lettres (posth. 1592).

Montaigne, Michel Eyquem de [Es] (1533-92) : les Essais (1re édition en 1580). – *Biogr. :* d'une riche famille de « Portugais » par sa mère (juifs proscrits du Portugal en 1498 et réfugiés à Bordeaux). Éduqué au château paternel de Montaigne (Périgord). Lit le latin à 6 ans, le grec à 10. *1554* conseiller à la Cour des Aides de Périgueux (amitié avec La Boétie). *1565* riche mariage (Françoise de Chassagne). *1568* hérite de Montaigne ; y vit entouré de livres. *1577* gentilhomme de la Chambre d'Henri de Navarre, renonce à ce poste pour raisons de santé. *1579-81* voyage à cheval en Allemagne et Italie. *1581* élu maire de Bordeaux. *1585* quitte sa mairie pendant l'épidémie de peste. *1588* Mlle de Gournay se fait sa « fille d'alliance », elle collabore à l'édition de ses œuvres et préfacera les *Essais* en 1595. *1590* refuse le poste de conseiller auprès d'Henri IV. Meurt à Bordeaux, laissant env. 100 000 livres.

Montchrestien, Antoine de [Ec, D] (v. 1575-1621) : Sophonisbe (1596), l'Écossaise (1601), Économie politique (1615).

Nostradamus, Michel de Nostre-Dame dit [P] (1503-66) : Centuries (1555). Nommé astrologue de la Cour par Charles IX (il avait prédit la mort d'Henri II tué en 1559 à la suite d'un tournoi). Ses partisans considèrent qu'il a prédit la mort d'Elizabeth Tudor en 1603 à 70 ans, l'exécution de Charles Ier d'Angleterre, l'incendie de Londres en 1666, la Révolution française (exécution de Louis XVI, persécution religieuse) et la dictature d'Hitler (nommé Hister). Pour d'autres, les Centuries seraient une chronique parodique de la Provence de son temps.

Palissy, Bernard [Es, Sav] (v. 1500-89) : le Moyen de devenir riche (1563).

Racan, Honorat de Bueil, seigneur de [P] (1589-1670) : Bergeries (1619), Odes sacrées (1651), Poésies chrétiennes (1660).

Ramus, Pierre la Ramée, dit Pierre [Ph] (1515-assass. 1572) : Defensio pro Aristotele (1571).

Régnier, Mathurin [P] (1573-1613) : Satires (1608).

Ronsard, Pierre de [P] (1524-85) : Odes, les Amours (1552-55), Hymnes (1555-56), Élégies, la Franciade (1572). – *Biogr. :* famille de hobereaux vendômois (d'origine roumaine selon lui). *1536* page chez Madeleine de France qu'il suit en Écosse, quand elle y devient reine. *1537* sourd, tonsure (ordres mineurs lui permettant d'avoir des bénéfices ecclésiastiques). *1540* secrétaire de Lazare de Baïf, à Paris. *1543-49* élève de Dorat au collège Coqueret à Paris. *1545* passion pour Cassandre Salviati, fille d'un banquier florentin. *1548* fonde la Brigade, future Pléiade. *1555-56* liaison avec une paysanne angevine de 15 ans, Marie Dupin. *V. 1560* prieur de Croix-Val, Montoire-en-Vendômois, St-Cosme-lez-Tours. Y vit largement, entouré de poètes et d'écrivains. *1574* poète célèbre, essaie de séduire Hélène de Surgères, dame d'honneur de Catherine de Médicis (échec). Meurt désenchanté à St-Cosme.

Saint-Amant, Marc Antoine de [P] (1594-1661) : la Lune parlante (1661).

Scève, Maurice [P] (v. 1501-64) : Blasons anatomiques (1536), Délie (1544), Microcosme (1562).

Sponde, Jean de [P] (1557-95) : Sonnets.

Thou, Jacques de [P] (1553-1617) : Historia Thuana (1609-14).

Turlupin, Henri le Grand, dit Belleville [Acteur] (1587-1637).

Tyard, Pontus de [P] (1521-1605) : les Erreurs amoureuses (1549-55).

Urfé, Honoré d' [R] (1567-1625) : Épîtres morales, l'Astrée (1607-19 : 12 vol.).

Vair, Guillaume du [Or, Ph] (1556-1621) : De la constance et consolations ès calamités publiques (1590), De la philo. morale des stoïques (1592-1603).

Vaugelas, Claude de ‡ [Gram] (1585-1650) : Remarques sur la langue française (1647). – *Biogr. :* noblesse de robe savoyarde ; fils de l'érudit Anthoyne Favre. Secrétaire du duc de Nemours-Savoie à Turin, puis à Paris. *1615* introduit à l'Hôtel de Rambouillet. *V. 1630* gentilhomme de Gaston d'Orléans, touche irrégulièrement une maigre pension et meurt insolvable. *1636* académicien : responsable du dictionnaire.

Viau, Théophile de [P, D] (1590-1626) : Pyrame et Thisbé (1621), Ode à la solitude.

Voiture, Vincent [Pros, P] (1598-1648) : Lettres, Sonnets (1650).

Nés entre 1600 et 1700

Arnauld, Antoine dit le Grand Arnauld [Théo] (1612-1694) : De la fréquente communion (1643).

Aulnoy, Marie-Catherine, Ctesse d' [E] (v. 1650-1705) : les Illustres Fées (1698).

Bayle, Pierre [Cr, Ph] (1647-1706) : Dictionnaire, historique et critique (1696-97).

Benserade, Isaac de [P] ‡ (1613-91) : Sonnet de Job (1636).

Boileau, Nicolas ‡ [P, Cr] (1636-1711) : Satires (1666), Épîtres (1669-98), Art poétique (1674), le Lutrin (1683), Réflexions sur Longin (1693). – *Biogr. :* noblesse de robe parisienne. Victime d'un accident (à 13 ans, verge attaquée par un dindon), renonce à toute carrière et vit des rentes familiales. *1677* historiographe du roi (pension de 6 000 livres) ; s'achète une maison à Auteuil (actuellement rue Boileau) ; reçoit les auteurs les plus connus (ami de Racine). Comblé d'égards par Louis XIV : Ac. française et Ac. des inscriptions.

Bossuet, Jacques Bénigne. ‡ [Évêque, Préd, E] (1627-1704) : Oraisons funèbres, Discours sur l'hist. universelle (1681), la Politique tirée de l'Écriture sainte (1709), Traité de la concupiscence. – *Biogr. :* noblesse de robe bourguignonne ; fils d'un conseiller au Parlement de Metz transféré à Toul. Tonsuré à 8 ans. Chanoine de Metz à 13 ans. Élevé chez les jésuites. Travailleur acharné, surnommé *Bos suetus aratro,* le « bœuf habitué à la charrue ». *1642* philosophie au collège de Navarre. *1652* prêtre. *1652-59* chanoine à Metz. *1659* prédicateur à Paris. *1669* évêque de Condom. *1670-80* précepteur du Dauphin. *1681* év. de Meaux ; prêche avec éloquence (surnommé l'*Aigle de Meaux*). *1682* prend parti pour le gallicanisme à l'Ass. du clergé, ce qui le disqualifie pour le cardinalat. *1697* conseiller d'État. *1704* essaie de faire passer son diocèse à son neveu Jacques Bénigne qui sera év. de Troyes.

Bourdaloue, Louis [Préd] (1632-1704) : Sermons et Œuvres diverses.

Bussy-Rabutin, Roger Cte de ‡ [Chr] (1618-93) : Histoire amoureuse des Gaules (1665), Mémoires.

Caylus, Marthe de Murçay, Ctesse de [Mém] (1673-1729) : Anecdotes sur Versailles (publiées par Voltaire sous le titre : Souvenirs 1770).

Corneille, Pierre ‡ [D] (1606-84) : *Comédies :* Mélite (1629), Clitandre (1631), la Veuve (1632), la Galerie du palais (1633), la Suivante (1634), la Place royale (1634), l'Illusion comique (1636), le Menteur (1643). *Tragédie :* le Cid (1636 ou 2-1-1637), Médée (1639), Horace (1640), Cinna (1640), Polyeucte (1641-42), la Mort de Pompée (1642-43), la Suite du Menteur (1644), Rodogune (1644-45), Théodore (1645), Héraclius (1647), les Triomphes de Louis le Juste (1649), Andromède (1650), Don Sanche d'Aragon (1650), Nicomède (1651), Pertharite (1652), Œdipe (1659), la Toison d'or (1661), Sertorius (1662), Sophonisbe (1663), Agésilas (1666), Attila (1667), Tite et Bérénice (1670), Psyché (1671), Pulchérie (1672), Suréna (1674). – *Biogr. :* fils d'un avocat de Rouen. Habitera sa maison natale 56 ans (rue de la Pie à Rouen). Études chez les jésuites de Maulévrier. *1628* avocat du roi, pour les Eaux et Forêts et l'Amirauté, devant le parlement de Rouen. *1636* ses pièces triomphent à Paris, mais déplaisent à Richelieu. *1642* protection de Mazarin. *1650* procureur des états de Normandie, poste dû à sa loyauté pendant la Fronde. *1651* écrit *Nicomède,* favorable au prince de Condé ; perd poste et pensions. *1659* protégé par Fouquet qui paie largement *Œdipe*. *1662* fixé à Paris avec son frère Thomas (ont épousé les 2 sœurs). *1663* pensions. *1674* perd son fils à la guerre ; renonce à écrire ; pauvre (pension non versée 7 ans). *1681* hémiplégie, impotent, soigné par sa fille.

Corneille, Thomas ‡ [P, D] (1625-1709) : Camma (1661), Ariane (1672), le Comte d'Essex (1679).

Cosnard, Marthe [D] (1614-59) : les Chastes Martyrs.

Crébillon, (père) Prosper Jolyot de ‡ [D] (1674-1762) : Électre, Rhadamiste et Zénobie.

Cyrano de Bergerac, Savinien de [Hum] (1619-55) : Histoire comique des États et Empires de la Lune (publ. 1657).

Dancourt, Florent Carton dit [D] (1661-1725) : le Chevalier à la mode (1687), les Bourgeoises de qualité (1700).

Destouches, Philippe (P. Nicolas Néricault, dit) [D] (1680-1754) : le Philosophe marié (1727), le Glorieux (1732), l'Homme singulier.

Du Cange, Charles [Éru] (1610-88) : Glossaire du latin médiéval (1733-36).

Fénelon, François de Salignac de La Mothe (évêque) ‡ [E] (1651-1715) : Traité de l'éducation des filles, Télémaque (1699), Dialogues des morts (1701). – *Biogr. :* noblesse périgourdine. *V. 1675* prêtre de St-Sulpice. *1678-88* aumônier des Nouvelles Catholiques (jeunes protestantes récemment converties). *1689* précepteur du duc de Bourgogne. *1691* suspect de quiétisme (sa disciple, Mme Guyon, est condamnée). *1694* archevêque de Cambrai (150 000 livres de revenus). *1699* condamné comme quiétiste, sur intervention de Bossuet, pour son livre *Explication des maximes des saints ;* se consacre jusqu'à sa mort à l'administration de son diocèse.

Fléchier, Valentin Esprit (Évêque) ‡ [Préd] (1632-1710) : Oraisons funèbres, Mémoires sur les grands jours d'Auvergne.

Fontenelle, Bernard de ‡ [Es] (1657-1757 à 99 ans 10 mois 15 jours) : Entretiens sur la pluralité des mondes (1686), Histoire des oracles (1687). – *Biogr. :* noblesse de robe ; neveu de Corneille par sa mère. *V. 1670* avocat à Rouen, renonce au barreau dès son 1er procès, vit sur sa fortune personnelle. *1679-87* essaie de devenir auteur dramatique (échec). *1687* à Paris ; apprécié dans les salons, notamment celui de Mme de La Sablière. *1688* prend parti pour les *Modernes* contre les *Anciens*. *1697* secrétaire perpétuel de l'Académie des sciences.

Furetière, (abbé) Antoine ‡ [R] (1619-88) : le Roman bourgeois (1666), Dictionnaire universel (1690).

Gomberville, Marin Le Roy de ‡ [R] (1600-74) : Polexandre (1629).

Graffigny, Françoise de [E] (1695-1758) : *Roman :* Lettres d'une Péruvienne (1747). *Théâtre :* Cénie (1750), la Fille d'Aristide (1758).

Hamilton, Anthony (Irlandais) (1646-1720) : Mémoires du comte de Gramont (1660-65).

Labat, (Père René) (1663-1758) : Voyage aux îles d'Amérique (1722), Relation sur l'Afrique occidentale (1728).

La Bruyère, Jean de ‡ [Mor] (1645-96) : les Caractères (1688-96).

La Calprenède, Gautier de Costes, sieur de [D, R] (1610-63) : *théâtre :* le Comte d'Essex (1638). *Romans :* Cléopâtre (1647-58, 12 vol.), Cassandre (1642-50, 10 vol.), Faramond (1661-70, 12 vol., achevé par Vaunorière).

La Fayette (Ctesse de) [R] (1634-93) : la Princesse de Clèves (1678), Mémoires (1731).

La Fontaine, Jean de ‡ [P, Fab] (1621-95) : Élégie aux nymphes de Vaux (1662), Contes (1665-74), le Songe de Vaux (fragments, 1665-1729), Fables (1668-94), Psyché (1669). – *Biogr. :* petite noblesse ; fils d'un maître des Eaux et Forêts de Château-Thierry. *1641* novice à l'Oratoire. *1642* renonce à l'Église. *1646* vie dissipée à Paris, fréquente Tallemant des Réaux. *1647* épouse Marie Héricard [(14 ans), séparés de biens en 1659, de corps en 1672]. *1652* achète une charge de maître des Forêts. *1657* hérite des 2 charges de son père. *1659-61* protégé par Fouquet, vit à sa cour à Vaux. *1664* protégé par le duc de Bouillon (seigneur de Château-Thierry), devient gentilhomme de Marguerite de Lorraine, au palais du Luxembourg à Paris. *1672* mort de celle-ci ; va chez Mme de La Sablière, rue Neuve-des-Petits-Champs. *1683* élu à l'Académie (reçu avec 2 ans de retard à cause de sa réputation de libertin et de son amitié pour Fouquet). *1693* mort de Mme de La Sablière, va chez le banquier d'Hervart. Malade, promet à son confesseur de n'écrire que des textes religieux (notamment, la paraphrase du *Dies irae*).

La Rochefoucauld, François, duc de [Mor] (1613-80) : Maximes (1664).

Lesage, Alain René [R, D] (1668-1747) : le Diable boiteux (1707), Turcaret ou le financier (1708), Histoire de Gil Blas de Santillane (1715-35).

Mabillon, Dom Jean [Éru] (1632-1707) : De re diplomatica libri (1681).

Malebranche, Nicolas de [Ph] (1638-1715) : Recherche de la Vérité (1674-75). – *Biogr. :* noblesse de robe parisienne. *1660* religieux de l'Oratoire. *1664* prêtre ; vit à l'Oratoire de Paris, ayant peu de relations, sauf avec les princes de Condé qui le reçoivent à Chantilly. *1680* querelle avec Bossuet qui lui reproche son nationalisme. *1697* réconciliation avec Bossuet qu'il soutient contre Fénelon.

Marivaux, Pierre Carlet dit de ‡ [D, R] (1688-1763) : *Comédies :* la Surprise de l'amour (1722), la Double Inconstance (1723), la Seconde Surprise de l'amour, le Jeu de l'amour et du hasard (1730), le Legs, les Fausses Confidences (1737), l'Épreuve. *Romans :* la Vie de Marianne (1731 à 1745), le Paysan parvenu (1735-36). – *Biogr. :* petite noblesse de robe parisienne. Enfance à Limoges où son père a une charge administrative. *V. 1708* orphelin, monte à Paris. *1710* reçu dans le salon de la marquise de Lambert. *1717* épouse Colombe Bologne († 1723), riche bourgeoise. *1720* ruiné (faillite de Law). *1740* sa fille unique entre au couvent. *1744* vit avec Angélique de La Chapelle St-Jean (scandale).

Massillon, Jean-Baptiste ‡ [Préd] (1663-1742) : le Grand et le Petit Carême.

Ménage, Gilles [Gram] (1613-92) : Observations sur la langue française.

Molière, J.-B. Poquelin dit [D] (1622-73) : l'Étourdi (1655), le Dépit amoureux (1656), les Précieuses ridicules (1659), Sganarelle (1660), l'École des maris (1661), les Fâcheux (1661), l'École des femmes (1662), Tartuffe (1664), Dom Juan (1665), l'Amour médecin (1665), le Misanthrope (l'Atrabilaire amoureux, 1666), le Médecin malgré lui (1666), George Dandin (1666), l'Avare (1668), Amphitryon (1669), M. de Pourceaugnac, le Bourgeois gentilhomme (1670), les Fourberies de Scapin (1671), les Femmes savantes (1672), le Malade imaginaire (1673). – *Biogr. :* fils d'un parisien, « tapissier du Roi » (charge anoblissante). Orphelin de mère à 10 ans, études au collège de Clermont (jésuite, actuel lycée Louis-le-Grand à Paris, le quitte en *1639*). *1643* comédien à l'« illustre Théâtre » (liaison avec l'actrice Madeleine Béjart). *1644-58* acteur ambulant en province. *1650* dirige la troupe. *Oct. 1658* à Paris salle du Petit-Bourbon (dépendance du Louvre), protection du roi. *1662* épouse Armande Béjart (15 ans fille de Madeleine), accusé d'avoir épousé sa propre fille ; il en a un fils, Louis (Louis XIV est parrain). *1663* 1res représentations à Versailles *(Impromptu de Versailles),* y séjourne chaque année avec sa troupe jusqu'en 1673. *1664-69* lutte contre le « parti des dévôts » qui fait interdire *Tartuffe*. *1665* Louis XIV achète sa troupe 6 600 livres par an. *1672* perd la faveur de Louis XIV. *17-2-1673* meurt sur scène, en jouant *le Malade imaginaire*. Certains ont prétendu que l'auteur de ses pièces était l'« homme au masque de fer » (Anonyme, 1893), Louis XIV (Maurice Garçon, 1914), Corneille (Henri Poulaille et Pierre Louys).

Montesquieu, Charles de Secondat, B[on] de La Brède et de ‡ [Mor, Ph] (1689-1755) : Lettres persanes (1721), Considérations sur les causes de la grandeur des Romains et de leur décadence (1734), l'Esprit des lois (1748). – *Biogr. :* vieille noblesse de robe bordelaise. Enfance au château de la Brède (pratiquera toute sa vie l'occitan). *1714* conseiller au parlement de Bordeaux. *1715* épouse une huguenote, Jeanne de Lartigue (100 000 livres de rentes). *1716* président à mortier du Parlement de Bordeaux (héritage de son oncle). *1721-25* succès des *Lettres persanes* et vie mondaine à Paris. *1728-32* voyage en Europe et séjourne en Angleterre. *V. 1750* après le succès de *l'Esprit des lois,* considéré comme un maître à penser par Frédéric II, Catherine de Russie, les parlementaires anglais. Finit sa vie presque aveugle.

Nivelle de La Chaussée ‡ [D] (1692-1754) : *Comédies :* le Préjugé à la mode (1735), l'École des mères (1744). *Drames :* Mélanide, la Gouvernante.

Pascal, Blaise [Math, Ph, E] (1623-62) : les Provinciales (1656-57), Pensées (1670). – *Biogr. :* bourgeoisie de robe auvergnate ; fils d'un président de la cour des aides de Clermont. Perd sa mère à 3 ans. *1627* se révèle enfant prodige. *1631* son père vend sa charge et vient vivre à Paris pour pousser son éducation (latin et grec à 9 ans ; retrouve les principes de la géométrie euclidienne à 12 ans ; écrit l'*Essai sur les coniques* à 16 ans). *1642* célèbre (à 19 ans) en inventant une machine à calculer. *1646* premiers contacts avec le jansénisme. *1647* découvre au Puy-de-Dôme le principe de la pression atmosphérique. *1648* à Paris, lié avec le duc de Roannez (amour platonique pour la sœur du duc, de trop haute naissance pour lui). *1656* conversion définitive (mysticisme janséniste). *1659* dépression nerveuse (surmenage). *1660* projet d'une compagnie de transports en commun (carrosses à 5 sols ; lettres patentes en 1662). *1661* mort de sa sœur Jacqueline ; se retire du monde. *1662* abjure le jansénisme, enterré catholiquement.

Patin, Gui [méd] (1601-72) : Lettres.

Perrault, Charles [E] ‡ (1628-1703) : Parallèles des Anciens et des Modernes (1688-97), Contes de ma mère l'Oye [(1697), signés par son fils Pierre (1678-1700) dont : la Belle au bois dormant, le Petit Chaperon rouge, Barbe-Bleue, le Chat botté, Cendrillon, Riquet à la houppe, le Petit Poucet].

Piron, Alexis [P, D] (1689-1773) : Gustave Vasa, la Métromanie (*comédie,* 1738).

PRINCIPAUX PERSONNAGES DE LA LITTÉRATURE FRANÇAISE

☞ *Légende :* auteur, œuvre, personnage, symbolique du personnage.

Anonymes. **Chanson de Roland** (XIIe s.) : *Roland et Olivier* (amis chevaleresques) ; *Ganelon* (le traître). **Le cycle de Tristan** (XIIe s.) : *Tristan et Iseult* (amants prédestinés). **Roman de Renart** (XIIe-XIIIe s.) : *Renart* (aventurier matois et sans scrupules). **La Farce de Maître Pathelin** (XVe s.) : *Maître Pathelin* (avocat roublard).

Alain-Fournier. **Le Grand Meaulnes :** *Augustin* (adolescent croyant à la réalité du monde subjectif) ; *Yvonne de Galais.*

Aragon. **Aurélien :** *Aurélien Leurtillois.* **Les Cloches de Bâle :** *Diane de Nettencourt ; Catherine Simonidzé.*

Audiberti (J.). **L'Effet Glapion** (comédie) : *Émile Glapion* (magicien transformant les vies tristes en féeries).

Aymé (M.). **Clérambard** (original tyrannique et illuminé). **La Vouivre** (créature mythologique, reine des serpents).

Balzac (H.). **La Comédie humaine :** *le Père Goriot* (martyr de l'amour paternel) ; *la Rabouilleuse* (ambitieuse vulgaire et sans scrupules) ; *Rastignac* (ambitieux distingué et sans scrupules) ; *Vautrin* (forçat génial devenu redresseur de torts) ; *Nucingen* (boursier véreux) ; *Lucien de Rubempré* (ambitieux échouant par faiblesse de caractère) ; *Madame de Mortsauf* (caractère noble jusqu'à l'héroïsme) ; *Ursule Mirouet* (l'innocence persécutée).

Barbey d'Aurevilly (J.). **Les Diaboliques :** *la duchesse de Sierra Leone* (orgueilleuse et vindicative jusqu'au diabolisme). **Le Chevalier des Touches. Un prêtre marié :** *Jean Gourgue.*

Barrès (M.). **Colette Baudoche** (patriote fidèle malgré l'annexion).

Beaumarchais (P.C.). **Le Mariage de Figaro :** *Chérubin* (adolescent s'éveillant aux amours) ; *Bridoison* (juge stupide) ; *Figaro* (valet à l'esprit frondeur) ; *Almaviva* (maître libertin).

Beauvoir (S. de). **L'Invitée :** *Françoise Miquel.* **Les Mandarins :** *Anne Dubreuil, Henri Perron, Robert Dubreuil.*

Beckett (S.). **En attendant Godot :** *Vladimir* (Didi) (métaphysicien désenchanté) ; *Estragon* (gogo désenchanté incapable de métaphysique) ; *Godot* (l'espérance humaine toujours déçue) ; *Kiki* (sous-homme robotisé). **Molloy** (égoïste déshumanisé).

Benoit (P.). **L'Atlantide :** *Antinéa* (femme divinisée incarnant amour et mort). **Koenigsmark :** *la princesse Aurore* (la femme-reine, inaccessible).

Bernanos (G.). **Sous le soleil de Satan** et **Nouvelle Histoire de Mouchette :** *Mouchette* (adolescente naïve mais désespérée). **La Joie :** *Chantal de Clergerie.*

Camus (A.). **L'Étranger :** *Meursault* (homme étranger à lui-même). **Le Mythe de Sisyphe :** *Sisyphe* (désespéré optimiste). **La Chute :** *Clarence* (désespéré amer et sarcastique). **La Peste :** *Bernard Rieux.*

Céline (L.F.). **Mort à crédit** et **Voyage au bout de la nuit :** *Ferdinand Bardamu* (désespéré sans pudeur et pourtant humaniste).

Cendrars (B.). **Moravagine** (la malfaisance du « grand fauve » humain).

Chateaubriand (F.R. de). **Les Natchez :** *Chactas* (le bon sauvage devenu romantique). **René :** *la Sylphide* (idéal féminin n'existant qu'en rêveries). **Les Martyrs :** *Velléda* (l'amour païen, ignorant toute contrainte).

Cholières (N. de). *Jocrisse* (benêt) repris par DORVIGNY (**le Désespoir de Jocrisse**), dans le dictionnaire en 1718.

Chrétien de Troyes. **La Légende du roi Arthur :** *Gringalet* (cheval du chevalier Gauvain).

Cocteau (J.). **Opéra :** *l'Ange Heurtebise* (la crise de conscience purificatrice). **Thomas l'imposteur :** *Thomas Guillaume* (mythomane pris à son piège). **Les Enfants terribles :** *Elisabeth ; Paul.*

Colette (S.G.). **Série des « Claudine » :** *Claudine* (ingénue coquette et fantaisiste). **Maugis** (esprit critique jusqu'à la férocité). **Chéri** et **la Fin de Chéri :** *Léa* (quinquagénaire amoureuse d'un adolescent).

Constant (B.). **Adolphe :** *Ellénore* (amoureuse vieillissante et despotique).

Corneille (P.). **Le Cid :** *Chimène* (amoureuse dominant sa passion par devoir) ; *Rodrigue* (stoïcien de cape et d'épée) ; *Don Diègue ; Don Gormas.*

Courteline (G.). **Les Gaietés de l'escadron :** *l'adjudant Flick* (militaire aigri).

Daudet (A.). **Aventures prodigieuses de Tartarin de Tarascon** (appelé d'abord Barbarin, mais un habitant de Tarascon protesta), **Tartarin sur les Alpes, Port-Tarascon :** *Tartarin* [fanfaron douillet, mais bon cœur (mot commun dérivé : tartarinade)]. **Le Petit Chose :** *Daniel Eyssette,* portant ce surnom (jeune pion persécuté). **Les Lettres de mon moulin :** *l'Arlésienne* (femme inspirant un amour tragique) ; *la chèvre de Monsieur Seguin* (jeunesse préférant ses chimères à la vie) ; *le curé de Cucugnan* (prêtre réaliste et truculent) ; *maître Cornille* (le cœur simple obstinément fidèle à un idéal) ; *le père Gaucher* (moine pieux mais buveur) ; *le sous-préfet aux champs* (rigide administrateur sujet à des faiblesses). **Jack :** *Jack de Barancy.*

Dekobra (M.). **La Madone des sleepings :** *Diana Wynham* (aristocrate riche et fantasque).

Drieu La Rochelle (P.). **Gilles :** *Gilles Jambier* (« l'homme couvert de femmes »).

Dumas, père (A.). **Le Comte de Monte-Cristo :** *Edmond Dantès* (vengeur impitoyable). **La Tour de Nesle :** *la reine Marguerite* (reine débauchée et meurtrière). **Les Trois Mousquetaires :** *d'Artagnan* (héros de cape et d'épée) ; *Aramis* (René d'Herblay) ; *Athos* (de La Fère) ; *Porthos* (du Vallon de Bracieux de Pierrefonds) ; *Milady* (Anne de Winter) [aventurière perverse].

Dumas, fils (A.). **La Dame aux camélias :** *Marguerite Gautier* (courtisane au grand cœur) ; *Armand Duval.*

Erckmann-Chatrian. **Les romans nationaux :** *Madame Thérèse* (une vivandière) ; *le fou Yegof* (agent ennemi bien camouflé). **L'Ami Fritz :** *Fritz Kobus* (vieux garçon touché par l'amour).

Féval (P.). **Le Bossu :** *Lagardère* (héros bon et généreux) ; *Passepoil* (un soudard).

Feuillade (L.). **Fantômas** (criminel génial et misanthrope).

Flaubert (G.). **Bouvard et Pécuchet** (utopistes pédants et ignorants). **Madame Bovary :** *Emma Bovary* (petite-bourgeoise romantique) ; *Homais* (humaniste pédant et ignorant). **L'Éducation sentimentale :** *Frédéric Moreau ; Marie Arnoux.*

France (A.). **Le Crime de Sylvestre Bonnard** *Sylvestre Bonnard* (l'intellectuel coupé du monde réel). **Crainquebille** (brave prolétaire anarchisant). **Thaïs** (femme d'une beauté fatale).

Fromentin (E.). **Dominique :** *Dominique de Bray.*

Gautier (T.). **Le Capitaine Fracasse :** *le baron de Sigognac* (héros de cape et d'épée). **Mademoiselle de Maupin :** *Camille de Maupin* (héroïne de cape et d'épée, séductrice d'hommes et de femmes).

Genevoix (M.). **Raboliot** (braconnier).

Gide (A.). **Les Caves du Vatican :** *Lafcadio* (amateur d'actes gratuits). **L'Immoraliste** et **les Nourritures terrestres :** *Michel* (le philosophe de la ferveur). **Les Faux-Monnayeurs :** *Édouard ; Olivier Molinier ; Bernard Profitendieu.* **La Symphonie pastorale :** *Gertrude.*

Giono (J.). **Angelo, le Bonheur fou, le Hussard sur le toit :** *Angelo Pardi* (héros de cape et d'épée mais lucide et raisonnable). *Jean le Bleu* (jeune rural à l'âme panthéiste). **Regain :** *Panturle* (montagnard attaché à sa terre) ; *la Mamèche* (vieille campagnarde un peu sorcière). **Colline :** *le père Janet* (vieux sorcier misanthrope) ; *le Gagou* (simple d'esprit, vivant une vie instinctive).

Giraudoux (J.). **Siegfried et le Limousin :** *Siegfried* (le provincial français attaché à son terroir). **Suzanne et le Pacifique :** *Suzanne* (gentillesse et dignité des jeunes provinciales). **La guerre de Troie n'aura pas lieu :** *Démokos* (le belliciste borné). **Ondine** (divinité incapable de bonheur humain).

Gracq (J.). **Le Rivage des Syrtes :** *Aldo.*

Green (J.). **Moïra :** *Joseph Day.*

Hugo (V.). **Les Misérables :** *Fantine* (prostituée au cœur maternel) ; *Javert* (policier rigide) ; *le ménage Thénardier* (êtres bas et immoraux) ; *Cosette* (enfant martyr) ; *Gavroche* (gamin héroïque) ; *Jean Valjean* (ancien criminel devenu philanthrope). **Notre-Dame de Paris :** *Quasimodo* (monstre de laideur à l'âme bonne) ; *Claude Frollo* (religieux satanique) ; *Esmeralda* (jeune beauté vouée au malheur). **Bug-Jargal** (esclave révolté). **Claude Gueux.**

Huysmans (J.-K.). **A rebours :** *Des Esseintes* (esthète perverti).

Jarry (A.). **Ubu roi :** *le père Ubu* (fantoche cynique et lâche) ; *la mère Ubu* (fantoche cynique et immoral).

Kock (P. de). **La famille Gogo :** *Gogo* (bourgeois peu éclairé, dans le dictionnaire de l'Académie en 1932).

La Fontaine (J.). **Fables :** *Perrette* (rêveuse emportée par son imagination) ; *la Chauve-Souris* (personnage habile à changer de camp) ; *la Mouche du coche* [bon à rien donneur de conseils (expression passée dans la langue)] ; *le Roseau* (personnage souple et résistant).

Leblanc (M.). **Les Aventures d'Arsène Lupin :** *Arsène Lupin* [« gentleman cambrioleur » ; origine du personnage : Georgiu Mercadente Manulescu (1871-?)], alias prince Lahovany, duc d'Otrante Georges Mercadente, etc.

Loti (P.). **Madame Chrysanthème** (devenue Madame Butterfly dans l'opéra de Puccini) (amours exotiques d'un marin). **Mon Frère Yves :** *Yves* (marin breton simple et bon). **Pêcheur d'Islande :** *Gaud* (Bretonne de la côte, à l'âme noble). **Ramuntcho** (contrebandier basque, hardi et croyant).

Louÿs (P.). **Les Aventures du roi Pausole :** *Pausole* (souverain paillard et débonnaire).

Malot (H.). **Sans famille :** *Vitalis* (artiste déchu, resté digne) ; *Remi* (orphelin courageux).

Martin du Gard (R.). **Les Thibault :** *Meynestrel* (militant pacifiste) ; *Jenny de Fontanin* (noble jeune femme aux idées émancipées) ; *Oscar Thibault* (bourgeois conservateur et impitoyable).

Maupassant (G.). **Bel-Ami :** *Georges Duroy* (arriviste sans scrupules). **Nouvelles :** *Boule-de-suif* (la prostituée bonne fille) ; *le Horla* (être imaginaire acharné à détruire ses victimes).

Mauriac (F.). **Genitrix :** *Félicité Cazenave* (la mère abusive). **Thérèse Desqueyroux** (épouse indifférente devenue haineuse). **Asmodée :** *Monsieur Couture* (misogyne convoitant sournoisement les femmes).

Mérimée (P.). **Carmen** (popularisée par l'opéra de Bizet) (« Si je t'aime, prends garde à toi »).

Molière. **Le Cocu imaginaire :** *Sganarelle* (un mari trompé). **L'École des femmes :** *Agnès* (ingénue délurée). **Le Tartuffe** (bigot hypocrite inspiré par Tartufo, « la Truffe », personnage de la Commedia dell'arte). **Le Misanthrope :** *Célimène* (coquette éternellement jeune) ; *Alceste* (esprit sincère, dégoûté de l'humanité) ; *Philinte* (humoriste sceptique sur la vertu des hommes). **L'Avare :** *Harpagon* (grippe-sous, entré au dictionnaire de l'Académie en 1878). **Le Malade imaginaire :** *Diafoirus* (médecin ignare). **George Dandin** (maladroit, cause de ses propres ennuis). **Les Femmes savantes :** *Philaminte* (la pédante) ; *Chrysale* (le bourgeois terre à terre).

Montherlant (H. de). **La Reine morte :** *le roi Ferrante* (serviteur cynique de la raison d'État). **Les Jeunes Filles :** *Pierre Costals ; Solange Dandillot ; Andrée Hacquebaut.*

Murger (H.). **Scènes de la vie de Bohème :** *Musette* (vie légère, cœur innocent).

Musset (A. de). **Mimi Pinson** (ouvrière parisienne honnête et délurée). **Lorenzaccio** (drame) (héros avili par le rôle qu'il doit jouer). **Rolla** (romantique pessimiste). **Les Caprices de Marianne :** *Marianne* (coquette impitoyable) ; *Cœlio* (romantique sincère et triste) ; *Octave* (romantique pessimiste et faussement gai). **Confessions d'un enfant du siècle :** *Octave de T...*

Nimier (R.). **Les Épées :** *François Sanders.*

Pagnol (M.). **Topaze** (homme d'affaires véreux). **César** (Méridional pittoresque mais digne) ; *Panisse* (Méridional véhément mais estimable) ; *Marius ; Monsieur Brun ; Fanny.*

Perrault (C.). **Contes du temps passé :** *Barbe-Bleue* (ogre tueur de dames) ; *Cendrillon* (la petite sœur brimée) ; *le marquis de Carabas* (seigneur richissime) ; *le Petit Chaperon rouge* (innocente entourée de périls) ; *le Petit Poucet* (petit futé qui triomphe des grands) ; *la Belle au Bois dormant* (personne de haute valeur, inutilisée) ; *le Chat botté* (le bluff créateur).

Perret (J.). **Le Caporal épinglé** (le prisonnier demeuré rebelle).

Ponson du Terrail (P.). Les Drames de Paris : *Rocambole* [aventurier d'une habileté géniale (le mot rocambolesque est passé dans la langue)].

Prévost (l'abbé). Manon Lescaut (aventurière aimante et digne d'être aimée).

Proust (M.). A la recherche du temps perdu : *le baron de Charlus* (homosexuel antipathique) ; *Odette de Crécy* (« mademoiselle Sacripant » : demi-mondaine féroce) ; *Oriane de Guermantes* (grande dame sympathique) ; *Sidonie Verdurin* (dame bas-bleu antipathique) ; *Robert de St-Loup* (homosexuel sympathique) ; *Albertine Simonet* (homosexuelle coureuse) ; *Charles Swann* (grand bourgeois israélite) ; *Gilberte Swann* (nouvelle riche, snob) ; *marquise de Villeparisis* (vieille aristocrate aux idées larges) ; *Françoise* (bonne aux réflexions pittoresques).

Queneau (R.). Zazie dans le métro : *Zazie Lalochère* (gamine délurée).

Rabelais (F.). Gargantua et **Pantagruel :** *Gargantua* (géant énorme et débonnaire) ; *Pantagruel* (géant doué d'un appétit monstrueux) ; *Panurge* (aventurier canaille et mystificateur) ; *Frère Jean des Entommeures* (moine paillard et bagarreur) ; *Picrochole* (souverain mégalomane et poltron). *Raminagrobis* (juge habile et matois).

Racine (J.). Les Plaideurs : *Madame de Pimbêche* (femme agressive et chicanière) ; *Chicaneau* (plaideur acharné). **Athalie :** *Jézabel* (fantôme effrayant). **Phèdre** (la « proie » de Vénus). **Esther :** *Assuérus* (majesté redoutable).

Radiguet (R.). Le Bal du comte d'Orgel : *Mahaut d'Orgel ; François de Seryeuse.* **Le Diable au corps :** *Marthe Grangier, épouse Lacombe.*

Renard (J.). Poil de Carotte (enfant haï par sa mère).

Sand (G.). La Petite Fadette : *Fanchon Fadet,* surnommé *Fadette* (petite paysanne charmante par son innocence). *François le Champi* (enfant trouvé aimé d'une riche meunière). **Consuelo.**

Sartre (J.-P.). Les Chemins de la liberté : *Ivich* (immigrée russe, victime d'un monde absurde). **La Nausée :** *Roquentin* (écrivain conscient de l'absurdité du monde). **Les Mains sales :** *Hugo* (militant politique affronté à l'absurde).

Scribe (E.). Le Soldat laboureur : *Nicolas Chauvin* (soldat de Napoléon, blessé 17 fois). Personnage également créé par Charles Cogniard.

Ségur (Ctesse de). L'Auberge de l'ange gardien : *le général Dourakine* (grand seigneur russe coléreux mais bon). **Un bon petit diable :** *Madame Macmiche* (bigote tortionnaire). **La Sœur de Gribouille :** *Gribouille* (brave garçon un peu simple d'esprit). **Les Deux Nigauds :** *Madame Bonbeck* (femme bon cœur et bourrue). **Les Petites Filles modèles :** *Sophie* (fillette étourdie). **Pauvre Blaise :** *Blaise Anfry* (paysan pieux et honnête).

Simenon (G.). Les Enquêtes du commissaire Maigret : *Jules Maigret* (policier psychologue et humain). **La Veuve Couderc :** *Tatie Couderc* (femme du peuple, laborieuse et méfiante).

Staël (G. de). Corinne ou l'Italie : *Corinne* (belle âme éprise d'esthétique).

Stendhal. Le Rouge et le Noir : *Julien Sorel* (jeune arriviste plutôt mal doué) ; *Mathilde de La Mole* (jeune aristocrate orgueilleuse et naïve) ; *Madame de Rénal* (vertueuse provinciale vaincue par la passion). **La Chartreuse de Parme :** *Fabrice del Dongo* (carbonaro héroïque et veule) ; *la Sanseverina* (tendresse passionnée pour un neveu). **Lucien Leuwen** (« égotiste » ayant réussi).

Sue (E.). Les Mystères de Paris : *M. Pipelet* (concierge parisien).

Tournier (M.). Le Roi des Aulnes : *Abel Tiffauges* (anarchiste resté sentimentalement un enfant).

Vailland (R.). Drôle de jeu : *François Lamballe, alias Marat.* **La Loi :** *Don Cesare.* **Les Mauvais Coups :** *Milan.*

Valéry (P.). Monsieur Teste (l'intelligence pure).

Vallès (J.). Jacques Vingtras (intellectuel de gauche).

Verne (J.). Le Tour du monde en quatre-vingts jours : *Phileas Fogg* (riche Anglais flegmatique) ; *Passepartout* (valet de chambre fidèle et débrouillard). **Michel Strogoff** (officier hardi et dévoué). **Vingt Mille Lieues sous les mers :** *le capitaine Nemo* (inventeur génial à la fois humanitariste et misanthrope). **Robur le Conquérant :** *Robur.* **De la Terre à la Lune :** *Michel Ardan.*

Voltaire. Candide : *Pangloss* (optimiste béat). **Mahomet :** *Séid* (esclave affranchi pour son dévouement aveugle).

Zola (E.). Les Rougon-Macquart : *Nana* (courtisane ambitieuse) ; *Gervaise* (femme du peuple, guettée par la déchéance) ; *Coupeau* (ouvrier tombé dans l'alcoolisme) ; *Lantier* (une « bête humaine », homicide) ; *Octave Mouret.*

Pradon, Jacques [D, P] (1644-98) : Pyrame et Thisbé (1676), Phèdre (1677).

Prévost d'Exiles (abbé) [R] (1697-1763) : Manon Lescaut (1731), Cleveland (1732-39).

Quesnay, François [Ec] (1694-1774) : Tableau économique de la France (1748), la Physiocratie (1768-69).

Quinault, Philippe [P, D] (1635-88) : Astrate (1664), la Mère coquette (1665), Roland (1683).

Racine, Jean [D] (1639-99) : *Théâtre :* la Thébaïde (1664), Alexandre (1665), Andromaque (1667), les Plaideurs (*comédie,* 1668), Britannicus (1669), Bérénice (1670), Bajazet (1672), Mithridate (1673), Iphigénie (1674), Phèdre (1677), Esther (1689), Athalie (1691). *Poésies :* Hymnes du Bréviaire (v. 1680), Cantiques spirituels (1694), Épigrammes (posth. 1722). *Histoire :* le Siège de Namur (1692), Précis historique des campagnes de Louis XIV (1730), Abrégé de l'histoire de Port-Royal (1742-67). *Polémique :* Lettre à l'auteur des Hérésies imaginaires (1666). *Correspondance :* Lettres (posth. 1747). – *Biogr. :* noblesse de robe d'Ile-de-France ; fils d'un fonctionnaire de La Ferté-Milon. Orphelin de mère à 13 mois ; de père à 3 ans. Élevé par sa grand-mère. *1655* pensionnaire chez les Solitaires (jansénistes) de Port-Royal. *1660* homme de lettres à Paris, sans ressources. *1664* pensionné par le roi pour une ode sur sa convalescence (2 000 livres annuelles pour toute sa vie). *1667* liaison avec la tragédienne Thérèse du Parc (1633-68). *1668* avec sa rivale, Marie Champmeslé (1642-1701) ; on le suspecte d'avoir empoisonné la du Parc. *1673* trésorier de France à Moulins (charge fictive, bien payée). *1677* historiographe du roi ; épouse Catherine de Romanet, de fortune moyenne. Abandonne les milieux théâtraux et vit dans l'intimité de Louis XIV, lui faisant la lecture en particulier. *1690* renoue avec Port-Royal et s'éloigne de la Cour. Meurt d'un abcès au foie.

Regnard, Jean-François [D] (1655-1709) : le Joueur (1696), le Légataire universel (1708).

Retz, Paul de Gondi, cardinal de [Mém] (1613-79) : Mémoires (posth. 1717).

Rotrou, Jean de [D] (1609-50) : Bélisaire (1643), Saint Genest (1646), Venceslas (1648).

Rousseau, Jean-Baptiste [P] (1671-1741) : Odes, Cantates.

Saint-Évremond, Charles de [Polé, Cr] (v. 1614-1703) : Pamphlets (1670).

Saint-Simon, Louis, duc de [Mém] (1675-1755) : Mémoires (1694-1723). – *Biogr. :* haute noblesse chartraine (pair de France, sera Grand d'Espagne). Fils de parents âgés ; souffreteux, presque nain. *1692-1702* aux armées ; démissionne (n'a pas été nommé maréchal de camp). *1702-12* attaché au duc de Bourgogne. *1712* s'attache au neveu du roi, le duc d'Orléans qui, Régent (1715), le prend pour principal conseiller. *1718* démissionne. *1721-23* ambassadeur en Espagne. *1723-55* retiré dans son château de La Ferté-Vidame, fréquente la Grande Trappe.

Scarron, Paul [Hum] (1610-60) : le Virgile travesti (1648-52), le Roman comique (1651-57).

Scudéry, Georges de (1601-67) et sa sœur Madeleine (1607-1701) [R] : le Grand Cyrus (1649-53), Clélie (1654-60).

Sévigné, Marie de Rabutin-Chantal, dame de Sévigné, dite la marquise de [E] (1626-96) : Lettres (publiées 1726).

Sorel, Charles [R] (v. 1600-74) : la Vraie Histoire comique de Francion (1622).

Tallemant des Réaux, Gédéon [Mém] (1619-90) : Historiettes (publiées 1835).

Tillemont, Sébastien Le Nain de [H] (1637-98) : Hist. ecclésiast. des six 1ers siècles (1690-1738).

Voltaire, François-Marie Arouet dit, [E, R] (1694-1778) : *Tragédies :* Mahomet (1731), Zaïre (1732), Mérope (1743). *Histoire :* Hist. de Charles XII (1741), Essai sur les mœurs (1756), le Siècle de Louis XIV (1761). *Philos. et Polémique :* Lettres phil. (1734), Traité sur la tolérance (1763), Dictionnaire phil. (1764). *Contes :* Zadig (1748), Micromégas (1752), Candide (1759), l'Ingénu (1751-68). *Poésies :* la Henriade (1727-28), Épîtres ou Satires : 117 pièces, le Mondain (1736). *Correspondance :* 21 000 lettres conservées (1 200 destinataires). – *Biogr. :* fils d'un notaire parisien, homme d'affaires des ducs de Richelieu et de Saint-Simon (héritera du cabinet d'affaires de son père). Études chez les jésuites de Louis-le-Grand à Paris. *1714* admis au « souper du Temple », chez le grand prieur de Vendôme, lieu de débauche aristocratique. *1716* exilé à Sully-sur-Loire et *1717* embastillé 1 an (pour ses écrits satiriques contre le Régent). *1723* introduit à la Cour à cause de ses succès littéraires. *1726* exilé en Angleterre pour avoir provoqué en duel (1725) un fils de duc, le chevalier de Rohan. *1729* retour en France. *1730-34* liaison avec Mme de Besnières (à Rouen). *1734* avec la M^ise du Châtelet, née Breteuil (1706-49). *1736* écarté de la Cour pour ses écrits antireligieux, s'installe avec la M^ise et son mari à Cirey, arrière-fief du duc de Bar-Lorraine, enclavé en Champagne (le Mis, seigneur lorrain, y a les pouvoirs de police). *1743* protégé par le Mis d'Argenson et la M^ise de Pompadour, revient à Versailles. Liaison avec sa nièce, Mme Denis (sa liaison avec la M^ise du Châtelet continuant jusqu'à la mort de celle-ci). *1750-53* séjour à Potsdam (avec Mme Denis) à la cour de Frédéric II de Prusse. *1753-54* brouillé avec Frédéric II, se réfugie à Colmar. *1754-59* à Prangins, puis aux Délices, près de Genève. *1759* retraite définitive (avec Mme Denis) à Ferney, à cheval sur la frontière franco-suisse ; y acquiert un riche domaine et y construit un château ; célèbre en Europe (surnommé le « roi Voltaire »). *1765* obtient la réhabilitation de Jean Calas (1698-1762), condamné à tort comme assassin de son fils. *1773* commence une campagne pour la réhabilitation de Lally-Tolendal, condamné à mort pour avoir capitulé à Pondichéry (sans résultats). *1778* séjour à Paris ; invité par l'Académie franç., est l'objet de manifestations triomphales et meurt épuisé après 8 j. Enterré quasi clandestinement à l'abbaye de Scellières par son neveu, l'abbé Mignot. *1791* au Panthéon.

NÉS ENTRE 1700 ET 1800

Alembert, Jean Le Rond d' [Math, Ph] (1717-83) : Discours préliminaire de l'Encyclopédie (1751).

Argens, Jean-Baptiste, marquis d' [Polé] (1704-71) : Mémoires secrets de la République des lettres (1737).

Ballanche, Pierre Simon [E] (1776-1847). Célèbre pour son amitié amoureuse avec Mme Récamier. – Du sentiment considéré dans ses rapports avec la littérature et les arts (1801).

Balzac, Honoré de [R] (1799-1850) : la Physiologie du mariage (1829), les Chouans (1829), la Femme de 30 ans (1831), la Peau de chagrin (1831), Louis Lambert (1832), le Médecin de campagne (1833), Eugénie Grandet (1834), la Duchesse de Langeais (1834), la Recherche de l'absolu (1834), le Père Goriot (1834-35), le Lys dans la vallée (1835), les Illusions perdues (1837-43), la Rabouilleuse (1841), la Cousine Bette (1846), le Cousin Pons (1847) ; la Comédie humaine regroupe 65 titres (1re éd. 1842, puis 1975). – *Biogr. :* bourgeoisie parisienne fixée en Touraine ; détesté par sa mère qui le met tout jeune en pension à Vendôme. *1814-19* études à Paris. *1820* liaison avec Laure de Berny ; de 22 ans plus âgée, elle le protégera jusqu'à sa mort (1836). *1821-26* feuilletoniste, sous différents pseudonymes. *1826-29* fonde une imprimerie (aurait imprimé 286 ouvrages) ; faillite (12-8-1828), lourdes dettes. *1830* gros droits d'auteur mais dépense sans compter. *1833* liaison avec Éveline Hanska (1800-82), comtesse polonaise. *1836* vie clandestine (crainte des créanciers). *1843* voyage à St-Pétersbourg auprès d'Éveline (veuve dep. 1841). *1846* naissance d'un fils mort-né, Victor-Honoré (inconsolable) ; achat et décoration ruineuse d'un hôtel, rue Fortunée (rue Balzac). *1847-48,* puis *1850* séjours en Ukraine ; *14-3* y épouse Éveline ; *juin* revient avec elle, épuisé, rue Fortunée, y meurt 18-8.

Barante, Prosper, baron de [H] (1782-1866) : Histoire des ducs de Bourgogne (1821-24).

Barthélemy, abbé Jean-Jacques [Éru] (1716-95) : Voyage du jeune Anacharsis en Grèce (1788).

Beaumarchais, Pierre Caron de [D] (1732-1799) : le Barbier de Séville (1775), le Mariage de Figaro (1784), La Mère coupable (1792). – *Biogr. :* fils d'un horloger parisien. *1752* invente un système d'échappement pour les montres, que l'horloger Lepaute cherche à s'approprier. *1754* gagne son procès contre Lepaute. *1755* horloger du roi. *1756* clerc de la maison du roi ; prend le nom de Beaumarchais, terre appartenant à sa femme (épousée 1756, morte 1757 ; il est soupçonné de l'avoir fait mourir). *1757* professeur de harpe des filles de Louis XV. *1758-64* associé du financier Pâris-Duverney ; achète une charge de secrétaire du roi (qui l'anoblit). *1762-82* lieutenant-général des chasses ; spéculations. *1770* à la mort de Pâris-Duverney, est accusé de fraude par les héritiers (procès gagné au bout de 8 ans). *1771* mort de sa 2e femme et procès en détournement d'héritage avec sa belle-famille. *1774* 3e mariage avec une riche héritière, Thérèse de Villermawlaz. Mission secrète à Londres (faire détruire un pamphlet contre Mme du Barry) ; mis en prison à Vienne (affaire de chantage). *1776* arme une flotte privée pour soutenir les insurgés américains. *1777* fonde la Sté des auteurs dramatiques. *1784* succès du *Mariage de Figaro ;* s'enrichit. *1790* rallié à la Révolution. *1792* monte une affaire d'achat d'armes en Hollande ; suspect à la Convention. *1793-96* exilé à Hambourg. *1796-99* rentre à Paris, écrit ses mémoires. Meurt d'apoplexie.

Béranger, Pierre-Jean de [Chans] (1780-1857] : le Roi d'Yvetot (1813), 6 recueils de chansons.

Bernardin de St-Pierre, Henri ⸙ [E] (1737-1814) : Paul et Virginie (1787), la Chaumière indienne (1790). – *Biogr. :* famille bourgeoise. *1758* ingénieur des Ponts et Ch. *1763* cherche fortune en Russie, puis en Prusse. *1767* en poste à l'île Maurice. *1771* démissionne ; misère à Paris ; disciple de Rousseau. *1787* fait fortune avec *Paul et Virginie. 1795* membre de l'Institut. *1799* pensionné par le 1er Consul.

Boigne, Louise d'Osmond, Ctesse de [Mém] (1781-1866) : Récits d'une tante (publiés 1907).

Bonald, Louis, Vte de ⸙ [Es] (1754-1840) : Théorie du pouvoir politique et religieux (1796).

Brillat-Savarin, Anthelme [Es] (1755-1826) : la Physiologie du goût (1825).

Brosses, (président) Charles de [Pros] (1709-77) : Lettres familières (1739-40), Lettres d'Italie (1740).

Buffon, Georges Louis Leclerc, Cte de ⸙ [Nat] (1707-88) : Histoire naturelle (36 vol.). – *Biogr. :* noblesse terrienne bourguignonne. Études chez les jésuites de Dijon. *1730* lié avec le duc anglais de Kingston, voyage avec lui en Italie ; séjourne souvent en Angleterre. *1733* membre adjoint de l'Académie des sciences, pour des travaux de physique. *1735* transforme sa propriété de Montbard en parc expérimental botanique. *1739* intendant du *Jardin du roi* (actuel J. des Plantes). *1744* réunit une équipe scientifique, dont le médecin Louis Daubenton (1716-99). Il passe 8 mois à Montbard et 4 mois à Paris, travaillant à son *Histoire naturelle* (renommée internationale). *1777* fait comte. *1779* condamné par la Sorbonne, sauvé par le veto royal.

Cabanis, Georges ⸙ [Ph, Sav] (1757-1808) : Lettres sur les causes premières (publ. 1824).

Caigniez, Louis [D] (1762-1842) : la Pie voleuse (1815).

Casanova de Seingalt, Jacques [Mém] (Venise, 1725-98) : Mémoires (posth. 1822-28). – *Biogr. :* fils d'acteurs. Études de droit, intrigues amoureuses à scandale. Après un 1er séjour en prison, secrétaire du cardinal Acquaviva. Nouveaux scandales, s'engage dans l'armée. Voyage à Paris (crée la 1re loterie publique française). Agent secret, puis bibliothécaire du Cte Waldstein, seigneur de Bohême. *1798* meurt à Dux (Bohême).

Chamfort, Nicolas-Sébastien Roch dit de ⸙ [Mor] (1740-94) : Pensées, Maximes et Anecdotes (1796).

Chateaubriand, François-René, Vte de [E] (1768-1848) : Atala (1801), le Génie du christianisme (1802), René (1802), les Martyrs (1809), l'Itinéraire de Paris à Jérusalem (1811), les Natchez (1815-26), les Aventures du dernier Abencérage (1826), Vie de Rancé (1844), Mémoires d'outre-tombe (1848-50). – *Biogr. :* famille noble bretonne (château de Combourg) ; collèges de Dol puis de Rennes. *1786* sous-lieutenant au régiment de Navarre. *1791-92* voyage aux États-Unis. *1792* épouse Céleste Buisson de La Vigne ; rejoint les émigrés à Coblence. *1793-1800* à Londres. *1800* retour à Paris, liaison avec Pauline de Beaumont (1768-1803). *1801* succès d'*Atala. 1803-04* diplomate en Italie, démissionne après l'exécution du duc d'Enghien. *1806-07* voyage en Orient. *1807-15* 1re personnalité littéraire du pays ; chef de l'opposition antibonapartiste. Nombreuses liaisons (dont Mme de Custine depuis 1802, duchesse de Duras de 1809 à 28). *1815* chef du parti ultra (pair de France, ministre d'État, min. des Affaires étrangères 1821-24). *1818* liaison avec Juliette Récamier [Julie Bernard (1777-1849), adorée pour sa beauté ; elle n'aurait eu pour amant que Chateaubriand, et leur amour se changea vite en affection platonique, qui dura jusqu'à la mort]. *1822* (du 5-4 au 30-8) ambassadeur à Londres. *1830* chef du parti légitimiste (opposé à Louis-Philippe : une arrestation en 1832, plusieurs missions auprès de Charles X en exil). *Après 1844* pauvre, vit d'avances sur ses *Mémoires* (Émile de Girardin achète le droit de les publier en feuilleton dans *La Presse,* malgré ses protestations). *1847* dépose ses *Mémoires* chez un notaire. *1848,* 19-7 inhumé (îlot du Grand-Bé, face à St-Malo), début du feuilleton dans *La Presse*.

Chénier, André [P] (1762-guillotiné le 25-7-1794) : Bucoliques (la Jeune Tarentine), Idylles, Élégies, Iambes (la Jeune Captive), Hermès.

Chénier, Marie-Joseph de [D, P] (1764-1811) : Charles IX (1796), le Chant du départ (paroles).

Comte, Auguste [Ph] (1798-1857) : Plan des travaux scientifiques pour réorganiser la société (1822), Cours de philosophie positive (1830-42). – *Biogr. :* bourgeoisie de Montpellier (monarchiste et catholique). D'une mémoire extraordinaire. *1814* reçu à Polytechnique (16 ans). *1816* école fermée (causes pol.) ; prof. de maths. *1816* secrétaire de Saint-Simon. *1822* rupture avec Saint-Simon, qui désapprouve le *Plan. 1825* épouse une prostituée. *1826* interné pour troubles mentaux. *1829* fonde une école privée de philo. *1832* répétiteur à Polytechnique. *1844* liaison avec Clotilde de Vaux (1815-46). *1848* fonde la religion de l'Humanité (positivisme) dont Clotilde est la divinité centrale. *1852* dans la misère jusqu'à sa mort (cancer).

Condillac, Étienne de ⸙ [Ph] (1714-80) : Traité des sensations (1754). Logique.

Condorcet, marquis de ⸙ [Math, Ph] (1743-94) : Esquisse d'un tableau historique des progrès de l'esprit humain (publ. 1795).

Constant de Rebecque. Voir Suisse, p. 312 b.

Courier de Méré, Paul-Louis [E, Pol] (1772-assassiné 1825) : Pamphlets, Lettres.

Cousin, Victor ⸙ [Ph] (1792-1867) : Du vrai, du beau, du bien (1837).

Crébillon, (fils) Claude Prosper de [R] (1707-77) : Lettres de la Mise de M*** au Cte de R*** (1732), les Égarements du cœur et de l'esprit (1736), le Sopha (1742).

Custine, Astolphe, Mis de [E] (1790-1875) : l'Espagne sous Ferdinand VII (1838), la Russie en 1839.

Delavigne, Casimir ⸙ [P, D] (1793-1843) : les Messéniennes (1818-22), les Vêpres siciliennes.

Delille, Jacques Fontanier, dit abbé ⸙ [P] (1738-1813) : les Jardins ; traductions (Virgile, Milton).

Desbordes-Valmore, Marceline [P] (1785-1859) : Élégies (1818-25), les Pleurs.

Destutt de Tracy, Antoine ⸙ [Ph] (1754-1836) : Éléments d'idéologie (1811-15).

Diderot, Denis [Ph, Encycl] (1713-84) : Pensées phil. (1746), les Bijoux indiscrets (1747), l'Encyclopédie (1751), le Fils naturel (1757), Lettres à d'Alembert, la Religieuse (publ. 1796), le Neveu de Rameau (publ. 1821), Jacques le Fataliste (posth. 1796), Paradoxe sur le comédien (publ. 1830), les Salons (1759-81, publ. 1812). – *Biogr. :* fils d'un coutelier langrois. Études au collège des jésuites de Langres (1723-28 ; tonsuré 1726) puis à Paris (1728-32). Jusqu'en *1742,* on perd sa trace (sans doute clerc et précepteur). *1743* épouse secrètement Anne-Antoinette Champion. *1744-48* rédacteur au Dictionnaire de Médecine. *1746* obtient le privilège de l'*Encyclopédie ;* il y travaillera jusqu'en 1759 (gains modestes). *1755* liaison avec Sophie Volland (jusqu'à la mort de celle-ci en 1783). *1765* sauvé de la misère par Catherine II de Russie qui lui achète (fictivement) sa bibliothèque pour 150 000 livres et l'en nomme bibliothécaire pour 300 pistoles par an. *1773-74* visite à St-Pétersbourg. *1784* s'installe dans un appartement payé par Catherine II, rue Richelieu, et y meurt.

Florian, Jean-Pierre de ⸙ [Fab] (1755-94) : 5 livres de Fables (1792).

Fourier, Charles [Ph, Éco], (1772-1837) : Théorie de l'Unité universelle.

Fréron, Élie [J] (1718-76) : l'Année littéraire (1754-76).

Genlis, Stéphanie Félicité du Crest, Ctesse de [E] (1746-1830) : env. 100 ouvrages dont Adèle et Théodore (1782), les Veillées du château (1784), Mémoires (1825).

Gresset, Louis ⸙ [P, D] (1709-77) : Vert-Vert (1734), le Méchant (1747).

Grimm, Melchior, Bon de [E] (All., 1723-1807) : Contes, Correspondance (publ. 1812).

Guizot, François ⸙ [H, Pol] (1787-1874). Voir Index.

Helvétius, Claude-Adrien [Ph, Encycl] (1715-1771) : De l'esprit (1758).

Holbach, Paul, Bon d' [Ph, Encycl] (Allem., 1723-89) : le Système de la nature (1770).

Joubert, Joseph [Mor] (1754-1824) : Carnets de J. Joubert (publ. 1836).

Jouffroy, Théodore [Ph] (1796-1842).

Krudener, Julie de Wietinghoff, Bonne de [R] (Russe, 1764-1824) : Valérie (1804).

Laclos, Pierre Choderlos de [R] (1741-1803) : les Liaisons dangereuses (1782).

La Harpe, Jean-François Delharpe, dit Fr. de ⸙ [Cr] (1739-1803) : Cours de littér. ancienne et moderne (1799), Une soirée chez Cazotte (publ. 1806).

Lamartine, Alphonse de ⸙ [P, H, Pros] (1790-1869) : *Poésies :* Méditations poétiques (1820), les Harmonies poétiques et religieuses (1830), Jocelyn (1836), la Chute d'un ange (1838), Recueillements poétiques (1839). *Histoire :* Hist. des Girondins (1847). *Prose :* Raphaël (1849), Confidences (1849), Graziella (1852). – *Biogr.* : noblesse terrienne mâconnaise ; études à Milly, instruit par des précepteurs. *1801-08* interne à Lyon, puis à Belley. *1811-12* voyage en Italie (1res amours à Naples avec Antoniella, intendante de son oncle). *1816-17* liaison avec Julie Charles (Elvire), femme d'un physicien (phtisique, elle meurt en déc. 1817). *1818* mariage avec une Anglaise, Marianne Elisa Birch. *1820-30* diplomate en Italie. *1830* démissionne et tente d'être élu député (échec). *1833* voyage en Orient. *1839-48* député de Bergues (Nord) : non inscrit jusqu'en 1838, opposition libérale de 1838 à 48. *1848* prend part à la Révolution de février ; min. des Affaires étrangères. *1849* candidat à la présidence de la République (échec, 17 910 voix). Difficultés financières (ses propriétés du Mâconnais lui coûtent cher) ; se condamne aux « travaux forcés littéraires ». *1861* vend son château de Milly. *1867* veuf, se remarie secrètement avec sa nièce Valentine (qui était sa fille adoptive). *1869* meurt, oublié, dans une villa que la ville de Paris a mise à sa disposition.

Lamennais, Félicité de [Ph] (1782-1854). – *Biogr. :* fils d'un propriétaire terrien breton, anobli en 1782. Élevé dans la maison paternelle, La Chesnaie. *1808* ordres mineurs. *1816* prêtre. *1817* célèbre avec *l'Essai sur l'indifférence. 1830* fonde le journal catholique libéral *l'Avenir* (condamné par Rome en 1831). *1834* les *Paroles d'un croyant,* condamnées à leur tour. *1836* rupture avec Rome. *1840* un an de prison pour des écrits républicains. *1848* député ; fonde le journal *le Peuple constituant* qui disparaît au bout de 5 mois. Se retire de la vie publique et meurt sans l'assistance d'un prêtre.

La Mettrie, Julien Offroy de [Méd, Ph] (1709-51) : l'Homme-machine (1747).

Maine de Biran, François-Pierre Gonthier de Biran, dit [Ph] (1766-1824) : Journal intime (1927).

Maistre, Joseph, Cte de [Es, Ph] (1753-1821) : Considérations sur la France (1796), Du pape (1819), Soirées de St-Pétersbourg (1821).

Maistre, Xavier, Cte de [Es] (1763-1852) : Voyage autour de ma chambre (1795).

Marmontel, Jean-François ⸙ [Mor] (1723-99) : Contes moraux (1767-77), Mémoires (1800-05).

Mercier, Louis-Sébastien ⸙ [Pros, D] (1740-1814) : le Tableau de Paris (1781), la Brouette du vinaigrier (1775).

Michelet, Jules [H, Es] (1798-1874) : Histoire de France (1833-67), Histoire de la Révolution française (1847-53). – *Biogr. :* fils d'un imprimeur parisien ; enfance pauvre. *1819* docteur ès lettres. *1821* agrégé, prof. à Ste-Barbe. *1824* épouse sa maîtresse, Pauline Rousseau (1791-1839), alcoolique et tuberculeuse. *1827* prof. à l'École normale. *1834* à la Sorbonne. *1838* au Collège de France. *1839-42* liaison avec une grande malade, Mme Dumesnil, mère de son gendre. *1848* avec Athénaïs Mialaret (épousée 1849 ; sera sa collaboratrice). *1852* révoqué du Collège de France par Napoléon III (refus du serment).

Mignet, François ⸙ [H] (1796-1884) : Marie Stuart (1851).

Millevoye, Charles [P] (1782-1816) : la Chute des feuilles (1812).

Mirabeau, Victor Riqueti, Mis de [Ec] (1715-89) : l'Ami des hommes (1757). Voir Index.

Nodier, Charles ⸙ [R, P] (1780-1844) : Contes (Trilby, la Fée aux miettes, etc.).

Parny, Évariste, Vte de ⸙ [P] (1753-1814) : Poésies érotiques (1778-81), la Guerre des dieux (1799).

Pigault-Lebrun, Guillaume (Antoine de L'Épiney) [D, R] (1753-1835).

Pixérécourt, René Guilbert de [D] (1773-1844) : Victor ou l'Enfant de la forêt (1798), Cœlina ou l'Enfant du mystère (1800), Robinson Crusoé (1809), les Ruines de Babylone (1810).

Pompignan, Jacques Le Franc, Mis de ⸙ [D, P] (1709-84) : Didon (1734), Poésies sacrées.

Raban, Louis-François [R] (1795-1870) : l'Auberge des Adrets.

Raynal, Guillaume, abbé (1713-96) : Mémoires politiques de l'Europe, Histoire philosophique et politique des établissements et du commerce des Européens dans les deux Indes (1772).

Restif de La Bretonne, Nicolas [R, Mém] (1734-1806) : la Famille vertueuse (1767), le Pornographe (1769), le Paysan perverti (1774), la Vie de mon père (1778), la Paysanne pervertie (1780), la Découverte australe (1781), les Nuits de Paris (1788), Monsieur Nicolas (1795-97).

Rivarol, Antoine de Rivaroli, dit le Cte de [Polé] (1753-1801) : Discours sur l'universalité de la langue française (1784).

Rousseau, Jean-Jacques : voir Suisse, p. 312 c.

Royer-Collard, Pierre-Paul ⸙ [Or] (1763-1845).

Sade, Donatien, Mis de [R, Ph] (1740-1814) : Justine (1791), la Philosophie dans le boudoir (1795), la Nouvelle Justine, suivie de l'Histoire de Juliette, sa sœur (10 vol. 1797), Oxtiern (1799), les Crimes de l'amour (1800), Dorcé (posth. 1881), Historiettes, contes et fabliaux (posth, 1926), les 120 Journées de Sodome (post. 1931-32), Cahiers personnels (posth, 1953), Monsieur le 6 (posth. 1954), 111 notes pour la Nouvelle Justine (posth. 1956). – *Biogr. :* vieille noblesse provençale ; élevé au château de Saumane, par son oncle, l'abbé de Sade d'Ébreuil, historien. *1750-55* collège d'Harcourt (jésuite) à Paris. *1755* sous-lieutenant d'infanterie. *1757-63* combat à la g.

de Sept Ans. *1763* se marie. *1772-73* condamné à mort pour violences sexuelles, incarcéré en Savoie, évadé. *1774-77* séjour au château de la Coste ; nouvelles affaires de mœurs. *1778-84* captivité à Vincennes. *1784-89* embastillé, déplacé à Charenton peu avant le 14-7-89. *1790,* 2-4 libéré grâce au décret sur les lettres de cachet. *1790-93* membre de la section révolutionnaire des Piques. *1794* condamné à mort, échappe à la guillotine (on ne sait plus dans quelle prison il se trouve). *1794-1801* en liberté, écrit des romans scandaleux. *1801* emprisonné. *1803-14* transféré à l'hospice de Charenton, y vit en ménage avec Marie-Constance Quesnet jusqu'à sa mort. A partir de 1836 on appela sadisme la « perversion sexuelle dans laquelle le plaisir érotique dépend de la souffrance infligée à autrui ».

Saint-Martin, Louis-Claude de [Ph, Théo] (1743-1803), dit le *Philosophe inconnu* [pseud. pour le livre des Erreurs et de la Vérité (1775)] : l'Homme de désir (1790), le Nouvel Homme (1792), Ecce Homo (1792), le Ministère de l'homme d'esprit (1802).

Saint-Simon, Claude Henri de Rouvroy, Cte de [Eco, Ph] (1760-1825) : Lettres d'un habitant de Genève (1802), Mémoire sur la science de l'homme (inach., 1813).

Say, Jean-Baptiste [Ec] (1767-1832).

Scribe, Eugène ⚕ [D] (1791-1861) : 350 comédies [dont l'Ours et le Pacha (1820), Michel et Christine (1821), Bertrand et Raton (1833), la Camaraderie (1836), le Verre d'eau (1840)], vaudevilles, livrets d'opéras.

Sedaine, Michel-Jean ⚕ [D] (1719-97) : le Philosophe sans le savoir (1765).

Ségur, Sophie Rostopchine, Ctesse de [R] (1799-1874) : les Petites Filles modèles (1858), les Vacances (1859), Mémoires d'un âne (1860), les Deux Nigauds (1862), l'Auberge de l'ange gardien (1863), les Malheurs de Sophie (1864), Un bon petit diable (1865), le Général Dourakine (1866).

Senancour, Étienne de [E] (1770-1846) : Obermann (1804).

Staël, B^onne^ de : voir Suisse, p. 312 c.

Stendhal, Marie-Henri Beyle, dit [R] (1783-1842) : De l'amour (1822), Armance (1827), le Rouge et le Noir (1830), Souvenirs d'égotisme (1832, publ. 1897-1927), Vie de Henry Brulard (1835-36), Lucien Leuwen (1834, publ. 1894-1927), la Chartreuse de Parme (1839), l'Abbesse de Castro (1839), Lamiel (inach., publ. 1889). – *Biogr. :* bourgeoisie grenobloise, fils d'un magistrat. Perd sa mère à 7 ans. *1796-99* École centrale d'ingénieurs à Grenoble. *1800* sous-lieutenant de cavalerie (démissionnaire 1801). *1805* liaison, à Marseille, avec l'actrice Mélanie Guilbert. *1806-10* intendant militaire en Allemagne, protégé par son cousin, le comte Daru. *1810* auditeur au Conseil d'État. *1811-14* liaison avec Angéline Bereyter. *1812* prend part à la campagne de Russie. *1814-21* à Milan ; amour malheureux pour Métilde Dembowski. *1821* expulsé par Autrichiens (pour carbonarisme), se fixe à Paris. *1823-26* liaison avec la Ctesse Curial ; correspondant à Paris de journaux anglais. *1827* sans ressources. *1830-37* consul à Civitavecchia (Italie). *1837-38* en congé à Paris ; brille dans les salons. *1839-41* à Civitavecchia. *1841-42* congé de santé à Paris. Candidat à l'Acad. fr. Meurt d'apoplexie en pleine rue.

Thierry, Augustin [H] (1795-1856] : Histoire de la conquête de l'Angleterre (1825), Récits des temps mérovingiens (1835-40).

Thiers, Adolphe ⚕ [H] (1797-1877) : V. Index.

Vauvenargues, Luc de Clapiers, Mis de [Mor] (1715-47) : Maximes (1746).

Vigny, Alfred, Cte de ⚕ [P] (1797-1863) : *Poésies :* Eloa (1824), Poèmes antiques et modernes (1826), les Destinées (1864). *Romans :* Cinq-Mars (1826), Stello, Servitude et Grandeur militaires (1835). *Drame :* Chatterton (1835). – *Biogr. :* vieille noblesse militaire, ruinée par la Révolution. Interne à la pension Hix (cours au lycée Bonaparte). *1814* sous-lieutenant aux Mousquetaires-Rouges du Roi. *1823* capitaine d'inf. à Strasbourg. *1825* en garnison à Pau, épouse une Anglaise, Lydia Bunbury. *1827* démissionne de l'armée ; à Paris, fréquente milieux littéraires. *1831-38* liaison avec l'actrice Marie Dorval (1798-1849). *1835-43* dans sa propriété du Maine-Giraud en Charente. *1845* élu à l'Académie fr. ; reçu avec insolence par le Cte Molé, se brouille avec ses confrères. *1846-63* longs séjours au Maine-Giraud. *1863 (19-9)* meurt à Paris.

Villemain, Abel ⚕ [Cr] (1790-1870) : Cours de littérature française (1829).

Nés entre 1800 et 1900

About, Edmond ⚕ [R] (1828-85) : le Roi des montagnes (1857), l'Homme à l'oreille cassée (1862).

Achard, Marcel (Marcel Augustin Ferréol) ⚕ [D] (1899-1974) : Voulez-vous jouer avec moâ ? (1923), Jean de la Lune (1929), Nous irons à Valparaiso, Patate (1957), l'Idiote (1961).

Acremant, Germaine [R] (1889-1986) : Ces dames aux chapeaux verts (1921), Gai ! Marions-nous (1969).

Adam, Paul [R] (1862-1920) : la Force.

Agraives, Jean d' (Frédéric Causse) [R] (1892-1951).

Aicard, Jean ⚕ [P, D, R] (1848-1921) : Poésies, le Père Lebonnard, Maurin des Maures (1908).

Alain, Émile Chartier dit [Ph] (1868-1951) : Propos (1908-19), Éléments d'une doctrine radicale, Histoire de mes pensées.

Alain-Fournier, Henri Alban Fournier, dit [E] (1886/disparu au combat 22-9-1914, ossements identifiés le 15-11-1991, inhumés le 10-11-1992) : le Grand Meaulnes (1913), Correspondance avec J. Rivière (publ. 1926-28), Colombe Blanchet (esquisse publ. 1990).

Alexis, Paul [R, D] (1847-1901).

Allain, Marcel (1885-1969) : voir encadré p. 288.

Allais, Alphonse [Hum] (1855-1905) : A se tordre (1891), le Parapluie de l'escouade (1894), Deux et deux font cinq (1895), On n'est pas des bœufs (1896), Amours, Délices et Orgues (1898), le Captain Cap (1902).

Apollinaire, Guillaume (Wilhelm de Kostrowitzky, dit) [P, R] (1880 -1918) : *Contes et récits :* l'Hérésiarque et Cie (1910), le Poète assassiné (1916). *Poésie :* le Bestiaire (1908-10), Calligrammes (1912-17), Alcools (1913). *Théâtre :* les Mamelles de Tirésias (1917). – *Biogr. :* fils naturel d'un officier italien, élevé par sa mère à Monaco. *1899* à Paris. *1900* secrétaire d'une officine financière. *1901* précepteur en Allemagne ; amoureux d'une gouvernante anglaise, Annie Playden. *1902* août à Paris, employé de banque, collabore à des revues. *1904* rédacteur en chef du Guide des rentiers. *1905* employé de banque. *1907* publie sous le manteau 2 romans érotiques (les Onze Mille Verges, Mémoires d'un jeune Don Juan). *Mai* rencontre Marie Laurencin. *1911* emprisonné pour complicité du vol de *La Joconde* au Louvre (non-lieu). *1914* engagé volontaire. Liaison avec « Lou » (Louise de Coligny-Châtillon). *1915* fiancé à Madeleine Pagès. *1916 9-3* naturalisé français. *17-3* blessé à la tempe. *9-5* trépané. *1917 25-6* affecté à la censure. *1918 janvier* congestion pulmonaire. *2-5* épouse Jacqueline Kolb. *28-7* lieutenant à titre provisoire. *9-11* meurt de la grippe espagnole.

Aragon, Louis (L. Andrieux) [Es, H, P, R] (1897-1982) : *Romans :* Anicet ou le Panorama (1920), le Libertinage (1924), le Paysan de Paris (1926), les Cloches de Bâle (1933), les Beaux Quartiers (Ren. 1936), les Voyageurs de l'impériale (1942), Aurélien (1944), les Communistes (1949-51), le Roman inachevé (1956), la Semaine sainte (1958), la Mise à mort (1965), Blanche ou l'Oubli (1967), la Défense de l'infini (1986 ; inédits de 1923-27). *Poésies :* le Mouvement perpétuel (1926), le Crève-cœur (1941), les Yeux d'Elsa (1942), le Musée Grévin (1943), la Diane française (1945), le Fou d'Elsa (1963), les Adieux (1982). – *Biogr. :* fils naturel d'une Parisienne (gérante d'une pension de famille) et du préfet Louis Andrieux. *1916* commence études de médecine. *1916-18* mobilisé. *1919* fréquente les dadaïstes, puis les surréalistes. *1927* membre du Parti comm. *1928* tentative de suicide. *1930* voyage en Russie. *1937* codirecteur de *Ce Soir*. *1939* épouse Elsa Triolet (1896-1970), belle-sœur du poète soviétique Maïakowski. *1942-44* clandestinité. *1944* fonde les *Lettres françaises. 1945-60* vice-Pt du Comité central du PC. *1967-68* Académie Goncourt (démissionne). 2 fois prix Lénine.

Arland, Marcel ⚕ [Cr, R] (1899-1986) : l'Ordre (G 1929), les Vivants, la Grâce, Attendez l'aube, Lumière du soir (1983).

Arnoux, Alexandre [E] (1884-1973) : le Cabaret, Écoute s'il pleut, Paris-sur-Seine.

Aron, Robert ⚕ [H] (1898-1975) : Histoire de Vichy ; de la Libération ; de l'Épuration (1967-68).

Artaud, Antonin [Es, D, P] (1896-1948) : le Pèse-Nerfs, le Théâtre et son double, Tric-Trac du ciel, Lettres de Rodez (1946), les Cenci, l'Ombilic des limbes.

Arvers, Félix [P, D] (1806-50) : Mes heures perdues (1833) (contenant « Sonnet imité de l'italien » écrit en hommage à Marie Nodier, fille du poète ? 1er vers : Mon âme a son secret, ma vie a son mystère).

Aubry, Octave ⚕ [H] (1881-1946) : le Roi de Rome, la Révolution française.

Audiberti, Jacques [P, D] (1899-1965) : *Poésies :* l'Empire de la Trappe, Race des hommes. *Romans :* Abraxas, Marie Dubois, la Poupée. *Théâtre :* Quoat-Quoat (1946), Le mal court (1947), l'Effet Glapion (1959).

Audoux, Marguerite [R] (1863-1937) : Marie-Claire (F. 1910), l'Atelier de Marie-Claire (1920), De la ville au moulin (1926), Douce lumière (1937).

Augier, Émile ⚕ [D] (1820-89) : Ceinture dorée, le Gendre de M. Poirier (1854).

Bachelard, Gaston [Ph] (1884-1962).

Bainville, Jacques (Stadt) ⚕ [H] (1879-1936) : Histoire de France, Napoléon, Lectures.

Banville, Théodore de [P] (1823-1891) : Odes funambulesques (1857), Gringoire, Améthystes (1862), Rimes dorées (1875). *Contes :* Contes pour les femmes (1881), Contes bourgeois (1885), le Forgeron (1887). Mes souvenirs (1882).

Barbey d'Aurevilly, Jules [Polé, Cr, R] (1808-89) : *Romans :* l'Amour impossible (1841), Une vieille maîtresse (1851), l'Ensorcelée (1852), le Chevalier des Touches (1864), Un prêtre marié (1881), Une histoire sans nom (1882). *Nouvelles :* les Diaboliques (1874). *Critique :* les Œuvres et les hommes (15 vol.).

Barbier, Auguste ⚕ [P] (1805-82) : Iambes.

Barbusse, Henri [J, R] (1873-1935) : l'Enfer (1908), le Feu (G. 1916).

Barrès, Maurice ⚕ [Polé, Es, R] (1862-1923) : le Culte du moi [Sous l'œil des Barbares (1888), Un homme libre (1889), le Jardin de Bérénice (1891)], Du sang, de la volupté et de la mort (1894), le Roman de l'énergie nationale [les Déracinés (1897), l'Appel du soldat (1900), Leurs figures (1902)], Colette Baudoche (1909), la Colline inspirée (1913). – *Biogr. :* riche famille bourgeoise de Lorraine ; lycée de Nancy. *1883* à Paris. *1889* député nationaliste de Nancy ; un des leaders du boulangisme. *1896* chef des antidreyfusards. *1904* patronne l'*Action française. 1914-18* propagandiste en faveur de l'effort de guerre. *1920* perd son influence sur la jeunesse ; sa mort est l'occasion d'une mascarade surréaliste.

Bashkirtseff, Marie (Russe) [Mém] (1860-84) : Journal (1887), Cahiers intimes (1925).

Bastiat, Frédéric [Ec]. (1801-50) : Harmonies économiques (inachevé).

Bastide, Roger [Ethn] (1898-1974).

Bataille, Georges [R, Ph] (1897-1962) : le Bleu du ciel (1935), l'Expérience intérieure (1943), la Part maudite (1949), l'Érotisme (1957).

Bataille, Henry [P, D] (1872-1922) : Maman Colibri (1904), la Marche nuptiale.

Baudelaire, Charles [P, Cr] (1821-67) : *Poèmes :* les Fleurs du mal (1857), le Spleen de Paris (1864). *Essais :* les Paradis artificiels (1860), l'Art romantique (1868). – *Biogr. :* fils d'un prêtre sécularisé à la Révolution († 1827). *1828* sa mère se remarie avec le général Jacques Aupick (1789-1857) Baudelaire en est traumatisé. Études à Louis-le-Grand, puis faculté de Droit. *1840* liaison avec Sarah (surnommée Louchette). *1841* son beau-père l'expédie à l'île Maurice. *1842* à Paris, vit en dandy dans les milieux littéraires, dépensant l'héritage paternel reçu à sa majorité (75 000 F). *1843* liaison avec une Antillaise, Jeanne Duval, qui le rend syphilitique (ne l'abandonnera jamais). *1844* un conseil judiciaire lui mesure ses ressources jusqu'à sa mort. *1848* prend part en amateur à la Révolution. *1852* liaison avec Anne Sabatier, dite la Présidente. *1855* critique d'art au *Pays. 1857 (20-8)* condamné à 300 F d'amende pour l'immoralité des *Fleurs du mal. 1864* exil volontaire en Belgique. *1866* fait une chute à Namur. *1867* meurt de paralysie générale, après avoir demandé les sacrements. *1949 (30-5)* la chambre criminelle de la Cour de cassation de Paris casse le jugement qui condamnait Baudelaire et les éditeurs des *Fleurs du mal* pour outrage aux mœurs.

Bauër, Gérard (pseudonyme : Guermantes ; fils naturel de A. Dumas fils) [Chr] (1888-1967).

Bazin, René ⚕ [R] (1853-1932) : la Terre qui meurt (1899), les Oberlé (1901), le Blé qui lève (1907).

Beaumont, Germaine (Battendier) [E] (1890-1983) : Piègre (Ren. 1930), Silsauve (1952), Un chien dans l'arbre (1975).

Becque, Henry [D] (1837-99) : les Corbeaux (1882), la Parisienne (1885).

Bedel, Maurice [R] (1883-1954) : Jérôme, 60e latitude nord (G. 1927).

Bédier, Joseph ⚕ [Eru] (1864-1938) : Légendes épiques (1908-13), le Roman de Tristan et Iseult.

Béhaine, René [R] (1880-1966) : Histoire d'une société (17 vol. 1928-63).

Benda, Julien [Ph, R] (1867-1956) : Belphégor, la Trahison des clercs (1927), la Fin de l'éternel.

Benjamin, René [R, Cr] (1885-1948) : Gaspard (G. 1915), Balzac, l'Enfant tué (1946).

Benoit, Pierre ⚕ [R] (1886-1962) : Kœnigsmark (1918), l'Atlantide (1919), le Lac salé, Mlle de La Ferté, Axelle (1928), le Désert de Gobi, Montsalvat, Monsieur de La Ferté. Voir p. 337 b.

Béraud, Henri [R, Polé] (1885-1958) : le Martyre de l'obèse (G. 1922), le Vitriol de lune (1922), la Croisade des longues figures (1924), la Gerbe d'or (1928), Ciel de suie (1933), Qu'as-tu fait de ta jeunesse ? (1943), les Derniers Beaux Jours (1953). – *Biogr. :* fils d'un boulanger lyonnais, abandonne ses études avant le bac ; employé de bureau, polémiste local. *1914-18* artillerie. *Après la guerre :* journaliste à *l'Œuvre,* au *Canard enchaîné,* au *Crapouillot,* au *Petit Parisien ;* anticommuniste, préconise l'entente avec Mussolini. *1934* collabore à *Gringoire ;* xénophobe, opte pour Pétain. *1944* (24-8) arrêté et condamné à mort. *1945* gracié par de Gaulle sur l'intervention de Mauriac et Churchill. *1950*

LE ROMAN POLICIER ET LE ROMAN D'ESPIONNAGE

■ **Grands ancêtres. France : Gaboriau,** Émile (1832-73) : le Crime d'Orcival (1867), le Dossier n° 113 (1867), l'Affaire Lerouge (1868), Monsieur Lecoq (1869). **Leblanc,** Maurice (1864-1941) : les Aventures extraordinaires d'Arsène Lupin [20 vol., 1908-29, notamment : A.L. contre Herlock Sholmes (1908), l'Aiguille creuse (1909), 813 (1910), A.L. gentleman cambrioleur (1914), l'Ile aux 30 cercueils]. **Leroux,** Gaston (1868-1927) : cycle des Rouletabille [le Mystère de la chambre jaune (1907), le Parfum de la dame en noir (1909), Rouletabille chez le czar, Chéri-Bibi (1921-22)]. **Souvestre,** Pierre (1874-1914) et **Allain,** Marcel (1885-1969) : *Fantômas* (32 vol. + 10 par Allain seul). G.-B. : **Collins,** William dit Wilkie (1824-89) : la Dame en blanc (1860), la Pierre de lune (1868). **Doyle,** Sir Arthur Conan(1859-1930) : Une étude en rouge, les Aventures de Sherlock Holmes, le Chien des Baskerville, le Signe des quatre. USA **Poe,** Edgar(1809-49) : voir p. 265 c.

■ **Age classique. Belgique : Simenon,** Georges (1903-89). France : **Decrest,** Jacques (J.N. Faure-Biguet, 1893-1954). **Véry,** Pierre (1900-60) : Moi Aristide Briand, l'Assassinat du père Noël (1934), les Disparus de St-Agil (1935). G.-B. : **Bagley,** Desmond (1924-83). **Buchan,** John (1875-1940) : les 39 Marches (1915), les Trois otages (1924). **Carr,** John Dickson (1905-77). **Chesterton,** Gilbert Keith (1874-1936). **Christie,** Agatha (1891-1976) (Agatha Mary Clarissa Miller) : le Crime de l'Orient-Express, Dix Petits Nègres. Voir p. 337 c. *Théâtre :* la Souricière. **Greene,** Graham (1904). **Iles,** Francis. **Sayers,** Dorothy (1893-1957) : Lord Peter et l'inconnu. **Wallace,** Edgar (1875-1932) : le Cercle rouge. USA : **Biggers,** Earl Derr (1884-1933) : Charlie Chan à Honolulu. **Caspary,** Vera (1908). **Charteris,** Leslie (Leslie Charles Bowyer Yin, 1907) : série du Saint. **Hart,** Frances Noyes (1890-1943) : le Procès Bellamy. **Queen,** Ellery [Frederic Dannay (1905-82) et Manfred Lee (1905-71)] : le Mystère des frères siamois. **Van Dine,** S.S. (Willard Huntington Wright, 1889-1939).

■ **Roman noir. France : A.D.G.** [Alain Camille (1947)]. **Amila,** Jean [Meckert (1910)], **Le Breton,** Auguste (Monfort) (1913) : Du rififi chez les hommes (1953), le Clan des Siciliens. **Malet,** Léo (1909). **Manchette,** Jean-Patrick (1942). **Simonin,** Albert (1905-80) : Touchez pas au grisbi (1953), Le cave se rebiffe (1954). **Siniac,** Pierre (1928). **Topin,** Tito (1932). G.-B. : **Cheyney,** Peter (Reginald E. Peter Southhouse-Cheyney, dit) (1896-1951) : Cet homme est dangereux (1936), la Môme vert-de-gris (1945), Monsieur Callaghan, Les femmes s'en balancent (1945). **Wainwright,** John (1921). USA : **Albert,** Marvin (1924). **Block,** Lawrence (1938). **Burnett,** William Riley (1899-1982) : le Petit. **Cain,** James (1892-1977) : Le facteur sonne toujours deux fois (1936), la Belle de La Nouvelle-Orléans, Mildred Pierce (1950). **Chandler,** Raymond (1888-1959) : le Grand Sommeil (1939), la Dame du lac (1943), the Long Good-bye (1953 ; publié avec 100 pages de moins dans la Série Noire : Sur un air de navaja), la Grande fenêtre, Fais pas ta rosière. **Chase,** James Hadley (René Brabazon Raymond, 1906-85) : 89 romans dont Pas d'orchidées pour Miss Blandish (1939), Méfiez-vous fillettes ! (1941), Miss Shumway jette un sort (1944), Eva, le Requiem des blondes (1945), Elles attigent (1946), la Chair de l'orchidée, Traquenards (1948), la Main dans le sac, Garces de femmes (1949), Lâchez les chiens (1950), la Culbute (1952), Partie fine (1954), Pas de mentalité (1959), l'Héroïne de Hong-Kong (1962), Un beau matin d'été (1963), Chambre noire (1966), Un hippie sur la route (1970), Meurtres au pinceau (1979). **Clarke,** D. Henderson (1887-1958). **Collins,** Max Allan (1948). **Hammet,** Samuel Dashiell (1894-1961) : la Moisson rouge (1927), Sang maudit (1928), le Faucon maltais (1929), la Clé de verre (1930). **Himes** Chester (1909-84) : la Reine des pommes (1958). **Mac Coy,** Horace (1897-1955) : On achève bien les chevaux (1935), Un linceul n'a pas de poches (1946), Adieu la vie, adieu l'amour (1949). **Mc Donald,** John D. **Williams,** Charles (1909-75) : la Mare aux diams (1956), Fantasia chez les ploucs (1957).

■ **Roman moderne. Australie : Brown,** Carter (Alan G. Yates, 1923-85). Canada : **Morrell,** David (1943). France : **Arnaud,** G.-J. (1918-87). **Bialot,** Joseph (1923). **Benacquista,** Tonino (1961). **Boileau,** Pierre (1906-89) et **Narcejac,** Thomas (Pierre Ayraud, 1908). **Conil,** Philippe (1955). **Daeninckx,** Didier (1949). **Dard,** Frédéric (1921) : *San Antonio* (série). Voir p. 338 a. **David,** Eva (n.c.). **Delteil,** Gérard (1939). **Demouzon,** Alain (1945) : Mouche (1976), le Premier-Né d'Égypte, Un coup pour rien, la Pêche au vif, Mes Crimes imparfaits, Adieu La Jolla, Paquebot (1983), la Perdriolle. **Demure,** Jean-Paul (1941). **Exbrayat,** Charles (Charles Durivaux, 1906-89) : Une ravissante idiote, Jules Matrat (1975). **Fétis,** Laurent (n.c.). **Japrisot,** Sébastien (J.-B. Rossi, 1931) : Compartiments tueurs, l'Été meurtrier, la Passion des femmes, Visages de l'amour et de la haine, Un long dimanche de fiançailles. **Jonquet,** Thierry (1952). **Kenny,** Paul [Gaston Vandenpanhuyse (1913) et Jean Libert (1913)] : *série* des Coplan. **Lebrun,** Michel (1930). **Léon,** Pierre (n.c.). **Monteilhet,** Hubert (1928) : les Mantes religieuses (1960), le Retour des cendres (1961), Retour à zéro, les Queues de Kallinaos, Neropolis, la Pucelle, Eudoxie ou la Clef des champs. **Mosconi,** Patrick (1950). **Oppel,** Jean-Hughes (1957). **Pelman,** Brice (Pierre Ponsart, 1924). **Pennac,** Daniel (Pennachioni, 1944). **Pierquin,** Georges (1922). **Pouy,** Jean-Bernard (1946). **St-Laurent,** Cécil (J. Laurent, 1919). **Vautrin,** Jean (Herman, 1933). **Villard,** Marc (1947). G.-B. : **Cook,** Robin (1933). USA : **Charyn,** Jerome (1937) : Frog, Movieland. **Estleman,** Loren D. (1952). **Hansen,** Joseph (1923). **Highsmith,** Patricia (1921) : l'Inconnu du Nord-Express (1950), le Journal d'Edith, Sur les pas de Ripley, Les gens qui frappent à la porte, Une créature de rêve, Catastrophe, Ripley entre deux eaux (1991). **Irish,** William (Cornell George Hopley-Woolrish, 1903-68). **Kaminski,** Stuart M. (1934). **Lieberman,** Herbert (1943). **Pronzini,** Bill (1943). **Westlake,** Donald E.(pseud. Richard Stark, 1933).

■ **Roman d'espionnage. G.-B. : Cooper,** Fenimore (1789-1851) : l'Espion (1822). **Chesney,** Sir George Tomkyns : la Bataille de Dorking (1871). **Le Queux,** William : Great War in England in 1897 (1894). **Oppenheim,** Philips : Mysterious Mr Sabin (1898). **Kipling,** Rudyard (1865-1936) : Kim (1901). **Maugham,** Somerset (1874-1965) : Mr Ashenden or the British Agent (1928). **Ambler,** Eric (1909) : le Masque de Dimitrios (1939). **Fleming,** Ian (1908-64) : James Bond 007, Casino Royal (1954), Moonraker (1955), Goldfinger (1959), Au service de Sa Majesté (1963). **Deighton,** Len (1929) : Ipcress danger immédiat (1962). **Le Carré,** John (David Cornwell, dit) (1931) : l'Espion qui venait du froid (1963), la Taupe (1971), Comme un collégien, les Gens de Smiley (1979), la Petite Fille au tambour, Un pur espion, la Maison Russie, le Voyageur secret, Une paix insoutenable (1991). **Volkoff,** Vladimir (1932) : le Retournement (1979). France : **Bommart,** Jean (1894-1979). **Bruce,** Jean (J. Brochet) (1921-63) : à partir de 1963, **Bruce,** Josette (J. Przybyl) : série O.S.S. 117. **Dominique,** Antoine (Dominique Ponchardier, 1917-86) : le Gorille. **Kenny,** Paul (pseudonyme de Gaston Vandenpanhuyse et Jean Libert, Belges, 1913). **Nord,** Pierre (Colonel André Brouillard, 1900-85) : Mes camarades sont morts (1947), Terre d'angoisse, Chroniques de la guerre subversive, Double Crime sur la ligne Maginot (1936). **Rémy** (1904-85). **Véraldi,** Gabriel (1926). **Villiers,** Gérard Adam de (1929) : S.A.S. (série).

■ **Quelques auteurs et leurs héros. Bernède** A. : Judex, Belphégor. **Bruce** J. : OSS 117 (Hubert Bonisseur de La Bath). **Carr** J. D. : Dr Gideon Fell. **Chandler** R. : Philip Marlowe. **Charteris** L. : le Saint. **Charyn** J. : Isaac Sidel. **Cheyney** P. : Lemmy Caution, Callaghan. **Christie** A. : Hercule Poirot, Miss Marple, Parker Pyne. **Colombo** J. : Don. **Conty** J.-P. : Mr Suzuki. **Dard** F. : San Antonio. **Decrest** J. : Commissaire Gilles. **Dominique** A. : le Gorille. **Doyle** C. : Sherlock Holmes. **Gould** C. : Dick Tracy. **Fleming** I. : James Bond. **Gardner** E. S. : l'avocat Perry Mason (pseud. A.A. Fair) ; Bertha Cool, Donald Lam. **Hammett** D. : Sam Spade, Nick Charles. **Highsmith** P. : Mr Ripley. **Houssin** J. : le Doberman. **Jacquemard** S. : Flic de choc, le commissaire Jacques Beauclair. **Kaminsky** S. : Toby Peters. **Kane** H. : Pete Chambers, Peter Guma. **Kenny** P. : Coplan FX 18. **Leblanc** M. : Arsène Lupin. **Leroux** G. : Rouletabille. **Malet** L. : Nestor Burma. **Parker** R. B. : Spenser. **Pronzini** B. : le privé sans nom. **Queen** E. (Frederic Dannay et Manfred Lee) : Ellery Queen. **Rémy** : le Monocle. **Robeson** K. : Doc Savage. **Sayers** D. : Peter Wimsey (lord Peter Bredon Wimsey). **Simenon** G. : Commissaire Maigret. **Spillane** M. : Mike Hammer. **Stark** R. : Parker. **Steeman** S.-A. : Inspecteur Wens. **Stout** R. : Nero Wolfe. **Van Dine** S.S. : Philo Vance. **Villiers** G. de : S.A.S., le P[ce] Malko.

hémiplégique, quitte le pénitencier de St-Martin-de-Ré.

Berdiaev, Nikolaï [Ph] (Russe, 1874-1948) : la Philosophie de la liberté, le Sens créateur, Royaume de César et Royaume de l'esprit, Esprit et Liberté.

Berger, Gaston [Ph] (1896-1960).

Bergson, Henri [Ph] (1859-1941) : Essai sur les données immédiates de la conscience (1889), Matière et Mémoire, le Rire (1900), l'Évolution créatrice (1907), Durée et Simultanéité, les Deux Sources de la morale et de la religion (1932) [N. 1927].

Berl, Emmanuel [Es, R] (1892-1976) : Sylvia (1951), la France irréelle, A contretemps, Mort de la pensée bourgeoise (1925), Essais, Méditation sur un amour défunt.

Bernanos, Georges [R, Polé, D] (1888-1948) : *Romans :* Sous le soleil de Satan (1926), l'Imposture (1928), la Joie (F. 1929), Un crime (1935), le Journal d'un curé de campagne (1936), Nouvelle Hist. de Mouchette (1937), Monsieur Ouine (1943). *Pamphlets :* la Grande Peur des bien-pensants (1931), les Grands Cimetières sous la lune (1938), les Enfants humiliés (posth. 1949). *Théâtre :* Dialogue des carmélites (1949). – *Biogr. :* fils d'un artisan lorrain. Études (Droit). *1913-14* journaliste (monarchiste) à Rouen. *1914-18* combattant ; blessé. *1919-34* marié et père de 6 enfants, vit pauvrement de sa plume. *1934-37* à Majorque. *1938* brouillé avec les franquistes, revient en France. *1938-45* réfugié en Amérique du S., se rallie à la France libre. *1946-48* en Tunisie ; meurt d'un cancer à 60 ans.

Bernard, Claude [Ph, Sav] (1813-78) : Introduction à l'étude de la médecine expérimentale (1865).

Bernard, Paul, dit Tristan [Hum, R, D] (1866-1947) : l'Anglais tel qu'on le parle (1889), Triplepatte (1905), le Petit café (1911).

Bernède, Arthur [R] (1871-1937) : Judex (1917), Belphégor (1927), Poker d'as (1928).

Bernstein, Henry [D] (1876-1953) : la Rafale, le Voleur (1907), Espoir, Samson, la Soif (1949).

Berr, Henri [H] (1863-1954).

Bertrand, Louis, dit Aloysius [P] (1807-41) : Gaspard de la nuit (posthume 1842).

Bertrand, Louis [E] (1866-1941).

Billy, André [Cr, R] (1882-1971) : l'Approbaniste, le Narthex, Vie de Balzac.

Bloch, Jean-Richard [Polé] (1884-1947) : Sur un cargo (1924), la Nuit kurde (1925), Cacaouètes et Bananes (1929), Destin du siècle (1931).

Bloch, Marc [H] (1886-1944) : les Rois thaumaturges (1924), la Société féodale (1939).

Blondel, Maurice [Ph] (1861-1949) : l'Action (1893).

Bloy, Léon [Polé] (1846-1917) : le Désespéré (1886), la Femme pauvre (1897), Journal.

Blum, Léon [Ph, Pol] (1872-1950) : Du mariage (1907), A l'échelle humaine (1945).

Bonnard, Abel [E] (1883-1968).

Bordeaux, Henry [R] (1870-1963) : les Roquevillard, la Robe de laine, l'Intruse.

Borel d'Hauterive, Pierre, dit Petrus [P, R] (1809-59) : Rhapsodies (1832), Champavert, contes immoraux (1833), Madame Putiphar (1839).

Bornier, Henri, Vte de [D] (1825-1901) : la Fille de Roland (1875).

Bosco, Henri [R, P] (1888-1976) : l'Ane culotte, le Mas Théotime (1945), Malicroix, Sabinus, Tante Martine, Antonin (1952).

Botrel, Théodore [Chan] (1868-1925).

Boulard, Fernand [Soc] (1897-1977).

Bourdet, Édouard [D] (1887-1945) : la Prisonnière (1926), le Sexe faible, les Temps difficiles (1934).

Bourges, Élémir [R, D] (1852-1925) : le Crépuscule des dieux (1884), la Nef (1904-22).

Bourget, Paul [R, Cr] (1852-1935) : *Romans :* Cruelle Énigme, Cosmopolis, l'Émigré (1907), le Disciple (1889), l'Étape, Un divorce (1904), le Démon de midi (1914). *Critique :* Essais de psychologie contemporaine (1883), Nouveaux Essais (1885).

Bourget-Pailleron, Robert [R] (1897-1970) : l'Homme du Brésil (I. 1933).

Bousquet, Joë [P] (1897-1950) : Traduit du silence (1941), la Connaissance du soir (1945). *Autobio :* le Meneur de lune (1946).

Bouthoul, Gaston [Soc] (1896-1980) : fondateur de la polémologie.

Boutroux, Émile [Ph] (1845-1921) : De la contingence des lois de la nature (1874).

Boylesve, René Tardivaux, dit [R] (1867-1926) : la Becquée (1901), la Leçon d'amour dans un parc.

Bréhier, Émile [Ph] (1876-1952) : Hist. de la philosophie (1926-32).

Brémond, Henri [Cr, H] (1865-1933) : l'Inquiétude religieuse (1901-09), l'Abbé Tempête (1929), Hist. litt. du sentiment relig. en Fr. (1916-32).

Breton, André [P] (1896-1966) : les Champs magnétiques (1920), Manifestes du surréalisme (1965), les Pas perdus (1924), Nadja (1928), l'Amour fou (1937), Signe ascendant.

Brieux, Eugène ⸙ [D] (1858-1932).

Brion, Marcel ⸙ [Cr, R] (1895-1984) : l'Allemagne romantique (1962-77), Histoire de la littérature allemande (1968), la Ville de sable, Château d'ombres, le Journal du visiteur (1980).

Brisson, Pierre [Cr, J] (1896-1964).

Brizeux, Auguste [P] (1803-58) : Marie (1830), la Fleur d'or (1841), les Bretons (1843).

Broglie, Louis, duc de ⸙ [Sav. Ph] (1892-1987).

Bruant, Armand, dit Aristide [Chan] (1851-1925).

Brunetière, Ferdinand ⸙ [Cr] (1849-1906).

Bruno, G. (Augustine Tuillerie, Mme Alfred Fouillée) [R] (1823-1923) : le Tour de France par deux enfants (1877).

Brunschvicg, Léon [Ph] (1869-1944).

Cahuet, Albéric [R] (1877-1942).

Capus, Alfred [D] (1857-1922) : la Veine (1901), les Deux Écoles (1902), l'Adversaire (1903).

Carco, Francis (François M. Alexandre Carcopino-Tussoli, dit) [P, R] (1886-1958) : Jésus la Caille, Brumes, Mortefontaine, l'Homme traqué (1922).

Carcopino, Jérôme ⸙ [H] (1881-1970).

Carrel, Alexis [Phy] (1873-1944) : l'Homme, cet inconnu (1936).

Cassou, Jean [Cr] (1897-1986) : la Clef des songes (1929), Pour la poésie (1935), le Bel Automne, le Centre du monde (1945).

Céard, Henry [R, D] (1851-1924).

Céline, Louis-Ferdinand Destouches, dit [R, Polé] (médecin) (1894-1961) : Voyage au bout de la nuit (Ren. 1932), l'Église (1933), Mort à crédit (1936), Vie et Œuvre de Semmelweiss (1936), Mea Culpa (1936), Bagatelles pour un massacre (1937), l'École des cadavres (1938), les Beaux Draps (1941), Guignol's Band I (1944), Casse-pipe (1952), Féerie pour une autre fois I et II (sous le titre Normance) (1952-54), D'un château l'autre (1957), Ballets sans musique, sans personne, sans rien (1959), Nord (1960), Guignol's Band II (posth. 1964), le Pont de Londres (posth. 1964), Rigodon (posth. 1969). – *Biogr. :* origine prolétarienne. *1914* combattant (décoré, blessé : bachelier pendant sa convalescence). *1918-24* médecine. *1924-32* médecin de marine. *1932* célèbre, grâce au *Voyage*. *1944-45* en All. nazie. *1945* au Danemark ; incarcéré (17-12-45/24-6-47). *1950*-21-2 en son absence, condamné à 1 an de prison. *1951*-26-4 amnistié. 1-7 rentre en Fr., se retire à Meudon.

Cendrars, Blaise : voir Suisse, p. 312 a.

Chack, Paul [H] (1876), accusé d'intelligence avec l'ennemi, fusillé 9-1-1945.

Chadourne, Marc [R] (1895-1975) : Vasco (1927), Cécile de la Folie (F. 1930), la Clé perdue (1947).

Chaigne, Louis [Cr] (1899-1973).

Champfleury, Jules Husson, dit [R] (1821-89) : Confessions de Sylvius (1845), Chien-Caillou (1847), les Aventures de Mlle Mariette (1853), les Bourgeois de Malinchart (1854).

Chardonne, Jacques Boutelleau, dit [E] (1884-1968) : l'Épithalame, Claire, le Bonheur de Barbezieux, Vivre à Madère, Matinales, Demi-jour.

Chastenet, Jacques [H, J] (1893-1978) : Hist. de la IIIe République (1952-63).

Châteaubriant, Alphonse de [R] (1877-1951) : M. des Lourdines (G. 1911), la Brière (1923), la Meute (1927), la Réponse du Seigneur (1933).

Chavette, Eugène (Vachette) [R] (1827-1902) : le Procès Pictompin (1853), le Guillotiné par la persuasion, Aimé de son concierge, la Chambre du crime.

Chenu, Marie-Dominique (Marcel-Léon) [Théo] (1895-1990).

Chérau, Gaston [R] (1872-1937) : Valentine Pacquault, l'Enfant du pays (1932).

Chevallier, Gabriel [Hum] (1895-1969) : Clochemerle (1934), Sainte-Colline, Petite Histoire de la langue française.

Christophe, Georges Colomb, dit [Hum] (1856-1945) : la Famille Fenouillard (1889-1895), le Sapeur Camember (1890-96), le Savant Cosinus (1893-99), les Malices de Plick et Plock (1904).

Claretie, Jules ⸙ [H, JR] (1840-1913) : *Romans :* Une drôlesse (1862), les Victimes de Paris (1864), la Maîtresse (1880), Monsieur le ministre (1881).

Claudel, Paul ⸙ [D, P] (1868-1955) : *Poésies :* Cinq Grandes Odes (1910), le Cantique du Rhône (1911). *Prose :* Connaissance de l'Est (1900), la Sagesse (1939), Job (1946). *Théâtre :* Tête d'or (1890), la Jeune Fille Violaine (1892), la Ville (1893), l'Échange (1901, joué 1914), Partage de midi (1906), l'Annonce faite à Marie (1911, jouée 1912), l'Otage (1910, joué 1914), le Pain dur (1918, joué 1949), le Soulier de satin (1924, joué 1943), le Père humilié (1919, joué 1948), Christophe Colomb (1931). – *Biogr. :* petite bourgeoisie champenoise. *1882-86* Paris (lycée Louis-le-Grand, puis Sciences-Pol.). *1886* converti au catholicisme. *1890-94* consul aux États-Unis. *1894-1905* en Chine. *1905* se marie. *1906-09* poste en Chine. *1910-17* consul à Prague, Hambourg, Rome. *1917* ministre plén. (1917 Brésil, 1919 Danemark). *1921* ambassadeur (1921 Japon, 1924 États-Unis, 1935 Bruxelles). *1927* achète le château de Brangues (Isère), s'y retirera en 1935.

Clouard, Henri [Es] (1889-1972).

Cocteau, Jean ⸙ [E, P] (1889-1963) : *Poésie :* Plain-chant (1923), Opéra (1927). *Romans :* le Potomak (1919), le Grand Écart (1923), Thomas l'Imposteur (1928), les Enfants terribles (1929). *Théâtre :* les Mariés de la tour Eiffel (1924), Antigone (1927), Orphée (1927), la Machine infernale (1934), les Parents terribles (1938), l'Aigle à deux têtes (1946), Bacchus (1951). – *Biogr. :* bourgeoisie d'affaires parisienne. Fréquente salons littéraires dès 14 ans. *1918* mobilisé, non-combattant. *1919-39* fréquente le « Tout-Paris », ne cachant pas ses goûts homosexuels (notamment sa liaison avec Radiguet, de 1920 à 22). *1932* film le Sang d'un poète. *1940-44* cinéaste [acteur favori Jean Marais (voir index)]. *Après 1945* peintre et décorateur (2 chapelles, 1 mairie). *1955* Académie française.

Cohen, Albert. Voir Suisse, p. 312 b.

Colet, Louise [P, R] (1810-76) : les Fleurs du Midi (1836).

Colette, Sidonie-Gabrielle [Pros] (1873-1954) : Claudine [4 romans (1900-03) publiés sous le nom de Willy (H. Gauthier-Villars 1859-1931, critique d'art), son mari], l'Ingénue libertine (1909), la Vagabonde (1910), Chéri (1920), le Blé en herbe (1923), la Fin de Chéri (1926), la Naissance du jour (1928), la Seconde (1929), Sido (1930), la Chatte (1933), Julie de Carneilhan (1941), Gigi (1944), le Fanal bleu (1949). – *Biogr. :* bourgeoisie rurale bourguignonne. Études primaires sup. à St-Sauveur-en-Puisaye. *1893* épouse Willy, 14 ans plus âgé. *1906* divorce, vit avec Missie de Morny (1863-1944, div. du Mis de Belbœuf). *1912*-12-12 remariée à Henry de Jouvenel (1876-1935) (1 fille, Bel Gazou, en 1913 ; div. 1925). *1935* remariée à Maurice Goudeket (1889-1977). *1945* Ac. Goncourt (P^te^ dep. 1949). *1948-54* arthritique, vit au Palais-Royal, entourée d'amis et d'animaux. *1954* funérailles nationales.

Considérant, Victor [Ph, Ec] (1808-93).

Constantin-Weyer, Maurice [R] (1881-1964) : Manitoba (1924), la Bourrasque (1925), Un homme se penche sur son passé [G. 1928].

Coolus, Romain (René Weill) [D] (1868-1952) : l'Enfant chérie (1906), les Enfants de Sazy (1907), l'Éternel masculin (1920).

Coppée, Francis dit François ⸙ [P, D] (1842-1908) : le Passant (1869), les Humbles (1872), le Cahier rouge (1874), la Bonne Souffrance (1898).

Corbière, Tristan (Édouard Joachim) [P] (1845-75) : Amours jaunes (1873).

Corthis, André (Mme Raymond Lécuyer) [R] (1885-1952).

Courteline (Georges Moinaux) [D] (1858-1929) : les Gaietés de l'escadron, le Train de 8 h 47 (1888), Lidoire (1891), Boubouroche (1893), Messieurs les ronds-de-cuir, la Paix chez soi (1903).

Croisset, Francis de (Franz Wiener) [D, R] (1877-1937) : la Féerie cinghalaise (1926).

Crommelynck, Fernand : voir Belgique p. 274 b.

Cros, Charles [P, Hum, Sav] (1842-88) : le Coffret de Santal (1873), le Hareng-saur.

Curel, François de ⸙ [D] (1854-1928) : la Nouvelle Idole (1899), la Fille sauvage (1902).

Dabit, Eugène [R] (1898-1936) : Hôtel du Nord (1929), Journal intime.

Darien, Georges (Adrien) [Polé, R] (1862-1921) : Biribi (1890), le Voleur (1898).

Dash, vicomtesse de Poilloüe de Saint-Mars, dite comtesse [R, Mém] (1804-72) : les Mémoires des autres (1896-97).

Daudet, Alphonse [R] (1840-97) : Lettres de mon moulin (1866), le Petit Chose (1868), Tartarin de Tarascon (1872), l'Arlésienne (1872), Contes du lundi (1873), Jack (1876), le Nabab (1877), Numa Roumestan, Sapho (1884), l'Immortel (1888).

Daudet, Léon [Polé, J] (1867-1942) : les Morticoles (1894), le Stupide XIXe Siècle (1922).

David-Neel, Alexandra [Es] (1868-1969) : la Puissance du néant, Voyage d'une Parisienne à Lhassa.

Dekobra, Maurice (Tessier) [R] (1885-1973) : la Madone des sleepings (1925).

Delarue-Mardrus, Lucie [P] (1880-1945).

Delly, Frédéric Petitjean de La Rosière (1876-1949), et sa sœur Jeanne-Marie (1875-1947) [R] : Esclave ou Reine (1909), Magali (1910), Entre deux âmes (1915), l'Infidèle (1921), la Lune d'or.

Delteil, Joseph [R] (1894-1978) : Sur le fleuve Amour, Jeanne d'Arc (F 1925), Jésus II (1947), la Delteillerie.

Demaison, André [R] (1893-1956) : Diato, le Livre des bêtes qu'on appelle sauvages (1929).

Derême, Tristan (Philippe Huc, dit) [P] (1889-1942) : la Verdure dorée (1922), la Tortue indigo.

Déroulède, Paul [P] (1846-1914) : Chants du soldat (1872), Nouveaux Chants du soldat (1875).

Descaves, Lucien [D, R] (1861-1949) : les Sous-offs (1889), Souvenir d'un ours (1946).

Detœuf, Auguste [Ec] (1883-1947) : Propos de O.L. Baranton confiseur (1954).

Deval, Jacques (Boularan) [D, R] (1890-1972) : *Théâtre :* Une faible femme (1920), Tovaritch (1935), Mademoiselle, Ce soir à Samarcande (1950), Et l'enfer, Isabelle ? *Roman :* les Voyageurs (1964).

Donnay, Maurice ⸙ [D] (1859-1945) : Amants (1895), l'Autre Danger (1902).

Dorgelès, Roland (Lécavelé) [R] (1885-1973) : les Croix de bois (F 1919), le Cabaret de la belle femme (1919), Saint Magloire (1922).

Drieu La Rochelle, Pierre [R, Es] (1893-1945) : Mesure de la France, Plainte contre inconnu, l'Homme couvert de femmes (1924), le Feu follet (1931), la Comédie de Charleroi (1934), Rêveuse Bourgeoisie (1937), Gilles (1939), l'Homme à cheval (1943). Journal de guerre (1991). – *Biogr. :* grande bourgeoisie parisienne. *1914-18* combattant, blessé et décoré. *1919-28* vie mondaine à Paris, nombreuses liaisons féminines. *1928* pacifiste. *1934* converti au fascisme. *1936* adhère au parti doriotiste. *1941-43* directeur de la NRF, collaborateur. *1943* rompt avec NRF. *Août 1944/mars 1945* recherché pour épuration, se cache à Paris. *16-3-1945* suicide (3e tentative).

Drumont, Édouard [E] (1844-1917) : la France juive (1886).

Du Bos, Charles [Cr] (1882-1939) : Journal.

Du Camp, Maxime ⸙ [Mém] (1822-94) : Mémoires d'un suicidé (1853), les Chants modernes (1855), Paris, ses organes, ses fonctions et sa vie (1869-75), les Convulsions de Paris (1878-79), Souvenirs littéraires (1882).

Ducasse, André [H] (1894-1986).

Duhamel, Georges (Denis Thévenin) ⸙ [E] (1884-1966) : Civilisation (G. 1918), la Possession du monde (1922), Vie et Aventures de Salavin [5 vol., 1920-32 dont la Confession de mémoire (1920)], la Chronique des Pasquier (10 vol., 1933-44), la Pierre d'Horeb, le Livre de l'amertume, le Voyage de Patrice Périot.

Dumas père, Alexandre [R, D] (1802-70) : *Théâtre :* Henri III et sa Cour (1829), Antony (1831), la Tour de Nesle (1832), Kean (1836). *Romans :* les Trois Mousquetaires (1844) [Athos, Porthos, Aramis, d'Artagnan], Vingt Ans après (1845), la Reine Margot (1845), la Dame de Monsoreau (1846), le Chevalier de Maison-Rouge (1846), le Comte de Monte-Cristo (1846), les Quarante-Cinq (1848), le Vicomte de Bragelonne (1850). – *Biogr. :* fils d'un général républicain, dont le père était un noble antillais, marié à une Noire. Orphelin de père à 4 ans ; élevé pauvrement par sa mère, ne fait pas d'études. *1823* employé aux écritures chez le duc d'Orléans. *1829* triomphe au théâtre avec *Henri III,* gros droits d'auteur (dilapidera 18 millions-or). *1847-51* ruiné dans la construction d'un théâtre historique. *1851-53* poursuivi par ses créanciers, s'exile en Belgique. *1853-57* fonde plusieurs journaux-feuilletons. *1860-64* collaborateur de Garibaldi à Naples. *1864-70* à Paris, entretenu par son fils et sa fille.

Dumas fils, Alexandre ⸙ [D] (1824-95) : *Théâtre :* la Dame aux camélias (1852), le Demi-Monde (1855), la Question d'argent (1857), l'Étrangère (1876), Francillon (1887).

Dumas, Georges [Psychol, Ph] (1866-1946) : Traité de psychologie.

Dumézil, Georges ⸙ [H] (1898-1986) : Mythes et dieux germains (1939), Naissance de Rome (1944), l'Héritage indo-européen à Rome (1949), les Dieux des Germains (1959), Mythe et Épopée (1968-73), la Courtisane et les seigneurs colorés (1984).

Dupanloup, Mgr, Félix ⸙ [E] (1802-78).

Du Plessys, Maurice [P] (1864-1924).

Duranty, Louis-Edmond [R] (1833-80) : le Malheur d'Henriette Gérard (1860).

Durkheim, Émile [Socio, Ph] (1858-1917) : De la division du travail social (1893), Règles de la méthode sociol. (1895), le Suicide, étude sociologique (1897), Sur le totémisme (1901), les Formes élémentaires de la vie religieuse (1912).

Duvernois, (Henri Schwabacher, dit) [E] (1875-1937) : Crapotte (1901), A l'ombre d'une femme (1933).

Eberhardt, Isabelle [E] (1877-1904) : Dans l'ombre chaude de l'Islam, Notes de route (1908), Trimardeur, les Journaliers (1923), Écrits sur le sable (1988).

Éluard, Paul (Eugène Grindel) [P] (1895-1952) : Capitale de la douleur (1926), la Vie immédiate (1932), les Yeux fertiles (1936), Cours naturel (1938), Donner à voir (1939), Poésie et Vérité (1942), Dignes de vivre, Poésie ininterrompue (1946-53), le Phénix (1951) – *Biogr. : 1926* adhère au PC. *1929* Gala (épousée 1917) le quitte pour Salvador Dalí. *1933* exclu du PC. *1934* épouse Nusch (Maria Benz † 28-11-1946). *1936* se rapproche du PC, rompt avec Breton. *1942* adhère au PC. *1946* Nusch meurt ; devient suicidaire. *1949* rencontre Dominique qu'il épouse en 1951.

Erckmann-Chatrian, Émile Erckmann (1822-99) et Alexandre Chatrian (1826-90) [R] : l'Invasion (1862), l'Ami Fritz (1864).

Esme, Jean d' (Vte Jean d'Esmenard) [R] (1894-1966) : Thiba fille d'Annam (1920), l'Empereur de Madagascar (1929), l'Homme des sables (1930), Bournazel (1952).

Estaunié, Édouard ⚔ [R] (1862-1942) : l'Empreinte, l'Épave, Les choses voient, la Vie secrète (F 1908).

Fabre, Émile [D] (1869-1955) : l'Argent (1895), les Ventres dorés (1905).

Fabre, Jean-Henri [Ento] (1823-1915) : Souvenirs entomologiques (1919-25).

Fabre, Lucien [R] (1889-1952) : Rabevel ou le Mal des ardents (G. 1923).

Fabre-Luce, Alfred [Polé] (1899-1983) : Journal de la France, Haute Cour (1962), le Couronnement du Prince (1964), l'Histoire démaquillée (1967).

Faguet, Émile [Cr] (1847-1916).

Fagus, Georges (Faillet) [P] (1872-1933) : la Danse macabre, Clavecin.

Fargue, Léon-Paul [P, Chr] (1876-1947) : le Piéton de Paris (1939), la Lanterne magique (1944).

Farrère, Claude (Frédéric Bargone) ⚔ [R] (1876-1957) : les Civilisés (G. 1905), l'Homme qui assassina (1907), la Bataille (1909).

Faure, Élie [Es] (1873-1937) : Histoire de l'Art (1909-21), l'Esprit des formes (1927).

Fay, Bernard [H] (1893-1979).

Febvre, Lucien [H] (1878-1956) : Philippe II et la Franche-Comté (1912), Un destin, Martin Luther (1928), Au cœur religieux du XVIe.

Feuillet, Octave [R] (1821-90) : le Roman d'un jeune homme pauvre (1857), M. de Camors (1867), Julia de Trécœur (1872).

Féval, Paul [R] (1817-87) : le Club des phoques, les Mystères de Londres, le Bossu (1858), les Habits noirs (1863), Étapes d'une conversion (1877-81), Coup de grâce (1881).

Feydeau, Ernest [R] (1821-73) : Fanny (1858), Daniel (1859), Sylvie (1861), Monsieur de Saint-Bertrand, le Mari de la danseuse (1863), la Comtesse de Chalis (1867), le Lion devenu vieux (1872).

Feydeau, Georges [D] (1862-1921) : Champignol malgré lui (1892), Un fil à la patte (1894), l'Hôtel du libre-échange (1894), le Dindon (1896), la Dame de chez Maxim's (1899), La main passe (1907), la Puce à l'oreille (1907), Occupe-toi d'Amélie (1908), Feu la mère de Madame (1908), On purge Bébé (1910), Mais n'te promène donc pas toute nue (1912).

Flaubert, Gustave [R] (1821-80) : Madame Bovary (1857), Salammbô (1862), l'Éducation sentimentale (1869), la Tentation de saint Antoine (1874), Trois Contes (1877), Bouvard et Pécuchet (1881), Diction. des idées reçues (publié 1913), Carnets de travail (1987), Correspondance (3 vol.). – *Biogr.* : père médecin ; grandit à l'Hôtel-Dieu de Rouen. Études contrariées par des ennuis de santé (épilepsie). *1836* amour pour Élisa Schlesinger (plus âgée de 11 ans ; sa maîtresse en 1842). *1846-56* liaison avec Louise Colet (1810-76), demi-mondaine et femme de lettres. *1856* se retire auprès de sa mère, dans sa maison de Croisset, près de Rouen, veillant à l'éducation de sa nièce. *1857* procès en correctionnelle pour l'immoralité de *Madame Bovary* (acquitté). *1875* se dépouille pour sauver le mari de sa nièce de la faillite. *1880* meurt salué comme un maître.

Fleg, Edmond (Flegenheimer) [P] (1874-1963) : Écoute Israël (1913-54), Anthologie de la pensée juive.

Flers, Robert, Mis de ⚔ [D] (1872-1927) : *Avec A. de Caillavet* (1869-1915) : Miquette et sa mère, le Roi (1908), le Bois sacré (1910) l'Habit vert (1913), Primerose (1914). *Avec F. de Croisset* : les Vignes du Seigneur (1923), Ciboulette (*opérette,* mus. de Hahn).

Focillon, Henri [Cr d'art] (1881-1943) : la Vie des formes (1939).

Forneret, Xavier [P] (1809-84) : Sans titre et autres textes.

Fort, Paul [P] (1872-1960) : Ballades françaises (17 vol., 1922-58).

Foucauld, Charles de (1858-1916) : Reconnaissance au Maroc (1888), Écrits spirituels (1924).

Foudras, marquis de [E, P] (1800-72) : les Gentilshommes chasseurs, Pauvre Défunt, M. le curé de Chapaize.

Fouillée, Alfred [Ph] (1838-1912) : l'Évolutionnisme des idées-forces (1890).

Fourest, Georges [Hum] (1864-1945) : la Négresse blonde (1909), le Géranium ovipare (1935).

France, Anatole-François Thibault, dit ⚔ [E] (1844-1924) : le Lys rouge, le Crime de Sylvestre Bonnard (1881), le Livre de mon ami (1885), la Rôtisserie de la reine Pédauque (1893), Crainquebille (1901), l'Ile des pingouins (1908), Les dieux ont soif (1912). – *Biogr.* : fils d'un libraire parisien (cathol., conservateur) ; études : Stanislas, École des chartes. *1865* lecteur chez Lemerre ; opposant à l'Empire. *1886* critique littéraire au *Temps. 1891* liaison avec Léontine de Caillavet. *1893* quitte le *Temps* ; vit de sa plume. *1898* leader des dreyfusards. *1910* mort de Léontine ; se retire dans sa propriété de La Béchellerie, près de Tours. *1920* ép. sa domestique, Emma Laprévotte. *1921* prix Nobel. *1924* incidents des surréalistes lors de ses funérailles (nationales).

Franc-Nohain (Maurice-Étienne Legrand) [Fab] (1873-1934) : le Kiosque à musique, Fables.

Frapié, Léon [R] (1863-1949) : la Maternelle (G. 1904), l'Écolière (1905).

Fromentin, Eugène [R, Cr] (1820-76) : Un été dans le Sahara (1857), Dominique (1863), les Maîtres d'autrefois (1876).

Fumet, Stanislas [Es] (1896-1983) : Notre Baudelaire (1926), Mission de Léon Bloy (1935), la Ligne de vie (publ. 1945), Paul Claudel (1961), l'Histoire de Dieu dans ma vie.

Funck-Brentano, Frantz [H] (Lux., 1862-1947) : l'Ancien Régime, la Monarchie française.

Fustel de Coulanges, Numa-Denis [H] (1830-89) : la Cité antique (1864), Histoire des institutions politiques de l'ancienne France (1875-92).

Galtier-Boissière, Jean [J, Polé] (1891-1966) : fonde *le Crapouillot* (1915).

Galzy, Jeanne [R] (1883-1977).

Gandon, Yves [Cr] (1899-1975) : le Pré aux dames (12 vol., 1942-73).

Garçon, Maurice ⚔ [Avoc, H, Es] (1889-1967).

Gaulle, Charles de [E] (1890-1970) : voir p. 338 b.

Gautier, Théophile [P, Cr, R] (1811-72) : Mademoiselle de Maupin (1835), les Grotesques (1844), Émaux et Camées (1852), le Roman de la momie (1858), le Capitaine Fracasse (1863).

Gaxotte, Pierre ⚔ [H] (1895-1982) : la Révolution française (1928), le Siècle de Louis XV (1933), la France de Louis XIV (1946), Histoire des Français (1951), Histoire de l'Allemagne (1963).

Genevoix, Maurice ⚔ [Chr, R] (1890-1980) : Ceux de 14 (5 vol., 1916-23), les Éparges (1923), Raboliot (G. 1925), la Dernière Harde, la Forêt perdue (1967), le Roman de Renard, Jardins sans murs, Contes espagnols, Tendre Bestiaire, Bestiaire sans oubli, la Perpétuité, Vaincre à Olympie, Lorelei, la Motte-Rouge, le Jardin dans l'île, Derrière les collines. *Autobiogr.* : Un jour (1976), 30 000 Jours (1980).

Géraldy, Paul (Lefèvre) [P] (1885-1983) : Toi et Moi (1913), l'Homme de joie.

Gérard, Rosemonde (Mme E. Rostand) [P] (1871-1953) : les Pipeaux (1889).

Ghéon, Henri (Vangeon) [D, R] (1875-1944) : le Pain, le Pauvre sous l'escalier (1911), le Noël sur la place (1935), Marie mère de Dieu (1939).

Gide, André [R, Es] (1869-1951) : les Cahiers d'André Walter (1891), la Tentative amoureuse (1893), Paludes (1895), les Nourritures terrestres (1897), l'Immoraliste (1902), la Porte étroite (1909), Corydon (1911), Isabelle (1911), les Caves du Vatican (1914), la Symphonie pastorale (1919), Si le grain ne meurt (1920-24), les Faux-Monnayeurs (1925), Journal (1939-50), Thésée (1946). – *Biogr.* : grande bourgeoisie protestante ; neveu de Charles (qui suit). Études à l'École alsacienne à Paris. *1893* tuberculeux. *1893-94* convalescence en Algérie ; y devient homosexuel. *1895* épouse sa cousine germaine, Madeleine Rondeaux (mariage blanc). *1926* anticolonialiste. *1935* sympathisant du Parti communiste. *1936* rompt avec le Parti après un voyage en URSS. *1942* réfugié en Tunisie. *1947* prix Nobel de litt. *1951*-19-11 meurt d'une crise cardiaque.

Gide, Charles [Ec] (1847-1932) : Histoire des doctrines économiques (avec Charles Rist, 1874-1955).

Gillet, Louis ⚔ [H, Cr d'art] (1876-1943).

Gilson, Étienne ⚔ [Ph] (1884-1978) : le Thomisme (1919), la Philosophie de St Bonaventure (1924), la Philosophie au Moyen Age (1925), Introduction à l'étude de St Augustin (1929), la Théologie mystique de St Bernard (1934), Jean Duns Scot.

Giono, Jean [R] (1895-1970) : Colline (1929), Un de Baumugnes (1929), Regain (1930), le Grand Troupeau (1931), Jean le Bleu (1933), le Chant du monde (1934), Que ma joie demeure (1935), l'Eau vive (1943), Un roi sans divertissement (1947), Mort d'un personnage (1949), le Hussard sur le toit (1951), le Moulin de Pologne (1952), le Bonheur fou (1957), Angelo (1958), Ennemonde (1965), l'Iris de Suse (1970), Faust au village (posth. 1978). – *Biogr.* : fils d'un cordonnier italien immigré à Manosque (anarchiste). *1912* employé de banque. *1915-18* chasseur alpin. *1925* à Manosque. *1930* vit de sa plume. *1935* réunit des pacifistes ; apôtre du « retour à la terre ». *1939 et 1944* emprisonné pour pacifisme. *1947* reconquiert la gloire littéraire.

Girardin, Émile de [J, Mém] (1806-81).

Giraudoux, Jean [R, D] (1882-1944) : *Romans* : Simon le Pathétique (1918), Elpénor (1919), Suzanne et le Pacifique (1921), Siegfried et le Limousin (1922), Juliette au pays des hommes (1924), Bella (1926), Aventures de Jérôme Bardini (1930), Combat avec l'ange (1934), Choix des élues (1938), la Menteuse (publ. en 1968). *Théâtre :* Siegfried (1928), Amphitryon 38 (1928), Intermezzo (1933), Tessa (1934), La Guerre de Troie n'aura pas lieu (1935), Électre (1937), Ondine (1939), Sodome et Gomorrhe (1943), la Folle de Chaillot (1945), Pour Lucrèce (1953). *Essais :* Pleins Pouvoirs (1939), Sans pouvoirs (1945). – *Biogr.* : petite bourgeoisie limousine. *1903* École normale sup. ; échoue à l'agrégation d'allemand. *1910* entre au min. des Affaires étrangères. *1924* chef du service de presse. *1930* inspecteur des postes diplomatiques. *1939-40* commissaire à l'Information. *1944* meurt d'urémie due au botulisme.

Gobineau, Arthur, Cte de [Es] (1816-82) : Mlle Irnois (1847), De l'inégalité des races humaines (1853-55), les Pléiades (1874), Nouvelles asiatiques (1876), Adélaïde (1913).

Goll, Yvan (Isaac Lang) [R, D, P] (1891-1950) : le Nouvel Orphée, les Cercles magiques (également poète allemand).

Goncourt, Edmond (1822-96) et Jules de (1830-70) [R] : Journal (1851-1896), Renée Mauperin (1864), Germinie Lacerteux (1864), Manette Salomon, Madame Gervaisais. *Edmond seul :* la Fille Élisa (1877), les Frères Zemganno (1879).

Gouhier, Henri ⚔ [Ph] (1898).

Gourmont, Rémy de [Cr, P, R] (1858-1915) : Fondateur du *Mercure de France.* Sixtine, roman de la vie cérébrale (1890), le Joujou patriotique (1891), l'Idéalisme (1893), les Chevaux de Diomède (1897), D'un pays lointain (1898), le Songe d'une femme (1899), la Culture des idées (1900), Un cœur virginal (1907), Promenades littéraires, le Livre des masques, Lettres à l'Amazone (1914).

Gozlan, Léon [R] (1803-66) : le Notaire de Chantilly (1836), le Médecin du Pecq (1839), les Nuits du Père-Lachaise (1845), les Maîtresses à Paris (1852), le Vampire du Val-de-Grâce (1861).

Gregh, Fernand ⚔ [P] (1873-1960) : la Maison de l'enfance, Clartés humaines.

Grousset, René ⚔ [H] (1885-1952) : Histoire de l'Asie, Histoire des croisades (1934-36), Bilan de l'histoire (1946), l'Empire des steppes : Attila, Gengis Khan, Tamerlan (1965), Figures de proue.

Guéhenno, Jean ⚔ (M. Marcel) [Cr, Polé] (1890-1978) : Journal d'un homme de 40 ans, Jean-Jacques Rousseau, Mort des autres.

Guenon, René [Ph] (1886-1951) : la Crise du monde moderne.

Guérin, Charles [P] (1873-1907) : Fleurs de neige, le Sang des crépuscules.

Guérin, Eugénie de [Mém] (1805-48) : Journal, Lettres.

Guérin, Maurice de [P] (1810-39) : le Centaure, la Bacchante, Journal, Lettres, le Cahier vert (1883).

Guéroult, Martial [Ph] (1891-1976).

Guilloux, Louis [R] (1899-1980) : la Maison du peuple (1927), Dossier confidentiel (1930), Hyménée (1932), Angelina (1934), le Sang noir (1935), le Pain des rêves (1942), le Jeu de patience (1949), Absent de Paris (1952), Parpagnacco ou la Conjuration (1954), les Batailles perdues, la Confrontation (1968), Coco perdu (1978).

Guitry, Sacha [D, Hum] (1885-1957) : le Veilleur de nuit (1911), la Prise de Berg-op-Zoom (1913), Faisons un rêve, Mon père avait raison (1916), Mozart, le Mot de Cambronne (1936). Voir Index.

Gurdjieff (Georges) [Ph] (Russie 1877 – Paris 1949) : Récits de Belzébuth à son petit-fils.

Gyp (Sibylle Riqueti de Mirabeau, Ctesse de Martel) [R] (1850-1932) : le Mariage de Chiffon (1894), le Bonheur de Ginette (1901).

Halbwachs, Maurice [Ph, Sociol] (1877-1945) : Morphologie sociale (1938).

Halévy, Daniel [H, Es] (1872-1962) : la Fin des notables (1930), la République des ducs (1937), Essai sur l'accélération de l'Histoire (1948).

Halévy, Ludovic ⚔ [R, D] (1834-1908) : *Romans :* les Petites Cardinal (1880), l'Abbé Constantin (1882). *Livrets d'opéras :* la Belle Hélène (1864), la Grande-Duchesse de Gerolstein (1867), la Périchole (1868), Carmen (1875).

Hamelin, Octave [Ph] (1856-1907).

Hamp, Pierre (Henri Bourillon) [R] (1876-1962) : la Peine des hommes.

Hanotaux, Gabriel [H] (1853-1944).

Harcourt, Cte Robert d' ⚔ [Cr] (1881-1965).

Hazard, Paul ⚔ [Cr] (1878-1944) : la Crise de la conscience européenne (1935).

Hennique, Léon [R, D] (1851-1935).

Henriot, Émile (Paul Maigrot) ⚔ [Cr] (1889-1961) : Aricie Brun (1924), les Plaisirs imaginaires.

Heredia, José Maria de ⚔ [P] (1842-1905) : les Trophées (1893), la Nonne Alferez.

Hériat, Philippe (Raymond Payelle) [R, D] (1898-1971) : *Romans :* l'Innocent (Ren. 1931), les Enfants gâtés (G. 1939), la Famille Boussardel (1946), les Grilles d'or (1957), le Temps d'aimer (1968). *Théâtre :* l'Immaculée (1950), Belles de jour (1950), les Noces de deuil (1953).

Hermant, Abel ⚔ [E] (1862-1950) : les Transatlantiques (1897), Mémoires.

Herriot, Édouard ⚔ [E, Pol, H] (1872-1957) : Lyon n'est plus (1939-40).

Hervieu, Paul ⚔ [R, D] (1857-1915) : Peints par eux-mêmes (1893), l'Énigme (1901).

Houssaye, Arsène (A. Housset) [P] (1815-96).

Houville, Gérard d' [P, R] (1875-1963), (Marie de Heredia, fille de José ; ép. d'Henri de Régnier dep. 1895) : l'Inconstante (1903) raconte ses liaisons avec

Jean de Tinan (1897-1901) et Pierre Louÿs devenu son beau-frère.

Hugo, Victor 🌿 [P, R, D] (1802-85) : *Poésies :* Odes et Poésies diverses (1822), Nouvelles Odes (1824), Odes et Ballades (1826), les Orientales (1829), les Feuilles d'automne (1831), les Chants du crépuscule (1835), les Voix intérieures (1837), les Rayons et les Ombres (1840), les Châtiments (1853), les Contemplations (1856), la Légende des siècles (1859-83), les Chansons des rues et des bois (1865), l'Année terrible (1872), les Années funestes (1872), le Pape (1878), la Pitié suprême (1879), Religions et Religion (1880), les Quatre Vents de l'esprit (1881), Toute la lyre (posth. 1888-93), Dieu (posth. 1891). *Romans :* Han d'Islande (1823), Bug Jargal (1826), N.-D. de Paris (1831), Claude Gueux (1834), les Misérables (1862), les Travailleurs de la mer (1866), l'Homme qui rit (1869), Quatre-Vingt-Treize (1874). *Théâtre :* Amy Robsart (1826), Cromwell (1827), Hernani (1830), Marion Delorme (1831), Le roi s'amuse (1832), Lucrèce Borgia (1833), Marie Tudor (1833), Angelo (1835), Esmeralda (1836), Ruy Blas (1838), les Burgraves (1843), Torquemada (1882), Théâtre en liberté (posth. 1886), les Jumeaux (posth. 1889). *Divers écrits en prose :* le Dernier Jour d'un condamné (1829), Littérature et Philosophie (1834), le Rhin (1842), Napoléon le Petit (1853), Victor Hugo raconté (1863), Actes et Paroles (1875), Histoire d'un crime (1877), Choses vues (posth. 1887-99), Alpes et Pyrénées (posth. 1890), Correspondance (posth. 1896-98), Journal (1830-48) (posth. 1951), Carnets intimes (1870-81) (posth. 1953), Journal de ce que j'apprends chaque jour (1846-48) (posth. 1965), Boîte aux lettres (posth. 1965), Épîtres (posth. 1966). – *Biogr. :* père, Léopold (1773-1828), général, comte (du roi d'Espagne, Joseph Bonaparte) ; mère née Sophie Trébuchet ; enfance loin de son père (sauf 1811, à Madrid) au jardin des Feuillantines où sa mère vit avec son amant, le Gal Victor de La Horie (n. 1766) (peut-être son vrai père). Fusillé 1812-29-10 pour le soutien donné à la conspiration du Gal Mallet contre Napoléon Ier. *1819* couronné par les Jeux floraux. *1820* pensionné de Louis XVIII ; poète officiel du légitimisme. *1823* épouse Adèle Foucher (1803-68), amie d'enfance. *1829* succès affirmé, vit dans l'aisance ; chef des romantiques. *1830*-25-2 bataille d'Hernani. *1832* liaison de sa femme avec Sainte-Beuve. *1833* liaison avec l'actrice Juliette Drouet (1806-83) qui durera 50 ans. *1843* noyade à Villequier (S.-M.) de sa fille Léopoldine (inconsolable) et de son gendre Charles Vacquerie. *1845* pair de France. *1848* député de droite à la Chambre. *1849* se rallie à la gauche. *1851* 2-12 coup d'État de Louis Napoléon Bonaparte ; tente d'organiser la résistance. 11-12 doit se réfugier à Bruxelles. *1852* 5-8 à Jersey. *1855* 31-10 à Guernesey (Hauteville House). *1870* 5-9 rentre à Paris. *1871* (févr.)-*1872* (janv.) député (Pt de la gauche à l'Ass. nat.). *1876* sénateur (de gauche). Très riche (droits d'auteur), mène en secret une vie débauchée. *Depuis 1873,* privé de ses enfants, élève ses 2 petits-enfants, Georges et Jeanne. *1881* hommage solennel de la République pour ses 80 ans. *1885, 1-6* funérailles nationales, porté de l'Arc de triomphe au Panthéon, selon ses vœux, sur le char des pauvres.

Huysmans, Joris-Karl [E] (1848-1907) : En ménage (1881), A vau-l'eau (1882), l'Art moderne (1883), A rebours (1884), Là-bas (1891), En route (1895), la Cathédrale (1898), Ste Lydwine de Schiedam (1901), l'Oblat, les Foules de Lourdes (1905).

Isaac, Jules [H] (1877-1963).

Istrati, Panaït [R] (Roumain, 1884-1935) : Kyra Kyralina (1892), Oncle Anghel, la Maison Thüringer, Passé et Avenir (1925).

Ivoi, Paul d' (P. Deleutre) [R] (1856-1915) : les Cinq Sous de Lavarède (1894), Corsaire Triplex.

Jacob, Max [Pros, P] (1876-1944) : le Cornet à dés (1917), le Phanérogame (1918), le Cabinet noir, le Christ à Montparnasse, Défense de Tartuffe (1919), le Laboratoire central (1921), les Pénitents en maillots roses (1925), Derniers poèmes (1945), Méditations religieuses (1947). – *Biogr. :* baptisé à 40 ans, considéré comme juif par les Allemands, meurt au camp de Drancy.

Jaloux, Edmond 🌿 [R, Cr] (1878-1949) : l'Esprit des livres (1924-40), la Balance faussée (1932), le Reste et le Silence (F. 1909), Fumées dans la campagne, D'Eschyle à Giraudoux, Essences.

Jammes, Francis [P, Pros] (1868-1938) : De l'angélus de l'aube à l'angélus du soir (1898), Clara d'Ellébeuse (1899), Clairières dans le ciel (1906), les Géorgiques chrétiennes (1912), le Livre de saint Joseph (1933).

Janet, Paul [Ph] (1823-99).

Janet, Pierre [Ph, Psych] (1859-1947).

Jarry, Alfred [D] (1873-1907) : l'Amour absolu, Ubu Roi (rep. 1896), Ubu enchaîné, le Surmâle (1902).

Jouhandeau, Marcel [Es, Chr] (1888-1979) : les Pincengrain (1924), Monsieur Godeau intime (1926), M. Godeau marié (1933), Chaminadour (1934-41), Algèbre des valeurs morales (1935), le Péril juif (1936), Chroniques maritales (1938), De l'abjection (1939), l'Oncle Henri (1943), Don Juan (1947), Chronique d'une passion, les Funérailles d'Adonis (1949), Mémorial (1950-72), la Mort d'Élise (1978), Nunc Dimittis (1978).

Jouve, Pierre-Jean [P, R] (1887-1976) se convertit au catholicisme en 1924 : *Romans :* Paulina 1880 (1925), Aventure de Catherine Crachat (1928-31). *Poésie :* Paradis perdu (1927), les Noces (1931), Sueur de sang (1933), Matière céleste (1937), Kyrie (1938), Diadème (1949), Mélodrame (1957), Moires (1962).

Julien, Charles-André [H] (1891-1991).

Jullian, Camille [H] (1859-1930) : Histoire de la Gaule (1908-26, 8 vol.).

Karr, Alphonse [Hum] (1808-90) : *les Guêpes* (revue satirique qu'il dirige seul, 1839-46), les Nouvelles Guêpes (1853-55), Agathe et Cécile (1853).

Kemp, Robert 🌿 [Cr] (1879-1959).

Kessel, Joseph 🌿 [R] (1898-1979) : l'Équipage (1923), Nuits de princes (1928), l'Armée des ombres (1946), le Tour du malheur (1950), les Temps sauvages (4 vol., 1950-51), Fortune carrée, le Lion (1958), Tous n'étaient pas des anges (1963), les Cavaliers (1967), Des hommes, la Vallée des rubis (1973), Mémoires d'un commissaire du peuple.

Laberthonnière, Lucien [Théo] (1860-1932).

Labiche, Eugène 🌿 [D] (1815-88) : Un chapeau de paille d'Italie (1851), le Voyage de Monsieur Perrichon (1860), les Deux Timides (1860), la Poudre aux yeux (1861), la Cagnotte (1864), les Trente Millions de Gladiator (1875), la Main leste.

Labrousse, Ernest [H] (1895-1988).

Lachelier, Jules [Ph] (1832-1918) : Du fondement de l'induction (1896).

Lacordaire (père Henri) 🌿 [E, Préd] (1802-61). Disciple de La Mennais, collabore à *l'Avenir,* prédicateur (carêmes 1835-36 à N.D. de Paris), dominicain (rétablit l'Ordre en France), député (1848) : Conférences, Lettres.

Lacretelle, Jacques de 🌿 [E] (1888-1985) : la Vie inquiète de Jean Hermelin (1920), Silbermann (F. 1922), la Bonifas (1925), les Hauts Ponts (4 vol.).

La Force (duc de) 🌿 [H] (1878-1961).

Laforgue, Jules [P] (1860-87) : les Complaintes, l'Imitation de Notre-Dame la lune, les Moralités légendaires (1887).

Lagneau, Jules [Ph] (1851-94).

La Gorce, Pierre de 🌿 [H] (1846-1934) : Histoire de la Seconde République (1887), Histoire du Second Empire (1894-1906).

Lalande, André [Ph] (1867-1963) : Vocabulaire de la philosophie (1925).

Lalou, René [Cr, Es] (1889-1960).

Laprade, Victor Richard de 🌿 [P] (1812-83) : Poèmes évangéliques.

Larbaud, Valery [E] (1881-1957) : les Poésies de A.O. Barnabooth (1908-23), Fermina Marquez (1911), Amants, heureux amants (1923), Journal, Lettres d'un retiré.

Larguier, Léo [Chr, P] (1878-1950).

La Rochefoucauld, Edmée, D[esse] de (pseud. Gilbert Mauge) [Cr] (1895-1991).

Larousse, Pierre [Ency] (1817-75) : Grammaire élémentaire (1849), Nouveau Dictionnaire de la langue française (1856), Grand Dictionnaire univ. du XIXe s. (1866-76) (15 tomes : 483 millions de signes, 22 500 pages de 21 500 signes) + 2 suppléments (1878, 1890).

Laufenburger, Henri [Ec] (1867-1965).

Lautréamont, Isidore Ducasse, dit le Cte de [P] (1846-70) : Chants de Maldoror (1869). – *Biogr. :* né à Montevideo. *1860* vient à Paris préparer Polytechnique. *1867* se fixe à Paris.

Lauwick, Hervé [Hum] (1891-1975).

La Varende, Jean Mallard, Vte de [R] (1887-1959) : Nez de cuir (1937), le Centaure de Dieu, les Manants du roi (1938), Man d'Arc (1942), l'Homme aux gants de toile (1943), Pays d'Ouche (1946).

Lavedan, Henri 🌿 [D] (1859-1940).

Lavelle, Louis [Ph] (1883-1951).

La Ville de Mirmont, Jean de [P, E] (1886-1914).

Lavisse, Ernest 🌿 [H] (1842-1922).

Léautaud, Paul [Cr, Chr] (1872-1956) : Journal (1896-1956), le Théâtre de Maurice Boissard, le Pierrot noir.

Le Bon, Gustave [Soc] (1841-1931) : la Psychologie des Foules (1895).

Le Bras, Gabriel [H] (1891-1970).

Le Braz, Anatole [Chr] (1859-1926) : la Légende de la mort en basse Bretagne.

Lebret, Louis [Théo] (1897-1966).

Le Cardonnel, Louis [P] (1862-1936), ordonné prêtre en 1894.

Lecomte, Georges 🌿 [R] (1867-1958).

Lecomte du Noüy, Pierre [Bio, Ph] (1883-1947) : l'Homme et sa destinée (1948).

Leconte de Lisle, Charles (Leconte) [P] (1818-94) : Poèmes antiques (1852), barbares (1862), tragiques (1886).

Lefebvre, Georges [H] (1874-1959) : les Paysans du Nord, Napoléon, Études sur la résistance française.

Le Goffic, Charles 🌿 [R] (1863-1932).

Lemaître, Jules 🌿 [E] (1853-1914) : les Contemporains (7 vol., 1885-99), Impressions de théâtre (1888-98), Théories et Impressions (1904).

Lenéru, Marie [D] (1875-1918) : les Affranchis (1911), Journal (1922).

Lenormand, Henri-René [D] (1882-1951) : les Ratés (1918), Le temps est un songe (1919).

Lenotre, G. (Théodore Gosselin) 🌿 [H] (1857-1935) : les Quartiers de Paris pendant la Révolution (1896), Georges Cadoudal (1929).

Le Rouge, Gustave [E] (1867-1938) : le Mystérieux Dr Cornélius (série) (1899).

Le Roy, Édouard 🌿 [Ph] (1870-1954).

Le Roy, Eugène [R] (1837-1907) : le Moulin du Frau (1894), Jacquou le Croquant (1899).

Leroy-Beaulieu, Paul [Ec] (1843-1916).

Le Senne, René [Ph] (1882-1954).

Levet, Henri Jean-Marie [P] (1874-1906) : Cartes postales.

Lévis-Mirepoix, Ant., duc de 🌿 [H] (1884-1981).

Lévy-Bruhl, Lucien [Ph] (1857-1939) : la Mentalité primitive (1922).

Littré, Émile 🌿 [Ph, Ency, Méd] (1801-1881) : Dict. de la langue franç. (1863-72), 85 000 mots.

Lorrain, Jean (Paul Duval) [R] (1855-1906) : Modernités (1883), Viviane (1885), Très russe (1886), M. de Bougrelon (1897), M. de Phocas (1901), la Maison Philibert (1904).

Loti, Pierre (Julien Viaud) 🌿 [R] (1850-1923) : Azyadé (anonyme, 1879), le Mariage de Loti (1882), Mon frère Yves (1883), Pêcheur d'Islande (1886), Madame Chrysanthème (1887), Ramuntcho (1897), les Désenchantées (1906). – *Biogr. :* ancienne bourgeoisie charentaise (protestante). *1867* École navale. *1869-98* officier de marine ; *1898* lieutenant de vaisseau. Mis à la retraite (pour des articles sur la stratégie navale), gagne en Conseil d'État. *1899-1910* réintégré, termine capitaine de vaisseau. *1914-18* colonel d'artillerie. *1919* se retire à Hendaye. *1923* funérailles nationales (enterré à Oléron).

Louÿs, Pierre (Pierre Louis) [P, R] (1870-1925) : *Poèmes :* les Chansons de Bilitis (1894) présentées comme une trad. de poèmes grecs. *Romans :* Aphrodite (1896), la Femme et le Pantin (1898), les Aventures du roi Pausole (1901). – *Biogr. :* noblesse d'Empire ; élevé par son demi-fr., ambassadeur de Fr. *1888* ami d'André Gide. *1891* d'Oscar Wilde (il corrige « Salomé » écrit en fr.). *1896* célèbre grâce à « Aphrodite ». *1899* ép. la fille du poète Heredia (Louise de Heredia, div. 1912). *1914* vit à Auteuil retiré et presque aveugle. *1919* soutient que Corneille a écrit les pièces de Molière.

Lubac, le P. Henri Sonier de [Théo, Cardinal] (1896-1991) : Catholicisme, les aspects sociaux du dogme (1938), Corpus mysticum, l'eucharistie et l'Église du Moyen Âge (1944), Surnaturel, études historiques (1946), Méditation sur l'Église (1953).

Lunel, Armand [R, H, P, Es] (1892-1977) : l'Imagerie du Cordier, Nicolo Peccavi (Ren. 1926), Lettres.

Mac Orlan, Pierre (Dumarchey) (P, R, J] (1882-1970) : le Chant de l'équipage (1918), la Cavalière Elsa (1921), la Vénus internationale (1923), Marguerite de la nuit (1925), le Quai des brumes (1927), la Bandera (1931), l'Ancre de Miséricorde (1941).

Madaule, Jacques [Es] (1898-1993).

Madelin, Louis 🌿 [H] (1871-1956) : Fouché, Histoire du Consulat et de l'Empire.

Magre, Maurice [P] (1877-1942) : les Belles de nuit.

Maindron, Maurice [R] (1857-1919).

Mâle, Émile 🌿 [H d'art] (1862-1954).

Malègue, Joseph [R] (1876-1940) : Augustin ou le maître est là (1933).

Mallarmé, Stéphane [P] (1842-98) : l'Après-midi d'un faune (1876), Poésies complètes (1887), Un coup de dés jamais n'abolira le hasard (1897). – *Biogr. :* famille de petits fonctionnaires parisiens. *1860* surnuméraire de l'Enregistrement. *1862* séjour linguistique à Londres, liaison avec Mary (Marie Gerhart). *1863* prof. d'angl. au collège de Tournon. *1866* muté à Besançon. *1867* à Avignon. *1871* à Paris (lycée Fontanes = Condorcet). *1874* début des réceptions littéraires chez lui, rue de Rome (les « mardis »). *1884* révélé au grand public. *1893* retraite pour travailler à une œuvre unique, le « Livre », et qu'il n'écrira jamais. *1898* meurt d'un spasme du larynx, demandant qu'on détruise ses brouillons.

Malot, Hector [R] (1830-1907) : Sans famille (1878), En famille (1893).

Malraux, Clara [R] (1897-1982).

Marcel, Gabriel [Ph, D] (1889-1973) : *Essais :* Journal métaphysique (1927), Être et Avoir (1935), Homo viator (1944), le Mystère de l'être (1951-52), l'Homme problématique (1955), En chemin vers quel éveil, Percée vers un ailleurs (1973). *Théâtre :* Un homme de Dieu (1925), Rome n'est plus dans Rome (1951), Le secret est dans les îles.

Mardrus, Joseph [Eru] (1868-1949) : trad. du Livre des Mille et Une Nuits (1898-1904), du Coran (1925).

Margueritte, Paul [E] (1860-1918) : Jours d'épreuve (1889), la Force des choses (1891), la Flamme (1909), Juin (1918), le Désastre (1901, avec Victor).

Margueritte, Victor [E] (1866-1942) : Jeunes Filles (1908), l'Or (1909), la Garçonne (1922).

Maritain, Jacques [Ph] (1882-1973) : collabore à *la Revue universelle* de Jacques Bainville (s'en sépare en 1927, après la condamnation de l'Action française par Rome). Art et scolastique (1918), Réflexions sur l'intelligence (1924), Distinguer pour unir ou les degrés du savoir (1932), Humanisme intégral (1936), Court traité de l'existence et de l'existant (1947).

Maritain, Raïssa (or. russe) [P] (1883-1960), femme de Jacques, convertie au catholicisme en même temps que lui : la Vie donnée, les Grandes Amitiés.

Martin-Chauffier, Louis [R, Es] (1894-1980) : Chateaubriand, l'Homme et la Bête (1948).

Martin du Gard, Roger [R] (1881-1958) : Jean Barois (1913), les Thibault (8 parties, 1922-40), le Lieutenant-Colonel de Maumort (1983) [N 1937].

Massignon, Louis [H] (1883-1962).

Massis, Henri 🌿 [Es] (1886-1970) : les Jeunes Gens d'aujourd'hui (1910), Défense de l'Occident (1927), Maurras et notre temps (1961).

Maupassant, Guy de [R] (1850-93) : *Contes* dont Boule de suif (1880). *Romans :* Une vie (1883), Bel-Ami (1885), Mont-Oriol (1887), Pierre et Jean (1888), Fort comme la mort (1889). – *Biogr. :* noblesse rurale normande (son père abandonne sa famille en 1857 ; sa mère, Laure Le Poittevin, est très liée avec Flaubert, dont M. est peut-être le fils). Études à Yvetot, puis Rouen. *1870-71* militaire. *1873-80* fonctionnaire (Marine puis Instruction publique) ; pratique le canotage. *1880* lancé dans les milieux littéraires par Flaubert. *1881* enrichi (droits d'auteur), achète un yacht. *1885* premiers troubles cérébraux, d'origine syphilitique. *1889* manie de la persécution. *1892* tentative de suicide ; interné chez le Dr Blanche.

Mauriac, François 🌿 [R, D] (1885-1970) : *Romans :* la Robe prétexte (1914), le Baiser au lépreux (1922), Genitrix (1923), le Désert de l'amour (1925), Thérèse Desqueyroux (1927), le Nœud de vipères (1932), le Mystère Frontenac (1933), l'Agneau (1954), Un adolescent d'autrefois (1969). *Mémoires intérieurs. Bloc-notes. Théâtre :* Asmodée (1938), les Mal Aimés, Passage du malin, le Feu sur la terre. – *Biogr. :* bourgeoisie terrienne du Bordelais. Orphelin de père à 20 mois. Études à Grand-Lebrun (Bordeaux). *1911* abandonne l'École des chartes. Homme de lettres. *1914-18* mobilisé. *1922* succès du *Baiser au lépreux. 1943* collabore à la presse clandestine. *1945* journaliste au *Figaro* puis à *l'Express. 1952* Prix Nobel. *1958* se rallie à la Ve Rép., polémiste du régime.

Maurois, André (Émile-Salomon-Wilhelm Herzog ; pseud. devenu nom légal) 🌿 [E, R, H] (1885-1967) : les Silences du colonel Bramble (1918), les Discours du Dr O'Grady (1922), Ariel ou la vie de Shelley (1923), Bernard Quesnay (1928), Climats (1928), Hist. d'Angleterre (1937), Don Juan ou la Vie de Byron (1952), le Cercle de famille, Prométhée ou la Vie de Balzac (1965), Un art de vivre.

Maurras, Charles 🌿 [E, Pol] (1868-1952) : l'Avenir de l'intelligence (1900), Anthinéa (1901), Enquête sur la monarchie (1900-09). *Poésies :* la Musique intérieure (1925), les Vergers sur la mer. – *Biogr. :* fils d'un percepteur provençal. Études chez les Frères d'Aix-en-Pr. *1881* sourd. *1890* journaliste à Paris. *1895* chef des antidreyfusards. *1904* fonde avec Léon Daudet *l'Action française* (monarchiste et nationaliste), en restera directeur jusqu'en 1944. *1926* condamné par Pie XI (interdit levé le 1-7-1939 par Pie XII). *1944* prison perpétuelle pour son attitude pendant l'Occupation. *1952* meurt dans une clinique de Tours des suites de son incarcération.

Mendès, Catulle [P, R] (1841-1909) : la Première Maîtresse (1887). *Poésie :* Philomena (1864), Contes épiques (1872), Soins moroses (1876). *Théâtre :* le Roman d'une nuit (1883).

Mérimée, Prosper 🌿 [E] (1803-70) : Théâtre de Clara Gazul (1825), Mateo Falcone, Chronique du règne de Charles IX (1829), Colomba (1840), Carmen (1845). – *Biogr. :* fils d'un peintre parisien. Études au lycée Henri-IV. *1824* fonctionnaire au ministère du Commerce, fréquente les salons littéraires. *1830* chef de cabinet ministériel. Voyage en Espagne, devient l'intime de la Ctesse de Montijo, mère de la future impératrice Eugénie. *1833* inspecteur général des monuments historiques. *1854* intime de la famille impériale (il a rang de sénateur). *A partir de 1856,* atteint d'asthme, séjourne à Cannes. Il y meurt de chagrin à la nouvelle du désastre de Sedan.

Michaux, Henri [P] (1899-1984, Belge nat. Fr. 1954) : l'Espace du dedans, Qui je fus (1927), Ecuador (1929), Mes propriétés (1929), Un certain Plume (1930), Un Barbare en Asie (1933), la Grande Garabagne (1936), le Lointain intérieur (1938), Au pays de la magie (1941), Ici Poddema (1946), Misérable Miracle (1956), l'Infini turbulent (1957), Connaissance par les gouffres (1961), Poteaux d'angle (1971), Coup d'arrêt (1975), Affrontements (1986). – *Biogr. :* famille bourgeoise de Namur. *1920* abandonne études médic. ; matelot. *1921-24* vie de bohème à Bruxelles. *1924-27* fréquente surréalistes à Paris. *1927-37* voyages. *1937* peintre non figuratif. *1955-60* expérimente LSD. *1965* refuse G^d^ Prix nat. des Lettres.

Mille, Pierre [J, R] (1864-1941).

Milosz (Oscar Vladislas de Lubicz) [P] (Lituan., 1877-1939) : Symphonies, l'Amoureuse Initiation (1910), Miguel Mañara (1912).

Miomandre, Francis de (F. Durand) [R] (1880-1959) : Écrit sur de l'eau (G. 1908), l'Ingénu, l'Aventure de Thérèse Beauchamps (1914), Samsara (1931), l'Ane de Buridan (1946).

Mirbeau, Octave [R, D] (1848-1917) : le Jardin des supplices (1899), Journal d'une femme de chambre (1900), Les affaires sont les affaires (1903), le Calvaire.

Mistler, Jean 🌿 [Cr, R, E] (1897-1988) : Ethelka (1929), la Maison du Dr Clifton (1932), le Bout du monde, le Naufrage du Monte-Cristo, l'Ami des pauvres, le Jeune Homme qui rôde partout, Gaspard Hauser (1974).

Mistral, Frédéric [P] (1830-1914) : Mireille (1859), Calendal (1867), les Iles d'or (1876) Écrit en provençal [N 1904].

Mondor, Henri 🌿 [E, Méd] (1885-1962) : Vie de Mallarmé (1944), Pasteur (1945).

Monfreid, Henri de [R] (1879-1974) : les Secrets de la mer Rouge, la Croisière du haschich (1937), le Cimetière des éléphants (1952), le Trésor des flibustiers (1961), Testament de pirate (1963).

Monnier, Henri [Hum] (1805-77) : Mémoires de Joseph Prudhomme (1857).

Monnier, Thyde (Mathilde) [R] (1887-1967).

Monod, Gabriel [H] (1844-1912).

Montépin, Xavier de [R] (1823-1902) : la Porteuse de pain (1884), la Voleuse d'amour.

Montherlant, Henry Millon de 🌿 [E, D] (20-4-1895-suicidé 21-9-1972) : *Essais. Romans :* Thrasylle (1916), le Songe (1922), les Bestiaires (1926), Aux fontaines du désir (1927), la Petite Infante de Castille (1929), Moustique (1929, publ. 1986), les Célibataires (1934), les Jeunes Filles, Pitié pour les femmes (1936), le Démon du bien (1937), les Lépreuses (1939), la Rose de sable (1951), les Garçons (1969), Un assassin est mon maître (1971). *Théâtre :* la Reine morte (1942), Fils de personne (1943), le Maître de Santiago (1947), Malatesta (1948), Celles qu'on prend dans ses bras (1950), la Ville dont le prince est un enfant (1951), Port-Royal (1954), Brocéliante (1956), Don Juan (1958), le Cardinal d'Espagne (1960). *Poésies :* les Olympiques (1924), Pasiphaé [p. dramatique (1936)]. – *Biogr. :* noblesse rurale. Études chez jésuites. *1914-18* combattant, blessé. *1920-26* pratique les sports, notamment la tauromachie. *1926-39* voyages. *1944* cité en justice à la Libération. *1945-72* perd peu à peu la vue, vit en solitaire. *1972* se suicide d'un coup de feu. Incinéré. Cendres dispersées à Rome sur le Forum et dans le Tibre (avril 73).

Morand, Paul 🌿 [E] (1888-1976) : les Extravagants (1910, publ. 1986), Ouvert la nuit (1922), Fermé la nuit (1923), Lewis et Irène (1924), l'Europe galante (1925), Londres, Fouquet, Tais-toi, Venises, Magie noire (1928), l'Homme pressé (1941), le Flagellant de Séville (1951), Hécate et ses chiens (1954), Monplaisir, Fin de siècle (1957), Bains de mer, Parfaite de Saligny, les Écarts amoureux (1974). – *Biogr. :* fils d'un homme de lettres parisien. *1913* diplomate à Londres, Rome, Madrid, Bangkok. *1938* en Roumanie (commission du Danube). *1939-40* Londres. *1943* amb. de Vichy à Bucarest. *1944* Berne (à la Libération, révoqué sans traitement). *1953* réintégré dans ses droits, mis à la retraite. *1958* candidat à l'Ac. fr. ; veto de De Gaulle. *1969* élu à l'Ac. fr.

Moréas, Jean (Papadiamantopoulos) [P] (1856-1910) : Stances.

Moreau, Hégésippe (Pierre-Jacques Roulliot) [P] (1810-38) : le Myosotis (posth. 1838).

Morgan, Claude (fils de Georges Lecomte) [R, Cr] (1898-1980).

Murger, Henri [R] (1822-61) : Scènes de la vie de bohème (1848).

Musset, Alfred de 🌿 [D, P, R] (1810-57) : *Théâtre :* la Coupe et les Lèvres (1829), A quoi rêvent les jeunes filles (1833), les Caprices de Marianne (1833), Fantasio, On ne badine pas avec l'amour, Lorenzaccio (1834), le Chandelier, Barberine (1835), Il ne faut jurer de rien (1836), Un caprice (1837), Il faut qu'une porte soit ouverte ou fermée (1845). *Poésies :* Namouna, Rolla (1833), les Nuits (1835-37), Poésies nouvelles (1852). *Romans :* la Confession d'un enfant du siècle (1835), 15 contes (1840-54, dont Mimi Pinson 1852). – *Biogr. :* noblesse vendômoise fixée à Paris. Éducation raffinée (musique, peinture, poésie). Fréquente les cénacles littéraires dès 18 ans. Liaisons avec : George Sand *(1834-35)* (suivie d'une dépression nerveuse), Rachel, tragédienne *(1839),* Louise Allan, actrice *(1840),* Louise Colet, femme de lettres *(1852). 1853* essaie de vivre de sa plume, mais sombre dans l'alcoolisme. Meurt usé par les excès.

Nabert, Jean [Ph] (1881-1962) : Essai sur le mal (1955).

Nadaud, Gustave [Chan] (1820-93) : les Deux Gendarmes (1849).

Nerval, Gérard de (G. Labrunie, dit) [P, Pros] (1808-55) : *Poésies :* Élégies nationales (1827), Poésies complètes (posth. 1877), les Chimères (1890). *Prose :* les Illuminés (1852), Lorelei : souvenir d'Allemagne (1852), les Filles du feu (1854), Sylvie (1854), Promenade autour de Paris (1855), Aurélia ou le Rêve et la Vie (1855), Voyage en Orient (posth. 1856). – *Biogr. :* fils d'un médecin militaire : orphelin de mère à 2 ans. *1832* étudiant en médecine. *1834* fait un héritage qu'il perd aussitôt dans la faillite de la revue *le Monde dramatique. 1834-38* fréquente la « bohème littéraire » ; passion malheureuse pour l'actrice Jenny Colon. *1838-40* séjours en Allemagne. *1841* 1re crise de folie (abus d'absinthe). *1842* mort de Jenny Colon ; vagabonde (Orient, Égypte, Europe centrale, Angleterre). *1851* interné à la clinique du docteur Blanche. *1854* voyage en Allemagne. *1855* dans le dénuement ; se pend dans une rue.

Noailles, Anna, Ctesse de (née P^cesse^ Brancovan) [P] (1876-1933) : le Cœur innombrable (1901), l'Ombre des jours (1902), le Visage émerveillé (1904).

Noël, Marie (Rouget) [P] (1883-1967) : les Chansons et les Heures (1920), le Rosaire des joies (1930), les Chants de la merci, le Voyage de Noël, Chants d'arrière-saison.

Nouveau, Germain [P] (1851-1920) : la Doctrine de l'amour (1904), Calepin du mendiant (1922).

Obey, André [R, D] (1892-1975) : Noé (1931), le Viol de Lucrèce, l'Homme de cendre, Lazare, le Joueur de triangle (Ren. 1928).

Ohnet, Georges (G. Hénot) [R, D] (1848-1918) : Serge Panine (1881), le Maître de forges (1882), la Comtesse Sarah, Un brasseur d'affaires.

Ormesson, Wladimir, Cte d' 🌿 [H] (1888-1973).

Pagnol, Marcel 🌿 [D] (1895-1974) : Topaze (1928), Marius (1931), Fanny (1932), Jean de Florette, César (scénario, 1937). *Mémoires :* la Gloire de mon père, le Château de ma mère, le Temps des secrets, le Temps des amours. – *Biogr. :* fils d'un instituteur provençal (enfance à Marseille, avec vacances près d'Aubagne). *1915* non mobilisé, entre dans l'enseignement. *1920-22* prof. d'anglais à Marseille ; fonde la revue *Fortunio* (devenue en 1935 les *Cahiers du Sud*). *1922* muté à Paris. *1926* quitte l'enseignement, vit de sa plume. *1928* succès de Topaze. *1933* producteur de films (gros gains).

Parain, Brice [E] (1897-1971) : Sur la dialectique (1953), Joseph (1964), De fil en aiguille.

DICTÉE DE MÉRIMÉE

Créée par Mérimée en 1857, à la demande de l'impératrice Eugénie, pour distraire la Cour. D'après les « Souvenirs » de la P^cesse^ de Metternich, Napoléon III aurait fait 75 fautes, l'impératrice 62, Alexandre Dumas 24, Octave Feuillet 19, Metternich (ambassadeur d'Autriche) 3.

« Pour parler sans ambiguïté, ce dîner à Sainte-Adresse, près du Havre, malgré les effluves embaumés de la mer, malgré les vins de très bons crus, les cuisseaux de veau et les cuissots de chevreuil prodigués par l'amphitryon, fut un vrai guêpier. Quelles que soient, quelque exiguës qu'aient pu paraître, à côté de la somme due, les arrhes qu'étaient censés avoir données la douairière et le marguillier, il était infâme d'en vouloir, pour cela, à ces fusiliers jumeaux et mal bâtis, et de leur infliger une raclée, alors qu'ils ne songeaient qu'à prendre des rafraîchissements avec leurs coreligionnaires. Quoi qu'il en soit, c'est bien à tort que la douairière, par un contre-sens exorbitant, s'est laissé entraîner à prendre un râteau et qu'elle s'est crue obligée de frapper l'exigeant marguillier sur son omoplate vieillie. Deux alvéoles furent brisés ; une dysenterie se déclara suivie d'une phtisie et l'imbécillité du malheureux s'accrut. – Par saint Hippolyte, quelle hémorragie ! s'écria ce bélître. A cet événement, saisissant son goupillon, ridicule excédent de bagage, il la poursuit dans l'église tout entière. »

Nota. – Il existe des variantes, ex. pour la 2e phrase : « Quelles que soient, quelque exiguës que t'aient paru les arrhes qu'étaient censés avoir données à maints et maints fusiliers subtils [ou : *maint et maint fusilier subtil* (les deux sont corrects)] la douairière et le marguillier, bien que lui ou elle soit censé les leur avoir refusées et s'en soit repenti, va-t'en les réclamer de table en table, bru jolie, quoiqu'il ne te siée pas de dire qu'on les leur aurait suppléées par quelque autre motif. »

Passeur, Stève (Étienne Morin) [D] (1899-1966) : Je vivrai un grand amour (1939).

Paulhan, Jean ⚘ [R, Cr, Es] (1884-1968) : le Guerrier appliqué (1915), les Fleurs de Tarbes (1941), Clef de la poésie (1946), La vie est pleine de choses redoutables.

Péguy, Charles [Pros, P] (1873-tué 5-9-1914) : *Poésies :* Jeanne d'Arc, le Mystère de la charité de Jeanne d'Arc (1910), le Porche du mystère de la deuxième vertu (1911), le Mystère des Saints Innocents (1912), la Tapisserie de Sainte Geneviève et de Jeanne d'Arc (1912), la Tapisserie de N.-Dame (1913), Ève. *Prose :* Notre Patrie (1905), Clio (1909-12), l'Argent. – *Biogr. :* fils d'artisans orléanais. Orphelin de père dès le berceau. Mère rempailleuse de chaises. *1894-97* École normale supérieure ; ne se présente pas à l'agrégation ; épouse (civilement) la sœur de son camarade au collège Sainte-Barbe, Marcel Baudoin ; il a perdu la foi et devient socialiste, prend parti pour Dreyfus (1894-1906). *1898* investit la dot de sa femme dans une librairie socialiste. *1900* se brouille avec ses associés et fonde les *Cahiers de la quinzaine ;* père de 4 enfants, vit dans la pauvreté. *1905* anti-allemand après l'affaire de Tanger. *1908* retrouve la foi chrétienne, sans pouvoir la pratiquer (à cause de son mariage civil). *1914* lieutenant, tué à la Marne.

Peisson, Édouard [R] (1896-1963) : Hans le marin, le Voyage d'Edgar, le Sel de la mer.

Péladan, Joseph dit Joséphin ou le Sâr [R] (1859-1918) : le Vice suprême (1884), Curieuse (1885), l'Androgyne (1891).

Péret, Benjamin [P] (1899-1963) : le Passager du transatlantique (1921), Feu central (1947).

Pergaud, Louis [R] (1882-1915) : De Goupil à Margot (G 1910), la Guerre des boutons (1912).

Perochon, Ernest [R] (1885-1942) : Nêne (G 1920).

Pesquidoux, Joseph Dubosc de ⚘ [R] (1869-1946) : Chez nous, la Glèbe, le Livre de raison (1925-38), la Harde (1936).

Peyré, Joseph [R] (1892-1968) : l'Escadron blanc (1931), Sang et Lumières (G 1935).

Philippe, Charles-Louis [R] (1874-1909) : Bubu de Montparnasse (1901), le Père Perdrix (1902), Marie Donadieu (1904).

Picabia, Francis [P] (1879-1953) : Cinquante-deux Miroirs, Pensées sans langage (1919), Unique Eunuque (1920).

Piéron, Henri [Ph, Psycho] (1881-1964).

Pierre-Dominique (P. Lucchini) [R, Es] (1891-1973).

Pierre l'Ermite (Mgr Edmond Loutil) [R] (1863-1959) : la Grande Amie, Comment j'ai tué mon enfant, la Femme aux yeux fermés.

Pillement, Georges [Chr] (1898-1984) : Paris inconnu (1965).

Poincaré, Henri ⚘ [Math, Ph] (1854-1912) : la Valeur de la science (1905).

Ponchon, Raoul (Pouchon) [P] (1848-1937) : la Muse au cabaret (1920), la Muse gaillarde (1941), (il aurait écrit 150 000 vers).

Ponge, Francis [P] (1899-1988) : Douze Petits Écrits (1926), le Parti pris des choses (1942), le Grand Recueil (1961), le Savon (1967), la Table.

Ponsard, François ⚘ [D] (1814-67) : Lucrèce (1843), Charlotte Corday (1850).

Ponson du Terrail, Pierre [R] (1829-71) : les Drames de Paris (1859-84), les Exploits de Rocambole (1859), le Forgeron de la Cour-Dieu.

Porto-Riche, Georges de ⚘ [D] (1849-1930) : Amoureuse (1891), les Malefilâtre (1904).

Poulaille, Henri [R] (1897-1980) : Ils étaient quatre (1925), le Pain quotidien (1930), les Damnés de la terre, Pain de soldat (1937), Un train fou.

Pourrat, Henri [E] (1887-1959) : Gaspard des montagnes (1922-31), Vent de mars (G 1941), le Trésor des contes (1948-62), le Bestiaire.

Pozzi, Catherine [P] (1882-1934) : Agnès (1927), Journal (1987).

Pradines, Maurice [Ph] (1874-1958).

Prévost, Marcel ⚘ [R] (1862-1941) : les Demi-Vierges (1894), les Vierges fortes (1900).

Prévost-Paradol, Lucien [E] (1829-70).

Proudhon, Pierre-Joseph [Éco, Pol] (1809-65) : Qu'est-ce que la propriété ? (1840).

Proust, Marcel [R] (1871-1922) : Jean Santeuil (1896, publ. 1952), Pastiches et Mélanges (1908), A la recherche du temps perdu (1913-27) [Du côté de chez Swann (1913), A l'ombre des jeunes filles en fleurs (G 1919), Du côté de Guermantes (1922), Sodome et Gomorrhe (1922), la Prisonnière (1923), Albertine disparue (ou la Fugitive) (1925), le Temps retrouvé (1927)], Chroniques (1927), Contre Sainte-Beuve (publ. 1954). – *Biogr. :* père médecin (d'Illiers, E.-et-L.) et mère israélite alsacienne. Enfance à Paris (Auteuil), fréquents séjours à Illiers. Crises d'asthme. *1890-92* Droit et Sciences pol. Vit de ses revenus et mène la vie de salon. *1896* duel au pistolet avec le critique Jean Lorrain (qui a évoqué son homosexualité). *1905* mort de sa mère. Vit isolé ; liaison avec son secrétaire, Alfred Agostinelli. *1914* mort accidentelle d'Agostinelli ; vit enfermé dans sa chambre, travaillant à ses romans malgré ses crises d'asthme ; ne sort que la nuit. *1922* meurt de pneumonie.

Psichari, Ernest [E] (1883-1914), petit-fils de Renan, converti au catholicisme en 1912 : l'Appel des armes (1913), le Voyage du centurion (1914).

Pyat, Félix [J, Pol, D] (1810-89). *Théâtre :* Ango, Diogène, le Chiffonnier de Paris.

Quinet, Edgar [Pol] (1803-1875).

Rachilde, (Marguerite Vallette) [R] (1860-1953) : Monsieur Vénus, Déracinés.

Ramuz, Charles-Ferdinand : voir Suisse, p. 312 c.

Ravaisson-Mollien, Félix [Ph] (1813-1900) : l'Habitude (1838).

Rebell, Hugues (Georges Grassal) [P, R] (1867-1905) : la Câlineuse (1899), les Nuits chaudes du Cap français (1902).

Régnier, Henri de ⚘ [P, R] (1864-1936) : *Poésies :* la Double Maîtresse (1901), la Cité des eaux (1902), le Miroir des eaux (1906).

Renan, Ernest ⚘ [E, Ph] (1823-92) : la Vie de Jésus (1863), la Réforme intellectuelle et morale (1871), l'Antéchrist (1873), l'Avenir de la science (1890).

Renard, Jules [Hum] (1864-1910) : l'Écornifleur, Poil de Carotte (1894), Journal (5 vol., posth. 1925).

Renouvier, Charles [Ph] (1815-1903) : les Derniers Entretiens (5 vol., posth. 1925).

Renouvin, Pierre [H] (1893-1975).

Reverdy, Pierre [P] (1889-1960) : Poèmes en prose (1915), la Lucarne ovale (1916), les Ardoises du toit (1918), Sources du vent (1929), Flaques de verre (1929), Ferraille (1937), le Chant des morts (1948). *Cahiers :* le Gant de crin (1927), le Livre de mon bord (1930-36), En vrac (1956).

Révillon, Antoine, dit Tony [R] (1832-98) : la Bourgogne pervertie.

Ribot, Théodule [Ph] (1839-1916).

Richepin, Jean ⚘ [P] (1849-1926) : la Chanson des gueux [1876 (500 F d'amende pour outrage aux bonnes mœurs)], le Chemineau.

Rictus, Jehan (Gabriel Randon de St-Amand) [P, Polé] (1867-1933) : les Soliloques du pauvre (1895), Fils de fer (1906, roman).

Rimbaud, Arthur [P] (1854-91) : Poésies (1869-73) dont Voyelles (sonnet, 1870 ; 1er vers : A noir E blanc I rouge U vert O bleu : voyelles), le Bateau ivre (1871), Illuminations (1871), Une saison en enfer (1872). – *Biogr. :* fils d'une propriétaire terrienne ardennaise mariée à un officier. *1860* séparation de ses parents ; vit avec sa mère à Charleville. *1870* fugue à Paris, puis en Belgique. *1871* fugue à Paris. *1871-73* liaison homosexuelle avec Verlaine. *1872-73* fugue avec Verlaine en Belgique et Angleterre (mai, rupture) ; 10-7 Verlaine blesse Rimbaud avec un revolver. *1874* Angleterre. *1875* Allemagne ; Italie (frappé d'insolation à Brindisi, rapatrié par le consul). *1876* s'engage dans l'armée coloniale hollandaise et déserte en touchant la prime. *1877* interprète de cirque en Scandinavie. *1878* vagabondage en Europe centrale et orientale. *1879* chef de chantier à Chypre ; rapatrié après maladie. *1880-91* marchand (armes, ivoire) en Afrique orientale. *1891* (mai) rapatrié (tumeur au genou). Amputé, meurt à l'hôpital de Marseille.

Riquet, Michel [Théo] (1898).

Rivière, Jacques [E] (1886-1925) : l'Allemand (1918), Aimée (1922), Correspondance avec Alain-Fournier (1926-28), Florence (inachevé).

Rochefort, Henri, (Mis de Rochefort-Luçay) [Polé] (1831-1913) : *La Lanterne (hebdo,* 1868-70).

Rolland, Romain [E] (1866-1944) : Jean-Christophe (1903-12, F. 1905), Colas Breugnon (1918), Clérambault (1920), l'Âme enchantée (1922-33). – *Biogr. :* bourgeoisie protestante et rép. de Vézelay. *1880* études à Paris. *1886* École normale sup. *1889-91* École fr. de Rome. *1898* aux *Cahiers de la quinzaine,* de Charles Péguy. *1914* surpris par la guerre en Suisse (neutraliste). *1915* prix Nobel. *1922* fonde la revue *Europe. 1927* adhère au PC ; voyage en URSS. *1939* retiré à Vézelay.

Rollinat, Maurice [P] (1846-1903) : Dans les brandes (1877), les Névroses (1883).

Romains, Jules (Louis Farigoule ; son pseud. est dev. nom légal) ⚘ [R, D] (1885-1972) : *Romans :* Mort de quelqu'un (1911), les Copains (1913), Psyché (Lucienne, le Dieu des corps, Quand le navire), les Hommes de bonne volonté (27 vol., 1932-47, notamment : Éros de Paris, Recherche d'une Église, Prélude à Verdun (1938), Verdun, Cette grande lueur à l'est), Une femme singulière (3 vol., 1957). *Théâtre :* Amédée ou les Messieurs en rang, Knock (1923), Donogoo-Tonka. *Poésie :* la Vie unanime (1908). – *Biogr. :* fils d'instituteur d'origine auvergnate. Études à Paris. *1906* École normale sup. *1909* agrégé de philo ; prof. à Brest, Laon, Nice. *1919* quitte l'université, vit de sa plume. *1923* succès de *Knock* (conférences autour du monde). *1940-45* réfugié au Mexique et aux États-Unis. *1945* fixé à St-Avertin (I.-et-L.).

Romier, Lucien [Es] (1885-1944) : l'Homme nouveau (1928), Qui sera le maître, Europe ou Amérique ?

Rosny, J.H. (Joseph Henri Boex) : **Rosny** aîné (1856-1940) ; son frère Séraphin Justin : **Rosny** jeune (1859-1948) (nés en Belg.) [R] : les Xipéhuz, Vamireh (ensemble), la Guerre du feu (1911) (**Rosny** aîné), Sépulcres blanchis (1913) (**Rosny** jeune).

Rostand, Edmond ⚘ [D] (1868-1918) : les Romanesques (1894), la Princesse lointaine (1895), Cyrano de Bergerac (1897), l'Aiglon (1900), Chantecler (1910).

Rostand, Jean ⚘ [Bio] (1894-1977).

Rostand, Maurice [P] (1891-1968).

Roussel, Raymond [P, D] (1877-1933) : Impressions d'Afrique (1910), Locus Solus (1914).

Sainte-Beuve, Charles ⚘ [Cr, E] (1804-69) : Volupté (1834), Port-Royal (1840-67), Causeries du lundi (1851-75). – *Biogr. :* noblesse picarde, ayant abandonné la particule à la Révolution. Orphelin de père dès sa naissance. *1823* étudiant en médecine, adopte la philosophie matérialiste. *1825-33* fréquente les romantiques. *1832-36* liaison avec Adèle Hugo, femme de Victor. *1837-38* prof. de litt. fr. à Lausanne. *1840-48* conservateur de la Mazarine. *1848-49* prof. de litt. fr. à Liège. *1849* critique au *Constitutionnel ;* puis au *Moniteur* (rallié à l'Empire). *1857-61* prof. à l'École normale sup. *1865* sénateur.

Sainte-Soline, Claire (Nelly Fouillet) [R] (1891-1967) : Journée, Noémie Strauss.

Saint-Georges de Bouhélier (Stéphane-Georges de B., dit) [D] (1876-1947) : le Carnaval des enfants, Jeanne d'Arc.

Saint-John Perse (Alexis Saint-Léger Léger) [P] (1887-1975) : Éloges (1911), Anabase (1924), Exil (1942), Pluies, Neiges, Vents (1946), Amers (1957), Chronique (1959), Oiseaux (1963). – *Biogr. :* famille de planteurs guadeloupéens. Études à Pointe-à-Pitre, puis Bordeaux. *1914* aux Affaires étrangères. *1925-32* dir. de cabinet d'Aristide Briand. *1933-40* secr. gén. des Aff. étr. *1941* réfugié aux États-Unis, publie ses 1res poésies. *1941-46* bibliothécaire du Congrès à Washington. *1946* en France, se consacre à la littérature [N 1960.]

Saint-Pol Roux (Paul Roux) [P] (1861-1940) : les Reposoirs de la procession.

Salacrou, Armand [D] (1899-1989) : *Théâtre :* Une femme libre (1934), l'Inconnue d'Arras (1935), Un homme comme les autres (1936), la Terre est ronde (1938), Histoire de rêve (1939), les Fiancés du Havre (1944), l'Archipel Lenoir (1947), Boulevard Durand (1960), la Rue noire (1967), les Amours. *Mémoires :* Dans la salle des pas perdus (1974-76).

Salmon, André [P, R, Es] (1881-1969).

Samain, Albert [P] (1858-1900) : Au jardin de l'infante (1893), Aux flancs du vase (1898).

Sand, George (Aurore Dupin, B^onne^ Dudevant) [R] (1804-76) : Indiana (1832), Lélia (1833), Mauprat (1836), Consuelo (8 vol., 1842-43), la Mare au diable (1846), François le Champi (1848), la Petite Fadette (1849), les Maîtres sonneurs (4 vol., 1853), Elle et Lui (1859). – *Biogr. :* fille d'officier ; orpheline de père à 4 ans. Élevée par sa grand-mère maternelle (fille naturelle du maréchal de Saxe), au château de Nohant (Indre). *1817-20* pensionnaire à Paris. *1822* mariée au baron Dudevant (séparée au bout de 2 ans). *1831* à Paris, avec son fils et sa fille, fréquente la bohème littéraire. *1832-34* liaison avec Jules Sandeau. *1834-35* avec Musset ; vit de ses droits d'auteur. *1837-47* avec Chopin (long séjour aux Baléares). *1848* se rallie à la Révolution, puis, effrayée par les massacres de juin, se réfugie à Nohant. *1849-76* « bonne dame de Nohant », vie patriarcale, en liaison quasi conjugale avec son intendant.

Sandeau, Jules ⚘ [R] (1811-83) : Mlle de La Seiglière (1848), la Roche aux mouettes (1871).

Sardou, Victorien ⚘ [D] (1831-1908) : la Tosca, Thermidor (1891), Madame Sans-Gêne (1893).

Sarment, Jean (Jean Bellemère) [D] (1897-1976).

Saulcy, Félix de [Eru, H] (1807-79) : Voyage en Terre Sainte, Hist. d'Hérode, Hist. des Macchabées.

Sauvy, Alfred [Ec] (1898-1990) : Richesse et Population (1943), la Montée des jeunes (1959-69), Croissance zéro ?, la Fin des riches (1975).

Schlumberger, Jean [E] (1877-1968) : Un homme heureux, Saint-Saturnin (1931).

Scholl, Aurélien [Hum, J] (1833-1902).

Schwob, Marcel [E] (1867-1905) : Contes, le Livre de Monelle.

Sée, Henri [Ec] (1864-1936).

Ségalen, Victor [P] (1878-1919) : *Poèmes :* Stèles. *Romans :* les Immémoriaux, René Leys.

Seignobos, Charles [H] (1854-1942).

Sertillanges, le P. Antonin [Théo] (1863-1948).

Siegfried, André ⚘ [Ec] (1875-1959) : Géographie politique des cinq continents.

Simiand, François [Ec] (1873-1935).

Simone (Pauline Porché, née Benda) [R, D] (1877-1985) : Jours de colère.

Sorel, Georges [E, Pol] (1847-1922) : Réflexions sur la violence (1908).

Soupault, Philippe [P] (1897-1990) : Aquarium, Rose des vents, le Nègre, Westwego (1922), Georgia (1926).

Souriau, Étienne [Ph] (1892-1979).

Stern, Daniel (Marie de Flavigny, Ctesse d'Agoult) [E] (1805-76) : Nélida (roman, 1846), Lettres républicaines (1848), Hist. de la révolution de 1848 (1851-53), Trois journées de la vie de Marie Stuart (1856). – *Biogr. :* tient un salon libéral sous le Second Empire. *1827* ép. Cte d'Agout dont 2 filles Louise (1828-35), Claire (n. 1830). Liaison avec Liszt de 1833 à mai 1840 (plus jeune de 6 ans) dont 2 filles [Blandine (1835-62) ép. d'Émile Ollivier ; Cosima (n. 1837) ép. 1°) le chef d'orchestre Hans von Bülow, 2°) Richard Wagner] ; et 1 fils Daniel (n. 1839).

Suarès, Isaac-Félix, dit André [E] (1868-1948) : Voici l'homme (1906), le Voyage du condottiere (I 1910, II et III 1932), la Nation contre la race (1916).

Sue, Eugène [R] (1804-57) : Atar-Gul (1831), Plick et Plock (1831), la Salamandre (1832), la Cucaratcha (1832-34), la Vigie de Koaten (1833), les Mystères de Paris (1842-43), le Juif errant (1844-45).

Sully Prudhomme (Armand Prudhomme, dit) [P] (1839-1907) : Solitudes, Vaines Tendresses [N 1901].

Supervielle, Jules [P] (1884-1960) : Débarcadères (1922), Gravitations (1925), la Fable du monde (1938), Oublieuse Mémoire (1949), le Corps tragique (1959). *Roman :* l'Homme de la Pampa (1923), le Voleur d'enfants (1926), le Survivant (1928).

Tailhade, Laurent [Polé] (1854-1919) : le Jardin des rêves (1880), Poèmes aristophanesques (1904).

Taine, Hippolyte [Ph, H] (1828-93) : Phil. de l'art (1865), De l'intelligence (1870), Origines de la France contemporaine (1875-93).

Teilhard de Chardin, R.P. Pierre [Ph, Sav] (1881-1955) : le Phénomène humain (1955), le Groupe zoologique humain (1956), le Milieu divin (1957), l'Avenir de l'homme (1959).

Tharaud, Jérôme (1938) (1874-1953) et Jean (1946) (1877-1952) [R] : Dingley l'illustre écrivain (G 1906), la Maîtresse servante (1911), A l'ombre de la croix (1917).

Thérive, André (Roger Puthoste) [R, Cr] (1891-1967) : Noir et Or (1930).

Theuriet, André [R] (1833-1907) : Mademoiselle Guignon (1874), Madame Heurteloup (1882).

Thibaudet, Albert [Cr] (1874-1936) : la République des professeurs (1927), Réflexions sur la littérature.

Thyde-Monnier (Mathilde Monnier, dite) [R] (1887-1967) : les Desmichels (7 vol.), Moi (4 vol.).

Tillier, Claude [J, R] (1801-44) : Mon oncle Benjamin (1841).

Tinayre, Marcelle [R] (1872-1948) : la Rebelle (1905), l'Ennemie intime (1931).

Tocqueville, Alexis Clérel de [H] (1805-59) : De la démocratie en Amérique (1835), l'Ancien Régime et la Révolution (1856). – *Biogr. :* ancienne noblesse de robe. *1827* magistrat à Versailles. *1830* en mission aux États-Unis. *1832* démissionne ; journaliste politique. *1840* député de la Manche (libéral). *1849* min. des Aff. étr. *1852* exilé après le coup d'État. *1854* en France ; renonçe à la politique.

Toulet, Paul-Jean [R, P] (1867-1920) : Mon amie Nane (1905), Contrerimes (1921).

Triolet, (Elsa Kagan, puis Mme Louis Aragon) [R] (or. russe 1896-1970) : le Cheval blanc (1942), Le 1er accroc coûte 200 F (G 1944), l'Age de nylon (1959-63), Écoutez-voir (1968), Le rossignol se tait à l'aube (1970), le Monument.

Truc, Gonzague [Cr] (1877-1972).

Tzara, Tristan (Samuel Rosenstock) [P] (Roumain, 1896-1963) : l'Homme approximatif (1930), Terre sur terre (1946).

Valéry, Paul [P, E] (1871-1945) : la Soirée avec M. Teste (1895), Album de vers anciens (1900), la Jeune Parque (1917), l'Ame et la Danse (1921), Charmes (le Cimetière marin) (1922), Eupalinos ou l'Architecte, Variétés (1924-44), Analecta (1928), l'Idée fixe (1932), Tel quel (1941-43), Mon Faust (1941), Cahiers (1957). – *Biogr. :* fils d'un douanier corse et d'une Italienne. Études à Montpellier. *1897* rédacteur au min. de la Guerre. Fréquente le salon de Mallarmé. *1900* secrétaire à l'Agence Havas. *1919-34* vit de conférences et d'articles. *1936* prof. de « poétique » au Collège de Fr. *1937* rédige inscriptions Palais de Chaillot. *1945* funérailles nationales ; enseveli au « Cimetière marin » de Sète.

Vallery-Radot, Robert [P, R] (1886-1970) : l'Eau du puits (1909), l'Homme de douleur (1918), Lamennais (1931). Entré à la Trappe en 1945.

Vallès, Jules [Polé] (1832-85) : Jacques Vingtras (l'Enfant 1879, le Bachelier 1881, l'Insurgé 1886).

Van der Meer De Walcheren, Pierre [E] (Pays-Bas, 1880-n.c.) : Journal d'un converti (1921), Paradis blanc (1939), Rencontres (1961).

Vaudoyer, Jean-Louis [E] (1883-1963).

Vautel, Clément (C. Vaulet) [E] (1876-1954).

Vercel, Roger (R. Cretin ; pseud. devenu nom légal) [R] (1894-1957) : Jean Villemeur (1930), Capitaine Conan (G 1934), Remorques (1935).

Verlaine, Paul [P] (1844-96) : Poèmes saturniens (1866), Fêtes galantes (1869), la Bonne Chanson (1870), Romances sans paroles (1874), Sagesse (1881), Jadis et Naguère (1884), Parallèlement (1889). *Prose :* les Poètes maudits (1884), Mémoires d'un veuf (1886), Mes hôpitaux (1891), Mes prisons (1893), Confessions (1895). – *Biogr. :* fils d'un capitaine ardennais, démissionnaire et vivant à Paris. Études à Paris (lycée Condorcet, Droit). *1863-66* fréquente les milieux littéraires. *1870* épouse Mathilde Mauté, qu'il chante dans la Bonne Chanson (1870), garde national. *1871-73* liaison homosexuelle avec Rimbaud qu'il suit en Angleterre et en Belgique (Romances sans paroles, 1874). *1873-75* emprisonné à Mons pour avoir tiré sur Rimbaud (10-7) lors de leur rupture, se convertit et écrit *Sagesse. 1874* sa femme obtient la séparation de corps. *1875-80* prof. en Angl., puis en France. Liaison avec un élève, Lucien Létinois. *1880-81* tentative de retour à la terre (avec Létinois † 1883). *1884* succès des *Poètes Maudits. 1885* 3 mois de prison à Vouziers (violences envers sa mère). Syphilitique, séjours à l'hôpital. Vit en marginal, jusqu'à sa mort, avec 2 maîtresses, Eugénie Krantz et Philomène Boudin. *1892* tournées en Hollande, Belgique, Angl. *1894* élu prince des poètes. *1896* meurt (misère, alcoolisme).

Verne, Jules [R] (1828-1905) : 5 Semaines en ballon (1863), Voyage au centre de la Terre (1864), De la Terre à la Lune (1865), les Enfants du capitaine Grant (1867-68), Vingt Mille Lieues sous les mers (1870), le Tour du monde en 80 jours (1873), l'Ile mystérieuse (1874), Michel Strogoff (1876), Un capitaine de 15 ans (1878), les 500 Millions de la Bégum (1879), Nord contre Sud (1887), l'Ile à hélice (1895), Un prêtre en 1839 (inédit 1992). [En tout : 64 voyages extraordinaires, 31 romans conjecturaux, 20 pièces (adaptations des romans).] – *Biogr. :* fils d'un avoué nantais. *1848-51* doctorat en droit à Paris. *1851-57* refuse le notariat ; auteur dramatique à Paris. *1857-63* marié ; courtier à la Bourse. *1863* contrat d'exclusivité avec l'éditeur Hetzel : gros droits d'auteur. *1864-71* vit au Crotoy ; nombreuses croisières. *Après 1872* à Amiens ; renommée (auteur français le plus traduit).

Vialar, Paul [R] (1898) : la Rose de la mer (F 1939), la Grande Meute (1943), La mort est un commencement (8 vol., 1946-51), Chronique franç. du XXe s. (10 vol., 1955-61), la Croule, la Chasse de décembre.

Vielé-Griffin, Francis [P] (USA, 1864-1937) : Feuille d'avril (1886), les Cygnes, Joies (1889).

Vildrac (Charles Messager) [D, P] (1882-1971) : le Paquebot Tenacity (1919), la Brouille (1930).

Villiers de L'Isle-Adam, Auguste [P, R] (1838-89) : Axel (1872), Contes cruels (1883), l'Ève future (1886), les Nouveaux Contes cruels (1888), Tribulat Bonhomet. – *Biogr. :* ancienne noblesse bretonne, appauvrie par la Révolution. *1855* déception sentimentale. *1857* sa famille vient avec lui à Paris, pour lui ouvrir une carrière littéraire. *1859* ruiné, retourne en Bretagne. *1863* revendique le trône de Grèce, en vertu de sa prétendue parenté avec les L'Isle-Adam. *1867* rédacteur en chef de la *Revue des Lettres et des Arts. 1876* liaison avec une servante (qu'il épousera sur son lit de mort). *1883-89* vit d'aides, notamment de Mallarmé et d'Huysmans.

Vitrac, Roger [P, D] (1899-1952) : Victor ou les enfants au pouvoir (1928), le Loup-garou.

Vivien, Renée (Pauline Tarn, dite) [P, E] (1877-1909) : Cendres et Poussières, Évocations.

Vogüé, Eugène Melchior, Vte de [E] (1848-1910) : le Roman russe (1886), Jean d'Agrève.

Wahl, Jean [Ph, P] (1888-1974).

Wallon, Henri [Ph] (1879-1962).

Weiss, Louise [R] (1893-1983) : la Marseillaise, Sabine Legrand, Mémoires d'une Européenne.

Werth, Léon [E] (1878-1955) : Maison blanche (1913), Clavel soldat (1919), Déposition (1945).

Wurmser, André [J] (1899-1984) : l'Enfant enchaîné, la Comédie inhumaine, Une fille trouvée.

Zévaco, Michel [R] (1860-1918) : le Pont des soupirs (1901), Borgia (1906), le Capitan (1907), les Pardaillan (1907), Triboulet (1910), la Cour des Miracles (1910), Buridan (1911).

Zimmer, Bernard [D] (1893-1964).

Zola, Émile [R] (1840-1902) : Thérèse Raquin (1867), les Rougon-Macquart (1871-93) [20 vol. : la Fortune des Rougon (1871), la Curée (1871), le Ventre de Paris (1873), la Conquête de Plassans (1874), la Faute de l'abbé Mouret (1875), Son Excellence Eugène Rougon (1876), l'Assommoir (1877), Une page d'amour (1878), Nana (1880), Pot-Bouille (1882), Au bonheur des dames (1883), la Joie de vivre (1884), Germinal (1885), l'Œuvre (1886), la Terre (1887), le Rêve (1888), la Bête humaine (1890), l'Argent (1891), la Débâcle (1892), le Docteur Pascal (1893)], les Trois Villes (3 vol., 1894-98), les Quatre Évangiles (3 vol., 1899-1903, inachevé). – *Biogr. :* fils d'un ingénieur italien, travaillant à Aix-en-Prov. Orphelin de père à 7 ans. Études au collège d'Aix. *1858* vient à Paris avec sa mère (très pauvre). Échoue au bac. *1862* employé chez Hachette ; naturalisé français. *1871-76* succès avec 6 romans. *1877-80* réunit ses disciples dans sa villa de Médan (groupe des naturalistes ou Soirées de Médan). *1888* prend une maîtresse (Jeanne Rozerot, 20 ans) pour procréer (à la mort de Zola, sa femme adoptera les enfants de Jeanne). *1897* prend parti pour Dreyfus. *1898* condamné à 1 an de prison pour son article *J'accuse* (le titre est de Clemenceau), s'enfuit en Angleterre. *1902* meurt asphyxié par son feu de cheminée. *1908* inhumé au Panthéon.

NÉS APRÈS 1900

Abellio, Raymond (Georges Soulès) [R, Es] (1907-86) : Heureux les pacifiques, Les yeux d'Ézéchiel sont ouverts, la Fosse de Babel, Assomption de l'Europe, Ma dernière mémoire [I. Un faubourg de Toulouse (1972) ; II. les Militants (1975)], Sol invidus, Visages immobiles.

Abirached, Robert [Cr, Es, R] (1930) : Casanova ou la dissipation (1961), l'Émerveillée, Tu connais la musique (1971), la Crise du personnage dans le théâtre moderne (1977), l'Amour dans l'âme (1979).

Absire, Alain [R] (1950) : Lazare ou le grand sommeil, l'Égal de Dieu (F 1987).

Adamov, Arthur (M. Adamian) [D] (or. russo-arménienne, en France à 16 ans, 1908-70) : l'Invasion (1950), Ping-pong (1955), Paolo Paoli (1957), Printemps 71 (1961), Offlimits (1969).

Ajar, Émile (Paul Pavlowitch, 1949) : voir **Gary.**

Albérès, René-Marill [Es, R] (1921-1982) : la Révolte des écrivains d'aujourd'hui, l'Aventure intellectuelle du XXe siècle, Velléda, le Livre du silence.

Allais, Maurice [Ec] (1911) : A la recherche d'une discipline économique (1943), Économie et intérêt (1947), Théorie générale des surplus (1981).

Alleg, Henri [Es, J] (1921) : la Question (1958), la Guerre d'Algérie, Croissant vert et Étoile rouge.

Almira, Jacques [R] (1950) : le Voyage à Naucratis (M 1975), la Fuite à Constantinople ou la vie du Cte de Bonneval (P. des Libraires 1987), le Bal de la guerre ou la Vie de la Pcesse des Ursins (1990).

Alquié, Ferdinand [Ph] (1906-85).

Althusser, Louis [Ph] (1918-90) : Pour Marx (1965), l'Avenir dure longtemps (1992), Journal de captivité (1992). – Marxiste renommé, en état de démence, étrangla sa femme Hélène le 16-11-1980.

Alyn, Marc (Fécherolle) [Cr, P] (1937) : le Chemin a la parole (1954), Demain l'amour.

Amade, Louis [P] (1915).

Amadou, Jean [Hum] (1929).

Amadou, Robert [Es] (1924).

Ambrière, Francis (Charles Letellier) [Cr, R] (1907) : les Grandes Vacances (1940).

Amette, Jacques-Pierre [Cr, R] (1943).

Amouroux, Henri [J, E] (1920) : Une fille de Tel-Aviv, la Vie des Français sous l'Occupation (1961), la Grande Histoire des Français sous l'Occupation [le Peuple du désastre (1976), Quarante Millions de pétainistes, les Beaux Jours des collabos, le Peuple réveillé, les Passions et les Haines, l'Impitoyable Guerre civile, Un printemps de mort et d'espoir, Joies et douleurs du peuple libéré, les Règlements de comptes], Monsieur Barre (1986).

André, Robert [R, Es] (1921) : Un combat opiniâtre (1961), le Regard de l'Égyptienne (1965), l'Enfant miroir (1978).

Andreu, Pierre [Es] (1909).

Anouilh, Jean [D] (1910-87) : *Théâtre :* 8 recueils (1942-1960) : *Pièces noires* (1942) : l'Hermine (1932), le Voyageur sans bagage (1937), la Sauvage (1938) ; *P. roses* (1942) : le Bal des voleurs (1938), le Rendez-vous de Senlis (1942) ; *P. brillantes* (1951) : l'Invitation au château (1947), la Répétition ou l'Amour puni (1950) ; *P. grinçantes* (1956) : la Valse des toréadors (1952), Ornifle ou le Courant d'air (1955), Pauvre Bitos ou le Dîner de têtes (1956) ; *Nouvelles P. noires* (1958) : Antigone (1944), Roméo et Jeannette (1947), Médée (1953) ; *P. costumées* (1960) : l'Alouette (1953), Becket ou l'Honneur de Dieu (1959), la Foire d'empoigne (1960) ; *Nouvelles P. grinçantes* (1970) : l'Hurluberlu (1959), la Grotte (1961), l'Orchestre (1962), le Boulanger, la Boulangère et le Petit Mitron (1968), les Poissons rouges (1970) ; *P. baroques* (1974) : Cher Antoine (1969), Ne réveillez pas Madame (1970), le Directeur de l'Opéra (1971) ; *Hors recueil :* Chers Zoiseaux (1976), Vive Henri IV (1977), la Culotte (1978), le Nombril (1981). *En collab. avec Robert Piétri :* le Scénario (1976). *Autobiogr. :* la Vicomtesse d'Éristal n'a pas reçu son balai mécanique (1987). – *Biogr. :* fils d'un tailleur bordelais. *1928* dans la publicité à Paris. *1930* secr. de Jouvet, à l'Athénée ; écrit. *1937* succès. *1965* metteur en scène.

Antier, Jean-Jacques [H, R] (1928).

Arban, Dominique [E] (1903-91) : la Cité d'injustice, Je me retournerai souvent.

Arcangues, Guy d' [J, P, R] (1924).

Ariès, Philippe [H] (1914-84) : Hist. des populations françaises et de leurs attitudes devant la vie depuis le début du XVIIIe s. (1948), Temps de l'histoire (1954), l'Homme devant la mort (1977).

Armand, Louis [Es] (1905-71).

Arnaud, Georges (Henri Girard) [R] (1918-87) :

le Salaire de la peur (1949), le Voyage du mauvais larron, la Plus Grande Pente.

Arnothy, Christine (Mme Cl. Bellanger) [R, D] (Budapest, 1930) : *Romans :* J'ai 15 ans et je ne veux pas mourir (1954), le Cardinal prisonnier, Toutes les chances plus une (I 1980), Un paradis sur mesure, l'Ami de la famille, les Trouble-fête, Vent africain (1989), Une affaire d'héritage (1991), Désert brûlant. *Théâtre :* la Peau de singe (1961).

Aron, Jean-Paul [Ph, H] (1925-88).

Aron, Raymond [Es] (1905-83) : Introduction à la philosophie de l'Histoire (1938), l'Homme contre les tyrans (1944), le Grand Schisme, l'Opium des intellectuels, Dimensions de la conscience historique (1960), Paix et Guerre entre les nations, la Lutte des classes, Penser la guerre (1976), Plaidoyer pour l'Europe décadente, le Spectateur engagé (1981), Mémoires (1983), Leçons sur l'histoire (1989), Machiavel et les tyrannies modernes (1993).

Arrabal, Fernando [D, P, R] (Esp., 1932) : *Romans :* Baal Babylone (1959), la Vierge rouge (1986), la Fille de King-Kong (1988). *Théâtre :* Pique-nique en campagne (1959), le Tricycle (1961), le Grand Cérémonial, le Couronnement (1965), l'Architecte et l'Empereur d'Assyrie, le Jardin des délices (1969), Bella Ciao (1972), Sur le fil (1975), la Tour de Babel (1976), Théâtre Bouffe (1978).

Arsan, Emmanuelle [R] (1938) : la Leçon d'homme, l'Anti-Vierge, les Enfants d'Emmanuelle.

Assouline, Pierre [J] (1953) : Jean Jardin, Gaston Gallimard, Marcel Dassault, Kahnweiler : l'Homme de l'art, Albert Londres, Simenon.

Auclair, Georges [R, Soc] (1920).

Audisio, Gabriel [P, Pros] (1900-78) : *Poésies :* l'Homme au soleil (1923), Ici-bas (1927). *Essais :* Misères de notre poésie (1943), Ulysse ou l'Intelligence (1945). *Romans :* les Augures (1932), les Compagnons de l'Ergador (1940).

Audouard, Yvan [Hum] (1914) : A Catherine pour la vie, Brune hors série, les Secrets de leur réussite, Lettre ouverte aux cons, la Connerie n'est plus ce qu'elle était.

Audry, Colette [R] (1906-90) : Derrière la baignoire (M 1962), Léon Blum, ou la politique du juste (1970), l'Autre Planète (1972), l'Héritage (1984), Rien au-delà (1993).

Aury, Dominique (Anne Desclos) [Cr] (1907).

Autin, Jean [H] (1921-91).

Aveline, Claude (Eugène Avtsine) [E, P, R] (or. russe, 1901-92) : la Double Mort de Frédéric Belot (1932), la Vie de Philippe Denis (1930-55), l'Œil de chat (1970), Moi par un autre (1989).

Avril, Nicole [R] (1939) : les Gens de Misar, les Remparts d'Adrien, le Jardin des absents, la Disgrâce, Mon père, mon amour, Sur la peau du diable, Dans les jardins de mon père (1989).

Aymé, Marcel [D, R] (1902-67) : Brûlebois (1923), la Table aux crevés (Ren. 1929), la Jument verte (1933), Travelingue (1941), le Passe-Muraille (1943), la Vouivre (1952), Contes du chat perché (3 v., 1934-50-58). *Théâtre :* Clérambard (1950), la Tête des autres (1952).

Azéma, Jean-Pierre [Es] (1937).

Badinter, Élisabeth [Es] (1944) : l'Un est l'autre, XY. De l'identité masculine.

Balandier, Georges [Soc] (1920).

Bancquart, Marie-Claire [P] (1932).

Barbier, Élisabeth [R] (1920) : les Gens de Mogador (1947-61), Mon père, ce héros (1958), Serres paradis (1968), Ni le jour ni l'heure (1969).

Bardèche, Maurice [Es, J] (1909) : Balzac, Stendhal, Marcel Proust, Histoire du cinéma (1935), Histoire des femmes (1968), Céline (1986).

Barillet, Pierre (1923) et **Grédy,** Jean-Pierre (1920) [D] : le Don d'Adèle (1949), la Plume (1956), Au revoir Charlie (1964), Quarante Carats, Folle Amanda (1971), le Préféré (1978), Potiche (1980).

Barjavel, René [J, R] (1911-85) : Ravage (1943), Tarendol (1944), la Nuit des temps (1968), les Chemins de Katmandou (1969), le Grand Secret (1973), les Dames à la licorne (1974), la Charrette bleue (1980), la Tempête (1982), l'Enchanteur. Voir encadré p. 271 b.

Barthes, Roland [Es] (1915-80) : le Degré zéro de l'écriture (1953), Mythologies, Sur Racine, Critique et Vérité (1966), S/Z (essai sur la Sarrazine de Balzac, 1970), Sade, Fourier, Loyola (1971), Fragments d'un discours amoureux (1977), le Grain de la voix (1981), Incidents (1986).

Bartillat, Christian de [R,H] (1930) : Christophe ou la Traversée, Flash-back, les Flammes de la Saint-Jean (1982), Clara Malraux (1986), Histoire de la noblesse française (t. 1 : 1988, t. 2 : 1991).

Bastide, François-Régis [Cr, D, R] (1926) : la Première Personne (1949), Saint-Simon par lui-même, les Adieux (F 1956), Flora d'Amsterdam, Zodiaque, la Palmeraie, la Forêt noire, la Fantaisie du voyageur, l'Enchanteur et nous.

Bataille, Michel [R] (1926) : l'Arbre de Noël, Une colère blanche, le Cri dans le mur, les Jours meilleurs, Soleil secret.

Baudrillard, Jean [Soc] (1929) : les Allemands (1963), le Système des objets (1968), la Société de consommation (1974), l'Archange symbolique et la mort (1976), De la séduction (1980), l'Illusion de la fin (1992).

Bazin, Hervé (Jean-Pierre Hervé-Bazin) [R] (1911) : Vipère au poing (1948), la Mort du petit cheval, Lève-toi et marche, l'Huile sur le feu, Qui j'ose aimer, Au nom du fils, le Matrimoine, les Bienheureux de la Désolation, Cri de la chouette, Madame Ex (1975), Un feu dévore un autre feu (1978), Abécédaire, l'Église verte, le Démon de minuit (1988), l'École des pères, Œuvre poétique, le Grand Méchant doux (1992).

Béalu, Marcel [P] (1908) : l'Araignée d'eau (1948), Enfance et Apprentissage (1980), Porte ouverte sur la rue (1981), l'Expérience de la nuit.

Béarn, Pierre (Louis Besnard) [R, P] (1902) : Dialogues de mon amour, Passantes, la Bête. *Revue :* « la Passerelle » (qu'il écrit seul).

Beauvoir, Simone de [E] (1908-86) : *Romans :* l'Invitée (1943), le Sang des autres (1945), Tous les hommes sont mortels (1946), les Mandarins (G 1954), les Belles Images (1967), la Femme rompue (1968). *Essais :* Pyrrhus et Cinéas, Pour une morale de l'ambiguïté (1947), le Deuxième Sexe (1949), la Vieillesse (1970). *Théâtre :* les Bouches inutiles (1945). *Nouvelles :* Primauté du spirituel (1979, refusé en 1937). *Autobiogr. :* Mémoires d'une jeune fille rangée (1958), la Force de l'âge (1960), la Force des choses (1963), Une mort très douce (1964), Tout compte fait (1972), la Cérémonie des adieux (1983), Lettres à Sartre (1990). – *Biogr. :* fille d'un avocat parisien. *1929* agrégée de philo ; compagne de Jean-Paul Sartre. *1931-43* prof. de philo (1931 Marseille, 1932 Rouen). *1943* quitte l'enseignement après *l'Invitée. 1970-71* dir. de *l'Idiot international* et *l'Idiot liberté. 1974* Pte de la Ligue du droit des femmes.

Becker, Lucien [P] (1911).

Beckett, Samuel [D, R] (Irl., 1906-89) : *Romans :* Murphy (1938), Watt (1944), Molloy (1951), Malone meurt (1952), Comment c'est (1961), Cap au pire (1982), Soubresauts (1989), Dream of fair to middling (1992). *Théâtre :* En attendant Godot (1952), Fin de partie (1957), la Dernière Bande (1958), Oh ! les beaux jours (1965), Mal vu, mal dit. *Essai :* Proust (1931). – *Biogr. :* fils d'un métreur irlandais ; études à Dublin. *1926* 1er séjour en France. *1928-30* lecteur d'anglais à Normale sup. *1930-32* assistant de français à Dublin. *1933-37* vit pauvrement à Londres. *1937* à Paris (homme de lettres). *1942-45* réfugié à Roussillon (Vaucluse). *1945-52* à Paris (trad. d'anglais). *1952* succès de *Godot ;* vie retirée. *1969* Nobel.

Bédarida, François [H] (1926).

Beer, Jean de [D, Es] (1911).

Belaval, Yvon [Ph] (1908-88).

Belletto, René [R] (1945) : le Revenant, l'Enfer, la Machine (1990).

Bénézet, Mathieu [Es, P] (1946).

Bénichou, Paul [Es] (1908) : Morales du grand siècle (1948), les Mages romantiques (1988).

Benoist, Alain de [Es] (1943) : Anthologie critique des idées contemporaines (1977), Vu de droite.

Benoist, Jean-Marie [Pol] (1942-90) : Marx est mort (1970), Tyrannie du Logos, la Révolution structurale (1975), Pavane pour une Europe défunte, les Nouveaux Primaires, Dans l'œil du dragon, Un singulier programme, le Devoir d'opposition (1982), les Outils de la liberté (1986).

Benoist-Méchin, Jacques [H] (1901-83) : Histoire de l'armée allemande (1936), Mustapha Kémal (1954), Ibn-Seoud (1955), 60 jours qui ébranlèrent l'Occident (1956), Fayçal d'Arabie (1975), Alexandre le Grand (1981), Frédéric de Hohenstaufen.

Benoziglio, Jean-Luc [R] (1941) : Tableaux d'une ex (1989).

Benzoni, Juliette [R] (1920) : les Reines tragiques (1962), Belle Catherine, Jean de la nuit (1985).

Berger, Yves [R] (1934) : Sud (F 1962), le Fou d'Amérique, les Matins du nouveau monde, la Pierre et le Saguaro, l'Attrapeur d'ombres (1992).

Bergounioux, Pierre [R] : Catherine, la Bête faramineuse, la Maison rose, la Mue, l'Orphelin.

Bérimont, Luc (André Leclercq) [P, R] (1915-83) : *Poésies :* l'Herbe à tonnerre, les Accrus. *Roman :* le Bois Castiau.

Bernard, Jean [Méd] (1907) : De la biologie à l'éthique (1990).

Bernard, Marc [R] (1900-83) : Zig-zag (1927), Anny (1934), Mort de la bien-aimée, les Marionnettes (1977).

Bernard, Michel [R] (1934) : la Plage, la Négresse muette, la Jeune Sorcière, Une amoureuse, le Cœur du paysage.

Bernardi, Gil [R, J] (1952) : Ormuz.

Berstein, Serge [H] (1934).

Bertin, Célia [H] (1921) : Mayerling, la Dernière Bonaparte, la Dernière innocence (Ren 1953).

Besançon, Alain [H] (1932) : Une génération (1987).

Besson, Patrick [R] (1956) : Dara (1985), les Petits Maux d'amour, Lettres à un ami perdu, la Statue du commandeur, la Paresseuse, Julius et Isaac.

Bésus, Roger [R] (1915) : Cet homme qui vous aimait, Paris le monde, la Couleur du gris, le Maître, Pourquoi pas ?

Bianciotti, Hector (Argentine) [R] (1930, nat. Fr. 1981) : les Déserts dorés (1967), Celle qui voyage la nuit, Ce moment qui s'achève, Traité des saisons (1977), l'Amour n'est pas aimé (1982), Sans la miséricorde du Christ [écrit en français, (F 1986)], Seules les larmes seront comptées, Ce que la nuit raconte au jour (1991).

Billetdoux, François [R, D] (1927-91) : l'Animal (1955), Tchin-Tchin (1959), Va donc chez Törpe (1961), Il faut passer par les nuages (1964), Rintru pa trou tar, hin ! (1971), la Nostalgie, camarade (1974), Ai-je dit que je suis bossu ? (1980), Réveille-toi, Philadelphie (1988).

Billetdoux, Raphaëlle [R] (1951) : Prends garde à la douceur des choses (I 1976), Mes nuits sont plus belles que vos jours (Ren 1985), Entrez et fermez la porte (1991).

Blanchot, Maurice [E] (1907) : Aminadab, le Très-Haut, Thomas l'Obscur (1950), le Dernier Homme, l'Espace littéraire (1955), le Livre à venir (1959), l'Entretien infini (1969).

Blancpain, Marc (Bénoni) [R] (1909) : le Solitaire, Arthur et la Planète, Ces demoiselles de Flanfolie, La femme d'Arnaud vient de mourir, l'Estaminet des cœurs sensibles, la Saga des amants séparés, le Sentier de la douane, Monsieur le Prince.

Blanzat, Jean [R] (1906-77) : Septembre, l'Orage du matin (1942), le Faussaire (F 1964).

Blier, Bertrand [R] (1939) : les Valseuses (1972), Beau-Père (1981).

Blond, Georges [J, H] (1906-89) : le Survivant du Pacifique, Verdun (1961), la Marne (1962), Pétain, Rien n'a pu les abattre, la Grande Armée (1979), l'Invincible Armada (1988).

Blondin, Antoine [R] (1922-91) : l'Europe buissonnière (1949), les Enfants du Bon Dieu (1952), l'Humeur vagabonde, Un singe en hiver (I 1959), Monsieur Jadis ou l'École du soir (1970), Quat'Saisons, Certificats d'études (1977), Sur le tour de France (1979), le PC des maréchaux, Un malin plaisir.

Bluche, François [H] (1925) : Louis XIV, le Grenier à sel.

Bodard, Lucien [J, R] (1914) : la Guerre d'Indochine (5 vol., 1963-69), la Chine de Tseu-Hi à Mao, M. le consul (I 1973), le Fils du consul (1975), la Vallée des roses, la Duchesse, Anne-Marie (G 1981), la Chasse à l'ours, les Grandes Murailles (1987), les Dix Mille Marches.

Boisdeffre, Pierre de [Cr, R] (1924) : *Romans :* les Fins dernières, l'Amour et l'Ennui (1959). *Nouvelles :* les Nuits (1980). *Essais :* Métamorphoses de la littérature, la Foi des anciens jours (1977), Goethe m'a dit (1980), Histoire de la littérature de langue française (1930-80), Vie d'André Gide.

Boissard, Janine [R] (n.c.) : Une femme neuve, l'Amour Béatrice, Une grande petite fille, Belle-Grand-Mère.

Bon, François [R] (1953) : Calvaire de chiens, la Folie Rabelais (1990), l'Enterrement (1991).

Bona, Dominique [R] (1953) : les Heures volées (1981), Malika (I 1992). *Biogr. :* Romain Gary, les Yeux noirs.

Bonheur, Gaston (Tesseyre) [J, R] (1913-80) : Qui a cassé le vase de Soissons ? (1964), la République nous appelle, la Croix de ma mère, le Soleil oblique.

Bonnefoy, Yves [Cr, Es, P] (1923) : *Poésie :* Du mouvement et de l'immobilité de Douve (1953), Hier régnant désert (1956), la Seconde Simplicité (1961), Pierre écrite (1965), Rue Traversière (1977), la Vie errante. *Essais :* Peintures murales de la France gothique, Arthur Rimbaud, Giacometti (1991).

Bordes, Gilbert [J, R] (1948) : l'Angélus de minuit (1989), le Roi en son moulin (1990).

Bordier, Roger [Cr d'a, R] (1923) : les Blés (Ren 1961), le Tour de ville, les Éventails, l'Océan, Meeting, l'Objet contre l'art, les Temps heureux (1984).

Bordonove, Georges [H, R] (1920) : la Caste (1952), Chien de feu, les Atlantes, les Rois qui ont fait la France.

Borel, Jacques [Cr, R] (1925) : l'Adoration (G 1965), le Retour, la Dépossession.

Borel, Jacques [P] (1917) : la Fuite au cœur, Elle était une Foi.

Borne, Alain [P] (1915-63) : Cicatrices, Orties, La nuit me parle de toi.

Bory, Jean-Louis [R, Cr] (1919-79 suicidé) : Mon village à l'heure allemande (G 1945), Chère Aglaé, la Sourde Oreille, Usé par la mer (1959), l'Odeur de l'herbe, Eugène Sue, Des yeux pour voir, Tous nés d'une femme, le Pied, Cambacérès.

Bosquet, Alain (Anatole Bisk) [P, R, Es] (1919). *Essai :* la Mémoire ou l'oubli. *Poésie :* Premier Testament (1957), Maître objet, Verbe et Vertige. *Romans :* la Confession mexicaine (I 1965), les Tigres de papier, l'Amour à deux têtes, les Bonnes Intentions, Une mère russe, Ni Guerre ni Paix, l'Enfant que tu étais, les Fêtes cruelles, Colette comme les autres (1991), les Solitudes (1992).

Bost, Pierre [R, D] (1901-75) : le Scandale, Monsieur Ladmiral va bientôt mourir.

Bothorel, Jean [J, Es, E] (1940) : Un prince, le Pharaon, Histoire du septennat giscardien, Toi, mon fils, Vie et passions d'un éditeur.

Bott, François [J] (1935) : la Femme insoupçonnée.

Bouchet, André du [P] (1925) : Dans la chaleur vacante (1962), Axiales (1992).

Boudard, Alphonse [R] (1925) : la Métamorphose des cloportes (1962), la Cerise (1963), l'Hôpital, Cinoche, les Combattants du petit bonheur (Ren. 1977), le Corbillard de Jules, le Banquet des léopards, le Café du pauvre, la Fermeture, l'Éducation d'Alphonse (1987), Faits divers et châtiments. *Nouvelles :* Enfants de chœur (1982).

Boulanger, Daniel [D, Nouv, P, R] (1922) : l'Ombre, les Noces du merle, la Nacelle, Fouette, cocher ! (G 1974), l'Été des femmes, A la belle étoile, Jules Bouc, Mes coquins, la Confession d'Omer, Un été à la diable, Ursaq.

Boulle, Pierre [E] (1912) : le Pont de la rivière Kwaï (1952), E = MC² (1957), la Planète des singes (1963), Histoires charitables, Quia absurdum, les Oreilles de jungle, les Vertus de l'enfer, la Baleine des Malouines, le Professeur Mortimer, le Malheur des uns.

Bourbon-Busset, Jacques, Cte de ⚘ [R, Es] (1912) : *Romans :* le Silence et la Joie (1957), les Aveux infidèles (1968), le Berger des nuages (1983). *Essais :* Moi César, Le lion bat la campagne, Lettre à Laurence (1986), Foi jurée, esprit libre (1992). *Journal :* 10 vol. (1966-85).

Bourdet, Claude [J] (1909).

Bourdieu, Pierre [Soc] (1930) : les Héritiers (1964), Un art moyen, l'Amour de l'art, Homo academicus (1984), la Noblesse d'État, Réponses : pour une anthropologie réflexive (1992), la Misère du monde.

Bourin, André [Cr, Es] (1918) : Dict. de la litt. franç. contemporaine, Jules Romains et Province, terre d'inspiration.

Bourin, Jeanne [R] (1922) : Le bonheur est une femme (1963), Très Sage Héloïse, la Dame de beauté (1970), la Chambre des dames (1979), le Jeu de la tentation (1981), le Grand Feu, les Amours blessées, les Pérégrines, les Compagnons d'éternité.

Bourniquel, Camille [R] (1918) : le Lac, Sélinonte ou la Chambre impériale (M 1970), l'Enfant dans la cité des ombres (1973), la Constellation des lévriers, Tempo, l'Empire Sarkis (1981), le Dieu crétois (1982), le Jugement dernier.

Boutang, Pierre [Polé, Es] (1916) : la Politique, les Abeilles de Delphes, Apocalypse du désir, Maurras, la destinée et l'œuvre (1984).

Bouvard, Philippe [J, Hum, E] (1929) : Un oursin dans le caviar (1973), la Cuisse de Jupiter (1974), « Impair et passe », Du vinaigre sur les huiles, Et si je disais tout, Tous des hypocrites sauf vous et moi, Un oursin chez les crabes (1981), les Fous rires des grosses têtes, Contribuables, mes frères.

Bouvier, Nicolas [E] (1929) : Poisson-scorpion, l'Usage du monde, Chroniques japonaises.

Brasillach, Robert [E, R] (1909-45) : l'Enfant de la nuit (1934), Comme le temps passe (1937), les Sept Couleurs (1937), Notre avant-guerre (1941), la Conquérante (1943), les Quatre Jeudis (1944), Écrit à Fresnes (*poèmes,* 1944), les Captifs, la Reine de Césarée *(théâtre)* (monté en 1957). – *Biogr. :* fils d'un officier tué au Maroc en 1914. Élevé par sa mère à Paris. *1928* École normale sup. *1930* critique à l'*Action Française. 1937-43* rédacteur en chef de *Je suis partout* (extrême droite, ralliée aux nazis en 1940). *1945*-19-1 condamné à mort ; de Gaulle refuse sa grâce ; 6-2 fusillé.

Braudel, Fernand ⚘ [Ec, H] (1902-1985) : la Méditerranée et le Monde méditerranéen à l'époque de Philippe II (1949), Civilisation matérielle, Économie et Capitalisme XVe-XVIIIe s. (3 vol., 1967-79), Écrits sur l'histoire (1969), Hist. écon. et sociale de la France de 1450 à 1980 (avec E. Labrousse, 4 vol., 1980), la Dynamique du capitalisme (1985), l'Identité de la France (1986), le Modèle italien (1989).

Bredin, Jean-Denis ⚘ [E] (1929) : Joseph Caillaux (1980), l'Affaire, l'Absence, la Tâche, Sieyès (1988), Battements de cœur (1991), Bernard Lazare.

Brenner, Jacques (J. Meynard) [R] (1922) : les Petites Filles de Courbelles (1955), Une femme d'aujourd'hui (1966), Une humeur de chien (1985), la Villa Ste-Lucie, l'Enlèvement.

Bretagne, Christian [J, R] (1928-84) : les Enfants de la patrie (1981).

Breton, Guy [Chr] (1919) : Histoires d'amour de l'histoire de France.

Brincourt, André [J, R] (1920).

Brisville, Jean-Claude [D, R] (1922) : le Souper (1990).

Brochier, Jean-Jacques [R] (1937) : l'Hallali.

Brulé, Claude [D] (1925) : les Grosses Têtes (1969), l'Homme qui dérange (1985), le Plaisir de dire non.

Burdeau, Georges [Ph] (1905-88).

Butor, Michel [Cr, R] (1926) : *Romans :* l'Emploi du temps (1956), la Modification (Ren. 1957), Degrés, Mobile, Portrait de l'artiste en jeune singe (1967), Boomerang (1978), le Quadruple Fond. Mobile (1991), Transit A Transit B. *Essais :* Répertoire I (1960), II (1964), III (1968), IV (1974), Essai sur les essais (1968).

Cabanis, José ⚘ [R] (1922) : l'Âge ingrat (1952), le Bonheur du jour, les Cartes du temps (1962), la Bataille de Toulouse (Ren. 1966), les Profondes Années (1976), le Crime de Torcy (1990), Mauriac, le roman et Dieu.

Cadou, René-Guy [P] (1920-51) : la Vie rêvée (1944), Pleine Poitrine (1946), Hélène ou le Règne végétal (posth. 1952).

Caillois, Roger ⚘ [Es] (1913-78) : le Mythe et l'Homme (1938), l'Homme et le Sacré (1939), les Jeux et les Hommes (1958), Ponce Pilate, Pierres (1966), la Pieuvre, la Dissymétrie (1973), Approches de l'imaginaire, Rencontres, le Fleuve Alphée (1978).

Calaferte, Louis [R] (1925) : Requiem des innocents, No man's land, Rosa mystica, Portrait de l'enfant, le Chemin de Sion, Londoniennes, Promenade dans un parc, Septentrion, Haïkaï du jardin.

Calet, Henri [Hum] (1903-56) : la Belle Lurette, les Murs de Fresnes, le Tout sur le tout.

Camoletti, Marc [D] (1923) : Boeing-Boeing (1961), Secretissimo (1965), Duo sur canapé, Happy Birthday (1976), le Bluffeur (1985).

Camus, Albert [Ph, E, D] (7-11-1913-60 accident de voiture) : *Théâtre :* Caligula (écrit 1938, 1944), le Malentendu (1944), l'État de siège (1948), les Justes (1949). *Essais :* l'Envers et l'Endroit (1937), Noces (1939), le Mythe de Sisyphe (1942), Actuelles (3 vol., 1950-58), l'Homme révolté (1951), l'Été (1954). *Romans :* l'Étranger (1942), la Peste (1947), la Chute (1956), la Mort heureuse (1971). *Nouvelles :* l'Exil et le Royaume (1957). – *Biogr. :* fils d'un ouvrier français d'Algérie, tué en 1914. Élevé par sa mère. *1932* 1 an de sana. *1933-37* acteur et directeur de troupe à Alger. *1937-39* journaliste à Paris. *1940-43* en zone libre. *1943-44* lecteur chez Gallimard, à Paris. *1945-47* dirige *Combat. 1947* succès de *la Peste. 1948* polémique avec Sartre sur l'engagement avec le communisme. *1952* rompt avec lui. *1957* Nobel.

Caratini, Roger [Ency] (1924) : Encyclopédie Bordas, Philosophie.

Cardinal, Marie [R] (1920) : Écoutez la mer (1962), la Clef sur la porte, les Mots pour le dire, Une vie pour deux, le Passé empiété, la Philosophie, les Grands Désordres, Comme si de rien n'était.

Carré, Ambroise-Marie ⚘ [Théo] (1908).

Carrère, Emmanuel [R] (1957) : Hors d'atteinte.

Carrère d'Encausse, Hélène (orig. géorgienne, née Zourabichvili) ⚘ [E] (1929) : l'Empire éclaté (1979), le Grand Frère (1983), Ni paix, ni guerre (1986), le Malheur russe (1988), la Gloire des nations (1990), Victorieuse Russie (1992).

Carrière, Jean [R, Cr] (1932) : Retour à Uzès (1967), l'Épervier de Maheux (G 1972), la Caverne des pestiférés [I Lazare (1978) ; II les Aires de Comeizas (1979)], les Années sauvages (1987).

Cars, Guy des [R, D] (1911) : voir p. 337 c.

Cars, Jean des [E, H] (1943) : Louis II de Bavière, Haussmann, Élisabeth d'Autriche, Sleeping Story, Chronique de l'année 1989.

Cartano, Tony [R] (1944) : le Danseur mondain, Bocanegra, le Souffle de Satan (1991).

Cartier, Raymond [J] (1904-75) : les 48 Amériques, les 19 Europes, la Seconde Guerre mondiale, l'Après-guerre.

Castans, Raymond [Cr, D] (1920) : Marcel Pagnol m'a raconté (1974). *Théâtre :* le Pirate, Auguste, Libres sont les papillons, Rendez-vous au Plaza, le Grand Standing, Rendez-vous à Hollywood, les Meilleurs Amis du monde.

Castelot, André (Storms) [H] (1911) : Marie-Antoinette, l'Aiglon, Joséphine, Napoléon Bonaparte (10 vol., 1969-70), Maximilien et Charlotte, Talleyrand (1980), François Ier (1983), Henri IV, Madame du Barry (1989), Fouché (1990).

Castillo, Michel del [R] (Esp., 1933) : Tanguy (1957), le Colleur d'affiches, le Manège espagnol, le Vent de la nuit, Gérardo Lain, le Silence des pierres, la Nuit du décret (Ren. 1981), la Gloire de Dina, le Démon de l'oubli, Mort d'un poète (1989), Une femme en soi, le Crime des pères (1992).

Castillou, Henri [R] (1921) : Cortiz s'est révolté (I 1948), Soleil d'orage, Intercontinental Petroleum, Frontière sans retour (1967), la Victorieuse (1968), l'Orage de juillet (1968), le Vertige de midi (1969), Lumière violente (1970).

Castoriadis, Cornelius [Ph] (1922) : les Carrefours du labyrinthe (1978).

Castries, René, duc de ⚘ [H] (1908-86) : Mirabeau, Mme du Barry, la Fin des rois, Chateaubriand, la Pompadour, Monsieur Thiers (1983), la Reine Hortense (1984), Julie de Lespinasse (1985).

Cau, Jean (P, R] (1923) : la Pitié de Dieu (G 1961), Pauvre France (1972), le Traité de morale (1974), les Otages (1976), la Conquête de Zanzibar (1980), l'Innocent (1982), Une rose à la mer (1983), Croquis de mémoire (1985), Mon Lieutenant (1985), les Culottes courtes (1988), la Grande Maison, le Roman de Carmen.

Cauvin, Patrick : voir **Klotz.**

Cavanna, François [R, Hum] (1926) : les Aventures de Dieu (1971), Et le singe devint con (1972), les Ritals (1978), les Russkoffs (I 1979), Bête et Méchant, les Écritures, les Yeux plus grands que le ventre (1983), Maria (1985), Je l'ai pas lu je l'ai pas vu mais j'en ai entendu causer, l'Œil du lapin.

Cayrol, Jean [P, R] (1911) : le Hollandais volant (1936), Je vivrai l'amour des autres (Ren. 1947), La vie répond, Je l'entends encore, N'oubliez pas que nous nous aimons, De l'espace humain (1968), Histoire de la mer, les Enfants pillards, l'Homme dans le rétroviseur (1981), Poèmes clefs (1983).

Cazeneuve, Jean [Soc] (1915) : l'Ethnologie (1967), l'Homme téléspectateur (1974), la Raison d'être (1981), le Mot pour rire (1984), les Hasards d'une vie (1989), Et si plus rien n'était sacré... La télévision en 7 procès.

Cerf, Muriel [R] (1951) : le Diable vert, Hiéroglyphes de mes fins dernières, le Lignage du serpent, les Seigneurs du Ponant (1979), Une passion, Maria Tiefenthaler, Une pâle beauté, Dramma per musica, Julia M ou le premier regard.

Certeau, Père Michel de [Anthro, H] (1925-86).

Césaire, Aimé [P] (Martinique, 1913) : Cahier d'un retour au pays natal, Soleil cou coupé (1948), Cadastre, le Roi Christophe (1963), Une saison au Congo, Moi laminaire (1980).

Cesbron, Gilbert [R, Es] (1913-79) : voir p. 337 c.

Chabannes, Jacques [Chr] (1900).

Chabrol, Jean-Pierre [R] (1925) : les Fous de Dieu, Fleur d'épine (1957), la Dernière Cartouche, Un homme de trop, les Rebelles, la Gueuse, l'Embellie, Contes d'outre-temps, le Canon Fraternité, Les chevaux l'aimaient, le Bouc du désert, Vladimir et les Jacques (1980), Le lion est mort ce soir (1982).

Chabrun, Jean-François [P, Cr d'art, J] (1920) : Vingt et Un Grammes de plus.

Chalon, Jean [Cr, H] (1935) : Chère Marie-Antoinette (1988), Chère George Sand.

Chamoiseau, Patrick [R] (Martinique, 1953) : Chronique des sept misères (1986), Solibo magnifique, Texaco (G 1992).

Champion, Jeanne [R] (1931) : les Gisants.

Chamson, André ⚘ [E] (1900-83) : Boux le bandit (1925), les Hommes de la route (1927), le Crime des justes (1928), la Suite cévenole (1948), la Neige et la Fleur, le Chiffre de nos jours (1954), Comme une pierre qui tombe, la Superbe, Suite pathétique (1969), la Tour de Constance (1970), la Reconquête.

Chancel, Jacques (Joseph Crampes) [J] (1928) : Radioscopie (6 vol.), le Temps d'un regard (1978), le Désordre et la Vie.

Chandernagor, Françoise [E] (1945) : l'Allée du Roi (1981), la Sans-pareille (1988), l'Archange de Vienne (1989), l'Enfant aux loups (1990).

Changeux, Jean-Pierre [Méd] (1936) : l'Homme neuronal (1983).

Chapsal, Madeleine [E, J] (1925) : la Jalousie, Une femme en exil, la Maison de Jade, Adieu l'amour, Une saison de feuilles (1988), la Chair de la robe, Si aimée, si seule, le Retour du bonheur, la Femme abandonnée, Suzanne et la province.

Char, René [P] (1907-88) : le Marteau sans maître (1934), Seuls demeurent (1945), Feuillets d'Hynos (1946), le Poème pulvérisé (1947), les Matinaux (1950), A une sérénité crispée, Aromates chasseurs (1976), les Voisinages de Van Gogh (1985), Éloge d'une soupçonnée (1988).

Charles-Roux, Edmonde (Mme Gaston Defferre) [R] (1920) : Oublier Palerme (G 1966), Elle Adrienne, l'Irrégulière, Une enfance sicilienne (1981), Un désir d'Orient (1988).

Charrière, Christian (1939) : les Vergers du ciel, le Simorg (1977), la Forêt d'Issambre (1979), Mayapura (1973).

Chatté, Robert [P] (1901-57).

Chauffin, Yvonne [R] (1905) : les Rambourt (4 vol., 1925-55), la Brûlure, le Séminariste, la Cellule, les Amours difficiles.

Chaunu, Pierre [H, R] (1923) : Séville et l'Atlantique, l'Espagne de Charles Quint, le Temps des Réformes, la Mémoire de l'éternité, la Mort à Paris (du XVIe au XVIIe s.), la Mémoire et le Sacré (1978), la Peste blanche (avec G. Suffert), Histoire quantitative, Histoire sérielle, le Sursis, la France, Pour l'histoire, le Grand Déclassement (1989).

Chawaf, Chantal [R] (1948) : Blé de semences, le Soleil de la terre, Crépusculaires.

Chessex, Jacques [R] : voir Suisse, p. 312 b.

Chiappe, Jean-François (J, H] (1931).

Cholodenko, Marc [R, P] (1950) : les États du désert (M 1976), les Pleurs ou le Grand Œuvre d'Andréa Bajarsky (1979), Métamorphoses. *Poèmes :* Deux Odes (1981).

Christophe, Robert [H] (1907-83) : Danton (1964), les Flammes du purgatoire (1979).

Cioran, E.M. [Es] (Roumain, 1911) : *en roumain :* Sur les cimes du désespoir (1934), le Livre des leurres (1936) ; *en français :* Des larmes et des saints (1937), Crépuscule des pensées (1940), Précis de décomposition (1949), Syllogismes de l'amertume (1952), la Tentation d'exister (1956), la Chute dans le temps (1964), De l'inconvénient d'être né (1973), Exercice d'admiration, Aveux et anathèmes (1986).

Cixous, Hélène [R] (1937) : Dedans (M 1969), le Troisième Corps, les Commencements, Portrait du soleil, Souffles (1975), Angst ou l'Art de l'innocence, l'Ange au secret. *Théâtre :* l'Indiade.

Clancier, Georges-Em. [P, Cr, R] (1914) : Une voix (poèmes, 1956), Terres de mémoire, le Pain noir, la Fabrique du Roi, l'Éternité plus un jour, les Incertains, Oscillantes Paroles, l'Enfant double (1984).

Clavel, Bernard [R] (1923) : l'Ouvrier de la nuit, l'Espagnol, la Grande Patience, les Fruits de l'hiver (G 1968), le Tambour du bief, le Massacre des innocents, le Seigneur du fleuve, le Silence des armes, les Colonnes du ciel [la Saison des loups (1976), la Lumière du lac, la Femme de guerre], Marie Bon Pain (1980), les Compagnons du Nouveau Monde, Harricana (le Royaume du Nord, l'Or de la terre), Miserere, Amarok, l'Angélus du soir, Maudits Sauvages, Quand j'étais capitaine, Meurtre sur le Grandvaux, la Révolte à deux sous, Cargo pour l'enfer.

Clavel, Maurice [D, Es, R] (1920-79) : *Théâtre :* les Incendiaires. *Romans :* St Euloge de Cordoue, Une fille pour l'été, la Pourpre de Judée, le Tiers des étoiles (M 1972), le Mur et les Hommes, Irène ou la Résurrection, l'Angélus du soir. *Essais :* Ce que je crois, les Paroissiens de Palente (1974), Dieu est Dieu, nom de Dieu ! (1976), Nous l'avons tous tué ce juif de Socrate, Deux Siècles chez Lucifer.

Closets, François de [J, Es] (1933) : le Bonheur en plus, la France et ses Mensonges, Scénarios du futur, le Système EPM (1980), Toujours plus (1982), Tous ensemble (1985), la Grande Manip (1990), Tant et plus (1992).

Cluny, Claude-Michel [P] (1930).

Collange, Christiane (Servan-Schreiber) [J, E] (1930) : Madame et le Bonheur, Ça va les hommes ? (1981), Moi ta mère, Chers enfants, Moi, ta fille, Dessine-moi une famille.

Combaz, Christian [R] (1954) : Éloge de l'âge, cher Cyprien, Bal dans la maison du pendu.

Combescot, Pierre [R] (1940) : les Chevaliers du crépuscule (1976), les Funérailles de la sardine (1986), les Filles du calvaire (G 1991).

Conchon, Georges [R] (1925-90) : l'État sauvage (G 1964), l'Amour en face (1972), le Sucre (1977), Sept Morts sur ordonnance (1975), Judith Therpauve (1978), le Bel Avenir, Colette Stern (1987).

Constant, Paule [R] (1944) : Ouregano, Propriété privée, Balta, Un monde à l'usage des demoiselles, White spirit, le Grand Ghâpal.

Congar, Père Yves [Es, Théo] (1904).

Conte, Arthur (Es, H, R] (1920) : Yalta, Bandoung, Sire ils ont voté la mort, l'Aventure européenne, l'Après Yalta, les Dictateurs du XXe s., les Présidents de la Ve République, Verdun (1987), le 1er Janvier 1789, Billaud-Varenne, Joffre (1991).

Conty, Jean-Pierre (Jean Walrafen) [R] (1917) : Série des Suzuki.

Corbin, Alain [H] (1936) : le Miasme et la Jonquille (1982), l'Odorat et l'Imaginaire social aux XVIIIe et XIXe s., le Territoire du vide, l'Occident et le désir du rivage 1750-1840, le Village des cannibales (1990).

Corbin, Henry [Ph] (1903-78) : l'Iran et la philosophie, Daryush Shayegan.

Cornevin, Robert [H] (1919-88) : Hist. de l'Afr.

Couffon, Claude [Cr] (1926).

Coulonges, Henri (Marc-Antoine de Dampierre) [R] (1936) : les Rives de l'Irrawady (1975), l'Adieu à la femme sauvage (1979), A l'approche d'un soir du monde (1983), les Frères moraves (1986), la Lettre à Kirilenko, la Marche hongroise (1992).

Cousteau, Jacques-Yves [Sav] (1910) : le Monde du silence.

Couteaux, André [R] (1930-85) : l'Enfant à femmes, Un homme aujourd'hui, Don Juan est mort.

Crevel, René [P, R, Es] (1900-35) : la Mort difficile, les Pieds dans le plat, Mon corps et Moi.

Criel, Gaston [P, R] (1913-90) : la Grande Foutaise (1952), l'Os quotidien (1987).

Curtis, Jean-Louis (Louis Laffitte) [E] (1917) : les Forêts de la nuit (G 1947), les Justes Causes (1954), Un jeune couple (1967), le Thé sous les cyprès, le Roseau pensant, l'Étage noble, l'Horizon dérobé (1979-81), le Battement de mon cœur (1981), le Mauvais Choix (1984), Une éducation d'écrivain, Un saint au néon, les Mœurs des grands fauves, le Temple de l'amour (1990), Lectures en liberté.

Daix, Pierre [R] (1922) : la Dernière Forteresse (1949), Un tueur (1954), Maria (1962), l'Accident (1965), les Chemins du printemps (1979), la Porte du temps (1984), l'Ordre et l'Aventure (1984), la Vie quotidienne des surréalistes.

Damas, Léon-Gontran (Guyane) [E] (1912-78).

Daniel, Jean (Bensaïd) [J, E] (1920) : le Temps qui reste, l'Ère des ruptures, l'Erreur (1954), le Refuge et la Source (1977), les Religions d'un président, la Blessure.

Daniélou, Cardinal Jean [Théo] (1905-74) : Platonisme et Théologie mystique (1944).

Daniel-Rops (Henri Petiot) [R, J, Es] (1901-65) : *Romans :* l'Ame obscure, Mort où est ta victoire ? *Hist.* de l'Église du Christ (7 vol., 1948-66).

Daninos, Pierre [Hum] (1913) : Sonia, les Autres et Moi, les Carnets du Bon Dieu (I 1947), les Carnets du major Thompson (1954), Un certain M. Blot, le Jacassin, Snobissimo, le 36e Dessous, le Pyjama, les Touristocrates, Made in France, la Composition d'histoire, le Veuf joyeux, la Galerie des Glaces, Auto-mémoires, la France dans tous ses états (1985), Candidement vôtre (1992).

Dansette, Adrien [H] (1901-76) : Histoire religieuse de la France contemporaine (1948-51).

Darnar, Pierre (Laurent) [J] (1901).

Daumal, René [Es, P] (1908-44) : le Mont analogue.

Debray, Régis [J, R] (1941) : l'Indésirable, La neige brûle (F 1977), le Scribe (1980), la Puissance et les rêves, les Empires contre l'Europe, l'Europe des masques (1987), Que vive la République (1988), Tous Azimuts (1989), A demain de Gaulle (1990), Vie et mort de l'image (1992).

Debray-Ritzen, Pierre (P. Debray) [E, R] (1922).

Decaunes, Luc [Es, P] (1913) : A l'œil nu, Air natal.

Decaux, Alain [H] (1925) : la Castiglione (1953), le Prince impérial (1957), les Grands Mystères du passé (1964), Dossiers secrets de l'Histoire (1966), Nouveaux Dossiers secrets (1967), Histoire des Françaises (2 vol., 1972-74), Alain Decaux raconte, Victor Hugo (1984), le Tapis rouge (1992).

Decoin, Didier [R] (1945) : Un policeman, Dans ses trois milliards de voyages, Abraham de Brooklyn, Il fait Dieu (1975), John l'enfer [G 1977], la Dernière Nuit (1977), la Sainte Vierge a les yeux bleus (1984), Elisabeth ou Dieu seul le sait, l'Enfant de la mer de Chine, Il était une joie... Andersen, Béatrice en enfer, Autopsie d'une étoile, Meurtre à l'anglaise, la Femme de chambre du Titanic (1991).

Dédeyan, Christian [P, R] (1910) : le Carnaval en deuil, chant de Houlme, l'Ombre de la lumière.

Deforges, Régine [R] (1935) : Blanche et Lucie, le Cahier volé, Lola et quelques autres, Contes pervers, la Bicyclette bleue (1981), 101 avenue Henri-Martin (1983), le Diable en rit encore, Sur les bords de la Gartempe (1985), Pour l'amour de Marie Salat, Sous le ciel de Novgorod, Noir Tango.

Deguy, Michel [P] (1930) : Fragments du cadastre, Ouï-dire, Reliefs, Jumelages, Made in USA, le Livre des gisants (1983).

Delavouet, Max-Philippe [P] (1920) : Poèmes provençaux (1971 et 77).

Delay, Florence [Es] (1941) : l'Insuccès de la fête, Riche et légère (F 1983), Extemendi.

Delay, Jean [Sav, Es] (1907-87) : Hommes sans nom, Avant-mémoire (4 vol.).

Deleuze, Gilles [Ph] (1925) : Nietzsche, Empirisme et subjectivité, Proust et les signes, la Logique du sens, l'Anti-Œdipe, Rhizome, Spinoza, Cinéma I (l'image mouvement), Foucault, Pourparlers.

Delumeau, Jean [H] (1923) : la Peur en Occident (1978), le Péché et la Peur, le Sentiment de sécurité dans l'Occident d'autrefois (1989), l'Aveu et le Pardon (1990), Une histoire du paradis.

Déméron, Pierre [J, Cr] (1932).

Deniau, Jean-François [Pol, R] (1928) : La mer est ronde (1975), Deux heures après minuit (1985), la Désirade, Un héros très discret (1989), l'Empire nocturne (1990), Ce que je crois (1992).

Denuzière, Maurice [J, R] (1926) : Lettres de l'étranger (1975), Louisiane (1977), Fausse Rivière, Un chien de saison (1979), Bagatelle (1981), Une tombe en Toscane, les Trois Chênes (1985), l'Adieu au Sud, l'Amour flou (1988), Helvétie.

Déon, Michel [R] (1919) : Je ne veux jamais l'oublier, la Carotte et le Bâton, les Gens de la nuit, le Balcon de Spetsaï (1961), les Poneys sauvages (I 1970), Un taxi mauve (1973), le Jeune Homme vert, Thomas et l'Infini (1977), Mes arches de Noé (1978), Un déjeuner de soleil (1981), Je vous écris d'Italie..., la Montée du soir (1987), les Trompeuses Espérances (1990), le Prix de l'amour (1992).

Derogy, Jacques [J] (1925).

Derrida, Jacques [Ph] (1930) : De la grammatologie (1967), Psyché (1987), Limited Inc (1990), l'Autre Cap (1991).

Desanti, Jean-Toussaint [Ph] (1914) : les Idéalités mathématiques, Un destin philosophique (1984).

Deschamps, Fanny [R] (n.c.) : la Bougainvillée (1982), Louison ou l'heure exquise (1987), Louison dans la douceur perdue (1989).

Deschodt, Éric [J, R] (1937) : les Demoiselles sauvages, le Royaume d'Arles (1988), Gide.

Desnos, Robert [P] (1900-45) : Corps et Biens (1930), Fortunes (1942), Destinée arbitraire, les Rayons et les Ombres.

Devay, Jean-François [J] (1925-71).

Dhôtel, André [R] (1900-91) : Campements (1930), les Rues dans l'aurore (1945), le Pays où l'on n'arrive jamais (F 1955), le Ciel du faubourg, la Maison du bout du monde, l'Honorable M. Jacques, le Soleil du désert, le Couvent des pinsons, le Train du matin, le Plateau de Mazagran, la Tribu Bécaille, Bonne Nuit Barbara, Rhétorique fabuleuse (1983).

Diesbach, Ghislain de [H, R] (1931) : Hist. de l'Émigration, Necker, Mme de Staël, la Princesse Bibesco, Proust.

Dietrich, Luc [P, Pros] (1912-44) : le Bonheur des tristes, l'Injuste Grandeur (posth. 1951).

Diwo, Jean [R] (1914) : les Dames du Faubourg, le Lit d'Acajou, le Génie de la Bastille (1988), Au temps où la Joconde parlait.

Djian, Philippe [R] (1949) : 50 contre 1, Bleu comme l'enfer, Zone érogène, 37,2° le matin, Maudit manège, Échine, Crocodile, Lent dehors, Sotos.

Dollé, Jean-Paul [Ph] (1939) : le Désir de révolution (1972), Voie d'accès au plaisir (1974), le Myope (1975), la Haine de la pensée (1976).

Dolto, Françoise [Psycho] (1909-88) : Psychanalyse et pédiatrie (1939), le Cas Dominique (1971), Lorsque l'enfant paraît (1977-79), la Cause des enfants (1985), la Cause des adolescents.

Dorin, Françoise [D, R] (1928) : *Romans :* Virginie et Paul, la Seconde dans Rome, Va voir maman, papa travaille, les Lits à une place (1980), les Jupes-culottes (1984), les Corbeaux et les Renardes (1988), Au nom du père et de la fille. *Théâtre :* la Facture (1968), Un sale égoïste, les Bonshommes, le Tournant (1973), le Tube, Si t'es beau t'es con, le Tout pour le tout (1978), l'Intoxe (1980), l'Autre Valse, l'Étiquette, les Cahiers Tango. *Comédie musicale :* la Valise en carton (1986).

Dormann, Geneviève [R] (1933) : la Première Pierre, la Fanfaronne (1959), le Chemin des Dames, le Bateau du courrier, Mickey l'ange, Fleur de péché (1980), le Roman de Sophie Trébuchet (1982), Amoureuse Colette, le Bal du dodo (1989).

Doubrowsky, Serge [R] (1928) : le Livre brisé.

Droit, Michel [R, Es, J] (1923) : Plus rien au monde, Pueblo, le Retour, les Compagnons de la Forêt-Noire, l'Orient perdu, La coupe est pleine, les Feux du crépuscule, les Clartés du jour, le Lion et le Marabout, Une fois la nuit est venue... (1984), la Ville blanche.

Drouet, Minou [P] (1947) : Arbre mon ami (1956), Du brouillard dans les yeux.

Druon, Maurice [R, D] (1918) : les Grandes Familles (G 1948), la Chute des corps (1950), Rendez-vous aux Enfers (1951), les Rois maudits (7 vol., 1955-77), les Mémoires de Zeus (1963-68), le Pouvoir (maximes, 1965), la Parole et le Pouvoir (1974), Réformer la démocratie (1982). *Théâtre :* Mégarée (1942), le Voyageur (1954), la Contessa (1961). – *Biogr. :* auteur avec son oncle J. Kessel du Chant des partisans (1941). Min. des Aff. culturelles (1973-74) ; député de Paris (1978-81) ; représentant à l'Assemblée européenne (1979, démissionne 1980) ; secrétaire perpétuel de l'Académie fr.

Dubillard, Roland [D, Hum] (1923) : Naïves Hirondelles (1962), la Maison d'os (1964), Diablogues (1976), le Bain de vapeur (1977).

Duby, Georges [H] (1919) : le Temps des cathédrales (1976), Saint-Bernard (1976), les Trois Ordres ou l'Imaginaire du féodalisme (1978), Histoire de la France rurale (1975-77), Histoire de la France urbaine (1980-83), Guillaume le Maréchal (1984), Amour, Famille et Société au Moyen Age.

Duché, Jean [E, Hum] (1915) : Elle et Lui, l'Hist. de France racontée à Juliette, Hist. du monde, le Premier Sexe, Pour l'amour d'Aimée, la Gloire de Laviolette (1991).

Ducreux, Louis [D] (1911) : Un souvenir d'Italie, Le roi est mort.

Duhamel, Alain (1940) : le Complexe d'Astérix (1985), les Habits neufs de la politique (1989), De Gaulle-Mitterrand, les Peurs des Français.

Dumitriu, Petru (Roumain, 1924) : le Beau Voyage, la Liberté, Incognito (1962), Mon semblable mon frère (1983), la Moisson (1989).

Dumur, Guy [R, Cr] (1921-91).

Dupré, Guy [R] (1928) : les Fiancées sont froides (1953), les Manœuvres d'automne (1989).

Duquesne, Jacques [R, J] (1930) : Une voix la nuit (1979), Maria Vandamme (1983), Au début d'un bel été (1988), Catherine Courage.

Durand, Loup [R] (1933) : Daddy (1987), le Jaguar (1989).

Duras, Marguerite (Donnadieu) [R, D] (1914) : *Romans :* Un barrage contre le Pacifique (1950), le Marin de Gibraltar (1952), Moderato cantabile (1958), le Ravissement de Lol V. Stein (1964), Détruire, dit-elle (1969), l'Amour (1972), Agatha et outside, la Maladie de la mort, l'Amant (G 1984), la Douleur (1985), les Yeux bleus, cheveux noirs (1986), la Vie matérielle, Emily L., Yann Andréa Steiner. *Théâtre :* le Square (1955), l'Amante anglaise, les Viaducs de Seine-et-Oise, Des journées entières dans les arbres (1966), The Lovers of Viorne (1971), Suzanna Andler (1971), Éden-Cinéma, la Maladie de la mort, Savannah Bay, la Musica deuxième (1985), l'Amant de la Chine du Nord. *Films :* Hiroshima mon amour (1960), India Song, Nathalie Granger (1973), la Femme du Gange (1974), le Camion, la Pluie d'été (1989). *Chronique :* l'Été 80. – *Biogr. :* née en Indochine, parents enseignants. *1932* droit à Paris. *1935-41* fonctionnaire au min. des Colonies. *1943* démissionne, vit de sa plume à Paris. *1970* réalisatrice de films.

Duroselle, Jean-Baptiste [H] (1917).

Dutourd, Jean ✠ [R, Polé] (1920) : Au bon beurre (I 1952), Doucin, les Taxis de la Marne, l'Ame sensible, les Horreurs de l'amour, 2024, Mascareigne, le Printemps de la vie (1972), Mémoires de Mary Watson (1980), Un ami qui vous veut du bien, la Gauche la plus bête du monde, le Spectre de la rose, Contre les dégoûts de la vie, le Séminaire de Bordeaux, Ça bouge dans le prêt-à-porter (1989), Portraits de femmes, l'Assassin (1993). *Chroniques :* De la France considérée comme une maladie.

Duverger, Maurice [E, Jur, J, Pol] (1917) : les Institutions françaises, la Démocratie sans le peuple.

Duvignaud, Jean [Ph] (1921) : Sociologie du théâtre (1965), Sociologie de l'art, le Langage perdu, le Favori du désir.

Eaubonne, Françoise d' [R] (1920) : Comme un vol de gerfauts (1947), Jusqu'à la gauche (1963), les Monstres de l'été (1966), On vous appelait terroristes.

Échenoz, Jean [R] (1947) : le Méridien de Greenwich (1979), Cherokee [M 1983], l'Équipée malaise (1986), l'Occupation des sols (1988), Lac (1989), Nous trois.

Elgey, Georgette [H] (1929) : Hist. de Fr. rép. (1965-92).

Eliade, Mircea [Ph, R] (Roumain, 1907-86 ; à Paris, après 1945, naturalisé Français) : *Romans :* la Nuit Bengali (1923), les Hooligans (1935). *Essais :* le Mythe de l'éternel retour (1949), le Sacré et le profane (1956), Mademoiselle Christine (1978), l'Histoire des croyances et des idées religieuses (1976-83), la Nostalgie des origines, l'Épreuve du labyrinthe (1985).

Elleinstein, Jean [H] (1927) : Histoire du phénomène stalinien, Histoire de la France contemporaine, Marx (1981), Staline (1984).

Ellul, Jacques [H, Ph] (1912) : Histoire des institutions, la Parole humiliée (1981).

Emmanuel, Pierre (Noël Mathieu) ✠ [P, R] (1916-84) : Tombeau d'Orphée, Sodome, Qui est cet homme ? (1948), Évangéliane (1961), la Nouvelle Naissance (1963), Babel, Jacob, Tu (1978), Una ou la Mort la vie (1978), Duel (1979).

Erlanger, Philippe [H] (1903-87) : Cinq-Mars, Louis XIV, Richelieu.

Ernaux, Annie [R] (1940) : la Place, Une femme, Passion simple (1991), Journal du dehors (1993).

Escarpit, Robert [Hum] (1918) : les Dieux du Patamba, le Littératron, les Somnambidules (1971), Appelez-moi Thérèse.

Estang, Luc (Lucien Bastard) [J, P, R] (1911-92) : *Poésie :* Au-delà de moi-même, le Mystère apprivoisé (1943), Mémorable Planète (1991). *Romans :* Charges d'âmes Stigmates (1949), Cherchant qui dévorer (1951), les Fontaines du grand abîme (1954), l'Interrogatoire (1957), l'Apostat (1968), la Fille à l'oursin (1971), les Déicides (1980), le Loup meurt en silence (1984), Celle qui venait du rêve (1989).

Etchart, Salvat [R] (1927) : Une bonne à six, le Monde tel qu'il est (Ren. 1967).

Etcherelli, Claire [R] (1934) : Élise ou la Vraie Vie (F 1967), Un arbre voyageur.

Étiemble, René [R, Cr, Es] (1909) : l'Enfant de chœur, Parlez-vous franglais ?, le Meurtre du petit père, Lignes de vie, Blason d'un corps.

Fallet, René [R, P] (1927-83) : Carnets de jeunesse, Banlieue sud-est, Paris au mois d'août (I 1964), le Braconnier de Dieu, Ersatz, Dix-Neuf Poèmes pour Cerise (1969), Le beaujolais nouveau est arrivé, Y a-t-il un docteur dans la salle ?, les Yeux dans les yeux, la Soupe aux choux, l'Angevine (1982).

Fanon, Frantz (Psycho) (1925-61) : Peau noire masques blancs (1952), les Damnés de la terre (1961).

Faraggi, Claude [R] (1942-91) : les Dieux de sable (1965), le Maître d'heure (F 1975), le Jeu du labyrinthe (1978), le Passage de l'ombre (1981), la Saison des oracles (1988), le Sourire des Parques.

Fasquelle, Solange (de La Rochefoucauld) [E] (1933) : le Congrès d'Aix (1961), l'Air de Venise (1966), les Amants de Kalyros (1971), l'Été dernier (1975), les Falaises d'Ischia (1978), les Chemins de Bourges, les Routes de Rome (1985).

Faure, Edgar ✠ [E] (1908-88) : voir Index.

Faure, Lucie [J, R] (1908-77) : Journal d'un voyage en Chine (1958), les Passions indécises (1961), Filles du calvaire, l'Autre Personne (1968), les Bons Enfants, Mardi à l'aube, Un crime si juste (1976).

Fauvet, Jacques [J, E, Pol] (1914) : la IVe République, Hist. du Parti communiste français.

Favier, Jean [H] (1932) : Philippe le Bel, la Guerre de Cent Ans, François Villon, le Temps des principautés, De l'or et des épices, les Grandes Découvertes (1991).

Fayard, Jean [J, R] (1902-78) : Mal d'amour (G 1931), Chasse aux rêves.

Faye, Jean-Pierre [Ph, P] (1925) : Langage totalitaire, Théorie du récit, la Critique du langage et son économie, les Grandes Journées du père Duchesne, l'Écluse (Ren. 1964), l'Hexagramme. Fonde la revue *Change* 1964.

Féret, Henri-Marie [Théo] (1904).

Fernandez, Dominique [Cr, R] (1929) : Mère Méditerranée, l'Échec de Pavèse, Eisenstein, Porporino ou les Mystères de Naples (M 1974), Dans la main de l'ange (G 1982), l'Amour, la Gloire du paria, le Radeau de la Gorgone, le Rapt de Ganymède, l'École du Sud, Porfirio et Constance.

Ferniot, Jean [J, E] (1918) : l'Ombre portée (I 1961), Pierrot et Aline, les Vaches maigres, les Honnêtes Gens, Saint Judas, Soleil orange (1987), Je recommencerais bien (1991).

Ferro, Marc (1924) [H] : Pétain, Nicolas II.

Finkielkraut, Alain [Ph, Es] (1949) : la Sagesse de l'amour (1985), la Défaite de la pensée (1987), la Mémoire vaine (1989), le Mécontemporain.

Fisson, Pierre [R] (1918) : Voyage aux horizons.

Follain, Jean [P, Es] (1903-71) : Chants terrestres, Appareil de la terre, D'après tout, Espaces d'instants, le Magasin pittoresque.

4es CHAMPIONNATS DU MONDE D'ORTHOGRAPHE

1985 lancement par Bernard Pivot. **1986** 1re retransmission sur A2 et FR3 : plus d'un million de téléspectateurs rédigent la dictée en direct. **1989** finale mondiale : 13 pays candidats. **1990** 90 pays. **1992** 168 pays invités, 108 participent à la super finale de New York. **1985-91** 1 million de participants. 7 « zéro faute » en 6 ans.

262 finalistes le 11-4-1992. **Prix :** séjour de 5 jours à New York. Super-Finale organisée le 11-4-1992 à New York.

Juniors. *Français :* Patrice Bulat. *Francophone :* Éric Vovan (Canada). *Non francophone :* Peter Yordanov (Bulgarie).

Seniors. *Français amateur :* Pierre Labat (Vannes), *professionnels :* Bruno Dewaele, Patrick Tissot (Grenoble). *Francophone amateur :* Jeanine Stettler (Suisse), *professionnel :* Jany Cotteron (Suisse). *Non francophone :* Raquel Ramalhete (Brésil). *Prix spécial « couple » :* Gilbert et Carla Paoli (Nice).

Texte de la dictée*. *En gras : les mots ayant occasionné le plus de fautes.*

DES FLEURS POUR LES CHAMPIONS

Aux jeux Olympiques d'Albertville, le tracé de la descente a été modifié pour épargner des **ancolies**, dont certaines espèces sont menacées de disparition. Devant cette initiative, qui eût songé à se récrier ? Ce virage ajouté révèle un autre tournant, phénoménal, inouï : la volonté des hommes de **mille neuf cent quatre-vingt-douze** de ne plus sacrifier la nature à un hédonisme aveugle.

« Que la montagne est belle ! » chantait-on en chœur. A condition que soient sauvegardées les marmottes et les belettes fauves, préservés les **gypaètes** barbus, protégés les écureuils acajou et les mouflons aux cornes hélicoïdales. A condition encore que les gentianes bleu violacé et les edelweiss argent, continûment effleurés par la brise, ne soient pas considérés comme de la roupie de sansonnet.

Prenons exemple sur les viticulteurs, qui bichonnent leurs vignes aux sarments noueux et aux pampres vrillés, et qui, lorsque le cep choit, le relèvent avec un échalas.

Respectons les saisons, qui d'ère en ère se sont **succédé**, tout entières jalonnées par le frai, la nidification et, aux **prémices** attendues de l'été, par la transhumance. (FIN DE LA PREMIÈRE PARTIE)

Lorsqu'ils se sont **élancés** des cimes et des faîtes, les skieurs olympiques ont-ils eu une pensée pour la petite ancolie ? Tels des **genets d'Espagne**, des rennes du Canada ou des **élands d'Afrique**, ils se sont rués tout schuss vers la ligne d'arrivée.

Pareils à des **satyres gracieux** ou à des **zeuzères tachetées** de bleu, les patineurs **se sont laissé porter** par la magie des glaces, virevoltant sur les carres affûtées de leurs patins, réussissant des triples axels pour égayer d'or leurs tenues **amarante, rouille** ou **écarlate**.

Mais la plus belle médaille ne revient-elle pas à la Nature ? (FIN DE LA DEUXIÈME PARTIE)

* Texte établi par Bernard Pivot, M. Sommant et révisé par le Jury national.

Fombeure, Maurice [P, D] (1906-81) : les Moulins de la parole (1938), Une forêt de charme (1958), Sous les tambours du ciel. *Théâtre :* Orion le tueur (1946).

Fontaine, André [J] (1921) : Hist. de la guerre froide, Un seul lit pour deux rêves (1981), Sortir de l'hexagonie (1984), l'Un sans l'autre (1991).

Foucault, Michel [Ph, Es] (1926-84) : Histoire de la folie à l'âge classique (1961), Naissance de la clinique (1964), les Mots et les Choses (1966), l'Archéologie du savoir (1969), Histoire de la sexualité [la Volonté de savoir (1976) ; l'Usage des plaisirs (1984) ; le Souci de soi (1984)].

Fouchet, Max-Pol [Ethn, J, P, Es] (1913-80) : *Poésies :* Demeure le secret (1961). *Essais :* les Peuples nus, Anthol. thématique de la poésie française, les Évidences secrètes, la Nuit de Santa-Cruz.

Fourastié, Jean [Ec] (1907-90) : le Grand Espoir du XXe s. (1949), Machinisme et bien-être (1952), les 40 000 Heures, les Conditions de l'esprit scientifique, Essais de morale prospective, les Trente Glorieuses (1979), le Jardin du voisin (1980), Ce que je crois.

Fraigneau, André [R, Es] (1907-91) : Val de grâce (1930), les Voyageurs transfigurés, l'Irrésistible, la Fleur de l'âge (1942), Journal de raison d'un roi fou (1947), Journal profane d'un solitaire (1952), l'Amour vagabond (1956), les Enfants de Venise.

Frain, Irène [R] (1950) : le Nabab, Modern Style, Désirs, Secret de famille, Histoire de Lou, Devi.

Francastel, Pierre [H] (1900-70) : Peinture et société, la Réalité figurative.

Frank, Bernard [R, Es] (1929) : la Géographie universelle, les Rats, Un siècle débordé, Solde (1980).

Frénaud, André [P] (1907) : les Rois mages (1943), les Paysans, la Sorcière de Rome, Nul ne s'égare.

Freustié, Jean (Pierre Teurlé) [R] (1914-83) : Marthe, la Passerelle, Isabelle ou l'Arrière-saison (Ren. 1970), Harmonie ou les Horreurs de la guerre, Loin du paradis, Aventure familiale, Proche est la mer, le Médecin imaginaire, l'Héritage du vent.

Frison-Roche, Roger [E] (1906) : Premier de cordée (1941), l'Appel du Hoggar (1965), Djebel Amour (1978), le Versant du soleil (1981).

Frossard, André ✠ [D] (1915) : Dieu existe, je l'ai rencontré (1968), Il y a un autre monde (1978), N'ayez pas peur ! (1982), l'Évangile selon Ravenne (1984), Portrait de Jean-Paul II, Dieu en questions, le Monde de Jean-Paul II, Excusez-moi d'être Français.

Fumaroli, Marc [H] (1932) : l'État culturel (1992).

Furet, François [H] (1927) : la Révolution française (avec D. Richet), Lire et écrire, Penser la Révolution française (1978), Terrorisme et Démocratie (1985), Hist. de France, la Révolution (1988).

Gadenne, Paul [R] (1907-56) : Siloé (1941), le Vent noir (1947), la Rue profonde, Baleine (1949), la Plage de Scheveningen (1952), l'Invitation chez les Stirl (1955), les Hauts-Quartiers (posth. 1973).

Gaillard, Robert [R] (1909-75) : les Liens de chaîne (Ren. 1942), l'Homme de la Jamaïque, Marie des îles, la Volupté de la haine, Moissons charnelles.

Galey, Matthieu [Cr] (1934-86) : Journal.

Gallo, Max [J, H, R] (1932) : le Cortège des vainqueurs, Un pas vers la mer, la Baie des Anges (1975), le Palais des fêtes, la Promenade des Anglais, Une affaire intime, France, Un crime très ordinaire, Garibaldi (1982), la Demeure des puissants, le Grand Jaurès, la Troisième Alliance, Beau Rivage, Que passe la justice du roi, Jules Vallès, le Regard des femmes, la Fontaine des Innocents, l'Amour au temps des solitudes.

Gallois, Claire [R] (1938) : A mon seul désir, Des roses plein les bras, Une fille cousue de fil blanc, Jérémie la nuit, La vie n'est pas un roman, le Cœur en quatre, l'Homme de peine, les Heures dangereuses (1992).

Ganne, Gilbert [R, J] (1924) : les Plages de l'hiver, les Chevaliers servants, les Hauts Cris, Saint-Aviste, Comme les roses de Jéricho.

Garaudy, Roger [Ph, Es, R] (1913) : l'Affaire Israël (1983), Hegel, Mon Tour du siècle en solitaire (1988).

Gardel, Louis [R] (1939) : l'Été fracassé (1973), Couteau de chaleur (1976), Fort Saganne (1980), le Beau Rôle.

Garreta, Anne [R] (1962) : Sphinx, Ciels liquides.

Gary, Romain (Kacew) [R] (1914-80 suicidé) : l'Éducation européenne (1945), les Racines du ciel [G 1956], la Promesse de l'aube, Lady L (1963), la Danse de Gengis Cohn (1967), Chien blanc, les Enchanteurs, les Têtes de Stéphanie, La nuit sera calme, Au-delà de cette limite votre ticket n'est plus valable, Clair de femme, les Clowns lyriques (1979), les Cerfs-volants (1980). *Sous le nom d'Émile Ajar* (son neveu) : Gros Câlin, la Vie devant soi (G 1975), Pseudo (1976), l'Angoisse du roi Salomon (1979). – *Biogr. :* Israélite, citoyen soviétique. *1942* aviateur, *1945* naturalisé français, diplomate (1956-60 : consul de Fr. à Los Angeles). *1963* ép. l'actrice Jean Seberg (div. 1972). *1967* fonct. du ministère de l'Information. *1975* 2e prix Goncourt sous le nom d'Ajar. *1979* 30-8 suicide de Jean Seberg.

Gascar, Pierre (Fournier) [J, R] (1916) : les Bêtes, le temps des morts (G 1953), les Chimères, l'Homme et l'Animal, Voyage chez les vivants, le Fortin.

Gatti, Armand [D] (1924) : le Crapaud-buffle (1959), l'Éboueur Auguste Geai (1962), Chronique d'une planète provisoire, Chant public devant deux chaises électriques, la Passion du général Franco.

Gauchet, Marcel [Ph] (1946).

Gautier, Jean-Jacques [R, Cr] (1908-86) : Histoire d'un fait divers (G 1946), la Chambre du fond (1970), Cher Untel (1974), Face trois quarts profils (1980), Une amitié tenace (1982).

Gay-Lussac, Bruno [R] (1918) : Une gorgée de poison, le Salon bleu, Introduction à la vie profane, Dialogue avec une ombre, l'Homme violet, la Chambre d'instance, l'Heure, l'Arbre éclaté, le Voyage enchanté, l'Autre Versant, l'Ane savant, les Anges fous, la Clé de l'abîme (1991).

Genet, Jean [R, D] (1910-86) : Journal du voleur. *Théâtre :* Querelle de Brest (1944), Notre-Dame des Fleurs, Miracle de la rose, les Bonnes (1946), Haute Surveillance (1949), les Nègres (1959), le Balcon (1960), les Paravents (1961), Elle (posth.). *Divers :* le Captif amoureux (1986).

Gennari, Geneviève [R, Es] (Italienne, 1920) : les Cousins Muller, Journal d'une bourgeoise, J'avais vingt ans, la Fugue irlandaise, Un mois d'août à Paris, la Robe rouge, la Neuvième Vague.

Gerber, Alain [R] (1943) : le Plaisir des sens (1977), le Faubourg des Coups-de-Trique (1979), Une sorte de bleu (1980), le Jade et l'Obsidienne (1981), Des jours de vin et de roses, Une rumeur d'éléphant, les Heureux Jours de M. Gichka (1986), le Verger du Diable (1989), Une citadelle de sable. *Nouvelles :* le Lapin de lune (1984), la Trace aux esclaves (1987).

Germain, Sylvie [R] (1954) : le Livre des nuits, Nuit-d'ambre, Jours de colère, l'Enfant méduse, Pleurantes des rues de Prague (1991).

Gheorghiu, Virgil [R] (Évêque orthodoxe, Roumain, 1916-92) : la 25e Heure (1949), la Seconde Chance (1952), la Tunique de peau (1960), la Condottiera (1964), l'Espionne (1971), le Grand Exterminateur (1978), Dieu à Paris (1980).

Gibeau, Yves [R] (1916) : Allons z'enfants ! (1952), Gros Sous, Mourir idiot (1987).

Giesbert, Franz-Olivier [J] (1949) : Monsieur Adrien (1981), le Président (1990), l'Affreux (1992).

Gilson, Paul [P, D] (1904-63) : Ballades pour fantômes (1951), le Grand Dérangement (1954).

Girard, René [Es] (1923) : Mensonge romantique et Vérité romanesque (1961), la Violence et le Sacré (1972), le Bouc-émissaire (1982), la Route antique des hommes pervers (1985).

Giroud, Françoise (Gourdji) [J, E, R] (1916) : le Tout-Paris, la Nouvelle Vague, Si je mens (1972), la Comédie du pouvoir, Une femme honorable (1981), le Bon Plaisir, Alma Mahler (1987), Leçons particulières (1990), Jenny Marx ou la femme du diable (1991), Parlez-moi d'amour (avec B.-H. Lévy).

Giudicelli, Christian [J] (1942) : Station balnéaire.

Glissant, Édouard [P, R] (1928) : la Terre inquiète, la Lézarde (Ren. 1958), l'Intention poétique (1969), Malemort (1975), le Discours antillais (1981).

Glucksmann, André [Ph] (1937) : le Discours de la guerre (1968), Stratégie et Révolution en France (1968), la Cuisinière et le Mangeur d'hommes (1975), les Maîtres penseurs (1977), Cynisme et Passion, la Force du vertige (1983), la Bêtise (1985), Descartes c'est la France, le Onzième Commandement.

Goldmann, Lucien [Soc] (1913-70) : le Dieu caché (1956).

Goubert, Pierre [H] (1915) : Les Français ont la parole (1965), l'Ancien Régime, Louis XIV et 20 millions de Français (1966), Clio parmi les hommes, Initiation à l'histoire de la France (1984), Mazarin.

Gougaud, Henri [Hum] (1936) : le Grand Partir.

Gracq, Julien (Louis Poirier) [R] (1910) : Au château d'Argol (1938), le Rivage des Syrtes (G 1951, refusé), Un balcon en forêt (1958), la Presqu'île (1970), les Eaux étroites (1976), la Forme d'une ville (1985), Autour des sept collines (1988), Carnets du grand chemin. *Essais :* Lettrines (1967-74), En lisant, en écrivant.

Grainville, Patrick [R] (1947) : les Flamboyants (G 1976), le Dernier Viking, les Forteresses noires, la Caverne céleste, le Paradis des orages, l'Atelier du peintre, l'Orgie, la Neige, la Lisière (1990), Colère.

Grall, Xavier [E, P] (1930-81).

Granger, Gilles-Gaston [Ph] (1920).

Green, Julien (Julian Hartridge Green) [D, E] (Paris 6-9-1900) : *Romans :* Mont-Cinère (1926), le Voyageur sur la terre, Adrienne Mesurat (1927), Léviathan (1929), le Visionnaire (1934), Minuit (1936), Varouna (1940), Moïra (1950), Chaque homme dans sa nuit (1960), l'Autre, Liberté, le Mauvais Lieu, Frère François (1983), le Langage et son double (1985), les Pays lointains (1987), Étoiles du sud (1989), l'Homme et son ombre, Ralph et la quatrième dimension. *Théâtre :* Sud (1953), l'Ennemi, l'Ombre. *Autobiographie :* Partir avant le jour (1963), Terre lointaine, Jeunes Années. *Journal :* 10 tomes (1928-76).

Grégoire, Ménie [J, R] (1919) : le Métier de femme (1964), Femmes (1966), la Belle Arsène, Ménie Grégoire raconte..., les Contes de Ménie Grégoire (1978), Des passions et des rêves (1981), Tournelune, Nous aurons le temps de vivre.

Greimas, Algirdas-Julien [Ling] (Russie 1917-92) : Sémantique structurale (1986).

Grenier, Roger [R] (1919) : le Palais d'hiver (1965), Avant une guerre, Ciné-roman (F 1972), le Miroir des eaux, la Salle de rédaction (1977), Un air de famille, la Follia (1980), la Fiancée de Fragonard, Il te faudra quitter Florence, Albert Camus, la Mare d'Auteuil (1987), Partita (1991).

Grimal, Pierre [E] (1912) : Virgile, les Erreurs de la liberté (1989), Mémoires d'Agrippine.

Gripari, Pierre [E] (1925-90) : Pierrot-la-lune (1963), Gueule d'Aminche (1973), Contes d'ailleurs et d'autre part.

Grosser, Alfred [H] (1925).

Groult, Benoîte [R] (1920) : la Part des choses, Ainsi soit-elle, le Féminisme au masculin, les Trois Quarts du temps, les Vaisseaux du cœur, Pauline Roland. **Flora** [R] (1924) : Maxime ou la Déchirure, Un seul ennui, les jours raccourcissent, Ni tout à fait la même, ni tout à fait une autre (1979), le Passé infini, Belle Ombre, le Coup de la reine d'Espagne. *Des deux :* Journal à 4 mains, le Féminin pluriel, Il était 2 fois.

Groussard, Serge [R, J] (1921) : Pogrom, la Femme sans passé (F 1950), Taxi de nuit (1971).

Guérin, Daniel [E, H] (1904-88).

Guérin, Raymond [R] (1905-54) : Quand vient la fin, les Poulpes.

Guibert, Hervé [R] (1955-91) : la Mort propagande (1977), l'Image fantôme (1981), Des aveugles (1985), A l'ami qui ne m'a pas sauvé la vie (1990), Mon valet et moi, le Protocole compassionnel, le Paradis.

Guillemin, Henri [H] (1903-92) : Histoire littéraire, Pas à pas, Jeanne dite Jeanne d'Arc, l'Avènement de M. Thiers, la Liaison Musset-Sand, Regards sur Bernanos (1976), Cette nuit-là, l'Affaire Jésus, Robespierre, la Cause de Dieu (1990).

Guillevic, Eugène [P] (1907) : Exécutoire, Sphère, Euclidiennes, Encoches (1971), Trouées (1981).

Guimard, Paul [R, J] (1921) : les Faux Frères, Rue du Havre (I 1957), l'Ironie du sort, les Choses de la vie (1967), le Mauvais Temps (1976), Giraudoux ?... Tiens ! (1988), Un concours de circonstances (1990), l'Âge de pierre.

Guitton, Henri [E] (1904-92).

Guitton, Jean [E, Ph] (1901) : la Pensée moderne et le Catholicisme, Dialogues avec M. Pouget (1954), le Christ écartelé, Siloé, Journal [t. I (1966), t. II (1968)], la Dernière Heure, Césarine ou le Soupçon, Portrait de Marthe Robin (1985), Un siècle, une vie (1988), Essai sur l'amour humain, l'Existence temporelle, le Problème de Jésus, Difficultés de croire, le Travail intellectuel, l'Impur, Dieu et la science.

Guth, Paul [Pros] (1910) : *Série* du Naïf, *Série* de Jeanne la Mince, Quarante contre un, Hist. de la littérature française, Hist. de la douce France, le Chat beauté, Moi Joséphine impératrice, le Retour de Barbe-Bleue (1990).

Guyotat, Pierre [Pros] (1940) : Éden, Éden, Éden.

Haedens, Kléber [Cr, R] (1913-76) : Une histoire de la littérature française (1970). *Romans :* Salut au Kentucky, Adieu à la rose, L'été finit sous les tilleuls (I 1966), Adios (1974).

Haedrich, Marcel [R, J] (1913) : la Rose et les Soldats (1961), le Patron (1964).

Hallier, Jean-Edern [E, R] (1936) : le Grand Écrivain (1967), la Cause des peuples (1972), la Liste noire, Chagrin d'amour (1973), Le premier qui dort réveille l'autre, Chaque matin qui se lève est une leçon de courage (1978), Lettre ouverte au colin froid (1979), Fin de siècle (1980), l'Évangile du fou, Carnets impudiques (1988), la Force de l'âme.

Halter, Marek [R] (Pol., 1936) : la Mémoire d'Abraham (1983), les Fils d'Abraham (1989), Un homme, un cri.

Hamburger, Jean [Méd] (1909-92) : la Puissance et la fragilité (1972), l'Homme et les hommes (1976), Demain, les autres (1979), Un jour, un homme... (1981), le Journal d'Harvey (1983), la Raison et la Passion (1984). Monsieur Littré (1988), les Belles imprudences. *Théâtre :* le Dieu foudroyé (1985).

Haumont, Marie-Louise [R] (1929) : le Trajet (F 1976), l'Éponge (1981).

Hébrard, Frédérique (Chamson) [R] (1927) : La vie reprend au printemps, la Citoyenne (1985), le Harem (1987), Château des oliviers (1993).

Helias, Pierre-Jakez [R] (1914) : le Cheval d'orgueil (1975), l'Herbe d'or, Compère Jackou (1979), Contes du vrai et du semblant (1984), Vent de soleil (1988), le Quêteur de mémoire.

Henry, Michel [Ph, R] (1922) : l'Essence de la manifestation (1963), Marx (1976), l'Amour les yeux fermés (Ren. 1976), Généalogie de la psychanalyse (1983), l'Éloge des intellectuels.

Hocquenghem, Guy [E, R] (1946-88) : les Amours entre relief (1982), la Colère de l'agneau (1985), Ève (1987), l'Amour en relief, les Voyages et aventures extraordinaires du frère Angelo (1988).

Host, Michel [R] (1937) : Valet de nuit (G 1986).

Hougron, Jean [R] (1923) : Tu récolteras la tempête (1950), Rage blanche, Soleil au ventre, Mort en fraude (1953), les Asiates (1954), Histoire de Georges Guersant (1964), les Humiliés, l'Homme de proie, l'Anti-jeu (1977), la Chambre (1982), Coup de soleil (1984).

Hue, Jean-Louis [R] (1949) : le Chat dans tous ses états, Dernières Nouvelles du père Noël.

Huguenin, Jean-René [R] (1936-62) : la Côte sauvage (1960), Journal, Une autre jeunesse (1965).

Humbert, Marie-Thérèse [R] (1940) : A l'autre bout de moi (1979), le Volkameria (1984).

Huser, France [R] (1940) : la Chambre ouverte.

Husson, Albert [D] (1912-78) : la Cuisine des anges (1952), le Système Fabrizzi.

Huyghe, René [Cr] (1906) : Dialogue avec le visible, l'Art et l'Homme, La nuit appelle l'aurore, Eugène Delacroix (1990).

Ikor, Roger [R, Es] (1912-86) : les Grands Moyens (1951), les Eaux mêlées (G 1955), Si le temps... (6 vol., 1960-64), le Cas de conscience du professeur, Frères humains, le Tourniquet des innocents, le Cœur à rire, l'Éternité dernière, les Fleurs du soir.

Ionesco, Eugène [D] (or. roum., 1912) : la Cantatrice chauve (1950), la Leçon, les Chaises, Amédée ou Comment s'en débarrasser, le Nouveau Locataire, Rhinocéros (1960), Le roi se meurt, la Soif et la Faim (1966), Jeux de massacre (1970), Macbett, l'Homme aux valises (1975), Rions jusqu'à la mort. *Roman :* le Solitaire (1973). *Cr. litt. :* Notes et contre-notes (1962). – *Biogr. :* fils d'un avocat roumain et d'une Française. *1913-25* en France. *1925-34* études à Bucarest. *1934-38* prof. de français au lycée de Bucarest. *1938* en Fr. (thèse sur Baudelaire). *1940-45* à Marseille, rédacteur aux *Cahiers du Sud. 1945* correcteur d'imprimerie à Paris. *1950* succès de *la Cantatrice chauve. 1970* Acad. fr. Également peintre.

Isorni, Jacques [Av, H] (1911) : Témoignages pour un temps passé (1950), Compte-rendu (1965), l'Humeur du jour, le Vrai Procès de Jésus (1967), Hist. de la Grande Guerre (1969), Mémoires (1984).

Isou, Isidore (Goldstein) [P, D] (Roumain, 1925) : Introduction à une nouvelle poésie, le Lettrisme.

Jabès, Edmond [P] (1912-91) : le Livre des questions (1963-73), le Livre des ressemblances, le Livre des limites (1976-87), le Livre de l'hospitalité (1991).

Jacob, François [Bio] (1920) : la Logique du vivant (1970), la Statue intérieure [Nobel méd. 1965].

Jacquemart, Simone [P, R] (1924) : le Veilleur de nuit (Ren. 1962), l'Éruption du Krakatoa, la Thessalienne (1973), le Mariage berbère (1975).

Jambet, Christian [R] (1950) : l'Ange (avec G. Lardreau, 1976).

Jankélévitch, Vladimir [Ph] (1903-1985).

Jardin, Alexandre [R] (1965, fils de Pascal) : Bille en tête, le Zèbre (F 1988), Fanfan (1990), le Petit Sauvage (1992).

Jardin, Pascal [R] (1934-80, fils de Jean, dir. du cabinet de Pierre Laval) : la Guerre à neuf ans (1971), Toupie la rage (1972), le Nain jaune (1978), la Bête à Bon Dieu (1980).

Jean, Raymond [R] (1925) : les Grilles (1963), la Vive (1968), l'Or et la Soie, la Lectrice (1987).

Jean-Charles [Hum] (1922) : la Foire aux cancres (1962), la Foire aux ronds-de-cuir.

Jeanneney, Jean-Noël [H] (1942) : François de Wendel en République, l'Argent caché, Georges Mandel.

Jeanson, Francis [E, Ph] (1922).

Joffo, Joseph [R] (1931) : Un sac de billes (1973), Anna et son orchestre, Baby-Foot (1977), la Vieille Dame de Djerba, Simon et l'enfant.

Josselin, Jean-François [R, J] (1939) : Quelques jours avec moi (1980), l'Enfer et compagnie (M 1982), la Mer au large (1987), Encore un instant (1992).

Joubert, Jean [P, R] (1938) : l'Homme des sables (Ren. 1975).

Jouffroy, Alain [E] (1928) : le Roman vécu (1978), l'Indiscrétion faite à Charlotte, la Vie réinventée.

Jouvenel des Ursins, Bertrand de [E] (1903-87) : Du pouvoir (1945-72), l'Art de la Conjecture (1964), Un voyageur dans le siècle (1980).

Jullian, Marcel [J, Dia, R] (1922) : la Bataille d'Angleterre, le Maître de Hongrie (1980).

July, Serge [Es] (1942) : le Salon des artistes (1989).

Kahn, Jean-François [J, E] (1938) : Esquisse d'une philosophie du mensonge (1989).

Kanters, Robert [Cr] (Belge 1910-85).

Kern, Alfred [R] (1919) : le Clown, le Bonheur fragile (Ren. 1960), le Viol.

Klossowski, Pierre [R, peintre] (1905) : la Révocation de l'édit de Nantes, Roberte ce soir, le Baphomet, les Lois de l'hospitalité.

Klotz, Claude [R] (1932) : Paris Vampire (1974), Achète-moi les Amériques (1975), Darakan (1978).

Écrit sous le nom de Patrick **Cauvin** : l'Amour aveugle (1974), Monsieur Papa (1976), E = MC^2 mon amour (1977), Huit Jours en été, les Appelés, Laura Brams, Rue des bons-enfants, Belles Galères, Menteur.

Kojève, Alexandre (Aleksandr Kojevnikov) [Ph] (Or. russe, 1902-68).

Labro, Philippe [R, J, cinéaste] (1936) : Un Américain peu tranquille (1960), Des feux mal éteints, l'Étudiant étranger (I 1986), Un été dans l'Ouest (1988), le Petit Garçon (1990), Quinze Ans (1992).

Lacan, Jacques [Méd, Ph] (1901-81) : Écrits (1966), les Écrits techniques de Freud (1975), Encore (1975), le Moi dans la théorie de Freud et la Technique de la psychanalyse (1978), les Psychoses (1981).

Lacarrière, Jacques [E] (1925) : l'Été grec, Chemin faisant, En cheminant avec Hérodote, Chemins d'écriture.

Lacouture, Jean [J, Es] (1921) : le Poids du tiers monde (1962), De Gaulle (1965), Hô-Chi-Minh (1967), André Malraux (1974), Un sang d'encre (1974), Léon Blum (1977), Survive le peuple cambodgien ! (1978), Mauriac, Pierre Mendès France, De Gaulle (3 v.), Champollion, Jésuites.

La Gorce, Paul-Marie de [E, H] (1928) : De Gaulle entre deux mondes, Clausewitz, la France pauvre, Naissance de la France moderne, la Prise du pouvoir par Hitler, l'État de jungle, la Guerre et l'atome, les Dieux provisoires (1992).

Lainé, Pascal [R] (1942) : l'Irrévolution (M. 1971), la Dentellière (G 1974), Si on partait, Tendres Cousines, l'Eau du miroir, Terre des ombres, Flics et voyous, les Petites Égarées, Élena, le Dîner d'adieu, l'Incertaine.

Lamour, Philippe [Av, J] (1903-92) : le Cadran solaire (1980), les Quatre Vérités (1981).

Lanoux, Armand [R] (1913-83) : la Nef des fous (1947), le Commandant Watrin (I 1956), le Rendez-vous de Bruges, Quand la mer se retire (G 1963), le Berger des abeilles, l'Or et la Neige.

Lanza del Vasto (L. di Trabia-Branciforte), Joseph [P, Ph] (Italie, 1901-81) : le Chiffre des choses (1942), le Pèlerinage aux sources (1944), Principes et préceptes du retour à l'évidence (1945), Commentaires sur l'Évangile (1951). *Théâtre :* Noé (1965). – *Biogr. :* père sicilien, gros propriétaire terrien, mère belge. Études de philosophie. Voyages (Inde 1936, rencontre Gandhi). *1939* fixé à Paris, succès du *Pèlerinage aux sources. 1948* crée la communauté de l'Arche (Charente) (1954 Vaucluse, 1963 Hérault) prônant le retour à la vie naturelle.

Lanzmann, Jacques [R] (1927) : Cuir de Russie (1957), Viva Castro, Qui vive, les Nouveaux Territoires, le Têtard, les Transsibériennes, l'Age d'amour (pseudonyme : *Michaël Sanders*), Rue des Mamours, la Baleine blanche (1982), le Lama bleu, le Septième Ciel, Fou de la marche, le Jacquiot, Café crime, les Guérillans, Hôtel Sahara, le Voleur de hasards.

Lapierre, Dominique [R] (1931) : Un dollar les 1 000 km (1950), Lune de miel autour de la Terre, la Cité de la joie (1985), les Héros de la cité de la joie (1986), Plus grands que l'amour (1990). *Avec* **Larry Collins :** Paris brûle-t-il ? (1964), ...Ou tu porteras mon deuil (1967), Ô Jérusalem ! (1971), Cette nuit, la liberté (1975), le Cinquième Cavalier (1980).

Lapouge, Gilles [R] (1923) : Utopie et civilisation, un Soldat en déroute, la Bataille de Wagram (1986), les Folies Kœnigsmark (1989).

Lardreau, Guy [E] (1947) : le Singe d'or (1973), l'Ange (*avec* C. Jambet 1976).

Lartéguy, Jean (Osty) [J, R] (1920) : Ces voix qui nous viennent de la mer (1956), les Centurions (1959), les Mercenaires (1960), les Prétoriens (1961), le Mal jaune (1962), les Chimères noires, les Tambours de bronze, les Guérilleros, les Murailles d'Israël, Tout homme est une guerre civile, les Naufragés du Soleil, le Cheval de feu, Marco Polo, l'Or de Baal, l'Ombre de la guerre (1989).

Las Vergnas, Raymond [Cr, R] (1902) : les Rois mendiants, l'Adieu à Saigon.

La Tour du Pin, Patrice, Cte de [P] (1911-75) : la Quête de joie (1933), Une somme de poésie (1946), le Second Jeu (1959), le Jeu de l'homme devant Dieu, En ce temps-ci, Une lutte pour la vie (1970), Psaumes de tous mes temps (1974).

Latreille, André [H] (1910-83) : l'Église catholique et la Révolution française (1946-50), Hist. du catholicisme en France (1957-62).

Laurent, Jacques (Laurent-Cély) [R] (1919) : les Corps tranquilles, le Petit Canard, la Fin de Lamiel (1966), les Bêtises (G 1971), les Sous-Ensembles flous (1981), les Dimanches de mademoiselle Beaunon, Stendhal comme Stendhal (1984), le Dormeur debout (1986), le Miroir aux tiroirs (1990). *Essais :* Roman du roman, le Français en cage (1988). *Sous le nom de Cécil Saint-Laurent :* Caroline chérie (1947), Clotilde (série), Hortense (série), les Agités d'Alger, les Petites Filles et les Guerriers, la Bourgeoise (1975), la Mutante (1978), l'Erreur (1986), *d'Albéric Varenne :* ouvrages historiques.

Lauzier, Gérard [Hum] (1932) : la Course du rat.

Le Clézio, Jean-Marie Gustave [R, Es] (1940) : le Procès-Verbal (Ren 1963), la Fièvre, le Déluge, le Livre des fuites, la Guerre, les Géants, Voyage de l'autre côté, l'Inconnu sur terre, Mondo et autres histoires, Trois Villes saintes, Désert, le Chercheur d'or (1985), le Rêve mexicain (1988), Printemps et autres saisons, Onitsha, Étoile errante (1992).

Leduc, Violette [R] (1907-72) : l'Asphyxie (1946), Trésors à prendre (1960), la Bâtarde (1964), Thérèse et Isabelle (1966), la Chasse à l'amour (1973).

Lefèbvre, Henri [Ph, Soc] (1905-91) : la Conscience mystifiée (1936), le Matérialisme dialectique (1939), la Métaphilosophie (1965), la Révolution urbaine (1970), De l'État (1976-78), Critique de la vie quotidienne (1947-81), Introduction à la modernité (1982).

Lefort, Claude [Ph] (1924) : le Travail de l'œuvre : Machiavel (1972), l'Invention démocratique (1981).

Légaut, Marcel [Ph] (1900-90).

Léger, Jack-Alain [R] (1949) : Mon premier amour, Un ciel si fragile, Monsignore I, II, Capriccio, l'Heure du tigre, Océan boulevard, Pacific Palisade, Wanderweg (1986), le Roman.

Le Goff, Jacques [H] (1924).

Le Hardouin, Maria (Sabine Vialla) [R, Es] (Suisse, 1912-71) : la Voile noire, la Dame de cœur (F 1949).

Leiris, Michel [P, Es] (1901-90) : *Poésie :* Haut Mal (1943), Nuits sans nuit (1961). *Autobiogr. :* l'Age d'homme [la Règle du jeu (1946) ; Biffures (1948) ; Fourbis (1955) ; Fibrilles (1966)], Frêle Bruit (1976), Langage tangage ou ce que les mots me disent (1985), A cor et à cri (1988), Journal (1922-89).

Lemarchand, Jacques [R, Cr] (1908-74) : RN 234, Parenthèse, Geneviève.

Lentz, Serge [R] (1934) : les Années sandwiches (1981), Vladimir Roubaïev (I 1985), la Stratégie du bouffon (1990).

Le Porrier, Herbert [R] (1913-77) : la Rouille (1954), la Demoiselle de Chartres (1968), le Médecin de Cordoue (1974).

Leprince-Ringuet, Louis [Sav, Es] (1901) : Des atomes et des hommes (1958), le Bonheur de chercher, le Grand Merdier, les Pieds dans le plat (1985), Noces de diamant avec l'atome (1991).

Leroi-Gourhan, André [Ph] (1911-86) : l'Homme et la Matière (1943), Milieu et Techniques (1945), le Geste et la Parole (1964), le Fil du temps (1983), Mécanique vivante (1983).

Le Roy-Ladurie, Emmanuel [H] (1929) : Territoire de l'historien (1973), Montaillou, village occitan de 1294 à 1324 (1975), le Carnaval de Romans (1979), la Sorcière de jasmin (1983), l'Ancien Régime.

Lesort, Paul-André [R] (1915) : les Reins et les Cœurs (1947), le Fil de la vie (1951), G.B.K. (1960), Vie de Guillaume Périer, Après le déluge (1977).

Lestienne, Voldemar [R] (1932-91) : l'Amant de poche (I. 1975).

Lévinas, Emmanuel [Ph] (Lituanie, 1906).

Lévi-Strauss, Claude [Ph, Ethn] (1908) : les Structures élémentaires de la parenté (1949), Tristes Tropiques (1955), l'Anthropologie structurale (1958), la Pensée sauvage (1962), Mythologiques (t. I, le Cru et le Cuit 1964), le Regard éloigné (1983), Paroles données, la Potière jalouse (1985), De près et de loin (1988), Histoire de Lynx.

Lévy, Bernard-Henri [Es] (1948) : la Barbarie à visage humain (1977), le Testament de Dieu, l'Idéologie française, le Diable en tête (M 1984), les Derniers Jours de Charles Baudelaire (I 1988), les Aventures de la Liberté, Parlez-moi d'amour (avec F. Giroud).

Lhote, Henri [Ethn] (1903-91) : (Tassili).

Ligneris, Françoise de [R] (1913) : Fort Frederick, Psyché 58, la Septième Rose.

Loesch, Anne [R] (1941) : la Valise et le Cercueil, le Tombeau de la chrétienne, Une toute petite santé, la Grande Fugue, la Bête à chagrin, Le vent est un méchant, les Couleurs d'Odessa (1979).

Lombard, Maurice [H] (1904-64).

Lyotard, Jean-François [Ph] (1924) : la Condition postmoderne (1979), Heidegger et les Juifs (1988).

Maalouf, Amin [R] (Libanais, 1949) : Léon l'Africain (1986), Samarcande (1988), les Jardins de lumières (1991), le 1er siècle après Béatrice (1992).

Maine, René (Boyer) [H, J] (1907).

Malet, Léo [P, R] (1909) : 120, rue de la Gare (1943), l'Ours et la Calotte (1955), Pas de bavards à la Muette, les Eaux troubles de Javel, Mic Mac Moche au Boul'Mich (1958).

Mallet, Robert [P, R] (1915) : Ellynn (1985).

Mallet-Joris, Françoise : voir Belgique p. 275 a.

Malraux, André [R, E] (1901-76) : *Essais :* la Tentation de l'Occident (1926), les Noyers de l'Altenburg (1943), Saturne (1950), les Voix du silence [1951, reprenant Psychologie de l'art : le Musée imaginaire (1947) ; la Création artistique (1948) ; la Monnaie de l'absolu (1949)], Métamorphose des dieux (1957), l'Homme précaire et la Littérature. *Romans :* les Conquérants (1928), le Royaume farfelu (1928), la Voie royale (I 1930), la Condition humaine (G 1933), le Temps du mépris (1935), l'Espoir (1937). *Mémoires :* Antimémoires (1967), les Chênes qu'on abat (1970), Oraisons funèbres (1971), la Tête d'obsidienne, Lazare (1974), Hôtes de passage. Voir p. 338 c. – *Biogr. :* famille parisienne (parents divorcés). *1919* éditeur de livres d'art. *1921* épouse Clara Goldschmidt (1897-1982), qui restera « Clara Malraux » après leur divorce. *1923* au Cambodge ; condamné à 3 ans de prison pour vol de bas-reliefs khmers. *1925* fonde le mouvement nationaliste indochinois (anti-français). *1927* rédacteur à la NRF. *1933* Prix Goncourt. *1936-37* combattant républicain en Espagne (aviateur). *1939-40* combattant. *1943-44* résistant (colonel Berger). *1944-45* colonel de la Brigade Alsace-Lorraine. *1945-46* min. de l'Information. *1947* au RPF. *1959-69* min. des Aff. culturelles. Proche de Louise de Vilmorin.

Manceron, Claude [E] (1923) : les Hommes de la liberté (les Vingt Ans du Roi, le Vent d'Amérique, le Bon Plaisir, la Révolution qui lève, le Sang de la Bastille).

Marceau, Félicien (Louis Carette) [R, D] (1913, Belge, nat. Fr.) : Bergère légère (1953), les Élans du cœur (I 1955), Creezy (G 1969), le Corps de mon ennemi, Émeline et son cirque, les Passions partagées, Un oiseau dans le ciel, les Ingénus, la Terrasse de Lucrezia. *Théâtre :* l'Œuf (1956), la Bonne Soupe, la Preuve par quatre, l'Homme en question, l'Ami du président.

Margerie, Diane de [Cr, R] (1927) : l'Empereur Ming vous attend.

Margerit, Robert [R] (1910-88) : le Dieu nu (Ren 1951), la Terre aux loups, la Révolution.

Marion, Jean-Luc [Ph] (1946) : l'Idole et la distance, Sur la théologie blanche de Descartes (1981).

Marrou, Henri-Irénée, [H] (1904-77) : St Augustin et la fin de la culture antique (1937), Histoire de l'éducation dans l'Antiquité (1948).

Martinet, André [Ling] (1908).

Massip, Renée [J, R] (1907) : la Régente, la Bête quaternaire (I 1963), le Rire de Sara (1966), Douce Lumière (1985).

Masson, Loys [P, R] (île Maurice, 1915-69) : *Poésie :* les Vignes de septembre. *Romans :* l'Étoile et la Clé, les Tortues, la Douve, le Notaire des Noirs, les Anges noirs du trône.

Matzneff (Gabriel) [R] (1936) : Ivre du vin perdu, Nous n'irons plus au Luxembourg, le Sabre de Didi, Harrison Plaza (1988), Mes amours décomposées, Elie et Phaéton, les Lèvres menteuses.

Maulnier, Thierry (Jacques Talagrand) [D, Es] (1909-88) : Introduction à la poésie française, la Maison de la nuit (1953), les Vaches sacrées (1977), l'Étrangeté d'être (1982), le Dieu masqué (1985).

Mauriac, Claude [Cr, R] (1914) : l'Alittérature contemporaine, le Dîner en ville (M 1959), La marquise sortit à 5 h, l'Oubli, Une amitié contrariée, le Temps immobile (10 tomes), le Temps accompli (2 tomes). *Théâtre :* la Conversation, Ici maintenant, Le Bouddha s'est mis à trembler, Maurice et fils, l'Oncle Marcel (1987), Trans-Amour-Étoiles (1989).

Mazars, Pierre [Cr, E] (1921-85).

Meddeb, Abdelwahab [R] (1946) : Phantasia.

Mégret, Christian [R] (1904) : En ce temps-là (1944), le Carrefour des solitudes (F 1957), J'ai perdu mon ombre (1974), la Croix du Sud (1984).

Melchior-Bonnet, Christian [H] (1904).

Merle, Robert [R] (1908) : Week-end à Zuydcoote (G 1949), La mort est mon métier, l'Île, Derrière la vitre, Fortune de France, En nos vertes années (1979), Paris ma bonne ville, le Prince que voilà, la Violente amour (1983), la Pique du jour, le Jour ne se lève pas pour nous, l'Idole (1987), le Propre de l'homme (1989), la Volte des Vertugadins, l'Enfant-Roi (1993). Voir p. 339 a.

Merleau-Ponty, Maurice [Ph] (1908-61) : Phénoménologie de la perception, Humanisme et Terreur, les Aventures de la dialectique.

Meschonnic, Henri [P] (1932).

Messadié, Gérald [R] (1931) : l'Homme qui devint Dieu (1988).

Mettelus, Jean [E] (1937) : Jacmel au crépuscule, Une eau-forte.

Michelet, Claude [R] (1938) : la Grande Muraille, Des grives aux loups (1979), Les palombes ne passeront plus, les Promesses du ciel et de la terre, Pour un arpent de terre, le Grand Sillon (1988), l'Appel des engoulevents (1990).

Mille, Raoul [R] (1941) : Léa ou l'Opéra sauvage, les Amants du paradis (I 1987), Père et mère.

Milza, Pierre [H] (1932).

Minc, Alain [Es, Pol] (1949) : la Machine égalitaire, la Grande Illusion, l'Argent fou, la Vengeance des nations, Français, si vous osiez..., Media-Choc.

Miquel, Pierre [H] (1930) : Histoire de France, les Guerres de religion, la Grande Guerre, l'Antiquité, la Seconde Guerre mondiale (1986), la Troisième République (1989).

Mithois, Marcel [Hum] (1922) : Croque-Monsieur, Passez, muscade, les Folies du samedi soir.

Mitterrand, François [Pol, Chr] : voir Index.

Modiano, Patrick [R] (1947) : la Place de l'Étoile (1968), la Ronde de nuit, les Boulevards de ceinture,

Villa triste, Livret de famille, Rue des boutiques obscures (G 1978), Une jeunesse, De si braves garçons, Poupée blonde (Théâtre, 1983), Quartier perdu, Un dimanche d'août, Remise de peine, Vestiaire de l'enfance, Voyage de noces, Fleurs de ruine (1991), Un cirque passe.

Mohrt, Michel ⚘ [R, Es] (1914) : Mon royaume pour un cheval (1949), les Nomades, la Prison maritime (1961), la Campagne d'Italie, Deux Indiennes à Paris, les Moyens du bord, la Maison du père (1979), la Guerre civile (1986), Vers l'Ouest, l'Air du large, le Télésiège, Un soir à Londres (1991), le Manteau d'Arlequin, On liquide et on s'en va.

Moinot, Pierre ⚘ [R] (1920) : Armes et Bagages, la Chasse royale, le Sable vif, le Guetteur d'ombres (F 1979), Jeanne d'Arc (1988).

Mongrédien, Georges [H] (1901-80).

Monnerot, Jules [Soc] (1909) : Sociologie du communisme, Sociologie de la Révolution.

Monod, Jacques [Bio] (1910-76) : le Hasard et la Nécessité (1970), [N médecine 1965].

Morin, Edgar [Ph] (1921) : l'Homme et la Mort (1951), les Stars (1957), Autocritique (1959), l'Esprit du temps (1962), Introduction à une politique de l'homme (1965), Mai 68 : la brèche, Journal de Californie, le Paradigme perdu : la nature humaine, l'Unité de l'homme, Pour sortir du XXe s. (1981), Sociologie, New York, Vidal Nahum (1989).

Morvan-Lebesque [D, J, R] (1911-70) : Soldats sans espoir, l'Amour parmi nous.

Mossé, Robert [Ec] (1906) : l'Économie socialiste, Perspectives de l'an 2000.

Mounier, Emmanuel [Ph] (1905-1950) : Introduction aux existentialismes, Manifeste au service du personnalisme (1936), Traité du caractère (1946), le Personnalisme (1949). Fonda en 1932 avec Paul Flamand la revue *Esprit* (publiée par le Seuil).

Mourad, Kénizé [R] (1939) : De la part de la princesse morte (1987).

Mourgue, Gérard [E] (1925).

Mourre, Michel [H] (1928-77) : Charles Maurras (1953), Dictionnaire d'histoire universelle.

Mousnier, Roland [H] (1907-93) : la Vénalité des Offices (1945), l'Assassinat d'Henri IV, Institutions de la France sous la monarchie absolue, Richelieu.

Mousset, Paul [R] (1907-81) : Quand le temps travaillait pour nous (Ren 1941), Neige sur un amour nippon (1954).

Moustiers, Pierre [R] (1924) : la Paroi (1969), l'Hiver d'un gentilhomme (1976), l'Éclat (1990), Un crime de notre temps.

Murciaux, Christian (Muracciole) [R] (1915) : les Fruits de Canaan, N.-D. des Désemparés, Pedro de Luna.

Nadeau, Maurice [Es, Cr] (1911).

Navarre, Yves [R, D] (1940) : Évolène (1972), les Loukoums (1973), le Cœur qui cogne (1974), Niagarak (1976), le Temps voulu (1979), le Petit Galopin de nos corps, le Jardin d'acclimatation [G 1980], Biographie, Premières Pages, l'Espérance de beaux voyages, été/automne, Louise, Une vie de chat (1986), Romans un roman, Hôtel Styx (1988).

Navel, Georges [R] (1904) : Travaux (1947), Sable et limon (1989).

Nay, Catherine [J] (1944) : la Double Méprise (1980), le Noir et le Rouge, les Sept Mitterrand.

Négroni, François de [E] (1943) : les Colonies de vacances.

Nels, Jacques [J, E] (1901) : Fragments détachés de l'oubli (1989).

Nemirovsky, Irène [R] (1903-42) : David Golder (1929), le Vin de solitude, Jézabel, la Proie (1938).

Némo, Philippe [E] (1949) : l'Homme surnaturel.

Neuhoff, Éric [R] (1957) : Précautions d'usage, Un triomphe, les Hanches de Laetitia, Actualités françaises, Comme hier (1993).

Neveux, Georges [D, P] (1900-82) : la Beauté du diable, le Voyage de Thésée.

Nimier, Roger (de La Perrière) [R, Polé] (1925-tué dans un accident 28-9-62) : les Épées, le Hussard bleu (1950), les Enfants tristes, Histoire d'un amour. *Pamphlet :* le Grand d'Espagne.

Nizan, Paul [R, Polé] (1905-40) : *Romans :* Antoine Bloyé (1933), le Cheval de Troie (1935), la Conspiration (I 1938). *Pamphlets :* Aden Arabie (1931), les Chiens de garde (1932), Chronique de septembre.

Noël, Bernard [P, R] (1930) : Extraits du corps, le Château de Cène (1971), la Chute d'Icare, les Premiers Mots, Treize Cases du je.

Nourissier, François [R, Es] (1927) : l'Eau grise (1951), le Corps de Diane, Un malaise général [Bleu comme la nuit (1958), Un petit bourgeois (1964), Une histoire française (1966)], le Maître de maison, la Crève (F 1970), Allemande, Lettre à mon chien, Musée de l'Homme, l'Empire des nuages (1981), la Fête des pères (1986), En avant, calme et droit (1987), Bratislava (1990), le Gardien des ruines.

Nucera, Louis [R] (1928) : la Kermesse aux idoles (1977), le Chemin de la lanterne (1981), le Roi René, le Ruban rouge.

Obaldia, René de [P, R, D] (1918) : *Poésie :* les Richesses naturelles (1952), Innocentines (1969). *Romans :* Tamerlan des cœurs (1955), le Centenaire (1959). *Théâtre :* Génousie (1960), le Satyre de la Villette, Du vent dans les branches de sassafras (1966), Sept Impromptus à loisir (1976), la Babbysitter (1971), Monsieur Klebs et Rosalie, les Bons Bourgeois (1980). *Mém. :* Exobiographie.

Oldenbourg, Zoé [R] (or. russe, 1916) : Argile et Cendre (1946), la Pierre angulaire (F 1953), le Bûcher de Montségur (1959), la Joie des pauvres, les Cités charnelles (1961), Visages d'un autoportrait, Déguisements (1989).

Olivier-Lacamp, Max [J, R] (1914-83) : les Feux de la colère (Ren 1969).

Ollier, Claude [R] (1923) : la Mise en scène (M 1958), l'Échec de Nolan, Our ou Vingt Ans après, Une histoire illisible, De connexion (1988), les Liens d'espace (1989).

Ollivier, Éric [R] (1927) : Une femme raisonnable, Panne sèche, Le temps me dure un peu (1980), l'Orphelin de mer (I 1982), l'Arrière-saison (1985), le Faux Pas (1987), la Loi d'exil (1990).

Oraison, Marc [Théo] (1914-79) : Une morale pour notre temps, le Couple en question.

Orieux, Jean [R, Es] (1907-90) : Fontagre (1946), le Lit des autres (1964), l'Étoile et le Chaos, Souvenirs de campagne, Voltaire (1966), Talleyrand (1970), La Fontaine (1976), Catherine de Médicis (1986).

Orizet, Jean [P] (1937).

Ormesson, Cte Jean d' ⚘ [E, R] (1925) : L'amour est un plaisir (1956), les Illusions de la mer, la Gloire de l'Empire (1971), Au plaisir de Dieu (1974), le Vagabond qui passe sous une ombrelle trouée (1978), Dieu, sa vie, son œuvre (1981), Mon dernier rêve sera pour vous (1982), Jean qui grogne et Jean qui rit (1984) ; trilogie : le Vent du soir (1985), Tous les hommes en sont fous (1986), le Bonheur à San Miniato (1987) ; Histoire du Juif errant (1991).

Orsenna, Erik (Arnoult) [R] (1948) : Loyola's blues (1974), la Vie comme à Lausanne (1976), Une comédie française, l'Exposition coloniale (G 1988).

Paillat, Claude [J, H] (1924) : Dossiers secrets de la France contemporaine (7 vol.).

Parmelin, Hélène (Jungelson) [R] (1915) : la Montée au mur, le Soldat connu, la Gadgeture, la Manière noire, le Perroquet manchot, la Femme écarlate, la Désinvolture (1983).

Parturier, Françoise [R] (1919) : Les lions sont lâchés, Le plaisir donne sur la cour, Lettre ouverte aux femmes (1974), Calamité, mon amour (1978), les Hauts de Ramatuelle.

Pauwels, Louis [E, J] (or. belge, 1920) : l'Amour monstre (1955), le Matin des magiciens (avec **Jacques Bergier**, 1961), Blumroch l'admirable, l'Apprentissage de la sérénité (1977), Comment devient-on ce qu'on est ? (1978), Dix Ans de silence (1989).

Paysan, Catherine (Annie Roulette) [R] (1926) : les Feux de la Chandeleur (1966), l'Empire du taureau, le Clown de la rue Montorgueil, la Route vers la fiancée (1991).

Perec, Georges [R] (1936-82) : les Choses (Ren 1965), Un homme qui dort (1967), la Boutique obscure (1973), Alphabets (1975), la Vie mode d'emploi (M 1978), 53 Jours (1989). *Théâtre :* l'Augmentation (1981), la Poche Parmentier (1981).

Pernoud, Régine [H] (1909) : Vie et Mort de Jeanne d'Arc (1953), Hist. de la bourgeoisie en France (1960-62), Pour en finir avec le Moyen Âge, la Femme au temps des cathédrales, le Tour de France médiéval (avec **Georges Pernoud**), la Reine Blanche, Villa Paradis.

Perrault, Gilles [R] (1931) : l'Orchestre rouge, la Longue Traque (1975), le Pull-over rouge, Un homme à part, Notre ami le roi (1990), le Secret du roi.

Perret, Jacques [R] (1901-92) : Roucou (1936), le Caporal épinglé (1947), Bande à part (I 1951), Rue du Dragon. *Théâtre :* Mutinerie à bord.

Perros, Georges [P] (1923-78) : Papiers collés.

Perroux, François [Ec, Soc] (1903-87).

Perruchot, Henri [Cr d'art, H] (1917-67).

Perry, Jacques (Touchard) [R] (1921) : l'Amour de rien (Ren 1951), Vie d'un païen, la Beauté à genoux, la Peau dure, le Ravenala ou l'Arbre du voyageur, Alcool vert (1988).

Peuchmaurd, Jacques [R] (1923) : le Plein Été, le Soleil de Palicorna, la Nuit allemande.

Peyramaure, Michel [R] (1922) : le Bal des Ribauds (1955), la Passion cathare (1977), l'Orange de Noël (1982), le Printemps des pierres, les Dames de Marsanges, Napoléon, les Tambours sauvages.

Peyrefitte, Alain ⚘ [Pol, Es] (1925) : Quand la Chine s'éveillera... (1973), le Mal français (1976), les Chevaux du lac Ladoga, Quand la rose se fanera (1983), l'Empire immobile ou le choc des mondes (1989), la Tragédie chinoise (1990), la Vision des Chinois (1991), la France en désarroi (1992).

Peyrefitte, Roger [R, Es] (1907) : les Amitiés particulières (Ren 1944), la Mort d'une mère (1950), les Ambassades (1951), les Clés de saint Pierre (1955), Chevaliers de Malte, les Fils de la lumière (1961), les Juifs (1965), les Américains, Des Français, la Coloquinte, Manouche (1972), l'Oracle, Propos secrets (2 vol.), Tableaux de chasse (1976), Alexandre (3 vol.), l'Enfant de cœur (1978), la Soutane rouge, Voltaire (2 vol.), l'Innominato (1989). – *Biogr. :* fils d'un propriétaire terrien de Castres ; interne à Toulouse, puis Foix ; licence ès lettres à Toulouse. *1928* Sciences-Po à Paris. *1931* 1er au concours du Quai d'Orsay. *1933-38* secr. d'ambassade à Athènes. *1938-40* rappelé au Quai. *1944* les Amitiés particulières (sujet homosexuel) font scandale. *1945* révoqué du Quai. Entreprend action juridique. *1978* réintégré et mis à la retraite.

Pfister, Thierry [R] (1945) : le Cadavre de Bercy.

Philipe, Anne [R] (1917-90) : le Temps d'un soupir, les Rendez-vous de la colline, Ici, là-bas, ailleurs, Un été près de la mer, les Résonances de l'amour.

Pichette, Henri [P, D] (1924) : Apoèmes, les Épiphanies. *Théâtre :* les Revendications, Nucléa.

Picon, Gaëtan [Es] (1915-76).

Pierrard, Pierre [H] (1920).

Piettre, André [Ec] (1906) : les Trois Ages de l'économie.

Pieyre de Mandiargues, André [P, R, E] (1909-91) : le Musée noir (1946), Soleil des loups (1951), le Lis de mer (1956), le Cadran lunaire (1958), la Motocyclette (1963), la Marge (G 1967), la Nuit séculaire (1979), Tout disparaîtra (1987), les Portes de craie.

Pilhes, René-Victor [R] (1934) : la Rhubarbe (M 1965), le Loum, l'Imprécateur (F 1974), la Bête, la Pompéi, l'Hitlérien, la Médiatrice (1989).

Pingaud, Bernard [R, Cr] (1923) : l'Amour triste (1950), Mme de La Fayette (1959), la Scène primitive, l'Étranger, l'Imparfait, la Voix de son maître (1973), l'Expérience romanesque (1983).

Pisar, Samuel [Pol] (1929) : le Sang de l'espoir, les Armes de la paix, la Ressource humaine (1983).

Pivot, Bernard [R] (1935) : l'Amour en vogue, le Football en vert (1980), le Métier de lire (1990).

Poirot-Delpech, Bertrand ⚘ [R, Cr] (1929) : le Grand Dadais (I 1958), l'Envers de l'eau (1963), Finie la comédie (1969), la Folle de Lituanie, les Grands de ce monde (1976), Saïd et Moi (1980), la Légende du siècle (1981), le Couloir du dancing (1982), l'Été 36 (1984), le Golfe de Gascogne (1988), Traversées (1989). *Sous la signature Hasard d'Estin :* Tout fout le camp (1976).

Poivre d'Arvor, Patrick [J] (1947) : Mai 68, mai 78 (1978), les Enfants de l'aube (1982), Deux Amants (1984), le Roman de Virginie, la Traversée du miroir, les Derniers Trains de rêve, Rencontres, les Femmes de ma vie (1988), Lettres à l'absente (1993).

Politzer, Georges [Ph] (1903-42) : Critique des fondements de la psychologie (1928), le Bergsonisme, mystification politique (posth. 1945).

Pons, Anne [Cr, R] (1934) : les Sentiments irréguliers (1988), Dark Rosaleen (1991).

Pons, Maurice [R] (1925) : Métrobate (1951), Virginales, les Saisons, Rosa, Mademoiselle B, la Maison des brasseurs (1978), Douce - amère (1985).

Poulet, Georges : voir Belgique, p. 275 b.

Pozner, Vladimir [R] (1905-92) : Deuil en 24 heures, Cuisine bourgeoise (1988).

Prassinos, Gisèle [P, R] (1920) : la Sauterelle arthritique (1935), le Rêve, Le temps n'est rien, le Grand Repas, la Vie, la Voix (1971), Brelin le Frou, Mon cœur les écoute (1982).

Prévert, Jacques [P] (1900-77) : Paroles (1946), Spectacle (1951), la Pluie et le Beau Temps (1955), Histoires (1963), la Cinquième Saison (1984). – *Biogr. :* fils d'un employé de la mairie de Neuilly, famille nombreuse (enfance dans la gêne). *1920-26* avec son frère Pierre (1906-88, cinéaste), fréquente les surréalistes. *1926* écrit des scénarios pour son frère. *1932-37* troupe théâtrale Octobre (auteur de sketches politiques de gauche). *1937* succès du scénario de *Quai des Brumes. 1946* ses amis publient ses poésies qui circulaient ronéotypées depuis 1931. *1948-55* à St-Paul-de-Vence. *1975* avec Pierre, grand prix national du cinéma.

Prévost, Françoise [R] (1929) : Ma Vie en plus, l'Amour nu (1981), les Nuages de septembre.

Prévost, Jean [R, Es] (1901-44) : Brûleurs de la prière, les Frères Bouquinquant (1930), le Sel sur la plaie, la Chasse du matin (1937).

Prost, Antoine [H] (1934).

Prou, Suzanne [R] (1920) : les Patapharis (1966), l'Été jaune, Méchamment les oiseaux, la Terrasse des Bernardini (Ren 73), les Femmes de la pluie, Jeanne, l'hiver (1982), le Pré aux narcisses, les Amies de cœur, le Dit de Marguerite, la Petite Tonkinoise, la Fontaine aux innocents, la Maison des champs.

Puget, Claude-André [D] (1910-75) : Échec à Don Juan, la Peine capitale.

Queffélec, Henri [R] (1910-92) : Tempête sur Douarnenez, Un homme d'Ouessant, Un feu s'allume sur la mer, Un royaume sous la mer (1958), Frères de la brume, Solitudes (1963), la Voile tendue, Trois Jours à terre (1966), A fonds perdus, le Phare (1975), Un Breton bien tranquille (1978), Convoi pour Oslo (1991).

Queffélec, Yann [J, R] (1949) : le Charme noir (1983), les Noces barbares (G 1985), la Femme sous l'horizon (1988), le Maître des chimères, Prends garde au loup.

Queneau, Raymond [P, R, Hum] (1903-76) : *Poésies :* l'Instant fatal (1948), Petite Cosmogonie portative (1950), Si tu t'imagines (1952), le Chien à la mandoline (1958), Cent Mille Milliards de poèmes (1961), Battre la campagne (1968), Morale élémentaire (posth. 1975). *Romans :* le Chiendent (1933), Odile, Pierrot mon ami (1942), On est toujours trop bon avec les femmes, Par Sally Mara (1947), Journal intime de Sally Mara (1951), le Dimanche de la vie (1952), Zazie dans le métro (1959), Sally plus intime (1962), les Fleurs bleues (1965), le Vol d'Icare (1968). *Essais :* Exercices de style (1947), De quelques langages animaux imaginaires (1971).

Quignard, Pascal [R] (1948) : le Lecteur (1976), Carus, les Tablettes de buis, A pronemia Avitia, le Voleur du silence, le Salon de Wurtemberg, les Escaliers de Chambord, Tous les matins du monde.

Rabiniaux, Roger (Bellion) [P, R] (1914-86) : l'Honneur de Pédonzigue (1950), les Enragées de Cornebourg (1957), le Soleil des dortoirs (1965), la Grande Réception (1981).

Radiguet, Raymond [R] (1903-23) : le Diable au corps (1923), le Bal du comte d'Orgel (1924).

Ragueneau, Philippe [R] (1917) : les Marloupins du roi (1989).

Ragon, Michel [Cr, R] (1924) : Naissance d'un art nouveau, Trompe-l'œil, les Mouchoirs rouges de Cholet, le Marin des sables, la Mémoire des vaincus.

Rank, Claude [R] (1925).

Raspail, Jean [R] (1925) : le Jeu du roi (1976), le Camp des saints, Moi, Antoine de Tounens, roi de Patagonie (1981), les Yeux d'Irène, Qui se souvient des hommes ?, l'Île bleue, Pêcheur de lunes, Sire, les Sept cavaliers... (1993).

Réage, Pauline (pseud. d'un auteur non identifié) [R] : Histoire d'O (1955), Retour à Roissy, Une fille amoureuse (1969).

Rebatet, Lucien [Polé, R] (1903-72) : les Décombres (1942), les Deux Étendards (1952).

Reda, Jacques [P] (1929) : Retour au calme (1989), le Sens de la marche, Aller aux mirabelles, Hors les murs.

Rémond, René [H] (1918).

Rémy (colonel) (Gilbert Renault) [Chr] (1904-84) : Mémoires d'un agent secret de la France libre (1946, 21 vol.), la Ligne de démarcation, Le Monocle rit jaune (roman d'esp.).

Rémy, Pierre-Jean (Jean-Pierre Angremy) ⚕ [R] (1937) : le Sac du palais d'été (Ren 1971), Mémoires secrets pour servir à l'histoire de ce siècle, Rêver la vie, les Nouvelles Aventures du chevalier de La Barre (1978), Orient-Express t. 2, Cordélia ou l'Angleterre, Salue pour moi le monde, Pandora (1980), Un voyage d'hiver, le Dernier Été, la Vie d'un héros, Une ville immortelle (1986), Des châteaux en Allemagne, Annette ou l'éducation des filles (1988), Toscanes (1989), Chine (1991), Algérie, bords de Seine.

Renard, Jean-Claude [P] (1922).

Revel, Jean-François (Ricard) [Cr, Pol] (1924) : Pourquoi des philosophes ? (1957), Ni Marx ni Jésus (1970), la Tentation totalitaire (1976), la Nouvelle Censure (1977), la Grâce de l'État (1981), Comment les démocraties finissent (1983), le Rejet de l'État (1984), la Connaissance inutile (1988), le Regain démocratique (1991), l'Absolutisme inefficace.

Reverzy, Jean [R] (1914-59) : le Passage (1954), Place des Angoisses, le Corridor (1958).

Rey, Alain [Lex] (1928).

Rey, Henri-François [R] (1919-87) : les Pianos mécaniques (I 1962), le Rachdingue, le Barbare, le Sacre de la putain, la Jeune Fille nue (1986).

Rey, Pierre [R] (1930) : le Grec, Sunset, Une saison chez Lacan, Bleu Ritz, Liouba.

Rezvani, Serge [D, R] (1928) : *Théâtre :* le Rémora (1971). *Romans :* les Années lumière (1967), les Années Lula, Foukouli, la Table d'asphalte, le Testament amoureux, le Huitième Fléau (1989), Phénix (1990), la Traversée des monts noirs.

Rheims, Maurice ⚕ [Cr. d'art, R] (1910) : la Main (1960), l'Art 1900 (1964), le Saint-Office, les Greniers de Sienne (1988), Apollon à Wall Street.

Richaud, André de [P, R, D] (1909-68) : la Création du monde (1930), le Droit d'asile.

Ricœur, Paul [Ph] (1913) : Philosophie de la volonté (1950-61), Histoire et Vérité (1955), Platon et Aristote, De l'interprétation, essai sur Freud, le Conflit des interprétations, la Métaphore vive, la Sémantique à l'action, Temps et Récit, Soi-même comme un autre.

Rihoit, Catherine [R] (1950) : Rougeâtre, le Bal des débutantes, les Petites Annonces, la Favorite, le Triomphe de l'amour, Retour à Cythère, la Petite Princesse de Dieu.

Rinaldi, Angelo [Cr, R] (1940) : la Loge du gouverneur (1969), la Maison des Atlantes (F 1971), les Dames de France, la Dernière Fête de l'Empire, les Jardins du consulat, les Roses de Pline, la Confession dans les collines.

Rioux, Jean-Pierre [H] (1939).

Rivoyre, Christine de [R] (1921) : la Mandarine (1957), les Sultans (1964), le Petit Matin (I 1968), Fleur d'agonie, Boy (1973), le Voyage à l'envers, Belle Alliance, Reine-mère (1985), Crépuscule, taille unique (1989).

Robbe-Grillet, Alain [R] (1922) : les Gommes (1953), le Voyeur (1955), la Jalousie (1957), Dans le labyrinthe (1959), la Maison de rendez-vous (1965), Projet pour une révolution à New York (1970), Topologie d'une cité fantôme (1976), Un régicide, le Triangle d'or, Djinn (1981). *Critique :* Pour un nouveau roman (1963). *Mém. :* le Miroir qui revient, Angélique ou l'enchantement (1987).

Robert, Paul [Ency] (1910-80) : Dictionnaire alphabétique et analogique de la langue française (7 vol., 1950-70), Petit Robert (1967), Micro-Robert (1971), Dict. universel des noms propres (4 vol. 1974), le Petit Robert II des noms propres (1974).

Roberts, Jean-Marc [R] (1954) : Samedi dimanche et fêtes (1972), Affaires étrangères, l'Ami de Vincent, Mon Père américain, l'Angoisse du tigre, Monsieur Pinocchio.

Robida, Michel [R, Es] (1909-91) : le Temple de la longue patience (F 1946), les Bourgeois de Paris, Sourires siciliens, Un monde englouti.

Roblès, Emmanuel [R, D] (1914) : les Hauteurs de la ville (F 1948), Cela s'appelle l'aurore, la Remontée du fleuve, la Croisière, la Chasse à la licorne, Norma ou l'exil infini (1987), l'Herbe des ruines. *Théâtre :* Montserrat, La vérité est morte, l'Horloge, les Sirènes.

Roche, Denis [R] (1937) : la Louve basse (1976).

Rochefort, Christiane [R] (1917) : le Repos du guerrier (1958), les Stances à Sophie, Une rose pour Morrison, Printemps au parking, C'est bizarre l'écriture, Archaos ou le Jardin étincelant, Encore heureux qu'on va vers l'été, les Enfants d'abord, Quand tu vas chez les femmes, la Porte du fond (1988).

Rolland, Jacques-Francis [R] (1922) : le Grand Pan est mort, le Grand capitaine, Un dimanche inoubliable près des casernes.

Romilly, Jacqueline dite Worms de David ⚕ [H, E] (1913) : la Modernité d'Euripide, les Problèmes de la démocratie grecque, Histoire et raison chez Thucydide, les Grands Sophistes dans l'Athènes de Périclès, la Grèce antique à la découverte de la liberté (1989), l'Enseignement en détresse, Ouverture à cœur, la Construction de la vérité chez Thucydide, Pourquoi la Grèce ?

Rosnay, Joël de [E] (1937) : le Macroscope (1975), l'Aventure du vivant (1988), les Rendez-vous du futur (1991).

Rouart, Jean-Marie [R] (1943) : la Fuite en Pologne, les Feux du pouvoir (I 1977), Avant-guerre (Ren 1983), Ils ont choisi la nuit, le Cavalier blessé, la Femme de proie (1989), le Voleur de jeunesse.

Rousseau, Francis Olivier [R] (1947) : l'Enfant d'Édouard (M 1981), la Gare de Wannsee (Ac 1988), le Jour de l'éclipse (1991).

Rousselot, Jean [P, R] (1913) : Le Goût du pain, Une fleur de sang, le Luxe des pauvres, Agrégation du temps, Un train en cache un autre, Hors d'eau, Il y aura une fois (1984).

Rousset, David [J, Es] (1912) : l'Univers concentrationnaire (Ren 1946), les Jours de notre mort.

Roussin, André [D] ⚕ (1911-87) : Am Stram Gram (1944), Une grande fille toute simple (1945), la Petite Hutte (1947), Nina (1949), les Œufs de l'autruche, Bobosse, Lorsque l'enfant paraît (1951), Hélène ou la joie de vivre (1952), la Mamma (1957), les Glorieuses, la Voyante (1963), On ne sait jamais (1969), la Claque (1972), la Vie est trop courte (1981), le Rideau rouge, Rideau gris et habit vert (1983).

Roux, Dominique, Cte de [Polé] (1935-77) : la Mort de L.-F. Céline, Maison jaune, la France de Jean Yanne, le 5e Empire, la Jeune Fille au ballon rouge.

Roy, Claude (Orland) [P, R] (1915) : l'Enfance de l'art, le Soleil sur la terre, la Traversée du pont des Arts, Sais-tu si nous sommes encore loin de la mer ?, l'Ami lointain, la Fleur du temps (1988), le Noir de l'aube, le Voleur de poèmes. *Autobiogr. :* Moi je (1969), Nous (1972), Somme toute, l'Étonnement du voyageur, le Rivage des jours (1990-91).

Roy, Jules [R, Es] (1907) : *Romans :* la Vallée heureuse (Ren 1946), la Mort de Mao (1969), les Chevaux du soleil (1968), Une femme au nom d'étoile, les Cerises d'Icherridène, le Maître de la Mitidja, les Armes interdites, le Tonnerre et les Anges. *Essais :* le Métier des armes (1957), la Guerre d'Algérie (1960), l'Amour fauve (1971), la Saison des Za, Étranger mon ami (1982), les Fleurs du temps (1988), Amours barbares (1993).

Rudel, Yves-Marie (Rémi Menoret) [R, H] (1907) : le Roman d'Anne de Bretagne.

Ruyer, Raymond [Ph] (1902) : la Conscience et le corps (1937), Paradoxe de la conscience et limites de l'automatisme (1966).

Sabatier, Robert [P, Es, R] (1923) : *Poésies :* les Fêtes solaires (1961), Poisons délectables (1965), les Châteaux des millions d'années (1968). *Essais :* l'État princier (1961), Dictionnaire de la Mort (1967), Histoire de la Poésie française (1975-76-88). *Romans :* Alain et le Nègre (1953), Canard au sang (1958), la Mort du figuier (1962), le Chinois d'Afrique (1966), Trilogie [les Allumettes suédoises (1969) ; Trois Sucettes à la menthe (1972) ; les Noisettes sauvages (1974)], les Enfants de l'été (1977), les Fillettes chantantes (1980), David et Olivier, la Souris verte (1990), Olivier et ses amis (1993).

Sachs, Maurice (Jean-Maurice Ettinghausen) [Chr] (1906-45) : le Sabbat (posth. 1946), la Chasse à courre, Abracadabra.

Sagan, Françoise (Quoirez) [R, D] (1935) : *Romans :* Bonjour Tristesse (1954), Un certain sourire, Dans un mois dans un an, Aimez-vous Brahms ?..., les Merveilleux Nuages, la Chamade, le Garde du cœur, Un profil perdu, le Lit défait, la Femme fardée, le Chien couchant (1980), Un orage immobile, De guerre lasse, la Laisse, les Faux-Fuyants (1991). *Théâtre :* Un château en Suède (1959), la Robe mauve de Valentine, les Violons parfois, le Cheval évanoui, le Piano dans l'herbe, Un sang d'aquarelle (1987). *Nouvelles :* Des yeux de soie. *Autobiogr. :* Des bleus à l'âme (1972), Réponses, Avec mon meilleur souvenir (1984). *Biogr :* Sarah Bernhardt (1987).

Saint-Bris, Gonzague [Cr] (1948) : le Romantisme absolu, Qui est snob ? (1973), Athanase ou la Manière bleue (1976), la Nostalgie camarades !, La Fayette, les Dynasties brisées.

Saint-Exupéry, Antoine de [E] (1900-44) : Courrier Sud (1929), Vol de nuit (F 1931), Terre des hommes (1939), Pilote de guerre (1942), Lettre à un otage (1943), le Petit Prince (1943), Citadelle (posth., 1948). – *Biogr. :* ancienne noblesse, sans fortune ; orphelin de père à 4 ans. *1919* échoue à l'École navale. *1920-21* service militaire dans l'aviation. *1926* pilote chez Latécoère, à Toulouse. *1927* chef d'escale à Cap Juby. *1931* mariage. *1934* pilote à Air France. *1937* paralysé partiel après un 5e accident aérien (Mexique). *1940* combattant (aviation). *1942* réfugié aux USA. *1944* pilote de guerre en Corse ; abattu en vol le 13 juillet.

Saint-Laurent, Cécil : Voir **Laurent,** Jacques.

Saint-Paulien (Maurice Yvan Sicard) [R, Es] (1900) : le Soleil des morts (1953), les Maudits (1958), Histoire de la collaboration (1964), Goya, le Lion Lilas (1974).

Saint-Phalle, Thérèse de (B^onne^ J. de Drouas) [R, Cr] (1930) : la Mendigote (1966), la Chandelle, le Tournesol, le Souverain, la Clairière, le Métronome, le Programme (1985), l'Odeur de la poudre (1988).

Saint-Pierre, Michel, Mis de [R] (1916-87) : la Mer à boire, les Aristocrates (1954), les Écrivains, la Nouvelle Race, les Nouveaux Prêtres (1964), le Drame des Romanov, le Milliardaire, l'Accusée, Laurent (1980), Docteur Ericson (1982), les Cavaliers du Veld (1986).

Saint-Robert, Philippe de [E] (1934) : le Jeu de la France, Montherlant le séparé, la Même Douleur démente, les Septennats interrompus, Discours aux chiens endormis, Midi en cendres, Lettre ouverte à ceux qui en perdent leur Français, Montherlant ou la relève du soir.

Sallenave, Danièle [R] (1940) : Paysage de ruines avec personnages, les Portes de Gubbio, la Vie fantôme, le Don des morts (1991), Passages de l'Est (1992). *Théâtre :* Conversations conjugales.

Sarraute, Claude [J] (1927) : Allô Lolotte c'est coco !, Maman Coq, Mademoiselle, s'il vous plaît.

Sarraute, Nathalie (Tcherniak) [R, Es] (Russie 1900) : le Planétarium (1959), les Fruits d'or, Entre la vie et la mort, Vous les entendez ? (1972), Disent les imbéciles, l'Usage de la parole (1980), Enfance, Tu ne t'aimes pas (1989).

Sarrazin, Albertine [R] (1937-67) : la Cavale (1965), l'Astragale (1965).

Sartin, Pierrette [P, R] (1911).

Sartre, Jean-Paul [Ph, R, D, Pol] (21-6-1905/15-4-1980) : *Théâtre :* les Mouches (1943), Huis clos (1945), Morts sans sépulture (1946), la P... respectueuse (1946), les Mains sales (1948), le Diable et le Bon Dieu (1951), Kean (1954), Nekrassov (1955), les Séquestrés d'Altona (1960). *Romans :* la Nausée (1938, sa 1re ébauche, Melancholia fut refusée par Gallimard en 1931), le Mur (1939, nouvelles), les Chemins de la liberté [l'Âge de raison (1945), le Sursis (1945), la Mort dans l'âme (1949)], les Carnets de la drôle de guerre. *Philosophie :* l'Imagination (1936), Esquisse d'une théorie des émotions (1939), l'Imaginaire (1940), l'Être et le Néant (1943), L'existentialisme est un humanisme (1946), Critique de la raison dialectique (1959), Vérité et existence (1989). *Crit. litt. :* Situations (9 vol., 1947-72), St Genet, comédien et martyr (1952), l'Idiot de la famille (1971-72). *Autobiogr. :* les Mots (1964), Écrits de jeunesse (1990). *Corresp.* Lettres au Castor (1983). – *Biogr. :* bourgeoisie alsacienne (attaches protestantes, cousin du Dr Schweitzer). Orphelin de père à 15 mois. *1916* remariage de sa mère. *1917* à La Rochelle (son beau-père est dir. des chantiers navals). *1920* à Paris (études à Henri-IV, puis Louis-le-Gd). *1924* École normale sup. *1928* échec à l'Agrég. de philo. *1929* reçu 1er. Compagnon de S. de Beauvoir. *1931-45* prof. de philo. (Le Havre 1936, Paris 1937). *1939* mobilisé. *1940 (juin)-1941 (mars)* prisonnier. *1942* prof. à Condorcet. *1945* quitte l'enseig. ; fonde les *Temps modernes*. *1964* prix Nobel (refusé). *1966* membre du « tribunal » Russel. *1968* proche des gauchistes. *1970* dir. de *la Cause du Peuple*. *1975* perd la vue.

Schneider, Marcel [R] (1913) : la Première Île (1951), l'Enfant du dimanche (1953), le Jeu de l'Oie (1960), le Prince de la terre (1980), les Deux Miroirs (1989). *Mémoires :* l'Éternité fragile (1989), Innocence et Vérité (1991), le Palais des mirages, le Goût de l'absolu (1993).

Schneidre (Schneider), Dominique [R] (1942) : Atteinte à la mémoire des morts, les Chagrins d'éternité (1988), la Capitane.

Schoendoerffer, Pierre [R] (1928) : l'Adieu au roi (I 1969), le Crabe-tambour (1976), Là-haut (1981), l'Honneur d'un capitaine (1982).

Sédouy, Cte Alain de [Pol] (1935).

Seghers, Pierre [P] (1906-87) : Chansons et Complaintes, Inferno, Visions.

Senghor, Léopold Sédar [P] (Sénégalais, 1906) : Pt du Sénégal (1960-80). *Poésies :* Chants d'ombre (1945), Hosties noires (1948), Éthiopiques (1956), Nocturnes (1961), les Élégies des alizés (1969), Lettres d'hivernage (1973). *Essais :* Liberté [I (1964) ; II (1971) : III (1977)].

Serres, Michel [Ph] (1929) : Hermès (5 vol.), la Parasite, les Cinq Sens (M essai 1985), Statues, l'Hermaphrodite, le Contrat naturel (1990), le Tiers-instruit, Jouvences sur Jules Verne (1991), Éclaircissement.

Servan-Schreiber, Jean-Jacques [Es, J] (1924) : Lieutenant en Algérie, le Défi américain (1967), Ciel et Terre (1970), le Défi mondial (1980), le Retour du courage, le Métier de patron, Passions (1991), les Fossoyeurs.

Sigaux, Gilbert [Cr, Es, J, R] (1918-82) : les Grands Intérêts (1946), Terre lointaine (1947), Chiens enragés (I 1949), Fin (1951).

Signol, Christian [R] (1947) : les Cailloux bleus, les Amandiers fleurissaient rouge (1988), la Rivière Espérance (1990), le Royaume du fleuve (1992).

Silvain, Pierre [R] (1927) : la Chair et l'Ombre (1963), la Dame d'Elche (1965), Zacharie Blue, la Promenade en barque.

Simiot, Bernard [R] (1906) : Rendez-vous à la Malouinière (1989), Paradis perdu.

Simon, Claude [R] (1913) : le Tricheur (1945), la Corde raide (1947), le Sacre du printemps (1954), le Vent, l'Herbe, la Route des Flandres, Histoire (M 1967), la Bataille de Pharsale, Triptyque, Leçon de choses, les Géorgiques (1981), la Chevelure de Bérénice (1984), l'Invitation (1987), l'Acacia (1989) [N 1985].

Simon, Pierre-Henri [Mor] (1903-72) : les Raisins verts, Elsinfor, l'Homme de Cordouan, Histoire d'un bonheur, les Corps conducteurs, la Sagesse du soir, l'Homme en procès (1950).

Simon, Yves [R] (n.c.) : Jours ordinaires, Jours d'ailleurs, le Voyageur magnifique, la Dérive des sentiments (M 1991), Sorties de nuit.

Sipriot, Pierre [J, Es] (1921) : Montherlant sans masque (1982), le Tombeau de Pétrone (1984).

Sloves, Henri [Es] (1905-88).

Sollers, Philippe (Joyaux) [R] (1936) : Une curieuse solitude (1958), le Parc (M 1961), l'Intermédiaire, Drame, Nombres, Logiques (1968), Lois (1972), H (1973), Sur le matérialisme (1974), Paradis (1981), Femmes (1982), Portrait du joueur, le Cœur absolu, les Folies françaises (1988), le Lys d'or, la Fête à Venise (1991), le Secret (1992).

Sorman, Guy [E] (1944) : la Révolution conservatrice américaine (1983), la Solution libérale (1984), l'État minimum (1985), la Nouvelle Richesse des nations, les Vrais Penseurs de notre temps, Sortir du socialisme (1990), En attendant les barbares.

Soubiran, André [R] (1910) : J'étais médecin avec les chars (Ren 1943), les Hommes en blanc (1947-58), Journal d'une femme en blanc.

Soustelle, Jacques [Ethn] (1904-90), voir Index.

Spens, Willy de [R, Mém] (1911-89).

Stil, André [R] (1921) : le Premier Choc, Viens danser, Violine, André, Romansonge, l'Ami dans le miroir, Dieu est un enfant (1979), les Berlines fleuries, les Quartiers d'été (1984), Soixante-Quatre Coquelicots (1984).

Suffert, Georges [J] (1927) : Le cadavre de Dieu bouge encore, la Peste blanche (*avec* **P. Chaunu**), Quand l'Occident s'éveillera (1979), Un royaume pour une tombe, le Tocsin.

Sulitzer, Paul-Loup [R] (1946) : Money (1980), Cash, Fortune, le Roi vert, Hannah (1985), l'Impératrice, la Femme pressée (1987), Kate, Sur les routes de Pékin (1989), Cartel (1990), Tantzor, les Riches, Berlin, l'Enfant des 7 mers (1993).

Sulivan, Jean [R] (1913-80) : Mais il y a la mer (1964), Devance tout adieu, Bonheur des rebelles.

Sullerot, Évelyne [Es] (1924) : le Fait féminin, Pour le meilleur et sans le pire, l'Enveloppe.

Susini, Marie [R] (1916) : Plein Soleil (1953), l'Île sans rivages (1989).

Tapié, Victor-Lucien [H] (1900-74).

Tardieu, Jean [P, Es, D] (1903) : Accents, Jours pétrifiés, Poèmes à jouer, Margeries (1986).

Tavernier, René [Cr, P] (1915-89).

Thibon, Gustave [Ph] (1903) : l'Échelle de Jacob (1942), Notre regard qui manque à la lumière.

Thomas, Henri [P, R] (1912) : John Perkins (M 1960), le Promontoire (F 1961), la Joie de cette vie, la Chasse aux trésors.

Tillard, Paul [R] (1914-66) : le Montreur de marionnettes (1956), l'Outrage (1958).

Tillinac, Denis [R] (1948) : Maisons de famille, Un léger malentendu (1988), la Corrèze et le Zambèze (1990), l'Hôtel de Kaloack (1991), le Retour de D'Artagnan, Rugby Blues (1993).

Todd, Emmanuel [Es] (1951) : la Chute finale, la Nouvelle France.

Todd, Olivier [J, R] (1929) : l'Année du crabe, les Canards de Ca Mao, la Marelle de Giscard, Un fils rebelle, Une légère gueule de bois, Jacques Brel, une vie (1984), la Ballade du chômeur (1986), la Négociation (1988), la Sanglière.

Toesca, Maurice (Royat) [R] (1904) : le Soleil noir (1946), le Singe bleu, Un héros de notre temps (1978).

Tortel, Jean [P] (1904).

Touchard, Pierre-Aimé [Cr, Es] (1903).

Touraine, Alain [Es, Soc] (1925) : Production de la société (1973), Critique de la modernité (1992).

Tournier, Michel [R] (1924) : Vendredi ou les Limbes du Pacifique (1967), le Roi des Aulnes (G 1970), les Météores (1975), le Vent Paraclet, le Coq de bruyère, Gaspard, Melchior et Balthazar (1980), le Vol du vampire (1981), Gilles et Jeanne (1983), le Vagabond immobile (1984), la Goutte d'Or (1985), le Médianoche amoureux (1989).

Tournoux, Jean-Raymond [Chr, J, Pol] (1914-84) : Pétain et de Gaulle, la Tragédie du général, Jamais dit, Journal secret, le Feu et la Cendre.

Tristan, Frédérick (Jean-Paul Baron) [R] (1931) : les Égarés (G 1983), le Fils de Babel (1986), l'Ange dans la machine, le Retournement du gant (1990).

Troyat, Henri (Lev Tarassov) [R, D] (1911) : *Romans :* Faux Jour (1935), l'Araigne (G 1938), le Vivier, Grandeur nature, la Clef de voûte, Tant que la terre durera, le Sac et la Cendre, Étrangers sur la Terre, les Semailles et les Moissons (1953-58), la Lumière des Justes (1959-63), les Eygletière (1965-67), les Héritiers de l'avenir, la Pierre, la Feuille et les Ciseaux, Anne Prédaille, le Moscovite (1974-75), Grimbosq, le Front dans les nuages, Un si long chemin, le Prisonnier n° 1, Viou, le Pain de l'étranger, la Dérision, Marie Karpovna, le Bruit solitaire du cœur, A demain Sylvie, le Troisième Bonheur, Toute ma vie sera mensonge, la Gouvernante française, la Femme de David, Aliocha (1991), Youri, le Chant des insensés. *Bio. :* Catherine la Grande, Pierre le Grand (1979), Alexandre Ier, Ivan le Terrible, Tchekhov, Tourgueniev, Flaubert, Maupassant, Nicolas II, Zola (1992).

Tulard, Jean [H] (1933) : le Mythe de Napoléon, Napoléon, Dict. du cinéma, la Contre-Révolution.

Vailland, Roger [R, Es] (1907-65) : Drôle de jeu (I 1945), les Mauvais Coups, 325 000 Francs, la Loi (G 1957), la Fête, la Truite (1964).

Van Cauwelaert, Didier [R, D] (1960) : Vingt ans et des poussières, Poisson d'amour, les Vacances du fantôme, l'Orange amère (1988). *Théâtre :* l'Astronome (1982).

Van der Meersch, Maxence [R] (1907-51) : Invasion 14 (1935), l'Empreinte du dieu (G 1936), Pêcheurs d'hommes (1938), Corps et Ames (1943), la Fille pauvre (3 vol., 1948-53).

Vanoyeke, Violaine [P] (1956).

Vauthier, Jean [D] (1910-92) : Capitaine Bada, le Personnage combattant, le Sang, les Prodiges.

Vautrin, Jean (J. Herman) [R] (1933) : A bulletins rouges (1973), Billy-Ze-Kick, Mister Love, Bloody Mary, Groom, Canicule (1982), la Vie Ripolin, Un grand pas vers le Bon Dieu (G 1989), Dix-Huit Tentatives pour devenir un saint, Courage chacun.

Véraldi, Gabriel [R] (1926) : A la mémoire d'un ange, le Chasseur captif, les Espions de bonne volonté.

Vercors (Jean Bruller) [E] (1902-91) : le Silence de la mer (80 p., 1er livre des Éditions de Minuit, achevé d'imprimer 20-2-1942), Ce jour-là (1943), la Marche à l'étoile (1943), Sylva (1961), la Bataille du silence, le Radeau de la Méduse, Comme un frère, les Chevaux du temps (1977), Moi Aristide Briand (1981).

Veyne, Paul [H] (1930).

Vialatte, Alexandre [R, Hum] (1901-71) : le Fidèle Berger, les Fruits du Congo, Dernières Nouvelles de l'homme, L'éléphant est irréfutable (1980), le Fluide rouge (1991), Salomé (1992).

Vian, Boris (et pseud. Vernon Sullivan) [R, Hum, D] (1920-59) : J'irai cracher sur vos tombes (1946), l'Écume des jours (1947), Et on tuera tous les affreux, l'Automne à Pékin (1947), l'Herbe rouge (1950), l'Arrache-cœur (1953). *Théâtre :* les Bâtisseurs d'empire (1959), le Goûter des généraux (posth. 1965). *Poésie :* Je voudrais pas crever (1962). – *Biogr. :* fils d'un riche industriel. *1938* reçu à l'École centrale. *1942-46* ingénieur à l'Afnor. *1947* trompettiste de jazz à St-Germain-des-Prés. *1948* vit avec Ursula Kübler (Suissesse, épousée 1954) ; travail de traductions. *1955-59* compositeur, interprète de chansons (meurt d'un infarctus).

Vidalie, Albert [R, D] (1913-71) : les Bijoutiers du clair de lune (1954), la Bonne Ferte, les Verdures de l'Ouest (1964).

Vigo, René [R, Cr] (1914) : les Hommes en noir, Tragédie à Clairveaux (1975).

Villalonga, José-Luis de [R] (1920) : Les Ramblas finissent à la mer (1952), les Gens de bien, Visa Sans retour, Gold Gotha, A pleines dents, Furia, Femmes, Fiesta, le Prince, Ma vie est une fête. *Essai :* le Roi.

Vilmorin, Louise Lévêque de (Ctesse Paul Palffy) [R, P] (1902-69) : le Lit à colonnes (1941), Julietta (1951), Madame de..., l'Heure maliciôse (1967).

Vincenot, Henri [Es, R] (1912-1985) : le Pape des escargots, le Sang de l'Atlas (1974), la Billebaude (1978), les Étoiles de Compostelle (1982).

Vincent, Raymonde [R] (1908-83) : Campagne (F 1937).

Visage, Bertrand [R] (1952) : Tous les soleils (F 1984), Angelica, Rendez-vous sur la terre (1989).

Vitoux, Frédéric [R, Cr] (1944) : Charles et Camille.

Vivet, Jean-Pierre [J, R] (1920) : la Maison à travers la grille (1991).

Volkoff, Vladimir [R] (1932) : le Retournement (1979), les Humeurs de la mer [Olduvaï, la Leçon d'anatomie, Intersection, les Maîtres du temps], le Montage (1982), Lawrence le Magnifique (1984), Lecture de l'Évangile selon St Matthieu (1985), le Professeur d'histoire, les Hommes du Tsar, le Bouclage, la Trinité du mal (1991), les Faux Tsars.

Vrigny, Roger [R] (1920) : la Nuit de Mougins (F 1963), la Vie brève (1972), Un ange passe (1979), le Bonhomme d'Ampère, le Voyage de noces (1990).

Walter, Georges [J, R] (1921) : les Vols de Vanessa (I 1972), Edgar Allan Poe, les Pleurs de Babel.

Weil, Simone [E, Ph] (1909-43) : la Pesanteur et la Grâce (1947), Attente de Dieu (1950), l'Enracinement (1950), la Condition ouvrière (1951).

Weingarten, Romain [D] (1926) : Akar (1948), l'Été (1966), Alice dans les jardins du Luxembourg (1970), les Nourrices.

Wiesel, Élie [R] (Transylvanie, Roumanie 1928, aux USA dep. 1956, naturalisé américain en 1963) : la Nuit (1960), l'Aube, le Jour, le Mendiant de Jérusalem (M 1968), Entre deux soleils, le Serment de Kolvillag, le Cinquième Fils (1983), le Crépuscule au loin (1987), l'Oublié (1989). [N paix 1986].

Winock, Michel [H] (1937).

Wittig, Monique [R] (1935) : l'Opoponax (M 1964), le Corps lesbien.

Wolfromm, Jean-Didier [Cr, R] (1941) : Lueur de plomb (1963), Diane Lanster (I 1978), la Leçon inaugurale.

Xenakis, Françoise [R, J] (1930) : Zut, on a encore oublié Madame Freud, Mouche-toi Cléopâtre, la Vie exemplaire de Rita Capuchon (1988), Attends-moi.

Yourcenar, Marguerite [Marguerite de Crayencour (dont Yourcenar est l'anagramme)] [E] (1903-87) : Mémoires d'Hadrien, Denier du rêve, l'Œuvre au noir (F 1968), le Coup de grâce, Souvenirs pieux, Archives du Nord, Sous bénéfice d'inventaire, la Couronne et la Lyre, Mishima ou la Passion du vide, le Temps, ce grand sculpteur, Dans le marécage, Quoi ? l'Éternité, En pèlerin et en étranger, Conte bleu. – *Biogr. :* famille aristocratique française, fixée en Belgique ; études avec précepteurs particuliers ; célibataire, vit au château de ses parents. *1929* commence à écrire. *1940* en Amérique, achète le domaine de Petite Plaisance, dans le Maine. *1947* naturalisée américaine. *1970* membre étranger de l'Acad. royale de Belgique. *1972* prix Pierre de Monaco. *1977* grand prix de littérature de l'Académie fr. *1979* reprend la nationalité fr. pour entrer à l'Académie (1re femme, reçue 22-1-1981).

Zéraffa, Michel [R, Es] (1918-84) : le Temps des rencontres, l'Histoire.

LITTÉRATURES FRANCOPHONES

LITTÉRATURE D'AFRIQUE NOIRE

■ **Bénin (ex-Dahomey). Bhely-Quénum,** Olympe (1928). **Dogbeh,** Richard. **Dramani Bazini,** Zakari (1940). **Glélé,** Maurice (1934). **Hazoumé,** Paul (1890-

1980). **Joachim,** Paulin (1931). **Ologoudou,** Émile (1935). **Pliya,** Jean (1931). **Prudencio,** Eustache [P] (1924). **Tevoedjre,** Albert (1929).

■ Burkina (ex-Haute-Volta). **Balima,** Albert Salfo (1930). **Boni,** Nazi (1921-69). **Coulibaly,** Augustin Sondé (1933). **Dabire,** Pierre (1935). **Dim Delobsom** (n.c.). **Ki Zerbo,** Joseph (1922). **Koulibaly,** Isaïe, Biton (1949). **Nikiema,** Roger (1935). **Ouedraogo,** Ernest N. (n.c.), **Sanou,** Bernadette D. (n.c.), **Sondé,** Augustin (1933). **Titinga,** Frédéric Pacéré (1943). **Zongo,** Daniel (1947).

■ Burundi. **Mworoha,** Émile (1934).

■ Cameroun. **Bebey,** Francis (1929). **Belinga,** Eno (1933). **Beti,** Mongo (1932). **Beyala,** Calixthe (n.c.). **Dakeyo,** Paul (1948). **Dooh Bunya,** Lydie (1933). **Ewandé,** Daniel (1935). **Ewembé,** François Borgia (n.c.). **Ikelle Matiba,** Jean (1936-84). **Karone,** Yodi (1954). **Kayo,** Patrice (1942). **Kayor,** Franz (ps. **Tchakoute,** Paul) (1945). **Kuma, Ndumbe III. Kuoh Mukuri,** Jacques (1909). **Kuoh Mukuri,** Thérèse. **M'Bia,** Guillaume (1939). **Médou Mvomo,** Rémy Albert (1938). **Mendo Ze,** Gervais (n.c.). **Mokto,** Joseph Jules (1945). **Mveng,** Engelbert (1930). **Ndedi Penda,** Patrice (1945). **Nyunaï,** Jean-Paul (1932). **Owono,** Joseph (1920). **Oyono,** Ferdinand (1929). **Oyono Pabe Mongo** (n.c.). **Philombe,** René (ps. Philippe Louis Ombede) (1930). **Sengat Kuo,** François (ps. Francesco Nditsouna) (1931). **Towa Marcien** (1931). **Werewere,** Liking (1950). **Yanou,** Étienne (1939).

■ Centrafrique. **Bamboté,** Pierre (1932). **Goyemidé,** Étienne. **Ipeko Étomane,** Faustin Albert (1930-80). **Sammy,** Pierre (1935). **Yavoucko Cyriaque,** R. (1953).

■ Congo. **Bemba,** Sylvain (ps. Martial Malinda, Michel Belvain) (1934). **Biniakounou,** Ted. **Boundzeki Dongala,** Emmanuel (1941). **Labou Tansi,** Sony (1947). **Letembet-Ambily,** Antoine (1929). **Lopès,** Henri (1937). **Makouta Mboukou,** Jean-Pierre (1929). **Malonga,** Jean (1907-85). **Mamonsono,** Léopold-Pindy. **Menga,** Guy (1935). **M'Fouilou,** Dominique (1942). **Mouangassa,** Ferdinand (1934-1974). **Ndebeka,** Maxime (1944). **Ngoie Ngalla,** Dominique (1943). **Ngoma,** Eugène (1945). **Nzala-Backa,** Placide (1932-87). **Nziengue,** Bonard. **Obenga,** Théophile (1936). **Samba-Kifwani,** Lucien (1951). **Sianard,** Yves. **Sinda,** Martial (1935). **Tati Loutard,** J.-B. (1938). **U'Tamsi,** Tchicaya (1931-88). **Tchicaya Unti B'Kune,** Tchichelle Tchivela, François (1940). **Tsibinda,** Marie-Léontine. **Zounga-Bongolo.**

■ Côte-d'Ivoire. **Adiaffi,** Jean-Marie (1941). **Amon d'Aby,** François Joseph (1913). **Anouma,** Joseph (1949). **Atta Koffi,** Raphaël (1947). **Bognini,** Joseph Miezan (1936). **Bolli,** Fatou (1956). **Dadie,** Bernard (1916). **Dem,** Tidiane (1909). **Diabaté,** Henriette (1935). **Dodo,** Jean (1919). **Kanie,** Anoma (1920). **Kaya,** Simone (1937). **Koffi Teya,** Pascal (1946). **Koné,** Amadou (1953). **Koné,** Maurice (1932-1980). **Kourouma,** Ahmadou (1927). **Loba Aké** (1926). **Nguessan,** Gbohourou Bertin (1935-1974). **Ouassenan,** Gaston (1939). **Oussou Essui,** Denis (1934). **Tiémélé,** Jean-Baptiste (1933). **Timité,** Bassori (1933). **Touré,** Kitia (1956). **Wondji,** Christophe. **Zadi,** Zaourou (1938). **Zégoua Nokan,** Charles (1936).

■ Gabon. **Ambouroué,** Alvaro Joseph. **Biffot,** Laurent (1919). **Leyimangoye,** Jean-Paul (1939). **Métégué N'nah. Ndong Ndoutoune Tsira** (1928). **Ndoua Depenaud,** Pascal (1937-1977). **Nyonda,** Vincent de Paul (1918). **Okoumba,** Nkoghe. **Owondo,** Laurent (1948). **Pounah,** Paul-Vincent (1914). **Raponda-Walker,** André (1871-1969). **Rawiri,** Ndyugwelondo (1954). **Zotoumbat,** Robert (1944).

■ Guinée. **Camara,** Nene Khaly (1930-1972). **Camara,** Sylvain-Soriba (1938). **Cheik Oumar Kante** (1946). **Cissé,** Émile (1930-74). **Diallo,** Amadou. **Fantouré,** Alioune (1933). **Kake,** Ibrahima (1936). **Laye,** Camara (1928-79). **Monembo,** Tierno (1947). **Sacko,** Biram (1947). **Sangare,** Ali (1949). **Sassine,** William (1944).

■ Mali. **Bâ,** Amadou Hampaté (1901-91). **Badian,** Seydou (1928). **Cissoko,** Sekené Mody (1928). **Dembélé,** Sidiki (1921). **Diabaté,** Massa Makan (1938-88). **Kaba,** Alkaly (1936). **Keita Aoua** (1912-80). **Ouane Ibrahima,** Mamadou (1907). **Ouologuem,** Yambo (1940). **Sidibé,** Mamby (1891-1977). **Sissoko,** Fily Dabo (1897-1964). **Traoré Issa,** Baba (1928).

■ Mauritanie. **Ba Amadou,** Mamadou (1893-1958). **Ba Oumar** (1917). **Guèye,** Youssouf (1928). **Miské,** Ahmed Baba (1933).

■ Niger. **Abdoulaye,** Mamani (n.c.). **Abdouramane,** Soli (v. 1938). **Amadou,** Diado (v. 1940). **Bouraima,** Ada (v. 1945). **Halilou,** Mahamadou (v. 1937). **Hama,** Boubou (v. 1906-82). **Hamani,** Djibo (n.c.). **Hassane,** Diallo Adamou (1927). **Ide,** Adamou (v. 1951). **Issa,** Ibrahim (v. 1930-86). **Kanta,** Abdoua (v. 1946). **Laya,** Diouldé (n.c.). **Mariko,** Keletegui A. (1921). **Moumouni,** Abdou (n.c.). **Oumarou,** Ide (v. 1937). **Ousmane,** Amadou (1949). **Salifou,** André (1942). **Say,** Bania Mahmadou (1935). **Zoumé,** Boubé (1951).

■ Rwanda. **Kagame,** Alexis (1912-81). **Kalibwami,** Justus (1924). **Naigiziki,** J. Saverio (1915-84).

■ Sénégal. **Antaka,** Abdou (1931). **Bâ,** Mariama (?-1981). **Ba Thierno** (n.c.). **Barry Boubakar. Boilat,** abbé David, (1814-1901). **Camara,** Camille. **Dia Amadou,** Cissé (1915). **Dia,** Malik . **Dia,** Mamadou (1910-87). **Diagne,** Pathé (1934). **Diakhaté,** Lamine (1927). **Diallo,** Bakary (1892-1971). **Diallo,** Nafissatou (1941-82). **Diop,** Birago (1906-89). **Diop,** Cheikh Anhta (1923). **Diop,** David (1927-60). **Dugué-Clédor,** Amadou (n.c.). **Fall Kiné,** Kirama (1934). **Guèye,** Lamine (1891-1968). **Kane,** Cheikh Hamidou (1928). **Kane Mohammadou. Kebe Mbaye,** Gana (1936). **Ly,** Abdoulaye (1919). **Ly Sangaré,** Moussa (1940). **Mademba,** Abd el Kade (n.c.). **Mbaye d'Erneville,** Annette (1926). **Mbengue,** Mamadou Seyni (1925). **M'Bow Amadou,** Mahtar (1921). **Modou,** Fatim (1960). **Ndao,** Cheikh (1933). **N'Diaye,** Amadou. **N'Diaye,** Jean-Pierre (1936). **N'Diaye Massata,** Abdou. **Niane,** Djibril Tamsir (1932). **Niang,** Lamine (1923). **Sadji,** Abdoulaye (1910-61). **Sall,** Ibrahima (1949). **Samb,** Amar. **Sembene,** Ousmane (1923). **Senghor,** Léopold Sédar (1906), voir p. 303. **Socé,** Ousmane (1911-72). **Sow Fall,** Aminata. **Thiam,** Doudou (1926). **Wade,** Abdoulaye (1926). **Wane,** Abdoul. **Willane,** Oumar (1918).

■ Somalie. **Syad,** William (1930).

■ Tchad. **Babikir Arbab,** Djama (n.c.). **Bangui,** Antoine (1933). **Bebnone,** Palou. **Khayar Issa,** H. (n.c.). **Moustapha,** Baba (1953-82). **Seid,** Joseph Brahim (1927-81). **Thiam,** Djibi (1934).

■ Togo. **Agblemagnon,** François N'Sougan (1929). **Ajavon,** Robert (1910). **Akakpo Amouzouvi,** Maurice. **Akakpo Typam,** Paul. **Aladji,** Victor (1941). **Alemdjrodo,** Kangni (1966). **Amela,** Hilla-Laobé (n.c.). **Ananou,** David (1917). **Atsou,** Julien. **Bodelin,** Bodi Banch (1958). **Couchoro,** Félix (1900-68). **Djagoe-Kangni,** Kangni (n.c.). **Dogbé,** Yves Emmanuel (1939). **Efoui,** Kossi (n.c.). **Ekue,** Akua Tchotcho (n.c.). **Elitsa,** Koadjo Lanou (1954). **Gomez,** Koffi (n.c.). **Guenou,** Cossy (n.c.). **Inawissi,** Nayé Théophile (n.c.). **Kouassigan,** Guy Adjété (1935-81). **Kuassivi,** Sénah (n.c.). **Madjri,** John Dovi (1933). **Patokidéon Honoré,** K. (1944). **Sossah,** Kounutcho (n.c.). **Sydol,** Francis (1939-75). **Tcha-Koura,** Sadamba (n.c.). **Zinsou Senouvo Agbota** (1946).

■ Zaïre. **Buabua Wa Kayembe,** Mubadiate (1950). **Buana,** Kabue (n.c.). **Bolamba,** Lokolé (Antoine Roger) (1913). **Elebe,** Lisembe [D] (1937). **Ilunga,** Kabulu (1940). **Kabongu Bujitu. Kadima-Nzuzi, Mukalay** (Dieudonné) (1947). **Kalanda,** Mabika (1932). **Kamanda,** Kama (1952). **Kamitatu,** Cléophas (1931). **Kanza,** Thomas (1934). **Kashamura,** Anicet (1928). **Lomami,** Tshibamba Paul (1914). **Lonoh Malangi Bokolenge,** Michel (1939). **Lufuluabo,** François Marie (1926). **Lumumba,** Patrice (1925-61). **Makonga,** Bonaventure (n.c.). **Mosheje,** Luc (n.c.). **Mudimbé,** Vumbi Yoka (Yves Valentin) (1941). **Mushiété Mahamwé,** Paul (1934). **Ngal Mbwil A Mpang,** Georges. **Ngandu Nkashama** (1946). **Ngoma,** Ferdinand (n.c.). **Ngombo,** Mbala (1931). **Nzuzi,** Madiya (1944) : prix Senghor 1967. **Sabgu Sonsa,** Ferdinand (1946). **Tshimanga wa Tshibangu** (1941). **Witahnkenge Welukumbu Bene,** Edmond. **Yamaïna,** Mandala (1949). **Zamenga Batuke-zanga** (1933).

☞ **Océan Indien.** Madagascar. **Rabéarivelo,** Jean-Joseph [E] (1903-37). Maurice. **Chazal,** Malcolm de [E, P] (1902-81). **Maunick,** Édouard [E] (1931).

Arabes

■ Algérie. **Aba,** Noureddine [P, D] (1921). **Amrouche,** Jean [P] (1906-62) : Cendres (1934), Étoile secrète (1937), Esprit et Parole (1963). **Belamri,** Rabah [R] (1946) : Mémoires en archipel. **Boudia,** Mohammed [D] (n.c.). **Boudjedra,** Rachid [R] (1941) : la Répudiation. **Bouzaher,** Hocine [D] (1935). **Dib,** Mohammed [P, R] (1920) : la Grande Maison (1952), Un été africain (1959), Dieu en Barbarie, Habel (1977), les Terrasses d'Orsol (1985). **Djaout,** Tahar [R] (1954) : l'Invention du désert, les Chercheurs d'os (1984). **Djebar,** Assia (Fatma Zohra Imalayenne dite) [R] (1936) : l'Amour la fantasia (1985). **Farès,** Nabil [R.P] (1940). **Feraoun,** Mouloud [R] (1913-62). **Krea,** Henri [D] (n.c.). **Mammeri,** Mouloud [R] (1917-89) : la Colline oubliée (1952), le Sommeil du juste (1955), l'Opium et le Bâton (1965), la Traversée (1982). **Mimouni,** Rachid [R] (1945) : le Fleuve détourné, Tombeza (1984), l'Honneur de la tribu. **Sénac,** Jean [E] (1926-73) : Avant-corps. **Yacine,** Kateb [R, D, P] (1929-89) : *Poésie :* Soliloques (1946), Poèmes de l'Algérie opprimée (1948). *Roman :* Nedjma (1956). *Théâtre :* le Cadavre encerclé (1955), la Femme sauvage, Mohammed, prends ta valise, Saw Emnisa, la Voix des femmes ou la Guerre de deux mille ans (1970), le Cercle des représailles (1976), l'Homme aux sandales de caoutchouc (1978), Palestine trahie.

■ Liban. **Chedid,** Andrée [P] (1921) : le Sixième Jour, Visage premier, Nefertiti, le Soleil délivré, Cérémonial de la violence, le Corps et le Temps, la Maison sans racines, l'Enfant multiple (1989), À la mort, à la vie. **Chiha,** Michel (1891-1954) : la Maison des champs, Politique intérieure. **Corm,** Charles (1894-1963) : la Montagne inspirée. **Gibran,** Khalil [P] (1883-1931) : le Prophète. **Haïk,** Farjallah (1909) : Barjoute, Joumana, Abou Nassif, Gofril le mage. **Hoss,** Marwan (1946) : Capital amour, le Tireur isolé. **Khoury-Ghata,** Vénus (1937) : Au sud du silence, les Ombres et leurs cris, Ma maîtresse du notable. **Massabki,** Jacqueline (v. 1939) : la Mémoire des cèdres. **Naaman,** Abdallah (1947) : le Français au Liban, la Mort et Camus, les Levantins. **Naffah,** Fouad (1925) : la Description de l'homme, du cadre et de la lyre. **Schéhadé,** Georges [P, D] (1910-89) : *Poèmes :* Étincelle (1928), Poésies I (1938), l'Écolier sultan (1948), Poésies II (1949), le Nageur d'un seul amour (1985). *Théâtre :* Monsieur Bob'le (1951), la Soirée des proverbes (1954), Histoire de Vasco (1956), les Violettes (1960), le Voyage (1961), l'Émigré de Brisbane (1965), L'habit fait le prince (1973). **Stétié,** Salah (1928) : les Porteurs de feu. **Tuéni,** Nadia (1935-83) : l'Âge d'écume, Poèmes pour une histoire.

■ Maroc. **Ben Jelloun,** Tahar [P, R, Es] (1944) : Cicatrices du soleil (1972), Harrouda, la Révolution solitaire, Moha le fou Moha le sage, l'Enfant de sable, la Nuit sacrée (G 1987), Jour de silence à Tanger, les Yeux baissés, l'Ange aveugle (1991). **Chaïbi,** Driss [R] (1926) : le Passé simple (1954), les Boucs, l'Ane, Enquête au pays, la Mère du printemps, Naissance à l'aube (1986), l'Inspecteur (1991). **El Maleh,** Edmond Amran [R] (1917) : Parcours immobile (1980), Aïlen ou la nuit du récit, Mille Ans, un jour, le Retour d'Abou El Haki. **Khaïr-Eddine,** Mohamed [P.R] (1941) : Agadir (1967), le Déterreur, Légende et vie d'Agoun'chich. **Khatibi,** Abdelkebir [D, R, Soc] (1938) : le Livre du sang (1979), la Mémoire tatouée. **Sefrioui,** Ahmed (1915) : le Chapelet d'ambre (1949).

■ Tunisie. **Bouraoui,** Hedi [E] (1932). **Memmi,** Albert [R] (nat. Fr. 1920) : *Romans :* la Statue de sel (1953), Agar, le Scorpion, le Désert, le Pharaon (1988). *Essais :* Portrait du colonisé, l'Homme dominé, la Dépendance. **Tlili,** Mustapha [R] (1937) : la Rage aux tripes (1975), Bruit qui dort, Gloire des Sables (1982).

Haïti

Davertige, Villard Denis [Pe, P] (1940). **Depestre,** René [E] (1926) : Hadriana dans tous mes rêves. **Dorsinville,** Roger [P, H, R] (1911). **Fouché,** Frank [P, D] (1924-78). **Laforest,** Jean-Richard [E] (n.c.). **Ollivier,** Émile [E] (n.c.). **Phelps,** Anthony [P, R] (1928). **Roumain,** Jacques [R] (1907-44) : Gouverneurs de la rosée (1944).

Littérature italienne

Nés avant 1500

Alberti, Leon Battista [E] (1407-72) : De la famille.

Aretino, Pietro (Bacci) (l'Arétin) [D, P] (1492-1556) : Ragionamenti (1534), Lettres volantes. – *Biogr. :* fils d'un cordonnier d'Arezzo (*Aretinus* signifie « d'Arezzo »). *1508* peintre à Pérouse. *1512* secrétaire du banquier romain Agostino Chigi. *1514* fonctionnaire pontifical ; se fait des ennemis par ses épigrammes. *1524* rejoint le camp des Bandes noires, et se réfugie à Venise, protégé par le doge Andrea Gritti. Y vit dans la débauche, respecté par tous les souverains d'Europe, notamment François Ier.

Ariosto, Ludovico (l'Arioste) [P] (1474-1533) : Roland furieux (1516-32). – *Biogr. :* fils d'un courtisan de Ferrare. *1494* échec au doctorat en droit, se tourne vers les « humanités ». *1503-17* gentilhomme de la chambre du duc de Ferrare, chargé de missions diplomatiques. *1518* le duc Alphonse Ier le pensionne sans lui imposer de fonctions à la Cour. *1524* achète une villa à Ferrare, y vit noblement jusqu'à sa mort.

Bandello, Matteo [E] (v. 1485-1561) : Nouvelles.

Bembo, Pietro [P] (1470-1547) : Hist. de Venise, Prose della volgar lingua (1525).

Bibbiena (card. Bernardo Dovizi dit le) [D] (1470-1520) : la Calandria (1515).

Boccaccio, Giovanni (Boccace) [P] (1313-75) : le Décaméron (1353). – *Biogr. :* fils illégitime d'un marchand toscan et d'une noble française. S'adonne au commerce (Naples 1330) puis au droit, enfin à la littérature, à la cour du roi Robert. « Fiammetta », fille naturelle du roi, fut son héroïne.

Boiardo, Matteo Maria [P] (1434-94) : Roland amoureux (1476).

Castiglione, Baldassare [P, Es] (1478-1529) : le Courtisan (1528).

Catherine de Sienne (sainte) [Théo] (1347-80) : De la Trinité (1378).

Cavalcanti, Guido [P] (v. 1255-1300).

Colonna, Vittoria [P] (1492-1547) : Sonnets.

Compagni, Dino [Chr, Pol] (1255-1324).

Dante Alighieri [P] (1265-1321) : Vita nuova, la Divine Comédie (1307-21), il Convivio. – *Biogr. :* petite noblesse florentine, rattachée à l'illustre famille des Élisés. *1287* étudiant à Bologne. *1288-90* amour pour Béatrice (fille de Folco Portinari, épouse de Simone de Bardi, morte 1290). *1289* combattant dans l'armée florentine (guelfe) contre les Gibelins de Toscane. *1289* épouse Gemma di Manetto Donati. *1295-1301* carrière politique à Florence (admis au Conseil des prieurs le 15-6-1300), parti des « Blancs ». *1301* coup d'État des « Noirs ». *1302* condamné à mort par contumace. *1304* les « Blancs » sont écrasés à La Lastra (refuse de participer à la bataille). *1305-18* vie errante (Vérone, Lucques, Padoue, etc.). *1310* théologie à Paris. *1318* à Ravenne près de Guido Novello da Polenta.

Ficino, Marsilio (Marsile Ficin) [Ph] (1433-99).

François d'Assise (saint) (v. 1182-1226) : Cantique au Soleil (1226), Fioretti (apocryphes, apr. 1350).

Guicciardini, Francesco [H] (1483-1540) : Souvenirs, Hist. d'Italie, Dialogues sur Florence.

Guinizelli, Guido [P] (v. 1230/40-76).

Machiavelli, Niccolò (Machiavel) [Pol, D] (1469-1527) : le Prince (1513, publ. 1531), l'Art de la guerre, Hist. de Florence, la Mandragore (1520). – *Biogr. :* ancienne noblesse florentine. *1498* secr. de la chancellerie de Florence. *1499-1512* missions diplomatiques (auprès de Louis XII et de Maximilien Ier). *1512* chassé de Florence par Esp. qui rétablissent les Médicis [vit dans sa terre de Sant'Andrea (Toscane)]. *1515* rentre en grâce auprès des Médicis : les rép. le déchoient de ses droits civiques ; meurt pauvre.

Médicis, Lorenzo de [Pol] (1449-92).

Michel-Ange Buonarroti [P, Peintre, Sculp., Arch.] (1475-1564) : Sonnets.

Petrarca, Francesco (Pétrarque) [P] (1304-74) : Sonnets (1342-47), Églogues (en latin, 1346-57), l'Africa (1339). – *Biogr. :* fils d'un notaire florentin, exilé politique à Arezzo. *1312* sa famille se réfugie à Avignon. *1316* études à Montpellier. *1320* à Bologne. *1326* retenu à Avignon, à la mort de son père ; fonctionnaire à la cour des papes jusqu'en *1353*. *1327* rencontre Laure (amour platonique). *1337* mission en Italie ; achète le domaine de Vaucluse (Comtat Venaissin). *1353-61* à Milan, au service des Visconti. *1361-67* à Padoue ; à Venise. *1368* à Arquà, Vénétie.

Pic de la Mirandole, Jean [Sav, Ph] (1463-94) : Conclusions (1486).

Politien, Agnolo Ambrogini, dit le [P] (1454-94) : la Fable d'Orphée (1480), la Joute.

Savonarole, Girolamo [Or] (1452-98) : Sermons (1483-98). – *Biogr. :* fils d'un médecin de Ferrare. *1475* dominicain à Bologne. *1489* prédicateur célèbre. *1492* appelé au chevet de Laurent de Médicis mourant (à Florence), se fixe là. *1495* chasse les Médicis et proclame Jésus-Christ « roi du peuple florentin » (exerce une dictature théocratique). *1498* excommunié par le pape Alexandre VI, résiste par les armes ; puis il accepte, et enfin refuse l'ordalie par le feu ; arrêté, il est condamné à mort et exécuté.

Thomas d'Aquin, saint [Ph, Théo] (1225-74) : Somme théologique (1266-74).

Todi, Iacopone Benedetti da [E] (1230-1306) : Laudi.

Villani, Giovanni [Chr] (1280-1348).

Vinci, Léonard de [Peintre, Sav.] (1452-1519) : Cahiers (22 vol., publ. 1901).

Voragine, le Bienheureux Jacques de (Iacopo da Varazze) [E] (v. 1228-98) : la Légende dorée (en latin, v. 1250).

Nés entre 1500 et 1700

Bruno, Giordano [Ph] (1548-1600) : Sonnets, Dialogues.

Campanella, Tommaso [Ph, P] (1568-1639) : la Cité du soleil (1623).

Cellini, Benvenuto [P, Mém, Sculpteur] (1500-71) : Ma Vie (1558-66 ; publ. 1728), Canzoni.

Chiabrera, Gabriello [P] (1552-1638).

Galilée [Sav, E] (1564-1642) : Dialogue sur les deux grands systèmes du monde (1632). Voir Index.

Maffei, Scipione [Cr, D] (1675-1755) : Mérope (1713).

Marino, Giambattista (Cavalier Marin) [P] (1569-1625) : Adonis (1623).

Quelques mouvements

■ **XIIIe s. École sicilienne.** Poètes et intellectuels groupés autour des rois de Sicile Frédéric II et Manfred Ier. S'efforcent de créer une langue littéraire, pour imiter les troubadours provençaux, et d'adapter les œuvres des helléno-arabes. Giacomo da Lentinis, le roi Enzo (1224-72).

Dolce stil novo (« doux style nouveau »). École toscane avant Dante : culte de la femme (analyse psychologique du sentiment amoureux). Guido Guinizelli (v. 1235-76).

Classicisme florentin. Renoue avec les grandes traditions : morale théologique, non plus mythologique chez Dante (1265-1321) ; païenne chez Pétrarque (1304-74), épicurienne réaliste chez Boccace (1313-75).

■ **XVe s. École pastorale.** Amours fades souvent déçues, entre des bergers vivant en Arcadie. Influence considérable sur la littérature européenne. Jacopo Sannazzaro (1456-1530).

■ **XVIe s. Rinascimento.** Siècle d'or de l'humanisme. Découverte de la culture classique. Synthèse philosophique et scientifique. Machiavel (1469-1527), L'Arioste (1474-1533), Michel-Ange (1475-1564), Le Tasse (1544-95).

■ **XVIIe-XVIIIe s. Commedia dell'arte.** Pas de textes écrits : réalisme caricatural, création de personnages typiques (voir p. 306 a). *Influence :* Goldoni [comédies (1707-93)], Alfieri [trag. (1749-1803)].

■ **XIXe s. Risorgimento** (« renaissance nationale »). Forme politique du romantisme. Inspire les écrivains engagés dans la lutte pour l'unité ital. Manzoni (1785-1873), Silvio Pellico (1789-1854), Ippolito Nievo (1831-61).

Vérisme. Réalisme antihumaniste et anticlassique. Souvent caricatural (*scapigliatura,* c.-à-d. vie de bohème). Luigi Capuana (1839-1915), Giovanni Verga (1840-1922), Alberto Cantoni (1841-1904), Renato Fucini (1843-1921), Matilde Serao (1856-1927), Salvatore di Giacomo (1860-1934), Federico de Roberto (1861-1927), Grazia Deledda (1871-1936).

■ **XXe s. Antivérisme.** Réaction antiréaliste appelée parfois novécentisme (« école du XXe s. »). Veut mêler les idéologies à la littérature : Gabriele D'Annunzio (1863-1938), Curzio Malaparte (1898-1957), Vasco Pratolini (1913-91).

Théâtre de l'absurde. Créé par Pirandello (1867-1936). Centré sur le problème de l'identité : suis-je quelque chose ou rien ? Mélange d'humour et de lyrisme. Emprunte au symbolisme français. Ugo Betti (1892-1953).

Métastase (Pietro Trapassi) [P] (1698-1782) : Didon abandonnée, l'Olympiade, la Clémence de Titus, Thémistocle.

Muratori, Ludovico Antonio [Eru] (1672-1750) : Rerum italicarum scriptores (1723-38), Antiquitates italicae Medii Aevi (1738-43), Annali d'Italia.

Tasso, Torquato (Le Tasse) [P] (1544-95) : Aminta, Jérusalem délivrée (1575-80).

Tassoni, Alessandro [P] (1565-1635) : le Vol d'un seau d'eau (1622).

Vasari, Giorgio [H] (1511-74) : Vies des plus célèbres peintres, sculp., architectes.

Vico, Giambattista [H, Ph] (1668-1744) : Principes d'une science nouvelle (1725), Autobiographie.

Nés entre 1700 et 1800

Alfieri, Cte Vittorio [P, D] (1749-1803) : *Tragédies :* Mérope, Saül (1782), Philippe, Antigone, Virginie (1783), Marie Stuart. *Satires* (1786-97). – *Biogr. :* études au collège militaire de Turin. *1767-72* parcourt l'Europe. Belliqueux. Admirateur de Rousseau, Voltaire et Montesquieu. Vécut avec la Ctesse d'Albany, son inspiratrice (à Paris jusqu'en 1789).

Algarotti, Francesco [P, Cr] (1712-64).

Azeglio, Massimo, Mis d' [E] (1798-1866) : Ettore Fieramosca, Niccolò dei Lapi.

Baretti, Giuseppe [Cr] (1719-89) : le Fouet littéraire (1763-65).

Beccaria, Cesare, Mis de [Jur] (1738-94) : Des délits et des peines (1754).

Berchet, Giovanni [P] (1783-1851) : Lettera semiseria di Grisostomo.

Foscolo, Ugo [P, R] (1778-1827) : Lettres de Jacques Ortis, les Tombeaux (1807). – *Biogr. :* père vénitien, mère grecque. *1792-97* à Venise. A 19 ans, publie une tragédie, *Tieste,* inspirée d'Alfieri. A Milan, rencontre Parini et Monti. Vie politique intense. Combat dans la Légion cisalpine et la Division italienne aux côtés de l'Armée française. Retour à Milan puis Brescia. Meurt près de Londres.

Goldoni, Carlo [D] (1707-93) : le Café (1750), le Menteur (1750), les Curieuses (1751), la Locandiera (1753), la Villégiature (trilogie 1754-55), les Querelles de Chioggia (1762), l'Éventail (1765), le Bourru bienfaisant (en français, 1771), Mémoires. – *Biogr. :* fils d'un médecin vénitien. *1720* étudiant en philosophie à Rimini, s'enfuit avec des comédiens. *1728* tonsuré, juge ecclésiastique à Pavie, puis Feltre. *1731* docteur en droit à Padoue, prof. à Venise. *1734* triomphe comme dramaturge. *1734-44* comédien ambulant. *1744-48* avocat à Florence. *1748-62* auteur du théâtre San Angelo à Venise. *1762* à Paris, auteur de la Comédie ital.

Gozzi, Carlo [D] (1720-1806) : Turandot, le Roi cerf, l'Oiseau vert, l'Amour des trois oranges.

Gozzi, Gaspare [J, P] (1713-86) : la Gazette vénitienne (1761-62), l'Observateur vénitien (1767-68), Sermons, Lettres.

Leopardi, Giacomo, comte [P] (1798-1837) : Petites œuvres morales (1827), Chants (Amour et Mort, le Genêt, le Passereau solitaire, Consalvo), Ricordanze (Souvenirs), Du Zibaldone. – *Biogr. :* famille noble, études de philo., vie familiale austère, poète de la mélancolie et de la douleur.

Manzoni, Alessandro [P, R, D] (1785-1873) : Hymnes sacrés, le Cinq Mai, les Fiancés (1825-27), Adelchi, le Comte de Carmagnole. – *Biogr. :* famille noble ; sa mère, fille de Cesare Beccaria. *1805* à Paris se lie avec Fauriel. *1808* voltairien, se convertit. Sénateur à Milan : sa sincérité et son amour de la patrie lui confèrent l'estime générale.

Monti, Vincenzo [P, D] (1754-1828) : Prosopopée de Périclès, la Bassvilliana, la Féroniade.

Parini, Giuseppe [P] (1729-99) : Odes, le Jour (1763-1801).

Pellico, Silvio [E] (1789-1854) : Francesca da Rimini (1815), Mes prisons (1832). – *Biogr. :* patriote, condamné à mort, mais par la grâce impériale, enfermé 8 ans à Spielberg.

Nés entre 1800 et 1900

Alvaro, Corrado [R, J] (1895-1956) : l'Homme dans le labyrinthe (1926), Gens d'Aspromonte, L'Homme est fort (1938), Terreur sur la ville, la Brève Enfance (1946), Mastrangélina (1961), Tout est arrivé (1962). *Journal* (2 vol.) : Presque une vie (1927-47), Dernier Journal (1948-56).

Amicis, Edmondo de [E] (1846-1908) : Grands Cœurs, Sur l'Océan, Nouvelles, Amour et gymnastique (1892).

Annunzio, Gabriele d' (Gaetano Rapagnetta, dit) [P, R, D] (1863-1938) : l'Enfant de volupté (1889), le Triomphe de la mort (1894), les Vierges aux rochers (1896), le Feu (1899), Forse che si, forseche no, le Martyre de saint Sébastien (en français, 1911). *Tragédies :* la Ville morte, la Léda sans cygne (1916), Francesca de Rimini. – *Biogr. :* famille bourgeoise des Abruzzes (Pescara). *1879* 1er livre poétique (16 ans). *1881* fixé à Rome. *1895* rencontre avec l'actrice Eleonora Duse (1858-1924). *1897* député (extrême droite). *1909* rupture. *1910* poursuivi par des créanciers, se réfugie en France. *1915* revient en Italie, chef du parti interventionniste. *1916-18* aviateur (perd l'œil gauche ; nombreuses décorations). *1919* enlève la ville de Fiume aux Yougoslaves. *1922* brouille avec Mussolini. *1923* créé par le roi prince de Monte Nevoso reçoit le domaine de Vittoriale, près du lac de Garde. *1925* réconciliation avec Mussolini. *1937* Pt de l'Académie nationale.

Bacchelli, Riccardo [R] (1891-1985) : le Diable à Pontelungo, le Moulin sur le Pô, la Folie Bakounine, les Trois Esclaves de Jules César (1958).

Baldini, Antonio [E] (1889-1962) : Michelaccio (1924), Rugantino (1942), Melafumo (1950), Doppio Melafumo (1955).

Banti, Anna [R] (1895-1985) : Alarme sur le lac, Je vous écris d'un pays lointain.

Betocchi, Carlo [P] (1899-1986).

Betti, Ugo [D, R] (1892-1953) : Pas d'amour, l'Île aux chèvres (1950), Haute Pierre, Un beau dimanche de septembre.

Bontempelli, Massimo [R] (1878-1960) : Fils de deux mères (1929), la Famille du forgeron (1931), Des gens dans le temps, la Vie intense (1978).

Campana, Dino [P] (1885-1932) : Chants orphiques.

Capuana, Luigi [E] (1839-1915) : le Marquis de Roccaverdina (1901).

Cardarelli, Vincenzo (Nazareno Caldarelli) [P] (1887-1959).

Carducci, Giosue [P, Cr] (1835-1907) : professeur de litt. it. à Bologne de *1860* à *1904*. Ses écrits sont tous un hommage à la perpétuité du génie latin. Odes barbares, Iambes et épodes [N 1906].

Cecchi, Emilio [E] (1884-1966) : Poissons rouges (1920), l'Auberge du mauvais temps (1927), America amara (1940), Courses au trot, Vieilles Nouvelles (1941), Notes pour le périple de l'Afrique (1954).

QUELQUES PERSONNAGES DE LA LITTÉRATURE ITALIENNE

Béatrice : la Divine Comédie (1472) de Dante Alighieri (protectrice et inspiratrice des poètes).

Sacripant : dans les poèmes chevaleresques [Roland amoureux (1486) de Boiardo (ardent guerrier sarrasin), le Roland furieux (1532) de l'Arioste] ; v. 1600 synonyme de bandit, vaurien.

Laure : Pétrarque (beauté, esprit, vertu).

Commedia dell'arte (XVIe siècle) : *Arlequin* (bouffon cynique et poltron), *Scapin* (canaille astucieuse), *Polichinelle* (ivrogne querelleur et glouton), *Pierrot (Pedrolino)* (nigaud sentimental), *Colombine* (soubrette frétillante).

Pinocchio : les Aventures de P. (1878) par Collodi (gamin insouciant et espiègle).

Don Camillo : série de romans (1948-68) par Guareschi (curé humoriste et violent).

Peppone : même ouvrage (communiste en principe antireligieux).

Don Abbondio : Manzoni (curé poltron).

Chiarelli, Luigi [D] (1884-1947) : Masques et Visages, Feux d'artifice.
Collodi, Carlo (Carlo Lorenzini) [Cr, J, R] (1826-90) : les Aventures de Pinocchio (1880-83).
Comisso, Giovanni [E] (1895-1965) : Gens de mer (1929), Voyages heureux, Caprices italiens.
Croce, Benedetto [Ph, Cr] (1866-1952) : Bréviaire d'esthétique (1913), Aristote, Shakespeare et Corneille (1920), la Poésie antique et moderne (1941).
De Filippo, Eduardo [D] (1900-84).
Deledda, Grazia [R] (1871-1936) : Elias Portolu (1903), Cendres (1904), Roseaux sous le vent (1913), la Madre (1920), Cosima (1939) [N 1926].
De Roberto, Frédérico [R] (1861-1927) : les Princes de Francalanza, les Vice-Rois (1894).
Ferrero, Guglielmo [H, Soc] (1871-1943) : Grandeur et décadence de Rome (1901-07), Aventure, Bonaparte en Italie.
Fogazzaro, Antonio [P, R] (1842-1911) : Malombra, Danièle Cortis, Petit Monde d'autrefois (1895), Petit Monde d'aujourd'hui (1901), le Saint (1905).
Fucini, Renato [R] (1843-1921) : les Veillées de Néri (1884), All'aria aperta (1887).
Gadda, Carlo Emilio [Hum] (1893-1973) : l'Adalgisa, Nouvelles, l'Affreux Pastis de la rue des Merles (1957), la Connaissance de la douleur (1963).
Gentile, Giovanni [Ph, Pol] (1875-1944) : Théorie générale de l'esprit (1916).
Gioberti, Vincenzo [Ph, Pol] (1801-52).
Gozzano, Guido [P] (1883-1916) : le Chemin du refuge (1907), Colloques (1911).
Gramsci, Antonio [Pol] (1891-1937) : Lettres de la prison (1947), Écrits politiques (posth. 1947-55).
Lampedusa, Giuseppe Tomasi di [R] (1897-1957) : le Guépard (posth. 1958), le Professeur et la Sirène.
Malaparte, Curzio (Kurt Suckert) [R] (1898-1957) : Technique du coup d'État (en français, 1931), Kaputt (1944), la Peau (en français, 1948), Ces sacrés Toscans, Ces chers Italiens (posth. 1975).
Manzini, Gianna [E] (1896-1974) : l'Épervière, Temps d'amour (1928).
Marinetti, Filippo Tommaso [P, D] (1876-1944) : Manifeste du futurisme (1908), Futurisme et fascisme (1924).
Mazzini, Giuseppe [E, Pol] (1805-72).
Michels, Robert [Soc] (or. All. 1876-1936).
Montale, Eugenio [P] (1896-1981) : Os de seiche (1925), la Maison aux deux palmiers [N 1975].
Moretti, Marino [P, R] (1895-1976) : Andreana (1935), Anne et les éléphants, la Veuve Fioravanti (1940), les Époux Allori, la Chambre des époux.
Mosca, Gaetano [Soc] (1858-1941).
Niccodemi, Dario [D] (1877-1934) : Scampolo.
Nievo, Ippolito [R] (1831-61) : Anti-aphrodisiaque pour l'amour platonique, les Confessions d'un octogénaire (posth. 1867, appelées ensuite : Confessions d'un Italien).
Oriani, Alfredo [R] (1852-1909) : Au-delà (1877), Jalousie (1894), la Défaite, Tourbillon (1899).
Palazzeschi, Aldo (Giurlani) [P, R] (1885-1974) : les Sœurs Materassi (1934), les Frères Cuccoli (1948), Bêtes de notre temps, le Doge (1967).
Panzini, Alfredo, [R] (1863-1939) : la Lanterne de Diogène (1907), Xanthippe.
Papini, Giovanni [E] (1881-1956) : Un homme fini (1912), Histoire du Christ (1921), Figures humaines, Michel-Ange (1949), le Diable (1953).
Pareto, Vilfredo [Soc, Ec] (1848-1923) : Cours d'économie pol. (1896-97), les Systèmes socialistes (1903), Manuel d'économie politique (1906), Traité de sociologie générale (1916), la Transformation de la démocratie (1921).
Pascoli, Giovanni [P] (1855-1912) : Myricae (1891), le Petit Enfant, Odes (1906).
Pirandello, Luigi [R, D] (1867-1936) : Nouvelles pour une année (1894-1919), Feu Mathias Pascal (1904), Chacun sa vérité (1916), la Volupté de l'honneur (1917), Six Personnages en quête d'auteur (1921), Henri IV (1922), Vêtir ceux qui sont nus (1922), La vie que je t'ai donnée (1923), Comme ci comme ça (1925), Ce soir on improvise (1930), l'Amie de leurs femmes. – *Biogr. :* fils d'un Sicilien, exploitant une mine de soufre près d'Agrigente. *1889-91* lecteur d'italien à Bonn (Allemagne). *1893* se fixe à Rome. *1894* épouse Antonietta Portulano (folle en 1903). *1897-1922* prof. à l'Institut sup. de Rome. *1903* famille ruinée (éboulement dans la soufrière). *1919* Antonietta internée. *1923* triomphe à Paris des *Six Personnages*. *1924* s'inscrit au parti fasciste. *1929* membre de l'Académie nat. [N 1934].
Pizzuto, Antonio [R] (1890-1976) : Signorina Rosina (1916), On répare les poupées (1960).
Raimondi, Giuseppe [E] (1898-1985) : Giuseppe in Italia (1949), Journal.
Rosso di San Secondo, Pier Maria [D] (1887-1956) : Un passionné de marionnettes (1918).
Saba, Umberto [P] (1883-1957) : Oiseaux (1950), Ernesto.
Sanctis, Francesco de [E] (1817-83) : Hist. de la littérature italienne.
Savinio, Alberto (Andrea de Chirico) [Hum, Pe, E] (1891-1952) : Destin de l'Europe, Toute la vie, Maupassant et l'autre, Ville, j'écoute ton cœur.
Serao, Matilde [R] (1856-1927) : la Ballerine, Petites Ames, le Ventre de Naples, il Paese di cuccagna.
Sraffa, Piero [Ec] (1898-1983).
Svevo, Italo [R] (Ettore Schmitz) (1861-1928) : Une vie, Sénilité, la Conscience de Zeno (1923), Court Voyage sentimental (1979), le Destin des souvenirs.
Tecchi, Bonaventura [R] (1896-1968) : I Villateuri (1937), Valentina Velier (1950), les Égoïstes (1959).
Tozzi, Federico [R] (1883-1920) : le Domaine, les Trois Croix.
Ungaretti, Giuseppe [P] (1888-1970) : le Port enseveli (1916), les Cinq Livres, Vie d'un homme.
Verga, Giovanni [R, D] (1840-1922) : les Vaincus (1881) [I. les Malavoglia ; II. Maître Don Gesualdo], Nouvelles siciliennes. *Théâtre :* Cavaleria Rusticana.
Vigolo, Giorgio [P] (1894-1978).

NÉS APRÈS 1900

Arpino, Giovanni [R] (1927-87) : Serena, Un délit d'honneur, le Bonheur.
Balestrini, Nanni [P, R] (1935) : Nous voulons tout (1971), Prenons tout (1972).
Bassani, Giorgio [R] (1916) : le Jardin des Finzi-Contini, Derrière la porte, le Héron.
Bene, Carmelo [D] (1937) : Cristo 63, Notre-Dame des Turcs, S.A.D.E.
Berto, Giuseppe [R] (1914-77) : la Cose buffe (1960), le Mal obscur, Le ciel est rouge (1969).
Bertolucci, Attilio [P] (1911).
Bevilacqua, Alberto [R] (1934) : la Califfa, Cet amour qui fut le nôtre, le Voyage mystérieux, Aventure humaine, Attention au bouffon, Une ville amoureuse, les Grands Comiques.
Bianciardi, Luciano [R] (1922-71) : l'Intégration (1960), la Vie aigre (1962).
Bonaviri, Giuseppe [E] (1924) : Martedina (1960), le Fleuve de pierre, Nouvelles sarrasines (1980).
Brancati, Vitaliano [Hum] (1907-54) : Don Juan en Sicile (1942), le Bel Antonio (1949), les Ardeurs de Paolo (1955).
Bufalino, Gesualdo [R] (1920) : le Semeur de peste (1981), Argos l'aveugle, le Voleur de souvenirs, Mensonges de la nuit, la Lumière et le Deuil.
Busi, Aldo [R] (1948) : Séminaire sur la jeunesse.
Buzzati, Dino [R] (1906-72) : Barnabo des montagnes (1933), le Désert des Tartares (1940), les Sept Messagers (1942), l'Invasion des ours en Sicile (1945), Un cas intéressant (1953), l'Écroulement de la Baliverna (1954), l'Image de pierre (1959), Un amour (1963), A ce moment précis (1963), le K (1966), le Rêve de l'escalier (1973), Nous sommes au regret de... (1982), Mystères à l'italienne (1983), le Régiment part à l'aube, Lettres à Brambilla, Panique à la Scala (1988), Nouvelles (1990).
Cacciari, Massimo [Ph] (1944) : Icônes de la loi, l'Ange nécessaire, Méridiens de la décision dans la pensée contemporaine (1992).
Calvino, Italo [R] (1923-85) : le Vicomte pourfendu (1952), le Baron perché (1957), Temps zéro, les Villes invisibles, le Chevalier inexistant, le Château des destins croisés (1976), Si par une nuit d'hiver un voyageur (1979), Palomar (1985), Leçons américaines, Sous le soleil jaguar, la Spéculation immobilière, la Route de San Giovanni (1991).
Camon, Ferdinando [R] (1935) : Apothéose, le Chant des baleines (1979).
Campanile, Achile [D] (1900-76) : l'Inventeur du cheval, les Asperges et l'immortalité de l'âme.
Caproni, Giorgio [P] (1912-90) : le Gel du matin.
Cassola, Carlo [R] (1917-87) : la Coupe de bois, Fausto et Anna (1952), la Fiancée de Bube, Un cœur aride (1961), Fiorella, le Chasseur, Une liaison, Anna de Volterra, Mario, la Maison de la rue Valadur, Peur et Tristesse, l'Homme et le Chien, l'Antagoniste, Temps mémorables, Chemin de fer local (1968).
Castellaneta, Carlo [R] (1930) : Voyage avec mon père, la Dolce Campagna, la Paloma, Tante Storie.
Ceronetti, Guido [P] (1927) : Silence du corps (1985), le Lorgnon mélancolique.
Cespedes, Alba de [R] (1911) : Elles (1949), le Cahier interdit (1952), le Remords (1964), la Bambolona, Sans autre bien que la nuit (en français) (1974).
Chiara, Pietro [R] (1913) : il Piatto Piange (1962), la Spartizione (1964), l'Uovo al cianuro (1969), la Stanza del vescovo (1970).
Citati, Pietro [E] (1930).
Coccioli, Carlo [R] (1920) : la Mariée en ville (1939), la Difficile Espérance (en français), le Ciel et la Terre (1950), la Ville et le Sang, la Petite Vallée du Bon Dieu, le Bal des égarés, Ambroise, le Feu, le Caillou blanc, Manuel le Mexicain, Découverte de la Sardaigne, Mémoires du roi David.
Consolo, Vincenzo [R] (1933) : la Blessure d'avril (1963), le Sourire du marin inconnu (1976), Lunaria (1985), le Retable (1987), les Pierres de Pantalica.
Cordelli, Franco [P, R] (1943).
De Carlo, Andrea [R] (1952) : Chantilly Express, Macno, Paese d'ombre (1972).
Del Giudice, Danièle [R] (1949) : le Stade de Wimbledon (1983), l'Atlas occidental.
De Luca, Erri [E] (1950) : Non ora, non qui (1989).
Dessi, Giuseppe [R] (1909-77) : San Silvano (1939), la Justice (1959), le Déserteur, les Moineaux, la Danseuse de papier, le Choix (1978).
Eco, Umberto [Es] (1932) : l'Œuvre ouverte (1962), la Structure absente (1968), Lector in fabula (1979), le Nom de la rose (1980), Sept Années de désir, la Guerre des faux (1986), le Pendule de Foucault (1988), la Bombe du général, les Trois Cosmonautes, Sémiotique et philosophie du langage, les Limites de l'interprétation (1992).
Erba, Luciano [P] (1922) : l'Hippopotame.
Fabbri, Diego [D] (1911-80) : Procès à Jésus, le Séducteur, Procès de famille (1955), Inquisition (1957), le Signe du feu (1961).
Fenoglio, Beppe [R] (1922-63) : les Vingt-Trois Jours de la ville d'Albe (1952), la Guerre sur les collines, le Mauvais Sort, le Printemps du guerrier, Une affaire personnelle.
Flaiano, Ennio [R, D, J] (1910-72) : Journal nocturne.
Fo, Dario [D] (1926).
Fruttero, Carlo (1926) et **Lucentini,** Franco (1920) [R] : la Femme du dimanche, la Nuit du grand boss, l'Amant sans domicile fixe, Ce qu'a vu le vent d'ouest.
Gatto, Alfonso [P] (1909-76).
Geymonat, Ludovico [Ph] (1908-91).
Ginzburg, Natalia [R] (1916-91) : *Romans :* C'est ainsi que cela (1947), les Mots de la tribu (1963), Je t'écris pour te dire (1973), la Ville et la Maison (1984). *Essais :* les Petites Vertus (1962), Serena cruz o la vera giustizia (1990).
Giovene, Andrea [R] (1904) : l'Autobiographie de Giuliano di Sansevero (5 vol.).
Grassi, Ernesto [Ph] (1902-91).
Guareschi, Giovanni [Hum] (1908-68) : le Mari au collège, Don Camillo (6 vol., 1948-68).
Jovine, Francesco [R] (1902-50) : les Terres du Saint-Sacrement, Signora Ava.
Landolfi, Tommaso [R] (1908-79) : la Pierre de lune (1939), les Deux Vieilles Filles, la Bière du pêcheur, Un amour de notre pays.
Levi, Carlo [R] (1902-75) : Le Christ s'est arrêté à Eboli (1945), la Peur de la liberté, la Montre (1950).
Levi, Primo [R] (1913-89) : Maintenant ou jamais, Si c'est un homme, la Trêve (1963).
Lombardi, Franco [Ph] († 1989) : Idéalisme et Réalisme (1932), Naissance du monde moderne, l'Origine de la philosophie européenne dans le monde grec (1954), Philosophie et civilisation de l'Europe.
Luzi, Mario [P] (1914) : Cahier gothique, Tout en question (1965).
Macchia, Giovanni [Es] (1912) : Baudelaire critique (1939), le Paradis de la raison, Vie, Aventures et mort de Don Juan, Paris en ruines (1988), le Prince de Palagonia (1988).
Malerba, Luigi [R] (1927) : Saut de la mort (M étr. 1970), Clopes (1975), les Poules pensives (1980), la Planète bleue (1986), C'est la faute à Proust (1988).
Marmori, Giancarlo [R] (1925-82) : l'Enlèvement de Vénus, le Vergini funeste, la Parlerie (1962), Cérémonie d'un corps (1965).
Marotta, Giuseppe [Hum, D] (1902-63) : l'Or de Naples (1947), A Milan il ne fait pas froid (1949), les Élèves du soleil (1952).
Morante, Elsa [R] (1918-85) : Mensonge et Sortilège (1948), l'Île d'Arturo (1957), le Châle andalou (1963), la Storia (1974), Aracoeli (1982).

Moravia, Alberto (Pincherle) [R, D] (1907-90) : *Romans :* les Indifférents (1929), les Ambitions déçues (1935), Agostino (1944), la Belle Romaine, la Désobéissance (1948), le Conformiste (1951), le Mépris, la Ciociara (1957), Nouvelles romaines, l'Ennui (1960), l'Attention, Une chose est une chose (1967), Lui et Moi (1971), Une autre vie (1975), Desideria, 1934 (1983), l'Ange de l'information, la Femme-Léopard, Cosma et les vivants. *Nouvelles* (1976). *Théâtre :* Le Monde est ce qu'il est. *Essai :* A quelle tribu appartiens-tu ? (1974).
Pareyson, Luigi [Ph] (1918-91).
Parise, Goffredo [R] (1934-82) : En odeur de sainteté, les Fiançailles, le Patron, l'Absolu naturel, le Diable se peigne, l'Enfant mort et les comètes (1951), Abécédaire (1972), Arsenic.
Pasinetti, Pier Maria [R] (1911) : Rouge vénitien, le Sourire du lion, le Pont de l'Académie.
Pasolini, Pier Paolo [Ciné, P, R] (1922-75) : les Ragazzi (1955), Une vie violente (1959), le Rêve d'une chose, Petrolio (1992).
Pavese, Cesare [R, P] (1908-50) : *Romans :* Par chez toi (1941), la Plage (1942), Vacances d'août (1946), le Compagnon, Dialogues avec Leuco (1947), Avant que le coq chante, le Bel Été (1949), la Lune et les Feux (1950). *Poésie :* Travailler fatigue (1936), la Maison sur la colline, la Prison (1949), Viendra la mort et elle aura tes yeux (1950). *Journal :* le Métier de vivre (1952), Salut Masino (1974).
Penna, Sandro [P] (1906-77).
Petroni, Guglielmo (1911) : Le Monde est une prison (1949), la Couleur de la terre (1964), la Mort de la rivière (1974).
Piovene, Guido [R] (1907-74) : la Novice, Pitié contre pitié, Voyage en Italie, les Étoiles froides, Paris cette inconnue, les Furies.
Pomilio, Mario [R] (1921-90) : la Compromission (1965), le Cimetière chinois, le 5e Évangile.
Pontiggia, Guiseppe [R] (1934) : le Joueur invisible (1978), le Rayon d'ombre (1983).
Porta, Antonio (Leo Paolazzi) [P] (1935-89).
Pratolini, Vasco [R] (1913-91) : Un balcon à Florence (1942), le Quartier (1944), Chronique des pauvres amants (1947), Chronique familiale, Un héros de notre temps (1949), les Filles de Sanfrediano, Métello (1955), le Gâchis (1960), la Constance de la raison (1963), Un balcon à Florence.
Prisco, Michele [R] (1920) : Fils difficiles, la Dame de Naples, les Héritiers du vent (1950), Jeux de brouillards (1966), les Ciels du soir (1970).
Quarantotti-Gambini, Pier Antonio [R] (1910-65) : les Régates de San Francisco, la Rose rouge.
Quasimodo, Salvatore [P] (1901-68) : La Vie n'est pas un songe, la Terre incomparable (1958) [N 1959].
Rea, Domenico [R] (1921) : Enfants de Naples.
Romano, Lalla [R] (1906) : l'Homme qui parlait seul (1961), la Pénombre (1964), Une jeunesse inventée (1979).
Rugarli, Giampaolo [R] (1936) : le Superlatif absolu (1987), le Nid de glace (1990).
Samona, Carmelo [R] (1926-90) : Fratelli (1978), Il Custode (1983).
Sanguineti, Edoardo [E] (1930) : Caprice italien (1963), le Noble Jeu de l'Oye (1967).
Santucci, Luigi [R] (1918) : Orphée au Paradis.
Satta, Giovanni Salvatore [R] (1902-75) : le Jour du jugement (1978).
Sciascia, Leonardo [R] (1921-89) : les Oncles de Sicile (1958), le Jour de la chouette, la Mort de l'inquisiteur, A chacun son dû (1966), Todo Modo (1974), la Mer couleur de vin, les Poignardeurs, Candido ou un rêve fait en Sicile (1977), l'Affaire Moro (1978), la Sicile comme métaphore (1979), le Chevalier et la Mort, Une histoire simple (1989), Faits divers d'histoire littéraire et civile.
Sereni, Vittorio [P] (1913-83) : Diario d'Algeria (1947), Étoile variable (1981).
Severino, Emanuele [Phil.] (1929) : Struttura originaria (1958), Essenza del nichilismo (1977), Destino della necessità (1980).
Silone, Ignazio (Secondo Tranquilli) [R] (1900-78) : Fontamara (1930), le Pain et le Vin (1937), le Grain sous la neige (1940), Une poignée de mûres (1952), le Secret de Luc (1956), le Renard et les Camélias, Sortie de secours (1965), l'Aventure d'un pauvre chrétien (1968). *Essais :* Der Faschismus (1935), l'École des dictateurs (1939).
Soldati, Mario [R] (1906) : la Vérité sur l'affaire Motta (1941), le Vrai Silvestre (1957), l'Enveloppe orange, Raconte carabinier, le Dernier Rôle, l'Émeraude (1974), l'Épouse américaine (1979).
Tabucchi, Antonio [R] (1943) : Femme de Porto, Pim et autres histoires, Nocturne indien, Petits Malentendus sans importance.
Testori, Giovanni [R, D] (1923-93) : *Romans :* le Pont de la Ghisolfa (1958), les Amants ennemis (1961). *Théâtre :* l'Arialda (1961).
Tobino, Mario [R, P] (1910) : le Libere donne di Magliano (1953), Per le antiche scale (1972), il Perduto Amore (1979), le Désert de Libye (1990).
Tondelli, Pier-Vittorio [R] (1955-91) : les Nouveaux Libertins, Pao-Pao (1983), Rimini (1985), Chambres séparées, Un week-end post-moderne.
Vàttimo, Gianni [Ph] (1936).
Vittorini, Elio [R] (1908-66) : Conversation en Sicile (1941), les Hommes et les Autres (1945), Le Simplon fait un clin d'œil au Fréjus (1947), l'Œillet rouge (éd. compl., 1948), les Femmes de Messine (1949), Erica (1954), Journal en public (1957, éd. déf. 1970), J'étais un homme, la Trêve, les Deux Tensions (1967), les Villes du monde (posth. 1969).
Volponi, Paolo [R] (1924) : Pauvre Albino (1962), Memoriale (1962), la Macchina mondiale (1965).
Zanzotto, Andrea [R] (1921) : la Beauté (1968), le Galateo dans le bois (1979).

LITTÉRATURE PORTUGAISE

NÉS AVANT 1600

Anonymes : Cancioneiros de Ajuda, de la Vaticane, Colocci Brancuti (XIIIe s.) ; Cronica geral (1344) ; Livres de Linhagens (XIVe s.) ; Chronique du Connétable du Portugal (v. 1440) ; Cancioneiro de Baena (1445). *Collectives :* Cancioneiro geral ou de Resende (1516).
Alvares, Afonso [D] (n.c.-XVI).
Anchieta, José de [P, D] (1534-97).
Andrade, Diogo Paiva de [P, H, D] (1576-1660).
Bandarra, Gonçalo Anes [P] (v. 1500-50).
Barros, João de [H] (1496-1570) : Décades.
Bernardes, Diogo [P] (1530-1605) : Bucoliques.
Brito, Bernardo de [H] (v. 1569-1617).
Caminha, Pedro Vaz de (H) (n.c. 1501).
Caminha, Pêro de Andrade [P] (1520-89). Poésias.
Camões, Luís de [P, D] (1525-80) : les Lusiades (1572), Redondilhas, Os Anfitriões (1587), Sonetos.
Chiado, António Ribeiro († 1591) : Auto da Natural Invenção, Auto das regateiras, Pratica dos compadres, Pratica de 8 Figuras (1542-72).
Costa, Uriel da [Ph, Mor] (v. 1580-1640).
Couto, Diogo do (1524-1616). Décadas, Soldado Prático (1790).
Dias, André [P] (v. 1348-1440).
Dias, Baltasar [P, D] (n.c.-XVI).
Estaço, Baltasar [P] (1570-n.c.).
Falcao, Cristóvão [P] (n.c.-XVI).
Ferreira, António [D] (1528-69) : la Castro (1587).
Gois, Damião de [H] (1502-72) : Chronique du Prince João (1567).
Hispano, Pedro [Ph, Méd.] (v. 1215-77).
Holanda, Francisco de (1517-84) : Da Pintura Antiga (1548).
Lobo, Francisco Rodrigues (1573-1622) : Eclogas (1605), Corte na Aldeia e Noites de Inverno (1619).
Lopes, Fernão [H] (v. 1385-v. 1460) : Chronique générale du royaume de Portugal.
Lopes de Castanheda, Fernão [H] (1500-59) : Histoire de la découverte et de la conquête de l'Inde (1551-61).
Machado, Simão [D] (n.c. 1634).
Mascarenhas, Brás Garcia de [P] (1596-1656).
Mendes Pinto, Fernão [Chr] (1510?-83) : Pérégrination (1614).
Nunes, Pedro [Math] (1502-78).
Orta, Garcia de [Méd. Ph] (v. 1500-68).
Pina, Rui de [H] (1440-1522) : Chronique du roi Duarte.
Prestes, António [D] (n.c.-XVI).
Resende, André Falcão de [P] (1527-99) : Microcosmographies.
Resende, Garcia de [H] (1470-1536) : Cancioneiro, Chronique du roi João II (1545).
Ribeiro, Bernardim [P, D] (v. 1482-1552) : Menina e moça (1554).
Sá de Miranda, Francisco de [P, D] (1485-1558) : les Étrangers (1528), Lettres, Sonnets.
Sousa, Frei Luis de [H] (1555-1632).
Teive, Diogo de [Ph, D] (v. 1513-65).
Vasconcelos, Jorge Ferreira de [D] (v. 1515-85) : Euphrosine (1555).
Vicente, Gil [D] (v. 1470-1536) : *Théâtre :* Auto das Barcas (1517-18), Auto da Alma (1518), Farce de l'Inde, Inês Pereira (1523).
Zurara, Gomes Eanes de [H] (v. 1420-v. 1500) : Prise de Ceuta (1450), Chronique de Guinée.

NÉS ENTRE 1600 ET 1800

Almeida Garrett, João Baptista de [P, H, D] (1799-1854) : Frei Luís de Sousa (1843), Voyages dans mon pays (1846), Feuilles tombées (1853).

QUELQUES MOUVEMENTS

Lyrisme galicien-portugais du Moyen-Âge. *Cancioneiros* (da Ajuda, da Vaticana, da Biblioteca Nacional, XIIIe s.). Quelques poètes : Lourenço, Bernardo de Bonaval, Nuno Torneol, le roi D. Denis.

Classicisme. Mi-XVIe s. Camões (poésie lyrique et épique), António Ferreira (tragédie), Sá de Miranda (comédie), Diogo de Teive, Damião de Góis (humanistes), Castanheda, João de Barros, Diogo do Couto (historiens).

Baroque. L'occupation espagnole (1580-1640) a laissé des traces du point de vue linguistique et esthétique. Les poètes « gongoristes » de la « Fenix Renascida » (1716-28), « Postilhão de Apolo » (1761-62), notamment Jerónimo Baía, Francisco Manuel de Melo et António Vieira.

Arcadisme. L'Arcádia Lusitana fondé 1756 ; néo-classicisme, libre imitation des poètes de l'Antiquité, d'après l'« Art poétique » de Boileau (traduit en 1697). Cândido Lusitano, Manuel de Figueiredo, Correia Garção, Cruz e Silva, Domingos Quita.

Romantisme (1820). Alexandre Herculano puis Camilo Castelo Branco. Précurseurs : Filinto Elísio, Bocage, la marquise de Alorna.

Réalisme. Lié à la « génération de 70 » (Eça de Queiroz, Teófilo Braga, Antero de Quental, Oliveira Martins, Ramalho Ortigão), imbue de la pensée philosophique de Comte, Taine et Hegel et esthétique de Flaubert, Heine, Zola et Baudelaire.

Symbolisme. Eugénio de Castro (*Oaristos,* poèmes de 1890), Raul Brandão, António Patrício, Camilo Pessanha (*Clepsydra,* 1920).

Modernisme. 1re génération : Fernando Pessoa, Mário de Sá-Carneiro et Almada Negreiros. 1re publication : *Orphée* (1915). 2e génération autour de *Presença* (Coimbra, 1927-40), avec José Régio, Gaspar Simões, Casais Monteiro, Miguel Torga, Branquinho da Fonseca.

Néo-réalisme. Alves Redol, Carlos de Oliveira, Manuel da Fonseca, Mário Dionísio, Fernando Namora.

Alorna, Marquesa de (1750-1839) : Obras poéticas de D. Leonor de Almeida, Conhecida entre os poetas portugueses pelo nome de Alcipe (1844).
Baía, Jerónimo [P, Or] (v. 1620-88).
Barbosa du Bocage, Manuel Maria [P] (1765-1805) : Rimes (5 vol., 1806-14).
Bernardes, Padre Manuel (1644-1710) : Exercicios Espirituais (1710).
Chagas, Frei António das [P, Mor, Or] (1631-82).
Cruz e Silva, António Dinis da [P] (1731-99) : le Goupillon (1802).
Cunha, José Anastacio da [P] (1744-87).
Figueiredo, Manuel de [D] (1725-1801).
Garção, Correia [P, D] (1724-77) : la Assembleia ou Partida (1770).
Gonzaga, Tomás António [P] (1744-1810) : Marilia de Dirceu (1792-1800).
Jazente, Abade de (1720-89) : Cartas familiares (1741-42), Poesias de Paulino Cabral de Vasconcelos, Abade de Jazente (1786-87).
Macedo, José Agostinho de [Polé] (1761-1831) : Ânes.
Melo, D. Francisco Manuel de [Mor, H, D] (1608-66) : Guide pour les gens mariés (1665), l'Apprenti gentilhomme.
Nascimento, Francisco Manuel do (ou Filinto Elisio) [P] (1734-1819).
Oliveira, le Chevalier d' (1702-83) : Mémórias das Viagens (1741), Ultimos Fins do Homen (1728).
Quita, Domingos dos Reis [P, D] (1728-1880).
Silva, António José da (ou le Juif) [D] (1705-39, brûlé) : Vie de Don Quichotte, Amphitryon, les Guerres du romarin et de la marjolaine, les Changements de Protée (1737), la Chute de Phaéton (1738).
Silva, Nicolau Luis da [D] (1723-87).
Tolentino de Almeida (Nicolau) [P] (1740-1811) : le Billard (1779).
Verney, Luis António [E] (1713-92) : Véritable méthode d'apprentissage (1746).
Vieira, Père António [Or] (1608-97) : Sermons.

NÉS ENTRE 1800 ET 1900

Almeida, Fialho de [Chr, Cr, Polé, Nouv) (1857-1911) : O Pais das Uvas (1893), Os Gatos (1889-93).
Almada Negreiros, José de [P, R, Es] (1893-1970) : la Repasseuse (1917), Nome de guerra (1938).
Amorim, Francisco Gomes de [P, R, D] (1827-91).

Botelho, Abel [R, D] (1856-1917).
Botto, António [P, D] (1897-1959) : Canções (1920), Alfama (1933).
Braga, Teófilo [P, E] (1843-1924).
Braga, Vitoriano [D] (1888-1940).
Brandão, Raúl [R, D] (1867-1930) : Humus (1917), Os pobres (1906), Teatro (1923).
Bruno, Sampaio [Ph] (1857-1915).
Câmara, D. Joio da [D] (1852-1908) : Os velhos (1893).
Carvalhal, Alvaro de [R] (1844-68) : les Cannibales.
Castelo Branco, Camilo [R, D] (1825-90) : O morgado de fafe, Amor de Perdição (1862).
Castilho, António Feliciano de [P, D] (1842-75) : la Nuit au château (1836).
Castro, Augusto de [J, D, Chr] (1883-1971).
Castro, Eugénio de [P] (1869-1944) : O aristos (1890), Heures (1891), Interlune (1894), l'Ombre du cadran (1906).
Chagas, Manuel Pinheiro [P, R, D, H] (1842-95).
Coimbra, Leonardo [Ph] (1833-1936).
Cortesão, Jaime [P, D, H] (1884-1960).
Cortez, Alfredo [D] (1880-1946) : O lodo (1923), Gladiadores (1934).
Dantas, Júlio [P, D, H, Chr] (1876-1962).
Dinis, Júlio [R] (1839-71) : Une famille anglaise (1868), l'Héritière de la Cannaie (1868).
Eça de Queirós, José Maria [R] (1845-1900) : le Crime du P. Amaro (1875), le Cousin Basile (1878), le Mandarin (1880), la Relique (1887), Une famille portugaise (Os Maias) (1888), Contes.
Espanca, Florbela da Conceição [P] (1894-1930) : Livro de Mágoas (1919), Soror Saudade (1923).
Ferreira de Castro, José Maria [R] (1898-1974) : Émigrants (1928), Forêt vierge, Terre froide (1934).
Herculano, Alexandre [P, H, R] (1810-77) : Eurico (1844), Hist. du Portugal (1846-53), Hist. des origines de l'Inquisition (1854-59).
Junqueiro, Abilio Guerra [Or, P] (1850-1923) : la Vieillesse du Père Éternel (1885), Patrie (1896).
Laranjeira, Manuel [P, D, Es] (1877-1912).
Lisboa, Irene [P, Chr] (1892-1958).
Lobato, Gervásio [D, R, Hum] (1850-95).
Lopes de Mendonça, Henrique [D, H] (1856-1931).
Malheiro-Dias, Carlos [R] (1875-1941).
Martins, Joaquim Oliveira [Pol] (1845-94).
Mesquita, Marcelino [P, D] (1856-1919).
Morais, Wenceslau de [R] (1854-1929) : A vida japonesa.
Nobre, António [P] (1867-1900) : So' (1892), Despedidas (1902).
Ortigão, Ramalho [Pol, E] (1836-1927) : As farpas.
Patricio, Antonio [P, D] (1878-1930) : Serão Inquieto (1910), Pedro o Cru (1918), D. Joio e a Mascara (1924), Poesias (1940).
Pessanha, Camilo [P] (1871-1926) : Clepsydre.
Pessoa, Fernando [P] (72 hétéronymes dont Ricardo Reis, Alberto Caeiro, Alvaro de Campos) (1888-1935) : Message (1934), le Livre de l'intranquillité, Cancioneiro, le Marin, Poèmes ésotériques, Lettres à la fiancée, l'Heure du diable.
Queirós, Teixeira de [R] (1848-1919).
Quental, Antero de [P, Ph] (1842-91) : Sonnets, Odes modernes (1865).
Régio, José [P, R, D] (1899-1971) : les Carrefours de Dieu, Jacob et l'Ange, O jojo da cabra-cega.
Ribeiro, Aquilino [R] (1883-1963) : la Voie sinueuse (1918), Quand hurlent les loups (1958).
Sá-Carneiro, Mario de [P, R] (1890-1915) : la Confession de Lucio (1914), Poésies.
Schwalbach, Eduardo [D] (1860-1946).
Selvagem, Carlos [D, H] (1890-1973).
Sergio, Antonio [E] (1883-1969) : Ensaios (1920-1958).
Silva, L.A. Rebello da [H, R] (1821-71).
Teixeira de Pascoaes [P] (1878-1952) : les Ombres, Marânus (1911), O Doido e a Morte (1913).
Teixeira-Gomes, Manuel [R, Nouv, D] (1860-1940).
Trindade Coelho, José Francisco [R] (1861-1908) : Os meus amores.
Verde, Cesário [P] (1855-86).

Nés après 1900

Abelaira, Augusto [R] (1826).
Al Berto [R] (1943) : O medo.
Alegre, Manuel [P] (1937).
Andrade, Eugénio de [P] (1923) : Matière solaire, Blanc sur blanc (1985), Versants du regard (1990).
Bessa Luis, Agustina [R] (1922) : Fanny Owen (1979), la Sibylle (1982).
Botelho, Fernanda [R] (1926) : O ângulo raso (1957), A gata e a fábula, Cette nuit j'ai rêvé de Breughel.
Braganca, Nuno [R] (1929-85) : A Noite e o Riso.
Brito, Casimiro de [P, R] (1938) : Labyrinthus.
Campos, Fernando [R] (1952) : la Maison de poussière.
Cardoso Pires, José [R] (1925) : l'Invité de Job, le Dauphin, la Ballade de la plage aux chiens.
Carvalho, Maria Judite (de) [R] (1921) : Tous ces gens Mariana (1959), Ces mots que l'on retient, Paysage sans bateaux, Anica au temps jadis (1988).
Carvalho, Mário de [R] (1944).
Cinatti, Rui [P] (1915-86).
Cláudio, Mário [R] (1941) : Amadea.
Correia, Clara Pinto [R] (1960) : Adeus, Princesa.
Correia, Natália [P, R, Es, D] (1924-93) : A pécora, Sonetos românticos.
Costa, Maria Velho da [R] (1938) : Casas Pardas.
Dioníso, Mario [P, R, Es] (1916) : le Feu qui dort.
Escobar, Ruth (Port. et Brés.) [Pol., E] (n.c.) : les Cheveux du serpent.
Faria, Almeida [R] (1943) : la Passion (1965), Déchirures (1978).
Ferreira, David Mourão [P, R, Es] (1927) : Obra poética, Un amor feliz.
Ferreira, José Gomes [P] (1900-85) : le Poète militant.
Ferreira, Manuel [R, Es] (1917) : le Pain de l'exode (1962), Noa, Reino de Caliban.
Ferreira, Vergílio [R] (1916) : Alegria breve, Matin perdu, Pour toujours (1983), Jusqu'à la fin, Au nom de la terre (1990), Journal.
Figueiredo, Tomás de [R] (1904-70) : la Tanière du loup (1947).
Fonseca, Branquinho da [R, P, D] (1905-74) : le Baron (1943), Rio Turvo (1945).
Fonseca, Manuel da [P, R] (1911-93) : Cerromaior.
Gomes, Luisa Costa [R] (1954) : Vida de Ramón.
Gomes, Sœiro Pereira [R] (1909-49) : Esteiros.
Gonçalves, Olga [R] (1929) : Sara.
Guerra, Alvaro [R] (1936) : Café central.
Helder, Herberto [P] (1930) : Poesia toda.
Jorge, Lídia [R] (1946) : le Rivage des murmures (1988).
Júdice, Nuno [R] (1949) : Poesia completa (1972-85).
Lacerda, Alberto (1928) : Poemas (1951), Palácio (1962), Exilio (1963).
Llansol, Maria Gabriela [R] (1931) : les Errances du mal (1986).
Lobo Antunes, António [R] (1942) : le Cul de Judas (1979), le Retour des caravelles, Fado Alexandrino.
Losa, Ilse [R] (1913) : Caminhos sem destino.
Lourenço, Eduardo [E, Cri] (1923) : le Labyrinthe de la saudade (1988), l'Europe introuvable (1991).
Mello Breyner, Sophia de [P] (1919) : Contes exemplaires (1962), Navigations, Livro sexto, Dual, Méditerranée.
Melo e Castro, Ernesto M. [P, Es] (1932).
Melo, João de [R] (1949) : Des gens heureux parmi les larmes.
Miguéis, José Rodrigues [R] (1901-80) : Léa (1959), l'École du paradis (1960).
Monteiro, Adolfo Casais [P, Es] (1908-72).
Monteiro, Domingos [R] (1903-80).
Monteiro, Luis Sttau [R, D] (1926).
Moura, Vasco Graça [R] (1942) : Derniers Chants d'amour.
Namora, Fernando [R] (1919-89) : le Bon Grain et l'Ivraie (1954), l'Homme au masque (1957), Fleuve triste (1982).
Nemésio, Vitorino [R, P] (1901-78) : Bête harmonieuse (1938), Gros Temps sur l'archipel (1944).
Oliveira, Carlos de [P, R] (1921-81) : l'Apprenti sorcier (1971), Finisterra (1979).
O'Neill, Alexandre [P] (1924-86).
Paço d'Arcos, Joaquim [R, D] (1908-79) : Journal d'un émigrant (1938-56), Cellule 27 (1965).
Pedro, António (1909-66) : A peine un récit (1942).
Pepetela, (Arthur Pestana) [R] (1941) : Mayombe.
Rebelo, Luis Francisco [D] (1924) : le Lendemain.
Redol, Alves [R, D] (1911-69) : Gaibéus (1940), Barranco de Cegos (1962).
Régio, José (1901-1969) : Poemas de Deus e do Diabo (1925), Jacobe o Anjo (1941).
Rosa, António Ramos [P] (1924) : le Livre de l'ignorance (1988).
Ruben A., ou Ruben Alfredo Andresen Leitão [R] (1920-75) : Silêncio para 4.
Santareno, Bernardo [D] (1924) : le Juif.
Santos, Ary dos [P] (1927-84).
Saramago, José [P, R] (1922) : Terre de péché (1947), Soulevé de la terre (1980), le Dieu manchot (1982), l'Année de la mort de Ricardo Reis (1984), le Radeau de pierre (1986), Histoire du siège de Lisbonne (1989), l'Évangile selon Jésus-Christ (1991).
Sena, Jorge de [P, Es] (1919-78) : le Physicien prodigieux, Signes de feu, les Grands-Capitaines.
Simões, João Gaspar [R] (1903-87) : Eloy (1932).
Soromenho, Castro [R] (1910-68) : Camaxilo (1949), Virage (1957).
Tamen, Pedro [P] (1934) : Tábua des Mastérias.
Tavares Rodrigues, Urbano [R, E] (1923) : Bâtards du soleil, Estorias alentejanas, A Vaga de Calor.
Torga, Miguel [E, P, R] (1907) : la Création du Monde, Rua, Portugal, Bichos, Dierio (10 vol.).
Trigueiros, Luis Forjaz [Nouv, Es] (1915).
Vasconcelos, Mário Cesariny de [Es] (1923) : Corpo Visível (1950), Discurso sobre a reabilitação da real quotidiano (1952).

☞ Les « Lettres portugaises » (1669) prétendument adressées par la religieuse Mariana Alcoforado au Français le Cte de Chamilly ont été écrites en français par Gabriel de Guilleragues (1628-85).

Autres littératures portugaises

Littérature africaine

■ Angola. **Neto,** Agostinho (Angolais) [P] (1922-79) : Espérance sacrée (1974). Voir Index. **Neto,** João Cabral de Melo [D] (1920) : Morte e Vida Severina. **Veríssimo,** Erico [R, Soc] (1905-75) : Monsieur l'Ambassadeur, le Temps et le Vent. **Vieira,** Luandino (Angolais) [R] (1935) : Luuanda, Nous autres du Makulusu.

■ Cap Vert. **Lopes,** Baltasar [R] (1907-89) : Chiquinlio (1947).

Littérature brésilienne

Abreu, Casimiro de [P] (1839-60) : les Printemps (1859).
Alencar, José de [R] (1829-77) : le Guarani, Iracema, le Gaucho.
Almeida, Manuel Antônio de [R] (1831-61).
Amado, Jorge [R] (1912) : le Pays du Carnaval, Cacao (1933), Bahia de tous les saints, Moisson rouge (1948), Capitaines des sables, les Souterrains de la liberté (1954), Gabriela girofle et cannelle (1958), les Deux Morts de Quinquin-la-flotte, les Pâtres de la nuit, Tereza Batista, Dona Flor et ses deux maris, le Vieux Marin, Tiesta d'Agreste, la Bataille du Petit Trianon (1980), Tocaïa Grande, Yansan des orages (1989), Conversations avec Alice Raillard.
Andrade, Mário de [P] (1893-1945) : la Ville hallucinée, Macounaima.
Andrade, Oswald de [R] (1890-1954) : Serafim Ponte-Grande.
Anjos, Cyro dos [R] (1906) : Belmiro.
Azevedo, Aluís [R] (1857-1913) : le Mulâtre (1881), la Ruche (1890), Pension de famille.
Bandeira, Manuel [P] (1886-1968) : Poèmes, Carnaval (1919), Chroniques du Brésil (1936).
Barreto, Afonso Lima [R, J] (1881-1922) : Histoires et Songes.
Braga, Ruben [R] (1913) : Um pé de Milho.
Caldas Barbosa [P] (1740-1800).
Callado, Antônio [R] (1917) : Mon pays en croix.
Caminha, Adolfo [P, R] (1867-97) : la Normalienne (1893), le Bon Créole (1895).
Cardoso, Lucio [R] (1913-68) : Chronique de la maison assassinée.
Carvalho, José Cândido de [R] (1914-89) : le Colonel et le Loup-Garou.
Castro Alves, Antônio de [P] (1847-71) : la Chanson de l'Africain (1863).
Coelho Neto, Henrique [R] (1864-1934) : le Mirage (1895).
Costa, Manuel da [P] (1729-89).
Cunha, Euclides da [Es] (1866-1909) : En marge de l'Histoire (1909), les Terres de Canudos.
Dias, Antônio Gonçalves [R] (1823-64) : Poemas.
Dourado, Autran [R] (1926) : l'Opéra des morts.
Drummond de Andrade, Carlos [P] (1902-87) : Conversation avec une dame de ma connaissance, Nova Reuniao (1983).
Fonseca, Rubem [R] (1925) : le Grand Art.
França Jr, Oswaldo [R] (1936) : Jorge, le camionneur.
Freyre, Gilberto [R] (1900) : Maîtres et esclaves (1933), Terre du sucre (1956).
Gonçalves Dias, Antônio [P] (1823-64) : Cantos.
Guimarães, Bernardo [R] (1825-84) : le Chercheur d'or (1872), l'Esclave Isaura (1875).
Guimarães Rosa, João [R] (1908-67) : Buriti, Diadorim, Hautes Plaines, les Nuits du Sertão (1956), Premières Histoires (1962).
Lins, Osman [R] (1924-78) : Retable de sainte Joana Caroline, la Reine des prisons de Grèce.
Lins do Rego, José [R] (1901-57) : l'Enfant de la plantation.
Lispector, Clarice [R] (1924-78) : Près du cœur sauvage, le Bâtisseur de ruines.
Macedo, Joaquim Manuel de [R] (1820-82) : la Négrillonne (1844).

Machado de Assis, Joaquim Maria [R] (1837-1908) : Quincas Borba (1891), Dom Casmurro, Esaü et Jacob (1904).
Marques Rebelo [R] (1907) : Marafa.
Matos Gregório de [P] (1633-96).
Meireles, Cecília [P] (1901-64) : Mer absolue.
Mello Mourão, Gerardo [P, R] (1917) : le Valet de pique.
Mendes, Murilo [P] (1901-75) : les Métamorphoses, Offices humains.
Miranda, Ana [R] (n.c.) : Bouche d'enfer.
Montello, Josué [R] (1917) : les Tambours de Saint-Louis.
Moraes, Vinícius de [P] (1913-80) : Cinq Élégies (1943), Patria Minha (1949).
Nassar, Raduan [R] (n.c.) : Labeur archaïque (1975), Un verre de colère.
Nava, Pedro [R] (1906-84) : Baú de Ossos.
Noll, João Gilberto [R] (1946) : Rastros do Verao.
Olinto, Antônio [R] (1919) : la Maison d'eau.
Peixoto, Afrânio [R] (1876-1947).
Penna, Cornelio [R] (n.c.-58) : la Petite morte.
Pompeia, Raul [R] (1863-95) : l'Athénée.
Queiroz, Rachel de [R] (1910) : l'Année de la grande sécheresse (1930), Dora, Doralina.
Ramos, Graciliano [R] (1892-1953) : Enfance (1947), Sécheresse, Mémoires de prison.
Ribeiro, João Ubaldo [R] (1941) : Sergent Getúlio, Vila Real.
Rodrigues, Nelson [R] (1912-80) : l'Ange noir.
Sabino, Fernando [R] (1925) : O encontro marcado (1957).
Sales, Herberto [R] (1917) : les Visages du temps.
Santa Rita Durão, José de [P] (1722-84).
Scliar, Moacyr [R] (1937) : le Centaure dans le jardin.
Silva Alvarenga, Manuel Inacio da [P] (1749-1814) : le Déserteur, Glaura.
Souza, Márcio [R] (1946) : Mad Maria.
Suassuna, Ariano [D] (1927) : le Testament du chien, le Jeu de la miséricordieuse.
Telles, Lydia Fagundes [R] (1923) : la Structure de la bulle de savon.
Torres, Antônio [R] (1940) : Cette terre.
Trevisan, Dalton [R] (1925) : le Vampire de Curitiba.

LITTÉRATURE RUSSE

NÉS AVANT 1700

Anonymes : Annales des temps passés (v. 1115), Dit de la campagne d'Igor (XIIe s.).
Avvakoum (archiprêtre) [E] (v. 1620-81) : Autobiographie.
Feofan Prokopovitch [Préd] (1681-1736).
Iavoski, Stéphane [Théo] (1658-1722) : la Pierre de la foi.
Ivan IV le Terrible (tsar) [E] (1530-84) : Correspondance.
Kourbski, prince André [E] (1528-83) : Histoire du grand-duché de Moscou.
Macaire (métropolite) [E] (v. 1482-v. 1563) : Grande Vie des saints (Tchetii Minéi), Encycl. hist.
Monomaque, Vladimir II [Mor] (1053-1126) : Instruction à mes fils (1096).
Polotski, Siméon [P, Th, D] (1629-80).

NÉS ENTRE 1700 ET 1800

Ablessimov, Alexandre [D] (1742-83) : le Meunier sorcier (1782).
Aksakov, Serge [E] (1791-1859) : Chronique de famille, les Années d'enfance du petit-fils Bagrov.
Batiouchkov, Constantin [P] (1787-1855) : Le Tasse mourant, A l'ombre d'un ami, l'Espoir (1803).
Bestoujev, Alexandre (pseud. : Marlinski) [R] (1797-1837) : la Frégate Nadejda.
Bogdanovitch, Hippolyte [P] (1743-1803) : l'Amour et Psyché (1783).
Boulgarine, Thaddée [J] (1789-1859) : l'Abeille du Nord.
Chakhovskoï, prince Alexandre [D] (1777-1846) : l'École des coquettes (1815).
Chichkov, Alexandre [Gram, Cr] (1754-1843).
Delvig, Antoine [P] (1798-1831).
Derjavine, Gabriel [P] (1743-1816) : *Odes :* Sur la mort du prince Mechtcherski (1779), Felitsa (1783), la Cascade (1791), le Grand Seigneur.
Dmitriev, Ivan [P] (1760-1837).
Fonvizine, Denis [D] (1745-92) : le Brigadier (1766), le Mineur (1782).
Glinka, Théodore [E, P] (1788-1880) : Lettres d'un officier russe (1808), la Carélie ou la Captivité de Martha Johannowna (1830).
Gneditch, Nicolas [P] (1784-1833).
Griboïedov, Alexandre [D] (1795-1829) : le Malheur d'avoir trop d'esprit (1824).
Joukovski, Basile [P] (1783-1852) : le Cimetière du village, Lioudmilla, le Prisonnier de Chillon, Lalla, Rouk, l'Odyssée, la Pucelle d'Orléans.
Kantemir, Antiochus [P] (1708-44) : Contre les dénigreurs de la culture, Contre l'envie et l'orgueil des méchants nobles.
Kapnist, Basile [D, P] (1757-1823) : la Chicane.
Karamzine, Nicolas [E, H] (1766-1826) : Lettres d'un voyageur russe, la Pauvre Lise (1792), Histoire de l'empire russe (1816-26).
Khemnitzer, Ivan [Fab] (1745-84).
Kheraskov, Michel [P] (1733-1807).
Kioukhelbeker, Guillaume [P] (1797-1846) : Prophétie (1822), la Mort de Byron (1824).
Kniajnine, Jacques [D] (1742-91) : Rosslav (1784), le Fanfaron (1786).
Kozlov, Ivan [P] (1779-1840) : le Moine, la Princesse Nathalie Dolgorouki (1828), la Jeune Folle.
Krylov, Ivan [Fab] (1769-1844) : Fables.
Lomonossov, Michel [P, Gram] (1711-65) : Grammaire russe, Rhétorique, Ode sur la prise de Khotine, Pierre le Grand, Livre saint.
Loukine, Vladimir [D] (1737-94).
Maïkov, Basile [P] (1728-78).
Novikov, Ivan [J] (1744-1818) : le Bourdon.
Petrov, Basile [P] (1736-99).
Polevoï, Nicolas [R, H, Cr] (1796-1846) : Histoire du peuple russe (1829-33).
Pouchkine, Alexandre [P, R] (1799-1837) : le Prisonnier du Caucase (1822), Poltava (1828), Eugène Onéguine (1828-30), Doubrovski (1829), Récits de Bielkine (1830), Boris Godounov (1831), la Dame de pique (1833), la Fille du capitaine (1836), le Cavalier d'airain (1837). – *Biogr. :* fils d'un membre de la haute noblesse et d'une Éthiopienne descendante d'otages rachetés aux Turcs par Pierre le Grand (type mulâtre) ; élevé à la française. *1811* lycée noble de Tsarskoïe-Selo. *1817* fréquente le milieu mondain et littéraire de Moscou et de St-Pétersbourg. *1820* exilé en Bessarabie (pour idées libérales). *1823-26* à Odessa. *1826* gracié, rentre à Moscou. *1829* combattant volontaire au Caucase. *1831* épouse Natalie Gontcharova. *1834* « gentilhomme de la chambre », a 60 000 roubles de dettes. *1836* fonde *le Contemporain. 1837-27-1* tué en duel par un Français, Georges d'Anthès, courtisant sa femme.
Radichtchev, Alexandre [E, P] (1749-1802) : A la liberté, Voyage de Pétersbourg à Moscou.
Ryleïev, Conrad [P] (1795-1826) : Voïnarovski.
Soumarokov, Alexandre [D, P] (1718-77) : Khorev (1747).
Tchaadaïev, Pierre [Ph] (1794-1856). A écrit en français.
Tchoulkov, Michel [R] (1743-92) : Dictionnaire des superstitions russes (1782).
Trediakovski, Basile [P, D] (1703-69) : Traduction de Télémaque.
Viazemski, prince Pierre [P] (1792-1878).

NÉS ENTRE 1800 ET 1900

Akhmatova, Anna [P] (1889-1966) : Soir, le Rosaire, Volée blanche (1917), le Plantain (1921), Anno Domini, le Poème sans héros (1940-42).
Aksakov, Ivan [P] (1823-86) : Ma jeunesse à Bagrovo.
Alexandrovski, Basile [P] (1897-1934).
Andreïev, Léonide [D, R] (1871-1919) : le Gouffre, l'Épouvante, le Rire rouge (1904), le Récit des sept pendus. *Théâtre :* la Vie d'un homme (1906), Jours de notre vie (1908).
Annenski, Innocent [P] (1856-1909) : le Coffret de cyprès, Chants à voix basse.
Antokolski, Paul [P] (1896-1978) : le Fils.
Apoukhtine, Alexis [P] (1841-93).
Asseiev, Nicolas [P] (1889-1963) : Poème antigénial.
Babel, Isaac [R] (1894 – exécuté 26-10-1940) : Cavalerie rouge (1926), Contes d'Odessa (1931), Premier Amour, Journal de 1920.
Bagritski, Édouard [P] (1896-1934) : la Mort de la pionnière (1932).
Bakounine, Michel [Pol] (1814-76) : Fédéralisme, socialisme et antithéologisme (1872), le Plan de fédération internationale (1884).
Balmont, Constantin [P] (1867-1942) : Visions solaires (1903), la Liturgie de la beauté (1905).
Baratynski, Eugène [P] (1800-44) : Eda, le Bal, la Tzigane, le Crépuscule.
Bedny, Demiane (Euthyme Pridvorov) [P] (1883-1945) : Héros de l'Antiquité (1936).
Bielinski, Vissarion Grég. [Ph, Cr] (1811-48) : Rêveries littéraires (1834).
Biely, André [P, R] (1880-1934) : Symphonies, Moscou, Pétersbourg, Kotik, Letaiev, les Cendres, Or dans l'azur.
Blok, Alexandre [P] (1880-1921) : Vers sur la belle dame, le Masque de neige, les Douze, les Scythes.
Boulgakov, Michel [E, D] (1891-1940) : *Romans :* la Garde blanche, le Roman théâtral, Cœur de chien (1925), le Roman de Monsieur Molière, le Maître et la Marguerite (1928-40). *Théâtre :* les Journées des Tourbine (1926), la Fuite (1926-28), l'Ile pourpre (1927), la Cabale des Dévots (1929-36).
Bounine, Ivan [P, R] (1870-1953) : le Monsieur de San Francisco, le Village, le Vallon desséché, A la source des jours (1930), Elle (1939) [N 1933].
Brioussov, Valéry [P] (1873-1924) : Urbi et orbi, En ces jours.
Chaginian, Marietta [P, R] (1888-1982) : Laurie Lane métallurgiste, la Station hydroélectrique.
Chestov, Léon [Ph] (1866-1938).
Chklovski, Victor [Es, R] (1893-1984) : le Voyage sentimental, l'Art de la prose, Zoo, le Voyage de Marco Polo, l'Énergie de l'erreur, la Marche du cheval.
Dahl, Vladimir [Gram] (1801-72) : Dictionnaire de la langue russe (1861-68).
Dobrolioubov, Alexandre [Ph, P] (1876-1918) : Du livre invisible.
Dobrolioubov, Nicolas [Ph, Cr] (1836-61) : Chroniques du *Contemporain* (1855-61).
Dostoïevski, Théodore [R] (1821-81) : les Pauvres Gens (1844), Humiliés et Offensés (1861), Souvenirs de la maison des morts (1862), Mémoires écrits dans un souterrain (1864), Crime et châtiment (1866), le Joueur, l'Idiot (1868), l'Éternel Mari (1869), les Possédés (1870), Journal d'un écrivain (3 vol., 1873-80), l'Adolescent (1875), les Frères Karamazov (1879-80), le Rêve d'un homme ridicule. – *Biogr. :* fils d'un médecin moscovite. *1828* 1re crise d'épilepsie. *1830* son père achète un domaine, Darovoïe ; sa mère, phtisique, s'y retire. *1837* mort de sa mère ; interne à l'école des ingénieurs. *1839* père assassiné par des moujiks ; vit pauvrement à St-Pétersbourg, fréquentant les milieux libéraux. *1849* emprisonné ; condamné à mort, gracié sur le terrain d'exécution. *1850-53* travaux forcés en Sibérie. *1854-59* soldat en Sibérie (se marie, mais une épilepsie l'empêche de consommer le mariage). *1860* revient à St-Pétersbourg ; vit de sa plume. *1864* veuf, couvert de dettes. *1866* s'engage par contrat à écrire un roman tous les 4 mois ; remariage avec Anna Grigorievna. *1867* s'enfuit à l'étranger. *1871* revient à St-Pétersbourg, après le succès des *Possédés ;* gloire littéraire.
Ehrenbourg, Ilya [R, P] (1891-1967) : les Aventures extraordinaires de Julio Jurenito, Rapace, le Deuxième Jour de la création (1933), Sans reprendre haleine, la Chute de Paris, la Tempête, le Neuvième Flot, le Dégel (1954), les Années et les Hommes.
Essenine, Serge [P] (1895-1925) : Transfiguration, l'Accordéon, Pougatchev, Confession d'un voyou (1921), l'Homme noir (1925).
Fédine, Constantin [R] (1892-1977) : le Terrain vague (1923), les Villes et les Années (1924), l'Enlèvement d'Europe (1933-35), les Frères, les Premières Joies, Un été extraordinaire (1945), le Bûcher (1961-67).
Fet, Athanase [P] (1820-92) : Feux du soir.
Forch, Olga [H] (1873-1961) : Radichtchev (1934-39).
Fourmanov, Dimitri [E] (1891-1926) : Tchapaev.
Garchine, Vsevolod [R] (1855-88) : les Quatre Jours (1877), la Fleur rouge (1883).
Gladkov, Théodore [R] (1883-1958) : Ciment (1925), Énergie (1932-38), le Soleil ivre.
Gogol, Nicolas [R, D] (1809-52) : Veillées à la ferme de Dikanka (1831-32), Mirgorod (contenant Tarass Boulba) (1835), Arabesques (contenant le Portrait), la Perspective Nevski, le Journal d'un fou (1835), le Manteau (1842), les Ames mortes (1842).

QUELQUES MOUVEMENTS

■ **XIXe siècle. Réalisme poétique.** « Roman en vers », naturaliste, engagé politiquement, style poétique mi-romantique mi-classique. Pouchkine, Tioutchev, Lermontov.

Classicisme national. Tendresse pour le peuple russe, préoccupation pour son avenir, mélange de tristesse et de fantaisie truculente. Gogol, Tchekhov, Tourgueniev, etc. L'écrivain français qu'ils admirent le plus est George Sand (romantisme social et réalisme populiste).

■ **XXe siècle. Proletkult** (abréviation de « culture prolétarienne »). Littérature orientée cherchant à exalter le travail collectif. Alexei Tolstoï, Ilya Ehrenbourg.

Groupe des Frères Sérapion. Tire son nom d'un héros de l'écrivain romantique allemand Hoffmann. Affirme la liberté et l'indépendance de l'écrivain. Gorki, dans la ligne des grands classiques nationaux, devenu écrivain officiel, les a protégés. Maïakovski, Pasternak, classé comme « imaginiste » car il est en réaction contre le réalisme de la Proletkult.

Théâtre : le Revizor (1836). – *Biogr. :* noblesse ukrainienne (cosaques) ; élevé au lycée de Niéjine. *1830* fonctionnaire au ministère des Apanages à St-Pétersbourg. *1831* démissionne ; fréquente les milieux littéraires (notamment Pouchkine et Joukovsky). *1831-34* prof. d'histoire à l'Institut patriotique. *1834-36* à l'université de St-Pétersbourg. *1846* persécuté par l'administration après la représentation du *Revizor,* va vivre en Italie. *1848* pèlerinage de Jérusalem ; tombe dans le mysticisme et détruit une partie de ses manuscrits sur les conseils d'un illuminé, le P. Matthieu Konstantinovski. Meurt en quasi-démence.

Gontcharov, Ivan [R] (1812-91) : Simple Histoire, Oblomov (1859), le Précipice.

Gorki, Maxime (Alekseï Pechkov) [R, D] (1868-1936) : *Romans :* les Vagabonds (1892-97), Thomas Gordeïev (1899), la Mère (1908), les Petits Bourgeois, la Maison Artamonov (1925), Vie de Klim Samguine (1927). *Théâtre :* les Bas-Fonds (1902). *Récits autobiographiques :* Enfance (1913-14), En gagnant mon pain (1918), Souvenirs sur Tolstoï (1919), Mes universités (1923). – *Biogr. :* fils d'un tapissier de Nijni-Novgorod ; enfance pauvre à Astrakhan. *1875* garçon de courses (8 ans). *1887* tentative de suicide, revient à Nijni-Novgorod. *1892* écrit dans les journaux locaux. *1895* succès d'*Esquisses et récits. 1901* succès comme dramaturge ; se lie aux marxistes de St-Pétersbourg. *1902* académicien. *1905* arrêté pour sa participation aux émeutes. *1906* se fixe à Capri (Italie). *1913* amnistié, rentre en Russie. *1917* fonde le journal marxiste *Vie nouvelle* (interdit par Lénine en juillet 1918). *1912-22* se rallie à Lénine ; directeur des éditions d'État. *1922-28* vit à l'étranger, sous prétexte de santé. *1928* revient en URSS ; *1934,* Pt de l'Union des écrivains sov.

Goumiliov, Nicolas [P] (1886-fusillé 1921) : le Carquois, la Colonne de feu, Vers l'étoile bleue.

Grigoriev, Apollon [Cr, P] (1822-64) : De la vérité dans l'art.

Grigorovitch, Dimitri [R] (1822-99) : le Village, les Quatre Saisons, les Émigrants.

Grine, Alexandre [R] (1880-1932) : l'Écuyère des vagues, le Chemin qui ne mène nulle part (1929).

Guerassimov, Michel [P] (1889-1939).

Herzen, Alexandre [Ph, Cr] (1812-70) : Qui est coupable ?, Lettres de France et d'Italie, Passé et pensées.

Hippius, Zénaïde [P] (1869-1945).

Iazikov, Nicolas [P] (1803-46) : Épître à Arina Rodionovna (1833).

Inber, Véra [P] (1890-1972) : le Méridien de Poulkovo, les Enfants de Leningrad.

Ivanov, Viatcheslav [P, Ph] (1866-1949).

Ivanov, Vsievolod [R] (1895-1963) : les Partisans, Train blindé nº 1 469, Nous allons en Inde.

Karavaïeva, Anne [R] (1893-1979) : la Patrie (1943-50).

Kataïev, Valentin [R, D] (1897-1986) : les Concussionnaires, le Fils du régiment, la Quadrature du cercle (1928), Au loin une voile (1936), le Puits sacré, l'Herbe de l'oubli (1967).

Khlebnikov, Velimir [P] (1885-1922) : Incantation par le rire (1909), la Guerre dans la souricière (1915-17).

Khodasievitch, Ladislas [P] (1886-1939) : Jeunesse (1908), la Lyre lourde (1922).

Khomiakov, Alexis [P, D, Th] (1804-60).

Kliouev, Nicolas [P] (1885-1937).

Klytchkov, Serge [R, P] (1889-1940) : En visite chez les grues.

Koltsov, Alexis [P] (1809-42).

Kondratiev, Nicolas [Ec] (1892-fusillé au goulag 1938) : les Grands Cycles de la conjoncture.

Korolenko, Vladimir [E] (1853-1921) : le Songe de Makar, le Musicien aveugle, Hist. de mon contemporain.

Kouprine, Alexandre [R] (1870-1938) : Moloch (1896), le Duel (1905), la Fosse.

Kourotchkine, Basile [P, Polé] (1831-75).

Kouzmine, Michel [P] (1875-1935).

Kropotkine, prince Pierre [E, Pol] (1842-1921) : Paroles d'un révolté, Autour d'une vie.

Lavreniev, Boris [P, R] (1891-1959) : le Graveur sur bois (1929).

Leonov, Léonide [E] (1899) : les Blaireaux, le Voleur, l'Invasion, la Forêt russe.

Leontiev, Constantin [R, Cr] (1831-91) : la Colombe d'Égypte.

Lermontov, Michel [P, R, D] (1814-41) : le Boyard Orcha, la Mort du poète, le Chant du marchand Kalschinikov (1837), le Démon (1838-41), le Novice (1839), Un héros de notre temps (roman 1840). *Drames :* les Espagnols, l'Homme étrange.

Leskov, Nicolas [E, R] (1831-95) : Lady Macbeth au village, Gens d'Église (1872), l'Ange scellé (1873).

Lounacharsi, Anatole [Gr] (1875-1933).

Maïakovski, Vladimir [P, D] (1893-suicidé 1930) : 150 Millions, Octobre, Moi (1913), la Punaise (1929), les Bains publics, Bien !, Pour cela.

Maïkov, Apollon [P] (1821-97).

Makarenko, Antoine [E] (1888-1939) : Poème pédagogique, les Drapeaux sur les tours (1938).

Mamine le Sibérien, Dimitri [R] (1852-1912) : les Frères Gordeïev (1891), le Pain (1895).

Mandelstam, Joseph [P] (1891-1938) : la Pierre (1913), Tristia (1922), Cahiers de poésies (1935-37).

Marchak, Samuel [P] (1887-1964) : les Douze Mois (1925), les Enfants en cage, la Poste (1943).

Melnikov-Petcherski, Paul [R] (1819-83) : le Grand-Père Polikarp (1875).

Merejkovski, Démétrius [D, R] (1865-1941) : le Christ et l'Antéchrist [Julien l'Apostat (1896), les Dieux ressuscités (1902), Pierre et Alexis (1905)].

Mikhaïlovski, Nicolas [Pol] (1842-1904).

Nekrassov, Nicolas [P] (1821-77) : Physiologie de Saint-Pétersbourg, le Gel au nez rouge (1863), Femmes russes, Qui peut vivre heureux en Russie ? (1863-70), Derniers Chants.

Nikiforov, Georges [E] (1884-1944).

Nikitine, Ivan [P] (1824-61) : le Koulak (1857), la Ligne de feu, Contes d'Obojansk.

Nikitine, Nicolas [R, D] (1897-1963).

Odoïevski, prince Vladimir [R] (1803-69) : l'Asile d'aliénés, la Princesse Zizi.

Olecha, Jules [R, D] (1899-1960) : l'Envie, les Trois Méchants Gros (1928).

Ostrovski, Alexandre [D] (1823-86) : Entre amis on s'arrange, Une place lucrative (1857), l'Orage.

Ouspenki, Nicolas [Hum] (1837-89).

Panfiorov, Théodore [R] (1896-1960) : la Vie aux champs, les Fils de la terre, la Révolte de la terre.

Paoustovski, Constantin [R] (1892-1968) : Kara-Bougaz (1932), la Colchide (1934), le Récit des forêts (1948), la Naissance de la mer, la Rose d'or, Histoire d'une vie (6 vol.).

Pasternak, Boris [P, R] (1890-1960) : Ma sœur la vie (1922), les Voies aériennes (1924), l'Enfance de Luvers, le Trait d'Apelle, Lettres de Toula, l'An 1905 (1926), l'Enseigne de vaisseau Schmidt (1927), la Seconde Naissance (1930-31), Sauf-Conduit, Docteur Jivago (1955), Beauté aveugle (inachevé). – *Biogr. :* fils d'un peintre ; école des Beaux-Arts. *1909* étudiant en philo. *1912* université de Marburg (Allem.). *1913* fréquente les poètes « centrifuges ». *1923* attiré par Maïakovski, adhère au LEF (Front de gauche des écrivains) ; s'en sépare rapidement. *1934-36* se rallie à l'Union des écrivains. *1936-41* condamné au silence. *1941-46* poète de la résistance nationale. *1946-54* écrit dans la clandestinité *le Docteur Jivago* (publié Italie 1957). *1958* prix Nobel ; obligé de le refuser ; exclu de l'Union des écrivains.

Pilniak, Boris (Vogau) [R] (1894-1937) : l'Année nue (1922), l'Acajou, La Volga se jette dans la Caspienne (1930), le Grenier à sel (1936-37).

Pissarev, Démétrius [E, Cr] (1840-68).

Pissemski, Alexis [R] (1820-81) : Tioufak, Mille Ames (1858), Amères Destinées (1859).

Platonov, André [R, P] (1889-1951) : les Herbes folles de Tchevengour, la Famille d'Ivanov, Djann.

Plekanov, Georges [Es, Ph] (1875-1918).

Polonski, Jacques [P] (1819-98) : les Gammes, le Grillon musicien (1859), Au déclin du jour (1881).

Pomialovski, Nicolas [R] (1835-63) : Bonheur bourgeois (1861), Scènes de la vie du séminaire.

Prichvine, Michel [E] (1873-1954).

Remizov, Alexis [R] (1877-1957) : l'Étang (1908), les Sœurs en croix (1910), les Yeux tondus.

Rojdestvenski, Vsevolod [P] (1895-1977).

Romanov, Panteléemon [R] (1884-1938).

Rozanov, Basile [Cr, Es] (1856-1919) : l'Apocalypse de notre temps (1917).

Saltykov, Michel (pseud. : Chtchedrine) [E] (1826-89) : la Famille Golovlev (1873-74, publié 1880).

Selvinski, Élie [P] (1899-1968) : Records, Pao Pao, Oulialaievchtchina (1927).

Serafimovitch, Alexandre (Popov) [R] (1863-1949) : le Torrent de fer (1924).

Sieverianine, Igor [P] (1887-1943).

Sloutchevski, Constantin [P] (1837-1904).

Sologoub, Théodore (Teternikov) [P, R] (1863-1927) : le Démon mesquin (1905), le Cercle enflammé (1908), la Charmeuse de serpents (1921).

Sologoub, Vladimir [E] (1813-82).

Soloviov, Vladimir [Ph] (1853-1900) : la Justification du bien (1898).

Soukhovo-Kobiline, Alexandre [D] (1817-1903) : le Mariage de Krechinski (1855), la Mort de Tarelkine (1869).

Sourikov, Ivan [P] (1841-80) : le Sorbier, le Rossignol dans le vert jardin.

Sourkov, Alexis [P] (1899-1983) : Décembre devant Moscou (1842).

Stanislavski, Constantin (Alexeiev) [Cr] (1863-1938) : les Carnets d'art.

Tchekhov, Anton [R, D] (1860-1904) : *Romans :* la Steppe (1888), la Salle 6 (1892), la Dame au petit chien (1899). *Théâtre :* la Mouette (1896), Oncle Vania (1899), les Trois Sœurs (1901), la Cerisaie (1904). – *Biogr. :* fils d'un épicier pauvre (famille nombreuse). *1874* répétiteur dans une famille bourgeoise. *1876* misère (père ruiné et en fuite ; famille réfugiée à Moscou). *1879* rejoint sa famille ; commence sa médecine. *1881* journaliste. *1884* médecin d'hôpital. *1886* lancé par Grigorovitch qui a lu un de ses contes. *1888* succès (prix Pouchkine). *1889* volontaire pour être médecin à Sakhaline. *1892* achète la cerisaie de Mélikhovo. *1898* liaison avec Olga Knipper, interprète de *la Mouette* (mariage 1901). *1904* tuberculeux, soigné à Badenweiler (All.) ; y meurt.

Tchernychevski, Nicolas [H, Cr] (1828-89) : Que faire ? (1863).

Tikhonov, Nicolas [P, R] (1896-1973) : les Nomades (1931), Kirov avec nous (1941).

Tioutchev, Théodore [P] (1803-73) : Uranie.

Tolstoï, Alexis [R] (1883-1945) : le Chemin des tourments (1922-41), Pierre le Grand (1929-45).

Tolstoï, Alexis Konstantinovitch, comte [P, D, R] (1817-75) : le Prince Serebriany (1862), la Mort d'Ivan le Terrible (1866).

Tolstoï, Léon, comte [R] (1828-1910) : Enfance, Adolescence, Jeunesse (1852), les Cosaques (1863), Guerre et Paix (1865-69), Anna Karenine (1875-77), la Puissance des ténèbres (1886), la Sonate à Kreutzer (1889), Résurrection (1899). *Essai :* Qu'est-ce que l'art ? (1898). – *Biogr. :* vieille noblesse terrienne. *1830* mort de sa mère (élevé par sa tante Tatiana au domaine de Yasnaïa Poliana, près de Toula). *1837* à Moscou ; mort de son père (élevé à Kazan avec ses frères et sœurs par d'autres tantes). *1844-47* étudiant à Kazan. *1847* hérite de Yasnaïa et s'y installe. *1851-55* officier volontaire (Caucase, Crimée). *1856* succès des *Récits de Sébastopol ;* démissionne de l'armée. *1859* dans son domaine, travaille à l'amélioration du sort des moujiks. *1862* épouse Sophie Bers. *1881* retour à Moscou pour l'éducation de ses enfants. *1891* organise des actions philanthropiques (tolstoïsme). *1901* excommunié par l'Église russe. *1910*-27-10 s'enfuit de Yasnaïa, pour se retirer du monde ; 6-11 meurt de pneumonie dans la gare d'Astapovo.

Tourgueniev, Ivan [R] (1818-83) : Récits d'un chasseur (1852), Dimitri Roudine (1856), Journal d'un homme de trop, Une nichée de gentilshommes (1859), Premier Amour (1862), Fumée (1867), Terres vierges (1877), Poèmes en prose (1882). – *Biogr. :* fils d'un officier souvent absent ; vit avec sa mère dans son domaine près d'Orel. *1833* interne à Moscou, puis étudiant en lettres à St-Pétersbourg. *1838-41* philo à Berlin. *1842* naissance de Pélagie [sa fille qu'il eut d'une serve russe et qui sera, à partir de 7 ans, élevée en France par le ménage Viardot (Louis, journaliste, 1800-83, marié à la cantatrice Pauline Garcia, dont un fils, le violoniste Paul Viardot) ; T. a connu les Viardot en 1843 et aurait eu une liaison avec Pauline]. *1847* sa mère (scandalisée par sa passion pour une actrice) lui coupe les vivres ; vie de bohème à l'étranger, notamment en France, chez les Viardot. *1850* retour en Russie (mort de sa mère) ; exilé à Spaskoïé-Loutovinovo, pour un article élogieux sur Gogol. *1853-56* à St-Pétersbourg. Succès des *Récits d'un chasseur. 1856* voyages en Occident, entrecoupés de voyages en Russie (séjours fréquents chez Pauline Viardot, où il meurt d'un cancer).

Trefolev, Léonide [P] (1839-1905).

Treniev, Constantin [D] (1876-1945) : Lioubov Yarovaya (1926).

Tsvetaïeva, Marina [P] (1892-1941) : la Jouvencelle-Tsar (1922), la Séparation, Psyché, Prose.

Tyniahov, Jules [E] (1894-1943) : la Mort de Vazir Moukhtar (1929), le Lieutenant Kijé, Kiouchlia, Pouchkine (inach. 1936).

Venevitinov, Démétrius [P] (1805-27) : la Vie.

Veressaiev, Vincent [R] (1867-1945) : Récits de guerre (1906), Souvenirs (1936).

Vinogradov, Anatole [Es] (1888-1946) : le Gant perdu, le Consul noir, Trois Couleurs du temps.

Volochine, Maximilien [P] (1878-1932) : les Faces de la création (1914), Tverni (1918), Poèmes sur la terreur (1923), les Voies de Caïn (1926).

Voronski, Alexandre [Cr] (1884-1937 ?).

Zaïtsev, Boris [R] (1881-1972).

Zamiatine, Eugène [R] (1884-1937) : Choses de province (1913), Au diable vauvert, le Nord, l'Arpenteur, Au bout du monde, Nous autres (1920).

Zlatovratski, Nicolas [R] (1845-1911) : les Fondations (1878-83).

Zochtchenko, Michel [E] (1895-1958) : les Contes de Nazar Ilitch, Avant le lever du Soleil.

Nés après 1900

Abramov, Théodore [R] (1920-83) : les Priasline.

Aitmatov, Tchinguiz [E] (1928) : Djamila, Il fut un blanc navire.

Ajaïev, Basile [R] (1915-68) : Loin de Moscou.

Akhmadoulina, Bella [E] (1937) : le Magnétophone, Ma généalogie.

Aksionov, Vassili [R] (1932) : Confrères, Surplus en stock-futaille, Billet pour les étoiles, les Oranges du Maroc, Un petit sourire, s'il vous plaît.
Aliguère, Marguerite [P] (1915) : Zoïa.
Amalrik, André [H] (1938-80) : Voyage involontaire en Sibérie (1965), L'URSS survivra-t-elle en 1984 ?, le Journal d'un provocateur (1980).
Antonov, Serge [R] (1915) : Léna.
Arbouzov, Alexis [D] (1908-86) : Une histoire d'Irkoutsk (1959).
Astafiev, Victor [R] (1924) : le Polar triste.
Babaïevski, Siméon [R] (1909).
Baklanov, Grégoire [R] (1923) : Tête de pont, Les canons tirent à l'aube, Juillet 41.
Banine, Umm El [R] (1905-92) : Nami (1943), Jours caucasiens (1945), Jours parisiens.
Baranskaia, Nathalie [R] (1909) : Une semaine comme une autre.
Bek, Alexandre [R] (1903-90) : la Chaussée de Volokolamsk (1945), Quelques Jours (1950), la Réserve du général Panfilov (1960).
Berberova, Nina [R] (1901) : le Roseau révolté, Histoire de la baronne Boudberg, C'est moi qui souligne, Boradine, le Mal noir, les Francs-Maçons russes du XXe s., l'Accompagnatrice, Chroniques de Billancourt.
Bielov, Vassili [R] (1933) : Affaire d'habitude.
Bondariev, Jules [R] (1924) : le Calme (1962), la Panique.
Boukovsky, Vladimir [R] (1943) : Et le vent reprend ses tours, Cette lancinante douleur de la liberté.
Brodsky, Joseph [P] (1940, vit aux USA) : la Halte dans le désert, Poèmes 1961-87, Loin de Byzance (1988) [N 1987].
Bykov, Vassil [E] (1924) : Dans le brouillard, Sotnikov.
Chalamov, Varlam [R, P] (1907-82) : Récits de Kolyma (1969).
Cholokhov, Michel [R] (1905-84) : le Don paisible (1928-40), les Terres défrichées (1932-60), Ils ont combattu pour la patrie (1943-69), le Destin d'un homme (1957), les Défricheurs [N 1965].
Choukchine, Basile [R] (1929-74) : l'Envie de vivre.
Daniel, Iouli [Hum] (1925-89) : Ici Moscou.
Dombrovski, Iouri [R] (1909-78) : Un singe à la recherche de son crâne (1959), le Conservateur des antiquités (1964), la Faculté de l'inutile (1979).
Doroch, Euthyme (1908-72) : Pluie et Soleil, Méditation à Zagorsk.
Doudintsev, Vladimir [R] (1918) : L'homme ne vit pas seulement de pain (1956), Conte de nouvel an, le Soldat inconnu, les Robes blanches (1990).
Drouina, Ioulia [P] (1924-91 suicide).
Erofeiev, Venedict [R] (1940-90) : Moscou sur Vodka.
Evtouchenko, Eugène [P, R] (1933) : la Station Zima (1956), Autobiographie précoce (1956), Trois Minutes de vérité, la Vedette de liaison (1966).
Fadeïev, Alexandre [R] (1901-56) : la Débâcle (1927), le Dernier des Oudégués (inach.), la Jeune Garde (1945).
Galitch, Alexandre (Guinzbourg) [P] (1919-77).
Gladiline, Anatole [Chr] (1935) : Chronique des temps de Victor Padgourski (1956).
Gorenstein, Friedrich [R] (1932).
Granine, Daniel [R] (1919) : les Chercheurs, Je vais au-devant de l'orage.
Grossman, Vassili [E] (1905-83) : Vie et destin, Tout passe (1956-63).
Iourienen, Serge [R] (1948).
Issakovski, Michel [P] (1900-73) : Quatre Souhaits, Enfance, le Matin.

Quelques personnages de la littérature russe

Boris Godounov : tragédie (1831) d'A. Pouchkine ; opéra (1869) de Moussorgski (usurpateur).

Mazeppa : Poltava, poème (1828) d'A. Pouchkine (héros épris de liberté).

Eugène Onéguine : poème (1833) d'A. Pouchkine (mondain sceptique et immoral).

Tarass Boulba : roman (1835) de Nicolas Gogol (féroce guerrier des luttes religieuses).

Oblomov : roman (1858) d'Ivan Gontcharov (paresseux).

Porphyre Golovlev (le « Petit Judas ») : roman de la famille Golovlev (1873-74) de Saltykov-Chtchedrine (être cupide et sans cœur).

Anna Karénine : roman (1875-77) de Tolstoï (grande dame victime d'une passion amoureuse).

Le Docteur Jivago : roman (1957) de Boris Pasternak (idéaliste pris dans la Révolution).

Raskolnikov : du roman Crime et châtiment (1866) de Dostoïevski (intellectuel marginal qui se place au-dessus de la morale).

Kaverine, Benjamin [R] (1902-89) : le Faiseur de scandale, Deux Capitaines (1944), la Pluie oblique, l'Interlocuteur (1973).
Kazakievitch, Emmanuel [E] (1913-62) : l'Étoile (1947), le Cahier bleu (1961).
Kazakov, Iouri [E] (1928-82) : la Petite Gare (1959), la Belle Vie, Ce Nord maudit.
Kirsanov, Siméon [P] (1906-72) : le Plan quinquennal, la Parole de Foma Smyslov (1945).
Konetski, Victor [R] (1929) : l'Inconnue d'Arkhangelsk, Du givre sur les fils.
Kopelev, Lev [R] (n.c.).
Kouchner, Alexandre [P] (1936).
Kouraev, Mikaël [R] (n.c.) : le Chant du rossignol (1992).
Kouznetsov, Anatole [R] (1929) : la Vérité des pionniers, Suite d'une légende, Baby Yar, Jeunes Filles.
Koznilov, Wladimir [R].
Kross, Jaan [R] (1920) : le Fou du tsar, le Départ du Pr Martens (1990).
Latsis, Wilis [R, D] (1904-66) : la Bête libérée, la Tempête (1948), la Victoire, Après le grain (1963).
Limonov, Edward [R] (1943) : Oscar et les femmes.
Lougovskoï, Vladimir [P] (1901-57) : Éclairs, les Souffrances de mes amis.
Martinov, Léonide [P] (1905-80).
Maximov, Vladimir [R] (1932).
Mojaiev, Boris [R] (1923) : De la vie de Fiodor Kouzkine (1966).
Naguibine, Jules [R] (1920).
Nekrassov, Victor (déchu de la nat. soviétique en 1979) [R] (1911) : la Ville natale, Kira Gueorguievna, Des deux côtés de l'Océan, Carnets d'un badaud.
Nikolaïeva, Galina [R] (1914-63) : la Moisson, l'Ingénieur Bakhirev.
Okoudjava, Boulat [R] (1924) : Pauvre Abrossimov.
Oleskowski, Iouz [R] (n.c.).
Ostrovski, Nicolas [R] (1904-36) : Et l'acier fut trempé (1934), Enfantés par la tempête (1936).
Ovietchkine, Valentin [E] (1904) : Des visiteurs au hameau de Stoukatchi.
Panova, Vera [R] (1905-73) : Compagnons de voyage (1946), Clair Rivage (1948), les Saisons (1953), le Roman sentimental (1958), Valia (1960).
Pliouchtch, Léonide [Es] (1939) : Dans le carnaval de l'Histoire.
Pogodine, Michel [D] (1900-62) : le Temps, Mon ami, le Carillon du Kremlin.
Polevoï, Boris [R] (1908-81) : Un homme véritable, Nous autres Soviétiques.
Pomerantsev, Vladimir [Cr] (1907) : De la sincérité en littérature.
Pristavkine, Anatole [R] (1931) : Un nuage d'or sur le Caucase, les Petits Coucous (1990).
Prokoviev, Alexandre [P] (1900-71) : Russie.
Raspoutine, Valentin [R] (1937) : Vis et n'oublie pas, De l'argent pour Maria.
Rojdestvenski, Robert [P] (1932).
Rozov, Victor [D] (1913) : A la recherche du bonheur, la Lutte inégale.
Rybakov, Anatole [R] (1908) : les Enfants de l'Arbat.
Sakharov, André [Sav] (1921-89) : Mon pays et le monde.
Salynski, Athanase [D] (1920) : la Tambourine.
Simonov, Constantin [P, R, D] (1915-79) : Compagnons d'armes, Attends-moi, les Jours et les Nuits, Gens de Russie, les Vivants et les Morts, Personne ne naît soldat, Dernier Été, Vingt Jours sans guerre.
Siniavski, André (Abraham Tertz) [E] (1925) : le Verglas, Lioubimov ville aimée (1964), Pensées impromptues, la Voix hors du chœur, Bonne Nuit.
Smirnov, Serge [P] (1913-76) : De ce qui est le plus intime (1950), Conversation sincère (1951).
Sneguirev, Élie [J, Chr] (1928-79) : Ma mère Maman.
Soljenitsyne, Alexandre [R] (1918) : Une journée d'Ivan Denissovitch (publ. en 1962), la Maison de Matriona (1963), l'Inconnu de Krétchétovka (1963), le Premier Cercle (1968), le Pavillon des cancéreux (1968), la Main droite (1968), la Procession pascale (1969), Août 14 (1971), l'Archipel du Goulag, Des voix sous les décombres, le Chêne et le Veau, Lénine à Zurich, Flamme au vent, l'Erreur de l'Occident (1981), le Premier Cercle [nouvelle version (1982)], Nos pluralistes (1983), la Roue rouge [nouv. vers. d'Août 14, 1er t. (1983)], Octobre 16 [2e t. (1984)], Mars 17 [3e t. (1993)], les Invisibles. – *Biogr. :* fils d'un étudiant et d'une employée. Études à Rostov (math. et physique). *1939* à l'école d'artillerie. *1941-45* décoré, promu capitaine. *1945* condamné à 8 ans de détention pour avoir critiqué le régime dans une lettre (4 ans dans un camp spécial d'intellectuels ; 4 ans en régime « moyen », comme fondeur et maçon). *1953* cancer ; opéré, relégué au Kazakhstan. *1956* réhabilité ; enseignant à Riazan (avec sa femme, épousée en 1939). *1965* suspect à cause d'un manuscrit découvert chez lui (un drame, *le Festin des vainqueurs,* écrit en camp, 1950). *1968* édition pirate, à l'étranger, de 2 romans : *le Premier Cercle, le Pavillon des cancéreux :* exclu de l'Union des écrivains. *1970* prix Nobel ; invité à s'exiler, refuse, et ne reçoit pas son prix. *1971* interdit de séjour à Moscou. *1974* déchu de la nationalité sov., expulsé ; vit dans le Vermont (USA). *1990* Comment réaménager notre Russie ? publié en URSS.
Soloukhine, Vladimir [R] (1924) : la Goutte de rosée (1960), Lettres du Musée russe (1966).
Strougatski, Arkadi [R] (1925-91) : Destin boiteux (avec son frère Boris), Le lundi commence samedi, Il est difficile d'être un dieu, Pique-Nique sur le bord de la route.
Svetlov, Michel [P] (1903-64) : les Roues (1922).
Tendriakov, Vladimir [R] (1923-84) : Fondrières.
Trifonov, Youri [R] (1922-81) : les Étudiants, l'Apaisement de la soif, la Maison sur le quai, la Disparition, la Maison disparue.
Tvardovski, Alexandre [P] (1910-71) : Vassili Terkine (1942-45), le Matin à Moscou.
Vampilov, Alexandre [D] (1937-72).
Vichnievski, Vsevolod [D] (1900-51) : Inoubliable 1919 (1949).
Vladimov, Georgi [R] (1931) : le Fidèle Rouslan.
Voïnovitch, Vladimir [E] (1932) : les Aventures singulières du soldat Ivan Tchonkine.
Voznessenski, André [R] (1933) : la Poire triangulaire.
Zabolotski, Nicolas [P] (1903-58).
Zalyguine, Serge [R] (1913) : Au bord de l'Irtych.
Zinik, Zinovi [R] (1945) : Une niche au Panthéon.
Zinoviev, Alexandre [E] (1922) : les Hauteurs béantes (1976), l'Avenir radieux, Nous et l'Occident, Communisme comme réalité, le Héros de notre jeunesse, Gaietés de Russie, Tsarville.
Zlobine, Anatole [R] (1923) : Déboulonnage (1992).

Écrivains russes de langue française

Marie Bashkirtseff (1860-84) : p. 287. Alexandre Mikhaïlovitch Beloselski (1752-1809) : Épîtres aux Français, Épîtres aux Anglais, Dialogue sur la mort et la vie. Nikolaï Berdiaev (1874-1948) : p. 288. Catherine II, impératrice (1729-96) : 27 pièces de théâtre [11 comédies, 7 opéras, 9 proverbes], dont Oleg, le Chevalier de malheur, le Charlatan de Sibérie, Ô Temps, Mémoires (posthume 1859), Lettres à Grimm. Le Prince Élim (Élim Pétrovitch Mestcherski) (1808-44) : 3 recueils de poésies : les Boréales, les Roses noires, les Poètes russes. Romain Gary (Kacew) (1914-80) : p. 298. Georges Gurvitch (1894-1965) : philosophe. Raïssa Maritain (Oumansoff) (1883-1960). Vsevolod Romanovsky (1912). Nathalie Sarraute (Tcherniak) (1900) : p. 302. Comtesse de Ségur (Sophie Rostopchine, 1799-1874) : p. 287. Madame Swetchine (Anne Sophie Soymonof, 1787-1857). Elsa Triolet (E. Kagan, 1896-1970) : p. 291. Henri Troyat (Lev Tarassov) (1911) : p. 303.

Littérature suisse

De langue allemande

Barth, Karl [Théo] (1886-1968) : Dogmatique (1927-51).
Bichsel, Peter [Pros] (1935) : le Laitier.
Bonjour, Edgar [His] (1898-1991).
Bonstetten : (bilingue, voir p. 312 a).
Bräcker, Ulrich [R] (1735-98) : le Pauvre Homme du Toggenburg.
Burckhardt, Carl Jacob [H] (1891-1974) : Ma mission à Dantzig, Richelieu.
Burckhardt, Jacob [H] (1818-97) : la Civilisation de l'Italie au temps de la Renaissance (1860), Considérations sur l'histoire universelle (publié 1905).
Burger, Hermann [R] (1942-89 suicidé) : Diabelli (1980), la Mère artificielle, Blankenburg (1990).
Dürrenmatt, Friedrich [R, D, Es] (1921-90) : *Romans :* le Juge et son bourreau (1952), la Ville (1952), le Soupçon (1953), Grec cherche Grecque (1955), la Panne (1956), la Promesse. *Théâtre :* le Mariage de M. Mississippi (1952), Hercule et les écuries d'Augias (1954), la Visite de la vieille dame (1956), les Physiciens (1962), Romulus le Grand (1964), le Météore (1966), Play Strindberg (1969). *Essais :* Sur Israël (1976), la Mise en œuvre (1981), Justice.
Frisch, Max [R, D] (1911-91) : Stiller (1954), Homo Faber (1957), Désert des miroirs (1964), Montauk (1975), L'homme apparaît au quaternaire (1979), Barbe bleue (1982). *Théâtre :* la Grande Muraille (1947), le Cte Oederland (1951), Don Juan et la Géométrie (1953), Monsieur Bonhomme et les

incendiaires (1958), Andorra (1962). Biogr. : Un jeu (1967), Triptyque (1979).

Glauser, Friedrich [R] (1896-1938) : Gourrama.

Gotthelf, Jeremias (Albert Bitzius) [R, Théo] (1797-1854) : le Miroir des paysans (1837), Uli le fermier (1846), l'Ame et l'Argent (1844).

Hohl, Ludwig [Es] (1904-80) : les Notices ou la Réconciliation sans précipitation (1944-54), Nuances et détails, Tous les hommes presque toujours s'imaginent (1967-71), Une ascension (1972).

Inglin, Meinrad [R] (1893-1971) : Der Schweizerspiegel (1938).

Jung, Carl Gustav [Psycho] (1875-1961) : les Types psychologiques (1921), Réalité de l'âme (1934), la Psychologie du transfert (1946), Psychologie et éducation, Formes de l'inconscient, Réponse à Job.

Keller, Gottfried [P, R] (1819-90) : Henri le Vert (1854), les Gens de Seldwyla (1856), Sept Légendes (1872), Nouvelles zurichoises (1878).

Küng, Hans [Théo] (1928) : l'Église (1967), Infaillible, Une interpellation (1970), Être chrétien (1974), l'Église maintenue dans la vérité (1979).

Lavater, Jean-Gaspard [Ph] (1741-1801) : Essai sur la physiognomonie, Confessions.

Loetscher, Hugo [R] (1929) : les Égouts (1963), le Déserteur engagé (1975), les Papiers du déserteur engagé (1986).

Meier, Herbert [R, D] (1928) : Fin septembre.

Meyer, Conrad-Ferdinand [P, R] (1825-98) : Derniers Jours de Hutten (1871), Jürg Jenatsch (1876), le Coup de feu en chaire (1877).

Müller, Johannes von [H] (1752-1809) : Histoire de la Confédération suisse (1780-86).

Muschg, Adolf [E] (1934) : l'Été du lièvre (1965), l'Impossible Enquête (1974).

Nizon, Paul [E] (1929) : Canto (1963), Dans la maison les histoires se défont (1971), Stolz, l'Année de l'amour, Dans le ventre de la baleine, Immersion.

Pestalozzi, Jean-Henri [Ph, Éducateur] (1746-1827) : Léonard et Gertrude (1787).

Späth, Gerold [R] (1939) : Unschlecht (1970).

Spitteler, Carl [P] (1845-1924) : Prométhée et Épiméthée, Printemps olympien [N 1919].

Urs von Balthasar, Hans [Ph, Théo] (1905-88).

Walser, Robert [R, P] (1878-1956) : l'Homme à tout faire (1908), les Enfants Tanner, l'Institut Benjamenta (1909), la Rose (1925).

Walter, Otto F. [R] (1928) : le Muet (1959).

Wyss, Jean-David [R] (1743-1818) : le Robinson suisse (1813).

Zollinger, Albin [P, R] (1895-1941) : Pfannenstiel.

Zorn, Fritz [Es] (1944-76) : Mars.

De langue française

Amiel, Henri-Frédéric [P, Mém] (1821-81) : Journal intime (publ. 1923).

Aubert, Claude [P] (1915-72) : l'Unique Belladone (1968).

Barbey, Bernard [R] (1900-70) : la Maladère, PC du général.

Barilier, Étienne [R, Es] (1947) : le Chien Tristan (1977), Pic de la Mirandole.

Béguin, Albert [C] (1901-57) : l'Ame romantique et le rêve (1963).

Benoziglio, Jean-Luc [R, Es] (1941).

Bille, Corinna [P, R] (1912-79) : la Fraise noire (1968), Théoda (1978).

Bonnet, Charles [Ph] (1720-93) : Essai sur les facultés de l'âme, Palingénésie philosophique.

Bonstetten, Charles-Victor de [Es] (1745-1832) : Recherches sur la Nature et les lois de l'imagination, Études de l'Homme, l'Homme du Midi et l'Homme du Nord (en fr.) ; Mélanges (en allem.).

Borgeaud, Georges [R] (1914) : le Préau (1952), le Voyage à l'étranger (1974).

Bopp, Léon [Cr, R] (1899-1977) : Ciel et Terre (1962), Psychologie des Fleurs du mal (1966).

Bouvier, Nicolas [Pros] (1929) : l'Usage du monde.

Budry, Paul [Cr. d'art] (1883-1949).

Buenzod, Emmanuel [R] (1893-1971) : Sœur Anne, Gens de rencontre.

Cendrars, Frédéric Sauser Hall, dit Blaise (nat. fr.) [P, R] (1887-1961) : *Poésie :* Du monde entier [1919 : Pâques à New York (1912), la Prose du transsibérien (1913), le Panama ou les aventures de mes sept oncles], *Prose :* l'Or (1925), Moravagine (1926), Trop c'est trop (1927), Rhum (1930), l'Homme foudroyé (1945), Bourlinguer (1948).

Chappaz, Maurice [Pros] (1914) : les Grandes Journées de printemps (1944), le Testament du Haut-Rhône (1953), Portrait des Valaisans en légende et en vérité (1965), le Livre de C. (1986).

Charrière, Isabelle de [R] (1740-1805) : Caliste.

Chavannes, Fernand [D] (1868-1936) : Guillaume le Fou.

Chenevière, Jacques [R] (1886-1976) : les Captives (1943), Retours et images (1966), Daphné (1969).

Chessex, Jacques [P, A] (1934) : Batailles dans l'air (1959), Portrait des Vaudois (1969), les Saintes Écritures (1970), Carabas (1971), l'Ogre (G. 1973), l'Ardent Royaume, la Trinité (1992).

Cingria, Charles-Albert [P, Es] (1883-1954) : *Poésies :* Stalactites, Enveloppes. *Critique :* Pétrarque.

Clerc, Charly [P, D] (1882-1958) : *Poésie :* les Chemins et les demeures. *Théâtre :* la Bonne Aventure.

Cohen, Albert [E] (1895-1981) : le Livre de ma mère (1954), Belle du Seigneur (1968) (dont Jane Fillion † 4-9-1992 à 95 ans, aurait pu être le modèle), Ô vous frères humains (1972).

Colomb, Catherine [R] (1899-1965) : Châteaux en enfance (1945), les Esprits de la terre (1953).

Constant de Rebecque, Benjamin [R, Pol] (1767-1830) : Adolphe (1816), De la religion (1824-31), le Cahier rouge (publ. 1907), Cécile (p. 1951). – *Biogr. :* noblesse terrienne vaudoise (protestante), d'origine picarde. Élevé par son père, officier suisse aux Pays-Bas. Études à Oxford puis à Paris. *1785-87* aventures féminines. *1787-94* chambellan du duc de Brunswick. *1794-95* mariage avec Wilhelmine von Gramm et divorce presque immédiat. *1796-1810* liaison avec Mme de Staël qui réside surtout en Suisse. *1808* épouse Charlotte de Hardenberg. *1814* revendique la nationalité fr. *1815* Cent-Jours : chargé par Napoléon de rédiger l'Acte additionnel. *1816* directeur du *Mercure de France,* organe des libéraux ; joueur, lourdes dettes. *1819* député de la Sarthe. *1830* se rallie à Louis-Philippe qui paie ses dettes. Meurt d'une blessure à la jambe, conséquence d'une chute. Funérailles nationales.

Crisinel, Edmond-Henri [P] (1897-1948) : Alectone.

Cuttat, Jean [P] (1916) : Chansons du mal au cœur (1942), les Couplets de l'oiseleur (1967).

Dumont, Étienne [Ph] (1759-1829) : Théorie des peines et des récompenses.

Dumur, Louis [R] (1863-1933) : Nach Paris (1919), le Boucher de Verdun (1921), les Défaitistes (1923).

Eigeldinger, Marc [P] (1917-91) : Prémices de la parole.

Francillon, Clarisse [R] (1899-1976) : les Fantômes, Festival, le Frère, le Carnet à lucarnes.

Gaulis, Louis [D] (1932-78) : Capitaine Karagheuz.

Gilliard, Edmond [P, Es] (1875-1969) : Hymne terrestre, la Dramatique du moi.

Girard, Pierre [P, R] (1892-1956) : la Flamme au soleil, Philippe et l'Amiral, Monsieur Stark, Othon et les Sirènes.

Godel, Vahé [P] (1931).

Godet, Philippe [Cr] (1850-1922).

Haldas, Georges [P, Chr] (1917) : la Peine capitale (1957), Corps mutilé (1962), Boulevard des philosophes (1966), la Maison en Calabre (1970).

Jaccottet, Philippe [P] (1925) : l'Effraie (1953), la Semaison (1971), Pensées sous les nuages (1983).

Jeanneret, Edmond [P] (1914) : Matin du Monde, Rideaux d'environ.

Jomini, baron Henri [Écr. militaire] (1779-1869).

Landry, Charles-François [R] (1909-73) : la Devinaize, les Étés courts.

Liègme, Bernard [D] (1927) : Tandem (1976).

Lossier, Jean-Georges [P] (1911) : le Long Voyage.

Marsaux, Lucien (Marcel Hofer) [P, R] (1896-1978) : le Chant du cygne noir (1947).

Marteau, Jean [R] (1903-70) la Main morte (1939), Monsieur Napoléon, Crève-Cœur (1945).

Matthey, Pierre-Louis [P] (1893-1970) : Seize à vingt (1914), Triade (1953).

Mercanton, Jacques [R] (1910) : Thomas l'incrédule, l'Été des sept-dormants (1974).

Métral, Maurice [R] (1929) : l'Avalanche (1966), les Hauts Cimetières (1970), l'Enfant refusé (1972), l'Appel du soir, les Loups parmi nous (1980).

Micheloud, Pierrette [P] (1920) : les Mots la pierre (1983), Elle, vêtue de rien (1990).

Monnier, Jean-Pierre [R] (1920) : la Clarté de la nuit (1956).

Morax, René [D] (1873-1963) : le Roi David, Judith, la Belle de Moudon.

Olivier, Juste [P, R, Es] (1807-70) : les Chansons lointaines, Luze Léonard, le Canton de Vaud, Études d'histoire nationale.

Pache, Jean [P] (1933) : Baroques (1983).

Perrier, Anne [P] (1922) : Selon la Nuit (1952).

Perrochon, Henri [E] (1899-1990).

Piachaud, René-Louis [P, D] (1896-1941) : Coriolan, Psaumes de David, le Poème paternel.

Piaget, Jean [Ph] (1896-1980) : Sagesse et Illusion de la philosophie, la Naissance de l'intelligence (1947), la Formation du symbole, la Psychologie de l'intelligence.

Pinget, Robert [D, R] (1920) : *Théâtre :* l'Hypothèse (1961), Abel et Bela (1971). *Romans :* le Fiston (1959), l'Inquisition, Quelqu'un (F. 1965), le Libera, Passacaille, Cette voix, l'Apocryphe, Monsieur Songe (1982), le Harnais, la Manivelle (1986).

Pourtalès, Guy de [R, Es] (1884-1941) : la Pêche miraculeuse, Louis II de Bavière, Berlioz, Wagner.

Ramuz, Charles-Ferdinand [R, Es] (1878-1947) : Aline (1905), Jean-Luc persécuté (1909), Histoire du soldat (1920), la Grande Peur dans la montagne (1926), Taille de l'homme (1933), Derborence (1934), Si le soleil ne revenait pas (1937).

Raymond, Marcel [Cr] (1897-1981) : De Baudelaire au surréalisme (1933), le Sel et la Cendre.

Renfer, Werner [P, Es] (1898-1936).

Reynold, Gonzague de [H] (1880-1970) : la France classique et l'Europe baroque (1962).

Rist, Charles [Ec] (1874-1955).

Rivaz, Alice [R, Es] (1901) : Comptez vos jours.

Rod, Édouard [R] (1857-1910) : la Course à la mort, le Sens de la vie, l'Incendie.

Rossel, Virgile [Cr] (1858-1933) : Histoire de la litt. fr. hors de France (1895).

Roud, Gustave [P] (1897-1976) : Requiem (1967).

Rougemont, Denis de [Cr, Ph] (1906-85) : Penser avec les mains (1936), l'Amour et l'Occident (1939), L'avenir est notre affaire (1977).

Rousseau, Jean-Jacques [Ph, E, R] (1712-78) : Discours sur les sciences et les arts (1750), Sur l'origine de l'inégalité (1755), Lettre à d'Alembert sur les spectacles (1758), Julie ou la Nouvelle Héloïse (1761), l'Émile (1762), Du contrat social (1767), Rêveries du promeneur solitaire (1782), Confessions (1782-89). – *Biogr. :* fils d'un horloger genevois (protestant) ; orphelin de mère dès sa naissance. Éducation négligée. *1728* se réfugie en Savoie, pris en main par les organismes de conversion au catholicisme, confié à Mme de Warens [Louise-Éléonore de Latour du Pil, B^onne^ de (1700-62), agent secret du gouvernement savoyard, chargée de la surveillance des Genevois] dont il devient l'amant. *1729-30* musicien à la cathédrale d'Annecy. *1730-42* en ménage aux Charmettes, avec Mme de Warens et ses amants, dont Claude Anet et Wintzenried ; en part souvent (notamment 1738, précepteur à Lyon). *1741* présente à Paris, à l'Académie, un nouveau système de notation musicale (échec). *1742-43* secrétaire de l'ambassadeur de Fr. à Venise, M. de Montaigu. *1743* à Paris ; liaison avec Thérèse Levasseur, blanchisseuse (les 5 enfants qu'elle prétendra avoir remis à l'Assistance publique ne sont pas de Rousseau). *1750* succès du *Devin de village* (opéra) ; refuse d'être présenté à Louis XV. *1751* redevient citoyen genevois et protestant. Vit chez Mme d'Épinay (1726-83), à l'Ermitage, près de Montmorency. *1757* rupture. S'installe à Montlouis, près de l'Ermitage. *1761* publie *la Nouvelle Héloïse* [inspirée par sa passion malheureuse pour la Ctesse d'Houdetot (1730-1813)]. *1762* condamné par la Sorbonne pour *l'Émile,* s'enfuit (Suisse puis Angleterre). *1767* en France, dans la clandestinité. *1768* épouse Thérèse. *1770* à Paris, vivant de copie de musique. *1776* renversé par un chien, est recueilli à Ermenonville, chez le Mis de Girardin. *1778* meurt d'apoplexie ; enseveli dans une île du lac (au Panthéon, 1794).

Saint-Hélier (Monique) (Berthe Briod) [R] (1894-1955) : la Cage aux rêves (1932), Bois-Mort.

Savary, Léon [R, Es] (1895-1968) : le Cordon d'argent, Lettres à Suzanne.

Sismondi, Jean-Charles Simonde de [H] (1778-1842) : Histoire des Républiques italiennes, la Littérature du midi de l'Europe.

Staël, Germaine Necker, B[onne] de [R, Es] (1766-1817) : *Essais :* De la littérature (1800), De l'Allemagne (1810). *Romans :* Delphine (1802), Corinne (1807). – *Biogr. :* fille du banquier Necker, ministre de Louis XVI. Fréquente les salons parisiens. *1786* épouse le baron de Staël-Holstein (suédois), ambassadeur à Paris. *1792-94* réfugiée en Suède puis en Suisse (château des Necker à Coppet). *1794-1802* salon à Paris (libéral). Liaison avec Benjamin Constant dont elle a une fille, Albertine (née 1797). *1802* veuve. *1803* exilée par Bonaparte ; voyages en Europe. *1810* rentre clandestinement à Paris, publie *De l'Allemagne* (édition passée au pilon). *1810-12* résidence forcée à Coppet (Suisse). *1811* remariage avec un jeune officier suisse, M. de Rocca. *1813* réfugiée en Russie, puis à Londres. *1814-16* à Paris. Meurt d'un cancer à 50 ans.

Starobinski, Jean [Cr] (1920).

Töpffer, Rodolphe [Hum] (1799-1846) : Nouvelles genevoises (1841), Voyages en zigzag (1845).

Traz, Robert de [R] (1884-1951) : l'Homme dans le rang, Vivre, Fiançailles, Complices, l'Écorché, le Pouvoir des fables.

Vallotton, Benjamin [R] (1877-1962) : série des Commissaire Potterat.

Velan, Yves [R] (1925) : Je (1959).

Viala, Michel [E] (1933) : Séance (1974).

Vinet, Alexandre [Théo, Cr] (1797-1847) : Littérature française au XIXe s. (1849-51).

Voisard, Alexandre [P] (1930).

Vuilleumier, Jean [R] (1934) : la Désaffection.

Walzer, Pierre-Olivier [E] (1915).

Zermatten, Maurice [R, Es] (1910) : le Jardin des oliviers, la Montagne sans étoiles, la Fontaine d'Aréthuse.

Ziegler, Henri de [Es] (1885-1970) : Genève et l'Italie (1948).

Zimmermann, Jean-Paul [R, D] (1899-1952) : l'Étranger dans la ville, les Vieux-Prés.

AUTRES LITTÉRATURES

LITTÉRATURE ALBANAISE

Agolli, Dritéro [R] (1931) : Splendeur et décadence du cinéaste Zullo.

Besnik, Mustafa [Es, R] (1958) : Entre crimes et mirages, l'Albanie (1992).

Kadaré, Ismaïl [R] (1936) : le Général de l'armée morte, le Monstre (1965), les Tambours de la pluie (1970), le Grand Hiver, le Concert, le Dossier H, le Crépuscule des dieux de la steppe, Avril brisé, le Palais des rêves (1990), Invitation à l'atelier de l'écrivain, la Pyramide.

Tozaj, Neshat [R] (n.c.) : la Niche de la honte, les Couteaux.

LITTÉRATURE ARABE

Livre sacré : le Coran (texte établi en 651).

■ Anonymes : les Mille et Une Nuits (contes, XIVe s.), les Fables de Bidpaï (Kalila et Dimna) (VIIIe s.).

■ Anciens : **Abu Nuwas,** Hasan [P] (747-85) : Poèmes bachiques. **Avicenne** (Ibn Sina) [Ph, Med] (980-1037) : la Guérison de l'erreur. **Farazdaq,** Hammâm ben Ghâlib [P] (640-733). **Ghazali** (Algazel, dit Al) [Ph, Theo] (1058-1111) : la Destruction des philosophes. **Ibn Arabi** (Soufi) (1165-1240). **Jahiz,** Amr ben Bahr [Hum] (776-868) : Livre des avares, Livres des animaux. **L'Alâ,** Abou (979-1058) : l'Épître du pardon.

■ Modernes : **Abdel Kouddous,** Ihsan (Ég.) [R] (1919-90). **Adonis** Ali Ahmed Sali (Syrie) [P, Cr] (1930) : les Chants de Mihyar le Damascène (1961), le Livre de la migration. **Afghani,** Jamal ad-Din (Iran) [Pol] (1838-97) : Réfutation des matérialistes. **Al Bayati,** Abdelwahab (Irak) [P] (1926). **Al Sayyab,** Badr Chaker (Irak) [P] (1926-64). **Choukri,** Mohamed (Maroc) [R] (1935) : le Pain nu. **Darwich,** Mahmoud (Palestine) [P] (1942). **Dongol,** Amal (Ég.) (1940-83). **Hakîm,** Tawfiq al (Ég.) [D] (1898-1987) : Théâtre multicolore. **Hamed,** Alaa (Ég.) [R] (n.c.) : Voyage dans l'esprit d'un homme (condamné à 8 ans de prison). **Hussein,** Taha [E, Es, J] (1889-1973). **Ibrahim,** Sonallah [Nouv, R] (1938). **Idriss,** Youssef (Ég.) [R, D, N] (1927-91) : la Sirène (1969), la Maison de chair (1971). **Jabra,** Jabra Ibrahim (Palestine) [R, Cr] (1920). **Kanafani,** Ghassan (Palestine) [Nouv] (1936-72). **Kharrat,** Édouard al- (Ég.) [R] (1927) : Alexandrie, terre de safran. **Khoury,** Elias (Liban) [R] (1948) : la Petite Montagne. **Mahfouz,** Naguîb (Ég.) [R] (1912) : Khan El Khalil, le Passage des miracles (1947), Trilogie cairote (Impasse des deux palais, le Palais du désir, El-Suk-Kariyya : 1956-57), le Fils de la Médina, le Voleur et le chien (1962), la Voie (1964), le Mendiant, Miramar (1965), Bavardage sur le Nil (1966), les Enfants de notre quartier (interdit de publication par l'Azhar) [N 1988], le Jardin du passé, la Chanson des gueux, le Jour de l'assassinat du leader. **Mina,** Hanna (Syrie) [R, Nouv] (1924). **Mounif,** Abdul Rahman (Arabie Saoudite) [R] (1933) : A l'est de la Méditerranée. **Ouettar,** Tahar (Alg.) [R] (1936) : l'As, Noces de mulet. **Salih,** Tayeb (Soudan) [R] (1929) : Saison de la migration vers le Nord, Bandar Chah. **Shawqi,** Ahmad (Ég.) [P] (1868-1932) : Divan (4 vol.). **Shumayyil,** Shibli (Liban) [Sav] (1850-1911) : Force et Matière. **Sonallah,** Ibrahim (Ég.) [R] (1938) : Cette odeur-là (1965), le Comité. **Taha,** Hussein (Ég.) [R] (1889-1973) : la Traversée intérieure. **Takarli,** Fouad (Irak) [R] (1927) : les Voix de l'aube. **Tamer,** Zakariya (Syrie) [Nouv] (1931). **Zaydan,** Georges (Liban) [H] (1861-1914).

LITTÉRATURE BULGARE

IX-Xe s. **Cyrille** (827-869), **Méthode** (825-885), saints [Sav, Ph, Pol, Théo].

Ioan, Exarque [E] (IX-Xe s.).

Kliment de Ohrid, St [Théo] (835-916).

Konstantin de Preslav [P] (IX-Xe s.).

Kosma [Pol, Théo] (X-XIe s.).

Tchernorizets Hrabăr [E] (IX-Xe s.).

XIe s. **Anonyme.** Évangile de Reims, 2 parties : 1°) cyrillique (XIe.), 2°) glagolitique (XIVe s.).

XIV-XVe s. **Euthyme de Tărnovo,** St [Théo] (1325-1402).

Grigoriĭ Tsamblak [H] (1364-1420).

Kiprian [Théo] (v. 1330-1406).

Théodose de Tărnovo, St [Pol, Théo] (v. 1300-63).

Nés avant 1800. **Fotinov,** Konstantin [Es] (1790-1858).

Neofite Bozveli [P] (1785-1848).

Neofite de Rila [Gram] (1793-1882).

Paissiĭ de Xilendar [H] (XVIIIe s.).

Sofroniĭ de Vratsa [Théo] (1739-1813).

Nés avant 1900. **Bagriana,** Elizaveta [P] (1893-1991).

Beron, Petăr (Berovitch) [Méd, Ph, Sav] (1795-1871) : Riben boukvar (1824).

Botev, Xristo [P] (1847-76).

Debelianov, Dimtcho [P] (1887-1916).

Elin Pelin [R, Hum] (1877-1949) : les Gerak (1911).

Gabe, Dora [P] (1888-nc).

Georgiev, Mixalaki [R] (1854-1916).

Iavorov, Peïu [P] (1878-1914).

Iovkov, Iordan [Nouv] (1880-1937).

Jinzifov, Raïtcho [P] (1839-77).

Karavelov, Luben [P, Mém, R] (1834-79) : Bulgares des temps anciens (1867).

Konstantinov, Aleko (Mém, R) (1863-97) : Baï Ganïu (1895).

Liliev, Nikolaï [P] (1885-1960).

Miladinovi, Dimităr (1810-62), Konstantin (1830-62) : Chants populaires bulgares (1861).

Mixaïlovski, Stoïan [D, Fab, P] (1856-1927).

Părlitchev, Grigor [P, Mém] (1830-93).

Popdimitrov, Emanouil [R, D, P] (1887-1943) : Dans le pays des roses (1939).

Radev, Simeon [Mém, H, Pol] (1879-1967).

Rakitin, Nikolaï [P] (1885-1934).

Rakovski, Georgi [Mém, P, Pol] (1821-67) : le Voyage dans la forêt (1858).

Slaveïkov, Petko Ratchev [P, R, Pol] (1827-95).

Smirnenski, Xristo [P, E] (1898-1923).

Stoïanov, Zaxari [Mém] (1850-99).

Talev, Dimităr [R] (1898-1966) : les Cloches de Prespa, le Candélabre de fer.

Todorov, Petko Iordanov [D, R] (1879-1916).

Vazov, Ivan [P, R] (1850-1921) : Sous le joug.

Vlaïkov, Todor [Mém, R] (1865-1943).

Zagortchinov, Stoïan [R] (1889-1969).

Nés après 1900. **Daltchev,** Atanas [P, Nouv] (1904-78) : Paris (1930), l'Ange de Chartres (1943).

Damianov, Damian [E] (1935).

Dimitrova, Blaga [P, R] (1922) : le Jugement dernier (1968).

Dimov, Dimităr [R, D] (1909-66) : Âmes damnées, Tabac (1951).

Djagarov, Georgi [R] (1925).

Hajtov, Nikolaj [P] (1919).

Iazova, Iana [P, R, D] (1912-74).

Karaliïtchev, Anguel [R] (1902-72) : Contes populaires bulgares (1948).

Karaslavov, Georgi [E] (1904-80).

Levtchev, Lubomir [E] (1935).

Popova-Moutafova, Fani [R] (1902-77) : le Maître de Boïana, la Fille de Caloïan.

Raditchkov, Iordan [R] (1929-nc).

Stanev, Emilian [R] (1907-79).

Vaptsarov, Nikolaj [P] (1909-42).

Zmej Gorianin [R, Nouv] (1905-58).

LITTÉRATURE GRECQUE (MODERNE)

☞ Voir également p. 316 c Littérature ancienne.

Alexandrou, Aris [R, P] (1922-78) : la Caisse (1978).

Anagnostakis, Manolis [P] (1925).

Athanassiadis, Tassos [R] (1913) : les Gardiens de l'Achaïe (1971).

Axioti, Melpo [R] (1905-73) : Nuits difficiles (1938), XXe siècle (1946).

Castanakis, Thrasso [R] (1901) : le Fouet et les Lustres (1930), Sept Histoires (1946).

Cavafis, Constantin [P] (1863-1933) : Poèmes (posth. 1935-48).

Chimonas, Giorgos [R] (1939) : le Frère (1975), Mes voyages (1984).

Dimoula, Kiki [P] (1931).

Douka, Maro [R] (1947) : Rouille ancienne (1978), l'Or des fous (1983), Au fond de l'image (1990).

Élytis, Odysseus (Alipoudhelis) [P] (1911) : Chant héroïque et funèbre (1946), Axion esti (1960), Six plus un remords pour le ciel (1977), Marie des brumes [N 1979].

Embiricos, Andréas [P, Ph] (1901-75) : Octana (1980), le Haut-Fourneau (1991), Argo (1991).

Engonopoulos, Nikos [P] (1910-84).

Gritsi-Milliex, Tatiana [R] (1920) : A la première personne (1991), Rêveries (1991).

Hadzis ou **Chatzis,** Dimitrios [R] (1913-81) : la Fin de notre petite ville, le Testament du professeur.

Ioannou, Giorgos [P] (1926-90).

Kambanellis, Iakovos [D] (1922).

Karapanou, Margarita [R] (1946) : Cassandre et le loup (1976), le Somnambule (1988).

Karkavitsas, André [R] (1866-1922) : le Mendiant.

Kavadias, Nikos [P] (1910-74).

Kazantzakis, Nikos [R, D, Es] (1883-1957) : *Romans :* Alexis Zorba (1941-43), le Christ recrucifié (1948), la Liberté ou la Mort (1953), les Frères ennemis (1949-54). *Théâtre :* Mélissa (1939).

Kotzias, Alexandre [R] (1926-92) : l'Usurpation de fonction (1979).

Liondakis, Christophoros [P] (1945).

Maniatis, Yorgos [D] (1951).

Mastorakis, Jenny [P] (1949).

Myrivilis, Stratis [R] (1892-1969) : De profundis (1924), Notre-Dame la Sirène (1950).

Palamas, Costis [P] (1859-1943).

Papadiamantis, Alexandre [R] (1851-1911) : la Tueuse.

Papaditsas, Dimitri [P] (1922-87).

Papatsonis, Takis [P] (1895-1976).

Pentzikis, Nicos-Gabriel [R] (1908) : Architecture d'une vie dispersée (1963), la Mort et la résurrection.

Politis, Cosmas [R] (1888-1974) : Eroica (1938).

Prévélakis, Pandélis [R] (1909) : le Crétois, le Soleil et la Mort (1959).

Ritsos, Yannis [R] (1909-90) : Romiossini (1946), la Sonate au clair de lune (1955), le Chef-d'Œuvre sans queue ni tête.

Sachtouris, Miltos [P] (1919).

Samarakis, Antonis [R] (1919) : la Faille (1965).

Séféris, Georges [P] (1900-71) : Stances (1931), Légende (1933) [N 1963] : Essais, l'Avion d'Ulysse.

Sikelianos, Anghélos [P, D] (1884-1951) : Mater Dei.

Sinopoulos, Takis [P] (1917-81).

Solomos, Dionyssios [P] (1798-1857).

Tachtsis, Costas [R] (1927-assassiné 88) : le Troisième Anneau (1967), la Petite Monnaie.

Tsirkas, Stratis [R] (1911-81) : Cités à la dérive, Printemps perdu.

Valaoritis, Aristotelis [P] (1824-79).

Valtinos, Thanassis [R] (1932) : Bleu nuit presque noir (1985).

Varvitsiotis, Takis [P] (1916).

Vassilikos, Vassilis [R] (1934) : Z (1966), la Trilogie, le Paravent (1982), l'Hélicoptère.

Vénézis, Ilias [E] (1904-73) : Sérénité, Terre éolienne.

Voutyras, Démosthène [R] (1879-1958) : Vingt Nouvelles (1910), Tempêtes (1946).

Xénopoulos, Grégoire [R] (1867-1951) : le Minotaure (1925), la Pente (1928).

Zei, Alki [R] (1927) : la Fiancée d'Achille.

LITTÉRATURE HONGROISE

Anonymes : 1re chronique hongroise (1052), Gesta Hungarorum (1284), Chron. de **Simon Kézai** (XIIIe s.), Chron. illustrée de **Márk Kálti** (1358), Oraison funèbre (1er monument litt. en prose et en hongrois), Lamentations de Marie (1re poésie en hongrois), Chronica Hungarorum (1er livre imprimé en Hongrie, 1473).

Ady, Endre [P] (1877-1919). **Áprily,** Lajos [P] (1897-1973). **Arany,** János [P] (1817-82). **Babits,** Mihály [P, R] (1883-1941). **Balassi,** Bálint [P] (1554-94). **Bessenyei,** György [D] (1747-1811). **Csokonai Vitéz,** Mihály [P, D] (1773-1805). **Déry,** Tibor [R] (1894-1975). **Eötvös,** József [R] (1813-71). **Esterházy,** Péter [R] (1950) : Indirecte. **Fejtö,** Ferenc [J, H] (1909). **Füst,** Milán [R, P] (1888-1967). **Gárdonyi,** Géza [R, D] (1863-1922). **Ianus,** Pannonius [P] (1434-72). **Illyés,** Gyula [P, R, Es] (1902-83) : Sentinelle de nuit. **Jókai,** Mór [R] (1825-1904). **József,** Attila [P] (1905-37). **Juhász,** Gyula [P] (1883-1937). **Katona,** József (1791-1830). **Kassák,** Lajos [P] (1887-1958). **Kazinczy,** Ferenc [P, Pros, réformateur de la langue hongroise] (1759-1831). **Kölcsey,** Ferenc [P] (1790-1838) : hymne national. **Konrád,** György [R] (1930). **Kosztolányi,** Dezsö [P, R, Nouv] (1885-1936) : le Traducteur cleptomane. **Krúdy,** Gyula [R, Nouv] (1878-1933) : N. N. **Lukács,** György [Ph] (1885-1972). **Madách,** Imre [D] (1823-64). **Mándy,** Iván [R] (1918). **Mannheim,** Karl [Soc] (1893-1947). **Marai,** Sándor [R] (1900-89) : les Révoltés (1929), Conversation de Bolzano (1939). **Mészöly,** Miklós [R] (1921) : Saül ou la porte des brebis. **Mikszáth,** Kálmán [R] (1847-1910) : Un étrange mariage. **Molnár,** Ferenc [D] (1878-1952). **Móricz,** Zsigmond [R] (1879-1942). **Nádas,** Péter [R] (1942). **Nagy,** Lajos [Nouv, R] (1883-1954). **Nagy,** László [P] (1925-78). **Németh,** László [R, Es] (1901-74). **Ottlik,** Géza [R] (1912-90) : Une école à la frontière. **Petöfi,** Sándor [P] (1823-49). **Pilinszky,** János [P] (1921-80). **Radnóti,** Miklós [P] (1907-44). **Somlyó,** György [P] (1920). **Szabó,** Lörinc [P] (1901-57). **Szabó,** Magda

[Pros, D] (1917). **Szentkuthy,** Miklos [R] (1908) : en Marge de Casanova (1939). **Szerb,** Antal [R] (1901-45). **Tamási,** Áron [R] (1897-1966). **Tóth,** Árpád [P] (1886-1928). **Vas,** István [P] (1910-91). **Vörösmarty,** Mihály [P, D] (1800-55). **Weöres,** Sándor [P] (1913-89). **Zilahy,** Lajos [R, D] (1891-1974). **Zrínyi,** Miklós [P épique] (1620-64).

Littérature indienne

Banerjee, Manik [E] (1908-56) : les Pêcheurs de la Padma.
Banerji, Bibhuti Bhusan [E] (1899-1950) : la Complainte du sentier (1929).
Banerji, Tara Shankar [E] (1898-1971) : Radha au Lotus (1935), le Peuple-Dieu (1942), la Légende du méandre de l'Hamsuli (1947).
Chatterji, Bankim Chandra [E] (1838-94) : le Testament de Krishnakanta (1878), le Monastère de Ananda (1882).
Chatterji, Sarat Chandra [E] (1876-1938) : Srikanta.
Desai, Anita [R] (1937) : Un héritage exorbitant, le Feu sur la montagne (1977), le Bombay de Baumgartner.
Devi, Ashapurna [R] (1909) : Pratham Prashruti.
Ghosh, Amitav [E] (1956).
Kalidasa, [P, D] (IVe, V^e^ ou VIe s.) : le Nuage messager, la Naissance du dieu Kumara.
Nagarjun, Misra Vaidyanath dit [R, P] (1910) : Une nouvelle génération.
Narayan, Rasipuram Krishnaswamy [E] (1906) : le Mangeur d'hommes, le Guide, le Licencié-ès-lettres.
Rushdie, Salman [R] (1947, nat. brit.) : les Enfants de minuit, la Honte (1984), le Sourire du jaguar, Versets sataniques (1988, pour cet ouvrage l'ayatollah Khomeyni le condamne à mort le 15-2-1989, voir Index), Haroun et la mer d'histoires (1990).
Surdas, [P] (1483-1563) : Pastorales.
Tagore, Ravindranath Thakur (dit Rabindranath) [E] (1861-1941) : les Lettres d'un voyageur en Europe, le Vagabond et autres nouvelles, l'Offrande lyrique, la Maison et le monde [N 1913].

Littérature iranienne

■ **Poètes persans. Ferdowsi,** Abu al-Qasim Mansur [P] (v. 932-v. 1020) : le Livre des rois. **Hafez,** Chamsoddin Mohammed [P] (v. 1303-v. 1389) : le Diwan. **Khayyam,** Umar [P, Math] (v. 1047-v. 1122). **Nezami,** Elias [P] (v. 1120-v. 1181) : le Trésor des mystères, Khosrow et Chirin, Leyla et Madjnum, les Sept Portraits, Livre d'Alexandre. **Saadi,** Mucharrif al-Din [P] (v. 1184-v. 1291) : le Jardin des roses, le Bustan.

Littérature israélienne

Agnon, Samuel [R] (1888-1970) [N 1966] : le Chien Balak (1971), Contes de Jérusalem.
Alterman, Nathan [P] (1910-70).
Amihaï, Yehuda [P] (1924).
Araydi, Naïm [R] (1950) : le 32e Rêve.
Brenner, H.Y. (1884-1921) : Nerfs.
Chouraqui, André [H] (1917) : l'Amour fort comme la mort ; (a traduit le Coran et la Bible).
Gnessin, N. [R] (1879-1913) : le Marginal.
Grinberg, Uri-Zvi [P] (1894-1980).
Grossman, David [R] (1954) : le Vent jaune.
Kaniuk, Yoram [R] (1930) : Tante Shlomzien la grande (1980), Adam ressuscité (1980), la Vie splendide de Clara Chiato (1982).
Kenan, Amos [R] (1927) : Holocauste II (1976), la Route d'Ein Harod (1984).
Moshé, Ben Shaul [P] (n.c.).
Moked, Gabriel [R] (1933).
Orpaz, Itzhak [R] (1923) : la Rue Tomojenna.
Oz, Amos [R] (1939) : Ailleurs peut-être (1971), Mon Michael (1973), la Colline du mauvais conseil, Un juste repos, Jusqu'à la mort, les Terres du chacal, la Boîte noire (M. étr. 1988), Connaître une femme.
Pinès, Shlomo [Ph] (1908-90).
Reuveny, Yotam [R] (1949) : du Sang sur les blés (1988).
Shabtaï, Yaacov [R] (1934-81) : l'Oncle Peretz s'envole (1989).
Shahar, David [R] (1926) : la Colombe et la lune, le Jour de la Comtesse, l'Agent de sa Majesté, Trois Contes de Jérusalem (M. étr. 1984), le Jour des fantômes, Lune de miel et d'or.
Shalev, Meïr [R] (1948) : Que la terre se souvienne.
Shammas, Anton [R] (1950) : Arabesques (1991).
Shamosh, Amnon [R] (1929) : Michel Ezra Safa et fils (1978).
Tammuz, Benjamin [E] (1919-89) : le Minotaure.
Tchernichovsky, Saül [P] (1875-1943).
Vogel, David [R] (1891-1944) : Avec vue sur la mer (1988).
Yehoshua, Avraham B. [R] (1936) : l'Amant (1979), Au début de l'été 1970, Un divorce tardif, l'Armée des cinq saisons, M. Mani (1991).

Littérature japonaise

Abe, Kôbô [R, D] (1924-93) : les Murs, la Femme des sables (1962), l'Homme-Boîte (1973), l'Arche en toc, Cahier Kangourou (1992).
Akutagawa, Ryûnosuke [R] (1892-1927, suicidé) : la Vie secrète du seigneur de Musashi.
Ariyoshi, Sawako [R] (1931-84) : les Années du crépuscule (1972).
Bashô, Matsuo Munefusa, dit [P] (1644-94) : le Haïkaï.
Chikamatsu, Monzaemon [D] (1653-1724) : Théâtre Jôruri.
Dazai, Osamu [R] (1909-48, suicidé) : les Ailes, la Grenade, les Cheveux blancs et douze autres récits.
Deshimaru, Taisen [maître zen] (1914-82) : le Vrai Zen, la Pratique du Zen (1974), le Bol et le Bâton, le Chant de l'immédiat satori (1978).
Endô, Shûsaku [R] (1923) : Un admirable idiot.
Furui, Yoshikichi [R] (1937) : Yoko (1970).
Haniya, Yutaka [R] (1910) : l'Ame des morts.
Hikari, Agata [R] (1943-92) : le Lent Marathon des femmes de Tōkyō (1984).
Ibusé, Masuji [R] (1898) : Pluie noire (1966).
Ihara, Saikaku [R] (1642-93) : Vie de cinq femmes libertines.
Inoué, Yasushi [R] (1907-92) : le Fusil de chasse (1949), les Chemins du désert (1951), Histoire de ma mère (1964), Combats de taureaux, le Faussaire, Confucius.
Ishikawa, Jun [R] (1899-1987) : Vent fou.
Kafu, Nagaï [R] (1879-1959) : la Sumida, Une histoire singulière à l'est du fleuve.
Kakinomoto-no-Hitomaro [P] (VIIe-VIIIe s.).
Kawabata, Yasunari [R] (1899-1972) : Pays de neige (1948), Nuée d'oiseaux blancs (1952), le Grondement de la montagne (1954), les Belles Endormies (1961), [N 1968].
Ki-no-Tsurayuki [P, Pros] (v. 872-945) : Journal de Tosa (935).
Kurahashi, Yumiko [R] (1935) : le Parti (1960).
Masuda, Mizuko [R] (1948) : Cellule simple.
Matsumoto, Seicho [R] (1909-92).
Matsuo, Bashô [P] (1644-94) : Poèmes en 17 syllabes (Haikus).
Mishima, Yukio [R] (1925-70, suicidé par éventrement) : Confession d'un masque (1949), la Mort en été (1953), le Pavillon d'or (1956), la Mer de la fertilité (Neige de printemps, Chevaux échappés, le Temple de l'aube, l'Ange en décomposition), les Amours interdites, l'École de la chair (1960).
Miyazawa, Kenji [P] (1896-1933) : la Nuit du train sur la Voie lactée (1931).
Mori, Ôgai [R] (1862-1922) : Vita sexualis (1909), l'Oie sauvage (1915).
Murakami, Haruki [R] (1949) : la Fin du monde et le pays des merveilles hard-boiled.
Murakami, Ryû [R] (1952) : Bleu presque transparent.
Murasaki Shikibu [R] (v. 970-1019 ?) : le Dit du Genji (54 livres).
Nakagami, Kenji [R] (1946-92) : le Cap (1975), la Mer aux arbres morts (1977), Karekinada, le Moment suprême à l'extrémité du monde, Mille Ans de plaisir, Hymne, Mépris (1991).
Noma, Hiroshi [R] (1915-91) : Zone de vide.
Nosaka, Akiyuki [E] (1930) : les Pornographes.
Ôe, Kenzaburô [R] (1935) : Une affaire personnelle (1964), le Jeu du siècle (1979), Dites-nous comment survivre à notre folie (1979).
Sakaguchi, Ango [R] (1906-1955) : l'Idiot (1947).
Sei-Shonagon [Es] (fin du Xe s.) : Notes de chevet.
Shiina, Rinzô [R] (1911-73) : Thermomètre (1959).
Shimada, Masahiko [R] (1961) : Divertissement pour un gentil gauchiste.
Sôseki, Natsume [R, Es] (1867-1916) : Je suis un chat (1905), la Porte (1910), le Pauvre Cœur des hommes, Clair-Obscur, les Herbes du chemin.
Takizawa, Bakin (Kyokutei) [R] (1767-1848).
Tanizaki, Junichirô [R] (1886-1965) : Svastika (1928), les Sœurs Makioka (1946-48).
Tayama, Katai [R] (1872-1930) : Futon (1908).
Tsushima, Yûko [R] (1947) : Territoire de la lune (1978-79), l'Enfant de la fortune (1978).
Ueda, Akinari [Sav, P, R] (1734-1809) : Contes de pluie et de lune (1776 ?).
Yamada, Eimi [R] (1959).
Yoshiiyuki, Junnosuke [R] (1924) : Ville en couleurs (1951), l'Averse (1954).
Zéami ou **Séami,** Motokiyo [D] (1363-1443) : la Tradition secrète du nô (v. 1418 ?).

Littérature néerlandaise

☞ Voir également p. 274 Littérature belge.

En latin

Érasme, Didier (Geert Geerts, « Gérard fils de Gérard ») [Ph, Eru] (1469-1536) : Éloge de la folie (1509-11), Essai sur le libre arbitre (1521). – *Biogr. :* fils naturel du médecin Gérard de Praet. Jamais légitimé, son père étant entré dans les ordres. Orphelin à 12 ans. *1480* séminaire de Bois-le-Duc. *1486* chanoine régulier à Gouda. *1496* études à Paris (collège Montaigu). *1497-99* pensionné par Henri VII à Londres et Oxford. *1502-04* séjour à Louvain. *1504* précepteur du prince Alexandre d'Écosse. *1506* prof. de théologie à Bologne. *1511-13* curé à Addington (Angl.). *1517-21* séjour à Louvain (n'y a pas enseigné). *1521* à Bâle. *1534* nommé prieur de Deventer (1 500 ducats de revenus), ne peut quitter Bâle où il meurt de la goutte.
Grotius, Hugo (De Groot) [Pol] (1583-1645) : les Droits de la guerre et de la paix.
Huyghens, Christian [Math] (1629-95) : Traité de la lumière (1690), Horloge à balancier (1703).
Second, Jean (Everaerts) [P] (1511-36) : les Baisers.
Spinoza, Baruch [Ph] (1632-77) : Éthique (1661-77). – *Biogr. :* famille de juifs portugais, réfugiés à Amsterdam. Études à l'école talmudique (apprend le latin avec le médecin hollandais Van der Ende). *1656* considéré comme hérétique, est chassé de la communauté juive (blessé d'un coup de poignard, se réfugie à Rhinsburg, près de La Haye). *1663* accueilli par la secte des collégiants, vit à Voorburg. *1669* se fixe à La Haye, gagnant sa vie comme artisan opticien. *1673* refuse une pension de Louis XIV, proposée par Condé. *1676* refuse une chaire à Heidelberg, proposée par l'électeur palatin. Meurt tuberculeux.
Thomas a Kempis [Théo] (1380-1417) : l'Imitation de J.-C.

En néerlandais

Achterberg, Gerrit [P] (1905-62).
Bordewijk, Ferdinand [E] (1884-1965).
Bredero (Gerbrant Adriaensz) [D] (1585-1618).
Couperus, Louis Marie Anne [R] (1863-1923).
Frank, Anne [Pros] (1929-45) : Journal (1947).
Haasse, Hella Serafia [E] (1918) : En la forêt de longue attente (1949), Un goût d'amende amer (1966).
Hart, Maarten't [R] (1944).
Heinsius (Daniel Heins) [H, P] (1580-1655) : Poèmes néerlandais (1616) ; écrit aussi en latin.
Hermans, Willem Frederik [R] (1921) : la Chambre noire de Damoclès (1958).
Huizinga, Johan [H, Es] (1872-1945) : Automne du Moyen Âge (1919).
Kouwenaar, Gerrit [P] (1923).
Lucebert (Lubertus Jacobus Swaanswijk) [P] (1924).
Marsman, Hendrik [P, R, Es] (1899-1940).
Mulisch, Harry [R] (1927) : l'Attentat (1982), Noces de pierre.
Multatuli, Édouard (Douwes Dekker) [R, Es] (1820-87) : Max Havelaar (1860), Idées (1862-77).
Nooteboom, Cees [R, P] (1933) : Rituels (1980), l'Histoire suivante (1991).
Perron, Edgar du [P, Es, R] (1899-1940) : le Pays d'origine (1935).
Slauerhoff, Jan [R, P] (1898-1936).
Van den Vondel, Joost [P, D] (1587-1679) : Adam exilé (1664).
Van Eeden, Frederik [E] (1860-1932) : le Petit Jean (1887).
Van Schendel, Arthur [R] (1874-1946) : l'Homme de l'eau (1933).
Vestdijk, Simon [Pros, P] (1898-1971) : les Voyageurs (1949), l'Ile au rhum (1940).
Wolkers, Jan [E] (1925).

Littérature polonaise

Andrzejewski, Jerzy [R] (1909-83) : Cendres et Diamants (1948), les Portes du paradis (1960), Sautant sur les montagnes (1963), la Pulpe (1981), Personne.
Bialoszewski, Miron [P] (1922-83).
Borowski, Tadeusz [R, P] (1922-51) : le Monde de pierre (1948).
Czapski, Jozef [E, Pe] (1896-1993) : Terre inhumaine (1947), Proust contre la déchéance, Souvenirs de Starobielsk.
Dabrowska, Maria [R] (1859-1965) : les Nuits et les Jours (1932-34).
Dobraczynski, Jan [R] (1910) : Dans une maison détruite, les Lettres de Nikodem.
Gombrowicz, Witold [R, D] (1904-69) : *Romans :* Ferdydurke (1937), Bakakaï (1957), la Pornographie

(1960), Cosmos (1965). *Théâtre :* Yvonne, princesse de Bourgogne (1935), le Mariage (1946), Opérette (1966). *Souvenirs* de Pologne.

Guzy, Piotr [R] (1922) : Vie courte d'un héros positif (1968).

Herbert, Zbigniev [R] (1924) : Rapport d'une ville assiégée.

Herling-Grudzinski, Gustav [R] (1919) : Un monde à part.

Iwaszkiewicz, Jaroslaw [R, D, P] (1894-1980) : le Bois de bouleaux, Mesdemoiselles de Vilko (1933), Un été à Nohant (1936), la Carte météorologique (1977), Icare.

Kantor, Tadeusz (1915-90) [D] : le Théâtre de la mort, la Classe morte (1977), Où sont les neiges d'antan (1979), Wielopole, Wielopole (1980), les Cricotages (1982), Qu'ils crèvent les artistes (1985), Je ne reviendrai jamais (1988), Ô douce nuit !

Kochanowski, Jan [P] (1530-84).

Konwicki, Tadeuz [R] (1926) : la Petite Apocalypse, Bohini un manoir en Lituanie (1990).

Korczak, Janusz [R] (1878-1942) : Colonie de vacances (1910), le Roi Mathias Ier (1923).

Krasinski, Zygmunt [P, D] (1812-59) : la Comédie non divine (1835).

Kusniewicz, Andrzej [R] (1904) : le Troisième Royaume (1975), le Roi des Deux-Siciles (1975).

Lem, Stanislaw [R] (1921).

Malewoka, Hanna [R] (1911-83).

Matkowski, Tomas (écrit en français) [E] (1952).

Mickiewicz, Adam [P] (1798-1855) : Messire Thadée (1834), les Aïeux.

Milosz, Czeslaw (naturalisé amér.) [P, R, Es] (1911) : *Romans :* la Prise du pouvoir, Sur les bords de l'Issa (1955). *Poèmes :* Enfant d'Europe (1980). *Essais :* la Pensée captive, la Terre d'Ulro. *Autobiographie :* Une autre Europe (1964) [N. 1980].

Mrozek, Slawomir [R, D] (1929) : Tango (1965), les Émigrés (1975), La vie est difficile.

Nalkowska, Zofia [P] (1884-1954).

Norwid, Cyprian [P] (1821-83).

Pankowski, Marian [P] (1919) : Tout près de l'œil.

Parandowski, Jan [R] (1895-1978) : le Ciel en flammes.

Parnicki, Teodor [R] (1908) : les Aigles d'argent.

Potocki, Jean [R] (1761-1815).

Prus, Boleslaw [R] (1847-1912) : la Poupée (1890), le Pharaon (1897).

Reymont, Wladyslaw [R] (1869-1925) : les Paysans (1904-09) [N 1924].

Rozewicz, Tadeusz [P, D] (1921) : l'Inquiétude (1947). *Théâtre :* le Dossier (1962).

Rudniki, Adolf [R] (1911-90) : Têtes polonaises.

Rymkiewicz, Jaroslaw Marek [R] (1935) : Entretiens polonais de l'été (1983), la Dernière Gare.

Schulz, Bruno [R] (1892-1942) : les Boutiques de cannelle, le Sanatorium au croque-mort (1937).

Sienkiewicz, Henryk [R] (1846-1916) : Par le fer et par le feu (1883-84), le Déluge (1886), Quo vadis ? (1895-96) [N 1905].

Slowacki, Juliusz [P] (1809-49).

Tuwim, Julian [P] (1894-1953).

Wierzynski, Kazimierz [P, R] (1894-1969) : la Liberté tragique (1936), la Vie de Chopin (1949).

Witkiewicz, Stanislas Ignacy [D, R, Es, Ph] (1885-1939) : *Romans :* l'Inassouvissement (1930). *Théâtre :* les Pragmatistes (1920), la Poule d'eau (1922), la Mère (1924), le Fou et la Nonne (1925), la Métaphysique du veau bicéphale (1928), l'Adieu à l'automne, les Cordonniers.

Wyspianski, Stanislaw [P, D] (1869-1907) : les Noces (1901).

Zagajewski, Adam [R] (1945) : Coup de crayon.

Zeromski, Stefan [P] (1864-1925) : Cendres (1904), l'Aube du printemps (1924).

Zulawski, Andrzej [cinéaste, R] (1940) : Il était un verger (1987).

Zulawski, Miroslaw [E, P] (1913) : la Dernière Europe (1947), la Fuite en Afrique.

Littérature roumaine

Alecsandri, Vasile [P, D] (1821-90) : Doïnas et muguets.

Arghezi, Tudor [P] (1880-1967) : Mots assortis, Fleurs de moisissure, Cantique de l'homme.

Bacovia, Georges [P] (1881-1957) : Plomb.

Barbu, Ion [P, Math] (1895-1961) : Jeu second.

Blaga, Lucian [P, Ph] (1895-1961) : l'Éloge au sommeil, l'Espace mioritique.

Bogza, Geo [P, Pros, Es] (1908).

Breban, Nicolae [R] (1934) : l'Annonciation.

Călinescu, George [Cr, R] (1899-1965).

Cantemir, Dimitrie [H, Ph] (1673-1723).

Caragiale, Ion Luca [D] (1852-1912) : Une lettre perdue, Une nuit orageuse, Moments et Récits.

Cioran, E. M. [Es] (1911) : voir p. 297 a.

Costin, Miron [Chr] (1633-91).

Creangă, Ion [Pros] (1839-89) : Souvenirs d'enfance, Contes et Récits, Adèle.

Dumitriu, Petru [R] (1924, écrit en français) : voir p. 297 c.

Dinescu, Mircea [P] (1950).

Doinaş, Stefan-Augustin [P, Es] (1922) : le Livre des marées, Alter ego.

Eminescu, Mihai [P, Pros] (1850-89) : Hypérion, Glossa, le Pauvre Dionis, Epîtres, le Lac.

Goga, Octavian [P] (1881-1938) : l'Appel de la glèbe.

Horia, Vintila [R] (1915-92) : Dieu est né en exil (G 1960 refusé), Journal d'un paysan du Danube, Une femme pour l'apocalypse.

Istrati, Panaït [R] (1884-1935) : voir p. 291 a.

Labis, Nicolae [P] (1950) : les Premières Amours.

Maiorescu, Titu [Ph, Cr] (1840-1917) : Critiques.

Manea, Norman [Nouv.] (1936).

Minulescu, Ion [P, D] (1896-1963) : Romances pour plus tard.

Neculce, Ion [Chr] (1672-1745).

Nedelcovici, Bujor (E) (nc) : le Second Messager, Crime de sable, le Matin d'un miracle.

Novac Ana [R] (1929) : les Accidents de l'âme, Un pays qui ne figure pas sur la carte (écrit en français, 1992).

Petrescu, Camil [D, Es, Pros] (1894-1957) : Danton, le Jeu des sylphes.

Philippide, Alexandru [P, Es] (1900-79) : Monologue à Babylone, Rocs foudroyés.

Preda, Marin [Pros] (1922-80) : Les Moromete.

Rebreanu, Liviu [Pros] (1885-1944) : Ion, la Forêt des pendus, la Révolte.

Sadoveanu, Mihail [Pros] (1880-1961) : le Hachereau, le Rameau d'or.

Sebastian, Mihai [D, Es] (1907-45) : la Dernière Heure.

Slavici, Ioan [Pros] (1848-1925) : Mara.

Sorescu, Marin [P, D] (1936) : *Poésie :* l'Ouvrage de papier, la Mort de la montre. *Théâtre :* la Baleine.

Stancu, Zaharia [Pros] (1902-74) : Pieds nus.

Stănescu, Nichita [P] (1933-1983) : Clair au cœur.

Tanase, Virgil [E] (1945) : l'Apocalypse d'un adolescent de bonne famille (1980), l'Amour, l'amour, Roman sentimental (1982), Ils refleurissent les pommiers sauvages (1991).

Topârceanu, George [P] (1886-1937) : Balades gaies et tristes, Amandes amères.

Vinea, Ion [P, Pros] (1895-1964) : l'Heure des fontaines, les Lunatiques.

Voiculescu, Vasile [P, Pros] (1864-1963) : Zahei l'aveugle.

Voronga, Ilarie [P] (1903-46, suicidé) : La joie est pour l'homme.

Littératures scandinave et finlandaise

Aho, Juhani (Finl.) [R] (1861-1921).

Anonymes. *Finlande :* le Kalevala. *Islande :* les Eddas (VIIe-XIIIe s.) [poèmes mythologiques] ; Sagas islandaises (XIe s.).

Andersen, Hans Christian (Dan.) [P, Pros] (1805-75) : Contes.

Anderson, Gidske (Norv.) [J, R, P] (1921) : Sigrid Undset, Une biographie (1991).

Bang, Hermann (Dan.) [R, N] (1856-1912). Katinka (1886).

Bellman, Carl Michael (Suéd.) [P] (1740-95).

Bjelke, Henrik (Dan.) [R, N] (1937-93).

Bjœrnson, Bjœrnstjerne (Norv.) [D, P] (1832-1910) [N 1903].

Blixen, Karen (Dan.) [R] (1885-1962) : Sept Contes gothiques (1934), la Ferme africaine (1937), Nouveaux Contes d'hiver (1942), les Voix de la vengeance (1944), le Dîner de Babette (1952), Ombres sur la prairie (1960), Lettres d'Afrique 1914-1931 (1978).

Bringsværd, Tor Aage (Norv.) [R] (1939) : Gobi (1985).

Christensen, Inger (Dan.) [Es, P, R] (1935) : Lumière (1962), Ça (1969), Lettre en Avril (1976), la Chambre peinte (1976), Alphabet (1981).

Claussen, Sophus (Dan.) [P, R] (1865-1931).

Dagerman, Stig (Suéd.) [R, D, P] (1923-54) : Dieu rend visite à Newton.

Delblanc, Sven (Suéd.) [E] (1931) : la Nuit de Jérusalem.

Ditlevsen, Tove (Dan.) [P, R] (1917-76).

Ekelöf, Gunnar (Suéd.) [P] (1907-68) : Guide pour les enfers.

Faldbakken, Knut (Norv.) [R] (1941) : Journal d'Adam, la Séduction.

Flœgstad, Kjartan (Norv.) [R, P] (1944) : le Chemin de l'Eldorado (1988).

Gill, Claes (Norv.) [P] (1910-73) : les Imperfections de la vie.

Gjellerup, Karl (Dan.) [R] (1857-1919) [N 1917].

Gress, Elsa [R] (1919-88) : le Sexe non découvert (1964).

Gunnarsson, Gunnar (Isl.) [R] (1889-1975) : l'Oiseau noir.

Gustafsson, Lars (Suéd.) [R] (1936) : la Mort d'un apiculteur (1978), Musique funèbre, l'Après-Midi d'un carreleur.

Gyllensten, Lars (Suéd.) [R] (1921) Infantilia, Senilia, Juvenilia.

Haaviko, Paavo (Finl.) [R, P, D, Nouv.] (1931) : le Palais d'hiver, Histoire de Kullervo, Soirées romaines, Poèmes.

Hamsun, Knut (Pedersen, Norv.) [R, D] (1859-1952) : la Faim (1890), Mystères (1892), Pan (1894), Victoria (1898), le Chœur sauvage (1904), Benoni (1908), Enfants de l'époque (1913), l'Éveil de la glèbe (1917), Femmes à la fontaine (1920), le Dernier Chapitre (1923), Vagabonds (1927), August (1930), le Cercle se ferme (1936), Sur les sentiers où l'herbe repousse (1949) [N 1920].

Hansen, Martin Alfred (Dan.) [R, Es] (1909-55) : le Menteur (1950).

Heidenstam, Verner von (Suéd.) [R] (1859-1940) [N 1916].

Heinesen, William (Dan.) [R, Nouv, P] (1900-91) : *Romans :* Aube orageuse (1934), la Marmite noire (1949), Les Musiciens perdus (1950), Mère Sept-Étoiles. *Nouvelles :* la Lumière enchantée (1958).

Hultberg, Peer (Dan.) [R] (1935).

Ibsen, Henrik (Norv.) [D] (1828-1906) : Peer Gynt (1867), Maison de poupée (1879), Un ennemi du peuple (1882), le Canard sauvage (1884), la Dame de la mer (1888), Hedda Gabler (1890), Solness le constructeur (1892).

Jacobsen, Rolf (Norv.) [P] (1907).

Jensen, Johannes Vilhelm (Dan.) [R, P] (1873-1950) [N 1944] : la Chute du roi (1900-1901).

Johnson, Eyvind (Suéd.) [R] (1900-76) [N 1974] : le Roman d'Olof.

Karlfeldt, Erik Axel (Suéd.) [P] (1864-1931) [N 1931].

Kierkegaard, Søren (Dan.) [Ph] (1813-55) : Crainte et tremblement (1843), le Journal du séducteur, le Concept de l'angoisse (1844), Traité du désespoir (1849), l'École du christianisme (1850).

Kivi, Alexis (Finl.) [R] (1834-72) : les Sept Frères.

Kjaerstad, Jan (Norv.) [R] (1953) : Rand.

Krusenstierna, Agnes von (Suéd.) [E] (1894-1940) : les Demoiselles de Pahlen (1930-35).

Lagerkvist, Pär (Suéd.) [P, R] (1891-1974) : le Bourreau, le Nain, Chants du cœur (1926), Barabbas, la Sibylle, la Mort d'Ahasverus, Pèlerin sur la mer, la Terre sainte [N 1951].

Lagerlöf, Selma (Suéd.) [R] (1858-1940) : Gösta Berling, le Vieux Manoir, le Merveilleux Voyage de Nils Holgersson à travers la Suède (1906-07), la Maison de Liliecrona (1911), l'Empereur du Portugal (1914), Anna Svärd (1928) [N 1909].

Laine, Jarkko (Finl.) [P] (1947).

Larsson, Stig (Suéd.) [E] (1955) : les Autistes (1986), Nouvel An (1987), Introduction (1989), la Comédie (1991).

Laxness, Halldór (Isl.) [R] (1902) : la Beauté du ciel, la Cloche d'Islande (1979), Lumière du monde, le Paradis retrouvé, Salka Valka, Petite Fille d'Islande, Station atomique, Chrétiens du glacier [N 1955].

Lindgren, Astrid (Suéd.) [R] (1907) : Fifi Brindacier (1945), Ronya, fille de brigand (1981).

Lindgren, Torgny (Suéd.) [R] (1938) : le Chemin du serpent, Bethsabée, la Lumière.

Lo-Johansson, Ivar (Suéd.) [R] (1901-90) : la Tombe du bœuf et Autres Récits (1936).

Lundkvist, Artur (Suéd.) [P, R, Cr] (1906-91) : *Poésie :* Ardeur (1928), Vie nue (1929), le Vol d'Icare (1939), la Valse de Vindinge (1956). *Romans :* Esclaves pour le Serkland (1978). *Autobiogr. :* Voyage en rêve et en imagination (1984).

Madsen, Svend Aage (Dan.) [R] (1939) : Mettons que le monde existe (1971), Discipline et débauche dans l'entretemps.

Manner, Eeva-Liisa [R, P] (1921) : Alezan brûlé, Le monde est le poème de mes sens.

Martinson, Harry (Suéd.) [P] (1904-78) : Les orties fleurissent (1935), Aniara (1956) [N 1974].

Michael, Ib (Dan.) [R, P] (1945) : le Voyage de retour (1977), le Troubadour et la fille du vent (1984), Kilroy-Kilroy (1989), le Vent dans le métro (1990).

Myrdal, Alva (Suéd.) [E] (1902-86) et Gunnar [Ec] (1898-1987) : la Crise de la population (1934), Confessions d'un Européen déloyal.

Nordbrandt, Henrik (Dan.) [P] (1945).

Pontoppidan, Henrik (Dan.) [R] (1857-1943) [N 1917] : le Visiteur royal (1908), le Royaume des morts.

Reuter, Bjarne [R] (1950) : le Monde de Buster (1980), Embrasse les étoiles.

Rifbjerg, Klaus (Dan.) [R, P, N] (1931).

Sandemose, Aksel (Dan.) [R] (1899-1965).

Schade, Jens August (Dan.) [P] (1903-78).

Schoultz, Solveig von (Finl., écrit en suédois) [P] (1907).

Seeberg, Peter (Dan.) [N, R] (1925).

Sillanpää, Frans Emil (Finl.) [R] (1888-1964) [N 1939] : Sainte Misère.

Smærup Sørensen, Jens : (Dan.) [R, N] (1946). **Snorri Sturluson** (Isl.) [Chr] (1179-1241) : Saga des rois de Norvège. **Södergran,** Édith (Finl.) [P] (1892-1923). **Sørensen,** Villy (Dan.) [N, Es] (1929). **Stangerup,** Henrik (Dan.) [R] (1937) : Vipère au cœur (1969), L'homme qui veut être coupable (1973), Lagoa Santa (1981), le Séducteur ou Il est difficile de mourir à Dieppe (1985), Frère Jacob (1991). **Strindberg,** August (Suéd.) [D] (1849-1912) : *Théâtre :* Mäster Olof (1872), Père (1887), Mademoiselle Julie (1888), Créanciers (1890), la Danse de mort (1900), le Songe (1902), la Sonate des spectres (1907). *Récits autobiographiques :* le Plaidoyer d'un fou, Inferno (1897), l'Abbaye (1902), Seul (1903). **Swedenborg,** Emmanuel (Suéd.) [Sav, Ph] (1688-1772) : les Arcanes célestes (en latin). **Thorup,** Kirsten (Dan.) [P, R] (1942) : Marie. **Tranströmer,** Thomas (Suéd.) [P] (1931). **Trotzig,** Birgitta (Suéd.) [R] (1929) : le Destitué. **Tunström,** Göran (Suéd.) [R] (1937) : l'Oratorio de Noël. **Undset,** Sigrid (Norv.) [R] (1882-1949) : Christine Lavransdatter (1920-22), Ida-Elisabeth, la Femme fidèle (1936), Madame Dorothea (1939) [N 1928]. **Vesaas,** Tarjei (Norv.) [E] (1897-1973) : Palais de glace, les Oiseaux, l'Incendie. **Vold,** Jan Erik (Norv.) [P] (1939). **Waltari,** Mika (Finl.) [R, D] (1908-79) : le Chat chinois et autres contes, Sinouhé l'Égyptien, l'Escholier de Dieu, le Secret du royaume. **Wolf,** Oeystein Wingaard (Norv.) [P, R] (1958) : la Mort de Dodi Asher.

Littérature tchèque

■ Langue tchèque. **Brezina,** Otokar (Václav Jebavý) [P] (1868-1929) : Vents des pôles (1897). **Capek,** Karel [R, D] (1890-1938) : *Romans :* la Fabrique d'absolu (1922), Hordubal (1933), le Météore, Une vie ordinaire, Povetron (1934), la Guerre des salamandres (1936). **Durych,** Jaroslav [E] (1868-1962) : Dans les montagnes (1919), Errances (1929). **Gruša,** Jiří [P, R] (1938). **Hájek,** Jiři [Pol, H] (1913). **Halas,** Frantisek [P] (1901-49) : Grand ouvert (1936), Fragment d'espérance (1938). **Hasek,** Jaroslav [R] (1883-1923) : le Brave Soldat Chveik (1920-21). **Havel,** Václav [R, D] (1936) Pt de la rép. (voir Index) : la Fête en plein air (1963), la Grande Roue (1990), Pétition. **Hejdánek,** Ladislav [P, Es] (1927). **Holan,** Vladimír (1905-80) : Douleur (1964), Une nuit avec Hamlet (1962). **Hrabal,** Bohumil [R] (1914) : Moi qui ai servi le roi d'Angleterre (1971), Une trop bruyante solitude (1975), Vends maison où je ne veux plus vivre (1989), les Noces dans la maison (1990). **Jirásek,** Alois [R] (1851-1930) : Entre les courants (1891), Contre tous (1894), la Confrérie (1900-05). **Král,** Petr [E] (1941) : le Vide du monde Munich (1986), Du gris nous naissons (1991). **Kundera,** Milan (nat. français) [R, D] (1929) : la Plaisanterie (1967), l'Insoutenable Légèreté de l'être, l'Art du roman (1986), l'Immortalité (1990). **Lysohorský,** Ondra [P] (1905-89). **Nezval,** Vitezslav [P, R, D, Es] (1900-58) : Edison (1928), Valérie ou la Semaine des merveilles (1945). **Patočka,** Jan [Ph] (1907-77) : Essais hérétiques (1990), Platon et l'Europe (1973). **Putík,** Jaroslav [R] (1923) : l'Homme au rasoir (1989). **Reynek,** Bohuslav [R] (1892-1971) : Un serpent sur la neige (1924), Pieta (1940), Des visions douces. **Seifert,** Jaroslav [P] (1901-86) [N 1984] : Maman (1954), Sonnets de Prague (1958), le Parapluie de Piccadilly (1977), la Colonne de peste (1981), Les danseuses passaient près d'ici. **Škácel,** Jan [P] (1922-89). **Škvorecký,** Joseph [R] (1924) : les Lâches (1978). **Vaculík,** Ludvík [R] (1926) : les Cobayes, la Clef des songes. **Vancura,** Vladislav [R] (1891-1942) : le Jugement dernier (1929), Markétá Lazarova (1931), la Fin des temps anciens, la Famille Horvat (1938).

■ Langue slovaque. **Hviezdoslav,** Pavol Orszagh [P] (1849-1921) : Psaumes (1912). **Tatarka,** Dominik [E, R] (1913-89) : la République des curés (1940), le 1er et le 2e Coup (1950).

Littérature yougoslave

■ Croates. **Aralica,** Ivan [E] (1930). **Dragojevic,** Danijel [P] (1934). **Krleža,** Miroslav [E, P, Es] (1893-1981). **Marinković,** Ranko [E] (1913). **Mihalic,** Slavko [P] (1928). **Novak,** Slobodan [Nouv, R] (1924). **Soljan,** Antun [R] (1932). **Ujevic,** Tin [P] (1891-1955).

■ Macédonien. **Cingo,** Zivko [R] (1935) : la Grande Eau (1971), l'Incendie (1975).

■ Serbes. **Andrić,** Ivo [R] (1892-1975). **Bulatovic,** Miodrag [E] (1930-91). **Cosić,** Dobrica [R] (1921). **Crnjanski,** Milos [P, R, D] (1893-1977). **Davico,** Oscar [P, R, E] (1909-89). **Jaksic,** Djura [P] (1832-78). **Kis,** Danilo [R] (1935-89). **Mihajlovic,** Dragoslav [R] (1930). **Pavic,** Milorad [Ling] (1929). **Popa,** Vasko [P] (1922-91). **Popovic,** Danko [R] (1928). **Tisma,** Aleksandar [Pros, R] (1924).

■ Slovènes. **Levstik,** Fran [P] (1831-87). **Pahor,** Boris [E] (1913-91).

☞ L'écriture glagolitique usitée dans les premiers textes de la littérature slave (IXe s. apr. J.-C.) est rapidement sortie de l'usage ; elle ne sert plus que dans certaines paroisses catholiques de Dalmatie.

Littérature sud-africaine

Abrahams, Peter [R, E] (1919) : Mine Boy (1946), Je ne suis pas un homme libre (1956), Rouge est le sang des Noirs (1960), Une nuit sans pareille (1966), Cette île entre autres (1966). **Bosman,** Herman Charles [R, P, E] (1905-51) : Mafeking Road (1945), Cold Stone Jug (1949), A Cask of Jerepigo (1957). **Breytenbach,** Breyten [R, P] (1939) : Mouroir, Confessions véridiques d'un terroriste albinos, Lotus, Voetskrif, Eklips. **Brink,** André [R] (1935) : Au plus noir de la nuit (1974), Rumeurs de pluie (1978), Une saison blanche et sèche (M, 1980), Un turbulent silence, le Mur de la peste, États de siège, Un acte de terreur, Adamastor. **Campbell,** Roy [P, E] (1901-57) : The Flaming Terrapin (1924), Adamastor (1930), Mithraic Emblems (1936), Light on a Dark Horse (1951). **Coetzee,** John Michael [R, Cr] (1940) : En attendant les Barbares, In the Heart of the Country, Michael K (1983). **Essop,** Ahmed [R] (1931) : The Visitation (1980), The Emperor (1984), Noorjehan and Other Stories (1990). **Eybers,** Elizabeth [P] (1915) : Die helder half Jaar (1956), Einder (1977). **Fugard,** Athol [D] (1932) : Master Harold... and the Boys (1983), My Children ! My Africa ! **Gordimer,** Nadine [R] (1923) : Un monde d'étrangers (1958), Fille de Burger (1979), Ceux de July (1981), Quelque chose là-bas (1984), Un caprice de la nature (1987), My Son's Story [N 1991]. **Head,** Bessie [R] (1937-86) : When Rain Clouds Gather (1969), Maru (1971), A Question of Power (1974), A Bewitched Crossroad (1984). **Joubert,** Elsa [R] (1922) : les Années d'errance de Poppie Nongena (1978). **Krige,** Uys [P, Cr, D] (1910) : 'n Keur uit sy Gedigte. **La Guma,** Alex [R] (1925) : Nuit d'errance (1962), And a Threefold Cord (1964), The Stone Country (1967), les Résistants du Cap (1972), l'Oiseau meurtrier (1979). **Leroux,** Étienne [R] (1922) : Sept Jours chez les Silberstein (1962), Azazel (1964), Die dieper Reg. **Mattera,** Don [P, R] (1935) : Gone with the Twilight. **Mphahlele,** Eskia [R, Cr] (1919) : Chirundu (1979). **Mzamane,** Mbulelo [E] (1948) : My Cousin Comes to Jo'burg (1980), The Children of Soweto (1982). **Nkosi,** Lewis [R, D, Cr] (1936) : le Sable des Blancs. **Opperman,** D.J. [P] (1914) : Joernaal van Jorik (1949), Komas uit n-Bamboesstok (1979). **Paton,** Alan [R] (1903-88) : Pleure, ô mon pays bien aimé (1948), Quand l'oiseau disparut (1953), le Bal des débutantes (1961). **Rive,** Richard [E, R] (1931-89, assassiné) : Emergency (1964), Buckingham Palace, Sixième District. **Sepamla,** Sipho [P, R, D] (1932) : A Ride on the Whirlwind (1981). **Serote,** Wally Mongane [E, P, R, Cr] (1944) : Alexandra, mon amour, ma colère (1981). **Small,** Adam [P, D] (1936) : Kitaar my kruis (1961), Kanna hy kô hystoe (1965). **Smith,** Hettie [R] (1908) : Sy kom met die sekelmaan. **Tlali,** Miriam [R, E] (1933) : Entre deux mondes (1979), Amandla (1980), Footprints in the Quag (1989). **Van Wyk Louw,** N.P. [P, E, D] (1906-70) : Die halwe Kring (1937), Raka, Germanicus (1956).

Littérature turque

Abasiyanik, Faik [R, P] (1906-54). **Adivar,** Halide Edip [R] (1844-1964). **Ali,** Sabahattin (1906-48). **Altan,** Cetin [E] (1937). **Beyatli,** Jahya Kemal [P] (1884-1958). **Bucra,** Tarik [R, D] (1918). **Çağlar,** Behçet Kemal [R, P] (1908-69). **Cumali,** Necati [P, N, D] (1921). **Daglarca,** Fazil [P] (1914). **Dranas,** Ahmet Muhip [P] (1909). **Emre,** Yunus [P] (XIIIe s.). **Ersoy,** Mehmet Akif [P] (1873-1936). **Faik,** Saït (1906-54). **Güntekin,** Resat Nuri [E] (1888-1956). **Gürpinar,** Hüseyin Rahmi [R] (1864-1944). **Gursel,** Nedim [R] (1951), Un long été à Istanbul, la Première Femme, les Lapins du commandant. **Hachim,** Ahmet [P] (1884-1933). **Hikmet,** Nâzim [P, D, R] (1902-63) : Paysages humains. **Hisar,** Abdülhak Şinasi [R] (1883-1963). **Kanok,** Orhan Veli [E] (1914-50). **Karaosmanoglu,** Yakup Kadri [E] (1889-1974). **Kemal,** Yachar [E] (1923), la Légende des 1 000 taureaux, le Dernier Combat de Mèmed le Mince, Salman le Solitaire, la Grotte. **Kuleri,** Cahit [P] (1917). **Pamuk,** Orhan [R] (1952) : Djebet et ses fils, la Citadelle blanche, la Maison du silence (1983). **Safa,** Peyami [R, J] (1899-1961). **Seyfeddin,** Omer [R] (1884-1920). **Shah,** Idries (1924). **Taner,** Haldun [D] (1916). **Tanpinar,** Ahmet Hamdi [R, P] (1901-62). **Taranci,** Cahit Sitki [E] (1910-56). **Usakligil,** Halid Ziya [R] (1866-1945).

Littérature ancienne

Littérature grecque

Nés avant Jésus-Christ

Anacréon [P] (2e moitié VIe s.) : Poésies légères, les « Odes anacréontiques » ne sont pas de lui. **Anaxagore** [Ph] (v. 500-428). **Anaximandre** [Ph] (610-547). **Anaximène** de Milet [Ph] (v. 550-480). **Antisthène** [Ph] (v. 444-365). **Apollonios de Rhodes** [P] (295-v. 230) : les Argonautiques. **Arcésilas** [Ph] (316-v. 241). **Archiloque** [P] (712-v. 644) : Élégies, Hymnes. Inventeur de l'iambe. **Aristophane** [D] (v. 445-v. 386) : 11 comédies connues, dont les Nuées, les Oiseaux, les Guêpes, les Grenouilles, la Paix, Lysistrata. **Aristote** [Ph] (384-322) : 400 ouvrages ; 47 restent dont : Éthique à Nicomaque, Logique, Physique, Métaphysique, Morale, Politique, Constitution d'Athènes, Poétique. **Callimaque** [P] (310-v. 235) : Épigrammes. **Carnéade** [Ph] (v. 215-v. 129). **Chrysippe** [Ph] (280-205). **Démocrite** [Ph] (v. 460-v. 370). **Démosthène** [Or] (384-322) : 33 plaidoyers, plusieurs civils, 2 politiques dont la Couronne ; 25 harangues politiques, dont 4 Philippiques et 3 Olynthiennes. **Diodore de Sicile** [H] (v. 90-v. 10) : Bibliothèque historique. **Diogène** le Cynique [Ph] (413-327).

Empédocle [Ph] († v. 490). **Épicure** [Ph] (341-270) : 300 volumes dont seules 3 lettres nous sont parvenues (doctrine vulgarisée par Diogène Laërce et Lucrèce). **Eschine** [Or] (v. 390-314) : Contre Timarque, Sur l'ambassade, Sur la couronne. **Eschyle** [D] (525-456) : 20 drames satiriques, 70 tragédies dont 7 sont restées : les Suppliantes, les Perses, les Sept contre Thèbes, l'Orestie (comprenant Agamemnon, les Choéphores, les Euménides), Prométhée enchaîné. **Ésope** [Fab] (VIIe-VIe s.) : fables transmises par tradition orale, reprises en recueil. **Euclide** d'Alexandrie [Ph, Math] (IIIe s.) : Les Éléments, les Données. **Euclide** de Mégare (dit le Socratique) [Ph] (v. 450-v. 380). **Euripide** [D, P] (480-406) : 92 pièces. Il reste 17 tragédies, 1 drame satirique (le Cyclope), Alceste, Médée, Hécube, Andromaque, Électre, Oreste, Hippolyte, Iphigénie à Aulis, Iphigénie en Tauride, les Bacchantes.

Gorgias [Ph] (v. 487-v. 380). **Héraclite** [Ph] (v. 540-v. 480). **Hérodote** [H] (v. 486-v. 420) : Histoire. **Hésiode** (VIIIe s.) : les Travaux et les Jours, la Théogonie. **Hippocrate** [Sav] (460-377) : Traité des airs, des eaux et des lieux, Aphorismes, Traité du pronostic. **Homère** [P] (IXe s.) : l'Iliade : 24 chants et 15 693 vers (épisode de la guerre de Troie), l'Odyssée : 24 chants (aventures d'Ulysse après la guerre de Troie). **Isée** [Or] (v. 400-v. 350). **Isocrate** [Or] (436-338) : 6 plaidoyers, 15 harangues : Panégyrique d'Athènes, A Philippe, Panathénaïque. **Leucippe** [Ph] (Ve s.). **Lysias** [Or] (440-380) : 34 discours : Contre Ératosthène, Contre Diogiton, Pour l'invalide.

Ménandre [D] (v. 342-v. 292) : 100 comédies dont sont restées : le Dyscolos (seule en entier), l'Arbitrage, la Samienne, la Femme aux cheveux coupés, etc. **Parménide** [Ph] (v. 540-v. 450) : De la nature. **Pausanias** [H] (IIe s. apr. J.-C.) : Description de la Grèce (10 livres). **Philon** d'Alexandrie (le Juif) [Ph] (v. 13 av. J.-C.-v. 54 apr. J.-C.). **Pindare** [P] (v. 518 -v. 438) : Épinicies (Odes triomphales). **Platon** [Ph] (v. 428-v. 348-347) : 42 dialogues (28 authentiques) : Gorgias, le Banquet, la République, les Lois, Criton, Phédon, Phèdre ; 1 discours : l'Apologie de Socrate. **Polybe** [H] (v. 210/05-v. 125) : Histoire générale du monde de 221 à 146 : 50 L., dont il reste les 5 premiers et des fragments des autres. **Posidonios** [H, Ph] (v. 135-v. 50). **Protagoras** [Ph] (v. 485-v. 410). **Pyrrhon** [Ph] (v. 365-v. 275). **Pythagore** [Ph, Math] (v. 580 -v. 500) : n'a rien écrit ; doctrine exposée par disciples.

Sapho [P] (début VIe s.) : 9 L. d'épithalames, élégies, hymnes dont il ne reste que des fragments. **Socrate** [Ph] (470-399) : n'a rien écrit ; doctrine exposée par Platon et Xénophon. **Sophocle** [D] (v. 495-v. 405) : 100 pièces : dont il reste 7 tragédies : Ajax, Antigone, Électre, Œdipe à Colone, Œdipe Roi, Philoctète, les Trachiniennes, un fragment des Limiers et un drame satirique. **Stésichore** [P] (VIe s.) : 26 L. de chants lyriques. **Strabon** [H, Géog] (v. 58-v. 21-25 apr. J.-C.) : Géographie univ., 17 L. **Thalès** de Milet [Math, Ph] (fin VIIe-déb. VIe s.). **Théocrite** [P] (v. 315-v. 250) : 26 L. de chants lyriques. Créateur de l'idylle. **Théophraste** [Ph] (372-287) : les Caractères. **Thucydide** [H] (v. 465-v. 395) : Histoire de la guerre du Péloponnèse de 431 à 411 (8 L.), inachevée. **Xénocrate** [Ph] (v. 400-314). **Xénophane** [Ph] (v. fin VIe s.) : poème : la Nature. **Xénophon** [H, Ph] (v. 430-v. 355) : 13 ouvrages : les Mémorables, la Cyropédie, l'Économique, Hiéron, l'Anabase, les Helléniques. **Zénon de Citium** [Ph] (v. 335-v. 264) : fondateur du stoïcisme. **Zénon d'Élée** [Ph] (490/485-?).

Nés après Jésus-Christ

Basile, saint (329-379) : Homélies, Panégyriques, Sermons : Hexaméron, 365 lettres. **Clément** d'Alexandrie (v. 150-211/6). **Denys l'Aréopagite** [St] (Ph] (Ier s.). **Épictète** [Ph] (v. 50-v. 125) : sa doctrine est exposée par Arrien dans les Entretiens et le Manuel. **Flavius-Josèphe** [H] (Juif) (37-100) : la Guerre juive, les Antiquités juives, Vie. **Grégoire de Nazianze,** saint [P] (v. 330-390) : 45 discours : Oraisons funèbres de saint Athanase et de saint Basile. Invectives contre Julien. 243 lettres.

Jamblique [Ph] (v. 250-v. 330). **Jean Chrysostome,** saint [E] (v. 340-407) : Éloquence, Homélies, Sermons, Traités : Sur le sacerdoce, 238 lettres. **Justin,** saint [Ph] (v. 100-v. 165). **Lucien** (v. 125-v. 191) : 80 ouvrages (50 authentiques). Dialogues moraux ; Dialogues des morts ; l'Assemblée des dieux. Dissertations, Manières d'écrire l'hist. *Roman :* l'Histoire vraie. **Marc Aurèle** [Ph, empereur] (122-80) : Pensées pour moi-même (166-80). **Origène** [Théo] (185-254) : 2 000 ouvrages : Hexaples (Bible en 6 colonnes), Commentaires et scolies sur les deux Testaments, Homélies, Lettres. **Plotin** [Ph] (v. 205-v. 270). **Plutarque** [H, M] (v. 50-v. 125) : 46 Vies parallèles comparées de deux hommes illustres, un Grec et un Latin, 80 traités de morale et de sujets divers. **Porphyre** [Ph] (234-v. 305). **Proclus** [Ph] (412-485) : Commentaire sur le Timée. **Valentin** [Ph, or. égypt.] (?-161).

Littérature latine

Nés avant Jésus-Christ

Caton l'Ancien [Or] (234-149) : Préceptes, Traité « De agricultura ». **Catulle** [P] (87-54) : 116 pièces. Noces de Thétis et de Pélée. **César,** Jules [H, hom. pol.] (101-44) : la Guerre des Gaules, 7 L. (52-51), la Guerre civile, 3 L. (49-48). **Cicéron,** Marcus Tullius [Or, hom. pol.] (106-43) : la République (6 L.), les Tusculanes, la Vieillesse, l'Amitié, les Devoirs (3 L.), Pour Quinctius, Pour Roscius, Pour Murena, Pour Archias, Pour Milon, 7 Verrines (contre Verrès), 4 Catilinaires (contre Catilina), 14 Philippiques (contre Antoine). **Cornelius Nepos** [H] (99-24) : De viris illustribus.

Ennius, Quintus [P, D] (239-169) : Poésie épique, Annales (18 L., restent 600 vers), 20 tragédies (restent 300 vers). **Horace** [P] (65-8) : 17 épodes, 18 satires, Odes (4 L.), Chant séculaire, Épîtres (2 L.), Art poétique. **Lucilius,** Caïus [P] (180-102) : poésie satirique (30 L., restent 1 200 vers). **Lucrèce** [P] (v. 98-55) : De natura rerum, poème didactique. **Ovide** [P] (43 av. J.-C.-17 apr. J.-C.) : Amours (3 L.), 21 Héroïdes, l'Art d'aimer, les Métamorphoses, Tristes, Pontiques. **Phèdre** [P] (v. 15 av. J.-C.-v. 50 apr. J.-C.) : 123 fables en 5 L. **Plaute** [D] (v. 254-184) : *Comédies :* Amphitryon, l'Aulularia ou la Comédie à la marmite, les Captifs, les Ménechmes, le Soldat fanfaron, le Câble. **Properce** [P] (v. 47-v. 15) : 92 élégies (4 L.).

Salluste [H] (86-35) : Conjuration de Catilina, Guerre de Jugurtha. **Sénèque le Philosophe** (4 av. J.-C.-65 apr. J.-C.) : la Colère, le Bonheur, la Clémence, les Bienfaits, Lettres à Lucilius, Questions naturelles. *Tragédies :* Médée, les Troyennes, Agamemnon, Phèdre. **Sénèque le Rhéteur** (v. 55 av. J.-C.-v. 39 apr. J.-C.) : Rhétorique et Critique, Controverses (10 L.). **Térence** [D] (v. 190-159) : *6 comédies :* l'Andrienne, l'Homme qui se punit lui-même, l'Hécyre, l'Eunuque, les Adelphes, le Phormion. **Tibulle** [P] (50-19 ou 18) : 18 Élégies (2 L.). **Tite-Live** [H] (64 ou 59-17 apr. J.-C.) : Hist. de Rome des origines à 9 apr. J.-C. 142 L. (35 restent). **Varron** [Érudit] (116-27) : 74 ouvrages en 620 L., dont il reste 5 L. de la Langue latine, 3 L. de l'Économie rurale. **Virgile** [P] (70-19) : 10 Bucoliques, les Géorgiques, l'Énéide (12 chants).

■ **Origine de l'alphabet latin.** Emprunté par les Latins aux Étrusques, on le crut dérivé de l'alphabet grec. On estime actuellement que les Étrusques l'ont introduit en Italie depuis l'Asie Mineure, où ils l'avaient emprunté aux Phéniciens, en le modifiant à leur manière, qui n'était pas celle des Grecs : maintien du Q, du H, du *digamma* (F, prononcé autrement). Suppression des 3 aspirées (th, ph, kh). Vers le VIIe s. av. J.-C., les Latins ont remplacé le *zêta* par le *G,* qui est le *gamma* des Grecs, muni d'une barre de différenciation.

Nés après Jésus-Christ

Ammien Marcellin [H] (v. 330-400). **Apulée** [R] (120-v. 180) : l'Ane d'or. **Augustin,** saint [Théo, Ph] (354-430) : les Soliloques (2 L.), les Confessions (13 L.), Sermons, la Cité de Dieu, Lettres, De la grâce. **Aulu-Gelle** [E] († 163) : Nuits attiques. **Ausone** [P] (v. 310-v. 395) 286 pièces : 20 idylles (les Roses, la Moselle), etc. **Boèce** [P, Ph, homme pol.] (v. 480-524) : Consolation de la philosophie (5 L.). **Bonaventure,** saint [Ph., Théo] (1221-74). **Cassien,** Jean [Théo] (v. 360-435). **Cassiodore** [E, hom, pol.] (v. 480-575) : Encyclopédie des connaissances, De orthographia (l'Art d'écrire), De origine actibusque Getarum (chronique). **Claudien** [P] (v. 370-v. 404) : Panégyriques, Invectives. **Cyprien,** saint, évêque [Théo] (v. 200-258) : autorité théologique en Occident jusqu'à saint Augustin.

Jérôme, saint (v. 347-420) : Commentaire sur l'Écriture, traduction de la Bible (la Vulgate), Lettres. **Juvénal** [P] (v. 60-v. 140) : 16 satires. **Lucain** [P] (39-65) : Œuvre considérable dont il ne reste que l'épopée la Pharsale (10 L.). **Martial** [P] (v. 40-v. 104) : 1 500 épigrammes. **Pétrone** [R] († 65) : le Satiricon. **Pline l'Ancien** [Érudit] (23-79) : Histoire naturelle (37 L.). **Pline le Jeune** [E] (62-v. 114) : 247 lettres en 9 L., 122 lettres de correspondance officielle avec l'empereur Trajan, Panégyrique de Trajan. **Prudence** [P] (348-v. 415) : 20 000 vers, Apothéose, l'Origine du péché, 12 Hymnes pour les heures du jour, 14 Odes sur les martyrs.

Quinte-Curce [H] (Ier s. apr. J.-C.) : Vie d'Alexandre. **Quintilien** [Rhéteur] (Ier s. apr. J.-C.) : l'Institution oratoire, 12 L. **Suétone** [H] (v. 69-v. 125) : Vie des 12 Césars (de César à Domitien). **Tacite** [H] (55-120) : Histoires, Annales, Dialogue des orateurs, Vie d'Agricola, la Germanie. **Tertullien** [Théo] (v. 155-220) : Aux nations, Sur les spectacles, l'Idolâtrie, la Couronne du soldat, Apologétique. **Valère Maxime** [H] (Ier s. apr. J.-C.) : Faits et Dits mémorables.

■ **Littérature néo-latine.** Du XVe au XVIIIe s., de nombreux auteurs écrivent en latin, notamment : *les Italiens* Pétrarque, Strozzi, Pontanus ; *les Hollandais* Jean Second, Érasme, Grotius, Heinsius, Spinoza ; *les Anglais* Buchanan, Bacon, Thomas More ; *le Danois* Tycho-Brahé ; *les Français* Salmon de Garcin, Nicolas Bourbon le Jeune, Jean-Louis Guez de Balzac, Claude Quillet, Pierre de Boissat, Scève, Névelet, Macrin, de Thou, Ramus, Calvin, Descartes, Moisant de Brieux, Lhomond ; *les Allemands* Brandt, Leibniz ; *le Suédois* Swedenborg.

Philosophie

Écoles, doctrines

Académie. École philosophique de Platon et de ses disciples immédiats (Speusippe, Xénocrate).

Académie (nouvelle). École d'Arcésilas et de Carnéade (probabilistes).

Agnosticisme. Rejette toute métaphysique, dont les objets sont déclarés inconnaissables (Th. Huxley).

Animisme. Nom donné à certaines religions dites primitives, qui attribuent une âme humaine à certains êtres inanimés.

Associationnisme. Fait de l'association des idées la base de notre vie mentale (Hume, J.S. Mill, Taine).

Athéisme. Nie l'existence de toute divinité.

Atomisme. Considère l'univers comme constitué d'atomes assemblés par hasard et d'une manière purement mécanique (Épicure, Leucippe, Lucrèce).

Béhaviorisme (de l'anglais *behaviour*). Réduit la psychologie à l'étude du comportement (Watson).

Cartésianisme. Repose sur 4 préceptes que Descartes s'était résolu à observer constamment et qu'il expose dans le Discours de la méthode (1637) : 1°) « Ne jamais recevoir aucune chose pour vraie qu'il ne la connût évidemment être telle ». 2°) « Diviser chacune des difficultés qu'il examinerait en autant de parcelles qu'il se pourrait et qu'il serait requis pour les mieux résoudre ». Règle de l'analyse. 3°) « Conduire par ordre ses pensées, en commençant par les objets les plus simples et les plus aisés à connaître, pour monter peu à peu comme par degrés jusques à la connaissance des plus composés, et supposant même de l'ordre entre ceux qui ne se précèdent point naturellement les uns les autres ». Règle de l'induction. 4°) « Faire partout des dénombrements si entiers et des revues si générales qu'il fût assuré de ne rien omettre ». Règle de l'énumération et de la déduction : l'ignorance et l'erreur venant selon Descartes presque toujours de ce que l'on a négligé un ou plusieurs des éléments essentiels des questions que l'on étudie.

Conceptualisme. Affirme que les idées générales existent comme des conceptions de l'esprit mais ne font pas partie du monde réel (Abélard, Roscelin).

Criticisme. Système de Kant, qui essaye de déterminer le champ d'application de notre entendement humain.

Cynisme. Méprise convenances, opinions, richesses et honneurs, et affirme que seule la vertu permet de se libérer en s'affranchissant du désir (Antisthène, Diogène).

Déterminisme. Tous les événements de l'univers, et en particulier les actions humaines, sont liés d'une façon telle que les choses étant ce qu'elles sont à un moment quelconque du temps, il n'y a pour chacun des moments antérieurs, ou ultérieurs, qu'un état et un seul qui soit compatible avec le premier.

Dogmatisme. Admet que l'on peut établir des vérités définitives.

Dualisme. Admet 2 principes différents (ex. corps et âme, matière et esprit, bien et mal).

Dynamisme. Suppose que la matière et même la vie psychologique comportent des « forces » incontrôlables pour la raison.

Éclectisme. Doctrine groupant des thèses variées (école de Potamon d'Alexandrie, Victor Cousin).

Empirisme. Admet seulement l'expérience comme source de nos connaissances (Locke, Hume, J.S. Mill).

Empiriocriticisme. Repose sur l'étude des relations existant entre sciences physiques et psychologiques (Avenarius, Mach).

Épicurisme. Fait du plaisir (culture de l'esprit et pratique de la vertu) le souverain bien.

Épiphénoménisme. Théorie selon laquelle la conscience serait un simple épiphénomène, c'est-à-dire un phénomène accessoire et sans efficacité, l'élément constitutif du fait psychique étant essentiellement le processus nerveux.

Eudémonisme. Système de morale recherchant le bonheur de l'homme (Aristote).

Évolutionnisme. Doctrine philosophique et sociologique (Spencer, Teilhard de Chardin) fondée sur le transformisme des biologistes (Lamarck, Darwin).

Existentialisme. Souligne la singularité de chaque existence humaine ; avant de se concevoir comme un être, l'individu a conscience d'exister : en agissant il se crée et se choisit (Kierkegaard, Heidegger, Jaspers, G. Marcel, Sartre, Le Senne, Merleau-Ponty).

Fidéisme. Place dans une foi religieuse la connaissance des vérités premières.

Finalisme. Explique l'univers par sa finalité (but vers lequel il tend).

Formalisme. Esthétique de la « vie des formes » (Élie Faure, Focillon, Malraux).

Gestalt-Théorie. L'esprit – par ex. dans la perception – saisit d'abord les ensembles et non leurs éléments (Koffka, Köhler, Wertheimer).

Gnosticisme. Tentative d'atteindre Dieu par la connaissance intellectuelle.

Hédonisme. Doctrine faisant du plaisir immédiat le but de la vie (Aristippe, Gide).

Hégélianisme. Être et penser sont un même principe se développant en 3 phases : thèse, antithèse et synthèse (Hegel).

Humanisme. Confère à l'être humain une valeur essentielle (humanismes chrétien, marxiste, existentialiste).

Humanitarisme. Morale réglant les relations humaines à l'échelon planétaire et fondée sur le respect de l'individu.

Hylozoïsme. Doctrine selon laquelle la matière est douée de vie (Thalès).

Idéalisme. Tendance qui consiste à ramener toute réalité substantielle à la pensée, au sens le plus large du mot « pensée » (Berkeley, Hume, Fichte, Schelling, Hegel, Hamelin, Schopenhauer).

Immatérialisme. Idéalisme absolu niant l'existence de la matière (Berkeley).

Immoralisme. Propose de remplacer l'ordre des valeurs morales par celui des faits (Nietzsche).

Impératif catégorique. L'épithète utilisée par Kant *(Kategorisch)* aurait dû être traduite par « catégoriel ». La critique de la raison, entreprise par Kant, entraîne logiquement la remise en question de toutes les lois morales. Mais la morale forme une « catégorie » particulière, à laquelle Kant refuse d'appliquer sa méthode critique, et dont il admet les « impératifs ».

Instrumentalisme. Intelligence et théories sont des instruments destinés à l'action (Dewey).

Intellectualisme. Donne plus d'importance à l'entendement qu'à la raison dans les activités mentales (Kant, Hegel, Taine).

Intuitionnisme. Il existe une connaissance intuitive, opposée à la démarche discursive (Bergson, Hamilton).

Jungisme. Voir Psychologie analytique.

Logicisme. Prétend ramener toute science à la logique mathématisée (Russell).

Manichéisme. Admet 2 principes opposés, sources du devenir (le bien et le mal).

Matérialisme. La matière seule est réelle (Démocrite, Épicure, Lucrèce, Encyclopédistes, Idéologues).

Matérialisme dialectique (marxisme). La matière est indépendante de la pensée (elle-même, matière prenant conscience de soi) et se développe dans le temps par une succession d'oppositions ou de négations. Le *matérialisme historique* applique ces principes à l'Histoire considérée comme un fait matériel (le « vécu » humain) ; il conclut à la nécessité de la lutte des classes, née des contradictions existant entre les modes de production et les formes de propriété.

Mécanisme. L'ensemble des phénomènes peut être ramené à un système de déterminations « mécaniques ».

Méliorisme. Doctrine selon laquelle le monde peut être amélioré (Emerson, W. James).

Monisme. Doctrines n'admettant qu'un seul principe là où d'autres en admettent 2 ou plusieurs (ex. chez Spinoza, Dieu et la nature font un).

Mysticisme. L'homme peut atteindre le monde surnaturel par l'extase.

Naturalisme. Les sciences naturelles sont le fondement de la morale.

Naturisme. Le culte des phénomènes naturels est à l'origine des religions (Max Muller, Steinthal, Kuhn).

Néodarwinisme. Nouvelle formulation du transformisme, expliquant la transformation des espèces (spéciation) par les mutations génétiques.

Néokantisme. Mouvement dérivé du criticisme kantien, se consacrant à des recherches philosophiques et logiques (école logistique de Marbourg) et morales (école axiologique de Bade).

Néoplatonisme. Doctrine de Platon mêlée de mysticisme (Plotin, Porphyre, Jamblique, St Augustin).

Néopythagorisme. Morale dérivée des enseignements de Pythagore tendant à l'ascétisme et la pureté (2 premiers siècles de notre ère. A Rome).

Nihilisme (philosophique). Scepticisme absolu, niant toute réalité (Gorgias le sophiste).

Nominalisme. Réduit tout concept, toute idée au signe qui l'exprime (Roscelin, Guillaume d'Occam, Hobbes, H. Poincaré, nominalisme scientifique).

Nouveaux philosophes. Réexaminent les conceptions marxistes de l'État, à la lumière d'autres philosophies : *trotskisme* (Nikos Poulantzas), *freudisme* [Foucault (1926-84)], *nietzschéisme* [Deleuze (1925), Jean-François Lyotard (1924)], *situationnisme* [Guy Debord, Jean Baudrillard (1929)] et surtout *rousseauisme* [Jean-Marie Benoist (1942-90), Bernard-Henri Lévy (1948), André Glucksman (1937), Jean-Paul Dollé (1939)].

Occasionnalisme. Matière et esprit ne peuvent agir l'un sans l'autre, une cause antécédente étant, en réalité, une cause occasionnelle, c.-à-d. une intervention déterminée de Dieu (Malebranche).

Optimisme. Le monde « actuel » réalise toujours de façon optimale le monde conçu par Dieu (Leibniz).

Panpsychisme. Tout ce qui existe est de nature psychique (Thalès, Plotin, Spinoza, Leibniz, Schopenhauer).

Panthéisme. Dieu s'identifie au monde (Stoïciens, Plotin, Spinoza, d'Holbach, Diderot).

Parallélisme. Faits psychiques et physiologiques sont indépendants mais correspondants (Spinoza).

Péripatéticiens. Élèves et disciples d'Aristote (de *peripatein,* se promener : Aristote enseignait en se promenant). Pour lui, la nature représente l'effort de la matière brute pour s'élever à la pensée et à l'intelligence.

Personnalisme. Système reposant sur la notion de personne humaine, valeur morale et sociale opposée à l'individualité simple (Renouvier, Mounier).

Pessimisme. Mal et douleur l'emportent, dans la matière, sur bien et plaisir (Schopenhauer).

Phénoménalisme. L'homme ne peut rien atteindre au-delà du phénomène : l'absolu est inconnaissable (Kant, A. Comte, Spencer).

Phénoménisme. Théorie selon laquelle seul ce qui est perçu par les sens ou par la conscience est réel.

Phénoménologie. Méthode visant à saisir, par-delà les êtres empiriques et individuels, les essences absolues de tout ce qui est (Husserl). La phénoménologie contemporaine donne une primauté au senti, au perçu, voire à l'imaginé (Merleau-Ponty).

Physicalisme. Doctrine de Carnap et de l'École de Vienne rejetant toute métaphysique et ramenant la philosophie à une syntaxe logique du langage.

Pluralisme. Pose une pluralité de principes irréductibles (Atomistes, Leibniz, Herbart, W. James).

Positivisme. Repose sur l'observation et l'étude expérimentale des phénomènes, en sciences humaines comme en sciences naturelles (Comte). Néo-positivistes : Carnap, Reichenbach, Wittgenstein.

Pragmatisme. Seul ce qui réussit est vrai, la vérité théorique étant sans intérêt, même sur le plan moral (W. James).

Probabilisme. Système pour lequel toute opinion n'est jamais ni fausse ni vraie en totalité, et se contente de théories probables au lieu de certitudes (Arcésilas, Carnéade, A. Cournot, Reichenbach).

Psychanalyse. Méthode consistant à pratiquer l'investigation des processus psychiques profonds d'un individu, principalement appliquée au traitement de troubles mentaux et psychosomatiques (Freud).

Psychologie analytique. Étude de l'inconscient comme fonction psychique autonome, et notamment de l'inconscient collectif, créateur de mythes renaissant dans chaque structure individuelle (Jung).

Rationalisme. N'admet que la seule autorité de la raison (s'opposant à la fois à l'empirisme et à toute croyance religieuse) (Encyclopédistes du XVIIIe s.).

Réalisme. L'être existe en dehors et indépendamment de l'esprit qui le perçoit (opposé à l'idéalisme).

Relativisme. Théorie reposant sur la relativité de la connaissance (Montaigne).

Scepticisme. L'esprit humain ne peut rien connaître avec certitude, d'où suspension du jugement et doute permanent (Hume, Kant).

Scientisme. Croyance en la possibilité d'atteindre des certitudes absolues par l'expérimentation et le raisonnement scientifique (Claude Bernard, Renan).

Scolastique. Désigne les doctrines officielles enseignées au Moyen Age et jusqu'au XVIIe s. dans les universités (ex. la philosophie d'Aristote adaptée aux dogmes chrétiens).

Sémiotique. Étude systématique des signes, c.-à-d. analyse de toutes les productions humaines qui utilisent des signifiants (langues, littératures, arts, religions). Introduit la psychanalyse dans les sciences humaines (Perrie, Saussure, Barthes, Lévi-Strauss).

Sensualisme. Toutes nos connaissances viennent des sensations (Condillac).

Solipsisme. « Tout esprit est comme un monde à part se suffisant à lui-même » (Leibniz).

Sophisme. Raisonnement faux paraissant logique, reposant sur une équivoque, un énoncé incomplet, une construction grammaticale ambiguë (Protagoras, Gorgias, Calliclès).

Sophistique. Attitude éclectique et sceptique de certains penseurs grecs (Protagoras, Gorgias, Hippias, Prodicos, etc.).

Spiritualisme. Doctrine donnant à l'esprit une existence autonome par rapport à la matière (Platon, Plotin, Descartes et les cartésiens, Leibniz, Hegel).

Stoïcisme. Doctrine dont la morale commande de rester indifférent aux circonstances extérieures (plaisir, douleur, etc.) (Zénon de Citium, Cléanthe, Chrysippe, Sénèque, Épictète, Marc Aurèle).

Structuralisme. Système professant la primauté des structures par rapport aux éléments, et plus particulièrement par rapport à l'homme. Toute doctrine qui considère que le sujet humain est second par rapport à des structures écon. (marxistes ; Althusser), sociales ou ethnologiques (Lévi-Strauss), psychanalytiques (Lacan) ou linguistiques. Réaction contre les individualismes, et plus particulièrement contre l'existentialisme (M. Foucault).

Subjectivisme. Système n'admettant qu'une réalité, celle du sujet pensant.

Tautologie. Sophisme qui consiste à paraître démontrer une thèse en la répétant avec d'autres mots.

Théisme. Doctrine admettant l'existence d'un dieu personnel et créateur du monde.

Thomisme. Ensemble des doctrines de saint Thomas qui constituaient l'essentiel de l'enseignement théologique et philosophique de l'Église catholique.

Transcendantal. Contient des éléments a priori, capables d'être le fondement de principes universels.

Transcendantalisme. Mouvement mystique et panthéiste (Emerson).

Utilitarisme. Système jugeant de la valeur morale de nos actions d'après l'intérêt particulier ou général. Exaltation du mérite personnel, du goût du risque, de l'esprit de compétition (Bentham, J.S. Mill, H. Sidgwicz).

Vitalisme. Admet l'existence d'un principe vital distinct de l'âme et du corps et régissant les actions organiques. *Néovitalistes :* Reinke, Driesch.

Volontarisme. Notre volonté prend part à tout jugement et peut le suspendre (Duns Scot) ; pour Schopenhauer, la volonté est l'essence même de l'univers.

Zététique. Un des aspects du scepticisme considéré comme une recherche (Sextus Empiricus).

☞ **Philosophes** (voir **Principaux auteurs** p. 261).

LA BANDE DESSINÉE

QUELQUES DATES

■ **Origine : V. 1824** Création de l'*imagerie d'Épinal,* Frères Pellerin. **27** *M. Vieux Bois,* Rodolphe Töpffer (Suisse, 1799-1846). **29** *Docteur Festus* (id.). **33** *L'Histoire de M. Jabot* (id.). **36** *Les Cent Robert Macaire,* Daumier. **37** *M. Crépin, les Amours de M. Vieux Bois,* Töpffer. **40** *Voyages et Aventures du Dr Festus, M. Pencil* (id.). *Les Voyages de M. Trottman,* Cham. **45** *Monsieur Cryptogamme* et *Histoire de Jacques,* Töpffer. **48** *Herr Piepmeyer,* A. Schrödter. *Vie publique et privée de Monsieur Reac,* Nadar (photographe français). **65** *Max et Moritz les insupportables garnements,* Wilhelm Busch (Allemand). **89** *(31-8 au 24-6-90) Le Petit Français Illustré,* Georges Colomb (dit Christophe, 1856-1945) publie *la Famille Fenouillard.* **90** *(4-1) Le Sapeur Camember* (id.). **93** *(9-12 au 25-11-99) Vie et Mésaventures du Savant Cosinus* et *(23-12 au 9-1-03) les Malices de Plick et Plock (23-12)* (id.). **96** *Yellow Kid,* Richard Outcault (1re apparition de la bulle).

■ **1re génération : 1903** *(mars)* Arthème Fayard publie *la Jeunesse illustrée.* **04** *(21-4)* Il publie *Belles Images. (28-4)* Jules Tallandier lance le *Jeudi de la Jeunesse.* **05** *(2-2)* Gauthier-Languereau publie *la Semaine de Suzette* (hebdo). **06** *(11-2)* La Bonne Presse lance l'*Écho de Noël* (retiré *Bayard* en 1936). (31-10) L'Illustré devient *le Petit Illustré.* **07** Un hebdo. parisien publie pour la 1re fois en France une bd américaine *the Newlyweds.* **08** *(9-4)* parution de *l'Épatant* avec pour la 1re fois *(4-6)* les Pieds Nickelés [Filochard (borgne), Ribouldingue (barbu), Croquignol (au long nez)] dessinés par Louis Forton (1879-1934, à sa mort, Perré, Badert, puis Pellos poursuivront son œuvre). **09** *(21-10)* parution de *Fillette. (12)* Winsor MacCay : 1re adaptation en dessins animés de sa bande dessinée : *Little Nemo in Slumberland.* **10** *(22-5)* parution de *l'Intrépide.* **11** la Bonne Presse lance *le Sanctuaire. (28-2)* parution de *Cri-Cri.* **12** *(31-3)* de *Romans de la Jeunesse. (16-5)* de *l'Inédit. (4-7)* Albin Michel publie *le Bon Point Amusant.* **13** *(févr.) Bécassine* commence à paraître dans *La Semaine de Suzette* ; dessinée par Joseph Porphyre Pinchon (1871-1953) (2 albums sont illustrés par Édouard Zier) sur un texte de Caumeri (anagramme de Maurice, pseudonyme de Languereau ; Loulotte était sa fille Claude). 1er album de *Bécassine : l'Enfance de Bécassine.* **14** la Bonne Presse lance *Bernadette :* 31 n[os]. **15-17** Offenstad édite 6 albums des *Pieds Nickelés* **17** Émile Cohl réalise le 1er dessin animé français tiré des *Pieds Nickelés.* **20** *(10)* le Petit Écho de la Mode lance *Guignol.* **21** *(17-7)* lance *Lisette.* **22** 1re exposition de bd (Waldorf Astoria, New York). **23** *(4-3)* Nouvelle série de *Bernadette. L'Excelsior Dimanche* (qui deviendra *le Dimanche illustré* en 1925) publie *Winnie Winkle* (Bicot). **24** Albin Michel édite *le Petit Robinson.* **25** *(3-5) Le Dimanche illustré* publie *Zig et Puce* d'Alain Saint-Ogan (1res bulles françaises). *(27-12)* le Petit Écho de la Mode lance *Pierrot.* **29** dans *le Petit Vingtième* (Bruxelles) : « Tintin au pays des Soviets ». *Juillet* Albin Michel édite *le Journal de Bébé. (14-11)* Jean Nohain lance *Benjamin. (8-12) Cœurs vaillants.* 1er album des *Pieds Nickelés* à la SPE. **30** *(7-10)* 1re bd (Mickey) dans un quotidien français : *le Petit Parisien.*

■ **Age d'or américain : 1934** *(21-10)* Paul Winckler fonde en France le *Journal de Mickey.* **35** *(5-6)* Cino del Duca fonde un des 1ers hebdo. français de bd :

Hurrah! qui durera jusqu'en avril 1942. **36**-*1* la Bonne Presse édite *Bayard.* Fondation de *l'Aventureux (8-3), Junior (2-4), Aventures (14-4)* et *Robinson (26-4).* **37** créations : *Journal de Toto (11-3), Hop-là ! (7-12), l'As (8-12).* Fleurus lance *Ames vaillantes.* **38** *(6-2) Spirou* (hebdo) fondé à Bruxelles. *(6-3)* création de *Bilboquet* (disparaît 8-2-39). *(16-6) le Bon Point Amusant* devient *Francis.* **40** Disparitions : *Journal de Toto, Hop-là ! (16-6) l'As (23-6).* Créations : *Gavroche (31-10).* **41** *Aventures. (6-12)* Del Duca lance *l'Audacieux. Fanfan la Tulipe* (pétainiste, *22-5*). **42** interdiction de publier en France des bd américaines. *(20-7)* disparitions : *l'Aventureux, l'Audacieux.* Créations : *Journal de Tati. (28-12)* Del Duca lance les *Belles Aventures* à Nice. **43** *(15-1) le Téméraire* (pronazi).

■ **3e génération : 1944** *(17-8)* disparition : *Belles Aventures. (13-10)* Le PCF lance *le Jeune Patriote* (devenu *Vaillant* le 1-6-45). *(20-11)* fondation de *Coq hardi* avec comme dessinateurs Marijac (les Trois Mousquetaires du maquis), Le Rallic (Poncho Libertas), Liquois (Guerre à la Terre). **45** *(25-11)* Fleurus lance *Fripounet et Marisette,* lancement des édit. de Lyon (Sprint) et de Nice (Publi-Vog). **46** *(19-9)* Del Duca lance l'hebdo *Tarzan. (26-9) Tintin* (hebdo) fondé à Bruxelles. Parution de *Fantax* (1re publication des éd. Chott à Lyon, qui donna ensuite *Big Bill*). Parution de *Spirou* en France. Bernadette Ratier fonde *Mon Journal.* **47** *(23-3)* Paul Winckler fonde *Donald* (remplacé 22-3-53 par *Journal de Mickey*). **48** *Tintin* paraît en France. **49** *(2-7)* loi considérant la bd comme un produit exclusivement destiné aux enfants (certains titres disparaissent). 1ers titres français en format de poche : *Camera 34* et *Super-Boy.* **52** *(3-5) Tarzan* remplace *Hurrah ! (24-10). Benjamin* reparaît. *MAD* (États-Unis), 1er journal de bd d'humour pour adultes (influencera la transformation de *Pilote* en journal d'actualités à la fin des années 60). **54** 1ers pockets (chez Impéria, Lyon). **56** *Perlin et Pinpin.*

■ **2e âge d'or franco-belge : 1959** *(29-10)* 1er no de *Pilote* (Goscinny, Charlier, Uderzo) hebdo puis mensuel 1974, disparu oct. 1989. **60** *Hara-Kiri,* 1re bd pour adultes. [*(4-12)* 1er no mensuel]. **61** Apparition d'une héroïne, *Barbarella,* dans *V Magazine.* **62** *(29-3)* création du « Club des bandes dessinées » (CBD). Création du Centre d'études des littératures d'expression graphique (Celeg) qui fonde *Giff-Wiff* (disparaît en 1967). **63** *(mars)* disparition *Coq hardi. (Octobre) J2 Magazine* remplace *Ames vaillantes, J2 Jeunes* remplace *Cœurs vaillants.* **64** *Barbarella,* de Jean-Claude Forest, publié par Éric Losfeld, 1er album de luxe de bd. Peu à peu les albums d'histoires complètes vont concurrencer les périodiques. Au sein du Celeg, naissance de la Socerlid. Création du journal *Chouchou.* **65** 1er congrès intern. de la bd à Bordighera (Italie). **66** *(Oct.) Phenix,* revue spécialisée (disparaît 1977). *(15-12)* Walt Disney meurt. **67** *(Avril-mai)* 1re expo bd *(et figure narrative)* au Musée des Arts déco de Paris. **68** les *Shadocks* à la TV (52 épisodes) ; *Barbarella* adapté au cinéma par Roger Vadim, avec Jane Fonda. **69** *(1-2) Charlie mensuel* lancé par Éd. du Square ; la bd cherche un public adulte avec Wolinski, Cabu, Bretécher, Reiser, Pichard. *(3-3) Vaillant* devient *Pif Gadget.* 1re convention de la bd à Paris. **69-70** lancement (éd. Lug de Lyon) de revues réservées aux super-héros américains *(Fantask, Strange, Marvel, Nova, Les Fantastiques...)* ; sortie de *Phénix* publiant bd américaine et jeunes auteurs. **70** *(Oct.-nov.)* parution de *Charlie hebdo. J2 Jeunes* devient *Formule 1.* **71** cours sur l'histoire et l'esthétique de la bd à la Sorbonne (F. Lacassin). *Record* (successeur de *Bayard*) disparaît. **72** 1er congrès de la bd à New York. **73**-*5* lancement de l'*Écho des Savanes* par Mandryka, Gotlib et Bretécher. **74** *le Canard sauvage ; le Monde* publie sa 1re bd : *Astérix (oct.). J2 Magazine* devient *Djin.* 1er festival de la bd à Angoulême. *Pilote* devient mensuel. **75** nouveaux mensuels : *Métal hurlant, Fluide glacial* par Gotlib, *Circus.* **77**-*3* lancement *Collectionneur de bd. 5-11* René Goscinny meurt. **78** Casterman lance le mensuel *A suivre* pour adultes. **79** *Goldorak.* 1er catalogue de cotes des collectionneurs de bd, 1res ventes aux enchères de bd de collection. **80**-*2* 1er no de *Captain Fulgur.* **81** *Gomme* par Glénat. *-8 Djin* et *Formule 1* sont remplacés par *Triolo* (un seul titre). *L'Épatant* reparaît. **82** *Charlie mensuel.* Mort d'Arnal, créateur de *Pif le chien.* **83** lancement de *Rigolo* (disparaît 1984) et *Métal Adventures. (3-3)* mort d'Hergé. Réédition des fac-similés des Tintin d'avant-guerre. Publication : *Épic. -12 Gomme* disparaît. **85**-*3* apparition de *Vécu. 25-4* de *Corto.* Étude sur Uderzo (de Flamberge à Astérix). Lancement de magazines par Marijac *(Jeunes Frimousses).* Morts de Chester Gould *(11-5),* Frank Hampson *(8-7),* Jean Ache *(19-12),* Al Peclers *(20-12)* ; **86** *(22-4)* mort de Dick Moore. *(Avr.)* 1er no de *Crampons. (25-6)* mort de Marcel. **87** *Métal hurlant* disparaît. Mort d'Edgar Pierre Jacobs, collaborateur d'Hergé, créateur de *Blake et Mortimer.* **89** *(Oct.) Circus* disparaît ; *(nov.) Pilote* disparaît. **90** *(18-7)* mort d'Yves Chaland, *(19-7)* de Georges Dargaud ; **91** *(27-4)* de Rob-Vel, créateur de *Spirou.* **92** *(30-7)* de Joe Shuster, dessinateur de *Superman* ; *(26-8)* de Bob de Moor, collab. d'Hergé pour *Tintin,* créateur de *Cori le moussaillon ; (24-12)* de Peyo (Pierre Culliford), dessinateur des Schtroumpfs.

Auteurs de bandes dessinées célèbres

Ache [Jean Huet] (1923-85) Fr. : *1950* Arabella (dans *France-Soir* jusqu'en 1962).
Albertarelli Rino (1908-74) It. : *1937* Kit Carson Cavaliere del West.
Alho Asmo : *1933* Kieru Ja Kairu, scénario de Mila Waltari (Finl.).
Andriola Alfred (1912-83) Amér. : *1943* Kerry Drake.
Arnal [José Cabrero] (1909-82) Catalan, réfugié républicain esp. : *1945* Pif le chien dans *L'Humanité* (repris en 1952 dans *Vaillant*).
Badert A.G. : Les Pieds Nickelés de 1936 à 1946.
Baker Georges : *1941* Sad Sack.
Batsford Ben : *1929* Little Annie Rooney d'après Brandon Walsh.
Berck [Arthur Berckmans] (1929) Belge : *1970* Sammy.
Bilal Enki (1951) Fr. : *1975* La Croisière des oubliés, *1983* Partie de chasse, *1992* Froid Équateur.
Bisi Carlo, It. : *1929* Sor Pam purio.
Boucq François (1955) : *1984* Les Pionniers de l'aventure humaine.
Bourgeon François (1945) : *1979* Les Passagers du vent, *1985* Maître Guillaume.
Branner Martin Michael (1888-1970) Amér. : *1920* Winnie Winckle (devient Bicot Pt de club en janvier 1924 dans le *Dimanche illustré*).
Bretécher Claire (1940) Fr. : *1969* Cellulite dans *Pilote, 1973* Les Frustrés.
Brouyère Jean-Marie (1943) Belge : *1971* Archie Cash.
Brunhoff Jean (de) († 1937) Fr. : *1929* Babar l'éléphant.
Calkins Richard (1898-1962) Amér. : *1929* Buck Rogers (1er héros de S.F.).
Calvo Edmond François (1892-1958) Fr. : *1944* La Bête est morte (2e Guerre Mondiale).
Caniff Milton (1907-88). Amér. : *1934* Terry and the Pirats, *1942* Mole Call (pour les GI's), *1947* Steve Caryon.
Capp Al [Alfred Gérard Caplin] (1909-79) Amér. : *1935* L'Il Abner.
Cauvin Raoul (1938) Belg. : *1968* Les Tuniques bleues, *1970* Sammy.
Ceppi Daniel (1951) : *1981* Les Aventures d'Antoine.
Cézard Jean [César] (1925-77) : *1948* Brick et Yak.
Chaland Yves (1957) : *1984* Le Cimetière des éléphants.
Charlier Jean-Michel (1924) Belg. : *1947* Buck Danny (réédité intégralement en 1982), *1954* La Patrouille des Castors.
Chott [Pierre Mouchotte] (1911-66) : *1946* Fantax et Big Bill le casseur.
Christin Pierre (1938) : *1983* Partie de chasse.
Christophe [Georges Colomb] (1856-1945) Fr., normalien, botaniste à la Sorbonne : *1889* La Famille Fenouillard de St-Rémy-sur-Deule venue visiter l'Exposition, *1890* Le Sapeur Camember (François-Baptiste-Ephraïm, né à Gleux-lès-Lure), *1893* Le Savant Cosinus.
Comes Didier [Dieter Hermann Comes] (1942) Belg. : *1979* La Belette, *1980* Silence, *1988* L'Arbre cœur.
Conrad Didier (1959) Fr. : *1983* Aventures en jaune, *1986* Les Innommables.
Copi [Taborda, Raul Damonte] (1939-88) Arg. : *1964* La Femme assise dans *Le Nouvel Observateur.*
Cossio Carlo (1907-64) It. : *1938* Dick Fulmine, scénario d'A. Martini.
Cothias Patrick (1948) Fr. : *1985* Le Vent des dieux.
Craenhals François (1926) Belg. : *1953* Pom et Teddy, *1966* Chevalier Ardent.
Crane Roy [Royston Campbell] (1901-77) Amér. : *1928* Captain Easy.
Crepax Guido (1933) It. : *1965* Valentina, *1986* Valentina assassine.
Cuvelier Paul (1923-78) Belg. : *1946* Corentin dans *Tintin.*
Daix [André Delachenal] († 1976) Fr. : *1934* Le Professeur Nimbus dans *Le Journal.*
Davis Phil (1906-64) Amér. : *1934* Mandrake the Magician, scénario de Lee Falk.
Dean Allen, Amér. : *1935* King of the Royal Mounted, scénario de Zane Grey.
Dirks Rudolph (1877-1968) Amér. : *1897* The Katzenjammer Kids, inspiré des héros de Busch, repris par Harold Knerr (en France : Pim, Pam, Poum).
Doisy Jean [Georges Evrard] Belg. : *1941* Jean Valhardi.
Dowling Stephen, G.-B. : *1943* Garth.
Drake Stanley (1921) Amér. : *1953* Juliet Jones, en France : Juliette de mon cœur dans *France-Soir.*
Druillet Philippe (1944) Fr. : *1968* Lone Sloane.
Duchâteau André-Paul (1925) Belg. : *1955* Ric Hochet.
Eisner Will (1917) Amér. : *1941* The Spirit.
Ferrandez Jacques (1955) Fr. : *1987* Carnets d'Orient.
Fischer Bud [Harry Conway] (1885-1954) Amér. : *1907* M.A. Mutt, devenu Mutt and Jeff.
Fleisher (Amér.) : *1925* Betty Boop.
Fogeli (Finl.) : *1924* Pekaa Puupaa.
Font Alfonso (1946) Esp. : *1985* Clarke et Kubrick.
Forest Jean-Claude (1930) Fr. : *1962* Barbarella.
Forget Pierre : *1986* L'ombre de Saïno, rééd.
Forton Louis (1879-1934) Fr. : *1908* Les Pieds Nickelés, *5 oct. 1924 Le Petit Illustré* publie Bibi Fricotin.
Foster Harold R. (1892-1981) Amér. : *1929* Tarzan inspiré des romans de E.R. Burroughs, repris en 1937 par Burne Hogarth, *1937* Prince Vaillant.
Foxwell H.S. (G.-B.) : *1914* The Bruin Bogs.
Franquin André (1924) Belg. : *1955* Modeste et Pompon, *1957* Gaston Lagaffe dans *Spirou.*
Gelluk Ph. : *1986* Le Chat.
Gir [Giraud Jean] (1938) : *1963* Lieutenant Blueberry dans *Pilote,* scénario Jean-Michel Charlier.
Godwin Frank (Amér.) : *1932* Connie.
Goldberg Rube [Reuben Lucius Goldberg] (1883-1970) Amér. : *1918* Boob MacNutt.
Gos [Roland Goossens] (1937) Belg. : *1970* Natacha, *1972* Khéna et le Scrameustache.
Goscinny René (1926-77) Fr. : *1958* Oumpapah, *1959* Astérix le Gaulois dans *Pilote, 1966* Le Grand Vizir Iznogoud.
Gotlib [Marcel Gotlieb] (1934) Fr. : *1968* La Rubrique-à-brac dans *Pilote.*
Gould Chester (1900-85) Amér. : *1931* Dick Tracy dans *Chicago Tribune.*
Graton Jean (1923) Fr. : *1958* Michel Vaillant.
Gray Clarence (1902-57) Amér. : *1935* Brick Bradford d'après William Ritt (en France Luc Bradefer).
Gray Harold (1894-1968) Amér. : *1924* The Little Orphan dans *Illustrated Daily News.*
Greg [Michel Regnier] (1932) Belg. : *1963* Les Nouvelles Aventures de Zig et Puce d'après Saint-Ogan, *1966* Bernard Prince.
Hammet Dashiell (Amér.) : *1934* Agent Secret X-9.
Harman Fred (1902-82) Amér. : *1935* Bronc Peeler, *1938* Red Ryder.
Hergé [Georges Rémi] (1907-83) Belg. : *1929* Tintin, *1931* Quick et Flupke, gamins de Bruxelles, *1932* Les Nouveaux Exploits de Quick et Flupke.
Hermann [Hermann Huppen] (1938) Belg. : *1966* Bernard Prince.
Herriman George (1880-1944) Amér. : *1910 The New York Journal* publie à partir du 26-6 Kragy Kat.
Hogarth Burne (1911) Amér. : *1937* Tarzan, *1945* Drago.
Hubinon Victor (1924-79) Belg.: *1947* Buck Danny, *1951* Les Nouvelles Aventures de Blondin et Cirage.
Iwerks Ub (Amér.): *1930* dessine Mickey Mouse d'après Walt Disney.
Jacobs Edgard Pierre (1904-87) Belg. : *1943* Le Rayon U dans *Bravo, 1946* Blake et Mortimer dans *Tintin, 1950* Le Secret de l'Espadon (Blake et Mortimer).
Jacobson Oscar (1889-1945) Suéd. : *1920* Adamson.
Jidehem [Jean De Mesmaeker] (1935) Belg. : *1957* Gaston Lagaffe.
Jijé [Joseph Gillain] (1914-80) Belg. : *1941* Jean Valhardi, *1954* Jerry Springs dans *Spirou.*
Johnson Crockett (Amér.) : *1942* Barnaby.
Juillard André (1948) Fr. : *1982* Les 7 Vies de l'épervier dans *Circus.*
Kane Bob [Robert] (1916) Amér. : *1939* Batman.
Kelly Walt [Walter Crawford Kelly Jr.] (1913-73) Amér. : *1948* Pogo.
Kirby Jack (1917) Amér. : *1941* Captain America scénario de Joe Simon, *1961* The X-Men, *1963* The Fantastic Four, *1966* The Silver Surfer (trois textes de Stann Lee).
Leloup Roger (1933) Belg.: *1970* Yoko Tsuno.
Lips Robert (Suisse) : *1932* Globi, d'après J.K. Schiele (Suisse).
Liquois Auguste (1902-69) Fr. : *1946* Guerre à la Terre, scénario de Marijac.
Lloyd : *1989* V pour Vendetta.
Loustal Jacques (de) (1956) Fr. : *1987* Barney et la note bleue.
MacCay Windsor Zeric (1869-1934) Amér. : *1905* Little Nemo.
MacClure Darrel (1903-87) Amér. : *1930* Little Annie Rooney.
Macherot Raymond (1924) Belg. : *1954* Chlorophylle, *1965* Sibylline.

MacManus George (1884-1954) Amér. : *1913* Bringing up Father (en 1936, en France : la Famille Illico).
Malik [William Taï] (1948) Belg. : *1971* Archie Cash.
Manara Milo (1945) It. : *1987* Un été indien.
Margerin Franck (1952) Fr. : *1979* Ricky Banlieue.
Marijac [Jacques Dumas] (1904) Fr. : *1944 Coq Hardi* publie Les 3 Mousquetaires du maquis.
Martin Jacques (1921) Fr. : *1948* Alix, *1984* Xan.
Mas Roger [Roger Masmontiel] (1924) Fr. : *1955* reprend Pif le chien *(Vaillant).*
Mayeu Max (Belg.) : *1942* L'Épervier bleu de Sirius.
Messmer Otto (1892-1983) Amér. : *1920* Félix the Cat.
Mézières Jean-Claude (1938) Fr. : *1967* Valérian, texte de Christin.
Micheluzzi Attilio (1930) It. : *1985* Johnny Focus.
Mitacq [Michel Tacq] (1927) Belg. : *1954* La Patrouille des Castors.
Moebius [Jean Giraud] (1938) Fr. : *1982* L'Incal noir.
Molinari Félix (1931) Fr. : *1947* Garry.
Montellier Chantal (1947) Fr. : *1979* Andy Gang.
Moore Ray (Amér.) : *1936* The Phantom, scénario de Lee Falk (en France : Le Fantôme du Bengale).
Morris [Maurice de Bévère] (1923) Belg. : *1946* Lucky Luke dans *Spirou* jusqu'en 1968, puis *Pilote.*
Nowlan Phil (Amér.) : *1929* Buck Rogers.
Opper Frederick Burr (1857-1937) Amér. : *1899* Happy Hooligan.
Outcault Richard Felton (1863-1928) Amér. : *1896* The Yellow Kid, *1902* Buster Brown.
Paringaux Philippe (Fr.) : *1987* Barney et la note bleue.
Payne Austin Bowen (G.-B.) : *1919* Pip, Squeak and Wilfred.
Peeters Benoît (1958) Belg. : *1982* Les Murailles de Samaris, *1992* Brüsel.
Pellaert Guy (Fr.) : *1966* Jodelle, scénario Pierre Bartier.
Pellos [René Pellarin] (1900) Fr. : *1937* Futuropolis, *1950* Les Pieds Nickelés, à partir du 4 juillet dans *L'Épatant.*
Perré Aristide (Fr.) : *1934 à 1938* Les Pieds Nickelés dans *L'Épatant.*
Peyo [Pierre Culliford] (1928-92) Belg. : *1952* Johan, *1958* apparition des Schtroumpfs dans *Johan et Pirlouit, 1960* Benoît Brisefer.
Pinchon Émile-Joseph Porphyre (1871-1953) Fr. : *1905* Bécassine (Anaïk Labornez, née à Clocher-les-Bécasse près de Quimper, servante chez la M^ise^ de Grand-Air, s'occupant de Loulotte, dont le modèle était Claude fille de Caumeri (Maurice Languereau) ; 1er album 1913 ; elle eut une statue de cire au Musée Grévin qui fut enlevée et brûlée à Quimper par des étudiants bretons en 1939), scénario de Jacqueline Rivière puis de Caumeri.
Plawen E.D. (Allem.) : *1934* Vater und Sohn.
Pleyers Jean (1943) Belg. : *1984* Xan.
Poivet Raymond (1910) Fr. : *1945* Les Pionniers de l'espérance dans *Vaillant,* scénario de Roger Lécureux.
Pratt Hugo (1927) It. : *1987* Un été indien, *1988* Les Helvétiques, *1992* Mû.
Rabier Benjamin (1869-1939) Fr. : *1923* Gédéon le Canard.
Raymond Alex [Alexander Gillespie Raymond] (1909-56) Amér. : *1934* Flash Gordon, scénario de Don Moore (en France : Guy l'Éclair), Jungle Jim (en France : Jim la Jungle), Agent Secret X-9, *1946* Rip Kirby, scénario de Ward Greene.
Robbins Frank (1917) Amér. : *1946* Johnny Hazard.
Rob-Vel [Robert Velter] (1909-91) Fr. : *1935-1938 (21-4)* Les Aventures de Spirou dans *Spirou.*
Rosinski Grégor (1941) Pol. : *1977* Thorgal dans *Tintin, 1988* Le Grand Pouvoir du Chninkel.
Rubino Antonio (1880-1964) It. : *1909* Pierino dans le *Corriere dei Piccoli, 1912* Lola et Lalla.
Saint-Ogan Alain (1895-1974) Fr. : *1925* Zig et Puce dans *Le Dimanche illustré.*
Salvé [Louis Salvérius] (1930-72) Belg. : *1968* Les Tuniques bleues (repris par Lamblil).
Schuiten François (1956) Belg. : *1982* Les Murailles de Samaris, *1992* Brüsel.
Schulz Charles Monroe (1823) Amér. : *1950* Peanuts.
Schuster Joseph (1914-92) Amér. : *1938* Superman (Clark Kent journaliste volant au secours des familles), scénario de Jerry Siegel.
Segar Elzie Crisler (1894-1938) Amér. : *1919* Thimble Theatre, *1929* Popeye (le mangeur d'épinards).
Soglow Otto (1900-75) Amér. : *1934* The Little King (en France : Le Petit Roi).
Sokal Benoît (1954) Belg. : *1978* Canardo.
Sullivan Pat (1887-1933) Austr. : *1920* Felix the Cat.
Swinnerton James Guilford (1875-1974) Amér. : *1892* The Little Bears and Tigers.
Tardi Jacques (1946) Fr. : *1973* Brindavoine dans *Pilote, 1976* Adèle et la Bête, *1993* Jeux pour mourir.
Tibet [Gilbert Gascard] (1931) Belg. : *1955* Ric Hochet.

Tintin

Auteur. Georges Rémi dit Hergé (initiales du nom) (Belg. 1907-83).

Quelques dates. *1929 (10-1)* Tintin apparaît dans *le Petit Vingtième* (suppl. hebdo pour la jeunesse du quotidien catholique belge *le Vingtième Siècle*). *1929-30* Tintin au pays des Soviets. *1930-31* Tintin au Congo. *1931-32* Tintin en Amérique, histoires en noir et blanc, éditées par les Éditions du *Petit Vingtième* reprises par *Casterman. 1932-34* les Cigares du pharaon. *1934-35* le Lotus bleu. *1935-37* l'Oreille cassée. *1937-38* l'Ile noire. *1938-39* le Sceptre d'Ottokar. *1940-41* la guerre ayant fait disparaître *le Petit Vingtième,* Hergé publie dans *le Soir,* sous forme de strips en noir et blanc, le Crabe aux pinces d'or. *1941-42* l'Étoile mystérieuse, 1er album en couleurs. *1942-43* le Secret de la Licorne. *1943* le Trésor de Rackham le Rouge. *1944* les Sept Boules de cristal, interrompu par la Libération.

Années de publication, dans *Tintin* et, entre parenthèses, sous forme d'album : *1946-48* les Sept Boules de cristal (1948) [republication dans *Cœurs vaillants* (antérieure à celle de Tintin)] et le Temple du Soleil (1949). *1948-50* Tintin au pays de l'or noir (1950). *1950-53* Objectif Lune (1953) et On a marché sur la Lune (1954). *1954-56* l'Affaire Tournesol (1956). *1956-58* Coke en stock (1958). *1958-59* Tintin au Tibet (1960). *1961-62* les Bijoux de la Castafiore (1963). *1966-67* Vol 714 pour Sydney (1968). *1975-76* Tintin et les Picaros (1976), Tintin et l'Alph-Art (1986).

Adaptations cinématographiques. Films à personnages (par André Barret) : *1960* le Mystère de la toison d'or. *1964* les Oranges bleues. **Dessins animés** (Belvision, Bruxelles) : *1969* le Temple du soleil. *1972* le Lac aux requins. *1992* série télévisée adaptée des albums : coproduction Ellipse (F)-Nelvana (CND).

Ventes. *1988 :* près de 130 millions dont 85 en français. *1989 :* 144 millions. *1990 :* 1re vente aux enchères consacrée à un héros de bd « Tintinomania » (*8-12,* Paris). *1992 :* 160 millions dont 95 en français, 3 en France.

Traductions. Tintin et Milou (albums traduits en plus de 45 langues ou dialectes, dont le feroïcien, asturien, romanche, espéranto, luxembourgeois...). *Afrikaans :* Kuifie, Spokie. *Allemand :* Tim, Struppi. *Anglais :* Tintin, Snowy. *Arabe :* Tin Tin, Milou. *Chinois :* Tinng, Tiung. *Danois :* Tintin, Terry. *Espagnol :* Tintin, Milú. *Finnois :* Tintti, Milou. *Grec :* Ten-Ten, Milou. *Hébreu :* Tantan. *Iranien :* Tainetaine, Milou. *Islandais :* Tinni, Tobbi. *Italien :* Tintin, Milu. *Japonais :* Tan Tan, Milo. *Néerlandais :* Kuifje, Bobble. *Norvégien :* Tintin, Terry. *Portugais :* Tintim, Milu. *Suédois :* Tintin, Milou.

Astérix

Origine. *1959* dans *Pilote,* scénario René Goscinny, dessin Albert Uderzo. Dargaud reprend *Pilote* et édite les albums. *1961* 1er album : Astérix le Gaulois (1er tirage 6 000 ex.). *1965* tirage de + de 300 000. *1967* Astérix le Gaulois, 1er dessin animé ; 1er tirage initial album Astérix à 1 000 000 en France. *1977* mort de Goscinny. *1979* création des éditions Albert René à l'initiative d'Uderzo. *1980* 1er album Astérix écrit et dessiné par Uderzo seul, « Le Grand Fossé » (1 400 000 ex.). *1987* 1er tirage initial d'Astérix à 2 000 000 d'ex. en français, 5 000 000 d'ex. sont vendus en Europe. *1991* 5e album Astérix *la Rose et le Glaive :* 2,8 millions d'ex. en France, 7 en Europe.

Bilan global (début 1993). *Albums :* 29 titres BD vendus à + de 240 millions d'ex. dans le monde et traduits en 46 langues (+ un album texte inédit de Goscinny et illustré par Uderzo, 1989). *Dernier titre paru :* « Astérix la rose et le glaive » (oct. 1991).

Ventes totales (en millions d'ex., oct. 1992). France 87, All.-Autr.-Suisse 79, G.-B. 17, Scandinavie + Finl. 15, P.-Bas 14, Esp. 11.

Films. *Dessins animés :* Astérix le Gaulois, les Douze Travaux d'A., A. et Cléopâtre, A. et la surprise de César, A. chez les Bretons, le Coup du menhir (1989). Prochain prévu en 1994.

Tillieux Maurice (1922-78) Belg. : *1956* Gil Jourdan dans Spirou.
Tofano Sergio (1886-1973) It. : *1917* Bonaventura.
Uderzo Albert (1927) Fr. : *1958* Oumpapah, *1959* Asterix le Gaulois.
Vale Jo et **Vallet** André (tous 2 Fr.) : *1909* L'Espiègle Lili (1re jeune héroïne).
Vance William [William Van Cutsen] (1935) Belg. : *1990* Le Dossier Jason Fly.
Van Hamme Jean (1939) Belg. : *1977* Thorgal, *1988* Le Grand Pouvoir du Chninkel.
Veyron Martin (1950) Fr. : *1983* L'Amour propre.
Walthéry François (1946) Belg. : *1970* Natacha.
Weimberg Albert (1922) Belg. : *1954* Dan Cooper.
Will [Willy Maltaite] (1927) Belg. : *1960* Benoît Brisefer.
Yann [Yan Lepennetier] (1954) Fr. : *1983* Aventures en jaune, *1986* Les Innommables.
Young Chic (Amér.) : *1930* Blondie (record mondial des adaptations et de la diffusion).
Young Lyman (1893) Amér. : *1932* Tim Tyler's Luck (en France : Raoul et Gaston, puis Richard le Téméraire).

Quelques chiffres

Édition

■ **Édition de bd** (albums de libraires). **Chiffre d'affaires** (en Fr., millions de F) : *1988 :* 359,2, *89 :* 354, *90 :* 304 (2,3 % du CA de l'édition). **Titres édités :** *1974 :* 380, *82 :* 981, *87 :* 650, *89 :* 613 dont nouveautés 540, rééditions 73 (Casterman vend env. 5 000 000 ex. en BD dont 2 000 000 Tintin), *90 :* 903 dont nouv. 231, rééd. 14, réimp. 658. **Exemplaires vendus :** *1987 :* 19 millions, *90 :* 11. **Tirages moyens :** *1974 :* 21 266, *78 :* 34 275, *80 :* 23 173, *90 :* 13 678, *nouveautés :* 17 424, *réimpressions :* 12 405, *nouvelles éditions :* 11 643. **Part de production des bd dans l'édition** *(1990) :* titres 2,3 (*1980 :* 2,55), exempl. 3,2 (*1980 :* 4,16).

Éditeurs francophones. Chiffre d'affaires (1992) : 1,3 milliard de F. **Nombre de titres :** *1990 :* 767 (dont 549 nouveautés) ; *1992 :* 675 (512 nouv.) ; Glénat 87, Dupuis 70, Dargaud [a racheté (1992) les éd. Blake et Mortimer (créées 1982 à Bruxelles, CA (en milliards de F) : *1991* : 0,01 ; *1992* : 0,25] 60, Humanoïdes associés 48, Casterman 41, Lombard 40, Vents d'Ouest 40, Albin Michel 31, Zenda 29, Comics USA 28, Futuropolis 23, Magic Strip 20, Delcourt 12, Audie 12, Bayard 9.

Collectionneurs

■ **Prix d'occasion (en milliers de F),** selon les titres et l'état des pièces, de 0,1 à 80.

Albums. *Tintin au Tibet* (1961, tirage de tête) : 80, *T. chez les soviets* (1930, tir. de tête) : 43, éd. normale : 2,5, *T. au Congo* (1931, 1re éd. noir et blanc) : 17 [T. album n. et b. (avant 1943) : 2,5 à 10 ; couleur (1944 à 1968 1re éd.) : 0,5 à 14] ; *les Nouvelles Aventures de Blondin et Cirage :* 13, *Quick et Flupke, gamins de Bruxelles* (1931, 1re série) : 13 ; *Tif et Tondu contre la Main blanche* (1re éd. française) : 10 ; *le Secret de l'espadon* (Blake et Mortimer, 1950, tome 1, éd. numérotée) : 15 (réédition cartonnée de 1966 des 2 tomes en 1 vol. : 3,5) ; *Astérix le Gaulois* (1961, 1re éd.) : 8 ; *Barbe-Rouge, le roi des sept mers* (1963, 1re éd.) : 5 ; *1er Gaston Lagaffe :* 4 ; *le Mystère de la clef hindoue :* 5 ; *les Pionniers de l'espérance (Vers l'ouragan mystérieux) :* 2 ; *Lucky Luke, la mine d'or de Dick Digger* (1949) : 2,5 ; *Tanguy et Laverdure, l'école de aigles* (1961, 1re éd.) : 2,5 ; *Lucky Luke, Arizona* (1951) : 2,2 ; *Blueberry, Fort Navajo* (1965, 1re éd.) : 1,5 ; *Spirou* 0,5 à 3 ; *Corentin :* 0,5 à 1 ; *Lucky Luke et Phil Defer* (1956) : 0,5 ; *les Pieds Nickelés* (éd. de 1929 à 41) : 0,4 à 0,8 ; *Félix, Mickey, Bécassine, Bob et Bobette, Zig et Puce :* 0,1 à 0,4.

Journaux et récits complets. *Spirou,* collection complète des recueils 1 à 200 : 100 (recueil 1 : 7) ; *Fantax,* coll. complète n°s 1 à 39 : 50 (n° 1 : 15) ; *Junior,* coll. complète 1936-42 : 35 ; *Pilote,* coll. complète recueils 1 à 71 : 20 ; *J. de Mickey,* n° 296 (juin 1940) : 6 ; *Tintin,* recueil 1 : 4 ; *Métal hurlant,* coll. complète reliures 1 à 17 : 4 [quelques n^os^ rarissimes (guerre, tirages spéciaux) : + de 1] ; têtes de série chez Artima *(Ardan, Audax, Dynamic) :* jusqu'à 0,3 ; *A suivre,* reliures 1 à 4 : 0,2 ; *Robin, l'Écureuil, Cadet journal :* 0,1 ; *Texas Boy :* 0,1 ; *Goupil* 0,05 ; *Pistolin :* 0,03.

■ **Revues et ouvrages spécialisés.** *Le Collectionneur de BD :* 3, rue Castex, Paris 4e, 1 500 lecteurs (BDM tous les 2 ans publié par Ed. de l'Amateur). **Magasins spécialisés.** *France :* 30 (dont Paris 6), fréquentés par 2 à 3 000 collectionneurs ; *Belgique :* 7 à 8 ; *Suisse :* 2. **Lieux d'achat.** Librairies : + de 25 %, grandes surfaces : 20 %, Fnac : + de 7 %. **Musée-bibliothèque nationale de bd.** *Créé* 1983 Angoulême.

☞ **Salon international de la bd.** *Créé* 1973, à Angoulême (annuel). *Visiteurs* (1991) : env. 95 000. **Prix de la ville d'Angoulême** (1993) : *Grand prix* : Gérard Lauzier. *Alph'art du meilleur album Fr.* : Édith et Yann, *Aventures de Basil et Victoria* (t. 2). *Étranger* : Art Spiegelman, *Maus*. *Prix du public* : Legall, *Un passager porté disparu*. **Salon européen de la bd de Grenoble.** *Créé* 1989. **Convention internationale annuelle de la bd.** Paris, automne (la Mutualité, Espace Austerlitz dep. 1984).

Académies en France

Légende : * Académie appartenant à l'Institut.

Premières académies

Origine du nom. Au XVe s., espace situé à 2 km N.-O. d'Athènes, devant son nom au héros local Akadèmos ; Hipparque le Pisistratide l'entoura d'un mur et en fit un gymnase. Vouée à la déesse Athèna, l'Académie renfermait son sanctuaire, entouré de 12 oliviers sacrés, et beaucoup d'autels dédiés à d'autres divinités. Le sanctuaire des Muses avait été élevé par Platon, qui aimait se promener sous les ombrages de l'Académie. Son école, dirigée après sa mort par Speusippe, continua de se réunir à l'Académie, d'où lui vint son nom. Peu à peu le mot s'étendit aux compagnies de gens de lettres, de savants et d'artistes. L'Académie ptolémaïque d'Alexandrie, celles des Juifs, des khalifes arabes Abbâsides et Omeyyades d'Espagne, de Charlemagne, d'Alfred le Grand sont autant des écoles que des académies au sens actuel du mot. Un groupe de philosophes platoniciens, dirigés par Marsilio Ficin (1433-99), réunis à Florence par le duc Cosme de Médicis (1439-64), prit le nom d'*Akademia*. D'autres sociétés savantes italiennes créées au XVe s. l'imitèrent et prirent le nom d'*Accademia*, même si leur spécialité n'était pas la philosophie.

Académie française de poésie et de musique. *Fondée* par Charles IX en 1570. Dirigée par Antoine de Baïf. Lieux de réunion : Collège Boncourt (actuelle rue Descartes).

Académie du Palais. Remplace l'Académie précédente à la mort de Charles IX (1574). S'installe à la cour de Henri III, au Louvre. Directeur : Guy de Pibrac (1529-84). Comprend plusieurs membres féminins, notamment la maréchale de Retz et Mme de Lignerolles. Disparaît à la mort de Henri III (1589).

Petite Académie. *Fondée* 1663, origine de l'Académie des inscriptions et belles-lettres (voir p. 324).

Académie française. *Fondée* 1635. Voir ci-dessous.

Académie des sciences. *Fondée* 1666 (voir p. 324).

L'Institut de France

■ **Histoire.** **1793** *8-8* toutes les académies royales sont supprimées par un décret de la Convention. **1795** *22-8* la Constitution de l'an III (art. 298) les remplace par un *Institut national des sciences et des arts* qui est organisé par une loi du 3 brumaire an IV (25-10-1795) ; il comprenait 144 membres à Paris (et autant d'associés dans les départements), répartis en 3 classes : *Sciences physiques et mathématiques*, 60 membres ; *Sciences morales et politiques*, 36 ; *Littérature et Beaux-Arts*, 48. *20-11* le 1er tiers est nommé par un arrêté ; les 2 autres sont cooptés lors de la 1re réunion. Chaque classe est divisée en sections de 6 membres chacune, 6 associés lui étant rattachés [*1*[re] cl. 10 sections : Math., Arts mécaniques, Astronomie, Physique expérimentale, Chimie, Histoire naturelle et Minéralogie, Botanique et Physique végétale, Anatomie et Zoologie, Médecine et Chirurgie, Économie rurale et Art vétérinaire ; *2*[e], 6 sect. : Analyse des sensations et des idées, Morale, Science sociale, Économie politique, Histoire, Géographie ; *3*[e], 8 sect. : Grammaire, Langues anciennes, Poésie, Antiquités et Monuments, Peinture, Sculpture, Architecture, Musique et Déclamation et recouvrait les anciens domaines de l'Ac. française, de l'Ac. royale des inscriptions et belles-lettres et des 2 académies artistiques : celle de Peinture et Sculpture et celle d'Architecture]. **1803** *23-1. Sous le Consulat* (arrêté du 3 pluviôse an XI), *la 2*[e] *cl.* est supprimée et *la 3*[e] est divisée en 3 sections : *Langue et Litt. françaises*, rappelant l'ancienne Ac. française : 40 membres, sans associés ; *Hist. et Litt. anciennes*, correspondant à l'ancienne Ac. des inscriptions ; *Beaux-Arts*. **1816** *21-3. Sous la Restauration*, on revient au nom d'Académies et aux appellations traditionnelles : Académie française, Ac. des inscriptions et belles-lettres, Ac. des sciences, Ac. des beaux-arts. **1832** l'ancienne classe des Sciences morales et politiques est rétablie comme 5e Ac.

■ **Costume.** Commun (ainsi que l'épée) aux 5 Académies formant l'Institut de France. Il date du Consulat [arrêté du 23 floréal an IX (15-5-1801)]. Appelé « l'habit vert », il est noir avec des broderies vertes. Il y a le grand costume (broderies « en plein », le seul encore porté) et le petit (broderies sur les parements de manches et le collet). Les 2 h. peuvent être ouverts sur un gilet ou fermés avec col montant. Victor Hugo (1841) adopta le premier le *pantalon* (avant, culotte à la française avec bas de soie). Le peintre Édouard Detaille (1848-1912), membre de l'Institut en 1892, a créé la *cape* noire portée plus souvent que le manteau. En 1980, un *costume féminin* a été créé : jupe droite noire, spencer vert. **Prix :** sur mesure, à partir de 100 000 F, selon les broderies. On peut choisir un habit de membre décédé (on les garde au vestiaire de l'Institut).

Épée. Origine : *1635*, les « académistes » roturiers reçoivent le privilège de l'exemption qui les assimile à des nobles ayant droit au port d'armes (ils deviennent messires). *1805* Napoléon, créant une nouvelle noblesse, confirme leur droit à l'épée (les ecclésiastiques ne reçoivent pas d'épée académique). **Remise à l'élu :** quelques jours avant sa réception. **Coût :** 50 000 à 300 000 F ; dépend du montant de la souscription (souvent prise en charge par l'éditeur) ouverte pour offrir son épée au nouvel élu. L'épée du C[dt] Cousteau était en cristal.

■ **Biens immobiliers. Beaulieu-sur-Mer** (A.-M.), *villa Kérylos* (legs Théodore Reinach). **Chaalis** (Oise), *domaine et abbaye* (legs Mme André, née Jacquemart). **Chantilly** (Oise), *domaine* légué par le duc d'Aumale (7 500 ha dont 6 500 de forêts), *château* contenant le musée Condé et une bibliothèque (b. Spoelberch de Lovenjoul spécialisée dans le XIXe s.), parc, grandes écuries. **Giverny** (Eure), *propriété* de Claude Monet. **Kérazan-en-Loctudy** (Finistère), *domaine et manoir* (legs Joseph Astor). **Langeais** (I.-et-L.), *château* (legs Jacques Siegfried). **Londres,** *maison de l'Institut de France* (donation Bon Edmond de Rothschild). **Bibl. de l'Institut** (la plus riche de France en périodiques). **Bibl. Mazarine. Paris** *fondation Thiers* (legs Mlle Dosne), *musée Napoléonien* (legs Frédéric Masson), *musée Jacquemart-André*. **S.-Jean-Cap-Ferrat** (A.-M.), *musée « Ile-de-France »* et ses jardins (legs Ephrussi).

☞ La fondation Paul Marmottan [musée Marmottan à Paris, enrichi en 1971 par le legs Michel Monet, bibl. Marmottan à Boulogne (H.-de-S.)] appartient en propre à l'Académie des beaux-arts.

Entre 1985 et 1990, pour payer des frais de rénovation (coût : 50 millions de F), l'Institut a vendu pour 140 millions de F de biens immobiliers dont, en novembre 1985, la fondation Noury (14 MF), fond. Thiers (23 MF) ; 1987, l'immeuble de la fond. Barbier, rue Monsieur-le-Prince ; 1989, fond. Hugot, rue du Temple.

Fortune mobilière. Jusqu'en 1965, les Académies ne pouvaient placer leur argent qu'en valeurs d'État. Depuis, elles bénéficient d'une liberté de gestion : portefeuilles mobiliers gérés à la façon des Sicav, avec un fonds d'obligations, des valeurs françaises et quelques valeurs étrangères, souvent héritées.

Chancelier. Édouard Bonnefous (n. 1907). Membre de l'Académie des sciences morales et politiques.

Académie française *

■ Histoire

■ **Origine.** Godeau, Chapelain, Gombauld, Giry, Habert, l'abbé de Cérisy, Malleville et Serizay se réunissent 1 ou 2 fois par semaine, chez l'un d'eux, Valentin Conrart (1603-75), érudit protestant et secrétaire du roi. Ils s'entretiennent d'affaires, de nouvelles, de belles-lettres. **1633** L'humaniste François Le Metel, abbé de Boisrobert (1592-1662), secrétaire du cardinal de Richelieu, lui recommande ce groupe dont il fait partie. **1634** Richelieu leur fait demander s'ils ne voudraient pas faire « un corps », et s'assembler régulièrement sous « une autorité publique ». En janvier ils acceptent, certains avec réticence. Richelieu les invite à augmenter leur nombre (déjà porté de 9 à 12, il est alors de 12 à 28) et à délibérer sur la forme, les statuts et la nature d'occupations qu'ils donneraient à leur compagnie. Ils hésiteront entre les noms d'*Académie éminente, Académie des Beaux-Esprits, Académie de l'Éloquence*. Finalement, Richelieu leur donne le nom d'Académie française le 20-3-1634 et Conrart devient leur secrétaire, poste qu'il garde jusqu'à sa mort en 1675, créant la fonction de *secrétaire perpétuel*. **1635** *29-1* tout étant terminé, les *lettres patentes* (scellées par Séguier le 4-12-1634), qui constituent définitivement l'*Académie française*, sont délivrées. Rédigées par Conrart, elles fixent à 40 le nombre des académiciens et donnent à l'Académie pour principal objet le perfectionnement de la langue française. *22-2* les *statuts*, en 50 articles, autorisés par le cardinal en sa qualité de protecteur, précisent les moyens qu'elle emploierait, dont la composition d'un Dictionnaire, d'une Grammaire, d'une Rhétorique et d'une Poétique (art. 24, 25, 26). **1636** *12-2* le terme académiste est remplacé par académicien. **1637** *9-7* le Parlement de Paris rend l'arrêt de vérification des lettres patentes. Il semble que le Parlement ait vu dans l'Académie une rivale éventuelle. Il a introduit dans les statuts une clause restrictive : « L'Académie ne pourra connaître que de la langue française et des livres qu'elle aura faits ou qu'on exposera à son jugement. » **1642** mort de Richelieu ; Mazarin ne parlant pas assez bien français, les Acad. choisissent le chancelier Séguier comme protecteur. **1658** la Reine Christine de Suède (qui avait abdiqué) assiste à une séance. **1667** l'Académie, placée au rang des cours souveraines, est admise en corps à haranguer le roi dans les occasions solennelles. **1671** le prix d'éloquence fondé par Balzac est décerné pour la 1re fois : remporté par Madeleine de Scudéry. Les séances de réception sont rendues publiques. **1672** mort de Séguier. Louis XIV devient lui-même protecteur. Ce titre passera après lui à tous les rois ou chefs de l'État. **1702** les femmes sont admises aux réceptions. **1793** *5-8* dernière réunion. Morellet, directeur, emporte chez lui l'acte authentique de la fondation et les registres de la compagnie. *8-8* l'Ac. française est supprimée par la Convention. Grégoire fait voter un décret (1er art. : « Toutes les académies et Stés littéraires patentées par la nation sont supprimées. »). Peu de jours après, la copie du *Dictionnaire* est déposée au comité d'instruction publique, chargé d'y corriger tout ce qui s'y trouverait de contraire à l'esprit républicain. **1794** *24-7* les biens de l'Académie sont confisqués. **1795** *25-10* création de l'*Institut national* et de sa *3*[e] *classe* (Littérature et beaux-arts). **1803** *23-1* devient la 2e cl. (Littérature et langue française). **1815** Cent-Jours 1 élection : Baour-Lormian (surnommé Balourd-Dormant). **1816** *20-3* ordonnance qui l'autorise « à reprendre ses anciens règlements » et *21-3*, elle reprend son nom d'Académie française.

■ **Rôle joué.** L'Ac. a mal servi les intentions de Richelieu et de Louis XIV qui voulaient disposer d'une équipe de grammairiens et de stylistes, travaillant à créer une langue utilisable à l'échelon national (et même, par la suite, international) comme outil de culture et d'administration : elle a joué surtout un rôle d'apparat et son dictionnaire a eu peu d'influence sur la langue. Le décret du 7-1-1972, relatif à la langue française, et instituant des commissions de terminologie auprès des administrations centrales, a souvent été considéré comme l'acte de fondation de « contre-académies », moins solennelles et plus efficaces.

■ **Élections.** Les premiers académiciens furent nommés par le roi sur proposition du « protecteur ». Il y avait un vote à main levée après une conversation entre le protecteur et les membres (fournée de 15 membres en 1634, 22 désignations individuelles entre 1634 et 1640). A partir de 1672, les membres élurent eux-mêmes les remplaçants des défunts. Les *élections* sont soumises à l'approbation du chef de l'État et se déroulent selon les « règlements ». Le chef de l'État a pu faire écarter plusieurs académiciens, par ex. : *Louis XIV* : La Fontaine [élu 1684, réception retardée (1693)], le duc du Maine, fils naturel de L. XIV, que l'Ac. voulait par courtisanerie élire en 1685 au fauteuil de Corneille ; *Louis XV* : Piron (1752) ; fit annuler l'élection de Suard et Delille (élus en 1772), ils furent réélus sous Louis XVI en 1774 ; *de Gaulle* : Paul Morand, ancien ambassadeur de Vichy (en 1958 : au 2e t., Morand 18 voix, Jacques Bardoux 4, croix 15 ; on interrompit le scrutin et Pierre Benoit, animateur de la candidature Morand, déclara qu'il ne remettrait plus les pieds à l'Académie). Élu 24-10-1968 (de Gaulle ayant levé l'exclusivité), Saint-John Perse (1959, pseudonyme d'Alexis Léger, qui ne l'avait pas rejoint à Londres).

Les votes se font actuellement par bulletins secrets. Le quorum est fixé à 20 pour la 1re séance, 18 pour les suivantes (qui ont lieu quand le quorum n'a pas été atteint la 1re fois). Si ce nombre n'est pas atteint, l'élection est remise [exception : *2-10-1944* : 17 présents (en raison de la guerre ; Louis de Broglie élu), cela ne s'était pas vu dep. 1803 ; *12-10* André Siegfried 13 voix, 4 bulletins blancs, Pasteur Vallery Radot 15 voix, 2 bull. bl. ; *12-4-1945* 16 présents, Bergson (élu au 2e tour, 12 voix), Émile Henriot (au 1er t., 15 v.)]. Actuellement, on s'arrête au 4e tour (autrefois, certaines élections n'ont été acquises qu'au 14e tour). La majorité est de la moitié +1 voix. On ne compte pas dans le total les bulletins blancs, sauf s'ils sont marqués d'une croix. Un nombre important de bulletins blancs à croix suffit donc à empêcher toute élection (vote blanc).

Nombre record d'élections dans l'année. *1723* 7 [dont le 29-12 : Paradis de Moncrif, auteur d'une « Histoire des chats » qui donna lieu à un incident (un plaisantin lâcha dans la salle un chat très combatif et le public imita les miaulements de la bête affolée)]. *1918* 8. *1946* 12. Le même jour : 6 [4-4-1946 : Paul Claudel 25 v. sur 25, Maurice Garçon 16 sur 25, Charles de Chambrun élu à l'unanimité des 25 présents, Marcel Pagnol 15 sur 7 (au 2e tour), Jules Romains 13 (au 1er tour), le Professeur Mondor 17 (au 1er tour)].

Élections unanimes. Elles sont rares, sauf pour les maréchaux de France (accord tacite). Il arrive aussi que lorsqu'il y a juste le quorum (actuellement 20), les votants se mettent d'accord pour voter à l'unanimité, pour ne pas être obligés de renvoyer le vote (par ex., Camille Jullian, 1924). **Élections brillantes.** *1746* Voltaire 29 voix sur 29. *1825* Casimir Delavigne (32 ans), 27 v. sur 28. *1871* duc d'Aumale (4e fils de Louis Philippe, doyen des généraux, historien) : 28 v. sur 29. *1912* (3-10) Lyautey : 27 v. *1918* (21-11) maréchal Foch et Georges Clemenceau : 23 v. sur 23 (ils n'étaient pas candidats et Clemenceau n'y siégera jamais). *1924* Camille Jullian. *1929* Mal Pétain au fauteuil de Foch : 33 v. sur 33. *1931* (11-6) Gal Weygand : unanimité au fauteuil de Joffre. *1944* (2-10) Pce Louis de Broglie : 17 v. sur 17. *1946* (4-4) Claudel : 25 v. sur 25. Charles de Chambrun : 25 v. sur 25. *1952* Mal Juin : 25 v., 1 bulletin bl. *1959* (21-5) Henri Troyat : 25 v. sur 25. **Élections difficiles.** *Hugo 1836* (13-2) battu par Dupaty au 5e tour. (29-12) battu au 5e par Mignet. *1839* élections blanches. *1840* (20-2) battu au 4e t. par Flourens. *1841* (7-1) élu au 1er t. par 17 v. sur 32. *Fernand Gregh* (11 fois candidat), élu le 29-1-1953 à 82 ans par 25 v. contre 5 à l'éditeur Bernard Grasset. *Jean Aicard* élu au 8e t. Brieux, Barboux, Vigny élus au 7e t. *Toujours battus* vicomte de Venel (30 fois candidat du 3-3-1955 à 1978). Zola 20 fois candidat.

En 1863, Napoléon III, bien que protecteur-né de l'Académie, eut le désir d'en faire partie. Il travaillait à une « Vie de Jules César », faisant rédiger ses écrits par son ministre de l'Instruction publique Victor Duruy. Il fit sonder l'Académie en disant qu'il voulait une élection régulière ; il lui fut répondu que si sa demande devenait officielle, on considérerait qu'il s'agissait du « fait du prince » et qu'elle l'admettrait sans vote selon son bon plaisir. Il renonça.

Sièges vacants. En principe, les vacances doivent être comblées rapidement, mais, pour cause de guerre certaines ont duré 5 ou 6 ans.

Visite du protecteur (chef de l'État). Le nouvel élu doit être accompagné du bureau. Certains académiciens s'en sont dispensés : Chateaubriand (ne voulant pas se faire présenter à Napoléon Ier) et Berryer (à Napoléon III).

■ Données diverses

Académiciens ayant eu le record des élections blanches avant d'être élus. *Abel Hermant* (1927) : 10 fois candidat, 3 échecs, 6 él. bl. *Victor Hugo* : élu à la 5e fois au 1er tour à 1 voix près.

■ **Age à l'élection.** LES PLUS JEUNES : *sous l'Ancien Régime : 16 ans et demi* Armand de Coislin, petit-fils de Séguier (reçu 1-6-1652) ; *23 ans* Armand de Soubise, futur cardinal de Rohan (1740) ; *24 ans* abbé Habert de Cerisy (1634) ; Salomon de Virelade (1644) ; Paul Tallemant (1666) ; Mgr de Colbert (1678) ; maréchal de Richelieu (1720). *Après la Révolution : 29 ans* Abel-François Villemain (1821) ; *32* Casimir Delavigne (1825) ; *33* Edmond Rostand (1901) ; *35* Lucien Prévost-Paradol (1865). *36* Adolphe Thiers (1833). *Époque contemporaine : 48 ans* Henri Troyat (1959) ; Maurice Druon (1966) ; Jean d'Ormesson (1973).

LES PLUS AGÉS : *82 ans* Jean-Baptiste Biot (1856) ; Fernand Gregh (1952) ; *81* Pasteur Marc Boegner (1962) ; Henri Gouhier (1979) ; Fernand Braudel (1984) ; *80* Laujon (1807) ; Bon Joseph Dacier (1822) ; Bon Sellière (1946) ; Paul Morand (1968) ; Georges Dumézil (1978) ; Jean Paulhan (1963).

Age moyen. A l'élection : *1700 :* 40, *1800 :* 43, *1900 :* 50, *1970 :* 66, *1990 :* 63.

Age en 1993. Les 5 plus âgés : Henri Gouhier (5-12-1898) ; Julien Green (6-9-1900) ; Louis Leprince-Ringuet (27-3-1901) ; Jean Guitton (18-8-1901) ; Étienne Wolff (12-2-1904). **Les 7 plus jeunes :** Pierre-Jean Rémy (21-3-1937) ; Michel Serres (1-9-1930) ; Hélène Carrère d'Encausse (6-7-1929) ; Jean-Denis Bredin (17-5-1929) ; Bertrand Poirot-Delpech (10-2-1929) ; Jean-François Deniau (31-10-1928) ; Alain Peyrefitte (26-08-1925).

Tranches d'âge (au 15-4-1992). *De 52 à 60 ans :* 1 ; *de 61 à 65 :* 5 ; *de 66 à 70 :* 5 ; *de 71 à 75 :* 6 ; *de 76 à 80 :* 6 ; *de 81 à 85 :* 9 ; *de 86 à 90 :* 3 ; *de 91 à 94 :* 5.

Académiciens ayant vécu le plus longtemps : *99 ans 10 mois et 15 j* Fontenelle ; *99 ans et plusieurs mois* Mis de Sainte-Aulaire ; *98 ans* Gal Weygand ; *97 ans* Mgr de Roquelaure, duc de Lévis-Mirepoix, Jacques de Lacretelle ; *96 ans* Ernest Legouvé ; *95 ans* Charles de Freycinet, amiral Lacaze, duc Pasquier, Mal Pétain, Louis de Broglie.

Académiciens morts les plus jeunes : *32 ans* Philippe Habert ; *33 ans* duc de La Trémoille ; *35 ans* Montigny ; *37 ans* Montereul, Gilles Boileau ; *39 ans* cardinal de Soubise, Florian.

■ **Académiciens qui se sont suicidé.** *1829* (2-1) Auger, devenu secrétaire perpétuel, se jeta dans la Seine du haut du pont des Arts. *1870* Prévost-Paradol. *1972* (21-9) Montherlant.

■ **Académiciens ayant occupé leur siège. Le plus longtemps :** maréchal de Richelieu (élu à 24 ans) *68 ans* (de 1720 à 88) ; Bernard de Fontenelle (mort presque centenaire) *66 ans* (de 1691 à 1757). **Le moins longtemps :** Moléon de Granier (1635-36) *8 mois* (exclu pour vol) ; Colardeau (1776) *35 j* (séjour le plus bref) ; Jean Devaines (1803) 2 mois.

■ **Académiciens morts avant d'avoir été reçus.** Charles-Pierre Colardeau (1776) ; Jean Vatout (1848) ; Edmond About (1885) ; Georges de Porto-Riche (1923-30) ; Georges Lenôtre (élu 1-12-1932-35) ; Paul Hazard (1940-44) ; Octave Aubry (1945-46) ; Robert Aron (1974-75) (mort entre la commission de lecture et la réception).

Edmond About, Robert Aron avaient déjà eu leur discours imprimé.

■ **Origine, profession. Devenus chefs d'État :** 3 membres sont devenus Pts de la Rép. : Adolphe Thiers (1871), Raymond Poincaré élu 18-3-1909 à 36 ans (Pt 1913), Paul Deschanel (1920). Le Mal Pétain est devenu « chef de l'État français » en 1940.

Nota. – Raymond Poincaré est le seul chef de l'État qui, malgré sa qualité de protecteur de l'Académie, ait agi en tant qu'académicien : le 5-2-1920, revêtu de son habit vert, il reçut le Mal Foch. Il avait été élu en mars 1910, malgré l'opposition des académiciens de droite. Leur chef, le Cte d'Haussonville, avait fait élire son cousin, le mathématicien Henri Poincaré, pensant à tort qu'on ne prendrait pas coup sur coup 2 membres de la même famille.

Devenus 1ers ministres ou Pts du Conseil : *XVIIIe s. :* cardinaux Fleury, Dubois, Loménie de Brienne. *XIXe s. :* Victor de Broglie, Richelieu, Thiers, Guizot, Albert de Broglie, Dufaure, Jules Simon, Freycinet. *XXe s. :* Poincaré, Ribot, Barthou. **Étaient 1ers min. (ou Pts du Conseil) avant d'être académiciens.** Clemenceau (Pt du Conseil 1917-20) acad. 1918, Herriot (Pt du Conseil 1924-32) acad. 1946, Edgar Faure (Pt du Conseil 1952 et 1955-56) acad. 1978, Michel Debré (1er min. 1958-62) acad. 1988.

Cinéastes : *1er élu :* 1946, Marcel Pagnol. *2e :* 1960, René Clair.

Ducs : *Ancien Régime :* 1 fut écrivain : le duc de Nivernais (1745-98) ; les autres (7) furent élus pour leur haute naissance : 3 Coislin (le marquis, ac. 1652, créé duc 1669 ; ses 2 fils 1702 et 1710) ; 2 Saint-Aignan (1663 et 1727) ; La Trémoille 1738 ; Harcourt 1789. *Consulat et Empire :* Maret, duc de Bassano (1803-16, radié en 1816), Cambacérès, duc de Parme (1803-16, radié en 1816). *Restauration :* abbé-duc de Montesquiou (1816-22, nommé), de Lévis (1816-30, nommé), de Richelieu (1816-22, nommé), Mathieu de Montmorency (1825-26, élu). *Louis-Philippe :* Pasquier (1842-62). *IIe Rép. :* de Noailles (1849-85). *Second Empire :* Victor de Broglie (1855-70), Albert de Broglie (1862-1901). *IIIe Rép. :* d'Aumale (1871-97), d'Audiffret-Pasquier (1878-1905), de La Force (1925-61), Maurice de Broglie (1934-60). *IVe Rép. :* Louis de Broglie (1944-92), de Lévis-Mirepoix (1953-81). *Ve Rép. :* de Castries (1972-86).

Maréchaux de France : *XVIIe s. :* 0. *XVIIIe :* de Villars (1714-34), d'Estrées (1715-37), de Richelieu (1720-8), de Belle-Isle (1749-61), de Beauvau (1771-93), de Duras (1775-89). *XIXe :* 0. *XXe :* Lyautey (1912-34, élu étant général, par 27 v. contre 2 à Boutroux et 1 bulletin blanc), Joffre (1918-31, élu par 22 v. sur 23 votants), Foch (1918-29, 23 v. sur 23), Pétain (1929-51, 33 v. sur 33 ; exclu en 1945), Franchet d'Esperey (1934-42, 29 v. et 1 bull. blanc), Juin (1952-67, 25 v. et 1 bull. blanc).

Pasteur : 1er élu 1962 (8-11), Marc Boegner (par 17 voix contre 11 au marquis de Luppé, et 4 croix).

Peintre : Watelet, Albert Besnard (1849-1934), élu 27-11-1924.

■ **Candidatures. Règlements :** les candidats envoient généralement une lettre de candidature. Mais on peut se porter candidat verbalement auprès du secrétaire, soit en personne, soit par l'intermédiaire d'un acadé-

---

En 1956, l'académicien Daniel-Rops déclarait : « Immortel, on ne l'est que pour la vie » ; un pointage fait par Léon Bérard en 1955 avait révélé que sur les 500 premiers académiciens (de 1635 à 1903), seuls 31 avaient échappé à l'oubli (dont au XVIIe s. 9, XVIIIe 7, XIXe 15).

On a dit : « Ils sont quarante là-dedans qui ont de l'esprit comme quatre. » Voltaire a dit : « L'Académie est un corps où l'on reçoit des gens titrés, des hommes en place, des prélats, des gens de robe, des médecins, des géomètres et même parfois des gens de lettres. » De Pagnol à Robert Kemp : « Lors d'une séance du dictionnaire, le maréchal Joffre s'était endormi. Comme on arrivait au mot « mitrailleuse », un académicien l'interpella : « M. le Maréchal, qu'est-ce qu'une mitrailleuse ? » Joffre se réveilla, regarda longuement ses confrères et dit : « Une mitrailleuse, euh ! c'est un fusil qui fait pan pan, pan » et il se rendormit. »

Fauteuils

■ **Fauteuil le plus disputé.** Celui de Jean Aicard (élu en 1909, mort en 1921) ; il a été pourvu au bout de 16 scrutins, en 4 fois ; finalement, il a été attribué à l'unanimité à Camille Jullian (1924).

■ **Le « 41e fauteuil ».** Expression forgée par Arsène Houssaye (Arsène Housset, 1815-96 dit) en 1855 dans un essai humoristique. *Le 41e fauteuil de l'Académie française,* présentant 53 célèbres auteurs français qui, pour des raisons diverses, n'ont pas fait partie de l'Acad. En 1894, Houssaye réédita son ouvrage sous le titre *Histoire du 41e fauteuil de l'Académie française ;* donnant 51 noms, dont 47 pris dans la liste précédente.

En 1971, Maurice Genevoix a publié une nouvelle série, *le 41e fauteuil,* présentant 13 noms supplémentaires (d'écrivains modernes).

1re liste Houssaye (1855). Volontairement non candidats : Descartes, La Rochefoucauld, Pascal, Malebranche, Regnard, d'Aguesseau, Lesage, Mably, Diderot, Désaugiers. **Candidatures rejetées :** Piron (écarté par Louis XV), Beaumarchais (interdiction de poser sa candidature), Benjamin Constant (2 échecs), Balzac (4), Alexandre Dumas (4). **Carrière interrompue par la mort :** Vauvenargues (32 ans), Nicolas Gilbert (29 ans), Camille Desmoulins (34 ans, guillotiné), André Chénier (32 ans, guillotiné), Millevoye (34 ans), Hégésippe Moreau (28 ans), Paul de Saint-Victor (54 ans), Stendhal (mort à 59 ans, quelques jours après avoir posé sa candidature). **Causes diverses :** Rotrou et Molière (comédiens), Scarron (cul-de-jatte), le card. de Retz (disgracié par Louis XIV), Saint-Évremond (libertin), Bayle (huguenot exilé), Bourdaloue (jésuite), Hamilton (étranger), Dufresny (dettes), Saint-Simon (œuvres posthumes), Jean-Baptiste Rousseau (condamné de droit commun), abbé Prévôt (bénédictin), Crébillon (auteur licencieux), Jean-Jacques Rousseau (étranger : Genevois), Helvétius (provincial), Mirabeau (dettes), Xavier et Joseph de Maistre (étrangers : Savoyards), Rivarol (en exil), Paul-Louis Courier (provincial), Lamennais (défroqué), Gérard de Nerval (malade mental), Eugène Sue (exilé politique), Léon Gozlan (juif), Théophile Gautier (en concubinage notoire), George Sand (femme), Frédéric Soulié (auteur scabreux). Houssaye cite également Louis XIV et Napoléon, ce qui, historiquement, est absurde (ils étaient protecteurs).

2e liste Houssaye (1894). Il a retiré 6 noms (Nicolas Gilbert, Camille Desmoulins, Eugène Sue, Léon Gozlan, Paul de Saint-Victor, et George Sand) et en a rajouté 4 [Arnaud et Nicole (jansénistes), Senancour (misanthrope, non candidat), Henri Murger (mort à 39 ans)].

Liste Genevoix. Volontairement non-candidats : Barbey d'Aurevilly, Flaubert, Mallarmé, Huysmans, Maupassant, Martin du Gard. **Candidatures rejetées :** Baudelaire (désisté avant le scrutin, sur les conseils de Sainte-Beuve), Émile Zola (24 échecs), Paul Verlaine (1 échec). **Carrière interrompue par la mort :** Marcel Proust (49 ans, sollicité par Maurice Barrès), Charles Péguy (41 ans, tué en 1914), Jean Giraudoux (62 ans, mort subitement). **Causes diverses :** André Gide (écrivain « immoraliste »).

Autres écrivains français non académiciens. Becque (1 échec), Bernanos, Léon Bloy, Albert Camus (mort à 47 ans), Auguste Comte, Alphonse Daudet (de l'ac. Goncourt), Fromentin, Fustel de Coulanges, Jean Giono (ac. Goncourt), Gobineau, les frères Goncourt, Choderlos de Laclos, Jean Moréas (étranger), Raymond Queneau (ac. Goncourt), E. Quinet, Restif de la Bretonne, Rimbaud, Saint-Exupéry (tué à la guerre), Saint-John Perse (veto de De Gaulle), Jean-Paul Sartre, Supervielle (ne voulait pas), Augustin Thierry, Louis Veuillot, Villiers de L'Isle-Adam.

micien. Les règlements de 1675, 1701, 1752 interdisent la « brigue » (donc les visites de candidature) ; celles-ci pourtant traditionnelles sont assimilées à des visites de courtoisie. Certains en furent dispensés (qui n'étaient pas candidats : Prévost-Paradol, Foch, Clemenceau, ou Montherlant qui présenta sa candidature oralement). Un académicien n'a pas le droit d'engager sa voix avant le vote.

Nombre record de candidats pour une élection. 14 le 30-5-1901, 14 candidats pour le fauteuil d'Henri de Bornier (Edmond Rostand, 33 ans, élu au 6e tour par 17 voix devant Frédéric Masson 15 v.). Le même jour, il n'y avait qu'un candidat au fauteuil du duc de Broglie (le marquis de Broglie fut élu au 1er tour par 23 voix et 10 bulletins blancs).

Nationalité des candidats. Tout candidat doit être Français, règle fixée par Richelieu. Julien Green (élu en 1971) et Léopold Sédar Senghor (élu en 1983) ont une double nationalité.

Il y a eu 6 académiciens naturalisés français : *Victor Cherbuliez,* Suisse (1881) ; *José Maria de Heredia,* Cubain (1895) ; *Henri Troyat* (Tarassov), Russe (1959) ; *Joseph Kessel,* Russe (1962) ; *Eugène Ionesco,* Roumain (1970) ; *Félicien Marceau,* Belge (1975). *Marguerite Yourcenar,* naturalisée américaine en 1945, avait repris la nationalité française en janvier 1980, 1 mois avant son élection. *Maurice Maeterlinck,* Belge, a renoncé à l'Académie française en 1911 ainsi qu'*Édouard Rod,* Suisse (1857-1910), vers la même époque. Jusqu'en 1914, tous les membres devaient habiter Paris pour suivre les séances hebdomadaires du dictionnaire. Aujourd'hui, cette obligation est moins stricte.

■ **Démission.** L'Académie ne connaît pas la *démission* de ses membres. Si l'un d'entre eux décide de ne plus assister aux séances, on lui en reconnaît le droit, mais il n'est pas remplacé et reste considéré comme académicien jusqu'à sa mort. 3 académiciens ont affirmé et publié dans la presse qu'ils étaient « démissionnaires » : Mgr Dupanloup (1871 ; pour protester contre l'élection de Littré, athée), Pierre Benoît (1959 ; pour protester contre le veto de De Gaulle à l'élection de Paul Morand), Pierre Emmanuel (1975 ; pour protester le 27-11 contre l'élection de Félicien Marceau, Belge naturalisé français par de Gaulle, qui avait reconnu « l'inanité d'une condamnation prononcée contre celui-ci par un tribunal d'occasion pour sanction d'une illusoire collaboration à la radio en Belgique occupée ».

■ **Dictionnaire.** Sa rédaction était prévue dans les statuts de 1635. Le 28-6-1674, des lettres de Louis XIV faisant défense d'imprimer aucun dictionnaire nouveau de la langue française avant la publication de celui de l'Académie française et « pendant l'étendue de 20 ans dudit privilège, sous peine de 15 000 livres d'amende ».

Éditions : 1re : *1694* (présentés au roi Louis XIV le 24-8), 59 ans après la fondation de l'Académie, 2 volumes. [1650 conçu par Chapelain (1634), rédigé surtout par Vaugelas († 1650), Mezeray († 10-7-1683), Régnier-Desmarais, mots classés par racine)]. **2e** : *1718* (présentés au roi Louis XV le 28-6) 2 vol. ; l'ordre alphabétique a été adopté. **3e** : *1740* (présentés le 8-9) 2 vol. **4e** : *1762* (présentés le 10-2) : 2 vol. ; **5e** : *1798,* nouveau titre : *Dictionnaire de l'Académie française corrigé et augmenté par l'Académie elle-même,* édité par Morellet, ancien secr. perpétuel qui avait sauvé les brouillons en août 1793. **6e** : *1835,* titre : *Institut de France, Dictionnaire de l'Académie française.* **7e** : *1878* (enrichi de 2 500 mots) ; Firmin-Didot éditeur. **8e** : *1932-35,* env. 37 000 mots. **9e** : (env. 50 000 mots, sera achevé avant 2 001). 1er volume (A-ENZ : 17 500 mots) imprimé à l'Imprimerie nat. en nov. 1992 : env. 300 mots d'origine étrangère et 6 000 entrées nouvelles. Parmi les modifications orthographiques par rapport à la 8e éd. : *asséner, affèterie, règlementaire, je cèderai.* Cas de double orthographe : *cèleri* ou *céleri, évènement* ou *événement, sècheresse* ou *sécheresse.* Introduction d'indications étymologiques. Publication avant édition définitive, par les Documents du *Journal officiel,* au fur et à mesure de l'avancement des travaux. Tirage : 3 000 ex. (480 F). Les définitions sont adoptées lors des séances du jeudi, après un travail préparatoire de la commission du Dictionnaire.

☞ L'Académie a publié des mises en garde condamnant les expressions fautives. Par ailleurs, des remarques normatives sont intégrées dans le Dictionnaire.

■ **Égalité des membres.** Les statuts de 1635 stipulent que tous les « académistes » sont égaux entre eux. Les ducs, les cardinaux n'ont jamais prétendu y avoir la préséance, à laquelle ils avaient droit ailleurs sous l'Ancien Régime (jusqu'à 1713, les cardinaux devaient s'asseoir sur des chaises, quoiqu'ils aient droit à un fauteuil ; certains évêques acad., nommés cardinaux, renoncèrent à siéger pour cela le 4-11-1713, Louis XIV concéda le privilège du fauteuil à tous les acad.). En 1754, se pose pour la 1re fois le problème de la non-préséance d'un Pce du sang : le Cte de Clermont, membre de la maison de Bourbon (petit-fils du Grand Condé), déclare accepter de devenir acad. L'Acad. statue qu'il devra siéger au même rang que ses confrères ; il y consent. Aucun autre Pce du sang ne sera acad. avant le duc d'Aumale (1871).

■ **Exclusions.** Les exclusions d'académiciens (prévues par le règlement de 1635) ont été rares. **Ancien Régime :** 3 exclusions : *Auger de Mauléon de Granier* (14-5-1636, il avait détourné l'argent d'un couvent), remplacé par de Priezac ; *Furetière* (22-1-1685, il avait publié un dictionnaire en utilisant les notes de celui de l'Académie), remplacé par La Chapelle ; et l'*abbé de Saint-Pierre* (1718) pour avoir attaqué le gouvernement de Louis XIV dans sa *Polysynodie,* mais le régent décida que la place de l'exclu ne serait pas remplie de son vivant. **Révolution :** en 1793, l'Académie fut supprimée ; 14 de ses anciens membres furent repris dans la classe de langue et litt. française, recréée.

12 en 1803 (*Bissy, St-Lambert, Roquelaure, Delille, Suard, Boisgelin, Laharpe, Ducis, Target, Morellet, d'Aguesseau, Boufflers*), 1 en 1806 (*cardinal Maury*), 1 en 1816 (*Choiseul-Gouffier*). **Restauration :** 11 exclus en 1816 [*Sieyès, Merlin de Douai, Lucien Bonaparte, Cambacérès, le cardinal Maury, Maret* (duc de Bassano), *Regnault de St-Jean-d'Angély, Arnault* (réélu 1829), *Garat, Roederer, Étienne* (réélu 1829) (personnalités en vue des régimes républicain et bonapartiste)] : on les remplaça par 9 membres nommés par le roi : *Choiseul-Gouffier, Bausset, abbé de Montesquiou, Lainé, Lally-Tollendal, duc de Lévis, Bonald, Cte Ferrand, duc de Richelieu,* et par 2 élus : *Mis de Laplace* (au fauteuil de Regnault de St Jean d'Angély) et *Auger* (au fauteuil de Lucien Bonaparte). **IVe République :** 4 exclus : 2 pour lesquels leurs sièges seront déclarés vacants et pourvus de leur vivant, *Abel Bonnard* (ministre pro-allemand de l'Éducation nationale sous Vichy, condamné à mort 1968) et *Abel Hermant* (compromis dans la presse collaborationniste, exclu 1944, condamné à la prison † 1950), remplacé par Étienne Gilson le 24-10-1946. *Charles Maurras* (frappé d'indignité nationale, condamné à la réclusion perpétuelle, fut radié d'office, mais ses confrères refusèrent de se prononcer par un vote sur cette radiation) et le *Mal Pétain* (condamné à mort en 1945 ; radié 21-8-1945) : sièges déclarés vacants, pourvus en 1952, après leurs morts, occupés par le duc de Lévis-Mirepoix et André François-Poncet.

■ **Femmes à l'Académie. Vers 1760,** D'Alembert voulant faire élire Julie de Lespinasse, propose de réserver 4 sièges sur 40 à des femmes, mais il échoue (les femmes, sous l'Ancien Régime, ne pouvaient entrer dans « les corps électifs » que si leur éligibilité était stipulée). On offre plus tard un fauteuil à Mme de Genlis si elle renonce à un manifeste contre les Encyclopédistes. Elle préfère renoncer à l'Ac. **1893,** Pauline Savari, féministe, auteur du roman *Sacré Cosaque,* pose sa candidature au fauteuil de Renan. L'Académie refuse de la prendre en considération : « Les femmes ne sont pas éligibles, déclare le duc d'Aumale, puisqu'on n'est citoyen français que lorsqu'on a satisfait à la conscription. » **1971** *(14-1),* Françoise Parturier se présente au fauteuil de Carcopino (elle a 1 voix, Roger Caillois est élu). **1975** *(20-2),* Louise Weiss et Janine Charrat se présentent au fauteuil de Marcel Pagnol (au 1er t., elles ont 4 et 6 voix) ; au 3e tour, elles ont encore 3 v, provoquant une élection blanche (Alain Decaux 13 v, J. Carles 10 v) ; le *26-6,* Louise Weiss a 1 voix pour le fauteuil du card. Daniélou. **1978** *(15-2),* Marie-Madeleine Martin a 1 voix pour le fauteuil d'Étienne Gilson. **1980** *(6-3), Marguerite Yourcenar est la 1re élue* (au 1er t.) par 20 voix sur 36 (contre 12 à Jean Dorst) au fauteuil de Roger Caillois. **1982** *(21-1),* Katia Granoff a 1 voix pour celui de René Clair. **1983** *(2-6),* la duchesse de La Rochefoucauld a 10 voix contre Léopold Sédar Senghor au fauteuil du duc de Lévis-Mirepoix. **1988** *(24-11), Jacqueline de Romilly* élue au 1er tour par 18 voix au fauteuil d'André Roussin. **1990** *(13-12), Hélène Carrère d'Encausse* élue au 1er tour par 23 voix au fauteuil de Jean Mistler.

☞ Créée en 1648, l'Ac. de peinture avait admis d'emblée 15 femmes. En 1689, Mme Deshoulières avait été nommée membre d'honneur de l'Ac. d'Arles (créée en 1622).

■ **Fondations et prix.** En dehors de ses dépenses de fonctionnement inscrites au budget national, l'Académie fr. gère 360 fondations. Ces biens dont elle est dépositaire viennent de dons et legs (les plus anciens remontent au XVIIIe s.) ; le plus récent et l'un des plus considérables est le legs Paul Morand, permettant de décerner tous les 2 ans un prix de 300 000 F.

Chaque année plus de 120 prix littéraires sont décernés. Leur montant, revalorisé depuis une dizaine d'années à la faveur de donations récentes n'est pas inférieur à 5 000 F. Les grands prix de Littérature, de Poésie, de Critique, de l'Essai, de la Nouvelle, du Roman, du Rayonnement français, de Théâtre, d'Histoire [Prix Gobert, créé 1883, qui conserve le nom de son fondateur (baron Gobert, enterré au Caire, passait pour être un fils naturel de Napoléon), bien que les dévaluations aient pratiquement réduit à zéro la valeur de la fondation initiale, celle-ci rapportant à l'époque 6 800 F or] varient de 50 000 à 100 000 F. Il y a environ 200 prix de Vertu [dont celui de la Fondation du baron de Montyon (1733-1820) créé en 1782].

Les prix sont attribués sur proposition de commissions, qui sont renouvelées chaque année.

■ **Fortune.** Gérée par le secr. perpétuel et la commission administrative de l'Académie, elle comporte un portefeuille de valeurs mobilières et plusieurs immeubles. Les revenus de ces biens sont destinés à décerner des prix littéraires, à récompenser des actes de dévouement (prix de Vertu) ou à encourager les familles méritantes (prix de Familles, prix Cognacq-Jay).

■ **Grammaire.** La publication d'une grammaire était prévue par les statuts de 1635. En 1932 une *Grammaire de l'Académie* (chez Firmin-Didot, 254 p.) fut publiée sans nom d'auteur, elle était l'œuvre d'un académicien, Abel Hermant, et d'un professeur honoraire au lycée Buffon, Camille Aymonnier, agrégé, non académicien. Très critiquée (notamment par Ferdinand Brunot), elle fut désavouée par l'Académie.

■ **Indemnités.** En 1673, Colbert, vice-protecteur, trouvant que l'assiduité aux séances du dictionnaire n'était pas suffisante, décida de distribuer à chaque séance 40 jetons, à répartir entre les seuls académiciens présents (système en vigueur dans les chapitres de chanoines). Chaque jeton valait à peu près 32 sols (il y avait 3 séances en semaine, et en général une dizaine seulement d'académiciens). Le secrétaire perpétuel touchait double part dès 1723 ; le libraire et l'huissier touchaient 1 jeton. En *1795,* le Gouvernement établit un traitement de 1 500 livres par an porté en *1928* à 5 000 F, *1942* (11-12) à 1 000, *1949* 30 000, *1953* 40 000, *1954* 120 000, *1962* 3 000 NF, *1964* 3 600, *1976* 6 060. Les académiciens perçoivent un fixe mensuel de 750 F et des jetons variables selon leur assiduité aux séances. Les 4 doyens d'âge et les 4 doyens d'élection perçoivent le double du fixe.

■ **Lieu de réunion.** Sous le protectorat de Richelieu, l'Académie n'a pas de siège déterminé (elle devait avoir une aile du *Palais Cardinal,* jamais construit). Sous le protectorat de Séguier, elle est installée à l'hôtel Séguier, rue de Bouloi ; de 1672 à 1805, elle occupe l'ancienne salle du Conseil du Roi, au Louvre. Depuis 1805, elle est, avec l'ensemble de l'Institut, installée dans l'ancien Collège des Quatre Nations (cardinal Mazarin). Les séances de travail hebdomadaires se tiennent dans une salle au 2e étage, les séances solennelles ont lieu dans l'ancienne chapelle du Collège Mazarin (« sous la Coupole »).

■ **Politique.** Depuis le XVIIIe s., les tendances conservatrices et progressistes s'affrontent souvent à l'Académie, notamment lors des élections. De 1750 à 1789, la gauche d'alors (philosophes et encyclopédistes) était parvenue à conquérir les 40 fauteuils. Au XIXe s., libéraux et catholiques s'opposèrent violemment. Il n'y a plus aujourd'hui à l'Académie de semblables affrontements.

■ **Réception.** Tout nouveau membre est reçu solennellement en présence de ses confrères au cours d'une séance tenue « sous la Coupole ». A chaque réception, il y a env. 500 invités. 2 *discours* sont lus ; très brefs aux XVIIe et XVIIIe s. [1er discours prononcé : Olivier Patru 3-9-1640 (170 lignes)], ils ont été allongés dep. 1816, et durent actuellement 1 h chacun : le récipiendaire prononce l'éloge de son prédécesseur, une réponse est lue par un confrère (le directeur en exercice à la mort de son prédécesseur).

Cas particuliers : *1803,* le discours de Parny, mourant, est lu par Regnault de Saint-Jean-d'Angély. *1912,* Lyautey (élu 31-10-1912) est reçu après la guerre. *1945,* lors du remplacement des 2 académiciens exclus pour faits de collaboration (Abel Bonnard et Abel Hermant), les récipiendaires ont été priés de faire une conférence d'une heure sur le sujet qui leur plairait. Le Pce Louis de Broglie fut reçu par son frère Maurice duc de Broglie (fait sans précédent). *1961,* Montherlant obtient l'autorisation de prononcer son discours en séance privée, à cause d'une insolation dont il fut victime en traversant le jardin des Tuileries l'été 1959 et de ses suites. *1977* (13-10), réception d'Alain Peyrefitte (élu 9-2, devenu ministre de la Justice) en présence du Président de la République Giscard d'Estaing.

Incidents politiques : *1811,* Chateaubriand, chargé de l'éloge d'un « régicide » (Marie-Joseph Chénier) écrit un discours flétrissant le régicide ; Napoléon lui interdit de le prononcer. *1874,* Émile Ollivier (élection 1870, réception retardée par la guerre ; admis le 5-3 à siéger sans réception officielle, son discours lu en commission ayant soulevé des inquiétudes ; voir Index). *1918*, Clemenceau, élu, prépare un discours très polémique contre Poincaré, qui l'avait attaqué en recevant le M[al] Foch ; il renoncera à le lire et ne mettra jamais les pieds à l'Académie. *1991* (31-1), réception de Michel Serres, les acad. laissent leurs épées au vestiaire en raison de la g. du Golfe (ils ont coutume de s'abstenir du port des armes dans une église ou tout autre lieu où la présence de la mort exige quelque décence).

■ **Séances** (périodicité). Les statuts de 1635 prévoyaient une réunion hebdo. (1635, lundi ; 1642, samedi ; vers 1650, mardi ; dep. 1816, jeudi sauf les jours de fêtes religieuses). Il y a en outre, le 25 oct., anniversaire de la fondation de l'Institut en 1795, une séance annuelle d'ouverture groupant les 5 Académies formant l'Institut de Fr., et des séances solennelles de réception à chaque remplacement.

Visites exceptionnelles. *Souverains, Chefs d'État ou de gouvernement :* 14 dep. 1635. *1658* (11-3) Christine de Suède. *1717* (19-6) Tsar Pierre Ier. *1777* (17-5) Joseph II d'Autriche. *1872* (25-1) Pierre II du Brésil. *1896* (7-10) Tsar Nicolas II. *1986* (20-2) Brian Mulroney (PM Canada). *1993* (18-2) Mario Soares (Pt Rép. portugaise).

■ Membres au 27-5-1993 *

Secrétaire perpétuel. Maurice Druon (1918) depuis 1985.

Membres. *Légende :* entre parenthèses : date de naissance ; en italique : numéro de fauteuil, puis année d'élection. Abréviations voir p. 261.

Jean Bernard [Méd] (1907) *25* 1975
Jacques de Bourbon Busset [Es] (1912) *34* 1981
Jean-Denis Bredin [H, avocat] (1929) *3* .. 1989
José Cabanis [E] (1922) *20* 1990
R[d] P. Carré [Théo] (1908) *37* 1975
Hélène Carrère d'Encausse [E] (1929) *14* 1990
Jacques-Yves Cousteau (1910) *17* 1988
Jean-Louis Curtis [R] (1917) *38* 1986
Michel Debré [Pol] (1912) *1* 1988
Alain Decaux [H] (1925) *9* 1979
Jean-François Deniau [R, Dipl.] (1928) *36* 1992
Michel Déon [R] (1919) *8* 1978
Michel Droit [R] (1923) *27* 1980
Maurice Druon [R] (1918) *30* 1966
Georges Duby [H] (1919) *26* 1987
Jean Dutourd [R] (1920) *31* 1978
André Frossard [Cr] (1915) *2* 1987
Henri Gouhier [Ph] (1898) *23* 1979
Julien Green[1] [R] (1900) *22* 1971
Jean Guitton [Ph] (1901) *10* 1961
René Huyghe [H] (1906) *5* 1960
Eugène Ionesco [D] (1909) *6* 1970
Jacques Laurent [R] (1919) *15* 1986
Louis Leprince-Ringuet [Phys] (1901) *35* 1966
Claude Lévi-Strauss [Ph] (1908) *29* 1973
Félicien Marceau [R, D] (1913) *21* 1975
Michel Mohrt [R] (1914) *33* 1985
Pierre Moinot [R] (1920) *19* 1982
Jean d'Ormesson [R] (1925) *12* 1973
Alain Peyrefitte [H] (1925) *11* 1977
Bertrand Poirot-Delpech [Cr] (1929) *39* 1986
Pierre-Jean Rémy (1937) *40* 1988
Maurice Rheims [Es] (1910) *32* 1976
Jacqueline de Romilly (1913) *7* 1988
Maurice Schumann [J] (1911) *13* 1974
Léopold Sédar Senghor [2] [P] (1906) *16* .. 1983
Michel Serres [Ph] (1930) *18* 1990
Henri Troyat [R] (1911) *28* 1959
Étienne Wolff [Bio] (1904) *24* 1971

Nota. – (1) Seul membre étranger (amér. né à Paris, a refusé la nat. française, ambulancier en 1917). (2) Double nat. fr. et sénégalaise.

Élections récentes. 1990-*29-3, Michel Serres* élu au 3e t. par 16 voix contre 3 à Jean Ferniot, au fauteuil d'Edgar Faure. *Élection blanche* au fauteuil de Thierry Maulnier pour la 3e fois, au 3e tour ; André Miquel 14 voix, Michel Ciry 3, Jean-Claude Renard (4 au 1er tour) 14 bulletins blancs marqués d'une croix. *21-6, José Cabanis* élu au fauteuil de Thierry Maulnier au 3e t. par 17 v. contre 11 à Charles Dédéyan. *13-12, Hélène Carrère d'Encausse* élue au fauteuil de Jean Mistler au 1er t. par 23 v. *12-12, élection blanche* au fauteuil de Jacques Soustelle : aux 3 tours : Jean-Marie Rouart 11, 12 et 13 voix, Yves Coppens 7, 8, 10, Gabriel de Broglie 2, 5, 4, Charles Dédéyan 6, 4, 2, Bernard Pierre 7, 2, 1. **1992**-*9-4, J.-F. Deniau* élu au 2e t. au fauteuil de J. Soustelle (1er t. : 18 v. : Henri Amouroux 8, Jean Favier 7, b. blancs (marqués d'une croix) 3 ; 2e t. : 23 v. : Amouroux 5, Favier 3, b. blancs 5). **1993** *élections blanches* au fauteuil de Jean Hamburger ; *25-2* (3 t.) : 33 v. : Marc Fumaroli 10, 12, 12, René Rémond 11, 11, 12, Charles Dédéyan 9, 6, 3, b. blancs 3, 4, 6 ; *13-5* (4 t.) : 32 v. : Jean-Marie Rouart, C. Dédéyan.

Lieu de naissance. France : *Aveyron :* Alain Peyrefitte. *Charente :* Pierre-Jean Rémy. *Doubs :* André Frossard. *Eure-et-Loir :* Jacqueline de Romilly. *Gard :* Louis Leprince-Ringuet. *Haute-Garonne :* José Cabanis. *Gironde :* Jacques-Yves Cousteau. *Loire :* Jean Guitton. *Loiret :* père Carré. *Lot-et-Garonne :* Michel Serres. *Nord :* Alain Decaux. *Pas-de-Calais :* René Huyghe. *Pyrénées-Atlantiques :* Jean-Louis Curtis. *Paris :* Jean Bernard, Jean-Denis Bredin, Hélène Carrère d'Encausse, Michel Debré, Jean-François Deniau, Michel Déon, Maurice Druon, Georges Duby, Jean Dutourd, Julien Green, Jacques Laurent, Jean d'Ormesson, Bertrand Poirot-Delpech, Maurice Schumann. *Deux-Sèvres :* Pierre Moinot. *Val-de-Marne :* Michel Droit. *Yonne :* Henri Gouhier, Étienne Wolff. *Yvelines :* Maurice Rheims.

Pays étrangers : *Belgique :* Claude Lévi-Strauss ; Félicien Marceau, naturalisé en 1959. *Roumanie :* Eugène Ionesco, naturalisé. *Russie :* Henri Troyat, nat. 13-8-1933. *Sénégal :* Léopold Sédar Senghor.

■ Académie des inscriptions et belles-lettres *

■ Histoire

Origine. 1663, fondée sous le nom de *Petite Académie,* elle comprend 4 membres (Chapelain, Charpentier, l'abbé de Bourzeis et l'abbé Cassagne, chargés de « travailler aux inscriptions, aux devises, aux médailles ; et de répandre sur tous ces monuments le bon goût ou la simplicité qui en font le véritable prix »), puis 6 en 1683 avec Racine et Boileau, de l'Académie française, qui doivent composer les inscriptions et les devises destinées à figurer sur les monuments élevés et sur les médailles frappées en l'honneur du roi. **1683,** appelée Ac. des inscr. et devises (8 membres). **1701,** *16-7* Ac. des inscr. et médailles (40 membres : 10 honoraires dont 2 pouvaient être étrangers, 10 pensionnaires, 10 associés dont 4 pouvaient être étrangers, 10 élèves) avait pour mission de faire des médailles « sur les principaux événements de l'histoire de France sous tous les règnes », travailler à l'explication des « médailles, médaillons, pierres et autres raretés antiques et modernes du cabinet de Sa Majesté », s'occuper de la description des « antiquités et monuments de la France ». **1716** (édit), reformée (devient Ac. royale des inscr. et belles-lettres) et supprime la classe des élèves pour augmenter d'autant celle des associés. **1793,** supprimée. **1803** rétablie (3e cl. de l'Institut). **1816**-*21-3* elle reprend son nom. **Aujourd'hui,** comprend 45 m., 10 m. libres, 20 associés étr., 70 corresp., dont 40 étr. Les candidatures y sont interdites et les élections se font en comité secret.

■ Rôle

Conseil du gouvernement pour les questions de sa compétence sur lesquelles son avis est demandé légalement dans certains domaines. Ainsi, des lois du II floréal an X (1-5-1802) et de 1809 lui ont conféré un droit de présentation aux chaires de littérature du *Collège de France* et de *l'École des langues orientales.* Associée à la création de *l'École des chartes,* conçue pour fournir des collaborateurs aux travaux de publication documentaire de cette dernière, dont les anciens élèves continuent souvent à assurer les éditions dont elle a le patronage ; elle joue un rôle important dans le fonctionnement de cette école.

Exerce sa tutelle sur les *Écoles françaises d'Athènes* (fondée 1846) et de *Rome* (fondée 1875). *L'École biblique et archéologique de Jérusalem* fournit également des rapports détaillés de son directeur et de ses membres qui sont désignés par l'Académie. **Contrôle scientifique** sur *l'École française d'Extrême-Orient,* qui a pris la suite de la Mission archéologique de l'Indochine.

« Résonance » de la recherche historique et archéologique : par *les communications* (présentées chaque vendredi en séances publiques) : archéologie, philosophie, philologie et histoire ; par *le Journal des savants* (elle en assume la charge dep. 1908), elle rend compte des ouvrages importants ; par *de nombreux prix* qu'elle attribue.

Publie des instruments de travail fondamentaux : *Collection des chartes et diplômes, Documents financiers, Pouillés, Collection des historiens des croisades, Histoire littéraire de la France, Recueil des bas-reliefs, statues et bustes de la Gaule romaine, Carte archéologique de la Gaule, Nouveau du Cange* (dict. du latin médiéval), *Corpus d'inscriptions, Corpus des vases antiques.* Soutient des ouvrages divers du même type. **Anime** de nombreux chantiers de fouilles et des instituts de recherche.

■ Membres au 13-5-1993

Légende : date d'élection en italique et date de naissance entre parenthèses.

Secrétaire perpétuel. Jean Leclant depuis 1983.

Membres ordinaires. *92 :* Jean-Pierre Babelon (1931). *74 :* Robert-Henri Bautier (1922). *92 :* Paul Bernard (1929). *82 :* Raymond Bloch (1914). *87 :* Colette Caillat (1921). *77 :* André Caquot (1923). *81 :* François Chamoux (1915). *90 :* Philippe Contamine (1932). *88 :* Jean Delumeau (1923). *69 :* Pierre Demargne (1903). *74 :* Georges Duby (1919). *71 :* Paul-Marie Duval (1912). *85 :* Jean Favier (1932). *83 :* Jacques Fontaine (1922). *83 :* Bernard Frank (1927). *82 :* Paul Garelli (1924). *79 :* Jacques Gernet (1921). *77 :* Pierre Grimal (1912). *81 :* Bernard Guenée (1927). *83 :* Antoine Guillaumont (1915). *68 :* Jacques Heurgon (1903). *63 :* Jean Hubert (1902). *81 :* Jean Irigoin (1920). *80 :* Gilbert Lazard (1920). *74 :* Jean Leclant (1920). *66 :* Félix Lecoy (1903). *63 :* Michel Lejeune (1907). *89 :* Georges Le Rider (1928). *83 :* Jean Marcadé (1920). *74 :* Robert Marichal (1904). *58 :* Pierre Marot (1900). *75 :* Roland Martin (1912). *78 :* Michel Mollat du Jourdin (1911). *83 :* Jacques Monfrin (1924). *86 :* Claude Nicolet (1930). *78 :* Jean Pouilloux (1917). *75 :* Jacqueline de Romilly (1913). *77 :* Francis Salet (1909). *86 :* Pierre Toubert (1932). *90 :* Robert Turcan (1929). *84 :* Jean Vercoutter (1911). *80 :* André Vernet (1910). *85 :* Raymond Weil (1923).

Académiciens libres. *72 :* Pierre Amandry (1912). *90 :* Robert Mantran (1917). *88 :* Henri Metzger (1912). *70 :* Paul Ourliac (1911). *87 :* Jean Richard (1921). *68 :* Jean Schneider (1903). *89 :* Georges Vallet (1922). *73 :* Ernest Will (1913). *73 :* Philippe Wolff (1913).

Associés étrangers. *92 :* Ekrem Akurgal (Turquie, 1911). *68 :* Harold Bailey (G.-B., 1899). *91 :* Sir John Boardman (G.-B., 1927). *90 :* Carlrichard Brühl (All., 1925). *85 :* John Chadwick (G.-B., 1920). *75 :* Eugen Ewig (All., 1913). *79 :* Léopold Génicot (Belg., 1914). *81 :* Aleksander Gieysztor (Pol., 1916). *84 :* Vassos Karageorghis (Chypre, 1929). *91 :* Paul-Oskar Kristeller (USA, 1905). *91 :* S.A.I. Prince Takahito Mikasa (Jap., 1915). *89 :* Sabatino Moscati (Ital., 1922). *84 :* Dag Norberg (Suède, 1909). *75 :* Massimo Pallottino (It., 1909). *75 :* Dion Pippidi (It., 1905). *90 :* Martin de Riquer (Esp., 1914). *92 :* Cinzio Violante (Ital., 1921). *91 :* Karl Ferdinand Werner (All., 1924).

■ Académie des sciences *

Histoire. 1666 *Fondée.* Comprend 21 académiciens, 3 astronomes, 3 anatomistes, 1 botaniste, 2 chimistes, 7 géomètres, 1 mécanicien, 3 physiciens, 1 non classé. **1793** *(17-5)* supprimée. **1795** *(22-8)* 1re classe de l'Institut national. **1816** *(21-3)* redevient Ac. royale des sciences. *Réformée* en 1976 et en 1987. **Composition :** 130 m. titulaires et 120 ass. étrangers au plus. 180 corresp. 2 divisions : sciences mathématiques et physiques et leurs applications (4 sections : math., physique, sc. mécaniques, sc. de l'univers) ; sc. chimiques, naturelles, biologiques et médicales et leurs applications (4 sections : chimie, biologie cellulaire et moléculaire, biologie animale et végétale, biologie humaine et sc. médicales). **Comité des applications de l'Académie des sciences (Cadas).** *Créé* 1982. *Formé* de membres de l'Ac. et de personnalités extérieures (ingénieurs, agronomes, médecins).

■ Membres au 13-5-1993

Légende : Entre parenthèses : date de naissance et en italiques date d'élection.

Président : Jacques Friedel (1921) élu 1977 section de physique. **Vce-Pt :** Claude Fréjacques (1924) élu 1979. **Secr. perpétuels.** Paul Germain (1920) élu section mécanique 1977, sciences math. et physiques dep. 75. François Gros (1925) élu 1979 section biologie cellulaire et moléculaire dep. 91.

■ **Sciences mathématiques et physiques et leurs applications. Section de Mathématique.** *91 :* Jean-Michel Bismut (1948). *88 :* Haïm Brezis (1944). *74 :* Henri Cartan (1904). *76 :* Gustave Choquet (1915). *82 :* Alain Connes (1947). *68 :* Jean Dieudonné (1906). *91 :* Michel Herman (1942). *85 :* Pierre Lelong (1912). *88 :* Bernard Malgrange (1928). *79 :* Paul Malliavin (1925). *75 :* Laurent Schwartz (1915). *76 :* Jean-Pierre Serre (1926). *76 :* René Thom (1923). *79 :* Jacques Tits (1930). *82 :* André Weil (1906).

Section de Physique. *73 :* Anatole Abragam (1914). *88 :* Pierre Aigrain (1924). *77 :* Pierre Auger (1899). *79 :* Félix Bertaut (Lewy-Bertaut) (1913). *70 :* André Blanc-Lapierre (1915). *88 :* Marie-Anne

Bouchiat (1934). *91 :* Édouard Brezin (1938). *77 :* Jean Brossel (1918). *77 :* Raimond Castaing (1921). *85 :* Georges Charpak (1924). *81 :* Claude Cohen-Tannoudji (1933). *77 :* Jacques Friedel (1921). *79 :* Pierre-Gilles de Gennes (1932). *71 :* Serge Gorodetzky (1907). *71 :* André Guinier (1911). *66 :* Pierre Jacquinot (1910). *49 :* Louis Leprince-Ringuet (1901). *81 :* André Maréchal (1916). *79 :* Louis Michel (1923). *53 :* Louis Néel (1904). *81 :* Philippe Nozières (1932). *91 :* Yves Quéré (1931). *85 :* David Ruelle (1935). *88 :* Ionel Solomon (1929).

Section des Sciences mécaniques. *91 :* Henri Cabannes (1923). *79 :* Yvonne Choquet-Bruhat (1923). *91 :* Philippe Ciarlet (1938). *77 :* Robert Dautray (1928). *85 :* Pierre Faurre (1942). *77 :* Alexandre Favre (1911). *70 :* Paul Germain (1920). *68 :* Robert Legendre (1907). *53 :* Jean Leray (1906). *63 :* André Lichnerowicz (1915). *73 :* Jacques-Louis Lions (1928). *82 :* Maurice Roseau (1925). *88 :* Jean Salençon (1940). *88 :* Marcel-Paul Schützenberger (1920).

Section des Sciences de l'univers. *81 :* Jean Aubouin (1928). *81 :* Reynold Barbier (1913). *79 :* Jacques Blamont (1926). *85 :* Yves Coppens (1934). *60 :* Jean Coulomb (1904). *82 :* Georges Courtès (1925). *67 :* Jean-François Denisse (1915). *91 :* Jean Dercourt (1937). *68 :* Charles Fehrenbach (1914). *88 :* Jean Kovalevsky (1929). *73 :* Henri Lacombe (1913). *88 :* Jean-Louis Le Mouël (1938). *91 :* Pierre Lena (1937). *85 :* Xavier Le Pichon (1937). *77 :* Jean-Claude Pecker (1923). *91 :* Jacques Ruffié (1921). *85 :* Évry Schatzman (1920). *91 :* Pierre Thiollais (1934). *77 :* Gérard Wlérick (1921).

■ Sciences chimiques, naturelles, biologiques et médicales et leurs applications. **Section de Chimie.** *91 :* Henri Kagan (1930). *70 :* Gaston Charlot (1904). *91 :* Robert Corriu (1934). *79 :* Claude Fréjacques (1924). *73 :* Fernand Gallais (1908). *77 :* Marc Julia (1922). *81 :* Paul Lacombe (1911). *85 :* Jean-Marie Lehn (1939). *66 :* Henri Normant (1907). *81 :* Guy Ourisson (1926). *88 :* Pierre Potier (1934). *88 :* Jean Rouxel (1935).

Section de Biologie cellulaire et moléculaire. *85 :* Pierre Chambon (1931). *88 :* Jean-Pierre Changeux (1936). *91 :* René Couteaux (1909). *79 :* Pierre Douzou (1926). *79 :* François Gros (1925). *82 :* Marianne Grunberg-Manago (1921). *88 :* Claude Hélène (1938). *76 :* François Jacob (1920). *82 :* Pierre Joliot (1932). *91 :* Michel Lazdunski (1938). *72 :* Raymond Latarjet (1911). *76 :* André Lwoff (1902). *88 :* François Morel (1923). *79 :* Bernard Pullman (1919). *85 :* Piotr Slonimski (1922). *69 :* René Wurmser (1890).

Section de Biologie animale et végétale. *82 :* Ivan Assenmacher (1927). *92 :* Jean-Louis Bonnemain (1936). *77 :* Édouard Boureau (1913). *88 :* Pierre Buser (1921). *77 :* Roger Buvat (1914). *77 :* André Cauderon (1922). *91 :* Pierre Dejours (1922). *73 :* Jean Dorst (1924). *79 :* Henri Duranton (1926). *57 :* Maurice Fontaine (1904). *58 :* Roger Gautheret (1910). *92 :* Jules Hoffmann (1941). *82 :* Nicole Le Douarin (1930). *63 :* Théodore Monod (1902). *82 :* Paul Ozenda (1920). *73 :* Jean-Marie Pérès (1915). *91 :* Michel Thellier (1933). *72 :* André Thomas (1905). *71 :* Constantin Vago (1921). *63 :* Étienne Wolff (1904).

Section de Biologie humaine et Sciences médicales. *85 :* Jean-François Bach (1940). *82 :* Étienne-Émile Beaulieu (1926). *72 :* Jean Bernard (1907). *79 :* Marcel Bessis (1917). *88 :* André Capron (1930). *77 :* Jean Dausset (1916). *77 :* Michel Jouvet (1925). *79 :* Pierre Karli (1926). *85 :* Yves Laporte (1920). *75 :* Guy Lazorthes (1910). *68 :* René Truhaut (1909). *88 :* Maurice Tubiana (1920).

Associés étrangers. *78 :* Victor A. Ambartsumian (URSS, 1908). *84 :* Vladimir Arnold (URSS, 1937). *78 :* Sir Michael Atiyah (G.-B., 1929). *89 :* Georges Backus (USA, 1930). *89 :* Neil Bartlett (G.-B., 1932). *78 :* Sir Derek Barton (G.-B., 1918). *84 :* George Batchelor (G.-B., 1920). *92 :* T. Brooke Benjamin (1929). *81 :* Paul Berg (USA, 1926). *84 :* Sune Bergström (Suède, 1916). *78 :* Brebis Bleaney (G.-B., 1915). *81 :* Nicolaas Bloembergen (USA, 1920). *92 :* David Blow (G.-B., 1931). *84 :* Enrico Bombieri (Italie, 1940). *81 :* Armand Borel (USA, 1923). *92 :* Sydney Brenner (G.-B., 1927). *89 :* Denis Burkitt (G.-B., 1911). *74 :* Adolf Butenandt (All., 1903). *84 :* Alberto Calderón (Argentine, 1920). *92 :* Lennardt Carleson (1928). *81 :* Hendrick Casimir (Pays-Bas, 1909). *84 :* Carlos Chagas (Brésil, 1910). *89 :* William Chaloner (G.-B., 1928). *89 :* Shiing Shen Chern (USA, 1911). *78 :* Francis Crick (USA, 1916). *84 :* Gérard Debreu (USA, 1921). *78 :* Pierre Deligne (Belgique, 1944). *75 :* Joseph Doob (USA, 1910). *78 :* Christian R. de Duve (Belgique, 1917). *89 :* Freeman Dyson (USA, 1923). *78 :* Gérald M. Edelman (USA, 1929). *72 :* Bengt Edlen (Suède, 1906). *89 :* Sir Samuel Edwards (G.-B., 1928). *78 :* Manfred Eigen (All., 1927). *76 :* Israël Gelfand (URSS, 1913). *92 :* Martin Gibbs (USA, 1922). *89 :* Marcel Golay (Suisse, 1927). *92 :* John Goodenough (1922). *92 :* Norman Greenwood (1925). *89 :* Mikäel Gromov (apatride, 1943). *84 :* Roger Guillemin (USA, 1924). *84 :* Irving Clyde Gunsalus (USA, 1912). *89 :* John Gurdon (G.-B., 1933). *92 :* Erwin Hahn (USA, n.c.). *81 :* Heisuke Hironaka (Japon, 1931). *89 :* Friedrich Hirzebruch (All., 1927). *89 :* Nicolas Hoff (USA, 1906). *89 :* Francis Howell (USA, 1925). *89 :* Kiyoshi Itō (Japon, 1916). *81 :* Erik Jarvik (Suède, 1907). *89 :* André Jaumotte (Belg., 1919). *81 :* Niels Jerne (Danemark, 1911). *89 :* Rudolf Kalman (USA, 1930). *89 :* Ephraïm Katchalski-Katzir (Israël, 1916). *89 :* Aaron Klug (G.-B., 1926). *89 :* Ernst Knobil (USA, 1926). *92 :* Donald E. Knuth (1938). *81 :* Warner Koiter (Pays-Bas, 1914). *84 :* Ryogo Kubo (Japon, 1920). *81 :* Peter D. Lax (USA, 1926). *89 :* Rita Levi-Montalcini (Italie, 1909). *76 :* Sir James Lighthill (G.-B., 1924). *89 :* Anders Lundberg (Suède, 1920). *89 :* Arne Magnili (Suède, 1914). *78 :* Heinz Maier-Leibnitz (All., 1911). *89 :* Goury Martchouk (URSS, 1925). *76 :* Jean Mayer (USA, 1920). *89 :* Ernst Mayr (USA, 1904). *84 :* Georg Melchers (All., 1906). *84 :* Matthew Meselson (USA, 1930). *84 :* Jan Michalski (Pologne, 1920). *92 :* William Jason Morgan (USA, 1935). *89 :* Vernon Mountcastle (USA, 1918). *89 :* Ternuki Mukaiyama (Japon, 1927). *78 :* Marcel Nicolet (Belgique, 1912). *89 :* Louis Nirenberg (USA, 1925). *92 :* Yasutomi Nishizuka (Jap., 1932). *89 :* Gustav Nossal (Australie, 1931). *62 :* Jan Hendrik Oort (Pays-Bas, 1900). *89 :* Ernst Otten (All., 1934). *89 :* Wolfgang Panofsky (USA, 1919). *92 :* Giorgio Parisi (Italie, n.c.). *66 :* Linus Pauling (USA, 1901). *84 :* Sir Rudolf Peierls (G.-B., 1907). *76 :* Max F. Perutz (G.-B., 1914). *78 :* Robert Pound (USA, 1919). *81 :* Vladimir Prelog (Suisse, 1906). *81 :* Frank Press (USA, 1924). *89 :* Norman Ramsey (USA, 1915). *92 :* Felix Rapaport (1929). *81 :* Alexander Rich (USA, 1924). *92 :* David Sabatini (1931). *89 :* Bengt Samuelsson (Suède, 1934). *81 :* Frederick Sanger (G.-B., 1918). *78 :* Knut Schmidt-Nielsen (USA, 1915). *78 :* Leonid I. Sedov (URSS, 1907). *89 :* Eugen Seibold (All., 1918). *78 :* George D. Snell (USA, 1903). *89 :* Gilbert Stork (USA, 1921). *92 :* Janos Szentacothai (1912). *84 :* Andrzej Tarkowski (Pologne, 1933). *92 :* John Tate (1925). *78 :* Kenneth Thimann (USA, 1904). *84 :* Rudolf Trümpy (Suisse, 1921). *78 :* Jan Waldenström (Suède, 1906). *84 :* Yu Wang (Chine, 1910). *92 :* Zhen Yi Wang (1924). *78 :* Victor Weisskopf (USA, 1908). *92 :* Lodewijk Woltjer (P.-B. 1930). *74 :* Ralph Wyckoff (USA, 1897).

Académie des sciences morales et politiques *

Histoire : **1720** *Club de l'Entresol* : réunion fondée par l'abbé de Longuerue, chez l'abbé Alari, place Vendôme. On y voit quelques grands seigneurs, de Coigny, de Matignon, de Caraman, de Plélo, d'Argenson, les abbés de Bragelonne, de Pomponne, de Saint-Pierre et bon nombre de gens de robe et d'économistes. **1731** Fleury la supprime. **1795** *(25-10)* fondée comme la 2ᵉ classe de l'Institut national, divisée en 6 sections ayant chacune 6 membres à Paris et 6 membres associés dans les départements. **1803** *(23-1)* supprimée par Bonaparte ; **1832** *(26-10)* ordonnance rétablie avec le rang d'Académie par Louis-Philippe (30 membres en 5 sections). Composition : 6 sections : philosophie 8 membres ; morale et sociologie 8 ; législation, droit public et jurisprudence 8 ; économie politique, statistiques et finances 8 ; histoire et géo. 8 ; section générale 10 ; 12 ass. étrangers ; 60 corresp. (10 par section).

■ Membres au 27-5-1993

Légende : Entre parenthèses : date de naissance et en italiques date d'élection.

Président : *92 :* Pierre Chaunu (1923) élu 1982 section d'histoire et géographie. Secrétaire perpétuel : *78 :* Bernard Chenot (1909) élu 1976 section générale.

Section I : Philosophie. *86 :* Roger Arnaldez (1912). *90 :* Raymond Boudon (1934). *85 :* R.P. Bruckberger (1907). *61 :* Henri Gouhier (1898). *77 :* Olivier Lacombe (1904). *56 :* René Poirier (1900). *80 :* Raymond Polin (1910).

Section II : Morale et Sociologie. *74 :* Pierre-Georges Castex (1915). *73 :* Jean Cazeneuve (1915). *91 :* Jean Cluzel (1923). *82 :* Jean Imbert (1919). *67 :* Jacob Kaplan (1895). *82 :* Jérôme Lejeune (1926). *75 :* François Lhermitte (1921). *88 :* René Pomeau (1917).

Section III : Législation, Droit public et Jurisprudence. *71 :* Suzanne Bastid (1906). *91 :* Jacques Boré (1927). *77 :* Albert Brunois (1911). *90 :* Roland Drago (1923). *92 :* René-Jean Dupuy (1918). *84 :* Jean Foyer (1921). *69 :* Henri Mazeaud (1900). *83 :* Alain Plantey (1924).

Section IV : Écon. pol., Stat. et Finances. *90 :* Maurice Allais (1911). *92 :* Marcel Boiteux (1922). *88 :* Gaston Defosse (1908). *89 :* Yvon Gattaz (1925). *80 :* Jean Marchal (1905). *70 :* André Piettre (1906).

Section V : Histoire et Géographie. *78 :* Henri Amouroux (1920). *82 :* Pierre Chaunu (1923). *75 :* Jean-Baptiste Duroselle (1917). *80 :* Pierre George (1909). *75 :* Jean Laloy (1912). *93 :* Emmanuel Le Roy Ladurie (1929). *87 :* Alain Peyrefitte (1925).

Section VI : Section générale. *58 :* Édouard Bonnefous (1907). *76 :* Bernard Chenot (1909). *72 :* Oscar Cullmann (1902). *69 :* Pierre-Olivier Lapie (1901). *93 :* Jacques de Larosière (1929). *89 :* Pierre Messmer (1916). *92 :* Thierry de Montbrial (1943). *90 :* François Puaux (1916). *79 :* Raymond Triboulet (1906).

Associés étrangers. *88 :* Juan Carlos (roi d'Espagne) (1938). *92 :* Pᶜᵉ Charles d'Angl. (1948). Vaclav Havel (Tchéc., 1936). *70 :* archiduc Otto de Habsbourg (Autr., 1912). *93 :* Roland Mortier (1920). *89 :* Javier Perez de Cuellar (Pérou, 1920). *80 :* Karl Popper (angl., 1902). *92 :* Card. Ratzinger (All., 1927). *89 :* Ronald Reagan (USA, 1911). *69 :* Léopold Sédar Senghor (Sénégal, 1906). *87 :* Jean Starobinski (Suisse, 1920). *74 :* Carl Friedrich von Weizsäcker (Bᵒⁿ) (All., 1912).

Académie des beaux-arts *

Histoire. **Origine :** *Académie royale de peinture et sculpture :* **1648** fondée par Le Brun, **1655** lettres patentes. **1793** *(8-8)* supprimée. *Ac. royale d'architecture :* **1671** fondée par Colbert. **1793** *((8-8)* supprimée. **1795** *(22-8)* l'Institut nat., créé par la Convention, avec, dans sa IIIᵉ classe : Littérature et Beaux-Arts, des littérateurs et des artistes. **1803** *(23-1)* Bonaparte sépare cette classe et seuls les artistes composent la IVᵉ cl. des Beaux-Arts. **1816** *(21-3)* devient l'Ac. des Beaux-Arts. Composition : 7 sections : peinture 11 membres ; sculpture 7 ; architecture 8 ; gravure 4 ; composition musicale 6 ; m. libres 9 ; créations artistiques dans cinéma et audiovisuel 5. – 15 associés étr. et 50 correspondants.

■ Membres au 11-5-1993

Légende : Entre parenthèses : date de naissance et en italiques date d'élection.

Secr. perpétuel : *86 :* Marcel Landowski (1915) ; élu 1975 section composition musicale.

Section I : Peinture. *83 :* Jean Bertholle (1909). *74 :* Bernard Buffet (1928). *90 :* Pierre Carron (1932). *77 :* Jean Carzou (1907). *58 :* Georges Cheyssial (1907). *69 :* Jacques Despierre (1912). *91 :* Jean Dewasne (1921). *84 :* Arnaud d'Hauterives (1933). *75 :* Georges Mathieu (1921). *68 :* Georges Rohner (1913).

Section II : Sculpture. *93 :* Claude Abeille (1930). *83 :* Jean Cardot (1930). *89 :* Albert Féraud (1921). *70 :* Étienne-Martin (1913). *90 :* Gérard Lanvin (1923). *93 :* François Stahly (1911).

Section III : Architecture. *68 :* Henry Bernard (1912). *93 :* Marius Constant (1925). *76 :* Jacques Couëlle (1902). *77 :* Christian Langlois (1924). *79 :* Maurice Novarina (1907). *79 :* André Remondet (1908). *72 :* Marc Saltet (1906). *83 :* Roger Taillibert (1926). *83 :* Bernard Zehrfuss (1911).

Section IV : Gravure. *70 :* Raymond Corbin (1907). *91 :* Jean-Marie Granier (1922). *78 :* Pierre-Yves Trémois (1921).

Section V : Composition musicale. *80 :* Raymond Gallois Montbrun (1918). *75 :* Marcel Landowski (1915). *82 :* Daniel-Lesur (1908). *89 :* Serge Nigg (1924). *83 :* Yannis Xenakis (1922).

Section VI : Membres libres. *88 :* André Bettencourt (1919). *92 :* Pierre Cardin (1922). *82 :* Michel David-Weill (1932). *75 :* Pierre Dehaye (1921). *91 :* Marcel Marceau (1923). *85 :* Louis Pauwels (1920). *68 :* Gérald Van der Kemp (1912). *65 :* Paul-Louis Weiller (1893). *71 :* Daniel Wildenstein (1917).

Section VII : Créations artistiques dans le cinéma et l'audiovisuel (créée 1985). *88 :* Claude Autant-Lara (1901). *79 :* Marcel Carné (1906). *86 :* René Clément (1913). *90 :* Jean Prodromidès (1927). *88 :* Pierre Schoendoerffer (1928).

Associés étrangers. *81 :* François DAULTE (Suisse, 1924). *76 :* Paul DELVAUX (Belgique, 1897). *79 :* Federico FELLINI (Italie, 1920). *90 :* YOSOJI KOBAYASHI (Japon, 1913). *90 :* Ilias LALAOUNIS (Grèce, 1920). *79 :* Witold LUTOSLAWSKI (Pologne, 1913). *86 :* Yehudi MENUHIN (USA, 1916). *85 :* Richard NIXON (USA, 1913). *74 :* S.M.I. Farah PAHLAVI (Iran, 1938). *83 :* Ieho Ming PEI (Chine, 1917). *86 :* Philippe ROBERTS-JONES (1924). *87 :* Mstislav ROSTROPOVITCH (URSS, 1927). *83 :* Kenzo TANGE (Japon, 1913). *87 :* Peter USTINOV (G.-B., 1921). *76 :* Andrew WYETH (USA, 1917).

ACADÉMIE NATIONALE DE MÉDECINE

Histoire : *fondée* en 1820 par Louis XVIII sous le nom d'Académie royale de médecine, hérite de la plupart des prérogatives de l'Académie royale de chirurgie (créée 1731) et de la Sté royale de médecine (créée 1778, supprimée 1793). **Rôle :** conseillère du gouvernement pour les problèmes d'hygiène et de santé publique. **Séances publiques :** les mardis à 14 h 30. **Membres :** 130 titulaires en 8 sections (médecine et spécialités médicales 26 ; chirurgie et spécialités chirurgicales 22 ; hygiène et épidémiologie 9 ; sciences biologiques 20, vétérinaires 5, pharmaceutiques 9 ; section générale et membres libres 14 ; m. non résidants 25) ; 20 associés étr., 150 correspondants nationaux en 7 divisions, 100 corr. étr. en 6 divisions.

Nota. – Les membres qui ne peuvent plus prendre une part active aux travaux peuvent demander le titre de *membre émérite.*

MEMBRES AU 10-5-1993

Légende. – Date de naissance et date d'élection (en italiques).

Président : Robert LAPLANE (1907). **Vice-Pt :** Alain LARCAN (1931). **Secr. perpétuel :** Raymond BASTIN (1914). **Trésorier :** Louis ORCEL (1922).

Section I : Médecine et spécialités médicales. *90 :* Louis AUQUIER (1918). *80 :* Raymond BASTIN (1914). *73 :* Jean BERNARD (1907). *76 :* Yves BOUVRAIN (1910). *81 :* Henri BRICAIRE (1914). *92 :* Jean CAMBIER (1926). *92 :* Pierre CANLORBE (1918). *90 :* Jean CIVATTE (1922). *84 :* André CORNET (1911). *83 :* Jean CROSNIER (1921). *88 :* Jean-Luc de GENNÈS (1932). *85 :* Didier-Jacques DUCHÉ (1916). *93 :* Jean-Claude GAUTIER (1926). *89 :* Maurice GOULON (1919). *89 :* Yves GROSGOGEAT (1927). *78 :* Robert LAPLANE (1907). *80 :* Claude LAROCHE (1917). *61 :* André LEMAIRE (1898). *88 :* François LHERMITTE (1921). *84 :* Jacques LOEPER (1913). *84 :* Pierre MAURICE (1916). *84 :* Pierre MOZZICONACCI (1911). *80 :* Gabriel RICHET (1916). *64 :* Stanislas de SÈZE (1903). *90 :* André VACHERON (1933).

Section II : Chirurgie et spécialités chirurgicales. *84 :* Jean-Paul BINET (1924). *89 :* Maurice CARA (1917). *83 :* André CAUCHOIX (1912). *83 :* Jean DEBEYRE (1910). *68 :* André DUFOUR (1903). *82 :* Claude DUFOURMENTEL (1915). *86 :* Roger HENRION (1927). *65 :* Jacques HEPP (1905). *86 :* Émile HERVET (1913). *87 :* Raymond HOUDART (1913). *79 :* René KÜSS (1913). *70 :* Lucien LÉGER (1912). *80 :* Jean LEROUX-ROBERT (1907). *86 :* Maurice MERCADIER (1913). *89 :* Philippe MONOD-BROCA (1918). *77 :* Guy OFFRET (1911). *75 :* Claude OLIVIER (1910). *92 :* Denys PELLERIN (1924). *87 :* Paul PIALOUX (1914). *91 :* Yves POULIQUEN (1931). *75 :* Marcel ROUX (1909) [1]. *63 :* André SICARD (1904). *78 :* Claude SUREAU (1927).

Section III : Hygiène et épidémiologie. *80 :* Henri BAYLON (1913). *87 :* Henri BOUR (1910). *89 :* Jacques CHRÉTIEN (1922). *91 :* Étienne FOURNIER (1923). *91 :* Marc GENTILINI (1929). *87 :* Charles LAVERDANT (1927). *88 :* Henri LESTRADET (1921). *71 :* Pierre MERCIER (1910). *80 :* Stéphane THIEFFRY (1910). *86 :* Gabriel BLANCHER (1923).

Section IV : Sciences biologiques. *90 :* Jean-François BACH (1940). *73 :* Lucien BRUMPT (1910). *77 :* Jean DAUSSET (1916). *72 :* André DELMAS (1910). *60 :* Henri DESGREZ (1899). *79 :* Pierre DESGREZ (1909). *70 :* André DJOURNO (1904). *85 :* Lucien HARTMANN (1915). *80 :* Paul LECHAT (1920). *84 :* Jérôme LEJEUNE (1926). *83 :* Léon LE MINOR (1920). *89 :* Luc MONTAGNIER (1932). *84 :* Louis ORCEL (1922). *84 :* Jacques POLONOVSKI (1920). *87 :* Jean-Claude ROUCAYROL (1920). *82 :* Jacques RUFFIÉ (1921). *90 :* André SOULAIRAC (1913). *88 :* Maurice TUBIANA (1920). *78 :* Herbert TUCHMANN-DUPLESSIS (1911).

Section V : Sciences vétérinaires. *79 :* Raymond FERRANDO (1912). *65 :* Pierre GORET (1907). *88 :* Paul GROULADE (1909). *77 :* Jean GUILHON (1906). *84 :* Charles PILET (1931). *87 :* Alain RÉRAT (1926).

Section VI : Sciences pharmaceutiques. *84 :* Claude BOUDENE (1924). *82 :* Raymond CAVIER (1911). *91 :* Pierre DELAVEAU (1921). *66 :* Maurice FONTAINE (1904). *88 :* Albert GERMAN (1917). *83 :* Robert MOREAU (1916). *75 :* Yves RAOUL (1910). *71 :* René TRUHAUT (1909). *72 :* Maurice VIGNERON (1904).

Section VII : Section générale et membres libres. *65 :* Henri BARUK (1897). *80 :* Édouard BONNEFOUS (1907). *78 :* Jacques BRÉHANT (1907). *91 :* Yves COPPENS (1934). *82 :* Pierre DENIKER (1917). *84 :* Jean FLAHAUT (1922). *62 :* Hugues GOUNELLE DE PONTANEL (1903). *82 :* Maurice GUÉNIOT (1918). *87 :* Pierre JUILLET (1921). *92 :* Pierre LEFEBVRE (1923). *87 :* Pierre PICHOT (1918). *84 :* Jean-Daniel PICARD (1927). *83 :* Jean-Charles SOURNIA (1917). *60 :* André THOMAS (1905). *66 :* Étienne WOLFF (1904).

Section VIII : Membres non résidants. *92 :* Pierre AMALRIC (1923). *79 :* Émile ARON (1907). *68 :* Paul BOULANGER (1905). *90 :* Pierre BOULARD (1917). *89 :* Michel BOUREL (1920). *91 :* André CAPRON (1930). *84 :* Jacques CHARPIN (1921). *79 :* Jean-François CIER (1915). *73 :* Jean COTTET (1905). *89 :* Guy DIRHEIMER (1931). *90 :* Louis DOUSTE-BLAZY (1921). *89 :* Jacques EUZÉBY (1920). *85 :* Paul GUINET (1915). *92 :* Bernard HILLEMAND (1923). *93 :* Louis HOLLENDER (1922). *80 :* Henri LAFFITTE (1897). *86 :* Alain LARCAN (1931). *70 :* Guy LAZORTHES (1910). *90 :* Marc LINQUETTE (1914). *90 :* Pierre MAGNIN (1913). *90 :* Paul MAILLET (1913). *92 :* Georges SERRATRICE (1927). *72 :* Francis TAYEAU (1913). *80 :* Jean VAGUE (1911). *85 :* Michel VERHAEGHE (1914).

AUTRES ACADÉMIES EN FRANCE

PARIS

Académie d'agriculture de France. Sté royale d'agriculture *fondée* 1761, devenue en 1793 Sté nationale d'agriculture et, depuis 1915, Académie d'agriculture. *Pt d'honneur :* le ministre de l'Agric. *Membres :* 100 titulaires, 50 étrangers, 165 correspondants, et 55 étrangers.

Académie d'architecture. *Origine :* Sté des Architectes (1811-16), Sté centrale des architectes fondée en 1840 par J. Huyot (1780-1840), reconnue d'utilité publique en 1865 ; a pris le nom d'Académie d'architecture en 1953. *Membres :* titulaires 100, honoraires, corresp. nation. 80, corresp. étr. 60, associés non arch. 20. *Siège :* 9, place des Vosges, 75004 Paris.

Académie Balzac. *Fondée* 1978 par Jean-Marie Bernicat (Pt). *Membres du Comité d'honneur :* Jean-Louis Barrault, Roger Caquet, Guy et Jean des Cars, Jacqueline Cartier, André Castelot, Maurice Cazeneuve, François Chalais, Arthur Conte, Alain Decaux, Maurice Druon, Paul Guth, Jean-Paul Lacroix, Ève Ruggieri, Henri Spade. *But :* promouvoir l'œuvre de Balzac avec remise d'un prix annuel à une personnalité littéraire ou artistique y ayant contribué. *Siège :* 31, rue Raynouard, 75016 Paris.

Académie de chirurgie. *Fondée* 1731. Ac. royale de chir. supprimée en 1793. Sté nat. de chir. en 1843. Ac. de chir. en 1935. *Membres :* 120 titulaires (80 parisiens, 40 provinciaux) ; 160 associés fr. (40 parisiens, 120 prov.), 150 associés étr., 10 m. libres, m. honoraires (anciens titulaires ou associés fr. ou étr.). *Siège :* 26, bd Raspail, 75007 Paris.

Académie nationale de chirurgie dentaire. *Fondée* 1956, reconnue d'utilité publique. *Pt d'honneur :* André Besombes. *Secr. gén. :* Louis Verchère. *Pt :* G. Le Breton. *Membres :* 90 m. titulaires, 30 m. libres, 90 m. associés nationaux, 80 m. associés étr. ; m. d'honneur et m. honoraires illimités. *Siège :* 22, rue Émile-Ménier, 75116 Paris.

Académie diplomatique internationale. Organ. intern. intergouvernementale. *Fondée* 1926. *Membres :* 91 *États.*

Académie Goncourt (voir p. 330 b).

Académie de marine. *Fondée* 1752 à Brest. Rattachée à l'Ac. royale des sciences en 1771. Disparue 1793. Rétablie 1921, statut d'établissement public 1926. *Membres :* 66 titulaires, 24 corresp., 20 associés étr. *Ministre de tutelle :* min. de la Défense.

Académie nationale de l'air et de l'espace (voir Province).

Académie nationale de pharmacie. Sté de pharmacie *fondée* 1803, devenue Ac. de pharmacie en 1946 et Ac. nat. de ph. en 1979. *Membres :* 90 titulaires, des m. honoraires, 15 m. associés, 120 correspondants nationaux, 75 étrangers.

Académie des sciences commerciales. *Fondée* 1957. *Membres :* 71, correspondants français 70, étrangers 70, 5 classes et 14 sections. *Secrétariat :* 220, bd Raspail, 75014 Paris.

Académie des sciences d'outre-mer. *Fondée* 1922 (Acad. des sciences coloniales), nom actuel dep. 1957, placée sous tutelle du ministère de la France d'Outre-mer puis rattachée au min. de l'Éducation nationale en 1959. *Membres :* 5 sections de 20 m. titulaires et 20 m. correspondants. 25 m. libres, 50 m. associés. Distribue 10 prix par an. *Bibliothèque :* 45 000 volumes, 35 000 brochures, 3 000 périodiques. *Secrétariat :* 15, rue Lapérouse, 75116 Paris.

Académie vétérinaire de France. *Fondée* 1844. Reconnue d'utilité publique 1878. *Membres :* titulaires 44, associés nationaux 6, corr. nationaux 60 ; étrangers : associés 6, corr. 40. *Siège :* 60, bd Latour-Maubourg, 75007 Paris.

Société nationale des antiquaires de France. *Siège* au Louvre, pavillon Mollien. *Fondée* 1805 sous le nom d'*Académie celtique,* a pris son nom actuel en 1814. 10 m. honoraires, 45 m. résidants, 10 m. corresp. étr. honoraires, env. 300 m. corresp. nationaux, env. 50 m. corresp. étrangers. *But :* recherches d'histoire, philologie, archéologie, histoire de l'art.

PROVINCE

Académie des Jeux floraux à Toulouse. **Origine :** *la plus ancienne société littéraire connue d'Europe.* 1323, concours poétique annuel institué par les 7 troubadours de Toulouse (Consistoire du gai savoir), les Jeux floraux. *Fin XVe* restaurés selon la légende par Clémence Isaure. *XVIe s.,* appelée Collège de rhétorique, admet le français à côté de la langue d'oc, puis supprime celle-ci. *1694,* Louis XIV l'érige en académie comprenant 40 membres (les « mainteneurs »). *1895,* richement dotée par le banquier Théodore Ozenne ; sous l'influence de Frédéric Mistral, réadmet la langue d'oc à ses concours. Rec. d'ut. publique. **Membres :** 40 « mainteneurs ». **Prix :** distribués le 3 mai : 13 fleurs d'orfèvrerie réservées à la poésie (*or :* violette, églantine, amarante, jasmin ; *vermeil :* laurier ; *argent :* violette, souci, églantine, primevère, œillet, lys, immortelle, narcisse), prix résultant de fondations (Fabien-Artigue, Capus, Fontana-Bonsirven, Fayolle, Sendrail, de Gorsse, etc.), réservés à des ouvrages (imprimés) de prose et de poésie et pouvant atteindre de 5 000 à 10 000 F. Dep. 1988, liseron en or récompensant une personnalité (même défunte) ayant honoré les traditions françaises et la pureté de la langue française et marqué notre temps. Création en 1990 du prix (annuel) Grangé de 5 000 F pour la langue et la littérature gasconne. L'académie délivre également des lettres de *« Maître-ès-jeux »* à des personnalités remarquables françaises et étrangères (Voltaire, Chateaubriand, Hugo, etc.), qui apportent leur aide aux jugements des « mainteneurs ».

Académie nationale de l'air et de l'espace. *Fondée* 1983. Rec. d'ut. publ. *Membres :* 60 titulaires, 30 ass. étr., corr. fr. et étr., des membres d'honneur et des m. honoraires, 5 sections. *Siège :* 1, avenue Camille-Flammarion, 31500 Toulouse.

Autres académies. *Agen* (1776), *Aix* (1765), *Amiens* (1750), *Angers* (1685), *Angoumois* (1964, 21 m.) *Annecy* (Ac. Florimontane, fondée 1606 par St François de Sales et le Pt Antoine Favre, réorganisée 1851 sous le nom d'Association Fl., 1862 prit le nom de Sté Fl., puis 1911 d'Ac. Fl. 60 membres effectifs, 60 associés et correspondants), *Arles*, *Arras* (1737), *Auch* (1891), *Avignon* (1801, Ac. de Vaucluse), *Besançon* (1752), *Béziers* (1834), *Bordeaux* (1712), *Cambrai* (1804, Sté d'Émulation), *Chambéry* (1820, Ac. des Sciences Belles-Lettres et Arts de Savoie), *Cholet* (1881, Sté des Sciences, Lettres et Arts), *Clermont-Ferrand* (1747), *Dax* (1890, de Borda), *Dijon* (1740), *Grenoble* (1772, Ac. Delphinale), *La Rochelle* (1732), *Limoges* (1845, Sté histor. et archéol. du Limousin), *Lyon* (1700), *Mâcon* (1805), *Maine* (1932), *Marseille* (1726), *Metz* (1760), *Montpellier*, *Nancy* (1750, Ac. de Stanislas), *Nantes* (1948, Ac. de Bretagne et des Pays de la Loire), *Nîmes* (1682), *Pau* (1841), *Périgueux* (1820), *Reims* (1841), *Rodez* (1836, Sté des Lettres, Sciences et Arts de l'Aveyron), *Rouen* (1744), *St-Brieuc* (1861), *Saintes* (1957), *Strasbourg* (1799), *Toulouse*, *Tours* (1464, Ac. berrichonne), *Troyes* (1798, Sté Ac. de l'Aube), *Versailles* (1834), etc.

☞ Comité des travaux historiques et scientifiques. *Fondé* 1834, réorganisé 1991 au sein du min. de l'Éduc. nat., organise tous les ans dep. 1861 le Congrès nat. des sociétés savantes, 10 sections et commissions. *Publications :* collect. doc. inédits sur l'hist. de Fr. (env. 140 vol. publiés) et série in-8 de 20 vol. dep. 1965 ; dictionnaire topogr. de la France par dép., etc. *Siège :* 1, rue d'Ulm, 75005 Paris.

Académies étrangères

Les plus anciennes académies

Académie Han-lin-yuan (Chine) 738. A. des Jeux floraux, Toulouse, 1323. A. des beaux-arts, Pérouse, 1546. A. della Crusca, Florence, 1582. A. royale de pharmacie, Madrid, 1589. A. nationale des Lynx, Rome, 1603. Académie française, Paris, 1635. A. Léopoldine, Halle-Saale, 1652. Société royale, Londres, 1660. A. royale des beaux-arts de Ste-Isabelle de Hongrie, Séville, 1660. A. des inscriptions et belles-lettres, Paris, 1663. A. des sciences, Paris, 1666. A. prussienne des sciences, Berlin, 1700.

Allemagne

Akademie der Künste (Berlin 1696, Preussische A.d.K.). 285 m. (max. 450). 6 sections. **Ak. der Wissenschaften zu Göttingen** (Sciences 1751). 2 cl. 118 m. et 172 corr. **Ak. der Wissenschaften und der Literatur** (Mayence 1949). 3 cl. 92 m. 127 corr. et 1 corr. hon. **Bayerische Ak. der Wissenschaften** (Munich 1759). 2 cl. 90 m., 160 corr. **Deutsche Ak. der Darstellenden Künste** (Francfort 1956). 115 m. **Deutsche Ak. für Sprache und Dichtung** (Darmstadt 1949). **Deutsche Ak. der Naturforscher Leopoldina** (Halle/Saale 1652). 35 sections, env. 953 m. dont 33 français. **Heidelberger Ak. der Wissenschaften** (Heidelberg 1763, réorg. 1909). 2 sections. 112 m., 100 corr. **Rheinisch-Westfälische Ak. der Wissenschaften** (Düsseldorf 1970). Remplace Arbeitsgemeinschaft für Forschung des Landes Nordrhein-Westfalen (1950). 2 cl. 147 m. et 51 corr. **Sächsische Akademie der Wissenschaften zu Leipzig** (1846). 2 cl., 57 m. et 62 corr.

Belgique

Académie royale d'archéologie de Belgique. Koninklijke Academie voor Oudheidkunde van België (Bruxelles 1842). 60 m. titulaires et 40 m. corr. étr. *Siège :* Musée de Belle-Vue, Place des Palais, 1000 Bruxelles.

Académie royale de langue et de littérature françaises (Bruxelles 1920). 40 m. *30 Belges* (20 écrivains, 10 philologues) : Mme Louis Dubrau (19-11-1904), Mme Claudine Gothot-Mersch (14-8-1932), Jeanine Moulin (10-4-1912), Liliane Wouters (5-2-1930), Albert Ayguesparse (1-4-1900), Willy Bal (11-8-1916), Henry Bauchau (22-1-1913), Charles Bertin (5-10-1919), Georges-Henri Dumont (14-9-1920), André Goosse (16-4-1926), Lucien Guissard (15-10-1919), Simon Leys (28-9-1935), Jacques-Gérard Linze (10-9-1925). Pierre Mertens (9-10-1939), Roland Mortier (21-12-1920), Thomas Owen (Gérald Bertot) (22-7-1910), Louis Remacle (30-9-1910), Philippe Roberts-Jones (8-11-1924), Pierre Ruelle (10-4-1911), Georges Sion (Secr. perpétuel honoraire, 7-12-1913), Georges Thinès (10-2-1923), Jean Tordeur (Secrét. perpétuel dep. le 1-1-89, 5-9-1920), Raymond Trousson (11-6-1936), André Vandegans (21-6-1921), Fernand Verhesen (2-5-1913), Paul Willems (4-4-1912), Marc Wilmet (28-8-1938).

10 étrangers (6 littéraires, 4 philologues) : Gérald Antoine (5-7-1915), Lloyd James Austin (4-11-1915), Alain Bosquet (28-3-1919), Georges Duby (7-10-1919), Julien Green (6-9-1900), Robert Mallet (15-3-1915), Jacques Monfrin (26-4-1924), Jean Rousset (20-2-1910), Dominique Rolin (22-5-1913), Marie-Claire Blais (5-10-1939).

Académie royale de médecine de Belgique (Bruxelles 1841). *Fondée* par le roi Léopold Ier, 6 sections, 40 m. tit., 20 à 25 m. tit. hors cadre, 100 m. hon. (belges et étrangers), 40 corr. belges et 80 corr. étrangers. *Siège :* Palais des académies, rue Ducale, 1 - 1000 Bruxelles.

Académie royale des sciences, des lettres et des beaux-arts de Belgique (Bruxelles 1772). *Fondée* par l'impératrice Marie-Thérèse d'Autriche. 3 cl. de 30 m., 20 corr. et 50 ass. étrangers. Secr. perpétuel : Philippe Roberts-Jones. *Siège :* Palais des académies, rue Ducale, 1 - 1000 Bruxelles.

Académie royale des sciences d'outre-mer. Koninklijke Academie voor Overzeese Wetenschappen (Bruxelles 1928). 3 cl. 272 m. (1 m. hon. 52 tit. hon., 48 tit., 31 ass. hon., 54 ass., 30 corr. hon., 56 corr.). *Siège :* rue Defacqz, 1 - 1050 Bruxelles.

Koninklijke Academie voor Geneeskunde van België (d'expression néerlandaise) : (Bruxelles 1938). 47 tit., 15 corr. et 97 corr. étrangers ; 2 m. hon. régnicoles.

Koninklijke Academie voor Nederlandse Taal en Letterkunde. Académie royale de langue et de littérature néerl. (Gand 1886). 30 m. ordinaires ; un certain nombre de m. hon. ; 25 m. hon. étr.

Koninklijke Academie voor Wetenschappen, Letteren en Schone Kunsten van België (Bruxelles 1938). Ac. d'expression néerl. La loi du 1-7-71 place les 2 Ac. des Sciences sur un pied d'égalité. 3 cl. de 30 m., 10 corr., 50 m. ass. (étrangers) par classe. *Siège :* Palais des académies, Hertogsstraat 1, B - 1000 Bruxelles.

Canada

Académie des Lettres du Québec (ex-A. canadienne française, f. 7-12-1944). 32 m. Décerne chaque année le prix Victor-Bardeau (essai), Alain-Grandbois (poésie), Molson (roman) ainsi que sa médaille (personnalité du monde culturel et littéraire). *Dep. 1982* Colloque des écrivains tous les automnes. *Pt. :* Jean-Guy Pilon, *v.-pte :* Fernande Saint-Martin, *secr. gén. :* J.-P. Duquette. *Siège :* Montréal (Québec) H4A 1R9 (5724, chemin de la Côte Saint-Antoine).

Société des écrivains canadiens (1936). Issue de la Canadian Authors Association. Sont membres les écrivains qui ont déjà publié 1 livre. Actuellement : plus de 300 m. *Siège :* Secrétariat général de la Fondation MacDonald-Steward, 1195, rue Sherbrooke Ouest, Montréal (Québec) Can. H3A IH9.

Espagne

Real (royale) Academia de Bellas Artes de San Fernando (1752). 4 sections : peinture, sculpture, architecture, musique. 51 m. madrilènes et un nombre illimité de correspondants espagnols et étrangers et d'académiciens honoraires. **De Ciencias Exactas, Físicas y Naturales** (1847). 42 m., 42 corresp., étrangers en nombre illimité. 3 sections : mathématique, physique-chimie, géologie-biologie. **De Ciencias Morales y Políticas** (1857). 40 m., 40 corr., 4 départements : philosophie, sciences pol. et jurid., sciences sociales, sciences écon. **Española de la Lengua** (1713). 46 m., 114 corr. (58 espagnols, 6 hispano-américains, 58 étrangers), 3 m. hon. Publications : Le Dictionnaire « d'Autorités » (1726-1737) et plusieurs éditions successives du Dictionnaire abrégé, publication périodique du « Diccionario de la Lengua Española » avec mise à jour du lexique. **De la Historia** (1738). 36 m., 354 corr. espagnols, corr. étr. (nombre indéterminé). **Nacional de Medicina** (1732). 50 m., 100 corr. et 76 corr. étr.

États-Unis

American Academy of Arts and Sciences (Boston) (1780). 3 100 m. 600 m. hon. étr.

American Academy of Arts and Letters. Issue en 1976 du National Institute of Arts and Letters (1898) et de l'American Academy of Arts and Letters (1904). 250 m. américains (de naiss. ou naturalisés), renommés pour leur œuvre en art, littérature ou musique. 10 m. honor. américains. 75 m. honor. étrangers.

American Philosophical Society (1743 Philadelphie). *Membres :* 560 Américains, 119 étr. : sc. physiques et math., sc. biologiques, sc. sociales, m. corr.

National Academy of Sciences (Washington) (1863). Organisation scientifique privée ; 1 490 m., 242 m. étr. **National Research Council** (1916). **National Academy of Engineering** (1964) ; 1 335 m., 113 m. étr. **Institute of Medicine** (1970) ; 726 m.

Grande-Bretagne

British Academy (Londres 1901). 596 m., 296 m. corresp., 16 m. honor. (au 1-12-1992), 18 sections : histoire ancienne, médiévale, études religieuses, orientales et africaines, littérature et philologie anciennes, litt. et ph. médiévales, philosophie, jurisprudence, écon. politique et hist. écon., archéologie, hist. de l'art, études sociales, hist. moderne 1500-1800, hist. moderne depuis 1800, études politiques, linguistiques, litt. et philologie 1500-1800, litt. et ph. dep. 1800.

Royal Academy of Arts (Burlington House, Londres 1768). 22 m. supérieurs, 80 m. tit. (peintres, graveurs, sculpteurs, architectes). 10 m. honor. étr. **Cambrian Academy of Art** (1881). 100 m. **Institution for the Improvement of Sciences** (Londres 1799). 1 100 m. **Royal Scottish Academy of Painting, Sculpture, Architecture and Printmaking** (Édimbourg 1826). 49 m., 40 ass. et 19 hon. **Royal Society of Edinburgh** (1783). Env. 1 005 m. et 65 m. honor., pour le développement de la science et de la littérature. **Royal Society** (Londres 1660). 1 095 m., 101 étr. **Society of London for Improving of Natural Knowledge** (Londres 1660). 700 m. et 65 étr. Décerne 9 médailles, dont la Copley Medal.

Italie

Accademia degli Arcadi. Ac. des Arcadiens (Rome 1690). Appelée aussi Ac. letteraria Arcadia. *Fondée* par Christine de Suède et ouverte aux poètes des 2 sexes. Devenue plus philosophique et scientif.

Accademia della Crusca (Florence 1583). Publie le 1er dictionnaire historique de la langue italienne en 1612 (autres éd. : 1623, 1691, 1729-38, 1863-1923). 15 m. et 30 ass., 15 italiens, 15 étr.

Accademia delle Scienze (Turin 1783). *Fondée* par le roi Vittorio Amedeo III. 250 m. 2 sections : *1°)* sciences physiques, math. et nat. (145 m. dont 35 nationaux, 10 étr. et 100 corr.) ; *2°)* sc. morales, hist. et philol. (fondée par Napoléon) (105 m. dont 35 nationaux, 10 étr. et 60 corr.).

Accademia Nazionale dei Lincei. Ac. nat. des Lynx (Rome 1603). 2 cl. : *1°)* sc. physiques, math. et naturelles (270 m. dont 90 nationaux, 90 étr., 90 corr.) ; *2°)* sc. morales, hist. et philologiques (270 m. dont 90 nationaux, 90 étr., 90 corr.).

Accademia Nazionale di San Luca (Rome) (1595). 3 classes : peinture, sculpture, architecture (54 m., 90 corr. italiens ; 30 étr.).

Accademia Toscana di Scienze e Lettere « la Colombaria » (Florence 1735). 4 cl. : *1°)* Philologie et critique litt. (15 m. effectifs et 15 corr.) ; *2°)* Sciences hist. et philo. (15 m. eff. et 15 corr.) ; *3°)* Sc. juridiques, écon. et sociales (15 m. eff. et 15 corr.) ; *4°)* Sc. physiques, math. et natur. (15 m. eff. et 15 corr.).

Instituto Veneto di Scienze, Lettere ed Arti (Venise 1803). Nom origine : *Institut Royal Italien ;* organisme autonome à partir de 1838. Académie nat. scient. spécialisée sur la région Trieste-Venise (60 m., 100 corr. et 20 étr.).

Sociétés savantes. La plus importante est l'*Ateneo Veneto* fondée en 1812 par Eugène de Beauharnais. *Sté Dante Alighieri* (dans les principales villes d'Italie et d'Europe) fondée en 1889 à Rome par R. Boughi et soutenue par Foscolo, Carducci et Fogazzaro, *Pt :* Dottore Cortese.

Luxembourg

Institut grand-ducal. *Fondé* 24-10-1868. 6 sections : histoire, médecine, sciences, linguistique, arts et littérature, sc. morales et politiques.

Portugal

Academia das Ciências de Lisboa (1779). 2 cl. *Sciences :* math., phys., chimie, sc. natur., médecine, sc. appliquées et hist. des sciences. *Lettres :* litt., études litt. et linguist., philo. et pédagogie, hist. et géo., droit et sociologie, écon. politique. *Pt :* Dr José Pina Martins. *Membres :* Sciences 168 (24 m. eff., 48 m. corr. et ass., 96 corr. étr.) ; Lettres 168 (24 m. eff., 48 m. corr. et ass., 96 corr. étr.). Comprend aussi l'Institut des hautes études et l'Institut de lexicologie et de lexicographie de la langue port. **Nacional de Belas Artes** (Lisbonne) (1836). 20 m. eff. Corr. nat., étrangers, honoraires ; 2 m. mérite ; jubilés illimités. **Academia Portuguesa da História** (Lisbonne) (1720). Restaurée 1936. *Membres :* 120 dont : 40 eff. (30 Port., 10 Brés.), 40 corr. port., 40 étr. *Bibliothèque* 100 000 titres, ouverte du 1-1 au 31-12.

Suède

Académie royale des belles-lettres, de l'histoire et des antiquités (1753). 9 m. hon. ; 67 m. suédois et 16 m. étr. (s. histoire-antiquités), 72 m. suédois et 24 m. étr. (s. philo.-philol.). 30 corr. suédois et 9 étr. *Secr. gén. :* Staffan Helmfrid. **Des sciences** (1739). 10 divisions : env. 300 m. suédois et 161 m. étr. Décerne prix Nobel de physique et de chimie, prix de sc. économiques en mémoire d'Alfred Nobel, et prix Crafoord en math., astronomie, géographie, géophysique et biologie. *Secr. gén. :* Carl-Olof Jacobson. Suédoise des sc. de l'ingénieur (**IVA** en suédois) (1919). 642 m. suédois en 12 sections et 207 m. étr. Académie suédoise. *Fondée ;* 1786. 18 m. ; décerne prix Nobel de littérature. *Secr. perpétuel:* Sture Allén.

Suisse

Académie rhodanienne des lettres (1950 ; franco-suisse). 40 m. *Pts:* tantôt suisses, tantôt fr. (sans qu'il y ait obligation). *Vice-pts :* statutairement fr. et suisses. *Siège social :* Avignon.

Pro Helvetia (PH). Fondation suisse pour la culture. *Fondée* en 1939. 34 m. + 1 Pt nommés par le Conseil fédéral suisse. *Pte :* Romarie Simmense ; *Dir. :* Urs Frauchiger.

Ex-URSS

■ Académie des sciences d'ex-URSS (Moscou) (1725). 333 m. actifs, 596 m. corr. *17 sections:* math. ; physique générale et astronomie ; physique nucléaire ; problèmes physico-techniques énergétiques ; mécanique et procédés de commande ; informatique, technique de calcul et automatisation ; chimie gén. et technique ; physico-chimie et technologie des matières inorganiques ; biochimie, biophysique et chimie des composés physiologiques actifs ; physiologie ; biologie génér. ; géologie, géophysique et géochimie ; océanologie, physique de l'atmosphère et géographie ; histoire ; philosophie et droit ; économie ; problèmes d'économie mondiale et relations internat. ; littérature et langage. Section sibérienne de l'Aca. des sciences d'URSS à Novossibirsk. A régi toute l'activité scientifique de l'ex-URSS. Le décret présidentiel du 23-8-1990 l'a déclarée autonome. *La ville universitaire d'Akademgorodok* (banlieue de Novossibirsk en Sibérie occid.) qui regroupe env. 40 instituts, avec 100 académiciens, plus de 400 chercheurs et 10 000 techniciens (pop. totale : 30 000 hab.), dépend en principe de l'Ac. des sciences, mais a une gestion autonome (*Pt :* Koptug Valentin Afanassievitch). Créée en principe pour étudier les problèmes du développement de la Sibérie, est devenue un centre de recherches fondamentales, notamment en physique nucléaire et en technologie des plasmas.

■ Autres académies. **Agriculture.** 95 m., nombreux corr. et des m. étr. **Architecture** (1955). 39 m. **Arts** (1947). 60 corr. **Sciences médicales** (1944). 109 m. et des m. étr.

■ Instituts de recherche. **Académies locales** dans les Républiques.

Vatican

Académie pontificale des sciences. **Origine :** D'abord non distincte de l'Ac. des Lynx (voir Italie ci-dessus). *1847* sous Pie IX, devient l'Ac. pontificale des Nouveaux Lynx. *1922* Pie XI l'installe dans le pavillon Pie IV des jardins du Vatican. *1936*-28-10 réformée par Pie XI, avec son nom actuel. **But :** favoriser la recherche. **Membres :** 80 choisis parmi les savants les plus célèbres du monde entier, sans considération de religion (math. et sciences appl.). Il y a des académiciens temporaires (pendant la durée de leurs travaux) et des ac. d'honneur (bienfaiteurs). Décerne la *médaille d'or Pie XI* à de jeunes savants de renommée internationale.

Prix littéraires

En France

■ Statistiques

■ Nombre de prix. Environ 1 500 prix littéraires sont décernés par l'Institut de France, par des académies provinciales ou des jurys divers. Montant : de 0 à 400 000 F. Beaucoup sont de 50 ou 100 F.

■ Montant des prix les mieux dotés (en milliers de F et, entre parenthèses, date de création). **400** Gd Pr de la Francophonie (1986), **300** Gd Pr de littérature (1911), Académie française Paul Morand (1977), Littéraire du Levant (1990, Conseil général du Var), **200** Novembre (1989), Cino Del-Duca (1969), **150** des Hémisphères (1991), Bourse Jeune Écrivain (1990), **120** Pr de l'Assemblée nationale (1990), Gd Pr Henri-Ginet du livre d'art et essai (1985), **100** Gd Pr du roman (1918), Gds Pr du Souvenir Napoléonien (1977,1990), Pr des Arts, des Lettres et des Sciences (1981), de Poésie (1957), Alexis-de-Tocqueville (1979), Blaise-Pascal (1988), de la Fondation Napoléon (1978), d'Hist. de la Vallée-aux-Loups (1987), Gd Pr de la Langue de France (1986), Michel-Dard (1983), **90** Louise-Weiss (1986), **80** Maupassant (1990), Paul-Léautaud (1986), **50** à **100** du Quartier latin (1990), **50** de la critique (1971), de l'essai (1971), **50** de la nouvelle (1971), **50** et **25** Gobert (Histoire) (1834), **50** de la biographie (1987), Gd Pr de la biographie (1990, Le Printemps), Jacques-Chardonne (1985), François-Mauriac (1975), Chateaubriand (1985), Jean-Giono (1989), Marcel-Proust (1972), **50** Gd Pr de Philosophie (1987), Pr du Théâtre (1980), Carlton Littérature et Cinéma (1990), Charles-Exbrayat (1990), Diderot-Universalis (1985), de l'Enclave des Papes (1990), littéraire de la Fondation P[ce]-Pierre-de-Monaco (1951), Guillaume-le-Conquérant (1989), Hassan-II des Quatre Jurys (1952), Henri-Courbot (1982), Gd Pr Nat d'Histoire (1977), des Lettres (1950), de la Poésie (1981), du Théâtre (1969), de la Traduction (1985), Gd Pr de Littérature et du Tourisme (1986), Le Lutèce du Témoignage (1988), Pr Méditerranée (1985 et 1992), Pierre-Larousse (1991), Roger-Caillois (1991), Gd Pr littéraire Sola-Cabiati (1975), Sully-Olivier de Serres Littéraire (1942), de Thèse Assemblée Nationale (1990) **50 + 1 000 ex. achetés,** Pr Tropiques (1991), Valery-Larbaud (1967), Gds Pr Littéraires de la Ville de Paris (1932), Pr du meilleur reportage (1984), **40** des Deux Magots (1933), de la Fondation Pierre-Lafue (1977), internationale de Géographie (1991), Goncourt de Poésie (1987), Goncourt du 1er roman (1990), Gd Pr Poncetton de la SGDL (1970), Pr du Sud-Jean Baumel (1984), Gd Pr de la SGDL (1947), Gd Pr Thyde-Monnier de la SGDL (1975).

■ Tirages. Les « grands prix » assurent souvent à l'auteur un tirage de best-sellers dans l'année qui suit : Goncourt 120 000 à 500 000, Femina 80 000 à 150 000, Renaudot 60 000 à 120 000, Interallié 100 000 à 200 000, Médicis 30 000 à 240 000, Prix des Maisons de la Presse 85 000, Gd Prix du roman 20 000 à 50 000. En 1908, le prix Goncourt fut tiré à 3 000 ex. ; il fallut 12 ans pour les épuiser.

■ Principaux prix

Légende. – **Éditeurs :** (1) Actes Sud. (2) Albin Michel. (3) Alta. (4) Balland. (5) Le Bateau Ivre. (6) Bertil Galland. (7) Belfond. (8) Bibl. des Arts. (9) Calmann-Lévy. (10) Charlot. (11) Colbert. (12) Corréa. (13) Çrès. (14) Denoël. (15) Donnat. (16) Didier. (17) Éd. du Feu. (18) Éd. de minuit. (19) Éd. du Myrte. (20) Éd. de la Plume. (21) Éd. de la Revue Fontaine. (22) Fasquelle. (23) Fayard. (24) Flammarion. (25) Flore. (26) Fontaine. (27) Grasset. (28) Hachette. (29) Henri Lefèvre. (30) Jean-Jacques Pauvert. (31) La Jeune Parque. (32) Julliard. (33) Lemerre. (34) Librairie universelle. (35) Mercure de France. (36) Nouvelle France. (37) N.R.F. (38) Ollendorf. (39) Oudin-Calmann-Lévy. (40) Pelletan. (41) Plon. (42) Plon-Perrin. (43) Presses de la Cité. (44) Ramsay. (45) Retz. (46) Rieder. (47) Robert Laffont. (48) Le Seuil. (49) Stock. (50) La Table Ronde. (51) La Vraie France. (52) Librairie Académique Perrin. (53) Gallimard. (54) Clouzot. (55) José Corti. (56) Lattès. (57) L'Age d'Homme. (58) Baudinière. (59) Milieu du Monde. (60) Vigneau. (61) Pavois. (62) Einaudi, Milan. (63) Luneau-Ascot. (64) Casterman. (65) Herscher. (66) Éd. Presses de la Renaissance. (67) Lachenal et Ritter. (68) La Colombe. (69) Phébus. (70) Skira. (71) Éd. Mazarine. (72) Éd. du Regard. (73) Solin. (74) Nadeau. (75) Olivier Orban. (76) Presses Universitaires de Nancy. (77) P.O.L. (78) Payot. (79) La Découverte. (80) P.U.F. (81) Rivages. (82) Christian Bourgois. (84) Éd. Le Chêne. (85) Arcane 17. (86) Odile Jacob. (87) Seghers. (88) Nathan. (89) Tallandier. (90) Mayer. (91) Quai Voltaire. (92) Sylvie Messinger. (93) Larousse. (94) Belin. (95) Arlea. (96) Uno Asco. (97) Le Sagittaire. (98) Maren Sell. (99) Buchet-Chastel. (100) L'Arpenteur. (101) Du Rocher. (102) Bordas. (103) Lieu commun. (104) Séguier. (105) La Différence. (106) l'Harmattan. (107) Messidor. (108) De Fallois. (109) Viviane Hamy. (110) Jean-Claude Lattès. (111) Pré aux Clercs. (112) J'ai lu. (113) Éd. de l'Olivier. (114) Éd. du Félin. (115) François Bourin. (116) Éd. de l'Aire. (117) La Table Rase/Écrits des Forges. (118) Le Dé Bleu/Écrits des Forges/L'Arbre à Paroles. (119) Éd. de Fallois. (120) Aubier. (121) France Empire. (122) William Blake and Co. (123) Economica.

☞ Pour le prix Nobel (voir Index).

■ Académie Balzac (Prix de l'). **Créé** 1980 par Jean-Marie Bernicat. Décerné tous les ans au 4e trimestre à une personnalité artistique ou littéraire ayant contribué à mettre Balzac à l'honneur. **Montant :** honorifique, médaillon de David d'Angers 1842.

■ Académie des sciences d'outre-mer *10 prix* décernés en fin d'année : Georges Bruel (créé 1951, montant : 500 F), Eugène Étienne (1934, 500 F), Maréchal Lyautey (1934, 500 F), M. et Mme Louis Marin (1976, 1 000 F), Auguste Pavie (1982, 500 F), Paul Rivet (1984, 500 F), Emmanuel-André You (1953, 500 F), Pierre Chauleur (87, 3 000 F), Robert Delavignette (87, 3 500 F), Robert Cornevin (90, 3 500 F).

■ Association des écrivains de langue française (Adelf). **Prix 1992.** De l'Afrique-Méditerranée : Malika Mokeddem, p. européen : Lena Constante, p. de l'Asie : Jacques Dupuis, p. de la Mer : Alain Arbeille, p. litt. de l'Afr. noire créé 1960 : Patrick G. Ilboudo, p. France-Liban : Jacques Nassif, p. France-Québec : Pierre Morency.

■ Albert-Camus. **Créé** 1985 par les Rencontres méditerranéennes A. Camus de Lourmarin. **Décerné** 18 août à Lourmarin et remis à Paris fin mai. **Montant :** 20 000 F. Lauréats : **1987** Roger Grenier, *A. Camus soleil et ombre* [53]. **88** Bertrand Visage, *Angélica* [48]. **89** Christiane Singer, *Histoire d'âme* [2]. **90** Jacques Fieschi, *l'Homme à la mer* [110]. **91** Marcel Moussy, *Parfum d'Absinthes* [2]. **92** Rachid Mimouni, pour son œuvre. **93** Vassilis Alexakis, *Avant* [48].

■ Albert-Costa-de-Beauregard. Prix d'économie. **Pt jury :** Marcel Boiteux. Lauréats : **1992** Alain Etchegoyen, *le Capital lettres* [115] et Dominique Nora, *l'Étreinte du samouraï* [9].

■ Albert-Londres. **Créé** en souvenir d'Albert Londres (disparu en mer au cours du naufrage du *Georges-Philippar*) en nov. 1932, par sa fille Florise Martinet-Londres (1904-75) (interrompu de 1940 à 46). **Décerné** (vers le 16 mai) à un grand reporter de langue française de moins de 40 ans. Dep. 1985 à 2 journalistes : presse écrite, pr. audiovisuelle. *Géré* par la Société des gens de lettres. **Montant :** 10 000 F pour chaque lauréat. Pt : Henri Amouroux. Secr. gén. : Henri de Turenne. **Jury :** Josette Alia, Lucien Bodard, Max Clos, Yves Courrière, Thierry Desjardins, François Hauter, Katia Kaupp, Jean Lartéguy, René Mauriès, Georges Menant, Marcel Niedergang, Christophe de Ponfilly, Bernard Ullmann (+ les deux lauréats de l'année précédente). **Adresse :** Hôtel de Massa, 38, rue du Fg-St-Jacques, 75014 Paris. Lauréats *(Presse écrite)* : **1933** Émile Condroyer. **34** Stéphane Faugier. **35** Claude Blanchard. **36** Jean Botrot. **37** Max Massot. **38** Jean-Gérard Fleury. **39** Jacques Zimmermann. **46** Marcel Picard. **47** André Blanchet et Dominique Pado. **48** Pierre Voisin. **49** Serge Bromberger. **50** Alix d'Unienville. **51** Henri de Turenne. **52** Georges Menant. **53** Maurice Chanteloup. **54** Armand Gatti. **55** Jean Lartéguy. **56** René Mauriès. **57** René Puissesseau. **58** Max Olivier-Lacamp. **59** Jean-Marc Théoleyre. **60** J. Jacquet-Francillon. **61** Marcel Niedergang. **62** Max Clos. **63** Victor Franco. **64** José Hanu. **65** Michel Croce-Spinelli. **66** Yves Courrière. **67** Jean Bertolino. **68** Yves Cuau. **69** Yves-Guy Bergès. **70** Philippe Nourry. **71** Jean-François Delassus. **72** Pierre Bois et Jean-Claude Guillebaud. **73** Jean-Claude Pomonti. **74** François Missen. **75** Thierry Desjardins. **76** Pierre Veilletet. **77** François Debré. **78** Christian Hoche. **79** Hervé Chabalier. **80** Marc Kravetz. **81** Bernard Guetta. **82** Christine Clerc. **83** Patrick Meney. **84** Jean-Michel Caradec'h. **85** Alain Louyot. **86** François Hauter. **87** Jean-Paul Mari. **88** Prix spécial du cinquantenaire : Sorj Chalandon, Sammy Ketz. **89** Jean Rollin. **90** Yves Harte. **91** Patrick de Saint-Exupéry. **92** Olivier Weber. **93** Philippe Broussard. *(Audiovisuel) :* **85** Christophe de Ponfilly, Bertrand Gallet. **86** Philippe Rochot. **87** Frédéric Laffont. **88** Daniel Lecomte. **89** Denis Vincenti et Patrick Schmidt. **90** Gilles de Maistre. **91** Hervé Brusini, Dominique Tierce. **92** Lise Blanchet, Jean-Michel Destang. **93** Jean-Jacques Legarec.

■ Ambassadeurs. **Créé** 1948 par Jean-Pierre Dorian. **Montant** (1992) : 10 000 F. **Décerné** en mai. **But :** faire connaître la culture et la pensée françaises dans le domaine de l'histoire ou de l'histoire politique. **Jury :** *avant 1960,* 24 diplomates fr. et étrangers en poste à Paris, *dep. 1960,* 20 ambassadeurs en poste à Paris au maximum. *Pt du jury :* Christian Orsetti (n. 1-4-1923) : ambassadeur du Pce de Monaco assisté par un comité consultatif présidé par Maurice Druon. Lauréats. **Premiers l. : 1948** Antoine de Saint-Exupéry, *la Citadelle* [53]. **49** Henry Bosco, *Malicroix* [27]. **50** Simone Weil, *l'Attente de Dieu* et l'ensemble de son œuvre [68]. **Derniers l. : 86** Jean Lacouture, *De Gaulle* [48]. **87** Pierre Grimal, *Cicéron* [23]. **88** Édouard Bonnefous, *Avant l'oubli* T. I [47], T. II [88]. **89** François Furet, *la Révolution 1770-1880* [28]. **90** Jacques-Francis Rolland, *l'Homme qui* *défia Lénine* [27]. **91** Gabriel de BROGLIE, *Guizot* [42]. **92** Bernard VINCENT, *1492, l'Année admirable* [120].

■ **Apollinaire.** **Créé** 1941 par Henri de Lescoët (1906). **Origine :** maintenir et développer le souvenir du poète disparu et encourager notamment par l'attribution du prix une œuvre poétique. **Décerné** en juin à un ouvrage édité depuis le 1er juin de l'année précédente, dans le salon Apollinaire, chez Drouant. Doté actuellement par Claude Douillard (Pt-dir. gén. de la S.A. Drouant et du groupe Elitair). **Montant :** 50 F jusqu'en 1973 ; 5 000 F actuellement. **Jury.** *Pt :* Robert Mallet ; *membres* élus à vie : Marc Alyn, Jean Bancal, Hervé Bazin, Yvonne Caroutch, Georges-Emmanuel Clancier, Bernard Delvaille, Charles Dobzynski, Jean L'Anselme, Henri de Lescoët, Robert Mallet, Rouben Melik, Robert Sabatier. **Lauréats : 1991** Yves MARTIN, *La mort est méconnaissable* [117]. **92** François de CORNIÈRE, *Tout cela* [118].

■ **Aujourd'hui.** **Créé** 1962 par un groupe de journalistes politiques. **But :** couronner un ouvrage historique ou politique sur la période contemporaine [ouvrage à caractère général (à l'exclusion des romans) : mémoires, étude, biographie...] écrit par un auteur français ou étranger, mais publié en français et en France, dans l'année qui suit l'attribution du prix précédent. **Décerné** mi-novembre. **Montant :** 5 000 F. **Jury :** (Pt), Joseph Barsalou, Jean Boissonnat, Raymond Castans, Christine Clerc, Alain Duhamel, Albert Du Roy, Jacques Fauvet (Pt), Jean Ferniot, André Frossard, Claude Imbert, Jacques Julliard, Bernard Lefort, Catherine Nay, Pierre Rostini, Philippe Tesson. **Lauréats : 1962** Gilles PERRAULT, *les Parachutistes* [48]. **63** J. DELARUE, *Histoire de la Gestapo* [23]. **64** Eugène MANNONI, *Moi, général De Gaulle* [48]. **65** Lucien BODARD, *l'Humiliation* [53]. **66** Pierre ROUANET, *Mendès France au pouvoir* [47]. **67** C. LÉVY et P. TILLARD, *la Grande Rafle du vél d'Hiv.* [47]. **68** Claude JULIEN, *l'Empire américain* [27]. **69** Arthur LONDON, *l'Aveu* [53]. **70** Jacques DEROGY, *la Loi du retour* [23]. **71** P. VIANSSON-PONTÉ, *Histoire de la Rép. gaullienne* [23]. **72** Jean MAURIAC, *Mort du général de Gaulle* [27]. **73** Jean LACOUTURE, *Malraux* [48]. **74** Michel JOBERT, *Mémoires d'avenir* [27]. **75** Per Jakez HELIAS, *le Cheval d'orgueil* [41]. **76** Marek HALTER, *le Fou et les Rois* [2]. **77** Franz-Olivier GIESBERT, *François Mitterrand ou la Tentation de l'histoire* [48]. **78** Hélène CARRÈRE D'ENCAUSSE, *l'Empire éclaté* [24]. **79** Jean DANIEL, *l'Ère des ruptures* [27]. **80** Maurice SCHUMANN, *Un certain 18 juin* [41]. **81** Raymond ARON, *le Spectateur engagé* [32]. **82** Michel ALBERT, *le Pari français* [48]. **83** Jean-François REVEL, *Comment les démocraties finissent* [27]. **84** Catherine NAY, *le Noir et le Rouge* [27]. **85** François de CLOSETS, *Tous ensemble* [48]. **86** Robert GUILLAIN, *Orient-Extrême, une vie en Asie* [48]. **87** Alain MINC, *la Machine égalitaire* [27]. **88** Philippe ALEXANDRE, *Paysages de campagne* [27]. **89** Didier ÉRIBON, *Michel Foucault* [24]. **90** Georges VALANCE, *France-Allemagne : le retour de Bismarck* [24]. **91** Jean-Claude BARREAU, *De l'Islam en général et du monde moderne en particulier* [111]. **92** Pierre LELLOUCHE, *le Nouveau Monde : de l'ordre de Yalta au désordre des nations* [27].

■ **Baudelaire.** **Créé** 1980 par la Sté des Gens de Lettres. **Décerné** tous les ans en automne au British Council de Paris. **Montant :** 11 000 F. **But :** couronner la meilleure traduction française d'un ouvrage en anglais d'un auteur du Roy.-Uni ou d'un des pays du Commonwealth. **Lauréats : 1992** Nicole TISSERAND, *Mrs Palfrey, Hôtel Claremont* (E. TAYLOR) [81].

■ **Cazes.** **Créé** 1935 par Marcellin Cazes. **Décerné** en mars à la brasserie Lipp. **Jury :** Solange Fasquelle (Pte), Dominique Bona, André Bourin, Georges-Emmanuel Clancier, Claude-Michel Cluny, Jean-Louis Curtis, Michel Grisolia, Michelle Maurois, Claude Mourthé, Eric Roussel, Joël Schmidt (Secr.), Olivier Séchan. **But :** destiné à couronner un roman, un essai, une biographie, des mémoires ou un recueil de nouvelles d'une excellente tenue littéraire. **Montant :** 10 000 F accompagné d'une table ouverte de 5 000 F. **Lauréats : 1935** la Cie théâtrale le Rideau de Paris de Marcel HERRAND et Jean MARCHAT pour ses créations du *Coup de Trafalgar* (Roger VITRAC) et de *l'Homme en blanc* (André RICHAUD). **36** Pierre-Albert BIROT, *Grabinoulor.* **37** Thyde MONNIER, *La Rue courte.* **38** Kléber HAEDENS, *L'École des parents.* **39** Marius RICHARD, *Jeanne qui s'en alla.* **40** André CAYATTE, *Le Traquenard.* **42** Albert PARAZ, *Le Roi tout nu.* **43** Jean PROAL, *Où souffle la lombarde.* **44** Pierre TISSEYRE, *Cinquante-Cinq Heures de guerre.* **46** (3 prix décernés pour 1941, 45 et 46) Jean-Louis CURTIS, *Les Jeunes Hommes ;* Olivier SÉCHAN, *Les Chemins de nulle part ;* Jean PRUGNOT, *Béton armé ;* **47** Florian LE ROY, *L'Oiseau volage.* **48** André FAVIER, *Confession sans grandeur ;* Pierre HUMBOURG, *Le Bar de minuit passé.* **49** François RAYNAL, *Marie des solitudes.* **50** Marcel SCHNEIDER, *Le Chasseur vert.* **51** Bertrand DEFOS, *Le Compagnon de route.* **52** Henry MULLER, *Trois pas en arrière.* **53** Ladislas DORMANDI, *Pas si fou.* **54** Hélène BESSETTE, *Lily pleure.* **55** Albert VIDALIE, *les Bijoutiers au clair de lune.* **56** Georges BAYLE, *le Pompiste et le chauffeur.* **57** Yves GROSRICHARD, *la Compagne de l'homme.* **58** André GUILBERT, *Deux doigts de terre.* **59** Jacques PEUCHMAURD, *le Plein Été.* **60** Monique LANGE, *les Platanes* [53]. **61** Solange FASQUELLE, *le Congrès d'Aix ;* Henry DORY, *la Nuit de la Passion.* **62** Ghislain de DIESBACH, *Un joli train de vie.* **63** Francis HURE, *le Consulat de Pacifique.* **64** Luc BÉRIMONT, *le Bois Cattiau.* **65** René SUSSAN, *Histoire de Farezi* [14]. **66** Georges ELGOZY, *le Paradoxe des technocrates* [14]. **67** Marie-Claude SANDRIN, *la Forteresse de boue* [99]. **68** Walter LEWINO, *l'Éclat et la blancheur* [2]. **69** Jacques BARON, *l'An 1 du surréalisme* [14]. **70** Michel de GRÈCE, *Ma Sœur l'Histoire ne vois-tu rien venir ?* **71** José-Luis de VILLALONGA, *Fiesta.* 72 Suzanne PROU, *Méchamment les oiseaux* [9]. **73** Claude MENUET, *Une enfance ordinaire.* **74** François de CLOSETS, *le Bonheur en plus* [14]. **75** Jean-Marie FONTENEAU, *Phénix* [27]. **76** Jean CHALON, *Portrait d'une séductrice* [49]. **77** Éric OLIVIER, *Panne sèche* [14]. **78** Jacques d'ARRIBEHAUDE, *Adieu Néri.* **79** CAVANNA, *les Ritals* [7]. **80** Guy LAGORCE, *les Héroïques* [32]. **81** Olivier TODD, *le Fils rebelle* [27]. **82** Jean BLOT, *Gris du Ciel* [53]. **83** Edgar FAURE, *Avoir toujours raison... c'est un grand tort* [41]. **84** Dominique DESANTI, *les Clés d'Elsa* [44]. **85** Jean-Paul ARON, *les Modernes* [53]. **86** Xavier de LA FOURNIÈRE, *Louise Michel* [52]. **87** Joël SCHMIDT, *Lutèce* [52]. **88** Ya DING, *le Sorgho rouge* [45]. **89** Jean HAMBURGER, *Monsieur Littré* [24]. **90** Jean-Jacques LAFAYE, *l'Avenir de la nostalgie, une vie de Stefan Zweig* [114]. **91** Pierre SIPRIOT, *Montherlant sans masque* [47]. **92** Élizabeth GILLE, *le Mirador* [66]. **93** Jean Prasteau, *les Grandes heures du faubourg St-Germain* [52].

■ **Chardonne (Jacques).** **Créé** 1986. **Pt du jury :** François Nourissier. **Montant** 50 000 F (versés par le bureau interprofessionnel du cognac). **Lauréats : 90** Denis TILLINAC, *la Corrèze et le Zambèze* [47]. **91** Louis NUCERA, *le Ruban rouge* [27]. **92** Marcel SCHNEIDER, *le Palais des mirages* [27].

■ **Chateaubriand.** **Créé** 1975. **Montant :** 50 000 F. **Décerné** en nov. par le Comité du Rayonnement français, à un auteur, pour l'ens. de son œuvre, à l'occasion de la publication d'un de ses livres ; fait partie des 5 prix annuels du Rayonnement français (sciences physiques et math., sc. biologiques et médicales, sc. économiques et sociales, illustration des Arts). **Jury :** Pierre de Boisdeffre (Pt), Jeanne Bourin, André Brincourt, Jean Cau, Jean Cazeneuve, François Lhermitte, François Nourissier, Louis Pauwels, Jean Raspail, Maurice Rheims, Georges Riond, Vladimir Volkoff. **Lauréats : 1975** Michel DEL CASTILLO. *Le Silence des pierres* [32]. **76** Rév. Père BRUCKBERGER. *Traduction et Commentaire de l'Évangile* [2]. **77** Louis PAUWELS. *L'Apprentissage de la sérénité* [45]. **78** Pierre DEBRAY-RITZEN. *Lettre ouverte aux parents des petits écoliers* [2] et Jean ORIEUX. *Souvenirs de campagne* [24]. **79** Vladimir VOLKOFF. *Le Retournement* [32]. **80** Philippe BOEGNER. *L'Enchaînement* [3]. **81** Camille BOURNIQUEL. *L'Empire Sarkis* [32]. **82** Marguerite CASTILLON DU PERRON. *Charles de Foucauld* [27]. **83** Henri AMOUROUX. *L'Impitoyable Guerre civile* [47]. **84** Paul GUTH, *Une enfance pour la vie* [41]. **85** Yves COURRIÈRE, *Joseph Kessel, ou la Piste du lion* [41]. **86** Jean RASPAIL, *Qui se souvient des hommes ?* [56]. **87** Alain BOSQUET. *Lettre ouverte à mon père qui aurait eu cent ans* [53]. **88** Jean-François REVEL, *La Connaissance inutile* [27]. **89** Henri COULONGES, *Lettre à Kirilenko* [49]. **90** Françoise CHANDERNAGOR, *L'Enfant aux loups* [108]. **91** Jean CHALON, *Chère George Sand* [24]. **92** Pierre HEBEY, *La NRF des années sombres 1940-1941* [53].

■ **Cino-Del-Duca (Prix mondial).** **Créé** 1969 par Mme Simone Cino Del Duca. **But :** récompenser et faire connaître un auteur dont l'œuvre constitue sous une forme scientifique ou littéraire un message d'humanisme moderne. **Décerné** en octobre. **Montant :** 200 000 F. **Jury** *Pt :* Maurice Druon, *membres :* Pr Jean Bernard, Jean Cazeneuve, Jean Cayrol, Pr Jean-François Denisse, Marcel Jullian, Louis Leprince-Ringuet, Rév. Père Carré, Michel Mohrt, Pierre Moinot, Jean d'Ormesson, Pierre-Jean Rémy, Maurice Rheims, Maurice Schumann, Étienne Wolff. **Lauréats : 1969** Konrad LORENZ. **70** Jean ANOUILH. **71** Ignazio SILONE. **72** Victor WEISSKOPF. **73** Jean GUÉHENNO. **74** Andreï SAKHAROV. **75** Alejo CARPENTIER. **76** Lewis MUMFORD. **77** Germaine TILLION. **78** Léopold Sédar SENGHOR. **79** Pr Jean HAMBURGER. **80** Jorge Luis BORGES. **81** Ernst JÜNGER. **82** Yachar KEMAL. **83** Jacques RUFFIÉ. **84** Georges DUMÉZIL. **85** William STYRON. **86** Thierry MAULNIER. **87** Docteur Denis BURKITT. **88** Henri GOUHIER. **89** Professeur Carlos CHAGAS. **90** Jorge AMADO. **91** Michel JOUVET. **92** Ismaïl KADARÉ. **93** Robert MALLET.

Bourses littéraires Cino-Del-Duca (2). *Créées* 1952 par Cino Del Duca. 1re : pour un écrivain ayant déjà été édité. **Montant :** 20 000 F. 2e : pour un écrivain n'ayant jamais été publié. **Montant :** 10 000 F. *Age limite :* 40 ans.

■ **Critique littéraire (Grand Prix de la).** **Créé** nov. 1948, sur une idée de Robert Kemp (1879-1959) et Émile Henriot (1889-1961). **But :** encourager la création dans l'ordre de la critique et de l'histoire littéraire. **Décerné** fin mai. **Montant :** 10 000 F. **Jury :** Robert André (Pt), Gérald Antoine, Hervé Bazin, Yves Broussard, Pierre Gamarra, Jérôme Garcin, Daniel Leuwers, Jean Orizet, Joël Schmidt. **Lauréats : 1949** Antoine ADAM. **50** Pierre de BOISDEFFRE. **51** Pierre-Georges CASTEX. **52** Georges POULET. **53** François-Régis BASTIDE. **54** John L. BROWN. **55** Robert MALLET. **56** Samuel S. de SACY. **57** Jean DELAY. **58** Dominique AURY. **59** R.P. André BLANCHET. **60** Michel BUTOR. **61** Henri FLUCHÈRE. **62** Suzanne JEAN-BÉRARD. **63** Jean de BEER. **64** Pierre FREDERIX. **65** Henri GUILLEMIN. **66** Jean ORIEUX. **67** Daniel GILLES. **68** Madeleine FARGEAUD. **69** Maurice NADEAU. **70** Michel MOHRT. **71** Maurice BARDÈCHE. **72** André WURMSER. **73** Pierre BARBERIS. **74** Jean-Pierre RICHARD. **75** José CABANIS. **76** Philippe LEJEUNE. **77** Roger KEMPF. **78** Auguste ANGLÈS. **79** Jacques CATTEAU. **80** Bertrand d'ASTORG. **81** Marthe ROBERT. **82** ÉTIEMBLE. **83** Béatrice DIDIER. **84** Henri TROYAT. **85** Éric MARTY, *l'Écriture du jour* [48]. **86** Jean BLOT *Yvan Gontcharov ou le Réalisme impossible* [57]. **87. 88** pas décerné. **89** Gérald ANTOINE, *Paul Claudel ou l'enfer du génie* [47]. **90** Michel DROUIN, *André Suarès, Ames et visages* [53]. **91** Henry GIDEL, *Feydeau, et son théâtre* [24]. **92** pas décerné.

■ **Deux-Magots.** **Créé** 1933 par Martyne, Henri Philippon et Roger Vitrac (1899-1952). **But :** découvrir une œuvre originale et de qualité. **Montant :** *1933* 1 300 F, *59* 7 000 F, *80* 10 000 F, *90* 20 000 F, *92* 40 000 F. **Décerné** la 2e quinzaine de janvier, au café des Deux-Magots. **Jury :** Charles Bersani, Jacques Brenner, Jean-Paul Caracalla (secr. gén.), Jean Chalon, Eric Deschodt, Louis Doucet, Paul Guilbert, Jean Lemarchand, Éric Ollivier, Anne Pons, Jean-Marie Rouart. **1er lauréat** (1933) : Raymond Queneau *(Le Chiendent).* **Lauréats : 70** Roland TOPOR. **71** Bernard FRANK. **72** Alain CHÉDANNE. **73** Michel DEL CASTILLO. **74** André HARDELLET. **75** Geneviève DORMANN. **76** François COUPRY. **77** Agnès CAGNATY. **78** Sébastien JAPRISOT. **79** Catherine RIHOIT. **80** Roger GARAUDY. **81** Raymond ARBELLO. **82** François WEYERGANS. **83** Michel HAAS. **84** Jean VAUTRIN. **85** Arthur SILENT. **86** Éric DESCHODT et Michel BRETMAN. **87** Gilles LAPOUGE. **88** Henri ANGER. **89** Marc LAMBRON. **90** Olivier FRÉBOURG. **91** Jean-Jacques PAUVERT. **92** Bruno RACINE, *Au péril de la mer* [27]. **93** Christian BOBIN, *le Très-Bas* [53].

■ **Élie-Faure.** **Créé** 1980 par l'Institut de picturologie, décerné tous les ans (début décembre) à la Closerie des Lilas. **But :** récompenser par une médaille à l'effigie d'Élie Faure les auteurs d'ouvrages sur la peinture présentant « un exceptionnel intérêt méthodologique ». **Jury :** Pierre de Boisdeffre, Pascal Bonafoux, Henry Bonnier, André Brincourt, R.P. Carré, Pierre Debray-Ritzen (Pt), Pierre Dehaye, René Deheuvels, Jacques Despierres, Jean Ferré, Antonio Fontan et Louis Pauwels. **Lauréats : 1992,** monographie : Jacques THUILLIER, *Georges de La Tour* [24] ; P. du catalogue : Jane MARTINEAU, *Mantegna* [53] ; P. de l'essai : Jean-Jacques LEVÊQUE, *les Années folles, le triomphe de l'art moderne* (éd. ACR).

■ **Femina.** **Créé** 1904 par 22 collaboratrices de la revue « Vie heureuse » (à laquelle a succédé la revue « Femina »), pour encourager les lettres et rendre plus étroites les relations de confraternité entre les femmes de lettres. **Tirages obtenus :** 80 000 à 200 000 (parfois supérieurs au Goncourt). **Décerné** le 3e lundi de novembre au Cercle interallié. Environ 200 romans sont envoyés aux membres pour le Femina français, une centaine pour le F. étranger, une trentaine pour le F. essais. **Jury :** Dominique Aury, Madeleine Chapsal, Régine Deforges (Pte en 1993), Solange Fasquelle, Claire Gallois, Françoise Giroud, Benoîte Groult, Diane de Margerie, Renée Massip, Zoé Oldenbourg, Suzanne Prou, Marie Susini. *Secrétaire générale :* Anne Sabouret. **Lauréats : 1904** Myriam HARRY, *La Conquête de Jérusalem* [23]. **05** Romain ROLLAND, *Jean-Christophe* [2]. **06** André CORTHIS, (Mlle HUSSON), *Gemmes et Moires* [24]. **07** Colette YVER, *Princesses de Science* [9]. **08** Édouard ESTAUNIÉ, *La Vie secrète* [42]. **09** Edmond JALOUX, *Le reste est silence* [41]. **10** Marguerite AUDOUX, *Marie-Claire* [22]. **11** Louis de ROBERT, *Le Roman du malade* [22]. **12** Jacques MOREL, (Mme Edmond Pottier), *Feuilles mortes* [28]. **13** Camille MARBO (Mme Émile Borel), *La Statue voilée* [23]. **14-16** *Pas de prix décerné.* **17** René MILAN (pseudon. : Maurice LARROUY), *L'Odyssée d'un transport torpillé* [23]. **18** Henri BACHELIN, *Le Serviteur* [24]. **19** Roland DORGELÈS, *Les Croix de bois* [2]. **20** Edmond GOJON, *Le Jardin des Dieux* [22]. **21** Raymond ESCHOLIER, *Cantegril* [2]. **22** Jacques de LACRETELLE, *Silbermann* [37]. **23** Jeanne GALZY, *Les Allongés* [46]. **24** Charles DERENNES, *Le Bestiaire sentimental* [2]. **25** Joseph DELTEIL, *Jeanne d'Arc* [27]. **26** Charles SILVESTRE, *Prodige du cœur* [41]. **27** Marie LE FRANC, *Grand-Louis l'innocent* [46]. **28** Dominique

Dunois (Marguerite Lemesle), *Georgette Garou* [9]. **29** Georges Bernanos, *La Joie* [41]. **30** Marc Chadourne, *Cécile de la Folie* [41]. **31** Antoine de Saint-Exupéry, *Vol de nuit* [37]. **32** Ramón Fernandez, *Le Pari* [37]. **33** Geneviève Fauconnier, *Claude* [49]. **34** Robert Francis, *Le Bateau-Refuge* [37]. **35** Claude Silve (Ctesse Jules de Divonne), *Bénédiction* [27]. **36** Louise Hervieu, *Sangs* [14]. **37** Raymonde Vincent, *Campagne* [49]. **38** Félix de Chazournes, *Caroline ou le Départ pour les îles* [37]. **39** Paul Vialar, *La Rose de la mer* [14]. **40-43** *Pas de prix décerné.* **44** Éditions de Minuit (Collection « Sous l'oppression » inaugurée par *le Silence de la mer* de Vercors). **45** Anne-Marie Monnet, *Le Chemin du soleil* [19]. **46** Michel Robida, *Le Temps de la longue patience* [32]. **47** Gabrielle Roy, *Bonheur d'occasion* [24]. **48** Emmanuel Roblès, *Les Hauteurs de la ville* [10]. **49** Maria Le Hardouin, *La Dame de cœur* [12]. **50** Serge Groussard, *La Femme sans passé* [37]. **51** Anne de Tourville, *Jobadao* [49]. **52** Dominique Rolin, *Le Souffle* [48]. **53** Zoé Oldenbourg, *La Pierre angulaire* [37]. **54** Gabriel Veraldi, *La Machine humaine* [53]. **55** André Dhôtel, *Le Pays où l'on n'arrive jamais* [25]. **56** François-Régis Bastide, *Les Adieux* [53]. **57** Christian Mégret, *Le Carrefour des solitudes* [32]. **58** Françoise Mallet-Joris, *L'Empire céleste* [32]. **59** Bernard Privat, *Au pied du mur* [53]. **60** Louise Bellocq, *La Porte retombée* [53]. **61** Henri Thomas, *Le Promontoire* [53]. **62** Yves Berger, *Le Sud* [27]. **63** Roger Vrigny, *La Nuit de Mougins* [53]. **64** Jean Blanzat, *Le Faussaire* [53]. **65** Robert Pinget, *Quelqu'un* [18]. **66** Irène Monesi, *Nature morte devant la fenêtre* [35]. **67** Claire Etcherelli, *Élise ou la Vraie Vie* [14]. **68** Marguerite Yourcenar, *L'Œuvre au noir* [53]. **69** Jorge Semprun, *La 2e Mort de Ramón Mercader* [53]. **70** François Nourissier, *La Crève* [27]. **71** Angelo Rinaldi, *La Maison des Atlantes* [14]. **72** Roger Grenier, *Ciné-roman* [53]. **73** Michel Dard, *Juan Maldonne* [48]. **74** René-Victor Pilhes, *L'Imprécateur* [48]. **75** Claude Faraggi, *Le Maître d'heure* [35]. **76** Marie-Louise Haumont, *Le Trajet* [53]. **77** Régis Debray, *La neige brûle* [27]. **78** François Sonkin, *Un amour de père* [53]. **79** Pierre Moinot, *Le Guetteur d'ombre* [53]. **80** Jocelyne François, *Joue-nous España* [35]. **81** Catherine Hermary-Vieille, *Le Grand Vizir de la nuit* [53]. **82** Anne Hébert, *Les Fous de Bassan* [48]. **83** Florence Delay, *Riche et légère* [52]. **84** Bertrand Visage, *Tous les soleils* [48]. **85** Hector Bianciotti, *Sans la miséricorde du Christ* [53]. **86** René Belletto, *L'Enfer* [77]. **87** Alain Absire, *L'Égal de Dieu* [9] (au 4e tour par 10 voix contre 4 à Chochana Boukhobza pour *Le Cri*). **88** Alexandre Jardin, *Le Zèbre* [37]. **89** Sylvie Germain, *Jours de colère* [53]. **90** Pierrette Fleutiaux, *Nous sommes éternels* [53]. **91** Paula Jacques, *Deborah et les anges dissipés* [35]. **92** Anne-Marie Garat, *Aden* [48].

■ **Femina Étranger.** **1986** Torgny Lindgren (Suédois), *Bethsabée* [1]. **87** Susan Minot, *Mouflets* [53]. **88** Amos Oz (Israélien), *La Boîte noire* [9]. **89** Alison Lurie (USA), *la Vérité sur Lorin Jones* [81]. **90** Vergilio Ferreira (Portugais), *Matin perdu* [105]. **91** David Malouf (Australien), *Ce vaste monde* [2]. **92** Julian Barnes, *Love, etc.* [14].

■ **Femina-Vacaresco.** **Créé** avant la guerre par un des membres du jury Femina, Hélène Vacaresco, poétesse d'or. roumaine. **Couronne** chaque année, fin mars, un essai. **Lauréat : 1992** Jean Borie, *Huysmans, le diable, le célibataire et Dieu* [27].

■ **Francophonie (Grand Prix de la).** **Créé** 1986 sur l'initiative du gouvernement canadien. **Décerné** par l'Académie française pour récompenser l'œuvre d'un auteur francophone qui, dans son pays ou à l'échelle internationale, contribue au maintien et à l'illustration de la langue française. **Montant :** 400 000 F. **Lauréats : 1986** Georges Schéhadé (1910, Lib.). **87** Yoichi Maeda (Jap.). **88** Jacques Rabemananjara (Malgache). **89** Hubert Reeves (Can.). **90** Albert Cossery (Égy.). **91** Card. L.-J. Suenens (Belg.). **92** Dr Nguyên Khac Viên (Vietn.)

■ **Giono.** **Créé** 1990 à l'occasion du 20e anniversaire de la mort de Jean Giono par Élise Giono (sa femme), Sylvie Durbet-Giono (sa fille) et Michel Albert (Pt des AGF), repris par Pierre Bergé en 1992. **Décerné** dans la 2e quinzaine de nov. au Fouquet's Champs-Élys. à un ouvrage paru dans l'année précédant le 15 oct. de celle en cours. **Montant :** 50 000 F offerts par la sté Yves Saint Laurent. **But :** couronne l'ensemble de l'œuvre romanesque d'un auteur de langue française ; la *Bourse*, créée 1992 par Pierre Bergé, distingue un ouvrage de langue française faisant une large place à l'imagination, dans l'esprit de Jean Giono. **Jury :** Françoise Chandernagor (Pte), Jean Dutourd, Marcel Jullian, Gilles Lapouge, Emmanuel Le Roy Ladurie, Michel Mohrt, Claude Mourthé, Éric Orsenna, Pierre Pain, Franco-Maria Ricci, Jean-Pierre Rudin, Michel Serres. **Lauréats : 1990** Yves Beauchemin, *Juliette Pomerleau* [108]. Michel Calonne, *les Enfances* [109]. **91** non attribué. **92** *Prix :* François Nourissier [27], *bourse :* Bruno Bontempelli [27].

■ **Gobert (grands prix).** **Créé** 1834. Grand prix d'histoire. **Décerné** par l'Académie française. **Montant :** 50 000 et 25 000 F. **Lauréats : 1984** Jean-Denis Bredin, *l'Affaire* [32], Pierre Miquel, *la Grande Guerre* [23], **85** Gabriel de Broglie, *Madame de Genlis* [52], Pierre Goubert, *Initiation à l'histoire de France.* **86** Ivan Cloulas, *Henri III*, Marc Vigié, *les Galériens du roi* [23]. **87** 1er Gr. prix (50 000 F) : Pierre Grimal, *Cicéron* [23] ; 2e (30 000 F) partagé entre Pierre Antonetti, *Sampiero, Soldat du Roi et rebelle corse* et Louis-Eugène Mangin, *le Général Mangin.* **88** 1er : Inès Murat, *la Seconde République* [23]; 2e : Jean-Paul Bled, *François-Joseph* [23]. **89** 1er : Henri-Jean Martin, *Histoire et pouvoirs de l'écrit* [52]. 2e : Jean-François Sirinelli, *Génération intellectuelle* [23]. **90** 1er : Michel Antoine, *Louis XV.* 2e : Jean-Luc Chartier, *De Colbert à l'Encyclopédie.* **91** 1er : Maurice Agulhon, *la République, de 1880 à nos jours* [28]. 2e : Emmanuel de Waresquiel, *le Duc de Richelieu* [52]. **92** 1er : Roger Chartier pour l'ensemble de son œuvre.

■ **Goncourt.** **Créé** le 21-12-1903 par testament par Edmond de Goncourt († 1896) en mémoire de son frère Jules († 1870). Le testament chargeait Alphonse Daudet de mettre en place la future Académie dont il devait être le 1er président ; il fut attaqué par les héritiers naturels (cousine germaine et des cousins éloignés) et confia le dossier à Raymond Poincaré. Le tribunal civil déboutera les demandeurs le 5-8-1897. Mais ceux-ci firent appel. *1re composition de l'Académie (1874) :* Flaubert, Louis Veuillot, Banville, Barbey d'Aurevilly, Fromentin, Zola, Saint-Victor, Chennevières, Léon Cladel et Alphonse Daudet. Edmond la modifia pour tenir compte des morts et de ses changements d'opinion sur les « élus ». *Liste définitive :* Alphonse Daudet, Huysmans, Mirbeau, les deux Rosny, Hennique, Paul Margueritte et Geffroy. **Président** (jusqu'en 1945, le doyen d'âge) élu par l'Ass. gén. annuelle ; il a voix prépondérante. **Montant :** 50 F (à l'origine 5 000 francs-or). **Décerné** par la Sté littéraire des Goncourt (nom officiel de l'Ac. Goncourt reconnue d'utilité publique 19-1-1903), en novembre. **But :** encourager les lettres, assurer la vie matérielle à un certain nombre de littérateurs et rendre plus étroites leurs relations de confraternité (art. 1 des statuts, JO 26-1-1902). Destiné à un ouvrage en prose publié dans l'année, il est en fait donné presque exclusivement à un roman. Il doit récompenser en principe un jeune auteur, mais il est allé 1 fois à une septuagénaire : Marguerite Duras (1984), 1 fois à un sexagénaire : Lucien Bodard (1982) : 67 ans et 4 fois à des quinquagénaires : André Pieyre de Mandiargues (1967) : 58 ans, Félicien Marceau (1969) : 56 a., Henri Pourrat (1941) : 54 a., Jacques Laurent(1971), Frédérick Tristan (1983) : 52 a. En 1968, les jurys avaient hésité à voter pour Albert Cohen (73 ans). **Lieu d'attribution :** 1903 26-2 au Grand Hôtel (Auguste Escoffier est aux fourneaux) ; sont présents Elémir Bourges, Léon Daudet, J.-K. Huysmans, Octave Mirbeau, les Rosny ; 1904-13 au Café de Paris ; depuis 1914, lors d'un déjeuner chez Drouant, place Gaillon (le déjeuner est offert par Drouant ; seuls les pourboires sont payés par les membres). **Membres.** *1er lauréat élu membre :* René Benjamin lauréat 1915, élu en 1938 ; *m. ayant démissionné :* Lucien Descaves [1932 ; motif : Guy Mazeline (les Loups) couronné plutôt que Céline (le Voyage au bout de la nuit)]. Jean de La Varende (déc. 1944 ; motif : élection d'André Billy), Sacha Guitry (1948), Louis Aragon (1968, après que le prix fut donné à Clavel), Bernard Clavel (élu 1971, démission 1977, ne pouvait pas lire tous les livres envoyés, détestait le parisianisme et les intégristes), *m. ayant demandé l'honorariat :* Armand Salacrou (1983 ; motif : son âge, il est resté m. d'honneur et a participé à l'élection de son successeur, Edmonde Charles-Roux) ; *m. « épuré » :* René Benjamin (1944) ; *m. féminins :* Judith Gautier (1910-17), Colette (1945-54), Françoise Mallet-Joris (dep. 1970), Edmonde Charles-Roux (dep. 1983). *Aucun membre de l'Ac. Goncourt ne s'est présenté à l'Ac. française sauf* Jean de La Varende (après sa démission, mais il ne fut pas élu), Léopold Sédar Senghor était correspondant étranger (élu). *Correspondants étrangers.* Georges Sion (1974, Belgique), L. S. Senghor (1974, Sénégal), Valentin Kataiev (1976, URSS), Octavio Paz (1976, Mexique), Jacques Chessex (1979, Suisse), Andrei Voznessenski (URSS), Andrej Kusniewicz (Pologne). *1993 :* (date de naissance entre parenthèses et date d'élection) : Daniel Boulanger (1928) 1983, Hervé Bazin (1911) (Pt) 1958, Jean Cayrol (1911) 1973, Edmonde Charles-Roux (1920) 1983, André Stil (1921) 1977, Michel Tournier (1924) 1972, Françoise Mallet-Joris (1931) 1970, François Nourissier (1927) (secr. gén.) 1977, Emmanuel Roblès (1914) 1973, Robert Sabatier (1923) 1971. **Incidents.** *1975 :* incarcération de l'écrivain Jacques Thieuloy qui avait jeté le 31-10 un cocktail Molotov dans l'immeuble de Françoise Mallet-Joris ; polémique avec Jean-Edern Hallier qui cherchait à imposer la candidature de Pierre Goldman pour *Souvenirs obscurs d'un Juif polonais né en France. 1977 :* lors de la proclamation du prix, un protestataire inconnu a écrasé une pâtisserie sur le visage d'Armand Lanoux, qui proclamait les résultats, tandis qu'un autre projetait du ketchup sur Michel Tournier à qui on venait de remettre la Légion d'honneur. *1983 :* découverte de micros cachés sous la table.

Lauréats. 1903 (21-12) John-Antoine Nau (Eugène Torquet 43 ans), *Force ennemie* [20]. **04** Léon Frapié, *La Maternelle* [34]. **05** Claude Farrère, *Les Civilisés* [38]. **06** Jérôme et Jean Tharaud, *Dingley, l'illustre écrivain* [40]. **07** Émile Moselly, *Jean des Brebis, Terres lorraines, le Rouet d'ivoire* [41], **08** Francis de Miomandre (François Durand), *Écrit sur de l'eau* [17]. **09** Marius et Ary Leblond, *En France* [22]. **10** Louis Pergaud, *De Goupil à Margot* [35]. **11** Alphonse de Châteaubriant, *Monsieur des Lourdines* [27]. **12** André Savignon, *Les Filles de la pluie* [27]. **13** Marc Elder (Tendron), *Le Peuple de la mer* [39]. **14** Adrien Bertrand, décerné en 1916, *L'Appel du sol* [9]. **15** René Benjamin, *Gaspard* [23]. **16** Henri Barbusse, *Le Feu* [24]. **17** Henry Malherbe, *la Flamme au poing* [2]. **18** Georges Duhamel, Denis Thévenin, *Civilisation* [35]. **19** Marcel Proust, *A l'ombre des jeunes filles en fleurs* [53]. **20** Ernest Pérochon, *Nêne* [41]. **21** René Maran, *Batouala* [2]. **22** Henri Béraud, *Le Vitriol de lune et le Martyre de l'obèse* [2]. **23** Lucien Fabre, *Rabevel* [53]. **24** Thierry Sandre, 3 livres : *le Chèvrefeuille, le Purgatoire, le Chapitre XIII* (tr. d'Athénée) [53]. **25** Maurice Genevoix, *Raboliot* [27]. **26** Henri Deberly, *Le Supplice de Phèdre* [53]. **27** Maurice Bedel, *Jérôme, 60e latitude nord* [53]. **28** Maurice Constantin-Weyer, *Un homme se penche sur son passé* [46]. **29** Marcel Arland, *L'Ordre* [53]. **30** Henri Fauconnier, *Malaisie* [49]. **31** Jean Fayard, *Mal d'amour* [23]. **32** Guy Mazeline, *Les Loups* [53]. **33** André Malraux, *La Condition humaine* [53]. **34** Roger Vercel, *Capitaine Conan* [2]. **35** Joseph Peyré, *Sang et Lumières* [27]. **36** Maxence Van der Meersch, *L'Empreinte du dieu* [2]. **37** Charles Plisnier, *Faux Passeports* [12]. **38** Henri Troyat (Lev Tarassov), *L'Araigne* [41]. **39** Philippe Hériat, *Les Enfants gâtés* [53]. **40** Réservé à un prisonnier. **Décerné** en 1946. Francis Ambrière, *Les Grandes Vacances* [36]. **41** Henri Pourrat, *Vent de mars* [53]. **42** Marc Bernard, *Pareils à des enfants* [53]. **43** Marius Grout, *Passage de l'homme* [53]. **44** Décerné en 1945, Elsa Triolet, *Le premier accroc coûte 200 francs* [14]. **45** Jean-Louis Bory, *Mon village à l'heure allemande* [24]. **46** Jean-Jacques Gautier, *Histoire d'un fait divers* [32]. **47** Jean-Louis Curtis, *Les Forêts de la nuit* [32]. **48** Maurice Druon, *Les Grandes Familles* [32]. **49** Robert Merle, *Week-end à Zuydcoote* [53]. **50** Paul Colin, *Les Jeux sauvages* [53]. **51** Julien Gracq (Louis Poirier), *Le Rivage des Syrtes* (Prix refusé) [55]. **52** Béatrix Beck, *Léon Morin, prêtre* [53]. **53** Pierre Gascar (Fournier), *Les Bêtes, Le Temps des morts* [53]. **54** Simone de Beauvoir, *Les Mandarins* [53]. **55** Roger Ikor, *Les Eaux mêlées* [2]. **56** Romain Gary, *Les Racines du ciel* [53]. **57** Roger Vailland, *La Loi* [53]. **58** Francis Walder, *St-Germain ou la Négociation* [53]. **59** André Schwarz-Bart, *Le Dernier des Justes* [48]. **60** Vintila Horia, *Dieu est né en exil* [23] (ne sera pas décerné). **61** Jean Cau, *La Pitié de Dieu* [53]. **62** Anna Langfus, *Les Bagages de sable* [53]. **63** Armand Lanoux, *Quand la mer se retire* [32]. **64** Georges Conchon, *L'État sauvage* [2]. **65** Jacques Borel, *L'Adoration* [53]. **66** Edmonde Charles-Roux, *Oublier Palerme* [27]. **67** André Pieyre de Mandiargues, *La Marge* [53]. **68** Bernard Clavel, *Les Fruits de l'hiver* [47]. **69** Félicien Marceau, *Creezy* [53]. **70** Michel Tournier, *Le Roi des aulnes* [53]. **71** Jacques Laurent, *Les Bêtises* [27]. **72** Jean Carrière, *L'Épervier de Maheux* [30]. **73**

Les 20 meilleurs livres de l'année
parus entre déc. 91 et déc. 92,
selon la rédaction de « Lire ».

Froid Équateur [122] (Enki Bilal). *Un homme remarquable* [113] (Robertson Davies). *Jésuites* [48] (Jean Lacouture). *La Chute d'Hypérion* [47] (Dan Simmons). *Guides sur la Bretagne* [53]. *Le Secret du roi* [23] (Gilles Perrault). *Les Plus belles lettres manuscrites de la langue française* [47]. *Le Gardien des ruines* [27] (François Nourissier). *Monsieur Mani* [9] (Abraham Yehoshua). *Comme un roman* [53] (Daniel Pennac). *L'Avenir dure longtemps,* suivi de *Les Faits* Stock/IMEC (Louis Althusser). *Dictionnaire historique du français* [123] (Alain Rey). *Le Vieux qui lisait des romans d'amour* [124] (Luis Sepulveda). *Le Détail* [24] (Daniel Arasse). *Le Voile noir* [48] (Anny Duperey). *Ce que la nuit raconte au jour* [27] (Hector Bianciotti). *L'Enterrement* [125] (François Bon). *Lully ou le musicien du soleil* [53] (Philippe Beaussant). *La Conversation de Bolzano* [2] (Sandor Marai). *Dernière danse sur le mur* [86] (Robert Darnton).

Jacques CHESSEX, *L'Ogre* [27]. **74** Pascal LAINÉ, *La Dentellière* [53]. **75** Émile AJAR, *La Vie devant soi* [35]. **76** Patrick GRAINVILLE, *Les Flamboyants* [48]. **77** Didier DECOIN, *John l'Enfer* [48]. **78** Patrick MODIANO, *Rue des boutiques obscures* [53]. **79** Antonine MAILLET, *Pélagie la Charrette* [27]. **80** Yves NAVARRE, *Le Jardin d'acclimatation* [24]. **81** Lucien BODARD, *Anne-Marie* [27]. **82** Dominique FERNANDEZ, *Dans la main de l'ange* [27]. **83** Frédérick TRISTAN, *Les Égarés* [4]. **84** Marguerite DURAS, *L'Amant* [18]. **85** Yann QUEFFÉLEC, *les Noces barbares* [53]. **86** Michel HOST, *Valet de nuit* [27]. **87** Tahar BEN JELLOUN (Marocain), *La Nuit sacrée* [48] au 6e tour par 6 voix contre 2 à Guy Hocquenghem pour *Ève* [2] et 1 voix à Angelo RINALDI pour *Les Roses de Pline* [53] et YA DING pour *Le Sorgho rouge* [49]. **88** Erik ORSENNA, *L'Exposition coloniale* [48]. **89** Jean VAUTRIN, *Un grand pas vers le Bon Dieu* [27]. **90** Jean ROUAUD (n. 13-12-52), *Les Champs d'honneur* [18]. **91** Pierre COMBESCOT, *Les Filles du calvaire* [27]. **92** Patrick CHAMOISEAU, *Texaco* [53].

Statistiques. Lauréats. Couronnés au 1er tour : 1914 (par contre en 1913 il avait fallu 11 tours), 1915 (R. Benjamin à l'unanimité ; c'était le seul volume reçu par le jury), 1916, 1918, 1923, 1929, 1932, 1934, 1937, 1940 (Ambrière à l'unanimité ; décerné 1946), 1942, 1943, 1944, 1945, 1951, 1956. **1re femme couronnée :** 1944 (Elsa Triolet). **Les plus jeunes :** *26 ans* J.-L. Bory (1945) ; *27 a.* H. Troyat (1938) ; *28 a.* F. de Miomandre (1908), L. Pergaud (1910) ; *29 a.* C. Farrère (1905), M. Elder (1913), J. Fayard (1931), M. Van der Meersch (1936). **Les plus vieux :** *70 ans* M. Duras (1984), *67 a.* L. Bodard (1981). **Étrangers couronnés :** *Belges :* C. Plisnier (1937), B. Beck (1952), F. Walder (1958) ; *Canadienne :* Antonine Maillet (1979) ; *Marocain :* Tahar Ben Jelloun (1987) ; *Roumain :* V. Horia (1960) ; *Suisse :* J. Chessex (1973) ; **Prix refusé :** J. Gracq (1951) ; Émile Ajar (1975) (alias Romain Gary). **Prix annulé :** Vintila Horia (1960), pour son passé politique en Roumanie. **Lauréat dont le prix a couronné la 1re œuvre :** Paul Colin (1950, les Jeux sauvages) ; il n'a publié depuis qu'un seul livre en 1959. **1er volume de nouvelles couronné :** Faux Passeports (1937, C. Plisnier). **Lauréat ayant reçu 2 fois le prix :** Romain Gary, 1956 pour *Les Racines du ciel ;* 1975 sous le nom d'Émile Ajar pour *La Vie devant soi.* **Titre couronné après avoir été refusé par un éditeur :** *Week-end à Zuydcoote* (de R. Merle), refusé par un lecteur de Julliard.

Best-sellers (tirages atteints) : *la Condition humaine* (Malraux) 3 072 000 ; *la Dentellière* (Lainé) 1 500 000 ; *les Noces barbares* (Y. Queffélec, 1985) 1 332 000 ; *la Vie devant soi* (Ajar) 1 190 000 ; *A l'ombre des jeunes filles en fleurs* (Proust) 956 000 ; *l'Amant* (M. Duras, 1984) 920 000 ; *l'Épervier de Maheux* (Carrière) 805 000 ; *le Dernier des Justes* (Schwarz-Bart) 620 000 ; *les Champs d'honneur* (J. Rouaud) 600 000.

Bourses Goncourt de la nouvelle (créée 1974) : **90** Jacques Bens : *Nouvelles désenchantées* [87], **91** Raphaël Pividal, *le Goût de la catastrophe* [66], **92** Catherine Lépront, *Trois gardiennes* [53] ; **de la biographie** (créée 1980) : **90** Pierre Citron : *Jean Giono* [48], **91** Odette Joyeux, *Niepce* [41], **92** Philippe Beaussant : *Lully ou le musicien du Soleil* [53], **93** Mariette Condroyer : *Un après-midi plutôt gai* [53] ; **de la poésie** (créée par Mme Vve Adrien Bertrand 1985, montant 40 000 F) : **85** Claude Roy, **86** non décerné, **87** Yves Bonnefoy, **88** Eugène Guillevic, **89** Alain Bosquet, **90** Charles Le Quintrec, **91** Jean-Claude Renard, **92** Georges-Emmanuel Clancier.

Goncourt du 1er roman. Créé 1990 au château de Blois. **Montant :** 40 000 F (dont 15 000 donnés par l'Académie Goncourt, 25 000 par la mairie de Blois). **Lauréats : 1990** Hélène de Montferrand, *les Amies d'Héloïse* [108]. **91** Armande Gobry-Valle, *Iblis, ou la défroque du serpent* [109]. **92** Nita Rousseau, *les Iris bleus* [24]. **93** Bernard Chambaz, *l'Arbre de vie* [5].

Goncourt des lycéens. Créé 1988 à l'initiative de la Fnac. **Principe :** 10 lycéens choisis pour représenter leur établissement, lisent les ouvrages sélectionnés en sept. par les académiciens. **Lauréats : 1991** Pierre COMBESCOT, *Les Filles du calvaire.* **92** Eduardo MANET, *l'Ile du lézard vert* [24].

■ **Gutenberg. Créé** 1985 lors du Salon du livre. 15 catégories. **Décerné** jusqu'en 1990 sur l'initiative du Grand Livre du mois. **Trophée :** œuvre originale signée du sculpteur Arman. **Jury :** plus de 2 000 personnes appartenant aux métiers du livre.

■ **Hassan II des Quatre Jurys** (ex-prix Méridien des Quatre Jurys). **Créé** 1952 par Jean-Pierre Dorian. *Destiné* à donner une chance à un jeune romancier ayant obtenu au moins une voix à l'un des 4 grands prix litt. de fin d'année (Goncourt...). **Décerné** en janvier à l'hôtel Méridien à Paris (décerné exceptionnellement le 8-12-86 à Fès). **Montant :** 50 000 F et 1 semaine au Maroc. **Jury :** Dr Youssef Ben Abbes (Pt d'honn.) ; Henry Bonnier, Jean-Pierre Dorian, Paul Guth, Jacques Laurent, Jacques Nels, André Soubiran, Hélène de Turckheim. **Lauréats : 86** Henri COULONGES, *Les Frères Moraves* [49]. **88** René SWENNEN, *Les Trois Frères* [27]. **89** Françoise CHANDERNAGOR, *la Sans pareil* [119]. **90** Chr. DESHOULHIÈRES, *Madame Faust* [32]. **91** Rachid MIMOUNI, *Une peine à vivre* [49]. **92** Hector BIANCIOTTI, *Ce que la nuit raconte au jour* [27]. **93** Jean DUTOUR, *l'Assassin* [24].

■ **Hémisphères (Prix des). Créé** 1991 par Chantal Lapicque et Christian Seranot. **But :** rayonnement de la langue française. **Montant :** 150 000 F. **Décerné** en mai-juin en Guadeloupe. **Jury :** André Brincourt, Emmanuel Roblès, Jorge Amado (Pt), Christian Seranot, Gilles Anquetil, Dominique Fernandez, Jacques Laurent, Rachid Mimouni, Jean-Pierre Tison, Jean-Noël Pancrazi, Leonello Brandolini, Patrick Ferla, Claude Mourthé, Chantal Lapicque. **Lauréats : 1991** Tahar Ben Jelloun, *les Yeux baissés* [48]. **92** Hector Bianciotti, *Ce que la nuit raconte au jour* [27].

■ **Histoire (Grand prix de l'). Créé** 1986 par Alain Chevalier (Pt de Moët-Hennessy-Louis Vuitton). **Suspendu en 1989.**

■ **Histoire (Grand prix national d'). Créé** 1977. Attribué en déc. par le min. de la Culture. **Montant :** 50 000 F. **Lauréats : 1977** Jean TULARD. **78** Philippe ARIÈS. **79** Paul-Marie DUVAL. **80** Henri MICHEL. **81** Ernest LABROUSSE. **82** Pierre GOUBERT. **83** Vadim ELISSEEFF. **84** Charles-André JULIEN. **85** Michelle PERROT. **86** Jean DELUMEAU. **87** Jacques LE GOFF. **88** René RÉMOND. **89** Jean BOTTERO. **90** Maurice AGULHON. **91** Mona OZOUF. **92** Daniel ROCHE.

■ **Histoire de la Vallée-aux-Loups (Grand prix d'). Créé** 1987. **Décerné** en novembre à Châtenay-Malabry (maison de Chateaubriand). **Montant :** 150 000 F (attribués par le conseil général des Hauts-de-Seine). **But :** récompenser un ouvrage paru en langue française, se rattachant à la vie ou à l'œuvre de Chateaubriand ou se rapportant à la période durant laquelle il a vécu, de l'Ancien Régime à 1848. **Jury :** Maurice Agulhon, Henri Amouroux, Pierre-Georges Castex, Françoise Chandernagor, Michel Déon, Georges Duby, Marc Fumaroli, Pierre Grimal, Jean Lacouture, Emmanuel Le Roy Ladurie, Jean d'Ormesson (Pt), Jean Tulard. **Lauréats : 1987** Francis AMBRIÈRE, *le Siècle des Valmore* [48]. **88** Paul BÉNICHOU, *les Mages romantiques* [53]. **89** Jean-Claude BERCHET, édition des Mémoires d'outre-tombe de Chateaubriand [102] et Michel BEURDELEY, *l'Exode des objets d'art sous la Révolution* [89]. **90** Anne MARTIN-FUGIER, *la Vie élégante ou la formation du Tout-Paris 1815-1848.* **91** Robert DARNTON, *Édition et sédition, l'univers de la littérature clandestine au XVIIIe s.* [53] et Jean CHALON, *Chère George Sand* [24]. **92** Jacqueline de ROMILLY, *Pourquoi la Grèce ?* [108] et Françoise WAGENER, *la Reine Hortense* [56].

■ **Humour noir (Grands prix de l'). Créés** 1954, à Dijon, par Tristan Maya (1926). **Décernés** au restaurant Le Procope, le dernier mardi du mois d'octobre. **Récompense :** honorifique. **Jury :** Noël Arnaud, Patrice Delbourg, Jean Fougère (Pt), Yves Frémion, Philippe Héraclès, Eugène Ionesco, Jean-Paul Lacroix, Jean L'Anselme, Gabrielle Marquet, Tristan Maya (secr. gén.), Suzanne Prou. **Prix Xavier-Forneret** (œuvre littéraire). **1992** Georges KOLEBKA, *Dépressions sur une partie de la France* [87]. **Prix Grandville** (dessin, peinture). **1992** Roger BLACHON. **Prix du Spectacle. 1992** non décerné.

■ **Interallié. Origine. Créé** 3-12-1930 par env. 30 journalistes (reporters, courriéristes, photographes, estafettes, cyclistes, téléphonistes, dessinateurs, etc.) attendant en déjeunant dans un salon voisin, au cercle Interallié, les délibérations des dames du prix Femina. Ils décidèrent d'attribuer eux aussi un prix, l'Interallié (nom donné par le journaliste et romancier Pierre Humbourg), à André Malraux pour *la Voie royale.* Le lendemain, Bernard Grasset fit imprimer le nom de l'Interallié sur une bande de papier entourant le roman. **Décerné** en novembre, de préférence à un roman de journaliste. **Montant :** néant. **Jury :** Lucien Bodard, Jean Couvreur, Jean Ferniot (secr. gén.), Paul Guimard, Serge Lentz, Jacques Duquesne, Jean-Marie Rouart, Éric Ollivier, Pierre Schoendoerffer + le lauréat de l'année précédente. En 1960, le secr. gén. du prix, Roger Giron († 1990), démissionna, le prix ayant été attribué à 2 auteurs (Jean Portel et Henri Muller ; le jury étant partagé en 2 camps d'un nombre égal de voix) mais il revint sur sa démission après que le jury lui eut promis que cela ne se reproduirait plus. **Lauréats : 1930** André MALRAUX, *La Voie royale* [27]. **31** Pierre BOST, *Le Scandale* [53]. **32** Simone RATEL, *La Maison des bories* [41]. **33** Robert BOURGET-PAILLERON, *L'Homme du Brésil* [53]. **34** Marc BERNARD, *Annie* [53]. **35** Jacques DEBU-BRIDEL, *Jeunes Ménages* [53]. **36** René LAPORTE, *Chasses de novembre* [14]. **37** Romain ROUSSEL, *La Vallée sans printemps* [41]. **38** Paul NIZAN, *La Conspiration* [53]. **39** Roger de LAFFOREST, *Les Figurants de la mort* [27]. **40-44** Pas de prix décerné. **45** Roger VAILLAND, *Drôle de jeu* [12]. **46** Jacques NELS, *Poussière du temps* [5]. **47** Pierre DANINOS, *Les Carnets du Bon Dieu* [31]. **48** Henry CASTILLOU, *Cortiz s'est révolté* [23]. **49** Gilbert SIGAUX, *Les Chiens enragés* [32]. **50** Georges AUCLAIR, *Un amour allemand* [53]. **51** Jacques PERRET, *Bande à part* [53]. **52** Jean DUTOURD, *Au bon beurre* [53]. **53** Louis CHAUVET, *Air sur la quatrième corde* [24]. **54** Maurice BOISSAIS, *Le Goût du péché* [32]. **55** Félicien MARCEAU, *Les Élans du cœur* [53]. **56** Armand LANOUX, *Le Commandant Watrin* [32]. **57** Paul GUIMARD, *Rue du Havre* [14]. **58** Bertrand POIROT-DELPECH, *Le Grand Dadais* [14]. **59** Antoine BLONDIN, *Un singe en hiver* [50]. **60** Henry MULLER, *Clem* [50]. Jean PORTELLE, *Janitzia ou la Dernière qui aima d'amour* [14]. **61** Jean FERNIOT, *L'Ombre portée* [53]. **62** Henri-François REY, *Les Pianos mécaniques* [47]. **63** Renée MASSIP, *La Bête quaternaire* [53]. **64** René FALLET, *Paris au mois d'août* [14]. **65** Alain BOSQUET, *La Confession mexicaine* [27]. **66** Kléber HAEDENS, *L'été finit sous les tilleuls* [27]. **67** Yvonne BABY, *Oui l'espoir* [27]. **68** Christine de RIVOYRE, *Le Petit Matin* [27]. **69** Pierre SCHOENDOERFFER, *L'Adieu au roi* [27]. **70** Michel DÉON, *Les Poneys sauvages* [53]. **71** Pierre ROUANET, *Castell* [27]. **72** Georges WALTER, *Des vols de Vanessa* [27]. **73** Lucien BODARD, *Monsieur le Consul* [27]. **74** René MAURIÈS, *Le Cap de la Gitane* [23]. **75** Voldemar LESTIENNE, *L'Amant de poche* [27]. **76** Raphaële BILLETDOUX, *Prends garde à la douceur des choses* [48]. **77** Jean-Marie ROUART, *Les Feux du pouvoir* [27]. **78** Jean-Didier WOLFROMM, *Diane Lanster* [27]. **79** François CAVANNA, *Les Russkoffs* [7]. **80** Christine ARNOTHY, *Toutes les chances plus une* [27]. **81** Louis NUCERA, *le Chemin de la Lanterne* [27]. **82** Éric OLLIVIER, *l'Orphelin de mer... ou les Mémoires de monsieur Non* [14]. **83** Jacques DUQUESNE, *Maria Vandamme* [27]. **84** Michèle PERREIN, *les Cotonniers de Bissalane* [27]. **85** Serge LENTZ, *Vladimir Roubaïev* [47]. **86** Philippe LABRO, *l'Étudiant étranger* [53]. **87** Raoul MILLE, *les Amants du paradis* [27]. **88** Bernard-Henri LÉVY, *les Derniers Jours de Charles Baudelaire* [27]. **89** Alain GERBER, *le Verger du diable* [27]. **90** BAYON, *les Animals* [27]. **91** Sébastien JAPRISOT, *Un long dimanche de fiançailles* [14]. **92** Dominique BONA, *Malika* [35].

■ **Jean-Rostand. Créé** 1978. **Montant :** 10 000 F. **Décerné** par l'Association des écrivains scientifiques de France (AESF) à des œuvres de vulgarisation de jeunes auteurs scientifiques. **Pt du jury :** Jean-Claude Pecker. **Lauréats : 91** Bruno Jacomy, *Une histoire des techniques* [48].

■ **Langue de France (Prix de la). Créé** 1986 par la ville de Brive. **But :** récompense une œuvre qui illustre « la qualité et la beauté de la langue française ». **Décerné** à la Foire du livre de Brive le 2e week-end de nov. **Montant :** 100 000 F. **Jury :** Jacques de Bourbon-Busset (Pt), Pierre-Jean Rémy, José Cabanis, Jean-Denis Bredin, Jean Leclant, Jean Favier, François Nourissier, Edmonde Charles-Roux, Daniel Boulanger, Robert Sabatier, Jean-Jacques Brochier, Jean-Marie Rouart. **Lauréats : 1986** Jean TARDIEU. **87** Jacqueline de ROMILLY. **88** André LICHNEROWICZ. **89** Michel JOBERT. **90** Yves BERGER. **91** Pascal QUIGNARD. **92** Alain BOSQUET.

■ **Lectrices de Elle (Prix littéraire des). Créé** 1970. Couronne, jusqu'en 1977, un roman ; dep. 77, un roman (r.) et un document (d.). **Fonctionnement :** 8 comités de lecture reçoivent à tour de rôle 6 livres différents chaque mois choisis par *Elle :* 3 romans, 3 documents qu'ils doivent noter. Ainsi sont élus 8 « livres du mois/Roman » et 8 « livres du mois/Document ». Les 16 « livres du mois » sont soumis à un jury national qui couronne 2 lauréats. **Montant :** promotion nationale par voie d'affiches + couverture de *Elle* lors de la semaine de proclamation (fin mai) **Lauréats : 1970** Arlette GRÉBEL, *Ce soir Ania* [53]. **71** Michèle PERREIN, *la Chineuse* [32]. **72** Elvire de BRISSAC, *Un long mois de septembre* [27]. **73** Simone SCHWARTZ-BART, *Pluie et vent sur Télumée-Miracle* [48]. **74** Max GALLO, *Un pas vers la mer* [47]. **75** Françoise LEFÈVRE, *la Première Habitude* [30]. **76** Roger BOUSSINOT, *Vie et Mort de Jean Chalosse, moutonnier des Landes* [47]. **77** Guyette LYR, *la Fuite en douce* [35] (r.), Jean-Marie PELT, *l'Homme renaturé* [48] (d.). **78** Hortense DUFOUR, *la Marie-marraine* [27], Prof. TUBIANA, *le Refus du réel* [47]. **79** Jeanne BOURIN, *la Chambre des dames* [50], Ania FRANCOS, *Il était des femmes dans la Résistance* [49]. **80** Marie-Thérèse HUMBERT, *A l'autre bout de moi* [49], Barbara W. TUCHMAN, *Un lointain miroir* [23]. **81** José-André LACOUR, *le Rire de Caïn* [50], Kai HERMANN et Horst RIECK, *Moi, Christiane F., 13 ans, droguée, prostituée...* [35] (traduit de l'allemand par Léa Marcou). **82** Clarisse NICOIDSKI, *Couvre-Feux* [44], Françoise CHANDERNAGOR, *l'Allée du Roi* [32]. **83** Paul SAVATIER, *le Photographe* [53], Anne DELBÉE, *Une femme* [66]. **84** Michel RAGON, *les Mouchoirs rouges de Cholet* [2], Ghislain de DIESBACH, *Madame de Staël* [52]. **85** Frédéric REY, *la Haute Saison* [24], Marie CHAIX, *Juliette, chemin des cerisiers* [48]. **86** François-Marie BANIER, *Balthazar fils de famille* [53] (r.), Claude

FRANCIS et Fernande GONTIER, *Simone de Beauvoir* [42]. **87** Jack-Alain LÉGER, *Wanderweg* [53] (r.), Françoise WAGENER, *Madame Récamier* [56] (d.). **88** Kenizé MOURAD, *De la part de la princesse morte* [47] (r.), Pierre ASSOULINE, *l'Homme de l'art* [4] (d.). **89** Charles JULIET, *Année de l'éveil* [77] (r.), Jean-Louis FERRIER (sous la direction de) avec la collaboration de Yann LE PICHON, *Aventure de l'art au XXe siècle* [84] (d.). **90** Yves BEAUCHEMIN, *Juliette Pomerleau* [108] (r.), H.C. ROBBINS LANDON, *Mozart, âge d'or de la musique à Vienne (1781-1791)* [110] (d.). **91** Claire BONNAFÉ, *le Guetteur immobile* [4] (r.), Lila LOUNGUINA, *les Saisons de Moscou (1933-90)* [41] (d.). **92** Nicolas BREHAL, *Sonate au clair de lune* [35] (r.), Anne BORREL, Alain SENDERENS et Jean-Bernard NAUDIN, *Proust : la cuisine retrouvée* [84] (d.).

■ **Lettres (Grand Prix national des). Créé** 1951 par le min. de la Culture. Couronne un écrivain d'expression française qui, par l'ensemble de son œuvre, a contribué à l'illustration des lettres françaises sans distinction de genres. **Décerné** en décembre par le min. de la Culture. **Montant :** 50 000 F. **Lauréats : 1951** ALAIN. **52** Valery LARBAUD. **53** Henri BOSCO. **54** André BILLY. **55** Jean SCHLUMBERGER. **56** Alexandre ARNOUX. **57** Louis MARTIN-CHAUFFIER. **58** Gabriel MARCEL. **59** SAINT-JOHN PERSE. **60** Marcel ARLAND. **61** Gaston BACHELARD. **62** Pierre-Jean JOUVE. **63** Jacques MARITAIN. **64** Jacques AUDIBERTI. **65** Henri MICHAUX (refusé). **66** Julien GREEN. **67** Louis GUILLOUX. **68** Jean GRENIER. **69** Jules ROY. **70** Maurice GENEVOIX. **71** Jean CASSOU. **72** Henri PETIT. **73** Jacques MADAULE. **74** Marguerite YOURCENAR. **75** André DHOTEL. **76** Armand LUNEL. **77** Philippe SOUPAULT. **78** Roger CAILLOIS. **79** Marcel BRION. **80** Michel LEIRIS (refusé). **81** Pierre KLOSSOWSKI. **82** Nathalie SARRAUTE. **83** Jean GENET. **84** Jean CAYROL. **85** André PIEYRE DE MANDIARGUES. **86** Yacine KATEB. **87** Robert PINGET. **88** Maurice NADEAU. **89** Jean-Toussaint DESSANTI. **90** Louis-René des FORÊTS. **91** Béatrix BECK. **92** Louis CALAFERTE.

■ **Levant (Prix littéraire du). Créé** 1990 par le Conseil général du Var. **Montant :** 300 000 F. **Décerné** fin novembre la veille des Rencontres littéraires de Toulon, à un ouvrage se situant dans le cadre méditerranéen. **Jury :** Yvan Audouard, Hervé Bazin (Pt), Tahar Ben Jelloun, André Brincourt, Raymond Jean, Jacques Laurent, Paul Morelle, Pierre Moustiers, Louis Nucéra, Christine de Rivoyre, Marie Suzini, Édouard Vellutini, Charles Galfré (secr. gén.). **Lauréats : 1990** Augustin GOMEZ ARCOS. **91** Michel DEL CASTILLO. **92** Suzanne PROU ; 2e prix (50 000 F ; **décerné** à un jeune auteur répondant aux mêmes critères) : René FREGNI, *les Nuits d'Alice* [14].

■ **Liberté (Prix de la). Parrainé** par le Pen Club français. **Montant :** 5 000 F. **Attribué** pour la 1re fois en 1980 pour couronner une œuvre due à un écrivain opprimé. **Jury :** Eugène Ionesco (Pt), Georges-Emmanuel Clancier, Emmanuel Le Roy Ladurie, André Lwoff, Dimitri Stolypine (fondateur) et Jean-François Revel. **Lauréats : 1980** Armando VALLADARES (Cuba), Lydia TCHOUKOVSKAIA (URSS), Abdellatif LAABI (Maroc). **81** Varlam CHALAMOV (URSS). **82** Adam MICHNIK (Pol.). **83** Léonide BORODINE (URSS), Marek NOWAKOWSKI (Pol.). **84** Jorge VALLS ARANGO (Cuba), Viatcheslav SYSSOIEV (URSS). **85** Youri TARNOPOLSKI (URSS). **86** Bujor NEDELCOVICI (Roumanie), Gustaw HERLING (Pol.). **87** Elena BONNER (URSS), Adam ZAGAJEWSKI (Pol.). **88** non attribué. **89** Vaclav HAVEL (Tchéc.) et Duyen ANH (Viêtnam). **90-91-92** non attribué.

■ **Libraires (Prix des). Créé** 1955 par la Chambre syndicale des libraires de France (actuell. Fédération fr. des syndicats de libraires). **Jury :** un comité de lecture composé de 15 libraires désignés par leurs confrères et représentant les régions syndicales. **Décerné** lors de l'Assemblée générale de la Fédération (printemps) après une sélection et un vote de plus de 3 900 libraires francophones. **But :** distinguer un écrivain de langue française, le plus souvent un romancier, dont l'œuvre ne semble pas avoir reçu la consécration méritée. **Montant :** néant. **Lauréats : 1955** Michel de SAINT-PIERRE, *les Aristocrates* [50]. **56** Albert VIDALIE, *la Bonne Ferté* [14]. **57** Françoise MALLET-JORIS, *les Mensonges* [32]. **58** Jean BASSAN, *Nul ne s'évade* [41]. **59** Georges BORDENOVE, *Deux Cents Chevaux dorés* [32]. **60** Georges CONCHON, *la Corrida de la victoire* [2]. **61** Andrée MARTINERIE, *les Autres Jours* [53]. **62** Jean ANGLADE, *la Foi et la Montagne* [47]. **63** José CABANIS, *les Cartes du temps* [53]. **64** Pierre MOINOT, *le Sable vif* [53]. **65** Jacques PEUCHMAURD, *le Soleil de Palicorna* [47]. **66** Jacques PERRY, *la Vie d'un païen* [47]. **67** Catherine PAYSAN, *les Feux de la Chandeleur* [14]. **68** Paul GUIMARD, *les Choses de la vie* [14]. **69** René BARJAVEL, *la Nuit des temps* [43]. **70** G.-E. CLANCIER, *l'Éternité plus un jour* [47]. **71** Anne HÉBERT, *Kamouraska* [48]. **72** Didier DECOIN, *Abraham de Brooklyn* [48]. **73** Michel DEL CASTILLO, *le Vent de la nuit* [32]. **74** Michèle PERREIN, *le Buveur de Garonne* [24]. **75** Herbert LE PORRIER, *le Médecin de Cordoue* [48]. **76** Patrick MODIANO, *Villa triste* [53]. **77** Pierre MOUSTIERS, *Un crime de notre temps* [48]. **78** Jean NOLI, *la Grâce de Dieu* [32]. **79** Christiane SINGER, *la Mort viennoise* [2]. **80** Claude MICHELET, *Des grives aux loups* [47]. **81** Claude BRAMI, *Un garçon sur la colline* [14]. **82** Serge LENTZ, *les Années sandwiches* [47]. **83** Serge BRAMLY, *la Danse du loup* [7]. **84** Guy LAGORCE, *le Train du soir* [27]. **85** Christian DEDET, *la Mémoire du fleuve* [69]. **86** Robert MALLET, *Ellynn* [53]. **87** Jacques ALMIRA, *la Fuite à Constantinople* [35]. **88** Yves SIMON, *le Voyageur magnifique* [27]. **89** Michel CHAILLOU, *la Croyance des voleurs* [48]. **90** Claude DUNETON, *Rires d'homme entre deux pluies* [27]. **91** Michelle SCHULLER, *Une femme qui ne disait rien* [66]. **92** Eve DE CASTRO, *Ayez pitié du cœur des hommes* [56]. **93** Françoise XENAKIS, *Attends-moi* [27].

■ **Littérature (Grand Prix de). Créé** 1911 par l'Académie française, remis pour la 1re fois en 1912. Biennal dep. 1980. **But :** récompense l'ensemble d'une œuvre littéraire. **Montant :** 300 000 F. **Lauréats : 1911** Non décerné. **12** André LAFON. **13** Romain ROLLAND. **14** Non décerné. **15** Émile NOLLY. **16** Maurice MASSON. **17** Francis JAMMES. **18** Mme Gérard d'HOUVILLE. **19** Jérôme et Jean THARAUD. **20** Edmond JALOUX. **21** Anna de NOAILLES. **22** Pierre LASSERRE. **23** François PORCHÉ. **24** Abel BONNARD. **25** Général MANGIN. **26** Gilbert de VOISINS. **27** Joseph de PESQUIDOUX. **28** Jean-Louis VAUDOYER. **29** Henri MASSIS. **30** M.-Louise BOURGET-PAILLERON. **31** Raymond ESCHOLIER. **32** FRANC NOHAIN. **33** Henri DUVERNOIS. **34** Henry de MONTHERLANT. **35** André SUARÈS. **36** Pierre CAMO. **37** Maurice MAGRE. **38** Tristan DERÈME. **39** Jacques BOULENGER. **40** Edmond PILON. **41** Gabriel FAURE. **42** Jean SCHLUMBERGER. **43** Jean PRÉVOST. **44** André BILLY. **45** Jean PAULHAN. **46** DANIEL-ROPS. **47** Mario MEUNIER. **48** Gabriel MARCEL. **49** Maurice LEVAILLANT. **50** Marc CHADOURNE. **51** Henri MARTINEAU. **52** Marcel ARLAND. **53** Marcel BRION. **54** Jean GUITTON. **55** Jules SUPERVIELLE. **56** Henri CLOUARD. **57** Non décerné. **58** Jules ROY. **59** Thierry MAULNIER. **60** Mme SIMONE. **61** Jacques MARITAIN. **62** Luc ESTANG. **63** Charles VILDRAC. **64** Gustave THIBON. **65** Henri PETIT. **66** Henri GOUHIER. **67** Emmanuel BERL. **68** Henri BOSCO. **69** Pierre GASCAR. **70** Julien GREEN. **71** Georges-Emmanuel CLANCIER. **72** Jean-Louis CURTIS. **73** Louis GUILLOUX. **74** André DHOTEL. **75** Henri QUEFFÉLEC. **76** José CABANIS. **77** Marguerite YOURCENAR. **78** Paul GUTH. **79** Antoine BLONDIN. **81** Jacques LAURENT. **83** Michel MOHRT. **85** Roger GRENIER. **87** Jacques BROSSE. **89** Roger VRIGNY. **91** Jacques LACARRIÈRE.

■ **Littérature policière (Grand Prix de). Créé** 1946 par Maurice-Bernard Endrèbe. **Décerné** 2 fois par an, en avril, à un roman policier étranger ; en octobre à un Français. **Montant :** néant. **Jury :** Jacques Baudou, Maurice-Bernard Endrèbe, Jean Guillaume, Pierre Lebedel, Michel Lebrun, Thomas Narcejac, René Réouven, Michel Renaud, Jean-Jacques Schleret, Henri Thibault. **Lauréats : 1970** Paul ANDREOTA, A. SAMARAKIS (A.). **71** René RÉOUVEN, Dorothy UHNAK et Anders BODELSEN (ex aequo). **72** Gilbert TANUGI, KOENIG et DIXON. **73** Jean-Patrick MANCHETTE, E.V. CUNNINGHAM. **74** A.P. DUCHATEAU, Stanley ELLIN. **75** Yvon TOUSSAINT, E. BOYD et R. PARKES. **76** J.F. COATMEUR, Eric AMBLER. **77** Christopher DIABLE, Herbert LIEBERMAN. **78** Madeleine COUDRAY, Ellery QUEEN. **79** Joseph BIALOT, Stanislas LEM. **80** Dominique ROULET, Mary HIGGINS-CLARK. **81** Pierre SINIAC, Manuel V. MONTALBAN. **82** J.-P. CABANES, John CROSBY. **83** Jean MAZARIN, Frederick FORSYTH. **84** René BELLETTO, J.W. van de WETERING. **85** Didier DAENINCKX, Peter LOVESEY. **86** Gérard DELTEIL, Christian GERNIGON, Elmore LEONARD. **87** Jacques SADOUL, Tony HILLERMAN. **88** Jean-Paul DEMURE, P.D. JAMES et Andrew WACHSS. **89** Tito TOPIN, Bill PRONZINI. **90** Michel QUINT, Elizabeth GEORGE. **91** Hervé JAOUEN, Thomas HARRIS. **92** Tonino BENACQUISTA, James Lee BURKE. **93** Paul COUTURIAU, *Boulevard des ombres* (éd. Lefrancq/Le Rocher).

■ **Livre Inter. Créé** 1975 par Paul-Louis Mignon (Pt d'honneur). **Décerné** tous les ans, en principe en mai. **Jury :** 24 auditeurs (12 hommes et 12 femmes) et 1 Pt, écrivain de renom (Hector Bianciotti en 1992). **Fonctionnement :** 10 romans de langue française sont sélectionnés par les critiques littéraires de la presse écrite, de la télévision et de Radio France (34 en 1992). **Montant :** promotion assurée : émissions spéciales et spots sur France-Inter, placards de publicité dans la presse, et les libraires reçoivent une affiche éditée par Radio France et distribuée par la FFSL (Fédération française des syndicats de libraires) et l'éditeur du livre. **Lauréats : 1975** Catherine d'ETCHEA, *Des demeures et des gens* [50]. **76** Jacques PERRY, *le Revenala ou l'arbre du voyageur* [2]. **77** Agostin GOMEZ ARCOS, *Ana non* [49]. **78** Daniel BOULANGER, *l'Enfant de Bohème* [53]. **79** Béatrix BECK, *la Décharge* [97]. **80** Élie WIESEL, *le Testament d'un poète juif assassiné* [48]. **81** Marguerite GURGAND, *les Demoiselles de Beaumoreau* [71]. **82** Marcel SCHNEIDER, *la Lumière du Nord* [27]. **83** Hortense DUFOUR, *le Bouchot* [27]. **84** Marek HALTER, *la Mémoire d'Abraham* [47]. **85** Jean-Jacques BROCHIER, *Un cauchemar* [2]. **86** René BELLETTO, *l'Enfer* [77]. **87** Jean RASPAIL, *Qui se souvient des hommes ?* [47]. **88** François SALVAING, *Misayre, Mysaire* [4]. **89** Philippe HANDENGUE, *Petite Chronique des gens de la nuit dans un port de l'Atlantique Nord* [98]. **90** Daniel PENNAC, *La Petite Marchande de prose* [53]. **91** Nina BOURAOUI, *La Voyeuse interdite* [53]. **92** Agota KRISTOF, *le Troisième mensonge* [48].

■ **Louise-Labé (poésie). Créé** 1951 par Henri Barbier de Lescoët (n. 1906) pour venir en aide à une jeune poétesse. **Nouv. Prix** créé 1964 par Édith Mora et Pierrette Micheloud. **Montant :** 5 000 F. **Décerné** en oct. **Jury :** féminin, Pte : P. Micheloud. **Lauréats : 90** Kama KAMANDA, *la Somme du néant* [106]. **91** François MONTMANEIX, *l'Autre versant du feu* [7]. **92** Claire KRAHENBUHL, *la Rebuse de l'Épine noire* [116].

■ **Louise-Weiss-Bibliothèque nationale. Créé** 1986 par Louise Weiss (1893-1983) pour couronner une personne ayant contribué à la conservation ou au développement des arts du livre et des bibliothèques (legs fait à la Bibl. nat. afin d'organiser un prix annuel pendant 10 ans). **Décerné** début décembre. **Montant :** 90 000 F. **Pt du jury :** Emmanuel Le Roy Ladurie (adm. gal de la BN). **Lauréats : 1987** (1er prix décerné) Henri-Jean MARTIN. **88** Bernard PIVOT. **89** Jean GATTEGNO. **90** Bibliothèque humaniste de Sélestat. **91** Pierre NORA. **92** Georges LEROUX.

■ **Louise-Weiss (prix de la Fondation). Créé** 1971. **Attribué** par le Conseil scientifique de la Fondation Louise-Weiss. **Lauréats : 1986** Hélène CARRÈRE D'ENCAUSSE. **87** Otto de HABSBOURG. **88** Jacques DELORS. **89** Bronislaw GEREMEK. **90** Vaclav HAVEL. **91** Thierry de MONTBRIAL. **92** Georges LEROUX.

■ **Lutèce (Prix). Créé** 1989. **Montant :** 50 000 F (le Bon Marché Rive Gauche) + 1 semaine à l'hôtel Martinez de Cannes (Groupe Hôtels Concorde). **Décerné** en juin, hôtel Lutétia, à un ouvrage de témoignage. **Lauréat : 1992** Annette MULLER.

■ **Maisons de la Presse (Prix des). Créé** nov. 1969 par Gabriel Cantin. 2 prix annuels (mi-mai) : romans (r) et documents (d) de grande diffusion. **Jury :** comité de lecture de 16 m. dépositaires et grand jury de 45 m. dépositaires de presse-libraires. **Lauréats : 1970** Jean LABORDE, *l'Héritage de violence* [24] (r), Jean POUGET, *Manifeste du camp no 1* [23] (d). **71** Luc ESTANG, *la Fille à l'oursin* [48] (d), Brigitte FRIAND, *Regarde-toi qui meurs* [47] (r). **72** Pierre MOUSTIERS, *l'Hiver d'un gentilhomme* [53] (d), Robert AUBOYNEAU et Jean VERDIER, *la Gamelle dans le dos* [23] (r). **73** René BARJAVEL, *le Grand Secret* [43] (r), Georges BORTOLI, *Mort de Staline* [47] (d). **74** Marie CHAIX, *les Lauriers du lac de Constance* [48] (r), Michel BATAILLE, *les Jours meilleurs* [32, 35] (d). **75** Charles EXBRAYAT, *Jules Matrat* [2] (r), Jacques CHARON, *Moi un comédien* [2] (d). **76** Guy LAGORCE, *Ne pleure pas* [27] (d), Jacques-Francis ROLLAND, *le Grand Capitaine* [27] (r). **77** Maurice DENUZIÈRE, *Louisiane* [56] (d), Patrick SEGAL, *l'Homme qui marchait dans sa tête* [24] (r). **78** André LACAZE, *le Tunnel* [32] (r), Marcel SCIPION, *le Clos du roi* [87] (d). **79** Florence TRYSTRAM, *le Procès des étoiles* (d), Jeanne BOURIN, *la Chambre des dames* [5] (r). **80** Nicole CIRAVEGNA, *les Trois jours du cavalier* [48] (r), Philippe LAMOUR, *le Cadran solaire* [47] (d). **81** Jacques CHANCEL, *Tant qu'il y aura des îles* [28] (d), Marguerite GURGAND, *les Demoiselles de Beaumoreau* [71] (r). **82** Irène FRAIN, *le Nabab* [56] (r), Gisèle de MONFREID, *Mes secrets de la mer Rouge* [121] (d). **83** Régine DEFORGES, *la Bicyclette bleue* [44] (r). **84** Michel DÉON, *Je vous écris d'Italie...* [53] (r), Jean-François CHAIGNEAU, *Dix chiens pour un rêve* [2] (d). **85** Patrick MENEY, *Niet* [71] (r), Éric LIPMAN, *Paderewski, l'idole des années folles* [4] (d). **86** André LE GAL, *le Shangaïe* [56] (r). **87** Loup DURAND, *Daddy* [75] (r). **88** Amin MAALOUF, *Samarcande* [56] (r). **89** Christine ARNOTHY, *Vent africain* [27] (r). **90** Patrick CAUVIN, *Rue des bons enfants* [2] (r), Jacqueline MASSABKI et François POREL, *la Mémoire des cèdres* [47] (d). **91** Catherine HERMARY-VIEILLE, *Un amour fou* [75] (r), Noëlle LORIOT, *Irène Joliot-Curie* [66] (d). **92** Christian JACQ, *l'Affaire Toutankhamon* [27] (r), Gilbert BORDES, *le Porteur de destins* [87] (d). **93** Josette ALIA, *Quand le soleil était chaud* [27] (r), Jean-Paul KAUFFMANN, *l'Arche des Kerguelen* [24] (d).

■ **Marcel-Proust. Créé** 1972 par Bruno Coquatrix et M. Le Sidaner. **Montant :** 50 000 F. **Décerné** au Pullman Grand Hôtel (Cabourg) en automne à une œuvre qui, par le genre, l'esprit ou l'écriture, a un rapport avec Proust, son œuvre ou son époque. **Lauréats : 1986** François-Olivier ROUSSEAU, *Sébastien Doré* [35] (montant : 250 000 F). **87** non décerné. **88** Claude MAURIAC, *l'Oncle Marcel* [27] (100 000 F).

90 Jean GUITTON, *Un siècle, une vie* [47]. **91** Ghislain de DIESBACH, *Proust* [52] (50 000 F).

■ **Max-Jacob.** Donation de Mme Marie-France Azar. **Créé** 1951. **Attribué** en mars, à un poète peu connu, pour une œuvre poétique, en vers ou prose, publiée l'année précédente. **Montant :** 20 000 F. **Jury :** Vénus Khoury-Ghata, Marcel Béalu, Alain Bosquet (Pt), Georges-Emmanuel Clancier, Dominique Grandmont, Eugène Guillevic, Daniel Leuwers, Jean Orizet, Pierre Oster, Jean-Claude Renard, Claude Esteban, Jean Rousselot. **Lauréats : 90** Pierre TOREILLES. **91** François JACQMIN. **92** Charles DOBZYNSKI. **93** Mathieu BÉNÉZET, *Ode à la poésie* [122].

■ **Médicis.** **Créé** 1958 par Mme Gala Barbisan († 1982) et J.-P. Giraudoux. **Remis** le même jour que le Femina. **But :** destiné à un roman, à un récit ou à un recueil de nouvelles édité dans les 12 mois précédents et apportant un ton ou un style nouveau. **Montant :** 4 500 F. **Jury :** Mmes Francine Mallet, Jacqueline Piatier, Christine de Rivoyre, Marthe Robert ; MM. François-Régis Bastide, Dominique Fernandez, Jean-Pierre Giraudoux, Claude Mauriac, Alain Robbe-Grillet, Denis Roche, Marcel Schneider (Pt). **Lauréats : 1958** Claude OLLIER, *la Mise en scène* [18]. **59** Claude MAURIAC, *le Dîner en ville* [2]. **60** Henri THOMAS, *John Perkins* [53]. **61** Philippe SOLLERS, *le Parc* [48]. **62** Colette AUDRY, *Derrière la baignoire* [53]. **63** Gérard JARLOT, *Un chat qui aboie* [53]. **64** Monique WITTIG, *l'Opoponax* [18]. **65** René-Victor PILHES, *la Rhubarbe* [48]. **66** Marie-Claire BLAIS, *Une saison dans la vie d'Emmanuel* [27]. **67** Claude SIMON, *Histoire* [18]. **68** Élie WIESEL, *le Mendiant de Jérusalem* [48]. **69** Hélène CIXOUS, *Dedans* [27]. **70** Camille BOURNIQUEL, *Sélinonte ou la Chambre impériale* [48]. **71** Pascal LAINÉ, *l'Irrévolution* [53]. **72** Maurice CLAVEL, *le Tiers des étoiles* [27]. **73** Tony DUVERT, *Paysage de fantaisie* [18]. **74** Dominique FERNANDEZ, *Porporino ou les Mystères de Naples* [27]. **75** Jacques ALMIRA, *le Voyage à Naucratis* [53]. **76** Marc CHOLODENKO, *les États du désert* [24]. **77** Michel BUTEL, *l'Autre Amour* [35]. **78** Georges PEREC, *la Vie, mode d'emploi* [28]. **79** Claude DURAND, *la Nuit zoologique* [27]. **80** Jean-Luc BENOZIGLIO, *Cabinet-Portrait* [48], Jean LAHOUGUE, *Comptine des Height* [53] ; l'auteur refuse son prix. **81** François-Olivier ROUSSEAU, *l'Enfant d'Édouard* [35]. **82** Jean-François JOSSELIN, *l'Enfer et Cie* [27]. **83** Jean ÉCHENOZ, *Cherokee* [18]. **84** Bernard-Henry LÉVY, *le Diable en tête* [27]. **85** Michel BRAUDEAU, *Naissance d'une passion* [48]. **86** Pierre COMBESCOT, *les Funérailles de la Sardine* [27]. **87** Pierre MERTENS (belge), *les Éblouissements* [48]. **88** Christiane ROCHEFORT, *la Porte du fond* [27]. **89** Serge DOUBROVSKY, *le Livre brisé* [27]. **90** Jean-Noël PANCRAZI, *les Quartiers d'hiver* [53]. **91** Yves SIMON, *la Dérive des sentiments* [27]. **92** Michel RIO, *Tlacuilo* [48].

■ **Médicis étranger.** **Créé** 1970 par Mme Gala Barbisan et J.-P. Giraudoux. **But :** destiné à un roman étranger paru en franç. dans le courant de l'année. **Lauréats : 1970** Luigi MALERBA, *Saut de la mort* [27]. **71** James DICKEY, *Délivrance* [24]. **72** Severo SARDUY, *Cobra* [48]. **73** Milan KUNDERA (Tchéc., 1929), *la Vie est ailleurs* [53]. **74** Julio CORTÁZAR (Argentine, 1914), *Livre de Manuel* [53]. **75** Steven MILLHAUSER, *la Vie trop brève d'Edwin Mulhouse* [2]. **76** Doris LESSING, *le Carnet d'or* [2]. **77** Hector BIANCIOTTI, *le Traité des saisons* [53]. **78** Alexandre ZINOVIEV, *l'Avenir radieux* [57]. **79** Alejo CARPENTIER, *la Harpe et l'Ombre* [53]. **80** André BRINK, *Une saison blanche et sèche* [49]. **81** David SHAHAR, *le Jour de la comtesse* [53]. **82** Umberto ECO, *le Nom de la rose* [27]. **83** Kenneth WHITE, *la Route bleue* [27]. **84** Elsa MORANTE, *Aracoeli* [53]. **85** Joseph HELLER, *Dieu sait* [27]. **86** John HAWKES, *Aventures dans le commerce des peaux en Alaska* [48]. **87** Antonio TABUCCHI, *Nocturne indien* [82]. **88** Thomas BERNHARD, *Maîtres anciens* [53]. **89** Alvaro MUTIS, *la Neige de l'Amiral* [92]. **90** Amitav GOSH, *les Feux du Bengale* [48]. **91** Pietro CITATI, *Histoire qui fut heureuse, puis douloureuse et funeste* [53]. **92** Louis BEGLEY, *Une éducation polonaise* [27].

■ **Médicis essai.** **Créé** 1985 pour couronner un ouvrage de recherche intellectuelle, français ou traduit en français. **Lauréats : 85** Michel SERRES, *les Cinq Sens* [27]. **86** Julian BARNES (Anglais), *le Perroquet de Flaubert* [49]. **87** Georges BORGEAUD, *le Soleil sur Aubiac* [27]. **88** Giovani MACCHIA, *Paris en ruines* [24]. **89** Vaclav JAMEK, *Traité des courtes merveilles* [27]. **90** René GIRARD, *Shakespeare, les feux de l'envie* [27]. **91** Alain ETCHEGOYEN, *la Valse des éthiques* [115]. **92** Luc FERRY, *le Nouvel ordre écologique* [27].

■ **Méditerranée et Méd. étranger.** **Créés** 1985 et 1992. **Montant :** 50 000 F chacun. **Décernés** fin mars. **Lauréats : 1992** Robert SOLÉ, *le Tarbouche* [48] et Luis LANDERO (esp.), *les Jeux tardifs de l'âge mûr* [53]. **93** Ismaïl KADARÉ, *la Pyramide* [23].

■ **Meilleur livre économique.** **Montant :** 50 000 F. **Décerné** par la Fondation du Reader's Digest France. **Lauréats : 1992** Jean-Louis LEVET et Jean-Claude TOURRET, *la Révolution des pouvoirs* [123].

■ **Meilleur livre étranger.** **Créé** 1948. **Décerné** fin mars au Salon du livre de Paris. **Jury :** André Bay, Georges Belmont, C. G. Bjurstom, Albert Blanchard, Robert Carlier, Paul Flamand, Viviane Forrester, Christine Jordis, Yvan Nabokov, Maurice Nadeau, Robert Sabatier, Marcel Schneider, Guy Tosi. **Lauréats : 1992** essai : Robert CALASSO, *les Noces de Cadmos et Harmonie* [53] ; traduction de roman : Jane Urquhart, *Niagara* (Maurice Nadeau).

■ **Montblanc de la Bibliothèque nationale (Grand Prix)** (Attribué 1 seule fois). **Montant :** 100 000 F. **Lauréat : 1989** François FURET, pour son œuvre.

■ **Mumm-Kléber Haedens.** **Créé** 1980. Disparu dep. 1988, voir Quid 1990, p. 315.

■ **Mystère de la Critique (Prix).** **Créé** 1972 par Luc Geslin (1931-91) et Georges Rieben (n. 27-3-1934). **Montant :** néant. **Décerné** tous les ans, en principe en juin, ou septembre. **Jury :** 24 ou 32 journalistes ayant une rubrique régulière de critique de romans policiers. **Lauréats : 92** Tonino BENACQUISTA, *la Commedia des ratés* [53]. James LEE BURKE, *Black cherry blues* [81].

■ **Novembre.** **Créé** nov. 1989 par Philippe Dennery (Pt de Cassegrain, graveur). **Décerné** un jeudi en nov. avant le Goncourt, dans les salons de l'Hôtel Meurice. **Jury :** Philippe Daudy, Philippe Dennery, Bernard Frank (Pt 92), Jérôme Garcin, Geneviève Guerlain, Mario Vargas Llosa, Florence Malraux, Philippe Meyer, Maurice Nadeau, Jean-François Revel (Pt 1992), Jorge Semprun. **Montant :** 200 000 F. **Lauréats : 1989** Guy DUPRÉ, *les Manœuvres d'automne* [75]. **90** François MASPÉRO, *les Passagers du Roissy-express* [48]. **91** Raphaël CONFIANT, *Eau de café* [27]. **92** Henri THOMAS, *la Chasse au trésor* [53] et Roger GRENIER, *Regarde la neige qui tombe* [53].

■ **Oscar Wilde (Prix).** **Créé** 1986. **But :** distinguer un ouvrage littéraire dont le style, le sujet se rapprochent des thèmes wildiens. **Pte de l'Oscar Wilde Association :** Pcesse Maria-Pia de Savoie. **Lauréat 1992** Éric DESCHODT, *Gide* [52].

■ **Paul-Léautaud.** **Créé** 1986 par la Sté Primagaz. **Décerné** le 2e mardi d'oct. au Centre français du commerce extérieur, à un ouvrage correspondant aux goûts de Paul Léautaud. **Jury :** Alphonse Boudard, Camille Cabana, Jean-Paul Caracalla (secr. gén.), Michel Déon, Raymond Devos, Jean Gaulmier, Louis Nucéra, Jacques Petitjean, Paul Roche. **Montant :** 80 000 F (donnés par Primagaz). **Lauréats : 1986** François BOTT, *Lettres à Chandler et quelques autres* [27]. **87** Georges WALTER, *Chronique des trois pâles fainéants* [27]. **88** Claude ARNAUD, *Chamfort* [47]. **89** Éric DESCHODT, *Mirabeau, roman d'une terre de France* [56]. **90** François CERESA, *la Vénus aux fleurs* [47]. **91** Alain DUGRAND, *le 14e Zouave* [113]. **92** François BROCHE, *Léon Daudet, le dernier imprécateur* [47].

■ **Paul Morand.** **Créé** 1980 [Paul Morand (1888-1976) avait légué sa fortune à l'Académie pour créer ce prix]. **Décerné** par l'Académie française, tous les 2 ans, à l'ensemble de l'œuvre d'un auteur, « d'un écrivain français auteur d'ouvrages se recommandant par leurs qualités de pensée et de style et par leur esprit d'indépendance et de liberté ». **Montant :** 300 000 F. **Lauréats : 1980** Jean-Marie LE CLÉZIO. **82** Henri POLLES. **84** Christine de RIVOYRE. **86** Jean ORIEUX. **88** Michel CIORAN (le refuse). **90** J.-F. DENIAU. **92** Philippe SOLLERS.

■ **Pen Club français (Prix du).** **Créé** 1986. **Non doté.** **Jury :** membres du Comité du Pen Club français (voir p.335 c). **Lauréats : 1986** René ETIEMBLE. **87** Georges LUBIN. **88** Claude ROY. **89** non attribué. **90** Jean TARDIEU. **91** Andrée CHEDID. **92** René de OBALDIA.

■ **Pierre-Lafue (Prix de la Fondation).** **Créé** 1976 par Yolande Lafue et l'abbé Albert Malmanche. **Décerné** en mars, dans les salons du Sénat, à un ouvrage de langue française d'inspiration historique. **Montant :** 40 000 F. **Jury :** André Fontaine, Francis Ambrière, Bernard Billaud, Didier Bonnet, Jean-Denis Bredin, Simone Adrien-Dansette, Madeleine Fargeaud, Jean Favier, François Hinfray, Jean Marin (Pt), Michel Meslin, Éric Roussel. **Lauréats : 1977** Edmond POGNON. **78** Jean LACOUTURE. **79** Emmanuel LE ROY LADURIE. **80** Jean DELAY. **81** Jean FAVIER. **82** André FONTAINE. **83** Paul-Marie de LA GORCE. **84** Jean-Denis BREDIN. **85** Edgar FAURE. **86** Henri AMOUROUX. **87** Guillaume de BERTIER de SAUVIGNY. **88** Jean CHARBONNEL. **89** Jean GUITTON. **90** François FEJTÖ. **91** Pierre-Louis BLANC, *De Gaulle au soir de sa vie* [23]. **92** Michel FLEURY, *Atlas de Paris* (Encycl. universalis). **93** Jean TULARD, *Napoléon II.*

■ **Pléiade (Prix de la).** **Créé** 16-7-1943 par les Éd. Gallimard, suspendu 1948. **Montant :** 100 000 F. **Jury :** Marcel Arland, Maurice Blanchot, Joë Bousquet, Albert Camus, Paul Éluard, Jean Grenier, André Malraux, Jean Paulhan, Raymond Queneau, Jean-Paul Sartre, Roland Tual. **Secrétaire :** Jacques Lemarchand. **Lauréats** (tous aux éd. Gallimard) : **1944** Marcel MOULOUDJI, *Enrico.* **45** Roger BREUIL, *Brutus.* **46** Jean GROSJEAN, *Terre du temps.* **47** Jean GENET, *les Bonnes* et *Haute surveillance.*

■ **Poésie (Grand Prix de).** **Créé** 1957. **Attribué** par l'Académie française (juin). **Montant :** 100 000 F. **Lauréats : 1957** André BERRY. **58** Mme Gérard d'HOUVILLE. **59** Tristan KLINGSOR. **60** Philippe CHABANEIX. **61** Patrice de LA TOUR du PIN. **62** Marie NOËL. **63** Pierre EMMANUEL. **64** André SALMON. **65** Non décerné. **66** Pierre-Jean JOUVE. **67** Georges BRASSENS. **68** Alain BOSQUET et Jean LEBRAU. **69** Robert SABATIER. **70** Jean FOLLAIN. **71** Louis BRAUQUIER. **72** Jean TARDIEU. **73** André FRÉNAUD. **74** Philippe SOUPAULT. **75** Gabriel AUDISIO. **76** Eugène GUILLEVIC. **77** Robert MALLET et Marie-Jeanne DURRY. **78** Charles LE QUINTREC. **79** André PIEYRE de MANDIARGUES. **80** Maurice FOMBEURE. **81** Yves BONNEFOY. **82** Jean LOISY. **83** Jean GROSJEAN. **84** Francis PONGE. **85** Philippe ROBERTS-JONES. **86** Henri THOMAS. **87** René TAVERNIER. **88** Jean-Claude RENARD. **89** Claude Michel CLUNY. **90** André du BOUCHET. **91** Jean ORIZET. **92** Philippe JACCOTTET.

■ **Poésie (Grand Prix national de la).** **Créé** 1981 par le min. de la Culture. Destiné à couronner un poète d'expression française qui, par l'ensemble de son œuvre, a contribué à l'illustration des lettres françaises. **Décerné** en décembre par le min. de la Culture. **Montant :** 50 000 F. **Lauréats : 1981** Francis PONGE. **82** Aimé CÉSAIRE. **83** André DU BOUCHET. **84** Eugène GUILLEVIC. **85** André FRÉNAUD. **86** Jean TORTEL. **87** Edmond JABÈS. **88** Jacques DUPIN. **89** Michel DEGUY. **90** Jacques ROUBAUD. **91** Bernard HEIDSIECK. **92** Bernard NOËL.

■ **Poètes français (Grand Prix des).** **Créé** 1902 par Sully Prud'homme et José Maria De Heredia. **Décerné** par la Sté des poètes français. **Lauréats : 1992** Jacques RAPHAËL-LEYGUES.

■ **Populiste.** **Créé** 1929. **Décerné** de 1931 (Eugène Dabit : *Hôtel du Nord*) à 1977 (Claude Aubin : *le Marin de fortune*). Restauré en 1984 par Raymond La Villedieu. **Nouveau Prix populiste. 84** Daniel ZIMMERMANN, *la Légende de Mar et Jeanne* [23]. **85** Leila SEBBAR, *les Carnets de Shéhérazade* [49]. **86** ADDA, *Elle voulait voir la mer* [74]. **87** Gérard MORDILLAT, *A quoi pense Walter* [9]. **88** Éric RONDEAU, *L'Enthousiasme* [93]. **89** René FREGNI, *les Chemins noirs* [14]. **90** Didier DAENNINCKX, *le Facteur fatal* [14]. **91** Sylvie CASTER, *Bel Air* [27]. **92** Simon ROUVERAIN, *le Forçat du Canal* [9].

■ **Premier roman (Prix du).** **Créé** 1981. **Montant :** honorifique. **Décerné** début nov. **Jury :** Alain Bosquet, Jean Chalon, Françoise Ducout, Jérôme Garcin, Annick Geille, François Gonnet, Gérard Guillot, Jean-Claude Lamy, Josyane Savigneau, Jean-François Josselin, Françoise Xenakis. **Lauréats : 1981** Bruno RACINE. **82** Alexandre JARDIN. **83** Annick GEILLE. **84** Elvire MURAIL. **85** Jean-François MERLE. **86** Yves-Marie ERGAL. **87** Jean-Philippe ARROU-VIGNOD. **88** Nadine DIAMANT, *Désordres* [24]. **89** Pierre CARRÉ, *le Palais des nuages.* **90** Caroline TINE, *l'Immeuble* [2]. **91** Patrick SERY, *le Maître et le Scorpion* [24]. **92** Isabelle JARRY, *l'Homme sur la passerelle* [48].

■ **Prince Pierre de Monaco (Prix littéraire).** **Créé** 1951 sous le nom « Prix litt. Rainier-III » (jusqu'en 1965). **Décerné,** chaque année (10 j. après la Pentecôte), à un écrivain d'expression française, pour l'ensemble de son œuvre, au palais de Monaco. **Montant :** 50 000 F. **Jury :** Caroline de Monaco (Pte), Hélène Carrère d'Encausse, Edmonde Charles-Roux, Jacques Chessex, Alain Decaux, Antonine Maillet, François Nourissier, Jean d'Ormesson, Léonce Peillard, Alain Peyrefitte, Bertrand Poirot-Delpech, Maurice Rheims, Robert Sabatier, Maurice Schumann, Georges Sion, Michel Tournier. **Lauréats : 1951** Julien GREEN. **52** Henri TROYAT. **53** Jean GIONO. **54** Jules ROY. **55** Louise de VILMORIN. **56** Marcel BRION. **57** Hervé BAZIN. **58** Jacques PERRET. **59** Joseph KESSEL. **60** Alexis CURVERS. **61** Jean DUTOURD. **62** Gilbert CESBRON. **63** Denis de ROUGEMONT. **64** Christian MURCIAUX. **65** Françoise MALLET-JORIS. **66** Maurice DRUON. **67** Jean CASSOU. **68** Jean CAYROL. **69** Eugène IONESCO. **70** Jean-Jacques GAUTIER. **71** Antoine BLONDIN. **72** Marguerite YOURCENAR. **73** Paul GUTH. **74** Félicien MARCEAU. **75** François NOURISSIER. **76** Anne HÉBERT. **77** Léopold Sédar SENGHOR. **78** Pierre GASCAR. **79** Daniel BOULANGER. **80** Marcel SCHNEIDER. **81** Jean-Louis CURTIS. **82** Christine de RIVOYRE. **83** Jacques LAURENT. **84** Patrick MODIANO. **85** Françoise SAGAN. **86** Dominique FERNANDEZ. **87** Yves BERGER. **88** Jean STAROBINSKI. **89** Béatrix BECK. **90** Gilles LAPOUGE. **91** Jean-Marie ROUART. **92** Hector BIANCIOTTI. **93** Paul GUIMARD.

■ **Prix Printemps de la Biographie.** **Créé** 1990 par Jean de Montauzan et Jean-Paul Caracalla. **Décerné** chaque année en mai au Printemps-Haussman. **Mon-**

tant : 80 000 F. **Jury :** Jean Favier (Pt), Henri Amouroux, Dominique Bona, François Broche, J.-P. Caracalla (secr. gén.), Jean des Cars, André Castelot, Éric Deschodt, Claude Dufresne, Régine Pernoud, René Rémond, Éric Roussel, Jean-Pierre Tison, Jean Tulard. **Lauréats : 1991** Simone BERTIERE, *la Vie du cardinal de Retz* [108]. **92** Ghislain de DIESBACH, *Proust* [52].

■ **Renaissance des Lettres. Créé** 1976 par Michel de Rostolan. **Montant :** néant. **Décerné** en janv.-fév. à un auteur « ayant contribué à une renaissance des valeurs de notre civilisation ». **Lauréats : 1992** Reynald SECHER. **93** Jean RASPAIL, *Sire* [119].

■ **Roger-Nimier. Créé** 1963 par Philippe Huisman (mécène Florence Gould). **Décerné** dans la 2e quinzaine de mai au Fouquet's. **But :** couronner un romancier qui dès ses débuts affirme une liberté de style originale. **Jury :** Gwenn-Aël Bolloré, Marc Dambre, Michel Déon, Jean Dutourd, Bernard Frank, Philippe Héduy, Denis Huisman (Secr. gén.), Éric Neuhoff, Félicien Marceau, Michel Mohrt (Pt), Jean Namur, François Nourissier (Pt), Jean d'Ormesson (Pt), Erik Orsenna, André Parinaud, Yvon Pierron, Bernard Pivot, Dominique Rolin, Jean-Marie Rouart, Philippe Tesson. **Montant :** 30 000 F donnés par Maurice Casanova, Pt du Fouquet's. **Lauréats : 1963** Jean FREUSTIÉ, *la Passerelle* [27]. **64** André de RICHAUD, *Je ne suis pas mort* [121]. **66** Clément ROSSET, *Lettre sur les chimpanzés* [53]. **67** Éric OLLIVIER, *J'ai cru trop longtemps aux vacances* [14]. **68** Patrick MODIANO, *la Place de l'étoile* [53]. **69** Michel DOURY, *l'Indo* [32]. **70** Robert QUATREPOINT, *Mort d'un Grec* [14]. **71** François SONKIN, *les Gendres* [14]. **72** Claude BREUER, *Une journée un peu chaude* [121] et André THIRION, *Révolutionnaires sans révolution* [47]. **73** Inès CAGNATI, *le Jour de congé* [14]. **74** François WEYERGANS, *le Pitre* [53]. **75** Frédéric Musso, *la Déesse* [50]. **76** Alexandre ASTRUC, *Ciel de cendres* [97]. **77** Émile M. CIORAN, pour l'ensemble de son œuvre. **78** Erik ORSENNA, *la Vie comme à Lausanne* [48]. **79** Pascal SEVRAN, *le Passé supplémentaire* [75]. **80** Gérard PUSSEY, *l'Homme d'intérieur* [14]. **81** Bernard FRANK, *Solde* [24]. **82** Jean ROLIN, *Journal de Gand aux Aléoutiennes* [56]. **83** Denis TILLINAC, *l'Été anglais* [47]. **84** Didier VAN CAUWELAERT, *Poisson d'amour* [48]. **85** Antoine ROBLOT, *Un beau match* [50]. **86** Jacques-Pierre AMETTE, *Confessions d'un enfant gâté* [75]. **87** Alain DUGRAND, *Une certaine sympathie* [56]. **88** Jean-Claude GUILLEBAUD, *le Voyage à Kéren* [95]. **89** Frédéric BERTHET, *Daimlers'en va* [53]. **90** Eric NEUHOFF, *les Hanches de Laetitia* [2]. **91** Stéphane HOFFMANN, *Château-Bougon* [2]. **92** François TAILLANDIER, *les Nuits Racine* [108]. **93** Dominique MULLER, *C'était le paradis* [48].

■ **Roman (Grand Prix du). Créé** 19-3-1918 par l'Académie française. **But :** destiné à récompenser un jeune prosateur pour une œuvre d'imagination, d'inspiration élevée. **Montant :** 5 000 AF (en 1914), a été augmenté (ex. *1965 :* 5 000 F, *1966 :* 10 000 F, *1971 :* 20 000 F, *1973 :* 25 000 F, *1977 :* 30 000 F, *1982 :* 50 000 F, dep. *1990 :* 100 000 F). **Décerné** en octobre. **Jury** : une commission du prix propose des noms à l'Académie qui, dans son ensemble, décerne le prix. **Lauréats : 1915** Paul ACKER, pour son œuvre [41]. **16** AVESNES, *l'Ile heureuse* [41]. **17** Charles GÉNIAUX, pour son œuvre. **18** Camille MAYRAN, *Gotton Connixloo* [41]. **19** Pierre BENOIT, *l'Atlantide* [2]. **20** André CORTHIS, *Pour moi seule* [2]. **21** Pierre VILLETARD, *Monsieur Bille dans la tourmente* [22]. **22** Francis CARCO, *l'Homme traqué* [2]. **23** Alphonse de CHATEAUBRIANT, *la Brière* [27]. **24** Émile HENRIOT, *Aricie Brun ou les Vertus bourgeoises* [41]. **25** François DUHOURCAU, *l'Enfant de la victoire* [51]. **26** François MAURIAC, *le Désert de l'amour* [27]. **27** Joseph KESSEL, *les Captifs* [53]. **28** Jean BALDE (Mlle Jeanne Alleman), *Reine d'Arbieu* [41]. **29** André DEMAISON, *le Livre des bêtes qu'on appelle sauvages* [27]. **30** Jacques de LACRETELLE, *Amour nuptial* [53]. **31** Henri POURRAT, *Gaspard des montagnes* [2]. **32** Jacques CHARDONNE, *Claire* [27]. **33** Roger CHAUVIRÉ, *Mademoiselle de Bois-Dauphin* [24]. **34** Paule RÉGNIER, *l'Abbaye d'Évolayne* [41]. **35** Albert TOUCHARD, *la Guêpe*. **36** Georges BERNANOS, *Journal d'un curé de campagne* [41]. **37** Guy de POURTALÈS, *la Pêche miraculeuse* [53]. **38** Jean de LA VARENDE, *le Centaure de Dieu* [27]. **39** Antoine de SAINT-EXUPÉRY, *Terre des hommes* [53]. **40** Édouard PEISSON, *le Voyage d'Edgar* [27]. **41** Robert BOURGET-PAILLERON, *la Folie d'Hubert* [53]. **42** Jean BLANZAT, *l'Orage du matin* [27]. **43** J. H. LOUWYCK, *Danse pour ton ombre* [41]. **44** Pierre de LAGARDE, *Valmaurie* [58]. **45** Marc BLANCPAIN, *le Solitaire* [24]. **46** Jean ORIEUX, *Fontagre* [21]. **47** Philippe HÉRIAT, *la Famille Boussardel* [53]. **48** Yves GANDON, *Ginèvre* [29]. **49** Yvonne PAGNIEZ, *Évasion* [24]. **50** Joseph JOLINON, *les Provinciaux* [59]. **51** Bernard BARBEY, *Chevaux abandonnés sur le champ de bataille* [32]. **52** Henri CASTILLOU, *le Feu de l'Etna* [2]. **53** Jean HOUGRON, *Mort en fraude* [15]. **54** Pierre MOINOT, *la Chasse royale* [27], Paul MOUSSET, *Neige sur un amour nippon* [53]. **55** Michel de SAINT-PIERRE, *les Aristocrates* [50]. **56** Paul GUTH, *le Naïf locataire* [2]. **57** Jacques de BOURBON BUSSET, *le Silence et la Joie* [53]. **58** Henri QUEFFÉLEC, *Un royaume sous la mer* [43]. **59** Gabriel d'AUBARÈDE, *la Foi de notre enfance* [24]. **60** Christian MURCIAUX, *Notre-Dame des Désemparés* [41]. **61** PHAM VAN KY, *Perdre la demeure* [53]. **62** Michel MOHRT, *la Prison maritime* [53]. **63** Robert MARGERIT, *la Révolution* [53]. **64** Michel DROIT, *le Retour* [32]. **65** Jean HUSSON, *le Cheval d'Herbeleau* [48]. **66** François NOURISSIER, *Une histoire française* [27]. **67** Michel TOURNIER, *Vendredi ou les Limbes du Pacifique* [53]. **68** Albert COHEN, *Belle du Seigneur* [53]. **69** Pierre MOUSTIERS, *la Paroi* [53]. **70** Bertrand POIROT-DELPECH, *la Folle de Lituanie* [53]. **71** Jean d' ORMESSON, *la Gloire de l'Empire* [53]. **72** Patrick MODIANO [a], *les Boulevards de ceinture* [53]. **73** Michel DÉON, *Un taxi mauve* [53]. **74** Kléber HAEDENS, *Adios* [27]. **75** Non décerné. **76** Pierre SCHOENDOERFFER, *le Crabe-tambour* [27]. **77** Camille BOURNIQUEL, *Tempo* [32]. **78** Pascal JARDIN, *le Nain jaune* [32], Alain BOSQUET, *Une mère russe* [27]. **79** Henri COULONGES, *l'Adieu à la femme sauvage* [49]. **80** Louis GARDEL, *Fort Saganne* [48]. **81** Jean RASPAIL, *Moi Antoine de Tounens, roi de Patagonie* [2]. **82** Vladimir VOLKOFF, *le Montage* [32]. **83** Liliane GUIGNABODET, *Natalia* [2]. **84** Jacques-Francis ROLLAND, *Un dimanche inoubliable près des casernes* [27]. **85** Patrick BESSON, *Dara* [48]. **86** Pierre-Jean RÉMY, *Une ville immortelle* [2]. **87** Frédérique HÉBRARD, *le Harem* [24]. **88** François-Olivier ROUSSEAU, *la Gare de Wannsee* [27]. **89** Geneviève DORMANN, *le Bal du dodo* [2]. **90** Paule CONSTANT, *White Spirit* [53]. **91** François SUREAU, *l'Infortune* [53]. **92** Franz-Olivier GIESBERT, *l'Affreux* [27].

Nota. – (a) Plus jeune lauréat du prix (âge : 25 ans).

■ **Roman policier (Prix du).** Créé 1982. **Décerné** à l'occasion du Festival international du film policier. **Lauréats 1992 :** Emmanuel MENARD, *la Dernière victime (éd. du Masque)*.

■ **RTL/Lire (Grand Prix). Créé** 1992 (succède au prix RTL grand public créé 1975). **Décerné** à un roman de langue française. **Montant :** 1 500 000 F en messages radio et annonces publicité presse. **Lauréat : 1993** Michel DEL CASTILLO, *le Crime des pères* [48].

■ **Sainte-Beuve. Créé** 1960. N'est plus décerné dep. 1989.

■ **Sté des gens de lettres (Grands Prix de la). Lauréats : 1992** Grand Prix : Henri THOMAS ; Grand P. Thyde-Monnier : Jacques BRENNER ; Grand P. Poncetton : Jean LESCURE ; P. Paul Féval : Alain DEMOUZON ; Grand P. de poésie : Pierre OSTER.

■ **Sola-Cabiati (Grand Prix littéraire). Créé** par délibération du 23-11-1972. **Montant :** 50 000 F. **Décerné** fin déc. par la Ville de Paris pour l'ensemble de son œuvre à un auteur français ou d'expression française de romans historiques ou d'études accessibles au grand public. **Jury :** V. Grands Prix de la ville de Paris. **Lauréats : 1975** Georges MONGREDIEN. **76** Jean TULARD. **77** Régine PERNOUD. **78** HERON DE VILLEFOSSE. **79** Père de BERTIER de SAUVIGNY. **80** Pierre MIQUEL. **81** Jacques HEERS. **82** Yvan CLOULAS. **83** Marina GREY. **84** Joël SCHMIDT. **85** Danielle GALLET. **86** Michel BRUGUIÈRE. **87** André CASTELOT. **88** Diane RIBARDIÈRE. **89** Gilles LAPOUGE. **90** Dominique SCHNEIDRE. **91** Maurice LEVER. **92** Pierre GRIMAL.

■ **Souvenir Napoléonien (Grands Prix du). Premier Empire : créé** 1977 par Dr Godlewskai (1913-83) et Lapeyre (1904-84). **Second Empire : créé** 1990. **Montant :** 100 000 F chacun. **Lauréats : 1992** Frédéric Barbier (1) et Roger Dufraisse, *Napoléon et l'Allemagne* (2).

■ **Théophraste-Renaudot. Créé** 1925 par des informateurs littéraires désireux d'occuper l'attente parfois longue du prix Goncourt et avec l'intention de corriger éventuellement ses choix. **Décerné** en novembre le même jour que le Goncourt, avant un déjeuner chez Drouant, place Gaillon, à un roman français paru depuis un an, selon l'unique critère du talent et éventuellement de l'originalité. **Montant :** un déjeuner offert au lauréat l'année suivant l'attribution du prix. *Fondateur et Pt d'honneur :* Georges Charensol. **Jury** (journalistes ou critiques, par ordre d'ancienneté) : Francis Ambrière, Alain Bosquet, André Bourin, Roger Vrigny, André Brincourt, Jacques Brenner, José Cabanis, Louis Gardel. **Lauréats : 1926** Armand LUNEL, *Niccolo Peccavi* [53]. **27** Bernard NABONNE, *Maïtena* [13]. **28** André OBEY, *le Joueur de triangle* [27]. **29** Marcel AYMÉ, *la Table aux crevés* [53]. **30** Germaine BEAUMONT, *Piège* [33]. **31** Philippe HÉRIAT, *l'Innocent* [14]. **32** Louis-Ferdinand CÉLINE, *Voyage au bout de la nuit* [14]. **33** Charles BRAIBANT, *Le Roi dort* [14]. **34** Louis FRANCIS, *Blanc* [53]. **35** François de ROUX, *Jours sans gloire* [53]. **36** Louis ARAGON, *les Beaux Quartiers* [14]. **37** Jean ROGISSART, *Mervale* [14]. **38** Pierre-Jean LAUNAY, *Léonie la bienheureuse* [14]. **39** Jean MALAQUAIS, *les Javanais* [14]. **40** Décerné en 1946. **41** Paul MOUSSET, *Quand le temps travaillait pour nous* [27]. **42** Robert GAILLARD, *les Liens de chaîne* [11]. **43** Dr André SOUBIRAN, *J'étais médecin avec les chars* [16]. **44** Roger PEYREFITTE, *les Amitiés particulières* [50]. **45** Henri BOSCO, *le Mas Théotime* [10]. **46** Jules ROY, *la Vallée heureuse* [10], David ROUSSET, *l'Univers concentrationnaire* (Pavois) [prix 1940]. **47** Jean CAYROL, *Je vivrai l'amour des autres* [48]. **48** Pierre FISSON, *Voyage aux horizons* [32]. **49** Louis GUILLOUX, *le Jeu de patience* [53]. **50** Pierre MOLAINE, *les Orgues de l'enfer* [12]. **51** Robert MARGERIT, *le Dieu nu* [53]. **52** Jacques PERRY, *l'Amour de rien* [32]. **53** Célia BERTIN, *la Dernière Innocence* [12]. **54** Jean REVERZY, *le Passage* [32]. **55** Georges GOVY, *le Moissonneur d'épines* [50]. **56** André PERRIN, *le Père* [32]. **57** Michel BUTOR, *la Modification* [18]. **58** Édouard GLISSANT, *la Lézarde* [48]. **59** Albert PALLE, *l'Expérience* [32]. **60** Alfred KERN, *le Bonheur fragile* [53]. **61** Roger BORDIER, *les Blés* [9]. **62** Simone JACQUEMARD, *le Veilleur de nuit* [48]. **63** Jean-Marie LE CLÉZIO, *le Procès-verbal* [53]. **64** Jean-Pierre FAYE, *l'Écluse* [48]. **65** Georges PEREC, *les Choses* [32]. **66** José CABANIS, *la Bataille de Toulouse* [53]. **67** Salvat ETCHART, *le Monde tel qu'il est* [35]. **68** Yambo OUOLOGUEM (n. 1940, Mali), *le Devoir de violence* [48]. **69** Max OLIVIER-LACAMP, *les Feux de la colère* [27]. **70** Jean FREUSTIÉ, *Isabelle ou l'Arrière-saison* [50]. **71** Pierre-Jean RÉMY, *le Sac du palais d'Été* [53]. **72** Christopher FRANK, *la Nuit américaine* [48]. **73** Suzanne PROU, *la Terrasse des Bernardini* [9]. **74** Georges BORGEAUD, *Voyage à l'étranger* [27]. **75** Jean JOUBERT, *l'Homme de sable* [27]. **76** Michel HENRY, *l'Amour les yeux fermés* [53]. **77** Alphonse BOUDARD, *les Combattants du petit bonheur* [50]. **78** Conrad DETREZ, *l'Herbe à brûler* [9]. **79** Jean-Marc ROBERTS, *Affaires étrangères* [48]. **80** Danièle SALLENAVE, *les Portes de Gubbio* [48]. **81** Michel DEL CASTILLO, *la Nuit du décret* [48]. **82** Georges-Olivier CHATEAURAYNAUD, *la Faculté des songes* [27]. **83** Jean-Marie ROUART, *Avant-guerre* [27]. **84** Annie ERNAUX, *la Place* [53]. **85** Raphaële BILLETDOUX, *Mes nuits sont plus belles que vos jours* [27]. **86** Christian GIUDICELLI, *Station balnéaire* [53]. **87** René-Jean CLOT, *l'Enfant halluciné* [27]. **88** René DEPESTRE, *Hadriana dans tous mes rêves* [53]. **89** Philippe DOUMENC, *les Comptoirs du Sud* [48]. **90** Jean COLOMBIER, *les Frères Romance* [9]. **91** Dan FRANCK, *la Séparation* [48]. **92** François WEYERGANS, *la Démence du boxeur* [27].

■ **Tocqueville. Créé** 1979. **Décerné** tous les 2 ans à Valognes. **But :** couronne l'œuvre d'un penseur libéral, dans la lignée d'Alexis de Tocqueville, en sciences humaines. **Montant :** 100 000 F. **Jury :** Georges Balandier, Suzanne Berger, Raymond Boudon, Jean-Claude Casanova, Olivier Chevrillon, Michel Crozier, Jean-Marie Domenach, François Furet, Stanley Hoffmann, Henri Mendras, Alain Peyrefitte (Pt), Jesse Pitts, Laurence Wylies. **Lauréats : 1979** Raymond ARON. **81** David RIESMAN. **83** Alexandre ZINOVIEV. **85** Karl POPPER. **87** Louis DUMONT. **89** Octavio PAZ (Mexicain). **91** François FURET.

■ **Traduction (Grand Prix national de la). Créé** 1985 par le min. de la Culture. **Décerné** en décembre. **Montant :** 50 000 F. **Lauréats : 1985** Pierre LEYRIS. **86** Philippe JACCOTTET. **87** Nino FRANK. **88** Claude COUFFON. **89** Jacques DARS. **90** Alice RAILLARD. **91** Françoise CAMPO-TIMAL. **92** Bernard LORTHOLARY.

■ **Valéry Larbaud. Créé** 1987. **Décerné** dernier samedi de mai à Vichy. **Montant :** 50 000 F. **Jury :** R. Grenier (Pt), R. Sabatier, M. Déon, J. Blot, G.-E.

Bilan des éditeurs d'ouvrages couronnés de l'origine à 1992	Goncourt	Interallié	Médicis		Renaudot	Femina
			Fr.	Étr.		
L'Age d'Homme				1		
Albin Michel	7		1	3		4
Christian Bourgois				1		
Calmann-Lévy	2				4	2
Denoël	1	7			7	4
Éd. de Minuit	2		5		1	1
Fayard	3	2				3
Flammarion	2	1	1	1		1
Gallimard	30	13	7	6	13	17
Hachette			1			
Mercure de France	3	1	2		1	3
Grasset	11	19	10	5	10	5
Fasquelle	1					3
Julliard	4	3			7	3
Robert Laffont	1	2				
J.-J. Pauvert	1					
Plon	3	2				4
Le Seuil	4	1	8	3	9	6
Stock	1			1		3
La Table Ronde		2			3	
Balland	1					
Payot	1					
Sylvie Messinger				1		

Bilan 70-90. Gallimard : 4 Goncourt, 5 Renaudot, 10 Femina, 3 Médicis, 2 Interallié. Grasset : 7 G., 7 R., 2 F., 3 M., 2 I. Le Seuil : 4 G., 4 R., 4 F., 4 M., 1 I. Autres : 6 G., 5 R., 6 M., 4 I.

Jurés 1991 : liens avec maisons d'édition (d'après l'Express) : Goncourt : 2 Gallimard, 3 Grasset, 3 Le Seuil, 2 autres ; Renaudot : 1 Gall., 5 Gras., 2 Le Seuil, 1 autre ; Femina : 4 Gall., 2 Gras., 1 Le Seuil, 3 autres ; Médicis : 0 Gall., 7 Gras., 2 Le Seuil, 2 autres ; Interallié : 9 Grasset.

Clancier, J. de Bourbon-Busset, M. Kuntz, R. Vrigny, D. Rolin, C. Giudicelli, B. Delvaille, Y. Berger. **Lauréats : 1987** Emmanuel CARRÈRE, *le Détroit de Behring* [77]. **88** Jean-Marie LACLAVETINE, *Donna fugata* [53]. **89** Jean ROLIN, *la Ligne de front* [91]. **90** Frédéric-Jacques TEMPLE, *Anthologie personnelle* [1]. **91** Frédéric VITOUX, *Sérénissime* [48]. **92** Nicolas BREHAL, *Sonate au clair de lune* [35].

■ **Vasari. Créé** en 1986. **Grand prix 1986** *Des Barbares à l'an mil* (Mazenod). **87** *Vermeer* (Hazan). **88** François CHAPON, *le Peintre et le Livre* [24].

■ **Ville de Paris (Grands Prix de la). Créés** 1952. *Annuel:* roman ; *biennaux:* histoire, critique ou essai, poésie, littérature dramatique, litt. enfantine. **Montant :** 50 000 F chacun (sauf litt. enf. 25 000). Chacun est décerné à un auteur français ou d'expression française pour l'ensemble de son œuvre. **Jury :** maire adjoint chargé de la Culture, dir. des Affaires cult., 5 conseillers de Paris désignés par l'Assemblée, 9 personnalités choisies en raison de leur compétence. Le jury peut ne pas décerner le prix. **Lauréats : 1980** Père BRUCKBERGER [e]. Zoé OLDENBOURG [a]. **81** Jean DELUMEAU [b]. Jean TARDIEU [c]. Geneviève DORMANN [a] et Pierre DANINOS [a]. Jean VAUTHIER [h]. **82** Victor-Henri DÉBIDOUR [e]. Antoine BLONDIN [a]. **83** Élie WIESEL [a]. Jean-Pierre BABELON [b]. Jacques RÉDA [c]. Madeleine GILARD [g]. Louis CALAFERTE [h]. **84** Alain GERBER [a]. Marie-Claire BANCQUART [e]. **85** Philippe JACCOTTET [c]. Loleh BELLON [h]. Henri-Jean MARTIN [b]. André FRAIGNEAU [a]. **86** Henri THOMAS [a]. Raoul GIRARDET [e]. **87** François NOURISSIER [a]. François CROUZET [b]. Lorand GASPAR [c]. COPI [h]. **88** Philippe SOLLERS [a]. A. THIRION [e]. **89** Christine de RIVOYRE [a]. Michel ANTOINE [b]. Jean-Claude RENARD et André FRÉNAUD [c]. PEF [g]. François BILLETDOUX [h]. **90** Michel MORHRT [a]. Pierre MANENT [e]. **91** Jean RASPAIL [a]. Jacques THUILLIER [b]. Alain BOSQUET [c]. Christian BRUEL [g]. René de OBALDIA [h]. **92** Frédéric VITOUX [a]. Paul BÉNICHOU [e].

Nota. – (a) Roman. (b) Histoire. (c) Poésie. (d) Histoire-Philosophie. (e) Essais-critique. (f) Philosophie-essai-critique. (g) Litt. enfantine. (h) Litt. dramatique.

PRIX LITTÉRAIRES DANS LE MONDE

■ **Allemagne. Prix de litt. de l'État de Rhénanie-Nord-Westphalie pour les jeunes auteurs** (Düsseldorf), annuel, 2 prix de 6 000 DM. **Fontane** (Berlin), annuel, 10 000 DM. **Alfred Döblin** (Berlin), bisannuel, 20 000 DM. **Gerhart Hauptmann** (Berlin), bisannuel, 10 000 DM. **All. pour le livre de jeunes** (Bonn), 4 sections, annuel, 60 000 DM. **Litt. de la ville de Brême,** annuel, 30 000 DM (*92 :* Ror Wolf). **Georg Büchner** (Dt. Akademie für Sprache und Dichtung, Darmstadt), annuel, 60 000 DM (*92 :* George Tabori). **Andreas Gryphius** (Esslingen), annuel, 15 000 DM (*92:* Janosch). **Rainer Maria Rilke** (Francfort), poésie, annuel, 5 000 DM. **Lessing** (Hambourg), tous les 4 ans, 20 000 DM. **Hermann Hesse** (Karlsruhe), tous les 3 ans, 20 000 DM (*92 :* Salomon Apt). **Marie Luise Kaschnitz,** tous les 2 ans, 10 000 DM (*92:* Gerhard Roth). **Heinrich von Kleist,** annuel, 25 000 DM (*92 :* Monika Maron). **Thomas Mann** (Lübeck), tous les 3 ans, 10 000 DM. **Litt. Kogge** (Minden), annuel, 10 000 DM. **Litt. des Éd. Bertelsmann,** bisannuel, 50 000 DM. **Litt. westphalienne** (Annette von Droste Hülshoff Preis) (Münster), bisannuel, 25 000 DM. **Luise Rinser,** annuel, 10 000 DM. **Litt. Heinrich Böll** (Cologne), annuel, 25 000 DM (*92 :* Hans Joachim Schädlich). **Litt. de Marburg,** bisannuel, 12 000 DM. **Arno Schmidt,** tous les 2 à 3 ans, 50 000 DM. **Heinrich Heine** (Düsseldorf), bisannuel, 25 000 DM (*92 :* Sarah Kirsch). **Schiller de l'État de Bade-Wurtemberg** (Schiller Gedächtnis Preis) (Stuttgart), tous les 3 ans, 20 000 DM. **Helmut M. Braem** (Stuttgart), pour les traducteurs, bisannuel, 10 000 DM. **Gerrit-Engelke** (Hanovre), bisannuel, 15 000 DM. **Gœthe** (Francfort) : créé en 1927, tous les 3 ans, 50 000 DM (**1927** Stefan George. **28** Albert Schweitzer. **29** Leopold Ziegler. **30** Sigmund Freud. **31** Ricarda Huch. **32** Gerhart Hauptmann. **33** Hermann Steht. **34** Hans Pfitzner. **35** Hermann Stegemann. **36** Georg Kolbe. **37** Guido Kolbenheyer. **38** Hans Carossa. **39** Carl Bosch. **40** Agnes Miegel. **41** Wilhelm Schäfer. **42** Richard Kuhn. **45** Max Planck. **46** Hermann Hesse. **47** Karl Jaspers. **48** Fritz von Unruh. **49** Thomas Mann. **52** Carl Zuckmayer. **55** Annette Kolb. **58** Carl Friedrich von Weizsäcker. **60** Ernst Beutler. **61** Walter Gropius. **64** Benno Reifenberg. **70** Georg Lukacs. **73** Arno Schmidt. **76** Ingmar Bergman. **79** Raymond Aron. **88** Peter Stein. **La Paix** (décerné lors de la foire de Francfort), 25 000 DM, 2 Français l'ont eu : A. Schweitzer en 1951 et G. Marcel en 1964. **79** Yehudi Menuhin. **80** Ernesto Cardenal. **81** Lew Kopelew. **82** George F. Kennan. **83** Manès Sperber. **84** Octavio Paz. **85** Teddy Kollek. **86** Wladyslav Bartoszewski. **87** Hans Jonas. **88** Siegfried Lenz. **89** Vaclav Havel. **90** Karl Dedecius. **91** György Konrad. **92** Amos Oz.

■ **Belgique. P. Victor-Rossel** (fondé 1938 par « Le Soir ») attribué en décembre à un roman ou un recueil de nouvelles, 200 000 FB ; considéré comme le « Goncourt » belge. **90** Philippe Blasband : *De cendres et de fumées.* **91** Anne François : *Nu-tête.* **92** Jean-Luc Outers : *Corps de métier.* **Divers prix décernés par l'Ass. des écriv. belges** [H. Krains 20 000 FB (alternativement prose ou poésie), A. Pasquier 25 000 FB (roman historique), Constant de Horion 50 000 FB (essai d'histoire ou de critique littéraire), G. Nélod 10 000 FB (récit ou conte), René Lyr 25 000 FB (poésie)] par l'ARLLF (+ de 20 prix). **Prix décernés par le ministère de la Culture française :** prix quinquennal de couronnement de carrière (300 000 FB), de la critique et des essais (225 000 FB), prix annuel de litt. franç. (successivement : poésie, roman et conte, littérature dramatique ; 175 000 FB).

■ **Canada. P. du Gouverneur général** (f. en 1937, annuel), 10 000 $. **Québec :** Athanase David, créé 1977 par le gouvernement du Q. [origine : concours créés 1922 par Athanase David (1881-1953)].

■ **Espagne.** Annuels (montant en millions de pesetas) : **Planeta** 50 (1992 : Fernando Sanchez Dragó), **Cervantes** 12, **Plaza y Janes** 10, **Ateneo de Sevilla** 5, **El Papagayo** 3, **Nadal** 3 (1991 : Alfredo Conde : Los Otros Dias), **Angel Guerra** 2,5, **Cafe Gijon** 2, **Feria del Libro de Madrid** 2, **Jaen** 2, **Torrente Ballester** 2, **Espejo de Espana** 2, **Andalucia** 2, **Loewe** 1,75, **Juan Ramon Jimenez** 1,5, **Tiflos** 1,25, **Athénée de Séville** 1, **Ala Delta** 1, **Emilio Hurtado** 1, **Anagrama** 1, **Asturias** 1, **Jauja** 1, **Juan Carlos I** 1, **Juan Gil Albert** 1, **Ciutat de Barcelona** 1, **Ateneo de Valladolid** 1, **Tabacalera** 1, **Hucha de Oro** 1, **National de littérature** 0,5, **National de journalisme** 0,5, **Gabriel Miró** 0,1.

■ **États-Unis. P. Pulitzer :** *fondés* 1918, décernés par le conseil d'adm. de l'université de Columbia. 12 prix, de 500 $ chacun : services rendus à la cause publique, reportage, correspondance à Washington ou à l'étranger, article de fond, dessin humoristique, photographie, roman, théâtre, histoire, biographie, poésie, musique. 1993 (roman) : Robert Olen Butler, *A good scent from a strange mountain.* **National Book Award. Prix interaméricain de litt. :** *décerné* pour la 1re fois le 23-8-1970 à Jorge Luis Borges (25 000 $). **Ritz-Hemingway.** *Créé* 1985 (50 000 $).

■ **Europe. P. européens de littérature et de traduction. Créés** 1992. **Décernés** à Glasgow. **Montant :** 20 000 écus (env. 140 000 F) chacun. **Pts des 2 jurys européens :** Antonia Byatt, Michael O'Loughlin. **Lauréats :** Jean ECHENOZ, *Lac* [18] (litt.) et Paul HAMBURGER, traduction des *Poèmes de Paul Celan* (Anvill Press).

■ **Grande-Bretagne.** British Literature Prize (f. 1992) 30 000 £. Booker Prize for Fiction (f. 1968, administré par la National Book League), 20 000 £ ; **1992** Barry Unsworth, *Sacred Hunger* et Michael Ondaatje, *the English patient.* **NCR** (f. 1988, 25 000 £). **W.H. Smith & Son Literary Award** (f. 1959), 10 000 £ ; décerné à l'auteur anglais qui a apporté le plus à la littérature. **Whitbread Literary Award** (f. 1971) annuel, 5 catégories (roman, 1er roman, biographie, poésie et livre d'enfants), 30 500 £ au total. **James Tait Black Memorial Prizes** (f. 1918), annuel, 2 catégories (roman et biographie), 1 500 £ chacun. **W. H. Heinemann Award,** annuel, tout sujet, en anglais. **Betty Trask Award** (1er roman, auteur de – de 35 ans), 24 000 £. **Hawthornden Prize** (f. 1919), 2 000 £. **Somerset Maugham Awards** (f. 1947), 5 000-6 000 £.

■ **Italie. P. Bagutta** (f. 1927, 5 000 lires et 95 000 lires d'indemnités de voyage). **Bancarella** (f. 1952), pour une œuvre qui a eu un grand succès l'année précédente, prix : achat de 2 000 ex. au min. **Bancarella Sport** (f. 1964). **Campiello** (f. 1963), 5 lauréats, chacun 1 500 000 lires et le « supervainqueur » 2 500 000 lires. **Chianciano** (f. 1949), non attribué dep. 1970. **International Antonio Feltrinelli,** 100 millions de lires décernés par l'Accademia Nazionale dei Lincei, à l'origine fondation d'Antonio Feltrinelli († 1942) dont les revenus sont attribués au prix. **Libro d'oro** (f. 1957). **Malaparte** (f. 1983). **Napoli** (f. 1954), 3 prix de 5 000 000 de lires. **Penna d'oro** (f. 1957). **Strega** (f. 1947). **Sila** (f. 1964). **Viareggio** (f. 1929), 3 prix de 5 000 000 de lires, 3 de 1 000 000 de lires, 1 prix international pour un étranger de 5 000 000 de lires.

■ **Pays-Bas. P. Erasme :** 200 000 florins ; récompense chaque année une personne ou une institution qui a apporté une contribution exceptionnelle pour l'Europe en matière culturelle, de sciences sociales ou exactes ; *1993 :* Peter Stein.

■ **Suisse. Prix de la Fondation Brandenberger** (150 000 FS, 1992 : Alfred Berchtold). **P. de la Fondation pour Genève** (25 000 FS, 1992 : Hugues Gall, dir. du Gd-Théâtre. **Grand Prix de la Fondation Schiller** (f. 1905, décerné 11 fois, 30 000 FS). **P. de la Fondation vaudoise** (pour la promotion et la création artistiques, 2 grands prix de 100 000 FS et 6 prix 15 000 FS). **Gottfried Keller** de la fondation Martin-Bodmer (f. 1921, décerné 29 fois, 20 000 FS). **Grand Prix C.F. Ramuz** (f. 1951, décerné 5 fois, 15 000 FS). **Jean-Jacques Rousseau** (50 000 FS) décerné à l'occasion du Salon international du livre et de la presse (mai), à des auteurs portant un regard original sur l'état du monde et le devenir de l'homme ; 1991 : Tzvetan Todorov, *les Morales de l'histoire* [48]. **P. Colette** (f. 1989 à Genève par la fondation Armleder pour récompenser un romancier francophone, décerné au Salon du livre et de la presse de Genève ; 35 000 FS ; 1991 : Marc Lambron, *la Nuit des masques* [24], 92 : Yves Berger, *l'Attrapeur d'ombres*). **P. Latsis** (100 000 FS, récompense universitaire suisse de – de 40 ans, 1992 : Maria-Cristina Pitassi). **BP Philip-Morris** (25 000 FS).

■ **Ex-URSS. P. Lénine de littérature** (f. 1925, jamais décerné, remplacé par le **prix Staline** de 1939 à 1956, *1957-67* annuel, *dep. 1967* bisannuel). **Prix d'État** (remplace le prix Staline dep. 1957, annuel). **Lauréats : 1980** E. Issaïev, N. Doumbadze. **82** V.M. Bajane. **84** M. Karim. **86** V. Bykov, I. Vassiliev. **88** non attribué.

■ **Pays nordiques** (Suède, Norvège, Danemark, Finlande et Islande). **Grand prix de littérature du Conseil nordique** (f. 1962), chaque pays propose chaque année 2 candidats (+ parfois le représentant d'une minorité ethnique : Lapons, Féringiens, Groenlandais, etc.), jury de 10 m. (2 par pays), 150 000 couronnes (env. 130 000 F). *1992* Frida A Sigurdardottir (Isl.), *Medan natten lider.* **Prix Nobel** (f. 1901) en Suède (voir p. 258 a). **Prix Sonning** (Danemark) décerné à une personnalité ayant servi la culture européenne, bisannuel, env. 450 000 F. *1983 :* Simone de Beauvoir. *85 :* W. Heinesen. *89 :* Ingmar Bergman. *91 :* Vaclav Havel.

AUTEURS

GÉNÉRALITÉS

■ **Age des écrivains.** *Parmi les plus âgés :* Alice Pollock (Angl.), *Portrait de ma jeunesse victorienne* (1971) : 102 ans. En France : Paul Géraldy et Maurice Genevoix ont écrit jusqu'à leur mort (à 98 et 90 ans). *Les plus jeunes :* Dorothy Straight (Amér.), *Comment le monde a commencé* (1962) : 5 ans. En France, Minou Drouet, *Poèmes* (1955) : 8 ans.

■ **Écrivains les plus prolifiques.** L'Espagnol *Lope de Vega* (1562-1635) : 1 800 comédies (470 ont survécu à l'oubli), 400 pièces religieuses, 2 romans, beaucoup de poèmes. L'Anglais *Charles Hamilton* alias Frank Richards, auteur de feuilletons (1875-1961) : 80 millions de mots. Le Japonais *José Carlos Ryoki Inoué* (São Paulo) (1946) : 1 004 romans (665 westerns, 112 romans d'espionnage, 73 romans de guerre, 70 policiers, 63 romans d'aventures, 21 de science-fiction) ; 39 pseudonymes dont James

■ **PEN Club (Poets, Essayists, Novelists). Fondé** 1921 par Mrs C.A. Dawson Scott avec l'appui de John Galsworthy. **But :** rassembler les écrivains épris de paix et de liberté en vue de défendre les valeurs de l'esprit contre le racisme et le fanatisme. Échanges culturels, attachement à la libre circulation des idées et des personnes. Seule organisation mondiale d'écrivains reconnue par l'Unesco. **Présidents** de la Fédération intern. du PEN Club : John Galsworthy, H.G. Wells, Jules Romains, Maurice Maeterlinck, Benedetto Croce, Charles Morgan, André Chamson, Alberto Moravia, Arthur Miller, Heinrich Böll, sir Victor Prichett, Mario Vargas Llosa, Pär Wastberg, Francis King, René Tavernier. **Membres :** 102 centres dans le monde réunissent plus de 10 000 écrivains. Fin 1991, il y avait, selon le PEN Club, 505 cas d'assassinat, d'emprisonnement ou de disparition d'écrivains dans le monde.

■ **PEN Club français.** 6, rue François-Miron, 75004 Paris. **Membres :** env. 500. **Présidents :** Anatole France (1921), Paul Valéry (1924), Jules Romains (1934), Paul Valéry (1944), Jean Schlumberger (1946), André Chamson (1951), Yves Gandon (1959), Pierre Emmanuel (1973), Georges-Emmanuel Clancier (1976), René Tavernier (1979), Solange Fasquelle (1990). **Financement :** cotisations et donations. **Parraine** le *Prix de la liberté* et décerne les prix du PEN Club (voir p. 333 a).

Monroe, George Fletcher, Bill Purse ; en 6 ans, 10 millions d'ex. en poche. Le Polonais *Joseph Ignace Kraszewski* (1812-87) : 600 romans et œuvres historiques. Le Belge *Georges Simenon* (1903-89) : 212 romans sous son nom (dont plus de 80 Maigret) et env. 300 sous 17 pseudonymes. *Kathleen Lindsay* (Afr. du Sud, 1903-73) : 904 romans. Les Français : *Voltaire :* plus de 20 000 lettres, *Victor Hugo :* 153 837 vers, *Alexandre Hardy :* 600 (dont 34 publiées), *Scribe* 350 œuvres, *Alexandre Dumas* 260 volumes, *Labiche* 174 pièces, *Balzac* 150 œuvres, 2 000 personnages, *Marcel Jouhandeau* 129 œuvres, *Sacha Guitry* 125 pièces.

■ **Écrivains les plus rapides.** L'Américain *Erle Stanley Gardner* (1889-1970) a écrit jusqu'à 7 romans à la fois et dictait jusqu'à 10 000 mots par jour. L'Anglais *John Creasey* (1908-73) a produit jusqu'à 22 livres par an. Il a écrit 2 livres en 1 semaine. Le Belge *Georges Simenon* a écrit ses romans populaires de 20 000 lignes au rythme de 80 à 100 pages par jour.

■ **Nombre d'écrivains en France.** D'après le prof. E. Gaede, il y aurait eu en France, depuis l'invention de l'imprimerie, de 30 000 à 70 000 écrivains qui ont écrit en tout 500 000 livres. *Des auteurs nés avant 1900,* 1 000 seulement environ (auteurs de 5 000 livres en tout) font encore parler d'eux.

Chaque année, 7 600 titres nouveaux sont publiés. Ce qui représente en gros 6 000 à 6 500 auteurs (dont 1 500 à 2 000 de romans) : 229 bénéficiant, en 1987-88, du statut d'*écrivain professionnel* et ayant droit aux avantages sociaux qu'il procure, 346 *vivant de leur plume.* La plupart ont un métier principal (notamment les auteurs d'ouvrages d'érudition) ou annexe (journalisme, radio, télévision, etc.).

■ **Œuvres les plus longues.** **Romans.** *Les Hommes de bonne volonté* (Jules Romains), 27 vol. écrits entre 1930 et 1944. *A la recherche du temps perdu* (Proust), 8 tomes, env. 1 310 000 mots. *Clarisse Harlowe* (1748) (Samuel Richardson), 984 870 mots (200 000 de plus que la Bible). *La Compagnie des glaces* (George-Jean Arnaud), 62 vol., 11 000 pages, feuilleton publié entre 1980 et 1992 (5 ou 6 romans/an). *Tokuga-Waleyasu* (de Sohachi Yamaoka), feuilleton japonais en cours de publication, doit remplir 40 vol. **Poème.** Les *Manas* (1958), chants épiques kirghizes, 500 000 vers. *Prométhée, dialogue des vivants et des morts,* de Roger Brien (Canada), 456 047 vers.

■ **Éditions à compte d'auteur et auto-édition.** Entre 9 000 et 12 000 manuscrits de littérature env. sont refusés chaque année par les éditeurs. 2 500 écrivains financent eux-mêmes l'édition de leurs livres par le *système du compte d'auteur* en s'entendant avec un éditeur ou par le *système de l'auto-édition* en passant par un imprimeur sans recourir aux services d'un éditeur pour le lancement de leurs livres (ils peuvent cependant confier leur distribution à un diffuseur). *Tirages habituels :* env. 1 000 ex. Prose : 1 000 à 2 000 ex. (rentable à partir de 500 ex. en auto-édition, 1 800 en compte d'auteur) ; poésie : 500 ex. *Coût :* roman (250 p.) 25 000 F env. (y compris fabrication et publicité, disquette fournie par l'auteur) ; poèmes (100 p., 750 ex.) 11 300 F (disquette fournie par l'auteur), (48 p.) 7 000 F. *Gains de l'auteur en auto-édition :* totalité du produit des ventes ; *en compte d'auteur :* prose 40 % des ventes, poésie 60 %.

Associations : *Association des auteurs auto-édités* (23, rue de La Sourdière, 75001 Paris ; Pt d'honneur : A. Soubiran) fondée 1975 par Abel Clarté (n. 1904) ; *Comité des auteurs en lutte contre le racket de l'édition* (BP 17, 94404 Vitry-sur-Seine Cedex), créé 1978, regroupe et défend les intérêts des auteurs débutants et des victimes du compte d'auteur. Depuis le 1-11-1989, l'AIDA a succédé au CALCRE. Créé en 1978 ; a publié Audace : annuaire à l'usage des auteurs cherchant un éditeur (1986, 88), Arlit : annuaire des revues littéraires.

☞ **Beaucoup d'écrivains commencèrent à compte d'auteur :** Bergson, Billy *(Bénoni, homme d'Église),* Céline [*la Vie de Semmelweiss* (thèse de doctorat en médecine, signée L.F. Destouches)], Drieu La Rochelle, Géraldy (*Toi et Moi),* Gide, Giraudoux *(les Provinciales),* Gracq, Hemingway, Martin du Gard, Mauriac *(les Mains jointes),* Montherlant *(la Relève du matin),* Paulhan *(le Guerrier appliqué),* Proust (1er tome de *A la recherche du temps perdu*). **S'auto-éditèrent :** Louÿs, Pagnol, le Dr Soubiran, Georges Dumézil, Rimbaud (*la Saison en enfer*).

PROPRIÉTÉ LITTÉRAIRE

■ **En France.** Droit de propriété. L'auteur d'une œuvre jouit d'un droit de propriété exclusif. Il peut céder par contrat, à un éditeur, l'exploitation de ses droits pour la publication d'un ouvrage pendant une durée limitée ou pour toute la durée de la protection littéraire. La 1re loi au monde protégeant le droit d'auteur a été adoptée les 13 et 19-1-1791 par l'Assemblée constituante.

Durée de la propriété littéraire. Déterminée par les lois des 14-7-1866, 3-2-1919, 21-9-1951 et les art. de la loi du 11-3-1957 modifiée par la loi du 3-7-1985. 1°) *Œuvres publiées avant le 24-10-1920 :* application des lois de 1866, 1919, 51 et 57 ; protection : 64 ans et 274 j à partir de la fin de l'année civile durant laquelle l'auteur est décédé. 2°) *Du 24-10-1920 au 1-1-1948 :* 58 ans et 122 j après la fin de l'année civile durant laquelle l'auteur est décédé (lois de 1951 et 57). 3°) *Après le 1-1-1948 :* 50 ans après la fin de l'année civile durant laquelle l'auteur est décédé (loi de 1957). Les auteurs demandent que cette durée soit prolongée ; la loi du 21-9-1951 prévoit une protection supplémentaire de 30 ans pour les œuvres des auteurs morts pour la France.

☞ Sont tombées dans le domaine public : **1967** les œuvres d'Émile Zola ; **70** Alphonse Allais, José Maria de Heredia, Jules Verne ; **76** Paul Arène, Edmond de Goncourt, Arsène Houssaye, Jules Simon, Paul Verlaine ; **77** A. Daudet ; **78** Ferdinand Fabre, Stéphane Mallarmé ; **79** Henri de Lacretelle ; **80** Albert Samain, Frédéric Mistral ; **82** Paul d'Ivoi ; **83** O. Mirbeau ; **84** Michel Zevaco ; **87** Marcel Proust.

QUELQUES ORGANISATIONS

Ass. des écrivains catholiques, 12, rue Edmond-Valentin, 75007 ; Pt : Maurice Schumann. Secr. gén. : François Saint-Pierre. **Association des écrivains de langue française (Adelf),** 14, rue Broussais 75014. Sté des écrivains coloniaux (f. 1926), animée par Marius et Ary Leblond, présidée par Louis Bertrand (1926-28), Jean Ajalbert (1937-39) puis Marius Leblond jusqu'en 1948, relancée sous le nom d'Anemon (Association nationale des écrivains de la mer et de l'outremer) par Jean d'Esme (1948-63). Henri Queffélec (1964-68) en fit l'Adelf. Pt : Robert Cornevin (1971-88), Edmond Jouve (1988). 2 000 écrivains. 67 nationalités. Distribue 15 prix littéraires. **Ass. d'information et de défense des auteurs (AIDA),** BP 17-94400 Vitry. **Ass. internationale des critiques littéraires, hôtel de Massa,** 38, rue du Fg-St-Jacques, 75014 Paris, créée 1969 par Yves Gandon (1898-1975). Pt : Robert André (n. 1920). 800 adh. Affiliée Unesco. **Ass. Plumes à connaître (APAC),** 5, rue Fizeau, 75015 Paris ; créée 29-2-1992. **Ass. des traducteurs littéraires de France (ATLF),** 99, rue de Vaugirard, 75006 Paris. F. 1973. 350 membres.

Conseil permanent des écrivains : Maison des écrivains, (hôtel d'Avejean) 53, rue de Verneuil, 75007. Créé 1979. Pt : Maurice Cury. Secr. gén. : Claude Noël. Membre associé : Académie française. **Maison des écrivains.** Créée 1986, Pt : Bernard Pingaud, Dir. : Martine Segonds-Bauer.

Fédération fr. des syndicats de libraires, 43, rue de Châteaudun, 75009. 17 synd. régionaux, 1 500 libraires sur 3 000. **Fédération intern. des écrivains de langue française (Fidelf),** créée 1976.

Maison de Poésie. Fondée 1928 par Émile Blémont. Reconnue d'utilité publique 1929. *Membres :* Hélène Cadou, Jacques Charpenteau, Michèle Comte, Robert Houdelot, Jean Lestavel, Bernard Lorraine, Jean-Luc Moreau. *But :* distribue prix, publie recueils, organise manifestations, bibliothèque, aide les jeunes poètes, organise le Grand Prix de Poésie pour la Jeunesse. *Siège :* 11 bis, rue Ballu, 75009 Paris.

PEN Club français (voir p. 333 b et 335 c).

Société des auteurs et compos. dramatiques (SACD). *Fondée* par les États généraux de l'art dramatique convoqués par Beaumarchais en 1777. 11 bis, rue Ballu, 75009 Paris. **Sté des auteurs, compos. et éditeurs de musique (SACEM),** 225, av. Charles-de-Gaulle, 92521 Neuilly-sur-S. Cedex, Pt du directoire : Jean-Loup Tournier, créée par Ernest Bourget en 1851. **Sté civile des auteurs multimedia (SCAM) :** 38, rue du Fbg-St-Jacques, 75014. Consacrée aux droits d'auteur audiovisuels. **Sté fr. des traducteurs (SFT),** 22, rue des Martyrs, 75009 ; créée 1947, membres 950, revue trim. *Traduire* (1 500 abonnés). **Sté des gens de lettres de France (SGDL) :** hôtel de Massa, 38, rue du Fbg-St-Jacques, 75014, distribue 26 prix littéraires. **Synd. des écrivains de langue fr. (SELF),** 18, rue Théodore-Deck, 75015. **Synd. prof. des écrivains (SEP),** 38, rue du Fg-St-Jacques, 75014, créé 1936, réactivé 1946, membres 500. **Synd. nat. des auteurs et des compos. (SNAC),** 80, rue Taitbout, 75442, Paris Cedex 09, créé 1946, Pt : Antoine Duhamel, membres 1992 : 800. **Union des écrivains,** 3, av. Joseph-Bédier, 75013, créée 21-5-1968. Membre du Congrès des écrivains européens et de la Fidelf.

La France est liée à la plupart des pays du monde par 2 traités internationaux : la *Convention de Berne* (95 pays dont USA dep. 1989 et Chine, 15-10-92) et la *Convention universelle.* Elles permettent d'appliquer la loi locale de droit d'auteur aux œuvres et auteurs étrangers.

■ **A l'étranger.** **All. féd., Autriche :** protection pendant 70 ans (après le décès de l'auteur). **Espagne :** 60. **Grande-Bretagne :** 50 (au min. 30 après une œuvre posthume). **Belgique, Suisse, Canada, Italie** ont adhéré à la Convention de Berne et protègent les œuvres étrangères 50 ans après la mort de l'auteur + 6 ans en Italie pour les œuvres non tombées dans le domaine public au moment de l'entrée en vigueur du décret du 20-7-1945. **États-Unis :** avant 1978, les droits d'auteur sont régis par le *copyright :* la protection dure 28 ans après la 1re publication, renouvelable pour une même période si la demande est formulée par l'auteur ou ses ayants droit dans la 28e année. A partir du 1-1-1978, les œuvres se trouvant dans la 2e période bénéficient d'une durée de 47 ans, d'où une protection totale de 75 ans. Les œuvres publiées après le 1-1-1978 sont protégées 50 ans après la mort de l'auteur.

RÉMUNÉRATION DES AUTEURS

■ **Droits d'auteur.** Généralement un auteur touche un pourcentage de 6 à 15 % calculé sur le prix de vente (hors taxes) du livre au public ; une déduction forfaitaire de 25 % pour la reliure est faite auparavant. Les romanciers « arrivés » peuvent toucher 10 % sur les 6 premiers mille, 12 % de 6 000 à 20 000, 15 % au-delà. 20 % sont très rarement atteints ou dépassés (les droits moyens sur les livres scolaires primaires sont de 5 %, secondaires 8 %). L'auteur peut obtenir une avance représentant ses droits sur la vente de 5 000 à 10 000 exemplaires, exceptionnellement 50 000. La rémunération forfaitaire n'est appliquée que dans certains cas expressément fixés par la loi sur la propriété littéraire et artistique. Autrefois, le système de forfait était fréquent. Ainsi la comtesse de Ségur toucha 1 000 F pour *les Mémoires d'un âne,* 1 500 F pour *Pauvre Blaise.*

Revenus d'un auteur. Suivant qu'il s'agit d'un tirage en édition brochée normale ou d'un tirage en livre de poche, le revenu d'un auteur peut varier de 1 à 15. Si un auteur a vendu 10 000 ex. d'un roman broché vendu à 50 F (hors taxes) dans le public, il touchera env. 50 000 F moins un % retenu par l'éditeur pour couvrir la « passe » (livres défectueux) soit net 47 200 F. (La « passe » qui ne s'applique pas aux 2 000 premiers ex. vendus du tirage initial est de 8 % jusqu'à 30 000 ex., 7 % au-delà de 30 000, 6 % au-delà de 45 000, 5 % au-delà de 60 000 ex. vendus. Elle n'est plus appliquée dans les nouveaux contrats pour les ouvrages de littérature générale.) Si l'ouvrage avait été relié, il aurait touché 25 % en moins, soit 35 400 F. Or atteindre 10 000 ex. est déjà un succès (en 32 ans, de 1927 à 1959, *Thérèse Desqueyroux,* de Mauriac, avait atteint 85 000 ex. en édition normale, *les Conquérants,* de Malraux, avait atteint 55 000 ex. de 1928 à 1959).

Les Misérables (1862) ont rapporté 250 000 à 300 000 F-or à V. Hugo, *Tartarin* (1890) 100 000 F à Alphonse Daudet, *La Vie de Jésus* (1863) 195 000 F à Renan, *l'Histoire du siècle des Médicis* (1853) 120 000 F à Lamartine.

☞ 50 % des ouvrages littéraires sont tirés à moins de 5 200 ex., 24 % de 6 000 à 12 000, 8 % de 12 000 à 18 000, 6,5 % de 18 000 à 24 000, 5 % de 24 000 à 36 000, 7,5 % au-delà.

■ **Écrivains les mieux payés.** *Stephen King* a obtenu en 1989 un à-valoir de 26 millions de $ sur ses 4 prochains livres. *Tom Clancy :* en août 1992, Berkeley Putnam a accepté de verser 14 millions de $ (70 millions de F) pour les droits nord-amér. de *Sans pitié.*

■ **Droits annexes.** *Traduction :* somme forfaitaire ou % sur ventes versé par l'éditeur étranger et partagé avec l'éditeur français. *Représentation et adaptation théâtrale, cinématographique, télévisuelle. Merchandising :* utilisation du nom pour des produits divers (ex. James Bond, Astérix).

■ **Activités annexes.** *Traductions* (à partir d'une langue étrangère) (enquête de l'Assoc. des trad. littér. en juin 1992) édition : de 70 à 190 F (moy. 105/120) la page dactylo. de 1 500 signes. Enquête (1992) de la Sté franç des trad. (traduc. libéraux, pour textes scientifiques, techniques, juridiques) (prix moyen, page de 30 lignes). japon. 546, norvég. 410, danois 364, néerl. 349, suédois 334, polonais 327, portugais 291, angl. 268, ital. 267, all. 260, esp. 251, russe 229, arabe 215. *Bande dessinée :* 20 F le phylactère (bulle). *Rewriting :* 100 à 200 F le feuillet. *Article de journal :*

jusqu'à 700 F la page dactylo. (selon journal, sujet, notoriété de l'auteur). *Pièce télévisée :* jusqu'à 113 000 F par heure ; *radiophonique :* jusqu'à 19 500 F. Pour la 1re diffusion il est versé une prime d'inédit (au moins 4 000 F par h pour une dramatique).

☞ 3 pays compensent la perte des droits d'auteur sur les ouvrages prêtés par les bibliothèques : **Finlande,** l'État soustrait 5 % de l'aide accordée aux bibliothèques et l'attribue à un fonds spécial « bourses-biblio » (sont attribués aux écrivains âgés 40 %, créateurs 35 %, auteurs malades ou dans une situation précaire 20 %, traducteurs 5 %). **G.-B.,** l'État verse à l'auteur env. 10 centimes à chaque emprunt de livre (*Public Lending Right*). **Suède,** une « Fondation des auteurs » gère les crédits versés par les biblio.

BEST-SELLERS

GÉNÉRALITÉS

Best-sellers. Il est difficile de dresser une liste complète des best-sellers parus dans le monde ou même simplement en France. Les chiffres de tirages sont rarement communiqués et, quand ils le sont, ils ne sont guère vérifiables.

Best-seller mondial. *La Bible* (traduite en 314 et certains passages 1 978 langues). De 1815 à 1984, elle aurait été tirée à env. 2,7 milliards d'ex. En 1981, les United Bible Soc. (couvrant 150 pays) ont distribué 10 441 456 Bibles dans 150 pays.

Auteurs best-sellers (tirage en millions d'ex.). *Mao Tsé-toung,* de juin 1966 à nov. 1970 : + de 2 000 (dont le Petit Livre Rouge 800, les Poèmes du Pt Mao 96). *Lénine* (1870-1924) entre 1917 et 1967 : 350 (en 222 langues). *Staline* (1879-1953) : 672 (en 101 langues). *Erle Stanley Gardner* (USA 1889-1970) : 319 (en 37 langues au 1-1-84). *Georges Simenon* (1903-89) : 500 (dont 100 en France) (en 28 langues). *Agatha Christie* (1891-1976) : + de 2 000 (en 57 l.), (78 romans policiers). *Frédéric Dard* (San Antonio) (n. 1921) : env. 95. *Barbara Cartland* (n. en 1901, mère de la belle-mère de la Pcesse de Galles) : 500 (dont 25 en France) pour 493 romans (dans 27 pays.) *La Vérité qui mène à la vie éternelle* (Témoins de Jéhovah) : 107 (en 117 langues).

Romans best-sellers aux États-Unis (tirage en millions d'ex.). *La Vallée des poupées* (1966) de Jacqueline Susann (1921-74), 28,7 (dont 6,8 les 6 premiers mois). *Autant en emporte le vent,* Margaret Mitchell + de 9,5 dans le monde (7,5 en anglais et 1,9 en français). *Love Story,* Erich Segal 15 (aux USA). *Le Petit Arpent du Bon Dieu,* Erskine Caldwell (1933), 8. *Peyton Place,* Grace Metalious (1956), 10 (dont 6 vendus les 6 premières semaines). *Jamais sans ma fille,* Betty Mahmoody, 15 (dont 3 en France).

VENTES EN FRANCE

Légende. Date de la 1re publication et total des ventes annuelles, tous éditeurs confondus, dont, entre parenthèses, tirage club (C) et en format poche (P), en milliers d'exemplaires. Les chiffres sont approximatifs : certains sont sans doute exagérés (de 10 à 20 %). Des titres manquent : certains éditeurs se refusent à donner toute précision à leur sujet. Le chiffre en nota indique le nom de l'éditeur ayant fourni les chiffres.

Nota. – **Éditeurs :** (1) Plon. (2) Julliard. (3) Gallimard. (4) Grasset. (5) Albin Michel. (6) E. Belin. (7) Laffont. (8) PUF (9) Flammarion. (10) Fasquelle. (11) Denoël. (12) Arthaud. (13) Casterman. (14) Le Seuil. (15) Presses de la Cité. (16) Hachette. (17) Fayard. (18) Fleuve Noir. (19) Éditions de Minuit. (20) Bonne Presse. (21) Stock. (22) Calmann-Lévy. (23) Alpha. (24) Time-Life. (25) France Empire. (26) Seghers. (27) Desclée de Brouwer. (28) Rouge et Or. (29) Gautier-Languereau. (30) Alsatia. (31) Marabout. (32) Guy Le Prat. (33) Payot. (34) Dargaud. (35) Nathan. (36) Édition collective. (37) Deux Coqs d'or. (38) Pierre Horay. (39) Mame. (40) Librairie académique Perrin. (41) Fleurus. (42) J.-J. Pauvert. (43) La Pensée moderne. (44) Pavois. (45) Garnier-Flammarion. (46) Champs-Élysées. (47) J'ai lu. (48) Le Livre de poche. (49) Presses-Pocket. (50) Éd. du Cerf. (51) UGE. (52) Épi. (53) J.-C. Lattès. (54) Alta. (55) La Table ronde. (56) Mercure de France. (57) Larousse. (58) Bordas. (59) Éditions de Trévise. (60) Ramsay. (61) Buchet-Chastel. (62) Éd. Radio. (63) Olivier Orban. (64) Simoen. (65) Centurion. (66) Heinneman et Zsolnay. (67) Zodiaque. (68) Réunion des musées nationaux. (69) J.-P. Faure. (70) Belfond. (71) Éd. Mondiales. (72) Éd. No 1. (73) Presses de la Renaissance. (74) Sagittaire. (75) Messein.

LITTÉRATURE GÉNÉRALE

Acremant (G.) Ces dames aux chapeaux verts (1921) [1] 719. **Ajar** (E) La Vie devant soi (1975) [56] 1 190 (C 570, P 500). **Alain** Propos sur le bonheur (1928) [3] 757 (P 758, 536, C 108).

Alain-Fournier Le Grand Meaulnes (1913) [12, 17, 48] 4 560 (P 4 180)).

Amouroux (H.) La Grande Histoire des Français sous l'occupation (9 t. : 1976-91) [7] 2 259 (C 1 195). **Anouilh** Antigone (1946) [55] 1 800. Le Voyageur sans bagage (1958) [55] + de 600 (P 657). La Sauvage (1958) [55] + de 400. **Apollinaire** Alcools (suivi de Bestiaire) (1921) [3] 1 347 (C 28, P 965). (1913) [3] 1 175 (P 160). **Arnaud** (G.) [2, 48]. Le Salaire de la peur (1949) 1 900 (P 1 073). **Arnothy** (C.) J'ai 15 ans et je ne veux pas mourir (1952) [17,48] (C 80, P 1 300) [48]. **Arsan** (E.) [51] Emmanuelle 800. **Avril** (N.) La Disgrâce [5] 1 012 (C 636, P 195). Jeanne (1984) [9] 643 (C 390). **Aymé** (M.) La Jument verte (1933) [3], 1 182 (C 81, P 846). Les Contes du chat perché (1939) [3] 2 633 (C 20, P 1 613). La Vouivre (1943) [3] 630 (C 168, P 372). Le Passe-muraille (1943) [3] 1 041 (C 23, P 870). La Tête des autres [4] (P 514) [48].

Bach (R.) Jonathan Livingston le goéland (1973) [9] 629 (P 382) [47]. **Bainville** (J.) Hist. de France (1924) 535 (P 182). **Balzac** (H. de) [45, 48] Le Père Goriot (1835) (P 1 524). Eugénie Grandet (1833) (P 1041). Les Chouans (1828) (P 669). Peau de chagrin (1831) (P 420). **Barbusse** (H.) Le Feu (1916) [9] 607 (P 157).

Barjavel (R.) [11, 15, 49] Ravage (1943) 891 (C 145, P 1 014). La Nuit des temps (1968) 460 (C 120, P 60). Les Chemins de Katmandou (1969) 420 (C 120, P 30). Le Grand Secret (1973) 500 (C 230, P 100). **Baudelaire** Les Fleurs du mal (1857) [45, 48, 3] 3 340 (P 1 827). **Bazin** (H.) [4, 48] Vipère au poing (1948) 2 462 (P 3 360). La Tête contre les murs (1949) (P 937). La Mort du petit cheval (1950) 1 743 (P 1610). Lève-toi et marche (1952) 931 (P 1 014). L'Huile sur le feu (1954) 970 (P 1 005). Qui j'ose aimer (1956) 1 461 (P 1 375). Le Cri de la chouette (P 410). Au nom du fils (1960) [14] 962 (P 540). Chapeau bas (1963) [14] 520. Le Matrimoine (1967) [14] + de 1 295 (P 501). Les Bienheureux de la désolation (1970) [14] 584. Madame Ex (1975) [14] 615. Un feu dévore un autre feu (1978) 433. **Béarn** (G. et M.) Gaston Phoebus [47] 400. **Beauvoir** (S. de) [3] L'Invité (1943) 686 (P 420). Les Mandarins (1954) 531 (C 6, P 269). Mém. d'une jeune fille rangée (1958) 1 169 (C 4, P. 943). La Force de l'âge (1960) 528 (P 388). Une mort très douce (1964) 500 (C 6, P 404). Le Deuxième Sexe (1949) 552 (C 45, P 361). Les Belles images (1966) 463 (C 6, P 358). La Femme rompue (1967) (C 6, P 302). **Beckett** (S.) [19] En attendant Godot (1952) 909. **Bellemare** (P.) et **Antoine** (J.) Les Aventuriers (1978) (C 140, P 138). Les Dossiers extraordinaires (1976) 707 (C 170, P 292). Les Nouveaux dossiers extr. (1977) 524 (C 104, P 224). **Benoit** (P.) [5, 48] Kœnigsmark (1918) 1 317 (C 100, P 857). L'Atlantide (1919) 1 671 (C 131, P 950). Mlle de La Ferté (1923) (P 430). La Châtelaine du Liban (1924) 675 (P 426). **Bernadac** (Ch.) [25] Les Médecins maudits (1967) 700. Les Médecins de l'impossible 600. 10 titres à 500. **Bernanos** (G.) [1, 48] Journal d'un curé de campagne (1936) 1 102 (P 815). **Blier** (B.) Beau-père (1981) [7] 545 (C 346, P 150). **Blixen** (K.) [3] La Ferme africaine (1942) 727 (C 224, P 387). **Bohringer** (R.) [11] C'est beau une ville la nuit (1988) 800. **Bonnafé** (A.) Georges Brassens (1963) [26] 500. **Bordeaux** (H.) [1] La Robe de laine (1910) 597. La Neige sur les pas (1912) 727. **Borniche** (R.) Flic Story (1973) 703 (C 320, P 212). **Bosco** L'Enfant et la rivière [3] (1953) 2 359 (P 969). L'Ane culotte (1937) 659 (C 10, P 326). Le Mas Théotime (1952) 433 (C 18, P 386). **Boulle** (P.) [2, 48] Le Pont de la rivière Kwaï (1952) 763 (P 540). La Planète des singes (1963) (P 617). **Bourin** (J.) [55] Le Jeu de la tentation (1981) 1 817 (C 1 385, P 140). La Chambre des dames (1979) 1 669 (C 999, P 180). Très sage Héloïse (1980) 400 (C 286). **Bourret** (J.-C.) 4 titres sur OVNI à + de 400. **Bouvard** (P.) Un oursin dans le caviar (1973) [21] 400 (C 100, P 100). **Bradbury** (R.) Chroniques martiennes (1955) [11] (P 509). **Braudel** (F.) L'Identité de la France (3 tomes) (1986) [12] 500. **Brète** (J. de La) Mon oncle et mon curé (1919) [1] 563. **Brétecher** (C.) Les Frustrés [49] 1 000. **Breton** Nadja (1928) [3] 641 (C O, P 612). **Bromfield** (L.) La Mousson (1937) [21, 48] (P 495). **Brontë** (C.) Jane Eyre (1847) [45, 48] (P 650). **Brontë** (E.) Les Hauts de Hurlevent (1847) [33, 48] (P 1 440). **Brossard Le Grand** (M.) et **de Carolis** (C.) Chienne de vie, je t'aime (1981) [65] 493 (C 241, P 132). **Bruce** [15] 62 millions d'ex. vendus. **Buck** (Pearl Sydenstricker) [21, 48] Vent d'est, vent d'ouest (1923) (P 1 180). La Mère (1934) (P 1 340). L'Exilée (1936) (P 522). Un cœur fier (1938) (P 550). Pavillon de femmes (1946) (P 692). Pivoine (1948) (P 875). La Terre chinoise (1931) [33] (P 470). Les Fils de Wang-Lung (1932) [33, 48] (P 363). **Butor** (M.) La Modification (1957) [19] 847,7 (C 173, P 532). **Buzzati** (D.) [48] Le Désert des Tartares (1949) [7] 1 662 (C 102, P 1 502). Le K [7] (P 900) [48].

Caldwell (E.) Le Petit arpent du bon Dieu (1936) [3] 423 (C 6, P 393). La Route du tabac (1937) 418 (C 34, P 361). **Campagne** (J.-L. et B. Dubreuil, dits Claude) Adieu mes quinze ans (1960) 545 [18]. **Camus** (A.) [3] Noces (1950) *suivi de* l'Été (1950) 874 (C 5, P 646). Le Mythe de Sisyphe (1942) 1 054 (C 75, P 737). L'Étranger (1942) 6 555 (C 60, P 5 924). Caligula (1944) 1 461 (C 5, P 1 116). La Peste (1947) 5 248 (C 82, P 4 537). L'Homme révolté (1951) 672 (C 5, P 368). La Chute (1956) 1 774 (C 34, P 1 262). L'Exil et le royaume (1957) 1 189 (C 5, P 820). Les Justes (1950) 997 (C 5, P 661). **Carco** (F.) l'Homme traqué (1922) [5, 48] (P 310). **Cardinal** (M.) [4, 48] Les Mots pour le dire (1975) (P 860). La Clé sur la porte (1972) (P 900). **Carell** (P.) Ils arrivent [1] (1961) 500 (C 33, P 539). **Carles** (E.) Une soupe aux herbes sauvages (1979) [7, 48] (P 640). **Carnegie** (D.) Comment se faire des amis (1956) [16] (P 980). **Carrel** (Alexis) L'Homme, cet inconnu (1935) [1, 48] 882 (P 430). **Carrière** (J.) L'Épervier de Maheux (1972) [42] 805 (C 212, P 182). **Cars** (G. des) [9, 47] 18 titres à + de 400 (P). Records : La Brute (1961) (P 1 870). L'Impure (1946) (P 1 795). La Tricheuse (1954) (P 1 728). La Corruptrice (1952) (P 1 561). **Cauvin** (P.) [5] Rue des bons enfants (1990) 322 (C 222, P 60). E = MC² Mon amour [53, 48] (P 420). **Cavanna** (F.) Les Ritals [70] (P 520) [48]. Les Russkoffs [70, 48] (P 350). **Céline** (L.-F.) [3] Voyage au bout de la nuit (1932) 1 623 (C 38, P 1 272). Mort à crédit (1936) 694 (C 5, P 500). **Cendrars** (B.) L'Or (1925) (P 864) [3]. **Cesbron** (G.) [7] Notre prison est un royaume (1948) 1 299 (C 100, P 1 095). Les Saints vont en enfer (1952) 1 648 (C 184, P 852). Il est minuit Dr Schweitzer (1952) 757 (C 110, P 587). Chiens perdus sans collier (1954) [47, 7] 3 982 (C 430, P 3 287). Vous verrez le ciel ouvert (1956) [7] 653 (C 50, P 519). Il est plus tard que tu ne penses (1958) [7] 1 098 (C 290, P 666). Avoir été (1960) [7] 461 (C 35, P 364). Entre chiens et loups (1962) [7] 528 (C 60, P 356). Une abeille contre la vitre (1964) [7] 496 (C 92, P 285). C'est Mozart qu'on assassine (1966) [7] 1 177 (C 380, P 689). Mais moi je vous aimais (1977) [7] 1 034 (C 820, P 73). **Céspedes** (A. de) Le Cahier interdit [14] (1954) + de 588. **Chalais** (F.) Les Chocolats de l'entracte (1972) [21] 430 (C 180, P 150). **Chandernagor** (F.) L'Allée du Roi [49] n. c. **Charrière** (H.) Papillon (1966) [7] 2 386 (C 84, P 1 345) (avec les ventes à l'étranger 11 000). **Chase-Riboud** (B.) La Virginienne [5] 532 (C 210, P 180). **Châteaubriant** (A. de) La Brière (1923) [4] 609 (P 156). **Chevallier** (G.) Clochemerle (1934) [8, 48] 1 056 (P 593). **Chow-Ching-Lie** [7, 47] Le Palanquin des larmes (1975) 1 625 (C 441, P 910). **Christie** (A.) [46, 48] *Plus de 70 titres dépassant 400 ex. dont :* Le Meurtre de Roger Ackroyd (1927) 2 304 (P 1 025). Le Crime du golf (1933) 1 078 (P 477). Le Crime de l'Orient-Express (1934) 1 530 (P 490). Cartes sur table (1938) 1 205. Le Train bleu (1933) 930. Dix Petits Nègres (1940) 2 703 (P 1 811). Le Vallon (1948) 1 077 (P 441). Le Noël d'Hercule Poirot (1946) 1 025 (P 382). **Clarke** (A.) 2 001, l'Odyssée de l'espace (1970) (P 467) [47]. **Claudel** [3] L'Annonce faite à Marie (1912) 1 034 (C 10, P 613). Le Soulier de satin (1924) 567 (C 30, P 287). **Clavel** (B.) *Plus de 18 titres dépassant 400 ex. dont :* Qui m'emporte (1958) 638 (C 146, P 480). L'Espagnol (1959) [7] 883 (C 202, P 632). Malataverne (1960) [47, 7]

QUELQUES TIRAGES TYPES

Balzac. Avant 1850, ses romans étaient tirés de 1 500 à 2 000 ex. à la 1re édition et ne dépassaient pas 20 000 ex. au total. **Baudelaire** *les Fleurs du mal* 2 000 ex. en 1857. **Béranger** *Chansons* en 1830 16 000 ex., en 1846 80 000. **Dorgelès** *les Croix de bois* en 1919 85 000 ex. **Dumas** (A.) *les Trois Mousquetaires* 60 000 ex. en 5 ans. **Encyclopédie** (l') (Diderot) 80 000 ex. entre 1751 et 1783. **Flaubert** *Mme Bovary* 30 000 ex. en 4 ans. **Gide** *les Nourritures terrestres* 300 ex. vendus les 16 premières années. **Hugo** *les Misérables* 130 000 ex. en 8 ans, *les Contemplations* 50 000 ex. en 2 ans (1856-58), *N.-D. de Paris* 14 000 ex. **Kock** (Paul de) *le Cocu* 14 000 (1831-35).

Lamartine *l'Histoire des Girondins* 35 000 ex. en 1 an. **Lamennais** *les Paroles d'un croyant* 70 000 ex. de 1834 à 1840. **Mérouvel** (C.) *Chaste et flétrie* 420 000 ex. de 1889 à 1914. **Ohnet** (G.) *Serge Panine* 300 000 ex. en 1880. **Proust** *Du côté de chez Swann* 1 750 en 1913. *A l'ombre des jeunes filles en fleurs* 3 300 en 1919. **Renan** *la Vie de Jésus* 140 000 ex. en 1863-64. **Stendhal** *le Rouge et le Noir :* les 2 premières éditions furent tirées à 750 ex., *la Chartreuse de Parme* à 1 200. **Sue** (E.) *les Mystères de Paris* et *le Juif errant* 60 000 ex. en 5 ans. **Zola** *l'Assommoir* 150 000 ex. de 1877 à 1902, *Une page d'amour* 150 000 ex. dans l'année dont les 2/3 le jour même.

3 713 (C 136, P 3 527). La Maison des autres (1962) [47, 7] 1 370 (C 160, P 1 116). La Saison des loups (1976) [7] 779 (C 314, P 185). Harricana (1983) [5] 1 180 (C 647, P 141). Le Royaume du Nord (6 vol.) [5] (C 2 250). **Closets** (F. de) Toujours plus [4] 1 150. **Clostermann** [9] Le Grand Cirque (1948) 845 (P 240). Feux du ciel (1951) 400 (P 150). **Cocteau** (J.) [48] Thomas l'imposteur (1923) [3] 450 (C 23, P 395). Les Enfants terribles (1929) [4] 1 065 (P 1 070). La Machine infernale (1934) [4] (P 760). Les Parents terribles (1938) [3] 912 (C 21, P 842). **Cohen** (A.) Belle du Seigneur (1968) [3] 499 (P 44). **Colette** L'Ingénue libertine (1909) [5] 777 (C 63, P 685). Chéri (1920) [16] 930 (P 520). Le Blé en herbe (1923) [9, 47] 825 (P 861). La Chatte (1933) [16] (P 760) [48]. Gigi (1943) [16] (P 880). La Maison de Claudine (1922) [16] (P 730) [48]. Claudine à l'école (1900) [16, 48] 550 (C 65, P 545). Claudine à Paris (1901) [5] 539 (C 55, P 460). Claudine s'en va (1903) [5] 419 (C 55, P 350). La Vagabonde (1910) [5, 48] (P 430). Sido (1930) [16, 48] (P 550). **Collins** (L.) [7] Fortitude (1985) 541 (C 66, P 274). **Conrad** (J.) Typhon (1918) [3] 471 (C 85, P 304). **Cordelier** (J.) La Dérobade (1976) [16, 48] (P 527). **Corman** (A.) [7] Kramer contre Kramer (1979) 1 482 (C 960, P 465). **Coulanges** (Henri) L'Adieu à la femme sauvage 700. **Courtois** (G.) La Plus Belle Histoire (1947) [41] 612. **Cronin** (A.-J.) [5, 48] Sous le regard des étoiles (1937) (P 819). La Citadelle (1938) 1 139 (C 40, P 629). Les Clés du royaume (1941) 1 156 (C 225, P 1 005). Les Vertes Années (1945) (P 695). Le Destin de R. Shannon (1949) 1 050 (C 25, P 857). Le Jardinier espagnol (1950) [5] (P 541). Les Années d'illusion (1952) 1 255 (C 171, P 1 060). La Dame aux œillets 1 106 (C 105, P 887). L'Épée de justice (P 505). **Curie** Madame Curie (1938) [3] 373 (C 125, P 23).

Daniel-Rops Mort où est ta victoire ? (1934) [48] (P 470). Histoire sainte (1943) [17] 760 (P 115). Jésus en son temps (1945) [17] 865 (P 145). **Daninos** (P.) [16, 48] Les Carnets du major Thompson (1954) 1 960 (P 1 018). Un certain monsieur Blot (1960) 472 (P 221). Sonia (3 vol., 1956-62) 439 (P 330). Le Jacassin 710 (P 429). Vacances à tous prix [45] 570 (P 350). **Dard** (F.) Voir San Antonio. **Daudet** (A.) [10, 48] Lettres de mon moulin (1866) (P 3 041). Le Petit Chose (1868) (P 1 270). Tartarin de Tarascon (1872) (P 434). Les Contes du lundi (1873) [4] (P 470). **Decoin** (Didier) [14] John l'Enfer (1977) 546. **Deforges** (R.) La Bicyclette bleue [60, 48] (1982) 2 718 (C 1 498, P 1 035). 101, Avenue Henri-Martin (1983) [60, 48] 1 419 (C 909, P 379). Le diable en rit encore (1985) [60, 48] 815 (C 165, P 320). Noir Tango (1991) [60] (C 940). **Denuzière** (M.) [53] Louisiane (1977) 1 520 (C 780, P 180). Fausse Rivière (1979) 1 150 (C 560, P 180). Bagatelle (1981) 1 480 (C 930, P 180). **Delbée** (Anne) Une femme [73, 48] (P 480). **Déon** (M.) Un taxi mauve (1973) [3] 606 (C 320, P 136). **Deschamps** (F.) La Bougainvillée [5] t. 1 : 1 437, 285 (C 970, P 205), t. 2 : 704 (C 299, P 83). Louison ou l'Heure exquise 517 (C 406, P 143). **Desmaret** (M.-A.) Torrents (1953) [11] 2 429 (C 1 008, P 551). **Dhôtel** (A.) Le pays où l'on n'arrive jamais [38] (1955) 894 (C 70, P 1 028) [47] + jeunesse 165. **Diderot** La Religieuse (1796) [45, 48] (P 627). **Dorgelès** (R.) Les Croix de bois (1919) [5, 48] 1 572 (P 540). **Dorin** (F.) [9] Les Lits à une place (1980) 1 241 (C 736, P 313) [47]. Les Jupes-Culottes (1984) 728 (C 475). **Dormann** (G.) [5] Le Roman de Sophie Trébuchet (1982) 850 (C 688). Le Bal du dodo (1989) 623 (C 453, P 80). **Dostoïevski** Le Joueur (1866) [45, 48] (P 400). Les Frères Karamazov (t. 1) (1879-80) [45, 48] (P 303). **Doyle** (C.) [7, 48] Les Aventures de Sherlock Holmes 636 (C 60, P 433). Le Signe des quatre (1890) 517 (C 47, P 327). Étude en rouge (1887) 544 (C 47, P 354). Le Chien des Baskerville 2810 (C 135, P 2 568). La Vallée de la peur 975 (C 47, P 846). Souvenirs de Sherlock Holmes (1927) 474 (C 27, P 343). La Résurrection de Sherlock Holmes 732 (C 20, P 608). **Druon** (M.) Les Grandes Familles (1948) [45, 48] (P 496). Les Rois maudits (1955-77) [45, 48] (P 947). **Duchaussois** (F.) Flash ou le Grand Voyage (1974) [17, 48] (P 520). **Duché** (J.) Histoire de France racontée à Juliette (1954) [9] 600. **Duchesne** Mourir d'aimer (1971) [15] 520. **Dumas** Fils (A.) La Dame aux camélias (1848) [45, 48] (P 551). **Du Maurier** (D.) [5, 48] Rébecca (1940) 1 700 (C 180, P 1 000). Le Général du roi (P 429). L'Auberge de la Jamaïque (P 560). Ma cousine Rachel (P 548). **Duras** (M.) Moderato cantabile (1958) [19] 773,5 (P 706). L'Amant (1984) [19] 2 106 (C 906). Hiroshima mon amour (1960) [3] 473 (P 445). Un barrage contre le Pacifique (1950) [3] 327 (P 315). **Dutourd** Au bon beurre (1952) [3] 414 (C 15, P 290).

Eco (Umberto) Le Nom de la rose (1982) [4, 48] (P 650). **Engel** (L.) La Mer (1964) [24] 450. **Etcherelli** (C.) Élise ou la Vraie Vie (1967) [11] 1 322 (C 157, P 1 657). **Exbrayat** (Ch.) [4] *Plus de 20 titres dépassant 500 000 ex.* dont : Vous souvenez-vous de Paco ? 710. Elle avait trop de mémoire (1957) 667. Chewing-gum et spaghetti (1960) 673. Dors tranquille Katherine (1962) 659. La Nuit de Santa Cruz (1957) 643.

Fallet (R.) Paris au mois d'août (1964) [11] 465 (C 281, P 120). La Soupe aux choux (1980) [11] 591 (C 272, P 40). **Faulkner** (W.) Le Bruit et la fureur (1929) [3] 470 (C 40, P 409). Sanctuaire (1931) [3] 394 (C 8, P 121). **Fitzgerald** (Francis Scott) Gatsby le magnifique (1925) [74, 48] (P 460). **Flaubert** (G.) Madame Bovary (1857) [45, 48] (P 1 542). L'Éducation sentimentale (1845) [45, 48] (P 420). Trois Contes (1877) [45, 48] (P 420). **Fontbrune** (J.-C. de) Nostradamus (1981) 700 (C 200, P 100). **Fontgallan** (Mme de) Une âme d'enfant (1927) 948. **Frain** (I.) Le Nabab (1982) [53] 1 277 (C 894, P 133). **Frank** (A.) Journal (1949) [22, 48] (P 2 500). **Freud** (Sigmund) Introduction à la psychanalyse (1916) [33] (P 760). Trois Essais sur la théorie de la sexualité (1923) [3] 606 (P 569). Le Rêve et son interprétation (1925) [3] 611 (P 589). Cinq Leçons sur la psychanalyse [33] (P 658). **Frison-Roche** (R.) Premier de cordée (1941) [12, 48] 900. La Grande Crevasse (1948) [12] 708. La Piste oubliée (1949) [12] 477.

Gaillard (R.) Série « Marie des Isles » (1948) [18] (800 chaque volume). **Gallo** (M.) La Baie des Anges (1975) [7] 505 (C 212, P 115). **Gardel** (L.) [14] Fort Saganne (1980) 420. **Gary** (R.) La Promesse de l'aube (1960) [3] 546 (C 15, P 273). Les Racines du ciel (1956) [3] 428 (P 240). **Gaulle** (G[al] de) [1, 48] Mémoires de guerre t. 1 (1954) 952, t. 2 (1956) 794, t. 3 (1959) 639 (P 1 258 pour les 3 t.). Mémoires d'espoir t. 1 (1970) 821 (P 129), t. 2 (1971) 638 (P 129). **Gaxotte** (P.) La Révolution française (1928) [17] 567 (P 167). **Gedge** (P.) La Dame du Nil (1980) 515 (C 190, P 150). **Genevoix** (M.) Un jour (1976) [14] 461. Trente Mille Jours (1980) 844. Raboliot (1925) [4, 48] (P 660). **Géraldy** (P.) Toi et Moi (1913) [21] 1 500 (P 372) [48]. **Gheorghiu** (C.V.) La 25e Heure (1949) [1, 48] 797 (P 672). **Gibran** (K.) Le Prophète (1956) [13] 714 (C 20). **Gide** (A.) [3] Les Nourritures terrestres (1897) suivi de Nouvelles Nourritures 1 175 (C 67, P 711). L'Immoraliste (1902) 518. La Porte étroite (1909) 590. Isabelle (1912) 682 (C 40, P 494). Les Caves du Vatican (1914) 1 311 (C 48, P 1 010). La Symphonie pastorale (1919) 3 153 (C 43, P 2 761). Les Faux-Monnayeurs (1925) 1 355 (C 20, P 1 081). L'École des femmes (1930) 654 (C 60, P 393). Si le grain ne meurt (1919) 623 (C 40, P 354). Paludes (1895) 402 (C 98, P 158). **Gilbreth** (E. et F.) [38] Treize à la douzaine (1950) 1 130 (C 30, P 300) + jeunesse 250. **Giono** (J.) [48] Un de Baumugnes (1920) [4] (P 650). Regain (1930) [4] (P 1 470). Le Chant du monde (1934) [3] 836 (C 23, P 665). Que ma joie demeure (1935) [4] (P 660). Colline (1929) [4] (P 720). Le Moulin de Pologne (1952) [3] 485 (C 29, P 383). Le Grand Troupeau (1931) [3] 468 (P 328). Le Hussard sur le toit (1951) [3] 464 (C 7, P 323). Un roi sans divertissement (1947) [3] 3 437 (C 40, P 342). Les Âmes fortes (1950) [3] 414 (C 5, P 357). **Giraudoux** (J.) [4, 48] La guerre de Troie n'aura pas lieu (1935) (P 1 540). Électre (1938) (P 589). Intermezzo (1933) (P 480). Ondine (1939) [4, 48] (P 400). **Giscard d'Estaing** (V.) Démocratie française (1976) [17] 1 185. **Golding** (W.) Sa Majesté des mouches (1956) [3] 683 (C 8, P 289). **Golon** (A. et S.) [59] Série des Angélique, marquise des Anges : dep. 1954. (11 vol.) 5 millions d'ex. dont la moitié en C et P. **Gray** (M.) [7] Au nom de tous les miens (1971) 2 443 (C 593, P 1 371). Le Livre de la vie (1973) 727 (C 95, P 273). Les Forces de la vie (1975) 481 (C 45, P 196). **Grèce** (Michel de) La Nuit du sérail (1982) [63] 3 450 (C 800, P 100). La Femme sacrée (1984) [63] 740 (C 440, P 150). **Green** (Gerald) Holocauste (1978) 552 (C 229, P 142). **Green** (J.) Moïra (1950) [1] (P 416). **Greene** (Graham) [7] La Puissance et la gloire (1940) 1 863 (C 270, P 1 364). Tueur à gages (1936) 507 (C 95, P 380). Le Fond du problème (1948) 533 (C 85, P 353). Le Troisième Homme (1950) 1 976 (C 135, P 1 777). La Fin d'une liaison (1951) 480 (C 85, P 303). La Saison des pluies (1960) 412 (C 50, P 275). **Groult** (B.) Ainsi soit-elle [4, 48] (1975) (P 520). **Guareschi** (G.) [14] Le Petit Monde de Don Camillo (1951) 544. Don Camillo et ses ouailles (1953) 550 (P 196). **Guimard** (P.) Les Choses de la vie (1967) [11] 813 (C 363, P 320). **Guth** (P.) Le Naïf aux 40 enfants (1955) 580 (C 55, P 405).

Haley Racines (1977) 1 085 (C et P 620) [4]. **Harris** (T.) Le Silence des agneaux (1990) [5] 647 (C 227, P 300). **Hébrard** (F.) Un mari c'est un mari (1976) [9] 1 055 (C 630, P 180). **Hélias** (P.-J.) Le Cheval d'orgueil (1975) [1] 1 200 (C 590). **Hemingway** Le soleil se lève aussi (1926) [3] 740 (C 63, P 570). L'Adieu aux armes (1929) [3] 1 176 (C 15, P 1 015). Pour qui sonne le glas (1940) [66] (P 1 160) [48]. Paradis perdu (1940) [3] 460 (P 56). Dix Indiens [3] (1946) 548 (P 398). Le Vieil Homme et la mer (1952) [3] 2 991 (C 66, P 2 157). Les Neiges du Kilimandjaro (1946) [3] 756 (C 59, P 613). 50 000 Dollars (1928) [3] 465 (C 75, P 319). En avoir ou pas (1937) [3] 392 (C 28, P 65). **Hémon** (L.) Maria Chapdelaine (1916) [4] 1 867 (P 562) [48]. **Hériat** (Ph.) [3] Les Enfants gâtés (1939) 630 (P 446). La Famille Boussardel (1946) 477 (P 367). **Hermary-Vieille** (C.) La Marquise des ombres (1983) [63] (ordinaire 110, C 450). **Herzog** (M.) Annapurna premier huit-mille (1952) 800 [16] (P 688). **Hesse** (Hermann) Siddharta (1922) [4, 48] (P 320). Le Loup des steppes (1927) [22, 48] (P 310). **Higgins Clark** (M.) [5, 48] La Nuit du renard (1979) 620 (P 545). La Clinique du docteur H (P 307) [48]. Recherche jeune femme aimant danser (1991) [5] 515 (C 360). Nous n'irons plus au bois (1992) [5] 571 (C 321). **Hitchcock** (Alfred) [7, 48] Histoires à ne pas lire la nuit (P 410). Histoires à faire peur (P 310). **Homère** L'Odyssée (1972) [45, 48] (P 360). **Huxley** (A.) Le Meilleur des mondes (1932) [1] 820 (P 817).

Ionesco (E.) La Cantatrice chauve (1954) [3] 1 459 (P 1 244). Rhinocéros (1959) [3] 1 510 (C 10, P 1 388). Le Roi se meurt (1963) [3] 530 (C 12, P 453). **Irving** (J.) Le Monde selon Garp 500.

Japrisot (S.) L'Été meurtrier (1977) [11] 730 (C 590, P 65). Un long dimanche de fiançailles (1991) [11] 650 (450). **Jardin** (A.) [3] Le Zèbre (1988) 864 (C 303, P 180). **Jardin** (P.) [15] Le Nain jaune (800). **Jarry** (Alfred) Tout Ubu (P 380). **Jean-Charles** La Foire aux cancres (1962) [22] 1 218 (C 10, P 188). L'Amour en perles (1974) [15] 483 (C 378, P 50). **Joffo** (J.) Un sac de billes (1973) [53, 48] 2 120 (C 558, P 1 120). **Jones** (J.) Tant qu'il y aura des hommes (1951) [15] 850 (P 200).

Kafka (F.) [3] La Métamorphose (1938) 1 323 (C 4, P 1 261). Le Procès (1933) 1 100 (C 26, P 927). **Kehayan** (N. et J.) [14] La Rue du prolétaire rouge (1978) 404. **Kesey** (K.) Vol au-dessus d'un nid de coucou (1962) [21, 48] (P 330). **Kessel** (J.) L'Équipage (1923) [3] 906 (C 48, P 684). Le Lion (1958) [3] 3 961 (C 395, P 2 715). Les Cavaliers (1967) [3] 680 (C 250, P 88). Les Mains du miracle [3] + de 500. **Kipling** (R.) Le Livre de la jungle (1895) (P 526) [3]. **Kirst** (H.H.) 08/15 (3 t.) (1955) [7] 958 (C 46, P 720). **Knittel** (J.) [5, 48] Via Mala (1941) 854 (C 40, P 470). Thérèse Étienne (1927) 605 (P 436). **Koestler** (A.) Le Zéro et l'infini (1940) [22, 48] (P 950). **Kundera** (M.) [3] L'insoutenable légèreté de l'être (1984) 741 (C 20, P 340). Risibles amours (1970) 336 (P 300). La Valse aux adieux (1976) 336 (P 300).

Labro (Ph.) [3] Un été dans l'Ouest (1988) 671 (C 336, P 135). L'Étudiant étranger (1986) 938 (C 355, P 328). Le Petit Garçon (1990) 714 (C 427). **Lacamp** (I.) [5] La Fille du ciel (1988) 520 (C 350, P 87) [47]. **Lacaze** (A.) [15] Le Tunnel + de 1 000. **Laclos** Les Liaisons dangereuses (1782) [45, 48] (P 720). **Lacretelle** Silberman (1922) [3] 815 (P 751). **La Fayette** (Mme de) La Princesse de Clèves (1678) [45, 48] (P 1 003). **La Fontaine** (Jean de) Fables [45, 48] (P 380). **La Grange** (F. de) Les Animaux du monde 400 [36]. Les Oiseaux du monde 400 [36]. **Lainé** (P.) La Dentellière (1974) [3] 997 (C 308, P 386). **Lampedusa** (Th. di) Le Guépard (1959) [14] 1 035. **Lanoux** (A.) [2] Quand la mer se retire (1963) 553 (P 293). **Lanzmann** (J.) [7] Le Têtard (1976) 621 (C 318, P 201). La Baleine blanche (1982) 491 (C 200, P 208). **Lapierre** (D.) et **Collins** (L.) [7] Paris brûle-t-il ? (1964) 569 (C 105, P 203). O Jérusalem (1971) 666 (C 87, P 213). Cette nuit la liberté (1965) 956 (C 335, P 313). Le Cinquième Cavalier (1980) 1 039 (C 237, P 452). **Lapierre** (D.) [7] La Cité de la Joie (1985) 2 123 (C 1 077, P 524). Plus grands que l'amour (1990) 1 022 (C 428, P 377). **La Roche** (Mazo de) Jalna (1927) [48] (P 415). **Lartéguy** (J.) [15, 49] Les Centurions (1959) 1 600 (C 380, P 270). Les Mercenaires (1960) 680 (P 350). Les Prétoriens (1961) 765 (P 260). Le Mal jaune (1962) 735 (P 200). **La Varende** (J. de) Nez de cuir (1937) [1, 48] 800 (P 553). **Lawrence** L'Amant de Lady Chatterley (1931) [3] 1 537 (C 13, P 255). L'Amant de Lady Chatterley et l'homme des bois [3] 582 (P 254). **Leblanc** (M.) [44, 45, 48] Arsène Lupin contre Sherlock Holmes (1917) (P 765). L'Aiguille creuse (1909) (P 810). Arsène Lupin gentleman cambrioleur (1908) (P 920). Les Confidences d'Arsène Lupin (1914) (P 550). Les Huit Coups de l'horloge (P 410). Le Bouchon de cristal (P 400). L'Ile aux trente cercueils (P 380). La Comtesse de Cagliostro (P 367). La Demoiselle aux yeux verts (P 341). Huit Cent Treize (P 331). **Le Carré** (J.) [7] La Maison Russie (1989) 563 (C 148, P 235). **Le Clézio** [3] Mondo et autres histoires (1978) 353 (P 343). **Leduc** (V.) [3] La Bâtarde (1964) 519 (C 30, P 347). **Lenteric** (B.) La Nuit des enfants rois [72, 48] (P 440). **Lentz** (S.) [7] Vladimir Roubaïev (1985) 480 (C 325, P 50). **Leroux** (G.) [45, 48] Le Mystère de la chambre jaune (1907) (P 1 100). Le Parfum de la dame en noir (1907) (P 590). Le Fauteuil hanté (P 490). Le Fantôme de l'Opéra (1925) (P 440). **Le Roy** (E.) Jacquou le croquant (1899) [45, 48] (P 610). **Le Varlet** (B.) Fontbrune (1984) [5] 736 (C 490, P 145). **L'Herminier** (commandant) Casabianca (1949) [25] 488. **Llewellyn** (R.) [45, 48] Qu'elle était verte ma vallée (1939) (P 490). **London** (J.) L'Appel de la forêt (1903) (P 932) [3]. Croc-Blanc (1905) [16] (P 580) [48]. **Loti** (Pierre) Pêcheur d'Islande (1885) [45, 48] (P 360). **Lowery** (B.) La Cicatrice [47] (P 1 316).

Mac Cullought (C.) [47] Les oiseaux se cachent pour mourir (P 1 846). **Machiavel** Le Prince (1513) [45, 48] (P 330). **Mac Orlan** (P.) [3] Quai des brumes (1927) 465 (C 67, P 62). **Mahmoody** (B.) Jamais sans ma fille (C 890). **Mailer** (N.) [7] Le Chant du bourreau (1980) 891 (C 775, P 57). **Mallet-Joris** (F.) Le Rempart des béguines (1950) [2] (P 477). La Maison de papier (1972) [4, 48] (P 630). **Malraux** (A.) Les Conquérants (1928) [4, 48] 1 043 (P 750). La Voie royale (1930) [4, 48] 1 117 (P 740). La Condition humaine (1933) [3] 3 307 (C 74, P 2 753). L'Espoir (1937) [3] 1 303 (C 21, P 930). Les Anti-Mémoires (1967) [3] 532 (P 207). **Mann** (Thomas) Mort à Venise (1912) [17, 48] (P 390). **Marchais** (G.) Le Défi démocratique [4] 700. **Margueritte** (V.) La Garçonne (1922) [47] 762 (P 62). **Marquez** (G.) Cent ans de solitude (1967) 500. **Martin du Gard** (R.) Jean Barois (1913) [3] 404 (C 31, P 177). Les Thibault (1943) [3] 791 (C 13, P 554). **Marx** (K.) Le Manifeste du parti communiste (1848) [51] 580. **Maupassant** (G. de) [5, 48] Boule de suif (1880) 1 684 (C 49, P 874). Une vie (1883) 2 421 (C 49, P 1 380). Les Contes de la Bécasse (1883) (P 850). Bel-Ami (1886) 1 429 (C 49, P 792). Le Horla (1887) 2 194 (C 49, P 1 370). **Mauriac** (F.) [4, 48] Le Baiser au lépreux (1922) (P 580). Genitrix (1923) (P 510). Le Désert de l'amour (1925) 1 056 (P 628). Thérèse Desqueyroux (1927) (P 2 825). Le Nœud de vipères (1933) 1 564 (P 1 740). Le Mystère Frontenac (1933) 902 (P 841). La Fin de la nuit (1935) (P 740). Les Anges noirs (1936) (P 470). **Maurois** (A.) [4, 48] Climats (1928) 1 262 (P 727). Les Silences du colonel Bramble (1917) 764 (P 338). **Mazière** (F.) Fantastique Ile de Pâques (1965) [7] 668 (C 31, P 344). **Mérimée** (P.) Colomba et autres nouvelles [45] (P 550) [48]. **Merle** (R.) Week-end à Zuydcoote (1949) [3] 668 (C 13, P 454). La mort est mon métier (1953) [3] 560 (C 5, P 523). L'Ile [3] (1962) 496 (C 150, P 295). Malevil (1972) [3] 551 (P 408). **Michelet** (Claude) [7] Des grives aux loups (1979) 2 248 (C 1 342, P 420). Les palombes ne passeront plus (1980) 1 810 (C 997, P 303). Pour un arpent de terre (1986) 724 (C 383, P 193). Les Promesses du ciel et de la terre (1986) 1 013 (C 576, P 208). Le Grand Sillon (1988) 623 (C 354, P 134). L'Appel des engoulevents (1990) 1 449 (C 773, P 300). **Mitchell** (M.) Autant en emporte le vent (1939) [3] 1 895 (P 921). **Modiano** (P.) Rue des boutiques obscures (1978) [3] 941 (C 517, P 147). **Montépin** (X. de) La Porteuse de pain (1884) [16] 1 500. **Montherlant** (H. de) [3] Les Bestiaires (1926) [3] 394 (P 45). Les Célibataires (1934) 473 (C 33, P 365). Les Jeunes Filles (1936) 772 (C 33, P 660). Pitié pour les femmes (1936) 616 (C 2, P 542). Le Démon du Bien (1937) 530 (P 468). Les Lépreuses (1939) 555 (P 483). La Reine morte (1942) 1 221 (C 7, P 903). Le Maître de Santiago (1947) 466 (P 290). Port-Royal (1954) 538 (C 26, P 347). **Montupet** (J.) [7] La Dentellière d'Alençon (1984) 919 (C 820, P 50). Dans un grand vent de fleurs (1991) 424 (C 286, P 80). **Moody** (R.) [7, 47] La Vie après la vie (1977) 1 170 (C 480, P 231). **Morris** (D.) [4, 48] Le Singe nu (1967) (P 370). **Mourad** (K.) [7] De la part de la princesse morte (1987) 1 126 (C 477, P 250). **Munthe** (A.) Le Livre de San Michele (1934) 538 (P 163).

Nabokov [3] Lolita (1958) 631 (C 8, P 506). **Nin** (Anaïs) Venus erotica [21, 48] (P 310).

Ockrent (C.), **Marenches** (A. de) Dans le secret des princes (1986) [21] 420 (C 36). **Ohnet** (G.) Le Maître de forges (1924) [5] 418. **Olievenstein** (C.) [7] Il n'y a pas de drogués heureux (1977) 506 (C 80, P 289). **Ormesson** (J. d') Au plaisir de Dieu (1974) [3] 501 (C 113, P 96). **Orsenna** (E.) [14] L'Exposition coloniale (1988) 705. **Orwell** (G.) 1984 (1950) [3] 1 379 (C 42, P 1 284).

Pagnol (M.) [45, 48] Topaze (1928) 1 052 (P 990). Marius (1930) 1 206 (P 1 072). Fanny (1931) 1 132 (P 940). César (1936) 978 (P 834). La Femme du boulanger (P 561). La Gloire de mon père (1957) (C 560, P 1 715). Le Château de ma mère (1959) (P 1 080). Le Temps des secrets (1960) (P 912). **Parrot** (L.), **Marcenac** (J.) P. Eluard (1945) [26] 500. **Pascal** Pensées (1669) [45, 48] (P 594). **Pasternak** Le Dr Jivago (1958) [3] 1 318 (P 821). **Paton** [5, 48] Pleure ô pays bien-aimé (1948) 921 (C 612, P 813). **Pauwels et Bergier** [3] Le Matin des magiciens (1960) 852 (C 7, P 673). **Perrault** (G.) Le Pull-over rouge (1978) [60, 48] 1 140 (C 450, P 690). **Perret** (J.) Le Caporal épinglé (1947) [3] 483 (C 16, P 371). **Perret** (P.) Le Petit Perret illustré par l'exemple (1982) [53] 546 (C 130, P 120). **Peyrefitte** (A.) Quand la Chine s'éveillera (1973) [17] 670. Le Mal français (1977) [1] + de 400. **Peyrefitte** (R.) [9] Les Amitiés particulières (1944) 89 (P 738) [47]. Les Ambassades (1951) 466 (P 266). La Fin des ambassades (1953) 400 (P 200). Les Clés de Saint-Pierre (1955) 405 (P 235). Les Fils de la lumière (1961) [9] 405 (P 260). Les Juifs (1965) [9] 412 (P 172). Manouche (1972) [9] 416 (P 132, C 64). **Philipe** (Anne) [45, 48] Le Temps d'un soupir (P 730). Un été près de la mer (1977) [3] 698 (C 487, P 51). **Pilhes** (R.V.) [14] L'Imprécateur (1974) 701. **Pierre l'Hermite** (Mgr E. Loutil) [20] La Grande Annie 520. Comment j'ai tué mon enfant (1921) 700. **Poe** (E.) [45, 48] Histoires extraordinaires (1840) (P 606). Nouvelles Histoires extraordinaires (P 320). **Poivre d'Arvor** (Patrick) Les Enfants de l'aube (1982) [53] 1 549 (C 1 039, P 260). **Pompidou** (G.) Anthologie de la poésie française (1968) [16] (P 590) [48]. **Prévert** (J.) [3] Paroles (1949) 2 947 (C 11, P 2 697). Spectacle (1951) 728 (C 11, P 647). La Pluie et le Beau Temps (1955) 668 (C 11, P 613). Histoires (1963) 551 (C 11, P 519). **Prévost** (abbé) Manon Lescaut (1731) [45, 48] (P 706). **Proust** (M.) [3] Du côté de chez Swann (1913) 1 698 (C 39, P 1 170). A l'ombre des jeunes filles en fleurs (1919) 1 023 (C 29, P 326). Du Côté de Guermantes (1920) 743 (C 29, P 254). Sodome et Gomorrhe (1922) 673 (C 29, P 294). La Prisonnière (1923) 681 (C 59, P 287). Albertine disparue (1925) 613 (C 29, P 258). Le Temps retrouvé (1927) 718 (C 44, P 341). Un amour de Swann (1930) 1 174 (C 97, P 1 057). **Puzo** (M.) Le Parrain (1970) [7] 784 (C 121, P 313).

Queffélec (Y.) [3] Les Noces barbares (1985) 1 798 (C 1 027, P 330). **Queneau** [3] Zazie dans le métro (1959) 1 139 (P 921). Exercices de style (1947) [3] 613 (C 7, P 468).

Radiguet (R.) Le Diable au corps (1923) [4, 48] 1 260 (P 1 235). Le Bal du comte d'Orgel (1924) [4, 48] (P 480). **Rampa** (L.) [17] Le 3e Œil (1962) [47] (P 109). Les Secrets de l'Aura (1971) [47] (P 78). **Read** (P. P.) [4] Les Survivants + de 400. **Réage** (P.) [42] Histoire d'O (1955) 849 (C 269, P 200). **Remarque** (E.M.) A l'ouest rien de nouveau (1929) [21, 48] (P 1 350). **Rémy** (colonel) Mém. d'un agent secret de la France libre (1946) 650. **Rémy** (P.-J.) Orient-Express (1979) [5] 878 (C 612). **Renard** (J.) Poil de carotte (1894) [47] (P 1 407). **Rey** (P.) [7] Sunset (1988) 623 (C 336, P 182). Le Grec (1973) 416 (C 105, P 183). **Rimbaud** (A.) Poèmes (1869-73) [45, 48] (P 892). **Ripley** (A.) Scarlett (1991) [70] 660 (C 165). **Rivoyre** (C. de) Boy (1973) [4] 477. **Roblès** (E.) [14, 48] Cela s'appelle l'aurore (1952) + de 407. Montserrat (1949) (P 400). **Rochefort** (C. de) [4, 48] Le Repos du guerrier (1958) 987 (P 861). Les Petits Enfants du siècle (1961) (P 1 400). Les Stances à Sophie (1963) (P 561). **Rolland** (R.) Colas Breugnon (1918) [5] 634 (C 161, P 295). Jean-Christophe [5] (P 1 004). **Romains** (J.) Les Copains (1913) [3] 932 (C 30, P 786). Knock (1923) [3] 3 076 (C 15, P 2 887). **Rosny** La Guerre du feu (1911) [28] 435. **Rostand** (E.) Cyrano de Bergerac (1897) [10, 48] 1 438 (P 1 130). **Rouaud** (J.) Les Champs d'honneur (1990) [19] 708 (C 100). **Ryan** (C.) Le Jour le plus long (1960) [7] 1 207 (C 50, P 447).

Sabatier (R.) [5] Les Allumettes suédoises (1969) 1 366 (C 563, P 470). Trois Sucettes à la menthe (1972) 973 (C 486, P 232). Les Noisettes sauvages (1974) 1 193 (C 596, P 212). Les Enfants de l'été (1978) 685 (C 335, P 218). Les Fillettes chantantes (1980) 1 088 (C 683, P 130). David et Olivier (1986) 797 (C 445, P 168). La Souris verte (1990) 579 (C 379). **Sachs** (M.) Chronique joyeuse et scandaleuse (1951) (P 407). **Sade** (de) Œuvres [52] 600. **Sagan** (F.) [2, 48] Bonjour tristesse (1954) 2 157 (P 1 592). Un certain sourire (1956) 1 366 (P 820). Dans un mois, dans un an (1957) 873 (P 523). Aimez-vous Brahms ? (1959) 835 (P 640). Un château en Suède (1960) (P 451). Sang d'aquarelle [3] 456 (C 281, P 77). De guerre lasse (1985) [3] 338 (C 130, P 95). **Saint-Alban** (D.) Noëlle aux 4 vents (4 vol. 1967) [7] 2 879 (C 308, P 1 608). **Saint-Exupéry** [3] Courrier Sud (1929) 1 552 (C 33, P 989). Vol de nuit (1931) 3 983 (C 412, P 2 659). Terre des hommes (1939) 3 142 (C 53, P 2 274). Pilote de guerre (1942) 1 652 (C 8, P 1 086). Le Petit Prince (1943) 5 987 (C 21). Citadelle (1948) 875 (C 34, P 319). Lettres à un otage (1943) 494 (C 18, P 27). **Saint-Laurent** (C.) [15] Caroline chérie (1947) 7 120. **Saint-Pierre** (M. de) Les Aristocrates [55] (1954) + de 600 (P 514). **Salinger** (J.D.) L'Attrape-Cœur (1951) [7, 48] (P 320). **San Antonio** [18] L'Histoire de France (250 vendus dans les 3 mois qui ont suivi sa parution) 1 400. Le Standinge (1965) 1 050. Béru et ces dames (1967) 600. Les Vacances de Bérurier 1 000. Béru-Béru 1 000. La Sexualité + 1 000. Les Cons 420. « Y a-t-il un Français dans la salle ? » 350. *Sous le nom de Frédéric Dard :* le Monte-charge (1961) 400. **Sand** (George) La Mare au diable (1845) [45, 48] (P 584). La Petite Fadette (1849) [45, 48] (P 430). **Sarrazin** (A.) [42, 48] L'Astragale (1965) 1 278 (C 106, P 1 256). La Cavale (1965) 780 (P 649). La Traversière (1966) 483 (P 390). **Sartre** (J.-P.) [3] La Nausée (1938) 2 188 (C 34, P 1 976). Le Mur (1939) 2 009 (C 27, P 1 823). Les Mouches (1943) 1 882 (C 28, P 1 664). Huis clos (1944) (théâtre 1) 2 648 (C 6, P 2 439). L'Age de raison (1945) 1 054 (C 10, P 888). Le Sursis (1945) 840 (C 10, P 688). La P. respectueuse (1946) 1 173 (C 10, P 958). Morts sans sépulture (1946) 610 (P 418). Les Mains sales (1948) 2 411 (C 14, P 2 245). La Mort dans l'âme (1949) 715 (C 10, P 582). Le Diable et le Bon Dieu (1951) 1 018 (P 938). Les Séquestrés d'Altona (1959) 463 (P 170). Les Mots (1964) 1 231 (C 3, P 910). **Saubin** (B.) [7] L'Épreuve (1991) 822 (C 393, P 260). **Schwartz-Bart** (A.) [14] Le Dernier des Justes (1959) 543. **Segal** (E.) [9, 47] Love Story (1970) 1 743 (C 327, P 874). **Segal** (P.) [9] L'Homme qui marchait dans sa tête (1977) 663 (C 146, P 230). **Seghers** (P.) Le Livre d'or de la poésie française des origines à 1940 (1961) 421 (P 31). **Ségur** (Ctesse de) Les Malheurs de Sophie (1864) 1 906. **Servan-Schreiber** (J.-J.) Le Défi américain (1967) [11] 857 (P 280). Le Défi mondial (1980) [17] 516. **Shaw** (I.) Le Bal des maudits (1948) [15] 900 (P 250). **Signol** (C.) La Rivière Espérance (1990) 424 (C 240, P 100). **Signoret** (S.) [14] La nostalgie n'est plus ce qu'elle était (1976) 986. Adieu Volodia (1985) [17] 1 065 (C 715). **Sim** Elle est chouette ma gueule (1983) [9] 501 (C 108, P 80). **Simenon** (G.) [15, 49] *9 titres dépassant 400 000 ex. dont :* Maigret chez le coroner 610. Maigret et la Vieille Dame 600. Mon Ami Maigret 600. Le Chien jaune (1931) 545. **Simiot** (B.) Ces Messieurs de Saint-Malo (1983) 466 (C 174, P 132). Le Temps des Carbec 541 (C 265, P 168). **Simonin** Touchez pas au grisbi (1953) [3] 403 (175). **Slaughter** (F.-G.) Afin que nul ne meure (1941) [5, 49] 1 575 (C 120, P 200). **Soljenitsyne** (A.) Le Pavillon des cancéreux (1968) [2] 984 (P 765) [48]. Le Premier Cercle (1968) [7] 682 (C 185, P 318). L'Archipel du Goulag (1974) [14] 900. **Steinbeck** En un combat douteux (1936) [3] 404 (P 370). Les Raisins de la colère (1939) [3] 1 673 (C 40, P 1 450). Des souris et des hommes (1937) [3] 2 137 (C 66, P 2 037). La Perle (1948) [3] 1 262 (C 83, P 1 087). A l'est d'Eden (1952) [71] (P 510) [48]. **Stendhal** [45, 48] Le Rouge et le Noir (1830) (P 2 009). La Chartreuse de Parme (1839) (P 779). **Stéphanie** Des cornichons au chocolat (1983) [53, 48] 412 (C 152, P 410). **Stevenson** (Robert-Louis) L'Ile au trésor (1883) [45, 48] (P 360). **Sulitzer** (Paul-Loup) Money (1983) [11, 48] (P 340). Le Roi vert (1984) [72, 48] (P 380). Hannah (1987) [72, 48] (P 380). **Supervielle** (J.) L'Enfant de la haute mer (1931) [3] 390 (C 5, P 232). **Suskind** (Patrick) Le Parfum (1988) [17, 48] (P 612). **Suyin** (Han) (Elizabeth Comber) Multiple Splendeur [21, 48] (P 695).

Tolstoï (L.) Anna Karénine (1875-77) [3] 481. **Tournier** (M) [3] Vendredi ou les Limbes du Pacifique (1967) 1 140 (C 175, P 918). Le Roi des Aulnes (1970) 617 (C 52, P 338). Vendredi ou la Vie sauvage (1977) 595 (P 2 091). **Tristan et Yseult** (1964) [45, 48] (P 760). **Troyat** (H.) [1] Faux Jour (1935) [48] (P 418). L'Araigne (1938) 821 (P 468). Tant que la Terre durera [55] (1947), Le Sac et la Cendre [55] (1948) et Étrangers sur la Terre [55] (1948) 3 530 (C 872, P 2 512). La Neige en deuil (1952) [47] (P 1 760). Les Semailles et les moissons t. 1 (1953) 733 (P 468), t. 2 Amélie (1955) 674 (P 450), t. 3 La Grive (1956) 666 (P 448), t. 4 Tendre et Violente Élisabeth (1957) 588 (P 410).

Uhlman (F.) [3] L'Ami retrouvé (1978) 731 (P 625).

Vailland (R.) La Loi (1957) [3] 687 (C 10, P 387). 325 000 Francs (1955) [61] (P 890) [48]. **Valère** (Valérie) Le Pavillon des enfants fous (1983) [21, 48] (P 400). **Vallès** (J.) L'Enfant [45] (P 730) [48]. **Van der Meersch** (M.) Corps et âmes (1943) [5] 1 010 (P 210). La Maison dans la dune (1932) [5] 574 (C 10, P 383) [48]. **Vasconcelos** (J.M.) Mon bel oranger [21] 580. **Vautel** (C.) Mon Curé chez les riches (1920) [5] 1 125. **Vercors** Le Silence de la mer (1942) [15] dep. 1950 [5] 4 026 (P 3 074). Les Animaux dénaturés (1952) [45, 48] (P 560). **Verlaine** Poèmes saturniens (1866) [46, 48] (P 600). La Bonne chanson (1870) [75, 48] (P 380). **Verne** (J.) [45, 48] Le Tour du monde en 80 jours (1873) (P 680). Voyage au centre de la Terre (1864) (P 580). Le Château des Karpates (1892) (P 520). Vingt Mille Lieues sous les mers (1870) (P 550). De la terre à la lune (1865) (P 410). Cinq semaines en ballon (1863) (P 280). Michel Strogoff (1876) (P 340). **Verneuil** (H.) [7] Mayrig (1985) 644 (C 446, P 61). **Vian** (B.) [42, 48, 51] L'Écume des jours (1947) 1 957 (C 393, P 1 900). L'Arrache-cœur (1953) 1 982 (C 95, P 1 430). L'Herbe rouge (1950) 798 (C 30, P 900). **Villiers** (G. de) R. policiers SAS (env. 7 millions par an). **Vincenot** (H.) La Billebaude (1978) [11] 1 108 (C 581, P 71). **Voltaire** Contes et mélanges, 2 t. (P 676) [45, 48]. Candide (1759) [45] (P 660) [48].

Wagner (P.) [55] Graine d'ortie (1971) + de 500 (C 416). **Webb** (M.) Sarn (1924) [4] 616 (P 327). **Wells** (H.G.) [5, 48] L'Homme invisible (1897) 1 478 (C 63, P 735). La Guerre des mondes (1897) [3] (P 524). **Wilde** Le Portrait de Dorian Gray (1891) [21] 901 (P 530) [48]. **Winsor** (K.) [44, 48] Ambre (1962) (P 619). **Wright** (R.) Black Boy (1945) [3] 774 (P 739).

Yourcenar (M.) [3] Mémoires d'Hadrien (1951) 948 (C 36, P 704). L'Œuvre au noir (1968) 939 (C 16, P 619). Le Coup de grâce (1939) [3] 479 (C 8, P 381).

Zola (E.) [10, 48] Thérèse Raquin (1867) 1 788 (P 1 145). La Curée (1871) (P 880). La Fortune des Rougon (1871) (P 661). Le Ventre de Paris (1873) (P 690). La Faute de l'abbé Mouret (1875) (P 770). Une page d'amour (1878) (P 550). L'Assommoir (1877) non com. (P 2 400). Nana (1879) 1 790 (P 1 150). Pot-Bouille (1882) (P 685). Au bonheur des dames (1883) (P 1 274). La Joie de vivre (1884) (P 530). Germinal (1885) 3 141 (P 3 200). L'Œuvre (1886) (P 530). La Terre (1887) (P 870). Le Rêve (1888) 1 584 (P 999). La Bête humaine (1890) 1 669 (P 1 300). L'Argent (1891) (P 483). La Débâcle (1892) (P 480). Docteur Pascal (1893) (P 400). La Conquête de Plassans (1874) (P 370). Son excellence Eugène Rougon (1876) (P 340).

☞ Parmi les démarrages « foudroyants » : *le Défi américain* de J.-J. Servan-Schreiber en 1968, *Papillon* de Charrière en 1969, les *Mémoires* du Gal de Gaulle en 1970 (le 2e volume de la 2e série fut tiré d'emblée à 500 000 ex.) et *Démocratie française* de V. Giscard d'Estaing en 1976.

■ Encyclopédies, dictionnaires, guides

Albin Michel. Le Petit Dictionnaire des trucs (Paule Vani) 1 251 (C 1 100, P 101).

Alpha. (1re éd. 11-10-67, rééd. 68, 69, 71) 1 433.

Bordas. Guide des voyages : La France (P. Cabanne) (1976) 950 (C 900). Guide de la nature en France (1980) 550 (C 510).

Citations. Dict. des c. du monde entier de K. Petit (1960) [21] 586.

Langue. *Dictionnaire :* franç.-angl. [57, 48] P 3 560 ; franç.-esp. [57, 48] (P 1 350) ; franç.-all. [57, 48] (P 1 250) ; franç.-ital. [57, 48] (P 455). *Méthode 90 :* angl. (de Berman-Savio-Marcheteau) [45, 48] (1re éd. P 1 450.) ; all. (de A. Jenny) [45, 48] (P 600) ; esp. (de J. Donvez) [45, 48] (P 670) ; ital. [45, 48] (P 420).

Larousse. Env. 30 000 depuis 1905. *De poche :* (P 6 090). *Petit (1991) :* 1 100 (éd. noir et couleur). 84 000 entrées dont 58 700 noms communs (25 500 noms propres). Refonte ayant lieu tous les 10 ans : 5 500 mots nouveaux. *Grand en 5 vol. :* 191 000 collections vendues depuis 1987. *Universel en 17 vol. :* 220 000 collections vendues dep. 1981. *Mémo :* 470 dep. 1989.

Michelin (*créé* 1900). Guide rouge France (1900) 640, Atlas routier France (1987) 430.

Robert. Micro-Robert (1974) 800. Petit Robert (1967) 2 000. Grand Robert 160 (9 vol., 80 000 articles, 100 000 entrées, 160 000 citations, 1 million de synonymes, 180 millions de caractères).

Sélection du Reader's Digest (à fin 1989). Nouveau Guide de la route (1969) 5 306. France des routes tranquilles (mai 1987) 1 778. Grand Atlas mondial (1975) 1 304. Vous et la loi (1971) 1 000. Guide des plantes médicinales (mars 1977) 624. Guide du dépannage et des réparations domestiques (1974) 600. Cuisine sans souci (1973) 600.

☞ **Oxford English Dictionary.** *1928 :* 1re édition (12 vol.). *1972-86 :* 4 nouveaux vol. *1989 :* 2e éd. (20 vol.) : 300 000 entrées définissant + de 500 000 mots, 350 millions de caractères relus et vérifiés par 55 correcteurs, 137 000 prononciations, 249 000 étymologies, 577 000 renvois et 2 400 000 citations.

■ Livres d'art

Par ordre décroissant des ventes (en milliers d'ex. dep. 1re parution). **Bourgogne romane** *(Raymond Oursel),* (1954) [67] : 100. **Brueghel** (1968) [9] : 86. **Égypte** *(Claudio Barocas)* [35] : 75. **Manet** *(Fr. Cachin, Ch. S. Moffett, J. Wilson-Bareau),* (1983) [68] : 74. **Auvergne romane** *(chanoine B. Craplet),* (1955) [67] : 73. **Préhistoire de l'art occidental** *(Leroi-Gourhan) :* 70. **Jérôme Bosch** (1967) [9] : 69. **Turner** *(J. Gage, E. Joll, A. Wilton),* (1983) [68] : 57,6. **Picasso** *(A. Fermigier),* (1969) : 57. **Histoire de l'art** *(E. Faure),* (1965) [69] : antique 59, moderne t. I 57, t. II 59, médiéval 56. **Or des Scythes, trésor des musées soviétiques** *(V. Schiltz),* (1975) [68] : 54. **Centenaire de l'impressionnisme** *(A. Dayez, M. Hoog, Ch. Moffett),* (1974) [68] : 51,8. **Grèce** *(B. d'Agostino)* [35] : 50.

■ Ouvrages pour la jeunesse

Bruno Le Tour de France par deux enfants (1877) [6] 9 100 (C 100). **Courtois** [41] (G.) La Plus Belle Histoire (1947) 634. **Cuvillier et Dubois** [41] Les Aventures de Sylvain-Sylvette 10 700. **Dalens** (Serge) Le Bracelet de vermeil (1937) [52] 1 075. Le Prince Éric (1940) [52] 1 099. La Mort d'Éric (1944) [52] 679. La Tache de vin (1946) 869. **Foncine** (J.-L.) La Bande des Ayacks (1938) [52] 473. Le Relais de la chance au roy (1941) [52] 527. **Gilbreth** (E. et F.) Treize à la douzaine (1950) [38] 425 (C 30, P 275). **Morris** Lucky Luke (tous les titres) 18 875 (C 584). **Gotlib** Rubrique à brac 485 (chaque titre). **Greg** Achille Talon 570 (chaque titre). **Gripari** (P.) Sorcière de la rue Mouffetard (P 516) [3]. **Hergé** Tintin et Milou [13] (23 albums, 1929-81) : au total 160 000 (95 000 en fr.).

Malot (H.) Sans famille (1933) [11] 1 225. **Marlier** (M.) Martine [13] 40 000 (en français). 25 000 (en Langues étr.). **Martin** (J.) Alix, Lefranc, Jhen (3 collections) [13] (1965) 7 500. **Pesch** (J.-L.) puis **Claude Dubois** [41] Aventures de Sylvain et Sylvette (1953, collection Fleurette) 11 034. **Pesch** (J.-L.) [41] (1973, coll. Seribis) 1 254. **Philippe** (René) Les Aventures de Sylvie (depuis 1956) au total 5 000. **Pinchon** (J.-P.) et **Caumery** [9] Bécassine (depuis 1905) au total plusieurs millions d'ex.

Richomme (A.) [41] La Belle Vie de Notre-Dame (1949) 453. Sainte Thérèse de l'Enfant Jésus (1951) [41] 400. **Ségur** (Ctesse de) Ensemble de l'œuvre dans la Bibliothèque rose [16] 27 500. **Sempé et Goscinny** [11] Le Petit Nicolas (1960) 1 797 (P 1 787). Petit Nicolas et copain (P 890) [3]. Les Récrés du petit Nicolas (P 919) [3]. **Steinbeck** (J.) Poney rouge (P 529) [3]. **Vasconcelos** (J.-M.) Mon Bel oranger [21] (P 412).

Quelques collections

Bibliothèque bleue. Gervais Charpentier (1838, 18 × 11,5 cm, 3,50 F).

Bibliothèque des Chemins de fer. *Créée* 1852 par Louis Hachette. 7 séries dont **Biblioth. rose :** 1 024 titres parus : 116 millions d'ex. vendus depuis l'origine dont Comtesse de Ségur (1857) 29,5 ; *Club des 5* (1958) 20 ; *Oui Oui* (1962) 11 ; *Fantômette* (1961) 7,5 ; *le Clan des 7* (1959) 6 ; *Walt Disney* (1960) 6. **Bibliothèque verte** (*créée* 1924) : 1 500 titres parus : *ventes* 150 millions d'ex. dont Caroline Quine *Alice* (1955) 18 ; J. Verne *ensemble de l'œuvre* 11, *le Tour du monde en 80 jours* (1966) 0,5, *Vingt Mille Lieues sous les mers* (1966) 0,4 ; P.-J. Bonzon *les Six Compagnons* (1961) 8 ; Georges Bayard *Michel* (1958) 6 ; Alfred Hitchcock (1967) 3,5 ; Lieutenant X *Langelot* (1965) 3.

Bouquins. *Créés* 1980 par Guy Schoeller (n. 1915) chez Robert Laffont. *Titres :* 750 (1980 à 90) ; *tirage annuel :* + de 1 million d'ex.

« 10 × 18 ». *Créé* 1962 par Paul Chantrel (Plon), dirigé jusqu'en 1968 par Michel-Claude Jalard, puis Christian Bourgois. *Titres disponibles :* plus de 500 (88 nouveautés par an). *Tirage initial :* 6 000 à 15 000 ex. *Prix* (1993) : 25 à 45 F. *Records* (en millions d'ex.) : *Boris Vian :* 5 000 dont l'Écume des jours 2,6. *Marx :* Manifeste du PC 0,6. *Soljenitsyne :* Une journée d'Ivan Denissovitch 0,53. *Lucien Malson :* les Enfants sauvages 0,5. *E. Arsan :* Emmanuelle (t. 1) 0,42, (t. 2) 0,3, (t. 3) 0,2, (t. 4) 0,11.

Fleuve Noir. *Créé* 1949 par Armand de Caro. *Titres :* env. 200 par an. *Genres :* policier, science-fiction, aventure, fantastique, documents. *Vente moyenne annuelle :* 4 millions d'ex.

Folio. *Créé* 1972 par Gallimard : *titres parus* (180 nouveaux par an) (1972 à 90) : 2 360. *Tirage annuel :* 11 millions d'ex. Représente + de 30 % du chiffre d'affaires de Gall. *Ventes de plus de 1 million d'ex. :* (22-11-1991, en millions). *A. Camus :* l'Étranger (1942) 3,9, la Peste (1947) 2,4. *J. Romains :* Knock (1924) 2,1. *M. Tournier :* Vendredi ou la vie sauvage (1977) 2,1. *J. Kessel :* le Lion (1958) 2. *Sempé/Goscinny :* Petit Nicolas (1973) 1,8. *J. Prévert :* Paroles (1949) 1,8. *J.-P. Sartre :* Huis clos (Théâtre 1) (1947) 1,7, les Mouches (Théâtre 1) (1947) 1,7. *C. Etcherelli :* Élise ou la vraie vie (1973) 1,6. *M. Aymé :* les Contes du chat perché (1939) 1,6. *A. Gide :* la Symphonie pastorale (1919) 1,6. *E. Hemingway :* le Vieil Homme et la mer (1952) 1,5. *A. Malraux :* la Condition humaine (1933) 1,4. *L. Pergaud :* la Guerre des boutons (1972) 1,4. *E. Ionesco :* le Rhinocéros (Théâtre 3) (1959) 1,3. *J. Steinbeck :* Des souris et des hommes (1939) 1,4. *E. Ionesco :* la Cantatrice chauve (1954) 1,2. *A. de Saint-Exupéry :* Vol de nuit (1931) 1,2. *J.-P. Sartre :* les Mains sales (1948) 1,1. *G. Orwell :* 1984 (1950) 1,1. *J. Steinbeck :* la Perle 1,1. *Sempé/Goscinny :* Vacances du petit Nicolas (1977) 1. *R. Barjavel :* Ravage (1972) 1.

« J'ai lu ». *Créé* 1958 par Frédéric Ditis pour Henri Flammarion suite à un accord avec Monoprix et Prisunic. *Titres parus* (1958 à 92) : 3 400 en 10 collections. *Vente annuelle :* env. 9 millions d'ex. *Ventes de plus de 1 million d'ex. : Bernard Clavel :* Malataverne 2. *Guy des Cars :* 12 titres (record) dont la Brute 1,9. *Gilbert Cesbron :* Chiens perdus sans collier 1,8. *Henri Troyat :* la Neige en deuil 1,8. *Jules Renard :* Poil de carotte 1,4. *B. Lowery :* la Cicatrice 1,3. *A. Dhôtel :* le Pays où l'on n'arrive jamais 1.

Harlequin France (filiale à 50 % de Hachette – 50 % du groupe canadien Torstar). *Créé* 1978 par Harlequin (Canada). *Titres :* 5 000 (500/an). *Ventes annuelles :* 15 millions d'ex. *Meilleures ventes :* 80 000 ex. CA (1992) : 220 millions de F (résultat net : 18,3) ; *1993* (est.) : 230 (18,3).

Le Livre de poche. *Créé* 1953 par Henri Filipacchi (1900-61) pour Hachette. 40 % du marché des poches (18 millions d'ex./an). 9-2-53 : *Pierre Benoît :* Kœnigsmark, *Cronin :* les Clefs du royaume, *St-Exupéry :* Vol de nuit. *1961* Guy Schoeller succède à Filipacchi (†), total publié dep. 1953 : 545 titres, 14 millions d'ex. *1971* rupture du contrat avec Gallimard et perte de 8 millions d'ex./an. (Le nom fut déposé mais il avait déjà été utilisé par Tallandier dans les années 1930). *1993 :* 9 000 titres parus, 1 milliard d'ex.

Ventes de plus de 1 million d'ex. (au 31-12-1991) : *Larousse de poche* (1968) 6,09. *Alain Fournier* le Grand Meaulnes (1962) 4,07. *Bazin (H.)* Vipère au poing (1954) 3,25. *Vercors* le Silence de la mer (1953) 3,1. *Zola (É.)* Germinal (1956) 3,1. *Daudet (A.)* Lettres de mon moulin (1962) 2,97. *Mauriac (F.)* Thérèse Desqueyroux (1955) 2,73. *Frank (A.)* Journal (1958) 2,6. *Zola (É.)* l'Assommoir (1955) 2,4. *Mathiot (G.)* la Cuisine pour tous (1955) 2,28. *Christie (A.)* Dix Petits Nègres (1963) 2. *Stendhal* le Rouge et le Noir (1958) 1,95. *Dictionnaire Larousse Français/Anglais* (1967) 1,8. *Mauriac (F.)* le Nœud de vipères (1957) 1,72. *Sagan (F.)* Bonjour tristesse (1961) 1,59. *Méthode 90 Anglais* (1969) 1,54. *Giraudoux (J.)* La guerre de Troie n'aura pas lieu (1963) 1,52. *Bazin (H.)* la Mort du petit cheval (1955) 1,5. *Atlas de poche* (1968) 1,49. *Flaubert (G.)* Madame Bovary (1961) 1,46. *Balzac (H. de)* le Père Goriot (1961) 1,46. *Zola (É.)* Au bonheur des dames (1957) 1,46. *Brönte (É.)* les Hauts de Hurlevent (1955) 1,4. *Vian (B.)* l'Arrache-Cœur (1968) 1,4. *Giono (J.)* Regain (1958) 1,4. *Rochefort (C.)* les Petits Enfants du siècle (1969) 1,38. *Bazin (H.)* Qui j'ose aimer (1960) 1,37. *Conan Doyle (A.)* le Chien des Baskerville (1966) 1,37. *Maupassant (G. de)* Une vie (1959) 1,35. *Mathiot (G.)* la Pâtisserie pour tous (1963) 1,35. *Remarque (J.)* A l'Ouest rien de nouveau (1956) 1,31. *Buck (P.)* la Mère (1959) 1,3. *Maupassant (G. de)* le Horla (1962) 1,3. *Zola (É.)* la Bête humaine (1953) 1,27. *Sarrazin (A.)* l'Astragale (1968) 1,26. *Arnothy (C.)* J'ai 15 ans et je ne veux pas mourir (1969) 1,25. *Daudet (A.)* le Petit Chose (1962) 1,25. *Baudelaire (C.)* les Fleurs du mal (1961) 1,2. *Buck (P.)* Vent d'Est, vent d'Ouest (1962) 1,17. *Cronin (A.J.)* la Dame aux œillets (1953) 1,16. *Hemingway (E.)* Pour qui sonne le glas (1953) 1,15. *Radiguet* le Diable au corps (1955) 1,14. *Zola (É.)* Nana (1954) 1,13. Thérèse Raquin (1953) 1,1. *Maupassant (G. de)* Boule de suif (1961) 1,1. *Rostand (E.)* Cyrano de Bergerac (1962) 1,1. *Cesbron* (G.) Notre prison est un royaume (1955) 1,08. *Cronin (A.J.)* les Années d'illusion (1956) 1,06. *Joffo (J.)* Un sac de billes (1982) 1,05. *Cocteau (J.)* les Enfants terribles (1959) 1,05. *Leroux (G.)* le Mystère de la chambre jaune (1960) 1,03. *Daninos (P.)* les Carnets du major Thompson (1960) 1,02. *Bazin (H.)* Lève-toi et marche (1958) 1,01.

Marabout. *Créé* 1949 par André Géraud (Belge), *Records* (en million d'ex.) : *Daco (Pierre) :* les Prodigieuses Victoires de la psychologie moderne (1960) 1,6. *Petit (Karl) :* Dictionnaire des citations (1960) 0,62.

Petite Bibliothèque Payot. *Créée* 1960. *Records :* Einstein, *la Relativité*.

Pléiade. *Créée* 1931 par Jacques Schiffrin et reprise en 1933 chez Gallimard. *Format* 11,5 × 17 cm. *Caractère :* garamond classique. *Couleurs :* textes sacrés gris, Antiquité vert, Moyen Age violet, XVIe corinthe, XVIIe rouge vénitien, XVIIIe bleu, XIXe vert émeraude, XXe havane. *Tirage annuel* pour l'ensemble de la coll. (360 vol. en nov. 1989) : 400 000 ex. 12 nouveaux vol. produits par an. *Meilleures ventes :* Saint-Exupéry 344 900 ex., Proust 261 000, Baudelaire 218 000, Camus 199 426, Malraux 178 500, Prévert (1992) 50 000 ex. en 6 mois. *1ers auteurs publiés :* Baudelaire (1931), Poe (1932). *1er auteur publié vivant :* Gide (1939, Journal).

Presses Pocket. *Créé* 1962 par Claude Nielsen pour les Presses de la Cité.

Que sais-je ? *Créé* 1941 par Paul Angoulvent (1899-1976) aux PUF. Volume de 128 p. de 1941 à juin 1991 : 2 700 volumes. *Diffusion :* 60 millions d'ex. *Best-sellers : le Marxisme* d'Henri Lefebvre (1948) 330 000 ex., *la Psychologie de l'enfant* de Jean Piaget 271 000 ex., *la Psychanalyse* de Daniel Lagache 244 000 ex.

Série Noire. *Créée* 1945 par Gallimard.

Signe de piste. *Créé* 1937 par Alsatia. *Vente annuelle :* 3 000 000. *Serge Dalens :* le Bracelet de vermeil (1937) + de 1 000.

Verne (J.) Voyage au centre de la Terre (1864) [36] 1 014 (144) (P 473). **Vernes** (H.) Les Aventures de Bob Morane (depuis 1953) [31] au total 16 000 exemplaires.

■ Ouvrages pratiques

Aisberg (E.) [62] La Radio ? Mais c'est très simple ! (1936) 403. **Atlas de poche** [45, 48] (P 1 520). **Bernage** (B.) et **Corbie** (B. de) Convenances et bonnes manières [29] (1959). Le Nouveau Savoir-Vivre (1971). Savoir écrire des lettres (1965) (+ de 400). **Blouin** (Cl.-B.) Guide santé-médecine [58] (1978) 434 (C 424). **Breuil** (E. de) Le Nouveau Secrétaire [32] (+ de 400). **Cabanne** (P.) [58] Guides des Voyages : la France (1976) 940 (C 882). **Caramel** (Blanche) [29] Nouveau Livre de cuisine (1948) (+ de 400). **Carnegie** (Dale) Comment se faire des amis (1936) [15, 16, 48] (P 910).

Daco (Pierre) Les Triomphes de la psychanalyse (1958) [31] (P 582). Les Prodigieuses Victoires de la psychologie (1960) [31] (P 1 159). **Dalet** (R.) Supprimez vous-même vos douleurs par simple pression d'un doigt (1978) [59] 650 (C 316, P 100). **Delpha** Le Nouvel Art de tirer les cartes (1946) [32] + de 400. Réussites et Jeux de patience + de 400 [32]. **Dodson** (F.) Tout se joue avant 6 ans (1972) 425 (C 250). **Dolto** (F.) [7] La Cause des enfants (1985) 508 (C 111, P 234). La Cause des adolescents (1988) 517 (C 158, P 169). **Dumay** (R.) [21, 48] Guide du vin (P 500).

Favalelli (M.) [45] Mots croisés t. 1 (P 422). **Favre** (H.) [31] Le Guide Marabout de l'aquarium (1968) 547. **Gardel** (J.) [45] Le Bricolage dans votre appartement (P 472). **Horvilleur** (A.) Guide familial de l'homéopathie [16, 48] (P 310). **Iseneuve** (J. d') Le Passé et l'Avenir dans les lignes de la main (+ de 400) [32]. **Le Rouzic** (P.) Un prénom pour la vie 729 (C 387, P 400). **Lescot** (Bernard) L'Aide-mémoire de législation du travail (1953) 6 000. L'Aide-mémoire d'instruction civique (1955) 2 000. **Maine** (M.) [48, 45] Cuisine pour toute l'année (P 432). **Mathiot** (G.) [5, 48] Je sais cuisiner (1932) 4 512 (C 6 000, P 2 300) (sous le titre la Cuisine pour tous). La Pâtisserie pour tous (P 1 815). La Cuisine de tous les pays (P 435). **Messegué** (M.) [7] Des hommes et des plantes (1970) 947 (C 157, P 289). C'est la nature qui a raison (1972) 940 (C 104, P 280). Mon Herbier de santé (1975) 605 (C 105, P 182). **Norma** (Mlle, pseud. de Le Normand) La Véritable Cartomancie (+ de 400) [32]. **Pellaprat** (Henri-Paul) Cuisine familiale et pratique (1955) [2] 2 000. **Pernoud** (L.) J'attends un enfant (1956) [38] 1 437. J'élève mon enfant (1965) [38] 1 120 (P 100). **Pradal** (Dr H.) Le Guide des médicaments les plus courants (1974) [14] 575. **Spock** (Dr B.) Comment soigner et éduquer son enfant (1952) [31] (P 573, paru aux USA, 24 000 dans le monde). **Tarpel** (C.) Les Rêves et la destinée [22] + de 400. **Téramond** (B. de) [43] Maigrir par la méthode des basses calories (1959) 720. 300 recettes culinaires pour maigrir (1962) 700. **Willy** (Dr A.) et **Jamont** (C.) La Sexualité t. 1 (1964) [31] 545, t. 2 (1964) [31] 485.

Nota. – Coll. Marabout-Flash : Dansons (1959) 531. Je parle anglais (1960) 861, allemand (1960) 628, espagnol (1961) 611, italien (1959) 527.

■ Ouvrages d'enseignement

Les livres scolaires dépassent souvent 400 000 ex. Exemples (en milliers) : **Bergamini** (D.) Les Mathématiques (1965) [24] 415 ou **Berman** [45] Méthode 90 anglais (P. 1 100). **Bouillon** (Jacques) Histoire de la 2e à la terminale 600 de 1970 à 82. **Cahiers de vacances Loulou et Babette** (1933, Magnard) 42 500. **Eiller** (Robert) Cahiers d'exercices de cl. préparatoire 300 par an dep. 1977. **Fournier** (Jean) et **Lafarge** (Alain) 8/10 000 en 20 ans. **Goodey, Gibbs, Newby** Imagine Your're English, 6e à 3e (1974) [94] 3 804. **Lagarde** (André) et **Michard** (Laurent) (1er tome 1948 chez Bordas), de 1959 à 68 chacun des 7 vol. de la coll. se vendait à + de 100 par an, actuellement 50 de chaque par an. **Monge** Mathématiques, 6e à Term. 9 381 (à fin 1990). **Tavernier** (Raymond) Biologie 6e-3e 500 dep. 1977.

■ Ouvrages religieux

Beaumont (P. de) [39] Les 4 Évangiles aux hommes d'aujourd'hui (1969) 1 000. Prière du temps présent, nouvel office divin (1969) 483. **Bible de Jérusalem** [27] (1955) 1 657 (P 2 000). **Catéchisme de l'Église catholique** [39] (1992) 550 (P 50, C 15). **Évangiles** (École biblique de Jérusalem) (1950) [50] (P 4 250). **Missel des dimanches** de Mgr Pierre Jounel [39] (1971) + d'1 million dep. 1971.

Édition (techniques)

Quelques dates

■ **Impressions xylographiques.** *Ier-IXe s.* : en Chine et au Japon. *704-751* : Dharani-sutra de la lumière pure, imprimé coréen (découvert en 1966 à Kyongju). *868* : Sutra du diamant, 1er exemplaire important connu : livre bouddhique avec gravures, imprimé en Chine (British Museum).

XIVe et XVe s. Europe : d'abord sous forme de planches : *1340* : Cartes, Venise. *1360* : le Centurion du Calvaire (dit bois Protat, nom de celui qui l'a trouvé), planche gravée à La Ferté-sur-Crosne (France). *1423* : St Christophe portant l'enfant Jésus, imprimé aux Pays-Bas.

Plus tard on assemble des feuilles en *anapisthographes,* petites brochures imprimées d'un seul côté. Env. 3 000 connus (*spéculums* : recueils de préceptes religieux ; *donats* : sortes de syntaxes latines ; chansons populaires) dont : *1430* : Bréviaire (8 p. de 9 lignes), imprimé par Lorenzo Coster à Haarlem où il est conservé. Le Donat par Lorenzo Coster. *1439* : *Speculum humanae salvationis* (63 p. avec 38 planches de figures ; serait à la fois imprimé en xylographie et avec des caractères mobiles). Bible des pauvres par Lorenzo Coster.

■ **Impressions sur presse à caractères mobiles. Asie, Chine** : sans doute utilisés dès le XIe s. (Pi Ching aurait eu, le 1er, recours à des poinçons pour établir des caractères mobiles en 1041). Le « Jik ji sim kyong » (1377), recueil de textes bouddhiques, serait le plus ancien livre connu imprimé en caractères mobiles métalliques. **Corée.** Les archives mentionnent l'existence, vers 1234, d'un livre imprimé à l'aide de caractères métalliques intitulé « Sangjong Yemun ». Il ne semble en subsister aucun exemplaire.

Europe : vers 1439. 1res expériences de Johannes Gensfleisch dit Gutenberg (v. 1395-1468) à Mayence. Il mit au point un système de fabrication de caractères individuels fondus en un alliage de plomb, d'antimoine et d'étain. **1454** ou **1455** ou **1456.** *Bible de Gutenberg,* en latin, non datée (peut-être imprimée par Füst et par Schoeffer). Volumes in-folio de 317 à 324 pages (30 cm × 20 cm) imprimées sur 42 lignes et 2 col. 210 ex. (30 sur parchemin avec lettres capitales peintes en or et couleurs, 180 sur papier avec capitales en rouge et bleu). Tirage : 200, dont 48 parvenus jusqu'à nous (21 complets). 12 sur parchemin. 1 ex. est conservé à la bibliothèque Mazarine (Paris), voir p. 348 b. Le *missel de Constance* (192 p.) découvert à Bâle pourrait être antérieur. **1455** *Donat.* **1456** *Bible de 40 lignes* de Füst et Schoeffer. **1457** *Psautier de Mayence* (livre daté et portant un nom d'imprimeur). **1458** *2e Bible de Gutenberg* dite de 36 lignes. **1459** *« Rationale divinorum officiorum »* de Guillaume Durand (imprimé à Mayence par Füst et Schoeffer). **1462** *Bible de 48 lignes* de Schoeffer. **1463** *1re page de titre* donnant le titre de l'œuvre et le nom de l'auteur dans « Bul zy Deutsch » de Pie II, imprimé à Mayence. **1465** *1er texte littéraire.* « De officiis » de Cicéron.

■ **Plus vieux textes recueillis.** *5000 av. J.-C.* : tablettes d'argile, texte cunéiforme sumérien. *4000 av. J.-C.* : papyrus, roseau égyptien. *3000 av. J.-C.* à *704 apr. J.-C.* : manuscrits sur bois, Chine. *200 apr. J.-C.* : velum (De Felsa Legatione, de Démosthène).

■ **Plus vieux livres conservés.** *225 à 220 av. J.-C.* : *Manuscrits de la mer Morte* (bible la plus ancienne) découverts en 1947 à Qumran (Palestine). *200 apr. J.-C.* : *papyrus* (hiératique : réservé aux livres sacrés, emphorétique : pour l'emballage) de 108 pages numérotées, cousues en 6 fascicules. *IIIe-IVe s.* : *Codex Sineaticus* (Bible en grec, découverte en 1859 au monastère Ste-Catherine du Sinaï, achetée 9 000 roubles par la tsarine en 1869, vendue 100 000 £ en 1933 par l'URSS au British Museum). *Codex Vaticanus* au Vatican, – de 350 apr. J.-C. *Ve s.* : *Codex Alexandrinus* au British Museum.

■ **Encyclopédies. La plus ancienne.** *Speusippe* (370 av. J.-C., Athènes). **La plus grosse.** *Cang-Xi* : 22 937 volumes (chapitres indépendants reliés), publiée en Chine en 1728. Il en subsiste 370.

■ **Dimensions. Le plus grand livre.** Édité à Denver (USA) en 1976 : 300 p., 2,75 m sur 4 m, 252 kg. **Les plus petits livres.** *Old King Cole* publié en mars 1985, à 85 ex. à Renfrew (Écosse) : 1 × 1 mm. *Histoire de la fourmi Ari* publié à Tōkyō en 1980 : 1,4 × 1,4 mm. *Lord's Prayer* en 7 langues, musée Gutenberg : 3,5 × 3,5 mm. *France* : livre de messe (2 × 1,2 cm), imprimé 1880.

■ **Palimpseste.** Parchemin réutilisé après trempage dans l'eau, on effaçait les inscriptions avec une pierre ponce et de la craie. L'ancien texte subsistait, plus pâle.

■ **Incunable.** Ouvrage datant du berceau (incunabulum en latin) de l'imprimerie. On distingue les tabellaires (xylographiques) et les typographiques. *Nombre sorti av. 1500* : env. 40 000 éditions (en moyenne de 500 vol.) représentant 20 millions de livres (45 % sont des ouvrages religieux, 10 % scientifiques, 10 % juridiques, 30 % littéraires ; 77 % sont en latin, 4 à 5 % en français). *Av. 1600* : 200 000 titres (200 millions d'ex.).

Principales collections : Paris (Bibliothèque nationale), Munich, Londres (British Museum) [chacune comprend un ou plusieurs exemplaires de 9 000 éditions antérieures à 1500], Oxford (Bodleian Library, 5 000 éditions).

■ **Colophon.** Note finale donnant le nom de l'imprimeur, le lieu de l'impression et la date d'achèvement.

1470 *1er livre imprimé à la Sorbonne* (Paris) : Lettres de Gaspard de Bergame, in-quarto de 118 feuillets. **1472** *1er livre avec des illustrations techniques* : Valturius, « De re militari » (Vérone). **1473** *1re impression de musique avec des caractères mobiles* dans « Collectorium super magnificat », imprimé par Conrad Fyner à Esslingen. *1re impression d'un livre en Belgique* (à Alost). **1476** *1er livre imprimé en français* : Les Grandes Chroniques de France 3 vol. (par Pasquier-Bonhomme à Paris). **1481** *1er livre illustré en France* : « Missale viridunense ». **1501** *1er caractère en italique,* utilisé dans un livre par Aldus Manutius à Venise. **1559** Publication à Rome de « *Index* librorum prohibitorum », donnant la liste des livres que les catholiques ne pouvaient plus lire sans dispense. **1609** *1er journal, portant une date régulière de parution* : « Avisa Relation oder Zeitung », imprimé probablement à Wolfenbüttel, Allemagne. **1784** *1er livre imprimé sur un papier sans toile coton* (mélange d'herbe, d'écorce d'arbre et d'autres fibres végétales). **1800** *Presse d'imprimerie en fer* par Lord Stanhope. **1808** *1re lithographie à plusieurs couleurs,* imprimée par Strixner et Piloty de Munich. **1833** *1re machine à composer des lignes-blocs,* inventée par Xavier Progin, Marseille. **1840** *1re machine à composer en pratique,* brevetée par J.H. Young et A. Delcambre (Lille, d'après les projets de Henry Bessemer). **1841** *1er livre broché* publié par Christian Bernhard Tauchnitz, à Leipzig (Allemagne). **1865** *1re presse rotative* pour l'impression des journaux, construite par William Bullock à Philadelphie.

■ **Typographie et autres procédés. 1851** Firmin Gillot grave industriellement les premiers clichés typo. **1868** Ducos du Hauron découvre le principe de la reproduction des couleurs par superposition des clichés sélectionnés et tramés. **1878** *Héliogravure* Klietsch (Hongrie). **1885** *Impression simili* 3 couleurs (Frederick E. Ives, USA). **1887** *Machine moderne pour imprimer* à 2 tours (Robert Miehle, USA). *Machine à composer* Monotype (Tolbert Lanston, USA) brevetée. **1904** *Presse offset litho* (W. Rubel, New York). **1928** 1re démonstration à Rochester (New York) du *teletypesetter* de Walter Morey (breveté par C. Meray-Horvath de Budapest en 1897). **1947-1956** Modification des machines à composer (en plomb) pour film *(Fotosetter, Monophoto).* **1948** 1re démonstration publique d'une *machine à photographier xérographique,* brevetée en 1938 par Chester Carlson (USA). **1949** (1re démonstration.) *Lumitype 200* inventée par les Français Higonet et Moyroud, présentée au public en 1954. **1955-65** *Photocomposeuses électromécaniques avec ordinateurs* (Photon 200 et 500, Linofilm). **1964** *1re photocomposeuse ultrarapide* (Photon ZIP). **1973** Photocomposeuse à laser.

Caractères

Histoire. *1ers caractères fondus* : *gothiques* (Gutenberg travaillait à Mayence). Puis on s'inspira de l'Antiquité et l'on créa des caractères *romains.* **1501,** un Vénitien, *Alde Manuce* [Tebaldo Manuzio (v. 1449-1515)] inventa l'*italique* (1er caractère gravé par François Giusto Raibolini dit François de Bologne). 1ers ouvrages imprimés complètement en italique : Virgile et Horace (1501), la Divine Comédie (1502). Pendant longtemps on se contenta de ces grandes familles de caractères avec 4 variantes. **1650,** un libraire-imprimeur hollandais de Leyde, *Elzévir* [Isaac Elzevier (1596-1651)], donna son nom à un nouveau caractère aux empattements triangulaires. Ce caractère, populaire en Europe, ne fut vraiment adopté en France qu'après 1850. **1775,** François-Ambroise *Didot* (1730-1804) revint au caractère romain avec des empattements rectilignes très fins.

Points typographiques. *Point Didot* [créé en 1775 par Fr.-A. Didot] = 0,3759 mm (soit 1/6 de la ligne de pied de roi ou 1/72 du pouce français). Ex. : *Cicéro* = 12 points (4,51 mm) ; *Philosophia* = 11 points ; *Petit romain* = 9 ; *Gaillarde* = 8 ; *Petit texte* = 7,5 ; *Mignonne* = 7, etc. EN G.-B. ET AUX USA : le point mesure 0,351 mm. Depuis 1978, la norme Afnor NF Q 60-010 a défini les mesures typo. dans le système international. Seule l'unité retenue (le millimètre) doit être utilisée dans les échanges commerciaux en attendant la généralisation de son usage.

Caractère typographique. La largeur ou *chasse* correspond à la dimension du caractère prise parallèlement à la ligne d'impression (dim. différente pour chaque lettre) ; le *corps* correspond à la dimension du caractère prise perpendiculairement à la ligne d'impression. L'*œil* reçoit l'encre, c'est l'élément imprimant ; les *talus* ou *espaces* laissés de part et d'autre de l'œil évitent le chevauchement des lettres (les *approches* désignent plus précisément les talus situés à gauche et à droite de l'œil).

Familles de caractères typographiques. *Une famille de caractères comprend :* capitales (majuscules), bas de casse (minuscules) (de l'endroit où on les range dans leur casier de rangement : la casse), supérieures, ponctuations, lettres accentuées, etc. Chaque famille existe en plusieurs tracés (gras, demi-gras, maigre, large, normal, étroit, etc.). On leur adjoint parfois : vignettes, filets, dessins, etc. La *police* de caractères comprend l'ensemble des caractères d'une même famille pour un même corps et une même graisse.

Au-delà de la distinction élémentaire entre caractères *romains* (à hampes et à jambages verticaux) et *italiques* (à hampes et jambages inclinés), les familles de caractères se distinguent par l'importance et la forme de leurs empattements (manière dont se terminent hampes ou jambages).

Classification des caractères. Il y en a des dizaines de milliers de types : Baskerville, Bodoni, Caravelle, Égyptienne, Elzévir, Garalde, Garamond, Univers, etc. Des spécialistes (dont Francis Thibaudeau et Maximilien Vox) les ont classés en familles : *didots* : empattements rectilignes très fins ; *antiques* : sans emp. ; *égyptiennes :* emp. de la même force que le corps de la lettre ; *elzévirs* : emp. triangulaires (nom donné en 1858 par le fondeur Théophile Beaudoire aux anciens types employés par Nicolas Jenson, à Venise, en 1468, puis améliorés par Garamond en 1542, à Paris. En mémoire des Elzevier, établis à Leyde en 1580). On continue à créer des caractères en utilisant les procédés photographiques et électroniques. Par ex., l'*Univers* est né en prenant la moyenne visuelle obtenue en juxtaposant les films de plusieurs autres caractères. *Créateurs réputés :* Jean Larcher, Adrien Frutiger, Ladislas Mandel et José Mendoza (créateur du Sully-Jonquières).

IMPRESSION

☞ Voir Imprimerie à l'Index.

■ PROCÉDÉS ANCIENS

Chromolithographie. *1819* Senefelder imprima à Paris des lithographies en plusieurs couleurs. *1836* le Français Godefroi Engelmann (1788-1839) perfectionne ce procédé en inventant le cadre à repérer ; *1837* il publia un album célèbre. *Vers 1900* apogée puis déclin (trop coûteux). *1905* la rotocalcographie la remplace.

Chromotypographie. *1880* apogée. *Vers 1900* déclin. La *trichromie* l'a supplantée pour les impressions de gravures. Parmi les précurseurs : Lafond, Camarsac, Goupil, à Paris ; Obernetter à Munich, Grüne à Berlin.

Chrysoglyphie. Procédé de gravure chimique, breveté en avr. 1854, par l'imprimerie Firmin-Didot. Sur une planche de cuivre, revêtue du vernis des graveurs, on traçait le dessin à la pointe, puis l'on faisait mordre un acide. On enlevait le vernis et l'on dorait la planche (d'où le nom : du grec *khrusos,* « or »). On recouvrait ensuite d'un mastic inattaquable aux acides qui ne devait rester que dans les tailles. On ponçait la plaque pour enlever l'or de sa surface, afin que les tailles restent en relief. On détourait les grands blancs à la scie. Ce procédé n'a pas eu de succès.

Lithographie. *Vers 1825* l'Allemand Aloys Senefelder (1771-1834) utilise la répulsion réciproque de l'eau et des corps gras pour déterminer à la surface d'une pierre servant de forme imprimante les parties qui accepteront l'encre et celles qui la repousseront (introduit en France *v. 1816* par Gabriel Engelmann et le Cte de Lasteyrie). De cette idée naîtra l'impression offset. *V. 1850* cette presse se mécanise et est équipée d'un cylindre de pression. *1880* Voirin expérimente une impression sur métal avec un transfert sur caoutchouc. *1904* l'Américain Rubel redécouvre ce principe grâce à une fausse manœuvre produite sur une rotodirecte de ses ateliers.

Panéïconographie (gillotage). Photographie sur zinc par voie chimique. Brevet pris en 1851 par Firmin Gillot (1820-72). 2 techniques : *photogravure au trait* (les documents sont traduits par des blancs et des noirs purs) ; *à demi-teintes* ou *similigravure* (grâce à l'artifice de la trame, tous les dégradés sont reproduits, c'est le fac-similé qui sert à la copie).

Similigravure. *1852* Fox Talbot (Amér.) aurait tenté l'expérience avec un tulle noir à mailles écartées. *1880* inventée par Charles Petit qui utilise une trame de gaze. *1882* Meisenbach (All.) invente la trame lignée. *1885* Frédéric Ives (Amér.) dépose le brevet. *1890* les frères Lévy (Amér.) fabriquent industriellement des plaques de verre (ou de cristal ?) portant un fin réseau de lignes parallèles et croisées perpendiculairement, taillées en diamant et comblées par un vernis opaque.

Stéréotypie. Le Parisien Valleyre imprima v. 1700 un livre d'heures d'après une matrice obtenue au moyen d'une masse d'argile dans laquelle on coulait du cuivre. Joseph Muller, à Leyde, en 1702, et Ged (écossais), à Londres, en 1725, employèrent un procédé analogue mais sans grand succès (hostilité des compositeurs et fondeurs). De Carey à Toul, en 1785, employa le 1er le terme clichage.

Taille-douce. On encre une plaque de métal gravée à l'aide d'un outil puis on l'essuie [l'encre déposée dans le creux (partie imprimante) de la gravure restera] ; le papier fortement pressé contre la plaque ira chercher l'encre demeurée au fond de la taille. Jusque vers 1975, a servi en France pour timbres, billets de banque, chèques, certains titres et documents officiels. Le talent du graveur et la difficulté à reproduire son trait apparaissant comme une garantie contre les contrefacteurs. Procédé coûteux, en général remplacé par l'offset.

Xylographie (voir p. 341 a).

■ PROCÉDÉS INDUSTRIELS MODERNES

Bookomatic. Apparue début des années 70, GMA Nohab commercialisée par Miller Graphic, peut sortir 10 000 livres de poche à l'heure. *Nombre dans le monde :* 10 dont Japon 4, Russie 2, All. 1, Finlande 1, *France 1,* Suède 1.

Cameron. Machine de procédé typo avec des pages en relief sur plaques photopolymères souples. Adaptant la page plastifiée *Letterflex,* elle utilise la photocomposition et les illustrations en simili. Ceinture flexible : courroie sur laquelle les pages de plastique souple sont collées ; l'une imprime le recto, l'autre le verso après retournement du papier. Étapes : pliage, découpage, assemblage, façonnage. *Format* mini (11 × 18) = de 160 à 1 136 pages, maxi (15,4 × 24) = de 120 à 780 p. *Avantages :* rapidité, économie de papier, de place, au tirage (placement rapide des ceintures d'impression), au façonnage (manutention réduite). *Inconvénients :* impression (une seule couleur recto-verso et similigravure pas au point), encrage irrégulier. *Nombre en Europe :* 14 dont *France 7* (5 en 38 pouces, 2 en 53 pouces).

Flexographie. Utilise des formes imprimantes souples, en relief, en caoutchouc ou en photopolymères et des encres très fluides (impression de sacs et emballages, et de journaux).

Héliogravure. Nom donné par Niepce de Saint-Victor en 1855. Utilisée pour des tirages élevés (300 000 ex.). Sert aussi à l'impression d'emballages sur films plastiques, l'impression se faisant alors sur une seule face du support. 16 % du marché français.

Offset. De l'anglais « to set off » (idée de décalque de l'image). La plaque, impressionnée par un procédé photographique, est encrée selon le principe de répulsion réciproque de l'eau et de l'encre grasse, et transmet la surface à imprimer à un support intermédiaire en caoutchouc appelé blanchet qui, à son tour, dépose l'image sur le papier. Vers 1910 le cylindre de pression est remplacé par le cyclindre de transfert d'un 2e groupe d'impression, permettant d'imprimer simultanément les 2 côtés de la feuille (presses appelées *blanchet contre blanchet,* vitesse max. : 20 000 tours/h). 80 % du marché fr.

Procédés d'impression électronique. *Xérographie par laser* (en continu, 20 000 lignes/min ou feuille à feuille, 120 p./min). *Électrographie, jet d'encre, thermographie :* techniques « sans impact », permettant la suppression de la forme imprimante intermédiaire entre l'original et sa reproduction, la machine étant actionnée par un ordinateur à partir d'informations numérisées. *2 méthodes :* exploitation d'une mémoire magnétique préenregistrée (listes d'adresses par ex.), ou par application en temps réel, l'original étant analysé par lecteur optique ou caméra vidéo. Permettent la personnalisation : chaque exemplaire imprimé pouvant être différent.

Sérigraphie. L'encre doit traverser un écran aux endroits où l'on souhaite imprimer et elle est retenue par ce même écran là où il ne doit pas y avoir d'encre. Utilisée sur des supports variés : papier, carton, métal, verre, bois, tissus, matières plastiques. Sert, sur le plan industriel, pour les circuits imprimés et tous imprimés nécessitant un encrage « couvrant » ; artisanal : sert à la reproduction de certaines œuvres d'art. Peut reproduire demi-teintes et quadrichromie, et imprimer des feuilles allant jusqu'à 120 × 320 cm.

Typographie. Éléments d'impression en relief (voir « composition au plomb » et « stéréotypie »). Composition artisanale à la main. 6 % du marché français.

■ MACHINES À IMPRIMER

Que l'on fasse appel à l'une ou l'autre des techniques d'impression, que les formes imprimantes soient en creux comme pour l'héliogravure, à plat comme pour l'offset ou en relief comme pour la typographie, l'impression se fait toujours, directement ou indirectement, par pression de la forme imprimante enduite d'encre sur le papier. Pour un tirage en couleurs, il faut plusieurs passages à travers la même machine, ou une machine comportant plusieurs groupes n'imprimant chacun qu'une seule couleur.

Une machine « en blanc » n'imprime qu'un seul côté de la feuille ; à *« retiration » :* imprime des 2 côtés de la feuille, séparément ou simultanément.

On distingue les machines *« à feuilles »* alimentées par du papier en format, et les *« rotatives »* alimentées par du papier en bobines. Presses à platine ou presses à cylindre sont encore utilisées pour les tirages en typo, la forme imprimante étant plane et la pression se trouvant exercée par la platine ou par le cyclindre, l'un et l'autre servant également de support à la feuille. En offset, les machines à imprimer, alimentées par feuilles ou par bobines, fonctionnent selon le principe rotatif. Les rotatives à bobines fournissent un produit plié en « cahier » imprimé semi-fini ou fini, les machines à feuilles sortent un produit à plat, qui a le plus souvent besoin d'être terminé sur une chaîne de façonnage.

Petites rotatives en continu. Elles produisent le plus souvent en offset à partir de plusieurs bobines de papier se déroulant ensemble, des liasses imprimées et perforées en continu (la bande imprimée peut aussi être réembobinée en sortie) qui sont façonnées en plis accordéon (paravents). Cette production sert à alimenter les imprimantes des ordinateurs.

Machines transformatrices. Elles impriment en mariant souvent les procédés (relief, plat, creux) sur du papier en bobines de laize variable (38 cm généralement). Utilisées le plus souvent pour des sacs de produits alimentaires et d'entretien.

Vitesse de production. Machine à feuilles : env. 14 000 feuilles à l'h. *Rotatives à bobines les plus élaborées* tournent en double laize jusqu'à 50 000 cahiers de 16 pages à l'heure pour des tirages polychromes. La moyenne de production est plus basse, en raison des calages des formes imprimantes, lavages, réglages, etc.

PAPIER

☞ Voir aussi Économie à l'Index.

■ **Origine. 105** inventé en Chine par T'Sai Lun (ou Lai Lun), noble de la cour des Han (province de Hunan). **750** victorieux des Chinois à Samarkand, les Arabes apprennent le secret de fabrication (entremêlement de fibres de bois de mûrier) et en fabriquent à Chirãz, Bagdad, Tripoli, Alexandrie, Fès à partir de fibres de chanvre et de lin. **Xe s.** l'introduisent en Espagne (1506 1er moulin à Jativa Valencia) puis dans le Massif central. **XIe s.** en Italie (1276 1er moulin à Fabriano). **1348** 1er moulin à Troyes. **1800** 1re machine à fabriquer le papier en continu, à Essones de Louis-Nicolas Robert (Fr.). **1803** Fourdrinier (G.-B.) développe son invention dans le Kent.

Dans l'édition moderne on distingue *8 catégories :* offset, bouffant, satiné, hélio, couché mat et couché brillant, papier « bible ».

☞ Les éditions courantes actuelles sont généralement imprimées sur des papiers acides qui se détruisent au fil des années. Aussi, certaines éditions font l'objet de tirage « grand papier », souvent sur vergé de Hollande et sur papier Vélin.

■ PAPIERS UTILISÉS DANS LES LIVRES ANCIENS

Depuis le début de l'édition, certains livres ont eu des tirages plus soignés, sur peau de vélin par exemple. Début du XIXe s. la notion de « papier de luxe » apparaît (vélin fort ou papier de Chine) pour des tirages limités. Ex : *Servitude et grandeur militaire,* 5 exemplaires sur grand vélin fort ; Hugo, *Feuilles d'automne,* 1 ex. sur Chine. *Les Scènes de la Vie de Bohême,* de Murger et *Madame Bovary,* de Flaubert sur vélin fort.

Vergé. Papier de cuve obtenu dans des châssis en bois ou *formes* au fond garni d'un tamis de laiton. A base de chiffons. Le papier de forme a des bords irréguliers marqués de franges ou de *barbes,* de boursouflures, d'aspérités ; il laisse apparaître le dessin des fils de laiton ou *vergeures* placés au fond de la cuve, coupés perpendiculairement par d'autres fils plus espacés, les *pontuseaux.* Entre ces fils on peut avoir un *filigrane*. Le *filigrane*, apparu à partir du XVIIIe s., représente, en général, la marque du fabricant – monogramme, devise ou dessin – incorporée au tamis. Il a donné ses noms à quelques formats de papier : raisin (motif du dessin : grappe de raisin) et jésus (monogramme IHS).

Faux Vergé. Papier fabriqué sur la machine. La pâte encore fraîche passe entre des cylindres à cannelures imitant vergeures et pontuseaux.

Vergé de Hollande. Utilisé en 1863 pour 25 ex. in-8° de *Salammbô*, Flaubert.

Papier Jonquille. Utilisé vers 1830, en particulier pour *Physiologie du mariage*, Balzac.

Vélin (1750). Inventé par l'Anglais John Baskerville (1706-75), sans grain, très uni, lisse et satiné ; possède transparence, finesse et aspect du vélin véritable venant de la peau de veaux mort-nés. Fabriqué comme le vergé mais avec un treillis métallique beaucoup plus fin.

Nota. – Exemplaires dits de *petits papiers* tirés sur vélin ou sur vergé. Désignés sous les noms de papeteries qui les fabriquent : Arches, Rives, Marais (lieu-dit de Seine-et-M.), Lafuma, Montval, etc.

Papier de Hollande. Invention fr. importée en Hollande par des protestants exilés après la révocation de l'édit de Nantes en 1685 ; grené, ferme, solide.

Papier Whatman. Inventé 1770 par l'Anglais James Whatman (1741-98) ; ressemble au papier de Hollande mais sans vergeures.

Japon. *Impérial* vient de l'écorce d'arbrisseaux, légèrement teinté en jaune, soyeux, satiné, souple, transparent et épais ; *ancien à la forme*, sorte de vélin très lisse, teinté bistre clair ; *blanc supernacré*, résistant, soyeux, offrant l'aspect de paillettes de nacre accolées (Rembrandt l'utilisa le 1er en Europe pour ses estampes).

Chine. Préparé en plein air avec l'écorce du bambou, gris ou jaunâtre, fabriqué à partir de manille, il est fin, doux, absorbant, adapté aux impressions délicates, doux et brillant comme la soie ; enduit sur une face d'une composition à base de glycérine ; recherché pour le tirage des gravures.

Papier de Rami ou **ortie de Chine** (cultivée dans le midi de la Fr.). Coûteux, utilisé seulement pour la confection des billets de banque.

Papier d'alfa. Souple, soyeux, résistant, produit en Tunisie, au Portugal et utilisé en Angleterre à partir de fibres d'alfa pour des éditions de grand luxe (il faut au moins 10 % d'alfa pour l'appellation « papier alfa »).

Papier indien. Très mince et très opaque, procédé détenu par l'université d'Oxford ; coûteux.

■ FORMAT

Les papiers sont définis par leur poids au m² : de 28 g (bible) à 180 g/m². Grammage habituel en littérature générale : 70 à 90 g/m².

Le papier est vendu aux 100 kg en rame ou en *bobine* ; 25 *feuilles* constituent une *main* et 20 mains une *rame* soit 500 feuilles. Les noms anciens des formats (cloche, pot...) viennent des dessins primitivement représentés en filigrane.

Formats en simple (en italique, les plus courants). Cloche 30 × 40 cm. Pot 31 × 40. Tellière 34 × 44. Couronne 36 × 46. *Écu* 40 × 52. Coquille 44 × 56. Carré 45 × 56. Cavalier 46 × 62. *Raisin* 50 × 65. *Jésus* 56 × 76. Soleil 60 × 80. *Colombier* 63 × 90. Petit Aigle 70 × 94. Grand Aigle 75 × 106. Grand Monde 90 × 126. *Univers* 100 × 130.

Formats en double. Double Cloche 40 × 60 cm. Double Pot 40 × 62. Double Tellière 44 × 68. Double Couronne 46 × 72. Double Coquille 56 × 88. Double Carré 56 × 90. Double Cavalier 62 × 92. Double Raisin 65 × 100. Double Jésus 76 × 112. Double Soleil 80 × 120. Double Colombier 90 × 126. En général, l'imprimeur ou l'éditeur fait fabriquer le papier utile, en fonction des dimensions des machines à imprimer disponibles pour faire un produit étudié dans le format qui en découle : 72 × 102, 120 × 160.

Série normalisée internationale A. Chaque format plus petit est obtenu en divisant le f. immédiatement supérieur en 2 parties égales, le rapport entre les longueurs des côtés de chaque f. étant toujours égal à $\sqrt{2}$. Le f. de base, désigné par A 0, a une surface de 1 m². Dimensions en mm :

A0	841 × 1 189	A6	105 × 148
A1	594 × 841	A7	74 × 105
A2	420 × 594	A8	52 × 74
A3	297 × 420	A9	37 × 52
A4	210 × 297	A10	26 × 37
A5	148 × 210		

FORMAT DES LIVRES

Feuille. La feuille imprimée puis pliée à la dimension d'une *page* forme un *cahier* qui contient un certain nombre de *feuillets* (de 2 pages). Le nombre de feuillets contenus dans une feuille détermine le *format*.

Format	Feuillets	Pages
in-plano	1	2
in-folio (in-f°)	2	4
in-quarto (in-4°)	4	8
in-octavo (in-8°)	8	16
in-douze (in-12)	12	24
in-seize (in-16)	16	32
in-trente-deux (in-32)	32	64
in-quarante-huit (in-48)	48	96

Dimension du livre. Dépend de la grandeur de la feuille employée (raisin, jésus, etc.). On aura ainsi : un in-quarto raisin (250 × 325 non rogné) ; un in-octavo jésus (190 × 280) ; etc.

Si le papier est filigrané, on peut reconnaître le format réel d'un ouvrage ancien : *folio :* pontuseaux verticaux, filigrane au centre de la page ; *in-4° :* p. horizontaux et f. vers le bord gauche de la page ; *in-8° :* p. verticaux et f. dans le coin supérieur gauche ; *in-12 :* p. horizontaux et f. vers le bord droit aux 2/3 de la hauteur de la page ; *in-16 :* p. horizontaux et f. dans le coin supérieur droit de la page.

Direction des vergeures (papier vergé). Permet de reconnaître les formats. *V. horizontales :* in-f°, in-8°, 18, 24, 32. *V. verticales :* in-4°, 12, 16.

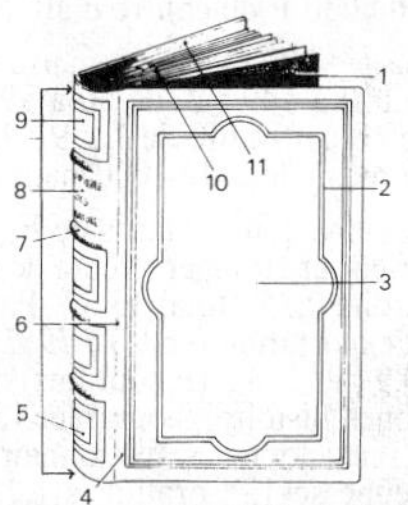

1. Gardes de couleur, 2. Filet, 3. Plat, 4. Encoche de coiffe, 5. Fers, 6. Mors, 7. Nerfs, 8. Pièce de titre, 9. Dos, 10. Tête (tranche supérieure), 11. Chasse.

ÉDITION (STATISTIQUES)

DANS LE MONDE

■ **Les plus grandes sociétés d'édition** (source : Datastream/Swiss Bank Corporation). Time Warner (USA), Dun & Bradstrett (USA), Reuters (G.-B.), Capital Cities/ABC (USA), Thomson Corp. (Can.), Havas (Fr.), Reed-Elsevier (G.-B./NL).

■ **Achat de livres (1990).** Total en milliards de $ et, entre parenthèses, en $ par habitant (source : Euromonitor). Ex-RFA 7,5 (120), Suède 0,8 (95), USA 21 (80), Esp. 2,6 (60), G.-B. 3,5 (60), *France 3,5 (60),* Canada 1,6 (60), Australie 1 (60), Italie 2,8 (50), Japon 2,8 (50), Corée du S. 1,7 (40), ex-URSS 3 (10), Brésil 0,8 (7), Inde 1,5 (3).

■ **Titres publiés** (1990). *(Source :* Unesco 1992). Ex-URSS 76 711 [1]. Chine 73 923. Ex-All. féd. 61 015. *France 41 720.* Corée du S. 39 330. Japon 36 646 [2]. Espagne 36 239. Italie 25 028. Inde 13 937. Suisse 13 839. P.-Bas 13 691. Suède 12 034. Danemark 11 082. Autriche 10 305. Pologne 10 242. Finlande 10 153. Ex-Yougosl. 9 797. Tchéco. 8 585. Hongrie 8 322. Ukraine 7 046. Thaïlande 7 783. Australie 7 460 [3]. Belgique 6 822 [1]. Portugal 6 527 [1]. Turquie 6 291. Iran 6 289 [1]. Ex-All. dém. 6 018 [1]. Afrique du S. 4 950. Argentine 4 836. Malaisie 4 578. Norvège 3 712. Mexique 3 490 [1]. Bulgarie 3 412. Grèce 3 255. Biélorussie 2 823. Afghanistan 2 795. Sri Lanka 2 455. Chili 2 350 [1]. Cuba 2 199 [1]. Roumanie 2 178. Indonésie 1 518. Islande 1 515. Colombie 1 486 [1]. Nigeria 1 466 [1].

Nota. – (1) 1989. (2) 1987. (3) 1986. Livres + brochures (les définitions ne sont pas homogènes, ex. : on appelle livres, les ouvrages ayant au moins 28 p. en G.-B., 32 en France, 48 en All. féd.).

☞ De 1437 à 1900, on aurait imprimé env. 10 millions de titres (*1437 :* 1 ; *1438* à *1500 :* 307 520 ; *1500* à *1600 :* 287 824 ; *1600* à *1700 :* 972 000 ; *1700* à *1800 :* 1 637 196). *1960 :* 332 000 titres publiés dans le monde (dont 239 000 en Europe) ; *1970 :* 521 000 (317 000) ; *1980 :* 715 500 (411 000) ; *1990 :* 842 000 (441 000).

Nombre de titres publiés par million d'habitants. *1960 :* 144 dans le monde (374 en France) ; *1970 :* 187 (464) ; *1980 :* 161 (550) ; *1990 :* 159 (565).

■ **Marché du livre dans la CEE. Chiffre d'affaires 1989** (TTC, en milliers de F, Source : Bipe) : 117,41 dont All. 38,52, *France 20,1,* G.-B. 18,05, Ital. 14,3, Esp. 14,28, P.-Bas 4,58, Belg. 2,43, Dan. 1,79, Gr. 1,45, Port. 1,2, Irl. 0,56, Lux. 0,14. **Chiffre d'affaires par habitant** (1989, en F) : All. 630, Lux. 382, Esp. 366, *France 360,* Dan. 350, G.-B. 316, P.-Bas 306, Ital. 249, Belg. 246, Irl. 158, Gr. 145, Port. 117.

■ **Traductions. Livre le plus traduit :** la Bible en 1 978 langues (sur 3 000 à 6 000 parlées) dont 566 africaines au 1-1-1992 (voir p. 337 a). **Ouvrages les plus traduits** (en %, Source Unesco 1992, chiffres 1986) : Œuvres litt. 49,5, Sc. appliquées 11,7, Sc. sociales 11,3.

Langues les plus traduites (nombre de traductions 1986). Anglais 29 294. Russe 6 620. *Français 6 502* (Littérature 3 430, Sc. appliquées 558, Hist.-géo. 540, Philosophie 528, Sc. sociales 508, Religion 367, Beaux-arts 314, Sc. pures 182, Généralités 45). Allemand 5 079. Italien 1 754. Suédois 890. Espagnol 864. Tchèque 794. Hongrois 619. Latin 551. Danois 538. Néerlandais 496. Polonais 465. Arabe 445. Grec classique 444. Serbo-croate 397.

Auteurs les plus traduits. *1986 :* Lénine [1] 278 traductions. A. Christie [4] 269. W. Disney Productions [5] 264. M. Gorbatchev [1] 209. J. Verne [2] 185. J. Grimm [3] 155. W. Grimm [3] 155. R. Goscinny [2] 146. E. Blyton [4] 145. W. Shakespeare [4] 134. H.C. Andersen [7] 133. K. Marx [3] 121. B. Cartland [4] 121. I. Asimov [5] 115. F. Engels [3] 105. M. Twain [5] 102. E. Hemingway [5] 97. J. London [5] 96. E. Wallace [5] 90. R.L. Stevenson [4] 89. L.N. Tolstoï [1] 89. A.C. Doyle [4] 80. C. Perrault [2] 79. C. Dickens [4] 75. A. Maclean [4] 74. Jean-Paul II [8] 74. G. Simenon [6] 73. H. Robbins [5] 71. G. Greene [4] 70. Hergé [6] 70. H. Hesse [3] 67. F.M. Dostoïevski [1] 65.

Nota. – (1) URSS. *(2) France.* (3) All. (4) G.-B. (5) USA. (6) Belgique. (7) Danemark. (8) Saint-Siège.

■ **Taxes sur le livre** (1992, en %). Norvège, Suisse, Argentine, Pérou, G.-B., Portugal, Irlande, Islande, Australie, Philippines 0 ; Grèce 3 ; Italie 4 ; Slovénie 5 ; *France 5,5 ;* Belgique, Espagne, Luxembourg, P.-Bas 6 ; All., Canada (Québec) 7 ; Autriche 10 ; Finlande 16,28 ; Chili, Israël, Kenya 18 ; Danemark 22 ; Suède 25.

■ **Prix du livre et TVA. All :** dep. 1988 système de prix fixe du livre auquel les éditeurs peuvent souscrire de façon facultative. *TVA :* moitié du taux normal. **Belg.** (zone néerlandophone) : prix unique pour les livres édités en Flandre dep. 1984 ; zone francophone : prix conseillé mais quasi liberté. *TVA :* 6 %. **Dan. :** prix unique dep. plus de 150 ans, pendant l'année de parution + 1 an ; clubs : prix plus bas 6 mois après la parution d'un ouvrage. *TVA :* 25 %. **Esp. :** prix unique dep. 1974. *TVA :* moitié du taux normal. **Grèce :** prix libre. *TVA :* 4 %. **Irl. :** prix unique sur les livres édités en Irlande. *TVA :* 0. **It. :** les détaillants s'engagent, théoriquement, à respecter le prix fixé. *TVA :* 4 %. **Lux. :** prix défini par l'éditeur sur les ouvrages édités au Lux., libre sur ceux qui sont importés. *TVA :* 5 fois inférieure à la normale. **P.-B. :** prix unique dep. 1923 ; fixé pour 2 ans sauf exceptions. *TVA :* 6 %. **Port. :** prix libre. *TVA :* 5 %. **R.-U. :** accord interprofessionnel (adhésion facultative). Seuls les livres en stock chez les libraires depuis plus d'1 an ou les ouvrages d'occasion peuvent être vendus à prix réduits. Pas de *TVA.*

EN FRANCE

Source : Syndicat national de l'édition.

■ PRODUCTION DE LIVRES

■ **Nombre de titres publiés.** *1790 :* 2 000. *1828 :* 6 000. *1889 :* 1 500. *1913 :* 25 000. *1983 :* 27 348. *1984 :* 28 797. *1985 :* 29 068. *1986 :* 30 424. *1987 :* 30 982. *1988 :* 31 720. *1990 :* 38 414.

■ **Nombre édité en 1990 et,** entre parenthèses, **nouveautés. En romain nombre de titres (en unités), en italique nombre d'exemplaires (en millions). Livres scolaires :** titres 5 228 (dont 1 485 nouveautés), *63,2 millions d'exemplaires (dont 22,3 millions de nouveautés)* [dont préscolaire et primaire 1 415 (355), *15 (4,4) ;* secondaire 1 109 (272), *16,2 (5,5) ;* technique et commercial 1 235 (340), *10,2 (2,8) ;* parascolaire 1 469 (518), *21,6 (9,5)*]. **L. scientifiques, professionnels et techniques :** 3 189 (1 684), *9,9 (4,6)* [dont sciences pures et appliquées 1 906 (944), *5,7 (2,5) ;* médecine 668 (418), *2,2 (0,9) ;* économie d'entreprise 615 (322), *2,5 (1,1)*]. **L. de sciences humaines :** 5 042 (2,7), *23,8 (10,8)* [dont sc. humaines générales 2 392 (1,4), *10,2 (5,2) ;* sc. écon. et pol. 601 (426), *1,5 (1) ;*

droit 534 (244), *2,4 (0,5)* ; religion 1 141 (583), *7,5 (3,2)* ; ésotérisme et occultisme 374 (96), *2 (0,7)*]. **Littérature :** 10 505 (4 780), *127,1 (62,4)* [dont romans (classiques, contemporains, policiers, science-fiction et « sentimentaux ») 8 711 (3 835), *112,2 (55,4)* ; théâtre, poésie 542, 267, *4,7 (0,6)* ; critiques, analyses, essais 628, 337, *3,9 (1,8)* ; histoire 1 182, 744, *5,6 (3,6)* ; actualités, reportages, documents 413 (277), *4,8 (3,7)* ; géographie 122, 72, *1,8 (0,5)*]. **Encyclopédies et dictionnaires :** 509 (133), *14,8 (2,9)* [dont encycl. et dict. traditionnels 366 (63), *13,4 (2)* ; encycl. en fascicules (non comprises dans le total de la production) 114 (31), *8,7 (4,8)* ; encycl. thématiques 139 (69), *1,4 (0,8)*]. **Beaux-Arts et beaux livres :** 1 325 (813), *8,4 (5,1)* [dont ouvrages théoriques 216 (132), *1,1 (0,5)* ; beaux livres d'art 501 (306), *2,7 (1,5)* ; autres beaux livres 608 (375), *4,6 (3)*]. **Livres pour la jeunesse :** 7 245 (2 592), *77,3 (28,8)* [dont albums 2 624 (1 029), *25,3 (11,2)* ; livres 4 155 (1 468), *44 (15,3)* ; bandes dessinées 466 (95), *7,7 (2,1)*. **Bandes dessinées pour les adultes :** 437 (136), *4,5 (1,8)*. **Livres pratiques :** 2 877 (1 257), *26,7 (11)* [dont conseils pratiques 1 832 (814), *15,6 (6,5)* ; tourisme (guides et monogr.) 1 045 (443), *11 (4,5)*]. **Ouvrages de documentation** (annuaires, répertoires, nomenclatures) 67 (20), *1,8 (179)*. **Cartes géographiques et atlas** 1 326 (69), *20,6 (1,1)*]. **Total :** 38 414 (16 543), *386 (155,5)*. *1991 :* 39 492 (20 371).

■ **Nombre total de volumes produits** [en millions d'ex. (Syndicat nat. de l'éd. et France Loisirs)] : *1961 :* 179 ; *71 :* 309 ; *81 :* 365 ; *86 :* 364 ; *87 :* 366 ; *88 :* 359,4 ; *90 :* 419 (avec clubs).

Nombre de romans publiés à la rentrée d'automne (août/novembre). *1982 :* 251 ; *83 :* 235 ; *84 :* 266 ; *85 :* 318 ; *86 :* 298 ; *87 :* 304 ; *88 :* 360 ; *89 :* 336 ; *90 :* 382 ; *91 :* 369 (dont romans étrangers 161, premiers romans 47).

■ **Tirage moyen par branche en 1990.** *Livres scolaires :* préscolaire et primaire 10 641, secondaire 14 619, parascolaire 14 751, technique et commercial 8 338. *L. scientifiques et techniques :* sciences pures 3 287, appliquées 2 457, médecine 3 389, économie d'entreprise 4 226 ; *l. de sc. humaines :* sc. éco. 2 110, sc. pol. 4 050, sc. hum. gén. 4 266, religion 6 652, ésotérisme 5 401, droit 4 665 ; *littérature :* romans 12 888 (les nouveaux auteurs, tirés à 2 000, 3 000 et 5 000, ne sont vendus fréquemment qu'à 1 000 ex. ; un roman ne commence à être « rentable » pour l'éditeur que lorsqu'il en a vendu 6 000 ex.), théâtre et poésie 8 734, histoire 4 745, géographie 14 852, actualité 11 719, critique et essais 6 223 ; *encyclopédies et dictionnaires :* de français 37 731, langues étr. 32 229, encyclopédies générales 38 050, thématiques 10 259, en fascicules NS ; *beaux-arts, beaux livres :* ouvrages théoriques 5 097, beaux livres d'art 5 515, autres beaux livres 7 569 ; *l. pour la jeunesse :* albums 9 676, livres 10 636, bandes dessinées 16 685 ; *l. pratiques :* conseils pratiques 8 550, tourisme, guides et monographies 10 590 ; *ouvrages de documentation* (annuaires, répertoires, nomenclatures) : 2 770 ; *cartes géographiques et atlas :* 15 578 ; *bandes dessinées pour adultes :* 10 471.

Sur 10 titres publiés par un éditeur, 2 ou 3 se vendent passablement et 1 ou 2 seulement sont de bonne vente. En édition classique, jusqu'à 30 % du tirage est envoyé en spécimens.

■ **Livres de poche. Nombre de titres :** *1980 :* 4 788 (dont policiers, espionnage 735), *85 :* 5 566 (506) ; *86 :* 6 015 ; *87 :* 6 625 ; *88 :* 6 567 (870) ; *90 :* 8 467 (744). **Nombre d'ex. :** *1980 :* 129,1 millions (dont policiers, espionnage 22,7) ; *85 :* 124,5 (10,2) ; *86 :* 121,9 (22,7) ; *87 :* 121,4 (20,8) ; *88 :* 116,2 (21,1) ; *90 :* 110,8 (12,7). [*Vente* en millions d'ex. en 1991 : *Livre de poche* (plus biblio et biblio-essais) 18 (dont 2,1 policiers), *J'ai lu* 10, *Folio* 8, *Points* (toutes collections confondues) 2, *G.F. et Champs* 2, *Presses Pocket* 7, *Marabout* 4].

En 1990, les livres de poche représentaient 32,4 % de la production totale en ex. (35,7 % en *1983*). En littérature : 67 % des ventes. *En 1991,* on recensait 220 collections (79 éditeurs) et 21 906 titres disponibles (10 503 auteurs).

■ **Traductions.** En 1990, 1 493 traductions ont été recensées par le Syndicat nat. de l'éd. et publiées par des éditeurs français dont de l'anglais 478, de l'américain 340, de l'allemand 168, de l'italien 140, de l'espagnol 85.

■ **Exportation des livres français. Total** (en millions de F). *1984 :* 2 080 ; *1988 :* 2 305,5 ; *1990 :* 2 979,5 dont Belg. 691,5, Suisse 376,6, Canada 330,8, Arabie Saoudite 161,1, RFA 138,1, Royaume-Uni 96,9, Italie 90,6, USA 83,8, Espagne 80,3, Pays-Bas 77,1, Cameroun 52,3, Japon 46,5, Maroc 42,7, Côte-d'Ivoire 42,1, Algérie 33,6.

■ PRIX DES LIVRES

■ **Prix de fabrication (facteurs, moyenne en %).** *Ouvrage de litt. gén.* (de 290 p. tiré à 10 000 ex.). Impression 28, composition 27, papier 25, brochage 11, photogravure 4, pelliculage 2, divers 3. *Livre de classe,* 4 couleurs, 352 pages, 198 000 ex., format 17 × 23 : composition 4,06 ; tirage 25,20 ; photogravure 16,61 ; pelliculage 3,03 ; papier 27,57 ; façonnage, cartonnage 24,53.

■ **Prix de vente d'un livre.** Il est souvent fixé à partir du prix technique multiplié par un coefficient de 4 à 5 selon les maisons. **Prix de revient (escompte).** *Prix public 107 F* (HT 100 F, TVA 7 F), dont *auteur* (écrivain, illustrateur-photographe, traducteur), 10 % ; *éditeur* (comité de lecture, direction littéraire, service fabrication et maquette) 8 ; *imprimeur, façonnier* 14 ; papier 6 ; *éditeur* (service commercial, attaché de presse relations publiques, pub., PLV-promotion, représentants) 7 ; *diffuseur* 10 ; *distributeur :* stockage-manutention 10, détaillant 35.

Évolution du prix des livres et, entre parenthèses, **indice général des prix (taux en %).** *87* + 4,06 (+ 3,2) ; *90* + 4,05 (+ 3,4) ; *91* + 4,55 (+ 2,5).

Depuis *la loi Lang* (entrée en vigueur le 1-1-1982), lorsqu'un livre est réédité en vue de sa diffusion par correspondance ou par un club, son prix doit être au moins égal à celui de la 1re édition pendant 9 mois.

■ ÉDITEURS

■ **Nombre. Éditeurs (1987).** 10 000 (dont 5 000 ont au moins 1 titre disponible et 5 000 sont « épisodiques ou dormants »). **Entreprises d'édition** (1984). 3 742 (dont : n'ayant pas de salarié 1 839, ayant de 1 à 5 s. 1 322, de 6 à 9 s. 219, 10 à 99 s. 327, 100 s. et + 35) 400 répondant à l'enquête constituent l'essentiel de la profession et emploient env. 13 000 personnes.

■ **Statistiques des maisons les plus importantes.** Dépassant 200 000 F de chiffre d'aff. (1990) : 412.

Titres déposés. 200 et + : 45 maisons, de 150 à 199 : 13, de 100 à 149 : 2, de 50 à 99 : 43, de 20 à 49 : 75, de 10 à 19 : 48, de 1 à 9 : 146.

Un éditeur reçoit de 200 à 4 000 manuscrits par an.

Chiffre d'affaires [en milliards de F, HT (1990)]. **Marché intérieur et étranger :** vente de livres 13,02, cession de droits 0,35 ; total 13,37. **Part du chiffre d'affaires à l'exportation** (en %) : *1981 :* 12,8 ; *85 :* 13,1 ; *90 :* 10,9 ; *91 :* 13,5 (F courants) dont scolaire 1,7, sc. humaines, histoire, géographie 1,9, littérature générale 2,5, encyclopédies, dictionnaires 2,3, livres d'art 0,77, jeunesse 1,2, pratiques 1,2, autres (annuaires, cartes, BD adultes) 1,2, *Clubs :* 2.

Répartition selon le chiffre d'affaires (en millions de F) *250 MF et + :* 13, *100 à - de 250 :* 12, *50 à - de 100 :* 28, *20 à - de 50 :* 44, *10 à - de 20 :* 47, *1 à - de 10 :* 183, *- de 1 :* 85.

Variation du chiffre d'affaires (en % en F courants et entre parenthèses **en F constants)** par rapport à l'année précédente. *1981 :* + 8,8 (- 6,6) ; *82 :* + 13,96 (- 2) ; *83 :* + 8,3 (- 3,1) ; *84 :* + 8,1 [1] (+ 1,4) [1] ; *85 :* + 6,1 (+ 1) ; *86 :* + 4,9 (+ 0,1) ; *87 :* + 7,8 (+ 3,8) ; *88 :* + 9,1 (+ 5,3) ; *90 :* + 4,1 (+ 0,5).

Nota. – (1) Données corrigées (après réajustement par rapport à un taux de réponses plus faible). Ces chiffres ne comprennent pas les ventes des commissionnaires exportateurs, des diffuseurs ainsi que celles des principaux clubs français (France Loisirs, le Grand Livre du Mois).

Statistiques douanières (total des factures au niveau des commissionnaires comprenant frais de distribution et de port) : 9,5 milliards de F.

Personnes travaillant dans l'édition (1990). 13 725 (direction, cadres 5 329 ; employés 5 132 ; VRP exclusifs 3 264). En 1989, 17 maisons employaient plus de 100 personnes, 19 de 50 à 99, 40 de 25 à 49, 71 de 10 à 24, 84 de 5 à 9, 150 de 1 à 4, 55 n'ont rien déclaré.

Marché du livre en milliards de F. Consommation des ménages (Insee) : *1983 :* 12,2 ; *85 :* 14,1 ; *90 :* 20,9.

Principaux éditeurs de littérature générale. CA du secteur édition, en millions de F (1992). Hachette (Fayard, Grasset, Stock, J.-C. Lattès, Harlequin, Grolier) 6 200, Groupe de la Cité 6 781 (consolidé 6 300), Groupe Gallimard (Denoël, Mercure de France) 900, Masson (Belfond, Armand Colin) 900, Flammarion (J'ai lu, Aubier) 800, Le Seuil 250, Albin Michel 200, Messidor 80, Calmann-Lévy (créée 1836) 50, Actes Sud 45, La Découverte 35, Éditions de Minuit 30, Odile Jacob 25, Balland 25, Bernard Barrault 10, Buchet-Chastel 10, POL 10, Quai Voltaire 4.

Titres nouveaux publiés y compris principales filiales (1992). Hachette 2 600. Presses de la Cité, Robert Laffont, Larousse, Gallimard 680, Flammarion 600, Albin Michel 430, Seuil 250, Belfond 120, Ouest-France 100, La Découverte 85, Actes Sud 120, Calmann-Lévy 80, Balland 60, Éd. de Minuit 25, Fata Morgana 25, Lieu commun 25, Arléa 30, POL 50, Odile Jacob 50, Éditions du Rouergue 10.

■ **Hypermarchés** (enquête réalisée sur 513 hyper. pour 1983 : sans tenir compte de la taille des magasins). *Rayon librairie.* Linéaire au sol : 45,5 m ; chiffre d'aff. : annuel (moyenne), 3 897 470 F (1,13 % du CA moyen de l'hyper.) ; par mètre linéaire au sol : 85 658 F ; par employé : 1 694 552 F.

Chiffre d'aff. (par catégorie de livres en %). Grande diffusion : 19,7 ; litt. générale : 19,8 ; l. pratiques : 11,5 ; l. cadeaux : 6 ; l. pour la jeunesse : 33,3 ; encycl.-diction. : 1 ; parascolaires : 9,7.

Marché du livre en hypermarché. Nombre d'hyper. au 31-12-1983 : 513 ; chiffre d'aff. libr. (1991) : de 1 à 1,5 % du CA du magasin ; part des hyper. dans le marché du livre (1991) : 18 % (avec les grands magasins et les supermarchés). Titres disponibles : de 5 000 à 15 000.

■ **Magasins populaires** (enquête auprès de 2 chaînes rassemblant 80 % des mag. pop., 1982). *Rayon librairie* (moyenne). Linéaire au sol : 8 m ; chiffre d'affaires annuel : 1 764 170 F (0,55 % du CA total) ; par m. linéaire au sol : 22 058 F, par employé : 88 235 F.

Chiffre d'aff. par catégorie de livres (en %). L. pour la jeunesse : 42,6 ; grande diffusion (poche) : 33,9 ; litt. gén. (dont best-sellers, l. pratiques et l. cadeaux) : 16,9 ; diction. : 6,6.

Marché du livre dans les magasins pop. Nombre de magasins pop. : 661 ; % des magasins pop. dans le marché du livre : 1,2 %.

ACHATS DE LIVRES PAR CIRCUITS, EN %, 1991
(source : Asfodelp)

Ventes directes 38, dont : VPC/Clubs 24, Autres 14, **Grandes surfaces non spécialisées 17,5, Commerce spécialisé 44,5,** dont : Librairies spécialisées 37,3, Grandes surfaces spécialisées 7,2.

■ **Investissements publicitaires de l'édition de livres, en millions de F** (1990) : 834,7 dont presse nationale 500, régionale 52,2, radio 216, affichage 14,9, TV nationale 48,4, régionale (FR3 + RTL/TV + TMC) 1,6, cinéma 1,3.

■ ORGANISMES DE DIFFUSION

Parts du marché (en %). Hachette 28, Messageries du livre (Presses de la Cité) 22, Sodis (Gallimard) 13, Larousse 11, Inter-Forum 8, Nathan 6, Union-Diffusion (Flammarion) 6, Bordas 5, Seuil 2.

1°) **Organismes de distribution communs** (entre parenthèses principaux éditeurs qu'ils distribuent) :

Hachette-Centre de distribution du livre. Installé à Maurepas (44 000 m² pouvant abriter + de 50 millions de volumes, 17 centres régionaux (CRDL), 1 livre-service Paris/Vanves (LSH), 22 livres-services régionaux (LSR). 20 000 points de vente. *Volumes vendus :* 120 000 000 (littér. gén. 42 %, poche 22 %, policiers 5 %, jeunesse 16 %, classique 15 %).

Sodis. *CA (en milliards de F, 1992) :* 2,155 (HT). *Livres vendus :* 41 900 000 ex. *Gallimard.* Distribue Gallimard et des dizaines d'autres éditeurs.

Inter Forum (*créé* 1972, fusion d'Inter F. en août 1949, de Forum *fondé* août 1963, sté de distribution du Groupe de la Cité pour la littérature générale). *CA* (1990, millions de F) : 0,786. *Livres vendus :* 9 000 000 ex. **Messageries du Livre.** Presses de la Cité, Bretecher, Lucky Production, Marsu Production, Helyode, Presses du Management, Guide Susse, Guide Figaro du CV, Sept Vents. *CA net HT (1991) :* 590 000 000 F.

Livredis (Groupe de la Cité). Nathan, Larousse, Longman, Bordas, Dunod. *CA 1992 :* 2 milliards de F. *Livres vendus :* 40 000 000 ex.

2°) **Maisons assumant elles-mêmes leur diffusion : Calmann-Lévy, Éditions du Cerf** [*Fondées* 1929 par les Dominicains. *1956* éd. de la *Bible de Jérusalem. 1974 Traduction œcuménique de la Bible. Titres en stock :* 3 200. **CA** *(1990) :* 70 millions de F. *Personnel :* 75. *Ouvrages vendus :* 800 000/an (sc. religieuses, philosophie, histoire) + 8 revues.], Citadelles et Mazenod (pour 2/3). **Les livres scientifiques et techniques,** édités principalement par Bordas (fusion avec Dunod/Gauthier-Villars en 1974), PUF, Masson, les Éd. d'organisation [Créées 1952, font partie du Groupe Eyrolles depuis 1965, spécialisées en livre de gestion d'entreprise et formation. Sont diffusées en librairies spécialisées, mais aussi par le réseau des « Librairies des entreprises » créé à leur initiative].

Hachette

Origine. Maison créée 1826 par Louis Hachette (1800-64). Voir Index.

Chiffre d'affaires et bénéfice avant impôts (en milliards de F) : *1985 :* 11,6 (0,43) ; *1988 :* 24,4 (0,82) ; *1989:* 28,9 (0,84) ; *1990:* 30 (0,78) ; *1991:* 30,46 (branche distribution et affilié 11,67, presse 9,59, livre 6,8, audiovisuel 2,23), pertes 0,173 ; *1992 :* 6,2 (résultat net part du groupe, avant amortissement de la survaleur 0,005). **Effectifs :** 31 000 dont Fr. 14 939 [livre 5 716, presse 6 297, audiovisuel 1 586, distribution et services 1 234, dir. générale 106], intern. 16 271. **Groupe Livre :** *Pt Dir. gén. :* J.-L. Lisimachio (n. 3-6-1945). *CA* (en milliards de F., 1991) : 6,8. *Effectifs:* Fr. 5 200, Grolier 5 200, Difédi 1590, Salvat 590.

Activités au 17-1-1993. France : *Littérature générale :* Hachette littérature [1] (participations en % : J'ai lu 35,2, De Fallois 33, La Table ronde 10), Grasset et Fasquelle [1907, Grasset fondée par Bernard Grasset (1881-1955), 1954 filiale Hachette, 1967 fusion avec Fasquelle. *CA* : env. 100 millions de F. *Pt* : J.-Cl. Fasquelle (45 salariés)], Fayard, Lattès, Stock, Le Chêne, Édition nº 1. *Éducation:* Hachette Classiques [1], Hachette Édition et Diffusions internationales [1], Edicef, Librairie pédagogique du Centre. *Vente directe :* Livre de Paris, Rombaldi, Quillet. *Grande diffusion :* Hachette Jeunesse [1], Gautier-Languereau/ Deux Coqs d'Or, Librairie Générale Française (Livre de poche), Librairie Champs-Élysées, Média 1000, Harlequin, Gérard de Villiers (dep. 1987, avant aux Presses de la Cité). *Distribution du livre* (voir p. 344 c).

Filiales Hachette. Europe : *Marabout :* Belgique. *Diffulivre :* Suisse. *Grolier Hachette International :* Irlande, Italie, Suisse, Turquie. *Salvat :* Espagne. **Amér. du Nord :** *Grolier* (acheté 2,5 milliards de F en 1988) : USA, Canada. *CEC :* Canada. **Amér. latine :** *Difédi :* Argentine, Chili, Colombie, Costa Rica, Mexique.

Nota. – (1) Départements de la maison mère.

CEP Communication

Filiale de Havas. *Pt :* Christian Brégou (19-11-1941). *CA global consolidé* (en millions de F) : (ne prend en compte que 50 % des activités édition) *1991:* 5 630 ; *92:* 5 778 (dont information 3 389, édition 2 389). *Résultat net* consolidé *1990:* 367 ; *91 :* 302 ; *92 :* 244.

■ **Branche édition. Groupe de la Cité.** *Pt. :* Christian Brégou. *Constitué* 1988 par le rapprochement des Presses de la Cité et Bordas, alors filiales de la Générale occidentale (groupe CGE), qui rassemblaient plusieurs maisons d'édition dont Plon, Perrin, Julliard, Christian Bourgois, 10/18, Orban, Solar, Rouge et Or, etc., et du groupe Larousse-Nathan (constitué 1984 par CEP Communication). *Capital :* détenu à 68 % par le holding Hoche-Friedland [(*Pt. :* Willy Stricker) possédé à 50 % par CEP Communication et 50 % Alcatel Alsthom]. Détient à 100 % Larousse (intégré par la CEP 1983), Nathan (intégré par la CEP 1979), Bordas [fondé en 1944 par Pierre (n. 5-7-1913) et Henri Bordas (1903-67) ; passé sous le contrôle des Presses en 1985 (intégré 1988), Dalloz (fondé 1845, *CA* 1988 : env. 150 millions de F, intégré 1989), Robert Laffont (fondé 1945, intégré 1990), et 50 % de France Loisirs. *Distribution :* Livredis, Messageries du Livre, Inter Forum]. *CA consolidé* (millions de F) *1989:* 5 692 dont maisons d'édition 4 528 (dont Nathan Édition, Nathan jeux 1 540, Presses de la Cité 1 064, Larousse 1 035, Bordas 707, Dalloz 88, autres 94), France Loisirs et ses filiales (50 %) 1 469. *1990:* 6 246 ; *91:* 6 281 ; *92:* 6 781. *Résultat net : 1990:* 350 ; *91:* 241 ; *92:* 261. *Effectifs :* 9 700 personnes. *Titres nouveaux publiés par an :* 2 800. *Volumes produits par an :* 93 millions.

☞ *Fév. 1993 :* le Groupe de la Cité rachète les Éditions Fixot (créées 1987 par Bernard Fixot, *CA* 1992 : 100 millions de F). *13-5 :* Julliard prend le contrôle des Éd. François Bourin.

Presses de la Cité. *Créées* 1947 par Sven Nielsen (1901-76). 19 maisons d'édition. *Littérature générale :* Presses de la Cité, Plon, Bourgois, 10/18, Julliard, Perrin, Fleuve noir. *Poche :* Presses Pocket. *Scolaire, jeunesse :* Bordas, Rouge et Or. *Encyclopédies, ouvrages universitaires et professionnels :* Bordas (a repris les classiques Garnier), Solar, Dunod, Gauthier-Villars, etc. *Distribution :* Messageries du Livre (MDL). *CA :* 1 milliard de F. Club France Loisirs, dont les Presses détiennent 50 % et Bertelsmann 50 %.

■ **Branche information. CEP Communication.** *Capital :* détenu par Havas 38 %, la Générale Occidentale 24 %, Suez 8 %, marché au règlement mensuel 32 %. *Créé* fin 1975. *CA 1989 :* 4,85 milliards de F. *Détient* à 100 % Groupe Usine Nouvelle, groupe LSA, Information et technologies, groupe Test, groupe Moniteur, groupe France agricole et plusieurs stés organisatrices de salons (CEP Exposium). *Contrôle* env. 100 journaux spécialisés dont 70 en France et 30 étrangers.

☞ **Havas.** *Capital :* détenu à 45 % par un noyau dur. *Détient* 38 % de CEP Com. et 30 % d'Audiofina qui détient 56 % de la CLT.

■ Librairies

■ **Titres disponibles.** Env. 250 000 sur le marché. Assortiment moyen d'une librairie générale : 10 000 à 20 000 livres ; assortiment important : 20 000 à 50 000 titres (40/80 000 volumes).

■ **Nombre en France.** *Points de vente :* 25 000. *Entreprises vendant régulièrement des livres :* 20 800 (600 librairies générales, 4 000 papeteries, 1 200 bibliothèques de gare, 15 000 divers : tabacs, kiosques, etc.). Il y aurait 10 000 points de vente du livre *stricto sensu,* soit de 600 à 700 rayons de librairie de grandes surfaces et 9 400 librairies dont 5 700 petites à choix restreint et traditionnel, 1 900 petites à choix diversifié ou spécialisées, 1 100 moyennes et importantes (dont 850 très actives et 250 employant + de 10 personnes).

30 librairies réalisent plus de 10 000 000 de F de CA. La moitié des librairies sont à Paris : 50 % des ventes de nouveautés et d'ouvrages de grande portée intellectuelle sont réalisés dans 4 arrondissements de Paris : 5e, 6e, 7e, 16e. De nombreuses librairies vendent à côté des livres : papeterie (45 % du CA), journaux (15 à 30 %), objets d'art et de piété (1,5 à 4 %), dessins (1,5 à 3,5 %).

Nombre d'habitants pour 1 grande librairie : Paris (5e, 6e, 7e) 1 200 à 1 600 ; Lyon (2e) 1 500 ; Marseille (centre) 1 700 ; quartiers urbains populaires : 90 000 à 100 000.

■ **Librairies les plus importantes du monde.** *Foyle* à Londres : vend 5 000 000 de livres par an, stocke 4 millions d'ouvrages sur 27 km de rayons. A Hayeon-Wye (Hereford-Shire, G.-B.) : la plus grande librairie d'occasion (3 millions d'ex./an, 250 000 visiteurs). *World's biggest bookstore* de Toronto : 6 500 m² de surface de vente. **Chiffre d'affaires livres des principales chaînes de librairie en Europe** (1989, en millions de F, source : Bipe Conseil). WH Smith (R.-U.) 1 880, Fnac (Fr.) 1 130, Pentos (R.-U.) 609, Waterstone (R.-U.) 533, Wolters Kluwer (P.-B.) 479, Blackwell (R.-U.) 398, Hugendubel (All.) 343, Joseph Gibert (Fr.) 340, John Menzies (R.-U.) 287, Hatchards (R.-U.) 266, Bruna (P.-B.) 256, Flammarion (Fr.) 235, Hachette (Fr.) 225, Montanus (All.) 207, Feltrinelli (It.) 194, Le Furet du Nord (Fr.) 180.

■ **Librairies les plus importantes en France. Province : Fnac-Lille :** voir ci-dessous. **Le Furet du Nord SA :** créée 1936, reprise 1950 par Paul Callens, installée Gd Place 1959, reprise par Christian Le Blan 1983. *CA* (1992) : 300 millions de F dont librairie 70 %. *Surface de vente* 15 500 m² dont Lille 7 000 [fondé 1959, *CA* (1992) 175 millions de F (librairie 70 %), 170 000 titres (600 000 volumes) en stock, 120 employés, environ 20 000 visiteurs par jour. 1 400 000 livres vendus par an], Valenciennes 1 100 (f. 1982), Maubeuge 560 (f. 1983), Tourcoing 500 (f. 1984), Lens 900 (f. 1986), Douai 600 (f. 1988), Arras 800 (f. 1989), Boulogne-s-Mer 600 (f. 1990), St-Quentin 800 (f. 1990), Cambrai 800 (f. 1991), Villeneuve-d'Ascq 1 500 (f. 1991), Béthune 600 (f. 1992). **Librairie Mollat :** créée 1896 par Albert Mollat à Bordeaux. *Surface de vente* 1 600 m². *Titres* 140 000, *livres en stock* 300 000. *CA 1992 :* 120 millions de F.

Paris : La FNAC (Féd. nat. d'achats) : *créée* 1954 par 2 anciens militants trotskistes, André Essel (4-9-1918) et Max Théret (6-1-1913), sous le nom de Fédération Nationale des Cadres (groupement d'achat de matériel photographique et cinéma). *1957* 1er point de vente avec rayons photo, radio et magnétophone. *1961* rayon disque. *1966* 1er magasin Fnac Sport. *1972* 1re ouverture en province à Lyon. *1974 mars,* librairie ouverte rue de Rennes, pratiquant le rabais systématique. *1976* 1re boutique de proximité Fnac Service-Photo. *1977* contrôle par le mouvement coopératif. *1978* création de Fnac Service et Fnac Autoradio ; rayon vidéo. *1979* ouverture Fnac Forum des Halles. *1980* rayon micro-informatique, Fnac cotée à la Bourse de Paris. *1981* départ de Max Théret. Fnac Voyages créée. *1983* Roger Kérinec remplace André Essel. *1985* la GMF participe au capital de Fnac SA. Michel Baroin (29-11-1930), PDG de la GMF, Pt de la Fnac. *1987* Décès accidentel de Michel Baroin. Jean-Louis Pétriat (23-2-1935), Pt de GMF et Fnac. Cession de Fnac Sport. *1988* 1re Fnac en région parisienne. *1989* exploite 29 librairies. *1990* 3 nouvelles librairies ouvertes : Tours, Toulon, St-Étienne ; 7 points de vente dont les 1ers thématiques. *1991* 1re Librairie internationale (1 000 m², CA 1991 : 30 millions de F) dans le quartier Latin (fermée 31-10-1992) ; nouvelles librairies ouvertes : Paris (av. des Ternes), Pau, Nancy, Lyon Part-Dieu ; *1992 :* ouv. prévues : Cergy-Pontoise, Noisy-le-Grand. *En France :* 31 dont Paris 4 [Forum des Halles, Montparnasse, Étoile, av. des Ternes (14 000 m² dont 9 000 de surface de vente, coût : 130 millions de F)], banlieue 3 (Parly 2, Créteil, La Défense), province 24 (plus grande Lille, plus petite Colmar). *En Belgique :* 4 (Bruxelles, Gand, Anvers, Liège). *En Allemagne :* (Berlin, ouv. 1991). *Volumes vendus (1989) :* + de 18 millions. *CA (1989) :* 997,4 millions de F (HT). *CA du groupe (1991-92) :* 8,2 milliards de F (HT) dont en % : électronique 31, disque 27, photo 21 et livre 19. Déficitaires, les magasins d'articles de sport ont été vendus en 1986-87. *Ventes* (HT, 1991-92) : 8 254 F. *Surface* (au 31-8-1992) 88 240 m² dont Fnac Paris SA 17 750, Fnac Lyon SA 5 045. **Principales librairies :** *Paris. Forum des Halles :* fondée 4-9-1979, surface de vente 1 850 m², titres disponibles 150 000, volumes en stock 700 000, *CA (1989-90)* : 275 millions de F (HT). Visiteurs par j 18 000, livres vendus par an 4 500 000. *Paris-Montparnasse :* fondée 13-3-1974, surface de vente 1 400 m², titres disponibles 120 000, volumes en stock 500 000, *CA (1989-90)* : 196 millions de F (HT). Visiteurs par j 10 000, livres vendus par an 3 000 000. *Lille :* fondée 22-10-1992, surface de vente 900 m², (en stock 200 000 volumes), CA (*prév.*) : 230 millions de F. *Lyon :* 755 m², 80 000 titres, CA (*1989-90*) : 66 millions de F (HT). **Part de marché des librairies FNAC :** 9 % de la vente au détail (1er de France).

Les Presses universitaires de France (49, bd St-Michel, Paris) *CA (1988) :* 60 millions de F (uniquement en livres). 160 000 titres. *Effectif :* 72 personnes. Service de vente par correspondance. Pochothèque : 17, rue Soufflot, Paris.

Gibert Jeune. Un des successeurs de la Librairie Gibert, *fondée* oct. 1886 par le Pr Joseph Gibert. *Surface de vente :* 3 300 m². *Titres* 200 000, *livres en stock :* 1 000 000. *CA (1992) :* 250 millions de F (dont librairie 215). *Clients :* 1 700 000 par an, 5 700 par j en moyenne (samedi de la rentrée scolaire : 50 000). *Livres vendus :* 3 300 000 par an (750 000 en septembre), 11 000 par j. *Livres d'occasion achetés* à 1 100 000 clients.

Virgin Megastore. *Créé* 1988 par Richard Branson ; *CA (1991-92) :* 871 millions de F dont librairie 108. Paris 68 (fondé 1989) 50 000 titres, 600 m². Marseille 20 (f. 1990) 40 000 titres, 500 m². Bordeaux 20 (f. 1990) 60 000 titres, 590 m².

■ **Chaînes de librairies en France. Chiffre d'affaires livre** (en millions de F, 1990, Source : Bipe/Livres-Hebdo) : Fnac 1 250, Joseph Gibert 400, Flammarion 250, Hachette (Relais H et autres) 235, Le Furet du Nord 225, Maxi-livres (réseau de points de vente franchisés du groupe Profrance ; créé 1981) 200, Temps de vivre 190, Virgin 150, Réunion des Musées nationaux 125, Bordas-Dunod 120, La Procure 117, Decitre 104, Alsatia 100, La Sorbonne 90, Gallimard 82.

Groupements de librairies (estim. 1991). Clé (1986 ; 43 membres) 800, Majuscule (1985 succède à Scoll créé 1958 ; 96 m.) 700, Librairies L (1968 ; 46 m.) 500, l'Œil de la lettre (1983 ; 43 m.) 200, la Procure (1987 pour les franchisés ; 17 m.) 162, Siloë (1989 pour les franchisés ; 25 m.) 100, Plein Ciel (1958 ; 96 m.) n.c.

Éditeurs (1989). Hachette (y compris le Temps de vivre) 405, Flammarion 235, Hachette 225, Groupe de la Cité 120, Réunion des Musées nationaux 108, Gallimard 76, G.L.M. (Anecdotes) 40, Éditions d'Organisation (Lib. de l'Entreprise) 17, Glénat/Lib. d'Images 15.

■ **Remise aux libraires. Avant le 1-1-1979 :** % touché par le libraire sur le prix de vente conseillé par l'éditeur. *Livres scolaires :* 20 à 30 % ; de littérature : 33,3 ; techniques et scient. : 10 ; d'érudition : 10. Le % était souvent plus important pour les commandes importantes ou à partir d'un certain CA annuel. **Du 1-7-1979** (entrée en vigueur de l'arrêté Monory du 23-2-1979) **au 1-1-1982,** il n'y eut plus de prix conseillé. L'éditeur cédait au libraire le livre à un prix de base que celui-ci était libre de majorer à son gré pour la vente au public. **Depuis le 1-1-1982** (entrée en vigueur de la loi Lang du 10-8-1981 sur le prix du livre, suivie du décret du 3-12-1981 et de la circulaire du 30-12-1981), l'éditeur est tenu de fixer un prix de vente public. Il détermine à partir de ce prix la marge commerciale du libraire en calculant des remises qualitatives devant être supérieures aux remises quantitatives. Le libraire ne peut vendre de livre qu'au prix public (avec une marge de 5 % au max.) sauf s'il vend à des bibliothèques, établissements d'enseignement, de recherche et de formation profess. Il peut consentir des prix réduits sur les livres édités depuis plus de 2 ans, et dont le dernier approvisionnement remonte au moins à 6 mois. L'arrêt du 10-1-1985 de la Cour de Justice de la Commun. européenne reconnaît la compatibilité de cette loi avec les règles communautaires de la concurrence.

■ **Commissionnaires et grossistes de livres.** Remise de 40 % ou plus. *Nombre :* 2 très importants, 4 ou 5 importants, plus un nombre difficile à déterminer de moins importants dont une vingtaine en province. Certains éditeurs ont créé des agences et des dépôts régionaux pour hâter l'approvisionnement.

■ Vente par correspondance et par courtage

■ **Nombre d'adhérents des clubs de livres** en millions et entre parenthèses **% de la population du pays.** All. 6 (10), *France 5 (9),* G.-B. 2,4 (4), Italie 1,8 (3), Pays-Bas 1,5 (10), Suisse 1,5 (23), Espagne 1,2 (3), Autriche 1,1 (14), Belgique 0,8 (8), Portugal 0,4 (4).

Le groupe Bertelsmann occupe le 1er rang en Europe sauf en Italie où il est devancé par Mondadori, en Suisse par Migro et en Scandinavie.

Principales maisons en France

(Chiffre d'affaires en millions de F)

☞ **1991 :** 2 100 millions de F de ventes pour les clubs de VPC.

■ **France Loisirs** (50 % Presses de la Cité, 50 % Bertelsmann). *Fondé* en France en 1970. Distribution par correspondance et par points de vente (195 en France). Romans, récits, encyclopédies, guides pratiques, beaux livres, histoire, livres pour enfants, disques, jeux et vidéo ; catalogue trimestriel. **Adhérents :** *1975* 0,99 ; *80* 2,39 ; *85* 4,69 ; *86* 4,78 ; *91* 4,74 (dont France 4,09). **Ventes de livres** (91) : 25 600 000. *CA* adhérents TTC *1975* 0,24 milliard de F ; *80* 0,78 ; *85* 1,84 ; *90* 2,48 ; *91* 2,56 ; *92* 2,7. Bénéfice net (1992) 329 millions de F. *Meilleurs tirages* (en milliers d'ex.) : *Larousse encyclopédique en 22 vol.* 20 500, *la Comédie humaine* (H. de Balzac, 28 vol.) 2 300, *le Royaume du Nord* (B. Clavel, 6 vol.) 2 100, *la Grande Histoire des Français sous l'Occupation* (H. Amouroux, 8 vol.) 860, *Jamais sans ma fille* (B. Mahmoody) 620, *la Gloire de mon père* (M. Pagnol) 504, *la Bonne Cuisine d'aujourd'hui* 416, *le Grand Guide touristique de la France* 415, *les Routes de Pékin* (P.-L. Sulitzer) 290.

Ces livres ne paraissent que 9 mois après l'édition originale et sont vendus en moyenne 68 F (sans le port), ce qui correspond à env. 75 % du prix de l'édition ordinaire, mais ce sont des ouvrages reliés avec jaquette.

■ **Grand Livre du Mois (Le) (GLM).** Fondé par le Club français du livre, Albin Michel, Robert Laffont. *Capital:* GLM SA 100 %. *Adhérents: 1977:* 220 000 ; *90:* 700 000 ; *92:* 800 000. Club de livres (actualité littéraire), ces livres paraissent en même temps que les éditions ordinaires et sont vendus au même prix (avec un système de primes de fidélité) mais ils sont reliés avec jaquette. *CA (1992) :* 500 MF HT ; 5 000 000 vol. expédiés (2e place en France dans la vente de livres par correspondance en Club).

■ **Hachette** (Rombaldi racheté le 18-3-88 à La Redoute). VPC. *CA (1991) :* 60 MF.

■ **Livre de Paris (Le).** *Courtage :* [notamment Encyclopédie générale Hachette et Tout l'univers (15 vol., 1 900 000 ex. vendus en 19 ans). et VPC]. *CA 1991 :* 1 000 MF.

■ **Larousse Laffont.** Liriade VPC (collections à caractère encyclopédique et culturel). *CA (1992) :* 200 MF.

■ **Sélection du Reader's Digest France.** *CA* (de juillet 1991 à juin 92) : 1 102 MF dont magazines 187, livres 764, musique 137, divers 14.

■ **Time-Life** (1 300 000 ex.) : CA 160 MF (1990).

☞ De plus, quelques grandes maisons d'édition (l. scientif. et techn. notamment) ont, outre leur réseau traditionnel, un important service de vente par correspondance. La plupart sont regroupées au sein du Syndicat des entreprises de vente par correspondance.

■ Centre national des lettres

Siège. 53, rue de Verneuil, 75007 Paris. **Statut.** Établissement public à caractère administratif, doté de la personnalité civile et de l'autonomie financière, placé sous la tutelle du ministère de la Culture et de la Communication. *Pt de droit* le directeur du livre et de la lecture au ministère. *Organisation et missions définies* par la loi du 11-10-1946 modifiée et complétée par la loi du 25-2-1956 et les décrets du 14-6-1973 et du 30-1-1976.

Missions. Favoriser la création littéraire : aides à la création pour permettre aux auteurs qui ont publié au moins un ouvrage à compte d'éditeur de se consacrer à leur œuvre sans contrainte, au moins le temps d'une année sabbatique, d'une bourse de création ou d'encouragement de 39 000 à 100 000 F ; aides sociales aux auteurs qui rencontrent des difficultés passagères ou écrivains âgés. **Aider l'édition :** prêts aux éditeurs pour la publication d'ouvrages d'art, litt. française, étrangère, pour la jeunesse, scientifique et technique, philosophie, sc. de l'homme et de la société, bande dessinée ; subventions pour la publication de textes contemporains de théâtre ou de poésie, d'ouvrages de bibliophilie, d'actes de colloques, de revues, et pour la mise en œuvre de certains grands projets. **Faciliter la traduction d'œuvres étrangères :** aides aux traducteurs : allocations ou bourses, aux éditeurs : subventions à la traduction ou prêts pour la publication d'ouvrages traduits. **Encourager l'animation littéraire :** subventions aux manifestations et aux associations à vocation littéraire. **Développer la lecture publique :** subventions aux bibliothèques pour l'achat de livres.

Nota. – Depuis 1984, une partie de ces tâches est assurée par des *Centres régionaux des lettres, ou Offices régionaux du livre,* créés par certains établissements publics régionaux avec l'aide du Centre national des lettres.

Actions menées en 1992. 53,5 (aides à la diffusion), 40 (subventions à l'édition), 13 (bourses), 9,5 (activités littéraires), 8,2 (subventions à des structures permanentes), 4,3 (assistance culturelle), 1,8 (subventions aux auteurs).

Ressources. Budget (en millions de F) *1993 :* 145 (vient essentiellement du « Fonds national du Livre » alimenté par 2 taxes parafiscales : 0,20 % sur les ouvrages vendus en librairie, dont sont dispensés les petits éditeurs (23 millions de F en 1990), 3 % sur la vente de tout matériel de reprographie (87 millions de F en 1991).

■ Dépôt légal

Origine. *1537 (28-12)* ordonnance de François Ier, dite de Montpellier : institution de la Librairie royale avec obligation pour tout producteur d'œuvre d'en remettre gratuitement aux autorités un certain nombre d'exemplaires. *1881 (29-7)* obligation de déposer un certain nombre d'ex. aux autorités administratives et judiciaires (art. 10). *1925 (19-5)* loi instituant le dépôt légal obligatoire pour tous les imprimés, photographiques, cinématographiques et phonographiques compris. *1938* décret créant la Phonotèque nationale, gérante du dépôt légal. *1940 (25-6)* les éditeurs commencent seulement leurs dépôts.

Modalités. Régi par la loi du 21-6-1943 complétée par 6 décrets : 21-6-1943 (modalités d'application), 17-7-1946 et 17-6-1964 (application aux DOM-TOM), 21-11-1960 (délais de dépôt), 30-7-1975 (œuvres audiovisuelles), 23-5-1977 (films). Pour les médailles, loi du 28-6-1929. Y sont soumis les imprimés de toute nature (livres, périodiques, brochures, estampes, gravures, cartes postales illustrées, affiches, cartes de géographie et autres), les œuvres musicales, photographiques, cinématographiques, phonographiques mises publiquement en vente, en distribution ou en location, ou cédées pour la reproduction. Sont exclus les travaux d'impression dits de ville, dits administratifs ou de commerce.

Dépôt à effectuer dans les services du dépôt légal dépendant de la Bibl. nat. (58, rue de Richelieu, 75084 Paris Cedex 02). Imprimés 6 ex. dont 4 par l'éditeur 48 h avant la mise en vente, 2 par l'imprimeur dès l'achèvement du tirage. [Œuvres audiovisuelles : 2 ex. par le producteur et l'éditeur (ou le diffuseur)] à la Bibliothèque nationale pour les ateliers de la région parisienne, ou dans une des 19 bibl. municipales habilitées en province.

Les envois en franchise postale doivent être accompagnés d'une déclaration en 3 ex. sur papier libre mentionnant (pour l'éditeur) : titre de l'ouvrage, nom et adresse de l'auteur, de l'éditeur, de l'imprimeur ; date de mise en vente, prix, tirage, format et nombre de pages.

L'éditeur doit aussi déposer 1 ex. au *service du Dépôt légal du ministère de l'Intérieur* (3, rue Cambacérès, 75008 Paris) qui, avec celui de la Bibl. nat., « constitue un service commun dénommé Régie du Dépôt légal ». Les *périodiques* édités en dehors de Paris sont déposés à la préfecture du département. Les éditeurs de périodiques sont, en outre, astreints aux dépôts administratifs et judiciaires (loi du 29-7-1881, modifiée par la loi du 31-12-1954), et ceux de publications pour la jeunesse à un dépôt au min. de la Justice (loi du 16-7-1949).

☞ *Tous les exemplaires du livre* doivent porter la mention du nom de l'imprimeur, du lieu de sa résidence, de l'année et du mois de son édition, et les mots « Dépôt légal » suivis de l'indication de l'année et du trimestre au cours duquel le dépôt est effectué. Pour les nouveaux tirages, l'indication de l'année où ils sont réalisés est obligatoire. Le nombre d'exemplaires déposés peut être inférieur pour certaines œuvres imprimées (ouvrages de luxe, estampes au tirage peu important...).

■ **Statistiques.** En 1990, le Dépôt légal a reçu 71 024 livres et brochures, 1 753 227 fascicules périodiques, 2 241 atlas, cartes et plans, 2 145 gravures, 2 926 photographies, 2 540 affiches, 273 médailles frappées, 55 planches de timbres, 2 502 partitions musicales, 17 213 phonogrammes.

En 1990, la *Bibliographie nationale française* a publié 34 400 notices de livres imprimés, et dans ses suppléments, 6 862 notices de publications en série (périodiques, annuaires, collections), 2 719 de publications off., 969 de musique imprimée. Les publications décrites dans ces notices sont uniquement des publications françaises reçues par dépôt légal.

La différence entre le nombre d'enregistrements au Dépôt légal et le nombre des ouvrages annoncés à la Bibliographie nat. fr. tient au fait : 1°) que le Dépôt légal numérote chaque volume (unité matérielle) déposé, alors que la *Bibliographie nat. fr.* annonce des titres d'ouvrages ; 2°) que de nombreuses publications officielles des administrations et organismes publics et privés (recueils de circulaires, rapports annuels, etc.) ne sont annoncées qu'à l'occasion du dépôt du 1er numéro.

■ Censure

1741 instituée par Louis XV, pour remplacer la censure religieuse, aux mains de la Sorbonne (voir Index). Jusqu'en 1789, il y eut 79 censeurs chargés d'autoriser ou d'interdire la parution de livres, selon leur moralité (belles-lettres 35, théologie 10, jurisprudence 10, etc.). Montesquieu, Rousseau, Voltaire furent imprimés en Suisse, Hollande, Angleterre. **1789** l'Assemblée constituante abolit la censure. **1791** abolition inscrite dans la Constitution. **1797** rétablie par le coup d'État de Fructidor. **1801** la Constitution n'en parle pas. **1810** un censeur impérial est nommé : Royer-Collard qui prend le titre de directeur Gal de la librairie. **1814** rétablie par l'abbé de Montesquiou. **1815** supprimée aux Cent-Jours. **1817** rétablie. **1819** abolie. **1820** commission de censure de 12 membres, jusqu'en 1822. **1827** nomination de 6 censeurs ; impopulaires ils gardent l'anonymat. **1830** abolie. **1835** rétablie pour les ouvrages dramatiques. **1848** abolie, puis rétablie par Cavaignac. **1852** rétablissement de la juridiction en correctionnelle pour les auteurs d'écrits immoraux. **1881** abolition sauf pour les œuvres dramatiques. **1914-18** rétablie pendant la guerre (surnommée *Anastasie*). **1939-45** rétablie pendant la guerre.

■ Lecteurs

Sondage Sofres/Madame Figaro (22 au 26-5-1992, sur 1 000 personnes de 18 ans et +). **Nombre de livres lus/an** (en % entre parenthèses) : – de 5 (32), 5 à 20 (28), aucun (27), 20 à 50 (7), + de 50 (4), ne sait pas (2). **Genres de livres préférés :** roman 48, récit historique 45, roman policier 31, santé, médecine 26, politique 19, bande dessinée 18, sciences et techniques 18, **Livres préférés :** Jamais sans ma fille, les Rois maudits, la Bicyclette bleue, les Oiseaux se cachent pour mourir, la Cité de la joie, Germinal. **Écrivains préférés :** Émile Zola, Victor Hugo, Agatha Christie. **Motivation d'achat d'un livre (%) :** sujet 56, auteur 32, en fonction des critiques 25, sur les conseils d'un proche 22, après une émission littéraire 16.

Étude de la publishers Association (5-10-1992). *Lisent au moins 1 livre par mois* Allemands de l'Ouest 67 %, Britanniques 55 %, Français 32 %. *Dépenses par an* (livres sterling) : Allemands 57, Britanniques 43, Français 37.

Vitesse de lecture

Enfant jeune : 75 mots/min, *lecteur moyen :* 250 à 300, *doué et entraîné :* 600, *exceptionnel :* 1 000.

La *lecture rapide* se fonde sur la saisie de groupes de mots pour reconstruire les parties logiques du raisonnement de l'auteur. Permet de lire 6 000 lettres/min (Au Japon certains champions peuvent lire jusqu'à 100 000 lettres/min).

■ Principales foires

Bologne, livre pour la jeunesse. *Fondée* 1964. En *1993 :* 1 366 éditeurs (dont 1 154 étrangers), 3 309 visiteurs professionnels (60 pays), 22 047 m² d'exposition (937 stands). Prix Critici in Erba (livre le mieux illustré) et Prix graphique Fiera di Bologna (livre au meilleur graphisme).

Bruxelles. *Fondée* 1969. *1993 :* 15 000 m², visiteurs, 2 500 éditeurs (25 pays). Palais 2 et 3, Parc des Expositions (Heysel), du 19 au 25 avr. ; 25ᵉ anniversaire : création du 1ᵉʳ Salon de l'édition multimédia (3 500 m² : éditions sur cassettes, cassettes-vidéo, CDRom, CDI, CDTV)/ En *1994 :* du 18 au 24 avr.

Francfort. *Fondée* 1949. *1992 :* 124 676 m², 245 000 visiteurs, 8 236 éditeurs de 103 pays présentant 348 965 titres dont 101 028 nouveautés. *1993 :* du 6 au 11 octobre.

Genève, livre et presse. *Fondée* 1987. *1992 :* 30 000 m², 800 exposants de 40 pays, 130 000 visiteurs.

Jérusalem. *Fondée* 1961, biennale. *1991 :* 7 000 m², 1 000 exposants (39 pays), 50 000 visiteurs. Prix de Jérusalem (1991 : Zbigniew Herbert). *Du 18-4 au 24-4 1993 :* 16ᵉ foire.

Montréal, salon. *1973 :* foire du livre. *1978 nov. :* salon. *1992 (jumelé à la Foire de Brive dep. 1990) :* 107 000 visiteurs, 1 000 éditeurs, 15 500 m² d'exposition, 19 pays représentés. *Prix :* Montréal/Brive du livre pour l'adolescence (le 12/17), du Grand Public, Québec-Wallonie-Bruxelles, Alvine-Belisle.

Montreuil, salon du livre de jeunesse. *Fondé* 1985. *Visiteurs 1991 :* 85 000 (26 000 enfants, 16 200 professionnels).

Paris, salon. *Fondé* 1981. *Visiteurs : Grand Palais : 1981 :* 120 000 ; *85 :* 170 000 ; *86 :* 180 000 ; *87 :* 209 787 ; *Porte de Versailles* (28 000 m²) *88 :* 200 000 ; *89 :* 137 000 (1 600 exposants) ; (*Grand Palais :* 15 000 m²) *90 :* 146 000 ; *91 :* 145 558 ; *92 :* 153 613 (5 400 bibliothécaires, 4 000 libraires, 5 300 enseignants) ; *93 :* 150 374 (1 200 éditeurs dont français 850, francophones 150 ; écrivains 800).

☞ **Manifestation régionale la plus importante en France :** la foire du livre de Brive (1ᵉʳ week-end de novembre) 100 000 visiteurs en 1992, 315 auteurs, env. 25 000 ouvrages vendus.

Bibliothèques

Catalogues

■ **Catalogue collectif de France.** Ouverture prévue 1995. Notices disponibles (manuscrits, parchemins, livres, journaux, périodiques, vidéos, films, images, disques, bandes magnétiques, cylindres de cire) : 5 à 6 millions (plus tard 10). *Coût (en millions de F) de la saisie* informatique des catalogues des bibliothèques : 120 pour la BN, 65 consacrés par la Bibliothèque de France, *Conception et développement du logiciel :* 21.

■ **Serveur Bibliographique National (SBN).** Ouvert 1992. Notices d'imprimés : + de 1 200 000 ; de phonogrammes, vidéogrammes et autres supports : + de 1 000 000.

■ **Pancatalogue (catalogue collectif des bibliothèques universitaires).** Accessible par terminal d'ordinateur, ouvert aux abonnés (contact Sunist) dep. oct. 1991. 1ʳᵉ version vidéotex ouverte en juin 1992. 300 000 notices + 500 000 notices/an dès fin 1992.

☞ **1992 :** fusion du Centre National Universitaire Sud de Calcul (CNUSC) créé 1980, avec le Serveur Universitaire National pour l'Information Scientifique et Technique (SUNIST), précédemment à l'Isle d'Abeau.

Organisation en France

☞ **Fréquentation :** *1983 :* 12,5 % des Français, *1985 :* 13,8 % (dont 42 % de – de 14 ans). **Prêts :** *1983 :* 74 828 000 livres, *1985 :* 84 (dont 42 % de – de 20 ans).

Depuis 1981, les bibliothèques municipales, les b. centrales de prêt, la B. publique d'information et la B. nationale dépendent de la *Direction du livre et de la lecture* (min. de la Culture). Les b. universitaires et celles des grands établissements (Institut, b. Mazarine, Muséum national d'histoire nat., Musée de l'homme, Académie de médecine) dépendent du Service des b. (min. de l'Éduc. nationale).

Budget de la direction du livre et de la lecture (en millions de F). *1981 :* 197,4 ; *82 :* 639,91 ; *83 :* 866,48 ; *84 :* 925,7 ; *85 :* 946,5 ; *89 :* 647.

■ **Bibliothèques municipales** (1989). **Nombre** 1 570. **Personnel** (effectifs, 1985), 10 400. **Locaux** (en m², 1985), 880 000. **Dépenses totales de fonctionnement** (en millions de F, 1985), 164,8. **Subventions de fonctionnement de l'État** (en millions de F, 1985) 18,5 ; **subv. d'équipement de l'État** 107. **Emprunteurs inscrits** 5,3 millions. **Livres prêtés** 110,7 millions.

■ **Bibliothèques centrales de prêt (BCP).** *Instituées* en 1945 pour desservir les zones rurales à l'échelle du département. Services décentralisés gérés par départements, parfois subventionnés par régions ou communes. Dep. 1-1-1986 dépendent des conseils gén. des départements où elles sont situées.

Nombre : *86 :* 94. **Lieux de dépôts** (dans mairies, écoles, bibliothèques municipales et autres organismes culturels souvent sous la responsabilité de bénévoles) : 32 896. **Collections** (millions). *Livres 85 :* 14,4 ; *disques 85 :* 0,36. **Personnel.** *85 (est.) :* 1 388 (895 dont État 786). **Véhicules.** *85 :* 478 (332 dont 210 bibliobus). **Crédits de fonctionnement** (millions de F) et entre parenthèses, **d'équipement.** *1981 :* 37,9 (17,8) ; *85 :* 139,9 (52,3). **Livres prêtés** (millions). *85 (est.) :* 37,8.

■ **Bibliothèques universitaires et interuniversitaires** Organisées à la fin du XIXᵉ s. Il y en a 81 (y compris la b. nationale et universitaire de Strasbourg) et 6 de grands établissements.

Emprunteurs inscrits (1990) 800 000. **Livres prêtés** (incluant le prêt entre bibliothèques) 11 millions. **Personnel** (1992) 3 821. **Locaux** (1990) 634 000 m². **Collections** (en millions, 1990), livres 24, revues 0,4. **Dépenses de fonctionnement** (millions de F, 1990) 903 dont personnel 482, locaux 80, fonctionnement documentaires 341. **Subventions de l'État** (en millions de F) fonctionnement *1987 :* 85,6 ; *1990 :* 229 ; *1992 :* 276 ; équipement : *1987 :* 10 ; *1990 :* 15 ; *1992 :* 15,5.

■ **Bibliothèque nationale (Paris)** (voir p. 348 a).

■ **Bibliothèques pour enfants.** En 1990, 1 533 b. municipales faisaient du prêt aux enfants. En outre existent la b. pour enfants de Clamart (b. pilote) et des b. dans les établissements des 1ᵉʳ et 2ᵉ degrés. Centre National du livre pour enfants : *Joie par les livres,* 8, rue St-Bon, 75004 Paris.

■ **Bibliothèques privées.** Bibliot. des comités d'entreprise, Culture et Bibliot. pour tous, bibliot. des œuvres laïques, bibliot. d'institut, bibliot. et centres de documentation des centres de recherche, laboratoires, sociétés...

Principales bibliothèques

Légende. – Lieu, nom, date de fondation, nombre de volumes en milliers (tous les pays n'ont pas la même définition, la BN par ex. classe un vol. à partir de 51 pages ; la b. Lénine de Moscou : 3 p.).

Dans le monde

Les plus grandes bibliothèques

Nombre de volumes, en millions

■ **Allemagne. Berlin :** B. d'État de Prusse (1661) 3,75. **Cologne :** B. de médecine (1908) 0,38. **Francfort :** B. (1994) 11 ; B. all. (1946) 5,03. **Fribourg :** B. Univ. (1457) 2,18. **Hanovre :** B. d'inform. sur les techniques (1831) 0,85. **Heidelberg :** B. Univ. (1386) 2,39. **Kiel :** B. Centrale des Sciences Eco (1914) 1,69. **Leipzig :** B. all.-Librairie all. (1912) 9,2. **Munich :** B. d'État de Bavière (1558) 6,2. **Tübingen :** B. Univ. (1477) 1,57.

■ **Belgique. Anvers :** B. Univ. St-Ignace (1852) 0,40. **Bruxelles :** B. de l'Univ. libre (1846) 1,49 ; Universiteits Bibliotheek VUB néerlandophone (1972) 0,4 ; B. du Parlement (1831) 3 ; B. royale (1837) 3. B. des sc. nat. (1846) 0,71. **Gand :** B. de l'Univ. (1797) 1,69. **Liège :** B. de l'Univ. (1817) 2. **Louvain :** B. de l'Univ. francophone (1971) 1,76 ; néerlandophone (1971) 1,9 ; Centre gén. de doc. de l'Univ. cathol. (1425) 0,8.

■ **Chine. Pékin :** Bibl. nationale (1912) 11. **Shanghai :** (1952) 6,93.

■ **Égypte. Alexandrie.** Fondée sous Ptolémée Iᵉʳ Sôter en 304 av. J.-C. par Demétrios de Phalère, contenait env. 550 000 rouleaux de papyrus représentant 30 000 œuvres. *Destruction.* [Selon Abulfaradje (évêque d'Alep en 1286), la B. fut incendiée par Amr Ibn el As, général arabe qui emporta la ville une 1ʳᵉ fois en 642, puis en 645]. Le calife (Omar ou Othman, selon la date retenue), interrogé sur le sort qui devait être réservé aux livres, aurait répondu : « S'ils sont conformes au Coran, ils sont inutiles, s'ils sont contraires au Coran, ils sont pernicieux » [tradition aujourd'hui contestée, en réalité, la B. connut plusieurs sinistres : *47 av. J.-C. :* prise d'Alexandrie par César (en fait, des entrepôts contenant du blé et des livres destinés à l'exportation auraient seuls brûlé) ; *v. 390* attaque des chrétiens, VIᵉ s. reconstituée en partie, puis redétruite]. NOUVELLE BIBLIOTHÈQUE. *1988*-26-6 1ʳᵉ pierre posée. *1995 juill.* ouverture prévue (architecte : cabinet norvégien : Snohetta Arkitektur Landskap et associés désigné le 24-9-1989). *Coût prévu :* 160 millions de $. *Surface :* 52 000 m² sur terrain de 40 000 m² (bâtiment circulaire, diam. : 160 m, haut. 35 m, 9 niveaux descendant jusqu'à 11 m au-dessous du niveau de la mer). *Places :* 2 000. *Volumes en 1995 :* 200 000 (et 15 000 périodiques), *capacité finale :* 8 millions.

■ **France. Paris :** B. Nationale + de 13 (voir p. 348).

■ **Grande-Bretagne. Londres :** British Library (1753), *1973* indépendante du British Museum, budget de fonctionnement : 900 millions de F par an. Nouvelle bibl. 1994/96, coût 4,5 milliards de F, architecte Colin Saint John Wilson 10,3. **Oxford :** B. bodléienne (1602) 5. **Édimbourg :** B. nat. d'Écosse (1682) 5. **Cambridge :** Univ. (1400) 4,2. **Winchester :** B. du Hampshire (1925) 3,5. **Preston :** B. du Lancashire (1924) 3,45. **Manchester :** B. John Rylands (1851) 3,35. **Maidstone :** B. du Kent (1921) 3,3. **Birmingham :** B. idu (1861) 2,56. **Aberystwyth :** B. nat. du Pays de Galle (1861) 2,5.

■ **Japon.** En projet : **Ōsaka** (1996) 165 000 m², 9,4. **Tōkyō :** Nationale de la Diète (1948) 5,74 (+ 350 000 cartes, 350 000 disques, 195 000 microfilms, 128 000 périodiques).

■ **Roumanie. Bucarest :** Acad. rép. (1867) 8,43.

■ **Suisse. Bâle :** B. de l'Univ. (v. 1470), 2,65. **Berne :** B. nat. suisse (1895), 2,6 ; B. mun. et univ. (v. 1528), 1,64. **Fribourg :** B. cantonale et univ. (1848), 1,72. **Genève :** B. publique et univ. (1562), 1,74 ; B. de l'univ., 1,43. **Lausanne :** B. cant. et univ. (1537), 1,49. **Neuchâtel :** B. pub. et univ. (1788), 0,44. **Zurich :** B. centrale (1914), 2,57 ; B. de l'École polytechnique fédérale (1855), 2,6, dont 1 803 207 microformes.

■ **Ex-URSS. Arménie :** *Erevan :* État (1921) 6,7. **Ukraine :** *Kiev :* Ac. des sc. (1919) 7,76. **Russie :** *St-Pétersbourg :* État (1795) 21,5 (dont 400 détruits, 3 600 endommagés par l'eau et 3 400 par des moisissures). Ac. des sc. (1714) 12,79. *Moscou :* Lénine (1862) 28,22. D'État des Sc. et Tech. (1958) 10. Sc. sociales (1969) 7,49. Université (1755) 6,63. **Biélorussie :** *Minsk :* B. de la Rép. (1922) 6. **Sibérie :** *Novossibirsk :* Ac. des sc. (1959) 9,97. **Nlle-Géorgie :** *Tbilissi* : Karl-Marx (1946) 8.

■ **USA. Cambridge** (Mass.) : Univ. de Harvard (1638) 10,41. **Chicago** (1991) coût 150 millions de $, 67 000 m², 131 km² de rayonnages. **New York :** Publique (1848) 9. **Washington** [Congrès, 1800, or. bibl. de Thomas Jefferson, 6 500 vol. en 1814, 360 000 m² comprenant le Thomas Jefferson Building (1897) et ses 2 annexes, le John Adams (1939) et le James Madison (1980), *budget de fonctionnement annuel :* 1 440 millions de F] 88 000 publications diverses dont 26 000 vol. imprimés.

En France

Paris

■ **Bibliothèque de France (BDF). Historique :** *1988 (déc.)* Dominique Jamet nommé Pt. *1989 (janv.)* annonce que la BDF accueillera les ouvrages parus après 1945 et que la Bibliothèque nationale (BN) gardera les autres. *Juillet* Pt Mitterrand choisit le projet de Dominique Perrault. *Sept.* Élisabeth Badinter, Pierre Nora, Jacques Julliard soulignent la difficulté de faire coexister livre et audiovisuel : la BDF sera consacrée en priorité au livre. *13-10* création de l'établissement public de la BDF (dir. : Dominique Jamet). *1991 juin* Philip Leighton, directeur des bâtiments à l'université de Stanford (USA), dénonce le stockage des livres en hauteur. *Sept.* lettre ouverte au Pt Mitterrand : plus d'une centaine d'académiciens, savants et universitaires s'élèvent contre le projet. *27-9.* Signature du permis de construire, début des travaux. *Oct.* le Pt Mitterrand demande un audit au Conseil supérieur des bibliothèques. *1992 fév.* il accepte des modifications : tours avec 2 étages en moins, salles de conférence réduites de 7 000 m² pour loger des magasins de stockage supplémentaires. *1995* inauguration prévue. *1996* ouverture prévue. **Statut :** Établissement public. **Directeur :** Jean-Ludovic Silicani (20-3-1952) dep. 14-10-92. **Architecte :** Dominique Perrault. **Coût prévu :** 7,4 milliards de F (dont construction 5,2, aménagement 2,2). **Coût de fonctionnement :** 1,2 à 1,5 milliard de F par an. **Employés :** 1 700 à 2 000. **Prix d'entrée :** public (gratuit), chercheur (env. 140 F/an ou 70 F les 24 entrées). **Contenu :** 20 millions d'ouvrages au début, puis 30 si 120 000 ouvrages entrent chaque année (en *2045 :* saturation) : imprimés (livres et périodiques) de la BN qui gardera ses départements spécialisés (manuscrits, estampes et photographies, cartes et plans, musique, arts du spectacle, monnaies et médailles). **Organisation :** 1 bibl. réservée aux chercheurs, 1 bibl. d'information grand public (2 millions de vol., 1 550 places) et 1 bibl. d'actualité. **Places :** 6 000 dont 1 850 pour chercheurs (945 à la BN). **Surface** *(m²) : au sol* 180 000 donnés par la

Ville de Paris : *esplanade* 60 000, *jardin* 12 000, *rues-jardins* 5 000, *surfaces construites hors œuvres :* accueil et services 60 700, magasins et circulations techniques (sous le socle et dans les tours) 81 000, administration, ateliers, services du personnel 42 300, locaux techniques 68 000. **Niveaux (en m²)** *quai/accueil :* 46 000 dont 26 000 accueil/animation, 6 000 services techniques/ateliers ; 12 000 locaux techniques/livraisons/réserves ; *mezzanines* (actualité ; son/image) : 24 000 ; *jardin* (étude, recherche) : 30 000. *Tours* (magasins, services intérieurs) : 80 000 [4 tours de 100 m de haut (ramenées à 80 en oct. 92) et de 20 niveaux chacune]. **Étagères :** 420 km (contre 110 à BN) dont tours 200 km, socle 220 km. **Haut-de-jardin** (recherche générale) : *bibliothèque de référence* 1550 places de lecture et de consultation ; *salle d'orientation bibliographique* 367 m² ; *salle de lecture de la presse et de documentation sur la presse* 707 m² de plain-pied et en mezzanine, 180 pl. ; *4 salles de lecture* (départements thématiques) : sciences et techniques 1 500 m² (190 pl., 50 000 monographies et 300 titres de périodiques), littératures 3 500 m² (556 pl., 140 000 m. et 600 t. de p.), sciences politiques, juridiques et économiques + de 1 800 m² (275 pl., 65 000 m. et 850 t. de p.), philosophie, histoire, sciences de l'homme et de la société 1 825 m² (275 pl., 75 000 m. et 350 t. de p.). **Rez-de-jardin** (recherche spécialisée) : *service de recherche bibliographique* (1 543 m²) à l'ouest ; *4 départements thématiques :* sciences et techniques 2 000 m² (179 pl., 120 000 m. et 2 000 t. de p.), littérature et art 3 400 m² (355 pl., 120 000 m. et 610 t. de p.), sciences politiques, juridiques et économiques 2 500 m² (284 pl., 100 000 m. et 1 500 t. de p.), philosophie, histoire, sciences de l'homme et de la société 3 750 m² (467 pl., 99 000 m. et 750 t. de p.) ; *salle de documentation sur le livre et la lecture* 584 m² (46 pl.) ; *département de l'image et du son* 2 325 m² (408 pl., copies de documents audiovisuels sur des postes spécialisés, 30 000 documents imprimés).

■ **Bibliothèque nationale. Origines :** collections réunies à partir du *XIVe s.* par les rois de France. *1537* fondation du dépôt légal par François Ier. *1570* installation définitive de la Bibl. à Paris. *1692* expérience d'ouverture au public. *1720* occupation du *« quadrilatère Richelieu ». 1789* nationalisée. *1868* ouverture de la salle de travail des Imprimés construite par Henri Labrouste. *1981* achèvement du *Catalogue général auteurs* des livres en 232 volumes. *1985* inauguration de l'annexe « Vivienne ». **Organisation** (décret no 83-226 du 22-3-1983 modifié) : établissement public national à caractère administratif avec conseil d'administration, conseil scientifique dirigé par un administrateur général, Emmanuel Leroy Ladurie (1929), assisté par : administrateur délégué (gestion administrative et financière), dir. scientifique (entrée et traitement bibliographique des documents, prêts, échanges, recherche), dir. technique (reproduction photo., conservation et restauration des collections), dir. de la valorisation et de la communication (édition, expositions, commercialisation et relations publiques). **Missions :** collecte, conservation et communication du patrimoine documentaire national ; édition de la bibliographie nat. française ; constitution de collections de doc. étrangers ; recherche ; diffusion des produits dérivés des œuvres conservées. **Équipements immobiliers :** 125 000 m² de plancher ; 7 sites principaux dont 3 à Paris (« quadrilatère Richelieu-Vivienne », palais Garnier et Arsenal) et 4 en banlieue et province (Versailles, Provins, Sablé-sur-Sarthe et Avignon).

Budget (millions de F) : *crédits d'investissements ; 1981 :* 6, *82 :* 48,3, *83 :* 52,6, *84 :* 60, *85 :* 54, *86 :* 38, *87 :* 18, *89 :* 19, *90 :* 41, *91 :* 37 ; *de fonctionnement ; 1981 :* 30, *82 :* 51, *83 :* 64,6, *84 :* 68,5, *85 :* 77,7, *86 :* 87,7, *87 :* 93,7, *89 :* 126,4, *90 :* 138,7, *91 :* 145,8 ; dont *acquisition ; 84 :* 14, *87 :* 13,8, *89 :* 13,9, *90 :* 19,3, *91 :* 19,7 + 83 dans le cadre de la préparation de la future Bibliothèque de France. **Effectifs :** *1981 :* 1 200, *86 :* 1 261, *89 :* 1 245, *90 :* 1 219, *91 :* 1 216.

Fonds : *nombre de volumes, sous Charles V :* 910, *François Ier :* 1 890, *Louis XIII :* 16 746, *1684 :* 50 542, *1790 :* 200 000, *1983 :* 10 000 000, *1988 :* + de 13 000 000. *Accroissement des fonds :* grâce au *dépôt légal* (voir p. 346 a) ; *achat, don, legs* et *dation en paiement)* ou *échange* ; au total entrent chaque année 80 000 livres env. (1990 : français 43 100 ; étrangers 31 086), 40 000 périodiques (titres français ou étrangers en cours) et 120 000 autres doc.

BN-Opale : lancée 1988 : *notices* 1,3 million fin 1991, informatisation progressive de l'ensemble des catalogues sur fiches ou imprimés depuis l'origine, soit au terme du programme 7 millions de notices) : édition de la *Bibliographie nationale française*, diffusée sur CD-ROM ; production des bases Opaline pour cartes, plans, estampes, photographies, phonogrammes, vidéogrammes et multimédias.

Consultation des fonds : 10 départements de conservation et de communication : *Livres imprimés :* 9 millions de volumes (dont 200 000 ouvrages rares ou précieux) ; *Périodiques :* 350 000 titres anciens ou en cours ; *Manuscrits :* 350 000 volumes (dont 10 000 manuscrits à peintures) ; *Estampes et photographies :* 15 millions d'images ; *Cartes et plans :* 600 000, 10 000 atlas ; *Monnaies, médailles :* 300 000 ; *Antiques :* 10 000 ; *Musique* (incluant la bibl. musée de l'Opéra au palais Garnier) : 1 500 000 partitions, manuscrits, livres ou périodiques musicaux ; *Phonothèque et audiovisuel :* 1 100 000 phonogrammes [dont env. 1 000 rouleaux de piano mécanique, 6 300 cylindres, 400 000 disques 78 tours, 370 000 disques microsillon, 42 000 disques compact en 2 exemplaires, un musée du phonographe de 600 pièces (« Collection Charles Cros ») + 16 000 vidéogrammes, 12 000 films cinématographiques] ; *Arsenal* (bibl. spécialisée dans la littérature française) 1 000 000 de livres, 15 000 manuscrits, 100 000 estampes ; *Arts du spectacle :* 3 000 000 de livres, périodiques, affiches, photos, dessins, maquettes, etc. **Préservation des fonds :** *« Plan de sauvegarde »* dep. 1980 pour les documents menacés d'autodestruction (acidité du papier) : traitement des originaux (neutralisation, doublage), reproduction sur microformes à Sablé pour les livres, à Provins pour les journaux. 1 million de doc. traités, 20 millions de pages reproduites fin 1990. *Restauration* à Paris des doc. précieux par des ateliers fonctionnant aussi pour des établissements extérieurs.

Activités diverses : musée des Monnaies, Médailles et Antiques ; expositions (dont expositions tournantes galerie Colbert) où sont présentées les acquisitions prestigieuses ; conférences et concerts (auditorium de la galerie Colbert, 200 places) ; vente de publications et reproductions.

Perspectives : les départements des livres imprimés, des périodiques et de la phonothèque seront transférés à « Tolbiac » où sera édifiée la Bibliothèque de France (inauguration prévue 1995).

Fréquentation : admission des lecteurs sur critères. Information du public du lundi au samedi de 9 h à 16 h 30 (fermeture annuelle de 2 semaines à partir du 2e lundi après Pâques). **Places :** 945. En *1989 :* 40 000 lecteurs inscrits, 400 000 entrées dans les salles de lecture, 1 400 000 communications de documents.

■ **Bibliothèque publique d'information/Centre national d'art et de culture Georges Pompidou (CNAC).** *Créée* 1977. Ouverte à tous, tous les j (sauf mardi) de 12 à 22 h, dim. et j fériés de 10 à 22 h. Consultation sur place, sans prêt à l'extérieur. *Fréquentation :* env. 13 000 usagers par j. *Espace de lecture :* 11 000 m², 1 800 places, 400 000 volumes, 2 391 abonnements, 327 titres sur micro-documents, 2 200 films, 140 000 images sur 3 vidéodisques, 4 000 cartes géogr. *Labo de langues :* 56 pl., 116 langues et dialectes. *Logithèque :* (16 pl., plus de 250 logiciels). *Salle Borges* pour déficients visuels. *Public-info :* dossiers presse thématiques et biogr. (actualité culturelle et sociale). *Salles d'expositions temporaires. Salle d'actualité :* 650 m², 100 pl., nouveautés de l'édition (3 510 livres, 755 périodiques nationaux et internationaux, 900 documents sonores), débats hebdomadaires. *Jeunesse :* 275 m², l'actualité du livre, du disque, des revues, des logiciels pour les jeunes (mercr., sam., dim.). *Budget de fonctionnement :* 22,3 millions de F (1992). *Personnel :* 245 personnes (1992).

■ **Autres bibliothèques. Paris :** *Abbaye Ste-Marie* (1893) 100, *Archiv. nat.* (1789) 1 500, *Arsenal* (1797, dépend actuellement de la BN) 1 500, *Art et Archéologie* (1918) 250, *Assemblée nat.* (1875) 600, *B. des Aff. étrangères* (1815) 500, *B. nationale* (voir ci-contre), *Ch. de commerce* (1821) 300 (13 000 coll. per. ; 1 500 annuaires prof.), *CNAC* (voir ci-dessus), *Doc. intern. contemp.* (1914) 400, *Éc. des langues orientales* 500, *Éc. nat. sup. des Mines* 500, *Études* (PP. jésuites, 1856) 100 (env. 300 pér. en cours), *Fac. de méd.* (1733) 490, *histor. de la Ville de Paris* (1871) 650, *Inst. catholique* (1875) 600, *Inst. de France* (1795) 1 500, *Inst. pédagogique* (1879) 1 000, *Mazarine* (1643) 400, *Musée d'Hist. nat.* (1635) 800, *Ste-Geneviève* (1624) 1 500, *Sciences pol.* (1945) 250, *Sénat* 600, *Sté de Géogr.* (1821) 400, *Sorbonne* (1253-1762) 2 200.

Province

Aix : B. mun. (1810), 350. **Bordeaux :** B. mun. (1736), 784. B. interuniv. (1879), 910. **Caen :** B. univ., 460. **Chantilly :** B. du centre culturel Les Fontaines (PP. jésuites, 1971), 600. **Grenoble :** B. mun. (1772), 761. **Lille :** B. des Facultés cath., 510. B. mun. (1726), 595. B. de l'Univ. (1562 et 1883), 180. **Lyon :** B. mun. (1693), 1 000 comprend depuis 1972 B. de La Part-Dieu (centrale : 27 203 m² de plancher, 90 km de rayonnages, capacité : 2 000), 1 000. B. interuniv. (1896), 80. **Marseille :** B. mun. 400. **Montpellier :** B. interuniv. (1890), 850. B. de la ville et du musée Fabre (1825), 500. **Nancy :** B. mun. (1750), 500. **Nantes :** B. mun. (1753), 350. **Nice :** B. mun. (1802), 455. **Orléans :** B. mun. (1714), 400. **Poitiers :** B. mun. (pendant la Rév.), 305. **Rennes :** B. mun. (1790), 350. B. interuniv. (1855), 550. **Rouen :** B. mun. (1791), 350. **Strasbourg :** BN et univ. (1871), 3 020. **Toulouse :** B. mun. (1782), 500. B. interuniv. (1879), 900. **Tours :** B. mun. (1791), 460. **Versailles :** B. mun. (1803), 450.

Bibliophilie

Cours atteints

Éléments du prix du livre

État du livre (blancheur du papier ; absence de taches, de déchirures). **Qualité du tirage,** des illustrations (noir profond, demi-teintes bien venues), état des gravures (présence ou non des gravures avant la lettre : tirées avant qu'on ait placé au bas l'inscription qui en indique le sujet et par conséquent avant que la planche ne soit usée par le tirage). **Typographie. Reliure :** matériau (exemple : plein maroquin du XVe s.), signature, ornementation, armoiries, chiffres. **Provenance :** dédicaces, livres « truffés » (documents joints : portraits, lettres, etc.). **Intégrité :** le livre doit être complet de tous ses volumes, de toutes ses pages et figures. **Qualité du papier :** une édition originale sur papier hollande (30 à 50 ex.) atteint env. 8 fois le prix de l'éd. ordinaire (plus l'auteur est connu, plus elle a de valeur).

■ Éditions originales et premiers tirages

(exemples en milliers de F)

Atlas. Major (Amsterdam, 1667) de Johan Blaeu 12 vol. : 670 (1980). De Waghenaer (1592) : 1 800 (1987). **Bible de Gutenberg** (1455-56) : 48 ex. sont connus (dont aux USA 13, dont 6 complets ; France 4 dont 2 complets). *1954* (en privé) 200 000 $. *1978 (mars) :* 1 080 000 $ (ex. incomplet). *(7-4) :* 2 000 000 $ (10 000 000 F) (ex. complet, acheté chez Christie's à New York par le gouv. de Bade-Würtemberg) : 2 vol. in-fol. 643 ff., 2 col. 42 et 40 lignes, goth. 1re éd. de la Bible. Rel. anglaise de 1813 env., mar. brun. C'était la 1re fois en 50 ans qu'une Bible de Gutenberg passait dans une vente publique. *1987-22-10* 32 millions de F chez Christie's. **Bible latine** (1459-60) 1 100 000 £ (1991). **Roman de la Rose** (Guill. de Lorris et Jean de Meung) (v. 1487) : 92 (1974). **Le Songe de Poliphile** (1499) de Francesco Colonna, éd. Venise 1499 (plus de 160 fig. attribuées à Mantegna ou à Bellini) : 580 (6-6-1972).

Apollinaire Alcools (1913) : 36 (1990), 25 (1991), ex. sur hollande : 100 (1992). Calligrammes (1918) : 15 (1991), 250 (1990), ex. unique (lithos de Chirico, reliure de P. Bonet, envoi autographe à R. Gaffé) 3 500 (1989), reliure de Huser, sur Japon ancien 425 (1992). Le Bestiaire ou Cortège d'Orphée : 50 (1981). Si je mourais là-bas (1962) reliure de P. L. Martin, 18 bois originaux en couleurs de G. Braque 346,2 (1992).

Balzac Le Père Goriot (1835) : 150 (1989). 1re édition complète (20 vol. parus de 1842 à 55, Furne, Houssiaux éditeurs) : 25 à 200 ; 1re réimpression 1855 : 5 à 10. Le Lys dans la vallée (1835) : avec dédicace 580 (1985). La Pucelle de Tilhouze (1910) ex. unique 72 (1992). **Barbey d'Aurevilly** Les Diaboliques (1874) : 30 (1991), 9 (1982). **Baudelaire** Les Fleurs du mal (1857) : 30 à 1 300 (dédicacé à Delacroix, 1985). **Benoît** (P.) Koenigsmark (1918) 28 (1983). **Bernanos** Le Journal d'un curé de campagne, br. 40 (1991). **Breton** (A.) Manifeste du surréalisme (1924) : 88 (1981).

Camus L'Étranger (1942) : 12 (1991). La Peste, reliure de Paul Bonet 215 (1984). **Céline** (L.-F.) Voyage au bout de la nuit (1932) : 150 (sur arches), 50 (sur alfa) (1992). **Char** Poèmes, reliure Adler, 14 gravures de N. de Staël 880 (1989). **Chateaubriand** Mémoires d'outre-tombe 20 à 50, avec lettre 300 (1985). Essai historique, politique et moral sur les révolutions (1797) : 80,1 (1986). **Cocteau** Opium (avec envoi) 3 (1991). **Corbière** (T.) les Amours jaunes (1873) ex. de l'auteur avec nombreux ajouts autographes 456,5 (1992).

Descartes Discours de la méthode (1637) : 119 (1981), reliure XIXe s. 137,4 (1992). **Diderot et d'Alembert** L'Encyclopédie (1751-80), 35 vol. in-folio : 42 (1978), 150 (1991). **Dostoïevski** Les Frères Karamazov (1881) 21 (1991). **Du Camp (M.)** Égypte 600 (1991).

Éluard Au rendez-vous allemand avec eau-forte de Picasso 260 (1989).

Flaubert Madame Bovary (1857), 12 à 150 (1991) (grand papier), exemplaire de V. Hugo avec lettre autographe 1200 (1989). L'Éducation sentimentale (1870), envoi 140 (1991). Salammbô (1862) 8 (1992).

Ganzo Orénoque avec 11 eaux-fortes et 1 gouache de Fautrier 480 (1989). **Gracq** Le Rivage des Syrtes 70 (1991).

Laclos Les Liaisons dangereuses 210 (1988). **La Fayette** (Mme de) La Princesse de Clèves (reliure except.) 300 (1984). **La Fontaine** Contes et Nouvelles (1762), éd. dite des Fermiers généraux : 35 à 149 (suivant reliure). Fables (1668) illustré par François Chauveau 257 (1993). **Lawrence** Heureux les humbles 12 (1991).

Mallarmé L'Après-midi d'un faune, illustré par Manet 120 (1989). Poésies (1932) illustré par Matisse, reliure de Paul Bonet 645,4 (1992).

Malraux L'Espoir, ex. sur japon : 75 (1991). La Condition humaine (1933) 40 (1991). **Marx et Engels** Manifeste du PC (1848) : 280 (1979). Le Capital, éd. française (1872-75) : 14,8 (1986). **Mérimée** Carmen (1846) : 50 (1992). **Molière** Amphytrion (1668) 48 (1983). Œuvres en 8 vol. (1673) 1900 (1988). **Montaigne** Essais (1588). **Montesquieu** dernière éd. de son vivant 1 470 (1991). **Musset** La Confession d'un enfant du siècle : 40 (1991).

Nerval Les Filles du feu (1854) : 40 (1991).

Pascal Pensées (1670), 300 (1984). Lettres provinciales (1657) 110 (1988). **Platine** Généalogies (1519) ex. de Louis XIV 242 (1992). **Proust** 13 vol. : A la recherche du temps perdu (1914-27) 175 (1992). Du côté de chez Swann (1914) 25 (grand papier 50 à 150) dédicacé à Anatole France 400 (1989), reliure Paul Bonet, ex. sur Hollande avec envoi 298,8 (1992). Le Côté de Guermantes, ex. de Léon Daudet 85 (1984).

Racine aux armes de Louis XIV 350 (1988). **Radiguet** Le Diable au corps (1923) : ex. sur Japon 70 (1991). **Rimbaud** Une saison en enfer (1873, vendue 1 F) : 38 à 130 (1991). Les Illuminations (1886) : 75 (1991). **Rousseau** Discours sur l'origine et les fondements de l'inégalité parmi les hommes (1755), 700 (1988). Du contrat social 900 (1988). **Rostand** Cyrano de Bergerac (1898) : 5, ex. sur Japon 60 (1992).

Sand (G.) Lelia (1833) : dédicacée à Musset : 830 (1985). **Schedel** Chronique de Nuremberg (1re édition, 1943) : 1 800 (1989). **Stendhal** Armance (1827) : 90 (1982). Le Rouge et le Noir (1831) : avec envoi 102 (1990). La Chartreuse de Parme (1837) : 200 (1989) ; dédicacée à Custine : 410 (1985).

Valéry (P.) Le Cimetière marin : ex. sur chine 100 (1991). **Verlaine** Fêtes galantes (1869) : 280 (1988). **Vigny** (A. de) Servitude et grandeur militaires dédicacé à Marie Dorval : 320 (1989).

Zola L'Assommoir, sur holl. : 75 (1991).

Nota. – Certaines éditions originales d'auteurs contemporains gardent leur cote, comme Proust et les Surréalistes. D'autres auraient tendance à baisser, comme Gide, Claudel, Marx et Engels. Certaines montent : Saint-Exupéry, Malraux, Céline, Rimbaud, Gracq, Yourcenar.

■ Livres modernes de peintres

Livres de luxe illustrés, par des peintres célèbres, de *gravures originales.* Depuis 1992, forte baisse.

■ **Éléments du prix.** *Renommée du peintre, nombre des illustrations. Tirage* (300 ou 350 ex. au max.) : les exemplaires « de tête », 1ers numéros sur japon ou sur chine, sont plus recherchés que les suivants sur rives ou sur arches. *État de conservation* (primordial). *Présence de « suites »* (ensemble des planches illustrées présentées séparément) de dessins et aquarelles ayant servi à l'illustration.

■ **Cours.** En milliers de F. **Bonnard** Parallèlement (Verlaine, 1900) : 222 (1984) (lors de son lancement, l'éditeur Villard avait dû le céder au 1/3 de son prix de lancement).

Chirico Calligrammes de G. Apollinaire (1930) : 10 (1970).

Delacroix Faust de Gœthe (1828), le 1er « livre de peintre » : in-folio, env. 43 cm × 29, vignette de la couverture par Devéria : 140 (1985). **Delaunay (S.)** La Prose du Transsibérien de Cendrars (1913) 401 (1991). **Dufy** Le Bestiaire d'Apollinaire (1911) : 885 (1991). **Dunoyer de Segonzac** Bubu de Montparnasse de Charles-Louis Philippe : 200 (1982).

Goya La Tauromachie (1815) : 280 (1985). Les Caprices : 350 (1985).

Hugo (Jean) Joues en feu (Radiguet) 400 (1991).

Masson Le Con d'Irène d'Aragon : 140 (1981). **Matisse** Jazz (1947) : 509 (1984).

Picasso Buffon (1942) relié par Paul Bonet : 480 (1982) ; les Métamorphoses d'Ovide (1931) relié par Paul Bonet : 340 (1982).

Rouault Le Cirque de l'étoile filante (1933) : 310 (1982) ; la Passion de A. Suarès (1939) : 436 (1982).

Toulouse-Lautrec Histoires naturelles de Jules Renard (1899, paru à 100 F et soldé faute d'acheteurs à 40 F) ; sur rives : 66 (1978).

☞ **L'Apocalypse,** éditée à 1 seul exemplaire par Joseph Foret de 1958 à 1961 (210 kg, 300 000 peaux de mouton examinées pour sélectionner 150 parchemins), illustrée par 54 peintres (Buffet, Dalí, Léonor Fini, Mathieu, Zadkine...) était estimée (v. 1970), 5 millions de F.

Reliures

■ Généralités

Origine. Jusqu'au XVIIIe s., les libraires vendaient des livres tout reliés. La couverture était muette. Pendant la Révolution, le prix du cuir ayant monté, on vendit des livres brochés sans couverture ou recouverts d'une feuille de papier gris ou mâché. Puis, on colla au dos des étiquettes indiquant l'auteur et le titre. La couverture imprimée apparut à la fin de l'Empire et se généralisa au XIXe s.

Principaux types de reliures. *Basane* (de l'espagnol et portugais *badana,* mouton), en général fauve ou colorée. *Veau,* du brun au blond, parfois marbré, jaspé, en écaille, raciné ou coloré. *Chagrin* (de l'italien *zigrino,* chèvre d'Europe, employé depuis 1 siècle et demi). *Maroquin* (chèvre d'Afrique du Sud), le plus prisé, souvent rouge, vert, bleu nuit, jaune citron et crème (plus rare). *Peau de truie,* très employée au Moyen Age ; en faveur en Allemagne au XVIIIe s. *Cuir de Russie,* se remarque par son odeur due à la bétuline, principe actif de l'écorce de bouleau ; il trempe dans une décoction 20 j env. *Parchemin* (de Pergame en Turquie, célèbre autrefois pour sa bibliothèque), vient de la peau non tannée d'agneaux, moutons, chèvres, veaux (vélin).

Reliure pleine : le dos et les deux plats sont recouverts de peau (la reliure ne peut pas être décorée).

Demi-reliure : le dos seul est revêtu de peau, les plats garnis de papier ou de toile. Si les coins sont aussi garnis de peau, si la tête est dorée et les tranches ébarbées, on parle de *demi-reliure à coins.*

Reliure décorée : ornées à petits fers (filets, fleurons, etc.), ou avec un seul fer de la grandeur de l'ornement, appelée dans ce cas, *plein-or.* Si cette impression est faite sans dorure, avec des fers simplement chauffés, le livre est *gaufré* ou *estampé* à froid ; la reliure peut également être ornée de mosaïques de peaux. Si les plats intérieurs sont recouverts de peau, on parle de reliure *doublée.*

Reliure originale : ornée d'un décor à petits fers ou (et) mosaïquée, exécutée à un seul exemplaire.

Reliure ou cartonnage à la Bradel : nom d'un relieur français du XIXe s. ; le corps de l'ouvrage est emboîté dans une couverture cartonnée, puis fixé sur une mousseline collée, le dos étant séparé des plats par une rainure longitudinale. *Janséniste :* se dit d'une reliure pleine et sans ornement.

■ Prix des reliures (en F)

Reliures neuves. *Prix* (en 1990) pour un format de base in-8 carré 220 × 140 : toile ou demi-toile 170, demi-basane 235, demi-chagrin 200, demi-chagrin à coins 850, demi-maroquin ou demi-veau à coins 600, plein maroquin avec tranches dorées sur témoins et gardes soie 4 500.

Reliures anciennes. La beauté des décors de reliures signés et la provenance déterminée par les armes frappées sur les plats sont des éléments importants du prix. **Basane simple :** textes religieux, auteurs vendus comme garniture 15 à 30 le volume. **Reliure à décors :** *A filets* (2 ou 3) sur les bords 100 à 2 000 ; *à la roulette,* veau et maroquin 500 à 5 000 ; *à dentelles,* surtout sur maroquin 1 000 à 4 000 ; *à la plaque,* procédé semi-industriel (almanachs royaux) 1 500 à 6 000 ; *aux petits fers* 4 000 à 12 000. *Mosaïqués* (ou « à compartiments »), peaux découpées de différentes couleurs, dentelles aux petits fers 1 500 à 12 000 et plus. Ex. : pièces exceptionnelles : 20 000 à 50 000.

Reliures contemporaines. Plein maroquin mosaïqué. De Pierre Legrain 20 000, Paul Bonet : Recueil unique de documents manuscrits ou imprimés (surréaliste, 1931) : 630 000 (1981). Pierre-Lucien Martin : la Peste de Camus 520 000, Texte d'Éluard 330 000, Aragon 160 000, Sartre 133 000 ; Mercher. Voir ci-contre livres de peintres. Paul Bonet : calligrammes d'Apollinaire, reliure métallique (800 000 en 1986).

■ Relieurs célèbres

XVIe s. : Claude de Picques, E. Roffet. **XVIIe s. :** Florimond Badier, Boyer, Clovis Ève, Le Gascon, Rocolet, Ruette. **XVIIIe s. :** Bradel-Derôme, Derôme, Douceur, Dubuisson, Du Seuil, Fournier, Le Gascon, Le Monnier, Padeloup. **XIXe s. :** Allô † 1875, Bauzonnet 1795-1886, Boutigny, Bozérian, Cambolle-Duru, Capé 1806-67, Carayon 1843-1909, Cuzin, Doll, Duplanil † 1840, Duru † 1884, Ginain, Gruel, Hardy, Hering, Lefebvre, Lortic 1852-1928, Mairet (de Dijon), Petrus (1851-1929), Purgold † 1829, Rosa 1851-1929, Ruban, Simier † 1837 (relieur de Louis-Philippe), Souze, Thouvenin 1790-1834, Trautz 1808-1879, Vogel. **XXe s. :** Adler (Rose) 1890-1959, Alix, Ameline (Paule) 1934, Auffret (Nadine) 1926, Aussourd (R.), Bonet (Paul) 1889-1971, Brindeau (François) 1953, Canape, Coster (Germaine de) 1895 et Dumas (Hélène) 1896, Cretté (Georges) 1893-1969, Creuzevault (Henri) 1905-71, Devauchelle (Alain) 1944, Devauchelle (Roger) 1915, Évrard (Sun) 1946, Gonet (Jean de) 1950, Gras (Madeleine) 1891-1958, Honnelaître (Claude) 1929, Kieffer (René) 1875-1963, Knoderer (Daniel) 1948, Legrain (Pierre) 1888-1929, Leroux (Georges) 1922, Lobstein (Alain) 1927, Marius Michel 1846-1925, Martin (P.-L.) 1913-85, Mathieu (Monique) 1927, Mercher (Daniel) 1944, Mercher (Henri) 1912-76, Mercier 1885-1939, Meunier (Ch.) 1866-1948, Miguet (Colette et Jean-Paul), Noulhac 1866-1931, Richard (Michel) 1936, Semet et Plumelle, Septier † 1958, Vernier (Renaud) 1950.

Manuscrits

■ Généralités

Éléments du prix. Le prix dépend de l'auteur, de la longueur du texte, de l'intérêt du sujet traité (le prix d'une lettre de simple soldat décrivant la bataille d'Austerlitz serait supérieur au prix d'une lettre sans intérêt de Napoléon), de la conservation et du fait qu'elle est entièrement autographe et signée ou simplement signée. L'usage du papier s'est développé au XVe s. Avant on utilisait du parchemin, et l'écriture se limitait aux textes religieux et aux chartes officielles (la plus ancienne connue date de 628 et porte le monogramme du roi Dagobert).

Au XVe s., on commença à écrire des lettres. Au XVIe, l'autographe devient commun. En France, Philippe de Béthune, frère de Sully, et son fils Hippolyte formèrent la 1re collection d'autographes... Roger de Gaignières fut le plus grand collectionneur du XVIIe s. Au XIXe s., l'abbé Villenave (avocat) rédigea le *1er catalogue* d'une collection d'autographes (dont la vente eut lieu à Paris le 24-5-1822). De cette époque date le commerce des autographes. En 1828, Bérard publia une isographie des hommes célèbres (4 volumes de fac-similés).

Manuscrits des rois de France. Les Mérovingiens signaient de leur main les diplômes puis, dès le VIIIe s., les rois firent écrire par un scribe la formule de souscription ou leur monogramme. Le roi Jean, le premier, apposa de nouveau sa signature au bas de certains actes. On en conserve un à la Bibl. nat. Après lui, tous les rois continuèrent à signer, mais seulement les lettres missives ou les actes importants. *Le plus ancien spécimen* qui nous soit resté d'une lettre autographe d'un de nos rois est une lettre écrite et signée par Charles V en 1367.

■ Manuscrits du Moyen Age ornés de miniatures (en milliers de F)

Évangiles 97 680 (6-12-1983 Sotheby's). **Évangéliaire de l'abbaye de Saint-Hubert** (v. 870), 186 feuillets, 16 259 (26-11-1985). **Codex Leicester** (de Léonard de Vinci) 24 000 (12-12-1980 Christie's acheté par Armand Hammer, c'était le seul manuscrit de Vinci appartenant encore à un particulier). **Manuscrit persan** du XIVe s. sur la 1re histoire du monde par Rashid al Din 8 330 (juillet 1980). **Bible** (768 j 1312) 7 800 (1984). **Le Graduel et sacramentaire de l'abbaye d'Ottobeuren** (v. 1164, All. du Sud) 7 000 (1981). **Manuscrit de l'Apocalypse** (v. 1280) 6 670 (25-4-1983, Sotheby's). **Roman de la Rose** (XVe s.) 4 000 (16-9-1988 Hôtel George-V). **Des cas des nobles hommes et femmes** (de Boccace de 1403), 3 800 (1980). **Sacramentaire d'Augsbourg** (XIe s.), 3 634 (1982). **Heures de la Vierge** à Rome, 3 145 (1976). **Histoire du monde** de Paulus Orosius, 2 596 (1982).

Grandes chroniques de France 2 414 (1981). **Commentaire de la Mishna** par **Maïmonide,** 2 275 (1976). **Histoire ancienne** (v. 1380) 2 028 (1983). **Psautier biblique** à division fériale, peintures, 176 feuilles 8 582 (18-5-1986). **Bible hébraïque** (v. 1313) 768 p. avec enluminures, 7 800 (1985). **Évangéliaire** (v. 1515) 464 p., 8 000 (20-11-1985). **Évangéliaire carolingien** (v. 860/880) 15 782, (26-11-1985 Sotheby's). **Tite Live** (1520) 201, 3 200. **Manuscrit espagnol** (1583) sur la navigation dans les Caraïbes 1 579,6 (1992 Drouot). **Fâl-Nâme** (v. 1550, Iran, Tabriz ou Qazvin) 1 page 1 000 (1992 Paris).

■ Autographes (en milliers de F), année de vente (entre parenthèses)

Légende : a. : autographe. b. : billet. l. : lettre. m.s. : manuscrit. p. : page. s. : signé.

Album romantique avec dessins et ors (**Chopin, Berlioz, Liszt,** etc.) 700 (1986). **Anne d'Autriche** 20 l. 68 (1986). **Apollinaire** la Chanson du mal aimé 120 (1988), épreuves d'Alcools corrigées par A. 230 (1988). Pont Mirabeau 70 (1988), poème a. Ode au douanier (1 p.) 43 (1992). **Aragon** les Beaux Quartiers (522 p.) 54 (1979). Les Aventures de Télémaque (42 p.) 41 (1991). **Artaud** l. à Pierre Laval 17 (1986).

Babeuf l. 1795 30 (1981). **Bach** cantate 4 175 (1989). **Balzac** 1 l. (4 p.) à Stendhal 150 (1985). **Barbey d'Aurevilly** les Diaboliques 183 (1977), le Bonheur dans le crime 315 (1989). **Barras** brouillon de sa démission 6 (1982). **Baudelaire** l. à sa maîtresse 250 (1984), à sa mère 3 à 160 (1982), poème (5 p.) 101 (1982), Paradis artificiels (annotés) 220 (1989), Mon cœur mis à nu (87 et 6 p.) 2 200 (1988), portrait de Jeanne Duval 620 (1988), Une femme pour Asselineau 650 (1988), photo par Nadar 400 (1988), notes pour sa biographie (1 ½ p.) 29 (1989), m.a. préface des Fleurs du Mal (11 p.) 1 369,6 (1992). **Beethoven** p. Sonate « Clair de lune » 208 (1980). 4 p. concerto n° 1, 3 300 (1983), 1 l. et contrat 200 (1984), l.a.s. à Georg August von Griesinger (20-11-1823) 157,8 (1991). **Bellini** mélodie 15 (1981). **Berlioz** 1 l. a.s. (16-12-1832) (3 p.) 26 (1991) ; m.s. musical d'un chœur 310 (1985). **Bertrand** (Aloysius) m.a. Gaspard de la nuit (1836) (290 p.) 844,8 (1992). **Bloy** Sueur de sang 180 (1990), 1 l. 3 500 (1983). **Boulez** Psalmodie 16 (1983). **Bonaparte** l. à Mme Tallien 83 (1980). Plan de campagne (1803) 125 (1988). l. à Emma 78 (1988). l.s. au gal Berthier (1803) 5,8 (1992). **Breton** 15 l. 51 (1986), m. Notes pour Nadia (26 p.) 65 (1991), m. Jeux surréalistes (3,5 p.) 23 (1991), l.a.s. 15-2-1938 (4 p.) 16 (1991). **Breton** et **Soupault** les Champs magnétiques 127 (1982), voir Éluard. **Bruant** a.s. + dessin de Steinlen 12 (1992). **Bulletin de santé de Louis XVI** et **Marie-Antoinette au Temple** 13 (1981). **Byron** poème 150 (1984) ; 1 l. a. s. (3 p.) à Stendhal 380 (1985).

Cadoudal 1 l. 26 (1987). **Camus** l'État de siège 85 (1979), la Peste 200 (1983), l'Étranger 104 p. relié P.-L. Martin 1 000 (1991), m.a. l'Étranger 100 (1991), Caligula, m.s.a. relié Paul Bonet, 162 (1992). **Céline** Guignol's Band 130 (1979), Mort à crédit 510 (1983), l'École des cadavres 185 (1984), D'un château l'autre 210 (1983), Féerie pour une autre fois 360 (1984). **Cendrars** Fragments de Moravagine 120 (1983). **Cézanne** 1 l. de 1905 11 (1980), l. s. 6 (1980). **Chabrier** Bourrée fantasque 255 (1986). **Chagall** l.a. à Mme Coquiot (6-4-1926) 10 (1992). **Char** minute a. d'1 l. à Benjamin Péret 3 p. 42 (1991), signature 13 (1979). **Charles IX** 1 l. 28 (1987). **Chateaubriand** 1 l. à V. Hugo 36 (1985) ; l.a.s. à Chênedollé (8-11-1803) 18 (1991). **Chopin** 2 p. musique 180 (1984). **Claudel** plusieurs l. 3 000 (1983). **Clemenceau** 4 p. 4 (1991). **Colomb (Christophe)** l. de 1493 à Ferdinand V d'Esp. et Isabelle la Cathol. sur sa découverte 1 800 (1992). **Cocteau** notes 3 (1989), brouillon d'une lettre à Pétain, 3,5 (1982), Opium 422 (1983), m.a. inédit avec 8 dessins (43 p.) (1929-30) 643 (1991) ; 1 l. à Proust 75 (1985), son testament 30 (1986) ; le Mystère de Jean l'Oiseleur, 37 feuillets avec 31 dessins 111,5 (1986). **Colette** 5 m.s. dont le Blé en herbe, la Seconde, Journal à rebours, Gigi, Pour un herbier 170 (1977) ; 337 l. 210 (1983). **Condorcet** l. à Voltaire 13 (1989). **Curie** *Marie* Carnet de laboratoire légèrement radioactif (130 p.) 360 (1984). *Pierre* Carnet (78 p.) 55 (1984). **Custine** 1 l. à Stendhal 91 (1985).

Danton l. 30 (1988). **Daudet** (A.) Contes du lundi 185 (1989), Jack 190 (1990). **Daumier** 1 a. s. ; 18 (1989). **David** 1 l. s. 6 (1980). **Debussy** 1 l. 31 (1982). 5 poèmes de Baudelaire 100 (1988). **Delacroix** 1 l. 10 (1982). **Descartes** 1 l. 53 (1979). **Desmoulins** (C.) 1 l. 30 (1991). **Diderot** l. 18 (1989). **Dreyfus** (Capitaine) l. à un ministre 35 (1986). **Drouet** (Juliette) 17 l. (sur 18) à V. Hugo 255 (1969). **Dutilleux** Métaboles 51 (1984).

Einstein l. 19 (1986). 72 p. introduction à la relativité (1912) 7 500 (1987). **Élisabeth Ire** l. 165 (1980), l. s. à Catherine de Médicis (3-7-1567) 99 (1993). **Éluard** 1 poème 94 (1990), m.a. sur Picasso (8 p. 1/2) 24,5 (1991). **Éluard et Breton** 407 fiches du Dictionnaire abrégé du surréalisme 1 300 (1991). **Engels** l. 16 (1981).

Fauré mélodie 16 (1983). **Fénelon** l. s. à Bossuet 7 (1980). **Flaubert** Voyage en Orient 495 (1989), brouillon de l'Éducation sentimentale 450 (1975), 1 l. à Baudelaire 216 (1984), à Maupassant l. 190 (1985), **Foucauld** (père de) 5 l. 14 (1980). **France (A.)** Hist. comique 43 (1991). **Franck (Anne)** l. à Betty Wagner 1 000 (1989). **Franck (C.)** Ruth 45 (1982). **François Ier** 33 l.s. à Sébastien de L'Aubespine (16-4-1546/20-3-1547) 54 p., 140 (1992). **François II** l. de 1560 12 (1988). **Frédéric II** l. à Voltaire 10 (1981). **Freud** 1 l. 65 (1987). **Fryer** cap. du Bounty, l. relative à un des insurgés 9 (1981, Londres).

Gance (Abel) la Roue 200 (1993), 19 carnets intimes 300. **Gauguin** Noa Noa 250 (1979), 1 l. 190 (1984). **De Gaulle** l. s. 27-6-1940 5 (1982). **Gautier (Th.)** poème 7 (1986). **Genet** Journal du voleur (1951), 1 700 (1986), le Bagne 520 (1990), m. Querelle de Brest (370 p.) 520 (1992). **Géraldy** Toi et Moi 20,1 (1982). **Gide** Ménalque 38 (1983). **Giono** 16 l. 7,5 (1991). **Giraudoux** Jacques l'Égoïste 60 (1983). Suzanne et le Pacifique 60 (1983). **Gogol** 1 l. 86 (1990). **Grégoire (abbé)** l. 0,2 (1988). **Guitry** Mon père avait raison (67 p.) 12,8 (1983).

Heine brouillon poème 17 (1984), m.a. brouillon (13 p.) 215,4 (1991). **Henri II** brouillon de poème (1 p.) 32 (1982). **Henri IV** l. à Sully 69 (1991), poème a.s. à Gabrielle d'Estrées (1598) 157,8 (1991). **Henri VIII** 1 l. patente + sceau (28-4-1524) 1 150 (1983). **Hitler** signature 6 (1980). **Hugo (Adèle)** 798 p. sur V. Hugo 107 (1977). **Hugo (V.)** épreuves corrigées des Misérables 710 (1989). 1 l. 1,5 à 20 ; photogr. dédicacée à Sarah Bernhardt 16 (1982), carnet de notes et dessins 236 (1984), son journal de 1875 : 305 (1985), à 250 (1988), l. à J. Drouet 26 (1988). **Huysmans** Là-bas 59 (1977). **Ingres** l. 7 (1986).

Jacob (Max) Cornet à dés 480 (1990), m. le Laboratoire central (260 p.) 180 (1992). **Jarnac** minutes 24 (1988). **Jarry** Messaline (219 p.) 160 (1983), le Surmâle 190 (1991). **Jaurès** m.s. 10 (1986). **Jeanne d'Arc** 17 (1961). **Joséphine** l. à Barras 8 (1980).

Kafka m.s. du Procès (1914) 11 000 (1988).

Lamennais m.s. (95 p.) 13 (1981). **Landru** dessin annoté de sa cuisinière 42 (1985). **Lapérouse** m.s. de journaux de bord 195 et 260 (1985). **Léautaud** m. le Petit Ami (150 p.) 200 (1992). **Leduc** (Violette) Thérèse et Isabelle (208 p.) 410 (1992). **Lincoln** Discours (1865) 7 000 (1992), note a.s. au Congrès (8-12-1863) 2 499 (1992). **Linné** 1 l. 25 (1984). **Liszt** Marche militaire hongroise 100 (1984). **Livingstone** l. 5 j avant de rencontrer Stanley 35 (1981). **Louis XIII** 1 l. a.s. au mar. de Brézé (9-9-1635) (3 p.) 21,5 (1991). **Louis XIV** l. 18 (1981). **Louis XVI** l. 14 (1981). **Louis XVIII** m.a. 125 (1992). **Louÿs (Pierre)** la Femme et le pantin 173 (1990).

Malherbe l. 21 (1981). **Mallarmé** , m.s. Poèmes autographes 17 à 110 (1988). **Manet** l. à Baudelaire 70 (1986). **Marat** 3 a. 0,35 (1988). **Marie-Antoinette** 1 l. 20 (1979). **Maritain** m. 18 p. (1924) 6,2 (1991). **Maurois (A.)** le Cercle de famille 22 (1983). **Maupassant** Une vie 1 060 (1989), l. sur sa vérole avec dessins et poème 90 (1984). **Mauriac** le Désert de l'amour 65 (1983). **Maurras** 250 p. 95 (1991). **Mazarin** 131 l. 90 (1979). **Médicis** (Cath. de) l. 7 (1981) ; (Marie) 14,5 (1984). **Mendelssohn** m.a. (1829) 104 p. 1 159,7 (1992). **Mérimée** la Vénus d'Ille 330 (1989), l. à sa mère 8 à 41 (1985). **Mirabeau** 1 l. 3,2 (1987). **Modigliani** l.a.s. 1 p. 58 (1992). **Molière** une signature sur une quittance 165 (1978) ; on ne connaît que 5 ex. de son paraphe en dehors des archives notariales. **Montespan** (Mise de) 1 l. 7,8 (1983). **Montesquieu** l. 15 (1981). **Montherlant** le Songe 88 (1979), 283 l. 100 (1985). **Mozart** 1 feuillet recto-verso fragment de sérénade composée à 17 ans 427,3 (1991), m. (1784-85) 8 000 (1990), m.s. symphonies 29 et 30, 21 900 (record absolu 1987). **Musset** l. à Mme Jaubert 12 (1988). **Mussolini** m.s. (5 p.) 5 (1982).

Napoléon 1 l. 78 (1987) ; man. de la campagne d'Égypte dicté et très corrigé par Napoléon à Ste-Hélène (plus de 300 p.) 150 (1978). **Nerval** poème 43 (1983). **Nietzsche** 1 a.s. 26 (1981). **Nijinsky** journal 430 (1979). **Nizan** le Cheval de Troie 29,5 (1983). **Nouveau (G.)** 6 sonnets 68 (1991).

Offenbach Phénice 32 (1984).

Pascal pièce signée 73,5 (1983). **Pasteur** 1 a.s. sur la rage 9 (1981), la vaccination 12,5 (1986). **Pergaud** le Roman de Miraut 40 (1983). **Philippe (Ch.-L.)** Marie Donnadieu 75 (1991). **Pierre le Grand** 1 p. 6 (1981). **Pilâtre de Rozier** l. 1,9 (1981). **Pouchkine** poème 280 (1989). **Poulenc** mélodie 90 (1986). **Prévert** m.s. 11 p. 36 (1981). **Proust** 1 l. (16 p.) à sa mère 155 (1985) ; 9 p. de manuscrit 390 (1985), l.a.s. à 8 ans à son gd-père de 12,5 à 75 (1992), fragment a. d'A la recherche du temps perdu (4 p.) 32 (1992), *id.* 1 p. 1/2 sur Tante Léonie 45 (1992). **Pierre Puget** 1 a.s. 6 (1981).

Rachel 1 l. 9 (1987). **Radiguet** le Diable au corps (1re ébauche) 520 (1986). **Raspoutine** 1 p. 18 (1990). **Ravel** m.a. du Boléro 1 894,5 (1992), la Valse m.a. (24 p.) 477,4 (1992), Sites auriculaires 400 (1985). **Renoir** l.a.s. à Paul Bérard (22-6-1882) 4 p. avec dessin à la plume 88 (1992). **Reverdy (P.)** 40 l. 50 (1991). **Rigaud** l. 6 (1981). **Rimbaud** « Les Voyelles » 330 (1982). 1 l. 95 (1983), dessin 132 (1986), reçu de la douane du Harrar 75 (1990), passeport signé 235 (1990). **Robespierre** l. 33,5 (1988), 20 (1992). **Mme Roland** m. De Sainte-Pélagie (11-9-1793) 20 (1992). **Romains (J.)** la Vie unanime 33 (1983). **Rossini** m.s. musical (10 p.) 100 (1984). **Rouget de Lisle** La Marseillaise (réécrite en 1833) 130 (1981 achetée par Serge Gainsbourg). **J.-J. Rousseau** 1 a. 36 (1984).

Sade 1 l. de jalousie à sa femme 16,5 (1987). **Saint-Exupéry** 1 l. (9 p.) 10 (1979). **St Vincent de Paul** 28 l.s. 361 (1989). **Sand** Consuelo 505 (1989), l. à Delacroix sur Chopin 72 (1982), Horace (304 p.) 150 (1990). **Sartre** la Mort dans l'âme 85 (1984), le Diable et le bon Dieu 100 (1991), m.a. Qu'est-ce que la littérature ? 42 p. 40 (1991). **Satie** Véritables Préludes flasques 175 (1986), 12 l. à Cocteau 490 (1986), Parade 395 (1992). **Schubert** Lied 45 (1980), m.a.s. (5/13-9-1814) 3 000 (1992). **Schumann** 1 a.s. 13 (1981), partition 8 565. **Spinoza** Opera posthuma (original) 6 000 (1986). **Steinlen** (861 p.) 20 (1982). **Stendhal** testament a. 90 (1985), de 1817 (1,5 p.) 60 (1991), Ordre d'exécution de Carrier 1 p. in-4° 48,5 (1991), sa dernière lettre (21-3-1842) 28 (1985), l. 17 à 210 (1988). **Surcouf** 1 a.s. réclamant la Légion d'honneur 30 (1982).

Tchaïkovski 1 a.s. 25 (1982). **Toulouse-Lautrec** l. 7 (1981). **Tourgueniev** l. 15 (1982).

Valéry 133 Poèmes inédits 650 (1982). 11 l. 47 (1983), m. brouillons de poèmes 9 p. 19 (1991). **Van Gogh** 1 l.s. 240 (1983). **Verlaine** 12 poésies des Fêtes galantes 740 (1991), poèmes de Mallarmé retranscrits 398 (1991), 2 poèmes sur un mouchoir brodé au nom de Rachilde 12 (1991). **Verne (J.)** le Docteur Ox 180 (1985). **Vigny** 5 poèmes 305 (1989). **Vincent de Paul** (1658) 1 l. 20 (1992). **Voltaire** 1 l. 13,5 (1988).

Wagner (R.) 2 p. Tannhäuser 60 (1982), l. 185 (1982). **Washington (G.)** l. s. (3-8-1796) 103 (1993), 1 l.s. (27-5-1778) 4 730 (1983), l.a.s. à Benjamin Franklin (juil. 1776) 744 (1992). **Wilde** a. 7,3 (1988).

Yourcenar 1 l. 10,5 (1991).

Zola à partir de 0,05, l. à son avocat Labori 48 (1983), préface, 18 feuillets en 1 volume in-8° 58 (1986). **Zweig (S.)** Carnet 73 (1987).

■ **Prix record. Pour une seule lettre :** 1 947 600 F [de Thomas Jefferson (1818), vendue chez Sotheby's le 29-10-1986] ; 450 000 F [de Baudelaire à Mme Sabatier (31-8-1857), vendue à Drouot-Montaigne le 20-4-1989] ; 425 000 F [reçue de l'Américain Button Gurnett (1732-77) l'un des 56 signataires de la Déclaration d'indépendance], vendue le 18-10-1979 à New York. **Pour une lettre vendue du vivant de l'auteur :** le 22-1-1981 : 59 190 F (lettre de Ronald Reagan à Frank Sinatra).

☞ *Le manuscrit de l' « Appel à tous les Français », rédigé en juillet 1940* par le *général de Gaulle* pour une affiche, a été vendu, en décembre 1970, 300 000 F, en privé. Le brouillon a été vendu 101 000 F, à Drouot, le 24-2-1973. *Le manuscrit de l'ordre du jour du 12-11-1918 de Philippe Pétain* a été vendu 85 000 F, à Versailles, le 26-3-1973. *Le journal de bord du Cne Robert Lewis, copilote de l'avion qui a largué la bombe atomique sur Hiroshima,* le 6-8-1945, rédigé à la demande de William Laurence, rédacteur scientifique du *New York Times* (qui devait prendre place à bord de l'avion mais était arrivé trop tard), a été vendu le 23-11-1971, à New York, 37 000 $ (203 500 F).

LES ARTS

ARCHITECTURE

DONNÉES TECHNIQUES

Abaque. Tablette carrée couronnant le chapiteau d'une colonne ou d'un pilier.

Acrotère. Motif de sculpture posé sur le faîte ou sur les angles d'un fronton. Support de cette sculpture.

Appareil. Façon de tailler et de disposer les matériaux. *Petit appareil* (blocs inférieurs à 0,20 m ou 0,15 m) : cubique, allongé ou en épi, selon la forme des blocs et leur disposition (dit en dépouille quand la partie visible est amincie pour être mieux saisie par le mortier). Le mortier est indispensable. *Grand et moyen :* souvent à joints vifs.

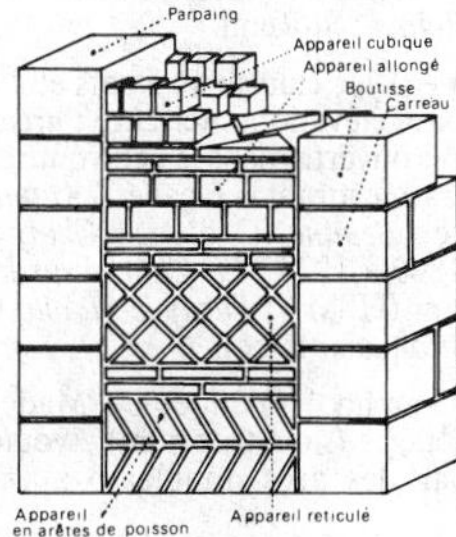

Architrave. Poutre de pierre entre 2 appuis (doivent être assez larges pour supporter la pression verticale exercée par la poutre). On l'appelle *linteau* quand elle couvre une baie pratiquée dans une maçonnerie pleine.

Astragale. Moulure saillante profilée entre fût d'une colonne et chapiteau.

Béton armé. Précurseurs : *Louis-Joseph Vicat* (1820 ; création de l'industrie moderne des ciments), *Apsdin* (1824, Écosse ; brevet ciment artificiel, dénommé Portland), *Joseph-Louis Lambot* (réalise en 1848 un « bateau-ciment » en ciment armé, brevet du bateau en 1855), *Joseph Monier* (horticulteur) (1849 ; 1ers caissons à fleurs ciment armé, brevets 1867, brevets pour des ponts 1873, escaliers 1875, poutres 1878, gîtages en voussettes armées 1880), *François Coignet* (1852 ; 1er immeuble béton coulé avec fers profilés enrobés, terrasse à St-Denis). *François Hennebique* (1842-1921) substitue le béton armé au ciment armé (1879) ; conçoit la 1re dalle en béton de ciment armé de fers ronds ; brevet (1880) pour des poutres creuses en b. armé moulées d'avance (1892) ; introduit l'emploi des armatures transversales ; invente la barre relevée ; crée (1896) le pilot en b. armé (ligatures assez rapprochées). **1er règlement officiel** de calcul du béton armé en France (1906). **1res applications :** *1900* immeuble en b. armé, 1, rue Danton ; *1904* villa de Hennebique à Bourg-la-Reine (tour octogonale portée par des ressauts de 4 m) ; *1910* pilier-champignon créé à Zurich par le Suisse Robert Maillart ; *1911* pont du Veurdre (Allier) ; *1913* 1er ensemble monumental du Théâtre des Champs-Élysées de A. Perret à Paris ; *1920* 1er pont en béton précontraint, à St-Pierre-du-Vauvray (Eure), d'Eugène Freyssinet : l'armature est soumise à une tension (fixée à l'avance) imposant au béton une forte compression (avantages : résistance aux tractions, élasticité et étanchéité accrues, économie d'acier).

Bois. *Lamellé-collé* (inventé 1906 par Otto Hetzer) : planches de 15 à 22 mm pressées à plat et collées. Portées de plus de 100 m.

Câbles à filets (ou structures suspendues ou voiles prétendus). Ex. : ponts, toits suspendus à simple courbure ou résilles de câbles à courbures inverses.

Constructions plissées. Les plis donnent de la rigidité à des voiles de béton (ex. : salle des Congrès à l'Unesco : Paris ; N.-D. de Royan, de Gillet).

Coques. Segments de coques incurvés dans le sens de la portée (ex. : le CNIT à Paris). Coques cylindriques (ex. : stade de Hanovre). Coques de révolution, les plus répandues (ex. : Palais des sports par Nervi, à Rome). Hyperboloïde de révolution ou en selle de cheval (ex. : salle des Congrès de Berlin-Ouest). Formes libres (ex. : marché de Royan).

Corbeau. Pierre en saillie destinée à recevoir une retombée. Consoles, modillons et culs-de-lampe sont différents types de corbeaux.

Coupoles. Quand elles sont sur un édifice carré, elles sont montées sur trompes (le carré se transforme en octogone) ou sur pendentifs (triangle concave). La plus ancienne coupole : le Panthéon de Rome (27 av. J.-C., puis 118-125 ap. J.-C.).

Cul-de-four. Voûte en forme de demi-coupole.

Cul-de-lampe. Corbeau en forme de cône ou de pyramide renversée.

Dômes. Coupoles surmontées d'une enveloppe extérieure en maçonnerie ou charpente.

Doubleau. Arc transversal saillant sous le berceau d'une voûte.

Enfeu. Évidement dans un mur destiné à abriter un monument funéraire.

Extrados. Surface externe d'un arc ou d'une voûte.

Fer. 1res réalisations importantes : *France :* combles du salon Carré, au Louvre (1778), de la Comédie-Française (1786) ; charpente du dôme de la Halle au blé (1809). Bibl. Ste-Geneviève par Labrouste, piliers en fonte, voûte en fer (1843). Halles de Baltard à Paris, brique et fer utilisés pour le remplissage (1854-56). Ponts de Clichy (1851), Asnières (1852), Bordeaux (1860). Galerie des machines (de Dutert) à Paris (1889), espace (420 × 15 m, haut. 45 m) franchi sans point intermédiaire. *USA :* George W. Snow (Chicago), charpentes en fer légères formant ossature et revêtues de bois (1833). *G.-B. :* Crystal Palace (1851) à Londres, 9 ha, par Joseph Paxton, allie métal et verre.

Fonte. 1res réalisations : G.-B. : pont de Coalbrookdale (1779) ; *France :* p. des Arts à Paris (1803). *USA et G.-B :* mode des façades en fonte (1840).

Gratte-ciel (1882). Leroy S. Buffington (de Minneapolis, USA) établit les plans d'un bâtiment de 16 étages (charpente en acier). *1885 :* 1er gratte-ciel à Chicago par William Le Baron Jenney, le Home Insurance (10 étages + 2 ajoutés ensuite), les piliers verticaux en maçonnerie enrobent des colonnes de fer associées à des poutrelles horizontales en fer formant l'ossature portante (remplaçant le système traditionnel de maçonnerie reposant sur un mur porteur continu). *1857* 1er ascenseur offrant toutes garanties de sécurité présenté à New York par Elisha G. Otis (1er usage public en 1857 dans le magasin new-yorkais Haughwout). Voir dimensions par pays p. 360 a.

Lambris. Revêtement bois ou pierre très mince ; menuiserie formant fausse voûte ou plafond au-dessus d'un vaisseau.

Larmier. Moulure en saillie destinée à faire s'écouler en avant du parement les eaux de pluie.

Litre. Bande armoriée peinte, parfois sculptée, ornant les murs d'une église ou d'une chapelle pour affirmer les droits d'un patron.

Mascaron. Ornement. représentant une tête humaine, souvent dans un médaillon et placé à la clef des arcs.

Meneau. Montant de pierre divisant une fenêtre gothique ou Renaissance.

Modénature. Ensemble des moulures ; style de ces moulures.

Mur-gouttereau. Mur extérieur sous gouttières ou cheneaux d'un versant de toit. Se distingue du mur-pignon par son faîte horizontal.

Mur. Porteur. Mur de façade, ou mur pignon, mur gouttereau (portant la gouttière) ; épaisseur de 20 cm à 7,50 m (château de Coucy). **Non porteur.** Toute paroi qui ne subit pas de charges verticales autres que son poids propre (cloisons, murs, rideaux ; ex. : tour Nobel à Puteaux : tout mur non compris dans un noyau central ou dans l'ossature extérieure).

Narthex. Vestibule intérieur, à l'entrée d'une église ; se distingue du porche qui, lui, s'ouvre sur l'extérieur.

Outrepassé. En forme de fer à cheval (arc).

Piédroits (ou pieds-droits). Piliers supportant les retombées d'un arc ; murs supportant la naissance d'une voûte en berceau.

Pilastre. Pilier engagé dans l'épaisseur d'un mur.

Poutre de gloire. Traverse l'*arc triomphal* qui masque à l'est l'entrée de la nef. Portait au milieu un crucifix, une Vierge, des reliquaires. A l'époque gothique, on construisit à sa place des jubés ornés de crucifix : murs transversaux portant une galerie servant aux lectures et aux chants.

Réticule. Appareil dont les joints en diagonale rappellent le dessin d'un filet.

Scotie. Moulure concave, semi-circulaire, formée de 2 arcs raccordés.

Soffite. Dessous suspendu, tel plafond ou larmier, et plus particulièrement d'un plafond à caissons.

Structures autostables. France par *Ferratex,* ossature métallique tubulaire (largeur 22 m ; hauteur 7,6 m ; travées 6,1 m), recouverte par une toile en textile synthétique (1 300 m² d'un seul tenant).

Structures gonflables. Un film plastique de 0,1 à 0,2 mm permet des portées de 1 à 2 m ; un film de 0,6 à 1 mm, de 5 à 10 m ; un tissu à trame de Nylon ou de Tergal, enduit de plastique assurant l'étanchéité, jusqu'à 25 m de portée. Au-delà, il faut des trames plus résistantes. **La plus grande du monde** (base carrée couvrant 1 ha) réalisée à Buc par la SEEEE (Sté européenne d'études et d'essais d'environnement) associe une enveloppe souple (polyester à haute ténacité pesant 700 g/m²), assurant l'étanchéité, et une résille (filet de câbles en acier). Pression : 3 millibars. Le toit, fixé au sol par ancrages de béton, est maintenu gonflé par une soufflerie. Technique appliquée pour la couverture temporaire durant l'hiver de courts de tennis (2 000 m² couvrant le plus souvent 4 tennis).

Dôme aéroporté le plus grand : dôme du Pontiac Silverdome Stadium à Chicago (Michigan, USA), 159 m sur 220 m (3,4 ha), pression de l'air 34,4 kPa,

EARTH-WORKERS OU LAND ART

Christo (Chr. Javacheff, Bulg., 1935) a emballé 35 km de côtes australiennes et, en 1985, le Pont-Neuf à Paris. Le 8-10-1991, il expose 1 760 parasols jaunes au col du Tejon (Cal., USA) et 1 340 p. bleus dans la vallée de Sato (Japon). Ils sont faits de 470 pièces, mesurent 6 m de haut, 8,66 de large et pèsent 200 kg (coût 26 millions de $). 2 tués : en Cal., un parasol s'envole et en retombant tue une jeune femme de 32 ans, au Japon 1 ouvrier est électrocuté. *Michael Heizer* (1944) a creusé des trous gigantesques dans le désert du Nevada ou dans la neige. *Walter De Maria* (1935-78) a tracé 2 tranchées parallèles d'un demi-mile dans le désert du Nevada. *Huchkinson* a pioché sur les flancs de volcans en activité des rigoles pour orienter les coulées de lave. *Denis Oppenheim* (1938) a souligné à la charrue les courbes de niveau d'un paysage et tracé un sillon de plusieurs km pour concrétiser le méridien de Greenwich. *Keith Arnatt* a ensablé 120 personnes jusqu'au cou sur la plage de Liverpool, face à la mer. *Robert Smithson* (1938-73) a construit dans le Grand Lac Salé une digue en spirale de 450 m avec des rochers, des cristaux de sel et de la terre, a planté (1977) 400 paratonnerres à 67 m les uns des autres dans un champ de 1 km sur 1,7 km. *Uriburu* (1937) a coloré les eaux de New York, Paris, Venise et Buenos Aires.

couverture transparente en fibre de verre (4 ha) ; aux mesures standard : 262 m de long, 42,6 m de large et 19,8 m de haut à Lima (Ohio, USA).

Treillis spéciaux. Béton et acier (ex. : Gd Marché de Francfort-sur-le-Main, Allemagne, 1927) ; coupole en tôle d'aluminium (pavillon des USA, Exposition de Montréal, 1967).

Voûte. En berceau (au XIIe s., elle devient pointue : en arc brisé, dite en ogive), d'arête, nervurée, croisée d'ogives. *Sexpartite* (6 branches d'ogive) ; en *étoile* (ne subsistent que les liernes et les tiercerons). Les *liernes,* nervures secondaires situées entre la clef d'ogives et la clef des doubleaux, renforcent la voûte. Les *tiercerons* sont des nerv. secondaires de la naissance des ogives à l'extrémité des liernes.

FRANCE

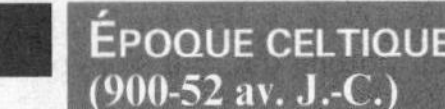

ÉPOQUE CELTIQUE (900-52 av. J.-C.)

ARCHITECTURE MILITAIRE

Enceintes fortifiées (ou oppidums). *Gergovie :* longtemps localisée à Merdogne (renommée Gergovie par Napoléon III) au S. de Clermont. Certains la situent actuellement au N. (côtes de Clermont, à l'E. du col de Purtol). *Guillon :* mur de 6 km [5 m de haut (150 000 m³ de pierres sèches), style protohistorique] découvert en 1975-80 [à 16 km d'Avallon (Yonne)]. Identifié par certains comme Alésia, de préférence à Alise-Ste-Reine (hypothèse de Napoléon III), grâce aux restes des 23 fortins construits par César. *Bibracte :* 5 km, 136 ha.

ART GALLO-ROMAIN (Ier s. av. J.-C.-Ve siècle apr. J.-C.)

Amphithéâtres ou arènes. *Arles* (ar. 80 à 90 apr. J.-C. ; 136 × 107 m, 21 000 pl.). *Bordeaux :* palais Gallien (IIIe s. apr. J.-C. ; 132,3 × 110,6 m). *Fréjus* (Var ; fin Ier s. apr. J.-C. ; 113 × 85 m, 10 000 pl.). *Nîmes* (68-70 apr. J.-C. ; 131 × 104 m, 365 m de tour ext., haut. 21 m, 25 000 pl.). *Orange* (v. 120 apr. J.-C. ; long. 19,48 m, prof. 8,50 m, haut. 18,80 m). *Paris* (ar. de Lutèce : 260 à 120 apr. J.-C. ; 15 000 pl.).

Aqueducs. *Gier,* alimentant Lyon, v. 50-60, 75 km. *Nîmes* long. 50 km comprenant le *pont du Gard* [entre 40 et 60 apr. J.-C. ; long. 273 m ; haut. totale 48,77 m (1er ét. 21,87 m, 2e ét. 19,5 m, 3e ét. 7,40 m) ; diam. de la plus grande arche 24,50 m d'ouverture], sur le Gardon, commune de Vers. En service jusqu'au VIe s. [*Carthage,* Tunisie (162 apr. J.-C.), 141 km (capacité 31,8 millions de l par jour) 344 arches en 1895].

Arcs. *Carpentras* (Ier s. apr. J.-C. ; haut. 10 m ; larg. 5,90 m ; prof. 4,54 m). *Cavaillon* (Ier s. apr. J.-C.). *Orange :* de Tibère (haut. 22,73 m ; larg. 21,45 m ; prof. 8,50 m). *St-Rémy* (B.-du-Rh. ; Ier s. av. J.-C. ; long. 12,40 m ; prof. 5,60 m ; haut. sous voûte 7,50 m).

Ponts. *De l'Argens* (Var). *Pont-Ambroix* (Hérault). *St-Chamas* (B.-du-Rh.) : pont Flavien (Ier s. apr. J.-C. ; long. 21,40 m ; larg. 6,20 m). *Sommières* (Gard). *Vaison-la-Romaine* (Vaucluse, Ier s. apr. J.-C. ; arche unique de 17,20 m d'ouverture).

Portes. *Autun :* St-André (Ier s. apr. J.-C. ; haut. 14,50 m ; larg. 20 m), d'Arroux (h. 17 m ; larg. 19 m). *Besançon :* Noire (h. 10 m ; larg. 5,60 m). *Reims :* de Mars (h. 13,50 m ; long. 33 m).

Temples. *Nîmes :* Maison carrée (4 apr. J.-C. ; hexastyle, pseudopériptère, long. 26,3 m, larg. 13,55 m, haut. 17 m). *Vienne :* temple d'Auguste et de Livie (27 av. J.-C. à 11 apr. J.-C.).

Théâtres. *Arles* (Ier s. av. J.-C. ; 103,8 m diam. ; 1 600 pl.). *Autun* (70-80 apr. J.-C. ; 147,80 m diam. ; 16 000 pl.). *Fréjus* (Ier s. apr. J.-C. ; 72 m diam.). *Grand* (Vosges, Ier s. apr. J.-C. ; 149,50 m diam., le plus grand de l'Antiquité). *Lyon* (Ier s. av. J.-C. ; 103 m diam. ; le plus ancien de Gaule). *Orange* (début Ier s. apr. J.-C. ; 103 m diam. ; 36 m haut. ; 40 000 pl. ; le mieux conservé). *Vaison-la-R.* (Ier s. apr. J.-C. ; 96 m diam.). *Vienne* (Ier s. av. J.-C., début Ier s. apr. J.-C. ; 103,40 m diam.).

Thermes. *Arles :* palais Constantin (98 × 45 m, IVe s. apr. J.-C.). *Lambesc* (B.-du-Rh.). *Nîmes :* temple de Diane (117 × 138), en ruine, fut probablement le bâtiment principal des thermes. *Paris :* musée de Cluny (fin IIe s. apr. J.-C.).

Tombeaux. *St-Rémy* (B.-du-Rh.) : mausolée des Jules (Ve s. apr. J.-C. ; haut. 19,30 m).

Trophées. *La Turbie* (A.-Mar.) : trophée d'Auguste (6 av. J.-C. ; haut. 50 m, auj. 35 m ; larg. 34 m). *St-Bertrand-de-Comminges* (Hte-Gar., IIe s. apr. J.-C.).

Maison romaine. 1 atrium *2.* tablinum *3.* péristyle *4.* triclinium *5.* œcus. *D'après Guide Michelin (Provence, 23e éd.).*

ÉPOQUE MÉROVINGIENNE (Ve-VIIIe s.)

ARCHITECTURE RELIGIEUSE

Caractères. Imitation de la basilique romaine : nef séparée des bas-côtés par des colonnes, abside ornée de mosaïques, revêtements de marbre, plafond en bois sculpté relevé d'or. Influence orientale sensible : 2 absides opposées, abside flanquée de 2 salles carrées, tour-lanterne entre abside et nef, baptistère octogonal, avec colonnade sur laquelle repose une coupole.

Principaux monuments. Peu de vestiges : beaucoup étaient en matériau léger. **Plan basilical :** *Néris* (Allier) ; *Grenoble,* cryptes de St-Laurent ; *Jouarre* St-Paul (S.-et-M.) ; fragments de St-Pierre de *Vienne* (Isère). **Plan central :** baptistères *Aix, Fréjus, Riez* (Alpes-de-Hte-P.), *Poitiers* (St-Jean) ; cathédrale de *Nevers.*

ÉPOQUE CAROLINGIENNE (IXe s.)

Caractères. Influence orientale : plan central surmonté d'une coupole, décor de feuillages, tresses, cercles. Annonce l'art roman : porche voûté surmonté d'une église antérieure (*St-Riquier,* Somme) qui se retrouve dans la tribune sur passage voûté à l'entrée des églises auvergnates et dans les clochers-porches de *St-Benoît-sur-Loire* (Loiret), *Ébreuil* (Allier). Coupoles et absides décorées de mosaïques.

Principaux monuments. Abbaye de *Beauvais* (basse-œuvre) ; *Germigny-des-Prés* [Loiret, sur le plan d'Etchmiadzine (Arménie)] ; *St-Germain* (C.-d'Or) ; *St-Philbert-de-Grand-Lieu* (L.-Atl.) ; *St-Pierre-de-Jumièges* (S.-M.) ; *St-Riquier* (Somme ; détruite, reconstruite XIIIe-XVIe s.).

ÉPOQUE PRÉROMANE (Xe s.)

Caractères. Bas-côtés séparés de la nef par des piliers. Pas de transept. Nef et bas-côtés terminés chacun par une abside. Extérieur : niches continues au sommet de l'abside et décoration en « bandes lombardes » (reliées en séries de festons).

Principaux monuments. *St-Guilhem-le-Désert* (Hérault) [cloître transporté au Metropolitan Museum (USA)] ; *St-Martin-d'Aime* (Savoie) ; *St-Philibert-de-Tournus* (S.-et-L.).

ÉPOQUE ROMANE (fin Xe, XIe, milieu XIIe s.)

Origine du mot « roman ». Utilisé pour la 1re fois par l'archéologue Charles Duhérissier de Gerville (1769-1853) dans une lettre de 1818 à Auguste Leprévost (archéol., 1787-1859, député de Bernay). En 1823, il divise le Moyen Age en 2 périodes : le plein cintre, qu'il appelle « roman » (car héritier de la voûte romaine), et le style « ogival », auquel il réserve le nom de *gothique.*

ARCHITECTURE RELIGIEUSE

Normandie. Plan bénédictin sans déambulatoire avec des absides décroissantes des deux côtés de l'abside principale. Piliers alternativement forts et faibles. Collatéraux avec tribunes. Fenêtres hautes avec galerie de circulation. Nef non voûtée. Tour-lanterne (tradition mérovingienne). 2 tours encadrant la façade. Clocher de pierre. – Abbayes : *Caen* ab. aux Hommes (St-Étienne, voûte gothique), aux Dames (Trinité) ; *Jumièges* (S.-M.) ; *St-Martin-de-Boscherville* (S.-M.) ; *Cerisy-la-Forêt* (Manche) ; *Lessay* (Manche) (voûte gothique).

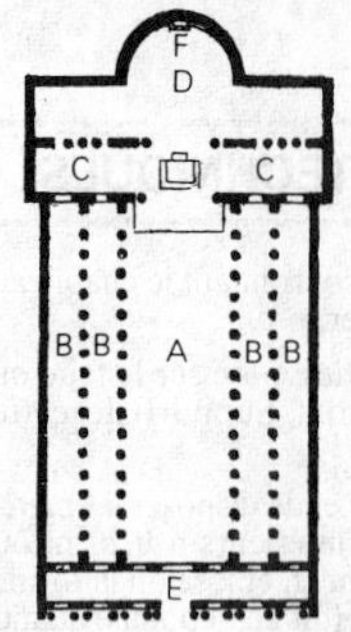

Basilique chrétienne : A nef centrale. B latérale. C chœur. D abside. E narthex. F siège de l'évêque.

Nord. Petits édifices. Voûtes rares. – *Beauvais :* St-Étienne ; *Morienval* (Oise) ; *Paris :* St-Germain-des-Prés ; *Reims :* St-Remi.

Bourgogne. Type clunisien : 5 nefs et 2 transepts, déambulatoire, élévation intérieure : arcades, triforium, fenêtres ouvertes dans la nef, voûte en berceau brisé ; 2 tours encadrant la façade. – *Autun* (S.-et-L.) Saint-Lazare ; *Beaune* (C.-d'Or) ; *Cluny* (S.-et-L.), détruit de 1809 à 1823 ; *La Charité-sur-Loire* (Nièvre) ; *Langres* (H.-M.) ; *Paray-le-Monial* (S.-et-L.) ; *Semur-en-Brionnais* (S.-et-L.).

Type de Vézelay : (Yonne) La Madeleine, élévation à 2 étages (sans triforium) ; voûte d'arêtes séparées par des arcs doubleaux ; *Anzy-le-Duc* (S.-et-L.).

Type cistercien : nef à bas-côtés, transept, chœur carré, flanqué de deux chapelles carrées ; élévation à 2 étages. – *Fontenay* (C.-d'Or).

Poitou. Pas de tribunes. Pas de fenêtres dans la nef. Bas-côtés presque aussi hauts que la nef et percés de fenêtres. Voûte en berceau brisé. Façade très ornée en Poitou, Saintonge. Piliers se réduisant à quatre colonnes soudées ensemble et formant un trèfle à quatre feuilles. – *Airvault* (Deux-S.) ; *Aulnay* (Ch.-M.) ; *Bordeaux* Ste-Croix ; *Chauvigny* (Vienne) St-Pierre ; *Civray* (Vienne) ; *Melle* (Deux-S.) ; *Parthenay* (Deux-S.) ; *Poitiers* (Vienne) N.-D.-la-Grande ; *Ruffec* (Ch.) ; *St-Jouin-de-Marnes* (Deux-S.).

Périgord. Coupoles sur pendentifs (provenant de l'Orient ?) s'alignant sur une nef unique. – *Angoulême* (Ch.) : St-Pierre ; *Cahors* (Lot) ; *Fontevrault* (M.-et-L.) ; *Périgueux* (Dord.) : St-Étienne, St-Front (5 coupoles sur pendentifs disposées dans une croix grecque ; exception inspirée des Sts-Apôtres de Constantinople, comme St-Marc de Venise) ; *St-Émilion* (Gir.) ; *Solignac* (Hte-V.) ; *Souillac* (Lot).

Auvergne. Déambulatoire à chapelles rayonnantes. Nef sans fenêtres. Voûte en berceau contrebutée par l'arc en quart de cercle des tribunes. Coupole sur trompes à la croisée du transept. Appareil polychrome (pierres volcaniques). – *Clermont-*

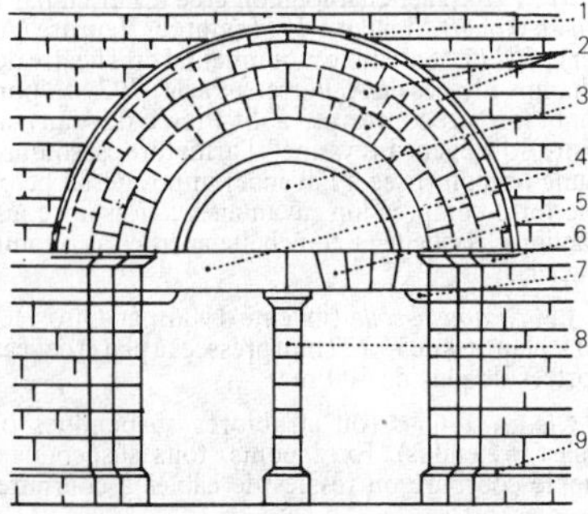

Éléments d'une porte d'église romane : 1 archivolte. *2* voussures. *3* tympan. *4* linteau. *5* linteau appareillé. *6* imposte. *7* corbeau. *8* trumeau. *9* moulure de soubassement.

1 Flèche romane polygone sur tour carrée. *2* Flèche gothique aiguë et ajourée. *3* Dôme classique avec lanterne.

Ferrand N.-D.-du-Port et *Le Puy* cath. (influence de l'art hispano-mauresque) ; *Issoire, Orcival, Riom* St-Amable, St-Nectaire, (P.-de-D.).

Languedoc. Nef unique. Chœur et chapelles rayonnantes. Portail sans tympan, polylobé. – *Brantôme* (Dord.) ; *Le Dorat* (Hte-V.).

Grandes églises « de pèlerinage » (route de St-Jacques-de-Compostelle). Nef en berceau sans fenêtres. Hautes tribunes et vaste transept. Bas-côtés doubles. Déambulatoire à chapelles rayonnantes. – *Conques* (Av.) Ste-Foy ; *Limoges* St-Martial (détruit) ; *Toulouse* St-Sernin ; *Tours* St-Martin (détruit).

Provence. Nef unique ; pas de déambulatoire. Fenêtres très étroites ouvertes dans la nef. Voûte en berceau brisé. Bas-côtés en arc de cercle. – *Arles* (B.-du-Rhône) St-Trophime ; *Avignon* (Vaucl.) N.-D.-des-Doms : ancienne cath ; *Carpentras* (Vaucl.) : ancienne cath. ; *Cavaillon* (Vaucl.) ; *Digne* (A.-M.) : ancienne cath. ; *St-Gilles* (Gard) ; *St-Paul-Trois-Châteaux* et *St-Restitut* (Drôme) ; *Vaison* (Vaucl.).

■ Architecture monastique

Cloîtres. Arcades reposant sur des colonnes jumelées. – *Arles* St-Trophime ; *Elne* (P.-O.) ; *Moissac* (T.-et-G.) ; *Montmajour* (B.-du-Rh.) ; *St-Bertrand-de-Comminges* (H.-G.) ; *St-Martin-du-Canigou* (P.-O.) ; *St-Michel-de-Cuxa* (P.-O., transporté en partie à New York) ; *Vaison* (Vaucluse). **Cuisines.** *Fontevrault* (M.-et-L.). **Salles capitulaires.** *Frontfroide* (Aude, partie goth.) ; *Noirlac* (Cher) ; *Vézelay* (Yonne, partie XIIe s.).

■ Architecture militaire

Ne subsistent que les constructions en pierre.

Donjons. Les plus anciens subsistant : *Les Andelys* (XIIe, Eure) Château-Gaillard ; *Beaugency* (fin XIe, Loiret) ; *Doué-la-Fontaine* (M.-et-L.) ; *Langeais* (994, I.-et-L.) ; *Loches* (fin XIe, I.-et-L.) ; *Provins* (XIIe-XIIIe, S.-et-M.). **Enceintes.** *Carcassonne* (XIIe-XIIIe-XIVe) ; *krak des Chevaliers* (Syrie, par l'Ordre de l'Hôpital).

■ Architecture civile

Maisons. *Cluny* (S.-et-L.) ; *Saint-Antonin* (T.-et-G.) hôtel de ville. **Ponts.** *Airvault* (XIIe, Deux-Sèvres) ; *Avignon,* pont St-Bénezet (1177-1185) construit par St Bénezet et ses disciples. Avait 2 arches (850 m env.). Piles : peut-être d'origine romaine. Reconstruit XIIIe s. (après le siège de 1228), rompu depuis le XVIIe s., il subsiste 4 arches, le Châtelet (XIVe et XVe), la chapelle St-Nicolas (romane, remaniée XIIIe s. et déb. du XVIe s.).

Archère. Meurtrière pour tir à l'arc, fente verticale étroite et longue [7 m à Najac (Aveyron)]. **Barbacane.** Châtelet disposé devant une porte principale au-delà du fossé. **Basse-cour ou bayle.** Cour au pied du château, protégée par des remparts. **Bastille.** Ouvrage temporaire placé par l'attaquant lors d'un siège. **Bélier.** Grosse poutre munie d'une tête de fer, suspendue à une charpente ou fixée sur un affût mobile pour disloquer une maçonnerie. **Bretèche.** Construite en saillie percée de mâchicoulis pour le tir plongeant, et parfois de meurtrières pour le tir horizontal. Assurait souvent la défense d'une porte. **Canonnière.** Meurtrière pour arme à feu, trou rond ou ovale.

Châteaux-cours. XIIIe s. : plans carrés ou rectangulaires pouvant atteindre + de 70 m de côté au Louvre (disparu). MIEUX CONSERVÉS : à *Coudray-Salbart* (Deux-S.), *Dourdan* (Ess.), *Druyes-les-Belles-Fontaines* (Yonne) le plus ancien de ce type (1170), *Mauzun* (P.-de-D.), *Mez-le-Maréchal* (Loiret), *Montaiguillon* (S.-et-M.), *Montreuil-Bonnin* (Vienne), *Nesles-en-Tardenois* (Aisne), *Semur-en-Auxois* (Côte-d'Or), *Thiers-sur-Thève* (Oise). PLAN TRIANGULAIRE : Gençay (Vienne), *Trévoux* (Ain). POLYGONAL : *Angers,* le plus vaste : enceinte de 17 tours, *Boulogne* (P.-de-C.), *Coucy* (Aisne) détruit 1917, *Farcheville* (Essonne) enceinte crénelée, *Fère-en-Tardenois* (Aisne).

Châtelet. Petit château fort destiné à la défense d'un pont, d'une route ou d'une voie d'accès. **Contrescarpe.** Face du fossé opposée à la place. **Courtine.** Mur généralement compris entre les tours. **Créneau.** Échancrure rectangulaire du parapet permettant le tir.

Donjon. Tour principale d'une place, la plus forte et la plus haute à l'époque romane ; y logeaient le seigneur, sa famille et ses défenseurs. QUADRANGULAIRE (XIe et XIIe s., plutôt barlong que carré) : *les + hauts :* 35 à 37 m à *Loches* (I.-et-L.), *Beaugency* (Loiret) et *Nogent-le-Rotrou* (E.-et-L.) ; *les + vastes :* 20 à 30 m de long sur 15 à 25 m de large. Murs : 1,50 à 2 m parfois. Portes : au moins à 6 m du sol, accès par échelle, passerelle escamotable ou perron en bois. CYLINDRIQUES, OVALES, POLYGONAUX OU POLYLOBES (XIIe s.) : économie de matériaux, meilleure vision, résistance renforcée mais salles circulaires moins logeables, moins stable sur ses bases. *1er donjon cylindrique : Fréteval* (L.-et-C.) v. 1100 ; diamètre : 11 à 15 m (peut atteindre 18 m), hauteur : 20 à 30 m. *Plan : ovale St-Sauveur-en-Puisaye* (Yonne), *Montlandon* (E.-et-L.), *polygonal Châtillon-Coligny* (Loiret), *Gisors* (Eure), *Vievy-le-Rayé* (L.-et-C.), après 1150 à Provins, *polylobé Lucheux* (S.-et-M.), v. 1120 à *Houdan* (Yvel.), v. 1140 *Étampes* (Essonne), v. 1190 *Ambleny* (Aisne), *éperon* comme à *La Roche-Guyon* (V.-d'O.), *Château-Gaillard* (Eure), *Issoudun* (Indre). Au XIIe s., les plans deviennent géométriques : tours cylindriques, angles en saillie ou à distance (en moy. 15 à 25 m), tours surmontant les courtines. Fossé à 12 ou 20 m de large. **Donjons royaux.** *Cylindriques :* Philippe Auguste en a édifié une quinzaine. Murs : de 3,80 à 4,95 m, diam. 11,50 à 16 m, haut. 25 à 32 m. Vestiges : *Chinon* (I.-et-L.), *Dourdan, Falaise* (Calv.), *Gisors, Lillebonne* (S.-M.), *Montlhéry* (Essonne), *Rouen, Verneuil* (Eure), *Vernon* (Eure), *Villeneuve-sur-Yonne* (Yonne). **Seigneuriaux :** *Coucy [Aisne ; v. 1225* (hauteur 54 m avant d'être détruit en 1917)], *Nesles-en-Tardenois* (Aisne).

Échauguette. Tourelle en encorbellement sur un angle pour le guet et le tir. **Enceintes castrales.** Diamètre : 10 à 100 m. Circulaire en terre : fin du IXe s. au XIIe s. Fossé de + de 3 m de profondeur. Talus de quelques m de haut avec palissade de pieux et fascines. **Escarpe.** Face de fossé du côté de la place.

Glacis. Terrain en pente douce vers l'extérieur, obligeant l'assaillant à se présenter à découvert. **Guette.** Tourelle surmontant l'escalier d'accès au sommet d'une tour. Cylindrique ou carrée.

Herse. Grille (bois ou fer) fermant l'entrée (elle glissait de l'étage supérieur). **Hourd.** Galerie de bois établie en encorbellement à l'extérieur des murs, afin de battre le pied des défenses (remplacé par les *mâchicoulis* en pierre).

Larmier. Membre horizontal en saillie sur le nu du mur pour écarter les eaux pluviales. **Lice.** Espace entre les enceintes (7 à 10 m de large).

Mâchicoulis. Galerie de pierre accrochée en surplomb au sommet des murs et permettant de laisser tomber des projectiles (tir fichant) sur les assaillants arrivés au pied du mur. On distingue les mâchicoulis sur arc et les mâchicoulis sur corbeaux ou consoles apparus en France v. 1300. Le faux mâchicoulis ou mâchicoulis décoratif n'a pas d'ouverture pour le tir fichant. **Mantelet** (XVIIe s.). Sorte de bouclier à roulettes pour la défense et l'attaque des places fortes. **Merlon.** Partie pleine d'un parapet comprise entre 2 créneaux ; l'archer tire par les créneaux ou à travers des archères pratiquées dans les merlons. **Meurtrière.** Petite ouverture pour le tir. **Motte.** *XIe et XIIIe s. :* tertre circulaire (10 à 30 m au sommet), parfois en ovale, ou quadrangulaire (de 6 à 10 m de haut) entouré d'un fossé, le plus souvent flanqué d'une enceinte semi-circulaire formant une basse-cour (protégée de même).

Parpaing. Pierre traversant l'épaisseur de la maçonnerie et laissant voir ses extrémités sur les 2 parements. **Poliorcétique.** Art de conduire les sièges.

Époque gothique (milieu XIIe-début XVIe s.)

Origine du mot « gothique ». Créé v. 1440 par l'Italien Lorenzo Valla pour désigner un style d'écriture (dans le sens de « médiéval », l'expression *Moyen Age* n'existant que depuis 1604). Au XVIe s., Vasari appelle *tedesco,* « tudesque » (c.-à-d. germanique), toutes les architectures médiévales ; Palladio distingue le plein cintre et l'ogive, mais sans les classer chronologiquement. L'adjectif latin *gothicus* (dans le sens de « médiéval ») a été créé en 1610 pour l'architecture par un jésuite français voulant traduire l'italien *tedesco ;* le 1er emploi de *gothique* en français, dans le même sens, est de 1619. Aux XVIIe et XVIIIe s., le mot prend un sens péjoratif (« médiéval » et « suranné »). Au XIXe s. *ogival* et *gothique* deviennent synonymes pour désigner l'architecture du XIIIe s. à la Renaissance ; *gothique* s'emploie en outre pour les autres arts.

■ Architecture religieuse

☞ *Légende.* (1) Cathédrale.

Gothique primitif (1130-1230). Grande rose de façade comprise dans un arc en plein cintre. Voûtes sur plan carré et sexpartites. Tribunes au-dessus des bas-côtés. Alternance de piles fortes et faibles (sauf N.-D. de *Paris*). Chapiteaux à crochets. Fenêtres moins grandes. – *Châlons-sur-M.* N.-D.-en-Vaux (Marne) ; *Laon* [1] (Aisne, 1150-1233) ; *Noyon* [1] (Oise, 1140-86), plan roman ; *Paris* N.-D. (1160-1245) ; *Reims* St-Remi (chœur 1162) ; *St-Denis* (S.-St-D., 1132-44), façade, avant-nef et déambulatoire avec chapelles rayonnantes (nef du XIIIe) ; *Senlis* [1] (Oise, 1167-91) ; *Sens* [1] (Yonne, 1130-70).

Apogée (1230-1300 environ). Grande rose de façade dans un arc brisé. Voûtes sur plan *barlong* (plus long d'un côté que de l'autre). Tribunes remplacées par des arcs-boutants. Au triforium succède la clairevoie (*Amiens* [1], chœur). Piliers cantonnés de colonnes engagées. Fenêtres plus vastes. Bas-côtés très hauts. – *Amiens* [1] (1220-36) : nef terminée (1238-69), chœur (1288). *Angers :* St-Maurice, St-Serge. *Beauvais* [1] (1225) : incendie chœur (1280), voûtes écroulées (1284), terminée (1324). *Bourges* [1] : conçue dès 1172-1235, voûtes sexpartites sur plan carré, contreforts bas, plus légers qu'à Chartres. *Chartres* [1] : porche (1re moitié XIIe), incendie (1194), nef terminée (1220), haut du transept (1240), dédicace et suppression des tribunes (1260). *Coutances* [1] (Manche). *Le Mans* [1] (1254). *Paris :* nef Ste-Chapelle (1245-48). *Reims* [1] : chœur (1212-41), façade occidentale (1285), 1er étage des tours (1311-XIVe), étage supérieur (XVe). *Rouen* [1], très modifiée. *St-Denis* (S.-St-D., 1231-81) : nef. *St-Pol-de-Léon* (Finistère) : Kreisker. *Sées* (Orne). *Soissons* [1] (1235). *Strasbourg* [1] (1240-75) : nef romane modifiée (1277), début de la façade occidentale. *Troyes* (début XIVe) : St-Urbain (1262-90).

Gothique rayonnant (XIVe s.). Piliers à faisceaux de colonnettes. Murs plus ajourés. Chapiteaux à bouquets de feuillages. Moulures en saillie (façade). Statues dégagées dans des niches. – *Albi :* Ste-Cécile (pas d'arcs-boutants ni de bas-côtés, contreforts pénétrant à l'intérieur). *Auxerre :* St-Vincent. *Bayonne* [1]. *Bordeaux :* St-André. *Carcassonne : Clermont-Ferrand* [1] : nef. *Évreux* [1] : chœur. *Limoges* [1]. *Lyon :* St-Jean. *Nevers* [1] : chœur. *Perpignan :* St-Jean. *Rouen :* St-Ouen (chœur) ; cathédrale (portails de la Calende, 1310, et des Libraires). *Strasbourg* [1] *:* façade. St-Nazaire. *Tours* [1].

Gothique flamboyant (XVe s.). Piliers monocylindriques. Arcs pénétrant dans le fût. Chapiteaux disparus remplacés parfois par une bague. Voûtes à petits panneaux, à multiples nervures. Arcs en accolade et en anse de panier. Éclairage plus intense, fenêtres hautes descendant jusqu'au sommet des grandes arcades. Décor très chargé (choux, frises, etc.) ou presque absent. – *Abbeville* (Somme) : St-Vulfran. *Dieppe :* St-Jacques. *Lisieux :* St-Jacques. *Metz* [1] *:* chœur. *Paris :* St-Séverin et St-Germain-l'Auxerrois. *Rouen :* St-Maclou et St-Ouen (nef). *St-Nicolas-de-Port* (M.-et-M.). *Vendôme* (L.-et-Ch.) : la Trinité.

XVIe siècle. Arcs en accolade à contre-courbes brisées. Piliers formés de colonnes soudées et raccordées entre elles (dits piliers à ondulations). Surabondance de décoration (ex. : dans les lucarnes). **Cathédrales.** *Albi* (chœur), *Beauvais, Limoges* (façade latérale), *Senlis* (transept sud), *Sens.* **Églises.** *Brou* (Bourg-en-Bresse, Ain), *Compiègne* (Oise) : St-Antoine (chœur). *Montfort-l'Amaury* (Yvel.). *Paris :* St-Eustache (nef, transept et chœur). *Provins* (S.-et-M.) : Ste-Croix (portail, déambulatoire). *St-Riquier* et *Rue* (Somme).

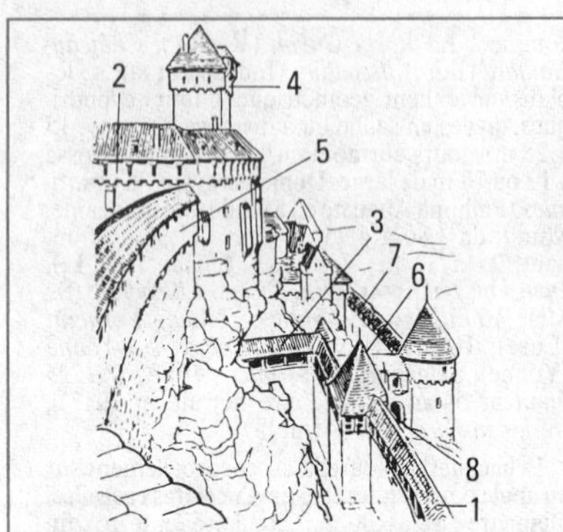

Enceinte fortifiée : 1 Hourd (galerie en bois). *2* Mâchicoulis (créneaux en encorbellement). *3* Bretèche. *4* Donjon. *5* Chemin de ronde couvert. *6* Courtine. *7* Enceinte extérieure. *8* Poterne.

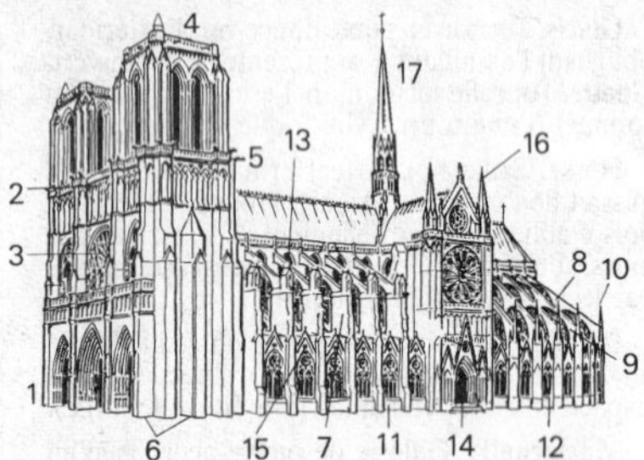

Cathédrale gothique : 1 Porche. *2* Galerie. *3* Grande rose. *4* Tour clocher parfois terminée par une flèche. *5* Gargouille servant à l'écoulement des eaux de pluie. *6* Contrefort. *7* Culée d'arc-boutant. *8* Volée d'arc-boutant. *9* Arc-boutant à double volée. *10* Pinacle. *11* Chapelle latérale. *12* Chapelle rayonnante. *13* Fenêtre haute. *14* Portail latéral. *15* Gâble. *16* Clocheton. *17* Flèche (ici, placée sur la croisée du transept).

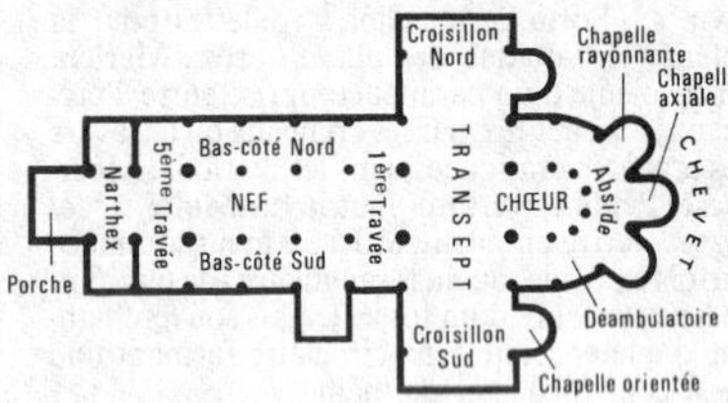

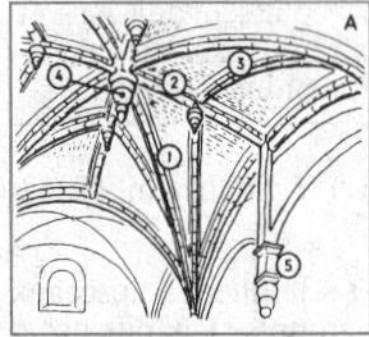

A *Voûte à clef pendante : 1* Croisée d'ogives. *2* Lierne. *3* Tierceron. *4* Clef pendante. *5* Cul-de-lampe.
B *Voûte à pénétration : 1* Voûte à pénétration. *2* Fenêtre à pénétration ou « lunette ». *3* Voûte en berceau.

C *Coupole sur trompes : 1* Coupole octogonale. *2* Trompe. *3* Arcade du carré du transept.
D *Coupole sur pendentifs : 1* Coupole circulaire. *2* Pendentif. *3* Arcade du carré du transept.

■ Architecture monastique

Cloîtres. *Mont-Saint-Michel* (Manche, XIIIe) ; *Villefranche-de-Rouergue* (Aveyron, XVe). **Réfectoires.** *Royaumont* (V.-d'O., XIIIe) ; *Paris : St-Martin-des-Champs* (XIIIe, auj. bibl. des Arts et Métiers). **Salle synodale.** *Sens* (XIIIe s.).

■ Architecture militaire

Aigues-Mortes (Gard), remparts (XIIIe). *Avignon,* palais des Papes (XIVe). *Carcassonne,* enceinte (XIIe, XIIIe et XIVe). *Coucy* (Aisne), donjon (XIIIe). *Lassay* (Mayenne) (XVe). *Pierrefonds* (Oise) (XIVe).

■ Architecture urbaine

Beffroi. Désigna d'abord les tours mobiles utilisées dans les sièges, puis la charpente soutenant les clochers à l'intérieur d'une tour, et enfin le donjon communal renfermant la cloche. *Arras* (P.-de-Calais), beffroi (XVe-XVIe s., reconstruit au XXe). **Maisons.** *Beaune,* hospice (XVe). *Bourges,* hôtel Jacques Cœur (XVe). *Cordes* (Tarn), maison du Grand Fauconnier (XIVe). *Paris,* hôtel de Cluny (XVe). *Poitiers,* palais des Comtes (XIVe). **Marchés couverts.** *Provins* (S.-et-M.), grange aux Dîmes (ancien ouvrage militaire, milieu XIIe). **Palais de justice.** *Rouen* (commencé 1499). **Ponts.** *Cahors* (Lot), pont Valentré (XIVe).

Renaissance (XVIe s.)

■ **Charles VIII (1483-98). Château :** *Amboise* (1495-98).

■ **Louis XII (1498-1515). Bureau des Finances :** *Rouen* (Roulland Le Roux 1509). **Châteaux :** *Blois,* aile Louis XII (1498-1503). *Châteaudun* (E.-et-L., aile Nord, 1470-1520). *Chaumont-sur-Loire* (L.-et-Ch., 1465-1510, gothique). *Gaillon* (Eure), 1509 (démoli, restes à l'École des Beaux-Arts à Paris). *Nancy,* palais des ducs de Lorraine (1502-44). *Ussé* (I.-et-L., gothique, chapelle 1520-38). **Églises :** *Albi,* porche et jubé. *Rouen,* St-Maclou. **Hôtels :** *Les Andelys* (du Grand-Cerf). *Blois* (d'Alluye, terminé en 1508). *Bourges* (Cujas et Lallemant). **Hôtels de ville :** *Dreux* (1512-37).

■ **François Ier (1515-47). 1515-25 (avant Pavie). Châteaux :** *Azay-le-Rideau* (I.-et-L.) (1524-27). *Blois* (L.-et-C.), aile François Ier (1515), façade des Loges (1525) (château : 128 × 88 m, 56 m de haut au clocheton central, 28 m au niveau des terrasses, 440 pièces, 365 cheminées, 74 escaliers.) *Bury* (L.-et-C., 1514-24). *Chambord* (L.-et-C.), 1519-24, puis 1526-44), plans italiens dont un de Léonard de Vinci ; maître d'œuvre Pierre Trinqueau (1 800 ouvriers pendant 15 ans) ; le plus grand château de la Renaissance, hauteur 58 m (33 m pour la lanterne), 365 cheminées, 63 escaliers. *Chenonceaux* (I.-et-L.) 1515-81), galerie de Philibert Delorme. *Le Lude* (Sarthe, 1520). *Montal* (Lot, 1523).

■ **François 1er, 1525-47 (après Pavie). Châteaux :** *Paris :* ch. de Madrid (1528, détruit, A. Du Cerceau). *Ancy-le-Franc* (Yonne, 1546-90, Serlio). *Assier* (Lot, 1525-35). *Bournazel* (Aveyron, 1545). *Fontaine-Henry* (Calv. 1537). *Fontainebleau* (cour ovale, 1528-31, G. Le Breton). *St-Germain* (Yv., 1539, P. Chambige ; 1556-1610, Ph. Delorme, le Primatice, Androuet Du Cerceau, Métezeau). *Villers-Cotterêts* (Aisne, 1533, Le Breton). **Églises :** *Caen :* St-Pierre (chevet). *Champigny-sur-Veude* (I.-et-L.) : chapelle. *Dijon :* St-Michel, St-Pantaléon et Ste-Madeleine. *Évreux* (Eure) : cathédrale. *Gisors* (Eure) : St-Protais (grande partie). *Paris :* St-Eustache (1532-1632), St-Étienne-du-Mont (façade et jubé Henri IV). **Hôtels :** *Angers,* h. Pincé (1532). *Besançon,* palais Granvelle (1534-40, Hugues Sambin). *Caen,* h. d'Escoville (ou de Valois, 1531-42). *Rouen,* maison de Diane de Poitiers (1510-23). *Toulouse,* h. de Buet (N. Bachelier), de Bagis, du Vieux-Raisin, Bernuy (1530, L. Privat). **Hôtels de ville :** *Beaugency* (Loiret, 1525, P. Biart). *Loches* (I.-et-L., 1540). *Niort* (Deux-S.) (1535). *Pau* (1531, reconstruit 1871). **Pavillon de chasse :** *Moret-sur-Loing* (S.-et-M., 1527), p. de François Ier.

■ **Henri II (1547-59), François II (1559-60), Charles IX (1560-74), Henri III (1574-89). Châteaux :**

Château de Blois. Escalier François-Ier.
D'après Guide Michelin (Ch. de la Loire, 25e éd.).

Anet (1548, Philibert Delorme, restent aile gauche, chapelle et portique de la cour). *Chantilly,* Petit Château (1563, J. Bullant). *Écouen* (V.-d'O., 1532-67, Ch. Billard puis J. Bullant). *Mesnières* (S.-M., 1545). *Pailly* (H.-M., 1564-73). *Paris :* Louvre (aile de P. Lescot, 1546-59, Petite Galerie sous Charles IX), Tuileries (1564, Philibert Delorme, pour Catherine de Médicis). **Églises :** *Argentan* (Orne) : St-Germain. *Gisors* (Eure) : St-Gervais, façade. *Grand Andelys* (Eure) : égl. Ste-Clotilde. *Guimiliau* (Fin.). *Paris :* St-Germain-l'Auxerrois, jubé (détruit, P. Lescot). *St-Thégonnec* (Fin.), *Sizun* (Fin.). **Hôtels :** *Paris :* Carnavalet (1544, P. Lescot). *Rouen :* Bourgtheroulde (1501-37). *Toulouse :* d'Assézat (1555-60) et Felzins (1556). **Hôtel de ville :** *Orléans* (1549-55, agrandi 1850-54).

Fin XVIe-début XVIIe siècle

■ Henri IV (1589-1610), Louis XIII (1610-43), Louis XIV (de 1643 à 1660)

■ **Paris. Églises :** *St-Gervais-St-Protais* (façade, 1616-25, de Brosse, Métezeau). *St-Paul-St-Louis* (1630-40, E. Martellange). *N.-D.-des-Victoires* (1629-1740). *Val-de-Grâce* (1645-65, Mansart, Lemercier, Le Muet, Le Duc). *Chap. de la Sorbonne* (1635-53, Lemercier). **Hôpital :** *St-Louis* (Châtillon, 1607-11 ; ouvert 1616). **Hôtels :** *De Sully* (1624-30, Jean Ier Du Cerceau). *Lambert* (vers 1640, Le Vau). *De Lauzun* (1642-50). *De Beauvais* (1655, Lepautre). **Palais :** *Louvre,* achèvement de la Petite Galerie (Métezeau et Jacques Du Cerceau), Grande Galerie du Bord-de-l'Eau (1609), pavillon de l'Horloge (1624, Lemercier). *Luxembourg* (1613-20, de Brosse). **Places :** *Dauphine* (construite par François Petit en 1607, en partie démolie). *Des Vosges* (1604-15, ancienne place Royale 140 × 140 M). **Pont-Neuf** (1604).

■ **Province. Calvaire :** *Guimiliau* (Fin., 1581-88), représentant la Passion et l'Enfance de Jésus. 200 personnages. **Églises :** *Nevers :* Visitation. **Châteaux : Balleroy** (Calv., 1626-39, Mansart). **Blois** (1635, Mansart) aile Gaston-d'Orléans. **Brissac** (M.-et-L., 1606-21, Corbineau d'Angluze). **Cany-Barville** (S.-M., 1640-46). **Cheverny** (L.-et-Ch., 1634). **Cadillac** (Gir., 1588-1600). **Effiat** (P.-de-D., 1627). **Fontainebleau :** porte Dauphine ou du Baptistère, portail de la cour des Offices (1609), escalier du Fer-à-Cheval (1632, Jean Androuet Du Cerceau). **Maisons-Laffitte** (Yv., 1642-50, Mansart). **Miromesnil** (S.-M.). **Tanlay** (Yonne, 1610-42, Le Muet). **Vaux-le-Vicomte** (S.-et-M., 1656-60, Le Vau). **Versailles** (1624, façade cour de Marbre, centre). **Vizille** (Isère, 1611-19). **Hôtels publics : La Rochelle** (1544-1607) Hôtel de ville. **Lille** (1652, Julien Destré) palais de la Bourse. **Rennes** (1618-19, S. de Brosse) palais de justice. **Place : Charleville** (1608 Cl. Métezeau) place Ducale.

XVIIe-XVIIIe siècle

■ Louis XIV (de 1660 à 1715)

■ **Paris. Arcs :** *Porte-St-Denis* (1672, Blondel, hauteur 24 m, largeur 23,97 m, épaisseur 4,87 m, sculptures de François et Michel Anguier, commémore les victoires de Louis XIV en Allemagne). *Porte St-Martin* (1674, Bullet, hauteur 18 m, commémore la conquête de la Franche-Comté). **Églises :** *Invalides* (dôme, 1699-1706, Mansart). *St-Jacques-du-Haut-Pas* (1675, Gittard). *St-Roch* (1736, R. et J. de Cotte). *St-Sulpice* (1670-75 Le Vau, puis Gittard : chœur, transept, partie de la nef et rez-de-chaussée du portail sud). **Hôtels :** *De Chevreuse. De Pimodan. De Soissons. D'Aumont.* **Palais :** *Collège des Quatre-Nations* (Institut de France, 1633-88, Le Vau). *Invalides :* façade sur l'Esplanade (1671-76, Bruant puis J. Hardouin-Mansart). *Louvre :* cour Carrée (1664, Le Vau), fin de l'aile sud ; aile nord, double aile sud, colonnade (v. 1675, Perrault). *Observatoire* (1667-72, Perrault). **Places :** *Des Victoires* (1686). *Vendôme* (1699-1706) de J. Hardouin-Mansart (213 × 124 m).

■ **Province. Châteaux : Marly** (1679, J. Hardouin-Mansart). **Versailles** (1661-68, Le Vau ; 1668-1708, J. Hardouin-Mansart), galerie des Glaces, aile sud (1678-84), aile nord (1684-89), Orangerie (1684) ; voir encadré p. 356. **Lunéville** (M.-et-M., 1702-06). **Églises : Bordeaux :** les Jacobins. **Caen :** la Gloriette. **Jardins de Le Nôtre : Versailles. Vaux-le-Vicomte. Fontainebleau. St-Germain-en-Laye :** terrasse 2 400 m (1669-73). **St-Cloud. Portes : Lille :** porte de Paris. **Montpellier :** porte du Peyrou (d'Orbay).

■ Louis XV (1715-74)

■ **Paris. École militaire :** (1750-88, Gabriel). **Églises :** *N.-D.-des-Victoires* (façade). *St-Roch* (façade de R. et J. de Cotte). *St-Sulpice* (nef d'Oppenordt, façade de Servandoni, 1733-54, tour nord reprise par Chalgrin). **Hôtels :** *De Beauharnais* (1714, Boffrand). *D'Évreux* (1717, Mollet et Lassurance, devenu l'Élysée). *De Rohan-Soubise* (1704-12, décoration intérieure de Boffrand). *De Toulouse* (Banque de France) (1656-1735, de Cotte, galerie Dorée). *Matignon* (1715-20, Courtonne). *De la Monnaie* (1768-75, Antoine, néoclassique). *Peyrenc de Moras* (1729-30, J. Gabriel et Aubert). **Place :** *Concorde* (1754-63, Gabriel, néoclassique). La plus vaste de Paris (259 × 259 m). Ancienne place Louis XV où était érigée une statue équestre de Louis XV (de Bouchardon, enlevée en 1790), devint place de la Révolution (l'échafaud de Louis XVI y fut dressé) puis, en 1795, place de la Concorde. En 1799, une statue de la Liberté (en plâtre) par Dumont remplaça la statue de Louis XV. En 1836, l'obélisque de Louqsor fut érigé et la place décorée de colonnes rostrales et de 8 pavillons surmontés de statues assises représentant les principales villes de France (Marseille, Lyon, Strasbourg, Lille, Rouen, Brest, Nantes, Bordeaux), de 2 fontaines et de 2 groupes (Chevaux se cabrant ou Chevaux de Marly, hauteur 4 m, par Coustou). De chaque côté de la grille des Tuileries, 2 groupes : Mercure et la Renommée, par Coysevox (originaux au Louvre).

■ **Province. Châteaux : Champlâtreux** (1757, Yvelines, Chevotet). **Champs** (v. 1715-20, S.-et-M., Bullet de Chambain). **Chantilly** (1719-35, Aubert) Grandes Écuries. **Compiègne** (1750-70, Gabriel, néoclassique). **Haroué** (1720, M.-et-M., Boffrand). **Lunéville** (1705-15, M.-et-M., Boffrand). **Strasbourg** (1736-42, R. de Cotte) palais des Rohan. **Versailles :** pavillon Français, Opéra (1753-70), aile droite sur la cour Royale (Gabriel), Petit Trianon (1762-64, Gabriel, néoclassique). **Églises : Amiens** (1752) St-Acheul. **Avignon** (1739) chapelle des Pénitents-Noirs. **Nancy** (1738-41, Héré) N.-D.-de-Bon-Secours. **Versailles :** cath. St-Louis (1743, Mansart de Sagonne, néoclassique). **Places : Lyon** (1714 ; 310 × 200 m) Bellecour. **Nancy :** Stanislas (1752-60, Boffrand et Héré, 124,50 × 106 m), anc. places Royale et de l'Hémicycle (Héré).

■ Époque néoclassique (1770-1830)

Retour à l'antique, après les découvertes d'Herculanum (1711) et de Pompéi (1748) et sous l'influence des archéologues : comte de Caylus, Winckelmann, Quatremère de Quincy.

■ **Paris. Églises :** *Ste-Geneviève* (devenue *Panthéon,* 1764-80, Soufflot). *La Madeleine* (1806-42, Vignon). *St-Philippe-du-Roule* (1774-84, Chalgrin). *Chap. expiatoire* à la mémoire de Louis XVI, Marie-Antoinette et des 500 morts de la Garde suisse (1815-26, plans de Fontaine). *N.-D.-de-Lorette* (1823-26, Le Bas, pastiche de Ste-Marie-Majeure). *St-Vincent-de-Paul* (1824-44, Lepère et Hittorff). **Monuments civils :** *Arc du Carrousel* (1806-08, Percier et Fontaine), voir p. 362 a. *Arc de Triomphe,* voir p. 361 c. *Bourse* (1808-26, Brongniart, modifiée 1855). *Collège de France* (1778, Chalgrin). *Colonne Vendôme* (1806-10, Lepère et Gondoin). *École de médecine* (1775, Gondoin). *Folie de Bagatelle* (1779, Bélanger). *Fontaines* [place du Châtelet, place St-Sulpice, hôpital Laennec, boulevard St-Martin (transportée au parc de la Villette)]. *Galeries du Palais-Royal* (1781, Louis). *Hôtel de Salm* (p. de la Légion-d'Honneur, 1787, Pierre Rousseau, reconstruit après son incendie sous la Commune). *Marché* St-Germain. **Palais :** *Palais-Bourbon* (façade 1804-07, Poyet), voir Index. *Louvre* (raccord avec les Tuileries, pavillon de Marsan, dernier étage sur la cour Carrée). *Pavillon d'octroi* 1786-1806 : *rotonde de la Porte de la Villette* (1789), *pavillon du parc Monceau* (1784-86). *Ponts d'Austerlitz, d'Iéna. Rues des Colonnes, de Castiglione, de Rivoli.* **Théâtres :** *Odéon* (1779-82, Peyre et De Wailly, reconstruit après incendie, 1802-06, par Chalgrin). *Théâtre-Français* (1786, Louis).

■ **Province. Églises : St-Germain** (Yvel.), église (Potain). **Versailles :** chapelle du couvent des Carmes-de-la-Reine (lycée Hoche, Mique). **Monuments civils : Amiens :** Théâtre (1778-80, Rousseau). **Bordeaux :** Grand Théâtre (à partir de 1773, Louis), Hôtel de ville et Préfecture, pont de Pierre (1813-21, long. 490 m). **Dijon :** théâtre. **Marseille :** serre du jardin botanique. **Metz :** Hôtel de ville, place d'Armes (1764, Blondel). **Nevers :** ancien collège des Jésuites. **Rambouillet :** Laiterie (Mique). **Reims :** place Royale (1758, Legendre). **Strasbourg :** orangerie. **Versailles :** Petit Trianon (hameau, Mique et Robert ; belvédère, jardin anglais, 1781, théâtre, 1788, Mique).

■ Époque éclectique (1830-1880)

■ **Paris. Beffroi :** place du Louvre (1860, Ballu). **Bibliothèques :** *Ste-Geneviève* (façade, 1843-50, Labrouste) ; *nationale* (salle des imprimés, 1868, Labrouste, 9 coupoles de fer, faïence et verre, portées par 16 colonnes de fonte). **Colonne :** *Bastille* (1831-40, Duc). **École :** *des Beaux-Arts* (façade rue Bonaparte, 1833-61, Duban, Renaiss. florentine). **Églises :** *Ste-Clotilde* (1846, Gau et Ballu, gothique). *St-Eugène* (1854-55, Boileau, ossature en fer). *St-Augustin* (nef 1860-71, Baltard, romano-gothique, voûtes en fer). *La Trinité* (façade, 1861-67, Ballu, essai d'un style Napoléon III). *St-Ambroise* (1863-69, Ballu, néoroman). *N.-D.-des-Champs* (1867-76, Ginain). *St-Pierre de Montrouge* (romano-byzantine, Vaudremer, 1870). *Sacré-Cœur de Montmartre* (1876-1919, Abadie, romano-byzantin voir p. 362 b). **Gares :** *Est* (1852, Duquesnoy) ; *Nord* (1863, Hittorff). **Halles :** en fer à toiture vitrée ; 10 pavillons construits de 1854 à 1866 (dont 6 de Baltard), 2 en 1936 ; superficie : + de 10 ha ; démolies en 1972 ; un pav. reconstruit à Nogent-sur-Marne (V.-de-M.), un autre à Yokohama (Japon). **Hôpital :** *Hôtel-Dieu* (1868-78, Gilbert et Diet). **Hôtel de Ville** (1874-82, Ballu et Deperthes), pastiche de l'H. de Ville du Boccador brûlé en 1871. **Grand Hôtel** (1867). **Magasins :** *Printemps* (1865, J. et P. Sédille) ; *Belle Jardinière* (1866, Blondel) ; *Magasins Réunis* (1867, Davioud) ; *Bon Marché* (1869, Laplanche, Ch. Boileau). **Palais :** *Louvre* [aile Visconti et Lefuel (1853-1857)] ; *de Justice* [façade place Dauphine (1857-68, Duc)] ; *Trocadéro* (1878, Davioud) ; *Galliera* (1878-98, Ginain, pastiche Renaiss. italienne). **Place :** *de l'Étoile* (1854). En 1860, Hittorff y construisit 12 hôtels identiques bordant la place, dits des Maréchaux. **Prisons :** *Mazas* (1830, Gilbert) ; *La Santé* (1867, Vaudremer). **Théâtres :** *Opéra* (1862-75, Charles Garnier) ; les 2 th. de la pl. du *Châtelet* (1862, Davioud). **Tombeau :** *Napoléon Ier* (1843-61, Visconti). **Tribunal :** *de Commerce* (1865, Ballu).

■ **Province. Guise :** Familistère (1859-63). **Lourdes :** basilique (1876). **Lyon :** basilique de Fourvière (1872-94). Prison St-Paul (1860, Louvier). **Rothéneuf** (I.-et-V.) : Adolphe-Julien Fouéré (1839-1910), recteur, sculpte de 1870 à 1895 dans des rochers du littoral (723 m²) des légendes sur les habitants du pays.

■ De 1880 à nos jours

Les matériaux changent : fonte, fer et acier, béton armé et verre. À l'éclectisme et au rationalisme succèdent le *modern style,* puis le style *cubiste.*

■ 1880-1920

■ **Paris. École :** *Sorbonne* (1901, Nénot). **Églises :** *St-Jean de Montmartre* (1894-1904, Baudot et Cottancin). *St-Honoré d'Eylau,* chapelle annexe (1894). *N.-D.-du-Travail* (1899-1901, Astruc, en fer). *St-Dominique,* rue St-Dominique (1913-21, Gaudibert, 1er édifice religieux réalisé en béton). **Galerie :** *des machines* (1889, Contamin, 420 × 115 m de long. sans tirant, détruite 1910). **Gares :** *d'Orsay* (1898-1900, Laloux) ; *de Lyon* (1899, remaniée en 1927). **Hôtel :** *Céramic* 34, av. de Wagram (1904, Lavirotte). **Immeubles :** *25 bis, rue Franklin* (1903, A. et G. Perret) ; *Castel Béranger* 14, rue La Fontaine (1898, Guimard) ; *26, rue Vavin* (1912, Sauvage) ; *29, av. Rapp* (1901, Lavirotte). **Magasin :** *Galeries Lafayette* (grand hall, 1898, Chanut). **Palais :** *Grand* (1897-1900, Deglane, Louvet, Thomas, 40 000 m²) ; *Petit* (1900, Girault, 7 000 m²). **Ponts :** *Alexandre III* (1895-1900, Rescal et Alby), arche de 107,50 m ; *Mirabeau* (1895, Resal). **Théâtre :** *Champs-Élysées* (1910-13, A. Perret), 1re application du béton armé à l'arch. monumental [les 1res expériences furent celles d'A. de Baudot (1834-1915) et de F. Hennebique (1842-1921)]. **Tour Eiffel** (1889, voir p. 360 c).

■ **Banlieue. Orly :** hangars pour dirigeables (1916-24, béton, E. Freyssinet). **Suresnes :** École de plein air (Beaudoin et Lods).

■ **Province. Hauterives** (Drôme) : palais idéal du facteur Cheval (1879-1912). **Lyon :** stade, abattoirs, hôpital E.-Herriot (1913, 1914, 1933, Tony Garnier). **Nice :** coupole du Grand Observatoire ; diam. 84 m, le plus grand d'Europe (1885, Eiffel).

■ 1920-1945

■ **Paris. École :** *Pratique de médecine* (1937-53, Madeleine et Walter). **Églises :** *St-Esprit* (1930-35, P. Tournon) ; *St-Pierre de Chaillot* (1933-37, E. Bois), romano-byzantin-cubiste. **Garde-Meuble :** national (1935, Perret). **Maisons :** *de Tristan Tzara* (1926, A. Loos) ; *de verre du Dr Dalsace,* 31, rue St-Guillaume (1928-31, Chareau). **Mosquée** (1922-26, Henbès, Fairnez, Mantout), pastiche hispano-marocain. **Musées :** *d'Art moderne* (1937, Dondel, Aubert, Viart, Dastugue) ; *des Colonies* (1931, Laprade, Jaussel) ; *des Travaux publics* (1937-38, A. Perret). **Palais :** *de Chaillot* (1937, Carlu, Boileau, Azéma), 70 000 m² de musées, théâtre de 3 000 places. **Pavillon :** *suisse* (1932 ; Cité universitaire, Le Corbusier). **Pont :** *du Carrousel* (1935-39). **Porte :** *de St-Cloud* (fontaines par Landowski).

■ **Banlieue. Bagneux :** cité du Champ des oiseaux (1931-32, Baudoin, Lods). **Boulogne-Billancourt :** mairie (1931-36, Garnier, Debat-Ponsan). **Le Raincy :** église (1922, Perret). **Poissy :** villa Savoye (1929, Le Corbusier).

■ **Province. Bordeaux :** stade municipal (1939, J. Boistel d'Wells). **St-Tropez :** hôtel Latitude 43 (1931-33, H.G. Pingusson). **Villeurbanne** (Rhône) : ensemble des gratte-ciel (1933, T. Garnier).

■ De 1945 à nos jours

■ **Paris. Atelier d'urbanisme et d'architecture AUA :** (1960, Deroche, Perrotet, Kalisz, Allegret, Chemetov). **Centre national d'art et de culture G. Pompidou** [CNAC (plateau Beaubourg) 1977, Piano, Rogers, Franchini]. **Cité :** *des Sciences et de l'Industrie,* la Villette (1982-86, Adrien Fainsilber, Reichen et Robert, C. de Portzamparc, B. Tschumi). **Front :** *de Seine* (R. Lopez, H. Pottier, M. Proux), voir Index. **Gare :** reconversion de la *gare d'Orsay* en musée (1986, ACT Architecture, Colboc, Bardon, Philippon, G. Aulenti). **Grand Louvre :** [M. Pei, M. Macary, 1988-92 ; au centre de la cour Napoléon (220 × 130 m), une grande pyramide inaugurée 14-10-1988, base 35 m de côté, haut. 21,64 m avec 85 t d'acier inoxydable et 105 t de verre feuilleté St-Gobain de 21,52 mm d'épaisseur, 603 losanges (153 × 3 – 459 et 144 × 1 – 144), 70 triangles (18 × 3 = 54 et 16 × 1 = 16), et 3 autres petites pyramides, 72 losanges (6 × 4 × 3), 48 triangles (4 × 4 × 3) ; au total, 793 losanges et triangles ; entourées de 7 bassins triangulaires de 25 m de côté]. **Institut :** *du Monde arabe* (1987, J. Nouvel). **Logements :** *Les Hautes Formes* (1979, C. de Portzamparc, G. Benamo). **Maison :** de la Radio (1962, H.G. Bernard). **Mémorial :** *des martyrs de la déportation,* mont Valérien (1962, Pingusson). **Ministère :** *des Finances* (1987, Chemetov, Huidobro). **Opéra :** *de la Bastille* (Ott, 1989). **Palais :** *de l'Unesco* (1958, Zehrfuss, Breuer, Nervi) ; *des Sports* (1960, Dufau, Parjadis de la Rivière) ; *Omnisports de Bercy* (1984, Andrault, Parat, Guvan). **Restaurant :** *univ. Censier* (1965, Pottier, Tessier). **Sièges :** *du P.C.,* place du Cel-Fabien, Paris (1969-71, Niemeyer, Deroche, Chemetov) ; *St-Gobain* (1960, Aubert, Bouin, Marican). **Stade :** *du Parc des Princes* (1972, Taillibert). **Tour :** *Maine-Montparnasse* (1972, Beaudouin, Cassan, Hoyme de Marien, Saubot, Prouve, voir p. 361 c).

■ **Banlieue. Bobigny** (S.-St-D.) : cité de l'Abreuvoir (E. Aillaud). **La Défense** (ensemble construit sur l'emplacement du monument érigé en 1883, commémorant la défense de Paris en 1870-71) repose sur une dalle en béton de 125 ha, une des plus vastes du monde et comprend le CNIT [Centre nat. des ind. et techniques (8-5-1956/sept. 1958, arch. Camelot, de Mailly, Zehrfuss ; ing. Esquilan)], voûte d'arête inscrite dans un triangle équilatéral de 818 m de côté, haut.au centre 46,30 m, repose sur 3 points d'appui au sol qui supportent une couverture de 7 500 m² [développés 6 800 m² en plan, record mondial des plus grandes portées pour une structure voûtée en coque mince (206 m en façade, 238 m sur l'arête de voûte)], 22 000 m² ; la préf. des Hts-de-S. (1967, Wogenscky) ; le centre d'aff., dont l'immeuble Esso (1963) devrait être démoli 1993 et remplacé ; les tours, Aquitaine (1966), Nobel (CIMT, 1966-69, de Mailly, Dépussé, J. Prouvé) ; quartier de la Tête-Défense (voir p. 356 c). **Ivry** (v. 1991) : cathédrale (Botta). **Marly :** les Grandes Terres (Lods, Beufe, Honnegger, 1960). **Montrouge :** Atelier (Riboulet, Thurnauer, Véret, Renaudie, 1958). **Pantin :** cité des Courtillières (1959, E. Aillaud). **Roissy :** aérogare (1973, P. Andreu). **Versailles** (Yvelines) maison particulière, 1re mais. oblique (1968, C. Parent). **Vigneux** (Essonne) : tours (1966, R. Lopez).

■ **Province. Assy** (Hte-S.) : église (1950, Novarina). **Caen :** Université (H. Bernard). **Chambéry :** nouveau quartier en projet « Sextius Mirabeau » 30 ha. Centre André Malraux. **Chamonix** (Hte-Savoie) : complexe sportif (1974, R. Taillibert). **Firminy** (B.-du-Rh.) : maison de la Culture (1967, Le Corbusier). **Grande**

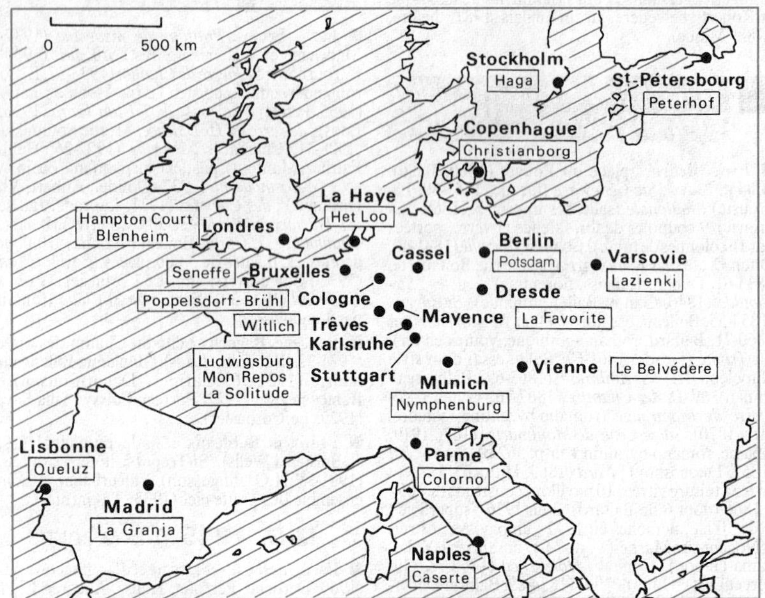

Versailles

Quelques dates. *1623* Louis XIII installe sur la butte de Versailles, au Val-de-Galie, un rendez-vous de chasse. *1631-43* Philibert Le Roy reconstruit le château en brique et pierre (dimensions actuelles de la cour de Marbre). *1660-62* Louis XIV commence à renouveler jardins et intérieurs. *1665* 1res statues des parterres placées. *1666* inauguration des jeux d'eau dans les jardins. *1667* on commence à creuser le Grand Canal. *1670* création du Trianon de Porcelaine détruit 1687. *1671* début de la décoration des Grands Appartements (Charles Lebrun). Le roi décide de créer une ville. *1678* nouveau plan de Jules Hardouin-Mansart (2 ailes supplémentaires). Galerie des Glaces. Achèvement de l'escalier des Ambassadeurs. *1682* la Cour et le gouvernement se fixent définitivement à Versailles. *1686* adduction des eaux de la Seine par la machine de Marly. *1687-88* construction du Trianon de Marbre.

1710 chapelle royale achevée. *1715-1-9* Louis XIV meurt. Louis XV et la Cour quittent V. pour Paris. *1722* retour de Louis XV et de la Cour à V. *1743* 1re pierre de la cathédrale de V. *1762-68* construction du Petit Trianon par Gabriel, pour le roi et madame de Pompadour. *1770* inauguration de l'Opéra de Gabriel lors du mariage du Dauphin et de Marie-Antoinette. *1771* Gabriel commence, côté cour, l'aile Louis XV. *1783* 20-1 : traité de V. qui donne naissance aux États-Unis. R. Mique commence le hameau de Trianon. *1789* 6-10 : la famille royale quitte V. pour les Tuileries. *1793-94* vente aux enchères d'une partie du mobilier ; tableaux et antiques sont envoyés à Paris.

1814 le pavillon Dufour commencé sous l'Empire est achevé. *1837* 10-6 : inauguration du musée de l'Histoire de France. *1871* 18-1 : proclamation de l'Empire d'All. (galerie des Glaces) ; 12-3 l'Assemblée nationale siège à V. *1919* 28-6 : signature du traité de V. (galerie des Glaces). *1953-58* vote de la loi de sauvegarde de V. *1957-80* restauration de la Chambre du Roi. *1966* du Grand Trianon. *1973-80* de la galerie des Glaces. *1975* inauguration de la chambre de la Reine, des grands salons restaurés du Petit Trianon. *1978* 26-6 : attentat du FLB (5 millions de F de dégâts). *1986* ouverture des appartements du Dauphin et de la Dauphine. *1990 (févr.)* tempête abat 1 500 arbres ; *(nov.)* réception de 35 chefs d'État à l'occasion de la Conférence pour la Sécurité et la Coopération en Europe (CSCE). *1991* début de la restauration des jardins.

Palais. *Façade sur le parc :* longueur 670 m (415 m sans les retours d'angle de l'avant-corps). *Contenance :* sous l'Ancien Régime : 1 300 pièces, 1 252 cheminées, 188 logements (outre ceux de la famille royale) ; actuellement 500 pièces, 67 escaliers, 352 cheminées, 2 143 fenêtres. *Galerie des Glaces :* 73 m × 10 m, haut. 13 m, 17 fenêtres et 17 arcades feintes revêtues de glaces. *Grande Galerie, salon de la Guerre, salon de la Paix* sont décorés de 483 glaces (chacune représentait le salaire de 5 000 h de travail d'un manœuvre). Plus de 60 variétés de marbres furent utilisées pour la décoration. *Toits :* 11 ha (surface de Versailles et des Petit et Grand Trianons).

Place d'Armes (comme la place de la Concorde) 8,48 ha. *Cour d'Honneur,* 2,86 ha, 3 avenues convergent : de Paris (122,48 m de large), de Saint-Cloud (94,86 m), de Sceaux (83,75 m) (les Champs-Élysées à Paris font 66 m de large).

Domaine royal. *Jardins :* 95 ha dont le Tapis vert (335 m × 64 m), limités par le château, l'allée des Matelots, l'allée de Trianon et la route de Saint-Cyr. Il fallait 150 000 plantes pour décorer les parterres. 6 000 m³ d'eau sont nécessaires pour faire marcher les fontaines (jours de grandes eaux, 607 jets ; sous Louis XIV : 1 400). *Petit Parc,* 1 738 ha dont la pièce d'eau des Suisses (682 m × 234 m, prof. 3 m, surf. 3 ha) creusée par les gardes suisses de 1679 à 1683. *Grand Canal* (périmètre 5,670 km, 24 ha, long. 1 650 m, larg. 62 m ; le Petit Bras : 1 070 m × 80 m). *Trianon* (le Grand, 120 m de façade). *Grand Parc* 5 614 ha, utilisé pour la chasse, 43 km d'enceintes (22 portes). *Surface totale* 8 447 ha.

Orangerie. Abritait sous Louis XIV 3 000 orangers et grenadiers (actuellement 1 000 palmiers, orangers et grenadiers). *Galeries* voûtées 381 m (principale : 156 m × 12 m, haut. 13 m) ; côté long. 114 m. **Écuries** pouvaient abriter 2 400 chevaux, 200 carrosses.

Coût de Versailles. *Étalement :* dépenses les plus considérables lors des paix : d'Aix-la-Chapelle 1668, de Nimègue 1678, trêve de Ratisbonne 1684 (qui paraît avoir rapporté à Louis XIV 4 millions de livres). Entre 1664 et 1680, Louis XIV y consacre près d'un million de livres par an. *Coût total :* bâtiments, jardins et domaines, sans compter les fêtes, env. 80 millions de livres, dont 9 pour l'adduction des eaux de l'Eure qui devaient alimenter les fontaines des jardins. Cette somme correspondait, d'après J. Fourastié, à 1 500 millions d'heures de travail d'un manœuvre payé en moyenne 1 sou par h à l'époque (soit 7 ou 14 milliards de F en 1993). La tour Eiffel a coûté, en 1889, 7,5 millions de F (30 millions d'heures à un salaire horaire de 0,25 F), soit moins de 50 fois le prix de Versailles.

Principaux donateurs : env. 400. Depuis 1837 : roi Louis-Philippe, famille Rockefeller, Pierre David-Weill, Barbara Hutton, Bon de Redé, Sir Alfred et Lady Beit, M. et Mme Arturo Lopez-Willshaw, Rushmore Kress, Cdt Paul-Louis Weiller, famille de Rothschild, Cte et Ctesse Niel, Mis et Mise de La Ferronays, Antenor Patiño, Cte et Ctesse du Boisrouvray, Ctesse Georges de Pimodan, M. et Mme Pierre Schlumberger, George Parker, Docteur Roudinesco, M.P. Kraemer, Duchesse de Windsor, Mme Paul Derval, Lady Michelham, Mme Charles Wrighstman, Pierre Fabre, Champagne Vve Clicquot, Sté Ciba-Ceigy.

Visiteurs (y compris Trianons). *1960 :* 1 014 935. *1967 :* 2 050 147. *1977 :* 2 830 246. *1982 :* 3 341 111. *1985 :* 3 752 528. *1987 :* 3 227 460. *1988 :* 3 475 855. *1989 :* 4 036 241. *1990 :* 4 300 000. *1991 :* 4 211 000.

Motte (Hérault) (1972, J. Balladur). **Grenoble :** maison de la Culture (1967, André Wogenscky). **Hem** (Nord) : chapelle Ste-Thérèse (1958, Herman Baur). **Hérouville** (Calv.) : Cité de l'Europe (commencée 1989, William Alsop). **Le Havre :** reconstruction (1946, Perret) ; musée (1961, Lagneau, Audigier, Jankovic) ; pont de la Bourse (1970, G. Gillet). **Lille** (Nord) : gare TGV en projet, 6 tours, quartier affaires de 60 ha (Rem Koolhaas). **Lourdes :** basilique souterraine (1958, Vago, Le Donne, Pinsard). **Marseille :** Cité radieuse [1947-52, Le Corbusier, haut. 50 m (16 étages), long. 137 m, larg. 24 m, 337 appartements]. **Montpellier :** quartier Antigone (Ricardo Bofill, Hôtel de la région Languedoc-Roussillon). **Nantes :** Palais des Congrès, 2 800 pl, 800 millions de F (Yves Lion). **Neufchâtel-en-Bray** (S.-M.) : théâtre (1962, R. Auzelle). **Nîmes** (Gard) achevé 1993 : Carré d'art (centre d'art contemporain), 1,5 ha, le + grand après Beaubourg (Norman Foster) ; musée de la Provence antique, 1993, coût 200 millions de F (Henri Ciriani). **Péronne** (Somme) : Historial de la Grande Guerre (1992). **Rezé (L.-A.) :** médiathèque (Maximiliano Fuksas). **Ronchamp** (H.-Saône) : église (1955, Le Corbusier). **Royan :** église (1958, G. Gillet) ; marché couvert (Simon et Morisseau). **St-Dié** (Vosges) : tour de la Liberté. **Tours :** palais des Congrès (1 300 pl., coût 475 millions de F, Jean nouvel). **Valence** (Drôme) : château d'eau (1971, Gomis-Philalaos). **Vence** (A.-M.) : décoration chapelle (1950, Matisse).

☞ **Coût des grands travaux achevés ou en voie d'achèvement** (en millions de F courants, est. 1991) : *Arche de la Défense* 3 760. *Palais Omnisports de Bercy* (non définitif) (est. 1980 : 524). *Cité des Sciences et de l'Industrie* 4 980. *Cité de la Musique* 1 125. *Grande Halle* 250. *Institut du Monde Arabe* 420. *Ministère des Finances* 3 920. *Musée d'Orsay* 1 360. *Opéra de la Bastille* 3 810. *Parc de la Villette* (hors Grande Halle) 1 030.

Coût prévisionnel des grands travaux en cours de réalisation (en millions de F de l'année de référence) : *Bibliothèque de France* (juin 1990) 7 200. *Grand Louvre* (juin 1988) : 5 100. *Centre de conférences internationales du quai Branly* (janv. 1990) 2 750. *Grande Galerie du Muséum* (déc. 1988) 400. *Musée national des techniques* (rénovation ; janv. 1990) 245. *Palais de la découverte* (rénovation ; avril 1991) : 200.

Dimensions de quelques monuments

Aqueducs

Romains (voir p. 352 a). **XVIIIe s.** *Aguas Livres* (Lisbonne, Portugal, 1784), 14 arches (la plus haute 65 m). **Modernes.** *Water Project* (Californie, USA, 1974), 1 329 km dont 619 sont canalisés.

Immeuble le plus long

Du monde. *Italie,* la « barre » du Corviale (1972), 1 246 logements pour 6 000 habitants, 7 353 pièces, 1 000 m. *En projet :* université de Calabre, 1 480 m.

De France. *Nancy,* édifiés par Bernard Zehrfuss : le Cèdre bleu, 17 niveaux, et le Tilleul argenté, 15 niveaux, 300 m, 716 log.

Bureaux

États-Unis. *Pentagone (Virginie),* achevé 15-1-1943, abrite le ministère de la Guerre (périmètre 1 370 m, chaque côté 281 m, superficie totale des 5 étages 60,4 ha ; 29 000 pers. y travaillent) ; coût 415 millions de F. *World Trade Center* (New York), chaque tour a 40,6 ha, la + haute (Tour 2, anciennement B), avec antenne de télévision 521,20 m. *Sears Tower* (Chicago 1970-73) le plus haut bureau du monde (443 m). *La tour de la Paix* (Los Angeles, projet) 610 m, 15 000 t d'acier, restaurant panoramique de 1 000 places, hôtel de luxe (100 appart.), 1 hôtel de 500 ch., 1 centre commercial, 1 musée de l'Espace. *Trump City Tower* (New York, achèvement prévu 1999) 560 m de haut.

France. *Tour Maine-Montparnasse* totalise 10,5 ha (2 011 m² par étage), haut. 210 m (58 étages), voir p. 361 c. *Ministère des Finances* (1985-88) site de 5 ha, superficie 225 000 m², bâtiment principal long de 375 m. Distribution du courrier par 400 wagonnets circulant sur 6 km de rails.

Hong Kong. *Bank of China Tower* (1988), 72 étages, 368 m.

Japon. *Sunshine 60* (Ikebukuro, Tōkyō), 60 étages, 240 m de haut.

■ CANAUX D'IRRIGATION

Turkménistan. *Karakumski,* long. 1 200 km, 800 km de voies navigables.

■ CHÂTEAUX FORTS ET PALAIS

■ **Châteaux forts. Écosse :** *Fort George* (1748-69) à Ardersier (comté d'Inverness), 640 × 190 m, 17 ha. **France :** hauteur de donjons : *Bonaguil* (L.-et-G.), 35 m ; *Châteaudun,* 31 m, 46 avec toiture ; *Coucy* (Aisne), 54 m, détruit pendant la guerre 1914-18, circonférence 97 m, diam. 31,25 m, murs épais de 7 m ; *Crest* (Drôme), 49 m ; *Fougères,* 30 et 27 m ; *Largoët-en-Elven,* 44 m (57 m au-dessus des fossés) ; *Loches,* 37 m ; *Provins,* 45 m ; *Tarascon,* 45 m ; *Vincennes,* 52 m. **Syrie :** *Alep,* 375 m × 236 m. **Rép. Tchèque :** *Hradčany* à Prague IXe s., polygone, 570 × 128 m, 7,29 ha.

■ **Palais et châteaux. Allemagne :** *Potsdam, Nouveau Palais de Sans-Souci :* long. 213 m, 322 fenêtres, 230 pilastres, 428 statues, 400 pièces (1763 par Büring-Manger-von Gontard).

Autriche : *Vienne, Schönbrunn* (1722) : 1 400 pièces (300 au château) ; bâtiments : 6,7 ha. *Ch. du Belvédère :* supérieur (1721-23), inférieur (1714-16), Orangerie, parc (1700-25).

Brunei : *Bandar Seri Begawan Palais Istana Nurul Iman* (1984), 1 788 pièces, 257 toilettes, coût 3 milliards de F.

Chine : *Pékin, Palais impérial :* 72 ha, 960 × 750 m, entouré par fossé [larg. 49 m, de 3 290 m, muraille haut. 10 m (1307-20 ; 200 000 ouvriers)].

Espagne : *Escurial* (1563-84) : à 48 km de Madrid ; 207 × 161 m ; 9 tours, 16 cours intérieures, 15 cloîtres, 300 pièces, 1 200 portes, 2 673 fenêtres. Fondé par Philippe II (tombeau de son père l'Empereur Charles V et de ses descendants) en souvenir de la prise de St-Quentin et pour l'accomplissement d'un vœu fait à saint Laurent. L'édifice a la forme du gril, a-t-on dit dep. le XIXe s., sur lequel le saint avait souffert le martyre.

France : *Paris, Louvre :* 19 ha (4,8 bâtis au sol), longueur 680 m (Grande Galerie 300 m). Le musée comprend 246 salles d'exposition. La cour Carrée a 112,50 m de côté (voir Index). *Versailles* (voir encadré p. 356).

G.-B. : *Londres, Hampton Court :* 13,6 ha (le dernier monarque y résidant fut Georges II). *Buckingham Palace* (XVIIIe, restauré 1825, façade 1913). *Windsor ch. royal* (XIIe, 576 m × 164 m, 9,4 ha), habité.

Italie : *Caserte, la Reggia :* 253 × 202 m ; 1 790 fenêtres, 1 200 pièces, 34 escaliers, cascade de 78 m (1752-74 par Jantivelli). *Mantoue, Palais ducal :* 450 pièces, 15 cours (XVIe-XVIIIe s.). *Milan, palais Sforza :* 240 m de côté, place d'Armes 90 × 170 m (1450, loggia attribuée à Bramante). *Rome, le Vatican :* 5,5 ha, 1 400 pièces (325-1667).

Russie : *Moscou, Kremlin* (voir Index).

■ CHEMINÉES D'USINE
(hauteur en m)

Allemagne *Leverkusen* (1964), 200, diam. : base 15,68 m, sommet 5,38 m. **Canada** *Sudbury* (Ontario, 1970), 379,60. Diam. : base 35,40 m, sommet 15,8 m, 39 000 t, construite en 1970, en 60 j par Canadian Kellog, 27,5 millions de F. **Espagne** *Puentes* 350, 15 750 m³ de béton et 1 315 t d'acier pour un volume intérieur de 189 700 m³. **France** *Aramon* (1975), 250, diam. ext. : base 32 m, sommet 14 m, centrale EDF. *Le Havre* (1968), centrale EDF, 240. *Meyreuil* 300, diam. (sommet) 11 m. *Porcheville* (2 ch. : 1967 et 72), 220, diam. ext. : base 19,93 m, sommet 11,08 m, centrale EDF. *Vitry-sur-Seine* (1968) 160. **G.-B.** *Drax* (Yorkshire N.) 259. *Isle of Grain* (Kent) 244. **Kazakhstan** *Ekibastouz* (1987), 420. Diam. : base 44 m, sommet 14,20 m, 60 000 t. **USA** *Homer City* (Pennsyl.) 369. *Cresap* (Virg. Occ.) 368. *Magna* (Utah) 366. *Madison* (Indiana) 215. **Russie** *Kashira* 250. **Ex-Yougoslavie** *Trboulje* (1976) 360.

■ COLONNES
(hauteur en m)

■ **En France. Ajaccio :** *Napoléonienne* (1837) 33. **Boulogne :** *De la Gde-Armée* (1841) 53. **Paris** (voir p. 362).

■ **Dans le monde. Allemagne :** *Berlin,* de la Vict. (1873) 67. *Darmstadt,* de Louis-Ier (1844) 43. *Kassel,* d'Hercule (1745) 72. *Stuttgart,* du Jubilé (1841) 30. **Belgique :** *Bruxelles,* du Congrès (1859) 51 (fût 47 m + statue Léopold Ier 51). **Égypte :** *Alexandrie,* de Pompée (IIIe s.) 30. *Karnak,* de soutènement du temple d'Amon (1270 av. J.-C.) 21. **Espagne :** *Col. Serola* (1992) 268. **États-Unis :** *Albany (État de New York),* de l'Education Building 27,43. *San Jacinto* (Houston, Texas). Monument (1936-39), 174, béton 31 888 t, coût 1,5 million de $. **Grande-Bretagne :** *Blenheim Palace* (1705-22) 40. *Londres,* the Monument (1674) 67. **Italie :** *Rome,* Trajane (114) 42 ; de Marc Aurèle (193) 42. **Russie :** *St-Pétersbourg,* d'Alexandre (1829) haut. totale 46,5 m.

■ DÔMES, COUPOLES ET VOÛTES
(diamètre et autres dimensions en m)

■ **En pierre. Ctésiphon** (Irak, v. 600) : *la plus haute voûte de brique connue :* 33 (larg. 27). **Florence :** *Ste-Marie-des-Fleurs* (1296-1461) : 42, hauteur ext. 108. **Istanbul :** *Ste-Sophie* (532-57) : 31, haut. 55 ; *mosquée Bleue* (1609-16) : 22. **Londres :** *British Museum* (1857) : 42 ; *St-Paul* (1710) : 31, diam. ext. 36 (haut. ext. 110, int. 65,5, nef : long. 155, larg. 36, façade occ. 54). **Paris :** *Invalides* (1679-1706) : 28 ; *Panthéon* (1764) : 20,5 (haut. 83, bâti en croix grecque, long. 113 péristyle compris, larg. 84,50, sommet de la Lanterne à 117,60 au-dessus du niveau de la Seine, 143,36 au-dessus de celui de la mer) ; *Val-de-Grâce* (1645-65) : 17 ; *Sacré-Cœur* (1876-1919) : 16 ; *Sorbonne* (1635-53) : 12. **Rome :** *Panthéon* (Ier s. apr. J.-C.) : 43,5, haut. 43,5 ; *St-Pierre* (XVIe) : 42, haut. ext. 132,5, int. 119. **Washington :** *Capitole* (1792) : 30, haut. 87.

■ **En acier. Paris :** *Palais des sports* (1962) : 63. **USA :** *Baton Rouge* (1958) : 113 ; *Oklahoma* (1956) : 111.

■ **En verre. Lyon :** *Coupole* (1893-94, détruite 1895) : 110. **Paris :** *Gd Palais* (1897/1900) : 43. **Vienne** (Autriche) : *Rotonde* (1873, détruite 1939) : 102.

■ **En béton. Leipzig** (All., 1929) : 76. **La Nouvelle-Orléans** (USA, 1974) : 207. **Paris :** CNIT (1960, voir p. 355 c).

■ HANGARS

■ **En France. Bordeaux :** *Parc des expositions,* hall ; long. 861 m, larg. 60 m, haut. 12 m (1973 ; architecte : Xavier Arsène-Henry). **Le Havre :** *hangar à coton* (1953, partiellement incendié 1982) : 8,3 ha, long. 546 m (charpente métallique) + 196 m (béton), larg. 113 m, haut. 5,5 m. *Hangar à fruits* 2,8 ha. **Roissy :** *hangar no 1 :* 3,6 ha, long. 276 m, larg. 132 m.

■ **Dans le monde. Allemagne :** *Francfort,* aéroport, long. 275 m, toit 130 m d'envergure. **Arabie Saoudite :** Terminal *Hajj* (aéroport King Abdul Aziz) 150 ha. **USA :** *Everett (Massachusetts),* ateliers Boeing (1968) : 5,6 millions de m³. *Akron* (Ohio), hangar Goodyear : long. 358 m, larg. 99 m, haut. 61 m, 3,54 ha, volume 1 600 000 m³. *Cap Canaveral,* atelier de montage : long. 218 m, larg. 158 m, haut. 160 m, 3,18 ha, 3 666 500 m³. *San Antonio* (Texas, 1956), US Air Force : 5,6 ha, long. 610 m, larg. 92 m, haut. 28 m, 4 portes larg. 76,2 m, haut. 18,3 m, 608 t, entouré d'un tablier de béton de 17,8 ha. *Atlanta,* Hartsfield (Géorgie), Delta Air Lines : 56,6 ha dont 14,5 couverts.

■ JETS D'EAU
(hauteur en m)

■ **En France. Marly-le-Roi** (Yvelines) [1952, débit 187 m³/h, de mai à sept., de 16 h 30 à 17 h, en général le 4e dim. du mois] 37. **Paris** (fontaine de Varsovie, Trocadéro) 55 m (jets horizontaux).

■ **Dans le monde. USA** *Fountain Hills* (Arizona, soulève 8 t d'eau ; débit 441 l par s ; pression 26,3 kg ; coût 7,5 millions de F) 170. **Suisse** *Genève* (1891, pesant 7 t ; débit 500 l par s : vitesse de l'eau à la sortie de la tuyère 200 km/h ; du jeudi de l'Ascension au 30-9) 130. **Allemagne** *Hanovre* (1956 ; 1re construction 1720 ; haut. max. 81 m ; débit d'eau 140 l par s, 500 m³/h ; de Pâques au 30-9, 2 h 1/2/jour) 77. **Finlande** *Lappeenranta* (1957) 35.

■ MÂTS DE TÉLÉVISION
(hauteur en m)

Allemagne *Berlin* (1969) 360. **Angleterre** *Belmont* (1965) 386. *Emley Moor* (1971) 329,18 (dont 274 en béton). **Australie** *N.W. Cape* (1967) 387. **Canada** *Toronto* (1975) 553,33. **Chine** *Pékin* 400. **Finlande,** 33 mâts TV (1955-77) 323. **France** *Paris,* tour Eiffel (1889) 320,75. **Groenland** *Thulé* 369. **Japon** *Tōkyō* (1958) 333. **Pays-Bas** *Lopik* (1959-60) 383. **Russie** *Moscou* (1967) 533. *St-Pétersbourg* (1962) 325. **Suisse** *Beromünster* (1931) 215. *Sottens* (1948) 180. **USA** *Fargo* (N. Dakota, 1963) 628. *Shreveport* (Louisiane, 1959) 579. *Knoxville* (Tennessee, 1963) 533. *Columbus* (Géorgie, 1962) 533. *Cap Girardeau* (Mississipi, 1960) 510. *Portland* (Maine, 1959) 493. *Roswell* (N.-Mexique, 1958) 490. *Oklahoma* (1954) 479.

■ MURAILLES

Chine *Grande Muraille* (246-210 av. J.-C.) long. 3 460 km + 2 860 km de ramifications (9 980 km à un moment de son histoire), 16,50 m de haut par endroits, largeur base 8 à 9,80 m, hauteur 4,5 à 12 m, tour de garde tous les 60 m. **G.-B.** *Mur d'Hadrien* (entre Écosse et Angl., 122 à 126 apr. J.-C.) : long. 120 km, haut. 4,5 à 6 m, épaisseur 2,3 à 3 m. *Mur d'Antonin le Pieux* (Écosse) : long. 59 km. **Irak** *Ur* (2006 av. J.-C.) : 27 m d'épaisseur.

■ OBÉLISQUES
(hauteur en m)

Arles (Ier s. ?) : 15. **Héliopolis** (Égypte, 1970-1936 av. J.-C.) : 21. **Istanbul** (venu d'Égypte en 390) : 58. *O. d'Assouan* (1490 av. J.-C.), 1 168 t, long. 41,75. **Karnak** (Égypte, v. 1500 av. J.-C., 320 t) : 24. **Londres** *Cleopatra's Needle* (v. 1500 av. J.-C., ér. 1878) : 21. **New York** *Central Park* (ér. 1880) : 21. **Paris** (voir p. 362 c). **Rome** *place St-Jean-de-Latran,* o. d'Héliopolis (v. 1450 av. J.-C., érigé 1588) (457 t) : 33,5 ; *o. de Karnak* (érigé 390) : 29 ; *place St-Pierre,* o. d'Héliopolis (ér. 1586, 3,26 t) : 24 ; *o. du Champ-de-Mars :* 22. **Washington** (1878, le plus haut monument du monde avant la construct. de la tour Eiffel). Construit en souvenir du 1er président des USA, 73 000 t, s'enfonce de 1,43 mm par an : 169.

■ PLACES

Bordeaux des Quinconces 12. **Paris** Concorde 8,48 (voir p. 362 b), Vendôme 3,61. Cour Napoléon (Louvre), 2,8 ha. Trocadéro 1,8. Centre G. Pompidou 1. **Venise** place St-Marc 1,5. **Versailles** (voir p. 356). **Pékin** place Tiananmen 39,6.

■ PONTS

☞ Les *plus anciens ponts subsistant* dont la portée des voûtes est d'environ 50 m sont ceux de Tournon (XIVe s.) et du château de Vérone (reconstruit après la guerre de 1939-45 sur le modèle du XIVe s.). En général, jusqu'à la fin du XVIIIe s., la portée moyenne des grandes voûtes était de 30 m. A la fin du XIXe s., les ponts atteignent 60 m.

PONTS ROUTIERS LES PLUS LONGS

Du monde. USA : ponts du lac Pontchartrain, Louisiane (1er terminé 1956, 38 352 m, 2 242 tabliers de béton ; 2e parallèle, terminé 1969, 38 422 m, 1 505 tabliers, 150 millions de F). **Japon :** p. ferroviaire et routier à 2 niveaux Seto-Ohashi (1988) 13 000 m, coût 49 milliards de F (17 tués), péage 240 F. **Brésil :** p. Rio de Janeiro-Niterói (1974), 12 103 m dont 8 900 au-dessus de l'eau ; arche centrale en acier de 300 m, hauteur 60 m ; coût 150 millions de $. En projet, Rio de la Plata entre Buenos Aires (Arg.) et Colonia (Uruguay) 50 000 m. **En maçonnerie :** Svinesund (*Suède-Norv.,* 1946) : 155 m. **En bois :** Great Salt Lake Railroad, Trestle (Utah, *USA,* 1904) avec 19 108 m (remplacé 1960 par levée de terre). **Pont couvert :** Hartland Bridge (Nouveau-Brunswick, *Canada,* 1899) : 390,80 m.

D'Europe. Ile d'Öland, *côte de Suède :* 6 070 m, 13 km avec routes d'accès, largeur 13 m, 153 arches, béton précontraint, partie la plus haute 36 m, chaussée 7 m de larg., coût 135 millions de F, terminé 1972. **Oosterscheldebrug,** sur l'Escaut oriental (P.-B.), terminé 1965, 5 022 m, repose sur 54 piles. **Ponte della Libertà** (P. Littoria, It., 1933) de Venise à la terre ferme, 4 000 m (222 arches).

De France. Pont de l'île de Ré (1986-88, 3 840 m dont 2 920 m d'ouvrages d'art avec des travées de 110 m de portée). La plus grande surface d'étanchéité d'un pont (44 000 m²) réalisée en 10 j. Coût prévu (1983) : 385 millions de F, y compris l'amélioration des accès à Rivedoux. Un tunnel aurait été plus court (2,4 km) mais aurait coûté 620 millions de F. **Pont de l'île d'Oléron** (ouvert 1966, 2 862 m entre culées, en 46 travées, larg. 10,92 m, tirant d'air 15 à 18 m). **Pont de Normandie** (*Honfleur, Le Havre* 1988-95) 2 141 m, travée centrale 856 m [acier 624 m (9 t par m), béton 232 m (50 t par m)] à 50 m au-dessus de l'eau ; largeur 28,5 m, pylônes 215 m, 186 haubans en câbles d'acier de 16 cm (51 « torons » d'acier, 70 kg au m), les + longs 450 m. Coût : 2,6 milliards de F (1992). Trafic prévu : 1,5 million de véhicules par an (record mondial). **Pont de Tancarville,** ouvert 1959 ; 1 410 m (2 parties : 1 pont suspendu à 3 travées : 176 m, 608 m, 176 m et 1 viaduc d'accès sur la rive gauche de la Seine, 400 m de long, 8 travées indépendantes de 50 m de portée, à pente de 6,3 % pour rattraper le niveau du terrain du marais Vernier). Haut. : tablier au-dessus de la Seine 54 m, tours au-dessus des quais 121,9 m et 123,4 m ; largeur : chaussée 12,50 m ; trottoirs : 1,25 m ; coût : 94 millions F. **Pont de Mindin** (*St-Nazaire-St-Brévin* sur la

Loire, ouvert 18-10-1975) pont métallique à haubans de 720 m en 3 parties dont 1 portée de 404 m au-dessus du chenal et 2 travées de rive (2 pylônes de 75 m au-dessus du pont) + 2 viaducs d'accès de 1 115,40 et 1 521 m ; longueur 3 356,40 m, tirant d'air max. 61 m ; coût : 261 millions de F ; le plus long pont du monde à poutres haubanées en acier.

Ponts de chemin de fer les plus longs

Du monde. USA : *Great Salt Lake Railroad Trestle* (Utah, 1904) 19 000 m. *Huey P. Long Bridge* (Louisiane, 16-12-1935) (travée 241 m), 7 000. **Japon** (voir p. 357 c). **Chine :** *Yang-tsé* (Nankin, 1968) 6 772 m.

Ponts les plus hauts

Du monde. *Royal Gorge Bridge,* à 321 m sur l'Arkansas (Colorado, USA, 1929) ; tablier central 268 m.

D'Europe. *Millau* (Fr., Aveyron, en projet), à 240 m sur le Tarn, long. 2 300 m (coût : 1 milliard de F). *Gueunroz* à 186 m sur le Trient (Suisse, Valais).

De France. *Pont de l'Artuby* (Var), à 180 m au-dessus des gorges du Verdon (1947). *Pont de La Caille* (Savoie, 1924-28), 147 m. *Pont de chemin de fer de Fades* (par Vidard, 1901-09) à 132,5 m au-dessus de la Sioule (Puy-de-Dôme), long. 376 m (plus longue portée 144 m). *Viaduc de Garabit* (Cantal ; par G. Eiffel, 1882-84), à 122,5 m au-dessus de la Truyère, long. 564 m dont partie métallique 448 m. 5 piles (la plus haute 89,64 m : en maçonnerie, 25 m de largeur, hauteur 28,90 m, et en métal 61 m). Arche principale parabolique, système Eiffel : corde 165 m, flèche moyenne 56,86 m, épaisseur à la clef 10 m (écartement des têtes 6,28 m à la partie sup., 20 m à la base) ; poids total du métal 3 254 t. Coût (maçonnerie comprise) 3 137 000 F.

Ponts les plus larges du monde

USA. *Crawford Street* (Providence, Rhode Island) larg. 350 m. **Australie.** *Harbour Sydney Bridge* (Sydney), 1932, 80 m, plus grande portée 502,90 m. Supporte 2 voies ferrées électrifiées, 8 voies routières, 1 voie cycliste et 1 voie piétonnière.

Grands ponts par catégories

■ **Ponts suspendus. 1res passerelles** suspendues à des lianes (Amérique, Indes orientales), à des chaînes de fer (G.-B., 1808). **France :** pass. de 18 m sur la Cance (près de St-Marc, Annonay, 1822) et de 30 m sur la Galance (St-Vallier, 1823) construites par Marc Seguin. *Pont de Tain-Tournon* (achevé 22-4-1825, inauguré 25-8, Marc Seguin). *P. de Basse-Chaîne* (près d'Angers, 1838), s'effondre au passage d'un bataillon (200 noyés) le 16-4-1850. **USA :** *1855 p. de chemin de fer en aval des chutes du Niagara* (250,51 m). *Niagara Falls* (386,84 m). *Cincinnati* (Ohio) 322,38 m. *Brooklyn* (inauguré 24-5-1883), 1 186 m dont 486,30 m de portée centrale, porté par 4 câbles de 0,393 m de diam., poids métal 17 754 t dont chaque câble 866 t. *Williamsburg* (inauguré 19-12-1903), travée centrale 486,40 m, tablier larg. 36 m. *Manhattan* (inauguré 31-12-1909), 2 090,77 m, ouverture centrale 446,90 m, tablier larg. 37,51 m, 4 voies ferrées et une chaussée centrale de 10,67 m à l'intérieur. *Bear Mountain* (inauguré 1925, Hudson).

Par câbles : longueur de la plus grande travée et longueur totale. *Akashi Kaikyo* (Japon, 1986-98), plus grande travée 1 990 m (long. totale des travées suspendues et latérales 3 560 m) ; 2 étages (1 pour voitures, 1 pour trains) ; pylône 333 m ; coût 17,3 milliards de F. *Pont Est du Storebaelt* (Danemark, en constr.) 1 624 m (total 2 694 m). *Humber Estuary* (Angleterre, 1981) 1 410 m (total 2 220 m), haut. des pylônes 162,5 m, ils s'écartent de 36 mm de la parallèle pour tenir compte de la courbure de la surface terrestre ; tablier (trottoirs et pistes cyclables compris) 28,5 m de large, à 30 m au-dessus de l'eau ; coût 96 millions de £. *Verrazano* (New York, 1964) 1 298 m (total 4 176 m), relie Richmond (Staten Island) à Brooklyn (Long Island) ; 2 niveaux, 6 voies de circulation, haut. 210 m ; coût 305 millions de $. *Golden Gate* (San Francisco, 1937) 1 280 m ; tour de 227 m, tablier à 69 m au-dessus de l'eau, larg. 27 m, 389 000 m³ de ciment, 83 000 t d'acier, 32 km de câbles suspendus. Lors de l'inauguration, 200 000 piétons avaient payé 5 cents pour franchir le pont ; depuis 1937 : 712 suicides ; la chute dure 3 s, le corps entre dans l'eau à 120 km/h. *Mackinac Straits* (Michigan, 1957) 1 158 m (avec les approches 5 853,79 m, entre les supports 2 543 m) ; haut. des tours au-dessus de l'eau 168 m ; coût 500 millions de $. *Minami Bisan Seto* (Japon, 1988) 1 100 m (total 1 723). *Bosphore* (Istanbul, Turquie, 1973) 1 074 m (1 560 de rive à rive) ; tirant d'air max. 64 m ; coût 700 millions de F. *George Washington* (New York, 1931) 1 067 m. *Ponte 25 de Abril* (Lisbonne, Port., 1966) 1 013 m (total 3 223), fondation de 79,3 m ; haut. 190,5 m ; coût 75 millions de $. *Forth* (Queensferry, Écosse, 1964) 1 006 m. *Severn* (Beachley, Anglet., 1966) 997 m. *Kita Bisan Seto* (Japon, 1988) 990 m (total 1 611). *Shimotsui Seto* (Japon, 1988) 940 m (total 1 400). *Pierre-Laporte* (Québec, Canada, 1970) 908 m. *Ohnaruto* (Japon, 1983) 876 m. *Tacoma* (Washington, 1950) 853 m. *Innoshima* (Japon, 1982) 770 m. *Angostura* (Cd. Bolívar, Venez., 1967) 712 m. *Kanmon* (Shimonoseki, Japon, 1973) 712 m. *Transbay* (San Francisco, Cal., 1936) 2 × 704 m. *Whitestone* (New York, 1939) 701 m. *Delaware I* (Wilmington, Del., 1951) 655 m. *Delaware II* (Wilmington, Del., 1968) 655 m. *Whitman* (Philadelphie, 1957) 610 m. *Tancarville* (France, 1959) 608 m (voir p. 357 c). *Lillebaelt* (Middelfart, Dan., 1970) 600.

Pont de Bordeaux (ou pont d'Aquitaine), inauguré 6-5-1967 : travée centrale 393,75 m, partie suspendue 679,75 m, pont entre culées 1 589,95 m ; hauteur au-dessus de l'eau 53 m ; coût 118 millions de F (y compris les accès : 7,5 km).

PONTS EN PROJET : *Messine* (Italie) 3 500 m, pylônes 304,8 m ; coût (est.) 100 milliards de F. *Kurushima* (Japon, liaison îles Honshū et Shikoku), 3 ponts suspendus (plus grande travée 600, 1 020 et 1 030 m). *Gibraltar* 7 tabliers × 3 000 m.

Par chaînes (acier) : *Hercilio Luz* (Florianópolis, Brésil, 1926) 339 m. *Elizabeth* (Budapest, Hongrie, 1903) 290 m. *Point* (Pittsburgh, USA, 1877) 244 m. *Reichsbrücke* (Vienne, Autr., 1937) 241 m.

■ **Ponts à haubans. Tablier central métallique :** *Normandie* (France, 1994) 856 (dont acier 624) voir p. 357 c. *Ikuchi* (Japon, en constr.) 490 m. *Annacis* (Canada, 1988) 465. *Dao Kanong* (Bangkok, Thaïlande, 1987) 450. *Hitsuishijima* (Japon, 1988) 420. *Iwakurojima* (Japon, 1988) 420. *Mindin St-Nazaire* (Fr., 1975) 404. *Rande* (Esp., 1978) 400. *Luling* (Louisiane, USA, 1981-83) 372. *Düsseldorf-Flehe* (All.) 367. *Köhlbrand* (Hambourg, All.) 325. **En béton à nappe axiale :** *sur l'Elorn* (Finistère, France, fin prévue 1993) 400.

A tablier en béton : *Barrios de Launa* (Espagne, 1983) 440 m. *Tampa* (Sunshine Skyway Bridge, Floride, USA, 1987) 367. *Posadas-Encarnación* (Arg.-Paraguay) sur le Paraná 330. *Brotonne* (sur la Seine, 1974-77, France) 320. *Pasco-Kennewick* (État de Washington, USA, 1978) 299. *Wadiel-Kuf* (Libye, 1971) 282. *Tiel* (P.-Bas, 1974) 267.

PONT EN PROJET : *Tatara* (Japon) plus grande travée 890 m (total 1480).

■ **Ponts en treillis métallique. Cantilever :** *Québec* (Canada, 1899-1917) 549 m (rail-route). Une partie s'effondra lors de sa construction en 1907 : 87 ouvriers tués ; en 1916, accident sur la travée centrale : 13 tués ; coût 46 230 000 F. *Ravenswood* (Virginia Quest, USA) 525. *Firth of Forth* (Queensferry, Écosse, 1882-90) 2 × 521 (rail). *Minato Osaka* (Japon, 1974) 510. *Commodore Barry* (Pennsylvanie, USA, 1974) 494.

■ **Poutres continues triangulées.** *Astoria* (Oregon, 1966) 376 m. *Francis Scott Key* (Maryland, USA, 1977) 366. *Oshima* (Jap., 1976) 325. *Kuronoseto* (Jap., 1974) 300.

■ **Ponts en arc. En acier :** *Fayetteville* (Virginie occidentale, USA, 1977) 518 m. *Bayonne* (New York, 1931) 504. *Sydney* (Australie, 1932) 503. *Fremont* (Portland, Oregon, USA, 1973) 383. **En béton :** *Krk I* (Croatie, 1980) 390 m. *Gladesville* (Sydney, Austr., 1964), (totale 580 m) 305 m. *Paraná* (Brésil/Par., 1964) 290. *Arrábida* (Porto, Port., 1963) 270. *Sandö* (Suède, 1943) 264. *La Rance* (France, 1990) 260.

■ **Ponts à poutres continues sous chaussée. Tabliers métalliques à platelage orthotrope.** *Rio-Niterói* (Guanabara, Brésil, 1974) 300 m. *Sava I* (Belgrade, Serbie, 1956) 261. *Zoobrücke* (Cologne, All. 1966) 259. *Sava II* (Belgrade, Serbie, 1970) 200.

Nota. – En France, *Bénodet* 200.

Tabliers en béton précontraint (construction par encorbellement). *Brisbane* (Australie, 1987) 265 m. *Koror-Babelthuap* (Pacific Trust Ter., USA, 1977) 241. *Hamana* (Japon, 1976) 240. *Hiroshima* (Japon, 1975) 236. *Urado* (Japon, 1972) 230. *Gennevilliers* (France) 172. *Ottmarsheim* (France) 172 (record du monde en voussoirs préfabriqués).

■ **Ponts flottants.** *Lake Washington II* (Wash., USA, 1963) (total 3 839 m) 2 291 m ; coût 53 570 000 F. *Lake Washington I* (Wash., 1940) 2 000. *Hood Canal* (Wash., 1961) 1 972.

■ **Ponts transbordeurs.** *1er système de l'architecte Le-Royer :* relia en 1871 *St-Servan* à St-Malo (90 m) ; plate-forme supportée par 4 montants verticaux en fer reposant sur un bâti muni de 4 roues ; roule sur 2 rails ; pouvait transporter 100 passagers en 90 secondes. *1er véritable pont transbordeur* (à câbles paraboliques) construit par le Français Ferdinand Arnodin (1845-1924) en 1893 à *Portugalete* près de Bilbao (Espagne) : nacelle suspendue à un chariot de roulement ; 2 pylônes métalliques reposant sur les fondations par des rotules d'acier supportaient par l'intermédiaire de rouleaux un tablier métallique (suspendu à des câbles paraboliques et obliques fixés aux pylônes). Système appliqué à *Rouen* (1898), à *Martrou* (1900, tablier 139 m à 50 m de haut ; pylônes 68 m, nacelle 15 × 11,5 m, 46 t, classé 1976 mon. historique), à *Bizerte* (1898, Tunisie) transféré à Brest 1909, à *Bordeaux* (1910, inachevé), à *Newport-Man* (1906). Arnodin inventa aussi le système à contrepoids et à articulation (utilisé à *Nantes* 1903, *Marseille* 1905, *Brest* 1909). L'arrimage des pylônes par contrepoids prenait moins de place. **Fonctionnant : All. féd.** *Osten* (1909) et *Rendsburg* (1913) ; **G.-B.** *Newport* (1906), *Middlesbrough* (1911), *Warrington* (1916) ; **Espagne** *Portugalete* (1893).

Grands ponts disparus : *Stalingrad* (Russie, 1955) 874 m. *Sky Ride Bridge,* Chicago (USA, 1933) 564 m. *Newport-Man* (G.-B., Galles, 1906), tablier 236 m (débouché 196,5 m), hauteur 54 m au-dessus des plus hautes mers ; pylônes 73,60 m ; nacelle 10 m × 12 m (poids en surcharge 117,5 t). *Marseille* (1905, détruit 1944-45) ; réunissait le quai de la Tourette au boulevard du Pharo ; tablier 235 m (débouché 165 m), hauteur 50 m ; pylônes 84,60 m ; nacelle 10 m × 12 m (poids en surcharge 144 t). *Nantes* (1903, détruit 1957), tablier 191 m (débouché 140 m) ; pylônes 75,65 m ; nacelle 10 m × 12 m. *Rouen* (1899, détruit 1940) ; tablier 146 m (débouché 143 m), hauteur au-dessus des plus hautes mers 51 m ; pylônes 66,35 m ; nacelle 10,14 m × 13 m (poids en surcharge 101 t).

■ **Ponts basculants.** *Le Havre* (France, 1971, écluse François-Ier) : portée record 74 m, larg. totale 16,80 m. Poids de la partie basculante 1 800 t.

■ **Pont levant. Le plus long d'Europe :** *Brest* (Finistère) pont de Recouvrance (1950-54) à 22 m au-dessus de l'eau. Travée métallique mobile de 87 m et 530 t, peut s'élever en 150 s à 26 m.

☞ **Ponts-canaux** (voir Index).

Ponts les plus anciens. *Nil,* 2650 av. J.-C. *Salario* (Italie, 600 av. J.-C.) 100 ; 3 arches en plein cintre : arche centrale 21 m, les 2 autres 16,9 m. *Smyrne* (Turquie, 850 av. J.-C.) n.c.

Ponts métalliques. *1er en fonte : pont de Coalbrookdale* sur la Severn (Angl. 1775-79), fabriqué par Abraham Darby sur les dessins de T.F. Pritchard, portée 30 m). Entre 1870 et 1880, Eiffel construisit des arcs de 160 m. A partir de 1880, le procédé d'affinage de l'acier par Thomas et Gilchrist permit des travées plus longues [pont de Forth (Queensferry, 1882-90) Angleterre-Écosse 521 m]. Le viaduc de San Francisco à Oakland (1936) a eu 2 travées de 704 m.

Ponts en béton armé. *Les premiers : pont-route de Châtellerault* [1899-1901, 3 travées (40, 50 et 40 m de portée, application du système Hennebique)] ; *passerelle Mativa* [1905 (exposition de Liège), 55 m] ; *pont Adolphe* sur la Pétrusse à Luxembourg [1904, par Séjourné qui innove en reliant 2 anneaux en maçonnerie par un tablier de béton armé (ouverture 85 m)] ; *pont du Risorgimento* sur le Tibre à Rome (portée de 100 m atteinte pour la 1re fois ; 1911, réalisé par la maison française Hennebique). *Ponts de St-Pierre-du-Vauvray* (131,80 m, 1924), *dép. La Caille* (1928), *la Tournelle* (Paris, 1928, à la place du pont de 1654, arche centrale 73,30 m d'ouverture), *Plougastel* (Fin. 1930, 880 m, 3 arches de 186 m, 2 étages : 1er voie ferrée normale, 2e route et voie d'intérêt local). **Béton non armé.** *Villeneuve-sur-Lot* (L.-et-G.) 1914, E. Freyssinet, pont de 98 m.

■ Salles (grandes)

États-Unis. San Francisco : hall de réception de *l'hôtel Hyatt Regency* long. 107 m, larg. 49 m, sup. 5 243 m², haut. 52 m.

France. Paris : *Gare St-Lazare* 210 × 18 m (sup. 3 780 m²). *Palais de justice,* salle des Pas-perdus (1872-75, Duc et Daumet) 68 × 26,5 m (sup. 1 082 m²).

■ Statues colossales
(hauteur en m)

■ **Antiquité. Égypte :** *Sphinx* (long. 57 m, pierre) 20. *Abou-Simbel* (pierre) 20. *Colosses* (4) de Ramsès II 20 ; de Memnon (pierre) 18. **France :** *Puy-de-Dôme* Mercure (bronze) 35 ou 39 (détruite v. 264). **Grèce :** *Rhodes* colosse (bronze) 32 (voir encadré p. 359 b). *Olympie,* Zeus (or, ivoire) 18. **Italie :** *Rome* Néron (bronze doré) 33. *Athènes* Athéna (or, ivoire) 12.

■ **Époque moderne. Afghanistan :** *Bamyan* Bouddha (debout) IIIe ou IVe s. 53 ; (assis) taillé dans le roc 35. **Allemagne :** *Kassel* Hercule (1665-1745, cuivre avec l'octogone) 71. *Detmold* (Arminius, 1838-75, cuivre 16 m, plus socle) 54. *Rüdesheim* Germania (1883) 36 (socle pierre 25 m, statue bronze 10,59). *Munich* Bavaria (1850, bronze avec socle) 36. **Angleterre :** *Wilmington* en brique peinte, à flanc de coteau (époque pré-romane) 71. **Argentine :** *Col de la Cumbre ou d'Uspallata* Christ des Andes (1904) à 4 200 m, poids 7 t ; 14 (statue bronze 8, piédestal 6). **Autriche :** *Vienne* Impératrice Marie-Thérèse (1888), bronze, superficie du monument 632 m², poids total 44 t. **Birmanie :** *Pégu* Bouddha (XVIe s., couché, long. 44 m) 14. **Brésil :** *Rio de Janeiro* Christ-Roi (béton, 1931) 82. **Canada :** *Montréal* stabile (Calder 1967, nickel) 20. **Chili :** *Île de Pâques* statues, jusqu'à 10. **Chine :** *Kiantag* Bouddha 45.

États-Unis : *South Dakota* Crazy Horse (chef oglala sculpté, 1948-82, Korczak Ziolkowski, long. 195 m) 171. *New York* la Liberté de François Bartholdi, île Bedloe [*1875 :* création du comité de soutien au projet de construction d'une statue à la gloire de l'indépendance amér. *1881 :* début de l'assemblage. *1884 (4-7) :* remise officielle au gouvernement amér. *1885 (15-5) :* embarquement (210 caisses à bord du navire de guerre l'*Isère* à Rouen). *1886 (28-10) :* inauguration] avec socle 71 m, statue 46 m, env. 300 t (cuivre 80 t, fer 20 t), main 5,50 m, 40 personnes peuvent tenir dans la tête (Mme Bartholdi, mère du sculpteur, avait servi de modèle) : coût 2 250 000 F-or ; COPIES À PARIS : offertes à la France par la colonie amér. de Paris (pont de Grenelle, 1885). A la chapelle du musée des Arts et Métiers. Dans le jardin du Luxembourg. *Stone Moutain* (Géorgie, 1958-70, têtes de Jefferson Davis, Robert Lee, Jonathan Jackson) 27,4. *Mont Rushmore* (Dakota du S., 1927-41, têtes de Washington, Jefferson, Th. Roosevelt et Lincoln sculptées dans le roc) 19.

Europe : Sculpture dédiée à la liberté implantée en 1993 dans un site encore indéterminé. Au centre d'un cercle de 60 m : statue de bronze entourée de 12 colonnes de marbre symbolisant chacun des pays de la CEE, une 13e puis l'Europe en devenir. *Coût :* 100 millions de F. **France :** *Mas-Rillier,* près de *Lyon,* N.-D.-du-Sacré-Cœur (1938-41, Serraz) 38 m, tête 4,5 m, main 2 m. *Paris* [la République, 1883, sculptures de Léopold Morice, statue (bronze, 9,50 m) sur piédestal entouré par 3 figures assises : la Liberté, l'Égalité, la Fraternité ; socle avec 12 hauts-reliefs de Dalou relatant les grands événements de la République, devant, un lion en bronze (hauteur 3 m)] 24 m. *Vienne* Pyramide, (V-IVe s.) 23 m. *Les Houches* Christ-Roi (1934, Serraz) 26 m. *Le Puy* N.-D. (1860) 16 m [poids 110 t (Enfant Jésus 30 t, chevelure de la Vierge 7 m, pieds 1,92 m) faite avec 213 canons pris à Sébastopol, placée sur socle de 7 m de haut, domine de 132 m la ville]. *Espaly* St-Charles, face à La Vierge du Puy, 22,10 m, 80 t, intérieur aménagé en chapelle. *Belfort* Lion (1880, symbolise la défense de Belfort en 1870 ; sculpteur : Bartholdi) ; grès rouge (h. 11 m, long. 22 m), copie placée (en 1880) place Denfert-Rochereau à Paris (h. 4 m, long. 7 m)]. *Marseille* N.-D.-de-la-Garde (1864) 10 m. *Baillet-en-Fr.* (Val-d'O.) N.-D. de Fr. de Roger de Villiers (1988) couronnait le pavillon pontifical de l'Exposition de 1937 : haut. 32 m (dont piédestal 25 m).

Inde : *Sravanabelgola* Ermite Gomateshwara (985) 19 m. **Italie :** *Rome* Mon. Victor-Emmanuel II (1911) 81 m. *Arona* St-Charles Borromée (1697) 37 m. *Pratolino* Jupiter Pluvius (1594) 21 m. **Japon :** *Nara* Bouddha (de 749, 1180 incendié, 1195 reconstruit, 1567 incendié partiellement, 1691 réparé, 1709 réparations complétées). 26 m sans le piédestal (42 m avec), la plus grande statue en bronze, 45 t. Daibutsu (745-49, bronze, mercure, or fin, 551 t, haut. actuelle 16,2 m) 25 m. *Ofuna* déesse Kwannon (1961, ciment) 1 915 t, haut. 25 m, larg. 18,57 m. *Kamakoura* daibutsu (1252, bronze), 124 t ; larg. 24 m ; haut. 11,4 m. **Norvège :** Fridthjof (*Sognefjord,* 1913), 14 t 12 m. **Portugal :** *Lisbonne* Christ-Roi (1959, statue 28 m avec socle béton) 110 m. **Russie :** *Volgograd* La Mère-Patrie (1967, béton) 52 m (82,3 m avec socle). **Suisse :** *Lucerne* (lion, 1821) 6. **Thaïlande :** *Bangkok* Bouddha de Wat Benchamaborpitr (1809-27, couché, long. 45 m) 15 m. Wat Po (v. 1850, couché, long. 49 m) 12. Wat Trimitr (1238-78) 2.

☞ **Le plus haut totem :** 53 m (6-6-1973), à Albert Bay, Colombie Brit. (Canada). **Le plus grand mobile :** White Cascade, 30 m, 8 t, réalisé par Calder, à la Federal Reserve Bank de Philadelphie (USA). **Le plus haut minaret :** Mosquée Hassan-II à Casablanca (Maroc), 175 m (1981).

■ Les Sept Merveilles du monde

Liste fixée sous la Renaissance, mais figurant avec des variantes chez des auteurs grecs (dont Philon de Byzance v. 25 av. J.-C.) et latins.

1. Pyramides d'Égypte, v. 2580 av. J.-C. : *Chéops* (haut. 137,2 m, autrefois 148,5 m, base 5,05 ha, volume 2,5 millions de m³), *Chéphren* (haut. 136,5 m) et *Mykérinos* (haut. 66 m, comporte un bloc de calcaire de 290 t).

2. Jardins suspendus de Babylone (Irak), 604-562 av. J.-C., construits par Nabuchodonosor II, de 23 à 92 m. Détruits.

3. Temple de Diane à Éphèse (Turquie) dit Artémision, 450 av. J.-C. ; sa construction dura 120 ans. Incendié par Érostrate en 356 av. J.-C., reconstruit puis détruit au IIIe s. av. J.-C. Long. 138 m ; larg. 71,5 m ; colonnes de 19,5 m de haut. Des éléments ont été réutilisés pour l'église St-Jean à Éphèse et Ste-Sophie à Istanbul. Restes au British Museum (Londres).

4. Statue de Zeus Olympien, Olympie (Grèce), entre 456 et 447 av. J.-C., par Phidias, en or et ivoire, 18 m de hauteur. Détruite en 475 apr. J.-C. à Constantinople dans un incendie.

5. Mausolée d'Halicarnasse, Bodrum (Turquie), 377-353 av. J.-C. Élevé par Artémise, reine de Carie, pour son frère et époux le roi Mausole, 42 m de haut, 133,5 m de tour. Fragments au British Museum (Londres) et à Bodrum.

6. Colosse de Rhodes (Grèce), 292-280 av. J.-C., par Charès, 32 m de hauteur. Détruit par un tremblement de terre en 224 av. J.-C. 2 projets gréco-américains prévoient la reconstruction d'un colosse de 150 m de haut ou 75 m, en alliage d'acier inoxydable.

7. Phare d'Alexandrie (Égypte), 280 av. J.-C. Élevé par Sostrate de Cnide sous Ptolémée II Philadelphe. Détruit en 1302 par un tremblement de terre. Hauteur 134 m.

Dimensions (par pays)

(hauteur en m)

■ **Afrique du Sud. Bloemfontein,** *Mémorial national aux Femmes* (1913), 36,6. **Grahamstown,** *Mon. aux Immigrants* de 1820 (1974), 26,25. **Johannesburg,** *J.G. Strijdom Post Office Tower* (1971), 269. *SABC Tower* (1969), 229. *Carlton Centre* (1972), 208. *Tour de télécommunications Lucasrand,* 177. *Ponti Flats* (1976), 162. *Sanlam Centre* (1977), 150. *SABC Head Office* (1976), 146. *Standard Bank* (1970), 135. **Pretoria,** *Union Buildings* (1913), 49,4. *Mon. aux Voortrekkers* (1949), 42,3.

■ **Algérie. Alger,** *mon. des Martyrs,* 92. **Constantine,** *mosquée* (en constr.), 120 [2 minarets carrés de 120 m surmontés de croissants de cuivre de 8 m, coupole de 60 m de haut et 19 m de diamètre, salle de prière et esplanade (chacune pour 12 000 fidèles)]. **Oran,** *immeuble,* 66.

■ **Allemagne. Augsbourg,** *Holiday Inn* (1972), 117. **Berlin,** *tour TV* (1969), 365. *Tour radio* (1924), 150. *H. de ville* (1865-70, reconstruit après 1945), 97. *Pte de Brandebourg* (1888-91), 26. **Charlottenburg,** *H. de ville* (1900), 88. *Europa Center* (1965), 86. **Bonn,** *building des Députés* (1970), 112. **Cologne,** *Cathédrale* (1880), 156. **Dresde,** *cathédrale* (1754), 85. **Düsseldorf,** *Rheinturm,* 225. *Caisse d'assur.* (1976), 120. *Maison Thyssen* (1957), 95. **Francfort,** *tour de télécomm.* (1977), 331. *Messeturm* (1991), 256, 5. *Hôtel Francfort Plaza* (1976), 161. *Tour Henninger* (1960, silo de stockage de grains avec restaurant rotatif), 120. **Fribourg-en-Brisgau,** *cath.* (XIVe) (intérieur : long. 125, larg. 30, haut. 27), 116. **Hambourg,** *tour TV* (1968), 271. *St-Nicolas* (1846-47), 144. *St-Michel* (1906), 134. *St-Petri* (reconstr. 1842), 133. *St-Jacques* (XIVe s.), 124. *Plaza* (1973), 118. *Ste-Catherine* (1350), 115. *Hôtel de v.* (1897), 112. **Hanovre,** *tour de télécomm.* (1960), 141. *Hôtel de v.* (1913), 100. *Égl. du Marché* (1359), 95. **Kiel,** *Hôtel de v.* (1911), 106. **Leipzig,** *tour de l'Université* (1973), 142. *Monument de la bataille des Nations* (1898-1913), 91. **Leverkusen,** *usine Bayer* (1962), 122. **Lübeck,** *Notre-Dame* (1310), 125. **Ludwigshafen,** *imm. Badische Anilin* (1957), 100. **Munich,** *tour Olympique* (1968), 290. *Notre-Dame* (1525), 100. *Hôtel de v.* (1908), 85. **Nördlingen,** *St-Georges* (1508), 90. **Ottobeuren,** *église* (1766), 87. **Ratisbonne,** *St-Pierre* (achevée 1869), 105. **Rostock,** *St-Pierre* (XIVe s.), 127. *Kröpeliner Tor* (XIIIe s.), 54. **Stuttgart,** *tour TV* (béton, 1956), 217. **Ulm,** *cathédrale* (achevée 1890) (la plus haute égl. du monde. Intérieur : long. 124, larg. 49, haut. 42. *Longueur de la cathédrale* de Worms : 158 ; de Spire : 133 ; de Mayence : 112), 173. **Ventrop,** *tour de réfrigération* (1976), 180.

■ **Australie. Melbourne,** *BHP House* (1972) 41 étages ; aire d'atterrissage pour hélicoptères au sommet, 153. *Centre culturel, tour métall.* (1978), 132. **Sydney,** *Tour Centrepoint* (1979), 274, 283,4 m avec antenne, 2 restaurants tournants. *MLC Centre* (1977-79), 244 (68 étages). *Australia Square* (1968), 185, restaurant tournant au 47e étage, 43 m de diam., révolution en 105 min. *Opéra* (1958-73), 67, coût : 650 millions de F, salles de 2 700 pl. (concerts), 1500 (opéra), 550, 420, 150 (studio, salles d'expositions et de conférences), 3 restaurants tournants.

■ **Autriche. Linz,** *Nouvelle Cath.* (1862-1924), 135. **Melk,** *abbaye* (1702-38), 63. **Salzbourg,** *cath.* (1614-28), 72. **Stockerau,** *St-Étienne* (1725), 88. **Vienne,** *Donauturm* (1963-64) [1], 252. *St-Étienne* (1147), 137. *Centre de l'ONU* [2] (1973-79), 120. *Hôtel de ville* (1872-83), 100. *Grande Roue* (1896-97), 64. **Zwettl,** *abbaye* (1137-39, rest. XVIIe-XVIIIe s.), 90.

Nota. – (1) Restaurant tournant au dernier étage. (2) 24 000 fenêtres, 6 000 portes.

■ **Belgique. Anvers,** *cath.* (1530), 123. *Antwerp Tower* (1974), 87. **Bruges,** *Notre-Dame* (1297), 122. *Beffroi* (1321), 83. **Bruxelles,** *Palais de Justice* (1883), 118. *Tour Martini* (1959), 117. *Tour du Midi* (1968), 110. *Tour Louise* (1968), 107. *Tour place Madou* (1965), 105. *World Trade Center* (1973), 102. *Atomium* (1958), 102. *Manhattan Center* (1973), 100. *Tour AG* (p. de Namur, 1961), 100. *Tour ITT* (1973), 100. *Tour Saifi* (1975), 95. *Hôtel Hilton* (1967), 85. *Hôtel Westbury* (1964), 78, *St-Michel-Ste Gudule* 68. *Tour PS* (p. de Shaerbeek, 1961), 65. *Tour Philips* (1969), 65. *Hôtel de Ville* (1454), 63 (dont statue de St-Michel 8,02). *Centre administratif* (1970), 63. *Arcade du Palais du Cinquantenaire* 60. *Égl. Ste-Marie* (Dôme), 60. **Gand,** *beffroi* (1661), 91. **Liège,** *tour cybernétique Schöffer* (1959), 52. **Malines,** *tour cath. St-Rombaut* (1520), 97 (achevée, aurait atteint 167 m ?). **Marche-en-Famenne,** *tour* (1970), 75. **Mons,** *beffroi* (1661), 87. **Ronquières,** *tour du Plan-Incliné* (1965), 150. **Strépy-Thieu,** *tour* 102. **Waterloo,** *Butte* (1823-27 avec lion angl.), 45.

■ **Birmanie. Rangoon,** *Pagode Schwedagon* (XIIe-XVIe), 99.

■ **Brésil. São Paulo,** *Banque d'État* (1947), 161.

■ **Canada. Calgary,** *Petro-Canada Centre* (1979-84), 215 (55 ét.). *Bankers Hall* (1985-90), 50 ét. *Calgary (Husky) Tower* (1967-68), 191. **Hamilton,** *Century 21 :* 152 (43 ét.). **Montréal,** *1000 de La Gauchetière* (1989-91), 205 (51 ét.). *IBM-Marathon* (1990-92), 198 (45 ét.). *Tour de la Bourse* (1963-64), 192 (47 ét.). *Place Victoria* (1962-64), 190 (47 ét.). *Banque can. imp. de com.* (1959-63), 189. *Place Ville-Marie* (1959-62), 187 (42 ét.). **Niagara Falls,** *Skylon* (1965), 158. **Ottawa,** *Tour de la Paix* (1919-27), 89, 5. **Toronto,** *First Canadian Place* (1972-75), 293 (72 ét.). *Scotia Plaza* (1986), 66 ét. *Commerce Court* (1968-72), 57 ét. *Bay Adelaide Centre* (1990-92), 57 ét. *Toronto-Dominion Centre* (1964-71), 56 ét. *BCE Place* (1988-91), 51 ét. *CN Tower* (1973-75, ouverte au public 26-6-1976) 553,33, sommet du mât d'antenne (102) frappée par la foudre 60 fois par an en moyenne, base à 72 m au-dessus de la mer, nacelle [7 niveaux : 1°) installation hertzienne 338 m, 2°) terrasse d'observation extérieure 342 m, 3°) terrasse intérieure, cabaret 346 m, 4°) restaurant tournant 351 m, 416 places, tour complet en 70 à 90 min, 5°) installation hyperfréquence et TV 355 m, 6°) radio MF 360 m, 7°) machinerie 363 m], belvédère 447 m (poste d'observation public le + haut du monde), 4 ascenseurs jusqu'à la nacelle (capacité 1 200 personnes/heure dans une direction, vitesse 6 m/s) ; 1 de la nacelle au belvédère (le + haut du monde), escalier 2 570 marches (montée 40 min et descente 20 min) poids 132 080 t (ciment 106 000, acier 5 690), surface au sol 6 500 m², coût 57 millions de $; visibilité jusqu'à 120 km. **Vancouver,** *Harbour Centre,* 191 (sommet du mât).

■ **Chine. Nankin,** *tour de Porcelaine* (détruite v. 1860), 100.

■ **Danemark. Aarhus,** *cathédrale* (1927), 96. **Copenhague,** *H. de ville* (1905), 106. *Tour de Christiansborg* (1907-28), 106. *Tour Ronde* (1637), 36. **Frejlev,** *tour TV* (1956), 231.

■ **Égypte. Le Caire,** *tour* (1955), 187. *Minaret mosquée du sultan Hassan* (XIVe), 84. *2 minarets mosquée Muhammad Ali (dite d'Albâtre)* (1830-48), 82. **Dahshur** *(pyramides de Snefru,* 2600 av. J.-C.), 102 et 104. **Gizeh,** *Grande Pyramide (Chéops),* 2580 av. J.-C. (voir encadré p. 359 b), 137,2. *Pyr. de Chéphren,* 136,5. *Pyr. de Mykérinos,* 66. *Sphinx,* long. 57 m (73,5, en comptant le mur ensablement qui entoure la statue) hauteur 20 m (années de haut ensablement), colosse d'un animal légendaire à corps de lion et visage d'homme (serait celui du pharaon Chéphren qui fit construire la 2e pyr.). *Colosses de Memnon,*

18. **Meidum** *(pyramide,* 2600 av. J.-C.*)*, 89. **Saqqarah** *(pyramide,* 2650 av. J.-C.*)*, 62.

■ Espagne. **Barcelone,** *Tour de communications de Collserola* (1992), 268. *Sagrada Familia* (1884), 110. **Burgos,** *cathédrale* (milieu XVe), 50 (106 × 59, 84). **Los Caidos,** *Croix* (1940), 150 (basilique souterraine de Guadarrama : 260 × 20, h. 42). **Cordoue,** *cath.* (1593-1664), 93. **Madrid,** *tour* (1960), 150 (37 étages). *Phare de la Moncloa* (1942), 92, *« La Telefonica »* (1929), 90. *Tour de Valence* (1971), 82,7. **Murcie,** *cath.* (1521-1792), 95. **Palais de l'Escurial** *(prov. de Madrid,* 1563-84), 56. **St-Jacques-de-Compostelle,** *cath.* (1675-80), 76 (dim. intérieures : 97 × 67, hauteur 32). **Salamanque,** *cath.* (1769), 110 (dim. int. 104 × 49, h. 60). **Ségovie,** *cath.* (XVIe), 110 (dim. int. : 105 × 48, h. 67). **Séville,** *Giralda* (fin XIIe), 97 (dim. int. : 130 × 76, h. 40). **Tolède,** *cath.* (1380-1440), 90 (dim. int. : 113 × 57, h. 30).

■ États-Unis. **Atlanta,** *C & S Plaza,* 312 (55 ét.). *One Peachtree Center,* 257 (61 ét.). *IBM Tower* (1988), 252 (52 ét.). *191 Peachtree* (1990), 234 (54 ét.). *Westin Peachtree Plaza,* 220 (71 ét.). **Boston,** *John Hancock Tower* (1967), 241 (60 ét.). *Prudential Center,* 229 (52 ét.). **Charlotte** *NCNB Center,* 60 ét. **Chicago** (17 buildings de + de 200 m) *Sears Tower* (1973), 443,17 avec ses antennes 475,10 m, 110 étages, 222 500 t ; 16 700 personnes utilisent 103 ascenseurs et 18 escaliers roulants. 16 000 fenêtres. *Standard Oil* (1971), 346 (80 ét.). *John Hancock Center,* 343 (100 ét.). *311 S. Wacker,* 296 (65 ét.). *Two Prudential Plaza,* 275 (64 ét.). *AT & T Corporate Center* (1989), 271 (60 ét.). *900 N. Michigan,* 265 (66 ét.). *Water Tower Place,* 262 (74 ét.). *First Nat. Bank* (1968), 259 (60 ét.). *Three First National Plaza,* 236 (57 ét.). *Olympia Centre,* 222 (63 ét.). *Leo Burnett Building* (1989), 213 (46 ét.). *600 N. Lakeshore Dr,* 212 (75 ét.). *IBM Building* (1971), 211,8. *One Magnificent Mile* 205 (58 ét.). *Dailey Center* (1965) 201,8 (31 ét.). **Cleveland,** *Ameritrust Center/Hyatt Hotel* 280 (61 ét.). *Society Center* 271 (57 ét.). *Tower City* 216 (52 ét.). **Dallas,** *First RepublicBank Plaza* 286 (73 ét.). *Momentum Place Dallas Tower* 278. **Houston,** *Texas Building,* 305 (75 ét.). *Allied Bank* 300 (71 ét.). **Los Angeles,** *First Interstate World Center* (1989) 310 (73 ét.). *First Interstate Bank* 261 (62 ét.). *Cal. Plaza IIA* (en constr.) 229 (57 ét.). *Wells Fargo Tower* 228,6 (54 ét.). *Security Pacific Plaza* 224 (55 ét.). *So. Cal. Gas Center* (1990) 223 (55 ét.). *777 Tower* (en constr.) 221 (52 ét.). *Mitsui Fudoson* (1990) 218 (52 ét.). *Atlantic Richfield Tower,* 213 (52 ét.). **Minneapolis,** *IDS Center,* 236 (57 ét.). **New York** (40 de + de 200 m), *World Trade Center* (1973), 419, 2 tours jumelles (dont 1 avec antenne : 475,10 m), archit. Minuro Yamasaki, Emery Roth et associés, acier lesté de béton ; 110 étages ; superficie : 406 000 m² ; 21 800 fenêtres ; chaînette inversée à section triangulaire de 16,5 m de côté à la base, 5,2 m au sommet, empattement : 192 m ; doubles parois de 91 cm à 19,7 cm d'épaisseur ; poids 290 000 t (dont 12 127 de béton) ; coût : 36 500 000 $; accès au sommet par trains de 8 capsules de 5 passagers chacune (système unique au monde) ; 104 ascenseurs dans chaque tour ; musée souterrain. *Empire State* phare (1929-30, ouvert 1-5-1931), 381, avec antenne 431. 102 ét. ; mise en vente 1991 : 45 à 50 millions de $ (jouissance en 2076) ; 260 000 m² de bureaux ; 6 400 fenêtres, 73 ascenseurs, 1 860 marches (course annuelle dep. 1973 sur 1 567 marches : record 10′47″) ; 2 500 000 visites par an ; en 1945 un bombardier, perdu dans le brouillard, heurta le 79e ét. et fit 14 † ; *Chrysler* (1930) 319 (77 ét.). *American International (1932)* 289,6 (67 ét.). *40 Wall Tower* (1929) 283 (71 ét.). *Citicorp Center* (1977) 279 (46 ét.) *RCA, Rockefeller Center* (1933) 259 (70 ét.). *Chase Manhattan* (1960) 248 (60 ét.). *Pan Am* (1960-63) 246 (59 ét.). *Cityspire* (1989) 244 (72 ét.). *Eichner* (1984) 243 (70 ét.). *Woolworth* (1913) 241 (60 ét.). *One Worldwide Plaza* 237 (47 ét.). *One Penn Plaza* (1972) 233 (57 ét.). *Carnegie Tower* 230 (59 ét.). *Exxon* (1971) 228,6 (54 ét.). *Equitable Center Tower West* (1985) 227 (58 ét.). *60 Wall Street* (1989) 227 (50 ét.). *One Liberty Plaza* (1972) 226 (50 ét.). *Citibank* (1907) 226 (57 ét.). *World Financial Center, Tower C* (1988) 225 (54 ét.). *One Astor Plaza* (1969) 222 (54 ét.). *Solow Building* (1979) 221 (50 ét.). *Marine Midland* 221 (52 ét.). *Waldorf Astoria,* 190 (47 ét.). *Ritz,* 164 (41 ét.). *Hôtel Pierre,* 160 (44 ét.). *Nations unies* (1957) 154. *Cath. St-Jean* (nef : h. 89, l. 183, 11 240 m², 476 350 m³), 152. **Philadelphie,** *One Liberty Place* (1987) 288 (61 ét.). *Two Liberty Place* (1989) 247 (58 ét.). *Mellon Bank Center* (1989) 241 (53 ét.). **San Francisco,** *Transamerica Pyramid* 260 (48 ét.). *Bank of America* 237 (52 ét.). **Seattle,** *Columbia Seafirst Center* 291 (76 ét.). **St Louis** (Missouri), *Gateway Arch,* arche d'acier (1965), 192. **Washington,** *Obélisque* (1848-84), 169, *Capitole,* sommet 93.

■ Finlande. **Helsinki,** *égl. Mikael Agricola* (1935), 103. *Cath.* (1830-52), 72. *Stade olympique* (1934-40), 72. **Itäkeskuksen,** tour Maamerkki, 82. **Kuopio,** *belvédère de Puijo* (1964), 75. **Tampere,** *belvéd. de Näsinneula* (1971), 134. **Turku,** *cath.* (1229), 95.

■ Grande-Bretagne. **Londres,** *National Westminster Tower* (1981) 183. *London Telecom Tower* (1965) 189 (dont mât 12 m). *Blackpool Tower* (1894) 160. *St-Paul* (1315-1561) 149 [4 tours : Shakespeare (1971), Cromwell (1973), Lauderdale (1974), Barbican (1974) 128]. *Vickers House* (1963) 119. *Shell Center* (1962) 108. *Houses of Parliament : Victoria Tower* (1850-55) 104 ; chaque année, le portail d'honneur est ouvert pour l'entrée du souverain qui ouvre la session du Parlement ; l'Union Jack flotte sur cette tour pendant les sessions parlementaires de jour (une lanterne s'allume sur le sommet de Clock Tower pendant les sessions de nuit). *Clock Tower* (1860) 104 ; contient Big Ben (13,5 t), l'horloge du nom de Sir Benjamin Hall, responsable des travaux de Westminster. Big Ben a donné son indicatif à la BBC. *Central Tower* (1850-55) 93. *Tower Bridge* (1894) 87 ; long. 270 m (2 tabliers mobiles de 1 200 t) ; passerelle pour piétons reliant les sommets des 2 tours à 43 m au-dessus de la Tamise ; architectes : Sir Horace Jones et Sir John Wolfe Barry. *Canary Wharf Tower* (1991). *Monument* (1674) 62 (d'après les plans de Christopher Wren et de Robert Hooke, commémore l'incendie de Londres en 1666). *Albert Memorial* (1876) 51. *Nelson Monument* (1840-43) 44. **Lincoln,** *cath.* (1307-1548) 160.

Nota. – La cathédrale de Winchester (long. 170 m) est la plus longue cath. gothique d'Europe. La cath. Church of Christ à Liverpool (1904-78) est la plus longue de G.-B. (203 m).

■ Guatemala. **Tikal,** *temple* (IIIe-IXe) 70.

■ Hongrie. **Budapest,** *Parlement* (1885-1906) 105. *Église Mathias* (XIIIe et 1851-1905) 103.

■ Inde. **Agra,** *Taj Mahal* (1629-53) 74. *Bhubaneshwar, Chand Minar* (1435) 64. *Temple Lingaraja* (XIe) 50. **Bijapur,** *Gol Gumbaz* (XVIIe) 65. **Calcutta,** *minaret Shaheed* (1828) 50. **Delhi,** *Qutub Minar* (minaret) (1200) 72. **Hampi,** *temple de Shiva* 60. **Hyderabad,** *Char Minar* (1591) 56. **Kanchipuram,** *temple d'Ekambareshwara* (1509) 60. **Madurai,** *temple de Minakshi* (XVIIe) 60. **Tanjore,** *temp. de Brihadishwara* (XIe) 66.

■ Indonésie. **Java,** *temple bouddhique de Barabudur* (VIIIe s.) 31,50.

■ Irak. **Babylone,** *ziggourat* (peut-être t. de Babel ; détruite, 90 m de côté, 7 terrasses superposées) (600 av. J.-C.) 90. **Ur,** *ziggourat* (2113-2096 av. J.-C.) (61 × 45,70 m à la base, en partie détruite) 18.

■ Iran. **Tchoga Zanbil,** *ziggourat* (1250 av. J.-C.) 50.

■ Israël. **Tel-Aviv,** *tour Shalom* (1963) 140.

■ Italie. **Bologne,** *tour des Asinelli* (1119, inclinaison 1,20 m) 97,60. *Tour Garisenda* (1109, inachevée, inclinaison 3,20 m) 48. **Crémone,** *campanile* (XIVe) 111. **Florence,** *Ste-Marie-des-Fleurs* (1296-1461) 113. *Tour d'Arnolfo* (1298-1314) 94. *Campanile* (1334-59) 85. **Milan,** *imm. Pirelli* (1956-60) 127. *Cath.* (Duomo 1386-1805) 108. **Modène,** *tour Ghirlandina* (1099-1323) 88. **Novare,** *St-Gaudenzio* (1878) 121. **Pavie,** *beffroi* (XIe-XVe s.) 78 (effondré 17-3-1989, 2 †, 15 blessés). **Pise,** *tour ; 1174 :* après construction du 3e étage, le terrain s'affaisse. L'architecte Bonanno Pisano arrête les travaux. *1280 :* Giovanni da Simone les reprend, la tour s'incline encore, il décide d'augmenter la longueur des colonnes et des murs du côté où elle penche (rupture d'angle, forme en « banane »). Après sa mort, à la guerre, travaux interrompus à hauteur du 7e étage. Son successeur, Tommaso Pisano, redresse le 8e et dernier étage. *1298 :* écart au sommet par rapport à la verticale de 1,57 m. *1817 :* 3,77 m. *1911 :* 4,09 m. *1992 :* 5,20 m (soit 9° 80). Mesurée chaque année dep. 1934, augmente d'env. 1,19 mm par an (except. 1986 : 1,26 mm ; de janv. à avr. 91 : 1,1 mm), à ce rythme, elle s'écroulerait dans 250 ans. *État actuel (en m) :* haut. max. 56,70, diam. intérieur à la base 7,37 m, extérieur 15,48, fondations 3 m de prof., escalier intérieur 294 marches, épaisseur murs 3 m, poids 14 500 t, 7 cloches accordées aux 7 notes de la gamme (remplacées par dispositif électronique pour éviter vibrations). Fermée le 7-1-1990 pour restauration (il y avait 800 000 visiteurs par an) ; coût est. : + de 5 milliards de F (construction d'une structure métallique autour des 2e et 3e étages, injections de ciment dans les murs, dalle de béton pour interrompre l'enfoncement). **Pistoia,** *tour du Podestat* (1367) 66. **Rome,** *St-Pierre* (1626) 132 [superficie : 15 160 m² (dôme de Milan : 11 700, N.-D. de Paris : 5 955) ; longueur : 187 m (211,5 avec portique) ; long. du transept : 137,5]. *Colisée* (72-80) 57. *Arc de Constantin* 21 (larg. 25,7 m, épais. 7,4 m, le plus grand des arcs antiques). **Sienne,** *tour del Mangia* (1338-48) 102. **Turin,** *Mole Antonelliana* (1863) 167. *Campanile* (1470-1720) 59. **Venise,** *campanile de St-Marc* (XIIIe-XIVe, écroulé 14-7-1902, rec. 1912) 99. **Vicence,** *tour de l'Horloge* (XIIe) 82.

■ Japon. **Tōkyō,** *tour TV métallique* (1958) 333. *Immeuble* (1974) 211. *Tour du Millénaire* (projet dans la baie de Tōkyō) : 800. Pouvant abriter 50 000 habitants, diamètre base 130, au centre d'un lagon artificiel de 400 m de diam. Cabines d'ascenseurs contenant 160 personnes parcourant 30 étages à la fois.

■ Koweït. *Tours* de 147 à 210 m.

■ Luxembourg. **Berg,** *château* (restauré 1850) 65. **Kirchberg,** *immeuble* (1966) 82. **Luxembourg,** *cathédrale* (1621) 76. *RTL, villa Louvigny* (1932) 43.

■ Malte. **Mosta,** *dôme* 51.

■ Maroc. **Casablanca,** *le Liberté* (v. 1950), 21 ét., 55. *Tour Atlas,* 33 ét., *Préfecture* 50. *Mosquée Hassan II* (1988) 100,82. **Marrakech,** *la Koutoubia* (XIIe s.) 68. **Rabat,** *tour Hassan* (XIIe s.) 44.

■ Mexique. **Chichen Itzà,** *pyramide du Castillo* (XIe-XIIe) 24. **Mexico,** *hôtel* (1972) 219 (structure en béton la plus élevée du monde sur terrain séismique). *Tour de l'Am. latine* (1956) (193,50 avec mât TV) 139. **Simbolo del Conjunto,** *Nonoalco-Tlatelolco* (1964) 127. **Teotihuacán,** *pyramide du Soleil* (IVe, base 225 × 225 m) 63. *Pyr. de la Lune* (IVe, 140 × 150) 46.

■ Népal. **Katmandou,** *tour de Bhimsen* (1830) 60.

■ Norvège. **Trondheim,** *cathédrale* (XIIe-XIVe) 103. **Tryvann,** *tour* (1962) 118.

■ Pays-Bas. **Amsterdam,** *Vieille-Égl.* (1566) 68. **Delft,** *Nouvelle-Église* (1496) 108. **Groningue,** *tour* (XVe) 97. **Haarlem,** *Gde-Église St-Bavon* (1519) 80. **La Haye,** *Église St-Jacques* (1424) 92. *Palais de la Paix* (1907-13) 80. **Lopik,** *Gerbrandytoren, tour TV* (1959-60) 383. **Middelbourg,** *beffroi* (XVIe) 55. **Rotterdam,** *Euromast* (1960, 104 m, surélevée en 1970) 185. *Saint-Laurent Raadhuis* (1914-20) 71. **Utrecht,** *cath.* (XIVe) 112.

■ Pologne. **Cracovie,** *Ste-Marie* (1478) 81. **Gdansk,** *Hôtel de ville* (1454-89) 82. *Ste-Marie* (XVe s.) 78. *Hôtel Hevelius* (1979) 68. *Tour de bureaux* (1960-69) 76. **Varsovie,** *palais de la Culture* (1955) (avec mât TV) 231. *Intraco II* (1978) 138,5. *Hôtel Marriott* (1989) 140. *Hôtel Forum* (1973) 95,5. *Intraco I* (1975) 107. *Tour de la place Bankowy* (1991) 100. *St-Adalbert-Wojcieh* (1896-1904) 104. *Tour « Prudential »* (1932-33) 67. **Wroclaw,** Ste-Elisabeth (1458) 90.

■ Russie. **Moscou,** *tour d'Ostankino* (1971) 536,75. *Université* (39 étages) (1953) 240. *Hôtel Ukrainia* (1953) 170. *Kotelnitchenkaïa* (1952) 170. **St-Pétersbourg,** *St-Isaac* (1818-58) 102.

■ Sénégal. **Dakar,** *minaret* (1964) 67. **Touba,** *minaret* (1963) 87.

■ Singapour. **Raffles City,** *Hôtel Westin Stramford* (1985) 226 (73 étages).

■ Suède. **Lund,** *cath.* (1145) 56. **Stockholm,** *tour TV de Kaknäs* (1967) 155. *Égl. de Klara* (1590 ; tour 1886) 108. *H. de ville, tour* (1923) 106. **Uppsala,** *cath.* (1435) 118.

■ Suisse. **Bâle,** *immeuble Lonza* (1960) 68. *Cath.* (1428) 64. **Berne,** *collégiale* (1517-1893) 100. *Palais fédéral* (XIXe) 63. **Beromünster,** *tour TV* (1931) 215. **Däniken,** *centr. nucléaire* (1979) 150. **Fribourg,** *cath.* (1490) 76. **Genève,** *St-Pierre* (1160-1262) 64. **Lausanne,** *cath.* (1150-1275) 79. **St-Gall,** *cath.* (1767) 68. **Schwarzenburg,** *tour radio* (1919) 120. **Soleure,** *cath.* (XVIIIe) 66. **Sottens,** *tour TV* (1948) 180. **Spreitenbach,** *immeuble* (1974) 73. **Winterthur,** *imm. Sulzer* (1964) 92.

■ Syrie. **Alep,** *minaret Gde Mosquée* (XIe) 50.

■ Thaïlande. **Bangkok,** *temple de l'Aurore* (1767-82) 74. **Chiang Mai,** *chédi de Wat Phra That Doi Suthep* 32. **Nakhon Si Thammarat,** *chédi de Wat Mahathat* (Xe) (flèche or massif 400 kg) 78. **Nakhon Pathom** *Chedi* (1854) 115.

■ Tunisie. **Tunis,** *immeuble Africa* (1970) 90.

■ Turquie. **Ankara,** *mausolée d'Atatürk* (1953) 21. **Istanbul,** *tour de Galata* (relevée en 1349) 68. *Tour de Beyazit* (1623) 50. **Nemrut Dag,** *sanctuaire* (69-34 av. J.-C.) 60.

Dimensions (France)

Paris et région parisienne

Tour Eiffel

☞ Pour en savoir plus, demandez le Quid de la Tour Eiffel (Éd. Robert Laffont, 1989).

Origine. *1882,* Maurice Koechlin (1856-1946), chef du bureau des études de l'entreprise Eiffel, et son collègue Émile Nouguier ont l'idée de construire une tour métallique pour l'Exposition de 1889. Ils établissent un avant-projet (calculs sommaires et croquis) et le soumettent à Eiffel, qui déclare ne pas s'y intéresser mais autorise ses 2 ingénieurs à poursuivre l'étude. Ceux-ci font appel à la collaboration de l'architecte Sauvestre, pour l'établissement d'un dessin à grande échelle qui est soumis au sculpteur Bartholdi et au commissaire général de l'Expo. des Arts décoratifs (qui devait se tenir à l'automne 1884). Ce dernier accepte d'exposer le dessin de la tour projetée. Eiffel décide alors de s'associer au projet. *1884 sept.*, il fait déposer une demande de brevet d'invention « pour une disposition nouvelle permettant de construire des piles et des pylônes métalliques d'une hauteur pouvant dépasser 300 m », et passe en déc. un contrat avec Nouguier et Koechlin qui lui cèdent la propriété exclusive du brevet. En contrepartie, Eiffel assume les frais entraînés par le brevet et s'engage, si la tour est réalisée (même avec des modifications), à verser à chacun d'eux une « prime » de 1 % des sommes qui « lui seraient payées pour les diverses parties de la construction ». Il s'engage enfin « à citer toujours les noms de ces messieurs chaque fois qu'il y aurait lieu de mentionner, soit le brevet, soit l'avant-projet actuel » (engagement qui ne fut pas respecté). *1886*, le projet obtient ex æquo le 1er prix du concours pour l'exposition de 1889 (18 projets sur 700 avaient été retenus).

Gustave Eiffel (1832-1923). *1858*, construit son 1er pont à 26 ans. *1867*, crée ses ateliers, édifie ponts (Maria Pia sur le Douro au Portugal), viaducs (Garabit dans le Massif central), charpentes métalliques (Bon Marché, Crédit Lyonnais), musée Galliera, gare de Budapest, lycée Carnot, coupole de l'observatoire de Nice, ossature en fer de la statue de la Liberté (New York). *1887-89*, construit la Tour.

Construction. *Durée* 2 ans, 2 mois, 5 jours. *1887 : 26-1*, 1er coup de pioche. *30-6*, fondations achevées. *1-7*, début du montage. *1888 : 1-4*, 2e étage terminé ; *14-8*, 3e ét. ; *1889 : 31-3*, inauguration. Les ascenseurs ne fonctionnant pas encore (celui du 1er ét. sera mis en service 2 mois après l'inauguration), le Pt du Conseil (62 ans) s'arrête au 1er ét. et envoie le ministre du Commerce auprès d'Eiffel au sommet, pour lui remettre la Légion d'honneur. Eiffel signe, avec le préfet Poubelle, une convention d'exploitation de la tour de 20 ans au terme de laquelle la gestion de la tour reviendra à la Ville de Paris. *15-5*, ouverture au public, la tour est illuminée par 22 000 becs de gaz. *27-5*, exploitation des ascenseurs.

Il n'y a eu aucun accident pendant la construction. 50 ingénieurs, dessinateurs ont exécuté 5 300 dessins, 100 ouvriers façonné 18 000 pièces en fer, 132 ouvriers ont travaillé sur le chantier. La tour n'est pas montée sur des vérins hydrauliques comme on l'a souvent dit, mais, lors de sa construction, 16 vérins (ayant chacun une puissance de 800 t) furent utilisés pour soulever les arbalétriers qui constituent l'armature principale de chaque pilier. Une fois l'horizontalité de la plate-forme du 1er étage assurée, la charpente métallique fut fixée dans des fondations de maçonnerie qui, pour les 2 piles situées du côté Seine, descendent jusqu'à 14 m de prof., au niveau du lit du fleuve. Les vérins furent enlevés. Les fondations ont nécessité 31 000 m³ de déblais et 12 500 m³ de maçonnerie. La tour comprend 18 000 pièces percées de 7 millions de trous, 620 feuilles de 3 à 18,5 mm assemblées par 55 000 rivets (2 500 000 au total). La structure est conçue pour recevoir, ensemble 10 416 personnes réparties entre 3 plates-formes.

Coût. 8 000 000 de F dont fondations, maçonnerie, soubassements 900 000 F ; montage métallique, fers, octroi pour les fers 3 800 000 F ; peinture 200 000 F ; ascenseurs et machines 1 200 000 F ; restaurants, décoration, installations diverses 400 000 F. Subvention de l'État 1 500 000 F ; terrain concédé par la Ville de Paris. La Sté de la Tour Eiffel (formée par Eiffel) avait un capital de 5 100 000 F (dont 100 000 F de fonds de roulement) ; pas d'émission publique ; 50 % des parts appartenaient à Eiffel ; 50 % aux Stés financières faisant partie de la Sté. L'emprunt qui servit à financer cette somme fut remboursé sur les recettes de la 1re année.

Petite histoire. *1898 : 5-11*, Eugène Ducretet réussit la 1re liaison radiotélégraphique entre la tour et le Panthéon (4 km). *1900 :* éclairage entièrement électrique. *1901 : 19-10*, Santos-Dumont contourne la tour avec un dirigeable, un coup de vent faillit le projeter sur le sommet. *1905 :* liaison radio entre tour et places fortes de l'Est assurée par tous temps. *1906 :* le capitaine Férié fait parvenir à des bateaux en mer des messages parfaitement audibles. *1907-08 :* liaison avec Casablanca (campagne du Maroc), la nuit, la station est relayée par le croiseur *Kléber* qui transmet directement à la tour. *1909 : 18-10*, 1er survol de Paris et de la tour en aéroplane. *1910 :* la concession accordée à Eiffel prend fin, la Ville de Paris concède les droits à une Sté privée. *23-5 :* 1er service régulier de transmission de signaux horaires (5 200 km la nuit et moitié moins le jour). *1912 :* un tailleur tente un vol plané qui échoue (on sut plus tard qu'il voulait se suicider). *1913 :* on parle de démolir la tour, la g. de 1914-18 la sauvera en en faisant un centre militaire radiotélégraphique. *1920 :* on pense utiliser le fer de la tour pour reconstruire des usines dans les régions dévastées. *1921 : 30-12*, Sacha et Lucien Guitry réalisent la 1re émission radio en direct. *1922 :* les émissions de Radio-Tour-Eiffel commencent. *1923 : 2-6*, un journaliste, Pierre Labric, à la suite d'un pari, descend à bicyclette l'escalier à partir du 1er ét. *1925 :* 1ers essais de télé par Édouard Belin. *1926 :* Léon Coliot tente de passer en avion entre les pieds de la tour, il s'écrase, aveuglé par le soleil. *De 1925 (4-7) à 1936 :* publicité lumineuse (pour Citroën) réalisée par Fernand Jacoppozi [coût 2 500 000 F (entretien et consommation électrique 1 000 000 de F par an)]. Réalisée en 6 couleurs, 250 000 ampoules, elle était visible à 38 km (le « N » mesurait 20,8 m de haut). *1935 : 26-4*, 1re émission de télé (de 60 lignes) (441 lignes en 1945). *De juin 1940 à août 1944 :* occupée par les Allemands. *D'août 1944 à mars 1946 :* par l'armée américaine. *1946 : 1-6*, réouverte au public. *1954 : 9-7*, Alfred Thomanel (Allemand, 22 ans) l'escalade. *1957 :* installation d'une plate-forme pour recevoir les paraboles de diffusion en direct des émissions des 3 chaînes de télé et l'émetteur de radio en modulation de fréquence. *1960 :* un marchand anglais prétend vendre la tour à des ferrailleurs pour 20 centimes le kg ; une Sté hollandaise verse une avance ; l'escroquerie est découverte, le marchand condamné mais la Sté holl. ne récupère pas son argent. *1964 :* la tour est classée monument historique. *1980 : 1-1*, le maire de Paris confie la gestion de l'édifice à un nouveau concessionnaire, la Sté nouvelle d'exploitation de la Tour Eiffel (SNTE) : reportage en direct en Eurovision de l'ascension de la tour par une cordée d'alpinistes. *1980-83 :* rénovation. *1983 : 25-10*, montée jusqu'au 2e ét. et descente en moto de trial (Charles Coutard et Joël Descuns). *1-12*, vente aux enchères de l'escalier en colimaçon qui allait du 2e au 3e ét. (morceaux : de 50 000 à 180 000 F). *1985 : 31-12*, nouvelles illuminations (292 projecteurs éclairant la tour de l'intérieur). *1987 : 7-5*, montée au 2e ét. en trial sans mettre pied à terre en 47 min. (Christophe Riondet 16 ans et Emmanuel Savatier 18 ans).

Caractéristiques. En fer. **Ascenseurs :** 3 du sol au 2e étage ; 2 hydrauliques (1899) sont dans les piliers ouest et est. Depuis 1965, un ascenseur électrique transporte 106 personnes et fait 12 allers-retours par heure (86 et 8 avec les ascenseurs hydrauliques). **Dilatation :** la face exposée aux rayons solaires se dilate : le sommet s'éloigne du Soleil et décrit une courbe de 18 cm qui vient se refermer le soir sur son point de départ. La hauteur peut diminuer de 15 cm par grand froid. **Éclairage :** coût annuel 600 000 F (1987) [avant (éclairage de l'extérieur) 2 500 000 F]. **Escalier :** 1 792 marches (à l'origine 1 710). **Hauteur :** 312,27 m à l'origine ; 320,75 m depuis l'ajout d'une antenne TV en 1956. *Étages.* 1er : à 57,63 m au-dessus du sol (alt. + 33,50 m), 2e : à 115,73 m, 3e : à 276,13 m (plate-forme du sommet à l'origine 300,65). Les 4 piliers ont leurs centres situés suivant les sommets d'un carré de 125 m de côté. Entre les piliers, des arcs (purement décoratifs) de 74 m de diam. se développent. Largeur à la base 127,50 m. **Peinture :** repeinte tous les 7 ans, la tour a reçu 16 couches de peinture brune, dite *ferrubrou* (obtenue avec du jaune de chrome et de l'oxyde de fer) ; poids d'une couche : 5 t ; heures de travail : 40 000. **Poids total :** 9 700 t en 1889 (7 300 pour la partie métallique), 10 100 t en 1981, allégement de 1 343 t en 1983 (après travaux). Charge au sol 4 kg/cm ² env. (celle d'un homme moyen assis sur une chaise). **Surface au plancher :** *du 1er étage* (vides pour le passage des ascenseurs déduits) 4 200 m² ; *du 2e* 1 400 m² ; *du 3e* 350 m². **Vent :** par vent de 180 km/h, le plus fort jamais enregistré, le sommet oscille et décrit des ellipses (grands axes max. de 10 à 18 cm). **Vue du sommet par temps clair :** au nord à 60 km, ouest 70, sud 55, est 65.

Visiteurs. *1889 :* 1 968 287 entre l'inauguration (15-5-1889) et la clôture (5-11) de l'Exposition.

A la fin de 1889, la recette s'élevait à 5 919 884 francs-or couvrant les 3/4 du coût total de la construction (8 000 000 de F-or)]. **1890 :** 393 414, **99 :** 149 580, **1900 :** 1 024 887, **02 :** 121 144, **13 :** 261 337, **1915 à 18 :** 0, **19 :** 311 714, **20 :** 417 869, **30 :** 580 075, **37 :** 809 978, **38 :** 258 306, **39 :** 252 495, **1940 à 45 :** 0, **47 :** 1 009 161, **60 :** 1 735 230, **63 :** 2 013 594 (record de 1900 battu), **70 :** 2 757 768, **80 :** 3 594 190, **85 :** 4 368 573, **89** (centenaire) : 5 580 363, **91 :** 5 442 346, **92 :** 5 747 357. *Total cumulé (au 31-12) :* **1918 :** 8 014 704, **53 :** (31-5) 25 000 000, **85 :** 110 148 691, **91 :** 140 217 959, **92 :** 145 965 316 (le 25 millionième, un maçon, gagne une berline de luxe). **Prix (1993).** *Ascenseur : 1er ét. :* 17 F, *2e :* 34 F, *3e :* 51 F. *Escalier : 1er, 2e :* 8 F.

Suicides. 369 dont 2 rescapés selon la préfecture de Police et la presse, 349 selon la Sté de la tour Eiffel (il y aurait eu plus de 2 rescapés). *1er suicide :* 15-7-1898 par pendaison à une poutrelle. Février 1988 : André Guittard, 49 ans, tombe de 57 m (sa chute a été photographiée par un cameraman de la BBC se trouvant là par hasard).

Statut. La tour appartient à la Ville de Paris. Elle en concéda l'exploitation à la *Sté de la tour Eiffel* de 1889 à 1979 ; puis dep. le 1-1-1980 pour 25 ans, à la Sagi (Sté anonyme de gestion immobilière), d'économie mixte, qui gère 25 000 logements sociaux et construit de nombreux logements pour la Ville. La Sagi a constitué à cette fin la Sté nouvelle d'exploitation de la tour Eiffel (SNTE, Pt. : Bernard Rocher). *Capital :* Ville de Paris 30 %, Sagi (dont 40 % de son propre capital est lui-même détenu par la Ville de Paris) 70 %.

Chiffre d'affaires (millions de F). *1980 :* 47 (dont 6 de redevances versées à la ville) ; *85 :* 125 ; *86 :* 134 ; *87 :* 136 ; *88 :* 159 ; *89 :* 196 ; *90 :* 214 ; *91 :* 212 ; *92 :* 236 (TTC).

Tour Maine-Montparnasse (1973)

Ensemble immobilier de plus de *300 000 m² de planchers (1er en Europe) :* 103 000 m² de bureaux, 30 000 de commerces, 16 000 d'archives et de réserves, 100 000 m² de parties communes, 21 000 m² de locaux spéciaux, 1 850 emplacements de voitures ; comprenant : **1°) la Tour. Hauteur** 210 m, 58 niveaux plus une terrasse pour hélicoptères [52 de bureaux, 3 techniques (15e, 42e, 58e), 1 de boutiques, 1 restaurant panoramique et point de vue panor. (56e) (575 000 vis. en 1981, 750 000 en 1991), 1 de télécommunications (57e)]. **Étages :** hauteur de sol à sol 3,42 m ; surface 2 011 m² dont 1 750 utiles. **Ascenseurs :** 25 (les plus rapides : jusqu'à 6 m/s ; sommet atteint en 39 s), 2 monte-charge. **Sous-sols :** 6, restaurant interentreprises (5 000 repas/j), locaux pour équipements informatiques, centrales techniques (transformateurs, chauffage, compresseurs frigorifiques, groupes électrogènes). **Poids total :** 120 000 t. **Fondations :** 56 pieux ancrés à 70 m au-dessous du parvis, enjambant une ligne de métro. **Fenêtres :** 7 200. **Population :** 7 à 8 000 pers. (100 à 140 par ét. de bureaux). **2°) le Centre commercial** (2 grands magasins, 80 boutiques). **3°) le Centre sportif** (3 piscines, 14 pistes d'escrime). **4°) le Bâtiment cube** (Centre intern. du tertiaire de 12 ét. et 200 firmes). **5°) le Bât. longitudinal** (3 ét. dont 2 de bureaux).

Autres tours et immeubles

Puteaux 2 tours (prév. 1995) 158 m. **Défense 2 000** 134 (47 étages, 370 appartements ; immeuble d'habitation le + élevé d'Europe). **Courbevoie** tour des Poissons (1970) 128. **St-Denis** tour Pleyel (1973) 125. **Nanterre** préfect. des H.-de-S. (1973) 113. **Invalides** (1679-1706) 105. **Faculté des sciences** (1971) 90. **Immeuble Potin** rue de Flandres (1963-64) 89. **Panthéon** (1764) 83 (113 × 84,30 m). **Issy-les-Moulineaux** im. EDF (1974) 80. **Tour de la Cité de l'Air** 77. **Créteil** Hôtel de ville (1980) 75. **Caisse centrale du Crédit hôtelier** (1972) 67. **Maison de la radio** (1962) 63 (27 ét., couronne extér. 900 m de circonf. 36 m de haut). **B.A. 117, Cité de l'Air** (1971) 61. **Immeuble** 50, rue Corvisart (1967) 61 ; rue Croulebarbe (1958) 61. **Opéra** (1861-75) 54. **Centre Georges-Pompidou** (1977) 42.

Autres monuments

■ **Arc de Triomphe.** Élevé sur ordre de Napoléon Ier, à la gloire de la Grande Armée 1806-35. **Hauteur** 49,54 m, **largeur** 44,82 m, **épaiss.** 22,21 m. **Grand arc :** haut. 29,19 m, larg. 14,62 m ; **petits arcs :** haut. 16 m, larg. 8,44 m. **Hauts-reliefs :** 11,60 m (figures 5,85 m). **Fondations :** prof. 8,37 m. **Poids** 50 000 t ; 100 000 t (avec fondations), 4 408 m³ de pierre utilisés. **Coût :** 9 651 116 F dont sous l'Empire 3 200 714 F, Restauration 3 000 779 F, Louis-Philippe 3 449 623 F. **Construction :** *1806* 15-8 début des travaux. *1810* entrée solennelle de Napoléon et de Marie-Louise, un simulacre grandeur nature (en charpente et en toile) est élevé. *1811* mort de Chalgrin, Joust lui succède. *1813* l'arc atteint 19 m de haut. *1814* interruption des travaux. *1824* Louis XVIII (pour perpétuer le souvenir de l'armée des Pyrénées, après l'expédition d'Espagne) décide leur reprise (sur les plans de Chalgrin) sous la direction de Goult et Huyot. *1833-35* Blouet les achève. *1836* inauguration. **Sculpteurs :** Rude *le Départ* (1792), Cortot *le Triomphe* (1810), Étex *la Résistance* (1814) et *la Paix* (1815). Lemaire 4 bas-reliefs (3,75 m × 2 m), au-dessus de ces groupes. **Nomenclature 1836 :**

le Gal Baron Saint-Cyr Nugues propose une liste de 30 grandes batailles, 96 faits d'armes éclatants, 384 militaires. 656 noms sont retenus (il subsiste encore 3 inscriptions à réaliser) : 44 maréchaux de France et d'Empire, 442 G[aux] de division et lieutenants-généraux, 122 G[aux] de brigade et maréchaux de camp, 14 colonels et officiers, 26 amiraux et contre-amiraux, 5 intendants, 3 médecins et chirurgiens. **Couronnement provisoire :** *1838 : 29-7,* char à 6 chevaux conduit par la France ; *1840 :* au retour des cendres de Napoléon ; *1885 :* aux funérailles de Victor Hugo. *XIXe s. :* projets divers proposés : aigles, mappemondes, couronnes et symboles divers. **Pierres des façades :** des carrières de Chérence (près de Vétheuil) pour les personnages, et de Château-Landon (Loiret) pour aplats et modénatures géométriques. **Restauration (1988-89) :** *Coût :* 36 millions de F dont 22,5 versés par le ministère de la Culture, 2,5 par la Ville de Paris, 12,9 par l'Association nationale pour la restauration de l'Arc de triomphe (Pt : V. Giscard d'Estaing), et le reste par des particuliers.

■ **Arc du Carrousel** (1806-08). **Hauteur** 15 m. Construit en mémoire de la campagne de 1805. **Sommet** la Paix, conduite sur un char de triomphe (bronze, h. 3,50 m) par Bosio, remplace le char de Napoléon Ier tiré par les 4 chevaux en bronze doré de la basilique St-Marc de Venise (restitués en 1815). En 1987 on dégage 60 000 m² sous l'arc.

■ **Grande Arche de la Tête-Défense. Historique :** *1931 :* le département de la Seine lance un concours d'idées sur l'aménagement de l'axe allant de l'Étoile au rond-point de la Défense. *1958 :* création de l'Établissement public pour l'aménagement de la région de la Défense (EPAD). *1960 :* 1er plan massé autour d'une esplanade centrale dégagée. *1972-73 :* projet d'Émile Aillaud (2 immeubles miroirs fermant la perspective), projet de I.M. Pei (2 tours symétriques reliées par un volume parabolique libérant l'axe). *1979-80 :* projet de Jean Willerval retenu. *1981 :* reprise du projet et réalisation décidée par le Pt Mitterrand. *1982-83 :* concours international. 424 projets examinés par un jury international présidé par le directeur général de la Caisse des Dépôts, Robert Lion. Celui de l'architecte danois Johan Otto von Spreckelsen est retenu. Erik Reitzel sera l'ingénieur-conseil associé ; Paul Andreu, l'architecte de réalisation. *1984 :* création de la Sté d'économie mixte nationale Tête-Défense (*Pt :* Robert Lion, maître d'ouvrage, promoteur et constructeur). 27-2 permis de construire du « Cube » accordé. *1985* juillet début des travaux. 2 000 ouvriers. *1986* avril : suppression du CIC (Carrefour international de la communication) ; juillet : Spreckelsen confie la poursuite des travaux à Paul Andreu ; décembre : choix du projet de Jean-Pierre Buffi pour les zones nord et sud de la Grande Arche. *1987 : 16-3,* Spreckelsen meurt. *1989 :* achèvement et mise en exploitation mai ; inauguration de la Grande Arche juillet à l'occasion du Sommet des Sept. *1990 :* des bâtiments d'acier, de verre et de granit noir contenant 50 000 m² de bureaux *des Collines* de Jean-Pierre Buffi complètent le quartier de la Tête-Défense. **Architecture :** « mégastructure », au pas de 21 m, constituant l'ossature du bâtiment, 2 tours de côté (110 m de haut., 112 m de long. et 18,70 m de larg. abritant chacune 43 500 m² de bureaux sur 35 étages), reliées par : le toit (béton, largeur 70 m, longueur 112, à 100 m de hauteur, 30 000 t) et le socle (sur la hauteur des 3 premiers étages). Le cube évidé, réalisé en un seul bloc, solidarisé par ces mégastructures, sans joint de dilatation, repose sur 12 piles de 30 m de haut (8 centrales supportant 30 000 t chacune soit 3 fois le poids de la Tour Eiffel, 4 frontales supportant 15 000 t) prenant appui sur des joints de Néoprène (isolation des vibrations pouvant venir de l'autoroute et des voies ferrées traversant le site). Sous le socle du Cube, entre les piles, salle de 120 m de longueur, 70 m de largeur. *Dimensions globales :* Grande Arche 5,5 ha, 40 000 m² au sol, 331 000 m² de plancher dont 55 000 m² utiles. Côté 110,6 m, profondeur 74,6 m (la flèche de Notre-Dame tiendrait à l'intérieur) ; poids total 300 000 t. *Matériaux :* acier, marbres gris et blanc de Carrare, verre, aluminium. **Coût** (1991) : 3,7 milliards de F dont 5,7 % à la charge de l'État (215 millions de F). **Destination :** 1 ha de salles de réunions et conférences, un belvédère en plein air. 4 500 personnes y travaillent dans 87 000 m² de bureaux, Fondation Arche de la Fraternité ; min. de l'Urbanisme et du Logement. **Visiteurs** (1991) : 1 100 000.

■ **Colonne de Juillet.** Place de la Bastille (1831-40). Commémore la révolution de 1830. 1re pierre en 1831, inauguration 28-7-1840. Comprend 3 soubassements : 1er avançant dans la vasque de la fontaine de l'Éléphant (projetée par Alavoine) ; 2e 3,80 m de haut., 17 m de diam. ; 3e rectangle 2,70 m de haut., 8,50 m de larg. *Piédestal :* rectangulaire en bronze, haut. 7 m (principale décoration : le Lion de Juillet par Barye). *Fût :* base 16 m de circonf. composé de 21 tambours d'une seule pièce en bronze. *Chapiteau :* haut. 2,80 m en bronze coulé d'un seul jet (11 t). *Lanterne :* (haut. 6,50 m) surmontée d'une sphère de 1,50 m de diam. supportant le *Génie de la Liberté* en bronze doré par Dumont (haut. 4 m ; extrémité du flambeau 50 m au-dessus du sol). *Poids total de la col. :* 179 t. *Intérieur :* caveaux renfermant les restes des combattants de juillet (abriteraient aussi, selon Victorien Sardou, les restes des momies rapportées d'Égypte après l'expédition de Napoléon), escalier de 140 marches. *Coût :* 1 303 000 F dont statue 60 000 F, sculptures et modèles 63 000 F.

■ **Colonne de la Grande-Armée.** Place Vendôme (1806-10). Appelée c. d'Austerlitz, c. de la Victoire, c. de la Grande-Armée. *Hauteur totale* 43 m. *Soubassement* 0,48 m de haut (en pierre de taille : 90 m au-dessus du niveau de la mer). Sur le pilotis qui supportait la statue équestre de Louis XIV par Girardon. *Piédestal :* (5,67 m) en pierre de taille recouvert de plaques de bronze [378 pièces mobiles soutenues par 3 400 tenons, tasseaux, boulons libres (viendraient de 1 200 pièces de canon prises à l'ennemi)]. *Fût :* (haut. 27,50 m ; diam. 3,10 m), ordre dorique, décoré d'un bas-relief divisé en 76 parties (développement 280 m) évoquant les faits d'armes de la Grande Armée (entre 1805 et 1807), repose sur une base (1,84 m) surmontée aux 4 angles d'aigles en bronze attribués au sculpteur Renaud (poids 250 kg chacun). *Chapiteau :* (haut. 1,35 m) surmonté par un stylobate ou lanterne (3,89 m) portant la dédicace. *Statues* de Napoléon : 1re (1810) en bronze, de Chaudet (haut. 3,33 m), enlevée en 1814 et employée à la fonte du Henri IV placé sur le Pont-Neuf. 2e (1831) de Seurre (haut. 4 m) déposée 1863 (actuellement cour des Invalides, haut. 3,57 m). 3e de Dumont (Napoléon, vêtu à l'antique, portant une statuette de la Victoire). Renversées en 1871 (décret de la Commune), la colonne et la statue furent restaurées en 1875. (Le peintre Courbet, accusé d'être à l'origine de la destruction en 1871, fut condamné à payer la dépense, mais il se réfugia en Suisse pour échapper à la peine.) *Escalier :* 177 marches. *Poids total du bronze :* 251 ou 180 t selon certains. *Coût :* 1 983 023 F en 1810.

■ **Colonne de Catherine de Médicis** (v. 1575, adossée à la Bourse de Commerce) 31 m.

■ **Colonne de la place de la Nation** (1670-1843) 30,50 m.

■ **Églises. Sacré-Cœur de Montmartre :** en pierre blanche des carrières de Souppes (Château-Landon). *Style* romano-byzantin, architecte Abadie. *Dim.* intérieures 85 m × 35 m, longueur de la nef 60,50 m ; coupole, hauteur sous clef de voûte 55 m, diamètre 16 m, alt. de la croix du campanile 91 m. *Crypte :* hauteur 9 m, reproduit la disposition de l'église supérieure. *Fossé* entourant l'église, largeur 4 m, profondeur 8 m. *Coût total* 40 millions de F (projeté 7 millions de F) couvert par les souscriptions des fidèles. *Construction : 1875 : 16-5,* 1re pierre posée par le cardinal Guibert, *juin,* fondations. *1919 : 5-8,* consécration définitive (prévue 17-10-1914). **Notre-Dame** (XIIIe) : peut contenir 9 000 pers. dont 1 500 dans les tribunes. *Tours* 63 m. *Long.* 130 m. *Superf.* 5 955 m². *Haut. int.* transept 48 m. Flèche 81 m. Nef 35 m. **Sainte-Chapelle** (XIIIe s.) : *hauteur* 63 m.

■ **Obélisque. Concorde.** Obélisque de Louqsor (250 t) ; érigé en 1836 sur l'emplacement de la statue de Louis XV ; donné par le vice-roi d'Égypte, Méhémet-Ali. Avant, il était placé à Louqsor, à l'entrée du palais de Ramsès III. Formé d'un bloc de granit rose gravé de hiéroglyphes qui racontent les règnes de Ramsès II et Ramsès III. *Hauteur* totale 23 m dont socle 4 m (larg. 1,70 m).

■ **Portes. St-Denis** (1671-72). *Hauteur* 24 m. **St-Martin** (1674). *Hauteur* 18 m.

■ **Divers. Cheminée** du chauffage urbain (XVe arr., 1977), haut. 134 m. **Périscope** (83, av. d'Italie, XIIIe arr., 1969). **Rocher du zoo** de Paris (1934), haut. 70 m.

■ Province

(Pour les phares, voir Index.) **Ajaccio,** *tours des Salines* (1969) 64. **Amiens,** *cathédrale* (1204-60, tours achevées : 1366-1402) 134 (la plus vaste égl. médiévale, long. int. 133,50 m, transept 70 m, larg. nef 14,60 m, bas-côtés 8,65 m, haut. de la nef sous clef 42,30 m, superficie 7 760 m², volume 200 000 m³). *Tour Perret* (1952) 104. **Angers,** *tour St-Aubin* (XIIe) 54. *St-Maurice* (XIIe-XIIIe, reconstr. XVIe) 70-75. *Résidence des Hauts-d'Anjou* (1972) 48. *Immeuble* (1972) 100. **Arras,** *beffroi* (XVe-XVIe, reconstr. XXe) 75. *Tours St-Jean* (1970 et 75) 52. **Bayonne,** *cath.* (XIIIe-XVe ; XIXe) 80. **Beauvais,** *St-Pierre* (1568-73) 153.

Longueurs des nefs

Lourdes, basilique St-Pie-X (1958) 201 [6 m sous terre, larg. 81 m, pouvant contenir 20 000 pers. ; la plus vaste église après St-Pierre de Rome]. **Cluny** (1088-1130) (voûte h. 38 m) 198. **Amiens** (XIIIe) 145. **Marseille** (cath. 1852-96) 139. **Reims** (fin XVe) cath. 139. **Rouen,** St-Ouen (1318-1851) 138. Cath. (XIIe-XVIe) 136. **Paris,** Notre-Dame (XIIIe) 130. **Reims,** abbatiale St-Remi (XIe-XIIe) 126. **Bourges,** (1200-60) (haut. de la voûte 37 m) 124 (tour Sourde 58 m, de Beurre 68 m). **Vézelay** (milieu XIIe) 120. **Nantes,** cath. St-Pierre (XVe-XVIe-XVIIe) 102 (larg. 32 m, haut. 37,50 m). **Langres,** St-Mammès (XIIe) 91. **Bordeaux,** St-Michel (XIVe-XVe-XVIe) 72. **Dole** (XVIe) 58.

Bordeaux, *tour St-Michel* (1492, flèche ref. 1865) 114 avec la croix. *Tour de la Cité admin.* (1968) 90. *Cath. St-André* (XIIIe-XVe s.), haut. des flèches 85 [long. ext. 149,17 m ; larg. 61,25 m au transept (int. 49,45 m) ; haut. sous voûte 37,95 m ; surface 6 650 m²]. *Clocher « tour Pey-Berland »* (1440) 48. *Colonne des Girondins* 43. *Gare St-Jean (grande marquise)* (1888-1902) 26. *Parc des Expositions* (1969) (Hall, 861 × 60 m, 5,1 ha) 12. **Boulogne,** *N.-Dame* (1866) 86. *Colonne de la Gde-Armée* (1841) 54. *Tour HLM* (1973) 50. *Beffroi* 35. **Calais,** *beffroi* de l'hôtel de ville (1923) 75. *Phare* (1848) 58. **Cambrai,** *St-Géry* (XVIIIe) 73. *Beffroi* (tour ancienne égl. St-Martin, XVIIIe) 62,5. **Chartres,** *N.-Dame* (XIIe-XIIIe) 130 [larg. 32 m au niveau des clochers, 46 m aux portes latérales, long. de la nef (du portail à la grille du chœur) 73 m, long. 16,40 m (7 travées), haut. (au transept) 36 m, transept long. 64,30 m (d'un trumeau à l'autre), chœur long. 38,34 m, roses diam. 1,336 m, superficie (intérieure) totale 5 800 m²]. *Cathédrale* (XVIe) 115. **Chinon,** *enceinte* EDF (1956) 55. **Colombey,** *mémorial De-Gaulle* (1972) 43 (granit ; 1 500 t, envergure max. 19,16 m). **Dijon,** *cath. St-Bénigne* (XIIIe, flèche ref. 1894) 92,6. *Tour Philippe-le-Bon* (XIVe-XVe) 42,55. **Dole,** *N.-Dame* (XVIe) 74. **Grenoble,** *tours Ile-Verte* (1966) 106. *Tour Perret* (1925) 87. **Le Havre,** *chem. EDF* (1958) 240. *St-Joseph* (XXe) 105. *Tour hôtel de ville* (1958) 73. **Le Mans,** *tour Émeraude* (1976, acrotère) 55,50. *Cath.* (XIe-XVe s.) 34. **Lille,** *beffroi* (1925-33, inaug. 1932) 103,39 (mesuré par satellite le 15-5-1989). *Sacré-Cœur* (1878-98) 81. *Cité administrative* (1959) 76. *Bourse,* clocheton (v. 1900) 69. *St-Maurice* (XIVe-XIXe) 67. *Tour Marcel-Bertrand* (1963) 63. **Limoges,** *St-Michel-des-Lions* (1373) 65. *Cath.* (XIIIe-XIVe) 62. *Gare* (XIXe) 57. **Lyon,** *tour Crédit Lyonnais* (1977) 165, *panoramique* (1972) 100, *métall. de Fourvière* (1894) 80. *Centre international de recherche sur le cancer* (1972) 72. *Tour de l'UAP* (1972) 71. *Cheminée usine* ordures ménagères (1962) 70. *Hôtel-Dieu* (grand dôme) (XVIIIe) 59. *Beffroi* (1702) 50. **Marseille,** *Grand Pavois* (1973) 90. *Méditerranée* (1970) 80. *Cath. de la Major* (1852-96) 80. *Imm. chemin Joseph-Aiguier* 75. *Tour parc Sévigné* (1956) 72. *Imm. Le Corbusier* (1951) 72. *N.-D.-de-la-Garde* (1864) 72. *St-Vincent-de-Paul* (Les Réformés, 1855) 71. *Super Rouvière* (1968) 60. *Tours du Roy d'Esp.* (1972) 60. *Brasilia* (1960) 55. *St-Georges* (1958) 55. *Building du Pharo* (1955) 50. *Square de la Bourse* (1958) 50. *Imm. chemin de Gibbes* 50. **Metz,** *Temple Neuf* (1880) 96,20. *Cath.* (XIIIe-XVIe, nef) 41,83. *Tour de Mutte* (beffroi XVe) 88, *tour Ste-Barbe* (1959) 62,48, *t. rue des Marronniers* à St-Julien/Vallières (1972) 55,06, *t. Coislin* (1965) 52,70. *St-Vincent* (XIIIe) haut. tours 46. **Moulins,** *cath.* (XIXe) 95. *Tour de l'Horloge* ou Jacquemart (XVe) 45. **Mulhouse,** *tour de l'Eur.* (1972) 28 ét. 106. **Nancy,** *tour Thiers-Frantel* (1975) 90. **Nantes,** *tour Bretagne* (1975) 100. *Imm. des Aff. étrangères* (1969) 75. **Orléans,** *cath. Ste-Croix,* tours 81,64. **Reims,** *cath.* (XIIIe-XVe) 83 [long. ext. 149,17 m ; larg. 61,25 m au transept (int. 49,45 m) ; haut. sous voûte 37,95 m ; surface 6 650 m²]. **Rodez,** *cath.* (XVIe) 87 [long. 107 m, larg. 36 m, haut. (au transept) 30 m]. **Rouen,** *cath.* (XIIIe), flèche refaite en 1823 (remplaçant la tour du transept détruite par la foudre en 1822) 151 [tour St-Romain (gauche) 75 m, t. de Beurre (droite) 77 m ; nef : 136 m de long ; 51,60 m de larg. au transept ; 28 m de haut.]. *Tour des Archives* (1965) 85. *St-Ouen* (XIVe) 82 [nef : long. 138 m, haut. 32,50 m (42 m au transept). La tour est terminée par une plate-forme à clochetons dite la Couronne de Normandie. Portail refait XIXe s.]. **Strasbourg,** *cath.* (1420-39) 141 (nef et façade : XIe, XIIIe s.), long. 110 m, larg. 41 m. *Institut de chimie* (1965) 69. *Tour « Schwab »* cité de l'Ill (1961) 55. *Imm. « Porte de France »* (1972) 50. **Tours,** *basilique St-Martin* (achev. 1902), dôme 51 + statue de St-Martin (h. 4,25 m, 1 692 kg). *Cath. St-Gatien,* tours 69 et 70 m. **Troyes,** *cath.* (1208-1638) 66. **Tulle,** *tour PLM* Brigouleix (1973) 101. *Cath.* (XIIe-XIVe) 71 [subsistent un porche et la nef à 6 travées (transept et chœur détruits en 1793)]. **Valenciennes,** *N.-D.-du-St-Cordon* (1852-65) 82.

ARCHITECTES ET URBANISTES

FRANÇAIS

NÉS ENTRE 1400 ET 1700

ANDROUET DU CERCEAU, Jacques Ier (v. 1510-85). Jacques II (v. 1550-1614). Jean Ier (1585-1649).
AUBERT, Jean († 1741).
BACHELIER, Nicolas (v. 1487-1556).
BIART, Colin (1460-après 1515).
BLONDEL, Nicolas-Fr. (1617-86).
BOFFRAND, Germain (1667-1754).
BROSSE, Salomon de (v. 1565/70-1626).
BRUANT, Libéral (v. 1635-97).
BULLANT, Jean (v. 1515-78).
BULLET, Pierre (v. 1639-1716).
CHAMBIGES, Pierre Ier († 1544).
CHÂTILLON, Claude de (1547-1615).
CONTANT D'IVRY, Pierre (1698-1777).
COQUEAU, Jacques († 1569).
COTTE, Robert de (1656-1735).
COURTONNE, Jean (1671-1739).
CUVILLIÉS, François de (1695-1768).
DELAMAIR, Pierre Alexis (1676-1745).
DELORME, Philibert (v. 1510-70).
FAIN, Pierre (trav. vers 1501-08).
GABRIEL, Jacques-Ange (1698-1782).
GABRIEL, Jacques-Jules (1667-1742).
HARDOUIN-MANSART, Jules (1646-1708).
LASSURANCE, (Pierre Cailleteau, dit) (1655-1724).
LEMERCIER, Jacques (vers 1585-1654).
LE MUET, Pierre (1591-1669).
LEPAUTRE, Antoine (1621-91).
LESCOT, Pierre (1510-78).
LE VAU, Louis (1612-70).
MANSART, François (1598-1666).
MARTELLANGE, (Ange-Martel, dit), Père Étienne (1569-1661).
MÉTEZEAU, Clément I (XVIe s.). Louis (v. 1560-1615). Clément II (1581-1652).
MOLLET, Armand-Claude (1670-1742).
ORBAY, François d' (1634-97).
PERRAULT, Claude (1613-88).
SAMBIN, Hugues (1518-1601).
SERVANDONI, Jean-Jérôme (1695-1766).
SOURDEAU, Jacques († en 1524).

NÉS ENTRE 1700 ET 1800

ANTOINE, Jacques-Denis (1733-1801).
BÉLANGER, François-Joseph (1745-1818).
BOULLÉE, Étienne-Louis (1728-99).
BRONGNIART, Alexandre-Théodore (1739-1813).
CHALGRIN, Jean-Fr. (1739-1811).
CHERPITEL, Mathurin (1736-1809).
CLÉRISSEAU, Charles-Louis (1722-1820).
DUBAN, Félix (1797-1870).
FONTAINE, Pierre-Fr. (1762-1853).
FROELICHER, Joseph-Antoine (1790-1866).
GAU, François-Chrétien (1790-1853), or. all.
GONDOIN, Jacques (1737-1818).
GRISART, Victor (1797-1877).
HÉRÉ DE CORNY, Emmanuel (1705-63).
HITTORFF, Jacques (1792-1867).
JARDIN, Nicolas (1720-99).
LEBAS, Hippolyte (1782-1867).
LEDOUX, Claude-Nicolas (1736-1806).
LELONG, Paul (1799-1846).
LEPÈRE, Charles (1761-1844).
LOUIS, Victor (1731-92).
MANSART DE JOUY, Jean (1706-59).
MANSART DE SAGONNE, Jacques (1709-76).
MIQUE, Richard (1728-94).
PATTE, Pierre (1723-1812).
PERCIER, Charles (1764-1838).
PEYRE, Marie-Joseph (1730-85).
POTAIN, Nicolas Marie (1719-93).
RONDELET, J.-Bapt. (1743-1829).
ROUSSEAU, Pierre (1751-1829).
SOUFFLOT, Germain (1713-80).
TAVERNIER, Antoine (1796-1870).
VALLIN DE LA MOTHE, Jean-Baptiste (1728-1800).
VIGNON, Pierre Alex. (1763-1828).
VISCONTI, Louis (1791-1853).
WAILLY, Charles de (1730-98).

NÉS ENTRE 1800 ET 1900

ABADIE, Paul (1812-84).
AUSCHER, Paul (1866-1932).
BALLU, Théodore (1817-85).
BALTARD, Victor (1805-74).
BAUDOT, Anatole de (1834-1915).
BEAUDOIN, Eugène (1898-1983).
BINET, René (1866-1911).
BISSUEL, Édouard (1840).
BLONDEL, Henri (1821-97).
BODIANSKY, Vladimir (1894-1966).
BOILEAU, Louis-Auguste (1812-96).
BOILEAU, Louis-Charles (1837-1910).
CARLU, Jacques (1890-1976).
CHANUT, Ferdinand (1872-1948).
CHAREAU, Pierre (1883-1950).
CHEDANNE, Georges (1861-1940).
CHEVAL, Ferdinand (1836-1924).
COIGNET, Edmond (1856-1915).
DAVIOUD, Gabriel (1823-81).
DEBRIE, Georges (1856-1909).
DEGLANE, Henri (1855-1931).
DUBOIS, Henry (1882-1900).
DUC, Joseph-Louis (1802-79).
DUTERT, Ferdinand (1845-1906).
EIFFEL, Gustave (1832-1923).
ESPÉRANDIEU, Henri-Jacques (1829-74).
FAURE-DUJARRIC, Louis (1875-1943).
FREYSSINET, Eugène (1879-1962).
GARNIER, Charles (1825-99).
GARNIER, Tony (1869-1948).
GIRAULT, Charles (1851-1932).
GUADET, Jules (1834-1908).
GUIMARD, Hector (1867-1942).
GUSTAVE, P. (1876-1952).
GUTTON, Henri (1874-1963).
HAUSSMANN, Eugène, baron (1809-91).
HENNEBIQUE, François (1842-1921).
HERMANT, Jacques (1855-1930).
HOREAU, Hector (1801-72).
HORNECKER, Joseph (1873-1942).
JEANNERET, Pierre (1895-1967).
JOURDAIN, Frantz (1847-1935).
LABROUSTE, Henri (1801-75).
LALOUX, Victor (1850-1937).
LAPLANCHE, Alexandre (1839-1910).
LAPRADE, Albert (1883-1978).
LAVIROTTE, Jules (1864-1924).
LE CORBUSIER, (Charles-Édouard Jeanneret, dit) (1887-1965), orig. suisse.
LEFUEL, Hector (1810-81).
LE MARESQUIER, Charles (1870-1972).
LENOIR, Victor (1805-63).
LE RICOLAIS, Robert (1894-1977).
LODS, Marcel (1891-1978).
LURÇAT, André (1894-1970).
MALLET-STEVENS, Robert (1886-1945).
NELSON, Paul (1895-1979).
NÉNOT, Paul (1853-1934).
PATOUT, Pierre (1879-1965).
PERRET, Auguste (1874-1954).
PERRET, Claude (1880-1960).
PERRET, Gustave (1876-1952).
PINGUSSON, Henri-Georges (1894-1978).
RIVES, Gustave (1858).
ROUX-SPITZ, Michel (1888-1957).
ROY, Auguste, Léon (1873).
SAUVAGE, Henri (1873-1932).
SÉDILLE, Paul (1836-1900).
SUE, Louis (1875-1968).
THIAC, Joseph-Adolphe (1800-65).
VAUDOYER, Léon (1803-72).
VAUDREMER, Joseph (1829-1914).
VIOLLET-LE-DUC, Eugène (1814-79).
WALTER, Jean (1883-1957).
WEISSENBURGER, Lucien (1860-1929).

NÉS APRÈS 1900

AILLAUD, Émile (1902-88).
ANDRAULT, Michel (1926).
ANDREU, Paul (1938).
ARRETCHE, Louis-Gérard (1905).
AUZELLE, Robert (1913-83).
BADANI, Daniel (1914).
BALLADUR, Jean (1924).
BELMONT, Joseph (1928).
BERNARD, Henry (1912).
CALSAT, Henri (1905).
CANDILIS, Georges (Bakou, 1913).
CASTRO, Roland (1941).
CHEMETOV, Paul (1928).
CIRIANI, Henri (1936).
CONNEHAYE, Jean (1924).
CORNETTE, Benoît (1953).
COUËLLE, Jacques (1902).
DECQ, Odile (1955).
DUBUISSON, Jean (1914).
DUFAU, Pierre (1908-85).
DUFETEL, Pierre-André (1922).
FAINSILBER, Adrien (1932).
FAUGERON, Jean (1915-83).
GAUDIN, Henri (1933).
GILLET, Guillaume (1912-87).
GIRARD, Édith (1949).
GRANDVAL, Gérard (1930).
GRUMBACH, Antoine (1942).
HOYME DE MARIEN, Louis (1920).
LABRO, Jacques (1935).
LAGNEAU, Guy (1915).
LANGLOIS, Christian (1924).
LARGE, Pierre (1929).
LOPEZ, Raymond (1904-66).
MAILLY, Jean de (1911-75).
MATHÉ, Henri (1905-79).
MAYMONT, Paul (1926).
MONGE, Jean (1916).
NOUVEL, Jean (1945).
NOVARINA, Maurice (1907).
PARAT, Pierre (1928).
PARENT, Claude (1923).
PERRAULT, Dominique (1953).
PORTZAMPARC, Christian de (1944).
POTTIER, Henry (1912).
POUILLON, Fernand (1912-86).
PROUVÉ, Jean (1901-84).
SPOERRY, François (1912).
STARCK, Philippe (1949).
STARKIER, Jacques (1927).
SUE, Olivier (1915).
STERN, André (1938).
TAILLIBERT, Roger (1926).
THURNAUER.
UTUDJIAN, Martin (1911).
VAGO, Pierre (1910), orig. hongr.
VICARIOT, Henry (1910-86).
VIGNERON, Pierre (1932).
WILLERVAL, Jean (1924).
WOGENSCKY, André (1916).
ZEHRFUSS, Bernard (1911).

ÉTRANGERS

Nota. – (1) Italien. (2) Espagnol. (3) Britannique. (4) Allemand. (5) Autrichien. (6) Finlandais. (7) Néerlandais. (8) Belge. (9) Hongrois. (10) Suédois. (11) Russe. (12) Brésilien. (13) Américain. (14) Égyptien. (15) Danois. (16) Australien. (17) Norvégien. (18) Suisse. (19) Japonais. (20) Grec. (21) Argentin. (22) Sud-Africain. (23) Irakien. (24) Luxembourgeois. (25) Polonais. (26) Zambien.

NÉS AVANT 1800

BERNIN, Gian-Lorenzo Bernini, dit le (1598-1680) [1].
BORROMINI, Francesco Castelli, dit (1599-1667) [1].
BRAMANTE, Donato d'Angelo Lazarri, dit (1444-1514) [1].
BRUNELLESCHI, Filippo (1377-1446) [1].
CORTONA, Domenico da, dit le Boccador († 1549) [1].
CORTONA, Pietro Berretini da (1596-1669) [1].
FISCHER VON ERLACH, Johann-Bernhard (1656-1723) [5].
HERRERA, Juan-Bautista (1530-97) [2].
HILDEBRANDT, Johann Lukas von (1668-1745) [4].
JONES, Inigo (1573-1652) [3].
MADERNA, Carlo (1556-1629) [1].
MICHEL-ANGE, Michelangelo Buonarroti (1475-1564) [1].
NASH, John (1752-1835) [3].
NEUMANN, Johann Balthazar (1687-1753) [4].
PALLADIO, Andrea (1508-80) [1].
RASTRELLI, Bartolomeo (1700-71) [1].
WREN, Sir Christopher (1632-1723) [3].

NÉS DEPUIS 1800

AALTO, Alvar (1898-1976) [6].
ADAM, Robert (1948) [3].
ALBINI, Franco (1905-77) [1].
AMBASZ, Emilio (1943) [21].
ANDO, Tadao (1941) [19].
ANDREWS, John Hamilton (1933) [16].
ARNEBERG, Arnstein (1882-1961) [17].
ASPLUND, Erik-Gunnar (1885-1940) [10].
BAKEMA, Jacob Berend (1914-81) [7].
BAKER, Herbert (1862-1946) [3] (Afrique du Sud).
BARTNING, Otto (1883-1959) [4].
BEHNISCH, Günter (1922) [4].
BEHRENS, Peter (1868-1940) [4].
BELLUSCHI, Pietro (1899) [13].
BERG, Max (1870-1947) [4].
BERLAGE, Hendrick Petrus (1856-1934) [7].
BLOMSTEDT, Aulis (1906-79) [6].
BOEHM, Dominikus (1880-1955) [4].
BOEHM, Gottfried (1920) [4].
BOFILL, Ricardo (1939) [2] (Catalan).
BOHIGAS GUARDIOLA ORIOL (1925) [2].
BOTTA, Mario (1943) [18].
BOURGEOIS, Victor (1897-1962) [8].
BOYD, Robin (1919-71) [16].
BREUER, Marcel (1902-81) [9].
BRYGGMAN, Erik (1891-1955) [6].
CANDELA, Félix (1910) [2].
CELSING, Peter (1920-74) [10].
CHTCHOUSSEV, Alexeï (1873-1949) [11].
COATES, Nigel (1949) [3].
CODERCH DE SENTMENAT, José A. (1913-84) [2].
COSTA, Lúcio (1902, Toulon) [12].
COX, Philip Sutton (1933) [16].
CUYPERS, P.J.H. (1827-1921) [7].
DE CARLO, Giancarlo (1919) [1].
DIXON, Jeremy (1939) [3].
DOMENECH I MONTANER, Luis (1850-1923) [2].
DUDOK, Willem Marinus (1884-1974) [7].
EAMES, Charles (1907-78) [13].
EIERMANN, Egon (1904-70) [4].
EISENMAN, Peter (1932) [13].
EKELUND, Hilding (1893-1984) [6].
ERSKINE, Ralph (1914) [3].
ERVI, Aarne (1910-77) [6].
FARREL, Terry (1938) [3].
FATHY, Hassan (1900-89) [14].
FEHN, Sverre (1924) [17].
FOSTER, Norman (1935) [3].
FRIEDMAN, Yona (1923) [9].
FRIIS, Knud (1926) [15].
FULLER, Richard Buckminster (1895-1983) [13].
GAUDI I CORNET, Antoni (1852-1926) [2] (Catalan).
GEHRY, Frank O. (1929) [13].
GERBER, Adolphos (1866) [20].
GIURGOLA, Romaldo (1920) [13].
GOFF, Bruce (1904-82) [13].
GOWAN, James (1924) [3].
GRAVES, Michael (1934) [13].
GREENBERG, Allan (1938) [22].
GROPIUS, Walter (1883-1969) [4].
GROUNDS, Roy Burman (1905) [16].
GULLICHSEN, Kristian (1932) [6].
HADID, Zaha (1950) [23].
HANKAR, Paul (1859-1901) [8].
HÄRING, Hugo (1882-1952) [4].
HARRISON, Wallace K. (1895-1981) [13].
HASEGAWA, Itsuko (1941) [19].
HOFFMANN, Josef (1870-1956) [8].
HOLLEIN, Hans (1934) [5].
HOLSCHER, Knud (1930) [15].
HOPKINS, Michael (1935) [3].
HORTA, Victor, baron (1861-1947) [8].
HUNT, Richard Morris (1827-95) [13].
ISOZAKI, Arata (1931) [19].
ITO, Toyo (1941) [19].
JACOBSEN, Arne (1902-71) [15].
JACQMAIN, André (1921) [8].
JAHN, Helmut (1940) [4].
JOHNSON, Philip (1906) [13].
KAHN, Albert (1869-1942) [4].
KAHN, Louis (Eston, 1901-74) [13].
KAIRAMO, Erkki (1936) [6].
KONINCK, Louis-Herman De (1896-1984) [8].
KOOLHAAS, Rem (1944) [7].
KRIER, Léon (1946) [24].
KROLL, Lucien (1927) [8].
KUROKAWA, Kisho (1934) [19].
LARSEN, Henning (1925) [15].
LEIVISKÄ, Juha (1936) [6].
LIBESKIND, Daniel (1946) [25].

Loos, Adolf (1870-1933) [5].
Lund, Kjell (1927) [17].
Lutyens, Sir Edwin Landseer (1869-1944) [3].
Mackintosh, Charles (1868-1928) [3].
Maillart, Robert (1872-1940) [18].
Maki, Fumihiko (1928) [19].
Markelius, Sven (1889-1972) [10].
May, Ernst (1886-1970) [3].
Maybeck, Bernard (1862-1957) [13].
Mayne, Tom (1944) [13].
Meier, Richard (1934) [13].
Mendelsohn, Erich (1887-1953) [4].
Michelucci, Giovanni (1891-1990) [1].
Mies van der Rohe, Ludwig (1886-1969) [13] (or. allemande).
Moller, C.F. (1857-1933) [15].
Moltke Nielsen, Elmer (1924) [15].
Morandi, Riccardo (1902-89) [1].
Moretti, Luigi (1907-73) [1].
Murcutt, Glenn Marcus (1936) [16].
Nervi, Pier Luigi (1891-1979) [1].
Neutra, Richard Joseph (1892-1970) [13] (or. autrichienne).
Niemeyer, Oscar (1907) [12].
Norberg-Schulz, Christian (1926) [17].
Ostberg, Ragnar (1866-1945) [10].
Otto, Frei (1925) [4].
Oud, Jacobus Johannes Pieter (1890-1963) [7].
Palatio, Alberto de (1856-1939) [2].
Paxton, Sir Joseph (1801-65) [3].
Pei, Ieoh Ming (1917, or. chinoise) [13].
Peichl, Gustav (1928) [5].
Pelli, Cesar (1926) [21].
Piano, Renzo (1937) [1].
Pietilä, Reima (1923) [6].
Pompe, Antoine (1873) [8].
Ponti, Gio (1891-1979) [1].
Porphyrios, Demetri (1949) [20].
Poulsson, Magnus (1881-1958) [17].
Prix, Wolf (1942) [5].
Rauch, John (1930) [13].
Revell, Viljo (1910-64) [6].
Rietveld, Gerrit-Thomas (1888-1964) [7].
Rogers, Richard (1933) [3].
Root, John Wellborn (1850-91) [13].
Rossi, Aldo (1931) [1].
Rotondi, Michael (1949) [13].
Ruusuvuori, Aarno (1925-92) [6].
Saarinen, Eero (1910-61) [6].
Saarinen, Eliel (1873-1950) [6].
Samyn, Philippe (1948) [8].
Sant'Elia, Antonio (1886-1916) [1].
Scarpa, Carlo (1906-78) [1].
Scharoun, Hans (1893-1972) [4].
Schattner, Karljosef (1924) [4].
Schindler, Rudolf (1887-1953) [5].
Schwanzer, Karl (1918-75) [5].
Scott-Brown, Denise (1930) [26].
Seidler, Harry (Autr., 1923) [16].
Sert, José Luis (1902-83) [2].
Shinohara, Kazuo (1925) [13].
Siren, Heikki (1918) [6].
Skidmore, Louis (1897-1962) [13].
Slaatto, Nils (1923) [17].
Speer, Albert (1905-81) [4].
Stein, Clarence S. (1882-1975) [13].
Stern, Robert (1939) [13].
Stirling, James (1926) [3].
Sullivan, Louis Henry (1856-1924) [13].
Suomalainen, Timo (1928) [6].
Suomalainen, Tuomo (1931-88) [6].
Swiczinsky, Helmut (1944) [5].
Takamatsu, Shin (1948) [19].
Tange, Kenzo (1913) [19].
Tatline, Vladimir (1885-1953) [11].
Taut, Bruno (1880-1938) [4].
Terragni, Giuseppe (1904-43) [1].
Terry, Quinlan (1937) [3].
Tschumi, Bernard (1944) [18].
Tschumi, Jean (1904-62) [12].
Ungers, Oswald Matthias (1926) [4].
Utzon, Jorn (1918) [15].
Vandenhove, Charles (1927) [8].
Van den Broek, Johannes Hendrik (1898-1978) [7].
Van der Vlugt, Leendert Cornelis (1894-1936) [7].
Van de Velde, Henry (1863-1957) [8].
Van Eesteren, Cornelis (1897-1988) [7].
Van Eyck, Aldo Ernest (1918) [7].
Van Neck, Joseph (1880-1959) [8].
Venturi, Robert (1925) [13].
Vesnine, Alexandre (1883-1959) [11].
Vesnine, Léonid (1880-1933) [11].
Vesnine, Victor (1882-1950) [11].
Vigano, Vittoriano (1919) [1].
Wagner, Otto (1841-1918) [5].
Wines, James (1932) [13].
Wright, Frank Lloyd (1867-1959) [13].
Wurster, William W. (1895-1973) [13].
Yamasaki, Minoru (1912-86) [13].
Zevi, Bruno (1918) [1].

DESSIN, PEINTURE, SCULPTURE

DESSIN

TECHNIQUE

MATÉRIAUX

■ **Solides. Craie.** Utilisation courante au XVIe s. Généralisée au XVIIe s. Servait de rehaut aux dessins à la pierre noire ou à la sanguine. **Crayons.** XVIIIe s., *2 crayons* sur papiers teintés (noir et blanc), puis *3 crayons,* noir, blanc et sanguine (ocre rouge, oxyde de fer, cinabre) ou bistre (terre ocre, ocre jaune, suie). XIXe et XXe s., *2 et 3 crayons :* Prud'hon, Chaplin, Chéret, *crayons de toutes couleurs :* Sisley, Mucha, Rouveyre, Ibels, Picasso. **Crayon Conté :** argile mêlée de graphite pulvérisé et cuit. Créé en 1794 après arrêt de l'importation de graphite du Cumberland (G.-B.).

Fusain (baguette de charbon de bois). Difficile à fixer. Peu d'avant le XVIIe s. bien conservés.

Mine de plomb. En réalité crayon de graphite [gisements découverts en 1654 dans le Cumberland (G.-B.)]. Remplacée fin XVIIIe s. par le crayon de plombagine artificiel [mélange d'argile et de graphite pulvérisé, créé par le Français Nicolas-Jacques Conté (1755-1805)]. En vogue au XIXe s.

Pastel. Pâte faite de terre blanche, colorants et gomme arabique diluée dans de l'eau, puis séchée. *1499* Jean Perréal, venu à Milan avec Louis XII, révèle cette technique à Léonard de Vinci. *1665* Nicolas Dumonstier donne le 1er un pastel comme morceau de réception à l'Académie. XVIIIe s., procédé de fixation mis au point par Maurice Quentin de La Tour et Loriot. Rosalba Carriera est à l'origine de la grande vogue. XIXe s., Boudin, Pissarro, Guillaumin, Mary Cassatt, Degas l'utilisèrent. Actuellement délaissé.

Pierres. *Pierre noire* ou *pierre d'Italie* (schiste argileux à grain serré) : apparaît fin XVe s. Une pierre noire « artificielle » (mélange d'argile et de noir de fumée) la remplace peu à peu au XVIIe s. *Sanguine* (argile ferrugineuse, du rouge clair au violacé : « sanguine brûlée ») : employée comme couleur, puis, fin XVe s., utilisée pour le tracé du trait. A la mode au XVIIIe s., délaissée début XIXe s.

Pointes de métal. Or, argent, cuivre ou surtout plomb, les autres métaux nécessitant une préparation spéciale du support. L'École de la Loire, au XVe s., utilisa la pointe d'argent. Remplacées au XVIe s. par la pierre d'Italie.

■ **Liquides. Bistre.** Suie de cheminée broyée et dissoute dans du vinaigre, portée à ébullition puis additionnée de gomme arabique. Du brun noir au blond clair. Employé XIVe s. Remplacé XIXe s. par la sépia.

■ **Encre de Chine.** Composée de noir de fumée, gélatine et camphre. Au Moyen Age, fabriquée à partir de noir de fumée de chandelles dissoutes dans de l'eau gommée. Utilisée à partir du XVIe s. pour les lavis.

Encre de noix de galle. Décoction de noix de galle, sulfate de fer, gomme arabique ou huile de térébenthine. En vieillissant, tourne au brun ou au jaune et brûle le papier.

Lavis. Dilution d'encre, étalée avec un pinceau. Appelé *lavis d'encre* s'il va du noir à la sépia (couleur brune), *en camaïeu* s'il réalise toutes les tonalités et les intensités d'une autre couleur. Utilisé notamment au XVIIe s. : Adam Pyjnacker, Puget (sur vélin ou parchemin) ; au XIXe s. : Harpignies (petits paysages). *Dans le lavis,* le trait est en général tracé à la plume ou au crayon et le colorant est étalé au pinceau. Au XIXe s., les plumes de métal (dont la plume-baïonnette) remplacèrent les plumes animales et les tiges végétales (roseau, bambou).

Sépia. Dep. le XVIe s. : vessie de seiche, brun.

SUPPORTS DU DESSIN

Les plus anciens dessins sont sur parchemin ou tablettes de buis. Le *papier* apparut au XIe s., en Espagne et en Italie. Les papiers fabriqués mécaniquement (à partir de 1798 environ) se reconnaissent par la netteté et l'absence de vergeures et de pontuseaux (lignes claires laissées dans le papier par la trame de fils de métal destinée à retenir la pâte). Certains dessins sont sur des fonds teintés, préparés spécialement (ex. : pour le tracé à la pointe d'argent) ou passés au lavis *(l'aquarelle).* Dès la fin du XVe s., on fabriqua à Venise du papier teinté dans la pâte (bleu, gris ou chamois).

☞ **Inscriptions latines.** *Delineavit :* a dessiné, *pinxit :* a peint, *fec. (fecit) :* a gravé, *inv. (invenit) :* a créé, *sculpsit :* a gravé.

PRIX

ÉLÉMENTS DU PRIX

En premier lieu, *qualité* du dessin et *état* de conservation (un dessin estompé ou passé perd de son intérêt) ; puis *notoriété* de l'artiste, *signature,* degré de *finition, sujet* (par ordre : scène d'extérieur à plusieurs personnages, portrait de femme, scène d'intérieur, paysages animés, portrait d'homme, dessin d'architecture, dessin préparatoire à une œuvre peinte ou gravée), *couleurs.*

Nota. – Des faussaires « corrigent » les dessins : des vieilles femmes deviennent des jeunes femmes.

DESSINS LES PLUS CHERS DU MONDE

Vente de gré à gré. *La Vierge, l'Enfant avec St Jean Baptiste et Ste Anne* (139 × 101 cm), de Léonard de Vinci, vendu par la Burlington Academy, acheté par la National Gallery, en privé après souscription, 10 000 000 de F (800 000 £) en 1962.

Ventes publiques. *Étude de nu, Cléopâtre,* de Rembrandt : 3 150 000 F (7-7-1981). *Tête* à la pierre noire de Raphaël : 38 000 000 de F (3-7-1984, Christie's à Londres).

Au centimètre carré. *Griffonnage* (2,5 cm²) de Léonard de Vinci 24 000 000 F (nov. 1986, New York).

COTE (EN MILLIERS DE F)

Sources : Annuaire des cotes 1993, Grand Livre des Ventes aux enchères 1992, Review of the Season (Christie's) 1992. Connaissance des Arts, Gazette de l'Hôtel Drouot. *Légende :* aq. aquarelle.

Alt (R. von) jusqu'à 372,4. *Arpin (cavalier d')* 357,5 (1991). *Bakst* 1,2 à 749 (1989). *Baldung Grien* 4,2 à 800 (1981). *Barbieri (G.F.)* 3 à 947,1 (1991). *Barlach (E.)* 1 à 304 (1991). *Barocci (F.F.)* 15 à 1 230 (1989). *Bartolomeo (Fra)* 342 (1992). *Bastien-Lepage (J.)* 0,6, pierre noire 148,2 (1985). *Baudelaire (Ch.)* 58 à 650. *Bazaine* 0,82 à 63, aq. 7,5 à 76 (1990). *Beckmann (M.)* 1 à 168. *Bellmer (Hans)* 1 à 140 (1992). *Bernard (E.)* 1 à 15 (1991) ; ex. 34 (1985), aq. 0,7 à 400. *Berthelin* projet 29 (1980), aq. 40 (1988). *Boilly (L.L.)* 2,2 à 2 101. *Bonheur (R.)* 1,5 à 22,8 (1991) ; aq. 1 201,2 (1990). *Bonnard (P.)* 0,76 à 470, aq. 1,3 à 3 424 (1989). *Bottini* 5 à 30 ; aq. 6 à 75 (1991). *Boucher* 7 à 2 811 (1987). *Boudin (E.)* 1,5 à 143 (1989) ; aq. 12 à 350. *Bouguereau* 1,1 à 60. *Braque* 7,5 à 4 228,6 (1988) ; aq. 24 à 1 258,4 ; ex. 9 000 [fusain, papier, faux bois, journal (1990)]. *Brueghel le Vieux* 667,2 (1978). *Buffet* 8,6 à 308,4 (1990). *Buonaccorsi* 1935 (1988). *Burne-Jones (E.C.)* 2 à 733 ; ex. 1 065,4 (1990). *Caillebotte* jusqu'à 548,7 (1991). *Callot (J.)* 6 à 435,8 (1990). *Canaletto* 23 à 880. *Caravage (le)* 332 (1984). *Carmontelle* 2,6 à 865 (1989). *Carpaccio* 1 937 (1990). *Carracci (Agostino)* 4,5 à 823,2 (1990). *Carracci (Annibale)* 55 à 774,8 (1990). *Cassatt (Mary)* 2,8 à 25 860. *Castiglione (dit il Grechetto)* 3,8 à 1 980 (1991). *Cézanne* 21 à 4 945,2, ex. aq. 24 610 (1989). *Chagall* 9,7 à 2 115 (1990), aq. 1,9 à 3 170 (1990). *Champaigne (Ph. de)* 53 à 340 (1992). *Chardin* 1,4 à 4,7, ex. pastel 6 000 (1986). *Chase (W.M.)* 103 à 12 680. *Chassériau* 1,1 à 3 300 (1989) ; aq. 1,2 à 700 (1989). *Chirico (G. De)* 2,5 à 2 711 (1990) ; aq. 29,4 à 320,4. *Christo* 16 à 1 132 (1991). *Cochin* 0,8 à 84 ; ex. 660 (1986). *Cocteau* 0,65 à 180 ; ex. 838 (1991). *Constable* 3 à 484,3 (1989) ; aq. jusqu'à 688,4 (1988). *Corot* 4,5 à 230. *Corrège (le)* 68,4 à 907,5 (1991). *Cortona (P. de)* 725 à 2 640 (1991). *Courbet* 9,9 à 268,3 (1987). *Coypel,* jusqu'à 774,8, pierre noire 920 (1987). *Cranach* aq. 1 714 (1984). *Dalí* 1,9 à 1 170 (dessin + collage), ex. 2 354 (1989) ; aq. 44,9 à 726,4 (1989). *Daumier* 9,7 à 726 ; ex. 3 400 (1991). *David (Jacques Louis)* 3,4 à 900. *Degas* 1,4 à 13 230 (1992) ; aq. 20 à 650 ; ex. pastel 45 965 (1988). *Delacroix* 0,6 à 642 ; ex. 1850 (1989) ; aq. 5,7 à 800, jusqu'à 1 550 (1989). *Delaunay (R.)* jusqu'à 1 841. *Denis* 1,3 à 130 (1978). *Derain* 1,1 à 290 (1992). *Dignimont* 0,4 à 23,8 (1990) ; aq. 0,55 à 62. *Disney (W.)* 0,5 à 102,2 (1992). *Doré (G.)* 0,6 à 335 (1987) ; aq. 8,2 à 60 (1990). *Doyen (G.)* 4,2 à 400 (1989). *Dubuffet* 11 à 1 258,4 ; ex. 4 719 [collage (1989)]. *Dufy* 0,7 à 331,4 (1989) ; aq. 4,9 à 1 443 (1990). *Dunoyer de Segonzac* 1,1 à 114,1 (1989) ; aq. 3,5 à 330,4 (1990). *Dürer* plume 520 (1981) ; pastel 750 (1982) ; dessin rehaussé d'aq.

5 337,6 (1978) ; burin 23,5 (1986). *Eakins (T.)* aq. 18 304 (1990). *Ernst* 8,1 à 380 ; frottage jusqu'à 886,6 (1990). *Fantin-Latour* 0,98 à 303 (1990). *Feininger (L.)* 5,4 à 580 (1990) ; ex. 1 453 (1991) ; aq. 40,4 à 777 (1991). *Ferri (C.)* jusqu'à 352 (1991). *Feure (G. de)* ex. 406,8 (1989) ; aq. 0,5 à 145. *Fini (L.)* 1 à 39,9 ; aq. 2,8 à 67,8 (1990). *Flinck* jusqu'à 47,1 (1988). *Flint* 1,8 à 310,3 (1989) ; aq. 8,4 à 514,8 (1990). *Forain* 0,6 à 321 (1988). *Foujita* 1,1 à 2 000 (1990) ; aq. 12 à 830 ; ex. 3 486,6 (1989). *Fragonard* (2 200 dessins connus dont 50 importants) 6,8 à 1 950 (1985) ; pierre noire 10,5 à 3 200 (1990). *Frank-Will* 2,4 à 8,5 ; aq. 1,2 à 175 (1990). *Gainsborough* pastel (sauvé du Titanic) 6 100 (1991). *Gauguin* 1,3 à 3 365 (1991). *Gaulli (B.)* 1 100 (1991). *Gen Paul* 0,6 à 63 ; aq. 0,5 à 180 (1991). *Gérard (baron)* 2,4 à 15,5 (1989). *Gericault* 5,1 à 440 (1992), ex. 3 000 (1990), ex. aq. 4 270 (1985). *Giacometti (A.)* 14,4 à 500. *Giacometti (G.)* 32,3 à 80,7 ; aq. 38 à 159,9 (1990). *Gillot (Cl.)* 25,9 à 104,7 ; ex. 380. *Girodet-Trioson* 2,2 à 42 (1988). *Goya* 3 718 (1990). *Goyen (J. van)* 8,7 à 293,5 (1989). *Graf (Urs)* 1 017,5 (1978). *Greuze* 6,5 à 1 320 (1991). *Gris (J.)* 3 à 1 600 (1991). *Gromaire* 2,2 à 101,4 ; aq. 6 à 150. *Grosz (G.)* 2,4 à 229,7 ; aq. 3,3 à 182, ex. 1 662 (1990). *Guardi (F.)* 16 à 726,4 ; ex. 4 217 (1987). *Guirand de Scevola (L.V.)* ; 0,25 ; aq. 0,9 à 16,5 ; pastels 1 à 51 (1989). *Guys (C.)* 0,45 à 74,5. *Harpignies* 0,2 à 12,6 (1989) ; aq. 0,97 à 160 (1989). *Heemskerck (Maerten van)* 84,4 à 346,6 (1991). *Helleu* 1 à 477,4 (1989) ; pastel 19,4 à 800,8 (1990). *Hergé* 3,1 à 250 (1990) ; aq. 3 100 (1990). *Hockney (D.)* 4,2 à 2 556,8 (1988). *Hodler (F.)* 2,5 à 130,2 ; ex. 629,5 (1990). *Hogarth (W.)* 170 à 280. *Homer (W.)* 5,9 à 697,4 ; aq. 32,4 à 3 600 (1988). *Hopper (E.)* 11 à 145,8, aq. 1 140 (1991). *Houdon* jusqu'à 50,5. *Huber (Wolf)* 2 à 957,6 (1978). *Huet (J.-B.)* 0,6 à 99,7 (1991). *Huet (P.)* 1,6 à 16 ; aq. 3,2 à 15,5. *Hugo (Victor)* 6 à 720 (1988) ; aq. 100 à 946. *Icart (L.)* 0,4 à 79,5, ex. 300 (1990). *Ingres* 1,5 à 7 000 (1989). *Isabey (E.)* 1,5 à 96,8. *Jacob (M.)* aq. 2,1 à 58 (1991). *John (A.)* 0,4 à 302,5 (1990). *Johns (Jasper)* jusqu'à 5 720 (1986). *Jones (O.)* jusqu'à 213,8 (1990). *Jongkind* 1,6 à 36 ; aq. jusqu'à 220. *Jordaëns* 9 à 720 (1987). *Kandinsky* 0,79 à 837, aq. 3 718 (1990). *Khnopff (F.)* 3,2 à 1 971 (1988) ; aq. 1 598 (1989). *Kirchner* 1,5 à 475,3 ; pastel jusqu'à 1 565 (1990). *Kisling* 4,5 à 66 (1991), aq. 96 (1990). *Klee* 1,3 à 8 522 (1990). *Kokoschka (O)* 9,5 à 950,6 (1989). *Kollwitz (K.)* 1,3 à 565,5 (1990). *Kooning (W.C. De)* 2,9 à 855,9, ex. 10 778 (1988). *Kubin* 0,85 à 337,6. *Kupka 3 à 27* ; aq. 1 à 105 ; ex. 329,3 (1990). *Lagneau* 13 à 165 (1980). *Lami* 2 à 650 (1990). *Lancret* 2,8 à 655,8 (1990). *Lanfranco* jusqu'à 360 (1991). *Lapicque (C.)* 2,3 à 50 (1990) ; aq. 70 (1989). *Larsson* 2 751. *La Tour (M.Q. de)* pastel jusqu'à 4 000 (1984). *Laurencin (Marie)* 0,8 à 330 ; aq. 4,8 à 972,4. *Laurens* jusqu'à 1 034,7 (1991). *Lear (E.)* 2,1 à 486 (1992). *Lebasque* 0,9 à 27. *Lebourg* 0,9 à 64 ; aq. 1,9 à 70 (1990). *Le Brun (C.)* 6 à 155 (1990). *Le Corbusier* 9 à 369 (1988). *Léger* 2,5 à 4 590 (1991) ; ex. 49 500 (1990) ; aq. 17 à 2 500 (1989). *Leprince (J.-B.)* 2 à 76. *Le Vau* jusqu'à 355,2 (1987). *Lewis (J.F.)* 2,8 à 242 (1991). *Lewitt (Sol)* 4,9 à 457,6 (1990). *Leyde (Lucas de)* 17 à 280 (1980). *Longhi (P.)* 11 à 20,5. *Lorrain (Le),* 32,6 à 169,5 (1991) ; attribué, 310 (1986), ex. 994 (1992). *Macke (A.)* 6,3 à 390. *Maes (N.)* 5 à 83,8. *Magritte* 1,6 à 992 (1991). *Maillol* 3,5 à 718,8 (1990). *Manet* 13,2 à 10 817,4 (1988). *Man Ray* 4,5 à 100,7 (1989). *Mantegna* 1 200 (1984). *Marquet* 1 à 210 (1989). *Masson (A.)* 1 à 585. *Matisse* 4,8 à 9 510 (1989). *Menzel (A. von)* 3,2 à 545 (1991). *Michaux (H.)* 2 à 290 (1990). *Michel-Ange* 350 à 1 377 (1976). *Millet (J.-F.)* 2,7 à 2 690 (1991) ; ex. 5 160 (1991). *Miró* 4,5 à 5 110 (1989) ; pastel 14 100 (1989). *Modigliani* jusqu'à 379 (1991) ; ex. 2 100 (1990). *Mola (P.F.)* 18,6 à 990 (1991). *Mondrian* 21 à 919,3 (1988) ; aq. jusqu'à 666, ex. 3 893,5 (1989). *Monet* 8 à 899 (1991) ; pastels jusqu'à 3 400 (1989). *Montezin* aq. 5,3 à 20 (1990). *Moore (H.)* 4,9 à 1 070. *Morandi (G.)* 27,2 à 171,5, ex. 1 373,1 (1989). *Moreau le Jeune* 2,1 à 2 850 (1991). *Morisot* 4,5 à 2 880 (1989) ; aq. 39,9 à 492. *Mossa (G.-A.)* 1,5 à 65 (1991) ; ex. 252. *Mucha (A.)* 0,4 à 251,8 (1990). *Münch (E.)* 6 à 230. *Natoire* 0,55 à 681 (1986). *Nicholson (B.)* 1,9 à 370,5 (1991). *Oldenburg (C.)* 11 à 406,6. *Oudry (J.B.)* 6,2 à 250 (1992). *Parmigianino (Il)* 81,8 à 680 (1982). *Parrocel (C.)* 2,7 à 230. *Pascin* 0,8 à 400,4 ; ex. 715 (1989). *Pechstein (H.M.)* 1,4 à 153 (1992) ; aq. jusqu'à 432,7 (1987). *Percier et Fontaine* 1,5 à 182 (1991). *Piazzetta* 69,8 à 645 (1992) ; ex. 2 566. *Picabia* 1,3 à 1 162,2 (1989) ; ex. 2 574 (1990). *Picasso* 2,2 à 25 168 (1989) ; ex. 80 080 (gouache-encre de chine) (N. Y. 1989). *Pillement* 0,8 à 97,2 (1990). *Pinturicchio* 592,8 (1978). *Piombo (Fra Sebastiano del)* 100 à 1 000 (1980). *Piranèse (G.B.)* 24 à 2 568. *Pissarro (C.)* 0,2 à 1 765,5 ; ex. 3 800 (1989). *Point (A.)* aq. ou pastels 1 à 37. *Portail* 3 à 267. *Poussin* jusqu'à 1 540 (1991). *Prendergast (M.-B.)* 6,9 à 10 778. *Primatice (Le)* 115,6 à 2 374 (1990). *Proust (M.)* jusqu'à 10. *Prud'hon* 4 à 1 700 (1990). *Puvis de Chavannes* 0,25 à 114,8 (1991). *Raphaël* 38 000, record. *Redon* 6 à 6 006 (1989) ; ex. pastel 12 012

Léonard de Vinci : Étude pour Léda

(N.-Y., 1989). *Redouté (P.J.)* 1,8 à 770,4 ; aq. 1 221 (1985). *Rembrandt* jusqu'à 3 246 sanguine (1981) ; ex. 13 516 (1987). *Réni* jusqu'à 1 430 (1991). *Renoir* 0,4 à 5 250 ; pastel jusqu'à 10 653,5 (1990) ; ex. 16 484 (1989). *Ribera* 825 (1991). *Rivera (D.)* 1,9 à 845 ; ex. 1 596 (1991) ; aq. 21 à 1 046,1 (1989). *Robert (Hubert)* 3,8 à 390 ; (craie rouge) 530 (1986). *Rodchenko (A.)* 21,4 à 112,5 ; aq., crayon, plume, gouache 1 791,7 (1990). *Rodin* 1,2 à 193,8 (1991) ; aq. 1,4 à 543,4 (1989). *Romain (Jules)* jusqu'à 372 (1972). *Rosa (S.)* 2,4 à 143 ; ex. 877 (1991). *Rossetti* 9,9 à 951 ; aq. 1 452,8 (1989) ; pastel 2 140 (1989). *Rouault (G.)* 6,5 à 2 293. *Rousseau (T.)* 1,4 à 145 (1990). *Roux (A.)* 3 à 125 (1990). *Rubens* jusqu'à 29 055 (Londres, 1989). *Ruisdael (J. Van)* pierre noire et lavis 17,3 (1981). *Saint-Aubin (G. de)* 0,9 à 213 (1990). *Salviati* 850 (1991). *Sand (G.)* 3 à 9 (1991) ; album de 54 dessins 320 (1989). *Sandys (A.F.)* 2,4 à 125. *Schiele* 9,3 à 5 080 (1992). *Schmidt-Rottluff (K.)* 6,8 à 97 ; aq. 774,8 (1989). *Segantini (Giovanni)* 55 à 300 (1981). *Seurat* 3,3 à 5 500 (1989). *Signac* aq. 3,5 à 342,4 (1989). *Sisley* pastel 27,1 à 1 420 (1989). *Sonrel (E.)* aq. 1,5 à 170. *Steinlen* 0,16 à 230. *Tiepolo (G.B.)* 14 à 657,8 (1990). *Tiepolo (G.D.)* 3,8 à 829,9. *Tintoret* 14,3 à 146,5 (1989). *Tobey (M.)* aq. 5 à 317. *Touchagues (L.)* aq. 0,6 à 5,5 ; plume 1,1 à 7 (1986). *Toulouse-Lautrec* 3,2 à 5 745 (1987). *Turner (J.M.W.)* aq. 6,5 à 4 688 (1988). *Utrillo* 3,6 à 1 046,1 (1989). *Valéry (P.)* 1 à 8,5. *Van de Velde le Jeune (W. II)* pierre noire, lavis et bistre 1,9 à 79,2. *Van Dongen* 4,5 à 140 (1991) ; aq. 13,5 à 1 250 (1990). *Van Gogh* 35,2 à 41 800 (record) (1990). *Vanni (F.)* 5 à 27,4, ex. 780 (1988). *Van Huysm* 5,5 (1991). *Van Loo (C.)* 21,7 à 82 (1989) ; 95 (3 dessins, 1980). *Vinci (Léonard de)* 10 000 à 35 000 (1989) *Véronèse* jusqu'à 279 (1991), 3 000 (86). *Vlaminck (M. De)* 6,1 à 2 000. *Vuillard* 3,2 à 352 (1992) ; pastel 0,4 à 2 860 (1990). *Warhol (A.)* 2,2 à 148,7 (1989). *Watteau* 4 à 5 644 (1986). *Wölfli (A.)* 7,3 à 279. *Ziem (F.)* 3,5 à 18 (1990). *Zille (H.)* 1 à 187,3 (1988). *Zuniga (F.)* 11 à 209 (1990).

Mentions (lors d'une vente)

Attribué à X : doute sur l'identité. *D'après X :* peut être une copie ancienne. *École de X :* tableau sensiblement de la même époque. *Genre de X :* falsification. *Pastiche :* « à la manière de »... *Réplique :* répétition d'une œuvre exécutée par l'auteur ou sous sa surveillance. *Signé X :* le peintre est l'auteur. *Tableau de* ou *par X :* authentifie le tableau. *Une signature X :* douteuse.

Enluminures

Définition

Lettres ornées ou peintures de petites dimensions qui illustrent les feuillets d'un manuscrit. On en trouve sur papyrus (dès le IIIe millénaire av. J.-C.), vélin ou papier. Religieux jusqu'au XIIIe s., puis profane.

Les couleurs fines sont délayées à l'eau gommée. Au XIVe s., les fonds d'or cèdent la place à des fonds de couleur puis progressivement à des paysages. La grisaille apparaît.

Enluminures célèbres

IIIe-Ve s. : *Iliade* (Bibl. ambrosienne, Milan). **Ve s. :** *Genèse* (Vienne). **Ve ou VIe s. :** *Dioscoride* (Vienne), *Codex Vaticanus, Œuvres de St Augustin* (Cambridge, Corpus Christi). **VIe s. :** *Évangile de St Matthieu* [1], *Virgile* [2], *Térence* [2]. **IXe s. :** *Bible de Charles le Chauve* [1], *Apocalypse de St-Sever.* 875 : *Codex Aureus* [3]. **XIIIe s. :** *Psautier de Blanche de Castille* (bibl. de l'Arsenal), *Psautier de St Louis* [1]. **v. 1200 :** *Psautier d'Ingeburge de Danemark* [4]. **XIVe s. :** *Décret de Gratien* par Maître Honoré (Tours), *Heures de Jeanne d'Évreux* par Jean Pucelle. **XVe s. :** *Grandes Heures de Rohan* [1], Œuvres de Jean Fouquet *(Heures d'Étienne Chevalier* [4], *Antiquités judaïques* [1], *Boccace* [3]). **v. 1415 :** *Très Riches Heures du duc de Berry* par les frères de Limbourg [4]. **XVIe s. :** *Très Riches Heures d'Anne de Bretagne* par Jean Bourdichon [1], *Bréviaire Grimani* (Venise). *Enluminures persanes.* **v. 1515 :** *Heures de Maximilien Ier par Dürer (Munich, Besançon).*

Nota. – (1) Bibliothèque nationale, Paris. (2) Vatican. (3) Munich. (4) Chantilly (musée Condé).

Prix. Voir Index.

☞ **Autres principales collections.** Vienne, Londres (British Museum), Istanbul (Topkapi).

Estampes et gravures

Définitions

Originaux

Chalcographie. Art de graver sur cuivre. Utilisée à partir de 1430-1435.

Estampe. Image imprimée, quelle que soit la technique employée. Apparaît à la fin du XIVe s. en Occident. Pour être originale, elle doit être conçue et réalisée entièrement à la main par l'artiste.

Fumé. Épreuve d'essai d'une gravure sur bois.

Gravure sur bois. *En relief* ou *en taille d'épargne :* jusqu'au XVIIIe s. dans le sens des fibres [*bois de fil* (poirier, cormier, cerisier, pommier)] ; au XIXe s. perpendiculairement aux fibres [*bois de bout* (le plus souvent en buis)] ; au XXe s. en bois de fil ou de bout.

Gravure sur métal. Au *burin ;* à la *pointe sèche* (aiguille) ; à l'*eau-forte* (plaque généralement en cuivre recouverte de vernis sur lequel on dessine à la pointe, le métal mis à nu est attaqué par l'acide et creusé) ; à la *manière noire* [*mezzo-tinto :* plaque bercée (c.-à-d. hérissée de petites « bardes » en pointe avec un berceau) puis passée au brunissoir] ; au *grain de résine* [*aquatinte :* travaillée comme l'eau-forte, mais la plaque est saupoudrée de résine (le sucre fond...) avant d'être trempée dans l'acide] ; au *vernis mou* (ou *en manière de crayon :* vernis à base de bitume et de saindoux).

Impression en taille-douce. Le papier est pressé sur la plaque dont les tailles, réservées à la pointe sèche, à l'eau-forte ou au burin (trait plus épais), sont garnies d'encre. Depuis la fin du XIXe s., les tirages sont généralement signés et numérotés (numéro d'ordre de l'épreuve suivi du chiffre du tirage ; ex. : 21/75).

Autrefois les tirages n'étaient pas limités, les 1res épreuves ou les 1ers états étant les plus recherchés (épreuves avant la lettre ou non terminées).

Lithographie. Impression sur du papier d'un dessin tracé au crayon gras sur une pierre calcaire, une plaque de zinc, ou du papier lithographique dit « papier report ». Découverte et mise au point en 1798 ou 1799 par l'Allemand Aloys Senefelder. Une lithographie originale est conçue et réalisée à la main par l'artiste. Le tirage d'une estampe peut comporter plusieurs « états » : l'artiste, assistant au tirage, modifie l'œuvre en cours, corrige un trait, accentue une teinte. Le tirage peut être limité (20 à 200 ex. en général) et chaque exemplaire est signé et numéroté par l'artiste. La pierre est grainée (effacée) après la dernière épreuve ; on supprime ainsi toute possibilité d'impression postérieure. En fait, certains artistes contemporains autorisent un artisan à exécuter le dessin sur pierre d'après une de leurs œuvres, et apposent ensuite leur signature sur ces estampes d'interprétation. Par ailleurs, on propose aujourd'hui au public, sous le nom de lithographie, des œuvres tirées de façon mécanique et d'après des plaques de métal.

Sérigraphie. Impression à travers des écrans de soie interposés entre le papier et l'encre.

Zincographie. Lithographie sur plaque de zinc. A été utilisée pour les affiches de grand format (ex : Lautrec) ou par Gauguin et Émile Bernard.

Reproduction

Anaglyphe. Basée sur le principe de la stéréoscopie. 2 images identiques sont imprimées successivement avec un léger décalage, l'une en bleu-vert, l'autre en rouge. Ex. : avec un binocle portant 1 filtre bleu-vert d'un côté et rouge de l'autre, l'impression se présente en relief et les couleurs décalées disparaissent.

Anastatique (impression). Par décalque sur pierre lithographique, puis tirage.

Galvanoplastie. Au moyen du courant électrique, un métal préalablement dissous (à l'état de sel) dans un bain est déposé sur un autre métal, ou sur une surface quelconque préalablement métallisée. En 1849, un compositeur parisien, Coblence, appliquant un procédé qu'il appelait *électrotypie,* obtenait des galvanos, des gravures et même des pages de texte du *Magasin pittoresque.*

Héliogravure. Plaque gravée chimiquement à travers une réserve obtenue photographiquement. Mise au point en 1875 par Karl Klic (Autr., 1841-1926).

Photogravure. Gravure d'après photo. *1826,* 1re exécutée par Niepce. *1845,* Loire, Michelet et Quinet inventent la gravure chimique. *1868,* brevets pour l'utilisation d'une trame quadrillée sur bristol. *1878,* Frédéric-Eugène Ives obtient des clichés par gonflement de la gélatine. *1880,* Charles-G. Petit invente la *similigravure. 1882,* Meisenbach, à Munich, similigravure avec trame lignée.

Simili (gravure en). Gravure photomécanique qui permet de reproduire les teintes du lavis.

Prix

☞ **Éléments.** *Rareté, qualité du tirage, netteté, papier, nombre d'ex.* connus ou restant en circulation, *sujet, épreuves* hors commerce, *couleurs,* état.

Les estampes aux marges coupées ou pliées perdent de 50 à 60 % de leur valeur.

Évolution depuis 1900. Hausse des estampes du XVe au XVIIe s. et du XIXe s. Baisse du XVIIIe s. depuis 1940, mais reprise possible. Le XXe s. s'est vendu difficilement de 1973 à 1987 sauf pour les grands maîtres. Chute des contemporains en 1990.

Quelques exemples (en milliers de F)

Légende : aq. : aquatinte ; e.-f. : eau-forte ; gr. : gravure ; li. : lithographie ; p.s. : pointe sèche.

■ **Estampes. Anciennes.** *Audubon* li. 0,6 à 9,9 (1992), aq. coloriée 671,5 (1982). *Bellange (J.)* 100 à 240 ; e.-f. 34,2 à 327,3 (1992). *Bonnet* 1 à 75 (1990), ex. 121 (1991). *Buhot (F.)* 0,7 à 51 (aq., e.-f.). *Callot (J.)* 0,35 à 157. *Cranach (L.)* 2,55 à 200 (1988). *Debucourt* 0,24 à 40. *Delacroix* 0,45 à 148 (1980). *Doré (G.)* 2,8 à 31,5. *Dürer* gr. 1 à 588,5, except. 3 056 (1987). *Fragonard (J.-H.)* 0,7 à 33,9 (1990). *Gavarni* e.-f.10 à 30, li. 0,16 à 1,3. *Gericault* li. 1 à 428 (1992). *Goya* e.-f. 1,4 à 201 (1992) ; 1 080 en 1984 (suite de 18 e.-f. et aq.) ; 1 200 (suite de 80 aq., 1990) ; except. li. 210 à 1 720 (1992). *Le Lorrain (C. Gellée dit)* e.-f. 0,5 à 33. *Leyde (L. de)* gr. 0,7 à 935 (1991). *Mantegna* gr. 300 à 3 000 (1984). *Piranèse* e.-f. 0,95 à 1 830 (suite de 14, 1989). *Rembrandt* e.-f. 2,8 à 6 300 (1984), p.s. 2 788 (1988). *Schongauer (M.)* gr. 21,5 à 1 327 (1991). *Tiepolo* e.-f. 3,5 à 162.

Graveurs les plus célèbres. *Impression en couleurs :* Janinet et Debucourt. *Sanguine :* Demarteau et Bonnet. *Noir :* Cochin, Beauvarlet et Delaunay.

Modernes. *Barlach (Ernst)* gr. 0,25 à 60, li. 0,5 à 37,5. *Beckmann* e.-f. 0,76 à 429 (1990) ; li. 3 à 234,5 (1992) ; p.s. 0,6 à 466 (1989). *Benton (T.)* li. 2,3 à 44,8. *Besnard (Albert)* 0,3 à 21 (1992). *Bonnard* li. 0,4 à 3 780 (1985). *Braque* e.-f. 2,5 à 162 ; li. 0,4 à 228, aq. 12,2 à 158,5 (1989), p.s. 102,4 à 344,5 (1989) ; gr. 7,8 à 30 (1990). *Brayer* li. 0,3 à 53 (1990). *Buffet (B.)* li. 0,2 à 700 (1989). *Carzou* 0,3 à 4. *Cassatt (M.)* li. 1 à 1 150,4 (1987) ; p.s. 3,7 à 1 172,6 (1990). *Cézanne* 1 à 850. *Chagall* e.-f. 1,7 à 213 (1982) ; li. 0,2 à 838,5 (1990) ; ex. (lot de 12) 4 000 (1991) ; paravent 5 462 (1988). *Chirico (de)* li. 1,8 à 74. *Corot (C.)* 0,7 à 221,9 (1988) ; cliché 0,9 à 11 (1990). *Dali (S.)* e.-f. 0,3 à 51,3 ; li. 0,4 à 122 (1990). *Daumier* li. 0,3 à 380,4 (1988). *Degas* e.-f. 1,2 à 3 963 (1987). *Delvaux* 0,63 à 580 (1989). *Denis* li. 0,5 à 70. *Dubuffet* 0,3 à 369 (1980). *Dunoyer de Segonzac* e.-f. 0,2 à 23,1. *Ensor (J.)* 1,5 à 152,5. *Ernst (M.)* li. 1,6 à 235 ; gr. 8,1 à 540 ; p.s. 400 ; e.-f. jusqu'à 295,5 (1991). *Escher (M.C.)* gr. 0,6 à 720, li. 5 à 184,5. *Folon (J.M.)* 0,3 à 8 (1992). *Foujita* e.-f. 0,75 à 850 (1990) ; album de 10 : 1 743,3 (1990) ; li. 0,4 à 770. *Gauguin* gr. 4,5 à 481 (1984) ; li. 1 à 164,6 (1989) ; e.-f. 5,3 à 55 (1991) ; ex. 225 (1982) monotype 3 200 (1991) ; bois 22,9 à 75,2 ; ex. 1 900 (1986). *Giacometti* li. 1,8 à 51,4 ; e.-f. 1,5 à 27,6 ; gr. 33,5 (1989). *Hartung* li. 0,4 à 10 ; e.-f. 0,9 à 43,9 (1989). *Heckel (E.)* li. 0,7 à 76,1 ; gr. 1,2 à 1 150 (1991). *Helleu* p.s. 0,3 à 77,5 (1990). *Hockney (D.)* e.-f. 0,5 à 572 (1990) ; li. 1,4 à 743,6 (1989). *Homer (W.)* e.-f. 20 à 150. *Hopper (E.)* e.-f. 17,5 à 135. *Icart (L.)* p.s. 1,1 à 179,3 (1991). *Jawlensky (A. von)* li. 0,65 à 101,3 (1990). *Johns (J.)* li. 1 à 1 601,6 ; e.-f. (4) 1 087 (1991). *Jongkind (J.-B.)* e.-f. 2,2 à 22,3 ; cahier de 6 : 2,8 à 60 (1988). *Kandinsky* li. 0,4 à 1 070. *Kirchner (L.)* li. 0,67 à 554 (1991) gr. 600. *Klee (P.)* e.-f. 11,5 à 285 ; li. 2,7 à 374. *Kokoschka (O.)* li. 0,6 à 323. *Kollwitz (D.)* e.-f. 0,84 à 18,4 (1990) ; li. 0,95 à 387 (1992) ; gr. 3 à 77,2. *Laboureur (J.-E.)* 0,34 à 60 (1991). *Laurencin (M.)* e.-f. 0,5 à 60 ; li. 1 à 110. *Le Vau (L.)* 28. *Malevich (K.)* li 29,1 à 44,6 (1989). *Manet* e.-f. 0,3 à 71,5 ; li. 11,8 à 614 (1992) ; ex. 1 072 (1988). *Marcoussis* 0,6 à 400 (1991). *Marquet* e.-f. 0,8 à 31. *Matisse* e.-f. 0,8 à 330 ; li. 1 à 1 000 (1991). *Méryon (C.)* e.-f. 0,8 à 18,2 (1992) ; ex. 300 (1989). *Miró (J.)* e.-f. 3,9 à 738,5 ; li. 0,7 à 274,6 (1990) ; aq. 1 à 241,3 (1991). *Morandi* e.-f. 10 à 549,2 (1989). *Münch* gr. 31 à 928 ; li. 1,7 à 3 335 (1991). *Nolde (B.)* jusqu'à 500 (1991). *Picasso* aq. 6,7 à 3 500 (1991) ; e.-f. 1,9 à 2 754 ; p.s. 3,5 à 1 029,6 (1990) ; li. 0,5 à 1 260 (1988) ; est. 350 (1990) ; « suite des Saltimbanques » (15 e.-f. et p.s.) 5 326,8 (1989) ; gr. sur cuivre 8 385 (1990). *Pissarro* e.-f. 0,9 à 310 ; li. 1,6 à 525. *Prud'hon* li. 7 (1984). *Redon* li. 1,2 à 416 (1991), 869 (suite de 24). *Renoir* vernis mou 0,4 à 73 (1990) ; li. 5,9 à 909,5 (1989). *Rivière (H.)* gr. coul. 2,2 à 35 (1989) ; li. 0,9 à 9 (1991). *Robbe (M.)* 0,3 à 14,1. *Rops (F.)* e.-f. 0,16 à 22,4 (1988) ; gr. 0,4 à 17,8 (1989). *Rouault (G.)* aq. 1,5 à 399 (1991) [2 400, G.-B. (1984)] ; li. 0,8 à 117 (1984). *Signac* li. 2,9 à 252. *Stella (F.)* li. 0,8 à 108,7 ; sérigraphie 7,3 à 228,8, ex. 486,2 (1989) ; gr. 0,15 à 371,8 (1989). *Toulouse-Lautrec* li. 0,5 à 2 083 (1992). *Trémois (P. Y.)* li. 0,3 à 7. *Utrillo* 0,3 à 51,5 (1990). *Vallotton* gr. 1,3 à 95 (1989). *Van Gogh* e.-f. 49 à 570 ; li. 823,2 (1990). *Vasarely* li. 0,16 à 6,6 (1989) ; sérigraphie 0,6 à 46,6 (1991) ; tapisserie 215 (1989). *Villon* e.-f. 0,9 à 218,4 (1990) ; aq. 150 (1992) ; p.s. 1,5 à 443. *Vuillard* 0,86 à 329,3 (1989). *Warhol (A.)* sérigraphie 0,74 à 1 320 ; photogravure 1,3 à 2 631,2 (1989).

Japonaises (voir art japonais, p. 385).

■ **Gravures de mode.** Provenant de journaux de mode. XVIIIe s. : 400 à 800 F. Début XIXe s. : 400 F. Fin XIXe s. : 50 à 150 F. Début XXe s. : 300 à 600 F.

Affiches

■ **Origine.** En 1477, William Coxton réalisa la 1re affiche (1,3 × 0,7 m) visant à faire connaître les cures thermales de Salisbury. Pendant les guerres de religion, les affiches étaient manuscrites. L'affiche illustrée commença à paraître en 1715, mais elle ne se développa qu'avec l'invention de la lithographie.

■ **Affichistes célèbres.** Hugo d'Alési (1849-1906), Edmond Aman-Jean (Amand-Edmond Jean dit) (1858-1936), John-James Audubon (1785-1851), George Auriol (Jean-Georges Huyot dit) (1863-1938 ?), Bac (Ferdinand de Sigismond Bach dit) (1859-1952), George Barbier (1882-1932), Otto Baumberger (1899-1961), Émile Bedmans, Hippolyte Bellangé (1800-66), Jacques et Pierre Bellanger (1909), Francis Bernard (1900-79), Bertall (Albert d'Arnoux dit) (1820-82), Henri I. Biais, Maurice Biais, Pierre Bonnard (1867-1947), Firmin Bouisset (1859-1925), Louis-Maurice Boutet de Monvel (1851-1913), Willy Bradley (1868-1962), Roger Broders (1883-1957), Umberto Brunelleschi (1879-1949), Leonetto Cappiello (1875-1942), Caran d'Ache (Emmanuel Poiré dit) (1859-1909), Jean Carlu (1900-83), Carrière (1849-1906), Cassandre (Adolphe Mouron dit) (1901-68), Cham (Amédée de Noé dit) (1818 ?-79), Jules Chéret (1836-1932), Émile Cohl (Émile Courtet dit) (1857-1938), Paul Colin (1892-1985), Pierre Commarmond (1897-1983), Eric de Coulon (1888-1965), E.L. Cousyn († 1926), Crafty (Victor Geruzez dit) (1840-1906), Alfred Crowquill (Alfred H. Forrester dit) (1804-72), George Cruikshank (1792-1878), Cuzin (n.c.), Sonia Delaunay (1885-1974), Maurice Denis (1870-1943), Desmeures, André Dignimont (1891-1965), Jean-Gabriel Domergue (1889-1962), Jean Don (1894-1985), Drian (Adrien Désiré Étienne dit) (1885-1961), Raymond Ducatez, Jean Dupas (1882-1964), Léon Dupin (1900-?), Georges d'Espagnat (1870-1950), Pierre Fabre, Robert Falcucci (1900-89), Georges de Feure (Van Sluijters dit) (1868-1943), Pierre Fix-Masseau (1905), Paul Fromentier (1914-81), Paolo Federico Garretto (1903), Gavarni (Sulpice Hippolyte Guillaume Chevalier dit) (1804-66), Gérale (Gérard Alexandre dit) (1914), Charles Gesmar (1900-28), Raymond Gid, André Gill (André Gosset de Guines dit) (1840-1885), James Gillray (1757-1815), Léon Gischia (1903-91), Grand'Aigle (Henri Genevrier dit), Gérard Grandval (1803-47), Grandville (Jean Ignace Isidore Gérard dit) (1803-47), Eugène Grasset (1845-1917), Alfred Grévin (1827-92), Juan Gris (José V. Gonzalez dit) (1887-1927), Edouard Halouze, Hansi (Jean-Jacques Waltz dit) (1873-1951), Hemjic (Marcel Jacques dit), Joseph Paul Iribe (1883-1935), Tony Johannot (1803-52), Julien Lacaze, Charles Léandre (1862-1930), René Lelong, Georges Léonnec (1881-1940), Georges Lepape (1887-1971), Charles Loupot (1892-1962), Marc Luc, Joël Martel (1896-1966), Marton, André-Édouard Marty (1882-1974), Georges Mathieu (1921), Edmond Maurus, Lucien-Achille Mauzan (1883-1952), Robert McClay, Adolf Menzel (1815-1905), Henri Meunier (1873-1922), Victor Mignot (1872-1944), Victor Moscoso, Alphonse Mucha (1860-1939), Nathan (Jacques Garamond dit) (1910), Bernard Naudin (1876-1946), O'Galop (Marius Rossillon dit) auteur de l'affiche Bibendum (1867-1946), Manuel Orazi (1860-1934), Pal (Jean de Paléotologu dit) (1860-1942), Pecnard, André Pécoud (1888-1965), Roger Pérot (1906-76), Peyrolle jusqu'à 26 ans, Poulbot (Francisque) (1879-1946), Privat-Livemon (1861-1936), Benjamin Rabier (1864-1939), Albert Robida (1848-1926), Georges Rochegrosse (1859-1938), Maggie Salzedo, Munetsugu Satomi (1904), Joseph Sattler (1867-1931), Raymond Savignac (1907), Bob Schnepf, Sem (Serge Goursat dit) (1863-1934), Sepo (Severo Pozzati dit) (1895-1983), Albert Solon (1897-1973), V.J. Soux, Théophile Steinlen (1859-1923), Bradbury Thompson, James Tissot (1836-1902), Henri de Toulouse-Lautrec (1864-1901), André Trève, Troy, Roger de Valerio (1886-1951), Émile Vavasseur (auteur de l'affiche Ripolin) (1863-1949), Marcel Vertès (1885-1961), René Vincent (René Maël dit) (1879-1936), Jean d'Ylen, Pierre Zénobel (1905), José Zinoviev.

Quelques exemples de cours (en milliers de F). *Auzolle* 24 (1984), l'Arroseur arrosé. *Barbier* 13,8 (1984). *Bistofli* 4 (1986). *Bonnard* 10 à 150. *Cappiello* 0,9 à 16. *Carlu* 2,8 à 14,2. *Carter (Leslie)* 25 (1985). *Casino* 52 (1984). *Cassandre* 1,8 à 180 [Dubo, Dubon, Dubonnet (1985)]. *Chéret* 0,8 à 26,4. *Chote* 7,8. *Colin (P.)* 1 à 168,2 (1988). *Dada* (salon 1921) 130. *Daumier* (n'a fait qu'une affiche) 7. *Dufrène (Maurice)* 4,8. *Falcucci* 11,4. *Forain* 0,5 à 112. *Grasset (Eugène)* 2,2 à 11. *Ham (Geo)* 5 à 13. *Lhuer (Jean)* 3,2 à 6 (1985). *Loupot (Charles)* 1,5 à 50 (1991). *Mucha* 10 à 150. *Orazi (E.J.F.)* 1,4 à 127,6. *Péron (René)* 36 (1991). *Privat-Livemont* 5 à 39,6. *Rassenfosse* 3,8 à 12. *Savignac* jusqu'à 48. *Steinlen* 30 à 150 (1985). *Toulouse-Lautrec* 3,3 à 490 (1990).

☞ **Record.** *Koloman Moser* (1902) 744 (1985).

Affiches de cinéma

Types. *1°)* Dessinées et plus recherchées, *2°)* à base de montage photographique. **Formats.** *Jusqu'en 1934 :* divers ; apparition des 120 × 160 et 60 × 60. *Dep. 1940 :* 120 × 160, 60 × 80, 40 × 60, 40 × 80 (formats « pantalons »). Affiches améric. : « three sheets », env. 60 × 160.

Affichistes. *Illustrateurs célèbres :* Dubout, Hergé, Cocteau, Maurice Toussaint, Savignac, Frank Frazetta, Philippe Druillet, B. Grinsson, Ferracci, J. Mascii, R. Soubie, R. Lefebvre, G. Allard, C. Belinsky, J. Bonneaud, Landi, J. Koutachy, Cerrutti, Bernard Lancy.

Collectionneurs. En France plus de 1 000.

Prix (en milliers de F). *Métropolis* (par Boris Bilinsky) 122, record. *Frankenstein* (1993), *Les Enfants du paradis :* 50. *Pépé le Moko :* 41. *L'Arroseur arrosé :* 40. *La Grande Illusion* (par Bernard Lancy, 1936) : 39 (1991). *La Grande Illusion* (1993) : 27. *L'Atalante, le Silence de la mer, la Belle et la Bête, la Belle Équipe* (1993) : 25. *La Route enchantée* (1993) : 15,5. *Lumières de Paris* (1993) : 15. La trilogie *Marius, Fanny* et *César* (illustrée par Dubout) : 14. Aff. courantes (120 × 160) : 0,3 à 1,5.

Peinture

Définitions

■ **Aquarelle.** Détrempe à base d'eau, de gommes d'arbres et de miel. Les couleurs sont diluées à l'eau et étalées sur un support sec ou humide (meilleur fondu). On appelle lumières les blancs du papier laissés en réserve. S'y illustrèrent : Delacroix, Bonington, Jongkind, Boudin, Lami, Bottini, Signac, Cézanne, Vlaminck, Marquet, Dufy, Dunoyer de Segonzac, etc. Utilisée aussi par les illustrateurs (le report sur pierre ou zinc est proche de l'original à l'aquarelle).

■ **Anamorphose.** Peinture distendant les formes jusqu'à leur donner une apparence inintelligible : le peintre suscite la curiosité. Les motifs distendus se reforment à partir d'un miroir cylindrique ou si on les regarde sous un certain angle. [Le tableau *les*

Ambassadeurs de Holbein (1533, National Gallery, Londres) représente ainsi 2 jeunes hommes ; à leurs pieds une masse informe qui, si l'on se place sur le côté droit, révèle une tête de mort].

■ **Collage.** Découpage de papiers collés sur toile ou carton. Max Ernst : 1re exposition de collages 1922, 1er roman-collage *(la Femme 100 têtes)* 1929. Matisse l'employa à partir de 1947. Utilisé aussi par Braque et Picasso.

■ **Décalcomanie.** Introduite chez les surréalistes par Oscar Dominguez en 1936 et adoptée par Max Ernst en 1938. Fait surgir des formes par la superposition et la séparation de feuilles de papier ou de toiles déjà enduites de couleurs.

■ **Détrempe.** Désigne l'amalgame subi par toute préparation de peinture (gouache, aquarelle, huile). Par extension, a désigné le procédé de peinture à l'eau dont l'agglutinant est une colle végétale (ex. : gomme arabique pour l'aquarelle), ou animale (ex. : colle de peaux). Utilisée au XVIIIe s. et au XIXe s. pour les papiers peints originaux (très recherchés), G. Desvallières l'utilisa pour ses cartons de vitraux, Édouard Vuillard, Bonnard, Ker-Xavier Roussel (1867-1944), pour leurs maquettes.

■ **Dripping.** Procédé imaginé en 1947 par Jackson Pollock. Jet de gouttes de peinture à partir d'une boîte percée.

■ **Fixé sous verre.** Peinture exécutée au revers d'une plaque de verre. L'œuvre est regardée sur la surface non peinte du verre. Le peintre compose à l'envers : commence par les détails, finit par les fonds. France, Angleterre, XVIIIe-XIXe (paysages, portraits, boîtes). Europe centrale (scènes religieuses et populaires).

■ **Fresque.** Peinture murale exécutée avec des couleurs détrempées dans de l'eau sur une surface de mortier frais à laquelle elles s'incorporent.

■ **Frottage.** Pratiqué par Oscar Dominguez, mis au point en 1925 par Max Ernst. Il correspondait à l'écriture automatique des poètes surréalistes. L'artiste applique une feuille de papier sur un objet, puis la frotte à la mine de plomb pour faire ressortir les irrégularités qui deviennent les éléments de la composition graphique.

■ **Gesso.** Enduit à base de poudre de marbre ou de plâtre.

■ **Gouache.** Se dilue à l'eau comme l'aquarelle (mais se présente sous forme de pâte ; l'épaisseur de la pâte est obtenue au moment de la détrempe, par adjonction de gommes venant en majorité de l'acacia). Chagall, Dufy, Gleizes, Metzinger, Rouault ont souvent utilisé gouache et aquarelle conjointement (fonds à l'aquarelle). Utilisée couramment pour les maquettes de décors et de costumes.

■ **Miniatures occidentales.** Scènes ou surtout portraits exécutés principalement au XVIIIe s., pour des médaillons, des tabatières ou des couvercles de boîtes. Sur *ivoire :* peinture à l'huile. Sur *porcelaine :* peinture émaillée. *Plaque d'or ou de cuivre :* émail cuit, puis peint au pinceau, à l'aide de poudres sèches délayées, d'essence grasse ou demi-grasse. Séchage et cuisson entre chaque couche (jusqu'à 6).

Prix records (mondiaux). Isaac Oliver (1556-1617) 781 200 F (1971) ; Nicholas Hilliard 730 000 F (1980) ; J.-A. Laurent 1 250 000 F (1981) ; John Ramage (1748-1802) 3 740 000 F (1988).

Miniaturistes célèbres. Jean-Jacques Augustin (1759-1832). François Dumont (1751-1831). Jean-Urbain Guérin (1761-1836). Peter-Adolphe Hall (1739-93), Suédois établi à Paris. Jean-Baptiste Isabey (1767-1855). Jean-Antoine Laurent (1763-1832).

■ **Pastel.** Poudre de pigments de couleurs broyés et agglutinés dans eau gommée (p. secs), argile, huile et diluables à l'essence de térébenthine (p. gras).

■ **Peinture à la cire.** *Origine :* haute Antiquité grecque et égyptienne ; pigment incorporé dans la cire : l'ensemble fondu et entretenu dans la cendre chaude pendant le travail de l'artiste. Henri Gros réinventa ce procédé à la fin du XIXe s.

■ **Peinture à l'huile.** *Origine :* Italie, améliorée par les Flamands au XVe s. Van Eyck a, le 1er, dilué les couleurs à l'huile dans des essences. Utilise huile végétale (lin, colza, œillette), acide gras (essence de térébenthine), médium composé de gommes (variables en qualité et en quantité) en suspension dans l'alcool, vernis à retouches, siccatifs (pour accélérer le séchage). De nombreux tableaux (surtout impressionnistes) peints avec des huiles trop grasses se conservent mal.

■ **Peinture à l'œuf.** Utilisée jusqu'au XVe s. (Pérugin, Raphaël). Emploi de l'œuf comme liant (blanc ou jaune ou les deux réunis mélangés aux pigments).

■ **Peinture en trompe-l'œil.** Donne l'illusion de la réalité (illusion de relief).

Nettoyage des tableaux. *Superficiel :* eau tiède mélangée à du savon pour bébé sur éponge à peine humide (à utiliser avec précaution). Pomme de terre, oignon ou demi-citron ne nettoient pas et peuvent causer des dégâts supplémentaires.

Nombre d'or. Nom donné par les artistes de la Renaissance au rapport $\frac{1+\sqrt{5}}{2}$, soit environ 1/1,618. Deux dimensions sont alors entre elles dans la même proportion que la plus grande avec leur somme. Formule utilisée en architecture (pyramide de Chéops, Parthénon), sculpture, peinture.

■ **Peinture polymère.** *Acrylique :* acide obtenu par l'oxydation de l'acroléine (CH2-CHCHO) dont les esters se polymérisent en verres organiques. Une émulsion polymère est obtenue par la suspension dans l'eau de minuscules particules dites *monomères.* L'évaporation de l'eau provoque la polymérisation (les molécules identiques se soudent). Cette structure polymère se présente en un verre organique cohérent, solide et indélébile. Résiste au vieillissement, ne jaunit pas, ne craquèle pas, conserve son éclat, (lavable à l'eau pure). *Copolymère* s'obtient par l'addition d'une résine vinylique (obtenue à partir de l'acétylène) à une émulsion acrylique.

■ **Peinture sur bois.** Les primitifs peignaient sur bois (peuplier, tilleul, saule, cèdre, pin, chêne). Les Hollandais, Flamands, Napolitains utilisaient les bois flottés (ayant séjourné dans l'eau) qui ne subissaient plus de gauchissements. Le panneau était encollé (6 couches de colle spéciale faite avec des rognures de parchemin), puis recouvert d'une toile très fine pour recouvrir les joints et limiter les effets de la dilatation du bois, et encollé de nouveau (8 couches). Des lames croisées au revers du panneau empêchaient les planches de se disjoindre (parquetage).

■ **Toiles tendues sur châssis.** Utilisées à partir du XVIe s. en Italie (Raphaël), au XVIIe s. en Flandre (Rubens). D'abord tissées de fils de chanvre ou de lin vers le milieu du XVIIIe s., puis de coton (très tirées). Parallèlement, le châssis à clef supplantait le châssis à clous. *Autres supports :* toiles tissées avec la ramie (ortie orientale) utilisées par l'école de Barbizon, soie, ivoire, cuivre, plaque de verre, carton entoilé, (peinture de fleur, d'Odilon Redon) fibrociment.

Nota. – Beaucoup de peintres depuis le XIXe s. n'ont pas su maîtriser leur *technique ;* la plupart ont utilisé, sans connaître la manière dont ils vieilliraient, de nombreux pigments, notamment du bitume qui a viré au noir fumeux en se craquelant, ce matériau ne séchant pas (Prud'hon). Watteau utilisait des huiles trop grasses qui séchaient mal. On a dit que Manet utilisait trop d'huile (ses œuvres ont perdu de leur éclat) ; en réalité, il utilisait aussi la soude et l'ammoniac en suspension dans l'huile. Ses tableaux n'ont pas perdu de leur éclat, ils sont sales car les musées français ne savent pas les nettoyer (cf. voir aux USA et en G.-B. où ils sont superbes). Beaucoup n'ont pas su préparer leur support, ont abusé des épaisseurs (les toiles sont des pièges à poussière).

■ **Photomontage.** Regroupant des éléments figuratifs disparates. *Ex. : l'Éléphant Célèbes, Œdipus Rex* de Max Ernst en 1921-1922.

Format des tableaux

Les plus grands tableaux du monde

■ **Tableaux. Exécutés avant 1860 :** *Le Paradis* exécuté de 1587 à 1590 par Le Tintoret et son fils (Venise, Palais des Doges) : 22 m × 7 m. *Les Noces de Cana* de Véronèse (1528-88) (Louvre) : 6,70 m × 9,75 m. **Exécutés après 1860 :** *La Bataille de Gettysburg* (Caroline du N., USA) : 125 m × 21,3 m, 5,5 t, terminé en 1883 après 2 ans 1/2 de travail par Paul Philippoteaux (Français) et 16 assistants. *La Bataille d'Atlanta* (Grant Park, Atlanta, Georgie, USA) : 121,9 m × 15,24 m, 8 t ; exécuté en 1885-86 par 2 Allemands. Le *Panorama du Mississippi* (City Art Museum, St Louis, Miss., USA) : 106,7 m ; un autre *Panorama du Mississippi,* achevé 1846 par John Banvard, détruit 1891, mesurait 152,5 m × 3,65 m. *La Fée Electricité* (Paris, musée d'Art moderne de la Ville) (commandée à Raoul Dufy par la CGE pour l'Exposition de 1937) : 60 m × 10 m. *La Tentation de St Antoine* (ex. à Vézelay par Claude Manesse) : 2 m de haut × 20 m de long.

■ **Fresques. Les plus grandes :** John Glitsos (1973) *Le Toit du mémorial des Vétérans à Phoenix* (Arizona, USA), 10 000 m². Jean-Marie Pierret (1991) *Le Verseau,* sur la tour de refroidissement de la centrale nucléaire de Cruas (Ardèche), 12 500 m², coût : 3 500 000 F, 16 t de peinture. *Colosse* (1989) barrage de Tignes, 9 000 m², hauteur 100 m.

■ **Mosaïque. La plus grande :** Paris-La Défense. Deverne (n. 1927) (1981). Siège de Rhône-Poulenc 2 500 m².

Mesure du format

Points	Figure	Paysage	Marine
0	18 × 14	18 × 12	18 × 10
1	22 × 16	22 × 14	22 × 12
2	24 × 19	24 × 16	24 × 14
3	27 × 22	27 × 19	27 × 16
4	33 × 24	33 × 22	33 × 19
5	35 × 27	35 × 24	35 × 22
6	41 × 33	41 × 27	41 × 24
8	46 × 38	46 × 33	46 × 27
10	55 × 46	55 × 38	55 × 33
12	61 × 50	61 × 46	61 × 38
15	65 × 54	65 × 50	65 × 46
20	73 × 60	73 × 54	73 × 50
25	81 × 65	81 × 60	81 × 54
30	92 × 73	92 × 65	92 × 60
40	100 × 81	100 × 73	100 × 65
50	116 × 89	116 × 81	116 × 73
60	130 × 97	130 × 89	130 × 81
80	146 × 114	146 × 97	146 × 89
100	162 × 130	162 × 114	162 × 97
120	195 × 130	195 × 114	195 × 97

☞ Un tableau de 55 cm de long sur 33 cm de large sera appelé un 10 marine.

Authenticité

■ **Grands faussaires. Pietro della Vecchia** (XVIIe s.) faux Giorgione. **Hans Hofmann** faux Dürer. **Franchard et Terenzio da Urbino** (XVIIIe s.) faux Raphaël. **Elmyr de Hory** (1905-1976) faux Dufy, Derain, Matisse, Marquet, Modigliani, Van Dongen. **Marcel Mariën** (1920), surréaliste belge, ami de *René Magritte,* vendit de 1942 à 1946 un grand nombre de faux (Picasso, Braque et De Chirico). Dessins et tableaux exécutés par Magritte. **Hans Van Meegeren** (1880-1947), Hollandais morphinomane, peignit de 1937 à 1945 de faux Vermeer. Il répandit la rumeur que Vermeer aurait peint des sujets religieux et mystifia les experts et le collectionneur Van Beuningen. Il vendit *le Christ et la femme adultère* à Goering. Accusé de collaboration avec les Allemands, il dut avouer pour se disculper. Pour prouver ses capacités, il exécuta en 8 semaines, sous surveillance, *Jésus parmi les docteurs.* Condamné à 1 an de prison le 12-11-1947. Gracié, il mourut en clinique le 30-12-1947. **Otto Wacker,** v. 1930, faux Van Gogh. **Jean-Pierre Schecroun,** 1960 à 1962, faux Picasso, Nicolas de Staël, Hartung, Pollock, Miró, Léger, Kupka, Braque. **David Stein,** 1961 à 1966, env. 400 faux Chagall, Matisse, Picasso. **Fernand Legros** (26/1/1931-1983) a vendu au musée de Tōkyō et à l'Américain Meadows environ 40 faux, la plupart peints par Real Lessard.

☞ **Il y aurait en Europe env. 8 000 (ou +) faux Corot.** *Les Center Art Galleries* ont vendu en 13 ans pour 2 600 millions de $ de fausses lithos achetées 50 à 100 $ aux faussaires, revendues 2 000 à 30 000 $ (Dali : fausses lithos à Honolulu, 1990). **Dalí** avait lui-même présigné des feuilles stockées dans un garde-meuble de Genève (estim. en 1982 : 20 000), d'où de nombreux « demi-faux ».

■ **Erreurs d'attribution. J.R. Boronali :** *Coucher de soleil sur l'Adriatique,* exposé en 1910, remporta un vif succès. Son auteur était un âne (Boronali : Aliboron), à la queue duquel des humoristes (dont Roland Dorgelès) avaient attaché un pinceau. **Giorgione :** *Le Concert champêtre* considéré comme une œuvre de jeunesse du Titien (Louvre). **Frans Hals :** *Descartes* (Louvre) et **Georges de La Tour :** *St Jérôme lisant* sont contestés. **Antoine Le Nain :** *La Messe pontificale,* a été auparavant attribuée à Pourbus, Champaigne, Van den Berg, Chalette et Bergaigne. **Poussin :** *Olympos et Marsyas* acheté par le Louvre en 1968 attribué alors à l'école des Carrache (20 ans de procédure pour le jugement et la restitution). **Rembrandt :** *Diane au bain* qui lui fut attribuée de 1910 à 1926 ; prix (en F 1983) : *1872* 1 300 F, *1926* 340 000 F, *1983* 95 000 F. Vers 1900, on comptait 966 Rembrandt (300 seulement seraient de lui). Un *Portrait de jeune homme barbu* de la collection Thyssen vendu 9,8 millions de F chez Christie's en 1971, revendu 4,8 millions de F chez Sotheby's en 1988 après sa désattribution. **Rimbaud :** ses dessins avaient été décalqués sur divers livres et journaux. **Le Véronèse :** *Christ guérissant un aveugle,* adjugé 37 800 £ chez Christie's à Londres, en 1958 : attribué au Greco en 1960 et revendu 100 000 £. **Watteau :**

2 tableaux achetés par le Louvre 1 500 000 F en 1927, attribués + tard à Quillard, perdirent ainsi 90 % de leur valeur. En 1972, on attribuait 200 à 300 peintures à Watteau ; depuis, 39 à 42.

Expositions

■ **Salons.** Expositions périodiques d'œuvres d'artistes vivants. 1er Salon Paris 1667, à l'instigation de Colbert. *Sous Louis* XV 25 expositions de 1725 à 1773 [s'ouvraient généralement le 25 août (j de la St-Louis) et duraient un mois dans le Salon Carré du Louvre (d'où leur nom)]. De 1751 à 1795, le Salon fut bisannuel. Seuls exposaient des membres de l'Académie royale de peinture et de sculpture et des professeurs de l'école (supprimée sous la Révolution).

La création de l'Académie des beaux-arts de France, en 1795, entraîna le retour du favoritisme et l'exclusion des artistes indépendants. De 1795 à la fin du XIXe s., la plupart des grands peintres français luttèrent ainsi contre cet arbitraire. Ainsi Delacroix (1798-1863), chef des romantiques, maltraité par Ingres (de l'Académie et défenseur du classicisme). En 1863, le refus de 3 000 candidatures sur 5 000 entraîna la création du *Salon des Refusés* qui exposa des œuvres de Courbet, Fantin-Latour, Manet, Harpignies, Whistler et Jongkind.

■ **Foire internationale d'art contemporain (FIAC).** *Créée* 1974 par OIP (Organisation Idées Promotion, 62, rue de Miromesnil, 75008 Paris). Pts. *1975 :* Daniel Gervis. *1991 :* Denise René. **Visiteurs :** *1991 :* 120 000 ; *92 :* 150 000. **Résultats** (en millions de F) : *1989 :* 300 ; *90 :* 400 ; *91 :* 200 ; *92 :* 100. Existe aussi à : Los Angeles (1984), Chicago (1979), Cologne (1967), Bâle (1970), Düsseldorf (1973).

■ **Documenta** [Cassel (All.)]. *Créée* 1955 par Arn.

■ **Galeries.** Il y en a env. 400 à Paris (+ celles du plateau Beaubourg).

Prix

■ Éléments du prix

■ **Notoriété de l'auteur. Authenticité du tableau. Provenance. Rareté. Qualité. Période de l'artiste. État de conservation. Dimensions. Forme** (toiles ovales peu recherchées : question de mode et de cadre difficile à trouver). **Portraits :** on préfère les fonds clairs (fonds d'or pour les primitifs italiens), une femme ou un enfant à un homme (surtout s'il s'agit d'abbés ou de gens de justice), une princesse à une bourgeoise, une personne célèbre à un inconnu. **Nus :** le féminin est plus apprécié que le masculin jugé académique (à qualité égale, 1 nu féminin de Boucher se vend 5 fois + cher qu'un masculin). **Scènes :** on préfère des scènes civiles (kermesses, intérieurs typiques, etc.) aux religieuses et, pour celles-ci, les souriantes (Nativité ou Annonciation) aux douloureuses (Crucifixion ou Déposition). **Natures mortes :** on préfère fonds clairs, compositions aérées et harmonieuses : fleurs, tables servies, coquillages ou instruments de musique (rarissimes), vanités de belle qualité (gibiers morts ou poissons déplaisent à beaucoup). **Pastel :** fragile (craint trépidation et humidité) et difficile à restaurer, vaut 3 à 5 fois moins cher qu'une toile (exceptions : *Perronneau* qui a peint peu de toiles et *Maurice Quentin de La Tour* aucune). **Signature :** se répand au XVIIe s. et courante au XVIIIe s. Les tableaux non signés sont alors dépréciés par rapport aux tableaux signés. Un changement d'identité peut multiplier ou diviser par 100 le prix d'un même tableau. Les appellations d'écoles nationales deviennent plus rares, car on s'efforce de rattacher les tableaux à des maîtres.

■ **Cote.** Il est difficile d'établir la cote des peintres célèbres, certains étant très rarement ou jamais cotés (ex. : Van Eyck, Roger Van der Weyden, Giotto, Raphaël, Léonard de Vinci, etc.). Elle varie suivant le sujet traité (ex. : Corot), la période de la vie du peintre auxquelle l'œuvre se rattache (ainsi la période fauve de Vlaminck ; Picasso est préféré pour ses périodes bleue et rose, puis pour ses toiles cubistes et ses toiles classiques, et enfin pour ses toiles récentes). Les contemporains bénéficient souvent à leur époque d'un engouement qui peut se retrouver à l'époque suivante (cas de certains peintres du XIXe s. dont les cours s'étaient effondrés).

■ Évolution

1900-30 forte progression ; baisse après la crise de 1929-30, puis progression jusqu'en 1950 (nabis, fauves, cubistes, surréalistes, expressionnistes) ; **1950-73** hausse générale ; **1974-77** crise de la peinture contemporaine : baisse générale de la cote ; **1977-81** selon l'offre et la demande ; hausses sur les tableaux de qualité (impressionnistes, pompiers, orientalistes, petits-maîtres, symbolistes, préraphaélites, néoclassiques). **1982-88** remontée de la cote de la peinture contemporaine. **1990-93** forte baisse.

Prévisions. A long terme, les œuvres exceptionnelles des meilleurs peintres augmenteront, car les œuvres de qualité sont rares sur le marché.

Le nombre des musées s'accroît et beaucoup désirent se constituer des collections représentatives des diverses époques. Ainsi, malgré une baisse de la peinture abstraite, en 1962, les cours des « têtes de file » comme Mondrian, Kandinsky, Soulages, de Staël et les peintres américains ont monté. Depuis 1968, certains tableaux d'impressionnistes et de modernes ont atteint un tel prix qu'ils ne peuvent plus augmenter en F constants.

☞ *Sources :* **Bénézit** (dictionnaire des peintres, sculpteurs, dessinateurs et graveurs). *Créé* en 1911 par Emmanuel Bénézit (1854-1920). *1re édition* 1911-1923 : 3 vol. *2e éd.* 1948-1955 : 8 vol. *3e éd.* 1976 : 10 vol. (200 000 entrées). **Annuaire Mayet :** *créé* 1962. 1992 a donné 60 000 enchères, 35 000 artistes dans 2 400 ventes ; *parution :* sept. ; *tirage (1992) :* 6 000 ex. **L'Annuel des Arts** (ancien **Annuaire Van Wilder**) ; *parution :* oct., *tirage (1993) :* 6 000 ex. **Annuaire des Cotes/Art Price Annual.** ADEC Productions : *créé* 1988. En 1993 a donné 140 000 prix pour 40 000 artistes ; *parution :* déc. ; *tirage (1993) :* 25 000 ex.

■ Tableaux les plus chers du monde (en MF : millions de F)

■ **Tableaux achetés de gré à gré. Anciens. 1967** *Ginevra dei Benci* portrait (présumé) de Léonard de Vinci, peint sur bois laqué, acheté 30 au Pce de Liechtenstein par la NG (National Gallery) de Washington. **1972** *Le Tricheur à l'as de carreau* de G. de La Tour, acheté par le Louvre 10 (aidé par le Gouvernement pour 5). **1974** *Le Verrou* de Fragonard, acheté 5 par le Louvre ; attribué à un de ses élèves, il avait été adjugé 55 000 F en 1969. *La Madeleine au miroir* de G. de La Tour, acheté 12 MF par la NG de Washington. **1979** *Le Mariage de Poséidon et d'Amphitrite* de L. de Vinci, acheté 50 MF par un musée hollandais. **1980** *Le Christ faisant ses adieux à sa mère* d'Albrecht Altdorfer (1er Européen ayant osé peindre des paysages véritables), acheté 60 MF par la NG de Londres aux héritiers de Lady Zia Wernher, belle-fille du collectionneur sir Julius. **Modernes. 1964** *Les Grandes Baigneuses* (130 × 195 cm) de Cézanne, acheté par la NG de Londres aux héritiers d'Auguste Pellerin, 7,5. **1973** *Blue Poles* (les Mâts bleus, 2,10 × 5,90 m) de Jackson Pollock (1912-56), peint en 1953, acheté par la NG d'Australie à Canberra 8,4.

■ **Records absolus en ventes publiques. 1957 Gauguin** *Nature morte aux pommes* (66 × 76 cm), 1,04 MF (Paris). **1958 Cézanne** *Le Garçon au gilet rouge* (92 × 73), 2,306 (Londres). **1959 Rubens** *L'Adoration des Mages* (370 × 280), 3,8, acheté par le King's College (Cambridge, G.-B.). **1961 Fragonard** *La Liseuse* (80 × 65), 4,375 ach. par la National Gallery de Washington, vente Erickson (N.Y.). **1961 Rembrandt** *Aristote contemplant le buste d'Homère* (141 × 134), 11,5, ach. par le Metropolitan Museum de N.Y., vente Erickson (N.Y.). **1965** (15-3) **Rembrandt** *Titus* (60 × 65), 11,72, ach. par Norton Simon (USA), vente Francis Cook (Londres). **1970** (27-10) **Vélasquez** *« L'Esclave de Vélasquez »,* peint en 1649 (78 × 64) 30,6 vente Radnor (Christie's, Londres). Acheté par la Galerie Wildenstein, le Louvre avait offert 13,2 MF. Le tableau avait été vendu en 1801 40 £, 1 810 151 £. **1983** (6-12) **H. le Lion** *Les Évangiles* 81,4 (Sotheby's, Londres). **1984** (5-7) **Turner** *Folkestone,* 85. **1985** (18-4) **Mantegna** *L'Adoration des mages* (v. 1500) 87,48 (Christie's ,Londres). (30-3) **Van Gogh** *Les Tournesols* (huile sur toile, 1889, 92 × 73) 267,3 (Christie's, Londres). **1987** (11-11), **Van Gogh** *Les Iris* (huile sur toile, 71 × 93) 323,4 (Sotheby's, N. Y.), l'ach. Alan Bond doit encore env. 120 MF sur 162, empruntés à Sotheby's, le tableau a été revendu début 1990 au musée Getty à Malibu (Californie). **1990** (16-5) **Van Gogh** *Portrait du Dr Gachet* 458 (Christie's, N.Y.). (17-5) **Renoir** *Le Moulin de la Galette* 450 (Christie's, N.Y.). Ces 2 tableaux ach. par la galerie jap. Kobayashi. **Records récents** (au 5-5-92). **1991** (13-12) **Titien** *Vénus et Adonis* 75 (Christie's, Londres). **1992** (15-4) **Canaletto** *La Place des Horse Guards* 100 (Christie's, Londres).

■ **Records à Drouot (Montaigne). 1987** (20-11) **Modigliani** *La Belle Romaine* (100 × 65) 41. **1989** (30-11) **Picasso** *Les Noces de Pierrette* 300 (acheté pour Tomonori Tsurumaki, Pt-DG de Nippon Auto Pokis). Le Suédois Fredrick Roos avait obtenu pour ce tableau une autorisation de sortie en donnant à l'État *La Célestine* (1904, période bleue) qu'il avait

La Joconde (77 × 53 cm). Peinte par Léonard de Vinci, v. 1499-1512, représenterait Mona (diminutif de Madonna) Lisa Gherardini, épouse de Francesco del Giocondo, de Florence, qui, n'aimant pas le tableau, aurait refusé de le payer à Vinci. Il y eut 2 commandes : François Ier acheta celle du Louvre en 1517, 4 000 florins d'or (15 kg), soit au cours du lingot mars 1992 (945 000 F) ; l'autre serait peut-être à Lausanne dans le coffre d'une banque, attendant toujours un certificat d'authenticité. Selon 2 médecins lyonnais assistés d'un sculpteur, la Joconde souffrait d'une paralysie faciale et son « sourire » résulterait d'une asymétrie musculaire. Elle aurait eu aussi le bras et l'épaule paralysés.

achetée 100 chez Didier Imbert qui, lui-même, l'avait ach. 25 en 1987. **1991** (7-11) **Gauguin** *Té Faré* 52. **1992** (6-12) **Van Gogh,** *Jardin à Auvers* (juillet 1890) 55 (ach. par Jean-Marc Vernes).

☞ **Avant 1914,** plusieurs tableaux ont été payés + de 20 MF 1990. *Ex. :* **1885** la *Madone Ansidei* (Raphaël) 37,5 ; **1900** *Portrait d'Elena Grimaldi-Cattaneo* (Van Dyck) 51,1 ; **1901** tableau d'autel Colonna (Raphaël) 65,1 ; **1911** *Le Moulin* (Rembrandt) 34,5 ; *Petite Madone* (Raphaël) 48,5 ; **1914** *Madone Benois* (L. de Vinci) 12,8.

■ Exemples de cotes (en milliers de F)

Primitifs et XVIe s.

Les œuvres des XIIIe et XIVe s. sont rarissimes. En général, il ne se vend en France qu'env. 20 œuvres anciennes de grande qualité par an.

Allemands. *Maître de l'autel de Maikammer* [triptyque (panneau central 143 × 125 cm, volets 143 × 55 cm)] 1 210,6 (1977) ; *Atelier du Maître de Francfort* [triptyque (114 × 76,6 cm)] 829,9 (1984). *Baldung Grien* 225 à 2 234,4 (1978). *Cranach (le Vieux)* 118,8 à 4 480 (1992), ex. 42 614 (1990) ; *(le Jeune)* 65 à 360 (1980). *Dürer* 5 337,6 (1978). *Strigel (B.)* 1 094,4 (1978).

Espagnols. *Le Greco* 15 170 (1991). *Bernat Martorell* (catalan), rétable de la légende de Ste Ursule 22 047 (1989).

Flamands et Hollandais. *Beert (Osias)* 291 à 5 198,8 (1989). *Bouts (Dieric),* Résurrection 16 320 (1980). *Bruegel (Jan dit de Velours)* 60 à 10 582 (1990). *Juan de Flandres* 1 220. *Maître de la Manne* 1 105 (1987). *Mostaert (G.)* 14,6 à 856 (1989) ; *(J.-J.-S.)* 963 (1989). *Van Stalbemt* 45,4 à 514,8 (1989). *Van Valckenborch* 49 à 1 100. *Van Veen* (dit Heemskerk) 103 à 4 403,6 (1986). *Vrancx (S.)* 27,2 à 972,4 (1990). *Wtewael (J.)* 68,4 à 7 922 (1988).

☞ *Portrait de Jacob Obrecht* (École de Bruges, fin XVe s.) 12 800 (1993) record pour un tableau anonyme.

Français. *Corneille de Lyon* 161,7 (1992) à 1 140 (1988). *Gérard David* 7 932 (1988).

Italiens. *Altobello Melone* 392,2 (1978). *Bassano (J.)* 17,9 à 3 686 (1972). *Botticelli* jusqu'à 8 250 (1982). *Vincenzo Campi* jusqu'à 2 860 (1987). *Carpaccio* 399 à 1 900 (1974). *Cola da Camerino* env. 7 000 (1989). *Duccio di Buoninsegna* 8 500 (1976). *Gentile Da Fabriano* (entourage de) 3 524 (1986). *Fra Angelico* 2 800 (2 panneaux, 1972). *Ghirlandaio* 1 250,5 (1980). *Giotto* (atelier d'Ambrogio) 515 (1980). *Giovanni di Paolo* 925 à 4 560 (1978). *Lotto (L.)* 215 à 1 819 (1984). *Luca di Tommè,* 720 (1989). *Maestro del Bambino Vispo* 950 (1980). *Mantegna* jusqu'à 98 000 (1987). *Mazzolino L.* jusqu'à 1 350 (1986). *Monaco* 3 966 (1988). *Orcagna* 792,2 (1990). *Paggi* 840 (1989). *Il Parmigianino,* rec. 5 590 (1977). *Pier-Francesco Fiorentino* 196,7 à 547,2 (1979). *Piero della Francesca* rec. 10 000 (1978). *Piero di Cosimo* 19 500 (1989). *Pontormo* 211 200 (1989). *Raphaël* 1 131 à 3 500 (1984). *Rocco Zoppo (Giovanni M. di B.).* *Sano di Pietro* 880 (tempera, 1990). *Sebastiano del Piombo* 3,9 à 1 000 (1977). *Sogliani* 823,8 (1991). *Taddeo di Bartolo* 245,9 à 501,6 (1978). *Tintoret* 82,4 à 3 000 (86). *Titien* 900 (1981), 15 216 (1989), Vénus et Adonis 75 000 (rec., 1991). *Vanucci (Pietro) dit Le Pérugin* 3 002,4 (1990). *Véronèse* jusqu'à 15 444 (1990).

XVIIe s.

Espagnols. *Arellano (J. de)* 120 à 5 940 (1992). *Murillo* 109 à 23 740 (1990). *Ribera (J. de)* 97,6 à 24 212,5 (1990). *Valdés Leal (Juan de)* 11,4 à 504 (1991).

Flamands et Hollandais. *Avercamp* 156,5 à 2 360 ; ex. 6 779,5 (1990). *Bosschaert (A.)* jusqu'à 5 800 (1992). *Breenbergh* jusqu'à 4 070 (1991). *Bruegel (P.)* 77 à 17 118 (1989). *Cuyp (A.)* 19,8 à 6 999 (1973). *Daniels (A.)* Bouquet jusqu'à 120,3 (1992). *Flinck* 45 à 2 345,8 (1989). *Fromantiou (Hendrich De)* 300 à 3 626. *Hals* 39,9 à 2 900 (1988). *Heda (Willem Claesz)* 78,5 à 8 436 (1988). *Heem (C. De)* 115,3 à 4 000. *Heem (J.D. De)* 400 à 36 797 (1988). *Hooch (Pieter De)* 77 à 2 468 (1987), ex. 33 500 (1992). *Janssens (A.)* jusqu'à 1 013 (1991). *Jordaens* 77 à 4 280 (1989). *Lingelbach* 16,8 à 976 (1991) ; ex. 2 400 (1990). *Maes (N.)* 27,4 à 4 000 (1985). *Metsys* 32,3 à 127,5 (1976). *Mommers (H.)* 8,2 à 465 (1988). *Momper (J. De)* 47,6 à 5 241 (1989). *Olis (J.)* 2 367 (1989). *Potter (P.)* 45,8 à 9 682 (1988). *Rembrandt* 1 250 (1980), 37 100 (portrait de Johannes Vyttenbogaert, 1992), 68 099 (déc. 1986). *Rubens* 85 à 29 055 (1989). *Ruisdael* 43,2 à 5 400 (1983). *Savery (R.)* 23 à 4 938 (1990). *Steen (J.)* 12,5 à 17 118 (1989). *Storck (A.)* 33,6 à 555. *Suchtelen* 300 (1990). *Teniers (D. II)* 27,1 à 2 096,5 (1989). *Ter Borch* 79,9 à 1 100 (1989). *Ter Brugghen (Henrick)* 242 à 11 000 (1985). *Treeck* jusqu'à 1 087 (1987). *Uyttenbroeck* 40 à 660 (1982). *Van Barburen* jusqu'à 11 001 (1987). *Van der Ast* 200 à 6 000. *Van der Neer (A.)* 18,4 à 1 900 ; ex. 4 852,5 (1990). *Van de Velde (le Jeune)* 24,1 à 498 (1989). *Van de Velde (le Vieux)* 115 à 658,6 (1990). *Van Dyck (A.)* 80 à 7 748 (1989). *Van Goyen* 23,2 à 5 000. *Van Hulsdonck* 7 930 (1992). *Van Mieris (le Vieux, Frans I)* 102,7 à 3 775,2 (1990). *Van Thielen (J.)* 49,6 à 2 200 (1989). *Uyl* 12 266 (1988). *Verelst (S.P.)* 6,5 à 2 574 (1990). *Vernet (Ch. Joseph)* 4 744 (1991). *Vlieger (S. De)* 8,7 à 4 500. *Weenix (J.)* 23,2 à 2 802,8 (1990). *Wouwermans (P.)* 20 à 4 773 (1988).

Français. Œuvres plus rares : *Champaigne (Ph. de)* 38 à 1 300 (1985). *Dubois (Ambroise)* 70 à 260. *La Hyre (L. de)* 2 700 (1991). *La Tour (G. de)* 450 à 16 860 (1991), tableau de l'atelier : 8 500 (3-12-1985, « ravalé par le propriétaire »). *Le Brun (C.)* 193,7 à 1 000 (1989). *Le Lorrain* 550 à 4 358,3 (1989). *Le Nain* (ou *le Maître des Jeux*) 2 101,3 (1984). *Mignard* 68,4 à 1 150 (1989). *Moillon (L.)* 140 à 2 354 (1989). *Poussin (N.)* 1 600 (1983), 16 500 (1981). *Soreau (Isaac)* 4 900 (1990). *Tassel (J.)* 30 à 1 390 (1987). *Valentin de Boulogne* 2 534, ex. Les Tricheurs 22 500 (1989). *Vouet (Simon)* 198 à 3 800 (1989).

Italiens. *Carrache (Annibal)* 52,6 à 2 371,2 (1978), ex. 8 577 (1987). *Le Dominiquin*, record 1 320 (1971). *Le Guerchin* jusqu'à 1 001,2 (1981). *Il Mastelleta* 2 419 (1991). *Reni* jusqu'à 27 000 (record 85).

XVIIIe s.

Anglais. *Constable* 78 à 105 850 (1990). *Gainsborough* 39,3 à 16 050 (1988). *Hogarth (W.)* 8,6 à 3 640 (1991). *Lawrence (T.)* 87,2 à 6 420 (1988). *Reynolds (J.)* 7,1 à 3 649 (1983). *Russell (J.)* 8,2 à 280. *Stubbs (G.)* 50 à 6 292 (1990). *West (B.)* 67,8 à 17 660 (1987). *Zoffany* 40 à 27 118 (1989).

Espagnols. *Goya* 400 à 37 700 (1992).

Français. *Boucher* 42 à 13 000 (1988). *Capet (M.-G.)* 26 à 1 579 (1991). *Carmontelle (L. Carrogis)* v. à dessin. *Chardin* 400 à 14 582 (1989). *Coypel* jusqu'à 1 160 (1990). *Danloux (H.-P.)* 19,5 à 886,6 (1990). *David (J.L.)* 24 794 (1987). *Desportes (A.-F.)* 2 211,3 (1984). *Drouais (Fr.-H.)* 145 à 820 (1987). *Dunouy (A.-H.)* 18 à 420 (1989). *Fragonard* 130 à 8 000 (1988). *Gagneraux* 180 (1984). *Gérard (Marg.)* jusqu'à 1 420 (1990). *Giroust* 718,8 (1990). *Gobert* 310 (1990). *Greuze* 36 à 2 600 (1986). *Huet (J.-B.)* 29 à 390,4 (1991). *Lacour* 508,9 (1990). *Lagrenée le Jeune* 18,4 à 300. *Lancret* 100 à 1 327 (1987). *Largillière* 37 à 2 556,8 (1988). *Le Moyne (F.)* jusqu'à 7 000 (1989). *Leprince (J.B.)* 140 à 850 (1988), 5 100 (1991). *Nattier* 56,9 à 3 500 (1988). *Oudry (J.-B.)* 68,9 à 3 600 (1990). *Pater* 25 à 820 (1988). *Perronneau* 13,9 à 1 000 (1976). *Pillement* 20 à 450 (1990). *Restout* jusqu'à 2 000 (1990). *Rigaud* (H.) 75 à 2 700 (1992). *Robert (H.)* 10 à 6 000 (1989). *Saint-Aubin (G. de)* 39 à 980, except. 3 100 (1986). *Taurel* 240 (1989). *Valade (J.)* jusqu'à 2 850. *Vallayer-Coster* 110 à 3 500 (1992). *Vernet (J.)* 26 à 7 980 (1992). *Vigée-Lebrun* 12 à 6 900 (1984). *Watteau* 27 à 6 258.

Italiens. *Balestra* 264 à 739,7 (1990). *Bellotto* 80 à 30 750 (1991). *Canaletto* 179,2 à 11 622 (1989) ; ex. 89 600 (1992). *Carlone (E.I.)* 9 à 2 310 (1966). *Gandolfi* 739,7 (1991). *Guardi* 40 à 94 350 (1989). *Longhi* 20,6 à 2 621 (1989). *Tiepolo (G.-D.)* 55 à 4 900. *Zuccarelli* 23,6 à 1 065,4 (1990).

Pays-Bas. *Casteels* 32 à 595 (1991). *Dumesnil* 103 (1990), 220 (1991). *Van Kessel (J.)* 40 à 1 150 (1981). *Van Os* 55 à 820, 2 500 (1985). *Van Pol (Ch.)* 362 (1988).

Suisse. *Liotard (J.-E.)* 44 à 2 700 (1981).

XIXe s.

Divers. *Abbott (J.W.)* jusqu'à 1 000. *Agasse (J.-L.)* 31,7 à 40 827 (1988). *Alken (Henry Junior)* 4,9 à 233,7 (1991). *Alken (Henry Senior)* 12,9 à 1 054 (1992). *Bingham (George Caleb)* 19,9 à 4 418 (1978). *Blum (R.F.)* 26 à 3 010. *Bocion (F.)* 5,9 à 570 (1989). *Boilly (J.)* 3,8 à 360 (1986). *Boilly (L.-L.)* 9,6 à 3 700 (1990). *Boldini (G.)* 75 à 9 510 (1989). *Bonheur (R.)* 3,6 à 455,5 (1991). *Bonington* 2,8 à 3 103. *Boutet de Monvel (L.-M.)* 2,8 à 200 (1989). *Bunny* 7,3 à 3 600 (1989). *Caminade* jusqu'à 260 (1989). *Carolus Duran* 2 à 2 116,4 (1989). *Carrier-Belleuse (P.)* 1,7 à 253,6. *Cassatt (Mary)* 96 à 17 152 (1989). *Catlin (G.)* 39,6 à 2 802,8 (1989). *Chaigneau (P.)* 3,8 à 205 (1990). *Chase (W.M.)* 29,7 à 6 340 (1989). *Chassériau (Th.)* 6,9 à 870 ; ex. 3 731,3 (1991). *Church (F.-E.)* 18 à 47 550 (1989). *Corot* 1,5 à 36 385 (N.Y. 1984). *Courbet* 8,6 à 8 900 (84). *Cropsey (J.)* 18,4 à 3 360 (81). *Danby (F.)* 2,8 à 749. *Daubigny (C.-F.)* 4,8 à 729. *Daubigny (K.)* 3,2 à 82 (1992). *Daumier* 11 à 5 720 (1990). *Delacroix* 22 à 10 000 (1991) ; ex. 28 600 (1989). *Demarne (J.-L.)* 13 à 480. *Detaille (E.)* 1,7 à 274,6 (1990). *Devéria (E.)* 3,8 à 185,6 (1992). *Dezaunay* 5 à 105 (1991). *Diaz de la Peña (N.-V.)* 1,6 à 286 ; ex. 5 229,9 (1990). *Doré (G.)* 4,4 à 3 328 (1989). *Dreux (A. de)* 4,8 à 1 016 (1988). *Dupré (V.)* 7 à 193. *Eakins (T.)* 6 à 1 194,6 (1978). *Farny* 25,7 à 2 576. *Ferneley (J.)* 3,9 à 1 375 (1982). *Forain (J.-L.)* 5 à 511,4. *Friedrich (C.D.)* 1 700 (1981) à 14 000 (1987). *Galien-Laloue (E.)* 3 à 216,3. *Gavarn (G.)* 3 à 23,3. *Gavarni (P.)* 813,2 (1991). *Geoffroy (H.)* 4,3 à 405 (1990). *Gérard (M.)* jusqu'à 1 033,7 (1990). *Gericault* 15,9 à 35 520 (1989). *Grimshaw (J.A.)* 15,8 à 1 417 (1992). *Gros (A.J.)* 24 à 4 000 (1988). *Guardi (G.)* 27 à 2 700 (1989). *Gudin (H.)* 3,4 à 55. *Gudin (J.)* 3 à 34,6. *Harpignies* 2,9 à 400,5 (1992). *Heade (M.J.)* 28,5 à 10 500 (1987). *Herring (J.-F. Senior)* 5,1 à 5 811 (1989). *Hodler (F.)* 78 à 3 616 (1992). *Homer (W.)* 456 à 7 480 (1980). *Hoppner (J.C.I.)* 13,2 à 1 650 (1982). *Huet (P.)* 2,8 à 54. *Hunt (W.H.)* 7,5 à 506 (1981). *Icart (L.)* 25 à 310 (1991). *Ingres (J.-D.)* 18,5 à 14 430 (1989). *Inness (G.)* 17,6 à 5 389 (1989). *Isabey (E.)* 6,3 à 280. *Jacque (C.)* 1,1 à 393,1. *Jongkind (J.-B.)* 11 à 1 277,6 (1984). *Kensett (J.-F.)* 13,9 à 4 320. *Laprade* 3 à 480 (1989). *Lear (E.)* 33 à 1 162,2 (1990). *Leickert (C.)* 4,1 à 509 (1989). *Leighton (Lord) (F.)* 3,4 à 9 685 (1990). *Lepage (F.)* 688,2 (1985). *Lepoitevin (E.)* 6 à 122. *Leprin (M.)* 12 à 900 (1990). *Lewis-Brown (J.)* 2,7 à 127,6. *Maillol (A.)* 24,5 à 3 500 (1989). *Marshall (Ben)* 0,5 à 4 654,5 (1988). *Meissonier (L.-E.)* 3,5 à 174 (1987). *Millet (J.-F.)* 15 à 11 110 (1991). *Monchablon (J.-F.)* 3,6 à 291,3 (1992). *Monticelli (A).* 4,4 à 2 833 (1992). *Moran (E.)* 3,9 à 126. *Munnings (Sir A.)* 9,7 à 6 600. *Olive* 9,6 à 580 (1991). *Optiz* 1 755,4 (1991). *Pearce (C.S.)* 10,5 à 1 260. *Pollard (James)* 10,5 à 3 450 (1988). *Portaëls* 1,8 à 85,6. *Poynter* 26 à 2 000 (85), ex. 4 280 (1988). *Prendergast (M.)* 33 à 10 461 (1989). *Princeteau* 3 à 550 (1988). *Prud'hon (P.-P.)* 3,5 à 3 500 (1992). *Puvis de Chavannes* 17 à 1 743,3 (1990). *Raeburn (H.)* 9,8 à 1 650. *Raffaelli (J.-F.)* 7 à 581,1 (1990). *Raffet (A.)* 2 à 45. *Ranney (W.-J.)* 2 992. *Remington (F.)* 62,9 à 24 596 (1989). *Renaudin (A.)* 5,7 à 245 (1989). *Rochegrosse (G.)* 2,4 à 300 (1990). *Rousseau (Th.)* 8 à 2 409,2 (1989). *Salomon (A.)* 5 à 672. *Sargent (J.-S.)* 8,2 à 4 066 (1988). *Saurfelt (L.)* 2 à 100 (1986). *Schelfhout (A.)* 6,9 à 1 257,9 (1990). *Schlesinger (F.)* 20 à 434,5 (1991). *Schwiter (L.A. de)* 641 (1983). *Sorolla y Bastida (J.)* 17 à 15 980,3 (1990). *Spohler (J.J.)* 8,6 à 285,3. *Steinlen (I.)* 5 à 825 (1989). *Stuart (G.)* 5,3 à 4 000. *Tissot (J.)* 19,8 à 7 925 (1989). *Trouillebert (P.-D.)* 7,4 à 380. *Troyon (C.)* 3 à 634 ; ex. 3 600 (1990). *Turner (J.-M.-W.)* 95 à 26 700 (Juliette et sa nurse, 1980). *Vallotton* 11 à 749 ; 1 300 (1987). *Van Dael* jusqu'à 2 050 (1991). *Vernier* 3,2 à 52. *Vincent (F.A.)* 20 à 3 400 (1985). *Vollon (Ant.)* 0,2 à 242,7. *Winterhalter (F.-X.)* 7,2 à 9 000 (1989). *Ziem* 3,1 à 554,4 (1988).

Impressionnistes. *Boggs (F.)* 2 à 257,4 (1989). *Boudin* 21 à 82 200. *Caillebotte (G.)* 50 à 11 880. *Cézanne* 80 à 140 000 (la Jetée du Havre, N. York, 1993). *Claus (E.)* 9 à 2 450. *Degas* 204 à 75 875 (les Blanchisseuses, 1987). *Lauvray (A.)* 2,7 à 120 (1989). *La Villéon (E. de)* 0,9 à 260. *Lebourg* 5,3 à 955. *Manet* 172,5 à 137 280 (Rue Mosnier, 1989). *Monet* 100 à 145 800 (Dans la prairie, Londres 1988). *Morisot (B.)* 26,4 à 5 706. *Pissarro (C.)* 239,4 à 22 000 (1990). *Renoir* 28,6 à 406 120 (Au moulin de la Galette, 1990). *Seago (E.)* 4,5 à 608,6. *Sisley* 207 à 20 922 (1988). *Thaulow (F.)* 10,9 à 774,8 (1990). *Toulouse-Lautrec* 88 à 67 496 (1990). *Van Gogh* 2 000 à 429 000 (Portrait du docteur Gachet, 1990).

Nota. – « Petits impressionnistes » (ex.) : *Cazin* 1,6 à 155,8 (1991). *Charreton (V.)* 11,9 à 580 (1990). *Chintreuil* 2,5 à 70 (1992). *Delattre (J.-M.-L.)* 2,6 à 180. *Guillaumin (A.)* 9 à 1 380 (1987). *Lépine (S.)* 10 à 1 284. *Lhermitte (L.)* 3,7 à 2 736 (1991). *Montezin (P.)* 10,5 à 1 200 (1990). *Moret* 4,7 à 1 498 (1989). *Veyrassat* 2,5 à 158,7 (1991). *Vignon (V.)* 5,3 à 320.

Nabis. *Bonnard* 95 à 43 112 (1988). *Denis (M.)* 2,5 à 4 000 (1989). *Lacombe (G.)* 6,2 à 1 050. *Mols (F.)* jusqu'à 341. *Ranson* 3 à 1 452 (1989). *Roussel (K.-X.)* 3,4 à 951 (1991). *Schuffenecker (C.-E.)* 17,5 à 686,4 (1989). *Sérusier (P.)* 11 à 4 354 (1984). *Verkade (W.)* jusqu'à 130. *Vuillard* 46 à 11 720 (1992) ; ex. 40 040 (1989).

Naïf. *Rousseau (le Douanier)* 32 à 7 748 (Vue de la Bièvre-sur-Gentilly, 1990).

Néo-impressionnistes. *Angrand (C.)* 12 à 2 211,8 (1985). *Binet (G.)* 3 à 104,7 (1991). *Cross (H.-E.)* 1,7 à 4 438 (1988). *Dubois-Pillet* 9 à 1 250 (1989). *Gauguin* 120 à 145 200 (Mata Mua, 1990). *Laugé (A.)* 5,5 à 280. *Loiseau (G.)* 11 à 1 810 (1989). *Luce (M.)* 3,2 à 4 648,8 (1990). *Martin (H.)* 1,6 à 4 710 (1991). *Maufra* 3,8 à 791,8. *Puigaudeau (du)* 2,9 à 800 (1990). *Seurat* 420 à 10 000 (1990). *Signac* 30 à 14 300 (1989). *Van Rysselberghe* 6,5 à 4 004 (1989).

Orientalistes. *Baratti (F.)* 561,3 (1991). *Belly* 487,8 (1990). *Berchère (N.)* 4 à 1 350. *Chataud (A.)* 3,2 à 140. *Dehodencq (A.)* 4 à 580 (1989). *Deutsch (L.)* 2,2 à 1 800. *Dinet (E.)* 3,8 à 890,3. *Dunand (J.)* 1,6 à 1 300 (1989). *Frère (C.T.)* 5 à 157,3 (1988). *Fromentin (E.)* 1,3 à 800. *Gérôme (J.-L.)* 30,4 à 2 000. *Giraud (E.)* jusqu'à 1 659 (1984). *Goodall (F.)* 3,8 à 1 372 (1990). *Landelle (Ch.-Z.)* 1,1 à 161,8 (1991). *Leroy (P.)* 60. *Marilhat (P.)* 5,5 à 70 (1991). *Philippoteaux* 3 à 1 050 (1984). *Raffaële* 660 (1984). *Schreyer (A.)* 6 à 855,9 (1989). *Tournemine (C. de)* 4 à 100.

Peintures 1900. *Béraud (J.)* 4,5 à 16 484 (1989). *Boldini (A.)* 17,5 à 3 900 (1988). *Chaplin (C.)* 2,4 à 371,8 (1989). *Chéret (J.)* 4,6 à 224,7. *Helleu* 1,5 à 6 937 (1988). *Henner* 5 à 190 (1985). *Stein (G.)* 5,2 à 100. *Stevens (A.)* 3 à 2 662,8 (1989).

Pompiers. *Alma Tadema (L.)* 9,9 à 2 905,5 (1989). *Bouguereau (W.)* 18 à 3 000 (1983). *Courtois (G.)* 8,9 à 190,2. *Dadd (R.)* jusqu'à 14 650 (1992). *Firmin-Girard* 4,2 à 600. *Gérôme* 4 à 5 720 (1990) ; ex. 11 440 (1990).

Préraphaélites. *Burne-Jones* 5,5 à 6 779,5 (1989). *Rossetti (D.G.)* 110 à 12 784,2 (1987).

Symbolistes. *Aman-Jean (E.-F.)* 4 à 1 037 (1991). *Carrière (E.)* 3 à 399 (1991). *Chabas (M.)* 3,1 à 250 (1991). *Fantin-Latour* 13 à 18 500 (1988). *Feure (G. de)* 2,5 à 71 (1980) ; 460 (1988). *Filiger* 9,5 à 325 (1990). *Guirand de Scevola (L.-V.)* 3 à 90. *Khnopff* 242,1 à 3 984 (1991). *Lenoir (Marcel)* 8 à 193,7 (1990). *Le Sidaner* 5,4 à 6 585,8 (1990). *Lévy-Dhurmer* 0,5 en 1961 ; 3,5 à 1 372,8 (1989). *Maxence* 2 à 1 190,5. *Moreau (G.)* 22 à 14 300 (1989). *Mucha* 16 à 720 (1980). *Point (A.)* 1,3 à 1 278,4 (1988). *Redon (O.)* 35 à 9 510 (1989). *Rops (F.-J.)* 8,8 à 1 123,5 (1989). *Venne (A. Van der)* 2,8 à 67,5 (1990).

XXe s.

Cubistes. *Braque* 65 à 61 908 (1986). *Gernez (P.-E.)* 10,5 à 365. *Gleizes* 3,6 à 3 300 (1990). *Gris (J.)* 250 à 19 000 (1990). *Hayden (H.)* 2,2 à 1 549,6 (1990). *Herbin* 10 à 2 400 (1990). *Kandinsky* 115 à 108 680 (1990). *Léger (F.)* 40 à 86 500 (1989). *Lempicka (T. de)* 10,9 à 7 608 (1989). *Lhote* 1,2 à 1 605. *Metzinger* 15 à 3 678,8 (1990). *Picasso*, record : Les Noces de Pierrette 300 000 (30-11-1989) ; Yo Picasso (9-5-1989, autoportrait) 306 200 (vendue à N.Y. en 1983, 35 000 ; 1 500 en 1970) ; Le Lapin Agile (1905, Picasso a 25 ans) 211 640 (15-11-1989) ; Maternité 148 500 (1988) ; Acrobate 227 000 (1988) ; cote de son vivant : 9 800 (les 2 Frères et l'Arlequin, 1967), 670 (Femmes dormant, 1963) ; collage (Tête d'homme) 11 200 (1988). *Villon (J.)* 13 à 3 103.

École de Paris. *Foujita* 17 à 31 460 (1990). *Kisling* 17 à 3 500 (1989). *Laurencin (M.)* 13 à 8 242 (1988). *Modigliani* 270 à 63 000 (1990). *Pascin* 20 à 2 600 (1991). *Soutine* 18 à 12 500 (1990).

Expressionnistes. *Alechinsky (P.)* 3,6 à 2 615 (1990). *Beckmann (M.)* 24,7 à 20 660 (1990). *Dix (O.)* 49 à 3 060 (1992). *Gen Paul* 6 à 500. *Goerg* 6,1 à 246,1. *Gromaire* 15,5 à 1 850 (1990). *Jawlensky (A. von)* 22 à 5 350 (1989). *Mueller (O.)* 150 à 3 852 (1989). *Munch (E.)* 85,6 à 15 440 (1990). *Rouault* 8,7 à 7 960 (1991). *Schiele* 77 à 36 047 (1984). *Tamayo (R.)* 100 à 7 020 (1992).

Fauves. *Bertram (A.)* 2,7 à 130 (1990). *Camoin (C.)* 5 à 700 (1990). *Chabaud (A.)* 4 à 180 (1990). *Derain* 5,5 à 59 920 (1989). *Dufy (R.)* 2,2 à 14 000 (1990). *Espagnat (d')* 7,8 à 1 029,6 (1989). *Friesz (E.-O.)* 9,5 à 5 600 (1989). *Kirchner (E.-L.)* 200 à 45 000 (1985). *Lebasque (H.)* 15 à 3 002,4 (1990). *Marquet (Albert)* 9,5 à 8 000 (1989). *Matisse* 42 à 70 000 (1993). *Seyssaud* 5 à 200. *Valtat* 3,6 à 2 135 (1990). *Van Dongen (K.)* 31 à 13 600 (1990). *Vlaminck* 26 à 62 000 (1990).

Hyperréalisme. *Estes (R.)* jusqu'à 3 106,6 (1989). *Klasen* 2,8 à 460 (1990). *Morley (M.)* 25,7 à 3 640 (1992). *Titus-Carmel (G.)* 3,5 à 66 (1992).

Impressionnistes *Utrillo* 80 à 7 300 (1990).

Naïfs. *Bauchant* 3,1 à 1 050 (1992). *Bombois* 12,5 à 442 (1992).

Néo-plastique. *Domela (César)* 5 à 200 (1990). *Vivin (L.)* 3,8 à 105.

Non-figuratifs. *Bryen* 6,8 à 780 (1990). *Degottex (J.)* 5,8 à 1 100 (1989). *Dmitrienko* 15 à 600 (1990). *Dubuffet* 123,6 à 26 884 (1990). *Estève* 8,2 à 2 615 (1990). *Francis (S.)* 13 à 9 724 (1990). *Freundlich (O.)* jusqu'à 976 (1991). *Gallien (P.-A.)* 790 (rec. 1986). *Gorky (A.)* 21,5 à 5 072 (1989). *Hartung* 31,5 à 8 020 (1990). *Hofmann (H.)* 14 à 4 423,6. *Hundertwasser* 18 à 1 016,9 (1990). *Klee* 160 à 29 960 (1989). *Kline (F.)* 11,8 à 21 500 (1989). *Louis (Morris)* 19,8 à 5 861. *Magnelli* 5,3 à 4 000 (1990). *Manessier* 5,8 à 1 600 (1990). *Mathieu (G.)* 4 à 955 (1989). *Messagier (J.)* 1 à 400 (1990). *Mondrian* 39,1 à 58 000 (1989). *Nicholson (Ben)* 28,9 à 3 874 (1990) ex. 10 653,5 (1990). *Noland (K.)* 27 à 10 582 (1989). *Piaubert (J.)* 1,8 à 200 (1990). *Poliakoff (S.)* 8 à 4 842,5 (1990). *Pollock (J.)* 141,5 à 66 570 (1989). *Riopelle* 18 à 8 876 (1989). *Rothko (M.)* 70 à 29 040 (1988). *Soulages* 14 à 2 324,4 (1989). *Vasarely* 4,5 à 1 372,8 (1990). *Vieira da Silva* 6,8 à 4 358,3 (1990). *Wols* 7 à 5 133,1 (1989).

Nouveaux réalistes. *Arman (F.)* 3 à 2 092,2 (1989). *Christo* 20 à 1 236,3. *Hains (R.)* 4,4 à 270 (1989). *Klein (Yves)* 13,5 à 9 297,6 (1989). *Raysse (M.)* 8 à 1 071 (1991). *Rotella* 2,8 à 155 (1992). *Saint-Phalle (Niki de)* jusqu'à 580 (1989).

Pop Art. *Adami* 14 à 980 (1990). *Hockney (D.)* 14 à 12 680 (1989). *Johns (Jasper)* 2 974,4 à 62 920 (1989) ; 102 300 (1988), prix le plus élevé pour un artiste vivant. *Lichtenstein* 16,8 à 31 460 (1990). *Rosenquist* 74,4 à 14 000 [1986 : la + grande œuvre vendue aux enchères (3 × 26 m)]. *Schlösser* 2 à 82,4. *Warhol* 22 à 72 327 (1986). *Wesselman* 12,6 à 3 200 (1990).

Surréalistes. *Brauner* 30 à 2 350 (1990). *De Chirico* 27 456 (1989). *Dalí* 60 à 21 164 (1989). *Delvaux* 15,4 à 8 988 (1988). *Ernst (M.)* 19,8 à 11 950 (1989). *Labisse* 3 à 180 (1991). *Lam* 10 à 3 200 (1989). *Magritte* 120 à 20 880. *Man Ray* 2,6 à 3 000 (1979). *Masson (A.)* 6 à 5 400 (1989). *Matta* 20,9 à 6 006 (1990). *Miró* 85 à 56 000 (1989). *Tanguy (Y.)* 190 à 4 000 (1990).

Divers. *Andreis (A. De)* 2 à 43,6 (1989) ; except. 8 900 (1988). *Appel (Karel)* 3,8 à 1 770 (1988). *Atlan (J.-M.)* 5,1 à 4 600 (1989). *Bacon (F.)* 550 à 36 138 (1989). *Balthus* 55,5 à 10 868 (1989). *Bardone* 2,5 à 42 (1991). *Bazaine* 8 à 1 210 (1990). *Baziotes* 10,6 à 2 800 (1984). *Bernard (E.)* 3,9 à 1 487,2 (1990). *Bissière (R.)* 1,6 à 1 016,5 (1989). *Blais (J.-C.)* 15 à 745 (1990). *Bonnat (L.)* 0,49 à 220 (1991). *Botero (F.)* 42,9 à 7 280 (1992). *Boudet (P.)* 1,6 à 135 (1991). *Bradberry* 2 à 300. *Brancusi (C.)* 2 219 (1988). *Brasilier* 45 à 1 172,6 (1990). *Brayer (Y.)* 9,5 à 310 (1990). *Brianchon (M.)* 2,5 à 1 160. *Bruskin* jusqu'à 2 585 (1988). *Buffet (B.)* 15 à 5 500 (1990). *Burry* 473,2 à 16 000 (1989). *Calder (A.)* 5,5 à 2 350 (1990). *Campigli (M.)* 50 à 3 815 (1988). *Carzou (J.)* 29,8 à 200 (1990). *Chagall* 189,5 à 77 220 (1990). *Clavé (A.)* 24,3 à 1 743,3 (1989). *Combas (R.)* 6,5 à 450 (1990). *Cueco* 3,2 à 130 (1990). *Dado* 5,6 à 260 (1990). *Delaunay (R.)* 28,7 à 26 800 (1991). *Delaunay (S.)* 2 à 1 965,4 (1988). *Delorme* jusqu'à 346 (1987). *Delval* 2,6 à 59 (1990). *Dolla (Noël)* 1,8 à 55 (1991). *Domergue (J.-G.)* 1,3 à 500 (1989). *Dominguez (O.)* 5,7 à 2 900 (1989). *Dunoyer de Segonzac (A.)* 12 à 386,1 (1989). *Dupas (F, J.)* 1,5 à 915,2 (1990). *Duret-Dujarric* jusqu'à 380 (1992). *Ensor (J.)* 40 à 2 150 (1981). *Epstein (H.)* 1,5 à 120 (1991). *Erró* 2,7 à 350 (1990). *Fautrier (J.)* 7,2 à 16 200 (1990). *Fechin (N.)* 22 à 39, ex. 741 (1991). *Fini (Léonor)* 3,9 à 3 389,8 (1990). *Flint (sir W. R.)* 1,6 à 481,5 (1988). *Frank-Will* 1,5 à 190 (1991). *Garrouste* 1,6 à 160. *Genin* 2,5 à 300 (1990). *Gervex* 2 à 500 (1980). *Giacometti (Alb.)* 16,3 à 16 588 (1989). *Gilbert (V.)* 4 à 629,5 (1989), ex. 1 138 (1991). *Gnoli* 17,1 à 2 600 (1990). *Goetz (Henri)* 10 à 510 (1989). *Gontcharova* 4 à 1 086 (1990). *Grau-Sala (E.)* 2,7 à 610. *Gruber* jusqu'à 1 450 (1990). *Hantaï* jusqu'à 1 100 (1990). *Haring (K.)* 50 à 1 800 (1989). *Hayter (S.-W.)* 5,1 à 330 (1991). *Heckel (E.)* 67,6 à 2 534 (1991). *Hopper* 12 790 (1987). *Jenkins (P.)* 300 (1990). *Jorn* 9,6 à 2 711,8 (1989). *Kokoschka (O.)* 94,6 à 17 118 (1989). *Kooning (W. De)* 8,4 à 124 000 (1989). *Krouthen (J.)* 28,1 à 3 276 (1989). *Kuniyoshi* 28 à 3 360 (1987). *Kupka (F.)* 6,5 à 5 900 (1990). *Lanskoy (A.)* 2 à 12 000 (1990). *Lapicque (C.)* 1 à 650 (1990). *Léandre* 200 (1990). *Lewitt* 4,5 à 150 (1991). *Lindner (R.)* 2 409,2 (1988). *Lorjou* 3,6 à 920 (1990). *Lurçat* 0,9 à 337. *Mac Avoy (E.-G.)* 1,4 à 110 (1990). *Maclet (E.J.)* 0,9 à 705 (1990). *Madrazo y Garreta (R.)* 7,3 à 1 605 (1989). *Mané-Katz* 2 à 983,4 (1987). *Marini (M.)* 4,5 à 10 600 (1989). *Martin (Agnès)* 24,2 à 2 240 (1991). *Marval* 4,9 à 800 (1991). *Miller (R.E.)* 0,7 à 2 385 (1992). *Moholy-Nagy* 57,4 à 1 639,1 (1988). *Monory (Jacques)* 1 à 350. *Morandi* 108 à 8 238,6 (1990). *Moretti (L.-P.)* 8,3 à 180 (1990). *Motherwell* 30,8 à 5 720 (1989). *Neuman (B.)* 481 à 1 100 (1980). *Nolde* 68,7 à 5 750 (1991). *Nowland (K.)* 182,4. *Oguiss* 35 à 3 800 (1990). *O'Keeffe (G.)* 570 à 9 510. *Oldenburg* jusqu'à 3 118 (1989). *Picabia* 4,2 à 2 889 (1989) ; ex. 24 000 (1990). *Pinchon (R.)* 30 à 2 020 (1989). *Pougny* 1,8 à 697,3 (1990). *Quinet (A.)* 74. *Rancillac (B.)* 4,1 à 120 (1989). *Rauschenberg* 17 à 45 000 (1991). *Rebeyrolle* 5 à 660 (1990). *Reille* 0,7 à 64. *Rivera (D.)* 13,5 à 15 400 (1991). *Rodchenko* jusqu'à 3 480 (1988). *Ruscha (E.)* 3,9 à 1 544,4 (1989). *Scheeler (C.)* 22 à 12 800 (1983). *Séraphine* 3,5 à 594 (1991). *Soto* 9 à 423 (1991). *Spencer (Stanley)* jusqu'à 4 634 (1991). *Staël (N. de)* 220 à 11 000 (1990). *Sutherland (G.)* 5,5 à 802,5 (1989). *Tal-Coat* 2,7 à 340 (1990). *Tàpies* 21 à 4 455,1 (1989). *Thébaud* 619. *Trouille* 7,8 à 140. *Twombly* 35,2 à 28 600 (1990). *Valmier (G.)* 9 à 1 650 (1990). *Wyeth (A.)* jusqu'à 2 580 (1981). *Zao Wou-ki* 8 à 910 (1989). *Zingg* jusqu'à 265 (1990).

Vie des peintres

Certains peintres consacrés eurent une existence dorée. Ainsi, au XVIIIe s., pour un portrait, *Mme Vigée-Lebrun* demandait de 4 000 à 12 000 livres (env. 80 000 à 200 000 F), *Chardin* 2 000 livres (env. 40 000 F). En 1810, ces portraits se vendaient 12 à 50 F ; aujourd'hui, ils atteindraient + de 600 000 F. *Tocqué* en 1754 gagnait env. 20 000 livres par an (400 000 F). En 1805, *Gros* reçut 16 000 F pour les Pestiférés de Jaffa (450 000 F actuels). Au XIXe s., *Flandrin* demandait 80 000 F (500 000 F actuels) pour un portrait (qui se vendrait aujourd'hui entre 5 000 et 10 000 F). Cote de *Meissonier* de 1884 à 1890 : 100 000 à 190 000 F (4 700 à 36 000 F actuels). **Beaucoup de peintres vécurent dans la misère.** *Rembrandt,* déclaré insolvable en 1656, mourut pauvre. *Daumier* dut être enterré aux frais de l'État. *Van Gogh,* entretenu par son frère, ne put vendre un tableau plus de 100 F. *Gauguin* en vendit plusieurs à 160 F. *Modigliani* obtenait parfois 100 F en espèces et une bouteille d'alcool.

Plusieurs peintres ont laissé peu d'œuvres certaines. L. de Vinci 15, Georges de La Tour 20, Vermeer 40, Dürer 70, Le Titien 140, Raphaël 200. **D'autres furent plus prolifiques.** *Rembrandt* 650 peintures à l'huile, 300 eaux-fortes, 2 000 dessins (plusieurs sont discutés), *Toulouse-Lautrec* env. 737 peintures, 275 aquarelles, 4 790 dessins, lithos ou croquis, *Van Gogh* 817, *Rubens* 2 500 (500 peut-être non authentiques), *Corot* 4 000, *Renoir* 6 000, *Picasso* 13 500 tableaux et dessins, 100 000 lithos et gravures, 34 000 illustrations, 300 sculptures et céramiques.

Picasso (1881-1973). A sa mort son œuvre était estimée à 6 milliards de F. L'héritage (60 000 œuvres dont env. 1 876 tableaux, 27 388 estampes, 2 880 céramiques, 11 748 dessins, 1 355 sculptures) a été évalué à 1 251 673 200 F partagés (une fois réglés les 20 % de droits de succession pour les enfants et 40 % pour les petits-enfants) entre *6 héritiers :* sa *veuve* Jacqueline (née 1926, 2e épouse, se suicide le 15-10-1986) ; ses *enfants naturels* Maya Widmayer (1935) née de Marie-Thérèse Walter ; Claude (1947) et Paloma Picasso (1949) nés de Françoise Gilot ; ses *petits-enfants* nés de son fils Paulo († 1975, fils d'Olga Khokhlova, 1896-1935, 1re épouse) et d'Emmanuelle Lotte (épousée 1950) : Pablito († 1973) et Marina Picasso (1951) ; et de Christine Paulin (épousée 1962) : Bernard Picasso (1959). En mars 1990, l'État fr. accepta en dation : 49 peintures, 2 sculptures, 38 dessins, 24 carnets de dessins, 19 céramiques, 247 gravures, 7 lithos.

Cote des artistes peintres actuels. De nos jours, un peintre est payé au point (débutant de 20 à 50 F, déjà célèbre 700 et +). La cote augmente en fonction de la critique, de la demande, de la mode, du nombre des expositions, de la participation à des salons internationaux (Documenta de Cassel, exposition Carnegie de São Paulo et Tōkyō, triennales de Milan et de Turin), de la présence d'œuvres dans les grandes collections et des récompenses reçues (prix de Venise et São Paulo, Carnegie, Guggenheim, Marzotto et Lissone).

Prix Lila-Acheson Wallace de la Jeune Peinture française. 150 000 F. *Créé* en 1986 par la « Fondation du Reader's Digest, France », en mémoire de Lila-Acheson Wallace (1889-1984) cofondateur (avec son mari) du « Reader's Digest ».

Maladies particulières. Renoir, Rubens, Dufy souffraient de polyarthrite rhumatoïde parce qu'ils utilisaient des peintures vives contenant des sulfures toxiques de métaux lourds.

☞ Le 24-12-1888, V. Van Gogh tente de tuer Paul Gauguin. Pour lui montrer son repentir, il se coupe une oreille et la lui envoie. Son *Autoportrait à l'oreille coupée* a été peint en souvenir.

Quelques écoles et mouvements

Allemagne

■ **Fin XVIe. École de Frankenthal :** Bavière rhénane. Gillis III Van Coninxloo, Joos Van Liere, Jan de Witte, Antoine Mirou, Pieter Schoubroek, Hendrick Van Den Borcht le Vieux, Jakob Marrel, Jean Vaillant. Influence sur Karel Van Mander, Kerstian de Keuninck, Peter Stevens II, David Vonckboons, Mattheux Molanus.

■ **XIXe s. Nazaréens :** groupe qui remit l'art religieux en honneur : Wackenroder, Tieck, Overbeck, Pforr, Vogel, Hottinger, Wintergerst, Sutter, Cornelius. Rejoints par Schnorr von Carolsfeld, Führich. **Biedermeier.** Contraction due au poète Eichenrodt (1850). Nom de 2 bourgeois allemands (Biederman et Bummelmeier) chez Victor von Scheffel en 1848. Conception sensible de la nature, exécution précise, petits formats. *Paysagistes :* Kobell, Gensler, Waldmüller, Blechen, Gärtner. *Portraitistes ;* Krüger, Begas, Hess, Stieler, Amerling, Oldach, Wasmann. *Scènes de genre :* Schwind, Ludwig Richter, Spitzweg, Schrödter. *Histoire :* Bendemann, Rethel, Lessing. **Jugendstil** (v. 1880-1900) : mouvement en liaison avec l'Art Nouveau français. **École de Düsseldorf** (1828-50) : réaction contre l'art italien : Andreas Achenbach (1815-1910), Albert Bierstadt (1830-1902), Peter Hasenclever (1810-53), Wilhelm-J. Heine (1813-39) Ferdinand-Theo. Hildebrandt (1804-74), Karl Wilhelm Hübner (1814-79), Friedrich Lessing (1808-80), Karl Sohn (1805-67).

■ **XXe s. Die Brücke (Le Pont) :** école expressionniste (Dresde puis Berlin, 1905-13) : Bleyl, Heckel, Kirchner, Schmidt-Rottluff, Nolde, Pechstein, Mueller, Amiet (Suisse). **Der Blaue Reiter (le Cavalier Bleu) :** créé à Munich, en 1911, par Kandinsky et Marc. Recherches pour l'émancipation de l'art. Rassemble jusqu'en 1913 de nombreux représentants de l'Art Moderne : Macke, Campendonk, Klee, Münter. **Nouvelle objectivité :** courant né vers 1920 en art et littérature. Retour aux faits et aux documents. Otto Dix, Georg Grosz, Karl Hubbuch, Christian Schad. **Bauhaus :** école qui réunit à Weimar, de 1919 à 1925, puis à Dessau jusqu'en 1932, enfin à Berlin (1932-33). *Architectes :* Gropius, Mies Van der Rohe, Breuer ; *peintres :* Itten, Klee, Kandinsky, Marcks, Moholy-Nagy (Hongrois), Muche, Feininger (Am.), Schlemmer ; *sculpteur :* Marcks. **Zéro** (Düsseldorf, 1957-67) : mouvement en liaison avec l'Art Nouvelle Tendance (Heinz Mack, Otto Piene, Günther Uecker).

Belgique

■ **VIIIe au XVe s. École mosane :** orfèvrerie, sculpture.

■ **XVe s. Écoles de Bruxelles, d'Anvers, de Malines :** retables.

■ **XIXe s. École de Tervuren** (1866) : groupe de paysagistes réalistes : Boulenger, Dubois, Coosemans. **Groupe des XX :** association, créée en 1884 par Octave Maus et Verheyden, qui organisa chaque année une exposition où figuraient les peintres d'avant-garde. Dissoute en 1894, elle fut remplacée par la *Libre Esthétique.* Félicien Rops.

■ **XXe s. École symboliste** (vers 1900) : Khnopff, Delville, Degouve de Nuncques, Henri de Groux, Frédéric. **Écoles de Laethem-Saint-Martin** (Gand) (dès 1900) : peintres symbolistes, puis expressionnistes : Saedeleer, Van de Woestijne, puis Permeke, Van den Berghe, De Smet, Servaes. **Fauvisme brabançon :** Fernand Schirren, Willem Paerels, Charles Dehoy, Jean Van den Eeckhoudt, Marcel Jefferys, Médard Maertens, Auguste Oleffe, Marthe Guillain. **Groupe surréaliste de Bruxelles** (dès 1924) : Mesens, Magritte, Colinet, Souris, Nougé et Lecomte. Participation wallonne à partir de 1934 *(Gr. Rupture :* Chavée, Simon et Lefranc). En 1947, le *Gr. surréaliste révolutionnaire* regroupe Wallons et Bruxellois. **Jeune peinture belge :** groupe créé 1945 : Van Lint, Anne Bonnet, Bertrand, Mendelson. **Art abstrait :** groupe fondé 1952 par Delahaut qui a créé 1956 le groupe *Formes* avec Pol Bury et Guy Vandenbranden. **Groupe Cobra :** Alechinsky, Dotremont.

Danemark

■ **Art abstrait surréaliste** (1937). E. Bille, Jorn, Jacobsen, Mortensen, Hemmig, Pedersen.

Espagne

■ **XXe s. Dau al Set :** groupe fondé à Barcelone (1948) : Tharrats, Cuixart, Ponç. **El Paso :** groupe fondé à Madrid (1956) : Canogar, Saura, Nieva, Millares, Feito.

■ États-Unis

■ XXe s. **American Abstrait Art (AAA)** (1936) : Vantongerloo, Galatim, Bolotovsky, Holtzmann puis Glarner et De Kooning. **Armory Show :** nom de l'Expos. inter. d'art moderne de 1913 (17-2) dans l'armurerie du 69e régiment, 25e rue à New York. **Ashcan School (École de la Poubelle) :** fondée 1908 par les 8 (The Eight) à New York : Robert Henri, Arthur B. Davies, Maurice Prendergast, Everett Shinn, William Glackens, Ernest Lawson, John Sloan, George Luks. **École de New York :** Jackson Pollock, Willem De Kooning, Mark Tobey, Franz Kline, Clifford Still, Mark Rothko, Sam Francis. **Funk Art :** San Francisco 1951. Manifestation organisée par Bruce Conner « Common Art Accumulation ». Entassement d'objets disparates jusqu'à des résidus de poubelles. V. 1960, évolue vers « Shocker Pop » ou « Acid Pop » : enchevêtrements de matériaux bruts aux couleurs crues (Edouard Kienholz). **Hudson River School :** école (v. 1825-70) de paysagistes romantiques : Th. Cole, Asher Brown Durand, J.F. Kensett, Frederic Church, George Inness.

■ France

■ XVe s. **École de Tours :** Fouquet ; **du Centre :** Maître de Moulins ; **d'Avignon :** Maître de la Pietà de Villeneuve-lès-Avignon, Simone Martini, Enguerrand Charonton (ou Quarton), Maître de l'Annonciation d'Aix, Nicolas Froment.

■ XVIe s. **Écoles de Fontainebleau. 1re** *1530-89 :* le Rosso, le Primatice, Nicolò dell' Abate (Italiens), François Clouet, Jean Cousin, Antoine Caron. **2e** *1589-1610 :* Toussaint Dubreuil, Martin Fréminet, Ambroise Dubois (Flamand).

■ XVIIe s. **École française. 1re moitié :** le Valentin, Jacques Callot, Georges de La Tour, Antoine, Mathieu et Louis Le Nain, Philippe de Champaigne (Flamand), Vouet, Le Sueur. **2e moitié :** Poussin, Claude Gellée dit le Lorrain, Lebrun, Mignard, Dumonstier, Nanteuil, Rigaud, Largillierre.

■ XVIIIe s. **École française. 1re moitié :** Gillot, Watteau, Boucher, Quentin de La Tour, Perronneau, Chardin. *2e :* Jean-Honoré Fragonard, Hubert Robert, Gabriel de Saint-Aubin, Jean-Baptiste Greuze, Pierre-Paul Prud'hon.

■ XIXe s. 1re moitié. **Néoclassicisme :** David, F. Gérard, Girodet-Trioson, Ingres, Th. Chassériau, Puvis de Chavannes. **Romantisme :** Baron Gros, Théodore Géricault, Eugène Delacroix. **Orientalisme :** scènes exotiques et colorées. Ingres, Delacroix, Girodet, Guérin, Géricault, Decamps, Dinet, Marilhat, Chassériau, Regnault, Benjamin-Constant, Gérôme, Deutsch, E.J.H. Vernet.

2e moitié. **Réalisme :** Honoré Daumier, Gustave Courbet. **Art pompier :** allusion aux personnages casqués de certaines compositions ; peinture officielle, conventionnelle et solennelle ; Bouguereau, Gérôme, Cabanel, Delaroche, Meissonier. **École de Barbizon** (du village de Barbizon, S.-et-M.) : J.-F. Millet, Th. Rousseau, Dupré, Daubigny, Troyon, Corot, Diaz ; a influencé Sisley, Monet, Renoir, Bazille. **École de Grez-sur-Loing :** 1860-70 peintres anglais, écossais, irlandais, américains, puis années 1880, nordiques. Carl Larsson, Julia Beck, Georg Pauli, Karl Nordström, Christian Krogh, P.S. Kroyer. **École de Honfleur :** prélude à l'impressionnisme : Isabey, Huet, Daubigny, Jongkind, Boudin, Monet. **Pleinarisme :** scènes d'extérieur peintes en utilisant plus ou moins les jeux de la lumière naturelle. Précurseurs paysagistes de Barbizon, puis Bastien Lepage. Mouvements comparables : Allemagne, Europe Centrale, Italie, Scandinavie, Russie, USA.

Fin XIXe s. **Groupe des Batignolles :** nom donné aux impressionnistes de 1869-1875 env., à l'époque où ils fréquentaient le café Guerbois, 2, Grande Rue des Batignolles. **Impressionnisme :** le nom venant du tableau de Monet, *Impression, soleil levant,* exposé chez Nadar en 1874. Le 28-4 Louis Leroy écrivait dans un article « L'exposition des impressionnistes » : « Impression, j'en étais sûr. Je me disais aussi, puisque je suis impressionné, il doit y avoir de l'impression là-dedans. » Donne à la lumière une importance nouvelle, en juxtaposant des touches colorées qui semblent être des rayons lumineux. *Précurseurs :* Boudin, Jongkind, Lépine, sous l'impulsion de Corot ; Guigou, Bazille, sous celle de Courbet. Degas, Monet, Guillaumin, Sisley, Pissarro, Renoir, Cézanne, Manet, Morisot, Van Gogh, Toulouse-Lautrec, Cassatt, Zandomeneghi. Gauguin expose avec les impressionnistes de 1880 à 82. **École de Pont-Aven :** a groupé à partir de 1886 : Gauguin, E. Bernard, Seguin, Filiger, Verkade, Sérusier, Laval. **Les Nabis** (en hébreu : prophètes) : groupe créé en 1888 (1re expos. 1891) : Sérusier, Maurice Denis, Bonnard, K.-X. Roussel, Ranson, Vuillard, Verkade, Vallotton, Maillol, Lacombe. **Symbolisme :** mot officialisé en 1886 par Moréas. *Français :* G. Moreau, Puvis de Chavannes ; *Suisse :* Böcklin ; *Anglais :* Burne-Jones. De 1892 à 97, 6 salons de la Rose-Croix, organisés par Joséphin Peladan, leur furent consacrés : G. Moreau, O. Redon, Khnopff, Louis Chalon, Delville, Hodler, Toorop, Osbert, Georges de Feure, Point. *Tendances symbolistes* chez E. Carrière, Fantin-Latour, Hébert, Lévy-Dhurmer, Le Sidaner. **Néo-impressionnisme (divisionnisme, pointillisme) :** utilise les couleurs pures sans les mélanger. Seurat (*Un dimanche d'été à la Grande Jatte,* 1896), Pissarro, Signac, Angrand, Dubois-Pillet, Cross, H. Van de Velde, Van Rysselberghe, Luce.

Bande noire : nom donné à des peintres donnant de la Bretagne une image rude dans un réalisme stylisé : Charles Cottet, André Dauchez, René Ménard, Lucien Simon.

■ Début XXe s. **Post-impressionnistes :** André, d'Espagnat, Loiseau, Maufra, Moret. **Fauvisme** (1905-07) : le critique Louis Vauxcelles compara à une « cage aux fauves » la salle du Salon d'automne (1905) où exposaient Camoin, Derain, Manguin, Marquet, Matisse, Puy, Valtat, Rouault, Van Dongen, Vlaminck. Ceux-ci, rejetant perspective et valeurs de l'art classique, exaltaient la couleur. **Expressionnisme :** mouvement né en 1900. *Belgique :* Ensor ; *Norvège :* Munch ; *Allemagne :* groupe Die Brücke ; *France :* Soutine, Pascin et Chagall, Rouault, Gromaire, La Patellière ; *Hollande :* Sluyters, Charley, Toorop ; *Suisse :* Auberjonois, Hodler ; *Brésil :* Segall, Portinari. **Art abstrait (non-figuration) :** origine : 1909, *Caoutchouc,* aquarelle abstraite de Picabia ; 1910, aquarelle abstraite de Kandinsky, puis tableaux de Delaunay, Kupka, Larionov, Malevitch. **Cubisme :** en 1908, Matisse (ou le critique Vauxcelles ?) parla de petits cubes à propos de toiles de Braque, dont 5 sur 7 furent refusées au Salon d'automne. *Adeptes :* Csaky, Delaunay, les frères Duchamp, Gleizes, Kupka, La Fresnaye, Le Fauconnier, Léger, Lhote, Metzinger, Reth, Villon. *Sculpteurs :* Archipenko et Brancusi. **Section d'or :** le « groupe de Puteaux » (1911) qui réunit des cubistes : Duchamp, Villon, Gleizes, Kupka, Metzinger, Picabia, Léger, organise son propre salon (1912) où figure également « la Section d'or » ; abandon de la perspective classique cubiste, répartition de l'espace à 2 dimensions selon la « Section d'or » ou « divine proportion ». M. Laurencin, Marcoussis, Lhote. **Bateau-Lavoir :** baraquement d'ateliers d'artistes édifié v. 1860 à Paris, place Ravignan (devenue Émile-Goudeau), incendié 1970, reconstruit 1978. Habité, après 1872, par *des peintres* dont : Picasso (1904-09) (il y peint *les Demoiselles d'Avignon,* 1906-07), K. Van Dongen, Gargallo, Gris, Modigliani, Herbin ; *des écrivains* dont Mac Orlan, André Salmon, Max Jacob, Reverdy. Fréquenté par Marie Laurencin, Braque, le Douanier Rousseau, Matisse, Vlaminck, Derain, Picabia, Gleizes, Villon, Delaunay ; le poète Apollinaire, les comédiens Harry Baur et Charles Dullin. **Orphisme :** nom donné par Apollinaire en 1912 à la peinture de Delaunay, puis étendu à la peinture d'avant-garde ne découlant pas du cubisme orthodoxe de Picasso. Repose sur les possibilités constructives des contrastes de couleurs. Appelé aussi « Cubisme écartelé ». Les Delaunay, Duchamp, Kandinsky, Kupka. **Dada :** mouvement intellectuel : révolte contre la société bourgeoise. Libération totale de l'individu. Terme trouvé au hasard dans le Petit Larousse le 8-6-1916, à Zurich, le jour de l'inauguration du Cabaret Voltaire où se réunissaient autour de Tzara, Hugo Ball, Arp, Jenco. *Adeptes* à New York, en Allemagne (Ernst, Schwitters), à Paris. Disparaît en 1922. **Purisme :** mouvement cubiste rigoriste lancé par Ozenfant et Jeanneret (Le Corbusier) en 1918.

1920-80. Surréalisme : mouvement littéraire et artistique lancé par *le Manifeste du surréalisme* d'André Breton (1924). 1re exposition (1924) : Chirico, Arp, Man Ray, Ernst, Masson, Miró, Roy. Adeptes : Tanguy, Dalí, Magritte, Brauner, Delvaux. **École de Paris :** groupe de peintres expressionnistes (dep. env. 1925), dont Modigliani (It.), Soutine (Russe), Chagall (Russe), Kisling (Pol.), Pascin (Bulg.). Depuis 1945, a souvent désigné l'ensemble des artistes étrangers travaillant à Paris. **Cercle et carré :** groupe d'artistes abstraits, qui exposa pour la 1re fois en 1930 : Mondrian, Arp, Kandinsky, Pevsner, Schwitters, Léger. **Abstraction création :** créé 1931 par Vantongerloo. Perpétue l'esprit du groupe Cercle et carré avec Herbin, Arp, Hélion, Paalon, Gorky, Seligmann, Vulliamy, Beothy, Valmier, Kupka, Gleizes.

Dep. 1945. Abstraction géométrique : expression employée après 1945. Vasarely, Schöffer. **Art brut :** expression de Dubuffet désignant les productions artistiques, peintures, sculptures, broderies, etc. nées spontanément sans référence aux écoles, courants, critiques, circuits traditionnels de l'art (ex. dessins d'analphabètes ou d'internés). Fonds réuni *1945* par Dubuffet puis Foyer de l'Art brut (1947). Compagnie de l'Art brut créée *1948 :* André Breton et Jean Paulhan fondateurs organisent des expositions notamment consacrées à Joseph Crépin, Aloïse Corbaz (dite Aloïse) et Aldof Wölfli ; dissoute *1951* après transfert des collections aux USA ; reconstituée *1962,* installée Lausanne début des années *1970.* **Art informel :** 1951, 1re exposition « Véhémences confrontées » (Fautrier, Dubuffet, Riopelle, etc.). Refus de peindre le reflet d'une réalité. **Abstraction lyrique :** apparue 1947 exposition « L'Imaginaire ». Expression pure et libre qui s'oppose à l'abstraction géométrique ; se développe dans l'Art informel, la Peinture gestuelle et le Tachisme. Sam Francis, Hartung, Schneider, Soulages, Atlan, Poliakoff, de Staël, Mathieu, Bryen, Riopelle, Wols, Bazaine, Le Moal, Manessier. **Réalité :** mouvement lancé par Henri Cadiou (1906-89). P. Ducordeau, R. Franchi, H. Gaillard, Gilou, P. Intini, N. Le Prince, J. Malice, Ch. Perron, J. Poirier, D. Solnon, C. Yvel. **Support-surface :** mouvement issu en 1970 des orientations de Buren et du groupe BMPT (initiales de Buren, Mosset, Parmentier, Toroni) constitué 24-12-1966, dissous 5-12-1967).

■ Grande-Bretagne

■ XIXe s. **Préraphaélite :** mouvement formé 1848 par 7 jeunes de la Royal Academy dont Rossetti, Millais, Holman Hunt. **New English Art Club (NEAC) :** fondé 1886 par un groupe jugeant la Royal Academy trop conventionnelle : Sargent, Sickert, Steer. Influencés par l'impressionnisme français. **Arts and Crafts :** fondé 1888 par C. R. Ashbee (architecte) contre la médiocrité de la production indust.

■ XXe s. **Camden Town Group :** groupe postimpressionniste entre 1911 et 1913. Fondé par des peintres associés à la NEAC. Sickert, Gilman, Gore, Ginner, Lucien Pissarro. **London Group :** créé 1913 par H. Gilman et les membres du Camden Town Gr. Veut réunir toutes les tendances de l'art anglais moderne. 1re exposition : 1914. **Vorticisme** (de Vortex, tourbillon) : mouvement d'avant-garde lancé 1914 par Wyndham Lewis. 1re exposition 1915. Etchells, Gaudier-Brzeska, Roberts, Wadsworth, E. Pound, Nevison, Epstein, Hulme Grant, Nicholson, Nash. **Euston Road Group :** fondé et dirigé de 1937 à 1939 par G. Bell, W. Coldstream, V. Pasmore, et Cl. Rogers. Peinture objective, d'après nature. **Unit One :** association de peintres, sculpteurs, et architectes, fondée 1933 par P. Nash, B. Nicholson, H. Moore, B. Hepworth. **Independent Group :** groupe londonien des années 1950, amorce le Pop Art ; formé à l'intérieur de l'Institute of Contemporary Art. Exposition « This is tomorrow » (1956) : Richard Hamilton, Eduardo Paolozzi. **Art and language :** groupe fondé 1968. Terry Atkinson (1941), Michael Baldwin (1945), David Baimbridge (1941), Harold Hurrell (1940), Mel Ramsden (1944) et Ian Burn (1939). 1977, Baldwin, Ramsden et Harrison restent les seuls membres actifs. Rejette les notions d'individualisme et d'art pour l'art. Tout art visuel dépend conceptuellement du langage.

■ Hongrie

École de la plaine : 1re moitié du XXe s. Fényes, Koszta, Tornyai, Istvan Nàgy, Aba Novak, Rudnay. **École de Nagybànya :** constituée en 1896 : Hollosy, Ferenczy. **École de Gödöllö :** nouveau style, Jugendstyle, préraphaélisme. **Groupe des Huit :** implante le cubisme et l'expressionnisme en Hongrie. Czóbel, Kernstock, Márffy, Tihanyi. **Cercle Gresham :** Bernáth, Szónyi, Egry. **École de Rome :** néoclassicisme. Aba-Novák. **École européenne :** Bàlint.

■ Italie

■ XVIe s. **Bamboccianti :** peintres de bambochades (vie populaire scènes truculentes). Vient du surnom « Bamboche » (enfant) donné à Pieter Van Laer (1599-1642) pour sa petite taille. En général panneaux de petit format. Jan Miel, Lingelbach, Helmbrecker, Cerquozzi, Karel Dujardin, Bourdon, Tassel, Sweerts. **Védutisme** (de veduta, vue) : Canèletto, Pannini, Piranese, Bellotto, Francesco et Giovanni Guardi. **Macchiaioli** (v. 1850-60) : peinture par touches, colorées (Macchia : tache). Fattori, Lega, Signorini, et un groupe de 3 Toscans (Banti, De Tivoli, Sernesi) avec un Romain, G. Costa ; puis d'Ancona, Borrani, Cabianca, Cecioni, Abbati.

■ XXe s. **Futurisme :** né du Manifeste littéraire de 1909 de F.T. Marinetti, suivi du Manifeste technique de la peinture et de la sculpture futuriste des peintres Balla, Boccioni, Carra, Russolo et Severini. Exalte les mythes de la société moderne : machine, vitesse, dynamisme. En 1912, Sant'Elia publie le manifeste de l'architecture futuriste ; adhésions de Soffici, Prampolini et Depero, puis de Bragaglia.

Metafisica : peinture basée sur la métaphore et le rêve. Né à Ferrare : Giorgio De Chirico (dep. 1980), son frère Andrea (connu sous le nom d'Alberto Savinio), Carrà et De Pisis. Morandi et Sironi adhérèrent au groupe quelque temps. **Novecento :** mouvement intellectuel né à Milan 1922. 1re exposition 1923, 1924 (Biennale de Venise). Théoricien : le critique Margherita Sarfatti. Aux expositions nationales 1926 et 1929 participent Sironi, Carrà, Tosi, Morandi, Funi, Soffici, Pisis, Campigli, De Chirico ; 2 sculpteurs : A. Martini et M. Marini. **Corrente :** mouvement à Milan (1938-43) : *Peintres :* Ernesto Treccani, Renato Guttuso (1912-87), Peverelli, Italo Valenti ; *sculpteurs :* Giovanni Paganin ; *critiques :* Raffaele de Grada. Se retrouve (1947) dans le Fronte Nuovo delle Arti. **Fronte Nuovo delle Arti :** manifeste de 1946, signé par Birolli, animé par le critique Marchiori ; à partir de 1947 comprend le sculpteur Leonardi, des peintres abstraits (Vedova, Turcato), réalistes, fortement influencés par la peinture cubiste, et surtout Picasso : Guttuso, Pizzinato, Birolli, Corpora, Santomaso, Cassinari, Morlotti, C. Levi, Fazzini, Franchina. **Groupe des huit de la Biennale de Venise :** a regroupé en 1952 les abstraits : Santomaso, Corpora, Morlotti, Vedova, Moreni, Afro, Turcato, Birolli. **Anachronistes** ou **citationnistes, hypermaniéristes, peintres cultivés** (1980) : retour à la peinture classique : Abate, Bartolini, Di Stasio, Galiani, Mariani, Piruca.

■ Pays-Bas

■ **XIXe s. École de La Haye** (1870-90) : fondée par Johannes Bosboom proche de l'École de Barbizon.

■ **XXe s. Néoplasticisme :** *1917,* fondé à Leyde par Mondrian et Van Doesburg. Organe : la revue *De Stijl.* N'admet que des lignes horizontales et verticales, puis préconise l'aplat et limite les couleurs au bleu, jaune, rouge. *1924,* dissidence de Van Doesburg lance l'**Élémentarisme** (introduction de l'angle aigu).

Cobra (de Copenhague, Bruxelles, Amsterdam) : groupe néo-expressionniste, fondé à Paris (1948-fin 1951). Alechinsky et Dotremont (Belges) ; Jacobsen, Jorn et Pedersen (Danois) ; Cornelius Guillaume Beverloo (dit Corneille), Constant et Karel Appel, Eugene Brands, Anton Rooskens, Lucebert (Néerl.) ; Atlan et Jacques Doucet (Fr.).

■ Pologne

■ **XXe s. Formisme ou Expressionnisme polonais :** fondé 1917 en réaction contre l'art officiel.

Kapisme ou Colorisme polonais : fondé 1923 par des élèves de Pankiewicz, prof. à l'académie des Beaux Arts de Cracovie, devant continuer leurs études à Paris (1924-32). Jan Cybis, Czapski, Josef Jarema, Arthur Nacht-Samborski, Potworowski, Hanna Rudzka-Cybisowa, Janusz Strzalecki, Zygmunt Waliszewski.

Unisme : créé 1928 par le peintre Wladyslaw Strzeminski. Couleurs et lignes visibles doivent créer une unité organique et homogène. Katarzyna Kobro (sculptures), J. Lewin, S. Wegner.

■ Russie

■ **XXe s. Rayonnisme :** lancé 1910 par Larionov et Gontcharova. **Réalisme socialiste :** de 1932 à nos jours. **Suprématisme :** lancé 1913 à Moscou par Malevitch *(Carré noir sur fond blanc).* **Non-objectivisme :** lancé 1913 par Rodchenko. **Constructivisme :** lancé 1920, Pevsner et Gabo.

■ Suède

■ **Halmstadt (Groupe de) :** années 1930. Erik et Axel Olson, Wald Lorentzson. Proche du surréalisme. **Minotaure :** 1943. Max Walter Svanberg, Nemès et Hulte Hulten.

■ Tchécoslovaquie

■ **Groupe des Huit (« Osma » en tchèque) :** vers 1908. Kubin et Prochazka. Expressionnisme puis après 1911 s'orientèrent vers le cubisme.

■ Mouvements internationaux récents

Action Painting (ou expressionnisme abstrait) (1952). USA : lancé par Rosenberg. Technique où le geste du peintre joue le rôle le + important. Projections ou coulées de couleur liquide (Pollock, De Kooning, Kline, Skill, Rothko, Tomlin, Motherwell, Baziotes). **Happening** (de l'anglais « to happen » arriver) : forme de spectacle pratiqué par des musiciens, sculpteurs, peintres, plasticiens. Créer une situation qui ne peut se reproduire (Salvador Dali). Aurait pris naissance 1952 lors d'une soirée animée par le musicien John Cage au Black Mountain College ou au Japon. Pratique implantée à *New York* (Claes Oldenburg, Jim Dine, Rauschenberg, Bob Whitman, Red Grooms, Robert Watts). *France* (Ben Vautier, Jean-Jacques Lebel).

Art cinétique (1965). Artistes intégrant dans leurs œuvres un mouvement produit par un moteur ou des variations de lumière, de pesanteur, etc. (Schöffer, Vasarely, Agem, Le Parc).

Art cybernétique (1920). Forme d'art faisant appel à l'utilisation d'ordinateurs [ex. : sculptures mobiles de Schöffer, commandées par un cerveau électronique, Gabo (*Motor* 1920), Calder (*Wind* 1932)].

Art pauvre (Gênes 1967). Italie. Matériaux bruts, terre, cordes, bois. Confrontation de formes et matières : Anselmo, Boetti, Fabro, Kounellis, Merz, Paolini, Pascali, Penone, Zorio, Marisa et Mario. Pistoletto. Exposition à l'ARC (musée d'Art moderne de la Ville de Paris).

Art technologique (1960). Art utilisant des moyens technologiques modernes (ex. : ondes magnétiques de Takis, lumineuses d'Agam et circuits vidéo de télévision de Martial Raysse).

Bad Painting (peinture bâclée). Apparue à New York en 1978 en réaction contre le bon goût et l'intellectualisme des années 1970. Jonathan Borofsky, Frederik Brown, Stephen Buckley, Neil Jenney, Malcolm Morley, David Salle, Julian Schnabel, Donald Sultan. « Nouveaux Sauvages » pour les Allemands : P. Angerman, J. Immendorf, W. Dahn. E.-U. : J. Schnabel.

Body Art. L'artiste se met en scène lui-même dans des actions éphémères le plus souvent filmées en vidéo : *Précurseurs :* M. Duchamp, Y. Klein, P. Manzoni. **1969-70** *Américains :* V. Acconci, D. Oppenheim, Terry Fox, Lucas Samaras, Bruce Nauman, Christ Burden, Dan Graham, Gina Pane, *Autrichiens :* Rudolf Schwarzkogler, Hermann Nitsch, Otto Muehl, Günter Brus, Arnulf Rainer, *Allemand :* Klaus Rinke, *Anglais :* Gilbert, George, *Français :* Michel Journiac, Tania Mouraud, *Suisses :* Urs Lüthl et Luciano Castelli.

Computer Art (1956). 1er dessin d'Herbert Franke. 1969 Londres, exposition « Event One ».

Conceptual Art (1967). USA. Activité où toute pratique artistique est abandonnée au profit d'une réflexion sur l'art : J. Kosuth, L. Weiner, D. Huebler, R. Barry, S. Sieglaub.

Copy Art. Électrographie, utilisation des copieurs ; ex. *France :* Daniel Cabanis, James Durand, Wilfrid Rouff, Jean Matthiaut.

Figuration libre. Lancé 1982, s'inspire des graffitis, des bandes dessinées, du rock et de l'esprit punk. Exécution rapide. Couleurs vives. *Français* (R. Blanchard, F. Boisrond, R. Combas, H. Di Rosa) et Américains (J.M. Basquiat, Crash, K. Haring, H. Sharf).

Graffitisme. Issu des graffitis du métro de New York : Y.M. Basquiat, K. Haring, Toxic, A-one, Futura 2 000 (Léonard Mc Curr), K. Scharf.

Hyperréalisme (v. 1970). Recherche la reproduction de la réalité d'après des photos, sans sentiments ni émotions. USA : Jack Beal, T. Blackwell, John Clem Clarke, Robert Cottingham, D. Eddy, R. Estes, R. Goings, D. Hanson, J. Kacere, H. Kanovitz, N. Mahaffey, Malcolm Morley, Joe Raffacle, B. Schonzeit. Evolution vers davantage de distances avec les sources photogr. ; se rattache ainsi au Pop Art.

Jeune peinture *(salon de la).* Fondé 1949 à Paris, en réaction contre les avant-gardes et conformément à une doctrine inspirée du « réalisme socialiste » ; à partir de 1964, influencé par Eduardo Arroyo (n. 1937) ; fait divers empruntés au Pop Art.

Land's art (voir encadré p. 351 c).

Mec'Art (Mechanical Art). Report photographique par sérigraphie employé par Andy Warhol (boîtes de Campbell Soup, portraits de Marilyn Monroe) et Rauschenberg. En Europe : Pierre Restany, Béguier, Bertini, Pol Bury, Jacquet, Nikos et Rotella.

Minimal Art (1960-65). Courant (peinture et sculpture) voulant réduire les formes à leurs éléments les plus simples : cubes, rectangles, parallélépipèdes. Mot d'ordre : *« Less is more »* (Moins, c'est davantage). C. André, F. Stella, Morris Newman, Tony Smith, Ad Reinhardt, Sol Lewitt, D. Judd, R. Serra.

Muralisme. Créé au Mexique par Diego Rivera, José Clemente Orosco, v. 1930. Fresques et décorations sur les murs des villes. Hans Hammers (Holl.), Warren Johnson (USA), Fabio Reti, Ernest Pignon (France).

Nouveau Réalisme. Courant européen (1960-63) ; fondé par Pierre Restany, parallèle au Pop Art. Utilise l'objet (ex. : affiches découpées, accumulation de tubes de couleurs, petit déjeuner collé sur une table). Arman, César, Dufrêne, Hains, Klein, Raysse, Spoerri, Tinguely, Villeglé, et plus tard Niki de Saint-Phalle en 1961, Christo, Gérard Deschamps en 1962. Sont en fait des assemblagistes (sauf Klein).

Nouvel expressionnisme. Berlin, fin des années 60. Expression grandiloquente de l'angoisse et de la douleur. H. Middendorf, R. Fetting, M. Lüpertz, A. Kiefer, D. Hacker, G. Baselitz, P. Kirkeby, Salomé.

Nouvelle figuration. Soutenue depuis 1968 par le critique Gérald Gassiot-Talabot. Mode figuratif : sujets politiques, publicité, bande dessinée, actualité (utilisés à des fins critiques). Adami, Arroyo (Esp.), Erro (Isl.), Fromanger, Buri, Monory, Rancillac (Fr.), Recalcati, Télémaque, Klasen (All.), F. Bacon (G.-B.), Giacometti (It.).

Op'Art (optical art) (1960). Création d'illusions optiques par le jeu de formes géométriques (applications : peinture, décoration et ameublement, bijoux). Noland, Bridget Riley, Henryk Berlewi, Vasarely ; cinétisme-op-Art, groupe de recherche d'art visuel de Paris (J.-R. Soto, Gyula Kosice, Agam, Bury, Calder, Duchamp, Jacobsen, Tinguely, Vasarely) ; groupe Zero (Allemagne : G. Uecker, Otto Piene, Heinz Macke) ; Josef Albers (USA) ; Schöffer, J. Le Parc, Lassus, Müller...

Peinture cultivée. Triomphe à la biennale de Venise 1984. Académiste. *Italiens :* C.M. Mariani, A. Abate, V. Bartoloni, G. Dicroba, S. Di Stasio ; *Français :* G. Garouste, J.M. Alberola.

Peinture « fantastique » (Youg.). Djuric Dado, Ljuba, Yvan Towar.

Precisionism (Immaculates, Cubo-Realism, Réalistes-cubistes). Né 1913 aux USA : Demuth, O'Keefe, Niles Spencer, Georges Ault, Ralston Crowford, Sheeler.

Pop Art. Désigné par Rayner Banham et Leslie Fiedler en 1955, il regroupe l'ensemble des formes prises par la culture populaire diffusée par les mass media. **Pop Art I** ou proto-Pop Art, ou Pop Art assemblagiste (l'objet est intégré à l'œuvre d'art, seul ou réuni avec d'autres objets). *Précurseurs : Nature morte à la chaise cannée* (1912, Picasso), *Ready-Mades* (objets manufacturés promus objets d'art par l'artiste) de Duchamp, certaines œuvres de Picabia, les *Merzbilder* de Schitters, *Objets surréalistes, Boîtes* de Joseph Cornell. Comprend *Combine Paintings* de Rauschenberg (1954-55), *Happenings* [environnements composés d'épaves urbaines réelles ou simulées, traversées par des personnages (dont l'artiste) ayant un rôle défini ; ont lieu devant un public] de Oldenburg et Dine (1959). QUELQUES NOMS : Woody Van Amen (P.-Bas), Arman (Fr.), Enrico Baj (It.), César (Fr.), Gérard Deschamps (Fr.), Jim Dine (USA), Marcel Duchamp (Fr.), Jasper Johns (USA), Edward Kienholz (USA), Yves Klein (Fr.), Tetsumi-Kudo (Jap.), Claes Oldenburg (Suède), Eduardo Paolozzi (G.-B.), Robert Rauschenberg (USA), Martial Raysse (Fr.), Mimmo Rotella (It.), Niki de Saint-Phalle (Fr.), George Segal (USA), Daniel Spoerri (Roumanie), Jean Tinguely (Suisse), Tom Wesselmann (USA), George Brecht, Jean Follet, Esther Gentle, Gloria Graves, Johnson Kaprow (USA), Robert Mallary, Salvatore Meo, Robert Moskowitz, Samaras (Grèce), Edith Schloss, John Cage (USA), inspirateur du néo-dada et des happenings.

Pop Art II. Apparu en 1961 à New York. Pictural et sculptural. S'appuie sur des supports de mass media (affiches, bandes dessinées, photographies de magazine, dessins animés, cinéma, TV) et se manifeste par une agressivité délibérée contre les traditions artistiques et le bon goût. Rauschenberg fixa sur ses toiles des animaux empaillés ; Jasper Johns, des lampes électriques coulées dans du bronze ; Warhol proposait des boîtes de soupe Campbell ; Lichtenstein, des agrandissements sophistiqués de comics ; Oldenburg fabriquait des w.-c. mous. QUELQUES NOMS : Valerio Adami (1935, It.), Allan D'Arcangelo (1930, USA), Évelyne Axell (1935-72, Belgique), Peter Blake (1932, G.-B.), Patrick Caufield (1936, G.-B.), Erró (Gudmunder Gundmunson Ferrö dit) (1932, Isl.), Öyrind Fahlström (1928, Brés.), Richard Hamilton (1922, G.-B.), David Hockney (1937, G.-B.), Allen Jones (1937, G.-B.), Ronald B. Kitaj (1932, USA), Konrad Klapeck (1935, All.), Roy Lichtenstein (1932, USA), Marisol (Marisol Escobar dite, 1930, Fr.), Jacques Monory (1934, Fr.), Mel Ramos (1935, USA), Bernard Rancillac (1931, Fr.), James Rosenquist (1933, USA), Peter Saul (1934, USA), Peter Stämpfli (1937, Suisse), Marjorie Strider (USA), Hervé Télémaque (1937, Haïti), Andy Warhol (1930-87 USA).

Post-Pop Art. Michael Campton désigne ainsi les formes bâtardes ou tardives du Pop Art : art conceptuel, Body Art, Land Art, art pauvre...

Serrafisme. Œuvre figurative donnant l'impression de relief grâce à un procédé créé en 1980 par Luc-Elysée Serraf, nécessitant le passage par 4 étapes successives avant l'achèvement de la toile.

Street Art. Peinture murale née vers 1970 aux USA, utilisant techniques et formats de la publicité. *Exemples:* Montpellier, façades de la faculté de médecine ; Grenoble, patinoire ; Paris, laboratoire de l'hélium à la Halle aux Vins, immeuble RTL (Vasarely).

Supports-Surfaces. Groupe constitué autour de Nice, en 1970, par des peintres qui développaient dep. 1966 des expériences sur la matérialité de la peinture : le tableau recouvre son caractère essentiel de « support » et de « surface ». Bioulès, Cane, Devade, Dezeuze, Dolla, Jaccard, Valensi, Viallat.

Trans-Avant-Garde (TAG) (fin années 70). Créé par le critique italien A. Bonito Oleva. *Italie :* M. Paladino (1948), F. Clemente, E. Cucchi, S. Chia, N. De Maria, Ciarli, Ventrome, Eiorite, Giordano, Mazzochi. *Espagne :* Esteban Villalta. *France :* Garrouste, Boisrond, Combas, Di Rosa, Blanchard. *Allemagne* (à partir du nouvel expressionnisme).

Zebra. Fondé 1965 à Hambourg. « Le Zèbre est notre animal parce qu'il ne s'apprivoise pas », a dit Dietmar Ullrich (1940). Dieter Asmus, Peter Nagel, Nikolaus Störtenbecker.

Peintres

Algérie

Baya, (1931). Benanteur, Abdellah (1931). Issiakhem, M'hamed (1928-85). Khadda, Mohamed (1930-91). Racim, Mohamed (1896-1975).

Allemagne

■ **Nés avant 1700.** Altdorfer, Albrecht (av. 1480-1538). Amberger, Christoph (v. 1500-61/62). Asam, Cosmas Damien (1686-1739). Baldung, Hans *dit* Grien (v. 1480/85-1545). Bertram, Maître (1345-v. 1415). Bruyn, Bartholomäus (1493-1555). Burgkmair, Hans (1473-1531) : gravures. Cranach l'Ancien, Lucas (1472-1553) ; Le Jeune, Lucas (1515-86). Dürer, Albrecht (1471-1528). Elsheimer, Adam (1578-1610). Grünewald, Mathis (1460/70-1528). Holbein l'Ancien, Hans (v. 1465-1524) ; Le Jeune, Hans (1497-1543). Konrad von Soest (v. 1370-v. 1422). Kulmbach, Hans Süss von (1476-1522). Lochner, Stephan (v. 1410-51). Maître De Ste Véronique (v. 1420) ; De Trébon (Prague) (v. 1380) ; De Vissy Brod (Prague) (v. 1350) ; Francke (v. 1405-apr. 24) ; Théodoric (Prague) (actif 1348-68) ; Moser, Lukas (actif v. 1431). Sandrart, Joachim von (1606-88). Schäufelein, Hans Leonhard (v. 1480-1539/40). Schönfeld, Johann Heinrich (1609-84). Schongauer, Martin (1453?-91).

■ **Nés entre 1700 et 1800.** Blechen, Karl (1798-1840). Carstens, Jacob Asmus (1754-98). Cornelius, Peter von (1783-1867). Fohr, Carl-Philipp (1795-1818). Friedrich, Caspar David (1774-1840). Füger, Heinrich (1751-1818) (Autr.). Graff Anton (1736-1813). Hess, Heinrich Maria von (1798-1863). Hess, Peter von (1792-1871). Kersting, Georg-Fri. (1785-1847). Kobell, Wilhelm von (1766-1853). Mengs, Anton Raphael (1728-79). Olivier, Ferdinand von (1785-1841). Overbeck, Johann Fri. (1789-1869). Runge, Philipp-Otto (1777-1810). Schadow, Wilhelm von (1788-1862). Schick, Gottlieb (1776-1812). Schnorr von Carolsfeld, Julius (1794-1872). Tischbein, Johann Friedrich-August (1750-1812). Veit, Philippe (1793-1877).

■ **Nés entre 1800 et 1900.** Ackermann, Max (1887-1975). Baumeister, Willi (1889-1955). Beckmann, Max (1884-1950). Bissier, Julius (1893-1965). Bleyl, Fritz (n.c.). Buchheister, Carl (1890-1964). Busch, Wilhelm (1832-1908) : caric. Corinth, Lovis (1858-1925). Dix, Otto (1891-1969). Ernst, Max (1891-1976), à Paris en 1922. Felixmüller, Conrad (1897-1977). Feuerbach, Anselm von (1829-80). Gilles, Werner (1894-1961). Grosz, Georg (1893-1959). Heckel, Erich (1883-1970). Höch, Hannah (1889-1978). Hölzel, Adolf (1853-1934). Hoerle, Heinrich (1895-1936). Hubbuch, Karl (1891-1980). Janlensky, Alexej von (n.c.). Kanoldt, Alexander (1881-1939). Kirchner, Ernst-Ludwig (1880-1938). Klee, Paul (1879-1940) (Suisse). Kollwitz, Käthe (1867-1945). Leibl, Wilhelm (1844-1900). Lenbach, Franz von (1836-1904). Liebermann, Max (1847-1935). Macke, August (1887-1914). Marc, Franz (1880-1916). Marées, Hans von (1837-87). Meidner, Ludwig (1884-1966). Menzel, Adolf von (1815-1905). Modersohn-Becker, Paula (1876-1907). Mueller, Otto (1874-1930). Münter, Gabriele (1877-1962). Nesch, Rolf (1893-1974). Nolde, Emil Hansen *dit* (1867-1956). Pechstein, Max (1881-1955). Purrmann, Hans (1880-1966). Räderscheidt, Anton (1892-1970). Radziwill, Franz (1895-1983). Richter, Hans (1888-1976). Rohlfs, Christian (1843-1938). Schad, Christian (1894-1982). Schlemmer, Oskar (1888-1943). Schmidt-Rottluff, Karl (1884-1976). Schreyer, Adolf (1828-99). Schwitters, Kurt (1887-1948). Slevogt, Max (1868-1932). Stuck, Franz von (1863-1928). Tappert, Georg (1880-1957). Thoma, Hans (1839-1924). Uhde, Fritz von (1848-1911). Vogeler, Heinrich (1872-1942). Vordemberge-Gildewart Friedrich (1899-1962). Werefkin, Marianne von (n.c.). Werner, Theodor (1886-1968). Winterhalter, Franz-Xaver (1805-73).

■ **Nés après 1900.** Ackermann, Peter (1934). Altenburg, Gerhard (1926-89). Antes, Horst (1936). Baselitz, Georg (1938). Becher, Bernhard (1931) ; Hilla (1934). Bellmer, Hans (1902-75). Beuys, Joseph (1921-86). Buthe, Michaël (1944). Dahmen, Karl Fred (1917-81). Dahn, Walter (1954). Darboven, Hanne (1941). Droese, Felix (1950). Fassbender, Joseph (1903). Fetting, Rainer (1949). Fruhtrunk, Gunter (1923-82). Geiger, Rupprecht (1908). Girke, Raimund (1930). Götz, Karl Otto (1914). Graubner, Gotthard (1930). Grützke, Johannes (1937). Hartung, Hans (1904-89). Heisig, Bernhard (1925). Heldt, Werner (1904-54). Hödicke, Karl Horst (1938). Hoehme, Gerhard (1920-89). Immendorff, Jörg (1945). Janssen, Horst (1929). Jochims, Reimer (1935). Kalinowski, Horst Egon (1924). Kiefer, Anselm (1945). Klapheck, Konrad (1935). Klasen, Peter (1935). Lüpertz, Markus (1941). Mattheuer, Wolfgang (1927). Meistermann, Georg (1911-90). Nay, Ernst Wilhelm (1902-68). Oelze, Richard (1900-80). Penck, A.R. (1939). Polke, Sigmar (1941). Richter, Gerhard (1939). Schultze, Bernard (1915). Schumacher, Emil (1912). Sonderborg, Kurt (1923-77). Thieler, Fred (1916). Trökes, Heinz (1913). Tübke, Werner (1929). Vostell, Wolf (1932). Winter, Fritz (1905-76). Wols, Wolfgang Schulze (1913-51).

Argentine

■ **Nés avant 1900.** Alice, Antonio (1886-1943). Badi, Aquiles (1894-1976). Basaldüa, Hector (1895-1976). Brughetti, Faustino (1887-1956). Butler, Fray Guillermo (1880-1961) ; Horacio (1897-1983). Caraffa, Emilio (1862-1939). Centurion, Emilio (1894-1970). Collivadino, Pio Alberto Francisco (1869-1945). De La Carcova, Ernesto (1867-1927). Del Prete, Juan (1897-1987). Della Valle, Angel (1852-1903). Fader, Fernando (1882-1935). Guido, Alfredo (1892-1967). Guttero, Alfredo (1882-1932). Lacamera, Fortunato (1887-1951). Lopez, Candido (1840-1902). Malharro, Martin (1865-1911). Molina Campos, Florencio (1891-1959). Morel, Carlos (1813-94). Pettoruti, Emilio (1892-1971). Policastro, Enrique (1898-1971). Pueyrredon, Prilidiano (1823-70). Quinquela Martin, Benito (1890-1977). Quiros, Cesareo Bernaldo de (1881-1968). Schiaffino, Eduardo (1858-1935). Sivori, Eduardo (1847-1918). Spilimbergo, Lino Eneas (1896-1964). Victorica, Miguel Carlos (1884-1955). Vitullo, S. César (1899-1953). Xul Solar, Alejandro (1888-1963).

■ **Nés après 1900.** Alonso, Carlos (1929). Alonso, Raúl (1918). Battle Planas, Juan (1911-66). Berni, Antonio (1905-81). Bonevardi, Marcelo (1929). Castagnino, Juan Carlos (1908-72). Deira, Ernesto (1928-86). Fernandez, Ricardo (1947). Forner, Raquel (1902-88). Forte, Vicente (1912-80). Garcia Uriburu, Nicolas (1937). Hlito, Alfredo (1923). Le Parc, Julio (1928). Maccio, Romulo (1931). Pierri, Orlando (1913). Presas, Leopoldo (1915). Ruseq, Raul (1912-84). Segui, Antonio (1934). Sessa, Aldo (1939). Soldi, Raúl (1905). Torrallardona, Carlos (1912). Torres Aguero, Leopoldo (1924). Vega (de la), Jorge (1930-71). Venier, Bruno (1914).

Autriche

Altomonte, Martino (1659-1745). Attersee, Christian Ludwig (1940). Boeckl, Herbert (1894-1966). Brand, Johann Christian (1722-95). Egger-Lienz, Albin (1868-1926). Frueauf, Rueland (le Jeune) (actif v. 1490-1520) ; (le Vieux) (actif 1470-1507). Füger, Friedrich Heinrich (1751-1818). Gerstl, Richard (1883-1908). Görtschacher, Urban (v. 1485-v. 1530). Gran Daniel (1694-1757). Hausner, Rudolf (1914). Huber, Wolf (1484-1553). Hundertwasser, Friedensreich (1928). Klimt, Gustav (1862-1918). Kokoschka, Oskar (1886-1980). Kubin, Alfred (1877-1959). Laib, Conrad (actif 1440-60). Maître de l'autel d'Albrecht (actif 1430-40) ; des Écossais à Vienne (actif v. 1470) ; de Heiligenkreuz (actif 1395-1420) ; de St-Lambrecht (actif 1434) ; du château de Lichtenstein (actif 1430-40) ; d'Uttenheim (actif 1450-80). Makart, Hans (1840-84). Maulbertsch, Franz Anton (1724-96). Moser, Koloman (1868-1918). Multscher, Hans (v. 1400-67). Pacher, Friedrich (1430/40-1508). Pacher, Michael (v. 1435-98). Pichler, Walter (1936). Rainer, Arnulf (1929). Reichlich, Max (v. 1460-v. 1520). Romako, Anton (1832-89). Rottmayr, Johann Michael (1654-1730). Schiele, Egon (1890-1918). Schmidt, Johann Martin (1718-1801). Schuch, Carl (1846-1903). Troger, Paul (1698-1762). Waldmüller, Ferdinand Georg (1793-1865). Zeiller, Johann Jacob (1710-83).

Belgique

■ **Nés avant 1800.** Bles, Herri Met De (v. 1500-1554). Bosch, Jérôme, *voir* Pays-Bas. Bouts, Thierry (1415-75). Brouwer, Adrien (v. 1606-38). Bruegel le Vieux, Pierre (v. 1525-69). Champaigne, Philippe de, *voir* France. Christus, Petrus (1420-73). David, Gérard (v. 1460-1523). Gossaert, Jean (*dit* Mabuse) (1472/75-1533/36). Jordaens, Jacob (1599-1678). Kempener, Peter de (Pedro Campaña) (1503-1580). Limbourg (Pol, Hennequin et Hermann de), *voir* France. Madou, Jean-Baptiste (1796-1877). Memling, Hans (v. 1435-94). Metsys, Quentin (1465/66-1530). Moro, Antonio, *ou* Mor van Dashort, Antonis (1517-76). Navez, François-Joseph (1787-1869). Patenier, Joachim (1475/80-1524). Redouté, Pierre (1759-1840). Rubens, Pierre-Paul (1577-1640). Snyders, Frans (1579-1657). Teniers, le Jeune, David (1610-90), le Vieux, David (1582-1649). Van der Goes, Hugo (v. 1440-82). Van der Weyden, Rogier (Roger de la Pasture) (v. 1400-64). Van Dyck, Antoine (1599-1641). Van Eyck, Jan (v. 1390-1441). Van Orley, Bernard (v. 1488-1541). Verhaegen, Pierre-Joseph (1728-1811).

■ **Nés entre 1800 et 1900.** Asselberg, Alphonse (1839-1916). Boulenger, Hippolyte (1837-74). Braekeleer, Henri de (1840-88). Brusselmans, Jean (1884-1953). Carte, Anto (1886-1954). Claus, Émile (1849-1924). Daeye, Hippolyte (1873-1952). Degouve de Nuncques, William (1866-1935). Delvaux, Paul (1897). Delville, Jean (1867-1953). Ensor, James (1860-1949). Evenepoel, Henri (1872-99). Frédéric, Léon (1856-1940). Gallait, Louis (1810-87). Goerg, Edouard (1893-1969). Khnopff, Fernand (1858-1921). Laermans, Eugène (1864-1940). Leys, Baron Henri (1815-69). Magritte, René (1898-1967). Paulus, Baron Pierre (1881-1959). Permeke, Constant (1886-1952). Portaels, Jean (1818-95). Rops, Félicien (1833-98). Saedeleer, Valerius de (1867-1941). Servaes, Albert (1883-1966). Servranckx, Victor (1897-1965). Smet, Gustave de (1877-1943). Smits, Jakob (1856-1928). Spilliaert, Léon (1881-1946). Stevens, Alfred (1823-1906). Tytgat, Edgard (1879-1957). Van den Berghe, Frits (1883-1939). Van de Velde, Henry (1863-1957). Van de Woestijne, Gustave (1881-1947). Van Rysselberghe, Théo (1862-1926). Vantongerloo, Georges (1886-1965). Verwee, Alfred (1838-95). Wiertz, Antoine (1806-65). Wouters, Rik (1882-1916).

■ **Nés après 1900.** Alechinsky, Pierre (1927). Bertrand, Gaston (1910). Bonnet, Anne (1908-60). Burssens, Jan (1925). Camus, Gustave (1914-84). Cox, Jan (1919-80). Delahaut, Jo (1911-92). Delmotte, Marcel (1901-84). Dotremont, Christian (1922-79). Dudant, Roger (1929). Folon, Jean-Michel (1934). Landuyt, Octave (1922). Mara, Pol (1920). Mendelson, Marc (1915). Mesens, E.L.T. (1903-71). Mortier, Antoine (1908). Peire, Luc (1916). Raveel, Roger (1921). Somville, Roger (1923). Strebelle, Jean-Marie (1916-89). Swennen, Walter (1946). Ubac, Raoul (1910-85). Vandercam, Serge (1924). Van Lint, Louis (1909-86).

Brésil

Almeida, José Ferraz de (1850-99). Amaral, Tarsila do (1886-1973). Ataide, Manuel da Costa (1762-1830). Bandeira, Antonio (1922-67). Camargo, Iberê (1914). Carvalho, Flavio de (1899). Da Costa, Milton (1915-88). Di Cavalcanti, Emiliano (1897-1976). Figueiredo e Melo, Pedro Americo (1843-1905). Goeldi, Osvaldo (1895-1961). Gonzalez, Juan Francisco, (1853-1933). Guignard, Alberto da Veiga (1896-1962). Mabé, Manabu (1924). Malfatti, Anita (1896-1964). Meireles, Victor (1832-1903). Mota e Silva, Djanina (1914-79). Oiticica, Helio (1937-80). Oliveira, Raimundo Falcão de (1930-66). Portinari, Candido (1903-62). Rai-

MUNDO DE OLIVEIRA (1930-66). SCLIAR, Carlos (1920). SEGALL, Lasar (1891-1957). SILVA, Presciliano Isidoro da (1883-1965). VISCONTI, Eliseu d'Angelo (1866-1944).

CANADA

BORDUAS, Paul-Émile (1905-60). BUSH, Jack (1909-77). CARR, Emily (1871-1945). CHAMBERS, Jack (1931-78). CLARK, Paraskeva (1898-1986). COLVILLE, Alexander (1920). COSGROVE, Stanley (1911). CURNOE, Greg (1936). FERRON, Marcelle (1924). FITZGERALD, Lionel Le Moine (1890-1956). FORTIN, Marc-Aurèle (1888-1970). GAGNON, Clarence A. (1881-1942). GRAHAM, Rodney (1949). HARRIS, Lawren Stewart (1885-1970). HEBERT, Adrien (1890-1967). HURTUBISE, Jacques (1939). JACKSON, Alexander Young (1882-1974). KNOWLES, Dorothy (1927). KURELEK, William (1927-77). LEDUC, Fernand (1916). LEMIEUX, Jean-Paul (1904). MACDONALD, J.E.H. (1873-1932). MALTAIS, Marcella (1933). MC EWEN, Jean (1923). MILNE, David (1882-1953). MOLINARI, Guido (1933). MORRICE, James Wilson (1865-1924). NIVERVILLE, Louis de (1933). PELLAN, Alfred (1906-88). PRATT, Christopher (1935), Mary (1935). RIOPELLE, Jean-Paul (1923). ROBERTS, Goodridge (1904-74). SHADBOLT, Jack (1909). SNOW, Michaël (1929). SUZOR-COTÉ, Aurèle de Foy (1869-1937). THOMSON, Tom (1877-1917). TONNANCOUR, Jacques Godefroy de (1917). TOWN, Harold (1924). VARLEY, Frederick (1881-1969). WATSON, Homer (1855-1936). WIELAND, Joyce (1931).

CHILI

ALDUNATE, Cármen (1940). ANTUNEZ, Nemesio (1918). ARIAS, Virginio (1855-1941). BRAVO, Claudio (1936, vit en Algérie). BURCHARD, Pablo (1875-1964). CARREÑO, Mario (1913). CASTILLO, Sergio (1925). CASTRO, Aura (1946). CIENFUEGOS, Gonzalo (1949). COLVIN, Marta (1917). DEL CANTO, Patricia (1948). DONOSO, Alvaro (1939). EGENAU, Juan (1927-87). GARAFULIC, Lily (1914). GONZALEZ, Juan Francisco (1853-1933). GONZALEZ, Simon (1859-1919). LIRA, Benjamin (1950), Pedro (1845-1912). MATTA, Roberto (1911, vit en France). MATTE, Rebeca (1875-1929). MORI, Camilo (1896-1973). OPAZO, Rodolfo (1935). PLAZA, Nicanor (1841-1918). ROMAN, Samuel (1907). SUTIL, Francisca (1953). TORAL, Mario (1934). VALDIVIESO, Raül (1931). VALENZUELA LLANOS, Alberto (1869-1925). VALENZUELA PUELMA, Alfredo (1856-1909). ZAÑARTU, Enrique (1921, vit en France).

COLOMBIE

BOTERO, Fernando (1932).

CUBA

LAM, Wifredo (1902-82). MARTINEZ, Pedro Luis (1910-90). PORTOCARRERO, René (1912-85). RODRIGUEZ, Mariano (1912-90).

DANEMARK

ABILDGAARD, Nicolai (1743-1809). ALFELT, Else (1910-74). ANCHER, Anna (1859-1935), Michaël (1849-1927). ANDERSEN, Mogens (1916). BILLE, Ejler (1910). BIRKEMOSE, Jens (1943). BRANDES, Peter Erling (1944). ECKERSBERG, C.W. (1783-1853). FREDDIE, Wilhelm (1909). GIERSING, Harald (1881-1927). HAMMERSHOI, Vilhelm (1864-1916). HEERUP, Henry (1907). HORNUNG, Preben (1919). HOYER, Cornellius (1741-1804). JACOBSEN, Egill (1910). JORN, Asger (1914-73). JUEL, Jens (1745-1802). KIRKEBY, Par (1938). KOEBKE, Christen (1810-48). KROYER, Peter Severin (1851-1909). LUNDBYE, J. Th. (1818-48). LUNDSTROM, Vilhelm (1893-1950). MORTENSEN, Richard (1910). PAÙUELSEN, Erik (1749-90). PEDERSEN, Carl Henning (1913). PHILIPSEN, Theodor (1840-1920). SITTER, Inger (1929). SKOVGAARD, P.C. (1817-75). SONDERBORG, K.R.H. (1923-77). SÖRENSEN, Arne Haugen (1932). TUXEN, Laurits (1853-1927). WEIE, Edvard (1879-1943). WILLUMSEN, Jens Ferdinand (1863-1958).

ESPAGNE

■ **Nés avant 1500.** BASSA, Ferrer (v. 1285-1348). BERMEJO, Bartolomé (v. 1440-apr. 1498). BERRUGUETE, Alonso (v. 1490-1561), Pedro (v. 1450-1504). BORRASSÁ, Luis (v. 1360-apr. 1425). FERNÁNDEZ, Alejo (1470-1563). GALLEGO, Fernando (v. 1440-apr. 1507). HUGUET, Jaime (v. 1415-1492). LLANOS Fernando (?-apr. 1525). MACIP, Juan Vicente (v. 1475-1550). MARTORELL, Bernardo (à Barcelone 1427-52). VASCO-FERNANDES (v. 1480-v. 1545). YÁÑEZ, Fernando (v. 1459-v. 1536).

■ **Nés entre 1500 et 1600.** CARDUCHO, Vicente (1570-1638). CÉSPEDES, Pablo de (1538-1608). GRECO (*dit* el Greco), Domenicos Theotocopulos (1541-1614). HERRERA EL VIEJO, Francisco de (1576-1656). JUANES, Juan de (Vicente Juan Masip) (v. 1510-79). MAINO, Juan Bautista (1578-1649). MORALES, Luis de (*dit* El Divino) (v. 1519-86). ORRENTE, Pedro (1580-1645). PACHECO, Francisco (1564-1644). PANTOJA DE LA CRUZ, Juan (1553-1608). RIBALTA, Francisco (1565-1628), Juan (1596-1628). RIBERA, Jusepe de (1591-1652). RODRIGUEZ DE SILVA Y VELÁZQUEZ, Diego (1599-1660). SÁNCHEZ COELLO, Alonso (v. 1531-88). SÁNCHEZ-COTÁN, Fray Juan (1560-1627). ZURBARÁN, Francisco (1598-1664).

■ **Nés entre 1600 et 1700.** ARELLANO, Juan de (1614-76). CANO, Alonso (1601-67). CARREÑO DE MIRANDA, Juan (1614-85). CEREZO, Mateo (1637-66). COELLO, Claudio (1642-93). ESPINOSA, Jeronimo Jacinto (1600-67). HERRERA EL JOVEN, Francisco (1627-85). MAZO, Juan Bautista Martinez del (v. 1610-67). MURILLO, Bartolomé Esteban (1618-82). PEREDA, Antonio (1611-78). RIZI, Francisco (1614-85). VALDÉS LEAL, Juan de (1622-90).

■ **Nés entre 1700 et 1800.** BAYEU, Francisco (1734-95), Manuel (1740-1809), Ramón (1746-93). GOYA, Francisco de (1746-1828). LÓPEZ, Vicente (1772-1850). MADRAZO, José de (1781-1859). MAELLA, Mariano Salvador (1739-1819). MELÉNDEZ, Luis Eugenio (1716-80). PARET, Luis (1746-99). VERGARA, José (1726-99).

■ **Nés entre 1800 et 1900.** BLANCHARD, Maria (1881-1932). ECHEVARRIÁ, Juan de (1875-1931). ESQUIVEL, Antonio Maria (1806-57). FORTUNY Y MARSAL, Mariano (1838-74). GISBERT, Antonio (1835-1901). GRIS, Juan (José Victoriano Gonzalez) (1887-1927), à Paris en 1900. GUTIERREZ SOLANA, José (1885-1945). HERMOSO, Eugenio (1883-1963). LUCAS Y PADILLA, Eugenio (1817-70). MADRAZO Y KUNZ, Federico de (1815-94). MIRO, Joan (1893-1983). MORENO, Carbonero José (1860-1942). NONELL, Eugenio (1873-1911). PICASSO, Pablo Ruiz (1881-1973). REGOYOS, Dario de (1857-1913). ROSALES, Eduardo (1836-73). RUSIÑOL, Santiago (1861-1931). SERT, José Maria (1876-1945). SOROLLA Y BASTIDA, Joaquin (1863-1923). VÁZQUEZ DÍAZ, Daniel (1882-1969). ZULOAGA, Ignacio (1870-1945).

■ **Nés après 1900.** AGUAYO, Fermin (1926-77). ARROYO, Eduardo (1937). BARCELÓ, Miquel (1957). CABALLERO, José (1916). CLAVÉ, Antoni (1913). CUIXART, Modesto (1925). DALÍ, Salvador (1904-89) [1]. FEITO, Luis (1929). GORDILLO, Luis (1934). GRAU-SALA, Émile (1911-75). HERNANDEZ, Mariano (1938). LOPEZ-GARCIA, Antonio (1936). NIEVA, Francisco (1924). PELAYO, Orlando (1920-90). SAURA, Antonio (1930). TÀPIES, Antoni (1923).

Nota. – (1) L'État espagnol est l'héritier universel (héritage estimé à env. 853 millions de F dont 700 œuvres d'art dont 250 signées).

ÉTATS-UNIS

ALBERS, Josef (All. 1888-1976). ALBRIGHT, Ivan (1897-1983). ALLSTON, Washington (1799-1843). AUDUBON, John James (1785-1851). AVERY, Milton (1893-1965). BASQUIAT, Jean-Michel (1960-88). BELLOWS, George Wesley (1882-1925). BENTON, Thomas Hart (1889-1975). BERMAN, Eugène (1899-1972). BIERSTADT, Albert (1830-1902). BINGHAM, George C. (1811-79). BOGGS, Frank (1855-1926). BURCHFIELD, Charles (1893-1967). CAGE, John (1912). CASSATT, Mary (1844-1926). CATLIN, George (1796-1872). CHASE, William Merritt (1849-1916). CHURCH, Frederic Edwin (1826-1900). CLOSE, Chuck (1940). COLE, Thomas (1801-48). COPLEY, John Singleton (1738-1815), se fixe à Londres en 1775. CROPSEY, Jasper Francis (1823-1900). DAVIES, Arthur B. (1862-1928). DAVIS, Gene (1920-85), Stuart (1892-1964). DEMUTH, Charles (1883-1935). DIEBENKORN, Richard (1922-93). DINE, Jim (1935). DOVE, Arthur (1880-1946). EAKINS, Thomas (1844-1916). EARL, Ralph (1751-1801). EASTMAN (1824-1906). EDMONDS, Francis William (1806-63). ESTES, Richard (1936). EVERGOOD, Philip (1901-73). FEININGER, Lyonel (All. 1871-1956). FIELD, Erastus-Salisbury (1805-1900). FRANCIS, Sam (1923). FRANKENTHALER, Helen (1928). GLACKENS, William (1870-1938). GORKY, Arshile (1904-48). GOTTLIEB, Adolph (1903-74). GROSZ, George (All. 1893-1959). HARING, Keith (1958-1990 du sida). HARNETT, William M. (1848-92). HARTLEY, Marsden (1877-1943). HASELTINE, William Stanley (1835-1900). HASSAM, Childe (1859-1935). HEADE, Martin-Johnson (1819-1904). HENRI, Robert (1865-1929). HOFMANN, Hans (1880-1966). HOMER, Winslow (1836-1910). HOPPER, Edward (1882-1967). INDIANA, Robert (1928). INNESS, George (1825-94). JOHNS, Jasper (1930). JOHNSON, Joshua (actif 1796-1824). KELLY, Ellsworth (1923). KIENHOLZ, Edward (1927). KLINE, Franz (1910-62). KOONING, Willem de (Holl. 1904). KRASNER, Lee (1908-84). KUHN, Walt (1877-1949).

LA FARGE, John (1835-1910). LANE, Fitz Hugh (1804-65). LAWRENCE, Jacob (1917). LEMPICKA, Tamara de (or. pol. 1898-1980). LESLIE, Alfred (1927). LEVINE, Jack (1915). LEWITT, Sol (1928). LICHTENSTEIN, Roy (1923). LINDNER, Richard (All., 1901-78). LOUIS, Morris (1912-62). MAN RAY (*dit* Emmanuel Rudnitsky) (1890-1976). MARIN, John (1870-1953). MITCHELL, Joan (1926-92). MORLEY, Malcom (1931). MOSES, Grandma (1860-1961). MOTHERWELL, Robert (1915-91). NEWMAN, Barnett (1905-70). NOLAND, Kenneth (1924). O'KEEFFE, Georgia (1887-1986). OLDENBURG, Claes (1929). OLITSKI, Jules (or. russe, 1922). PASCIN, Jules (J. Pinkas, Bulg. 1885-1930). PEALE, Charles Willson (1741-1827) ; James (1749-1831) ; Rembrandt (1778-1860). PEARLSTEIN, Philip (1924). PHILLIPS, Ammi (1788-1865). PIPPIN, Horace (1888-1946). POLLOCK, Jackson (1912-58). PRENDERGAST, Maurice (1859-1924). RAUSCHENBERG, Robert (1925). REINHARDT, Ad (1913-67). RIVERS, Larry (1923). ROBINSON, Théodore (1852-96). ROSENQUIST, James (1933). ROTHENBERG, Susan (1945). ROTHKO, Mark (*dit* Marcus Rothkovitch) (1903-70). RUSCHA, Edward (1937). RYDER, Albert Pinkham (1847-1917). RYMAN, Robert (1930). SARGENT, John Singer (1856-1925). SEGAL, George (1924). SHAHN, Ben (Lituanie, 1898-1969). SHINN, Everett (1867-1953). SLOAN, John (1871-1951). STELLA, Frank (1936), Joseph (1877-1946). STILL, Clyfford (1904-80). STUART, Gilbert (1755-1828). SULLY, Thomas (1783-1872). TANGUY, Yves (or. franç., 1900-55). TANNING, Dorothea (1910). THIEBAUD, Wayne (1920). TOBEY, Mark (1890-1976). TRUMBULL, John (1756-1843). TWACHTMAN, John H. (1853-1902). TWOMBLY, Cy (1928). TWORKOW, Jack (1900-82). WARHOL, Andy (1928-87). WEBER, Max (or. russe, 1881-1961). WEIR, J. Alden (1852-1919). WESSELMANN, Tom (1931). WEST, Benjamin (1738-1820). WHISTLER, James Mc Neill (1834-1903). WYETH, Andrew (1917).

FRANCE

■ **Nés avant 1500.** BEAUNEVEU, André (v. 1330-v. 1410) (Franco-Flamand). BOURDICHON, Jehan (v. 1457-1521). BREA, Ludovic (v. 1450-1523 ?). BROEDERLAM, Melchior (v. 1328-apr. 1410) (Franco-Flamand). CLOUET, Jean (v. 1475-1541). COUSIN, Jean (*dit* le Père) (v. 1490-v. 1561). FIORENTINO, Rosso (*dit* Giovanni-Battista di Jacopo di Gasparro) (1495-1540). FOUQUET, Jean (v. 1420-70 ou 80). FROMENT, Nicolas (v. 1435-84). GIRARD D'ORLÉANS († 1361). HESDIN, Jacquemart de († v. 1410) (Franco-Flamand). LIMBOURG, les frères de (début XVe) (Franco-Flamands). MAÎTRE DE L'ANNONCIATION D'AIX (XVe) ; DE MOULINS (1480-v. 1500) ; DES HEURES DE ROHAN (actif v. 1420-40) (Franco-Flamand) (BN). MALOUEL, Jean (Mael Wael) (v. 1370-1419) (Flamand). PUCELLE, Jean (début XIVe s.). QUARTON, Enguerrand (1410-apr. 69).

■ **Nés entre 1500 et 1600.** ABATE, Nicolo dell' (or. ital., 1509/12-71/?). BELLANGE, Jacques (1575-env. apr. 1616). BREBIETTE, Pierre (1598-1650). CALLOT, Jacques (1592-1635). CARON, Antoine (1527-99). CLOUET, François (v. 1520-72). CORNEILLE de Lyon (v. 1505-v. 1574) (Néerl.). COUSIN, Jean (*dit* le Fils) (v. 1522-v. 1594). DERUET, Claude (1588-env. 1660). DUBOIS, Ambroise (1542/43-1614). DUBREUIL, Toussaint (1561-1602). DUMONSTIER, Daniel (1574-1646) ; Geoffroy (actif 1535-73) ; Pierre Ier (v. 1524-v. 1604). FRÉMINET, Martin (1567-1619). LALLEMAND, Georges (1570-env. 1635). LA TOUR, Georges de (v. 1593-1652). LE NAIN, Antoine (v. 1588-1648) ; Louis (1593-1648). LINARD, Jacques (v. 1600-45). MAÎTRE DE St-GILLES (v. 1500). MELLAN, Claude (1598-1688). MELLIN, Charles (1597-1649). PERRIER, François (*dit* le Bourguignon) (v. 1590-1650). POUSSIN, Nicolas (1594-1665). QUESNEL, François (1543-1617). RÉGNIER, Nicolas (1590-1667). SAINT-IGNY, Jean de (1598/1600-47). STELLA, Jacques de (1596-1657). STOSKOPFF, Sébastien (1597-1657). TOURNIER, Nic. (av. 1600-apr. 1660). VALENTIN DE BOULOGNE (1594-1632). VARIN, Quentin (v. 1570-1634). VIGNON, Claude (v. 1593-1670). VOUET, Simon (1590-1649).

■ **Nés entre 1600 et 1700.** BAUGIN, A. (v. 1630). BAUGIN, Lubin (1610-63). BLANCHARD, Jacques (1600-38). BLANCHET, Thomas (1614-89). BOSSE,

Abraham (1602-76). Bourdon, Sébastien (1616-71). Bourguignon, Jacques (*dit* le Courtois) (1621-76). Champaigne, Philippe de (Bruxelles, 1602-74). Chardin, Jean-Baptiste (1699-1779). Coypel, Antoine (1661-1722). Desportes, François (1661-1743). Drouais, Hubert (1699-1767). Dughet, Gaspard (*dit* le Guaspre Poussin) (1613-75). Dupuis, Pierre (1610-82). Garnier, François (actif v. 1627-58). Gellée, Claude (*dit* le Lorrain) (1600-82). Gillot, Claude (1673-1722). Gravelot, Hubert (1699-1773). Jeaurat, Étienne (1699-1789). Jouvenet, Jean-Baptiste (1644-1717). La Fosse, Charles de (1636-1716). La Hyre, Laurent de (1606-56). Lancret, Nicolas (v. 1690-1743). Largillière, Nicolas de (1656-1746). Le Brun, Charles (1619-90). Lemoyne, François (1688-1737). Le Nain, Mathieu (1607-77). Lesueur, Eustache (1617-55). Mignard, Pierre (1612-95). Moillon, Louise (1610-96). Monnoyer, Jean-Baptiste (1634-99). Nanteuil, Robert (v. 1623-78). Nattier, Jean-Marc (1685-1766). Oudry, Jean-Baptiste (1686-1755). Parrocel, Charles (1688-1752). Pater, Jean-Baptiste (1695-1736). Restout, Jean (1692-1768). Rigaud, Hyacinthe (1659-1743). Subleyras, Pierre-Hubert (1699-1749). Tassel, Jean (1608-67). Tocqué, Louis (1696-1772). Troy, François de (1645-1730). Van Loo, Jean-Baptiste (1684-1745). Watteau, Antoine (1684-1721).

■ **Nés entre 1700 et 1800.** Auguste, Jules-Robert (1789-1850). Aved, Jacques-André (1702-66). Boilly, Louis-Léopold (1761-1845). Boucher, François (1703-70). Carmontelle (Louis Carrogis) (1717-1806). Champmartin, Charles (1797-1883). Chantreau, Jérôme-François (v. 1710-57). Charlet, Nicolas (1792-1845). Cochin, Charles-Nicolas (1715-90). Corot, Jean-Baptiste (1796-1875). David, Louis (1748-1825). Delacroix, Eugène (1798-1863). Delaroche, Hippolyte (*dit* Paul) (1797-1856). Demarne, Jean-Louis (1744-1829). Desprez, Louis-Jean (1743-1804). Drolling, Martin (1752-1817). Drouais, François-Hubert (1727-75). Ducreux, Joseph (1735-1802). Dunouy, Alexandre-Hyacinthe (1757-1849). Duplessis, Joseph-Siffred (1725-1802). Fabre, François-Xavier (1766-1837). Fontaine, Pierre-François-Léonard (1762-1853). Fragonard, Jean-Honoré (1732-1806). Gérard, François, baron (1770-1837). Géricault, Théodore (1791-1824). Girodet-Trioson (Anne-Louis Girodet de Roucy) (1767-1824). Granet, François-Marius (1775-1849). Greuze, Jean-Baptiste (1725-1805). Gros, Antoine, baron (1771-1835). Guérin, Pierre (1774-1833). Huet, Jean-Baptiste (1743-1811). Ingres, Jean-Auguste Dominique (1780-1867). Isabey, Jean-Baptiste (1767-1855). Labille-Guiard, Adélaïde (1749-1803). La Tour, Maurice Quentin de (1704-88). Lemoyne, Jean-Baptiste (1704-78). Lépicié, Nicolas (1735-84). Le Prince, Jean-Baptiste (1733-81). Mallet, Jean-Baptiste (1759-1835). Michel, Georges (1763-1843). Moreau Louis-Gabriel (*dit* l'Aîné) (1740-1806) ; Jean-Michel (*dit* le Jeune) (1741-1814). Natoire, Charles (1700-77). Nonnotte, Donat (1708-85). Percier, Charles (1764-1838). Perronneau, J.-Baptiste (1715-83). Prud'hon, Pierre-Paul (1758-1823). Regnault, Jean-Baptiste, baron (1754-1829). Robert, Hubert (1733-1808). Romain le (*dit* Jean Dumont) (1701-81). Roux, Antoine (1765-1835) ; Antoine fils (1799-1872). Saint-Aubin, Augustin de (1737-1807) ; Gabriel de (1724-80). Scheffer, Ary (1795-1858). Taurel, Jean-François (1757-1832). Valade, Jean (1709-87). Valenciennes, Pierre-Henri de (1750-1819). Vallayer-Coster, Anne (1744-1818). Van Loo, Carle (Charles-André) (1705-65). Vernet, Carle (1758-1835) ; Horace (1789-1863) ; Joseph (1714-89). Vestier, Antoine (1740-1824). Vien, Joseph-Marie (1716-1809). Vigée-Lebrun, Marie-Louise Élisabeth (1755-1842).

■ **Nés entre 1800 et 1900.** Abbéma, Louise (1858-1927). Adler, Jules (1865-1952). Aman-Jean, Edmond (1856-1936). André, Albert (1869-1954). Angrand, Charles (1854-1926). Arp, Jean ou Hans (1887-1966). Asselin, Maurice (1882-1947). Atalaya, José (*dit* Enrique) (1851-1913). Bail, Joseph (1862-1921). Barnoin, Henri (1882-1925). Bashkirtseff, Marie (Russie 1859-Fr. 1884). Bauchant, André (1873-1958). Baudry, Paul (1828-86). Bazille, Frédéric (1841-70). Beaudin, André (1895-1979). Beaufrère, Alfred (1876-1960). Bellangé, Hippolyte (1800-66). Belly, Léon (1827-77). Benjamin-Constant, Jean (1845-1902). Béraud, Jean (1849-1936). Berchère, Narcisse (1819-91). Bernard, Émile (1868-1941). Bertram, Abel (1871-1954). Besnard, Albert (1849-1934). Bissière, Roger (1886-1964). Blanche, Jacques-Émile (1861-1942). Bombois, Camille (1883-1970). Bompard, Maurice (1857-1936). Bonheur, Rosa (1822-99). Bonnard, Pierre (1867-1947). Bonnat, Léon (1833-1922). Bonvin, François (1817-87). Bordes, Léonard (1898-1969). Bottini, Georges-Alfred (1874-1907). Boudin, Eugène (1824-98). Bouguereau, William (1825-1905). Boulanger, Louis (1806-67). Boussingault, J.-Louis (1883-1943). Bouvet, Henry (1859-1945). Boyer, Émile (1877-1947). Bradberry, Georges (1879-1955). Braquaval, Louis (1854-1919). Braque, Georges (1882-1963). Brianchon, Maurice (1899-1979). Brown, John Lewis (Irl. 1829-90). Buhot, Félix (1847-98). Butler, Théodore Earl (1876-1937). Cabanel, Alexandre (1823-89). Caillebotte, Gustave (1848-94). Cami, Pierre (1884-1958). Camoin, Charles (1879-1965). Cappiello, Leonetto (It. 1875-1942). Carolus-Duran, Émile (*dit* Charles Durand) (1837-1917). Carrier-Belleuse, Louis (1848-1913). Carrière, Eugène (1849-1906). Céria, Edmond (1884-1955). Cézanne, Paul (1839-1906). Chagall, Marc (Russie, 1887-1985). Chabas, Maurice (1862-1947). Chabaud, Auguste (1882-1955). Charlemagne, Paul (1892-1972). Charreton, Victor (1864-1937). Chassériau, Théodore (1819-56). Chastel, Roger (1897-1981). Chenavard, Paul-Joseph (1807-95). Chéret, Jules (1836-1933). Chintreuil, Antoine (1816-73). Ciceri, Eugène (1813-90). Clairin, Georges (1843-1919). Cocteau, Jean (1889-1963). Colin, Paul (1892-1985). Comerre, Louis (1850-1916). Cortes, Édouard (1882-1969). Cottet, Charles (1863-1925). Couchaux, Marcel (1877-1939). Courmes, Alfred (1898). Courbet, Gustave (1819-77). Cousturier, Lucie (1870-1925). Couture, Thomas (1815-79). Creixams, Pierre (1893-1965). Crotti, Jean (Suisse, 1878-1958). Cyr, Georges (n.c.-1964).

Dagnan-Bouveret, Pascal (1852-1929). Damoye, Pierre-Emmanuel (1847-1916). Darjou, Alfred (1832-74). Daubigny, Charles-Franç. (1817-78), Karl-Pierre (1846-86). Dauchez, André (1870-1948). Daumier, Honoré (1808-79). Dauzats, Adrien (1804-68). David, Hermine (1886-1970). Debat-Ponsan, Édouard (1847-1913). Decamps, Alex.-Gabriel (1803-60). Degas, Edgar (1834-1917). Dehodencq, Alfred (1822-82). Delattre, Joseph (1858-1912). Delaunay, Robert (1885-1941), Sonia (1885-1979). Delavallée, Henri (1862-1943). Delpy, Camille-Hippolyte (1842-1910). Denis, Maurice (1870-1943). Derain, André (1880-1954). Desnoyer, François (1894-1972). Desvallières, Georges (1861-1950). Detaille, Édouard (1848-1912). Deutsch, Ludwig (Autr. 1855-1935). Devambez, André (1867-1943). Devéria, Achille (1800-57), Eugène (1805-65). Dezaunay, Émile (1854-1940). Diaz de la Peña, Narcisse-Virgile (1807-76). Dignimont, André (1891-1965). Dinet, Étienne (1861-1929). Domergue, Jean-Gabriel (1889-1962). Doré, Gustave (1832-83). Dreux, Alfred de (1808-60). Dubois-Pillet, Albert (1845-90). Dubreuil, Pierre (1891-1970). Dubufe, Édouard (1853-1909). Duchamp, Marcel (1887-1968). Dufresne, Charles (1876-1938). Dufy, Jean (1888-1964), Raoul (1877-1953). Dumont, Pierre (1884-1936). Dunoyer de Segonzac, André (1884-1974). Dupré, Jules (1811-89). Dupré, Victor (1816-79). Ernst, Max (All. 1891-1976). Ernst, Rudolph (Autr. 1854-1924). Espagnat, Georges d' (1870-1950). Esparbès, Jean d' (1898-1968). Faivre, Abel (1867-1945). Fantin-Latour, Henri (1836-1904). Fautrier, Jean (1898-1964). Feure, Georges de (1868-1943). Filiger, Charles (1863-1928). Flandrin, Hippolyte (1809-64). Flers, Camille (1802-68). Forain, Jean-Louis (1852-1931). Foujita, Tsugouharu (1886-1968). Français, François-Louis (1814-97). Frechon, Charles (1858-1928). Frère, Théodore (1814-88). Friesz, Othon (1879-1949). Fromentin, Eugène (1820-76). Gallien, Pierre-Antoine (1896-1963). Gauguin, Paul (1848-1903). Gavarni, Sulpice-Guillaume Chevalier (*dit* Paul) (1804-66). Gen Paul (Eugène Paul) (1895-1975). Génin, Lucien (1894-1958). Gernez, Paul-Élie (1888-1948). Geoffroy, Henry (1853-1924). Gérôme, Jean-Léon (1824-1904). Gervais, Paul (1859-1936). Gervex, Henri (1852-1929). Gigoux, Jean-François (1806-94). Girardet, Karl (1813-71). Glaize, Pierre-Paul (1842-1932). Gleizes, Albert (1881-1953). Gobaut, Gaspard (1814-82). Goerg, Édouard (1893-1969). Gondouin, Emmanuel (1883-1934). Grandville (*dit* Isidore Gérard) (1803-47). Gromaire, Marcel (1892-1971). Gudin, Jean (1802-80). Guérin, Charles (1875-1939). Guigou, Paul-Camille (1834-71). Guilbert, Narcisse (1878-1942). Guillaume, Albert (1873-1942). Guillaumet, Gustave-Achille (1840-87). Guillaumin, Armand (1841-1927). Guirand de Scevola, Victor (1871-1950). Guys, Constantin (1802-92).

Harpignies, Henri (1819-1916). Hayden, Henri (1883-1970). Hayet, Louis (1864-1940). Hébert, Ernest (1817-1908). Helleu, Paul (1859-1927). Henner, Jean-Jacques (1829-1905). Henocque, Narcisse (1879-1952). Herbin, Auguste (1882-1960). Hervé, Jules-René (1887-1981). Hervieu, Louise (1878-1954). Heuzé, Edmond (1884-1967). Hodé, Pierre (1889-1942). Hosiasson, Philippe (1898-1978). Huet, Paul (1803-69). Hugo, Valentine (1887-1968). Icart, Louis (1888-1950). Isabey, Eugène (1803-86). Janssaud, Mathurin (n.c.). Joinville, Antoine (1801-49). Jonas, Lucien (1880-1947). Jourdan, Émile (1860-1931). Kandinsky, Vassili (russe, 1866-1944). Kerga, Charles de Kergariou (n.c.). Kikoïne, Michel (or. russe, 1892-1968). Kisling, Moïse (Pol., 1891-1953 ; nat. Français 1924). Kremegne, Pinchus (russe, 1890-1981). Kuwasseg, Charles (1838-1904). Kvapil, Charles (1884-1957). Laboureur, Jean-Émile (1877-1943). La Fresnaye, Roger de (1885-1925). Lambert-Rucki, Jean (1888-1967). Lambinet, Émile (1815-77). Lami, Eugène (1800-90). La Patellière, Amédée de (1890-1932). Lapicque, Charles (1898-1988). Laprade, Pierre (1875-1931). Latapie, Louis (1891-1972). Laugé, Achille (1861-1944). Laurencin, Marie (1885-1956). Laurens, Jean-Paul (1838-1921). Lauvray, Abel (1870-1950). La Villéon, Emmanuel de (1858-1944). Léandre, Charles (1862-1930). Lebas, Hippolyte (1812-80). Lebasque, Henri (1865-1937). Lebourg, Albert (1849-1928). Lecomte du Noüy, Jean-Jules-Antoine (1842-1923). Le Corbusier, Charles-Édouard Jeanneret (or. suisse, 1887-1965). Le Fauconnier, Henri (1881-1946). Léger, Fernand (1881-1955). Legout-Gérard, Fernand (1856-1924). Legros, Alphonse (1837-1911). Legueult, Raymond (1898-1971). Lemaître, Léon-Jules (1851-1905). Lenoir, Marcel (1872-1931). Lepape, Georges (1887-1971). Lépine, Stanislas (1835-92). Leprin, Marcel (1891-1933). Le Sidaner, Henri (1862-1939). Lessore, Émile (1805-76). Lévy-Dhurmer, Lucien (1865-1953). Lhote, André (1885-1962). Limouse, Roger (1894-1990). Loir, Luigi (1845-1916). Loiseau, Gustave (1865-1935). Loutreuil, Maurice (1885-1925). Louvier, Maurice (1878-1954). Luce, Maximilien (1858-1941). Lurçat, Jean (1892-1966).

Maclet, Élysée (1881-1962). Madelaine, Hippolythe (1871-1966). Madeline, Paul (1863-1920). Madrassi, Lucien (1881-1956). Mahn, Berthold (1882-1975). Maire, André (1898-1984). Mané-Katz (Russie 1894-1962). Manet, Édouard (1832-83). Manguin, Henri (1874-1949). Marilhat, Prosper (1811-47). Marquet, Pierre-Albert (1875-1947). Martin, Charles (1888-1934), Henri (1860-1943). Mascart, Paul (1874-1958). Masson, André (1896-1987). Matisse, Henri (1869-1954). Maufra, Maxime (1861-1918). Maxence, Edgar (1871-1954). Méheut, Mathurin (1882-1958). Meissonier, Ernest (1815-91). Méryon, Charles (1821-68). Metivet, Lucien (1863-1932). Metzinger, Jean (1883-1957). Millet, Jean-François (1814-75). Monet, Claude (1840-1926). Monnier, Henri (1805-77). Montézin, Pierre (1874-1946). Monticelli, Adolphe (1824-86). Moreau, Gustave (1826-98). Moret, Henry (1856-1913). Morisot, Berthe (1841-95). Mossa, Gustave-Ad. (1883-1971). Mozin, Charles (1806-62). Musin, François-Étienne (1820-88). Nanteuil, Célestin (1813-73). Naudin, Bernard (1876-1946). Neuville, Alphonse de (1835-85). Noël, Jules (1815-81). Obin, Philome (1892-1986). Olive, Jean-Baptiste (1848-1936). Osbert, Alphonse (1857-1939). Oudot, Roland (1897-1981). Ozenfant, Amédée (1886-1966). Pécrus, Charles Fr. (1826-1907). Pégurier, Michel-A. (1856-1936). Peske, Jean (1870-1940). Petitjean, Edmond-Marie (1844-1925) ; Hippolyte (1854-1929). Picabia, Francis (1879-1953). Picou, Henri Pierre (1824-95). Pinchon, Émile (1871-1953) ; Robert (1886-1943). Pissarro, Camille (1830-1903). Point, Armand (1860-1932). Pointelin, Auguste (1839-1933). Pougny, Jean (or. russe, 1892-1956). Poulbot, Francisque (1879-1946). Pourtau, Léon (1872-97). Prax, Valentine (1899-1981). Princeteau, René (1844-1914). Prins, Pierre (1838-1913). Prouvé, Victor (1858-1943). Puigaudeau, Fernand du (1864-1930). Puvis de Chavannes, Pierre (1824-98). Puy, Jean (1876-1960). Quizet, Alphonse (1885-1955).

Raffaelli, Jean-Fr. (1850-1924). Raffet, Denis-Auguste (1804-60). Redon, Odilon (1840-1916). Regnault, Henri (1843-71). Reichel, Hans (or. all., 1892-1958). Renaudin, Alfred (1866-1944). Renoir, Pierre-Auguste (1841-1919). Reth, Alfred (1884-1966). Ribot, Théodule (1823-91). Richet, Léon (1847-1907). Rochegrosse, G.-Ant. (1859-1938). Rocqueplan, Camille (1803-55). Rops, Félicien (1833-98). Rouault, Georges (1871-1958). Rousseau (Henri, *dit* le Douanier) (1844-1910) ; Théodore (1812-67). Roussel, Ker-Xavier (1867-1944). Roux, François (1811-82). Roux-Champion, Joseph-Victor (Roux *dit* V.-J.) (1871-1953). Roy, Pierre (1880-1950). Roybet, Ferdinand (1840-1920). Rozier, Jules (1821-82). Schneider, Gérard (1896-1986). Schuffenecker, Claude-Émile (1851-1934). Schwabe, Carlos (1866-1926). Scott, Georges (1873-1942). Sébille, Albert (1874-1953). Sem (Georges Goursat) (1863-1934). Séraphine de Senlis (S. Louis) (1864-1942). Sérusier, Paul (1863-1927). Seurat, Georges-Pierre (1859-91). Seyssaud, René (1867-1952). Signac, Paul (1863-1935). Sisley, Alfred (1839-99). Sonrel, Élizabeth (1874-1953). Soutine, Chaïm (1893-1943). Steinlen, Théophile-Alexandre (or. suisse, 1859-1923). Styka, Adam (1890-1970). Survage, Léopold (or. russe,

1879-1968) SUZANNE, Léon (1870-1923). TASSAERT, Octave (1800-74). THIEULIN, Jean (1894-1960). TIRVERT, Eugène (1881-1948). TISSOT, James (1836-1902). TOUCHAGUES, Louis (1893-1974). TOULOUSE-LAUTREC, Henri de (1864-1901). TOURNEMINE, Charles-Émile de (1812-72). TRAVIÈS, Édouard (v. 1807-v. 67). TROUILLE, Clovis (1899-1970). TROUILLEBERT, Paul-Désiré (1829-1900). TROYON, Constant (1810-65). URBAIN. Alexandre (Alexandre-Urbain Koenig) (1872-1952). UTRILLO, Maurice (1883-1955). UTTER, André (1886-1948). VALADON, Suzanne (1867-1938). VALLOTTON, Félix (1865-1925). VALTAT, Louis (1869-1952). VAUMOUSSE, Maurice (1876-1961). VERDILHAN, Mathieu (1875-1928). VÉRON, Alexandre (1826-97). VIGNON, Victor (1847-1909). VILLON, Jacques (1875-1963). VIVIN, Louis (1861-1936). VLAMINCK, Maurice De (1876-1958). VOLLON, Antoine (1833-1900). VUILLARD, Édouard (1868-1940). WALCH, Charles (1898-1948). WAROQUIER, Henry de (1881-1970). WILD, Roger (1894-1987). WILLETTE, Adolphe (1857-1926). WOLFF, Jacques (1896-1956). YON, Edmond (1836-97). YVON, Adolphe (1817-93). ZIEM, Félix (1821-1911).

■ **Nés après 1900.** AILLAUD, Gilles (1928). ALBEROLA, Jean-Michel (1953). AÏZPIRI, Paul-Augustin (1919). ALECHINSKY, Pierre (1927). AMBROGIANI, Pierre (1907-85). ANTY, Henri d' (1910). ARMAN (*dit* Armand Fernandez) (1928). ARNAL, François (1924). ARNAL (Joseph Cabrero) (1907-82). ATLAN, Jean-Michel (1913-60). AUJAME, Jean (1905-65). BALTHUS (Balthazar Klossowski de Rolla) (1908). BARDONE, Guy (1927). BAYRAM (Bayram Küçük) (or. turque, 1937). BAZAINE, Jean (1904). BELLEGARDE, Claude (1927). BELLMER, Hans (1902-75). BÉRARD, Christian (1902-49). BETTENCOURT, Pierre (1917). BEZOMBES, Roger (1913). BLAIS, Jean-Charles (1956). BOLTANSKI, Christian (1944). BOUDET, Pierre (1925). BRASILIER, André (1929). BRAUNER, Victor (or. roum., 1903-66). BRAYER, Yves (1907-90). BRYEN, Camille (1907-77). BUFFET, Bernard (1928). CADIOU, Henri (1906-89) ; Pierre (1928). CANE, Louis (1943). CARZOU, Jean (1907). CASSANDRE (J.-M. Mouron) (1901-68). CASSIGNEUL, Jean-Pierre (1935). CAVAILLÈS, Jules (1901-77). CHAISSAC, Gaston (1910-64). CHAPELAIN-MIDY, Roger (R. Chapelain) (1904-92). CHAPOVAL, Youla (1919-51). CHU TEH CHUN (Chinois, 1920). COMBAS, Robert (1957). COUY, Jean (1910-83). DADO (1933). DEBRÉ, Olivier (1920). DECARIS, Albert (1901-88). DEGOTTEX, Jean (1918-88). DELPRAT, Hélène (n.c.). DESPIERRE, Jacques (1912). DEWASNE, Jean (1921). DEYROLLE, Jean (1911-67). DI ROSA, Hervé (1959). DOLLA, Noël (1945). DOMINGUEZ, Oscar (or. esp., 1906-57). DOUCET, Jacques (1924). DUBUFFET, Jean (1901-85). DUPONT, Jacques (1909-78). DURAND COUPPEL DE SAINT-FRONT. DUVILLIER, René (1919). EFFEL, Jean (1908-82). ESTÈVE, Maurice (1904). EVE, Jean (1900-68). FICHET, Pierre (1927). FINI, Leonor (1908 ; Ital., née à Buenos Aires, fixée en France). FONTANAROSA, Lucien (1912-75). FOUGERON, André (1913). FRANK-WILL (1900-51). FROMANGER, Gérard (1939). FROMEAUX, Alain (1957).

GALL, François (1912-87). GAROUSTE, Gérard (1942). GASQUET, Vasco (1931). GAUTHIER, Oscar (1921). GIESS, Jules (1901-73). GISCHIA, Léon (1903-91). GOETZ, Henri (or. amér., 1909-89). GONZALES, Roberta (1909-76). GOZLAN, Claude (1930). GRUBER, Francis (1912-48). HAMBOURG, André (1909). HÉLION, Jean (1904-87). HELMAN, Robert (Roum., 1910-90). HILAIRE, Camille (1916). HOBI (Horst Bilstein) (All., 1939). HENRY, Pierre (1924). HUMBLOT, Robert (1907-62). ISTRATI, Alexandre (or. roum., 1915-91) JACQUEMIN, André (1904-92). JACQUET, Alain (1939). JACUS, Jean-Théobald (1924). JAMES, Louis (1920). KLEIN, Paul (1908) ; Yves (1928-1962). KLOSSOWSKI, Pierre (1903). KOLLER, Ben-Ami (1948). LABISSE, Félix (1904-82). LACAZE, Germaine (1908). LAGAGE, Pierre-César (1911-77). LAGOUTTE, Claude (1935). LANSKOY, André (1902-76). LAP (Jacques Laplaine) (1921). LAUBIES, René (1924). LA VILLEGLE, Jacques de (1926). LELONG, Pierre (1908). LE MOAL, Jean (1909). LEPPIEN, Jean (Allemand, 1910-91). LORJOU, Bernard (1908-86). MAC AVOY, Édouard (1905-91). MALET, Albert (1905-86). MANESSIER, Alfred (1911). MARCHAND, André (1907). MARIE, Marin (1901-87). MARTINXY, Rolland (1951). MATHIEU, Georges (1921). MESSAGIER, Jean (1920). MEURICE, Jean-Michel (1938). MICHONZE, Grégoire (1902-82). MIOTTE, Jean (1926). MOLNIER, Pierre (1900-76). MOLNAR, Véra (1925). MONINOT, Bernard (1949). MORELLET, François (1926). MORETTI, Lucien-Philippe (1921) ; Raymond (1931). MULHEM, Dominique (1952). NEUQUELMAN, Lucien (1909-88). NOYER, Philippe (1917-85). OGUISS, Takanori (Jap., 1901-86). PAMBOUJIAN, Gérard (1941). PANDEL, Michel (1929). PIAUBERT, Jean (1900). PICART-LE DOUX, Jean (1902-82). PICHETTE, James (1920). PIGNON, Édouard (1905-93) ; Ernest (1942). PLAGNOL, Serge (1952). POLIAKOFF, Serge (Russe, 1900-69). PRASSINOS, Mario (or. grecque, 1916-85). PRIKING, Franz (1927-79). PRUNA (Pedro Pruna O'Cerans) (1904-77).

RAFFY LE PERSAN (1919). RANCILLAC, Bernard (1931). RAYNAUD, Jean-Pierre (1939). RAYSSE, Martial (1936). REBEYROLLE, Paul (1926). RENÉ, Jean-Jacques (1943). RIOPELLE, Jean-Paul (1923). ROUGEMONT, Guy de (1935). SAVY, Max (1918). SCHLOSSER, Gérard (1931). SCHURR, Claude (1921). SÉRADOUR, Guy (1922). SEUPHOR, Michel (or. belge, 1901). SOULAGES, Pierre (1919). STAËL, Nicolas de (or. russe, 1914-55). TAL COAT, Pierre (1905-85). TELEMAQUE, Hervé (1937). THIÉRY, Gaston (1922). TITUS-CARMEL, Gérard (1941). TOBIASSE, Théo (1927). TOFFOLI, Louis (1907). TRÉMOIS, Pierre-Yves (1921). TYSZBLAT, Michel (1936). VAN HECKE, Arthur (1924). VASARELY, Victor (or. hong., 1908). VENARD, Claude (1913). VIALLAT, Claude (1936). VIEILLARD, Roger (1907-89). VIGROUX, Paul (1921-85). WEISBUCH, Claude (1927). YVARAL, Jean-Pierre (1934). ZACK, Léon (or. russe, 1892-1980). ZELLER, Frédéric (1912). ZENDEL, Gabriel (1906).

GRANDE-BRETAGNE

■ **Nés avant 1700.** COOPER, Samuel (1609-72). DES GRANGES, David (1611/13-v. 75). DOBSON, William (1611-46). FERGUSON, Will. Gowe (v. 1633-95). HIGHMORE, Joseph (1692-1780). HILLIARD, Nicholas (v. 1547-1619). HOGARTH, William (1697-1764). JAMESONE, George (v. 1587-1644). JOHNSON, Cornelius (1593-1661). KNAPTON, George (1698-1778). KNELLER, Sir Godfrey (or. all., v. 1646 ou 49-1723). LELY, Sir Peter (or. holl., 1618-80). MONAMY, Peter (1681-1749). OLIVER, Isaac (1551/56/65-1617). RICHARDSON, Jonathan (1665-1745). RILEY, John (1646-91). THORNHILL, Sir James (1675 ou 76-1734). WALKER, Robert (1607-58 ou 60). WOOTTON, John (v. 1682-1764). WRIGHT, John Michael (1617-94).

■ **Nés entre 1700 et 1800.** ABBOTT, Lemuel Francis (1760-1803). ALKEN, Henry (1785-1851). ALLAN, David (1744-96). BARRY, James (1741-1806). BEECHEY, Sir William (1753-1839). BEWICK, Thomas (1753-1828). BLAKE, William (1757-1827). CALVERT, Edward (1799-1883). CONSTABLE, John (1776-1837). COSWAY, Richard (1742-1821). COTES, Francis (1726-70). COTMAN, John Sell (1782-1842). COX, David (1783-1859). COZENS, Alexander (1717-86). COZENS, John Robert (1752-97). CROME, John (1768-1821). DAYES, Edward (1763-1804). DEVIS, Arthur (1711-87). DE WINT, Peter (1784-1849). DOWNMAN, John (v. 1750-1824). ETTY, William (1787-1849). FUSELI, Henry (1741-1825). GAINSBOROUGH, Thomas (1727-88). GILLRAY, James (1757-1815). GIRTIN, Thomas (1775-1802). HAYDON, Benjamin Robert (1786-1846). HAYMAN, Francis (1708-76). HOPPNER, John (1758 ?-1810). LAWRENCE, Sir Thomas (1769-1830). LINNELL, John (1792-1882). MARTIN, John (1789-1854). MORLAND, George (1763-1804). MULREADY, William (1786-1863). NORTHCOTE, James (1746-1831). OPIE, John (1761-1807). RAEBURN, Sir Henry (1756-1823). RAMSAY, Allan (1713-84). REYNOLDS, Sir Joshua (1723-92). ROMNEY, George (1734-1802). ROWLANDSON, Thomas (1757-1827). SANDBY, Paul (1730-1809). SCOTT, Samuel (v. 1702-72). STUBBS, George (1724-1806). TOWNE, Francis (v. 1739 ou 40-1816). TURNER, Joseph Mallord William (1775-1851). VARLEY, Cornelius (1781-1873). VARLEY, John (1778-1842). WARD, James (1769-1859). WHEATLEY, Francis (1747-1801). WILKIE, Sir David (1785-1841). WILSON, Richard (1713 ou 14-82). WRIGHT, Joseph (1734-97). ZOFFANY, Johann (All., 1733-1810).

■ **Nés entre 1800 et 1900.** ALMA-TADEMA, Sir Lawrence (1836-1912). BEARDSLEY, Aubrey (1872-98). BELL, Vanessa (1879-1961). BEVAN, Robert Polhill (1865-1925). BOMBERG, David (1890-1957). BONINGTON, Richard Parkes (1802-28). BROWN, Ford Madox (1821-93). BURNE-JONES, Sir Edward (1833-98). COLLINSON, James (1825-81). DYCE, William (1806-64). FRITH, William Powell (1819-1909). FRY, Roger (1866-1934). GERTLER, Mark (1891-1939). GILMAN, Harold (1876-1919). GINNER, Charles (1878-1952). GORE, Spencer (1878-1914). GRANT, Duncan (1885-1978). HITCHENS, Ivon (1893-1979). HODGKINS, Frances (1869-1947). HUNT, William Holman (1827-1910). INNES, James Dickson (1887-1914). JOHN, Augustus Edwin (1878-1961) ; Gwen (1876-1939). LANDSEER, Sir Edwin (1803-73). LEIGHTON, Frederick, Lord (1830-96). LEWIS, Wyndham (1882-1957). LOWRY, L.S. (1887-1976). MILLAIS, Sir John Everett (1829-96). MOORE, Henry (1898-1986). MORRIS, William (1834-96). NASH, John (1893-1977) ; Paul (1889-1946). NICHOLSON, Ben (1894-1982) ; Sir William (1872-1949). ORPEN, Sir William (1878-1931). PALMER, Samuel (1805-81). POYNTER, Sir E. (1836-1919). ROBERTS, William (1895-1980). ROSSETTI, Dante Gabriel (1828-82). ROTHENSTEIN, Sir William (1872-1945). SCOTT, David (1806-49). SICKERT, Walter (1860-1942). SMITH, Sir Matthew (1879-1959). SPENCER, Sir Stanley (1891-1959). STEER, Phillip Wilson (1860-1942). STEPHENS, Frederic George (1828-1907). STEVENS, Alfred (1817-75). VÉZELAY, Paule (1892-1984). WADSWORTH, Edward (1889-1949). WALKER, Dame Ethel (1861-1951). WATTS, George Fred. (1817-1904). WOOLNER, Thomas (1825-92).

■ **Nés après 1900.** ARDIZZONE, Edward (1900-79). AUERBACH, Frank (1931). AYRTON, Michael (1921-75). BACON, Francis (1909-92). BAWDEN, Edward (1903-89). BELL, Graham (1910-43). BLAKE, Peter (1932). BOSHIER, Derek (1937). BURGIN, Victor (1941). BURRA, Edward (1905-76). CAULFIELD, Patrick (1936). COHEN, Bernard (1933) ; Harold (1928). COLDSTREAM, Sir William (1908-87). COLLINS, Cecil (1908-89). CRAIG-MARTIN, Michael (1941). CRAXTON, John (1922). DAVIE, Alan (1920). DENNY, Robyn (1930). EVANS, Merlyn (1910-73). FREEDMAN, Barnett (1901-58). FREUD, Lucian (1922). FROST, Terry (1915). GENTLEMAN, David (n.c.). GOWING, Sir Lawrence (1918-91). GREEN, Anthony (1939). GREY, Sir Roger de (1918). HAMILTON, Richard (1922). HEATH, Adrian (1920). HERON, Patrick (1920). HILTON, Roger (1911-75). HOCKNEY, David (1937). HODGKIN, Howard (1932). HOYLAND, John (1934). HUXLEY, Paul (1938). INSHAW, David (1943). JONES, Allen (1937). KENNA, Michael (1953). LANCASTER, Mark (1938). LANYON, Peter (1918-64). LAW, Bob (1934). MAC BRYDE, Robert (1913-66). MOON, Jeremy (1934-73). MOYNNIHAN, Rodrigo (1910-90). PASMORE, Victor (1908). PHILLIPS, Peter (1939). PHILLIPS, Tom (1937). PIPER, John (1903). RAVILIOUS, Eric (1903-42). RICHARDS, Ceri (1903-71). RILEY, Bridget (1931). SCOTT, William (1913-89). SMITH, Richard (1931). STEPHENSON, Ian (1934). STOKES, Adrian (1902-72). SUTHERLAND, Graham (1903-80). TILSON, Joe (1928). TUNNARD, John (1900-71). UGLOW, Euan (1930). VAUGHAN, Keith (1912-77). WALKER, John (1939). WEIGHT, Carel (1908). WELLS, John (1907). WYNTER, Bryan (1915-75).

GRÈCE

BOUZIANIS, Georgios (1885-1959). EGONOPOULOS, Nikolaos (1910-85). FASSIANOS, Alecos (1935). GAITIS, Nikolaos (1921-84). GALANIS, Demetrios (1882-1966, nat. Français). GHIKA, Nicolas (1906). GOUNAROPOULOS, Georgios (1890-1977). KONTOGLOU, Photis (1896-1965). MALEAS, Konstantinos (1879-1928). MORALIS, Jannis (1916). PAPALOUCAS, Spyros (1829-1957). PARTHENIS, Constantin (1878-1967). SPYROPOULOS, Jannis (1912-90). TAKIS, Vassilakis (1925). TASSOS, Alevizos (1914-85). THEOPHILOS, Hadjimichaël (1866-1934). TSAROUCHIS, Jannis (1910-89). TSINGOS, Thanos (1914-65). TSOKLIS, Kostas (1930). VASSILIOU, Spyros (1902-85).

HONGRIE

BAK, Imre (1939). BÁLINT, Endre (1914-86). BARTHA, László (1908). BENCZUR, Gyula (1844-1920). BIHARI, Sándor (1856-1906). BORTNYIK, Sandor (1893-1977). CSÁKY, Jozsef (1888-1971). CSERNUS, Tibor (1927), travaille à Paris. CSONTVARY-KOSZTKA, Tivadar (1853-1919). CZOBEL, Béla (1883-1975). FEHÉR, László (1953). FERENCZY, Károly (1862-1917). GULACSY, Lajos (1882-1932). HANTAI, Simon (1922). HENCZE, Tamás (1938). HUSZAR, Vilmos (1884-1960). KLIMÓ, Károly (1936). KOKAS, Ignác (1926). KONDOR, Béla (1931-72). LOTZ, Károly (1833-1904). MEDNYÁNSZKY, László (1852-1919). MESZOLY, Géza (1887-1916). MOHOLY-NAGY, László (1895-1946). MUNKÁCSY, Mihály (1844-1900). PAÁL, László (1846-79). REICH, Károly (1922). RIPPL-RONAI, József (1861-1927). SZABO, Akos (1935, travaille à Paris). SZÁSZ, Endre (1926). SZENES, Árpád (1897-1985, travaille à Paris.) TIHANYI, Lajos (1885-1939). VASZARY, János (1867-1939).

ITALIE

■ **Nés avant 1600.** **Bologne :** ALBANE (Francesco Albani) (1578-1660). BARBIERI Giovanni Francesco, (*dit* le Guerchin) (1591-1666). CARACCIOLO, Giov. Battista (v. 1570-1637). CARRACHE (Carracci), Agostino (1557-1602) ; Annibale (1560-1609) ; Louis (1555-1619). FRANCIA Francesco Raibolini (*dit* il) (v. 1460-1517). GUIDO, Reni (*dit* le Guide) (1575-1642). PRIMATICE Francesco (Primaticcio) (1504/05-70). SACCHI, Andrea (1599-1661).

Ferrare (Émilie-Romagne) : COSSA, Francesco del (v. 1436-v. 78). COSTA, Lorenzo (v. 1450-1535). DELL'ABATE, Nicolo (v. 1509-71). DOSSI, Dosso (1479-v. 1541). ROBERTI, Ercole de' (v. 1450-96). ROMANO, Giulio (Jules Romain) (v. 1492-1546). TURA, Cosimo (v. 1425-95).

Florence (Toscane) : ANGELICO (FRA), Giovanni da Fiesole (1387-1455). BALDOVINETTI, Alessio (1425-99). BERRETTINI DA CORTONA, Pietro (1596-1669). BONAIUTO, Andrea di (A. de Florence) (v. 1343-77). BOTTICELLI, Sandro (Alessandro di Mariano Filipepi) (1444-1510). CASTAGNO, Andrea del (1423-57). CIMABUE, Giovanni (v. 1240-apr. 1302). COPPO DE MARCOVALDO (v. 1225-74). DADDI, Bernardo (v. 1290-1349). FRA BARTOLOMEO (1472-1517). FRA FILIPPO LIPPI (v. 1406-69). GENTILE DA FABRIANO (v. 1370-1427). GENTILESCHI, Orazio (v. 1565-1638). GHIRLANDAIO, Domenico (1449-94). GIOTTO DI BONDONE (v. 1266-1337). GOZZOLI, Benozzo (1420-97). LÉONARD DE VINCI (1452-1519). LIPPI, Filippino (v. 1457-1504). LORENZO, Monaco (v. 1370-apr. 1422). MASACCIO (Tomasso Guidi) (1401-29). MASOLINO DA PANICALE (1383-v. 1447). MICHEL-ANGE (Michelangelo Buonarroti) (1475-1564). ORCAGNA (Andrea di Cione Arcagnolo) (1308-v. 48). PIERO DI COSIMO (1462-1521). POLLAIOLO, Antonio Benci (v. 1432-98). PONTORMO (*dit* Jacopo Carruci) (1494-v. 1556). RAPHAËL, Sanzio (Raffaello Santi) (1483-1520). SARTO, Andrea del (1486-1530). SPINELLO, Aretino (1347-1410). THANI, Francesco (v. 1321-44). UCCELLO (Paolo di Domo) (1397-1475). VASARI, Giorgio (1511-74). VERROCCHIO (Andrea di Cione, il) (1435-88).

Lucques (Toscane) : BERLINGHIERI, Bonaventura (1re moitié du XIIIe s.) : Crucifix (1220).

Milan (Lombardie) : ARCIMBOLDO, Giuseppe (1527-93). BOLTRAFFIO, Giovanni Antoni (1467-1516). FERRARI, Gaudenzio (v. 1480-1546). FOPPA, Vincenzo (v. 1427-v. 1515). LUINI, Bernardino (v. 1480-1532). PREDIS, Ambrogio de (1472-1517).

Ombrie : DOMENICO VENEZIANO (v. 1400-61). FRANCESCA, Piero della (v. 1410-92). MELOZZO DA FORLI (1438-94). PERUGINO (Pietro Vannucci) (1445-1523). PINTURICCHIO (Bernardino di Betto) (v. 1454-1513). PISANELLO (Antonio Pisano) (v. 1395-v. 1450). SIGNORELLI, Luca (v. 1445-1523).

Padoue (Vénétie) : ALTICHIERO (1330-85) et AVANZO. MANTEGNA, Andrea (1431-1506). SQUARCIONE, Francesco (1397-1468).

Parme : BAROCCI, Federico (1528-1612). BRONZINO (Angelo di Cosimo) (1503-73). CORRÈGE (Antonio Allegri) (v. 1489-1534). PARMESAN (Francesco Mazzola, *dit* il Parmigianino *ou* le) (1503-40).

Rome : CAVALLINI, Pietro (1250-1330). TORRITI, Jacopo (v. 1295). ZUCCARO, Taddeo (1529-66).

Sienne (Toscane) : DUCCIO DI BUONINSEGNA (v. 1260-1319). GUIDO DA SIENA (déb. XIIIe s.). LORENZETTI, Ambrogio (act. v. 1319-v. 48). LORENZETTI, Ambrogio (v. 1280-v. 1348). MARTINI, Simone (v. 1284-1344). SASSETTA (Stefano di Giovanni) (1392-1450). SODOMA (Antonio Bazzi) (1477-1549).

Venise : ANTONELLO DA MESSINA (v. 1430-79). BASSANO, Jacopo da Ponte (1510/18-92). BELLINI, Gentile (v. 1429-1507) ; Giovanni (*dit* Giambellino) (v. 1429-1516) ; Jacopo (v. 1400-70). BORDONE, Paris (1500-71). CARPACCIO, Vittore (v. 1455-1525). CIMA DA CONEGLIANO, Giovanni Battista (v.1459-1517/18). CRIVELLI, Carlo (v. 1430-v. 1493). GIORGIONE (Giorgio da Castelfranco) (v. 1477-1510). LOTTO, Lorenzo (v. 1480-1556). MORONI, Giovanni Battista (v. 1525-78). PALMA Jacopo Negretti (le Jeune) (1544-1628) ; (le Vieux) (v. 1480-1528). SEBASTIANO DEL PIOMBO (1485-1547). STROZZI, Bernardo (le Capucin) (1581-1644). TINTORET (Jacopo Robusti) (v. 1518-94). TITIEN (Tiziano Vecellio) (v. 1490-1576). VÉRONÈSE (Paolo Caliari) (1528-88). VIVARINI, Alvise (v. 1446-apr. 1503) ; Antonio (v. 1415-75/80) ; Bartolomeo (1432-99).

Autres régions : CARAVAGE (Michelangelo Merisi) (1573-1610) (Rome, Nap., Sic.). DOMINIQUIN (Domenico Zampieri) (1581-1641) (Bol., Rome). MANFREDI, Bartolomeo (1580-v. 1620) (Mantoue). MESSINE, Antonello de (1430-79).

■ **Nés entre 1600 et 1700.** BACICCIA ou BACICCIO (Giovanni Battista Gaulli, il) (Gênes) (1639-1709). CANALETTO (Antonio Canal, il) (1697-1768). CARRIERA, Rosalba (1675-1757). DE FERRARI, Lorenzo (1680-1740). DOLCI, Carlo (1616-86). GIORDANO, Luca (*dit* Luca Fa Presto) (1632-1705). MAGNASCO, Alessandro (v. 1667-1749). PANNINI, Giovanni Paolo (1692-?). PIAZZETTA, Giov. Battista (1683-1754). PRETI, Mattia (1613-99). RICCI, Sebastiano (1659-1734). ROSA, Salvatore (1615-73). TIEPOLO, Giambattista (1696-1770).

■ **Nés entre 1700 et 1800.** APPIANI, Andrea (1754-1817). BELLOTTO, Bernardo (1720-80). GUARDI, Francesco (1712-93). HAYEZ, Francesco (1791-1882). LONGHI (*dit* Pietro, Falca) (1702-85). PIRANÈSE (Giambattista Piranesi) (1720-78). ZUCCARELLI, Francesco (1702-88) (Flor).

■ **Nés entre 1800 et 1900.** BALLA, Giacomo (1871-1958). BOCCIONI, Umberto (1882-1916). BOGGIO, Emilio (1857-1920). BOLDINI, Giovanni (1842-1931). CAMPIGLI, Massimo (1895-1971). CARRÀ, Carlo (1881-1966). CASORATI, Felice (1883-1963). COSTA, Nino (1826-1903). DE CHIRICO, Giorgio (1888-1978). DE PISIS, Filippo (1896-1956). FATTORI, Giovanni (1825-1908). FAVRETTO, Giacomo (1849-87). FONTANA, Lucio (1899-1968). FONTANESI, Antonio (1818-82). GEMITO, Vincenzo (1852-1929). GUIDI, Virgilio (1891-1984). MAGNELLI, Alberto (1888-1971). MANCINI, Antonio (1852-1930). MARINETTI, Filippo Tommaso (1876-1944). MODIGLIANI, Amedeo (1884-1920). MORANDI, Giorgio (1890-1964). PRAMPOLINI, Enrico (1894-1956). REGGIANI, Mauro (1897-1980). RUSSOLO, Luigi (1885-1947). SAVINIO, Alberto (*dit* Andrea de Chirico) (1891-1952). SEVERINI, Gino (1883-1966). SIRONI, Mario (1885-1961). SOLDATI, Atanasio (1896-1953). SPADINI, Armando (1883-1925). ZANDOMENEGHI, Federico (1841-1917).

■ **Nés après 1900.** ACCARDI, Carla (1924). ADAMI, Valerio (1935). ANNIGONI, Pietro (1910-88). BARUCHELLO, Gianfranco (1924). BASALDELLA, Afro (1912-76). BERTINI, Gianni (1922). BIROLLI, Renato (1906-59). BURRI, Alberto (1915). CAGLI, Corrado (1910-76). CAPOGROSSI, Giuseppe (1900-72). CLEMENTE, Francesco (1952). CRIPPA, Roberto (1921-72). CUCCHI, Enzo (1949). GNOLI, Domenico (1933-70). GUTTUSO, Renato (1912-87). MAFAI, Mario (1902-65). MANZONI, Piero (1933-63). MARINI, Marimo (1901-80). MORENI, Mattia (1920). MORLOTTI, Ennio (1910). MUSIC, Antonio (1909). NIGRO, Mario (1917). PAOLINI, Giulio (1940). PASCALI, Pino (1935-68). RECALCATI, Antonio (1938). ROTELLA, Mimmo (1918). SCIPIONE (*dit* Bonichi, Gino) (1904-33). TURCATO, Giulio (1912). VEDOVA, Emilio (1919).

MEXIQUE

CUEVAS, José Luis (1934). HAHLO, Frida (1907-54). OROZCO, José Clemente (1883-1949). RIVERA, Diego (1886-1957). SIQUEIROS, David Alfaro (1896-1974). TAMAYO, Rufino (1899-91). TOLEDS, Francisco (1940).

NORVÈGE

BACKER, Harriet (1845-1932). BALKE, Peder (1804-87). CAPPELEN, August (1827-52). DAHL, Johan Christian (1788-1857). EGEDIUS, Halfdan (1877-99). EKELAND, Arne (1908). ERICHSEN, Thorvald (1868-1939). FJELL, Kai (1907-89). GUDE, Hans (1825-1903). GUNDERSEN, Gunnar S. (1921-83). HERTERVIG, Lars (1830-1902). JOHANNESSEN, Jens (1934). KARSTEN, Ludvig (1876-1926). KIELLAND, Kitty (1843-1914). KROHG, Christian (1852-1925). MUNCH, Edvard (1863-1944). SOERENSEN, Henrik (1882-1962). SOHLBERG, Harald (1869-1935). THAULOW, Frits (1847-1906). TIDEMAND, Adolph (1814-76). WEIDEMANN, Jakob (1923). WERENSKIOLD, Erik (1855-1938). WIDERBERG, Frans (1934).

PAYS-BAS

■ **Nés avant 1500.** *Anonymes :* Maître de la Manne, de la Virgo inter Virgines, d'Alkmaar, de la Déposition Figdor, de l'autel de St-Jean. BOSCH (Hieronymus van Aken, *dit* Jérôme) (v. 1450-1516). ENGELBRECHTSZ, Cornelis (1468-1533). GEERTGEN TOT SINT JANS (v. 1465-95). HEEMSKERCK, Maerten Van (1498-1574). LEYDEN, Lucas Van (?-1533). MOSTAERT, Jan (v. 1475-1555). VAN OOSTSANEN, Jacob Cornelisz (v. 1470-1533). VAN OUWATER, Albert (travaille entre 1430 et 1460). VAN SCOREL, Jan (1495-1562).

■ **Nés entre 1500 et 1600.** AERTSEN, Pieter (1508-75). AST, Balthasar Van der (v. 1593-1656). AVERCAMP, Hendrik (1585-1634). BAMBOCCIO (Pieter Van Laer) (1592 ou 1595-1642). BARBUREN, Dirck Van (v. 1590-v. 1624). BEERT, Osia, (v. 1570-1624). BLOEMAERT, Abraham (1564-1651). CLAESZ, Pieter (1597-1661). CORNELISZ VAN HAARLEM, Cornelis (1562-1638). DYCK, Floris Van (1575-1651). ELIAS, Nicolaes (*dit* Pickenoy) (1590/91-1654/56). GOLTZIUS (Hendrik Goltz) (1558-1617). GOYEN, Jan Van (1596-1656). HALS, Dirk (1591-1656) ; Frans (v. 1580-1666). HEDA, Willem Claesz (1594-1680/82). HONTHORST Gerrit Van (*dit* delle Notti) (1590-1656). KETEL, Cornelis (1548-1616). KEYSER, Thomas de (1596/97-1667). LASTMAN, Pieter (v. 1583-v. 1633). MANDER, Karel Van (1548-1606). MIEREVELT, Michiel Jansz Van (1567-1641). MOR, Sir Anthonis (*dit* Antonio Moro en Espagne) (1517/21-76/77). POELENBURGH, Cornelis Van (1586/95-1667). PORCELLIS, Jan (v. 1587-1632). SAENREDAM, Pieter (1597-1665). SEGHERS, Hercules (1589/90-av. 1643). TER BRUGGHEN, Hendrick (1588-1629). VALKENBORCH, Lucas Van (v. 1537-97). VAN DE VELDE, Esaias (v. 1590-1630). VROOM, Hendrik (1566-1640).

■ **Nés entre 1600 et 1700.** AELST, Willem Van (1627-1683). ASSELIJN, Jan (1610-52). BACKER, Jacob Adriaensz (1608-51). BACKHUYSEN, Ludolf (1631-1708). BEYEREM, Abraham Van (1620-90). BERCHEM, Nicolaes (1620-83). BERCKHEYDE, Gerrit (1638-98). BOL, Ferdinand (1616-80). BOR, Paulus (v. 1600-69). BOTH, Jan (v. 1620-52). BYLERT, Jan Van (1603-71). CAMPHUYSEN, G.D. (1624-72). CAPPELLE, Jan Van de (v. 1625-79). COQUES, Gonzales (1614-84). CUYP, Albert (1620-91). DOU, Gérard (1613-75). DUJARDIN, Karel (v. 1622-78). EECKHOUT, Gerbrandt Van den (1621-74). EVERDINGEN, Allart Van (1617-78). FABRITIUS, Carel (1622-54). FLINCK, Govaert (1615-60). GELDER, Aert de (1645-1727). HAGEN, Joris Van der (v. 1615-69). HEEM, Jan Davidsz de (1606-83). HELST, Bartholomeus Van der (1613-70). HEYDEN, Jan Van der (1637-1712). HOBBEMA, Meindert (1638-1709). HONDECOETER, Melchior de (1636-95). HOOCH, Pieter de (1629-apr. 84). HOOGSTRATEN, Samuel Van (1627-78). HUYSUM, Jan Van (1682-1749). KALF, Willem (1619-93). KONINCK, Philips de (1619-88) ; Salomon (1609-56). LAIRESSE, Gérard de (1640-1711). LEYSTER, Judith (1609-60). LIEVENS *ou* Leyvens, Jan (1607-74). LINGELBACH, Johannes (1622-74). MAES, Nicolaas (v. 1634-93). METSU, Gabriel (1629-67). MIERIS, Van I Frans (1635-81). MOLENAER, Jan Miense (1610-68). NEER, Aert Van der (1603/04-77). NETSCHER, Caspar (1639-84). OCHTERVELT, Jacob (v. 1632-v. 1700). OSTADE, Adriaen Van (1610-84). POST, Frans (v. 1612-80). POTTER, Paulus (1625-54). REMBRANDT, Harmensz Van Rijn (1606-69). RUISDAEL, Jacob Van (1628/29-81/82) ; Salomon Van (1600/02-70). RUYSCH, Rachel (1664-1750). SAPTLEVEN, Herman (1609-85) ; Cornelis (1607-81). SIBERECHTS, Jan (1627-v. 1703). SORGH, Hendrick Maertensz (1611-70). STEEN, Jan (1626-79). STORCK, Abraham (v. 1635-apr. 1704). TER BORCH, Gérard (1617-81). TROOST, Cornelis (1697-1750). VELDE, Van de, Adriaen (1636-72) ; Willem l'Ancien (1611-93) ; Willem le Jeune (1663-1707). VERKOLJE, Jan (1650-93). VERMEER, Jan (1632-75). VLIEGER, Simon de (v. 1600-53). WEENIX, Jan (1640-1719) ; Jan-Baptist (1621-v. 60). WERFT, Adrien Van der (1659-1722). WIT, Jacob de (1695-1754). WITTE, Emmanuel de (v. 1617-92). WOUWERMANS, Johannes Philips (1619-68). WYNANTS, Jan (v. 1630-84).

■ **Nés après 1700.** APPEL, Karel (1925). ARMANDO (1929). BENNER, Gerrit (1897-1981). BOGART, Bram (1921) (nat. belge en 1969). BOHEMEN, Kees Van (1928-85). BOSBOOM, Johannes (1817-91). BRANDS, Eugène (1913). BREITNER, Georg-Hendrik (1857-1923). CHABOT, Hendrik (1894-1949). CONSTANT (1920). DIBBETS, Jan (1941). DOESBURG, Theo Van (1883-1931). DOMELA-NIEUWENHUIS, César (1900). DONGEN, Kees Van (1877-1968). ELK, Ger Van (1941). EYCK, Charles-Hubert (1897-1982). FEURE, Georges de (1868-1943). GESTEL, Léo (1881-1941). GOGH, Vincent Van (1853-90). HEEMSKERK VAN BEEST, Jacoba (1876-1923). HENDERIKSE, Jan (1937). HEYDEN, Jacques Van der (1928). HUSZÁR, Vilmos (1884-1960). HYNCKES, Raoul (1893-1973). ISRAELS, Isaac (1865-1934) ; Joseph (1824-1911). JONGKIND, Johan Barthold (1819-91). KOCH, Pyke (1901-91). KOEKKOEK, Barend (1803-62). KRUYDER, Hermann (1881-1935). LATASTER, Ger (1920). LECK, Bart-Anthony Van der (1876-1958). LELIE, Adrien de (1755-1820). LUCEBERT (1924). MANKES, Jan (1889-1920). MARIS, Jacob (1837-99) ; Willem (1844-1910). MATTHŸS, Maris (1839-1917). MAUVE, Anton (1838-88). MESDAG, Hendrik Willem (1831-1915). MOESMAN, Joop (1909-81). MONDRIAN, Pieter (Cornelis) (1872-1944). MUYS, Nicolas (1740-1808). NANNINGA, Jaap (1904-62). NIEUWENHUIS, Jan (1922). OS, Jan Van (1744-1808). OUBORG, Piet (1893-1956). OUWATER, Isaak (1750-93). PRIKKER, J. Thorn (1868-1932). ROELOFS, Willem (1822-97). ROOSKENS, Anton (1906-76). SCHELFHOUT, Andreas (1787-1870). SCHOLTE, Rob (1958). SCHOONHOVEN, Jan (1914). SCHOUMAN, Aert (1710-92). SCHUHMACHER, Wim (1894-1988). SLUYTERS, Jan (1881-1957). SPAENDONCK, Cornelis Van (1756-1840). STRUYCKEN, Peter (1939). TOOROP, Charley (1891-1955) ; Jan (1858-1928). VELDE, Bram Van (1895-1981) ; Geer (1898-1977). VERKADE, Wilibrord (1868-1946). VERSTER, Floris (1861-1927). VERWEY (Kees) (1900). WAGEMAKER, Jaap (1906-73). WEISSENBRUCH, Jan Hendrik (1824-1903). WERKMAN, Hendrik (1882-1945). WESTERIK, Co (1924). WIEGERS, Jan (1893-1959). WILLINK, Carel (1900-83). WOLVECAMP, Theo (1925-92).

POLOGNE

ADLER, Jankiel (1895-1949). BACCIARELLI, Marcello (1731-1818). BELOTTO, Bernardo (*dit* Canaletto) (1721-80). Berlewi, Henryk (1894-1967). Boznańska, Olga (1865-1940). Brandt, Józef (1841-1915). Brodowski, Antoni (1784-1832). Brzozowski, Tadeusz (1918-87). Chelmonski, Józef (1849-1914). Chodowiecki, Daniel (1726-1801). Chwistek, Leon (1884-1944). Czapski, Jósef (1897). Czechowicz, Szymon (1689-1775). Fijalkowski, Stanislaw (1922). Gierowski, Stefan (1925) ; Aleksander (1850-1901) ; Maksymilian (1846-74). Gottlieb, Leopold (1879-1934) ; Maurycy-Moses (1856-79). Grottger, Artur (1837-67). Halicka, Alice (1895-1975). Hayden, Henri (1883-1970) (en France). Jarema, Maria (1908-58). Kantor, Tadeusz (1915-90). Kisling, Mojzesz (1891-1953). Kowarski, Felicjan (1890-1948). Krasinski, Edward (1925). Krawczyk, Jerzy (1921-69). Krzyzanowski, Konrad (1872-1922). Kucharski, Aleksander (1741-1819). Kuntze, Tadeusz (1733-93). Lebenstein, Jan (1930). Makowski, Tadeusz (1882-1932). Malczewski, Jacek (1854-1929). Marcoussis, Louis (Markus, Ludwig) (1883-1941), vit en France. Matejko, Jan (1838-93). Mehoffer, Jozef (1868-1946). Michałowski, Piotr (1800-55). Norblin de la Gourdain, Jean-Pierre (1745-1830). Nowosielski, Jerzy (1923). Ociepka, Teofil (1892-1978). Opalka, Roman (1931). Orlowski, Alexander (1777-1832). Pankiewicz, Józef (1866-1940). Płoński, Michal (1778-1812). Potworowski, Piotr (1898-1962). Pronaszko, Zbigniew (1885-1958). Rodakowski, Henryk (1823-94). Ruszczyc, Ferdynand (1870-1936). Schultz, Daniel (v. 1615-83). Slewinski, Władysław (1854-1918). Smuglewicz, Franciszek (1745-1807). Stażewski, Henryk (1894-1988). Stech, Andrzej (1635-97). Stern, Jonasz (1904-88). Strzeminski, Wladyslaw (1893-1952). Szymonowicz-Sieminigowski, Jerzy-Eleuter (v. 1660-1711). Tarasin, Jan (1926). Tchórzewski, Jerzy (1928). Weiss, Wojciech (1875-1950). Witkiewicz, Stanislaw Ignacy (*dit* Witkacy) (1885-1939). Wojniakowski, Kazimier (1772-1812). Wojtkiewicz, Witold (1879-1909). Wyspianski, Stanislaw (1869-1907). Zak, Eugène (1884-1926).

Portugal

Almada Negreiros, José de (1893-1970). Azevedo, Fernando (1923). Bordalo-Pinheiro, Columbano (1857-1929). Dacosta, António (1914-90). Eloy, Mário (1900-51). Fernandez, Vasco (v. 1475-v. 1541/42). Gonçalves, Nuno († 1480). Lanhas, Fernando (1923). Malhoa, José (1855-1933). Pomar, Julio (1926). Pousão, Henrique (1859-84). Rêgo, Paula (1935). Resende, Julio (1917). Sequeira, Domingos (1768-1837). Smith, Francisco (1881-1961). Souza-Cardoso, Amadeu (1887-1918). Vieira da Silva, Maria Helena (1908-92) (nat. française).

Roumanie

Almasanu, Virgil (1926). Aman, Theodor (1831-91). Andreescu, Ion (1850-82). Baba, Corneliu (1906). Brauner, Victor (1903-66). Bunescu, Marius (1881-1971). Catargi, Henri (1894-1976). Ciucurencu, Alexandru (1903-77). Ciupe, Aurel (1900-88). Covaliu, Bradut (1924-91). Darascu, Nicolae (1883-1959). Dumitrescu, Stefan (1886-1933). Gheorghiu (Alin), Ion (1929). Ghiata, Dumitru (1888-1972). Grigorescu, Lucian (1894-1965) ; Nicolae (1838-1907) ; Octav (1933-87). Iancu, Marcel (1895-1984). Iser, Iosif (1881-1958). Luchian, Stefan (1868-1916). Marginean, Viorel (1933). Mattis Teutsch, Johann (1884-1960). Maxy, Max Herman (1895-1971). Nicodim, Ion (1932). Pacea, Ion (1924). Pallady, Theodor (1871-1956). Petrascu, Gheorghe (1872-1949). Ressu, Camil (1880-1962). Sirato, Francise (1877-1953). Steriadi, Jean Al. (1880-1956). Tonitza, Nicolae (1886-1940). Tuculescu, Ion (1910-62).

Russie et ex-URSS

Fresques (cath. Dormition et de Vladimir) (1408). Bakst, Léon (1868-1924). Benois, Alexandre. Bilinsky, Boris (1900-48). Brulov, Karl (1799-1852). Bruskin, Grisha (1945). Charchoune, Serge (1888-1975). Chischkin, Ivan (1831-98). Dmitrienko, Pierre (1925-74) (nat. français). Erté (Romain de Tirtoff) (1892-1990), Français d'origine russe. Falk, Robert (1886-1958). Filonov, Pavel (1883-1941). Gontcharova, Natalia (1881-1962). Grigoriev, Boris (1886-1939). Ivanov, Aleksandr (1806-58). Klioun, (*dit* Ivan Kliounekov) (1873-1942). Korovine, Konstantin (1861-1939). Kowalski, Piotr (1927). Kuznezov, Pavel (1878-1968). Larionov, Mikhaïl (1881-1964) nat. français. Lentoulov, Aristakh (1882-1943). Lissitzki, Lazare (1890-1941). Malevitch, Kasimir (1878-1935). Petrov-Vodkine, Kiozma (1878-1939). Pevsner, Antoine (1886-1962). Répine, Ilia (1844-1930). Rodchenko, Alexandre (1891-1956). Rokotev, Fiodor (1738-1812). Roubliov, Andreï (1370-1430). Tatline, Vladimir (1885-1953). Terechkovitch, Kostia (1902-78), nat. français en 1942. Venetsianov, Alexis (1780-1847). Wroubel, Mickhaïl (1850-1910). Zaborov, Boris (1935). Zack, Léon (1892-1980).

Suède

Arosenius, Ivar (1878-1909). Baertling, Olle (1911-81). Bankier, Channa (1947). Book, Max (1953). Carlsund, Otto (1897-1948). Cronquist, Lena (1938). Derkert, Siri (1888-1973). Fahlström, Oyvind (1928-76). Grünewald, Isaac (1889-1946). Hall, Peter Adolf (1739-93). Hill, Carl Fredrik (1849-1911). Josephson, Ernst (1851-1906). Kaks, Olle (1941). Lafrensen (Lavreince), Niclas (1737-1807). Larsson, Carl (1853-1919). Lindblom, Sivert (1931). Lundqvist, Evert (1904). Lyth, Harald (1937). Martin, Elias (1739-1818). Nemes, Endre (1909-85). Rodhe, Lennart (1916). Roslin, Alexander (1718-93). Sköld, Otte (1894-1958). Svanberg, Max Walter (1912). Zorn, Anders (1860-1920).

Suisse

Aberli, Johann Ludwig (1723-86). Agasse, Jacques-Laurent (1767-1849). Altherr, Heinrich (1878-1947). Amiet, Cuno (1868-1961). Anker, Albert (1831-1910). Appia, Adolphe (1862-1928). Armleder, John Michael (1948). Auberjonois, René (1872-1957). Baier, Jean (1932). Bailly, Alice (1872-1938). Balmer, Wilhelm (1865-1922). Barraud, Maurice (1889-1954). Barth, Paul Basilius (1881-1955). Baud-Bovi, Auguste (1848-99). Beaumont, Gustave (1851-1922). Ben (Benjamin Vautier) (1935). Berger, Hans (1882-1977). Bieler, Ernest (1863-1948). Bill, Max (1908). Bille, Edmond (1878-1959). Blanchet, Alexandre (1882-1961). Bocion, François (1828-90). Böcklin, Arnold (1827-1901). Bodmer, Paul (1886-1983). Brignoni, Serge (1903). Brühlmann, Hans (1878-1911). Buchet, Gustave (1888-1963). Buchser, Frank (1828-90). Buri, Max (1868-1915) ; Samuel (1935). Burnand, Eugène (1850-1921). Calame, Alexandre (1810-64). Camenisch, Paul (1893-1970). Castres, Edouard (1838-1902). Chiesa, Pietro (1876-1959). Cingria, Alexandre (1879-1945). Clément, Charles (1889-1972). Clénin, Walter (1897-1988). Coghuf, Ernst (Stocker) (1905-76). Dahm, Helen (1878-1968). Danioth, Heinrich (1896-1953). Dessouslavy, Georges (1898-1952). Diday, François (1802-77). Dietrich, Adolf (1877-1957). Donzé, Numa (1885-1952). Erni, Hans (1909). Federle, Helmut (1944). Feurer, René (1940). Fischer, Hans *dit* Fis (1909-58). Forestier, Henri-Cl. (1875-1922). Füssli, Johann Heinrich (1741-1825). Gertsch, Franz (1930). Gessner, Salomon (1730-88). Giacometti, Alberto (1901-66) ; Augusto (1877-1947) ; Giovanni (1868-1933). Giauque, Fernand (1895-1973). Gimmi, Wilhelm (1886-1965). Girardet, Karl (1813-95). Glarner, Fritz (1899-1972). Gleyre, Charles (1806-74). Graeser, Camille (1892-1980). Graf, Urs (1485-1527). Gubler, Max (1898-1973). Heintz, Joseph (1564-1609). Helbig, Walter (1878-1968). Hodler, Ferdinand (1853-1918). Honegger, Gottfried (1917). Huber, Hermann (1888-1967). Iseli, Rolf (1934). Itten, Johannes (1888-1967). Kämpf, Max (1912-82). Kauffman, Angelika (1741-1807). Klee, Paul (1879-1940). Koller, Rudolf (1828-1905). Kreidolf, Ernst (1863-1956). Kündig, Reinhold (1888-1984).

Le Corbusier, *voir* France. Leu, Hans (1490-1531). Leuppi, Léo (1893-1972). Liotard, Jean-Etienne (1702-89). Loewensberg, Verena (1912-86). Lohse, Richard Paul (1902-88). Lüthy, Oscar (1882-1945). Mangold, Burkhard (1873-1950). Manuel Deutsch, Niklaus (1484-1530). Menn, Barthélemy (1815-93). Merian, Matthäus (1593-1650). Meyer-Amden, Otto (1885-1933). Moilliet, Louis (1880-1962). Moos, Max von (1903-79). Morach, Otto (1887-1973). Morgenthaler, Ernst (1887-1962). Moser, Wilfried (1914). Mühlenen, Max von (1903-71). Müller, Albert (1897-1926). Neuhaus, Werner (1897-1934). Obrist, Hermann (1862-1927). Oppenheim, Meret (1913-85). Patocchi, Aldo (1907-86). Pauli, Fritz (1891-1968). Pellegrini, Alfred H. (1881-1958). Pfister, Albert (1884-1978). Raetz, Markus (1941). Robert, Léopold (1794-1835). Rollier, Charles (1912-68). Roth, Dieter (or. all., 1930). Sandoz, Edouard-Marcel (1881-1971). Schiess, Ernesto (1872-1919). Schnyder, Albert (1898-1989). Schuhmacher, Hugo (1939). Schürch, Robert (1895-1941). Segantini, Giovanni (1858-99). Seligmann, Kurt (1900-62). Serodine, Giovanni (1594-1631). Soutter, Louis (1871-1942). Spoerri, Daniel (or. roum., 1930). Stämpfli, Peter (1937). Stauffer-Bern, Karl (1857-91). Stimmer, Tobias (1539-84). Stœcklin, Niklaus (1896-1982). Stückelberg, Ernst (1831-1903). Surbek, Victor (1885-1975). Taeuber-Arp, Sophie (1889-1943). Thomkins, André (1930-85). Töpffer, Wolf.-Adam (1766-1847). Trachsel, Albert (1863-1929). Tschumi, Otto (1904-84). Vallet, Edouard (1876-1929). Vallotton, Félix (1865-1925). Varlin (Guggenheim, Willy) (1900-77). Waser, Anna (1678-1714). Weber, Ilse (1908-84). Welti, Albert (1862-1912). Werner, Joseph (1637-1710). Wiemken, Walter Kurt (1907-1940). Witz, Conrad (v. 1400-45). Wolf, Caspar (1735-83). Zünd, Robert (1827-1909).

Tchécoslovaquie

Bauch, Jan (1898). Brandl, Petr (1668-1735). Čapek, Josef (1887-1945). Filla, Emil (1882-1953). Fulla, L'udovít (1902-80). Gross, František (1909-85). Grund, Norbert (1717-67). Hollar, Vàclav (1607-77). Kolář, Jiří (1914). Kubin, Ótakar (1883-1969). Kubišta, Bohumil (1884-1918). Kupka, František (1871-1957). Majernik, Cyprián (1909-45). Mánes, Josef (1820-71). Mucha, Alfons (1860-1939). Preisler, Jan (1872-1918). Purkyně, Karel (1834-68). Šíma, Josef (1891-1971) Français d'or. tch. Škreta, Karel (1610-74). Slavíček, Antonín (1870-1910). Souček, Karel (1915-82). Špála, Václav (1885-1946). Tichý, Frantisek (1896-1961). Zrzāvý, Jan (1890-1977).

Uruguay

Arzadun, Carmelo de (1888-1968). Barradas, Rafael (1890-1929). Blanes, Juan Manuel (1830-1901). Blanes Viale, Pedro (1879-1926). Cuneo, Perinetti, José (1887-1977). Echave, José (1921-85). Figari, Pedro (1861-1938). Gurvich, José (1926-74). Hequet, Diogenes (1866-1902). Herrera, Carlos Maria (1875-1914). Rose, Manuel (1887-1961). Saez, Carlo Federico (1878-1901). Solari, Luis (1918). Torrès Garcia, Joaquin (1874-1949).

Yougoslavie

Aleksić, Nikola (1808-73). Bijelić, Jovan (1884-1963). Čelebonović, Marko (1902-86). Dado, Miodrag Djuric *dit* (1933). Damnjanović, Radomir-Damnjan (1936). Danil, Konstantin (1802-73). Dimitrijević, Braco (1948). Dobrović, Petar (1890-1942). Generalić, Ivan (1914) ; Josip (1936). Jakšić, Djura (1832-78). Jevrić, Olga (1922). Jovanović, Pavle (1859-19 ?). Koen, Leon (1859-1934). Konjović, Milan (1898). Kršić, Bogdan (1932). Krstić, Djordje (1851-1907). Lacković, Ivan Croata (1932). Lubarda, Petar (1907-74). Milunović, Milo (1897-1967). Naumovski, Vangel (1924). Petrović, Nadežda (1873-1915). Popović, Miodrag-Mića (1923). Rabuzin, Ivan (1919). Šumanović, Sava (1886-1942). Veličković, Vladimir (1935).

Sculpture

Histoire

Préhistoire. Vers 25 à 20 000 av. J.-C., apparition de statuettes féminines [la Vénus de Brassempouy (Landes, gisement aurignacien), en ivoire, conservée au musée de St-Germain-en-Laye].

Égypte. Personnages représentés de front, sans mouvement ; œil vu de face dans tête de profil ; torse de face posé sur jambes de profil. Œuvres gigantesques aux formes enveloppées et bien définies, dénuées de détails. Corps humain nu : symbolique animale.

Grèce. *Période archaïque.* 2e moitié du VIIe s. au début Ve s. av. J.-C. L'art se dégage lentement de l'influence égyptienne : représentation de l'homme nu (kouros), de la femme hiératique et drapée (korê). La décoration sculptée des frises et des métopes incite l'artiste à varier les poses et l'athlète vivant remplace le kouros abstrait. *Période classique.* Ve s. à fin IVe s. av. J.-C. Connue par les marbres romains, copies des bronzes originaux disparus. Myron et Polyclète expriment l'idéal de la forme antique ; Phidias décore les métopes et la frise du Parthénon ; Scopas introduit l'expression de la passion ; Praxitèle représente le premier corps féminin nu. *Art hellénistique :* à la mort d'Alexandre (323 av. J.-C.), l'Empire grec cède, au contact de cultures étrangères, à des effets faciles de pittoresque.

Rome. Copie les sculptures grecques. Importe œuvres et artistes hellénistiques. Les bas-reliefs à tendance narrative et historique et les portraits sont caractéristiques.

Byzance. Reprend l'art romain. Querelle des iconoclastes jusqu'en 843 (régence de Théodora). L'art chrétien au contact de Syrie et Mésopotamie devient uniquement décoratif. L'esprit plastique subsiste dans les objets en ivoire.

Art roman. Renaissance de la sculpture à la fin du XIe s. en Languedoc et Bourgogne, dans les églises : encadrement des portails (tympans, statues-colonnes) et chapiteaux ; représentation humaine, animale et végétale dynamique ; disproportion et déformation des personnages afin de respecter la hiérarchie spirituelle et le cadre assigné par l'architecture. Apogée au portail royal de Chartres (1145 à 1170) marquant le passage au gothique.

Art gothique. *France : XIIIe s.,* grandes cathédrales et abbatiales, sculpture visant à instruire les fidèles. *XIVe s.,* se détache de l'architecture ; réalisme macabre ; portrait, gisants ; suppression partielle du contrôle de l'Église. *XIIe au XIVe s.,* sculptures anonymes. Bourgogne, fin XIVe s., influence de Claus Sluter (Hollande) très réaliste. *XVe s.,* son neveu Claus de Werve et Antoine Lemoiturier suivent ses traditions : vierges, pietà, retables de la Passion, tombeaux (statues trapues, drapés aux plis mouvementés). Champagne, Ile-de-Fr., Touraine sont réfractaires à cette influence (Michel Colombe). *Allemagne :* associe influences françaises et particularismes.

Renaissance. *Italie :* a résisté à l'influence gothique, s'est libérée au XIIIe s. de la tutelle byzantine ; XVe et XVIe s., vise à magnifier la puissance et la beauté du corps humain (Jacopo della Quercia, Verrocchio, Mino da Fiesole). Apparition du 1er nu masculin depuis l'Antiquité (Donatello), suprématie de Michel-Ange. *France :* sous François Ier, foyer d'italianisme à Fontainebleau ; influence du Primatice, introduction d'originaux et de copies de marbres antiques ; influence en Europe. Sous Henri II, Jean Goujon et Germain Pilon inaugurent une longue période classique.

XVIIe s. *France :* sous Louis XIV, renoue avec plastique grecque classique pour Versailles (Coysevox, Girardon, les frères Coustou, Le Lorrain). Pierre Puget, méridional, se distingue par son côté baroque. *Italie :* recherche du mouvement et de l'expression aboutissant à un art théâtral (le Bernin).

XVIIIe s. *France :* sous Louis XV, « rocaille » (avec Jean-Louis Lemoyne, Sébastien Slodtz, Lambert et Nicolas Adam, J.-B. Pigalle et Falconet) ; sous Louis XVI, néoclassicisme (Houdon, Pajou, Vassé). *Italie :* néoclassicisme très strict (A. Canova) à la fin du siècle.

XIXe s. Sous l'Empire, la Restauration et la Monarchie de juillet : servitude antique de la sculpture (Bosio, David d'Angers, Pradier) ; plus de personnalité chez Rude et l'animalier Barye. *Animaliers :* Barye, Mène, Frémiet, Moigniez, Fratin. **IIe Empire :** Carpeaux allie la grâce du XVIIIe s. à la vie et au mouvement ; Rodin, tourmenté, attiré par la lumière et le mouvement, allie l'art romantique et l'esthétique baroque. Femme très souvent traitée par Dalou (esquisse), Carrier-Belleuse (terre-cuite), les Moreau (bronzes), Raoul Larche (Art Nouveau). 3 peintres célèbres sculptent : Daumier, Degas, Meissonier.

XXe s. *Art officiel :* maintien des canons du XIXe s. *Indépendants :* observation de la nature à son affranchissement en passant par des degrés intermédiaires. *Bourdelle* s'inspire des styles archaïques de la Grèce et de l'art roman. *Maillol :* volumes puissants, nus féminins plantureux. *Despiau :* bustes, portraits psychologiques. *École de Paris :* Français (Henri Laurens, Duchamp-Villon) prennent des libertés avec le modèle ; étrangers (Brancusi, Zadkine, Archipenko, Lipchitz) ; peintres, sculpteurs (Matisse, Braque, Picasso, Arp, Giacometti).

☞ **Sculptures lumineuses.** Designers à l'origine de ce mouvement créatif. Bowden, Marisocal, Bedin créent des lampes vedettes ; Dubuisson crée des luminaires.

QUELQUES DÉFINITIONS

Authenticité. *Bronze authentique :* tiré d'après une œuvre originale (plâtre, tere, cire) de l'artiste et sous son contrôle ; *édition authentique :* tirée par ses ayants-droit d'après une œuvre originale. **Faux :** exemples : plagiats ou signatures apocryphes, surmoulages de toute œuvre non originale (bronze et terre cuite notamment). **Surtirage :** épreuves illicites, n'ont pas la même valeur (moins soignées, moule abîmé).

Ciselure. Art des métaux précieux, pierres dures (travail à la coquille), pierres de *camaïeu* (intaille).

Matériaux. *Bois* (quelquefois chauffé pour qu'il durcisse, laissé à l'état brut ou poli). *Cire* (modelage), *plastiline. Matériaux durs :* marbre, pierre, etc. (taille directe). *Terre argileuse* ou *terre glaise :* modelage en terre glaise à partir duquel sort un premier plâtre (plâtre original). *Bronze, plomb* (figurines), *étain* (coqs de clochers), *cuivre* revêtu d'argent, *argent massif, or, laiton, fer, zinc, aluminium. Matériaux transformés par cuisson :* terre cuite, biscuit. *Matières composites :* plâtre, chaux, ciment, béton ; *synthétiques :* Plexiglas, polyuréthane, polyester, plastiques souples.

Moulage. Objet reproduit au moyen d'un moule.

Patine. A froid ou à chaud ; avec des acides ou oxydes pour égaliser les défauts de la fonte, recouvrir les diverses colorations du métal brut et embellir l'épreuve. Patines anciennes : nuancées et profondes, ne s'écaillent pas à l'ongle, sauf celles au vernis ou laque ; modernes : foncées et uniformes. Les plus courantes pour le bronze : noire et foncée, brun soutenu au marron plus ou moins clair (dite médaille), verte et rouge (dite giroflée).

Plastique. Art de modeler.

Relief. En saillie sur un fond. *Bas-relief :* contours et formes sont indiqués par une légère saillie. *Demi-relief* ou demi-bosse : les figures « sortent » à peu près de la moitié de leur épaisseur. *Haut-relief :* les figures sortent plus de la moitié du fond.

Ronde-bosse. Sculpture indépendante, théoriquement visible sous toutes ses faces (ex. : statue).

Sculpture. Art qui consiste à créer une forme en opposant dans l'espace des volumes ou reliefs à des creux ou vides à partir d'un modèle existant : corps, visage ou animal.

Statue chryséléphantine. D'ivoire et d'or ou bronze doré (1925-30) (ex. : Chiparus).

COURS DE QUELQUES SCULPTURES

(EN MILLIERS DE F)

☞ Voir Art nègre, Chine et Japon à l'Index.

Légende : m. : marbre ; p. : plâtre ; t. c. : terre cuite.

BOIS, PIERRE, PLÂTRE, TERRE CUITE

Moyen Age. **Éléments du prix :** *Sujet :* à qualité et état comparables sont plus recherchés. Ex. : une Vierge à l'enfant que calvaires ou pietà ; statues de saints, groupes anecdotiques qu'un évêque ou apôtre barbu ; personnages civils (en général, saints patrons) et cavaliers ; scènes dramatiques, sauf les Christs en croix, moins prisées. *Taille :* 20 cm à grandeur nature, rarement plus. La polychromie d'époque sur bois ou pierre est un élément recherché. Raréfaction des pièces de qualité. Art populaire : 20 à 50 ; bonne qualité : 100 à 500 ; exceptionnelle, polychromie d'époque : 900 et +. Albâtres de Nottingham (G.-B.), du XIV au XVIe s. Sujets religieux, de 50 à 500.

Renaissance. 60 à 1 000.

XVIIe et XVIIIe s. *Bernini* (m.) buste de Grégoire XV (v. 1621) 1 200. *Bouchardon* (t. c.) 1 320 (1987). *Corradini* (m.) 154 (1976). *Foggini* (m.) 3 861 (1986). *Foucou* (m.) paire de torchères 943,5 (1985). *Houdon* (m.) 551 (1977), buste de Voltaire 300 (1980), d'Anne Audéoud 3 400 (1987), de Thomas Jefferson (p.) 15 500 (1987).

XIXe s. *Carpeaux* (m.) 205 (1989). *Carrier-Belleuse* (m.) jusqu'à 1 050, (t. c.) 406 (1991). *Dalou* (m.) 830, (1984). *Rodin* (m.) Le Désespoir 4 147 (1990).

Modernes. *Abbal* 70,5 (1991). 70 (1991). *Adami Arp (J.)* (m.) 155 à 5 148 (1990). *Burlach (E.)* 2 900 (1985). *Brancusi* (m.) 42 900 (1989). *Bugatti (R.)* (m.) L'Athlète 2 864 (1986). *Hepworth* (m.) 950. *Laurens (H.)* (m.) 3 680,3 (1989). *Roubiliac* 6 060 (1985).

BRONZE

■ **Composition.** Alliage de cuivre et d'étain, obtenu, dès l'époque chalcolitique, par réduction directe des minerais d'étain et de cuivre, parfois nommé autrefois *airain.* **Teneur :** *bronzes ordinaires* ou *à l'étain :* 3 à 40 % d'étain (pour monnaies 3 à 8, cloches et cymbales 20 à 30, anciens miroirs 30 à 40) ; *bronzes spéciaux :* au zinc, au plomb, phosphoreux, au zinc et au plomb ; *bronze parisien* (pour bijouterie, ornementation) : laiton au plomb ; *bronzes d'art :* cuivre et étain, avec addition de plomb et zinc (pour statues, pendules...). *Régule :* alliage de plomb, d'étain et d'antimoine imitant le bronze. **Origine :** on peut distinguer 2 périodes dans l'âge du bronze : 1re période, alliage cuivre minerais d'arsenic (réalgar, orpiment) ; Transcaucasie (3000 av. J.-C.) ; Arménie (4000 av. J.-C.) ; de la vallée de l'Indus aux îles Britanniques (de 4000 à 1000 av. J.-C.) ; 2e période, cuivre étain.

■ **Bronzes anciens** (prix en milliers de F). **Afrique :** voir p. 382. **Allemagne :** Cheval (30 cm), XVe s., 375 (1978). Chandelier d'autel (27 cm), XIIIe s., 1 472 (1978). Adam et Ève par Magt (v. 1520) 1 430 (1987). **Égypte :** Voir p. 384. **États-Unis :** Allégorie de l'astronomie, 23 cm (Venise fin XVIe s.) 741 (1987). **France :** Cheval écorché du XVIe s. 1 500 (1975). XVIIe et XVIIIe s., de 40 à 950. *Desjardins (M. van der Bogaert,* dit), XVIIe s., 1 200 à 1 700. *Prieur* Henri IV et Catherine de Médicis 9 435 (1986). **Grande-Bretagne :** Chevalier bronze doré (10,1 cm), XIIe s., 4 587 (1978). Cheval (attr. à l'atelier de A. Coysevox, v. 1680) 2 442 (1984). *Rysbrack* 3 200 (1986). **Iran :** Bronzes du *Louristan,* voir p. 384. **Italie :** *École de Lysippe,* IVe s. av. J.-C., 19 500 (1971). Femme nue (32 cm), XIIe s., 834 (1978). Homme nu debout, attribué à *Michel-Ange,* 1 200 (1980). Statuette (25,5 cm) XVIe s. 2 000 (1983). XVIIe *F. Tacca,* 2 860 (attrib.) (1990) ; *Susini* l'Enlèvement d'Hélène, groupe en bronze (1627), h. 70 cm, prof. 38 cm ; 3 doigts refaits à la main droite d'Hélène et 2 petits trous à la base du groupe ; 22 047 (1989), record mondial pour un objet d'art ancien. *Giambologna* Enlèvement des Sabines 24 212 (1989). **Pays-Bas :** *Adriaen De Vries* (1560-1626), cheval 9 200 (1984), Faune dansant (h. 77 cm) 62 047 (1989).

■ **Bronzes récents.** **Éléments du prix :** *notoriété du sculpteur, du sujet, qualité de la fonte, tirage :* le nombre d'ex. édités et le N° de la pièce peuvent figurer sur tout bronze dans la partie inférieure appelée terrasse : justification du tirage avec N° d'ordre, marque ou signature du fondeur (les 1ers ex., qui passent pour les plus précis, ont le plus de valeur). Pour certains bronzes, il peut exister plusieurs tirages avec différents fondeurs [ex. : Ratapoil, de Daumier. *1er tirage original :* 20 ex. en 1890 par Siot-Decauville, *2e :* 20 ex. en 1925 par Eugène Rudier (fils d'Alexis Rudier, qui a fondu avec le sceau de son père)].

Certains bronzes de Barye ont été tirés à 120 ex. (il était son propre fondeur ; pour maintenir la qualité de ses fontes, il refaisait des modèles et des moules, d'où les différences d'une épreuve à l'autre).

☞ En 1839, Achille Colas invente le réducteur mécanique permettant de reproduire n'importe quelle statue à toute échelle.

Ex. (en milliers de F). *Agam (Yaacov)* 2,9 à 250. *André (L.)* 127,6. *Archipenko* 9,9 à 1 458,2. *Arman* 1,4 à 650 (1990). *Armitage* 9,2 à 285,3 (1989). *Arp* 0,65 à 3 432 (1989). *Aslan* 3,5 à 29. *Barlach (E.)* 9,2 à 968,5 (1989). *Barrias (E.)* 2 à 150 (1990). *Bartholdi* 9,5 à 1 000. *Barye* animaux 1,1 à 319,6 ; La Duchesse d'Orléans en amazone 1 010 (1990). *Bill (M.)* 11,4 à 45,5. *Bonheur (I.)* 0,6 à 449,4. *Borglum (S.H.)* 4 à 634 (1988). *Botero* 228 à 3 000 (1989). *Bourdelle* 10 à 1 394,8 (1989) ; ex. 9 152 (1989). *Brancusi* 10,9 à 45 760 (1990). *Bugatti (Rembrandt)* 10 à 2 130,7 (1990). *Caillé (J.-M.)* 177,6. *Calder* 11 à 7 000. *Carpeaux (J.-B.)* 3,9 à 344. *Carrier-Belleuse (A.-E.)* 1,5 à 395 (1991). *Carriès (J.)* 105,7. *César* 1,2 à 2 670 (le Centaure, 1989). *Chadwick (L.)* 5,3 à 642. *Chareau (Pierre)* 469 (1983). *Christo* 1,1 à 660. *Clara (Jose)* 6 à 148 (1989). *Claudel (C.)* 50 à 285 (la Valse, 1986) ; 1 450 (l'Implorante, 1988) ; 2 600 (l'Abandon, 1989). *Clodion* 2,8 à 1 900. *Cordier (C.)* 77,3 à 1 646,5 (1989). *Cornell (J.)* 30,8 à 448. *Couturier (R.)* jusqu'à 205 (1989). *Csaky (J.)* 3,2 à 460. *Dalí (S.)* 1,3 à 1 700

FONTE DES STATUES EN BRONZE

Faite soit *au sable* (le sculpteur fournit un modèle définitif dont il est pris des empreintes au sable au moyen d'un moule en 2 ou plusieurs parties par la suite rempli de bronze en fusion), soit *à la cire perdue* (le sculpteur modèle en terre sa statue ; sur ce modèle est pris un moule en « bon creux » dans lequel on applique une couche de cire qui sera, par coulée, remplacée par le bronze ; cette cire peut être remodelée pour quelques tirages).

Réglementation des tirages. Une loi de 1981 définit l'originalité d'un bronze par son tirage. Son décret d'application limite les tirages à 8 (+ 4 épreuves d'artiste numérotées de 1 à 4 et portant les initiales E.A.). Tout fac-similé, surmoulage, copie et autres reproductions doivent porter d'une manière visible et indélébile la mention « reproduction » (sauf ceux exécutés avant 1981).

(1992). *Dalou* 2,1 à 492,8. *Daumier* 4,2 à 774,8 (1990). *De Chirico (G.)* 13,7 à 397 (1991), ex. 598 (1991). *Degas* 50 à 58 645 (danseuse, 1988). *Derain (A.)* 10 à 550. *Despiau (C.)* 20 à 348,7 (1990). *Duchamp (M.)* 16,5 à 221,9 (1989), ex. 762 (1991). *Duchamp-Villon* 33 à 6 340 (Le Cheval Majeur, 1989). *Dunand* 220 (1989). *Du Passage (A.)* 9,3 à 215 (1988). *Epstein (Sir J.)* 5 à 177,8 (1991). *Ernst (M.)* 13,5 à 7 900 (1985). *Fautrier (J.)* 1,2 à 420. *Fiot (M.)* 1,4 à 54 (1991). *Flavin (D.)* 18,5 à 33. *Fontana (L.)* 4,4 à 696 (1988). *Fraser (J.-E.)* 0,52 à 367. *Fratin* 1,1 à 75 (1991). *Frémiet* 1,1 à 200. *Freundlich (O.)* 253,3 (1990). *Gabo (N.)* 3 à 397. *Gargallo* 20 à 509,3. *Gaudier-Brzeska* 2,7 à 184 (1990). *Gauguin (P.)* 10 à 3 500. *Giacometti (Alberto)* 34,9 à 36 380 (l'Homme qui marche, 1988) ; *(Diego)* 3,1 à 2 402,4 (1990). *Gilioli* 1,2 à 100 (1991). *Greco (E.)* 7 à 894 (1990). *Guyot (G.)* jusqu'à 72,5. *Hepworth (B.)* 9 à 1 387 (1992). *Ipousteguy* 4,4 à 478 (1990). *Johns (Jasper)* 17,6 à 44,8 ; ex. 2 002 (1989). *Kauba (C.)* 2,2 à 168. *Kiaphec* 79,2 (1981). *Klein (Yves)* 1,8 à 2 800 (1990). *Kolbe (G.)* 16,8 à 258 (1991). *Kooning (W. de)* 150 à 3 432 (1990). *Lalanne (F.-X.)* 6 à 250. *Larche (R.)* 0,4 à 245. *Laurens* 20 à 2 140 (1988). *Léger (F.)* 60 à 1 200. *Lehmbruck* 3,4 à 292. *Lewitt (S.)* 365 (1991). *Lichtenstein (R.)* 3 à 1 300 ; ex. 5 720 (1989). *Lipchitz* 12,7 à 8 008 (1989). *Magritte* 92,5 à 832. *Maillol* 5 à 11 400 (1991). *Man Ray* 2,3 à 348,5. *Manship (P.H.)* 5,7 à 1 711,8 (1988). *Manzu (G.)* 3,9 à 1 840 (1990). *Marini (Marino)* 23,5 à 11 400 (1990). *Martel* 2 à 72 (1989). *Martin (E.)* 2 157 (1991). *Matisse* 55 à 21 736 (Figure décorative, 1990). *Meissonier* jusqu'à 150. *Mène (P.-J.)* 0,75 à 170 (1989). *Minne (G.)* 14 à 1 280 (1987). *Miro* 158,7 à 3 100 (1992). *Modigliani* 23 à 980 (1989). *Moore (Henry)* 14 à 21 164 (1990). *Moreau (H.)* 7,8 à 48,4 (1990). *Myklos (G.)* 100,2. *Nevelson (Louise)* 7,4 à 1 458,2 (1989). *Orloff* 10,6 à 862 (1992). *Picasso* 22 à 14 300 (Tête de femme, Fernande, 1989). *Pompon* 2,3 à 190. *Preiss (F.)* 4 à 500 (1992). *Proctor (A.P.)* 2,8 à 206,8. *Rauschenberg (R.)* 100 à 1 902. *Raynaud (J. P.)* 0,5 à 440. *Remington (E.)* 10 à 15 444 (1989). *Renoir (P.-A.)* 16 à 1 029,6 (1990). *Richier* 200 à 2 860 (1990). *Rodin* 11,4 à 30 000 (La Porte de l'Enfer, 1989). *Rosso (M.)* jusqu'à 340 (1991). *Saint-Phalle (N. de)* 2,2 à 475,5 (1989). *Segal (G.)* 4 à 3 000 (1989). *Shrady (H.-M.)* 12,9 à 112. *Sintenis (R.)* 4,6 à 561 (1992). *Smith (D.)* 63,4 à 3 640. *Surasak et Skinart* 490 (1991). *Tinguely* 5,2 à 1 141,2. *Troubetskoï (Prince P.)* 2,1 à 290 (1990). *Ustinov (I.)* 15 à 81. *Vindevogel (T.)* 10 à 21,8. *Volti (A.)* 4 à 990 (1992). *Zadkine* 8,5 à 1 632,1 (1991). *Zuniga (F.)* 14,7 à 598 (1991).

Statues chryséléphantines. *Barrias* 4,5 à 80. *Bouraine (A.)* 2,7 à 229 (1989). *Chiparus* 7 à 725 (1990). *Léonard (A.)* 80 (1989). *Lipchitz* 6 à 644.

SCULPTEURS

☞ Certains peintres, également sculpteurs, figurent dans ce chapitre.

ALLEMAGNE

Nés avant 1800. ASAM, Egide Quirin (1692-1750) et son frère Cosmas Damian (1686-1750). BACKOFEN, Hans († 1519). DAUHER, Adolf (v. 1460-1523/24). ERHART, Gregor (v. 1460-av. 1540). FEUCHTMAYER, Joseph Anton (1696-1770). GERHAERT, Nikolaus (P.-Bas, v. 1430-73). GÜNTHER, Ignaz (1725-75). HAGUENAU, Nicolas de (Strasbourg) (v. 1460-1538). KRAFFT, Adam (v. 1460-v. 1509). NOTKE, Bernt (v. 1440-1509) travaille en Suisse. PERMOSER, Baltazar (1651-1732). RAUCH, Christian (1777-1857). RIEMENSCHNEIDER, Tilman (1460-1531). SCHADOW, Gottfried (1764-1850). SCHLÜTER, Andreas (1664-1714). STOSS, Veit (v. 1440-1533). SYRLIN, Jörg (v. 1425-v. 1491). VEIT, Konrad (v. 1485-v. 1544) travaille aux P.-Bas. VISCHER, Peter (1460-1529) et ses fils, Herman, Peter (1487-1528), Hans.

Nés après 1800. BANDAU, Joachim (1936). BARLACH, Ernst (1870-1938). BEGAS, Reinhold (1831-1911). BELLING, Rudolf (1886-1972). BLUMENTHAL, Hermann (1905-42). BREKER, Arno (1900-91). CREMER, Fritz (1906). FISCHER, Lothar (1933). GERZ, Jochen (1940). GIES, Ludwig (1887-1966). HAJEK, Otto Herbert (1927). HARTUNG, Karl (1908-65). HAUSER, Erich (1930). HEILIGER, Bernhard (1915). HILDEBRAND, Adolf von (1847-1921). HOETGER, Bernhard (1874-1949). HORN, Rebecca (1944). KLINGER, Max (1857-1920). KNOEBEL, Imi (1940). KOENIG, Fritz (1924). KOLBE, Georg (1877-1947). KRAMER, Harry (1925). KRICKE, Norbert (1922-84). LEHMANN, Kurt (1905). LEHMBRUCK, Wilhelm (1881-1919). LÖRCHER, Alfred (1875-1962). LOTH, Wilhelm (1920). LUTHER, Adolf (1912-90). MACK, Heinz (1931). MARCKS, Gerhard (1889-1982). MATSCHINSKY-DENNINGHOFF, Brigitte (1923). NIERHOFF, Ansgar (1941). OBRIST, Hermann (1863-1927). OPPERMANN, Anna (1940). OTTO, Waldemar (1929). PIENE, Otto (1928). POHL, Uli (1940). RINKE, Klaus (1939). ROSENBACH, Ulrike (1943). RUCKRIEM, Ulrich (1938). RUTHENBECK, Reiner (1937). SCHARFF, Edwin (1887-1955). SCHEIBE, Richard (1879-1964). SINTENIS, Renée (1888-1965). STADLER, Toni (1888-1976). UECKER, Günther (1930). UHLMANN, Hans (1900-75). VOTH, Hannsjörg (1940). WALTHER, Franz Erhard (1939). WIMMER, Hans (1907). WINDHEIM, Dorothée von (1945).

AUTRICHE

DONNER, Georg R. (1693-1741). DORFMEISTER, Johann G. (1736-86). FERNKORN, Anton (1813-78). GIULIANI, Giovanni (1663-1744). GUGGENBICHLER, Meinrad (1649-1723). HANAK, Anton (1875-1934). HRDLICKA, Alfred (1928). KLOCKER, Hans (actif 1482-1500). LACKNER, Andreas (actif 1500-20). MAÎTRE DE GROSSLOBMING (actif v. 1410-40) ; IP (actif v. 1520) ; DE L'AUTEL DE KEFERMARKT (actif v. 1490) ; DE ZNAIM (actif v. 1430). MESSERSCHMIDT, Franz X. (1736-83). MOLL, Balthasar Ferd. (1717-85). PACHER, Michael (v. 1435-98). PILGRAM, Anton (1460-1515). SCHWANTHALTER, Johann Peter (*dit* le Vieux) (1720-95). WOTRUBA, Fritz (1907-75). ZAUNER, Franz Anton (1746-1822). ZÜRN, Martin (actif 1615-65). ZÜRN, Michael (actif 1617-51).

BELGIQUE

BLONDEEL, Lancelot (1496-1561). BURY, Pol (1922). CAILLE, Pierre (1911). CANTRE, Jozef (1890-1957). CARON, Marcel (1890-1961). DELCOUR, Jean (1627-1707). DELVAUX, Laurent (1696-1778). DE MEESTER DE BETZENBRUECK Raymond (1904). DE VRIENDT, Corneille (1514-75). D'HAESE, Reinhoud (1928) ; Roel (1921). DODEIGNE, Eugène (1923). DU QUESNOY, François (1597-1643). FAID'HERBE, Lucas (1617-97). GEEFS, Guillaume (1805-83). GENTILS, Vic (1919). GHYSELS, Jean-Pierre (1932). GODECHARLE, Gilles-Lambert (1750-1835). GRARD, Georges (1901-84). GUILMOT, Jacques (1927). IANCHELEVICI, Ibel (1909). JESPERS, Floris (1889-1965) ; Oscar (1887-1970). KERRYCKX, Willem (1652-1719). KESSELS, Mathieu (1784-1836). LAMBEAUX, Jef (1852-1908). LEPLAE, Charles (1903-61). LEROY, Christian (1931). MACKEN, Mark (1913-77). MARTINI, Remo (1917). MEUNIER, Constantin (1831-1905). MICHIELS, Robert (1933). MINNE, Georges (1886-1941). MOESCHAL, Jacques (1913). MONE, Jean (1485-1550). PERMEKE, Constant (1886-1952). POOT, Rik (1924). QUELLIN, Artus (*dit* le Vieux) (1609-68). ROMBAUX, Egide (1865-1942). ROUSSEAU, Victor (1865-1954). STIEVENART, Michel (1910). STREBELLE, Olivier (1927-89). UBAC, Raoul (1910-85). VAN HOEYDONCK, Paul (1925). VANTONGERLOO, Georges (1886-1965). VERBRUGGEN, Hendrik (1654-1724). VERHAEGHEN, Theodor (1701-59). VERHULST, Rombout (1624-98). VINCOTTE, Thomas (1850-1925). WIJNANTS, Ernest (1878-1964). WILLEQUET, André (1921). WOLFERS, Philippe (1858-1929). WOUTERS, Rik (1882-1916).

BRÉSIL

BERNARDELLI, Jose Maria Oscar Rodolfo (1852-1931). BRECHERET, Victor (1894-1955). CAMARGO, Sergio (1930-90). CASTRO, Amilcar de (1920). CESCHIATTI, Alfredo (1918). CRAVO junior, Mario (1923). FIGUEIRA, Joaquim († 1943). FONSECA E SILVA, Valentin de (v. 1750-1813). GIORGI, Bruno (1905). HENRIQUE, Gastão Manuel (1933). KRAJCBERG, Frans (1921). LISBOA, Antonio Francisco *dit* Aleijadinho (1730/38 ?-1814). MARTINS, Maria (1900-73). TOYOTA, Yukata (1931). WEISSMANN, Franz Josef (1914).

CUBA

CARDENAS, Agustin (1927). RAMOS BLANCO, Teodoro (1902-72). RODRIGUEZ, Eugenio (1916-68). SICRE, Juan Jose (1898-1972). TORRIENTE, Mateo (1910-66).

DANEMARK

BERG, Claus (v. 1470-1532). BERGSLIEN, Brynjulf (1830-98). BISSEN, Hermann V. (1798-1868). BJERG, Johannes (1886-1955). FISCHER, Adam (1888-1968), Egon (1935). FREUND, Hermann E. (1786-1840). GUNNERUD, Arne Vinje (1930). HENNING, Gerhard (Suède 1880-1967). JACOBSEN, Robert (1912-93) travaillait à Paris. JANSON, Gunnar (1901). JÖRGENSEN, Börge (1926). MANCOBA, Sonja Ferlov (1911). NIELSEN, Kai (1882-1924). NOACK, Astrid (1888-1954). SÖRENSEN, Eva (1940) ; Jörgen Haugen (1934). STANLEY, Carl Frederik (1738-1813) ; Simon Carl (1703-61). STORM, Per Palle (1910). SUNDBY, Nina (1944). THOMMESEN, Erik (1916). THORVALDSEN, Bertel (1770-1844). WIEDEWELT, Johannes (1731-1802). WILLY, Orskov (1922).

ESPAGNE

Nés avant 1600. ALEMÁN, Rodrigo (1470-1542). BEAUGRANT, Guyot de (v. 1530-50). BERRUGUETE, Alonso (v. 1490-1561). BIGUARNY, Philippe (Français, actif en Esp., 1498-1542). COLONIA, Francisco de (1470-apr. 1542). DANCART (Français, v. 1482-92). FORMENT, Damian (v. 1480-1541). GUAS, Juan († 1496). HERNÁNDEZ, Gregorio (v. 1576-1636). JOLY, Gabriel (or. franç., † 1538). JUNI, Juan de (or. franç., 1507-77). LA ZARZA, Vasco de († 1524). MARTINEZ MONTAÑES, Juan (v. 1568-1649). MESA, Juan de (1586-1627). NUÑEZ DELGADO, Gaspar (v. 1578-v. 1605). OLANDA, Guillen de (v. 1521-40). ORDOÑEZ, Bartolomé (1478-1520). PEREIRA, Manuel (1588-1683). ROJAS, Pablo de (v. 1581-v. 1607). SILOE, Diego de (1495-1563) ; Gil de (Flamand, † 1501).

Nota. – Florentins : D. Fancelli, P. Torrigiani, G. Moreto, etc.

Nés entre 1600 et 1700. CANO, Alonso (1601-67). CHURRIGUERA, José (1665-1723). DUQUE CORNEJO, Pedro (1677-1757). MENA, Pedro de (1628-88). MORA, Diego de (1658-1724) ; José de (1642-1724). RISUEÑO, José (1667-1721). ROLDÁN, Luisa (1656-1704) ; Pedro (1624-1700). TOMÉ, Diego († v. 1732) ; Narciso (actif 1721). VERGARA (*dit* le Vieux) (1681-1753). VILLABRILLE, Alonso de (début XVIIIe).

Nota. – Français : Jean Thierry, René Frémin, Jacques Bousseau, P. Pitué, A. et M. Dumandré, Michel Verdiguier.

Nés entre 1700 et 1800. ALVAREZ CUBERO, Manuel (1768-1828). GINÉS, José (1768-1863). GUTIERREZ, Francisco (1727-82). PASCUAL DE MENA, Juan (1707-84). RUIZ DEL PERAL, Luis (1708-73). SALVADOR CARMONA, L. (1707-67). SALZILLO, Francisco (1707-83). VERGARA, Ignacio (1715-76).

Nés entre 1800 et 1900. ANTONIO, Julio (1889-1919). BELLVER, Ricardo (1845-1924). BENLLIURE Y GIL, Mariano (1862-1947). BLAY, Miguel (1866-1936). CASANOVAS, Enrique (1882-1948). FENOSA, Apelles (1899-1988). FERRANT, Angel (1891-1961). GARGALLO, Pablo (1881-1934) travaillait à Paris et en Esp. GONZALEZ, Julio (1876-1942) travaillait à Paris en 1900. HERNÁNDEZ, Mateo (1888-1949). LLIMONA, José (1864-1934). MANOLO (Manuel Hugue) (1872-1945) travaillait à Paris en 1900. MARÉS, Federico (1896). MELIDA, Arturo (1849-1902). MIRÓ, Joan (1893-1983). MOGROVEJO, Nemesio (1875-1910). OMS, Manuel (1842-89). PICASSO, Pablo Ruiz (1881-1973) travaillait en France. PLANES, José (1893-1974). QUEROL, Agustín (1863-1909).

Nés après 1900. CHILLIDA, Eduardo (1924). CONDOY, Honorio Garcia (1900-53). FERREIRA, Carlos (1914). PEREZ MATEOS, Francisco (1904-36). SERRANO, Pablo (1910-85).

ÉTATS-UNIS

ARCHIPENKO, Aleksandr (or. russe, 1887-1964) nat. amér. apr. 1919. AYCOCK, Alice (1946). BARNARD, George Grey (1863-1938). BURTON, Scott (1939-90). CALDER, Alexander (1898-1976) travaillait en France. CALLERY, Mary (1903-77). CHRISTO (Christo Javacheff, *dit*) (1935). DI SUVERO, Mark (1933). FERBER, Herbert (1906). FLAVIN, Dan (1933). FRENCH, Daniel Chester (1850-1931). GABO, Naum (or. russe, 1890-1977). GRAHAM, Robert (1938). GRAVES, Nancy (1940). GREENOUGH, Horatio (1805-52). HARE, David (1917). HEIZER, Michael (1944). JUDD, Donald (1928). KIENHOLZ, Edward (1927). KOONING, Willem De (1904). KREBS, Rockne (1938). LACHAISE, Gaston (1882-1935). LAURENT, Robert (1890-1970). LEWITT, Sol (1928). LICHTENSTEIN, Roy (1923). LIPTON, Seymour (1903-86). MANSHIP, Paul (1885-1966). NEVELSON, Louise (or. russe, 1899-1986). NOGUCHI, Isamu (1904-88). OLDENBURG, Claes (or. suéd., 1929). OPPENHEIM, Dennis (1938). PURYEAR, Martin (1941). RICKEY, George (1907). ROSATI, James (1912-88). ROSZAK, Théodore (Pol., 1907-81). RUSH, William (1756-1833). SAINT-GAUDENS, Augustus (1848-1907). SAMARAS, Lucas (Grèce 1936). SEGAL, George (1924). SERRA, Richard (1939). SHAPIRO, Joël (1941). SMITH, David (1906-65) ; Tony (1912-80). SNELSON, Kenneth (1927). STANKIEWICZ, Richard (1922-83). TUTTLE, Richard (1941). WARD, John Quincy Adams (1830-1910).

France

Nés avant 1600. Bologne, Jean de (1529-1608). Bontemps, Pierre (v. 1506-v. 1570). Colombe, Michel (v. 1430-v. 1513). Goujon, Jean (v. 1510-1564/69). Guillain, Simon (1581-1658). La Sonnette, Jean-Michel et Georges de (n.c.). Le Moiturier, Antoine (v. 1425-1497). Pilon, Germain (v. 1537-90). Richier, Ligier (v. 1500-67). Sarrazin, Jacques (v. 1588-1660). Sluter, Claus (P.-Bas, v. 1350-1406) Werve, Claus De (actif 1396-1436).

Nés entre 1600 et 1700. Anguier, Michel (1612-86). Bouchardon, Edme (1698-1762). Caffieri, Jacques (1678-1755). Coustou, Guillaume Ier (1677-1746) ; Nicolas (1658-1733). Coysevox, Antoine (1640-1720). Girardon, François (1628-1715). Guérin, Gilles (1606-78). Le Lorrain, Robert (1666-1743). Lemoyne, Jean-Louis (1665-1755). Lepautre, Pierre (1660-1744). Prieur, Barthélemy. Puget, Pierre (1620-94). Slodtz, Sébastien (or. flam., 1655-1726) ; Séb.-Antoine (1695-1754). Tuby, Jean-Baptiste (v. 1630-1700). Varin, Jean (1604-72).

Nés entre 1700 et 1800. Adam, Lambert-Sigisbert (*dit* l'Aîné) (1700-59) ; Nicolas (*dit* le Jeune) (1705-78). Allegrain, Christophe-Gabriel (1710-95). Barye, Antoine-Louis (1796-1875). Bosio, Bon Fr.-Joseph (1768-1845). Bra, Théophile (1797-1863). Caffieri, Jean-Jacques (1725-92). Chinard, Joseph (1756-1813). Clodion, Claude Michel (1738-1814). Corbet, Charles-Louis (1758-1808). Coustou, Guillaume II (1716-77). Dantan, Antoine (*dit* l'Aîné) (1798-1878). David d'Angers, Pierre-Jean (1788-1856). Defernex, Jean-Baptiste (v. 1729-83). Falconet, Étienne (1716-91). Houdon, Jean-Antoine (1741-1828). Ladatte, François (1700-87). Lemoyne, Jean-Baptiste (1704-78). Moitte, Jean-Guillaume (1746-1810). Pajou, Augustin (1730-1809). Pigalle, Jean-Baptiste (1714-85). Pradier, Jean-Jacques (*dit* James) (Genève, 1790-1852). Rude, François (1784-1855). Saly, J.F.J. (1717-76). Slodtz, Michel-Ange (1705-64) ; Paul-Ambroise (1702-58). Vassé, Louis-Claude (1716-72).

Nés entre 1800 et 1900. Arp, Hans (1887-1966). Barrias, Louis-Ernest (1841-1905). Bartholdi, Fréd.-Aug. (1834-1904). Bartholomé, Paul-A. (1848-1928). Belmondo, Paul (1898-1982). Bloc, André (1896-1966). Bonheur, Isidore (1827-1901). Bouchard, Henri (1875-1930). Boucher, Jean (1876-1939). Bourdelle, Ém.-Ant. (1861-1929). Cain, Aug.-Nicolas (1821-94). Carabin, François Rupert (1862-1932). Carpeaux, Jean-Baptiste (1827-75). Carrier-Belleuse, Albert (*dit* Carrier de Belleuse) (1824-87) ; Louis (1848-1913). Chapu, Henri (1833-91). Chauvin, Jean (1889-1976). Cheval, Ferdinand (1836-1924). Chiparus, Dimitri (1888-1950). Claudel, Camille (1864-1943). Clesinger, Jean-Baptiste (1814-83). Cogné, François-Victor (v. 1870-v. 1945). Collin, Albéric (1886-1962). Czaki, Joseph (1888-1971). Dalou, Aimé-Jules (1838-1902). Dantan, J.-Pierre (*dit* le Jeune) (1800-69). Daumier, Honoré (1808-79). Degas, Edgar (1834-1917). Derain, André (1880-1954). Despiau, Charles (1874-1946). Duchamp-Villon, Raymond (1876-1918). Duret, François-Joseph (1804-65). Etex, Antoine (1808-88). Falguière, Jean-Alex. (1831-1900). Fratin, Christophe (1800-64). Frémiet, Emmanuel (1824-1910). Gaudier-Brzeska, Henri (1891-1915). Gérome, Jean-Léon (1824-1904). Gimond, Marcel (1894-1961). Hugues, Jean-Baptiste (1849-1930). Icard, Honoré (1845-1917). Jacquemart, Alfred (1824-96).

Lambert-Rucki, Jean (1888-1932). Landowski, Paul (1875-1961). Laurens, Henri (1885-1954). Léger, Fernand (1881-1955). Lipchitz, Jacques (Pol. 1891-1973). Maillol, Aristide (1861-1944). Malfray, Charles (1887-1940). Marochetti, Bon Carlo (1805-67). Matisse, Henri (1869-1954). Meissonier, Jean-Louis-Ernest (1815-91). Mène, Pierre-Jules (1810-79). Miklos, Gustave (1888-1967). Moigniez, Jules (1835-94). Moreau, Mathurin (1822-1912). Noll, Alexandre (1890-1970). Pevsner, Antoine (or. russe, 1886-1962). Peyrissac, Jean (1895-1974). Pompon, François (1855-1933). Préault, Antoine-Aug. (1809-79). Puech, Denys (1854-1942). Réal del Sarte, Maxime (1888-1954). Rivière, Théodore. Rodin, Auguste (1840-1917). Sartorio, Antoine (1885). Saupique, Georges (1889-1961). Tourgueneff, Pierre-Nicolas (1854-1912). Triqueti, Henri de (1804-74). Zadkine, Ossip (Russie 1890-1967) nat. français en 1921.

Nés après 1900. Adam, Henri-Georges (1904-67). Agam, Yaacov (1928). Arman (1928). Aslan (n.c.). Auricoste, Emmanuel (1908). Buren, Daniel (1938). César (César Baldaccini, *dit*) (1921). Cieslarczyk, Adolphe (All., 1916) à Paris 1922. Couturier, Robert (1905). Darville, Alphonse (1910-90). Decaris, Albert (1901-88). Delahaye, Charles (1928). Descombin, Maxime (1909). Étienne-Martin (1913). Gilioli, Émile (1911-77). Givaudan, Marie-Thérèse (1925). Hajdu, Étienne (Roum., 1907). Ipoustéguy, Jean (1920). Jeanclos, Georges (1933). Lalanne, François Xavier (1924). Leygue, Louis (1905). Longuet, Karl-Jean (1904-81). Mahler, Anna (1904-88). Miyawaki, Aiko (Jap. n.c.). Moninot, Robert (1922). Oudot, Georges (1928). Peides, Patricia (1953). Pommeureulle, Daniel (1937). Richier, Germaine (1904-59). Saint-Maur, Samuel (1906). Saint-Phalle, Niki de (1930). Schöffer, Nicolas (Hong., 1912-92). Stahly, François (or. all., 1911). Szekely, Pierre (or. hongr., 1923). Ustinov, Igor (1952). Venet, Bernard (1941). Viseux, Claude (1927). Volti, Antoniucci (1915-89). Wostan (Stanislas Wojciesz, *dit*) (or. pol., 1915). Zack, Irène (or. russe, 1918). Zwoboda, Jacques (1900-67).

Grande-Bretagne

Nés avant 1800. Bacon, John (1740-99). Bailly, Edward (1788-1867). Banks, Thomas (1735-1805). Bird, Francis (1667-1731). Chantrey, Sir Francis (1781-1841). Cibber, Caius Gabriel (1630-1700). Critz, John de († apr. 1657) [Holl.]. Flaxman, John (1755-1826). Gibbons, Grinling (1648-1721). Gibson, John (1790-1866). Le Sueur, Hubert (Fr., 1610-70). Nollekens, John (1737-1823) ; Joseph (1702/05 ?-62). Roubiliac, Louis-François (Fr., 1695-1752). Rysbraeck, Jan Michael (Anvers 1693-1770). Scheemaker, Pierre (Anvers 1691-1781). Westmacott, Richard (1775-1856). Wilton, Joseph (1722-1803). Wyatt, Richard James (1795-1850).

Nés après 1800. Abrahams, Ivor (1935). Adams, Robert (1917-84). Armitage, Kenneth (1916). Boyle, Mark (1934). Brock, Sir Thomas (1847-1922). Butler, Reg (1913-81). Caro, Sir Anthony (1924). Chadwick, Lynn (1914). Dalwood, Hubert (1924-76). Dobson, Frank (1888-1963). Epstein, Sir Jacob (1880-1959). Finlay, Ian Hamilton (1925). Flanagan, Barry (1941). Ford, Edward Onslow (1852-1901). Frampton, Sir George (1860-1928). Frink, Dame Elisabeth (1930). Fullard, George (1923-73). Gabo, Naum (1890-1977). Gilbert, Sir Alfred (1854-1934). Gilbert et George (1943 et 1942). Gill, Eric (1882-1940). Hepworth, Barbara (1903-75). Hill, Anthony (1930). Hughes, Malcolm (1920). Kapoor, Anish (1954). King, Phillip (1934). Long, Richard (1945). Mackennal, Sir Bertram (Austr., 1863-1931). Martin, Kenneth (1903-84) ; Mary (1907-69). McWilliam, F. E. (1909). Meadows, Bernard (1915). Moore, Henry (1898-1986). Paolozzi, Eduardo (1924). Pope, Nicholas (1949). Pye, William (1938). Reynolds-Stephens, Sir William (1862-1943). Scott, Tim (1937). Stevens, Alfred (1817-75). Thomas, John (1813-62). Tucker, William (1935). Turnbull, William (1922). Walker, Arthur George (1861-1939). Wheeler, Sir Charles (1892-1974). Wood, Francis Derwent (1871-1926). Woolner, Thomas (1825-92).

Hongrie

Alexy, Károly (1823-80). Beck, O. Fülöp (1873-1945). Beöthy, István (1897-1962) travaille à Paris dep. 1925. Csáky, József (1888-1971). Donner, G. R. (1693-1741). Femes-Beck, Vilmos (1885-1918). Ferenczy, Béni (1890-1973) ; István (1792-1856). Hebenstreit, Jozsef (1719-83). Izsó, Miklós (1831-75). Kemény, Zoltán (1907-65). Kerényi, Jenö (1908-75). Kisfaludy-Strobl, Zsigmond (1884-1975). Kovács, Margit (1902-78). Kutas, László (1936). Medgyessy, Ferenc (1881-1958). Medocco, Miklós (1935). Moholy-Nagy, László (1895-1946). Reigl, Judit (1923). Samu, Géza (1947-90). Somogyi, József (1916). Stróbl, Alajos (1856-1926). Szabo, László (1917) travaille à Paris. Szervatiusz, Tibor (1930). Telcs, Ede (1872-1948). Varga, Imre (1923). Vedres, Mark (1870-1961). Veszpremi, Imre (1932). Vilt, Tibor (1905-83). Zala, György (1858-1929).

Italie

XIIIe, début XIVe siècle. Pise : Antelami, Benedetto (v. 1150-v. 1225). Balduccio, Giovanni di (XIVe). Cambio, Arnolfo di (v. 1240-v. 1302). Orcagna (Andrea di Cione Arcagnolo, *dit* l') (v. 1308-1369). Pisano, Andrea (A. da Pontedera) (1270-1348) ; Giovanni (1245-1320) ; Niccolò (v. 1220-v. 1284) ; Nino († 1368).

Quattrocento (fin XIVe, XVe s.). Florence : Banco, Nanni di (1373-1421). Bertoldo, Giovanni di (1410-91). Donatello (Donato di Betto Bardi, *dit*) (1386-1466). Duccio, Agostino di (1418-81). Fiesole, Mino da (1430-84). Ghiberti, Lorenzo (1378-1455). Maiano, Benedetto da (1442-64). Pollaiolo, Antonio del (1432-98). Robbia, Andrea della (1435-1528) ; Luca della (1400-82). Rossellino, Antonio (1427-79) ; Bernardo (1409-64). Settignano, Desiderio da (1431-64). Verrocchio (Andrea di Cione, *dit* del) (1435-88). **Lombardie :** Amadeo, Giovanni Antonio (1447-1522). Briosco, Andrea (1470-1532). Romano, Cristoforo (av. 1470-1512). **Lucques :** Civitali, Matteo (1436-1501). **Modène :** Bari, Niccolò da (1440-94). Mazzoni, Guido (v. 1450-1518). **Naples ; Urbino :** Laurana, Francesco († apr. 1500). **Sienne :** Giorgio Martini, Francesco di (1439-1502). Quercia, Jacopo della (v. 1375-1438). Tino di Camaino (v. 1285-1337). Vecchietta (Lorenzo di Pietro, *dit* il) (v. 1412-80). **Venise :** Lombardo, Pietro (v. 1435-1515). Rozzo, Antonio (v. 1465-98).

Renaissance (XVIe s.). Ammannati, Bartolomeo (1511-92). Cellini, Benvenuto (1500-71) également orfèvre. Leoni, Leone (v. 1509-90) travaillait en Espagne ; Pompeo (1533-1608). Le Primatice (Francesco Primaticcio) (1504-70). Michel-Ange (Michelangelo Buonarroti) (1475-1564). Porta, Giacomo della (v. 1540-1602). Riccio, Andrea († 1532). Sansovino (Andrea Contucci, *dit*) (1460-1529) ; (Jacopo Tatti, *dit* il) (1486-1570). Susini, Antoine († 1624) ; Jean-François († 1646). Vittoria, Alessandro (1525-1608).

XVIIe, XVIIIe s. Algardi, Alessandro (1595-1654). Bernin, Gian Lorenzo Bernini (*dit* le Cavalier) (1598-1680). Bracci, Pietro (1700-73). Bussola, Dionigi (1612-87). Collino, Filippo (1724-93). Corradini, Antonio (1668-1752). Della Valle, Filippo (1696-1770). Foggini, Giov. Batt. (1652-1725). Guidi, Domenico (1625-1701). Legros, Pierre II (Fr., 1666-1718). Maderno, Carlo (1576-1638). Mazzuoli, Giuseppe (1644-1725). Mochi, Francesco (1580-1654). Morlaiter, Gian Maria (1699-1781). Parodi, Domenico (1668-1740). Parodi, Filippo (1630-1702). Raggi, Antonio (1624-86). Rusconi, Carlo (1558-1626). San Martino, Giuseppe (1720-93). Schiaffino, Francesco Maria (1691-1765). Serpotta, Giacomo (1656-1732). Spinazzi, Innocenzo (v. 1720-95). Tacca, Pietro (1577-1640). Tinelli, Giuliano (1601-71).

XIXe, XXe s. Bartolini, Lorenzo (1777-1850). Basaldella, Mirko (1910-69). Bistolfi, Leonardo (1859-1933). Boccioni, Umberto (1882-1916). Bugatti, Rembrandt (1884-1916). Calò, Aldo (1910-83). Canova, Antonio (1757-1822). Cappello, Carmelo (1912). Cascella, Pietro (1921-89). Consagra, Pietro (1920). Dupré, Giovanni (1817-82). Fabbri, Agenore (1911). Fiori, Ernesto de (1884-1945). Fontana, Lucio (1899-1968). Franchina, Nino (1912-87). Gerardi, Alberto (1889-1965). Greco, Emilio (1913). Guelfi, Guelfo (1895-1973). Lardera, Berto (1911-1989). Leoncillo, Leonardo (1915-68). Licini, Osvaldo (1894-1958). Manzù (Giacomo Manzoni, *dit*) (1908-91). Marini, Marino (1901-80). Martini, Arturo (1889-1947). Mascherini, Marcello (1906-83). Mastroianni, Umberto (1910). Melli, Roberto (1885-1958). Melotti, Fausto (1901-86). Minguzzi, Luciano (1911). Pomodoro, Arnaldo (1926) ; Gio (1930). Rosso, Medardo (1858-1928). Trentacoste Domenico (1859-1933). Viani, Alberto (1906). Wildt, Adolfo (1868-1931). Zanelli, Angelo (1879-1942).

Norvège

Aas, Nils (1933). Berg, Boge (1944) ; Magnus (1666-1739). Bergslien, Brynjulf (1830-98). Breivik, Bård (1948). Fredriksen, Stinius (1902-77). Haukeland, Arnold (1920-83). Michelsen, Hans (1789-1859). Middelthun, Julius (1820-86). Sinding, Stephan Abel (1846-1922). Storm, Per Palle (1910). Vigeland, Gustav (1869-1943). Vik, Ingebrigt (1867-1927).

Pays-Bas

Amen, Woody Van (1936). Andriessen, Mari (1897-1980). Armando (1929). Bailleux, César (1937). Baljeu, Joost (1925). Bronner, Jean (1881-1972). Couzijn, Wessel (1912-84). Engels, Pieter (1938). Gerhard, Jubert (v. 1550-1620). Keyser, Hendrick De (1565-1621). Krop, Hildo (1884-1970). Leeser, Titus (1903). Mendes da Costa, Joseph (1863-1939). Munster, Jan Van (1939). Pallandt, Charlotte Van (1898). Pander, Pier (1864-1919). Raedecker, Johan (1885-1956). Reyers, Willem (1910-58). Rooyackers, Rudi (1920). Sluter, Claus (1340-1405). Struycken, Peter (1939). Verhulst, Rombout (1624-96). Visser, Carel (1928). Volten, André (1925). Vries, Adriaen De (1550-1626).

WERVE, Claus De (1380-1439). WESEL, Adriaen Van (XVe s.). WEZELAAR, Han (1901). WIJK, Charles Van (1875-1917). ZIJL, Lambertus (1866-1947).

POLOGNE

ABAKANOWICZ, Magdalena (1930). BEREŚ, Jerzy (1930). BIEGAS, Boleslas (1877-1954). DUNIKOWSKI, Xavery (1875-1964). GUYSKI, Marceli (1832-93). HASIOR, Wladyslaw (1928). JARNUSZKIEWICZ, Jerzy (1919). KARNY, Alfons (1901-89). KOBRO, Katarzyna (1898-1951). KONIECZNY, Marian (1930). KRETZ, Léopold (1907) (travaille à Paris). KUNA, Henryk (1879-1945). KURZAWA, Antoni (1842-98). LIPSI, Maurice (1898) (trav. à Paris). OLESZCZYNSKI, Władysław (1807-66). RYGIER, Theodor (1841-1913). ŚLESIŃSKA, Alina (1926). SZAPOCZNIKOW, Alina (1926-73). SZCZEPKOWSKI, Jan (1878-1964). WIĘCEK, Magdalena (1924). WITTIG, Edward (1879-1941). WOJCIESZYNSKI, Stanislas (*dit* WOSTAN 1915) à Paris dep. 1945. ZAMOYSKI, Auguste (1893-1970). ZBROŹYNA, Barbara (1923). ZEMLA, Gustave (1931).

PORTUGAL

CANTO DA MAYA, Ernesto (1890-1981). CARNEIRO, Alberto (1937). CONDUTO, Fernando (1937). CUTILEIRO, João (1937). FRANCO, Francisco (1885-1955). MACEDO, Diogo de (1889-1959). MACHADO DE CASTRO, Joaquim (1731-1822). RODRIGUÈS, José (1936). SOARES DOS REIS, Antonio (1847-89). TEIXEIRA LOPES, Antonio (1866-1942). VIEIRA, Jorge (1922). VIRGILIO, Domingues (1932).

Nota. – Les Normands : Nicolas Chantereine, Philippe Oudart, Jean de Rouen au XVIe s.

ROUMANIE

ANGHEL, Gheorghe (1904-66). APOSTU, George (1934-86). BARASCHI, Const. (1902-66). BRÂNCUȘI, Constantin (1876-1957). CARAGEA, Boris (1906-82). CODRE, Florin (1943). CONSTANTINESCU, Mac (1900-1979). DAMIAN, Horia (1922). FLAMAND, Horia (1941). GEORGESCU, Ioan (1856-98). GORDUZ, Vasile (1931). HAN, Oscar (1891-1976). ILIESCU-CALINEȘTI, Gheorghe (1932). IRIMESCU, Ion (1903). JALEA, Ion (1887-1983). LADEA, Romul (1901-70). MAITEC, Ovidiu (1925). MEDREA, Cornel (1888-1964). PACIUREA, Dumitrie (1873-1932). PETRASCU, Militza (1892-1976). POPOVICI, Constantin (1938). SPATARU, Mircea (1938). STORCK, Carol (1854-1926). STORCK, Frederic (1872-1942). VALBUDEA-IONESCU, Stefan (1854-1926). VIDA, Gheza (1913-80).

RUSSIE

ANTOKOLSKI, Mark (1843-1902). CHADR, Ivan (1887-1941). CHOUBINE, Fiodor (1740-1805). CHTCHEDRINE, Feodosy (1751-1825). CLODT VON JURGENSBURG, Peter (1805-67). GOLUBKINA, Anna (1864-1927). KONENKOV, Sergheï (1874-1971). KOZLOVSKI, Mikhaïl (1753-1802). KRYLOV, Mikhaïl (1786-1850). LEBEDEVA, Sarra (1892-1967). MATVEEV, Aleksandr (1878-1960). MUCHINA, Vera (1889-1953). ORLOFF, Chana (1888-1968) en France. ORLOVSKI, Boris (1796-1837). PEVSNER, Antoine (1886-1962) en France après 1923. SOKOLOV, Pavel (1765-1831). TATLINE, Vladimir (1885-1953). TROUBETSKOÏ, P[ce] Paul (1866-1938).

SUÈDE

ARLE, Asmund (1918-90). ASKER, Curt (1930). BOUCHARDON, Jacques Phil. (Fr., 1711-53). DERKERT, Siri (1888-1973). ERIKSSON, Liss (1919). ELDH, Carl (1873-1954). FRISENDAHL, Carl (1886-1948). GRATE, Eric (1896-1983). HJORTH, Bror (1894-1968). LARCHEVÊQUE, Pierre-Hubert (Fr., 1721-78). MARKLUND, Bror (1907-77). MILLES, Carl (1875-1955). SERGEL, Johan Tobias (1740-1814). ULTVEDT, Per Olof (1927).

SUISSE

AESCHBACHER, Hans (1906-80). BÄNNINGER, Otto-Charles (1897-1973). BODMER, Walter (1903-1973). BURCKHARDT, Carl (1878-1923). EGGENSCHWILER, Franz (1930). FISCHLI, Hans (1909-89). GEISER, Karl (1898-1957). GIACOMETTI, Alberto (1901-66) ; Diego (1902-85). HALLER, Hermann (1880-1950). HUBACHER, Hermann (1885-1976). JOSEPHSON, Hans (1920). KEMÉNY, Zoltán (Hong., 1907-1965). KOCH, Oedön (1906-77). L'EPLATTENIER, Charles (1874-1946). LINCK, Walter (1903-75). LUGINBÜHL, Bernhard (1929). MARCELLO, Adèle d'Affry, D[esse] de Castiglione Colonna, *dite* (1836-79). MÜLLER, Otto (1905). MÜLLER, Robert (1920). NIEDERHAÜSERN, Auguste von (*dit* Rodo) (1863-1913). PROBST, Jakob (1888-1966). RAMSEYER, André (1914). ROSSI, Remo (1909-82). SCHERER, Hermann (1893-1927). STANZANI, Emilio (1906-77). TAEUBER-ARP, Sophie (1889-1943). TINGUELY, Jean (1925-91). TRIPPEL, Alexander (1744-93). VELA, Vincenzo (1822-91). WALDBERG, Isabelle (1911-90). WIGGLI, Oskar (1927). ZSCHOKKE, Alexander (1894-1981).

TCHÉCOSLOVAQUIE

BENDL, Jan Jirí (1620-80). BILEK, Frantisek (1872-1941). BRAUN, Matyás Bernard (1684-1738). BROKOF, Ferdinand Maximilian (1688-1731). GUTFREUND, Otto (1884-1927). LAUDA, Jan (1898-1959). LIDICKY, Karel (1900-76). MAKOVSKY, Vincenc (1900-66). MYSLBEK, Josef Václav (1848-1922). POKORNY, Karel (1891-1962). STEFAN, Bedřich (1896-1982). STURSA, Jan (1880-1925). WAGNER, Josef (1901-57). WICHTERLOVA-STEFANOVÁ, Hana (1903-90).

URUGUAY

BELLONI, José (1882-1965). BROGLIA, Enrique Fernandez (1942). CABRERA, German (1903). FERRARI, Juan-Manuel (1874-1916). FREIRE, Maria (1919). MANE, Pablo (1880-1971). MICHELENA, Bernabé (1888-1963). PENA, Antonio (1894-1947). PODESTA, Octavio (1929). POSE, Severino (1894-1962). YEPES, Eduardo (1909-78). ZORRILLA DE SAN MARTIN, José Luis (1891-1975).

YOUGOSLAVIE

ANGELI RADOVANI, Kosta (1916). BAJIĆ, Mrdjan (1957). BAKIĆ, Vojin (1915). HADŽI BOŠKOV, Petar (1928). HOZIĆ, Arfan (1928). JEVRIĆ, Olga (1922). KANTOCI, Ksenija (1909). KOŽARIĆ, Ivan (1921). LAURANA, Francesco (v. 1420-v. 1502) travaillait en France. LOGO, Oto (1931). MEŠTROVIĆ, Ivan (1883-1962). RADOVANI, Kosta Angeli (1916). RICHTER, Vjenceslav (1917). ROTAR, France (1933). STOJANOVIĆ, Sreten (1889-1960). TRŠAR, Drago (1927). VUKOVIĆ, Matija (1925-85).

ARTS DIVERS

1res créations artistiques. (v. 33000 av. J-C) : gravure et piquetage. Ornementation des grottes (peinture, sculpture, gravure), objets d'usage (armes, outils, parures), objets d'art sans fonctions précises (galets, os gravés). Décors géométriques ou figuratifs (symboliques ?).

ART DE L'AFRIQUE NOIRE

Certains distinguent 3 grandes zones : *soudanaise* (du Mali à la Côte-d'Ivoire), *guinéenne* et *congolaise* (entre Gabon et Angola). D'autres opposent naturalisme et abstraction (sculptures du Mali) qui subsistent parfois dans la même région.

☞ Fang (Pamue ou Pahouin) recouvre 3 groupes de population : Beti, Boulou et Fang (Ntoumou, Betsi, Okak...).

■ **Architecture.** *Pierre et terre séchée :* vestiges de cités anciennes au Soudan et au Mali (Djenne, Tombouctou), près du lac Tanganyika et en Rhodésie (Zimbabwe), au Nigeria (civilisations de Nok, 2 000 ans, et d'Ifé, Xe-XIIIe s.). *Matériaux fragiles :* constructions récentes ornées de bas-reliefs, de motifs peints et d'éléments sculptés surajoutés (Dahomey, Cameroun) ou parfois de plaques de décoration en bronze (palais au Bénin XVe au XVIIe s.).

■ **Arts.** **Du corps :** scarifications, tatouages, peintures, parures, coiffures. **De la vie quotidienne :** objets usuels avec élément décoratif chargé d'une signification religieuse. Généralement, les femmes pratiquent le filage et la poterie (sans four, moulage sur une forme, cuisson à feu nu) ; les hommes tissent (coton, raphia, fibres) et fabriquent des armes de jet et de combat ; sagaies, couteaux, le plus souvent ces objets sont sculptés.

■ **Peinture pariétale.** Préhistorique, négro-africaine : scènes pastorales, danseurs masqués (Kalahari, Sahara, massif du Tassili).

■ **Sculpture.** Rituelle. *Masques :* apanage des hommes, des femmes au Liberia, des initiés et des associations secrètes. *Statues :* représentations religieuses ou magiques généralement petites. Proportions anatomiques non respectées, formes raides et anguleuses (Dogon, Bambara), figées et rondes (Fang, Baluba, Baoulé), souples (Sherbro). La plupart des objets, représentant des ancêtres et servant de réceptacles à l'esprit des ancêtres, ne devaient pas être « réalistes », l'esprit ne l'étant pas. L'objet devient rituel et magique, « protecteur » pour la famille ou la tribu. Nombreux objets d'usage : poulies de métier à tisser ; petits meubles : sièges, trônes ; poids en bronze pour la poudre d'or, armes...

Matériaux. *Bois. Pierre* (Haute-Guinée, Sierra Leone, Nigeria, Angola, Zaïre). *Ivoire* (amulettes, masques, trompes, traversières, petits objets, bijoux : Bénin, Cameroun, Congo, Côte-d'Ivoire, Gabon, Ghana). *Argile* (statuettes très anciennes de Mopti, Ifé, pays Sao, Jos, Djénné). *Or* (bijoux : pays Baoulé et Ashanti). *Laiton* (Ifé, Bénin, Nigeria, Niger). *Fer forgé* (Dogon, Bambara, Sénoufo, Fon, Dahomey : Yorouba). *Argent* (en Afr. blanche particulièrement). *Cuivre martelé et argent* (Dahomey).

Age des objets. Un objet est réputé « authentique » lorsqu'il fut fabriqué par et pour l'indigène dans un but rituel ou usuel mais non commercial (env. du VIIIe s. jusqu'à nos jours).

Cours en milliers de francs. RECORD MONDIAL : statuette « reine » du Soudan 20 020 (1990). QUELQUES EXEMPLES (pièces exceptionnelles). **Angola :** statuette *Tschokwe,* hauteur 37,5 cm : 2 200 (1979). **Bénin :** bronzes très rares, tête *Oba* 400 à 3 000 ; plaques 51 à 5 252 (1987) ; statuettes *Babembe* 15 à 70. **Burkina :** masque *Bwa* 120 à 260. **Cameroun :** stat. *Bamileke* recouvertes de perles 8 à 15 ; masque *Bangwa* 1 350 ; statuette *(Fang) Byeri* 290 à 19 000 (1990), [en général 45/60 cm fichée dans le couvercle de boîte cylindrique en écorce d'andrung appelée « nsekh à byeri » (plusieurs styles : ngoumba, ntoumou, mabéa)]. **Congo :** fétiche à clous 80 à 350 ; statue d'ancêtre *Teke* 320 (1987) ; sculpture *Kouyou* 670 à 1 650 ; masque de bélier *Djem* 468,4 (1991). **Côte-d'Ivoire :** *Waka Sona* (effigie d'ancêtre *Baoulé*) 15 à 150 ; masque *Guro-Bété* 1 200, *Baoulé* 430, excep. 1 250, *Dan* 10 à 300, *Sénoufo* 120 à 150 ; poulie de métier à tisser 0,5 à 17 ; statuette *Sénoufo* 1 800 (1990). **Gabon :** reliquaire *Fang* 1 451 (1988), *kota* 370 à 3 259 (1990) ; statuette mâle *Fang* 60 à 300, femelle 324 à 1 200, *Byeri* (idole de Chonchoa) 2 500 (1991) ; fig. de reliquaire *Mahongwé* + de 2 000. **Ghana :** pesons (bronze ou laiton) ; objet 0,2 à 6 (équestre) ; masque *Byeri* 30 à 330 (en or) ; statuette funéraire *Ashanti* 101 (1988). **Guinée :** statues 11 à 400 ; masque *Susu* 900, tambour *Baga* (à cariatide) 1 100 (1990). **Liberia :** masque *Dan* 40 à 440, tabouret *Dan* 1 000. **Mali :** ancêtre, bois 2 à 345, stat. *Dogon* à 5 têtes 380 ; *Bambara* 0,5 à 79, statuettes 900 (1990) ; **Nigeria :** masques 22 à 190 ; ancêtre bois et cuivre 102. **Soudan :** stat. *Dogon* 345. **Tanzanie :** siège *Hehe* 240. **Zaïre :** statue *Yombe* 200 à 600 ; ivoire *Bakongo* 190 ; stat. magique 0,6 à 600 ; siège *Luba* 250 ; boîte anthropomorphe *Mangbetu* 500 (1988), appui-nuque en bois 1 198 (1987).

ART D'AMÉRIQUE

ART ESQUIMAU

■ **Cultures. De Dorset** (800 av. J-C-Xe s. apr. J-C). Art magico-religieux. *Objets utilitaires :* grattoirs, manches de couteaux, têtes de bêches, racloirs à verglas, protège-poignets, pointes de harpon, objets de parure ; amulettes (animaux sculptés, souvent avec humour). Ivoire de morse, bois de caribou, pierre verte, silex, os de baleine. **De Thulé** (Xe s.-début XIXe s. apr. J-C). Art plus fonctionnel où coexistent l'inspiration sacrée et le sens de l'observation. Au contact des explorateurs, l'art perd de son rituel.

■ **Cours en milliers de francs.** *Défense de morse,* gravée (40 cm), petits animaux, ours, baleines, poissons divers 18. *Pendentif,* ivoire, silhouette féminine et masculine (haut. 4,25 cm) 0,1 à 4. *Porte-aiguille,* ivoire (XIXe s.) 14,5 (1992). *Support de harpon,* ivoire 50. *Archet de foret* pour percer ivoire 15. *Maquettes de Kagalas* 10 à 12. *Panoplie chasseur* esquimau 11,1. *Statuette* en ivoire XIXe s. 23. *Tête humaine Okvik,* ivoire, 430 (1992).

ART PRÉCOLOMBIEN

☞ Art d'avant la conquête européenne. Époques : voir Index.

■ **Objets. Amérique centrale.** Céramique à motifs zoomorphes. Or travaillé, bijoux, outils, les plus beaux étant en forme de jaguar, v. 800 apr. J.-C. *Métates* (de l'aztèque *métatl :* « meule dormante avec broyeur horizontal ou pilon ») : pierres cérémonielles pour culte funéraire, en basalte, servant à moudre ou piler le maïs, principalement au Costa Rica, Panamá (Veraguas), Nicaragua.

Antilles. CIVILISATIONS. *Ciboney :* surtout pêcheurs et chasseurs (les plus anciens occupants). *Arawaks :* venus vers le XIIe s. du continent sud-américain, ils occupaient les Antilles en 1492 (conquête), sédentaires, ils sont représentés surtout par les *Taïnos.* Objets votifs : jougs fermés en pierre, colliers, pierres à 3 pointes (zémi), travail du bois. *Caribes :* civilisation semblable à celle des Arawaks, leurs ennemis. Céramique fruste (période belliqueuse).

Pérou. Vases funéraires souvent avec anse « en étrier » à engobe brun-rouge-crème-noire (Nazca : peints de couleurs). *Civilisations Chavin* et *Chimu :* vases à engobes noirs. 4 périodes, de 100 à 700 apr. J-C.

■ **Cours en milliers de francs. Amazonie.** Diadème *meoko* 10, *oko-oré* 80. **Antilles.** Dieu Zemi basalte 60 à 100. Hache (Haïti) 2. Petite sculpture pierre 24. Siège bois *Taïno* 120. **États-Unis.** Périodes, voir Index. Berceau *Sioux* 11,1. Bijoux *navajo* 4,7 à 20, *Zuni* 14,4 à 43,3. Ceinture et calumet de la paix 20. Coiffure iroquoise 160. Couverture *navajo* 8,6 à 260,5. Crécelle *Haida* 19,5. Étendard cousu de plumes 22. Masques et totems 8 à 35. Masque *Cherokee* avec scalp 56. *Katchina Hopi* 0,8 à 6. Masque de danse en bois (Alstoria) 110. Mocassins *Sioux* (la paire) 4 à 13,9. Objets modernes env. 10. Paniers et coupes vannerie *(Apaches et Sioux)* 2 à 70. Poteries 6,7 à 36,7. Vêtement peau (plaines) 3 à 230. **Mexique.** Masques pierre dure de Teotihuacán 30 à 180 ; m. pectoral à visage humain schiste vert 30 ; jade olmèque 90 à 180. Pendentif serpentine *Colima* 62. Pommeau de canne tumbaga (or + cuivre) v. 520 av. J-C 22. Statues pierre *« Mezcala »* (IIIe s. av. J.-C.-IIIe s. après J.-C.) 5 à 200 (1992) ; except. pierre 609,8 (1985). Statuettes mayas moulées 2 à 30, sculptées 12 à 120 : ornement pour la bouche, en or, mixtèque 1 075 (1980). Vases mayas 3 à 20. **Panamá.** Vase de Veraguas 4 à 15. **Pérou.** Masques funéraires 3 à 35, or 12 à 120. *Métates* 6 à 25. Pendentif en or (aigle) 8 à 20.

COLOMBIE BRITANNIQUE

Objets. Rares car achetés par musées et collectionneurs américains ou canadiens. Les musées russes conservent les plus beaux spécimens.

Cours en milliers de francs. Masques 28 à 110, coupe en corne de mouflon 4, grande cuillère en corne blonde 45, poteau totem 18, haut de coiffe 55 ; *d'avant 1914 :* totems en schiste noir poli 40, hochets de danse 30, caisses à grain en bois 50.

ART CHINOIS

☞ **Collections à Paris.** Musée Guimet, m. des Arts décoratifs, m. d'Ennery, m. Cernuschi.

Prix records en milliers de francs. Cheval *Tang* 40 018 (Londres 12-12-1989). **Vase** *zun* rituel bronze 17 920 (Sotheby's, N. York 1988). (Collections T.Y. Chao, Sotheby's, Hong Kong 18-11-1986 et 19-5-1987.) *Ming* porcelaine rouge cuivre (fin XIVe, h. 31,5 cm) 8 610. **Bassin** 17 000 (1989). **Plat** *Ming* porcelaine rouge cuivre sous couverte (diam. 47,5 cm) 8 918,5.

CÉRAMIQUE

☞ *A partir du XVIe s. av. J-C,* on désigne la céramique et les bronzes chinois par les noms des dynasties ou des empereurs les plus importants.

A partir du XIVe s., les porcelaines de Chine, sauf celles destinées à l'exportation, portent souvent des marques au revers des pièces en bleu sous couverte (4 ou 6 caractères, indiquant nom de la dynastie et titre du règne, qui se lisent de haut en bas et de droite à gauche). On trouve aussi des marques d'atelier, d'appréciation, des emblèmes, des symboles, des dédicaces. Certaines marques parmi les plus anciennes ont été parfois copiées à des époques postérieures. Elles ne peuvent donc servir à dater une pièce.

Une pièce de qualité possède un bleu idéal, ni trop clair, ni trop sombre, sans craquelures. Les copies sont revêtues d'émail bleu.

■ TYPES

■ **Avant J.-C. Époque néolithique** [Vers 2500-XVIe s. (époque dite mythique)]. V. 2200 av. J.-C., vaisselle, bois laqué (laque sèche ou directe sur bois). Poteries peintes en noir extérieur et rouge intérieur (*Yangshao, Henan, Banshan, Gansu...) ;* noires très fines *(Longshan).* **Age du bronze archaïque** [XVIe s. (?)-VIe s.]. *D. Shang* (v. 1521-1028 av. J.-C.). Poteries grises, blanches. 1res couvertes naturelles (glaçures minces). **Dynastie Zhou** *(Tcheou)* [1111 ou 1050 (?)-256]. Dont Royaumes Combattants (v. 453-221). Poteries grises à décor géométrique (inspirées de l'art du bronze). Céramique noire incisée. 1res couvertes feldspathiques. 1ers grès. 1res glaçures plombifères. 1res figurines funéraires.

■ **Après J.-C. Dyn. Han** (206 av.-220). Poteries grises ou rougeâtres, avec ou sans glaçures. Protoporcelaines. Grand développement des statuettes funéraires *(mingqi)* et des statues de guerriers grandeur nature en terre cuite [tombe de Qin Shi huangdji, empereur fondateur de la Chine (221-210 av. J.-C.)]. **Six Dyn.** (220-589). Statuettes funéraires peintes ou non. Grès de *Yue* (gris-vert). **Dyn. Sui** *(Soue)* (589-618). 1res porcelaines blanches. **Dyn. Tang** (618-907). Poteries à glaçures minces, dont « 3 couleurs » *(sancai).* Statuettes funéraires *(mingqi),* personnages, chevaux, chameaux, etc., avec ou sans glaçures, 20 cm de base × 40 cm de haut, très rarement 70 × 86. Proto-céladons de *Yue.* Porcelaines blanches. 1ers grès noirs. **Dyn. Song** (960-1279). Porcelaines et grès monochromes : blancs *Ting* et bleutées *qingbai ;* céladons (baptisés ainsi au XVIIe s. du nom du berger Céladon, héros de l'Astrée, roman d'H. d'Urfé, qui portait des rubans verts) de *Longquan ;* striées de craquelures très apparentes (du gris-vert au bleu-vert) *guan ;* bleu lavande ou gris sale avec taches pourpres (dites clair de lune en Europe) *jun ;* noirs *jian* et du *Henan ;* grès peints ou gravés *ci.* 1ers émaux de petit feu. **Dyn. Yuan** (1279-1368). Apparition du bleu de cobalt et du rouge de cuivre (très rare et ébréché). 1ers « bleu et blanc ». Céladons. **Dyn. Ming** (1368-1644). Bleu et blanc. Rouge et blanc. Glaçures « trois couleurs » (bleu foncé, turquoise, aubergine, ou vert, jaune, aubergine). Émaux « deux couleurs ». « Cinq couleurs ». Rouge et vert. Monochromes, etc. Apparition des marques de règne. Décor cloisonné, ou ajouré. **Dyn. Qing** *(Ts'ing)* (1644-1911). 3 règnes importants : *Kangxi (K'ang-hi)* (1662-1723). « Famille verte ». Biscuits (« f. noire » et « jaune »). Bleu et blanc. Monochromes : verts, rouges (« sang de bœuf », « peau de pêche »), bleu « fouetté », noir « miroir », etc. « Blancs de Chine ». Décor classique uni. *Yongzheng (Yong-tcheng)* (1723-36). Apparition d'un rose mêlé de rouge. « Coquille d'œuf », etc. Copies de pièces Song. *Qianlong (K'ien-long)* (1736-96). « Famille rose ». Décors « mille fleurs », « graviata », etc. Imitation de bronze, bois, jade... [apparu sous le règne de Jiaqing (1796-1820), école française Pin Tin].

Porcelaine « Compagnie des Indes » (en anglais : China Export) (XVIIe-XIXe). Fabriquée sur commande de marchands d'Europe, d'Amérique, du Proche et Moyen-Orient ou du Japon, et importée par les vaisseaux des différentes Cies des Indes. De 1700 à 1791, 10 millions de pièces de porcelaine de Chine ont été importées en France. Émaux polychromes de la famille rose, camaïeux bleus ou rose violine, décors en grisaille dits à l'encre de Chine rehaussée d'or (dès 1720 ; très recherché).

Nota. – Des modèles occidentaux copiant la Chine se trouvèrent à leur tour copiés par elle. Ex. : faïences de Rouen à décor chinois sur forme européenne, copiées par la Chine. « Dame au parasol », décor chinois traditionnel bleu du XVIIe s., redessiné au XVIIIe par un peintre hollandais, Cornelis Pronk, puis réorientalisé sur ses dessins par les artistes chinois. Les décors « semis de fleurs roses » (Saxe) inspirèrent le rose aux Chinois, début XVIIIe s. (commandes des Européens).

■ COURS EN MILLIERS DE FRANCS

Poteries. Époque Chang : vase *gui* 820 (1981), pot à vin *yu* 800 (1980). **Han :** mingqi 3 à 300, animaux 12,6 à 49,8, jarre 21,3 (1988). **Wei-Sui :** chevaux 5 à 80. **Tang** (beaucoup de faux) : femme 2 à 2 928 (1988), homme 3 à 60, cheval avec glaçure 95 à 1 294 (1983), sans gl. 13 à 228 ; modèles « 3 couleurs » : assiette 220, amphore 1 700 (1983), pot 20,8 à 339, jarre 200 à 3 600 (1983), tripode 700 (1982), gourdes à glaçures sancai, 6 050 (1984), chameau 16,1 à 1 300 (1990). **Song :** pot en grès 3,4 à 209 (1978), vase tripode 1 110 (1982), *jianyao* 2 420 ; pot tripode 90 à 250 ; bol à thé 12,3 à 32,2. **Yuan :** jarre 120 et +, à vin 3 000 (1982), pots 5,6 à 29,8, statuette 15,2. **Liao :** bouteille 39,9 (1987). **Jin :** jarre 18,3.

Porcelaines. Tang : 200 à 800. **Song** (la plus cotée, surtout les céladons) : gourde céladon 460, vase 160 à 2 000 (1972), coupe 2 270 et 3 942 (22-11-80, vente Chow), plat céladon 160, bouteille *guanyao* (fabrique impériale) 1 248 (1970) ; suivant les centres : *Kiun :* 20 à 350, *Ting :* assiettes 10, bol 427 (1975), *Long-Ts'iuan:* 261 (1974), *T'seu* (décor peint) : 3 à 15. **Yuan:** jarre 10, potiche except. 6 378 (1988), gourde 2 500, plat except. 6 090 (1988), vase 407. **Ming** (XIVe et XVe) : bleu et blanc surtout connues par des copies Yongzheng ; vase 10 à 12 593 (1988), coupe 16 à 4 000, bol 20 à 400, plat except. 4 790 (1988). *Xuande* plat à sauce 1 946 (1426-35), gourde 23 à 814, bol à thé 370, jarre 20 à 6 400 ; bassin 17 000 (1989), chandelier 1 789 (1989) ; bol 3 460 (1980), *Chenghua* coupe 3 927. **Jiajing** (XIVe) : vase 68 à 11 301 (N.Y. 1985), plat impérial 160, brûle-parfum 88, bol 132,4. **Qing** (XVIIIe s.) : *Kangxi :* coupes à eau (« peau de pêche ») 2 à 250, à vin 371, biscuits turquoise 2 à 12, porcelaines (« blancs de Chine ») 1 à 89, plat 15 à 24, potiches (paire) 14 à 43, vase 8,3 à 10, paire 40 à 55, bouteille décor rouge et blanc 2 900 (1980), perroquets (paire) 5 à 60, garniture de cheminée 13 à 140, coupes à vin (paire) 21,3, bol lotus 36 (1987). **Yongzheng :** 3 à 10, bol 230 (1981), vase « famille rose » 6 caractères 75 à 360. **Qianlong** (1736-95) : 1 à 150, pièces de métal émaillé 12 à 20, aiguières 76 à 120, terrine 6 à 35 [paire 500 (1973)], vase 4 à 440, except. vase impérial « famille rose » (paire) 5 003 (1985), *guan* 19 (1981), plat 10,5, statuettes (paire) 333. **XIXe s. :** assiette à partir de 0,1, potiches montées en lampe, vases polychromes ou cloisonnés 4 à 10, jardinière polychrome 35. Grès de Shiwan de 1,1 à 7,5.

Porcelaines serties de bronze. Les montures françaises des XVIIe et XVIIIe s. représentent 60 à 80 % de leur valeur (authenticité parfois difficile à reconnaître ; signes : dessin plus systématique, partie intérieure plus lisse, dorure englobant le dessous de la base, présence de vis de montage).

ÉMAUX

Émaux cloisonnés. Du XIVe au XIXe s. Au XVe s. : décor aéré, fonds nus turquoise clair, pièces petites. Au XVIe s. : fonds à petites spirales, couleurs « mélangées ». Au XVIIIe s. : grandes pièces, fonds ternes, apparition du rose.

Émaux peints. XVIIIe et XIXe s. Couleurs de « famille rose » posées sur cuivre ou sur or. Beaucoup fabriqués à Canton pour exporter vers l'Europe (dit *« émail de Canton »).* Cours de 10 000 à 500 000 F.

ESTAMPES

A partir de l'invention de l'imprimerie xylographique à l'époque Tang, elles servent à illustrer les livres. La plus ancienne estampe conservée est de

868. *A l'époque Ming,* devant la multiplication des livres et des estampes, s'instaure la division du travail. L'illustration originale est fournie par un peintre, le graveur la transpose ensuite sur sa planche. Ouvrage le plus connu : Jin Ping Mei.

A partir du XVIIe s., livres d'estampes en couleurs reproduisant les chefs-d'œuvre de la peinture. *Publications les plus connues :* Recueils du studio des 10 bambous (1644) de Hou Tcheng-Hen, Fastes pour l'anniversaire de l'empereur (1713), Jardin du grain de moutarde (1701).

Peinture

■ **Généralités.** Considérée par les Chinois comme le seul art véritablement intellectuel. *Caractéristiques :* jamais de peinture à l'huile, pas de perspective suivant le critère occidental, pas d'étude du corps humain, peinture toujours exécutée en intérieur, grande virtuosité dans le maniement délicat du pinceau, jamais de cadre, le tableau peut s'enrouler verticalement ou de droite à gauche ou de haut en bas : 1°) kakémono roulé en hauteur, 2°) makimono en largeur ; c'est un paysage qui se déroule (jamais statique).

Nota. – La calligraphie a influencé les arts chinois, particulièrement la peinture : l'art du lavis monochrome cherchait davantage à écrire le signe des choses qu'à en décrire les apparences.

■ **Écoles et peintres principaux. Primitifs :** Gu Kaizhi (n. vers 345). *École T'ang.* Wu Daozi (né vers 680), fresques. Wang Wei (699-759), lavis. **Age d'or du paysage** (Xe-XIIe s.) : King Hao (actif vers 900-60). Houan Tong. Dong Yuan (2e moitié du Xe s.). Juran (milieu du Xe s.). Xu Daoning (XIe s.). Guo Xi (XIe s.). Li T'ang (1050-1130). Mi Fu (1051-1107). **Peintres animaliers académiques :** Huizong (empereur de 1101 à 1125). Li Di (1100-97). **Peinture zen :** Muqi (actif vers 1200-50). **Lyrisme :** Ma Yuan (actif vers 1190-1224). Xia Gui (actif vers 1180-1230).

Époque Yuan : Qian Xuan (1235-90). Gao Kegong (1248-1310). Huang Gongwang (1269-1354). Wang Meng († 1385). Wu Zhen (1280-1354). Ni Zan (1301-73). Zhao Mengfu (1254-1322). **Étude des Anciens :** Dai Jin (actif 1430-55) : Shen Zhou (1427-1509). Tang Yin (1470-1523). **Orthodoxes :** Dong Qichang (1555-1636). Wang Shimin (1592-1680). Wang Jian (1592-1677). Wang Hui (1632-1717). Wang Yuanqi (1642-1715). **Individualistes :** Xu Wei (1529-93). Bada Shanren (1625-1705). Jin Nong (1687-1764). Li Shan (1re moitié XVIIIe s.).

Temps modernes : Xu Gu (1824-96). Ren Bonian (1840-96). Huang Binhong (1863-1955). Qi Baishi (1863-1957).

■ **Cours en milliers de francs. XVe-XVIIe s.** Wang Shimin 280. **XVIIe et XVIIIe s.** scènes taoïstes 1 à 20. Yuan Ji, paysage 24 à 792. **XIXe s.** ancêtres, sujets féminins, intimistes, 1 à 50.

Pierres dures

■ **Jade.** Vient de l'espagnol « piedra de ijada » (pierre des reins) car, selon la tradition, les statuettes mexicaines en jade guérissaient les maux de reins. Les Chinois ne disposèrent que de *jade-néphrite* (venant du Turkestan chinois) à partir de 7000-1600 av. J.-C. jusqu'à l'importation de *jade-jadéite* (plus dur et plus rare) de Birmanie, au XVIIIe s. Armes et objets rituels puis dragons et créatures mythiques.

Plusieurs associés acquéraient un bloc de jade et le confiaient à un sculpteur ; à mesure que le travail avançait, et selon les espoirs en la qualité du jade ou les défauts cachés de la pierre qui étaient mis au jour, la valeur des parts de l'association augmentait ou diminuait. De nos jours, il faut encore souvent plus d'un an pour sculpter un bloc de jade.

La *néphrite,* réduite en poudre, fut utilisée comme médicament en Chine (réputée donner l'immortalité), ou placée dans les tombes pour empêcher la putréfaction, puis en Europe, sous le nom de *lapis nephreticus.* Diverses pierres ornementales vertes peuvent rappeler le jade (serpentine, californite, grossulaire massif, chlorite massive, calcite, etc.). La *serpentine* vaut 5 à 8 fois moins cher que le jade. On peut faire vérifier les pierres au Service public du contrôle des diamants, perles et pierres précieuses de la Chambre de commerce, à Paris.

Éléments du prix. En France (par ordre décroissant) : jade vert émeraude dit vert impérial, blanc dit gras de mouton, vert de mer, pi-yu (vert foncé). En Angleterre, le jade « gras de mouton » prime. Authenticité, qualité de la taille, qualité de la pierre (pièces récentes), aspect onctueux ; sonorité.

■ **Cours en milliers de francs. Période des Royaumes combattants** (475-221 av. J.-C.) : boucle de ceinture 3 000 (record, 1983). **XIIe-XIIIe s. av. J.-C. :** disque rituel 65 000. Petite coupe 157 (1990). **XVIIIe s. :** coupe 18, boucle de ceinture blanc céladonné 3, plaque sonore 22, groupe 4, coupe 66, bol 7,3 à 200, vase céladonné 65, flacons à tabac 1,2 à 19,3. *Qianlong* 410, bols (paire) 145,7, pots à pinceaux 24,2 à 257,1, 4 panneaux en jade impérial (61,6-34,3 cm) 588. **XIXe s. :** statuette 2 à 220, vase couvert 8 à 50, brûle-parfum 208,5 (1990).

■ **Autres pierres. Quartz rose :** sans taches blanchâtres : moitié prix des jades modernes : 1 à 12. **Coraux :** 180 à 300 et + selon dimensions (les coraux sculptés au Japon valent 3 fois moins cher). **Malachite :** déesse du printemps 20. **Turquoise :** peu de veines noires, vase (haut. 10 cm) : à partir de 18. **Spath-fluor :** peu de veines, statuettes et vases couverts : 10 à 30.

Sculpture

Époques. 1res sculptures animales à l'époque Shang. S'épanouit au début de notre ère dans l'art funéraire, puis entre le IVe et le Xe s. sous l'égide du bouddhisme. A partir du XIIIe s. : épuisement de l'inspiration religieuse, alourdissement du style.

Cours en milliers de francs. Statues pour la plupart *Song* (960-1279), *Yuan* (1280-1368) et *Ming* (1368-1644). Sujet classique : Guanyin, divinité protectrice bouddhique 10 à 650 (1986).

Beaucoup de faux (surtout s'ils ont moins de 80 cm et sont dans un bois léger).

Divers

Bronze. Bronzes archaïques, objets rituels, ont peu évolué jusqu'au XIIIe s. Après, vases, animaux, cerfs et biches grandeur nature, cloche, porte-bougie, bouddhas. *Pièces moyennes :* 5 à 50 ; *exceptionnelles* 400 à 17 920 (1988).

Ivoires. XIIIe-XIVe s. : Kouan-Yin 154 (1979). **XVIIe s. :** philosophe 7 à 10. **Ming :** Budai 10 à 20, plaque 160, coupe libatoire 16. **XVIIIe s. :** 4 à 70. **XIXe s. :** défense 30 à 150 (40 à 70 cm env.), colonnes sculptées 50.

Meubles. Époque Han : boîte laque avec masques en bronze et jade (fin Royaume Combattant) 405 (1992). **Époque Tang :** miroir bronze 2 à 15. **XVIe s.,** en bois de *hua-li* 2 chaises cannées 163 (1981), coffre 125, paire d'armoires 154 (1987). **XVIIe et XVIIIe s. :** tables basses 5 à 184, hautes et étroites (t. d'offrande) 10 à 95 (1987) ; hautes et carrées, sellettes 1 à 8 ; d'étude jusqu'à 354 ; armoires 3 à 600 (paire, 1983), coffres et cabinets 2 à 29, sièges 2 à 14, fauteuils (paire) 400. **XIXe et début XXe s. :** armoire basse ornée d'émaux de Canton 20, lit de fumeur d'opium 6, buffet 20, nécessaire de voyage 9,2 à 11,8.

Paravents. Laque de Coromandel XVIIe s. : 30 à 300 ; XVIIIe s. : 30 à 160 ; XIXe s. : 10 à 30.

Art égyptien

☞ Époques. Voir Égypte à l'Index.

■ **Cours en milliers de francs. Amulettes :** de collier 0,3 à 2. **Barque funéraire :** 150 à 500. **Cercueil anthropoïde** (fin VIIIe s.-déb. VIe s. av. J.-C.) 240 (1992). **Chaouabtis** [ou *oushebtis* de *ousheb :* répondre ; figurines de 5 à 20 cm, chargées d'exécuter dans les tombes les travaux quotidiens à la place des morts : en bois de *perséa (shaouab),* XVIIe dynastie, en offrande à Osiris, dieu des Morts, puis en faïence, terre cuite ou céramique (*fritte émaillée :* mélange de sable et avec un peu d'argile pour obtenir une cuisson) à couverte bleu-vert pâle à bleu foncé intense ; à Thèbes, artisans créateurs du bleu dit de *« Deir el Bahari »* (*oushebtis* les plus recherchés), obtenu avec quelques grammes d'oxyde de cuivre]. Nouvel Empire 5 à 70. **Couronne :** avec cornes de bélier ptolémaïque (haut. 35 cm) 20. **Ibis :** argent, bois doré (ép. ptolémaïque) 500. **Lampes :** *à huile* terre cuite 0,3 à 0,4. **Masques :** *de sarcophage* (bois stuqués et peints) 2 à 80 ; *funéraire* (IIe s.) 39 ; copies stuc 60 à 400 ; portraits de Fayoum 30 à 100 ; en granit noir (1500 avant J.-C.) 850. **Poisson en bronze :** oxyrhynque 7 à 10. **Reliefs :** 8 à 300. **Sarcophage** (époque ptolémaïque) 215 (1992). **Statues en pierre :** de Merenptah, granit (3000 av. J.-C.) 2 500 (except., 1983), de la fille d'Aménophis III 2 300 ivoire (1567-1530 av. J.-C.) 3 108 ; **en calcaire** (3000-1500 av. J.-C.) : homme et femme debout (56 cm) 300 (1978), homme 2 982 (1980) ; *Buste* dame (quartzite jaune) ép. saïte 720 (1987) ; de pharaon (diorite grise) ép. XIIe dynastie 520 (1992) ; *Tête de prêtre* (diorite) XXXe dynastie 939,7 (1987) ; **en bronze :** 13 à 90, Isis tenant l'enfant Horus 11 à 240, chat (20 cm) époque saïte 19 à 450 (1980), Amon (44,5 cm) ép. saïte 500 (1985), Horus (faucon bronze, 21 cm) 145 (1981). *Osiris* 27 cm 23, except. *Ouadjet* ou *Mahes* (à tête de lionne, ép. libyenne, 61 cm) 1 050 (1984). **Vase** canope (v. à viscères) albâtre 13 à 150. **Petites pièces :** 0,5 à 1.

Art islamique et du Moyen-Orient

Généralités

Période (art islamique). VIIe au XIXe s. : Golfe du Bengale, Proche-Orient (de La Mecque à Damas, du Caire à Bagdad), Turquie ottomane, Empire iranien et Inde islamisée.

Caractéristiques. Poteries de Nichapour, à glaçures, faïence d'Isnik, cuivre ou bronze (plateaux, bassins, aiguières, chandeliers), gravés, ciselés, niellés ou damasquinés, avec souvent une dédicace aux Pces pour lesquels ils ont été exécutés, parfois noms et signatures des artisans ; décors animaliers, de fleurs ou calligraphies (art très apprécié).

Cours (en milliers de F)

Inde. XVIIIe s. : ép. moghole, hookah en verre à décor doré 134,9 (1984).

Irak. Coupe en céramique abbasside (IXe-Xe s.) + de 20, cylindre, lapis lazuli (fin pér. archaïque sumérienne) 500 (1992). Statuette sumérienne 950, except. 1 900.

Iran. Civilisation Amlash (IIe-Ier millénaire av. J.-C.) : bronze : pendentif 4, statuette féminine 3 à 8, masculine 90, petite chaise 13, support à décor de mouflons 350. **VIIIe-VIIe av. J.-C. :** *Louristan* mors 49 à 90, tête d'épingle en bronze 115 ; idole, Louristan 118 (1984). **Art sassanide** (apogée VIe apr. J.-C.) : attelage de 4 chevaux (28 cm) 220, support 2 panneaux (diam. 33 cm) 340, aiguière argent 38, brûle-parfums bronze 370, épée à fourreau d'or 250, vase argent 260, coupelle argent 50, buste royal bronze 430. **VIIIe s. :** aiguière bronze (Khorassan) 126,4. **IXe-Xe s. :** coupes (barbotine) 9 à 50, brûle-encens 1,8, bols 4 à 15. **Xe-XIe s. :** aiguière bronze (Khorassan) 5,6, seau bronze gravé 16,3, lampe à huile 12,3. **XIIe s. :** *céramique :* carreau 94, plat 150 ; *cuivre :* brûle-parfums (perdrix) 40, chandelier 337, cruche 346 (1987), *verre soufflé* bouteille 14. **XIIIe s. :** pichet, bol 50, except. 380, aiguière argent et cuivre 950, cruche 5 à 310, coupe 6 à 22. **XIVe s. :** bassin 10. **XVIe s. :** pichet avec couvercle 213, chandelier « Chamdan » 51. **XVIIe s. :** sébille de derviche 28. **Art kadjar** (1780-1925) : *Plumier* (laque) XVIIIe s. 62 (1992) ; 1804, signé d'Ismaïl 200 (1978). *Œuf d'autruche* sur trépied (narguileh) 20 (1979). Aiguière âftâbe 46. Langoustes argent articulé (paire) fin XIXe s. 33,5 (1992).

Népal. Art Sewar (XVIIe s.) : Ekajata (Tara bleue), sculpt. bronze 24 ; shiva en bois de tek 9.

Syrie. VIIe-IXe s. : flacon (verre soufflé) 4. **XIIe s. :** grand plat Lakabi 25, bol 20. **XIIIe-XIVe s. :** gobelet émaillé 7, calice verre émaillé 500 (1992), plateau ayyoubide cuivre 500 (1992). **XIVe-XVe s.** (Mamelouks) : boîte 30, bassin 32, bol 70, lampe de mosquée 2 150 (record mondial, 1991). **XVIe s. :** carreaux céramique 5 à 8 (paire). **XIXe s. :** vasque cuivre 50, Kursi orné de textes religieux, 144,4. **XXe s. :** chandelier cuivre 20.

Tibet. XVIe s. : Ushuisha, tête de Bouddha bronze Aynthia 100 (1992). **XVIIe s. :** Aynthaya, buste de Bouddha paré en abhaya-mudra 65 (1992). **XVIIIe s. :** Usshishavijaya, sculpt. bronze doré au mercure 29.

Turquie. 1er apr. J.-C. Flacon camée (h. 7 cm) 3 664,4 (1985). **XIIIe s. :** panneau céramique, seldjoukide 155,5 (1984). **XVIe s. :** paire de carreaux 52, panneau 600, à 8 car. 62, plat 23 à 604, boucle de ceinture ivoire 74, faïence d'Isnik [ex-Nicée ; v. 1525 à 1714 ; bleue, verte, rouge (oxyde de fer associé au quartz)], plat v. 1570 (décor *chintamani* dit lèvres de Bouddha) 1 271 (1990), assiette 300 à 1 070. **XVIe-XVIIe s. :** assiette (céramique Isnik) 580 (1991) ; plat 4 à 10, aiguière 51,4, chandelier (laiton) 14,6, coupe en tombak (cuivre doré) 215 (1992), plat (céramique Isnik) 1 271 (1990), ornement sphérique 1 055, pichet 302. **XVIIIe s. :** carreaux céramique Isnik 1 à 25, broderie Bohça 85 (1985), aiguière et bassin tombak except. 1 034 (1989), 8 tasses à charhat 500 (1985). **XIXe s. :** aiguière 7 à 387 (1984), narguileh 60 à 80, lampe de verre 63,7 (1988), chandelier bronze à incrustations 300 (1990).

ART JAPONAIS

☞ **Époques.** Voir Japon à l'Index.

CÉRAMIQUE

FAÏENCE ET GRÈS

■ **Époques. IIIe-VIe s.** Poterie rouge *(hagi),* grise cuite *(sueki)* pour les tombes. Statuettes funéraires en poterie rouge *(haniwa).* **VIe-VIIIe s.** *Hagi* et *sueki.* Poterie à vernis plombifères 3 couleurs *(san sai).* **IXe-XIe s.** Les sueki deviennent des poteries d'usage. Certains sont revêtus d'une couverte à base de cendre et destinés à l'aristocratie de cour (*sanage* près de Nagoya). **XIIe-XIIIe s.** Grès des 6 fours anciens : Seto, Tokoname près de Nagoya, Shigaraki, Bizen, Echizen (région de Fukui), Tamba : jarres à grains et à saké. **XIVe-XVe s.** Influence chinoise, vases et chandeliers pour le culte bouddhique avec couverte à base de cendres imitant le céladon, décor gravé ou estampé *(ko-seto).* **XVe-XVIe s.** Développement des grès pour la cérémonie du thé. *Seto :* imitation des Temmoku chinois (seto guro ou noir). A Bizen grès rougeâtres pour l'eau chaude du thé : *Mitzusashi.* **Fin XVIe-XVIIe s.** Les types précédents. Dans la région de Minō, près de Kujiri, création des *ki-seto* (jaune rehaussé de taches vertes), des *shinô* à décor peint en brun sous couverte blanche, grise ou rougie par la flamme, et des *oribe* (vernis vert). A Kyōto création des *raku* (bols à thé) par Shôjirô ou fabriqués par un amateur tel Kôetsu (1558-1637). Au Kyūshū, nombreux potiers coréens dans la région de Fukuola (Hizen), et à Karatsu (Prov. de Saga). **Fin XVIIe s.** Kyōto : Ninsei, jarres pour le thé et bottes à encens à décor d'émaux colorés ; Kenzan décore de brun de fer des assiettes et des plats. **XVIIIe-XIXe s.** A Kyōto, Kyô Yaki s'inspire de Ninsei. Aoki Mokubei (1761-1833), Dôhachi (1783-1855) et Eiraku (1795-1855) transposent les modèles chinois en poteries et porcelaines.

■ **Quelques définitions. Chaïre :** petit bol à couvercle en ivoire contenant le thé vert en poudre (cérémonie du thé). **Chawan :** bol à thé (cérémonie du thé). **Hachiho :** « Huit Trésors ». Décor de monnaie, livres, perles, losanges, miroirs, cornes de rhinocéros, branchages et carillons. Apparaît surtout sur les porcelaines de Kutani. **Hanaike :** récipient pour des fleurs. **Koro,** brûle-parfum. **Mizukoboshi :** récipient pour l'eau qui a servi à réchauffer et rincer le bol à thé (cérémonie du thé). **Mitzusashi :** pour l'eau froide (cérémonie du thé). **Shikunshi :** motif du pin, prunier, bambou, chrysanthème ou orchidée associés. Motif des « Quatre Amis ». **Shochikubai :** décor du pin, du prunier et du bambou associés. **Suiteki :** petite verseuse pour la préparation de l'encre. **Suzurimono :** pierre à encre. **Tsubo,** jarre avec ou sans couvercle.

PORCELAINE

■ **Époques. XVIIe s.** Premières porcelaines. Premiers bleu et blanc à Arita et Hiradō. Émaux colorés créés par Kakiemon et ses descendants. Ils sont imités par les artisans d'Arita pour la commande hollandaise, connus en Europe sous le nom d'*imari.* Création à la fin du siècle des ateliers de Nabeshima, patronnés par les daimyo de Saga. A Kutani, région de Kanazawa, création d'ateliers pour les Maeda (daimyo). Production éphémère goût chinois. **XIXe s.** Nombreux ateliers mais décadence du goût. Porcelaine pour le thé et la table. **XXe s.** Région de Seto et Arita. Potiers paysans (Honda, Tamba). Retour à la tradition populaire japonaise et coréenne avec Yanagi Sôetsu, créateur du mouvement Mingei.

■ **Grands potiers :** Hamada Chôjirô à Machiko, Kawai Kanjirô (décédé), Kaneshige Tôyô à Imbe (Bizen) (décédé), Arazawa Tôyôzô dans la région de Minô, Nakazatô à Karatsu...

■ **Pièces les plus appréciées.** Celles destinées à la cérémonie du thé. Egalement les productions contemporaines. Les porcelaines le sont moins, à l'exception des *kutani* et des *kakiemon.*

■ **Cours en milliers de francs.** *Assiette* Kakiemon 21. *Beautés* Kakiemon 19,6 à 245,5. *Bol* XIIe s. 11, *à thé :* XVIIe s., période Edo 4 à 20, Momoyama jusqu'à 40. *Broc* Kakiemon 85. *Bouteille* Imari Kinrande, polychrome, XVIIe s. 95 (1974), Kakiemon 153. *Cache-pot,* XIXe s. 4. *Chaïre* (grès) 1 à 3. *Chawan* (grès) 0,4 à 5. *Chevaux* Kakiemon, fin XVIIe s. 561 (1978). *Coupe* 420, Dai Hachi époque Genroku 1 050 (1990) (paire) XVIIe-XVIIIe s. Kakiemon 22, Kutani polychromes 1 à 8. *Jarres* Kakiemon poly. 400 (1983). *Plat* Kakiemon 26 à 120. *Potiches* XVIIIe s. (paire), poly. 15 à 40. *Théière* Kakiemon 30. *Timbale* Imari 8. Figurines 8 à 44. *Vase* 17,2 à 1 082,7 (1988). *Paire* Imari 70.

ESTAMPES

■ **Origine.** XIVe s. ; perfectionnées au XVIIe s.

■ **Technique.** Sujet dessiné sur un papier transparent, puis collé à l'envers sur une planche de bois de cerisier que le graveur incise à travers le papier.

■ **Termes. Beni-e :** coloriée à la main en 2 ou 3 couleurs, le « beni » (pourpre). **Benizuri-e :** 1res estampes imprimées en 2 ou 3 couleurs. **Harimaze :** petites estampes groupées sur une même feuille. **Hashira-e :** format très étroit, en hauteur, 50 à 70 × 10 à 15 cm. **Ishizuri :** dessin blanc sur fond noir. **Kakemono-e :** grand format en hauteur ; 60 à 80 × 25 à 30 cm. **Nishiki-e :** polychrome imprimée à l'aide d'autant de planches que de couleurs. **Sumizuri-e :** impression en noir avec une planche unique. **Surimono :** polychrome principalement XIXe s. pour commémorer une cérémonie ou envoyer des vœux. Impression soignée avec rehauts fréquents d'or, d'argent ; accompagnée de poèmes et de signatures. Petits et carrés ou très allongés. **Tany-e :** rehaussée à la main, en rouge orangé (tan) avec parfois des touches vertes et jaunes. **Uchiwa :** en forme d'éventail. **Urushi-e :** coloriée à la main avec parties lustrées imitant la laque.

■ **Principaux artistes.** Bunchô (1725-94). Eishi (1756-1829). Goyo (n.c.). Harunobu (1724-70). Hashui (n.c.). Hiroshige I (1797-1858) ; II (1826-69) et III (1843-94). Hokusai (1760-1849). Kampo (n.c.). Kiyonaga (1752-1815). Kiyonobu (1664-1729). Koryusai (1710-71). Kuniyoshi (1791-1861). Masanobu (1625-94). Moronobu (1618-94). Sharaku (vers 1790). Shigemasa (1738-1820). Shigenaga (1697-1756). Shin-sui (n.c.). Shun-ei (1762-1819). Shun-sen (n.c.). Shunsho (1726-92). Toyoharu Utagawa (1735-1814). Toyonobu (1711-85). Utagawa Toyokuni (1769-1825). Utamaro (1754-1806). Yoshida (n.c.).

■ **Cours en milliers de francs.** *Choki :* 143 à 600 (1981). *Eishi* 5 à 7. *Goyo* 70 (1987). *Hashui* 7. *Harunobu :* 1 à 140 (1973). *Hiroshige :* 3 à 116. *Hokusai :* 11 à 1 595 (1979) (la Vague et 40 vues du Fuji). *Kampo :* 5. Kiyonaga : triptyque 187 (1980). *Kunisada :* 2,7. *Kuniyoshi :* 1 à 3. *Koryusai : 5. Masanobu :* 1 à 15. *Sharaku :* 1 à 640 (1992). *Shun-ei :* 4. *Shun-sen :* 3. *Shunsho :* 3 à 105. *Toyokuni :* 7 à 20. *Toyonobu :* 2 à 253 (1974). *Utamaro :* 6 à 2 400 (1992). *Yoshida :* 13.

MASQUES

■ **Époques. IXe-XVe s.** *Gigaku,* en laque sèche (Kanshitsu, technique de la période Nara) ou en bois, d'aspect grotesque, pour danses anciennes, religieuses ou militaires. **XIIe-XIIIe s.** *Bugaku,* pourvus d'yeux de verre et mâchoire articulée, pour danses. **XIVe-XVIIIe s.** *Nô,* recouverts d'un enduit de blanc et de colle puis peints à l'eau, portés dans les drames lyriques.

■ **Cours en milliers de francs. Masques de théâtre.** *Gigaku* XIVe-XVe s. 30 à 100. *Nô* XVIIe s. 5 à 50, *féminins* 20 à 30. **M. de guerre.** *Somen,* couvrant tout le visage, en une pièce ou en 2 reliées par des crochets 20 à 50. *Mempo,* demi-masque avec nez amovible 5 à 20. *Hambo,* demi-masque sans nez 0,5 à 7.

PEINTURE

■ **Technique.** En général à l'encre de Chine ou avec des couleurs liquides, ignore clair-obscur et relief. La perspective n'apparaît qu'au XVIIIe s. L'artiste ne donne que l'indispensable pour l'évocation poétique. *Fresques* religieuses. *Kakemonos* (allongés en hauteur), *makimonos* (en largeur) qu'on regarde en les déroulant. *Paravents. Portes à glissière. Éventails.*

■ **Principaux artistes et écoles. 670-710.** Peintures murales du Hôryuji, monastère près de Nara. **VIIIe s.** Peint. bouddhiques et profanes au Shôsôin du Tôdaiji (Nara) dep. 756. **IXe-XIe s.** Peint. bouddhiques ; profanes des ateliers de la cour (lignée des Kosé). Passage des sujets à la chinoise *(kara-e)* à ceux d'inspiration japonaise *(yamato-e).* **XIIe s.** Epanouissement du *yamato-e.* Rouleaux à l'encre du *Kōzanji,* faussement attribués à Toba Sôjô, moine peintre. Portraits de Fujiwara Takanobu (1145-1206) et de son fils Nobuzane. **XIIIe-XIVe s.** Perpétuation du yamato-e, double influence chinoise : écoles *Takuma* et *Suibokuga* (lavis à l'encre de Chine), paysages. Wen Zhengming (XIVe) 1 777 (1984). **XIVe-XVIe s.** Epanouissement du *suiboku-ga* (influence des peintures Song et Yuan) : Shûbun (1re moitié du XVe s.), Oguri Sôtan (1413-81), Sesshû (1420-1506), Nôami (1397-1471), Sôami (1450-1525), Sesson (1504-89). Atelier de la cour (lignée des Tosa) perpétue le style *yamato-e,* nuages dorés et gaufrés : Mitsonobu (1430-1521), Mitsuoki (1617-91). *École Kanô* (influence chinoise des Ming) fondée par *Kanô Masanobu* (1434-1530) et son fils Motonobu (1476-1559). Kanô Eitoku (1543-90) adopte des fonds or pour ses décors de paravents et ses décors de portes à glissière. **XVIIe s.** *L'école Kanô,* école officielle jusqu'en 1868, se divise en 2 branches [Kâno Tan-nyû et ses frères vont à Edo, Kanô Sanraku (1559-1635), Sansetsu (1590-1651) restent à Kyōto]. *Décorateurs :* Kôetsu (1588-1637), Sôtatsu Kôrin (1638-1716), Hoistsu (1761-1828), Kenzan (1663-1723). **XVIIIe s.** Influence chinoise : réalisme. *École Shijô :* à Kyōto, fondée par Hanabusa Itchô (1652-1724), Maruyama Okyô (1733-95) et son disciple Goshun (1752-1811). *École ukiyo-e (peinture du monde flottant) :* peinture de genre (estampes). Influence de la peinture chinoise des lettres de l'époque Yuan et Ming : Nanga (école du Sud) ou Bunjinga (école des lettrés individualistes) : Talga (1723-76), Yosa Buson (1716-83), Gyokudô (1745-1821), Aoki Mokubei (1767-1883), Tessai (1836-1924). **XIXe-XXe s.** A partir de 1850, prépondérance de l'influence occidentale. Retour au *yamato-e.*

■ **Cours en milliers de francs. XIXe s. :** Shibata Zeshin 188 (1980). Toshusai Sharaku 240 (1980). Hokusaï 750 (1989).

SCULPTURE

■ **Époques. VIIe s.** Influence coréenne, nombreuses statuettes en bronze doré. Grande statuaire en bois de camphrier. **VIIIe s.** Influence chinoise T'ang. Grand Bouddha du Todai-ji de Nara. Laque sec et terre (décor polychrome) dans les monastères (Nara). **IXe-Xe s.** grande statuaire en bois (torse taillé d'un seul tenant, draperies, plusieurs bras et têtes). **XIe s.** Bois laqué, doré, en plusieurs morceaux assemblés. Constitution d'ateliers. **XIIe s.** Aspect précieux. Multiplication des images. **XIIIe s.** Retour au style du VIIIe s. influencé par la Chine des Song : Unkei. Réalisme. **XIVe-XVe s.** Portraits de moines zen assis dans de hautes chaires. **XVIe-XVIIe s.** Sculpture décorative dans les monastères et les résidences (décor ajouré peint et doré), se perpétue sous les Tokugawa (mausolée Niklo). **XVIIIe-XIXe s.** Nombreux *netsuké* en buis, ivoire, sculptures expressives zen *(Enku).* Bouddhas.

Nota. – La pierre a été très peu travaillée. **XIIe-XIIIe s. :** on trouve de grandes images gravées sur des pans de collines.

DIVERS

(COURS EN MILLIERS DE F)

Armures. XVIIIe s. 85. **XIXe s.** 25 à 323 (1991) ; miniature laque d'or un *tanto* (petit poignard) et 3 *tachi* (sabres d'apparat) 40 à 82.

Boîtes (hako ou bako). Laque. *Kobako :* usages variés. *Kogo :* à encens. *Suzuribako :* écritoire, contenait la pierre (suzuri) pour réduire en poudre le bâton d'encre solide, un récipient pour l'eau qui servait à la délayer, des emplacements pour l'encre et pour les pinceaux. *Prix :* 4,4 à 3 500 (de Kœtsu, record 1990).

Casques (kabuto). En fer ou fer laqué, rarement en cuir. Calotte composée de 6, 8, 12 jusqu'à 20 lamelles triangulaires rivetées entre elles, 3 formes : *bacchi* (bombe du casque), bol formé de 3 lamelles minimum ; *san-mai ; suji bacchi :* lamelles garnies de clous saillants. Autres casques en fer repoussé : *eboshi :* haute coiffure portée à partir du XVIIe s. par les nobles ; *momonari :* ressemble à un morion (arrière tourné vers l'avant). *Prix :* 6,5 à 100.

Fuchi-Kashira. Pommeaux et bagues de poignée.

Émaux. *Cloisonnés :* principalement XVIIIe et XIXe s. Employés surtout pour gardes de sabre, souvent avec émaux translucides gravés. Fin XIXe s., imitation des cl. chinois, à Kyōto, souvent signés.

Inrôs (*« in »* cachet, *« rô »* boîte) (souvent en bois « honoki » recouverts de laque à décor et souvent incrustés). Étuis portatifs en laque (5 à 7 cm sur 10 à 12 cm). Apparaissent fin XVIe s. jusqu'en 1850. Contenaient au début le cachet (sceau) que les hauts dignitaires devaient avoir à portée de la main, suspendu à la ceinture du kimono par un cordon de soie, puis des herbes médicinales. Ils comprennent 2 ou plusieurs compartiments qui s'emboîtent. Certains demandent 8 à 10 ans de travail [séchage entre chaque couche (jusqu'à 30 pour les plus beaux)].

Éléments du prix : qualité et couleur de la laque, du décor (surtout animaux, puis paysages et personnages) ; *composition* (large et aérée de préférence aux scènes confuses et surchargées de détails) ; *état de conservation* (primordial). *Artistes :* Hon-a-mi

Kâyetsu (1558-1637), O-gata Kô-rin (1661-1716), Koshida, Kenzan, Yoyusai († 1846), Shiomi, Masanari (1647-1738), Shibata, Zeshin (1807-91), dynasties Kajikawa, Koma, Shibayama (nombreux faux). *Exemples de prix :* XVIIe s. : 2 à 3. XVIIIe et XIXe s. : 2 à 1 500 (de Ritsuo, Londres, 1990).

Ivoires. Statuette 2 à 224.

Kimonos. Les plus anciens datent du XVe s. Récents (1800-1950). *Prix :* 1 à 3.

Kodansus. Cabinets miniatures à tiroirs. XIXe s. *Prix :* 20 à 257.

Kosukas. Manches de petits couteaux portés le long du fourreau du sabre (utilisés pour manger, découper du papier...). *Prix :* 0,2 à 28.

Netsukes (prononcer *netské* « racine qui fixe ») (haut. 2 à 10 cm, moy. 5 à 6 cm, épaisseur 2 à 3 cm). Leur costume traditionnel ne comportant pas de poches, les Nippons des classes élevées suspendaient à leur ceinture différents objets, tabatières, inrôs, à l'aide de cordonnets de soie terminés par les netsukes, qui servaient de boutons d'arrêt. Usage répandu au XVIIe s., apogée entre 1750 et 1800 ; en bois, buis, *kinoki :* sorte de cyprès, santal, *édine,* cerisier, mais aussi, moins fréquemment : laque sur *kinoki* ou bambou, corail noir, *umoregi :* matière fossile végétale, corne de cerf ; plus modernes : jade ou pierre dure, métal. **1er type** (les plus appréciés) : *katabori :* sculptures en ronde-bosse, comportant généralement un *himotoshi :* trou pour passer la cordelette, sinon c'est un *okimono :* ornement d'alcôve sans valeur. Certains sont compacts ou très allongés et étroits *(sashi). Katabori les plus appréciés :* dieux et démons shintoïstes ou taoïstes, sages bouddhistes, animaux, hollandais, puis fruits et légumes ; qualité de la sculpture ; *époque* (surtout XVIIe et XVIIIe) ; *signature* [env. 3 000 signatures dont quelques dizaines renommées : ex. Tomotada (XVIIIe s.), Masanao, Okatomo Okatori, Hogen, Rantei, Kuraigyoku Masatsugu, Ikkwan, Kano Tomokazu, Osaki Kokusai, Oshimura. Shuzan (fin XVIIe) n'a rien signé et beaucoup de netsukes portent une signature apocryphe] ; *matière* (en G.-B. l'ivoire est plus apprécié que le bois). **2e type :** *manju,* le plus souvent circulaire, diam. 4 à 6 cm, généralement en ivoire, sculptés en bas-relief et gravés sur l'autre face. **3e type :** *kagamibuta :* souvent ronds, creusés d'une coupelle (ivoire ou corne), à bord légèrement incurvé contenant un disque ou métal (fait par les fabricants de *tsuba :* gardes de sabres). **4e type :** *netsukes-masques :* ivoire, bois parfois laqué, peuvent être des copies en réduction de ceux des acteurs du *Nô,* des danseurs de *bugaku* ou de *gigaku,* ou des représentations de démons.

Prix : manju 4 à 15, *kagamibuta* masques 2 à 12,3, *katabori* 4 à 190 ; *records :* cheval ivoire Okatomo 243 (1981), de Masatsugu 377 (1981), de Gechu fin XVIIIe, petite chimère 1 090 (1987), de Tomotada, cheval XVIIIe s. 1 520 (1990).

Paravents. *Matériau :* papier ; *fond :* le plus souvent en or ; *composition :* hauteur 1,20 à 1,50 m, largeur 2 à 8 feuilles 60 à 70 cm ; *dessin :* le plus souvent à « pleine surface » large 5 à 6 m. Plus ancien : IXe s.

Prix : fin XVIe-début XVIIe s., pièces de collection 30 à 1 980 (1982) ; XVIIe s. 27 à 190 ; XVIIIe-XIXe s. 3 à 950 (1991) ; fin XIXe s. 23 à 60.

Sabres. Les plus anciens (lame droite à double tranchant) sont antérieurs à 756. La lame est courbe depuis 900. *Époques Héian* (794-1185) : fin et peu adapté au combat ; *Kamakura* (1185-1335) : plus trapu, pointe plus longue (*tachi,* porté suspendu à 2 bélières) ; *Muromachi* (1392-1598) : période de guerres perpétuelles, par manque de chevaux, le samouraï combat à pied et raccourcit son sabre (*katana* porté sur la face droite et *wakizashi,* passé dans la ceinture, le tranchant tourné vers le ciel) pour le glisser dans la ceinture ; *Edo* (1596-1868), périodes Shintō et Shinshintō : paix relative, montures richement ornées. Le port des sabres et armures a été interdit en 1873. *Prix des lames :* 0,5 à 500. 2 128 *tachi* (1992).

Tabatières (rares). XVIIIe s. 30 à 120 ; XIXe s. 5 à 30.

Tsubas. Gardes de sabre amovibles, plaques arrondies ou lobées (de 7 à 10 cm), en fer à l'origine, puis en bronze, cuivre, argent percé d'un trou [t. de *tachi* (sabre long)] ou de 2 ou + [t. de *uchigatana* (sabre moyen)] où l'on enfilait le couteau (*kozuka*) et une baguette (*kogai*). Apparues dès le VIIIe s., deviennent des objets d'art au XVe s. D'abord œuvres des armuriers puis, à partir du XVIe s., de dynasties d'artisans spécialisés, parfois véritables joailliers utilisant pour les décors (fleurs, arbres, oiseaux, personnages...) des techniques très variées : ajourages, ciselures, reliefs, incrustations, dorure, etc. Sont souvent signées. Au XVIIe s. : nombreuses écoles régionales (Higo, Awa, Dewa). Il y a des gardes de sabre avec des dessins chrétiens cachés. Les tsubas disparaissent à la fin du XIXe s. avec l'interdiction du port du sabre (1873). Il resterait actuellement 5 millions de tsubas dans le monde. *Prix :* XVIe au XIXe s. 0,4 à 358 (1992) pour des tsubas d'orfèvres. Tsubas en fer ciselé ou damasquinés moins prisés.

Termes : gin (argent), *kin* (or), *kinko* (orfèvre), *kinzogan* (incrustation d'or), *mei* (signature), *shakudo* (alliage cuivre et or à patine bleu-noir), *sentukodo* (cuivre, zinc, étain), *shibuichi* (alliage métallique ressemblant à de l'argent), *sentoku* (bronze jaune), *shippo* (émail), *takazogan* (relief incrusté), *tsuchime-ji* (surface martelée), *udenuki-ana* (orifice pour passer le cordon), *yamagane* (cuivre brut).

ART OCÉANIEN

■ Caractéristiques. Objets souvent en bois ou en fibre végétale (Mélanésie), en pierre (Polynésie, Micronésie). Seuls sont authentiques les objets utilisés par les indigènes.

■ Cours en milliers de francs. **Bornéo :** poteau funéraire *Dayak* 17,5 (1991). **Cook (îles) :** petit siège 70 (1991) ; statue de Rarotonga, record 1 650 (1978) ; *ta iri* (éventail) 333. **Hawaii** (objets les + appréciés) : *ahu'ula* (vêtement polynésien) record 1 200 (1977), sculpture « stick god » 343 à 2 200, tambour 532, instruments de torture (en dents de requin) 250 à 300, colliers *(lei niho palaoa)* 4 à 12 cm 30 à 45. **Indonésie :** appuie-nuque 15, statue de village 62 (1991). **Marquises (îles) :** couronne en écaille 22 (1985), étrier d'échasses 70, manche d'éventail ivoire sculpté 75 (1985), massue 14,2 (1991), tambour 25 (1989). **Micronésie :** plats 450. **Nouvelle-Bretagne :** crâne humain surmodelé 14, boucliers 4, masque de danse 12. **Nouv.-Calédonie :** chambranle 370 (1978) ; hache ostensoir 5 à 30 ; masque 281 (1985), sculpture bois 42, statue homme kanak 500 (1991). **Nouv.-Guinée :** appuie-tête *korwar* 33 (1991) ; crochet 2 à 3, gardien de case 280 (1988), tambour 8, vrombisseur 7,5, statuettes 11 à 780 (1977), masque 3 à 420 (1988), faîtage bois sculpté 19, *tapas* 5 à 10, sculpture cérémonielle 450 (1988) ornement de flûte sacrée *Vuave* 700 (1992). **Nouv.-Irlande :** *malanggan* (sculpture bois) 18 à 1 000, proues de pirogue 5 à 60, *totok* (sculptures 1,20 m à 1,80 m plantées en terre), 25 à 90, linteaux et frises en haut-relief (0,50 à 2 m) 8 à 18, masque 15 à 45. **Nouv.-Zélande :** *tiki* (sculpture pierre) en jade (art maori) 26 à 108, boîte à trésor 7, linteau de porte maori 340, repose pied (teka) de pieu à fouir 220 (1987). **Pâques (île de) :** statuettes 3 à 195, mâle *Moaï Kavakava* 77. **Pentecôte (île de la) :** masque en bois 250 à 1 500. **Salomon (îles) :** figure de proue de pirogue 240. **Tahiti :** tabourets de chef 70 et +, *tapas* 5 à 10. **Tubuaï :** tambour de sacrifice 1 845 (record 1980). **Vanuatu :** *muyu ne bu* (pierres à cochons, sculptées en forme de tête humaine pour le commerce des cochons) 8 à 20 ; sculpture 25 à 85, plat en bois 10, *rambaramb* (mannequin funéraire du sud de Malekula) à partir de 20, assommoir rituel à porcs 7 env. **Wallis :** *tapas* 1,5 à 4.

ARMES ET ARMURES

ARMES À FEU

☞ Acquisition, détention voir le chapitre **Formalités.**

■ Catégories. Armes à mèche (fin XVe s. : arquebuse, couleuvrine...), à rouet (XVIe s.), à chenapan (fin XVIe s.), à silex (XVIIe-XVIIIe s., début XIXe), à percussion (à partir de 1825). Certaines se chargent par la bouche d'autres par la culasse. 2 catégories. Réglementaires : en usage dans les armées régulières et a. d'honneur (a. de récompense distribuées après 1796, réglementaires courantes, portant une plaque d'argent où était gravée une dédicace et l'identité du récipiendaire) : env. 2 200. Non réglementaires ou civiles (dont, à l'époque moderne, a. réglementaires en version civile et a. totalement civiles).

1er pistolet réglementaire fabriqué en série en 1713 (pistolet de cavalerie). **1er revolver dû à** Samuel Colt (1814-62), avec la mise au point du système à barillet (les r. réglementaires apparaissent en 1858). **1er brevet d'arme automatique** déposé 1888 par Clair. **1re arme à cartouche et chargement par la culasse :** Dreyse (All., 1839), Chassepot (France, 1866). Pauly (Suisse) avait proposé le système à Napoléon en 1812 qui l'avait refusé craignant le gaspillage de munitions.

■ Cours en milliers de francs. Un pistolet transformé perd 1/3 de sa valeur (les armes à pierre transformées en « armes à capsule » et à nouveau reconverties en « armes à pierre » perdent les 2/3).

XVIe s. **Pistolet** *à rouet* français (rarissime) 80 à 200, italien 40, paire gravée 820 (1986). **Arquebuses** (All., militaires) 50 à 179. **XVIIe s.** *Arquebuse à rouet :* Allemagne 23 à 69 ; Europe de l'Est (v. 1650-60), du cabinet d'armes de Louis XIII 550 (1988) ; *à mèche :* P.-Bas, Allemagne (v. 1600-20) 36 (1976) ; *à air comprimé :* Bohême 80 (1983). **Fusil** *à pierre :* signé Piraube 76 (1975), du roi Louis XIII 1 375 (1972) ; *à silex :* de Louis XIV avec 2 canons tournants 300 (1985). **Pistolet** *à rouet :* Allemagne 65 à 820 (1987), France : alsacien (signé Elias Gessler, v. 1600) 320 (1981), de Louis XIII (restauré) 182 (1979), de Louis XIV (paire) 234 (1975) ; *à silex :* France (XVIIe s.) 115 à 850, paire (signée Monlong, Londres 1690-1700, except. à 2 canons tournants, offert par L. XIV à un prince étr.) 1 242 (1984). **XVIIIe s. Bonne arme à feu** (v. 1700) 3 à 80 ; paire 25 à 300. **Fusil** *de chasse* (de Le Page 1775, ayant appartenu à Napoléon Ier) 340 (1992), de Chasteau (1765) 51 (1992). **Pistolets** (paire) 15 à 90 ; *réglementaire* (à partir de 1763) modèles *1763, 1777, an IX, an XIII :* 2,4 à 50.

XIXe s. **Armes de poing à système** (1840-1910) : *pistolet-couteau* à percussion et platine Miquelet, Espagne 5,2. Derringer 1 à 6 ; *dague-pistolet* de Dumonthier 5 ; *dolnebar* (revolver-coup-de-poing-poignard, surnommé « apache ») 3 ; *revolver clic-clac* (fixé aux jarretelles des dames) jusqu'à 5 (1992), *revolver miniature de dame* jusqu'à 12 (1992) ; *vélo-dog* (des cyclistes pour éloigner les chiens) env. 3. **Bonne arme à feu :** Ier Empire 4 à 13,5 ; Restauration 2 à 9 ; *1816, 1822 :* 4 à 30, « à capsule » modèle *1822* transformé jusqu'en 1861 : 10 à 37,5 ; *d'officier* (paire) 5 à 30, coffret de Boutet 130, Ier Empire 250 à 300 (1988) ; *à silex* 8 à 127,5 (paire) jusqu'à 280 (1984) ; *d'arçon à silex :* France (v. 1800), Vignat à Marseille 71 (1991) ; *de garde du corps du roi :* Ire Restauration 60 (1988) ; IIe Empire 3 à 45 (paire) ; *de marine* (1849) 8. **Carabine** *Winchester :* 5 à 30. *Colt* Burgess (1884) 23 ; *de chasse à silex :* de Boutet 155 (1988). **Fusil** ayant appartenu à Napoléon Ier 399 (1977) ; *à silex :* 21 ; *de chasse :* de Jérôme Bonaparte, 2 canons, 1 793 ; *d'enfant :* du roi de Rome 830 (1987) ; *d'honneur :* de Boutet 70. **Mousqueton d'honneur** de Boutet 20 à 157,2. **Revolver** *à barillet* (Devisme, 1859) 9,5. *Cassette :* pist. de duel 15 à 660 (de Boutet, 1981). **XXe s. Pistolet** 55 (Mauser de W. Churchill). **Carabine** Mauser (All. féd.) de la Wehrmacht 1. Sturmgewehr M-P 43 (fusil d'assaut) 5. Mauser courant 7. **Fusils** *de chasse* Purdey jusqu'à 370 (1992). **Armes d'Am. du Nord** (Winchester, Colt, Remington, Derringer) 3 à 30 (1988). **Borehardt** 30 à 40 (1988).

☞ **XVIe-XVIIe s.** ACCESSOIRES D'ARMES À FEU : *poires à poudre* de 0,5 à 50.

ARMES BLANCHES, DÉFENSIVES, D'HAST, DE JET

■ Éléments du prix. Ancienneté, rareté (2 200 armes réglementaires, de gardes du corps du roi et d'honneur distribuées de 1796 à 1804), état de conservation, qualité du décor, signature d'un maître fourbisseur [Nicolas Boutet (1761-1838) Manceaux], appartenance à un personnage célèbre. Les sabres de l'époque révolutionnaire ou du Ier Empire sont plus cotés que les épées.

■ Cours en milliers de F. ARMES BLANCHES : **IXe-Xe s.** *Épée viking* 16. **XIIIe s.** *Épée* 8 et +. **XIVe-XVe s.** *Épée* France (v. 1450) 45, du connétable de Montmorency 34,80. *Dague à rognons* Italie (1454) 73. **XVIe s.** jusqu'à 300. **XVIIe s.** *Épées* 2 à 360 (1983). *Dague* Italie 62. *Rapière* 42. **XVIIIe s.** *Épées* bronze ou fer ciselé 2,5 à 6,5, argent 6 à 11, incrustées d'or 12 à 20 ; *de cour* 5 à 205 (1983). *Sabre français* 3 à 234 (s. de Kellermann brandi à Valmy, le 20-9-1792, 180). *Couteaux de chasse* 3 à 13. *Kindjal turc* ciselé 21,5 (1991) **XIXe s.** *Glaive* destiné à l'un des 3 consuls 205 (1980) ; *sabres réglementaires* (Ier Empire) 5 à 297 ; *de hussard de troupe* 7 à 17 *de hussard cavalerie légère* (de Boutet) 181 (1992) ; *de tambour-major,* modèle 1822, 32 ; *de grenadier à cheval,* **Ier Empire.** 21 ; *sabre de marine* 13,5 à 61 (1992) ; *d'honneur* 50 à 60 (88) ; *d'officier* 5 à 102 (1990) ; *de luxe* (par Boutet) ; record 430 (1992). *Épées* 0,6 à 7 ; de Cambacérès, 95 (1975) ; épée avec garde en or 227 (1984) ; **Restauration.** *Épées* 2 à 15. Sabres réglementaires 3 à 25. **IIe Empire.** *Épées* 0,5 à 8,5. *Sabres* 2 à 20 ; **fin XIXe.** *Épées* d'Alphonse XIII 85. *Glaive de parement* (except.) 280.

Afrique. *Récades anciennes.* Dahomey 10 à 20, *haches en fer forgé* Gabon 10 à 20 ; *armes du Zaïre* 5 à 20. **Asie.** *Poignard* à lame courbe or et pierres précieuses 250 (1980). **Japon** (voir p. 385).

ARMES DÉFENSIVES : *Italie (v. 1575-85)* rondache 5 à 20. **Casques :** *Ier EMPIRE* cuirassier 53 à 140. *RESTAURATION* (Maison du Roi) 15 à 65,2 (1990). *IIe EMPIRE* cuirassier de la Garde 13, colonel des

Cent-Gardes 32. *1889-99* prussien 39 (1992). *1914-18* 0,2 à 0,6, cuirassier ou dragon 0,12, avec plumet 3, de général bavarois 27 (1992), d'officier des gardes du corps du Kaiser 70 (1992). **Cuirasse :** *RESTAURATION,* officier de la Garde royale (avec casque) 16, de la Garde nat. à cheval 26 (1992) ; *IIe EMPIRE,* carabinier de la Garde impériale (avec casque) 35 à 80 (1992).

ARMES D'HAST [armes en fer monté sur haute (longue hampe) et armes contondantes.] XVe, XVIe et XVIIe s : **hallebarde** 3 à 90 ; **masse d'armes** 0,6 à 6. ARMES DE JET : XVe, XVIe et XVIIe s : **arbalète** 12 à 190 ; **couteaux de jet** Gabon 5 à 20.

Armures

■ **Types.** Utilisées depuis l'Antiquité. L'armure romaine comprenait : haut-de-corps, casque et bouclier. Aux XIIIe, XIVe et XVe s., l'armure se compléta et s'alourdit ; elle disparut au XVIIe s. Les plus célèbres armuriers travaillaient alors à Milan (Italie) ; Augsbourg, Nuremberg ou Landshut (Allemagne) ; Greenwich (G.-B.) ; Tours (France). Au XVe, une armure pesait de 18 à 24 kg, au XVIIe, une demi-armure (sans les défenses des jambes) 35 kg, des armures de siège parfois plus de 50 kg.

■ **Cours en milliers de F. XVe s.** *Bassinet,* All. (v. 1400) except. 1 110 (1983). *Armure* (Tyrol) 1 200 (1983). **XVIe s.** *Armet français* 11 à 533 (1983). *Armure* 30 à 91 ; de Henri II (v. 1540-45) 22 325 (record, 1983). *Bourguignotte* allem. (v. 1570-80) 20 à 98. *Casque* morion angl. 10 et +. *Demi-armure* allem. 50, Angleterre 180 (1982). *Chanfrein de cheval ottoman* (v. 1512-20) acier gravé 650 (1992). **XVIIe s.** *Armet français* (v.1610-20) 12. *Demi-armure* allem. 34. *Armure* anglaise (1610-13), atelier de Greenwich, William Pickering pour le duc de Brunswick 4 485 (1981), record mondial. **XIXe s.** Armure de *style François Ier* 41 (1984). *maximilienne* (reproduction) 148 (1990). *(Japon)* 25 à 80 (1992).

Principales collections

Allemagne *Berlin. Dresde.* **Angleterre** *Londres :* Wallace Collection, Victoria and Albert Museum, Tour de Londres. *Windsor. Glasgow* (coll. Scott). **Autriche** *Vienne :* Neue Hofburg (Waffensammlung). **Belgique** *Bruxelles :* musée de la Porte de Hal. M. de l'Armée. **Espagne** *Madrid :* Real Armería. **États-Unis** *New York :* Metropolitan Museum. **France** *Besançon :* m. du Palais Granvelle. *Bordeaux :* m. de la Marine. *Caen :* Mémorial. *Gien :* m. de la Chasse. *Melun :* m. de la Gendarmerie. *Paris :* m. de l'Armée (Invalides) ; m. de la Marine (Chaillot) ; m. des Chasseurs alpins (château de Vincennes) ; maison de la Chasse et de la Nature (hôtel Guénégaud) m. de la Légion d'honneur ; m. de l'Air et de l'Espace (Le Bourget). *Péronne :* Historial. *Salon-de-Provence :* m. de l'Empéri. *Saumur :* m. de la Cavalerie et m. des Blindés. *Senlis :* m. de la Vénerie. *Tulle :* m. du Cloître. **Italie** *Florence* (coll. Stibert). *Naples. Rome* (coll. Odescalchi). *Turin :* Armeria Reale. **Monaco** m. napoléonien. **Suisse** *Berne :* m. historique. *Genève :* m. historique. *Zurich :* m. national. **Russie** *Moscou :* Kremlin. *St-Pétersbourg :* Ermitage.

Cartes postales

Origine

Xe s. (Chine) : 1res cartes de vœux illustrées. **1855 :** Fenner Matter aurait fait à Bâle quelques tirages en lithographie. **1869 :** 1re carte postale, à Vienne (Autriche), par Ludovic Zrenner. **1870 :** 1re carte postale française : représente le camp de Conlie, émise par la librairie Besnardeau à Sillé-le-Guillaume (Sarthe). **Éditions officielles.** *Autriche-Hongrie* (1-10-1869), *Allemagne, Luxembourg, Angleterre* (1870), *Belgique, Canada, P.-Bas et Suisse* (1871), *Russie* (1872), *France* (loi du 20-12-1872) ; parution de 2 cartes non illustrées le 15-1-1873 (la 1re est destinée à circuler à découvert en Fr. et en Algérie dans une même ville ou dans la circonscription d'un même bureau ; à droite, cadre rectangulaire avec inscription : place pour 2 timbres à 5 c.) ; on utilisa déjà pendant la g. de 1870 des c. d'ambulances ou de secours aux blessés, c. par ballon monté ou non monté, c. réponse ; *Espagne, Japon, USA* (1873), *Italie et G.-B.* (1874). **Émissions privées.** *1873 :* c. publicitaires (*ex. :* Belle Jardinière). 1877 : la loi entérina cet usage. 1881 : c. p. photographiques de Dominique Piazza adressant des vues de Marseille en Argentine. 1889 : à l'Expo. une c. de la tour Eiffel (gravée par Charles-Léon Libonis (n. 1844), 5 modèles connus, tirage initial env. 300 000, il en resterait env. 5 000) est éditée par la Sté d'exploitation de la Tour (et non par « Le Figaro », comme on l'a cru).

Quelques chiffres

Négociants en cartes. *1989 :* 565 (dont 50 en Belgique). La c. moderne est vendue en « carterie » ; elle intéresse env. 1/3 des cartophiles. *Clubs carto :* 692, bulletins 70, de négociants 2.

Collectionneurs et, entre parenthèses, **conservateurs de cartes.** All. féd.-Autriche 2 000 (30 000), Belgique 4 000 (35 000), *France* 18 000 (200 000), G.-B. 10 000 (130 000), Italie 3 000 (100 000), Scandinavie 5 000 (100 000), Suisse 500 (4 000), USA n.c. (200 000).

Le marché de la c. postale est passé en France de 250 000 F en 1974 à 50 millions de F en 1982.

Production mondiale. Plusieurs milliards (en 1905 : 450 millions de cartes furent imprimées) ; une ville moyenne de 10 000 hab. comptait env. 2 000 c. éditées avant 1918 ; 50 000 hab. : 10 000, etc.

☞ **La plus vendue :** tour Eiffel, + de 5 milliards d'exemplaires dep. 1889. **Tirage moyen :** c. p. pittoresques jusqu'à 3 000 000 ex., à message 1 000 000 ex. **Sujet le plus apprécié :** coucher de soleil sur la mer. **Comparaisons :** nombre de cartes envoyées par an : Britannique 45, Américain 32, Français 6.

Cours

■ **Éléments du prix.** Selon rareté, état, époque, lieu concerné, thème, qualité de l'illustration, plan choisi (plus il est rapproché, plus il est coté) (un coin plié diminue d'1/4 la valeur, un coin manquant lui retire les 3/4 de sa valeur). Les plus cotées : celles des grands illustrateurs ; régionales ; à thèmes précis (petits métiers, poste, naissance de l'aviation, etc.).

D'après une étude parue dans l'*Officiel international des c. postales,* dans les ventes aux enchères, sur env. 300 000 c., 40 % se vendent moins de 1 F, 38 % de 1 à 10 F, 22 % plus de 10 F ; + de 100 F 1 carte sur 140, + de 50 F 1 sur 2 000.

■ **Cotations approximatives en francs. France :** *Av. 1873 :* ambulances et croix-rouges 700 à 1 000, correspondances zones allemandes 250 à 600, c. dépêche-réponse 250 à 400, reproduction des « ballons non montés » 300 à 450 ; siège de Paris 800 à 1 000. *France officielle :* 25 à 1 900. **Étranger :** *Antérieures à 1882,* 60 à 1 400 ; *ant. à 1889,* 50 à 1 200. *1890-1920 :* des centaines de millions publiées par an (env. 20 millions sont sur le marché français en 1981-82) ; petits illustrateurs n'appartenant pas à une série ou ne se rattachant pas à une région 12 à 60, les plus recherchées 400 à 1 500 (régionales, insolites ou rares). *1920-60 :* cours variables.

Enchères records. 1981 *Freud* (c. postales à découvert) 9 500. **1982** *Toulouse-Lautrec* (Cinos) 6 125. **1983** *Life boat-Saturday* 19 800. **1985** *Kokoschka* 118 000. **1987** *Mucha* 38 000. **1990** Grilleuse de marrons à Marseille 8 000. *Kandinsky* (Bauhaus no 3) 14 000. *Schiele* (W.W.) 15 000. *Hoffmann* 15 000. *Mucha* (Jeune fille bleue) 28 000. *Klee* 30 000. **Saison 1991-92** Mucha (Wawerley Cycles, Cinos) 57 750. États-Unis (« Wrigley's pepsin gum », campagne 1900) 12 118.

Cotes de quelques artistes (1981-92). Sager (2e période) 20 à 130 ; Boileau 20 à 100 ; Fabiano 35 à 150 ; Louis Wain, chats 60 à 150 ; Orens numérotées 35 à 3 800 ; Boutet (bonnes c.p.) 25 à 3 200 ; Chéret 80 à 1 200 ; Emil Nolde 150 à 350 ; Mucha 250 à 57 750 ; Jossot, publicitaire 700 à 2 500 ; Combaz, proverbes 600 à 1 200 ; Dola jusqu'à 750 ; Rabier 35 à 500 ; Villon 1 500 à 7 000 ; Kokoschka 4 000 à 7 500 ; De Feure 800 à 6 800 ; Toulouse-Lautrec 3 500 à 7 000 ; Maria Likartz 700 à 3 000 ; Picasso 100 à 5 000 ; Signac 2 500 ; Brunelleschi 150 à 1 200 ; Steinlen 100 à 2 807 ; Laskoff 100 à 900 ; Arpad Basch 80 à 1 300 ; Hans Christiansen 600 à 2 400 ; R. Kirchner 140 à 800 ; Man Ray (USA) 310 à 600 ; Egon Schiele 500 à 15 000 ; Félix Vallotton 400 à 800 ; Privat-Livemont 1 400 à 3 000 ; Balla 300 à 700 ; Berthon 250 à 1 000 ; Cassandre 140 à 5 000 ; Eva Danniell 600 à 800 ; H. Meunier 300 à 900 ; R. Tafuri 60 à 400 except. 2 000 ; Grasset 300 à 3 000.

■ Ventes saison 1991-92

Env. 2 000 documents ont atteint ou dépassé 400 F dont (23 cartes de Mucha) 83 plus de 2 000 F dont Mucha, Wawerley Cycles (Cinos) 57 750, Allemagne, série de 189 cartes autographes de héros 21 450, USA, campagne de 1900 « Wrigley's pepsin gum » 12 118, Normandie, vannier ambulant (Ermice) 10 555, Mucha, les 4 Cinos (sans Warwervey) 9 010, Mucha, les 12 mois de l'année 8 005, Kirchner, série de 6 cp Radlerei 7 975, Toulouse-Lautrec, la Goulue au Moulin-Rouge (Cinos) 7 250, Mucha, 1re série de chez Champenois (12 cp) 6 100, USA, guerre avec Espagne (2 cp) 6 000, Depero, case d'arte futurista 5 750, Sancerre, montreur d'ours 5 005, Nazie, carte de SS 4 620, Mucha, fruit (Champenois) 4 813, Mucha, la fleur (Champenois) 4 400, Mucha, Lefèvre Utile 4 340, Marseille, tonneau du siècle (limonadier 4 000, Surréalistes, série des 21 cp 4 000, Rodez, passage des bohémiens montreurs d'ours 3 985, Mucha, série Cocorico 3 890, Boileau, série de 6 cp chez Tuck 3 850, Thoiy, les derniers ours du Jura 3 805, Koloman Moser (carte de Philipp et Kramer 3 630, Nazie, NSDAP 3 630, Le Havre, montreurs d'ours d'Octeville 3 600, Sorède, fabrique de fouets catalans (Labouche 3 540, Mucha, fleur de cerisier (Champenois) 3 438, Gavray, un rémouleur 3 420, Mucha, Bienfaisance (Champenois) 3 383, (1889) (CH Koster) 3 375, Mucha, autographe sur carte postale 3 300, Le Titanic, publicité d'avant le naufrage 3 250, L'éventail 3 162, Bauvin (Nord), gare, attelage de chien 3 105, Thézan, arrivée du courrier 3 005, Dunkerque, rémouleur 3 005, Mucha, série Job 2 888, Mucha, femme à la plume (Champenois) 2 888, Talence, montreur d'ours 2 860, Mucha, La Plume (Champenois) 2 832, Lodève, 12 cp fabrication des draps 2 800, USA, campagne 1908 2 750, Mucha, La Plume (Champenois) 2 722, USA, campagne de 1908 « all aboard going up » 2 708, Villefranche, le rémouleur 2 705, Combaz, 8 cp des proverbes 2 700, Kirchner, série de 6 cp (249/254) 2 625, Marseille, le tondeur d'ânes 2 615, Celles-sur-Ource, le pressurage 2 600, Judaïca, pionnière de 1885 2 575, Tours, le ramoneur (no 410 Grand Bazar) 2 545, Mucha, Rubis (Champenois) 2 530, Saint-Lothain, marché aux hannetons 2 510, Mucha, affiche Job 1898 2 510, Marseille, l'amoulaïre 2 505, Bretagne, drame à la campagne, veillée mortuaire (Waron 3013) 2 500, USA « patriotic floats » (sufragettes, 4 cp) 2 500, Tours, commissionnaire de la série du Grand Bazar 2 500.

Évolution récente. *1976 :* + 119 %, *1977 :* + 42 %, *1978 :* + 41 %, *1979 :* + 29 %, *1980 :* + 19 %, *1981 :* + 15 %. *1983-85 :* + 30 %, *1985-87 :* + 20 %. *1987-89 :* + 20 %.

☞ **Bibliographie annuelle :** *Officiel international des cartes postales* (Joëlle et Gérard Neudin, 20 000 ex. en 1991, 1 000 adresses, plus de 20 000 cotations). *Argus Fildier Catalogue,* tous les départements chaque année, 4, bd Morland, 75004 Paris. *Répertoire Carré,* 3, rue St-Germain, 94400 Vitry. **Revues :** *C. postales et collections,* BP 15, 95220 Herblay. *Historique de la c. postale illustrée* (50 F), même adresse.

Céramique

Techniques

Définition. Du grec *keramos,* désignait les cornes de certains animaux puis les coupes (en forme de cornes) en argile séchée. Matériaux inorganiques non métalliques dont le processus d'élaboration comporte un traitement thermique à haute température, les verres étant généralement considérés à part. Ex : tuile, brique de terre cuite, revêtement réfractaire, carreau de grès.

Le silicate d'alumine hydraté contenu dans l'argile permet, à l'état humide, le travail de la terre. On modela d'abord l'argile à partir d'une boule que l'on creusait, puis on fabriqua des *colombins* (boudins de pâte enroulés les uns au-dessus des autres, et lissés à la main). Enfin, les potiers inventèrent le tour : plateau de bois monté sur un pivot qui tourne (une boule de terre est placée sur le centre du plateau, le pivot est actionné par une pédale, la vitesse du tour donne au modelage une forme régulière).

Températures de cuisson. *Ordre de grandeur :* Copenhague (porc. dure) 1 370 °C. Sèvres (porc. dure) 1 300 °C-1 410 °C. Grès cérame 1 250 °C-1 310 °C. Angleterre (porc. tendre) 1 200 °C-1 300 °C. Sèvres (porc. tendre) 800 °C à 900 °C. Majolique 1 200 °C-1 300 °C. Poterie commune 850 °C-900 °C.

Entretien. *Faïence ancienne :* passer au pinceau du savon noir à l'ancienne, laisser sécher 5 minutes, rincer à l'eau courante, essuyer. *Détersifs ;* attaquent la dorure. *Fêlure* (cheveu), pour la déceler, ne pas se fier au son mais passer l'objet à la lampe à ultraviolets.

Différentes sortes

A pâte poreuse

■ Faïence. **Commune ou stannifère.** A base d'argile, marne et sable, recouverte d'un émail à base d'étain opaque généralement blanc. Le nom vient de *Faenza* (v. d'Italie). Dans certains cas (f. de Delft) un 2e revêtement (glaçure transparente) rehausse les couleurs. **Fine.** Apparaît d'abord en G.-B. à la fin du XVIIe s., puis en France au XVIIIe s. Parfois imperméable. Recouverte d'une *glaçure* transparente, en général incolore. Suivant la pâte, on distingue : *terre de pipe* (argile, silex, craie) ; *cailloutage* (argile, silex) ; *faïence fine feldspathique* (silex, argile, kaolin et feldspath).

■ Majoliques. Faïence à glaçures stannifères (à base d'étain), introduite en Italie (*maiolica*) par des artisans de Majorque, d'où son nom, mais déjà connue en Perse. Les plus belles : 1520-60.

■ Azulejos. Carreaux de faïence émaillée à dessins bleu azur. D'origine orientale, ils furent beaucoup employés en Espagne et au Portugal.

■ Terre cuite. Rougeâtre à base d'argile et de sable. Ex. : vases grecs et statuettes comme les *tanagras*, bas-reliefs du Moyen Age, terres cuites de G. Pilon, bustes, groupes et médaillons du XVIIIe s. (Houdon, Clodion, Marin, Nini).

A pâte imperméable

■ Biscuit. Porcelaine sans couverte cuite une seule fois entre 1 000 et 1 100 °C (pâte tendre ; blanc crémeux, lisse, sonorité mate) ou entre 1 300 et 1 410 °C ; blanc froid, léger grain, sonorité cristalline), sans couverte.

■ Grès cérame. A pâte dure et opaque. *Grès commun :* mélange d'argiles vitrifiables ; *grès fins ou composés :* argile additionnée de feldspath.

■ Porcelaine (Marco Polo découvrit la vaisselle chinoise blanche et la compara à la nacre des coquillages *porcella* qui servait d'écuelles). Pâte compacte translucide et non colorée, composée d'un matériau fusible (feldspath, fritte) soutenu par une ossature infusible (kaolin, marne). Cuite 2 fois. Après une 1re cuisson, le *dégourdi* est recouvert d'une *couverte* et recuit.

Porcelaine dure ou chinoise. Connue en Chine et au Japon aux VIe-VIIe s. ; redécouverte à Meissen, Allemagne, par Böttger en 1709 (découverte des gisements de kaolin). Fabriquée en France à Strasbourg en 1751 par Paul Hannong avec du kaolin venu d'Allemagne, puis ailleurs (Paris, Sèvres, Marseille, Niederviller, Limoges) après la découverte de kaolin à St-Yrieix (Hte-Vienne) en 1768. Turgot crée la 1re manufacture à Limoges le 15-5-1784 (rattachée à Sèvres). 1842 installation de David Haviland pour export. aux USA. 1880 triomphe du Limoges à l'exposition internationale. Pâte fine, dure et translucide : kaolin pur ou mélangé de marne, magnésie, feldspath (petuntse). Couverte dure : feldspath quartzeux.

Porcelaine tendre artificielle ou française (obtenue à Rouen en 1673). Pâte translucide à base de craie et de fritte alcaline (mélange déjà vitrifié en partie et broyé), très peu utilisée de nos jours.

Porcelaine tendre naturelle ou anglaise (obtenue vers 1750). Pâte : argile, os calcinés, sable et feldspath. Glaçure : feldspath, silex, minium, soude. Elle ne va pas au feu.

Lithophanie. Procédé céramique (brevet du baron de Bourgoing, 1827). Vogue à l'époque romantique [Allemagne, France (Paris,Limoges), Russie].

Nota. – Chambrelan : nom donné aux peintres qui travaillaient chez eux. Ils décoraient les porcelaines blanches de diverses manufactures.

Principaux centres

Les pièces du début de fabrique sont de meilleure qualité. Les décors aux paysages et oiseaux sont plus rares que les motifs floraux, ainsi que les fonds jaunes et roses. Pièce restaurée : env. 75 % de sa valeur.

Allemagne

■ Centres. **Grès :** *Frechen, Cologne, Siegburg, Kreussen, Raeren, Meissen* (grès rouge), *Plaue, Westerwald, Sachsen, Bunzlau* [Jan Emens (1568-94), Mennicken (v. 1575-85), Böttger (1682-1719)]. **Faïence :** *Ansbach, Bayreuth, Crailsheim, Hoechst, Francfort, Hanau, Hambourg, Künersberg, Berlin, Rheinsberg, Nuremberg, Zerbst, Erfurt, Dorotheenthal, Fulda, Kiel, Stockelsdorf.*

Céramistes célèbres : Adam Friedrich Löwenfinck (1714-54), et ses frères Fulda, Haguenau, Christian Wilhelm († 1753), Karl Heinrich (1718-54) ; Maria Seraphia née Schink (1728-1805) ; famille Hess : S. Friedrich († 1698) et ses fils Ignaz, Johan Lorenz, Franz Joachim.

■ Centres. **Porcelaine. Meissen** (1709). *Éléments du prix. Périodes :* de Böttger (1709-19) ; de 1720-56, la meilleure pour les pièces de service (pour les statuettes : 1731-45). *Notoriété du peintre* (exécution en principe anonyme) ; parmi les plus célèbres : Johann-Gregor Höroldt (1696-1775), Christian-Friedrich Höroldt (1700-79). A.F. Löwenfinck (1714-54), E. Städler. *Fraîcheur des couleurs. Décors :* les plus appréciés : émaux imités de la famille verte, « fleurs des Indes », scènes avec personnages chinois, sujets à la Watteau. *Fonds :* jaune, vert d'eau, mauve, etc., plus chers que le blanc. *Importance* de la pièce et *état de conservation* (30 % à 40 % de statuettes du XVIIIe s. intactes). Autres centres. Vienne (Autriche, 1718-1864), Hoechst (1746-98), Fürstenberg (1747), Ludwigsbourg (1758-1824), Frankenthal (1755-99), Nymphenbourg (1747), Berlin Wegely (1751-57), Berlin Gotzkowsky (1761-63), Berlin KPM (1763-1918), Berlin Staatliche Porzellan-Manufaktur (1918).

Céramistes célèbres : Böttger (1682-1719), Johann-Joachim Kändler (1706-75), Franz-Anton Bustelli (1723-63).

■ Cours en milliers de francs. **Porcelaine :** tasse et soucoupe 2 à 10. Chocolatière 240. Théière XVIIIe 56. Œufs de Pâques 20 à 35. *Meissen :* aiguière et bassin 232 (1984), cloche de table 352 (1984), rince-doigts 33, sucrier couvert 12 théière 70, tasse et soucoupe (1985) 69, service à thé 730 (1981). Plat 95. Tabatière 2 000 000 (1991). Vase 10 à 240 [excep.]. Statuettes : XVIIIe s. 1 à 380, groupes 5 à 200 ; XIXe s. 5 à 451. Théière aux armes de Christian VI de Danemark (v. 1730) 413,6 (1986). Assiette polychrome 0,2 à 0,5. 24 ass. + terrine 230. **Faïence :** cruche Ansbach 14. Hanap Bayreuth 9. Cruche Chambrelans 61. Terrine dindon de Hoechst 64, vanneau 63. Vase v. 1750, 44. Vase d'apparat au pied en métal doré (1832) 261 (1987). **Grès :** *Frechen* cruche : XVIe s. 38 (1982). *Kreussen :* chope 10 à 49, bouteille 40.

Angleterre

■ Centres. **Grès :** *Doulton.* **Faïence :** *Lambeth, Leeds. Céramistes célèbres :* Richard Champion, David et Philip Elers, John et Thomas Astbury, Thomas Whieldon, Ralph Wood, Josiah Wedgwood et Thomas, Bentley, Bernard Leach, **Faïence Fine :** *Leeds, Stoke-upon-Trent.* **Porcelaine. Tendre :** Bow, Chelsea, Derby, Caughley, Longton Hall, Liverpool, Lowestoft, Worcester. *Céramistes célèbres :* Edward Heylin, Thomas Frye, William Duesbury, Benjamin Lund, William Cookworthy, William Littler, Dr Wall, Nicholas Sprimont, Joseph Willems. **Dure :** Plymouth, New Hall, Bristol.

■ Cours en milliers de francs. **Chelsea :** vase 5 ; vases (paire) 70 à 75 ; terrine en forme de pigeon 120 ; statuette 16 ; plat à sauce 38, à asperges 49,6. **Lowestoft :** tasse bleue et blanche 5,1 à 8,1 ; cafetière 15,1 ; assiettes (paire) 7,5 ; bouteille (Richard Phillips 1740) 62. **Staffordshire :** chocolatière (Whieldon, 1745) 50 (1981) ; salière 180 ; théière jusqu'à 92, saucière 3 à 58, cruche 615 (1987), statuettes polychromes (perroquet, v. 1755) 69 ; groupe (Whieldon, v. 1740) 270. **Worcester :** assiette service du duc de Gloucester (1770-75) 105 (1987) ; théière 3 à 91, cafetière 4 à 27 ; pot à moutarde 38 ; chope 3 à 10.

Belgique

Porcelaine. *Bruxelles, Tournai, Andenne.*

Chine

Voir **Art chinois** p. 383.

Danemark

■ Centres. **Faïence :** *Copenhague,* Store Kongensgade (1741-71), Kastrup (1741-1800) Schleswig, Kiel, Eckernförde, Stockelsdorf (2e moitié XVIIIe s.), Kellinghusen (2e moitié XIXe s.). **Porcelaine :** *Copenhague,* Manufacture royale créée 1775 ; manufacture de Bing et Groendahl (1853) ; Aluminia (1863) ; Royal Copenhagen (1985).

■ Cours en milliers de francs. Vase 4 à 5. Plat creux 5 à 10. V. art nouveau (env. 1900) 4 à 70.

Espagne

■ Centres. **Faïence :** PROVINCE DE VALENCE : *Paterna* (XIVe s., vert et noirâtre ; XVe s., bleu) ; *Manises* (XIVe s., vert et noirâtre de manganèse : XVe s., bleu ; XIVe-XVe s., à reflets dorés avec bleu ; XVIe à XVIIIe s., à reflets dorés sans bleu) ; *Alcora* (XVIIIe-XIXe s., bleu, jaunâtre et polychrome). CATALOGNE ; *Reus* (XVIe-XVIIe s., à reflets dorés) ; *Barcelone* (XIVe-XIXe s., bleu et pol.) ; *Manresa* (XIVe s., vert et noirâtre de manganèse). ARAGON : *Teruel* (XIIIe à XXe s., vert et noirâtre de manganèse ; XVIe à XVIIIe s., bleu et blanc ; XIXe et XXe vert et noirâtre) ; *Muel* (XVIe-XVIIe s., à reflets dorés ; XVIe à XXe s., bleu, bleu et vert, vert et noirâtre) ; *Villafeliche* (XVIIIe-XIXe s., bleu foncé, violet de manganèse) ; *Calatayud* (XIVe s., bleu et noirâtre de manganèse). ANDALOUSIE : *Málaga* (XIIIe-XIVe s., à reflets dorés avec bleu ou sans bleu) ; *Séville* (XVe à XVIIe s., pol., bleu et blanc) ; *Triana* (XVIe à XXe s., pol., bleu et blanc). CASTILLE : *Toledo* (XIIe à XXe s., pol., bleu et blanc) ; *Talavera* (XVIe à XXe s., bleu et blanc, pol.) ; *Puente del Arzobispo* (XVIe à XXe s., pol., bleu et blanc). **Porcelaine :** *Alcora* (pâte tendre), *Buen Retiro* (XVIIIe, XIXe s.), *La Moncloa* (XIXe s.).

■ Cours en milliers de francs. *Alcora,* plat polychrome XVIIIe s. 10 à 130, assiette pol. 8. *Buen Retiro,* XVIIIe s. 6 à 10. *Málaga,* albarello en faïence XVe s. 430,2. *Manises,* plat à reflets dorés 30 à 97. *Talavera,* pot de pharmacie 6.

France

■ Centres. **Faïence et faïence fine :** *Amiens, Aprey, Apt-en-Vaucluse, Avon, Bellevue, Chantilly, Charolles, Creil, Forges-les-Eaux, Gien, Les Islettes, Lille, Limoges, Lunéville, Manerbe, Marseille* (Etienne Héraud, Leroy, Fauchier, Vve Perrin, Honoré Savy, Gaspard Robert, Antoine Bonnefoy), *Montières, Montpellier, Montereau, Moulins, Moustiers* [famille Clérissy (1re manufacture, v. 1675 à 1783), Olérys, Fouque, Pelloquin, Féraud, Ferrat], *Nevers* (les frères Conrade, Barthélemy Boursier, Nicolas Estienne, Pierre Custode), *Niederviller* (Michel Anstett), *Nîmes* (Antoine Syjalon), *Orléans, Paris* (dont Pont-aux-Choux), *Quimper, Rennes, Roanne, Rouen* (Masseot Abaquesne, les Poterat, Guillibaud, Levavasseur), *St-Omer, St-Porchaire, Salins, Sarreguemines, Sceaux* (R. Glot, J. Chapelle), *Sinceny* (Dominique Pellevé), *Strasbourg* (les Hannong, Frédéric de Lœwenfinck), *Toul, Vallauris.*

Principaux centres ayant fait des décors de grand feu (peint sur l'émail cru et cuit en même temps que l'émail) : Marseille (Clérissy, Fauchier), Moustiers, Nevers, Rouen, St-Jean-du-Désert. **Petit feu** (peint une fois, l'émail cuit est fixé à faible température) : Marseille (Vve Perrin), Niederviller, Sceaux, Strasbourg.

Nota. – Bernard Palissy (1510-89), connu pour avoir brûlé, selon une légende, jusqu'à ses meubles pour retrouver les procédés italiens, a laissé des faïences fines ornées de figures en ronde bosse.

Porcelaine : *Arras* 1770-90, *Boissette* 1778, *Bordeaux* (plusieurs centres) fin XVIIIe-milieu XIXe s. (Vieillard et Cie), *Bourg-la-Reine* 1773..., *Chantilly* (Cicaire, Cirou) 1725-1800, *Lille* 1711-30 + 1784-1817, *Limoges, Mennecy* (F. Barbin) 1734-65, *Niederviller* 1742..., *Orléans* 1754-1812, *Paris, Rouen* (Louis Poterat) 1673-90, *St-Amand* 1718-1880, *St-Cloud* (Chicaneau) 1693-1766, *Strasbourg* 1721-54, *Valenciennes* 1785-1810, *Vincennes* 1740-56 (les frères Dubois) puis transférée à *Sèvres.*

■ Cours en milliers de francs. **Bordeaux** (XVIIIe s.) décor bleu et blanc. *Assiettes* XVIIIe s. 2 à 5.

Chantilly (1725-1801) (Porcelaine). *Goût d'Extrême-Orient* (1725-v. 1750) : couvertes d'émail stannifère blanc opaque, puis de vernis plombifère. Pièces les plus chères : décors polychromes dits coréens. *Assiette :* porcelaine XVIIIe 1,4 à 4,2. *Cache-pot* (paire) 168. *Fontaine à parfums* sur socle bronze doré 54 (1976). *Jardinières* (les 3) 147 (1972). *Soupières* à fond vert 69 (1972). *Tasse et soucoupe* 9 (1984). *Statuettes* pol. : Chinois 112 à 1 316 (paire, except. 1973), magot 154. *Style transitoire* (v. 1745-v. 1760) : décors pol. ; en camaïeu (paysages japonais) ; imitation des blancs de Chine (pièces de forme et statuettes). *Sucriers* 9,8 et +. *Vases* Restauration ; paire 3 à 14.

Forges-les-Eaux. *Plat* fin XVIIIe s. 27 (1992). **Gien.** Panneau 140 × 110 26 (1992).

La Rochelle. *Assiette* XVIIIe 3 à 35 (1992). *Fontaine de table* 8,4. *Saladier* pol. 14. **Les Islettes** (faïence). *Assiette* simple 1,26 à 8,4. *Plat* 1,12 à 16,8, pol. 12,6 à 42. **Lille** (faïence). *Assiettes* jusqu'à 58,8. *Chandeliers* (paire) 56. *Fontaine* XVIIIe-XIXe s. 30,8 à 126. **Lunéville** (faïence). *Assiette* pol. 13,3 à 18,2. *Plat* polychrome 2,8 à 46,2. *Soupière* rocaille 30,8. *Tulipière* (paire) pol. 23,8.

Marseille (faïence XVIIIe). *Assiettes :* fleurs fines 1,4 à 30,8 (les plus chères : sur fond jaune de la Veuve Perrin de 10 à 400) ; paysages 7 à 70 (décor « à la flèche »), poissons 11,2 à 150. *Écuelle à bouillon :* 56. *Plat :* camaïeu bleu 30,8 ; V. Perrin à la double flèche 70. *Service de table* 16 p. Fauchier 390. *Soupière :* V. Perrin 22,4 à 112. *Veilleuse :* V. Perrin 35. **Mennecy** (v. 1735-73) (porcelaine). *Imitations* (v. 1735-50) St-Cloud, Chantilly, Vincennes, Meissen... *Décors originaux* (v. 1750-1773) : polychromes ; camaïeu bleu ou rouge. Boîtes, couteaux (manches porcelaine) moins chers que statuettes et assiettes (surtout fleurs, oiseaux, paysages). *Appliques* (paire) 525. *Assiette :* 15,4. *Boîte :* 7. *Sucrier* 4,2 à 14. *Tabatière* 4,2 à 15,4. **Montières.** *Pot 1925* 55. *Potiche* 32. **Moustiers** (faïence). Manière italienne jusqu'en 1720. Puis, avec Clérissy, le motif central est entouré d'une broderie très fine ; 1ers décors : mythologie, histoire dans un camaïeu bleu (sur blanc mat), puis ornements légers, « grotesques », pièces à guirlandes et médaillons aux armoiries, au drapeau, « à la fleur de pomme de terre » (Olérys), vert émeraude, rouges profonds, fleurs, paysages, motifs « au chinois ». Influence sur Lyon, Bordeaux, Marseille (Fauchier), Montauban, Aubagne. *Assiettes :* 5,6 à 14 (camaïeu vert), 14 à 84 (camaïeu jaune et vert) ; décors classiques (fleurs, insectes, paysages) moy. 28. *Boîte à poudre* 55,3. *Cache-pot* (paire) 109. *Compotiers* à partir de 1, pol. 35 à 63. *Coupe* pol. 12,6. *Plat* 8,12 à 126, à décor grotesque 23,8 à 78,4. *Pot-pourri* (paire, Olérys) 29 (1992). *Seau à bouteille* pol. 76 (1985). *Terrine couverte* 155,4 (1987).

Nevers (faïence). Manière italienne de la fin du XVIe s. à 1670. Puis thèmes et motifs originaux : fleurs et oiseaux en blanc et jaune sur fond bleu ou bleu persan ; quelquefois, fond jaune orangé, décors en blanc et bleu. Pastiche aussi les porcelaines chinoises ou japonaises et les autres centres (Rouen, Moustiers, Meissen). A la fin du XVIIIe s., production populaire en quadrichromie (dont productions révolutionnaires). Influence sur *Ancy-le-Franc, La Rochelle, Moulins, St-Amand-les-Eaux, La Charité-sur-Loire.* « Bleu persan », décor blanc parfois rehaussé de jaune ou d'ocre. *Assiettes* décor bleu sur fond blanc 3 à 31, « révolutionnaires » 3,5 à 11 sauf décors rarissimes, pol. 4,2 (XVIIIe) à 60 (paire, XVIIe). *Bouteilles, plats* 3 à 123. *Buires* (paire, XVIIe s. décor scènes mythol.) 240 (1985). *Gourde* 6 à 238. *Pichet* à décor « au chinois » 6 à 7. *Piluliers* 6 ; (paire) XVIIe s. 71. *Pique-fleurs* 63. *Saladier* 14 à 52. *Vasque* (grande) 170 (1991). **Niederviller** (faïence). *Figurines (paire) de Cyfflé (1760)* 33.

Paris (porcelaine). *Aiguière et son bassin* (manuf. Locré, 1780) 16. *Assiettes* porcelaine décor paysage 0,4 à 1,12. *Pendule* (support) 33. *Service* à café 6 à 45. *Tête-à-tête* 69. *Vases* (paires) 3 à 102 (1992) except. Empire, de Sauvage 3 500.

Quimper (faïence). *Coupe* 30. *Plats* (paire) 51,5 (1993). *Service* (74 pièces, manuf. Henriot) 106.

Rouen (faïence). **1re période (1530-60) :** *majoliques* de Masséot Abaquesne (*carrelages* d'Ecouen, *pots de pharmacie, vases*), très rares ; 138 (1984). *Albarelli* (2) polychromes 27 cm de Masséot Abaquesne except. 180 (1992). **2e (1647-1700) :** imitation de Nevers et Delft, très rare. **3e (à partir de 1680) :** style rayonnant très recherché. *Décor bleu :* assiette 4 à 25 ; pot-pourri 155 ; *bleu et rouge :* assiette 7 à 20 ; plats 21 à 84 ; *niellé* (argent incrusté d'émail noir) sur fond ocre : assiette très rare ; plat 56 cm, 465 (1983) ; appliques (paire) 125. **4e (1700-50) :** décor polychrome goût chinois et persan : assiette 4 à 102 ; décor bleu et rouge dans l'esprit de Delft jusqu'à 70, *bannette* 62 à 24 ; *coupe* pol. goût chinois 99 ; *fontaine* d'ornement 125 ; *pichet* 27 à 50 ; *plat f.* décoré 20 à 318 (1987) ; *plaque f.* d'après Nicolas Poussin 115 (1982) ; *plateau f.* 288 ; *rafraîchissoirs* (paire) 81, *lions* (paire) 135 (1987), *saladier* 97. **5e (1750-70) :** style rocaille : *assiette* à la corne 3 à 6, *pichet* env. 7, *plat* jusqu'à 75 (1992), *soupière* env. 17. **6e (1750-85) :** faïence de petit feu : rare ; *assiettes* de l'atelier de Levavasseur 4 à 21, a. « révolutionnaires » 4 à 6.

Saint-Cloud (v. 1695-1766) (porcelaine). Décor polychrome de style coréen (1720-66), plus cher que le camaïeu bleu, style rouennais (v. 1695-v. 1730) (surtout les statuettes). *Boîte couverte* 179,3 ; *à épices* 6 à 17. *Couteaux* (12) à manche porcelaine 6. *Magot* 191. *Petit pot* 31. *Pot couvert* 85,4 ; 45 (1992) *à pommade* 110 (1991). *Saleron* 7. *Sucrier* 3 à 17. **Saint-Porchaire** (faïence). *Aiguière* aux armes d'Henri II et Diane de Poitiers 4 107, *biberon* de même provenance 2 886. En 1860 une pièce de St-Porchaire atteignit plus de 200 000 F-or. **Sceaux** (1749-95) (porcelaine). Décors camaïeu bleu, camaïeu rouge, polychromes. Rares. *Assiettes* 42. *Soupière* 14 à 45. *Terrine* 48. **Sèvres** (porcelaine). *Origine :* 1740, fondée à Vincennes par 3 artisans : Ch. Guérin et les frères Dubois. Reprise par une Sté créée en 1745, puis une autre en 1753. Transférée à Sèvres en 1756. Rachetée en 1759 par le roi. Depuis propriété de l'État. *Goût de Meissen* (1740-v. 1750) : imitation des blancs de Chine (très rares). Scènes chinoises ou fleurs des Indes. *Goût français* (v. 1750-1800) : camaïeu bleu, rouge ou vert ; polychromes (fleurs, oiseaux, paysages ou scènes animées sur fond blanc) ;

Chevrettes *(cours en milliers de francs).* Pour conserver sirops et huiles XVes. 55 (Toscane). XVIe s. 20 à 360. XVIIe s. 31 (Montpellier), XVIIIe s. 5 et +.

Grès anciens (XIXe s.). Pichet 0,3 à 0,8, saloir jusqu'à 5, fontaine 10 à 15. **Contemporains.** Pierre Bayle. Ben Lisa 2 à 3 (vases). Claude Champy 0,6 à 1. Daniel de Montmollin.

Jacquelines. A l'origine, pichets en grès utilisés dans le Nord pour conserver la bière. Ensuite en faïence [Aire-sur-la-Lys et Desvres (Nord)]. On en trouvait aussi dans les Ardennes. Hommes ou femmes vêtus de bleu, rouge, vert ou jaune, debout ou à califourchon sur des tonneaux ; XVIIIe s., nombreux militaires à tricorne. Fabriqués au XVIIIe s. en Angleterre : Jack's pot (Tobby juge ou jug) ; Espagne : Pepe Botella avec les traits du roi Joseph. *Cours en milliers de francs,* fin XVIIIe s. à 1840 : 0,4 à 40 (polichinelle, 1980).

Pots de pharmacie. XVIe s., coloris exceptionnels, brillant éclatant de l'émail. Lyon, Nîmes, Montpellier, Rouen. XVIIIe s. Lyon : style hispano-mauresque, forme de poire dont la pointe repose sur un piédouche. Nevers : fonds bleus et décor au chinois. Lunéville, Niederviller : style baroque, Montpellier : décor en relief. Paris : décor en camaïeu de rinceaux et d'arbustes fleuris. Saint-Cloud et Sceaux : décor coréen ou à la rose.

Tisanières. A partir de 1750. Marques de fabrique : Flamen, Fleury, Darte, Cassé, Maillard à Paris, Louis Flourens à Bayeux, Jacob Petit [décor rocaille (1830), initiales J.P. en bleu]. *Cours en milliers de francs :* personnages 3 à 30.

en réserve sur fond coloré (jaune, vert, bleu turquoise, bleu foncé, rose ; ces fonds peuvent être unis ou à motifs dorés : œil-de-perdrix, pointillé, caillouté, vermiculé, etc.) ; décor de rubans ; blanc et or. *Sculptures :* fleurs polychromes. Statuettes et groupes en porcelaine blanche ou colorée ; statuettes et groupes en biscuit (porcelaine sans couverte).

Porcelaines à fond blanc, à décor camaïeu ou polychrome : peu recherchées, sauf décor d'un grand nom (Aloncle, Vieillard, Taillandier, Noël, etc.). Fonds de couleurs : très prisés (par ordre : jaune ou rose, bleu turquoise, vert, bleu foncé ; les unis l'emportent sur les fonds trop agrémentés de dorures). Les pièces surdécorées sont considérées comme des faux : le support est bon, mais le décor est rapporté après que la pièce est sortie de la manufacture et par des décorateurs n'appartenant pas à Sèvres. Les pièces ne portent pas toutes les marques de Sèvres.

Production actuelle : 5 000/7 000 pièces/an. 4 000 modèles et décors différents.

Assiettes porcelaine dure 7 à 28 ; ayant appartenu à Nap. 800 (1983) ; à décor polychrome en pâte tendre fin XVIIIe s. 0,7 ; d'un service commandé L. XV 1 100 ; L. XVI 235,2 ; *écuelle à bouillon* 35 à 672 (goût de Boucher, 1982). *Inventaire* (très rare) 199. *Milieu de table* 13 à 22. *Panneau de Develly* (1783-1849) 700. *Pot à eau et bassin* 1 300 (record). *Service de table* « à la feuille de chou » 470 (1992). *Seaux à demi-bouteille* (paire, 1753) 100. *Statuettes* (paire) 25. *Sucrier* pâte tendre (1768) 11. *Tasse et soucoupe* jusqu'à 220 (1992). *Tête-à-tête* donné par Nap. à Caroline Murat 832 (1984). *Vases* XVIIIe s. 2 052 (paire), XIXe s. monture ou base en bronze 59 à 476 ; except. vase fuseau commandé par Nap. 1 400 (1985) ; Charles X (paire) 5 000 (1992).

Strasbourg (XVIIIe s.). *Assiettes* fleurs fines 5,6 à 21, décor polychrome 11,2 à 56. *Compotiers* (paire) 31,5. *Pendule* Louis XVI signée Paul Hannong, à cadran tournant dans vase porcelaine et biscuit de Niederviller 52 (1974). *Plat* 8,4 à 12. *Statuettes* homme et femme 49. *Soupière* 34 à 77. *Terrine* 126 à 685 (1992) paire de Hannong (1750-54). *Plat* décor chinois 46,6. *Sucrier* 26,6.

Toulouse. *Époque gallo-romaine :* céramiques utilitaires orangées, revêtues d'un engobe doré à forte teneur en mica. *XIVe et XVe s. :* poteries gris sombre ou noires concurrencées par l'émail plombifère. *XVIIe s. :* 1re faïencerie : Georges d'Olive, Guillaume Ollivier et Claude Favier. *XVIIIe s. :* fondation d'autres faïenceries. V. 1788 fabrique de faïence anglaise ou demi-porcelaine sans adjonction d'étain, pour concurrencer les produits anglais : assiettes imprimées (vues de Toulouse, histoire de la ville, cavaliers, divers personnages ou mois de l'année).

Céramique fin XIXe-début XXe s. *Alexandre Bigot* (1862-1927) 63 à 140, *René Buthaud* (1886-n.c.) vase 220, *Jean-Charles Cazin* (1841-1901), *Ernest Chaplet* (1835-1909) 1 à 56, *Adrien Dalpayrat* (1844-1910), *Albert Dammouse* (1848-1926) 3 à 11, *Théodore Deck* (1823-91) 1,5 à 14, *Émile Decœur* (1876-1953), *Louis Delachenal* (1897-1964) 1,5 à 7, *Auguste Delaherche* (1857-1940) 0,7 à 3, *Taxile Doat* (1851-1938) 8,5 à 28, *Émile Gallé* chat, chien 4 à 56, amphore dite « du Roi Salomon » 1 150 (1981), *Frédéric Kiefer* (1894-1977) 3 à 13, *Edmond Lachenal* (n. 1855) 0,3 à 1,4, *Raoul Lachenal* (1885-1956), *Émile Lenoble* (1875-1940) 1 à 28, *Clément Massier* (1845-1917) 0,4 à 1,4, *Jérôme Massier* jusqu'à 174,9 (1988), *Félix Massoul* (1872-1938), *Jean Mayodon* (1893-1967) 1,4 à 2,8, vase 205 (1989), *Jean Pointu* (1843-1925) 0,7 à 1, *Georges Serré* (1889-1956) env. 6, *Henri Simmen* (1880-1963) exc. 16 (78), *Séraphin Soudbinine* (1870-1944).

☞ Céramique de Jean Cocteau : 4,5 à 150. Cruche de Picasso 270.

Faïence de *Creil, Choisy, Montereau,* décor noir sur fond blanc ; assiette 11 à 30 ; service 91 pièces de Bracquemond 107.

■ Grèce ancienne

■ **Éléments du prix.** Intérêt du décor, peintre réputé, forme du vase (amphore, lécythe et œnochoé sont plus recherchés que coupes, cratères ou petits vases : skyphos, pyxis).

■ **Cours en milliers de francs.** **Ve-Ier s. av. J.-C. :** *amphore à col* 16 à 1 600 (peinte par Psiax, 1981) ; *coupe à pied* 100 à 240 ; *cratère* 19 à 286 ; *hydrie* 195 ; *lécythes* polychromes 6 à 45 ; *tessons* jusqu'à 50. **IVe s. av. J.-C. :** *cratère* (350-20 av. J.-C.) 46 (1975) ; d'Euphronios 5 000 000 F, acheté par le Metropolitan Museum en 1972. *Objets Grande Grèce et îles :* 0,3 à 11. *Statuettes :* Éros de Tarente 10 à 15 ; Tanagra de Béotie 15 à 60 ; petits animaux en terre cuite Chypre 3 à 8. *Vases* de – de 3 à 20 et +.

■ Italie

■ **Centres. Faïence :** *Angarano* (les frères Manardi). *Cafaggiolo, Castel Durante* (Nicola Pellipario), *Castelli* (les Grue et les Gentili), *Deruta, Faenza, Florence* (Della Robbia), *Gubbio* (Maestro Giorgio Andreoli), *Naples, Sienne, Urbino* (Nicola Pellipario, Guido Fontana, Francesco Xanto Avelli). **Porcelaine. Tendre :** *Florence, Pise, Venise* (maison Vezzi et Cozzi). **Dure :** *Capodimonte, Doccia, Le Nove, Naples* (1756).

■ **Cours en milliers de francs. Angarano :** *Assiettes* 76,9 à 81,1. **Capodimonte :** *Fontaine à vin* 240 (1991), *statuette* 250. **Castelli :** *Bouteille* type Orsini-Colonna (v. 1500-50) 400 (1992). *Chevrette* jusqu'à 360 ; *plat historié* 65. **Majoliques :** Meilleure période : 1475 à 1550. STYLES **Caffagiole et Castel Durante** (décor à candelieri) : 5 à 45 ; *coupe* 805 (1990) ; plat armorié 134 (1987). **Deruta et Gubbio :** 5 à 59 ; **Faenza :** *albarello* polychrome env. 1480, 80 ; *appliques* (paire) 39 ; *bouteille* 135 (1987) ; *coupe* 9,5 excep. « a berettino » de B. Manara v. 1520 600 (1992) ; *décor a quartieri* 3 à 5 ; *plats* à bordure chimères et grotesques, 3 à 30 ; pot à pharmacie 26. **Florence :** *albarello 320 (1987), 1 bol* (XVIe s.) 875 (1973). **Giorgio :** except. 550 (1975). **Gothico-floral :** 12 à 20. **Orvieto :** très rare. **Urbino** (décor historié) : 4 à 73 et + ; plat 120 à 180, except. 1 000 (1988). **Palerme :** Albarello (fin XVIe s.) 65, paire (déb. XVIIe s.) 235 (1992). **Savone :** *Fontaines de pharmacie* XVIIe s. 100 (1992), (paire) 120. **Venise :** *Albarello* (XVIe s.) 424,9. *Plat rond* polychrome XVIIIe s. 299 (1981). *Pot à pharmacie* 11. *Service de table* décor de chinois 250. *2 Vases* XVIe s. 27.

■ Japon

Voir **Art japonais** page 385.

■ Pays-Bas

■ **Centres. Faïence :** *Amsterdam, Rotterdam, Haarlem* dès le XVIe s. prenant la relève d'*Anvers, Delft* (1854), de 1650-75 à 1725, centre le plus important d'Europe, influe sur faïenceries française, allemande et anglaise. Décadence à partir de 1750. *Arnhem* très petit centre au XVIIIe s. *Frise :* Makkum surtout XIXe et XXe s. (usine Tichelaar). *Limbourg :* céramique industrielle et décorative à *Maastricht* (usines Régoût) au XIXe et au XXe s. *Hollande :* usine « de Porceleyne Fles » (Delft) reproduit des modèles anciens. **Céramistes célèbres :** Frederik Van Frytom, Abraham De Cooge, Lambert et Samuel Van Eenhoorn, Rochus Hoppesteyn, Adriaan Pieterszoon Kocks. **Carreaux :** produits dès le XVIe s. à *Rotterdam, Amsterdam, Utrecht, Gouda,* et *Delft* en Hollande, *Makkum* et *Harlingen* en Frise. **Porcelaine :** *Weesp, Loosdrecht* et *Ouder-Amstel* au XVIIIe s. *Nieuwer-Amstel* et *Régoût-Maestricht* au XIXe s.

■ **Courants artistiques. XXe s.** *Centres faïenciers :* Art nouveau, Arts déco La Haye (Rozenburg) direction artistique de Colenbrander ; Purmerende (Brantjes et Haga) avec Lanooy, Arnhem (de Ram). *Années 30 et 40 :* mouvements « De Stijl », constructivisme et fonctionnalisme « Neue Sachlichkeit », (faïenceries de Sphinx) Maestricht, (de Zuid Holland) et Gouda.

■ Cours en milliers de francs. **Delft.** *Faïence : assiette* XVIIIe s. 1 à 8 ; *beurrier* 9 à 13, plus si décor à fond noir ; camaïeu bleu fin XVIIIe 0,2 à 0,6 ; *cache-pot* 5 ; *panneau mural 63 car.* 240,5 ; *plaque décorative* 30 à 100 ; *plat ovale* 14 à 22, *rond* 17 à 55 ; *pot à tabac* 9,5 ; *potiche* 0,4 à 1 (très belle paire 31) ; *statuettes* 2,5 à 88 (paire) ; *chevaux* (paire) 22 cm : 116 ; *tulipière* 22 (grande paire) 2 000 (1991) ; *vase* fond noir (v. 1700) 180 ; *violon* 9 à 30.

Portugal

Azulejos. Revêtement de sols, plafonds, murs, formé de petits carrés de terre cuite émaillée (dès le début du XVe s. jusqu'au XIXe s.).

Suisse

■ Centres. **Porcelaine :** *Nyon, Zurich. Goût européen* (v. 1755-v. 1800) : décors polychromes sur fond blanc ou coloré (influence de Sèvres) ; en camaïeu bleu ou rouge de semis (à l'œillet, à l'épi, etc.) ou de paysages ; blanc et or ; statuettes.

■ Cours en milliers de Francs. *Assiettes* 0,1 à 2. *Plat* 5. *Salières* (paire) XVIIIe s. 150. *Seaux* (paire) 30. *Statues* 8 à 40. *Tasse et soucoupe* 2 à 5.

Dinanderie

■ Origines. Plusieurs millénaires av. J.-C., en Égypte, Chaldée, Espagne, Hongrie, Scandinavie, France. Nom. De Dinant-sur-Meuse. Principe. Art de battre un disque de métal (cuivre, étain, argent) et de le former au marteau pour exécuter poteries et sculptures, par retreint, recuit et planage. Pièces uniques allant des calices à des sculptures monumentales comme *la Liberté éclairant le monde* de Bartholdi. Le *poinçon* D D D (dinanderie de dinandier) indique une œuvre martelée, P M D (poterie de métal du dinandier) une pièce martelée avec soudure, brasure et manchonnage.

■ Principaux dinandiers. Jean Dunand, Maurice Perrier, Pierre Dunand, Mauricette Cornand, Hervé Malher, Maurice Daurat, Frédéric Barnley, Marc Vaugelade, Alain Maillet, Claudius Linossier, André Quef, Gabriel Lacroix.

■ Cours en milliers de francs. *J. Dunand :* sculpture 27 000 ; *P. Dunand :* grand vase : 6 000 ; *M. Perrier :* calice : 1 500 ; *M. Cornand :* coupe : 10.

Dorure

Or employé. *Épaisseur de la feuille :* 1/10 000 de millimètre. *Nombre de carats :* 22 c. (13 grammes, 1 000 feuilles), 22 c. 06, 23 c. 06 (23 g, 1 000 f).

Dorure à la feuille (sur bois). La feuille, martelée jusqu'à n'avoir plus qu'une épaisseur de 1/10 000 de millimètre, est appliquée sur la surface de l'objet à dorer. Il faut env. 3 feuilles d'or (8,4 cm × 8,4 cm) pour dorer une bande de 1 m large de 1 cm.

Dorure au mercure (argent doré ou vermeil). Jusqu'au milieu du XIXe s. Sur le cuivre ou la porcelaine notamment. L'objet est recouvert d'une mince couche de mercure, puis de la feuille d'or ; celle-ci adhère au cuivre en se combinant avec le mercure, qui est ensuite éliminé par la chaleur. Donne un format qui est légèrement en relief sur la surface de la glaçure. *Bronze doré :* recouvert d'un amalgame d'or dilué dans du mercure qui s'évapore par chauffage en laissant l'or apparaître. Des précautions sont prises pour le personnel et l'environnement. Procédés abandonnés.

Dorure à la détrempe (sur bois). Sur les objets en bois et de *gesso* (mélange de blanc de Troyes, de colle de parchemin et d'huile de lin), on appliquait une couche de colle, puis l'« apprêt en blanc » (colle de peau de lapin et blanc de Troyes), puis l'« assiette » (mélange où entrent surtout du blanc d'Arménie et de la sanguine), enfin la feuille d'or qui était ensuite « brunie » (polie) en la frottant avec une pierre d'agate.

Dorure à l'huile (sur bois et grilles). On passe une mixtion à dorer (huile de lin sicativée) teintée en jaune et rouge et ensuite on applique la feuille d'or.

Dorure à froid. Sur les objets en métal (ex. en argent). On dissolvait l'or dans l'*eau régale* (mélange d'acide nitrique et d'acide chlorhydrique). On y trempait un morceau de chiffon et on le calcinait. Les cendres frottées sur le métal laissaient un dépôt de particules d'or finement divisées.

Dorure électrolytique (env. 1840). L'or est déposé sur le métal par un courant électrique.

☞ **Vermeil** argent doré (pièces en vermeil du XVIIe et XVIIIe s. : obligatoirement dorées au mercure). **Électrum :** alliage d'or et d'argent (d'habitude à 50 %) jaune pâle ressemblant à du vermeil. **Ormulus** (désigne dans les pays anglo-saxons les pièces dorées au mercure) : alliage de cuivre, zinc et étain imitant l'or ; ressemble au bronze doré.

Nota. – Presque toutes les appliques du XVIIIe s. étaient dorées au mercure (les appliques vernies étaient rares et de faible qualité). Une applique peut être redorée au mercure pour 7 000 F, au nitrate de mercure (tons d'or différents) pour 3 000 F, ou à *l'électrolyse* (aspect rougeâtre, trop uniforme et brillant). Un modèle est déprécié de 30 % si sa dorure d'origine est usée, de 50 % s'il est redoré.

☞ On a redoré la *Jeanne d'Arc* de la place des Pyramides à Paris en 1991, avec 5 300 feuilles d'or de 0,023 g, soit au total 122 gr.

Émaux

Différentes espèces

L'émail est une poudre vitrifiable (issue d'oxydes de fer, cuivre, manganèse, alumine, etc., cuits dans des fours spéciaux entre 1 000 et 1 400 degrés) dont on recouvre les poteries (voir Céramique), les objets de métal ou de verre. Opaque ou transparent.

Émaux cloisonnés. De minces lames de métal sont soudées sur une plaque de fond, dont on a relevé les bords. L'émail est vitrifié entre ces cloisons.

Émaux de plique à jour. Les lames de métal sont posées entre des cloisons soutenues par une plaquette d'argile ôtée après refroidissement.

Émaux champlevés (ou en taille d'épargne). Connus des Irlandais dès le VIe s. L'émail est vitrifié dans les alvéoles d'une plaque creusée au burin.

Émaux de basse-taille. Translucides, sur métal partiellement déprimé et ciselé à des profondeurs différentes pour modeler un bas-relief subtil.

Émaux peints. Peinture à l'émail en plusieurs couches sans parois ni cloisons.

Principaux émaux

Chine (voir p. 383). **Japon** (voir p. 385). **Chypre :** XIVe s. av. J.-C. (coll. musée du Caire). **Égyptiens :** verre incrusté à froid. **Hellénistiques :** Athènes (coll. Statathos). **Celtiques :** à partir du IIIe s. avant J.-C. Mont-Beuvray (Ardennes). **Romains et géorgiens :** Londres (British Museum).

Byzantins. **Cloisonnés :** apogée vers les Xe-XIe s. Ex. : Pala d'Oro (St-Marc de Venise, panneau de 3 m × 2 m). **Carolingiens :** IXe s. Couronne de Monza, Paliotto de St-Ambroise à Milan. **Ottoniens :** X[e]-XIIe s. Trésor d'Essen. **Persans :** XIIe s. Cloisonnés. Bassin d'Innsbruck (Ferdinandeum Museum). XIIe et XIIIe s. **Champlevés :** *École de la Meuse* (Godefroid de Huy) *et du Rhin :* parement d'ambon de Klosterneuburg (Autriche) par Nicolas de Verdun. *École méridionale :* émail de Geoffroy Plantagenêt (Le Mans), autel de Silos (musée de Burgos, Espagne). *École de Limoges :* ciboire d'Alpais (Louvre). XIIIe-XIVe s. **Translucides sur basse-taille :** *Italie* (notamment Sienne ; reliquaire du Corporale à Orvieto, par Ugolino di Vieri), *Espagne, France, Rhénanie, Angleterre.* Ex. Coupe royale en or de Charles V et Jean de Berry (British Mus.). XVe et XVIe s. **Peints :** *Flandres, Italie, France* [Limoges : les Pénicaud (n.c.) ont travaillé au XVIe et début XVIIe s. ; les Limosin : François (XVIe s.), Léonard I (1605-77), Jean I (1528-1605), Jean II (1516-46), Léonard II (1550-1625), III (1626-35), Jean III (1600-46), Jean Courteys (1568-n.c.), Pierre Courteys (n.c.-† 1591), Nicolas II Nouailheur dit Colin (1514-67), Jean (1521-83), et sa fille Suzanne Court (1563-1621)]. XVIIe et XVIIIe s. **Peints sur cuivre :** *Limoges,* les Laudin : Jacques (1627-95), Jean (1616-88), Noël dit le Vieux (1586-1681). **Sur or champlevé :** *Augsbourg. Londres.* XVIIIe s. Miniature et bijouterie en peinture sur émail. *France* (émailleurs) : Toutin, Bordier, Petitot, Gribelin, Nouailheur (Limoges). *Angleterre :* à Battersea. Peints avec rocaille blanche en relief. XIXe s. Émaux sur lave. *Russie* (Fabergé). *Paris* (décoration et ordres de chevalerie français et étranger). XXe s. Grisailles de *Limoges :* pièces dont les dimensions permettent la création de panneaux.

Cours des émaux

■ Exemples récents en milliers de francs. X[e]/XIe s. Reliquaire byzantin, argent doré, émail cloisonné 99 (1991). **XIIe s.** *Plaque* sur coffre de bois 1 251 (1978). CHAMPLEVÉ : *armilla* (bracelet) de l'empereur Barberousse (11,5 cm sur 13) 9 295 (1978) ; *médaille* attribuée à Godefroid de Huy (14,5 cm) 10 008 (1978) ; *colonnette* sur cuivre doré, Cologne, fin XIIe s. 115 (1985). **XIIIe s.** *Pyxide* 30 à 60 (1991). LIMOGES : *châsse* reliquaire, 1 750 (1985) ; *Christ* gravé sur croix, 77 (1991) ; *plaque* dorée et émaillée, la Crucifixion en applique, 195 (1982). CUIVRE ET ÉMAIL CHAMPLEVÉ LIMOGES : *châsse,* Martyre de Thomas Becket, 2 450 (1986) ; *crosse,* 700 (1987) ; *plaque de reliure d'évangéliaire, le Christ en majesté, 2 109 (1984).* **XVIe s.** *Peints de Limoges :* Maître de l'Énéide : *aiguière* attribuée à J. Raymond 99 (1982) ; *assiette* 31 à 60 de Pierre Reymond ; *assiettes* polychromes (paire) par Suzanne de Court 90 (1992) ; *médaillon* (profil d'Hélène) 40 (1992) ; *plaques* (4) polychromes, 550 (1991), de Léonard Limosin, coupe 92 (1980). Nardon Pénicaud : *plaque* Jésus au jardin des Oliviers 50 (1991) ; ovale émail peint, Vierge de douleur (30 cm), 750 (1987). **XVIIe s.** *Assiettes* en grisaille (rare ensemble de 12), décor allégorique des 12 mois, attribuées à P. Reymond 999 (1984) ; *bougeoirs* (paire) de J. Laudin 45 (1982) ; *plaque* de St-Jean-Baptiste de J. Laudin 7. **XVIIIe.** *Drageoir* polychrome de Fromery v. 1730, 68 (1992). **XXe s.** *Panneau* de 15 plaques champlevées polychromes 332,4 (1984). *Vase* Arts déco de Fauré 40.

Étain

■ Données générales. **Origine :** l'étain se disait en grec : *cassiteros,* on le disait venir des îles Cassitérides (peut-être les îles Britanniques ou les îles Scilly). Il apparaît vers 2000-1500 av. J.-C., seul ou en alliage avec le cuivre (bronze). Jusqu'au XIIIe s., il vient en majorité d'Angleterre (Cornouailles). Ensuite, d'Allemagne (découverte de mines). En France, après la pénétration romaine, l'étain, parfois nommé *plombum album* (plomb blanc), en partie débarqué à Marseille, suivait la route de l'eau : Rhône, Saône, Loire ou Seine. Production importante dans toute l'Europe, surtout pays germaniques et nordiques.

Alliages : étaient réglementés : *l'étain le plus pur* n'avait pas de plomb, *l'étain fin* de 2 à 8 % (souvent 7 à 8 %), *l'étain commun* de 10 à 20 %, *le « claire étoffe »* de 30 à 50 % (usage interdit pour l'alimentation).

Nettoyage : un étain ancien patiné est très difficile à éclaircir, un étain moderne (même 1 copie dite ancienne) relativement facile. *Prohiber :* acides, brosses métalliques, papier de verre ou d'émeri. *Employer éventuellement :* des abrasifs doux (ponce soie), des produits pour argenterie, une peau de chamois.

Maladie : l'étain se détériore au froid, et peut se présenter sous une forme pulvérulente en dessous de – 13 °C (détérioration maximale v. – 40 °C). Sa maladie, appelée *peste de l'étain,* « gale » ou « maladie de musée », pourrait, dit-on, se transmettre par contact... On peut éventuellement remédier au mal par décapages dans des bains d'acides ou bases composées (usage parfois dangereux), et des rinçages chauds et froids alternés.

Poinçonnage : les étains peuvent porter des poinçons différents, difficiles à identifier (mais ils manquent souvent, leur absence permettait d'échapper à l'impôt). *P. de maître :* en général 2 (le grand, figuré en armes parlantes et complété du nom et de la date de la maîtrise ; le petit, un marteau couronné accompagné des initiales du maître). *P. de contrôle :* pratiquement circulaire (diam. 1 cm), présente le nom de la ville et la date de l'édit d'obligation (1691 est la plus employée) ; au centre, les initiales F ou C couronnées pour l'étain fin ou le commun. L'obligation du poinçonnage fut supprimée en 1794. *P. de jaugeage :* souvent de type armorial, apposé sur les gobelets, les pichets. *P. de propriété :* souvent très grand et sans règles fixes.

■ Principaux centres (France). Besançon, Bordeaux, Lyon, Paris, Strasbourg, Toulouse.

Objets fréquents : vaisselle de table [l'étain ne s'oxyde pas au contact des aliments (sauf du citron et du vinaigre)], gobelets, assiettes, plats, écuelles, aiguières, pichets, etc. **Très rares :** burettes de table. Sous Louis XIV, les arrêts publiés à partir de 1689 réduisirent la production de l'orfèvrerie d'or et d'argent, qui fut alors remplacée par la vaisselle d'étain (et plus tard de faïence) dans le style de l'orfèvrerie de l'époque. **Objets en alliages** (plomb, antimoine,

Les faux en étain

Surveiller : *le métal* (les productions actuelles chargées en plomb ont un reflet bleu, les anciennes un reflet jaune ; d'autre part, plus un étain est léger, plus grande est sa pureté : densité de l'étain 7,2 ; du plomb 11,3) ; *la technique* (rejeter les fontes au sable, le repoussé mécanique qui se distingue par une trace concentrique régulière à l'intérieur de la pièce, et l'embouti) ; *le style* (rejeter les décors en relief apparaissant en creux au revers, les mélanges de styles, et les objets agrémentés de reliefs en applique) ; *la patine* [chocs intentionnels et fausses réparations (l'acide laisse des marbrures noirâtres)]. *Poinçons les plus copiés :* anges, roses, fleurs de lis. Souvent : surcharge de poinçons (*ex.* : rose et couronne) ; les faux poinçons sont fondus avec la pièce (le relief faible ne permet pas toujours de les déceler). Les étains anciens ont parfois un poinçon, frappé en creux. Les faux en ont presque toujours.

cuivre, zinc), pour accessoires du culte (croix, burettes, calices, ciboires, custodes, coffrets à saintes huiles), matériel d'hospitalisation et de soins aux malades. **Collections publiques :** musées des Arts décoratifs (Paris, Strasbourg).

■ **Cours en milliers de francs.** Fonction de l'époque, de l'état, de la qualité, du poinçonnage. **XIVe s.** Pichet à pans (France, vers 1380), 256 (1985 ; record mondial). **XVIe s.** plat « à la Renommée », (Nuremberg v. 1567) : 45 (1985). *Chope gravée Neisse* (All. fin XVIe) : 250 (1984). *Cimarre* [(récipient pour servir le vin d'honneur aux hôtes), Nuremberg v. 1520] : 93 (1984). **XVIe et XVIIe s.** *Patènes :* 4 à 10. **XVIIe et XVIIIe s.** *Aiguière :* 8 à 15. *Assiette :* 0,6 à 2. *Bougeoirs :* (paire) 5 à 7. *Bouteille* (de Eisenschmitt) 20,5 (1992). *Cimarre :* 25 max. *Chope* attr. à F. Briot [Lorraine (?) v. 1600] 20 (1985). *Cruche à huile :* 8 à 12. *Écuelle :* 4 à 20. *Fontaine :* 5 à 66,9. *Pichet :* 3 à 28,4 ; du Nord, env. 2. *Plat : « à la cardinale »* 5 à 20 ; *à filets Louis XVI* 2 à 3 ; *Louis XV* 2 à 3. *Porte-dîner* (ou déjeuner de berger, gamelle) : 3 à 6. **XVIIIe et XIXe s.** *Étains médicaux :* biberon 2 à 3, boule à sangsues 2 à 3, clystères 0,5 à 3, palette à saignée 2 à 5, pot à tisane 1, vase de nuit 2. *Plats gravés hébraïques* (utilisés lors des fêtes juives) : *seder :* 9 à 23. *Soldats :* Voir p. 412. *Soupière :* 5 à 15. *Théière :* boule, anse bois noir, Sheffield 0,5. **XXe s.** *Aiguière* (1900 de Jozon) : 7,5. *Assiette de Pâques* 5 à 63,4. *Vase* étain martelé, décor en laque par I. Dunand 555 (1984).

Nota. – Objets non poinçonnés (pièces ordinaires) : décotes de 30 à 50 %.

Instruments scientifiques

Instruments anciens

■ Prix en milliers de francs

Anneau astronomique. Cadran solaire universel composé de 2 ou 3 cercles en laiton doré, cuivre ou argent. Le cercle extérieur gradué représente le méridien et l'autre l'équateur, le 3e est le plan du méridien où se trouve le Soleil. *Les plus beaux* (fin XVIIe s. et début XVIIIe s.) : signés de Culpeper, Rowley, Butterfield, Delure, Sevin et Chapotot. *Prix :* XVIIe s. 21 à 40 ; XVIIIe s. 8 à 406 (1987) ; XIXe s. 20 à 54.

Arbalestrille (arbalète « bâton de Jacob » *cross-staff* apparue au Portugal v. 1515). Bois ou ivoire, XIVe au XVIIIe s. Verge graduée (pour mesurer la hauteur des astres) sur laquelle coulissent des repères appelés « marteaux » ou « traversaires » mobiles sur une règle carrée. Remplacée par quartier de Davis.

Arithmomètre. Calculatrice inventée en 1820 par Thomas de Colmar, directeur de la Cie d'assurance *Le Soleil* ; 1re fabriquée industriellement. Entre 1823 et 1878 : env. 100 vendues par an. *Prix :* 50 à 70.

Astrolabe. Usage attesté en 1481. Connu des Grecs, transmis aux Arabes, et par leur intermédiaire à l'Espagne et à l'Europe occid. Disque en cuivre ou en laiton doré, recouvert d'un treillis ajouré appelé araignée qui est la projection stéréographique de la carte du ciel. Les syriens sont les plus anciens, les persans les plus beaux, les occidentaux (gothiques) les plus rares, les plus luxueux ceux des XVIe et XVIIe s. Au XVIe s., l'astrolabe marin est en général un cercle de bronze utilisé verticalement (au centre une traverse munie de 2 pinnules, petites plaques percées d'une fente et servant aux visées). Au XVIIe s., le cercle, réduit à 1/8 ,devient l'*octant.* Au XVIIIe s., le *sextant* mis au point mesure les angles. *Signatures recherchées :* Galterius Arsenius, Erasmus Habernnel, Thomas Gemini. Astrolabe nautique et astrolabe quadrant sont très rares. *Prix :* 10 à 1 210 (vente Linton, 9 et 10-9-1980).

Baromètre. Inventé en 1663 par l'Italien Toricelli. A l'origine, tube de verre de 90 cm contenant du mercure, se présente au XVIIIe s. sous forme d'une aiguille se déplaçant sur un cadran grâce à l'invention du piston. Bar. et therm. se combinent sous Louis XV dans la même ébénisterie. Fin XVIIIe s., les mécanismes se perfectionnent, les dimensions se réduisent. Sous l'Empire, utilisation de l'acier et de cadrans en verre églomisé (du nom de l'inventeur Glomy : feuille d'or gravée maintenue entre 2 couches de verre). 1847, Vidi et Bourdon remplacent le mercure par une boîte métallique vide d'air. Le jésuite italien Secchi met au point un baromètre à balance qui pèse la pression atmosphérique. *Prix : baromètres-thermomètres. L. XV* 15. *L. XVI* 55. XIXe s. baromètre-thermomètre (paire) faisant pendant, procédé Magny 410 (1986). *Début XIXe s.* 8. *Restauration* 11. *Baromètres. L. XIV* cartel 28. *L. XVI* 5 à 18. *De Fabergé* (XXe s.) 110.

Boussole. Probablement importée par les Arabes, mise au point par le Portugais Ferrande en 1480. *Prix :* XVIIe s. France 10 à 25 ; XVIIIe s. 2 et + ; XIXe s. de Lorieux 15, de mineur 2,1.

Cadran solaire. Mesure le temps par le cheminement de l'ombre portée par une pointe ou *gnomon.* En Égypte et en Grèce, obélisques et escaliers servaient de gnomon. Il existait des cadrans solaires transportables. A partir du XVe et du XVIe s., fabriqués en Europe (Nuremberg, Augsbourg, Munich), Afr. du N., Chine. Formes complexes ou associées à d'autres instruments. Apogée au XVIIIe s. *Types : cadran simple* (ou c. particulier), ne donne l'heure qu'en un point déterminé, par l'ombre projetée de son style sur les divisions du temps ; *c. universel* à style réglable, s'utilise sous toutes les latitudes ; *c. équatorial* permet, sur inclinaison donnée par rapport à l'équateur, d'avoir l'heure partout ; *c. équinoxial mécanique.* Peuvent être verticaux ou horizontaux, en laiton, bois ou ivoire. *Prix :* c. solaire XVIe s., except. 90, XVIIe 2,5 à 135, XVIIIe 3 à 330 (1989), XIXe 2 à 210.

Chadburn (télégraphe de pont). Colonne de cuivre surmontée d'un cadran ; sert à transmettre aux machines les ordres du commandant.

Chronomètre. *De marine :* monté à la Cardan dans un coffret [1ers fabriqués par Harrison (G.-B.) ; en France : Berthoud et Le Roy].

Compas. *Prix :* XVIe s., bronze 3. XVIIe s. déb. XVIIIe s., fer 1 à 7, bronze 8 à 38, de canonnier 9.

Équerre. *Prix :* XVIIIe s. 5 à 20.

Globes. Célestes : fabriqués par les Arabes dès le Xe s. ; métal gravé, puis bois recouvert de parchemin ou papier peint à la main ou imprimé. A partir du XVIe s. : souvent par paires. *Prix :* 8 à 70. **Terrestres :** le plus ancien, de Martin Behaim (1490, Nuremberg). Fuseaux de papier remplaçables à chaque nouvelle découverte, sur globes en papier mâché mélangé avec du plâtre. *Prix* 4 à 332 (1984).

Graphomètre. Inventé 1597 ; demi-cercle gradué de 0 à 180° pour levés topographiques par triangulation (en mesurant les angles horizontaux). *Prix :* 4 à 40, except. de Danfrie, v. 1600, 276.

Lunette d'approche, longue-vue, lorgnette. Inventée fin XVIe s. Vers la fin XVIIIe s. : forme actuelle, lunette binoculaire ou jumelle. *Prix :* 0,5 à 10.

Médicaux et chirurgicaux (instruments). **IIIe s.** *Trousse* 410. **XVIIIe s.** *Clystères* laiton et ébène 0,6 à 1,6, *scie* de chirurgie 2, *trousse* pour trépanation 6,8 à 45, de médecin 8,4, *ventouses* 8,8. **XIXe s.** *Bistouri* 0,2 à 1, *encrier* avec tête de phrénologie 2, *extracteur* de polypes 1,1, de dents de lait 3,7, *forceps* 1 à 2, *perce-crâne* 1,2 à 4, *scie* rachitome 13, à amputer 5, *spéculum* 1 à 8, *stéthoscope* 0,2 à 1,5, *trépan* de chirurgie 6,9.

Microscope. XVIIe, XVIIIe s. 5 à 350 ; XIXe s. 1,5 à 46. (Microscope de Buffon 433,9).

Nécessaire astronomique. Réunit cadrans solaire, lunaire, nocturlabe, calendrier.

Nocturlabe (ou cadran aux étoiles). Permettait de connaître l'heure en observant les étoiles autour de la Polaire. Inventé v. 1580 (origine chinoise très ancienne). Très répandu fin XVIe et début XVIIe s. Remplacé par la montre à la fin du XVIIe s. Les n. anglais sont les plus simples. *Prix :* except. XVIe s. (Florence) 162 (1979). XVIIIe s. 8 à 30.

Octant fin XVIIIe s. (travaux de Hadley v. 1730), acajou puis ébène et ivoire, 6 à 34 ; XIXe s. 2,5 à 6.

Planétaire. Représente le mouvement des planètes ; 1er modèle : basé sur la sphère armillaire (système ptolémaïque, boule centrale : Terre) ou copernicien (au centre le Soleil) ; 2e : à bras mobiles *orrery* simulant le système solaire avec rotation des astres et satellites ; mis au point par John Rowley (XVIIIe s.), en bois précieux, cuivre, ivoire, métal ; 3e : boule de cristal creuse où sont gravées les étoiles. *Prix :* 8 à 44.

Poids. Pile de 8 livres de Küntzel à Nuremberg (1655-1690) 52 (1992).

Quadrant. Attesté v. 1460. XVIIIe s. 7 à 20.

Quartier. De Davis (Angl. XVIIIe s.)

Sextant. En bois (poirier, acajou, ébène), bronze, grand limbe en ivoire, argent ; pinnule substituée par 4 lunettes spécialisées, et réunies ensuite en une seule lunette achromatique à focale variable (travaux de Dollond v. 1785). *De poche* 3 et +. XVIIIe s. 8 à 17. XIXe s. 3 à 11.

Sphère armillaire. Composée de cercles ou armilles ; représentent équateur (écliptique et horizon), méridien, tropiques, cercles polaires. Terre et planètes sont souvent représentées. Inventée par Archimède en 1250 av. J.-C. Construite jusqu'au XVIIe s. selon le système de Ptolémée (Terre au centre), malgré la découverte de Copernic au début du XVIe s., théorie acceptée seulement au XVIIIe s. (le Soleil est au centre de l'univers). Généralement en carton recouvert de papier gravé, surtout aux XVIIIe et XIXe s., sinon en cuivre, rarement en bois peint ou doré. Pieds ouvragés. Servait à enseigner l'astronomie et à montrer la position des planètes. *Prix :* 3 à 400.

Télégraphe. De Digney Frères. *Prix :* 10,4 (1992).

Télescopes. *Prix :* XVIIIe s. 9 à 16. XIXe s. 9 à 25, de poursuite 11.

Théodolite. Servait à mesurer les angles en altitude et azimuts. Inventé par un Anglais au XVIIIe s. Combine cercle d'arpentage, gradué de 0° à 360°, fixe, et demi-cercle, posé perpendiculairement au 1er, mobile autour d'un axe, les extrémités servant pour viser. XVIe et XVIIe s. : les plus recherchés : laiton ou cuivre doré ; XVIIIe s. : plus utilitaires, en général anglais, pinnules de visée remplacées par lunettes. *Prix :* XVIIIe-XIXe s. 2 à 9.

Thermomètre. Inventé en 1621 par le Hollandais Drebbel. *Prix : Louis XIV,* marqueterie Boulle 40. *L. XVI* 24. *Début XIXe s.* 5 à 10.

Ivoires

Données générales

Composition. Formé de fibres : plus elles sont fines et serrées, plus l'ivoire est solide et beau. Il durcit en vieillissant, et se gonfle à l'humidité. L'ivoire *vert,* recueilli sur un animal fraîchement tué, est vivant et garde ses qualités ; l'ivoire *mort,* recueilli sur des cadavres, se fendille en vieillissant et est moins solide.

Provenance de l'ivoire brut. Surtout de l'éléphant (mais aussi hippopotame, narval, sanglier, morse, baleine, cachalot, mammouths trouvés dans les glaces de Sibérie). Seuls éléphant et hippopotame ont commercialement le droit à l'appellation ivoire. On distingue l'*ivoire de forêt* (le meilleur), et l'*ivoire de savane*. Le Kenya est le principal fournisseur [ouvrages en défense ou en comportant des éléments, soumis à la convention de Washington (3-3-1973) applicable dans la CEE dep. le 1-1-1984 sur le commerce de la faune et de la flore sauvages menacées d'extinction et à l'art. 215 du Code des douanes fr.]. *Les plus grandes défenses connues* furent trouvées en Afrique en 1898 : la paire pesait plus de 200 kg (l'une est au musée d'Histoire naturelle de Londres, l'autre à Sheffield).

☞ Actuellement, le terme *ivoirine* (interdit par le service de la répression des fraudes) désigne des copies en matières agglomérées.

Ivoires travaillés

Époques. Préhistoriques (20 000 av. J.-C.). **Égyptiens, Babyloniens et Assyriens. Égéens. Gréco-Romains. Romains** (tête, musée de Vienne, Fr.). **Byzantins :** Alexandrie (art classique grec) ; Antioche (art syrien) ; Constantinople (nombreux diptyques consulaires représentant les consuls) ; triptyques Harbaville, feuillet de diptyque impérial, ivoire dit Barberini (Louvre) ; chaire de Maximien (VIe s., Ravenne) ; coffrets. **Carolingiens :** reliure de l'évangéliaire de Lorsch (Londres, Vict. and Albert Mus. Rome, Mus. du Vatican) ; chaire de St-Pierre (Vatican, Rome). **Ottoniens :** panneaux « de l'antependium de Magdebourg » (répartis entre plusieurs musées). **Romans. Gothiques :** *ex. :* la Déposition (Louvre), diptyque du trésor de Soissons (Victoria and Albert, Londres). **Renaissants :** sujets profanes inspirés des grands maîtres de l'estampe. **Modernes.**

Arabes. Japonais : fin XIXe s., défenses d'éléphants sculptées, signées et datées, et statues bouddhiques rehaussées de couleurs, fabriquées pour l'exportation et vendues par des colporteurs. **Chinois. Indiens. Birmans. Indonésiens.**

■ **Centres actuels.** Les sculpteurs sur ivoire se font rares. *Hong Kong* (majorité de l'ivoire vendu actuellement), *Pékin, Japon, Inde.* **Principales collections. Allemagne :** *Darmstadt,* Hessisches Landesmuseum, *Munich,* Bayerisches National Museum. **Danemark :** *Copenhague,* m. des Arts décoratifs. **Égypte :** *Le Caire.* **France :** *Paris,* m. de Cluny, m. du Louvre. *Dieppe* (Dieppe et Paris furent, au XVIIIe s., les derniers centres importants d'Europe). **G.-B. :** *Londres :* British Museum, Victoria and Albert. **Grèce :** *Athènes.* **Italie :** *Florence,* museo del Bargello, *Milan,* Castello Sforzesco. **Japon :** *Tōkyō.* **Russie :** *St-Pétersbourg :* Ermitage. **USA :** *Baltimore,* Walters Art Gallery. *New York,* Metropolitan. **Vatican.**

■ **Principaux artistes.** Christophe Angemair († 1633), Ignaz Elhafen (v. 1650-1720), Leonhard Kem (1588-1662), Georg Petel (1590-1634), Simon Troger (1683-1769).

■ **Cours en milliers de francs. IXe-VIIIe s. av. J.-C.** *Plaque* phénicienne (Syrie, 10,1 sur 7,7 cm) 369 (1985). **Xe s.** *Plaque* (15,5 sur 7 cm) 3 837 (1978). **XIe s.** *Christ* (byzantin) (24,5 sur 13 cm) 5 324 (1978) ; *coffret* Italie du N. 143 (1982) ; *plaque* de St Luc (ottonienne, Cologne, 4,8 cm) 380 (1980). **XIVe s.** *Coffret,* scènes de la vie de St Eustache, I.-de-F. 5 016 (1983) ; *crosse* double face, France 848 (1983) ; *Vierge* à l'Enfant 850 (1984). **XVe s.** *Coffret* Italie du N. 28 (1991) ; *plaques* de coffret (12 scènes), Flandre ou N. de la France 150 (1985). **XVIe s.** *Peigne* double face, Italie 59 (1983) ; *statuette* Cosimo de Médicis (?) (29,5 cm), Italie 860 (1981). **XVIIe s.** *Chope* 160 (1991) ; *couvert* (All. ou Flandres) 40 (1986) ; *crucifix* 3 à 75 ; *plaques* (10) d'après J. Callot, « les Horreurs de la guerre » (1633, France) 200 (1985) ; *poire* à poudre, All. 250 (1983) ; *poupée* anatomique (All.) 19 (1986) ; *statuette* Bacchus, attribuée à Ignaz Elhafen, All. 25 (1991) ; St Sébastien par A. Quentin le Vieux, Flandres (43 cm) 550 (1987). **XVIIIe s.** *Coupe* couverte (All.) 40 (1986) ; *plaquettes* (4) métamorphoses d'Ovide, Italie 480 (1991) ; enlèvement des Sabines, Flandres 15 (1991) ; *râpe* à tabac, (Vénus et Cupidon), Dieppe 8,8 (1988) ; *statuette* de Pie VI (Rosset, à St-Claude 1776) 36 (1985). **XIXe s.** *Chope :* Neptune et les Nymphes, monture vermeil, Dieppe 25 (1986) ; *Christ* à la colonne (France) 65 (1990) ; *copies :* canne (pommeau) 0,5 à 1 ; chope sculptée 12 à 15. **XXe s.** *Coupe* iv. et onyx à incrustations d'argent (1913, par Mme O'Kin Simmen) 103 (1985).

Échecs. XVIIe s. Allemand 1 350. **XVIIIe s.** Autrichien 60 (1970). **XIXe s.** 15 à 70. **XXe s.** Pour un roi de 15 cm : 10 et +.

ENTRETIEN

Pour éviter le dessèchement de l'ivoire, munir les radiateurs d'humidificateurs d'air, ne pas les exposer à une chaleur trop forte (ampoule de projecteur par ex.). *Nettoyage* (sauf pour les ivoires anciens) : ne jamais employer le jus de citron, mais l'eau et le savon ou la lessive St-Marc (15 g par litre d'eau tiède). *Objets usuels* (brosses, manches de couteau, touches de piano) : un peu de blanc d'Espagne mélangé à de l'alcool à brûler. *Ivoire très sculpté* incrusté de poussière : le tremper dans un bain de lait cru quelques h., le brosser avec un pinceau à poil raide, et frotter avec un chiffon sec et doux jusqu'à séchage complet. *Ivoire rayé :* le repolir avec du blanc d'Espagne dissous dans de l'eau tiède ; dès que le blanc est sec, frotter avec une peau de chamois.

LAQUE

GÉNÉRALITÉS

Définition. Mot féminin quand il désigne la matière, masculin pour un objet laqué. Nom de l'artiste : laqueur ou laquiste. *Asie* (qi chou en chinois, urushi en japonais) : revêtement solide, résistant aux intempéries, extrait de la sève d'un arbre, le « rhus vernicifera » (toxique). *Indes :* « laksha » : tirée d'une résine sécrétée par une cochenille : Coccus lacca.

Origine. Chine (dynastie des Han, 3 s. av. J.-C.), utilisée d'abord pour protéger les armes, puis des objets ménagers et meubles.

Fabrication. Sèves résineuses utilisées aussitôt après avoir été purifiées, colorées ou employées comme laque transparente brun or ; elles sèchent en formant un film insoluble et sans pores ; on doit étaler la laque en couches très minces (en Chine, jusqu'à 18 couches et + sur les objets sculptés). *1730 :* invention du vernis Martin par les frères Martin, de Paris, imitation de la laque (fragile à l'eau), à base de copal. *XIXe s. (milieu) :* imitation chimique, de meilleure qualité. *XXe s. :* emploi de la nitrocellulose et de vernis durcissant à l'air.

PROVENANCE

■ **Asie. Chine :** TYPES *laques peints* (ou *hua qi*) avec légers reliefs (paravents, meubles). *L. sculptés* (ou *tia ts'i*). *L. de Pékin* (vases, plateaux, fauteuils). *L. de Coromandel* (port du Bengale assurant le commerce des l. de Chine en Europe occid. ; les l. dits « de Coromandel » sont des feuilles de paravent avec des motifs) ou *l. champlevés.* Les plus connus : portent le sceau de l'empereur *Qianlong* (1736-95) (décor gravé, fonds peints à la détrempe de tons vifs d'où ressortent les contours en relief). **Principaux maîtres** *Huang Xiaowu* (époque Song 960-1299). *Zhang Cheng* (ép. Yuan 1280-1367). *Zhen Jing* (ép. Ming en 1368-1644). Lao Wei (ép. Qing 1644-1909). **Prix** (milliers de F). XVIe s. Bahut 13 à 17. XVIIe s. Armoire 17. Paravent *Qianlong* 12 feuilles (50 × 200 cm) 100 à 150. XVIIIe s. Paravent 70. Boîte 5 à 10. XIXe s. Armoire 9. Vase de Pékin 25.

Japon : palais, temples, inrô, peignes, statues, bronzes laqués, meubles. Secret de fabrication du VIIe s. à 1878 (huiles siccatives + latex + préparations diverses). **Principaux maîtres** *XVIIe-XVIIIe s. : Naga-Shige* (1599-1651), *Kano-Nao-Nobu* (1607-50) (paravents), *Kaji-Kawa* († 1682) laque noire, inro, *Ritsuo* ou *O-Gawa* (1663-1747) incrustations. *XIXe : Ta-Tsuki Yei Suke,* inro Bun-Sai. *XXe : Gonroku Matsuda, Katsutaro Yamazaki, Tomio Yoshino.* **Prix** (en milliers de francs). XVIIe s. Inrô 4 à 13. XVIIIe s. Inrô 15. XIXe s. Inrô 26. Paravent 30 à 490. Inrô 5 000. Vase (Meiji) 56.

Corée et Viêt-nam : avec incrustation de nacres.

Iran : objets en carton vernis à la sandaraque depuis la dynastie séfévide (1510-1737).

■ **Europe.** Meubles vernis réalisés dès le XIIIe s. Influence : objets rapportés par Marco Polo.

FRANCE. Employées pendant la guerre de 1914-18 pour les hélices d'avion pour leur résistance. Puis par les décorateurs Art déco (même technique que celle des maîtres chinois et japonais mais la sève du « rhus vernicifera » toxique est remplacée par les laques glycérophtaliques, cellulosiques, polyuréthanes sur des supports : contre-plaqué, latté, aggloméré ou tôle d'aluminium), et portent le nom de laques modernes, même si ces compositions sont associées à de la laque de Chine, car la laque de Chine doit être pure. **Principaux laquistes.** Pierre Bobot (1902-74). Jean-Pierre Bousquet (1934). At. Brugier (1920). Gine Clément (1938). Bernard Dunand (1908). Jean Dunand (1877-1942). Pierre Dunand (1914). Isabelle Emmerique (1957). Andrée Gerbaud (1926). Jean Goulden (1878-1947). Eyleen Gray (1878-1976). Katsu Hamanaka (Japon, 1895-1982). Roland Ingert (1940). André Margat (1903). Jacques Nam (1881-1974). P.-E. Sain (1904).

☞ **Prix (en milliers de francs).** *J.-P. Bousquet :* panneaux 25. *G. Clément :* panneaux 22. *B. Dunand :* paravent 250. *J. Dunand :* paravent 3 500, bureau à coquille d'œuf 710. *P. Dunand :* paravent laque de Chine 350. *I. Emmerique :* panneaux 22. *F. Ferone :* bahut 52. *A. Gerbaud :* paravent 200. *E. Gray :* chaise 105, paravent 179. *K. Hamanaka :* paravent laque du Japon 400. *R. Ingert :* paravent nacre-ivoire 400. *A. Margat :* panneaux 60. *J. Nam :* panneaux 45. *P.-E. Sain :* panneaux 60.

Russie : sous l'influence de la Perse, depuis Pierre le Grand (boîtes, tabatières, coffrets en papier mâché imprégnés d'huile de lin cuite au four).

MOBILIER

SOURCES : Gazette de Drouot, Connaissance des arts, le Revenu français, Cie des commissaires priseurs, Jean-Pierre Dillée, Serge Renard, Marc Révillon d'Apreval, Thierry Samuel-Weiss, etc.

Le cours varie selon qualité (bois et bronze employés), exécution (finition, équilibre des formes, accord des bronzes et de la marqueterie), époque (pas nécessairement la plus ancienne), signature, rareté et mode. Une paire de fauteuils vaut 3 ou 4 fois plus qu'un isolé, 3 fauteuils ne valent guère plus qu'une paire ; en revanche un salon complet n'est pas toujours plus cher.

MOYEN AGE

Périodes. 1°) *Du XIe au milieu du XIVe s.,* les meubles (armoire, coffre) sont en planches épaisses (jusqu'à 10 cm). Des pentures en fer forgé, souvent en forme de volutes, les maintiennent. 2°) *Du milieu du XIVe au 1er quart du XVIe s.,* les montants sont en saillie, les panneaux reproduisent comme une fenêtre : meneaux flamboyants, roses, accolades. Les serrures sont clouées sur un carreau de velours ou de drap, en général rouge ; trop coûteuses, les vis sont en effet réservées aux armes.

Principaux meubles. *Armoire, banc* ou *archebanc* (avec dais au XVe s.), *chaire* (bras et dossier), *coffre, crédence, dressoir* (à 2, 3, 4 étagères), *faudesteuil* (jusqu'au XIVe s. ; siège à base en X), *lectrin* ou *lutrin, lit* (ciel-de-lit accroché au plafond jusqu'au XVe s., sur colonnes et sur le chevet ensuite), *table* (planche sur tréteaux).

RENAISSANCE

■ CARACTÉRISTIQUES

Technique. Deux procédés (connus déjà au XIIe s.) permettent de cacher davantage les assemblages : *Assemblage d'onglet* qui perfectionne l'assemblage à tenon et mortaise : les pièces de bois ne sont plus disposées suivant l'horizontale et la verticale, mais suivant la diagonale ; *Ass. à queues d'aronde.* Elles pénètrent dans des encoches et sont masquées par une épaisseur de bois réservée en creusant les entailles, dites queues recouvertes ou queues perdues.

Sous Louis XII. Les meubles empruntent des motifs à la Renaissance italienne comme les *rinceaux,* et d'autres empruntent des motifs à l'époque gothique comme les *pinacles.*

Sous François Ier. La décoration est toute italienne : bustes en saillie, pilastres décorés d'arabesques ou de feuillages et de grotesques.

Sous Henri II. On utilise de grands panneaux parfois uniques, faits de plusieurs planches assemblées. La composition est de caractère architectural. Les pilastres ornés sont remplacés par des pilastres cannelés ou des colonnes unies ou cannelées. Le chêne est le plus souvent remplacé par le noyer, avec parfois des plaques en marbre (Fontainebleau).

En *Ile-de-France,* les meubles sont parfois incrustés de marbre blanc et noir et souvent sculptés en bas-relief. En *Bourgogne,* ils sont surtout sculptés en haut-relief. Hugues Sambin est maître en 1549. En *Ile-de-France* dominent arcade et colonnettes, c'est le style de Du Cerceau (1512-84) ; médaillon ovale et bombé : « le miroir ».

Principaux meubles. Armoire en 2 parties, généralement la + haute en retrait. **Buffet. Chaire à bras** appelée fauteuil dès le XVIIe s. ; couverte de cuir, puis tapisserie, vers la fin du XVIe s. **Chaire de salle** réservée au chef de famille. **Crédence** disparaît après Henri III. **Lit. Siège à bras « en façon de tallemouze »** (siège de femme) appelé caquetoire au XIXe s. **Table** jusqu'à 88 cm de haut ; sous Henri II, toupies pendantes sous chaque angle de la ceinture, piètement en croix de Lorraine ; fin XVIe, tables à 6, 8, 9 pieds.

■ COURS EN MILLIERS DE FRANCS

Armoire 40 à 60. **Bahut** *noyer* 130. **Buffet** *à 2 corps* 60, *chêne* 40 à 1 000 attribué à Sambin (v. 1575) (1992). **Cabinet** 30 à 900. **Cathèdre** *chêne sculpté* 40 à 80 et + ; *noyer* 30. **Chayère** (siège formant coffre) 44 à 130. **Crédence** *sculptée* 45 à 80 et +. **Dressoir** jusqu'à 403,9 (1990). **Lit à baldaquin** dans lequel aurait dormi Henri IV 230 (1991). **Table** 10 à 60, *noyer,* rallonges à l'italienne (v. 1550) 40 à 120.

LOUIS XIII

■ CARACTÉRISTIQUES

L'influence étrangère (Flandres, Allemagne, Espagne, Italie) est encore très forte.

On utilise : *ébène :* feuilles minces, sculptées en bas-relief en applique sur le bâti ; *bois exotiques* (dits bois de violette, d'amarante, etc.) ; *bois français* (if, buis, noyer, merisier, orme) ; *incrustations :* lames de bois de couleur ou feuilles de marbre ou d'écaille collées dans des entailles ; *marqueterie :* décor en mosaïque de bois de couleur, assemblé au préalable, revêt le bâti.

■ Principaux meubles. **Armoire (à pointes de diamant)** (influence néerlandaise). **Buffet** à 2 corps superposés, en noyer ou chêne naturel, à panneaux à losanges ou rectangulaires. **Cabinets** sculptés ou peints (entièrement, ou les façades de tiroirs au dos des portes) ou ornés de fixés sur verre (*flamands,* très sculptés ; *allemands,* à 2 corps superposés, plaqués d'ambre et d'ébène ; *italiens,* peu nombreux, ornés d'agate et fil d'argent ; le cabinet du maréchal de Créqui, au musée de Cluny, est le 1er *bureau*). **Chaise** *à arcades* (infl. espagnole et mauresque), à *pieds obliques* (à partir du milieu du XVIIe s., on appelle chaise le siège dépourvu d'accotoirs). **Siège** *tendu de cuir* (venu d'Italie au milieu du XVIe s.), *canné* (remplace le *jonc* du XVIIe, innovation hollandaise). **Table, fauteuil, chaise** et **petite table** à pieds torsadés, balustrés ou « os de mouton », en chapelet (le plus courant), entretoise en H.

■ Principaux ébénistes. Jean Adam (connu v. 1657). Philippe Baudrillet. Pierre Boulle (n. en Suisse 1580-1635). Jean Desjardins (connu v. 1636-57). Jean Lemaire (connu 1636-57). Jean Macé (de Blois ; 1600-72). Laurent Strabe.

■ Éléments du prix. Patine d'origine (assez sombre, un peu irrégulière, très brillante). Sculpture à l'extrémité des accotoirs des fauteuils (têtes de lion, assez rares ; lions couchés ou bustes de femmes, rarissimes). Les entretoises indiquent parfois une origine nordique (Hollande, Flandres, Angleterre). Une tapisserie d'époque en bon état peut tripler le prix. Soieries et velours d'époque sont pratiquement introuvables en bon état.

■ Cours en milliers de francs

Armoire 30 à 80 ; *bois fruitier* 20 à 40, *à 2 corps, bois naturel,* portes flanquées de cariatides env. 60. **Bahut** 40 à 100. **Buffet** *2 corps* 50. **Cabinet** 40 à 180 et +. **Sièges,** *canapé* 3 à 20 ; *chaise* seule, tissu moderne 2 à 5, paire 5 à 12 et + ; *fauteuil* seul 8 à 150, paire 25 à 60 et +, suite de 6, 120 (séries très rares) ; *tabouret* (très rare) seul 6, paire 15 à 60 (« os de mouton »). *Copies fauteuils* (paire) 3, *chaise non recouverte* 0,8 à 15, *chaise « os de mouton »* 6. **Table** 15 à 80.

Louis XIV

■ Caractéristiques

■ Technique. Placages de cuivre, d'étain et d'écaille avec des garnitures de bronze doré triomphent dans les ateliers royaux. Ailleurs, la tradition du bois massif se maintient. Meubles en bois de « rapport » avec des vases de fleurs dans le goût de Monnoyer, avec des fleurs en « ivoire », en général de jasmin, d'où l'attribution à l'ébéniste Jasmin, sans doute l'un des Boulle. Une dorure d'origine est rarissime. La plupart des sièges ont été décapés ou redorés au XIXe s.

Marqueterie de Boulle : André Charles Boulle (1642-1732), 1er ébéniste du roi, donna son nom à la plupart des meubles marquetés (d'écaille rouge ou brune, et de cuivre), fabriqués entre la 2e moitié du XVIIe s. et le milieu du XVIIIe s. [par ses fils ou ses élèves], puis sous L. XVI par Louis Delaitre (maître en 1738, disparu en 1750), Philippe-Claude Montigny (1734-1800) et Étienne Levasseur (1721-98) qui réparaient et copiaient des meubles de Boulle ; perfectionna la marqueterie (écaille, cuivre et étain), venue d'Italie. Il utilisa corne (colorée), écaille de tortue (souvent teinte en rouge), nacre, ivoire ou cuivre et étain. Il découpait ensemble une feuille d'écaille et une feuille de cuivre ; le motif de cuivre était inséré dans le fond d'écaille et celui d'écaille dans le fond de cuivre. Le décor à fond d'écaille était dit *de partie,* celui à fond de cuivre *de contrepartie* (les meubles étaient souvent fabriqués en paire avec les motifs de matériau inversés). Les garnitures de bronze doré (au mercure ou au vernis) et ciselé représentant des masques, mascarons, groupes d'enfants, rosaces, coquilles, feuillages avaient un but pratique : renforcer les assemblages, protéger les arêtes vives, maintenir à l'aide d'une large bordure ou d'une baguette les panneaux de marqueterie. Les bâtis étaient sous L. XIV en sapin ; sous L. XVI en chêne.

■ Principaux meubles. **Bibliothèque** (fin XVIIe s.). **Bureau** (dit Mazarin, à 8 pieds jumelés, disparaît après L. XIV ; *plat,* 3 tiroirs). **Cabinet. Commode** (1re v. 1700, par A.C. Boulle). **Console** (fin XVIIe s.). **Écran. Fauteuil** (remplace vers 1632 la chaise à bras), dit de commodité ou *f. en confessionnal.* **Gaines. Lit** (+ de 2 m × 2 m ; *à quenouilles* dans la 1re moitié du XVIIe, *en housse,* c'est-à-dire à pentes tombantes, ensuite). **Miroir. Placet** et **ployant. Table. Torchère.**

■ Principaux artistes. **Ébénistes :** André Charles Boulle (1642-1732), Gaudreaux (1680-1751), Gaudron († 1710), Jacques Sommer, Pierre Poitou, Louis Delaitre (voir ci-dessus), Guillemard (1644-96), Hecquet, Pierre Golle (Holl., † Paris 1634), Dominique Cucci (Ital., 1635-1705). **Ornemanistes :** Jean Bérain (1639-1711), Alexandre-Jean Oppenordt (1639-1715). **Sculpteurs sur bois :** Filippo Caffieri (1634-1716), Mathieu Lespagnandelle (1617-89). **Sculpteurs-orfèvres :** Jean Warin (1604-72), Claude Ballin (1615-78).

■ Cours en milliers de francs

Appliques jusqu'à 372,4 (la paire). **Armoire** *bois fruitier* 20 à 30 ; *chêne* 20 à 50 ; *noyer plaqué vallée du Rhône* 25 à 100 ; *sculpté protestant* 60 ; *placage* 120 à 300. **Bibliothèque** 100 à 600 et +. (de N. Sageot 2 031, 1990). **Buffet** *bois naturel* mouluré et sculpté, 3 portes, dessus marbre env. 80 ; *en chêne* 50 à 85 ; deux corps 220. **Bureau** *mazarin,* bois naturel 60 à 85, placage jusqu'à 800, marqueterie 150 à 580 (1992) ; *plat* 1 051 (vte Tannouri, 1984) ; marqueterie 80 à 400, à caissons bois nat. 80 à 180, placage (cuivre, écaille, ébène, etc.) 100 à 400, *de changeur* 120 à 250. **Cabinet** 60 à 300 (de Gole pour Mazarin 2 551). **Cheminée** *copies* 5 à 65. **Chenets** 20 à 200. **Coffret,** placage écaille except. 1 700 (1991). **Commode** *bois naturel* 40 à 60 et +, *placage* bois de violette ou palissandre 200 à 2 650, placage ébène 430 ; *décor ébène,* filet cuivre 200 à 800 ; *marqueterie* 100 à 600 [fond d'ébène avec rehauts d'ivoire 1 221 (1984)] ; placage tôle laquée 4 953 (1985). *Copies* poirier, forme arbalète 15 à 30. **Console** *bois doré* 60 à 554 ; 1 550 (dessin de Lebrun) (1991) ; (paire) *ébène* 2 000 (1973). **Glace** 50 à 180, except. verre églomisé 818,5 (1990), d'Augsbourg 5 300 (1988). **Lustre** 40 à 350. **Sièges** *canapé* 15 à 40 ; *chaise* (noyer tourné) 3 à 6 ; *fauteuil* dossier plat avec tapisserie 25 à 752 (vente Tannouri, 1984) ; suite de 4, except., 2 150 (1988) ; *tabourets :* bois tourné 3 à 5, sculpté 15 à 20, doré jusqu'à 300 la paire et +. *Copies* fauteuils « os de mouton cannelé » paire 4, tabouret 7,3. **Table** 30 à 900 ; except. marqueterie d'écaille, cuivre, étain et bois 4 773 (1984). *Copies XIXe s.* 10 à 50.

Meubles Boulle. *Armoire* 300 à 500. *Bibliothèque* 200 à 1 018 (paire, vte Tannouri, 1984). *Bureau plat* 150 à 600 (1983), except. 6 726 (1988). *Mazarin* 300 à 800. *Commode* 600 à 2 000. *Consoles* (paire) 110 ; except. 2 300 (1982). *Desserte* 1 700. *Gaines* (paire) except. 6 000 (1987), idem aux 2 bronzes de Girardon except. 13 600 (1987). *Meuble* 2 corps 250 ; d'appui (paire) except. 617 (1974). *Table console* marquetée 200 (1982) ; *de milieu* (écaille, cuivre et étain) 4 300 (1984). *Copies XIXe s. : bibliothèque* 40 à 120.

Régence

■ Caractéristiques

■ Technique. Meubles plus légers et lignes moins rigides. Plaqués de bois satiné importé des Indes : palissandre, amarante, bois violet dit de violette, bois de rose. *Chantournement ;* les courbes concaves alternent avec les convexes, comme dans la commode à la Régence ou en tombeau.

■ Principaux meubles. **Armoire. Bibliothèque. Bureau. Commode. Consoles et tables** en bois sculpté et doré. **Fauteuil** à garniture fixe. **Secrétaire** à abattant (inspiré de Liège). **Siège canné.**

■ Principaux artistes. **Ébéniste :** Charles Cressent (1685-1768). Watteau lui inspire les bustes de femme souriante qu'on appelle *espagnolettes,* qu'il place aux angles des meubles ; la traverse inférieure de ses commodes a un mouvement sinueux : le profil en arbalète. **Sculpteur :** Sébastien Slodtz (1655-1726).

■ Cours en milliers de francs

Appliques paire 60 à 300, suite de 4, 150 à 600. **Armoire** 100 à 350. **Bibliothèque** 100 à 1 900 (1987). **Buffet** *deux corps* 100 à 250 et +. **Bureau** *plat* 96 à 2 000 ; *de pente* 80 à 200 et +. **Chenets** *obélisques ou en forme de pyramides* avec feuillages 50 à 100, sujets (surtout chinois) 60 à 150 (dorure d'époque : + 50 à 80 %). **Commode** *« en tombeau »* (3 rangs de tiroirs) bois naturel 40 à 80, placage 50 à 150, except. 250, marquetée 80 à 1 000 (Doirat, 1984) ; *à « 2 tiroirs »* 60 à 300, except. de Cressent 47 600 (paire, 1993) ; provinciale bois fruitier 35 à 60. **Console** *bois sculpté et doré* 40 à 800 ; *naturel, sculpté* 100 à 270 (1991). **Glace** 35 à 250 ; miroir neuf et parquet refait (assemblage de bois tenant le miroir) diminuent le prix. **Lustre** *bronze doré* except. 2 000 (1987). **Sièges** *bergère* à oreilles, bois naturel sculpté 30 à 80 ; *canapé* à oreilles, bois nat. 40 à 120, sculpté doré 50 à 200 ; *chaise* cannée 8 à 12, paire 15 à 40, suite de six, 100 à 250 ; *chaise longue* 146 (1991) ; *fauteuil* canné 20 à 60, bois nat. 12 à 53, except. à ceinture et dossier incurvé 128 (1985) ; à châssis 40 à 250, de bureau 20 à 80, de cabinet 230 (1983), dossier plat 20, except. 519,4 (paire, 1990), cabriolet bois nat. 10, paire 24 à 230, suite de 4 : 150 à 810 ; *tabouret* seul à partir de 15, paire jusqu'à 150 ; *salon* 6 fauteuils, 1 canapé (1991) 230, except. 4 f., 1 can. 16 350 (1988). **Table** *à gibier* 60 à 200 et + ; *à jeu* en chêne nat. ou noyer 25 à 35 et + (avec sculptures et plateaux circulaires en saillie 30 à 60 et +) ; *de salon* 60 à 300 ; *desserte* except. 980 (1983) ; *de changeur* 80 à 180.

☞ **Copies :** *bergère* (paire) 20 ; *bureau plat* 20 à 40 ; *commode tombeau* 20 à 35 ; *fauteuil canné* 3 à 5.

Louis XV

■ Caractéristiques

■ Technique. Ligne courbe. Décor de fleurs et de rocailles. Des meubles nouveaux apparaissent : petits bureaux, petites tables. On fait beaucoup usage de la marqueterie et des panneaux laqués en Orient. Les frères Martin développent le vernis (décor diversifié). Le décor européen est le plus rare. Les bronzes ne doivent, en principe, jamais dissimuler les motifs de marqueterie, mais en suivre les méandres.

■ Principaux meubles. **Armoire. Bergère** (fin XVIIe s.), *b. à gondole.* **Bibliothèque. Bonheur-du-jour. Bureau** à *cylindre, à dessus brisé* ou *à dos d'âne* (à double pente), dit capucin (de dame). **Chaise** *à la Reine* (à dossier violoné, puis ovale à partir de 1785 env.), *longue* dite de duchesse ou d. *à bateaux* (+ de 1,60 m et 2 dossiers) ou *brisée* (en 2 ou 3 éléments). **Chiffonnière. Commode. Encoignure. Fauteuil** *en cabriolet* (v. 1750), *de cabinet.* **Lit** (*à la française ; à la polonaise,* à 3 dossiers à partir du XVIIIe s. ; *à l'anglaise ; à la turque ; d'ange, en dôme, à l'impériale, à la duchesse,* hérités du XVIIe s. ; *à la romaine,* à baldaquin). **Marquise** (milieu XVIIIe s.). **Méridienne. Meuble d'entre-deux. Meuble à transformation** [dit « à la Bourgogne » : commandés par des mécanismes ; en 1760, Oeben avait construit pour le duc de Bourgogne (petit-fils de Louis XV), atteint de paralysie, un fauteuil à manivelle]. **Ottomane. Régulateur. Secrétaire** (appar. v. 1745). **Sofa** *bas.* **Sultane** (canapé formé d'une banquette et de 2 dossiers latéraux). **Table** *de salon, d'accouchée, de chevet, coiffeuse, de toilette.* **Turquoise** (canapé). **Veilleuse** (canapé).

■ Principaux artistes. **Menuisiers :** Jean Avisse (1723-93), maître en 1745 (signe : I. Avisse). Louis Delanois (1731-92), maître en 1761. Jean Gourdin (signe : Père Gourdin, trav. v. 1737-63). Nicolas Heurtaut (1720-71). Nicolas Quinibert-Foliot (1708-76). J.-B. Tilliard (1685-1766) ; fils, maître en 1752

Estampilles

Premières. Sous Louis XV. La Corporation des menuisiers-ébénistes de Paris les rendit obligatoires en 1743, le Parlement de Paris en 1751. Elles devaient s'accompagner d'un poinçon de contrôle (les 3 lettres J.M.E., 7 mm de haut, 10 de large) de la Jurande des menuisiers-ébénistes parisiens appliqué lors de la visite biannuelle de jurés dans les ateliers. Pour ne pas régler de droit ou par négligence, quelques maîtres s'abstinrent. Certains maîtres fournissant le roi en étaient exonérés.

« C » couronné. Poinçon (4 mm de haut) des bronzes d'ornement apposé (1745-49) (règlement d'une taxe). Preuve de qualité, permet datation précise.

Mentions figurant dans les catalogues de vente. Sauf réserve expresse : *porte estampille de X, signature de X, « de » X, « par » X, X : commode...* garantissent l'authenticité.

Époque

Meuble. « D'époque Louis XV » : fabriqué sous Louis XV, ou peu après. **De « style Louis XV » :** fabriqué n'importe quand. **Ancien :** ayant environ 100 ans d'âge ou plus (délai donné par le Code des douanes).

Meubles des châteaux royaux. Ils portent, exécutée au fer rouge ou au pochoir sous un marbre, sur l'arrière d'un montant ou le dos, la marque du château surmontée d'une couronne : CP (Compiègne), CT (Petit Trianon), F ou FN (Fontainebleau), 2 G accolés (Tuileries), ML (Marly), St C (St-Cloud), W (Versailles). A qualité égale, la marque d'un château royal peut suffire à doubler ou tripler le prix d'un meuble ou quintupler si accompagné d'un document spécifique.

(† 1797). **Ornemaniste :** Nicolas Pineau (1684-1754). **Ébénistes :** Pierre Bernard (1715-65). BVRB (Bernard Van Risen Burgh) (v. 1740-70). Antoine-Mathieu Criaerd (1689-1776). Léonard Boudin (1735-1807). Jacques Dubois (1693-1763). Charles-Joseph Dufour (1740-82). Les Hache : Thomas (1664-1747), Pierre (1705-76), Jean-François (1730-96), Christophe-André (1748-1831). Pierre Macret (1727-96). Nicolas Petit (1732-91). Louis Péridiez (1731-ap. 1787). Jacques Dautriche (Van Ostenryck, v. 1743-78). Louis Delanois (1731-92). Adrien Delorme, maître en 1748. Jean Dumoulin (1715-98). Charles Cressent (1685-1768). Pierre Garnier (1720-1800). Antoine-Robert Gaudreaux (1680-1751). Joseph (orig. allemande : Joseph Baumhauer) († 1772). Gilles Joubert (v. 1689-1775). La Croix (Roger Van der Cruse, dit) (1723-99). Jean-Pierre Latz (v. 1691-1704). Pierre II Migeon (1701-58). Pierre III Migeon (1733-75). Jean-François Œben (1721-63). Christophe Wolff (1720-95).

■ Cours en milliers de francs

Appliques (paire) 28 à 928,5 (1992). **Armoire** bois fruitier 14 à 37,8 (noyer) ; acajou 28 à 105 (meubles de port) ; placage 42 à 56 ; formant secrétaire, marqueterie 480,2.

Boiseries Gerdolle (v. 1736) de 22 m × 4 m 755 (1992). Salon de musique, 16 m 1580 (1990), réfectoire de couvent par Gerdolle (8 m × 7 m) 1 660 (1992). **Buffet** *vaisselier* merisier 8,4, à 2 corps 10,5 à 21 except. 240 ; *bressan* chêne et merisier, placage d'orme 35 à 42, en acajou de Cuba 97,3 ; *provençal* noyer jusqu'à 56. **Bureau** *bonheur-du-jour* 35 à 175 ; *à la bourgogne* système à ressort et placage 56 à 175 ; à manivelle et marqueterie 126 à 252 (peu copié) ; *à culbute (capucin)*, bois nat. 12,6 ; placage 16,8 à 567 (peu copié) ; *à cylindre* (lamelles) placage 35 à 280 (copie XIXe s. 10,5 à 17,5) ; *de dame* 49 à 490 ; *de pente* 35 à 490 (marq. de Schwingkens), 14 à 16,1 (bois nat.), 350 à 1 050 (except.), 210 à 840 (laque) ; *dos d'âne* de Latz 245, de Dubois 1 230 (1991) ; *plat* 84 à 1 771, copie 6,3 à 121,8, 7 000 (Latz, 1990) ; attribué à Dubois 9 170 ; *de port* acajou massif 21 à 42 (peu copié) ; *transition* 380 (est. Boudin, 1985).

Chenets bronze 28 à 80, except. 4 600 (signés Solon, 1990). **Chiffonnier** 17,5 à 126. **Coffret** maroquin rouge 4,2 à 10,5 en laque de Latz 265 (1992). **Coiffeuse** 10 à 100 et + ; en forme de cœur, marqueterie 885 (1985), except. à caisson, de Boudin 2 104 (1990). **Commode** *bois fruitier* 14 à 35 ; *en bois d'Amérique « gaïac »* 70 ; *des Hache* 35 à 140 ; *laque* 175 à 6 216 ; *marqueterie* 105 à 2 312,8 ; *merisier* 34,3 ; *placage b. de violette* 1 050 (de Criaerd, 1991) ; *de port* acajou massif 28 à 84 ; *régionale* sculptée et moulurée 21 à 56 ; *tôle laquée* de Lutz 2 310 ; *tombeau* 70 à 2 100 (except. de Charles Cressent) ; *transition* 21 à 286 (de Oeben, 1990). [*Copies :* 21 à 189 (par Sormani, Lincke, Beurdeley ou Durand). Souvent meubles du Louvre ou de la collection Wallace à Londres.] **Console** 24,5 à 364 (en fer forgé), paire 42 à 350.

En-cas 35 à 105. **Encoignure** 17,5 à 35, (paire) 42 à 630. **Écritoire** bronze, laque, porcelaine 250. **Flambeaux** (paire) bronze doré 24,5 à 1 610.

Glace bois doré et sculpté 7 à 245. **Lit** *à crosse* 7 à 21, *à baldaquin* (de Jacob) 107 (1991), *de repos* 12,6 à 84 (paire), *d'alcôve*, bois nat. sculpté 7 à 35. **Meuble d'entre-deux** 84 à 210 (except. 7 000 en 1989). **Poudreuse** 21 à 336 (except.). **Rafraîchissoir** (modèle de Canabas) 56.

Secrétaire *bois nat.* 14 à 56 ; *acajou* (rare sous Louis XV) 28 à 56 ; *à abattant* plaqué et marqueté 70 à 350 (est. RVLC 1 327 en 1984) ; *de dame* (de Schmitz) 170,5 (1991) ; *semainier* 28 à 70 ; *à doucine* marqueterie 42 à 140 (copie XIXe s. 17,5) ; *bois laqué* 84 à 7 458 (except. 1990) ; *transition* marqueterie 42 à 1 300 (1981). **Sièges** *banquette*, bois nat. sculpté, 8 pieds cambrés 21 ; *bergère*, bois nat., dossier violoné ou gondolé 10,5 à 121,7 ; plat 10,5 à 63 (de J.-P. Tillard), (paire 84 à 175), bois doré 22,4 à 875 (de J.-P. Tillard) ; *canapé* droit canné 10,5 à 21 ; corbeille 31,5 à 98 ; à oreille 10,5 à 350 (de N. Heurtaut, 1983) ; à confident 336 ; *chaise* 7 à 21, cannée, isolée 7 à 14, (paire) 11,2 à 35, (suite de 6 105 à 378) ; *à porteurs* 16,8 à 70 ; *cabriolet* 8,4 à 35 [paire : 16,8 à 420 (Delanois) ; suite de 4 : 28 à 243,6 (Delanois) ; de 6 : 56 à 140, except. de Foliot 714,7 ; *longue* 21 à 42 ; (duchesse brisée) 24,5 à 209,3 ; *chauffeuse* sculptée, isolée 7 à 16,8 ; (paire : 17,5 et +) ; *fauteuil* plat 14 à 70, [paire : 26 à 300 ; suite de 4 : 70 à 1 212 (1990)] ; canné (paire) 14 à 70 ; cabriolet 14 à 35 [paire : 28 à 70 ; suite de 4 : 70 à 420 ; ex. de Gourdin 3 300 (1991) ; de 6 : 140 à 560 ; châssis except. de Tilliard 2 700 (1987)] ; de bureau, canné 28 à 56 ; de Meunier (pied en avant) 125 (1989) ; sculptés et dorés (est. Heurtaut) 340,9 ; transition L. XV-L. XVI, dossier plat 5,3 ; *marquise* sculptée 14 à 42 [paire : 56 à 400 (1980)] ; *ployants* except. (paire) 162,4 ; *salon*, 1 canapé + 4 faut. avec tapisserie 70 à 280 ; 1 canapé + 6 faut., 140 à 1 764,5 (1988) ; 2 ottomanes + 12 faut. de Nadal 2 120 (1983) ; *tabouret* sculpté 10 à 50 ; doré, paire 14 à 168, suite de 6 : 741 (1984) ; de pied 4,2 à 14.

Nota. – Les fonds de canne peints de treille (peinture d'époque) sont plus chers.

Table (marqueterie). *A la Bourgogne* marquetée 1 200 (1979) ; *à café*, de J.-F. Oeben ayant appartenu à Mme de Pompadour, 2 225 (1971) ; *de changeur* 140 à 175 ; *de chevet* 28 à 56 ; *chiffonnière* 35 à 210 ; *à écrire* 42 à 665 ; *en-cas* jusqu'à 392 ; *à gibier* 42 à 210 ; *à jeux* 56 à 210 ; *liseuse* 70 à 126 (copie XIXe s. 2,8 à 9,8) ; *de milieu* 450 ; *à ouvrage* jusqu'à 700 (1983) ; *de quatuor* 480,8 ; *de salon* 70 à 710 (de Grandjean, 1990) ; *tambour* 35 à 245 ; *trictrac* 42 à 154.

☞ **Provence :** *panetière, pétrin* 10,5 à 35 ; *console, buffet, armoire* 28 à 70 ; *commode* 42 à 70 ; *bureau plat* 210.

Louis XVI

■ Caractéristiques

■ **Technique.** Lignes droites, angles en pan coupé, simplicité ; marqueterie (décor géométrique), baguettes de bronze ; ronce d'acajou, bois clairs (citronnier, amarante) et placage d'acajou. Une galerie en bronze ajouré surmonte parfois les meubles.

■ **Principaux meubles. Bibliothèque** (v. 1775). **Bonheur-du-jour** (v. 1754). **Buffet** *servante*. **Bureau** *à cylindre*. **Cabinet** acajou et ébène, décoré de panneaux de cire fixés sous verre. **Chiffonnier** (v. 1750 ; à 7 tiroirs : *semainier*). **Commode. Console. Régulateurs** et **horloges. Secrétaires** *à abattant*. **Serre-bijoux. Servante. Serviteur** *muet*. **Sièges** (mêmes types que sous L. XV). **Table** *à la Tronchin* (à plateau se soulevant par crémaillères cachées dans les pieds), *bouillotte* (table et lampe : table à jeux apparue v. 1760, au centre trou évidé où se place un bouchon de bois sur lequel s'adapte la « lampe bouillotte »), *de Brelan* (même type mais orifice central garni d'un « cassetin » ou « cordillon », en 8 cases pour recevoir les cartes), *de salle à manger, de salon* (apparaît v. 1780). **Trictrac.**

■ **Principaux artistes. Menuisiers :** Jean-Baptiste Boulard (1725-89). Georges Jacob (1739-1814). Lelarge (J.-Baptiste Ier début XVIIIe s., II 1711-71, III 1743-1802). Claude Ier Séné (1724-92) et J.-Baptiste Claude Séné (dit Séné l'Aîné, 1748-1803). **Ébénistes :** Étienne Avril (1748-91). Guillaume Benneman (maître en 1785). Martin Carlin (v. 1730-80). Pierre Denizot (1715-82). J.-F. Leleu (1729-1807). Jean-Henri Riesener (1734-1806). David Roentgen (1743-1807). François Rübestück (v. 1722-85). Adam Weisweiler (1744-1820, maître en 1778). **Ciseleurs :** Feuchère (plusieurs frères). Pierre-Joseph-Désiré Gouthière (1732-1813). Osmond. Levasseur. Pithoin. Pierre-Philippe Thomire (1751-1843).

■ Cours en milliers de francs

Appliques 35 à 210 (isolée : à peine le quart, 4 semblables valent + que 2 paires si très belle qualité). Celles à 3 branches sont plus recherchées, min. 100, avec oiseaux, animaux, amours chinois 100 à 500. 2 bougeoirs de Gouthière 210 (1986), 4 bougeoirs 600 (1986). **Armoire** chêne 23,8 à 42 ; petite en placage 35 à 510 (1989). **Athéniennes** 1 580 (1990).

Bibliothèque 21 à 105 ; except. de Levasseur 1 500 (1983) ; (paire), acajou 200 et +. **Boiseries** jusqu'à 1 601 (1990). **Bonheur-du-jour** 42 à 1 400, de Weisweiler (copie XIXe s. 21 à 35). **Buffet rustique** 3,5 à 17,5 ; 4 portes acajou 28 à 77 ; 2 corps 57 à 190 (1992). **Bureau** *à cylindre* (lamelles) 56 à 2 700 (except. 1992 de Pabst) ; *en marqueterie* attr. à Roentgen 907,3 (1983) ; *à étagère*, acajou 42 à 56 ; placage 42 (peu copié) ; *à gradin* 126 à 469 ; *de pente* à vitrine, acajou 70 ; placage 50,4 ; laque verte 126 ; provincial, bois nat. 15 à 30 ; placage 21 ; *de dame* placage acajou 70 ; *plat* 56 à 1 276 (C.C. Saunier, 1984), à mécanisme 4 000 (Riesener et Cosson, 1992), 7 187 (Cuvilier, 1983) ; avec cartonnier ébène 5 550 (Baumhauer, 1981) ; laque de Chine 1 260 ; *de voyage*, acajou 60,9. *Copies* XIXe s. : plat goût Boulle 52,5 ; *célèbres* 25,2 à 105.

Cabinet de Benneman 15 000 (de Mme Adélaïde record mondial, 1984) ; *c.-secrétaire* de Weisweiler 10 000 (1983). **Candélabres** 10,5 à 210. **Cheminée** marbre, bronze, acier, ayant appartenu à Mme du Barry 5 253 (1989). **Chenets** 17,5 à 357,7. **Chiffonnier** 42 à 70. **Clavecin** de Roentgen 37,8. **Coffret à bijoux** pour mariage de Marie-Antoinette 23 000 (est. de Carlin record, oct. 1991). **Coiffeuse** 14 à 70 ; d'homme 17,5 à 56. **Commode** *acajou* 35 à 210 [except. est. Benneman 3 500 (1988)] ; *bois de placage* 42 à 175 ; *demi-lune* 56 à 357 ; *laquée* except. de Macret 4 500 (1985) ; *marquetée* 42 à 210, except. de Riesener 3 200 (1990) ; *à ressaut* 56 à 140, except. de Riesener 4 183,7 (1987) ; *à vantaux* 210 à 1 500 (de M. Carlin) [*Copies XIXe s.* de Beurdeley, Dasson, Durand, Lincke, Sormani.] **Console** de Riesener pour Marie-Antoinette (1781) 16 500 (1988), acajou 35 à 56, (paire) 56 à 140 ; *à ressaut* (paire) 35 à 175 ; *demi-lune* 7 à 371. *(Copies* XXe s. : jusqu'à 105).

Desserte 17,5 à 175, paire : 287 à 1 600 (1983). **Encoignure** 21 à 388 (de Macret, 1984), paire : 21 à 126. **Glace** cadre sculpté et doré 28 à 105.

Guéridon 35 à 765 (de B. Molitor avec montants sculptés, 1984). **Liseuse** 21 à 56. **Lit** 7 (mouluré) à 90 (sculpté) ; de repos 15 à 50 avec toile de Jouy d'Oberkampf « la liberté américaine » (1783) 210 (1992). **Meuble d'appui** jusqu'à 1 700 (de Levasseur). **Meuble d'entre-deux** 21 à 1 100 (1983). **Objets montés** 14 à 210 et + ; *torchères* (paire) de Foucou 1 054,5 (1988). **Pendule** de Thomire 940 (record, 1990). **Pupitre** à musique double 200 (1989). **Rafraîchissoirs** *acajou*, attribués à Canabas (paire) 210,7 (1984) ; *bonheur-du-jour* plaques de Sèvres de Corbin 15 000 (1988).

Secrétaire *acajou* 42 à 126 ; *marqueterie* (Riesener, Schlichtig) except. 910 ; *placage* 52,5 à 420 ; avec bronzes dorés 70 à 6 400 (de M. Carlin, 1983) ; *de dame* 35 à 210 ; *à guillotine* 50 à 100 ; *à hauteur d'appui* 35 à 231 ; *laque* except. de Weisweiler 11 900 (1983) ; *d'enfant* 35. [*Copies XXe s. :* 21 à 35.] **Semainier** *placage* 42 à 70. **Sièges** *banquettes* 7 à 21 ; *bergère* 14 à 260 (de J.-B. Séné) *canapé* 7 à 28 ; *chaises* 8,4 à 21 (pièce), suite de 6 + 2 fauteuils 1 100 (1989). A qualité égale, l'acajou vaut souvent plus que le bois peint. Les sièges cannés, moins confortables, se vendent moins bien. On préfère les dossiers grand médaillon plat, puis les rectangulaires et les médaillons. Les grandes signatures (J.-B. I et II Tilliard, Follot, Heurtaut, Delanois, Jacob, Séné, Boulard) donnent une plus-value d'env. 30 % et +. Pour les dossiers ajourés, les modèles à montgolfière, « à la houlette » de Jacob, et les motifs « anglo-chinois », les gerbes 10,5 à 17,5, les lyres 10,5 à 21, (paire) 21 à 48, enfin les colonnettes (paire) 10,5 à 14. Les plus chers sont à ceinture détachée du dossier ; *chaise voyeuse* (ou *ponteuse*) paire : 35 à 585 (1992) ; *chauffeuse* 21 à 42 ; *fauteuil* dossier plat et carré 10,5 à 1 758 (de Dupain) (1990), paire : 21 à 3 000 de Jacob (1988), suite de 4, rectangulaire, 63 à 2 300 (de Séné, 1983) ; cintré (cabriolet) 14 à 28, paire : 35 à 56 ; à coiffer de G. Jacob 95 (1989) ; médaillon 10,5 à 17,5, paire : 8,4 à 250 (de Séné) ; de bureau 12,6 à 310,1. Avec une tapisserie en bon état (ex. fables de La Fontaine ou fleurs tissées à Aubusson) ou une « bonne estampille » et des décorations nombreuses 196 à 476 ; *marquise* dossier rectangulaire 21 ; plat (paire) 35 à 101,5, de Jacob 322 ; légèrement cintré (paire) 28 à 70 ; *salon* simple 4,2 à 7 ; except. de G. Jacob 2 000 (1989) ; *tabouret* 12,6 à 35 ; pliants en X, paire (except.) 3 364 (1989).

Table *acajou* (ou *placage*) rectangulaire 14 à 154 ; *de bibliothèque* 1 749 (rec. 1989) ; *bouillotte* 21 à 56 ; *chiffonnière* 40 à 150 ; *demi-lune* 20 à 50 ; *à écrire* 28 à 420 ; *en-cas* 35 à 140 ; *à jeux* 42 à 56, except. (de Riesener) 385,7 ; *de milieu* 77 à 1 100 (de G. Jacob) ; *de peintre* (de David, par Mauter) 300 (1991) ; *de salle à manger* 50 à 200 ; *de salon* 35 à 1 000 (de Saunier, 1986) ; *tricoteuse* 35 à 262 (de Carlin, 1992) ; *trictrac* 56 à 350 (de Carlin) ; *tronchin* 42 à 126 [*Copies XIXe s. :* except. en bronze doré (copie de celle exécutée par Weisweiler pour M.-Antoinette) 124,6, *XXe s. :* t. en-cas 6,3, en placage d'acajou 28.] **Vitrine** *simple* 21 à 49. [*Copies XXe s. :* 5,6 à 14 ; plates (paire) 6,3.] ; *placage* 28 à 140.

☞ **Mobilier étranger.** Bureau-bibliothèque (amér., XVIIIe s.), 72 000 (1989), *meuble le + cher du monde.*

Régimes de la fin 1789 à l'Empire 1804 : monarchie constitutionnelle (1789-21/9-92), Convention (1792-95), Directoire (1795-99), Consulat (1799-1804). Période de transition (1750-74) ; le genre étrusque apparaît en 1786-87 (ornements inspirés des antiquités égyptiennes) ; le style Louis XVI sera repris sous la Restauration.

Directoire et Consulat

■ Caractéristiques

■ **Technique.** Acajou ou peints. Formes ajourées, évasées en gondole. Motifs républicains (piques, bonnets phrygiens), égyptiens ou étrusques, losanges en marqueterie ou appliqués en léger relief.

Table France v. 1550

Table Henri II

Meuble bahut à 2 corps XVIIe s.

Fauteuil époque Henri IV

Fauteuil à torsades Louis XIII

Tabouret Louis XIV

Canapé Louis XIV bois doré

Chaise bois doré et Fauteuil bois ciré Louis XIV

Bureau dit Mazarin (Louis XIV)

Bureau fin Louis XIV début Régence

Fauteuil et Commode Régence

Chaise et Table Régence

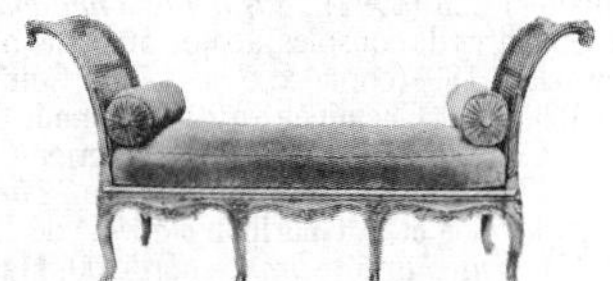
Lit de repos Louis XV

Commode et Bureau dos d'âne Louis XV

Semainier et Bureau à cylindre Louis XV

Bureau avec son cartonnier et Chaise Louis XV

Table bouillotte et Table demi-lune Louis XVI

Commode transition

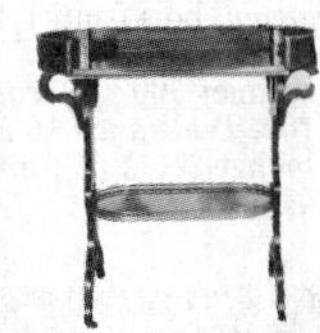
Travailleuse Louis XVI

Secrétaire et Commode acajou Louis XVI

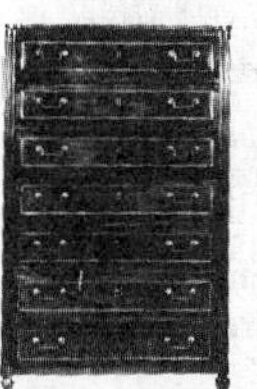

Guéridon, Desserte et Encoignure Louis XVI

Semainier acajou et Bonheur-du-jour Louis XVI

Fauteuil dossier écusson et Bergère gondole Louis XVI

Bergère Directoire

Fauteuils retour d'Égypte

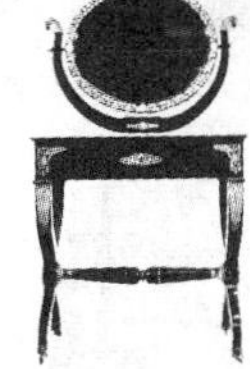

Fauteuil Jacob, Tabouret, Guéridon, Coiffeuse et Secrétaire Empire

Principaux ébénistes. François-Xavier Heckel (trav. av. 1797 et après 1811). Georges Jacob (1739-1814). Bernard Molitor (All. 1730-1833). François-Ignace Papst (maître 1785, trav. encore en 1822). J.-Baptiste Claude Séné (1748-1803). Adam Weisweiler (1744-1820).

■ Cours en milliers de francs

Bureau *plat* 135 à 160. **Candélabres** (paire) 25 à 80. **Commode** 20 à 1 500,6 (1988). **Flambeaux** *bouillotte* 35. **Guéridon** 12 à 720. **Lampe** *bouillotte* bronze doré 40. **Lustre** 10 à 130. **Secrétaire** 30 à 400 (1979) ; *régional,* bois fruitier 12 à 25. **Sièges** *bergère* 10 à 40 ; *chaises* (paire) 7 à 12 ; suite de 8 pour M. Récamier 300 ; *fauteuil* 7 à 40, suite de 4 (except.) 2 100. **Table** *à jeu* 16 à 40 ; *à pans coupés* 75 ; *salle à manger* 16 à 45 ; *tronchin* 60 à 120 ; *vide-poches* 25 à 75.

Empire

■ Caractéristiques

■ **Aspect** sévère, style officiel, massifs, la plupart en acajou (placage flammé collé à fil vertical), et chargés de bronzes dorés, arêtes vives.

■ **Principaux meubles.** **Athénienne. Bureau-bibliothèque. Chiffonnier. Commode. Console. Lit** *en bateau.* **Méridienne. Paphose** [ou « *ottomane* » ou « canapé en gondole »] ; divan à dossier droit relié à des accotoirs dont les consoles descendent jusqu'au sol ; apparu fin XVIIIe s., à la mode sous le Directoire et l'Empire. **Psyché. Secrétaire** *à abattant* ou *cylindre.* **Table** *guéridon.*

■ **Principaux artistes.** **Ébénistes :** Pierre Brion (n. 1767). Jacob-Desmalter (1770-1841). Pierre Duguers de Montrozier (1758-1806). Vve Gauthier. François-Xavier Heckel. Charles-Joseph Lemarchand (1759-1826). Simon Mansion (1741-1805). Pierre Marcion (1769-1840). François-Ignace Papst. **Ciseleurs :** Antoine Ravrio († 1814). Pierre-Philippe Thomire (1751-1843).

■ Cours en milliers de francs

☞ Peu de meubles prestigieux en vente. Presque tous sont restés en place dans les palais et Napoléon eut un règne court (10 ans) à côté de celui de Louis XV (+ de 50 ans).

Appliques bronze doré 10 à 45 et +. **Athénienne** paire : 50 à 250. **Bibliothèque** *acajou* 40 à 80 ; *paire* acajou et bronzes de Kolping 288. **Buffet** *acajou* 30 à 430 (paire, 1987). **Bureau** *acajou* 30 à 160 et + ; *à cylindre :* 50 à 100 ; *bonheur-du-jour* bronze doré, acajou 15 à 45 (copie *XIXe s. :* 10) ; *plat* 66 à 435 (*copie XIXe s. :* 7 à 53) ; *à caissons acajou* 460 (1988). **Candélabres** 12 à 474 (Thomire). **Chambre à coucher** (commode, secr., table de chevet, lit) de Lemarchand 250. **Chenets** 5 à 18. **Coiffeuse** 8 à 45. **Commode** 20 à 1 500 (attribué à Weisweiller) (1992). **Console** 10 à 150, paire : 25 à 1 050. **Feux** paire : de Thomire 235 (1990). **Flambeaux** *bronze doré* (paire) 5 et + ; *bouillotte* 10 à 60. **Guéridon** 15 à 1 150 (except.). **Lit** *droit* 5 à 75 ; *bateau* 15 à 235 ; *de repos* 8 à 142. **Lustre** 15 à 150. **Secrétaire** 20 à 225. **Sièges** dossiers les plus recherchés : en gondole, puis à crosse et à frontons et droits rectangulaires : accotoirs tête de sphinx, puis col de cygne et tête de dauphin ; pieds sabots et griffes. *Bergère* 15 à 80 ; *b. gondole,* acajou, de Jacob, except. 195. *Chaise* 8 à 22,5 ; acajou (paire) 12 à 38 (de Jacob). 4 chaises de Fontainebleau 247. *Fauteuil* isolé bois doré 5 à 10 ; de Jacob 90, de Marcin (paire) 250 ; acajou 10 à 45 ; curule 40 ; de bureau 20 à 60 ; (paire) 20 à 189 (de Jacob) ; 4 faut. 20 à 105 ; 6 de Demay 420. *Siège* en forme de char à roues (paire) 115 (1979). *Tabouret* 6 à 230 (paire de Jacob) ; des maréchaux 45. *Salon* 22 à 405 (1987). **Table** *à jeu* 15 à 918 (de Lannuier, 1981) ; *de toilette,* except. 180.

Restauration

■ Caractéristiques

■ **Technique.** Angles arrondis. *Sous Louis XVIII,* le style Empire se prolonge. Le style Louis XVI, dit « deuil de la reine » (décor de filets et cannelures de cuivre), revient. *Sous Charles X :* acajou, palissandre et bois clair (citronnier, orme, érable, frêne), incrustés de bois foncé (palissandre, amarante, ébène) ; utilisation du verre opalin de diverses couleurs (quelquefois monté de bronze finement ciselé).

■ **Principaux artistes.** **Ornemaniste :** Jean-Jacques Werner (1791-1849). **Ébénistes :** Bellangé [Pierre-Antoine (1757-1840), Louis-François (1759-1827), Alexandre-Louis (1799-n.c.)], Jacob-Desmalter (1770-1841), Félix Remon, les Jeanselme, et les ébénistes savants du Ier Empire.

■ Cours en milliers de francs

Appliques 15 et + ; *copies,* fin XIXe s.-début XXe s. 3 à 12. **Armoire** bois fruitier 8 à 12. *Louis-Philippe* 1,6 à 30. **Bibliothèque** érable (paire) 142. **Bureau** *Charles X : palissandre* 40 à 60 ; *plat* 40 à 60 (copie XIXe s. : 8 à 10) ; *à cylindre,* bois contrasté 50, bois clair 80 (copie XIXe s. : 22) ; *à plateau coulissant* (attrib. à des malter) 220 (1993) ; *surmonté d'une étagère* à tiroirs encadrés de consoles, acajou 50, palissandre 50, bois clair 180 (copie XIXe s. : 25). **Coiffeuse** *Charles X* 20 à 100. **Cheminée** 8 à 20. **Commode** *Ch. X* 40 à 100. **Console** 15 à 170 (1979). **Encrier** *Ch. X* 55 (1989). **Flambeaux** *simples* (paire) 1,5 à 2 ; *bronze* 10 à 35 ; *opaline* 8 et +. **Guéridon** *placage,* de Jacob 250 (1983) ; *bois clair* 62 ; *bronze doré* 500. **Harmonium** (record) 100 (1987). **Jardinière** *Ch. X* 30 (1993). **Lit** 7 à 44, bateau 10 à 25. **Lustre** peu de cristaux 35 à 80. **Pianoforte** 15 et +.

Secrétaire 40 à 150. *L.-Philippe* 10 à 25. **Sièges** *banc,* marbre blanc de Carare 902,5 (1990) ; bois clair, paire 6 à 33 ; seul 8 à 15 ; *chaise* acajou 5 à 10 ; incrustée de feuillages (paire) 30 ; *fauteuil* droit acajou 4 à 8 (paire 8 à 15, except. de Jacob 393) ; *Ch. X* acajou marqueté 25 (paire 25 à 80) ; gondole (paire) 20 à 60 ; plus-value de 50 % pour accotoirs à crosse et bronzes dorés ; *méridienne* 11 à 38. **Table** *à jeu* acajou 15 à 40 ; *à volets* frêne sur 6 pieds 50 ; *demi-lune* bois nat. 3 à 7 ; *de famille* (de Jacob) 498,4 ; *à la Tronchin* 50 à 60. **Travailleuse** *Ch. X* 20 à 86 (1993).

☞ Le fauteuil « Voltaire » a été créé en 1825.

Napoléon III et IIIe République

■ Caractéristiques

■ **Technique.** L'éclectisme domine : imitation Renaissance, Louis XIII, Louis XIV, Louis XV, Louis XVI (dit Louis XVI-Impératrice).

■ **Principaux artistes.** Louis-Auguste (1802-82) et Alfred Beurdeley fils (1847-1919). Michel-Victor (1815-après 1855) et Claude-Philippe Cruchet (1841-après 1900). Henry Dasson (1825-96). Charles-Guillaume Diehl (1855-85). Louis Durand (1752-1840). Alexandre (1799-1871) et Henri Fourdinois (1830-v. 1865). Guillaume Grohé (1808-85). Charles-Jeanselme (1856-1930). Antoine Krieger (1800-60). François Linke (1855-1946). Claude Mercier (1803-70). Riboullier (n.c.). Auguste-Hippolyte Sauvrezy (1815-54). Paul Sormani (1817-77). Louis Soubrier (n.c.). Jean-Pierre Tahan (1813-70). Wassmus frères (n.c.). Charles Winckelsen (1812-71). Swiener (n.c.).

■ **Matériaux.** Bois noirs décorés de motifs peints et incrustés de nacre, inspirés du XVIIIe s. Marqueterie Boulle (écaille et cuivre découpés sur fond d'ébène) ; env. le 1/10 des Boulle Louis XIV. Carton bouilli (pâte à papier et colle forte), papier mâché (pâte à papier et plâtre) souvent vernis en noir à partir de 1820. Fonte (canapés, lits, sièges) mélangée au rotin. Tissus luxueux et voyants (velours de soie, lampas, satin), rideaux lourds, perses dites indiennes.

■ **Principaux meubles.** **Commodes, dessertes, secrétaires. Sièges** (indiscret, confident, borne, causeuse, poufs, fauteuils crapauds).

■ Cours en milliers de francs

Meubles Boulle. Armoire 9 à 20. **Bonheur-du-jour** 12 à 30. **Bureau** 9 à 55. **Meuble** *d'appui* à une porte 10 à 30 ; *d'entre-deux* 10 à 30. **Table** *à jeu* 10 à 28, à écaille rouge et bronze doré 6 à 10, except. 78 ; *à écrire* 12,8 ; *de milieu* 10 à 30.

Autres meubles. **Armoire** *placage* 76. **Bibliothèque** *marqueterie* 10. **Billard** 25 à 180 (1989). **Buffet** *style Louis XVI* 60 (1979). **Bureau** 10 à 40 ; *style L. XV* 35,2 à 70, *L. XVI* 60 ; *bonheur-du-jour* 12 à 80. **Cave à liqueurs** 4. **Coiffeuse** 25 (est. Tahan). **Commode** *amarante avec appliques de porcelaine Nap. III* 9,2 ; *style L. XV* 61,5 ; *L. XVI* 21,3 ; *rustique* 4 à 14. **Écritoire** 3 à 5. **Guéridon** 2 à 191. **Meuble de fumeur** 440. **Secrétaire** 6 à 30. **Sièges** *canapé* style L. XVI 6 ; indiscret en bois capitonné 9. *Chaise* à dossier ajouré bois laqué noir et burgau 0,6 à 25 ; à dossier ballon 6 ; capitonné 6 ; médaillon (paire) 12 ; poirier incrusté nacré 8 à 12. *Chauffeuses* 10 à 20. *Fauteuils* (paire) haut dossier 9. *Salon* 5 pièces bois doré et tapisserie 45,5 (1992) ; 10 pièces palissandre 30. *Tabouret* 7. **Table** 6 à 200 ; *cristal* de Baccarat (12 × 58 cm) 340 (1979) ; *style L. XV* de Linke 232 (1981) ; *de toilette* 74,4 ; suite de 4 *gigognes* 32. **Torchère** de Guillemin 172. **Travailleuse** 0,7 à 2. **Vitrine** 6 à 36.

Modern Style Art nouveau 1880-1914

■ Caractéristiques

Style. Meubles aux formes végétales (style « nouille »). Motifs floraux. **Principaux artistes.** **Architecte :** Hector Guimard (1867-1942). Victor Horta (1861-1947). **Bijoutiers :** René Lalique (1860-1945). Henri Vever (1854-1922). **Ébénistes :** Peter Behrens (1868-1940). Henry Bellery-Desfontaines (1867-1909). Adolphe Chanaux (1887-1965). Alexandre Charpentier (1856-1909). Jules Chéret (1836-1933). Paul-Émile Colin (1867-1949). Eugène Colonna (1862-n.c.). André Fréchet (1875-1973). Eugène Gaillard (1869-1942). Émile Gallé (1846-1904). Antonio Gaudi (1852-1926). Jacques Gruber (1870-1936). Georges Hoenchel (1855-1915). Joseph Hoff-

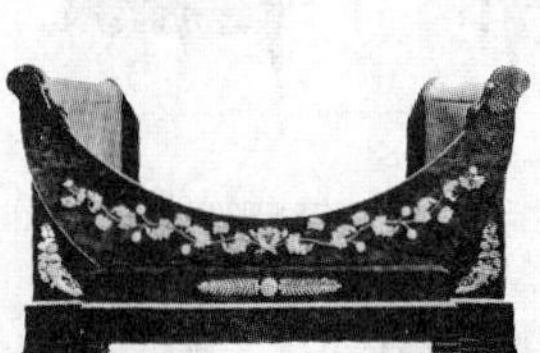

Lit, Bureau à cylindre et Commode Empire

Secrétaire et Jardinière Charles X

Secrétaire Louis-Philippe

Fauteuil début XIXe s.

Fauteuil acajou XIXe s.

Canapé bois laqué noir (avec feuillage or, incrustation de nacre) et Bureau de dame Napoléon III

Table de milieu Napoléon III (copie Louis XIV)

Fauteuil Modern style Majorelle

mann (1870-1956). Charles Mackintosh (1868-1928). Louis Majorelle (1859-1926). Eugène Vallin (1856-1922). Henri Van de Velde (1863-1957). **Décorateurs :** Siegfried Bing (orig. All., 1838-1905). Paul Follot (1877-1941). Léon-Albert Jallot (1874-1967). Henri Honoré Plé (1853-1922). Louis-Comfort Tiffany (USA, 1848-1923). **Relieur :** Émile André. **Sculpteurs :** François-Rupert Carabin (1862-1932). Raoul Larche (1860-1912). **Illustrateurs-affichistes :** Eugène Grasset (1841-1917). Alphonse Mucha (1860-1939). **Verriers :** Daum : Jean (1825-85) père d'Auguste (1853-1909) et d'Antonin (1864-1940) ; Paul (1888-1944) fils d'Auguste ; Michel (n. 1900) fils d'Antonin. Émile Gallé (1846-1904).

■ Cours en milliers de francs

Bénouville (d'après) *armoire vitrine* 43 (1991). **Carabin** poirier sculpté 1 400 (1987). **Chéret** *glaces* (paire) 510. **Colin** *coffret* 235. **Desbois** *meuble sirène* 1,4 (1992). **Gaillard** *bibliothèque* 4 ; *chaises* (paire) 4, *chambre à coucher* 9 ; *guéridon* 130 ; *salle à manger* 50 à 80 ; *table gigogne* 146. **Gallé** *bonheur-du-jour 185 ; buffet* 1 600, aux épis de blé 466,2 ; *chaises* (paire) 6 à 12, except. paire aux ombrelles 75, libellule 1 000 ; *coiffeuse* 144 ; *étagère* 57 ; *guéridon* aux libellules 129 ; *table* 2 à 200 ; *vitrine* except. 357 (1986) ; *tables gigognes* (3) 52. **Guimard** *bibliothèque écritoire* poirier sculpté 160 ; *chaise* (paire) 35 ; *coiffeuse* acajou 850 (1983) ; *fauteuil* 61, except. en poirier 435,4 (1989) ; *lit* poirier et érable moucheté 465. **Lévy-Dhurmer** *bureau* 500 (1991). **Mackintosh** *cabinet* 720 (1979) ; *table* 300. **Majorelle** *bibliothèque* 25 à 140 ; *buffet* 46,6 à 575 (1967) ; *bureau* 15 à 420 ; *cabinet de travail en acajou* 1 008 (1988) ; *chambre à coucher* 4 pièces 111 ; 5 p. 1 012 (1983) ; *desserte* 30 ; *guéridon* 15 à 130 ; *lit* 12 à 60 ; *miroir* noyer sculpté 20 ; *piano* (marqueterie Victor Prouvé) 242 ; *salle à manger* 10 p. 50, « fleurs d'artichauts » 11 p. 116, « chicorée » 16 p. 200 ; *salon* « pommes de pin » 4 p. 19, « clématites » 5 p. 40, aux ombrelles 46 ; *tables* 5 à 50 ; *vitrine* 75 à 1 135. **Plé** *miroir* 82. **Rapin** *salle à manger* 160. **Selmersheim** *vitrine sur pieds* (1903) 52 (1992). **Lampes** (voir Verre p. 408). **Van de Velde** *bureau* et *fauteuil* 1 005.

Arts déco 1910-1930

■ Caractéristiques

■ **Style. Formes** géométriques, lignes brisées, volumes simples. **Bois exotiques :** acajou de Cuba, bois de violette ou d'amarante, loupe d'amboine, macassar, palissandre de Rio, ébène, citronnier, ambroise clair, sycomore, palmier keekkood (Follot, Dufrêne). **Marqueteries :** ivoire, nacre, écaille, argent, plaques ou médaillons sculptés (Ruhlmann). **Galuchat** (peau de squale teintée) gainant meubles et panneaux (Ruhlmann, Groult, Chareau). **Cuir, daim, étoffes** à motifs géométriques sur les sièges. **Motifs floraux** stylisés (influence du cubisme). **Accessoires :** boutons, anneaux, filets d'ivoire de bronze. **Laques** (artistes) : Maurice Jallot, Paul Follot, Michel Dufet, Jean Dunand, André Mare et Louis Sue, Jean Puiforcat, Cartier. **Bronzes dorés, cuivres** et **argent** (poignées, serrures).

■ **Principaux ébénistes et décorateurs.** Rose Adler (1892-1969). Jacques Adnet (1900). André Arbus (1903-69). Éric Bagge (1890-1978). Léon-Émile Bouchet († 1940). Edgar Brandt (1880-1960). Adolphe Chanaux (1887-1965). Pierre Chareau (1883-1950). Marcel Coard (1889-1975). Djo-Bourgeois (1898-1937). André Domin (1883-1962) et Marcel Genevrière (1885-1967). Michel Dufet (1888-1985). Maurice Dufrêne (1876-1955). Jean Dunand (orig. suisse 1877-1942). Paul Dupré-Lafont (1900-71). Georges de Feure (1868-1943). Paul Follot (1877-1941). Jean-Michel Franck (1893-1941). René Gabriel (1890-1950). Eileen Gray (Irl. 1879-1976). André Groult (1884-1967). Albert Guenot (1894). René Herbst (1891-1982). Paul Iribe Iribarnegaray (1883-1935). Léon-Albert Jallot (1874-1967). Francis Jourdain (1876-1958). Paul Kiss (1886-1962). Étienne Kohlmann (1903-88). Pierre Lahalle (1877-1956). Le Corbusier (Édouard Jeanneret-Gris, *dit*) (1887-1965). Pierre Legrain (1889-1929). Jules Leleu (1883-1961). Maurice Lucet (1877-1941). Louis Majorelle (1859-1926). André Mare (1885-1932). Robert Mallet-Stevens (1886-1945). Clément Mère (1861-n.c.). Pierre-Paul Montagnac (1883-1961). Eckart Muthésius (1909). Charlotte Perriand (1903). Pierre Petit (1900-69). Eugène Printz (1889-1948). René Prou (1899-1947). Charles Pumet (1861-1928). Henri Rapin (1873-1939). Armand-Albert Rateau (1882-1938). Clément Rousseau (1872-1950). Michel Roux-Spitz (1888-1957). Jacques-Émile Ruhlmann (1879-1933). Tony Selmersheim (1869-1941). Louis Sognot (1892-1970). Louis Sorel (1867-1933). Raymond Subes (1893-1970). Louis Sue (1875-1968).

DIM (Décoration intérieur moderne). Fondé 1919 par René Joubert († 1931) et Georges Mouveau ; **Dominique,** fondée 1922 par André Domin (1883-1962) et Marcel Genevrière (1885-1967).

Boutiques Art déco *dans les grands magasins. Primavera* (créé 1912) au Printemps (Mme Chauchet-Guilleré, Louis Sognot). *La Maîtrise* (créé 1922) aux Galeries Lafayette (Maurice Dufrêne). *Pomone* (créé 1922) (Paul Follot) et *Studium Louvre* (créé 1923) (Étienne Kohlmann, directeur jusqu'en 1937) au magasin du Louvre.

☞ **Meubles en fibre de papier tissé.** Inventés 1917 par Marshall B. Lloyd et fabriqués industriellement. Plus de 1 000 modèles.

■ Cours en milliers de francs

Arbus (A) *commode* 170 ; *enfilade en sycomore* 78 (1992). **Bugatti (C)** *2 chaises* 410. **Chanaux** *coiffeuse* (avec Frank) 7 ; *commode* 25 à 200 ; *galuchat* 1 100 (1984) ; *fauteuils* (paire avec Frank) 160 ; *meuble d'appui* (avec Frank) 54 à 310 ; *tabouret galuchat* (avec Frank) 107 (1984). **Chareau** *bureau* 160,7 ; *bureau « constructiviste »* 1 800 (1993) ; *console acajou* vernis 35,5 ; *fauteuils* (paire) 450 ; *meuble arc de cercle* 35,5 ; *salon osier* 52 ; *secrétaire* 70 ; *table* 25. **Marcel Coard** *bureau* 22 ; *canapé gondole* 150 ; *table* 12. **Le Corbusier** *bureau* 22 ; *chaise longue* 5 à 148 (avec Thonet) ; *fauteuils* (paire) 9 à 32. **Dominique** *bureau* 43,5 ; *cabinet loupe* 60,1 ; *meuble d'entre-deux* 135. **Jean Dunand** *bahut* 155 ; *bibliothèque* (avec B. Lacroix) 439 (1984) ; *bureau* 786 ; *commode* 153 (1980) ; *lit* 140 ; *meuble* laque de Chine 180 ; *panneau* laqué arraché noir, rouille, ocre 340 (1984) ; *paravent* 510 ; *table* 31 à 112, basse 854,7 (1987), laquée noire 305, 6 gigognes 140 ; à jeux avec 4 fauteuils emboîtables except. 4 129 (1984). **Georges de Feure** *sièges laqués* (4) 505. **Jean-Michel Frank** *bureau* 850 ; *coiffeuse* 7 ; *guéridon* (petit) 200 (1991) ; *lampe* 11 ; *lit* 30 ; *meuble d'appui* 54 ; *table* 500 (1989), basse 20 à 60, de chevet 55. **Eileen Gray** *canapé pirogue* 600 ; *commode* 70 ; *fauteuil* 8 ; *paravent* 110 à 170 ; *table* 1 160 (1992). *transat* 315, (paire) 48. **André Groult** *bureau galuchat* (avec Chanoux) 388 (1984) ; *chaise bergère* 83 à 257 (1984) ; *com. galuchat* (avec Chanoux) 1 217 (1984) ; *guéridon* (petit) 28 ; *lit* 363. **Paul Iribe** *sièges* 25 à 229 (1985). **Léon Jallot** *lit* 30 ; *meuble* 118. **Paul Kiss** *table salle à manger* fer forgé marbre 330,4. **Pierre Legrain** *banquette* 732 (1989) ; *bureaux* 345 (1984) ; *coiffeuse galuchat* 120 ; *siège* 44, s. curule 32. **Jules Leleu** *buffet* 51 ; *bureau* 22 à 60 ; *coiffeuse galuchat* 104 ; *commode* 22 à 225 ; *guéridon* 8 ; *lit* 32 ; meuble plaqué écaille tortue 230 à 470 (1993) ; *siège* curule 22. **Clément Mère** *commode* 80 et +. **Mergier** *lit* de repos 19. **Mollino** *chaises* (paire) 60. **Muthésius** *fauteuils* (paire) 180 ; *secrétaire* à vitrine bois laqué 46. **Printz** *bahut* 265 except. 1 450 (1992) ; *bureau* plaqué 175 à 467 ; *commode* 85 ; *ensemble* 4 p. 100 ; *fauteuil* (paire) 17 à 70 ; *guéridon* 25,5 ; *meuble* rectangulaire 300, de rangement 410 ; *tables* à partir de 16. **G. Pulitzer** *cabinet* 220. **Armand-Albert Rateau** *barre d'applique* bronze 138 (1991) ; *glace* 62 (1991) ; *lustre bois doré* 58 (1991). **Clément Rousseau** *armoires* (paire) bois de Macassar 333 ; *barbière* 265 ; *chaise* 39 ; *guéridon* 300 ; *meuble d'appui* 200 à 418 ; *table* ébène 70 ; paire de meubles (plaqués de galuchat) 1850. **Ruhlmann** *armoire* 121 ; *bergères* (paire) 1 600 (1989) ; *bibliothèque* (9 modules) 280 ; *bureau* 30 à 860 (avec 5 chaises, 1981) ; *cabinet* 832 ; *canapé* 950 (1989) ; *chaises* 2 à 11, (paire) 5 à 35, 6 chaises 950 ; *chevet* (paire) 31 ; *chiffonnière* 90 à 180 ; *coiffeuse* 10 à 200, except. 1 500 (1989) ; *fauteuil* 3, club 200, (paire) 48 à 180, except 1 650 (1989) ; *guéridon* loupe d'amboine 4 ; *lit* 36 à 820 (« corbeille » loupe d'amboine sur âme de tulipier, 1991) ; *meuble « à fard »* 500 (1992) ; *meubles « caves-fuseaux »* (paire) 304 ; *« du collectionneur »* 1 632 (1989) : *psyché* 180 ; *salon* (canapé, 2 faut.) 231 ; *secrétaire* 102 à 850, cylindrique 1 300 (1989) ; *table* basse 250 ; à jeu 600. **Sognot et Charlotte Alix** *fauteuil* 31 ; *lit* 560. **Louis Sorel** dep. 80. **Sue et Mare** *bar* en noyer 270 ; *bureau* plat 223,8 ; *commode* 75 ; *fauteuils* (paire) 55 ; *salon* 2 bergères (1 *canapé* 235) ; *secrétaire* 90 ; *table basse* 135 ; *de salon* 192.

Le Kitsch

Kitschen (Allemagne du Sud) signifie « bâcler, faire du neuf avec du vieux ». Par extension *kitsch* est devenu synonyme de l'inauthentique, qui se donne pour vrai. Le style apparut v. 1860-1910 : symbolisations, ornements à outrance, couleurs pures complémentaires, et des blancs, roses bonbon, dorés. Industrie du « souvenir », imitations.

Le Design

■ **Styles. Années 1950.** 2 types : *1°) des années 1930* (Eugène Printz, Paul Dupré Lafon, Leleu, Jansen, Herbst) avec les mêmes matériaux (bois précieux, laques, bronzes, etc.), formes moins massives. René Gabriel, Charlotte Perriard, René Prou, Jean Royer. *2°) inspiré des théories du Bauhaus :* lignes souples [Olivier Mourgue (n. 1939), Pierre Paulin (n. 1927), Jean-Pierre Garrault (n. 1942)] ou rigoureux volumes géométriques [Joseph-André Motte (n. 1925), Christian Ragot (n. 1933), Laurent Dioptaz] ; style international, « tonique, couleurs vives ». Le mobilier est là pour remplir une fonction. En Italie, Gio Ponti (n. 1891) (revue Domus), Bernini, Joë Colombo (1930-71). Aux USA, Knoll (groupe allemand), fondé 1951, regroupe architectes et dessinateurs : Eero Saarinen, Marcel Breuer, Harry Bertoia. *Matières :* bois blanc (moins précieux), contre-plaqué moulé à chaud, plastiques colorés, transparents, moulés ; acier, verre, fumé ou non. **Années 1980.** Ron Arad (Isr. 1951), Alain Blondel (Fr. n.c.), Jean-Charles de Castelbajac (Fr. n.c.), Terence Conran (G.-B. n.c.), Kenzo (Jap. n.c.), Kuromata (Jap. 1934), Javver Mariscal (Esp. 1950), Pierre Mesguich (Fr. n.c.), Pierre Paulin (Fr. n.c.), Andrée Putman (Fr. 1925), Philippe Starck (Fr. 1949), Ettore Stottsass (Autr. 1917), Robert Venturi (USA 1925). *Style High-Tech* (1980). Volumes géométriques, tons métalliques, gris ou noir.

☞ **Antidesign.** Mouvement « Memphis » (1981-88), italien. *Fondé* 1981 par Ettore Sottsass. *Principaux membres : Italie :* Michele De Luchi, Andrea Branzi, Marco Zanini ; *USA :* Michael Grave, Peter Shire : *France :* Martine Bedin, Nathalie du Pasquier ; *Japon.* Pièces uniques ou en séries limitées de Sandro Chia, Mimmo Paladino, Lawrence Weiner, Joseph Kosuth, Franz West.

■ **Cours en milliers de francs. Exemples :** *Bureau* 3 à 300 (de Ch. Perriard, 1984) ; 50 (C. Mollino). *Canapé* 10. *Chaise* (paire, C. Mollino) 155 (1990). *Coiffeuse portable* (de Dupont, 1952) 120 (1992). *Fauteuil* 90 (Breuer). *Lit* bateau 2,4. *Secrétaire* 2 à 20. *Table* 470 (F. Arman).

■ **Meubles miniatures** (cours en milliers de F). **Armoire** 8 à 20. **Buffet.** *Vaisselier bressan XVIIIe s.* 34 (1991). **Commode** *régence* plaquée 32 (1988). *L. XV :* noyer 72 (1991). *L. XVI :* en noyer, arbalète 8 ; placage de loupe, signée Huret 15,5. *De style :* 3 à 5. **Guéridon** (paire) *L. XVI* (XIXe) 13,5 (1991). **Lit et siège** 1 à 6. **Salon** *L. XV* (fin XIXe) canapé et 2 fauteuils hêtre et tap. Aubusson 25 (1991). **Secrétaire** 6 à 80 (1991). **Table toilette** *Charles X* 9,5 (1991). *Napoléon III* 3 à 4. **Musée.** Château de Vendeuvre (Calvados).

Mobilier anglais

■ Caractéristiques

■ **Époques. Architecture et meubles. Architecture :** Normand (XIIe s.), Early English (XIIIe s.), Decorated (1250-1350), Perpendiculaire (XVe s.). *Tudor* 1500-50 (gothique). Tardif sous Henri VIII (1509-47). *Elizabethan* 1558-1603 (Renaissance). *Jacobean* (Renaissance) sous Jacques Ier Stuart (1603-25), influence hispano-flamande, motifs et moulures en bois tournés. *Carolean* 1625-49 (Renaissance). Prolongement du style *jacobean* sous Charles Ier. *Cromwell* (ou Commonwealth) 1649-60 (Renaissance). *William and Mary* 1660-1702 (baroque). Influence hollandaise, sous Charles II (1660-85) et Guillaume et Marie (1689-1702). *Queen Anne* 1702-14 (baroque). *Early Georgian* 1714-40 (rococo). *Transition* sous Georges Ier (1714-27) et Georges II (1727-60). *Chippendale* 1750-70 (rococo). *Late Georgian* néo-antique des deux 1ers tiers du règne de Georges III (1760-1820) [styles *Adam :* pompéien naturalisé anglais par Robert Adam (1728-92) ; avec son frère William, il publia « Works of Architecture » (1773) ; *Hepplewhite :* version simple et élégante du style Adam, popularisé par George Hepplewhite ; et *Sheraton* (ornemaniste)]. *Regency* Georges IV (1790-1835) ; survivances néo-antiques, romantisme gothico-chinois. *Victorian* (1835-Fin XIXe s.) (romantique, puis éclectique). *Edwardian* (déb. XXe s.) style dépouillé. *Art nouveau.*

Bois. *Chêne* 1550-1650 puis jusqu'au XIXe s. pour le mob. provincial, *noyer* 1650-1720, *acajou* 1720-70, *satiné* 1710-1810, *acajou* 1800 jusqu'à Edwardian, *palissandre* Regency et Victorian, *satinwood (Chloroxylon swietenia)* citronnier de Ceylan fin XVIIIe s.-déb. XIXe s.

■ **Dessinateurs et ébénistes.** Robert Adam (architecte et dessinateur, 1728-92). John Channon. Thomas Chippendale (1718-79) ; le Jeune (1749-1822). Charles Eastlake (1836-1906). Grinling Gibbons (1648-1720). Robert Gillow (1703-73). George Hepplewhite († 1786). Thomas Hope (1770-1831). William Kent (1685-1748). Pierre Langlois. Daniel Marot (1660-1720). Welly Northmore Pugin (1812-52). Thomas Sheraton (1751-1806).

■ Lexique

Bachelor chest : commode-secrétaire d'étudiant. **Bureau bookcase :** commode-bureau à abattant en biais surmontée d'une bibliothèque. **Butler's tray :** plateau de maître d'hôtel, petite table à thé rectangulaire ou ovale bordée d'une galerie. **Canterbury :** petit casier à musique d'époque Regency. **Carlton House writing table :** bureau bonheur-du-jour en forme de D. **Cheval glass :** psyché. **Chinese lattice back :** dossier ajouré à croisillons. **Claw and ball :** griffe et boule. Type de pied, en faveur de 1720 à 1760. **Davenport :** bureau pupitre. **Drum table** (*drum :* tambour) : grande table de bibliothèque à tiroirs. **Gate-leg-table :** table ronde pliante, fin XVIIe, populaire jusqu'en 1720, chêne ou noyer. **Gesso** (plâtre en italien) : pâte à base de parchemin et plâtre, sculptée, puis peinte et dorée, servant à la décoration des lambris et des meubles (surtout 1re moitié du XVIIIe s.). **Grandfather clock** (horloge du grand-père) : h. de parquet (+ de 1,80 m). **Harlequin Pembroke table :** variante de la **Pembroke table** avec gradin central amovible. **Holland** (Henry, 1746-1806) : créateur du style Regency. **Hope** (Thomas, 1789-1831) : architecte et collectionneur auteur d'un recueil « Household furniture and Interior Decoration » (1807). **Knee-hole desk :** bureau comportant une niche pour le passage des jambes. **Lazy Susan** (paresseuse Suzanne) : plateau tournant posé au centre des tables de salle à manger. **Library table :** t. de bibliothèque. **Longcase clock :** horloge de parquet. **Military chest :** commode à poignées latérales, aux arêtes protégées par des équerres de cuivre. **Mule chest :** coffre orné de faux tiroirs (fin XVIIe). **Nests of tables** (nids de table) : tables gigognes (ou trio ou quarteto selon le nombre d'éléments). **Oyster veneer :** placage de bois debout, généralement noyer, cytise ou olivier dont les veines concentriques ressemblent à des coquilles d'huîtres *(oyster)*. Origine hollandaise, à la mode en G.-B. fin XVIIe s. **Pembroke table :** table à volets, imaginée en 1700 par un Cte de Pembroke. **Pen work :** décor de papier découpé appliqué sur un meuble laqué, et recouvert de vernis noir, XIXe s. **Pier table :** table console en forme de demi-lune, fin XVIIIe s. **Princes of Wales motif :** 3 plumes d'autruche, symbole du Pce de Galles, souvent utilisé par Hepplewhite et Sheraton. **Rent table :** table de bibliothèque octogonale, avec casiers entre les pieds (époque : fin XVIIIe-début XIXe s.). **Screen desk :** petit secrétaire de dame à abattant. **Secrétaire bookcase :** variante du bureau bookcase. **Sideboard :** desserte avec tiroirs et armoires pour la vaisselle et les bouteilles dans la salle à manger. **Sofa table :** table avec petit volet à chaque extrémité (vers 1800). **Tall boy** (grand garçon) : meuble à 2 corps constitué de 2 commodes superposées, en vogue à l'époque Queen Anne et fabriqué jusqu'au Regency. **Teapoy :** petit guéridon tripode. **Tracery :** petit bois ornant les portes vitrées des bibliothèques ; époque George III et Regency. **Trafalgar chair :** inspirée d'un modèle grec, en l'honneur de la victoire de Nelson (1805). **Tub chair :** bergère à oreilles très profondes. **Victorian :** style « Napoléon III ». **Wellington chest :** petit chiffonnier. **William Vile :** ébéniste « palladien » (2e moitié du XVIIIe s.). **What not :** petite étagère à plusieurs plateaux, ou prenant la forme d'une encoignure (Regency à 1901). **Windsor chair :** avec dossier à fuseaux, assise de bois et pieds tournés.

■ Cours en milliers de francs

(Exemples)

Bibliothèque *Charles II* 480 (1981) ; *Georges III* 40 à 182 (1987) ; *Chippendale* 195 (1985) ; *Georges IV* 43 (1987) ; *Hepplewhite* 69 (1985). **Bureau** *Georges Ier* 47 à 959, b.-bibliothèque 1 805 (1981) ; *G. II* 9 à 331 (1985) ; *G. III* 7,2 à 87,4 (1987) ; *Regency* 14 à 600 ; *XIXe s.* 6 à 200. *Copies* 10 à 30. Attribué à E. Townsend 1 032. **Cabinet** *déb. XVIIIe s.* 265 (1991). **Casier à musique** 6 à 47. **Chiffonnier** *Chippendale* except. 3 101 (1985). **Commode** *G. II* 11 à 260 ; *Chippendale* jusqu'à 1 730 (1980) ; *G. III* 4 à 700, paire 125 à 1 250. *C.-bateau* 6 à 10, acajou début XIXe s. 6 à 15. **Semainier** *G. I* 23 à 50. **Sièges** *chaise : G. Ier* (paire) 6 à 180 ; *G. II* 12 à 800 ; *Chippendale* 16 000 (1987). *Fauteuil :* le plus ancien connu, acajou (fin XVIe-début XVIIe s.) 110 (1983). *G. Ier* jusqu'à 900 ; *G. II* 25 à 125, paire : jusqu'à 390 ; *G. III* 5,9 à 500, paire : 21 à 776 (1985) ; *Chippendale* (fabriqué USA v. 1770) 7 190. *Salon : G. II* 1 canapé, 1 fauteuil, 1 chaise 1 642 (1981). *Sofa :* (v. 1750) 121 (1993). *Tabouret : G. Ier* 45, paire : jusqu'à 410. **Table** *G. Ier* 12 à 100 ; *G. II* 15,2 à 400 ; *G. III* 9 à 650 ; *Regency* 10 à 260 ; *Chippendale* t.-secrétaire 701 ; à jeu 1 650 (1983) ; à thé 822. **Torchères** paire : *G. III* 115.

☞ Les cours des meubles d'époque anglais sont 2 fois plus élevés en G.-B. qu'en France mais les copies (exécutées dep. 1850) s'y vendent moitié prix.

Le plus grand lit du monde serait le grand lit de Ware (Victoria and Albert Museum, Londres), 3,26 m de large, 3,38 m de long, 2,66 m de haut, datant d'environ 1580.

Monnaies (Numismatique)

Source : F. Berthelot, E. et S. Bourgey, F. Droulers, J. Vinchon (expert national).

Données générales

■ **Origine.** **Cachets** (5000 av. J.-C.) et **cylindres** (3800-3500 av. J.-C.) : minuscules en pierres dures ou semi-précieuses (stéatite, ivoire, hématite, lapis-lazuli, cornaline, agate, etc.), inventés par Sumériens. Utilisés en Asie Mineure et surtout Mésopotamie, s'appliquaient ou se déroulaient sur des plaquettes d'argile ou sur les jarres (recouvertes de telle sorte que rien ne puisse être ajouté). Servaient de marques de propriété, lettres de change, traites, reçus.

Matières employées pour servir de moyen d'échange, *lorsque le troc devint insuffisant :* morue (Terre-Neuve), coquillages (Maldives), sel (Abyssinie), fourrures et cuir (Russie, jusqu'à Pierre Ier), graines de cacao et poudre d'or (Mexique), bœuf (*cf.* pécuniaire et capital, du latin *pecus :* troupeau, et *caput :* tête), etc. Puis on utilisa des barres de métal (fer ou cuivre), disques, bijoux ou lingots en métaux précieux.

Naissance de la monnaie : l'*électrum* (alliage naturel d'or et d'argent) apparaît en Lydie, où coule le fleuve *Pactole* (Asie Mineure), au milieu du VIIe av. J.-C., sous le roi Ardys (652-615) : de couleur ambrée, avec *protomé* de lion à l'avers, et au revers la marque du poinçon, dans le système sexagésimal mésopotamien. *Crésus* (561-546), roi lydien, frappa le premier un double monnayage or et argent avec les *créséides,* marquées du couple oriental du lion et du taureau affrontés. *Darius Ier,* roi des Perses, reprit le système lydien : pièces d'or, *dariques,* de 8,41 g, frappées jusqu'à la conquête d'Alexandre, et marquées avec l'emblème de l'archer royal. L'usage de la monnaie se répandit ensuite très vite.

On a trouvé à Mohenjo-Daro (Indus) des barres de cuivre du IIIe millénaire av. J.-C. ; des lingots de fer ont servi aux Hittites (IIe millénaire av. J.-C.) et aux Doriens (Grèce, XIIe s. av. J.-C.).

Origine du mot monnaie. La m. romaine était frappée dans le temple de Juno Moneta (de *monere :* avertir, par allusion aux oies du Capitole qui sauvèrent Rome du danger gaulois), et parfois elle portait cette épithète sous l'effigie de la déesse. Les Romains disaient *nomisma* (consacré par la loi : du grec *nomos).*

Aujourd'hui, on se réfère à des métaux (allemand : *Geld,* argent) ou toute espèce en circulation (angl. : *currency)* ou au *denier* romain (it. : *denaro,* esp. : *dinero,* serbe, bulgare, arabe, etc. : *dinar,* russe : *dengi*).

■ **Fabrication.** Jusqu'à Louis XIII, médailles ou monnaies étaient obtenues en général par la fonte (médailles) ou la frappe au marteau (monnaies). Les *coins* servant à la frappe des monnaies étaient gravés, en taille directe, ou au *touret ;* les *flans* découpés dans des *carreaux* étaient pressés entre 2 coins puis frappés avec un marteau. Sur le revers ou *pile* était gravé l'emblème, sur l'avers ou *trousseau,* l'effigie du prince ou sa titulature autour d'une croix ou d'un écu héraldique. En 1552 fut introduite en France la 1re machine à frapper les monnaies (*balancier* ou *frappe au moulin :* la force hydraulique remplaçant marteau et enclume). Le balancier, inventé par l'orfèvre d'Augsbourg Max Schwab à la fin du XVe s. et l'Allemand Guyot Brucher en 1552, fut périodiquement utilisé en France (*ex. :* Nicolas Briot en 1624, Jean Warin en 1640). Perfectionné par le Suisse Droz (1721-90), il fut délaissé pour la *presse monétaire* (inventée par l'Allemand Dietrich Ulhorn en 1817). Perfectionnée par l'Anglais Boulton en 1797 et les Français Thonnelier et Gingembre en 1811, celle-ci sera plus tard remplacée par la *presse monétaire de Munich.* Actuellement, 6 opérations principales : fonte (et coulage en *lames* et en *lingots),* laminage, découpage, cordonnage, recuit et brillantage, frappe (à la presse).

■ **Métaux et alliages utilisés.** *Antiquité :* or, argent, bronze, billon (cuivre allié d'argent), étain, cuivre, nickel (en Bactriane, IIIe s. av. J.-C.), électrum (alliage naturel d'or et d'argent), potin (fort % de cuivre, faible d'étain et de zinc ou d'argent), spéculum (étain, plomb, cuivre et fer). *De nos jours :* argent, bronze, cupronickel, nickel, alliages d'aluminium (voir Index).

■ **Poids de quelques pièces en grammes.** *Drachme d'Égine :* 6,28. *Statère lydien :* 15,90 ; d'Alexandre : 8,60. *Denier carolingien :* 2 à 3. France, *20 francs argent :* 20. *100 fr.-or :* 32,258. USA, *20 dollars-or :* 33,436 (double aigle). Angleterre, *5 livres-or :* 39,94 ; *demi-couronne :* 14,138 ; *florin :* 11,31. Allemagne, 16 thalers d'argent du duc Julius de Wolfenbuttel (1588) 464 g, la pièce d'argent la plus lourde du monde. Suède, *plaque de cuivre* (640 × 340 mm, 14,5 kg, la plus grande monnaie du monde) 8 Daler Silvermynt (c.-à-d. valant 8 dalers d'argent), Avesta mynt (c.-à-d. frappée à Avesta, Suède), au centre (valeur) et aux 4 coins Karl Gustav de Suède (1659), découverte 1901 ; vendue 143 913 F (1979). *Civilisations primitives :* pierres rondes trouées pesant plusieurs dizaines de kg (île de Yap, Pacifique).

Définitions

Aloi (ou titre) : proportion de métal précieux composant la monnaie. **Anépigraphes :** sans légende. **Antiques :** monnaies grecques, romaines, gauloises, byzantines. **Atelier :** lieu de monnayage, identifié par un symbole ou une lettre. **Autonomes :** monnaies frappées par des villes indépendantes. **Avers** (ou **droit**) : côté de la pièce portant effigie, monogramme, titulature du souverain ou armoiries. **Billon :** alliage de cuivre et d'un peu d'argent. **Boustrophédon :** légende ou exergue (inscription) où les lettres sont placées dans l'ordre inverse. **Cannelures :** stries sur la tranche (pièces actuelles 5, 2, 1 et 1/2 F). **Champ :** espace entre le sujet et la légende. Une médaille est dite *conjuguée* quand les têtes de l'avers regardent du même côté et se couvrent en partie ; à *têtes affrontées :* 2 visages se regardant. **Coin :** plaque de métal très dur sur laquelle est gravée l'empreinte qui, reproduite par coups ou pression sur le flan, le transformera en monnaie. **Commémorative :** émission monétaire célébrant un événement national (souvent à faible circulation). **Contorniate :** monnaie en bronze, pourvue d'un cercle paraissant en être détaché par une rainure profonde. **Contremarque :** marque frappée postérieurement pour modifier la valeur de la pièce (le signe monétaire est la 1re marque de fabrication). **Cordon :** renforcement du rebord de la pièce la protégeant de l'usure. **Crénelée** (ou **dentelée**) : médaille découpée sur les bords.

Date : millésime de fabrication ou de décision d'émission. Existe sur les pièces françaises dep. 1550 env. **Démonétisée :** monnaie dont tout pouvoir légal de paiement est retiré par décret. **Dénéral :** plaque de métal servant de modèle : diamètre et poids d'une monnaie (ou poids monétaire utilisé autrefois par les changeurs pour vérifier le poids des monnaies). **Différents :** marques des maîtres, du graveur ou d'atelier. **Électrum :** mélange naturel d'or et d'argent. **Encastrée :** médaille à cercle ornée de moulures et placée à la suite du médaillon. **Essais** (ou « pièces d'hommage ») : projet de graveurs concevant un modèle nouveau, ou 1re frappe avec un coin nouveau, servent à la présentation du modèle aux membres du gouvernement, aux parlementaires et à certaines personnalités. Sous la monarchie, les intendants, échevins, etc., bénéficiaient de cette coutume. **Fleur de coin** *(prooflike) :* conservation exceptionnelle ; frappe sur un coin neuf qui n'a pratiquement jamais circulé et a gardé sa fraîcheur originelle. **Fonte** *originale :* meilleur exemplaire connu d'une médaille ; *de l'époque :* de l'ép. de la fonte originale ; *ancienne :* pouvant être faite beaucoup plus tard (XIXe souvent). **Fourrée :** plaqué d'argent ou d'or sur un métal commun (en allemand : *subferraten* désigne les mélanges de cuivre ou de fer plaqués d'argent ; *subplumbaten* la plaque d'argent est posée sur du plomb). **Frappe :** *en médaille :* dans le même sens avers et revers ; *en monnaie :* la partie haute de l'avers correspond au bas du revers. **Inscription :** texte horizontal, souvent sa valeur.

Jetons : au début instrument de calcul pour les comptes des particuliers ou des administrations (imitant souvent les monnaies, peuvent servir à frauder d'où l'expression « faux comme un jeton ») ; rois et princes en utilisent comme marque de reconnaissance, récompense, puis beaucoup en font graver en témoignage de leur puissance ; ils sont plus rares que la plupart des monnaies (leur frappe allait de quelques centaines à 10 000) ; on trouve peu de jetons en or (beaucoup ont été fondus pour récupérer l'or). *Prix :* argent (Henri II à Louis XVI) 500 à 5 000 F, record jeton de Jacques Charmolue (changeur du Trésor sous Louis XII et François Ier) 8 500 ; cuivre 50 à 300 F. Voir Tessère, Méreau. En plomb, cuivre ou étain. **Légende :** inscription circulaire à l'avers ou au revers, parfois sur la tranche. **Mancoliste :** liste des monnaies recherchées ou offertes, inscrite selon une méthode abrégée.

Médaille : Antiquité : monnaie (moyen d'échange) ; actuellement, pièce commémorative (ovale ou ronde), nommée *pièce de plaisir* par les anciens, sans valeur de paiement ou d'appoint. Elle montre en général à l'avers un personnage (souvent en buste) et au revers une allégorie ou symbole se rapportant à son action. Apogée à la Renaissance (Pisanello fixe en 1439 ses caractères définitifs). Les 1res méd. furent fondues d'après un modèle de cire ; au XVIIe s., la frappe au balancier fut adoptée en Fr. *Médaille non frappée :* métal non décoré servant de valeur d'échange ; *grenelée :* couverte de petits points ronds entourant le sujet principal (type) ou occupant le champ ; *incuse :* revers reproduisant en creux le type de l'avers ; *martelée :* revers effacé au marteau.

Méreau (plomb, cuivre ou étain) : jeton de présence d'organismes officiels ou privés ; m. ecclésiastiques, les plus nombreux à l'heure actuelle : rétributions des religieux ou donnant droit à des dons divers pour les pauvres ; m. civils pour certaines confréries ou corporations : convocation, laissez-passer, marques d'identification, etc. **Module :** diamètre d'une médaille (*quinaire :* plus petit module ; *médaillon :* plus grand que les dimensions ordinaires). **Monogramme :** lettres entrelacées. **Obsidionales :** monnaies émises pendant le siège des villes par assiégés et assiégeants. **Panthées :** m. à tête ornées des attributs de divinités. **Parlantes :** m. offrant des types se rapportant à la signification du nom de la localité (*ex. :* m. de Cordia, ornées d'un cœur). **Pièces de nécessité :** p. battues en certaines périodes agitées, sur autorisation de l'État ou non par des corps constitués ou des particuliers (*ex. :* chambres de commerce, municipalités, grandes sociétés). **Pièces de plaisir ou d'hommage :** destinées à la table de jeu du roi ou à son cabinet de collection.

Piéforts : appelés « pièces d'honneur », plus épais que l'original et frappés comme modèle, ils étaient offerts par le roi aux dignitaires de son entourage (grands féodaux, prélats, etc.). A partir de la création du « gros tournois » par Saint Louis, les piéforts furent frappés au format ordinaire. Actuellement la Monnaie en frappe en nombre limité pour les collectionneurs. Ex. : pièce de 50 F millésimée 1980, piéfort en platine 34 ex., en or 500 ex., dans le métal des pièces 2 500 ex. **Primitives :** monnaies rustiques utilisées dans des temps très anciens ou hors d'Europe (coquillage, frappes sur divers objets). **Saucé :** cuivre argenté ou recouvert d'une feuille d'étain (*potin :* composé de cuivre d'étain et de zinc). **Supposée :** monnaie ou méd. argentée remplaçant temporairement dans une collection certaines pièces authentiques manquantes. **Spintrienne :** jeton d'entrée dans les maisons de débauche des empereurs romains. **Symboles :** Antiquité (*tête d'éléphant :* symbole de l'Afrique ; *sistre* et *ibis :* Égypte ; *chameau :* Arabie ; *lapin* et *soldat armé d'un javelot :* Espagne). **Tessères** (petits disques ou tablettes de bois, ivoire, terre cuite ou métal) : utilisées à Rome dans les assemblées pour élire les magistrats et exprimer les suffrages ; ou distribuées au peuple pour servir de monnaie d'échange pour la nourriture, l'accès aux théâtres, cirques, lupanars ; ou signes de reconnaissance (premiers chrétiens), ou de ralliement ou d'introduction pour des réunions non publiques. **Tranche :** épaisseur du pourtour de la pièce avec parfois des inscriptions en relief ou en creux ou d'autres signes variés. **Treizains :** pièces bénies (13), versées par l'époux, dans de petites boîtes d'argent ou dans des sacs brodés le plus souvent en argent, argent doré, rarement en or. **Type :** effigie, motif ou représentation identiques sur une série de pièces (*ex. :* type à la croix).

Principales séries

Cours en milliers de francs 1990-93

Source : F. Berthelot, E. et S. Bourgey, F. Droulers, J. Vinchon.

■ **Principaux éléments du prix.** État de conservation et rareté. Une monnaie à *« fleur de coin »* (FDC) peut valoir 10 fois plus qu'une même monnaie dans un état moyen et 1 000 fois plus que les frustes, utilisées pendant un ou plusieurs siècles (jusqu'en 1856 avant le monnayage du 2e Empire). *« Superbe »* (éclat peut être terni, sans défaut), *« très beau », « TB », « beau »* (fruste), *« B »* (très fruste).

■ **Monnaies protohistoriques** (et début période historique). *Cachets* 0,5 à 6. *Cylindres* 0,5 à 30.

■ **Monnaies grecques.** *580-480 av. J.-C.* (époque archaïque) : 1er monnayage sous Solon (640-558), création du tétradrachme en 561 par Pisistrate (profil d'Athéna sur l'avers, chouette sur le revers). *480-415 :* diversification des monnaies (env. 1 650 types) ; chaque pièce porte une marque de la cité émettrice : *Phocée,* phoque ; *Corinthe,* poulain (Pégase) ; *Athènes,* Athéna et chouette ; *Clazomène,* Apollon ; *Égine,* tortue ; *Éphèse,* abeille ; *Syracuse,* nymphe Aréthuse et courses de chars ; *Étrurie,* Gorgone ; *Crète,* Minotaure. *415-336 :* apogée, certaines monnaies sont signées. *336-196 :* Alexandre (336-323) crée une monnaie panhellénique qui dure jusqu'en 170 av. J.-C. et frappe des pièces à son effigie. *196-27 :* conquête romaine, seules les villes ralliées aux vainqueurs battent librement leur monnaie.

Système ayant la drachme pour étalon, multiples : didrachme (2), tétradrachme (4), décadrachme (10) ; sous-multiples : hémidrachme (triobole), diobole (1/3 de drachme), obole (1/6 de drachme). *Ayant le statère,* multiples : double statère, trihémistatère ; sous-multiples : hémistatère (1/2 st.), trité (1/3), tétraté (1/4), hecté (1/6) [la pièce était si petite que les Grecs la mettaient dans la bouche pour ne pas la perdre, d'où l'expression : *avoir un bœuf sur la langue* (car la pièce représentait un bœuf)].

Cours. Électrum : *Carthage (Zeugitane),* (260 av. J.-C.) Trist. 21,69 g, 210. *Milet (Ionie)* (VIe s. av. J.-C.) hecté (tête de lion la gueule béante) 16. *Samos* (v. 500 av. J.-C.) hecté 3. **Or :** *Macédoine Alexandre le Grand* (336-323) di. 17,16 g, 90. *Tarente* (315-314) s. 8,52 g, 170. *Épire-Pyrrhus* (295-272) s. 8,57 g, 285. *Égypte-Arsinoé* (270-246) o. 27,78 g, 95. *Ptolémée IV* (221-204) o. 27,72 g, 101,5. *Bérénice II* (246-211) de. 42,75 g, 780. **Argent :** *Sicile Salinonte* (430-415) t. 55. *Syracuse* (412-406) de. 43,04 g, 115. *Naxos* (461-430 av. J.-C.) t. 930. *Attique-Athènes* (338-329) t. 17,20 g, 2,7 ; de. 575. **Bronze :** *Sicile-Syracuse* (413-357) tête d'Athéna, 22,82 g., 6,2.

Abréviations. a. : aureus ; d. : didrachme ; de. : décadrachme ; di. : distatère ; dr. : drachme ; é. : écu ; l. : louis ; m. : médaillon ; o. : octodrachme ; s. : statère ; se. : sesterce ; si. : silique ; so. : solidus (au pluriel : solidi) ; t. : tétradrachme ; tr. : tridrachme ; tre. : tremissis.

■ **Monnaies romaines.** *IVe s. av. J.-C. :* 1ers types monétaires, d'origine étrusque : *as signatum :* grand lingot de bronze coulé représentant bétail, caducée, trident, etc. ou symbole religieux ; *as* ou *assis* (lingot d'une livre de 327 g), *quincussis* (5 as), *quadrussis* (4 as). *V. 269 av. J.-C. :* 1res monnaies d'argent plus légères, l'as descend à 109 g, puis 27 g (as oncial). *V. 280 av. J.-C. :* apparition de l'*as grave* en bronze (en 268, création d'un atelier de frappe au Capitole), *denier* (argent) de 4,30 g, valant 10 as de bronze, *demi-denier* (quinaire), *demi-quinaire* (*sesterce* en arg.). *V. 187 av. J.-C. :* naissance du système romain. *En 87 av. J.-C.,* à partir de Sylla : *aureus, demi-aureus* (ou quinaire d'or), *denier* d'argent (et quinaire d'argent). *D'Auguste à Dioclétien :* or : *aureus* quinaire d'or (très rares à l'époque pré-impériale), 1/2 *aureus ;* argent : *denier* (1/25 aureus) et *quinaire* d'argent, 1/2 denier ; bronze ou cuivre : *sesterce* (1/4 denier) ; *dupondius* (1/8 denier) ; *as* (1/6 denier) ; *semis* (1/2 as) ; *quadrans* (1/4 as). *Au début du IIIe s.* apparaît un double denier d'argent *(antoninien)* qui se dévalue durant la 2e moitié du IIIe s. *Après Constantin,* en or : *solidus* (ou sou d'or), *semissis* (demi-sou), *tremissis* (1/3 de sou) ; en argent : *miliarensis* (ou millarès), *silique* et *demi-silique.* **Cours. Or :** *Néron-Drusus* (79 av. J.-C.) a. 7,75 g, 130. *Vibia* (43-42) a. 8,10 g, 40. *Vitellius* (68-69) a. 7,26 g, 80. *Domitien* (81-96) a. 7,40 g, 85. *Titus* (79-81) a. 7,32 g, 95. *Trajan* (98-117) 7,19 g, 25. *Antonin le Pieux* (138-161) a., 7,32 g, 77,2. *Marc Aurèle* (161-180) a., 7,37 g, 41. *Commode* (180-192) a., 7,24 g, 110. *Septime Sévère* (193-211) a., 7,17 g, 101. *Caracalla* (212-217) a., 7,37 g, 190. *Pertinax* (193) a. 7,21 g, 116. *Carus* (282-283) a. 4,44 g, 85. *Carin* (283-284) a. 4,98 g, 149. *Sévère II* (305-307) a. 5,23 g, 215. *Fausta* (vers 300) m. 2 so., 8,98 g, 416. *Magnence* (350-353) so., 4,50 g, 21. *Procope* (365-366) so., 4,31 g, 230. *Honorius* (395-423) so., 4,49 g, 1,6. **Argent :** *Marc Antoine et Cléopâtre VII* (32 av. J.-C.) t. 15,06 g, 30. *Octave Auguste* (63-14 av. J.-C.) denier 3,79 g, 10. *Brutus* († 42) denier, 3,98 g, 450. **Bronze :** *Claude Ier* (41-54) se. 29,18 g, 31. *Vespasien* (69-79) se. 25,92 g, 90. *Alexandre Sévère* (cousin d'Élagabale, 205) se. 19,67 g, 10. *Néron* (54-58) se. 45 g, 35,5. *Trajan* (98-117) se. 26,96 g, 62. *Gordien III le Pieux* (238-244) m. ou double se., 46,55 g, 72,2. *Vétranion* (350) centenionalis ou moyen bronze, 4,65 g, 6,5.

Monnaies les plus rares. On connaît plus de 100 pièces dont il n'existe qu'un spécimen. La plus connue est la pièce de 20 statères d'Eucratide Ier (169-159 av. J.-C.). En 1946, un dollar d'argent américain de 1804 (6 ex. connus) a été vendu 200 000 dollars. L'écu d'or de St Louis (1re pièce d'or frappée en France depuis l'époque carolingienne, 8 ex. connus) vaut env. 1 000 000 de F. Décadrachme en argent de la reine Démarète env. 5 000 000 de F ; d'Athènes env. 3 330 000 F ; tétradrachme de Naxos env. 1 000 000 de F.

■ **Monnaies byzantines** (395-1453 apr. J.-C.). Style hiératique. L'effigie de l'empereur cède la place au *Christ Pantocrator* (Croix présente à partir du milieu du Ve s.). Avec la querelle des iconoclastes (VIIIe s.), les images du Christ se font rares et réapparaissent au IXe s., associées à celle de la Vierge, parfois au Souverain. Au XIe s., les *scyphates* (plaques rondes et concaves, métal mince) portent les effigies des empereurs (Comnène, Paléologue). **Cours. Or :** *Eudoxie f. d'Arcadius* (395-404) so. 4,45 g, 28,5. *Pulchérie* (414-453) so. 4,44 g, 44. *Eudoxie f. de Théodore II* (421-450) so. 4,47 g, 23. *Justin II* (565-578) so. 4,48 g, 4,3. *Héraclius* (602-608) so. 4,35 g, 58. *Irène* (797-802) so. 4,45 g, 55. *Théodora, Michel III et Thécla* (842-843) so. 4,16 g, 142. *Alexandre* (912-913) so. 4,39 g, 90. *Romain Ier, Constantin VII et Nicéphore* (913-959) so. 4,52 g, 145.

■ **Monnaies gauloises.** *Vers IVe av. J.-C. :* 1res monnaies gravées. Style selon régions. Figuration symbolique très stylisée (corne d'abondance, astres, lyres, silhouettes stylisées, bestiaire fabuleux). **Cours. Or :** *Aulerci cenomani* (région du Mans) s. or 7,10 g, 8. *Parisii* (Paris) s. or 122. *Helvétie* (Suisse) double s. 83,5. *Namnètes* (Nantes) s. 27,5. *Vénètes* (Vannes) s. 7,20 g, 111 ; 7,60 g, 146,6. *Aulerci Diablintes* (Jubelains) s. 7,64 g, 144,5. *Eburovices* (Évreux) hémistatère, 3,31 g, 53,3. *Arvernes-Vercingétorix* (Clermont-F.) s. en or, 7,29 g, 81. **Argent :** *Celtibérie* (Emporiae) vers 250 av. J.-C. 5,25 g, 7,5. *Massilia* (IVe s. av. J.-C.) 4,4. *Celtes du Danube,* t. 16,91 g, 25. **Argent ou billon :** *Abrincatui* (Avranches) s. en billon, 6,71 g, 13,3.

■ **Monnaies mérovingiennes et carolingiennes.** Le *triens* (or) présente à l'avers l'effigie royale stylisée ; au revers, une croix avec la mention de l'atelier de frappe. Le bimétallisme (or et argent) se généralise au VIIe s. (abbayes, villes ou seigneuries battent monnaie). Charlemagne rétablit l'unité de frappe et renoue avec la tradition romaine : sur l'avers des deniers et 1/2 deniers, effigie de l'emp. à l'antique ; sur le revers, stylisation de la basilique romaine. **Cours. Or :** *Ostrogoths Athalaric* (fils d'Amalasunthe, 526-534) so. 4,35 g, 8. *Théodebert :* sou d'or 1re monnaie royale fr. *Dagobert* (629-639) tre. 1,34 g, 62. *Pépin le Bref* (751-768) denier 1,19 g, 30. *Charlemagne* (751-814) denier de Genève 1,24 g, 140. *Louis le Pieux* (814-840) so. 4,33 g, 144 ; denier 17 g, 44. *Charlemagne* (788-792) sou d'or 3,82 g, 12.

■ **Monnaies royales françaises.** *Philippe Auguste,* avec le denier d'argent parisis et le denier tournois, rétablit l'unité monétaire. *St Louis* limite circulation et validité des monnaies féodales, impose la monnaie royale, s'engage en 1266, en créant l'écu d'or, à ne frapper que de la monnaie de bon aloi. *Jean le Bon* émet en 1360 : franc [à pied (roi debout sous un dais), à cheval] ; sert à payer sa rançon ; *Louis XI :* écu au soleil ; *Louis XII :* teston d'argent (buste à l'antique). *François Ier :* 1540, frappe contrôlée par un graveur général des Monnaies. *Henri II :* qualité améliorée par la frappe au balancier. *Louis XIII :* 1640, restaure le système monétaire ; le double louis (devenu louis) d'or conservera jusqu'en 1709 poids et titre (avers : effigie du roi ; revers : 8 L disposés en croix). Écu blanc en argent ; deniers, sous, billons, liards en cuivre. **Cours. Or :** *Philippe IV le Bel* (1285-1314) denier à la reine (1305 ; 4,68 g) 108. *Louis X le Hutin* (1314-16) agnel (1314 ; 4,06 g) 38. *Philippe VI* (1328-50) couronne (1340 ; 5,42 g) 480 parisis (1329 ; 7 g) 109. *Jean II le Bon* (1350-64) royal (1359 ; 3,55 g) 17 ; mouton (1355 ; 4,65 g) 22,5. *Charles V le Sage* (1364-80) franc à pied (1365 ; 3,77 g) 6,8. *Charles VI* (1380-1422) salut (1421 ; 3,83 g) 73. *Henri VI* (1422-53) salut (1423 ; 3,42 g) 10. *Charles VII* (1422-61) écu au briquet du 1er type 23. *Louis XI* (1461-83) é. à la couronne (13-12-1461, 4-1-1474 ; 3,45 g) 5. *François Ier* (1515-47) é. au soleil, 1er type (23-1-1515 ; 3,50 g) 4 ; 1/2 é. (1519 ; 1,70 g) 25 ; de Provence (21-7-1519 ; 3,36 g) 7,2. *Henri III* (1574-1589) é. au soleil (1577 ; 3,44 g) 2,7. *Louis XIII* (1610-43) é. au soleil (1624 ; 3,34 g) 4,8 ; 8 louis aux 8 L (1640 ; 53,28 g) 450. 10 louis au b. drapé (67,17 g) 670 ; au col nu, except. (1642 ; 67,26 g) 420 ; double l. (1640 ; 13,44 g) 75 ; l. à la mèche longue (1642 ; 6,71 g) 30. *Louis XIV* (1643-1715) l. juvénile tête laurée (1668 ; 6,73 g) 19 ; l. aux 4 L (1694 ; 6,70 g) 7 ; l. aux 8 L et insignes (1701 ; 6,67 g) 13,5 ; l. aux insignes (1704 ; 6,70 g) 6,6 ; l. au soleil (1710 ; 8,13 g) 11 ; double l. au soleil (1712 ; 16,25 g) 78. *Louis XV* (1715-74) l. aux 8 L (1715 ; 8,13 g) 150 ; double l. de Noailles (1717 ; 12,21 g) 104 ; l. à la croix de Malte (1718 ; 9,77 g) 25,5 ; l. aux 2 L (1721 ; 9,76 g) 29,5 ; 1/2 p.

mirliton (1724 ; 3,26 g) 80 ; l. aux lunettes (1726 ; 8,09 g) 5 ; l. au bandeau (1742 ; 8,03 g) 28 ; double l. au bandeau (1746 ; 16,29 g) 16,9. *Louis XVI* (1774-93) l. aux palmes (1774 ; 8,14 g) 70,5 ; l. au buste habillé (1782 ; 8,12 g) 17 ; 1/2 l. buste habillé (1784 ; 4,05 g) 49,5 ; double l. au buste nu (1786 ; 15,25 g) 12,2 ; l. au buste nu (1787 ; 7,64 g) 8,5. *Constitution* (1792-93) l. de 24 livres (1792-an IV ; 7,59 g) 68. *Convention* (1792-95) l. de 24 livres (1793-an II ; 7,67 g) 31. **Argent :** *Louis IX* (1266-70 ; gros tournois de St Louis 4 g) 2,6. *L. XII* (1498-1515 ; teston de Milan 9,95 g) 17. *L. XIII* piéfort de l'essai du franc (1618 ; 56,10 g) 17,3 ; l. de 68 sols tournois (1642 ; 27,28 g) 25 ; franc (1638) Bordeaux 32. *L. XIV* écu au buste juvénile (1667 ; 27,14 g) 3,2 ; é. carambole (1685 ; 37,02 g) 6,8 ; é. aux 3 couronnes (1709 ; 30,39 g) 6,4. *L. XV* é. Vertugadin (1716 ; 30,41 g) 5,5 ; é. de France et de Navarre (1719 ; 24,35 g) 5,4 ; é. aux 8 L (1724 ; 23,54 g) 21. *L. XVI* 1/2 é. aux lauriers (1789 ; 14,69 g) 1,9 ; é. de Calonne (1786 ; 29,17 g) 21. *1789-93* petit é. de 3 livres (1792 ; 14,55 g) 3,3.

■ **Monnaies féodales. Cours. Or :** AQUITAINE : *Édouard III* (1317-55) Guyennois 3,84 g, 34. *Édouard* (Prince Noir 1355-75) chaise 5,48 g, 65 ; hardi 3,92 g, 116 ; pavillon 5,32 g, 22. *Charles de France* (1469-72) fort 380 (record). AVIGNON : *Clément VIII,* quadruple é. 80. BÉARN : *François Phébus* (1479-83) é. 3,42 g, 34. BOURGOGNE : *Philippe le Bon* (1419-67) cavalier 3,62 g, 25. BRETAGNE : *Charles VIII* (1483-98) é. 27,5. LORRAINE : *Antoine* (1508-44) florin 6. *Charles III* (1545-1608) double pistole (1588) 5. *Léopold Joseph Ier* (1697-1729) double léopold (1726) 67. **Argent :** LORRAINE : *François II* (1625-32) é. à la vierge (1632) 65. VERDUN : *Charles de Lorraine-Chaligny* (1611-22) grand é. 30. SAVOIE : *François-Hyacinthe* (1630-78) 4 scudi en or (n.d.) 13,27 g, 92.

■ **Monnaies récentes.** *1793 :* le profil de L. XVI est remplacé par une couronne de branches de chêne, la Convention remplace le système duodécimal par le système décimal. *1795 :* le franc remplace la livre-tournois ; sur les *monnaies de confiance,* apparaît le visage de la Ire Rép. *Directoire :* apparition du 5 F en argent. *Restauration :* la Monnaie Royale commence à frapper le platine (d'Am. du Sud) en médailles. *1849 :* 1er visage de Marianne avec la devise Liberté, Égalité, Fraternité. *1872 :* la IIIe Rép. reprend les modèles de 1793 et 1848 jusqu'en 1895. *1897 :* semeuse de Roty (pièces de 50 c, 1 F, 2 F en argent jusqu'en 1928), coq de Chaplain en or, Rép. au bonnet phrygien de Dupuis en cuivre. *1914-44 :* sous troués en nickel. *1941 :* le mal Pétain émet des essais avec son effigie (non mis en circulation) ou, en 1942, des pièces avec la francisque (mises en circulation). **Cours. Bonaparte** (1799-1801) 40 F an XI, 6,5. **Napoléon Ier** (1804-14) 40 F an XIV [12,87 g (Paris)] 10,7 [12,51 g (Lille)] 17,5 ; 1808 [12,83 g (Turin)] 24,5. 5 F an XIII (24,87 g) 6,2 ; 5 F tête laurée (1814 ; 24,88 g) 1,4. **Louis XVIII** (1815-24) 40 F [1822 ; 12,80 g (Paris)] 16,3 ; [1822 ; 12,85 g (Paris)] 23 ; 5 F au collet (1814 ; 25,03 g) 2,8. **Charles X** (1824-30) 20 F tr-striée 9. **L. Philippe** (1830-48) 5 F tête nue (1830 ; 24,70 g) 1,9. **Napoléon III** (1852-70) 5 F tête nue (1856 ; 24,93 g) 4,2. **Henri V** (1820-† 1884, n'a pas régné) 5 F [1871 ; 25,91 g (non mise en circulation)] 24,5. *IIIe République* (1871-1940) essai bimétallique de 5 centimes par Bazor (1935 ; 13,85 g) 3,8 ; 100 F Bazor (6,54 g) 6,3.

■ **Monnaies étrangères. Cours. Or :** ALLEMAGNE : *Hildesheim ville :* 5 ducats 75 (1528 ; 16,72 g) 75. BELGIQUE : *Philippe IV d'Esp.* (1621-65) : double souverain (1636 ; 10,94 g) 15. CHINE : dollar en or (1921) 29,5. ÉGYPTE : *Saladin :* dinar (1187) 280 (record, 1983). ESPAGNE : *Ferdinand II* (1452-1516) : 10 ducas (1479 ; 34,97 g) 341. *Charles III* (1759-88) : 4 escudos (1774 ; 13,47 g) 3,5. *Alphonse XIII* (1886-1931) : 100 pesetas (1897 ; 32,24 g) 18,3. G.-B. : *Édouard III* (1327-77) : noble (1356-61 ; 7,57 g) 10. *Élisabeth Ire* (1558-1603) demi-souverain (5,54 g) 28. *Georges V* couronne en or (47,73 g) 200. *Victoria* (1837-1901) 1 cour. avec lion (1839) 140, 5 £ or (1839) 99. ITALIE : *Florence* (1189-1531) : florin (3,51 g) 2,9 ; *Victor-Emmanuel II* (1849-61) : 20 lires (1858) (6,42 g) 1. JAPON : *Mutsu Hito* (1867-1912) : 20 yen (1877 ; 33,3 g) 295. PAYS-BAS *Gueldre :* cavalier (1423-72 ; 3,56 g) 320. *Utrecht :* cavalier de 14 florins (1750 ; 9,68 g) 4,5. PERSE : *Nasredin* (1848-96) : 10 tomans (1880 ; 27,54 g) 19. RUSSIE : *Nicolas II* (1894-1917) rouble (1902 ; 32,2 g) 60. SUISSE (Soleure) : doublon (1787 ; 7,63 g) 15 (Zurich) d. ducat (1708 ; 6,91 g) 25. TURQUIE : *Abdul Aziz* (1861-76) 500 piastres (1870 ; 36,03 g) 3,6. USA : 20 $ St-Gaudens (1907 ; 33,35 g) 56. **Argent :** AUTRICHE (Tyrol) : *Charles VI :* thaler (1721) 3,1. G.-B. : *Victoria* (1837-1901) : couronne « gothique » (1847 ; 28,2 g) 10,65. P.-BAS (Utrecht) : ducaton ou cavalier (1786) 1,7. USA : 1/4 de $ (1806) 3,4 ; 1/2 $ (1806) 1,7. **Platine :** RUSSIE : *Nicolas Ier* (1825-55) 12 roubles (41,39 g) 42,5.

■ **Contrefaçons. Faussaires célèbres.** XVIe s. : Giovanni Cavino (Italie). XVIIIe s. : Carl Wilhelm Becker, Seeländer (Allemagne). XIXe s. : Constantin Cristodoulos (Grèce), Gigal (Italie). XXe s. : Caprada (Chypre), Peter Rosen (N. Y.), Dr Schmidt (Bonn, All. féd.).

Peines encourues en France (loi du 27-11-1968). 1 à 5 ans de prison, amende de 2 000 à 200 000 F pour faux de monnaies étrangères or ou argent ayant eu cours légal. (Le faussaire n'est pas assimilé aux faux-monnayeurs et s'expose à des peines moins lourdes.)

Pays. Surtout Liban, Turquie, Irak, Syrie (assez grossier), Grèce, Italie, Pays-Bas.

■ **Collections principales** (nombre de pièces). ALLEMAGNE : *Berlin :* 500 000 ; *Dresde :* 30 000 ; *Munich :* 220 000. ANGLETERRE : *Cambridge,* Fitzwilliam Museum : 120 000 ; *Londres,* British Museum : 500 000 ; *Oxford,* Ashmolean Museum : 90 000. AUTRICHE : *Vienne,* Musée impérial : 500 000 ; coll. des Bénédictins. BELGIQUE : *Bruxelles :* 200 000. ESPAGNE : *Barcelone,* Cabinet numismatique : 120 000. FRANCE : *Bordeaux,* 4 000 médailles, 15 000 pièces de monnaie, jetons, minéraux, etc., avant le vol de mars 1975, 10 000 depuis ; *Lille :* 5 000 env. ; *Lyon :* 15 000, *Marseille :* 20 000 ; *Paris,* Cabinet des Médailles : 500 000 monnaies, 100 000 méd., 30 000 jetons ; Hôtel de la Monnaie ; *Perpignan.* GRÈCE : *Athènes.* HOLLANDE : *La Haye :* 200 000. INDE : *Calcutta.* ITALIE : *Bologne :* 100 000 ; *Florence ; Milan :* 145 000 ; *Naples,* Musée civique Gaetano Filangieri : 8 500 ; Musée national : 300 000. *Padoue ; Palerme ; Reggio di Calabria ; Rome* (Vatican), Cabinet numismatique : 100 000 ; *Turin ; Syracuse :* 5 000. TURQUIE : *Istanbul :* 500 000. USA : *New York,* American Numismatic Society : 900 000.

■ **Collectionneurs** (numismates). *Allemagne :* 10 000. *France :* 10 000 dont plus de 3 000 suivent les manifestations numismatiques. *USA :* 20 millions.

■ **Nettoyage des monnaies.** On ne peut pas restituer le relief d'une pièce usée. Se méfier de tous abrasifs ; dans bien des cas, se contenter d'eau et de savon. La patine doit être conservée. *Argent :* nettoyer à l'alcool, à l'éther ou à la lessive Saint-Marc diluée dans de l'eau très chaude. *Bronze :* brosse de soie ; conserver la patine. *Or :* tremper les pièces dans de l'eau savonneuse bouillante.

■ **Régime fiscal.** Taxe de vente forfaitaire due même en l'absence de plus-value. *Vente privée :* monnaies d'avant 1800 : taxe de 7 % sur le prix de vente (exonération jusqu'à 20 000 F et décote entre 20 000 et 30 000 F) ; depuis 1800 : t. de 7,5 %, sans exonération ni décote. *Vente publique :* taxe de 4,5 % sur le prix de vente (exonération jusqu'à 20 000 F, décote entre 20 000 et 30 000 F).

MOSAÏQUE

TECHNIQUE

En latin, *musivum opus* signifie : travail auquel président les Muses. Les *musea* étaient des grottes naturelles ou artificielles, des fontaines décorées de mosaïques.

Sol ou mur enduits d'un 1er ciment de marbre pilé et de chaux ; puis d'un 2e ciment plus fin (brique pilée et chaux) qui recevra les cubes taillés en biseau. Pour le 2e ciment, on étalait la surface correspondant au travail qui pouvait être exécuté immédiatement après. L'image à reproduire était peinte sur cette surface ; ensuite on enfonçait les cubes dans le ciment encore frais. Ces cubes en brique, pierre, marbre, terre cuite ou verre pouvaient être recouverts d'une mince feuille d'argent ou d'or et enrobés de verre, ou colorés par des oxydes métalliques mélangés à de la pâte de verre (ainsi qu'avec des morceaux de vaisselle cassée, des coquilles d'œufs ou des coquillages).

PRINCIPALES MOSAÏQUES

Moyen-Orient. Vestiges de mosaïques murales.

Grecques et romaines. La plupart au sol. Au début, cailloux noirs et blancs mal égalisés ; au IIIe s. polychromes et plus fines ; cependant, les m. romaines (notamment à Pompéi) seront surtout noires et blanches. **Principales collections.** *G.-B. :* British Museum. *Italie :* Naples, Rome (Thermes du Latran) ; *Tunisie :* Bardo, El Djem, Sfax, Sousse. **Pièces célèbres.** Vue sur le Nil (Ier s. av. J.-C., 1re m. romaine connue), palazzo Barberini (Palestrina, Italie). Bataille d'Issus, trouvée à Pompéi (musée de Naples). Colombe de la villa d'Hadrien (musée du Capitole). Virgile entre les 2 muses (de Bardo).

Chrétiennes. Italie. *Rome :* mausolée de Ste-Constance, St-Jean-de-Latran, chap. de Ste-Rufine, Ste-Pudentienne (IVe s.) ; Ste-Marie-Majeure (Ve s.) ; St-Laurent-hors-les-Murs (578-80) ; Ste-Agnès-hors-les-Murs (VIIe s.).

Byzantines. 1er Age d'or byzantin (Ve-VIe s.). *Ravenne :* mausolée de Galla Placidia (450), baptistère des Orthodoxes (425-30), baptistère arien (520), St-Apollinaire-le-Neuf (la Vie du Christ) (520-26), St-Vital (Justinien et Théodora) (526-47), St-Apollinaire-in-Classe (535-49). *Mont Sinaï :* monastère de Ste-Catherine (sous Justinien). *Naples :* baptistère de Sôter (470-90). *Parenzo* (530-35). *Salonique :* St-Démétrius (Ier-VIIe s.). **2e** (IXe-XIIe s.). En général : *Coupole :* buste du Christ Pantocrator entouré des apôtres, des prophètes et d'archanges. *Pendentifs :* les 4 évangélistes. *Abside :* la Vierge, la communion des apôtres. *Nef* et *narthex :* vies du Christ et de la Vierge, images de saints. 2 scènes se rencontrent : l'*Hémistasis* représentant le trône vide réservé au Christ pour le Jugement dernier ; l'*Anastasis* représentant la visite du Christ aux limbes. **France.** *Germigny-des-Prés* (Loiret) (801-806). *Grand* (Vosges) : 14 m de côté, la plus grande trouvée en France. **Grèce.** *Daphni* (la Crucifixion) (1100). *St-Luc-de-Stiris* (XIe s.). *Nea Moni* (île de Chio, 1052-56). *St-Luc-en-Phocide.* **Italie.** *Rome :* Ste-Marie-Majeure (abside par J. Torriti, XIIIe s.), St-Jean-de-Latran (abside par Torriti, XIIIe s.), palais Stefaneschi (par Giotto), Ste-Marie-du-Transtévère (par Cavallini, XIIIe s.). *Orvieto :* cath. (refaite XVIIe et XVIIIe s.). *Venise :* St-Marc (du XIIe s. à la Renaissance). *Murano :* basilique (abside). *Torcello :* cath. (abside, XIe-XIIe s.). **Sicile.** *Palerme :* la Martorana, chap. Palatine, la Liza (1154-64). *Monreale* (1174-82). *Cefalù* (1150-75, chœur). *Messine :* St-Grégoire. **Turquie.** *Istanbul :* Ste-Sophie (jusqu'en 1204), Kahriye Djami, Fetiye Djami (XIVe s.).

Amérique latine. Incrustées de pierres (obsidienne, grenat, quartz, béryl, malachite, etc.). On en trouve chez Mayas et Aztèques. **Pièce la plus célèbre.** Masque du British Museum à Londres. **Principales collections.** Musées : Amérique latine, New York, Mexico, Berlin, Copenhague, Londres, Rome, Vienne.

Modernes. Décors de mosaïques : Université de *Caracas* (Venezuela) par Fernand Léger ; Unesco et Maison de la Radio (France, *Paris*) par Bazaine ; Fondation Maeght (France, *St-Paul-de-Vence*) par Chagall ; Bibliothèque de l'université nationale de *Mexico* 1 203 m², de Siqueiros. Siège de St Gobain-Rhône-Poulenc (Paris-La Défense) 2 500 m² par Deverne.

ORFÈVRERIE

HISTOIRE

■ **Origine.** Du latin *aurum* (or) et *faber* (fabricant), l'orfèvrerie est l'art de travailler l'or et l'argent. Pratiquée en Orient, en Égypte, en Grèce et à Rome, se développe surtout, en Europe, au Moyen Âge. Jusqu'au XVIIIe s. (apogée de l'orfèvrerie en Fr. : 300 orfèvres à Paris), orfèvrerie, bijouterie et joaillerie n'étaient qu'un seul métier. L'orfèvre fabrique surtout des objets usuels ; le bijoutier ne fabrique que des bijoux ; le joaillier se sert des métaux précieux pour monter les pierres. Pour éviter toute fraude, les taux d'alliage ont été réglementés du Moyen Âge au XVIIIe s. Les orfèvres étaient tenus de travailler à la vue des passants ; ils n'avaient pas le droit de travailler la nuit.

Au XVIIe s., il y avait des meubles en argent (jardinières de 150 kg, tables). Les rampes des bassins de Versailles étaient en argent (l'une pesait 2 788 kg). Cependant, la belle argenterie française est rare, beaucoup de pièces ayant été fondues entre Louis XIV [qui fit fondre 25 t d'argenterie en raison de besoins financiers (édits-confiscations de 1689 et 1709, d'où l'utilisation de la faïence et de l'étain pour la vaisselle)], la Révolution (1789-90 : 54,9 t d'argent, 187 kg d'or) et Napoléon III.

■ **Orfèvres ou joailliers français célèbres.** *St Éloi* (VIe s.). *Abbon* (VIIe s.). *Hennequin du Vivier* (XVe s.). *Benvenuto Cellini* (Italien d'origine, 1500-71). *François Briot* (1550-déb. XVIIe s.). *Claude Ballin* (1615-78) et son neveu *Claude* (II) (1661-1754). *Thomas Germain* (1673-1748) et son fils *François-Thomas* (1726-83). *Louis Lenhendrick* (XVIIIe s.). *Nicolas Delaunay*

(1647-1727), *Jacques Nicolas Roettiers* (1707-84). *Ambroise Nicolas Cousinet* (1710-88). *Robert-Joseph Auguste* (1723-95) et son fils *Henry* (1759-1816). *Antoine Boule* (XVIIIe s.). *Edme Pierre Balzac* († v. 1786). *François Joubert* (XVIIIe s.). *Nicolas Outrebon Ier et Nicolas Outrebon II* († 1779). *Charles Auguste Aubry* (v. 1730-92). *Odiot :* Jean-Baptiste Gaspard († 1767) et Henri (son frère, † 1772), Jean-Claude (fils de J.-B., † 1788), J.-Claude (1763-1850), Charles-Nicolas (1789-1856), Gustave (suicidé 1912). *Biennais :* Guillaume (1764-1843), Jean-Baptiste Claude (fils de J.-C., † 1850). *Charles Christofle* (1805-63). *Henri Bouilhet* (1830-1910). *R. Boivin. Cardeilhac. Cartier. Luc Lanel. Maurice Daurat. Jean Desprès* (1889-1980). *Gaston Dubois. Christian Fjerdingstad. Georges Fouquet* (1862-1957). *Gio Ponti. Georg Jensen. Lacloche. Henri Lappara. Gustave Miklos* (1888-1967). *Jean-Émile Puiforcat* (1897-1945). *Ravinet-d'Enfert. Johan Rohde. Gérard Sandoz. Jean Serrière. Raymond Templier* (1891-1968). *Tétard Frères. Goudji* (1941, nat. 1978).

☞ *Carl Fabergé* (1846-Lausanne 1920), descendant de Huguenots, était russe.

■ Collections. **Lisbonne. Londres :** *Victoria and Albert.* **New York :** *Metropolitan.* **Paris :** *Musée des Arts décoratifs, M. Christofle, Petit Palais, Louvre, Camondo.* **St-Pétersbourg :** Ermitage. **Strasbourg :** *M. de l'œuvre Notre-Dame.*

Pièces célèbres

Pièces anciennes

■ Matériaux. **Or :** Sumer (4000 av. J.-C.), Égypte (3000 av. J.-C.), Mycènes (2100-1900 av. J.-C.), Phénicie (1400 av. J.-C.), Inde (Xe s. av. J.-C.), Pérou (IXe s. av. J.-C.). **Argent :** dès le Ve s. av. J.-C.

■ Quelques pièces célèbres. *Calice d'Antioche* (argent, IVe ou Ve, New York, coll. pr.). *Trésor Esquilin* (argent, B M), *de Lampascus* (argent, B M), *de Louxor* (Ve-VIe s., L.), *de Chypre* (VIe s., B M), *Croix d'or de Justin II* (VIe s., St-Pierre, Rome). *Devant d'autel* (IXe s., St-Ambroise, Milan). *Statue de Ste Foy* (Xe s., Conques). *Codex Aureus, Ciboire de l'emp. Arnulf* (Munich). *Calice de St Remi* (Reims). *2 Vierges* (XIe s., Essen). *Croix de Laon* (v. 1200, L). *Calice de Nicolas de Verdun* (XIIIe s., Borga, Finlande). *Reliquaire de St Éleuthère* (1247, cath. Tournai). *Ciboire* (XIIIe s., Sens). *Croix* (Amiens). *Châsse de St Taurin* (XIIIe s., Évreux). *Vierge* (XIVe s., Roncevaux). *Vierge* (1339, L). *Reliquaire* (v. 1338, Orvieto, Italie). *Buste de Ste Agathe* (1376, Catane, Italie). *Coupe des rois de Fr.* (1380, B M). *Coupe* (1462, Oxford, Oriel College). *Aiguière* (1581-82, L). *Bouclier d'or de Charles IX* (L). *De Benvenuto Cellini :* aiguière et salière (Vienne), coupe (v. 1540, L). *Écuelle en vermeil de Thomas Germain* (1783, L).

Nota. – L : Louvre ; B M : British Museum.

Couronnes et trésors royaux

Allemagne. *Couronne de l'Empire allemand* (1871). *C. de Saxe* (avec le diamant Dresden, voir p. 406 c).

Angleterre. Tour de Londres : *Couronne de St Édouard,* faite 1661 pour remplacer l'original détruit 1649, utilisée pour le couronnement ; refaite 1838 pour la reine Victoria, elle serait la plus précieuse du monde : elle comprend 4 rubis dont le rubis du Prince Noir, 11 émeraudes, 16 saphirs (dont le saphir des Stuart), 277 perles et 2 783 diamants (dont un des plus gros fragments du Star of Africa) ; la reine la porte pour l'ouverture du Parlement. *Cour. impériale des Indes,* faite pour le couronnement de Georges V aux Indes. *Cour. de la reine Marie de Modène* (épouse de Jacques II). *Cour. de la reine Mary* (ép. de Georges V), *Cour. d'Élisabeth II* (Cour. de la reine mère, portant le Koh-i-Noor). *Petite Cour. de la reine Victoria* (diamants). *Cour. d'Écosse,* pour Robert Bruce (1314).

Autriche. La Hofburg (Vienne) : *Insignes du St Empire :* cour. impériale [exécutée pour le sacre d'Othon le Grand 962 (?)], globe imp. [de résine enrobée d'or (XIIe s.)], épée imp. ou de St Maurice (entre 1198-1218), croix imp. (v. 1024), la sainte lance (avec laquelle Longin aurait percé le côté de J.-C.), sabre de Charlemagne, chape du couronnement (exécutée pour Roger II de Sicile 1133-34). *Cour. de Rodolphe II* (1602, devenue cour. imp. autr. en 1804). Les 2 *pièces héréditaires* inaliénables de la maison de Habsbourg : coupe d'agate (Trèves, IVe s., 75 cm de largeur, elle passe pour être le St-Graal), défense de licorne (corne de narval, 243 cm).

Espagne. Armería Real (Madrid) : *Cour. des rois wisigoths* (VIIe s., de Swinthila et 2 autres).

France. Musée de Cluny (Paris) : *3 cour. de rois wisigoths,* dont celle de Sonnica. Au Louvre (galerie d'Apollon) : *Épée de Charlemagne,* « La Joyeuse », IXe s. (et XIXe s.) ; *Sceptre de Charles V,* XIVe s. ; *Bague de St Louis,* XIIIe s. (ou XIVe-XVe s.) ; *Cour. de L. XV* (pierres remplacées par des verroteries) ; *Cour. de Napoléon Ier,* dite de Charlemagne, faite avec des camées anciens en 1804, servit aussi au sacre de Charles X. *Trésors :* abb. de St-Denis ; Ordre royal du St-Esprit ; gemmes et cristaux de L. XIV (galerie de minéralogie, m. d'Hist. naturelle de Paris).

Hongrie. *Cour. de St Étienne,* roi de Hongrie, Xe s. *Calvaire du roi Mathias,* XVe s.

Inde et Empire ottoman. Du XVIe au XIXe s. fabr. de meubles d'argent incrustés d'or et pierres précieuses (doublés de bois) (Trésor du m. de Topkapi).

Iran. Téhéran (à la Banque centrale) : *Cour. des Pahlavi* (1924), 2 080 g de pierres précieuses (dont 3 380 diamants, 368 perles, 5 émeraudes, 2 saphirs). *Diamant Daria-I Nour,* globe (1869) incrusté de 51 366 pierres, 3 656 g. *Trône de Nader* (début XIXe s.).

Italie. Monza : *Cour. de fer de Lombardie* VIe s. (ou IXe s.), bande de fer (clou de la vraie Croix ?) avec 6 plaques d'or serties d'émaux et de pierres précieuses. Portée entre autres par Charles Quint et Napoléon Ier comme rois d'Italie.

Russie. Moscou : *Cour. impériale,* commencée sous Catherine II et terminée pour Paul Ier (2 kg, 4 936 pierres totalisant 2 858 cts). *Sceptre,* surmonté du diamant Orloff (voir p. 406 c).

Métaux précieux

Titre

■ Définition. Quantité de métal fin (or, argent ou platine) contenue dans un ouvrage, celui-ci n'étant utilisé que sous forme d'alliage avec des métaux communs, leur malléabilité risquant d'entraîner une usure rapide et une déformation des ouvrages. Le titre (égal au poids du métal fin divisé par le poids de l'alliage) se définit en millièmes (*ex. :* 920/1000 correspondent à 920 g d'or pur pour 1 kg) ; le titre ancien de l'or se donne en carats et en 32e de carat (l'or fin valait 24 carats) ; celui de l'argent, en deniers de 12 grains [l'argent fin titrait 12 deniers (*ex. :* 11 deniers, 12 grains = 958 millièmes 333)].

■ Titres légaux. *Argent :* 925 et 800 millièmes (avant 1972, le 1er titre était de 950/1000). *Or :* 920, 840 et 750. *Platine :* 950. On évalue aussi le titre de pureté de l'or en carats, l'or pur étant à 24 carats ou 1 000 millièmes ; un objet à 18 cts comprend 18 cts d'or fin et 6 d'alliage (cuivre jaune ou rouge, argent ou nickel).

Le titre minimal légal représente la teneur en métal fin en dessous de laquelle le service de la Garantie n'appose pas le poinçon et ne peut être commercialisé en France : 750 millièmes ou 18 carats (or), 800 millièmes (argent), 950 millièmes (platine).

■ Tarifs des droits de garantie par gramme d'alliage reconnu à un des titres légaux : or 2,70 F, argent 0,13 F, platine 5,30 F.

Poinçons en France

Appliqués sur les objets d'or, argent, vermeil, et non sur le métal commun. Mais des objets en plaqué du XVIIIe s., fabriqués en l'hôtel de Fère et en l'hôtel de Pomponne (manufactures royales) et exécutés par les orfèvres Tugot, Daumy et Huguet, peuvent porter des poinçons et signatures d'orfèvre tels que 1/6, 1/4 et JVH (Jean-Vincent Huguet).

Nombre de poinçons sur une pièce

■ 1672-1797 (argenterie ancienne). **Poinçon du maître.** Institué 1355. Symbole (épée couronnée, lion couronné, fleur de lys couronnée) et devise du fabricant (soleil, étoile, rose). A partir du XVIe s., pour éviter des confusions, il comprend en plus les initiales du maître.

Poinçon de communauté ou de jurande. Institué 1375 pour l'argent et l'or. Apposé par les gardes des communautés d'orfèvres. Garantissait le titre et indiquait l'année du contrôle avec des lettres-dates se succédant dans l'ordre alphabétique. Reproduisait souvent les armes de la ville.

Poinçon de charge (créé 1672). Généralement une lettre surmontée d'une couronne ou d'une fleur de lys, apposé chez les orfèvres par les commis des fermiers généraux sur les ouvrages en cours de fabrication. Garantissait le titre et indiquait que, l'ouvrage étant pris en charge par le fermier général, l'orfèvre aurait à acquitter un impôt auprès de celui-ci, une fois l'ouvrage terminé.

Poinçon de décharge. Plus petit, figures diverses. Appliqué lorsque l'ouvrage était terminé et l'impôt payé. Seul, avec le poinçon de recense (dans de rares cas), à attester du paiement d'un impôt. Poinçon de charge et de décharge deviennent poinçons d'État à partir de 1798.

Poinçon dit de recense. Institué 1722 pour parer à des fraudes à la suite de contrefaçon ou de vol de poinçon. Lorsqu'une recense était prescrite, les p. anciens perdaient toute valeur et les marchands devaient porter aux bureaux de garantie tout ouvrage en métal précieux qu'ils détenaient pour qu'il soit marqué gratuitement. Les fermiers généraux l'utilisèrent aussi pour des ouvrages poinçonnés par leurs prédécesseurs. Après la Révolution, l'État l'apposera sur tous les ouvrages marqués sous l'Ancien Régime. Pour les ouvrages d'avant le 10 mai 1838, non contrôlés depuis et commercialisés, la « recense » est toujours obligatoire, sauf sur les objets en métaux précieux fabriqués jusqu'en 1798 en France et en 1799 à l'étranger.

■ 1798-1838 (argenterie ancienne). Les gros ouvrages marqués au cours de la période 1798-1838 doivent porter 3 empreintes : poinçon de fabricant, p. de titre, p. du bureau de garantie. Cette période est subdivisée en 3 du fait de 2 lois de recense promulguées, l'une en 1809 et l'autre en 1819.

Poinçon de titre. D'abord pour l'argent : un coq dans un cadre rectangulaire ou ovale, puis la tête de Michel-Ange (Paris) ou d'une vieille femme (départements) (titre aux 950 millièmes) ; pour l'or : le coq, puis la levrette (Paris) ou le loup (départements) (titre aux 920 millièmes). **P. de garantie.** Têtes aux profils variés attestant le paiement des droits. **Poinçon du fabricant** (losange à filet simple).

■ Depuis 1838 (argenterie moderne).

Poinçons de garantie. P. de titre. *Or :* tête d'aigle avec mention du 1er, 2e ou 3e titre. *Argent :* tête de Minerve au 1er ou 2e titre sur les ouvrages français essayés par des méthodes exactes ; à la coupelle pour l'or et par la voie humide pour l'argent. *Platine :* tête de chien. **P. de petite garantie.** Généralement sur les ouvrages essayés par la méthode du « touchau » (réaction à l'acide) et n'assurant que le titre min. légal. Pour définir exactement le titre d'un objet en argent, on pratique la technique de la coupelle (plus complexe). Certains ouvrages (petits ou fragiles) ne reçoivent que la petite g. à cause de leur taille.

■ Depuis 1973. Ajout d'une lettre, par ordre alphabétique tous les 10 ans, uniquement pour le poinçon tête de Minerve au 1er titre.

Autres métaux

Maillechort. Alliage de cuivre, de zinc et de nickel. Son nom vient de celui de ses inventeurs : Maillet et Chorier (1827).

Métal anglais. Alliage à base de zinc et d'antimoine. Plus spécialement utilisé par les Anglais.

Métal argenté. Au XVIIIe s., on utilisait le *plaqué* dit aussi *doublé* ou *fourré* (une feuille d'argent était appliquée sur une plaque de cuivre, on soudait cette feuille en la martelant ou en la pressant à chaud avec des cylindres). Actuellement, on argente et on dore par *électrolyse,* procédé inventé en 1840 par le Français Henri de Ruolz (1811-87) et l'Anglais Henry Elkington (1801-65), vendu à Charles Christofle (1805-63) en 1842.

Réglementation en France. L'appellation *métal argenté* est réservée aux ouvrages recouverts d'argent satisfaisant aux normes Afnor (titre minimal de 800 millièmes, couche d'argent min. selon l'usage de l'article et la qualité revendiquée). *Couverts d'usage fréquent : qualité I* 33 µm, *qualité II* 20 µm. *Occasionnels : I* 19, *II* 12. *Articles d'orfèvrerie au contact des aliments : I* 15, *II* 9. *Décoratifs : I* 10, *II* 6.

Poinçon : carré pour les pays de la CEE, borne pour les autres pays ; il comprend les initiales de l'orfèvre, un symbole spécifique à chaque orfèvre (il peut avoir la forme d'objets aussi divers que brin de muguet, cavalier, mésange...) et les chiffres I, II et III indiquant la qualité.

Tombac. Alliage à base de cuivre (à 80 %), de zinc et autres métaux. *Origine :* Moyen-Orient.

Vermeil. Argent à un titre légal (actuellement, min. 800 millièmes) recouvert d'une couche d'or à un titre légal (min. 750 millièmes) d'au moins 5 µm. Poinçonné comme l'argent (Minerve), doit comporter aussi le poinçon vermeil ou la lettre V.

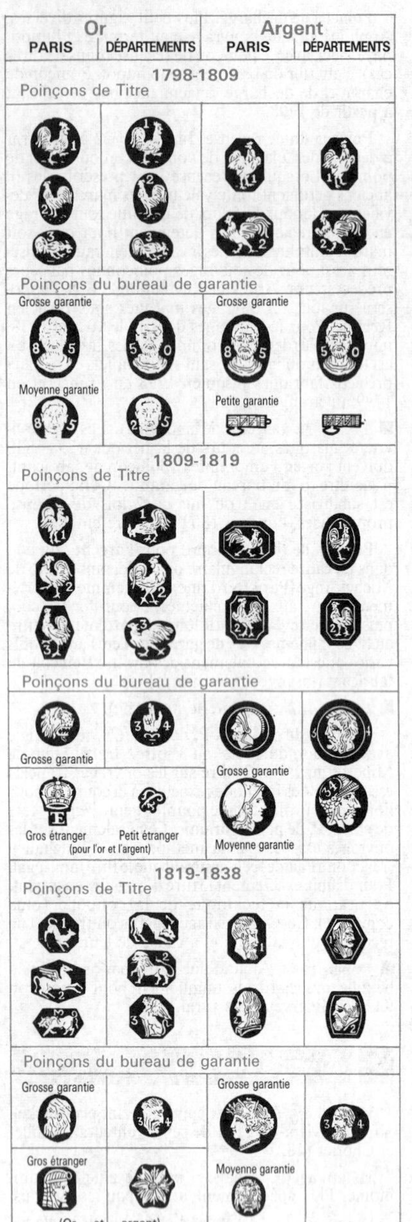

Or	Argent
Fabrication et importation en France	*Fabrication et importation en France*
1838 à 1919	1838 à nos jours
tête de médecin grec	Titres en millièmes 925 800 tête de minerve
1919 à nos jours Titres en millièmes 920 840 750 tête d'aigle	
Exportation Titres en millièmes 920 840 750 tête de Mercure	**Exportation** Titres en millièmes 925 800 tête de Mercure
PETITE GARANTIE	
Or	**Argent**
Fabrication ou importation en France	*Fabrication ou importation en France*
1838 à nos jours	1838 à nos jours
tête d'aigle · tête de rhinocéros (2)	crabe (1) · tête de sanglier (2) · tête de Minerve
Exportation tête de Mercure découpée	**Exportation** tête de Mercure dans ovale
Occasions - Origine étrangère ou indéterminée charançon (2) · hibou	**Occasions - Origine étrangère ou indéterminée** charançon (2) · cygne
Platine	
Fabrication et vente en France	
1813 à nos jours Titre unique 950 millièmes tête de chien	
Exportation tête de jeune fille	**Importation** Mascaron (2) · Mascaron

(1) Supprimé par la loi du 1-07-1983
(2) Supprimés depuis le 1-03-1990
Poinçon spécial d'exportation apposé sur les ouvrages revêtus des poinçons intérieurs

Zamac. Alliage à base de zinc, d'aluminium, de cuivre et de magnésium.

■ Ventes publiques

Ne peuvent figurer que des objets d'occasion. Ils doivent comporter : – soit les poinçons légaux en vigueur (*or :* tête d'aigle ou hibou, ou charançon dans un ovale, ou tête de rhinocéros ; *argent :* minerve, crabe, cygne ou charançon dans un rectangle ; *platine :* tête de chien, mascaron découpé, masc. dans un rectangle) ; – soit le poinçon de recense de 1838 (tête de girafe ou de dogue) accolé à d'anciens poinçons ; – soit un poinçon d'exportation (« tête de Mercure » or et argent, « tête de jeune fille » pour le platine) accompagné du poinçon de retour sur le marché intérieur à « tête de lièvre ».

A défaut de poinçon de garantie, les ouvrages sont *soumis au contrôle* pour que le titre soit déterminé. *Ceux en argent :* reconnus au titre sont marqués du poinçon « crabe ou cygne » et petite tête de minerve ; *en or :* « hibou » ; *en platine :* mascaron dans un rectangle. Les ouvrages à bas titre doivent être brisés, sauf les anciens qui présentent un caractère d'art ou de curiosité (p. spécial dit « poinçon ET »). *Sont dispensés de marque :* ouvrages antiques (bijoux ou objets romains ou antérieurs) ; ouvrages antérieurs à 1798 ; pièces de monnaie ; médailles antérieures à 1832 ou revêtus du poinçon de l'Hôtel des monnaies ; ouvrages dont la ténuité ne pourrait leur faire supporter l'empreinte du poinçon sans détérioration (consulter le Service de la garantie) ; tous objets en argent de 5 g au plus et en or de 0,5 g.

■ Cours

■ **Éléments du prix.** L'argenterie Louis XIV est rare (il y eut de nombreuses fontes). L'argenterie Louis XV (l'orfèvre Thomas Germain fournissait toutes les cours d'Europe) est environ 2 fois plus chère que l'argenterie Louis XVI, puis, par ordre décroissant, Empire, Restauration, début de l'époque Louis-Philippe, et après le 9-5-1838 le poinçon Minerve. L'argenterie de Paris et celle de Strasbourg sont les plus cotées. Un même modèle peut être estimé du simple au double selon qu'il est d'un « petit » orfèvre ou d'un « grand ». Les armoiries des grandes familles ajoutent de la valeur. Les simples chiffres, surtout du XIXe s. ou modernes, en retirent. Modèles de couverts les plus recherchés : uniplat, filets, filets coquilles, modèles Arts déco, et tous décors simples dus à un phénomène de mode.

■ **Prix du gramme. Argent** (objets d'occasion) : 1,5 à 6 F par g. *« Au Coq » :* couverts 6, pièces de forme 8 à 10 ; *« A la tête de Michel-Ange », dite « Au vieillard » :* couverts 4, except. 18,68 (1989), pièces de forme 6 à 10 ; *« A la tête de Minerve »* (moderne) : couverts 3 à 5, pièces de forme 5 à 10, except. 20 [époque Art Nouveau, 1930 ou pièces signées de grands orfèvres (Odiot, Puiforcat...)] ou +. **Or** (bijou) : vente publique 50 à 100, + pour objets signés, dans le commerce 100 à 1 000, à la casse (18 carats) 40. PRIX A LA CASSE : 0,8 à 1 (suivant le cours de la Bourse des métaux).

☞ Pour les couverts, les cours de 12 s'entendent identiques et portant le même poinçon.

Prix des pièces en milliers de francs

XIVe s. *Cassette* 71 (1991). *Coupe* (Suisse ou All.) avec couvercle 1 370 ; *double coupe* 1 450 (1983). *Flacon* 630. *Pot* 250. **XVe s.** *Cuiller* 18,8. **XVIe s.** Allemagne : *coupe* en vermeil (Ulm v. 1575-1600) 415 (1992). Angleterre : *hanaps* (paire) 880, *coupe* 70 à 398, *cuiller* (12 petites) 1 200, *timbale d'Henri VIII* 1 200 (1983), *cimarre* argent (Hainaut) 796,8 (1986). **XVIIe s.** *Aiguière* (Paris 1656) 2 886 (1988). *Boîtes* paire 280. *Bougeoir* de chevet 42 ; liturgique 55. *Calice* 33. *Chope* (All.) 37 à 222. *Coupe* de baptême 63, de chasse (de Daller, Angers 1690) 138 (1992), de mariage 46 à 135 (de Carré, Lyon 1682/83) (1992) ; à vin (Angl. v. 1643) 233 ; ronde 200, avec couvercle (vermeil) 648,3 ; paire en vermeil anglais 1 430. *Couverts :* 1 cuiller 6 à 25 ; 1 fourchette 18 ; 1 c. et 1 f. 20. *Écuelle* à fond plat (Aix-en P. v. 1680) 95 (1992), avec couvercle (Paris) jusqu'à 600. *Plat* de parade pontifical 4 049 (1984). *Service de toilette* (12 pièces) de Charles II (Angl.) argent doré 2 700 (1983). *Surtout de table* (paire, de Pacot à Lille, 1695) 7 153 (1988). *Verseuses* (paire) et *bassin* Guillaume III de B. Pyne 2 200 (1982). **XVIIIe s.** *Aiguière* (avec bassin) 40 à 4 093 (de J.-F. Chevet). *Appliques* 4 à 2 480 (1987). *Assiettes,* pièce 5 à 8 ; douzaine 80 à 102,5 ; 2 douzaines (except., Angl.) 1 800 (1983). *Athéniennes* (paire) 1 500 (1990). *Boîte* à thé except. (Angl.) 1 250 (1988). *Boîte* de présent (avec portrait de L. XVIII) 74 (1991). *Bougeoirs* de toilette 25 à 35 ; de chevet 15 à 45 ; de bureau 55 ; except. de Germain 1 792 (1988). *Bouillon* à anses 30 à 100. *Boules* à savon et éponge 21 à 100. *Candélabres* (paire) 70 à 250. *Cafetière* 8 à 165. *Chandeliers,* 4 except., de R.-J. Auguste 1 300. *Chocolatière* 10 à 160. *Chopes, hanaps, vidrecomes* (vases à boire) (All.) 10 à 70, (Angl.) 5 à 43. *Coupes,* vermeil (Strasbourg) 640 ; à vin 3 à 22 ; de chasse (de Chesneau I) 195 (1991) ; de mariage jusqu'à 52 ; à quêter 18,5. *Couverts :* filets 0,8 à 1,2 ; (douzaine) 20 à 75 ; à filets et coquille 1,5 à 1,8, (douzaine) 15 à 35 ; de service 16,5 ; fourchette env. 0,3 ; 1 cuillère à ragoût 2 à 14 (paire) 13,5 ; à olive 6,8 à 55 ; pelle à tarte 14,5 à 17,5. *Crémier* 25 à 65,5. *Dessous de bouteille* (Georges III) 773,4 (1987). *Écuelle* avec couvercle 20 à 350. *Flambeaux* (paire) 30 à 1 650 (de Germain, 1988). *Gobelet* 10 à 76. *Huilier* 2 à 30. *Jardinières,* except. (paire) de T. Germain (1726-28) 3 600 (1975). *Jattes* (paire) avant 1750 (rondes et à côtes pincées) 35 à 46 ; après 1750, 15 à 220. *Légumier* 4 à 110. *Louche* env. 10. *Mouchettes* avec leur plateau (paire) 70 à 185. *Moutardiers* (crémiers) 20 à 115. *Nécessaire de voyage* vermeil 500. *Pipette à vin* 27. *Plat* 8 à 50 (copie 2). *Pot* à lait jusqu'à 50 ; à eau except. 235 de A. Hanappier (1985) ; à huile 25 à 1 923 (except. de J.-B. Odiot, 1982). *Présentoir* (Georges III 1772) 165 (1985). *Rafraîchissoirs* 300 (Novalese, Turin ; 1991). *Salières* (paire) suite de 6, 150. *Saucière* 10 à 210. *Saupoudroir* 6 à 685 [ex. de Cordesse (1991)]. *Service à dîner* except. Georges II 9 413 (1984) ; *de toilette* except. Reine Anne (v. 1703, G.-B.) 17 pièces, 1 720. *Soupière* 15 à 11 475 (1977, paire except. de J.A. Meissonnier, 1734, 37,65 kg). *Sucrier* 10 à 480. *Tastevin* 3 à 43. *Tasse* de chasse 15 à 209 ; à vin 7 à 37. *Terrines* (paire) 350 à 2 400 (except. de J.-B. Odiot, 1982). *Théière* 5 à 620. *Timbale* « cul-rond » ou tulipe unie godronnée 5 à 35 ; pièces ciselées 10 à 41 ; couverte 68 ; à décor de lambrequins en applique Régence ou Louis XV, 40 à 170 ; d'avant 1709, 90 et + ; ornée de roseaux en applique (1755-65) 30 à 195 ; (1775-85) 12 à 33 ; à piédouche en vermeil de Strasbourg à côtes pincées, ciselées sous le col (1re moitié du XVIIIe s.) 50 à 172 (copies 0,5 à 0,8). *Vases* de J.B. Loir (1701, paire) 310 ; à vin de J.-B. Odiot (paire) 1 850. *Verseuses* 17 à 112.

Empire-XIXe s. *Assiettes* vermeil (12) 70. *Confiturier* (de Jacquais) 32,5 (1992). *Corbeille à pain* 13. *Coupe* ronde et sa base 90. *Couvert* 0,7 à 2 ; (douzaine) 10 à 15. *Huilier* 3 à 5. *Légumier* 4 à 15. *Plat* ovale 3 à 40. *Saucière* 5. *Seau à rafraîchir* (paire d'Odiot) 300 (4 de Storr) 1300 (1993). *Service à entremets* vermeil de J.-B. Odiot 215. *Soupière* 15 à 1 850, argent doré. *Terrines* argent doré, d'Odiot (paire) 5 462 (1987). *Théière* 8 à 10 et +. *Vase couvert* (de Kirstein) 445 (1987). *Verrières* (paire, d'Odiot) 2 119 (1987). **Restauration.** *Aiguière* 27. *Couverts* (douzaine) 9 à 15. *Légumier* 8 à 30. *Plat* 5 à 7. *Porte-huilier* 15. *Soupière* 15. *Sucrier et présentoir* 10 à 15. *Timbale* 1,5 à 4 et +. **Louis-Philippe.** *Boîte à présent* (par Tronquoy) 51 (1991). *Bougeoir* (paire) 3 à 7. *Cafetière* 1,5 à 4. *Coupe* des Vendanges (par Froment-Meurice, agate, argent, or et vermeil) 888 (1984). *Théière* « côtes de melon » manche d'ivoire 5. *Verseuse* 6. **Fin XIXe s.** *Bol à punch* et louche de Fabergé 60. *Bouclier d'Achille* de J. Flaxman 5 324 (1984, record). *Candélabres* (paire) 10 à 1 100 (1989). *Carrosse* (modèle) pour Louis II de Bavière 1 434,6 (1988). *Centre de table* par Groham 1 122 (1989). *Chocolatière* 4 à 70. *Écritoire* de Boucheron 435 (1988). *Œuf* de Nicolas II, par Fabergé 1 100 (1977). *Sucrier* (grand) 3 à 8.

XXe s. **Métal argenté** : prix du neuf et, entre parenthèses, occasion. *Couvert:* 0,2 à 0,4 ; (douzaine) 3 (0,5 à 1) ; 12 c. à entremets 1,3 (0,2 à 0,7) ; c. à poisson 2,5 (0,5 à 1,2) ; série de couteaux 3 à 4 ; 12 cuillers à café 0,6 (0,2). *3 plats* ovales 2 (0,4 à 0,8). *2 plats* ronds 2 (0,3 à 0,5). *Légumier* couvert 1,8 (0,3 à 0,6). 2 *saucières* 1,8 (0,4 à 0,6). *Cafetière* 2 (0,2 à 0,5). *Théière* 2,3 (0,2 à 0,5). *Sucrier* 1 (0,1 à 0,2). *Plateau* 2 (0,5 à 1). *Service de couverts* de Jean Puiforcat 42 à 132 (1989). **Argent :** *12 couverts à entremets* de Chaye 78 (1992). *Service* de Puiforcat 158 pièces : 187 à 230. *Théière* (de Malevitch) 200. *Timbale* 2,5. *Vase* (de Fouquet-Lapar) 156. **Or :** *12 couverts* de Risler 152 (1991).

Styles de couverts. *Louis XIV :* décor coquille et uni-plat. *L. XV :* volutes et filets. *L. XVI :* filets et rubans. *Empire* : palmettes et feuilles d'eau. *Napoléon III :* pastiche des styles L. XV et L. XVI. *1900* : motifs floraux et gravures dans le style « Nouille ». *Arts déco :* décor géométrique, aspect fonctionnel. *Moderne et contemporain* : lignes longues et épurées, absence de décor gravé.

Bijoux

Romains (364-378 apr. J.-C.) : 10 à 324 ; except. médaillon en or de Gordien III monté sur collier en or (242 apr. J.-C.) 1 019. Fibule ostrogothe du ve s. apr. J.-C. 13 000 (1987). *Byzantins :* boucles d'oreilles 4 à 15. *Anciens* d'occasion en or (en F/gramme) : chaînes et gourmettes 60 à 80, 300 à 400 en magasin ; chaînes de gilet et sautoirs fin XIXe début XXe s. 100 à 150 ; bijoux except. (façon et style) 200 à 300 ; très ordinaires jusqu'à 50. *XVIe s. :* camée émail et or 132. *XVIIIe s. :* record collier diamants et émeraude 2 385 (1980). *XIXe s.* (IIe Empire) : colliers, bracelets or et grenat, corail, lapis-lazuli ou citrine 2,5 à 150, boucles d'oreilles 2 à 20. *XXe s.* Winston : collier diamant (136, 14 carats), 2 500, sautoir en perles 2 200. *Art nouveau :* Froment-Meurice collier de chien (diamant, or, argent) 460 (1991). Lalique bague 17, bracelet jusqu'à 382, collier 85 à 420, plaque de cou 150, pendentif 80 à 560 (1989). *Arts déco* (les plus cotés) : France [Cartier : tiare en diamant (1928) 3 000 (1989), Lacloche, Chaumet, Boucheron, Janesich], G.-B. (Black Start and Frost), USA (Tiffany), Russie (Marchack). *Bijoux 1940 :* (gros bracelets « tanks » 100 à 150 F/gramme). *Bague* platine diamant 16,36 carats 7 500.

Vente des bijoux de la duchesse de Windsor (Genève, 23-4-1987) : parure de diamants et d'améthystes 3 300 ; bague de fiançailles émeraude 19,77 cts 2 900, en diamants 31,26 cts 4 300.

Vente des bijoux de la princesse von Thurn und Taxis (Genève, 17-11-1992). Diadème de l'impératrice Eugénie (218 perles et 1 998 diamants) 3 000 000 F acquis par les amis du Louvre ; tabatière de Frédéric II de Prusse (incrustée de diamants, émeraudes et rubis) 8 500 000 F.

Pendules, montres

☞ Voir Index à Pendule, Horloge, Montre, pour l'histoire et l'industrie.

■ Prix. **Quelques éléments.** *Horloges :* intérêt scientifique ou technique (mouvement, mécanisme) ou décoratif (ciselures, bronzes, ébénisterie). *L'origine* et la *matière* (métal précieux ou non, cristal de roche) ont peu d'influence, les *caractéristiques* priment. *Boîtiers* aux formes diverses, principalement aux XVIe et XVIIe s., croix, œuf, animaux, fleurs ou fruits, tête de mort, coquillage. *Cadran* le plus souvent en cuivre doré ou argent gravé. *Bonne signature* gravée sur la platine arrière. Beaucoup de faux.

Exemples en milliers de F. **Cartels.** *Louis XIV :* 25 à 140. *Régence :* 20 à 220. *L. XV :* 15 à 332,4. *L. XVI :* bronze doré 10 à 80. *Record :* cartel orné de 8 Chinois et de fleurs en porcelaine de Chantilly 412. *Angl. XVIIe s. :* 62 à 210. Un cartel dédoré perd 30 à 40 % de sa valeur, avec dorure moderne 40 %. Un redorage à l'ancienne coûte 6 000 à 12 000 F. *Copies* exécutées au XIXe s. : 3 à 20.

Horloges. XVIe **s. :** *astronomique* 850 (1983). XVIIe **s. :** *à poids* 20 à 82 ; *anglaise* de Th. Tompion 230 à 240 ; *à pendule*, except. 720 (1985) ; *religieuse* ébène, noyer, poirier noirci orné de simples moulures, filets de cuivre, étain, ivoire, *de table fer et bronze* XVIIe 420 (D. Le Roy, Tours). XVIIIe **s. :** 8 à 470 ; *régulateur* 60 à 150, except. de Berthoud 2 322 (1984). XIXe **s. :** 5 à 20 ; *anglaise* 26.

Pendules. XVIIe **s.** *Louis XIV :* 21 à 1 700 (1981, except. de Latz marqueterie Boulle). XVIIIe **s.** *Régence :* 50 à 105. *L. XV :* 16 à 1 100. *L. XVI :* portiques 5 à 80 ; à la Mongolfière 257 (1985) ; obélisques 7 à 50 ; *pyramide* 50 à 260 ; *vases* à cadran tournant et lyres 10 à 300 ; except. de Roentgen 1 500 (1991) ; *Yorktown* 85 (1991) ; *cages* 20 à 200 ; *à musique* 390 (1989) ; *squelette* 20 à 370 ; *à sujet exotique* 1 500 ; *de parquet* XVIIIe s. 15 à 470. **Révolution :** *portique* 215 ; *squelette* 17 à 240 ; *aux quantièmes républicains,* de Robin 160 ; *de voyage*, de Robin 140. **Directoire :** *au Nègre* 26 à 200, à *R. Crusoé* 940 (1989), *à la balle de coton* 80, *aux Indiens* 1 000 (1990). **Début** XIXe **s. :** 15 à 211 ; *p. à automate* 151. **Empire** jusqu'à 310. **Restauration :** *tournesol* Charles X 36, *à la duchesse* de Berry 44, au Nègre, de Bachelard 105 (1991). Régulateur de Lory (1823) 750 (1991). **Fin** XIXe **s. :** grand format 2 à 450, except. de table (1900 par Fabergé) 16 438 (N.Y. 1985). XXe **s.** *1925* Cartier, except. 728 (1978), *mystérieuse 1921* 350 (1988). *Arts déco Van Cleef et Arpels,* 1926, 1 650 (1979), *portique* cristal de roche 2 200, *pendulette* Cartier 26, à répétition 1900, 300 (1988).

Montres. XVIe **s.** *Cristal de roche* 105. XVIIe **s.** *De carrosse* 155 à 410 (m. Richelieu) ; *de puritain* v. 1640, 71 ; *astronomique* 80, *à 1 aiguille et sonnerie* 110. XVIIIe **s.** [à 1 aiguille (marquant les heures), à 2 aiguilles à partir de 1700], 10 à 100 et +. *Oignons Louis XIV :* 6 à 413 d'Abraham Cusin (1980) ; scène polissonne 85 (1986). *Ordinaires* 3 à 10 (or ciselé). *Louis XV :* 14 à 370 (1980), de F. Berthoud. *Louis XVI :* or ciselé 3 à 13, or 3 couleurs 4 à 10, or émaillé jusqu'à 130, argent 31 ; double boîtier 15 à 20 ; à répétition des quarts, calendrier et réveil 174 (1987) ; sonnerie 15 à 20 ; de dame à clef 25 ; avec châtelaine or 13 à 80 ; de poche à boîte ovale avec thermomètre Réaumur de Bréguet 105. **Directoire :** 28 à 40 ; *de carrosse à sonnerie* 155 ; *émaillé* de Jacquet-Droz 577. XIXe **s. :** *populaires* acier ou argent 1 à 6 ; *à secondes* 2 à 5 ; 100 à 526 (1976) except. à automates offerte à Bonaparte ; *or* à échappement à ancre 410, à cylindre 110 (1985) ; de *Bréguet* 60 à 1 440 (1982) ; *chronomètre* de poche de J.-B. Mallat 440 ; except. de Houriet 1 159,7 (1987) ; de *carrosse* 112. **Fin** XIXe**-début** XXe **:** or, émail, perles 1 à 110, à ancre 70 (1988) ; érotiques 30 à 130 ; suisse en or 330 ; argent 0,2 et +. **Fin** XXe **s. :** de qualité (Ph. Patek, Vacheron, Constantin, etc.) 2 à 90, except. de luxe Anthony Randall, Th. Engel, George Daniels 60 à 4 950 (1992), Mauboussin 160 (1992) ; Wenger 305 (1988) ; Cartier Crash 220 (1992), Tank asymétrique 332 (1992), Driver Watch Duoplan (1968) 410 (1992). Rolex 105. Patek-Philippe 85 (1991). Movado 22. Swatch, de Kiki Picasso 235 (1992).

■ Principaux horlogers. **Allemands :** Jost Burgi (1552-1632). Peter Henlein (v. 1479-1542). Heinrich Johannes Kessels (1781-1848). Adolphe Ferdinand Lange (1815-75). **Américains :** Lyma n W. Tompson (1825-1910). Edouard Koehn Sr (1839-1908). **Français :** Ferdinand Berthoud (n. Suisse, 1727-1807), Abraham-Louis Bréguet (n. Suisse, 1747-Paris 1823). Pierre A. Caron de Beaumarchais (1732-99). Causard (trav. v. 1770-89). Antide Janvier (1751-1835). Jean-André Lepaute (1720-87). Jean-Antoine Lépine (1720-1814). Balthazard (1637-95) et Gilles (1640-72) Martinot (ou Martineau). Robert Robin (1742-99). Julien (1686-1759) et Pierre (1717-85) Le Roy. **Londoniens :** John Arnold (1736-99). Ahasuerus et Abraham Fromanteel. Georges Graham (1673-1751). John Harrison (1693-1776). Thomas Mudge (1715-94). Daniel Quare (1649-1724). Thomas Tompion (1639-1713). **Suisses :** Pierre Jacquet-Droz (1721-90). Urban Jürgensen (orig. danoise 1796-1830). Abraham Louis Perrelet (1729-1820). Jean Romilly (1714-94). Georges Frédéric Rosko pf (orig. allem. 1813-89). Antoine Tavan (1749-1836).

■ Renseignements. *Association nationale des collectionneurs et amateurs d'horlogerie ancienne,* 107, rue de Rivoli, 75001 Paris.

Perles

Perles fines (ou naturelles)

■ Nom. Appelées « Marguerite » dans la plus ancienne description grecque connue (Théophraste v. 300 av. J.-C.) et « Union » par les Latins. Marguerite vient sans doute du sanscrit « mrg »-rechercher, désirer, purifier, orner, prier. Le terme désigne encore certains mollusques perliers : *Pinctada margaritifera, Margaritana margaritifera.* Les termes « perle » ou « perle fine » sont réservés aux perles formées par des coquillages perliers (ex. : pintadine), sans intervention de l'homme, quelles que soient la provenance ou l'origine des perles (décret 68-1089 du 29-11-1968).

■ Origine. La formation des perles est restée longtemps mystérieuse : gouttes de rosée ou de pluie captées au petit jour par les « poissons à coquille » qui les métamorphosent en perles, sortes d'œuf... ; au XIXe s., on parla de « margaritose », « maladie » attribuée à une infection parasitaire. La perle est en effet le résultat d'une réaction de défense du mollusque contre, le plus souvent, un ver plat de la classe des cestodes ; lorsque ce parasite se fixe sur l'épithélium externe du manteau, celui-ci le neutralise en l'englobant dans une poche, dont les cellules sécrètent un abondant mucus calcareux. Sécrétées *soit en eau de mer :* par une aviculine *(Meleagrina)* dite « huître perlière » (golfe Persique, golfe de Manaar entre Inde et Sri Lanka, golfe de Californie et côtes pacifiques de l'Amérique centrale, côtes atlantiques vénézuéliennes et colombiennes, côte nord de l'Australie, lagons de Polynésie française, etc.) ; *soit en eau douce :* par des unionidés (Unio, Anodonte) dites « mulettes » ou « moules perlières » (Écosse, Suède, lacs russes, Saxe, Vosges, Charentes, bassin du Mississippi, Chine, etc.).

■ Constitution. Couches concentriques d'aragonite disposée en épitaxie, « cimentée » par de la conchyoline (matière kératineuse) formant une sorte de « filet », ce qui assure la ténacité de la perle. **Caractéristiques substantielles.** *Lustre :* éclat lumineux de la perle. *Orient :* aspect irisecent produit par la lumière à travers les couches concentriques d'aragonite. *Couleurs :* rosé, crème rosé, crème, blanc, vert clair à vert foncé, gris à noir. *Propreté :* absence d'amas sombre de conchyoline, de boursouflures, etc. *Formes :* ronde, bouton, poire, baroque. **Unité de masse** (dite familièrement « poids »). Carat (0,2 g) ou grain (1/4 carat).

■ Colliers. *Types chute :* la dimension des perles va croissant du fermoir au centre. *Choker :* perles de dimension égale sur toute la longueur ou n'ayant qu'un 1/2 mm d'écart entre elles. **Soins à apporter.** Éviter la dessiccation, le contact des acides et corps gras (parfums, crèmes de beauté), les rayures (ne pas frotter avec un chiffon sec, ne pas mélanger avec d'autres bijoux, etc.), faire réenfiler un collier au moins une fois par an.

■ Évaluation. Pour les perles à partir de 1 carat (4 g) : en multipliant le carré de la masse (dite « valeur à une fois ») en grains par un coefficient dépendant de ses caractéristiques substantielles. A qualités égales, une perle de 12 grains vaut 9 fois plus (144/16) qu'une de 4 grains. Pour les perles rondes, baroques et autres, évaluation au carat (quelle que soit la taille).

Valeur. Jusqu'à la crise de 1930 (coïncidant avec la véritable commercialisation des perles de culture), les perles valaient plus cher que le diamant. Après la crise, elles avaient perdu 90 % de leur valeur. Ainsi, la firme Christie's, en 1928, adjugea un collier 45 000 livres et un Rembrandt 48 000 livres ; aujourd'hui ces perles pourraient être adjugées 600 000 F (le Rembrandt 12 millions ou plus). Dep. 1986, hausse constante des perles fines (achats du Moyen-Orient).

Prix courants des colliers de perles (en milliers de francs). *Petit (*centre 4 mm/bouts 2,5 mm) 11. *De jeune fille* (6,5/3 mm) 33. *Choker* (ras du cou 6/6,5 mm) 88. *Collier* (centre 9 mm) 165.

■ Perles les plus connues. *Perle d'Allah,* 6,370 grains, trouvée dans une palourde géante (Philippines 1934), estimée 20 000 000 de F (1971), vendue au bijoutier Peter Hoffman 1 000 000 de F (15-5-1980), réestimée 240 000 000 de F (1982). *Perle d'Asie,* 2 300 grains (115 g). *Hope,* 1 700 grains (85 g), irrégulière. *Pellegrina,* 204 grains, régulière, vendue 185 000 F le 23-1-1968 à Elisabeth Taylor ; 2 780 000 le 23-5-1987. *Reine des Perles,* 109 1/4 grains, disparue à la Révolution (vol du garde-meuble royal en 1792). *Croix du Sud,* assemblage naturel (?) de 9 perles fines en forme de croix, 99,16 carats, trouvé 1874 en Australie. *Collier de Catherine de Médicis,* acheté à bas prix par Elisabeth Ire d'Angleterre à Marie Stuart qu'elle avait emprisonnée, objet de procès entre Angleterre et Hanovre au XIXe s. *Collier de Madame Thiers,* donné au Louvre et vendu en 1924 pour 11 280 000 AF (+ 13 % de frais) à Cartier.

Perles de culture

■ Origine. *1787* Hunter obtient quelques perles.

■ Culture. **En eau de mer :** une bille « noyau » de nacre, de 2 à 9 mm de diamètre, est placée avec un morceau d'épithélium sécréteur dans la gonade d'une méléagrine : cette « greffe » réussit dans 50 % des cas ; elle est laissée en place de 10 mois à 3 ans, ce qui produit un recouvrement plus ou moins important du noyau (1/3 à 1 mm sur les côtes japonaises ; 1 à 3 mm dans les « mers du Sud », de l'Australie à la Polynésie). 30 % des perles de culture obtenues sont commercialisables (moins en cas de gros noyaux moins bien acceptés : seuls 2 à 3 % des greffées avec noyau de 9 mm de diamètre survivent à l'opération). **En eau douce :** un lambeau épithélial est inséré dans le manteau de l'unionidé ; le dépôt calcaire irrégulier qui se forme est ensuite recouvert de couches perlières ; on peut provoquer la sécrétion simultanée de 40 perles de culture dans un seul unionidé, et solliciter 3 fois de suite le même mollusque (qui peut vivre 30 ans), c'est-à-dire obtenir au plus 40 × 3 = 120 perles. *Principales fermes en eau douce :* lacs Biwa et Kasumiga (Japon), lacs de Chine entre Shanghaï et Canton. **Plus grosse perle obtenue :** 40 mm de diamètre (30 g, Thaïlande 1987).

■ **Évaluation.** En fonction du diamètre et de la masse, de l'épaisseur du recouvrement du noyau, des caractéristiques de couleur, lustre, forme, propreté, et de l'orient. Les perles, cultivées à Tahiti, vont du gris au noir foncé, naturellement obtenu par la sécrétion de la *Meleagrina margaritifera* locale (à la différence des perles de culture d'autres provenances). Exceptionnellement, blanches (1 à 3 pour 1 000).

■ **Unités commerciales.** **Masse :** *mommé* (18,75 carats) au Japon ; *carat.* **Diamètre :** en millimètres.

■ **Soins à apporter.** Comme pour une perle fine.

Perles d'imitation ou artificielles

■ **Procédé ancien.** Boules obtenues par agglomération de poudre de nacre, mica blanc, gypse, etc., à l'aide de résine, cire, blanc d'œuf. **V. 1600,** bulles de verre creuses enduites intérieurement d'essence d'Orient (solution d'écaille de poissons dans une liqueur organique, exclusivité française jusqu'en 1918) et bourrées de cire. Invention de Jacquin, pâtenotier français.

■ **Procédé moderne.** Bille de verre, plastique ou toute autre matière, blanc opaque, recouverte d'essence d'Orient qui est souvent remplacée par des sels métalliques d'aspect nacré, notamment les sels de bismuth ou de titane. L'utilisation de sels de plomb est interdite en France pour des raisons de santé.

Authentification des perles

A l'examen radiographique, la *perle fine* présente des couches concentriques jusqu'au centre ; la *p. de culture classique à noyau de nacre* présente un noyau entouré de couches perlières ; la *p. de culture à noyau organique,* dite « Biwa », présente une tache noire, souvent en forme de virgule, au centre ; la *p. d'imitation ancienne* est transparente, la *p. d'imitation actuelle* est opaque.

Pierres précieuses et minéraux

Pierres précieuses

☞ Les termes « diamant », « rubis », « saphir » et « émeraude » employés seuls ou suivis du qualificatif « naturel », « véritable » ou « fin » sont réservés aux diamants, rubis, saphirs et émeraudes formés dans les gîtes naturels d'où ils ont été extraits et qui n'ont subi d'autres interventions de l'homme que la taille et le polissage (décret 68-1089 du 29-11-1968).

Évaluation. Une pierre précieuse se décrit ou s'apprécie selon 4 critères de qualité indissociables, les 4 C : couleur, poids, pureté, taille (color, carat, clarity, cut). La valeur d'un diamant de taille ancienne est celle du diamant de taille moderne obtenu après retaille éventuelle et diminuée des frais de retaille. La perte de masse est compensée par l'augmentation du jeu, de l'éclat de la pierre.

■ **Couleur.** Les couleurs franches et les plus intenses possibles sont recherchées. *Différents critères : ton* (on préférera un rouge sang artériel pour le rubis, un bleu de France pour le saphir, etc.) ; *saturation* (on préfère une spectrale pure à une « délavée de blanc ») ; *intensité* (on préfère une couleur vive à une rabattue, tendant vers le gris-noir).

De plus, on doit rechercher si la couleur est naturelle ou non : certains lapis-lazuli sont baignés dans une teinture bleue, certaines émeraudes ou certains rubis recèlent dans leurs givres ouverts des teintures vertes ou rouges, certains diamants jaunes ont acquis ce jaune à la suite d'un traitement physique, etc.

Quelques tailles de diamant

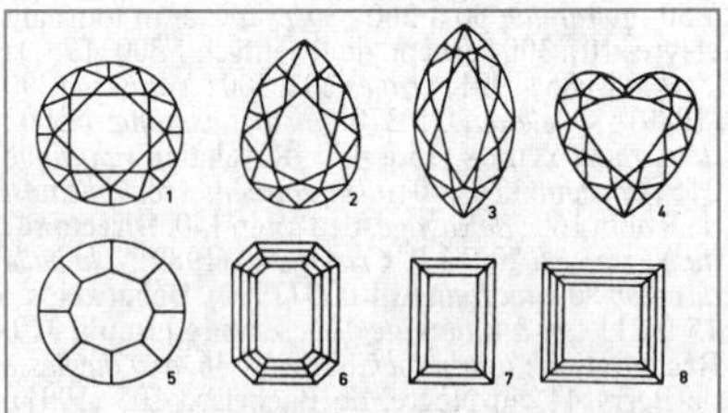

1. Rond ou « brillant ». 2. Poire. 3. Navette ou marquise. 4. Cœur. 5. 8/8. 6. Taille émeraude. 7. Baguette. 8. Carré.

■ **Poids.** **Masse** en carats métriques (1 ct = 0,2 g) divisés en 100 centièmes de carat ou points (terminologie anglaise). A ne pas confondre avec le *Karat* quantité d'or fin contenu dans un alliage exprimé en vingt-quatrièmes (unité de teneur) 18 k = 750/1 000.

■ **Pureté.** Plus une pierre est pure, plus elle est appréciée. Toute pierre peut, au cours de sa croissance, piéger de petits cristaux présents dans son milieu de formation (inclusions antégénétiques) ; des cavités peuvent se former pendant sa croissance, des cristaux peuvent croître simultanément avec elle (inclusions syngénétiques) ; enfin, des inclusions peuvent apparaître après sa formation du fait de la variation des conditions physico-chimiques (textures d'exsolution), ou par suite de fractures ressoudées in situ, comme les givres de guérison (inclusions postgénétiques ou secondaires).

■ **Taille** (proportions et formes). Rôle de la taille : utiliser au mieux la lumière et les lois de sa propagation (réflexion externe et interne, réfraction et dispersion), déterminant les proportions, pour donner feu, éclat et scintillement. Lorsque les proportions sont bonnes, la pierre précieuse posée sur le doigt ne laisse pas voir la peau sous-jacente.

Diamant

■ **Définition.** Carbone cristallisé dans le système cubique. C'est le plus dur de tous les minéraux naturels [il les raye tous et n'est rayable que par lui-même, mais il peut se casser sous un choc de manière conchoïdale (choc quelconque), ou selon un plan (choc porté avec une lame ou un objet similaire dans la direction d'un plan de clivage)].

■ **Couleur.** La plupart sont légèrement colorés (jaune à brun), très peu sont incolores (totalement blancs). **Normes :** CIBJO (Confédération intern. de la bijouterie, joaillerie, orfèvrerie, diamants, perles et pierres), et entre parenthèses GIA (Gemmological Institute of America). Blanc exceptionnel + (D), blanc except. (E), blanc extra + (F), blanc extra (G), blanc (H), blanc nuancé (I, J), légèrement teinté (K, L), teinté (M à Z).

☞ Diamants de couleurs (dits *couleurs fantaisies,* rares) : rose bleu, bruns, verts, jaunes (canari ou jonquille), dorés, rouges (très rares).

■ **Pureté.** La plupart comportent des inclusions naturelles ou particularités de cristallisation. Leur nature, nombre, dimension et position déterminent le degré de pureté de la pierre. Elles n'altèrent pas sa beauté si elles n'affectent pas le passage de la lumière. Certaines ne peuvent être décelées par un professionnel qu'à la loupe grossissant 10 fois. **Classification** (normes CIBJO) : *pur à la loupe 10 fois :* absolument transparent et exempt d'inclusion sous grossissement 10 fois, en lumière normale, au moyen d'une loupe aplanétique et achromatique. *V V S 1-V V S 2* [very very small inclusion(s)] : très très petit(s) inclusion(s) très difficilement visible(s) à la loupe grossissant 10 fois. *V S 1 – V S 2* (very small inclusions) : difficilement visible(s) à la loupe 10 fois. *S I 1-S I 2* (small inclusions) : facilement visible(s) à la loupe 10 fois, invisible(s) à l'œil nu par le côté de la couronne. *P 1* (1er piqué) : très facilement visible(s) à la loupe 10 fois, difficilement visible(s) à l'œil nu vue(s) par le côté de la couronne, et n'affectant pas la brillance. *P 2* (2e piqué) : grande(s) et/ou nombreuse(s) inclusion(s) facilement visible(s) à l'œil nu par le côté de la couronne et affectant légèrement la brillance. *P3* (3e piqué) : grande(s) et/ou nombreuse(s) inclusion(s) facilement visible(s) à l'œil nu par le côté de la couronne et affectant la brillance.

■ **Taille.** **Historique :** *jusqu'au XIIe s. :* polissage des formes naturelles. Une face naturelle est dite « naïve » (diamant « à pointes naïves » : octaèdre naturel ; d. « à pointe refaite » : pointe de l'octaèdre réparée par polissage oblique des facettes octaédriques). *XIVe s. :* (Venise) : taille en forme géométrique (1res informations publiées par Robert de Berquen au XVIIe s.) ; *v. 1650 :* taille Mazarine ; on retaille les 12 gros diamants de la couronne royale sur ordre du cardinal Mazarin ; mise au point de la « taille brillant ». *Jusqu'en 1914 :* on taille plus en fonction du poids que de l'éclat. Pour donner une brillance max. de face, on diminuera peu à peu le rapport profondeur/diamètre de la pierre et supprimera ou réduira la grandeur de la *colette,* petite facette de la pointe de la *culasse,* parallèle à la *table.*

Centres de taille actuels : par ordre d'importance relativement au nombre de meules en service : *Inde :* Bombay (800 000 ouvr.). *Belgique :* Anvers (12 000 ouvr.). *Israël :* Tel Aviv (12 000). *USA :* New York. *P.-Bas :* Amsterdam. *France* (peu important) : Paris, St-Claude. *Autres centres :* Afr. du S., G.-B., Japon, Madagascar, Philippines, Porto Rico, Portugal, T'aiwan, Thaïlande, Sri Lanka, ex-URSS.

Différentes phases : *fragmentation par clivage :* fend la pierre comme une bûche (dans le sens de cristallisation) ; *par sciage :* partage la pierre parallèlement aux faces cubiques avec un disque enduit de poudre de diamant tournant 4 500 à 6 500 tours/min. Il faut env. 8 h pour scier un d. brut d'1 carat. *Ébrutage :* donne à la pierre la forme voulue par frottement contre un autre diamant. *Polissage :* par frottement sur une meule en fonte enduite d'huile (d'olive en général) et de poudre de d. La facette à confectionner sur le diamant ne s'use que dans un sens correspondant à la cristallisation (dit « fil de la pierre »). A contresens, le diamant creuse la meule sans s'user. Certaines facettes sont plus longues à polir : une facette « waas » (face de l'octaèdre) peut demander plus d'1 mois pour être polie.

Principaux types de taille. *En rose* (en désuétude) : facettes triangulaires disposées symétriquement par 6, l'ensemble évoquant un bouton de rose. *A facettes ou t. brillant* (la plus répandue) : 58 facettes : 1 *table,* 8 *étoiles,* 8 *coins de table* (ou *bezels*), 16 *halefis,* 16 *halefis de culasse,* 8 *coins de culasse,* 1 *colette. Poire, marquise* (ou *navette*), *ovale, cœur :* taille princesse (carré brillanté à angles vifs) dite « fantaisie ». Certaines petites pierres (0,03 carat et moins) sont taillées en 8/8 (8 facettes dessus, 8 dessous) ou en 16/16 (en désuétude). *A degrés :* facettes parallèles, inclinées les unes sur les autres. Formes : taille émeraude (à pans coupés), baguette, diverses (carrés, trapèzes, triangles, etc.).

☞ Brillant, si aucune confusion n'est possible dans le contexte, signifie « diamant rond taille brillant », diamant brillanté.

Provenance du diamant (en %). Australie 37,5, Zaïre 20, Botswana 15,5, ex-URSS 12, Afr. du Sud 9, Namibie, Angola, Brésil, Guyane, Venezuela, Guinée, Sierra Leone, Liberia, Côte-d'Ivoire, Ghāna, Rép. Centrafr., Tanzanie, Chine, Indonésie, Inde.

Rubis et saphir

■ **Définition :** *rubis* (de ruber : rouge) et saphir (de sappir : belle chose) ne peuvent désigner que l'oxyde d'aluminium cristallisé dans le système rhomboédrique, dans la structure cristalline de l'espèce minérale naturelle « corindon » (alpha Al_2O_3). « Rubis » est réservé au corindon rouge ; « saphir » (sans indication de couleur) au bleu. Les c. d'une autre couleur peuvent être appelés « saphir » en indiquant immédiatement leur couleur.

■ **Provenance.** **Rubis :** Birmanie (Mogok), Thaïlande, Cambodge, Viêt-nam, Tanzanie, Kenya, Ceylan, Afghanistan, Madagascar, etc. (gisements peu importants). Les plus appréciés sont rouge sang de pigeon (couleur du sang artériel). Si le rouge est plus sombre, il est décrit comme « sang de taureau ». **Saphir :** Cachemire (mines fermées), Birmanie, Ceylan, Thaïlande et Cambodge, Australie, Montana (USA), Madagascar, Colombie, etc. (gis. peu

Glyptique

Définition. Art de sculpter en relief *(camées)* ou graver en creux *(intailles)* sur pierres fines : cornaline, agate, améthyste, cristal de roche, etc. ; ou très rarement sur pierres précieuses : diamants, émeraudes, saphirs, rubis. **Usage.** *Intailles :* sceaux ou cachets comme signature ou authentification d'un acte.

Époques. Depuis le IVe millénaire en Égypte, Moyen-Orient (intailles en forme de cylindres, de 1 à 6 cm env.), Grèce, Rome, Renaissance jusqu'à nos jours. *Camées :* ornement. **Cours.** Variables selon l'époque (cours les plus élevés : grecs archaïques et étrusque), la qualité de la gravure et nature de la pierre : 600 à 80 000 F.

importants), France [Expailly (Cantal) exploité au Moyen Age]. *Les plus appréciés* sont bleu bleuet velouté (« bleu de France »).

ÉMERAUDE

■ **Définition.** « Émeraude » ne peut désigner que le cyclosilicate de béryllium et d'aluminium de couleur verte, cristallisé dans la structure cristalline de l'espèce minérale naturelle « béryl » [Be_3 Al_2 (Si_5 O_{18})] contenant divers ions alcalins dans ses canaux structuraux, et dont la coloration verte est due principalement à une faible substitution isomorphique d'ions chrome à des ions d'aluminium dans sa structure cristalline.

Les plus appréciées sont vert tendre ; certains les préfèrent avec une sous-nuance jaune (émeraudes taillées, la table perpendiculaire à l'axe du prisme hexagonal du cristal brut), d'autres avec une sous-nuance bleue (émeraudes taillées, la table parallèle à l'axe du prisme hexagonal du cristal brut). Le lapidaire recherche toujours à obtenir la masse maximale à partir d'un cristal donné : un cristal allongé est toujours taillé en « émeraude vert bleu ou vert jaune ». Le choix entre l'obtention d'une « émeraude bleue » et d'une « émeraude jaune » n'est effectué que si le cristal brut est sensiblement équidimensionnel.

■ **Provenance.** Colombie, Brésil, Oural, Zimbabwe, Transvaal, Zambie, Pakistan, Madagascar, Australie, etc. Égypte, Autriche (gisements historiques sans signification commerciale actuelle).

MINÉRAUX
PIERRES FINES ET ORNEMENTALES

■ **Gemmes.** Pierres transparentes dans lesquelles la lumière peut jouer (améthyste) ; plus souvent taillées à facettes pour magnifier leur couleur. Quelques sécrétions animales et végétales employées en bijouterie sont assimilées aux gemmes.

■ **Pierres ornementales.** Macroscopiquement opaques, la lumière joue à leur surface (quartz améthystin, calcédoine) ; souvent taillées en cabochon ou utilisées en glyptique (sceaux, camées) ou façonnées en statuettes ou objets de vitrine.

■ **Couleur.** *Absorption lumineuse :* la pierre ne renvoie à l'observateur qu'une partie *du spectre* de la lumière reçue (d'où « couleur »). Vient de « centres chromogènes » résultant de la présence d'« électrons célibataires », liés à des « éléments de transition » (chrome, fer, titane, etc.) ou à des accidents structuraux (lacune structurale, dislocations du réseau, substitutions d'un élément par un élément de grosseur voisine, introduction d'éléments interstitiels dans les interstices structuraux, etc.). *Dispersion lumineuse :* la pierre transmet les diverses parties de la lumière reçue à des vitesses différentes, ce qui « disperse » la lumière blanche comme un « arc-en-ciel » (d'où « feux »). *Diffusion lumineuse :* des particules microscopiques envoient la lumière en tous sens. Selon leur forme et leur orientation, il se produit l'*opalescence* (particules non ordonnées), la chatoyance (particules allongées parallèles entre elles), l'*astérisme* (particules allongées parallèles à 2 ou plusieurs directions particulières), développé par la taille en cabochon. *Interférences lumineuses* provoquées sur une lame tel un givre sec (d'où irisations) ou sur un réseau tel l'empilement compact des microbilles siliceuses équidimensionnelles de l'opale noble (d'où *iridescence*).

Évaluation. Mêmes règles que pour les pierres précieuses (couleur, masse, pureté, taille).

Utilisation en bijouterie-joaillerie ou en ornementation. Doivent présenter des qualités esthétiques (couleur, texture), être suffisamment résistantes aux agents chimiques et mécaniques usuels (acides et bases faibles, rayure), se rencontrer en grosseur suffisante (macroscopique) et se trouver en quantités suffisamment importantes pour couvrir une demande. Certaines pierres ne sont que des « pierres de collection » même si leurs qualités esthétiques et physiques auraient permis leur emploi en joaillerie : pierres trop peu répandues (bénitoïte) ; pierres trop fragiles (sphalérite mielleuse).

PRINCIPALES GEMMES ET PIERRES ORNEMENTALES

La plupart des gemmes doivent leur couleur à des accidents structuraux et peuvent présenter toutes les teintes (gemmes allochromatiques) ; les gemmes ayant des centres chromogènes dans leur structure cristallo-chimique normale ne présentent qu'une gamme de teintes (gemmes idiochromatiques). Seules sont données ici les couleurs les plus fréquentes des diverses familles.

Chrysobéryls. Aluminate de béryllium. Jaune à jaune-vert : *chrysobéryl ou cymophane* (Brésil, Ceylan, etc.). Vert à la lumière du jour, rouge à la lumière électrique : *alexandrite* (d'après le tsarevitch Alexandre) (Oural, Ceylan). Chatoyant : *œil-de-chat* (Ceylan, Brésil, etc.).

Spinelles. Aluminate de magnésium. Rouge : le plus apprécié, car voisin du rubis (Birmanie, Inde, Ceylan, etc.). Mauve, bleu, jaune.

Grenats. Silicates bimétallifères caractérisés par leur structure cristalline. **Série alumineuse :** *Pyrope* (magnésien) rouge feu (Bohême, Afr. du S.). *Almandin* (ferrifère) rouge brique (Inde, Ceylan, etc.). *Spessartine* (manganésifère) rouge orangé (Ceylan, Brésil, etc.). Utilisée depuis l'Antiquité, en cabochon, en glyptique, en morceaux polis dans des bijoux cloisonnés (époque mérovingienne), en pierres facettées (XIXe s.). **Série calcique :** *Grossulaire* (alumineux) : gemme orangée *(hessonite)* à verte *(tsavorite) ;* pierre ornementale verte (grossulaire massif d'aspect voisin du jade) (Transvaal, Pakistan, etc.). *Andradite* (ferrifère) : gemme verte (demantoïde) (Oural, Italie).

Béryls (famille des). Aluminosilicates de béryllium, différenciés par leur couleur. *Aigue-marine :* bleu clair à bleu-vert (Madagascar, Brésil, Russie, etc.), utilisée depuis l'Antiquité (ex. : Julie, fille de Titus, intaille à la Bibl. nat.). *Morganite :* rose (Madagascar, etc.) du nom du banquier américain Morgan. *Héliodore :* jaune soleil (Namibie, Brésil, etc.), nommée « don du soleil » par les colons allemands pour favoriser sa commercialisation.

Tourmalines. Borosilicates alumino-ferro-magnésiens calco-sodo-lithifères. Connue depuis le XVIIIe s. *Rubellite :* rouge à rose, peut évoquer le rubis, très prisée (Oural, Brésil, etc.). Vert à vert bouteille, peut évoquer l'émeraude (Brésil, Oural, etc.). *Indigolite :* bleu à violet, peut évoquer le saphir (Brésil, Oural, etc.). Jaune (Ceylan, Brésil, etc.). Couleur claire au centre du prisme cristallin et foncée sur l'extérieur ; généralement coupée en tranches peu épaisses d'aspect plus ou moins triangulaire : *melon d'eau* (Brésil).

Topazes. Aluminosilicates fluoro-hydroxylés. *Rose* (Oural, Brésil) ; *bleue* (idem), peut évoquer l'aigue-marine ; *jaune* avec sous-nuance rosée (jaune « chaud ») (Brésil) ; *incolore* (« goutte d'eau »), peut évoquer le diamant (Saxe, Brésil).

Silice (famille de la). Macrocristallisée : *Cristal de roche :* incolore, peut évoquer le diamant. Très fréquents, les minéraux siliceux ont été utilisés de tout temps en bijouterie, glyptique et décoration. *Améthyste :* violet. *Citrine :* jaune « sec », parfois madère, peut évoquer la topaze jaune. *Morion ou cairngorn ou quartz fumé :* brun clair. *Quartz rose.* **Microcristallisée massive :** *Calcédoines* (*commune :* claire ; *cornaline :* rouge ; *sardoine :* marron ; *onyx :* brun-noir ; *chrysoprase :* verte ; « agate verte » : commune teintée en vert). *Agates :* ensemble de veines de calcédoines de couleurs différentes (blanc et noir, blanc et rouge...), appréciées pour sculpter des camées, surtout lorsqu'il y a plusieurs couches. Agate mousse, a. herborisée (calcédoine commune à dendrites évoquant les mousses, les herbes...). *Jaspe :* roche siliceuse ornementale : jaspe porcelanné ; jaspe sanguin ou héliotrope (vert à ponctuations rouges) ; jaspe fleuri (à dessin de fleur). **Quartzites, minéraux silicifiés, fossiles silicifiés :** *Quartz chatoyants :* œil de faucon (bleu) ; œil de tigre (brun-jaune) ; œil de taureau (rouge) ; quartz chatoyant (vert). *Quartz aventuriné ou aventurine* (à paillettes de micas verts en tous sens), peut évoquer le jade. *Bois silicifié* (troncs d'arbres fossilisés, généralement découpés en tranches pour l'ornementation). **Roches siliceuses vitreuses.** *Obsidienne* (noire, verte, tachetée).

Couronne de l'impératrice Farah (1967) : 1 646 perles et pierres précieuses

Opale. *Noble* (ou arlequine) : blanc iridescent (Hongrie, Austr.) ; *opale de feu :* rouge feu (Mex.) ; *noire :* iridescences noires se détachant sur fond bleu noir à brun, recherchées (Austr.).

Feldspaths. Aluminosilicates alcalins utilisés surtout en cabochons. *Pierre de lune* à reflets lunaires plus ou moins bleutés (Ceylan). *Amazonite,* vert à éclat nacré dans une direction. *Spectrolite* à iridescences, pouvant évoquer l'opale noire.

Péridots. Silicates ferromagnésiens. Verts connus depuis l'Antiquité (Zabargad en mer Rouge), dits aussi *olivines.* Vert clair : *chrysolites* [mer Rouge, Birmanie, Arizona (USA), etc.].

Zircons. Silicate de zirconium vert, jaune, orange, brun, rouge. Incolore (par traitement thermique), peut évoquer le diamant bleu (par traitement thermique), peut évoquer l'aigue-marine orangée : *hyacinthe* (Cambodge, Ceylan, etc.).

Jades. Ornementale, souvent verte, prisée en Orient. 2 variétés : la *néphrite,* amphibolite dans les tons verts jade, utilisée par les anciennes civilisations chinoises notamment ; la *jadéite,* pyroxénite qui peut être de toutes couleurs (vert, mauve, etc.), utilisée plutôt en cabochons, petits motifs, incrustations, notamment aux Indes.

Serpentine. Ornementale verte, évoquant le jade mais plus tendre (rayable à l'apatite), utilisée pour sculpter des statuettes communes.

Lapis-lazuli. Ornemental, bleu vif, souvent à ponctuation dorée de pyrite, nommé « saphir » dans l'Antiquité (Afghanistan, Chili).

Sodalite. Ornementale bleu-gris, pouvant évoquer le lapis-lazuli (Canada, Brésil).

Stéatite (pierre de lard, pierre de savon). Pierre tendre verdâtre, utilisée pour sculpter des bouddhas, des pagodes, etc., petits objets décoratifs ou votifs.

Turquoise. Phosphate alumino-cuivrique bleu à bleu-vert, formant des amas. Utilisée en ornementation. Des turquoises poreuses sont durcies et colorées par plastification (Iran, USA).

Hématite. Oxyde de fer à éclat métallique (boules...) (Angleterre, Brésil).

Rhodonite. Silicate de manganèse rose, massif.

■ **Matières d'origine animale. Corail :** exosquelette calcaire de polypiers marins, rouge, rose, blanc (Méditerranée, Japon). **Ivoire :** défense d'éléphant (Afrique). Voir Index. **Nacre :** coquille de mollusques (Austr.). **Écaille :** carapace de tortue (océan Indien).

■ **Matière d'origine végétale (ou succinite). Ambre :** résine fossile (Lituanie, Pologne, St-Dominique, Birmanie). *« Ambre pressé »* (morceaux agglomérés par fusion superficielle et pression), fabriqué depuis 1870. *« Fondu »* (poussière d'ambre, moulée par fusion). Imité par divers plastiques. A ne pas confondre avec *l'ambre gris,* sécrété par les baleines, utilisé dans la fabrication des parfums. **Jais :** lignite de pins fossiles [Allemagne, Angleterre, Espagne (Asturies), France (Aude), Jura souabe...].

☞ Diverses autres gemmes et pierres ornementales sont utilisées, telles que le *spodumère* (*kunzite* rose, *hiddénite* verte), la *tanzanite* (bleue), la *fluorine,* la *pyrite* (dite improprement *marcassite*), etc.

PRIX DES MINÉRAUX

■ **Éléments du prix. Rareté :** gisement épuisé ou en voie de l'être, conditions d'importation. Les minéraux venant de mines épuisées ou fermées sont plus chers s'ils sont de qualité et non des résidus, ex. : *quartz* de La Gardette (massif de l'Oisans), *azurite* de Chessy, *cristaux d'argent* de Konsberg (Norvège), *stibine* de La Lucette (Mayenne). **Cristallisation :** les cristaux doivent être bien développés, régulièrement disposés, sans cassure ou fêlure ; une arête ébréchée peut diminuer la valeur d'un cristal de 75 %. Sont appréciées aussi les *géodes,* plus ou moins sphériques, contenant des cristaux, les pierres sur *gangues* ou des associations de minéraux de nature différente. **Dimensions. Intégrité** de la pierre. **Couleurs :** intenses et lumineuses, doivent mettre en valeur les cristaux. **Propreté de la pierre** (qualité gemme). **Formes :** association des formes élémentaires bien développées ; les faciès inhabituels sont plus recherchés.

■ **Exemples de prix payés** (en milliers de francs). **Aérolithe** 4 le kg (chondrites). **Aigue-marine** 0,5 à 5 le carat. **Améthyste** (cristal d') 0,7. **Apophyllite verte** 0,3. **Argent natif de Konsberg** (Norvège) 1 à 2,5 et +. **Cuivre natif** 0,9. **Diamant** *1 ct :* 7 à 90 ; *2 cts :* 12 à 125 ; *3 cts :* 20 à 200 ; *4 cts :* 30 à 210 [records : *85,91 cts (poire)* 51 870 (19-4-1988) ; *0,95 cts (rouge)* 50 160 ; *52,59 cts (rectangulaire)* 44 573 (20-4-1988) ; *64,83 cts (poire)* 38 357 (21-10-1987) ; *59 cts (poire)*

33 132 (19-4-1988) ; *41,28 cts (étoile polaire en coussin)* 24 004 (19-11-1980) ; *rose 20 cts (rectangulaire)* 28 186 (19-6-1988) ; *bleu 42,92 cts (poire)* 39 402 (14-11-1984)]. **Dioptase** 1. **Émeraude** *1 ct :* 0,2 à 70 et + ; except. 195 le ct (1980) ; *2 cts :* 170 ; *3 cts :* 9 à 600 et +. **Fluorine** 0,05 à 3. **Grenat** (plaque de) du Canada 1. **Météorite** (Canyon Diablo, Arizona), qui contenait des poussières de matière interstellaire : 3 kg 3 ; 350 g 0,3. **Paesine** (marbres ruiniformes) 0,1 à 0,5. **Pyrite de fer** cristallisée 0,04 à 0,8. **Quartz fumé et améthyste** 0,1 à 1,5. **Wolfram et apatite** (ensemble) (Panasquera) : 4 à 6 ; except. ensemble (Arkansas), 750 kg, env. 120 (1980). **Rubis** *1 ct :* 0,3 à 200 ; *3 cts :* 3 à 700 ; *4 cts :* 4 à 900 [except. 4,12 cts 1 700 (1979)]. Rubis *birmans de forme coussin* 100 à 150 le ct ; r. *siam* (de Thaïlande) 5 cts 41 à 60 ; 10 cts 85 env. *Synthétique :* 0,2 le carat [record : 15,97 cts 20 022 (18-10-1988)]. **Saphir** *1 ct :* 0,2 à 9 ; *3 cts :* 3 à 300 ; *4 cts :* 4 à 400. *Saphir de Cachemire :* 1 ct env. 103 à 160 ; *de Birmanie :* 5 cts 50 le ct, 20 cts jusqu'à 110 le ct ; *de Ceylan :* 5 cts 7 à 15 le ct ; 20 cts 55 max. le ct ; orangés ou rose vif valent env. 10 fois moins ; *de Thaïlande ou Australie :* 10 max. le ct. *Records :* saphir taillé à degrés de 66,03 cts : 5 600 (1981). **Tectiles** (7 cm) 0,1, australiennes 1.

Imitations

Divers types

■ **Cristaux artificiels. Par fusion simple :** corindons synthétiques (imitations de rubis, saphirs, topazes, morganite, kunzites, etc.), spinelles synth. (imitation de l'aigue-marine, etc.), rutile synth., titanate de strontium YAG, oxyde de zirconium synth. (imitation du diamant). **Par dissolution hydrothermale :** émeraude synth., améthyste synth., citrine synth., opale synth., turquoise synth., etc. **Par dissolution anhydre** (dans un fondant) : diamant synth., émeraude synth., rubis synth., alexandrite synth. Tout cristal peut être synthétisé artificiellement.

Quelques précisions

■ **Authenticité.** Le *Service public du contrôle des diamants, perles fines et pierres précieuses* (2, place de la Bourse, 75001 Paris), géré par la Chambre de Commerce et d'Industrie de Paris, vérifie et délivre des certificats d'authenticité pour diamant, perle ou pierre précieuse, et, s'ils ne sont pas sertis, décrit les qualités substantielles des diamants (couleur, pureté, masse, taille) et précise la provenance géographique des rubis, saphirs et émeraudes. Peut effectuer des études sur demande (pierres accidentées...).

■ **Bourses de pierres.** La plus ancienne : Ste-Marie-aux-Mines (déb. juillet) ; Munich (oct.) ; Alès (nov.) ; Lyon (nov.) ; Millau (juillet) ; Tarbes (2e quinzaine de nov.) ; Jouy-en-Josas (nov.) ; Liège (nov.) ; Paris (déc.), PLM St-Jacques. Calendrier publié dans des revues spécialisées : *Minéraux et fossiles, Monde et minéraux.*

■ **Collections de minéraux.** *Au XVIIIe s.* on constitua des collections scientifiques (collection du prince de Condé, François Boucher et Bonnier de la Mosson). Certains minéraux étaient considérés comme des objets magiques, d'autres transformés en objets d'art.

Collections principales (France). *Paris :* école des mines (qui a racheté la coll. d'Ilia Deleff). Musée minéralogique. Muséum d'histoire naturelle, galerie de Minéralogie. Faculté des sciences (Jussieu, tour n° 25), collection de minéralogie et de cristallographie. Bureau de recherches géol. et minières.

■ **Fiscalité.** *TVA.* Pierres non montées en bijoux (depuis 1981) et montées en bijoux 18,6 %. La douane peut exiger le paiement de la TVA (plus des pénalités) de toute personne qui ne peut produire une facture justifiant d'une importation régulière. *Taxe forfaitaire sur les plus-values* progressive en 20 000 et 30 000 F, 7 % au dessus de 20 000 F (vente publique 4,5 %).

■ **Langage des pierres.** *Améthyste :* sincérité, dissipait les fumées du vin et donnait de l'esprit. *Bague en quartz ou cornaline :* servait d'antidote à la tristesse. *Cristal de roche :* délivrait des mauvais rêves. *Diamant :* pureté, fidélité. *Émeraude :* bonheur vertueux, faisait se sauver le diable et était le gage de la virginité. *Hématite :* délivrait de la goutte. *Jade :* maladie de la pierre. *Rubis :* amour, pureté. *Saphir :* sagesse, rendait aimable. *Topaze :* amitié, modérait les natures bouillantes.

■ **Doublets et pierres composites.** Assemblages divers.

■ **Minéraux et roches de couleurs artificiellement modifiées.** Les couleurs de certaines pierres de basse qualité peuvent être renforcées par traitement. *Pour imiter un minéral ou une roche :* jaspe teint en bleu ; *accentuer une couleur :* lapis-lazuli calcidoines et turquoise baignés ; *changer la couleur :* diamants exposés à des radiations, améthystes traitées thermiquement, topazes irradiées (deviennent bleues) ; corindons de couleur diffusée en surface.

■ **Perles** (voir p. 403).

■ **Verre.** La plus ancienne imitation (âge du fer, Égyptiens). *Simili :* verre recouvert d'un enduit réflecteur doré ou argenté, imitant le diamant (verre + paillon). *Verres colorés* imitant toutes les pierres. *Verre aventuriné* avec des paillettes de cuivre incorporées au XVIIIe s. *Strass* commercialisé au XVIIIe s. par Joseph Stras après la découverte du verre au plomb (flint dit cristal) par les Anglais en 1623, pour imiter le diamant (oxyde de plomb 35 % ; silice 38 ; potasse, borax et arsenic 8) ; se raye facilement.

Dates de commercialisation

XVe s. av. J.-C. verres, émaux. **Ier s. av. J.-C.** calcédoines teintes et assemblées. **XIVe s.** doublets pierre fine-verre-pierre fine.

XVIIe s. flint (cristal au plomb), perle d'imitation. **1800** doublet quartz-verre, strass. **1850** doublet grenat-verre, doublet 1/2 perle de culture-nacre « mabe », millefiori. **1885** « rubis de Genève », petits morceaux de rubis assemblés à chaud à l'aide de chromate de potassium utilisé comme fondant superficiel. **1890-1902** des artisans appliquent la découverte d'Edme Frémy (« boules » de rubis synthétiques). **Début XXe s.** le chalumeau oxhydrique de Verneuil permet la fabrication ind. (1904) du rubis synth. et (1907) du corindon synth. bleu, coloré grâce à des traces de cobalt. **1910** doublet quartz-gélatine-quartz, saphirs synth. galalithe, bakélite. **1920** perles de culture. **1930** phosphates pressés imitation turquoise. Doublet quartz-émail-quartz, saphir synth. incolore, spinelle synth. incolore. **1940** émeraude synth., doublet béryl-émail vert-béryl. **1945** doublet à base d'opale. **1950** saphir synth. étoilé. **1955** doublet spinelle synth.-émail-spinelle synth., spinelle synth. fritté, rutile synth., perles de culture à noyau organique. **1960** « néolite » (imitation turquoise), « béryl enrobé » Lechleitner, rubis synth. en fusion anhydre. **1960** quadruplets quartz-opale-agate, rubis synth. hydrothermal, « fabulite ». **1965** doublet émeraude-émail-émeraude YAG, quartz synth. au cobalt, doublet béryl-tourmaline « Smaryl », émeraude synth. hydrothermale Linde. **1970** opale synth., améthyste synth., alexandrite synth., doublet saphir-saphir synth., turquoise synth.-GGG, linobat, KTN. **1975** saphir synth. (dissolution anhydre), oxyde de zirconium cubique, lapis-lazuli synth., citrine synth. **1981** corindons de couleur diffusée en surface.

Pierres célèbres

Diamants

■ **Diamants de la Couronne de France. Au Louvre (à Paris) : Régent** (XVIIIe s., Inde) : 410 carats. Taillé 140,5 cts, forme coussin, blanc, légèrement bleuté. Un esclave le découvrit en 1701 dans une mine aux Indes. Thomas Pitt, gouverneur de Madras, l'acheta, le fit travailler et le vendit au régent Philippe d'Orléans vivement encouragé par Saint-Simon. Napoléon le fit sertir sur le pommeau de l'épée de son sacre en 1804. **Sancy** (XVIe s., Inde) : taillé 55 cts. Trouvé, dit-on (peu vraisemblable), sur le cadavre de Charles le Téméraire. Il appartint à Nicolas Harlay de Sancy (ministre d'Henri IV) ; vendu 1604 à Jacques Ier d'Angleterre, revint à Mazarin qui le légua à la couronne de Fr. Volé à la Révolution, réapparut vers 1828 (acheté par une famille russe). Depuis, acheté par William Waldorf Astor et porté par Lady Astor († 1964). Revenu au Louvre en janv. 1979. **Hortentia :** diamant rose pentagonal de 20,5 cts.

■ **Exposé aux États-Unis. Hope** (XVIIe s., Inde) : bleu, 112,5 cts. Taillé 45,5 cts. A appartenu à Louis XIV ; volé en 1792 au garde-meuble national, retaillé, vendu à Sir Hope en Angleterre, acheté par Cartier (Paris), vendu à Mrs Mac Lean, acheté par Harry Winston (1896-1978) qui le donna en 1958 au Smithsonian Institute (Washington).

■ **Diamants de la Couronne d'Angleterre. Cullinan** (1905, Afr. du S.) : 3 106 cts avant taille. Blanc. Appelé du nom du fondateur de la mine. Acheté 1907 par le gouvernement du Transvaal qui l'offrit au roi Édouard VII pour son 66e anniversaire, et pour sceller la paix après la guerre des Boers. Le roi confia sa taille à Asscher d'Amsterdam, qui en tira 9 pierres principales dont l'*Étoile d'Afrique* (en forme de poire à 74 facettes de 530,2 cts, montée sur le sceptre de la reine d'Angl.) et le *Cullinan II* (forme coussin 317,40 cts, sur la couronne impériale d'Angl.). **Koh-i-Noor** (env. 1304, Inde). 186 cts. Taillé 108,93 cts, forme ovale, blanc. Saisi à Lahore par la Compagnie anglaise des Indes orientales comme « indemnité de guerre ». Orne la couronne de la reine-mère Elisabeth, conservé à la Tour de Londres. Réclamé en sept. 1976 par le Pakistan et l'Inde.

■ **Diamants de la Couronne de Russie. Orloff** (XVIIe s., Inde) : taillé 189,62 cts, demi-œuf, facetté, taille à rose sur le dessus, non facetté en dessous, blanc nuancé de jaune. Acheté par le P^ce Orloff pour la Grande Catherine. Orne le sceptre impérial. Conservé au Kremlin. Serait la même pierre que le « Grand Mogol » dont Tavernier aurait mal transcrit la masse (même forme). **Shah** (1571, Inde) : taillé 88,7 cts (avant 99,52), forme prismatique ; jaunâtre, 3 faces gravées du nom de ses propriétaires indiens successifs. Offert en 1829 par le shah de Perse au tsar de Russie comme « prix du sang », pour le meurtre de l'ambassadeur Griboïedof.

■ **Diamant de la Couronne de Saxe. Dresden Vert** (1743, Inde) : vert, 119,5 cts. Taillé 41 cts (forme poire). Conservé au palais de Dresden (Grünes Gewälbe).

■ **Autres diamants** (poids en carats). **Arc** (1921, Afr. du S.) 381. **Baumgold** (1922, Afr. du S.) 609, taillé en 14 pierres (les 2 + grosses, les *Baumgold Pears,* 50 chacune). **Berglen** (1924, Afr. du S.) 416,25. **Black Diamond of Bahia** (1850 ?, Brésil) 350. **Bob Grove** (1908, Afr. du S.) 337. **Broderick** (1928, Afr. du S.) 412,5. **Cartier ou Taylor-Burton** (1966, Afr. du S.) 240,80, taillé 69,42, acheté pour Elizabeth Taylor par Richard Burton 14 500 000 F, revendu à Henry L. Lambert (New York) 1979. **Corondel IV** (1941, Brésil), 400,65. **Daria-I-Nur** (Dacca), taillé 150 cts, carré, blanc ; vendu 1959 à Dacca. **Darcy Vargas** [1939, Brésil (Minas Gerais)], 455 brut ; nom de la femme du Pt Vargas. Brun. **Étoile du Sud** (1853, Brésil) 261,88, ovale, blanc, taillé 128,8 ; appartiendrait à Rustomjee Gamsetjee (Bombay). **Étoile de la Paix** (1974, Centrafrique) 500, taillé 170,49 ; vendu à l'émir d'Abou Dhabi 100 000 000 F. **Étoile de Sierra Leone** (1972, Sierra Leone) 968,8 (6,5 × 4 cm) ; blanc ; évalué 59 000 000 F, taillé en 11 pierres (la + grosse 143,20, retaillée en 7). **Excelsior** (1893, Afr. du S.) 995,2, taillé en 21 pierres (la + grosse 69,68, revendue 1984). **Géant doré** 890, taillé 407. **Goyaz** (1906, Brésil) 600, taillé en plusieurs pierres (la + grosse 80) ; sa trace a été perdue. **Indien** 250, forme poire, blanc. **Iros I** (1938, Brésil) 354. **Jonker** (1934, Afr. du S.) 726, taillé en 13 pierres (la + grosse 125,65), taille émeraude, blanc ; appartint au roi Farouk puis au roi du Népal, revendu 2 340 000 $ à M. Takashima, Japon. **Jubilee** 245,35 blanc, taille coussin ; la + grosse pierre du diamant *Reitz* [(1895, Afr. du S.) 650,25, taillé l'année du jubilé de la reine Victoria (1897) en 12 pierres] ; appartient à Paul-L. Weiller. **Kimberley** (début XXe s., Afr. du S.) 503, couleur champagne, taillé en 1 pierre, taille émeraude de 70, retaillé 1958 en 1 pierre de 55,9 ; vendu 1971 à un Texan. **La Lune de la Montagne** (XVIIe s. env.) 126, non taillé ; conservé parmi les joyaux de la couronne de Russie. **Lesotho** (1967, Lesotho) 601,25, brun, taillé en 70 pierres (la + grosse 70). **Light of Peace** (1969, Sierra Leone) 434, taillé 125,5, blanc ; ne sera pas vendu, mais exposé lors des campagnes en faveur de la paix ; appartient à Zale Corporation, Dallas. **Moon** taillé 183, en rond, blanc jaune ; vendu chez Sotheby 20-8-1942. **Nawanager** taillé 148, forme en rond, blanc ; à Rajmata Gulabkunverba de Nawanager. **Patos** (1937, Brésil) 324. **Portugais** 127,10, forme coussin, blanc ; au Smithsonian Institute, Washington. **Presidente Dutra** (1746, Brésil) 409, taillé en 46 pierres (la + grosse : 9,06). **Président Vargas** [1938, Brésil (Minas Gerais)], 726,6, blanc ; trouvé dans la rivière San Antonio par un prospecteur et un fermier qui l'ont vendue 56 000 $; achetée 1939 par Harry Winston env. 700 000 $, taillée 1941 en 29 pierres (la + grosse 48,26). **Reine de Hollande** 136,32, forme coussin, blanc, avec teinte bleue ; vendu par un prince hindou à Londres en 1960. **Taj-E-Mah** 115,06, taillé en rose, blanc ; joyaux de la couronne d'Iran. **Venter** (1951, Afr. du S.) 511,25, jaune, taillé en 32 pierres (la + grosse 18). **Victoria** (1884, Afr. du S.) 469, blanc, taillé en un brillant ovale de 184,5, et un rond de 20 ; vendu au nizam d'Hyderabad. **Victoria** (1943, Brésil) 328,34, taillé en 44 pierres (la + grosse 30,39). **Woyie** (1945, Sierra Leone) 770, blanc, taillé en 30 pierres dont une de 31,35 ; offert à la reine Elisabeth II. **X...** (1965, Lesotho), 527,25, blanc.

■ **Jaunes. De Beers** (1888, Afr. du S.) 428,5, taillé 234,5, jaune ; appartient à un prince hindou. **Iranian**

Yellow : **A** taillé 152,16, jaune, rectangle vieille taille, brillant, silver cape ; **B** 135,45, ancienne taille, brillant forme coussin, cape ; **C** 123,93, forme coussin, silver cape ; **E** 114,28, forme coussin, cape. Trésor d'Iran. **Red Cross** (Afr. du S.) 375, taillé 205, carré, jaune canari ; offert à la Croix-Rouge anglaise et vendu aux enchères en 1918. **Tiffany** 128,51, forme coussin, appartient à Tiffany, New York.

■ En poire. **Earth Star** 111,59, brun, forme poire ; appartient à Baumgold New York. **Grand Chrysanthème** 105,15, couleur bronze ; New York, collection privée. **Niarchos** (Ice Queen) (1954, Afr. du S.) 426,5, taillé 128,25 (le Niarchos) ; appartient à Stavros Niarchos.

■ Noir. **De Amsterdam** (Afr. du Sud) 33,74 taillé.

■ Roses. **Grand Mogol** (v. 1650, Inde) 787,5 (estim.), taillé, 280, incolore, rose ; perdu depuis 1747 ; certains pensent que l'*Orloff* et le *Koh-i-Noor* en sont des fragments. **Premier Rose** (1978, Afr. du S.) 353,9, taillé 137,2 ; vendu 11,5 millions de $ en 1979.

■ Autres pierres précieuses connues

Poids en carats

Émeraude. *20 000* hexagonale valant 500 000 000 F. *16 300* (3,26 kg, Istanbul, Topkapi). *11 130* (Russie, 1834, musée minéralogique de Moscou). *11 000* (Transvaal, 1956). *6 225* (Brésil). *2 680* (jarre sculptée XVIIe s., Vienne). *1 384* (pierre de Devonshire venant de Colombie). *135,25* (à Moscou). Les plus célèbres viennent de Muso et Chivor (Colombie).

Rubis. *3 421* (USA, 1961, brisé : + gros morceau : 750). *1 184* (Birmanie). *Rosser Reever Ruby 138. Delog Star 100. Rubis de la Paix* (Birmanie, 1918).

Saphir. *100 000* (Ceylan). *63 000* (Birmanie). *2 302* [*Anakie* (Australie, v. 1935) dans lequel a été taillée la tête d'Abraham Lincoln (1 318, USA)]. *2 097* [taillé 1 444, en forme de buste du Gal Eisenhower (*Étoile noire,* USA v. 1953-55)]. Rose *2 000* (non taillé, Caroline du Nord, USA, 1961). *1 997* (taillé 1 056). *1 200* (brut, Australie 1956). *951* (Birmanie, trésor du roi à Ava). *563,35* (*Star of India,* venant de Ceylan, au Muséum de New York). *259* (Moscou). *135,80* [*Ruspoli* ou *saphir de Louis XVI,* trouvé au Bengale ; taillé en rhomboèdre (parallélépipède dont les 6 faces sont des losanges égaux) ; à Paris, Jardin des Plantes].

■ Pierres fines connues

Aigue-marine. 103,8 kg (Brésil, 1910). 61 kg (Brésil, 1955). Ambre. 15,25 kg (Birmanie, acheté en 1860), au Musée d'histoire naturelle de Londres. Argent. 1 026,5 kg (Sonora, Mexique), possédé par l'Espagne dès avant 1821.

Chrysobéryl. 171 carats (Washington Museum). 45 carats (British Mus.). Cristal de roche. 71 t (piézo-cristal trouvé au Kazakhstan 1958). 48 kg Warner sphere (Birmanie, Washington Museum).

Jade (néphrite). 143 t, 603 m³ (Chine, 1978). Le mausolée de Tamerlan à Samarcande est un monolithe de néphrite.

Marbre. Bloc de 90 t (Yule, Colorado, USA) dans lequel a été taillée une pierre de 45 t pour la tombe du soldat inconnu (cimetière d'Arlington, Virginie).

Opale. 22 800 cts (6,842 kg, jaune orangé, Anda Mooka, Australie, 1970), déterrée par un bulldozer, composée de 2 morceaux imbriqués l'un dans l'autre (bloc de 28 × 25 × 12,5 cm), évaluée à plus de 5 millions de F, exposée à Sidney (Australie). 77 cts (O. de Louis XVIII, Paris, Jardin des Plantes).

Painite ($Ca_4Al_2OBSiO_{38}$). Pierre la + rare (découverte en 1951, Birmanie).

Pépite d'or. Pépite d'Holtermann, 214,32 kg (Australie, 1872). *Pépite la plus pure :* Welcome Stranger (Moliagul, Austr.), 70,92 kg dont 69,92 d'or.

Spinelles. France. *Louvre :* Côte de Bretagne, taillé en Dragon. Angleterre : R. de Timourlong (361 carats), R. du Prince Noir. Russie : R. « Lal » de Catherine II (400 carats).

Topaze. 1 351 500 cts (270,3 kg), 221 facettes, bleu ciel (trouvée au Brésil, au Muséum de New York). 117 kg (Brésil, au Muséum de Vienne). 60 kg (Norvège). 28,10 cts (t. de Louis XIV, 326 facettes, Paris, Jardin des Plantes). Turquoise. 98,8 kg (à l'origine 113,4 kg, Californie, 1975).

Tapis

Source : Berdj Achdjian, expert.

Généralités

■ Types de tapis

■ Tapis noués. TYPES DE NŒUDS : *nœud symétrique* dit *Ghiordes* (ou turc ou turkbaf), employé principalement en Turquie, au Caucase, et par des nomades de l'Iran ; *nœud asymétrique* dit *Senneh* (ou persan ou farsibaf), employé par les manufactures iraniennes, en Chine et dans la plus grande partie de l'Asie centrale. Ces types de nœuds ont des variantes.

Le plus ancien tapis noué existant parvenu jusqu'à nous date du IVe ou Ve s. av. J.-C. [tapis en laine (2 × 1,90 m, exécuté au nœud symétrique, 3 600 nœuds au dm²)], dit de Pazyrik, découvert en 1949 par l'archéologue Rudenko (dans une tombe scythe des monts Altaï) et conservé au musée de l'Ermitage à Leningrad. Des tapis ou fragments de tapis des IXe et Xe, XIIIe, XIVe et XVe s. sont conservés plus particulièrement dans des musées européens et au Japon.

■ Tapis tissés. 2 techniques : 1°) *kilim* ou tissage plat simple, les fils (trame) passant alternativement entre les fils de chaîne ; 2°) *soumak* ou tissage complexe plat. AUTRES VARIANTES : *verneh* (en sileh), Djadjim.

■ Métiers. **Principaux types :** *horizontal* surtout utilisé par nomades et villageois orientaux, car il est démontable et facile à transporter, *vertical* utilisé par villageois et artisans. **Fabrication :** dans les 2 cas, les fils de chaîne sont tendus sur le métier dans le sens de la hauteur et l'artisan débute par le tissage d'une étroite bande de kilim constituée par l'entrecroisement des fils de trame avec les fils de chaîne. Puis il noue des brins (de laine, poils de chameau, etc.) de couleurs différentes, qui forment le velours et le décor du tapis. Chaque rangée est en général maintenue et séparée de la suivante par un ou plusieurs fils de trame, puis trames et nœuds sont tassés avec un peigne. Les brins formant le velours sont coupés après 1 ou plusieurs rangées terminées. Une fois le tapis fini, le velours est égalisé. Le tapis est terminé par une partie tissée. Les franges sont constituées par les fils de chaîne.

Centres de production

2 types de production : artistique (le tapis, œuvre d'art), commerciale (objet de consommation).

■ Afrique. **Algérie :** Haut-Atlas. **Égypte :** Coptes anciens ; contemporains. **Tunisie. Maroc :** Rabat.

■ Amérique. Navajo, précolombiens ; **Pérou, Guatemala.**

■ Asie. **Asie centrale :** Iran, Afghanistan, Turkmenistan, Ouzbékistan. Dits *Boukhara* (*ethnies :* Tekké, Yomoud, Imreli, Pendeh, Salor, Kizil Ayak, Ersari, Chodor, Saryk, Béloutches, etc.). **Cachemire, Pakistan.**

Caucase : *Antiques* (XVIe-milieu XIXe s.) : dits Koubas ou tapis arméniens ; régions de Chirvan, Karabagh, Kouba. *Anciens de villages et de nomades* (XVIe-début XXe s.) ; Chirvan, Kazak, Daghestan, Kouba, Gendje, Seikhour, Khila, Karabagh, Talish, Marasali, Derbend, Akstafa, etc. Tapis *tissés :* Kilim, Soumak, Verneh, Sileh.

Chine, Est du Turkestan, Tibet : *Antiques des cours impériales :* Ning-Hsia ; dits *Samarkand.* Viennent des oasis du bassin du Tarim : Yarkand Khotan, Kashgar. *Du XIXe s.* Ning-Hsia, Pao tou (et Siryan), Kansu, Pékin.

Inde : Agra, Mirzapoor, Amritsar, Lahore, Daree (tissage kilim), Namda (tapis de feutre).

Iran : *de la cour safafide* (Shah Abbas, XVIe-XVIIe s.) ; ex. : tapis dit Ardébil (Victoria and Albert Mus., Londres). Kirman, Kechan, Herat, Djochagan. *De villages* (XVIIe-début XXe s.) : Sarouk, Tabriz, Téhéran, Kechan, Khorassan, Ispahan, Kirman, Yoravan, Feraghan, Sérab, Hériz, etc. *De nomades* (jusqu'à nos jours) : Afchars, Khamseh, Kurdes, Shahsawan, Kashgaï (dits *Chiraz*). Tapis tissés : Gelim, Djidjim, Verneh. *De manufactures et d'ateliers* (fin du XIXe s. à nos j.) : Kirman, Ispahan, Téhéran, Khorassan, Tabriz, Bidjar, Mesched, Nain, Goum, Veramin.

Turquie : *de cour et de manufactures* (XVIe-fin XIXe s.) : Ouchak, Brousse (Boursa), Héréké, Komkapi. *De villages (ruraux) ou de paysans* (XVIIe, XVIIIe, XIXe s.) : Ghiordes, Koula, Ladik, Melas, Konia, Moudjour, Kirsheir, Avanos, etc. *De nomades :* Kurdes, Yürüks, nomades de la région de Bergame. *Ateliers* (XXe s.) : Césarée (ou Kayseri), Koula, Melas, Avanos, Kirsheir, Maden, Megri, Moudjour, Karapinar, Nidge, Orta-Keuy, etc. Nouage moyen. *De manufactures pour l'exportation :* Smyrne, Ouchak, Borlou, Sparta, Sivas.

■ Europe. **Angleterre :** Axminster (métiers industriels). **Espagne :** Fundación Franco del Pardo, Fabrica Real de Madrid, Barcelone, Burgos, Cuenca, Grenade (tapis *Alpujaras*). **France :** la Savonnerie (manufacture en 1627, réunie à celle des Gobelins en 1826), Amiens, Nîmes, Tourcoing. **Hollande :** Deventer. **Italie :** Florence, Venise, Modène, Corrège, Pérouse, Naples, Rome. **Roumanie :** Kilims anciens et tapis modernes.

Prix (exemples)

■ Tapis antiques et anciens. **Quelques records en milliers de F** (dimensions en cm) : Tabriz Djaffer (580 × 405) 316,4 (1984), tapis de mariage Salor 436 (1986). **XVIe s. :** tapis « ottoman » (121 × 173) 392,7. **XVIIe s. :** « polonais » (Iran, 110 × 385) 2 500 (1983), « de Damas » (135 × 190) 449,5 (1986), Louis XIV Savonnerie (6,30 × 4,25) 3 000 (1993). **XVIIIe s. :** tapis aux petits points George III (264 × 358) 357,5 (1986), Savonnerie : (340 × 482) 4 400 (1992) ; Beauvais (300 × 278) 2 314 (1990) ; Mortlake (306 × 356) 521,9 (1987). **Début XIXe s. :** « Ksghaï » (215 × 570) 339 (1986), « Yomoud » (130 × 76) 312 (1986), Star-Kazak (175 × 218) 925. **1800 :** Savonnerie ayant appartenu à Talleyrand (616 × 532) 2 500 (1992). **1809 :** Tournai au point de la Savonnerie (685 × 600) 3 049 (1989). **1815 :** Shirvan (135 × 109) 280 (1988). **1821 :** « Hérizn en soie » (765 × 525) 2 200. Yomuth (51 × 102), Torba, 175. **XIXe s. :** Verneth (tissage nomade) (191 × 271) 230 (1988). **Fin XIXe s. :** « Hériz » (485 × 286) 900 (1991), « Senneh » (401 × 350) 268,3 (1984). « Kechan » (375 × 260) 420 (1990), Savonnerie (395 × 295) 260. **1930 :** Art Déco de Da Silva Bruhns (345 × 350) 229,7 (1988).

■ Tapis modernes (en milliers de F, par m² et au détail). Tapis pakistanais 1 à 2. Caucase 1,8 à 3,5. Roumain 1,3 à 3. Cachemire 1 à 2. Turc en soie (Héréké) 10 à 20. Savonnerie d'Aubusson 15 à 20.

Nettoyage. *Tapis ancien :* passer (occasionnellement) l'aspirateur à l'envers et le balai-brosse sur le velours. Lavage manuel tous les 5 ans. Éviter les nettoyages chimiques. *Neuf :* passer l'aspirateur à l'endroit et à l'envers ou le balai de paille de riz, sans excès. Lavage tous les 10 ans.

Tapisseries

Données générales

■ Définitions. **Chancellerie :** tapisserie aux armes de France, donnée par les rois à leurs chanceliers, à leur entrée en fonctions. **Suite :** 1 seule pièce répétée plusieurs fois ; ex. : la Portière des Renommées (Le Brun), dont le motif est répété 72 fois. **Tapisserie aux armes :** les motifs du milieu sont des armes héraldiques. **A écriteaux** (ou t. à rouleaux) : le sujet ou le sens moral est indiqué en lettres gothiques dans des écriteaux tissés ; ex. : les Amours de Gombault et Macée. **T. mille-fleurs** (à semis ou fond de fleurs) : fond bleu-vert ou rose (la Dame à la Licorne). **Tenture :** ensemble des tapisseries de lisse se rapportant au même sujet ; ex. : la Tenture d'Esther. **Verdure :** paysages, arbres et animaux.

■ Fabrication. **A la main :** fils de couleur [laine, soie (or et argent ne sont plus utilisés depuis la fin du XVIIIe s.)] passés entre les fils d'une chaîne (laine ou rarement lin) tendue verticalement [tapisseries de *haute lisse* (la lisse est une cordelette qui part de la perche de lisse ; dans les métiers de haute lisse, elle est placée au-dessus de la tête du lissier)] ou horizontalement (t. de *basse lisse*). Le jeu des fils de trame forme le dessin et les coloris. La tapisserie à l'aiguille se fait sur un canevas uni (fils simples) ou sur un canevas *Pénélope* (fils doubles). Au Moyen Âge, il fallait 6 à 8 mois à un ouvrier pour tisser 1 m² (fils : 4 à 5 au mm). À partir de la Renaissance, le nombre de fils au cm fut porté à 10, l'ouvrier mettait alors 1 an pour tisser 1 m² à paysage ou verdure ; au XVIIe s., le grand nombre de personnages ralentit la vitesse : plus d'1 an pour 1 m² ; actuellement on compte à Aubusson 1 mois pour 1 m², aux Gobelins 3 mois à 1 an (fils plus fins).

Mécanique : machines dérivées du métier Jacquard, ne permettant le passage que de 6 ou 7 couleurs (on prévoit de nouveaux métiers autorisant l'emploi de 15 couleurs). **Semi-mécanique** (chaînes de coton actionnées mécaniquement, mais trames de laine passées à la main). Couleurs et formats (1,40 × 3 m au max.) limités. Prix : 1 400 F le m².

Mosaïque de laine : inventée par le peintre Fabrice (Robert-Jean Fabre) en 1955. Obtenue en collant, sur un calque réalisé d'après le carton du peintre, plusieurs épaisseurs de laine superposées. On détache ensuite chacune des couches que l'on recolle définitivement sur un support de toile.

Cartons : les tapisseries sont réalisées d'après des « cartons » de peintres (*XVIe s. :* Raphaël, Van Orley ; *XVIIe s. :* Jordaens, Téniers, Oudry, Le Brun ; *XVIIIe s. :* Van Loo, Desportes, Pillement, Coypel, Vernet, Boucher, Huet ; *XIXe s. :* Goya ; *XXe s. :* Dufy, Fujita, Matisse, Dom Robert, Lurçat, Rouault, Picasso...) dessinés ou peints de la grandeur de la tapisserie. Au Moyen Âge, le lissier disposait d'indications écrites ; au XVIIe s., les cartons étaient faits à la sanguine, le lissier choisissait les couleurs. Puis on numérota les couleurs (le lissier perdit toute initiative).

Tapisseries célèbres

■ **Le plus ancien spécimen connu** (1483-1411 av. J.-C.) fut trouvé dans la tombe de Thoutmès IV en Égypte ; *connu en Europe :* t. de St-Géréon de Cologne, fin XIe s. (fragments conservés : Lyon au m. des Tissus, Londres, Nuremberg). **La plus grande connue :** *le Christ de Gloire* (cath. de Coventry, G.-B.) de 22,76 × 11,60 m exécutée à Aubusson (France, ateliers Felletin) sur un dessin de Graham Sutherland, achevée février 1962, coût 274 000 F. La *t. de la bataille de Roosebeck* (Arras, 1387) mesurait 395 m² (disparue). *Histoire de l'Irak* du Yougoslave Franc Dedale à Bagdad (1986), 1 282 m².

■ **Tapisserie de la reine Mathilde** (XIe s., 69,55 m de long sur 0,48 à 0,51 m de large en 8 morceaux) conservée à Bayeux : broderie à l'aiguille sur toile de lin avec des laines de 4 couleurs différentes en 8 teintes, au point de tige pour les tracés linéaires et au point de couchage pour les teintes plates. Réalisée selon la légende par la reine Mathilde, femme de Guillaume le Conquérant. En fait, commandée par Eudes de Contenville, évêque de Bayeux, à des brodeurs saxons. Elle représente l'histoire de la conquête de l'Angleterre par les Normands. Comprend 72 scènes où figurent 626 personnages, 202 chevaux et mulets, 55 chiens, 505 autres animaux, 37 édifices, 41 vaisseaux et barques, 49 arbres. Robert Chenciner (G.-B.) a contesté son authenticité en 1990.

Principaux ateliers

■ **France.** Apparue vers la fin du VIIIe s. Essor au XIVe s. (encouragé par Charles V) ; en 1379, Nicolas Bataille reçut la commande de l'Apocalypse (Angers), la plus ancienne t. française conservée. **Vallée de la Loire :** ateliers nomades suivant la cour, de château en château (vers 1500). Ont produit les *mille-fleurs* (dont la Dame à la Licorne). **Fontainebleau** (S.-et-M.) : atelier créé par François Ier, durée éphémère ; une seule t. attribuée avec certitude (la Galerie des réformés décorée par Rosso et le Primatice, ch. de Fontainebleau). **Paris :** *XIIIe s.* 1ers ateliers créés. *XVe s.,* la guerre de Cent Ans et l'occupation anglaise brisent l'essor. *XVIe s.* de nombreux lissiers se réfugient à Paris pour échapper à des persécutions religieuses. *1551* Henri II crée un atelier à l'hôpital de la Trinité pour enfants pauvres et orphelins. *1597* Henri IV crée un atelier. *1601* il interdit l'importation des t. étrangères. *1607* fait venir 2 teinturiers flamands (Marc de Comans et François de la Planche) auxquels il accorde le monopole de la basse lisse. Ces t. [cartons de Henri Lerambert, Philippe de Champaigne, Nicolas Poussin, Guillaume Dumée, Laurent Guyot, Simon Vouet (sous Louis XIII)] sont reconnaissables à la fleur de lys associée à la lettre P ou à 2 P. *1662* Colbert regroupe les ateliers parisiens et la manufacture de Maincy (fondée par Fouquet) et les installe dans un hôtel acheté à la famille *Gobelin* (teinturiers). *XVIIIe s.* style décoratif (cartons de Claude Audran) ; les couleurs se multiplient (plusieurs milliers ; en 1824 : 14 400). **Beauvais (Oise) :** fondée 1664 pour concurrencer les Flandres (cartons de Jean Berain, J.-B. Monnoyer, J.-B. Oudry, François Boucher, J.-B. Le Prince, J.-B. Huet). **Felletin et Aubusson (Creuse) :** *XVIe s.* lissiers flamands installés. *1665* manufacture royale d'Aubusson, 1689 de Felletni, *1731-80* apogée (Cartons d'Oudry, Boucher, Dumons). Basse lisse, sur chaîne en laine, plus fragile qu'en lin ou chanvre ; s'inspire aussi des Gobelins et de Beauvais. **Bellegarde** (basse lisse). **Nancy. Reims.**

Autres pays. Allemagne : Berlin, Munich, Wurtzbourg, Dresde, Lauingen, Cologne. **Angleterre :** Barcheston, Mortlake, Lambeth, Hatton Garden, Soho, Chelsea. **Danemark :** Rosenborg. **Espagne :** Santa Barbara, Séville. **Flandres :** Arras (haute lisse, fin XIIIe s., rattachée au duché de Bourgogne en 1384). Tournai (propriété du domaine royal français jusqu'en 1525, apogée début du XVIe s.). Produisaient des sujets profanes et religieux se caractérisant par l'entassement de personnages (aux riches costumes), une certaine confusion dans la composition et l'absence de perspective. Valenciennes. Lille. Douai. Audenarde. Bruges. Gand. Enghien (Edingen). Grammont (Geraardsbergen). Anvers. Bruxelles. Delft. Amsterdam. **Italie :** Mantoue, Ferrare, Milan, Venise, Florence, Pérouse, Sienne, Rome, Turin, Naples. **Macao :** tapisserie sino-européenne. **Russie :** Ekaterinhof. **Suisse :** Bâle.

> ☞ **Bolduc :** tissu cousu à l'envers d'une tapisserie contemporaine, avec la signature de l'auteur, le lieu de fabrication et des signes distinctifs.
>
> ■ **Couleurs. Bois de campêche** (ou d'Inde), avec mordants d'alumine : gris-violet ; de fer concentré : noir intense. **Cochenille :** rouge écarlate. **Curcuma** (herbes vivaces à rhizomes) : curcumine, orange à reflets bleus (Asie orientale). **Garance** (rubia tinctorum, herbe vivace) : rouge. **Gaude :** herbe à jaunir (ou réséda), les tiges renferment un principe nommé lutéoline. **Guède** (crucifère, appelée pastel ou vonède) : bleue (Saxe, Flandres, Hollande, région de Toulouse). **Rocouyer** (arbrisseau) : fleur rouge incarnat en panicules, dont on tire le rocou (Am. centrale).
>
> ■ **Précautions.** Protéger les t. contre les mites, éviter l'exposition au soleil. Ne jamais les plier ; au besoin, les superposer sur un même mur. Renforcer par doublure ou parmentage. Faire nettoyer par un spécialiste tous les 20 ans.
>
> ■ **Restauration. Rentrayage** (ou rentraiture) : repassage des fils de chaîne dans les endroits usés. *Coût :* 1 000 à 200 000 F selon l'état de la pièce.

Cours des tapisseries

■ Tapisseries anciennes

■ **Éléments du prix. Époque :** Gothique (très rare) jusqu'à 1520, Renaissance, XVIIe s. (réalisations faites en France pour la Couronne ; Aubusson), XVIIIe (Gobelins et Beauvais). **État de conservation :** des couleurs trop passées ou une pièce ravaudée font perdre 50 % de la valeur. **Dimensions** *les plus recherchées :* 2 × 3 m (2,80 × 4 m est encore un format courant). **Finesse du point :** Gobelins et Beauvais ont les points les plus fins ; Aubusson (10 à 20 % moins cher) : 3 spécialités dont l'Aubusson Royal (points les plus fins), Felletin (gros points). **Sujet :** champêtre, animaux ou rivière, chasse ou pêche, paysage avec perspective (verdures). Sujets les moins appréciés : historiques, bibliques et mythologiques à grands personnages ; médaillons ornés de petites pastorales, guirlandes de fleurs. **Composition :** un déséquilibre indique souvent que la pièce est un fragment. **Coloris :** le XVIIIe, moins sévère, est souvent plus coté (présence de rouge, clarté).

■ **Cours en milliers de F. Aubusson** XVIIe s. 13,5 à 700. XVIIIe s. 15 à 205 (1991). XIXe s. 20 à 70. **Beauvais** XVIIe s. 50 à 255. XVIIIe s. 30 à 248, except. « l'Embarquement » et son pendant « le Prince en voyage » 1 110 (1984). **Bruxelles** XVIe s. 45 à 1 049,7 (1987). XVIIe s. 50 à 350. XVIIIe s. 18 à 280. **Ferrare** XVIIe s. 257 (1985). **Flandres** XVe s. except. 1 500 (1983). XVIe s. 44 à 404 (1992). XVIIe s. 24 à 200 (1991). XVIIIe s. 25 à 250 (1987). **Gobelins** XVIIe s. 40 à 160 [except. d'après Lebrun : Le Printemps (de la tenture « Les Enfants jardiniers ») 1370 (1990)]. XVIIIe s. 30 à 3 660 (except. d'après Coypel). **Lambeth** XVIIe s. 348,5 (1987). **Lille** XVIIIe s. 18 à 250. **Mortlake** XVIIe s. 522 (1987). **Paris** XVIIe s. except. « La Toilette de Psyché » 1 915 (1990). **Savonnerie** XVIIe s. jusqu'à 480. XVIIIe s. 150 à 1 400. XIXe s. 60 à 200. **Tournai** XVe s. except. 2 000 (1983). XVIe à XVIIIe s. jusqu'à 4 500 (1990). **Atelier** (n.c.) : Tenture des Dieux d'après Boucher : 1 045 (1973) ; chasse au faucon (XVIe s.) : 1 371 (1980). **Suisse** XVe s. 5 500 (1981).

■ Tapisseries modernes

■ **Fabrication. A la main.** De 15 000 à 60 000 F le m² (dont 50 % au lissier, 50 % à l'artiste et à la galerie), selon les tirages (de 1 à 8 ex.) pour les artistes récents (*Prassinos, Gilioli, Singier, Lapicque, Lagrange, Tourlière, Wongensky, Vasarely, Jullien, Picart-Le Doux, Borderie, Calder, Fumeron, Maurice André,* etc.), 60 000 le m² pour *Chagall* [Ex. : 3 des Gobelins pour le Parlement d'Israël (la Création, l'Exode, l'Entrée à Jérusalem) 1 200 000 (except. 1969)] ; *Lurçat* (2 × 3 m) 72 000. Pour de grands noms disparus comme *Léger, Le Corbusier, Fenaille, Picasso, Marc Saint-Saens, Gromaire, Dom Robert, Dufy, Coutaud, Braque, Adam* ou *Lurçat* 15 000 à 70 000 F le m². Except. « La Quête du Graal » (1898-99, 2,40 × 5,18 m) de *E. Burne-Jones* 900 000 (1980). *Depuis 1970 :* textiles et tapisseries architecturés en relief : *Abakanowicz, Jagoda Buic, Sheila Hicks, Gleb, Grau Garriga, Cora Paszkowski, Olga de Amaral, Vasarely,* etc. (encore en ventes publiques) : 5 000 F le m².

☞ *Carton :* parfois + cher que la tapisserie [ex. : Arts majeurs d'Alfred Janniot 1949-50 : 280 000 F (t. du même nom : 100 000) en 1990].

Mécanique (sur métier Jacquard). Belles qualités (bouclé très serré ou textures épaisses comprenant jusqu'à 110 trames de laine au cm linéaire) : 4 000 à 6 000 F le m² (tirages de 1 000 à 2 000 ex.).

Mosaïque de laine. On peut réaliser 8 modèles à la fois pour env. 800 F le m² (plus élaboré : 3 000-4 000). Cartons de *Picart-Le Doux, Fumeron, Maurice André* et *Michèle Ray.*

■ **Prix à Drouot en milliers de F.** *Nov. 1988 :* Calder 40, Paul Ciriou 90, Delaunay 80, Dorny 14, Estève 108, Gilioli 50 ; *oct. 1990 :* Guillonet 90, Janniot 100, Penalba 50, Pichette 40 ; *avril 1991* « Le Palmier » de Sheila Hicks (365 × 275) 180.

Verre et cristal

Fabrication

Origine. Fabrication. Procédé découvert vers 4000 av. J.-C. dans le Bassin méditerranéen. En ajoutant au bain de silice fondue (constituant essentiel) soude et chaux, on obtient du *verre à vitre* ou de la *glace* selon la technique de fabrication ; de l'oxyde de plomb, on a du *cristal ;* des oxydes d'éléments de transition, des *verres colorés ;* des fluorures ou des phosphates, des *opalines.* La fabrication du cristal ne diffère pas de celle du verre ordinaire (mais à plus petite échelle). A l'époque romaine, l'utilisation de la *canne à souffler* se diffusa dans l'Empire et plus tard en Orient. Murano (Italie) sera jusqu'au XVIe s. la capitale de la verrerie d'art (les Vénitiens avaient fait venir des verriers orientaux) ; malgré l'obligation du secret, la technique se répandit dans d'autres villes. XVIIe s., les verriers de Bohême employèrent les 1ers le quartz broyé : le verre devint plus pur.

☞ L'irisation des verres antiques varie selon la nature du sol (calcaire, oxydes métalliques) dans lequel ils ont séjourné.

Cristal. Découvert au XVIIe s. par les Anglais [George Ravenscroft, verrier londonien, ayant travaillé à Venise, trouve la formule du « verre au plomb » (flint-glass) : *silex* dans la composition] : ils abaissèrent le niveau de fusion en utilisant un nouveau fondant : l'oxyde de plomb. Au XVIIIe s., avec l'amélioration du procédé, le cristal supplante le verre de Bohême (en France se développe après 1789). **Technique de décor :** *Taille :* à l'aide d'une meule humide, à main levée, en respectant les tracés faits au bitume de Judée. *Gravure :* de la même façon, avec éventuellement un bain d'acide ; seules les parties non protégées par du bitume de Judée sont gravées en creux ; pièce polie à la pierre d'agate ou au sable fin. *Décors peints ou émaillés :* à l'aventurine (quartz à inclusions de micas de couleurs diverses ; le cristal, auquel on ajoute du protoxyde de cuivre et des parcelles de fer, acquiert durant la cuisson des reflets pailletés et dorés. *Cristal de couleur :* coloré dans la masse par adjonction de métaux solubles dans le verre au moment de la cuisson : fer (bleu ou jaune), cuivre et cobalt (bleu), nickel ou manganèse (violet). Coloration obtenue par apport de composés minéraux qui ne se dissolvent pas durant la fusion mais qui, au cours du refroidissement, forment de fines particules qui, par diffraction, produiront des colorations : rubis à l'or, rouge au cuivre, jaune à l'argent, rose au sélénium... *Verres doublés :* v. de couleur, doublés en partie, sur un dessin déterminé, d'une paroi de cristal incolore. *Cristalleries :* XVIIIe s. : St-Louis 1781. Sèvres [1784, sera transférée à Montcenis près du Creusot (S.-et-L.), fours éteints 1832]. XIXe s. : Vonêche (Belg., manufacture créée 1778 ; cristal 1802). Baccarat 1817. Choisy-le-Roi 1821. Bercy 1827-35. Clichy, La Guillotière (Lyon, v. 1840). La Villette-Pantin. XXe s. : Daum (verrerie créée 1878 ; fabrique de cristal dep. 1934). *Gobeleterie fine :* Plaine-de-Walsch (demi-cristal). Portieux. Poix. Fourmies. Trélon. Le Landel.

Pâte à riz. Opaline grisâtre et translucide colorée par des oxydes métalliques.

Pâte de verre. Cristal réduit en poudre mélangée à de l'eau avec un liant pour former une matière fusible moulable à froid. Procédé connu dans l'Antiquité, remis à l'honneur par H. Cros, vers 1880. Walter et Bergé chez Daum, Décorchemont et Dammouse ont créé de nombreux objets.

Sulfure. Objet en cristal orné dans la masse par inclusion d'un motif décoratif : camée en pâte céramique, ordre de chevalerie, petit sujet émaillé sur or. Guirlandes de mille-fleurs rares. Technique connue dans la Rome antique et à Venise sous la Renaissance ; XVIIIe s. (fin) apparaît en G.-B., Autriche puis France (manufactures de Baccarat, St-Louis, Creusot, Bercy, Clichy).

Verre églomisé. **Technique :** on fixe une mince feuille d'or ou d'argent sous une 1re plaque de verre, on dessine à la pointe sèche le sujet puis on le maintient sous une 2e plaque soudée au feu avec la 1re. Le vernis coloré est utilisé ; s'il s'agit de peinture, on parle de « fixé sous verre ». **Origine :** Antiquité. II-IVe s. vogue à Rome (coupes ou vases). XVIIIe s. en Bohême. Un encadreur français, Jean-Baptiste Glomy (1711-86), l'utilise pour décorer les verres servant à encadrer estampes et dessins. En 1825, le terme « églomisé » apparut.

Cours (en milliers de F)

■ **Boules presse-papiers.** Appelées à tort *sulfures* (le sulfure, d'aspect argenté, n'est qu'un procédé de décor). *1845* Georges Bontemps retrouve les secrets du verre filigrané perdus dep. la Renaissance. *1845-61* Baccarat et Clichy : boules presse-papiers ; boutons de portes, boules d'escaliers, bouchons de carafes, confituriers, etc. s'ornant de boules mille-fleurs [motifs dressés (pompons ou bouquets) ou décor posé à plat]. Généralement datées et signées (B : Baccarat, SL : St-Louis, C : Clichy). **Éléments du prix :** finesse et centrage du décor, fleurs ou bouquets, « overlay » (plusieurs couches de couleurs opaques retaillées en fenêtre), harmonie des couleurs [vives et franches à Baccarat (33 % de plomb), plus délicates à St-Louis, très intenses à Clichy], limpidité du cristal, volume (époque meilleure 1845-95). **Prix :** *modèles simples* (millefiori dits aussi bonbons anglais, fleurettes) 1,1 à 10. **Clichy** décor concentrique env. 3 à 46, sur fond de *latticiono* (sorte de résille losangée) à partir de 1,5, sur mousseline 4,5 ; [except. bouquet de fleurs 1 448 (1990)] ; **Baccarat** fleurs 3 à 80, mousseline 10 [except. « magnum » 262 (1991)] ; **Pantin** fleur 121 ; **St-Louis** fruits 4 à 8 ; fleurs 3,2 à 19,6, papillons 4,5 (seuls) à 53 (butinant une clématite jaune), serpents 10 à 20, bouquet jusqu'à 125, mille-fleurs 3 à 43, lézards 3 à 25, overlay 8 à 62 (except. brin de muguet 260).

■ **Opalines.** XVIIe s., du verre additionné de plomb, étain ou magnésie imite l'opale. XVIIIe (fin), op. de cristal. **Les plus recherchées :** gorge-de-pigeon, jaune (Louis-Philippe), bleue (Charles X) ; bleu céleste, lavande, rose, blanche (lampe à pétrole à partir de 1845). **Décors appréciés :** bouquets polychromes, filets d'or, arabesques, motifs gothiques, serpents enroulés, décor « overlay » (2 couches d'opaline superposées et retaillées). **Prix :** coupe sur piédouche gorge-de-pigeon 25 (1979), Charles X 17 ; vases balustres Ch. X (paire) 22 (1979) ; ovoïde Restauration 15 ; flacon boule Ch. X 10 (1981) ; horloge opaline gorge-de-pigeon v. 1830, 160 (1982) ; vases décor overlay 35.

■ **Verre. Avant J.-C. : XIVe-XIIIe s.** Égypte : amphoristique, verre obtenu par enduction sur noyau, 124 (1984). **IVe-IIIe s.** tête d'homme pâte de verre Carthage 115 (1983) ; diatreton (coupe « romaine », 300 av. J.-C.), syrienne ou iranienne 5 376 (record 1979). **IIe s.** (ht 8 cm) 40. **Après J.-C. : Ier s.** Italie ou Égypte : flacon en v. rubané d'or, 939 (1984). Pixide, Sidon, atelier d'Ennion, 93,7 (1984). **IIe-Ve s.** art gallo-romain. Aiguière bleue 800 (1985), coupe bleu-vert 410 (1985), carafon 46, bocal 28. **XVe s.** fond de coupe 6 à 60 ; bouteille vénitienne émaillée 9,3 à 100 (1983). **XVIe s.** façon de Venise 17 à 94 [except. v. à pied de Venise (1584) de Verzelini gravé par Anthony de Lysle 727 (1979)]. **XVIIe s.** façon de Venise, v. pied ouvragé 9 à 56 ; craquelé 34. *Bohême :* v. émaillé 165 ; sans pied 43 à 54. *Rhénanie :* römer (coupe à bord incurvé) 3 à 200. *G.-B. :* 10 et +. *Silésie :* except. 910 (1981). **XVIIIe s.** v. à vin à balustre jusqu'à 30, à tige spirale 1,1 à 5. *Bohême :* v. à pied 2 à 35 ; sans pied 8 à 45. *France :* gobelet 35. *G.-B. :* 10 à 186 ; v. en cristal taillé et gravé de St-Louis (1775) 10 (1980) ; v. à liqueur (1720) 6. *V. vénitienne XVIIIe et début XIXe s.* nombreux faux. Bouteilles à vin anglaises 4 à 35. **XIXe s.** carafes : 0,2 à 1. *Baccarat :* v. à pied 5. *Bohême :* v. à pied à personnages 4 à 5 [except. de H. Hackel (v. 1815) 85 (1979)] ; style Biedermeier (v. 1865) 1,2 à 25. *G.-B. :* env. 20. **Fabergé (Carl)** (1846-1920) : vase 240. **1900-25 Argy-Rousseau (Gabriel)** (1885-1953) : 3 à 172 (1992). **Brandt (Edgar)** (1880-1960) : lampadaire 33 à 121 (1980). **Chareau (P.)** (1883-1950) : lampadaire 469 (1983) ; lampe « religieuse » 710 (1985). **Cheuret** lampe 600. **Colotte (Aristide) :** vase « décor aviateur » 60 (1992). **Dammouse (Albert)** (1848-1926) : 1,5 à 93 (1985). **Daum :** 2 à 4 156 (1987), coupe 3 050 (1989), vase 50 à 600, lampe « pissenlit » 165 (1992). **Décorchemont (François-Émile)** (1880-1971) technicien de l'estampage : 4 à 161 (1981). **Despret (Georges)** (1862-1952) : Cléo de Mérode 364. **Dunand** (1856-1971) 2 400 (record, 1988). **Cros (Henri)** (1840-1907) : tête de gorgone pâte de verre 220 (1980). **Gallé (Émile)** (1846-1904) : bouteille 200 (1992) ; lampe 2 910 (1990) ; vase 1,6 à 7 701 (1990) « le Repos dans la Solitude » ; flacon « Palude » (10 cm) 1 250 ; coupe 4 à 6 150 (1988) ; bouteille « parlante » 1 800 (1989) ; Gallé « industriel » (après 1890) : 0,6 à 7 ; sculptures avec applications modelées à chaud : 50 à 208 ; lampes 10 à 1 520 (1981) ; lustre 520 (1989). **Lalique (René)** (1860-1945) : 1 à 943 ; assiette 1 à 2 ; bouchon de radiateur 379 (1987) ; coffret 750 (1989) ; cruche « Masque petit faune » 2 000 (1991) ; lampe 250 ; vase 5 à 850 except. 1 852,5 (1992) ; table 800 ; lustre 420 ; flacons à parfums 0,6 à 319,1. **Larche (Raoul)** (1860-1912) : lampe 53. **Marinot (Maurice)** (1882-1960) : 10 à 340 (1985). **Michel (Eugène)** (1867-1910) : jusqu'à 537 (1990). **Muthesius :** lampadaires (paire) en alpaca 150 (1980). **Schneider (Charles)** (1881-1953). **Walter (Almaric)** (1869-1959) : pâte de verre 9 à 98,3 (avec Henry Bergé). Vase non signé 895 (1989).

Verre églomisé. Vues (paire) de Monceaux-en-Brie et Chantilly (18,5 × 41,5 cm) 823,8.

☞ **A l'étranger,** l'Allemand **Karl Koepping** (1848-1914) : 5 à 13 et les Américains **Charles-Lewis Tiffany** (1812-1902) : lampe 3,5 à 1 200 ; vase 6 à 250 et **Frank Lloyd Wright** (1867-1959) : lampe 4 165. **1925 Legras** (1882-1960) : 0,2 à 2. **1950 Flavio Poli** vase 5 à 30. **Venini** 15 à 25, **Tapio Wirkala** 0,8 à 4,5, except. 23,1 (1984).

Vitraux

Généralités

■ **Définition.** Le seul des arts plastiques où la lumière même construit l'œuvre selon son volume, les phénomènes météorologiques, l'alternance des jours, des saisons. Les artistes qui les créent (conception et réalisation) sont les peintres-verriers.

■ **Technique.** Compositions transparentes ou translucides, faites de pièces de verre (blanc ou teint dans la masse, fabriqué à la verrerie), serties dans un réseau de plomb qui souligne le dessin général. Choix des verres et découpe des pièces sont essentiels pour la composition du vitrail. Pour rendre les détails des formes, on modifie la transparence des pièces (mais non leur couleur) en les peignant, principalement sur leur face interne, avec de la grisaille, matière noire ou brune qu'une cuisson vitrifie à la surface du verre.

Depuis le début du XIVe s., le jaune d'argent, teinture posée à l'extérieur du verre, permet d'en modifier localement la couleur : par exemple, un visage peint sur un verre blanc peut être encadré, sans plomb supplémentaire, de cheveux blonds. Au XVe s., la sanguine, pure ou mélangée à la grisaille, donne le ton chair au verre blanc. La gamme complète des couleurs est fournie par les émaux, peintures vitrifiables qui permettent de supprimer les plombs (technique employée à partir du milieu du XVIe s. surtout dans les vitraux d'appartement, très peu dans le vitrail monumental en France).

Depuis 1930 env., on fabrique des vitraux en dalles de verre, taillées et serties dans du ciment ou des résines synthétiques. *Autres techniques :* éléments verre-plomb vissés sur verre trempé (L.-R. Petit), dalle associée à la pierre, ou aluminium (C. Baillon), verres collés superposés (U. Zembok).

Gemmail. Imaginé en 1939 par le peintre français Jean Crotti (1878-1959) : assemblage sans plomb obtenu en juxtaposant et en superposant des morceaux de verre coloré. On peut voir des gemmaux au métro Franklin-Roosevelt (Paris) et au Musée du gemmail (Tours).

■ **Conservation.** Les v. du Moyen Âge (à fondant potassique) sont plus sensibles à l'humidité que les v. antiques ou modernes (fondant sodique). Le *gaz carbonique* produit sur les 2 faces des v. des dépôts de carbonates ; *l'anhydride sulfureux,* associé à l'humidité, dépose des sulfates de calcium ou de potassium favorisant le maintien de l'humidité. Selon la teneur du v. en alcalins, l'altération est uniforme ou en cratères. Mousses, bactéries favorisant l'humidité, peuvent être à l'origine de sécrétions acides.

Vitraux célèbres

■ **Vitraux anciens. Premiers vitraux connus.** VIIe *s. :* fragments à St-Paul de Jarrow à *Durham* (G.-B.). *V. 1050 :* tête de Lorsch (musée de *Darmstadt*), tête de Christ de l'abbaye de Wissembourg, conservée au musée de l'Œuvre de *N.-Dame de Strasbourg.*

France. **XIIe :** *Chartres* (cath. : l'Arbre de Jessé, Enfance et Passion du Christ, N.-D. de la belle verrière), *Angers* (cath. St-Serge), *Le Mans* (cath.), *Poitiers* (cath. : Crucifixion), *St-Denis, Châlons-sur-Marne, Le Champ* (Isère), *Strasbourg* (cath.), *Lyon, Vendôme,* etc. **XIIIe :** *Chartres, Sens, Bourges, Paris* (Ste-Chapelle, roses de N.-D.), *Lyon, Poitiers, Auxerre, Tours, Troyes, Soissons, Laon, Reims, Strasbourg, Amiens, Rouen, Le Mans, Clermont-Ferrand, Sées,* etc. **XIVe :** *Rouen, Évreux, Strasbourg, Narbonne, Fécamp,* etc. **XVe :** *Riom* (Ste-Chapelle), *Bourges, Évreux, Paris* (Ste-Chapelle, St-Séverin), *Strasbourg, St-Lô, Rouen,* etc. **XVIe :** *Auch, Chartres, Paris* (St-Gervais, St-Étienne-du-Mont, Ste-Chapelle de Vincennes), *Écouen, Montmorency, Troyes, Beauvais, Brou, Conches, Châlons-sur-M., Rouen, Metz, Bourges, Moulins,* etc.

Suisse. **XIIe :** *Zurich* (musée : Vierge de Flums). **XIIIe :** *Lausanne* (le Miroir du monde). **XIVe :** *Königsfelden, Zurich* (musée), etc. **XVe :** *Bâle, Zurich* (musée), *Wettingen, Berne.* Musée du vitrail, *Romont.*

■ **Vitraux modernes. France :** *Aix-en-Pr. :* égl. St-Jean-de-Malte (H. Guérin). *Angers :* Inst. St-Charles (M. et J. Juteau). *Assy* (Rouault, Bazaine). *Audincourt* (F. Léger). *Belfort,* égl. Jeanne-d'Arc (J.-L. Perrot). *Les Bréseux* (A. Manessier). *Brest :* égl. St-Louis (J. et P. Bony). *Les Cabannes (Tarn) :* égl. (J.-D. Fleury). *Cambrai :* cath. (G. Lardeur). *Charleville-Mézières :* basilique (Durrbach). *Chatou :* N.-D. (E. Chauche). *Douai :* N.-D. (S. Gaudin, J. Schreiter, G. Hermet). *Dunkerque :* chapelle des Petites Sœurs des Pauvres (G. Meliava). *Estaing* (Aveyron) : égl. (C. Baillon). *Falaise :* chœur de l'égl. St-Gervais (M. Petit). *Issy-les-Moulineaux* (L. Zack). *Metz,* cath. (Chagall, J. Villon). *Millau* (Aveyron) : égl. N.-D. (C. Baillon). *Nantes :* cath. (J. Le Moal, A. et G. Le Chevallier). *Noirlac* (J.-P. Raynaud, J. Mauret). *Paris :* N.-Dame (J. Le Chevallier). La Défense RER (A. Ropion), St-Pierre-du-Gros-Caillou (atelier Guevel), St-Séverin (J. Bazaine). *Reims,* cath. (Chagall, B. Simon), égl. St-Jacques (M.E. Viera da Silva), *St-Benoît-sur-Loire* (L.-R. Petit). *Varengeville* (Braque). *Vaucresson :* égl. St-Denys (J. Loire). *Vence* (H. Matisse).

G.-B. : *Blackburn,* cath. (J. Hayward), **Israël :** *Jérusalem,* synagogue de l'Hôpital universitaire (Chagall). **USA :** *Stamford,* First Presbyterian Church (G. Loire).

☞ *Centre international du vitrail :* 5, rue du Cardinal-Pie, 28000 Chartres, musée du vitrail.

Statistiques. *France :* 100 000 m² de vitraux (+ que tous les autres pays réunis) dont cath. de Chartres 2 600 m². *Allemagne :* 25 000 m² dont cath. de Cologne 3 000 m².

Le plus grand du monde. *Basilique N.-D. de la paix* (Yamoussoukro, Côte-d'Ivoire) : 7 500 m² réalisés par France Vitrail International (1989).

Cours des vitraux

Prix (en milliers de francs). **Anciens :** *grande verrière XIVe s.* (donateur avec leurs patrons) : 25 à 30. *Vitrail de Gruber :* 17 except. 220,2 (1987). **Modernes :** *grand vitrail de brasserie 1900 :* 30. *Attribué à Tiffany :* 28. *V. 1925* avec différents verres imprimés : 11. *Maumejean :* 5 panneaux polychromes 145 (1991). **Contemporains :** 7 à 25 le m² selon composition, technique employée et notoriété.

Objets divers

■ Prix en milliers de francs

Almanach des postes (créé 17-8-1855) 5 à 600. **Ampoule** du phare de Cordouan (de 6 000 W) 31 (1990). **Arbres nains japonais (bonzaïs)** de + de 300 ans : jusqu'à 50. **Automates** *XVIIe s. :* 1 150 (record 1985). *XIXe s. :* 10 à 250 (dont singes musiciens de Phalibois) ; *Empire* 6 186 (1989). *Modernes :* 0,8 à 1,5. **Avions** (miniatures) 3 à 10.

Baradelle écritoire de Nicolas-Éloi (fils de Jacques Baradelle, horloger parisien). Étui or, argent, pomponne ou galuchat contient un encrier où se vissent plume en métal et divers accessoires. **Bargueño** cabinet de voyage espagnol : façade avec abattant, tiroirs et casiers. **Bateaux** *maquettes : Ex-voto* (faites par les marins) 3 à 20. *De chantiers ou arsenaux :* XVIIe s. 23 à 500 ; XVIIIe s. jusqu'à 500 ; XIXe s. : 5 à 350 ; XXe s. 4 à 128 [cargo St Octave (1922 ; 222 × 36 × 67 cm), 1990]. *D'ornement* XIXe 4 à 58. *De ponton :* XIXe s. 50 à 200. *En bouteille* 0,6 à 2. *En ivoire :* 4 à 9. *Jouets :* bateaux Carette 2 à 6, Radiguet (France) 8,5 à 40. Marklin (All.) 10 à 300. Électriques : Lusitania 180 (1983). **Batik** impression au pochoir et à la cire chaude. Les plus recherchés : javanais du XVIIIe, XIXe s. **Bâton de maréchal** Restauration 168, de Hans Model (All.) 100. **Boîtes. Types :** b. à biscuits [angl. : dep. 1868 Huntley et Palmers, Carr's, Crawford, Jacobs ; franç. : Lu (v. 1898, seaux), galettes St-Michel, Geslot et Voreux, biscuits Coste (« La Limousine », Olibet (v. 1900 « Wagon restaurant »)], à bijoux, à bonbons, à compas, à couture, à cure-dents, drageoirs, écrin, étui à jeux, à musique, à pilules, à priser, publicitaires, reliquaire, surprises, tabatière (voir p. 412), à thé. **Matériaux :** argent, or, fer, métal *pomponne* (cuivre doublé), écaille, laque, pierres dures. *XVIIIe s.,* b. en or 3 à 300, or et pierres précieuses 100 à 2 200, or et laque du Japon, de T. Germain 1 250, b. à musique fin XIXe s. 160, b. lithographiée 31 (1989), b. à biscuits 0,2 à 21 (ferme, tramway), à bonbons 0,1 à 31 (de John Tavernier, 1989), à jouets 3 à 30, de sorcellerie 20 (1992), à thé de Hache 154 (1991) ; 3 except. XVIIIe s. 1 250 (1987) en trompe-l'œil de livres 1 à 2. **Bouchon** *de radiateur.* Jusqu'à 340 Hibou de Lalique en verre blanc (1987). **Boule** *d'escalier* (en cristal de St-Louis) 107 (1991) ; *de dentellière :* verre rempli d'eau servant de loupe. **Bouteilles à sujet** Personnages (historiques, Bacchus, sirènes, clowns, arlequins, pierrots, colombines, petits métiers), animaux, monuments, objets divers. Faites à partir de 1850 ; à l'origine, données en prime (verreries de St-Denis, de La Guillotière). Siphons jusqu'à 0,5. **Boutons. Origine :** XIIe et XIIIe s. (?). **Matériaux :** cuivre fondu, bronze, or, ivoire, verre, étoffe (parfois or). XVIe s. souvent bronze ou plomb, décorés de scènes religieuses ; parfois, argent, rehaussés d'émail ou de fausses pierres. XVIIe s., recouverts d'étoffe (Hollande : argent, atteignent 6 cm de diam.). XVIIIe s., acier poli (parfois pierres précieuses) puis grande diversité : boutons politiques, b. consacrés à la nature, b. à glace, b. peints (fixés sous verre), b. d'équipage de chasse à courre (voir Index). **Cours :** acier (armée, livrées 0,015 à 0,030), sinon jusqu'à 4,5 ; *de manchettes* (de Fabergé) 42 (1992). **Briquet** 0,3 à 4. Zippo : jusqu'à 20 (1992).

Cadres Louis XIII 7, XVIIe s. 3 à 15, XVIIIe s. 3 à 160. XIXe s. 0,6 à 7. **Caméra** de Grimoin-Sanson (1896) 120 (1989), Charpentier (35 mm pour Lumière) 78 (1992). **Canivet** images encadrées de dentelles de papier. *Origine :* début XVIe s. en France, Belgique, All., P.-Bas XVIIIe s. (8 à 20 cm) 0,25 à 2 (grand format gouaché 8 à 10) ; XIXe s. (pièces machine) 0,035 à 0,2. Les + cotées : images profanes. Except. : prince de Savoie (40 × 30 cm) XVIIIe s. 25 (1988). **Cannes** *Fût :* bois rares (jonc de Malacca, ébène du Gabon, amourette ou snake wood, épine-laurier, palmier, acajou) ; divers (colonne vertébrale de requin sur tige d'acier, cornes de rhinocéros, buffle, bélier, queue de raie, fanon de baleine, fer, verre, marbre en petits segments enfilés sur tige d'acier, ivoire, écaille de tortue massive ou en placage). *Pommeau :* XVIIIe s. argent, or, puis porcelaine, ivoire, pierres dures, bois et corne sculptés, dents de cachalot ou de tigre. *Férule ou tape à terre* (petit bout protecteur) : ivoire, acier, corne. *Bague ou cache-joint* (entre pommeau et fût) : métal. Dragonne (cuir, passementerie). *Œilletons :* métal (par où passe la dragonne) : acier, argent, or. **Fabricants :** XVIIIe s. : A. Dupuy, Frison, Thommasini. XIXe-XXe s. : Antoine, Bétailles, Brigg and Sons, Cazal, Combes, Adrien Dubois, Hermès, Henry Howell, Jecker, Le Sieur, Sulka, Verdier. *Artistes :* Carabin, Degani, Fabergé, de Feure, Gaillard, Lalique, Reynald, Roman, Willette. *Prix :* Bois naturel sculpté 0,8 à 3 ; décoratives 2 à 5, de compagnons ; à système : cannes-épées (interdites 1834) ; « terribles », « redoutables », « diaboliques (avec lame de rasoir) ; revolvers, montres, de voyage pliantes, de scribe ou de notaire avec encrier et porte-plume, « Toulouse-Lautrec » avec flacon à liqueur et verre à pied 1,4 à 17 ; musicales : flûte 19, clairon 66 ; avec pipe 5,8 ; d'œnologue à tire-bouchon 5,5 ; de couturier (1900) 35,5 ; de Louis XVIII 70 (1990) ; de Charles Chaplin 180 (avec le chapeau). **Carnets de bal** XVIIIe s. écaille ou ivoire 0,8 à 2 ; or 2,5 à 8 ; laque de Chine XVIIIe s. 21. **Cartes de géographie** France, régions côtières (Normandie à Méditerranée) 1 à 1,5 ; marines jusqu'à 20 ; d'apparat pour les hauts personnages 8 à 20 ; du XIXe s. 0,1 à 0,5. Portulan de Vesconte de Maggiolo (1540) 680 (1990). **Cassone** coffre de mariage italien du XIVe s. **Cavagnole** loto importé de Gênes au XVIIIe s. à petits tableaux à 5 cases (chiffres et figures) 38 (1992). **Chaise à porteur** 81 (1991). **Châles** cachemire, Inde 2,5 à 56 (1992), France 1 à 95. **Chariot de restauration** Christofle 85. **Chemin de fer (souvenirs)** *cafetière* en forme de locomotive (v. 1850) 10 à 36. *Blagues* à tabac, *assiettes, encriers, carnets de bal* rappelant l'ouverture de la ligne Paris-St-Germain (24-8-1837) 1,2 à 2,5 ; *billets* 1re classe (1868) Paris-Compiègne 0,6 ; canadiens en cuivre (avant 1850) : env. 2. **Cheminées** Louis XIII 4 (copies) à 60. Louis XV 9 et +. Louis XVI (ayant appartenu à Madame du Barry) 5 000. Restauration 6 à 9. **Cheveux, barbe** ch. au revers d'une miniature du duc d'Enghien 13 (1989), de Byron 5 (1992), de Napoléon 7,8 (1992), poils de barbe d'Henri IV arrachés en 1793 lors de la profanation de son tombeau à St-Denis 0,65. **Chevrette** vase d'apothicaire avec goulot, petit bec verseur et anse. Destiné aux liquides (les *Albarelli* conservent des produits secs). **Ciseaux** fer XVIe s. 0,4, argent XVIIe s. 0,4. **Coffres** *italiens XVe s., XVIe s.* 20 à 500. *Français et étrangers inspiration* gothique 25 à 70 ; *insp.* Renaissance, à médaillons 25 à 80 ; à décor géométrique 15 à 40 : XVIIIe s., de maîtrise, Alsace 170 (1990) ; Boulle 620. **Coffrets** XIVe au XVIIe s., 3 à 150. Cuir ou bois : 2 à 48. De chirurgie 7 à 130 à bijoux (de Grüber) : 226 (1992). **Coiffures militaires** *XVe s. :* Italie 38. *Ier Empire :* chapska 32 à 40, bonnet à poils de la Garde impériale 120 à 180, shako 4 à 18. *Restauration :* shako 2 à 3, *Louis-Philippe :* shako 2,5. *IIe Empire :* shako 1,5. *1914-18 :* képi porté en 1919 par Pétain 7 (1976). *Casquettes :* allemandes (1939-45) 1 à 3 ; de G^{al} amér. 0,5 à 1, soviét. 0,5 à 2,5. **Compigné** petit tableau en étain doré ou argenté parfois rehaussé de gouache ou de vernis coloré, signé Compigné (XVIIIe s.). **Coquillages** Renaissance, souvent utilisés comme coupes. XVIIIe s. tabatières ; XIXe s. bonbonnières 0,1 à 25 except. 70 (1985). François Ier, Louis XIII, Louis XIV, Catherine II de Russie, Buffon, Lamarck, Guillaume II furent de grands collectionneurs de c. *Collections : Paris :* Museum. *Londres :* British Museum. *Washington :* Smithsonian Institution. **Corne** défense de narval sur support bronze 43,5 (1992). **Couperet de guillotine** qui aurait servi à décapiter Louis XVI (1967) : 3,5 (vendu en 1936 : 12,5 AF), à déclic sur lame (1793) 15 (1981). **Croquis et décors de théâtre** de maîtres [*jusqu'en 1920 :* Bakst, Larionov, Gontcharova ; *1925 :* Erté (music-hall) ; *1935 :* Christian Bérard] 1,5 à 169 [1981, Bakst, costume du ballet « le Train Bleu », Diaghilev (1911)]. **Cycles** draisienne 1820 : 6,2 ; grand « bi » fin XIXe s., tricycle (diam. roues 100 cm) 3 à 5. Cyclecar Mors 1913 : 6. Vélocipède Michaud 14 (1991).

Décorations. FRANÇAISES : *collier du St-Esprit* du duc de Maillé 520 (1984). *Croix de St-Louis,* commandeur XVIIIe s. 40 ; Restauration 25 ; chevalier XVIIIe s. 8 à 10 ; Restauration 4 à 6 (avec fleurs de lis supp. après 1850, 50 % de moins). *Institution du Lys* (Restauration) 0,5 à 3. *Croix du Mérite militaire* commandeur XVIIIe s. 100, chevalier XVIIIe s. 30. *Médaillon de vétérance* 3 à 4, double (48 ans de service) 40. *Ordre de l'Empire ou de la Réunion* 29 (1992). *Étoiles de la Légion d'honneur* Ier Empire : G. Aigle 100, off. 1er type 25, 2e t. 25, de chevalier 9 ; Restauration : G. Croix 40 à 50, chevalier 2 ; IIe Rép. : G. Croix 100, chevalier 2,5. IIe Empire : G. Croix 20, chevalier 0,7 à 0,9. IIIe Rép. : G. Croix 10. *Médailles militaires* IIe Empire 1er type 4 à 6, 2e t. 0,7 à 0,9, IIIe Rép. 3e t. 3,5 à 4, ensuite 0,15 à 1,650. ÉTRANGÈRES : *Bolivar* (plaque, Venezuela) 2,2 (1992). *G. Croix des Sts-Maurice et Lazare (It.)* 5. *G. Croix de St Stanislas (Russie)* 4,1. *G. Croix du Lion* (Finl.) 3,6 (1992). *Ordre de la couronne d'Inde* (1878) 69. *Ordre de François-Joseph d'Autriche* G. Croix 3,6. *Ordre de l'Épée de Suède* chevalier 1,9. *Orange-Nassau* (P.-Bas) plaque, commandeur 2,5. **Dentelle ancienne** *éventails* Alençon 2,5 à 3, *mouchoirs* Valenciennes ou Alençon 0,25 à 0,9, Brabant XIXe s. 29 (1991), de « souveraine » 0,8 à 1,2. *Nappe* (Rosaline et Milan) 7, point de Venise 50 (1991), pièce d'Alençon (13 m) 12, *rideau* (Venise et Bruges) 0,95, *couvre-lit* dentelle (Le Puy) 0,95. *Panneau* Italie (1567), La Passion 36. **Dé à coudre** record 33,6 (1975). **Dessin animé** 250 Celluloïds de W. Disney (La Belle et la Bête) 6 400 (1992). **Diplôme de bachelier** de Verlaine : 4,6 (1973). **Disques** années 60 : jusqu'à 7,5.

Empreintes de mains Coco Chanel 12,6, Édith Piaf 8,5, Sacha Guitry 3, Jules Berry 2,5, André Luguet 1,8, Yvonne Printemps 1,4, Danielle Darrieux 1,3 (1985). **Enseignes** XVIIIe et XIXe s. 0,7 à 26. **Épingles** à chapeau, de cravate avec camée, sulfure, émail, pierre 0,8 à 7,9, de Lalique 17 à 200. **Étui** *à cire* Pomponne ou vernis Martin : 0,7 à 1 ; or : 10 à 27. *A message :* or XVIIIe s. : 23 à 50. **E.-nécessaire** Or XVIIIe s. 14,5 à 60. **Éventail. Origine :** chasse-mouches égyptien. Japon : év. plié époque Heian (IXe s) ; Moyen Age : au début attribut liturgique (év. de Monza, VIe s., flabellum de Tournus IXe s.) puis attribut royal (inventaire de Charles V, 1380), ensuite se « démocratise ». **Modèles :** *Écran :* le + ancien, apparu au Japon au IXe s., en France avec Catherine de Médicis au XVIe s. *Plié :* sur feuille (peau, papier, soie, dentelle, etc.), sur des brins, réunis par un axe rivé (rivure). *Brisé :* sans feuille. *Pliant :* év. brisé dont les brins sont continués par des palettes ou des plumes. **Les plus recherchés** *décor peint XVIIe s. :* 40 à 150 et + ; *XVIIIe s. :* simples 2 à 15 ; élaborés 15 à 80 et + [avec montre 500, arrivée de M. Leszczynska à Versailles 121 (1992)] *XIXe s. :* Restauration (manufacturés) : 1,5 à 33 (1992) ; *2e Empire :* 10 à 110 (de Fabergé, 1992). *De peintres :* Degas 1 300 (1986) ; Gauguin 400 (1983) ; Klimt 720 (1984) ; Pissaro 275 (1987).

Face-à-main XVIIIe s. 1,5 à 10 ; XIXe s. 0,3 à 4. **Flacon à parfum** *Croisière Noire* (1925) 40 (1988), *Fougères* 83, *Pâquerette* 105, *Flausa* 105, *Arys* (pot à crème de Lalique) 107,7. *Pétales froissés* (Jeanne Lanvin 1926) porcelaine 65 (1990). *Oreilles et lézards* (Lalique) 150 (1991). *Partir* (Roger et Gallet) 20 (1991). *Soir antique* (Lalique) 82 (1992). **Fontaines** cuivre XVIIe-XVIIIe s. 5, de cheminée 22, marbre Louis XIV 58, étain XVIIIe s. 8,3, grès XIXe s. 6,8 à 50. **Fossiles. Origine :** affleurements de roches sédimentaires (argile, calcaire, sable, grès de falaises, carrières, sablières, mines, berges de rivières). *Fréquents :* mollusques, oursins, cnidaires et nummulites. *Rares :* vertèbres, dents de requins. **Collections :** AUTRICHE : *Vienne :* Foraminifères d'Alcide d'Orbigny. BELGIQUE : *Bruxelles :* Institut royal des sciences nat. (Iguanodons de Bernissart) ; *Tervuren :* musée d'Afr. centrale. FRANCE : *Paris :* Muséum (180 000 échantillons, notamment mollusques d'Alcide d'Orbigny, grands vertébrés dans les galeries) ; Éc. des Mines (oursins de G. Cotteaux et coll. de G.P. Deshayes) ; Sorbonne (plantes fossiles de Brongniart) ; *Lyon :* m. Guimet et Laboratoire de géologie de la fac. des sciences ; *Nancy :* Éc. de géologie ; *Dijon :* fac. des sciences ; *Marseille :* m. Longchamp ; *Rennes :* fac. des sciences ; *Nantes :* m. municipal ; *Angers :* m. mun. ; *La Rochelle :* m. mun. G.-B. *Londres :* British Museum of Natural History (Dinosaures, Archéoptéryx) ; Geological Survey Museum. SUISSE *Genève :* Muséum nat. ; *Zurich :* Polytechnicum. **Prix :** *Coupe d'Araucaria* géant (60 cm) 7,2, (90 cm) 24 et +, chêne ou érable dep. 0,25, fougères 0,6, œuf de dinosaure (70 millions d'années) 550 (1992). **Franc-maçonnerie** *tabliers :* simples 1,5 à 2, brodés 5 à 18. *Cordons de maître :* 0,8 à 3,8. *Jetons de présence* 3 à 4. *Médailles d'atelier* 0,5 à 0,8. *Bijoux* de gd-maître 11, du conseil de l'ordre 26. *Tapis* de loge 13. *Canne* 65. *Tabatière* (forme de carlin) 158 (1991). **Gramophones** jusqu'à 27,9. **Harnais** bride d'officier (Empire) 135. **Haut-parleurs** Brown en col de cygne, en bois 13,2. Philips « 2113 » 1,9 (1991). **Hélice d'avion** Nungesser et Coli (de l'avion de Costes) 53 (1992). **Hitler** aquarelle peinte par lui 102, manuscrit 52,8, smoking 33 (Munich, mai 1990). **Hochets** XIXe s. argent 1,3 à 17.

Icônes (du grec image, ressemblance). **Origine :** Ve s., en mosaïque, puis peintes sur panneaux de bois, détruites au VIIIe s. à Byzance sous Constantin, 843 réhabilitées. XIIe s. : école de Novgorod, Moscou, Pskov, Tver, Rostov, Stroganov (Russie). **Prix :** les plus cotées : scènes multiples et animées sur fond d'or, couleurs fraîches et claires, modèles XIXe s. ornés d'un riza. *Crétoise* XVe s. 363 (1981), XVIe s. 86 à 180, XVIIe s. 220 (1981). *Grecque* XIVe-XVe s. : 120, XVIe s. 60, XVIIe s. de T. Poulakis 165 à 420 (1981), XVIIIe s. 92. *Russe* XVe s. : 65 à 300, XVIIe s. 20 à 38, XVIIIe s. : 8 à 17, XIXe s. 1 à 100 (grand orfèvre). Il y a beaucoup de faux. **Images pieuses** 0,001 à 15. Voir Canivets. **Insignes militaires** de commando 10, de Préville 14 (record, 1992). **Jambe de bois** (dès les XVe et XVIe s. en Allemagne). XIXe s. + de 1,2 (bras + de 2).

Jouets. Bilboquets (de *bille* et *becquet* petit bec, ou *bocquet,* représentation d'un fer de lance) en ivoire, os ou bois : XVIe s. 12 à 20 et +. XVIIIe s. 2,5 à 60, Louis-Philippe et IIIe Rép. 2 à 8 [billes en forme de têtes (Thiers, Mac-Mahon, Louis XVIII, etc.)]. *A vapeur :* machine 1,3 à 40,5 [Radiguet (France), Marklin, Bing, Ernest Planck (All.)] ; Thenot : manège miniature à électricité, et vapeur (1920-24) 100 (1992). **J. scientifiques** Radiguet 1,5 à 6, *canonnière et cuirassé* Radiguet (30 à 78 cm) 7 à 24 (à l'époque 0,02 à 0,105). **Mécaniques** (anciens) marques Martin (Fr.), Lehmann, Guntermann (All.), 1 à 20. Théroude (Fr.) 5 à 20 ; George Braun, Yves, Kingsburg (USA). **Robots et de science-fiction :** 0,5 à 5. **Journaux** *époque 1900 :* hebdo (Nib, Gil Blas, Le Mirliton, Le Rire avec dessins originaux de Steinlen, Vallotton, Caran d'Ache, Cappiello) 0,02 à 0,25. *Journaux relatant un événement marquant* 0,03 à 0,1. *Revue Dada* (coll. complète, 8 numéros, 1917-21) 300 (1989). **Juke-box** « Wurlitzer » (1943) 90, (1946) 120, (« 110 ») 57.

Lampes *de mosquée* verre émaillé (XIVe s.) 1800 *de Charles Pigeon* jusqu'à 0,6. **Lanterne magique** 0,6 à 27,3 (1985). *Plaques* animées sur châssis bois

■ Antiquaires et brocanteurs. **Nombre :** *France :* env. 16 000 dont 25 % en région parisienne. 600 appartiennent au Syndicat national des antiquaires. 4 800 au Syndicat national du commerce, de l'antiquité et de l'occasion, 120 à la Guilde des antiquaires. *Europe :* 40 000.

Formation : *cours de perfectionnement* Syndicat national du commerce de l'antiquité et de l'occasion, 18, rue de Provence, 75009 Paris. *Institut d'études supérieures des antiquités (IESA)* 99-101, rue du Fbg-Saint-Honoré, 75008 Paris. *École de formation à la prof. d'antiquaire :* créée 1980 par le Centre d'études d'objets d'art, 10, rue Thénard, 75005 Paris. *Institut des carrières artistiques (ICART),* 61, rue Pierre-Charron, 75008 Paris. *École supérieure internationale d'Art et de Gestion (ESIAG),* 334, rue de Vaugirard, 75015 Paris.

Registre d'objets mobiliers : loi du 30-11-1987 impose la tenue « jour par jour, d'un registre qui contient une description des objets acquis ou détenus en vue de la vente ou de l'échange et permet l'identification desdits objets ainsi que celle des personnes qui les ont vendus ou apportés à l'échange ». Le défaut de tenue ou de présentation du registre est puni d'un emprisonnement de 15 j à 6 mois et d'une amende de 20 000 F à 200 000 F ou de l'une de ces 2 peines. Les objets, dont la valeur unitaire d'achat n'excède pas 400 F et qui ne présentent pas un intérêt artistique ou historique, peuvent être regroupés et faire l'objet d'une mention et d'une description communes sur le registre. Regroupement acceptable seulement pour les objets constituant un lot homogène de par leur nature (ex. lot de vaisselle, de cartes postales...), ou leur origine (ex. débarras d'objets hétéroclites mais achetés à une même personne).

■ Artistes. Env. 40 000 (avec les amateurs et les artistes à temps partiel), 12 000 ont un emploi (hommes 74 %, femmes 26 %). *Répartition :* peintres 70 %, sculpteurs 15 %, illustrateurs et graphistes 12 %, graveurs 3 % ; 11 577 (8 362 hommes, 3 215 femmes) étaient inscrits à la Sécurité sociale des artistes au 29-11-1991 dont peintres 6 580, sculpteurs 1 481, graphistes 1 191, illustrateurs 1 074, dessinateurs 525, auteurs d'œuvres de plasticien 274, dessinateurs textiles 220, graveurs 156, céramistes 39, décorateurs 33, liciers et cartonniers 21, divers 5. Ateliers d'artistes dont les propositions d'attribution appartiennent au ministère de la Culture : Paris 345 ; banlieue 415 ; province 102.

■ Collectionneurs. **Noms. Actions :** *obligations, emprunts, titres :* scripophile. **Affiches :** chromophiles. **Allumettes** (boîtes d') : philuméniste. **Bagues de cigares :** vitolphiliste. **Balles de frondes :** glandophile. **Bière** (tout ce qui s'y rapporte) : tégestophile. **Blasons :** héraldistes. **Boutons :** fibulanomiste. **Briquets :** pyrophiles. **Cartes** *maximum :* maximaphile ; **postales :** cartophile. **Cartouches :** pyrothécophile. **Chemins de fer :** ferrovipathe. **Cigarettes** (paquets de) : nicophile. **Coquillages :** conchyophile. **Coquilles d'œufs :** oologiste. **Drapeaux :** vexillologiste. **Emballages de sucre** (avec sucre) : glycophile, périglycophile (emballage seul). **Étiquettes** *de bouteilles :* œnosémiophiliste ou éthylabélophile ; *fromages :* tyrosémiophile ; *vins, liqueurs :* éthylabélophile. **Fers à repasser :** sidérophile ; *anciens :* pressophile. **Jetons :** jetonophile. **Livres :** bibliophile. **Marques postales :** marcophile. **Méreaux :** mérellophile. **Minéraux :** minéralophile. **Monnaies :** numismate. **Papiers timbrés** (lettres ornées, décrets, etc.) : scripophile. **Pin's :** philopin. **Plombs** *fiscaux, de douane, d'octroi, de contrôle divers :* plombophile. **Porte-clés :** copocléphile. **Pots de yaourt :** glacophile ou yaourtphile. **Sceaux :** sigillophiliste. **Sous-bocks de bière :** tegestologue. **Tabac** *(tout sur le) :* tabacophile. **Timbres :** philatéliste *(poste aérienne :* aérophilatéliste). **Vignettes :** érinnophiliste. Pays les plus collectionneurs. Belgique, All., USA, G.-B., *France* (1 Français sur 10, soit env. 5 000 000, enfants inclus).

■ Revues d'art (nombre d'exemplaires et, entre parenthèses, d'abonnés). *ABC Décor :* 32 500 (6 300). *L'Amateur d'art :* 20 000 (3 500). *Beaux-Arts magazine :* 46 664 (19 466). *Bulletin de l'Antiquaire* (mens. du Synd. du commerce de l'antiquité) : 5 500. *Le Collectionneur français :* 18 000 (7 000). *Connaissance des Arts :* 45 000 (22 000). *L'Estampille – L'Objet d'Art :* 47 118 (22 000). *La Gazette de l'Hôtel Drouot* (hebdomadaire) : 75 000 (30 000). *L'Œil :* 35 000 (13 000). *La Revue de l'Art* (trimestrielle) (éditions du CNRS) : 2 500. *La Revue du Louvre et des musées de France* (bimestrielle) : 12 000. *Trouvailles* (bimestrielle) : 20 962 (3 780).

■ Guide Emer. *Créé* 1947 par Marc Roy (26-7-1918). 47, rue des Tournelles, 75003 Paris. Paraît les années impaires ; env. 70 000 adresses (en Europe) d'antiquaires, brocanteurs, galeries d'art, bouquinistes, marchés aux puces, salons, foires d'antiquité et de brocante, commissaires-priseurs, experts, restaurateurs. *Tirage :* 1re édition 1947-48 : 1 200 ex., 1991-92 : 15 000 ex.

■ Vols d'objets d'art. Depuis 1954, 40 000 œuvres d'art auraient disparu en Italie, 12 000 en France. Près de 1 000 musées de province sont particulièrement exposés, surtout les églises (sur 120 000 objets classés, vols : *1989 :* 25, *90 :* 85, *91 :* 173) et édifices culturels. En 1975, a été créé l'Office central de répression du vol d'œuvres et objets d'art (OCRVOOA), dépendant de la Direction centrale de la Police judiciaire.

☞ Annuaire international des œuvres et objets d'art volés. *Créé* 1992 par Martin Monestier. Répertorie 5 700 œuvres volées.

■ Œuvres célèbres volées **(m. : musée). 1891 :** un pastel de Manet (m. des Beaux-Arts de Lille), retrouvé à Buenos Aires 1983. **1911** *21-8 : la Joconde* de Vinci (Louvre), par Vincenzo Perugia, Italien, retrouvée 1913. **1939** *11-6 : l'Indifférent* de Watteau par Serge-Claude Boguslavsky (soi-disant pour restaurer la toile). **1943 :** 19 dessins de Guys (m. Carnavalet) retrouvés février 1991. **1960 :** des Picasso, Modigliani, Fujita, Soutine, Vlaminck et Utrillo (M. de Menton) récupérées le lendemain. **1961 :** *le Duc de Wellington,* de Goya (National Gallery de Londres) ; *15-7 :* 57 toiles dont des Bonnard, Matisse, Dufy, Vlaminck, Utrillo au m. de l'Annonciade à Saint-Tropez, retrouvées en nov. **1962** *12-8 :* 8 Cézanne, dont *le Joueur de cartes* (M. d'Aix-en-Pr.) retrouvés 9 mois plus tard. **1966** *21-4 :* 56 dessins et lavis de Boucher, Rembrandt, Véronèse, Tiepolo et Fragonard (m. de Besançon). **1970** tableau de Boldini par Charles Meril-Mount (historien d'art) ; *27-11 :* 19 toiles au m. Fabre de Montpellier (Géricault, Courbet, Corot et Millet), restituées 1 mois plus tard. **1971 :** *Lettre d'amour* de Vermeer (Bruxelles) (rançon demandée : 200 millions de F belges pour les réfugiés du Bengale) ; *4-2 :* 43 toiles au m. de Mirande ; *4-3 :* 3 Rembrandt (m. de Bayonne) retrouvés ; *23-12 : La Fuite en Égypte* de Rembrandt (m. des Beaux-Arts de Tours). **1972** *13-11 :* 15 tableaux (Renoir, Monet, Cézanne) au m. de Bagnols-sur-Cèze. **1973 :** *le Joueur de flûte* de Vermeer à Henwood House (G.-B.) ; *1-3 :* 6 tableaux (Ingres, Rubens, Corot et Dufy) au m. des Beaux-Arts de Marseille, retrouvés nov. 1974 ; *9-12 :* 11 Picasso (m. Picasso d'Antibes). **1974 :** collection de sir Alfred Beit près de Dublin. **1975 :** *étude* de Matisse (m. d'Art moderne) ; *patère d'Ajax* (m. de Lyon). **1976** *31-1 :* 118 Picasso (Palais des Papes, en Avignon) retrouvés en oct. ; *1-2 :* partie d'un diptyque de l'école de Giotto (Louvre) ; *16-12 :* épée de parade de Charles X (Louvre). **1977 :** groupe de l'Annonciation, ivoire (XIVe s.), (m. du Breuil, Langres). **1978** *13-12 : l'Escamoteur* (St-Germain-en-Laye), par des militants d'extrême gauche, retrouvé depuis. **1980** *juillet :* 38 miniatures de Fragonard (m. Jacquemart-André, Paris), une partie retrouvée et restituée ; 40 tapisseries d'Aubusson (Paris). **1981** *14-1 :* 14 tableaux (Monet, Boudin, Courbet), (m. de Morlaix), retrouvés juil. 1985. **1982** *12-1 :* 6 Toulouse-Lautrec (m. d'Aurillac, Albi). **1983** *3-8 :* reliquaire en émaux de Limoges (égl. d'Issoire), retrouvé mai 1992 à Honolulu. **1984** *19-10 :* 5 Corot (m. de Semur-en-Auxois, C.-d'Or) (4 retrouvées en nov. 1987). **1985** *27-10 :* 9 tableaux [dont 5 Monet (dont *Impression soleil levant* qui donna son nom à l'impressionnisme, estimé au moins à 80 millions de F), 2 Renoir] au m. Marmottan à Paris lors d'un hold-up, retrouvés 5-12-1990 à Porto-Vecchio par l'OCRVOOA et restitués ; *8-11 :* 1 Vuillard (m. d'art et d'essai du palais de Tōkyō, Paris). **1987** *sept. :* Fragonard *le Passage du Gué* (m. des Beaux-Arts de Chartres), retrouvé en Belgique en avr. 88. *Oct. :* 7 panneaux du XVIe s. peints sur bois (cath. de Troyes), retrouvés déc. 88. **1988** *mai :* quinzaine d'« incunables » (bibliothèque municipale d'Ajaccio). **1989** *1-6 :* Braque « L'Estaque ou l'Embarcadère » (Beaubourg, Paris). **1990** *19-1 :* 6 tableaux dont 3 Picasso (m. de la Vieille Charité, Marseille), retrouvés 19-3-92 à Paris ; *17/18-3 :* vol le plus important dans musée amér. (m. Gardner, Boston), 11 toiles (5 Degas, 1 Manet, 1 Rembrandt, 1 Vermeer), valeur 200 millions de $; *25-5 :* Jongkind *Vue de Delft* (Petit Palais, Paris) ; *21-4 :* 1 Corot et 1 Géricault (m. des Beaux-Arts, Béziers) ; *26-5 :* Rodin, « Portrait à son père » (m. Rodin, Paris) ; *24-6 :* Tiepolo « Martyre de saint Barthélemy » (m. Correr, Venise), retrouvé, voleur arrêté se suicide de honte ; *27/28-6 :* 3 Van Gogh (m. du Herstengebosch, P.-B.) ; *3-7 :* bijoux égyptiens (Louvre) ; *4-7 :* Renoir « Portrait de femme » au Louvre (retrouvé sept.), Hébert « Monamuccia » (m. Hébert, Paris), Huet « Les Moulins de la Glacière » (m. Carnavalet), tableaux retrouvés, voleur arrêté le 22-9 (avait volé déb. sept. 1 Foscari au m. Correr à Venise) ; *16-9 :* « Gysels », petit tableau (Grand Palais, Paris). **1991** *14-4* 20 Van Gogh (m. Van Gogh, Amsterdam) retrouvés le même jour ; *30-7* trésor de la cath. d'Auxerre, retrouvé 3-8, dans un cimetière ; *23-10* 6 tapisseries « La vie de Judith » (cath. de Laval), retrouvées 7-11 à Paris. **1992** *16-2* Bruegel de Velours (m. d'Arras), retrouvé 19-2 à Arras. *30-7* Degas, Matisse, Modigliani (Cap d'Ail), retrouvés 3-8 à Nice.

Nota. – Les Douanes sanctionnent chaque année env. 300 à 400 affaires d'exportations illicites d'objets d'art.

☞ Un incendie au musée d'Art moderne de Rio de Janeiro (Brésil) le 8-7-1978 a fait disparaître 950 œuvres majeures sur 1 000 (Picasso, Van Gogh, Dali, Miró, Viera da Silva, etc.).

Un étudiant munichois de 23 ans, arrêté à Paris en 1989, avait volé dans les musées parisiens puis entreposé dans son studio des eaux-fortes de Dürer, 23 dessins de Daumier, 1 aquarelle de Corot, 1 portrait de Mme Récamier par Ingres.

0,12 à 0,4 ; lithographiées encadrées 0,5 à 1 la série de 6 ou 12. Louis XVI petit reliquaire (cheveux, chemise tâchée de sang) 34,5 (1989). Fragment de cordon et cheveux de Marie-Antoinette 12,7. Lunettes d'Yves Montand dans « l'Aveu » 6,5 (1985). Lustre fer forgé de G. Poillerat (1945-50) 72 (1992).

Machine à sous (v. 1930-50) 4 à 70. Malle de voyage-secrétaire, par Louis Vuitton 60. Manège forain (1950) 38 (1992). *Animaux* jusqu'à 100. Maquette **de la Bastille** (1830) 78, **de l'île de la Cité** 100. Marqueterie de paille faites dans les couvents, prisons, bagnes : souvent petites pièces. 0,3 à 4. Marteau de porte fer forgé fin XVe s. 42,5. Masque mortuaire Chopin 250. Mouchoirs d'instruction militaire (1873 à 1914) de la manufacture Ernest Renault à Rouen 0,6 à 6 ; se méfier des faux (tissu moins fin). Moulin à grains XVIIIe jusqu'à 20.

Napoléon Ier **(souvenirs)** copie du testament par Vignali (aumônier à Ste-Hélène) 20 (oct. 1977), *masque mortuaire* 450 (1990). **Vêtements** *chemise, culotte* « à pont », *gilet* 9, *chapeau* 50 à 608 (1972) (il y aurait 11 chapeaux authentiques), *chaussettes* portées à Ste-Hélène 5,5 (1980), *lit de camp* de Desouchez (1813) 373 (1992), morceau de dentelle de *couvre-lit* de Ste-Hélène 3,9 (1992), *redingote* 165 (1980), autographes (voir Index), *serviettes de table* 19 (1992), *montre de* Ste-Hélène 110 (1992). Napoléon III *Grand Cordon* et plaque de l'Ordre de la Tour et de l'Épée du Port 34. O. de la Toison d'Or, 57. Nazis **(souvenirs)** ventes interdites en Fr. Nécessaires à couture écaille 1,2 ; or 20 et + ; **de voyage en vermeil (1736-50)** 529,9 (1989).

Objets à musique (fin XVIIIe) Médaillon : 3 ; couteau : 7 ; flacons : 11 à 20. Œil-de-mouche Apparu fin XVIIe s. Petite boîte en ivoire, écaille, bois, argent garnie d'une lentille en verre ; donnait des images déformées des objets ou des visages observés. Œufs *Fossile :* d'Aepyornis 12 (1980), en pierre, faïence, ivoire, buis, émail, 0,12 à 44,5 ; *Orfèvrerie :* except. de Fabergé, à la pomme de pin 15 600 (1989). Oiseau empaillé record grand pingouin capturé en Islande en 1521 (ht 57 cm) 117. Orthoscope de Tourtin 15,5. Ours en peluche except. 29,1. Outils **XVIIIe.-XIXe s. Bois :** *rabot* 0,4 à 30. *Riflard* 7,5. *Varlope* 0,5 à 2, exc. de Hollande (1766) 14 (1992). *Guillaume* 0,3 à 1,5. *Compas de tonnelier* 5. *Wastringue de tonnelier* 6,5 (1992). *Fourche à 3 branches* (2 m) 0,9. *Joug de bovin* 0,3 à 3, *collier de bovin ou d'ovin* 0,3 à 2. *Rouet* 0,9 à 6. *Soufflet de forge* 2,5 à 3. *Charrue* frêne, soc en fer forgé, 2 à 3. **Métal :** *marteaux* 0,12 à 0,3. *Faucilles* 0,06. *Rabot* 0,6, orné except. 10. *Enclume* Moyen Age 3. *Scies* 0,6 à 3,6. *Haches* 0,36 à 2. *Tenaille* 130. *Vilebrequins* 0,6 à 10. *Tour* 115. 30 à 50 % des pièces présentées XVIIIe s. sont fausses.

Papier peint panoramique Manufacture de Joseph Dufour (1752-1827) (Mâcon) dep. la fin du XVIIIe s. Indiens d'Amérique 280 (1982) ; Paris Londres Rome 370 (1989) ; Sauvages du Pacifique (1804) 305 (1989) ; voyages du Capitaine Cook d'après les cartons de Jean-Gabriel Charvet 1 400 (record mondial, 1989). Papillons espèces en voie de disparition (chasse à outrance, insecticides, altération des milieux naturels, etc.), certaines strictement protégées. *Grandes collections France :* Bibliothèque municipale de St-Quentin (réunie au XIXe s. par M. Passet : 600 000 spécimens). *G.-B. :* British Museum of Natural History (coll. de Lépidoptères de Lionel Walter et Lord Rothschild). *Prix records* 10 à 36. **Paquebots** *Normandie :* banquettes (paire) avec tap. d'Aubusson 360 (1992). **Passeport de Rimbaud** (Le Caire 1887) 235 (1991). **Peignes** aluminium, argent, bois (buis), celluloïd, corne (dite biscaye en Ariège et travaillée par les biscayeurs), écaille, ivoire (ex. peigne liturgique de St Loup du VIIe-VIIIe s., cath. de Sens), os, plastique. *Peignes à retaper :* à cils, coupe barbe, démêloir, « Figaro » de professionnel, lissoir, à moustaches, de poche, à poux (« le Paris » à double rangée de dents). *Prix* 10 à 200 et +. **Phénakistiscope** (du grec *phenax,* trompeur et *skopein,* voir). Inventé 1832 par le Belge Plateau 3 à 8. **Pianos** 5 à 200 *à queue,* 25,5 *mécanique.* **Pin's (épinglette). Nom :** de l'anglais *pin* ou *to pin* : épingle, épingler. **Origine** *1886* 1er créé à Atlanta (Géorgie) par Coca-Cola ; *1984* J.O. de Los Angeles (distribué par la firme) ; *1988* Internationaux de Roland-Garros (série au nom des sponsors). **Fabrication** (France) : *1990 :* + de 250 millions produits par 80 fabricants (Arthus-Bertrand, Decar, Fraisse-Demey...), 50 importateurs. Chaque semaine + de 800 modèles sont créés. *Marché (1992) :* env. 3 milliards de F. **Manifestations :** *1989* déc. 1re bourse internationale à Paris (boutique Colonia de St-Jordi). *1990*-28-5/10-6 exposition station Auber à Paris. -16/17-6 salon Aquaboulevard de Paris. -17-6 1re bourse d'échange à Lyon. *1991* janv./févr. 1er catalogue de vente par correspondance. -27/29-9 1er salon professionnel, La Seyne-sur-Mer. **Revue :** Pin's up, bimestriel, créé juin 1990 (40 000 ex.). **Prix :** *pièces très rares* (Opéra de Bercy, 700e d'Apostrophes, TSO Paris-Dakar, Caméra d'Or du Festival de Cannes) 3 à 4 F. *Stés cotées en bourse* 0,25 (Vache qui rit) 0,6 (Seiko, sponsor de Roland-Garros 1991). *Autres :* 11 pin's Adia 4,5 (1991), chamois (projet pour JO d'Albertville) 2,6 (1991), fusée Ariane 2, équijet raquette Lacoste 1, Sinon 0,001 à 0,2. **Plaques de publicité** tôle émaillée. Vache qui rit (de B. Rabier) 2,6 ; chocolat Menier jusqu'à 80, Phoscao 20,5, Absinthe Cusenier 17. Parapluie Revel (d'après Capiello) 7,5. **Polyorama panoptique** permet la vision de plusieurs tableaux pouvant se superposer et créer l'illusion du mouvement. Avec 6 vues jusqu'à 6, vues simples 0,2 à 0,8. **Postes de radio** d'avant 1930 : 1 à 100. Crosley (1940) 1,9. Radio réveil « D 25 » 2,2. Transistor Brionvega (1960) 1,1 (1991). **Pots de chambre** *faïence* à sujet 0,2 à 2. *Étain,* XVIIIe s. 3,5. *Bourdaloue* (de Hannong) 11,1. *De Napoléon* (de Biennais), gravé à ses armes 580 (adjugé 18-6-1990 anniversaire de Waterloo) à Drouot à un Japonais.

Poupées. Histoire : *Antiquité :* usage funéraire [Égypte *(chaouabtis),* Pompéi, Grèce] ou religieux (Grèce) ; en terre cuite, bois, plomb, os ou ivoire (10 à 35 cm). *Moyen Age, Renaissance :* usage religieux (crèche, en Italie, Fr., All.) pour enfants (à partir de la Renaissance). *XVIIe s. :* pour enfants en All. et Fr., puis Angl. *XVIIIe s.* tête bois ou papier mâché peint, vêtements très soignés. *1807-20* en cire. *1820* tête en papier mâché, corps en cuir, membres en bois ; *1824* 1res p. qui parlent (inventées par Léonard Maelzel, avec cylindre). *1826* qui marchent et dont les yeux se ferment. *1845* 1res têtes en porcelaine (en Autriche) : corps cuir ou tissu. *1850-51* 1res p. en gutta percha (caoutchouc), 1ers bébés (Montanari). Perruques en mohair (poil de chèvre Angora), jusque-là lin, laine, cheveux naturels, fourrure d'agneau. *1858* tête pivotante (Mme Rohmer). *1862* tête piv. brevet Jumeau (modèle Carrier-Belleuse). *1869* 1res articulées à rotules (Bru). *1895* 1res têtes en celluloïd. *1899* 1ers cils en cheveux naturels. *XXe s.* bouches ouvertes. *1909* 1res de caractère (bébés). *1913* 1res aux yeux qui louchent (Googlies). **Principaux fabricants** (entre 1860 et 1900 : env. 200 en France) : Bouchet (1892-99) [2]. Bru (1866-99) [1]. Gaultier (1860-1916) [2]. Gesland (1865-1915) [2]. Simon Halbig (1870-1925) [1]. Huret (1850-1920) [2]. Jullien (1875-99) [1, 2]. Jumeau (1842-99) [1]. Armand Marseille (1865-1925) [1]. Rabéry et Delphieu (1875-99) [1, 2]. Rohmer (1857-80) [2]. Schmitt (1863-91) [1]. Simonne (1837-79) [2]. Sté Française de fabrication de bébés et jouets (SFBJ) (1899-1957) [1, 2]. Steiner (1855-91) [1]. Thuillier (1875-99) [1, 2].

Nota. – (1) Poupées bébés. (2) Modèles de mode.

Collections *Paris :* musée de l'Histoire et de l'Éducation ; m. des Arts décoratifs. *Beaujeu :* m. des Traditions populaires. *Courbevoie :* m. poupée. *Fécamp :* m. de l'Enfance. *Lyon :* m. international de la Marionnette. *Poissy :* m. poupée et jouets. *Strasbourg :* m. Alsacien.

Prix : selon conservation, trousseau, accessoires, ancienneté, qualité de l'expression et de la porcelaine. XVIIIe s. jusqu'à 20 et +. XIXe-début XXe s. *Bouche fermée :* Émile Jumeau (yeux sulfure) 30 à 40. Huret 50 à 80. Bru jeune (1re époque) 100 à 480, « au croissant » 200, « grande taille » 150 à 200. Jumeau triste 80 à 250. François Gaultier (grande t.) 20 à 30. *Bouche ouverte* (dents en paille) : Jumeau 6 à 100. Steiner 45, SFBJ 2,5 à 3, A. Marseille (All.) 2,5 à 3,5, Halbig (All.) 2,5 à 3,5. *De caractère :* SFBJ no 236, 5 à 8, Kammer et Reinhardt (All.) 5 à 10, Mignonnettes 0,3 à 1,5, Bleuette (sortie 1905 avec la semaine de Suzette ; 1er modèle tiré à 20 000 ex.) 3 à 6. *De mode :* 1 à 7,5 (Rohmer, Huret, Gaultier), × 3 ou 4 avec leur vestiaire ; 225 (record) tête de p. 1860 Rohmer (1989). *De bois ou de carton type Pauline* 1,5 à 22. *Tête de porcelaine,* except. (A. Thuillier) 510 (1989). *Barbie* jusqu'à 11. **Vêtements** robe 0,5 à 1,5. Vêtement d'hiver « On dansera » (1931-32) 8,8 (1991). Chaussures jusqu'à 1,4. Mitaines jusqu'à 2,2. **Maisons** *Titania Palace* (long. 3,50 m, larg. 2,80 m, haut. 9,90 m) renfermant 4 000 meubles et un orgue (en état de marche) vendu à Londres, en 1967 : 432. Maison de 14 pièces (long. 7 m), 316 (1983). **Scènes miniatures** salon de Mme Récamier 40, scènes du Moyen Age (salle du château) 140. Salon Empire 121. **Cuisine** Nap. III 14.

Praxinoscope *3 à 15.* **Préhistoire** Os gravés 0,5 à 15, pointe de lance 8, hache 5 à 15. **Programme de théâtre** 0,01 à 10. **Pyxide** Boîte cylindrique avec couvercle pour fards et objets de toilette. Pyxides en étain : au Moyen Age (en France) pour les hosties.

Râpes à tabac XVIIIe s. Buis 6,7 ; bois sculpté 3,7 ; du XVIIIe jusqu'à 45.

Scrimshaws Objets (boîtes, étuis, manches de couteau) en ivoire de morse ou de cachalot et grosses dents de cachalot gravées à l'aiguille par les marins. Les plus anciens datent du XVIIIe s., les mieux travaillés sont du XIXe s. *Thèmes recherchés :* pêche au cachalot 10, bateaux (jusqu'à 300, except. 1983). Se méfier des faux : gravure trop épaisse, trait empâté. **Serrures anciennes** 0,55 à 108 (très ouvragées) ; *clefs* isolées 0,2 à 95. **Sissi** (Elisabeth d'Autriche) trousse de toilette 138,7 (1992, Munich). **Soldats (petits) Histoire :** *Antiquité :* en bois sculpté et peint. *XVIIIe s. :* ronde-bosse en plomb. *v. 1850 :* figurines ou *zinnfigures,* plates, gravées en creux sur une seule face, coulées en étain et peintes ; *vers 1880 :* apogée ronde-bosse avec Lucotte et CBG en France (alliage plomb-antimoine), puis avec Mignot (séries jouets, séries étrangères, personnages historiques, soldats de 1914-18). *1895 Britain* (Angl.). *v. 1930 en aluminium :* Quiralu (1933 à 1961, 30 000 000 de pièces), Mignalu (CBG Mignot), LR (le Rapide) utilisant les déchets de leur fonderie. Env. 650 attitudes distinctes, 1 500 pièces différentes. 1res : figurines, ½ plates, haut. 15 cm, armée française ; 2es : env. 10 cm ; *1945,* bras écartés du corps ; v. *1950-54,* bras resserrés, taille plus petite (modèles recherchés). Figurine LR socle rectangulaire épais et sans couleur particulière. Mignalu : haut. 60 à 65 mm, 1960 : figurines en ronde bosse. *Actuellement,* acétate de cellulose, polystyrène ou plomb. **Cours :** record (1992) Napoléon Ier à cheval de Leibovitz, 1er Empire 8. *Lucotte* fantassin 0,15 à 0,25, cavalier 0,3 à 0,9 ; *Mignot* fantassin 0,1 à 0,2, cavalier 0,3 à 0,6 ; *modernes* 0,5 à 1,8 env. (selon l'artiste) ; *plates* (de 3 cm) d'avant 1914, 0,008 à 0,04, par série (de 20) 0,4 à 1,55, à peinture fine (série) 3 à 6,5, except. 192 sur planches 22,5 (1988) ; soldats d'étain (XIXe s. à nos j.) 0,2 à 0,4. **Sous-bock** 50 000 achetés par la bibl. Forney (1990) : 70. **Stylos** *années 1925 :* stylomine 505 env. 0,24 ; Waterman 1er (1884) + de 0,6 ; Parker (années 1925) 2 à 10 (années 1950) 6,5 à 10. Mont-Blanc (système à piston) 0,2 ; 149 (1948) 65. **Sucre** (emballages) v. 1908 sachets USA, Italie, Suisse puis France, Japon (en baguette). Classement en thèmes : raffineries, marques, brûleries. Club des glycophiles français. 30, rue de Lübeck, 75116 Paris.

Tabatières au début du XVIIe s., on en change tous les jours (le prince de Condé en avait 800) ; mais on les cachait devant Louis XIV (il n'aimait pas le tabac). **Matières :** bois, noix de coco, ivoire, cornaline, sardoine, argent, or, porcelaine, émail, étain, écaille. **Illustration :** caricatures, sujets légers (tabatière à secret sous Louis XV), sujets politiques, portraits, légende napoléonienne (production populaire). **Prix :** 0,15 à 12 sauf *pièces d'orfèvrerie* [ex. Dresde, de H. Taddel 1 400 (1982)]. Louis XV 14 à 2 000. L. XVI 38 à 1 625. (copies 10 à 95). Empire à miniature 55 à 250. All. de Frédéric le Grand (1760), record 8 500 (vente von Thurn und Taxis, Genève 17-11-1992). Russie, de J.-P. Ador (v. 1765) 1 350 (1983), de Fabergé 40 à 240. *Chinoises* (jade, opale, malachite, agate, etc.) 5 à 156. **Tête** *réduite* d'Amazonie Tzanza ou Jivaro 5 à 47 ; *momifiée* Nazca du Pérou 16 (1991). **Tire-bouchons** *XVIIe s.* jusqu'à 5. *XVIIIe s.* env. 0,9 à 9,2 et +. *XIXe s.* jusqu'à 13,2. **Tirelire** jusqu'à 24,4. **Trains miniatures** 1ers plomb ou bois montés sur des socles à roulettes, puis fer-blanc peint. Fin second Empire, moteurs à piston, à ressort et à vapeur. **Marques :** françaises Radiguet, DS, CR (Charles Rossignol), LG-FV (Émile Faivre et EF Lefèvre successeur), JC (J. Caron) ; étrangères : Märklin, Bing, Carette. **Prix :** *loco écartement I :* Bing 2 à 7,5 ; Märklin 0,5 à 46 ; *II :* Bing jusqu'à 17,5 ; Märklin 4 à + de 100 ; Basset-Lowke 3 à 5 ; Schoenner coupe-vent 283 (1992). *Écartement 0 :* Bing 5,6 ; Märklin 4,5 à 80 ; Basset-Lowke 1,4 à 16. *Gare électr.* Bing 10. *Wagon* métro 42, de Märklin (paire) 125 (1992). *Grand train* de 1865 27 (1988).

Ustensiles ménagers *baratte à beurre* 2 à 4,5. *Battoir à linge* jusqu'à 50. *Boîte à sel* (bois sculpté) 3,4. *Casse-noix* 0,32, buis XVIIIe s. 12. *Égouttoir à fromage* 0,1 à 0,9. *Farinière* v. 1800, 2. *Fers à calandrer* 0,8 à 7, *à repasser* jusqu'à 85,5 fin XVe s. *Gaufrier en fer forgé* fin XVIe s. 13, fin XVIIIe s. 0,5. *Gîte à pâté* en terre XVIIIe s. 1,15. *Gril* métallique tournant XVIIIe s. 0,85. *Machine à coudre,* début XXe s. 0,6 à 1,2. *Moulin à café* jusqu'à 28 (1992) ; fin XVIIe s. 19, XVIIIe s. 1,8 à 3 (noyer et cuivre), XIXe s. 1,1 (chêne), 2,5 (chêne et laiton), Charles X 9,7 (marqueté). *Marque à beurre* XVIIIe s. 0,65 à 3,5. XIXe s. 0,9. *Moulin à farine* XIXe s. 0,6. *Pelle à écrémer* XIXe s. Savoie 0,65. *Quenouille* (bois sculpté) 2 à 4. *Rouleau à beurre* 0,2 à 0,6. *Taste-vin* 3 à 30 pour les plus recherchés. *Terrine en forme de choux* (1752) 29. *Tourne-omelette* 2,1. *Vinaigrier* (terre) 6,2.

Vénerie *boutons* 0,05 à 0,2. *Couteau* XVIIIe s. 1. *Plaques* des gardes 0,3 à 0,5. *Massacres* (bois de cerf ou chevreuil sur écusson) cerf 10 cors 1 à 5. **Vêtements. Blouson** de cuir de John Lennon 200 (1992). **Botte** de postillon 7 (1993). **Cape** *du soir courte, Chanel* 260 (1992). **Culotte** (1925) 0,04. **Jupon** (1900) 0,05 à 0,7. **Robes** Louis XVI 3,2 ; *1930 avec 1 boa* 0,6 à 2 ; *Balenciaga* (soirée 1951-52) 62 (1992). *Chanel* (1957-58) r. de bal 60 (1990) ; *Mariano Fortuny* jusqu'à 447,3 (record 1982) ; *Charles James* (1948) 190 (1990) ; *Paquin* (v. 1898) 65 (1990). **Manteau** *de bal de Poiret* (1910-12) 58 (1990) ; *de communiante* 0,3 à 0,5 ; *de dîner* avec coiffure de Schiaparelli (1938-39) 250 (1992). **Habit de cérémonie** du maréchal Davout 180 (1987). **Ensemble** *Dior* (1949-50) 83 (1989). **Tenue** *de zouave* 2,1 à 3,2. **Voitures miniatures de collection. Allemagne :** avant 1914, tôle peinte avec souvent des mécanismes élaborés (Märklin et Bing). **France :** 1923-30 AR et CD (Fr.) tôle et plomb Renault, Peugeot, Citroën, Delahaye, Bugatti. 1923 *1re voiture mécanisée pour enfants* (Torpédo 10 ch Citroën vendue à 15 000 ex. en 1 an), 1933 *Citroën* ouvre une usine spéciale miniatures. **G.-B. :** *Dinky Toys* de Frank Hornby, inventeur du Meccano (1907) et des trains mécaniques Hornby (1920), dont l'échelle 0 correspond au 1/43e (échelle de réduction la plus courante). *USA* 1res en 1920 : *Tootsietoys* (notamment camions Mack, puis Ford, Buick, Chevrolet). **Prix :** *avant 1914 :* 5 à 100. *1920-39 :* 3 à 52. *1/43* (surtout Dinky Toys) 0,05 à 38 (1993). Maquette de Mercedes-Benz (1939) 120. Bugatti star 55 à moteur essence 4 temps pour enfant, 15. Autobus (Ch. Rossignol) 23,5.

W.-C. (cuvette) faïence de Gien fin XIXe s. 21. **Zootrope** inventé 1834 par l'Anglais Horner, 1 à 3.

MUSÉES ET COLLECTIONS

DANS LE MONDE

■ DONNÉES GÉNÉRALES

■ **Nombre :** environ 40 000 musées ou collections publiques [dont USA 4 609, Allemagne 2 924 (109 millions de vis.), ex-URSS 1 465 (151 millions de vis.), *France 1 400,* Italie 1 275, Canada 940 (45 millions de vis.), Japon 493 (98 millions de vis. en 1978), Suisse 300, Danemark 283 (1991), Belg. 137, Turquie 93].

■ **Musée plus ancien.** Ashmolean Museum (Oxford, G.-B.) fondé 1679 par Elias Ashmole. **Les plus grands.** *USA :* Musée d'Histoire naturelle de New York, créé 1874 (9,3 ha). *France :* Louvre (voir Index).

■ PRINCIPAUX MUSÉES

☞ Nombre de visiteurs (dernières données communiquées 1985-91/92).

MUSÉES D'ART, HISTORIQUES, ETHNOLOGIQUES ET RÉGIONAUX

Allemagne. Musées d'Art : 2 622. **Altenburg** *Lindenaumuseum.* **Berlin** *Coll. des antiquités. (M. Per-*

game). du Proche-Orient. Islamique. Coll. de l'Extrême-Orient. Folklore. Égyptien. Coll. de papyrus. Coll. d'art paléochrétien et byzantin. Coll. numismatique. Gal. des peintures. Coll. des sculptures. Préhistoire et protohistoire. Gal. nationale. Cabinet des estampes. Artisanat. Charlottenburg (pré-et protohist., antiquités gr. et rom., égyptologie) 860 000 visiteurs. *Dahlem* (peintures, sculptures, art byzantin, estampes, ethnographie, art indien, extrême-oriental et islamique), 554 000. *Tiergarten* (peinture et sculpture depuis 1800, arts déco.), 560 000. *Histoire all., Märkisches. Ethnologique* 450 000. **Bonn** *Rheinisches Landesmuseum* 98 430. **Brême** *Kunsthalle*. **Buchenwald. Cologne** *Rautenstrauch-Joest-M.* 18 059, *Romano-germanique et préhistorique* 605 261. *Kunsthalle,* 362 000. *Städtmuseum,* + de 1 300 000 vis. en 1980 pour l'exposition Toutankhamon. *Wallraf-Richartz* (peint., Moyen Age, Temps mod.), 270 989. *Schnütgen* (sculpt. et artisanat, Moyen Age). *Römisch-Germanisches* 605 261. **Cottbus** *régional.* **Darmstadt. Dresde** *Gal. de peinture des maîtres classiques. Coll. de porcelaines (Zwinger). Gal. de peintres des* XIXᵉ *et* XXᵉ *s. Coll. des sculptures (Albertinum). La Voûte verte. Coll. d'estampes et de dessins. Cabinet des monnaies et médailles. Artisanat (château Pillnitz).* **Düsseldorf** *Städtische Kunsthalle,* 75 600. *Kunstsammlungen Nordrhein-Westfalen* (peint. XXᵉ s.). **Essen** *M. Folkwang* (peint. XIXᵉ et XXᵉ s.). **Francfort** *Städelsches Kunstinstitut* (peint. europ. XIVᵉ-XXᵉ s.), 183 409. *Arts déco.* 400 000. *Art moderne Ethnologique* 21 357, *Hist.* 157 230. **Gotha** *Schlossmuseum.* **Güstrow. Hambourg** *Kunsthalle* (peint., sculpt.), 196 691. *Arts déco.* 161 738. **Hanovre** *Niedersächs Landesmuseum.* **Karlsruhe. Kassel. Königstein. Leipzig. Magdeburg** *Ville.* **Mayence** *Romain germanique* 48 711. **Meissen** *Ville.* **Mönchengladbach** *Kunstmuseum.* **Munich** *Ancienne Pinacothèque* (créée 1826, pose de la 1ʳᵉ pierre) (peint. europ. XIVᵉ-XVIIIᵉ s., Rubens, 19 salles, 35 cabinets), 343 121 (90). *Nouvelle* (créée 1853, peint. et sculpt. XVIIIᵉ-XIXᵉ s.), 421 423 (90). *Art moderne* (XXᵉ s.), 115 811 (90). *Glyptothèque. Bavarois* (sculpt., arts déc. XIᵉ-XVIIᵉ s.) 105 414. *Résidence* (chambre du Trésor) 130 730. *Allemand* (le + grand m. technique du monde), 1 305 140. *Ethnologique* 55 915, *Ville* 439 463. **Nuremberg** *Germanique* 443 849. **Potsdam-Sans-Souci** *châteaux et jardins. Cité.* **Ravensbrück. Rostock. Sachsenhausen. Schwerin** *Galerie de peintures.* **Stuttgart** *Staatsgalerie. Württembergisches Landesmuseum,* 295 740. **Wernigerode** *Féodal.*

Autriche. **Kittsee** *Ethnologique Schlob Kittsee.* **Vienne** *Ethnologique, m. du Folklore, m. de l'Armée. Kunsthistorisches* (peint. esp. : Vélasquez ; ital. : Titien, Giorgione), 1 513 049. *Galerie autrichienne,* 453 749. *Art moderne. Albertina* (arts graphiques). *Arts appliqués. Galerie de peinture de l'Ac. des Beaux-Arts.*

Belgique. **Anvers** *Beaux-arts,* 185 000 (83). *Marine,* 144 000 (1987). *Plein air de la sculpture,* 90 000 (87). *Plantin Moretus,* 122 000 (87). *Maison de Rubens,* 185 000 (87). **Bruges** *M. Groeninge* (peint. flam., Van Eyck, Bosch), 126 000. **Bruxelles** *Beaux-arts,* 550 000 (1985). *Archéologie des arts déco.* (m. Curtius, du verre et d'Ansemburg). *Art moderne.* **Gand** *Beaux-arts,* 84 000 (87), *château des comtes de Flandres,* 200 000. **Genk** *Plein air Bokrijk,* 272 000 (87). **Liège** *Beaux-arts* (XIXᵉ, XXᵉ s.). **Tervuren** *Afr. centrale,* 203 300.

Canada. 1 800 m. **Calgary** *Glenbow-Alberta Institute.* **Frederiction** *Beaverbrook Art Gallery.* **Halifax** *Nova Scotia Museum.* **Hull** *Can. des civilisations.* **Montréal** *Beaux-Arts. Art contemporain.* **Ottawa** *National Gallery of Canada* (peint. europ., art. XVᵉ s., art can. XVIIIᵉ-XXᵉ s.). *Homme.* **Québec Saint-John** *Memorial University Art Gall.* **Saskatoon** *Gall. and Conservatory Corporation (Mendel Art Gall.).* **Toronto** *Art Gall. of Ontario, Royal Ontario.* **Vancouver** *Art Gall.* **Winnipeg** *Art Gall.. Manitoba de l'Homme et de la Nature.*

Corée. **Séoul** *National* (arts, hist.). *Folklore. Kansong* (peint., livres anciens). *Kimchi* (cuisine trad.). **Chinju** *nat.* (objets du roy. de Kaya). **Chonju** *nat.* **Kongju** *nat.* (trésors du roi Muryong). **Kwach'on** *Art contemporain.* **Kwangju** *nat.* (céramique chinoise). **Kyongju** *nat.* (art dyn. Silla). **Onyang :** *Folklore.* **Po-un** *Emille* (peint. trad., tuiles). **Puyo** *nat.* (archéo. royaume de Paekche). **Yongin** *Hoam* (art anc. et contemp.).

Danemark. 283 musées. 52 m. d'art. **Aalborg** *Art de Nordjylland* 77 000. **Aarhus** *préhistorique de Moesgaard,* 84 000. **Copenhague** *nat.* 418 000 ; *M. Thorvaldsens* 109 000. *Beaux-arts* 169 000. *Ny Carlsberg Glyptotek,* 204 000. *Château de Kronborg,* 189 000. *Louisiana,* 462 000. **Skagen** *m.* 251 000. **Kolding** 117 000.

Égypte. **Le Caire** *Égyptien* (antiquités préh. jusqu'au VIᵉ s. apr. J.-C.), 824 502. *Islamique* (jusqu'en 1879), 47 238. *Copte* (sculpt., archit., ivoire, poterie, verre), 80 184.

Espagne. **Madrid** *M. ethnologique. Prado* [créé 1809, Titien (31 tabl.), Rubens (76), Goya (115), Vélasquez (50), Greco, Zurbaran, primitifs flam.], 1 765 296. *M. Archéol. Escurial.* **Badajoz** *Art roman.* **Barcelone** *Art catalan. Picasso.* **Merida** *Art roman.* **Valence** *Céramique.* **Valladolid** *Sculpture.* **Vich** *Episcopal* (Moyen Age).

États-Unis. **Boston** *Beaux-Arts.* **Brooklyn** *M.* (égypt., prim. afr., océanien, amér., peint., arts déco américain, XIXᵉ s.). **Chicago** *Art Institute,* 1 737 561. **Houston** *m. des Beaux-Arts.* **Los Angeles** *County Museum of Art* 1 003 000. *Museum of Contemporary Art de* L.A. (MOCA), ouvert 1986. **New York** *Museum of Modern Art* (Moma), créé 1924 (1880 à nos j. 50 salles), 1 300 000. *Metropolitan Museum of Art* (Met) (peintures, art islamique, 13 hectares de salles), 3 800 000. *Guggenheim* (peint. et sculpt. mod.). *Collection Frick* (peint. XIVᵉ s. au XIXᵉ s., porcelaine chin., fr., meubles fr., it., bronzes it.), 267 285. *Whitney* (art américain, XXᵉ s.), 500 000. **Philadelphie** *Art* (primitifs holl., céramique). **San Francisco** *California Palace of the Legion of Honor* (art fr. M. Age au XIXᵉ s., Rodin), 780 000. *Young Memorial,* 1 680 000. **Washington** *Corcoran gal.* 293 312 (1983). *Femmes dans les Arts* (fondé 1981). *National Gallery of Art* (créé 1938, art occid. du XIIIᵉ s. à nos jours), 4 859 172 (84). *Coll. Phillips* (art mod. et ses sources) 100 000 (82). *Smithsonian institution. Hist. amér.* 5 369 336.

Grande-Bretagne. **Londres (1991) :** *National Gallery* (créé 1824, ouvert 1838, peint. 46 salles), 4 280 139. *Tate Gallery* (créé 1897, peint. 61 salles), 1 816 421. *British Museum* [archéol. : 1753, 80 000 m². Pierre de Rosette, sculptures du mausolée du roi Mausole à Halicarnasse, (IVᵉ s. av. J.-C.), marbres d'Elgin, statues et frises du Parthénon (Procession des Panathénées), du temple d'Athéna Niké et de l'Erechtheion, monument des Harpyes (tombeau de style ionien découvert à Xanthos, Vᵉ s. av. J.-C.) ; arts mineurs] 5 061 287. *M. of London* (hist. de Londres) 412 403. *Science* 1 327 503. *Maritime* 587 876. *Victoria and Albert* (arts décor.) 1 066 428. *Wallace Coll.* (peint., arts mineurs) 140 000. *Imperial War M.* 338 301. *Humanité* (British Museum) 349 135. – **Aberdeen** *Art Gallery* 356 937. **Belfast** *Ulster M.* 291 183. **Birmingham** *City M. and Art Gall.* 753 981. **Cambridge** *Fitzwilliam M.* 222 168. **Cardiff** *Nat. M. of Wales* 157 462. **Édimbourg** *Nat. Gall. of Scotland* 394 423, *Art Moderne* 149 057, *Portrait Gall.* 154 408. **Glasgow** *Coll. Burrel* 486 085. **Leeds** *City Art Gall.* 148 615. **Liverpool** *Gall. Walker* 209 505. *Gall. Whitworth* 120 033. **Newcastle** *Gall. Laing* 114 282. **Nottingham** *Castle* 694 847. **Oxford** *Ashmolean* 200 000. **Sheffield** *Gall. Graves* 163 722. **York** *Art Gall.* 115 309. *National Railway Museum* 462 308.

Grèce. 110 musées et 108 collections archéol. **Athènes** *Archéo.* (48 salles), 894 548. *Acropole, Byzantin, Pinacothèque nationale, Numismatique, Épigraphique, Agora ancienne, Kerameikos, Art populaire, Hist. ethnologique, Goulandris (M. d'hist. naturelle,* coll. privée), *Kanellopoulos* (coll. privée), *Benaki, Art moderne* (coll. Vorres), *Pinacothèque de l'art mod.* (coll. privée Pierides). – **Autres villes.** *Ethnographique et ethnologique de Macédoine* à Salonique, *Folklore* à Nauplie, *Archéologiques* sur de nombreux sites.

Hongrie. **Budapest** *Beaux-Arts, Arts déco, Galerie nationale, M. national hongrois, M. ethnographique.*

Inde. **Bénarès** *Bharatia Kala Bhavan.* **Bombay** *Jahangir Art Gallery.* **Calcutta** *Indian Museum* (125 000 objets). **Hyderabad** *Salarjung Museum.* **Madras** *Contemporary Gallery of Modern Art.* **New Delhi** *Gall. of Contemporary Art/Lalit Kala Akademy, National Gall. of Modern Art, Nat. Museum.*

Irak. **Bagdad** *Archéologique de l'Irak.*

Italie. **Rome** *Art antique, Art moderne, Capitole* (sculpt.), *Vatican* (peint. ancienne, Renaiss.), *Latran* (art ancien, chrétien, ethnol.), *Borghèse* (peint.), *gal. Colonna, gal. Doria.* – **Bologne** *Civique, Pinacothèque.* **Florence** *Académie,* 763 273, *Les Offices* (peint, ital. XVᵉ et XVIᵉ s. 46 salles), 1 135 745, *Palais Pitti* (peint.), *National* (Bargello) (sculpt., arts min., monnaies antiques), *couvent St-Marc* (Fra Angelico). **Milan** *Pinacothèque de Brera, Civique, M. Poldi Pezzoli, Bibl. ambrosienne.* **Naples** *National* (peint., archéol. romaine), *Capodimonte.* **Venise** *gal. de l'Académie* (peint. vénitienne XIIIᵉ au XVIIIᵉ s. 24 salles), 179 308, *Art oriental.* **Turin** *Sabauda* (peint.), *Antiquités.*

Japon. **Kurashiki** *Beaux-Arts O'hara.* **Kyōto** *Nat.* (peint. et arts déco.). *Beaux-Arts* (peint. moderne jap.). **Nara** *Nat.* (art bouddhique). **Osaka** *Beaux-Arts. Ethnologie.* **Sakura** *Histoire.* **Tōkyō** *Art populaire jap. Nat.* (archéologie et art extr.-or.). *Beaux-Arts occidentaux. Art moderne.*

Maroc. **Chechaouen** *Ethnologique.* **Essaouira** *Sidi Mohamed Ben Abdallah.* **Fès** *Batha, Borj Nord* (armes). **Larache. Marrakech** *Dar Si Saïd.* **Meknès** *Dar Jamaï.* **Rabat** *Archéologique, Oudaias.* **Safi** *Céramique.* **Tanger** *Kasbah.* **Tétouan** *Archéologique, Bab al Okla.*

Mexique. *Anthropologie.*

Norvège (1984). **Bergen** *Historique,* 38 700. *Vestlandske kunstindustrimuseum* 8 044. **Lillehammer** *Sandvigske samlinger* (plein air) 113 350. **Oslo** *Hist.* (inclus M. viking) 402 300. *Norsk Folkemuseum* (plein air) 271 900. *Henie-Onstad Kunstsenter* (Centre d'Art). *Samtidskunst* (Art Moderne). *Nasjonalgalleriet* (Arts plastiques) 107 755. *Kunstindustrimuseum* (arts et métiers) 80 405. *Munch* 137 000. **Trondheim** 50 210. **Tromsø** *M.* [inclus collections sami (Lapon)] 62 000. *Beaux-Arts.*

Pays-Bas **(1990).** Env. 800 musées dont d'État env. 50, municipaux env. 130, privés env. 620. **Amsterdam** *Rijksmuseum* [créé 1806 et 1885, peint., sculpt. du XVᵉ au XIXᵉ s., arts déco., asiat., hist., estampes (env. 1 million), 200 salles], 1 029 867, *Stedelijk* (art moderne), 423 258, *Van Gogh,* 1 226 055. *Historique, Tropenmuseum.* **Haarlem** *Frans Hals,* 173 560. **La Haye** *Mauritshuis* (peint.), 243 691, *Gemeentemuseum,* 212 741. **Leyde** *voor Volkenkunde, Van Oudheden.* **Otterlo** *Kröller Muller* (peint. mod., Van Gogh), 778 413. **Rotterdam** *Boymans-Van Beuningen* (peint., arts mineurs), 436 938. *Hist., voor land en Volkenkunde.* **Utrecht** *Central* (peint., arts min., archéol.), 88 303.

Portugal. Env. 250 musées, env. 2 millions de vis. **Lisbonne** *Arts anciens, Gulbenkian* 105 406, *Azulejos, Théâtre, Maison du Dr Gonsalves, Ajuda, Carrosses royaux, Ville, Art populaire, Marine, Costume, Arts déco. Archéologie et Ethnologie.* – **Amarante** *Albano Sardoeira* (peintures de Souza Cardoso). **Aveiro. Braga** *M. des Biscainhos. M. D. Diogo de Sousa.* **Bragança** *Abade de Baçalo.* **Calda da Rainha** *José Malhoa, M. de céramique.* **Castelo Branco** *Francisco Tavares Proença Junior.* **Coimbra** *Machado de Castro.* **Evora. Guimarães** *Alberto Sampaio.* **Lamego. Mafra** *Palais nat.* **Nazaré** *M. Dr Joaquim Manso.* **Obidos. Porto** *Soares des Reis. Fondation Serralves.* **Viseu** *M. de Grão Vasco.*

Roumanie. **Bucarest** *Art populaire, Collections d'art, Histoire, Village, Paysan roumain.* **Baia-Mare** *M. des fleurs de mine.* **Cluj** *Art, Histoire de la Transylvanie.* **Constantza** *Archéologie.* **Craiova** *Art.* **Jassy** *Art, Hist. de la Moldavie, Ethnographique de la Moldavie.* **Oradea** *Ethno.* **Sibiu** *Samuel Bruckenthal.* **Timisoara** *Ethno.*

Russie. **Moscou** *Beaux-Arts Pouchkine* (peint. europ.), *Gall. Tretyakov* (art russe), *M. de la Révolution, Historique.* **St-Pétersbourg** *L'Ermitage* (peint., archéol. 400 salles) 4 492 369, *M. ethno.*

Suède. 195 m., 14 699 000 vis. 1991 : *M. centraux* (15), 2 531 000, *régionaux* (23), 2 324 000, *locaux* (57), 3 384 000, *autres* (100), 6 460 000. **Stockholm** *Nordique,* 223 000. *Skansen* (M. de plein air), 1 536 000. *Antiquités,* 153 000. *Ethno.,* 37 000. *Musique,* 29 000. *Poste,* 85 000. *Ville,* 194 000. *Beaux-arts* (National m. Asiatique et Moderne Museet 407 000). *Architecture* 14 000, *Gall. Thielska* (peint. et sculpt.) 28 000, *Millesgården* (maison du sculpteur Carl Milles) 139 000, *Waldemarsudde* (peint. et sculpt.) 197 000. – **Göteborg** *Ethno.,* 47 000. **Lund** *Kulturene (m. historique),* 146 000. **Malmö** *Ville* 235 000.

Suisse. 700 m., 9 000 000 vis. **Bâle. Berne** *Historique.* **Brienz** *Ballenberg* (m. de l'habitat rural). **Genève** *Art et histoire* (f. 1910) 117 171. **Lucerne** *Transports.* **Neuchâtel** *Arts et techniques.* **Winterthur** *Technorama.* **Zurich** *M. nat. suisse.*

Taiwan. **Taipeh** *Palais national.*

Tchécoslovaquie. **Bratislava** *Institut Historique-Château. Slovaque. Ville.* **Prague** *Technique, Tchèque, Ville.*

Collections zoologiques

Les plus anciennes : roi d'Égypte Ptolémée II (dont un serpent géant). **XVIᵉ s. :** Aldrovandi. **XVIIᵉ s. :** anim. indonésiens de Georg Eberhard Rumpf. **V. 1660,** en Allemagne, coll. de Göttorf, du duc de Holstein (crocodiles naturalisés, calmars). **XVIIIᵉ s. :** France, nombreux cabinets d'hist. nat. (17 à Paris en 1742, 61 en 1780). Jenner classe les coll. rapportées par Cook en 1771. De Linné (Stockholm et Londres). Du Père David.

Principales collections au XIXᵉ s. Berlin : *Musée zoologique Carl Illiger, Unter den Linden.* **Copenhague :** *Musée zool.,* 268 000. **Londres :** *Musée Levarianum, British Museum, Musée d'histoire naturelle.* **Leyde :** *National Natuurhistorisch Museum.* **Paris :** *Muséum d'histoire naturelle* (1 500 000 échantillons en zoologie, 36 900 en anatomie).

Tunisie. 39 musées. **Carthage** *M. nat.* **Djerba. El Jem** *Archéol.* (mosaïque). **Kairouan** *Arts islamiques à Raqqada.* **Sfax. Sousse. Tunis** *Bardo* (archéol., mosaïque), *PT. Art vivant du Belvédère. Armée. Céramique islamique. Arts et traditions pop.* **Sfax, Gabès, Djerba, Kef :** *Arts et trad. pop.*

Turquie (1991). 170 musées. **Ankara** *Civ. anatoliennes,* 363 425. **Éphèse** 768 064. **Istanbul** *Ste-Sophie,* 698 440, *Archéol.,* 109 062, *Topkapi,* 915 908. **Konya** *Mevlâna,* 1 061 000. **Pergame** 259 483.

Musées des sciences, techniques et histoire naturelle

Allemagne. Berlin *Poste ; Radio* 50 000 ; *Transports et techniques* 165 780 ; *Naturkunde.* **Augustusburg** *Motocycles.* **Bochum** *Ind. minières* 429 350. **Bonn** *Alexander Koenig* 115 779. **Bremerhaven** *Nautique national* 317 998. **Dresde** *Architecture, Hygenie-Museum, Postes.* **Francfort** *Senckenberg* 254 196, *Karlsruhe* 121 723. **Gotha, Görlitz** *H. nat.* **Hettstedt** *Techniques.* **Jena** *Phyletisches Museum, Stralsund Meeresmuseum.* **Munich** *Allemand* 1 305 140. **Nüremberg** *Transports* 448 541. **Oelsnitz. Ohrdruf. Rostock** *Navals.* **Schwerin. Thale.**

Autriche. Vienne *Naturhistorisches M.* 294 166.

Danemark. 14 musées. **Copenhague** *M. zoologique* 166 000.

Grande-Bretagne. Londres *M. d'Hist. nat.* (87 000 m²) 1 571 682. *M. des Sciences* (42 873 m²) 1 327 503. **Greenwich** *Maritime* 587 876. **York** *Chemins de fer* 462 308.

Japon. Tōkyō *Scientifique,* 1 302 840, *des sciences, Télécommunication.*

Monaco. *Océanographique* et *Aquarium* (1910) 1 031 811 (1992).

Norvège (1986). **Bergen** *Zoologique et jardin botanique* 28 980. *Bryggen* (M. du Quai Hanséatique). *Aquarium* 162 436. **Elverum** *Sylviculture* 105 600. **Oslo** *H. nat.* 140 000. *Maritime* 95 986, *Technique* 104 273. **Tromsø** 69 198. **Trondheim** *Vitenskaps.*

Pays-Bas. Amsterdam *Zoologique.* **Leyde** *Géologie, minéralogie, hist. nat.*

Portugal. Coimbra.

Roumanie. Bucarest *Gr. Antipa, M. Géologique, M. et jardin botanique, Technique « D. Leonida », M. nat. militaire, Chemins de fer,* **Cluj** *Jardin botanique.* **Constantza** *Aquarium.* **Jassy** *Hist. des sciences, Hist. nat.* **Ploieşti** *Horlogerie, Pétrole.* **Sibiu** *Techniques pop.* **Tulcea** *Delta du Danube.*

Suède. Gävle *Silvanum* 48 000. **Göteborg** *Technique, Hist. de la marine et aquarium.* **Kariskrona** *Hist. de la marine* 41 000. **Linköping** *Aéronautique* 73 000. **Malmö** *De la marine et des techniques.* **Stockholm** *Sciences et techniques* 182 000, *Hist. de la marine* 148 000.

Suisse. Berne. *PTT.* **La Chaux-de-Fonds** *Horlogerie.* **Lucerne** *Transports.* **Winterthur** *Technorama.*

Tchécoslovaquie. Prague *Arts appliqués.*

Tunisie. Carthage-Salammbô *Océanographie et pêche.*

USA. Chicago *Science et Industrie,* 4 000 000. **Los Angeles. Milwaukee. New York** 300 000. **Philadelphie** *Franklin Institute.* **San Francisco. Washington** *Hist. nat.* (Smithsonian Institution), 6 096 282 ; *Air et Espace* (Smith. Instit.) 14 500 000.

En France

Organisation : *10-8-1793 :* inauguration au Louvre du musée de la République ; les musées de province se constituent à partir de biens saisis. *16-4-1895, 14-1-1896, 10-8-1941* et *13-7-1945 :* organisation des musées. Les m. français participent aux activités de l'Icom (International Council of Museums), association internationale non gouvernementale. **Crédits consacrés par l'État à l'aide aux acquisitions** (1990) : 400 dont : subventions aux acquisitions (m. en région 49, m. national d'Art moderne 33), ressources propres de la réunion des m. nationaux 142, fonds du patrimoine 46, dations 228. **Direction des Musées de France** (du ministère de la Culture) gère les m. nationaux et assure la tutelle de l'État sur les m. classés et contrôlés. Elle a un droit de préemption en vente publique et contrôle l'exportation des œuvres d'art.

Nombre de musées. Publics : 1 400 dont 1 019 relevant de la Direction des musées de France (min. de la Culture), 34 *m. nationaux* (dont Louvre et Versailles), 33 *m. classés* et env. 950 *m. contrôlés,* conservant au total plus de 20 millions d'œuvres et objets (le reste des m. publics relevant d'autres services du min. de la Culture ou d'administrations). **Privés :** env. 1 000.

Budget des musées publics (m. nat., m. classés, m. contrôlés, en millions de F, Beaubourg exclu). **Équipement :** subventions de l'État en autorisation de programme. *1980 :* 331,2. *81 :* 254,9. *82 :* 412,8. *83 :* 973,8. *84 :* 521,3. *85 :* 902,8. *86 :* 1 240,8. *87 :* 717,1. *88 :* 297,9. *89 :* 767. *90 :* 819,8. *91 :* 954,6. **Fonctionnement** (y compris budget d'acquis.) : *1980 :* 148,1. *81 :* 169,4. *82 :* 317,9. *83 :* 445. *84 :* 493. *85 :* 501. *86 :* 537. *87 :* 541. *88 :* 598. *89 :* 609,5. *90 :* 731,6. *91 :* 758,5. *92 :* 718,7. **Budget d'acquisition :** *M. nationaux : 1981 :* 32. *84 :* 96,5. *88 :* 110,3. *89 :* 114. *90 :* 125,7 (+ 22,9 venant du Fonds du Patrimoine). *91 :* 94,2 (+ 8,3 F. P.). *92 :* 90 (+ F. P. n.c.). *M. classés et contrôlés : 81 :* 2,1. *84 :* 30,8. *86 :* 24,9. *87 :* 26. *88 :* 28,5. *90 :* 35 (+ 13,8 du Fonds du Patrimoine). *91 :* 47 (+ 1,9 F. P.). *92 :* 47 (+ F. P. n.c.).

Musées nationaux

Administrés en régie directement par l'État sauf 3 établissements publics disposant de la personnalité morale et de l'autonomie financière : m. Henner, Gustave-Moreau et Rodin (le seul à disposer de ressources propres grâce au titre des droits sur la reproduction des fontes du sculpteur).

Expositions les plus fréquentées en France

Légende : Nombre d'entrées, musée (1 Orangerie, 2 Petit Palais, 3 Versailles, 4 Grand Palais, 5 Louvre, 6 Art moderne, 7 Beaubourg).

1 240 975 Toutankhamon [2] (1967). + *1 million* Ramsès le Grand [4] (1976). *840 602* Dali (1979-80, 104 j). *793 544* Renoir [4] (1985). *735 197* Manet [4] (1983). *654 713* Toulouse-Lautrec [4] (1992). *623 297* Gauguin (1988). *603 132* Picasso [2,4] (1966). *600 000* Vienne [7] (1986). *600 000* Bijoux, cailloux, fous (1986). *548 496* Turner [4] (1983). *505 692* Centenaire de l'impressionnisme [4] (1974). *504 422* Monet [4] (1980). *494 233* Van Gogh [1] (1972). *488 200* Bonnard [7] (1984, 77 j). *473 103* Paris-Paris [7] (1981, 137 j). *457 326* Picasso [4] (1979). *450 000* Watteau [4] (1984). *450 000* Vienne 1880-1938 [7] (1986, 72 j). *439 886* Degas [2] (1988). *430 760* Impressionnisme [4] (1985). *425 013* Paris-Moscou [7] (1979, 136 j). *418 329* Forum [7] (1979-80, 97 j). *416 040* De Rembrandt à Vermeer [4] (1986). *396 016* Douanier Rousseau [4] (1984). *385 740* Cézanne [4] (1978). *375 000* Giacometti [4] (1992). *369 462* Pissarro [2] (1981). *364 287* Van Gogh [6] (1988). *359 596* L'Or des Scythes [4] (1975). *351 000* Kandinsky [7] (1984). *348 235* La Tour [1] (1972). *347 612* Collection Walter [1] (1966). *347 136* Matisse [4] (1970). *339 983* Chardin [4] (1979). *335 866* La Comédie-Française de 1680 à 1862 [3] (1962). *326 006* Fragonard [4] (1987). *317 702* Vermeer [1] (1966). *311 636* Goya [1] (1970). *296 690* Les Frères Le Nain [4] (1979). *292 317* Les Étrusques [5] (1992). *289 872* Cézanne [1] (1974). *261 135* Gainsborough [4] (1981). *256 168* Collection suisse [1] (1967). *255 792* Courbet [4] (1978). *253 930* Chagall [4] (1970). *252 242* De Renoir à Matisse [4] (1978). *246 039* Les Fastes du gothique [4] (1981). *239 531* Le Brun [3] (1963). *235 503* Vienne à Versailles [3] (1964). *225 714* Peintures XVIIe s. dans les collections américaines [4] (1982). *220 178* Hommage à Corot [1] (1975). *204 963* Bonnard [1] (1967). *204 422* Max Ernst [6] (1992). *201 068* La Tapisserie du XIVe au XVIe s. [4] (1973).

Moyenne journalière : Centenaire de l'impressionnisme 9 199. Toutankhamon 7 342. Turner 6 943. Picasso 6 224. Vermeer 5 608. Van Gogh 5 314.

☞ *Exposition Rembrandt :* Berlin (1991) 310 000 ; Amsterdam (1991-92) 440 000.

En Grande-Bretagne

Légende : (1) British Museum. (2) Victoria and Albert Museum. (3) Royal Academy. (4) Hayward Gallery. (5) Tate Gallery.

1 694 117 Toutankhamon [1] (1972).. *1 500 000* Britain can make it [2] (1947). *771 466* Chine [3] (1974). *648 281* Post-impressionnisme [3] (1980). *633 347* Pompéi [3] (1977). *523 005* Grand Japon [3] (1982). *465 000* Les Vikings [1] (1980). *452 885* Génie de Venise [3] (1983). *424 629* Turner [3] (1975). *365 000* Renoir [4] (1985). *334 354* Les Jeux Olympiques Antiques [1] (1980). *313 615* John Constable [5] (1976). *294 837* Trésors de la Nation [1] (1988-89). *236 615* Salvador Dali - rétrospective [5] (1980). *224 659* Les Préraphaëlites [5] (1984). *223 370* Bouddhisme, Art et Foi [1] (1984-85). *173 334* David Hockney - rétrospective [5] (1988-89). *139 457* Picasso 1953-72 [5] (1988).

■ **Musées classés et contrôlés.** Placés sous le contrôle scientifique de la Direction des Musées de France, appartiennent aux communes, aux départements, à des associations culturelles. *Personnel scientifique* des m. appartenant aux collectivités territoriales (statut du 2-9-1991) : conservateurs territoriaux du patrimoine. Des listes établies par arrêté conjoint du min. chargé des coll. terr. et du min. de la Culture déterminent les établissements (ou services) où peuvent être créés des emplois de conservateurs et leur nombre. La hiérarchie entre les musées des coll. terr. établie en 1945 s'est estompée avec l'apparition de musées contrôlés particulièrement actifs et possédant des ensembles d'objets importants (m. Dobrée à Nantes, m. des Beaux-Arts à Strasbourg).

☞ Les musées de la Ville de Paris bénéficient d'un régime spécial depuis le règlement du 21-08-1955 et leur organisation est calquée sur celle des musées nationaux. Des musées publics peuvent relever d'autres ministères que de celui de la Culture : Éducation nationale [200 muséums d'histoire nat., m. scientifiques et techniques (ex. m. de l'homme)], Défense (ex. m. de l'armée, m. de la marine), PTT, etc., ou de l'Institut (ex. m. Condé à Chantilly, m. Jacquemart-André).

Éco-musées. *Origine :* m. associant la population à la préservation, à la mise en valeur et à l'animation du patrimoine du territoire qu'il s'est donné pour cadre, parfois musée de plein air.

Réunion des musées nationaux. Établ. public institué en 1895, administré par un conseil d'adm. présidé par le Directeur des m. de France. *Ressources :* notamment droits d'entrée dans les m. nationaux et ventes des publications scient., des catalogues d'expositions, affiches, cartes postales, gravures, moulages et copies de bijoux qu'elle édite. *Dépenses :* achat d'œuvres d'art pour le compte de l'État.

Acquisitions d'œuvres d'art au bénéfice des musées nationaux. *Dépenses en millions de F : 1990 :* 142,9 ; *91 :* 102,6. *Part des crédits consacrés par l'État à ces acquisitions : 1989 :* 56,6 ; *90 :* 59,9 (dont F P 22,9) ; *91 :* 28 (dont F P 8,3). *Crédits accordés par l'État aux collectivités territoriales* pour participer à l'acquisition d'œuvres d'art pour les musées classés et contrôlés : *1990 :* 35 (dont F P 13,8) ; *91 :* 48,9 (dont F P 1,9).

■ **Œuvres étudiées par le laboratoire de recherches des musées de France. Objets archéologiques** *1984 :* 2 937, *85 :* 962, *86 :* 1 402, *87 :* 767, *88 :* 753. **Peintures** *1984 :* 444, *85 :* 303, *86 :* 395, *87 :* 547, *88 :* 530, *89 :* 1 005, *90 :* 1 306.

■ **Restauration des peintures. Des musées nationaux :** *« bichonnages » 1989 :* 1 000, *90 :* 1 932, *91 :* 2 000 ; *interventions fondamentales* (conservation des bois et des toiles, nettoyages, réintégrations) *1989 :* 750, *90 :* 509, *91 :* 530. **Des musées classés et contrôlés :** *interventions 1990 :* 12 560, *91 :* 13 850.

■ **Personnel.** *Conservateurs (1990) :* 207 dont 13 conservateurs généraux des musées, 40 conservateurs en chef, 77 de 1re classe, 77 de 2e cl. *Personnel d'entretien* 378, *surveillance* 1 708.

Gardiens et personnel technique : selon une enquête de 1987, sur 450 m. classés et m. contrôlés de province, 75 % des m. classés ont 1 conservateur d'État, 15 % en comptent 2,3, 12 % 3 ; 75 % des m. contrôlés de 1re catégorie ont 1 conservateur, 25 % en ont au moins 2 ; Besançon, Chambéry, Grenoble en ont plusieurs, Bordeaux 5, 95 % des musées de 2e catégorie ont 1 conservateur, 1 % en ont 2.

■ **Visiteurs.** Nombre d'entrées (en millions). **34 musées nationaux :** *1987 :* 8,3 payant, 3,5 gratuit. *1988 :* 8,9 pay., 4 gr. *1989 :* 9,1 pay., 5,1 gr. *1990 :* 10 pay., 5,7 gr. **1 200 musées contrôlés :** *1990 :* 70.

Principaux musées

☞ Il y a en France env. 3 900 musées dont 38,6 % appartiennent à des propriétaires privés. 55 % des musées sont consacrés à plusieurs thèmes, 45 % à 1 seul thème (Histoire 18,5, Beaux-Arts 14, Archéologie nationale 13,2, Ethnographie 12,5, Sciences et Techniques 12,2, Histoire nat. 11,9, Art religieux 5,1, Mobilier, objets d'arts 4,7, Littérature ou Musique 2,6, etc.). Dans 4 musées sur 10, l'entrée est gratuite (43 % des m. privés, 36 % des m. publics).

Paris

Légende. V. : visiteurs, p. : payant, g. : gratuit, mod. : moderne.

■ **Centre national d'art et de la culture Georges-Pompidou (CNAC). Créé** 1969, ouvert 31-1-1977. **Présidents** *1970* Robert Bordaz. *1977* Jean Millier. *1980* Jean-Claude Groshens. *1983* Jean Maheu. *1989* Hélène Ahrweiler. *1990* Dominique Bozo (1935-93).

Musées de cire

Musée Grévin. *Inauguré* 5-6-1882 (galerie d'actualités). *Fondateur :* Arthur Meyer (1844-1924), dir. du journal « Le Gaulois ». *Financier, organisateur :* Gabriel Thomas. *Artiste metteur en scène :* Alfred Grévin (1827-92), directeur artistique avant 1900. *Adjonctions :* Cabinet fantastique (théâtre de 300 pl.) (1900), Palais des Mirages (1906) et les principaux tableaux de l'Histoire de France. 60 tableaux présentent env. 420 personnages. *1937-38 :* création de musées aux USA et au Canada ; en France : historial de Hte-Auvergne à Aurillac, rachat du musée de Cire de Lourdes et scènes hist. du château de Breteuil. *1980 :* au Forum des Halles (130 personnages de la Belle Époque, spectacle avec animation). *1984 :* historial de Touraine au château royal de Tours. *1986 :* nouveau tableau de 50 acteurs et actrices du cinéma au musée Grévin. *1987 :* musée à la Rochelle ; au mont-St-Michel. *Févr. 1990 :* au Forum, nouvelles scènes. *Juin 1990 :* Espace Grévin Bourgogne à Dijon. *1992 :* musée de Provence à Salon-de-Provence : 25 000 v. en juillet 1992. *Visiteurs* (1989) : *Paris* bd Montmartre 545 000, Forum des Halles 145 000. *Lourdes :* 176 000. *Tours :* 67 000. *La Rochelle :* 51 000. *Mont-St-Michel :* 135 000. *Chiffre d'affaires prév.* (1992) : 30 millions de F (HT), bénéfices 3,5 ; (1993, est.) 66 millions de F (HT), bénéfices 2,5 millions de F.

Madame Tussaud. *Créé* 1835 par Madame Tussaud [Marie Grosholtz (Strasbourg 1761-Londres 1850)]. *1795* épouse Francis Tussaud. *1802* va en Angleterre avec 30 figures de cire, héritées du docteur Curtius, organise des expo. itinérantes. *1835* se fixe à Londres. *1884* locaux actuels. *Visiteurs :* 2 000 000 par an.

Coût de la construction 933 millions de F. **Dimensions** *Superficie :* au sol 1 ha (sur les 2 ha du plateau Beaubourg), 7 500 m² par étage (5) ; surfaces vitrées 11 000 m² ; ossature métallique 15 000 t. *Longueur :* 166 m. *Hauteur :* 42 m. *Largeur :* 60 m. *Volume :* 413 320 m³. **Employés** env. 1 100 pers.

Activités. **Bibliothèque publique d'information (BPI)** (voir p. 347) *créée* 1975-76 (ouverte dès 1977) par Renzo Piano, 3 étages, 245 employés ; consultation sur place, sans prêt à l'extérieur. *Fréquentation :* env. 13 000 usagers/j ; *espace de lecture :* 11 00 m², 1 800 places, 400 000 volumes, 2 391 abonnements, 2 470 films, 140 000 images fixes sur vidéodisques, 4 000 cartes géog., labo de langues de 56 places, une salle de projection, un espace d'exposition ; *salle d'actualité :* 650 m², 120 places, 900 disques (dont 300 compacts-discs), 4 500 volumes, 755 périodiques ; *salle d'actualité des enfants :* 250 m², 100 pl., 3 510 livres, 60 revues, 300 films, banque d'images sur vidéodisques, 4 postes de consultation de logiciels, 500 disques ou cassettes. **Musée national d'art moderne (MNAM)** rattaché depuis 1975 au CNAC, établ. public autonome relevant du min. de la Culture, ses collections restant la propriété de l'État. 12 300 m², 33 000 œuvres ; un des plus grands musées d'art mod. du monde ; employés 245 dont 120 à l'accueil. Visiteurs : *1978 :* 1 585 915, *90 :* 1 096 238. **Centre de création industrielle (CCI)** architecture, urbanisme, communications visuelles ; informe le public, effectue des études pour collectivités locales et administrations. **Institut de recherches et de coordination acoustique musique (IRCAM)** *dir. :* Pierre Boulez. *Budget 1991* (millions de F) : 43. *Subvention du min. de la Culture :* 23,7. *Subv. indirectes* (recherche scientifique) 4,2. *Recettes propres :* env. 10 venant de fondations (Paul Sacher, à Bâle), commandes (Mme Pompidou), redevances sur licences ind. et comm., mécénat. *Prestations indirectes :* env. 10. *Personnel :* 85 dont 65 perm. **Services communs** salles de cinéma, espaces d'expositions, théâtre, danse, concerts, débats, etc. *Ouverture :* tous les j sauf mardi de 12 h à 22 h (sam. et dim. 10 h à 22 h).

Entrées *1981 :* 8 064 000, *1984 :* 8 413 500, *1985 :* 7 366 535, *1986 :* 6 702 731, *1988 :* 8 129 528, *1990 :* 8 262 513 (soit 26 398 par jour) dont (en %) Paris 41, banlieue 18, province 13, étranger 28. 20 % viennent 1 fois ou + par semaine, 38 % 1 fois par mois, 77 % ont moins de 35 ans.

Budget (1990, en millions de F). *Dépenses :* 448,5 dont fonctionnement 368,8, équipements 48,2, recherche 4,7, acquisitions 26,8. *Recettes :* subventions de fonctionnement : 379,8 ; recettes propres 15,3 % des dépenses. En % : charges salariales 41, bât., admin., équipements 29, action culturelle 30.

■ Louvre. **Créé** le 18-11-1793, le plus grand de France [antiquités orientales, égyptiennes, grecques, romaines, sculptures, cabinet des dessins, objets d'art Moyen Age au XIXe s., peintures XVIe au XIXe s., sup. 45 000 m² (60 700 en 1996), 250 salles ouvertes au public (1992), env. 300 000 objets dont 23 000 exposés sur 33 000 m², 16 500 en dépôt, 15 000 tableaux inscrits à l'inventaire dont 5 600 au Louvre (2 200 exposés et 3 400 en réserve)]. La 1re collection est due à François Ier (dont la Joconde). **Visiteurs** *1970 :* 2 413 000, *72 :* 3 000 000, *77 :* 3 161 000, *79 :* 3 732 170 (dont 1 881 039 payants), *82 :* 2 545 658 (1 247 301 p.), *85 :* 3 210 708 (2 054 855 p.), *86 :* 2 702 634 (1 729 686 p.), *87 :* 2 797 024 (1 790 097 p.). *89 :* 5 500 000 (62 % d'étrangers) (entrées sous la pyramide dont 4 500 000 dans les salles). *90 :* 5 337 600 (3 416 013 p.). *91 :* 4 691 000 ; *92 :* 4 900 000.

Aménagement du Grand Louvre (architecte sino-américain : Ieoh Ming Pei) décidé par le Pt Mitterrand : creusement d'un sous-sol sous la cour Napoléon avec entrée couverte d'une pyramide de verre (haut. 21,64 m, base 35,4 m). *Superficies prévues* (1996) pour les expositions permanentes (m²) : antiquités orientales 6 000 (au lieu de 2 600), égyptiennes 4 000 (2 600), grecques et romaines 7 100 (6 200), peintures 18 200 (10 700), dessins 2 192 (1 480), sculptures 7 000 (3 400), objets d'arts 8 400 (4 200). *Total du Grand Louvre :* 160 000 m² dont 55 000 réservés à l'accueil, aux services, au parc de stationnement, aux réserves, ateliers, laboratoires. *Coût* (en milliards de F). Prév. 5,9 dont 1re tranche achevée juillet 1989 (restauration des toitures et façades de Richelieu, édification et ouverture au public de la Grande Pyramide) ; 2e tranche 2 000 (restauration façades, toitures autour de la cour Napoléon, achèvement des fouilles archéologiques, parc de stationnement, galerie commerciale Carroussel-Louvre) 3,2. Dotation de fonctionnement. *1989 :* 0,047, *90 :* 0,05. *93 :* 0,06.

■ Autres musées. **Armée**, Invalides, 300 000 objets, 1 212 271 visiteurs. **Arts d'Afrique et d'Océanie de la Porte Dorée (MAAO)**, f. 1931, 1 850 objets, 296 600 v. (146 300 payants). **Arts décoratifs**, f. 1877, 80 000 objets, 123 189 v. 1991. **Art juif de Paris. Arts de la mode et du textile**, f. 1986, expo. temporaires, 86 737 v. **Arts et métiers** (Conservatoire nat.). **Arts et traditions populaires** (m. nat.), f. 1937 par Georges-Henri Rivière, 8 000 objets, 66 600 v. (20 000 pay.). **Carnavalet**, f. 1880 agrandi 1989, 12 000 m² (147 salles), histoire de Paris, 202 219 v. **Cernuschi**, f. 1898 (m. d'art chinois de la Ville de Paris), art asiatique 10 000 objets. **Chasse et de la Nature** (maison de la) f. 1967, 11 900 p. **Cinéma**, f. 1936 par Henri Langlois et Georges Franju, 35 000 v. **Cluny**, f. 1843 Moyen Age et Renaissance, 194 100 v. **Cognacq-Jay**, f. 1928, 55 500 v., env. 1 000 œuv. XVIIIe, arts décoratifs. **Conservatoire nat. de musique** (m. instrumental) 1 000 v. **Contrefaçon**, f. 1920. **Découverte** (Palais de la) f. 1937 par F. Perrin, 740 000 v. **XIXe s. D'Ennery. Eugène-Delacroix** 29 574 v. (24 368 pay.). **Français** ouvert 1987 dans l'ancienne gare d'Orsay 3 000 000 (2 000 400 pay.) **Grand Palais** (Galeries nat. d'exposition du) f. 1964 par André Malraux. 214 expos. *1991-92 :* 1 965 804 v. **Grévin** (voir ci-contre). **Guimet** (art asiatique, 6 000 objets) f. 1879 et donné à l'État 1884 par Émile Guimet (1836-1918, industriel et savant), 170 000 v. (120 000 pay.). **Gustave Moreau**, f. 1903, 6 300 objets, 25 000 v. **Hébert**, 2 150 v. (1 500 pay.). **Henner**, f. 1921, 1 520 œuvres. **Histoire de France**, f. 1867 par Nap. III, 35 839 v. **Histoire naturelle** (Muséum nat.) f. 1635, anatomie comparée, ménagerie, paléontologie, minéralogie, botanique, serres ; Jardin des Plantes. *Grande Galerie* (ouverte 22-7-1889, fermée 1964 réouverture prévue fin 1993) abritait 1 150 000 espèces d'animaux dont 1 baleine de 32 m. **Homme** (de l'), f. 1937 par Paul Rivet, + d'1 million d'objets, 225 286 v., préhist., anthropologie, ethno. **Hôpitaux de Paris**, f. 1934, 15 000 v. **Jacquemart-André** (à l'Institut), f. 1913, fermé dep. 1990. **Légion d'Honneur** (m. nat.), f. 1925, 17 208 v. **Marine**, f. 1827, 33 000 objets, 175 000 v. **Marmottan**, f. 1932 (donation de Jules Marmottan à l'Institut) env. 150 000 v. **Mines** (école nat. sup. des) rénovation 1987-89. **Monnaie**, f. 1827 par Darcet et Collin de Sussy, réaménagé 1988, 2 000 pièces, 450 médailles, 14 400 v. **Monuments français** f. 1882, 6 000 moulages des monuments et sculptures, 5 000 m² de peintures murales, 44 700 v. (21 800 pay.). **Nissim-de-Camondo** (hôtel construit 1914) donné par Moïse, son père, à l'Union des Arts décoratifs en 1935, décor XVIIIe s., 800 objets, 30 000 v. **Orangerie**, collection Walter Guillaume et Nymphéas de Monet, 144 peintures, 368 000 v. (290 000 pay.). **Picasso**, ouvert 1985 à l'Hôtel Salé, donation des héritiers de Picasso (200 tableaux, 1 000 dessins, 137 sculptures) 509 400 v. (339 600 pay.). **Plans-reliefs** aux Invalides, maquettes et plans de fortifications du XVIIe au XIXe s., ; 1 000 m², 200 000 v. (déménagement prévu à Lille par PM Mauroy 1985, interrompu par F. Léotard, min. de la Culture 1986 ; 19 resteront à Lille). **Préfecture de Police**, f. 1909 par Lépine (2 000 doc.) 9 500 v. **Rodin**, f. 1916, 438 155. **Sciences et industrie** (Cité des) 1980-87, dans les anciens abattoirs de la Villette (voir Index). **Techniques** (m. nat.), f. 1794 par l'abbé Grégoire, 150 000 v.

☞ Musées de la Ville de Paris : *M. d'art moderne de la Ville de Paris* (f. 1961). Maison de Balzac. M. Carnavalet. M. Cernuschi. M. du Costume et de la Mode (f. 1977, 100 000 v.). M. du Petit Palais. Maison de Victor Hugo. Galerie des plans et reliefs inaugurée le 16-1-87 (200 000 v. en 1990). *M. Marmottan* (appartient à l'Institut ; fondé 1934 : Empire, impressionnistes, enluminures 60 000 v.). M. de la Vie romantique, M. Bourdelle, M. Zadkine.

■ Région parisienne

Chantilly (m. Condé) f. 1884, 287 647 v. **Compiègne** (château) 208 236 v. (59 865 p.). **Courbevoie** (Roybet-Fould) f. 1927, 25 000 v. **Écouen** (Renaissance), f. 1977, 64 955 v. (30 210 p.). **Fontainebleau** (château) 408 000 v. (290 000 p.). **Port-Royal** (m. des Granges de ; Magny-les-Hameaux, Yvelines),

■ Identification des œuvres d'art

■ **Méthodes d'examen. Coupes minces en peinture.** L'échantillon de peinture à analyser, enrobé d'une résine polyester liquide, est débité en coupes de 45 millièmes de mm. On pratique sous microscope des tests de solubilité, chauffage, fixation de colorants spécifiques pour déterminer liants picturaux, protéines, acides gras, résine. A partir d'une écaille de peinture, on a pu attribuer « la Pietà » de Nouans-les-Fontaines à la jeunesse de Jean Fouquet, à cause de son émulsion d'œuf et d'huile. **Radiographie.** Peintures (rayons X « mous » de 15 à 80 kV), objets archéologiques (bois ou céramiques) (40 à 90 kV), métal (300 kV). **Holographie.** Voir Index. **Méthodes d'analyse. Spectrométrie de fluorescence X.** Une source émet des photons (lumière) ou des particules qui vont exciter la matière à analyser. Celle-ci émet alors un rayonnement X mesuré avec des détecteurs et dont on analyse la dispersion.

Chromatographie. Méthode de séparation des constituants d'un mélange (analyse qualitative et quantitative). On entraîne les constituants (liquide ou gaz) le long d'un support dans lequel ils sont retenus suivant leur nature, se séparant donc progressivement.

■ **Méthode de datation. Carbone 14.** Toute matière vivante absorbe en permanence du carbone provenant du gaz carbonique de l'atmosphère (C14 très rare et radioactif, et ses jumeaux isotopes C12 et C13, stables). Quand l'organisme meurt, l'échange avec l'atmosphère cesse, et la radioactivité du carbone 14 décroît de moitié tous les 5 568 ans (période du C14). Cette méthode vaut jusqu'à 40 000 ans.

■ Préservation

Température. Env. 20°, stable et sans variations brusques. **Hygrométrie** (mesure de l'humidité relative de l'air). 45 à 55 % sans variations brusques. **Filtre à air.** Parfois nécessaire pour éviter gaz sulfureux, gaz carbonique, suies, poussières. **Isolation** des vibrations aériennes (bruit) ou solides transmises par le bâtiment, pour les objets fragiles ou les peintures mal fixées sur leur support. **Rayonnement lumineux.** *Radiations ultraviolettes* sont nocives [réactions photochimiques invisibles, en particulier pour les œuvres contenant des matières organiques (colorants, vernis)]. On cherche à les éliminer au maximum par des filtres. Les *infrarouges,* venant en particulier de lampes à incandescence, peuvent entraîner un échauffement dangereux qui agit aussi sur l'hygrométrie ambiante.

Mesure de la lumière (en lux) et protection des objets. *Métaux, céramiques, minéraux, bijoux, pierre :* peu sensibles, 500 lux, en réduisant au maximum l'échauffement. Peinture à l'huile, bois peint, émaux : sensibles, 300 lux ; limiter les infrarouges, arrêter les ultraviolets avec des filtres contrôlés régulièrement. *Aquarelles, tissus, tapisseries, costumes, dessins, miniatures, cuirs peints, reliures, parchemins, ivoire, os, écaille, plumes, spécimens d'histoire naturelle :* très sensibles. Limiter la lumière en temps et en quantité. Filtres anti-ultraviolets, 50 lux, et si possible exposition de courte durée. Jamais de rayonnement direct sur un objet. Aucune source de lumière n'est parfaitement inoffensive.

f. 1962, 12 242 v. (8 605 p.). **Rueil-Malmaison** (Malmaison, f. 1907, annexe Bois-Préau 1958) 110 267 v. **St-Cloud** (historique), f. 1975. **St-Germain-en-Laye** (antiquités nat. de), f. 1862, 125 300 v. (52 000 p.). **Sceaux** (Ile-de-France) 55 164 v. **Sèvres** céramique 39 421 v. **Versailles et Trianons** (*Château*, voir p. 356). Jeu de paume 416 703 v. ; *Lambinet*, f. 1932, 20 000 v. **Vincennes** (m. et Sainte-Chapelle) 68 159 v.

■ Province

☞ Musées les plus visités. Pour les autres voir le chapitre Régions françaises.

Colmar *Unterlinden*, f. 1849, 365 000. **Nice** *Message biblique Marc Chagall* 207 200 (132 000 p.). **St-Paul-de-Vence** *Fondation Maeght*, f. 1964, 215 000. **Nantes** *Château des ducs de Bretagne* (f. 1924/28) 200 000. **Aix-en-Provence** *Granet* 180 000. **Dijon** *Beaux-Arts*, f. 1787, 175 525. **Lyon** *Beaux-Arts*, f. 1801, 175 000. **Les Eyzies-de-Tayac** *Préhistoire* 157 700 (39 300 p.). **Mulhouse** *Chemin de fer*, f. 1969, 155 417. **Saumur** Château, f. 1829, 145 000. **Albi** Toulouse-Lautrec, f. 1876, 139 541 (127 128 p.). **Pau** Château, f. 1927, 138 225 (105 400 p.). **Villeneuve-d'Ascq** *Art moderne*, f. 1983, 120 000. **Nantes** Beaux-Arts, f. 1801, 119 290. **Strasbourg** *Art moderne* 117 225. **Bordeaux** Aquitaine, f. 1987, 110 000. **Lyon** *Chambre de Commerce (Tissus)*, f. 1890, 100 000. **Lille** *Beaux-Arts*, f. 1793, 100 000.

Expertises et ventes

Quelques ventes historiques

Biens de *Nicolas Fouquet* (Paris, 1665-66) sur saisie. *Mme de Saint-Paul* veuve du directeur des domaines de Bretagne (Paris, 1749). *Duc de Choiseul* tableaux (Paris, 1772 ; en déc. 1786, son épouse dut se séparer de tout ce qui lui restait). *Paul-Louis Randon de Boisset* (Paris, 1777). *Duc d'Aumont* (Paris, 1782). *Cte d'Orsay* (Paris, 1790-91). *Cte de Choiseul-Gouffier* sculptures antiques (Paris, 1816). *Vivant Denon* (anc. dir. gén. du Muséum central des Arts ; Paris, 1826). *Succession Courbet* (Paris, 1881 ; 33 tableaux) ; *succession Édouard Manet* (Paris, 1884). *Jacques Doucet* (Paris 1912 et 1972). *Succession André Derain* (Paris, 1955). *Raphaël Esmérian* (Paris, 6-6 et 8-12-1972, 6-6 et 11-12-1973, 18-6-1974).

■ Commissaires-priseurs

■ **Historique.** *XIIIe s.,* St Louis crée les *sergents à verge* à Paris puis les *sergents à cheval* dans les provinces. *1556,* édit d'Henri II créant des *offices de priseurs vendeurs* de meubles. *Févr. 1691,* Louis XIV crée 120 *huissiers-priseurs* à Paris et, par un édit du 16-10-1696, des *jurés-priseurs* dans les provinces. *1713,* pour la 1re fois appellation de commissaire-priseur. *Révolution,* profession supprimée. *1801,* 80 c.-priseurs rétablis à Paris. *1815,* les c.-p., établis dans une même ville, avaient versé la moitié de leurs honoraires à une « bourse » répartie entre tous les intéressés. *1816,* c.-p. en province. *1924* (20-4), loi permettant aux femmes d'être c.-p. *1945,* 2 décrets réorganisent la profession. *1949,* 1re femme c.-p. en France. *1969,* décret autorisant les c.-p. à s'associer avec des tiers. *1973,* décret sur la discipline des off. publics et ministériels. *1985,* décret fixant le tarif des c.-p. *1989* (19-12) loi, art. 8, « bourse commune de résidence » supprimée (elle rapportait env. 400 000 F pour chaque étude mais représentait env. 500 000 F de manque à gagner pour l'étude la plus importante). *1992* (27-2) décret : compétence élargie au territoire national.

Salles des ventes à Paris

■ **Hôtel des ventes.** Sous la Révolution, le 1er hôtel affecté aux ventes : hôtel de Bullion (51, rue J.-J. Rousseau) dit Bouillon. **Nouveau Drouot** 9, rue Drouot, 75009 Paris (inauguré 13-5-1980 à l'emplacement de l'hôtel construit en 1851-52). Exposition des objets la veille de la vente, de 11 h à 18 h, et le j même de 11 h à 12 h. *Ventes :* généralement à partir de 14 h, parfois le matin, en soirée ou le dimanche. *Objets vendus par an :* env. 350 000 en 2 000 ventes. *Visiteurs :* 7 000/j. **Drouot Nord** 64, rue Doudeauville, 75018 Paris. Ouvert de 8 h 45 à 12 h 30. Pas d'exposition préalable. *Ventes :* le matin, du lundi au vendredi, à partir de 9 h. **Drouot Véhicules** 17, rue de la Montjoie, 93210 La Plaine-St-Denis. Exposition à 12 h. *Ventes :* rue de la Montjoie le mardi à 14 h. 2, rue des Fillettes le jeudi à 14 h. **Drouot Montaigne** 15, av. Montaigne, 75008 Paris. Env. 100 ventes par an. **Renseignements :** « La Gazette de l'Hôtel Drouot », 10, rue du Fbg-Montmartre, 75009 Paris ; Minitel 3615 Drouot ou IVP.

■ **Domaines.** Dépendant du ministère des Finances. *Vente :* biens venant du service public ; objets trouvés ; biens de personnes disparues sans héritier ; biens préemptés par l'État à la suite d'une transaction frauduleuse. *Mode d'adjudication pour biens, meubles et objets divers :* enchères verbales (l'adjudicataire est l'enchérisseur le plus offrant) ou par soumission cachetée (l'adjud. est l'auteur de l'offre écrite la plus élevée). Parfois les 2 systèmes coexistent. *Biens immobiliers :* enchères verbales et extinction des feux au profit du plus offrant. **Renseignements :** 17, rue Scribe, 75009 Paris ; « Bulletin officiel des annonces des Domaines (BOAD) ». Minitel 3615 code IVP.

■ **Crédit municipal.** Établissements de prêts sur gages ; vendent des objets d'emprunteurs défaillants. *Nombre :* 21 crédits municipaux autonomes en France. *Prêts par an :* 85 000 (dont 50 % n'atteignent pas 1 000 F) sur gage de 3 750 F en moyenne. *Ventes :* env. 200 par an.

Statistiques

Nombre de commissaires-priseurs. *1993 :* 453 dont femmes 69 (Paris 107 dont 17 femmes). **Nombre d'études.** *1992 :* 335 (Paris 69). **Nombre d'études selon le chiffre d'affaires :** *Paris : + de 1 000 millions de F :* 1 (Ader, Picard, Tajan 1 400 en 1989). *300 à 400 :* 3. *150 à 165 :* 4. *80 à 120 :* 8. *40 à 60 :* 10. *15 à 40 :* 20. *Région parisienne :* 2 dépassent 200 millions de F (Enghien, Versailles).

Chiffre d'affaires de la profession (millions de F). **France :** *1986 :* 1 566 (dont œuvres d'art 60 %), Ader, Picard, Tajan 263, Audap, Godeau, Solanet 85, Loudmer 161,6 (1991), Couturier-Nicolaÿ 69, Laurin, Guilloux, Buffetaud, Tailleur 62, Boisgirard 58, Poulain 53, Briest 49. *87 :* 2 223. *88 :* 2 850. *89 :* 8 923. *90 :* 9 714. *92 :* 7 269 dont *Paris* 2 886 [dont Drouot Richelieu 1 500 (en 1 829 ventes), Montaigne 211 (en 100 ventes)] province 4 180 dont, *région parisienne* 859 (en 26 ventes). Ader-Tajan 316,5 ; Loudmer 141,4 ; Picard 93 ; Briest 88 ; Binoche-Godeau 77,7 ; Laurin-Guilloux-Buffetaud-Tailleur 69,5 ; Cornette de Saint-Cyr 68,1 ; Couturier-Nicolaÿ 63,4 ; Millon-Robert 58 ; Gros-Delettrez 53,8.

☞ **Sotheby's** (fondé à Londres 1744). *1988 :* 14 800. *89 :* 18 600. *90 :* 15 345. *91 :* 6 600. *92 :* 6 244. **Christie's** (créé par James Christie, 1re vente 5-12-1776). *1988 :* 10 500 (dont New York 5 700, Londres 3 500). *89 :* 13 300. *90 :* 11 100. *91 :* 5 800. *92 :* 5 880.

Produit des ventes nationales (en millions de F, 1992). 7 269 dont Paris 2 886,5 ; province 4 382,8. 71 villes ont totalisé un produit de ventes supérieur à 15 millions de F.

Enchère de + de 1 million de F à Paris. *1988 :* 264. *1989 :* 510 [dont 1 de + de 30 millions (*les Noces de Pierrette* de Picasso), 3 de 20 à 30, 11 de 1 à 20, 29 de 5 à 10, 466 de 1 à 5]. *1991 :* 152 (dont + de 5 millions 18, + de 10 millions 5). *1992 :* 25 tableaux. **Records** (en millions de F, 1989). Prix atteint pour un artiste vivant : 124 (*Interéchange* de De Kooning) ; sculpture 64,8 (bronze du XVIIe s. d'Adrien de Vries).

Étude Ader-Tajan. Sté civile de c.-p. la + importante de Paris. Créée 1972. Chacun des associés est titulaire d'un office : Me Picard (nommé c.-p. 1964) successeur de Me Charpentier quitte l'étude en sept. 1991, Me Antoine Ader (1966), de Me Bizouard, Me Jacques Tajan (1971), de Me Boisnard, Me Rémy Ader (1978), de Me Étienne Ader (dont le frère Maurice avait repris l'étude de Lair-Dubreuil). Vend env. 50 000 objets par an (en 202 ventes). **Chiffres d'affaires** (en millions de F) : *1988 :* 745 ; *1989 :* brut 1 392, net 1 148 après déduction de 17 % de rachats (243) [dont en % : tableaux modernes 41, t. anciens 16, mobilier, objets d'art 16, Arts déco 7, livres 4 ; divers 16]. *1991 :* 549.

■ **Statut. Conditions d'entrée :** le *commissaire-priseur* doit : être licencié en droit + DEUG. d'hist. de l'art ou vice versa, + examen d'entrée permettant de suivre 2 ans de stage dans une étude de c.-priseur ; à la fin du stage, réussir un examen professionnel qui autorise à traiter avec un c.-priseur démissionnaire pour reprendre son office ou possibilité d'exercer la prof. sous la forme de Sté civile prof. **Nomination :** par arrêté du ministre de la Justice. Le c.-p. prête serment et ne peut se livrer à aucun acte de commerce. Une chambre de discipline veille au respect des lois et des règlements.

■ **Prisée.** Acte par lequel un commissaire-priseur fait l'inventaire d'un bien et procède à son estimation, pour une expertise, en vue d'un partage ou d'un contrat d'assurance. 1°) *Si l'estimation des meubles sert de base à un partage ou à la formation de lots, sur chaque article :* 2 % de 1 à 7 500 F ; 1 % de 7 501 à 20 000 F ; 0,50 % de 20 001 à 150 000, 0,25 % au-dessus (+ 18,60 % de TVA). Le notaire ou le commissaire-priseur qui établit des actes rémunérés par des émoluments proportionnels dans lesquels sont repris les meubles soumis à la prisée ne perçoit aucun émolument sur la partie du capital correspondant à la valeur prisée desdits meubles. Il en est de même pour les déclarations de succession établies par les notaires.

2°) *Autres cas, sur chaque article :* 1 % jusqu'à 3 000 F ; 0,50 % de 3 001 à 10 000 F ; 0,25 % au-dessus. Toutefois il n'est dû au c.-priseur, dans les cas prévus à l'art. 943 C. proc. civ., que des honoraires de vacation réglés comme spécifié au tarif des notaires. Si dans les 6 mois qui suivent la date de la prisée, le commissaire-priseur est requis de vendre les meubles, les émoluments prévus au présent article seront imputés sur l'émolument de vente.

☞ **Adresses. Chambre nationale des commissaires-priseurs.** 13, rue de la Grange-Batelière, 75009 Paris. **Compagnie des commissaires-priseurs,** 16, rue du Docteur-Lancereaux, 75008 Paris. **Christie's France** 6, rue Paul-Baudry, 75008 Paris. **Sotheby's France** 3, rue de Miromesnil, 75008 Paris.

■ Mécénat

Régimes fiscaux du mécénat. Exonérations et montants déductibles. **Allemagne :** 10 % du revenu, 2 ‰ du chiffre d'affaires. **Belgique :** 10 % du revenu net, 10 millions de F belges. **France :** pour des dons à des œuvres d'intérêt général, social et culturel : 1 ‰ du ch. d'aff., 2 ‰ du ch. d'aff. pour les associations ayant le double agrément du min. de l'Économie et des Finances et du ministère de la Culture à partir du 1-1-1985, 1 à 5 % du revenu imposable (pièces justificatives à fournir) dep. le 1-1-1984 ; par ailleurs, déductible du bénéfice au titre des frais généraux si la signature de l'entreprise est expressément mentionnée sur le tract ou l'affiche, etc., dep. le 12-4-1985. **Italie :** 2 % du bénéfice ou 5 ‰ de la masse des salaires. **Luxembourg :** 5 % du revenu net ou 5 millions de F lux. **Pays-Bas :** 10 % du revenu net, 3 % du bénéfice des Stés.

Nombre de fondations. USA 30 000. G.-B. des dizaines de milliers de « charities ». All. féd. 10 000. Suisse 10 000. France 300.

Conseil supérieur du mécénat culturel. *Créé* par le min. de la Culture en février 1987. *Pt :* Michel David-Weill. *Vice-pt :* Jean Castarède.

☞ **Mécénat industriel.** *Association pour le développement du mécénat industriel et commercial.* 116, rue de La Boétie, 75008 Paris.

■ Ventes publiques

■ **Conditions. De participation :** pour porter valablement des enchères, il faut être majeur « les mineurs non émancipés sont incapables de contracter » (art. 1124 Code civil). Il faut être sain d'esprit, solvable et ne pas être en état d'ivresse. **De vente :** régies par décret du 27-2-1992 et loi 21-9-1943 (peu respectée) : « sont interdites les ventes (aux enchères), au détail volontaires de marchandises ou d'objets quelconques d'occasion, dont sont propriétaires ou détenteurs des commerçants qui ne sont pas inscrits au registre du Commerce et sur le rôle des patentes depuis au moins 2 ans dans le ressort du tribunal de grande instance où elles doivent être opérées ». **D'achat. Prix de réserve.** S'il n'est pas atteint, l'objet est « ravalé » (racheté par le vendeur), généralement entre 3 et 5 % du prix d'adjudication. **Versement** au comptant : en espèces jusqu'à 150 000 F (loi 29-12-1989), par chèque certifié ou avec une lettre accréditive de la banque. En cas de chèque non certifié, le commissaire-priseur peut différer la livraison des objets jusqu'à son encaissement. **Garantie :** les acquéreurs bénéficient d'une garantie trentenaire en matière d'objets d'art.

Frais légaux (jusqu'au 31-12-1993). A la charge de l'acheteur : honoraires des c.-p. et remboursements de frais (+ sur ces 2 derniers postes, TVA de 18,60 %). *Barème par lot et par tranche en % (dont TVA) : de 0 à 15 000 F :* 10,674, *de 15 001 à 40 000 :* 6,226, *de 40 001 à 300 000 :* 4,151, *au-dessus de 300 000 :* 4,965.

■ **Droit de suite.** Créé par la loi du 11-3-1957 pour les *œuvres graphiques et plastiques* au profit du créateur ou de ses héritiers directs durant 50 ans (+ durée légale des 2 guerres mondiales) à 3 % du prix d'adjudication. 2 à 6 % en Belgique, inconnu en G.-B., USA et autres pays.

■ **Impôts (sur la plus-value).** Exonération jusqu'à 20 000 F. Au-dessus, taux forfaitaire de 4 % pour bijoux, objets d'art, de collection ou d'antiquité, même si l'opération ne dégage pas de plus-value. Entre 20 000 et 30 000 F 4,5 % calculés sur le prix de vente diminué d'une somme égale à la différence entre 30 000 F et ce prix.

Crieur : employé du commissaire-priseur qui prend les enchères, remet les tickets permettant le retrait des objets achetés. Salarié, il touche un montant fixe ou un % des enchères. **Savoyard :** manutentionnaire-commissionnaire de l'hôtel des ventes. Travailleur indépendant. A Paris 110 regroupés dans l'UCHV (Union des commissionnaires de l'Hôtel des ventes).

Experts

Nombre. Env. 400 dont 150 inscrits au Syndicat français des experts professionnels en œuvres d'art, 81, rue St-Dominique, 75007 Paris. 24 spécialités.

Statuts. N'importe quel marchand ou amateur d'art peut se déclarer expert. Le titre d'expert n'est pas reconnu mais certaines autorités judiciaires, administratives, certains organismes privés donnent leur agrément à des experts auxquels ils se proposent de faire éventuellement appel. Ils peuvent se dire alors : expert près la cour d'appel, expert agréé par la Cour de cassation, expert auprès des douanes (titre exact : assesseur appelé à siéger à la commission de conciliation et d'expertise des douanes).

Responsabilité. L'expert (et, en cas de décès, ses héritiers) est responsable 30 ans de ses erreurs sur l'authenticité des biens expertisés (vente publique et en clientèle privée).

Honoraires d'expertise en vente publique (en % de la vente réalisée par un commissaire-priseur avec l'assistance d'un expert). Animaux vivants de race, chevaux de sang et demi-sang 3. Armes anciennes, décorations, souvenirs historiques 3. Arts précolombien, océanien, nègre 3. Autographes et livres à l'unité 6. Bijoux comportant des pierres précieuses 3. Céramiques anciennes 3. Dentelles 3. Dessins 3. Estampes 5. Extrême-Orient 5. Hte Époque, Moyen Age, Renaissance 5. Histoire naturelle 3. Instruments de musique anciens, instruments de musique à cordes de toutes époques 3. Livres (ventes sans catalogues) 5. Monnaies et médailles 5. Objets d'art, de curiosité et d'ameublement anciens des XVIIe et XVIIIe s. 3. Orfèvrerie ancienne 3. Tableaux anciens 3. Tabl. et sculptures modernes 3. Tapis d'Orient 3. Timbres-poste 6. Tissus anciens 3.

Expertise pour compte privé (succession, partage, sinistres, assurances). Barème du Synd. français des experts prof. en œuvres d'art. Env. 2 % de la valeur de l'objet + frais de déplacement (province ou étranger) + TVA 18,60 %. Pas de barème imposé.

Associations d'experts. *Syndicat français des experts professionnels en œuvres d'art.* 81, rue St-Dominique, 75007 Paris. *Chambre nat. des experts spécialisés (CNES).* 4, rue de Longchamp, 06000 Nice. *Cie nat. des experts.* 10, rue Jacob, 75006 Paris. *Cie d'expertise en antiquité et objets d'art.* 9, cité Trévise, 75009 Paris. *Union française des experts spécialisés en antiquités et objets d'art.* 8, rue St-Marc, 75002 Paris. **Syndicats et groupements d'experts.** *S. nat. des antiquaires.* 1 bis, rue Clément-Marot, 75008 Paris. *S. nat. du commerce de l'antiquité et de l'occasion.* 18, rue de Provence, 75009 Paris. *Conféd. internat. des négociants en œuvres d'art.* 1 bis, rue Clément-Marot, 75008 Paris. **Organismes de gestion des œuvres d'art :** *SPADEM (Sté des auteurs des arts visuels).* 15, rue St-Nicolas, 75012 Paris. *ADAGP (Sté des auteurs dans les arts graphiques et plastiques)* 11, rue Berryer, 75008 Paris. *Comité des galeries d'art.* 5, rue Quentin-Bauchard, 75008 Paris. **Office central pour la répression du vol d'œuvres et objets d'art (OCRVOOA).** 13, rue des Saussaies, 75008 Paris.

Musique

Liste des abréviations. *Acc.* accordéon ; *ba.* ballet ; *ca.* cantate ; *ch.* chanson ; *cho.* choral ; *clar.* clarinette ; *cl.* clavecin ; *com. m.* comédie musicale ; *ct.* concerto ; *dr.* dramatique ; *ens. ins.* ensemble instrumental ; *ét.* étude ; *fa.* fantaisie ; *fl.* flûte ; *folkl.* folklore ; *fu.* fugue ; *guit.* guitare ; *h.* harpe ; *hb.* hautbois ; *li.* lied ; *lr.* lyrique ; *ma.* madrigal ; *mél.* mélodie ; *me.* messe ; *mo.* motet ; *m. con.* musique contemporaine, *m. ch.* de chambre, *élec.* électronique, *aléat.* aléatoire, *m. films* de films, *m. orc.* pour orchestre, *m. graph.* graphique, *m. sér.* sérielle, *m. concr.* concrète, *m. rel.* religieuse, *m. th.* de théâtre ; *œ. ch.* œuvre chorale, *œ. in.* instrumentale, *œ. voc.* vocale ; *O.* opéra (*O. b.* bouffe, *O. c.* comique) ; *o.* opérette ; *or.* oratorio ; *o. ch.* orchestre de chambre ; *org.* orgue ; *ouv.* ouverture ; *pa.* passion ; *pi.* piano ; *ps.* psaume ; *q.* quatuor ; *Q.* quintette ; *req.* requiem ; *rm.* romantique ; *sax.* saxophone ; *sér.* sérénade ; *so.* sonate ; *su.* suite ; *sy.* symphonie ; *sy. conc.* symphonie concertante ; *tr.* trio ; *trp.* trompette ; *val.* valse ; *var.* variation ; *vi.* violon ; *vlc.* violoncelle.

Principaux compositeurs

Allemagne et Autriche

Nota : * Autrichien.

Nés avant 1600

Eccard, Johann (1553-1611) : me., mo., près de 250 compositions polyphoniques.
Finck, Heinrich (1445-1527) : Deutschelieder, hymnes, mo., me.
Hassler, Hans Leo (1564-1612) : mo., me., ps., Sacri concentus vocum.
Hofhaimer, Paul (1459-1537)* : li. et mo.
Isaac, Heinrich (v. 1450-1517 ; or. flamande) : m. re. (40 me., 50 mo.), lieder, chansons, œ. in.
Luther, Martin (1483-1546) : cho. (Ein feste Burg).
Les Meistersinger (maîtres chanteurs) : Heinrich von Meissen (1250-1318), Hanz Folz (1450-1515), Hans Sachs (1494-1576).
Nicolai, Philipp (1556-1608) : 2 cho.
Praetorius, Hieronymus (1560-1627) : chants sacrés, 5 Magnificats, 6 me.
Praetorius, Michael (1571-1621) : m. re. (+ 1 200 mo.).
Scheidt, Samuel (1587-1654) : œ. org., in.
Schein, Johann Hermann (1586-1630) : 200 cho., mo., ma., 20 su.
Schütz, Heinrich (1585-1672) : 4 pa., or., ps., mo., symphonies sacrées. O. [Dafne, 1er op. allemand, (1627)].
Senfl, Ludwig (v. 1490-1542 ou 43) : me., mo., li.
Walter, Johann (1496-1570) : 1er livre de chants protestants : Geystliche Gesangbüchlein.

Nés entre 1600 et 1700

Albert, Heinrich (1604-51) : li. re. et prof.
Bach, Johann Christoph (1642-1703) : ca., mo., 44 cho. org.
Bach, Johann Michael (1648-94) : mo., cho. org.
Bach, Johann Sebastian (1685-1750) : œ. org. (Livre d'orgue, cho., préludes, fu., toccatas, passacaille, 6 so.), œ. cl. (Clavier bien tempéré, inventions, préludes et fu., fa. chromatique, 6 su. franç., 6 su. angl., 6 partitas, toccatas, so.), m. re. (Magnificat, pa., me., 200 ca., 6 mo.), m. in. (6 ct. brandebourgeois, ct. divers, Art de la fugue, Offrande musicale, 6 so. vi., 6 su. vlc., so. flûte), m. orc. (ouv. ou su.).
Biber, Heinrich von (1644-1704)* : œ. vi.
Boehm, Georg (1661-1733) œ. cl., org., pa., ca., li.
Buxtehude, Dietrich (1637-1707) œ. org., cl., ch.
Erlebach, Philipp Heinrich (1657-1714) : ca., su., œ. in., O. (Singspiel), li.
Froberger, Johann Jakob (1616-67) : œ. org., cl.
Fux, Johann Joseph (1660-1741)* : 50 me., m. re., O., or., 36 so.
Haendel, Georg Friedrich (1685-1759) (mort Anglais) : 40 O. (Xerxès, Jules César, Rinaldo), ca., ps., mo., 5 Te Deum, 28 or. (le Messie, Judas Macchabée, Israël en Égypte), 2 pa., 16 ct. org., œ. or. (Water Music, Royal Fireworks Music), nombreuses œ. in., œ. cl. (su., fu., var.).
Hasse, Johann Adolph (1699-1783) : 60 O., or., mo., me., œ. in.
Keiser, Reinhard (1674-1739) : pa., or., mo., ps., 120 O. (Basilius), m. ch.
Kindermann, Erasmus (1616-55) : m. re.
Kuhnau, Johann (1660-1722) : so. cl., ca.
Kusser, Johann Sigismund (1660-1727) : 14 O. (Scipion l'Africain), su. in.
Lübeck, Vincent (1656-1740) : 3 ca., œ. org.
Mattheson, Johann (1681-1764) : 8 O., 24 or., pa., me., œ. in.
Muffat, Georg (1653-1704) : ct., su. orc., œ. cl.
Pachelbel, Johann (1653-1706) : m. ch., œ. org., cl., ca., mo.
Pepusch, Johann Christoph (1667-1752). O. (The Beggar's Opera), œ. voc ; œ. instr.
Quantz, Johann Joachim (1697-1773) : œ. fl.
Reinken, Jan Adam (1623-1722) : or., so. org.
Richter, Ferdinand (1649-1711) : sér., or., œ. dr.
Rosenmüller, Johann (v. 1619-84) : œ. voc., in., me., mo.
Telemann, Georg Philipp (1681-1767) : + 1 400 ca., 44 pa., 600 ouv., œ. or. (Tafelmusik), ct., 40 O., œ. in.

Nés entre 1700 et 1800

Bach, Carl Ph. Emmanuel (1714-88) petit-fils de J.-S. : or., 13 sy., so., fa., ct.
Bach, Johann Christian (1735-82) petit-fils de J.-S. : Req., ct., so., sy.
Bach, Johann Christoph Friedrich (1732-95) : 6 or., 14 sy., ct. grossos.
Bach, Wilhelm Friedemann (1710-84) fils de J.-S. : œ. cl. (polonaises, fa., so.), 21 ca.
Beethoven, Ludwig Van (1770-1827) : 600 œ. : 9 sy. *no 1* en ut majeur op. 21 (1799-1800), *no 2* en ré majeur op. 36 (1801-02), *no 3* en mi bémol majeur op. 55 « Héroïque » (1803-04), *no 4* en si bémol majeur op. 60 (1806), *no 5* en ut mineur op. 67 « du Destin » (1804-08), *no 6* en fa majeur op. 68 « Pastorale » (1807-08), *no 7* en la majeur op. 92 « Apothéose de la danse » (1811-12), *no 8* en fa majeur op. 93 (1811-12), *no 9* en ré mineur op. 125 « Hymne à la joie » (1822-24), ouv., 5 ct. pi. [no 5 « l'Empereur », surnom dû à un éditeur (1810)], 1 ct. vi. (1806), 1 triple ct., 32 so. pi., 10 so. pi. (baptisées par les éditeurs « Appassionata », « Pathétique », « Pastorale » ; vrai nom de la « Clair de lune » : sonate « Quasi una fantasia » ; « les Adieux », « Waldstein ou Aurore » dédiée au comte Ferdinand von Waldstein) Vi. (no 9 « à Kreutzer » dédiée au viol. français Rodolphe Kreutzer), 5 so. pi. vlc., trios [« l'Archiduc » (1811)], 16 q., Q., Missa Solemnis (1822), li. (A la bien-aimée lointaine), 1 O. (Fidelio).
Cramer, Johann Baptist (1771-1858) : 105 so., var. et ét. pi.
Danzi, Franz (1763-1826) : 16 O., ba., ca., or., œ. in., m. re., li.
Dittersdorf, Karl Ditters von (1739-99)* : sy., m. ch., m. re., ct., 50 O., env. 150 œ. pi.
Eichner, Ernst (1740-77) : m. ch., 31 sy.
Fils, Anton (1730 ou 33-60) : 41 sy., œ. vlc.
Gluck, Christoph Willibald von (1714-87) : 107 O. (Orphée et Eurydice, Armide, Iphigénie en Aulide, Iphigénie en Tauride, Alceste), ba. (Sémiramis).
Goldberg, Johann Gottlieb (1717-56) : 2 ca., 2 ct. cl., œ. cl. et so.
Graun, Heinrich (1704-59) : 35 O. (César et Cléopâtre), œ. re. (la Mort de Jésus), œ. instr.
Graun, Johann (1703-71) : 100 sy., 1 pa., ca.
Haydn, Franz Joseph (1732-1809)* : 104 sy. (Oxford, Militaire, Ours, Miracle, Reine, Horloge, etc.), 83 q., trios, 62 so. pi., nombreux ct. et œ. in., m. re., or. (les Saisons, la Création), O.
Haydn, Johann Michael (1737-1806)*, frère de Joseph : m. re. (28 me.), or., ca., 30 sy.
Hoffmann, Ernst Theodor Amadeus (1776-1822) : Contes, O. (Ondine).
Holzbauer, Ignaz (1711-83) : 12 O., 60 sy., me., mo., or., m. ch.
Hummel, Johann Nepomuk (1778-1837) : œ. pi., m. ch., ct.
Kittel, Johann Christian (1732-1809) : œ. org., pi.
Löwe, Karl (1796-1869) : ballades, 10 or.
Marschner, Heinrich (1795-1861) : 4 œ. dr., li., œ. pl. et orc., m. ch.
Meyerbeer, Giacomo (1791-1864) : ca., or., mél., m. orc., O. (Les Huguenots, Robert le Diable, le Prophète, l'Africaine).
Mozart, Wolfgang Amadeus (1756/5-12-1791)* : 41 sy. (Haffner, Linz, Prague, Jupiter, etc.), 24 O. l'Enlèvement au sérail, les Noces de Figaro, Don Juan, Cosi fan tutte, la Flûte enchantée), Requiem, me. (« du Couronnement », « des Moineaux »), œ. voc., divertissements, sérénades, 23 ct. pi., divers ct., q., Q., trios, 19 so. pi., etc.
Richter, Franz Xavier (1709-89) : me., mo., sy.
Riegel, Henri Joseph (1741-99) : or. (Prise de Jéricho, Jephté), O. c., œ. pi.
Riepel, Joseph (1709-82) : m. re., m. sy.

RIES, Ferdinand (1784-1838)* : sy., so., ct.
SCHUBERT, Franz (1797-1828)* : + 600 li. (Marguerite au rouet, comp. à 17 ans. La Belle Meunière, le Voyage d'hiver), 10 sy. (dont « l'Inachevée »), œ. pi. (so., impromptus, moments mus.), Q., q., trios, m. re., m. de scène (Rosamonde). 15 O. (Alfonso et Estrella, Fierabras).
SPOHR, Louis (1784-1859) : m. ch., m. orc., 10 sy., œ. v., O.
STAMITZ, Johann (1717-57) : so., ct., m. ch., 74 sy.
STAMITZ, Karl (1745-1801) : 70 sy., ct., m. ch.
WEBER, Carl Maria von (1786-1826) : O. (Freischütz, Obéron, Euryanthe), m. ch., œ. pi. (so., var., Invitation à la valse), ct., 2 sy., m. re.

■ NÉS ENTRE 1800 ET 1900

BERG, Alban (1885-1935)* : O. (Wozzeck, Lulu), mél., so., q., Concerto à la mémoire d'un ange, Suite lyrique, œ. orc., œ. pi.
BRAHMS, Johannes (1833-97) : œ. pi. (so., var., Danses hongr., intermezzi), m. ch., 4 sy., 2 ouv., 2 ct. pi., 1 ct. vi., 1 ct. vi. et vlc., li., Requiem allemand.
BRUCH, Max (1838-1920) : 3 ct. vi., 3 sy., 3 or., Kol Nidrei.
BRUCKNER, Anton (1824-96)* : 11 sy., me., ps., ca., q. et Q.
CORNELIUS, Peter (1824-74) : O. (le Barbier de Bagdad), li.
DAVID, Johann Nepomuk (1895-1977)* : œ. ch., org., m. orc.
DESSAU, Paul (1894-1979) : œ. in., O. (l'Expérience de Lucullus, Puntila, Lancelot).
EISLER, Hanns (1898-1962) : 2 sy., ch., ca., m. ch., m. orch.
FLOTOW, Friedrich von (1812-83) : O. (Alessandro Stradella, Martha).
HINDEMITH, Paul (1895-1963) : O. (Mathis le peintre), œ. in. (so. pour divers instrum., nombreux ct.), œ. orc. (Métamorphoses), li., Ludus tonalis pour pi.
HUMPERDINCK, Engelbert (1854-1921) : O. (Hänsel et Gretel), m. re., sy., O. c.
JARNACH, Philipp (1892-1982) : Musique en mémoire du solitaire (q. à cordes).
KÁLMAN, Emmerich (1882-1953)* (or. hongroise) : o. (Princesse Czardas).
KAMINSKI, Heinrich (1886-1946) : m. polyphon.
KORNGOLD, Erich Wolfgang (1897-1957)* : 2 so. pi., ouv., m. ch., 3 O (la Ville morte).
LEHÁR, Franz (1870-1948)* : O. (la Veuve joyeuse, le Pays du sourire).
LORTZING, Albert (1801-51) : 5 O. (Undine).
MAHLER, Gustav (1860-1911)* : 10 sy., li., œ. voc. (le Chant de la Terre).
MARX, Josef (1882-1964)* : poèmes sy., œ. chor., m. ch., 1 ct. pi.
MENDELSSOHN-BARTHOLDY, Felix (1809-47) : m. de scène (le Songe d'une nuit d'été), 17 sy. (dont l'Écossaise, l'Italienne, la Réformation), or. (Élias), m. ch., 2 ct. pi., 2 ct. vi., œ. pi. (Romances sans paroles), œ. voc.
NICOLAÏ, Karl Otto (1810-49) : O. (les Joyeuses Commères de Windsor), li.
ORFF, Carl (1895-1982) : œ. voc. et dr. (Carmina burana, Catulli Carmina).
PFITZNER, Hans (1869-1949) : œ. scène, œ. voc., m. ch., O., 2 ct.
REGER, Max (1873-1916) : m. ch., li., m. orc., œ. ch., œ. org., œ. pi. (pièces var.).
SCHMIDT, Franz (1874-1939)* : 4 sy., var., O., or.
SCHOENBERG, Arnold (1874-1951)* : m. ch., O. (Moïse et Aaron, Erwartung), œ. voc. (li., Pierrot lunaire, Gurrelieder), œ. in. (la Nuit transfigurée), œ. pi., m. orch.
SCHREKER Franz (1878-1934)* : O. (Der ferne Klang), m. ch., li., Kammersymphonie.
SCHUMANN, Robert (1810-56) : œ. pi. (Papillons, Carnaval, Kreisleriana, Scènes d'enfants, et. symphoniques, fa., 3 so., etc.), 5 sy., O. (Geneviève), m. ch. (so. pi. vi., trios, q., Q.), 240 li. (les Amours du poète, l'Amour et la Vie d'une femme).
STRAUSS, Johann I (1804-49)* : 250 œ., val., marches (Marche de Radetzky).
STRAUSS, Johann II (1825-99)* : 169 val. (le Beau Danube bleu), o. (la Chauve-Souris, le Baron tzigane, Une Nuit à Venise).
STRAUSS, Richard (1864-1949) : poèmes sy. (Till l'Espiègle, Don Juan, Mort et Transfiguration, Ainsi parlait Zarathoustra), O. (le Chevalier à la rose, Elektra, Salomé, Arabella, Ariane à Naxos, la Femme sans ombre, Capriccio), ct., li.
SUPPÉ, Franz von (1819-95)* : ouv. (Poète et Paysan), o. (la Dame de pique, Cavalerie légère), m. re., sy., li.
TOCH, Ernst (1887-1964) : O., o., gu.
WAGNER, Richard (1813-83) : O. [le Vaisseau fantôme, Tannhäuser, Lohengrin, l'Anneau du Nibelung (l'Or du Rhin, la Walkyrie, Siegfried, le Crépuscule des dieux), Tristan et Isolde, les Maîtres chanteurs de Nuremberg, Parsifal], œ. voc., pi.
WEBERN, Anton von (1883-1945)* : 70 œ., 50 li., 2 ca., m. orc., œ. pi., m. ch.
WELLESZ, Egon (1885-1974)* : 4 ba., 3 sy., 7 q., ca., 6 O., mo., li., su.
WOLF, Hugo (1860-1903)* : li., O. (le Corregidor), œ. orc. (Penthésilée).
ZEMLINSKY, Alexander von (1871-1942)* : O., ba., m. orc., sy. lr., m. ch.

■ NÉS APRÈS 1900

APOSTEL, Hans-Erich (1901-72)* : m. dodécaph.
BAUR, Jürg (1918) : ct., sy., m. or., m. ch.
BEYER, Frank Michael (1927) : m. or. (Griechenland), ct., 3 q., m. ch.
BIALAS, Günter (1907) : ct., œ. voc., O.
BLACHER, Boris (1903-75) : O., or., var. orc., sy., ct.
BORRIS, Siegfried (1906-87) : O., sy., ca.
BOSE, Hans Jürgen von (1953) : O. (Das Diplom, Blutbund), m. orc. (Morphogenesis), m. ch., sy., 3 q.
BRESGEN, Cesar (1913-88)* : O., m. orc.
CERHA, Friedrich (1926)* : m. orc. (Spiegel), m. ch.
DISTLER, Hugo (1908-42) : mo., or., œ. org.
DITTRICH, Paul-Heinz (1930) : m. ins., ct., m. élec., la Métamorphose d'après Kafka.
EDER, Helmut (1916)* : O., ct., orc., m. ch.
EGK, Werner (1901-83) : O. (Irische Legende, Die Verlobung in San Domingo ; Der Revisor), ba., or., m. orc.
EINEM, Gottfried von (1918)* : O. (la Mort de Danton, le Procès), m. orc.
FORTNER, Wolfgang (1907-87) : O. (Bluthochzeit, In seinem Garten liebt Don Perlimplin Belisza, Elisabeth Tudor), m. ch., ba., m. orc.
HAMEL, Michael (1947) : m, orc., m. ch.
HARTMANN, Karl A. (1905-63) : 8 sy., 2 q., O., 3 ct.
HAUBENSTOCK-RAMATI, Roman (1919)* (or. polonaise) : O., m. orc., m. élec., m. in., œ. voc.
HEILLER, Anton (1923-79)* : m. org., m. religieuse.
HENZE, Hans Werner (1926) : O. (Boulevard Solitude, Élégie pour de jeunes amants, le Jeune Lord, le Prince de Hombourg), ba. (Ondine), 8 sy., ct., œ. voc., m. orc.
HÖLLER, York (1944) : O. (Der Meister und Margarita), ct. pi., m. or., m. élec.
HUBER, Nicolaus A. (1939) : m. ch.
KAGEL, Mauricio (1931) (or. argentine) : m. av. garde, th. mus., m. élec. (Ludwig Van, Passion selon saint Bach, Mare nostrum).
KILLMAYER, Wilhelm (1927) : O., ba., m. orc., m. ch., œ. voc., 3 sy.
KIRCHNER, Volker David (1942) : O. (Belshazar, Erinys), m. or., ct. vi., m. ch., m. voc.
KLEBE, Giselher (1925) : Machine à pépiements (m. orc.), O., sy., ct.
KRENEK, Ernst (1900-91) (nat. américain)* : m. sér., O. (Johny spielt auf), ba., m. orc., 8 sy., 10 ct., 7 q., 7 son. pi., m. orgue, œ. ch. et voc.
LACHENMANN, Helmut (1935) : m. élec., orc., ch.
LIGETI, György (1923) (or. hongroise) : m. orc. (Atmosphères, Ramifications), m. re. (Requiem), m. ch. O. (le Grand Macabre), œ. org. (Volumina).
MATTHUS, Siegfried (1934) : O., m. orc. (la Forêt), m. élec., m. ch.
MÜLLER-SIEMENS, Detlev (1957) : O., m. orc., m. ch.
REIMANN, Aribert (1936) : m. ch., ca., O. (Troades, Lear, Das Schloss), ct. Requiem.
RIEDL, Joseph Anton (1929) : m. élec. multi média.
RIHM, Wolfgang (1952) : m. ch., 89 m. élec., m. orc., O. (Harlekin), 3 sy.
RUBIN, Marcel (1905)* : O., ba., 10 sy., mél., œ. pi.
RUZICKA, Peter (1948) : m. orc. (Torso, Versuch), m. ins.
SCHNEBEL, Dieter (1930) : m. sér. et partiellement aléatoire, collages, m. ch. (Bearbeitungen), m. voc (Missa).
SCHOLLUM, Robert (1913)* : m. sér., 5 sy., ct. vi., m. ch.
SCHÖNBACH, Dieter (1931) : m. av. g. (O. et show multimédias).
STOCKHAUSEN, Karlheinz (1928) : m. sérielle et élec., œ. pi. (Klavierstücke), œ. orc. (Gruppen für 3 Orchester, Kontrapunkte), collages musicaux [Momente II, Licht (cycle en 7 parties)].
TROJAHN, Manfred (1949) : sy., m. ch., org.
UHL, Alfred (1909-92) * : O., o., or., o. ch., tr.
URBANNER, Erich (1936) * : m. orc, ct, 3 q, m. ch.
WAGNER-RÉGENY, Rudolf (1903-69) : m. orc., m. ch., O. (les Bourgeois de Calais, Jeanne Balk).
WEILL, Kurt (1900-50) : 16 O. (l'Opéra de quat'sous, Mahagonny), m. ch.
WIMBERGER, Gerhard (1923)* : O. (Dame Kobold, Lebensregeln), m. orc., m. ch.
WITTINGER, Robert (1945) * : m. orc., ct. hb. 2, ct. or., 4 q., m. ch.
ZENDER, Hans (1936) : m. orc., m. voc., m. ch.
ZIMMERMANN, Bernd Alois (1918-70) : O. (les Soldats), ct., sy., œ. pi., m. ch., ca.
ZIMMERMANN, Udo (1943) : O. (Die weisse Rose), m. or., m. voc.

BELGIQUE

☞ Voir France : École franco-flamande.
ABSIL, Jean (1893-1974) : m. de théâtre ; a abordé tous les genres.
BAERVOETS, Raymond (1930-89) : m. orc., ct., m. ch., œ. in., m. voc., ba.
BARTHOLOMÉE, Pierre (1937) : m. orc.
BENOIT, Peter (1834-1901) : or. (l'Escaut, le Rhin).
BOESMANS, Philippe (1936) : m. élec. aléat., ct. vi. O. (la Passion de Gilles, Reigen), m. orc., pièce pour pi., org., œ. voc.
BREWAEYS, Luc (1959) : m. con., 4 sy., O. c. (Antigone).
CHEVREUILLE, Raymond (1901-76) : 10 q., so., ca., 3 ba., 8 sy., 10 ct., O.
DEFOSSEZ, René (1905-88) : m. orc., m. ch., œ. voc., O., o., ba.
DE JONG, Marinus (1891-1984) : 4 sy., m. orc., ct., m. ch., voc., ba., O., me.
DE MEESTER, Louis (1904-87) : m. orc., m. ch., élec., th.
D'HAENE, Rafaël (1943) : m. orc., m. ch.
FIOCCO, Joseph Hector (1703-41, or. it.) : m. re., cl.
FONTYN, Jacqueline (1930) : m. orc., m. ch., œ. voc.
FROIDEBISE, Pierre (1914-62) : m. ch., org.
GEVAERT, François-Auguste (1828-1908) : O., m. re. et profane.
GEYSEN, Frans (1936) : m. minimale, m. répétitive.
GILSON, Paul (1865-1942) : sy. (la Mer), ba., O.
GOETHALS, Lucien (1931) : m. ser., m. élec.
GOEYVAERTS, Karel (1923) : m. orc., m. ch., O. (Aquarius), œ. in., élec., aléat.
GRÉTRY, André-Modeste (1741-1813) : O. c. (Richard Cœur de Lion, le Tableau parlant).
HUYBRECHTS, Albert (1899-1938) : orc., m. ch., ct., œ. voc.
JONGEN, Joseph (1873-1953) : m. ch., œ. voc., in., sy., org., œ. pi.
KERSTERS, Willem (1929) : 5 sy., m. orc., m. ch., œ. in., voc., ba., O. (Gansendonk).
LAPORTE, André (1931) : m. orc., m. ch., œ. in., voc., O. (Das Schloss).
LEDUC, Jacques (1932) : m. orc., ct., m. ch., œ. voc.
LEGLEY, Victor (1915) : 7 sy., m. orc., m. ch.
LEKEU, Guillaume (1870-94) : m. ch. (1 so. pi. vi., trio, 2 q.), œ. pi., œ. orc.
LOUËL, Jean (1914) : 4 sy., m. orc., m. ch., pi.
MAES, Jef (1905) : 3 sy., m. orc., ct., m. ch., œ. voc., ba., O.
MICHEL, Paul-Baudouin (1930) m. orc., m. ch., pi., O. (Jeanne la Folle), œ. in., voc., cho., m. aléat.
OCKEGHEM, Johannes (v. 1430-97) : me., mo., ch.
PEETERS, Flor. (1903-86) : 200 ch., 5 me., 30 mo., ca., 200 œ. org.
POOT, Marcel (1901-88) : 7 sy., ct., m. orc., m. ch., ba., œ. pi.
POUSSEUR, Henri (1929) : m. sérielle, m. élec., m. aléat., orc., O. (Votre Faust, Leçons d'Enfer).
QUINET, Marcel (1915-86) : sy., ct., m. orc., m. ch., m. pi.
ROSSEAU, Norbert (1907-75) : m. orc., m. ch., pi., vi., m. élec., m. re. (me., or.).
RYELANDT, Joseph (1870-1965) : 5 sy., m. orc., pi., m. ch., mél., cho., m. re., mo., or., me.
SIMONIS, J.-Marie (1931) : m. orc., m. ch., m. con.
SOURIS, André (1899-1970) : m. orc., m. ch., œ. voc.
STEHMAN, Jacques (1912-75) : m. orc., m. ch., m. pi.
TINEL, Edgar (1854-1912) : or. (Franciscus).
VAN DER VELDEN, Renier (1910) : m. orc., ct., m. ch., œ. voc., ba.
VAN DE WOESTIJNE, David (1915-79) : m. orc., m. ch., œ. voc.
VAN ROSSUM, Fréd. (1939) : m. orc., m. ch., œ. voc.
WESTERLINCK, Wilfried (1945) : m. orc., m. ch.
YSAŸE, Eugène (1858-1931) : 1 O., 6 ct., 6 so. vi.

CANADA

ARCHER, Violet (1913) : tous les genres.
BECKWITH, John (1927) : tous les genres.
BOUDREAU, Walter (1947) : tous les genres sauf O.
BROTT, Alexander (1915) : tous genres sauf O.
CHAMPAGNE, Claude (1891-1965) : m. orc., q., œ. in., folklore, œ. ch., œ. voc.
CHERNEY, Brian (1942) : tous les genres sauf O.
CONTANT, Alexis (1858-1918) : me., or., mo., mél., pi., m. ch., m. in., m. org., m. voc.
COULTHARD, Jean (1908) : tous les genres.
DAVELUY, Raymond (1926) : m. orgue.
FREEDMAN, Harry (1922) : ba., m. de scène, m. orc., m. cho., m. voc., m. ch., q., Q., pi.
GARANT, Serge (1929-86) : œ. in., voc., pi.

HAMBRAEUS, Bengt (1928) : tous les genres.
HÉTU, Jacques (1938) : m. con., m. ch., œ. ch., m. orc., m. pi.
HOUDY, Pierick (1929).
KENINS, Talivaldis (1919) : tous les genres.
LANZA, Alcides (1929).
LAUBER, Anne (1943) : tous les genres.
LONGTIN, Michel (1946) : tous les genres.
MATHER, Bruce (1939) : m. films, m. orc., œ. ch., œ. voc., m. ch., pi., ct.
MATHIEU, Rodolphe (1890-1962) : m. orc., m. sol. et orc., m. cho. et orc., œ. ch., m. voc., m. pi.
MATTON, Roger (1929) : m. orc., œ. ch.
MERCURE, Pierre (1927-66) : m. con., orc., ch. et orc., in., voc., ch., sol. et O. ch., élec.-acous., élec., m. films, ba.
MORAWETZ, Oskar (1917) : tous les genres.
MOREL, François (1926) : m. orc., œ. voc., m. ch., perc., pi., fl., org., q., Q.
PAPINEAU-COUTURE, Jean (1916) : œ. in., pi., ct.
PENTLAND, Barbara (1912) : tous les genres.
PÉPIN, Clermont (1926) m. orc, sy., œ. in, voc, pi.
PRÉVOST, André (1934) : œ. in., m. orc.
REA, John (1944) : tous les genres.
SAINT-MARCOUX (Micheline Coulombe) (1938-85) : m. films, m. orc., œ. ch. et in., m. voc., m. ch., pi., m. élec., q., Q.
SCHAFER, R. Murray (1933) : O., m. orc., œ. ch., voc., m. ch., q., m. élec.
SOMERS, Harry (1925) : O., m. films et télé., m. orc., œ. ch., voc., m. ch., q., Q., pi., guit., vi.
TREMBLAY, Gilles (1932) : œ. in., pi., m. orc.
VIVIER, Claude (1948-83) : m. orc., ch. O., pi., m. ch., voix et ins., q.
WEINZWEIG, John (1913) : m. orc., œ. in.
WILLAN, Healey (1880-1968) : tous les genres.

ESPAGNE

NÉS AVANT 1800

La « **vihuela** » (à cordes pincées de la même famille que la guitare), XVIe s. : MILAN, Luis ; MUDARRA, Alonso ; NARVAEZ, Luis ; PISADOR, Diego.
CABANILLES, Juan (1644-1712) : œ. org.
CABEZÓN, Antonio de (v. 1500-66) : œ. cl., org.
CASANOVAS, Narciso (1747-99) : m. re., œ. cl.
CEREROLS, Juan (1618-76) : œ. ch., villancicos.
GUERRERO, Francisco (1527-99) : m. voc., re., ma.
JUAN DEL ENCINA (1469-v. 1529) : Eglogas, chansons polyphoniques.
MORALES, Cristóbal (v. 1500-53).
VICTORIA, Tomás Luis de (v. 1549-1611) : m. re., voc.

Théoriciens. *XVIe s.* : BERMUDO, Juan ; MONTANOS, Francisco ; RAMOS PAREJA, Bartolomé ; SALINAS, Francisco. *XVIIe s.* : LORENTE, Andrés ; RUIZ DE RIBAYAZ, Lucas ; SANZ, Gaspar. *XVIIIe s.* : EXIMENO, Antonio ; NASSARE, Pablo ; RODRIGUEZ DE HITA, Antonio.
CORREA DE ARAUJO, Francisco (1583-1663) : org.
FLECHA, Mateo (1481-1553) : œ. voc., ca., ma.
ORTIZ, Diego (v. 1525-v. 1575) : œ. in., var.

Musique scénique (opéra, tonadilla) : CARNICER, Ramón (1789-1855) ; DURÓN, Sebastián (1645-1716) ; GARCÍA, Manuel (1775-1832) ; MARTÍN Y SOLER, Vicente (1756-1806) ; MISON, Luis (1720-66) ; TERRADELLAS, Domingo (1713-51).
SOLER, Antonio (1729-83) : ct., so., œ. voc.
SOR, Fernando (1778-1839) : œ. guit.

NÉS ENTRE 1800 ET 1900

ALBÉNIZ, Isaac (1860-1909) : O. c. (Pepita Jiménez), œ. pi. (Chants d'Esp., Iberia, la Vega), ct., m. ch.
ARBOS, Enrique Fernandez (1863-1939) : O.c. (le Centre de la Terre), 3 trios avec pi., œ. orc. (Nuits d'Arabie).
ARRIAGA, Juan Crisóstomo de (1806-26) : sy., O., œ. ch.
BARBIERI, Francisco A. (1823-94) : zarzuela.
BRETÓN, Tomás (1850-1923) : o., zarzuela, m. ch., m. orc. (la Verbena de la Paloma).
CAMPO, Conrado del (1876-1953) : m. ch. et scène considérable.
CASAS, Pérez (1873-1956) : O. (Lorenzo).
ESPLA, Oscar (1886-1976) : 1 O., poèmes sy., ca., ba., m. ch.
FALLA, Manuel de (1876-1946) : O. (la Vie brève, l'Atlantide), ba. (l'Amour sorcier, le Tricorne), 1 ct. cl., Nuits dans les jardins d'Esp. (pi. et orc.), œ. pi.
GERHARD, Roberto (1896-1970, voir G.-B.).
GRANADOS, Enrique (1867-1916) : O. (Goyescas, Maria del Carmen), œ. pi. (Goyescas, Danses esp.).
MOMPOU, Federico (1893-1987) : œ. pi. (Charmes, Scènes d'enfants, Suburbis), mél.
MORENO-TORROBA, Federico (1891-1982) : zarzuelas, m. guit.
MORERA, Enrique (1865-1942) : 40 O., sardanas.
PEDRELL, Felipe (1841-1922) : 5 O., œ. orc.
SARASATE, Pablo de (1844-1908) : œ. vi.
TARREGA, Francisco (1852-1909) : m. guit.
TURINA, Joaquín (1882-1949) : œ. orc. (la Procesion del Rocio), m. de scène, O., nombreuses œ, pi. (Jardin d'enfants, Recuerdos de viaje).

NÉS APRÈS 1900

BAUTISTA, Julián (1901-61) : m. ch., œ. pi., O., ba. (Juerga), m. films (voir p. 425 c).
BENGUEREL, Javier (1931) : œ. voc., ct. guit., ct. org.
ENCINAR, José Ramón (1954) : O. (Figaro), m. or., m. instr., m. voc.
GUINJOAN, Joan (1931) : m. orc., m. ch., m. instr.
HALFFTER, Cristóbal (1930) : m. orc., ct. vlc., m. ch., œ. in.
HALFFTER, Ernesto (1905-89) : œ. pi., 1 q., ba., œ. orc.
HALFFTER, Rodolfo (1900-87) : ba., ct. vi., q., pi., 1 O.
LLACH, Luis (1949).
MARCO, Tomas (1942) : m. orc., m. ch., q.
MONTSALVATGE, Xavier (1911) : m. pi., m. ch., m. orc., œ. voc., O.
PABLO, Luis de (1930) : m. orc. (Éléphants ivres, Imaginario), sy., 3 ct. pi., ct. clav., m. voc. (Viatges i Flors), m. ch. (Modulos), O. (Protoccolo, Kiu, El Viajero indiscreto).
PITTALUGA, Gustavo (1906) : ba., 1 ct. vi., m. in.
RODRIGO, Joaquín (1901) : O., œ. in., œ. pi., mél., ct. (ct. d'Aranjuez pour guit.).

ÉTATS-UNIS

NÉS ENTRE 1800 ET 1900

CADMAN, Charles (1881-1946) : O., m. orc., m. voc.
CARPENTER, J. Alden (1876-1951) ; ct., œ. sy., œ. in.
COWELL, Henry D. (1897-1965) : sy., m. ch., œ. pi.
GERSHWIN, George (1898-1937) : ct. pi., Rhapsody in Blue, Un Américain à Paris, O. (Porgy and Bess), œ. pi. (préludes), ch.
GOTTSCHALK, Louis Moreau (1829-69) : 2 O., œ. sy., œ. pi.
HANSON, Howard (1896-1981) : O. (Merry Mount), m. orc.
HARRIS, Roy (1898-1979) : m. orc., 7 sy., ba., m. ch., œ. pi.
IVES, Charles (1874-1954) : 4 sy., m. orc., œ. pi. (Concord Sonata), mél.
MACDOWELL, Edward (1861-1908) : œ. in., ct., 3 poèmes sy., so., œ. pi.
MOORE, Douglas Stuart (1893-1969) : m. orc, sy, O.
PISTON, Walter (1894-1976) : ba. (le Flûtiste incroyable), 8 sy., 5 q., ct.
PORTER, Quincy (1897-1966) : m. orc., 2 sy., ct. (alto, 2 pi., clav.), 10 q., son.
RIEGGER, Wallingford (1885-1961) : m. orc., œ. in.
ROGERS, Bernard (1893-1968) : 1 q., 4 sy., 2 so. pi., ca., ct. vi.
RUGGLES, Carl (1876-1971) : m. orc., m. in.
SESSIONS, Roger (1896-1985) : O. (le Procès de Lucullus), 8 sy., ct., œ. in.
TCHEREPNINE, Alexandre (1898-1977) (or. russe) : O., ba., m. sy., ct., m. pi.
THOMSON, Virgil (1896-1989) : O. (4 Saints en 3 Actes, Notre Mère à tous), m. sy., mél., m. ch.
TIOMKIN, Dimitri (1899-1979) : m. films.
VARÈSE, Edgar (1883-1965, voir France p. 421 b).

NÉS APRÈS 1900

ADAMS, John (1947) : 3 O. (Nixon en Chine, The Death of Klinghoffer), m. orc. (Harmonielehre), m. pi., m. voc.
ALBRIGHT, William (1944) : m. élec., m. orc., org.
ANTHEIL, George (1900-59) : ba. mécanique, 7 sy., 3 O. (Volpone).
ARGENTO, Dominick (1927) : 10 O. (Aspern Papers), ba., m. voc., m. ch.
BABBITT, Milton Byron (1916) : œ. in., m. pi., synthétiseur, m. sérielle.
BARBER, Samuel (1910-81) : 2 O. (Vanessa, Antony and Cleopatra), ba. (Medea), m. orc., œ. in. et voc., Prayer for Kierkegaard, Adagio pour cordes.
BERNSTEIN, Leonard (1918-90) : œ., lr. (West Side Story, Candide) m. rel. (Messe), ba. (Fancy Free, Dybbuk).
BLITZSTEIN, Marc (1905-64) : O. (Regina), auteur de la version amér. de l'Opéra de quat'sous.
BOLCOM, William (1938) : m. ch., œ. pi.
BROWN, Earle (1926) : m. graph. et élec., m. orc.
CAGE, John (1912-92) : m. films, m. scène, Bacchanale, œ. pour pi. préparé (so., interludes).
CARTER, Elliott (1908) : O., or., sy., ct. pi., ct. or., ct. cl.-pi., 4 q., m. ch., m. voc.
COPLAND, Aaron (1900-90) : ba. (Appalachian Spring, Billy the Kid, Rodeo), ct. clar., ct. pi., 3 sy., m. orc. (El Salon Mexico, Connotations), m. pi., voc., m. films.
CORIGLIANO, John (1938) : m. orc., m. voc., ct. ob., ct. pi., ct. cl.
CRESTON, Paul (1906-85) : 6 sy., ct., m. org., m. ser.
CRUMB, George (1929) : m. voc. (Star-Child), m. ch., m. orc., m. pi. (Makrokosmos).
DELLO JOIO, Norman (1913) : m. orc., pi.
DEL TREDICI, David (1937) : m. voc., m. ch. (Alice in Wonderland), m. orc.
DIAMOND, David (1915) : m. orc., m. in., ct. q. et orc.
DRUCKMAN, Jacob (1928) : m. or., ct. alto, m. élec., m. ch.
EPSTEIN, David (1930) : m. orc., sy., m. ch., m. films.
FELDMAN, Morton (1926-87) : O. (Neither), m. graph., m. orc., ch., œ. voc.
FINNEY, Ross Lee (1906) : 4 sy., 2 ct. vi., 2 ct. pi., 8 q., m. voc.
FOSS, Lukas (1922) : m. orc. (Baroque Variations, sy.), ct. (vlc., perc., hb.), m. ch. (The Cave of the Winds), 3 q.
GLASS, Philip (1937) : m. minimaliste et voc., O. (Akhnaten, Einstein on the Beach, Satyagraha).
HARBISON, John (1938) : O., sy., m. orc., ct. vi.
HARRISON, Lou (1917) : m. sy., cho., ct.
HOVHANESS, Alan (1911) : O., 56 sy., 23 ct., m. ch., m. orc., m. pi., m. voc.
IMBRIE, Andrew Welsh (1921) : 1 sy., 1 O., œ. in.
KIRCHNER, Leon (1919) : O., ct. m. orc., m. ch., m. voc.
KOLB, Barbara (1939) : m. orc. (Soundings), m. ch., m. électr.
KURTZ, Eugene (1923) : m. orc., m. ch.
LADERMAN, Ezra (1924) : O., 7 sy., ct. fl., 6 Q.
MACHOVER, Tod (1953) : m. or., m. élec.
MENNIN, Peter (1923-83) : 7 sy., œ. orc., pi.
MENOTTI, Gian Carlo (1911) (or. italienne) : O. (le Consul, le Médium), ba., m. ch.
NABOKOV, Nicolas (1903-78) (or. russe) : O., ba., m. orc.
REICH, Steve (1936) : m. orc., m. ch. (m. répétitive).
RODGERS, Richard (1902-79) : com. m., m. films.
ROREM, Ned (1923) : O., 3 sy., 4 ct. pi., ct. vi., m. ch. (3 Q.), m. pi.
SCHULLER, Gunther (1925) : 2 O., m. orc. (Études d'après Paul Klee), c. (cor., pi., or., tr. sax., cb., contrebasson).
SCHUMAN, William (1910-92) : O., ba., m. orc. (le Chant d'Orphée), 10 sy., œ. voc., q.
SCHWANTNER, Joseph (1943) : m. orc., m. voc., m. ch.
WUORINEN, Charles (1938) : O., m. or. (Chamber Concertos), 2 ct. pi., ct. vi., or., m. ch. (Tashi), m. élec.

FINLANDE

AHO, Kalevi (1949) : 2 O, 7 sy., ct. vlc., ct. vi., m. ch., ct., pi.
BERGMAN, Erik (1911) : ct. pi., fl., vlc., vi., œ. ch. et orc., œ. voc., m. orc., Ens. ins., O.
CRUSELL, Bernhard (1775-1838) : 3 ct. clar., ct. clar. et basson, O.
ENGLUND, Einar (1916) : 2 ba., 7 sy., ct. fl., ct. clar., 2 ct. pi., ct. vi., vlc., m. ch., m. films.
HÄMEENNIEMI, Eero (1951) : m. orc., ct. pour guit. élec., 2 ct. vi., m. ch., ba., cl., 2 sy., m. voc.
HAUTA-AHO, Teppo (1941) : m. orc., m. ch., ct. trp., ct.
HEININEN, Paavo (1938) : 2 O., 4 sy., 3 ct. pi., ct. vi., ct. sax., m. ch., m. élec.
HEINIÖ, Mikko (1948) : m. orc., 5 ct. pour pi., ct. basson, ct. bugle, m. ch., m. cho., m. voc.
JOHANSSON, Bengt (1914-89) : cho., ct. pi., m. ch., m. orc., m. élec.
JOKINEN, Erkki (1941) : ct. pour vlc., ct. acc., ct. vi., m. ch., m. voc., œ. ch.
KAIPAINEN, Jouni (1956) : m. orc., m. ch., o. ch., 2 sy., ct. clar., m. voc.
KILPINEN, Yrjö (1892-1959) : 750 lieder.
KLAMI, Uuno (1900-61) : ba., m. orc., m. ch.
KOKKONEN, Joonas (1921) : O., 4 sy., m. orc., m. ch., œ. voc., m. re., ct. vlc.
KORTEKANGAS, Olli (1955) : 2 O. de ch., m. orc., m. ch., m. cho. et voc.
KOSTIAINEN, Pekka (1944) : ba., sy., ct. pour vl., ct. pour vlc., ct. pour pi., œ. ch., m. ch.
KUULA, Toivo (1883-1918) : œ. cho. et orc., m. ch.
LINDBERG, Magnus (1958) : ct. pi., m. dr., m. orc., m. ch.
LINJAMA, Jouko (1934) : m. orc., œ. ch., m. ch., org.
MADETOJA, Leevi (1887-1947) : 2 O., ba., 3 sy., ca., m. orc., m. ch., œ. voc., m. re.
MARTTINEN, Tauno (1912) : 16 O., 6 ba., 9 sy., m. orc., m. ch., œ. voc., 10 ct.

MERIKANTO, Aarre (1893-1958) : O., 4 ct. pour pi., 4 ct. pour vi., 2 ct. pour vlc., 3 sy., m. orc., m. ch., 2 ca., m. th.
MERILÄINEN, Usko (1930) : 4 ba., ct. guit., ct. fl., 3 ct. pi., ct. pour vlc., 5 sy., m. orc., m. ch.
NORDGREN, Pehr Henrik (1944) : m. orc., 3 ct. pour vi., 2 ct. pour viole, 2 ct. pour pi., 13 ct. vlc., ct. clar., 2 o. ch., m. ch.
NUMMI, Seppo (1932-81) : li., m. ch.
PALMGREN, Selim (1878-1951) : O., 5 ct. pour pi., 6 ca., m. th., m. orc., œ. pi.
PESONEN, Olavi (1909) : m. orc., œ. ch.
PYLKKÄNEN, Tauno (1918-80) : 9 O., ca., m. orc., m. ch., m. voc.
RAITIO, Pentti (1930) : m. orc., m. ch., œ. voc.
RAUTAVAARA, Einojuhani (1928) : 6 O., ba., 6 sy., ct. fl., 2 ct. pi., ct. vlc., ct. vi. et soprano, m. orc., m. ch., œ. voc.
RECHBERGER, Herman (1947) : O., m. con., dr., m. ch., élec.
SAARIAHO, Kaija (1952) : ba., m. ch., m. élec., m. voc., m. orc.
SALLINEN, Aulis (1935) : 4 O. (Ratsumies), 6 sy., ct. pour vi., ct. vlc., m. orc. (Shadows), m. ch. (5 q.), m. voc.
SALMENHAARA, Erkki (1941) : O., 5 sy., m. orc., m. ch., œ. voc.
SALONEN, Esa-Pekka (1958) : ct. sax., m. orc., m. ch., élec.
SARMANTO, Heikki (1939) : m. films, sy. jazz, m. voc.
SEGERSTAM, Leif (1944) : œ. orc., œ. ch., œ. voc., 17 sy., 2 ct. trp., 7 ct. vi., 3 ct. pi., 5 ct. vlc., 3 ct. viole, ct. clar., ct. fl.
SERMILÄ, Jarmo (1939) : m. orc., m. ch., m. voc., m. élec., jazz.
SIBELIUS, Jean (1865-1957) : O., 7 sy., ct. pour vi., m. orc., m. ch., m. voc., m. pi.
SONNINEN, Ahti (1914-84) : 2 O., m. ch., ba., ct. pi., dr., œ. ch.
TIENSUU, Jukka (1948) : ct. clar., m. orc., m. ch., m. élec.
WESSMAN, Harri (1949) : ct. trp., m. orc., m. ch., œ. ch.

FRANCE

ÉCOLES DU MOYEN AGE

Musique monodique. Chansons populaires. Troubadours : Guillaume IX d'AQUITAINE (1076-1127), Bertrand de BORN (1140-1214), MARCABRU (1120-40), RUDEL, Bernard de VENTADOUR (1125-95). **Trouvères :** BRULÉ (1159-1214 ?), Guy de COUCY († 1202), BLONDEL DE NESLES (1155-?), Colin MUSET (XIIIe s.). **Mus. polyphonique** jusqu'à la mort de DUFAY.

École de N.-D. de Paris (1105-1330) : Adam de LA HALLE (v. 1240-87) : Jeu de Robin et Marion, LÉONIN (XIIe s.), PÉROTIN († 1197 ou 1238).

Ars Nova : Phil. de VITRY (1290-1361), G. de MACHAUT (v. 1300-77) : lais mon., rondeaux, ballades, mo. (2, 3 ou 4 voix), me. Notre-Dame.

École franco-flamande : Gilles BINCHOIS († 1460), Antoine BUSNOIS († 1492), Guillaume DUFAY (v. 1400-74), Nicolas GRENON, Jacob OBRECHT (1450-1505, Flamand), Johannes OCKEGHEM (v. 1430-97, Flamand), Pierre de LA RUE (v. 1460-1518).

NÉS AVANT 1600

BERTRAND, Anthoine de (?-1580) : ch., airs spirit.
BOUZIGNAC, Guillaume (v. 1592-v. 1641) : m. rel. (motets).
CERTON, Pierre (?-1572) : me., mo., ps., ch.
COMPÈRE, Loyset (v. 1450-1518) : me., mo., Magnificat.
COSTELEY, Guillaume (v. 1531-1606) : ch., mo.
DES PRÉS, Josquin (v. 1440-v. 1521) : 129 mo., ps., 19 me., ch.
DU CAURROY, Eustache (1549-1609) : me., mo., fa. in.
ESTOCART, Paschal de (v. 1540-v. 90) : œ. ch., ps.
FÉVIN, Antoine de (v. 1470-1511?) : m., mo.
GOMBERT, Nicolas (v. 1500-v. 56) : me., mo., ch.
GOUDIMEL, Claude (v. 1505-72) : me., ch. re., profanes, ps.
GUÉDRON, Pierre (1565?-v. 1620) : airs.
JAMBE-DE-FER, Philibert (1520-25/65).
JANEQUIN, Clément (v. 1480-1558) : ch. rel., profanes, descriptives (le Chant des oiseaux, la Bataille, les Cris de Paris).
LASSUS, Roland de (v. 1531-94) : 500 mo., 53 me., 4 pa., ch. poly., Stabat Mater.
LE JEUNE, Claude (v. 1530-1600) : le Printemps, Dodécacorde, Psautier de Th. de Bèze, ch. poly.
MAUDUIT, Jacques (1557-1627) : Requiem pour Ronsard, me., mo.
MOUTON, J. de Hollingue dit (v. 1470-v. 1522) : me., Magnificat, mo., ch.
SERMISY, Claudin de (v. 1490-1562) : me., mo., ch.
TITELOUZE, Johan (1563-1633) : mo., org.

NÉS ENTRE 1600 ET 1700

ANGLEBERT, Jean-Henri d' (1628-91) : œ. cl.
BERNIER, Nicolas (1664-1734) : 3 volumes de mo., 4 livres de ca., Nuits de Sceaux.
BLANCHARD, Esprit (1696-1770) : 30 mo., 1 Te Deum.
CAMPRA, André (1660-1744) : + de 200 œ., 24 O. (Iphigénie en Tauride).
CHAMPION DE CHAMBONNIÈRES, Jacques (apr. 1601-72) : œ. cl., œ. in.
CHARPENTIER, Marc Antoine (v. 1636-1704) : 500 œ. re., prof., 1 Te Deum.
CLÉRAMBAULT, Louis-Nicolas (1676-1749) : m. orgue, m. clav., O., m. rel., cant. profanes.
COUPERIN, François, dit le Grand (1668-1733) : 4 livres cl., préludes, so. in. (l'Astrée), ct. (Concerts des goûts réunis), œ. org. (2 me.), œ. voc. (Leçons de ténèbres).
COUPERIN, Louis (v. 1626-v. 61) : œ. cl., org.
DANDRIEU, Jean-François (1682-1738) : m. clav., m. orgue (noëls).
DAQUIN, Louis (1694-1772) : noëls pour org., œ. cl.
DELALANDE, Michel (1657-1726) : mo., ba., me.
DESMARETS, Henry (v. 1660-1741) : mo., ba., O. (Didon).
DESTOUCHES, André (1669-1749) : ba. (Omphale, les Éléments, Issé).
DORNEL, Antoine (1685-1765) : œ. org. et cl.
FRANCŒUR, François (1698-1787) : so., sy.
GAULTIER LE JEUNE, Denys dit (v. 1603-72) : la Rhétorique des dieux, pour luth seul.
GILLES, Jean (1669-1705) : m. re., in.
GRIGNY, Nicolas de (1672-1703) : livre d'orgue.
LEBÈGUE, Nicolas (1631-1702) : 2 livres cl., 3 liv. org.
LECLAIR, Jean-Marie (1697-1764) : 100 œ. vi., 12 ct. vi. et cordes.
LULLY, Jean-Baptiste (1632-87) : O. (Cadmus et Hermione, Alceste, Thésée, Amadis, Armide, Isis, Atys), m. re.
MAGE, Pierre du (1676-1751) : œ. org.
MARAIS, Marin (1656-1728) : O. (Alcyone), su. pour viole.
MARCHAND, Louis (1669-1732) : 5 livres org.
MONTÉCLAIR, Michel PIGNOLET de (1667-1737) : ca., 1 O. biblique (Jephté), ch., mo.
MOULINÉ, Étienne (1600-69) : airs de cour, œ. re.
MOURET, Jean-Joseph (1682-1738) : 6 recueils de divertissements, O., ba., mo.
RAMEAU, Jean-Philippe (1683-1764) : O. (Hippolyte et Aricie, les Indes galantes, Castor et Pollux), œ. cl., œ. in. (concerts en sextuor), œ. voc., écrits théoriques.
ROBERDAY, François (1624-80) : œ. org.

NÉS ENTRE 1700 ET 1800

ALAYRAC, Nicolas d' (1753-1809) : 100 œ.
AUBER, Daniel (1782-1871) : O. c. (les Diamants de la couronne, la Muette de Portici), O. (Fra Diavolo).
BALBASTRE, Claude (1727-99) : m. orgue (noëls), m. clav.
BOËLY, Alexandre (1785-1858) : œ. org., pi.
BOIELDIEU, François-Adrien (1775-1834) : O. c. (la Dame Blanche), œ. pi., m. ch., ct.
CASSANÉA DE MONDONVILLE, Jean-Joseph (1711-72) : so., 12 mo., œ. cl., vi.
CORRETTE, Michel (1709-95) : 21 ct., m. ch.
DUNI, Egidio (1709-75) (né en Italie) : O. c. (le Peintre amoureux de son modèle).
DUPHLY, Jacques (1715-89) : œ. cl.
GIROUST, François (1738-99) : O. (Télèphe), 14 or., 90 motets, 11 magnificats, Messe du sacre de Louis XVI, Hymne des Versaillais.
GOSSEC, Fr.-Joseph Gossé dit (1734-1829) : me., q., 20 O. c., 30 sy.
HALÉVY, Jacques Fromental Lévy dit (1799-1862) : O. c. (la Juive, la Reine de Chypre, la Dame de pique, Manon).
HÉROLD, Louis-Ferdinand (1791-1833) : œ. lr.
LE DUC, Simon (1742-77) : 3 sy., sy. con., tr.
LESUEUR, Jean-François (1760-1837) : 33 me., œ. lr. (le Triomphe de Trajan).
MÉHUL, Étienne (Henri Nicolas) (1763-1817) : Chant du départ, ba. (la Chasse du jeune Henri), O., 4 sy., m. voc.
MONSIGNY, Pierre-Alexandre (1729-1817) : 11 O. c. (Rose et Colas), ba. (Aline, reine de Golconde).
MONTAN-BERTON, Henri (1767-1844) : 48 O.
ONSLOW, Georges (1784-1853) : O., 4 sy., m. ch., pi.
PHILIDOR, François-André (1726-95) : 20 O. c. (Blaise le Savetier, la Belle Esclave, Tom Jones).
PLEYEL, Ignace (1757-1831) : m. pi., harpe, m. ch., ct., 6 sy. conc., œ. voc.
ROUGET DE LISLE, Claude (1760-1836) : ch., la Marseillaise.
ROUSSEAU, Jean-Jacques (1712-78) : 1 O. (le Devin du village), œ. lr.
SAINT-GEORGES, Joseph Boulogne, chevalier de (1739-99) : m. pi., m. ch., sy., 10 sy. conc.

NÉS ENTRE 1800 ET 1900

ADAM, Adolphe (1803-56) : O. c. (le Postillon de Longjumeau), ba. (Giselle).
ALKAN, Charles Valentin (1813-88) : œ. pour pi.
AUBERT, Louis (1877-1969) : O. (la Forêt bleue) ba., m. pi., m. orc., m. ch., œ. voc. (la Mauvaise Prière).
AUDRAN, Edmond (1842-1901) : O. c. (le Grand Mogol, la Mascotte).
AURIC, Georges (1899-1983) (1) : œ. pi., m. ch., mél., m. sy., O., ba., m. films (la Belle et la Bête, Moulin Rouge, etc.).
BERLIOZ, Hector (1803-69) : m. orc. (Sy. fantastique, Roméo et Juliette, Sy. funèbre et triomphale), O. (les Troyens), Requiem, ouv. (Carnaval romain).
BEYDTS, Louis (1895-1953) : m. de la Kermesse héroïque, O., mél.
BIZET, Georges (1838-75) : sy., O. (Carmen, les Pêcheurs de perles), m. pi. (Jeux d'enfants), sy., m. sc. (l'Arlésienne).
BONDEVILLE, Emmanuel (1898-1987) : O. (Madame Bovary, Antoine et Cléopâtre).
BOULANGER, Lily (1893-1918) : ps., Faust et Hélène, mél.
BRUNEAU, Alfred (1857-1934) : O. (le Rêve, l'Ouragan).
BUSSER, Henri (1872-1973) : O. (Daphnis et Chloé, le Carrosse du Saint-Sacrement).
CANTELOUBE, Marie-Joseph (1879-1957) : Chants d'Auvergne et autres.
CAPLET, André (1878-1925) : mél., mus. rel. (messe, Miroir de Jésus), mus. orc. (Épiphanie), m. ch. (Conte fantastique).
CASTILLON, Alexis de (1838-73) : pi. (Pensées fugitives), mél.
CHABRIER, Emmanuel (1841-94) : œ. pi. (Pièces pittoresques, Bourrée fantasque), œ. orc. (España, Joyeuse Marche), O. (Gwendoline, le Roi malgré lui), mél.
CHARPENTIER, Gustave (1860-1956) : O. c. (Louise).
CHAUSSON, Ernest (1855-99) : sy., Poème pour vi. et orc., drame lr.
CHOPIN : voir Pologne, p. 423 c.
CHRISTINÉ, Henri (1867-1941) : ch., o. (Phi-Phi).
CLIQUET-PLEYEL, Henri (1894-1963) : 2 q., 2 so. vi., mél.
CRAS, Jean (1879-1932) : O. (Polyphème), m. or. (Journal de bord), m. ch.
DEBUSSY, Claude (1862-1918) : œ. pl. (24 préludes, 12 études, Images, Children's Corner, Su. bergamasque, etc.), œ. orc. (Prélude à l'après-midi d'un faune, Nocturnes, Ibéria, Jeux, la Mer), œ. lr. (Pelléas et Mélisande, le Martyre de saint Sébastien), mél., m. ch. (q., 3 so.).
DELANNOY, Marcel (1898-1962) : O. c. (le Poirier de misère), ba., m. sy.
DELIBES, Léo (1836-91) : O. c. (Lakmé), ba. (Coppélia, Sylvia).
DELVINCOURT, Claude (1888-1954) : œ. pi. (Croquembouches), mél. (Chants de la ville et des champs), qqes œ. orc. (Radio sérénade), œ. lr.
DÉSORMIÈRE, Roger (1898-1963) : m. films.
DUKAS, Paul (1865-1935) : œ. orc. (l'Apprenti sorcier), œ. lr. (Ariane et Barbe-Bleue), œ. pi. (1 so., var. sur un th. de Rameau).
DUPARC, Henri (1848-1933) : mél. (la Vie antérieure, l'Invitation au voyage, Chanson triste).
DUPONT, Gabriel (1878-1914) : 4 O. (Antar, la Farce du cuvier), m. pi. (les Heures dolentes), mél., m. ch.
DUPRÉ, Marcel (1886-1971) : œ. org.
DUREY, Louis (1888-1979) (1) : mél., q., œ. pi.
EMMANUEL, Maurice (1862-1938) : œ. in., orc., voc., O. (Prométhée enchaîné, Salamine).
ERLANGER, Camille (1863-1919) : 57 mél., 12 dr. lr. (le Juif polonais).
FAURÉ, Gabriel (1845-1924) : Requiem, m. ch. (2 so. pi. vi., 2 so. pi. vlc., trio, q., Q.), mél. (la Bonne Chanson, l'Horizon chimérique), œ. pi. (13 nocturnes, 13 barcarolles, 9 préludes, Impromptus, Thème et variations), O. (Prométhée, Pénélope).
FERROUD, Pierre Octave (1900-36) : ba., m. sy., m. ch., mél.
FRANCK, César (1822-90) (or. belge) : or. (les Béatitudes), 1 sy., œ. org. (3 chorals), œ. pi. (prélude, ch. et fu.), Var. sy. (pour pi. et orc.), q., Q., 1 so. pi. vi., mél. O.
GANNE, Louis (1862-1923) : o. (les Saltimbanques, la Marche lorraine).
GÉDALGE, André (1856-1926) : 4 sy., ct. pi., q., 2 so. pi. et vi., mélodies.
GODARD, Benjamin (1849-95) : O. (Jocelyn), m. orc.
GOUNOD, Charles (1818-93) : O. (Faust), O. c. (Mireille, Roméo et Juliette), mél., 13 me.
GUIRAUD, Ernest (1837-92) : O. (Frédégonde, achevé par Saint-Saëns).

HAHN, Reynaldo (1875-1947) : mél., 3 ct., œ. pi., m. ch., o. (Ciboulette).
HERVÉ, Florimond Ronger dit (1825-92) : o. (Mam'zelle Nitouche).
HONEGGER, Arthur (né au Havre, d'or. Suisse, 1892-1955) (1) : œ. lr. (les Aventures du roi Pausole, le Roi David, Jeanne au bûcher, Antigone), 5 sy., œ. orc. (Pacific 231, Rugby), ct., m. ch., mél. (Danse des morts), Ca. de Noël, œ. pi.
IBERT, Jacques (1890-1962) : œ. pi. (Histoires), m. ch., ct., œ. lr., O. c. (le Roi d'Yvetot, Angélique), m. orc. (Divertissement, suites), m. films.
INDY, Vincent d' (1851-1931) : O. (Fervaal), 3 sy. (Sy. sur un chant montagnard français), œ. orc. (Wallenstein, Jour d'été à la montagne) mél., q., so., œ. pi.
INGHELBRECHT, Désiré (1880-1965) : mél., œ. orc. (Marines), ba. (le Diable dans le beffroi).
KOECHLIN, Charles (1867-1950) : œ. sy. (le Livre de la jungle), et œ. théoriques (tous les genres).
LADMIRAULT, Paul (1877-1944) : Suite bretonne.
LALO, Édouard (1823-92) : O. (le Roi d'Ys), ba. (Namouna), sy. espagnole, Rhapsodie norvégienne, 2 ct. vi., ct. vlc., m. ch.
LAZZARI, Sylvio (1857-1944) : O. (La Lépreuse), m. or., m. ch. m. voc.
LECOCQ, Charles (1832-1918) : o. (la Fille de Mme Angot), mél.
LE FLEM, Paul (1881-1984) : 4 sy., œ. pi., voc., O. (la Magicienne de la mer).
LOUCHEUR, Raymond (1899-1979) : 2 sy., ba., m. ch.
MAGNARD, Albéric (1865-1914) : 3 O. (Guercœur, Bérénice), 4 sy., 1 q., mél., œ. pi. (Promenades).
MARTELLI, Henri (1895-1980) : près de 150 œuvres dans tous les genres.
MASSÉ, Victor (1822-84) : mél., œ. lr. (les Noces de Jeannette).
MASSENET, Jules (1842-1912) : O. (Manon, Werther, Thaïs, le Jongleur de Notre-Dame, Hérodiade), or. (Ève), 1 ct. pi., su. or.
MESSAGER, André (1853-1929) : o. (Véronique, la Basoche, Monsieur Beaucaire), ba. (les Deux Pigeons).
MIGOT, Georges (1891-1976) : 13 sy., m. orc., m. ch., œ. in., m. pi., œ. voc., ch. org.
MIHALOVICI, Marcel (1898-1985) (or. roum). : sy., ba., m. ch., li.
MILHAUD, Darius (1892-1974) (1) : + 800 œuvres dans tous les genres ; O. (Bolivar, les Choéphores), m. ch. (18 q., 5 Q., so. diverses), m. orc. (sy. et su.), œ. pi. (Printemps, Saudades do Brazil, Scaramouche), ct. pour presque tous les instr., ba. (le Bœuf sur le toit, la Création du monde, l'Homme et son désir), ca. (le Château de feu), mél. (Catalogue de fleurs, Machines agricoles), etc.
MORETTI, Paul (1893-1954) : m. légère, o., m. films (Sous les toits de Paris).
NIEDERMEYER, Louis (1802-61) (or. suisse).
OFFENBACH, Jacques (1819-80) (né à Cologne) : O. c. (les Contes d'Hoffmann), 102 o. et O. b. (la Belle Hélène, Orphée aux Enfers, la Vie parisienne, la Périchole, la Grande-Duchesse de Gerolstein).
OLLONE, Max d' (1875-1959) : O. (la Samaritaine, Georges Dandin), m. or., m. ch., mél.
PIERNÉ, Gabriel (1863-1937) : ba. (Cydalise et le chèvrepied), m. ch., œ. pi., mél.
PLANQUETTE, Robert (1848-1903) : o. (les Cloches de Corneville).
POULENC, Francis (1899-1963) (1) : O. (les Mamelles de Tirésias, Dialogues des carmélites), m. re. (Stabat Mater, Gloria, Litanies à la vierge noire), m. orc. (Sinfonietta), ba. (les Biches, les Animaux modèles), m. ch. (so., trios, 1 sextuor), ct. (pour pi., pour 2 pi., pour org.), œ. pi. (Mouvements perpétuels), nombreuses mél.
RABAUD, Henri (1873-1949) : la Procession nocturne, or. (Job), m. films (le Miracle des loups), œ. lr. (Mârouf).
RAVEL, Maurice (1875-1937) : œ. pi. (Jeux d'eau, Gaspard de la nuit, Valses nobles et sentimentales, Ma mère l'Oye, Tombeau de Couperin), œ. orc. (la Valse, Boléro, Raps. espagnole), œ. lr. (l'Heure espagnole, l'Enfant et les sortilèges), ba. (Daphnis et Chloé), 2 ct. pi. (dont Ct. pour la main gauche), m. ch. (1 q., 1 trio, 2 so. pi. vi., so. vi. vlc.), mél. (Histoires naturelles).
REYER, Ernest (1823-1909) : O. (Sigurd, la Statue).
RIVIER, Jean (1896-1987) : œ. voc., 7 sy., qqes ct., m. re (Requiem).
ROGER-DUCASSE, Jean (1873-1954) : œ. pi., mél., m. re., 2 q.
ROLAND-MANUEL (Rol. Alexis Manuel Lévy dit) (1891-1966) : m. films (les Inconnus dans la maison), O. c. (le Diable amoureux), mél., œ. orc., ba.
ROPARTZ, Guy (1864-1955) : O. (le Pays), 5 sy., m. ch.
ROUSSEL, Albert (1869-1937) : O. (Padmâvatî), ba. (le Festin de l'araignée, Bacchus et Ariane), 4 sy., œ. pi., m. ch.
SAINT-SAËNS, Camille (1835-1921) : 3 sy. (dont *n° 3* avec orgue), 5 ct. pi., 3 ct. vi., œ. orc. (Danse macabre, Carnaval des animaux, Su. algérienne), O. (Samson et Dalila), m. ch., œ. pi. (ét.).
SAMAZEUILH, Gustave (1877-1967) : m. orc. (le Chant de la mer), q. à cordes, so.
SAMUEL-ROUSSEAU, Marcel (1882-1955) : ca. (Maïa), O. c. (Tarass Boulba).
SATIE, Erik (1866-1925) (2) : œ. pi. (Gymnopédies, Morceaux en forme de poire, Gnossiennes), ba. (Parade, Relâche), œ. lr. (Socrate).
SCHMITT, Florent (1870-1958) : ba. (la Tragédie de Salomé), œ. sy., m. ch., œ. pi. (le Petit Elfe Ferme-l'œil).
SCOTTO, Vincent (1876-1952) : m. légère (la Petite Tonkinoise, Sous les ponts de Paris), o. (Violettes impériales).
SÉVERAC, Déodat de (1872-1921) : mél., œ. pi. (En Languedoc, Cerdaña), œ. org.
TAILLEFERRE, Germaine (1892-1983) (1) : œ. voc. (Cantate du Narcisse), œ. sy. (Concerto des vaines paroles), œ. lr., ba., m. ch., œ. pi.
TANSMAN, Alexandre (1897-1986) (or. pol.) : O., 8 sy., œ sy., pi., œ. voc., ba., m. ch.
TERRASSE, Claude (1867-1923) : o. (le Sire de Vergy, Monsieur de La Palisse).
THOMAS, Ambroise (1811-96) : O. c. (Mignon, Hamlet), ba.
TOURNEMIRE, Charles (1870-1939) : 8 sy., ps., m. ch., l'Orgue mystique, O.
VARÈSE, Edgar (1883-1965) (nat. Américain en 1926) : œ orc. (Amériques, Intégrales, Déserts, Ionisation pour 40 instr.).
VELLONES, Pierre (1889-1939) : mél., m. orc., m. pi.
VIERNE, Louis (1870-1937) : 5 sy. org., 24 mél., 1 Q. pi.
WALDTEUFEL, Émile (1837-1915) : valses.
WIDOR, Charles-Marie (1844-1937) : ba. (la Korrigane), 10 sy. pour org. (n° 5 avec la Toccata).
WIENER, Jean (1896-1982) : œ. pi., œ. org., m. films.
YVAIN, Maurice (1891-1965) : m. légère, o. (Ta bouche), m. films (Blanche-Neige).

Nota. – (1) En 1918-20, Auric, Durey, Honegger, Milhaud, Poulenc, G. Tailleferre constituaient le *Groupe des Six* autour de Satie et de Cocteau. (2) Satie patronna l'*École d'Arcueil* avec Cliquet-Pleyel, Désormière, Jacob, Sauguet.

■ NÉS APRÈS 1900

ALAIN, Jehan (1911-40) : œ. org. (Litanies), su. monodique pour pi., Prière pour nous autres charnels.
AMY, Gilbert (1936) : m. sérielle : Antiphonies, Triade, Écrits sur toile (1983), chants.
APERGHIS, Georges (1945) : m. orc., m. ch., m. voc., O. (Atem, la Tour de Babel, Jacques le Fataliste, Pandémonium).
ARRIEU, Claude (1903-90) : m. pi, m. ch, 5 ct, m. th.
AUBIN, Tony (1907-81) : 3 sy., su. danoise, la Chasse infernale, O. (Goya).
BALLIF, Claude (1924) : œ. pi., m. ch. (5 q.), m. sy., m. rel., Requiem (Antiennes).
BANCQUART, Alain (1934) : 5 sy., m. orc., m. ch., m. voc.
BARRAINE, Elsa (1910) : œ. sy., Musique rituelle pour org.
BARRAQUÉ, Jean (1928-73) : œ. voc., so. pour pi.
BARRAUD, Henry (1900) : œ. lr. (Numance, Farce de Maître Pathelin), ba. (l'Astrologue dans le puits), œ. sy.
BAUDRIER, Yves (1906-88) (1) : le Raz de Sein, sy., or., m. films (la Bataille du rail, le Monde du silence).
BAYLE, François (1932) : m. électroac. (Espaces inhabitables).
BONDON, Jacques (1927) : m. sy., ct., m. ch., O. (la Nuit foudroyée).
BOUCOURECHLIEV, André (1925) : m. élec., m. de scène, Archipels (diverses formations), ct. pi., O.
BOULEZ, Pierre (1925) : Structures pour 2 pi., m. sér., 3 so. pi., le Marteau sans maître, Pli selon pli, Éclats, Rituel.
CAPDEVIELLE, Pierre (1906-69) : mél., so., œ. sy.
CASANOVA, André (1919) : sy., ct., m. ch., pi., li., m. lr.
CASTERÈDE, Jacques (1926) : m. ch., m. sy., œ. voc (la Chanson du mal aimé).
CHAILLEY, Jacques (1910) : 1 q., 1 sy., la Tentation de saint Antoine.
CHARPENTIER, Jacques (1933) : O., Études karnatiques pour pi., m. orc. org., divers ct.
CHAYNES, Charles (1925) : divers ct., sy., O. (Erzsebet).
CONSTANT, Marius (1925) : O. (Candide), ba. (Paradis perdu, Éloge de la folie), m. orc. (Nana-Symphonie), m. ch. (14 stations), m. voc.
DAMASE, Jean-Michel (1928) : O. (Colombe), ba. (la Croqueuse de diamants), ct., m. ch., m. orc. (Silk Rhapsody), œ. pi.
DANIEL-LESUR (1908) (1) : œ. pi. et org., mél., m. ch., su. orc., 2 O. (Andrea del Sarto).
DARASSE, Xavier (1934-92) : m. ch., m. orgue (Organum).
DELERUE, Georges (1925-92) : m. films, sy., O., ct., q.
DESENCLOS, Alfred (1912-71) : m. sy., m. films, Requiem.
DUFOURT, Hugues (1943) : m. orc., m. instr.
DUHAMEL, Antoine (1925) : m. th., m. films.
DURUFLÉ, Maurice (1902-86) : œ. org., 1 Requiem.
DUSAPIN, Pascal (1955) : O. (la Rivière, Roméo et Juliette), m. orc. (Tre Scalini), m. ch. (q).
DUTILLEUX, Henri (1916) : so. pi., 2 sy., q., ct. vlc. (Tout un monde lointain), ct. vi., ba. (le Loup), m. orc. (Métaboles, Timbres, espace, mouvement).
ELOY, Jean-Claude (1938) : m. élec., m. orc.
EMER, Michel (1906-84) : ch. (la Fête continue).
FERRARI, Luc (1929) : m. élec.
FLORENTZ, Jean-Louis (1947) : m. rel. (Requiem de la Vierge, Magnificat), 1 ct., œ. in., 1 or.
FRANÇAIX, Jean (1912) : O. (le Diable boiteux), ba. (les Malheurs de Sophie), œ. in., m. ch., ct., œ. pi. (so., danses exotiques), œ. cl. (l'Insectarium), œ. voc.
GAGNEUX, Renaud (1947) : O. (Orphée), Messe, m. élec., m. film.
GALLOIS-MONTBRUN, Raymond (1918) : Tableaux indochinois pour q. cordes, ba., ca., ct. vi.
GEOFFRAY, César (1901-72) : m. chor.
GLOBOKAR, Vinko (1934) (or. yougoslave) : O., m. orc., m. ch., œ. ch.
GRISEY, Gérard (1946) : m. orc. (Dérives, Transitoires), m. instr., m. élec.
GUÉZEC, Jean-Pierre (1934-71) : m. sér.
GUILLOU, Jean (1930) : œ. org., pi., m. ch., or.
HASQUENOPH, Pierre (1922-82) : 3 sy., ct., q., O., ba.
HENRY, Pierre (1927) : m. concr.
HERSANT, Philippe (1948) : m. ch., or.
HODEIR, André (1921) : m. dr., films.
HUGON, Georges (1904-80) : m. pi., m. ch., 3 sy., œ. voc.
JACOB, Maxime, dom Clément (1906-77) : ps., m. re.
JARRE, Jean-Michel (1948) : m. élec. (Oxygène, Équinoxe).
JARRE, Maurice (1924) : Passacaille à la mémoire d'Honegger, O., ba., m. films (Docteur Jivago), Lawrence d'Arabie).
JAUBERT, Maurice (1900-40) : m. films (Drôle de drame), mél., œ. pi., œ. orc.
JOLAS, Betsy (1926) : o., ca., O. (le Pavillon au bord de la rivière), m. ch.
JOLIVET, André (1905-74) (1) : 2 so. pi., 3 sy., 12 ct. (pour o. Martenot, pour piano, pour harpe), m. ch., œ. pi. (Cinq Danses rituelles, Mana).
KIEFFER, Détlef (1944) : O., œ. re., m. orc.
KOERING, René (1940) : O. (Elseneur, la Marche de Radetzky), ct. pi., m. or., m. ch., 2 q.
KOSMA, Joseph (Hongrie, 1905-69) : m. légère, de films (les Enfants du paradis, les Portes de la nuit), ba. (l'Écuyère).
LAFARGE, Guy (1904-90) : m. légère, o., ba.
LANDOWSKI, Marcel (1915) : O. (le Fou, le Rire de Nils Halérius, Montségur), O. enfants (la Sorcière du placard aux balais), or. (Rythmes du monde), 4 sy., ct., m. ch., m. pi.
LANGLAIS, Jean (1907-91) : œ. org., 24 œ. sy., me., mo.
LEGRAND, Michel (1932) : m. films, pi., ch. (les Parapluies de Cherbourg, les Demoiselles de Rochefort).
LEMELAND, Aubert (1932) : 17 sy., m. ch. (2 Q.), inst., 3 ct. v.
LENOT, Jacques (1945) : m. ch., m. orc. (Allégories d'exil), 3 son. pi., O.
LE ROUX, Maurice (1923-92) : O., sy., m. films (Crin blanc, Ballon rouge), ba. (le Petit Prince), œ. pi. orc.
LEVINAS, Michael (1949) : O. (la Conférence des oiseaux), m. orc. (Appels), 2 ct. pi., m. pi.
LITAIZE, Gaston (1909-91) : m. org., œ. voc.
LOPEZ, Francis (1916) : m. légère, o. (la Belle de Cadix, Andalousie).
LOUIGUY (1916) : m. légère (la Vie en rose, Mademoiselle Hortensia).
MÂCHE, François-Bernard (1935) : m. élec., m. or. (la Peau du silence, Rituel d'oubli), th. mus. (les Mangeurs d'ombre), m. instr. (Solstice).
MAGNE, Michel (1930-84) : m. concr., m. films.
MALEC, Ivo (1925) : m. élec., m. orc., œ. voc.
MANOURY, Philippe (1952) : m. orc., m. instr., m. élec., Q.
MARTINET, Jean-Louis (1912) : m. sér., œ. voc., m. in., 3 mouvements sy.
MARTINON, Jean (1910-76) : 4 sy., œ. pi., ct., q., m. orc., O. (Hécube).
MÉFANO, Paul (1937) : O. (Micromégas), m. or. (Signes-oubli, Incidences), m. voc. (La Cérémonie), m. ch.
MESSIAEN, Olivier (1908-92) (1) : œ. pi. (20 Regards sur l'Enfant Jésus, Catalogue d'oiseaux), œ. org. (Ascension, Livre d'org.), m. orc. (Turangalîla-Symphonie), m. ch. (q. pour la fin du temps), O. (St François d'Assise), mél.
MIROGLIO, Francis (1924) : m. sér.
MISRAKI, Paul (1908) : m. légère, m. films, O.
MONNOT, Marguerite (1903-61) : m. légère, m. films, o. (Irma la Douce).

Murail, Tristan (1947) : m. orc., m. élec.
Nigg, Serge (1924) : œ. sy., ct. bi., m. ch.
Ohana, Maurice (1914-92 ; or. espagnole) : O., œ. voc. (Cris, Autodafé, Syllabaire pour Phèdre), œ. in. (Signes, Pentacle, Silenciaire).
Parès, Philippe (1901-79) : m. légère et de films souvent en collaboration avec Georges Van Parys.
Pascal, Claude (1921) : ct., so., m. ch.
Philippot, Michel (1925) : m. sér. et concr.
Pierre-Petit (1922) : o. (la Maréchale Sans-Gêne), ct. pi., org., œ. in., ba.
Prey, Claude (1925) : O. (Jonas, le Cœur révélateur, la Noirceur du lait, les Liaisons dangereuses).
Prodromidès, Jean (1927) : O. (Passion selon nos doutes, H.H. Ulysse), les Perses, m. films (Danton).
Reinhardt, Django (1910-53) : jazz, guitare (Nuages, Rythmes futurs).
Rosenthal, Manuel (1904) : O. (Rayon des soieries, la Poule noire), b. (Gaieté parisienne), sy.
Saguer, Louis [All. (1907-91)] : O. (Mariana Pineda, Lili Merveille), m. orc., m. ch.
Sauguet, Henri (1901-89) : O. c. (la Voyante, les Caprices de Marianne), ba. (les Forains), m. ch., m. orc., œ. pi., mél., divers ct.
Schaeffer, Pierre (1910) : m. concr.
Scherchen-Hsiao, Tona (1938) : m. orc., instr., ch. d'inspiration chinoise.
Thiriet, Maurice (1906-72) : O. c. (les Bourgeois de Falaise), O. ba. (la Locandiera), or. (Œdipe-Roi), ct., m. ch., sy., mél., m. films (les Visiteurs du soir).
Tomasi, Henri (1901-71) : ba. (les Santons, Noces de cendre), O., O. c., m. re., m. ch., ct.
Van Parys, Georges (1902-71) : m. légère et de films.
Xenakis, Iannis (1922) : m. élec., électroacoustique et informatique, œ. sy. (Metastasis, Pithopratka), voc. (Nuits), m. ch.

Nota. – (1) Baudrier, Jolivet, D.-Lesur, Messiaen constituèrent le groupe *Jeune-France.*

Grande-Bretagne

Nés entre 1400 et 1600

Bull, John (v. 1562 ou 63-1628) : 150 œ. org. ou virginal, 50 pour cordes.
Byrd, William (v. 1543-1623) : m. re., ayres, 130 œ. virginal.
Dowland, John (1563-1626) : œ. cl., luth, viole.
Dunstable, John († 1453) : m. re.
Farnaby, Giles (v. 1563-1640) : œ. cl., ch.
Fayrfax, Robert (1464-1521) : m. re., ch.
Gibbons, Orlando (1583-1625) : m. re., œ. in., œ. org., cl. viole.
Lawes, Henry (1596-1662) : m. re.
Merbecke, John (v. 1505 ou 10-1585) : m. re.
Morley, Thomas (v. 1557-1603) : ca, œ. voc, in, re.
Morton, Robert (v. 1430-75) : rondeaux, ball. voc. et in.
Power, Leonel (v. 1455) : m. re.
Tallis, Thomas (1505-85) : m. re.
Taverner, John (v. 1490-1545) : m. re.
Tomkins, Thomas (1572-1656) : madrigaux, ba., ch., m. re., m. viole, cl.
Tye, Christopher (v. 1505-v. 72) : m. re.
Weekles, Thomas (v. 1576-1623) : ma, m. re.
Wilbye, John (1574-1638) : ma.

Nés entre 1600 et 1800

Arne, Thomas (1710-78) : 50 O., or., me., so. pi., 8 sy.
Blow, John (1649-1708) : m. re., org.
Boyce, William (1710-79) : m. re., Cathedral Music, sy.
Clarke, Jeremiah (v. 1674-1707) : m. re., m. ch., œ. pi.
Cooke, Henry (v. 1615-72) : m. re et ch.
Croft, William (1678-1727) : m. re., m. ch.
Field, John (1782-1837) (Irl.) : 12 nocturnes et œ. pi.
Haendel : voir p. 416b.
Humfrey, Pelham (1647-74) : m. re.
Lawes, William (1602-45) : œ. voc.
Locke, Matthew (v. 1621 ou 22-77) : m. pour le Siège de Rhodes, la Tempête.
Purcell, Henry (1658-95) : O. (le Roi Arthur, Didon et Énée), Odes, so., trios, œ. in., m. re.
Simpson, Christopher (v. 1610-69) : m. viole, fa.

Nés entre 1800 et 1900

Bantock, sir Granville (1868-1946) : O., or., sy., m. ch.
Bax, sir Arnold (1883-1953) : 7 sy., ct. vi., ct. vlc.
Benedict, Julius (1804-85) : 2 sy., 2 ct. pi., O. (le Lys de Killarney).
Bennett, sir William Sterndale (1816-75) : ouv., sy., m. pi., 4 ct.
Bliss, sir Arthur (1891-1975) : ba., O. (les Olympiens), 3 œ. voc. et in., ct. vc., Sy. des couleurs.
Brian, Havergal (1876-1972) : O., Sy. gothique (700 exécutants).
Bridge, Frank (1879-1941) : m. orc., m. ch.
Cowen, sir Frederick (1852-1935) : O., o., ca., or., 300 mél., 6 sy., m. ch.
Davies, sir Peter Maxwell (1935).
Delius, Frederick (1863-1934) : 6 O., Requiem, ct., œ. ch., m. or. (In a Summer Garden, The First Cuckoo in Spring).
Elgar, sir Edward (1857-1934) : or. (le Rêve de Gerontius, les Apôtres), ca., m. ch. et in., m. orc. (Enigma Variations), 2 sy., O.
Gerhard, Roberto (1896-1970) (or. suisse) : or. (la Peste), collages pour bande magnétique, 4 sy.
Goossens, Eugene (1893-1962) : 2 O. (Don Juan de Mañara, Judith), 2 sy.
Grainger, Percy (1882-1961) (Austr.) : œ. orc., m. ch., m. folklorique.
Holst, Gustav (1874-1934) : cho., or., 7 O. (The Perfect Fool), 1 sy. avec chœurs, su. sy. (les Planètes).
Howells, Herbert (1892-1983) : cho., 2 ct., m. ch.
Ireland, John (1879-1962) : ch., ct., m. ch., m. sy.
Ketelbey, Albert W. (1875-1959) : m. films, m. or. (Sur un marché persan).
Macfarren, sir George Alexander (1813-87) : O., 8 sy., or. ca.
Mackenzie, sir Alexander (1847-1935) : 7 O., or. ca., ct., œ. sy.
Parry, sir Hubert (1848-1918) : or., œ. ch., 5 sy., 1 ct. pi.
Scott, Cyril (1879-1971) : œ. pi., mél., 3 O., œ. in., 3 sy., ct., m. ch.
Stanford, sir Charles (1852-1924) : œ. in., 10 O., sy., 6 œ. vi. et orc., œ. org., œ. re., ct.
Sullivan, sir Arthur (1842-1900) : ba., 1 sy., œ. pi., mél., O. (le Mikado).
Vaughan Williams, Ralph (1872-1958) : 6 O., 9 sy., ba., m. films, m. ch., ct.
Warlock, Peter (1894-1930) : ch., Capriol suite.
Wesley, Samuel Sebastian (1810-79) : m. re.

Nés après 1900

Arnold, Malcolm (1921) : m. orc., cho., m. ch., dr., sy., m. films (le Pont de la rivière Kwaï).
Barrett, Richard (1959), ens. voc., solo.
Bedford, David (1937) : O. pour enfants, m. orc., m. ch.
Benjamin, George (1960) : m. orc. (At first Light), m. ch., pi., voc., élec. (Antara).
Bennett, Richard Rodney (1936) : O. (The Mines of Sulphur, Victory), m. orc., cho., m. ch., dr.
Berkeley, sir Lennox (1903-89) : ch., m. orc., cho., m. ch., dr.
Berkeley, Michael (1948) : ct. ob., ct. vc., ct. orgue, m. orc. (Gregorian Variations) ; m. ch., or.
Birtwistle, sir Harrison (1934) : O. (le Masque d'Orphée, Punch and Judy), m. or. (The Triumph of Time), m. ch., m. voc., œ. orc.
Blake, Howard (1938) : ba., m. or., ct. clar., m. voc.
Britten, Benjamin (1913-76) : mél., œ. orc. (Variations sur un th. de Purcell), m. dr., œ. in., War Requiem, O. (Peter Grimes, le Viol de Lucrèce, Albert Herring, le Songe d'une nuit d'été, Mort à Venise).
Bryars, Gavin (1943) : O. (Medea), m. ch., orc., voc.
Burgon, Geoffrey (1941) : or, m. voc.
Bush, Alan (1900) : O., cho., m. orc., m. ch.
Crosse, Gordon (1937) : 2 sy., ct. (vi., vlc.), m. ch., m. voc.
Dodgson, Stephen (1924) : b.
Ferneyhough, Brian (1943) : m. ch. (Time and Motion Study, Sonates pour q.).
Finnissy, Michael (1946) : O. (The Undivine Comedy), 5 ct. pi., ca.
Finzi, Gerald (1901-56) : œ. voc., ct. clar.
Fricker, Peter Racine (1920-90) : m. orc., m. ch., 7 ct., 5 sy., œ. voc., m. ch., m. pi., org.
Gardner, John (1917) : m. orc., cho., m. ch., dr.
Goehr, Alexander (1932) : O., m. orc., cho., m. ch., dr.
Harvey, Jonathan (1939) : m. sy., œ. ch., m. ch., m. élec.
Hoddinott, Alun (1929) : m. orc., cho., m. ch., dr.
Holloway, Robin (1943) : O. (Clarissa), m. orc., m. ch., œ. voc.
Knussen, Olivier (1952) : O. (Where the Wild Things Are), 3 sy., ct. sax., m. ch., m. voc.
Lambert, Constant (1905-51) : m. films, ba.
Lloyd Webber, Andrew (1948) : m. orc., Requiem, Jésus-Christ Superstar, Starlight Express, Cats.
Lutyens, Elisabeth (1906-83) : m. orc., cho., m. ch., dr.
Mc Cabe, John (1939) : m. orc. (The Chagall Windows), sy., m. pi.
Macmillan, James (1959) : m. orc., cho., m. th., pi.
Maconchy, dame Elizabeth (1907) : ct., O.
Martland, Steve (1958) : m. orc., pi élec., m. ch.
Mathias, William (1934-92) : O., 3 sy., ct. clar., ct. clav., 3 ct. pi., m. ch., m. voc. (Te Deum).
Matthews, Colin (1946) : m. or. (Suns Dance, Night Music), ct. vc., m. ch., 2 q., m. voc.
Matthews, David (1943) : 3 sy., m. or. (In the Dark Time), ct. vi., 5 q., m. ch.
Maw, Nicholas (1935) : m. orc., cho., m. ch., dr., 2 O. (The Rising of the Moon).
Maxwell Davies, sir Peter (1934) : O. (Taverner), th. mus., ba. (Salomé), 4 sy., 5 t., Strathclyde Concertos, m. ch., m. voc. (Missa super, l'Homme armé, Hymnes).
Muldowney, Dominic (1952) : m. orc., ct. pi., m. ch., m. voc.
Musgrave, Thea (1928) : O. (Mary, reine d'Écosse), m. ch., ct., or.
Nyman, Michael (1944) : m. ch., ens., O. (The Man who Mistook his Wife for a Hat).
Osborne, Nigel (1948) : O. (The Electrification of the Soviet Union), orc., m. ch., voc., pi.
Patterson, Paul (1947) : m. orc., ct. tr., ct. cor., ct. or., m. voc. (Requiem, Time Piece, Stabat Mater).
Rainier, Priaulx (1903-86) : or., cho., m. ch., ct. vlc.
Rands, Bernard (1935) : m. orc., m. in., m. ch., mus. élec.
Rawsthorne, Alan (1905-71) : Ba. (Madame Chrysanthème), 3 sy., ct.
Rubbra, Edmund (1901-86) : or., 10 sy., m. ch., cho.
Searle, Humphrey (1915-82) : m. orc., cho., m. ch., dr., ct.
Seiber, Matyas (1905-60) (Hongrois) : m. orc., cho., m. ch., dr.
Swayne, Giles (1946) : m. orc. (Orlando's Music), 1 sy., m. ch., 2 Q.
Tavener, John (1944) : O. (Thérèse), œ. ch. (A. Celtic Requiem), m. sy., ct. pi., m. ch.
Tippett, sir Michael (1905) : 5 O. (the Midsummer Marriage, the Knot Garden, King Priam, the Ice-Break, New Year), m. orc., 4 sy., ct. pi., so., q.
Turnage, Mark-Anthony (1960) : O. (Greek), m. orc., m. ch.
Walton, William (1902-83) : 2 O. (Troilus and Cressida, The Bear), ba. (Façade), 2 ct. vi., ct. alto, ct. vlc., œ. sy., m. ch. (Belshazzar's Feast), m. v., m. film.
Weir, Judith (1954) : 2 O. (A Night at the Chinese Opera ; The Vanishing Bridegroom), m. orc., m. ch., voc., pi.
Williamson, Malcolm (1931) : O., m. orc., m. ch.
Wood, Hugh (1932) : m. orc., cho., m. ch., dr.
Woolrich, John (1954) : o. ch.

Hongrie

Bakfark, Bálint (1507-76) : mo., ch., madrigaux.
Balassa, Sándor (1935) : O., or. (Calls and Cries), o. ch., req.
Bárdos, Lajos (1899-1986) : œ. voc., œ. ch., m. folkl., m. re.
Bartók, Béla (1881-1945) : O. (le Château de Barbe-Bleue), ba. (le Mandarin merveilleux), 3 ct. pi., 2 ct. vi., ct. alto, 1 ct. orc., m. ch. (6 q.), m. orc. (Musique pour cordes, percussions, célesta), œ. pi. (Mikrokosmos, so., su., danses).
Bozay, Attila (1939) : O. (Csongor et Tünde), or., 2 q., m. voc..
Csermák, Antal (1774-1822) : danses, romances hongr.
Dohnányi, Ernö (1877-1960) : O., m. orc., m. ch., m. pi.
Durkó, Zsolt (1934) : O. (Moses), m. or., m. voc. (Colloïdes), m. ch.
Dubrovay, László (1943) : élec., m. sér., m. ch.
Eötvös, Peter (1944) : ex-chef de l'ens. Inter contemporain, m. élec., O., ct., ca.
Erkel, Ferenc (1810-93) : Hymne national, O. (Bánk bán, Hunyadi László).
Farkas, Ferenc (1905) : O., ba., œ. sy., œ. in.,voc.
Goldmark, Károly (1830-1915) : m. ch., O. (la Reine de Saba, Zrinyi), ct. pi. vi.
Harsányi, Tibor (1897-1954) : ba., m. sy., m. ch., œ. pi.
Hubay, Jenö (1858-1937) : œ. in. so., o. c.
Járdány, Pál (1920-66) : m. orc., ct.
Jeney, Zoltán (1943) : m. dodécaph.
Kadosa, Pál (1903-83) : ct., su., so., m. ch.
Kodály, Zoltán (1882-1967) : O. (Háry János), m. re. (Psalmus Hungaricus), ct., œ. ch., m. ch., m. orc. (Danses de Galantha, de Marosszek), mél., œ. pi.
Kurtág, György (1926) : œ. in., ct., œ. ch.
Lajtha, László (1892-1963) : ba., œ. voc., sy., m. ch.
Láng, István (1933) : O. (Pathelin mester), q., var. et allegro (orc.).
Lehár, Franz (1870-1948) : O. (la Veuve joyeuse).

LIGETI, György (1923) : voir p. 418 b.
LISZT, Franz (1811-86) : poèmes sy. (Hungaria, les Préludes, Mazeppa, Faust-sy.), 2 ct. pi., innombrables œ. pi. (Ét. transcendantes, Années de pèlerinage, Rhapsodies hongroises, so., Harmonies poétiques et rel.), m. re. (Messe de Gran, Christus, Légende de ste Élisabeth), mél., écrits litt.
ORBÁN, György (1947) : m. dodécaph.
PÁLÓCZI HORVÁTH, Adám (1760-1820) : m. folkl.
PETROVICS, Emil (1930) : O., or., œ. in., ch.
RÖZSAVÖLGYI, Márk (1787-1848) : verbunkos, csárdás, danses hongr.
SÁRY, László (1940) : m. dodécaph.
SOPRONI, József (1930) : o. ch.
SZABÓ, Ferenc (1902-69) : sy., œ. lr., or. (poèmes de Petoefi), œ. in., cho.
SZERVÁNSZKY, Endre (1911-77) : m. ch.
SZOKOLAY, Sándor (1931) : O., or., ch., cho.
SZÖLLÖSY, Andras (1921) : Ct. orc., Transfiguration orc. et chœurs.
TINÓDI, Sebestyén (1505-56) : 23 mél.
VIDOUSZKI, László (1944) : m. con., m. sér.
WEINER, Leo (1885-1960) : or, sy., m. ch.

ITALIE

NÉS ENTRE 1300 ET 1500

CARA, Marchetto (?-v. 1530) : frottole.
CASCIA, Giovanni da (ou Jean de Florence) (XIVe s.) : ma. (2 voix).
DONATUS DE FLORENTIA (XIVe s.).
FESTA, Costanzo (v. 1485-1545) : mo. et ma.
FOGLIANO, Giacomo (1468-1548) : ps., ma., canzoni, frottole, tablatures d'orgue.
FRANCESCO DA MILANO (1497-v. 1543) : œ. luth.
GHERARDELLO DA FIRENZE (?-1362/64) : ma. (2 voix), chants religieux.
JACOPO DA BOLOGNA (1300-65) : ma. (2 v.).
LANDINI, Francesco (1335-97) : ma., ballades (2 et 3 v.).
LURANO, Filippo de (fin du XVe s.) : frottole.
PESENTI, Michele (v. 1475-1521) : frottole.
PETRUCCI, Ottaviano (1466-1539) : fondateur de la 1re imprimerie musicale (1501).

NÉS ENTRE 1500 ET 1600

ALLEGRI, Gregorio (1582-1652) : m. voc. (Miserere).
ANERIO, Felice (v. 1560-1614) : m. re., ma.
CACCINI, Giulio (v. 1550-1618) : ma., pastorale (Euridice).
CAVALIERI, Emilio de (1550-1602) : m. re., m. th. (la Rappresentazione di Anima e di Corpo), or.
CORTECCIA, Francesco (1504-71) : madrigaux, mo.
FERRABOSCO, Alfonso I (1543-88) : m. re., ma.
FERRABOSCO, Alfonso II (1587-1628) : m. re., ma.
FERRABOSCO, Domenico Maria (1513-74) : mo., ma.
FRESCOBALDI, Girolamo (1583-1643) : mo., ma., toccatas, fu.
GABRIELI, Andrea (v. 1510-86) : m. re., œ. ch., in.
GABRIELI, Giovanni (1557-1612) : org.
GAGLIANO, Marco da (1582-1643) : ma., m. re.
GALILEI, Vincenzo (1520-91) : Un chant de la Divine Comédie.
GERO, Jhan (Belg., 1518-83) : 3 liv. de ma.
GESUALDO DI VENOSA, Don Carlo (v. 1560-1613) : œ. voc., in.
INGEGNERI, Marc Antonio (1547-92) : ma. (4, 5, 6 v.).
MARENZIO, Luca (v. 1553-99) : ma. prof. et villanelles.
MERULO, Claudio (1533-1604) : œ. voc. et in.
MONTEVERDI, Claudio (1567-1643) : O. (Orphée, le Couronnement de Poppée), m. re. (Vêpres de la Vierge), œ. vo., ma.
PALESTRINA, Giovanni Pierluigi da (1525-94) : me. (Ecce sacerdos, Veni Creator), mo., ma.
PERI, Jacopo (1561-1633) : O. (Eudirice).
RINUCCINI, Ottavio (1563-1621).
ROSSI, Luigi (1598-1653) : or., œ. voc.
SORIANO, Francesco (1549-1620) : m. re.
TRABACI, Giovanni Maria (v. 1575-1647) : œ. org.
VECCHI, Orazio (v. 1550-1605) : divertissements.
VICENTINO, Nicola (v. 1511-75) : musicologue.
VIOLA, Alfonso della (1508-70) : intermèdes.
VIOLA, Francesco della (?-1568) : ma., mo.

NÉS ENTRE 1600 ET 1700

ALBINONI, Tomaso, Giovanni (1671-1751) : plus de 50 œ., concerti grossi.
BENEVOLI, Orazio (1605-72) : m. re.
BERNABEI, Ercole (v. 1622-87) : 5 O.
BONONCINI, Giovanni (1670-1747) : O., m. re.
BONTEMPI, Giovanni (1628-1705) : O.
CALDARA, Antonio (v. 1670-1736) : 90 O., m. re., œ. in.
CARISSIMI, Giacomo (1605-74) : 16 or. (Jefte), m. re.
CAVALLI, Pietro Francesco (1602-76) : + de 40 œ.
CESTI, Marc Antonio (1623-69) : O., ca.
COLONNA, Giovanni (1637-95) : or. et O.
CORBETTA, Francesco (v. 1615-v. 81) : guitariste.
CORELLI, Arcangelo (1653-1713) : œ. in., 5 recueils de so., concerti grossi.
GABRIELLI, Domenico (v. 1659-90) : 12 O., mo.
GEMINIANI, Francesco (1687-1762) : trios, so., ct.
LOCATELLI, Pietro (1695-1764) : so., ét. vi.
MARCELLO, Benedetto (1686-1739) : or., ca., ps., œ. in.
PALLAVICINI, Carlo (v. 1630-88) : 21 O.
PASQUINI, Bernardo (1673-1710) : œ. cl., œ. ch.
ROSSI, dom Francesco (1627-1700) : mélodrames, O., ct., m. re.
ROSSI, Emilio de (1610-51).
ROSSI, Michele Angelo (v. 1600-56) : œ. vi., org., so.
SCARLATTI, Alessandro (1660-1725) : 115 O., 600 ca., 200 me., œ. in.
SCARLATTI, Domenico (1685-1757) : Stabat Mater, 555 so. cl.
STEFFANI, Agostino (1654-1728) : O., so. cordes.
STRADELLA, Alessandro (1644-82) : or., O, ca., mo., œ. in.
TARTINI, Giuseppe (1692-1770) : ct., so. vi. (le Trille du Diable, 1714).
TORELLI, Giuseppe (1658-1709) : ct.
VERACINI, Francesco Maria (1690-1750) : so. vi., ca.
VITALI, Tommaso Antonio (1663-1745) : so., chaconne vi.
VIVALDI, Antonio (dit « le Prêtre roux », ordonné 1703) (1678-1741) : plus de 500 concertos (les 4 Saisons), or. (Juditha Triumphans), m. re. (Gloria).

NÉS ENTRE 1700 ET 1800

BOCCHERINI, Luigi (1743-1805) : ct. vlc., 20 sy., m. ch., O.
CHERUBINI, Luigi (1760-1842) : O. (Médée), m. ch., m. re., me. du Sacre.
CIMAROSA, Domenico (1749-1801) : O. (le Mariage secret), ct., m. ch., so. cl.
CLEMENTI, Muzio (1752-1832) : 60 so., ét. pi. (Gradus ad Parnassum), sy., m. ch.
DONIZETTI, Gaetano (1797-1848) : O. (la Fille du régiment, Don Pasquale, Lucie de Lammermoor).
FIOCCO, Joseph-Hector (1703-41) : œ. ch., or., œ. cl.
GALUPPI, Baldassare (1706-85) : O., ca., so., ct.
MERCADANTE, Saverio (1795-1870) : O., ct. fl., ct. clar.
PAER, Ferdinando (1771-1839) : O. (Leonora), m. orc., mél., m. in.
PAGANINI, Niccolo (1782-1840) : œ. vi. (6 ct., so., var.), œ. guitare.
PAISIELLO, Giovanni (1740-1846) : O. (le Barbier de Séville), 12 sy., 6 ct. pi., ca.
PERGOLESE, Giovanni Battista (1710-36) : m. re. (Stabat Mater, Salve Regina), O. (la Servante maîtresse), ct. vi., vlc.
PICCINNI, Nicola (1728-1800) : O. (Armide).
ROSSINI, Gioacchino (1792-1868) : O. (le Barbier de Séville, l'Italienne à Alger, Tancrède, Othello, Guillaume Tell), Stabat Mater, m. ch. (so. pour cordes).
SALIERI, Antonio (1750-1825) : O., m. orc., m. re., m. in.
SAMMARTINI, Giov. Battista (1701-74) : sy., so.
SPONTINI, Gaspare (1774-1851) : O. (la Vestale).
VIOTTI, Giovanni Battista (1755-1824) : 29 ct. vi., 21 q., 21 Tr., so., ct.

NÉS ENTRE 1800 ET 1900

ALFANO, Franco (1876-1954) : O. (Cyrano de Bergerac), sy., mél.
BELLINI, Vincenzo (1801-35) : O. (la Norma, la Somnambule, Capulets et Montaigus).
BOITO, Arrigo (1842-1918) : O. (Mefistofele).
BUSONI, Ferruccio (1866-1924) : O. (Arlecchino, Turandot, Doktor Faust), œ. org., œ. pi., m. sy., ct., m. ch., transcriptions d'œ. de Bach.
CASELLA, Alfredo (1883-1947) : O., ba. (la Giara), or., sy., m. ch., nomb. œ. pi (so., ét., toccata).
CASTELNUOVO-TEDESCO, Mario (1895-1968) : or. (la Lune de Jonas), vi., ct. guitare, œ. voc.
CATALANI, Alfredo (1854-93) : O. (la Wally).
CILEA, Francesco (1866-1950) : O. (Gina, Adrienne Lecouvreur).
GHEDINI, Giorgio Federico (1892-1965) : ct., O.
GIORDANO, Umberto (1867-1948) : O. (André Chénier, Fedora).
LEONCAVALLO, Ruggero (1858-1919) : O. (Paillasse, la Bohème, Zazà).
LUALDI, Adriano (1887-1971) : O.
MALIPIERO, Gian-Francesco (1882-1973) : O. (Jules César), 11 sy., m. ch. (8 Q), ct.
MANCINELLI, Luigi (1848-1921) : O. (Ero e Leandro).
MARTUCCI, Giuseppe (1856-1909) : ct. pi., sy.
MASCAGNI, Pietro (1863-1945) : O. (Cavalleria Rusticana, l'Ami Fritz, Iris).
MONTEMEZZI, Italo (1875-1952) : O. (l'Amour des trois rois).
PIZZETTI, Ildebrando (1880-1968) : O. (Deborah et Jael, Meurtre dans la cathédrale).
PONCHIELLI, Amilcare (1834-86) : O. (la Gioconda).
PUCCINI, Giacomo (1858-1924) : O. (Manon Lescaut, la Bohème, Tosca, Madame Butterfly, Turandot).
RESPIGHI, Ottorino (1879-1936) : poèmes sy. (les Oiseaux, les Pins de Rome, les Fontaines de Rome, Danses anciennes), 9 O., ct. pi.
RIETI, Vittorio (1898) : O., ba. (Barabou), 5 sy., œ. pi., 2 q., ct.
VERDI, Giuseppe (1813-1901) : 26 O. (Rigoletto, le Trouvère, la Traviata, Don Carlos, Simon Boccanegra, la Force du destin, les Vêpres siciliennes, Un bal masqué, Aïda, Otello, Falstaff), Requiem, Q., 4 Pièces sacrées.
WOLF-FERRARI, Ermanno (1876-1948) : O. (l'École des pères, le Secret de Suzanne, les Bijoux de la Madone).
ZANDONAI, Riccardo (1883-1944) : O. (Roméo et Juliette, Francesca da Rimini).

NÉS APRÈS 1900

ARRIGO, Girolamo (1930) : O. (Orden, Garibaldi), 2 Épigrammes, la Cantata Hurbinek.
BERIO, Luciano (1925) : O. (Passaggio, Opera), m. orc. (Nones, Chemins), m. in. (Sequenzas), ct. 2 pi., œ. voc. (Sinfonia, Circles), m. élec. (Momenti), Omaggio a Joyce.
BUSSOTTI, Sylvano (1931) : m. dodécaphonique, Rara Requiem, O. (la Passion selon Sade, le Racine, Lorenzaccio), ba. (Bergkristall).
CAMBISSA Giorgio (1921) : ba., ca., ct., ens. ins., m. con., m. orch., o. ch., q.
CASTIGLIONI, Niccolo (1932) : m. orc., m. in.
CLEMENTI, Aldo (1925) : m. orc. (Triplum, Informel), ct. pi., ct. cb., ct. v., m. ch., O. (Es).
CORGHI, Azio (1937) : O. (Tactus, Blimunda), m. orc., m. ch.
DALLAPICCOLA, Luigi (1904-75) : O. (le Prisonnier, Job), ba. (Marsyas), ct. pi., œ. pi. (Quaderno musicale di Anna Libera), mél.
DONATONI, Franco (1927) : O. (Atem), m. or. (In Cauda), m. ch., m. in., m. élec.
FERRERO, Lorenzo (1951) : 8 O. (Rimbaud, Mare nostro, Night, Charlotte Corday), m. or. (Ombres), m. instr.
GENTILUCCI, Armando (1939-89) : O. (Moby Dick), m. or., m. voc., m. ch.
GORLI, Sandro (1948) : m. orc., m. in.
MADERNA, Bruno (1920-73) : m. th., m. orc. (Aura), ct. 2 pi., ct. pi., ct. vi., m. élec. (Musique en 2 dimensions), q., m. ch. (Aulodia), m. in. (Widmung).
MANZONI, Giacomo (1932) : O. (Atomtod, Per Massimiliano Robespierre, Doktor Faustus), m. orc. (Hölderlin, Messe), m. ch. (Parole da Beckett).
MENOTTI, Gian Carlo (1911). Voir États-Unis.
MORRICONE, Ennio (1928-90) : m. films.
NIELSEN, Riccardo (1908) : O. (l'Incube), m. ch.
NONO, Luigi (1924-90) : m. sér. et élec. : O. (Intolleranza Prometeo), m. in. (Incontri), ca.
PETRASSI, Goffredo (1904) : O. (la Morte dell'Aria), 8 ct. pour orc., œ. ch., m. instr.
ROTA, Nino (1932-79) : m. films.
SCELSI, Giacinto (1905-88) : m. orc., m. ch., 3 q., m. atonale.
SCIARRINO, Salvadore (1947) : O. (Lohengrin, Perseo e Andromeda), m. orc. (Clair de lune), m. ch., m. pi.
SINOPOLI, Giuseppe (1947) : O. (Lou Salomè), m. voc. (Tombeau d'Armor).
STROPPA, Marco (1959) : m. or., m. instr., m. élec. (la Liberté, Decamerone).
TURCHI, Guido (1916) : m. orc. (Concerto breve), m. ch., m. voc.
TUTINO, Marco (1954) : O. (Federico II, Pinocchio), m. or., ct. vi., m. voc. (Black Beauty), m. instr.
VLAD, Roman (or. roumaine, 1919) : O., ba., m. orc., œ. voc., m. dodécaphonique.

POLOGNE

BACEWICZ, Grazyna (1909-69) : 4 sy., 7 ct. vi., m. orc., œ. ch., 7 q. vi., pi., ba.
BAIRD, Tadeusz (1928-81) : O., 3 sy., m. ch., m. orc. (Variations sans thème), œ. voc.
CHOPIN, Frédéric (1810-49, or. franç.) : œ. pi. (préludes, nocturnes, valses, polonaises, mazurkas, ballades, études, scherzos, impromptus, etc.), 2 ct. pi.
ELSNER, Józef (1769-1854) : œ. sy., m. re., O.
FITELBERG, Grzegorz (1879-1953) : 2 sy., m. orc.
FITELBERG, Jerzy (1903-51) : m. ch., m. orc.
GOMOLKA, Mikolaj (env. 1535-91) : mél. na Psalterz Polski.
GORCZYCKI, Grzegorz Gerwazy (v. 1667-1734) : m. re., œ. voc.
GÓRECKI, Henryk Mikolaj (1933) : 3 sy., œ. orc., ct. clav., m. voc., m. in., m. ch.
JARZEBSKI, Adam (1590-1649) : œ. in., œ. voc., in.

KAMIEŃSKI, Maciej (1734-1821) : 1er opéra polonais (la Misère changée en bonheur).
KARŁOWICZ, Mieczyslaw (1876-1909) : m. sy., m. ch., ct. vi., li.
KILAR, Wojciech (1932) : m. orc., m. ch., œ. in., m. films.
KRAUZE, Zygmunt (1938) : m. sy, m. pi, m. ch, ct. vi.
KURPIŃSKI, Karol (1785-1857) : 30 O., œ. voc, œ. in.
LUTOSŁAWSKI, Witold (1913) : 3 sy., m. orc. (Livre, Mi-parti, Chain I, II, III), ct. vlc., m. ch., œ. voc., œ. pi., ct. pi.
MALAWSKI, Artur (1904-57) : m. orc., m. ch., œ. vi. et pi., voc. et in.
MEYER, Krzysztof (1943) : m. ch., m. in., m. orc., 6 sy.
MIELCZEWSKI, Marcin (n.c.-1651) : 50 œ. voc., in.
MONIUSZKO, Stanislaw (1819-72) : 14 O. (Halka), 300 mél., sy., œ. voc., in., m. orc., m. re.
MOSZKOWSKI, Maurycy (1854-1925) : 1 O., 1 ba. vi., m. ch., œ. pi.
PADEREWSKI, Ignacy (1860-1941) : 1 sy., 1 O., œ. pi.
PALESTER, Roman (1907-89) : ba., m. re., m. sy., in.
PANUFNIK, Andrzej (1914-91) (nat. G.-B.) : 10 sy. m. orc., ca., m. ch.
PEKIEL, Bartlomiej (n.c.-v. 1670) : œ. voc. et in, m. re.
PENDERECKI, Krzysztof (1933) : O. (les Diables de Loudun, le Paradis perdu, le Masque noir, Ubu Rex), m. orc. (Thrène, De Natura sonoris, 5 sy.), m. re. (Passion selon St Luc), m. in., m. ch., ct. vi., ct. vlc., ct. fl.
RADOM, Mikolaj de (xve s.) : m. re., voc.
SCHAEFFER, Boguslaw (1929) : m. orc., m. ch., œ. in., m. élec., m. th.
SEROCKI, Kazimierz (1922-81) : m. orc., m. ch., œ. voc.
SIKORSKI, Kazimierz (1895-1986) : 6 sy, œ. in, m. ch.
SZABELSKI, Boleslaw (1896-1979) : m. orc., m. ch., œ. voc., in.
SZALOWSKI, Antoni (1907-73) : ouv., q. à cordes, so. hb., ba., var. sy., m. ch.
SZYMANOWSKI, Karol (1882-1937) : 4 sy., 2 O. (le Roi Roger), 2 ct. vi., m. re. (Stabat Mater), œ. vi., œ. in., li., mél., ba.
TANSMAN, Alexandre (1897-1986) : fixé en France.
WACLAW, Szamotuly de (v. 1526-v. 60) : œ. voc., m. re.
WIENIAWSKI, Henryk (1835-80) : œ. vi., 2 ct. vi.

Nota. – Groupe *Jeune Pologne* : G. Fitelberg, M. Karłowicz, L. Rozycki, A. Szeluto, K. Szymanowski.

ROUMANIE

ALESSANDRESCU, Alfred (1893-1959) : m. orc. (Acteon), m. ch., m. voc.
ALEXANDRA, Liana (1947) : 2 O., ba., 5 sy., m. ch., m. instr.
ANDRICU, Mihail (1894-1974) : O., 11 sy., 13 Simfonieta, m. ch., ct.
BELOIU, Nicolae (1927) : 2 sy., m. ch.
BENTOIU, Pascal (1927) : 3 O. (Hamlet), 8 sy., m. sy., m. ch., m. voc., ct. (pi., vi., vcl.).
BERGER, Wilhelm (1929) : m. sy., 21 sy., ct., m. ch.
BRINDUŞ, Nicolae (1935) : O. (Arşiţa), m. sy., m. ch., m. voc.
CAPOIANU, Dumitru (1929) : O., m. sy., m. ch., ct. (vi., guit.), m. films.
CIORTEA, Tudor (1903-82) : m. sy., m. ch., m. instr.
CONSTANTINESCU, Paul (1909-63) : 2 O., 5 ba., 2 or. (Oratorio de Noël, de Pâques), sy., ct., pi.
CUCLIN, Dimitri (1885-1978) : 20 sy., 5 O., ct.
DIMA, Gheorghe (1847-1925) : or. (la Mère d'Étienne le Grand), m. ch., m. or.
DINICU, Grigoraş (1889-1949) : pièces pour violon (Hora staccato).
DUMITRESCU, Ion (1913) : m. or., ct., m. ch. Gheorge (1914) : 15 O., or., ca., 9 sy., m. ch., œ. ch., œ. voc.
ENESCO, Georges (1881-1955) : O. (Œdipe), 3 sy., sy. conc., 2 Rhaps. roumaines pour orc., m. ch., m. pi.
FELDMAN, Ludovic (1893-1986) : m. sy., ch.
GEORGESCU, Corneliu-Dan (1938) : m. sy., m. ch.
GLODEANU, Liviu (1938-78) : O., m. sy., m. ch., m. instr., ct. (pi., œ. voc. vi., fl., org.), œ. cho., m. voc.
GOLESTAN, Stan (1875-1956) : m. orc. (Rhaps. roumaine), m. ch., ct. v., ct. vc.
GRIGORIU, Theodor (1926) : m. voc., m. sy., m. ch., m. films.
IOACHIMESCU, Càlin (1949) : sy., m. orc., m., ch., ct.
JORA, Mihail (1891-1971) : 5 ba. (la Piata, Demoazela Mariuta), m. sy., m. ch., m. voc.
LIPATTI, Dinu (1917-50) : m. sy., sy. conc., ct. pi., m. ch., œ. voc., m. pi.
MARBE, Myriam (1931) : m. sy., m. voc., m. ch.
MIEREANU, Costin (1943) (nat. Français) : m. orc., O., m. élec.
MOLDOVAN, Mihai (1937-81) : cant., m. ch., ct.
NEGREA, Marţian (1893-1973) : m. sy. (Dans les montagnes de l'ouest, Symph. du printemps), ct., m. ch., m. chor. (Requiem).
NEMESCU, Octavian (1940) : m. ch., m. orc., m. élec.
NICHIFOR, Serban (1954) : O., 5 sy., or., m. ch., m. re., m. élec.
NICULESCU, Stefan (1927) : O., m. orc. (Ison, 2 sy.), m. ch. (Triplum), m. ch. (Aphorismes d'Héraclite), m. th., œ. cho.
OLAH, Tiberiu (1928) : dr., ca., or., 3 sy., œ. ch., œ. voc., m. films.
POPOVICI, Doru (1932) : 5 O., ca., 4 sy., m. ch., œ. ch., œ. voc., m. re.
ROTAU, Doina (1951) : sy., ct., m. orc., m. ch.
STROE, Aurel (1932) : O. (la Paix, l'Orestie), ca., œ. orc., m. voc.
ŢĂRANU, Cornel (1934) : O., m. sc., ca., m. or. (Guirlandes), 4 sy., m. voc., m. ch., œ. voc.
TODUŢĂ, Sigismund (1908-91) : ca., or., 5 sy., m. ch., œ. voc.
VANCEA, Zeno (1900-88) : dr., sy., m. ch., œ. ch., œ. voc., ct.
VIERU, Anatol (1926) : 5 O. (Iona) ca., or., 5 sy., ct., m. ch., m. films.

RUSSIE

ARENSKI, Anton, Stepanovitch (1861-1906) : ct. pi., O., ba., sy.
ARTIOMOV, Viatcheslav (1940) : m. or. (le Chemin vers l'Olympe), m. ch. (Litanie), Requiem, m. perc.
BALAKIREV, Mili (1837-1910) (1) : 2 sy., poème sy. (Thamara), œ. pi. (Islamey).
BORODINE, Aleksandr (1833-87) (1) : O. (le Prince Igor comp. 1869-86 achevé par Glazounov puis Rimski-Korsakov), m. orc. (Dans les steppes de l'Asie centrale, 3 sy.), mél., m. ch., œ. pi. (Petite Suite).
BORTNIANSKI, Dmitri (1751-1825) : O. (Alcide, le Faucon, le Fils rival), ct. clav.
CHAPORINE, Yuri (1887-1966) : O. (les Décembristes), m. scène, ca., sy.
CHEBALINE, Vissarion (1902-63) : O., 5 sy., ct., 9 Q., m. ch., m. voc.
CHOSTAKOVITCH, Dimitri (1906-75) : O. (Katerina Ismaïlova, le Nez), ba., divers ct., m. ch. (15 Q.), sy. (no 1, 5, 7, 11, 12, 15), œ. pi. (préludes et fu., so.).
CHTCHEDRINE, Rodion (1932) : 3 O. (les Ames mortes), ba. (Carmen, Anna Karenine), 2 sy., 3 ct. pi., m. or., m. ch., m. voc.
CUI, César (1835-1918) (1) : O. (le Prisonnier du Caucase, William Ratcliff).
DARGOMYJSKI, Aleksandr (1813-69) : O. (Ondine, le Convive de pierre, Russalka).
DENISOV, Edison (1929) : O. (Ivan le soldat, l'Écume des jours), sy., ct. (pi., vi., vlc., cl., hb., fl., guit.), m. ch. (Requiem), œ. voc. (Chant d'automne).
ECHPAÏ, Andreï (1925) : 2 ct. vi., 4 sy., 2 ct. pi.
FIRSOVA, Elena (1950) : 2 ct. vi., ct. fl., m. ch., m. voc.
FOMINE, Evstigueny (1751-1800) : O. (les Cochers au relais), dr. (Orphée).
GLAZOUNOV, Aleksandr (1865-1936) : ba., 9 sy., ct., œ. pi.
GLINKA, Mikhaïl (1804-57) : O. (Rouslan et Ludmilla, Ivan Soussanine), m. sy. (Kamarinskaïa), mél.
GRETCHANINOV, Aleksandr (1864-1956) : 4 sy., m. re., 2 O., pi., m. ch.
GUBAIDULINA, Sophia (1931) : m. sy., ct. p., vi. (Offertorium), perc., m. ch.
KABALEVSKI, Dimitri (1904-87) : O. (Colas Breugnon, la Famille de Tarass), sy., ct., œ. pi. (toccata, so.).
KARETNIKOV, Nicolaï (1930) : O. (Till Eulenspiegel, le Mystère de l'apôtre Paul), ba. (Vanina Vanini, le Petit Zachée), m. or., 4 sy., m. voc., m. films.
KHATCHATURIAN, Aram (1903-78) : ct. pi., vi., vlc., sy., ba. (Gayaneh, Spartacus).
KHRENNIKOV, Tikhon (1913) : O. (la Mère, Dans la tempête), ct. vi. et pi.
LIADOV, Anatole (1855-1914) : O. (Kikimora, le Lac enchanté), œ. pi.
LIAPOUNOV, Serge (1859-1924) : ét. pi.
MEDTNER, Nicolas (1880-1951) : mél., so., 3 ct.
MIASKOVSKI, Nicolaï (1881-1950) : sy. (no 5, 21, 27), m. ch.
MOSSOLOV, Aleksandr (1900-73) : ba. (l'Usine), 6 sy., m. orc. (Fonderie d'acier).
MOUSSORGSKI, Modest (1839-81) (1) : O. (Boris Godounov, la Khovanchtchina), poème sy. (Une nuit sur le mont Chauve), œ. pi. (Tableaux d'une exposition, orc. par Ravel), mél. (Enfantines, Sans soleil, Chants et danses de la mort).
PROKOFIEV, Sergueï (1891-1953) : 7 sy. (dont *no 1* « Classique »), ba. (Chout, le Pas d'acier, Roméo et Juliette), m. orc. (Pierre et le Loup), m. ch., œ. pi. (9 so., Visions fugitives), m. films, ca. (Alexandre Nevski), O. (Guerre et Paix, l'Ange de feu, l'Amour des trois oranges).

■ **Musiciens les plus féconds.** *Georg Philip Telemann* (All. 1681-1767) composa 12 cycles annuels de 52 cantates, 78 pièces religieuses pour occasions particulières, 40 Passions, 40 opéras et d'innombrables œuvres de musique instrumentale dont 600 suites, concertos et musique de chambre. *Johan Melchior Molter* (All., 1695-1765) composa 169 symphonies. *Joseph Haydn* (1732-1809) 108 symphonies, 68 quatuors à cordes, env. 60 sonates pour pianoforte, 14 messes, 47 lieder, 13 opéras italiens, 5 à 6 allemands pour marionnettes. *Darius Milhaud* (1892-1974) composa plus de 800 œuvres.

Jean-Sébastien Bach (1685-1750) laissa + de 1 000 œuvres numérotées. Il composa 295 cantates d'église, + de 300 cantates profanes. Il eut 20 enfants (avec 2 femmes).

Mozart (1756-91) a composé 1 000 œuvres dont 70 furent éditées avant sa mort à 35 ans. Il écrivit son 1er menuet à 4 ans.

■ **Œuvres les plus longues. Symphonie :** *Sy. Victory at Sea* de l'Anglais Richard Rodgers (1952) : 13 h. *Sy. no 3 en ré mineur* de l'Autrichien Gustav Mahler (1860-1911) : 1 h 40 min (dont 30 à 36 min pour le 1er mouvement). *La sy. no 2,* dite Gothique, de William Havergal Brian (1876-1972) : 1 h 45 min. *Vexations* d'Erik Satie (1866-1925) : 18 h 40 min pour 180 notes répétées 840 fois. *The Well Tuned Piano* de La Monte Young à New York (1980) : 4 h 12 min.

■ **Silence le plus long.** 4 min 33 s, *Totally Silent Opus* de John Cage (1912, USA).

■ **Cadence.** Le ténor Crevilia a chanté pendant 25 min les 2 mêmes mots : *felice ognora,* en 1815 à l'opéra de Milan.

RACHMANINOV, Sergheï (1873-1943) : 4 ct. pi., Var. thème de Paganini, 3 sy., 3 O. (Aleko, Francesca da Rimini, l'Avare), œ. pi. (préludes, études-tableaux), 79 mél.
RIMSKI-KORSAKOV, Nicolaï (1844-1908) (1) : O. (Snegourotchka, Kitège, le Coq d'or, Tsar saltan), m. sy. (Shéhérazade, Capriccio espagnol, la Grande Pâque russe).
RUBINSTEIN, Anton (1829-94) : O. (le Démon), sy., so., 7 ct. pi, 10 Q.
SCHNITTKE, Alfred (1934) : O. (la Vie avec l'idiot), 4 ct. vi., ct. vlc., m. orc., 5 sy., 4 Conc. grossos, q., m. ch., œ. ch. (Requiem).
SCRIABINE, Aleksandr (1872-1915) : m. orc. (Prométhée, Poème de l'extase, 3 sy.), œ. pi. (préludes, ét., morceaux, 10 so.).
SILVESTROV, Valentin (1931) : 6 sy., m. voc., m. ch.
SLONIMSKI, Sergueï (1932) : O., 9 sy., m. or., m. voc.
STRAVINSKI, Igor (1882-1971) (nat. Amér.) : ba. (l'Oiseau de feu, Petrouchka, le Sacre du printemps, Noces, Renard), œ. in., ct., m. re. (sy. de psaumes, Messe), œ. pi. (so., Piano rag-music), œ. lr. (Œdipus Rex, The Rake's Progress).
SVIRIDOV, Georgi (1915) : or. (Or. pathétique), ca., m. ch.
TCHAIKOVSKI, Boris (1925) : 3 sy., ct. pi., ct. vc., ct. vi., m. ch. (5 Q.), O. (l'Étoile).
TCHAÏKOVSKI, Piotr Ilitch (1840-93) : ba. (le Lac des cygnes, la Belle au bois dormant, Casse-Noisette), O. (Eugène Onéguine, la Dame de pique), m. ch., 3 ct. pi., ct. vi., 6 sy., ouv. (Roméo et Juliette), œ. pi. (1 so., les Saisons), mél.
TCHEREPNINE, Nikolaï (1873-1945) : ct. pi., poèmes sy., ba. (Pavillon d'Armide).
TITCHENKO, Boris (1939) : O., ba., 2 ct. vi., ct. p., 2 ct. vc., 6 sy., m. ch. (5 Q.).
VYCHNEGRADSKY, Ivan (1893-1979) : m. con., pi., œ. in., voc., ba. (vécut en France).
WAINBERG, Moïse (1919) : 19 sy., m. ch. (15 Q.), O., m. voc.

Nota. – (1) Balakirev, Borodine, Cui, Moussorgski, Rimski-Korsakov ont constitué le *Groupe des Cinq.*

SUÈDE

ALFVÉN, Hugo (1872-1960) : 3 Rhapsodies suédoises, 5 sy., mél.
ATTERBERG, Kurt (1887-1974) : 9 sy., ct. pi. vi. et vlc., su. pour orc.
BÄCK, Sven-Erik (1919) : m. ch., m. re., O.
BELLMAN, Carl-Michael (1740-95) : le Temple de Bacchus, ch.
BERWALD, Franz (1796-1868) : O. (Estrella de Soria, la Reine de Golconde), 4 sy. (sy. Sérieuse), ct. pi., vi., 3 q.
BLOMDAHL, Karl-Birger (1916-68) : 3 sy., O. (Aniara, Herr v. Hancken), m. de ba.
BÖRTZ, Daniel (1943) : 8 sy., m. in., ct.
ELIASSON, Anders (1947) : ct., m. orc., m. ch., 3 sy.

FRUMERIE, Gunnar de (1908-87) : O. (Singoalla), mél., 2 ct. pi.
GRIPPE, Ragnar (1951) : ba., m. films, m. élec., O.
HEMBERG, Eskil (1938) : œ. ch., O. (Love, love).
HERMANSON, Åke (1923) : 4 sy., œ. in.
HOLEWA, Hans (1905) : 6 sy., œ. in., O. (Apollos Förvandling), mus. dodécaphonique.
JOHANSSON, Sven-Eric (1919) : O., œ. pi., 8 q., 9 sy., m. ch.
KRAUS, Joseph Martin (1756-92) : O., m. pi., m. orc., m. ch.
LARSSON, Lars-Erik (1908-86) : 3 sy., O. (la Princesse de Chypre), ca. (le Dieu déguisé).
LIDHOLM, Ingvar (1921) : m. orc. (Ritornello, Riter, Poesis), m. ch., chœurs.
MELLNÄS, Arne (1933) : m. ch., m. orc., sy.
MORTHENSON, Jan W. (1940) : œ. in., ct. org.
NILSSON, Bo (1937) : m. orc., m. ch.
NYSTROEM, Gösta (1890-1966) : 5 sy., œ. voc., ct. alto.
PETERSON-BERGER, Wilhelm (1867-1942) : O. (Arnljot), mél., pi., 5 sy.
PETTERSSON, Allan (1911-80) : 16 sy., 3 ct. orc. à cordes, ct. vi., et alto.
RANGSTRÖM, Ture (1884-1947) : 4 sy., mél.
ROSENBERG, Hilding (1892-1985) : or. (Joseph et ses frères), 9 sy., 12 q., O. (Marionnettes), ct. pi., vi., vlc.
SANDSTRÖM, Sven-David (1942) : œ. in., O. (Slottet det vita, Kejsar Jones, Hasta o älskade brud.), ct. H., guit., œ. ch., m. orc., q. Requiem, Ba.
STENHAMMAR, Wilhelm (1871-1927) : 2 sy., 2 ct. pi., Sérénade p. orc., 6 q., mél.
WERLE, Lars Johan (1926) : O. (le Rêve de Thérèse, d'après Maupassant, Die Reise, Lionardo, Tintomara, En Midsommarnattsdröm, Animalen), œ. in., œ. ch.
WIRÉN, Dag (1905-86) : Sérénade, 5 sy., ct. pi. et vi., 5 q., Ba.

SUISSE

BALISSAT, Jean (1936) : m. orc. (2 sy.), ct. percussion, ct. vi., or. (Fête des Vignerons, 1977).
BECK, Conrad (1901-89) : or., ca., 7 sy., m. ch.
BINET, Jean (1893-1960).
BLOCH, Ernest (1880-1959, nat. Américain) : O. (Macbeth), sy. (Israël), ct., 5 q., m. orc. (Schelomo).
BURKHARD, Willy (1900-55).
D'ALESSANDRO, Raffaelle (1911-59) : m. orc., m. ch., œ. pi.
FRITZ, Gaspard (1716-83).
GAGNEBIN, Henri (1886-1977).
GAUDIBERT, Éric (1936) : m. orc., m. ch. (q.), œ. voc., m. dr.
HOLLIGER, Heinz (1939) : O., m. orc. (Atembogen, Scardanelli-Zyklus), m. ch., q.
HONEGGER, Arthur : voir France, p. 421 a.
HUBER, Hans (1852-1921) : 8 sy., 4 ct. pi., m. ch., œ. pi., mél., m. re., 4 O.
HUBER, Klaus (1924) : O., m. orc., ct. vi., m. ch., œ. voc.
JAQUES-DALCROZE, Émile (1865-1950) : O., 3 q., 2 ct. vi.
KELTERBORN, Rudolf (1931) : 2 O., m. voc., œ. in., m. orc.
LEHMANN, Hans Ulrich (1937) : m. orc., m. ch., œ. voc.
LIEBERMANN, Rolf (1910) : O. (Pénélope, l'École des femmes, la Forêt), m. orc. (Furioso), œ. voc.
MARESCOTTI, André-François (1902) : m. orc. (Concerts carougeois), œ. voc., mél.
MARTIN, Frank (1890-1974) : O., or. (le Vin herbé, Golgotha), œ. sy., 2 ct. pi., ct. vi., ct. cl., m. ch.
MIEG, Peter (1906-90) : ct., m. ch.
MOESCHINGER, Albert (1897-1985) : 3 sy., ct., m. ch.
MORET, Norbert (1921) : or. (Mendiant du Ciel Bleu), ca., mel., ct. vc., ct. vi. (En rêve).
MULLER, Paul (1898) : ct., m. or.
OBOUSSIER, Robert (1900-57) : O., m. voc., ct.
PERRIN, Jean (1920-89) : m. orc., m. ch., œ. voc.
REGAMEY, Constantin (1907-82) : O., m. ch., m. or.
REICHEL, Bernard (1901) : m. orc., m. ch.
SCHIBLER, Armin (1920-86) : O., m. orc. (Passacaille), ct., m. ch.
SCHNYDER VON WARTENSEE, Xavier (1786-1868).
SCHOECK, Othmar (1886-1957) : 5 O. (Penthésilée), mél., ct., m. ch.
SUTER, Hermann (1870-1926).
SUTER, Robert (1919) : m. ch, m. orc, œ. voc, m. dr.
SUTERMEISTER, Heinrich (1910) : 11 O., ba., m. orc., 6 ct., m. ch., œ. ch.
TABACHNIK, Michel (1942) : m. orc., m. ch.
VERESS, Sándor (1907-92, or. hongr.) : m. re., ct., m. ch., mél., œ. pi.
VOGEL, Vladimir (1896-1984 ; All., or. russe, vécut en Suisse).
VUATAZ, Roger (1898-1988) : œ. ly., or., m. re., instrumentation de l'Art de la fugue de J.-S. Bach.
WILDBERGER, Jacques (1922) : m. orc., m. ch.
WYTTENBACH, Jurg (1935) : m. orc., ct. pi., m. ch.
ZBINDEN, Julien-François (1917) : m. or., m. ch.

AUTRES PAYS

Afrique du Sud. VOLANS, Kevin (1949) : O., m. ch., q., m. voc.

Argentine. AGUIRRE, Julián (1868-1924). ALBERDI, Juan Bautista (1810-84) : m. rm. ALCORTA, Amancio (1805-62) : Esnabla. BAUTISTA, Julián (voir p. 419 b). CASTRO, Juan José (1895-1968). FALU, Eduardo (1923). GARCIA MORILLO, Roberto (1911). GIACCOBBE, Juan Francisco (1911-90). GIANNEO, Luis (1897-1968). GILARDI, Gilardo (1889-1963). GINASTERA, Alberto (1916-83) (vécut en Suisse) : O. (Don Rodrigo), m. orc. (Variations concertantes), 2 ct. vlc., 2 ct. pi., ct. h., ct. vi., œ. voc. KRIEGER, Armando (1940) : m. ch., 2 q. m. orc. (Métamorfosis). LÓPEZ BUCHARDO, Carlos (1881-1948). PANIZZA, Hector (1875-1967). PAZ, Juan Carlos (1897-1972) : m. in. PIAZZOLLA, Astor (1921-92) : m. danse (tangos). ROQUE-ALSINA, Carlos (1941) (vit en France) : 2 sy. m. in., m. ch., m. orc. SAENZ, Pedro (1915). WILLIAMS, Alberto (1862-1952) : 9 sy., m. ch., pi.

Arménie. MANSOURIAN, Tigran (1939) : m. or., ct. orgue, 2 ct. vi., 2 Q.

Azerbaïdjan. KARAEV, Kara (1918) : ba. (Par le sentier du tonnerre).

Australie. ANTILL, John (1904-86) : ba., ch., m. ch., m. orc., œ. ch. BANKS, Don (1923-80) : m. orc, m. ins, ct. vi, m. voc. BROPHY, Gérard (1953) : ch., cl., ct., m. con., m. ch., m. orc., m. th., œ. ins., o. ch., pi., q., tr. CONYNGHAM, Barry (1944) : O., m. orc., m. élec., m. in. COWIE, Edward (1943, G.-B.) : O., m. ch., m. th. FORMOSA, Riccardo (1954, Italie) : m. orc., m. solo, m. ch. GLANVILLE-HICKS, Peggy (1912-90) : O., Ba., orc., m. ch., cho., vocal, solo. GRAINGER, Percy (1882-1961) : m. ch., m. orc., œ. ch., œ. voc., pi. HUMBLE, Keith (1927) : solo, vocal, cho., m. ch., élec., orc., O., m. re. Kos, Bozidar (1934, Youg.) : orc., m. ch., élec., solo. LUMSDAINE, David (1931) : vocal, cho., computer, élec., orch., m. ch., solo, brass band. MEALE, Richard Graham (1932) : O, m. orc., m. ch. MILLS, Richard (1949) : ba., ct., m. con., m. ch., m. orc., œ. ch. PLUSH, Vincent (1950) : m. ch. fl., m. con., m. th., m. orc., œ. ins. SCULTHORPE, Peter (1929) : O., m. orc. (Sun Music), m. voc., m. ch. (Irlande). SMALLEY, Roger (1943, G.-B.) : m. th., m. ch., cho., vocal, orc., élec., solo. WERDER, Felix (1922, All.) : O., m. th., solo, m. ch., orc. élec. WILLIAMSON, Malcolm (1931) : orc., m. ch., solo, cho., m. re., m. films, m. enfants, m. th.

Brésil. ANTUNES, Jorge (1942) : m. or., m. ch. BRAGA, Francisco (1868-1945) : m. orc., m. ch., m. pi. CARDOSO, Lindemberg (1939-89) : m. orc., m. ch. CORREIA, Sérgio Oliveira de Vasconcelos (1934) : m. sy., m. ch. FERNANDEZ, Oscar Lorenzo (1897-1948) : O. (Malazarte), m. sy., m. ch. GARCIA, José Mauricio Numès (1767-1803) : m. re. GISMONTI, Egberto (1947). GNATALLI, Radames (1906-87). GOMES, Carlos (1836-96) : 6 O., ca., m. sy. GUARNIERI, Camargo (1907-93) : 7 sy., 2 ct., Chôro, 3 q., 2 O. KRIEGER, Edino (1928) : m. ch., m. sy. LACERDA, Osvaldo Costa de (1927) : m. sy., m. ch. LEVY, Alexandre (1864-92) : m. sy., œ. pi. MENDES, Gilberto (1922) : aléat., m. orc., m. ch. MIGNONE, Francisco (1897-1986) : 2 O., 6 ba., œ. sy. MORAES, Vinicius de (1914-80) : m. sy., m. films. NEPOMUCENO, Alberto (1864-1920) : Série brasilia, œ. lr., sy., mél. NOBRE, Marlos (1939) : m. orc., ct. pi., m. guit. PEIXE, César Guerra (1914) : m. sy., m. ch. SANTORO, Claudio (1919-89) : m. orc., ba., m. ch., 14 sy. SIQUEIRA, José (1907-85) : O., or., m. or., œ. ch. VILLA-LOBOS, Heitor (1887-1959) : env. 1 000 œ., 12 sy., m. sy., 7 O., 5 ct., 5 ba., m. ch., œ. pi.

Bulgarie. ABRACHEV, Bojidar (1936) : 4 sy., o. ch. ATHANASSOV, Guéorgui (1882-1931) : O. (Guergana, Tzvéta, Kossara, Altzek), o., O. ch. CHRISTOV, Dimitar (1933) : m. orc., m. ch., pi., O. (le Jeu). CHRISTOV, Dobri (1875-1941) : œ. ch., ch., ouv., su. DRAGOSTINOV, Stefan (1948) : sy., ca., ct., œ. in. GOLEMINOV, Marine (1908) : O. (Ivaïlo, Zacharie le Zographe, etc.), œ. sy., ba. (Nestinarka), m. orc., m. ch., q., ct., œ. in. HADSIEV, Parachkev (1912-92) : O. (Loude Guidya, Albèna, les Maîtres, Maria Dessislav, etc.), o., ba., m. ch., œ. voc., œ. in. ILIEV, Konstantin (1924-88) : sy., m. orc., m. ch., œ. in., O. (le Maître de Boïana, le Royaume des cerfs). KASANDJIEV, Vassil (1934) : sy., m. orc., m. ch., œ. ch. KOSTOV, Gueorgui (1941) : œ. ch., ouv., ct. clar., cordes, O. c. ba. (les Mystères de Totoban), ch. KOUTEV, Filip (1902-82) : sy., m. orc., œ. ch. KYOURKTCHIISKI, Krassimir (1936) : œ. sy., m. ch., ct., œ. ch., O. (Youla), ba. (la Corne de la chèvre). LASAR, Nikolov (1922) : sy., m. orc., m. ch., pi. MARINOV, Ivan (1928) : m. orc., m. ch., œ. voc. MINTCHEV, Gueorgui (1939) : m. orc., m. ch., œ. ch. NAOUMOV, Émile (1962), fixé en Fr. : m. pi. OBRETENOV, Svétoslav (1909-55) : œ. cho., ch., or. PIPKOV, Lyoubomir (1904-74) : O. (les Neuf Frères de Yana, Momtchil, Anthigona'43), or. (Oratorio de notre temps), 4 sy., m. ch., q., ct., œ. voc., ch. PIRONKOV, Siméon (1927) : m. orc., sy., m. ch., O. (le Bonhomme de Sechuan, l'Oiseau bariolé). RAITCHEV, Alexandar (1922) : sy., m. orc., m. ch., œ. voc., O. (le Pont, l'Alarme, Chan Asparouh), ba. (la Chanson des Haidouks). SPASSOV, Ivan (1934) : œ. sy., œ. voc., m. ch., pi. STAINOV, Petko (1896-1977) : 2 sy., m. orc., œ. ch., œ. voc. STOIANOV, Pentcho (1931) : 5 sy., 3 so. vi. et pi., Q. pi, 2 q., or., ct. fl., clar., ch., cho. STOIANOV, Vesséline (1902-69) : O. (Pierre le Malin, Salammbô, le Royaume de femmes), ba. (la Papesse Jeanne), œ. sy. TABAKOV, Emil (1947) : m. orc., m. ch. TAPKOV, Dimitar (1929) : sy., m. orc., ca. (Cantate de la Paix), ct., m. ch., œ. voc. TEKELIEV, Alexandre (1942) : 2 sy., ba., or., ca., ch., cho. TZVETANOV, Tzvetan (1931-82) : sy., m. orc., m. ch., ba. (Orpheus et Rodopa). VLADIGEROV, Pantcho (1899-1978) : O. (Tsar Kaloïan), ba. (la Légende du lac), œ. sy., ct., m. ch., œ. in.

Corée. YUN, Isang (1917) (nat. allemande) : O., m. orc. (Fluktuationen, Colloïdes sonores), m. ch., 2 ct. vi., fl., cl., hb., m. org. (Tuyaux sonores), 4 sy.

Croatie. GOTOVAC, Jakov (1895-1982) : O. (Morana, Mila Gojsalica), œ. orc. ch., cho. HORVAT, Stanko (1930) : 3 ct. pi., m. orc. 2 ca., O. (Trois Légendes). KELEMEN, Milko (1924) : m. sér., O. (l'État de siège), ba., 3 ct., m. orc., m. ch., œ. voc. MALEC, Ivo (1925) : voir France, p. 421 c.

Cuba. ARDÉVOL, José (1911-81) : ba., œ. ch., m. orc., 3 sy., m. ch. BROUWER, Leo (1939) : m. guit. (sérielle, aléatoire, graphique). GARCIA CATURLA (1906-40) : m. orc., m. in., pi. GRAMATGES, Harold (1917). NIN, Joaquin (1879-1949) : m. pi., m. ch. NIN-CULMELL, Joaquin (1908) : O., ct. vlc., m. pi., vit aux USA. ROLDAN, Amadeo (1900-39) : ba., m. orc., m. in., m. voc.

Danemark. BENTZON, Niels Viggo (1919) : 2 O., 15 sy., 20 ct. BRUHNS, Nicolaus (1665-97) : 12 ca., org. GADE, Niels Wilhelm (1817-90) : chœurs, œ. in., 8 sy., œ. ch. et orc., m. ch., mél. HARTMANN, Johan Peter Emilius (1805-1900) : O. (Liden Kirsten), m. orc., m. org., m. ch. HEISE, Peter (1830-79) : chants, O., m. ch. HOLMBOE, Vagn (1909) : 3 O., 11 sy., cts., ctinos, 13 sy. conc., 14 q., mél. KOPPEL, Herman David (1908) : 5 sy., ct., or., m. ch., mél. KUHLAU, Friedrich (1786-1832) : O., œ. pi., fl. NIELSEN, Carl (1865-1931) : 6 sy., 2 O. (Mascarade, Saül et David), ct., œ. pi., m. ch., mél., m. org. NØRGAARD, Per (1932) : 4 O., 3 ba., 4 sy., or., m. orc., m. ch., 6 o., m. pi. RIISAGER, Knudåge (1897-1974) : ba. (Études, Quartsiluni), sy., m. ch. WEYSE, C.E.F. (1774-1842) : O., singspiels (Sovedrikken), 6 sy., mél.

Estonie. AAV, Evald (1900-39) : O. (les Vikings, 1er opéra estonien), m. voc. PÄRT, Arvo (1935) : 3 sy., t. vlc., m. voc., m. ch., m. rel. (Credo, Passion selon St Jean) (vit en All.). TAMBERG, Eino (1930) : O. (Cyrano de Bergerac), ba., 3 sy., ct. m. voc.

Géorgie. KANTCHELI, Gyia (1935) : O., 6 sy., m. ch. MURADELI, Vano (1908-71) : O. (Octobre), m. or. TAKTAKICHVILI, Otar (1924-89) : 4 O., 2 sy., ct. vc., ct. tr., m. voc.

Grèce. KOUROUPOS, Georges (1942) : O., 3 ba. m. or., m. ch., oc. voc., m. in., ct. PAPAIOANNOU, Jean A. (1910-89) : 5 sy., m. or., voc., m. ch., 4 ct., ba. PETRIDIS, Petro (1892-1986) : 5 sy., 3 ct., or. (St Paul), O. (Zefyra), m. re., ba. SKALKOTTAS, Nikos (1904-49) : m. sér., 6 ct., m. orc., m. ch., 4 q., m. pi. TERZAKIS, Dimitris (1938) : O., m. sy., m. voc., m. ch. THEODORAKIS, Mikis (1925) : m. orc., ba., or., m. films (Zorba le Grec). XENAKIS, Iannis (1922) : voir France, p. 421 b.

Islande. HALLDÓRSSON, Skéli (1914) ; ba., m. or., m. voc. NORDAL, Jón (1926) : m. or., m. ch. SIGURBJÖRNSSON, Thorkell (1938) : O., ba., ct., m. or., m. ch., m. voc. SVEINBJÖRNSSON, Sveinbjörn (1847-1927) : compositeur de l'hymne national. SVEINSSON, Heimir (1938) : O., m. or., ct. fl., m. ch.

Japon. AKUTAGAWARA, Yasushi (1925) : O., ba., m. orc., m.ch. ISHII, Maki (1936) : m. orc. (Monoprisme), m. ch., m. trad. jap. et m. élec. (vit en All.). MATSUDAIRA, Yori-aki (1931) : m. av.-garde. MATSUDAIRA, Yoritsuné (1907) : m. orc. (Theme and Variations, Bugaku), m. ch., 2 q., m. voc. (Koromogae). MAYUZUMI, Toshiro (1929) : O. (le Temple du pavillon d'or, Minoko), ba. (Bugaku), ca., m. orc., m. élec., m. films. MIKI, Minoru (1930) : 3 sy., O. (Shunkin-Sho/Ada). MIYOSHI, Akira (1933) : m. orc., ét. (pi., vi.), m. ch., m. voc. SHINOHARA, Makoto (1931), fixé aux Pays-Bas : m. ch., m. orc. (Visione, Égalisation), m. élec. TAÏRA, Yoshihisa (1938) : m. orc. (Hiérophonie, Chromophonie), m. ch. TAKAHASHI, Yuji (1938) : m. orc., m. ch. (Chromamorphe), m. pi. TAKEMITSU, Tôru (1930) : m. orc. (Requiem, November Steps, Quatrain), m. ch. (Stanza), m. in., m. élec. (Relief statique), m. films. TAMBA, Akira (1932).

Lituanie. ČIURLONIS, Mikolajus (1875-1911) : m. or. (Dans la forêt, la Mer), m. ch., mél. PETRAUSKAS, Mikas (1873-1937) : O. (Birute), mél., m. voc. RAČIUNAS, Antanas (1905-84) : O., 9 sy., p. sy., m. ch.

Mexique. AYALA, Daniel (1906-75) (1) : ba., œ. sy., m. ch. CARRILLO, Julian (1875-1965) : m. orc., œ. in. CASTRO, Ricardo (1864-1907) : 4 O. (la Légende de Rudel), œ. pi. orc., 2 sy. CHÁVEZ, Carlos (1899-1978) : Toccata pour percussion, 5 sy., ba., œ. pi. (Préludes). CONTRERAS, Salvador (1912) (1). GALINDO, Blas (1910) (1) : 7 ba., 3 sy., 2 ct. pi. HALFFTER, Rodolfo : voir Espagne, p. 419 b. HERRERA DE LA FUENTE, L. (1916) : ba., m. re. MONCAYO, José Pablo (1912-58) (1) : O., œ. sy. (Hommage à Cervantès), m. instr. MORALES, Melesio (1838-1908) : 5 O., me., œ. sy. (la Locomotive). NANCARROW, Colón (1912) : m. pi. (37 études). PANIAGUA, Cenobio (1821-82) : m. re., voc. PONCE, Manuel (1882-1948) : ct. vi., pi., guit. REVUELTAS, Silvestre (1899-1940) : 7 poèmes sy., m. films. ROLÓN, José (1883-1945) : ct. SANCHEZ DE FUENTES, Eduardo (1874-1944) : m. orc. TELLO, Rafael (1872-1946) : 4 O., œ. sy.

Nota. – (1) Ayala, Contreras, Galindo, Moncayo ont constitué le *groupe des Quatre* en 1934.

Norvège. BIBALO, Antonio (1922) : O. (Macbeth, The Smile at the Foot of the Ladder), ba., m. ch., m. orc. BULL, Edvard Hagerup (1922) : O., ba., sy., m. orc., m. ch. EGGE, Klaus (1906-79) : 5 sy., ct., m. ch. GRIEG, Edvard (1843-1907) : ct. pi., m. orc. (Peer Gynt, Danses norv.), m. ch., œ. pi. (Pièces lyr.). LINDEMAN, Ludvig Mathias (1812-87) : m. org., œ. voc. MORTENSEN, Finn (1922-83) : m. sér., m. aléat., 1 sy., m. orc., m. ch., œ. pi. NORDHEIM, Arne (1931) : m. élec., ba. (The Tempest), m. orc., m. ch., œ. voc. SÆVERUD, Harald (1897-1992) : sy., œ. pi., ct., m. th. (Peer Gynt). SINDING, Christian (1856-1941) : œ. in., 1 O., 3 sy., ct., m. ch., œ. pi. (Frühlingsrauschen), 250 li. SVENDSEN, Johan (1840-1911) : 2 sy., 4 Rhapsodies norv., ct., Carnaval à Paris. TVEITT, Geirr (1908-81) : ba., O. ba. (Jeppe), m. orc., 3 sy., 6 ct. pi., m. ch., 36 so. pi., li., ch. VALEN, Fartein (1887-1952) : 4 sy., m. orc., m. ch., œ. voc., œ. pi.

Paraguay. BARRIOS, Agustin P. (1885-1944) : m. guit. GODOY, Sila (1919) : guit., mus. cont.

Pays-Bas. ANDRIESSEN, Louis (1939) : De Staat, Anachronie II. BADINGS, Henk (1907-87) : 6 O., 15 sy., 28 ct., m. ch. et inst. DE LEEUW, Ton (1926) : Spatial Music. DIEPENBROCK, Alphons (1862-1921) : Te Deum. ESCHER, Rudolf (1912-80) : 2 sy., le Tombeau de Ravel, Musique pour l'esprit en deuil. HEPPENER, Robert (1925) : Haec Dies. HUYGHENS, Constantijn (1596-1687) : m. voc. KETTING, Piet (1904-84) : m. ch, ps., Jazon en Medea. KEURIS, Tristan (1946) : sy., ct. LOEVENDIE, Theo (1930) : m. pi. et fl., 6 turkish folkpoems. PIJPER, Willem (1894-1947) : m. sy., 2 O., mél. RUYNEMAN, Daniel (1886-1963) : Hiéroglyphes. SCHAT, Peter (1935) : O. (Labyrint, To You), 2 sy. SWEELINCK, Jan Pieters (1562-1621) : 250 œ. re., voc., org. VAN BAAREN, Kees (1906-70) : ct. pi. VERMEULEN, Matthijs (1888-1967) : 7 sy., m. ch., mél.

Portugal. BRAGA-SANTOS, Joly (1924) : 3 O., 5 sy. CARNEYRO, Claudio (1895-1963) : m. orc., m. ch., 3 q. COELHO, Manuel Rodrigues (1583-1635) : m. ch. COELHO, Ruy (1891-1986) : 14 O., 7 ba., 2 ct. pi., m. ch., 6 sy. CRUZ, Ivo (1901-85) : m. orc., m. ch. FREITAS, Frederico de (1902-80) : O. ba, m. orc, Q. FREITAS-BRANCO, Luis de (1890-1955) : poème sy. (Paraísos artificiais). LOPES GRAÇA, Fernando (1906) : œ. pi. (Dansas breves, Preludios), ch. (Canções heroicas). MARTINS, Maria de Lourdes (1926). NUNES, Emanuel (1941) : m. orc. (Nachtmusik), m. instr. (Einspielung), m. voc., m. élec. PEIXINHO, Jorge (1940) : m. orc., m. ch., m. voc., m. films. PIRES, Filipe (1934). SEIXAS, Carlos de (1704-42) : m. org., m. clav. VASCONCELLOS, Jorge Croner de (1910-74).

Slovaquie. KARDOŠ, Dezider (1914) : 7 sy., m. orc., ch., voc. 4 Q. MATĚJ, Josef (1922-92) : O., 5 sy., ct. vi., ct. tr., ct. vc., 2 Q. MOYZES, Alexander (1906-84) : O., 12 sy., m. orc., ch., voc., 4 Q. SUCHOŇ, Eugen (1908) : O. (Krútňava), m. dr. (Svätopluk), sy.

Tchèque (Rép.). BÁRTA, Lubor (1928-72) : 2 ct. v., 3 sy., m. orc., m. voc., m. ch. BRIXI, František X. (1732-71) : m. re., 5 ct. org. CIKKER, Ján (1911-89) : 8 O., œ. symph. DOBIÁŠ, Václav (1909-78) : ch., cho., ca., m. in., nonetto « le Pays natal ». DUSSEK, Jan Ladislav (1760-1812) : 15 ct., so. pi. DVOŘÁK, Antonín (1841-1904) : 9 sy. (dont *n° 9* « du Nouveau Monde »), 10 O. (Russalka, le Jacobin, la Naïade), m. orc. (Danses slaves), ct., m. ch., œ. pi. EBEN, Petr (1929) : œ. voc., in., org. FELD, Jindřich (1925) : m. orc., ch. FERENCZY, Oto (1921) : o., m. orc., or. voc., m. ch. FIBICH, Zdeněk (1850-1900) : O. (la Fiancée de Messine, Blanik, Sárka), 3 sy., m. ch. FLOSMAN, Oldřich (1925) : m. orc., ch., œ. ch., ct. FOERSTER, Josef Bohuslav (1859-1951) : O., sy, m. ch. HÁBA, Alois (1893-1973) : O. (la Mère), 16 q., m. en micro-intervalles. HUSA, Karel (1921) : 2 sy., m. orc., ct., m. ch., ca., vit aux USA. JANÁČEK, Leoš (1854-1928) : O. (Jenůfa, Káťa Kabanová, la Maison de la Mort, la Petite Renarde rusée), poèmes sy., ch. populaires, m. ch. KABELÁČ, Miroslav (1908-79) : 8 sy., m. voc., m. ch., m. instr. KALABIS, Viktor (1923) : 5 sy. (dont *n° 2* « Pacis »), ct., m. ch. KOHOUTEK, Ctirad (1929) : m. orc., œ. voc., m. ch. KOPELENT, Marek (1932) : m. orc., œ. voc., m. ch., m. aléat. KOŽELUH, Leopold Antonin (1747-1818) : O., 45 me., 300 œ. sacrées, 5 sy., 400 œ. voc. et in., œ. pi. KROMMER-KRAMÁŘ, František (1759-1831) : 5 sy., 10 ct., m. ch. KUBÍK, Ladislav (1946) : or., ca., m. orc., 2 ct., m. ch. KUČERA, Václav (1929) : m. ch., élec. (Spartakus), œ. voc. KURZ, Ivan (1947) : 3 sy., so. pi. MARTINŮ, Bohuslav (1890-1959) : O. (Juliette ou la clé des songes, le Mariage, Mirandolina, la Passion grecque), ba., 6 sy., 5 ct. pi., m. ch., 7 q., m. voc., m. pi. MYSLIVEČEK, Josef (1737-81) : O., sy., m. ch. NOVÁK, Jan (1921-84) : m. orc., ct., m. ch., œ. pi., fl., voc., 5 ca., O., Ba. NOVÁK, Vitězslav (1870-1949) : O., sy., m. ch. OSTRČIL, Otakar (1879-1935) : O. (le Royaume de Jeannot), poème sy. (Chemin de croix). PAUER, Jiři (1919) : 8 O., ct. basson, ct. tr., sy., 4 q. REJCHA, Antonin (1770-1836) : 24 Q. à vent, m. re., org., œ. pi. SMETANA, Bedřich (1824-84) : poèmes sy. (Ma patrie), 2 q., O. (Dalibor, la Fiancée vendue, Libuše). SUK, Josef (1874-1935) : œ. sy., m. ch., œ. pi. TAUSINGER, Jan (1921-80) : O., sy., ct. v., m. voc. VOŘÍŠEK, Jan Vaclav (1791-1825) : sy., 12 rhap. pi. ZELENKA, Jan Dismas (1679-1745) : m. re., or., ps.

Turquie. AKSES, Necil Kâzim (1908) : O. (Bayönder, Timur Mete), 4 sy., m. orc., m. ch., m. pop. AKSÜT, Yusuf Sadun (1932). ERKIN, Ulvi Cemal (1906-72) : 2 sy., ct. pi., ct. vi., m. orc., m. pop. HRI, Mustafa (?-1712). SARDAG, Hehmed Rüstü (1917). SAYGUN, Ahmet Adnan (1907-91) : O. (Ozsoy, Kerem, Köroglu), 4 sy., ct. pi., ct. vi., or. de Ynus, Emre. SELCUK, Timur (1946). TÜZÜN, Ferit (1929-77) : O., 1 sy., m. orc., ba. (Cayda Cira). USMANBAS, Ilhan (1921) : 6 préludes pour pi. (1945), Keloglan (1949), 3 tableaux de Salvador Dali, ct. pour vi., so. pour vi., trompette, h.b., sy. pour instruments à cordes.

Ukraine. LISSENKO, Nikolaï (1842-1912) : O. (Tarass Boulba), m. voc.

Venezuela. LAURO, Antonio (1913-86) : m. guit., m. orc.

Viêt-nam. DAO, Nguyen Thien (1940), fixé en France : O. (My chau Trong), m. orc. (Koskom, Giai Phong), ct. perc., m. voc. TON-THAT-TIET (1933), fixé en France : m. orc., m. ch. (Chu-Ky).

Yougoslavie. GALLUS, Iacobus Carniolus (1550-91) : Selectiores quaedam missae, Opus musicum, Harmoniae Morales, Moralia. KULENOVIC, Vuk (1946) : Ba. (Kamasutra, Icarus), m. orch. (Word of Light, Quasar OH 471), org., or. ch. TRAJKOVIC, Vlastimir (1947) : m. orc., org., so. vi., pi.

FORMATIONS

ORCHESTRES

DISPOSITIONS

Plusieurs possibles. Sur les partitions : *bois :* flûtes, hautbois, clarinettes (saxophones), bassons ; *cuivres :* cors, trompettes, cornets, trombones, tubas ; *harpes ; instruments à clavier ; instruments à percussion ; cordes :* quatuor, comprend en fait 5 parties : 1ers violons. 2es violons, altos, violoncelles, contrebasses.

DISPOSITION MODERNE HABITUELLE EN FRANCE

Percussion	Timbales	Percussion
Cuivres		Cuivres
Bois		Bois
Harpes 2es violons		Altos Contrebasses
1ers violons	Chef d'orchestre	Violoncelles

NOMBRE D'EXÉCUTANTS

Orchestre classique. 2 flûtes, 2 hautbois, 2 clarinettes, 2 bassons, 2 cors, 2 timbales, nombre varié de 1ers et 2es violons, altos, violoncelles, contrebasses (clavecin dans maints récitatifs ; trompette, trombone et contrebasson exceptionnellement).

Orchestre romantique. 1 piccolo, 2 flûtes, 2 hautbois, 2 clarinettes, 2 bassons et quelquefois 1 contrebasson, 4 cors, 2 trompettes, 3 trombones, 1 tuba, 2 ou 3 timbales, cordes.

Orchestre symphonique moyen. a) *cordes* (environ 40) : 10 à 12 1ers violons ; 8 à 10 2es violons ; 6 à 8 altos ; 6 à 8 violoncelles ; 4 ou 5 contrebasses. b) *harmonie* (par groupes de 2) : bois (flûtes, hautbois, clarinettes, bassons, etc.), cuivres (environ 10). c) timbales.

Grandes formations symphoniques. Environ une centaine d'exécutants : 18-16 1ers violons, 16-14 2es violons, 14-12 altos, 12-10 violoncelles, 10-8 contrebasses, 4 flûtes (dont 1 piccolo), 3 hautbois, 1 cor anglais, 4 clarinettes (dont 1 petite clarinette, 1 clarinette basse), 3 bassons, 1 contrebasson, 4-8 cors, 4 trompettes, 3-4 trombones, 1 tuba, timbales, percussions en nombre variable, 2 harpes, 1 clavier.

Orchestre idéal selon Berlioz *(Traité d'instrumentation)* : 467 instrumentistes (dont 120 violons, 40 altos, 45 violoncelles, 33 contrebasses à 3 et 4 cordes, 30 pianos, 30 harpes, etc.) et 360 choristes ; le Requiem demandait en outre 800 chanteurs.

Quelques records mondiaux. Le 17-6-1872, Johann Strauss a dirigé à Boston (USA) 2 000 musiciens (dont 400 premiers violons) et 20 000 choristes. Le 28-6-1964 à Oslo (Norvège), un orchestre réunit 20 100 exécutants. Entre 1958 et 1965, il y eut parfois 13 500 exécutants aux Journées de l'Orchestre de l'Université du Michigan (USA). Au festival de Tallin, la scène peut contenir 30 000 chanteurs et 20 000 danseurs.

Harmonie. Ensemble d'instruments à vent, batterie et contrebasse, harpe (de 50 à 85 exécutants).

Fanfare. Ensemble de cuivres et batterie (de 20 à 60 exécutants).

Trio. *A cordes :* violon, alto, violoncelle. *Autres :* piano, violon, violoncelle ; violon, flûte, hautbois ; piano, clarinette, violon, etc. *Trio d'anches :* hautbois, clarinette, basson.

Quintette (5 instruments). *A vent :* trompette, trombone, clarinette, saxo alto, cor ; ou : flûte, hautbois, clarinette, basson, cor. *A cordes :* 2 violons, 2 altos, violoncelle (parf. 1 alto, 2 violoncelles).

Octuor (8 instr.). *Classique :* 2 violons, 1 alto, 1 violoncelle, 1 contrebasse, 1 clarinette, 1 cor, 1 basson.

Orphéon. Apparu en 1842, inventé par Guillaume-Louis Bocquillon-Wilhelm (créateur des chœurs vocaux scolaires en 1833, qui voulait rendre hommage à Orphée, 1er des poètes et musiciens de la mythologie grecque.

ORCHESTRES SYMPHONIQUES

Légende : O. ph. : orchestre philharmonique ; O. sy. : orchestre symphonique.

☞ *La direction d'orchestre* s'est affirmée comme discipline à part entière au début du XIXe s. lorsque l'effectif de l'orchestre standard est devenu trop important pour que la direction en soit confiée au violon solo ou au claveciniste assurant le continuo. Les compositeurs ont d'abord dirigé leurs propres œuvres avant de voir s'affirmer des personnalités comme Mendelssohn (1809-47) ou Spohr (1784-1859), en Allemagne, ou Habeneck (1781-1849), en France, 1ers grands chefs d'orch. de l'histoire.

Baguette du chef d'orchestre : l'Allemand L. Spohr fut le 1er à utiliser une baguette (à l'opéra de Francfort entre 1815 et 1817). Aux XVIIe et XVIIIe s. on se servait d'une canne pour marquer les temps. Lulli se blessa ainsi le pied, et mourut de la gangrène en quelques semaines.

Allemagne. O. ph. de Berlin (chef : Claudio Abbado), O. radio-sy. de Berlin (chef : Vladimir Ashkenazy), O. de la Staatskapelle de Berlin (chef : Daniel Barenboïm), O. sy. de la radio bavaroise (chef : Lorin Maazel), O. ph. de Munich (chef : Sergiu Celibidache), O. du Gürzenich de Cologne (chef : James Conlon), O. sy. du WDR (Radio de Cologne) (chef : Hans Vonk), O. sy. du NDR (Radio de Hambourg) (chef : John Eliot Gardiner), O. radio-sy. de Francfort (chef : Dmitri Kitajenko), O. sy. Bamberg (chef : Horst Stein), O. sy. du SDR [Radio de Stuttgart (chef : Gianluigi Gelmetti)], O. ph. de Hambourg (chef : Gerd Albrecht), O. sy. de la radio de Sarrebrück (chef : Marcello Viotti), O. de la Beethovenhalle de Bonn, O. du Gewandhaus de Leipzig (chef : Kurt Masur), O. de la Staatskapelle de Dresde (chef : Giuseppe Sinopoli), O. ph. de Dresde (chef : Jörg Peter Weigle, à partir de 1994 Michel Plasson), O. sy. de Berlin (chef : Michael Schønwandt).

Autriche. O. ph. de Vienne (orch. qui fonctionne en autogestion sans chef permanent), O. sy. de Vienne (chef : Rafael Frühbeck de Burgos). O. sy. ORF (radio de Vienne, chef : Pinchas Steinberg), O. Mozarteum de Salzbourg (chef : Hans Graf).

Belgique. O. ph. de Flandre (Anvers, chef : Muhai Tang), O. ph. de Liège (chef : Pierre Bartholomée), Philharmonisch Orkest BRT (chef : Alexander Rahbari), O. nat. de Belg. (ONB) (chef : Ronald Zollman), O. sy. de la Monnaie (chef : Antonio Pappano).

Canada. O. phil. de Calgary (chef : Mario Bernardi), O. sy. de Montréal (chef : Charles Dutoit), O. sy. de Toronto (chef : Günther Herbig), O. sy. de Québec (chef : Pascal Verrot), O. du Centre nat. des arts d'Ottawa (chef : Trevor Pinnock), O. sy. d'Edmonton (chef : Uri Mayer), O. sy. de Vancouver (chef : Sergiu Comissiona).

Danemark. O. sy. de la radio danoise (chef : Leif Segerstam).

Espagne. O. nat. d'Esp. (chef : Aldo Ceccato), O. sy. de la radio esp. (chef : Sergiu Comissiona), O. Ciudad Barcelone (chef : García Navarro).

États-Unis. O. ph. de New York (f. 1842, chef : Kurt Masur), O. sy. de Boston (chef : Seiji Ozawa), O. de Cleveland (chef : Christoph von Dohnányi), O. sy. de Chicago (chef : Daniel Barenboïm), O. de Philadelphie (chef : Wolfgang Sawallisch), O. sy. de Pittsburgh (chef : Lorin Maazel), O. sy. de Dallas (chef : Eduardo Mata), O. sy. de Detroit (chef : Neeme Järvi), O. du Minnesota (chef : Edo De Waart), O. sy. de Los Angeles (chef : Esa Pekka Salonen), O. sy. de San Francisco (chef : Herbert Blomstedt), National Symphony Orchestra, Washington (chef : Mstislav Rostropovitch jusqu'en 1994), O. sy. de Cincinnati (chef : Jesus Lopez-Cobos), O. sy. de Houston (chef : Christophe Eschenbach), O. sy. de St Louis (chef : Leonard Slatkin), O. sy. de Denver, O. sy. de Rochester (chef : Mark Elder), O. sy. d'Atlanta (chef : Yoel Levi), O. ph. de La Nouvelle-Orléans, O. de Louisville (chef : Lawrence Leighton-Smith). Le NBC Symphony Orchestra, créé pour Toscanini, dissous en 1954.

France. O. de Paris [*fondé* oct. 1967 à partir de la Sté des Concerts du Conservatoire. Installé Salle Pleyel dep. 1981 ; *instrumentistes :* 120 ; *chœur :* 200 amateurs (chef de chœur : Arthur Oldham) ; *dir. artistiques :* Charles Münch (fondateur) 1967-68, Herbert von Karajan (conseiller musical) 1969-72, sir Georg Solti 1972-75, Daniel Barenboïm (1975-89), Semyon Bychkov (dep. 1989) ; *saison 1991-92 :* 70 concerts. Concerts en Europe et au Japon. Près de 130 disques.]. O. National de France (1934, 120 musiciens, dir. mus. : Charles Dutoit, 1er chef invité : Jeffrey Tate), O. ph. de Radio-France [138 musiciens, dir. mus. : Marek Janowski ; Ancien Nouvel O. ph., f. en 1976 par fusion de l'O. ph. de l'ORTF, f. en 1937 (O. Radio-sy.), de l'O. lyrique et de l'O. de ch. de l'ORTF], O. sy. Français (dir. : Laurent Petitgirard), O. du Théâtre nat. de l'Opéra de Paris (dir. mus. : Myung-Whun Chung), O. des concerts Lamoureux [1881, chef : Valentin Kojine, auditeurs 1987-88 : 31 500 (total Lamoureux, Colonne, Pasdeloup 1986-87 : 113 364)], Association des concerts Colonne (1872), concerts Pasdeloup (1851-82 et 1918), O. nat. du Capitole de Toulouse (dir. : Michel Plasson, 104 instr.), O. nat. d'Ile-de-Fr. (dir. : Jacques Mercier, 70 instr.), O. ph. de Strasbourg (dir. : Théodor Guschlbauer, 108 instr.), O. nat. de Lyon (dir. : Emmanuel Krivine, 108 instr.), O. nat. de Lille (dir. : Jean-Cl. Casadesus, 99 instr.), O. ph. des pays de la Loire (dir. : Marc Soustrot, 116 instr.), O. ph. de Montpellier (dir. : Gianfranco Masini, 80 instr.), O. sy. et lyrique de Nancy (dir. : Jérôme Kaltenbach, 66 instr.), O. sy. de la Garde républicaine (chef : Lt-Col. Roger Boutry), Ph. de Lorraine (dir. : Jacques Houtmann), O. nat. de Bordeaux-Aquitaine (dir. : Alain Lombard, 95 instr.), O. ph. de Nice (chef : Klaus Weise, 96 instr.), O. sy. de Mulhouse (dir. : Luca Pfaff, 56 instr.), O. ph. de Marseille (chef : Andrea Giorgi).

Grande-Bretagne. O. ph. de Londres (chef : Franz Welser-Möst), O. sy. de Londres (chef : Michael Tilson Thomas), Royal Philharmonic Orchestra (chef : Vladimir Ashkenazy), BBC Symphony Or. (chef : Andrew Davis), BBC Philharmonic Or. (Manchester, chef : Yan Pascal Tortelier), The Philharmonia (chef : Giuseppe Sinopoli), City of London Sinfonia (chef : Richard Hickox), Hallé Orchestra (Manchester, chef : Kent Nagano), City of Birmingham Symphony Or. (chef : Simon Rattle), Royal Scottish Or. (Glasgow, dir. : Walter Weller), O. sy. de Bournemouth (chef : Andrew Litton), Royal Liverpool Philharmonic Orchestra (chef : Libor Pešek), Ulster Or.

Hongrie. O. de la Philharmonie nationale hongroise (chef : Ken-Ichiro Kobayashi), O. sy. de Budapest (chef perm. : András Mihaly), O. ph. de Budapest (chef : Erich Bergel), O. festival de Budapest (chefs : Iván Fischer et Zoltán Kocsis).

Israël. O. ph. d'Israël (chef : Zubin Mehta), O. sy. de Jérusalem (chef : David Shallon), O. sy. d'Israël Rishon Letsion (chef : Noam Sheriff), O. sy. Haïfa (chef : Stanley Sperber).

Italie. O. sy. de la RAI, Rome (chef : Paolo Olmi), O. de l'Académie Sainte-Cécile de Rome (chef : Daniele Gatti), O. sy. de la RAI, Milan (chef : Vladimir Delman), O. sy de la RAI, Turin (chef : Aldo Ceccato), O. Mai musical florentin (chef : Zubin Mehta), O. ph. de la Scala de Milan (dir. : Riccardo Muti).

Japon. O. ph. de Tōkyō (chef : Tadaaki Otaka), O. de la préfecture d'Osaka (chef : Uri Segal), Tōkyō Metropolitan SO (chef : Hiroshi Wakasugi), OS de la NHK (chef : Hiroyuki Iwaki), New Japan Ph. O., Yomiuri Nippon Sy. O. (chef : Heinz Rögner), O. sy. de Kyōto (chef : Michiyoshi Inoue).

Mexique. O. ph. de Mexico (chef : Enrique Batiz).

Monaco. O. ph. de Monte-Carlo (chef : Lawrence Foster, à partir de 1994, James De Priest).

Norvège. O. ph. d'Oslo (chef : Mariss Jansons), O. ph. de Bergen (chef : Dimitri Kitajenko).

Pays-Bas. O. Royal du Concertgebouw d'Amsterdam (chef : Riccardo Chailly), O. de la Résidence de La Haye (chef : Evgeni Svetlanov), O. ph. de Rotterdam (chef : Jeffrey Tate), O. ph. de Radio-Hilversum (chef : Edo De Waart), O. ph. néerlandais (chef : Hartmut Haenchen).

Pologne. O. ph. national de Varsovie (chef : Kazimierz Kord), O. sy. Radio-TV polonaise, Katowice (chef : Antoni Wit), OP Cracovie (dir. : Roland Bader), OP Katowice (dir. : Jerzy Swoboda).

Roumanie. O. ph. de Bucarest « Georges-Enesco » (dir. : Cristian Mandeal), O. sy. de la radio-TV roumaine (chef : Horia Andreescu), O. ph. de Cluj-Napoca (chef : Emil Simon), O. ph. moldave de Iaşy (ou Jassy) (chef : George Costin), O. ph. Banatul de Timişoara (chef : Remus Georgescu).

Russie. O. ph. de Moscou (chef : Vassili Sinaiski), O. sy. de la Fédération de R. (chef : Evgeni Svetlanov), O. sy. de la radio (chef : Vladimir Fedosseiev), O. sy. d'État du min. de la Culture (Moscou, chef : Guennadi Rojdestvenski), O. ph. de St-Pétersbourg (chef : Yuri Temirkanov), O. Capella de St-Pétersbourg (chef : Vladislas Tchernouchenko).

Slovaquie. Philharmonie slovaque (chef : Ondrej Lénard), O. sy. de Radio-Bratislava (chef : Bystrík Režucha).

Suède. O. ph. de Stockholm (chef : Guennadi Rojdestvenski), O. sy. de la Radio suédoise (1er chef invité : Esa-Pekka Salonen), O. sy. de Göteborg (chef : Neeme Järvi).

Suisse. O. de la Suisse romande (chef : Armin Jordan), O. de la Tonhalle de Zurich (pas de chef attitré), O. sy. de Bâle (chef : Horst Stein), O. sy. Radio de Bâle (chef : Nello Santi), O. de la Suisse italienne, Lugano (chef : Nicolas Carthy), O. sy. de Berne (chef : Dmitri Kitajenko).

Tchèque (République). O. ph. tchèque (chef : Václav Neumann, Gerd Albrecht à partir de 1994), O. sy. de Prague FOK (chef : Martin Turnovský), O. sy. de la radio de Prague (chef : Vladimír Válek), O. ph. de Brno (chef : Léos Svarovsky).

Turquie. O. sy. de la Présidence, Ankara (1826, chef : Gürer Aykal).

Orchestres de chambre

Allemagne. O. c. de Stuttgart (chef : Martin Sieghart), O. c. de Munich (chef : Hans Stadlmair), Bach Collegium de Stuttgart (chef : Helmuth Rilling), O. c. de Hambourg (chef : Heribert Beissel), O. c. de Cologne (chef : Helmut Müller-Brühl), Südwestdeutsches Kammerorchester (chef : Vladislav Czarnecki), Die Deutschen Bachsolisten (chef : Helmut Winschermann), Cappella Coloniensis. O. c. de Berlin (sans chef), O. Bach du Gewandhaus de Leipzig (dir. : Christian Funke), Neue Berliner Kammerorchester, Neue Bach Collegium Musicum Leipzig (dir : Burkhard Glaetzner).

Autriche. Camerata Academica du Mozarteum de Salzbourg (chef : Sándor Végh), Concentus Musicus Vienne (chef : Nikolaus Harnoncourt), Wiener Kammerorchester (chef : Philippe Entremont).

Belgique. O. c. de Wallonie (chef : Georges Octors), « I Fiamminghi » (chef : Rudolf Werthen).

Bulgarie. O. c. Sofia (dir. : Emile Tabakov).

Canada. I Musici de Montréal (dir. : Yuli Turovsky), Musica Camerata (dir. : Luiz Grinhauz), O. c. Mc Gill (dir. : Alexander Brott).

États-Unis. O. ch. de Los Angeles (chef : Christof Perick), O. ch. Saint Paul (dir. : Christopher Hogwood), Orpheus Chamber Orch. (sans chef).

France. O. c. Paul Kuentz, O. J.-François Paillard, Ens. orch. Hte-Normandie (chef : J.-Pierre Berlingen), Ens. instr. Basse-Norm. (chef : Dominique Debart 18 instr.), O. c. de Toulouse (chef : Alain Moglia), Ens. orchestral de Paris (chef : Jean-Jacques Kantorow, 37 instr.), Ens. instr. de France (dir. : P. Bride), O. Bernard Thomas, O. Andrée Colson, Ens. instr. de Provence, Le Sinfonietta, O. régional de Picardie (26 instr.), Ens. Mouvement 12 (dir. : Hubert Borgel), O. de Bretagne (Rennes, dir. : Claude Schnitzler, 40 instr.), O. régional de Cannes-Prov.-Alpes-C.-d'Azur (chef : Philippe Bender, 39 instr.), Ens. instr. de Grenoble (chef : Marc Tardue, 16 instr.), O. régional d'Auvergne (chef : J.-Jacques Kantorow, 20 instr.), O. rég. de Bayonne-Côte Basque (chef : Robert Delcroix, 22 instr.), O. des pays de Savoie (16 instr.), Ens. instr. La Follia (Mulhouse), O. c. de St-Denis, O. « Ad Artem » de Metz, O. c. de Versailles (chef : Bernard Wahl), Ens. instr. Jean Walter Audoli.

Géorgie. O. c. de Géorgie, Tbilissi (chef : Liana Issakadze).

Grande-Bretagne. English Chamber Orchestra (chef : Jeffrey Tate), Academy of Saint-Martin-in-the-Fields (chefs : Iona Brown et sir Neville Marriner), Scottish Chamber Orchestra (dir. : Jukka Pekka Saraste), London Mozart Players (dir. : Howard Shelley), O. ch. de la CEE (chefs invités ; travaille en alternance à Londres, à Berlin et en Italie), Bournemouth Sinfonietta (dir. : Tamás Vasáry), London Chamber Orchestra (dir. : Christopher Warren-Green), Northern Sinfonia (dir. : Heinrich Schiff).

Hongrie. O. c. hongrois (chef : Vilmos Tátrai), O. c. Franz Liszt de Budapest (chef : János Rolla), O. c. Corelli (chef : Istvan Ella), O. Camerata Hungarica (chef : Laszló Czidra), O. Budapesti Vonósok (chef : Károly Botvay), O. Magyar Virtvosok (chef : Miklós Szenthebyi).

Israël. O. ch. d'Israël (chef : Shlomo Mintz), O. ch. de Beersheba.

Italie. I Musici, I Solisti Veneti (chef : Claudio Scimone), I Virtuosi di Milano, Nuovi Virtuosi di Roma, O. de l'Angelicum de Milan (dir. : Marc Andreae), O. ch. de Padoue-Vénétie, Padoue (chef : Peter Maag).

Lituanie. O. c. Lituanie (chef : Saulius Sondeckis).

Norvège. O. c. de Norvège (dir. mus. : Iona Brown).

Pays-Bas. O. c. Radio Néerlandaise (chef : Hans Zender), Asko-Ens. (chef : Willem Heering).

Pologne. Philharmonie de chambre polonaise (dir. : Wojciech Rajski), Sinfonia Varsovia.

Portugal. O. de la Fondation Gulbenkian (chef : Muhai Tang).

Roumanie. O. c. de la Radio roumaine (chefs : Ludovic Bács, Cristian Brâncusi), I virtuosi di Bucarest (chef : H. Andreescu).

Russie. O. c. de Moscou (chef : Constantin Orbelian), solistes de l'O. du Bolchoï (chef : Alexandre Lazarev), O. c. de St-Pétersbourg (chef : Eduard Serov), Solistes de Moscou (résident à Montpellier), Virtuoses de Moscou (chef : Vladimir Spivakov, résident en Espagne).

Slovaquie. O. c. slovaque (chef : Bohdan Warchal).

Suisse. O. c. de Lausanne (chef : Jesus López-Cobos), Festival Strings Lucerne (chef : Rudolf Baumgartner), O. c. de Zurich (chef : Edmond de Stoutz), Collegium Musicum de Zurich (chef : Paul Sacher), Ens. vocal et instr. de Lausanne (chef : Michel Corboz), O. Camerata de Zurich (chef : Räto Tschupp), Camerata de Berne.

Tchèque (République). O. c. de Prague (sans chef), O. c. Suk (chef : Petr Skvor), O.c. B. Martinů, Brno (sans chef), O. c. L. Janáček (sans chef), O. c. d'État de Žilina (chef : Ján Valta), Virtuosi di Praga (sans chef).

Yougoslavie. Solistes de Zagreb.

Ensembles de musique ancienne

Allemagne. Collegium Aureum (dir. : Franzjosef Maier), Odhecaton-Ensemble für Alte Musik, Cologne, Musica Reservata, Collegium vocale, Musica Antiqua de Cologne (dir. : Reinhard Goebel), Camerata Köln, Concerto Köln, Capella Fidicinia Leipzig.

Autriche. Concentus Musicus (Nikolaus Harnoncourt), Clemencic Consort, Ensemble Musica Instrumentalis, Capella Academica de Vienne) (dir. : Eduard Melkus), Musica antiqua de Vienne (dir. : Thomas Schmœgner), Wiener Akademie (dir. : Martin Haselböck).

Belgique. Ens. instrum. du Brabant (chef : Jean Hervé), Ens. Huelgas (chef : Paul Van Nevel), Polyphonies, Barokensemble A. Bauwens, Ens. Musica Polyphonica (chef : Louis Devos), Collegium Vocale de Gand (Philippe Herreweghe), la Petite Bande (dir. : Sigiswald Kuijken), Ens. Anima Eterna (chef : Jos Van Immerseel).

Canada. Le Studio de Musique ancienne de Montréal (chef : Christopher Jackson), Ens. Claude-Gervaise (chef : Gilles Plante), Tafelmusik (chef : Jean Lamon), Anonymes (chef : Claude Bernatchez).

Espagne. Atrium Musicae (chef : Gregorio Paniagua), Pro Musica Antiqua (chef : Miguel Angel Tallante).

États-Unis. Camerata de Boston (chef : Joel Cohen), Philharmonia Baroque Orchestra, San Francisco (chef : Nicholas McGegan).

France. Ensemble Guillaume Dufay, les Arts Florissants (dir. : William Christie), Florilegium Musicum de Paris, la Grande Écurie et la chambre du Roy (J.-Claude Malgoire), la Chapelle royale (chef : Philippe Herreweghe), Ens. Ars Antiqua de Paris, Ens. Mosaïques (dir. : Christophe Coin), la Maurache (dir. : Julien Skowron), les Musiciens du Louvre (dir. : Marc Minkowski), Ens. « Per Cantar e sonar » (Stéphane Caillat), les Saqueboutiers de Toulouse, Ens. baroque de Limoges (dir. : Christophe Coin).

Grande-Bretagne. Deller Consort (dir. : Mark Deller), Musica Reservata (dir. : John Beckett), The English Concert (dir. : Trevor Pinnock), The Academy of Ancient Music (dir. : Christopher Hogwood), The Consort of Musicke (dir. : Anthony Rooley), The Tallis Scholars (dir. : Peter Phillips), The Sixteen (dir. : Hary Christophers), Gothic Voices (dir. Christopher Page), London Classical Players (dir. : Roger Norrington), Taverner Choir, Consort and Players, Londres (chef : Andrew Parrott), The King's Consort, Londres (dir. : Robert King), The Hanover Band (dir. : Roy Goodman).

Hongrie. Capella Savaria (Pal Nemeth). Ensemble Albinoni.

Israël. Camerata de Rehovot (Avner Biron).

Japon. Tōkyō Solisten (chef : Yasushi Akamatsu).

Pays-Bas. Amsterdam Baroque Orchestra (chef : Ton Koopman), Amsterdam Loeki Stardust Quartet, the Locke Consort, Orchestre du XVIIIe s. (chef : Frans Brüggen).

Pologne. Cappella Cracoviensis (chef : Stanislaw Galónski).

Portugal. Ensemble Segreis de Lisboa (chef : Manuel Morais).

Russie. Académie de musique ancienne (Moscou, dir. : Tatiana Grindenko), Ensemble Concertino (Moscou, dir. : Andreï Korsakov).

Suède. Drottningholms Barockensemble (chef : Lars Brolin).

Suisse. Schola Cantorum Basiliensis (chef : Peter Reidemeister), Ens. Ricercare, Bâle (dir. : Michel Piguet), Hesperion XX, Bâle (dir. : Jordi Savall), Linde Consort (Hans Martin Linde), Ens. 415, Genève (dir. : Chiara Bianchini).

Tchèque (Rép.). Madrigalistes de Prague (chef : Pavel Baxa), Ars rediviva (chef : František Sláma), Musica aeterna (chef : Peter Zajicez).

Ensembles de musique contemporaine

Allemagne. Buccina-Ensemble, Ens. 13, Karlsruhe (chef : Manfred Reichert), Percussions ensemble Siegfried Fink, Ens. Kontraste, Ars Nova Ensemble, Nuremberg, Ens. Modern, Francfort.

Autriche. Klangforum Wien (chef : Beat Furrer), Kontrapunkte (chef : Peter Keuschnig), die Reihe (chef : Heinz Karl Gruber).

Belgique. Ens. Musique nouvelle (chef : Georges-Élie Octors).

Canada. Sté de mus. cont. du Québec (SMCQ), Codes d'Accès, Nouvel Ensemble moderne (NEM), Ass. pour la création et la recherche électroacoustiques du Québec (ACREQ), Esprit Orchestra Arraymusic.

Espagne. Grupo Koan (Madrid, dir. : José Ramón Encinar), Diabolus in musica (Barcelone, dir. : Joan Guinjoan).

France. 2e 2m (Paul Méfano), Itinéraire (Tristan Murail), Ars Nova (Marius Constant), Musique vivante (Diego Masson, Philippe Nahon), Percussions de Strasbourg (Georges Van Gucht), Trio Deslogères (Françoise Deslogères), Quatuor de flûtes Arcadie (P.-Y. Artaud), Atelier Musique de Ville-d'Avray (J.-L. Petit), Octuor Edgar Varèse (Victor Martin), Coll. de m. cont. de l'Essonne (Alain Savouret), Coll. de m. cont. du Languedoc-Roussillon (Jenny Szaho), Intervalles (J.-Y. Bosseur), Ensemble Inter Contemporain [*fondé* 1976. Collabore avec l'IRCAM (département musique du Centre Georges-Pompidou). *Pt.* : Pierre Boulez, *dir. musical* : David Robertson], Ensemble Alternance.

Grande-Bretagne. London Sinfonietta (dir. : Paul Crosslay, chef : David Atherton), Lontano (dir. : Odaline de la Martinez), Endymion Ensemble, Music-Projects/London (dir. : Richard Bernas).

Israël. Musica Nova.

Pays-Bas. Percussions d'Amsterdam, Nieuw Ensemble Amsterdam (1980), Ens. Asko, Ens. Schoenberg (Reinbert De Leeuw), Quatuor de saxophones néerlandais.

Roumanie. Archeus (chef : Liviu Dănceanu), Ars Nova de Cluj (chef : Cornel Ţăranu), Hyperion (chef : Iancu Dumitrescu).

Suède. Kroumata ens. (dir. : Anders Loguin), Sonanza (dir. : Jan Risberg), Kammarensemblen (dir. : Ansgar Krook).

Tchèque (Rép.). Agon (Miroslav Pudlak, Martin Smolka).

Yougoslavie. Zagreb Percussionists (Igor Lešnik).

Ensembles de musique de chambre

Trios. Ars Antiqua, Beaux-Arts Trio, Borodine, Couperin, à cordes français, à cordes de Paris, à cordes de Vienne, Debussy, Delta, Européen, Fiori Musicali, Fontenay (Hambourg), Harpe, flûte et violoncelle de Paris, Haydn de Vienne, Nordmann, Trio de Prague, Ozi, Pasquier, Ravel, Rouvier-Kantorow-Müller, Schubert de Vienne, Suk, de Trieste, Yuval.

Quatuors. Cherubini, Bartholdy, Brandis, Koeckert, Kreuzberger, Melos, Philharmonia Quartett Berlin, Sonare, Westphal (All.), Alban Berg, Artis, Franz Schubert, Hagen, Musikverein de Vienne (Autr.), Kuijken (Belg.), Dimov (Bulg.), Orford (Canada), Carl Nielsen, Kontra (Dan.), Arcana, Athenaeum-Enesco, Ludwig, Manfred, Margand, Parisii, Parrenin, Rosamonde, Via Nova, Ysaÿe (Fr.), Allegri, Arditti, Brodsky, Chilingirian, Gabrieli, Lindsay, Medici, Salomon (G.-B.), Bartók, Eder, Keller, Kodály, Takacs, Tatraï, Nouveau Quat. de Budapest (Hongr.), de Tel-Aviv (Israël), Giovane Quartetto Italiano (It.), de Tōkyō (Japon), Orlando (P.-Bas), de Varsovie, Wilánow (Pol.), Voces (Roum.), de Moscou, Taneiev (Russie), de Berne, Carmina, Sine Nomine (Suisse), Janáček, Kocian, de Prague, Stamic, Suk, Talich (Tchéc.), Anton, Beethoven, Borodine (Russie), American String Q. Cleveland, Emerson, Fine Arts Q., Guarneri, Juilliard, Kronos, Lenox, de Manhattan, Muir, New World String Quartet, Smithson, Vermeer (USA).

Quintettes. Q. de cuivres Ars Nova (Camille Verdier), Q. à vent de Paris, Q. à vent de Prague, Q. de cuivres de Prague, Q. à vent Taffanel, Q. Moraguès, Q. à vent de Stuttgart, Ensemble Wien-Berlin, Zagreb Wind Quintet.

Ensembles divers. Octuor de Vienne. Solistes de l'O. ph. de Berlin. Centre nat. de m. de ch. d'Aquitaine (Robert Bex). Ens. à vent Maurice Bourgue. Ens. à vent de Budapest (Kálmán Berkes). Nash Ensemble (G.-B.). Nonett Tchèque. Tashi (USA).

Chorales et ensembles vocaux

Allemagne. Chœurs du festival de Bayreuth, RIAS Kammerchor Berlin (chef : Marcus Creed), C. Ph. de Berlin (chef : Uwe Gronostay), Berliner Singakademie (chef : Hans Hilsdorf), C. de la Radio de Berlin (chef : Dietrich Knothe), C. de la Radio bavaroise (Munich, chef : Michael Gläser), C. Bach de Munich (chef : Hanns-Martin Schneidt), C. du Musikverein de Düsseldorf (chef : Hartmut Schmidt), Gächinger Kantorei (chef : H. Rilling), C. Monteverdi de Hambourg (chef : Jürgen Jürgens), Tölzer Knabenchor (chef : Gerhard Schmidt-Gaden), Regensburger Domspatzen (chef : Georg Ratzinger), Kammerchor Stuttgart (chef : Frieder Bernius), C. de la cathédrale Ste-Hedwige (Berlin, chef : Alois Koch-Roth), Kölner Kammerchor (chef : Peter Neumann), Frankfurter Singakademie (chef : Karl Rarichs), C. de Ste-Croix (Dresde, chef : Gothardt Stier), C. de St-Thomas (Leipzig) (chef : Georg Christoph Biller), C. de la Radio de Leipzig (chef : Gert Frischmuth).

Autriche. C. des Amis de la musique à Vienne (*ou* Wiener Singverein, chef : Johannes Prinz), Chœurs de l'Opéra de Vienne, Wiener Singakademie (Herbert Böck), Wiener Sängerknaben (chef : Peter Marschik), Arnold Schönberg-Chor. (chef : Erwin Ortner), ORF-Chor. (Radio de Vienne, chef : Erwin Ortner).

Belgique. Omrœpkoor Van de BRT (chef : Vic Nees), Chorale Cantores (chef : Aimé De Haene), Collegium Vocale de Gand (chef : Philippe Herreweghe), Concinite de Louvain (chef : Florian Heyerick), Audite Nova (chef : Kamiel Cooremans).

Bulgarie. C.S. Obretenov (chef : Gueorgi Robev).

Canada. Petits chanteurs du Mont-Royal (chef : Gilbert Patenaude), Chœur de l'Or. sy. de Montréal (chef : Iwan Edwards), Soc. phil. de Montréal (chef : Miklos Takacs).

Danemark. Chœur de la Radio Danoise (chef : Stefan Parkman), Ens. vocal Ars Nova (dir. : Bo Holten).

Espagne. Orfeo Donostiarra (San Sebastián, chef : José Antonio Sainz), Agrupación Coral de Pamplona (chef : Luis Morondo).

États-Unis. Mormon Tabernacle Choir (chef : Jerold D. Ottley), C. Robert Shaw, C. Westminster (New York), NEC Chorus du conservatoire de la Nouvelle-Angleterre (chef : Lorna Cooke De Varon).

France. *Paris et région parisienne :* C. Élisabeth Brasseur (Michel Aunay), Vittoria d'Ile-de-France (Michel Piquemal), C. de Radio-France (professionnels, 100 personnes, chef : François Polgar), C. national (J. Grimbert), Ens. choral Contrepoint (O. Schneebeli), Maîtrise de N.-Dame (Michel-Marc Gervais, 40 chanteurs), de l'Oratoire du Louvre (F. Hollard), de Radio-France (*créée* 29-4-1946 par Henry Barraud ; 70 à 100 élèves recrutés par concours à 10 ou 11 ans ; dir. : Denis Dupays), Maîtrise de Paris (*fondée* 1981 sous le nom de Petits Chanteurs de Paris ; dir. : Patrick Marco), Maîtrise Nat. de Versailles (Chœur masculin, 24 garçons et 16 hommes, dir. : Olivier Schneebeli), Petits Chanteurs de St-Bernard ; dir. : Jean-Fr. Duchamp, 80 chanteurs), des Hauts-de-S. (*créée* 1970 à Asnières ; devient le chœur d'enfants de l'Or. de Paris et de celui de l'Opéra), Chœur de l'Or. de Paris

■ **Concours internationaux (1993). Alto :** Munich. **Chant :** Athènes (Callas), Belgrade, Montréal, Rio de Janeiro, Busseto (Voci Verdiane), Zwickau (Schumann), 's-Hertogenbosch, Genève [1], Verviers, Toulouse, Vercelli [2], Barcelone (Vinas). **Composition :** Bruxelles [3] (pour violon), Genève [7] (Reine Marie-José), Parme (Petrassi) (œ. symphonique), Trieste (m. de chambre), Besançon (œ. symphonique), Rome [4] (contrebasse, musique et nature pour l'enfance). **Contrebasse :** Rome [4]. **Cor :** Genève [1], Toulon [6]. **Direction d'orchestre :** Besançon. **Duo piano-violon, piano-violoncelle :** Barcelone [5]. **Ens. à vent (bois) :** Budapest. **Flûte :** Kobe. **Guitare :** Benicasim (Tarrega), Munich, Alessandria, Vina del Mar (Sigall). **Musique de chambre :** Vercelli [2], Florence (Gui), Trapani. **Orgue :** Genève [1]. **Piano :** Épinal, Scheveningen, Barcelone [5], Prague, Fort Worth (Cliburn), Vienne (Beethoven), Zwickau (Schumann), Cleveland (Casadesus), Bolzano (Busoni), Vevey (Haskil), Munich, Leeds, Vercelli [2]. **Piano accompagnateurs :** Rio de Janeiro. **Quatuor à cordes :** Prague, Évian, Reggio Emilia (Borciani). **Quintette à vent :** Munich. **Trompette :** Toulon, Munich. **Violon :** Zagreb (Huml), Bruxelles [3], Sion (Varga), Genève [1], Gorizia (Lipizer), Gênes (Paganini), Paris (Long-Thibaud). **Violoncelle :** College Park (Rose).

Nota. – (1) CIEM. (2) Viotti. (3) Reine Élisabeth. (4) Bucchi. (5) Canals. (6) 1992. (7) 1994.

■ **Prix de musique Mme Léonie Sonning** (Danemark, montant 80 000 F). *1979 :* Dame Janet Baker. *80 :* Marie-Claire Alain. *81 :* Mstislav Rostropovitch. *82 :* Isaac Stern. *83 :* Rafael Kubelik. *84 :* Miles Dewey Davis. *85 :* Pierre Boulez. *86 :* Svjatoslav Richter. *87 :* Hans Heens Holleger. *88 :* Peter Schreier. *89 :* Tidonn Kaimia.

☞ **Affiliés à la Fédération des concours internationaux de musique, 104, rue de Carouge, CH-1205, Genève (Suisse).** *Renseignements :* Association française d'action artistique, ministère des Affaires étrangères, Bureau de la musique, 45, rue Boissière, 75116 Paris.

(Arthur Oldham), Groupe vocal de France (John Poole), Petits Chanteurs à la Croix de Bois [Bernard Houdy, *fondée* 1907 par Paul Berthier et Pierre Martin ; a eu pour dir. l'abbé Rebufat et monseigneur Maillet (1896-1963)], C. Audite Nova (Jean Sourisse), C. de l'Université Paris-Sorbonne (Jacques Grimbert), Petits Chanteurs du Marais, de Versailles (*fondés* 1946 par Pierre Béguigné ; dir. : Jean-François Frémont), de St-François de Versailles (*fondés* 1951 par Jacques Duval, 40 chanteurs), de Paris (fondés 1981), de Ste-Croix de Neuilly (dir. : Louis Prudhomme), Chanteurs de St-Eustache (Jean-Sébastien Béreau), C. de la Madeleine (Joachim Havard de La Montagne), C. Justus von Websky, C. de la Chapelle Royale (Philippe Herreweghe), C. parisienne Paul Kuentz, A Sei Voci, Ens. vocal Stéphane Caillat, Ens. vocal Michel Piquemal, Ens. Organum (dir. : Marcel Perès).

Province : C. Paul Kuentz (Brest), Groupe vocal « Arpèges » (Bordeaux), Maîtrises cathédrales Dijon (J.-M. Rolland), Bourges (existait 1543), Chartres (existait 485 ; dirigée par St-Fulbert de 960 à 1028 ; dir. : Francis Bardot dep. 1980), Monaco (fondée 1887 ; dir. : Philippe Debat dep. 1973), des Petits Chanteurs de Lyon (fondée 1974), des Petits Chanteurs à la Croix potencée de Toulouse (fondée 1936 par Abbé Rey), Ens. vocal de Bourgogne (Dijon, Bernard Tétu), C. de l'O. de Lyon (Bernard Tétu), La Cigale (C. d'enfants, Lyon, Christian Wagner), Maîtrise Gabriel Fauré de Marseille (Marie-Thérèse Fizio), C. de la cath. de Strasbourg (Robert Pfrimmer), C. de St-Guillaume de Strasbourg (R. Matter), C. universitaire de Montpellier, Psalette d'Orléans, Ens. vocal de Toulouse (Alix Bourbon), Ens. Jean de Ockeghem (Tours).

Grande-Bretagne. *Londres :* BBC Symphony Chorus (chef : Stephen Jackson), BBC Singers (chef : Simon Joly), Monteverdi Choir (chef : John Eliot Gardiner), Ambrosian Singers (chef : John McCarthy), Pro Musica Chorus of London (chef : John McCarthy), Hilliard Ensemble (Paul Hillier), Philharmonia Chorus (Horst Neumann), Royal Choral Society (Laszlo Heltay), Bach Choir (David Willcocks), The Tallis Scholars (Peter Philips), Taverner Choir (dir. : Andrew Parrott). *Cambridge :* King's College (chef : Stephen Cleobury), St John's College (chef : Christopher Robinson), The Cambridge Singers (John Rutter). *Oxford :* New College (chef : Edward Higginbottom), Christ Church Cathedral (chef : Stephen Darlington), Magdalen College (chef : John Harper).

Hongrie. Chœur de Budapest (Mátyás Antal), C. Madrigal de Budapest (Ferenc Szekeres), C. de la Radio hongroise (Ferenc Sapszon), C. de l'État hongrois (Mátyás Antal).

Pays-Bas. C. de ch. néerlandais (U. Gronostay), Toonkunstkoor.

Portugal. C. de la fondation Gulbenkian (M. Corboz).

Roumanie. Chœur Madrigal de Bucarest (Marin Constantin).

Russie. C. Alexandre Yourlov (Stanislas Gousev), C. académique de ch. de Moscou (Vladimir Minin), Capella de St-Pétersbourg (Vladislav Tchernouchenko), C. de ch. du min. de la Culture (Valeri Polianski).

Slovaquie. C. phil. slovaque (Jan Rozehnal).

Suède. C. Orphei Drängar d'Uppsala (chefs : Per-Olaf Frisc), C. de la Radio (chef : Gustaf Sjökvist), C. de ch. Mikaeli Kammarkov (chef : Anders Eby), C. de ch. Eric Ericson (chef : Eric Ericson), C. de Ch. Göteborg (chef : Gunnar Ericsson), Gösta Ohlins Vokalensemble (chef : Gösta Ohlin).

Suisse. Ens. vocal et instrumental de Lausanne (M. Corboz).

Tchèque (Rép.). C. des Instituteurs moraves (chef : Lubomir Mátl), C. philharmonique de Prague (Pavel Kühn), C. de la Radio de Prague (chef : Stanislas Bogunia).

☞ **Fédération internationale des Pueri Cantores.** *Fondée* 6-4-1951. 100 000 chanteurs dans plus de 100 pays. **Fédération française des Petits Chanteurs.** *Fondée* 6-3-1947 par Mgr Fernand Maillet. 6 000 chanteurs. Origine : les Petits Chanteurs à la Croix de Bois, fondés en 1906.

Divers

■ **Musiques militaires.** Les principales comportent un orchestre d'harmonie (5 flûtes, 4 hautbois, 3 bassons, 3 petites clarinettes, 22 clarinettes, 3 clarinettes-basses, 3 saxophones-altos, 3 saxophones-ténors, 2 saxophones-basses, 6 cors, 6 trompettes, 3 cornets, 6 trombones, 3 bugles, 6 saxhorns-basses, 3 saxhorns-contrebasses en si bémol, 2 contrebasses à cordes, 6 percussions) de 75 à 130 musiciens, dirigé par un chef de musique, et une batterie-fanfare (12 trompettes en mi bémol, 7 clairons en si bémol, 7 cors en mi bémol, 3 trompettes-basses en mi bémol, 3 clairons-basses en si bémol, 1 soubassophone en si bémol, 1 contrebasse en mi bémol, 1 contre-tuba, 5 percussions) de 40 musiciens ne regroupant que des instruments d'ordonnance (sans pistons), dirigée par un tambour-major.

Principales musiques militaires françaises. Musique de l'air : *créée* 1936. Orchestre d'harmonie : 90 musiciens ; batterie fanfare : 40 musiciens. Chef : François-Xavier Bailleul ; adjoint : Claude Kesmaecker. **Des équipages de la flotte :** *avant 1789,* les vaisseaux amiraux possédaient une musique composée de musiciens commissionnés pour la durée de leur embarquement et, à terre, les régiments de marine possédaient une musique qui participait aux cérémonies officielles. *1827* (13-7) création de 2 musiques pour assurer les cérémonies militaires et former (comme un Conservatoire) des musiciens pour les vaisseaux amiraux. **De Brest :** *créée* 1827. 85 m. Chef : Christian Ognier. **De Toulon :** *créée* 1827. 85 m. Chef : J.-Michel Ballada. **M. de la Garde républicaine** (*1848* fanfare de la garde de Paris, *1856* musique d'harmonie, *1871* m. de la garde rép.) : 123 m. avec personnel administratif, orchestre d'harmonie + or. à cordes : 77 + 38 instr. à cordes ; or. symphonique (chef : Roger Boutry, n. 1932) + une *batterie-fanfare* [*créée 1802* (tambours), *1823* (clairons), *1841* instruments d'harmonie, *1945* batterie-fanfare] de 90 m. (dir. : capitaine Dimet) et une *fanfare de cavalerie créée 1862* de 40 m. (trompette major : adjudant Paul Besnier). **M. des gardiens de la paix :** *créée* 1920 (nom actuel dep. 1929). Or. d'harmonie 87 m., batterie-fanfare 40 m. Chef : François Boulanger. **Chœur de l'armée française :** *créé* 1982, 80 m. dont 20 professionnels. **M. principale de la Légion étrangère :** *créée* 1831. Conservatoire créé en 1979. Chef : Lt-Col. Coudié 100 m. **M. de la Police nationale :** réorganisée 1956. Or. d'harmonie 88 m., batterie-fanfare 40 m. Chef : Benoît Girault. Tambour-major : Guy Coutanson. **M. principale des troupes de marine** (*1945* fanfare, *1947* musique, *1952* mus. princ. des troupes coloniales, *1958* nom actuel) : 102 m. Chef : Jean-Michel Sorlin dep. 1992.

■ **Orphéon.** Nom donné vers 1767 à une Sté pratiquant musique vocale et chant. Apogée sous le second Empire. *Origine :* Orphée (fils d'Œagre, roi de Thrace et de la muse Calliope), musicien et poète, descendit aux Enfers, charma les divinités et put ramener son épouse Eurydice (morte d'une morsure de serpent) à condition de ne la regarder qu'au sortir du Tartare. Il désobéit et elle mourut une 2e fois.

Age moyen. *Grands solistes internationaux* (y compris chefs d'orchestre) : *25-40 ans :* 30 %, *40-55 a. :* 25 %, *55-70 a. :* 45 %. *Solistes de 2e plan : 25-40 a. :* 55 %, *40-50 a. :* 15 %, *50-75 a. :* 30 %. *Musiciens d'orchestre :* 40 a. (*1960 :* 50 a.).

Chefs d'orchestre restés le plus longtemps à la tête du même orchestre. *Aloys Fleischmann,* 53 ans (Cork, O. symphonique d'Irlande, 1935-88). *Willem Mengelberg,* 50 ans (Concertgebouw d'Amsterdam, 1895-1945). *Evgeny Mravinski,* 50 ans (Leningrad, 1938-88). *Ernest Ansermet,* 49 ans (orch. Suisse romande 1918-67). *Eugene Ormandy,* 44 ans (Philadelphie, 1936-80). *Volkmar Andreae,* 43 ans (Tonhalle de Zurich, 1906-49). *Bernhard Baumgartner,* 40 ans (Mozarteum de Salzbourg, 1922-38 puis 1944-69).

Compositeurs. *Verdi* écrivit Othello à 74 ans et Falstaff à 80 ans. *Vaughan Williams* composa jusqu'à 86 ans, *Stravinski* 89 ans.

Divers. Le violoniste *Jascha Heifetz* était sujet à un « trac » épouvantable (il fallait littéralement le mettre sur scène pour qu'il ose y entrer).

Yehudi Menuhin jouait avec les plus grands orchestres américains à 7 ans les concertos de Mendelssohn, Beethoven, etc. A 70 ans, il refuse du monde à chacun de ses concerts.

La pianiste japonaise *Harumi Hanafusa* (28 ans) a commencé en public (à l'opéra) à 2 ans 1/2 dans le rôle d'un petit lapin spécialement écrit pour elle. A 3 ans, elle commençait le piano, et à 13 ans remportait un triomphe en jouant devant 2 000 personnes un récital consacré à Liszt.

L'organiste *Helmut Walcha,* aveugle depuis l'enfance, connaît (par cœur) toute l'œuvre d'orgue de J.-S. Bach. Il n'a pas appris avec la méthode Braille, mais son épouse lui a joué chaque voix séparée de chaque œuvre et il en faisait mentalement la synthèse avant de se mettre au clavier et d'interpréter l'œuvre dans son intégralité.

Le plus vieil orchestre existant est la *Staatskapelle* de Dresde, fondée 1548. Le plus grand orchestre, celui du *Norges Musikkorp Forbund,* rassembla 20 100 musiciens le 28-6-1964 à Oslo (Norvège).

Antonio Stradivari, dit Stradivarius (Crémone 1644-1737), vécut 93 ans et produisit des instruments 71 ans. Il en reste 712 dans le monde.

Associations symphoniques parisiennes

Sté des Concerts du Conservatoire. *Fondée* 1828, « transformée » en Orchestre de Paris en 1967. *Siège :* Salle de l'ancien Cons. de musique et de déclamation, ancienne salle des Menus Plaisirs du roi, reconstruite par Delannoy en 1807. Depuis 1981, salle Pleyel, 252, rue du Faubourg-St-Honoré.

Orchestre Colonne. Théâtre du Châtelet. 2, rue Édouard-Colonne, 75001 Paris. *1873* Concert national fondé par l'éditeur Georges Hartmann, dirigé par Édouard Colonne (1838-1910). *Nov. 1873 à mars 1874* 9 concerts à l'Odéon puis au Th. du Châtelet. *1874 (nov.)* création et 1er concert au Th. du Châtelet de l'Assoc. artistique. *1910* création Assoc. art. des Concerts Colonne. *Chefs successifs :* Édouard Colonne, Gabriel Pierné, Paul Paray, Charles Münch, Pierre Dervaux, Philippe Entremont et Antonello Allemandi (dep. mars 1992). *Saison symphonique :* d'oct. à mai. *Musiciens :* 80 titulaires + des supplémentaires selon œuvres jouées. *Nombre de concerts annuels :* 12 + 5 réservés aux scolaires, généralement à Paris.

Orchestre des concerts Lamoureux. 252, rue du Faubourg-St-Honoré (salle Pleyel). *Fondé* 1881 par Charles Lamoureux (1834-1899), se constitue en association à la mort de son fondateur. *Chefs successifs :* Camille Chevillard, Paul Paray, Albert Wolff, Eugène Bigot, Jean Martinon, Igor Markevitch, Jean-Baptiste Mari, Jean-Claude Bernède, Valentin Kojin (1992-94). Millième concert en mars 1991. *Saison :* octobre à mars, salle Pleyel. *Musiciens :* 96.

Orchestre Pasdeloup. 18, rue de Berne, 75008 Paris. *Fondé* 1861 par Jules-Étienne Pasdeloup (1819-87). *Pt :* Jean Gagnon. *Chefs successifs :* Rhené Bâton, Albert Wolff, Gérard Devos. Dep. 1989, plus de chef permanent. *Saison :* octobre à mars, salles Gaveau, Pleyel. *Musiciens sociétaires :* 85. *Nombre de concerts (1992-93) :* 14.

Principales salles de concerts

Amsterdam : Concertgebouw (*1888*, gr. s. 2 037 pl., pt. s. 478, s. de miroirs 280). **Anvers :** De Singel (2 s.), S. Reine Élisabeth (*1960*, 2 070 pl.). **Barcelone :** Palau de la Música Catalana (*1908*, 2 068 pl.), Gran Teatre del Liceu (opéra, ballets et concerts) (*1847*, 2 700 pl.). **Bergen :** Grieg Hall. **Berlin :** Philharmonie (*1963*, 2 200 pl.), s. de Musique de Chambre (*1988*, 1 188 pl.). Intendant : Ulrich Meyer-Schoellkopf. **Bonn :** Beethovenhalle (*1956-59*, gr. s. 1 800 pl.). **Boston :** Symphony Hall (*1900*, 2 625 pl.). **Bratislava :** Reduta (1 000 pl.). **Bregenz :** Festspiel-Kongresshaus (*1980*, 1 755 pl.). **Bruxelles :** Palais des Beaux-Arts (*1972*, 2 050 pl.), S. du Conservatoire (850 pl., musique de chambre). **Bucarest :** Athénée roumain (1889, 880 pl.), Salle de concerts de la radiotélévision (1964, 1 200 pl.), Grande salle du Palais (1964, 3 000 pl.). **Budapest :** S. du conservatoire Ferenc Liszt (*1875*, 1 200 pl.), S. du Palais des Congrès (*1980*, 2 000 pl.). S. de la Redoute (*1872,* 800). **Charleroi :** Palais des Beaux-Arts (*1954-57*, 1 800 pl.). **Cologne :** Gürzenich (*1441,* transformée en 1857, rénovée 1955, gr. s. 1 287 pl.), Kölner Philharmonie (*1986*, gr. s. 2 000 pl.), Sporthalle (*1958,* 8 000 pl., concerts pop.). **Dortmund :** Westfalenhalle (*1952*, 12 000 pl., concerts pop). **Dresde :** Kulturpalast (*1969*, Festsaal 2 433 pl. et Studiotheater 192 pl.). **Düsseldorf :** Tonhalle (*1978*, 2 salles, gr. s. 1 900 pl.) ; Philipshalle (*1971*, 3 salles, 6 200 pl.). **Francfort/Main :** Jahrhunderthalle Höchst (*1963*, 2 500 pl.). **Genève :** Victoria Hall (*1874*, 2 000 pl.). **Graz :** Musikverein für Steiermark (1 052 pl.). **Hambourg :** Musikhalle (*1908*, 2 s., gr. s. 2 014 pl.). **La Haye :** Centre des Congrès (*1969*, 7 400 pl). **Lausanne :** Théâtre de Beaulieu (*1954*, 1 800 pl.), siège de la « Compagnie Béjart Ballet Lausanne ». Théâtre municipal (*1871*, 900 pl.). **Leipzig :** Gewandhaus (*1981*, grande salle 1 903 pl., petite 493). **Lille :** Palais de la Musique (auditorium, 2 000 pl.) ; opéra (régie municipale, lyr., concerts, récitals, 900 pl.), Zénith (5 000 pl. en 1994). **Linz :** Brucknerhaus (*1970,* grande salle 1 420 pl., petite 392). **Londres :** Royal Albert Hall (*1871*, 5 606 pl.), Queen Elizabeth Hall (1 100 pl.), Wigmore Hall (542 pl.), Royal Festival Hall (*1965*, 2 909 pl. ; Recital Room 200 pl.), Barbican Center. **Los Angeles :** Music Center of Los Angeles County (1 964 pl.), Dorothy Chandler Pavilion (3 197 pl.), Ahmanson Theatre (2 071 pl.), Mark Taper Forum (747 pl.). **Lucerne :**

Kunst-und-Kongresshaus (*1933*, 1 500 pl.). **Lyon :** Auditorium Maurice Ravel (*1975*, 2 055 pl.). **Madrid :** Teatro Real (*1850*, 2 153 pl., Teatro de la Zarzuela, Auditorium del Real Conservatorio Superior de Música. **Metz :** Arsenal (Ricardo Bofill, 1989 ; Grande Salle 1 350 pl.). **Mexico :** Sala Nezahual-cóyotl (1976, 2 300 pl.), Teatro de Bellas Artes (1934, 2 000 pl.). **Munich :** Olympia Halle (*1972*, 14 000 pl., concerts pop). **New York :** Carnegie Hall (*1891*, 2 800 pl.), Avery Fisher Hall (Lincoln Center, *1962*, 2 742 pl.). **Nice :** Acropolis (*1985*, gr. s., 2 400 pl.). **Oslo :** S. de Concert d'Oslo, Den Gamle Logen, Lindemansalen. **Ostende :** Kursaal (*1952*, 1 600 pl.). **Paris :** S. Pleyel (*1927*, rénovée *1981*), grande s. 2 300 pl. (plateau 350 à 400 m²), s. Chopin 470 pl., Debussy 100 pl. S. Gaveau [*1907*, rénovée *1982-83*, *87* (sc. mobile), 1 000 pl.], Théâtre des Champs-Élysées (*1913*, 1 905 pl.), Th. de Chaillot (gr. s., fondée en *1937* et transformée en *1975*, 1 176 pl. max.), Châtelet, Th. musical de Paris : s. du Châtelet 2 003 pl., foyer du Châtelet 250 pl., Auditorium Châtelet (Forum des Halles) 594 pl. *Saison 1989-90* : 350 rep., Maison de Radio-France (S. Messiaen : 918 pl., Studio 105 : 254 pl.), Th. de la Ville (constr. *1862*, rénové *1968*, 995 pl.), Palais des Congrès de Paris (*1974*, gr. auditorium 3 723 pl.), Palais des Sports (3 900 à 5 000 pl., spectacles, concerts), Auditorium de la Porte St-Eustache (594 pl.), Palais Garnier (*1875*, 1 996 pl., *saison 1992-93* : 18 spectacles chorégraphiques), Opéra Bastille (1989, 3 salles, 3 380 pl., *saison 1992-93* : 14 opéras, 1 ballet), Salle Favart, Palais Omnisports Paris-Bercy (POPB) (*1984*, différentes configurations, de 7 000 à 16 500 pl., 5 salles). Cité de la musique de la Villette, auditorium 1 100 pl. (prév. 1994). **Prague :** Dvořák (*1884*, 1 100 pl.), Smetana (*1911*, 1 600 pl.), S. des Congrès (*1981*, 3 000 pl.). **Rome :** Auditorio Pio (*1969*, 1 950 pl.), Auditorium de la RAI (*1938*, 850 pl.). **Rotterdam :** De Doelen (gr. s. 1 800 pl.). **Salzbourg :** Großes Festspielhaus (*1960*, gr. s. 2 170 pl., p. s. 1 379, Felsenreitschule 1 549 pl.). **Strasbourg :** Palais de la Musique et des Congrès (2 020 pl.). **Stavanger :** Concert hall. **Stockholm :** Berwaldhallen (1 306 pl.), Konserthuset (1 800 pl.). **Stuttgart :** Liederhalle, 3 s. (*1955-56*, 3 200 pl.). **Toulouse :** Halle aux grains modernisée *1989* (2 700 pl.). **Trondheim :** Olavshallen (*1989*). **Vienne :** Musikvereinsaal (*1869*, gr. s. 2 087 pl.), Konzerthaus (*1913*, 2 040 pl.). **Zurich :** Tonhalle, 2 s. (*1893-95*, gr. s. 1 547 pl., p. s. 636 pl.).

Interprètes

Chefs d'orchestre

Abbado, Claudio (1933), It.
Abendroth, Hermann (1883-1956), All.
Ahronovitch, Yuri (1932), Isr.
Almeida, Antonio de (1928), Fr.
Amy, Gilbert (1936), Fr.
Ančerl, Karel (1908-73), Tchéc.
André, Franz (1893-1975), Belg.
Andreescu, Horia (1946), Roum.
Ansermet, Ernest (1883-1969), Suis.
Argenta, Ataulfo (1913-58), Esp.
Ashkenazy, Vladimir (1936), Russie (nat. isl.).
Atherton, David (1944), G.-B.
Barbirolli, sir John (1899-1970), G.-B.
Barenboïm, Daniel (1942), Israël.
Barshai, Rudolf (1924), Russie (nat. Isr.).
Bartholomée, Pierre (1937), Belg.
Baudo, Serge (1927), Fr.
Baumgartner, Rudolf (1917), Suisse.
Beecham, sir Thomas (1879-1961), G.-B.
Beinum, Eduard Van (1901-59), P.-B.
Bellugi, Piero (1924), It.
Bělohlávek, Jiří (1946), Tchéc.
Bender, Philippe (1942), Fr.
Benzi, Roberto (1937), Fr.
Bergel, Erich (1930) (nat. all.).
Berglund, Paavo (1929), Finl.
Bernstein, Leonard (1918-90), USA.
Bertini, Gary (1927), Israël.
Bigot, Eugène (1888-1965), Fr.
Blomstedt, Herbert (1927), Suède.
Böhm, Karl (1894-1981), Autr.
Bonynge, Richard (1930), Austr.
Boskowski, Willi (1909-91), Autr.
Boulanger, Nadia (1887-1979), Fr.
Boulez, Pierre (1925), Fr.
Boult, sir Adrian (1889-1983), G.-B.
Bour, Ernest (1913), Fr.
Bruck, Charles (1911), Fr. (or. roum.).
Busch, Fritz (1890-1951), All.
Bychkov, Symeon (1952), Russie, nat. Amér.
Cambreling, Sylvain (1948), Fr.
Cantelli, Guido (1920-56), It.
Capolongo, Paul (1940), Fr.
Carvalho, Eléazar de (1912), Brés.
Casadesus, Jean-Claude (1935), Fr.
Ceccato, Aldo (1934), It.
Celibidache, Sergiù (1912), Roum.
Chailly, Riccardo (1953), It.
Chmura, Gabriel (1946), Isr. (orig. all.).
Chorafas, Dimitri (1918), Grèce.
Chostakovitch, Maxime (1938), Russie, vit aux USA.
Chung, Myung-Whun (1953), Corée (nat. Amér.).
Cluytens, André (1905-67), Belg. (nat. Fr.).
Colonne, Édouard (1838-1910), Fr.
Comissiona, Sergiu (1928) (USA, or. roum.).
Conlon, James (1950), USA.
Coppola, Piero (1888-1971), It.
Corboz, Michel (1934), Suisse.
Danon, Oskar (1913), Bosnie.
Davis, Andrew (1944), G.-B.
Davis, sir Colin (1927), G.-B.
Dervaux, Pierre (1917-92), Fr.
Désormière, Roger (1898-1963), Fr.
Devos, Gérard (1927), Fr.
Diederich, Cyril (1945), Fr.
Dobrowen, Issaï (1894-1953), Russie (nat. Norv.).
Dohnanyi, Christoph von (1929), All.
Doráti, Antal (1906-88), USA (or. hongr).
Douatte, Roland (1922-92), Fr.
Dutoit, Charles (1936), Suisse.
Ehrling, Sixten (1918), Suède.
Eötvös, Peter (1944), Hongr. (vit à Paris).
Erdélyi, Miklós (1928), Hongr.
Faccio, Franco (1800-91), It. [1].
Fedosseiev, Vladimir (1932), Russie.
Ferencsik, János (1907-84), Hongr.
Fischer, Iván (1951), Hongr.
Flor, Claus Peter (1953), All.
Foster, Lawrence (1941), USA.
Fourestier, Louis (1892-1976), Fr.
Fournet, Jean (1913), Fr.
Fournillier, Patrick (1954), Fr.
Freitas-Branco, Pedro de (1896-1963), Port.
Frémaux, Louis (1921), Fr.
Fricsay, Ferenc (1914-63), Hongr.
Froment, Louis de (1921), Fr.
Frühbeck de Burgos, Rafael (1933), Esp.
Furtwängler, Wilhelm (1886-1954), All.
Galliera, Alceo (1910), It.
Gardelli, Lamberto (1915), It. (nat. Suéd.).
Gardiner, John Eliot (1943), G.-B.
Gaubert, Philippe (1879-1941), Fr.
Gavazzeni, Gianandrea (1909), It.
Gelmetti, Gianluigi (1945), It.
Georgescu, Georges (1887-1964), Roum.
Gibault, Claire (1945), Fr.
Gielen, Michael (1927), Argentin (nat. autr.).
Giovaninetti, Reynald (1932), Fr.
Giulini, Carlo Maria (1914), It.
Golschmann, Vladimir (1893-1972), Fr. (nat. Amér.).
Goodman, Roy (1951), G.-B.
Graf, Hans (1949), Autr.
Groves, sir Charles (1915), G.-B.
Gui, Vittorio (1885-1975), It.
Guschlbauer, Theodor (1939), Autr.
Hager, Leopold (1935), Autr.
Haitink, Bernard (1929), P.-B.
Harnoncourt, Nikolaus (1929), Autr.
Hartemann, J.-Claude (1929), Fr.
Herbig, Günther (1931), All.
Hogwood, Christopher (1941), G.-B.
Horenstein, Jascha (1898-1973), Russie (nat. Amér.).
Houtmann, Jacques (1935), Fr.
Inbal, Eliahu (1936), Israël et G.-B.
Inghelbrecht, Désiré-Émile (1880-1965), Fr.
Iwaki, Hiroyuki (1932), Jap.
Jacquillat, J.-Pierre (1935-86), Fr.
Janowski, Marek (1939), All.
Jansons, Mariss (1944), Lettonie.
Järvi, Neeme (1937), Estonie (vit aux USA).
Jochum, Eugen (1902-87), All.
Jordan, Armin (1932), Suisse.
Kakhidze, Jansug (1936), Géorgie.
Kaltenbach, Jérôme (1946), Fr.
Kamu, Okko (1946), Finl.
Karabtchewsky, Isaac (1934), Brés.
Karajan, Herbert von (1908-89), Autr.
Kazandjiev, Vassil (1934), Bulg.
Keilberth, Joseph (1908-68), All.
Kempe, Rudolf (1910-76), All.
Kempen, Paul Van (1893-1955), P.-B.
Kertész, István (1929-73), Hongr. (nat. All.).
Kitajenko, Dmitri (1940), Russie.
Klass, Eri (1939), Estonie.
Klecki, Paul (1900-73), Pol. (nat. Suis.).
Kleiber, Carlos (1930), Argentin (nat. All.).
Kleiber, Erich (1890-1956), Autr. (nat. Arg.).
Klemperer, Otto (1885-1973), All.
Knappertsbusch, Hans (1888-1965), All.
Kobayashi, Ken-Ishiro (1940), Jap.
Kojoukhar, Vladimir (1941), Ukraine.
Kondrachine, Kiril (1914-81), Russie.
Konwitschny, Franz (1901-62), All.
Kord, Kazimierz (1930), Pol.
Korody, Andràs (1922-86), Hongr.
Košler, Zdenek (1928), Tchéc.
Koussevitzky, Serge (1874-1951), Russie (nat. Amér.).
Krauss, Clemens (1893-1954), Autr.
Krenz, Jan (1926), Pol.
Krips, Josef (1902-74), Autr.
Krivine, Emmanuel (1947), Fr.
Kubelík, Rafael (1914), Tchéc. (nat. Suis.).
Kuentz, Paul (1930), Fr.
Kuhn, Gustav (1947), Autr.
Kuijken, Sigiswald (1944), Belg.
Lamoureux, Charles (1834-99), Fr.
Latham-Koenig, Jan (1953), G.-B.
Layer, Friedemann (1941), Autr.
Lazarev, Alexandre (1945), Russie.
Lehel, György (1926-89), Hongr.
Lehmann, Fritz (1904-56), All.
Leinsdorf, Erich (1912), Autr. (nat. Amér.).
Leitner, Ferdinand (1912), All.
Leppard, Raymond (1927), G.-B.
Le Roux, Maurice (1923-92), Fr.
Levine, James (1943), USA.
Ligeti, Andras (1953), Hongr.
Lindenberg, Édouard, (1908-73), Roum. (nat. Fr.).
Lombard, Alain (1940), Fr.
Lopez-Cobos, Jesus (1940), Esp.
Lukacs, Ervin (1928), Hongr.
Maag, Peter (1919), Suisse.
Maazel, Lorin (1930), USA.
Maćal, Zdeněk (1936), Tchéc.
Mackerras, sir Charles (1925), Austr.
Maderna, Bruno (1920-73), It. (nat. All.).
Maksymiuk, Jerzy (1936), Pol.
Malgoire, Jean-Claude (1940), Fr.
Mandeal, Cristian (1946), Roum.
Markevitch, Igor (1912-83), Russie (nat. It. puis Fr.).
Marriner, sir Neville (1924), G.-B.
Martinon, Jean (1910-76), Fr.
Marty, Jean-Pierre (1932), Fr.
Masson, Diego (1935), Fr.
Masur, Kurt (1927), All.
Mata, Eduardo (1942), Mex.
Matacic, Lovro von (1899-1985), Youg.
Mehta, Zubin (1936), Inde.
Mengelberg, Willem (1871-1951), P.-B.
Mercier, Jacques (1945), Fr.
Mitropoulos, Dimitri (1896-1960), Grèce (nat. Amér.).
Molinari-Pradelli, Francesco (1911), It.
Monteux, Pierre (1875-1964), Fr. (nat. Amér.).
Montgomery, Kenneth (1943), G.-B.
Moralt, Rudolf (1902-58), All.
Mottl, Felix (1856-1911), Autr.
Mravinski, Evgeni (1906-88), Russie.
Muck, Carl (1859-1940), All.
Münch, Charles (1891-1968), Fr.
Münchinger, Karl (1915-90), All.
Muti, Riccardo (1941), It.
Nagano, Kent (1951), USA.
Nelson, John (1941), USA.
Neumann, Václav (1920), Tchéc.
Nikisch, Arthur (1855-1922), Hongr.
Norrington, Roger (1943), G.-B.
Oren, Daniel, Isr.
Ormándy, Eugene (1899-1985), Hongr. (nat. Amér.).
Östman, Arnold (1939), Suède.
Otterloo, Willem Van (1901-78), P.-B.
Ötvös, Gábor (1936), Hongr. (vit en All.).
Ozawa, Seiji (1935), Jap.
Paillard, Jean-François (1928), Fr.
Paita, Carlos (1932), Arg.
Pappano, Antonio (n.c.), USA/It.
Paray, Paul (1886-1979), Fr.
Pâris, Alain (1947), Fr.
Pasdeloup, Jules-Ét. (1819-87), Fr.
Patanè, Giuseppe (1932-89), It.
Périsson, Jean (1924), Fr.
Perlea, Ionel (1900-70), Roum.
Pešek, Libor (1933), Tchéc.
Pierné, Gabriel (1863-1937), Fr.
Plasson, Michel (1933), Fr.
Poulet, Gaston (1892-1974), Fr.
Prêtre, Georges (1924), Fr.
Previn, André (1929), USA (or. all.).
Pritchard, sir John (1921-89), G.-B.
Rattle, Simon (1955), G.-B.
Redel, Kurt (1918), All.
Reiner, Fritz (1888-1963), Hongr. (nat. Amér.).
Renzetti, Donato (1950), It.
Richter, Hans (1843-1916), Hongr.
Ristenpart, Karl (1900-67), All.
Robertson, David (1958), USA.
Rodzinski, Artur (1892-1958), Pol. (nat. Amér.).
Rojdestvenski, Gennadi (1931), Russie.
Rosbaud, Hans (1895-1962), Autr.
Rosenthal, Manuel (1904), Fr.
Rostropovitch, Mstislav (1927), Russie (nat. Suis.).
Rowicki, Witold (1914-89), Pol.
Rudel, Julius (1921), USA.
Russell-Davies, Dennis (1944), USA.
Sabata, Victor De (1892-1967), It.
Sacher, Paul (1906), Suisse.
Salonen, Esa-Pekka (1958), Finl.
Sanderling, Kurt (1912), All.
Santi, Nello (1931), It.
Sanzogno, Nino (1911-83), It.
Saraste, Jukka Pekka (1956), Finl.
Sargent, sir Malcolm (1895-1967), G.-B.
Sawallisch, Wolfgang (1923), All.
Scherchen, Hermann (1891-1966), All.
Schippers, Thomas (1930-77), USA.
Schmidt-Isserstedt, Hans (1900-73), All.
Schønwandt, Michael (1953), Dan.
Schuricht, Carl (1880-1967), All.
Schwarz, Gerard (1947), USA.
Scimone, Claudio (1934), It.
Sebastian, George (1903-89), Fr. (or. hongr.).
Segal, Uri (1944), Israël.
Segestam, Leif (1944), Finl.
Semkow, Jerzy (1928), Pol.

Serafin, Tullio (1878-1968), It.
Shallon, David (1950), Isr.
Silvestri, Constantin (1913-69), Roum. (nat. Brit.).
Simonov, Yuri (1941), Russie.
Sinaïski, Vasili (n.c.), Russie.
Sinopoli, Giuseppe (1946), It.
Skrowaczewski, Stanislaw (1923), Pol. (nat. Amér.).
Smetáček, Václav (1906-86). Tchéc.
Solti, Sir Georg (1912), Hongr. (nat. Brit.).
Somogyi, Laszlo (1907-88), Hongr.
Soudant, Hubert (1946), P.-B.
Soustrot, Marc (1949), Fr.
Stein, Horst (1928), All.
Steinberg, Pinchas (1945), USA.
Steinberg, William (1899-1978), All. (nat. Amér.).
Stokowski, Leopold (1882-1977), G.-B. (nat. Amér.).
Stolz, Robert (1880-1975), Autr.
Stoutz, Edmond de (1920), Suisse.
Straram, Walther (1876-1933), Fr.
Svetlanov, Evgueni (1928), Russie.
Szell, George (1897-1970), Hongr. (nat. Amér.).
Tabachnik, Michel (1942), Suisse.
Tabakov, Emil (1947), Bulg.
Talich, Vaclav (1883-1961), Tchéc.
Talmi, Yoav (1943), Isr.
Tang, Muhai (1949), Chine.
Tate, Jeffrey (1943), G.-B.
Tchakarov, Émile (1948-91), Bulg.
Temirkanov, Yuri (1938), Russie.
Tennstedt, Klaus (1926), All.
Tilson-Thomas, Michael (1944), USA.
Tortelier, Yan-Pascal (1947), Fr.
Toscanini, Arturo (1867-1957), It.
Vajnar, František (1930), Tchéc.
Vandernoot, André (1927-91), Belg.
Varviso, Silvio (1924), Suisse.
Venzago, Mario (1948), Suisse.
Viotti, Marcello (1954), It.
Waart, Edo De (1941), P.-B.
Wallez, Jean-Pierre (1939), Fr.
Walter, Bruno (1876-1962), All. (nat. Amér.).
Wand, Günter (1912), All.
Weikert, Ralf (1940), Autr.
Weingartner, Felix (1863-1942), Autr. (nat. Suisse).
Weise, Klaus (n.c.), All.
Weller, Walter (1939), Autr.
Wenzinger, August (1905), Suisse.
Wolff, Albert (1884-1970), Fr.
Zagrosek, Lothar (1942), Autr.
Zecchi, Carlo (1903-84), It.
Zender, Hans (1936), All.
Zollman, Ronald (1950), Belg.

Nota. – (1) Faccio, chef d'orchestre de la Scala de Milan entre 1871 et 1889, est devenu fou en pleine représentation des *Maîtres chanteurs* à Vienne ; il est mort dans un asile.

Chefs de chœur

Alix, René (1907-66), Fr.
Alldis, John (1929), G.-B.
Antal, Matyas (1945), Hongr.
Aunay, Michel (1942), Fr.
Bader, Roland (1938), All.
Balatsch, Norbert (1928), Autr.
Caillard, Philippe (1924), Fr.
Caillat, Stéphane (1928), Fr.
Corboz, Michel (1934), Suisse.
Couraud, Marcel (1912-86), Fr.
Ericson, Eric (1918), Suède.
Flämig, Martin (1913), All.
Forrai, Miklós (1913), Hongrie.
Gottwald, Clytus (1925), All.
Gronostay, Uwe (1939), All.
Grossmann, Ferdinand (1887-1970), Autr.
Guest, George (1924), G.-B.
Hagen-Groll, Walter (1927), Autr.
Herreweghe, Philippe (1947), Belg.
Iseler, Elmer (1927), Canada.
Jaroff, Serge (1896-1985), USA (or. Russie).
Jouineau, Jacques (1924), Fr.
Jürgens, Jurgen (1925), All.
Kühn, Pavel (1938), Tchéc.
Laforge, Jean (1925), Fr.
Marin, Constantin (1925), Roum.
Mátl, Lubomir (1941), Tchéc.
Mauersberger, Erhard (1903-82), All.
Mauersberger, Rudolf (1889-1971), All.
Oldham, Arthur (1926) G.-B.
Ortner, Erwin (1947), Autr.
Parkai, Istvan (1928), Hongr.
Piquemal, Michel (1947), Fr.
Pitz Wilhelm (1887-1973), All.
Poole, John (1934), G.-B.
Ramin, Günther (1898-1956), All.
Richter, Karl (1926-81), All.
Rilling, Helmuth (1933), All.
Rotzsch, Hans Joachim (1929), All.
Sapszon, Ferenc (1929), Hongr.
Schmidt-Gaden, Gerhard (1937), All.
Tchernouchenko, Vladislav, Russie.
Thomas, Kurt (1904-73), All.
Tranchant, Michel, Fr.
Wagner, Roger (1914), USA, or. fr.
Werner, Fritz (1898-1977), All.
Yourlov, Alexandre (1927-73), Russie.

Chanteurs

☞ Voir Jazz p. 435 et **Personnalités** à l'Index.

Barytons

Bacquier, Gabriel (1924), Fr.
Baer, Olaf (1957), All.
Bailey, Norman (1933), G.-B.
Bastianini, Ettore (1922-67), It.
Battistini, Mattia (1856-1928), It.
Baugé, André (1892-1966), Fr.
Benoit, Jean-Christophe (1925), Fr.
Bernac, Pierre (Pierre Bertin, dit) (1899-1979), Fr.
Berry, Walter (1929), Autr.
Bianco, René (1908), Fr.
Blanc, Ernest (1923), Fr.
Bourdin, Roger (1900-73), Fr.
Bruscantini, Sesto (1919), It.
Bruson, Renato (1936), It.
Capecchi, Renato (1923), It.
Cappucilli, Piero (1930), It.
Dens, Michel (1914), Fr.
Edelmann, Otto (1917), Autr.
Evans, Geraint (1922-92), Gallois (G.-B.).
Fischer-Dieskau, Dietrich (1925), All.
Fondary, Alain (1932), Fr.
Fugère, Lucien (1848-1935), Fr.
Glossop, Peter (1928), G.-B.
Gobbi, Tito (1913-84), It.
Gottlieb, Peter (1930), Tchéc. (nat. Fr).
Hagegárd, Hákan (1945), Suède.
Hampson, Thomas (1955), USA.
Hüsch, Gerhard (1901-84), All.
Huttenlocher, Philippe (1942), Suisse.
Hvorostovski, Dmitri (1962), Russie.
Hynninen, Jorma (1941), Finl.
Jansen, Jacques (1913), Fr.
Krause, Tom (1934), Finl.
Kruysen, Bernard (1933), P.-B.
Kunz, Erich (1909), Autr.
Lafont, Jean-Philippe (1951), Fr.
Laplante, Bruno (1938), Can.
Lassalle, Jean (1845-1909), Fr.
Le Roux, François (1955), Fr.
London, George (1919-85), Can.
Luxon, Benjamin (1937), G.-B.
Manuguerra, Matteo (1924), Fr.
Massard, Robert (1925), Fr.
Mauranne, Camille (1911), Fr.
Maurel, Victor (1848-1923), Fr.
Mazourok, Youri (1931), Russie.
Mazura, Franz (1924), Autr.
McIntyre, Donald (1934), Nlle-Zél.
Merrill, Robert (1917), USA.
Milnes, Sherrill (1935), USA.
Morris, James (1947), USA.
Nienstedt, Gerd (1932), All.
Nimsgern, Siegmund (1940), All.
Ohanessian, David (1927), Roum.
Panerai, Rolando (1924), It.
Panzéra, Charles (1896-1976), Fr.
Périer, Jean (1869-1954), Fr.
Prey, Hermann (1929), All.
Quilico, Louis (1929), Can.
Raimondi, Ruggero (1941), It.
Rehfuss, Heinz (1917-89), Suisse.
Reinemann, Udo (1942), All.
Renaud, Maurice (1861-1933), Fr.
Ruffo, Titta (1877-1953), It.
Sammarco, Mario (1867-1930), It.
Schlusnus, Heinrich (1888-1952), All.
Schmidt, Andreas (1960), All.
Schoeffler, Paul (1897-1977), Autr.
Shirley Quirk, John (1931), G.-B.
Singher, Martial (1904-90), Fr.
Souzay, Gérard (1918), Fr.
Stabile, Mariano (1888-1968), It.
Stewart, Thomas (1928), USA.
Stilwell, Richard (1942), USA.
Stracciari, Riccardo (1875-1955), It.
Taddei, Giuseppe (1916), It.
Tamburini, Antonio (1800-76), It.
Tibbett, Lawrence (1896-1960), USA.
Van Dam, José (1940), Belg.
Vinay, Ramon (1914), Chili.
Wächter, Eberhard (1929-92), Autr.
Warren, Leonard (1911-60), USA.
Weikl, Bernd (1942), All.
Wixell, Ingvar (1931), Suède.

Basses

Adam, Theo (1926), All.
Bastin, Jules (1934), Belg.
Björling, Sigurd (1907-83), Suède.
Böhme, Kurt (1908-89), All.
Borg, Kim (1919), Finl.
Burchuladze, Paata (1951), Géorgie.
Cabanel, Paul (1891-1958), Fr.
Cachemaille, Gilles (1951), Suisse.
Cangalovic, Miroslav (1921), Bosnie.
Chaliapine, Feodor (1873-1938), Russie.
Christoff, Boris (1914), Bulg.
Conrad, Doda (1905), Pol. (nat. Amér.).
Corena, Fernando (1916-84), Suisse.
Crass, Franz (1928), All.
Dean, Stafford (1937), G.-B.
Depraz, Xavier (1926), Fr.
De Reszké, Édouard (1853-1917), Pol.
Engen, Kieth (1925), USA.
Frick, Gottlob (1906), All.
Furlanetto, Ferruccio (1949), It.
Ghiaourov, Nicolaï (1929), Bulg.
Ghiuzelev, Nicolaï (1936), Bulg.
Greindl, Joseph (1912-93), All.
Hines, Jerome (1921), USA.
Hotter, Hans (1909), All. (nat. Autr.).
Journet, Marcel (1868-1933), Fr.
Kipnis, Alexandre (1891-1978), Russie (nat. Amér.).
Lablache, Luigi (1794-1858), It.
Leiferkus, Serguei (1946), Russie.
List, Emanuel (1890-1967), Autr. (nat. Amér.).
Lloyd, Robert (1940), G.-B.
Marcoux, Vanni (1877-1962), Fr.
Meven, Peter (1929), All.
Moll, Kurt (1938), All.
Montarsolo, Paolo (1923), It.
Neidlinger, Gustav (1910-91), All.
Nesterenko, Evgeni (1938), Russie.
Pasero, Tancredi (1893-1983), It.
Pernet, André (1894-1966), Fr.
Petrov, Ivan (1920), Russie.
Pinza, Ezio (1892-1957), It.
Plançon, Pol (1851-1914), Fr.
Ramey, Samuel (1942), USA.
Reinhart, Gregory (n.c.), USA.
Ridderbusch, Karl (1932), All.
Robeson, Paul (1898-1976), USA.
Rossi-Lemeni, Nicola (1920-91), It.
Rouleau, Joseph (1929), Can.
Roux, Michel (1924), Fr.
Salminen, Matti (1944), Finl.
Schorr, Friedrich (1888-1953), Hongr. (nat. Amér.).
Siepi, Cesare (1923), It.
Sotin, Hans (1939), All.
Soyer, Roger (1939), Fr.
Székely, Mihály (1901-63), Hongr.
Tajo, Italo (1916-93), It.
Talvela, Martti (1935-89), Finl.
Tomlinson, John (1943), G.-B.
Van Mill, Arnold (1921), P.-B.
Vedernikov, Aleksandr (1927), Russie.
Vessières, André (1918), Fr.
Weber, Ludwig (1899-1974), Autr.
Wiener, Otto (1913), Autr.

Ténors

Ahnsjö, Claes-Hákan (1942), Suède.
Aler, John (1949), USA.
Alva, Luigi (1927), Pérou.
Aragall, Giacomo (1939), Esp.
Araiza, Francisco (1950), Mex.
Beirer, Hans (1911), Autr.
Bergonzi, Carlo (1924), It.
Björling, Jussi (1911-60), Suède.
Blake, Rockwell (1951), USA.
Bonisolli, Franco (1938), It.
Brilioth, Helge (1935), Suède.
Burrows, Stuart (1939), Gallois (G.-B.).
Carreras, José (1946), Esp.
Caruso, Enrico (1873-1921), It.
Chauvet, Guy (1933), Fr.
Cole, Vinson (1950), USA.
Corelli, Franco (1921), It.
Cossuta, Carlo (1932), It.
Cuenod, Hugues (1902), Suisse.
Cupido, Alberto (1948), It.
David, Léon (1867-1962), Fr.
Del Monaco, Mario (1915-82), It.
De Marchi, Emilio (1861-1917), It.
De Reszké, Jean (1850-1925), Fr.
Dermota, Anton (1910-89), Autr. (or. youg).
Devos, Louis (1926), Belg.
Di Stefano, Giuseppe (1921), It.
Domingo, Placido (1941), Esp.
Duprez, Gilbert (1806-96), Fr.
Dvorsky, Peter (1951), Tchéc.
Equiluz, Kurt (1929), All.
Erb, Karl (1877-1958), All.
Escalais, Léonce (1859-1940), Fr.
Faure, J.-B. (1830-1914), Fr.
Frey, Paul (1942), Can.
Gedda, Nicolaï (1925), Suède.
Gigli, Beniamino (1890-1957), It.
Goldberg, Reiner (1939), All.
Gonzalez, Dalmacio (1946), Esp.
Hofmann, Peter (1944), All.
Holm, Richard (1912-88), All.
Hopf, Hans (1916), All.
Jerusalem, Siegfried (1940), All.
Jobin, Raoul (1906-74), Can.
Jouatte, Georges (1892-1969), Fr.
Jung, Manfred (1948), All.
Kiepura, Jan (1902-66), Pol. (nat. Amér.).
King, James (1925), USA.
Kmentt, Waldemar (1929), Autr.
Kollo, René (1937), All.
Konya, Sandor (1923), Hongr.
Kraus, Alfredo (1927), Esp.
Kuen, Paul (1910), All.
Lakes, Gary (1950), USA.
Lance, Albert (1925), Austr. (nat. Fr.).
Langridge, Philip (1939), G.-B.
Lanza, Mario (1921-59), USA.
Lauri-Volpi, G. (1892-1979), It.
Lewis, Richard (1914-90), G.-B.
Lima, Luis (1950), Arg.
Lorenz, Max (1901-75), All.
Luca, Libero de (1913-50), Suisse.
Luccioni, José (1903-78), Fr.
Mario, Giovanni (Di Candio) (1810-83), It.
Martinelli, Giov. (1885-1969), It.
Mason, René (1895-1962), Belg.
McCormack, John (1884-1945), USA (or. irl.).
Melchior, Lauritz (1890-1973), Dan. (nat. Amér.).
Merritt, Chris (1952), USA.
Moldoveanu, Vasile (1935), Roum.
Muratore, Lucien (1876-1954), Fr.
Nourrit, Adolphe (1802-39), Fr.
Nourrit, Louis (1780-v. 1826), Fr.
Ochman, Wieslaw (1937), Pol.
Pampuch, Helmut (1940), All.
Pataky, Kálmán (1896-1964), Hongr.
Patzak, Julius (1898-1974), Autr.
Pavarotti, Luciano (1935), It.
Pears, sir Peter (1910-86), G.-B.
Peerce, Jan (1904-84), USA.
Pertile, Aureliano (1885-1952), It.
Podesta, Mario (Henri Lemoine, dit) (1892-1977), Fr.
Poncet, Tony (Antoine Poncé, dit) (1918-79), Fr.
Réti, Jozsef (1925-73), Hongr.
Rubini, Giovanni (1794-1854), It.
Schipa, Tito (1889-1965), It.
Schock, Rudolf (1915-86), All.
Schreier, Peter (1935), All.
Sénéchal, Michel (1927), Fr.

Shicoff, Neil (1949), USA.
Simandy, Jozsef (1916), Hongr.
Simoneau, Léopold (1916), Can.
Slezak, Leo (1873-1946), Autr.
Stolze, Gerhard (1926-79), All.
Svanholm, Set (1904-64), Suède.
Tamagno, Franc. (1850-1905), It.
Tappy, Éric (1931), Suisse.
Tauber, Richard (1891-1948), Autr.
Tear, Robert (1939), Gallois (G.-B.).
Thill, Georges (1897-1984), Fr.
Thomas, Jess (1927), USA.
Tucker, Richard (1913-75), USA.
Uhl, Fritz (1928), Autr.
Unger, Gerhard (1916), All.
Valletti, Cesare (1921), It.
Van Dyck, Ernest (1861-1923), Belg.
Vanzo, Alain (1928), Fr.
Verdière, René (1899-1981), Fr.
Vezzani, César (1886-1951), Fr.
Vickers, Jon (1926), Can.
Villabella, Mig. (1892-1954), Esp.
Vinay, Ramon (1914), Chili.
Volker, Franz (1899-1965), All.
Winbergh, Gösta (1946), Suède.
Windgassen, Wolfg. (1914-74), All.
Winkelmann, Herm. (1849-1912), All.
Wunderlich, Fritz (1930-66), All.
Zanelli, Renato (1892-1935), It.
Zednik, Heinz (1940), Autr.
Zenatello, Giov. (1876-1949), It.
Zimmermann, Erich (1892-1968), All.

Hautes-Contre et Contre-Ténors

Belliard, Jean (1935), Fr.
Bowman, James Th. (1941), G.-B.
Chance, Michael (1960), G.-B.
Deller, Alfred (1912-79), G.-B.
Deller, Mark (1938), G.-B.
Esswood, Paul (1942), G.-B.
Jacobs, René (1946), Belg.
Kowalski, Jochen (1954), All.
Ledroit, Henri (1946-88), Fr.
Lesne, Gérard (n.c.), Fr.
Sage, Joseph (1935), Fr.
Smith, Kevin (n.c.), G.-B.

Sopraniste

Christofellis, Aris (1960), Grèce.

Chanteuses

Sopranos

Ackté, Aino (1876-1944), Finl.
Alarie, Pierrette (1921), Can.
Albanese, Licia (1913), It. (nat. Amér.).
Albani, dame Emma (1847-1930), Can.
Alliot-Lugaz, Colette (1947), Fr.
Altmeyer, Jeannine (1948), USA et Suisse.
Ameling, Elly (1934), P.-B.
Anderson, June (1952), USA.
Anfuso, Nella (1942), It.
Angelici, Marta (1907-73), Fr.
Armstrong, Karan (1941), USA.
Armstrong, Sheila (1942), G.-B.
Arroyo, Martina (1935), USA.
Aruhn, Britt-Marie (1943), Suède.
Auger, Arleen (1939), USA.
Austral, Florence (1894-1968).
Bahr-Mildenburg, Anna (1872-1947), Autr.
Balslev, Lisbeth (1945), Dan.
Barbaux, Christine (1955), Fr.
Barrientos, Maria (1883-1946), Esp.
Battle, Kathleen (1948), USA (Noire).
Behrens, Hildegard (1937), All.
Benačkova-Capova, Gabriela (1947), Slovaquie.
Berganza, Teresa (1935), Esp.
Berger, Erna (1900-90), All.
Bjoner, Indrid (1927), Norv.
Blanzat, Anne-Marie (1944), Fr.
Blegen, Judith (1941), USA.
Borkh, Inge (1917), Suisse.
Boué, Géori (1918), Fr.
Boulin, Sophie (1951), Fr.
Bovy, Vina (1900-83), Belg.
Branchu, Caroline (1780-1850), Fr.
Bréval, Lucienne (1869-1935), Fr.
Brothier, Yvonne (1889-1967), Fr.
Brouwenstyn, Gré (1915), P.-B.
Brumaire, Jacqueline (1921), Fr.
Brunner, Evelyn (1943), Suisse.
Bunlet, Marcelle (1900-91), Fr.
Caballé, Montserrat (1933), Esp.
Callas, Maria (Maria Anna Sophia Kalogeropoulos) (1923-77), Grèce.
Calvé, Emma (1858-1942), Fr.
Caniglia, Maria (1906-79), It.
Caron, Rose (1857-1930), Fr.
Cebotari, Maria (1910-49), Autr.
Chamonin, Jocelyne (1938), Fr.
Chenal, Marthe (1881-1947), Fr.
Chlostawa, Danièle (1949), Fr.
Command, Michèle (1946), Fr.
Connell, Elizabeth (1946), G.-B.
Cotrubas, Ileana (1939), Roum.
Crespin, Régine (1927), Fr.
Cuberli, Lella (1945), USA.
Dal Monte, Toti (1893-1975), It.
Damoreau, Laure-Cinthie (1801-63).
Danco, Suzanne (1911), Belg.
Darclée, Hariclea (1860-1960), Roum.
Della Casa, Lisa (1919), Suisse.
Dernesch, Helga (1939), Autr.
Dessay, Natalie (1965), Fr.
Destinn, Emmy (1878-1930), Tchéc.
Deutekom, Christina (1932), P.-B.
Dimitrova, Ghena (1944), Bulg.
Donat, Zdzistawa (1939), Pol.
Donath, Helen (1940), USA.
Dorus-Gras, Julie (1805-96), Fr.
Duval, Denise (1923), Fr.
Eda-Pierre, Christiane (1932), Fr.
Evstatieva, Stefka (1947), Bulg.
Falcon, Cornélie (1812-97), Fr.
Farrar, Geraldine (1882-1967), USA.
Farrell, Eileen (1920), USA.
Fernandez, Wilhelmenia W. (1948), USA.
Flagstad, Kirsten (1895-1962), Norv.
Florescu, Arta (1921), Roum.
Freni, Mirella (1935), It.
Galli-Curci, Amel. (1882-1963), It.
Garcisanz, Isabel (1934), Fr., (or. esp.).
Garden, Mary (1874-1967), Écos.
Gasdia, Cecilia (1960), It.
Gatineau, Jeanne (1893-1993), Fr.
Gencer, Leyla (1928), Turquie.
Giebel, Agnès (1921), All.
Grisi, Giula (1811-69), It.
Grist, Reri (1932), USA.
Gruberova, Edita (1946), Tchéc.
Grümmer, Elisabeth (1911-86), All.
Güden, Hilde (1917-88), Autr.
Guiot, Andréa (1928), Fr.
Harper, Heather (1930), G.-B.
Harwood, Elizabeth (1938-90), G.-B.
Heldy, Fanny (1888-1973), Fr.
Hendricks, Barbara (1948), USA (Noire).
Hollweg, Ilse (1922-90), All.
Hunter, Rita (1933), G.-B.
Ivogün, Maria (1891-1987), All.
Janowitz, Gundula (1937), All.
Jeritza, Maria (1887-1982), Tchéc. (nat. Autr.).
Joachim, Irène (1913), Fr.
Jones, Gwyneth (1936), P. de Galles.
Jurinac, Sena (1921), Autr. (or. youg.).
Kabaivanska, Raïna (1934), Bulg.
Kenny, Yvonne (1950), Austr.
Kirby, Emma (1949), G.-B.
Knie, Roberta (1938), USA.
Köth, Erika (1927-89), All.
Kurz, Selma (1874-1933), Autr.
Lagrange, Michèle (1947), Fr.
Laki, Krisztina (1944), Hongr.
Larsen-Todsen, Nanny (1884-1982), Suède.
Lawrence, Marjorie (1907-79), Austr.
Lear, Evelyn (1928), USA.
Leblanc, Georg. (1875-1941), Fr.
Lehmann, Lilli (1848-1929), All.
Lehmann, Lotte (1888-1976), All. (nat. Amér.).
Leider, Frida (1888-1975), All.
Lemnitz, Tiana (1897), All.
Ligabue, Ilva (1932), It.
Lindholm, Berit (1934), Suède.
Lipp, Wilma (1925), Autr.
Litvinne, Felia (1860-1936).
Loose, Emmy (1914-87), Autr.
Lorengar, Pilar (1928), Esp.
Los Angeles, Victoria de (1923), Esp.
Lott, Felicity (1947), G.-B.
Lubin, Germaine (1887-1979), Fr.
Malibran (la), Maria Felicita Garcia (1808-36), Esp.
Maliponte, Adriana (1938), It.
Martinelli, Germaine (1887-1965), Fr.
Marton, Eva (1943), Hongr.
Masterson, Valerie (1937), G.-B.
Mathis, Edith (1936), Suisse.
Mattila, Karita (1960), Finl.
Melba, Nellie (1861-1931), Austr.
Mellon, Agnès (n.c.), Fr.
Mesplé, Mady (1931), Fr.
Micheau, Janine (1914-76), Fr.
Migenes, Julia (1943), USA.
Miolan-Carvalho, Caroline (1827-95), Fr.
Miranda, Ana-Maria (1937), Fr. et Arg.
Mödl, Martha (1912), All.
Moffo, Anna (1932), USA.
Moldoveanu, Eugenia (1944), Roum.
Moore, Grace (1901-47), USA.
Moser, Edda (1941), All.
Müller, Maria (1898-1958), Autr.
Muzio, Claudia (1889-1936), It.
Neblett, Carol (1946), USA.
Nelson, Judith (1939), USA.
Nespoulos, Marthe (1894-1962), Fr.
Nilsson, Birgit (1918), Suède.
Norman, Jessye (1945), USA (Noire).
Ott, Karin (1948), Suisse.
Otto, Lisa (1919), All.
Paliughi, Lina (1911-80), It.
Palmer, Felicity (1944), G.-B.
Pasta, Giuditta (1797-1865), It.
Patti, Adelina (1843-1919), It.
Peignot, Suzanne (1895-1993), Fr.
Peters, Roberta (1930), USA.
Pilarczyk, Helga (1925), All.
Plowright, Rosalind (1949), G.-B.
Polaski, Deborah (1949), USA.
Pollet, Françoise (n.c.), Fr.
Pons, Lily (1898-1976), Fr. (nat. Amér.).
Ponselle, Rosa (1897-1981), USA.
Popp, Lucia (1939), Tch. (nat. Autr.).
Price, Leontyne (1927), USA (Noire).
Price, Margaret (1941), P. de Galles.
Randová, Eva (1936), Tchéc.
Raphanel, Ghyslaine (1952), Fr.
Reining, Maria (1903-91), Autr.
Rethberg, Elisabeth (1894-1976), All. (nat. Amér.).
Réthy, Eszter (1912), Hongr.
Revoil, Fanely (1910), Fr.
Rhodes, Jane (1929), Fr.
Ricciarelli, Katia (1946), It.
Ritter-Ciampi, Gabrielle (1886-1974), Fr.
Robin, Mado (1918-60), Fr.
Rodde, Anne-Marie (1943), Fr.
Ross, Élise (1947), USA.
Rothenberger, Anneliese (1924), All.
Rysanek, Leonie (1926), Autr.
Sack, Erna (1898-1972).
Sarroca, Suzanne (1927), Fr.
Sass, Sylvia (1951), Hongr.
Saião, Bidù (1906), Brés.
Schöne, Lotte (1891-1978), Autr. (nat. Fr.).
Schröder-Feinen, Ursula (1936), All.
Schumann, Elisabeth (1885-1952), All. (nat. Amér.).
Schwarzkopf, Elis. (1915), All.
Sciutti, Graziella (1932), It.
Scotto, Renata (1933), It.
Seefried, Irmgard (1919-88), Autr. (or. all.).
Silja, Anja (1935), All.
Sills, Beverly (1929), USA.
Slatinaru, Maria (1938), Roum.
Söderström, Elisabeth (1927), Suéd.
Sontag, Henriette (1806-54), All.
Spoorenberg, Erna (1920), P.-B.
Stader, Maria (1911), Suisse.
Stapp, Olivia (1940), USA.
Steber, Eleanor (1914-90), USA.
Stich-Randall, Teresa (1927), USA.
Stoltz, Rosine (1815-1903), Fr.
Stratas, Teresa (Strataki, Anastasia[1]) (1938), Can.
Streich, Rita (1920-87), All.
Studer, Cheryl (1955), USA.
Suliotis, Elena (1943), Grèce.
Sutherland, Joan (1926), Austr.
Tacchinardi-Persiani, Fanny (1812-67), It.
Tebaldi, Renata (1922), It.
Te Kanawa, Kiri (1943), N.-Zél.
Tetrazzini, Luisa (1871-1940), It.
Teyte, Maggie (1888-1976), G.-B.
Thorborg, Kerstin (1896-1970), Suède.
Tomowa-Sintow, Anna (1943), Bulg.
Traubel, Helen (1899-1972), USA.
Ursuleac, Viorica (1894-1985), Roum.
Välkki, Anita (1926), Finl.
Vallin, Ninon (1886-1961), Fr.
Vaness, Carol (1952), USA.
Varady, Julia (1941), Roum. (nat. All.).
Varnay, Astrid (1918), Suède (nat. Amér.).
Vejzovic, Dunja (1943), Croatie.
Vichnievskaia, Galina (1926), Russie (nat. Suisse).
Vinzing, Ute (1936), All.
Watson, Claire (1927-86), USA.
Welitsch, Ljuba (1913), Bulg.
Wiens, Édith (1950), Can.
Yakar, Rachel (1936), Fr.
Zylis-Gara, Teresa (1935), Pol.

Mezzos

Arkhipova, Irina (1925), Russie.
Baker, Janet (1933), G.-B.
Baltsa, Agnes (1944), Grèce.
Barbieri, Fedora (1920), It.
Bartoli, Cecilia (1957), It.
Bathori, Jane (1877-1970), Fr.
Berberian, Cathy (1925-83), USA.
Berbié, Jane (1931), Fr.
Bouvier, Hélène (1905-78), Fr.
Branzell-Reinshagen, Karin (1891-1974), Suède.
Bumbry, Grace (1937), USA (Noire).
Ciesinski, Katherine (1950), USA.
Cortez, Viorica (1935), Roum. (nat. Fr.).
Cossoto, Fiorenza (1935), It.
Croiza, Claire (Conelly[1]) (1882-1946), Fr.
De Gaetani, Jan (1933-89), USA.
Denize, Nadine (1943), Fr.
Dupuy, Martine (1952), Fr.
Ewing, Maria (1950), USA.
Fassbaender, Brigitte (1939), All.
Galli-Marié, Célestine (1840-1905), Fr.
Gorr, Rita (1926), Belg.
Grey, Madeleine (1896), Fr.
Hesse, Ruth (1936), All.
Höngen, Elisabeth (1906), All.
Horne, Marilyn (1934), USA.
Killebrew, Gwendolyn (1939), USA.
Klose, Margarete (1902-68), All.
Kolassi, Irma (1918), Gr. (nat. Fr.).
Lenya, Lotte (1898-1981), Autr. (nat. Amér.).
Lindenstrand, Sylvia (1941), Suède.
Lipovšek, Marjana (1957), Youg.
Ludwig, Christa (1928), All.
Meïer, Waltraud (1956), All.
Merriman, Nan (1920), USA.
Meyer, Kerstin (1928), Suède.
Miltcheva, Alexandrina (1934), Bulg.
Minton, Yvonne (1938), Austr.
Murray, Ann (1949), G.-B.
Nafe, Alicia (1947), Arg.
Nigoghossian, Sonia (1944), Fr.
Obraztsova, Elena (1937), URSS.
Pierotti, Raquel (1952), Uruguay.
Podles, Ewa (n.c.), Pol.
Randova, Eva (1936), Tchéc.
Schmidt, Trudeliese (1941), All.
Shirai, Mitsuoko (1952), Jap.
Simionato, Giulietta (1910), It.
Soukupova, Vera (1932), Tchéc.
Stade, Frederica von (1945), USA.
Stignani, Ebe (1904-74), It.
Supervia, Conchita (1895-1936), Esp.
Troyanos, Tatiana (1939), USA.
Valentini-Terrani, Lucia (1946), It.
Veasey, Josephine (1930), G.-B.
Verrett, Shirley (1931), USA (Noire).
Viardot, Pauline (1821-1910), Fr.
Watkinson, Carolyn (1949), G.-B.
Ziegler, Delores (1951), USA.
Zimmermann, Margarita (1942), Arg.

Altos

Bugarinovic, Melania (1905), Serbie.

Burmeister, Annelies (1930-88), All.
Delna, Marie (1875-1932), Fr.
Dominguez, Oralia (1927), Mex.
Finnilä, Birgit (1931), Suède.
Hamari, Julia (1942), Hongr. (nat. All.).
Höffgen, Marga (1921), All.
Otter, Anne Sofie von (1955), Suède.
Resnik, Regina (1922), USA.
Rössel-Majdan, Hildegard (1921), Autr.
Taillon, Jocelyne (1941), Fr.
Töpper, Herta (1924), Autr.

Contraltos

Alboni, Marietta (1823-94), It.
Anderson, Marian (1902-93), USA (Noire).
Collard, Jeanine (1923), Fr.
Ferrier, Kathleen (1912-53), G.-B.
Forrester, Maureen (1930), Can.
Heynis, Aafje (1924), P.-B.
Matzenauer, Margarete (1881-1963), Autr. (nat. Amér.).
Onegin, Sigrid (1889-1943), Suède.
Procter, Norma (1928), G.-B.
Reynolds, Anna (1936), G.-B.
Stutzmann, Nathalie (1965), Fr.
Watts, Helen (1927), G.-B.
Wenkel, Ortrun (1942), All.

Nota. – (1) Vrai nom.

Alto

Aronowitz, Cecil (1916-78), G.-B.
Bashmet, Yuri (1953), Russie.
Bianchi, Luigi (1945), It.
Caussé, Gérard (1948), Fr.
Chaves, Ana Bela (1952), Port.
Christ, Wolfram (1955), All.
Collot, Serge (1923), Fr.
Fukai, Hirofumi (1942) Jap.
Giuranna, Bruno (1933), It.
Golan, Ron (1924), Suisse.
Golani, Rivka (1946), Canada.
Imai, Nobuko (1943), Jap.
Kashkashian, Kim (1952), USA.
Katims, Milton (1909), USA.
Naveau, Claude (1935-93), Fr.
Pasquier, Bruno (1943), Fr.
Primrose, William (1903-82), Éco.
Tertis, Lionel (1876-1975), G.-B.
Vieux, Maurice (1884-1951), Fr.
Zimmermann, Tabea (1966), All.

Basson

Allard, Maurice (1923), Fr.
Hongne, Paul (n.c.), Fr.
Oubradous, Fernand (1903-86), Fr.
Sennedat, André (1929), Fr.
Turkovic, Milan (1939), Autr.

Clarinette

Arrignon, Michel (n.c.), Fr.
Berkes, Kálmán (1952), Hongr.
Boeykens, Walter (1938), Belg.
Brunner, Eduard (1939), Suisse.
Brymer, Jack (1915), G.-B.
Cuper, Philippe (1957), Fr.
Dangain, Guy (1935), Fr.
Delécluse, Ulysse (1907), Fr.
De Peyer, Gervase (1926), G.-B.
Deplus, Guy (1924), Fr.
Drucker, Stanley (1929), USA.
Friedli, Thomas (1946), Suisse.
Glazer, David (1913), USA.
Goodman, Benny (1906-86), USA.
Hacker, Alan (1938), G.-B.
Klöcker, Dieter (n.c.), All.
Klosé, Hyacinthe (1808-80), Fr.
Kovács, Béla (1937), Hongr.
Lancelot, Jacques (1938), Fr.
Leister, Karl (1937), All.
Lethiec, Michel (1946), Fr.
Meyer, Paul (1965), Fr.
Meyer, Sabine (1959), All.
Moraguès, Pascal (1963), Fr.
Popa, Aurelian Octav (1937), Roum.
Portal, Michel (1935), Fr.
Prinz, Alfred (1920), Autr.
Sennedat, André (1929), Fr.
Stolzman, Richard (1942), USA.

Clavecin

Ahlgrimm, Isolde (1914), Autr.
Boulay, Laurence (1925), Fr.
Brosse, Jean-Patrice (1950), Fr.
Caumont, Catherine (1947), Fr.
Chojnacka, Elis. (1939), Pol. (nat. Fr.).
Christie, William (1944), USA.
Curtis, Alan (1934), USA.
Dart, Thurston (1921-71), G.-B.
Delfosse, Michèle (1939), Fr.
Dreyfus, Huguette (1928), Fr.
Gerlin, Ruggero (1899-1983), It.
Gilbert, Kenneth (1932), Can.
Grémy-Chauliac, Huguette (1928), Fr.
Haudebourg, Brigitte (1942), Fr.
Hogwood, Christopher (1941), G.-B.
Jaccottet, Christiane (1937), Suisse.
Ketil, Haugsand (1947), Nor.
Kipnis, Igor (1930), USA.
Kirkpatrick, Ralph (1911-84), USA.
Koopman, Ton (1944), Hol.
Landowska, Wanda (1879-1959), Fr. (or. pol.).
Leonhardt, Gustav (1928), P.-Bas.
Leppard, Raymond (1927), G.-B.
Malcolm, George (1917), G.-B.
Moroney, Davitt (1950), G.-B.
Nef, Isabelle (1895-1976), Suisse.
Parrott, Andrew (1947), G.-B.
Picht-Axenfeld, Edith (1914), All.
Pinnock, Trevor (1946), G.-B.
Pischner, Hans (1914), All.
Puyana, Rafael (1931), Colombie.
Ross, Scott (1951-89), USA.
Ruzicková, Zuzana (1927), Tchéc.
Sgrizzi, Luciano (1910), It.
Staier, Andreas (1955), All.
Tilney, Colin (1933), G.-B.
Van Asperen, Bob (1947), P.-Bas.
Van de Wiele, Aimée (1907-91), Belg.
Van Immerseel, Jos (1945), Belg.
Verlet, Blandine (1942), Fr.
Veyron-Lacroix, Robert (1922-91), Fr.

Contrebasse

Bottesini, Giovanni (1821-89), It.
Hoelscher, Ludwig (1907), Autr.
Karr, Gary (1941), USA.
Koussevitzky, Serge (1874-1951), Russe (nat. USA).
Petracchi, Franco (1937), It.
Rollez, Jean-Marc (1931), Fr.

Cor

Barboteu, Georges (1924), Fr.
Baumann, Hermann (1934), All.
Bourgue, Daniel (1937), Fr.
Brain, Dennis (1921-57), G.-B.
Civil, Alan (1929-89), G.-B.
Damm, Peter (1937), All.
Del Vescovo, Pierre (1929), Fr.
Seifert, Gerd (1931), All.
Tuckwell, Barry (1931), Austr.
Vlatković, Radovan (1962), Croatie.

Cymbalum

Fábián, Márta (1946), Hongrie.
Gerencsér, Ferenc (1923), Hongr.
Rácz, Aladár (1886-1958), Hongr.
Szakaly, Agnès (1951), Hongr.

Flûte et flûte à bec

Adorjan, Andras (1944), Hongrie (nat. Dan.).
Artaud, Pierre-Yves (1946), Fr.
Baker, Julius (1915-76), USA.
Bourdin, Roger (1923-76), Fr.
Brüggen, Frans (1934), P.-Bas.
Clemencic, René (1928), Autr.
Debost, Michel (1934), Fr.
Fumet, Gabriel (1937), Fr.
Gallois, Patrick (1956), Fr.
Galway, James (1938), Irl.
Gaubert, Philippe (1879-1941), Fr.
Gazzelloni, Severino (1919-92), It.
Graf, Peter-Lukas (1929), Suisse.
Kuijken, Barthold (1949), Belg.
Lardé, Christian (1930), Fr.
Larrieu, Maxence (1934), Fr.
Le Roy, René (1898-1985), Fr.
Linde, Hans Martin (1930), Suisse.
Marion, Alain (1938), Fr.
Matuz, Istvan (1947), Hongr.
Moyse, Marcel (1889-1984), Fr.
Munrow, David (1942-76), G.-B.
Nicolet, Aurèle (1926), Suisse.
Otten, Kees (1924), P.-B.
Petri, Michala (1958), Dan.
Rampal, Jean-Pierre (1922), Fr.
Schulz, Wolfgang (1946), Autr.
Shaffer, Elaine (1930-73), USA.
Stilz, Manfred (1946), All.
Taffanel, Paul (1844-1908), Fr.
Veilhan, Jean-Claude (1940), Fr.
Zamfir, Gheorghe (1941), Roum.
Zöller, Karlheinz (1928), All.

Guitare

Alfonso, Nicolas (Esp., 1913), Belg.
Anderson, Magnus (1956), Suède.
Andia, Rafaël (1942), Fr.
Anido, Maria-Luisa (1907), Arg.
Aussel Roberto (1955), Arg.
Barrueco, Manuel (1952), Cubain (nat. Amér.).
Behrend, Siegfried (1933-90), All.
Bream, Julian (1933), G.-B.
Brouwer, Léo (1939), Cuba.
Caceres, Oscar (1938), Uruguay.
Chagnot, Tania (1963), Fr.
Cotsiolis, Costas (1958), Grèce.
Davezak, Betho (1938), Urug. (nat. Fr.).
Diaz, Alirio (1923), Venezuela.
Dintrich, Michel (1933), Fr.
Dumond, Arnaud (1952), Fr.
Ghiglia, Oscar (1936), Ital.
Lagoya, Alexandre (1929), Égypt. (nat. Fr).
Limon, Roberto (1956), Mex.
Lopez Ramos, Manuel (1929), Arg.-Mex.
Mikulka, Vladimir (1952), Tchéc. (nat. Fr.).
Pierri, Alvaro (1953), Urug.
Polašek, Barbara (1941), Tchéc. (vit en All.).
Ponce, Alberto (1935), Esp. (nat. Fr.).
Presti, Ida (1924-67), Fr.
Pujol, Emilio (1886-1980), Esp.
Ragossnig, Konrad (1933), Autr.
Rak, Stepan (1945), Tchéc.
Romero, Pepe (1944), Esp. (nat. Amér.).
Russel, David (1953), G.-B.
Santos, Turibio (1943), Brésil.
Sao-Marcos, Maria-Livia (1942), Suisse.
Scheit, Karl (1909), Autr.
Segovia, Andrés (1894-1987), Esp.
Sollscher, Gören (1955), Suède.
Szendrey Karper, Làszló (1932-91), Hongr.
Williams, John (1942), Austr.
Yamashita, Kazuhito (1961), Japon.
Yepes, Narciso (1927), Esp.
Zelenka, Milan (1939), Tchéc.

Harpe

Cambreling, Frédérique (1956), Fr.
Challan, Annie (1940), Fr.
Flour, Mireille (1906-84), Fr. (nat. Belg.).
Gallais, Bernard (1930), Fr.
Géliot, Martine (1948-88), Fr.
Grandjany, Marcel (1891-1975), Fr.
Holliger, Ursula (1937), Suisse.
Ivan-Roncea, Ion (1947), Roum.
Jamet, Marie-Claire (1933), Fr.
Jamet, Pierre (1893-1991), Fr.
Laskine, Lily (1893-1988), Fr.
Michel, Catherine (1948), Fr.
Mildonian, Susanna (1941), Arménie (nat. It. puis Belg.).
Nordmann, Marielle (1941), Fr.
Pierre, Francis (1931), Fr.
Renié, Henriette (1875-1956), Fr.
Robles, Marisa (1937), Esp. (nat. Brit.).
Zabaleta, Nicanor (1907-93), Esp.

Hautbois

Black, Neil (1932), G.-B.
Bourgue, Maurice (1939), Fr.
Craxton, Janet (1929), G.-B.
Debray, Lucien (n.c.-1987), Fr.
Goossens, Leon (1897-1988), G.-B.
Holliger, Heinz (1939), Suisse.
Koch, Lothar (1935), All.
Malgoire, Jean-Claude (1940), Fr.
Maugras, Gaston (1938), Fr.
Pierlot, Pierre (1921), Fr.
Piguet, Michel (1932), Suisse.
Vandeville, Jacques (1930), Fr.
Winschermann, Helmut (1920), All.

Luth et luth oriental

Bachir, Jamil (1925-77), Irak.
Besson, Kléber (n.c.), Fr.
Bream, Julian (1933), G.-B.
Dupré, Desmond (1916-74), G.-B.
Gerwig, Walter (1899-1967), All.
Huelle, Philippe (1952), Fr.
Junghänel, Konrad (1953), All.
Kirchhof, Lutz (n.c.), All.
Lindberg, Jacob (1952), Suède.
Robert, Guy (1943), Fr.
Rooley, Anthony (1944), G.-B.
Rubin, Jonathan (1952), Austr.
Smith, Hopkinson (1946), USA.
Spencer, Robert (1932), G.-B.
Verle, Fabienne (1954), Fr.

Ondes Martenot

Allart, Sylvette (1923), Fr.
Deslogères, Françoise (1929), Fr.
Laurendeau, Jean-Franç. (1938), Can.
Loriod, Jeanne (1928), Fr.
Martenot, Ginette (1902), Fr.
Murail, Tristan (1947), Fr.
Simonovich-Sibon, Arlette (n.c.), Fr.
Tremblay, Gilles (1932), Can.

Orgue

Alain, Marie-Claire (1926), Fr.
Bailleux, Odile (1939), Fr.
Baker, George C. (1951), USA.
Bate, Jennifer (1944), G.-B.
Benbow, Charles (1947), USA.
Bonnet, Joseph (1886-1944), Fr.
Bovet, Guy (n.c.), Suisse.
Boyer, Jean (1948), Fr.
Brosse, Jean-Patrice (1950), Fr.
Chaisemartin, Suzanne (1923), Fr.
Chapelet, Francis (1934), Fr.
Chapuis, Michel (1930), Fr.
Chorzempa, Daniel (1944), USA.
Cochereau, Pierre (1924-84), Fr.
Commette, Édou. (1883-1967), Fr.
Costa, Jean (1924), Fr.
Darasse, Xavier (1934-92), Fr.
Delvallée, Georges (1937), Fr.
Demessieux, Jeanne (1921-68), Fr.
Devernay, Yves (1937-90), Fr.
Dupré, Marcel (1886-1971), Fr.
Duruflé, Maurice (1902-86), Fr.
Ericsson, Hans-Ola (1958), Suède.
Falcinelli, Rolande (1920), Fr.
Fleury, André (1903), Fr.
Foccroulle, Bernard (1953), Belg.
Franck, César (1822-90), Belg. (nat. Fr.).
Galard, Jean (1949), Fr.
Gavoty, Bernard (1908-81), Fr.
Gigout, Eugène (1844-1925), Fr.
Gil, Jean-Louis (1951-91), Fr.
Girod, Marie-Louise (1915), Fr.
Grunenwald, J.-J. (1911-82), Fr.
Guillou, Jean (1930), Fr.
Guilmant, Alexand. (1837-1911), Fr.
Häselbock, Martin (1954), Autr.
Heiller, Anton (1923-79), Autr.
Houbart, Franç.-Henri (1952), Fr.

Isoir, André (1935), Fr.
Koopman, Ton (1944), P.-B.
Lagacé, Bernard (1930), Can.
Lagacé, Mireille (1935), Can.
Langlais, Jean (1907-91), Fr.
Latry, Olivier (1962), Fr.
Lefebvre, Philippe (1949), Fr.
Leguay, J.-Pierre (1939), Fr.
Lehotka, Gabor (1934), Hongr.
Litaize, Gaston (1909-91), Fr.
Marchal, André (1894-1980), Fr.
Messiaen, Olivier (1908-92), Fr.
Peeters, Flor (1903-86), Belg.
Pierre, Odile (1932), Fr.
Preston, Simon (1938), G.-B.
Puig-Roget, Henriette (1910-92), Fr.
Richter, Karl (1926-81), All.
Robert, Georges (1928), Fr.
Robillard, Louis (1939), Fr.
Rogg, Lionel (1936), Suisse.
Ropek, Jiří (1922), Tchéc.
Rössler, Almut (1932), All.
Roth, Daniel (1942), Fr.
Saint-Martin, Léonce de (1886-1954), Fr.
Saint-Saëns, Camille (1835-1921), Fr.
Saorgin, René (1928), Fr.
Sebesteyn, János (1931), Hongr.
Straube, Karl (1873-1950), All.
Tagliavini, Luigi-Ferdinando (1929), It.
Thiry, Louis (1935), Fr.
Tournemire, Charles (1870-1939), Fr.
Trillat, Ennemond (1890-1980), Fr.
Vidal, Pierre (1927), Fr.
Viderö, Finn (1906), Dan.
Vierne, Louis (1870-1937), Fr.
Walcha, Helmut (1907-91), All.
Weir, Gillian (1941), Nlle-Zél.
Welin, Karl-Erik (1934), Suède.
Widor, Ch.-Marie (1844-1937), Fr.
Zacher, Gerd (1929), All.
Ziegler, Klaus Martin (1929), All.

Orgue électronique, synthétiseur

A Paz Castillo, José (1967), Canaries.
Bataille, Philipp (1949), Fr.
Bennett, Lou (n.c.).
Charraire, Michel (1945), Fr.
De La Mata, Luis (1965), Esp.
Dennerlein, Barbara (n.c.), All.
Ditmar, Ivan (n.c.).
Doggett, Bill (n.c.), USA.
Don Bliss (n.c.), USA.
Fouque, Charles (n.c.), Fr.
Gazit, Raviv (n.c.), Isr.
Greger, Max (n.c.), All.
Groove Holmes, Richard.
Heuser, Paul (1929), All.
James, Bob (n.c.), USA.
Jarre, Jean-Michel (1948), Fr.
Koch, Hubert (1946), All.
Lambert, Franz (n.c.), All.
Lasker, Alex (n.c.).
Le Roy, Gilbert (1930), Fr.
Louiss, Eddy (1941), Fr.
Machado, José (1950), Port.
Padros y Torra, Marta (1962), Esp.
Price, Alan (n.c.), G.-B.
Prina, Curt (n.c.), Suisse.
Scott, Rhoda (1947), USA (nat. Fr.).
Shakespeare, Mark (n.c.), G.-B.
Smith, Jimmy (n.c.), USA.
Tan Duc Huynh, Gabriel (Gaby Mac Coy) (1963), Fr. (or. viêt-nam.).
Tortora, Louis (1952), Fr.
Vivier, Guy (Van Steenlandt) (1942), Fr. (or. belg.).
Wolff, Hady (n.c.), All.
Wunderlich, Klaus (1937), All.
Zehnpfennig, Ady (1950), All.

Percussion

Caskel, Christoph (1932), All.
Chemirami (n.c.), Iran.
Drouet, Jean-Pierre (1935), Fr.
Gualda, Sylvio (1939), Fr.
Jacquet, Alain (n.c.), Fr.
Métral, Pierre (1936), Suisse.

Piano

Achot, Tania (1937), Iran (nat. Port.).
Afanassiev, Valery (1947), Russie, (nat. Belge) vit en France.
Akl, Walid (1945), Liban.
Alexeiev, Dmitri (1947), Russie.
Anda, Géza (1921-76), Hongr. (nat. Suis.).
Argerich, Martha (1941), Arg.
Arrau, Claudio (1903-91), Chili.
Ashkenazy, Vladimir (1936), Russie (nat. Islandais).
Askenase, Stefan (1896-1985), Belg.
Backhaus, Wilhelm (1884-1969), All.
Badura-Skoda, Paul (1927), Autr.
Barbizet, Pierre (1922-90), Fr.
Barenboïm, Daniel (Arg., 1942), Isr.
Barto, Tzimon (1963), USA.
Benedetti-Michelangeli, Arturo (1920), It.
Berman, Lazar (1930), Russie.
Béroff, Michel (1950), Fr.
Biret, Idil (1941), Turquie.
Bœgner, Michèle (1939), Fr.
Bolet, Jorge (1914-90), Cuba (nat. Amér.).
Boschi, Hélène (1917-90), Fr.
Boukoff, Yuri (1923), Bulg. (nat. Fr.).
Bounine, Stanislav (1966), Russie, vit en Suisse.
Braïlowsky, Alexandre (Russie, 1896-1976), USA.
Brendel, Alfred (1931), Autr.
Bronfman, Yefim (1958), Isr.
Brunhoff, Thierry de (1934), Fr.
Buchbinder, Rudolf (1946), Autr.
Cabasso, Laurent (1961), Fr.
Casadesus, Robert (1899-1972), Fr.
Cassard, Philippe (1962), Fr.
Cherkassky, Shura (1911), Russie (nat. Amér.).
Ciccolini, Aldo (1925), It. (nat. Fr.).
Clidat, France (1932), Fr.
Collard, Catherine (1947), Fr.
Collard, Jean-Philippe (1948), Fr.
Cortot, Alfred (1877-1962), Fr.
Crossley, Paul (1944), G.-B.
Curzon, sir Cliff. (1907-82), G.-B.
Cziffra, Georges (1921), Hongr. (nat. Fr.).
Dalberto, Michel (1955), Fr.
Darré, Jeanne-Marie (1905), Fr.
Davidovich, Bella (1928), Russie (nat. Amér.).
Demus, Jörg (1928), Autr.
Descaves, Lucette (1906-93), Fr.
Devetzi, Vasso (1928-87), Grèce.
Dikov, Anton (1938), Bulg.
Donohoe, Peter (1953), G.-B.
Doyen, Jean (1907-82), Fr.
Drenikov, Ivan (1945), Bulg.
Duchable, Franç.-René (1952), Fr.
Egorov, Youri (1954-88), Russie.
El-Bacha, Abdel Rahman (1957), Liban.
Engerer, Brigitte (1952), Fr.
Entremont, Philippe (1934), Fr.
Eschenbach, Christoph (1940), All.
Estrella, Mig. Angel (1936), Arg.
Feinberg, Samuel (1890-1962), Russie.
Février, Jacques (1900-79), Fr.
Fischer, Annie (1914), Hongr.
Fischer, Edwin (1886-1960), Suisse.
Foldes, Andor (Hongr., 1913-92), USA.
François, Samson (1924-70), Fr.
Frankl, Peter (1935), Hongr. vit en Angl.
Freire, Nelson (1944), Brés.
Frémy, Gérard (1935), Fr.
Gage, Irwin (1939), USA.
Gelber, Bruno-Leonardo (1941), Arg.
Gheorghiu, Valentin (1928), Roum.
Gianoli, Reine (1915-79), Fr.
Gieseking, Walter (1895-1956), All.
Gothoni, Ralf (1946), Finl.
Gould, Glenn (1932-82), Can.
Groot, Cor de (1914), P.-Bas.
Guilels, Emil (1916-85), Russie.
Gulda, Friedrich (1930), Autr.
Haas, Monique (1909-87), Fr.
Haas, Werner (1931-76), All.
Haebler, Ingrid (1926), Autr.
Hanafusa, Harumi (1952), Jap.
Haskil, Clara (1895-1960), Roum. (nat. Suis.).
Heidsieck, Éric (1936), Fr.
Helffer, Claude (1922), Fr.
Henriot, Nicole (1925), Fr.
Hofmann, Josef (1876-1957), Pol. (nat. Amér.).
Horowitz, Vlad. (1904-89), Russie (nat. Amér.).
Hubeau, Jean (1917-92), Fr.
Indjic, Eugène (1947), USA.
Istomin, Eugene (1925), USA.
Iturbi, José (1895-1980), Esp.
Ivaldi, Christian (1938), Fr.
Jando, Jenö (1952), Hongr.
Janis, Byron (1928), USA.
Kahn, Claude (1939), Fr.
Kalichstein, Joseph (1946), Israël.
Katchen, Julius (1926-69), USA.
Katsaris, Cyprien (1951), Fr.
Kempff, Wilhelm (1895-91), All.
Kentner, Louis (1905-87), Hongr. (nat. Brit.).
Kocsis, Zoltan (1952), Hongr.
Kontarsky, Alfons (1932), All.
Kontarsky, Aloys (1931), All.
Kraus, Lili (1908-86), Hongr. (nat. Amér.).
Labèque, Katia (1953), Fr.
Labèque, Marielle (1956), Fr.
La Bruchollerie, Monique de (1915-72), Fr.
Laforet, Marc (1965), Fr.
Larrocha, Alicia de (1923), Esp.
Laval, Danièle (1939), Fr.
Leconte, Pierre (1937), Fr.
Lee, Noël (1924), USA.
Lefébure, Yvonne (1904-86), Fr.
Lhévinne, Josef (1874-1944), USA (or. russe).
Lipatti, Dinu (1917-50), Roum.
Long, Marguerite (1874-1966), Fr.
Lonquich, Alexander (1960), All.
Loriod, Yvonne (1924), Fr.
Luisada, Jean-Marc (1958), Fr.
Lupu, Radu (1945), Roum.
Magaloff, Nikita (1912-92), Suisse (or. russe).
Maisenberg, Oleg (1945), Russie, vit en Autriche.
Malcuzynski, Witold (1914-77), Pol.
Malinin, Evgeni (1930), Russie.
Mammoser, Alain (1948), Fr.
Menuhin, Hephzibah (1920-81), USA.
Menuhin, Jeremy (1951), USA.
Merlet, Dominique (1938), Fr.
Moore, Gerald (1899-1987), G.-B.
Moravec, Ivan (1930), Tchéc.
Mustonen, Olli (1967), Finl.
Nat, Yves (1890-1956), Fr.
Neuhaus, Henrich (1888-1964), Russie.
Ogdon, John (1937-89), G.-B.
Oppitz, Gerhard (1953), All.
Osinska, Eva (1941), Pol.
Ousset, Cécile (1936), Fr.
Paderewski, Ignacy (1860-1941), Pol.
Paik, Kun-Woo (1946), Corée.
Palenicek, Josef (1914-91), Tchéc.
Pekinel, Güher et Süher (1953), Turques (sœurs jumelles).
Pennetier, Jean-Claude (1942), Fr.
Perahia, Murray (1947), USA.
Perlemuter, Vlado (1904), Fr. (or. pol.).
Pires, Maria-João (1944), Port.
Planès, Alain (1948), Fr.
Planté, Francis (1839-1934), Fr.
Pletniev, Mikhail (1957), Russie.
Pludermacher, Georges (1944), Fr.
Pogorelich, Ivo (1958), Youg.
Pollini, Maurizio (1942), It.
Pommier, Jean-Bernard (1944), Fr.
Ponti, Michael (1937), USA.
Pugno, Raoul (1852-1914), Fr.
Quéffélec, Anne (1948), Fr.
Rachmaninov, Sergueï (1873-1943), Russie.
Ránki, Dezsö (1951), Hongr.
Reach, Pierre (1948), Fr.
Richter, Sviatoslav (1914), Russie.
Richter-Haaser, Hans (1912-80), All.
Rigutto, Bruno (1945), Fr.
Ringeissen, Bernard (1934), Fr.
Risler, Édouard (1873-1929), Fr.
Rogé, Pascal (1951), Fr.
Rösel, Peter (1945), All.
Rosen, Charles (1927), USA.
Rubinstein, Artur (1886-1982), Pol. (nat. Amér.).
Rudy, Mikhail (1953), Russie (nat. Fr.).
Sabran, Gersende de (1942 ; duchesse d'Orléans), Fr.
Sancan, Pierre (1916), Fr.
Sándor, György (1912), Hongr. (nat. Amér.).
Schiff, Andràs (1953), Hongr.
Schnabel, Artur (Pol. 1881-1951), Autr. (nat. Amér.).
Sebök, György (1922), Hongr. (nat. Amér.).
Sequeira-Costa, José (1929), Port.
Serkin, Rudolf (1903-91), Autr. (nat. Amér.).
Sermet, Huseyin (1955), Turquie.
Son, Dặng Thái, (1958), Vietn.
Solomon, (1902-88), G.-B.
Szidon, Roberto (1941), Brés.
Tacchino, Gabriel (1934), Fr.
Tagliaferro, Magda (1894-1986), Fr.
Tan, Melvyn (1956), Chine.
Thibaudet, Jean-Yves (1961), Fr.
Thiollier, François-Joël (1943), Fr.
Tipo, Maria (1931), It.
Uchida, Mitsuko (1948), Jap.
Ugorski, Anatoli (n.c.), Russie.
Van Cliburn (1934), USA.
Vásáry, Tamás (1933), Hongr.
Vianna da Motta, José (1868-1948), Port.
Viñes, Ricardo (1875-1943), Esp.
Weissenberg, Alexis (Sofia, 1929), Fr.
Wittgenstein, Paul (1887-1961), Autr. (nat. Amér.).
Woodward, Roger (1942).
Yankoff, Ventsislav (1926), Bulgare (nat. fr.).
Yudina, Maria (1899-1970), Russie.
Zak, Yakov (1913-76), Russie.
Zelter, Mark (1947), Russie (vit aux USA).
Zilberstein, Lilya (1965), Russie.
Zimerman, Krystian (1956), Pol.

Saxophone

Coller, Philippe (1955), Suisse.
Deffayet, Daniel (1922), Fr.
Gordon, Dexter (1923-90), USA.
Harle, John (n.c.), G.-B.
Kientzy, Daniel (1951), Fr.
Lock-Jaw Davies, Eddie (1921-86), USA.
Londeix, Jean-Marie (1932), Fr.
Mule, Marcel (1901), Fr.
Pepper, Adams (1930-85), USA.

Trompette

André, Maurice (1933), Fr.
Bernard, André (1946), Fr.
Calvayrac, Albert (1934), Fr.
Delmotte, Roger (1925), Fr.
Dorkchitser, Timoteï (1921), Russie.
Güttler, Ludwig (1943), All.
Hardenberger, Håkan (1961), Suède.
Hardy, Francis (n.c.), Fr.
Marsalis, Wynton (1961), USA.
Scherbaum, Adolf (1909), All.
Soustrot, Bernard (1954), Fr.
Tarr, Edward (1936), USA.
Thibaud, Pierre (1929), Fr.
Touvron, Guy (1950), Fr.

Viole de gambe

Casademunt, Sergi (n.c.), Esp.
Charbonnier, J.-Louis (1951), Fr.
Coin, Christophe (1958), Fr.
Harnoncourt, Nik. (1929), Autr.
Kuijken, Wieland (1938), Belg.
Savall, Jordi (1941), Esp.
Wenzinger, August (1905), Suisse.

VIOLON

ACCARDO, Salvatore (1941), It.
ALTENBURGER, Christian (1957), Autr.
AMOYAL, Pierre (1949), Fr.
AUER, Leopold (1885-1930), Hongr.
BELKIN, Boris (1948), Russie (nat. Isr.).
BELL, Joshua (1967), USA.
BONDI, Fabio (n.c.), It.
BROWN, Iona (1941), G.-B.
BULL, Ole (1810-80), Norv.
BUSCH, Adolf (1891-1952), All. (nat. Suis.).
CAMPOLI, Alfredo (1906-91), It.
CHARLIER, Olivier (1961), Fr.
CHUNG, Kyung-Wha (1948), Corée.
DUMAY, Augustin (1949), Fr.
ELMAN, Mischa (1891-1967), Russie (nat. Amér.).
ENESCO, Georges (1881-1955), Roum.
ERLIH, Devy (1928), Fr.
FERRAS, Christian (1933-82), Fr.
FLESCH, Carl (1873-1944), Hongr.
FONTANAROSA, Patrice (1942), Fr.
FRANCESCATTI, Zino (1902-91), Fr.
GERTLER, André (1907), Hongr. (nat. Belg.).
GITLIS, Ivry (1927), Israël (vit en France).
GRUMIAUX, Arthur (1921-86), Belg.
HEIFETZ, Jascha (1899-1987), Litu. (nat. Amér.).
HOELSCHER, Ulf (1942), All.
HUBERMAN, Bronislaw (1882-1947), Pol.
JARRY, Gérard (1936), Fr.
JOACHIM, Josef (1831-1907), Hongr.
KAGAN, Oleg (1946-90), Russie.
KANG, Dong Suk (1954), Corée.
KANTOROW, J.-Jacques (1945), Fr.
KAVAKOS, Leonidas (1967), Gr.
KENNEDY, Nigel (1956), G.-B.
KOGAN, Leonid (1924-82), Russie.
KOVÁCS, Dénes (1930), Hongr.
KREBBERS, Herman (1923), P.-B.
KREISLER, Fritz (1875-1962), Autr. (nat. Amér.).
KREMER, Gidon (1947), Russie, vit en All.
KUBELÍK, Jan (1880-1940), Tchéc.
KUIJKEN, Sigiswald (1944), Belg.
KULENKAMPFF, Georg (1898-1948), All.
KULKA, Konstanty Andrzej (1947), Pol.
LIN, Cho-Liang (1960), Chine (nat. Amér.).
LOEWENGUTH, Alfred (1911-83), Fr.
MELKUS, Eduard (1928), Autr.
MENUHIN, sir Yehudi (1916), USA, G.-B. et Suisse.
MIDORI (1971), Jap.
MILANOVA, Stoïka (1945), Bulg.
MILSTEIN, Nathan (1904-92), USA (or. russe).
MINTCHEV, Mintcho (1948), Bulg.
MINTZ, Shlomo (1957), Isr.
MULLOVA, Viktoria (1959), Russie, vit aux USA.
MUTTER, Anne-Sophie (1963), All.
NEVEU, Ginette (1919-49), Fr.
NICOLAS, Marie-Annick (1956), Fr.
OÏSTRAKH, David (1908-74), Russie.
OÏSTRAKH, Igor (1931), Russie.
OLEG, Raphaël (1959), Fr.
OLOF, Theo (1924), P.-B.
PASQUIER, Jean (1904-92), Fr.
PASQUIER, Régis (1945), Fr.
PEINEMANN, Édith (1937), All.
PERLMAN, Itzhak (1945), Israël.
PIKAISEN, Viktor (1933), Russie.
REPIM, Vadim (1971), Russie.
RICCI, Ruggiero (1920), USA (or. it.).
ROSAND, Aaron (1927), USA.
SARASATE, Pablo de (1844-1908), Esp.
SCHNEIDER, Alexandre (1908-93), USA.
SCHNEIDERHAN, Wolfgang (1915), Autr.
SCHRÖDER, Jaap (1925), P.-B.
SHAHAM, Gil (1971) Isr. et USA.
SITKOVETSKY, Dmitry (1954), Russie émigré aux USA.
SPIVAKOV, Vladimir (1944), Russie.
STADLER, Serguei (1962), Russie.
STERN, Isaac (1920), USA (or. Russie).
SUK, Josef (1929), Tchéc.
SZÉKELY, Zoltán (1903), Hongr. (nat. Amér.).
SZERYNG, Henryk (1918-88), Pol. (nat. Mex.).
SZIGETI, Joseph (1892-1973), Hongr. (nat. Amér.).
THIBAUD, Jacques (1880-1953), Fr.
TRETIAKOV, Viktor (1946), Russie.
TURBAN, Ingolf (1964), All.
UGHI, Uto (1944), It.
VAN KEULEN, Isab. (1966), P.-B.
VARGA, Tibor (1921), Hongr. (nat. Brit.).
VENGEROV, Maxim (1974), Russie.
VOICU, Ion (1925), Roum.
WALLEZ, Jean-Pierre (1939), Fr.
WERTHEN, Rudolf (1946), Belg.
WIENIAWSKI, Henryk (1835-80), Pol.
WILKOMIRSKA, Wanda (1929), Pol.
YORDANOFF, Luben (1926), Bulg. (nat. monégasque).
YSAYE, Eugène (1858-1931), Belg.
ZEHETMAIR, Thomas (1961), Autr.
ZIMANSKY, Robert (1948), USA.
ZIMMERMANN, Frank-Peter (1965), All.
ZUKERMAN, Pinchas (1948), Israël.

VIOLONCELLE

BAILLIE, Alexander (1956), G.-B.
BAZELAIRE, Paul (1886-1958), Fr.
BECKER, Hugo (1863-1954), All.
BERGER, Julius (1954), All.
BYLSMA, Anner (1934), P.-B.
CASSADÓ, Gaspar (1897-1966), Esp.
CASALS, Pablo (1876-1973), Esp.
CHIFFOLEAU, Yvan (1956), Fr.
CHUCHRO, Josef (1931), Tchéc.
CLARET, Luis (1951), Andorre.
COIN, Christophe (1958), Fr.
DU PRÉ, Jacqueline (1945-1987), G.-B.
FEUERMANN, Emanuel (1902-42), Pol. (nat. Amér.).
FLACHOT, Reine (1922), Fr.
FONTANAROSA, Renaud (1946), Fr.
FOURNIER, Pierre (1906-86), Fr.
GENDRON, Maurice (1920-90), Fr.
GERINGAS, David (1946), Russie, émigré en All.
GUEORGIAN, Karine (1944), Russie.
GUTMAN, Natalia (1942), Russie.
HAIMOVITZ, Matt (1970), USA-Isr.
HARNOY, Ofra (1965), USA (or. isr.).
HARRELL, Lynn (1944), USA.
HELMERSON, Frans (1945), Suède.
HOFFMANN, Gary (1956), USA.
JABLONSKI, Roman (1945), Pol.
JANIGRO, Antonio (1918-89), It.
KHOMITZER, Mikhail (1935), Russie.
LLOYD WEBBER, Julian (1951), G.-B.
LODÉON, Frédéric (1952), Fr.
MA, Yo-yo (1955), USA (or. ch.).
MAINARDI, Enrico (1897-1976), It.
MAISKY, Mischa (1948), Russe vit en France.
MARÉCHAL, Maurice (1892-1964), Fr.
MARKEVITCH, Dimitry (1923), USA (or. Russe vit en Suisse).
MENESES, Antonio (1957), Brésil.
MEUNIER, Alain (1942), Fr.
MONIGHETTI, Ivan (1948), Lettonie.
NAVARRA, André (1911-88), Fr.
NORAS, Arto (1942), Finl.
PALM, Siegfried (1927), All.
PARISOT, Aldo (1920), Brés.
PERÉNYI, Miklós (1948), Hongr.
PERGAMENSCHIKOV, Boris (1948), Russie, vit en All.
PIATIGORSKI, Gregor (1903-76), Russie (nat. Amér.).
PIDOUX, Roland (1946), Fr.
ROSE, Leonard (1918-84), USA.
ROSTROPOVITCH, Mstislav (1927), Russie (nat. Suis.).
SÁDLO, Miloš (1912), Tchéc.
SHAFRAN, Daniil (1923) Russie.
SCHIFF, Heinrich (1947), Autr.
STARKER, János (1924), Hongr. (nat. Amér.).
TORTELIER, Paul (1914-90), Fr.
WALEVSKA, Christine (1948), USA.
WILLIANCOURT, Dominique de (1959), Fr.

JAZZ

Listes des abréviations

Accordéon : Accor.	Harmonica : H.
Alto : Al.	Mandoline : Man.
Banjo : Ban.	Noir : N.
Batteur : Bat.	Orgue : O.
Blanc : Bl.	Pianiste : Pi.
Chanteur(se) : Ch.	Saxo : S.
Chef d'orch. : C. d'or.	Ténor : Tén.
Clarinettiste : Cl.	Trombone : Tb.
Compositeur : Cp.	Trompettiste : Tp.
Contrebasse : C.	Vibraphoniste : Vi.
Cornettiste : Co	Violoniste : Viol.
Flûte : Fl.	Washboard : Wb.
Guitariste : Gui.	

☞ Américain, sauf indication.
Voir aussi **Personnalités** à l'Index.

ADDERLEY, Julian « Cannonball » (1928-75), S.
ARMSTRONG, Louis Daniel (4-8-1901/6-7-71), Tp. Ch. Cp. C. d'or., N.
AYLER, Albert (1936-70), S., N.
BAQUET, George (1883-1949), Cl., N.
BARBIERI, Gato (1933), S. Tén., Argentin Bl.
BASIE, Count (William) (1904-84), Pian. O. C. d'or., N.
BECHET, Sidney (1897-1959), Cl. S. soprano, Cp., N.
BEIDERBECKE, Bix (Leon) (1903-31), Tp. Co. Pi., Bl.
BELLSON, Louie (6-7-1924), Bat., Bl.
BENKÓ, Sándor (1940), Hongr. Cl. Cp.
BERRY, Chu (Leon) (1910-41), S. N.
BIGARD, Barney (1906-80), Cl. et S. Tén., N.
BLACKWELL, Ed (1929-92), Bat.
BLAKE, Eubie (1883-1983), Cp. Pi., N.
BLAKEY, Art (1919-90), Bat., N.
BLEY, Carla (11-5-1938), C. d'or., Cp., Bl.
BOLDEN, Buddy (1877-1931), Tp., N.
BOLLING, Claude (10-4-1930), Pi. Bl.
BRAXTON, Anthony (1945), S., N.
BROWN, Charles (1920), Gui., N.
BRUBECK, Dave (1920), Pi., Bl.
BUCKNER, Milt (1915-77), Pi. Vi. O. C. d'or., Bl.
BUNN, Teddy (1909-78), Gui., N.
BURTON, Gary (1943), Vi., Bl.
BYAS, Carlos Don (1912-72), S., N.
BYRD, Charlie (1925), Gui., Bl.
CALDWELL, Toy (1948-93), Gui. Ch.
CALLENDER, Red (1918-92), C.
CALLOWAY, Cab. (25-12-1907), Ch. C. d'or. N.
CARTER, Benny (8-8-1907), S. Al. Tp. Cl. Cp. C. d'or., N.
CATLETT, Sidney (1910-51), Bat., N.
CELESTIN, Papa (1884-1954), Tp., N.
CHARLES, Ray (23-9-1932), Ch. Pi. S. Al. O. C. d'or., N.
CHERRY, Don (Donald) (1936), Tp.
CHRISTIAN, Charlie (1916-42), Gui. N.
CLARKE, Kenny (1914-85), Bat., N.
CLAYTON, Buck (Wilber) (1911-92), Tp., N.
COHN, Al (1925-88), S. Tén., Bl.
COLE, Cozy (1909-81), Bat., N.
COLE, Nat King (Nathaniel) (17-3-1917/15-2-65), Pi. Ch., N.
COLEMAN, Bill (1904-81), Tp.
COLEMAN, Ornette (1930), S. Al., N.
COLLINS, Lee (1901-60), Tp., N.
COLTRANE, John (1926-67), S. Cp. N.
COMBELLE, Alix (1912-78), S. Tén. Cl. C., d'or. Bl. (Français).
CONDON, Eddie (1905-73), Ban. Gui. Bl.
COREA, Chick (12-6-1941), Pi., Bl.
DAVIS, Eddie « Lockjaw » (1922-86), S. Tén., N.
DAVIS, Miles (1926-91), Tp. Cp., N.
DESMOND, Paul (1924-77), Al., Bl.
DODDS, Baby (1898-1959), Bat., N.
DODDS, Johnny (1892-1940), Cl., N.
DOLPHY, Eric (1928-64), Al., Cl., N.
DOMINO, Fats (1929), Pi. Ch. C., d'or N.
DORSEY, Jimmy (James) (1904-57), S. Al. Cl. C., d'or. Bl.
DORSEY, Tommy (1905-56), Tb. Tp. C., d'or. Bl.
ECKSTINE, Billy (W.C. Eckstein) (8-7-1913), C. d'or. Ch., N.
EDISON, Sweets (Harry) (1915), Tp., N.
ELDRIDGE, Roy (1911-89), Tp., N.
ELLINGTON, Duke (29-4-1899/24-5-1974), Pian. C. d'or. Cp., N.
EVANS, Bill (1929-80), Pi.
EVANS, Gil (1912-88), Pi. C. d'or., Bl.
FITZGERALD, Ella (25-4-1918), Ch. N.
FOSTER, Pops (George-Murphy) (1892-1969), C., N.
GARBAREK, Jan (1947), S., Bl.
GARNER, Erroll (1923-77), Pi., N.
GARROS, Christian (1920-88), Bat. Bl.
GETZ, Stan (1927-91), S. Tén., Bl.
GILLESPIE, Dizzy (John) (21-10-1917/6-1-1993), Tp. C., d'or. N.
GONDA, János (1932), Hongr.
GOODMAN, Benny (1909-86), Cl. C., d'or. Bl.
GRAPPELLI, Stéphane (26-1-1908), Viol. Pi., Bl. (Français).
GREEN, Freddie (1911-87), g., N.
GUERIN, Beb (1941-80), C.
GULLIN, Lars (1928-76), S., Bl. Sué.
HAMPTON, Lionel (12-4-1909), Bat. Pi. Vi. C., d'or. N.
HARRISON, Jimmy (James Henry) (1900-31), Tb. Ch., N.
HAWKINS, Coleman (21-11-1901/19-5-69), S. Tén., N.
HENDERSON, Fletcher (18-12-1897/28-12-1952), Pi. Cp. C., d'or. N.
HERMAN, Woody (1913-87), Cl. C. d'or. Bl.
HINES, Earl (28-12-1903/22-4-83), Pi. Cp. C., d'or. N.
HODES, Arthur « Art » (1904-93), Pi.
HODGES, Johnny (Cornelius) (25-7-1907/11-5-70), S. Al. C., d'or. N.
HOLIDAY, Billie (1915-59), Ch., N.
HUSBY, Per (1949), Pi., Bl.
JACKSON, Chubby (Greig Stewart) (25-10-1918), C., Bl.
JACKSON, Mahalia (1911-73), Ch., N.
JACKSON, Milt (1923), Vi., N.
JACKSON, Tony (1876-1921), Pi. Ch., N.
JACQUET, Illinois (Bapt.) (31-10-1922), S. Tén., N.
JARRETT, Keith (1945), Pi., Bl.
JOHNSON, Bunk (Will.) (1889-1949), Tp., N.
JOHNSON, James P. (1894-1955), Pi. N.
JOHNSON, Jay Jay (James Louis) (1924), Tb., N.
JOHNSON, Jimmy (James P.) (1894-1955), Pi. Cp. N.
JONES, Hank (1918), Pi., N.
JONES, Jo (1911-85), Bat.
JONES, Philly Joe (1923-85), Bat., N.
JONES, Thad (1923-86), Tb., N.
JOPLIN, Scott (1868-1917), Pi. Cp. N.
KEPPARD, Freddy (1890-1933), Tp. N.
KIRK, Roland (1936-77), S. Tén. N.
KONITZ, Lee (1927), S. Al., Bl.
KROG, Karin (1937), Ch., Bl.
KRUPA, Gene (1909-73), Bat., C. d'or. Bl.
LADNIER, Tommy (1900-39), Tp.
LAFITTE, Guy (1927), S. Tén. Cl., Bl. (Français).
LA ROCCA, Nick (1899-1961), Co. Cp., Bl.
LEVY, Lou (1928), Pi., N.
LEWIS, Al (1905-92), Ban., John (1920), Pi. et C., d'or. N.
LINKOLA, Jukka (1955) : Cp., pi. (Finlande).
LUNCEFORD, Jimmie (James Melvin) (1902-47), C. d'or. S., N.
LUTER, Claude (23-7-1923), Cl. C., d'or. Bl. (Français).
LYONS, Jimmy (1932-86), S.
MAKOWICZ, Adam (1940), Pi., Pol.
MARSALIS, Wynton (18-10-1961), Tp. N.
MCGHEE (1918-87), Tp. N.
MCLEAN, Jackie (John Lenwood) (1932), S.
MEZZROW, Milton (« Mezz ») (1899-1972), Cl. S. C. d'or. C., Bl.
MILEY, Bubber (James) (1903-32), Tp. N.
MILLER, Glenn (1904-44), Tb. C. d'or. Bl.
MINGUS, Charles (1922-79), C., N.

MITCHELL, Red (1927-92), C.
MONK, Thelonious (1917-82), Pi. N.
MORTON, Jelly Roll (Ferdinand Jos. La Mothe) (20-10-1890/10-7-1941), Pi. Cp. Ch. C., d'or. N.
MULLIGAN, Gerry (1927), S. baryt. Bl.
NELSON, Big Eye Louis (Louis Delisle) (1885-1949), Cl., N.
NEWBORN, Phineas (1931-89), Pi. N.
NICHOLAS, Albert (Nick) (1900-73), Cl., N.
NOONE, Jimmy (1895-1944), Cl. N.
OLIVER, Joe « King » (1885-1938), Tp. C. d'or. Cp., N.
ORY, Kid (1886-1973), Tb. C. d'or. N.
PALMER, Roy (1892-1964), Tb., N.
PARKER, Charlie (1920-55), S. Al. N.
PASS, Joe (1929), Gui., Bl.
PASTORIUS, John Francis, dit Jaco (1951-87), g. basse.
PEPPER, Art (1925-82), S. Al. Cl. Bl.
PERKINS, Carl (1928-58), Pi.
PETERSON, Oscar (15-8-1925), Pi. N.
PETRUCCIANI, Michel (1963), Fr., Pi.
PETTIFORD, Oscar « Opie » (1922-60), C.
PONTY, Jean-Luc (1942), Viol., Bl.
PORRET, Julien (1896-1979) Cp., Tp. (Français).
PORTAL, Michel (1935), Cl. S. (Français), Bl.
POWELL, Bud (1924-66), Pi., N.
PRESSER, Gábor (1948) (Hongr.).
PRICE, Sammy (1908-92), Pi., N.
REINHARDT, Django (23-1-1910/16-5-53), Tzigane n. Belg., Gui. Cp. Bl.
RICH, Buddy (Bernard) (1917-87), Bat., N.
ROACH, Max (1925), Bat., N.
ROBESON, Paul (1898-1976), Ch. N.
ROGERS, Shorty (1924), Tp., Bl.
ROLLINS, Sonny (7-9-1930), S., N.
ROUSE, Charlie (1924-88), S., N.
RYPDAL, Terje (1947-89), Gui., Bl.
SARMANTO, Heikki (1939), Pi., Cp.
SHAW, Artie (Arthus Arshewsky) (23-5-1910), Cl. C. d'or., Bl.
SHEPP, Archie (24-5-1937), S., N.
SILVA, Alan (1939), C. C. d'or.
SILVER, Horace (Ward Martin Tavares) (2-9-28), Pi. S. C. d'or., N.
SIMS, Zoot (1925-85), S. Tén., Bl.
SINGLETON, Zutty (Arthur) (1898-1975), Bat., N.
SLOVACEK, Felix (1944), Cl., S., C. d'or., Bl.
SMITH, Bessie (1894-1937), Ch., N.
SMITH, Jimmy (8-12-1925), O. Pi. Ch., N.
SMITH, Willie (William Bertholoff) (1897-1973), Pi. Cp. C. d'or., N.
SOLAL, Martial (Fr., 1927), Pi., Bl.
ST CYR, John Alexander (1890-1966), Gui. Ban.
STIVIN, Jiří (1942), S., Fl., Cp., Bl.
SUN RA (Sonny Blondt) (1925), Pi. N.
SUTHERLAND, Margaret (1897-1984), Ct., m. arc., œ. ch., ins., œ. voc., Pi.
SZABADOS, György (1939) (Hongr.).
TATUM, Art (1910-56), Pi., N.
TAYLOR, Cecil (1933), Pi., N.
TEAGARDEN, Jack (29-8-1895/15-1-1964), T. Ch., Bl.
THORNTON, Clifford (1936-83), Tp. N.
TONEFF, Radka (1952-82), Ch., Bl.
TRISTANO, Lennie (1919-79), Pi. Bl.
TYNER, McCoy (11-12-1938), Pi., N.
VAUGHAN, Sarah (1924-90), Ch., N.
VESALA, Edward (1945), Bat., Cp.
WALLER, Fats (1904-43), Pi. O. Ch. Cp. C. d'or.
WALLINGTON, George (1923-93), Pi.
WASHINGTON, Ernie F. (1926-79), Pi. Ch.
WEBB, Chick (William) (1909-39), Bat. C. d'or. N.
WEBSTER, Ben (1909-73), S. Tén. N.
WILDE, Roland de (1960), Pi.
WILLIAMS, Cootie (Charles Melvin) (1908-85), Tp. Ch. C. d'or., N.
WILLIAMS, Mary Lou (1910-81), Pi. Cp., N.
WILSON, Teddy (1912-86), Pi. C. d'or.
YOUNG, Lester « Prez » (27-8-1909/15-3-59), S. Tén. Cl., N.

BLUES

☞ Américain, sauf indication.

ALEXANDER, Texas (1890-1955) : Ch., Gui.
ALLISON, Luther (1939) : Ch., Gui.
ARNOLD, Kokomo (1913-69) : Ch., Gui.
BERRY, Chuck (Charles Edward) (1931) : Gui., Ch., Bl.
BIG BILL BROONZY (1893-1958) : Ch., Gui.
BIG MACEO (1905-53) : Ch., Pi.
BLAND, Bobby « Blue » (11-10-1919) : Ch.
BLIND, Blake (1885-1930) : Gui., Ch.
BOYD, Eddie (25-11-1914) : Pi., Ch.
BROWN, Ada (1891-1950) : Ch.
BROWN, Roy (James) (1925-81) : Ch.
CARR, Leroy (1905-35) : Ch., Pi.
CHENIER, Clifton (1925-87) : Ch., Accor.
COX, Ida (1889-1967) : Ch.
CRAYTON, Peewee (1914-85) : Ch., Guit.
CRUDUP, « Big Boy » (Arthur) (1905-74) : Ch., Gui.
DAVENPORT, Cow cow (1894-1955) : Ch., Pi.
DAVIS, Blind Gary (1896-1972) : Ch., Guit, Ban.
DAVIS, Walter (1912-64) : Ch., Pi.
DAWKINS, Jimmy « Fast Fingers » (1938) : Ch., Gui.
DIDDLEY, Bo (Ellas McDaniel) (1928).
DIXON, Willie (1915-92) : C., Ch.
DUPREE, Champion Jack (William Thomas) (1910) : Ch., Pi.
ESTES, John, « Sleepy John » (1900-77) : Ch., Gui.
FULLER, Jesse (1896-1976) : Ch., Gui., H.
FULSON, Lowell (31-3-1921) : Ch., Gui.
GILLUM, William « Jazz Gillum » (11-9-1904) : Ch., H.
GUY, Buddy (30-7-1936) : Ch., Gui.
HARRIS, Wynonie (1915-69) : Ch.
HOGG, Smokey (1914-60) : Ch., Gui.
HOOKER, Earl (1930-70) : Gui., Ch.
HOOKER, John Lee (22-8-1917) : Ch., Gui.
HOPKINS, « Lightnin » (1912-82) : Ch., Gui.
HOWLIN'WOLF (Chester Burnett) (1910-76), Ch. Gui., Harm.
JAMES, Elmore (1928-63) : Ch., Gui.
JAMES, « Homesick » (30-4-1910) : Gui., Ch.
JAMES, Skip (1902-69) : Ch., Gui., Pian.
JEFFERSON, « Blind Lemon » (1880-1929) : Ch., Gui.
JOHNSON, Lonnie (1894-1970) : Gui., Ch.
JOHNSON, Luther (1934-76) : Ch., Gui.
JOHNSON Jr., Luther (1939) : Ch., Gui.
JOHNSON, Robert (1910-38) : Ch., Gui.
JONES, Curtis (1906-71) : Ch., Pi.
JONES, Johnnie « Little Johnnie » (1924-64) : Pi., Ch.
JOSEPH, Pleasant (1907-89) : Ch., Gui.
KING, Albert (25-4-1924) : Gui., Ch.
KING « B.B. » (16-9-1925) : Ch., Gui.
KING, Freddie (1934-76) : Ch., Gui.
KORNER, Alexis (1928-84) : Gui.
LEADBELLY (1889-1949) : Ch., Gui.
LIGHTNIN'SLIM (1913-74) : Ch., Gui.
LIPSCOMB, Mance (1895-1976) : Ch., Gui.
LITTLE MILTON (7-9-1934) : Ch., Gui.
LITTLE WALTER (1930-68) : H., Ch.
LOCKWOOD, Robert Jr. (1916) : Ch., Gui.
LOUISIANA RED (1936) : Ch., Gui., H.
LUCAS, Lazy Bill (1918) : H., Pi., Gui.
MCGHEE, Brownie (1915) : Ch., Gui.
MAGIC SAM (Samuel Maghett) (1937-69) : Ch., Gui.
MARTIN, Carl (1906) : Ch., Gui., Man.
MC CLENNAN, Tommy (1908-59) : Ch., Gui.
MC COY, Joe (1900-51) : Gui., Ch.
MEMPHIS MINNIE (1900-73) : Ch., Gui.
MEMPHIS SLIM (1915-88) : Ch., Pian.
MUDDY WATERS (1915-83) : Ch., Gui.
MYERS, Louis (1929) : Gui., H., Ch.
NIGHTHAWK, Robert (1919-67) : Ch., Gui.
PATTON, Charley (1887-1934) : Ch., Gui.
PEG LEG, Sam (1911) : Ch., H.
PROFESSOR LONGHAIR (1918-80) : Ch., Pian.
RAINEY MA, Gertrude (1886-1939) : Ch.
REED, Jimmy (1925-76) : Ch., H., Gui.
ROBINSON, L.C. « Good Robin » (1915-76) : Ch., Gui., Viol.
ROGERS, Jimmy (1924) : Ch., Gui.
RUSH, Otis (29-4-1934) : Ch., Gui.
SHINES, Johnny (1915-92) : Ch., Gui.
SLIM, Sunnyland (1907) : Ch., Pian.
SMITH, George (1924-83) : Ch., H.
SPANN, Otis (1930-70) : Pian., Ch.
STACKHOUSE, Houston (1910) : Gui., Ch.
SUNNYLAND, Slim (5-9-1907) : Ch., Pi.
SYKES, Roosevelt (1906-83) : Ch., Pi.
TAMPA RED (1903-81) : Ch., Gui.
TAYLOR, Eddie (1923-85) : Ch., Gui.
TEMPLE, Johnny (1908-68) : Ch., Gui.
TERRY, Sonny (1911-86) : H., Ch.
THORNTON, Big Mama (1926-85) : Ch., H.
TUCKER, Tom (1933-82) : Ch., Pi., O.
TURNER, Ike (5-11-1931) : Gui., Pi., Ch.
WALKER, Aaron « T-Bone » (1909-75) : Ch., Gui.
WASHBOARD, Sam (Robert Brown) (1910-66) : Ch. Wb.
WELLS, Junior (9-12-1939) : Ch., H.
WILKINS, Joe Willie (1924) : Gui., Ch.
WILLIAMS, Big Joe (1903-82) : Ch., Gui.
WILLIAMSON, « Sonny Boy » (1914-48) : Ch., H.
WILLIAMSON, « Sonny Boy » (II[e]) (1901-65) : Ch., H.
YOUNG, Johnny (1917-74) : Ch., Man., Gui.

☞ **Musiciens morts de mort violente.** Jean-Baptiste Lully, *compositeur* (Fr. 1632-87) ; Alessandro Stradella (It. 1644-82) ; Jean-Marie Leclair (Fr. 1697-1764) ; Charles-Valentin Alkan (Fr. 1813-88) ; Ernest Chausson (Fr. 1855-99) ; Albéric Magnard (Fr. 1865-1914) ; Enrique Granados (Esp. 1867-1916) ; Jacques Thibaud, *violoniste* (Fr. 1880-1953) ; Anton Webern, *compositeur* (Autr. 1883-1945) ; Maurice Jaubert (Fr. 1900-40) tué à la guerre ; Jehan Alain (Fr. 1911-40) tué à la guerre ; Guido Cantelli, *chef d'orchestre* (It. 1920-56) ; Ginette Neveu (Fr. 1919-49), accident d'avion aux Açores.

GENRE, STYLE ET FORME

Les *genres* comprennent la musique sacrée, profane, vocale, instrumentale. Le *style* caractérise plutôt une époque. La *forme* est la manière dont l'ensemble d'une œuvre est constitué.

FORMES PRINCIPALES

■ MUSIQUE PROFANE

Air de cour (XVIe-XVIIe s.), air à chanter galant et pastoral. **Aria** ou **air** (XVIIe-XIXe s.), mélodie vocale ou instrumentale. **Arioso** (XVIIe-XVIIIe s.), récitatif vocal accompagné.

Ballade (XIVe-XVe s.), chanson voc. ou instrumentale de forme fixe, dont l'élément caractéristique est le vers-refrain à la fin de chaque strophe ; (fin XVIIIe s.), mélodie vocale inspirée par un texte littéraire ; devient au XIXe s. une pièce instrumentale.

Cantate (début XVIIe s. ; puis XXe s.), composition profane ou religieuse à 1 ou plusieurs voix avec accompagnement. **Canzone** (XVIe-XVIIe s. surtout), œuvre vocale adaptée aux instruments. **Cassation** (XVIIIe s. surtout), divertissement de plein air à jouer le soir. **Chaconne,** danse instrumentale à 3 temps. **Chanson polyphonique** (XVIe s.), avec nombre de voix variable. **Concerto** (d'abord dialogue des voix et des instruments). *Concerto vocal de chambre* (XVIIe s.). *Concerto grosso* (1674), dialogue entre le groupe des instruments solistes (concertino) et la masse orchestrale (ripieno ou grosso) ; il s'effacera devant la symphonie concertante (voir ci-dessous). *Concerto pour soliste* (XVIIe-XXe s.), dialogue d'un seul instrument avec l'orchestre.

Contrepoint, combinaison de différentes parties harmoniques. *Contrepoint simple :* les différentes parties s'accompagnent, soit note contre note, soit 2, soit 4 notes contre une. *C. fleuri :* les parties (sauf le chant principal) procèdent par des valeurs plus brèves et des rythmes différents. *C. double ou renversable :* combinaison où les parties peuvent se renverser du grave à l'aigu, c.-à-d. passer du dessus à la basse et inversement. *C. triple ou quadruple :* 3 ou 4 parties différentes qui peuvent se placer à l'aigu, à la basse et aux parties intermédiaires, chacune à son tour. *C. fugué :* combinaison avec les formes de la fugue. *C. libre :* autorisation de certaines libertés. *C. rigoureux ou classique :* suivant les règles tracées par les maîtres. Existent encore le *C. rétrograde,* le *C. par mouvement contraire* ou *par augmentation et par diminution,* le *C. à double-chœur* (8 voix).

Divertissement ou Divertimento (XVIIIe s., puis au XXe s.), suite libre de différents morceaux pour groupe d'instruments solistes. **Étude** (fin XVIIIe-XXe s.), pièce de structure variable dictée par la difficulté technique. **Fantaisie** (XVIe-XXe s.), au début, composition polyphonique instrumentale, puis forme librement improvisée. **Frottole** (fin XVe s., début XVIe s.), chant populaire italien à 3 ou 4 voix. **Fugue** (fin XVIIe-XXe s.), écrite à plusieurs voix ; à un sujet s'oppose une réponse. **Ground** ou **basse contrainte** (basso ostinato) (XVIe-XVIIe s.), sur une même basse qui se répète sans cesse, se développent des dessins différents.

Impromptu (surtout XIXe s.), pièce pour instrument à demi improvisée ou dans un style évoquant l'improvisation. **Intermezzo** (XVIe-XVIIIe s.), évolue du divertissement à l'opéra bouffe et au ballet-divertissement ; (XIXe s.), pièce instrumentale. **Invention** (XVIIIe s.), petite étude de style à imitations. **Lied** (Allemagne) au XVIe s., chanson polyphonique ; à partir du XVIIIe s., pièce vocale avec piano ou orchestre. **Madrigal** (XVIe s.), pièce vocale de style libre. **Masque** (XVIe-XVIIIe s.), divertissement dramatique (chant, danse et texte parlé). **Mélodie** (XIXe-XXe s., France), pièce vocale accompagnée au piano ou à l'orchestre.

Opéra, O.-comique, Opérette : V. Index. **Oratorio** (XVIIe-XXe s.), composition pour soli, chœur et orchestre ; œuvre dramatique non représentée. **Ouverture** (début du XVIIe s.), pour l'orchestre, vient en tête d'un opéra ; sa structure a varié depuis le XVIIe s. *Ouverture à la française :* forme instrumentale dans le genre de la suite. **Poème symphonique** (XIXe-XXe s.), décrit ou raconte en musique ; pas de structure précise. **Prélude** (XVIe s.), introduit une fugue ou une suite de danses ou encore se suffit à lui-même. **Quatuor,** vocal, dès le XVIe s., puis devient aussi instrumental à partir du XVIIIe s. jusqu'à nos jours ; le plus souvent : 2 violons, 1 alto, 1 violoncelle (quatuor à cordes). **Récitatif,** au XVIIe s., suit de près le rythme du langage, au XIXe s., de plus loin. **Rhapsodie** (XIXe-XXe s.), fantaisie sur des chants populaires ou des thèmes très simples, souvent folkloriques (hongrois, norvégiens). **Ricercare** (XVIe-XVIIe s.), évoluera vers la fugue. **Romance,** chant d'amour ; vocale ou instrumentale. **Rondeau** (XIIe-XVe s.), chanson vocale ou instrumentale de forme fixe (a b/a a a b/a b). **Rondo** (XVIIe-XXe s.), caractérisé par le retour d'un refrain ; constitue souvent le final d'une sonate, d'un concerto, d'une symphonie.

Scherzo (XIXe-XXe s.), pièce à 3 temps, brillante, 3e mouvement de symphonie ou sonate en remplacement du menuet. **Sérénade** (surtout au XVIIIe s.), pièce vocale, puis instrumentale. **Sinfonia** (XVIIe s.), forme mal définie, confondue (au XVIIIe s.) avec l'ouverture à l'italienne. Terme encore employé pour les ouvertures des opéras de Rossini, Donizetti, Bellini, Cherubini. **Sonate** (début XVIIe s.), œuvre instrumentale « monothématique » ; thème unique développé sur le ton principal puis sa dominante (Bach, Haendel) ; XVIIIe s. : sonate bithématique, 2 th. dév. tour à tour sur 2 tons ; fin XVIIIe s. : sonate en 3 ou 4 mouvements (allegro bithématique, mouvement lent, éventuellement menuet, final bithématique ou rondo) (C.P.E. Bach, puis Haydn, Mozart et Beethoven). **Suite** (XVIe-XVIIIe s., XXe s.), succession de mouvements de danse (ex. Ouverture – Allegro-Allemande – Courante – Sarabande – Gigue). **Symphonie** (XVIIIe-XXe s.), en général vaste composition pour orchestre, réplique de la sonate ; la plupart du temps à 4 mouvements : allegro, andante (adagio), menuet, allegro final. **Symphonie concertante** (XVIIIe s.), sorte de concerto à plusieurs solistes.

Tiento (XVIe s., espagnol), équivalent du prélude ou du ricercare. **Toccata** (de *toccare ;* toucher) (XVIe-XXe s.), pas de structure précise ; pour instruments à clavier (orgue, clavecin, piano), en général. Aux XIXe et XXe s., devient une pièce de virtuosité. **Trio** (XVIIe-XXe s.), à trois voix ; il peut être à cordes (piano, violon, violoncelle) ; d'anches (hautbois, clarinette, basson) ; d'orgue ou vocal. **Variation** (XVe-XXe s.), expose un même thème sous divers aspects. **Virelai** (XIIe-XVe s.), chanson vocale ou instrumentale de forme fixe (a b b a a).

■ Musique religieuse

Anthem (surtout XVIe s.), texte en anglais tiré de la Bible ou la paraphrasant. **Cantate** d'église (dans les pays germaniques luthériens), prédication en musique où choral et chœur ont une place privilégiée (ne contient pas d'éléments épiques ou dramatiques comme l'oratorio). **Choral** (début XVIe-XVIIIe s., puis renouveau au XIXe-XXe s., apogée avec Bach) ; revêt diverses formes : contrapuntique, fugué, figuré, en canon, etc. **Concerto da chiesa** (XVIe s.), vocal accompagné d'instruments.

Messe, 5 chants principaux constituant le *commun* ou l'*ordinaire* de la messe : Kyrie, Gloria, Credo, Sanctus, Agnus Dei. On distingue la messe : *grégorienne,* ou en plain-chant à une voix ; *polyphonique*, à plusieurs voix ; *concertante,* avec des chœurs, airs, duos, faisant souvent de chaque verset un morceau séparé. **Motet** (XVe s.), vocal polyphonique illustrant le propre d'un office ; répons, hymnes, lamentations, litanies, magnificat, etc.

Oratorio (XVIe s.), sorte de grande cantate à personnages multiples ; il comprend : aria, arioso, récitatif, duo, trio, chœurs. **Passion,** chant de la Passion du Christ, sur un récitatif plus ou moins orné, réparti entre plusieurs récitants, et parfois accompagné de chorals. **Plain-chant,** forme de musique vocale monodique en usage dans les églises, allant du grégorien aux messes de Dumont. **Psaume,** chant s'appuyant sur le texte de l'un des 150 psaumes de David ; respecte le plus souvent le découpage des versets. **Requiem,** messe funèbre comprenant Introït (Requiem), Kyrie, Graduel (Requiem), Trait (Absolve), Sequence (Dies irae), Offertoire (Domine Iesu Christe), Sanctus, Agnus Dei, Communion (Lux aeterna).

Principaux styles et époques

■ **Musique monodique.** A une seule voix, n'admettant que l'unisson ou l'octave. Elle semble avoir été la seule connue dans l'Antiquité, et est encore conservée en Orient. La musique du Moyen Age, jusque vers 1150, resta monodique (ex. chant grégorien).

■ **Musique polyphonique.** A plusieurs voix. L'orgue byzantin, la jota, la chifonie pouvaient émettre simultanément 2 ou 3 sons, les 1ers essais importants datent du XIe s. On appelle *organum* les 1ers essais polyphoniques où domine une voix chantant en *plain-chant* ; dans le *déchant* (plus tard, au XIe s.), la voix principale ne dominera plus. Dans le *gymel* (Angleterre), les voix progressent par tierces ; dans le *faux-bourdon* (1re moitié du XVe s.), la voix sera accompagnée par une tierce grave émise à l'octave supérieure. Au XIIe s., Léonin et Pérotin définiront la polyphonie *(ars antiqua)* et au XIVe s., Ph. de Vitry donnera de nouvelles règles *(ars nova).*

■ **Musique baroque** (XVIIe-milieu XVIIIe s.). Essentiellement monodique, avec accompagnement de basse continue. *Formes :* opéra, oratorio, cantate, concerto, sonate. *Principaux compositeurs :* Allemagne (Schütz, Buxtehude, J.-S. Bach), Angleterre (Haendel, Purcell), Italie (Monteverdi, Vivaldi, Scarlatti), France (Lully, M.-A. Charpentier, Couperin, Rameau).

■ **Musique classique** (milieu XVIIIe-début XIXe). Superposition polyphonique. S'épanouit dans sonate, symphonie et concerto. Les formes, plus élaborées, évoluent autour de la forme-sonate (allegros initiaux et la plupart des finales). Le menuet, survivant de la suite de danses baroque, s'intercale en 3e place avant de céder la place au scherzo. Opéra : apparition d'ensembles qui s'intercalent entre airs et duos. *Principaux compositeurs :* Gluck, Haydn, Mozart, Beethoven.

■ **Musique romantique** (XIXe s. jusqu'à Wagner). Sommet : 1830-50. *Pré-romantiques :* Beethoven, Weber et Schubert : musique relevant encore du classique. *Principaux romantiques :* Berlioz, Chopin, Schumann et Liszt : la musique traduit des états d'âme et devient descriptive, puis Wagner pousse l'écriture tonale à l'extrême du chromatisme *(Tristan et Isolde)*, Schoenberg (atonalité). *Post-romantiques :* Brahms, Bruckner, Mahler, R. Strauss et Sibelius.

■ **Musique impressionniste.** Écrit par petites touches pour saisir des couleurs. Debussy qui a influencé Dukas, Ravel (à ses débuts), F. Schmitt, Roussel ; à l'étranger, Falla, Respighi, Szymanowski, Enesco, Scriabine et Stravinski.

■ **Musique aléatoire** (1951, née des expériences de John Cage, Karlheinz Stockhausen, Pierre Boulez). Introduction d'éléments de hasard dans la composition ou l'interprétation.

■ **Musique concrète.** Emploie systématiquement des objets sonores de toute provenance, enregistrés et transformés par des procédés électroacoustiques. *1ers essais :* Études de bruits de Pierre Schaeffer (1948). *1res réalisations ;* Pierre Schaeffer et Pierre Henry (studios de la RTF à Paris, Symphonie pour un homme seul et Bidule en ut, en 1950). D'autres auteurs ont suivi : Ivo Malec, Luc Ferrari, Iannis Xenakis, François Bayle, Bernard Parmegiani.

■ **Musique électronique.** Utilise des sons obtenus à partir de générateurs électroniques ; ces sons subissent divers traitements modifiant leur hauteur, leur volume, leur timbre. *1res réalisations :* 1953 Allemagne. *Principaux représentants :* Karlheinz Stockhausen (Elektronische Studie, Gesang der Jünglinge), Bruno Maderna (Notturno, Continuo), Luciano Berio (Omaggio a Joyce), Henri Pousseur (Scambi), Pierre Boulez (Poésie pour pouvoir), Mauricio Kagel.

■ **Musique atonale.** Créée par Arnold Schoenberg (1874-1951), à partir de 1908. Les 12 demi-tons de la gamme chromatique tempérée jouent un rôle égal et aucun n'exerce d'attraction sur un autre. *Œuvres :* Pierrot lunaire, Pièces pour orchestre opus 16, Erwartung, de Schoenberg (1912) ; Wozzeck, de Berg (1925) ; premières œuvres de Webern.

Musique sérielle et mus. dodécaphonique. Découverte 1911 par Josef-Matthias Hauer. Schoenberg, vers 1923, inventa la série dodécaphonique, se fondant sur une succession de 12 sons qui n'ont de rapport qu'entre eux. Aucune note ne doit être réentendue avant le déroulement des 11 autres afin de ne pas polariser la mélodie. *Principaux représentants en France :* Pierre Boulez (le Marteau sans maître, 1955) ; *Allemagne :* K. Stockhausen ; *Autriche :* Berg et Webern ; *Belgique :* Henri Pousseur ; *Italie :* Berio, Maderna et Nono.

Jazz

☞ Le mot « jazz » est utilisé pour la 1re fois dans le San Francisco Bulletin le 6 mars 1913. Dans une chanson traditionnelle du Sud (années 1880), sa signification est plus proche de celle d'aujourd'hui (musique, danse).

■ Quelques termes

Bamboula Danse africaine des mulâtres de La Nouvelle-Orléans avant l'apparition du jazz. **Batterie** Comprend essentiellement une grosse caisse, une caisse claire, 2 caisses *(toms)* médiums, une tom basse, une cymbale high-hat, une cymbale libre, et divers accessoires de percussion. **Beat** Accentuation des temps d'une mesure. **Two beat :** Rythme à 4 temps (avec accentuation 1er et 3e temps ou 2e et 4e temps). **Four beat :** les 4 sont marqués. **After beat :** accentuation des temps faibles. **Be-bop** Période du jazz liée aux années 40, Charlie Parker, Dizzy Gillespie, Thelonious Monk, Kenny Clarke, Max Roach. Évolution technique et rythmique par rapport au jazz « classique ». **Big Band** Grand orchestre d'une quinzaine de musiciens surtout en vogue dans les années 30 et 40 (D. Ellington, C. Basie, J. Lunceford, B. Goodman, D. Gillespie). **Blues** Forme la plus ancienne du jazz. A l'origine, chant de désespoir sur une base harmonique immuable de 12 à 16 mesures où se superposent mode majeur et mode mineur. Style perpétué sous forme folklorique ; Big Bill Bronzy, Lightnin' Hopkins, John Lee Hooker, B.B. King, Memphis Slim. **Boogie-woogie** Façon primitive de jouer le blues au piano en utilisant un tempo rapide. Accords d'accompagnement décomposés note par note sur un rythme « croche pointée – double croche » et des basses « ambulantes » ; Pine Top Smith, Big Maceo Merryweather, Joshua Altheimer, Memphis Slim, Jimmy Yancey, Sammy Price, Pete Johnson et Albert Ammons. **Break** Courte phrase rythmique ou mélodique pendant une pause de l'accompagnement. *Ex. :* 4 premières mesures de Bugle Call Rag et chorus de trompette d'Armstrong dans Potato Head Blues.

Cajun Style particulier à la Louisiane. **Chant** Noirs : *timbre* de la voix moins métallique et claire, *technique* plus gutturale, *attaque* plus soudaine et forte, *vibrato* plus rapide et plus marqué, *inflexions nombreuses. Chanteurs religieux* (Mahalia Jackson, Sister Rosetta Tharpe) ; *de « blues rural »* (Blind Lemon Jefferson, Sleepy John Estes, Sonny Boy Williamson) ; *de jazz* (Jimmy Rushing, Louis Armstrong, Billie Holiday) ou *soul* (James Brown, Ray Charles, Stevie Wonder). **Chicagoans** Musiciens blancs de Chicago, influencés dès 1918 par le jazz de La Nouvelle-Orléans (Eddie Condon, Muggsy Spanier, Mezz Mezzrow, Bix Beiderbecke). **Chorus (prendre un)** Jouer en soliste pendant le nombre de mesures du thème de départ, ou, par extension, jouer un solo. **Cinquante-deuxième rue** New York (entre 5e et 7e Avenue), où nombre de grands musiciens jouèrent dans ses petits cabarets (Famous Door, Onyx Club, Jimmy Ryan's, Three Deuces). **Coda** Fragment musical qu'un orchestre ou un soliste exécute en conclusion d'un chorus final. **Contrepoint** Juxtaposition de plusieurs lignes mélodiques indépendantes. Résulte de l'entrecroisement des 2, 3, 4 ou 5 parties mélodiques d'une improvisation collective. **Cool** « Frais » ou West-Coast. Vers 1950, s'oppose à l'expressionnisme be-bop (Miles Davis). Nombreux musiciens blancs (Stan Getz, Gerry Mulligan, Lee Konitz).

Dirty (jouer) Jouer avec âpreté, dureté, d'une façon arrachée, « méchante », par opposition à « jouer joli ». La sonorité « growl » est l'effet « dirty » le plus employé. **Dixieland** États du sud des USA. Style des orchestres de jazz blancs qui ont assimilé à leur façon le style « New Orleans » des Noirs. L'un d'eux, l'« Original Dixieland Jazz Band », effectua le 1er enregistrement de musique de jazz (févr. 1917). **Drive** (prononcer : *draïve*) Vigueur, force impulsive du jeu d'un musicien (Armstrong dans Sunset Cafe Stomp, Jimmy Harrisson, Coleman Hawkins).

East-Coast (ou hard bop) Réaction des musiciens noirs de New York contre le West-Coast jugé trop mou, trop artificiel. **Fox-trot** Danse populaire de jazz. Quand le tempo est lent, c'est un *slow fox* ou *unslow.* **Free jazz** Jazz libre dégagé de règle harmonique et métrique pour retrouver une expression spontanée. John Coltrane fut un précurseur (O. Coleman, A. Shepp, C. Taylor, A. Ayler, D. Cherry, Sun Ra). **Funk Funky** Forme du style East-Coast au climat plus violent. Apparaît vers 1957 (Jazz Messengers). **Gospel song** Chant religieux des Afro-Amér. **Groove** Exprime la perfection d'un climat musical, l'inspiration dans une interprétation donnée. **Growl** Effet de grondement ou raclement (cuivres et clarinette).

Hard bop Retour au jazz noir dans les années 60 après la période cool (Jazz Messengers, Sonny Rollins, Horse Silver). **Harlem** Actuel quartier noir de New York, capitale du jazz après Storyville, La Nouvelle-Orléans (1900-17) et Chicago (1917-28). **High hat** Double cymbale de la batterie, actionnée par une pédale (« cymbale charleston »). **Honky tonk** Nom des cabarets de La Nouvelle-Orléans fréquentés par les Noirs pauvres. Comprenaient piano, salle où l'on dansait et arrière-salle ou tripot. **Hot** « Chaud ». Musique, improvisation passionnée par opposition à *straight.*

Jam session Réunion de musiciens improvisant librement. **Jazz At The Philharmonic :** Organisation créée par Norman Granz en 1942. Donna ses concerts au Philharmonic Auditorium de Los Angeles. **Jazz rock :** Rencontre d'une instrumentation électrique héritée du rock avec le raffinement harmonique ou la subtilité d'expression hérités du jazz : John McLaughlin, Jean-Luc Ponty, Weather Report, ou les disciples de Miles Davis : Herbie Hancock, Chick Corea. **Jive** Argot des Noirs américains. **Jug blowing** Cruchon dans lequel on souffle.

■ Musique arabe

Généralités. Ignore la notation et la polyphonie. Fondée à l'origine sur la gamme pythagoricienne, elle s'en est ensuite écartée. Échelles modales à base de 2 tétracordes conjoints ou disjoints. Les intervalles des gammes fondamentales comportent des intervalles de 3/4 de ton formés par des 1/2 dièses ou des 1/2 bémols. La combinaison des 12 genres originaux permet d'obtenir 120 modes *(maqams)* et, dans la musique médiévale classique, env. 300 maqamats (moins dans la musique arabe d'Occident : musique « andalouse » se rattachant à un système de 24 modes d'où sortirent 24 *nûbas,* sortes de grandes suites vocales et instrumentales qui peuvent durer plusieurs heures).

Principaux instruments. *Ud* (luth à 5 ou 6 cordes), *darbouka* (tambour en gobelet à une peau), *duff* [grand tambour sur cadre à peau (de chèvre)], *gasba* (flûte de roseau plus longue que le naï), *kamandja* (vièle à 2, 3 ou 4 cordes), *kanoun* (cithare en forme de trapèze à cordes pincées), *nay* ou *naï* (flûte de roseau), *rabâb* (rebec), *santur* (cymbalum à cordes martelées), *tar* [tambour à une peau (de poisson)].

Orchestre. *Classique oriental :* plusieurs *luths,* un *santur,* un *kanoun,* une *kamandja,* un *nay,* une *darbouka. Maghrébin :* comprend en plus un *rabâb,* une *gasba. Instruments de musique populaire : ghaïta* (musette), *qarâbeb* (crotales) chez les danseurs nègres, *bendir* (grand tambourin) chez les Berbères, *zokra* (sorte de pipeau avec bec en roseau, élargi au bout).

■ Musique chinoise

Gamme. *5 degrés constitutifs :* gong, shang, jiao, chi et yu (correspondant par commodité à do, ré, mi, sol, la, échelle pentatonique) et *2 degrés auxiliaires :* biangong et bianchi (si et fa ou fa dièse). Parmi les 5 gammes principales (diao), les plus utilisées ; *do, ré, mi, sol, la* et *sol, la, do, ré, mi* et *la, do, ré, mi, sol.*

Instruments traditionnels. Classés en 8 catégories : métal, pierre, soie, bambou, bois, peau, calebasse et terre. Sont encore utilisés : *Qin :* cithare sur table à 7 cordes en soie. *Zheng :* cithare à 16 ou à 21 cordes ou plus en acier, tendues sur des chevalets mobiles. *Sheng :* « orgue à bouche » à 17 tuyaux de bambou. *Pipa :* luth piriforme à 4 cordes. *Sanxian :* luth à 3 cordes. *Nanhu :* vièle à 2 cordes. *Yangqin :* cithare (en forme de trapèze) à 36 cordes minimum quadruplées et frappées à l'aide de 2 baguettes flexibles en bambou. *Xiao :* flûte droite. *Dizi :* flûte traversière. *Gu :* tambour. *Daluo :* grand gong. *Xiaoluo :* petit gong. *Po :* cymbales, etc. [cithare, luth et vièle sont des *termes génériques*].

■ Musique indienne

Échelle musicale. Au sein de l'intervalle d'octave divisé en 22 intervalles audibles *(sruti)* existent 7 degrés *(svara)* séparés les uns des autres par 2, 3 ou 4 sruti et désignés ainsi : sa-ri-ga-ma-pa-dha-ni.

Structure. *Modale (ràga) :* l'exploitation des ressources fournies par l'emploi des différents intervalles musicaux possibles donne naissance à des modes musicaux ; *rythmique (tála) :* cycles rythmiques qui servent de cadre à l'improvisation des musiciens.

Instruments. 4 familles. *Idiophones : cymbales. Membranophones : pakhavaj* du Nord ou *mridangam* du Sud (gd tambour à 2 peaux frappé à main nue) ; *tablà* (couple d'instruments consistant en un tambour vertical à son sec et une timbale à son sourd). *Aérophones : conques, longues trompes métalliques, flûtes* de bambou droites ou traversières, *shàhnài* du Nord ou *nagasvaram* du Sud (hautbois). *Cordophones* [a) nudra veena, b) santur] : *vinà* (luth à 7 cordes dont le manche est muni de 2 résonateurs en calebasse) ; *sitar* (6 ou 7 cordes principales et nombre variable de cordes sympathiques) ; *sarod* (luth à 5 cordes principales et plusieurs cordes sympathiques, à table en peau) ; *surbahar* (sitar grave) ; *luth tampura* (4 cordes accordées sur « sa » tonique, la quinte du sa et l'octave du sa) ; *sarangi* et *sarinda* (sorte de vièle servant surtout à accompagner le chant).

Lazy Jouer de façon « paresseuse », détendue, sans effort apparent (*Sweet Chariot* de Duke Ellington). **Low down** Façon de jouer « méchante » et « accablée », s'appliquant au blues lent.

Mahogany Hall Ancienne maison close de Lulu White à La Nouvelle-Orléans. **Mesure** La plupart des morceaux de jazz comptent 32, 16 ou 12 mesures et se découpent en phrases de 8 ou 4 mesures. **Minstrels** Blancs qui, au XIXe s., parcouraient le sud des USA travestis en Noirs et interprétaient des chansons folkloriques.

Negro spiritual Psaume religieux afro-américain ayant subi l'influence du choral luthérien et du chant grégorien. Alterne en général un verset chanté en solo et un verset, toujours le même, repris en chœur. Né au cours de « Prayer meetings » (prière en commun) dès le XVIIIe s. ; codifié au XIXe s. Mahalia Jackson. **New Orleans** Style lié aux débuts du jazz vers 1915 à La Nouvelle-Orléans. King Oliver, Jelly Roll Morton, Sidney Bechet, Louis Armstrong (à ses débuts).

Oua-oua (wa-wa) Genre de sourdine placée devant le pavillon d'une trompette ou d'un trombone et agitée de façon à modifier le son. **Perdido** Quartier noir de La Nouvelle-Orléans. Composition de Juan Tizol pour l'orchestre de Duke Ellington.

Ragtime temps « déchiqueté ». Style de piano antérieur à la naissance du jazz. Très syncopé 2, 3 ou 4 thèmes distincts de 16 mesures. *Thèmes les plus connus :* Maple Leaf Rag, King Porter Stomp et Carolina Shout de James P. Johnson. **Rap** Musique populaire afro-américaine apparue fin des années 80 aux USA (New York, Los Angeles). Voir p. 439 a. **Revival** « Renaissance ». Retour au style Nouvelle-Orléans après 1939-45. **Rhythm and Blues** Forme populaire de jazz à partir des années 50, fondée sur les harmonies du blues et l'importance du rythme. Louis Jordan, Erskine Hawkins, Ray Charles, James Brown, Bill Doggett, Ike et Tina Turner. **Riff** Courte phrase mélodique, répétée en général au long du chorus et jouée en section pour accentuer l'intensité rythmique. **Riverboat** Bateau fluvial du Mississippi sur lequel jouaient des orchestres noirs. **Rock and roll** Expression venant de l'émission « Moondog's Rock'n roll party » du journaliste américain Alan Freed, en 1951. 1er grand succès : « Rock around the Clock » de Bill Haley (1955). Style populaire amér. s'apparentant au *rhythm and blues,* reprenant le rythme du boogie-woogie et également influencé par la musique country blanche. Noirs : Chuck Berry, Little Richard, Fats Domino.

Salsa « La Sauce ». Du nom d'une chanson composée par le Cubain Ignacio Pineiro, « Echale salsita », en 1928. A partir des années 60, le mot a commencé à désigner des rythmes divers, guajira, bamba, cha-cha-cha, mérengué, boléro, guaguanco. Ruben Blades, dans les années 80, a introduit l'emploi des synthétiseurs. **Scat** Façon de chanter par onomatopées. **Shout** (Cri. Interjection). Chants improvisés des Noirs au cours de cérémonies religieuses. **Slap** Claquement de la corde contre le bois de la contrebasse jouée pizzicato (jazz ancien). **Soul music** « Musique de l'âme », musique noire des années 60, retour aux racines (gospel et blues). Par extension, musique populaire noire vocale des années 70. Tina Turner, Marvin Gaye, Stevie Wonder. **Stomp** Musique bien cadencée dans le jazz ancien. **Stop-chorus** La section rythmique ne scandant plus que les mesures, le soliste continue à jouer le chorus. **Straight** Joué d'après une partition. Style « droit » opposé au « hot ». **Swing** Signifie la présence d'une véritable vie rythmique dans une interprétation. Naît d'une accentuation sur les temps faibles et d'une souplesse dans le jeu, d'un naturel qui font la différence entre un exécutant au jeu mécanique et un véritable jazzman. *Ère swing (middle jazz) :* période des années 30 ; avènement des grands orchestres (Duke Ellington, Count Basie), du saxophone ténor (Coleman Hawkins, Lester Young), évolution du jazz vocal (Ella Fitzgerald, Billie Holiday). Terme générique qui désigne aussi le style de jazz qui prévalait à la fin des années 30 (l'ère swing).

Vibraphone Composé de lamelles métalliques de longueurs différentes formant clavier, sur lesquelles on frappe à l'aide de mailloches (baguettes à tampon). V. 1930 supplanta le xylophone.

Washboard Planche à lessiver en tôle ondulée sur laquelle on racle les doigts garnis de dés à coudre pour produire une assise rythmique dans le vieux jazz. **West-Coast** Style pratiqué en Californie (San Francisco, Los Angeles, etc.) surtout par des blancs v. 1953. Gerry Mulligan, Stan Getz, Lee Konitz, Shelly Manne, Jimmy Giuffre, Shorty Rogers. **Work song** Chant de travail des esclaves noirs.

Revues de jazz. *Jazz Hot :* 10 000 ex. ; *Jazz Magazine :* 25 000 ex. *Le Monde de la Musique :* supp. *Jazzman* 40 000 ex.

Pop music et rock

■ Origine

Noms donnés à la quasi-totalité des genres musicaux populaires anglo-amér. apparus depuis 30 ans. Le rock (le terme pop music fut plutôt en faveur dans les années 60) est né d'une rencontre entre la country music blanche et le rhythm and blues noir.

V. 1940 Rhythm and blues, forme populaire de jazz représentée par Louis Jordan ou Jay McShann.

V. 1950 *États-Unis.* Vulgarisé sous le nom de *rock and roll*[1] avec Bill Haley (1927-81), puis Fats Domino (1928), Little Richard (1935), Elvis Presley (1935-16-8-1977), Gene Vincent (1935-71), Chuck Berry (1931), Buddy Holly (1938-59), Eddie Cochran (1938-60), Jerry Lee Lewis (1926). *1955,* Alan Freed organise au « Brooklyn Paramount » de New York le 1er « Rock and Roll Show ».

1956 *Angleterre.* Lonnie Donnegan (musicien de Chris Barber) introduit le *skiffle.* La révolte des Teddy Boys s'accompagne bientôt d'un *rock and roll* encore plus explosif. Les 1ers chanteurs de rock se produisent en Angleterre : Tommy Steel (1936), puis Marty Wilde, Vince Taylor (1939-71), Billy Fury, Cliff Richard (1940) et les Shadows.

1958 *France.* 1er disque de rock (Danyel Gérard : « D'où viens-tu Billy Boy ? » – texte de Boris Vian). Le rock se développe à Paris au *« Golf-Drouot ».* Formations « twist » (les Chaussettes Noires, les Chats Sauvages, les Pirates, les Champions, etc.) ; vedettes *yéyé :* Johnny Hallyday, Eddy Mitchell, Dick Rivers, Richard Anthony, Sylvie Vartan, Françoise Hardy, Claude François.

Les Sixties Après la période Elvis Presley (années 50), ère des Beatles aux mélodies raffinées et aux recherches sonores face aux Rolling Stones restés proches du blues. Américains : Bob Dylan et les chanteurs noirs Otis Redding ou James Brown. Guitariste : Jimi Hendrix.

Nota. – (1) Blues et rock and roll, étant tous deux construits sur 3 accords (mi, la, si) et 12 mesures (4/4/4), on les différenciait parfois mal.

☞ **Festivals célèbres ayant marqué le mouvement pop :** l'île de *Wight* (août 1969 et 1970, env. 400 000 pers.), *Woodstock* (août 1969, 800 000 pers.), *Hyde Park* (juillet 1969, concert gratuit des Rolling Stones), *Amougies* (oct. 1969, Belgique).

☞ **Films :** Five plus One, Monterey Pop, Mad Dogs and Englishmen, Woodstock, Gimme Shelter, 200 Motels.

■ Quelques courants

Depuis sa naissance, le rock s'est divisé en de multiples tendances.

Country rock Bob Dylan (n. 1941) est à l'origine du renouveau dans les années 60 des chansons style ballade d'inspiration folk (textes poétiques ou engagés). Par la suite, il deviendra plus rock. Ses héritiers : David Crosby, Stephen Stills, Graham Nash, Neil Young, Van Morrison, Leonard Cohen, Joni Mitchell, James Taylor, Emmylou Harris, Linda Ronstadt, Dire Straits, J.J. Cale, Jackson Browne, Ry Cooder, John Hiatt ou les groupes disparus : Byrds, Allman Brothers, Eagles, etc.

Disco *Origine :* 1974-75, le « Munich sound » (Italo-Suisse) exploité par Giorgio Moroder. Fondé sur la mise en avant de la batterie. Adopté d'abord dans les discothèques et lancé par le film « la Fièvre du samedi soir » (John Travolta). A évolué vers le « funk », plutôt illustré par des groupes noirs axés sur la musique de danse (Earth, Wind and Fire).

Rock music Au début des années 60, les Rolling Stones ont ranimé *blues* et *rock and roll* en mélangeant : le *blues revival* (ou *blues blanc,* illustré par les Animals d'Eric Burdon et John Mayall, qui s'est métamorphosé en *hard rock* par l'intermédiaire des Cream et de Jimi Hendrix), et le *rock revival* (souvenir des « pionniers » comme Chuck Berry). Rock music, qui peut désigner divers courants anglo-américains, s'applique d'abord au hard rock marqué par l'utilisation des effets les plus violents : forte amplification des paroles provocantes, un chanteur paroxystique [les Anglais Led Zeppelin (leader Jimmy Page), Deep Purple, les Who (Pete Townshend), Status Quo, Bad Co, Black Sabbath, ou plus récemment Def Leppard, Iron Maiden ou les Américains Alice Cooper, Kiss, Ted Nugent, Blue Oyster Cult, Iggy Pop, Cheap Trick, ZZ Top, Van Halen, Bon Jovi, Guns'n'Roses, les Australiens AC/DC, INXS et les Allemands Scorpions]. *Groupes anciens Anglais* John Mayall, Kinks, Jethro Tull, King Crimson, Procol Harum, Fleetwood Mac et Clash, *Américains* Creedence Clearwater Revival, Velvet Underground, Doors (Jim Morrison, mort en 1971), Beach Boys, Chicago, Santana, J. Geils Band : guitaristes Eric Clapton, Jeff Beck et Rory Gallagher (Anglais) ou Johnny Winter (Américain), proches du blues, *chanteurs :* David Bowie, Lou Reed, Rod Stewart, Joe Cocker, Bruce Springsteen, Tom Waits, Randy Newman, Mink DeVille, Boy George, Phil Collins, Sting, Bryan Ferry, Peter Gabriel, Prince, *chanteuses :* Patti Smith, Pat Benatar, Marianne Faithfull ou Kim Wilde, des *groupes américains* « historiques » : Mothers of Invention de Frank Zappa, le Jefferson Airplane Grateful Dead (liés à la période hippie de San Francisco 68), *Héritiers des Beatles* Yes, Genesis et Supertramp (anglais), *groupes plus récents :* les Pretenders, Def Leppard, Dire Straits, Talking Heads, Police, Cure, Simple Minds, Frankie Goes To Hollywood, Depeche Mode, U2, Eurythmics, Téléphone (gr. français, maintenant séparé). Une grande partie du rock actuel se caractérise par un retour à la *musique « fun »,* pour le plaisir ; souvent plus superficielle, aux succès éphémères, faite pour les boîtes et complétée par les vidéo-clips (Madonna, George Michael, Michael Jackson).

Disparus : Jimi Hendrix (1946-70), Janis Joplin (1943-70), Jim Morrison (1943-71), John Lennon (1940-80).

Rock progressiste Recherches sonores illustrées naguère par des *groupes anglais* (Soft Machine, Pink Floyd de Roger Waters et David Gilmour, Yes, King Crimson), *allemands* adeptes du rock « planant » (Tangerine Dream, Kraftwerk, Ash Ra Tempel, Klaus Schulze), *français* (Magma), *américains* [Frank Zappa (leader naguère des Mothers of Invention)] et des *personnalités* (Eno, John McLaughlin, Robert Wyatt, Peter Gabriel, Mike Oldfield, Pat Metheny, J.-M. Jarre).

Jazz rock Proche du rock progressiste, désigna un courant voulant amalgamer violence et instrumentation du rock avec la subtilité harmonique et sonore du jazz. John McLaughlin (guitariste), groupe Weather Report, Jean-Luc Ponty (violoniste) Miles Davis (trompettiste).

Variété rock Héritière de toutes les tendances. Façon de gommer les effets « choquants » du rock pour n'en garder que l'aspect le plus facilement séduisant. *Artistes* d'horizons divers : Elton John, Daryl Hall et John Oates, Murray Head, Alan Parsons, Kate Bush, Kim Carnes, les Bee Gees, Donna Summer, Paul McCartney, Billy Joel, Simon et Garfunkel, Kim Wilde, Diana Ross, Lionel Ritchies, Whitney Houston, The Stanglers, etc. La musique populaire américaine se rattache à l'heure actuelle au rock (Madonna).

Reggae Musique jamaïcaine dérivée du calypso, avec un rythme plus marqué et des accents plus rudes. Bob Marley (1945-81, Jamaïquain), adepte de la secte religieuse des rastafaris, Peter Tosh († 1987), Toots and the Maytals, Jimmy Cliff, Burning Spear. Apparut en Angleterre sous le nom de *blue beat* ou de *ska* (au rythme plus haché) ; le ska redevint un moment à la mode en 1980.

Punk Années 70 : retour à des sons bruts, amplifiés au maximum, et refus d'une technologie coûteuse. Aujourd'hui dissous, restent les Sex Pistols, ainsi qu'une mode vestimentaire : cheveux teints, vêtements de cuir, de plastique, tee-shirts déchirés.

Rap Style vocal à mi-chemin entre scandé et chanté et s'appuyant sur des rythmiques fortement syncopées. To rap : frapper ; to rap out an oath : lâcher un juron ; mêle cris et jurons à la musique rock, funk, reggae, à la fin des années 70 (avant Jamaïque). *1er tube* (1979) : Rapper's Delight par Sugarhill Gang. *Principaux groupes :* RunDMC, Soul II Soul, Niggers with Attitude (Ice Cube), Neneh Cherry, Sly Dunbar et Robbie Shakespeare, Grand Masterflash, Kool Moe Dee, De La Soul, Big Daddy Kane, MC Hammer (1982 : The Message), Public Enemy (1988 : Straight Outta Compton ; 1992 : Fuck tha Police).

Raï Mouvement algérien s'appuyant sur les instruments traditionnels et la langue arabe. Traduit la mélancolie de la jeunesse algérienne d'aujourd'hui. *Principal interprète :* Chab Khaled.

Raggamuffin Déferlement vocal (toasting) sur fond musical au tempo martelé. Textes abordant politique, exploits sexuels, histoires de la rue. Né en Jamaïque et arrivé en France via la communauté antillaise de Londres héritière de Bob Marley. Utilise une grosse sono où le sélecteur choisit des disques, l'opérateur s'occupe de la technique et un ou plusieurs chanteurs improvisent sur fond musical.

Soul music (surtout lié à la période 60 et 70). Musique noire populaire américaine dérivée du rhythm and blues. Stevie Wonder, Ray Charles, Otis Redding († 1967) Mary Wells (1943-92), les Temptations, Aretha Franklin, Eddie Kendricks († 1992), Wilson Pickett, Al Green, James Brown, Ike et Tina Turner, Sly Stone, Curtis Mayfield, Marvin Gaye († 1984), Chic. *Années 80 :* Michael Jackson, l'ancien chanteur des Jackson Brothers (album vendu à + de 30 millions d'ex. dans le monde) et Prince. *Nouveau venu :* Terence Trent d'Arby.

Notation musicale

Sons

■ **Origine.** Produits par la pression qu'exerce un objet oscillant sur les molécules de l'air.

■ **Qualités du son. Hauteur :** fonction du nombre de vibrations par seconde ou *fréquence* de l'émetteur. Plus la fréquence est élevée, plus le son est aigu. L'oreille n'entend que les sons entre 20 et 20 000 hertz (vibrations par s). Les instruments de musique donnent des sons de 40 à 5 000 Hz. **Intensité :** fonction de la fréquence, de l'amplitude de l'objet vibrant, de la densité de l'air. L'intensité perçue par l'oreille est évaluée en *décibels.* **Timbre :** caractérise chaque instrument car à la note fondamentale jouée se superposent des notes parasites, les *harmoniques.* Le *diapason* (inventé en 1711, par J. Shore, Angl.) donne un « la » pur sans harmonique : 440 Hz.

Gammes

Définition. Série de sons ascendants (du plus grave au plus aigu) ou descendants, séparés par des intervalles déterminés. L'*octave* est l'intervalle acoustique séparant une note donnée de la note de fréquence double (ex. la_3 = 440 Hz, la_4 = 880 Hz). Le 1/2 ton est l'intervalle obtenu en divisant l'octave en 12 parties égales (le ton vaut 2 1/2 tons).

Gamme diatonique. Intervalles composés de tons et 1/2 tons. 2 sortes :

a) *Gamme majeure :* do-ré : 1 ton ; ré-mi : 1 ton ; mi-fa : 1/2 ton ; fa-sol : 1 ; sol-la : 1 ; la-si : 1 ; si-do : 1/2 (total : 12 1/2 tons).

b) *Gamme mineure :* 1, 1/2, 1, 1, 1/2, 1 1/2, 1/2.

Gamme chromatique. Comporte 12 notes séparées d'un demi-ton.

Nom des notes. Choisi par Gui d'Arezzo (XIe s.). 1res syllabes des hémistiches des 1ers vers de l'hymne des Vêpres de l'office de St Jean Baptiste : « UT queant laxis, REsonare fibris, MIra gestorum, FAmuli tuorum, SOLve polluti, LAbii reatum, Sancte Iohannes (initiales SI). » « Afin que tes serviteurs puissent chanter, avec des voix libérées, le caractère admirable de tes actions, Ôte, saint Jean, le péché de leur lèvre souillée. » Le *si* fut ajouté fin XVIe s. par Anselme de Flandres (?). Le *do* apparut en 1673 avec l'Italien Bononcini et devint synonyme d'*ut.*

Lettres représentant les notes

	A	B	C	D	E	F	G	H
Anglais :	la	si	do	ré	mi	fa	sol	
Allemand :	la	sib	do	ré	mi	fa	sol	si

Forme des notes. Indique la durée des sons : la ronde = 2 blanches, 4 noires, 8 croches, 16 doubles cr., 32 triples cr., 64 quadruples cr.

Portée. Ensemble des 5 lignes sur lesquelles on écrit les notes et des lignes supplémentaires ajoutées au-dessus ou au-dessous.

Clef. Signe placé au début de la portée, indique la position de la note à laquelle elle correspond (sol, fa, ut ou do). Cette position conditionne celle de toutes les autres notes.

Silences. Marquent l'arrêt des sons et correspondent aux valeurs des notes. *Pause :* ronde ; *demi-pause :* blanche ; *soupir :* noire ; *demi-soupir :* croche ; *quart de soupir :* double croche ; *8e de soupir :* triple croche ; *16e de soupir :* quadruple croche.

Altérations. Placées devant la note à altérer (alt. accidentelle) ou près de la clef (alt. permanente).

Dièse : élève la note d'1/2 ton (on multiplie par 25/24 le nombre des vibrations de la note). *Bémol :* abaisse la note d'1/2 ton (on multiplie par 24/25 le nombre des vibrations de la note). *Double dièse :* élève la note d'1 ton. *Double bémol :* abaisse la note d'1 ton. *Bécarre :* rétablit la note altérée.

Tonalité. Un morceau est écrit à l'aide d'une gamme donnée, c'est la tonalité, appelée improprement ton. Cette tonalité est définie par la tonique (note de base de la gamme utilisée) et l'armature (altération permanente).

Mesure. Divise un morceau en parties égales. Inscrite après la clef, elle comprend 2 chiffres : inférieur indique l'unité de temps suivant les conventions (2 = blanche, etc.) ; supérieur, le nombre de blanches, noires, croches par mesure ; la lettre C, une mesure à 4 temps avec la noire pour unité, soit 4/4, et la lettre ₵, une mesure à 2/2. *Métronome :* Etienne Loulié (1640-1701), en utilise un de 2 cm de hauteur. J.N. Maëlzel (1772-1832), physicien autrichien, ami de Beethoven, le fit breveter en 1816.

Instruments

Principaux instruments

Légende : * Surtout utilisé dans les ensembles de musique ancienne. b. : bémol, c. : corde.

■ I. Instruments à vent

■ **1. A bec sifflet Flûte douce** * (bois) : 5 types subsistent : sopranino en fa, soprano en ut, alto en fa, ténor en ut, basse en fa.

■ **2. A anche. a) Anche simple :** (lame de roseau, de plastique ou de métal vibrant sous l'action de l'air ; on appelle anches membraneuses les lèvres du souffleur). **b) A bec et anche : Clarinette :** inventée par J. Chr. Denner (All.) vers 1670 ; *ancêtres :* arghoul (Égypte), aulos (Grèce), chalumeaux du XVIIe s. (la bémol aigu, mi bémol, ré, ut, si bémol, la). **Cor de basset** en fa : les plus anciens datent de 1770 et sont signés Schofflmeyer et Mayrhofer. **Clarinette alto** en mi b. : inventée par Müller ; **cl. basse** en si b ; **cl. contrebasse** en mi b, en si b. **Saxophone :** inventé vers 1840 par Adolphe Sax (7 variétés : sopranino, mi b ; soprano, si b ; alto, mi b ; ténor, si b ; baryton, mi b ; basse, si b ; contrebasse, mi b). **c) A anche double : Cromorne*** (de forme recourbée). **Cor anglais** (English horn). **Hautbois. Basson. Contrebasson** (le plus ancien construit en 1714 par Andreas Eichentopf). **Biniou*. Cornemuse*. Bombarde*. Reita*. d) A anche libre : Harmonica*. Harmonium*** (nom breveté 1840 par Alexandre-François Debain). **Accordéon*.**

■ **3. A embouchure. a) Flûte traversière** (bois, métal) : **Grande flûte** en ut, *petite (piccolo)* en ré b (harmonies) ou en ut (orchestres). **Flûte basse** en ut, **flûte alto** en sol. **Flûte de Boehm :** en 1832, Th. Boehm (All.) modifie la perce et conçoit un système rationnel et perfectionné des clefs. **Flûte à bec :** instrument très populaire. **b) Cuivres Clairon** (si b). **Ophicléide** (du grec serpent-clef) : v. 1890. **Trompette de cavalerie** (mi b). **Trompes** *de chasse** (ré pour la chasse ou tr. de piqueur, mi b pour les fanfares). **Trompette** (plusieurs sortes, surtout en ut ou si b). **Trompette d'harmonie** sans pistons, **trompette** (si b, ut), à pistons. **Trombone** (5 sortes subsistent, dont le trombone à coulisse). **Cor** (French horn). **Olifant** (Moyen Âge) : cor taillé dans des défenses d'éléphant ; introduit dans l'orchestre au XVIIe s. **Cor chromatique** *à pistons* inventé 1815 par Stoelzel (All.), ou, de nos jours, à palettes. **Cornet à pistons** (si b, ut). **Posthorn*. Saxhorns** en laiton poli, verni, laqué or ou argenté, à embouchure et à 3 pistons : petit bugle (mi b), bugle (si b), alto (mi b), baryton (mi b), basse (si b, un 4e piston derrière le pavillon) ; contrebasse (mi b et si b ou « bombardon »). **Tuba :** sorte de basse saxhorn en si b, orchestre symphonique. **Soubassophones :** mi b et si b (à pavillon en avant et orientable).

■ II. Instruments à cordes

■ **1. Frottées. a) Par un archet :** modifié par les Italiens Arcangelo Corelli (1653-1713) et Giuseppe Tartini (1692-1770), l'archet actuel fut établi par F. Tourte (Fr.) v. 1775 ; en bois de Pernambouc (Brésil), mèche en crin de cheval attachée à une housse d'ébène. **Trompette marine :** long. max. 2,2 m, 1 corde. **Violes*. Violon** (4 cordes : mi_4, la_3, $ré_3$, sol_2) ; archet : en arc puis droit à partir de 1770 env., mesure 0,75 m et pèse de 55 à 85 g (violoncelle). La sonorité du violon et des instruments dérivés dépend des bois utilisés (épicéa pour la table, érable pour le fond, éclisses et manche), de la consistance du vernis, de la hauteur des voûtes, des épaisseurs, du modèle, etc. Silhouette géométrique en huit : les 2 anses de panier, appelées C.C., raccordées par des arcs de cercle, sont conçues pour résister au maximum aux déformations [le jeu des cordes sur les planchettes (1 à 4 mm d'épaisseur) provoque une tension de 20 kg (30 en

Accordéon

Origine. Inventé à Vienne par Cyrill Demian (1772-1847) le 6-5-1829 *(akkordion)* et Londres par Charles Wheatstone le 19-6-1829 *(concertina)* : boîte en bois de 21 × 9 cm et 6 cm de haut, avec soufflet à 2 plis et clavier, améliorée par Marie-Candide Buffet (1796-1859) et Isoard entre 1831 et 1835. 1ers accordéons à système chromatique montés 1910 par les établ. Hohner.

Principe. Anche libre métallique. Au XIXe s., populaire à Vienne et dans la bourgeoisie parisienne, fabriqué en France, Allemagne, Irlande, Russie, Suisse et surtout Italie. A partir de 1900, délaissé par la bourgeoisie, adopté par les orchestres musette. Peu avant 1939, il apparaît sur des scènes de music-hall, dans des studios d'enregistrement ; le système « basses chromatiques » qui permet de jouer intégralement des œuvres classiques est adopté après la guerre, période pendant laquelle l'accordéon aborde le jazz.

Airs les plus célèbres. Le Dénicheur, le Retour des hirondelles, les Triolets, la Valse des as, Ça gaze, la Marche des accordéonistes lyonnais, Indifférence, Swing Valse, Aubade d'oiseau, Brise napolitaine, Perle de cristal, Reine de musette, Balajo, Adios Sévilla, España cani, Coplas, le Petit Bal du samedi soir, Geraldine, Dolby Valse, Fantaisie en mi mineur, Système « A ».

Associations. Unaf (Union nationale des accordéonistes de France), 34, rue du Faubourg-St-Martin 75010 Paris. ACF (Accordéon Club de France). APH (Ass. des professeurs Hohner). UFFA (Union fédérale française de l'accordéon). École départementale de musique, 84250 Le Thor. CFPOAF (Centre fédéral et pédagogique de l'orgue et de l'accordéon de France), 8, esplanade Salvador-Allende, 95100 Argenteuil.

Lauréats français des coupes mondiales. *1938* Freddy Balta. *1948* Yvette Horner. *1949* Gilbert Roussel. *1951* Maurice Vittenet. *1977* Frédéric Guérouet. *1979* Max Bonnay. *1981* Alain Musichini. *1983* Jean-Luc Manca. *1985* Jean-Marc Marroni. *1987* Christine Rossi. *1988* Éric Bouvelle. *1989* Guylaine Léorie. *1990* Dominique Emorine. *1992* Samuel Garcia.

Fabricants d'accordéons. 2 en France : Cavagnolo, ZAC des Baterses, 01704 Beynost Cedex. Maugein, ZAC de Mulatet, 19000 Tulle.

Principales firmes étrangères. *Allemagne :* Hohner. *Chine :* Parrot, Baile. *Italie :* Crucianelli, Piermaria, Paolo Soprani, Exelsior, Dallapé, Fratelli Crosio, Zero Sette, Pigini, Bugari. *Japon :* Tombo.

Carillons

Origine. *1ers monastères,* une cloche sonne les heures ; puis une cloche plus petite est ajoutée pour les demi-heures, puis le système se perfectionne. Un système d'avertissement ou prélude, précédant l'heure, se composait de quelques clochettes « appelkens » (néerl.) ou « appeaulx » (fr.). L'ensemble de 4 clochettes s'appelait « quadrillon », d'où le mot « carillon ».

Composition. Actuellement, les grands carillons comprennent de nombreuses cloches harmonisées (2 à 3 octaves) maniées à l'aide d'un clavier composé de bâtons en guise de touches et de pédales. Le carillon idéal possède 4 octaves (49 cloches). L'importance d'un carillon varie selon le poids de ses cloches. Sa qualité dépend de l'art du fondeur de cloches et du savoir-faire de l'installateur.

Quelques carillons célèbres. **Australie :** Sydney, Melbourne. **Belgique :** Bruges, Lokeren, Mol, Meise, Malines (cathédrale St-Rombaut, 49 cloches, bourdon 8 884 kg, total 38 000 kg ; N.-D. au-delà de la Dyle, 50 cl., bourdon 2 217 kg, total 9 123 kg ; Busleyden, 49 cl., bourdon 420 kg, total 2 541 kg ; possède un carillon ambulant). **Canada :** Montréal, Niagara Falls, Ottawa, Toronto. **Danemark :** Copenhague. **États-Unis :** New-York (Riverside Drive church ; Kirk-in-the-Hills). **France :** Avesnes-sur-Helpe, Bergues, Béthune, Blois, Buglose, Cappelle-la-Grande, Carcassonne, Castres, Châlons-sur-Marne, Chambéry, Châtellerault, Dijon, Douai, Dunkerque, Le Quesnoy, Lisieux, Paris (égl. Ste-Odile), Perpignan, Rouen, St-Amand-les-Eaux, Seclin, Selongey, Tourcoing. **Nouvelle-Zélande :** Wellington. **Pays-Bas :** Amersfoort, Amsterdam, Delft, Rotterdam, Utrecht. **Portugal :** Mafra.

Carillons les plus étendus. *USA :* Kirk-in-the-Hills (Michigan, USA) 77 cloches. *France :* Lyon 64 cl., Dijon 63 cl., Douai 62.

Carillons à clavier. France, 87 carillons dont 14 classés monument historique (manuels ou électrifiés) (3e pays campanaire après les Pays-Bas et la Belgique).

Carillons ambulants dont 2 en France : à Douai (49 cloches, 2 860 kg) et Béthune (48 cloches, 4 500 kg).

Fondeurs de cloches. All. 8, Espagne 8, France 4 (dont Paccard à Annecy, 1900 : 100), Italie 3, G.-B. 2, P.-Bas 2, Grèce 2, Autriche 1, Norvège 1, Portugal 1, Suisse 1. **Production française 1988 :** 627 cloches (115 t), poids moyen 180 kg. *Prix :* 70 à 90 F/kg. *Exportation :* 65 t (env. 50 % de la prod.).

Carillonneurs. Aux XVIIIe et XIXe s. on se désintéressa des carillons. A la Révolution env. 100 000 cloches furent fondues et transformées en monnaie ou canons. *1922,* Jef Denyn (Belg. 1862-1941) fonde l'école de carillon de Malines (dep. 1959 École royale de carillon Jef-Denyn-Institut intern. sup. de l'art campanaire : 10 à 20 élèves inscrits). Anciens élèves fondeurs d'autres écoles : Leen't Hart (Amersfoort, Pays-Bas, 1964) ; Jacques Lannoy (Tourcoing, France, 1971). En 1978, une autre classe a été créée au Conservatoire national de région de Douai. **« Guilde des carillonneurs de France ».** *Créée* 1972, 69 carillonneurs (membre de la Fédération mondiale du carillon). **Sté Française de Campanologie.** 41, av. de Charlebourg, 92250 La Garenne.

■ **Cloches les plus lourdes. Étranger. Allemagne :** *Cologne* « Petersglocke » (1923, cathédrale, 25,4 t, diam. 3,40 m), la + lourde du monde à se balancer. **Autriche : St-Étienne** *Pummerin* (1957) 23,9 t. **Birmanie : Mandalay** Mingun (90,5 t, diam. 5 m, fondue sous le règne de Bodawpaya (1782-1819), heurtoir en teck la frappant de l'extérieur). **Chine : Pékin** (53,9 t). **Corée : Kyongju** Divine dite Emille (1771) (23 t). **Espagne : Tolède** Campana Gorda (1753) 17,3 t. **G.-B. : Londres** *Westminster* « Big Ben » (1858, 1854 t). *St-Paul* « Great Paul » (1881, 17 t). **Japon : Osaka** (164 t) détruite 1942 ; **Kyōto** au temple Shi-Tenno-Ji (154 t) ; **Chonan** (75 t). **Portugal : Lisbonne** (XIV) 24,4 t. **Russie (Kremlin) : Moscou :** « Tsar Kolokol » (reine des cloches) [au Kremlin, fondue le 25-11-1735, fêlée (un morceau de 11 t s'est détaché, 202 t, diam. 6,10 m, haut. 6,10 m, épaisseur max. 60 cm (nécessitait 24 hommes pour tirer le battant et la faire sonner) ; 40 personnes pourraient tenir à l'intérieur ; n'a pas sonné dep. 1836]. « Trotskoi » [tour Ivan Veliki (168 t, fondue 1746), la plus grosse actuellement en place]. **Suisse : Gossau** (1926) 19,6 t. **France. Amiens :** 11 t. **Auch :** cath. 10 t. **Bordeaux :** cath. St-André (1869, 11 t, diam. 2,33 m). **Lyon :** Fourvières (1894, 7,2 t, diam. 2,50 m). **Marseille :** N.-D.-de-la-Garde (1845, 8,2 t, diam. 2,40 m). **Metz :** cath. 9,8 t. **Paris** Env. 400 cloches dans une centaine d'églises (1 n'en a pas : St-Philippe-du-Roule). Françoise-Marguerite dite *« la Savoyarde »* offerte par les 4 diocèses de Savoie, arrivée d'Annecy 16-10-1895 [au Sacré-Cœur de Montmartre (18,835 t (+ battant 0,85 ; accessoires 6,53), diam. 3,03 m, haut. 3,06 m, battant 0,85 t, note ré $_2$) ; *« Emmanuelle »* [à N.-D. de Paris (1685, 12,8 t, diam. 2,56 m, note fa $_2$, nommée par Louis XIV et Marie-Thérèse, refonte de *« Jacqueline »* (7,5 t) donnée 1400 par Jean de Montaigu, refondue 1430 puis 1681]. St-Germain-l'Auxerrois (*« la Marie »* 1527, déposée 1982). **Reims :** cath. (*Charlotte,* 1570, 10,435 t, diam. 2,46 m ; 2e bourdon, 7,4 t, diam. 2,32 m). **Rouen :** *« Jeanne d'Arc »* (20 t, fondue 1920, détruite 1939-45) ; cath. (*« Jeanne d'Arc »,* cath. 1954, 9,5 t). **Sens :** *« la Savinienne »* [cath. (1560, 15,6 t, diam. 2,69 m, note mi bémol $_2$)] ; *« la Potentienne »* (1860, 13,8 t, diam. 2,34 m, note fa $_2$). **Strasbourg :** gros bourdon, 20 t, fêlé jour de Noël 1521, sans battant ; cath. (grande cloche 1427, 8,9 t).

Les plus anciennes. Chine : 4 000 ans. **Iran :** *Palais babylonien de Nemrod « Tintinabulum » :* 1100 av. J.-C. (découverte 1849). **Italie :** *Pise* 1106. **France :** *Fontenailles,* 1203 (musée de Bayeux, Calv.), la + ancienne des grosses cloches (230 kg env.).

Orgue

☞ Orgue est masculin sauf au pluriel. Disposant de plusieurs claviers, c'est le plus complet des instruments de musique. Il donne tous les sons grâce à une série de tuyaux de 2 types (à bouche et à anche), contenus dans un « buffet ». Le vent est amené dans les tuyaux par une soufflerie.

■ **Jeu** Série de tuyaux accordés chromatiquement et donnant des sons de même caractère : indication de la longueur en pieds (33 cm) du tuyau le plus long correspondant à la note la plus basse : un tuyau ouvert de 32 pieds (10,56 m) donne la fréquence de 16 périodes, la plus basse que l'oreille puisse percevoir ; la plus aiguë, 6e do du Piccolo 1', fréquence de 16 000 périodes). **Jeux de fond :** constitués par les tuyaux ouverts (flûtes) ou fermés (bourdons) : de taille large à embouchure de flûte. Le son vient du choc de l'air passant par la lumière (entre le biseau et la lèvre inférieure) butant sur la lèvre supérieure et formant ainsi une languette invisible qui met en vibration la colonne ou corps du tuyau. **Jeux de principaux :** développent une sonorité riche en harmoniques à cause de la faiblesse de la taille (rapport de la largeur à la longueur des tuyaux). **Jeux de mutation :** donnent quintes, tierces, septièmes ou neuvièmes en rangs séparés ou collectifs. **Anche :** languette élastique vibrante à l'embouchure du tuyau, qui produit plus de timbre et d'éclat.

■ **Orgues les plus anciennes.** 200 ans av. J.-C. Le *1er vu en France* fut offert à Pépin le Bref par un empereur byzantin (757).

■ **Orgues les plus grandes du monde.** *Auditorium d'Atlantic City* (New Jersey, USA) terminé en 1930, 33 112 tuyaux de 4,70 mm à 19,50 m de long, 1 477 registres, 2 buffets (7 et 5 claviers). *Philadelphie* (Wanamaker Store, USA), 30 000 tuyaux env., 6 claviers, 451 jeux. Actuellement le plus grand orgue jouable. *Passau* (All.), 16 000 tuyaux, 118 registres, 5 claviers. *Temple des Mormons de Salt Lake City* (Utah) de 1863, 5 cl., 10 814 tuyaux et 160 reg. *Town Hall de Sydney* (Australie), 128 reg. *Santa Maria Nuova* (Monreale, Sicile), 10 140 tuyaux, 130 reg., 6 cl. *Riga* (Lettonie), 124 reg. *Albert Hall* (Londres), 114 reg. *N.-D. de Paris,* 107 reg., + de 7 000 tuyaux, 5 cl. (o. de chœur : 23 jeux, 2 200 tuyaux). *St-Thomas* de Leipzig (All.) (Ulrich Boehme). *St-Sulpice* (Paris, Cliquot, 1776, reconstruit 1862 par Aristide Cavaillé-Coll), 102 reg., 5 cl., 7 000 tuyaux.

Nota. – L'orgue du cinéma parisien le Gaumont-Palace, le plus grand d'Europe continentale, installé 1930 pour accompagner les films muets, a été reconstruit au pavillon Baltard à Nogent-sur-Marne.

■ **Orgues en France Nombre** + de 8 000 dont 900 protégés (Alsace 1 350 ; Limousin 33 ; Paris 287).

■ **Principales orgues et leurs titulaires. Albi :** *cath.,* 5 claviers. **Amiens :** *cath.* (Gérard Loisemant). **Angers :** *cathédrale* (chanoine Louis Aubeux). **Auxerre** (Michel Jollivet). **Avignon :** *cath. N.-D.-des-Doms* (Lucienne Antonini). **Beauvais :** *cath.* (Jean Galard). **Belfort :** *basilique St-Christophe* (Jean-Charles Ablitzer). **Bordeaux :** *cath.* (Christian Robert), *Ste-Croix* (Michel Reverdy). **Bourges :** *cath.* (André Pagenel). **Caen :** *St-Étienne* (M. Sagot-Mauger, Alain Bouvet). **Chartres :** *cath.* (Patrick Delabre, Christophe Mantoux). **Dijon :** *cath.* (Maurice Clerc). **Dôle :** *collégiale* (Jacques Beraza). **Le Mans :** *cath.* (Marie-José Chasseguet). **Luçon :** *cath.* (Abel Gaborit). **Lyon :** *primatiale St-Jean* (Joseph Reveyron, Thierry Mechler), *St-François-de-Sales* (Louis Robillard), *Auditorium Maurice-Ravel* et *St-Bonaventure* (Patrice Caire). **Nice :** *cath.* (Jean Wallet), *St-Jean-Baptiste.* **Orléans :** *cath.* (Jacques Laboureur). **Paris :** *La Madeleine* (François-Henri Houbart), *Les Carmes* (Eugène Pelletier), *N.-Dame-de-Paris* (Olivier Latry, Philippe Lefebvre et Jean-Pierre Leguay), *N.-D.-des-Blancs-Manteaux* (Georges Guillard et Dominique Merlet), *N.-D.-des-Victoires* (Guy Morençon et Frédéric Desenclos), *Sacré-Cœur* (Claudine Bartel), *St-Augustin* (Suzanne Chaisemartin), *Ste-Clotilde* (Jacques Taddei et P. Cogen), *St-Étienne-du-Mont* (Marie-Madeleine Duruflé-Chevalier), *St-Eustache* (Jean Guillou et André Fleury), *St-François-Xavier, St-Germain-l'Auxerrois* (Riccardo Miravet), *St-Germain-des-Prés* (André Isoir et Odile Bailleux), *St-Gervais* (Jean-Baptiste Courtois, Olivier Trachier, Aude Heurtematte), *St-Jacques du Haut Pas* (Nicolas Gorenstein), *St-Merry* (Michelle Guyard), *St-Louis-des-Invalides* (Pierre Gazin), *St-Nicolas-des-Champs* (Jean Boyer), *St-Philippe-du-Roule* (Michel Boulnois), *St-Roch* (Françoise Gangloff-Levechin), *St-Séverin* (Michel Chapuis, Jean Boyer, Michel Bouvard, François Espinasse), *St-Sulpice* (Daniel Roth, Sophie-Véronique Choplin), *St-Thomas d'Aquin* (Arsène Bedois), *St-Vincent-de-Paul* (Jean Costa), *Temple de l'Étoile* (Denise-Françoise Rogé). *Temple de l'Oratoire* (Marie-Louise Girod), *Trinité* (Naji Hakim). **Pithiviers :** *collégiale St-Salomon-St-Grégoire* (M. Aucher). **Poitiers :** *cath.* (Jean-Albert Villard). **Quimper :** *cath.* **Reims :** *cath.* (Arsène Muzerelle). **Rennes :** *cath.,* 4 claviers (Geoffrey Marshall). **Rouen :**

cath. (Lionel Coulon), *St-Ouen* (Marie-Andrée Morisset-Balier). **St-Bertrand-de-Comminges :** *cath.* **St-Denis :** *cath.-basilique* (Pierre Pincemaille). **St-Donat :** *collégiale.* **St-Germain-en-Laye :** *St-Louis* (Marie-Claire Alain), *St-Maximin* (Pierre Bardon). **St-Quentin :** *cath.* 4 claviers. **Sens :** *cath.* (Michelle Leclerc). **Soissons :** *cath.* **Souvigny. Strasbourg :** *cath.* (Maurice Moerlen), *St-Pierre-le-Jeune* (Marc Schaeffer), *St-Thomas* (Daniel Leininger, François Ménissier). **Thionville :** *St-Maximin* (Raphaëlle Garreau de Labarre). **Toulouse :** *St-Sernin* (M. Fonvieille). **Versailles :** *cath.* (A. Fleury et J.-P. Millioud).

■ **Facteurs d'orgues.** 110 inscrits aux registres des métiers. Regroupent env. 400 professionnels.

■ Piano

Grandes marques de piano. Érard (*fondé* 1780), **Klein** (1791), **Pleyel** (1807), **Gaveau** (1847) [France, fusion 1960 et 1961 (et rachat par les assurances La Paternelle) ; marques concédées au facteur allemand Schimmel (1885) depuis 1971] : *1939 :* 30 000, *1971 :* 7 200, *1979 :* 10 500, *1980 :* 11 200, *1988 :* 8 000 pianos droits et 1 300 à queue. **Rameau :** 3 900 dr. (1980), repris par *Piano de France* en 1986. *1987 :* 1 800 pianos produits (et vendus). *1989 :* 2 500. **Yamaha** (Japon, *fondé* 1887) : *1987 :* env. 120 000 dr. et à queue. **Kawai** (Japon) : 120 000 dr. et 11 000 à queue. **Young Chang** et **Samick** (Corée du S.) : 100 000 dr. et 10 000 à queue. **Kimball** (USA) : 60 000. **Steinway** (USA, *fondé* 1853) : New York 3 200, Hambourg 1 800. **Bösendorfer** (Vienne, Autr. ; racheté 1966 par Kimball) : 600. **Bechstein** (All., *fondé* 1853) : *1987 :* 1 100. **Ibach** (All., *fondé* 1794) : *1987 :* 1 000.

tension normale appelée aussi « ton de l'opéra »)] ; une caisse plus épaisse devient trop rigide et susceptible de déformations interdisant toute amplitude vibratoire. Les échancrures latérales permettent le passage de l'archet et la virtuosité du jeu. Un violon sans coins ni C.C. (anses de panier) fut réalisé par Chanot (1787-1823). **Alto** (4 cordes : la_3, $ré_3$, sol_2, ut_2). Le son exceptionnel des violons fabriqués par Stradivarius et Guarneri serait dû à des moisissures qui auraient modifié les formes des cellules du bois et se seraient développées au cours du transport fluvial des troncs. Ces champignons auraient eu un double effet sur le bois ; en digérant sélectivement l'hémicellulose qui retient l'humidité, ils l'auraient rendu plus léger et plus sec et auraient facilité le décollement des parois cellulaires des fibres, augmentant la perméabilité. **Violoncelle** (4 cordes : la_2, $ré_2$, sol_1, ut_1). **Contrebasse** (4 ou 5 cordes : sol_1, $ré_1$, la_{-1}, mi_{-1}, do_{-1}, pincées parfois). **Vielles médiévales***, Crwth (Irlande). **b) Par une roue : Chifonie*. Vielle*** (6 cordes et touches).

■ **2. Pincées a) Instruments avec manche : Guitare** [A. de Torres Jurado (Esp., 1817-92) fabriqua l'archétype de la guitare moderne (1854)]. G. classique (6 cordes : mi, la, ré, sol, si, mi). G. sèche (non électrique) ou folk (6 et 12 c. de métal) ; g. électrique (caisse pleine, amplification électronique) ; steel g. ou pédale steel (amér. origine hawaïenne) : g. numérique (20 sonorités d'instruments) ; g. basse (4 c.) ; g. expérimentale de 7, 8, 10 et 11 c. À double manche : 6 + 10 c. (Japon) ; g. théorbe de 17 c. (Canada). **Tercerola** (Italie, petite g. à 5 c. simples). Au XIXe s. apparurent des lyres-g., des g. doubles (accolées), des harpi-g., traits d'union entre instruments à c. avec manche et sans manche. **Luth** Renaissance (1 c. simple, 4 doubles), luth baroque [11 à 13 « chœurs » (cordes doubles)] ; l. Viola Amarantina (Portugal, 2 rosaces) ; l. Cavaquinho (Portugal, 4 c., petite g., adopté par le Brésil) ; dérivés du luth (archiluth, théorbe). **Guitar moon** (Japon). **Sitar** (Inde). **Balalaïka** (Russie, 3 c. : mi, mi, la). **Bouzouki** (Grèce). **Bandurria** (Espagne, 5 ou 6 c. doubles jouées avec plectre). **Viola braguese** (Portugal). **Timple** (Îles Canaries, guitare exiguë de 5 c. simples). **Tres** (Cuba, 3 c. doubles). **Laúd** (Cuba, 7 c. doubles). **Cuatro** (Venezuela, Porto Rico, 4 c. simples). **Requinto** (Colombie, 5 c. doubles). **Tiple** (Col., 4 c. triples). **Charango** (Bolivie, corps de tatou, 5 c. doubles). **Jarana** (Panamá et Mex., 5 c. simples). **Bordonua** (Porto Rico, 5 c. doubles). **Guitare hawaiienne** (manche lisse sans barrettes). **Violao de Caipira** (Brésil, 5 c. doubles). **Mandoline** (5 ou 6 c. doubles). **Guitarron** (Mex., grosse guitare au dos bombé, 6 cordes simples). **Bandola** (Col., 6 c. doubles). **Bocona** (Panamá, 5 c. simples). **Târ** (Iran, de 3 à 6 c. simples), or. étymologique du mot guitare. **Banjo** (États-Unis, 5 c.). **Cavaquinho** (Brésil, Portugal, 4 c.). **Ukulele** (Hawaii, 4 c.). **Instruments disparus : Vihuela** (6 c. doubles, en usage en Espagne jusqu'au XVIe s.). **Guiterne** (4 chœurs, 1 c. simple, 3 doubles. Disparut milieu XVIe s. en France). **Guitare baroque** (5 c. doubles. Remplacée par la g. classique de 6 c. simples v. la fin du XVIIIe s.). **Kora** (Sénégal, Guinée, 6, 11 ou 24 c.). **Zither** (All., Russie, 31 à 42 c.).

b) Instruments sans manche : Lyre *. Cithare *. Harpe *. En vogue au Moyen Âge, puis désaffection jusqu'au XVIIIe s., quand Hochbrucker (luthier all.) reprendra v. 1660 l'idée d'un artisan tyrolien de commander par pédales des crochets permettant de raccourcir les cordes. En 1786, le Français S. Érard modifie ce système et, en 1801, fabrique les harpes à double mouvement. 46 cordes couvrant 6 1/2 octaves (ut b_1 à sol b_6) et 7 pédales à 2 crans permettant de hausser d'1/2 ton ou d'1 ton chacune des notes de la gamme à toutes les octaves. **Psaltérion *. Épinette des Vosges *. Dulcimer *. Valiha :** harpe cylindrique sur bambou de 16 à 18 c., Madagascar.

c) Instruments à clavier : Épinette *. Virginal *. Clavecin (mot apparu en 1631).

■ **3. Frappées. a) Instruments à clavier** (avec des touches) : **Clavicorde *. Piano** [*Pianoforte* (signifiant, en italien, « doucement-fortement »)) fut construit par Bartolomeo Cristofori (1655-1731) en 1720 : il avait créé en 1698 son 1er **cembalo** à Martelletti (clavier à petits marteaux) avec échappement, étouffoir]. Présente actuellement un clavier de 7 1/3 octaves chromatiques : 49 touches blanches, 35 noires. Forme carrée (jusqu'à la fin du XIXe s.), à pieds droits ou supportés par des X, puis à queue (issu du clavecin), et enfin, droit (« piano-buffet », créé en 1758 par Christian Ernst Friederici). Les pédales sont ajoutées par J. Stein en 1789. En 1822, S. Érard (Fr.) inventa l'échappement double qui permet une meilleure répétition des notes. **Record :** piano de concert Fazioli de 3,08 m de long.

b) Instruments sans clavier : Dulcimer *. Cymbalum *hongrois* *.

☞ **Harpe éolienne** Cithare aux cordes mises en vibration par l'action directe du vent.

■ III. Instruments à percussion

■ **1. Idiophones a) Sans clavier : Cloches** (tubes de métal). **Xylophone*** (lames en bois). **Métallophone** (lames en acier). **Vibraphone** (USA 1921) (métallophone à amplificateur). **Marimba, Glockenspiel. Triangle** (tige coudée 2 fois). **Cymbales. Crotales** ou *cymbales antiques* (petites cymbales). **Gong. Tam-tam. Wood-block. Castagnettes. Fouet. Claves.**

b) Avec clavier : Célesta (inventé par Mustel en 1886). **Glockenspiel** (à clavier).

c) Bruits divers : Maracas (calebasses séchées ou noix de coco évidées). **Crécelles. Raclettes** (guitcharo) ou *guido* (Amér. centr.). **Grelots,** etc.

■ **2. Membranophones Percussion sur peau : Caisse claire,** *roulante* **Grosse caisse. Tambourin. Tambour de basque. Bongos** (tambour double africain). **Tom alto. Tom basse.**

■ IV. Instruments mécaniques

Carillons. Personnages de clocher (XIVe s.), pendules, horloge astronomique (St-Jean, Lyon), androïdes musiciens (XVIIIe s. par Vaucanson). **Serinettes** (petites pièces à musique). **Orgue** (y compris de manège). **O. de Barbarie** réalisé par Giacomo Barberi à Modène (XVIIIe s.) avec un cylindre dont les pointes ouvraient et fermaient les tuyaux, ne produisant chacun qu'un son unique. **O. mécanique :** cylindre sera remplacé par une bande perforée. **Piano** (1887, USA). **Violon.**

■ V. Instruments électriques

Orgue Hammond : produit des oscillations à l'aide d'alternateurs (roues phoniques). **Trautonium** du Dr Trautwein : produit des oscillations à l'aide de tubes au néon. **Violon électrique :** violon électro-acoustique avec pré-ampli. **Vielle à roue :** électro-acoustique.

■ VI. Instruments électroniques

Supplantent les instruments de musique électriques depuis plusieurs années.

Instruments monodiques (ne produisant qu'un seul son à la fois) **Theremin, Ondioline, Clavioline, Ondes Martenot** [seul subsistant : créées par Maurice Martenot (Fr, 1898-1980), présentées à l'Opéra de Paris 1928, oscillations électroniques, par système à transistors, modulées par clavier expressif ou jeu à la bague sur 7 octaves, diffusées par haut-parleur principal et 3 diffuseurs de coloration se combinant avec de nombreux jeux de timbres]. Permettent d'obtenir un vibrato reflétant les moindres gestes de l'interprète par sa fréquence et son amplitude. Une *touche de nuance* remplace l'action de l'archet ou du souffle et une *bague* permet une progression infinitésimale des sons qui l'apparente à l'expression vocale. Le modèle 1990 est à pilotage numérique.

Instruments harmoniques (pouvant jouer les accords). Connus sous le nom d'« **orgues électroniques** » (inventés par le Français Givelet). Produisent des sonorités variées grâce à des microcircuits.

Synthétiseur Électronique, modulaire (monophonique, duophonique, ou polyphonique), permettant de procéder à la synthèse du son. *1955-59 :* 1res réalisations aux USA par RCA ; *1964 :* conception musicale par Robert Moog ; *1968 :* l'Américain Walter Carlos réalise « Switched on Bach » chez Columbia. *Prix* (1988) : 42 000 F.

Instruments électrostatiques. Orgue Derreux [2 claviers et 1 pédalier complet reproduisant les sons enregistrés sur des or. Fêels à tuyaux (31 jeux + accouplements habituels)]. N'est plus fabriqué.

■ VII. Instruments numériques

Le son réel est enregistré et reproduit par un procédé numérique (reflet exact des sonorités). Piano, guitare numérique, saxo digital (six sons).

Quelques chiffres

■ Instruments en France

Importations en millions de F, entre parenthèses nombre d'unités, et en italiques, exportations en millions de F. En 1992. Pianos, clavecins et autres instruments à cordes, à claviers 341,3 (6 226) ; *32,3.* Autres instruments à cordes 7,7 (13 344) ; *6,3.* Orgues, harmoniums et instruments similaires 5,9 (45 666) ; *4,2.* Accordéons et harmonicas à bouche 24,8 (103 091) ; *2.* Autres instruments à vent 51,2 (599 001) ; *176,4.* Instruments à percussion 32,3 (692) ; *3,6.* Instr. électromagnétiques, électrostatiques, électroniques et similaires 403,1 (581 464) ; *22,9.* Boîtes à musique et similaires 21,2 ; *3,2.* Parties, accessoires, pièces détachées, mécanismes d'instr. 56,3 ; *27,4.*

Pianos neufs (1991). *Exportations :* pianos droits 1 150, à queue 98. *Importations :* 26 992 pianos droits (dont Corée S. 6 882, All. 5 451, Japon 3 502, Tchéc. 2 834, Chine 1 959, G.-B. 1 129, Russie 1 034), à queue 1 852 (Jap. 779, All. 507, Corée S. 383).

■ Ventes en France

Marché français des instruments de musique (1991). Chiffre d'affaires en millions de F : 3 400 dont pianos 1 064 (dont numériques 204), orgues 346 (dont mini-touches 175, touches normalisées 121, meubles 50), instruments à vent 400, synthétiseurs 161, guitares 146, batteries 48.

Nombre d'instruments vendus (1991). *Pianos* 44 844 dont numériques et rythmiques 16 000 ; *orgues* 240 100 dont petites touches 179 000, grandes 58 500, meubles 2 600 ; *guitares* 189 235 dont électriques 130 235, acoustiques 59 000 ; *vents* 41 000 dont bois 10 300, cuivres 23 200 (dont saxophones 12 200, flûtes 11 000), cuivres hors fanfare 7 500 ; batteries 8 500.

Nota. – La France est le meilleur producteur mondial de roseaux (entre Hyères et Fréjus, Var) pour la fabrication des anches de clarinettes, hautbois, saxophones, etc. ; achetés par le fabricant d'anches Rico (USA) et les Éts Vandoren (Fr.).

Prix d'instruments de qualité (en milliers de francs 1987-92)

■ Anciens (XVIIe-XIXe s.)

Éléments du prix. Signature, qualité de fabrication, état de conservation, certificat d'authenticité. **Violon :** école italienne (XVIIe-XVIIIe s.) : ex. *Stradivarius* [Antonius Stradivari, dit Stradivarius (Crémone 1648-1737), vécut 89 ans et produisit 635 violons (il en reste 500) et 17 altos en 71 ans, 50 violoncelles, 3 guitares]. Prix 1 000 à 10 000, *Guarnerius* (1683-1745) 1 000 à 10 000, *Andrea Amati* (1500-80, fondateur de la dynastie des Amati), *Rogerius* (1650-1730), élève d'Amati 1 000 ; école française (XIXe) ; *Nicolas Lupot* 500 à 800, *Jean-Baptiste Vuillaume* 300 à 400. **Archet** de *François-Xavier Tourte* (XVIIIe s.) 100 à 250, *Dominique Peccatte* (1810-74) 100 à 180, *François*

Nicolas Voirin 40 à 45, *Eugène Sartory* (1871-1940) 40 à 50 (un bon archet actuel 6 à 27). **Vielle à roue :** fin XVIIIe 10 à 24, à caisse plate 73. **Violoncelle :** 22 ; *Stradivarius* (il en fabriqua 50) 1 584 à 8 250. *Guadagnini* (1711-86) jusqu'à 1 540 (Londres, 1992). **Viole d'amour :** 12. **Guitare :** XVIIe (1624) : Chittara, par *Jacob Stadler* 1 149 ; XVIIIe 7 à 15 ; XIXe, signée *Torres* ou *Ramirez* de 24 à 61. **Harpe :** 19 à 51 (1992). **Épinette :** de *Thomas Hancock* (1725) 22. **Pendule à musique :** *(Janvier)* 58. **Orgue :** *(Cavaillé)* 42, mécanique de salon *(Davrainville)* 69,3. **Clavecin :** 5 octaves, 2 claviers XVIIe et XVIIIe s. 73 à 387. **Piano :** droit 6 à 25, 1/2 queue 12 à 61 ; queue (*Steinway*, 1888) 1 727. **Pianoforte :** 11 à 328 (1987, *Évrard* 1806). **Mandoline :** de Marie-Antoinette 93. **Cécilium** (ancêtre de l'accordéon) : 9 et plus. **Flûte :** à bec (paire alto) de *Bressan* (1663-1731) 253 (Londres, 1992).

■ Modernes

À vent. **Accordéon** d'étude 5 à 11, professionnel 20 à 36, de concert jusqu'à 82. **Bugle** 4 à 8. **Clarinette** 2,3 à 12. **Cor** *d'harmonie* 4 à 28. **Cornet** 3 à 7. **Flûte** *douce* 41 à 1 210, *traversière* 3 à 40. **Saxophone** alto 7 à 12, ténor 7 à 13, baryton 17 à 20. **Trombone** 3 à 13. **Trompette** 2 à 11. (Avec étui et accessoires.)

À percussion. **Vibraphone** 8 à 22. **Jeu de cloches** 18. **Xylophone** 18. **Marimba** 20.

À cordes. **Alto** 3 à 10. **Guitare** classique 0,8 à 46, « western » ou « folk » 1,1 à 16, électrique plate 1,3 à 8. **Harpe** 4 à 133, celtique 6,6 à 12. **Violon** d'étude 1,8 à 3,5, de maître à partir de 30. **Violoncelle** 4,2 à 12, de maître 20 et +. Les prix des instruments d'étude comprennent étui ou housse et archet.

Claviers. **Clavecin** 26,7 à 201. **Épinette** 16 à 49. **Orgue classique :** étude 7,5, avec pédaliers de 25 notes 157. **Piano** droit 15 à 100, à queue 36 à 400 (de concert D-274 Steinway & Sons). **Claviers électroniques.** *Mini* - de 1 ; *simples* 0,8 à 3 ; *synthétiseurs* à partir de 5 ; *piano* à partir de 10 ; *orgues* à partir de 20.

Principales collections

Anvers : *m. Vleeshuis.* **Berlin :** *Staatlisches Institut für Musikforschung Preussischer Kulturbesitz.* **Bruxelles :** *m. instr. du Conservatoire royal de mus.* **Crémone :** *m. d'Organologia A. Stradivarius.* **Édimbourg :** *Royal Scottish Museum ; Collection Russel* (clavecins et clavicordes). **Florence :** *m. des instr. de mus. du Conservatoire.* **Genève :** *m. des instr. anciens de mus.* **La Haye :** *Gemeente Museum.* **Leipzig :** *Musik-instrumenten-Museum, Karl-Marx-Universität.* **Londres :** *Victoria and Albert Museum ; Royal College of Music ; Horniman Museum.* **Milan :** *musée des Instr. anciens, Castello Sforzesco.* **Munich :** *Städtische Musikinstrumentensammlung.* **New York :** *Metropolitan Museum of Art.* **Nuremberg :** *Germanisches Nationalmuseum.* **Oxford :** *Ashmolean Museum* (coll. Bate d'instruments à vent historiques). **Paris :** *musée instrumental du Conservatoire nat. sup. de musique* (environ 4 000 instr., surtout européens) ; *m. de l'Homme* (instr. ethniques du monde entier, France exceptée) ; *m. des Arts et Traditions populaires* (instr. des provinces fr.). **Roche** (Suisse) : *m. suisse de l'orgue.* **Rome :** *m. de l'instr.* (Académie de Ste-Cécile). **Stockholm :** *Musikmuseet.* **Vienne :** *Kunsthistorisches Museum.* **Washington :** *Smithsonian Institution.*

Quelques records

■ **Instruments à cordes.** **Pantaléon**, utilisé 1767 par George Noël (270 cordes sur 4,60 m²). **Octobasse**, construite 1849 par J.-B. Vuillaume (1798-1875), 3,6 m (musée du Conservatoire Paris) (3 cordes, ut, do, ut, atteint la tierce majeure inférieure de la contrebasse moderne). **Guitare** construite par l'association de musique folklorique de Narrandera (Australie 1989) 5,8 m de haut. **Contrebasse** d'Arthur Ferris (USA 1924), 4,26 m de haut, 590 kg, caisse de résonance de 2,43 m de large nécessitant 31,7 m de cordes en cuir. **Le plus petit violoncelle** (27,8 mm de haut) fabriqué par Christian Urbita. **Le plus ancien piano** construit à Florence par Bartolomeo Cristofori (1720) (Metropolitan Museum of Art à New York) ; long. 2,26 m ; larg. 0,94 m.

■ **Instruments à vent.** **Tuba** (cirque d'Afr. du Sud) (2,28 m de haut, 11,80 m de tuyauterie, pavillon de 1 m de diam.). **Cor des Alpes,** construit par Peter Wutherich (Idaho, USA, nat. suisse) haut. 47 m, 103 kg.

■ **Divers.** **Tambour**, construit à Londres : diam. 3,96 m (entendu au Royal Festival Hall à Londres le 31-5-1987) ; de Disneyland 1961 (USA) : diam. 3,20 m, 204 kg ; construit 1872 à Boston (USA) : diam. 3,65 m, 272 kg. **Componium** construit 1821 à Amsterdam par Dietrich Nicolaus Winkel : mécanique à cylindres, triangle et tambour pouvant produire un thème et ses variations (il faudrait 138 trillions d'années pour les épuiser toutes, en comptant 5 min par variation) (musée du conservatoire de Bruxelles).

Voix humaine

Définitions

Registre. Totalité des notes émises par une voix [ou un instrument (piano 7 octaves)]. **La tessiture** (*tessitura,* trame) est la partie du *registre* aisément pratiqué par une voix ou caractérisant un rôle chanté. *Mado Robin* (1918-60) atteignait un contre-contre si dans la scène de la folie de *Lucie de Lammermoor.* Dans les années 50, l'Allemande Marita Günther chantait 7,25 octaves (de la plus basse à la plus haute note d'un piano).

Tenue des sons [*durée d'un son sans inspiration :* 20-25 s (Waltraute Demmer : 55 s)]. Dépend de capacité pulmonaire, pression et section du larynx. *Justesse :* l'exacte correspondance entre sons et notation dans un système de références dont la base est arbitrairement définie par un certain nombre de vibrations. Ainsi donne-t-on le *la* (actuellement 880 à 890 vibr.), le ton.

Puissance « auditive » de la voix. Pour une note donnée, dépend du « placement » de la voix (répartition de l'énergie entre les harmoniques du son, l'oreille étant 1 million de fois plus sensible à 1 000 Hz qu'à 30 Hz). **Classification des voix selon la puissance max.** (recueillie de face, à 1 m du chanteur) selon Raoul Husson : *voix de Grand Opéra :* 120 dB (dB physiques) et + ; *d'Opéra :* 110 à 120 ; *d'Opéra-comique :* 100 à 110 ; *d'Opérette :* 90 à 100 ; *de salon :* 80 à 90 ; *banale ou de micro :* - de 80.

L'emploi d'une voix dépend de son intensité, de son placement *(timbre),* de la qualité acoustique du lieu d'écoute et en particulier du volume de la salle utilisée [salle de 1re catégorie : 30 000 m³ ou plus ; 2e : 16 000 à 30 000 m³ ; 3e : 10 000 à 16 000 m³ ; 4e : 7 000 à 10 000 m³ ; 5e : - de 7 000 m³ (il faut une voix d'au moins 120 dB pour un 1er emploi lyrique dans une salle de 1re catégorie)].

Timbre des voix chantées. Défini par 5 qualités (qui différencient les voix de même nature, pour des sons de même hauteur) : *volume, épaisseur, mordant* (capacité d'attaque du son), *couleur, vibrato* (oscillation de voix de l'ordre du comma sur la note).

L'Égyptienne *Oum Kalsoum* (1898-1975) émettait 14 000 vibrations par s (un gosier normal : 4 000).

Quelques définitions

Aria morceau écrit pour une seule voix. **Ariette** petit air léger. **Barcarolle** pièce vocale ou instrumentale construite sur le rythme régulier et tranquille de la barcarola des gondoliers vénitiens. **Brindisi** chanson à boire, toast. **Cabaletta** aria rapide, rythmée, avec reprise. **Cantabile** passage mélodique d'une expression intense. **Cavatine** morceau d'opéra plus court que l'aria et généralement sans reprise. **Coda** partie terminale d'un morceau. **Fioriture** broderie ajoutée à la note écrite. **Gruppetto** ornementation formée de plusieurs notes autour d'une seule. **Interlude** petite pièce instrumentale insérée entre deux scènes d'opéra. **Legato** exécution dans laquelle les différents sons se succèdent sans interruption. **Pizzicato** son pincé. **Récitatif** déclamation vocale qui fait avancer l'action par opposition aux morceaux chantés plus statiques ou plus méditatifs ; remplace le parler des opéras-comiques. **Rubato** art d'accélérer ou de ralentir le « tempo » afin d'obtenir des effets expressifs. **Strette** passage d'une partie finale dans lequel les « tempos » sont accélérés en vue du point culminant. **Vocalise** formule mélodique ornementale appliquée à une voyelle.

Classification des voix

■ **Évolution. Avant le milieu du XVIIIe s.** on distinguait empiriquement les voix féminines et masculines (pour l'étendue tonale) et les voix graves et aiguës à l'intérieur de ces 2 catégories. Puis on distingua pour les hommes, les *basses, barytons* et *ténors ;* pour les femmes, *altos, mezzos* et *sopranos.* **Au début du XIXe s.** on introduisit, à l'intérieur de cette classification, des nuances de couleur de voix et de timbre [*ténors* graves, aigus, légers ; *barytons* graves, aigus, légers ; *basses* profondes, chantantes ; *sopranos* dramatiques, lyriques, légers (abusivement dits coloratures)]. **Vers le milieu du XIXe s.** des distinctions de puissance (*baryton* d'opérette, d'opéra, d'opéra-comique...) et d'emploi (*baryton* Verdi, *ténor* wagnérien, *basse* bouffe...). **En 1953** on propose de mesurer par la chronaxie l'excitabilité du nerf de la phonation (déterminant la limite supérieure d'un registre). On peut lui opposer une classification plus traditionnelle : voix classées de l'aigu au grave avec leurs principales particularités de timbre et d'aptitudes, notamment celles de colorature.

■ **Femmes.** **Soprano léger** ou **Sfogato** voix la plus aiguë et très étendue (2 octaves et demie, Mozart écrivit jusqu'au sol_5). *Rôles : la Reine de la nuit* (la Flûte enchantée), *Lakmé, Lucie de Lammermoor, Gilda* (Rigoletto). **S. lyrique léger** ou **Spinto** intermédiaire entre le s. léger et le s. lyrique, volume plus important que celui du s. léger. *Sophie* (le Chevalier à la rose), *Manon.* **S. lyrique, grand lyrique, dramatique** étendue : 2 octaves (ut_3, ut_5 = contre-ut) ; d'un type à l'autre, la tessiture s'abaisse, la puissance croît et la couleur s'assombrit. *Lyrique : Juliette, Marguerite* (Faust), *Agathe* (Freischütz). *Grand lyrique : Mimi* (la Bohème), *Aïda, Élisabeth* (Tannhäuser). *Dramatique : Gioconda, Brünnhilde* (la Tétralogie), *Isolde.* **Intermédiaire** mezzo-soprano, entre soprano et contralto, aigu moins étendu, grave plus riche. *Rôles* (chantés par sopranos et contraltos) : *Léonore* (Fidelio), *Marguerite* (Damnation de Faust). **Contralto** voix longue (2 octaves et demie, du mi grave au si) : *Charlotte* (Werther), *Amnéris* (Aïda), *Ortrude* (Lohengrin), *Carmen, Dalila* (Samson et Dalila), *Ulrica* (Bal masqué), *Erda* (Tétralogie).

Coloratur voix capable d'exécuter brillamment les fioritures soprano, basse, contralto, mezzo apte à cette agilité. **Soprano colorature** *La Reine de la Nuit* (la Flûte enchantée), *Lakmé, Lucie de Lammermoor, Gilda* (Rigoletto). **Colorature dramatique** (ou soprano dramatique d'agilité), voix très étendue (du la grave au contre-ut dièse). Œuvres de Haendel, Mozart *(Donna Anna, Fiordiligi),* Rossini *(Sémiramis, Armide, Otello),* Weber (dans Obéron), Verdi (dans Ernani, la Traviata, le Trouvère). [Dugazon, voix légère, au timbre épais : *Siebel* (Faust), *Stefano* (Roméo et Juliette), *Chérubin* (Noces de Figaro), *Mignon* (en général, nombreux travestis du répertoire léger). Desclauzas, emplois de duègne, religieuse, dame de compagnie (Mme Desclauzas, 1840-1922, créa le rôle de *Lange* dans la Fille de Mme Angot).] **Contralto-colorature** voix spécialisée dans les rôles à vocalises de Rossini *(Rosine, Arsace, Cendrillon...),* Bellini, Donizetti, Meyerbeer (*Fidès* doit vocaliser du la bémol au contre-ut).

■ **Hommes** Sous la réserve – en principe – des tessitures, les spécificités vocales sont souvent négligées. *Trois émissions :* poitrine, mixte, tête (ou fausset). *Souffle :* le contre-ut (do $_4$) d'une voix légère, par ex. le ténor lyrique (Pavarotti-Rodolfo) consomme moins de souffle que le contre-ut du t. dramatique (Del Monaco, Bonisolli-Manrico). **Ténors,** étendue normale : 2 octaves jusqu'au contre-ut, certaines voix exceptionnelles atteignant le contre-ré, parfois même le c. mib $_4$; nombreuses subdivisions. **T. trial** voix aiguë, d'aspect comique (Carmen, Turandot) ; **t. Buffo** Mime. **T. lyrique léger** voix souple, claire. Diverses nuances : **pratique aisée du fausset** *G. Brown* (Dame Blanche) ; **t. « de grâce »** agilité : *Almaviva* (Barbier de Séville) ; **médium étoffé, limité dans l'aigu** *Gérald* (Lakmé), *Ottavio* (Don Juan) ; **qualité en style, en timbre** *Nemorino* (L'Elixir d'amour). **T. lyrique** voix plus large, plus étendue (Do $_4$, éventuellement ré bémol, Ré $_4$). **La tradition** do $_4$: Faust, Rodolfo, Alfredo ; **demi-caractère, léger** Cavaradossi ; **élargi, appuyé** Des Grieux, Werther, Don José, Canio (selon les capacités vocales : Don José : do $_4$ Georges Thill ; Duc de Mantoue ré $_4$ Pavarotti). **T. dramatique** timbre incisif. Aigu éclatant : *Manrico* (Trouvère), *Radamès* (Aïda), *Enée* (Les Troyens). À la manière wagnérienne, selon un registre différent, le **T. héroïque** (Helden Tenor) *Siegfried, Tristan.* **T. Fort-ténor** volume important ou voix très percutante : **F.T. Central** à tessiture limitée : *Othello, Samson* ; **F.T. de vaillance** tessiture élevée : *Arnold* (Guillaume Tell, dit « le tombeau des ténors »), *Robert le Diable, les Puritains.* **Voix graves. Baryton-Martin** claire, souple, l'aigu s'étend jusqu'au la. Rôles : *Mârouf, Pelléas, Ange Pitou* (la Fille de Mme Angot), *Danilo* (la Veuve joyeuse). **B. d'opéra-comique** emploi avec texte parlé. Volume 100, 110 db. Rôles : *Zuniga, Lescaut, Albert.* Souvent plus puissant en raison de l'attrait de certains rôles et des capacités des interprètes : *Escamillo, Figaro.* **B. Verdi** voix souple, 2 octaves (la grave, la bémol aigu). Rôles : *Renato, Comte di Luna, Valentin* (Faust), *Rigoletto.* **B. basse** pas de limites précises entre les b. basses ou b. d'opéra et les basses. Rôles : *Wolfram* (Tannhäuser), *Grand-prêtre* (Samson et Dalila), *Scarpia* (La Tosca), *Wotan* (la Walkyrie). **Basse chantante** plus lyrique que le b. basse, fa grave (fa_3).

Boris Godounov, Méphisto (Faust), *Philippe II* (Don Carlos), *Gurnemanz* (Parsifal), *Don Juan Bertram.* **Basse noble** (profonde ou Nivette) très étendue (ut grave = ut_1, fa aigu = fa_3), fréquente dans les pays nordiques et orientaux. *Ramfis* (Aïda), *Hunding* (Walkyrie), *Zarastro* (la Flûte enchantée).

Castrats La castration, pratiquée vers 8 ans chez les garçons, arrête le développement du larynx, il ne descend pas et les cordes vocales, musclées par le travail, restent plus proches des cavités de résonance, ce qui produit une puissance et une « brillance » du son (vélocité et tenue de souffle remarquables, étendue atteignant parfois 3 octaves). Comme la castration n'arrête pas, par ailleurs, le développement physique, le castrat adulte bénéficie d'une capacité thoracique importante d'où meilleure économie de souffle et amplification de la voix (caisse de résonance). Connue dès l'Antiquité, elle fut pratiquée en Chine, dans les chœurs byzantins et en Europe (sauf en France). La plupart des castrats étaient uniquement des chanteurs d'église. Avant le XIXe s., aucune femme ne pouvait, en Italie, chanter dans les chœurs d'église. Les chœurs de la Chapelle Sixtine utilisèrent les castrats de 1588 à 1903 [l'Église néanmoins désapprouvait la castration euphonique et ne tolérait que les castrats accidentels (la castration pour hernie était une pratique courante à l'époque)]. 3 000 à 5 000 enfants de 6 à 10 ans (surtout les enfants de paysans pauvres) étaient opérés chaque année en Italie. **Castrats célèbres :** Baltasare Ferri (1610-80) ; Carlo Broschi, dit Farinelli ou « le chanteur des rois » (1705-82) ; Guadagni Caffarelli ; Crescentini (enseigna le chant à Bellini) ; Alessandro Moreschi (1858-1922, enregistré en 1902 et 1903) soprano romain ; Giambattista Velluti (1780-1861), dernier à paraître sur scène. [Monteverdi, Haendel, Gluck, Mozart (Lucio Silla, Idoménée, la Clémence de Titus, et des cantates) ont écrit pour des castrats.] Un castrat contralto, Paolo Abel do Nascimento, a chanté à Ste-Marie de Limoges le 9-2-1983.

Haute-contre Voix très aiguë émettant des sons naturels au moyen de la « résonance de tête » ; registre couvrant partiellement celui du contralto féminin, timbre essentiellement masculin, pur, pénétrant et souple, de qualité presque instrumentale, apprécié du Moyen Age au XVIIIe s. et au XXe (le Songe d'une nuit d'été de Britten). **Falsetto** Les sopranistes chantent en fausset dans une tessiture féminine. Rôles : dans les œuvres de Lully, Campra, Rameau ; *l'astrologue* (le Coq d'or).

Concours Eurovision de la Chanson. *Créé* en janv. 1955 sous le nom de « Grand Prix Eurovision de la chanson européenne ». *Jurys nationaux :* composés de professionnels et d'un échantillon de téléspectateurs. *Titres gagnants :* **1956** *Refrain* (Lys Assia), Suisse. **57** *Net als toen* (Carry Brokken), P.-Bas. **58** *Dors mon amour* (André Claveau), France. **59** *Een Beetje* (Teddy Scholten), P.-Bas. **60** *Tom Pillibi* (Jacqueline Boyer), France. **61** *Nous les amoureux* (J.-Claude Pascal), Luxembourg. **62** *Un premier amour* (Isabelle Aubret), France. **63** *Dansevise* (Grethe et Jørgen Ingmann), Danemark. **64** *Non ho l'età* (Gigliola Cinquetti), Italie. **65** *Poupée de cire, poupée de son* (France Gall), Luxembourg. **66** *Merci chérie* (Udo Jurgens), Autriche. **67** *Puppet on a string* (Sandy Shaw), G.-B. **68** *La la la* (Massiel), Espagne. **69** *Un jour un enfant* (Frida Boccara), France ; *Boom-Bang-A-Bang* (Lulu), G.-B. ; *Vivo cantando* (Salomé), Espagne ; *De troubadour* (Lennie Kuhr), P.-Bas. **70** *All kinds of everything* (Dana), Irlande. **71** *Un banc, un arbre, une rue* (Séverine), Monaco. **72** *Après toi* (Vicky Leandros), Luxembourg. **73** *Tu te reconnaîtras* (Anne-Marie David), Luxembourg. **74** *Waterloo* (Abba), Suède. **75** *Ding Dinge Dong* (Teach-In Group), P.-Bas. **76** *Save your kisses for me* (Brotherhood of Man), G.-B. **77** *L'Oiseau et l'Enfant* (Marie Myriam), France. **78** *A-Ba-Ni-Bi* (Izhar Cohen & The Alphabeta), Israël. **79** *Hallelujah* (Gali Atari & Milk and Honey), Israël. **80** *What's another year* (Johnny Logan), Irlande. **81** *Making your mind up* (Bucks Fizz), G.-B. **82** *Ein bisschen Frieden* (Nicole), All. féd. **83** *Si la vie est cadeau* (Corinne Hermes), Luxembourg. **84** *Diggi-Loo-Diggi-Ley* (Herrey's), Suède. **85** *La det swinge* (Bobbysocks), Norvège. **86** *J'aime la vie* (Sandra Kim), Belgique. **87** *Hold me now* (Johnny Logan), Irlande. **88** *Ne partez pas sans moi* (Céline Dion), Suisse. **89** *Rock me* (Riva), Yougoslavie. **90** *Insieme : 1992* (Toto Cutugno), Italie. **91** *Fangag av en stormvind* (Carola), Suède. **92** « Why me » (Linda Martin), Irlande.

OPÉRAS

DÉFINITIONS

Opéra (opera seria). Grande tragédie ou drame mis en musique, dont les rôles sont chantés et rarement parlés. Le 1er serait : *Daphné,* livret de Rinuccini, musique de Jacopo Peri, joué 1594. *Eurydice* (de Peri et Guilio Caccini, joué 1600) est le 1er O. conservé (le 1er théâtre d'opéra s'ouvre en 1637 à Venise). Le type ancien *(Don Juan)* est à numéros (Introduction, Récitatif, Trio, Aria, Duo, Aria, etc.), le type moderne est à scènes et, avec Debussy, à interludes.

Opéra-ballet. Créé en 1695 par Pascal Collasse (1649-1709) : *les Saisons ; les Indes galantes* de Rameau (1735). Consiste en des entrées de danse et de chant, chaque acte formant une unité complète.

Tragédie en musique. Transposition de la tragédie littéraire dans le mode lyrique mais dont la forme diffère de celle de l'opéra-ballet : *Alceste* de Lully.

Opéra-comique (opéra-bouffe). Apparaît au XVIIIe s. comme une parodie utilisant beaucoup le parler. Depuis le XIXe s., sa forme le rapproche de l'opéra. Le 1er serait *Chi soffre speri,* de Rospigliosi (musique : Marazzoli et Mazzochi).

Opérette. Genre théâtral léger, dans lequel les couplets chantés alternent avec le parler, avec parfois des fins parodiques ou satiriques. Se développa au XIXe s. avec Hervé et Offenbach.

PRINCIPALES SALLES D'OPÉRAS

Abréviations : Chef : ch ; directeur : d ; dir. artistique : d a ; dir. musical : d m ; intendant : i ; musicien : m ; Opéra : O. ; surintendant : s ; Théâtre : Th.

Allemagne. Bayreuth : *Festspielhaus.* **Berlin :** *Deutsche Staatsoper* (« Unter den Linden » ou « Lindenoper ») 1742, 1 450 pl. (d a : Georg Quander, d m : Daniel Barenboïm) ; *Deutsche Oper Berlin* (1961, 1 885 pl.) (d : Götz Friedrich, d m : Rafael Frühbeck de Burgos) ; *O.-Comique* (d : Werner Racwitz, à partir de 1994, Albert Kost, d m : Rolf Reuter) *Schaubühne* (1961, 1 885 pl.). **Bonn :** d : Giancarlo Del Monaco ; *O.-comique.* **Brême** (i : Tobias Richter, d m : Marcello Viotti). **Cologne** (i : Michael Hampe, d m : James Conlon). **Dresde** (d m : Guiseppe Sinopoli). **Düsseldorf-Duisbourg :** *O. du Rhin allemand* (i : Kurt Horres, d m : Hans Wallat). **Francfort** (d m : Hans Drewanz, Sylvain Cambreling en 1993). **Hambourg :** *O. d'État de H.* 1 675 pl. (i : Peter Ruzicka, d m : Gerd Albrecht). **Hanovre** (i : Hans Peter Lehmann, d m : Georges Alexander Albrecht). **Kassel** (i : Michael Leinert, d m : Georg Schmöhe). **Leipzig** (i : Karl Kayser). **Mannheim** (i, d m : Miguel Angel Gómez Martinez). **Munich :** *O. bavarois* [1818, 2 100 pl. (i : Peter Jonas, d m : Peter Schneider)] *Residenztheater* (1750, 500 pl.) **Stuttgart** (i : Wolfgang Gönnenwein, d m : Gabriele Ferro).

Argentine. Buenos Aires : *Teatro Colón* (3 500 pl., inaugurée le 25-5-1908) (d : Ricardo Szwarcer, d m : Pedro Ignacio Calderón).

Australie. Sydney [1972 : 1 500 pl. (salle de concert : 2 700 pl.)]. **Melbourne** [*plus grande salle* (1982) 2 600 pl.]. **Brisbane** 2 000 pl. **Adélaïde :** 2 000 pl. **Perth :** 1 000 pl.

Autriche. Vienne : *Wiener Staatsoper* (i : Joan Holender), *Volksoper* (i : Joan Holender). **Salzbourg :** *Salzburger Festspiele* (Gérard Mortier), *Landestheater Salzburg* (i : Lutz Hochstraate, d m : Hans Graf). **Linz :** *Landestheater Linz* (i : Roman Zeilinger, d m : Martin Sieghart). **Graz :** *Vereinigte Bühnen Graz* (i : Gerhard Brunner). **Bregenz :** *Bregenzer Festspiele* (d : Alfred Wopmann).

Belgique. Anvers : *O. de Flandre* (KVO, d m : Rudolf Werthen). **Bruxelles :** *O. national (la Monnaie)* 1856, 1 150 pl. (d gén : Bernard Foccroulle, d m : Antonio Pappano). **Charleroi :** *P. des Beaux-Arts.* **Liège :** *O. de Wallonie (Th. royal de Liège).*

Brésil. Rio de Janeiro : Teatro Municipal. **Manaus** (654 pl.), rouvert mars 91 après 70 ans d'abandon. **São Paulo :** Teatro Municipal.

Bulgarie. Sofia (d m : Ruslan Raytchev).

Canada. Toronto : *Canadian O. Company* (O'Keefe Center, 1961, d a : Brian Dickie). **Montréal :** *O. de M.* (d a : Bernard Uzan). **Vancouver.**

Danemark. Copenhague : *Th. royal* (d a : Michael Dittman) (Ballet royal danois).

Espagne. Barcelone : *Liceo* (adm : Luis Portabella, d m : Uwe Mund). **Madrid :** *Teatro Real,* installé pendant la restauration à la Zarzuela (suri : Émilio Sagi, d m : Antoni Ros Marbá).

États-Unis. Chicago (d : Ardis Krainik, d m : Bruno Bartoletti). **New York :** *Metropolitan O.* 1888, 3 800 pl. (reconstruit 1960-66) (d : Hugh Southern, d a : James Levine), *New York City O.* (Nyco, d a : Christopher Keene, d m : Sergiu Comissiona). **Dallas** (1957, d a : Plato S. Karayanis). **Houston :** *Wortham Center* (1987), (d a : R. David Gockley, d m : John De Main). **Los Angeles :** *Music Center* (1986) (d : Peter Hemmings). **Philadelphie :** *Pennsylvania Grand O.* (d gén. : Margaret Anne Everitt). **San Francisco** (d : Lofti Mansouri, d m : Donald C. Runnicles).

France. Paris : *Châtelet,* transformé dep. 19-12-1978, modernisé (1988), d gén : Stéphane Lissner. *Salle Favart* d : Thierry Fouquet. *Th. des Champs-Élysées :* 1913, modernisé 1987, d : Alain Durel. **Angers :** *Th. musical* (d a : Yvan Rialland, adm : Daniel Durand). **Avignon :** *O. d'Avignon et des Pays du Vaucluse* (d a : Raymond Duffaut, d m : François-Xavier Bilger). **Bordeaux :** *Grand Th.* (1773-80 ; 1 100 pl.) (d a : Alain Lombard). **Lille :** *O.* (d gén : Cécile Fraenkel, d a : Jacques Buffin et Riccardo Szwarcer, adm : M. Catteau). **Lyon :** *O.* (d : Louis Erlo et J.-P. Brossmann, d m : Kent Nagano). **Marseille :** *O.* (d a : Élie Bankhalter) ; **Metz :** *Th. municipal* (d a : Danièle Ory, adm : Daniel Lucas). **Montpellier :** *O.* (d gén : Henri Maier, adm : Renée Panabière). **Nancy :** *O.* (d gén : Antoine Bourseiller, adm : S. Froment). **Nantes :** *O.* (d a : Philippe Godefroid, adm : Serge Cochelin). **Nice :** *O.* (1885) (d a : Pierre Médecin, adm : Louis Rossi, d m : Klaus Weise). **Rouen :** *Th. des Arts/O. de Normandie* (d gén : Marc Adam). **Strasbourg :** *O. du Rhin* (d gén : Laurent Spielmann, d m : Friedrich Haider, adm : Lucien Collinet). **Toulouse :** *Th. du Capitole* (d a : Nicolas Joël, adm : Robert Gouazé). **Tourcoing :** *Atelier lyrique* (d : J.-C. Malgoire). **Tours :** *Grand Th.* (d : Michel Jarry, adm : M. Berthon).

Grande-Bretagne. Belfast : *Opera Northern Ireland.* **Cardiff :** *Welsh National* (1946) *O.* (d a : Matthew Epstein, d m : Carlo Rizzi). **Glasgow :** *Scottish* (1962) *O.* (d : John Lawson-Graham, d m : John Mauceri). **Glyndebourne** [manoir du Sussex où John Christie (1882-1962) fonda en 1934 un festival d'O., de mai à août ; salle 825 pl., d prod. : Sir Peter Hall, d m : Andrew Davis]. **Kent Opera** (d a : Iván Fischer). **Leeds :** *O. North* (1978) (d m : Paul Daniel). **Londres :** *Royal Opera House* (env. 2 000 pl.), *Covent Garden* (2 848 pl., d : Jeremy Isaacs, d m : Bernard Haitink). *English National O.* (d : Dennis Mark, d m : Sian Edwards).

Hongrie. Budapest : *O. d'État hongrois* (d : Endre Ütö, d m : János Kovács). *Erkel Szinház O.* **Debrecen, Pécs, Szeged :** *sections d'O. d'État.*

Italie. Bari : *Petruzzelli.* **Bologne :** *Comunale* (d a : Gioacchino Lanza Tomasi, s : Sergio Escobar). **Florence :** *Comunale* (d a : Cesare Mazzonis, s : Massimo Bogianchino). **Gênes :** *Carlo Felice* (s : Francesco Ernani, d m : Alain Lombard). **Milan :** *Teatro alla Scala* (1778, s : Carlo Fontana, d a : Alberto Zedda, d m : Riccardo Muti). **Naples :** *San Carlo* (d : Niccolà Parente, d m : Daniel Oren, s : Francesco Canessa). **Palerme :** *Massimo* (s : Ubaldo Mirabelli, d a : Girolamo Arrigo). **Rome :** *Teatro dell'Opera* (commissaire à la s : Giampado Cresci, d a : Gian Carlo Menotti, d m : Gustav Kuhn). **Trieste :** *Teatro Verdi* (commissaire à la s : Giorgio Vidusso, d a : Raffaello de Banfield, chef permanent : Lu Jia). **Turin :** *Regio* (commissaire à la s : Elda Tessore, d a : Carlo Majer). **Venise :** *Teatro La Fenice* 1792, 1 014 pl. (d a : John Fisher, ch perm : Vjekoslav Sutej). **Vérone :** *Arènes de V.* (s : Maurizio Pulica ; d a : Lorenzo Ferrero, chef permanent : Daniel Nazareth).

Monaco. Monte-Carlo (d : John Mordler).

Pays-Bas. Amsterdam : *O. néerlandais (Muziektheater,* 1986). D a : Pierre Audi, d m : Hartmut Haenchen.

Pologne. Varsovie : *Gd. Th.* (d : Sławomir Pietras). **Łódź :** *Gd Th* (d a : Slawomin Pietras). **Wrocław :** *O.* (d a : Wiktor Herzig). **Poznań :** *Gd Th. Stanislas Moniuszko* (d m : Mieczyslaw Dondajewski).

Roumanie. Bucarest : *O. Romana* (1885, reconstruit en 1953). **Cluj-Napoca :** *O. Romana* (1919). *O. Maghiara* (1948). **Iaşi :** *O. de Stat* (1896). **Timişoara :** *O. de Stat* (1947).

Russie. Moscou : *Bolchoï,* construit 1824, incendié puis reconstruit en 1856, 2 000 places (d : Vladimir Kokonin, d m : Youri Simonov), *Palais des Congrès* (6 000 pl.). **St-Pétersbourg :** *Th. Kirov* (d m : Valery Guergiev). *Th. Maly. O. nat. Moussorgski* construit 1833 pour le th. dramatique, reconstruit 1859, affecté à l'opéra en 1918 (d a : Stanislas Gaoudasinski).

Slovaquie. Bratislava : *Slovenské národné divadlo* (d a : Juraj Hrubant).

Suède. Stockholm : *Th. royal.* **Drottningholm :** *Th. du château.* **Göteborg :** *Gd Th.* **Malmö :** *Th. municipal.* **Karlstad :** *Th. musical de Värmland.* **Umea :** *Th. de Västerbotten.*

Suisse. **Bâle :** *Th.* (d : Frank Baumbauer, d m : Michael Boder). **Berne :** *Stadttheater* (Edgar Kelling, d m : Roderich Brydon). **Genève :** *Gd Th* (d : Hugues Gall). **Zurich :** *Opernhaus* (d : Alexander Pereira, d m : Ralf Weikert). **Lucerne :** *Stadttheater* (d : Horst Statkus). **St-Gall :** *Stadttheater* (d : Hermann Keckeis). **Lausanne** (d : Renée Auphan).

Tchèque (Rép.). **Prague :** *Th. national* (d a : Ivo Židek, d m : Zdeněk Košler). **Brno.**

Ukraine. **Kiev.** *Th. académique nat.*, construit 1867, 1 600 pl. (d. Anatoli Mokrenko, d m : Vladimir Kojoukhar).

Yougoslavie. **Belgrade. Zagreb.**

☞ **Opéras les plus grands :** SUPERFICIE : *O. de Paris :* 11 237 m². HAUTEUR : *Opéra de Chicago :* 42 étages. NOMBRE DE PLACES : *Metropolitan Opera de New York :* 3 788 (construit 1966, scène : larg. 71 m, prof. 45 m), *Scala de Milan :* 3 600 (construite 1778, bombardée 1944-45, reconstruite) ; DE BALCONS : *Scala de Milan* et *Bolchoï de Moscou* : 6 étages.

THÉÂTRES LYRIQUES EN FRANCE

Organisation (décret du 2-4-1990). **Opéra de Paris.** Comprend : Palais Garnier, Opéra Bastille, École d'art lyrique, Éc. du Ballet de l'O. de Paris, 1 orchestre, 1 corps de ballet, 1 chœur. Il remplace le précédent établissement, le Th. Nat. de l'Opéra de Paris qui comprenait Palais Garnier, Éc. de Danse, Salle Favart et Éc. d'Art lyrique. *Pt:* Pierre Bergé (n. 1930). *Administrateurs :* Jean-Marie Blanchard, Brigitte Lefèvre. *Dir. gén. :* Jean-Paul Cluzel, *musical :* Myung Wung Chung, *de la danse :* Patrick Dupond.

Palais Garnier. Construit par Charles Garnier. *1862 (21-7) :* 1re pierre. *1875 (5-1) :* inauguré. Construit par Charles Garnier. *1964 :* plafond de Chagall recouvrant l'ancien plafond de Lenepveu, remplacement de *la Danse* (sculptée par Carpeaux, transportée au Louvre) par une copie de Paul Belmondo ; 1 996 pl. ; surface 11 237 m² ; volume 428 666 m³ ; bâtiment long. 172,7 m, largeur 124,85 m, hauteur 55,97 m ; façade long. 70 m, haut. 32 m ; foyer long. 54 m, largeur 13 m, haut. 18 m ; salle long. 20 m, prof. 30 m, hauteur 20 m ; scène : ouverture hauteur 16 m, largeur 20 m, plateau larg. 45,50 m, prof. 27 m, surface 1 200 m², haut. 60 m, sous clef 95 m, surface (plateau) 1 200 m². **Saison 1992-93.** *11 ballets :* La Bayadère, Jerome Robbins, démonstrations de l'École de Ballet, Jeunes Danseurs, Jeunes Chorégraphes, spectacle de l'École de Ballet, Roland Petit, Giselle (2 vers.), Robbins-Balanchine, Hommage à Balanchine ; compagnies invitées : Alvin Ailey, Dominique Bagouet, Paul Taylor, Merce Cunningham, Pina Bausch, Tanztheater Wuppertal, Angelin Prejlocaj, Joëlle Bouvier, Régis Obadia ; *opéra :* Capriccio ; *concerts :* 16. Opéra-Bastille. Construit par Carlos Ott (1984/13-7-1989), inauguré 17-3-1990 avec les Troyens de Berlioz. Construction : coût 2 796 millions de F ; Grande salle : 2 700 pl., amphithéâtre 500 pl., studio 280 pl. ; surface : 65 880 m² ; bâtiment longueur 800 m ; salle et espaces scéniques 7 250 m² ; scène ouverture hauteur 12/19,7 m ; largeur 8/12 m ; plateau largeur 24,2 m, profondeur 50 m, hauteur 38 m. **Saison 1992-93.** *Grande salle :* (158 représentations) *12 opéras :* Les Noces de Figaro, Jeanne d'Arc au bûcher, Elektra, Faust, St François d'Assise, Un Bal masqué, Les Contes d'Hoffmann, Benvenuto Cellini, Manon Lescaut, la Dame de pique, Carmen ; *1 ballet :* Le Lac des Cygnes ; *concerts ; récitals. Amphithéâtre et studio :* cycle jazz, quatuors, l'histoire du soldat, il signor Bruschino, concerts et récitals.

École d'art lyrique (ancien Opéra-Studio). Depuis le 8-2-1978, l'un des services de l'Opéra de Paris. *Recrutement :* par concours (hommes 20 à 26 ans, femmes 18 à 24). *Effectif* (1990-91) : 18 + 2 auditeurs. *Enseignement :* à temps complet, rémunéré ; chant, étude de rôle, solfège, formation musicale, travail scénique (durée des études : 3 ans).

Ballet de l'Opéra de Paris. *Dir. de la danse :* Patrick Dupond, *maîtres de ballet :* Patrice Bart, Eugène Poliakov, *régisseur gén. du ballet :* Anna Faussurier, *dir. de l'école du ballet :* Claude Bessy.

Ordre hiérarchique (dep. le 1-1-1964) : 1er : 44 Quadrilles. 2e : 38 Coryphées. 3e : 36 Sujets. 4e : 10 Premiers danseurs et danseuses. 5e : 13 Danseurs et danseuses étoiles.

Effectif : 160 danseurs dont 13 étoiles 8 stagiaires et 11 surnuméraires. *Danseuses étoiles :* Mlles Marie-Claude Pietragalla, Isabelle Guérin, Élisabeth Platel, Monique Loudières, Élizabeth Maurin, Claude de Vulpian, Françoise Legrée. *Danseurs étoiles :* MM. Laurent Hilaire, Charles Jude, Jean-Yves Lormeau, Patrick Dupond, Manuel Legris, Kader Belarbi.

Orchestre national de l'Opéra de Paris. *Dir. musical :* Myung Wung Chung. 155 musiciens. Chœurs de l'Opéra de Paris. *Chef des chœurs :* Denis Dubois. 100 choristes.

Budget total (1992) : 780 millions de F. *Subvention d'État* (en millions de F), *1991 :* 457 (dont Garnier 165, Bastille 292) ; *92 :* 500. *Dépenses (%) :* salaires 52. *Effectifs :* 1 300 (Bastille 718, Garnier 533, Éc. de Danse 49).

Nombre de représentations (1991-92) : 385 (lyriques 113, ballets 138, divers 134). Spectateurs total (1991-92) : 657 000.

THÉÂTRES LYRIQUES DE PROVINCE

Nombre. Env. 30 théâtres en régie municipale, syndicats intercommunaux, associations, concessions, regroupés dans une Chambre Syndicale. Ces théâtres sont subventionnés par l'État, et/ou financés par les villes et autres collectivités territoriales.

Réunion des Théâtres lyriques de France (RTLF). **Montant des subventions** (en millions de F, 1992) : *créée* 1964. *Total* 74,7 dont Avignon (Op. d'A. et des Pays du Vaucluse) 2,7, Bordeaux (Grand Th.) 5,4, Lyon (Op.) 15,8, Marseille (Op.) 5,6, Metz (Th. mun.) 3,1, Montpellier (Op.) 4,9, Nancy (Op. de N. et de Lorraine) 3,3, Nantes (Op. de N. et des Pays de la Loire) 3,5, Nice (Op.) 4, Rouen (Th. des Arts) 3,1, Strasbourg-Mulhouse-Colmar (Op. du Rhin) 12,3, Toulouse (Th. du Capitole) 7, Tours (Grand Th.) 3,8. **Scènes lyriques :** Aix-en-Pr., Angers, Besançon, Boulogne, Caen, Calais, Clermont-Ferrand, Dijon, Limoges, Nîmes, Perpignan, Reims, Rennes, St-Étienne, Toulon, Troyes.

Statistiques (1992). 3 062 salariés. 658 représentations en 1991 (195 ouvrages dont 99 opéras, 30 opérettes, 66 ballets, 6 créations) devant 554 572 spectateurs.

OPÉRAS ET OPÉRAS-COMIQUES CÉLÈBRES

AUTEUR DE LA MUSIQUE ET, ENTRE PARENTHÈSES, DU LIVRET

Adrienne Lecouvreur (1902) Cilea (it. Arturo Colautti d'après Scribe et Legouvé). **Affaire Makropoulos (L')** (1925) Janáček (tchèque d'après Karel Capek). **Africaine (L')** (1865) Meyerbeer (fr. Scribe). **Aïda** (1871) Verdi (it. A. Ghislanzoni) d'après du Locle. **Alceste** (1674) Lully (fr. Quinault). **Alceste** (1776) Gluck (fr. Leblanc du Rollet) tiré d'une tragédie d'Euripide. **Amahl et les visiteurs nocturnes** (1952) Menotti (angl. id.) inspiré par *l'Adoration des mages* de J. Bosch. **Amélie va au bal** (1937) Menotti (it.). **Amour de Danaé (L')** (1940) Richard Strauss (all. Josef Gregor). **Amour des trois oranges (L')** (1921) Prokofiev (russe Prokofiev) tiré d'une comédie italienne du XVIIIe s. de Carlo Gozzi. **Amour des trois rois (L')** (1913) Montemezzi (it. Sem Benelli). **André Chénier** (1896) Giordano (it. Luigi Illica). **Ange de feu (L')** (1919-27) Prokofiev. **Angélique** (1927) Ibert (fr. Nino). **Aniara** (1959) Blomdahl (suéd. Eric Lindegren). **Anna Bolena** (1830) Donizetti. **Anneau des Nibelungen (L')** : *l'Or du Rhin* (1869), *la Walkyrie* (1870), *Siegfried* (1876), *le Crépuscule des Dieux* (1876) Wagner (all. id.). **Apothicaire (L')** (1768) Haydn (it. Carlo Goldoni). **Arabella** (1933) R. Strauss (all. Hugo von Hofmannsthal). **Ariane à Naxos** (1916) R. Strauss (all. Hugo von Hofmannsthal). **Ariane et Barbe-Bleue** (1907) Dukas (fr. Maeterlinck). **Armide** (1686) Lully ; (1777) Gluck (fr. Quinault). **Ascario in Alba** (1771) Mozart. **Ascension et la chute de la ville de Mahagonny (L')** (1930) K. Weill (all. Bertolt Brecht). **Atys** (1676) Lully.

Opéra. D'après une enquête récente : 1,9 % des Français y avaient assisté ces dernières années et 2 % au cours des 12 derniers mois dont 1 % de l'ensemble de la population, 0,4 % 2 fois (17,3 %), 0,3 % 3 ou 4 (13,6 %), 0,2 % 5 et plus (9,4 %).

Entrées à l'opéra (1986-87). 358 652. *Palais Garnier :* 246 593, payants 234 113, tarif normal 169 594, spécial (collectivités et tarifs réduits) 15 637, galas privés 7 719, JMF 10 777, payantes sans visibilité 30 386, servitudes 12 480. *Salle Favart :* 112 059, payants 69 905, spécial 9 105, JMF 10 338, galas 1 084, payantes sans visibilité 13 762, servitudes 7 865.

Opérette. 5,8 % des 60-69 ans, 4 % des cadres supérieurs et professions libérales, 3,8 % des retraités y avaient assisté. 2,4 % des Français y avaient assisté au cours des 12 derniers mois dont 1,5 % de l'ensemble de la population une seule fois (soit 66 % des pratiquants), 0,4 % 2 fois (soit 18 %), 0,3 % 3 ou 4 (12,8 %).

Bal masqué (Un) (1859) Verdi (it. Antonio Somma) tiré de Scribe. **Barbier de Séville (Le)** (1782) Paisiello (it. Petroselli d'après Beaumarchais). **Barbier de Séville (Le)** (1816) Rossini (it. Cesare Sterbini) tiré de la comédie de Beaumarchais. **Bastien et Bastienne** (1768) Mozart (all. F. Weisskern) tiré de la parodie du *Devin du village* de Rousseau. **Béatrice et Bénédict** (1862) Berlioz (fr. de Berlioz d'après Shakespeare). **Beggar's Opera (The)** (1728) Pepush. **Benvenuto Cellini** (1838) Berlioz (fr. L. de Wailly et A. Barbier). **Bijoux de la Madone (Les)** (1911) Wolf-Ferrari (it. Golisciani et Zangarini). **Bohème (La)** (1896) Puccini (it. Giuseppe Giacosa et Luigi Illica) tiré des *Scènes de la vie de Bohème* de H. Murger. **Bolivar** (1950) Milhaud. **Boréades (Les)** (1764) Rameau (fr. attribué à Cahusac). **Boris Godounov** (1874) Moussorgski (russe id.), tiré de Pouchkine. **Boulevard Solitude** (1951) Henze (all. G. Weil d'après W. Jöckisch).

Capriccio (1942) R. Strauss (all. Clemens Krauss et le compositeur). **Capulets et Montaigus** (1830) Bellini (it. Romani d'après Roméo et Juliette de Shakespeare). **Cardillac** (1926-52) Hindemith (all. F. Lion d'après E.T.A. Hoffmann). **Carmen** (1875) Bizet (fr. Meilhac et Halévy) tiré de Mérimée. **Castor et Pollux** (1737) Rameau (fr. Gentil Bernard). **Cavalleria rusticana** (1890) Mascagni (it. G. Menasci et G. Targioni-Tozzetti) tiré de la pièce de G. Verga. **Cenerentola (La)** (Cendrillon) (1817) Rossini (it. de Jacopo Ferretti) tiré d'Étienne pour un opéra d'Isouard. **Château de Barbe-Bleue (Le)** (1918) Bartók (hongr. Béla Balázs) tiré des Contes de ma mère l'Oye. **Chevalier à la rose (Le)** (1911) R. Strauss (all. H. von Hofmannsthal). **Christophe Colomb** (1930) Milhaud. **Clémence de Titus (La)** (1791) Mozart (it. Métastase). **Combat de Tancrède et de Clorinde (Le)** (1624) Monteverdi (it. d'après le Tasse). **Comte Ory (Le)** (1828) Rossini. **Consul (Le)** (1950) Menotti (angl. id.). **Contes d'Hoffmann (Les)** (1881) Offenbach (fr. Jules Barbier) tiré de 3 histoires de Hoffmann. **Convive de pierre (Le)** (1872) Dargomyjsky. **Coq d'or (Le)** (1909) Rimski-Korsakov (russe V.L. Bielski) tiré de Pouchkine. **Cosi fan tutte** (1790) Mozart (it. Lorenzo Da Ponte). **Couronnement de Poppée (Le)** (1642) Monteverdi (it. Busenello) tiré des *Annales* de Tacite. **Crépuscule des Dieux (Le)** (1876) Wagner (all. Wagner).

Dame blanche (La) (1825) Boïeldieu (fr. Scribe). **Dame de pique (La)** (1890) Tchaïkovski (russe Modest Tchaïkovski) tiré d'une nouvelle de Pouchkine. **Damnation de Faust (La)** (1846) Berlioz (fr. Berlioz) tiré de la version française de Gérard de Nerval du *Faust* de Goethe. **Daphné** (1938) R. Strauss (all. Josef Gregor). **Dardanus** (1739) Rameau (fr. La Bruère). **Déserteur (Le)** (1769) Monsigny (fr. Sedaine). **Destin (Osud)** (1934) Janáček (tch. Janáček et Fedora Bartosova). **Devin du village (Le)** (1753) J.-J. Rousseau. **Diables de Loudun (Les)** (1969) Penderecki (angl. Huxley). **Dialogues des Carmélites** (1957) Poulenc (fr. id.) d'après Bernanos, adapté d'une nouvelle de G. von Le Fort, d'un scénario de P. Agostini et du R.P. Bruckberger. **Didon et Énée** (1689) Purcell (angl. Nahum Tate) tiré du livre IV de l'*Énéide* de Virgile. **Domino noir (Le)** (1837) Auber. **Don Carlos** (1867) Verdi (fr. Fr. Jos. Mery et Camille du Locle) tiré de la pièce de Schiller. **Don Juan** (1787) Mozart (it. Lorenzo Da Ponte) tiré de Molina, Molière, Goldoni... **Don Pasquale** (1843) Donizetti (it. G. Donizetti et Cammanaro) tiré de Ser Marc Antonio d'Anelli. **Don Quichotte** (1910) Massenet (fr. Henri Caïn d'après Cervantes). **Drei Pintos (Die)** (1821-88) Weber, terminé par Mahler (all. Theodor Hell d'après la nouvelle de Seidel *Der Brautkampf*). **Duègne ou la Retraite au monastère (La)** (1948) Prokofiev (russe Prokofiev et Mira Mendelson) tiré d'une pièce de Sheridan.

Élégie pour deux jeunes amants (1961) Henze (anglais W.A. Auden et Chester Kallman). **Elektra** (1909) R. Strauss (all. Hugo von Hofmannstahl) tiré de l'*Électre* de Sophocle. **Élixir d'amour (L')** (1832) Donizetti (it. Felice Romani). **Enfant et les Sortilèges (L')** (1925) Ravel (fr. Colette). **Enlèvement au sérail (L')** (1782) Mozart (all. Gottlieb Stephanie) tiré d'une pièce de Ch. Fr. Bretzner. **Erwartung** (écrit 1909, créé 1924) Schönberg (de Marie Pappenheim). **Esclarmonde** (1889) Massenet. **Eugène Onéguine** (1879) Tchaïkovski (russe Tchaïkovski et Shilovski) tiré de Pouchkine. **Europe galante (L')** (1697) Campra (de La Mothe). **Euryanthe** (1824) Weber (all. H. von Chezy).

Falstaff (1893) Verdi (it. Arrigo Boito) tiré des *Joyeuses Commères de Windsor* et de *Henri IV* de Shakespeare. **Faust** (1859) Gounod (fr. Jules Barbier et Michel Carré) tiré de Goethe. **Favorite (La)** (1840) Donizetti. **Fedeltà premiata (La)** (1781) Haydn (it.). **Femme sans ombre (La)** (1919) R. Strauss (all. H.

von Hofmannsthal). **Femme silencieuse (La)** (1932-34) R. Strauss (livret all. de Stefan Zweig d'après Ben Jonson). **Fiançailles au couvent (Les)** (1946) Prokofiev (russe Prokofiev et Mira Mendelson d'après *La Duègne* de Sheridan). **Fiancée vendue (La)** (1866) Smetana (tchèque Karel Sabina). **Fidelio** (1805) Beethoven (all. Joseph Sonnleithner) tiré de J. N. Bouilly. **Fille du Far West (La)** (1910) Puccini (it. Zangarini et Civinini). **Fille du régiment (La)** (1840) Donizetti (fr. J. de St-Georges et J. Bayard). **Fille joyeuse (La)** (1876) Ponchielli (it. A. Boito) tiré de V. Hugo. **Finta Giardiniera (La)** (1774) Mozart (it. Petrosellini ou Calzabigi). **Flûte enchantée (La)** (1791) Mozart (all. Emmanuel Schikaneder). **Force du destin (La)** (1862) Verdi (it. Francesco Piave). **Fra Diavolo** (1830) Auber. **Freischütz (Der)** (1821) Weber (all. J. Fr. Kind). **Gianni Schicchi** (1918) Puccini (it. Gioacchino Forzano). **Goyescas** (1916) Granados. **Grand Macabre (Le)** (1978) Ligeti (all. M. Meschke et G. Ligeti). **Guercœur** (1900) Albéric Magnard (fr. Magnard). **Guerre et paix** (1944) Prokofiev (russe Serge Prokofiev et Mira Mendelson d'après Tolstoï). **Guillaume Tell** (1829) Rossini (fr. H. Bis et Jouy). **Gwendoline** (1893) Chabrier (fr. Catulle Mendès).

Hänsel und Gretel (1894) Engelbert Humperdinck (all. Adelheid Wette) tiré du conte de Grimm. **Hary Janos** (1926) Kodaly (hongrois Bela Paulini et Zsolt Harsanyi). **Hélène d'Égypte** (1928). R. Strauss (all. Hugo von Hofmannsthal). **Hernani** (1844) G. Verdi (it. Francesco Maria Piave) tiré de V. Hugo. **Hérodiade** (1884) Massenet (fr. Millet et Grémont). **Heure espagnole (L')** (1911) Ravel (fr. Franc-Nohain). **Hippolyte et Aricie** (1733) Rameau. **Huguenots (Les)** (1836) Meyerbeer (fr. Scribe d'après Deschamps).

Idoménée (1781) Mozart (it. G. B. Varesco). **Impresario (L')** (1786) Mozart (all. Stephanie Le Jeune). **Indes galantes (Les)** (1735) Rameau (fr. Fuzelier). **Intermezzo** (1924) R. Strauss. **Iphigénie en Aulide** (1774) Gluck (fr. du Rollet). (1788) Cherubini (it. Moretti). **Iphigénie en Tauride** (1779) Gluck (fr. Guillard). (1781) Piccinni (fr. A. du C. Dubreuil) tiré d'Euripide. **Italienne à Alger (L')** (1913) Rossini (it. A. Anelli). **Ivan Soussanine (la Vie pour le tsar)** (1836) Glinka (russe Rosen).

Jenufâ (1904) Janáček (tch. inspiré de G. Preisova). **Jeune Lord (Le)** (1964) Henze (all. I. Bachmann d'après W. Hauff). **Joconde (La)** (1876) Ponchielli (it. Arrigo Boito) tiré de V. Hugo *Angelo, tyran de Padoue*. **Jolie Fille de Perth (La)** (1867) Bizet (fr. St-Georges et Adenis d'après Walter Scott). **Jour de paix** (1938) R. Strauss (all. Hugo von Hofmannsthal). **Joyeuses Commères de Windsor (Les)** (1849) Nicolaï (all. Mosenthal d'après Shakespeare). **Juive (La)** (1835) Halévy (fr. Scribe). **Jules César** (1724) Haendel (it. Nicola Haym).

Katia Kabanova (1921) Janáček (tchèque Cervinka d'après *l'Orage* d'Ostrovski). **Khovanchtchina (La)** (1886) Moussorgski, achevé par Rimski-Korsakov (russe Moussorgski et Vl. Stassov). **Kitège** (1907) Rimski-Korsakov (russe V. Bielski).

Lady Macbeth de Mtsensk (1934) Chostakovitch (russe A. Preis et Dimitri Chostakovitch). **Lakmé** (1883) Delibes (fr. Gondinet et Gilles) tiré du *Mariage de Loti* de P. Loti. **Lear** (1964) A. Reimann (all. Claus H. Henneberg d'après Shakespeare). **Lohengrin** (1850) Wagner (all. Wagner) tiré du *Chevalier au cygne* de C. von Würzburg. **Louise** (1900) Charpentier (fr. Charpentier). **Lucie de Lammermoor** (1835) Donizetti (it. Salvatore Cammarano) tiré de la *Fiancée de Lammermoor* de Walter Scott. **Lucrèce Borgia** (1833) Donizetti. **Luisa Miller** (1849) Verdi (it. Cammarano). **Lulu** (1937) Berg (all. Berg) d'après *l'Esprit de la terre* et *la Boîte de Pandore* de Wedekind.

Macbeth (1847) Verdi (it. Francesco Piave) tiré de *Macbeth* de Shakespeare. **Madame Butterfly** (1904) Puccini (it. Giuseppe Giacosa et Luigi Illica) tiré de Belasco. **Madame Chrysanthème** (1893) Messager. **Maître de Chapelle (Le)** Paër (1821) (Sophie Gay) tiré de la comédie d'Alex Duval, *le Souper imprévu*. **Maîtres chanteurs (Les)** (1868) Wagner (all. de Wagner). **Manon** (1884) Massenet (fr. Henri Meilhac et Philippe Gille) tiré du roman de l'abbé Prévost. **Manon Lescaut** (1893) Puccini (Leoncavallo, Praga, Oliva, Illica, Giacosa). **Mariage secret (Le)** (1792) Cimarosa (it. Giovanni Bertati) tiré d'une comédie angl. de George Colman. **Mariage de Télémaque (Le)** (1910) Terrasse. **Mârouf** (1914) Rabaud (fr. Lucien Népoty d'après *Les Mille et Une Nuits*). **Martha** (1847) Flotow (all. W. Friedrich) tiré du ballet *Lady Henriette ou la Servante*, de Greenwich de St-George. **Mathis le peintre** (1934) Hindemith (all. id.). **Mavra** (1922) Stravinski. **Maximilien** (1932) Milhaud. **Médée** (1963) M.-A. Charpentier. **Médée** (1793) Cherubini (fr. Hoffmann). **Médium (Le)** (1946) Menotti (angl. id.). **Mefistofele** (1868) Boito (fr. d'Arrigo Boito). **Midsummer Marriage (The)** (1955) Tippett (angl. Tippett). **Mignon** (1866) Thomas. (fr. M. Carré et J. Barbier) d'après Goethe. **Mireille** (1864) Gounod (fr. inspiré de Mistral). **Mithridate, roi du Pont** (1770) Mozart (it. Cigna-Santi). **Moïse et Aaron** (1957) Schönberg (all. d'après *la Bible*). **Moïse en Égypte** (1818) Rossini. **Monde de la Lune (Le)** (1787) Haydn (it. Carlo Goldoni). **Mort à Venise** (1973) Britten (livret angl. de Myfanwy Piper d'après Thomas Mann). **Muette de Portici (La)** (1828) Auber (fr. Scribe et Delavigne).

Nabucco (1842) Verdi (it. T. Solera). **Noces de Figaro (Les)** (1786) Mozart (it. Lorenzo Da Ponte) tiré du *Mariage de Figaro* de Beaumarchais. **Norma** (1831) Bellini (it. Felice Romani) tiré de la pièce *Norma*, de Louis Soumet. **Nuit de mai (La)** (1880) Rimski-Korsakov (russe d'après Gogol).

Obéron (1826) Weber (angl. d'après Planché) tiré de Wieland. **Œdipe** (1936) Enesco (fr. Edmond Fleg d'après Sophocle). **Œdipus Rex** (1927) Stravinski (latin de Cocteau traduit par Jean Daniélou). **Or du Rhin (L')** (1869) Wagner (all. id.). **Orfeo** (1607) Monteverdi (it. A. Striggio). **Orphée et Eurydice** (1762) Gluck (it. Calzabigi) tiré de la mythologie grecque. **Otello** (1816) Rossini ; (1887) Verdi (it. Arrigo Boito) tiré d'*Othello*, de Shakespeare.

Padmavati (1923) Roussel. **Paillasse** (1892) Leoncavallo (it. id.). **Palestrina** (1917) Pfitzner (all.). **Paradis perdu (Le)** (1978) Penderecki (angl. Christopher Fry). **Parsifal** (1882) Wagner (all. Wagner) tiré de 2 légendes : *Contes du Graal* de Chrét. de Troyes, *Parsifal* de W. von Eschenbach. **Pêcheurs de perles (Les)** (1862-63) Bizet (fr. Cormon et Carré). **Pelléas et Mélisande** (1902) Debussy (fr. M. Maeterlinck). **Pénélope** (1913) Fauré (fr. René Fauchois). **Peter Grimes** (1945) Britten (angl. Montagu Slater) tiré du poème *The Borough*, de G. Crabbe. **Petite Renarde rusée (La)** (1924) Janáček (tch. Janáček d'après des nouvelles de Tesnohlidek). **Pie voleuse (La)** (1817) Rossini. **Pirata (Le)** (1827) Bellini. **Platée** (1749) Rameau (fr. J. Autreau et A. J. Le Vallois d'Orville). **Porgy and Bess** (1935) Gershwin (angl. DuBose, Heyward et Ira Gershwin) tiré de la pièce *Porgy*, de Dubose et D. Heyward (1er O. de jazz). **Prince Igor (Le)** (1890) Borodine (russe id.) tiré de Stassov. **Prisonnier (Le)** (1948) Dallapiccola (it. d'après Villiers de L'Isle-Adam et Ch. Coster). **Prophète (Le)** (1849) Meyerbeer (fr. Scribe). **Puritains (Les)** (1835) Bellini (it. Carlo Popoli).

Rake's Progress (The) (1951) Stravinski (angl. Auden et Chester Kallman) tiré de William Hogarth. **Richard Cœur de Lion** (1784) Grétry (fr. Sedaine). **Rienzi** (1842) Wagner (all. Wagner). **Rigoletto** (1851) Verdi (it. Francesco Maria Piave) tiré du *Roi s'amuse*, de V. Hugo. **Robert le Diable** (1831) Meyerbeer (fr. Scribe et Delavigne). **Roi d'Ys (Le)** (1888) Lalo (fr. Ed. Blau). **Roi malgré lui (Le)** (1887) Chabrier (fr. Najac et Burani). **Roméo et Juliette** (1867) Gounod (fr. Barbier et Carré) d'après Shakespeare. **Rondine (La)** (1917) Puccini (it. Adami). **Rossignol (Le)** (1914) Stravinski (d'après Andersen). **Rousslan et Ludmila** (1842) Glinka. **Russalka** (1856) Dargomyjsky. (1901) Dvořák (J. Kvapil).

Sadko (1898) Rimski-Korsakov (russe id. et Bielski). **Saint François d'Assise** (1983) Olivier Messiaen (fr. Messiaen d'après saint François). **Sainte de Bleecker Street (La)** (1954) Menotti (angl. Menotti). **Salamine** (1929) Emmanuel (fr. Reinach). **Salomé** (1905) R. Strauss (all. H. Lachmann) traduit d'Oscar Wilde. **Samson et Dalila** (1877) Saint-Saëns (fr. Ferdinand Lemaire). **Schwanda le joueur de cornemuse** (1927) Weinberger (tch. M. Kares). **Sémiramis** (1823) Rossini (it. G. Rossi d'après Voltaire). **Servante maîtresse (La)** (1733) Pergolèse (it. Federico), (1781) Paisiello (it. G.A. Federico). **Siegfried** (1876) Wagner (all. Wagner). **Sigurd** (1884) Reyer (fr. d'après des *Eddas* scandinaves). **Simon Boccanegra** (1857) Verdi (it. Fr. Piave) tiré d'une pièce de A.-G. Gutierrez. **Soldats (Les)** (1965) Zimmermann (all. d'après la pièce de J.M. Lenz). **Somnambule (La)** (1831) Bellini (it. Felice Romani).

Tabarro (Il) (La Houppelande, 1918) Puccini (it. Adami d'après Didier Gold). **Tancrède** (1813) Rossini. **Thaïs** (1894) Massenet. **Tannhäuser** (1845) Wagner (all. id.). **Tosca (La)** (1900) Puccini (it. L. Illica et G. Giacosa) tiré de V. Sardou. **Tour d'écrou (Le)** (1954) Britten (anglais Myfanwy Piper d'après Henry James). **Traviata (La)** (1853) Verdi (it. Fr. M. Piave) tiré de *la Dame aux camélias*, d'A. Dumas fils. **Tristan et Isolde** (1865) Wagner (all. id.). **Trouvère (Le)** (1853) Verdi (it. Salvatore Cammarano). **Troyens (Les)** (1863-90) Berlioz (fr. id.) tiré de l'*Énéide* de Virgile. **Tsar Saltan (Le)** (1900) Rimski-Korsakov (russe Bielski). **Turandot** (1926) Puccini (it. Adami et Simoni) tiré d'une fable de Carlo Gozzi. **Turc en Italie (Le)** Rossini.

Ulysse (1968) Dallapiccola (it. d'après Homère).

QUELQUES RECORDS

Assistance la plus nombreuse. 400 000 auditeurs le 4-7-1977 pour l'Orchestre Pops de Boston dirigé par Arthur Fiedler au Hatch Memorial Stell, Boston (USA).

Œuvres les plus jouées en France (représentations en 1982-83, en province). **Opéras :** Cosi Fan Tutte 30, Madame Butterfly 29, Faust 26, Roméo et Juliette 21, La Clémence de Titus 18, La Vie de bohème 18, La Petite Renarde rusée 15, Le Barbier de Séville 15. **Opérettes :** La Veuve joyeuse 60, West Side Story 60, Valses de Vienne 57, La Belle Hélène 39, Le Pays du sourire 37, L'Auberge du cheval blanc 37, Le Chanteur de Mexico 30, La Vie parisienne 29, La Belle de Cadix 26, La Mascotte 26, Balalaïka 25, La Fille du tambour-major 24.

Œuvres les plus jouées à Londres (Covent Garden). *Carmen* (27-6-1882) : 468 représentations. *La Bohème* (2-10-1897) : 462. *Aïda* (22-6-1876) : 446. *Faust* (18-7-1863) : 428. *Rigoletto* (14-5-1853) : 402. *Don Giovanni* (17-4-1834) : 365. *Norma* (12-7-1833) : 353. *La Traviata* 25-5-1858) : 339. *Tosca* (12-7-1900) : 331. *Madame Butterfly* (10-7-1905) : 325.

Opéras les plus longs. *Les Maîtres chanteurs de Nuremberg* (Wagner), 5 h 15 min. *Les Hérétiques* de Gabriel von Wayditch (Hongro-Américain, 1888-1969), orchestré pour 110 instruments, 8 h 30 min. Le *Guillaume Tell* de Rossini durerait 7 h s'il était donné intégralement. **Le plus court.** *La Délivrance de Thésée* de Milhaud dura 7 min et 27 s (1928). **Plus long solo d'opéra.** Immolation de Brünnhilde dans *le Crépuscule des dieux* (R. Wagner), 15 min. **La plus jeune chanteuse d'opéra.** Jeanette Gloria La Bianca (n. 12-5-1934) interprétait Rosine dans *le Barbier de Séville* à 15 ans et 361 j. **Le plus âgé.** Lucien Fugère (1848-1935), baryton, créateur, à l'Opéra-Comique en 1890, du rôle du duc de Longueville dans *La Basoche* (Messager), n'abandonna ce rôle qu'à 83 ans.

Vaisseau fantôme (Le) (1843) Wagner (all. Wagner) tiré des *Mémoires de Herr von Schnabelewopski* de Heine. **Vanessa** (1958) S. Barber (angl. Menotti). **Vêpres siciliennes (Les)** (1855) Verdi (fr. Scribe et Duveyrier). **Vestale (La)** (1807) Spontini (fr. Jouy). **Vie brève (La)** (1905) M. de Falla (esp. Carlos Fern. Shaw). **Vie pour le Tsar (Une)** (1836) Glinka. **Ville morte (La)** (1920) Korngold (all. de Paul Schott) tiré de la nouvelle de G. Rodenbach *Bruges la morte*. **Viol de Lucrèce (Le)** (1946) Britten (angl. Ronald Duncan). **Vol de nuit** (1939) Dallapiccola (it. d'après St-Exupéry). **Voyages de Monsieur Brouček (Les)** (1917) Leoš Janáček (tch. Janáček et Procházka).

Walkyrie (La) (1870) Wagner (all. id.). **Werther** (1893) Massenet (fr. Blau, Millet et Hartmann). tiré de Goethe. **Wozzeck** (1925) Alban Berg (all. id.) tiré d'une tragédie de Georg Büchner.

Yolantha (1892) Tchaïkovski (russe Modest Tchaïkovski d'après *La Fille du roi René* de Henrik Hertz).

OPÉRETTES ET COMÉDIES MUSICALES CÉLÈBRES

A la Jamaïque (1955) F. Lopez. **Amants de Venise (Les)** (1953) Scotto. **Amour masqué (L')** (1923) Messager. **Amours de Don Juan (Les)** (1955) J. Morata. **Andalousie** (1947) F. Lopez. **Annie du Far-West** (1946) I. Berlin. **Auberge du Cheval-Blanc (L')** (1930) Benatzky. **Au pays du soleil** (1932) Scotto. **Aventures du roi Pausole (Les)** (1930) Honegger. **Balalaïka** (1936) G. Postford, B. Grün. **Barbe-Bleue** (1867) Offenbach. **Baron tzigane (Le)** (1885) J. Strauss. **Barnum** (1980) C. Coleman. **Basoche (La)** (1890) Messager. **Belle Arabelle (La)** (1956) G. Lafarge, P. Philippe. **Belle de Cadix (La)** (1945) F. Lopez. **Belle Hélène (La)** (1864) Offenbach. **Boccace** (1879) F. von Suppé. **Brigands (Les)** (1869) Offenbach. **Brummel** (1931) Hahn. **Cabaret** (1966) J. Kander (Lyon, 1986 ; Paris, Th. Mogador, 1987). **Cancan** (1953) C. Porter. **Cats** [Londres, 1981 ; Paris (15-1-1989)] Andrew Lloyd Webber. **Cent Vierges (Les)** (1872) Lecocq. **Chanson d'amour** (1916) Schubert, H. Berté. **Chansons de Bilitis (Les)** (1954) Kosma. **Chanson gitane** (1946) Yvain. **Chanteur de Mexico (Le)** (1951) F. Lopez. **Chapeau de paille d'Italie (Un)** (1966) G. Lafarge et A. Grassi. **Chaste Suzanne (La)** (1910) J. Gilbert. **Chauve-souris (La)** (1874) J. Strauss Jr (all. Carl Haffner et Richard Genée) tiré d'une comédie franç. : *le Réveillon*. **Chilpéric** (1868) Hervé. **Ciboulette** (1923) Hahn. **Cloches de Corneville (Les)**

(1877) Planquette. **Comte de Luxembourg (Le)** (1909) Lehár. **Coups de roulis** (1928) Messager.

Danseuse aux étoiles (La) (1950) Scotto. **Dédé** (1921) H. Christiné. **Divorcée (La)** (1908) L. Fall. **Dragons de l'Impératrice (Les)** (1905) Messager. **Éducation manquée (Une)** (1879) Chabrier. **Étoile (L')** (1877) Chabrier. **Evita** (Londres, 1978 ; Paris, 1989) Webber. **Fanfan la Tulipe** (1882) Varney. **Fantôme de l'Opéra (Le)** (Londres, 1986) Lloyd-Webber. **Fatinitza** (1875) F. von Suppé. **Fille de Madame Angot (La)** (1872) Lecocq. **Fille du tambour-major (La)** (1879) Offenbach. **Fortunio** (1907) Messager. **Fragonard** (1933) Pierné. **Frédérique** (1928) Lehár. **Geisha (La)** (1896) S. Jones. **Gipsy** (1971) F. Lopez. **Giroflé-Girofla** (1874) Lecocq. **Gondolier (Le)** (1889) A. Sullivan. **Grand Mogol (Le)** (1877) Audran. **Grande-Duchesse de Gerolstein (La)** (1867) Offenbach. **Hair** (1969) G. Mac Dermot. **Hans, le joueur de flûte** (1906) L. Ganne. **Hello Dolly** (1964) J. Herman. **Homme de la Mancha (L')** (1968) F. Leigh. **Il faut marier maman** (1950) G. Lafarge. **Irma la douce** (1956) M. Monnot. **Jésus-Christ Super Star** (Londres, 1971 ; Paris, 1972) Webber. **Kiss me, Kate** (1948) C. Porter. **Là-haut** (1923) Yvain.

Malvina (1935) Hahn. **Mam'zelle Nitouche** (1883) Hervé. **Mascotte (La)** (1880) Audran. **Mayflower** (1975) E. Charden. **Méditerranée** (1955) F. Lopez. **Mélodie du bonheur (La)** (1959) R. Rodgers. **Michel Strogoff** (1964) J. Ledru. **Mikado (Le)** (1885) A. Sullivan. **Misérables** (1re version, Paris, 1980 ; 2e v. Londres 1985, Paris 1991) Schönberg, Boublil. **Miss Helyett** (1890) Audran. **Mississippi** v. Show Boat. **Miss Saïgon** (Londres, 1989) Schönberg, Boublil. **Moineau** (1931) L. Beydts. **Monsieur Beaucaire** (1918) Messager. **Monsieur Carnaval** (1965) Aznavour. **Monsieur de La Palisse** (1904) Terrasse. **Mousquetaires au couvent (Les)** (1880) Varney. **Mozart** (1925) Hahn. **My Fair Lady** (1956) F. Loewe. **Naples au baiser de feu** (1957) R. Rascel. **Napoléon** (1984) Y. Gilbert. **Nina-Rosa** (1930) S. Romberg. **Nini la chance** (1976) G. Liferman. **No, no, Nanette** (1924) V. Youmans. **Nuit à Venise (Une)** (1883) J. Strauss Jr. **Œil crevé (L')** (1867) Hervé. **Oiseleur (L')** (1891) C. Zeller. **Oklahoma** (1943) R. Rodgers. **Opéra de 4 sous (L')** (1928) K. Weill. **Orphée aux Enfers** (1858) Offenbach. **Paganini** (1925) Lehár. **Pas sur la bouche** (1925) Yvain. **Pays du sourire (Le)** (1929) Lehár. **Périchole (La)** (1868) Offenbach. **Petit Duc (Le)** (1878) Lecocq. **Petit Faust (Le)** (1869) Hervé. **Petites Cardinal (Les)** (1938) Honegger, Ibert. **Phi-Phi** (1918) Christiné. **Polka des lampions (La)** (1961) G. Calvi. **Poupée (La)** (1896) Audran. **Pour Don Carlos** (1950) F. Lopez. **Prince de Madrid (Le)** (1967) F. Lopez. **Princesse Csardas** (1915) E. Kalmann. **Princesse Dollar** (1907) Leo Fall. **P'tites Michu (Les)** (1897) Messager.

Rêve de valse (1907) O. Straus. **Révolution française (La)** (1973) Schönberg. **Rip** (1884) Planquette. **Rose-Marie** (1924) R. Friml et H. Stothart. **Route fleurie (La)** (1952) F. Lopez. **Saltimbanques (Les)** (1899) L. Ganne. **Show Boat** (1927) J. Kern. **Sidonie Panache** (1930) J. Szulc. **Sire de Vergy (Le)** (1903) Terrasse. **South Pacific** (1949) R. Rodgers. **Starmania** (Paris, 1979) M. Berger. **Ta bouche** (1922) Yvain. **Timbale d'argent (La)** (1872) L. Vasseur. **Travaux d'Hercule (Les)** (1901) Terrasse. **Trois Jeunes Filles nues** (1925) R. Moretti. **Trois Valses** (1935) O. Straus. **Troublez-moi** (1924) R. Moretti. **Tzarevitch (Le)** (1927) Lehár. **Valses de Vienne** (1933) J. Strauss père et fils. **Véronique** (1898) Messager. **Veuve joyeuse (La)** (1905) Lehár (all. de Viktor Léon et Léo Stein), tiré d'une comédie fr. de Meilhac : *Attaché d'ambassade* (1861). **Vienne chante et danse** (1967) J. Ledru et J. Strauss. **Vie parisienne (La)** (1866) Offenbach. **Violettes impériales** (1948) Scotto. **Violon sur le toit (Un)** (1969) J. Bock. **Voyage dans la Lune (Le)** (1875) Offenbach. **West Side Story** (1957) L. Bernstein. **42nd Street** (1980) Harry Warren.

Sacem (Société des auteurs, compositeurs et éditeurs de musique)

Adresse. 225, av. Charles-de-Gaulle, 92521 Neuilly-sur-Seine Cedex.

Fondée 1851 par Ernest Bourget, auteur du « Sire de Framboisy » (sur une musique de Laurent de Rillé), défend les intérêts juridiques et économiques des auteurs, compositeurs et éditeurs de musique, autorise et contrôle l'utilisation de leurs œuvres en France, perçoit et répartit les droits d'auteur. Représente aussi en France le répertoire de 80 pays, avec lesquels elle a conclu des accords de réciprocité.

Statistiques (1991). **Sociétaires :** 64 000 env. **Œuvres déposées :** 183 607 dont 73 333 françaises (18 870 éditées) et 10 126 étrangères sous-éditées. **Œuvres françaises** (1991) : 25 047 chansons (dont 9 175 éditées), 18 532 œuvres instrumentales (dont 8 323 éditées), 1 158 poèmes (dont 182 édités), 4 740 sketches et monologues (dont 824 édités), 2 844 œuvres de musique de chambre, symphoniques, électroacoustiques (dont 989 éditées), etc. **Titres gérés :** + de 4 000 000. **Œuvres utilisées en France dans le circuit de diffusion publique** (1991) : 415 297 titres différents. **Montant global des droits perçus par la Sacem et la SDRM** (Sté pour l'administration du droit de reproduction mécanique) (en millions de F, 1991) : 2 691. **Sommes reçues de Stés étrangères** (All. féd., Belg., Japon, Ital., USA, etc.) (1991) : 493,6 ; **sommes versées à ces Stés :** 252,5 ; **sommes réparties aux comptes des sociétaires :** 1 825.

Origines des droits (1991, en %) : **médias audiovisuels** (télévisions et radios du service public et du secteur privé) : 24,90 ; **phonogrammes et vidéogrammes** (copie privée, vidéo, disques et cassettes) : 24,72 ; **diffusion publique de musique enregistrée** (bals avec disques, discothèques, sonorisations) : 21,94 ; **étranger :** 18,65 ; **spectacle vivant** (bals avec orchestres, tournées, spectacles, concerts, galas) : 7,15 ; **cinémas :** 1,92.

Œuvres différentes exploitées. Env. 500 000 dont 52,5 % d'origine française.

Comptes crédités à la Sacem. 28 275 sociétaires ont reçu des droits dont 21 295 auteurs et compositeurs vivants. Parmi eux : 8 à 9 % reçoivent une rémunération dépassant le seuil annuel du SMIC (pourcentage à peu près identique, en France, pour les autres catégories de créateurs d'œuvres littéraires, cinématographiques, théâtrales, graphiques et plastiques).

Fonds. Proviennent de retenues statutaires sur les droits à répartir et de la rémunération pour copie privée ; assurent des fonctions d'ordre social et culturel. **Action sociale.** 113 millions de F (1991). 2 fonds (prévoyance et solidarité) viennent en aide à 1 600 sociétaires âgés de + de 55 ans et à des auteurs malades, accidentés ou en difficulté. **Mécénat.** 49 millions de F (1991). *Aide à la création et à la production :* 5 fonds de valorisation pour 500 créateurs et éditeurs de musique contemporaine, 100 poètes, financement d'œuvres de musique d'aujourd'hui (coll. de disques « musique française d'aujourd'hui » lancée à l'initiative du ministère de la Culture et de la Sacem, + de 100 enregistrements). *Diffusion du spectacle vivant :* soutient env. 300 festivals, associations, concours, ensembles et orchestres, organisateurs de concerts, petites salles. *Formation d'artistes :* cofinance, avec le ministère de la Culture, le Studio des Variétés (1983), soutient l'école d'Alice Dona, les réseaux du Printemps de Bourges, organisation d'ateliers (chanson, rock, travail en studio), favorise l'insertion professionnelle de jeunes artistes, attribution de bourses aux élèves de conservatoires et écoles de musique.

Centre de documentation de la musique contemporaine : créé par la Sacem, la Direction de la musique et de la danse, du ministère de la Culture et Radio France. Phonothèque, partothèque, permet la consultation de + de 3 000 œuvres, catalogues informatisés, intermédiaire entre créateurs et interprètes, facilite les rapports des musiciens avec les différents organismes producteurs ou diffuseurs de musique d'aujourd'hui.

Fonds d'action Sacem : soutient la musique sous toutes ses formes (classique, rock, chanson, jazz, contemporaine, musique de film).

Nota. – Depuis 1965, la Sacem possède un dictionnaire musical (650 000 fiches, 12 000 œuvres musicales y entrent chaque année) permettant de vérifier l'originalité des œuvres déposées et de retrouver des antériorités (en cas de réclamations). On compte, pour la France, 225 chansons fr. et adaptations ayant pour titre « Je t'aime » et 154 publiées sous le label « Vivre ».

Quelques statistiques sur la musique en France

☞ 5 millions de Français pratiquent la musique, en chœur ou en solo (dont 50 % des 15-19 ans). Il y a environ 8 000 chorales, 5 000 fanfares et 25 000 groupes de rock.

Enseignement

■ Associations éducatives

Jeunesses musicales de France (JMF). 20, rue Geoffroy-l'Asnier 75004 Paris. *Fondées* 1941 par René Nicoly (1907-71). *Pt :* Jean-Loup Tournier, *dir. :* Robert Berthier. *Saison 1992 :* 5 000 délégués, 3 734 spectacles et animations. 2 000 communes concernées.

Musicoliers. 58, rue de Saussure, 75017 Paris. *Fondés* 1966 par Philippe Gondamin et Léon Barzin. *Pt :* Denis Papee, *dir. :* Denise Blanc, Catherine Santin. Ont instruit 35 000 enfants en 1990-91 en Ile-de-Fr. Animations en milieu scolaire, périscolaire et hospitalier. Formation enseignants et éducateurs.

Musigrains. 11, rue St-Louis-en-l'Ile, 75004 Paris. *Fondés* 1939 par Germaine Arbeau-Bonnefoy. Concerts éducatifs pour jeunes de 7 à 12 ans.

Fédér. nat. des Centres musicaux ruraux. 2, place du Gal-Leclerc, 94130 Nogent-sur-Marne. *Fondée* 1948 par Émile Demais. *Pt :* Francis Lartigau. Musique à l'école. Vacances musicales. Concerts éducatifs. 700 villes et villages adhérents. Formation d'éducateurs musicaux.

■ Établissements d'enseignement musical

■ **Conservatoire national supérieur de musique et de danse de Paris.** 209, avenue Jean-Jaurès, 75019 Paris. **Dir. :** Marc-Olivier Dupin. **Origine :** *1792.* Bernard Sarrette (1765-1858) fonde l'École de musique de la garde nationale parisienne à partir du noyau de musiciens et élèves du dépôt des Gardes françaises qu'il avait réunis et armés aux Invalides le 14-7-1789. *1795,* Institut nat. de mus. puis, par décret de la Convention du 16 thermidor, an III (3-8-1795), Conservatoire de mus. avec intégration dans le corps professoral des prof. de l'École royale de chant créée par le Roi en 1784. *1816,* École royale de mus. *1831,* Conservatoire nat. de mus. et de déclamation. *1909-11,* l'école quitte l'hôtel des Menus-Plaisirs du Roi, rue du Faubourg-Poissonnière (entrée actuelle : 2, rue du Conservatoire) pour des locaux plus grands mis sous séquestre de l'École de Jésuites St-Ignace, rue de Madrid. *1946,* les classes d'art dramatique sont séparées et forment le Conservatoire nat. d'art dramatique (2, rue du Conservatoire). *1957,* Conservatoire nat. sup. de mus. de Paris. *1990* (sept.) installation à La Villette (cité de la mus.). **Études.** 1 à 5 ans suivant les disciplines. **Admission :** par concours avec limites d'âge variables selon disciplines. **Diplômes :** selon disc. : certificat, diplôme ou prix. **Admissions sur concours :** 328 sur 2 699 candidats. **Effectifs** (1991-92) : 1 142 (f. 45 %). **Frais :** inscription 300 F, scolarité 600 F.

■ **Conservatoire national supérieur de musique de Lyon.** 3, quai Chauveau, 69266 Lyon Cedex 09. **Créé** 1979 par Pierre Cochereau. **Directeur :** Gilbert Amy. **Effectifs** (1991-92) : 393 étudiants [ad. sur conc. 1 200 inscrits, admis 130]. **Études :** 3 à 4 ans. **Diplômes :** DNÉSM (Diplôme national d'études supérieures musicales). DNÉSC (D. N. d'É. S. chorégraphiques). **Inscription** (concours d'entrée) : 300 F. **Droit d'immatriculation annuel :** 725 F.

Conservatoires nationaux de région. Établissements municipaux financés par les collectivités locales et par l'État. **Effectifs** (1981-82) : 44 900 élèves. Conservatoires (rentrée 1989) : 31 : Amiens, Angers, Aubervilliers, La Courneuve, Besançon, Bordeaux, Boulogne-sur-Seine, Caen, Clermont-Ferrand, Dijon, Douai, Grenoble, Lille, Limoges, Lyon, Marseille, Metz, Montpellier, Nancy, Nantes, Nice, Paris, Poitiers, Reims, Rennes, Rueil-Malmaison, Rouen, St-Denis de la Réunion, St-Maur, Strasbourg, Toulouse, Tours, Versailles.

Écoles nationales de musique. Disciplines : 20 ou 24. Département traditionnel et facultativement département à horaires aménagés. **Lieux ayant une école (1990) :** 103. **Effectifs** (1982-83) : 65 841 élèves.

Orchestre français des jeunes (OFJ). Ouvert aux musiciens de 16 à 26 ans, des conservatoires nationaux de région ou d'écoles nationales de musique. *Dir. :* Marek Janowski, dir. musical de l'Orchestre de Radio-France.

Écoles municipales agréées. Agrément après inspection d'établissement et 2 disciplines obligatoirement enseignées : formation musicale et chant choral. *Nombre (1990) :* 185. *Effectifs (1982-83) :* 51 834 élèves.

Classes à horaires aménagés. Fonctionnent depuis 1966 dans certains lycées ou conservatoires de région. Associent l'enseign. général et musical (primaire au 1er cycle secondaire 6 h 30 de musique par sem. ; 2e cycle secondaire au bac. 10 à 11 h). *Diplômes :* bac F 11 (technicien musical) ou bac A 6 (phys. du son en option). *Débouchés :* UFR de musique des universités, conservatoires supérieurs.

Préparation au baccalauréat musical de technicien F 11 (dans les CNR et certaines ENM). Classes de 2e, 1re, terminale (suite des précédentes) : 10 h d'enseignement musical, 15 h d'ens. général. La section A 6 comprend 3 h de musique par semaine.

Écoles privées. École normale de musique de Paris, Schola Cantorum, École César Franck, Conservatoire Serge Rachmaninov, École de musique Paul Beuscher, Conservatoires municipaux (1 par arrondissement à Paris), École Martenot.

Prix

■ **Grand prix national de la musique.** *1989 :* Luc Ferrari. *1990 :* Jean-Claude Risset. *1991 :* François Jeanneau. *1992 :* Ivo Malec.

Grand prix musical de la Ville de Paris. *Créé* 1952. Doté de 40 000 F, décerné chaque année à un compositeur français (ou ayant réalisé la majeure partie de son œuvre en France). **Lauréats.** *1980 :* Claude Ballif. *81 :* Betsy Jolas. *82 :* Pierre Boulez. *83 :* Maurice Ohana. *84 :* Marius Constant. *85 :* Olivier Messiaen. *86 :* Gilbert Amy. *87 :* Iannis Xenakis. *88 :* Georges Aperghis. *89 :* Jean-Louis Florentz. *90 :* Philippe Hersant. *91 :* Jacques Casterède. *92 :* Manuel Rosenthal.

Grand Prix de Rome. Actuellement à durée variable (2 ans max.) de 1803 à 1969, par l'Académie de Fr. à Rome, et comprenant un séjour de 40 mois, avec traitement, à la villa Médicis.

Victoires de la musique. *Créées* 1986. *Scrutin* en 2 tours. *Ouvert* à 3 000 votants choisis dans tous les secteurs de la profession par la sté organisatrice, Télescope audiovisuel. Ex. : pour la Sacem 700 plus gros « gagneurs », plus 100 personnalités, 300 journalistes (moitié presse écrite, moitié audiovisuel), 460 votes pour le SNEP (Syndicat nat. de l'édition phonographique), 240 pour le SPPF (Sté de perception des producteurs indépendants), 150 pour les producteurs de spectacle, 200 disquaires, 300 musiciens, des techniciens du son et de la lumière. **Palmarès 1993 :** *Artiste interprète féminine :* Véronique Sanson. *Masculin :* Alain Bashung. *Album : Caché derrière* (Laurent Voulzy). *Chanson : Le chat* (Pow Wow). *Groupe :* Pow Wow. *Révélation féminine :* Zazie. *Masculine :* Arthur H. *Performance musicale :* Jacques Dutronc au Casino de Paris. *Spectacle musical : cérémonie d'ouverture et de clôture des jeux Olympiques d'hiver* à Albertville, chorégraphie de Philippe Decouflé. *Album de musique de variétés instrumentales : Négropolitaines,* volume 2, (Manu Dibango). *Album de jazz : Hat Snatcher* (André Ceccarelli). *Vidéo musique : Osez Joséphine* (Jean-Baptiste Mondino sur la chanson d'Alain Bashung). *Album des musiques du monde : Immensément* (Robert Charlebois). *Musique de film :* Gabriel Yared (*l'Amant*). *Humoristes :* Muriel Robin, Guy Bedos. *Orchestre de musique classique :* O. du Capitole de Toulouse (chef Michel Plasson). *Soliste de musique de chambre :* Jordi Savall. *Création de musique contemporaine :* Maurice Ohana (*Llanto por Ignacio Sanchez Mejias et Avoaha*). *Artiste lyrique :* Jose van Dam. *Album de musique classique : Montezuma* (d'après Vivaldi par Jean-Claude Malgoire.

Grands Prix de la Sacem 1992. *Chanson :* Laurent Voulzy, Boris Bergman. *Édition musicale :* Patrick Marcland (Éditions Transatlantiques). *Humour :* Smaïn. *Jazz :* Gérard Badini. *Interprétation de musique française d'aujourd'hui :* José van Dam. *Musique symphonique :* Jean Françaix. *Audiovisuel :* Laurent Boutonnat. *Poésie :* Daniel Boulanger. *Médaille d'or de la communication musicale :* Ève Ruggieri.

Diffusion

■ **Implantation.** 21 délégués régionaux à la musique, 31 conservatoires nationaux de région, 16 orchestres de région, 13 théâtres lyriques municipaux, 5 cellules de création et de recherche (Bourges, Marseille, Metz, Issy-les-Moulineaux, Grenoble).

■ **1°) Orchestres permanents.** *Orchestres A,* 65 à 120 musiciens, métropoles régionales, mission symphonique, lyrique et d'animation ; *B,* 45 à 60 mus., villes de – de 150 000 à 250 000 h., même mission, répertoire ne nécessitant pas un effectif important ; *C,* 12 à 40 mus., villes de – de 150 000 h. plus particulièrement musique de chambre.

■ **2°) Formations missionnées.** En 1989, 35 formations (13 de musique classique, 22 de musique contemporaine). **Musique classique. 16 orchestres de chambre :** Ens. instrum. Andrée Colson, O. de ch. Paul Kuentz, O. de ch. J.-Fr. Paillard, Ens. instrum. la Follia de Mulhouse, O. de ch. du Limousin, Ens. instrum. du Mans, Ens. instrum. de Provence, O. de ch. de Rouen, Ens. ad Artem, Centre national de mus. de ch. d'Aquitaine, O. de ch. Bernard Thomas, la Grande Écurie et la Chambre du Roy, O. de ch. de Versailles, Alternance, Ens. instrum. Jean Walter Audoli, O. de ch. Antiqua Musica (dir. : Jacques Roussel). **3 quatuors :** Bernède, Arcana, Via Nova. **4 trios :** à cordes de Paris, Delta, Ars Antiqua, Ravel. **1 duo :** Duo Cantais-Collard. **1 ensemble vocal :** A sei Voci. **Musique contemporaine. 15 ensembles :** 2E 2M, Itinéraire, Musique vivante, Percussions de Strasbourg, Quintette de cuivres Ars Nova, Trio Deslogères, Quatuor de flûtes Arcadie, Atelier musique de Ville-d'Avray, Studio III de Strasbourg, Octuor Edgar Varèse, Pro Mamoua, Collectif de musique contemporaine de l'Essonne, du Languedoc-Roussillon, Intervalles.

■ **3°) Formations conventionnées. 8 classiques :** O. de ch. de Saint-Denis, Quintette à vent de Paris, Qu. Parrenin, Trio Debussy, Trio harpe, flûte et violoncelle de Paris, Qu. de saxophones Deffayet. **1 contemporaine :** Trio GRM Plus. **5 groupes vocaux subventionnés :** Groupe vocal de France (*dir. :* Guy Reibel), La Chapelle royale (*dir. :* Philippe Herreweghe), le Chœur de ch. de l'O. de Lyon (Bernard Tetu), Ensemble vocal Michel Piquemal, Ens. vocal et instr. « Les Arts Florissants » (William Christie).

■ **4°) Contrats de mission (1983). Chanson :** Ricet Barrier, groupe Indochine, Gérard Pierron. **Jazz :** Luis Fuentes, Jef Gilson, Yves Basselmann, groupe Imbroglio, Ivan Jullien, Bernard Lubat, Marvellous Band, Dominique Piffarelly et Eddy Louis, Tony Busso et Alain Batot.

■ **5°) Festivals subventionnés. Nombre :** *1980 :* 104 ; *81 :* 139 ; *82 :* 145 ; *83 :* 150. **Spectateurs :** *1981 :* 1 300 000 ; *82 :* 1 350 000 ; *83 :* 1 600 000. **Total subventions** (1991) : 30,13 millions de F (dont 14,74 sur crédits déconcentrés).

■ **6°) Fédérations subventionnées et (ou) conventionnées par le min. de la Culture. Musique populaire.** 48 fédérations et 6 000 sociétés musicales (harmonies, fanfares, orchestres divers, groupes folkloriques, chorales, chorégraphies, etc.). *Conf. musicale de France (CMF),* 21, rue La Fayette, 75010 Paris. *Conf. française des batteries et fanfares* (CFBF), 7, allée des Lauriers, 92420 Vaucresson. *Union des Fanfares de France (UFF),* BP 164, 75634 Paris Cedex 13. **Féd. chorales.** *Mouvement A Cœur Joie,* 8, rue de la Bourse, 69289 Lyon Cedex 1. *Union féd. française de musique sacrée* (UFFS), 6, avenue Vavin, 75006 Paris. *Féd. musique et chant du protestantisme français,* 58, rue Madame, 75006 Paris. **En milieu scolaire.** *Centres musicaux ruraux (CMR),* 2, place du Général-Leclerc, 94130 Nogent-sur-M. *Féd. nat. des Associations culturelles d'expansion musicale (Fnacem),* 2, rue Rossini, 75009 Paris. *Musicoliers,* 58, rue de Saussure, 75017 Paris. **Diffusion musicale.** *Jeunesses musicales de France (JMF),* 14, rue François-Miron, 75004 Paris. **Pratique amateur chorales et instrumentales.** *Féd. musicale populaire (FMP),* 67, rue d'Amsterdam, 75018 Paris. *Association pour l'action musicale (Aspam),* 4, allée Ariane, 77100 Meaux. *Féd. nat. des activités musicales (Fnamu),* 41, quai de la Loire, 75019 Paris. *Féd. nat. des foyers ruraux (ENFR),* 1, rue Ste-Lucie, 75015 Paris. *Féd. sportive et culturelle de France,* 5, rue Cernuschi, 75017 Paris. *Ligue française de l'Ens. et de l'Éduc. permanente,* 3, rue Récamier, 75341 Paris Cedex 07. *Le Mouv. d'action musicale,* 45, rue de la Glacière, 75015 Paris.

Dépenses musicales

Bilan sur 10 ans. Musique et danse (en millions de F). *1980 :* 0,44 ; *81 :* 0,53 ; *82 :* 0,87 ; *83 :* 1,2 ; *84 :* 1,3 ; *85 :* 1,7 ; *86 :* 2,5 ; *87 :* 1,5 ; *88 :* 1,3 ; *89 :* 1,8 ; *90 :* 1,6 ; *91 :* 1,8.

Direction de la musique et de la danse (budget 1992 en millions de F.). Total 1 775,8 dont : *fonctionnement DMD, établ. publics :* 723,2 (dont Opéra de Paris 542,7, CNSM de Paris 65,8, de Lyon 51,4, O. Bastille, établ. constructeur 40,8, Éc. de danse de Nanterre 15,6, Centre de responsabilités 3,9, Vacations 3). *Interventions publiques (fonctionnement) :* 904,1 [dont spectacles, musique 400,9, enseignement et formations (musique, art lyrique et danse) 277,7, spect., art lyrique 115,1, spect., danse 105,6, commandes musicales 4,6, secours 0,2]. *Investissment :* 148,5 [dont subventions (fin d'opérations Grands Travaux : A.P.) 105, Cité Musicale de la Villette (A.P.) 25, opérations d'État (A.P.) 18,5].

Prix des places (en F). O. de Paris, opéras 50 à 560, ballets 40 à 290, concerts 40 à 290 ; fest. d'Aix-en-P. 40 à 350 ; chor. d'Orange 40 à 300 ; autres scènes 6 à 250.

Coût de montage d'un opéra. Environ 700 000 à 2 000 000 de F.

Représentations. Opéra Garnier *1991-92 :* 108 ; O. Bastille *1990-91 :* 78, *91-92 :* 105, *92-93 (prév.) :* 145.

Assistance (Opéra, 1991). Palais Garnier 297 877, O. Bastille 328 413.

Recettes (en millions de F, 1991). *Billets :* 133,6 ; *subventions :* 530.

Groupes folkloriques

Confédération nationale des groupes folkloriques français. *Siège social :* musée des Arts et Traditions populaires. *Secr. nat. :* Mme Bidault, 01190 Pont-de-Vaux. *Créée* 1951, reconnue d'utilité publique 1987. *En 1990 :* regroupe 11 féd. rég. folkloriques, 280 groupes folkl. et 30 000 chanteurs et danseurs. *Publication :* Folklore de France (5 nos/an). *Minitel :* 3615 Folklortel.

Fédération nationale du folklore français. 8, rue Voltaire, 75011 Paris. *Fondée* 1932. *Pt :* Michel Leclere. Groupe 100 formations. Élit chaque année sa *« Payse de France »* et organise la Ronde des Provinces françaises, le plus important festival folklorique national.

Quelques groupes. Allobroge de Savoie, Alsace musicale (fondé 1932). Les Gens de la Mauldre au Rhin, Aire de Festa (catalans), 3 groupes Basque, Blaudes et Coeffes (1931 ; Normandie), Bourrée morvandelle, Cabrettaire, Cabrissou, Cardils du Périgord, Coupo Santo (Provence), Echassiers landais, Ensoulelhada (Languedoc, Gascogne), Estrambord (Provence), Gaichons et Diaichottes de Franche-Comté, Lou Gascoun (Midi-Pyrénées), 15 groupes d'Auvergne et du Massif central, 15 gr. de Haute et Basse-Bretagne, 6 gr. des Provinces d'Outre-Mer (Martinique, Guadeloupe, Guyane, Réunion), 2 gr. d'Ile-de-France, 6 gr. Limousins, Mélusine du Poitou, Nivernais-Morvan, Pastouriaux du Berry, Ronde provençale, Rose d'Anjou (1972), Saboteux de Bourgogne, etc.

SPECTACLES

CINÉMA

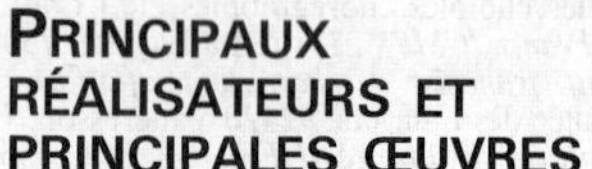

PRINCIPAUX RÉALISATEURS ET PRINCIPALES ŒUVRES

☞ Voir le chapitre Personnalités.
Légende : Les films muets sont en italique.

ALGÉRIE

Ghanem (Ali) (1943) : Mektoub (1970), l'Autre France (1975), Une femme pour mon fils (1986).

Lakhdar Hamina (Mohamed) (1934) : le Vent des Aurès (1965), Chronique des années de braise (1975), la Dernière Image (1986).

ALLEMAGNE

Adlon (Percy) (1935) : M. Kischott (1979), Céleste (1981), Zuckerbaby (1984), Bagdad Café (1987), Rosalie fait ses courses (1989), Salmonberries (1992).

Baky (Josef von) (Hongrie, 1902-66) : les Aventures fantastiques du baron de Münchhausen (1943), le Maître de poste (4e vers.), Un petit coin de paradis, Avouez Dr Corda (1958), Stefanie.

Dudow (Slatan) (Bulgarie, 1903-63) : Ventres glacés (1932), Notre pain quotidien, Plus fort que la nuit, Capitaine de Cologne (1956).

Fassbinder (Rainer Werner) (1946-82) : le Marchand des quatre saisons (1971), les Larmes amères de Petra von Kant, Tous les autres s'appellent Ali, Effi Briest, le Droit du plus fort, Roulette chinoise, le Rôti de Satan, Despair (1977), la Troisième Génération, le Mariage de Maria Braun, Lili Marleen, Lola, une femme allemande, le Secret de Veronika Voss (1982), Querelle (posthume).

Harlan (Veit) (1899-1964) : Crépuscule, le Juif Süss (1940), le Grand Roi, la Ville dorée, Immensee, le Tigre de Colombo, le Troisième Sexe, Impudeur.

Herzog (Werner) (1942) : Signes de vie, Fata Morgana, Les nains aussi ont commencé petits, Aguirre ou la Colère de Dieu (1972), l'Énigme de Kaspar Häuser (1975), Cœur de verre, la Balade de Bruno, Woyzeck, Nosferatu, fantôme de la nuit (1978), Fitzcarraldo, le Pays où rêvent les fourmis vertes, Cobra verde (1987), Échos d'un sombre empire (1990), Cerro Torre (1992).

Käutner (Helmut) (1908-80) : Lumière dans la nuit (1942), le Dernier Pont, Louis II (1954), le Général du diable (1955), Une jeune fille des Flandres, le Capitaine de Köpenick, Monpti, Sans tambour ni trompette, le Verre d'eau (1960), la Femme rousse.

Lang (Fritz) (Vienne, 1890-1976) : *les 3 Lumières (1921), les Nibelungen (1924), Metropolis (1926),* M le Maudit (1931), le Testament du Dr Mabuse (1933), Furie, J'ai le droit de vivre (1937), Les bourreaux meurent aussi (1943), la Femme au portrait (1944), le Secret derrière la porte, l'Ange des maudits (1952), les Contrebandiers de Moonfleet (1955), l'Invraisemblable Vérité (1956), le Tigre du Bengale, le Tombeau hindou, le Diabolique Dr Mabuse (1961).

Murnau (Friedrich Wilhelm) (Plumpe) (1888-1931) : *Château Vogelod, Nosferatu le Vampire (1922), le Dernier des hommes, Tartuffe, Faust, l'Aurore (1927), l'Intruse (1930), Tabou (1931).*

Pabst (Georg Wilhelm) (1885-1967) : *la Rue sans joie (1925), Loulou, Crise, Trois Pages d'un journal,* Quatre de l'infanterie, l'Opéra de quat'sous (1931), l'Atlantide (1932), Don Quichotte, Mademoiselle Docteur (1936), Paracelse, le Procès, C'est arrivé le 20 juillet (1956), Des roses pour Bettina (1956).

Riefenstahl (Leni) (1902) : la Lumière bleue (1932), le Triomphe de la volonté (1935), les Dieux du stade (1938), Tiefland (1954).

Schlöndorff (Volker) (1939) : les Désarrois de l'élève Törless (1965), Vivre à tout prix, Michael Kolhaas le rebelle, la Soudaine Richesse des pauvres gens de Kombach, Feu de paille, l'Honneur perdu de Katarina Blum (1975), le Coup de grâce, le Tambour (1979), le Faussaire (1981), Un amour de Swann (1984), Mort d'un commis voyageur (1985), Colère en Louisiane (1987), la Servante écarlate (1990).

Staudte (Wolfgang) (1906-84) : Les assassins sont parmi nous (1946), Rotation, Pour le roi de Prusse, Rose Berndt (1957), Madeleine et le Légionnaire, Je ne voulais pas être un nazi, l'Opéra de quat'sous (2e vers., 1963).

Thiele (Rolf) (Autriche, 1918) : Friederike von Barring, El Hakim, la Fille Rosemarie (1958), A bout de nerfs, Liebe Augustin, Loulou (2e vers.) (1962), Tonio Kröger (1964), Ondine (1976).

Ucicky (Gustav) (Vienne, 1900-1961) : l'Immortel Vagabond, la Cruche cassée, Une mère, Toute une vie (1940), le Maître de poste (3e vers., 1940), la Jeune Fille de Moorhof.

Weidenmann (Alfred) (1916) : Amiral Canaris (1954), Kitty, Mademoiselle Scampolo, les Buddenbrook, Opération coffre-fort, Adorable Julia.

Wenders (Wim) (1945) : l'Angoisse du gardien de but au moment du penalty, Alice dans les villes, Faux Mouvement, Au fil du temps, l'Ami américain, Hammett (1982), l'État des choses, Paris Texas, Tokyo-Ga, les Ailes du désir, Carnets de notes sur vêtements et villes, Jusqu'au bout du monde.

Wysbar (Frank) (Tilsitt, 1899-67) : Anna et Élisabeth (1932), Nasser Asphalt, Chiens, à vous de crever (1959), UB 55 corsaire de l'Océan, Fabrique d'officiers SS, Héros sans retour.

ARGENTINE

Puenzo (Luis) (1949) : l'Histoire officielle (1984), Old Gringo (1989), la Peste (1992).

Solanas (Fernando) (1936) : l'Heure des brasiers (1969), les Fils de Fierro (1978), Tangos l'exil de Gardel (1985), le Sud (1988).

Torre Nilsson (Leopoldo) (1924-78) : la Maison de l'ange (1957), Fin de fiesta, la Main dans le piège, Martin Fierro, Piedra libre (1976).

AUSTRALIE

Beresford (Bruce) (1940) : Breaker Morant (1980), Tendre Bonheur (1983), Son Alibi, Miss Daisy et son chauffeur (1989), Mister Johnson (1991), l'Amour en trop (1992).

Faiman (Peter) (n.c.) : Crocodile Dundee (1986).

Miller (George) (1945) : Mad Max (1977), Mad Max 2 (1982), Mad Max au-delà du dôme du tonnerre (1985), les Sorcières d'Eastwick (1987).

Weir (Peter) (1944) : Picnic at Hanging Rock (1975), la Dernière Vague, l'Année de tous les dangers, Witness, Mosquito Coast, le Cercle des poètes disparus (1989), Green Card (1990).

AUTRICHE

Corti (Axel) (1933) : Welcome in Vienna (1986), la Putain du roi (1990).

Lauscher (Ernst Josef) (1947) : la Tête à l'envers.

List (Niki) (1956) : Malaria (1982).

Marischka (Ernst) (1893-1963) : Sissi (1955-57).

BELGIQUE

Akerman (Chantal) (1950) : Jeanne Dielman, 23 quai du Commerce, 1080 Bruxelles (1975), les Rendez-Vous d'Anna (1978), Golden Eighties (1986), Histoires d'Amérique (1989), Nuit et jour (1991).

Delvaux (André) (Delvigne) (1926) : l'Homme au crâne rasé (1966), Un soir un train (1968), Rendez-vous à Bray (1971), Femme entre chien et loup, Benvenuta, Babel Opéra (1985).

Kümel (Harry) (1940) : Monsieur Hawarden (1968), les Lèvres rouges (1971), Malpertuis (1972), Eline Vere (1992).

Picha (J.-P. Walravens) (1942) : Tarzoon, la honte de la jungle (1975), le Chaînon manquant (1979), Big Bang (1987).

Robbe De Hert (1942) : De Witte (1980), les Costauds (1984).

BRÉSIL

Babenco (Hector) (1946) : Pixote (1981), le Baiser de la femme araignée (1984), Ironweed (la Force d'un destin) (1988), En liberté dans les champs du Seigneur (1991).

Barreto (Lima) (1906-82) : O Cangaceiro (1953).

Cavalcanti (Alberto) (1897-1982) : *En rade,* Au cœur de la nuit (1945) (en coll.), le Chant de la mer, Simon le borgne, Maître Puntila et son valet Matti (1955).

Diegues (Carlos) (1940) : Xica da Silva (1976), Bye-bye Brasil (1980), Quilombo (1984).

Guerra (Ruy) (1931) : Os Fuzis, Tendres Chasseurs, les Dieux et les Morts (1970), Erendira, la Plage du désir, Mueda, Mémoire et Massacre (1985).

Rocha (Glauber) (1938-81) : Barravento, le Dieu noir et le Diable blond, Terre en transe, Antonio das Mortes (1969), Têtes coupées, le Lion à sept têtes, Fable de la belle Colombine (1989).

BULGARIE

Hristov (Hristo) (1926) : l'Iconostase (1969), le Dernier Été (1973), le Certificat (1985).

Radev (Valo) (1923) : le Voleur de pêches (1964), les Anges noirs, Ames condamnées (1975).

CANADA

Arcand (Denys) (1941) : le Crime d'Ovide Plouffe (1984), le Déclin de l'empire américain (1986), Jésus de Montréal (1989).

Brault (Michel) (1928) : l'Acadie, l'Acadie (1972, avec P. Perrault), les Ordres (1974), les Noces de papier (1990).

Carle (Gilles) (1929) : les Mâles, la Vraie Nature de Bernadette, la Mort d'un bûcheron, les Corps célestes, l'Ange et la Femme, Fantastica, les Plouffe, Maria Chapdelaine (1983), la Guêpe, la Postière.

Jutra (Claude) (1930-86) : A tout prendre, Mon oncle Antoine (1971), Kamouraska (1973), Pour le meilleur et pour le pire.

Mankiewicz (Francis) (1944) : les Bons Débarras (1985), les Portes tournantes (1988).

Perrault (Pierre) (1927) : Pour la suite du monde (coréal. : Michel Brault), le Règne du jour (1967), les Voitures d'eau, Un pays sans bon sens, l'Acadie, l'Acadie (avec M. Brault), le Goût de la farine, la Bête lumineuse (1983).

CHINE

Cai Chusheng (1906) : l'Aube dans la cité (1933), le Chant des pêcheurs, Femmes nouvelles, les Larmes du Yang-tsé, les Larmes de la rivière des Perles.

Sang-Ku et **Huang-Sha** (1916) : les Amours de Liang Shan Po et Tchou Ying Tai (1953).

Sun Yu (1900) : Du sang sur le volcan (1933), la Route, la Reine du sport, la Légende de Ban (1958).

Wang-Pin (1916) et **Shui-Hua** (1916) : la Fille aux cheveux blancs (1950).

Xie Jin (1923) : Printemps au pays des eaux (1955), la Basketteuse no 5, le Détachement féminin rouge, Sœurs de scène (1964), la Jeunesse (1977), le Gardien de chevaux.

Xie Tian (1914) : la Maison de thé (1982).

Zhang Yimou (1949) : le Sorgho rouge (1987), Ju Dou (1989), Épouses et concubines (1991), Qui Ju une femme chinoise (1992).

DANEMARK

Auguste (Bille) (1948) : Zappa (1983), Twist and Shout (1984), Pelle le Conquérant (1987), les Meilleures Intentions (1992).

Axel (Gabriel) (1918) : la Mante rouge (1966), le Marquis sadique, le Festin de Babette, Christian (1989).

Quelques dates

Antiquité la lanterne magique aurait été connue en Égypte à l'époque des pharaons, et en Italie à l'époque romaine (vestiges à Herculanum) **1487-1513** Léonard de Vinci (1452-1519) trace les dessins d'une lanterne de projections. **1646** Athanase Kircher (jésuite allemand 1601-80) construit une *lanterne magique pratique* (pouvant projeter des textes à plus de 150 m).

1823 le Dr John Ayrton Pâris (Fr.) invente le *thaumatrope* : composé d'un disque et de fils attachés aux extrémités de son diamètre. Sur chaque face il y a un dessin ; en faisant pivoter le disque, on voit simultanément les 2 dessins. **1829** Joseph Plateau (Belg. 1801-83) établit qu'une impression lumineuse reçue sur la rétine persiste 1/10 de seconde après la disparition de l'image ; il en conclut que des images se succédant à plus de 10 par seconde donnent l'illusion du mouvement (la découverte du principe de *persistance des impressions rétiniennes* remonterait au IIe s.). Différents appareils ont été construits sur cette base : *phénakistiscope* (J. Plateau, 1829), *stroboscope* (Simon von Stampfer, 1829), *phantascope* (Dr Lake, 1832), *zootrope* ou *tambour magique* (William George Hörner, 1833), *stroboscope projecteur* (S. von Stampfer, 1845), *kinétoscope* (Dr von Uchatius, 1853). **1866** L. S. Beale invente le *choreutoscope* qui permet à la lanterne magique de projeter des dessins animés. **1870** Henry Renno Heyl invente le *phasmatrope* qui projette des images photographiques en mouvement. **1873** Edward James Muybridge (photographe, 1830-1904) invente un procédé qui permet de décomposer les mouvements d'un cheval au galop avec 12 appareils à enclenchements successifs. **1874** Jules Janssen (astronome fr., 1824-1907) invente le *revolver photographique* pour photographier le passage de Vénus devant le Soleil, enregistre 48 images sur un disque de 25 cm de diamètre. **1877** Émile Reynaud (Fr., 1844-1916) invente le *praxinoscope* cylindre à miroir qui donne l'illusion du mouvement. **1878** met au point le *praxinoscope-théâtre* perfectionnant l'invention précédente. **1880** *nouveau praxinoscope* capable de projeter des images en mouvement. **1881** Muybridge présente en Europe le *zoopraxiscope* qui projette des images en mouvement d'après des photographies. **1882** Étienne-Jules Marey (Fr., 1830-1904) : *fusil photographique* enregistrant 12 images par seconde sur une même plaque. Reynaud met au point son *théâtre optique.* **1887** Marey : *chronophotographe* à pellicule mobile (il en avait déjà construit un à plaque fixe). **1888** Oct. Augustin Le Prince (1842-1890) : film à 10/12 images/seconde tourné sur bandes de papier sensibilisé de 5,5 cm de largeur, à Leeds (G.-B.). **1889** William Friese-Greene (G.-B., 1855-1921) : *1re caméra photoramique.* Thomas Edison (Amér., 1847-1931) : film de 35 mm. **1891** Georges Demeny (Fr., 1850-1917) : *phonoscope* qui reproduit les mouvements de la parole et les jeux de physionomie. **1892** 12-2 : Léon Bouly dépose un brevet (no 219 350) pour un *« cinématographe ».* **1892-1900** *Théâtre optique* en France (praxinoscope amélioré de Reynaud) : 12 000 séances en 8 ans, 500 000 spect. **1894** *Kinétoscope* de Thomas Edison. 14-4 : *1re projection payante* au Kinetoscope Parlor, Holland Bros., 1155 Broadway, à New York. 5 films (pour 25 cents) projetés par une double rangée de 5 kinétoscopes mis au point par William Kennedy Laurie Dickson (1860-1935), assistant d'Edison. *1er gros plan :* Fred Ott en train d'éternuer dans « Edison's Kinestoscopic Record of a Sneeze ». **1895** 13-2 : Auguste (1862-1954) et Louis (1864-1948) Lumière déposent le brevet (no 245 032) du cinématographe. Les frères Lumière présentent « la Sortie des usines Lumière » (tournée en hiver 1894, 1 min., 17 mètres) avec un appareil permettant de passer + de 18 images seconde. 22-3 : *1re représentation privée*, 44, rue de Rennes, à Paris, au siège de la Sté d'encouragement à l'ind. nat. 17-4 : présentation à la Sorbonne. 10-6 : projection de 8 films Lumière à Lyon (congrès des Stés franc. de photo). 28-12 : *1re représentation publique et payante du cinématographe* des frères Lumière à Paris, dans le salon indien au sous-sol du Grand Café. La Sortie des usines Lumière, Voltige, la Pêche aux poissons rouges, l'Arrivée des congressistes àNeuville-sur-Saône, les Forgerons, le Jardinier et le petit espiègle (l'Arroseur arrosé), le Déjeuner de Bébé, Saut à la couverte, Place des Cordeliers et Baignade en mer. (L'Arrivée d'un train à La Ciotat sera ajouté au programme en janv. 1896). Georges Méliès assiste à la projection organisée par Antoine Lumière (père des frères) et assurée par Clément Maurice. Chaque film dure 2 minutes : 35 personnes ont payé 1 F de droit d'entrée. **1896** 23-4 : *Annabel the Dancer* (1re projection des USA par le Vitascope de Armat et Edison au Koster and Bial's Music Hall, Herald Square à New York). *1er film sonore* d'Oska Messter. A. Promio (Fr., 1870-1927) invente *panoramique* et *travelling.* Georges Méliès (Fr., 1861-1938) la *surimpression* (1re, en 1898, dans la Caverne maudite), le *fondu* (en 1897) ; (*1er fondu enchaîné* dans Cendrillon en 1899). *1er film à scénario* la Fée aux choux d'Alice Guy (1873-1968). **1897** *1ers films à scénario* de Méliès. 25-11 : Raoul Grimoin-Sanson brevète son *Cinéorama* (Cinécosmorama) inspiré peut-être par le cinématorama d'Auguste Baron (26-11-1896), pouvant reconstituer des scènes sur un écran continu circulaire entourant le spectateur. Il avait groupé en étoile 10 appareils de prise de vues dont les objectifs synchronisés étaient braqués sur l'horizon. **1898** Charles Pathé (Fr., 1863-1957) fonde avec son frère la firme mondiale *Pathé* (monopole jusqu'en 1913). Crée les *1res actualités filmées : Pathé-Journal.*

1900 Exposition universelle de Paris : *Cinéorama* [écran circulaire de Grimoin-Sanson de 100 m de tour, 10 projecteurs de 70 mm (interdit 10 j après l'inauguration pour raison de sécurité : risque d'incendie)]. George Albert Smith (G.-B., 1864-1959) utilise le gros plan. **1903** *1er travelling* film d'Alfred Collins (G.-B.). **1906** *1er son sur pellicule* d'Eugène Lauste (1856-1935). *1er long métrage de fiction :* The Story of the Kelly Gang (Australie). Passion d'Alice Guy (600 m). **1907** *1er long métrage commercial réalisé en Europe :* l'Enfant prodigue de Michel Carré. *1er opéra porté intégralement à l'écran :* Faust de Gounod, d'Arthur Gilbert. **1908** 17-11 : Charles Le Bargy et André Calmettes (Fr.) : *1er film d'art :* l'Assassinat du duc de Guise, d'Henri Lavedan, musique originale de Camille Saint-Saëns, 18 min. *Film en couleurs* de G.A. Smith et Charles Urban (G.-B.) : *kinémacolor* (2 images : une rouge, une verte, se superposent sur l'écran). *1er flash-back* de Lubin, dans A Yiddisher Boy. *1er film pornographique :* A l'Écu d'or ou la Bonne Auberge (France). **1909** format 35 mm, rapport 1,33 × 1 adopté.

1910 Léon Gaumont (Fr., 1864-1946) réalise un *chronophone* permettant la sonorisation synchrone des films. Invention du *Technicolor* par Herbert T. Kalmus (Amér., 1881-1963). *1er film fait à Hollywood :* In Old California, de David Griffith (Am. 1875-1948). **1911** *1er film en couleurs parlant :* Vals ur Solsträlen. **1913** *1re coproduction (Autriche-France) :* Das Geheimnis der Lufte. Naissance d'une nation, de David Griffith ; *le langage cinématographique (découpage, montage, plans variés) prend naissance.* « Fantômas » *1er cinéroman* de Louis Feuillade (Fr., 1873-1924), scénariste chez Gaumont. *1er western de long métrage :* Arizona de Lauwrence B. McGill (USA). **1914** *1er long métrage en couleurs :* The World, the Flesh and the Devil. **1915** courts métrages en 3 dimensions. **1919** *1er long métrage de science-fiction :* A Trip to Mars (Danemark).

1921 *1er film de long métrage en couleurs naturelles* (procédé bichrome) : le Vagabond du désert, d'Irwing C. Willat (Amér.). *1er long métrage sonore :* Dream Street, de D. W. Griffith. **1922** *1er film long métrage en 3 dimensions :* Power of Love de Nat Deverich. **1926** *1er film sonore :* Don Juan, d'Alan Crosland (Amér., 1894-1936) [produit par la Warner Bros suivant les procédés des ingénieurs de l'American Telephone and Telegraph et de la Western Electric avec John Barrymore (1882-1942) accompagné par l'orchestre philharmonique de New York]. **1927** *1er film avec passages parlants ou chantants :* le Chanteur de jazz, d'Alan Crosland (produit par la Warner Bros). Napoléon, d'Abel Gance (Fr., 1889-1981), sur *triple écran* (magirama) et *1er film avec son stéréo.* **1928** *1er film 100 % parlant :* Lights of New York, de Bryan Foy. **1929** Claude Autant-Lara (Fr.) *Construire un feu* (1er essai réalisé avec l'objectif « Hypergonar » du Pr Henri Chrétien). **1930** *dernier film muet :* The Poor Millionaire, de George Melford. **1932** *1er zoom :* Love Me Tonight (de Victor Milner). **1936** *1er film parlant en 3 dimensions :* Nozze Vagabonde de Guido Brignone (Ital.)

1946 *1er grand film français en couleurs :* le Mariage de Ramuntcho (de Max de Vaucorbeil, avec André Dassary et Gaby Sylvia, en Agfacolor). **1948** La Belle Meunière de Pagnol (*tourné en Rouxcolor,* inventé par Armand et Lucien Roux) ; le procédé demandant à la projection un appareil spécial sera utilisé pour 4 films seulement. **1952** *1er spectacle en Cinérama* sur écran circulaire (il faut plusieurs projecteurs ce qui rend l'utilisation complexe) (USA). **1953** *1er film en Cinémascope* et son stéréophonique [4 pistes ; procédé Henri-Jacques Chrétien (Fr. 1879-1956)], Hypergonar, présenté le 30-5-1927 à l'Académie des sciences : la Tunique, d'Henry Koster (Amér.). **1955** *1er film en Todd AO (Todd et American Optical Co) :* Oklahoma, de Fred Zinnemann, mis au point par l'Amér. Mike Todd ; film de 70 mm, format 2,20 × 1, une caméra et un projecteur. **1960** *Vidiréal :* cinéma en relief, inventé par Jean Bourguignon avec objectif spécial adapté à la caméra de prise de vues et un autre à la projection. **1962** *1er film à scénario en cinérama :* La Conquête de l'Ouest. **1971** *1er film avec son Dolby :* Orange mécanique. **1977** *1re démonstration réussie d'un film holographique* (durée 30 s, visible simultanément par 4 spectateurs au max.).

1983 colorisation électronique des films noir et blanc. **1985** inauguration de la Géode, Cité des sciences et de l'industrie (Paris). La plus grande salle Omnimax du monde (écran de 1 000 m², 12 haut-parleurs d'une puissance totale de 12 000 W). Le projecteur doit utiliser une lampe de 15 kW, 10 fois plus puissante que celle d'un projecteur traditionnel et doit être constamment refroidi par eau. Il diffuse l'image à travers un angle optique de 180o [supérieur à celui de la vision binoculaire humaine (120o env.)]. L'écran enveloppe donc le spectateur. La pellicule fait défiler horizontalement 24 images de 6,9 × 4,8 cm par seconde à raison de 102 m par minute. Il faut plus de 6 km de film pour 1 h de projection. 1,71 million de spectateurs (1990). Taux de remplissage (1990) : 80 %. *1er film de fiction en Omnimax :* « J'écris dans l'espace » de Pierre Étaix (histoire de Claude Chappe, inventeur du télégraphe, durée 40 min, coût 35 millions de F). **1990** *1re colorisation d'un film en France :* la Vache et le prisonnier (Henri Verneuil).

Hollywood (Bois de houx), nom du ranch des Wilcox ; dite « La Mecque du cinéma ». *1877* fondée. *1903* municipalité. *1910* annexée par Los Angeles. *1911* 4 000 habitants ; *1er studio :* Studio Nestor (env. 30 000 films y ont été tournés). *1920* 36 000 h. *1945-50* 850 films en moy. par an. *1948-63* crise, 87 films par an. *1980* 200 000 h. *Plus fameux boulevard :* Sunset Boulevard ; *quartier des grandes vedettes :* Beverly Hills (lancé par Douglas Fairbanks en 1919).

Carlsen (Henning) (1927) : Sophie de 6 à 9 (1967), Comment faire partie de l'orchestre (1972), Un divorce heureux, Gauguin, le Loup dans le soleil.

Christensen (Benjamin) (1879-1959) : *la Sorcellerie à travers les âges (1920).*

Dreyer (Carl) (1889-1968) : *le Président, le Maître du logis, la Passion de Jeanne d'Arc (1928),* Vampyr, Dies Irae (1940), Ordet (1955), Gertrud (1964).

Trier (Lars von) (1956) : Element of Crime (1984), Epidemic, Europa (1991).

Égypte

Abou-Seif (Salah) (1915) : Marie-toi et vis heureux (1990).

Chahine (Youssef) (1926) : Gare Centrale (1958), la Terre (1969), le Moineau (1972), Alexandrie, pourquoi ? (1977), Adieu Bonaparte (1985), le Sixième Jour (1986), Alexandrie encore et toujours (1990).

Espagne

Almodovar (Pedro) (1949) : Labyrinthe des passions (1982), Matador (1986), Femmes au bord de la crise de nerfs (1987), Attache-moi ! (1990), Talons aiguilles (1991).

Bardem (Juan Antonio) (1922) : Cómicos, Mort d'un cycliste, Grand-Rue, la Vengeance, les Pianos mécaniques, Sept Jours de janvier (1979).

Berlanga (Luis García) (1921) : Bienvenue M. Marshall, Calabuig, Placido, le Bourreau, la Carabine nationale (1980), Patrimoine national (1981).

Buñuel (Luis) (1900-83) : *Un chien andalou (1928), l'Age d'or (1930),* Terre sans pain (1932), les Olvidados (1950), Robinson Crusoé (1952), El (1952), Nazarin (1958), la Jeune Fille (1960), Viridiana (1961), l'Ange exterminateur (1962), le Journal d'une Femme de chambre (1963), Belle de jour (1966), la Voie lactée (1969), Tristana (1970), le Charme discret de la bourgeoisie (1972), le Fantôme de la liberté (1974), Cet obscur objet du désir (1977).

Saura (Carlos) (1932) : Peppermint frappé (1967), le Jardin des délices, Anna et les loups, la Cousine Angélique, Cria Cuervos (1976), Elisa vida mia, les Yeux bandés, Maman a 100 ans, Vivre vite, Noces

Sujets les plus souvent filmés

Anna Karenine (L. Tolstoï) 13 films dont : Goulding 1927 ; Brown 1935 ; Duvivier 1948 ; Zarkhi 1967.

Arlésienne (L') (A. Daudet) : Capellani 1910 ; Antoine 1921 ; Baroncelli 1930 ; Allégret 1941.

Assommoir (L') (E. Zola) : Capellani 1909 ; Maudru 1921 ; Roudès 1933 ; Clément 1956.

Atlantide (L') (P. Benoit) : Feyder 1921 ; Pabst 1932 ; Tallas 1948 ; Ulmer 1961 ; Swaim 1992.

Bossu (Le) (P. Féval) : Heuzé 1914 ; Kemm 1925 ; Sti 1934 ; Delannoy 1944 ; Hunebelle 1959.

Brave Soldat Chveik (Le) (J. Hasek) : Lamac 1925 ; Frie 1931 ; Youtkevitch 1943 ; Trnka 1955 ; Stekly 1956 ; Ambesser 1959 ; Liebeneiner 1963.

Buffalo Bill : Ford 1924 ; Taylor 1926 ; Stevens 1935 ; De Mille 1936 ; Wellman 1944 ; B. Ray 1947 ; Sidney 1951 ; Hopper 1953 ; Altman 1975. 45 films dont 2 parodies.

Carmen (Mérimée) 52 films + 2 parodies dont : Calmettes 1909 ; Walsh 1915 ; De Mille 1915 ; Lubitsch 1918 ; Feyder 1926 ; Walsh 1928 ; Christian-Jaque 1942 ; Ch. Vidor 1952 ; Scotese 1953 ; Preminger 1954 ; Gallone 1963 ; Saura 1982 ; Brook 1983 ; Godard 1983 ; Rosi 1984.

Casanova : Volkoff 1926 ; Barberis 1933 ; Boyer 1947 ; Freda 1948 ; Steno 1954 ; Comencini 1969 ; Fellini 1975 ; Niermans 1992.

Catherine II : Czerepy 1920 ; Lubitsch 1925 ; Waschneck 1929 ; R. Bernard 1929 ; Czinner 1934 ; Sternberg 1934 ; Ozep 1938 ; Preminger 1945 ; Curtiz 1960 ; Lenzi 1963 ; G. Flemyng 1968.

Chasseur de chez Maxim's (Le) (Mirande et Quinson) : Rimsky 1927 ; Anton 1932 ; Cammage 1939 ; Diamant-Berger 1953 ; Vital 1976.

Châtelaine du Liban (La) (P. Benoit) : de Gastyne 1924 ; Epstein 1933 ; Pottier 1956.

Cléopâtre : Guazzoni 1913 ; G. Edwards 1917 ; C.B. De Mille 1934 ; G. Pascal 1945 ; Mattoli 1955 ; Cottafavi 1959 ; Mankiewicz 1963 ; Tourjansky-Pierotti 1963.

Comte de Monte-Cristo (Le) (A. Dumas) 34 films dont : Pouctal 1917 ; Flynn 1921 ; Fescourt 1929 ; Lee 1934 ; Vernay 1943 et 1954 ; Autant-Lara 1962.

Crime et Châtiment (Dostoïevski) 15 films dont : Wiene 1921 ; Chenal 1934 ; Sternberg 1936 ; Lampin 1956 ; Koulidjanov 1966.

Dame aux camélias (La) (Dumas fils) 36 films dont : Pouctal 1909 ; Capellani 1915 ; Serena 1915 ; Edwards 1919 ; Smallwood 1921 ; Molander 1925 ; Niblo 1927 ; Gance 1934 ; Cukor 1936 ; R. Bernard 1951 ; M. Bolognini 1981.

Dernier des Mohicans (Le) (F. Cooper) : Tourneur 1921 ; Eason-Beebe 1932 ; Seitz 1936 ; Sherman 1947 ; Reinl 1966 ; Man 1992.

Derniers Jours de Pompéi (Les) (B. Lytton) : Maggi 1908 ; Caserini 1913 ; Vidali 1913 ; Gallone 1925 ; Schoedsack 1935 ; L'Herbier 1948 ; Bonnard 1960.

Deux Orphelines (Les) (A. d'Ennery) : Capellani 1910 ; Griffith 1921 ; Tourneur 1932 ; Gallone 1943 ; Gentilomo 1954 ; Freda 1965.

Docteur Jekyll et Mr Hyde (Stevenson) : Murnau 1919 ; Robertson 1920 ; Mamoulian 1932 ; Fleming 1941 ; Fisher 1960 ; J. Lewis 1963.

Duchesse de Langeais (La) (Balzac) : Calmettes 1910 ; Lloyd 1922 ; Czinner 1927 ; Baroncelli 1942.

Fabiola (Carl Wiseman) : Perrego 1913 ; Guazzoni 1917 ; Blasetti 1947 ; Malassoma 1960.

Fanny (M. Pagnol) : Allégret 1932 ; Almirante 1933 ; Wendhausen 1934 ; Whale 1938 ; Logan 1961.

Fantômas : Feuillade 1912 ; Féjos 1932 ; Sacha 1947 ; Vernay 1948 ; Hunebelle 1964-66.

Frères Karamazov (Les) (Dostoïevski) : Buchowietzky 1920 ; Ozep 1931 ; Brooks 1958 ; Pyriev 1968.

Hamlet (Shakespeare) 43 films, 9 parodies dont : Blom 1911 ; Gade 1920 ; Olivier 1948 ; Kozintsev 1964 ; Richardson 1969, Zeffirelli (1991).

Huckleberry Finn (M. Twain) : Taylor 1919 ; Taurog 1931 ; Thorpe 1938 ; Curtiz 1960.

Jeanne d'Arc 30 films dont : Méliès 1900 ; Caserini 1908 ; Capellani 1908 ; Oxilia 1913 ; De Mille 1917 ; de Gastyne 1928 ; Dreyer 1928 ; Ucicky 1935 ; Fleming 1948 ; Delannoy 1952 ; Rossellini 1954 ; Preminger 1957 ; Bresson 1963 ; Rivette (1992).

Jésus-Christ : Zecca et Nonguet 1902 ; Antamoro 1914 ; Wiene 1925 ; De Mille 1927 ; Duvivier 1934 ; N. Ray 1961 ; Pasolini 1964 ; Stevens 1965 ; Jewison 1972 ; Rossellini 1976 ; Zeffirelli 1977.

Kœnigsmark (P. Benoit) : Perret 1918 ; Tourneur 1935 ; S. Terac 1953.

Lady Hamilton : Oswald 1921 ; Lloyd 1929 ; Korda 1946 ; Christian-Jaque 1968.

Louis II de Bavière : Dieterle 1930 ; Käutner 1955 ; Visconti 1972 ; Syberberg 1972.

Lucrèce Borgia : Capellani 1909 ; Caserini 1910 ; Oswald 1921 ; Gance 1935 ; Christian-Jaque 1953 ; Grieco 1959.

Macbeth (Shakespeare) : 28 films + 1 parodie.

Madame Sans-Gêne (V. Sardou) : Calmettes 1911 ; A. Negroni 1921 ; Perret 1924 ; Richebé 1941 ; Christian-Jaque 1962.

Madame X (A. Bisson) : Savage 1916 ; Lloyd 1920 ; Barrymore 1929 ; Wood 1937 ; Rich 1966.

Maître de poste (Le) (Pouchkine) : Jeliabousky 1925 ; Tourjansky 1937 ; Ucicky 1940 ; von Baky 1955.

Manon Lescaut (Abbé Prévost) : Capellani 1911 ; Winslow 1914 ; Crosland 1927 ; Robison 1928 ; Gallone 1940 ; Clouzot 1948 ; Costa 1954 ; Aurel 1967.

Marraine de Charley (La) (B. Thomas) : Sidney 1925 ; Christie 1930 ; Colombier 1935 ; Mayo 1941 ; Butler 1952 ; Quest 1956 ; Chevalier 1959 ; Cziffra 1963.

Mayerling : Litvak 1936 ; Delannoy 1948 ; Jugert 1958 ; Dagover 1958 ; Young 1968 ; Jancsö 1975.

Michel Strogoff (J. Verne) : Tourjansky 1926 ; Baroncelli-Eichberg 1936 ; Gallone 1956 ; Tourjansky 1961 ; E. Visconti 1970.

Misérables (Les) (V. Hugo) 36 films dont : Capellani 1913 ; Frank Lloyd 1918 ; Fescourt 1925 ; R. Bernard 1934 ; Boleslawsky 1935 ; Freda 1947 ; Milestone 1953 ; Le Chanois 1958 ; Hossein (1982).

Mystères de Paris (Les) (E. Sue) : Capellani 1912 ; Burguet 1922 ; Gandera 1935 ; Baroncelli 1944 ; Cerchio 1957 ; Hunebelle 1962.

Nana (Zola) : Renoir 1926 ; D. Arzner 1933 ; Corostiza 1943 ; Christian-Jaque 1955.

Napoléon : Gance 1927 ; Grüne 1928 ; Lupu-Pick 1929 ; Wenzler 1935 ; Brown 1937 ; Guitry 1954 ; Koster 1954 ; Gance 1960 ; Bondartchouk 1969. Son rôle a été joué dans plus de 172 films.

Notre-Dame de Paris (V. Hugo) : Capellani 1911 ; Worsley 1924 ; Dieterle 1938 ; Delannoy 1956.

Oliver Twist (Dickens) 21 films dont : de Morlhon 1910 ; Lloyd 1920 ; Brennon 1932 ; Lean 1946 ; Reed 1969.

Pêcheur d'Islande (P. Loti) : Pouctal 1914 ; Baroncelli 1924 ; Guerlais 1933 ; Schoendoerffer 1959.

Porteuse de pain (La) (X. de Montépin) : Denola 1912 ; Le Somptier 1923 ; Sti 1934 ; Cloche 1950 ; Cloche 1963.

Quatre Plumes blanches (Les) (A.E.W. Mason) : Plaissetty 1922 ; Schoedsack-Cooper 1930 ; Z. Korda 1939 ; Young-Korda 1955 ; Sharp 1977.

Quo Vadis ? (H. Sienkiewicz) : Calmettes 1910 ; Guazzoni 1912 ; Jacoby-D'Annunzio 1924 ; Le Roy 1951.

Raspoutine 27 films dont : Malikoff 1929 ; Trotz 1932 ; Boleslavsky 1933 ; L'Herbier 1938 ; Combret 1954 ; Chenal 1960 ; Sharp 1966 ; Hossein 1967.

Résurrection (L. Tolstoï) 23 films dont : Griffith 1909 ; Tchardynine 1915 ; E. José 1918 ; Carewe 1927 ; Blasetti 1931 ; Carewe 1932 ; Mamoulian 1934 ; Hansen 1958.

Robinson Crusoé (D. Defoe) : 36 films.

Rocambole (Ponson du Terrail) : Denola 1914 ; Maudru 1924 ; Rosca 1932 ; Baroncelli 1946 ; Borderie 1963.

Roger la Honte (J. Mary) : Baroncelli 1923 ; Roudès 1933, Cayatte 1946 ; Freda 1966.

Roméo et Juliette (Shakespeare) 33 films + 8 parodies dont : Caserini 1908 ; Blackton 1916 ; Cukor 1936 ; Castellani 1953 ; Zeffirelli 1968.

St François d'Assise : Antamoro 1926 ; Rossellini 1950 ; Curtiz 1961 ; Zeffirelli 1973 ; Cavani 1988.

Sonate à Kreützer (La) (L. Tolstoï) : Tchardynine 1911 ; Brenon 1915 ; Machaty 1926 ; Harlan 1937 ; Dréville 1938.

Topaze (M. Pagnol) : Gasnier 1933 ; d'Abbadie d'Arrast 1933 ; Pagnol 1936 ; Pagnol 1951 ; P. Sellers 1962.

Tour de Nesle (La) (A. Dumas) : Capellani 1911 ; Roudes 1937 ; Gance 1953 ; Legrand 1969.

Trois Mousquetaires (Les) (A. Dumas) 30 films + 10 variantes dont : Caserini 1909 ; Pouctal 1913 ; Niblo 1921 ; Diamant-Berger 1922 ; Dwan 1929 ; Diamant-Berger 1932 ; Lee 1935 ; Sidney 1948 ; Hunebelle 1953 ; Borderie 1961 ; Lester 1973 ; Hunebelle 1974 ; Lester 1989.

Zaza (Berton-Simon) : Porter 1915 ; Dwan 1923 ; Cukor 1939 ; Castellani 1943 ; Gaveau 1955.

Personnages les plus souvent filmés

Sherlock Holmes (197 films de 1900 à 1990). Détective créé par sir Arthur Conan Doyle (1859-1930). Joué par 72 acteurs dont 1 Noir (Sam Robinson). Ellie Norwood (47 films), Basil Rathbone (14). Reginald Aven fut le seul à avoir joué Sherlock Holmes et le docteur Watson. La réplique « Élémentaire, mon cher Watson » vient de The Return of Sherlock Holmes de Basil Dean (1929) 1er Sherlock Holmes parlant. Les dernières phrases du dialogue sont : « Amazing, Holmes ! – Elementary, my dear Watson, elementary. »

Dracula (+ de 160 films). **Jésus-Christ** (+ de 135 films). **Frankenstein** (109).

Tarzan (94 films) : le 1er avec Elmo Lincoln (2 films en 1918), parmi les 35 suivants Johnny Weissmuller (1932 à 48, 12 films), Lex Barker (1949 à 53, 5), Gordon Scott (1955 à 58, 5), Azad (Inde 1964 à 70, 13).

Lénine (72). **Cendrillon** (69 dep. 1898). **Zorro** (68). **Hopalong Cassidy** (66). **Hitler** (60). **Robin des Bois** (55). **Charlie Chan** (49). **Cléopâtre** (37). **Reine Victoria** (36). **Henri VIII** (34). **Élisabeth Ire** (32). **Staline** (26). **Churchill** (16).

Auteurs les plus souvent adaptés

William Shakespeare. 301 adaptations (273 fidèles, 31 modernes) dont 41 Hamlet.

Edgar Wallace. Livres et récits 132, pièces 19.

Interprètes

James Bond. Sean Connery, George Lazenby, Roger Moore, Timothy Dalton.

Le commissaire Maigret. Pierre Renoir, Abel Tarride, Harry Baur, Albert Préjean, Charles Laughton, Michel Simon, Maurice Manson, Jean Gabin, Gino Cervi, Rupert Davies, Heinz Ruhmann. *Téléfilms :* Jean Richard, Bruno Crémer.

de sang (1981), Antonieta, Carmen (1983), l'Amour sorcier (1986), la Nuit obscure (1989), Ay, Carmela ! (1991).

États-Unis

Aldrich (Robert) (1918-83) : Bronco Apache (1954), Vera Cruz (1954), En 4e vitesse, le Grand Couteau (1955), Attaque, Tout près de Satan, Trahison à Athènes, Sodome et Gomorrhe (1962), le Vol du Phénix, Douze Salopards (1967), le Démon des femmes, Trop tard pour les héros (1970), Pas d'orchidées pour miss Blandish (1971), Fureur apache, Plein la gueule, la Cité des dangers (1975).

Allen (Woody) (Allen Stewart Konigsberg 1935) ; *acteur et réalisateur :* Prends l'oseille et tire-toi (1969), Bananas (1971), Tout ce que vous avez toujours voulu savoir sur le sexe... (1972), Woody et les robots (1973), Guerre et Amour (1975), Annie Hall (1977), Intérieurs (1978), Manhattan (1979), Stardust Memories (1980), Comédie érotique d'une nuit d'été (1982), Zelig (1983), Broadway Danny Rose (1984), la Rose pourpre du Caire (1985), Hannah et ses sœurs (1986), Radio Days, September (1987), Une autre femme (1988), Crimes et délits (1989), Alice (1990), Ombres et brouillard (1992), Maris et femmes (1992).

Altman (Robert) (1925) : MASH (1970), Brewster McCloud (1970), John McCabe, California Split (1971), Images (1972), le Privé (1973), Nashville (1975), Buffalo Bill et les Indiens (1976), 3 Femmes, Secret Honor (1977), Quintet, Un mariage (1978), Un couple parfait (1979), Popeye (1980), Streamers (1981), Reviens Jimmy Dean, reviens (1982), Secret Honor (1984), Fool for Love (1986), Beyond Therapy (1986).

Borzage (Frank) (1893-1961) : *l'Heure suprême, la Femme au corbeau,* l'Adieu aux armes (1932), Ceux de la zone (1933), Comme les grands, Désir, la Grande Ville, l'Ensorceleuse, Trois Camarades, le Fils du pendu, Simon le pêcheur (1959).

Brooks (Richard) (1912-92) : Bas les masques, le Cirque infernal, Sergent la Terreur, Graine de violence (1955), la Dernière Chasse, les Frères Karamazov (1958), la Chatte sur un toit brûlant (1958), Elmer Gantry, Doux Oiseau de jeunesse, Lord Jim (1965), les Professionnels, De sang-froid (1967), Dollars, la Chevauchée sauvage, A la recherche de Mr Goodbar (1978), Meurtres en direct (1982).

Brown (Clarence) (1890-1987) : *la Chair et le Diable,* Anna Christie, Vol de nuit, Anna Karénine (1935), Ah ! Wilderness, Marie Walewska (1937), la Mousson (1939), l'Intrus (1949).

Capra (Frank) (Palerme, 1897-1991) : New York-Miami (1934), l'Extravagant M. Deeds (1936), Horizons perdus, Vous ne l'emporterez pas avec vous

(1938), M. Smith au Sénat, Arsenic et vieilles dentelles (1944), Pourquoi nous combattons (1944), La vie est belle, l'Enjeu, Un trou dans la tête, Negro Soldier (1987).

Chaplin (Sir Charles Spencer) (Londres, 1889-1977) : *Charlot soldat (1918), le Kid (1921), le Pèlerin (1923), l'Opinion publique (1923), la Ruée vers l'or (1925), le Cirque (1928),* les Lumières de la ville (1930), les Temps modernes (1936), le Dictateur (1940), M. Verdoux (1947), Limelight (les Feux de la rampe, 1952), Un roi à New York (1957), la Comtesse de Hong Kong (1966).

Coppola (Francis Ford) (1939) : Big Boy, les Gens de la pluie, le Parrain (1971), Conversation secrète (1974), le Parrain (2e partie 1975), Apocalypse now (1979), Coup de cœur, Rusty James, Cotton Club (1984), Peggy Sue s'est mariée (1987), Tucker (1988), le Parrain (3e partie 1990), Dracula (1992).

Cukor (George) (1899-1983) : les Quatre Filles du docteur March (1933), David Copperfield (1934), le Roman de Marguerite Gautier (1936), Vacances, Femmes, Hantise (1944), Je retourne chez maman (1951), Une femme qui s'affiche, Une étoile est née, les Girls (1957), la Diablesse en collant rose (1959), le Milliardaire, My Fair Lady (1964), Justine, Voyages avec ma tante, l'Oiseau bleu, Riches et Célèbres (1981).

Curtiz (Michael) (M. Kertesz, 1888-1962) : *l'Arche de Noé (1928),* 20 000 ans sous les verrous, Capitaine Blood, la Charge de la brigade légère (1936), les Aventures de Robin des Bois (1938), les Anges aux figures sales, les Conquérants (1939), la Caravane héroïque (1940), le Vaisseau fantôme, Casablanca (1943), la Femme aux chimères, les Comancheros (1961).

Dassin (Jules) (1911) : les Démons de la liberté (1947), la Cité sans voiles (1948), les Bas-Fonds de Frisco (1949), les Forbans de la nuit (1950), Du rififi chez les hommes (1954), Celui qui doit mourir, la Loi (1958), Jamais le dimanche (1960), Phaedra (1962), Topkapi (1964), Point noir (1968), la Promesse de l'aube (1970), Cri de femmes (1978).

Daves (Delmer) (1904-77) : les Passagers de la nuit (1947), Destination Tōkyō, la Flèche brisée (1950), l'Aigle solitaire, l'Homme de nulle part, la Dernière Caravane, Trois Heures dix pour Yuma (1957), Cow-boy, la Colline des potences.

De Mille (Cecil B.) (1881-1959) : *Forfaiture (1915), les Dix Commandements (1re vers.) (1923), le Roi des rois (1927),* le Signe de la Croix (1932), les Tuniques écarlates (1940), l'Odyssée du Dr Wassel, Samson et Dalila (1951), Sous le plus grand chapiteau du monde (1953), les Dix Commandements (2e 1956).

De Palma (Brian) (1940) : Phantom of the Paradise (1974), Carrie (1976), Obsession (1976), les Incorruptibles (1987), Outrages (1989), le Bûcher des vanités (1990), l'Esprit de Caïn (1992).

Disney (Walt) (Elias) (1901-66) (dessins animés) : Blanche-Neige et les 7 nains (1937), Pinocchio (1940), Fantasia (1940), Dumbo (1941), Bambi (1942), les 3 Caballeros (1945), Cendrillon (1950), Peter Pan (1953), les 101 Dalmatiens (1961), Merlin l'Enchanteur (1963), le Livre de la jungle (1967), Basil, détective privé (1986), Oliver et compagnie (1989), la Petite Sirène (1989), la Belle et la Bête (1991), Aladin (1992).

Dmytryk (Edward) (1908) : Adieu ma belle, Crossfire (1947), Donnez-nous aujourd'hui, Ouragan sur le Caine (1954), la Lance brisée (1954), le Bal des maudits (1958), l'Homme aux colts d'or (1959), les Ambitieux, Mirage, Alvarez Kelly (1966), la Bataille pour Anzio (1968), Barbe-Bleue, la Guerre des otages (1980).

Donen (Stanley) (1924) : Chantons sous la pluie (1952), les Sept Femmes de Barberousse (1954), Drôle de frimousse (1957), Beau fixe sur New York, Embrasse-les pour moi, Pique-nique en pyjama, Indiscret, Chérie recommençons (1960), Charade (1964), Arabesque, Voyage à deux, l'Escalier, le Petit Prince, Lucky Lady, Folie Folie (1978), Saturn 3 (1979), C'est la faute à Rio (1984).

Dwan (Allan) (1885-1981) : *Robin des Bois (1922),* Suez, Iwo-Jima (1949), la Belle du Montana, Quatre Étranges Cavaliers, la Reine de la prairie, le Mariage est pour demain, Deux Rouquines dans la bagarre (1956).

Ferrara (Abel) (n.c.) : l'Ange de la vengeance (1982), China Girl (1987), le Roi de New York (1990), Bad lieutenant (1992), Body Sratchers.

Flaherty (Robert) (1884-1951) : *Nanouk l'Esquimau (1920-21), Moana (1926), Tabou* (avec Murnau), l'Homme d'Aran (1932-34), Louisiana Story (1948).

Fleischer (Richard) (1916) : l'Énigme du Chicago-Express, 20 000 Lieues sous les mers (1954), les Inconnus dans la ville (1955), la Fille sur la balançoire, Bandido Caballero (1956), le Temps de la colère, les Vikings (1958), Drame dans un miroir, l'Étrangleur de Boston, Tora-Tora-Tora (1970), Terreur aveugle, Les flics ne dorment pas la nuit, Mandingo, Kalidor la légende du talisman (1985).

Fleming (Victor) (1883-1949) : *le Virginien (1929),* l'Île au trésor (1934), Imprudente Jeunesse (1935), Capitaine courageux (1937), Pilote d'essai, Autant en emporte le vent (1939), Tortilla Flat (1942), Jeanne d'Arc (1948).

Ford (John) (Sean O'Fearna) (1895-1973) : *le Cheval de fer (1924),* la Patrouille perdue (1934), Toute la ville en parle, le Mouchard (1935), la Chevauchée fantastique (1939), Vers sa destinée (1939), les Raisins de la colère (1940), Qu'elle était verte ma vallée (1941), la Poursuite infernale (1946), Dieu est mort (1947), le Massacre de Fort-Apache (1948), la Charge héroïque (1949), l'Homme tranquille (1952), la Prisonnière du désert (1956), les Deux Cavaliers (1959), le Sergent noir (1960), l'Homme qui tua Liberty Valance (1961), les Cheyennes (1964), Frontière chinoise (1966).

Fuller (Samuel) (1911) : J'ai vécu l'enfer de Corée (1950), Baïonnette au canon, le Port de la drogue (1953), le Démon des eaux troubles, Maison de bambou, le Jugement des flèches, Verboten, les Bas-Fonds new-yorkais, Les maraudeurs attaquent (1962), Shock Corridor, Un pigeon mort dans Beethoven Street, The Big Red One, Dressé pour tuer, les Voleurs de la nuit (1983), Sans espoir de retour (1989).

Garnett (Tay) (1893-1977) : Voyage sans retour (1932), l'Amour en première page (1937), le Dernier Négrier (1937), Quelle joie de vivre (1938), Bataan (1943), Le facteur sonne toujours deux fois (1946), les Combattants de la nuit (1960).

Griffith (David W.) (1875-1948) : *Naissance d'une nation (1915), Intolérance (1916), le Lys brisé, le Pauvre Amour, A travers l'orage, les Deux Orphelines (1922), la Nuit mystérieuse,* Abraham Lincoln (1930).

Hathaway (Henry) (1898-1985) : les 3 Lanciers du Bengale (1934), Peter Ibbetson, les Gars du large, Johnny Apollo, le Carrefour de la mort (1947), Niagara, la Cité disparue (1957), le Grand Sam (1961), le Dernier Safari, Cinq Cartes à abattre (1968).

Hawks (Howard) (1896-1977) : Scarface (1932), l'Impossible M. Bébé (1938), Seuls les anges ont des ailes (1939), Sergent York, Air Force, le Port de l'angoisse, le Grand Sommeil (1946), la Rivière rouge (1948), la Captive aux yeux clairs (1952), Les hommes préfèrent les blondes (1953), Rio Bravo (1959), Hatari (1962), El Dorado (1966), Rio Lobo (1970).

Hill (George Roy) (1926) : Deux Copines, Un séducteur, Millie, Butch Cassidy et le Kid (1970), Abattoir 5, l'Arnaque (1973), la Kermesse des aigles, I Love You, je t'aime, le Monde selon Garp (1982), la Petite Fille au tambour (1984), Funny Farm.

Hitchcock (Alfred) (1899-1980) : l'Homme qui en savait trop (1934 ; 2e vers. 1956), les 39 Marches (1935), Une femme disparaît (1938), Rebecca (1940), l'Ombre d'un doute (1943), les Enchaînés (1946), la Corde (1948), les Amants du Capricorne (1949), l'Inconnu du Nord-Express (1951), la Loi du silence (1953), Fenêtre sur cour (1954), la Main au collet (1955), le Faux Coupable (1957), Vertigo (Sueurs froides) (1958), la Mort aux trousses (1959), Psychose (1960), les Oiseaux (1963), Mais qui a tué Harry ? (1966), le Rideau déchiré (1966), l'Étau (1969), Frenzy (1972), Complot de famille (1976).

Huston (John) (1906-87) : le Faucon maltais (1941), le Trésor de la Sierra Madre (1947), Key Largo (1948), Quand la ville dort (1950), African Queen (1951), Moulin-Rouge (1952), Plus fort que le diable (1954), Moby Dick (1956), le Vent de la plaine (1960), les Désaxés (The Misfits 1961), la Bible, Reflets dans un œil d'or, la Lettre du Kremlin (1970), Promenade avec l'amour et la mort, Fat City, Juge et hors-la-loi, le Piège, l'Homme qui voulut être roi (1975), le Malin, A nous la victoire, Annie, Au-dessous du volcan (1984), l'Honneur des Prizzi (1985), Gens de Dublin (1987).

Kazan (Elia) (Kazanijoglou) (Istanbul, 1909) : Boomerang (1947), Panique dans la rue (1950), Un tramway nommé Désir (1951), Viva Zapata (1952), Sur les quais (1954), A l'est d'Eden (1955), Baby Doll (1956), Un homme dans la foule (1957), le Fleuve sauvage (1960), la Fièvre dans le sang (1961), America America (1964), l'Arrangement (1969), les Visiteurs (1972), le Dernier Nabab (1976).

Keaton (Buster) (Joseph Francis) (1895-1966) : *les Lois de l'hospitalité, la Croisière du Navigator, Sherlock junior, les Fiancées en folie, le Mécano de la « General » (1926), Cadet d'eau douce (1928), l'Opérateur, le Figurant,* le Roi de la bière (1933).

King (Henri) (1896-1982) : *Tol'able David (1921), Dans les laves du Vésuve, Romola (1925),* la Foire aux illusions, Ramona (1936), l'Incendie de Chicago, Stanley et Livingstone, le Brigand bien-aimé, le Chant de Bernadette (1943), David et Bethsabée, Le Soleil se lève aussi (1957), Tendre est la nuit (1961).

Kubrick (Stanley) (1928) : Ultime Razzia (1956), les Sentiers de la gloire (1957), Spartacus (1960), Lolita (1962), Docteur Folamour (1964), 2001 Odyssée de l'espace (1968), Orange mécanique (1971), Barry Lyndon (1975), The Shining (1979), Full Metal Jacket (1987).

Lewis (Jerry) (Joseph Levitch) (1926) : le Dingue du palace (1960), le Tombeur de ces dames (1961), Docteur Jerry et Mister Love (1963), Jerry souffre-douleur, les Tontons farceurs (1965), Trois sur un sofa, Ya Ya mon général (1970), Au boulot Jerry (1980), T'es fou Jerry (1983).

Logan (Joshua) (1908-88) : Picnic (1956), Bus Stop (1956), Sayonara (1957), South Pacific (1958), Fanny (1961), la Kermesse de l'Ouest (1969).

Losey (Joseph) (1909-84) : Haines, le Rôdeur (1951), M le Maudit (2e version) (1951), la Bête s'éveille (1954), Temps sans pitié (1956), l'Enquête de l'inspecteur Morgan (1959), les Criminels (1960), Eva (1962), The Servant (1963), Pour l'exemple (1964), Accident (1967), Boom, Cérémonie secrète (1968), Deux Hommes en fuite (1970), le Messager (1971), l'Assassinat de Trotsky (1972), Maison de poupée (1973), Une Anglaise romantique (1975), M. Klein (1975), les Routes du Sud (1978), Don Giovanni (1978), la Truite (1982).

Lubitsch (Ernst) (Allem., 1892-1947) : *Madame du Barry (1919), l'Éventail de lady Windermere (1925), le Patriote (1928),* Parade d'amour (1929), Haute pègre (1932), Si j'avais un million (1932), Sérénade à trois (1933), la Veuve joyeuse (1934), la 8e Femme de Barbe-Bleue (1938), Ninotchka (1939), To Be or Not to Be (1942), Le ciel peut attendre (1943), la Folle Ingénue (1946).

Lucas (George) (1944) : THX 1138 (1971), American Graffiti (1973), la Guerre des étoiles (1977).

Lumet (Sidney) (1924) : Douze Hommes en colère (1957), Point limite, la Colline des hommes perdus (1965), le Groupe, la Mouette, le Crime de l'Orient-Express (1974), Serpico, Un après-midi de chien, Network, The Wiz, le Prince de New York, Piège mortel, The Verdict (1982), Daniel, A la recherche de Garbo (1984), les Coulisses du pouvoir (1986), le Lendemain du crime (1987), Une étrangère parmi nous (1992).

McCarey (Leo) (1898-1969) : la Soupe au canard (1933), Cette Sacrée Vérité (1937), Elle et Lui (1re version), la Route semée d'étoiles (1943), les Cloches de Ste-Marie (1945), Elle et Lui (2e version), la Brune brûlante (1958).

Mankiewicz (Joseph L.) (1909-93) : l'Aventure de Mme Muir (1947), Chaînes conjugales (1949), Ève (1950), l'Affaire Cicéron (1952), Jules César (1953), la Comtesse aux pieds nus (1954), Un Américain bien tranquille (1958), Soudain l'été dernier (1959), Cléopâtre (1963), le Reptile (1970), le Limier (1972).

Mann (Anthony) (1906-67) : Winchester 73, les Affameurs, l'Appât, Je suis un aventurier (1955), l'Homme de la plaine (1955), Cote 465, l'Homme de l'Ouest (1958), la Charge des tuniques bleues (1959), la Ruée vers l'Ouest (1960), le Cid (1961).

Minnelli (Vincente) (1913-86) : Ziegfeld Follies (1946), le Père de la mariée (1950), Un Américain à Paris (1951), les Ensorcelés, Tous en scène (1953), Brigadoon (1954), la Toile d'araignée (1955), Gigi (2e vers.), Comme un torrent (1958), Un numéro du tonnerre, 15 Jours ailleurs, le Chevalier des sables, Mélinda (1970), Nina (1976).

Mulligan (Robert) (1923) : Prisonnier de la peur (1957), Du silence et des ombres (1962), le Sillage de la violence (1965), Daisy Clover, Escalier interdit, l'Homme sauvage, Un été 42 (1971), l'Autre (1972), Même Heure l'année prochaine (1978), Kiss Me Goodbye (1982), Un été en Louisiane (1991).

Pakula (Alan J.) (1928) : Klute (1971), A cause d'un assassinat (1974), les Hommes du président (1976), le Choix de Sophie (1982), Dream Lover (1986), Présumé innocent (1990).

Peckinpah (Sam) (1926-84) : Coup de feu dans la Sierra (1962), Major Dundee, la Horde sauvage, les Chiens de paille, le Dernier Bagarreur, Pat Garrett et Billy the Kid (1973), Apportez-moi la tête d'Alfredo Garcia, Croix de fer, le Convoi, Osterman Week-end (1984).

Penn (Arthur) (1922) : le Gaucher (1958), Miracle en Alabama (1962), Mickey One (1964), Bonnie and Clyde (1967), Little Big Man (1970), Missouri Breaks (1976), Target (1986), Froid comme la mort (1987).

Pollack (Sydney) (1934) : Propriété interdite (1966), les Chasseurs de scalps, Un château en enfer, On achève bien les chevaux (1969), Jeremiah Johnson (1972), Nos plus belles années (1973), Yakuza (1975), les 3 Jours du Condor (1975), Bobby Deerfield, le Cavalier électrique (1979), Absence de malice, Tootsie (1983), Souvenirs d'Afrique (Out of Africa, 1986), Havana (1990).

Preminger (Otto) (Vienne, 1906-86) : Laura (1944), Crime passionnel, Ambre (1947), le Mystérieux Dr Korvo, Un si doux visage, Rivière sans retour (1954), l'Homme au bras d'or (1955), Bonjour tristesse (1958), Autopsie d'un meurtre, Exodus (1961), Tempête à Washington, le Cardinal (1963), Bunny Lake a disparu, Skidoo, Rosebud (1974).

Ray (Nicholas) (Kienzle) (1911-79) : les Amants de la nuit (1948), le Traquenard (1949), le Violent, les Diables de Guadalcanal, la Maison dans l'ombre (1951), Johnny Guitare (1954), la Fureur de vivre (1955), Amère Victoire (1958), Derrière le miroir (1956), le Roi des rois (1958), les 55 Jours de Pékin (1963).

Scorsese (Martin) (1942) : Bertha Boxcar (1972), Mean Streets, Alice n'est plus ici, Taxi Driver (1976), New York New York (1977), The Last Walz (1978), Raging Bull, la Valse des pantins, After Hours (1985), la Couleur de l'argent (1987), la Dernière Tentation du Christ (1988), New York Stories (1989), les Affranchis (1990), les Nerfs à vif (1991).

Sirk (Douglas) (Detlef Sierck) (Danemark, 1900-87) : l'Aveu (1944), Des filles disparaissent, Jenny femme marquée, Tempête sur la colline, Écrit sur du vent (1956), la Ronde de l'aube, le Temps d'aimer et le temps de mourir (1959), le Mirage de la vie.

Spielberg (Steven) (1947) : Duel (1971), The Sugarland Express, les Dents de la mer (1975), Rencontres du troisième type (1977), 1941 (1979), les Aventuriers de l'Arche perdue (1981), E.T. l'extraterrestre (1982), Indiana Jones et le Temple maudit (1984), la Couleur pourpre (1986), Histoires fantastiques (1987), Indiana Jones et la dernière croisade (1989), Always (1989), Hook (1991).

Sternberg (Josef von) (Vienne, 1894-1969) : *les Nuits de Chicago (1927), les Damnés de l'Océan,* l'Ange bleu (1930), Cœurs brûlés (1930), Shanghai Express (1932), l'Impératrice rouge (1934), la Femme et le Pantin (1935), Shanghai (1941), Fièvre sur Anatahan (1953).

Stevens (George) (1904-75) : Gunga Din (1939), Une place au soleil (1951), l'Homme des vallées perdues (1953), Géant (1956), le Journal d'Anne Frank (1959).

Stroheim (Erich von) (E. Oswald Hans Stroheim Von Nordenwall) (Autriche, 1885-1957) : *la Loi des montagnes (1918), Folies de femmes, les Rapaces (1923), la Veuve joyeuse, Symphonie nuptiale, Queen Kelly (1928).*

Tashlin (Frank) (1913-72) : Artistes et Modèles (1955), la Blonde et moi, Un vrai cinglé du cinéma (1956), la Blonde explosive, le Kid en kimono, l'Increvable Jerry, Jerry chez les cinoques (1964).

Tourneur (Jacques) (1904-77) : la Féline (1942), l'Homme léopard, Vaudou, Angoisse (1944), le Passage du canyon, la Griffe du passé (1947), la Flibustière des Antilles, le Gaucho, l'Or et l'Amour, Frontière sauvage (1959), la Nuit du démon, Tombouctou, la Bataille de Marathon (1959).

Ulmer (Edgar G.) (Vienne, 1900-72) : le Chat noir, le Démon de la chair, Carnegie Hall, l'Implacable, le Bandit, l'Atlantide (1960), Sept contre la mort.

Vidor (King) [(1894-1982), carrière de 66 ans]. *la Grande Parade (1925), la Foule (1928),* Hallelujah ! (1929), Notre Pain quotidien (1934), Stella Dallas, la Citadelle (1938), le Grand Passage (1940), Duel au soleil (1946), le Rebelle (1949), la Furie du désir (1952), l'Homme qui n'a pas d'étoile, Guerre et Paix (1956), Salomon et la Reine de Saba (1959).

Walsh (Raoul) (1892-1981) : *le Voleur de Bagdad (1re version, 1924),* la Charge fantastique (1941), Gentleman Jim (1942), Aventures en Birmanie, la Vallée de la peur, la Fille du désert, Un roi et quatre reines, l'Esclave libre, les Nus et les Morts (1958), Esther et le Roi, la Charge de la 8e brigade (1964).

Welles (Orson) (1915-85) : Citizen Kane (1940), la Splendeur des Amberson (1942), la Dame de Shanghai (1948), Macbeth (1948), Othello (1952), Mr Arkadine (1955), la Soif du mal (1958), le Procès (1962), Falstaff (1966), Histoire immortelle (1967), Vérités et Mensonges (1974), Filming Othello (1979).

Wellman (William) (1894-1975) : *les Mendiants de la vie (1928),* l'Ennemi public, la Joyeuse Suicidée, Une étoile est née (1937), Beau Geste (1939), la Lumière qui s'éteint, Buffalo Bill (1944), l'Étrange Incident, les Forçats de la gloire, la Ville abandonnée, le Rideau de fer, l'Allée sanglante (1955).

Wilder (Billy) (Samuel) (Vienne, 1906) : le Poison, Assurance sur la mort (1944), Boulevard du Crépuscule (1950), le Gouffre aux chimères, Stalag 17, Sabrina (1954), Sept Ans de réflexion, Ariane, Certains l'aiment chaud (1959), la Garçonnière, Irma la Douce (1963), Embrasse-moi idiot, la Vie privée de Sherlock Holmes, Avanti, Spéciale Première, Fedora (1977).

Wise (Robert) (1914) : Nous avons gagné ce soir (1949), les Rats du désert (1953), la Tour des ambitieux (1954), Marqué par la haine, le Coup de l'escalier, West Side Story (1961), la Mélodie du bonheur (1964), le Mystère Andromède (1971), l'Odyssée du « Hindenburg » (1975), Star Trek (1979).

Wyler (William) (Mulhouse, 1902-81) : Rue sans issue (1937), l'Insoumise, les Hauts de Hurlevent (1939), le Cavalier du désert, la Vipère, Mrs Minniver (1942), les Plus Belles Années de notre vie (1946), l'Héritière, Vacances romaines (1953), la Loi du Seigneur (1956), Ben-Hur (2e version, 1959), la Rumeur (1962), l'Obsédé (1964), Funny Girl (1968).

Zinnemann (Fred) (Vienne, 1907) : Le train sifflera trois fois (1952), Tant qu'il y aura des hommes (1953), Au risque de se perdre (1959), Un homme pour l'éternité (1967), Chacal (1973), Julia (1977), Cinq Jours ce printemps-là (1983).

FINLANDE

Blomberg (Erik) (1913) : le Renne blanc (1952).

Donner (Jörn Johan) (1933) : Un dimanche de septembre (1963), Anna (1970).

Kaurismäki (Aki) (1957) : Calamori union (1985), la Fille aux allumettes (1989), J'ai engagé un tueur (1990), la Vie de Bohème (1992).

Mollberg (Rauni) (1929) : la Terre de nos ancêtres (1973), Milka (1980).

FRANCE

Allégret (Marc) (Bâle, 1900-73) : Voyage au Congo, Lac aux Dames (1934), Gribouille, Entrée des artistes (1938), Félicie Nanteuil, Julietta (1953), l'Amant de lady Chatterley (1955), En effeuillant la marguerite, le Bal du comte d'Orgel (1970).

Allégret (Yves) (1907-87) : Dédée d'Anvers (1948), Une si jolie petite plage (1948), Manèges, Les miracles n'ont lieu qu'une fois, Nez de cuir, les Orgueilleux, Germinal, Mords pas on t'aime.

Annaud (Jean-Jacques) (1944) : la Guerre du feu, le Nom de la rose (1986), l'Ours (1988), l'Amant (1992).

Astruc (Alexandre) (1923) : le Rideau cramoisi (1952), les Mauvaises Rencontres, Une vie (1957), la Proie pour l'ombre, l'Éducation sentimentale, la Longue Marche, Flammes sur l'Adriatique (1968).

Autant-Lara (Claude) (1901) : le Mariage de Chiffon (1942), Douce, le Diable au corps (1946), le Blé en herbe, le Rouge et le Noir (1954), la Traversée de Paris, En cas de malheur, la Jument verte, Tu ne tueras point, le Franciscain de Bourges, Gloria.

Becker (Jacques) (1906-60) : Dernier Atout, Goupi-Mains rouges (1943), Falbalas (1945), Antoine et Antoinette, Rendez-Vous de juillet (1949), Casque d'or (1952), Rue de l'Estrapade, Touchez pas au grisbi (1954), Montparnasse 19, le Trou (1960).

Beineix (Jean-Jacques) (1946) : Diva (1981), la Lune dans le caniveau (1983), 37,2° le matin (1986), Roselyne et les lions (1989), IP5 (1992).

Berri (Claude) (Langmann) (1934) : le Vieil Homme et l'Enfant, le Pistonné, Un moment d'égarement, Je vous aime, le Maître d'école (1981), Tchao Pantin (1983), Jean de Florette et Manon des Sources (1986), Uranus (1990), Germinal (1993).

Besson (Luc) (1959) : le Dernier Combat (1983), Subway (1985), le Grand Bleu (1988), Nikita (1990), Atlantis (1991).

Blier (Bertrand) (1939) : les Valseuses (1974), Calmos (1976), Préparez vos mouchoirs (1978), Buffet froid (1979), Beau-Père (1981), la Femme de mon pote (1983), Notre Histoire (1984), Tenue de soirée (1986), Trop belle pour toi (1989), Merci la vie (1991).

Boisset (Yves) (1939) : Cran d'arrêt (1969), Un condé (1971), l'Attentat, RAS (1973), Dupont-la-Joie (1974), le Juge Fayard dit le Shérif, Un taxi mauve (1976), la Clé sous la porte, la Femme flic (1980), Allons z'enfants (1981), Bleu comme l'enfer (1986), Radio-Corbeau (1989), la Tribu (1991).

Bresson (Robert) (1907) : les Anges du péché (1943), les Dames du bois de Boulogne (1944-45), le Journal d'un curé de campagne (1951), Un condamné à mort s'est échappé (1956), Pickpocket (1959), le Procès de Jeanne d'Arc (1962), Au hasard Balthazar, Mouchette (1967), Une femme douce (1969), Quatre Nuits d'un rêveur, Lancelot du Lac (1974), le Diable probablement, l'Argent (1983).

Broca (Philippe de) (1933) : les Jeux de l'amour, le Farceur, l'Amant de 5 jours, Cartouche, l'Homme de Rio (1963), les Tribulations d'un Chinois en Chine, le Roi de cœur, le Diable par la queue (1969), la Poudre d'escampette, le Magnifique, l'Incorrigible, Julie pot de colle, Tendre Poulet, le Cavaleur, On a volé la cuisse de Jupiter, l'Africain, Louisiane, la Gitane (1986), Chouans ! (1988), les 1001 Nuits (1990), les Clés du paradis (1991).

Camus (Marcel) (1912-82) : Orfeu Negro (1959), Os Bandeirantes (1959), le Chant du monde, le Mur de l'Atlantique, Othalia de Bahia (1975).

Carax (Leos) (1960) : Boy Meets Girl (1984), Mauvais Sang, les Amants du Pont-Neuf (1991).

Carné (Marcel) (1909) : Jenny (1936), Drôle de drame (1937), le Quai des Brumes, Hôtel du Nord (1938), Le jour se lève (1939), les Visiteurs du soir (1942), les Enfants du paradis (1945), les Portes de la nuit (1946), les Tricheurs (1958), les Jeunes Loups (1967), la Merveilleuse Visite (1973), les Assassins de l'ordre (1976), la Bible (1976), la Mouche (1993).

Cavalier (Alain) (Léon Fraissé) (1931) : le Combat dans l'île, l'Insoumis (1964), la Chamade (1968), Un étrange voyage (1981), Thérèse (1986), Libera me.

Cayatte (André) (Marcel Truc) (1909-89) : Pierre et Jean (1943), les Amants de Vérone (1949), Justice est faite (1950), Nous sommes tous des assassins (1952), Avant le déluge (1953), le Passage du Rhin, le Glaive et la Balance (1963), la Vie conjugale, les Risques du métier (1967), les Chemins de Katmandou (1969), Mourir d'aimer (1971), Il n'y a pas de fumée sans feu, A chacun son enfer (1971), la Raison d'État, l'Amour en question (1978).

Chabrol (Claude) (1930) : le Beau Serge (1958), les Cousins (1959), A double tour, les Bonnes Femmes (1960), Landru, la Ligne de démarcation, la Femme infidèle, Que la bête meure, le Boucher (1970), la Rupture, la Décade prodigieuse, Dr Popaul, les Noces rouges, Nada, les Innocents aux mains sales, Folies bourgeoises, Alice ou la dernière fugue, Liens de sang, Violette Nozières, le Cheval d'orgueil, les Fantômes du chapelier, le Sang des autres, Poulet au vinaigre (1985), l'Inspecteur Lavardin, Masques, le Cri du hibou, Une affaire de femmes (1988), Docteur M., Jours tranquilles à Clichy (1990), Madame Bovary (1991), Betty (1992).

Christian-Jaque (Charles Maudet) (1904) : les Disparus de St-Agil (1938), la Symphonie fantastique (1941), Boule de Suif (1945), Sortilèges, la Chartreuse de Parme (1947), Fanfan la Tulipe (1952), Lucrèce Borgia (1952), Madame du Barry, Nana (1954), les Bonnes Causes, les Pétroleuses (1971), la Vie parisienne, Carné, l'homme à la caméra (1985).

Clair (René) (Chomette) (1898-1981) : *Entracte (1924), Un chapeau de paille d'Italie (1928),* Sous les toits de Paris (1930), le Million (1931), A nous la liberté (1932), Quatorze Juillet (1933), Fantôme à vendre (1935), la Belle Ensorceleuse (1941), Ma femme est une sorcière (1942), C'est arrivé demain (1943), Dix Petits Indiens (1945), Le silence est d'or (1947), les Belles de nuit (1952), les Grandes Manœuvres (1955), Porte des Lilas (1957), Tout l'or du monde (1961), les Fêtes galantes (1965).

Clément (René) (1913) : la Bataille du rail (1946), les Maudits (1946), Au-delà des grilles (1948), Jeux interdits (1951), Monsieur Ripois (1953), Gervaise (1955), Plein Soleil (1959), les Félins (1964), Paris brûle-t-il ? (1967), le Passager de la pluie (1970), la Course du lièvre à travers champs (1973), la Baby-Sitter (1975).

Clouzot (Henri-Georges) (1907-77) : l'Assassin habite au 21 (1942), le Corbeau (1943), Quai des Orfèvres (1947), Manon (1949), le Salaire de la peur (1953), les Diaboliques (1954), le Mystère Picasso (1956), la Vérité (1960), la Prisonnière (1968).

Cocteau (Jean) (1889-1963) : le Sang d'un poète (1930), la Belle et la Bête (1946), l'Aigle à deux têtes (1948), les Parents terribles (1948), Orphée (1950), le Testament d'Orphée (1960).

Corneau (Alain) (1943) : France société anonyme (1975), Police Python 357 (1976), la Menace (1977), Série noire, le Choix des armes (1981), Fort Saganne (1984), le Môme (1986), Nocturne indien (1989), Tous les matins du monde (1991).

Costa-Gavras (Constantin) (Grèce, 1933) : Compartiment tueurs (1965), Un homme de trop (1966), Z (1968), l'Aveu (1970), État de siège (1973), Section spéciale (1975), Clair de femme (1977), Missing (1982), Hanna K (1983), Conseil de famille (1986), la Main droite du Diable (1988), Music Box (1990).

Daquin (Louis) (1908-80) : Nous les gosses (1941), Premier de cordée (1943), les Frères Bouquinquant (1947), le Point du jour (1948), Bel-Ami (1957).

Decoin (Henri) (1896-1969) : Battement de cœur, Premier Rendez-Vous, les Inconnus dans la maison (1942), la Fille du diable, la Vérité sur Bébé Donge, la Chatte (1958), les Parias de la gloire (1964).

Delannoy (Jean) (1908) : Pontcarral (1942), l'Éternel Retour (1943), la Symphonie pastorale (1946), Dieu a besoin des hommes (1950), la Princesse de Clèves (1961), les Amitiés particulières(1964), Bernadette (1988).

Delluc (Louis) (1890-1924) : *la Fête espagnole* (coréal. : Germaine Dulac), *le Silence, Fièvre, la Femme de nulle part (1922), l'Inondation (1924).*

Demy (Jacques) (1931-90) : Lola (1961), la Baie des anges (1963), les Parapluies de Cherbourg (1964), les Demoiselles de Rochefort (1967), The Model Shop, Peau d'âne (1971), le Joueur de flûte, Lady Oscar, Une chambre en ville (1982), Parking (1985), Trois places pour le 26 (1988).

Deray (Jacques) (Desrayaud) (1929) : le Gigolo (1960), la Piscine (1968), Borsalino (1969), Borsalino and Co (1974), Flic Story (1975), le Gang (1976), Trois Hommes à abattre (1980), le Marginal, On ne meurt que deux fois (1985), le Solitaire (1987), les Bois noirs (1989), Netchaiev est de retour (1991).

Deville (Michel) (1931) : Ce soir ou jamais, Adorable Menteuse, A cause, à cause d'une femme, On a volé la Joconde, Benjamin (1967), Bye-bye Barbara, Raphaël ou le Débauché, la Femme en bleu, le Mouton enragé, l'Apprenti salaud, le Dossier 51, le Voyage en douce, Eaux profondes, la Petite Bande, Péril en la demeure, le Paltoquet, la Lectrice (1988), Nuit d'été en ville (1990), Toutes peines confondues (1992).

Doillon (Jacques) (1944) : l'An 01, les Doigts dans la tête, Un sac de billes, la Femme qui pleure, la Drôlesse, l'Homme de ma vie, la Tentation d'Isabelle (1985), la Puritaine (1986), Comédie ! (1987), la Fille de quinze ans (1989), la Vengeance d'une femme (1990), le Petit Criminel (1991), Amoureuse (1992), le Jeune Werther (1993).

Doniol-Valcroze (Jacques) (1920-89) : l'Eau à la bouche (1959), le Cœur battant (1960), la Dénonciation (1961), le Viol (1967), la Maison des Bories (1969), Une femme fatale (1977).

Dréville (Jean) (1906) : le Joueur d'échecs (2e vers., 1938), la Cage aux rossignols (1944), Copie conforme (1947), la Bataille de l'eau lourde (1947), les Casse-pieds (1948), la Reine Margot (1954), Normandie-Niémen (1959), La Fayette (1961).

Duvivier (Julien) (1896-1967) : la Bandera (1935), Pépé le Moko (1937), Un carnet de bal (1937), Sous le ciel de Paris (1950), le Petit Monde de don Camillo (1952), la Fête à Henriette (1952), Marianne de ma jeunesse (1955), Pot-Bouille (1957), Marie-Octobre (1959), la Chambre ardente (1962).

Enrico (Robert) (1931) : les Grandes Gueules (1965), Boulevard du rhum (1971), le Vieux Fusil (1975), Pile ou Face (1980), Au nom de tous les miens (1983), De guerre lasse (1987), la Révolution française : les Années lumière (1989), Vent d'est (1993).

Étaix (Pierre) (1928) : le Soupirant (1962), Yoyo, le Grand Amour, L'âge de Monsieur est avancé.

Feuillade (Louis) (1874-1925) : *la Vie telle qu'elle est* (série), *Fantômas* (série), *Héliogabale* (1911), *les Vampires* (série 1915-16), *Judex* (série 1916-17), *Vendémiaire, les Deux Gamines, l'Orpheline, Parisette, Vindicta, le Stigmate (1925).*

Feyder (Jacques) (Frédérix) (1885-1948) : *l'Atlantide (1921), l'Image, Carmen (1926), Thérèse Raquin (1928),* le Spectre vert (USA), le Grand Jeu (1934), Pension Mimosas, la Kermesse héroïque (1936), les Gens du voyage, la Loi du Nord (1939-42).

Franju (Georges) (1912-87) : la Tête contre les murs, les Yeux sans visage, Thérèse Desqueyroux (1962), Judex (1963), Thomas l'imposteur (1964), la Faute de l'abbé Mouret, Nuits rouges (1973).

Gance (Abel) (1889-1981) : *le Droit à la vie (1917), Mater Dolorosa, la 10e Symphonie (1918), J'accuse (1919), la Roue (1922), Napoléon (1927),* la Fin du monde (1930), Lucrèce Borgia (1935), Un grand amour de Beethoven (1936), J'accuse (2e version, 1937), Louise, Paradis perdu, Vénus aveugle, le Capitaine Fracasse (1942), la Tour de Nesle (1954), Austerlitz (1960), Cyrano et d'Artagnan (1963).

Godard (Jean-Luc) (1930) : A bout de souffle (1960), le Petit Soldat (1963), Une femme est une femme, Vivre sa vie (1962), les Carabiniers, le Mépris, Bande à part, Une femme mariée (1964), Alphaville (1965), Pierrot le fou, Masculin féminin, Made in USA, 2 ou 3 choses que je sais d'elle (1967), la Chinoise (1967), Week-End (1968), Vent d'Est, Tout va bien, Numéro deux, Comment ça va, Sauve qui peut (la vie) (1980), Passion, Prénom Carmen (1983), Je vous salue Marie (1984), Détective, Soigne ta droite (1987), Nouvelle Vague (1990).

Granier-Deferre (Pierre) (1927) : la Veuve Couderc (1972), le Train, Adieu poulet, l'Étoile du Nord (1982), Cours privé (1986), la Couleur du vent (1988).

Grémillon (Jean) (1901-59) : Gueule d'amour (1937), l'Étrange Monsieur Victor, Remorques (1939-41), Lumière d'été (1942), Le ciel est à vous (1943), Pattes blanches (1948), l'Amour d'une femme (1953).

Guitry (Sacha) (St-Pétersbourg, 1885-1957) : le Roman d'un tricheur (1936), Quadrille (1937), Désiré (1937), Ils étaient 9 célibataires (1939), le Diable boiteux (1948), la Poison (1951), la Vie d'un honnête homme (1952), Si Versailles m'était conté (1953), Napoléon (1954), Assassins et Voleurs (1956).

Hunebelle (André) (1896-1985) : Métier de fous (1948), Mission à Tanger, Méfiez-vous des blondes, les 3 Mousquetaires (1953), Cadet-Rousselle, le Bossu (1959), le Miracle des loups (1960), les Mystères de Paris (1962), Fantômas (1964).

Kast (Pierre) (1920-84) : le Bel Age, la Morte-saison des amours (1960), Vacances portugaises, le Grain de sable, Drôle de jeu, Un animal doué de déraison, le Soleil en face, la Guerillera.

Kurys (Diane) (1948) : Diabolo menthe (1977), Un homme amoureux (1987), La Baule-les-Pins (1990) , Après l'amour (1992).

Lautner (Georges) (1926) : le Monocle noir (1961), les Tontons flingueurs (1963), les Barbouzes, Laisse aller c'est une valse (1970), Il était une fois un flic, la Valise, les Seins de glace (1974), Mort d'un pourri, Flic ou voyou (1978), le Guignolo, le Professionnel, Joyeuses Pâques, le Cow-boy (1985), la Vie dissolue de Gérard Floque (1987), la Maison assassinée (1988), l'Invité surprise (1989), l'Inconnu dans la maison (1992).

Leconte (Patrice) (1947) : les Bronzés (1978), Les bronzés font du ski (1979), Viens chez moi, j'habite chez une copine (1981), les Spécialistes (1985), Monsieur Hire (1989), le Mari de la coiffeuse (1990).

Leenhardt (Roger) (1903-85) : les Dernières Vacances (1947), le Rendez-Vous de minuit (1961).

Lelouch (Claude) (1937) : le Propre de l'homme (1960), Une fille et des fusils, Un homme et une femme (1966), Vivre pour vivre, le Voyou, Smic smac smoc (1971), L'aventure, c'est l'aventure (1972), la Bonne Année (1973), Toute une vie, Mariage (1974), le Chat et la Souris, le Bon et les Méchants, Si c'était à refaire, Un autre homme, une autre chance, Robert et Robert, A nous deux, les Uns et les Autres (1981), Édith et Marcel, Viva la vie, Partir revenir, Vingt ans déjà, Attention bandits (1987), Itinéraire d'un enfant gâté (1988), Il y a des jours... et des lunes (1990), la Belle Histoire (1992).

L'Herbier (Marcel) (1888-1979) : *El Dorado, Don Juan et Faust, l'Inhumaine, Feu Mathias Pascal (1925), l'Argent,* le Mystère de la chambre jaune (1930), le Parfum de la dame en noir (1931), les Hommes nouveaux, la Citadelle du silence, Adrienne Lecouvreur (1938), la Comédie du bonheur, la Nuit fantastique, l'Honorable Catherine, la Vie de bohème (1943), les Derniers Jours de Pompéi (1949).

Malle (Louis) (1932) : le Monde du silence (1955), Ascenseur pour l'échafaud (1957), les Amants (1958), Zazie dans le métro (1959), Vie privée (1961), le Feu follet (1963), Viva Maria (1965), le Voleur, Histoires extraordinaires, Calcutta (1969), le Souffle au cœur (1971), Lacombe Lucien (1974), Black Moon, la Petite, Atlantic City, Crackers, Alamo Bay, God's Country (1986), Au revoir les enfants (1987), Milou en mai (1990), Fatale (1992).

Marker (Chris) (1921) : Lettre de Sibérie, Cuba si ! (1961), le Joli Mai (1963), la Spirale (collect.), Le fond de l'air est rouge, Sans soleil, AK.

Melville (Jean-Pierre) (Grumbach) (1917-73) : le Silence de la mer (1948), les Enfants terribles (1950), Bob le flambeur, Deux hommes dans Manhattan (1959), Léon Morin prêtre (1961), le Doulos (1962), l'Aîné des Ferchaux (1963), le Deuxième Souffle, le Samouraï, l'Armée des ombres (1969), le Cercle rouge (1970), Un flic.

Miller (Claude) (1942) : la Meilleure façon de marcher (1975), Dites-lui que je l'aime (1977), Garde à vue (1981), Mortelle Randonnée, l'Effrontée, la Petite Voleuse, l'Accompagnatrice (1992).

Mocky (Jean-Pierre) (Mokiejewski) (1929) : les Dragueurs (1959), un Drôle de paroissien (1963), les Compagnons de la Marguerite, Solo (1969), Litan (1982), A mort l'arbitre ! (1984), le Miraculé, Agent trouble (1987), les Saisons des plaisirs, Une nuit à l'Assemblée nationale, Divin Enfant (1988), Il gèle en enfer (1990), Ville à vendre (1992).

Molinaro (Édouard) (1928) : le Dos au mur (1957), Des femmes disparaissent, Une fille pour l'été, la Mort de Belle (1960), les Sept Péchés capitaux, Arsène Lupin contre Arsène Lupin, Une ravissante idiote (1963), Oscar, Mon Oncle Benjamin, le Gang des otages, l'Emmerdeur (1973), Dracula père et fils (1976), l'Homme pressé (1977), la Cage aux folles (1978) [II (1980), III de Lautner (1985)], Pour cent briques t'as plus rien (1982), l'Amour en douce (1985), A gauche en sortant de l'ascenseur (1988), le Souper (1992).

Ophuls (Max) (Oppenheimer) (Sarrebruck, 1902-57) : Liebelei (1932), Divine (1935), la Tendre Ennemie, De Mayerling à Sarajevo (1940), Lettre d'une inconnue (1948), la Ronde (1950), le Plaisir (1952), Madame de... (1953), Lola Montès (1955).

Oury (Gérard) (Tenenbaum) (1919) : le Corniaud (1964), la Grande Vadrouille (1966), le Cerveau (1968), la Folie des grandeurs (1971), les Aventures de Rabbi Jacob (1973), la Carapate (1978), le Coup du parapluie (1980), l'As des as (1982), la Vengeance du serpent à plumes (1984), Lévy et Goliath (1986), Vanille-Fraise (1989).

Pagnol (Marcel) (1895-1974) : Angèle (1934), César (1936), Regain (1937), la Femme du boulanger (1938), le Schpountz (1938), la Fille du puisatier (1940), Manon des Sources (1952), les Lettres de mon moulin (1954).

Pialat (Maurice) (1925) : l'Enfance nue (1969), Nous ne vieillirons pas ensemble (1972), la Gueule ouverte, Passe ton bac d'abord, Loulou, A nos amours, Police, Sous le soleil de Satan, Van Gogh (1991).

Prévert (Pierre) (1906-88) : L'affaire est dans le sac, Adieu Léonard, Voyage surprise (1947).

Renoir (Jean) (1894-1979) : *Nana (1926),* la Chienne (1931), Boudu sauvé des eaux (1932), Toni (1934), le Crime de M. Lange (1935), la Marseillaise (1937), Une partie de campagne, la Grande Illusion (1937), la Bête humaine (1938), la Règle du jeu (1939), Journal d'une femme de chambre (1946), la Femme sur la plage (1946), le Fleuve (1950), le Carrosse d'or (1952), French Cancan (1954), le Déjeuner sur l'herbe (1959), le Caporal épinglé (1962).

Resnais (Alain) (1922) : Nuit et Brouillard (1956), Hiroshima mon amour (1958), l'Année dernière à Marienbad (1961), Muriel, La guerre est finie (1966), Je t'aime je t'aime (1968), Stavisky, Providence (1977), Mon Oncle d'Amérique, La vie est un roman (1983), l'Amour à mort (1984), Mélo (1986), I Want to Go Home (1989).

Rivette (Jacques) (1928) : Paris nous appartient, la Religieuse (1965), l'Amour fou, Céline et Julie vont en bateau, Duelle, Noroît, Merry Go Round, le Pont du Nord, l'Amour par terre, Hurlevent (1986), la Belle Noiseuse (1991), Jeanne la Pucelle (1993).

Robert (Yves) (1920) : la Guerre des boutons (1962), Bébert et l'omnibus (1963), les Copains (1964), Un éléphant ça trompe énormément, Nous irons tous au paradis (1977), Courage fuyons (1979), le Jumeau (1984), la Gloire de mon père – le Château de ma mère (1990), le Bal des casse-pieds (1992).

Rohmer (Éric) (Maurice Scherer) (1920) : le Signe du Lion, Paris vu par..., la Collectionneuse (1967), Ma nuit chez Maud (1969), le Genou de Claire (1970), l'Amour l'après-midi, la Marquise d'O, Perceval le Gallois, la Femme de l'aviateur, le Beau Mariage, Pauline à la plage, les Nuits de la pleine lune, le Rayon vert (1986), les Trois Aventures de Reinette et Mirabelle, l'Ami de mon amie (1987), Conte de printemps (1990), Conte d'hiver (1992).

Rouch (Jean) (1917) : Moi un Noir (1958), la Pyramide humaine (1961), Chronique d'un été (1961), la Punition, Jaguar, Cocorico M. Poulet, Dionysos (1984), Bac ou mariage (1988).

Sautet (Claude) (1924) : Classe tous risques, les Choses de la vie (1969), Max et les Ferrailleurs (1970), César et Rosalie (1972), Vincent François Paul et les autres (1974), Mado, Une histoire simple, Un mauvais fils, Garçon (1984), Quelques jours avec moi (1988), Un cœur en hiver (1992).

Schoendoerffer (Pierre) (1928) : la Passe du Diable (coréal. : J. Dupont), Pêcheurs d'Islande (1959), la 317e Section (1964), Objectif 500 millions, le Crabe-Tambour (1977), l'Honneur d'un capitaine (1982), Diên Biên Phu (1992).

Tacchella (Jean-Charles) (1925) : Voyage en grande Tartarie, Cousin cousine (1974), le Pays bleu, Il y a longtemps que je t'aime, Croque la vie, Escalier C, Travelling avant, Dames galantes, l'Homme de ma vie (1992).

Tati (Jacques) (Tatischeff) (1908-82) : Jour de fête (1947), les Vacances de M. Hulot (1953), Mon Oncle (1958), Playtime (1967), Trafic, Parade (1974).

Tavernier (Bertrand) (1941) : l'Horloger de Saint-Paul (1973), Que la fête commence, le Juge et l'Assassin (1975), Des enfants gâtés, la Mort en direct (1979), Une semaine de vacances, Coup de torchon (1981), Un dimanche à la campagne, Autour de minuit, la Passion Béatrice (1987), la Vie et rien d'autre (1989), Daddy nostalgie (1990), L.627 (1992).

Téchiné (André) (1943) : Souvenirs d'en France, Barocco, les Sœurs Brontë, Hôtel des Amériques (1981), Rendez-Vous (1985), le Lieu du crime, les Innocents (1987), J'embrasse pas (1991), Ma saison préférée.

Thomas (Pascal) (1945) : les Zozos (1972), Pleure pas la bouche pleine, le Chaud Lapin, la Surprise du chef, Confidences pour confidences, Celles qu'on n'a pas eues (1980), les Maris les femmes les amants (1989), la Pagaille (1991).

Truffaut (François) (1932-84) : les 400 Coups (1959), Tirez sur le pianiste, Jules et Jim (1961), Fahrenheit 451 (1966), La mariée était en noir (1968), Baisers volés (1968), la Sirène du Mississipi, l'Enfant sauvage (1969), Domicile conjugal (1970), Deux Anglaises et le continent, la Nuit américaine (1973), l'Histoire d'Adèle H, l'Argent de poche, l'Homme qui aimait les femmes (1977), la Chambre verte, l'Amour en fuite, le Dernier Métro (1980), la Femme d'à côté, Vivement dimanche (1983).

Vadim (Roger) (Plemiannikov) (1928) : Et Dieu créa la femme (1956), Sait-on jamais ? (1956), les Liaisons dangereuses (1959), Et mourir de plaisir (1960), le Repos du guerrier (1962), le Vice et la Vertu (1963), Château en Suède (1963), la Curée, Barbarella (1968), la Jeune Fille assassinée (1974), Une femme fidèle (1976), Surprise-Partie (1983).

Varda (Agnès) (Bruxelles, 1928) : la Pointe courte, Cléo de 5 à 7 (1962), le Bonheur, les Créatures, Lions Love, L'une chante l'autre pas (1976), Sans toit ni loi (1985), Jane B. par Agnès V., Kung-Fu Master (1988), Jacquot de Nantes (1991).

Veber (Francis) (1937) : le Jouet, la Chèvre, les Compères, les Fugitifs (1986).

Védrès (Nicole) (Raïs) (1911-65) : Paris 1900, La vie commence demain (1949).

Verneuil (Henri) (Achod Malakian) (1920, Turquie) : la Table aux crevés (1951), le Fruit défendu, Des gens sans importance, la Vache et le prisonnier, le Président, Un singe en hiver, Week-end à Zuydcoote (1964), le Clan des Siciliens (1969), Peur sur la ville (1974), I comme Icare (1979), Mille Milliards de dollars (1982), les Morfalous (1984), Mayrig (1991), 588 rue Paradis (1992).

Vigo (Jean) (Almereyda) (1905-34) : *A propos de Nice,* Zéro de conduite (1933), l'Atalante (1934).

Zidi (Claude) (1934) : l'Aile ou la cuisse (1976), Inspecteur la bavure (1981), les Ripoux (1984), Association de malfaiteurs (1986), Ripoux contre Ripoux (1990), la Totale (1991).

Grande-Bretagne

Asquith (Anthony) (1902-68) : Pygmalion (1938), l'Écurie Watson, le Chemin des étoiles, l'Ombre d'un homme (1951), Il importe d'être constant (1951), Évasion, Ordre de tuer, les Dessous de la millionnaire, 7 heures avant la frontière (1962).

Boorman (John) (1933) : le Point de non-retour (1967), Duel dans le Pacifique (1968), Leo the Last (1970), Délivrance, Zardoz (1973), l'Hérétique (1977), Excalibur (1981), la Forêt d'émeraude (1985), Hope and Glory (1987), Tout pour réussir (1990).

Cornelius (Henry) (Afr. du S., 1913-58) : Passeport pour Pimlico (1949), le Major galopant (1951), Geneviève (1953), Une fille comme ça (1955).

Crichton (Charles) (1910) : A cor et à cri (1947), De l'or en barres (1951), Tortillard pour Titfield (1953), L'habit fait le moine (1958), la Bataille des sexes, Un poisson nommé Wanda (1988).

Dearden (Basil) (1911-71) : Frieda (1947), la Lampe bleue, Opération Scotland Yard, Hold-up à Londres (1960), Scotland Yard contre X (1960), la Victime, la Femme de paille (1964), Khartoum (1966), Assassinats en tous genres (1968).

Greenaway (Peter) (1942) : Meurtre dans un jardin anglais (1982), ZOO (1986), le Ventre de l'architecte, Drowning by Numbers (1987), le Cuisinier, le voleur, sa femme et son amant (1989), Prospero's Books (1991).

Hamer (Robert) (1911-63) : Il pleut toujours le dimanche (1947), Noblesse oblige (1949), Détective du Bon Dieu, Deux Anglais à Paris (1954), le Bouc émissaire (1959), l'Académie des coquins (1960).

Lean (David) (1908-91) : Ceux qui servent sur mer (1942), Heureux Mortels (1944), l'Esprit s'amuse (1945) [les 3 avec Noel Coward] ; Brève Rencontre (1945), les Grandes Espérances (1946), Oliver Twist (1948), les Amants passionnés, Vacances à Venise, le Pont de la rivière Kwaï (1957), Lawrence d'Arabie (1963), Docteur Jivago (1966), la Fille de Ryan (1970), la Route des Indes (1985).

Lester (Richard) (1932) : 4 Garçons dans le vent, le Knack (1964), Au secours !, Pétulia, les Trois Mousquetaires, Terreur sur le « Britannic », Royal Flash, la Rose et la Flèche, les Joyeux Débuts de Butch Cassidy et le Kid, Superman II, Cash Cash (1986), le Retour des Mousquetaires (1988).

Mackendrick (Alexander) (USA, 1912) : Whisky à gogo (1948), l'Homme au complet blanc (1951), Maggie (1954), Tueurs de dames (1955), le Grand Chantage, Un Cyclone à la Jamaïque (1965).

Olivier (Lord Laurence) (1907-89) : Henri V, Hamlet (1948), Richard III, le Prince et la Danseuse.

Powell (Michael) (1905-90) : Un de nos avions n'est pas rentré (1942), Colonel Blimp (1943), Je sais où je vais (1945), Une question de vie ou de mort (1946), les Chaussons rouges (1948), les Contes d'Hoffmann (1951), le Voyeur (1960).

Reed (Sir Carol) (1906-76) : Sous le regard des étoiles, Huit Heures de sursis, Première Désillusion, le Troisième Homme (1949), l'Homme de Berlin, Notre Agent à La Havane (1959), l'Extase et l'Agonie (1965), Oliver, l'Indien, Sentimentalement vôtre.

Reisz (Karel) (Tchéc., 1926) : Samedi soir dimanche matin (1961), Morgan (1965), Isadora (1968), le Flambeur (1974), la Maîtresse du lieutenant français (1981), Sweet Dreams (1986).

Richardson (Tony) (1928-91) : les Corps sauvages (1959), le Cabotin, Sanctuaire, Un goût de miel (1961), la Solitude du coureur de fond (1962), Tom Jones (1963), le Cher Disparu, Mademoiselle, le Marin de Gibraltar, la Charge de la brigade légère (nouv. version 1968), Chambre obscure (1969), Hamlet (1970), Joseph Andrews, Police frontière (1982), Hotel New Hampshire (1984).

Russell (Ken) (1927) : Love (1970), Music Lovers, les Diables, le Messie sauvage, Mahler (1974), Tommy, Lisztomania, Valentino, Au-delà du réel, les Jours et les Nuits de China Blue (1985), Gothic, le Repaire du ver blanc (1988), la Putain (1991).

Schlesinger (John) (1926) : Billy Liar, Darling, Macadam cow-boy, Un dimanche comme les autres, le Jour du fléau, Marathon Man, Yanks, le Jeu du faucon (1985), les Envoûtés (1987), Madame Souzatzka (1988), Fenêtre sur Pacifique (1990).

Grèce

Angelopoulos (Theo) (1936) : Jours de 36 (1972), le Voyage des comédiens, les Chasseurs, Alexandre le Grand, Voyage à Cythère, l'Apiculteur (1987), Paysage dans le brouillard (1988), le Pas suspendu de la cigogne (1991).

Cacoyannis (Mickaël) (1922) : Stella, la Fille en noir, Fin de crédit, Électre (1962), Zorba le Grec (1964), les Troyennes, Iphigénie (1976), Sweet Country (1987).

Kondouros (Nicos) (1926) : la Cité magique (1955), les Petites Aphrodites (1963), Cantique des cantiques (1978), Bordello (1985).

Vergitsis (Nicholas) (1947) : Revanche (1984).

Voulgaris (Pantelis) (1940) : Happy Day (1975), les Années de Pierre (1985).

Hongrie

Fabri (Zoltán) (1917) : Un petit carrousel de fête (1956), le Professeur Hannibal (1956), Match en enfer, 20 Heures (1964).

Feher (Imre) (Vienne, 1926) : Un amour du dimanche (1957).

Gothar (Peter) (1947) : Une journée spéciale (1981), le Temps suspendu (1982).

Jancsó (Miklos) (1921) : les Sans-Espoir (1965), Rouges et Blancs (1967), Silence et Cri (1968), Psaume rouge (1971), Agnus Dei (1970), Rhapsodie hongroise (1979), l'Aube (1987).

Makk (Károly) (1925) : Liliomfi (1954), Une maison sous les rocs (1958), l'Amour (1970).

Mészáros (Márta) (1931) : l'Adoption (1977), les Héritières (1980), Journal intime (1984).

Radványi (Géza von) (1907-86) : Quelque part en Europe (1947).

Sandor (Pal) (1939) : Daniel prend le train (1982).

Sara (Sándor) (1933) : le Père (1963), Vents lumineux (1970), Szinbad (1971).

Szabó (István) (1938) : Méphisto (oscar 1983), Colonel Redl (1984), la Tentation de Vénus (1991), Chère Emma (1992).

Inde

Dutt (Guru) (1925-64) : Assoiffé (1957), Fleurs de papiers, le Maître, la maîtresse et l'esclave (1962).

Ghose (Goutam) (1951) : Dakhal (1982), la Traversée (1984).

Kaul (Mani) (1942) : le Pain d'un jour (1970), Indécision (1973), l'Homme au-delà de la surface (1980).

Ray (Satyajit) (1921-92) : Pather Panchali (1955), l'Invaincu (Aparajito 1956), la Pierre philosophale (1958), le Monde d'Apu (1959), la Déesse (1960), le Salon de musique (1958), Charulata (1964), les Joueurs d'échecs (1977), Tonnerres lointains, la Maison et le monde (1984), les Branches de l'arbre (1990), Agantuk (1991).

Sen (Mrinal) (1923) : Un jour comme les autres (1980), Affaire classée (1983), les Ruines (1984), Genesis (1986).

Italie

Antonioni (Michelangelo) (1912) : Chronique d'un amour (1950), Femmes entre elles (1955), le Cri (1957), la Dame sans camélias (1960), l'Avventura (1960), la Nuit (1961), l'Éclipse (1962), le Désert rouge (1964), Blow up (1967), Zabriskie Point (1970), Profession reporter (1975), Identification d'une femme (1982).

Bertolucci (Bernardo) (1940) : Prima della Rivoluzione (1964), la Stratégie de l'araignée, le Conformiste (1970), le Dernier Tango à Paris (1972), 1900 (1976), la Luna (1978), la Tragédie d'un homme ridicule (1981), le Dernier Empereur (1987), Un thé au Sahara (1990).

Blasetti (Alessandro) (1900-87) : *Terra madre,* Mille huit cent soixante (1932), Vieille Garde, la Couronne de fer (1940), Quatre Pas dans les nuages, Un jour dans la vie, Fabiola (1948), Heureuse Époque, Dommage que tu sois une canaille (1955).

Bolognini (Mauro) (1922) : les Amoureux, Jeunes Mariés, les Garçons, Ça s'est passé à Rome, le Bel Antonio (1960), la Viaccia (1961), Agostino, les Sorcières, Metello, la Grande Bourgeoise, Vertiges, la Dame aux camélias (1980), la Vénitienne.

Camerini (Mario) (1895-1981) : Les hommes quels mufles (1932), le Tricorne, Une romantique aventure, les Fiancés, Deux Lettres anonymes, Ulysse (1953), Chacun son alibi, les Guérilleros (1961).

Castellani (Renato) (1913-85) : Sous le soleil de Rome, Primavera (1949), Deux Sous d'espoir (1950), Roméo et Juliette, l'Enfer dans la ville (1958).

Comencini (Luigi) (1916) : Pain, amour et fantaisie (1953), Pain, amour et jalousie, la Grande Pagaille, la Ragazza, l'Incompris (1967), Casanova, un adolescent à Venise, l'Argent de la vieille, Un vrai crime d'amour, Mon Dieu comment suis-je tombée si bas ?..., la Femme du dimanche, Qui a tué le chat ?, le Grand Embouteillage, Eugenio, l'Imposteur, Cuore, la Storia (1987), Un enfant de Calabre (1987), Joyeux Noël, Bonne Année (1989).

De Santis (Giuseppe) (1917) : Chasse tragique, Riz amer (1948), Pâques sanglantes, Onze heures sonnaient, Jours d'amour, Hommes et Loups.

De Seta (Vittorio) (1923) : Bandits à Orgosolo (1961), Un homme à moitié, l'Invitée (1970).

De Sica (Vittorio) (1902-74) (naturalisé Français 1967) : Sciuscia (1946), le Voleur de bicyclette (1948), Miracle à Milan (1951), Umberto D (1952), l'Or de Naples, le Toit (1956), la Ciociara, les Séquestrés d'Altona, Mariage à l'italienne, Un monde nouveau, le Jardin des Finzi-Contini (1970), le Voyage (1974).

Fellini (Federico) (1920) : I Vitelloni (1953), la Strada (1954), Il Bidone (1955), les Nuits de Cabiria (1957), la Dolce Vita (1960), Huit et demi (1963), Juliette des Esprits (1965), Histoires extraordinaires (1968), Satiricon (1969), les Clowns (1970), Roma (1971), Amarcord (1973), Casanova (1976), Prova d'Orchestra (1978), la Cité des femmes (1980), Et vogue le navire (1983), Ginger et Fred (1986), Intervista (1987), la Voce della Luna (1989).

Ferreri (Marco) (1928) : le Mari de la femme à barbe (1963), Break up, Liza, la Grande Bouffe (1973), la Dernière Femme, Rêve de singe, Pipicacadodo (1979), Contes de la folie ordinaire, Histoire de Piera, le Futur est femme, I Love You, Y'a bon les blancs (1987), la Maison du sourire, la Chair.

Genina (Augusto) (1892-1957) : Prix de beauté (1930), les Amours de minuit, l'Escadron blanc (1936), le Siège de l'Alcazar (1940), Benghazi (1942), la Fille des marais, Frou-Frou (1955).

Germi (Pietro) (1914-74) : Au nom de la loi, le Chemin de l'espérance, le Disque rouge, l'Homme de paille, Divorce à l'italienne (1962), Séduite et abandonnée, Signore e Signori (1966), Serafino.

Lattuada (Alberto) (1914) : le Bandit (1946), Sans pitié, le Moulin du Pô (1949), le Manteau, la Louve, Guendalina (1957), la Tempête, les Adolescentes, l'Imprévu, la Steppe, Mafioso (1962), la Mandragore, Fräulein Doktor, la Bambina (1969), Cœur de chien, la Cigale, Une épine dans le cœur (1987).

Leone (Sergio) (1929-89) : Pour une poignée de dollars, le Bon la Brute et le Truand, Il était une fois dans l'Ouest (1969), Il était une fois la Révolution (1971), Il était une fois en Amérique (1984).

Lizzani (Carlo) (1917) : Achtung Banditi !, Chronique des pauvres amants, le Bossu de Rome (1960), Procès à Vérone, Bandits à Milan, Mussolini (1974), Fontamara, la Maison du tapis jaune (1983).

Monicelli (Mario) (1915) : Gendarmes et Voleurs (en coll. avec Steno), le Pigeon (1958), la Grande Guerre (1959), Larmes de joie, les Camarades, Nous voulons les colonels, Mes Chers Amis, Caro Michele, Voyage avec Anita, Rosy la Bourrasque, Chambre d'hôtel, le Marquis s'amuse, Mes Chers Amis II (1984), la Double Vie de Mathias Pascal (1985), Pourvu que ce soit une fille (1986), I Picari (1987).

Morretti (Nanni) (1953) : Ecce bombo (1978), Bianca (1984), La messe est finie (1986), Palombella rossa (1989).

Olmi (Ermanno) (1931) : Le Temps s'est arrêté (1960), l'Emploi, (1961), les Fiancés (1963), la Circonstance (1973), l'Arbre aux sabots (1978), A la poursuite de l'étoile (1983), Longue Vie à la Signora (1987), la Légende du Saint buveur (1988).

Pasolini (Pier Paolo) (1922-75) : Accatone, l'Évangile selon St Matthieu (1964), Œdipe roi, Théorème (1968), Porcherie, Médée (1970), le Décaméron, les Contes de Canterbury (1972), les Mille et Une Nuits, Salò ou les 120 Journées de Sodome (1975).

Risi (Dino) (1916) : Une vie difficile (1961), le Fanfaron (1962), les Monstres (1963), Fais-moi très mal mais couvre-moi de baisers, Une poule, un train et quelques monstres, Au nom du peuple italien (1971), Sexe fou, Rapt à l'italienne (1973), Parfum de femme (1974), la Carrière d'une femme de chambre (1976), Ames perdues, Dernier Amour (1978), Cher Papa, Fantôme d'amour, Dagobert, le Fou de guerre (1985), Valse d'amour (1991).

Rosi (Francesco) (1922) : le Défi (1957), Salvatore Giuliano (1962), Main basse sur la ville (1963), les Hommes contre (1970), l'Affaire Mattei (1971), Lucky Luciano (1973), Cadavres exquis (1975), le Christ s'est arrêté à Éboli (1978), Trois Frères, Carmen, Profession magliari (1984), Chronique d'une mort annoncée (1987), Oublier Palerme (1990).

Rossellini (Roberto) (1906-77) : le Navire blanc (1941), Rome ville ouverte (1945), Paisa (1946), Amore (1948), Stromboli (1951), Europe 51 (1952), Voyage en Italie (1953), la Peur (1954), India (1959-60), le Général della Rovere (1959), Vanina Vanini (1961), la Prise du pouvoir par Louis XIV (1966), Socrate (1970), Blaise Pascal (1972), le Messie (1976).

Scola (Ettore) (1931) : Cent millions ont disparu (1964), Belfagor le Magnifique, Drame de la jalousie (1970), la Plus Belle Soirée de ma vie (1972), Nous nous sommes tant aimés (1974), Affreux, sales et méchants (1975), Une journée particulière (1977), la Terrasse (1979), Passion d'amour (1981), la Nuit de Varennes, le Bal (1983), Macaroni (1986), la Famille (1987), Quelle heure est-il ? (1989).

Visconti (Luchino) (Visconti de Modrone) (1906-76) : Ossessione (1942), la Terre tremble (1948), Bellissima (1951), Senso (1954), Nuits blanches (1957), Rocco et ses frères (1960), Boccace 70 (1962), le Guépard (1962), Sandra (1965), l'Étranger (1967), les Damnés (1969), le Crépuscule des dieux (1969), Mort à Venise (1971), Violence et Passion (1975), l'Innocent (1976).

Zampa (Luigi) (1905-91) : Vivre en paix (1946), les Années difficiles (1948), la Belle Romaine (1954), la Blonde enjôleuse (1957), Question d'honneur, les Monstresses (1980).

Zeffireli (Franco) (1923) : Camping (1958), la Mégère apprivoisée (1967), Roméo et Juliette (1968), Jésus de Nazareth, la Traviata, Otello (1986), Toscanini.

Zurlini (Valerio) (1926-82) : Été violent, la Fille à la valise (1961), Journal intime, Des filles pour l'armée, le Professeur, le Désert des Tartares.

JAPON

Ichikawa (Kon) (1915) : la Harpe birmane (1956), Feux dans la plaine, Tōkyō Olympiades, la Vengeance d'un acteur, les Quatre Sœurs (1983).

Imamura (Shôhei) (1926) : La vengeance est à moi (1982), la Ballade de Narayama (1983), Zegen (1987), Histoire du Japon (1987), Pluie noire (1989).

Kinugasa (Teinosuke) (1896-1982) : Jujiro (1928), la Porte de l'enfer (1954), le Héron blanc (1958).

Kurosawa (Akira) (1910) : le Chien enragé, Rashomon (1950), Vivre, les Sept Samouraïs (1954), la Forteresse cachée, le Château de l'araignée, Sanjuro, l'Idiot, Barberousse, Derzou Ouzala (1974), Kagemusha (1980), Ran (1984), Rêves (1990).

Mizoguchi (Kenji) (1898-1956) : le Destin de Mme Yuki (1950), la Dame de Musashino (1951), O'haru femme galante (1952), Contes de la lune vague après la pluie (1952), l'Intendant Sansho (1954), l'Impératrice Yang Kouei-Fei (1955), le Héros sacrilège (1956), la Rue de la Honte (1957).

Naruse (Mikio) (1905-69) : Ma femme, sois comme une rose (1935), Okasan, Nuages flottants.

Oshima (Nagisa) (1932) : Contes cruels de la jeunesse, la Pendaison (1968), le Petit Garçon, la Cérémonie, l'Empire des sens (1976), l'Empire de la passion (1978), Furyo, Max mon amour.

Ozu (Yasujiro) (1903-1963) : Rêves de jeunesse (1928), les Frères Toda, le Goût du riz avec le thé vert, Printemps tardif, Voyage à Tōkyō (1953), Fleurs d'équinoxe, Herbes ondoyantes, Fin d'automne, Dernier caprice, le Goût du saké (1962).

Shindo (Kaneto) (1912) : les Enfants d'Hiroshima (1952), l'Ile nue (1961), Onibaba (1964).

MEXIQUE

Alazraki (Benito) (1925) : Racines (1956).

Alcoriza (Luis) (1920) : Tarahumara (1965), los Jovenes (1960).

Fernández (Emilio) (Honduras, 1904-86) : Maria Candelaria (1946), Enamorada, la Perle, Río Escondido (1947), la Malquerida, la Red (1953).

Leduc (Paul) (1942) : Reed Mexico insurgente (1973), Ethnocide (1977), Barroco (1989).

PAYS-BAS

Ditvoorst (Adriaan) (1940) : Paranoïa (1967), le Photographe aveugle (1972).

Ivens (Joris) (1898-1989) (documentaires) : Pluie, Zuyderzee, Borinage, Terre d'Espagne (1937), Indonesia Calling, les Premières Années, le Chant des fleuves, La Seine a rencontré Paris (1957), le 17e Parallèle (1968), Comment Yukong déplaça les montagnes (1976), Une histoire de vent (1989).

Rademakers (Lili) (1930) : Menuet (1983), Journal d'un vieux fou (1987).

Van der Keuken (1938) : le Temps (1985).

Verhoeven (Paul) (1938) : Turkish Delight (1974), la Chair et le sang (1985), Robocop (1988), Total Recall (1990), Basic Instinct (1992).

Weiss (Frans) (1938) : Charlotte (1981).

POLOGNE

Ford (Aleksander) (1908-80) : La vérité n'a pas de frontière (1948), la Jeunesse de Chopin, les 5 de la rue Barska (1954), les Chevaliers teutoniques, le Premier Cercle (1972).

Has (Wosciech) (1925) : le Manuscrit trouvé à Saragosse (1965), Diables de London (1969), la Clepsydre (1972), les Tribulations de Balthasar Kober (1988).

Kawalerowicz (Jerzy) (1922) : l'Ombre (1956), Tout n'est pas fini, Train de nuit (1959), Mère Jeanne des Anges (1961), Pharaon, Maddalena (1971).

Kieslowski (Krzysztof) (1941) : le Décalogue (1987-89), la Double Vie de Véronique (1991).

Munk (Andrzej) (1921-61) : Eroïca (1957), De la veine à revendre (1961), la Passagère (1964).

Polanski (Roman) (Paris, 1933 ; nat. fr.) : le Couteau dans l'eau (1962), Répulsion (1965), Cul-de-sac (1965), le Bal des vampires (1967), Rosemary's Baby (1968), Macbeth (1972), Quoi ? (1973), Chinatown (1974), le Locataire (1976), Tess (1979), Pirates (1986), Frantic (1988), Lunes de fiel (1992).

Wajda (Andrzej) (1926) : Génération, Kanal (1957), Cendres et Diamant (1958), Lotna, les Innocents charmeurs, Samson, Tout est à vendre, Paysage après la bataille, les Noces (1972), le Bois de bouleaux, la Terre de la grande promesse, l'Homme de marbre (1977), les Demoiselles de Wilko, Sans anesthésie, le Chef d'orchestre, l'Homme de fer (1981), Danton (1982), Un amour en Allemagne, Chronique des événements amoureux, Korczak (1990).

Zanussi (Krzystof) (1939) : la Structure de cristal (1969), Illumination, Spirale, la Constante, l'Impératif, le Pouvoir du mal (1984).

PORTUGAL

Galvoteles (Luis) (1945) : la Confédération (1976).

Macedo (Antonio de) (1931) : les Heures de Maria (1979).

Oliveira (Manoel de) (1908) : Aniki Bobó (1942), l'Acte du printemps (1962), le Passé et le Présent (1971), Un amour de perdition (1978), Francisca (1981), le Soulier de satin (1986), Mon cas (1986), Non, ou la vaine gloire de commander (1990), la Divine Comédie (1991).

Rocha (Paulo) (1935) : les Vertes Années (1963), l'Ile des amours (1982).

ROUMANIE

Blaier (Andrei) (1933) : les Matins d'un garçon sage (1967), Des pas vers le ciel (1977), la Forêt perdue, Tout pour le football (1978), Faits divers (1984).

Ciulei (Liviru) (1923) : Éruption (1957), les Flots du Danube, la Forêt des pendus (1965).

Popescu-Gopo (Ion) (1923) : Pour l'amour d'une princesse (1959), On a volé une bombe (1961), Des pas vers la Lune (1963), Pilule no1 (1966), Trois Pommes (1979), Maria Mirabela (1981).

RUSSIE

Alexandrov (Grigori) (1903-84) : Joyeux Garçons (1934), Volga-Volga (1938), Glinka (1952).

Barnett (Boris) (1902-65) : Okraïna (1933), Un été prodigieux, le Lutteur et le Clown (1958).

Bondartchouk (Sergeï) (1922) : le Destin d'un homme (1959), Guerre et Paix (1966), Waterloo (1970), Ils ont combattu pour la patrie (1975), J'ai vu naître le nouveau monde (1982), Boris Godounov (1986).

Donskoï (Mark) (1897-1981) : l'Enfance de Gorki (1938, 1re partie), En gagnant mon pain (1938), Mes Universités, l'Arc-en-ciel (1943), la Mère (2e vers.) (1954), le Cheval qui pleure (1956).

Dovjenko (Alexandre) (1894-1956) : *Zvenigora (1927), Arsenal, la Terre (1930), Ivan, Aerograd,* Mitchourine (1948), le Poème de la mer (1955-58).

Eisenstein (Sergeï) (1898-1948) : *la Grève (1924), le Cuirassé Potemkine (1925), Octobre (1927), la Ligne générale (1929), Que viva Mexico ! (1931),* Alexandre Nevski (1938), Ivan le Terrible (1945).

Ermler (Fridrik) (1898-1967) : *Un débris de l'empire, Contre-Plan,* les Paysans, Camarade P (1943), le Tournant décisif (1946), le Roman inachevé (1955), la Lettre inachevée.

Guerassimov (Sergeï) (1906-1985) : le Don paisible (1957), Filles et Mères.

Kalatozov (Mikhaïl) (1903-73) : Quand passent les cigognes (1959), la Tente rouge (1971).

Kozintsev (Grigori) (1905-73) et **Trauberg** (Leonid) (1902) : *le Manteau, la Nouvelle Babylone,* la Jeunesse de Maxime, le Retour de Maxime, Maxime à Viborg, Don Quichotte, Hamlet (1964), le Roi Lear.

Lounguine (Pavel) (1949) : Taxi Blues (1990), Luna Park (1992).

Mikhalkov-Kontchalovski (Andreï) (1936) : le Premier Maître (1966), le Nid de gentilshommes (1969), Oncle Vania (1971), la Romance des amoureux, Sibériade, Maria's Lovers (1984), Runaway Train (1986), le Bayou (1987), Duo pour une soliste (1987), Voyageurs sans permis (1989), Tango et Cash (1989).

Poudovkine (Vsevolod) (1893-1953) : *la Mère, la Fin de St-Pétersbourg, Tempête sur l'Asie (1928),* le Déserteur, Amiral Nakhimov, la Moisson (1953).

Pyriev (Ivan) (1901-68) : l'Idiot (1957), les Nuits blanches (1961), les Frères Karamazov (1968).

Raïzman (Iouli) (1903) : la Dernière Nuit (1937), le Communiste, Vie privée, le Temps des désirs.

Romm (Mikhaïl) (1901-71) : *Boule de suif (1933),* les Treize (1937), Lénine en 1918 (1937), Neuf Jours d'une année (1962).

Tarkovski (Andreï) (1932-86) : l'Enfance d'Ivan (1962), Andreï Roublev (1969), Solaris, le Miroir, Stalker (1979), Nostalghia, le Sacrifice (1986).

Tchiaourelli (Mikhaïl) (1894) : le Serment, la Chute de Berlin (1949), l'Inoubliable Année 1919 (1952).

Tchoukraï (Grigori) (1921) : le Quarante et Unième, la Ballade du soldat (1960), Ciel pur.

Trauberg (Ilia) (1905-40) : *le Train mongol (1929).*

Trauberg (Leonid) (1902) : V. Kosintzev.

Vassiliev (Sergeï) (1895-1943) : Tchapaiev, la Défense de Tsaritsyne, les Héros de Chipka.

Vertov (Dziga) (1895-1954) : *l'Homme à la caméra,* la Symphonie du Donbass (1930), Trois Chants sur Lénine (1934).

Youtkevitch (Sergueï) (1904-85) : Ceux de la mine, Salut Moscou !, Skander Beg (1953), Othello (1956), Un amour de Tchekhov (1969).

SUÈDE

Bergman (Ingmar) (1918) : la Prison (1948), Jeux d'été (1950), Monika (1952), la Nuit des forains (1953), Sourires d'une nuit d'été (1955), le Septième Sceau (1956), les Fraises sauvages (1957), le Visage (1958), la Source (1959), A travers le miroir (1961), les Communiants (1962), le Silence (1963), Persona (1966), l'Heure du loup, la Honte (1967), Une passion (1970), le Lien (1970), Cris et chuchotements (1972), Scènes de la vie conjugale (1973), la Flûte enchantée (1974), Face à face (1976), l'Œuf du serpent, Sonate d'automne (1977), Mon Ile Faro (1969), De la vie des marionnettes (1980), Fanny et Alexandre (1983), Après la répétition (1984).

Linbdlom (Gunnel) (1931) : Paradis d'été (1977).

Mattson (Arne) (1919) : Elle n'a dansé qu'un seul été (1951), le Pain de l'amour (1953), Salka Valka, la Charrette fantôme (3e vers. 1958), Mannequin de cire (1962), le Meurtre d'Yngsjo (1966).

Sjöberg (Alf) (1903-80) : le Chemin du ciel, Tourments, Mademoiselle Julie (1951), Barabbas (1953).

Sjöman (Vilgot) (1924-80) : la Maîtresse (1967), Ma Sœur, mon amour, Je suis curieuse (1967), Elle veut tout savoir (1968), Joyeuses Pâques (1970).

Sjöström (Victor) (1879-1960) : *les Proscrits (1917), la Montre brisée, la Charrette fantôme (1920), l'Epreuve du feu (1921), la Lettre écarlate (1926), le Vent (1928).*

Stiller (Mauritz) (1883-1928) : *le Trésor d'Arne (1919), le Vieux Manoir, la Légende de Gösta Berling (1924), Hôtel impérial (1927).*

Troell (Jan) (1931) : les Émigrants (1973), le Nouveau Monde, Hurricane, le Vol de l'aigle (1982).

Widerberg (Bo) (1930) : Elvira Madigan (1967), Adalen 31 (1969), Un flic sur le toit (1977), Victoria (1979), le Chemin du serpent (1987).

SUISSE

Goretta (Claude) (1929) : Jean-Luc persécuté, le Fou, l'Invitation, Pas si méchant que ça, la Dentellière (1977), les Chemins de l'exil, la Provinciale, la Mort de Mario Ricci, Si le Soleil ne revenait pas.

Lindtberg (Léopold) (Vienne, 1902-84) : Lettre d'amour perdue (1940), Marie-Louise, la Dernière Chance, Swiss Tour, Quatre dans une Jeep (1951).

Lyssy (Rolf) (1936) : Eugen, Vita-Parcœur, Konfrontation, les Faiseurs de Suisses, l'Amour en vidéo, Teddy Baer.

Schmid (Daniel) (1941) : Faites tout dans les ténèbres (1970), Cette nuit ou jamais (1972), la

Quelques scandales célèbres

1921. Mort de l'actrice Virginia Rappe, après une « partie » organisée par le comique Fatty (Roscoe Arbuckle) ; accusé de meurtre, puis acquitté, il ne reparut plus à l'écran.

1922. Assassinat du metteur en scène W.D. Taylor. Le mystère, à base de chantage et de drogue, où fut compromise Mabel Normand, vedette de Chaplin, ne fut jamais éclairci.

1924. Au cours d'un dîner chez Edna Purviance (autre vedette de Chaplin), le chauffeur de Mabel Normand tue un convive d'un coup de revolver. Le scandale mit fin à la carrière de Mabel Normand qui mourut de tuberculose en 1930 à 32 ans.

Mort mystérieuse du metteur en scène Thomas H. Ince (tué par un jaloux), sur le yacht de W.R. Hearst, magnat de la presse amér.

1926. Mort à 26 ans de Barbara La Marr, (vedette des « Trois Mousquetaires »...), victime de la drogue. Elle avait eu 6 maris.

1932. Suicide de Paul Bern, mari de Jean Harlow, après 2 mois de mariage (il avait été le 6e mari de Barbara La Marr).

1935. Mort mystérieuse (suicide ? assassinat ?) de la jeune vedette Thelma Todd, chez un ami metteur en scène.

1943. Procès d'Errol Flynn, accusé du viol de 2 filles de moins de 16 ans. – Procès de paternité fait à Chaplin par Miss Barry ; Ch. condamné.

1948. Robert Mitchum condamné à 60 j de prison pour usage de stupéfiants.

1949. Arrestation, puis internement en maison de santé, du jeune premier Robert Walker (« L'Inconnu du Nord-Express »), ex-mari de Jennifer Jones.

1958. Cheryl Crane, poignarde l'amant de sa mère, Lana Turner : le gangster Johnny Stompanato.

1959. Procès du journal à scandales *Confidential.* Mise en cause de nombreuses vedettes dont Dorothy Dandridge, Maureen O'Hara...

Quelques records de mariage

Anouk Aimée : D.V. Zimmermann, Niko Papadakis, Pierre Barouh, Albert Finney.

Brigitte Bardot : Roger Vadim, Jacques Charrier, Gunther Sachs, Bernard d'Ormale.

Ingrid Bergman : Peter Lindstrom, Roberto Rossellini, Lars Schmidt.

Humphrey Bogart : Helen Mencken, Mary Phillips, Mayo Methot, Lauren Bacall.

Martine Carol : Steve Crane, Christian-Jaque, Dr Rouveix, Mike Eland.

Charlie Chaplin : Mildred Harris, Lita Grey, Paulette Goddard, Oona O'Neil.

Christian-Jaque : Germaine Spy, Simone Renant, Renée Faure, Martine Carol, Laurence Cristol.

Joan Crawford : Douglas Fairbanks Jr, Franchot Tone, Philips Terry.

Danielle Darrieux : Henri Decoin, Porfirio Rubirosa, Georges Mitsinkidès.

Bette Davis : Harmon Nelson, Andrew Farnsworth, William Grant Sherry, Gary Merrill.

Errol Flynn : Lili Damita, Nora Eddington, Patricia Wymore.

Clark Gable : Josephine Dillon, Rhea Langham, Carole Lombard, lady Sylvia Ashley, Kay Streckell.

Zsa Zsa Gabor : Burham Belge, Conrad Hilton, George Sanders, Herbert L. Huntner, Joshua Cosden Jr.

Ava Gardner : Mickey Rooney, Artie Shaw, Frank Sinatra.

Judy Garland : David Rose, Vincente Minnelli, Sid Luft, Mark Herron, Mickey Deans.

Paulette Goddard : E.D. James, Charlie Chaplin, Burgess Meredith, Erich-Maria Remarque.

Cary Grant : Virginia Merrill, Barbara Hutton, Betsy Drake, Dyan Cannon.

Sacha Guitry : Charlotte Lysès, Yvonne Printemps, Jacqueline Delubac, Geneviève de Séréville, Lana Marconi.

Rex Harrison : Lilli Palmer, Kay Kendall, Rachel Roberts.

Rita Hayworth : Edward Judson, Orson Welles, Ali Khan, Dick Haymes, James Hill.

Mary Marquet : Maurice Escande, Victor Francen, Marcel Journet.

Marilyn Monroe : 1942 James Dougherty, 1954 Joe Di Maggio, 1956 Arthur Miller (divorce 1962).

François Périer : Jacqueline Porel, Marie Daems, Colette Boutoulaud.

Tyrone Power : Janet Gaynor, Annabella, Linda Christian.

Ginger Rogers : Jack Culpepper, Lew Ayres, Jack Briggs, Jacques Bergerac, William Marshall.

Mikey Rooney : Ava Gardner, Betty Jane Rase, Martha Vickers, Elaine Mahnken, Barbara Thomason, Margaret Lane, Carolyn Hackett, Jan Chamberlain.

Jean Seberg : François Moreuil, Romain Gary, Dennis Berry.

Frank Sinatra : Ava Gardner, Mia Farrow, Hope Lange.

Gloria Swanson : Wallace Beery, Herbert K. Somborn, Henri de La Falaise, Michael Farmes, William Davey, William Dufty.

Elizabeth Taylor : Nick Hilton (durée 205 j : 6-5-1950 divorce 30-1-1951) († 1969), Michael Wilding (21-2-1952 au 31-1-1957, dont 2 fils) († 1979), Mike Todd (2-2-1957/mars 1958 † accident d'avion ; dont 1 fille), Eddie Fisher (12-5-1959 séparés 1962, divorce 6-3-1964), Richard Burton (15-3-1964/6-6-1974, 1 fille adoptive ; remariés 13-10-1975 à 1-8-1976) († 5-8-1984), John Warner (5-12-1976/7-11-1982), Larry Fortensky (qui a 20 ans de moins, 7-10-1991).

Lana Turner : Artie Shaw, Steve Crane (2 fois), Bob Topping, Lex Barker, Fred May, Robert Eaton, Ronald Dante.

Roger Vadim : Brigitte Bardot (1952), Annette Stroyberg (1958), Jane Fonda (1967), Catherine Schneider (1975), Marie-Christine Barrault (1990).

Marina Vlady : Robert Hossein, Jean-Claude Brouillet, Vladimir Vissotsky.

Johnny Weissmuller : Beryl Scott, Bobby Arnst, Arleen Gaetz.

Shelley Winters : M.P. Meyer, Vittorio Gassman, Anthony Franciosa.

Quelques destins hors série

Se sont suicidés : Roland Alexandre (1956). Pier Angeli (1971). Pedro Armendariz (1963). Pierre Batcheff (1932). Martine Carol (1967). Dorothy Dandrige (1965). Bella Darvi (1971). Patrick Dewaere (1982). John Garfield (1953). Nicole Ladmiral (1958). Carole Landis (1948). Raoul Lévy (1966). Max Linder (1925, avec sa femme). Simone Mareuil (1954). Marilyn Monroe (1962). Ivan Mosjoukine (1939). Marie Prévost (1935). Lya de Putti (1931). George Sanders (1972). Jean Seberg (1979), épouse de Romain Gary, qui se suicidera en 1980. Françoise Spira (1965). Lupe Velez (1944). Robert Walker (1951).

Assassinés : Luisa Ferida (1945) abattue par les partisans italiens dans l'entourage de Mussolini. Ramón Novarro (1968, par 2 jeunes vagabonds). Pier Paolo Pasolini (1975). Sharon Tate (1969, assassinat organisé par le luciférien Charles Manson).

Morts accidentellement. Auto. James Dean (1955). Nicole Berger (1967). Françoise Dorléac (1967). Fernand Raynaud (1973), Grace Kelly (14-9-1982). **Avion.** Carole Lombard (1942). Audie Murphy (1971, c'était le soldat le plus décoré de la 2e Guerre mondiale). Will Rogers (1935, tué au Canada avec l'aviateur Wiley Post). Leslie Howard (1943, avion abattu par les Allemands dans le golfe de Gascogne). Grace Moore (1947). **Chute.** Pauline Lafont (1988). **Incendie.** Linda Darnell (1965). **Moto.** Coluche (1986). **Noyade.** Maria Montez (1951, dans sa baignoire). Natalie Wood (1938-81) (en nageant en pleine nuit). **Train.** Lucien Coëdel (1947, tombé du train, tunnel de Blaisy, Côte-d'Or). **Yacht.** Steve Cochran (1965, mort d'épuis. sur son yacht, dans la mer des Caraïbes). **Du sida.** Rock Hudson : 1er mort célèbre du sida (1985). Antony Perkins (1992).

Mort en déportation : Robert Lynen (1944).

Divers. Ambassadrice des USA Irene Dunne à l'ONU. Shirley Temple. **Curé.** Georges Galli : ex-jeune premier (l'Homme à l'Hispano). **Président des USA.** Ronald Reagan. **Princesse.** Grace Kelly (ép. 1956 Pce Rainier de Monaco).

Jeunes premiers et jeunes premières (en France)

Des années 30. Jean Murat, Henri Garat, Albert Préjean, Fernand Gravey, Pierre Richard-Willm, Pierre Blanchar, Pierre Fresnay, Raymond Rouleau, Jean Servais, Claude Dauphin, Jean-Pierre Aumont, Paul Bernard, Roger Duchesne, Bernard Lancret, Georges Grey - Annabella, Jacqueline François, Simone Simon, Danielle Darrieux, Michèle Morgan, Corinne Luchaire, Lisette Lanvin, Sylvia Bataille, Orane Demazis, Madeleine Ozeray, Annie Vernay, Meg Lemonnier, Danièle Parola, Monique Rolland, Jeanine Crispin.

Des années 40. Jean Marais, Gérard Philipe, Louis Jourdan, Georges Marchal, Henri Vidal, Alain Cuny, François Périer, Serge Reggiani, Michel Auclair, Jean Desailly, Jacques Dacqmine, Jacques Berthier, André Le Gall, Roger Pigaut, Frank Villard, Jean Paqui, Gilbert Gil, Jean Chevrier, René Dary - Madeleine Sologne, Micheline Presle, Odette Joyeux, Blanchette Brunoy, Michèle Alfa, Marie Déa, Gaby Sylvia, Louise Carletti, Renée Faure, Suzy Carrier, Gisèle Pascal, Jacqueline Gautier, Jeanine Darcey, Josette Day, Simone Valère, Claude Génia, Irène Corday, Lise Topart, Dany Robin.

A partir des années 50, les emplois ont cessé d'être des spécialités cataloguées. (Exceptions : Daniel Gélin, Jean-Claude Pascal, Maurice Ronet, Jacques Charrier, Alain Delon, Brigitte Bardot, Marina Vlady à leurs débuts.)

Paloma (1974), l'Ombre des anges, Violanta, Hécate, le Baiser de Tosca (1985), Jenatsch (1987).

Soutter (Michel) (1932-91) : James ou pas (1970), les Arpenteurs, l'Escapade (1973), Repérages, l'Amour des femmes (1981), Signé Renard (1986).

Tanner (Alain) (1929) : Charles mort ou vif (1969), la Salamandre, le Retour d'Afrique, le Milieu du monde, Jonas, Messidor, les Années-Lumière, Dans la ville blanche, No man's land, Une flamme dans mon cœur (1986), la Vallée fantôme (1987), la Femme de Rose Hill (1989), l'Homme qui a perdu son ombre (1992).

Tchécoslovaquie

Forman (Milos) (1932) : l'As de pique (1963), les Amours d'une blonde (1965), Au feu les pompiers (1967). *Aux USA :* Taking off (1971), Vol au-dessus d'un nid de coucou (1975), Hair (1979), Ragtime (1981), Amadeus (1984), Valmont (1989).

Passer (Ivan) (1933) : Éclairage intime (1965), Né pour convaincre (1971), la Loi et la pagaille (1974), Cutter's Way (1981).

Trnka (Jiri) (1910-69) : *Films d'animation :* le Rossignol de l'empereur de Chine (1949), Prince Bayaya, Vieilles Légendes tchèques, le Brave Soldat Chveik (1954), Songe d'une nuit d'été (1960).

Zeman (Karel) (1910) : Monsieur Prokouk (série 1947-48), les Aventures fantastiques (1958), le Baron de Crac (1962), l'Arche de M. Hector Servadac (1969).

Turquie

Akad (Lütfi) (1916) : Au nom de la loi (1952), Zümrüt (1958), Au Feu (1960), la Mère (1967), le Prix (1975).

Güney (Yilmaz) (1937-84) : Seyyit Khan (1968), l'Espoir (1970), l'Ami (1974), le Troupeau (1978 réal. Zeki Okten), Yol (1982, réal. Serif Gören), le Mur (1983).

Yougoslavie

Kusturica (Emir) (1955) : Te souviens-tu de Dolly Bell ? (1981), Papa est en voyage d'affaires (1985), le Temps des Gitans (1989), Arizona dream (1992).

Makavejev (Dusan) (1932) : W.R. les Mystères de l'organisme (1971), Sweet Movie (1974), les Fantasmes de Mme Jordan (1981), Coca-Cola Kid.

Petrovic (Aleksandar) (1929) : J'ai même rencontré des Tziganes heureux (1967), Il pleut sur mon village (1968), le Maître et Marguerite (1972), Portrait de groupe avec dame (1977).

Principaux acteurs et actrices

☞ Principaux rôles tenus. *En italique :* films muets. Voir aussi Personnalités à l'Index.

Allemagne

Buchholz (Horst) (1932) : les Demi-Sels, Résurrection, Monpti, les Sept Mercenaires, Fanny, Cervantès, l'Astragale, le Sauveur, Raid sur Entebbe, Avalanche express, Crossing.

Dagover (Lil) (Maria Senbert) (1897-1980) : *le Cabinet du Dr Caligari, les Trois Lumières, Tartuffe, Orient-Express, le Diable blanc,* Le Congrès s'amuse, la Danseuse de Sans-Souci, Accord final, la Sonate à Kreützer, Destin de femme, Bismarck, Friedrich Schiller, Mayerling, Karl Mäy.

Ganz (Bruno) (1941) : la Marquise d'O (1975), Lumière, l'Ami américain, la Femme gauchère, le Couteau dans la tête, Nosferatu, fantôme de la nuit, Retour à la bien-aimée, le Faussaire, Dans la ville blanche, la Main dans l'ombre, les Ailes du désir.

Hasse (Otto) (1903-78) : Amiral Canaris, Sait-on jamais ?, les Espions, Arsène Lupin, le Médecin de Stalingrad, Frau Warrens Gewerbe.

Helm (Brigitte) (Gisèle Schittenhelm) (1906) : *Metropolis (1927), Crise, Mandragore, l'Argent (France, 1928), l'Amour de Jeanne Ney, Manolescu roi des voleurs,* Gloria, l'Atlantide, Adieu les beaux jours, le Secret des Woronzeff, l'Etoile de Valencia, l'Or, Un mari idéal.

Jannings (Emil) (Janenz) (1884-1950) : *Madame du Barry (1918), Anne de Boleyn, la Femme du pharaon, Danton, Othello, les Frères Karamazov, Quo Vadis ?, Variétés, le Dernier des hommes, Tartuffe, Faust, Quand la chair succombe (USA), Crépuscule de gloire, le Patriote (USA),* l'Ange bleu (1930), les Deux Rois, Crépuscule, la Lutte héroïque, le Président Krüger, Jeune Fille sans famille.

Jurgens (Curd) (1912-82) : les Rats, Général du diable, Les héros sont fatigués, Et Dieu créa la femme, Michel Strogoff, Œil pour œil, Amère Victoire, Katia, Château en Suède, la Bataille d'Angleterre, l'Espion qui m'aimait.

Kinski (Nastassia) (Nastassia Nakszynski) (1961) : Tess, Coup de cœur, la Féline, la Lune dans le caniveau, Paris Texas, Maria's Lovers, Harem, Révolution, Maladie d'amour, les Eaux printanières.

Knef (Hildegarde) (1925) : Les assassins sont parmi nous, le Traître, Courrier diplomatique, l'Homme de Berlin, la Fille de Hambourg, Landru, Ballade pour un voyou, Loulou (2e version), Fedora, l'Avenir de Milie.

Kruger (Hardy) (1928) : Liane la sauvageonne, Sans tambour ni trompette, l'Enquête de l'inspecteur Morgan, Hatari, les Dimanches de Ville-d'Avray, l'Espion, le Franciscain de Bourges, les Oies sauvages, Barry Lyndon, l'Agent double.

Leander (Zarah) (Hedberg) (1900-81, Suède) : Première, la Habanera, Paramatta bagne de femmes, Magda, la Belle Hongroise, Pages immortelles, Marie Stuart, le Chemin de la liberté, Un grand amour, Foyer perdu, Ave Maria, Comment j'ai appris à aimer les femmes.

Messemer (Hannes) (1924) : Rose, le Médecin de Stalingrad, Les SS frappent la nuit, Babette s'en va-t-en guerre, le Général Della Rovere, les Evadés de la nuit, la Grande Vie, l'Espion.

Pulver (Liselotte) (Suisse, 1929) : Hanussen, Piroschka, Confession de Félix Krüll, Arsène Lupin, le Temps d'aimer et le Temps de mourir, le Joueur, les Buddenbrook, le Verre d'eau, Maléfices, Death Wish 3, Act of Vengeance.

Schell (Maria) (1926) : le Dernier Pont, les Rats, Rose, Gervaise, Nuits blanches, Une vie, les Frères Karamazov, la Colline des potences, la Ruée vers l'Ouest, le Diable par la queue, Paulina 1880, Superman.

Schneider (Romy) (Rosemarie Albach-Retty) (Autriche, 1938-82) : Sissi (1955), Jeunes Filles en uniforme (2e vers.), Boccace 70, le Combat dans l'île, le Procès, le Cardinal, la Piscine, les Choses de la vie, Max et les ferrailleurs (1971), César et Rosalie, le Crépuscule des dieux, le Train, le Mouton enragé, L'important c'est d'aimer, le Vieux Fusil, Une femme à sa fenêtre, Une histoire simple, Clair de femme, la Mort en direct, la Banquière, Fantôme d'amour, Garde à vue, la Passante du Sans-Souci (1981).

Schygulla (Hanna) (1943) : le Marchand des quatre saisons (1971), les Larmes amères de Petra von Kant, Effi Briest, le Mariage de Maria Braun, Lili Marleen, Passion, la Nuit de Varennes, Antonieta, Histoire de Piera, Un amour en Allemagne, Le futur est femme, Aventure de Catherine C.

Tiller (Nadia) (1929) : El Hakim, la Fille Rosemarie, le Désordre et la nuit, Du rififi chez les femmes, les Buddenbrook, l'Affaire Nina B, la Chambre ardente, Loulou, Lady Hamilton.

Van Eyck (Peter) (1913-69) : le Salaire de la peur, la Fille Rosemarie, l'Ange sale, A bout de nerfs, la Rage de vivre, l'Espion du Caire, le Diabolique Dr Mabuse, la Fête espagnole.

Veidt (Conrad) (1893-1943) : *le Cabinet du Dr Caligari, le Tombeau hindou, les Mains d'Orlac, le Cabinet des figures de cire, l'Etudiant de Prague, l'Homme qui rit (USA),* la Dernière Compagnie, Le Congrès s'amuse, l'Homme qui assassina, le Juif Süss (2e vers.), Sous la robe rouge, le Joueur d'échecs, le Voleur de Bagdad, Casablanca.

ÉTATS-UNIS

Astaire (Fred) (Frederick Austerlitz) (1899-1987) : Carioca (1933), la Joyeuse Divorcée, Roberta, Top Hat, Swing Time, Demoiselle en détresse, Amanda, la Grande Farandole, Broadway Melody (1940), O toi ma charmante, Ziegfeld Follies, Yolanda et le voleur, Parade du Printemps, Entrons dans la danse, la Belle de New York, Tous en scène, Drôle de frimousse, la Belle de Moscou (1957), la Vallée du bonheur (1968), Un taxi mauve.

Bacall (Lauren) (Betty Joan Perske) (1924) : le Port de l'angoisse, le Grand Sommeil, les Passagers de la nuit, Key Largo, la Femme aux chimères, Écrit sur du vent, la Femme modèle, le Crime de l'Orient-Express, Rendez-vous avec la mort, Misery (1988).

Basinger (Kim) (1953) : Jamais plus jamais, l'Homme à femmes, 9 Semaines 1/2, Nadine, Boire et déboires, J'ai épousé une extraterrestre, Batman.

Bergman (Ingrid) (Suède, 1915-82, natur. amér.) : Pour qui sonne le glas, les Enchaînés (1946), la Maison du Dr Edwards, Jeanne d'Arc (1948), les Amants du Capricorne, Stromboli, Voyage en Italie, Éléna et les hommes, Anastasia, la Rancune, le Crime de l'Orient-Express, Sonate d'automne.

Bogart (Humphrey) (1899-1957) : les Anges aux figures sales, le Faucon maltais, le Port de l'angoisse, le Grand Sommeil, Casablanca, les Passagers de la nuit, le Trésor de la Sierra Madre, The African Queen, Ouragan sur le Caine, la Comtesse aux pieds nus.

Brando (Marlon) (1924) : Un tramway nommé désir, Viva Zapata, Jules César, l'Équipée sauvage, Sur les quais, le Bal des maudits, la Vengeance aux deux visages, la Comtesse de Hong Kong, Reflets dans un œil d'or, le Parrain, le Dernier Tango à Paris, Apocalypse Now, Superman, la Formule, Une saison blanche et sèche, Premiers Pas dans la Mafia.

Bronson (Charles) (Buchinsky) (1920) : Vera Cruz, Mitraillette Kelly, les Sept Mercenaires, la Grande Évasion, les Douze Salopards, Il était une fois dans l'Ouest, le Passager de la pluie, Soleil rouge, les Collines de la terreur, Cosa nostra, le Cercle noir, Un justicier dans la ville, l'Évadé, le Bagarreur, Un espion de trop, Chasse à mort, le Justicier de minuit, le Justicier de New York, la Loi de Murphy, Le justicier braque les dealers, Kinjite – sujets tabous.

Brooks (Louise) (1906-85) : *Au suivant de ces messieurs, les Mendiants de la vie, Un homme en habit, Une fille dans chaque port, The Canary Murder Case, Loulou, le Journal d'une fille perdue,* Prix de beauté, Hollywood Boulevard.

Brynner (Yul) (Taidje Khan, Jr) (Sibérie, 1915-85) : les Dix Commandements, le Roi et Moi, Anastasia, les Frères Karamazov, Salomon et la reine de Saba, Chérie recommençons, les Sept Mercenaires, Tarass Boulba, le Mercenaire de minuit, les Turbans rouges, Pancho Villa, le Phare du bout du monde, le Serpent.

Cagney (James) (1899-1986) : l'Ennemi public, Prologues, les Hors-la-loi, les Anges aux figures sales, A chaque aube je meurs, Du sang dans le soleil, le Bar aux illusions, A l'ombre des potences, Ragtime.

Chaplin (Sir Charles Spencer) : voir p. 451.

Charisse (Cyd) (Tula Ellice Finklea) (1921) : Ziegfeld Follies, la Danse inachevée, le Brigand amoureux, Au pays de la peur, Chantons sous la pluie, Sombrero, Tous en scène, Brigadoon, Beau fixe sur New York, la Belle de Moscou, Traquenard, Quinze Jours ailleurs, Maroc dossier no 7.

Clift (Montgomery) (1920-66) : la Rivière rouge, l'Héritière, Une place au soleil, la Loi du silence, Tant qu'il y aura des hommes, le Bal des maudits, Soudain l'été dernier, les Désaxés, le Fleuve sauvage, Freud, l'Espion.

Cooper (Gary) (Frank) (1901-61) : Sérénade à trois, les Trois Lanciers du Bengale, Peter Ibbetson l'Extravagant M. Deeds, les Tuniques écarlates, Sergent York, Pour qui sonne le glas, l'Odyssée du Dr Wassell, Le train sifflera trois fois, Vera Cruz, la Loi du Seigneur, l'Homme de l'Ouest.

Cotten (Joseph) (1905) : Citizen Kane, la Splendeur des Amberson, l'Ombre d'un doute, le Troisième Homme, les Amants du Capricorne, Niagara, El Perdido, l'Argent de la vieille, la Porte du paradis.

Crawford (Joan) (Lucille Le Sueur) (1904-77) : Pluie, l'Ensorceleuse, Femmes, Suzanne et ses idées, le Roman de Mildred Pierce, Johnny Guitare, la Maison sur la plage, Feuilles d'automne.

Davis (Bette) (Ruth Elizabeth) (1908-89) : l'Emprise, Femmes marquées, l'Insoumise, Victoire sur la nuit, la Vie privée d'Elisabeth d'Angleterre, la Lettre, la Vipère, Eve, l'Argent de la vieille, les Visiteurs d'un autre monde, Mort sur le Nil, les Yeux de la forêt, les Baleines du mois d'août (1987).

Dean (James) (1931-55) : A l'est d'Eden (1954), la Fureur de vivre (1955), Géant (1955).

De Carlo (Yvonne) (Peggy Yvonne Middleton) (1924) : Salomé, l'Esclave libre, les Démons de la liberté, Casbah, Pour toi j'ai tué, la Belle Espionne, Sombrero, Capitaine Paradis, la Castiglione, Tornade, les Dix Commandements, l'Esclave libre.

De Havilland (Olivia) (1916) : Capitaine Blood, Anthony Adverse, la Charge de la brigade légère, l'Aventure de minuit, les Aventures de Robin des Bois, la Bataille de l'or, les Conquérants, la Vie privée d'Élisabeth d'Angleterre, Autant en emporte le vent (1939), Strawberry blonde, la Charge fantastique, la Vie passionnée des sœurs Brontë, la Fosse aux serpents (1948), l'Héritière, Ma Cousine Rachel, Chut chut, chère Charlotte, les Naufragés du 747, l'Inévitable Catastrophe.

De Niro (Robert) (1944) : Bloody Mama, Mean Streets, le Parrain (2e partie), Taxi Driver, 1900, le Dernier Nabab, New York New York, Voyage au bout de l'enfer, Raging Bull, la Valse des pantins, Il était une fois en Amérique, Brazil, Falling in Love, les Incorruptibles, Midnight Run, Jacknife, Stanley and Iris, les Affranchis, l'Éveil, les Nerfs à vif.

Dietrich (Marlene) (Maria Magdalena von Losch) (All., 1901-92) : l'Ange bleu (1929-30), Cœurs brûlés, Shanghai Express, Blonde Vénus, l'Impératrice rouge, la Femme et le Pantin, la Belle Ensorceleuse, l'Ange des maudits, Témoin à charge, la Soif du mal, Jugement à Nuremberg, Just a Gigolo (1978).

Douglas (Kirk) (Issur Danielovich Demsky) (1916) : Champion, le Gouffre aux chimères, Histoire de détective, les Ensorcelés, la Vie passionnée de Vincent Van Gogh, Règlement de comptes à OK Corral, les Sentiers de la gloire, les Vikings, le Dernier Train de Gun Hill, Spartacus, 7 Jours en mai, la Caravane de feu, les Frères siciliens, l'Arrangement, le Reptile, la Brigade du Texas, Furie, l'Homme de la rivière d'argent, Un flic aux trousses, Coup double (1987), Veraz (1991).

Douglas (Michael) (1944) : le Syndrome du Chinois, A la poursuite du diamant vert, le Bijou du Nil, Wall Street, Liaison fatale, la Guerre des Rose, Basic Instinct, Chute libre.

Dunaway (Faye) (1938) : Bonnie and Clyde, Que vienne la nuit, l'Affaire Thomas Crown, l'Arrangement, Little Big Man, Portrait d'une enfant déchue, Chinatown, la Tour infernale, les 3 Jours du Condor, Network, les Yeux de Laura Mars, le Champion, Maman très chère, Supergirl, Barfly, Arizona dream.

Dunne (Irene) (1898-1990) : la Ruée vers l'Ouest, Back Street, Ann Vickers, Roberta, Show Boat, le Secret magnifique, Théodora devient folle, la Furie de l'or noir, Cette sacrée vérité, Quelle joie de vivre, Elle et Lui, Veillée d'amour, l'Invitation au bonheur, Mon Épouse favorite, la Chanson du passé, Anna et le Roi de Siam, Tendresse, le Moineau de la Tamise.

Eastwood (Clint) (1930) : Pour une poignée de dollars, le Bon, la Brute et le Truand, Un shérif à New York, les Proies, l'Homme des hautes plaines, l'Inspecteur Harry, Magnum force, le Canardeur, Josey Wales hors-la-loi, l'Évadé d'Alcatraz, Firefox, l'Arme absolue, Honkytonk Man, la Corde raide, le Retour de l'inspecteur Harry, Pale Rider, Haut les flingues, le Maître de guerre, la Dernière Cible, Chasseur blanc, cœur noir, Impitoyable.

Fairbanks senior (Douglas) (Douglas Elton Thomas Ulman) (1883-1939) : *le Métis (1915), l'Américain, Cauchemars et Superstitions, le Signe de Zorro, les Trois Mousquetaires, Robin des Bois, le Voleur de Bagdad, le Pirate noir, le Gaucho, le Masque de fer,* la Mégère apprivoisée (+ réalis.), la Vie privée de Don Juan.

Fields (William Claude) (Dukinfield) (1879-1946) : *Sally, fille de cirque (1925),* Si j'avais un million, Alice au pays des merveilles, International House, Mississippi, David Copperfield, Une riche affaire, le Cirque en folie, Mon Petit Poussin chéri, Mine de rien, Passez muscade, Hollywood Parade, Swing Circus (1945).

Flynn (Errol) (1904-59) : Capitaine Blood (1935), la Charge de la brigade légère, les Aventures de Robin des Bois, les Conquérants, la Vie privée d'Élisabeth d'Angleterre, la Caravane héroïque, l'Aigle des mers, la Piste de Santa Fe, la Charge fantastique, Gentleman Jim (1942), Aventures en Birmanie, la Rivière d'argent, Montana, Kim, le Vagabond des mers, Le soleil se lève aussi, les Racines du ciel.

Fonda (Henry) (1905-82) : J'ai le droit de vivre, l'Insoumise, Je n'ai pas tué Lincoln, les Raisins de la colère, l'Étrange Incident, la Poursuite infernale, Guerre et Paix, le Faux Coupable, Douze Hommes en colère, Tempête à Washington, Il était une fois dans l'Ouest, le Reptile, le Serpent, les Noces de cendre, Fedora, la Maison du lac.

Fonda (Jane) (1937) : Liaisons coupables, l'École des jeunes mariés, les Félins, Cat Ballou, la Curée, Que vienne la nuit, Histoires extraordinaires, On achève bien les chevaux, Klute, Maison de poupée, l'Oiseau bleu, Julia, le Cavalier électrique, la Maison du lac, Agnès de Dieu, le Lendemain du crime, Old Gringo, Stanley and Iris.

Fontaine (Joan) (De Havilland) (1917) : Une demoiselle en détresse, Gunga Din, Femmes, Rebecca, Soupçons, Tessa la nymphe au cœur fidèle, Jane Eyre,

Acteurs

■ **Les plus petits.** *1,45 m* Linda Hunt, le nain Pierral. *1,47 m* Florence Turner et Marguerite Clark. *1,50 m* May McAvoy. *1,55 m* Janet Gaynor, Mary Pickford et Edith Roberts. *1,57 m* Max Linder. *1,60 m* Mickey Rooney, Dudley Moore. *1,62 m* Liz Taylor. *1,68 m* Alan Ladd, Al Pacino.

■ **Les plus grands.** *2,59 m* Clifford Thompson. *2,39 m* Jack Tarver. *2,24 m* John Bloom. *2,18 m* Johan Aasen, Peter Mayhew et Richard Kiel. *2,13 m* Tex Erikson. *2,01 m* James Arness et Bruce Spence. *1,96 m* Christopher Lee.

■ **Ayant commencé jeune.** *3 ans* Shirley Temple (née 1928 : dernier film : A Kiss for Corliss 1949 à 21 ans ; devient ambassadeur au Ghana, puis chef du protocole à la Maison-Blanche), *4 a.* Josette Day, *5 a.* Brigitte Fossey (Jeux interdits), Natalie Wood, *6 a.* Jackie Coogan (The Kid), Jackie Cooper, Mickey Rooney, Mark Lester, Freddie Bartholomew, *7 a.* Jane Whiters, Mandy Miller, Peter Lawford, *8 a.* Roddy McDowall, Geraldine Chaplin, *10 a.* Elizabeth Taylor, *13 a.* Betty Grable, *14 a.* Judy Garland, Romy Schneider, Jean Simmons.

■ **Ayant eu le plus de spectateurs. Vers 1930 :** Clark Gable, Shirley Temple, Will Rogers, Janet Gaynor, Joan Crawford, Marie Dressler, Wallace Beery, Fred Astaire & Ginger Rogers, Mickey Rooney, Spencer Tracy. **V. 1940 :** Bing Crosby, Bob Hope, Gary Cooper, Betty Grable, Abbott et Costello, Clark Gable, Humphrey Bogart, Spencer Tracy, Mickey Rooney, Greer Garson. **V. 1950 :** John Wayne, James Stewart, Dean Martin & Jerry Lewis, Gary Cooper, Bing Crosby, William Holden, Rock Hudson, Bob Hope, Glenn Ford, Betty Grable. **V. 1960 :** John Wayne, Doris Day, Cary Grant, Rock Hudson, Elizabeth Taylor, Jack Lemmon, Julie Andrews, Paul Newman, Sean Connery, Elvis Presley. **V. 1970 :** Clint Eastwood, Burt Reynolds, Barbra Streisand, Robert Redford, Paul Newman, Steve McQueen, John Wayne, Woody Allen, Dustin Hoffman, Al Pacino.

■ **Champions du box-office** (chiffres d'entrées connus dans leur totalité, dep. 1956, en millions) *Source :* le Film français. *1956/59 :* Jean Gabin 44,7. Fernandel 41,8. Bourvil 38,5. Darry Cowl 22,2. Bernard Blier 21,4. Fernand Raynaud 14,8. Jean Marais 13,9. Francis Blanche 13,2. Louis de Funès 12,5. Lino Ventura 12,5 [Gabin grâce à « La traversée de Paris », « Les Misérables » ou « Les grandes familles », Fernandel au sommet dep. 1935]. *1960/64 :* Bourvil 33,3. Jean Marais 27,3. De Funès 23,8. Jean-Paul Belmondo 23,4. Jean Gabin 23. Fernandel 18,4. Alain Delon 16,8. L. Ventura 16,2. F. Blanche 14,8. Jean Richard 14,7 [Bourvil, de Funès avec « le Corniaud », J. Marais et ses films de cape et d'épée, Belmondo avec « Cartouche » et « L'homme de Rio », Delon avec le « Guépard » ou « Mélodie en sous-sol »]. *1965/1969 :* De Funès 77,9. Bourvil 45,2. A. Delon 22,1. J. Gabin 16,3. J.-P. Belmondo 13,1. Jean-L. Trintignant 13,1. Yves Montand 11,8. L. Ventura 11,5. B. Blier 8,5. J. Marais 7,7 [De Funès « Le gendarme de St-Tropez », Bourvil, son complice de « La grande vadrouille », Delon avec « Adieu l'ami », « Les aventuriers », « Le Samouraï », « La piscine »]. *1970/1974 :* Les Charlots 27,6. De Funès 22,3. J.-P. Belmondo 18,8. Yves Montand 17,4. Bernard Blier 16,8. A. Delon 16,8. L. Ventura 12,7. Pierre Richard 9,3. Bourvil 9. Gérard Depardieu 8,5 [De Funès et Montand avec « La folie des grandeurs », Belmondo et Delon avec « Borsalino », Pierre Richard avec « Le grand blond », Depardieu avec « Les valseuses »]. *1975/1979 :* J.-P Belmondo 15,9. De Funès 14,8. Michel Galabru 11,5. P. Richard 8,3. Victor Lanoux 7,9. Coluche 5,8. Michel Serrault 5,3. Claude Brasseur 5,2. Jean Rochefort 4,9. Michel Bouquet 3,5 [Belmondo avec « Peur sur la ville » ou « Flic ou voyou », Coluche avec « L'aile ou la cuisse »]. *1980/1984 :* J.-P. Belmondo 25,3. Coluche 21,6. G. Depardieu 21. M. Galabru 18,6. P. Richard 16,4. Bernard Giraudeau 14,7. Jacques Villeret 14. Philippe Noiret 10,2. Michel Serrault 9,6. De Funès 9,6 [Belmondo avec « L'as des as », « Le professionnel », Coluche avec « Banzaï », « Tchao Pantin », Depardieu et Pierre Richard avec « La chèvre », « Les compères ». Fin du règne de De Funès. *1985/1989 :* G. Depardieu 19,5. Daniel Auteuil 13,7. Y. Montand 13,7. Michel Boujenah 12,2. Roland Giraud 10,1. Gérard Lanvin 7,4. Christophe Lambert 7. Richard Bohringer 6. Belmondo 5,6. Richard Anconina 5,3 [Montant, Auteuil avec les 2 « Jean de Florette », Boujenah, Giraud, Dussollier avec « Trois Hommes et un couffin »].

■ **Top 10, 1956-90.** De Funès 161,3, Bourvil 126,3, Belmondo 102,4, Gabin 84,1, Fernandel 60,3, Delon 55,8, Ventura 52,9, Depardieu 49,1, Marais 49, Blier 46,9.

■ **Ayant tenu le plus grand nombre de premiers rôles.** John Wayne a joué dans 153 films de 1927 à 1976, dont 142 premiers rôles.

■ **Ayant touché les plus gros cachets** (en millions de F). Marlon Brando pour *Superman* 24 + 95 % sur bénéfices. Richard Gere 35 pour *Cotton Club.* Jack Nicholson 327,6 (% sur bénéfices) pour *Batman.* Burt Reynolds 2 par j. de tournage dans *l'Équipée du Cannonball.* Sylvester Stallone 80 dans *Over the Top* et *Cobra.*

■ **Salaires annuels en $. Vers 1930 :** Humphrey Bogart 39 000, Bette Davis 15 600, James Cagney 20 800. **1939 :** Cary Grant 93 750. **V. 1941-42** Bob Hope 204 166, Spencer Tracy 233 460, Judy Garland 89 666. **1943 :** Joan Crawford 194 615. **V. 1955 :** Kim Novak 4 200. **Salaires actuels :** Voir Index.

■ **Baiser.** *1er baiser du cinéma :* 1896 entre May Irwin et John Rice. *Baiser le plus long : You're in the Army Now* (USA, 1940), 3 mn 5 s entre Regis Toomey et Jane Wyman (future Mme Reagan).

Film où les baisers furent les plus nombreux : Don Juan (USA, 1926) 127 baisers entre John Barrymore, Mary Astor et Estelle Taylor.

■ **Nu à l'écran.** *Oct. 1916 :* 1res femmes apparaissant nues : Annette Kellerman *(Daughter of the Gods),* June Caprice *(The Ragged Princess).*

Le *Code Hays de 1934* interdit aux USA la nudité à l'écran. Sidney Lumet fut le 1er à passer outre dans *le Prêteur sur gages* (USA, 1964).

l'Aventure vient de la mer, la Valse de l'Empereur, Lettre d'une inconnue, Ivanhoé, The Bigamist, Sérénade, l'Invraisemblable Vérité, Un certain sourire, Tendre est la nuit.

Ford (Harrison) (1942) : American Graffiti, la Guerre des étoiles, Apocalypse Now, l'Empire contre-attaque, les Aventuriers de l'arche perdue, Blade Runner, le Retour du Jedi, Indiana Jones et le temple maudit, Witness, Mosquito Coast, Frantic, Working Girl, Indiana Jones et la dernière croisade, Présumé innocent, Jeux de guerre.

Gable (Clark) (1901-60) : New York-Miami, les Révoltés du Bounty, Pilotes d'essai, San Francisco, Autant en emporte le vent, Au-delà du Missouri, Mogambo, les Implacables, Un roi et quatre reines, l'Esclave libre, les Désaxés.

Garbo (Greta) (Gustafsson) (Suède, 1905-90, natur. amér.) : *la Légende de Gösta Berling, Rue sans joie, la Chair et le Diable,* Anna Christie, Grand Hôtel, la Reine Christine, Anna Karenine, Marie Walewska, le Roman de Marguerite Gautier, Ninotchka, la Femme aux deux visages.

Gardner (Ava) (Lucy Johnson) (1922-90) : les Tueurs, Un cadeau de Vénus, Pandora, les Neiges du Kilimandjaro, Vaquero, Mogambo, la Comtesse aux pieds nus, la Croisée des destins, Le soleil se lève aussi, l'Ange pourpre, la Nuit de l'iguane, l'Oiseau bleu, la Sentinelle des maudits, le Pont de Cassandra, Cité en feu.

Garland (Judy) (Frances Gumm) (1922-69) : le Magicien d'Oz (1939), Place au rythme, Débuts à Broadway, For Me and My Gal, Parade aux étoiles, le Chant du Missouri, The Clock, Ziegfeld Follies, le Pirate, Parade de printemps, la Jolie Fermière, Une étoile est née, Jugement à Nuremberg, Un enfant attend, l'Ombre du passé.

Gish (Lillian Diane de Guiche) (1896-1993). *Judith de Béthulie (1914), Naissance d'une nation, Intolérance, Cœurs du monde, Une fleur dans les ruines, le Lys brisé (1919), le Pauvre Amour, A travers l'orage, les Deux Orphelines, Dans les laves du Vésuve, Romola, Au temps de la Bohème, la Lettre rouge, le Vent,* Duel au soleil, la Nuit du chasseur, le Vent de la plaine, les Comédiens, Un mariage, les Baleines du mois d'août (1987).

Goddard (Paulette) (Pauline Marion Levee, ép. Ch. Chaplin) (1911-90) : les Temps modernes, Femmes, le Dictateur, Journal d'une femme de chambre.

Grant (Cary) (Archibald Leach) (G.-B., 1904-86) : Cette sacrée vérité, le Couple invisible, l'Impossible M. Bébé, Vacances, Seuls les anges ont des ailes, Arsenic et Vieilles Dentelles, les Enchaînés, la Main au collet, la Mort aux trousses, Indiscrétions, Charade.

Harlow (Jean) (Harlean Carpentier) (1911-37) : Parade d'amour (1929), les Anges de l'enfer, l'Homme de fer, l'Ennemi public, Blonde platine, la Belle de Saigon, les Invités de 8 heures, Imprudente Jeunesse, la Malle de Singapour, Une fine mouche, Saratoga, Valet de cœur (1937).

Hart (William S.) (1870-1946) : *le Serment de Rio Jim, la Capture de Rio Jim, le Sacrifice de Rio Jim, les Loups, Pour sauver sa race, l'Homme aux yeux clairs, la Caravane, le Vengeur, le Fils de la prairie.*

Hayworth (Rita) (Margarita Carmen Cansino) (1918-87) : Arènes sanglantes (1941), la Reine de Broadway, Gilda, la Dame de Shanghai, l'Enfer des Tropiques, la Blonde ou la Rousse, Ceux de Cordura, Du sang en 1re page, Opération opium, la Route de Salina, la Colère de Dieu (1972).

Hepburn (Audrey) (Edda Van Heemstra Hepburn-Ruston) (Belgique, 1929-93) : Vacances romaines (1953), Sabrina (1954), Guerre et Paix, Ariane, Drôle de frimousse, Vertes Demeures, Au risque de se perdre, le Vent de la plaine, Diamants sur canapé, Charade, My Fair Lady (1964), Voyage à deux, Seule dans la nuit (1967), la Rose et la Flèche (1976), Liés par le sang, Et tout le monde riait (1981), Always (1989).

Hepburn (Katharine) (1909) : Little Women, Marie Stuart, l'Impossible M. Bébé, Vacances, Indiscrétion, les Fils du dragon, African Queen, Vacances à Venise, Soudain l'été dernier, Devine qui vient dîner, le Lion en hiver, la Folle de Chaillot, Une bible et un fusil, la Maison du lac, Grace Quigley.

Heston (Charlton) (1924) : Sous le plus grand chapiteau du monde, la Furie du désir, Quand la Marabunta gronde, les Dix Commandements, les Grands Espaces, la Soif du mal, les Boucaniers, Ben Hur, le Cid, les 55 Jours de Pékin, Major Dundee, Khartoum, Soleil vert, Tremblement de terre, la Bataille de Midway, la Fureur sauvage, la Fièvre de l'or, la Malédiction de la vallée des Rois.

Hoffman (Dustin) (1937) : le Lauréat, Macadam cow-boy, John et Mary, Little Big Man, les Chiens de paille, Papillon, les Hommes du président, Marathon Man, Kramer contre Kramer, Tootsie, Ishtar, Rain Man, Family Business, Dick Tracy, Billy Bathgate, Hook, Bernie Laplante, Héros malgré lui.

Holden (William) (William Franklin Beedle) (1918-81) : l'Esclave aux mains d'or, Boulevard du crépuscule, Comment l'esprit vient aux femmes, les Amants de l'enfer, Boots Malone, le Cran d'arrêt, Stalag 17, La lune était bleue, Fort Bravo, la Tour des ambitieux, Sabrina, Picnic, le Pont de la rivière Kwaï, les Cavaliers, la Horde sauvage, Network, Fedora.

Hudson (Rock) (Roy Scherer-Fitzgerald) (1925-85) : Winchester 73, le Secret magnifique, Tout ce que le ciel permet, Géant, Écrit sur du vent, la Ronde de l'aube, Confidences sur l'oreiller.

Jones (Jennifer) (Phyllis Isley) (1919) : le Chant de Bernadette, Duel au soleil, les Insurgés, Madame Bovary, la Furie du désir, Plus fort que le diable, la Colline de l'adieu, l'Adieu aux armes, Tendre est la nuit, la Tour infernale.

Karloff (Boris) (William Henry Pratt) (1887-1969) : Frankenstein (1931), Scarface, la Momie, Une étrange soirée, le Masque d'or, le Chat noir, le Corbeau, la Fiancée de Frankenstein, le Rayon invisible, le Mort qui marche, le Fils de Frankenstein, la Tour de Londres, Des filles disparaissent, les Conquérants d'un nouveau monde, le Château de la Terreur, la Cible (1969).

Kaye (Danny) (David Daniel Kaminsky) (1913-87) : le Joyeux Phénomène (1945), la Vie secrète de Walter Mitty, Vive monsieur le maire !, Hans Christian Andersen et la danseuse, le Fou du cirque, la Doublure du général.

Kelly (Gene) (1912) : Parade aux étoiles (1944), Cover-girl, Escale à Hollywood, Ziegfeld Follies, le Pirate, les 3 Mousquetaires, Un jour à New York, Un Américain à Paris, Chantons sous la pluie, Brigadoon, Beau fixe sur New York, Invitation à la danse, les Girls, les Demoiselles de Rochefort, Hello Dolly, le Casse-cou, Xanadu, That's Dancing.

Lamour (Dorothy) (Kaumeyer) (1914) : Hula fille de la brousse (1937), le Dernier Train de Madrid, la Furie de l'or noir, Hurricane, Toura déesse de la jungle, les Gars du large, Chirurgiens, Johnny Apollo, En route vers Singapour, Aloma princesse des îles, Loona la sauvageonne, la Brune de mes rêves, Sous le plus grand chapiteau du monde, la Taverne de l'Irlandais.

Lancaster (Burt) (1913) : les Tueurs, les Démons de la liberté, Tant qu'il y aura des hommes, Reviens petite Sheba, Bronco-Apache, Règlement de comptes à OK Corral, Vera Cruz, le Vent de la plaine, Elmer Gantry, le Guépard, les Professionnels, Fureur apache, Violence et Passion, 1900, Buffalo Bill et les Indiens, Atlantic City, la Peau, Local Hero, Osterman Week-End, Coup double.

Laurel (Stan) (Arthur Stanley Jefferson) (1890-1965) et **Hardy** (Oliver) (1892-1957) : Fra Diavolo (1933), les Compagnons de la nouba, les Sans-soucis, la Bohémienne, Laurel et Hardy au Far West, les Montagnards sont là, Têtes de pioche, Laurel et Hardy conscrits, les As d'Oxford, Atoll K.

Lewis (Jerry) (1926) : voir p. 469.

Lloyd (Harold) (1893-1971) : *Marin malgré lui, Monte là-dessus, Une riche famille, Vive le sport !* Quel phénomène, A la hauteur, Silence on tourne, Patte de chat, Soupe au lait, Oh ! quel mercredi !

Lombard (Carole) (Jane Alice Peters) (1908-42) : Boléro, Train de luxe, la Joyeuse Suicidée, My Man Godfrey, la Folle Confession, la Peur du scandale, le Lien sacré, l'Autre, Mr and Mrs Smith, To Be or Not to Be.

Loy (Mirna) (Katerina Myrna Williams) (1905) : Transatlantic, Arrowsmith, Aimez-moi ce soir, le Masque d'or, Vol de nuit, l'Introuvable, le Grand Ziegfeld, Une fine mouche, Nick gentleman-détective, Pilote d'essai, Un envoyé très spécial, la Mousson, les Plus Belles Années de notre vie, le Poney rouge, Du haut de la terrasse, 747 en péril.

Mac Donald (Jeanette) (1907-65) : Parade d'amour, le Vagabond roi, Monte-Carlo, Aimez-moi ce soir, Une heure près de vous, la Veuve joyeuse, Rose-Marie, San Francisco, le Chant du printemps, l'Espionne de Castille, la Belle Cabaretière, Emporte mon cœur, l'Ile des amours.

Mac Laine (Shirley) (Beatty) (1934) : Mais qui a tué Harry ?, Artistes et modèles, le Tour du monde en 80 jours, la Vallée de la poudre, Comme un torrent, la Garçonnière, Irma la douce, Sierra torride, l'Amour à quatre mains, le Tournant de la vie, Bienvenue Mister Chance, Changement de saisons, Tendres Passions, Madame Sousatszka, Potins de femmes, Bons Baisers d'Hollywood.

Mc Queen (Steve) (1930-80) : les Sept Mercenaires, la Grande Évasion, Une certaine rencontre, le Sillage de la violence, Nevada Smith, l'Affaire Thomas Crown, Bullitt, Le Mans, Guet-apens, Papillon, la Tour infernale, Tom Horn, le Chasseur.

Marvin (Lee) (1924-87) : Cat Ballou, Duel dans le Pacifique, A bout portant, l'Homme qui tua Liberty Valance, l'Équipée sauvage, Canicule, Gorky Park, Delta Force (1986).

Marx Brothers [Chico (Leonard) 1891-1961, Harpo (Adolphe puis Arthur) 1893-1964, Groucho (Julius) 1895-1977, Zeppo (Herbert) 1901-79] : *Noix de coco,* Animal Crackers, Monnaie de singe, Plumes de cheval, la Soupe au canard, Une nuit à l'opéra, Un jour aux courses, Un jour au cirque, Panique à l'hôtel, Chercheurs d'or, les Marx au grand magasin, Une nuit à Casablanca, la Pêche au trésor.

Menjou (Adolphe) (1890-1963) : *les Trois Mousquetaires (1921), l'Opinion publique, Comédiennes, Paradis défendu, Mon homme, la Grande-Duchesse et le garçon d'étage, Un homme en habit, Monsieur Albert, Sérénade, le Figurant de la gaieté,* Mon gosse de père (France, 1930), Cœurs brûlés, The Front Page, l'Adieu aux armes, la Folle Semaine, Soupe au lait, Une étoile est née (1937), Pension d'artistes, Monsieur Tout-le-monde, l'Enjeu, Au-delà du Missouri, l'Homme à l'affût, les Sentiers de la gloire.

Mitchum (Robert) (1917) : Lame de fond, Macao, Crossfire, les Indomptables, Rivière sans retour, Bandido caballero, la Nuit du chasseur, l'Aventurier du Rio Grande, Celui par qui le scandale arrive, Eldorado, la Route de l'Ouest, Pancho Villa, Cinq cartes à abattre, Cérémonie secrète, la Colère de Dieu, Yakuza, le Dernier Nabab, Maria's Lovers, les Ambassadeurs, Mr. North, Présumé dangereux.

Monroe (Marilyn) (Norma Jean Baker Mortenson) (1-6-1926-suicide 4/5-8-1962) : Quand la ville dort, Niagara, Les hommes préfèrent les blondes, Rivière sans retour, Sept Ans de réflexion, Bus Stop, Certains l'aiment chaud, le Milliardaire, les Misfits.

Nazimova (Alla) (Nazimoff) (1879-1945) : *Révélation, l'Occident, Hors de la brume, la Lanterne rouge, la Fin d'un roman, la Danseuse étoile, Maison de poupée, Salomé, la Dame aux camélias, l'Heure du danger,* Arènes sanglantes, Depuis ton départ.

Negri (Pola) (Barbara Apolina Chapulec) (1901-87) : *Carmen (1919), Madame du Barry, Sumurun, le Paradis défendu, Mon homme, A l'ombre des pagodes, Hôtel impérial, Confession, la Méprise,* Fanatisme, Mazurka, Moscou-Shanghai, Madame Bovary, la Nuit décisive.

Newman (Paul) (1925) : le Gaucher, la Chatte sur un toit brûlant, la Brune brûlante, Exodus, l'Arnaqueur, le Rideau déchiré, Butch Cassidy et le Kid, Juge et Hors-la-loi, l'Arnaque, la Tour infernale, Buffalo Bill et les Indiens, Quintet, le Policeman, Absence de malice, l'Affrontement (+ réal.), la Couleur de l'argent, Blaze, Mr. and Mrs. Bridges.

Nicholson (Jack) (1937) : l'Ouragan de la vengeance, The Shooting, Easy Rider, Melinda, 5 Pièces faciles, Vas-y, fonce (+ réalisation), la Dernière Corvée, Chinatown, Profession reporter, Vol au-dessus d'un nid de coucou, le Dernier Nabab, The Shining, Le facteur sonne toujours deux fois, Police frontière, Reds, l'Honneur des Prizzi, la Brûlure, les Sorcières d'Eastwick, Ironweed, Batman, The Two Jakes, Des hommes d'honneur.

Novak (Kim) (Marilyn Novak) (1933) : Du plomb pour l'inspecteur, Picnic, l'Homme au bras d'or, Un seul amour, la Blonde ou la Rousse, Sueurs froides, l'Adorable Voisine, Liaisons secrètes, le Démon des femmes, Embrasse-moi idiot, le Triangle du diable.

Pacino (Al) (1940) : Panique à Needle Park, le Parrain (I, II, III), l'Épouvantail, Serpico, Un après-midi de chien, Bobby Deerfield, Scarface (2e vers.), Révolution, Mélodie pour un meurtre, Dick Tracy, Frankie et Johnny, Glengarry (1992).

Palance (Jack) (1919) (Vladimir Palanuik) : Panique dans la rue, l'Homme des vallées perdues, le Grand Couteau, la Peur au ventre, Attaque, Austerlitz, les Mongols, le Mépris, les Professionnels, Monte Walsh, les Cavaliers, Bagdad Café, Batman.

Peck (Gregory) (1916) : les Clés du royaume, Duel au soleil, le Monde lui appartient, les Neiges du Kilimandjaro, Vacances romaines, Moby Dick, Bravados, la Femme modèle, les Canons de Navarone, l'Homme sauvage, la Malédiction, MacArthur le général rebelle, les Loups de haute mer, Ces garçons qui venaient du Brésil, Old Gringo.

Perkins (Anthony) (1933-92) : Prisonnier de la peur, Barrage contre le Pacifique, Du sang dans le désert, Psychose, Aimez-vous Brahms ?, Phædra, le Procès, le Glaive et la Balance, le Scandale, la Décade prodigieuse, le Crime de l'Orient-Express, Psychose II, les Jours et les Nuits de China Blue, Psychose III (+ réal.), Dr. Jekyll et Mr. Hyde.

Pickford (Mary) (Gladys Smith) (1893-1979) : *la Villa solitaire (1909), le Luthier de Crémone, Un bon petit diable, Molly, Cendrillon, Petite Princesse, Fille d'Écosse, Une pauvre petite fille riche, Papa longues jambes, Pollyanna, le Petit Lord Fauntleroy, Tess au pays des haines, Rosita, Dorothy Vernon,* la Mégère apprivoisée, Kiki, Secrets.

Pitts (Zasu) (1900-63) : *Maris aveugles, la Rançon, le Diable par la queue, les Rapaces, la Symphonie nuptiale, Mariage de prince,* Hello Sister, Monte-Carlo, Solitude, Dames, l'Extravagant Mr Ruggles, Cette nuit ou jamais, Un monde fou, fou, fou, fou.

Power (Tyrone) (1914-58) : Dortoir de jeunes filles, l'Amour en première page, l'Incendie de Chicago, Marie-Antoinette, Suez, la Folle Parade, le Brigand bien-aimé, la Mousson, Johnny Apollo, le Signe de Zorro, Arènes sanglantes, le Cygne noir, le Fil du rasoir, Capitaine de Castille, Tant que soufflera la tempête, Le soleil se lève aussi, Témoin à charge.

Quinn (Anthony) (1915) : Viva Zapata, la Strada, N.-D. de Paris, la Vie passionnée de Vincent Van Gogh, les Boucaniers, Barabbas, les Canons de Navarone, Lawrence d'Arabie, Zorba le Grec, la Bataille de St-Sébastien, Marseille Contrat, le Message.

Redford (Robert) (1937) : Propriété interdite, Willie Boy, Butch Cassidy et le Kid, Jeremiah Johnson, Votez Mac Kay, Nos plus belles années, l'Arnaque, Gatsby le Magnifique, les 3 Jours du Condor, les Hommes du président, le Cavalier électrique, Brubaker, Des gens comme les autres (réal. seulement), le Meilleur, Out of Africa, l'Affaire Chelsea Deardon, Milagro (réal. seulement), Havana, Et au milieu coule une rivière (réal. seulement), les Experts.

Robinson (Edward G.) (Emmanuel Goldenberg) (Bucarest, 1893-1973) : le Petit César, Toute la ville en parle, le Mystérieux Dr Clitterhouse, Assurance sur la mort, la Femme au portrait, le Criminel, Key Largo, les Dix Commandements, Un trou dans la tête, Soleil vert.

Rogers (Ginger) (Virginia McNath) (1911) : Chercheuses d'or (1933), 42e Rue, la Joyeuse Divorcée, Roberta, le Danseur du dessus, Swing Time, Top Hat, l'Entreprenant M. Petrov, Pension d'artistes, Mariage incognito, Amanda, Mademoiselle et son bébé, la Grande Farandole, Kitty Foyle, Uniformes et jupon court, Lune de miel mouvementée, Entrons dans la danse (1949), Chérie, je me sens rajeunir, la Veuve noire (1954).

Schwarzenegger (Arnold) (1947) : Arnold le Magnifique, Conan le Barbare, Terminator, Running Man, Total Recall, Terminator 2 : le Jugement dernier.

Sinatra (Frank) (1915) : Un jour à New York, Tant qu'il y aura des hommes, l'Homme au bras d'or, Johnny Concho, la Blonde ou la Rousse, Comme un torrent, Un trou dans la tête, Un crime dans la tête, Tony Rome est dangereux, le Détective.

Stallone (Sylvester) (1946) : Rocky, l'Œil du tigre, Rambo, Tango et Cash, Haute Sécurité, Cliffhanger.

Stanwyck (Barbara) (Ruby Stevens) (1907-90) : Liliane, la Femme en rouge, la Gloire du cirque, Saint Louis Blues, Révolte à Dublin, Stella Dallas, Miss Manson est folle, Pacific Express, Lady Eve, l'Homme de la rue, Boule de feu, l'Étrangleur, Obsessions, Assurance sur la mort, l'Emprise du crime, Raccrochez, c'est une erreur, les Furies, Le démon s'éveille la nuit, la Tour des ambitieux, la Reine de la prairie, Quarante Fusils.

Stewart (James) (1908) : Vous ne l'emporterez pas avec vous, Monsieur Smith au Sénat, La vie est belle, la Corde, l'Appât, l'Homme de la plaine, Fenêtre sur cour, Sueurs froides, Autopsie d'un meurtre, les Deux Cavaliers, l'Homme qui tua Liberty Valance, Bandolero, Attaque au Cheyenne Club, le Dernier des géants.

Streep (Meryl) (1949) : Julia, Voyage au bout de l'enfer, Manhattan, Kramer contre Kramer, la Maîtresse du lieutenant français, le Choix de Sophie, Silkwood, Plenty, Out of Africa, Heartburn, Falling in Love, Ironweed, Un cri dans la nuit, Bons Baisers d'Hollywood, La mort vous va si bien.

Streisand (Barbra) (1942) : Funny Girl, Hello Dolly, Melinda, la Chouette et le Pussycat, Nos plus belles années, Funny Lady, Une étoile est née (3e version), Main Event, Yentl, le Prince des marées.

Swanson (Gloria) (1899-1983) : *Après la pluie, le beau temps (1919), l'Admirable Chrichton, l'Échange, le Cœur nous trompe, Zaza, Madame Sans-Gêne, Faiblesse humaine, l'Intruse, Queen Kelly,* Boulevard du Crépuscule (1950), 747 en péril.

Taylor (Elizabeth) (Londres, 1932) : le Père de la mariée, Une place au soleil, Ivanhoé, la Chatte sur un toit brûlant, Soudain l'été dernier, Vénus au vison, Cléopâtre, le Chevalier des sables, la Mégère apprivoisée, Qui a peur de Virginia Woolf ?, Reflets dans un œil d'or, Boom, Cérémonie secrète, les Noces de cendre, l'Oiseau bleu, Le miroir se brisa, Toscanini.

Taylor (Robert) (Spangler Arlington Brough) (1911-69) : le Secret magnifique (1935), la Petite Provinciale, le Roman de Marguerite Gautier, Valet de cœur, Vivent les étudiants !, Trois Camarades, la Valse dans l'ombre, Bataan, Lame de fond, Embuscade, la Porte du diable, Quo vadis ?, Convoi de femmes, Ivanhoé, Quentin Durward, la Dernière Chasse, le Trésor du pendu, Libre comme le vent, Traquenard, les Ranchers du Wyoming (1963), le Téléphone rouge.

Tierney (Gene, 1920-91) : la Route au tabac, Shanghai, le Ciel peut attendre, Laura, l'Aventure de Mme Muir, les Forbans de la nuit.

Tracy (Spencer) (1900-67) : Ceux de la zone, Furie, Capitaines courageux, Des hommes sont nés, le Grand Passage, Dr. Jekyll and Mr. Hyde, Tortilla Flat, 30 secondes sur Tōkyō, l'Enjeu, le Père de la mariée, Un homme est passé, Jugement à Nuremberg, Devine qui vient dîner.

Valentino (Rudolph) (Rodolfo Guglielmi) (1895-1926) : *les Quatre Cavaliers de l'Apocalypse (1920), la Dame aux camélias, Eugénie Grandet, le Cheik, Arènes sanglantes (1922), le Droit d'aimer, Cobra, l'Hacienda rouge, Monsieur Beaucaire (1924), l'Aigle noir, le Fils du Cheik (1926).*

Wayne (John) (Marion Michael Morrisson) (1907-79) : la Chevauchée fantastique, le Massacre de Fort-Apache, l'Homme tranquille, la Prisonnière du désert, la Cité disparue, Rio Bravo, les Cavaliers, Alamo, le Grand Sam, Hatari, l'Homme qui tua Liberty Valance, Eldorado, les Bérets verts, Rio Lobo, les Cow-boys, Une bible et un fusil, le Dernier des géants.

West (Mae) (Cohen) (1892-1980) : Lady Lou (1933), Je ne suis pas un ange, Ce n'est pas un péché, Klondyke Annie, Je veux être une lady, Fifi peau-de-pêche, Mon Petit Poussin chéri, Myra Breckinridge, Sextette.

White (Pearl) (1889-1938) : *le Foulard rouge (1911), les Exploits d'Élaine, les Mystères de New York, le Masque aux dents blanches, la Fille du fauve, Rédemptrice, Amour de sauvage, Pillage, Terreur.*

Widmark (Richard) (1914) : le Carrefour de la mort, Panique dans la rue, Coup de fouet en retour, Sainte Jeanne, l'Homme aux colts d'or, Alamo, les Deux Cavaliers, le Dernier Passage, les Cheyennes, Alvarez Kelly, la Route de l'Ouest, la Guerre des bootleggers, le Crime de l'Orient-Express, Contre toute attente, Blackout, Colère en Louisiane.

FRANCE

Adjani (Isabelle) (1955) : la Gifle, l'Histoire d'Adèle H., Barocco, les Sœurs Brontë, Nosferatu fantôme de la nuit, Possession, Tout feu tout flamme, Quartet, Mortelle Randonnée, Antonieta, l'Été meurtrier, Subway, Ishtar, Camille Claudel.

Aimée (Anouk) (Nicole, Françoise Dreyfus) (1932) : les Amants de Vérone, le Rideau cramoisi, les Mauvaises Rencontres, Montparnasse 19, la Dolce Vita, Lola, Sodome et Gomorrhe, Huit et demi, Un homme et une femme, Justine, Si c'était à refaire, Mon Premier Amour, la Tragédie d'un homme ridicule, le Succès à tout prix, Partir revenir (1985), Un homme et une femme, 20 ans après.

Annabella (Suzanne Charpentier) (1909) : *Napoléon, Maldonne,* Deux fois vingt ans, Un soir de rafle, le Million, Paris-Méditerranée, Marie, légende hongroise, Quatorze Juillet, la Bataille, l'Équipage, la Bandera, Anne-Marie, Hôtel du Nord, la Baronne et son valet (USA), Suez, 13, rue Madeleine (USA), l'Homme qui revient de loin.

Ardant (Fanny) (1949) : la Femme d'à côté, La vie est un roman, Vivement dimanche, Conseil de famille, Mélo, le Paltoquet, Australia, Aventure de Catherine C., Rien que des mensonges.

Arletty (Léonie Bathiat) (1898-1992) : Désiré, Hôtel du Nord, Le jour se lève, Fric-frac, Mme Sans-Gêne, les Visiteurs du soir, les Enfants du paradis, l'Air de Paris, Maxime, Voyage à Biarritz, Tempo di Roma (1963).

Auteuil (Daniel) (1950) : les Sous-Doués, la Banquière, Les hommes préfèrent les grosses, Pour 100 briques t'as plus rien, Jean de Florette, Manon des Sources, le Paltoquet, Lacenaire, Ma vie est un enfer, Un cœur en hiver, Ma saison préférée.

Azéma (Sabine) (1952) : On aura tout vu, La vie est un roman, Un dimanche à la campagne, l'Amour à mort, Mélo, la Vie et rien d'autre, Vanille-Fraise.

Bardot (Brigitte) (1934) : Futures Vedettes (1955), Cette sacrée gamine, En effeuillant la marguerite (1956), Et Dieu créa la femme (1956), En cas de malheur, Babette s'en va-t-en guerre, la Vérité, Vie privée, le Repos du guerrier, le Mépris, Viva Maria (1965), Shalako, l'Ours et la Poupée, Boulevard du Rhum (1971), les Pétroleuses, Don Juan 73.

Barrault (Jean-Louis) (1910) : Sous les yeux d'Occident (1936), Jenny, Mademoiselle Docteur, Un grand amour de Beethoven, Drôle de drame, la Symphonie fantastique, le Destin fabuleux de Désirée Clary, les Enfants du paradis, D'homme à homme, la Ronde, le Dialogue des Carmélites, le Testament du Dr Cordelier, la Nuit de Varennes (1981).

Baur (Harry) (1881-1943) : *Shylock (1912), l'Ame du bronze,* David Golder, les Cinq Gentlemen maudits, Poil de Carotte, les Misérables, Golgotha, Crime et Châtiment, Tarass Boulba, Un grand amour de Beethoven, les Hommes nouveaux, Un carnet de bal, l'Homme du Niger, Volpone (1940), l'Assassinat du père Noël, Symphonie d'une vie (1942).

Baye (Nathalie) (1951) : la Nuit américaine, l'Homme qui aimait les femmes, la Chambre verte, Une semaine de vacances, la Provinciale, Beau-Père, le Retour de Martin Guerre, la Balance, Notre Histoire, Rive droite-rive gauche, Détective, le Neveu de Beethoven, Lune de miel, De guerre lasse, En toute innocence, La Baule-les-Pins, Un week-end sur deux, la Voix.

Belmondo (Jean-Paul) (1933) : A double tour, A bout de souffle, Classe tous risques, la Ciociara, la Viaccia, Léon Morin prêtre, Cartouche, le Doulos, l'Homme de Rio, Week-End à Zuydcoote, Pierrot le fou, le Voleur, la Sirène du Mississippi, le Cerveau, Un homme qui me plaît, Borsalino, les Mariés de l'an II, le Casse, l'Héritier, la Scoumoune, le Magnifique, Stavisky, Peur sur la ville, l'Incorrigible, l'Alpagueur, l'Animal, Flic ou Voyou, le Guignolo, l'As des as, le Marginal, Hold-up, le Solitaire, Itinéraire d'un enfant gâté, l'Inconnu dans la maison.

Berry (Jules) (Paufichet) (1883-1951) : *l'Argent (1928),* le Crime de M. Lange, Baccara, le Mort en fuite, Aventure à Paris, Café de Paris, Derrière la façade, Le jour se lève, les Visiteurs du soir, le Voyageur de la Toussaint, Marie-Martine, l'Homme de Londres, Portrait d'un assassin (1949).

Blanc (Michel) (1952) : les Bronzés, Les bronzés font du ski, Viens chez moi, j'habite chez une copine, Marche à l'ombre, Tenue de soirée, Monsieur Hire, Uranus, Merci la vie.

Blanchar (Pierre) (1896-1963) : *Jocelyn (1921), Geneviève, le Tombeau sous l'Arc de triomphe, le Joueur d'échecs, le Capitaine Fracasse,* En 1812, l'Atlantide, les Croix de bois, Au bout du monde, Turandot, Crime et Châtiment, l'Homme de nulle part, la Dame de pique, Un carnet de bal, le Joueur, l'Étrange M. Victor, Pontcarral, Un seul amour (+ réalis.), le Bossu, la Symphonie pastorale, Docteur Laennec, le Monocle noir (1961).

Blier (Bernard) (1916-89) : Hôtel du Nord (1938), Quai des Orfèvres, Dédée d'Anvers, l'École buissonnière, Manèges, les Misérables, Arrêtez les tambours, les Barbouzes, l'Étranger, le Distrait, les Chinois à Paris, Ce Cher Victor, Calmos, Nuit d'or, Série noire, Buffet froid, Eugenio, Twist again à Moscou, Je hais les acteurs, Mangeclous.

Bonnaire (Sandrine) (1967) : A nos amours (1983), Tir à vue, Blanche et Marie, Police, Sans toit ni loi, Sous le soleil de Satan, les Innocents, la Puritaine, Quelques jours avec moi, la Captive du désert, le Ciel de Paris (1992).

Bouquet (Michel) (1925) : les Amitiés particulières (1964), La mariée était en noir, la Femme infidèle, Un condé, la Rupture, l'Attentat, la Main à couper, le Jouet, les Misérables, Poulet au vinaigre, Toto le héros (1991).

Bourvil (André Raimbourg) (1917-70) : les 3 Mousquetaires, Cadet-Rousselle, les Hussards, la Traversée de Paris, les Misérables, la Jument verte, le Capitan, Fortunat, le Corniaud, la Grande Vadrouille, les Cracks, le Cerveau, le Cercle rouge.

Boyer (Charles) (1897-1978, nat. amér.) : *l'Homme du large (1920), le Capitaine Fracasse,* le Procès de Mary Dugan, Big House, Tumultes, IF1 ne répond plus, l'Épervier, le Bonheur, la Bataille, Liliom, Mayerling, le Jardin d'Allah, Marie Walewska, Elle et Lui, Veillée d'amour, l'Étrangère, Back Street (2e version), Obsession, Hantise, Arc de triomphe, la Première Légion, Madame de..., Nana, Une Parisienne, Maxime, les 4 Cavaliers de l'Apocalypse, Stavisky (1974).

Brasseur (Claude) (Espinasse) (1936) : Rue des Prairies, le Caporal épinglé, Germinal, Peau de banane, Bande à part, les Seins de glace, Un éléphant ça trompe énormément, Nous irons tous au paradis, l'État sauvage, l'Argent des autres, Une histoire simple, Au revoir à lundi, la Banquière, la Boum, l'Ombre rouge, Guy de Maupassant, Légitime Violence, la Boum 2, la Crime, Palace, Détective, Souvenirs souvenirs, Taxi Boy, l'Orchestre rouge, Descente aux enfers, Dandin, Dancing Machine, le Bal des casse-pieds, le Souper.

Brasseur (Pierre) (Espinasse) (1905-72) : Quai des Brumes, Lumière d'été, les Enfants du paradis, les Amants de Vérone, la Tour de Nesle, Porte des Lilas, la Loi, les Yeux sans visage, les Bonnes Causes, la Vie de château.

Brialy (Jean-Claude) (Alg., 1933) : le Beau Serge, les Cousins, Une femme est une femme, Les lions sont lâchés, Éducation sentimentale, le Glaive et la Balance, Château en Suède, La mariée était en noir, le Bal du comte d'Orgel, le Genou de Claire, le Juge et l'Assassin, les Œufs brouillés, Barocco, l'Imprécateur, l'Œil du maître, la Nuit de Varennes, Sarah, Édith et Marcel, Un bon petit diable (réal.), Inspecteur Lavardin, le Quatrième Pouvoir, l'Effrontée, le Débutant, les Innocents, S'en fout la mort.

Carmet Jean (1921) : la Victoire en chantant, le Beaujolais nouveau est arrivé, Violette Nozière, Buffet froid, le Faussaire, la Soupe aux choux, Papy fait de la Résistance, Mon beau-frère a tué ma sœur, Miss Mona, Mangeclous, la Vouivre, Merci la vie, Germinal.

Carol (Martine) (Marie-Louise Mourer) (1922-67) : Voyage surprise, les Amants de Vérone, Caroline chérie, Belles de nuit, Lucrèce Borgia, Madame du Barry, Lola Montès, Nathalie, Le cave se rebiffe.

Casarès (Maria) (Maria C. Quiroga) (Esp., 1922) : les Enfants du paradis, les Dames du bois de Boulogne, la Chartreuse de Parme, Orphée, le Testament d'Orphée, la Lectrice (1988).

Cassel (Jean-Pierre) (Crochon) (1932) : les Jeux de l'amour, le Farceur, Candide, le Caporal épinglé, Cyrano et d'Artagnan, Jeu de massacre, l'Armée des ombres, la Rupture, les 3 Mousquetaires, le Mouton enragé, Dr Françoise Gailland, le Soleil en face, la Truite, Mangeclous.

Coluche (Michel) (Colucci) (1944-86) : l'Aile ou la Cuisse (1976), Inspecteur la bavure, la Femme de mon pote, Tchao Pantin (1983), la Vengeance du serpent à plumes (1984).

Constantine (Eddie) (Édouard Constantinowsky) (USA, 1917-93) : la Môme Vert-de-gris, Les femmes s'en balancent, les Truands, Me faire ça à moi, Lucky Jo, Alphaville, A tout casser, Malatesta, Flight to Berlin.

Dalle (Béatrice) (1963) : 37°2 le matin (1986), les Bois noirs, la Vengeance d'une femme, la Belle Histoire, la Fille de l'air.

Darc (Mireille) (Aigroz) (1938) : les Barbouzes, Galia, Week-end, Fantasia chez les ploucs, Il était une fois un flic, le Grand Blond avec une chaussure noire, la Valise, les Seins de glace, le Retour du grand blond, le Téléphone rose, Mort d'un pourri, la Barbare (réal. seulement).

Darrieux (Danielle) (1917) : Mayerling (1936), Premier Rendez-vous, la Ronde, Madame de..., le Rouge et le Noir, l'Amant de Lady Chatterley, Pot-Bouille, les Yeux de l'amour, Landru, les Demoiselles de Rochefort, Divine, l'Année sainte, le Cavaleur, Une chambre en ville, En haut des marches, le Lieu du crime, le Jour des Rois (1991).

Delon (Alain) (1935) : Christine (1958), Faibles Femmes, Plein Soleil, Rocco et ses frères, l'Éclipse, le Guépard, l'Insoumis, les Centurions, le Samouraï, Adieu l'ami, la Piscine, le Clan des Siciliens, Borsalino, le Cercle rouge, la Veuve Couderc, l'Assassinat de Trotsky, les Seins de glace, Borsalino and Co, Zorro, Flic Story, le Gitan, Monsieur Klein, le Gang, Armaguedon, Mort d'un pourri, Attention les enfants regardent, Airport 80, Concorde, le Toubib, Trois Hommes à abattre, Pour la peau d'un flic (+ réal.), le Choc, le Battant (+ réal.), Un amour de Swann, Notre Histoire, Parole de flic, le Passage, Ne réveillez pas un flic qui dort, Nouvelle Vague, Dancing Machine, le Retour de Casanova (1992).

Delorme (Danièle, Mme Yves Robert) (Danièle Girard) (1926) : Gigi (1948), l'Ingénue libertine, la Jeune Folle, le Guérisseur, Dossier noir, le Temps des assassins, Mitsou, les Misérables, le 7e Juré, Marie Soleil, le Voyou, Un éléphant ça trompe énormément, Nous irons tous au paradis, la Cote d'amour, les Eaux dormantes (1992).

Demazis (Orane Burgard) (1904/25-12-91) : Marius, Fanny, César, Regain.

Deneuve (Catherine) (Dorléac) (1943) : les Parapluies de Cherbourg (voix : Danièle Licari), Répulsion, la Vie de château, les Demoiselles de Rochefort (voix : Anne Germain), Benjamin, Belle de jour, la Chamade, la Sirène du Mississippi, Tristana, Peau d'âne, Liza, l'Agression, le Sauvage, Si c'était à refaire, Ames perdues, Il était une fois la Légion, l'Argent des autres, Écoute voir, A nous deux, Ils sont grands ces petits, Courage fuyons, le Dernier Métro, le Choix des armes, Hôtel des Amériques, le Choc, l'Africain, les Prédateurs, le Bon Plaisir, Fort Saganne, Paroles et musique, le Lieu du crime, Agent trouble, Fréquence meurtre, Drôle d'endroit pour une rencontre, la Reine blanche, Indochine (1992), Ma saison préférée.

Depardieu (Gérard) (1948) : l'Affaire Dominici, Deux hommes dans la ville, les Valseuses, Stavisky, Vincent, François, Paul et les autres, 1900, 7 Morts sur ordonnance, Barocco, Dites-lui que je l'aime, Préparez vos mouchoirs, Rêve de singe, le Sucre, les Chiens, Buffet froid, Mon Oncle d'Amérique, Loulou, le Dernier Métro, le Choix des armes, la Femme d'à côté, la Chèvre, le Retour de Martin Guerre, Danton, la Lune dans le caniveau, les Compères, Fort Saganne, Police, Jean de Florette, Tenue de soirée, les Fugitifs, Sous le soleil de Satan, Drôle d'endroit pour une rencontre, Camille Claudel, Deux, Trop belle pour toi, I Want to Go Home, Cyrano de Bergerac, Green Card, Merci la vie, Tous les matins du monde, 1492 Christophe Colomb (1992), Germinal (1993).

Dewaere (Patrick) (Maurin) (1947-82) : les Mariés de l'an II, les Valseuses, Lily aime-moi, Adieu poulet, la Meilleure Façon de marcher, F comme Fairbanks, le Juge Fayard dit le Shérif, Préparez vos mouchoirs, la Clé sur la porte, Série noire, Coup de tête, Un mauvais fils, Plein Sud, Beau-Père, Hôtel des Amériques, Mille Milliards de dollars, Paradis pour tous.

Fabian (Françoise) (Michèle Cortes de León y Fabianera) (1932) : les Fanatiques, Belle de jour, le Voleur, Ma nuit chez Maud, Un condé, Raphaël ou le Débauché, la Bonne Année, Projection privée, les Fougères bleues, Par les escaliers anciens, Madame Claude, Benvenuta, Partir revenir, Faubourg Saint-Martin, Trois places pour le 26.

Fernandel (Fernand Contandin) (1903-71) : Angèle (1934), Regain, François Ier, la Fille du puisatier, l'Auberge rouge, le Petit Monde de don Camillo, Ali-Baba, Don Juan, la Vache et le prisonnier, Crésus, l'Age ingrat, la Bourse et la vie, Heureux qui comme Ulysse... (1970).

Feuillère (Edwige) (Caroline Cunati) (1907) : Lucrèce Borgia, De Mayerling à Sarajevo, Sans lendemain, Mam'zelle Bonaparte, la Duchesse de Langeais, l'Honorable Catherine, l'Aigle à deux têtes, le Blé en herbe, En cas de malheur, la Chair de l'orchidée (1974).

Francis (Ève) (François) (1896-1980) : *Ames de fous, la Fête espagnole, le Silence, Fièvre, El Dorado, le Chemin d'Ernoa, Fumée noire, la Femme de nulle part, l'Inondation, Antoinette Sabrier (1927),* Forfaiture, Yamilé sous les cèdres, la Comédie du bonheur.

Fresnay (Pierre) (Laudenbach) (1897-1975) : Marius, Fanny, César, la Grande Illusion, les Trois Valses, L'assassin habite au 21, la Main du diable, le Corbeau, Monsieur Vincent, Dieu a besoin des hommes, le Défroqué, les Évadés, les Aristocrates, les Fanatiques.

Funès (Louis de) (de Galarza de F.) (1914-83) : les Hussards, Courte-tête, la Traversée de Paris, Ni vu ni connu, la Belle Américaine, le Gendarme de St-Tropez, le Corniaud, la Grande Vadrouille, les Grandes Vacances, Oscar, Hibernatus, la Folie des grandeurs, les Aventures de Rabbi Jacob, l'Aile ou la Cuisse, la Zizanie, l'Avare (+ réal.), la Soupe aux choux.

Gabin (Jean) (Moncorgé) (1904-76) : la Bandera, les Bas-fonds, Pépé le Moko, la Grande Illusion, Gueule d'amour, Quai des Brumes, la Bête humaine, Le jour se lève, Remorques, la Marie du port, Touchez pas au grisbi, French Cancan, la Traversée de Paris, les Misérables, le Tonnerre de Dieu, le Clan des Siciliens, le Chat, l'Affaire Dominici, Deux Hommes dans la ville, l'Année sainte.

Garcia (Nicole) (1948) : Que la fête commence (1975), la Question, le Cavaleur, Mon Oncle d'Amérique, Beau-Père, l'Honneur d'un capitaine, Péril en la demeure, 4e Pouvoir, Mort un dimanche de pluie, Ça n'arrive jamais, l'État de grâce, la Lumière du lac, Un week-end sur deux (réal. seulement), Outre-Mer (1990).

Gélin (Daniel) (1921) : Rendez-vous de juillet, la Ronde, Édouard et Caroline, les Dents longues, Rue de l'Estrapade, Napoléon, Mort en fraude, la Proie pour l'ombre, le Souffle au cœur, Guy de Maupassant, les Enfants, La vie est un long fleuve tranquille.

Girardot (Annie) (1931) : le Désert de Pigalle, Rocco et ses frères, la Proie pour l'ombre, les Camarades, Vivre pour vivre, Érotissimo, Mourir d'aimer, la Vieille Fille, Traitement de choc, la Gifle, le Gitan, Dr Françoise Gailland, D'amour et d'eau fraîche,

Tendre Poulet, la Zizanie, la Clé sur la porte, le Cavaleur, Fais-moi rêver, On a volé la cuisse de Jupiter, Une robe noire pour un tueur, la Revanche, Partir revenir, Prisonnières, Cinq Jours en juin, Comédie d'amour, Merci la vie.

Giraudeau (Bernard) (1947) : Deux hommes dans la ville, le Toubib, la Boum, Passion d'amour, Croque la vie, Rue barbare, les Spécialistes, Bras de fer, les Longs Manteaux, l'Homme voilé, Vent de panique, l'Autre (réal. seulement), Après l'amour (1992).

Guitry (Sacha) : voir Réalisateurs, p. 453.

Hanin (Roger Lévy) (1925) : le Sucre, le Coup de sirocco, le Grand Pardon, le Grand Carnaval, l'Étincelle, le Dernier Été à Tanger, la Rumba, l'Orchestre rouge.

Huppert (Isabelle) (1953) : Aloïse, Rosebud, la Dentellière, Les Indiens sont encore loin, Violette Nozière, les Sœurs Brontë, Sauve qui peut (la vie), Loulou, la Porte du paradis, la Dame aux camélias, les Ailes de la colombe, Coup de torchon, Eaux profondes, Passion, la Truite, Coup de foudre, Histoire de Piera, la Garce, Signé Charlotte, Sac de nœuds, Faux Témoin, Une affaire de femmes, la Vengeance d'une femme, Madame Bovary.

Jobert (Marlène) (1943) : Masculin-Féminin, Alexandre le bienheureux, l'Astragale, le Passager de la pluie, Dernier Domicile connu, les Mariés de l'an II, la Décade prodigieuse, Nous ne vieillirons pas ensemble, Pas si méchant que ça, le Bon et les Méchants, Julie pot de colle, l'Imprécateur, Va voir maman..., la Guerre des polices, Une sale affaire, l'Amour nu, Effraction, les Cavaliers de l'orage, Souvenirs souvenirs, les Cigognes n'en font qu'à leur tête.

Jouvet (Louis) (1887-1951) : la Kermesse héroïque, les Bas-Fonds, Drôle de drame, la Marseillaise, Hôtel du Nord, Volpone, Un revenant, Copie conforme, Quai des Orfèvres, Miquette et sa mère, Lady Paname, Knock, Une histoire d'amour.

Joyeux (Odette) (1917) : Lac aux dames (1934), Entrée des artistes, Altitude 3 200, le Mariage de Chiffon (1941), le Lit à colonnes, le Baron fantôme, Lettres d'amour, Douce, les Petites du quai aux Fleurs, Sylvie et le Fantôme, Pour une nuit d'amour, Orage d'été, la Ronde, Si Paris nous était conté.

Jugnot (Gérard) (1951) : les Valseuses, les Bronzés, les Bronzés font du ski, le père Noël est une ordure, Papy fait de la résistance, Une époque formidable (+ réal.), le Voyage à Rome (1992).

Karina (Anna) (Ann Karin Bayer) (Dan., 1940) : Une femme est une femme, Vivre sa vie, Alphaville, Pierrot le Fou, la Religieuse, Made in USA, l'Étranger, Lamiel, Justine, l'Alliance, Rendez-vous à Bray, Vivre ensemble, les Œufs brouillés, Pain et chocolat, Roulette chinoise, Cayenne Palace.

Lambert (Christophe) (1957) : Asphalte, Légitime violence, Greystoke la légende de Tarzan, Subway, Highlander, I Love You, le Sicilien, Un plan d'enfer, Highlander, le retour, Face-à-face.

Lanvin (Gérard) (1950) : Extérieur nuit (1980), Une semaine de vacances, le Choix des armes, Tir groupé, Marche à l'ombre, les Spécialistes, Moi vouloir toi, Saxo, Mes meilleurs copains, Il y a des jours... et des lunes, la Belle Histoire.

Leclerc (Ginette) (Geneviève Menut) (1912-92) : Prison sans barreaux, la Femme du boulanger, le Corbeau, le Plaisir.

Léotard (Philippe) (1940) : Max et les ferrailleurs, Une belle fille comme moi, la Traque, l'Ombre des châteaux, la Balance, le Choc, Tchao Pantin, Rouge-Gorge, le Paltoquet, Adieu blaireau, l'Aube, la Couleur du vent.

Le Vigan (Robert Coquillaud) (1900-1972) : les Cinq Gentlemen maudits, Madame Bovary, la Bandera, Golgotha, les Bas-Fonds, l'Homme de nulle part, Quai des Brumes, les Disparus de St-Agil, le Dernier Tournant, Paradis perdu, l'Assassinat du père Noël, le Mariage de Chiffon, Goupi Mains-Rouges (1942). Condamné pour collaboration avec l'ennemi (1946), exilé en Argentine.

Malavoy (Christophe) (1952) : Dossier 51, le Voyage en douce, Family Rock, la Balance, Souvenirs souvenirs, Péril en la demeure, Bras de fer, la Femme de ma vie, le Cri du hibou, De guerre lasse, Deux Minutes de soleil en plus, Jean Galmot, aventurier, Madame Bovary.

Manès (Gina) (Blanche Moulin) (1900-89) : *la Dame de Montsoreau (1923), l'Auberge rouge, Cœur fidèle, Ame d'artiste, Napoléon, Thérèse Raquin, Nuits de prince,* le Requin, Salto mortale, Une belle garce, la Tête d'un homme, Divine, Mayerling, la Maison du Maltais, les Caves du Majestic, Rafles sur la ville.

Marais (Jean) (Villain-Marais) (1913) : l'Éternel Retour (1943), la Belle et la Bête, l'Aigle à deux têtes, les Parents terribles, Orphée, Nez de Cuir, le Comte de Monte-Cristo, Éléna et les Hommes, le Bossu, la Princesse de Clèves, les Mystères de Paris, Peau d'âne, Parking, Lien de parenté (1985).

Marceau (Sophie Maupu) (1966) : la Boum, la Boum 2, Fort Saganne, Joyeuses Pâques, l'Amour braque, Police, Descente aux Enfers, Chouans !, l'Étudiante, Mes nuits sont plus belles que vos jours, Pacific Palisades, Pour Sacha, la Note bleue.

Miou-Miou (1950) (Sylvette Héry) : les Valseuses, Pas de problèmes, Lily aime-moi, F comme Fairbanks, On aura tout vu, Jonas, Dites-lui que je l'aime, les Routes du Sud, la Dérobade, la Femme-flic, Est-ce bien raisonnable ?, la Gueule du loup, Guy de Maupassant, Josepha, Coup de foudre, Canicule, le Vol du sphinx, Blanche et Marie, Tenue de soirée, la Lectrice, Milou en mai, Netchaiev est de retour, la Totale, le Bal des casse-pieds, Germinal.

Modot (Gaston) (1887-1970) : *le Collier vivant, Mater dolorosa, la Sultane de l'amour, la Fête espagnole, Fièvre, le Miracle des loups, la Châtelaine du Liban, Carmen, le Navire des hommes perdus,* Sous les toits de Paris, l'Age d'or, l'Opéra de quat'sous, Quatorze Juillet, Pépé le Moko, la Grande Illusion, la Règle du jeu, les Enfants du paradis, Casque d'or, French Cancan, le Testament du Dr Cordelier.

Montand (Yves) (Ivo Livi) (Monsummano, 1921-91) : les Portes de la nuit (1946), le Salaire de la peur, Marguerite de la nuit, les Sorcières de Salem, le Milliardaire, Z, l'Aveu, le Cercle rouge, la Folie des grandeurs, Tout va bien, César et Rosalie, État de siège, le Fils, Vincent, François, Paul et les autres, le Sauvage, Police Python 357, le Grand Escogriffe, la Menace, les Routes du Sud, Clair de femme, le Choix des armes, Tout feu, tout flamme, Garçon, Jean de Florette, Manon des Sources, Trois Places pour le 26, Netchaiev est de retour (1991).

Moreau (Jeanne) (1928) : Touchez pas au grisbi, la Reine Margot, Julietta, Ascenseur pour l'échafaud, le Dos au mur, les Amants, les Liaisons dangereuses, le Dialogue des Carmélites, la Nuit, Jules et Jim, Eva, le Procès, la Baie des Anges, Peau de banane, Mata Hari, Viva Maria, La mariée était en noir, Lumière (+ réal.), Monsieur Klein, le Dernier Nabab, l'Adolescente (réal.), la Truite, Querelle, Sauve-toi Lola, le Miraculé, la Femme fardée, la Vieille qui marchait dans la mer, A demain.

Morgan (Michèle) (Simone Roussel) (1920) : le Quai des Brumes, Remorques, la Symphonie pastorale, Fabiola, les Orgueilleux, les Grandes Manœuvres, Marie-Antoinette, le Miroir à deux faces, Fortunat, Landru, les Centurions, Benjamin, le Chat et la Souris, Robert et Robert, Ils vont tous bien.

Morlay (Gaby) (Blanche Fumoleau) (1897-1964) : *les Épaves de l'amour, l'Agonie des aigles, les Nouveaux Messieurs (1928),* Accusée levez-vous, le Bonheur, Ariane jeune fille russe, le Roi, Quadrille, Entente cordiale, Derrière la façade, le Destin fabuleux de Désirée Clary, le Voile bleu, Un revenant, Gigi, le Plaisir, Mitsou, Fortunat.

Mosjoukine (Ivan) (1889-1939) : *la Vie pour le tzar, la Puissance des Ténèbres, Résurrection, la Dame de pique, le Père Serge, l'Enfant du carnaval, le Brasier ardent, Kean, le Lion des Mogols, Feu Mathias Pascal, Michel Strogoff, Casanova,* Sergent X, les Amours de Casanova, Nitchevo.

Musidora (Jeanne Roques) (1889-1957) : *Severo Torelli, les Vampires, Judex, la Vagabonde, Vicenta* (+ réalis.), *Pour Don Carlos* (+ réalis. *1920), Soleil et Ombre* (+ réalis. *1922*).

Noël-Noël (Lucien Noël) (1897-1989) : Adémaï aviateur, Adémaï bandit d'honneur, la Cage aux rossignols, le Père tranquille, les Casse-pieds, le Fil à la patte, Messieurs les ronds-de-cuir, les Vieux de la vieille.

Noiret (Philippe) (1930) : la Pointe courte, Zazie dans le métro, Thérèse Desqueyroux, la Vie de château, la Vieille Fille, l'Attentat, l'Horloger de St-Paul, Que la fête commence, le Vieux Fusil, le Juge et l'Assassin, le Désert des Tartares, Un taxi mauve, Tendre Poulet, Une semaine de vacances, Pile ou Face, Coup de torchon, l'Étoile du Nord, l'Africain, le Grand Carnaval, Fort Saganne, les Ripoux, le Quatrième Pouvoir, Pourvu que ce soit une fille, Twist again à Moscou, Masques, les Lunettes d'or, Noyade interdite, Chouans !, la Vie et rien d'autre, Cinéma Paradiso, Ripoux contre Ripoux, Faux et usage de faux, J'embrasse pas, Max et Jérémie.

Périer (François Pilu) (1919) : Lettres d'amour, Sylvie et le Fantôme, la Vie en rose, Le silence est d'or, Cadet-Rousselle, Gervaise, les Nuits de Cabiria, Bobosse, l'Amant de cinq jours, Orphée, le Testament d'Orphée, le Samouraï, le Cercle rouge, l'Attentat, Dr Françoise Gailland, Police Python 357, le Battant, Lacenaire, le Voyage à Rome.

Philipe (Gérard) (1922-59) : l'Idiot (1946), le Diable au corps (1946), Une si jolie petite plage, la Beauté du Diable, la Chartreuse de Parme, Fanfan la Tulipe, Belles de nuit, les Orgueilleux, Monsieur Ripois, le Rouge et le Noir, les Grandes Manœuvres, Montparnasse 19, les Liaisons dangereuses.

Piccoli (Michel) (1925) : le Doulos, le Mépris, la Curée, les Demoiselles de Rochefort, Belle de jour, Benjamin, l'Étau, les Choses de la vie, Max et les Ferrailleurs, la Poudre d'escampette, la Décade prodigieuse, l'Attentat, les Noces rouges, la Grande Bouffe, le Trio infernal, Vincent, François, Paul et les autres, 7 Morts sur ordonnance, Mado, l'Imprécateur, l'État sauvage, le Sucre, l'Homme de ma vie, Une étrange affaire, Espion lève-toi, la Passante du Sans-Souci, Passion, le Prix du danger, Viva la vie !, la Diagonale du fou, Péril en la demeure, Adieu Bonaparte, le Succès à tout prix, Partir revenir, Mon beau-frère a tué ma sœur, la Puritaine, l'Homme voilé, Maladie d'amour, Milou en mai, la Belle Noiseuse.

Presle (Micheline Chassagne) (1922) : Paradis perdu (1939), la Nuit fantastique, Falbalas, le Diable au corps, Guérillas, l'Amour d'une femme, Une fille pour l'été, l'Enquête de l'inspecteur Morgan, les Grandes Personnes, l'Amant de cinq jours, le Roi de cœur, la Religieuse, le Bal du comte d'Orgel, Peau d'âne, En haut des marches, Beau Temps mais orageux en fin de journée, le Chien, I Want to Go Home, Après, après demain, le Jour des Rois.

Raimu (Jules Muraire) (1883-1946) : Marius (1931), Fanny, César, Gribouille, Carnet de bal, la Femme du boulanger (1939), la Fille du puisatier, les Inconnus dans la maison (1942), le Colonel Chabert, l'Homme au chapeau rond (1946).

Reggiani (Serge) (Italie, 1922) : Carrefour des enfants perdus (1943), les Portes de la nuit, Manon, les Amants de Vérone (1948), la Ronde, Casque d'or, les Misérables, le Doulos, les Aventuriers, Vincent, François, Paul et les autres, le Chat et la Souris, Une fille cousue de fil blanc, la Terrasse, Plein Fer.

Richard (Pierre) (1934) : le Distrait (+ réal. 1970), les Malheurs d'Alfred (+ réal.), le Grand Blond avec une chaussure noire, Je sais rien mais je dirai tout (+ réal.), La moutarde me monte au nez, le Retour du grand blond, la Course à l'échalote, Je suis timide mais je me soigne (+ réal.), la Carapate, C'est pas moi, c'est lui (+ réal.), le Coup du parapluie, la Chèvre, les Compères, le Jumeau, les Fugitifs, Mangeclous, On peut toujours rêver (+ réal), Vieille Canaille (1993).

Riva (Emmanuelle) (1927) : Hiroshima mon amour (1958), Léon Morin prêtre, Climats, Thérèse Desqueyroux, Thomas l'imposteur, les Risques du métier, les Portes de feu, le Diable au cœur, les Yeux la bouche, Funny Boy, Loin du Brésil.

Robinson (Madeleine Svoboda) (1916) : le Mioche, Lumière d'été, Douce, Sortilèges, les Chouans, Une si jolie petite plage, Dieu a besoin des hommes, le Garçon sauvage, l'Affaire Mauritzius, les Louves, la Bonne Tisane, la Croix des vivants, le Procès, le Petit Matin, Une histoire simple, Corps à cœur, J'ai épousé une ombre, Camille Claudel.

Rochefort (Jean) (1930) : Cartouche (1961), l'Héritier, Salut l'artiste, Que la fête commence, l'Horloger de Saint-Paul, Calmos, Un éléphant ça trompe énormément, Nous irons tous au paradis, le Crabe-Tambour, le Cavaleur, Courage fuyons, Chère Inconnue, Il faut tuer Birgitt Haas, Un dimanche de flics, Réveillon chez Bob, l'Ami de Vincent, Frankenstein 90, David, Thomas et les autres, le Moustachu, Tandem, Je suis le seigneur du château, le Mari de la coiffeuse, le Bal des casse-pieds.

Romance (Viviane) (Pauline Ortmans) (1912-91) : la Bandera, la Belle Équipe, l'Étrange M. Victor, la Maison du Maltais, Prisons de femmes, le Puritain, Vénus aveugle.

Ronet (Maurice Robinet) (1927-83) : Rendez-vous de juillet (1949), Ascenseur pour l'échafaud, Plein Soleil, le Feu follet, la Longue Marche, la Ligne de démarcation, le Scandale, la Piscine, Raphaël ou le Débauché, les Galets d'Étretat, Don Juan, Nuit d'or, Bartleby (réalis.), Beau-Père (1981).

Rosay (Françoise) (Bandy de Nalèche, Mme Jacques Feyder) (1891-1974) : *Crainquebille (1922), les Deux Timides, Madame Récamier,* le Procès de Mary Dugan, le Rosier de Mme Husson, le Grand Jeu, Pension Mimosas, la Kermesse héroïque (1935), Jenny, Drôle de drame, Un carnet de bal, la Symphonie des brigands, Macadam, l'Auberge rouge, la Reine Margot, le Joueur (1958).

Sanda (Dominique Varaigne) (1951) : Une femme douce, le Conformiste, le Jardin des Finzi-Contini, Violence et Passion, l'Héritage, 1900, les Ailes de la colombe, Une chambre en ville, Poussière d'empire, le Matelot 512, les Mendiants.

Serrault (Michel) (1928) : les Diaboliques, Assassins et Voleurs, le Roi de cœur, le Viager, la Cage aux folles, l'Argent des autres, Buffet froid, Malevil, Garde à vue, les Fantômes du chapelier, Deux heures moins le quart avant Jésus-Christ, Mortelle Randonnée, le Bon Plaisir, A mort l'arbitre, Liberté, égalité, choucroute, les Rois du gag, On ne meurt que deux fois, Mon beau-frère a tué ma sœur, le Miraculé, Ennemis intimes, En toute innocence, Ne réveillez pas un flic qui dort, Comédie d'amour, Docteur Petiot, la Vieille qui marchait dans la mer, Ville à vendre, Vieille Canaille.

Signoret (Gabriel) (1872-1937) : *Mères françaises, le Torrent, Bouclette, la Cigarette, le Silence, Pour Don Carlos, le Rêve, le Père Goriot, Jocaste,* Veillée d'armes, le Coupable, les Hommes nouveaux, Messieurs les ronds-de-cuir, la Danseuse rouge.

Signoret (Simone) (Kaminker) (All., 1921-85) : Dédée d'Anvers (1947), Manèges, Casque d'or, Thérèse Raquin, les Diaboliques, la Mort en ce jardin, les Sorcières de Salem, les Chemins de la haute ville, le Diable à trois, l'Aveu, le Chat, la Veuve Couderc, la Chair de l'orchidée, Police Python 357, la Vie devant soi, l'Adolescente, Chère Inconnue, l'Étoile du Nord, Guy de Maupassant (1981).

Simon (Michel) (François Simon) (Suisse, 1895-1975) : *Tire-au-flanc* (1928), Jean de la Lune, la Chienne, Boudu sauvé des eaux, l'Atalante, Drôle de drame, le Quai des Brumes, Panique, la Beauté du Diable, la Poison, Les trois font la paire, le Vieil Homme et l'Enfant, Blanche, la Plus Belle Soirée de ma vie, le Boucher, la Star et l'Orpheline, l'Ibis rouge.

Simon (Simone) (1911) : Mam'zelle Nitouche, Prenez garde à la peinture, Lac aux dames, les Beaux Jours, Dortoir de jeunes filles (USA), la Bête humaine, Cavalcade d'amour, Tous les Biens de la Terre, la Féline, Mademoiselle Fifi (USA), Petrus, La Ronde, Olivia, le Plaisir, la Femme en bleu.

Trintignant (Jean-Louis) (1930) : Et Dieu créa la femme (1956), les Liaisons dangereuses, Il Sorpasso, Un homme et une femme, Z, Ma nuit chez Maud, le Voyou, le Conformiste, Sans mobile apparent, l'Attentat, le Mouton enragé, l'Agression, Flic Story, la Femme du dimanche, le Désert des Tartares, les Passagers, Repérages, l'Argent des autres, le Maître nageur (+ réalis.), la Banquière, Malevil, Passion d'amour, Eaux profondes, Vivement dimanche !, la Crime, le Bon Plaisir, Viva la vie !, Under Fire, Partir revenir, la Femme de ma vie, Bunker Palace Hôtel, Merci la vie, l'Instinct de l'ange.

Vanel (Charles) (1892-1989) : *Jim Crow (1912), l'Atre, Pêcheur d'Islande,* les Croix de bois, les Misérables, le Grand Jeu, la Belle Équipe, Jenny, Courrier sud, SOS Sahara, Bar du Sud, la Loi du Nord, Le ciel est à vous, le Salaire de la peur, la Mort en ce jardin, l'Aîné des Ferchaux, Ballade pour un chien, 7 Morts sur ordonnance, Cadavres exquis, Nuit d'or, le Chemin perdu, Trois Frères, les Saisons du plaisir (1988).

Ventura (Lino) (Borrini) (1919-87) : Touchez pas au grisbi (1953), le Chemin des écoliers, Classe tous risques, les Tontons flingueurs, les Barbouzes, le Rapace, l'Armée des ombres, Fantasia chez les ploucs, Cosa Nostra, le Silencieux, la Bonne Année, la Gifle, la Cage, Adieu poulet, Cadavres exquis, Un papillon sur l'épaule, l'Homme en colère, Garde à vue, Espion lève-toi, les Misérables, le Ruffian, la 7e Cible, Cent Jours à Palerme (1984).

Vlady (Marina) (Poliakoff) (1938) : Avant le déluge, les Salauds vont en enfer, Crime et châtiment, Adorable Menteuse, Sept Morts sur ordonnance, le Malade imaginaire, Twist again à Moscou.

Wilson (Lambert) (1958) : Cinq Jours ce printemps-là, la Femme publique, Rendez-vous, Bleu comme l'enfer, le Ventre de l'architecte, les Possédés, Chouans !, la Vouivre, Hiver 54, l'abbé Pierre, l'Instinct de l'ange.

Yanne (Jean) (Gouyé) (1933) : Érotissimo (1968), Week-end, le Boucher, Que la bête meure, Nous ne vieillirons pas ensemble, l'Imprécateur, Armaguedon, la Raison d'État, Cayenne Palace, Fucking Fernand, Madame Bovary. *Acteur et réalisateur de :* Tout le monde il est beau, tout le monde il est gentil, Moi y'en a vouloir des sous, les Chinois à Paris, Chobizenesse, Je te tiens, tu me tiens par la barbichette, Deux Heures moins le quart avant Jésus-Christ, Liberté, égalité, choucroute, Indochine.

Grande-Bretagne

Birkin (Jane) (1947) : Blow up, la Piscine, le Mouton enragé, La moutarde me monte au nez, 7 Morts sur ordonnance, Je t'aime moi non plus, Mort sur le Nil, la Fille prodigue, Nestor Burma, l'Amour par terre, la Pirate, le Neveu de Beethoven, Dust, la Femme de ma vie, Comédie !, Jane B. par Agnès V., Kung-Fu Master, Daddy Nostalgie, la Belle Noiseuse.

Bisset (Jacqueline) (Fraser) (1944) : Cul-de-sac, le Détective, Bullitt, Airport, Juge et Hors-la-loi, la Nuit américaine, le Magnifique, le Crime de l'Orient-Express, les Grands Fonds, l'Empire du Grec, Riches et Célèbres, Au-dessous du volcan, la Maison de jade.

Bogarde (Dirk) (Derek Van den Bogaerde) (1920) : le Bal des adieux, The Servant, Pour l'exemple, Accident, Justice, les Damnés, Mort à Venise, le Serpent, Providence, Despair, Daddy Nostalgie.

Burton (Richard) (Jenkins) (1925-84) : Ma cousine Rachel, Amère Victoire, Cléopâtre, la Nuit de l'iguane, Beckett, l'Espion qui venait du froid, la Mégère apprivoisée, Boom, l'Assassinat de Trotsky, Barbe-Bleue, le Voyage, l'Homme du clan, l'Hérétique, Equus, les Oies sauvages, 1984.

Connery (Sean) (Thomas Conner) (1930) : le Jour le plus long, James Bond contre Dr No, Bons Baisers de Russie, Goldfinger, Les diamants sont éternels, Zardoz, le Crime de l'Orient-Express, Outland, Jamais plus jamais, Highlander, le Nom de la rose, les Incorruptibles, Indiana Jones et la dernière croisade, Family Business, la Maison Russie, A la poursuite d'Octobre rouge, Medicine man.

Greenwood (Joan) (1921-87) : Noblesse oblige, Whisky à gogo, l'Homme au complet blanc, Il importe d'être constant, Monsieur Ripois, les Contrebandiers de Moonfleet, Tom Jones, Garou Garou, le Passe-Muraille, Barbarella.

Guinness (Sir Alec) (1914) : Noblesse oblige, De l'or en barres, l'Homme au complet blanc, Tueurs de dames, le Pont de la rivière Kwaï, Notre agent à La Havane, les Fanfares de la gloire, Lawrence d'Arabie, Docteur Jivago, Cromwell, Un cadavre au dessert, le Petit Lord Fauntleroy, Krull, la Route des Indes.

Harrison (Rex) (Reginald Carey) (1908-90) : la Citadelle, l'Honorable M. Sans-Gêne, Infidèlement vôtre, Qu'est-ce que maman comprend à l'amour ?, My Fair Lady, la Puce à l'oreille, l'Escalier.

Howard (Trevor) (1916-88) : Brève Rencontre, le Troisième Homme, le Banni des îles, la Clé, les Racines du ciel, les Révoltés du Bounty (2e vers.), les Turbans rouges, la Bataille d'Angleterre, Superman, Gandhi.

Kerr (Deborah) (Kerr-Trimmer) (1921) : Colonel Blimp, l'Étrange Aventurière, Tant qu'il y aura des hommes, Vivre un grand amour, Thé et Sympathie, Bonjour tristesse, les Innocents, la Nuit de l'iguane, l'Arrangement, The Anam Garden.

Laughton (Charles) (1899-1962) : l'Ile du docteur Moreau, la Vie privée d'Henri VIII, l'Extravagant Mr. Riggles, les Révoltés du Bounty, Quasimodo, le Procès Paradine, la Nuit du chasseur (réal. seulement), Témoin à charge, Spartacus, Tempête à Washington.

Leigh (Vivien) (Hartley) (Inde, 1913-67) : Autant en emporte le vent, la Valse dans l'ombre, Lady Hamilton, César et Cléopâtre, Anna Karenine, Un tramway nommé Désir, le Visage du plaisir, la Nef des fous.

Mason (James) (1909-84) : Huit Heures de sursis, Madame Bovary, Pandora, l'Affaire Cicéron, l'Homme de Berlin, Vingt Mille Lieues sous les mers, Une étoile est née, Derrière le miroir, la Mort aux trousses, Lolita, Georgy Girl, la Mouette, Mandingo, Jésus de Nazareth, la Partie de chasse.

Niven (David) (1909-83) : La lune était bleue, le Tour du monde en 80 jours, la Petite Hutte, Bonjour tristesse, Tables séparées, Une fille très avertie, les 55 jours de Pékin, Lady L., Prudence et la pilule, Un cadavre au dessert, Mort sur le Nil, Ménage à trois.

Olivier (Lord Laurence) (1907-89) : les Hauts de Hurlevent, Rebecca, Henry V, Hamlet, Richard III, le Prince et la Danseuse, Spartacus, le Cabotin, Bunny Lake a disparu, Khartoum, les Souliers de St Pierre, les Trois Sœurs, le Limier, Marathon Man, Jésus de Nazareth, I Love You, je t'aime, le Bounty.

Rampling (Charlotte) (1945) : les Damnés, Zardoz, Portier de nuit, la Chair de l'orchidée, Adieu ma jolie, Un taxi mauve, Orca, Stardust Memories, Viva la vie !, On ne meurt que deux fois, Max, mon amour, Mort à l'arrivée.

Redgrave (Sir Michael) (1908-85) : Une femme disparaît, Au cœur de la nuit, le Deuil sied à Électre, l'Ombre d'un homme, Il importe d'être constant, M. Arkadin, Temps sans pitié, Un Américain bien tranquille, la Solitude du coureur de fond.

Sellers (Peter) (1925-80) : Tueurs de dames, Lolita, la Panthère rose, Docteur Folamour, Quoi de neuf Pussycat ? Un cadavre au dessert, Bienvenue Mr. Chance, A la recherche de la panthère rose.

Simmons (Jean) (1929) : les Grandes Espérances, Hamlet, Un si doux visage, les Grands Espaces, Spartacus, Elmer Gantry, Ailleurs l'herbe est plus verte, Violence à Jéricho.

Ustinov (Peter) (1921) : l'Héroïque Parade, Quo Vadis ?, l'Égyptien, Lola Montès, l'Espion, Spartacus, Billy Bud (+ réalis.), les Comédiens, Un taxi mauve, Jésus de Nazareth, Mort sur le Nil, le Voleur de Bagdad, Rendez-vous avec la mort.

Irlande

O'Hara (Maureen) (Fitzsimmons) (1920) : Quasimodo, Qu'elle était verte ma vallée, le Cygne noir, le Miracle de la 34e rue, l'Homme tranquille.

O'Toole (Peter Seamus) (1932) : Lawrence d'Arabie, Becket, Lord Jim, Quoi de neuf Pussycat ?, la Bible, Comment voler un million de dollars, la Nuit des généraux, la Grande Catherine, Rosebud, Caligula, Creator, le Dernier Empereur, High Spirits, Ralph Super King, Isabelle Eberhardt.

Italie

Bose (Lucia) (1931) : Chronique d'un amour, Pâques sanglantes, Onze heures sonnaient, les Fiancés de Rome, la Dame sans camélias, Mort d'un cycliste, Cela s'appelle l'aurore, Satyricon, Lumière, Metello, Vertige.

Cardinale (Claudia) (Tunisie, 1939) : le Bel Antonio, la Fille à la valise, la Viaccia, Cartouche, le Guépard, Huit et demi, les Indifférents, la Ragazza, Sandra, les Centurions, les Professionnels, Il était une fois dans l'Ouest, les Pétroleuses, l'Audience, la Peau, le Ruffian, l'Été prochain, Fitzcarraldo, Claretta, la Storia, Mayrig, 588 rue Paradis.

Cervi (Gino) (1901-74) : Quatre Pas dans les nuages, Fabiola, le Petit Monde de don Camillo, Christ interdit, Une fille nommée Madeleine, la Dame sans camélias, Sans famille.

De Sica (Vittorio) (1901-74) : Demain il sera trop tard, Madame de..., Pain Amour et Fantaisie, Pain Amour et Jalousie, Heureuse Epoque, le Bigame, l'Adieu aux armes, Noces vénitiennes, le Général Della Rovere, les Souliers de St Pierre.

Gassman (Vittorio) (1922) : Riz amer, Anna, Mambo, le Pigeon, la Grande Guerre, le Fanfaron, Au nom du peuple italien, Parfum de femme, Nous nous sommes tant aimés, le Désert des Tartares, Ames perdues, Un mariage, Quintette, Cher Papa, le Petit Juge, la Terrasse, La vie est un roman, De père en fils, Benvenuta, le Pouvoir du mal, la Famille.

Lollobrigida (Gina) (1927) : Fanfan la Tulipe, la Provinciale, les Belles de nuit, la Belle Romaine, Plus fort que le diable, Notre-Dame de Paris, Trapèze, la Loi, Salomon et la Reine de Saba, la Femme de paille, Cervantès, le Cascadeur.

Loren (Sophia) (Scicolone) (1934) : l'Or de Naples, la Fille du fleuve, la Cité disparue, la Clé, la Diablesse en collant rose, la Ciociara, Boccace 70, Lady L, la Comtesse de Hong Kong, l'Homme de la Manche, Verdict, le Voyage, Une journée particulière, D'amour et de sang, l'Arme au poing (1980).

Lualdi (Antonella) (Antonietta De Pascale) (Liban, 1931) : Chronique des pauvres amants, le Rouge et le Noir, les Jeunes Maris, Une vie, A double tour, Les Garçons, Vincent François Paul et les autres.

Magnani (Anna) (Égypte, 1908-73) : Rome ville ouverte, le Bandit, Vulcano, le Carrosse d'or, Bellissima, Car sauvage est le vent, Larmes de joie.

Mangano (Silvana) (1930-89) : Riz amer, Anna, Hommes et Loups, Barrage contre le Pacifique, la Tempête, Cinq Femmes marquées, Chacun son alibi, Procès de Vérone, Œdipe roi, les Sorcières, Théorème, Mort à Venise, Médée, le Décaméron, Violence et Passion, les Yeux noirs.

Masina (Giulietta) (1921) : la Strada, Il Bidone, les Nuits de Cabiria, Fortunella, l'Enfer dans la ville, la Grande Vie, Juliette des Esprits, Frau Holle, Ginger et Fred, Aujourd'hui peut-être.

Mastroianni (Marcello) (1924) : Jours d'amour, le Bigame, Nuits blanches, la Loi, le Pigeon, la Dolce Vita, la Nuit, le Bel Antonio, Vie privée, Divorce à l'italienne, Huit et demi, l'Étranger, Leo the Last, Drame de la jalousie, Liza, Salut l'artiste, Allonsanfan, la Femme du dimanche, Todo modo, Une journée particulière, la Cité des femmes, la Terrasse, la Peau, la Nuit de Varennes, Histoire de Piera, Ginger et Fred, Macaroni, les Yeux noirs, Miss Arizona, Splendor, le Voleur d'enfants.

Podesta (Rossana) (Libye, 1934) : La Red, Ulysse, Hélène de Troie, Santiago, Sodome et Gomorrhe, Un prêtre à marier.

Sordi (Alberto) (1920) : les Vitelloni, la Belle de Rome, Fortunella, la Grande Guerre, la Grande Pagaille, Une vie difficile, l'Argent de la vieille, Le marquis s'amuse.

Valli (Alida) (von Altenburger) (Yougoslavie, 1921) : Les miracles n'ont lieu qu'une fois, le Troisième Homme, Senso, le Cri, Barrage contre le Pacifique, les Bijoutiers du clair de lune, les Yeux sans visage, le Dialogue des Carmélites, la Chair de l'orchidée, Mort à Venise, 1900, Un bourgeois tout petit petit.

Vallone (Raf) (1916) : Riz amer, le Christ interdit, Thérèse Raquin, la Pensionnaire, le Secret de sœur Angèle, Rose, la Vengeance, la Ciociara, Vu du pont, Retour à Marseille.

Vitti (Monica) (Maria Luisa Ceccarelli) (1941) : l'Avventura, la Nuit, l'Éclipse, le Désert rouge, Modesty Blaise, Drame de la jalousie, Moi la femme, le Fantôme de la liberté, Chambre d'hôtel.

Volonte (Gian Maria) (1933) : Pour une poignée de dollars, le Cercle rouge, Enquête sur un citoyen au-dessus de tout soupçon, l'Affaire Mattei, l'Attentat, Lucky Luciano, le Soupçon, Todo modo, Le Christ s'est arrêté à Eboli, la Dame aux camélias, la Mort de Mario Ricci, Chronique d'une mort annoncée, Un enfant de Calabre, l'Œuvre au noir.

Suède

Anderson (Harriet) (1932) : Monika, la Nuit des forains, Rêves de femmes, les Amoureux, Sophie de 6 à 9, Cris et Chuchotements, Fanny et Alexandre.

Andersson (Bibi) (1935) : le 7e Sceau, les Fraises sauvages, Au seuil de la vie, le Visage, Sourires d'une nuit d'été, Ma Sœur mon amour, Persona, le Viol, la Lettre du Kremlin, Une passion, le Lien, Quintette, le Dernier Été.

Bergman (Ingrid) (1915-82) : voir p. 457 b.

Björnstrand (Gunnar) (1909-86) : l'Attente des femmes, Une leçon d'amour, Rêves de femmes, Sourires d'une nuit d'été, le 7e Sceau, les Fraises sauvages, le Visage, les Communiants, les Amoureux, le Rite, Persona, Sonate d'automne, Fanny et Alexandre.

Dahlbeck (Eva) (1920) : Une leçon d'amour, Rêves de femmes, Sourires d'une nuit d'été, Au seuil de la vie.

Garbo (Greta Louisa) : voir p. 458 a.

Jacobsson (Ulla) (1929-82) : Elle n'a dansé qu'un seul été, Sourires d'une nuit d'été, Crime et Châtiment, Zoulou, le Droit du plus fort.

Sydow (Max von) (1929) : le 7e Sceau, Au seuil de la vie, le Visage, la Source, les Communiants, l'Heure du loup, la Honte, Une passion, le Lien, les Émigrants, le Nouveau Monde, le Loup des steppes, l'Exorciste, Cadavres exquis, le Désert des Tartares, Cœur de chien, l'Hérétique, Hurricane, la Mort en direct, Flash Gordon, Dune, Dreamscape, Pelle le conquérant, l'Éveil.

Thulin (Ingrid) (1929) : l'Énigmatique Monsieur D., les Fraises sauvages, Au seuil de la vie, le Visage, les 4 Cavaliers de l'Apocalypse, le Silence, les Communiants, La guerre est finie, l'Heure du loup, Adélaïde, les Damnés, le Rite, Cris et Chuchotements, la Cage, le Pont de Cassandra, Un et un, Après la répétition, la Maison du sourire.

Ullman (Liv) (1938, Tōkyō) : Persona, l'Heure du loup, la Honte, Une passion, Cris et Chuchotements, les Émigrants, Face-à-face, l'Œuf du serpent, la Diagonale du fou, Pourvu que ce soit une fille, Un printemps sous la neige, Adieu Moscou.

Principaux films

Légende. **CM** : comédie musicale **F** : fantastique et science-fiction. **G** : guerre. **W** : western. – (1) France. (2) Italie. (3) USA. (4) Suède. (5) Allemagne. (6) Russie. (7) Autriche. (8) Tchécoslovaquie. (9) Angleterre. (10) Danemark. (11) Japon. (12) Pologne. (13) Espagne. (14) Inde. (15) Belgique. (16) Yougoslavie. (17) Australie.

1894 W : *Sioux Indian Ghost Dance, Indian War Council et Buffalo Dance* (1ers sujets en rapport avec le western traités à l'écran) réalisés par la Edison Co de West Orange, New Jersey. *16-10 : Bucking Bronco* 1re apparition d'un cow-boy.

1895 *l'Arroseur arrosé* Louis Lumière[1].

1902 F : *le Voyage dans la lune* Georges Méliès[1].

1903 W : *le Vol du rapide (Edwin S. Porter)*[3].

1904 F : *Voyage à travers l'impossible* G. Méliès[1].

1908 *l'Assassinat du duc de Guise* André Calmettes (Charles Le Bargy, Albert Lambert, Gabrielle Robinne)[1].

1912 *les Misérables* Albert Capellani (Henry Kraus, Gabriel de Gravone, Marie Ventura, Mistinguett)[1], *Quo Vadis ?* Enrico Guazzoni[2]. **F** : *la Conquête du pôle* Georges Méliès[1].

1913 *Protéa* Victorin Jasset (Josette Andriot, Camille Bardou)[1], *Cabiria* Giovanni Pastrone (Italia Amirante Manzini, Lydia Quaranta, Bartolomeo Pagano alias Maciste, Umberto Mazzotto)[2].

1914 *Fantômas* Louis Feuillade (René Navarre, Renée Carl, Bréon, Georges Melchior, Yvette Andreyor)[1]. **W** : *le Shérif* Reginald Barker (William S. Hart)[3].

1915 *les Vampires* Louis Feuillade (Musidora, Jean Aymé, Édouard Mathé, Marcel Levesque)[1], *Forfaiture* Cecil B. De Mille (Fanny Ward, Sessue Hayakawa)[3], *les Mystères de New York* Louis Gasnier et Donald MacKenzie (Pearl White, Arnold Daly, Creighton Hale, Warner Oland)[3], *Naissance d'une nation* David W. Griffith (Lillian Gish, Mae Marsh, Robert Harron, Miriam Cooper, Wallace Reid, Sam De Grasse, Henry B. Walthall)[3]. **F** : *Folie du Dr Tube* Abel Gance[1].

1916 *Intolérance* David W. Griffith (Lillian Gish, Constance Talmadge, Elmer Clifton, Seena Owen, Bessie Love, Mae Marsh, Robert Harron, Sam De Grasse, Erich von Stroheim, Monte Blue)[3]. **W** : *Pour sauver sa race* Thomas H. Ince et Reginald Barker (William S. Hart, Bessie Love)[3], *Carmen du Klondyke* Thomas H. Ince et Reginald Barker (William S. Hart, Dorothy Dalton)[3].

1917 *Judex* Louis Feuillade (Musidora, René Cresté, Marcel Levesque, Yvette Andreyor, Édouard Mathé, Georges Flateau)[1], *Mater Dolorosa* Abel Gance (Firmin Gémier, Emmy Lynn, Armand Tallier, Gaston Modot)[1], *les Proscrits* Victor Sjöström (Victor Sjöström, Edith Erastoff)[4].

1918 *Charlot soldat* Chaplin (Chaplin, Sydney Chaplin, Henry Bergman)[3], *l'Homme aux yeux clairs* Lambert Hillyer (William S. Hart, Maud George)[3], *J'accuse* Abel Gance, 1re version (Romuald Joubé)[1].

1919 *la Fête espagnole*, Germaine Dulac (Ève Francis, Jean Toulout, Gaston Modot)[1], *J'accuse* Abel Gance (Séverin Mars, Romuald Joubé, Marise Dauvray)[1], *Travail* Henri Pouctal (Léon Mathot, Huguette Duflos, Raphaël Duflos, Camille Bert, Andrée Brabant)[1], *le Trésor d'Arne* Mauritz Stiller (Mary Johnson, Richard Lund)[4], *le Lys brisé* David W. Griffith (Lillian Gish, Donald Crisp, Richard Barthelmess)[3]. **F** : *le Cabinet du Dr Caligari* Robert Wiene (Werner Krauss, Lil Dagover, Conrad Veidt)[5].

1920 *le Kid* Charlie Chaplin (Charlie Chaplin, Jackie Coogan)[3], *A travers l'orage* David W. Griffith (Lilian Gish)[3]. **F** : *le Golem* Paul Wegener[5].

1921 *l'Atlantide* Jacques Feyder (Stacia Napierkowska, Georges Melchior, Jean Angelo, Marie-Louise Iribe)[1], *El Dorado* Marcel L'Herbier (Ève Francis, Jaque-Catelain, Philippe Hériat, Marcelle Pradot)[1], *Fièvre* Louis Delluc (Ève Francis, Edmond Van Daele, Gaston Modot, Elena Sagrary, Footit)[1], *la Terre* André Antoine (René Alexandre, Jean Hervé, Berthe Bovy, Germaine Rouer)[1], *la Femme du pharaon* Ernst Lubitsch (Emil Jannings, Paul Wegener, Lydia Salmonowa)[5], *les Trois Lumières* Fritz Lang (Bernhard Goetzke, Lil Dagover, Rudolf Klein-Rogge)[5], *le Dernier des Mohicans* Maurice Tourneur (Wallace Beery, Lillian Hall, Barbara Bedford)[3], *les Quatre Cavaliers de l'Apocalypse* Rex Ingram (Rudolph Valentino, Alice Terry, Wallace Beery)[3], *7 Ans de malheur* Max Linder (M. Linder)[1]. **F** : *la Charrette fantôme* Victor Sjöström (Victor Sjöström, Hilda Borgström)[4].

1922 *la Femme de nulle part* Louis Delluc (Ève Francis, Roger Karl, Gine Avril)[1], *la Roue* Abel Gance (Séverin Mars, Ivy Close, Gabriel de Gravone)[1], *le Docteur Mabuse* Fritz Lang (Rudolf Klein-Rogge, Alfred Abel)[5], *les Deux Orphelines* David W. Griffith (Lillian et Dorothy Gish, Joseph Schildkraut, Monte Blue)[3], *Folies de femmes* Erich von Stroheim (E. von Stroheim, Mae Busch, Maud George)[3], *Nanouk l'Esquimau* Robert Flaherty, *Robin des Bois* Allan Dwan (Douglas Fairbanks, Wallace Beery, Enid Bennett, Sam De Grasse)[3].

1923 *la Légende de Gösta Berling* Mauritz Stiller (Lars Hanson, Greta Garbo)[4], *l'Opinion publique* Charlie Chaplin (Edna Purviance, Adolphe Menjou)[3], *Salomé* Charles Bryant (Alla Nazimova)[3], *la Nuit de la Saint-Sylvestre* Lupu-Pick (E. Klöpfer)[5], *le Brasier ardent* Ivan Mosjoukine (I. Mosjoukine)[6], *Monte là-dessus* Fred Newmeyer, Sam Taylor (Harold Lloyd)[3]. **F** : *Nosferatu le vampire* Friedrich W. Murnau (Max Schreck, Alexander Granach, Greta Schroeder)[5]. **W** : *la Caravane vers l'Ouest* James Cruze (J. Warren Kerrigan)[3].

1924 *Entracte* René Clair (Jean Borlin, Picabia, Man Ray, Marcel Duchamp, Marcel Achard, Touchagues)[1], *le Dernier des hommes* Friedrich W. Murnau (Emil Jannings, Maly Delschaft)[5], *la Croisière du Navigator* Buster Keaton et Donald Crisp (Buster Keaton, Kathryn McGuire)[3], *les Rapaces* Erich von Stroheim (Zasu Pitts, Gibson Gowland, Jean Hersholt)[3], *le Voleur de Bagdad* Raoul Walsh (Douglas Fairbanks, Anna May Wong)[3], *le Miracle des loups* Raymond Bernard (C. Dullin)[1]. **F** : *les Nibelungen* (I. *la Mort de Siegfried ;* II. *la Vengeance de Kriemhilde*) Fritz Lang (Paul Richter, Margarethe Schön, Theodor Loos, Bernhard Goetzke, Rudolf Klein-Rogge)[5], *la Cité foudroyée* Luitz-Morat[1]. **W** : *le Cheval de fer* John Ford (George O'Brien)[3].

1925 *Feu Mathias Pascal* Marcel L'Herbier (Ivan Mosjoukine, Marcelle Pradot, Pierre Batcheff, Philippe Hériat, Michel Simon, Jean Hervé, Loïs Moran, Pauline Carton)[1], *la Rue sans joie* Georg W. Pabst (Werner Krauss, Asta Nielsen, Greta Garbo, Valeska Gert, Ivan Petrovitch)[5], *Tartuffe* Friedrich W. Murnau (Emil Jannings, Lil Dagover, Werner Krauss)[5], *Variétés* Ewald-André Dupont (Emil Jannings, Lya de Putti, Warwick Ward, les Codonas)[5], *le Cuirassé Potemkine* Serge Mikhaïlovitch Eisenstein (Alexandre Antonov, Gregori Alexandrov, Vladimir Barsky)[6], *la Ruée vers l'or* Charlie Chaplin (Charlie Chaplin, Georgia Hale, Mack Swain)[3].

1926 *Nana* Jean Renoir (Catherine Hessling, Werner Krauss, Jean Angelo, Valeska Gert)[1], *la Mère* Vsevolod Poudovkine (Vera Baranowskaïa)[6], *le Mécano de la « General »* Buster Keaton et Clyde Bruckman (Buster Keaton, Jim Farley)[3], *Ben-Hur* Fred Niblo (Ramon Novarro, May MacAvoy, Betty Bronson)[3]. **F** : *l'Étudiant de Prague* Heinrik Galeen (Conrad Veidt)[5].

1927 *Un chapeau de paille d'Italie* René Clair (Albert Préjean, Olga Tchekowa, Alice Tissot, Jim Gérald)[1], *Napoléon* Abel Gance (Albert Dieudonné, Antonin Artaud, Edmond Van Daele, Philippe Hériat, Abel Gance, Gina Manès, Annabella, Damia, Eugénie Buffet, Suzanne Bianchetti)[1], *Octobre* Serge M. Eisenstein (Nikandrov, N. Popov, Boris Livanov)[6], *l'Aurore* Friedrich W. Murnau (Janet Gaynor, George O'Brien, Margaret Livingstone)[3], *Symphonie nuptiale* Erich von Stroheim (Erich von Stroheim, Fay Wray, Zasu Pitts, Maud George)[3], *Une fille dans chaque port* Howard Hawks (Louise Brooks, Victor MacLaglen, Robert Armstrong)[3], *les Nuits de Chicago* Josef von Sternberg (G. Bancroft)[7], *le Chanteur de jazz* Alan Crosland (Al Jolson)[3]. **F** : *Faust* Friedrich W. Murnau (Emil Jannings, Camilla Horn, Gösta Ekman, Yvette Guilbert)[5], *Metropolis* Fritz Lang (Brigitte Helm, Alfred Abel, Rudolf Klein-Rogge, Gustav Froelich, Heinrich George)[5].

1928 *la Passion de Jeanne d'Arc* Carl Theodor Dreyer (Falconetti, Sylvain, Antonin Artaud, Michel Simon)[1], *Tempête sur l'Asie* Vsevolod Poudoukine (Valeri Inkijinoff, Anna Soudakevitch)[6], *la Foule* King Vidor (Eleanor Boardman, James Murray)[3], *Solitude* Paul Féjos (Glen Tryon, Barbara Kent)[3], *le Vent* Victor Sjöström (Lillian Gish, Lars Hanson, Dorothy Cummings)[3], *la Femme au corbeau* Frank Borzage (M. Duncan)[3], *Un chien andalou* (Buñuel).

1929 *l'Argent* Marcel L'Herbier (Brigitte Helm, Alcover, Alfred Abel, Marie Glory, Antonin Artaud, Yvette Guilbert)[1], *le Train mongol* Ilya Trauberg[6]. *Hallelujah* King Vidor (Daniel Haynes, Nina Mae McKinney)[3], *la Ligne générale* Eisenstein (Marfa Lapkina)[6], *Loulou* Georg W. Pabst (Louise Brooks, Fritz Kortner, Franz Lederer)[5]. **CM** : *Broadway Melody* Harry Beaumont (Bessie Love, Anita Page, Charles King)[3], *Parade d'amour* Ernst Lubitsch (Maurice Chevalier, Jeanette MacDonald, Lupino Lane)[3].

1930 *Sous les toits de Paris* René Clair (Albert Préjean, Pola Illery, Gaston Modot, Aimos)[1], *la Terre* Alexandre Dovjenko (Julia Solntseva, Semion Svachenko)[6], *l'Ange bleu* Josef von Sternberg (Marlene Dietrich, Emil Jannings, Hans Albers)[5], *Cœurs brûlés (Morocco)* Josef von Sternberg (Marlene Dietrich, Gary Cooper, Adolphe Menjou)[3], *les Lumières de la ville* Charlie Chaplin (Virginia Cherrill)[3], *l'Age d'or* Luis Buñuel (Gaston Modot)[13]. **G** : *A l'Ouest, rien de nouveau* Lewis Milestone (Lew Ayres)[3]. *Quatre de l'infanterie* Georg Wilhelm Pabst[5]. **W** : *la Piste des géants* Raoul Walsh (John Wayne).

1931 *la Chienne* Jean Renoir (Michel Simon, Janie Marèze, Georges Flamant)[1], *le Million* René Clair (Annabella, René Lefèvre, Vanda Gréville)[1], *Jeunes Filles en uniforme* Léontine Sagan (Hertha Thiele, Dorothea Wieck)[5], *M le Maudit* Fritz Lang (Peter Lorre, Gustaf Gründgens, Theo Lingen)[5], *l'Opéra de quat'sous* Georg W. Pabst (Albert Préjean, Florelle, Margo Lion, Antonin Artaud, Gaston Modot)[5], *Tabou* Friedrich W. Murnau et Robert J. Flaherty (Anna Chevalier, Bill Bambridge)[3], *A nous la liberté* René Clair (Raymond Cordy)[1]. **F** : *Dracula* Ted Browning[3], *Frankenstein* James Whale (Boris Karloff, Colin Clive)[3], *Dr Jekyll and Mr Hyde* Rouben Mamoulian[3], *la Fin du monde* Abel Gance[1].

1932 *Boudu sauvé des eaux* Jean Renoir (Michel Simon, Charles Granval, Marcelle Hainia)[1], *la Croisière jaune* André Sauvage, *Zéro de conduite* Jean Vigo (Jean Dasté, Delphin, Léon Larive)[1], *Liebelei* Max Ophuls (Magda Schneider, Luise Ullrich, Wolfgang Liebeneiner, Gustaf Gründgens, Olga Tchekowa)[7], *Scarface* Howard Hawks (Paul Muni, George Raft, Ann Dvorak, Karen Morley, Boris Karloff)[3], *Voyage sans retour* Tay Garnett (Kay Francis, William Powell)[3], *Terre sans pain* Luis Buñuel (documentaire moyen métrage)[13], *Je suis un évadé* Mervyn Le Roy (P. Muni)[3]. **CM** : *42e Rue* Lloyd Bacon (Bebe Daniels, Georges Brent, Ruby Keeler)[3], *Prologues* Lloyd Bacon (James Cagney, Joan Blondell, Ruby Keeler)[3]. **F** : *Freaks* Tod Browning (Wallace Ford)[3]. *Vampyr* Carl Dreyer (Julian West)[10], *les Chasses du comte Zaroff* Ernest B. Schoedsack, Irving Pichel (Leslie Banks)[3], *la Momie* Karl Freund[3], *le Masque d'or* Charles Brabin, *l'Île du Dr Moreau* Erle C. Kenton[3]. **G** : *les Croix de bois.* Raymond Bernard[1].

1933 *le Jeune Hitlérien Quex* Hans Steinhoff (Heinrich George, Claus Clausen, Hans Deppe)[5], *Extase* Gustav Machaty (Heddy Kiesler : Hedy Lamarr)[8], *Sérénade à trois* Ernst Lubitsch (Gary Cooper, Fredric March, Miriam Hopkins)[3], *la Soupe au canard* Leo MacCarey (les Marx Brothers, Margaret Dumont)[3], *la Vie privée d'Henry VIII* Alexander Korda (Charles Laughton)[9]. **CM** : *Chercheuses d'or* Mervyn Le Roy (Dick Powell, Joan Blondell, Ruby Keeler, Ginger Rogers[3]. **F** : *l'Homme invisible* James Whale (Claude Rains, Gloria Stuart, Una O'Connor)[3], *King Kong* Ernest B. Shoedsack, Merian C. Cooper (Fay Wray)[3].

1934 *Angèle* Pagnol (Orane Demazis, Fernandel, Andrex, Jean Servais)[1], *le Roman d'un tricheur* Sacha Guitry (S. Guitry, Marguerite Moreno, Rosine

Deréan, Pauline Carton)[1], *l'Atalante* Jean Vigo (Michel Simon, Dita Parlo, Jean Dasté, Gilles Margaritis)[1], *l'Impératrice rouge* Joseph von Sternberg (Marlene Dietrich, John Lodge, Sam Jaffe)[3], *New York-Miami* Frank Capra (Clark Gable, Claudette Colbert)[3]. **CM :** *la Veuve joyeuse* Ernst Lubitsch (Maurice Chevalier, Jeanette MacDonald)[3]. **F :** *le Chat noir* Edgar G. Ulmer[3].

1935 *le Crime de M. Lange* Jean Renoir (Jules Berry, Florelle, René Lefèvre, Nadia Sibirskaïa)[1], *la Kermesse héroïque* Jacques Feyder (Françoise Rosay, Alerme, Jean Murat, Louis Jouvet)[1], *la Bandera* Julien Duvivier (Jean Gabin, Annabella, Aimos, Robert Le Vigan, Pierre Renoir)[1], *les Trente-Neuf Marches* Hitchcock (Madeleine Carroll, Robert Donat)[9], *Anna Karenine* Clarence Brown (Greta Garbo, Fredric March, Basil Rathbone)[3], *Peter Ibbetson* Henry Hathaway (Gary Cooper, Ann Harding)[3], *les Révoltés du Bounty* Frank Lloyd (Charles Laughton, Clark Gable, Franchot Tone)[3], *les Temps modernes* Chaplin (Chaplin, Paulette Goddard)[3], *Toute la ville en parle* John Ford (Edward G. Robinson, Jean Arthur, Donald Meek)[3], *le Triomphe de la volonté* Leni Riefenstahl (documentaire)[5], *Une Nuit à l'opéra* Sam Wood (Marx Brothers)[5]. **CM :** *Top Hat* Mark Sandrich (Fred Astaire, Ginger Rogers)[3], *Swing Time* George Stevens (Fred Astaire, Ginger Rogers)[3]. **F :** *la Fiancée de Frankenstein* James Whale[3], *les Mains d'Orlac* Karl Freund[5], *la Marque du vampire* Tod Browning[3]. **G :** *les Trois Lanciers du Bengale* Henry Hathaway (Gary Cooper, Franchot Tone, Richard Cromwell)[3].

1936 *Pépé le Moko* Julien Duvivier (Jean Gabin, Mireille Balin, Marcel Dalio, Charpin)[1], *Fantôme à vendre* René Clair (Robert Donat, Jean Parker, Eugene Pallette)[9], *le Roman de Marguerite Gautier* George Cukor (Greta Garbo, Robert Taylor, Lionel Barrymore)[3], *Verts Pâturages* William Keighley, Marc Connelly (R. Ingram)[3]. **CM :** *le grand Ziegfeld* Robert Z. Leonard (William Powell, Mirna Loy, Luise Rainer)[3]. **F :** *le Mort qui marche* Michael Curtiz[3], *le Rayon invisible* Lambert Hillyer[3]. **G :** *la Charge de la brigade légère* Michael Curtiz (Errol Flynn, Olivia De Havilland, David Niven)[3]. **W :** *Une aventure de Buffalo Bill* Cecil B. De Mille (Gary Cooper)[3].

1937 *Blanche-Neige et les Sept Nains* Walt Disney[3], *Cette sacrée vérité* Leo McCarey (Irene Dunne, Cary Grant)[3]. **CM :** *Vogues of 38* Irving Cummings (Joan Bennett, Warner Baxter)[3]. **F :** *Horizons perdus* Frank Capra[3]. **G :** *la Grande Illusion* Jean Renoir (Pierre Fresnay, Jean Gabin, Dita Parlo, Erich von Stroheim, Dalio, Carette)[1].

1938 *la Bête humaine* Jean Renoir (Jean Gabin, Simone Simon, Carette, Fernand Ledoux)[1], *les Dieux du stade* Leni Riefenstahl, *Alexandre Nevsky* Eisenstein (Nicolas Tcherkassoff)[6], *les Anges aux figures sales* Michael Curtiz (James Cagney, Pat O'Brien, Humphrey Bogart)[3], *l'Insoumise* William Wyler (Bette Davis, Henry Fonda, George Brent)[3], *le Quai des Brumes* Marcel Carné (Jean Gabin, Michèle Morgan, Michel Simon, Pierre Brasseur, Robert Le Vigan)[1], *l'Enfance de Gorki* Donskoï (Alesa Liarski)[6]. **CM :** *Amanda* Mark Sandrich (Fred Astaire, Ginger Rogers)[3].

1939 *le jour se lève* Marcel Carné (Jean Gabin, Jules Berry, Arletty)[1], *Paradis perdu* Abel Gance (Fernand Gravey, Micheline Presle, Elvire Popesco, Robert Le Vigan)[1], *la Règle du jeu* Jean Renoir (Nora Grégor, Paulette Dubost, Mila Parély, Dalio, Carette, Roland Toutain, Gaston Modot, Jean Renoir)[1], *Autant en emporte le vent* Victor Fleming, Sam Wood et George Cukor (Vivien Leigh, Clark Gable, Leslie Howard, Olivia De Havilland)[3], *les Hauts de Hurlevent* William Wyler (Laurence Olivier, Merle Oberon, David Niven)[3], *Ninotchka* Lubitsch (Greta Garbo, Melvyn Douglas, Bela Lugosi)[3], *Seuls les anges ont des ailes* Howard Hawks (Cary Grant, Jean Arthur, Richard Barthelmess, Rita Hayworth)[3]. **CM et F :** *le Magicien d'Oz* Victor Fleming (Judy Garland)[3]. **G :** *l'Espoir* André Malraux (Andrés Mejuto, Nicolas Rodriguez, Julio Pena)[1], *les Quatre Plumes blanches* (3e vers.) Zoltan Korda (John Clements, Ralph Richardson, J. Duprez)[9]. **W :** *la Chevauchée fantastique* John Ford (John Wayne, Claire Trevor, John Carradine, Thomas Mitchell)[3], *les Conquérants* Michael Curtiz (Errol Flynn, Olivia De Havilland, Bruce Cabot)[3].

1940 *la Fille du puisatier* Marcel Pagnol (Raimu, Fernandel, Josette Day)[1], *le Juif Süss* Veit Harlan (Ferdinand Marian, Kristina Söderbaum, Werner Krauss, Heinrich George)[5], *le Dictateur* Chaplin (Chaplin, Paulette Goddard, Jack Oakie)[3], *les Raisins de la colère* John Ford (Henry Fonda, John Carradine, Jane Darwell)[3], *Citizen Kane* Orson Welles (Welles, Joseph Cotten, Agnes Moorehead, Dorothy Comingore)[3], *Fantasia* Walt Disney (dessin animé)[3]. **CM :** *Broadway Melody of 1940* Norman Taurog (Fred Astaire, Eleanor Powell)[3]. **F :** *le Voleur de Bagdad* Ludwig Berger, Mike Powell (Conrad Veidt, Sabu, June Duprez)[9]. **G. :** *le siège de l'Alcazar* Augusto Genina[2], *SOS 103* Francesco De Robertis[2], *Victoire à l'Ouest* Walter Ruttmann[5]. **W :** *le Cavalier du désert* William Wyler (Gary Cooper)[3], *le Retour de Frank James* Fritz Lang (Henry Fonda)[3].

1941 *le Faucon maltais* John Huston (Humphrey Bogart, Mary Astor, Peter Lorre)[3], *Qu'elle était verte ma vallée.* John Ford (Walter Pidgeon, Maureen O'Hara, Donald Crisp)[3], *la Vipère* William Wyler (Bette Davis, Herbert Marshall, Teresa Wright)[3], *Hellzapoppin* H.C. Potter[3]. **F :** *la Nuit fantastique* Marcel L'Herbier[1]. **G :** *Guerre à l'est* Walter Ruttmann[5]. *Stukas* Karl Ritter[5], *le Navire blanc* Roberto Rossellini[2], *Sergent York* Howard Hawks[3]. **W :** *la Charge fantastique* Raoul Walsh (Errol Flynn, Olivia De Havilland)[3].

1942 *Lumière d'été* Jean Grémillon (Madeleine Renaud, Pierre Brasseur, Paul Bernard, Madeleine Robinson)[1], *Ossessione* Luchino Visconti (Clara Calamai, Massimo Girotti)[2], *Pourquoi nous combattons* Frank Capra, Anatole Litvak, John Huston. Documentaires (série)[3], *la Splendeur des Amberson* Orson Welles (Joseph Cotten, Anne Baxter, Dolores Costello)[3], *To Be or Not to Be* Ernst Lubitsch (Carole Lombard, Jack Benny, Robert Stack)[3], *la Ville dorée* Veit Harian (Kristina Söderbaum)[5]. **CM :** *O toi, ma charmante* William Seiter (Fred Astaire, Rita Hayworth)[3]. **F :** *le Baron fantôme* Serge de Poligny[1]. *les Visiteurs du soir* Marcel Carné (Arletty, Jules Berry, Marie Déa, Alain Cuny, Marcel Herrand)[1], *la Féline* Jacques Tourneur[3]. **G :** *Ceux qui servent en mer* Noel Coward, David Lean[9], *Un de nos avions n'est pas rentré* Michael Powell[9], *la Bataille de Midway* John Ford[3], *la Sentinelle du Pacifique* John Farrow[3].

1943 *les Anges du péché* Robert Bresson (Renée Faure, Jany Holt, Sylvie, Mila Parély)[1], *le Corbeau* Clouzot (Pierre Fresnay, Ginette Leclerc, Pierre Larquey, Micheline Francey)[1], *Douce* Autant-Lara (Odette Joyeux, Madeleine Robinson, Marguerite Moreno, Jean Debucourt)[1], *Goupi Mains-Rouges* Jacques Becker (Fernand Ledoux, Blanchette Brunoy, Robert Le Vigan, Georges Rollin)[1], *Dies irae* Carl Th. Dreyer (Lisbeth Movin, Thorkild Rosse)[10], *Casablanca* Michael Curtiz (Ingrid Bergman, Humphrey Bogart, Paul Henreid, Peter Lorre, Conrad Veidt)[3], *l'Ombre d'un doute* Hitchcock (Joseph Cotten, Teresa Wright)[3]. **F :** *Gung ho !* Ray Enright[3], *la Main du diable* Maurice Tourneur[1], *les Aventures fantastiques du baron de Münchhausen* Josef von Baky[5], *Le ciel peut attendre* Ernst Lubitsch[3], *les 5 Secrets du désert* Billy Wilder[4]. **G :** *Plongée à l'aube* Anthony Asquith[9], *Victoire du désert* Roy Boulting[9], *Vivre libre* Jean Renoir[3], *Convoi vers la Russie* Lloyd Bacon[3], *Air Force* Howard Hawks (John Garfield, Hary Carey), *Bataan* Tag Garnett[3], *les Anges de miséricorde* Mark Sandrich[3], *les Bourreaux meurent aussi* Fritz Lang[3], *Destination Tōkyō* Delmer Daves[3], *l'Arc-en-ciel* Marc Donskoï[6].

Western. Spécifiquement américain. A part les tentatives de Joë Hamman (1885-1974) en France, au temps du muet (série *Arizona Bill*), et, les adaptations en Allemagne d'après K. May (série *Winetou*) : *westerns-spaghettis* réalisés en Italie, ex. : *El Chuncho,* de Damiano Damiani, avec Gian-Maria Volonte, ou *Colorado* de Sergio Sollima avec Lee Van Cleef ; les films de Sergio Leone : *le Bon, la Brute et le Truand,* avec Clint Eastwood, *Il était une fois dans l'Ouest,* avec Henry Fonda et Charles Bronson... Également, quelques séries purement commerciales *(Sabata, Trinita...).* Il s'agit plutôt de parodies que d'illustrations authentiques du genre. On a parlé de *western-soja* pour les films de kung-fu ou de karaté apparus vers 1970.

☞ **Héros de l'Ouest le plus souvent incarnés à l'écran.** William Frederick Cody (Buffalo Bill, 1846-1917) : *47 films.* William Bonney (Billy The Kid, 1860-81) : *44.* Wild Bill Hickock (1837-76) : *35.* Jesse James (1847-82) : *35.* Général George Armstrong Custer (1839-76) : *30.* Wyatt Earp (1848-1929) : *21.*

1944 *les Dames du bois de Boulogne* Robert Bresson (Maria Casarès, Élina Labourdette, Paul Bernard, Lucienne Bogaert)[1], *les Enfants du paradis* Marcel Carné (Arletty, Jean-Louis Barrault, Pierre Brasseur, Maria Casarès, Marcel Herrand, Louis Salou, Pierre Renoir, Jane Marken)[1]. *Henry V* Laurence Olivier (L. Olivier, Renée Asherson)[9], *Ivan le Terrible* Eisenstein (Nicolas Tcherkassoff)[6], *Assurance sur la mort* Billy Wilder (Barbara Stanwyck, Edward G. Robinson, Fred MacMurray)[3], *Laura* Preminger (Gene Tierney, Dana Andrews, Clifton Webb)[3]. **CM :** *le Bal des sirènes* George Sidney (Esther Williams, Red Skelton)[3], *le Chant du Missouri* Vincente Minnelli (Judy Garland)[3]. **G :** *l'Odysée du Dr Wassell* Cecil B. De Mille[3], *Memphis Belle* William Wyler[3], *les Fils du Dragon* Jack Conway[3], *Prisonniers de Satan* Lewis Milestone[3], *L'Héroïque Parade* Carol Reed[9].

1945 *Brève rencontre* David Lean (Trevor Howard, Celia Johnson, Stanley Holloway)[9], *le Poison* Billy Wilder (Ray Milland)[3]. **F :** *Au cœur de la nuit* Alberto Cavalcanti, Charles Crichton, Basil Dearden et Robert Hamer[9], *le Portrait de Dorian Gray* Albert Lewin[3]. **G :** *Commando de la mort* Lewis Milestone[3], *Retour aux Philippines* Edward Dmytryk[3], *Aventures en Birmanie* Raoul Walsh[3], *les Forçats de la gloire* William Welman[3], *Rome ville ouverte* Roberto Rossellini (Marcello Pagliero, Anna Magnani, Aldo Fabrizi)[2], *la Bataille du rail* René Clément[1], *30 Secondes sur Tōkyō* Mervyn Le Roy[3].

1946 *Paisa* Rossellini (interprètes non professionnels)[2], *les Grandes Espérances* David Lean (Valerie Hobson, Jean Simmons, John Mills, Martita Hunt)[9], *les Plus Belles Années de notre vie* William Wyler (Fredric March, Myrna Loy, Teresa Wright, Dana Andrews)[3], *le Grand Sommeil* Howard Hawks (Humphrey Bogart, Lauren Bacall, Dorothy Malone)[3], *le Diable au corps* Claude Autant-Lara (Micheline Presle, Gérard Philipe, Jean Debucourt)[1], *les Enchaînés* Hitchcock (Cary Grant, Ingrid Bergman)[3], *la Dame de Shanghai* Orson Welles (Rita Hayworth, O. Welles)[3]. **CM :** *la Belle et la Bête* Cocteau (Jean Marais, Josette Day, Mila Parély, Michel Auclair)[1], *la Bête aux cinq doigts* Robert Florey[1]. **G :** *le Tournan décisif* Friedrich Ermler[6]. **W :** *la Poursuite infernale* John Ford (Henry Fonda, Linda Darnell)[3], *Duel au Soleil* King Vidor (Gregory Peck, Joseph Cotten et Jennifer Jones).

1947 *Monsieur Verdoux* Charlie Chaplin (Charlie Chaplin, Martha Raye)[3], *Quai des Orfèvres* Clouzot (Louis Jouvet, Suzy Delair, Bernard Blier, Simone Renant, Charles Dullin)[1]. **G :** *les Maudits* René Clément[1], *la Bataille de l'eau lourde* Jean Dréville[1].

1948 *Manon* Clouzot (Cécile Aubry, Michel Auclair, Serge Reggiani, Gabrielle Dorziat)[1], *Riz amer* De Santis (Silvana Mangano, Raf Vallone, Vittorio Gassman)[2], *La terre tremble* Visconti (interprètes non professionnels)[2], *le Voleur de bicyclette* Vittorio De Sica (Lamberto Maggiorani, Enzo Staiola)[2], *Hamlet* Laurence Olivier (Olivier, Jean Simmons)[9], *Macbeth* Orson Welles (O. Welles, Jeanette Nolan)[3]. **CM :** *Parade de printemps* Charles Walters (Judy Garland, Fred Astaire)[3]. **W :** *la Rivière rouge* Howard Hawks (John Wayne, Montgomery Clift)[3], *la Ville abandonnée* William A. Wellman (Gregory Peck, Richard Widmark)[3], *le Massacre de Fort-Apache* John Ford (John Wayne, Henry Fonda, Shirley Temple)[3].

1949 *Noblesse oblige* Robert Hamer (Dennis Price, Valerie Hobson, Joan Greenwood, Alec Guinness)[9], *le Troisième Homme* Carol Reed (Joseph Cotten, Alida Valli, Trevor Howard, Orson Welles)[9]. **CM :** *Un jour à New York* Gene Kelly et Stanley Donen (G. Kelly, Frank Sinatra)[3]. **F :** *Orphée* Jean Cocteau (Jean Marais, Maria Casarès, François Périer, Marie Déa)[1]. **G :** *Bastogne* William Wellman[3], *la Bataille de Stalingrad* Vladimir Petrov[6], *la Chute de Berlin* Michael Tchiaourelli[6]. **W :** *la Flèche brisée* Delmer Daves (James Stewart)[3], *la Charge héroïque* John Ford (John Wayne)[3].

1950 *Chronique d'un amour* Michelangelo Antonioni (Lucia Bose, Massimo Girotti)[2], *Ève* Joseph Mankiewicz (Bette Davis, Anne Baxter, George Sanders, Marilyn Monroe)[3], *Boulevard du Crépuscule* Billy Wilder (Gloria Swanson, William Holden, Erich von Stroheim)[3], *Rashomon* Akira Kurosawa (Toshiro Mifune, Machiko Kyo)[11], *la Ronde* Max Ophuls (Anton Walbrook, Simone Signoret)[5], *Quand la ville dort* John Huston (Sterling Hayden)[3]. *los Olvidados* Luis Buñuel (Alfonso Mejia)[13]. **G :** *Guérillas* Fritz Lang[3], *Iwo Jima* Allan Dwan[3]. **W :** *la Cible humaine* Henry King (Gregory Peck)[3].

1951 *le Journal d'un curé de campagne* Robert Bresson (Claude Laydu, Nicole Ladmiral, Nicole Maurey)[1], *le Fleuve* Jean Renoir (Nora Swinburne, Esmond Knight, Adrienne Corri)[3], *l'Inconnu du Nord-Express* Hitchcock (Farley Granger, Robert Walker, Ruth Roman)[3], *Un tramway nommé Désir* Elia Kazan (Vivien Leigh, Marlon Brando, Kim Hunter)[3], *Une place au soleil* George Stevens (Elizabeth Taylor, Montgomery Clift, Shelley Winters)[3]. **CM :** *Show-boat* George Sidney (Kathryn Grayson, Howard Keel, Ava Gardner), *Un Américain à Paris* Vincente Minnelli (Gene Kelly, Leslie Caron, Georges Guétary, Oscar Levant)[3]. **F :** *le jour où la Terre s'arrêta* Robert Wise[3], *la Chose d'un autre monde* Christian Nyby[3]. **G :** *Baïonnette au canon* Samuel Fuller[3], *J'ai vécu l'enfer de Corée* Samuel Fuller[3], *Okinawa* Lewis Milestone[3], *les Diables de Guadalcanal* Nicholas Ray[3], *le Renard du désert* Henry Hathaway[3]. **W :** *Convoi de femmes* William A. Wellman (Robert Taylor)[3].

1952 *les Belles de nuit* René Clair (Gérard Philipe, Martine Carol, Gina Lollobrigida)[1], *Casque d'or* Jacques Becker (Simone Signoret, Serge Reggiani, Claude Dauphin)[1], *le Carrosse d'or* Jean Renoir (Anna Magnani, Duncan Lamont, Jean Debucourt)[11], *Othello* Orson Welles (Orson Welles, Suzanne Cloutier, Michael MacLiammoir)[3], *Deux Sous d'espoir* Renato Castellani (Vincenzo Musolino)[2], *l'Homme tranquille* John Ford (John Wayne, Maureen O'Hara)[3]. **CM :** *Chantons sous la pluie* Gene Kelly et Stanley Donen (Gene Kelly, Debbie Reynolds, Donald O'Connor, Cyd Charisse)[3]. **F :** *la Guerre des mondes* Byron Haskin[3]. **G :** *Commando sur St-Nazaire* C. Bescett[4], *Crève-Cœur* Jacques Dupont[1]. **W :** *l'Ange des maudits* Fritz Lang (Marlene Dietrich, Arthur Kennedy)[3], *Le train sifflera trois fois* Fred Zinnemann (Gary Cooper, Grace Kelly)[3], *la Captive aux yeux clairs* Howard Hawks (Kirk Douglas, Dewey Martin)[3].

1953 *les Vacances de Monsieur Hulot* Jacques Tati (Jacques Tati, Nathalie Pacaud)[1], *I Vitelloni* Federico Fellini (Alberto Sordi, Franco Fabrizi, Franco Interlenghi, Leonora Ruffo)[2], *Voyage en Italie* Roberto Rossellini (Ingrid Bergman, George Sanders, Maria Mauban)[2], *Jules César* Mankiewicz (Marlon Brando, James Mason, John Gielgud, Louis Calhern, Deborah Kerr)[3], *les Contes de la lune vague après la pluie* Kenji Mizoguchi (Machiko Kyo)[11], *le Salaire de la peur* Clouzot (Y. Montand)[1], *Madame de...* Max Ophuls (Danielle Darrieux, Charles Boyer, Vittorio De Sica)[1]. **CM :** *Tous en scène* Vincente Minnelli (Fred Astaire, Cyd Charisse)[3]. **G :** *Tant qu'il y aura des hommes* Fred Zinnemann[3], *Sergent la Terreur* Richard Brooks[3], *les Bérets rouges* Terence Young[9], *les Rats du désert* Robert Wive[3], *le Cirque infernal* Richard Brooks[3], *l'Homme des vallées perdues* George Stevens (Alan Ladd)[3].

1954 *Monsieur Ripois* René Clément (Gérard Philipe, Joan Greenwood, Valerie Hobson)[1], *Touchez pas au grisbi* Jacques Becker (Jean Gabin, René Dary, Jeanne Moreau, Dora Doll)[1], *la Strada* Fellini (Giulietta Masina, Anthony Quinn, Richard Basehart)[2], *Senso* Visconti (Alida Valli, Farley Granger, Massimo Girotti)[2], *la Ctesse aux pieds nus* Mankiewicz (Ava Gardner, H. Bogart, Rossano Brazzi, Bessie Love)[3]. **CM :** *les 7 Femmes de Barberousse* Stanley Donen (Jane Powell et Howard Keel[3]. **G :** *la Patrouille infernale* Stwart Heisler[3], *le Dernier Pont* Helmut Kaütner[5], *Opération Tirpitz* Ralp Thomas[9]. **W :** *Bronco Apache* Robert Aldrich (Burt Lancaster)[3], *Vera Cruz* Robert Aldrich (Gary Cooper, B. Lancaster)[3], *4 Étranges Cavaliers* Allan Dwan (John Payne)[3], *Johnny Guitare* Nicholas Ray (Joan Crawford, Sterling Hayden, Ernest Borgnine, Mercedes McCambridge)[3], *Rivière sans retour* Preminger (Marilyn Monroe, Robert Mitchum, Rory Calhoun)[3].

1955 *French Cancan* Jean Renoir (Jean Gabin, Maria Félix, Françoise Arnoul, Gianni Esposito, Valentine Tessier, Édith Piaf)[1], *Lola Montes* Max Ophuls (Martine Carol, Anton Walbrook, Peter Ustinov, Oskar Werner, Ivan Desny)[1], *Sourires d'une nuit d'été* Ingmar Bergman (Ulla Jacobson, Harriet Andersson, Eva Dahlbeck, Gunnar Björnstrand, Bibi Andersson)[4], *Ordet* Carl Th. Dreyer (Henrik Malberg, Birgit Federspiel)[10], *A l'est d'Eden* Elia Kazan (James Dean, Julie Harris, Raymond Massey, Jo Van Fleet)[3], *la Fureur de vivre* Nicholas Ray (Dean, Natalie Wood, Sal Mineo)[3], *l'Impératrice Yang-Kwei-Fei* Mizoguchi (Machiko Kyo)[11], *Nuit et brouillard* Alain Resnais[1], *Pather Panchali* Satyajit Ray (S. Bannerjee)[14]. **F :** *la Nuit du chasseur* Charles Laughton (Robert Mitchum)[11], *les Survivants de l'infini* Joseph Newman. **G :** *le Général du diable* Helmut Kaütner[5], *la Fin d'Hitler* Georg W. Pabst[5], *le Cri de la victoire* Raoul Walsh, *la Flamme pourpre* Robert Parrish[3], *les Briseurs de barrage* Michael Anderson[9], *l'Enfer des hommes* Jessee Hibbs[3]. **W :** *les Implacables* Raoul Walsh (C. Gable), *Je suis un aventurier* Anthony Mann (James Steward), *l'Homme de la plaine* Anthony Mann[3], *la Dernière Chasse* Richard Brooks (Robert Taylor)[3].

1956 *Baby Doll* Elia Kazan (Carroll Baker, Karl Malden, Eli Wallach, Mildred Dunnock)[3] , *les Dix Commandements* Cecil B. De Mille (Charlton Heston, Yul Brynner, Anne Baxter, Yvonne De Carlo, Edward G. Robinson, Debra Paget, John Derek)[3], *Guerre et Paix* King Vidor (Audrey Hepburn, Henry Fonda, Mel Ferrer, Vittorio Gassman, John Mills, Anna-Maria Ferrero)[3], *la Prisonnière du désert* John Ford (John Wayne, Jeffrey Hunter, Vera Miles, Natalie Wood)[3], *Un condamné à mort s'est échappé* Robert Bresson (F. Leterrier)[1]. **F :** *la Marque* Val Guest[9], *Planète interdite* Fred M. Wilcox[3], *le Septième Sceau* Ingmar Bergman (Max von Sydow, Gunnar Björnstrand, Nils Poppe, Bibi Andersson)[4]. **G :** *la Bataille du rio de la Plata* Michael Powell, E. Pressburger[9], *le Temps de la colère* Richard Fleischer[3], *Cote 465* Anthony Mann[3], *Attaque* Robert Aldrich[3], *Commando dans la Gironde* José Ferrer[3]. **W :** *Sept Hommes à abattre* Budd Boetticher (Randolph Scott, Lee Marvin)[3].

1957 *les Fraises sauvages* Ingmar Bergman (Victor Sjöström, Bibi Andersson, Gunnar Björnstrand, Ingrid Thulin, Max von Sydow)[11], *Quand passent les cigognes* Mikhaïl Kalatozov (Tatiana Samoilova)[6], *les Sentiers de la gloire* Kubrick (Kirk Douglas)[3]. **CM :** *Les Girls* George Cukor (Gene Kelly, Mitzi Gaynor, Kay Kendall, Taïna Elg)[3], *Drôle de frimousse* Stanley Donen (Fred Astaire, Audrey Hepburn)[3], *la Belle de Moscou* Rouben Mamoulian (Fred Astaire. Cyd Charisse)[3]. **F :** *l'Homme qui rétrécit* Jack Arnold[3]. **G :** *Patrouille de Choc* Claude Bernard-Aubert[1], *Commando sur le Yang-Tsé* Michael Anderson[6], *le Pont de la rivière Kwaï* David Lean[9], *Kanal* Wajda (Teresa Izewska, Tadeusz Janczar)[13]. **W :** *3 Heures 10 pour Yuma* Delmer Daves (Glenn Ford), *Règlement de compte à OK Corral* John Sturges (Burt Lancaster, Kirk Douglas)[3].

1958 *la Soif du Mal* Orson Welles (Welles, Janet Leigh, Charlton Heston, Marlene Dietrich)[3], *Vertigo* Hitchcock (James Stewart, Kim Novak, Barbara Bel Geddes)[3], *Nazarin* Buñuel (Francisco Rabal)[4], *Hiroshima, mon amour* Alain Resnais (Emmanuelle Riva, Eiji Okada, Bernard Fresson)[1]. **CM :** *Gigi* Vincente Minnelli (Leslie Caron, Louis Jourdan, Maurice Chevalier, Hermione Gingold, Eva Gabor)[3]. **F :** *le Cauchemar de Dracula* Terence Fisher[9]. **G :** *le Temps d'aimer et le Temps de mourir* Douglas Sirk[3], *Les commandos passent à l'attaque* William Wellman[3], *Cendres et Diamant* Wajda (Zbigniew Cybulski, Ewa Krzyzanowska)[13], *Dunkerque* Leslie Norman[9], *le Bal des maudits* Edward Dmytryk[3], *Tarawa, tête de pont* Paul Wendkos[3]. **W :** *Cow-Boy* Delmer Daves (Glenn Ford)[3], *les Nus et les Morts* Raoul Walsh (Aldo Ray, Cliff Robertson, Raymond Massey)[3], *Bravados* Henry King (Gregory Peck), *les Grands Espaces* William Wyler (Gregory Peck), *l'Homme de l'Ouest* Anthony Mann (Gary Cooper).

1959 *les 400 Coups* François Truffaut (Jean-Pierre Léaud, Claire Maurier, Albert Rémy)[1], *le Testament d'Orphée* J. Cocteau (J. Cocteau, Edouard Dermit, Maria Casarès, François Périer, Jean Marais, Yul Brynner, Serge Lifar)[1], *l'Avventura* Antonioni (Monica Vitti, Lea Massari, Gabriele Ferzetti)[2]. *Certains l'aiment chaud* Billy Wilder (Marilyn Monroe, Tony Curtis, Jack Lemmon)[3]. **F :** *le Testament du docteur Cordelier* Jean Renoir[1], *Voyage au centre de la Terre* Henry Levin[3]. **G :** *la Bataille de la mer de Corail* Paul Wendkos[3], *le Pont* Bernhardt Wicki[5], *la Balade du soldat* Gregori Tchoukhraï[6]. **W :** *Rio Bravo* Howard Hawks (John Wayne, Dean Martin)[3], *l'Aventurier du Rio Grande* Robert Parrish (Robert Mitchum), *les Cavaliers* John Ford (John Wayne, William Holden)[3], *le Dernier Train de Gun Hill* John Sturges (Kirk Douglas, Anthony Quinn), *l'Homme aux colts d'or* Edward Dmytryk (Henry Fonda, Richard Widmark, Anthony Quinn).

1960 *la Dolce Vita* Frederico Fellini (Marcello Mastroianni, Anouk Aimée, Anita Ekberg, Yvonne Furneaux, Alain Cuny)[2], *le Fleuve sauvage* Elia Kazan (Montgomery Clift, Lee Remick, Jo Van Fleet, Barbara Loden)[3], *Psychose* Hitchcock (Anthony Perkins, Janet Leigh, Vera Miles, John Gavin)[3], *A bout de souffle* Jean-Luc Godard (Jean Seberg, Jean-Paul Belmondo, Daniel Boulanger, Claude Mansard)[1]. **F :** *le Masque du Démon* Mario Bava[2], *la Chute de la maison Usher* Roger Corman[3], *la Machine à explorer le temps* George Pal[3], *le Voyeur* Michael Powell[9], *les Yeux sans visage* Georges Franju[1]. **G :** *Coulez le Bismarck* Lewis Gilbert[9], *les Feux dans la plaine* Kon Ichikawa (Eiji Funakoshi)[11], *Saipan* Phil Karlson[3]. **W :** *Alamo* John Wayne (J. Wayne, Richard Widmark)[3], *les Sept Mercenaires* John Sturges (Yul Brynner, Steeve McQueen)[3], *le Vent de la plaine* John Huston (Burt Lancaster, Audrey Hepburn)[3].

1961 *la Nuit* Michelangelo Antonioni (Monica Vitti, Marcello Mastroianni, Jeanne Moreau)[2], *l'Année dernière à Marienbad* Alain Resnais (Delphine Seyrig, Sacha Pitoëff, Giorgio Albertazzi)[1], *Jules et Jim* François Truffaut (Jeanne Moreau, Oskar Werner, Henri Serre, Marie Dubois)[1], *The Misfits* (les Désaxés) John Huston (Marilyn Monroe, Clark Gable, Montgomery Clift, Eli Wallach, Thelma Ritter)[3], *Viridiana* Buñuel (Silvia Pinal, Francisco Rabal)[13]. **CM :** *West Side Story* Robert Wise et Jerome Robbins (Natalie Wood, George Chakiris, Rita Moreno, Russ Tamblyn)[3]. **F :** *les Innocents* Jack Clayton[9], *les Damnés* Joseph Losey[9]. **G :** *les Canons de Navarone* Jack Lee Thompson[9]. **W :** *l'Homme qui tua Liberty Valence* John Ford (John Wayne, James Stewart, Lee Marvin)[3], *Coups de feu dans la Sierra* Sam Peckinpah (Joel McCrea, Randolph Scott)[3].

1962 *le Procès de Jeanne d'Arc* Robert Bresson (Florence Delay, Jean-Claude Fourneau, Jean Gilibert)[1]. *Eva* Joseph Losey (Jeanne Moreau, Virna Lisi, Stanley Baker)[9], *Les maraudeurs attaquent* Samuel Fuller (Jeff Chandler, Ty Hardin)[3], *Tempête à Washington* Preminger (Henry Fonda, Charles Laughton, Walter Pidgeon, Gene Tierney, Franchot Tone, Peter Lawford)[3], *l'Ange exterminateur* Buñuel (Silvia Pinal)[13]. **F :** *l'Effroyable Secret du Dr Hichcock* Robert Hampton[2]. **G :** *L'enfer est pour les héros* Don Siegel[3]. **W :** *la Conquête de l'Ouest* John Ford, Henri Hathaway et George Marshall (John Wayne, Henry Fonda, Richard Widmark)[3].

1963 *Huit et demi* Federico Fellini (Marcello Mastroianni, Anouk Aimée)[2], *le Guépard* Luchino Visconti (Burt Lancaster, Alain Delon, Claudia Cardinale)[2], *America America* Elia Kazan (Stathis Giallelis, Frank Wolff, John Marley, Linda Marsh)[3]. **F :** *les Oiseaux* A. Hitchcock (Rod Taylor, Tippi Hedren, Suzanne Pleshette)[3], *la Maison du diable* Robert Wise[3]. **G :** *le Jour le plus long* Darryl Zanuck[3].

1964 *l'Évangile selon saint Matthieu* Pier Paolo Pasolini (Enrique Irazoqui, Susana Pasolini)[2]. **CM :** *les Parapluies de Cherbourg* Jacques Demy (Catherine Deneuve, Anne Vernon, Nino Castelnuovo)[1], *My Fair Lady* George Cukor (A. Hepburn, Rex Harrison, Stanley Holloway)[3]. **F :** *le Masque de la mort rouge* Roger Corman[3]. **G :** *la Bataille de France* Jean Aurel[1], *1re Victoire* Otto Preminger[3], *la 317e Section* Pierre Schoendoerffer (J. Perrin, Bruno Crémer)[1]. **W :** *les Cheyennes* John Ford (Richard Widmark)[3], *la Charge de la 8e brigade* Raoul Walsh[3].

1965 *Pierrot le fou* Jean-Luc Godard (Jean-Paul Belmondo, Anna Karina, Raymond Devos)[1], *les Amours d'une blonde* Milos Forman (Hana Brejchova, Vladimir Pucholt)[8], *Kwaidar* Masaki Kobayashi (K. Kishi)[11]. **CM :** *la Mélodie du bonheur* Robert Wise (Julie Andrews). **F :** *Alphaville* Jean-Luc Godard[1] **G :** *la Bataille des Ardennes* Ken Annakin[3]. **W :** *les Quatres Fils de Katie Elder* Henry Hathaway (John Wayne, Dean Martin)[3].

1966 *la Grande Vadrouille*[1] Gérard Oury (Bourvil, Louis de Funès), *Un homme et une femme*[1] Claude Lelouch (Anouk Aimée, Jean-Louis Trintignant), *Paris brûle-t-il ?* [1] René Clément (Jean-Paul Belmondo, Alain Delon, Orson Welles, Yves Montand). **F :** *Fahrenheit 451* François Truffaut[1]. **G :** *la Longue Marche* Alexandre Astruc[1], *les Centurions* Mark Robson[3]. **W :** *les Professionnels*[3] Richard Brooks (Burt Lancaster, Lee Marvin, Robert Ryan, Claudia Cardinale).

1967 *la Chinoise* Jean-Luc Godard (Anne Wiazemsky, Jean-Pierre Léaud, Juliet Berto, Francis Jeanson)[1], *Accident* Joseph Losey (Dirk Bogarde, Stanley Baker, Jacqueline Sassard, Michael York, Delphine Seyrig)[9], *Reflets dans un œil d'or* John Huston (Elizabeth Taylor, Marlon Brando, Julie Harris, Brian Keith)[3]. **F :** *les Monstres de l'espace* Roy Ward Baker[9], *la Planète des Singes* Franklin Shaffner[3]. **G :** *la Bataille pour Anzio* Edward Dmytryk[3]. **W :** *El Dorado* Howard Hawks (John Wayne, Robert Mitchum)[3].

1968 *Théorème* Pier Paolo Pasolini (Terence Stamp)[2]. **CM :** *Star* Robert Wise (Julie Andrews)[3]. **F :** *Histoires extraordinaires* Federico Fellini, Louis Malle, Roger Vadim[1, 2], *2001, l'Odyssée de l'espace* Stanley Kubrick (Keir Dullea, Gary Lockwood, William Sylvester, Daniel Richter)[9], *Rosemary's Baby* Roman Polanski (Mia Farrow)[3], *la Nuit des morts-vivants* G.A. Romero[3], *Un soir, un train* André Delvaux[15]. **G :** *Duel dans le Pacifique* John Boorman[3], *les Bérets verts* John Wayne et Ray Kellog[3]. **W :** *Butch Cassidy et le Kid* George Roy Hill (Paul Newman, Robert Redford).

1969 *les Damnés* Luchino Visconti (Dirk Bogarde, Ingrid Thulin, Helmut Berger, Helmut Griem, Charlotte Rampling)[2], *Ma Nuit chez Maud* Eric Rohmer (Jean-Louis Trintignant, Françoise Fabian, Marie-Christine Barrault, Antoine Vitez)[1], *Satiricon* Federico Fellini (Martin Potter, Hiram Keller, Salvo Randone, Magali Noël, Lucia Bose, Alain Cuny)[2], *Love* Ken Russell (Glenda Jackson, Oliver Reed, Alan Bates)[9], *Andrei Roublev* Andrei Tarkowsky (Anatoli Solonitzine, Nikolaï Sergueev)[6], *On achève bien les chevaux* Sydney Pollack (Jane Fonda, Michael Sarrazin, Susannah York, Red Buttons)[3]. **CM :** *Hello Dolly* Gene Kelly (Barbra Streisand)[3], *Sweet Charity* Bob Fosse (Shirley Mc Laine)[3]. **G :** *la Bataille d'Angleterre* Guy Hamilton[9], *l'Armée des ombres* Jean-Pierre Melville[1]. **W :** *Willie Boy* Abraham Polonsky (Robert Redfort)[3].

1970 *Love Story* Arthur Hiller (Ali MacGraw, Ryan O'Neal)[3], *les Choses de la vie*[1] Claude Sautet (Michel Piccoli, Romy Schneider)[1], *l'Enfant sauvage* François Truffaut (François Truffaut)[1], *l'Aveu* Costa-Gavras (Yves Montand)[1]. **F :** *Brewster Mc Cloud* Robert Altmann[3]. **G :** *Hoah Binh* Raoul Coutard[1], *MASH* Robert Altman (Donald Sutherland, Elliott Gould, Sally Kellerman)[3], *Patton* Franklyn J. Schaffner (George C. Scott)[3]. **W :** *Chisum* Andrew Mc Laglen (John Wayne)[3], *Rio Lobo* Howard Hawks (John Wayne)[3].

1971 *le Décaméron* Pasolini (Franco Citti, Ninetto Davoli, Angela Luce, Pasolini)[2], *Mort à Venise* Luchino Visconti (Dirk Bogarde, Silvana Mangano, Björn Andresen)[2], *le Messager* Joseph Losey (Julie Christie, Alan Bates, Michael Redgrave, Margaret Leighton)[9], *Orange mécanique* Stanley Kubrick (Malcolm McDowell, Patrick Magee, Adrienne Corri, Michael Bates, Warren Clarke)[9], *Un dimanche comme les autres* John Schlesinger (Glenda Jackson)[9], *Duel* Steven Spielberg (Dennis Weaver, Jacqueline Scott, Lou Frizzell)[3]. **CM :** *Darling Lili* Blake Edwards (Julie Andrews)[3] **F :** *l'Abominable Dr Phibes* Robert Fuest[3]. **W :** *le Convoi sauvage* Richard Sarafian (John Huston)[3].

1972 *Cris et chuchotements* Ingmar Bergman (Harriet Andersson, Kari Sywan, Ingrid Thulin, Liv

Ullmann, Erland Josephson)[4], *les Zozos* Pascal Thomas (Frédéric Duru, Edmond Paillard, Daniel Ceccaldi)[1], *l'Affaire Mattei* Francesco Rosi (Gian Maria Volonte, Peter Baldwin, Franco Graziosi)[2], *Cabaret* Bob Fosse (Liza Minnelli, Michael York, Helmut Griem, Marisa Berenson, Joel Grey)[3], *Délivrance* John Boorman (Burt Reynolds, Jon Voight, Ned Beatty, Ronny Cox)[3], *le Parrain* Coppola (Marlon Brando, Al Pacino, James Caan, Robert Duvall, Sterling Hayden, Diane Keaton)[3], *la Vraie Nature de Bernadette* Gilles Carle (Micheline Lanctôt, Donald Pilon), Québec. **F :** *l'Autre* Robert Mulligan[3], *le Maître et Marguerite* Alexander Petrovic[16]. **W :** *Fureur apache* Robert Aldrich (Burt Lancaster), *Juge et Hors-la-loi* John Huston (Paul Newman)[3], *les Cow-Boys* Mark Rydell (John Wayne)[3], *Jeremiah Johnson* Sydney Pollack (Robert Redford)[3].

1973 *la Nuit américaine* François Truffaut (J. Bisset, J.-P. Aumont, Valentina Cortese, F. Truffaut, J.-P. Léaud, Nathalie Baye, Alexandra Stewart)[1], *Amarcord* Federico Fellini (Magali Noël, Bruno Zanin, Puppella Maggio)[2], *l'Arnaque* George Roy Hill (Paul Newman, Robert Redford, Robert Shaw)[3]. **F :** *Zardoz* John Boorman[3], *le Voyage fantastique de Sindbad* Gordon Hessler[9]. **G :** *le Train* Pierre Granier-Deferre[1]. **W :** *l'Homme des hautes plaines* Clint Eastwood (C. Eastwood)[3], *Pat Garrett et Billy le Kid* Sam Peckinpah (James Coburn)[3].

1974 *L'Horloger de Saint-Paul*[1] Bertrand Tavernier (Philippe Noiret, Jean Rochefort, Jacques Denis), *Chinatown* Roman Polanski (Jack Nicholson, Faye Dunaway, John Huston)[3], *India Song* Marguerite Duras (Delphine Seyrig, Michael Lonsdale)[1], *Nous nous sommes tant aimés* Ettore Scola (Vittorio Gassman, Nino Manfredi, Stefania Sandrelli, Stefano Satta Flores)[2]. **CM :** *Il était une fois Hollywood* Jack Haley Jr (films de montage des classiques MGM)[3]. **F :** *Phantom of the Paradise* Brian De Palma[3]. **G :** *Lacombe Lucien* Louis Malle (Pierre Blaise, Aurore Clément, Teresa Giehse, Stéphane Bouy)[1].

1975 *l'Histoire d'Adèle H* François Truffaut (Isabelle Adjani, Bruce Robinson, Sylvia Marriott, Ivry Gitlis)[1], *Barry Lyndon* Stanley Kubrick (Ryan O'Neal, Marisa Berenson, Patrick Magee, Hardy Krüger)[9], *Nashville* Robert Altman (Geraldine Chaplin, Keith Carradine)[3]. **G :** *le Vieux Fusil* Robert Enrico[1], *la Bataille de Midway* Jack Smight[3]. **W :** *la Chevauchée sauvage* Richard Brooks (Gene Hackman, James Coburn).

1976 *Cria Cuervos* Carlos Saura (Geraldine Chaplin, Ana Torent)[13], *Taxi Driver* Martin Scorsese (Robert De Niro, Jodie Foster, Harvey Keitel, Cybill Shepherd)[3], *Casanova* Federico Fellini (Donald Sutherland, Tina Aumont)[2], *Monsieur Klein* Joseph Losey (Alain Delon)[1]. **G :** *la Victoire en chantant* Jean-Jacques Annaud (Francis Huster)[1]. **W :** *Josey Wales, hors-la-loi* Clint Eastwood (id.)[3], *The Missouri Breaks* Arthur Penn (Jack Nicholson, Marlon Brando)[3].

1977 *le Crabe-Tambour* Schoendoerffer (Jean Rochefort, J. Perrin, Claude Rich, Odile Versois)[1], *le Diable probablement* Robert Bresson (Antoine Monnier, Tina Irissari, Laetitia Carcano)[1], *Annie Hall* Woody Allen (W. Allen, Diane Keaton)[3]. **F :** *la Guerre des Étoiles* G. Lucas[3], *Rencontres du 3e type* Spielberg (Richard Dreyfuss, F. Truffaut)[3]. **G :** *Un pont trop loin* Richard Attenborough[9].

1978 *Perceval le Gallois* Eric Rohmer (Fabrice Luchini, André Dussolier, Clémentine Amouroux, Anne-Laure Meury, Marie-Christine Barrault)[1], *Don Giovanni* Joseph Losey (Ruggero Raimondi, Edda Moser, Kiri Te Kanawa)[11], *l'Arbre aux sabots* Ermanno Olmi (interprètes non professionnels)[2], *Un mariage* Robert Altman (Geraldine Chaplin, Lauren Hutton, Vittorio Gassman, Carol Burnett, Mia Farrow, Lillian Gish)[3]. **CM :** *Folie folie* Stanley Donen[3]. *Grease* Randal Kleiser (John Travolta)[3]. **G :** *Voyage au bout de l'Enfer* Michael Cimino (Robert De Niro, Christopher Walken, John Savage, Meryl Streep)[3].

1979 *Tess* Roman Polanski (Nastassja Kinski, Peter Firth, Leigh Lawson)[1], *Le Christ s'est arrêté à Eboli* Francesco Rosi (Gian Maria Volonte, Lea Massari, Alain Cuny, François Simon)[2], *Manhattan* Woody Allen (Woody Allen, Diane Keaton, Michael Murphy, Mariel Hemingway, Meryl Streep)[3], *The Rose* Mark Rydell (Bette Midler, Alan Bates, Frederic Forrest)[3], *le Roi et l'oiseau* Paul Grimault (dessin animé)[1]. **CM :** *All That Jazz* Bob Fosse (Roy Scheider). **F :** *Alien* Ridley Scott[9]. *Mad Max* George Miller[17], *Stalker* Andreï Tarkowski[6]. **G :** *la Légion saute sur Kolwezi* Raoul Coutard[1], *Apocalypse Now* Francis Ford Coppola (Marlon Brando, Martin Sheen, Robert Duvall)[3].

1980 *le Dernier Métro* François Truffaut (Catherine Deneuve, Gérard Depardieu, Jean Poiret, Sabine Haudepin, Paulette Dubost)[1], *Mon Oncle d'Amérique* Alain Resnais (Gérard Depardieu, Nicole Garcia, Roger Pierre, Marie Dubois)[1], *The Shining* Stanley Kubrick (Jack Nicholson, Shelley Duvall, Danny Loyd)[9], *Kagemusha* Akira Kurosawa (Tatsuya Nakadaï, Tsutomu Yamazaki)[12], *Elephant Man* David Lynch (Anthony Hopkins, John Hurt, John Gielgud, Anne Bancroft)[3]. **F :** *l'Empire contre-attaque* Irvin Kershner[3], *le Trou noir* Gary Nelson[3]. *New York 1997* John Carpenter[3]. **W :** *Bronco Billy* Clint Eastwood[3].

1981 *Raging Bull* Scorsese (Robert De Niro, Cathy Moriarty)[3], *les Aventuriers de l'arche perdue* Spielberg (Harrison Ford, Karen Allen, Paul Freeman)[3], *la Femme de l'aviateur* Eric Rohmer (Philippe Marlaud, Marie Rivière, Anne-Laure Meury)[1], *Trois Frères* Francesco Rosi (Charles Vanel, Philippe Noiret, Michele Placido)[2], *Coup de torchon* Bertrand Tavernier (Philippe Noiret, Isabelle Huppert)[1]. **F :** *la Guerre du Feu* Jean-Jacques Annaud[1]. **G :** *la Peau* Liliana Cavani[2].

1982 *Reds* Warren Beatty (Warren Beatty, Diane Keaton)[3], *la Maîtresse du lieutenant français* Karel Reisz (Meryl Streep, Jeremy Irons)[9], *Missing* Costa-Gavras (Jack Lemmon, Sissy Spacek)[3]. **CM :** *Coup de cœur* Francis F. Coppola[3]. **F :** *E.T. l'extra-terrestre* Steven Spielberg (Dee Wallace)[4]. **G :** *l'Honneur d'un capitaine* Pierre Schoendoerffer[1].

1983 *la Ballade de Narayama* Shohei Imamura (Ken Ogata)[11], *l'Argent* Robert Bresson (Christian Patay, Caroline Lang)[1], *Fanny et Alexandre* Ingmar Bergman (Pernilla Allwin, Bertil Guve)[11], *la Traviata* Franco Zeffirelli (Teresa Stratas, Placido Domingo)[2]. **CM :** *Flashdance* Adrian Lyne[3]. **F :** *Lady Hawke* Richard Donner[3], *le Retour du Jedi* Richard Marquand[3].

1984 *Paris, Texas* Wim Wenders (Harry Dean Stanton, Nastassja Kinski)[1], *Au-dessous du volcan* John Huston (Albert Finney, Jacqueline Bisset)[3], *Amadeus* Milos Forman[3], *les Nuits de la pleine lune*[1] Éric Rohmer (Pascale Ogier, Fabrice Luchini), *le Flic de Beverly Hills* Martin Brest (Eddie Murphy, Lisa Eichhorn)[3], *Indiana Jones et le Temple maudit* Spielberg (Harrison Ford, Kate Capshaw)[3]. **CM :** *Cotton Club* Francis F. Coppola (Richard Gere)[3]. **F :** *Gremlins* Joe Dante[3], *Dune* D. Lynch[3]. **G :** *la Déchirure* Roland Joffé[9].

1985 *la Rose pourpre du Caire* Woody Allen (Mia Farrow, Jeff Daniels)[3], *Ran* Akira Kurosawa[11], *l'Année du Dragon* Michael Cimino (Mickey Rourke)[3], *3 Hommes et un couffin* Coline Serreau (R. Giraud, M. Boujenah, A. Dussolier)[1]. **F :** *Retour vers le futur* Robert Zemeckis[3]. **G :** *Révolution* Hugh Hudson[3]. **W :** *Silverado* Lawrence Kasdan (Scott Glenn), *Pale Rider* (C. Eastwood).

1986 *Jean de Florette, Manon des Sources* Claude Berri (Daniel Auteuil, Gérard Depardieu, Emmanuelle Béart, Yves Montand)[1], *le Nom de la rose* Jean-Jacques Annaud (Sean Connery, Michael Lonsdale)[1], *la Couleur pourpre* Steven Spielberg (Whoopi Goldberg, Danny Glover, Adolphe Caesar, Margaret Avery)[3], *Out of Africa* (Souvenirs d'Afrique) Sydney Pollack (Robert Redford, Meryl Streep, Klaus-Maria Brandauer)[3], *Ginger et Fred* Federico Fellini (Mastroianni, Giulietta Masina)[2], *Pirates* Roman Polanski (Walter Matthau), *After Hours* Martin Scorsese (Griffin Dunne)[3]. **CM :** *la Bamba* Luis Valdez[3]. **F :** *Highlander* Russel Mulcahy[9], *la Mouche* David Cronenberg[3].

1987 *Sous le soleil de Satan* Maurice Pialat (Gérard Depardieu, Sandrine Bonnaire)[1], *Au revoir les enfants* Louis Malle (Raphaël Fejtö, Gaspard Manesse, Francine Racette)[1], *Angel Heart* Alan Parker[3], *le Flic de Beverly Hills 2* Tony Scott (Mel Gibson, Dany Glover)[3], *le Dernier Empereur* Bernardo Bertolucci (Peter O'Toole, John Lone, Joan Chen)[2]. **F :** *les Sorcières d'Eastwick* George Miller[3]. *Robocop* Paul Verhoeven[3]. **G :** *Platoon* Oliver Stone (Tom Berenger, Willem Dafoe, Charlie Sheen)[3], *Full Metal Jacket* Stanley Kubrick (Lee Ermey, Vincent D'Onofrio, Matthew Modine)[3], *Good Morning Viêt-nam* Barry Levinson[9].

1988 *le Grand Bleu* Luc Besson (Jean Réno, Jean-Marc Barr, Rosanna Arquette)[1], *l'Ours* Jean-Jacques Annaud (Tcheky Kario, Jack Wallace, André Lacombe)[1], *Qui veut la peau de Roger Rabbit ?* Robert Zemeckis (Bob Hoskins, Christopher Lloyd)[3], *La vie est un long fleuve tranquille* Étienne Chatiliez (Hélène Vincent, Daniel Gélin, Emmanuel Gendrier, Benoît Magimel, Valérie Lalande, Tara Romer, Jérôme Floch)[1], *Camille Claudel* Bruno Nuytten (Isabelle Adjani, Gérard Depardieu)[1], *le Cri de la liberté* Richard Attenborough (Kevin Kline, Penelope Wilton, Denzel Washington)[9], *la Petite Véra* Vassili Pitchoul (Natalia Negoda)[6]. **CM :** *Moonwalker* Colin Chilvers et Jerry Kramer (Michael Jackson), *Tap Dance* Nick Castle (Gregory Hines), *Trois Places pour le 26* Jacques Demy (Yves Montand, Mathilda May). **F :** *Willow* Ron Howard[3], *Hidden* Jack Sholder[3]. **G :** *la Bête de guerre* Kevin Reynolds[9], *Dear America, lettres du Viêt-nam* Bill Couturié[3]. **W :** *Young Guns* Christopher Caien[3].

1989 *Rain Man* Barry Levinson (Dustin Hoffmann, Tom Cruise, Valeria Golino)[3], *Indiana Jones et la dernière croisade* Steven Spielberg (Harrisson Ford, Alison Doody, Sean Connery, Denholm Elliott)[3], *Un poisson nommé Wanda* Charles Crichton (Jamie Lee Curtis, John Cleese, Michael Palin)[3], *les Liaisons dangereuses* Stephen Frears (John Malkovich, Glenn Close, Michelle Pfeiffer)[3], *Trop belle pour toi* Bertrand Blier (Josiane Balasko, Carole Bouquet, Gérard Depardieu)[1], *Quand Harry rencontre Sally* Rob Reiner (Billy Crystal, Meg Ryan)[3], *la Vie et rien d'autre* Bertrand Tavernier (Philippe Noiret, Sabine Azéma)[1]. **F :** *Batman.* Tim Burton[3]. *Abyss* James Cameron[3], *les Aventures du baron de Münchausen* Terry Gillian[6], *Baxter* Jérôme Boivin[1]. **G :** *Outrages* Brian De Palma[3], *Né un 4 juillet* Oliver Stone[3], *Glory* Edward Zwick[3], *Cher frangin* Gérard Mordillat[1].

1990 *Cyrano de Bergerac* Jean-Paul Rappeneau (Gérard Depardieu, Anne Brochet)[1], *Nikita* Luc Besson (Anne Parillaud)[1], *Uranus* Claude Berri (Gérard Depardieu, Philippe Noiret, Jean-Pierre Marielle)[1], *la Gloire de mon père/le Château de ma mère* Yves Robert (Philippe Caubère, Nathalie Roussel)[1], *le Cercle des poètes disparus* Peter Weir (Robin Williams)[3], *Pretty Woman* Garry Marshall (Julia Roberts, Richard Gere)[3], *les Affranchis* Martin Scorsese (Robert De Niro)[3], *Alice* Woody Allen (Mia Farrow, Joe Mantegna)[3]. **CM :** *Cry Baby* John Waters (Johnny Deep)[3]. **F :** *Chérie, j'ai rétréci les gosses* Joe Johnston[3], *Ghost* Jerry Zucker (Patrick Swayze)[3], *Total Recall* Paul Verhoeven[3], *les Mille et Une Nuits* Philippe de Broca[1], *Baby Blood* Alain Robak[1]. **G :** *Europa Europa* Agnieszka Holland[5], *Memphis Belle* Michael Caton-Jones[9], *Air America* Roger Spottiswoode[3]. **W :** *Danse avec les loups* Kevin Costner (K. Costner)[3].

1991 *Croc-Blanc* Randal Keiser[3], *Jamais sans ma fille* Brian Gilbert[3], *Thelma et Louise* Ridley Scott (Susan Sarandon, Geena Davis)[3], *Van Gogh* Maurice Pialat (Jacques Dutronc, Bernard Le Coq, Gérard Séty, Alexandra London)[1], *la Belle Noiseuse* Jacques Rivette (Emmanuelle Béart, Michel Piccoli, Jane Birkin)[1], *Merci la vie* Bertrand Blier (Anouk Grimberg, Charlotte Gainsbourg, Gérard Depardieu, Jean Carmet)[1], *Tous les matins du monde* Alain Corneau (Jean-Pierre Marielle, Gérard Depardieu, Anne Brochet)[1], *les Amants du Pont-Neuf* Leos Carax (Juliette Binoche, Denis Lavant)[1], *Une époque formidable* Gérard Jugnot (Gérard Jugnot, Richard Bohringer, Victoria Abril)[1], *le Silence des agneaux* (Jodie Foster, Antony Hopkins)[3], *Delicatessen* Jean-Pierre Jeunet et Marc Caro (Dominique Pinon, Jean-Claude Dreyfus)[1]. **CM :** *Stepping out* Lewis Gilbert (Liza Minnelli)[9]. **F :** *Highlander, le retour* Russell Mulcahy[3], *Terminator 2, le jugement dernier* James Cameron (Arnold Schwartzenegger, Linda Hamilton, Edward Furlong, Robert Patrick)[3], *Rocketeer* Joe Johnston[3]. **G :** *la Neige et le feu* Claude Pinoteau[1].

1992 *Basic instinct* Paul Verhoeven (Michael Douglas, Sharon Stone)[3], *l'Amant* Jean-Jacques Annaud (Janes Masch, Tony Leung)[1], *JFK* Olivier Stone (Kevin Costner)[3], *Un cœur en hiver* Claude Sautet (Daniel Auteuil, Emmanuelle Béart, André Dussollier)[1], *Hook* Steven Spielberg (Dustin Hoffman, Robin Williams, Julia Roberts)[3], *Indochine* Régis Wargnier (Catherine Deneuve, Vincent Perez)[1], *L. 627* Bertrand Tavernier (Didier Bezace, Jean-Paul Comart, Charlotte Kady)[1], *Talons aiguilles* Pedro Almodovar (Victoria Abril, Miguel Bose)[13], *IP5* Jean-Jacques Beineix (Yves Montand)[1], *l'Accompagnatrice* Claude Miller (Richard Bohringer, Elena Safonova, Romane Bohringer)[1], *les Nuits fauves* Cyril Collard (Cyril Collard, Romane Bohringer)[1], *1492 Christophe Colomb* Ridley Scott (Gérard Depardieu, Sigourney Weaver)[1]. **CM :** *Wayne's World* Penelope Spheeris (Mike Myers, Dana Carvey, Rob Lowe), *les Mambos Kings* Arne Glimcher (Arnaud Assante, Antonio Banderas). **F :** *Alien 3* David Fincher[3], *Batman le défi* Tim Burton[3], *The Addams Family* Barry Sonnenfeld[3], *Hook* Steven Spielberg[3], **G :** *Diên Biên Phu* Pierre Schoendoerffer (Donald Pleasence, Ludmila Mickaël)[1]. **W :** *Impitoyable* Clint Eastwood[3].

DESSIN ANIMÉ

■ **Technique.** Chaque 24e de s (vitesse de défilement des projecteurs) représente une phase du mouvement et nécessite un dessin distinct. On peut également animer le dessin par d'autres techniques : éléments découpés et articulés (« Le Cirque » de Jiri Trnka), éléments découpés animés par substitution (« La Planète sauvage » de René Laloux, d'après Topor), silhouettes articulées (films de Lotte Reiniger, Bruno Bottge), dessins ou peintures modifiés directement sous la caméra (films de McLaren, Robert Lapoujade), ordinateurs (« La Faim » de Peter Foldès).

■ **Quelques grandes dates. 1892-1900** Exploitation du *Théâtre optique* au musée Grévin par É. Reynaud. Les images sont peintes, une à une, directement sur la pellicule. Films : *Un bon bock (1889), Clown et ses chiens (1890), Pauvre Pierrot (1891), Rêve au coin du feu (1894), Autour d'une cabine (1894).* **1906** USA, J. Stuart Blackton perfectionne la prise de vues

« image par image ». 1er d. a. *Humorous Phases of Funnyfaces.* **1908** (17-8) 1re projection de dessins animés *(Fantasmagorie)* d'Émile Cohl (pseudonyme d'Émile Courtet, 1857-1938), pionnier du genre. Principales œuvres : *Retapeur de cervelles, les Joyeux Microbes, le Fantoche, les Pieds nickelés...* **1908-1923** Cohl réalise plus de 200 films d'animation en imaginant la plupart des techniques encore utilisées aujourd'hui : *les Allumettes animées* et *le Petit Soldat qui devint Dieu (1908), la Lampe qui file (1909), le Petit Chantecler (1910,* ombres animées), *le Tout Petit Faust (1910).* **1914** invention des « cel » (cellulo ou feuilles transparentes) par les Américains Earl Hurd et J. Randolph Bray. **1924** création des Studios Disney à Hollywood : passe au plan industriel. Le style en « O » régnera 20 ans. Chaque animal est étudié d'après un modèle vivant. **1926** *les Aventures du prince Achmed* de Lotte Reiniger et Berthold Bartosch, réalisé avec des silhouettes découpées (imitées du « théâtre d'ombres »). **1929-30** *les Études* d'Oskar Fishinger, 1ers d. a. abstraits. Ladislas Starewitch réalise (en France) le 1er film de marionnettes de long métrage : *le Roman de Renard.* **1930** 1er d.a. colorié photomécaniquement : séquence d'introduction pour *King of the Jazz* (Walter Lantz). **1932** *1er d. a. adulte : L'Idée* de Berthold Bartosch et Franz Masereel (musique d'Arthur Honegger). 1er « Oscar » du d. a. : *Flowers and Trees* (Walt Disney). **1933** *Une nuit sur le mont Chauve* d'Alex Alexeieff et Claire Parker, en ombres portées obtenues en éclairant un écran de 500 000 épingles. **1934-37** 1er d. a. de long métrage (environ 400 000 dessins). *Blanche-Neige et les Sept Nains* (Walt Disney). **1935** 1er film abstrait sans caméra, par dessin direct sur la pellicule : *Colour Box* (Len Lye). 1er film de McLaren : *Camera Makes Woopee.* **1936** création des « Gémeaux » par Paul Grimault. **1938** *Barbe-Bleue* de Jean Painlevé et René Bertrand (marionnettes souples en plastiline colorée). **1945** fondation de l'United Productions of America (UPA) par Stephen Bosustow et des dissidents de l'équipe Disney : Robert Cannon, John Hubley... L'UPA rénove le genre en intégrant les influences du graphisme et de la peinture modernes. **1947** 1er long métrage en marionnettes de Jiri Trnka. *l'Année tchèque.* **1947-50** 1er d. a. français de long métrage : *la Bergère et le Ramoneur,* de Paul Grimault, adaptation de Jacques Prévert (1re présentation publique en 1952 dans une version désavouée par les auteurs). Version définitive achevée en 1979 sous le titre *le Roi et l'Oiseau.* **1948** *le Rossignol de l'empereur de Chine* de Jiri Trnka. **1950** 1ers films de McLaren, dessinés ou gravés directement sur la pellicule. **1952** films en *pixillation* (totalisation d'images instantanées) de McLaren : *Two Bagatelles* et *Aimez votre prochain.* **1957** USA, 1ers films expérimentaux de John Whitney avec dispositifs électroniques. **1982** *Fritz the Cat* de Ralph Bakshi, d. a. « pour adultes ». *Tron* de Steven Lisberger : long métrage avec animation informatique (Prod. W. Disney). **1987** *Fievel et le Nouveau Monde* de Don Bluth. **1988** *Qui veut la peau de Roger Rabbit ?* de Robert Zemeckis (long métrage avec personnages réels et dessins animés). **1989** *la Petite Sirène* (prod. W. Disney). **1990** *Bernard Bianca au pays des kangourous* (Prod. W. Disney). **1991** *Fievel au Far West* (Phil Nibbelink et Simon Wells). **1992** *la Belle et la Bête* (prod. W. Disney).

■ **Quelques héros.** *Le Fantoche* (Émile Cohl, 1908). *Félix the Cat* (Otto Messmer, 1919). *Mickey Mouse* [s'appelle d'abord *Mortimer Mouse. 1928 (18-11) :* apparaît dans *Steamboat Willie* avec la voix de Walt Disney, puis celle d'Ub Werks. *1929 :* création du Journal, *1935 :* 1re apparition en couleurs dans *The Band Concert. 1928 à 53:* 119 d. a. et 2 longs métrages. Dans le monde, son image est exploitée par 2 400 stés et rapporte 60 millions de $ par an. En France, jusqu'en 1973, diffusé en version sous-titrée, puis voix de Roger Carel, François et Vincent Violette, et Jean-Paul Audrin]. *Betty Boop* (Max Fleischer, 1930). *Pluto* (1930). *Goofy-Dingo* (1932). *Popeye* (Fleischer, 1933). *Donald Duck* (Walt Disney et voix de Clarence Nash, 1934). *Daffy Duck* (Tex Avery, 1937). *Tom et Jerry* (Bill Hannah et Joe Barbera, 1939). *Bugs Bunny* (Tex Avery, Chuck Jones, 1940). *Woody Woodpecker* (Walter Lantz, 1940). *Droopy* (Tex Avery, 1943). *Road Runner-Bip-Bip* (Chuck Jones, Michael Maltese, 1948). *Mr Maggoo* (Pete Burness, 1949). *Speedy Gonzales* (1955).

FESTIVALS ET PRIX

FESTIVAL DE VENISE

Créé en 1932. Fin août-début septembre. Lion d'or, Coupes Volpi, Pasinetti ; Prix de l'OCIC, P. de la Fipresci (critique), P. San Giorgio.

Coupes Mussolini pour le meilleur film étranger et le meilleur film italien. **1934** *L'Homme d'Aran* (Robert Flaherty). *Teresa Confalonieri* (G. Brignone). **35** *Anna Karenine* (Clarence Brown). Casta Diva (Carmine Gallone). **36** *L'Empereur de Californie* (L. Trenker). *L'Escadron blanc* (A. Genina). **37** *Un carnet de bal* (Julien Duvivier). *Scipion l'Africain* (Carmine Gallone). **38** *Les Dieux du stade* (Leni Riefenstahl). *Luciano Serra pilote* (G. Alessandrini). **39** *Abuna Messias* (G. Alessandrini). **40** *Le Maître de poste* (Gustav Ucicky). *Le Siège de l'Alcazar* (A. Genina). **41** *Le Président Kruger* (H. Steinhoff). *La Couronne de fer* (A. Blasetti). **42** *Le Grand Roi* (Veit Harlan). *Bengasi* (Augusto Genina). **43** *Non décerné.* **46** *Non décerné.* **Grand Prix international de Venise. 47** *Sirena* (Karel Stekly). **Lion d'Or de Saint-Marc. 48** *Hamlet* (Laurence Olivier). **49** *Manon* (H.-G. Clouzot). **50** *Justice est faite* (André Cayatte). **51** *Rashomon* (Akira Kurosawa). **52** *Jeux interdits* (René Clément). **53** *Non décerné.* Lion d'argent : Thérèse Raquin (Marcel Carné). **54** *Roméo et Juliette* (R. Castellani). **55** *Ordet* (Carl Dreyer). **56** *Non décerné.* **57** *Aparajito* (Satyajit Ray). **58** *L'Homme au pousse-pousse* (Hiroshi Inagaki). **59** *Le Général Della Rovere* (R. Rossellini). *La Grande Guerre* (M. Monicelli). **60** *Le Passage du Rhin* (André Cayatte). **61** *L'Année dernière à Marienbad* (Alain Resnais). **62** *Journal intime* (V. Zurlini). *L'Enfance d'Ivan* (A. Tarkovski). **63** *Main basse sur la ville* (F. Rosi). **64** *Le Désert rouge* (M. Antonioni). **65** *Sandra* (Luchino Visconti). **66** *La Bataille d'Alger* (G. Pontecorvo). **67** *Belle de jour* (Luis Buñuel). **68** *Les Artistes sous le chapiteau : perplexes* (Alexander Kluge). **69 à 79** *Pas de jury, pas de prix.* **80** *Gloria* (J. Cassavetes). *Atlantic City* (Louis Malle). **81** *Les Années de plomb* (M. von Trotta). **82** *L'État des choses* (Wim Wenders). **83** *Prénom Carmen* (J.-L. Godard). **84** *L'Année du soleil tranquille* (Krzystof Zanussi). **85** *Sans toit ni loi* (Agnès Varda). **86** *Le Rayon vert* (Eric Rohmer). **87** *Au revoir les enfants* (Louis Malle). **88** *La Légende du Saint Buveur* (Ermanno Olmi). **89** *la Ville du chagrin* (Hou Hsiao Hsien). **90** *Rosencrantz et Guildenstern sont morts* (Tom Stoppard). **91** *Urga* (N. Mikhalkhov). **92** (décerné août-sept. 1993).

FESTIVAL DE CANNES

Créé le 20-9-1946. A lieu en mai. **Prix principaux :** Palme d'or (longs et courts métrages), Grand Prix du Jury, Prix d'interprétation masculine, Prix d'interprétation féminine, Prix de la mise en scène, Prix spécial du Jury, Prix de la CST, Prix de la Fipresci, Caméra d'Or.

Grands Prix. 1946 11 décernés à 11 pays différents ; France : *la Symphonie pastorale* (J. Delannoy). **47** 6 lauréats par genre : France : *Antoine et Antoinette* (J. Becker), *les Maudits* (R. Clément). **48** *pas de prix.* **49** *Le Troisième Homme* (Carol Reed). **50** *pas de prix.* **51** *Miracle à Milan* (Vittorio De Sica). *Mademoiselle Julie* (Alf Sjöberg). **52** *Deux sous d'espoir* (Renato Castellani). *Othello* (Orson Welles). **53** *Le Salaire de la peur (H.-G. Clouzot).* **54** *La Porte de l'Enfer* (T. Kinugasa). **Palmes d'or. 55** *Marty* (Delbert Mann). **56** *Le Monde du silence* (J.-Y. Cousteau-Louis Malle). **57** *La Loi du Seigneur* (William Wyler). **58** *Quand passent les cigognes* (Mikhaïl Kalatozov). **59** *Orfeu Negro* (Marcel Camus). **60** *La Dolce Vita* (Federico Fellini). **61** *Une aussi longue absence* (Henri Colpi). *Viridiana* (Luis Buñuel). **62** *La Parole donnée* (Anselmo Duarte). **63** *Le Guépard* (Luchino Visconti). **Grands Prix. 64** *Les Parapluies de Cherbourg* (J. Demy). **65** *The Knack* (Richard Lester). **66** *Un homme et une femme* (C. Lelouch). *Signore e Signori* (P. Germi). **67** *Blow up* (Michelangelo Antonioni). **68** *pas de prix* (festival interrompu). **69** *If* (Lindsay Anderson). **70** *MASH* (Robert Altman). **71** *Le Messager* (Joseph Losey). **72** *L'Affaire Mattei* (Francesco Rosi), et *La classe ouvrière va au paradis* (Elio Petri). **73** *L'Épouvantail* (Jerry Schatzberg). *La Méprise* (Alan Bridges). **74** *La Conversation* (Francis F. Coppola). **Palmes d'or. 75** *Chronique des années de braise* (M. Lakhdar Hamina). **76** *Taxi Driver* (Martin Scorsese). **77** *Padre padrone* (Paolo et Vittorio Taviani). **78** *L'Arbre aux sabots* (Ermanno Olmi). **79** *Apocalypse Now* (Francis Ford Coppola). *Le Tambour* (V. Schlöndorff). **80** *Kagemusha* (A. Kurosawa). *Que le spectacle commence* (B. Fosse). **81** *L'Homme de fer* (A. Wajda). **82** *Yol* (Yilmaz Güney) et *Missing* (Costa-Gavras). **83** *La Balade de Narayama* (Sh. Imamura). **84** *Paris, Texas* (Wim Wenders). **85** *Papa est en voyage d'affaires* (Emir Kusturica). **86** *La Mission* (Roland Joffé). **87** *Sous le soleil de Satan* (Maurice Pialat). **88** *Pelle le conquérant* (Bille August). **89** *Sexe, mensonges et vidéo* (Steven Soderbergh). **90** *Sailor et Lula* (David Lynch). **91** *Barton Fink* (Joel et Ethan Coen). Gd prix de Cannes : *la Belle Noiseuse* (Jacques Rivette). **92** *Les Meilleures Intentions* (Bille August). **93** *La leçon de piano* (Jane Campion) ; *Adieu ma concubine* (Chen Kaigl).

FESTIVAL DE MOSCOU

Créé en 1959. Alterne avec le festival de Karlovy Vary et de Tachkent (1 an sur 2). **Récompenses :** Grand Prix, Prix spécial et autres prix. Concours de films longs métrages.

Grands Prix. 1959 *Destin d'un homme* (S. Bondartchouk). **61** *L'Île nue* (K. Shindo). *Le Ciel clair* (G. Tchoukrai). **63** *Huit et demi* (F. Fellini). **65** *Guerre et Paix* (S. Bondartchouk). *Vingt Heures* (Z. Fabri). **67** *Un journaliste* (S. Gerasimov). *Le Père* (I. Szabo). **Prix d'or. 1969** *Lucia* (U. Solas). *Serafino* (P. Germi). *Jusqu'à lundi* (S. Rostotski). **71** *Les Aveux d'un commissaire de police au procureur de la République* (D. Damiani). *Vivre aujourd'hui, mourir demain* (K. Shindo). *Oiseau blanc à la tache noire* (Y. Ilienko). A. Wajda (Pol.) pour son œuvre. **73** *Le Mot doux liberté* (V. Jalakjavitchus). *Oklahoma Crude* (S. Kramer). *L'Amour* (L. Staïkov). **75** *Dersu Uzala* (A. Kurosawa). *La Terre promise* (A. Wajda). *Nous nous sommes tant aimés* (E. Scola). *Parade* (J. Tati). **77** *Le 5e Sceau* (Z. Fabri). *Fin de semaine* (J.A. Bardem). *Mimino* (G. Danelia). **79** *Que viva Mexico* (S. M. Eisenstein, E. Tissé, G. Alexandrov) (honor.) *Le Christ s'est arrêté à Eboli* (F. Rosi). *7 Jours en janvier* (J.A. Bardem). *Le Cinéphile* (K. Kieslowsky). *Le Chien se baladant sur le piano à queue* (V. Grammatikov). **81** *L'Homme pressuré* (J.-B. de Andrade). *Le Champ dévasté* (Nguyen Hong Chan). *Téhéran 43* (Naoumov et Alov). **83** *Amok* (S. Ben Barka). *Alcino et le Condor* (M. Littin). *Vassa* (Gleb Panfilov). **85** *Va voir* (E. Klimov). *L'Histoire du soldat* (N. Jewison). *La Fin des neuf* (C. Shiapachas). **Grands Prix. 1987** *Intervista* (F. Fellini), **Prix spécial :** *Le Messager* (K. Shakhnazarov). *Le Héros de l'année* (F. Falk). **89** *Le Voleur de savonnettes* (M. Nichetti). **Prix spécial :** *le Visiteur de musée* (K. Kopoushanski), *Come, Come, Come Upward* (Im Kwon-Taek), *Ariel* (Ako Kaurismäki). **91** *La Course du chien pie sur la plage* (K. Gevorkyan). **Prix spécial :** *The Adjuster* (A. Egoyan), *Les Fiancés* (Wang Jin).

FESTIVAL INTERNATIONAL DE BERLIN

■ **Créé** en 1951, international de catégorie A depuis 1956. En février-mars. **Récompenses :** Ours d'or berlinois, d'argent (meilleurs réalisateurs, interprétations masculine et féminine, autre mérite individuel remarquable), d'or et d'argent pour les courts métrages, prix de l'OCIC, de l'UNICRIT, de la FIPRESCI, du CIDALC, de la Guilde des écrivains internationaux, du Jury évangélique du film.

■ **Ours d'or berlinois. 1956** *Invitation à la danse* (Gene Kelly). **57** *Douze Hommes en colère* (Sidney Lumet). **58** *Les Fraises sauvages* (I. Bergman). **59** *Les Cousins* (C. Chabrol). **60** *El Lazarillo de Tormes* (Cesar Ardavin). **61** *La Nuit* (M. Antonioni). **62** *A Kind of Loving* (J. Schlesinger). **63** *Bushido* (Tadashi Imaï). *Le Diable* (Gian-Luigi Polidoro). **64** *L'Été sans eau* (Ismaïl Metin). **65** *Alphaville* (J.-L. Godard). **66** *Cul-de-sac* (R. Polanski). **67** *Le Départ* (Jerzy Skolimowski). **68** *Ole Dole Doff* (Jan Troell). **69** *Rani Radovi* (Zelimir Zilnik). **70** *Ours d'or non décerné.* **71** *Le Jardin des Finzi-Contini* (V. De Sica). **72** *Les Contes de Canterbury* (Pier Paolo Pasolini). **73** *Ashani Sanket* (Satyajit Ray). **74** *L'Apprentissage de Duddy Kravitz* (Ted Kotcheff). **75** *Adoption* (Marta Meszaros). **76** *Buffalo Bill et les Indiens* (R. Altman). **77** *Ascension* (Larissa Chepitko). **78** *Ex æquo : las Palabras de Max* (Emilio Martinez Lazaro), *las Truchas* (José-Luis Garcia-Sanchez). **79** *David* (Peter Lilienthal). **80** *Heartland* (Richard Pearce). *Palermo ou Wolfsburg* (Werner Schroeter). **81** *Vivre vite* (Carlos Saura). **82** *Veronika Voss* (R. Fassbinder). **83** *Ascendancy* (E. Bennett). *La Colmena* (la Ruche) (Mario Camus). **84** *Love Streams* (J. Cassavetes) **(o. d'argent :** *Sale Petite Guerre* d'Hector Olivera). **85** *Wetherby* (David Hare) et *La Femme et l'Étranger* (Rainer Simon). **86** *Stammheim* (Reinhard Hauff). **87** *Le Thème* (Gleb Panfilov). **88** *Le Sorgho rouge* (Zhang Yimow). **89** *Rain Man* (Barry Levinson). **90** *Ex æquo : Music Box* (Costa-Gavras), *Alouettes sur un fil* (Jiri Menzel). **91** *La Maison du sourire* (Marco Ferreri). **92** *Grand Canyon* (Lawrence Kasdan). **93** *Ex æquo : La Femme du lac des âmes parfumées* (Xie Fei), *La Noce* (Ang Lee).

FESTIVALS DIVERS

Annecy. Journées intern. du cinéma d'animation, *créées* en 1956 à Cannes. Depuis 1960 à Annecy. Tous les 2 ans, en juin, les années impaires, en alternance avec Zagreb (Yougoslavie) et Ottawa

(Canada). Parallèlement au festival, un marché international du film d'animation (Mifa) est organisé. *Grand Prix :* **83** *Les Possibilités du dialogue* (Jan Svankmajer). **85** *Une tragédie grecque* (Nicole Van Goethem). **87** *L'Homme qui plantait des arbres* (Frédéric Back), *Un Monde pourri* (Boyko Kanev). **89** *La Ferme sur la colline* (Mark Baker). **91** *Le Loup gris et le Petit Chaperon rouge* (Garry Bardin).

Avoriaz. Festival intern. du film fantastique, *créé* 1973. *Grand Prix :* **73** *Duel* (S. Spielberg). **74** *Soleil vert* (R. Fleischer). **75** *Phantom of the Paradise* (B. De Palma). **76** *non décerné.* **77** *Carrie* (B. De Palma). **78** *Full Circle* (R. Loncraine). **79** *Patrick* (R. Franklin). **80** *C'était demain* (N. Meyer). **81** *Elephant Man* (D. Lynch). **82** *Mad Max 2* (G. Miller). **83** *The Dark Crystal* (J. Henson et F. Oz). **84** *L'Ascenseur* (D. Maas). **85** *Terminator* (J. Cameron). **86** *Dream Lover* (A. Pakula). **87** *Blue Velvet* (D. Lynch). **88** *Hidden* (J. Sholder). **89** *Faux semblants* (D. Cronenberg). **90** *Lectures diaboliques* (Tibor Takacs). **91** *Tales from the Dark Side* (John Harrison). **92** *l'Évasion du cinéma liberté* (Wojciech Marczewski).

Karlovy Vary (Tchéc.). *Créé* 1946 (en 1946 et 1947, a eu lieu à Marienbad). A lieu en juillet, 1 an sur 2 (alterne avec le Festival de Moscou). *Grand Prix :* Globe de cristal. **90** *Sommes-nous vraiment comme ça ?* (Antonin Masa). **92** *Krapatchouk* (Enrique Gabriel Lipchutz).

Locarno (Suisse). *Créé* 1946. En août. *Prix : Léopard d'or :* **90** *Valse accidentelle* (Svetlana Proskourina). **91** *Johnny Suède* (T. Di Cillo). **92** *Qiuvue* (Clara Law).

Saint-Sébastien (Espagne). *Créé* 1953. En septembre. *Principal prix :* Coquille d'or. **90** *Les Lettres d'Alou* (Montxo Armendáriz). **91** *Alas de mariposa* (Juanma Bajo Ulloa). **92** *Un Lugar en el mundo* (Adolpho Aristarain).

Tachkent (Ouzbékistan). *Créé* 1968. Alterne tous les 2 ans avec le Festival de Moscou.

Festivals divers. Acapulco, Amiens, Arcachon, Bastia, Beauvais/Cinémalia (animaux et cinéma), Bergame, Biarritz (Fest. du film ibérique et latinoamér.), Blois, Chalon-sur-Saône (Fest. de l'image de film), Chamrousse (humour), Cherbourg, Clermont-Ferrand (court métrage), Cognac (policier), Cork, Créteil (film de femmes), Dinard, Grenoble (court métrage), Hyères (cinéma d'aujourd'hui et cinéma différent), Knokke-le-Zoute, La Baule (cinéma européen), La Ciotat (1re œuvre), La Plagne (fest. du film d'aventure vécue), La Rochelle, Mannheim, Mar del Plata, Marseille (cinéma au féminin), Melbourne, Mexico, Montpellier (cinéma méditerranéen), Montréal, Nantes (Fest. des 3 continents), Orléans (Journées cinéma.), Rouen (Fest. du film nordique), Rueil-Malmaison (film d'histoire), San Francisco, Sarasota, Sarlat, Sitges (Fantastique), Taormina, Téhéran, Tōkyō, Valenciennes (action/aventure), Vevey (Fest. du film de comédie).

OSCARS

Créés en 1927 aux USA pour améliorer « arts et techniques de la profession cinématographique », par l'Academy of Motion Picture Arts and Sciences (organisme honoraire de + de 4 600 membres de l'industrie du cinéma). Pour chaque prix, les membres de l'association concernés (acteurs pour les acteurs, scénaristes pour les scénarios, etc.) proposent 5 noms max. Vote à bulletin secret ensuite. Env. 21 oscars (statuettes d'or), 10 autres mentions sont décernées.

■ **Ont obtenu plusieurs oscars. Acteurs :** Marlon Brando (54, 72), Walter Brennan (36, 38, 40), Gary Cooper (41, 52), Dustin Hoffman (79, 88), Jack Lemmon (55, 73), Frederic March (32, 46), Robert De Niro (74, 80), Anthony Quinn (52, 56), Jason Robards (76, 77), Spencer Tracy (37, 38), Peter Ustinov (60, 64)... **Actrices :** Ingrid Bergman (44, 56, 74), Bette Davis (36, 39), Sally Field (80, 85), Jane Fonda (71, 78), Jodie Foster (89, 92), Olivia De Havilland (47, 50), Helen Hayes (31-32, 70), Katharine Hepburn (33, 67, 68, 81), Glenda Jackson (70, 73), Vivien Leigh (40, 52), Luise Rainer (37, 38), Maggie Smith (69, 78), Elizabeth Taylor (61, 67), Shelley Winters (59, 65)... **Metteurs en scène :** Frank Borzage (27-28, 31-32), Frank Capra (34, 36, 38), John Ford (35, 40, 41, 52), Elia Kazan (47, 54), David Lean (57, 62), Frank Lloyd (28-29, 32-33), Leo Mc Carey (37, 44), Joseph L. Mankiewicz (49, 50), Lewis Milestone (27-28, 29-30), George Stevens (51, 56), Billy Wilder (45, 60), Robert Wise (61, 65), William Wyler (42, 46, 59), Fred Zinnemann (53, 66). **Films :** *Ben-Hur* (1959) : *11 ; Autant en emporte le vent* (1939) : *10 ; West Side Story* (1961) : *10 ; Le Dernier Empereur* (1987) : *9 ; Gigi* (1958) : *9 ; Gandhi* (1982), *Amadeus* (1984) : *8 ; Out of Africa* (1986) : *7 ; All About Eve* (1950) : *6 ; Tendres Passions* (1983) : *5 ; Vol au-dessus d'un nid de coucou* (1975) : *5.* Pour l'ensemble de son œuvre, Walt Disney en a obtenu 20 et 12 plaques ou certificats (certains posthumes). **Costumes :** Edith Head (1907-81) : 8.

■ **Français ayant obtenu un oscar. Acteur :** Maurice Chevalier (1958, special award). **Actrice :** Simone Signoret (1960). **Réalisateurs (1993) :** Régis Warnier (*Indochine,* meilleur film étranger) ; Sam Karmann (*Omnibus,* meilleur court-métrage).

■ **Plus jeunes acteurs ayant reçu un oscar** Shirley Temple (1934, *6 ans*), Tatum O'Neal (1973, *9 ans*). **Les plus âgés :** George Burns (1976, *80 ans*), Jessica Tandy (1990, *80 ans*).

☞ En 1972, Charlie Chaplin a reçu un oscar pour Limelight sorti en 1952. En 1987, Marlee Martlin 21 ans, sourde-muette, a reçu son 1er oscar des mains de William Hurt, son partenaire à l'écran.

■ **Membres d'une même famille ayant reçu un oscar la même année. Frères :** *1963 :* Pour *Mary Poppins :* Richard M. et Robert B. Sherman (meilleure chanson : « Chim-chim, Cheer-ee »). **Frère et sœur :** *1930 :* Douglas Shearer (meilleur son pour The Big House) et Norma (meilleure interprète pour The Divorcee). **Père et fils :** *1947 :* Pour le *Trésor de la Sierra Madre :* Walter Huston (père) (meilleur acteur de composition) et John Huston (fils) (meilleur réalisateur). *1974 :* Pour *Le Parrain* n° 2 : Carmine Coppola (père) (meilleure musique) et Francis Coppola (fils) (meilleur réalisateur).

■ **Actrices ayant partagé un oscar.** *Meilleure interprète : 1968 :* Barbra Streisand *(Funny Girl)* et Katharine Hepburn *(Un lion en hiver).*

☞ En 1934, 2 vedettes d'un film remportèrent ensemble l'oscar du meilleur acteur (Clark Gable) et celui de la meilleure actrice (Claudette Colbert) pour *It Happened One Night* (New York-Miami).

■ **Oscars du meilleur film. 1927-28** *Les Ailes* (W. Wellman). *L'Aurore* (F.W. Murnau). **28-29** *The Broadway Melody* (H. Beaumont). **29-30** *A l'ouest rien de nouveau* (L. Milestone). **30-31** *Cimarron* (W. Ruggles). **31-32** *Grand Hôtel* (E. Goulding). **32-33** *Cavalcade* (F. Lloyd). **34** *New York-Miami* (F. Capra). **35** *Les Révoltés du Bounty* (F. Lloyd). **36** *The Great Ziegfeld* (R.Z. Leonard). **37** *La Vie d'Émile Zola* (W. Dieterle). **38** *Vous ne l'emporterez pas avec vous* (F. Capra). **39** *Autant en emporte le vent* (V. Fleming). **40** *Rebecca* (A. Hitchcock). **41** *Qu'elle était verte ma vallée* (J. Ford). **42** *Mrs Miniver* (W. Wyler). **43** *Casablanca* (M. Curtiz). **44** *La Route semée d'étoiles* (L. McCarey). **45** *Le Poison* (B. Wilder). **46** *Les Plus Belles Années de notre vie* (W. Wyler). **47** *Le Mur invisible* (E. Kazan). **48** *Hamlet* (L. Olivier). **49** *Les Fous du roi* (R. Rossen). **50** *Eve* (J.L. Mankiewicz). **51** *Un Américain à Paris* (V. Minnelli). **52** *Sous le plus grand chapiteau du monde* (C.B. De Mille). **53** *Tant qu'il y aura des hommes* (F. Zinnemann). **54** *Sur les quais* (E. Kazan). **55** *Marty* (D. Mann). **56** *Le Tour du monde en 80 jours* (M. Anderson). **57** *Le Pont de la rivière Kwaï* (D. Lean). **58** *Gigi* (V. Minnelli). **59** *Ben Hur* (W. Wyler). **60** *La Garçonnière* (B. Wilder). **61** *West Side Story* (R. Wise-J. Robbins). **62** *Lawrence d'Arabie* (D. Lean). **63** *Tom Jones* (T. Richardson). **64** *My Fair Lady* (G. Cukor). **65** *La Mélodie du bonheur* (R. Wise). **66** *Un homme pour l'éternité* (F. Zinnemann). **67** *Dans la chaleur de la nuit* (N. Jewison). **68** *Oliver* (C. Reed). **69** *Macadam Cow-Boy* (J. Schlesinger). **70** *Patton* (F. Schaffner). **71** *French Connection* (W. Friedkin). **72** *Le Parrain* (F. Ford Coppola). **73** *L'Arnaque* (G.R. Hill). **74** *Le Parrain* (2e *ép.*) (F. Ford Coppola). **75** *Vol au-dessus d'un nid de coucou* (M. Forman). **76** *Rocky* (J. Avildsen). **77** *Annie Hall* (W. Allen). **78** *Voyage au bout de l'enfer* (M. Cimino). **79** *Kramer contre Kramer* (R. Benton). **80** *Des gens comme les autres* (R. Redford). **81** *Les Chariots de feu* (Hugh Hudson). **82** *Gandhi* (R. Attenborough). **83** *Tendres Passions* (J. Brooks). **84** *Amadeus* (M. Forman). **85** *Out of Africa* (S. Pollack). **86** *Platoon* (O. Stone). **87** *Le Dernier Empereur* (B. Bertolucci). **88** *Rain Man* (B. Levinson). **89** *Miss Daisy et son chauffeur* (B. Beresford). **90** *Danse avec les loups* (Kevin Costner). **91** *Le Silence des agneaux* (J. Demme). **92** *Impitoyable* (Clint Eastwood).

PRIX LOUIS-DELLUC

Fondé 1937 par Maurice Bessy et Marcel Idzkowski. *Décerné* en décembre en France. *Destiné* à récompenser un film français. *Jury :* J. de Baroncelli, M. Bessy, C. Beylie, M. Boujut, P. Bouteiller, G. Cravenne, G. Jacob, S. Lachize, G. Lefort, G. Legrand, Lo Duca, N. de Rabaudy, J. Siclier, P. Tchernia, S. Toubiana. *Pt :* Maurice Bessy, *Membres d'honneur :* G. Charensol, D. Marion, C. Mauriac, J. Vidal. **L. Delluc** (1890-1924) : 1er journaliste français spécialisé dans le cinéma ; fonda, en France, les ciné-clubs. Son meilleur film fut : *la Femme de nulle part* (1922).

1937 *Les Bas-Fonds* (Jean Renoir). **38** *Le Puritain* (Jeff Musso). **39** *Le Quai des brumes* (Marcel Carné). **45** *L'Espoir* (André Malraux). **46** *La Belle et la Bête* (Jean Cocteau). **47** *Paris 1900* (Nicole Védrès). **48** *Les Casse-pieds* (Jean Dréville). **49** *Rendez-vous de juillet* (J. Becker). **50** *Le Journal d'un curé de campagne* (Robert Bresson). **51** *Non attribué.* **52** *Le Rideau cramoisi* (A. Astruc). **53** *Les Vacances de M. Hulot* (J. Tati). **54** *Les Diaboliques* (H.-G. Clouzot). **55** *Les Grandes Manœuvres* (René Clair). **56** *Le Ballon rouge* (Albert Lamorisse). **57** *Ascenseur pour l'échafaud* (Louis Malle). **58** *Moi, un Noir* (Jean Rouch). **59** *On n'enterre pas le dimanche* (M. Drach). **60** *Une aussi longue absence* (Henri Colpi). **61** *Un cœur gros comme ça* (François Reichenbach). **62** *L'Immortelle* (Alain Robbe-Grillet) ; *Le Soupirant* (Pierre Étaix). **63** *Les Parapluies de Cherbourg* (J. Demy). **64** *Le Bonheur* (Agnès Varda). **65** *La Vie de château* (J.-P. Rappeneau). **66** *La guerre est finie* (Alain Resnais). **67** *Benjamin* (Michel Deville). **68** *Baisers volés* (F. Truffaut). **69** *Les Choses de la vie* (Cl. Sautet). **70** *Le Genou de Claire* (É. Rohmer). **71** *Rendez-vous à Bray* (A. Delvaux). **72** *État de siège* (Costa-Gavras). **73** *L'Horloger de Saint-Paul* (B. Tavernier). **74** *La Gifle* (Cl. Pinoteau). **75** *Cousin cousine* (J.-Ch. Tacchella). **76** *Le Juge Fayard dit le Shérif* (Yves Boisset). **77** *Diabolo menthe* (Diane Kurys). **78** *L'Argent des autres* (Christian de Chalonge). **79** *Le Roi et l'Oiseau* (Paul Grimault). **80** *Un étrange voyage* (Alain Cavalier). **81** *Une étrange affaire* (Pierre Granier-Deferre). **82** *Danton* (A. Wajda). **83** *A nos amours* (Maurice Pialat). **84** *La Diagonale du fou* (Richard Dembo). **85** *L'Effrontée* (Claude Miller). **86** *Mauvais Sang* (Leos Carax). **87** *Au revoir les enfants* (Louis Malle), Soigne ta droite (Jean-Luc Godard). **88** *La Lectrice* (Michel Deville). **89** *Un monde sans pitié* (Éric Rochant). **90** *ex-aequo : Le Mari de la coiffeuse* (Patrice Leconte), *Le Petit Criminel* (Jacques Doillon). *Delluc des Delluc* (1937-89) : *Les Vacances de Monsieur Hulot* (Jacques Tati). **91** *Tous les matins du monde* (Alain Corneau). **92** *Le petit prince a dit* (Christine Pascal).

CÉSARS

■ **Créés** en 1976 par Georges Cravenne à l'imitation des oscars américains. 1°) *Des professionnels* [acteurs, réalisateurs, scénaristes, techniciens, producteurs, distributeurs, membres de l'AATC (Académie des Arts et Techniques du Cinéma) : 2 500 adhérents] désignent, sur une liste, 4 ou 5 noms dans diverses catégories d'activités françaises ainsi que 4 pour les films étrangers ; d'où la nomination des césars. 2°) *vote final* de la profession déterminant le choix définitif. Remise des récompenses (statuettes sculptées par César) en mars de l'année suivante. **Récompenses :** meilleur acteur, actrice, 2e rôle masculin, féminin, jeune espoir masculin, féminin, film de l'année, 1re œuvre, scénario, dialogue ou adaptation, réalisateur, musique, photo, son, montage, film étranger, décor, court métrage, costumes.

Le 17-12-1992, sous la pression de Robert Enrico, Pt de l'AATC et de Denys Granier-Deferre, dirigeant du Syndicat des réalisateurs, le conseil d'administration de l'AATC décidait d'exclure des césars, hormis celui du meilleur film étranger, les films tournés en langue étrangère, décision rendue publique par une lettre de Robert Enrico, publiée par le Film français (8-1-1993). Le 14-1-1993 le conseil de l'AATC décidait finalement de n'appliquer la restriction qu'au seul césar du meilleur film.

Records. 1981 *Le Dernier Métro :* 10 césars sur 12 (meilleur film, réalisateur, acteur, actrice, scénario, musique, photo, son, montage, décor). **91** *Cyrano de Bergerac :* 10 césars sur 13 (meilleur film, réalisateur, acteur, second rôle masculin, musique, photo, son, montage, costumes, décor).

■ **Meilleur film. 1976** *Le Vieux Fusil* (R. Enrico). **77** *Monsieur Klein* (J. Losey). **78** *Providence* (A. Resnais). **79** *L'Argent des autres* (C. de Chalonge). **80** *Tess* (R. Polanski). **81** *Le Dernier Métro* (F. Truffaut). **82** *La Guerre du feu* (J.-J. Annaud). **83** *La Balance* (Bob Swaim). **84** *A nos amours* (M. Pialat), Le Bal (Ettore Scola). **85** *Les Ripoux* (C. Zidi). **86** *3 Hommes et un couffin* (C. Serreau). **87** *Thérèse* (A. Cavalier). **88** *Au revoir les enfants* (L. Malle). **89** *Camille Claudel* (B. Nuytten). **90** *Trop belle pour toi* (B. Blier). **91** *Cyrano de Bergerac* (J.-P. Rappeneau). **92** *Tous les matins du monde* (A. Corneau). **93** *Les Nuits fauves* (C. Collard).

Meilleur film étranger. 1976 *Parfum de femme* (D. Risi). **77** *Nous nous sommes tant aimés* (E. Scola). **78** *Une journée particulière* (E. Scola). **79** *L'Arbre aux sabots* (E. Olmi). **80** *Manhattan* (W. Allen). **81** *Kagemusha* (A. Kurosawa). **82** *Elephant Man*

(D. Lynch). **83** *Victor Victoria* (B. Edwards). **84** *Fanny et Alexandre* (I. Bergman). **85** *Amadeus* (M. Forman). **86** *La Rose pourpre du Caire* (W. Allen). **87** *Le Nom de la rose* (J.-J. Annaud). **88** *Le Dernier Empereur* (B. Bertolucci). **89** *Bagdad Café* (P. Adlon). **90** *Les Liaisons dangereuses* (S. Frears). **91** *Le Cercle des poètes disparus* (P. Weir) **92** *Toto le héros* (Jaco Van Dormael). **93** *Talons aiguilles* (P. Almodovar).

Meilleur réalisateur. **1976** Bertrand Tavernier (*Le Juge et l'Assassin*). **77** J. Losey (*Monsieur Klein*). **78** Alain Resnais (*Providence*). **79** C. de Chalonge (*L'Argent des autres*). **80** R. Polanski (*Tess*). **81** F. Truffaut (*Le Dernier Métro*). **82** J.-J. Annaud (*La Guerre du feu*). **83** Andrzej Wajda (*Danton*). **84** Ettore Scola (*Le Bal*). **85** Claude Zidi (*Les Ripoux*). **86** Michel Deville (*Péril en la demeure*). **87** Alain Cavalier (*Thérèse*). **88** Louis Malle (*Au revoir les enfants*). **89** J.-J. Annaud (*L'Ours*). **90** B. Blier (*Trop belle pour toi*). **91** J.-P. Rappeneau (*Cyrano de Bergerac*). **92** Alain Corneau (*Tous les matins du monde*). **93** C. Sautet (*Un cœur en hiver*).

Meilleur acteur. **1976** Philippe Noiret (*Le Vieux Fusil*). **77** Michel Galabru (*Le Juge et l'Assassin*). **78** Jean Rochefort (*Le Crabe-Tambour*). **79** Michel Serrault (*La Cage aux folles*). **80** Claude Brasseur (*La Guerre des Polices*). **81** Gérard Depardieu (*Le Dernier Métro*). **82** M. Serrault (*Garde à vue*). **83** Philippe Léotard (*la Balance*). **84** Coluche (*Tchao Pantin*). **85** Alain Delon (*Notre histoire*). **86** Christophe Lambert (*Subway*). **87** Daniel Auteuil (*Jean de Florette, Manon des Sources*). **88** Richard Bohringer (*Le Grand Chemin*). **89** J.-P. Belmondo (*Itinéraire d'un enfant gâté*). **90** P. Noiret (*la Vie et rien d'autre*). **91** G. Depardieu (*Cyrano de Bergerac*). **92** Jacques Dutronc (*Van Gogh*). **93** Claude Rich (*Le Souper*).

Meilleure actrice. **1976** Romy Schneider (*L'important c'est d'aimer*). **77** Annie Girardot (*Dr Françoise Gailland*). **78** Simone Signoret (*La Vie devant soi*). **79** Romy Schneider (*Une histoire simple*). **80** Miou-Miou (*La Dérobade*). **81** Catherine Deneuve (*Le Dernier Métro*). **82** Isabelle Adjani (*Possession*). **83** Nathalie Baye (*la Balance*). **84** I. Adjani (*L'Été meurtrier*). **85** Sabine Azéma (*Un dimanche à la campagne*). **86** Sandrine Bonnaire (*Sans toit ni loi*). **87** S. Azéma (*Mélo*). **88** Anémone (*Le Grand Chemin*). **89** I. Adjani (*Camille Claudel*). **90** Carole Bouquet (*Trop belle pour toi*). **91** Anne Parillaud (*Nikita*). **92** Jeanne Moreau (*La Vieille qui marchait dans la mer*). **93** C. Deneuve (*Indochine*).

Meilleur second rôle masculin. **1976** Jean Rochefort (*Que la fête commence*). **77** Claude Brasseur (*Un éléphant ça trompe énormément*). **78** Jacques Dufilho (*Le Crabe-Tambour*). **79** Jacques Villeret (*Robert et Robert*). **80** Jean Bouise (*Coup de tête*). **81** J. Dufilho (*Un mauvais fils*). **82** Guy Marchand (*Garde à vue*). **83** Jean Carmet (*Les Misérables*). **84** R. Anconina (*Tchao Pantin*). **85** R. Bohringer (*L'Addition*). **86** Michel Boujenah (*3 Hommes et un couffin*). **87** Pierre Arditi (*Mélo*). **88** J.-C. Brialy (*Les Innocents*). **89** Patrick Chesnais (*La Lectrice*). **90** Robert Hirsch (*Hiver 54 – l'abbé Pierre*). **91** Jacques Weber (*Cyrano de Bergerac*). **92** Jean Carmet (*Merci la vie*). **93** André Dussollier (*Un cœur en hiver*).

Meilleur second rôle féminin. **1976** Marie-France Pisier (*Cousin cousine, Souvenirs d'en France*). **77** Marie-France Pisier (*Barocco*). **78** Marie Dubois (*La Menace*). **79** Stéphane Audran (*Violette Nozière*). **80** Nicole Garcia (*Le Cavaleur*). **81** Nathalie Baye (*Sauve qui peut, la vie*). **82** N. Baye (*Une étrange affaire*). **83** Fanny Cottençon (*l'Étoile du Nord*). **84** Suzanne Flon (*L'Été meurtrier*). **85** Caroline Cellier (*L'Année des méduses*). **86** Bernadette Lafont (*L'Effrontée*). **87** Emmanuelle Béart (*Jean de Florette*). **88** Dominique Lavanant (*Agent trouble*). **89** Hélène Vincent (*La vie est un long fleuve tranquille*). **90** Suzanne Flon (*La Vouivre*). **91** Dominique Blanc (*Milou en mai*). **92** Anne Brochet (*Tous les matins du monde*). **93** D. Blanc (*Indochine*).

Académie nationale du cinéma

■ **Créée** 21-4-1982 sur l'initiative de Charles Ford, Max Douy et Jean Dréville. **Membres.** 40 fondateurs nommés à vie : Henri Alekan, Jean-Pierre Aumont, Jean Aurenche, Maurice Bessy, Robert Bresson, Henri Calef, Marcel Carné, Robert Chazal, Pierre Chenal, Raymond Chirat, René Clément, Jean-Loup Dabadie, Jean Delannoy, Jacques Deray, Robert Dorfmann, Max Douy, Jean Dréville, Marie Epstein, Pierre Étaix, Edwige Feuillère, Daniel Gélin, Gilles Grangier, Paul Grimault, Marcel Ichac, Christian-Jaque, Michel Kelber, Jean Marais, Paul Misraki, Michèle Morgan, Fred Orain, François Périer, Raoul Ploquin, Micheline Presle, Simone Renant, Pierre Tchernia, Alexandre Trauner, Henri Verneuil, Marina Vlady, Georges Wilson. **Décerné** en décembre.

1982 *L'Honneur d'un capitaine* (Pierre Schoendoerffer). **83** *Coup de foudre* (Diane Kurys). **84** *La Diagonale du fou* (Richard Dembo). **85** *Trois Hommes et un couffin* (Coline Serreau). **86** *Jean de Florette* (Claude Berri). **87** *Le Grand Chemin* (Jean-Loup Hubert). **88** *L'Ours* (Jean-Jacques Annaud). **89** *Le Grand Bleu* (Luc Besson). **90** *Cyrano de Bergerac* (Jean-Paul Rappeneau). **91** *Meyrig* (Henri Verneuil). **92** *Un cœur en hiver* (Claude Sautet).

Autres prix

Jean-Vigo, Georges-Méliès, Léon-Moussinac, Georges-Sadoul, Georges-de-Beauregard, de la Nouvelle Critique, Grand Prix de l'Académie nationale du cinéma français, Médaille d'or du cinéma, de la critique internat. du jury œcuménique, de la commission supérieure technique, Jean-Gabin, Romy-Schneider, Prix Très Spécial, Grand Prix du cinéma français Louis-Lumière (créé 1934 par la Sté d'encouragement pour le cinéma, n'est plus attribué dep. 1986, v. Quid 1991 p. 507 b).

Statistiques

Sources : UNESCO, Guinness, CNC.

Le cinéma dans le monde

Compagnies de cinéma

Artistes associés ou **United artists.** *Fondée* 1919 par Charlie Chaplin, Douglas Fairbanks, David W. Griffith et Mary Pickford pour contrôler la commercialisation de leurs films.

Columbia. *Fondée* 1924 par les frères Harry et Jack Cohn et Joe Brandt. *Logo :* statue de la Liberté habillée du drapeau américain. *Catalogue :* 2 700 films, 23 000 programmes de télévision. Rachat par Sony en 1989 pour 3,4 milliards de $.

Disney. *Créé* 1925 par Walt Disney. Produit dessins animés et films pour enfants, depuis 1984 films tous publics.

Fox. *Fondée* 1915 par un ancien teinturier, William Fox, fusionne 1935 avec **20th Century**, fondée 1933 et devient **20th Century Fox**. *Logo :* nom monté en forme de pyramide, éclairé par un faisceau de projecteurs. Dirigée par Darryl Zanuck. 1981 par Marion Davis qui cède 50 % de ses parts à Rupert Murdoch.

Gaumont. *Fondée* 1895 par Léon Gaumont (1863-1946). *Logo :* G cerclé d'une marguerite (hommage à Marguerite Dupanloup, mère de Léon Gaumont). *CA 1990 :* 1,24 milliard de F ; *91 :* 1,22 ; *92 :* 1,31. *Pt :* Nicolas Seydoux.

MGM (Metro-Goldwyn-Mayer). Issue de la fusion de la **Metro Pictures** de Marcus Loew (1870-1927), fondée 1915, de la **Goldwyn Pictures Corporation** fondée 1917 par Samuel Goldfish (1882-1974) et les frères Selwyn et de la **Louis B. Mayer Pictures** (fondée 1918). En 1922, Goldfish (qui a pris le nom de Goldwyn) se retire, le studio prend le nom de MGM, repris 1969 par Kerkkerkorian. Rachetée 1 milliard de $ en mars 1989 par Quintex. La MGM a cédé ses studios à Lorrimar et vendu 3 650 films. *Catalogue* United Artists (1 000 titres), distribue le catalogue Turner-MGM/2 950 titres. Rachetée 1990 par Giancarlo Paretti et son holding Pathé-Communication. *Logo :* lion rugissant. *Devise : Ars gratia artis* (l'art pour l'art).

Paramount. Fondée 1914, issue de la fusion de la Cie de **Jesse L. Lasky** (1880-1958) et de la *Famous Players Film Company* fondée par Adolphe Zukor (1873-1976). S'appelle *Paramount Lasky Corporation*, puis *Paramount-Publix Corporation* (1930), et *Paramount Pictures*. 1966 absorbée par le conglomérat Gulf and Western. *Logo :* pic montagneux auréolé d'étoiles.

Pathé-Communication. *Origine* 1897 Sté générale de phonographes, cinématographes et appareils de précision Pathé Frères. Après 1918 Charles crée la Sté Pathé Consortium Cinéma rachetée par Émile Natan. Eastman rachète usine de Vincennes. Sté devient Kodak Pathé. 1941 Pathé Natan redevient Pathé Cinéma. *Catalogue :* 500 films, 2 000 actualités filmées. *Gère* 1 000 salles en Europe.

RKO (Radio Keith Orpheum). *Fondée* 1928. 1948 contrôlée par Howard Hughes. 1re à promouvoir le Technicolor. *Logo :* émetteur sur un globe terrestre. *Devise :* la voix d'or de l'écran d'argent.

Universal. *Fondée* 8-6-1912 par Carl Laemmle (1867-1939) ; fusionne 1946 avec International Pictures. Racheté par Decca MCA puis 6 milliards de $ en 1990 par le Japonais Matsuhita. *Logo :* nom tournant autour du globe terrestre.

Warner Bros. *Fondée* 1923 par Harry M. Warner (1881-1958) et ses frères, Sam, Albert et Jack. Rachetée 14 milliards de $ juillet 1989 par le groupe Time. *Logo :* écusson avec initiales WB. Fait connaître le procédé vitaphone, lance en 1927 le parlant (*Le Chanteur de jazz*).

Nota. – On appelle *majors* les 5 plus grands studios (Paramount, MGM, Warner, Fox et RKO), et *minors* les autres compagnies.

Statistique

■ **Nombre de longs métrages produits** (y compris les films de coproduction, 1990). Inde 948. CEE 410. USA 358. Japon 239. *France 146.* Chine 126. Italie 119. G.-B. 53. All. 48. Espagne 36. Australie 27.

■ **Meilleurs films de l'histoire du cinéma. Selon Sight and Sound 1952,** *Le Voleur de bicyclette* (De Sica), *Les Lumières de la ville* (Chaplin), *La Ruée vers l'or* (Chaplin), *Le Cuirassé « Potemkine »* (Eisenstein), *Louisiana Story* (Flaherty), *Intolérance* (Griffith), *Les Rapaces* (von Stroheim), *Le jour se lève* (Carné), *La Passion de Jeanne d'Arc* (Dreyer), *Brève Rencontre* (Lean), *Le Million* (Clair), *La Règle du jeu* (Renoir). **1962** *Citizen Kane* (Welles), *L'Avventura* (Antonioni), *La Règle du jeu* (Renoir), *Les Rapaces* (von Stroheim), *Le Cuirassé « Potemkine »* (Eisenstein), *Ivan le Terrible* (Eisenstein), *Le Voleur de bicyclette* (De Sica), *La terre tremble* (Visconti), *L'Atalante* (Vigo). **1972** *Citizen Kane* (Welles), *La Règle du jeu* (Renoir), *Le Cuirassé « Potemkine »* (Eisenstein), *Huit et demi* (Fellini), *L'Avventura* (Antonioni), *Persona* (Bergman), *La Passion de Jeanne d'Arc* (Dreyer), *Le Mécano de la « General »* (Keaton), *La Splendeur des Amberson* (Welles), *Les Contes de la lune vague après la pluie* (Mizoguchi), *Les Fraises sauvages* (Bergman). **1982** *Citizen Kane* (Welles), *La Règle du jeu* (Renoir), *Les Sept Samouraïs* (Kurosawa A.), *Chantons sous la pluie* (Donen et Kelly), *Huit et demi* (Fellini), *Le Cuirassée « Potemkine »* (Eisenstein), *L'Avventura* (Antonioni), *La Splendeur des Amberson* (Welles), *Sueurs froides* (Hitchcock), *Le Mécano de la « General »* (Keaton), *2001 : l'Odyssée de l'espace* (Kubrick), *La Prisonnière du désert* (Ford). **Positif : meilleurs films de 1952 à 1982** *2001 : l'Odyssée de l'espace* (Kubrick), *La Soif du mal* (Welles), *Sueurs froides* (Hitchcock), *Huit et demi* (Fellini), *Salvatore Giuliano* (Rosi), *Apocalypse Now* (Coppola), *Pierrot le Fou* (Godard), *Chantons sous la pluie* (Donen et Kelly), *La Comtesse aux pieds nus* (Mankiewicz), *Les Contes de la lune vague après la pluie* (Mizoguchi), *Hiroshima mon amour* (Resnais), *Rio Bravo* (Hawks). **Positif : les films les plus importants (référendum) 1992** *La Règle du jeu* (Renoir), *Citizen Kane* (Welles), *2001 : l'Odyssée de l'espace (Kubrick)*, *Sueurs froides* (Hitchcock), *L'Atalante* (Vigo), *Huit et demi* (Fellini), *L'Aurore* (Murnau), *Barry Lyndon* (Kubrick), *Le Mécano de la « General »* (Keaton), *L'Intendant Sansho* (Mizoguchi), *Nosferatu le vampire* (Murnau), *Le plaisir* (Ophuls), *Les Contes de la lune vague après la pluie* (Mizoguchi), *Les Enfants du paradis* (Carné), *Les Fraises sauvages* (Bergman), *To Be or Not To Be* (Lubitsch), *M le Maudit* (Lang), *Persona* (Bergman), *Rio Bravo* (Hawks), *Senso* (Visconti).

Meilleures recettes guichets USA et Canada (en millions de $). *E.T. l'extraterrestre* (Universal, 1982) 360. *Star Wars* (*La Guerre des étoiles*) (Fox, 1977) 322,7. *Home Alone* (*Maman, j'ai raté l'avion*) (Fox, 1990) 281,5. *Le Retour du Jedi* (Fox, 1983) 263,7. *Batman* (Warner Bros, 1989) 252,2. *Les Aventuriers de l'arche perdue* 242,4. *Le Flic de Beverly Hills* (Paramount, 1984) 234,8. *L'Empire contre-attaque* (Fox, 1980) 223,1. *Ghost* (Paramount, 1990) 217,4. *Ghostbusters* (*SOS Fantômes*) (Columbia, 1984) 214,1.

■ **Coûts les plus élevés** (en millions de $). **Films muets :** *Ben-Hur* de Fred Niblo (USA 1925) 3,9 ; *Le Voleur de Bagdad* (USA 1924) 2 ; *Les 10 Commandements* (USA 1923) 1,8. **Parlants :** *Guerre et Paix* de Bondartchouk (URSS 1963-67) 100 ; *Superman II* de Richard Lester (G.-B. 1980) 80 ; *Rambo III* (1988) 69 ; *Superman I* (1978) 55 ; *Qui veut la peau de Roger Rabbit ?* (1988) 53 ; *Les Aventures du Baron de Münchausen* (1989) 52 ; *Voyage au bout de l'enfer* (USA 1979) 50 ; *Ishtar* (1987) 45 ; *Cotton Club* (USA 1985) 45 ; *Cléopâtre* (USA 1963) 44 ; *La Porte du Paradis* (1980) 40 ; *Greystoke* (1984) 40 ; *Les Révoltés du Bounty* (USA 1962) 19 ; *Ben-Hur* (USA 1959) 15 ; *Les 10 Commandements* (USA 1956) 13,5 ; *Quo vadis ?* (USA 1951) 8,25 ; *Duel au soleil* (USA 1946) 6 ; *Wilson* (USA 1944) 5,2.

■ **Films ayant rapporté le plus aux USA** (en millions de $). **Films d'avant-guerre :** *Autant en emporte le vent* (1939) 77,5. *Blanche-Neige et les 7 Nains* (1937)

62. *Naissance d'une nation* (1915) 10. *La Grande Parade* (1925) 5,5. *King-Kong* (1933) 5. *Ben-Hur* (1926) 4,5. *The Wizard of Oz* (1939) 4,5. *San Francisco* (1936) 4. *The Singing Fool* (1928) 4. *Cavalcade* (1933) 3,5. *Le Chanteur de jazz* (1927) 3,5. **Comédies** : *Le Flic de Beverly Hills* (1984) 108. *Tootsie* (1982) 94,9. *Three Men and a Baby* (1987) 81,3. *Le Flic de Beverly Hills 2* (1987) 80,8. *The Stings* (1973) 78,2. **Dessins animés** : *Qui veut la peau de Roger Rabbit ?* (1988) 81,2. *Blanche-Neige* (1937) 62. *Bambi* (1942) 47,5. **Films de guerre** : *Platoon* (1986) 69,7. *Bonjour Viêt-nam* (1987) 58. *Apocalypse Now* (1979) 38. *MASH* (1970) 36,5. *Patton* (1970) 28. **Westerns** : *Butch Cassidy et le Kid* (1969) 46. *Jeremiah Johnson* (1972) 22. *How the West Was Won* (1962) 21. *Young Guns* (1988) 19,5. *Little Big Man* (1970) 15. *Bronco Billy* (1980) 15. *True Grit* (1969) 14,5. *The Outlaw Josey Wales* (1976) 13,5. *Duel au soleil* (1946) 11,5. *Cat Ballou* (1965) 9,5.

James Bond : *Octopussy* (1983) 34. *Moonraker* (1979) 34. *Thunderball* (1965) 29. *Never Say Never Again* (1983) 28. *The Living Daylights* (1987) 28. **Woody Allen** : *Hannah et ses sœurs* (1986) 40. *Anny Hall* (1977) 19. *Crimes et délits* (1989) 18,3. *Manhattan* (1979) 17,5. *Radio Days* (1987) 14,8. *La rose pourpre du Caire* (1985) 10,6. *Broadway Danny Rose* (1984) 10,6. *Maris et Femmes* (1992) 10,2. *Casino Royal* (1967) 10. *Ce que vous avez toujours voulu savoir sur le sexe sans jamais oser le demander* (1972) 9. **Alfred Hitchcock** : *Psychose* (1960) 11. *Fenêtre sur cour* (1954) 10. *North by Northwest* (1959) 6,5. *Family Plot* (1976) 6,5. *Torn Curtain* (1966) 6,5.

■ **Succès les plus rapides** (en millions de F). *Goldfinger* : les 14 premières semaines, rapporta 51,5. *Love Story* (1971) aurait couvert ses frais en 2 jours ; *L'Exorciste* (1973) les aurait couverts en 2 semaines. *L'empire contre-attaque* (1980) en 10 semaines, rapporta 1 300. *E.T. l'extraterrestre* (1982) : du 11-6-82 au 1-1-83, 2 250 (montant des sommes versées par les salles). *Star Trek II* (1982) : 100 le 1er week-end de sa sortie, dans 1 621 salles amér. *Le Retour du Jedi* (1983) : 64 en 1 jour. *Le Flic de Beverly Hills* (1985) : 2 000 en 3 semaines. *Dangereusement vôtre* (1985) : 360 en 5 j.

■ **Échecs. Pertes record en millions de $** : *les Portes du paradis* (1980) 55,5. *Ishtar* (1987) 37,5. *Pirates* (1984) 30. *Rambo III* (1988) 30. *Le Titanic* (1986) 29. *Il était une fois l'Amérique* (1984) 27,5. *L'Empire du Soleil* (1987) 27,5. *Superman IV* (1987) 22.

■ **Prix de revient, entre parenthèses : recettes** (millions de $ aux USA) : **1971** *The French Connection* [1] 2,4 (26,3). **72** *Le Parrain* [2] (Francis Ford Copolla) 6 (86). *American Graffiti* [3] 0,7 (56). **73** *L'Exorciste* [4] 10 (88). **75** *Les Dents de la mer* [3] 12 (133). **77** *Rencontres du troisième type* [5] 18 (77). *La Guerre des étoiles* [1] 10,5 (18,5). **78** *Grease* [2] 6 (96). **81** *Les Aventures de l'arche perdue* 22 (115). **82** *ET* [3] 10,6 (228). *Le Retour du Jedi* [1] 32 (168). **84** *Ghostbusters* [5] 32 (128). *Le flic de Beverley Hills* 108. **86** *Top Gun* 82. *Crocodile Dundee* 51. **Coût moyen** (1992) : 28,8 (grands studios), + de 40 avec marketing et publicité.

Nota. – (1) Fox, (2) Paramount, (3) Universal, (4) Warner, (5) Columbia.

■ **Film le plus long.** *The Cure for Insomnia* (de John Tinmis IV, 1987) : 85 h. *The Longest Most Meaningless Movie in the World* (de Vincent Patouillard, 1970) : 48 h ; version réduite à 90 min ; film non commercialisé. *The Loves of Ondine* de l'Américain Andy Warhol : 24 h ; version commerciale 90 min. **Film le plus long exploité commercialement** : *The Burning of the Red Lotus Temple* (Chine, 1928-31) produit par la Star Film Company : 18 épisodes (27 h) sur une période de 3 ans. **Film le plus long exploité commercialement dans sa version intégrale** : *Berlin Alexanderplatz* (All., 1983) de Rainer Werner Fassbinder : 15 h 21. *Heimat* (All., 1984) : 15 h 40, mais fut en général projeté en 2 fois. **En France** : *Comment Yukong déplaça les montagnes* (Joris Ivens) (1976) : 12 h 43 mn. *Shoah* (Claude Lanzmann) (1984) : 9 h 30 ; *L'Amour fou* (Rivette) (1969) : 4 h 32 ; *Out 1* (J. Rivette) (1972) : durée non commerciale 12 h 40, réduit à 4 h 15 ; *Le Chagrin et la Pitié* (Marcel Ophuls) (1971) : 4 h 10.

■ **Film le plus vu en salle. Dans le monde** : *Autant en emporte le vent* (Victor Fleming, 1939) : 120 millions de spectateurs. **En France** : *La Grande Vadrouille* (Gérard Oury) 17 226 000 spectateurs (voir p. 472 b).

■ **Films ayant employé le plus de figurants.** *Gandhi* (Richard Attenborough, 1982) 300 000 ; *Intolérance* (1916, D.W. Griffith) 15 à 20 000 ; *le Monstre Wang-magwi* (Corée du S., 1967) 157 000 ; *Guerre et Paix* (URSS, 1967) 120 000 ; *la Guerre de l'Indépendance* (Roum., 1912) 80 000 ; *le Tour du monde en 80 jours* (USA, 1956) 68 894 ; *Dny Zrady* (Tchéc., 1972) ; *Ben-Hur* (USA, 1959) 50 000 ; *Exodus* (USA, 1960) ; *Inchon* (Cor.-USA, 1981) ; *Khan Asparouch* (Bul., 1982) ; *Metropolis* (All., 1926) 36 000 dont 1 100 chauves pour la scène de la tour de Babel ; *Michaël le brave* (Roum., 1970) 30 000.

■ **Part des films américains sur le marché** (en %, 1990). USA 97. All. 84. G.-B. 80. Espagne 73. CEE 70. Italie 66. *France 58.* Japon 55.

Meilleurs clients du cinéma américain (millions de $, 1988). Japon 102,6, *France 98,5,* Canada 96,8, All. féd. 64,7, Italie 64,6, G.-B. 51,9, Espagne 48,2, Australie 44,7.

■ **Nombre de spectateurs** (en millions) **et,** entre parenthèses, **fréquentation moyenne par habitant** (1990). USA 1 058 (4,3). CEE 564 (1,7). Japon 146 (1,2). *France 122 (2).* All. 103 (1,7). G.-B. 97 (1,7). Italie 91 (1,6). Espagne 79 (2).

■ **Salles. Nombre de salles de cinéma et,** entre parenthèses, **nombre d'entrées par salle** (1990) : USA 23 689 (44 700). CEE 16 728 (34 000). *France 4 518 (27 000).* Italie 3 249 (27 900). All. 3 222 (31 800). Japon 1 836 (79 500). Espagne 1 773 (44 300). G.-B. 1 659 (58 400). **Drive-in** (1987). USA 2 179. Canada 183.

Salles les plus grandes. Allemagne : *Berlin* Stade olympique en plein air, 22 000 places. **France** : *Paris* Gaumont-Palace (place Clichy, ouvert 1931, rénové 1930), démoli 1973 (6 000 places, puis 3 800), écran 24 × 13 m ; Rex (bd Poissonnière) 2 800 (ouvert 1933, grande salle). **USA** : *New York* : Radio City Music Hall, *en 1932* : 5 945, *1992* : 5 874 ; Roxy *1927* : 6 214, *1957* : 5 869. *Detroit* : Fox Theater *1928* : 5 041. **Drive-in** : Loew's Open Air à Lynn (Massachusetts), 5 000 voitures.

☞ **Kinépolis,** *Bruxelles,* créé 1988. 25 salles (7 000 places) dont 1 salle avec écran géant (projection max. 600 m²). En un an 1 million d'entrées, sur 4 millions à Bruxelles (70 cinémas). *Lomme* (Fr., Nord) créé 1993. 25 à 30 salles.

Salles les plus anciennes. USA : *Atlanta* (Géorgie) octobre 1895. *Electric Theatre* (Los Angeles), chapiteau de cirque (2-4-1902). **Europe** : *Biographic Cinema* (Londres), en dur, 500 places (1905).

Le cinéma en France

■ **Centre national de la cinématographie (CNC).** 12, rue de Lubeck, 75016 Paris. Établissement public administratif (loi du 25-10-1946), sous l'autorité du ministre de la Culture et de la Communication. Chargé de la gestion du compte de soutien financier de l'État à l'industrie cinématographique et à l'industrie des programmes audiovisuels. **Montant du Compte** (millions de F en 1991) 1 528 dont *1°) Cinéma (874)* alimenté par : la taxe spéciale sur les billets, env. 11 % de la recette totale des salles, les contributions des télévisions (taxe de 1,5 % prélevée sur redevance, recettes de publicité et abonnements). *Aide répartie* entre les différents ayants droit à la recette du film (producteurs, distributeurs, exploitants) en fonction de taux proportionnels à la recette réalisée par le film ou la salle, après avis de commissions spécialisées (dont la Commission d'avance sur recettes aux longs métrages). Le soutien permet également de subventionner divers organismes ou institutions qui favorisent le développement et la promotion du cinéma français. *2°) L'audiovisuel (654)* : alimenté par une taxe de 4 % prélevée sur l'ensemble des recettes des chaînes de télévision. *Répartition de l'aide : automatique* : les producteurs d'une œuvre de fiction ou d'animation diffusée par la télé reçoivent une subvention qu'ils doivent réinvestir dans de nouvelles productions ; *sélective* : attribuée après avis d'une commission spécialisée, pour permettre le développement de prod. d'œuvres de fiction ou d'animation qui n'ont pas eu accès au soutien automatique et le soutien de la prod. d'œuvres relevant d'autres genres télévisuels : documentaires, magazines culturels... *Pts de la commission* : *1987* : Isabelle Adjani, *1988* : Denis Château, *89* : Françoise Giroud, *91* : Bernard-Henri Lévy. En 1990, la commission a retenu 54 projets avant réalisation, 7 après.

Aide de l'État à la production de long métrage (en millions de F) aide automatique et, en italique, sélective. **1980** 125,53 ; *25,87.* **83** 186,55 ; *51.* **84** 189,17 ; *53,63.* **85** 217,1 ; *87,6.* **86** 162,9 ; *75.* **87** 157,8 ; *65,9.* **88** 182 ; *93,4.* **89** 242 ; *76,9.* **90** 224,2 ; *98,1.* **91** 228,8 ; *90,6.* **Taux de TVA** appliqué au cinéma dep. le 1-1-1989 : 5,5 %.

Volume des informations gérées par le CNC (bilan 1991). *Profession.* 4 518 salles de cinéma standard payantes, + 103 salles substandard (16 mm) dont près de 911 Art et Essai. 742 points de projection. + de 1 000 producteurs de longs métrages, + de 3 000 de courts métrages. + de 2 243 réalisateurs. 391 distributeurs. 400 importateurs, exportateurs, courtiers et ind. techniques autorisées. 5 500 techniciens. *Activité annuelle (1990)* : longs métrages exploités 4 086, sortis pour la 1re fois 370 (129 français et 241 étrangers) dont 119 recommandés « art et essai » (dont 85 à 100 %). 48 ont bénéficié d'une avance sur recettes (58 en 1988). Courts métrages français : 366 produits (dont 64 ont bénéficié d'une aide à la production). Films répertoriés par le Service des Archives du Film : 101 187. *Festivals* : 200.

☞ **Ressources du plan cinéma annoncé par Jack Lang le 7-2-1989** : 207 millions de F dont *crédits ouverts en juin 1988* : 70 ; *1989* : 137 ; *mesures financées sur les crédits de la Culture pour 1989* : sur le budget général (crédits d'intervention) 115, (d'équipement) 6, le compte de soutien 15.

Production

■ **Producteur.** Personne morale, société commerciale qui prend la responsabilité de la réalisation de l'œuvre, du financement du film et du choix des vedettes, du scénario et du réalisateur. Désigne aussi le responsable ou le fondé de pouvoirs d'entreprise (prod. exécutif, associé, etc.). Il doit apporter en principe « un capital en espèces au moins égal à... 15 % du devis du film, obligatoirement investi à titre personnel » (apport moyen, env. 30 % du coût total du film). Il reçoit une aide de l'État automatique (120 % du produit de la taxe additionnelle perçue lors de l'exploitation du film précédent) et éventuellement sélective (avances sur recettes), remboursable, accordée par le min. de la Culture après avis d'une commission spécialisée « en fonction des caractéristiques propres à chaque film et, notamment, de ses qualités ». **Plus grandes sociétés.** *Gaumont* (voir p. 469 b). *Ariane Films* (Alexandre Mnouchkine). *Trinacra Films* (Yves Rousset-Rouard). *Renn Production* (Claude Berri). *Messine Prod.* (Alain Terzian). *Sara Film* (Alain Sarde). *Flach Film* (Jean-François Lepetit). *Les Films Christian Fechner. MK2* (Marin Karmitz). *Ciby 2 000* (Francis Bouygues). *Studio Canal +* (R. Bonnell). *Hachette 1er* (R. Cleitman). *Cinea* (P. Carcassonne). *Film par film* (J.-L. Livi). *Carthago film* (Tahar ben Amar). *Lazennec* (Alain Rocca).

■ **Studios.** *Nombre et, en italique, coefficient d'occupation* : **1958** 46 (22 430 m²) *86,30 %.* **70** 29 (16 074

■ **Censure.** *Commission de classification* (créée par décret du 19-7-1919). Composée de représentants de l'Administration, de la profession cinématographique, de médecins et éducateurs, tous nommés par arrêté ministériel. Propose : autorisation pour tout public, interdiction aux moins de 12 ans, au moins de 16 ans, aux mineurs (films X ou d'incitation à la violence) ou interdiction totale. Le ministre de tutelle (Information puis Culture) reste maître de la décision à prendre. Agrée en outre le matériel publicitaire du film.

■ **Visas délivrés (1991).** Longs métrages : 164 français, 283 étrangers. Courts métrages 342 et 11.

Restriction de programmation (1991). *Longs et courts métrages français et étrangers.* Interdiction aux mineurs de 12 ans : 49, de 16 ans : 9, œuvres comportant un avertissement : 8, autorisées après coupures, modifications ou allégements sur l'initiative du producteur ou du distributeur après un 1er avis de la Commission : 2.

■ **Cinéma pornographique. Mesures contre.** 1re distribution mondiale : *Moi, une femme* (Suède, 1967). **Aide** : dep. le décret du 31-10-1975, les producteurs de films porno. ne bénéficient plus de l'aide automatique. Leurs films ne peuvent être projetés que dans un circuit de salles spécialisées.

Taxes TVA : dep. 1976 : 33,33 % sur recettes et ventes de droits de films porno. ou d'incitation à la violence (amendement Marette) ; *superfiscalité (20 %)* sur la fraction des bénéfices industriels et commerciaux réalisés à l'occasion de la production de tels films (amendement Foyer, modifié par le Sénat) ; *taxe additionnelle* sur les places des salles de cinéma où sont projetés ces films : multipliée par 2,25.

Nombre de salles autorisées à projeter des films porno. *1976* : 151 (53 à Paris) ; *77* : 168 ; *79* : 171 ; *80* : 147 ; *81* : 104 ; *87* : 76.

Part des films classés X dans la production française (en %). *1977* : 38 ; *78* : 53 ; *80* : 32 ; *81* : 41 ; *83* : 33,58 ; *84* : 50.

Spectateurs de films X : En *1972* : 10 % de l'ensemble du public de cinéma ; *1974* : 14 ; *75* : 25 ; *76* : 5,87 ; *77* : 5,7 ; *78* : 5 ; *79* : 4,4 ; *80* : 2,6. *85* : 0,10. *86* à *90* : proche de 0.

m²) *56,4.* **80** 12 (9 696 m²) *70,02.* **90** 11 (28 708 m²). **91** 19 (31 317 m²). *Effectif :* laboratoires, auditoriums, studios, pellicule. **1986** 1 935. **87** 1 875. **91** 2 200.

■ **Réalisateur.** Personne qui, souvent, prend l'initiative de la réalisation d'un film, collabore à l'adaptation et au scénario, choisit tout ou partie des techniciens et artistes. En accord avec le producteur, dirige ou coordonne la préparation artistique du tournage, le tournage lui-même, les travaux de finition du film et collabore au lancement du film. Il est rémunéré en salaire pour une partie de son travail. Reconnu comme auteur depuis 1985, son apport artistique est rémunéré en % sur recettes. En 1990, sur 816 titulaires de la carte professionnelle, 97 ont réalisé 1 ou plusieurs films. 29 réalisateurs ont mis en scène leur premier long métrage. Par ailleurs, on comptait 1 427 titulaires de la carte de réalisateur de court métrage.

■ **Financement de la production.** En 1991 : répartition des investissements dans la production cinématographique (en %) : apport 37,3 (dont France 27,3), Sofica 6,7, soutien financier 8,2, aides sélectives 5,2, TV 24,3 (dont apport 4,3, droits 20), participation 5,6, crédits 3,8, vidéo 0,8, à-valoir 8,1 (dont France 4).

■ **Sofica** (Stés de financement des ind. cinématographiques et audiovisuelles). *Créées* 1985. Un particulier peut déduire de son revenu ses investissements dans une Sofica, dans la limite de 25 % de ses revenus imposables. Une entreprise soumise à l'impôt sur les Stés peut amortir dès la 1re année 50 % du montant versé. Les œuvres doivent être : réalisées dans leur version originale en français ; être de la nationalité d'un État de la CEE et être agréées par le ministre de la Culture. En sont exclus : œuvres à caractère porno ou d'incitation à la violence, œuvres utilisables à des fins publicitaires, programmes d'information, débats d'actualité, émissions sportives ou de variétés, documents et programmes audiovisuels ne comportant qu'accessoirement des éléments de création originale. Le producteur reste responsable de la production. Sa participation financière doit rester égale à 15 % du budget du film. Les sommes investies au titre de l'« abri fiscal » ne peuvent excéder 50 % du devis.

Nombre de Sofica : env. 20. *Investissement (en millions de F). 1985-90 :* production cinématographique 826,732, audiovisuelle 212,790, capital de sociétés de production 71,013.

■ **Nombre de films français** (100 % fr. et coproductions) **selon le coût de production** (en 1992) : *+ de 50 millions de F :* 12. *De 30 à 50 :* 8. *De 20 à 30 :* 11. *De 10 à 30 :* 28. *- de 10 :* 13.

90 % des recettes des films sont réalisées durant la 1re année d'exploitation commerciale.

■ **Postes du devis** (en %, 1991). Droits artistiques 5,7, réalisateurs 2, techniciens 20, interprètes 10,8, studio 0,9, pellicule-labo 6,4, décors, costumes 7,4, transport-défraiement et régie 9,3, moyens techniques 7,2, assurances 1,7, ch. sociales 12,4, divers 16,2.

■ **Investissements français** (en millions de F, 1992). 3 549,56 dont investisseurs français 2 798,94.

■ **Exportations de films français** (en millions de F). *1985 :* 330,3 ; *86 :* 373,7 ; *87 :* 326,3 ; *88 :* 352,7 ; *89 :* 435,7 ; *90 :* 395,5 (dont Allemagne 89,4, USA 47,1, Italie 25,5, Japon 24,7, Belgique 22,4, Espagne 17,4, G.-B. 17,2, Suisse 16,8, Canada 14,5, Luxembourg 13,4).

Films

■ **Films produits. Longs métrages : 1960** 167 (dont 69 intégralement français). **65** 142 (34). **66** 130 (45). **67** 120 (47). **68** 117 (49). **69** 154 (70). **70** 138 (66). **71** 127 (67). **72** 169 (71). **73** 181 (85). **74** 191 (101). **75** 162 (101). **76** 156 (112). **77** 144 (112). **78** 161 (116). **79** 174 (126). **80** 189 (144). **81** 231 (186). **82** 164 (134). **83** 132 (101). **84** 161 (120). **85** 151 (106). **86** 134 (97). **87** 133 (96). **88** 137 (93). **89** 136 (66). **90** 146 (81). **91** 156 (73). **92** 144 (72).

Courts métrages commerciaux : 1978 509. **80** 429. **86** 540. **87** 484. **88** 443. **89** 346. **90** 366.

■ **Coût d'un film** (en millions de F 1991). *Intégralement français* 24,34 ; *coproduction* 24 ; *coût moyen général* 24,15.

■ **IFCIC (Institut pour le Financement du Cinéma et des Industries Culturelles).** *Créé* 1983. 66, rue Pierre-Charron, 75008 Paris. Apporte sa garantie aux établissements financiers et aux banques. Pour le cinéma et l'audiovisuel, ses fonds de garantie sont prélevés sur le compte de soutien à l'industrie cinématographique et aux industries de programme.

■ **ALPA (Association de Lutte contre la Piraterie Audiovisuelle).** *Créée* 1985. 9, rue de Marignan, 75008 Paris.

Distribution

Le producteur passe avec un distributeur un contrat de mandat, assorti de redevances, en principe proportionnelles aux recettes qui seront réalisées dans les salles. Avant le tournage, le distributeur donne parfois au producteur une « garantie de recettes » ou un « à-valoir ».

■ **Distributeur.** Il tire un certain nombre de copies du film, organise publicité et promotion, loue le film à des directeurs de salles, moyennant une commission de 30 à 50 % de la recette du film, et assure la distribution physique des copies (300 000 programmes par an env.). Il se charge de réclamer auprès de l'exploitant ou d'entreprendre un recours auprès d'une commission spécialisée du CNC en cas d'infraction à la montée des recettes.

Statistiques. Au 31-12-1991, il y avait 413 entreprises de distribution dont 164 (ayant 181 agences en France) ayant fonctionné. **Nombre d'entreprises selon le nombre de films distribués :** *de 161 à 202 :* 4. *131-160 :* 2. *101-130 :* 7. *71-100 :* 5. *51-70 :* 6. *41-50 :* 8. *31-40 :* 8. *21-30 :* 8. *11-20 :* 14. *6-18 :* 18. *1-5 :* 83.

Répartition par nationalité. Films 100 % français 85, coproduits par la France 55, américains 158, japonais 25, britanniques 20, italiens 10, tchèques 10, canadiens 9, allemands 6, soviétiques 6, espagnols 5, divers 49.

Chiffre d'affaires (1991). 1 546 millions de F.

Films de long métrage. Sortis pour la 1re fois sur les écrans français (1990) : 370 : 129 films français (dont 46 coproductions) et 241 films étrangers (138 américains, 14 polonais, 13 italiens, 12 soviétiques, 8 britanniques, 7 chinois, 6 espagnols, 5 canadiens, 3 allemands, 35 divers.

■ **Films projetés** (total). **1971 :** 4 265. **75 :** 4 470. **76 :** 4 866 (français 1 510). **77 :** 5 064 (fr. 1 637). **78 :** 5 084 (fr. 1 701). **79 :** 5 189 (fr. 1 753). **80 :** 5 256 (fr. 1 763). **84 :** 5 028 (dont moins *d'1 an :* 424 ; *1 :* 463 ; *2 :* 418 ; *3 :* 486 ; *4 :* 382 ; *5 :* 372 ; *6 :* 308 ; *7 :* 251 ; *8 et + :* 2 844) dont *France 1 748 ;* USA 1 419 ; Italie 393 ; G-B 255 ; Allemagne 171 ; URSS 122. Divers : 920. *89 :* 4 218 (fr. 1570). *90 :* 4 086 (fr. 1 074).

■ **Aides sélectives à la distribution.** *1°) Pour favoriser le lancement de films français ou étrangers* répondant à certains critères de qualité, dont la sortie sur le marché cinématographique comporte des risques importants. Pte : Michèle Gendreau-Massaloux (1989). Films sélectionnés après avis d'une commission, peuvent bénéficier d'une garantie de recettes distributeur plafonnée à 500 000 F (dans la limite de 80 % des frais d'édition engagés). *1990 :* 42 films dont 23 films français en ont bénéficié (93 copies tirées : 5 850 000 F accordés). *2°) Pour soutenir les entreprises indépendantes* dont l'activité au plan de leur politique de distribution « art et essai » est un élément important de la diversification de l'offre de film en France. Ces entreprises peuvent recevoir une subvention d'exploitation après avis de la commission. *1990 :* 15 Stés de distribution ont reçu des aides : 4 250 000 F. *3°) Pour maintenir une offre de films dans petites et moyennes villes. 1990 :* 1 413 copies attribuées réparties sur 33 films. Le ministère de la Culture et le min. des Affaires étrangères accordent aussi des aides à l'acquisition de droits d'exploitation pour des œuvres peu connues en France.

■ **Nombre moyen de séances par film** *(en unités, 1984).* 840. *Français 1 138 ;* américains 1 106 ; britanniques 862 ; allemands 404 ; italiens 367.

Le *pourboire* n'est pas obligatoire. *Si la place attribuée ne convient pas,* on peut en exiger une autre ou se faire rembourser le prix de son billet. *Si par suite de panne ou de modification du programme, on ne peut assister à tout le programme,* on peut se faire rembourser. La loi du 11-3-1957 (art. 47) précise : « L'entrepreneur de spectacle doit assurer la représentation ou l'exécution publique dans des conditions techniques propres à garantir le respect des droits intellectuels et moraux de l'auteur. »

On peut écrire à la *Commission supérieure technique du Cinéma* (CST), 11, rue Galilée, 75116 Paris, pour signaler de mauvaises conditions de projection ou l'état défectueux d'une copie (joindre ticket d'entrée et détailler les imperfections constatées), ou aux *Raisins de la colère,* 173, rue du Fbg-St-Antoine, 75011 Paris (association de défense du spectateur).

Exploitation

■ **Nombre de salles** (en 1992). *35 mm :* 4 444 représentant 982 963 fauteuils (221 par salle). *16 mm :* 49. **Nombre de complexes :** 841 représentant 3 011 salles représentant 571 063 fauteuils (190 par salle) (soit 67,8 % du parc). **1992** inauguration du dôme Imax à la Défense. Écran hémisphérique de 1 000 m². Visiteurs attendus : 750 000/an.

■ **Programmation** (1990). 3 groupements nationaux (Gaumont, associés et compagnie, UGC diffusion, Pathé, Édeline et indépendants) regroupant 971 écrans (21 % du parc) et recueillant 48 % de la recette. *Pathé :* 328 écrans, *Gaumont :* 288, *UGC :* 355.

■ **Soutien financier de l'État** (1991), 216,5 millions de F au titre de l'aide automatique issus d'une taxe prélevée sur les recettes et finançant les travaux dans les salles, 24,8 millions au titre de l'aide sélective (dossiers instruits par l'agence pour le développement régional du cinéma).

■ **Recettes** (1991). 3 870,4 millions de F. **Part du film français** dans la recette globale (en %) : *1973 :* 61,8. *78 :* 46,5. *79 :* 51,1. *80 :* 47,7. *82 :* 53,7. *83 :* 47,01. *84 :* 49,6. *85 :* 44,6. *86 :* 43. *87 :* 35,6. *88 :* 38,5. *89 :* 34,2. *90 :* 37,4. *91 :* 30,1. **Répartition** (en %, 1991) : Taxe spéciale : 11 ; TVA : 5,3 ; exploitation : 43,5 ; production, distribution : 38,9 ; Sacem : 1,3.

■ **Ciné-clubs. Origine :** *1919* création du mot par Louis Delluc. *1925* 1re séance organisée selon le fonctionnement actuel. **Fédérations :** *Cofecic,* créée 1981, regroupe 4 féd. *Unicc* (Union nat. Inter-Ciné-Clubs) ; *Pt :* Janine Bertrand ; cinémathèque. *Ufoleis* (Union des féd. des œuvres laïques de l'enseignement par l'image et le son) : fondée 1933, 3 cinémathèques régionales, 400 titres. *Flec* (Féd. Loisirs et Culture) : *Pt :* Pierre Frésil. *Crcc* (Coopérative régionale du cinéma culturel de Strasbourg) : *fondée* 1949 à Strasbourg ; *Pt :* J.-J. Ott ; 200 associations-membres en France ; env. 200 titres (16 et 35 mm). **Réglementation :** en principe un ciné-club ne peut passer un film que 2 ans après sa sortie, sauf après son passage à la télévision ou dérogation (env. 60 par an). 3 000 ciné-clubs en activité.

■ **Cinéma d'art et d'essai. Origine :** association française créée 1956 par Jeander et Armand Tallier. **Subventions.** Les salles classées bénéficient d'une subvention du ministre de la Culture au titre du compte de soutien à l'industrie cinématographique. **Salles** (nombre au 1-1-1992) : 562 dont 120 en catégorie « recherche ».

■ **Fédération française cinéma et vidéo** (FFCV). *Créée* 1933. Regroupe 200 clubs de cinéastes et vidéastes réal. non-professionnels, répartis en 8 unions régionales. *Siège :* 54, rue de Rome, 75008 Paris.

Spectateurs

■ **Spectateurs. Dans les salles standard** (en millions). **1947 :** 423,7. **50 :** 370,7. **52 :** 359,6. **57 :** 411,6. **60 :** 328,3. **65 :** 259,1. **70 :** 184,4. **75 :** 180,7. **77 :** 169. **80 :** 174. **81 :** 187,6. **82 :** 200,5. **83 :** 197,1. **84 :** 187,8. **85 :** 172,2. **86 :** 163,4. **87 :** 132,5. **88 :** 122,4. **89 :** 118,9. **90 :** 121,8. **91 :** 122 dont en % : films américain 58,7, *français 30,1,* anglais 1,4, italien 0,8, allemand 0,3. **92 :** 116,4.

Fréquentation (en %, 1992). *15-24 ans :* 42,5 ; *25-34 :* 21,7 ; *35-49 :* 22 ; *50-64 :* 8,2 ; *65 et + :* 5,6. **Sexe.** Homme 47,6 ; femme 52,4. **Niveau d'instruction.** Ayant poursuivi des études supérieures : 76,1 ; primaire : 13,4. **Catégories socioprofessionnelles.** Cadres supérieurs : 73,8 ; employés : 47,4 ; ouvriers qualifiés 33,6 ; agriculteurs : 22,6. Fréquentation rurale : 31 ; agglomération parisienne : 47.

Cinéma à la télévision

La télévision représente 4 milliards de spect. pour env. 1 374 films diffusés en 1991 toutes chaînes confondues.

■ **Obligations des chaînes relatives à la diffusion de films de cinéma.** Max. 192 dont 104 entre 20 h 30 et 22 h 30. Quota CEE : 64,6 %. Quota d'œuvres d'expression originale française : 55,3 %.

■ **Films diffusés à la télévision française.** *Longs métrages : 1973 :* 460. *75 :* 474. *76 :* 517. *77 :* 526. *78 :* 524. *79 :* 537. *80 :* 527. *81 :* 500. *82 :* 475. *83 :* 475. *86 :* 950. *87 :* 1 288. *88 :* 1 330. *89 :* 1 289. *90 :* 1 360. *91 :* 1 374. **Par chaîne en 1992 et,** entre parenthèses **rediffusion** (1988). **TF1** 170 (87). **A 2** 193 (112). **FR 3** 192 (109). **La Cinq** 186 (111). **M 6** 192 (123). **Canal +** 441.

■ **Délai minimal de diffusion à l'antenne après l'obtention du visa d'exploitation du film.** 36 mois, 24 si la chaîne a coproduit le film. Canal Plus : 12 mois.

Dérogations possibles au vu des résultats d'exploitation en salles. **Par vidéocassettes et vidéodisques :** 1 an minimum après l'obtention du visa d'exploitation (dérogations possibles).

■ **Magnétoscopes.** Selon la Simavelec. *Parc* (1991) : 11,97 millions d'unités. Foyers équipés : 50,9 %.

■ **Participation des chaînes de télévision au financement de la production** (en millions de F, 1991). Total de la participation (dont part coproducteur et droit d'antenne). **TF1** 126,5 (47,2 ; 79,3). **A2** 89,4 (40,7 ; 48,7). **FR3** 74,4 (34 ; 40,4). **La Cinq** 65,5 (28 ; 37,6). **M6** 8,5 (4 ; 4,5). **La Sept** 20,1 (13 ; 7,1).

■ **Participation au Fonds de soutien du cinéma** (en millions de F, 1991). 1 528.

■ **Prix d'achat.** *Moyen (1992) :* 3 millions de F. *Max. :* 10 millions.

Protection du patrimoine

■ **Les archives du film** (78390 Bois-d'Arcy). *Créé* par décret du 19-6-1969, sur l'initiative d'André Malraux, alors min. de la Culture. *Mission :* rassembler, conserver et restaurer les films reçus en donation ou en dépôt, notamment la production fr. (des origines à 1955 env.), établie sur nitrate de cellulose, condamnée à l'autodestruction. Conservent également les collections nitrates pour d'autres institutions et organismes tels que la Cinémathèque française, cinémathèques régionales, l'Institut national de l'audiovisuel. Gèrent 131 000 titres (soit env. 1 million de bobines dont 1/4 sur support nitrate). Le nitrate de cellulose, instable et inflammable, est voué à une mort certaine (en août 1980, 17 000 titres ont été incendiés au dépôt du Pontel). *Collections :* 15 000 affiches, 120 000 photos, 60 000 scénarios, 7 000 ouvrages et périodiques, 2 500 appareils photos. *Budget* 1992 : 52 millions de F.

■ **Cinémathèque française.** 7, av. Albert-de-Mun, 75116 Paris. *Créée* 1936 par Henri Langlois, Georges Franju et Jean Mitry. 145 000 boîtes de films dont env. 36 000 sur support nitrate au service des archives du film (v. + haut). Restaure 80 longs métrages/an. *Bibliothèque* environ 25 000 ouvrages et revues, 1 000 000 de photos recensées. Enseigne l'histoire du cinéma avec le collège. *Publication :* Revue semestrielle sur l'histoire du cinéma et des monographies. *Programme* plus de 1 000 films par an dans ses salles (Palais de Chaillot, Palais de Tōkyō). *Contribue* à de nombreux festivals et manifestations. Accueille le Festival Cinémémoire et la Cinémathèque de la Danse. *Musée du Cinéma, Henri Langlois,* 1 place du Trocadéro, 75016 Paris. *Budget annuel :* 36 millions de F.

■ **Aficca (Fondation internationale du cinéma et de la communication audiovisuelle).** 1 bis, av. du Roi-Albert, 06400 Cannes. Accueil étudiants et chercheurs (sur demande écrite). Env. 6 000 ouvrages, 15 000 périodiques, 20 000 dossiers sur personnalités du Cinéma, films, thèmes, pays, institutions, etc. Préfiguration d'un musée du cinéma.

■ **Institut Lumière.** Rue du Premier-Film, Lyon-Monplaisir. *Créé* 1982. Pt. : Bertrand Tavernier. Projections, expositions, bibliothèque, médiathèque, conservation, musée du Cinéma.

☞ **Films perdus** (en %). **Tournés entre 1895 et 1918 :** env. 85. **1919-29 :** Italie 85, USA 75, *France 70,* All. 40, URSS 10. **1930-39 : France 50 à 55,** USA 25. **1940-49 :** *France 36* (1940-44), USA 10.

Nota. – Sur 12 000 films français, il en reste env. 6 000 dont env. 3 800 utilisables sans travaux de restauration. Pour sauvegarder les films nitrate, 15 millions de mètres seront copiés et restaurés (avant 2005) sur support de « sécurité » ; *coût :* 17 millions de F.

■ Quelques records

■ **Films ayant eu le plus de succès en France en salle.** Année de sortie, nationalité, *réalisateur,* interprètes principaux et nombre de spectateurs (en millions) du 1-1-1956 au 31-12-1991. **La Grande Vadrouille** (1966 Fr., G-B) *G. Oury :* Bourvil, L. de Funès. 17,2. **Il était une fois dans l'Ouest** (1969 It.) *S. Leone ;* C. Bronson, H. Fonda, C. Cardinale. 14,8. **Les Dix Commandements** (1958 Amér.) *Cecil B. De Mille ;* C. Heston, Yul Brynner. 14,2. **Ben-Hur** (1960 Amér.) *W. Wyler ;* C. Heston. 13,8. **Le Pont de la rivière Kwaï** (1957 Brit.) *D. Lean ;* Alec Guinness, W. Holden. 13,4. **Le Livre de la jungle** (1968 Amér.) *W. Reitherman ;* dessin animé. 12,5. **Le Jour le plus long** (1962 Amér.) *K. Annakin ;* A. Marton, B. Wicky. 11,9. **Le Corniaud** (1965 Fr., It.) *G. Oury ;* Bourvil, L. de Funès. 11,7. **Les 101 Dalmatiens** (1961 Amér.) *W. Disney* 11,6. **Les Aristochats** (1971 Amér.) *W. Reitherman ;* dessin animé 10,4. **Trois Hommes et un couffin** (1985 Fr.) *C. Serreau* 10,2. **Les Canons de Navarone** (1961 Amér.) *J. Lee Thompson ;* G. Peck, David Niven, A. Quinn. 10,2.

Les Misérables (2 époques) (1958 Fr., It.) *J.-P. Le Chanois ;* J. Gabin, B. Blier, Bourvil. 9,9. **Docteur Jivago** (1966 Amér.) *D. Lean ;* J. Christie, O. Sharif. 9,8. **La Guerre des boutons** (1962 Fr.) *Y. Robert.* 9,7. **L'Ours** (1988, Fr.) *J.-J. Annaud* 9,1. **Le Grand Bleu** (1989, Fr.) *L. Besson* 9. **E.T. l'extraterrestre** (1982, Amér. *S. Spielberg ;* Dee Wallace 8,9. **Emmanuelle** (1974 Fr.) *Just Jaeckin ;* S. Kristel. 8,9. **La Vache et le Prisonnier** (1959 Fr., It.) *H. Verneuil;* Fernandel. 8,8. **La Grande Évasion** (1963 Amér.) *J. Sturges ;* Steve McQueen. 8,7. **West Side Story** (1962 Amér.) *R. Wise, J. Robbins ;* G. Chakiris, R. Iamblyn, N. Wood. 8,7. **Le Gendarme de St-Tropez** (1964 Fr., It.) *J. Girault ;* L. de Funès. 7,8. **Les Bidasses en folie** (1971 Fr.) *C. Zidi ;* Les Charlots. 7,5. **Les Aventures de Rabbi Jacob** (1973 Fr., It.) *G. Oury ;* L. de Funès. 7,4. **Les Aventures de Bernard et Bianca** (Amér.) *L. Clemons* 7,2. **Jean de Florette (nº 1)** (1986, Fr.) *C. Berri.* D. Auteuil, Y. Montand, G. Depardieu 7,2. **Les Sept Mercenaires** (1961 Amér.) *J. Sturges ;* Y. Brynner, E. Wallach, Steve McQueen. 7. **La Chèvre** (1981 Fr., Mex.) *F. Weber ;* P. Richard, G. Depardieu. 7.

Les Grandes Vacances (1967 Fr., It.) *J. Girault ;* L. de Funès, 6,9. **Michel Strogoff** (1956 Fr., It., Yougosl.) *C. Gallone ;* C. Jurgens, G. Page. 6,9. **Danse avec les loups** (1990, USA) *K. Costner* 6,9. **Le Gendarme se marie** (1968 Fr., It.) *J. Girault ;* L. de Funès. 6,8. **Rox et Rouky** (Amér.) *A. Stevens/T. Berman* 6,7. **Goldfinger** (1965 Br.) *G. Hamilton ;* S. Connery. 6,7. **Manon des Sources** (1987 Fr.) *C. Berri ;* D. Auteuil, E. Béart, Y. Montand. 6,6. **Sissi** (1956 Autr.) *F. Marischka ;* R. Schneider, K. Böhm. 6,6. **Le Cercle des poètes disparus** (1989, Amér.) *P. Weir* 6,5. **Robin des Bois** (Amér.) *W. Reitherman* 6,5. **Rain man** (1989, Amér.) *B. Levinson* 6,5. **Sissi jeune impératrice** (1957 Autr.) *F. Marischka.* 6,4. **La Cuisine au beurre** (1963 Fr., It.) *G. Grangier;* Bourvil, Fernandel. 6,4. **Le Bon, la Brute et le Truand** (1968 It.) *S. Leone ;* C. Eastwood, E. Wallach, L. Van Cleef. 6,3. **Orange mécanique** (1972 Amér.) *S. Kubrick.* 6,3. **Les Aventuriers de l'arche perdue** (1981 Amér.) *S. Spielberg.* 6,3. **Les Dents de la mer** (1976 Amér.) *S. Spielberg.* 6,2. **La gloire de mon père** (1991, Fr) *Y. Robert* 6,2. **Le Gendarme et les Extraterrestres** (1979 Fr.) *J. Girault ;* L. de Funès. 6,2. **Indiana Jones et la dernière croisade** (1989, Amér.) *S. Spielberg* 6,2. **Oscar** (1967 Fr.) *E. Molinaro ;* L. de Funès. 6,1. **Merlin l'enchanteur** (USA) *W. Reitherman* 6,1. **Marche à l'ombre** (1984 Fr.) *A. Mazars.* 6,1.

■ **Meilleurs taux d'audience à la télévision** (en %, 1992). **L'ours** 32,9. **Le grand chemin** 27,1. **Les compères** 26,8. **Crocodile Dundee** 26,7. **Inspecteur Labavure** 26. **L'Arme fatale II** 25,1.

■ **Films ayant réalisé plus de 1 500 000 d'entrées (en millions, 1991). Danse avec les loups** *Kevin Costner* 6,9. **Terminator 2** *James Cameron* 5,3. **Robin des Bois** *Kevin Reynolds* 4,6. **Croc-Blanc** *Randal Kleiser* 2,9. **Le Silence des agneaux** *Jonathan Demme* 2. **Un flic à la maternelle** *Ivan Reitman* 1,9. **Pretty Woman** *Gary Marshall* 1,8. **Hot Shots** *Jim Abrahams* 1,8. **Allo Maman, c'est encore moi** *Amy Heckerling* 1,7. **Double impact** *Sheldon Lettich* 1,7. **Une époque formidable** *Gérard Jugnot* 1,6. **Bernard et Bianca au pays des kangourous** *Hendel Butoy, Mike Gabriel* 1,6. **Jamais sans ma fille** *Gilbert Brian* 1,6. **Maman, j'ai raté l'avion** *Chris Colombus* 1,6. **Opération Corned-beef** *Jean-Marie Poiré* 1,5.

☞ Films ayant eu le plus de succès en France en salle, voir ci-contre.

■ **Films français ayant réalisé les meilleurs scores aux USA** (en millions de $, fin 1991). *La Cage aux folles* (1979) : 17. *Z* (1969) : 15. *Un homme et une femme* (1966) : 13. *Emmanuelle* (1975) : 11,5. *Cousin, cousine* (1976) : 8,5. *Jean de Florette* (1987) : 5,4. *Manon des sources* (1987) : 5,1. *Cyrano de Bergerac* (1991) : 5. *Nikita* (1991) : 5.

Cinéma odorant

1959-2-12 1er film odorant, documentaire *la Muraille de Chine* (Carlo Lizzani), durant les 97 min de la projection les spectateurs respiraient 72 odeurs (fumées, épices, orange, jasmin etc.) diffusées par circuit d'air conditionné. *1960-2-12 Une odeur de mystère* (Jack Cardiff) présenté au cinéma Cinestage de Chicago. *1981 Polyester* (John Waters), en entrant dans la salle, les spectateurs recevaient un carton numéroté de 1 à 10. Chaque fois qu'un numéro apparaissait à l'écran, ils frottaient avec le doigt l'emplacement indiqué et libéraient ainsi une odeur : ail, essence, gaz, vieille chaussure de tennis.

Danse

La Danse en France

Source : Centre international de documentation pour la danse et Direction de la Musique et de la Danse.

■ Quelques dates

XVIe s. règne du ballet de cour. **1581** « le *ballet comique de la reine » :* synthèse des apports italien et français. **1661** fondation de l'Académie royale de danse. **XVIIe s.** Louis XIV, lui-même danseur, demande à son maître à danser, Beauchamp, de codifier les pas. **1669** création de l'Académie d'opéra. **1713** fondation de l'École de danse. Le costume de ballet se différencie du costume de cour (Marie Sallé, la 1re, paraît en costume plus léger). **XVIIIe s.** Dupré et Vestris rivalisent de virtuosité. **1760** Noverre s'élève contre *« ces pas compliqués et cabrioles » :* naissance du ballet-action ; l'usage du masque disparaît. Les frères Gardel règnent à l'Opéra jusqu'à la Restauration. **1772** le public ne s'installe plus sur la scène. **XIXe s.** Ballet romantique. Taglioni monte la 1re sur les pointes, la Grisi inspire à Théophile Gautier « Giselle », effacement des danseurs et suprématie des ballerines. **1860** triomphe du ballet académique avec Marius Petipa, émigré à St-Pétersbourg. Bournonville conserve à Copenhague le style français. **1909** ballets russes de Diaghilev à Paris. Chorégraphes : Fokine, Massine, Nijinski. Isadora Duncan prône la libération du corps. Loie Fuller joue avec la lumière dans ses draperies. **Vers 1920,** aux USA, Martha Graham invente un nouveau vocabulaire, Mary Wigman pose en Allemagne les bases de l'expressionnisme. **1930-60** Serge Lifar à l'Opéra. Après 1945, Janine Charrat et Roland Petit : lignée néoclassique comme à New York Balanchine. **1950** tournées des ballets du marquis de Cuevas.

■ Troupes

■ **Réunion des Théâtres lyriques nationaux (RTLN). Paris :** Th. National de l'Opéra de Paris, Ballets de l'Opéra, spectacles au Palais Garnier, Salle Favart, Palais des Congrès, Th. des Champs-Élysées. Tournées en province et à l'étranger (1986 : Japon).

■ **Aide aux Compagnies chorégraphiques** [en millions de F (MF)]. **Compagnies au sein de 17 Centres chorégraphiques nationaux :** 43 co-financés par État et collectivités territoriales dans le cadre de conventions triennales liant tous les partenaires. **Ballet** *du Nord* (Jean-Paul Comelin) 4,33 MF ; *du Rhin* (Jean-Paul Gravier) 4,63 ; *national de Marseille* (Roland Petit) 8 ; *de Nancy et de Lorraine* (Pierre Lacotte) 6,58 ; *Théâtre Joseph Russillo* (J. Russillo) 1,1. **Centres chorégraphiques** *Caen/Basse-Normandie* (Karine Saporta) 1,9 ; *Champigny* (Angelin Preljocaj) 1,07 ; *Franche-Comté à Belfort/Sochaux* (Odile Duboc) 1,2 ; *Tours* (Cie J.-C. Maillot) 1,33 ; *national Bourgogne/Nevers/Nièvre* (Anne-Marie Reynaud) 1,1 ; *Créteil Val-de-Marne* (Cie Maguy Marin) 1,76 ; *Grenoble* (Cie J.-C. Gallota) 2,1 ; *Hte-Normandie* (J. Bouvier/R. Obadia) 1,6 ; *Montpellier/Languedoc/Roussillon* (Cie D. Bagouet) 2,16 ; *Nantes* (Claude Brumachon) 1 ; *Rennes/Bretagne* (Gigi Caciuleanu) 1,35 ; *régional Poitou-Charentes* (Cie Régine Chopinot) 1,95.

Compagnies « hors commission » bénéficient pour 3 ans d'un contrat de créateur-associé à un grand établissement culturel : 2,4 millions de F.

Créateurs associés : *Astrakan* (D. Larrieu), ferme du Buisson Marne La Vallée 0,8 ; *1B* (F. Verret) théâtre national de la danse et de l'image de Châteauvallon 0,8 ; *Joseph Nadj*, centre de production chorégraphique d'Orléans 0,8.

Compagnie Baroque : *Ris et Danceries* (F. Lancelot) 1,13.

■ **Aide aux compagnies indépendantes** (en millions de F). 8,56. Accordée pour 2 ans et sans obligation de création annuelle à 25 compagnies. *Anonyme* (S. Rochon) 0,26. *Barocco* (F. Raffinot) 0,48. *CA* (H. Diasnas) 0,21. *Christine Bastin* 0,21. *DCA* (P. Decoufle) 0,7. *De Hexe* (M. Monnier) 0,7. *En* (D. Petit) 0,26. *Entrepositaire en transit* (B. Farges) 0,3. *Fattoumi-Lamoureux* 0,21. *Groupe Dunes* (M. Chiche/B. Misrach) 0,21. *IDA* (M. Tompkins) 0,5. *Jean Gaudin* 0,35. *J.F. Duroure* 0,3. *K Danse* (J.M. Matos) 0,21. *Kilina Cremona* 0,27. *La Liseuse* (G. Appaix) 0,65. *Larsen* (S. Aubin) 0,3. *Le Marietta Secret* (H. Robbe) 0,25. *Michel Hallet-Eghayan* 0,28. *Paco Decina* 0,22. *Plaisir d'Offrir* (M. Kelemenis) 0,3. *Roc in Lichen* (L. de Nercy/B. Dizien) 0,24. *Santiago Sempere* 0,21. *Studio DM* (C. Diverres/B. Montet) 0,65. *Temps présent* (T. Malandin) 0,29.

■ **Aide à des projets de création** : 61 compagnies ; 5,44 millions de F.

Enseignement

1°) **Établissements publics nationaux. École du Ballet de l'Opéra de Paris :** *créée* 1913. *Dir.* Claude Bessy dep. 1972. Gratuite, cycle de 6 ans, de débutant à artiste professionnel (120 élèves). Concours d'entrée annuel. Enseignement pluridisciplinaire. Admission 9 à 13 ans. *Moyens 93 :* 20 076 000 F dont subvention de l'État 15 884 000 F.

Conservatoire national supérieur de musique et de danse de Paris : *Dir. :* Quentin Rouillier. Enseignement pluridisciplinaire. *Cycles :* 2 de 2 ans chacun. 19 professeurs, 14 musiciens accompagnent les cours de danse. *Élèves :* 120.

Conservatoire national supérieur de musique et de danse de Lyon : *créé* 1984. *Dir. :* Philippe Cohen sous l'autorité de Gilbert Amy. *Concours d'entrée :* annuel. *Cycle :* 3 ans. *Élèves :* 80 (40 filles, 40 garçons).

École nationale supérieure de danse de Marseille : *ouverture :* 1992. *Dir. :* Roland Petit. *Capacité :* 230 élèves en 3 cycles (préparatoire, élémentaire, secondaire). *Admissions :* 6 à 17 ans. *Participation de l'État au fonctionnement :* 50,3 %.

Centre national de danse contemporaine d'Angers : l'Esquisse : *créé* 1978. *Dir. :* Joëlle Bouvier et Régis Obadia. *Dir. des études :* Marie-France Delieuvin. *Cycle :* 2 ans. *Admission :* 18 à 22 ans (danseurs de haut niveau). *Élèves :* 1re année : 18 ; 2e : 15.

École supérieure de danse de Cannes (anc. Centre de danse intern., *fondé* 1960 par Rosella Hightower) : reconnue 1990. *Subvention :* 800 000 F.

2°) **Établissements municipaux contrôlés par l'État : 95 conservatoires nationaux de région et écoles nationales de musique :** classes classiques et ouverture progressive de classes de danse contemporaine.

3°) **Bac de technicien option danse (classique et contemporaine).** Préparation depuis la rentrée *1977.*

4°) **Études supérieures. Université René Descartes Paris V, Univ. des sciences sociales Grenoble II.** Licences et maîtrises de danse. **Centre de danse études,** à Lyon, réunissant **Univ. Claude Bernard Lyon I, Cie de danse Hallet-Egayan, Commission du Sport de Haut Niveau et Min. de la Culture. L'Institut nat. des Sciences appliquées de Toulouse,** section Art-Science danse études (avec J.M. Matos).

■ **Principales manifestations. Biennales :** *Internationale de la Danse de Lyon* (1984, 86, 88), *Nationale du Val-de-Marne* (85, 87). **Festivals :** *International de Danse de Paris, International Montpellier Danse. Châteauvallon, Avignon, Arles.* **Saisons de danse :** *Paris :* Th. de la Ville, Th. Contemporain. *Lyon :* Maison de la Danse.

Statistiques

Budget de la danse. En 1993 : 323 millions de F (1980 : 63). Centre d'information et d'orientation : *1992 :* 700 danseurs y ont déposé leurs problèmes (formation, droits sociaux, santé).

Pratiquants réguliers (1985). 135 000, inscrits dans les écoles affiliées aux principales fédérations de danse. **Nombre d'écoles :** 114 (pour 10 000 élèves).

Spectacles. *1984 :* 2 000 présentés (dont 900 dans le cadre de festivals). **Spectateurs.** *Selon une enquête du ministère de la Culture réalisée en 1988,* 66 % des + de 15 ans et + ne sont jamais allés voir un spectacle de danse professionnel ou amateurs, 17 % y étaient allés il y avait + de 4 mois, 9 % dans les douze derniers mois, 8 % il y avait plus de 1 an et – de 4 ans. 30 % avaient assisté au moins une fois à un spectacle de danse à la télévision (48 % à la retransmission du ch. du monde de patinage artistique).

Principaux styles

On distingue la danse expression d'un groupe ethnique (animalière, astrale, funéraire, guerrière, etc.), folklorique, de la danse théâtrale qui comprend 3 styles : d. classique née au XVIIe s., d. contemporaine née aux USA vers 1930, d. de variétés née aux USA v. 1880 (jazz, music-hall, claquettes).

Danse classique ou académique. Repose sur le principe de l'en-dehors et sur les *5 positions* traditionnelles des membres. Principes codifiés par Beauchamp (1636-1719). *Mouvements :* arabesque, assemblé, attitude, développé, coupé, jeté, jeté battu, etc. ; *pirouettes :* on peut en faire 6 à la suite sur la pointe et 4 sur la demi-pointe ; *fouettés :* 32 dans *le Lac des cygnes ; entrechats* (croisé et décroisé en un seul saut) : un très bon danseur en réalise de 6 à 8. Nijinsky en aurait réussi 10 ; Jean Babilée 12.

Danse moderne. Ne repose sur aucun des principes précédents, mais chaque partie du corps doit exprimer la pensée du danseur et participer à l'action aussi naturellement que possible. *Précurseurs :* François Delsarte, Émile Jaque-Dalcroze, Isadora Duncan, Martha Graham. *Représentée* aux USA avec Ruth Saint-Denis, Doris Humphrey, Merce Cunningham, Paul Taylor ; en Allemagne avec Mary Wigman.

Ballets célèbres

Principaux ballets avec leurs auteurs ou compositeurs et, entre parenthèses, les chorégraphes.

1581 *Ballet comique de la Royne* Beaujoyeulx. **1661** *Les Fâcheux* Molière. 1er spect. interprété par des danseurs professionnels (Beauchamp). **1670** *Les Amants magnifiques* Lulli (Beauchamp). **1681** *Le Triomphe de l'Amour* Lulli. Créé le 21 janvier, avec pour la 1re fois sur une scène française une danseuse professionnelle, Mlle de La Fontaine.

1735 *Les Indes galantes* Rameau. **1739** *Les Fêtes d'Hébé* Rameau. **1749** *Platée et Zoroastre* Rameau (Lany). **1762** *Orphée et Eurydice* Gluck (Angiolini). **1778** *Les Petits Riens* Mozart (Noverre). **1786** *Caprices de Cupidon* Lolle (Galeotti). **1789** *La Fille mal gardée* Dauberval (pot-pourri).

1800 *La Dansomanie* Méhul (Gardel). **1801** *Les Créatures de Prométhée* Beethoven (Vigano). **1832** « la Sylphide », *1er ballet romantique* [Marie Taglioni est la 1re à monter sur des pointes et à porter le tutu de mousseline (inventé pour elle par le dessinateur Eugène Lami)]. **1841** *Giselle* Adam (Coralli et Perrot). **1842** *Napoli* Helsted (Bournonville). *La Jolie Fille de Gand* Adam (F. Albert). **1844** *La Esméralda* Pugni (Mazilier). **1845** *Pas de quatre* Pugni (Perrot). **1856** *Le Corsaire* Adam (Mazillier). **1860** *Le Papillon* Offenbach (Taglioni). **1864** *Don Quichotte* Minkus (Petipa). **1866** *La Source* Delibes et Minkus (Saint-Léon). **1870** *Coppélia* Delibes (Saint-Léon). **1876** *Sylvia* Delibes (Ménaute). **1877** *La Bayadère* Minkus (Petipa). **1880** *La Korrigane* Widor (Mérante). **1882** *Namouna* Lalo (Lucien Petipa). **1886** *Les Deux Pigeons* Messager (Mérante). **1890** *La Belle au bois dormant* Tchaïkovski (Petipa). **1892** *Casse-Noisette* Tchaïkovski (Ivanov). **1893** *La Maladetta* P. Vidal (J. Hansen). **1894** *Le Lac des cygnes* Tchaïkovski (Petipa et Ivanov), créé 27-1-1895 (15-1 selon l'ancien calendrier russe), au Th. Maryinski de St-Pétersbourg. Distribution : Odette-Odile : Pierina Legnani ; la princesse mère : Giuseppina Cechetti ; Siegfried, son fils : Pavel Guerdt ; Rothbart : Alexei Bulgakov.

1905 *Le Cygne* St-Saëns (Fokine). **1909** *Les Sylphides* Chopin (Fokine). *Danses polovtsiennes* Borodine (Fokine). **1910** *Shéhérazade* Rimski-Korsakov (Fokine). *L'Oiseau de feu* Stravinski (Fokine). *Carnaval* Schumann (Fokine). **1911** *Petrouchka* Stravinski (Fokine). *Le Spectre de la rose* Weber (Fokine). **1912** *L'Après-midi d'un faune* Debussy (Nijinsky). *Daphnis et Chloé* Ravel (Fokine). *La Péri* Dukas (Clustine). **1913** *Suite de Danses* Chopin (Clustine). *Le Festin de l'araignée* Roussel (Staats). *Le Sacre du printemps* Stravinski (Nijinsky). **1915** *L'Amour sorcier* de Falla (Imperio). **1917** *Parade* Satie (Massine). *Les Femmes de bonne humeur* Scarlatti (Massine). **1919** *La Tragédie de Salomé* Schmitt (N. Guerra). *La Boutique fantasque* Rossini-Respighi (Massine). *Le Tricorne* de Falla (Massine).

1921 *L'Homme et son désir* D. Milhaud (Borlin) ; Ballets suédois de Rolf de Maré, auxquels collabore Cocteau. **1922** *Renard* Stravinski (Nijinska). **1923** *Cydalise et le chèvrepied* Pierné (Staats). *Padmâvati* Roussel (Léo Staats). *La Création du monde* Milhaud (Borlin). *Les Noces* Stravinski (Nijinska). **1924** *Les Biches* Poulenc (Nijinska). *Beau Danube* Strauss (Massine). **1925** *Soir de Fête* Delibes (Staats). *Les Matelots* Georges Auric (Massine). *L'Enfant et les sortilèges* Ravel (Balanchine). *L'Amour sorcier* de Falla (Argentina). **1927** *La Chatte* Sauguet (Balanchine). **1928** *Apollon musagète* Stravinski (Balanchine). *Boléro* Ravel (Nijinska). **1929** *Le Fils prodigue* Prokofiev (Balanchine). *Les Créatures de Prométhée* Beethoven (Lifar). **1931** *Bacchus et Ariane* Roussel (Lifar). **1932** *La Table verte* F. Cohen (Jooss). **1933** *Jeux d'enfants* Bizet (Massine). **1934** *Sérénade* Tchaïkovski (Balanchine). **1935** *La Grisi* Metra-Tomasi (Aveline). *Icare* Szyfer (Lifar). *Prélude à l'après-midi d'un faune* Debussy (Lifar). **1936** *Symphonie fantastique* Berlioz (Massine). **1937** *Alexandre le Grand* Gaubert (Lifar). **1938** *Le Cantique des cantiques* Honegger (Lifar). *La Gaieté parisienne* Offenbach (Massine).

1940 *Roméo et Juliette* Prokofiev (Lavrovski). **1941** *Le Chevalier et la damoiselle* Gaubert (Lifar). *Sylvia* Delibes (Lifar). *Istar* d'Indy (Lifar). **1942** *Les Animaux modèles* Poulenc (Lifar). *Joan de Zarissa* Egk (Lifar). *Le Mandarin merveilleux* (H. Bartok). **1943** *L'Amour sorcier* (Lifar). *Suite en blanc* Lalo-de Falla (Lifar). **1944** *Guignol et Pandore* Jolivet (Lifar). *Appalachian Spring* Copland (Graham). Jean Babilée dans *« Le Jeune Homme et la Mort »* de Cocteau et Roland Petit. **1945** *Les Forains* Sauguet (Petit). **1946** *Quatre Tempéraments* Hindemith (Balanchine). *La Somnambule* Bellini-Rieti (Balanchine). **1947** *Errand into the Maze* Menotti (Graham). *Le Palais de cristal* Bizet (Balanchine). *Les Mirages* Sauguet (Lifar). **1948** *Orphée* Stravinski (Balanchine). **1949** *Carmen* Bizet (Petit).

1950 *Phèdre* Auric (Lifar). *La Croqueuse de diamants* Damase (Petit). **1951** *Pied Piper* Copland (Robbins). *La Cage* Stravinski (Robbins). *La Valse* Ravel (Balanchine). **1953** *Le Loup* Dutilleux (Petit). *Les Algues* Bernard (Charrat). *Afternoon of a Faun* Debussy (Robbins). **1954** *L'Oiseau de feu* Stravinski (Lifar). **1955** *Symphonie pour un homme seul* Schaeffer et Henry (Béjart). *Roméo et Juliette* Prokofiev (Lifar). **1957** *Agon* Stravinski (Balanchine). *Symphonie inachevée* Schubert (Van Dyk). *Épithalame,* 1er ballet sans musique avec Françoise et Dominique Dupuy. **1958** *Orphée* P. Henry (Béjart). *Concerto* Jolivet (Skibine). **1959** *Le Sacre du printemps* Stravinski (Béjart). *Daphnis et Chloé* Ravel (Skibine).

1960 *Le Lac des cygnes* Tchaïkovski (Bourmeister). **1961** *Boléro* Ravel (Béjart). **1962** *Maldoror* M. Jarre (Petit). *Noces* Stravinski (Béjart). *Symphonie concertante* Martinú (Descombey). **1963** *Bugaku* Toshiro Mayuzumi (Balanchine). **1964** *La 9e Symphonie* Beethoven (Béjart). *La Damnation de Faust* Berlioz (Béjart). **1965** *Notre-Dame de Paris* M. Jarre (Petit). **1966** *Webern-Opus 5* Webern (Béjart). *Roméo et Juliette* Berlioz (Béjart). **1967** *Jewels* Stravinski (Balanchine). *Messe pour le temps présent* P. Henry (Béjart). **1968** *Spartacus* Katchaturian (Grigorovitch). *Turangalila* Messiaen (Petit). **1969** *Dances at a Gathering* Chopin (Robbins).

1970 *Comme la princesse Salomé est belle ce soir !* R. Strauss et chants d'oiseaux (Béjart). *Ils disent participer* Masson (Garnier). *L'Oiseau de feu* Stravinski (Béjart). **1971** *Nijinsky, clown de Dieu* P. Hen-

Concours internationaux

■ **Chorégraphie : Bagnolet** (Fr.), **Cologne** (All.), **Nyon** (Suisse).

■ **Danse classique. Helsinki :** créé 1984. **Jackson** *(USA) :* créé 1979 ; 2 sections : juniors et seniors. **Lausanne :** créé 1973 ; 16-19 ans ; prix : bourses d'études (à effectuer dans une grande école). Prix professionnel dep. 1980. **Moscou :** créé 1969 ; tous les 4 ans ; des pas de deux doivent être présentés, les prix peuvent également être donnés à des solistes. **Paris :** tous les 2 ans (1984-86) ; concours contemporain dep. 1986. **Tōkyō :** créé 1976. **Varna** (Bulgarie) : créé 1964 ; tous les 2 ans : 15-19 et 20-28 ans.

Troupes à l'étranger

Allemagne : Ballet de l'Opéra de Stuttgart, B. de l'Opéra de Hambourg. B. de Wuppertal. **Belgique :** B. du XXe s. (dir. M. Béjart), Ballet des Flandres. **Danemark :** Royal B. **États-Unis :** New York City B., American B. Theater, Martha Graham Dance Co., Alvin Ailey Co., Joffrey Ballet, Merce Cunningham Co. **Grande-Bretagne :** Royal B., London Festival B., B. Rambert. **P.-Bas :** Nederland Dans Theater (J. Kyllian), Het National Ballet. **Suisse :** B. de Lausanne. **Russie :** Bolchoï, Kirov, B. Moisseiev (créés 1937).

ry-Tchaïkovski (Béjart). *The Sleepers* (Falco). **1973** *Golestan* musique traditionnelle iranienne (Béjart). *Un jour ou deux* John Cage (Merce Cunningham). **1974** *I trionfi* Berio (Béjart). *Icare* Slonimsky (Vassiliev). *Cérémonie* Pierre Henry et Gary Wright (Fernand Nault). *L'Or des fous* (Carlson). *Tristan* Henze (Tetley). **1975** *3e Symphonie* Mahler (Neumeier). *Les Fous d'or* Igor Wakhevitch (Carolyn Carlson). *La Symphonie fantastique* Berlioz (Petit). *Ivan le Terrible* Prokofiev (Grigorovitch). **1976** *Un mois à la campagne* Chopin (Ashton). *Nana* Constant (Petit). *Push Comes to Shove* Haydn (Twyla Tharp). *Molière Imaginaire* Rota (Béjart). **1977** *Héliogabale* divers (Béjart). **1978** *Symphonie de psaumes* Stravinski (J. Kylian). **1979** *4 Saisons* Vivaldi (Robbins). **1982** *Passion selon saint Matthieu* Bach (Neumeier). **1983** *Messe pour le temps futur* divers (Béjart). **1991** *« Carmen »* (Saporta).

CHORÉGRAPHES, DANSEURS ET DANSEUSES CÉLÈBRES

Carrière. En général de 16/20 ans à 40 ans (45 pour les hommes) à l'Opéra. Des carrières plus longues sont rares [Yvette Chauviré (1917) a dansé jusqu'en 1972]. Pas de limites pour les chorégraphes (M. Petipa travaillait encore à 85 ans ; Balanchine à 79 ans).

Nota. – (1) Administrateur. (2) Chorégraphe. (3) Danseur, danseuse. (4) Imprésario. (5) Maître de ballet. (6) Professeur.

AILEY, Alvin (1931-89, Amér.) [2, 3].
ALBERT, F. (1789-1865, Fr.) [2, 3].
ALGAROFF, Youri (1918, Russe) [3, 1].
ALONSO, Alicia (1921, Cubaine) [3, 1].
AMAYA, Carmen (1913-63, Esp.) [3].
AMBOISE, Jacques (d') (1934, Amér.) [3].
AMIEL, Josette (1930, Fr.) [3, 6].
ANDRÉANI, Jean-Paul[3].
ANGIOLINI, Gaspero (1731-1803, Ital.) [3, 2, 5].
ANTONIO (1922, Esp.) [3].
ARAIZ, Oscar (1940, Argent.) [3, 2].
ARAUJO, Loïpa (1943, Cubaine) [3].
ARGENTINA (LA) (Antonia Mercé y Luque) (1888-1936, Esp.) [3].
ARI, Carina (1897-1970, Suéd.) [3, 2, 5].
AROVA, Sonia (1927, Angl.) [3, 5].
ASHTON, Sir Frederick (1904-88, Angl.) [3, 2].
ASSYLMOURATOVA, Altinai (Russe) [3].
ASTAIRE, Fred (1899-1987, Amér.) [3, 2].
ATANASSOFF, Cyril (1941, Fr.) [3].
AUKHTOMSKY, Wladimir (1929, Fr.) [3].
AUMER, Jean-Pierre (1774-1833, Fr.) [2, 5].
AVELINE, Albert (1883-1968, Fr.) [3, 2, 6].
BABILÉE, Jean (Gutman) (1923, Fr.) [3, 2].
BAGOUET, Dominique (1951-92) Fr.) [2].
BAKER, Joséphine (1906-75, Amér.) [3].
BALACHOVA, Alexandra (1887-1978, Russe) [3].
BALANCHINE, George (1904-83, Russe) [3, 2, 5].
BALON, Jean (1676-1739, Fr.) [3].
BARDIN, Micheline (1920, Fr.) [3].
BARI, Tania (1936, Holl.) [3].
BARONOVA, Irina (1919, Russe) [3].
BART, Patrice (1945, Fr.) [3].
BARYSCHNIKOFF, Mikhaïl (1948, Russe) [3, 2, 5].
BASIL, C. (de) (1881-1951, Russe) [1].
BAUSCH, Pina (1940, All.) [3, 2].
BEAUCHAMP, Charles de (1636-1705, Fr.) [3, 5].
BEAUGRAND, Léontine (1842-1925, Fr.) [3].
BEAUJOYEULX, Balthazar de (15 ?-1587 ?) [5].
BECK, Hans (1861-1952, Dan.) [3, 2, 5].
BÉJART, Maurice (Maurice-Jean Berger) (1928, Fr.) [3, 2, 5].
BELARBI, Kader (1962).
BESSMERTNOVA, Natalia (1941, Russe) [3].
BESSY, Claude (1932, Fr.) [3].
BIAGI, Vittorio (1941, Ital.) [2, 3, 5].
BIGOTTINI, Émilie (1784-1858, Fr.) [3].
BLASIS, Carlo (1795-1878, Ital.) [3, 2].
BLASKA, Félix (1941) [2, 3].
BLONDI, Michel (1677-1747) [5].
BLUM, René (1878-1942, Fr.) [1].
BOCCA, Julio (6-3-1967, Argent.) [3].
BOLM, Adolph (1884-1951, Russe) [3, 5, 2].
BONI, Aïda (1880-1974, Ital.) [3].
BONNEFOUS, Jean-P. (1943, Fr.) [3, 2].
BORLIN, Jean (1893-1930, Suéd.) [3, 2].
BORTOLUZZI, Paolo (1938, Ital.) [3].
BOS, Camille (n.c., Fr.) [3].
BOURGAT, Marcelle (1910-80, Fr.) [3, 6].
BOURMEISTER, Vladimir (1904-71, Russe) [5, 2].
BOURNONVILLE, Auguste (1805-79, Dan.) [3, 2, 5].
BOZZACCHI, Giuseppina (1853-70, Ital.) [3].
BRENAA, Hans (1910, Dan.) [3, 2, 5, 6].
BRIANSKY, Oleg (1929, Belge) [3].
BRIANZA, Carlotta (1867-1930, Ital.) [3].
BROWN, Trisha (1936, Amér.) [2].
BRUEL, Michel (1944, Fr.) [3].
BRUHN, Erik (1928-86, Dan.) [3, 5].
BRUMACHON, Claude (1959, Fr.) [2].
BRYANS, Rudy (1945, Fr.) [3, 6].
BUJONES, Fernando (1955, Amér.) [3].
BUSTAMANTE, Ricardo (n.c.).
BUTLER, John (1920, Amér.) [2].
CACIULEANU, « Gigi » (1947, Bucarest) [3, 2, 5].
CAGE, John (1913-92) [3].
CAMARGO, Marie-Anne (de Cupis) (1710-70, Fr.) [3].
CARLSON, Carolyn (1943, Amér.) [2, 3, 5].
CARON, Leslie (1931, Fr.) [3].
CASADO, Germinal (1935, Fr.) [3, 2, 5].
CECCHETTI, Enrico (1850-1928, Ital.) [3].
CERRITO, Fanny (1817-1909, Ital.) [3].
CHARRAT, Janine (1924, Fr.) [3, 2].
CHASE, Lucia (1907-86, Amér.) [3, 1].
CHAUVIRÉ, Yvette (1917, Fr.) [3, 6].
CHAZOT, Jacques (1928, Fr.) [3, 2].
CHILDS, Lucinda (1940, Amér.) [2].
CLERC, Florence (1951, Fr.) [3].
CLUSTINE, Ivan (1862-1941, Russe) [5, 3].
CORALLI, Jean (1779-1854, Ital.) [3, 5].
COULON, J.-François (1764-1836, Fr.) [3].
CRANKO, John (1927-73, Sud-Afr.) [2, 3].
CRÉANGE, Charles (1954, Fr.) [2].
CUEVAS, George de (1885-1961, Chil.) [1].
CULLBERG, Birgit (1908, Suéd.) [3, 2].
CUNNINGHAM, Merce (1919, Amér.) [3, 2].
DANDRE, Victor (1870-1944, Russe) [1].
DANILOVA, Alexandra (1904, Russe) [3].
DANTZIG, Rudi Van (1933, Holl.) [3, 2].
DARSONVAL, Lycette (1912, Fr.) [3].
DAUBERVAL, Jean (Bercher) (1742-1806, Fr.) [5].
DAYDÉ, Liane (1932, Fr.) [3, 6].
DECINA, Paco (1956, Ital.) [2].
DELSARTE, François (1811-71, Fr.) [6].
DENARD, Michaël (1944, Fr.) [3].
DENHAM, Serge (1897-1970, Russe) [4].
DEREVIANKO, Vladimir (Russe) [3].
DESCOMBEY, Michel (1930, Fr.) [3, 2, 5].
DIAGHILEV, Serge de (1872-1929, Russe) [1].
DIDELOT, Charles-Louis (1767-1837, Fr.) [3, 2, 6].
DIJK, Peter Van (1929, All.) [3, 2, 1].
DOLIN, Anton (Patrick) (1904-83, Angl.) [3, 6].
DONN, Jorge (1946-92, Argent.) [3].
DOUDINSKAIA, Nathalie (1912, Russe) [3, 6, 5].
DOWELL, Anthony (1943, Angl.) [3].
DUNCAN, Isadora (Irma Dorette Henrietta Ehrich Grimme) (1878-1927, Amér.) [3].
DUNHAM, Katherine (1910, Amér.) [3, 2, 6].
DUNN, Douglas (1942, Amér.) [2].
DUPOND, Patrick (1959, Fr.) [3].
DUPORT, Louis (1783-1853, Fr.) [3, 2, 5].
DUPRÉ, Louis (1697-1774, Fr.) [3, 6].
DUROURE, Jean-François (1964, Fr.) [2].
EGLEVSKY, André (1917-77, Russe) [3, 6].
EGOROVA, Lubov (1880-1972, Russe) [3].
EIFMAN, Boris (1946, Russe) [2].
EK, Mats (1945, Sué.) [2].
ELSSLER, Fanny (1810-84, Autr.) [3].
ESCUDERO, Vicente (1892-1982, Esp.) [3].
ESRALOW, Daniel (n.c.) [3].
EVDOKIMOVA, Eva (1948, Amér.) [3].
FADEETCHEV, Nikolaï (1933, Russe) [3].
FALCO, Louis (1942-93, Amér.) [2].
FARRELL, Suzanne (Roberta Sue Ficher) (1945, Amér.) [3].
FELD, Elliot (1943, Amér.) [3, 2, 1].
FENONJOIS, Roger (1920, Fr.) [3].
FEUILLET, Raoul (1675-1730, Fr.) [3, 2].
FLINDT, Flemming (1936, Dan.) [5, 3, 2, 1].
FOKINE, Michel (1880-1942, Russe) [3, 2, 6].
FONTEYN, Margot (Margaret Hookham) (1919-91, Angl.) [3].
FORSYTHE, William (1949, Amér.) [3, 2].
FRACCI, Carla (1936, Ital.) [3].
FRANCHETTI, Jean-Pierre (1944, Fr.) [3].
FRANCHETTI, Raymond (1921, Fr.) [3, 5, 6].
FULLER, Loïe (1862-1928, Amér.) [3].
GADES, Antonio (1936, Esp.) [2].
GAILHARD, Pedro (1848-1918, Fr.) [1].
GALANTE, Maria-Grazia (Ital.) [3].
GALEOTTI, Vincenzo (1733-1816, Ital.) [2].
GALLOTTA, Jean-Claude (1950, Fr.) [2].
GANIO, Denys (1950, Fr.) [3].
GARDEL, Maximilien (1741-87, Fr.) [5].
GARDEL, Pierre (1758-1840, Fr.) [5].
GARNIER, Jacques (1944, Fr.) [3, 2, 5].
GENEE, Adeline (1878-1970, Dan.-Angl.) [3].
GERDT, Paul (1844-1917, Russe) [3].
GILPIN, John (1930-83, Angl.) [3].
GODOUNOV, Alexandre (1949, Russe) [3].
GOLEIZOVSKI, Kazyan (1892-1970, Russe) [3, 2, 6].
GOLOVINE, Serge (1924, Fr.) [3, 6].
GORDEEV, Viatcheslav (1948, Russe) [3].
GORE, Walter (1910-79, Angl.) [3, 2].
GRAHAM, Martha (1893-1991, Amér.) [3, 2, 5].
GRAHN, Lucile (1819-1907, Dan.) [3].
GRANTZOW, Adèle (1845-77, All.) [3].
GREGORY, Cynthia (1947, Amér.) [3].
GREY, Beryl (1927, Angl.) [3, 1].
GRIGORIEV, Serge (1883-1968, Russe) [3, 5].
GRIGOROVITCH, Youri (1927, Russe) [2, 3, 5].
GRISI, Carlotta (1819-99, Ital.) [3].
GSOVSKY, Victor (1902-74, Russe) [3, 2, 6].
GUÉRIN, Isabelle (1964, Fr.) [3].
GUERRA, Nicola (1865-1942, Ital.) [3, 2].
GUILLEM, Sylvie (1966, Fr.) [3].
GUIMARD, Madeleine (1743-1816, Fr.) [3].
GUIZERIX, Jean (1945, Fr.) [3, 2].
HANSEN, Joseph (1842-1907, Fr.) [3, 2, 6].
HAWKINS, Erick (1909, Amér.) [3, 2, 6].
HAYDEE, Marcia (1939, Brés.) [3, 5].
HAYDEN, Melissa (1928, Canad.) [3, 6].
HERVÉ-GIL, Myriam (1957, Fr.) [2].
HIGHTOWER, Rosella (1920, Amér.) [3, 2, 6].
HIJIKATA TATSUMI (1928-86, Jap.) [2].
HILAIRE, Laurent (1962, Fr.) [3].
HILVERDING, Franz (1710-68, Autr.) [3, 2, 5, 6].
HIRSCH, Georges-François (1944) [1].
HOFFMANN, Reinhild (All.).
HOLM, Hanya (1898-1992, Amér. or. all.) [2].
HORTON, Lester (1906-53) [2].
HUMPHREY, Doris (1895-1958, Amér.) [3, 2, 5].
HUROK, Sol (1888-1974, Russo-Amér.) [4].
ISTOMINA, Avdotia (1799-1848, Russe) [3].
IVANOV, Lev (1834-1901, Russe) [3, 2, 5, 6].
JAMISON, Judith (1943, Amér.) [3].
JEANMAIRE, Zizi (Renée) (1924, Fr.) [3].
JOFFREY, Robert (1930, Amér.) [3, 2, 6].
JOHANSON, Anna (1860-1917, Suéd.) [3].
JOHANSSON, Christian (1817-1903, Suéd.) [3, 6].
JOOSS, Kurt (1901-79, All.) [3, 2, 5].
JUDE, Charles (25-7-53, Fr.) [3].
KAIN, Karen (1951, Canad.) [3].
KALIOUJNY, Alexandre (1924, Russe) [3].
KARSAVINA, Tamara (1885-1978, Angl. d'or. russe) [3].
KAYE, Nora (1920, Amér.) [3].
KEERSMAEKER, Anne-Teresa (De) (1960, Belg.) [2, 3].
KELEMENIS, Michel (1961, Fr.) [2].
KELLY, Gene (1912, Amér.) [3, 2].
KHALFOUNI, Dominique (23-6-51, Fr.) [3].
KIRKLAND, Gelsey (1953, Amér.) [3].
KIRSTEIN, Lincoln (1907, Amér.) [1].
KNIASSEF, Boris (1900-75, Russe) [3, 2].
KOCHNO, Boris (1904-90, Russe) [1].
KREUTZBERG, Harald (1902-68) [3].
KSCHESSINSKAYA, Mathilde (Krassinska-Romanovska) (1872-1971, Russe) [3, 6].
KYLIAN, Jiri (1947, Tchéc.) [2].
LABIS, Attilio (1936, Fr.) [3, 6].
LACOTTE, Pierre (1932, Fr.) [3, 5, 2, 6].
LA FONTAINE, Mlle de (1655-1738, Fr.) [3].
LANDER, Harald (1905-71, Dan.) [3, 2, 5, 6].
LANY, Jean Barthélemy (1718-86, Fr.) [5, 3, 2].
LARRIEU, Daniel (1957, Fr.) [2].
LAVROVSKY, Leonid (1905-67, Russe) [3, 2, 5, 6].
LAZZINI, Joseph (1926, Fr.) [3, 2, 5].
LEFÈVRE, Brigitte (1944, Fr.) [2, 3].
LEGNANI, Pierina (1863-1923, Ital.) [3].
LEGRÉE, Françoise (n.c.).
LEGRIS, Manuel (1964, Fr.) [3].
LEHMANN, Maurice (1895-1974, Fr.) [1].
LEPECHINSKAIA, Olga (1916, Russe) [3].
LERICHE, Nicolas (1972, Fr.) [3].
LICHINE, David (Liechtenstein) (1910-72, Russe) [3, 2].
LIEPA, Maris (1936, Russe) [3, 5].
LIFAR, Serge (1905-86, Fr. d'or. russe) [3, 2, 5].
LIMON, José (1908-72, Mex.) [3, 2, 5].
LINKE, Suzanne (All.) [2].
LIVRY, Emma (1842-63, Fr.) [3].
LOPEZ, Pilar (1912, Esp.) [3, 2].
LORCIA, Suzanne (1902, Fr.) [3].
LORING, Eugène (1914-82, Amér.) [2].
LORMEAU, Jean-Yves (n.c.).
LOUDIÈRES, Monique (1956, Fr.) [3].
LOUIS, Murray (1926, Amér.) [3, 2].
LUISILLO (1927, Mex. d'or. esp.) [3].
MAC BRIDE, Patricia (1942, Amér.) [3].
MAC MILLAN, Kenneth (1929-92, Angl.) [3, 2, 1].
MAKAROVA, Natalia (1940, Russe) [3].
MANZOTTI, Luigi (1835-1905, Ital.) [2].
MARÉ, Rolf de (1898-1964, Suéd.) [1].
MARIN, Maguy (1951, Fr.) [2, 3].
MARKOVA, Alicia (Lilian Alicia Marks) (1910, Angl.) [3].
MARTINS, Peter (1946, Dan.) [3, 5, 2].
MASSINE, Leonid (L. Fedorovich Massine) (1895-1979, Russe) [3, 2].
MAURIN, Élisabeth (1963).
MAXIMOVA, Ekaterina (1939, Russe) [3].
MAZILIER, Joseph (1801-68, Fr.) [5, 3, 2].
MERANTE, Louis (1828-87, Fr.) [5, 3, 2].
MESSERER, Asaf (1903, Russe) [3, 6].
MILLE, Agnes De (1909, Amér.) [3, 2].
MILLER, Marie (Mme GARDEL) (1770-1833, Fr.) [3].
MILLOSS, Aurel von (1906, Hongr.-Ital.) [3, 2, 5].
MILON, Louis (1766-1845, Fr.) [3, 5, 2, 6].
MISKOVITCH, Milorad (1928, Youg.) [3, 2].
MOISSEIEV, Igor (1906, Russe) [3, 2].
MONNIER, Mathilde (1959, Fr.) [2].
MONTESSU, Pauline (1805-77, Fr.) [3].
MOTTE, Claire (1937-86, Fr.) [3, 6].
MULLER, Jennifer (1944, Amér.) [2].

NADJ, Josef (1958, Hong.) [2].
NEUMEIER, John (1942, Amér.) [5, 3, 2].
NIJINSKA, Bronislava (1891-1972, Russe) [2, 3].
NIJINSKI, Vaslav (1888-1950, Russe) [3, 2].
NIKOLAIS, Alwin (1912, Amér.) [2, 1, 6].
NOBLET, Lise (1801-52, Fr.) [3].
NORTH, Norbert (1945, Amér.) [2].
NOUREEV, Rudolf (1938-93, Russe) [3, 2, 5].
NOVERRE, Jean-Georges (1727-1810, Fr.) [3, 2, 5].
OULANOVA, Galina (1910, Russe) [3, 5, 6].
PAGE, Ruth (1905-91, Amér.) [3, 2, 1].
PAVLOVA, Anna (1881-1931, Russe) [3].
PAVLOVA, Nadejda (1956, Russe) [3].
PÉCOUR, Louis (1655-1729, Fr.) [3, 2].
PERETTI, Serge (1910, Fr.) [3, 6].
PERROT, Jules (1810-92, Fr.) [3, 2, 5].
PETIPA, Lucien (1815-98, Fr.) [5, 3, 2].
PETIPA, Marius (1818-1910, Fr.) [3,2].
PETIT, Roland (1924, Fr.) [3, 2, 1].
PIETRAGALLA, Claude (1963).
PILETTA, Georges (1945, Fr.) [3].
PIOLLET, Wilfride (1943, Fr.) [3].
PLATEL, Élisabeth, (1959, Fr.) [3].
PLISSETSKAIA, Maïa (1925, Russe) [3].
PONTOIS, Noëlla (1943, Fr.) [3, 6].
PRELJOCAJ, Angelim (1957, Hong.) [2].
PREOBRAJENSKA, Olga (1870-1962, Russe) [3, 6].
PRÉVOST, Françoise (1680-1741, Fr.) [3].
RAMBERT, Marie (1888-1982, Pol.) [3, 6, 1].
RAYET, Jacqueline (1933, Fr.) [3, 6].
RENAULT, Michel (1927-93, Fr.) [3, 5].
RHODES, Lawrence (1939, Amér.) [3].
RIABOUCHINSKA, Tatiana (1917, Russe) [3, 6].
RICAUX, Gustave (1884-1961, Fr.) [3, 5, 6].
ROBBINS, Jérôme (1918, Amér.) [3, 2, 5].
ROCHON, Sidonie (1951, Fr.) [2].
ROSARIO (Florencia Pérez Podilla) (1918, Esp.) [3].
ROSEN, Elsa Marianne von (1927, Suéd.) [3, 2, 6, 1].
ROUCHE, Jacques (1862-1957, Fr.) [1].
ROUX, Aline (1935, Fr.) [3, 2, 6, 1].
ROUZIMATOV, Fasouk (Russe) [3].
RUBINSTEIN, Ida (1885-1960, Russe) [3, 6].
RUSSILLO, Joseph (1938, Amér.) [2, 3, 6, 1].
ST-DENIS, Ruth (1878 ou 80-1968, Amér.) [3, 2, 6, 1].
ST-LÉON, Arthur (1821-70, Fr.) [3, 2, 5, 6].
SALLE, Marie (1707-56, Fr.) [3].
SANGALLI, Rita (1850-1909, Ital.) [3].
SAPORTA, Karine (1950, Fr.) [3].
SAVIGNANO, Luciana (1943, Ital.) [3].
SCHANNE, Margrethe (1921, Dan.) [3].
SCHAUFUSS, Peter (1949, Dan.) [3].
SCHLEMMER, Oskar (1888-1943) [2].
SCHMUCKI, Norbert (1940, Suisse) [5, 3, 2].
SCHWARZ, Solange (1910, Fr.) [3, 6].
SCOUARNEC, Claudette (1942, Fr.) [3, 6].
SEDOVA, Julie (1880-1970, Russe) [3].
SEMENIAKA, Ludmilla (1952, Russe) [3].
SERGUEEV, Nicolas (1876-1951, Russe) [3, 5, 6].
SEYMOUR, Lynn (1939, Can.) [3].
SHAWN, Ted (1891-1972, Amér.) [2, 3].
SHEARER, Moïra (1926, Angl.) [3].
SIBLEY, Antoinette (1939, Angl.) [3].
SKIBINE, Georges (1920-81, Amér. d'origine russe) [3, 2, 5].
SKORIK, Irène (1928, Fr.) [3].
SKOURATOFF, Wladimir (1925, Fr.) [3, 2, 5].
SOMBERT, Claire (1935, Fr.) [3, 6].
SOMES, Michael (1917, Angl.) [3, 5].
SPAREMBLEK, Milko (1928, Youg.) [3].
SPESSIVTSEVA, Olga (1895-1991, Russe) [3].
SPOERLI, Heinz (1941, Suisse) [3, 2, 5].
STAATS, Léo (1877-1952, Fr.) [3, 2, 5, 6].
SUBLIGNY, Marie-Thérèse (1666-1736, Fr.) [3].
TAGLIONI, Filippo (1777-1871, Ital.) [3, 2].
TAGLIONI, Marie (1804-84, Ital.) [3].
TALLCHIEF, Maria (1925, Amér.) [3].
TALLCHIEF, Marjorie (1927, Amér.) [3].
TARAS, John (1919, Amér.) [3, 2, 5].
TAYLOR, Paul (1930, Amér.) [3, 2, 5, 1].
TCHERINA, Ludmilla (1924, Fr.) [3].
TETLEY, Glen (1926, All.) [3, 2].
THARP, Twyla (1942, Amér.) [3, 2].
THESMAR, Ghislaine (1943, Fr.) [3, 5].
THIBON, Nanon (1944, Fr.) [3, 6].
THOMAS, Robert (1944, Fr.) [3, 2].
TOMASSON, Helgi (1942, Island.) [3].
TOUMANOVA, Tamara (1919, Russe) [3].
TREFILOVA, Vera (1875-1943, Russe) [3].
TUDOR, Antony (1908, Angl.) [3, 2, 6, 5].
VAGANOVA, Agrippina (1879-1951, Russe) [3].
VALOIS, Ninette de (1898, Irl.) [3, 2, 1].
VAN DANTZIG, Rudi (1933, P.-B.) [2, 3].
VAN DIJK, Peter (1929, All.) [2].
VASSILIEV, Vladimir (1940, Russe) [3, 2].
VAUSSARD, Christiane (1923, Fr.) [3, 6].
VERDY, Violette (1933, Fr.) [3, 5, 6].
VÉRON (1798-1867, Fr.) [1].
VESTRIS, Auguste (1760-1842, Fr.) [3, 6].
VESTRIS, Gaëtan (1729-1808, Ital.) [3, 2].
VIGANO, Salvatore (1769-1821, Ital.) [3, 2].
VILLELLA, Edward (1936, Amér.) [3].
VLASSI, Christiane (1938, Fr.) [3, 6].
VOLININE, Alexandre (1882-1955, Russe) [3].
VOLKOVA, Vera (1904-75, Russe) [3].
VU AN, Éric (1964) [3].
VULPIAN, Claude de (1954, Fr.) [3].
VYROUBOVA, Nina (1921, Russe) [3, 6].
WEAVER, John (1673-1760, Angl.) [2].
WEIDMANN, Charles (1901-75, Amér.) [3, 2, 6].
WIGMAN, Mary (1886-1973, All.) [3, 2, 6].
WOIZIKOWSKY, Léon (1899-1975, Pol.) [3].
WRIGHT, Belinda (1929, Angl.) [3].
YOUSKEVITCH, Igor (1912, Amér. d'origine russe) [3].
YURIKO, (1920, Amér.) [3, 2, 6].
ZAKHAROV, Rostislav (1907-84, Russe) [2].
ZAMBELLI, Carlotta (1877-1968, Ital.) [3, 6].
ZUCCHI, Virginia (1847-1930, Ital.) [3, 6].
ZVEREFF, Nicolas (1888-1965, Russe) [3, 5, 6].

THÉÂTRE

LE THÉÂTRE DANS LE MONDE

REPRÉSENTATIONS (RECORDS)

■ **Londres. Pièces :** *The Mouse-trap* (la Souricière) d'Agatha Christie : 16 662 au 31-12-92 dont 8 862 à l'Ambassador (453 pl.) du 25-11-1952 au 23-3-1974 puis au St Martin's Th. *No Sex, Please ; We're British* d'Antony Marriott et Alistair Foot (juin 1971) : 6 761 (Garrick Th.). *The Black and White Minstrels Show* 6 464. *Oh ! Calcutta !* 3 918. *Me and my Girl* 3 368 (au 31-3-89). **Comédies musicales :** *Jesus Superstar* de Tim Rice (musique d'Andrew Lloyd Webber) : 3 357 du 9-8-1972 au 23-8-1980. *Grease :* 3 243. *Evita* (21-6-1978) : 3 109. *Hello Dolly :* 2 844.

■ **Los Angeles (USA).** *The Drunkard* (l'Ivrogne) par W. H. Smith, créée 1843, reprise au Théâtre Mart tous les soirs du 6-7-1933 au 6-9-1953 et, en alternance avec une nouvelle adaptation musicale, du 7-9-1953 au 17-10-1959 : 9 477 représ., 3 000 000 de spectateurs.

■ **New York** (Broadway). **Pièces :** *A Chorus Line* (25-7-1975) de Michael Bennett (1943-87) : 6 000 représ. *42nd Street :* 3 486 (8-1-1989). **Comédies musicales :** *Grease :* 3 388 (1972-80). *Fiddler on the Roof :* 3 242 (1964/2-7-1972). *Life with Father,* à l'Empire : 3 224 (1939-47). *Tobacco Road :* 3 182 (1933-41). *Hello Dolly :* 2 844 (1964-70). **Revues :** *Hellzapoppin* (1938) 1 404. *Oh ! Calcutta !* (1969) 1 314.

Broadway (dite **Grande Artère blanche) :** *recette 1991-92 :* 292 millions de $ (record). *Spectateurs :* 7 352 005. *Nouveaux spectacles produits :* 37 (1990-91 : 28). 2 définitions : *1°) géographique :* environs de Times Square, de part et d'autre de la 7e Avenue, débordant pour certains à l'ouest de la 8e (limites : 42e Rue au sud, et 50e Rue au nord). *2°) Capacité de la salle :* au-delà de 499 places, on est « Broadway », où que l'on soit dans Manhattan. En deçà, on ne l'est pas. « On » Broadway, les Oscars du théâtre s'appellent les *Tonys,* « off », les *Obies.*

■ **Paris.** *La Cantatrice chauve* créée 11-5-1950, au th. des Noctambules par la Cie Nicolas Bataille, et *la Leçon* de Ionesco créée 20-2-1951, au th. de Poche, par la Cie Marcel Cuvelier jouées à la Huchette (90 pl.), 11 416 représ. (du 16-2-1957 au 17-6-92), 800 000 spect. ; *Boeing-Boeing* (1960-80 à la Comédie-Caumartin) ; *Lorsque l'enfant paraît* d'André Roussin (1 650) et *Patate* de Marcel Achard (2 255 au th. St-Georges) ont battu le record de *M. de Falindor ;* *Coluche* s'est produit 418 fois de déc. 1977 à juin 79 (recettes 20 millions de F). *Thierry Le Luron* d'oct. 79 à mai 80 : 187 fois au th. Marigny (187 000 spect., recettes 10 millions de F).

☞ **En Allemagne :** *La Passion* est jouée à Oberammergau, depuis 1634, tous les 10 ans, par les habitants du village (125 rôles parlants, plus des figurants). *En 1980 :* 103 représ., durée 5 h 30 min avec les entractes, 500 000 visiteurs.

SALLES DE THÉÂTRE (RECORDS)

■ **Théâtres les plus vieux. Public :** Málaga, Espagne, 1520. **Couverts :** DISPARUS : *Hôtel de Bourgogne* (Paris, 1550). *The Theatre* (Middlesex, St Leonard's Shoreditch, G.-B., 1576). CONSERVÉ : *Teatro Olimpico* [Vicence, Italie, 1584, de Palladio 1508-80].

■ **Théâtres les plus grands. Couverts :** *Palais des Congrès du Peuple* (Pékin, Chine, 1958-59) : 10 000 places, 5,23 ha. *Perth Entertainment Centre* (Australie, 1976) : 8 003 pl., scène de 1 148 m². *Radio City Music Hall* (Rockefeller Center, New York) : 6 200 pl., env. 8 000 000 de spectateurs par an, scène de 43,89 m de large et 20,27 m de profondeur). *Théâtre Chaplin* (nommé avant *Blanquita,* La Havane, Cuba, 1949) : 6 500 pl. *Palais des Congrès* (Paris, 1974) : 3 700 pl. *Hammersmith Odeon :* 3 483 places, non utilisé comme th. **Plein air :** *Megalopolis* (Grèce, en ruine) : 17 000 pl. *Mendoza* (Argentine) : 40 000 pl.

■ **Scène la plus grande.** *Ziegfeld Room,* Reno (Nevada, USA) : 53,60 m de large.

■ **Décors de théâtre les plus anciens.** *Sebastiano Serlio* dans « Le Second Livre de la perspective » (1545).

■ **Éclairage** (scène). *1er au gaz :* Lyceum (Londres 6-8-1817) ; *à l'électricité :* California (San Francisco 1879). **Rideau.** *1er rideau de fer de sécurité :* Drury Lane (Londres 1800).

LE THÉÂTRE EN FRANCE

STATISTIQUES

■ **Acteurs.** 500 à 1 000 jouent en moyenne à Paris (hiver 1985 : 128 spectacles offrant 369 rôles masculins, 228 féminins). *Émissions dramatiques à la TV* (1984) : 3 336 rôles mas. et 1 429 fém.

■ **Budget. Aide financière de l'État consentie** (en millions de F) **crédits de fonctionnement** (1992) : 1 218,3 dont *théâtres nationaux* 282,24 [Comédie-Française 115,7, Th. de Chaillot 54,9, de l'Europe 47,4, TNS 32,4, Th. de La Colline 31,7 ; *décentralisation dramatique* (1991) : centres dram. nat. 290,5, crédits de fonctionnement 212,9 + crédits de matériel 4,4. **Crédits d'équipement** (autorisations de programme 1991) : *Th. nat.* 150, *décentralisation dramatique* 9,3.

Subventions attribuées aux activités théâtrales en 1991 : 257,3 millions de F dont : Cies indépendantes conventionnées (122) : 125 ; jeunes Cies suivies par les Comités d'experts des 22 régions (260 env.) : 49,5 ; festivals dramatiques : 18 ; aides à la création et aux projets : 19.

Compagnies : nombre de Cies subventionnées par le Min. de la Culture : + de 500 (Direction du Théâtre et des Spectacles 159, Dir. Régionales 400).

Enseignement dramatique (en millions de F) : subvention de fonctionnement du Conservatoire national supérieur d'art dramatique : 2,4. Formation des professionnels du théâtre : 6,4.

Théâtres municipaux : les subventions d'équipement relèvent des préfets de région. Les crédits inscrits au budget du min. de la Culture leur sont délégués globalement.

Théâtres privés et cirques (en millions de F, 1991) : 41,1 (47 salles parisiennes).

Nota. – Théâtres dramatiques nationaux : bâtiments civils, les travaux sont financés directement par l'État (Direction de l'architecture et Direction du théâtre dépendant des Affaires culturelles).

Taxes que paie un spectacle dramatique, outre les impôts sur les sociétés et les charges sociales : 1°) *TVA* : 7 % (2,10 % pour créations et spectacles classiques jusqu'à 140 représ. ; 17,6 % en cas de vente forfaitaire d'un spectacle monté). Sont exemptés : les 30 premières d'une pièce n'ayant jamais été interprétée en France, ou dont la représentation n'a pas eu lieu depuis plus de 50 ans ; les 50 premières d'une pièce n'ayant jamais été interprétée dans sa langue originale, ni dans une adaptation dans une autre langue, en France ou à l'étranger ; les spectacles classiques – liste fixée par des arrêtés des min. de l'Économie et du Budget, du min. de la Culture et du ministre de l'Intérieur ; les œuvres françaises et les étrangères dans leur langue originale dont les auteurs sont morts depuis plus de 50 ans, et les traductions et les adaptations dont la 1re représ. date de plus de 5 ans ; certains auteurs désignés par une commission spéciale (ex. : Brecht, Garcia Lorca).

2°) *Taxe additionnelle au prix des places* : de 0,20 F (places 5 F à 10 F), 0,60 F (10 F à 20 F), 1 F (plus de 20 F), utilisée par l'Association pour le soutien au théâtre privé. Sont exonérés les théâtres nationaux et municipaux et les compagnies subventionnées.

3°) *Taxe d'apprentissage* : 0,5 % des salaires, *t. de formation continue* : 1 % des salaires dep. 1974, *aide à la construction* : 1 %.

■ **Coût de la création d'un spectacle.** De 0,5 à 2 millions de F env. (maintenance d'un théâtre parisien de 400 pl. : 8 000 F par jour).

■ **Crédits d'investissements pour l'aménagement et la création de salles de spectacles** (en millions de F). *1980* : 9,78 ; *81* : 13,6 ; *82* : 71,8 ; *83* : 191 ; *84* : 108 ; *85* : 105,4 ; *86* : 70 ; *87* : 68,5 ; *88* : 63,9 ; *89* : 84,2 ; *90* : 104 dont th. nationaux 20, salles de th. et de cirques fixes 44, établ. d'action culturelle 40.

■ **Représentations (nombre). Th. nationaux :** *1965* : 990 ; *70* : 943 ; *80* : 1 553 ; *82* : 1 753 ; *86* : 1 553. CDN *65* : 2 860 ; *70* : 3 578 ; *80* : 3 425 ; *83* : 4 525 ; *84* : 4 324 ; *85* : 1 578 ; *86* : 1 188 ; *88* : 1 331 ; *89* : 1 362 ; *90* : 1 479. **Th. privés parisiens :** *1965* : 11 500 ; *70* : 12 123 ; *75* : 13 150 ; *80* : 9 433 ; *84* : 11 092 ; *89* : 12 440 ; *90* : 11 285.

■ **Spectateurs (nombre en milliers)** *Th. nationaux* : *1986* : 576 ; *87* : 504 ; *88* : 551 ; *89* : 586 ; *90* : 656. *Th. privés parisiens* : *86* : 3 387 ; *87* : 3 333 ; *88* : 3 191 ; *89* : 3 319 ; *90* : 3 475. **Fréquentation (enquête 1989).** Français de 15 ans et + qui sont allés au moins une fois dans leur vie (entre parenthèses, au cours des 12 derniers mois) en % : au théâtre (professionnel) 45 (14), à un spectacle amateur 43 (14), au cirque 72 (9).

■ **Théâtres. Nombre à Paris :** *Sous Louis XIV* : 5, *Louis XV* : 3, *Révolution* : 22. *Théâtres en activité* : *1991* : 58, offrant plus de *26 000* places. *47* sont privés, *6* municipaux [Th. de la Plaine, Th. de la Ville, Th. du Châtelet, Th. Paris Villette, Th. 13, Th. 14-Jean-Marie Serreau], *5* nationaux [Comédie-Française, Th. national de l'Odéon (2 salles), Th. national de Chaillot, Théâtre national de la Colline, Th. National de Strasbourg]. La Ville de Paris ne gère elle-même aucun de ses 4 théâtres, mais elle subventionne le Th. de la Ville et participe à sa gestion par son conseil d'administration. *Cafés-théâtres* : env. 125 (le 1er en 1963 : la Vieille Grille où jouèrent Rufus, Higelin, Bouteille, Zouc). *Salles à usage de spectacle* : env. 25. *Théâtres érotiques* (permanents) : Th. Saint-Denis, Th. des 2 Boules (fondé 1974). **En province :** *Vers 1868-70* : 366 th. dont Bordeaux, Lyon 6 ; Marseille, Le Havre, Nîmes 5 ; Nantes, Elbeuf, Rochefort, Rouen 4 ; Amiens, Brest, Toulouse, Versailles 3. *1987* : environ 25 th. municipaux concédés ou exploités en régie directe consacrés en priorité à l'art lyrique. *Th. privés permanents* : Th. Molière à Bordeaux (appelé d'abord Th. de poche) et Petit Th. de Rouen. *Cafés-théâtres* : 80.

■ Salles parisiennes

Amandiers *Créé 1982* à Nanterre après dissolution de la MCN, création d'un CDN ; *dir.* : Jean-Pierre Vincent, Serge Sobczynski, subventionné (État et ville). *2 salles* : (scène de 22 m de large) ; et polyvalente (24 m × 30 m). 2 salles de répétition, ateliers de décoration. Env. 120 000 spectateurs par an. **Antoine** *bâti 1866* (salle des Menus-Plaisirs), *1890* Th.-Libre (fondé André Antoine), *1896* Th.-Antoine. *Dir.* : Simone Berriau 1943. Dep. 1984, dir. : H. Bossis et D. Darès. 875 pl. **Atelier** *1822*, Th. de Montmartre (en bois) ouvert par Pierre-Jacques Sevestre, danseur. *1848*, Th. du Peuple. *1922*, Th. de l'Atelier avec Charles Dullin. *1940*, André Barsacq († 3-2-1973). *1975*, Pierre Franck. 575 pl. **Athénée-Louis Jouvet** *1893* Construit par Fouquiau sous le nom de Comédie Parisienne ; *1896* Athénée-Comique ; *1899* Athénée. (L. Jouvet fut directeur de 1934 à 1951.) *1982* Mission : recevoir les Cies théâtrales subventionnées par le min. de la Culture qui n'ont pas d'implantation permanente. *Dir.* : Josyane Horville. *Salle Louis Jouvet* 687 pl., *Christian Bérard* 86 pl.

Bastille *ouvert 1982. Dir.* : Jean-Marie Hordé, subventionné (ville et État) *2 salles* : 250 pl., 130 pl. **Bobino** *ouvert 1873.* 1 160 pl. provisoirement à l'Eldorado (4, bd de Strasbourg, 10e) en attendant sa reconstruction. Réouverture rue de la Gaîté. **Bouffes-Parisiens** *ouvert 1827* (Th. des Jeunes Acteurs), 1855 Th. des Bouffes-Par. (salle d'hiver) par Offenbach. *Dir.* : J.-C. Brialy dep. sept. 1986. 690 pl.

Casino de Paris *construit* sur l'emplacement de la Folie-Richelieu ; *1929-69 Dir.* : Henri Varna (variété, music-hall) ; *1979* fermé, *1982* réouvert. *Dir.* : Daniel Saint-Jean. 1 500 pl. **Caveau de la République** *Fondé 1901.* Chansonniers. **Chaillot** (voir Th. nationaux). **Champs-Élysées** *construit* 1913 (maîtres d'ouvrages Gabriel Astruc et Gabriel Thomas, architectes Auguste et Gustave Perret) : frises, fresques, sculptures d'Antoine Bourdelle et Maurice Denis ; classé monument historique 1957. *Dir.* : Alain Durel. *Grand théâtre* 1 901 pl., *Comédie des Champs-Elysées* 690 pl., *Studio* 240 pl. **Châtelet. Th. musical de Paris** *1861-62 construit* par Davioud. *1862 (19-8)* le Cirque Olympique s'y installe et devient le th. du Châtelet. *Grands succès* : « le Tour du Monde en 80 jours », 3 007 représentations (du 3-4-1876 à 1940) ; « Michel Strogoff », 2 443 (du 17-11-1880 à 1939). *1979* transformé devient th. Musical, (2 289 pl. 3 524 m², scène 35 m × 24 m). *1980 (nov.)* réouverture. Subventionné par la Ville *1988* rénovation, reprend son nom d'origine. *Dir.* : Stéphane Lissner. **Cirque d'Hiver** *construit* par Hittorff sous Napoléon III. *Dir. et propriétaires* : Frères Bouglione (dep. 50 ans) 1 800 pl. **Cité internationale (Th. de la)** *Grand Th., construit 1936* : 500 pl. *La Galerie* : 300 pl. *La Resserre* : 170 pl. *Le Jardin* : 48 pl. Théâtre de danse et musique. Centre culturel créé 1968 par André-Louis Périnetti et dirigé par Nicole Gautier. **Comédie Caumartin** *créé 1901* (C. Royale) ; René Rocher lui donne son nom en 1923 (th. de boulevard). **Comédie-Française** (voir p. 477). **Coquille** 250 pl.

Daunou *ouvert 1921.* 448 pl. **Deux-Ânes** créé 1921 sur l'emplacement du th. des Marionnettes par Roger Ferréol et André Dahl. S'est appelé *Les Truands, L'Araignée, La Truie qui file.* Seul th. de chansonniers jouant des revues satiriques. *Dir.* : Jean Herbert. *Devise* : « Bien braire et laisser dire ». 300 pl.

Édouard-VII-Sacha Guitry *créé 1916* par Alphonse Franck ; *dir.* : dep. août 1989, Julien Vartet. 720 pl. **Espace Pierre-Cardin** (ex-Th. des Ambassadeurs). *1861* ouvert. *1929* reconstruit. *1939-53* Henry Bernstein directeur. *1962-69* Marcel Karsenty. *1970* P. Cardin transforme la salle. 720 pl.

Folies-Bergère 1 750 pl. [*folie* désignant, depuis la fin du XVIIIe s., les *petites maisons*, créées sous la Régence par la haute noblesse, pour des fêtes nocturnes, avec concerts, spectacles et ballets (étymologies proposées : 1°) caprice entraînant de folles dépenses ; 2°) *foglia* (du latin *folia*, « feuilles »), car la noblesse napolitaine construisait ses retraites à la campagne)]. A Paris, les plus connues, en 1789, étaient les F. Méricourt, St-James, Genlis, Richelieu, Beaujon, Regnault (La Roquette), qui donnèrent leur nom à leur quartier. A partir de 1830, les th. parisiens adoptent souvent ce nom, en le mettant au pluriel (à cause des *Folies amoureuses*, pièce de Regnard, 1704) : Folies Dramatiques (1830), Marigny (1848), Nouvelles (1852), Saint-Antoine (1865), et enfin Bergère (1869), spécialisées dans les variétés à grand spectacle, sur le modèle de l'Alhambra de Londres. *1869* le magasin de literie « Au sommier élastique » finance l'ouverture d'une salle de spectacle, et l'appelle du nom de la rue : « Bergère ». *1-5* ouverture. *1870* salle de réunions électorales. L'historien Michelet y parle. *1871-novembre* Léon Sarri, 1er directeur ; 1ers grands succès, inauguration du promenoir. Devient momentanément le « Concert de Paris » ; Gounod, Delibes, Saint-Saëns, Massenet... Échec. *1886-30-11* « Revue » des frères Isola et de M. et Mme Allemand ; « Place au jeûne » 1re apparition d'une troupe de girls (d'Europe centrale). *1892* Loïe Fuller lance « la Danse serpentine » et la « Danse du feu ». *1894* Édouard Marchand, dir. *1908* Claude Bannel, dir. Colette fait partie de la revue avec Maurice Chevalier. *1911* Yvonne Printemps. Mistinguett et Maurice Chevalier : la « Valse renversante ». *1917* Gaby Deslys présente « Jazz Band » ; c'est la 1re à descendre le célèbre « escalier », partenaire : Harry Pilcer. *1919-66* Paul Derval, directeur ; 33 revues se succédèrent avec un titre en 13 lettres comprenant le mot « Folie ». *1922* « Folies sur folies » avec le comique Bach, Constant Rémy et Jenny Golder. *1924* « Cœurs en folie » avec Bach et Laverne. *1926* création d'un 2e balcon ; « la Folie du jour » avec Joséphine Baker. *1927* « Un vent de folie » avec J. Baker. *1928* « la Grande Folie » avec Agnès Souret (Miss France). *1933* « Folies en folie », Mistinguett apparaît sur son escalier. *1934* « Femme en folie » avec Jean Sablon. *1937* « En super-folies » avec J. Baker. *1938* « Folie en fleurs » pour Damia. *1939* « Madame la folie » avec Jeanne Aubert et le comique Dandy. *1942-44* Revue des « Trois Millions » avec Charpini, puis Brancato, Charles Trenet, Maurice Teynac. *1944* « La Folie du rythme » avec Charles Trenet et Raymond Dandy. *1946* « C'est de la folie » avec Suzy Prim et Nita Raya. *1949* « Féeries et folies » avec J. Baker et les Peter Sisters. *1966* Mme Derval succède à son mari. *1974* Hélène Martini, directrice. *1980* cinquante millionième spectateur fêté. *1982* « Folies de Paris ». *1987* « Folies en folie ». *1992* (CA : 45 millions de F, déficit 2 à 3 ; salaires (par soirée) mannequin nu 260 F, danseur habillé 400 F).

Fontaine *créé 1951* par André Puglia dans un ancien dancing, « le Chantilly ». Dirigé par Marie-Claire Valène dep. 1985. Scène 8 × 6 m, avec cintre. 622 pl. **Gaîté-Lyrique** construit par Hittorff. On y joua des opérettes (Offenbach). *1963* fermé, *1973-74* réouvert (accueillit représentations du Th. de Chaillot alors fermé, puis confié à Silvia Monfort qui y installa son école de cirque), *1986* centre de jeux pour enfants, ouvert déc. 1989, *1990* fév. a déposé son bilan. **Gaîté-Montparnasse** *1868* café-concert ouvert. *1939* théâtre. *Dir.* : depuis 1983, Nicole Charmant. 411 pl. **Gaveau** voir Salles de concerts, p. 430 a. **Gymnase Marie-Bell** *1820* Gymnase dramatique. *1824* Th. de Madame. *1830* G. dram. *1958* G. Marie-Bell. *Dir* : Jacques Bertin. 783 pl.

Hébertot *1831* th. des Batignolles-Monceau, en bois. *1906* th. des Arts. *1940* th. Hébertot (Jacques H., † 1970, dir.). *1972* th. des Arts Hébertot. *Dir.* : Félix Ascot. Scène 7 m (prof. 9 m) 622 pl. **Huchette** constr. 1948 par Marcel Pinard († 1975), géré dep. 1980 par une SARL de 22 comédiens actionnaires. *Dir.* : Jacques Legré. *Dimensions* 100 m². *Représentations (record)* : (voir p. 475). 90 pl.

La Bruyère 362 pl. *Dir.* : dep. 1982, Stephan Meldegg. **Lucernaire-Centre national d'art et essai** *Créé* 1977. 2 th. de 140 pl., 3 cinémas de 50, 60, 70 pl., 1 salle de danse, 1 galerie de peinture, 1 restaurant de 120 pl., 1 bar. *Dir.* : C. Le Guillochet et L. Berthommé.

Madeleine créé 1924. *1980 dir.* : Simone Valère, Jean Desailly. 763 pl. **Marigny** *1850* Th. des Champs-Élysées remplace le « Château d'Enfer » où se produisait un prestidigitateur. *1855 Bouffes-Parisiens* avec Offenbach. *1859 Bouffes-d'Été* (avec Charles Debureau puis Céleste Mogador). *1865 Folies-Marigny* (démolies 1881). *1883* Panorama construit par Charles Garnier. *1885* Diorama. *1896* music-hall. *1901* Marigny-Théâtre. *1913* Comédie-Marigny. *1925* Th. Marigny (avec Léon Volterra). *1946-60* dir. : Simone Volterra. (17-10-46 à 1956 : Cie Madeleine Renaud-J.-L. Barrault. Oct. 1956 : Cie Grenier-Hussenot). *1964* Elvire Popesco, Hubert de Malet, Robert Manuel. *1978* Jean Bodson († 1980). *1980* Christiane Porquerel et J.-J. Bricaire. Gde salle, 1 042 pl. Petit Marigny 308. **Mathurins** *1898 dir.* Marguerite Deval, *1906* Sacha Guitry (y crée « Nono »), plusieurs dir. dont Jules Berry *1934-39,* Georges Pitoëff (43 spect. montés), *1939* Marcel Herrand et Jean Marchat, *1952* Mme Harry Baur, *1984* Gérard Caillaud et Danielle Rossi. Gde salle : 473 pl., petite : 100. **Michel** *créé* 1908 par Michel Mortier. *Dir.* : Germaine Camoletti. 350 pl. **Michodière** inauguré 1925, dirigé par Victor Boucher, Yvonne Printemps et, dep. le 1-9-1981, Jacques Crépineau. 700 pl. **Mogador** *1919* construit par Bertie Crewe (Angl.), music-hall. *1924* cinéma. *1925* opérettes. *1936-39* music-hall. *1939* (28-12) dir. Henri Varna. *1971-76* dir. Hélène Martini. *1982* restauré. *1983* rouvre, dir. Fernand Lumbroso. Scène 10,74 m, prof. 12,70. 1 792 pl. **Montparnasse** (1885-1952) *1772* Th. sur le Bd d'Enfer. *1817* Pierre-Jacques Sevestre le transporte dans la future rue de la Gaieté. *1851* Henri La Rochelle (boulanger) fait construire une salle de 700 pl. *1886* (29-1) nouvelle salle (1 200 pl.). *Dir.* : *1930* Gaston Baty, *1943* Marguerite Jamois, *1966* Lars Schmidt et Jérôme Hullot, *1984* Myriam de Colombi et Jérôme Hullot. 715 pl. + *Petit Montparnasse* créé 1979, 150 pl. Foyer restaurant et bar.

Nouveautés *créé* 1827 place de la Bourse. *1890* Feydeau en devint l'auteur attitré. *1921* salle actuelle. *Dir.* : Denise Moreau-Chantegris. 580 pl.

Odéon (voir p. 477 c, Th. nationaux). *Œuvre fondé* 1892 par Lugné-Poë. *Dir. dep. 1960* : Georges Herbert. Dep. 1978, collaboration régulière de Georges Wilson. 380 pl. **Olympia-Bruno-Coquatrix** *1893 (12-4)* inauguré par Joseph Oller, *1895* le Coucher de la mariée avec Louise Willy (ancêtre du strip-tease), *1929* cinéma Jacques Haick, *1954* Bruno Coquatrix († 1-4-1979) *Dir. music-hall* : Paulette et Patricia Coquatrix. 2 033 pl. **Opéra** (voir Th. lyriques p. 444).

Palais-Royal conçu de 1781 à 1784 par Victor Louis (1731-1800). *1784* ouvert. Th. *des Beaujolais. 1790* Th. *Montansier. 1793* Th. du *Péristyle du Jardin-Égalité. 1793* Th. de la *Montagne. 1798* Th. *Montansier-Variétés. 1810 Les Jeux Forains. 1812 Le Café de la Paix. 1815 à 1831* fermé. *1830* reconstruit par Guerchy. *1831* ouvre sous le nom de Th. du *Palais-Royal.* Mlle Montansier resta propriétaire et directrice de 1790 à 1820. Dep. 1784, + de 1 500 comédies dont : de Labiche (*La Cagnotte* créée 1864), Victorien Sardou, Meilhac et Halévy, Feydeau, Tristan Bernard (*Le Petit Café* 1911), Offenbach (*La Vie parisienne* 1866), Jean de Letraz, Jean Poiret (*La Cage aux folles* 1973, 1 800 repr.), Françoise Dorin. *Dir.* : dep. 1989, Francis Lemonnier. 792 pl. **Paris** *1891*

Ouvert (Nouveau Th.). *1906* Th. *Réjane* (dirigé par Mme Réjane), *1919* Th. de Paris (avec Léon Volterra). Grande salle : 1 110 pl., petite : 287 pl. *Dir. :* Alain Van Eeckhout dep. déc. 1990. **Paris-Villette** ancienne Bourse à la criée (1867). *Créé* 1972 par Arlette Thomas et Pierre Peyrou (Th. Présent). Th. d'arrondissement du XIXe dep. 1979. *Dir. :* Patrick Gufflet. 290 pl. **Plaine** *construit* 1973 par la ville de Paris (théâtre, danse, concerts, spect. pour enfants). *Dir. adm. :* Alain Mathmann, 284 pl. **Plaisance** *ouvert* 1963. 150 pl. Recherche et création. *Dir. :* Jean-Jacques Aslanian. **Pleyel** (voir concerts p. 430 a). **Poche-Montparnasse** *créé* 1943. *Dir. :* Renée Delmas, Etienne Bierry. 230 pl. **Porte-Saint-Martin** *1781* 1re salle, abrite la troupe de l'Opéra royal jusqu'en 1794. Dep. 1814 drames à grand spectacle (notamment *la Tour de Nesles,* 1832), *1871* incendié par la Commune, *1873* reconstruit, *1874* succès des *Deux Orphelines. 1897 (27-12)* Création de *Cyrano de Bergerac. 1969 (30-5) Hair. Dir. :* Hélène et Bernard Régnier. 1 100 pl. **Potinière** *créé* 1919 par Saint-Granier et Gaston Gabaroche. *1961* Th. des 2 Masques. *1988* Th. de la Potinière. *Dir. :* Julien Vartet. 350 pl.

Renaissance *ouvert* 1872, parmi les directeurs : Sarah Bernhardt, Lucien Guitry, Henri Varna (1942), Jean Darcante (1946), Vera Korene (1956), Francis Lopez (1978-82), Niels Arestrup dep. le 7-12-1990, 707 pl. **Richelieu** (voir Comédie-Française). **Robert-Cordier** *créé* sept. 1985 (auparavant : Marie-Stuart, créé par Sala, dir. de la Potinière). 95 pl. **Rond-Point/Th. Renaud-Barrault** dans l'ancien palais de glace. (Cie Renaud-Barrault, créée 1946). *Dir :* Chérif Khaznadar. Grande salle 920 pl., petite salle 175 pl. **Saint-Georges** *créé* 1929. *Dir. :* France Delahalle et Marie-France Mignal. 498 pl.

TEP (voir Th. nationaux p. 478 a). **Th. des Enfants** *1931 Th. du Petit Monde.* Créé par Roland Pilain sur une proposition de Lucie Delarue-Mardrus, pour donner aux enfants le goût du th. Cours d'art dramatique, les lundis, mercredis, jeudis et samedis.

Silvia-Monfort 106, rue Brancion, 75015 Paris. Nouveau th., 415 pl., construit sur l'emplacement du Carré Silvia-Montfort, conçu par Cl. Parent. Th. municipal. *Inauguré* 1992. *Dir. :* Régis Santon. **Tristan-Bernard** *1919* Th. *Albert Ier de Belgique. 1936* Th. *Charles de Rochefort.* 400 pl.

Variétés *1807 (24-6)* inauguré (construit en 5 mois) par Mlle Montansier (Marguerite Brunet). *1975* restauré. Façade classée Monument historique. Parmi les créations : Offenbach (*la Belle Hélène* 1864, *la Périchole* 1868), Hervé (*Mam'zelle Nitouche* 1883), Hahn (*Ciboulette* 1923), Scribe (37 pièces), Meilhac et Halévy, Flers et Caillavet (*le Roi* 1908, *l'Habit vert* 1912), Pagnol (*Topaze* 1928), Sacha Guitry, Louis Verneuil, Jacques Deval, Robert Dhéry, Françoise Dorin, Jean Poiret. *Dir. :* dep. 1991, J.-Paul Belmondo 924 pl. **Vieux-Colombier** *créé* 1913 par Jacques Copeau. *Fermé* 1977, *racheté* 1986 par l'État qui le confie en 1989 à la Comédie-Française. *Réouverture* 7-4-93. *Dir. :* J. Lassalle. 330 pl. **Ville (Théâtre de la)** (th. municipal populaire) *1860-62* construit par Davioud. *1862* Th. *Lyrique* [du nom du Th. fondé par Adolphe Adam (1803-56) en 1847]. *1871* incendié pendant la Commune. *1875* restauré. Th. *Historique. 1879* Th. *des Nations. 1883* Th. Italien. *1885* Th. *de Paris. 1887-98* héberge l'Opéra-Comique après l'incendie de la salle Favart le 25-5-87. *1898* Th. *Sarah-Bernhardt. 1936* Th. *du Peuple. 1941* Th. *de la Cité. 1949* Th. *Sarah-Bernhardt. 1957* Th. *des Nations. 1968* Th. *de la Ville. 1982 (31-1)* incendie des installations techniques. *1983 (11-1)* réouverture. *Directeurs dep. 1898 : 1898-23* Sarah Bernhardt, puis, *1925* Vincent et Émile Isola. *1936* Rognoni. *1941* Charles Dullin. *1949-65* A.-M. Jullien. *1968* Jean Mercure, *1985* Gérard Violette. *Salle :* origine « à l'italienne » ; 1 284 places, après rénovation 1967-68, en amphithéâtre, 1 000 à 1 100 pl. *Programmation :* théâtre, danse contemporaine, danse-théâtre, musique, chansons, musiques du monde.

☞ **Grandes salles. Nombre de places et,** entre parenthèses, **prix de location par soirée :** *Zénith* 6 400 pl. (85 000 à 130 000 F). *Palais des Congrès de Paris* 3 723 pl. (version 1 813 pl.) (83 000 à 120 000 F). *Palais Omnisports de Paris-Bercy* 10 000 à 16 500 pl. (200 000 à 320 000 F). *Palais des Sports* 5 000 pl. (77 000 à 95 000 F).

■ Théâtres dramatiques nationaux

5 établissements publics, créés par décret.

■ **Comédie-Française. Créée** par Louis XIV en 1680 par la jonction des troupes de l'Hôtel de Bourgogne et de l'Hôtel Guénégaud. **Salles occupées :** *1680-89, hôtel Guénégaud ; 1689-1770,* rue des Fossés-St-Germain-des-Prés (actuelle rue de l'Ancienne-Comédie) ; *1770-82,* salle des machines du Palais des Tuileries ; *1782-93,* salle devenue le Th. de l'Odéon. *1799,* après 6 ans d'interruption, la troupe occupe l'actuelle salle Richelieu, qu'elle n'a plus quittée. *1900* 8-3 incendie.

Nota. – (1974-76) : rénovation de la salle Richelieu 68 367 000 F.

Statut : *1812,* Napoléon organise ses *statuts* (décret signé à Moscou le 15-10-1812). *1975* dernière réforme. *Exploitée* par la Sté des Comédiens français, composée de sociétaires en activité et dirigée par 1 administrateur général, nommé par décret en Conseil des ministres, assisté d'un Comité d'administration de 6 sociétaires + 2 suppléants, et dont est membre de droit le *doyen,* sociétaire le plus ancien dans la société (dep. 1988 Catherine Samie). *Bénéfices* partagés en 32 parts (1 mise en réserve) : 30 réparties entre les sociétaires, de 3/12 de part (pour le soc. nouvellement nommé) à 1 part entière (le max.) ; la part restante peut être attribuée chaque année à titre exceptionnel, en totalité ou partie, à 1 ou 2 sociétaires à part entière, dont l'activité au cours de l'année écoulée aura été particulièrement remarquée. Les accroissements successifs de la part se font par 1/12 ou demi 1/12. **Troupe :** constituée de *sociétaires* (31 au 1-12-1992), liés au théâtre pour 10, 15, 20, 25 ou 30 ans, et de *pensionnaires* (21 au 1-12-1992), recrutés par contrat de 1 an renouvelable et pouvant être sociétaires après 1 an de présence au moins et au plus 10 ans de services ininterrompus. Les sociétaires honoraires (22 au 1-12-1992) peuvent éventuellement être appelés à jouer.

Auteurs dont le nom a paru + de 1 000 fois à l'affiche (du 25-8-1680 au 31-12-1991). *Nombre total de représentations au 31-12-1991.* Molière (1622-73) 31 179. Racine (1639-99) 9 025. Pierre Corneille (1606-84) 7 235. Musset (1810-57) 6 658. Marivaux (1688-1763) 5 747. Dancourt (1661-1725) 5 696. Regnard (1665-1709) 5 372. Voltaire (1694-1778) 3 998. Augier (1820-89) 3 238. Scribe (1791-1861) 3 081. Beaumarchais (1732-99) 3 012. Hugo (1802-85) 2 823. Le Grand (1673-1728) 2 517. Hauteroche (1617-1707) 2 474. Pailleron (1834-99) 2 275. Destouches (1680-1754) 2 130. Dumas fils (1824-95) 2 121. Brueys (1640-1723) 2 097. Thomas Corneille (1625-1709) 2 039. Dufresny (1648-1724) 2 022. Labiche (1815-88) 1 851. Alexandre Dumas (1803-70) 1 822. Sandeau (1811-83) 1 679. Champmeslé (1642-1701) 1 574. Legouvé (1807-1903) 1 535. Feydeau (1821-73) 1 405. Alexandre Duval (1767-1842) 1 400. Courteline (1858-1929) 1 347. Lesage (1668-1747) 1 280. Feuillet (1821-90) 1 261. Delavigne (1793-1843) 1 229. Palaprat (1650-1721) 1 227. Montherlant (1896-1972) 1 036. Boursault (1638-1701) 1 027.

Pièces ayant été affichées + de 700 fois (du 25-8-1680 au 31-12-1991). *Tartuffe* (Molière) 3 014. *L'Avare* (Molière) 2 447. *Le Médecin malgré lui* (Molière) 2 220. *Le Misanthrope* (Molière) 2 176. *Les Femmes savantes* (Molière) 1 969. *Le Malade imaginaire* (Molière) 1 952. *Le Cid* (P. Corneille) 1 625. *Le Jeu de l'amour et du hasard* (Marivaux) 1 612. *L'École des femmes* (Molière) 1 599. *L'École des maris* (Molière) 1 568. *Andromaque* (Racine) 1 485. *Le Bourgeois gentilhomme* (Molière) 1 429. *Le Mariage de Figaro* (Beaumarchais) 1 366. *Phèdre* (Racine) 1 363. *Les Plaideurs* (Racine) 1 362. *Les Fourberies de Scapin* (Molière) 1 340. *Les Précieuses ridicules* (Molière) 1 268. *Le Barbier de Séville* (Beaumarchais) 1 267. *Le Dépit amoureux* (Molière) 1 246. *Britannicus* (Racine) 1 237. *Le Mariage forcé* (Molière) 1 182. *Un caprice* (Musset) 1 154. *Le Légataire universel* (Regnard) 1 149. *Les Folies amoureuses* (Regnard) 1 148. *George Dandin* (Molière) 1 141. *Amphitryon* (Molière) 1 095. *Il faut qu'une porte soit ouverte ou fermée* (Musset) 1 092. *Ruy Blas* (Hugo) 1 020. *Le Monde où l'on s'ennuie* (Pailleron) 1 000. *Hernani* (Hugo) 979. *Horace* (P. Corneille) 965. *Monsieur de Pourceaugnac* (Molière) 890. *Le Menteur* (P. Corneille) 889. *L'Avocat Patelin* (Brueys) 888. *Le Joueur* (Regnard) 885. *Iphigénie en Aulide* (Racine) 875. *Crispin médecin* (Hauteroche) 854. *Cyrano de Bergerac* (Rostand) 854. *Cinna* (P. Corneille) 835. *Le Gendre de M. Poirier* (Augier et Sandeau). *L'Épreuve* (Marivaux) 772. *Polyeucte* (P. Corneille) 769. *L'Esprit de contradiction* (Dufresny) 762. *Le Legs* (Marivaux) 761. *Sganarelle* (Molière) 760. *Crispin rival de son maître* (Lesage) 745. *Le Florentin* (Champmeslé) 715.

Activités (1991-92). 585 représentations dont 406 salle Richelieu, 175 en France (Paris, périphérie, province), 4 à l'étranger. 19 pièces présentées, 13 auteurs joués + 5 récitations et 17 lectures et salons de poésie. **Radio :** 23 pièces enregistrées intégralement. **Télévision :** 4 pièces enregistrées intégralement.

État au 1-12-1992. Administrateur général : Jacques Lassalle (6-7-1936). **Sociétaires** (par ordre d'ancienneté) : *soc. honoraires :* Germaine ROUER, Jean MEYER, Renée FAURE, Robert MANUEL, Gisèle CASADESSUS, Lise DELAMARE, André FALCON, Louise CONTE, Micheline BOUDET, Paul-Émile DEIBER, Jean PIAT, Robert HIRSCH, Jacques EYSER, Annie DUCAUX, Jean-Paul ROUSSILLON, Michel ETCHEVERRY, Jacques TOJA, Michel DUCHAUSSOY, Denise GENCE, Ludmila MIKAEL, François CHAUMETTE (8-9-23), Claude WINTER (18-2-31). *Sociétaires :* Catherine SAMIE (9-2-33), Michel AUMONT (15-10-36), Geneviève CASILE (15-8-37), Françoise SEIGNER (7-4-28), Simon EINE (8-8-36), Bérengère DAUTUN (10-5-39), Alain PRALON (12-11-39), François BEAULIEU (30-5-43), Claire VERNET (12-8-45), Jean-Luc BOUTTÉ (1-9-47), Christine FERSEN (5-3-44), Catherine HIEGEL (10-12-46), Nicolas SILBERG (2-1-44), Catherine SALVIAT (21-1-47), Dominique ROZAN (4-9-29), Dominique CONSTANZA (20-4-48), Jacques SEREYS (1928), Catherine FERRAN (13-6-45), Gérard GIROUDON (18-8-49), Yves GASC (21-5-30), Roland BERTIN (6-10-20), Claude MATHIEU (8-2-52), Muriel MAYETTE, Martine CHEVALLIER, Véronique VELLA, Alberte AVELINE, Jean-Yves DUBOIS, Catherine SAUVAL, Jean-Luc BIDEAU, Michel FAVORY, Thierry HANCISSE, Jean DAUTREMAY. **Pensionnaires :** Jean-François RÉMI, Louis ARBESSIER, Natalie NERVAL, Jean-Philippe PUYMARTIN, Sylvia BERGÉ, Pierre VIAL, Valérie DREVILLE, Anne KESSLER, Jean-Pierre MICHAEL, Éric FREY, Christian BLANC, Isabelle GARDIEN, Philippe TORRETON, J.-Baptiste MALARTRE, Igor TYCZKA, Céline SAMIE, Didier BIENAIMÉ, Olivier DAUTREY.

Subventions (en millions de F) : *1980 :* 59,2 ; *85 :* 93 ; *90 :* 105,7 ; *91 :* 110,4 ; *92 :* 113,9. **Gestion** (en millions de F) : RESSOURCES PROPRES : *1990 :* 35,5 ; *91 :* 37. DÉPENSES : DE PERSONNEL : *1990 :* 97 ; *91 :* 99 ; *92 :* 101 ; ARTISTIQUES : *1990 :* 36 ; *91 :* 37 ; *92 :* 37,5. BUDGET TOTAL RÉALISÉ : *1990 :* 151 ; *91 :* 168. **Places** (NOMBRE) : *1799 :* 2 000 ; *avant 76 :* 1 400 ; *87 :* 892 dont 700 bonnes (29,50 % vendues à tarif préférentiel). PRIX RÉEL des places 1992-93 45 à 160 F (prix exceptionnels : 65 à 200 F). COEFFICIENT DE REMPLISSAGE *1990 :* 86 % ; *91 :* 87,2 %.

Théâtre national populaire (TNP)

Fondé 1930 à Paris (palais de Chaillot). *Du 1-11-1951 au 1-7-63* (Jean Vilar directeur, 3 382 représentations, 5 186 957 spectateurs. 29 œuvres françaises et 22 étrangères interprétées). *Records :* Molière 904 106 spectateurs (580 représ.), Shakespeare 383 366 (201), Brecht 368 152 (309), Corneille 341 241 (230). *Du 5-12-1963 au 25-3-1972,* directeur : Georges Wilson, 1 141 représ. (grande salle), 2 359 236 spect. 11 œuvres françaises et 19 étrangères créées. *Record :* Brecht 488 125 spect. (5 pièces : 227 représ.).

Depuis avril 1972, transféré à Villeurbanne (Rhône) au Th. de la Cité (créé 1959, CDN 1963). Directeurs : Roger Planchon, Robert Gilbert, Georges Lavaudant.

■ **Théâtre national de l'Odéon-Europe.** *1780-82* construit sur des plans de *Peyre* et *De Wailly,* et destiné à l'origine à la troupe de la Comédie-Française, *1782* (9-4) ouverture du *Théâtre-Français. 1789* devient *Th. de la Nation* puis *de l'Égalité, du Peuple* (1794), *de l'Odéon* (1796). *1799 (8-3)* incendie. *1808 (15-8)* rouvre sous le nom de *Th. de l'Impératrice. 1814 Th. Royal. 1818* incendie. *1819* reconstruit par Baraguey et Prévost, prend le nom d'*Odéon. 1941 Th. national de l'Odéon. 1946 (1-9) Salle Luxembourg. 1959 (1-9) Th. de France,* dir. : Madeleine Renaud, Jean-Louis Barrault. *1968* mai, occupé par les révoltés. *1971 (sept.) Th. national de l'Odéon, 1983-1990,* mis à la disposition du Th. de l'Europe (dir. Giorgio Strehler) de mars à juillet.

Statut : établissement public à caractère industriel et commercial, dep. 1971, accueille des spectacles de la Comédie-Française et se consacre à la création contemporaine. **Dir :** *1971* Pierre Dux [1], *1979* Jacques Toja [1], *1983* François Barachin, *1986* Jean Le Poulain [1], *1989* Antoine Vitez [1], *1990* Lluis Pasqual. *Petit Odéon* (dir. artistique Jacques Baillon) : laboratoire de textes contemporains. *1990* (1-6) devient Odéon-Théâtre de l'Europe par décret du min. de la Culture (dir. Lluis Pasqual). **Places :** Gde salle 1 040, Petit Odéon 82. **Subventions** (millions de F) : *1990 :* 45,1 ; *91 :* 45,7 ; *92 :* 48,6. **Gestion** (en millions de F) : RESSOURCES PROPRES : *1991 :* 17 ; *92 :* 14,9. DÉPENSES DE PERSONNEL : *1991 :* 24 ; *92 :* 25,8. ARTISTIQUES : *1991 :* 30 ; *92 :* 29. *Ordre de marche : 1992 :* 8,7. BUDGET TOTAL : *1991 :* 63 ; *92 :* 63,5.

Saison (1991-92) (Gde salle et, entre parenthèses, Petit Odéon) : *spectacles* 10 (7) ; *représentations* 173 (176) ; *spectateurs* 116 418 (10 064). *Coefficient de remplissage :* 80 % (74 %).

■ **Théâtre national de Chaillot.** *1920* fondation. *1930-72* TNP (voir encadré p. 477 c). *1968* établissement public subventionné par l'État. *Mission :* favoriser le renouvellement de la création théâtrale contemporaine (décret du 9-5-75). *Salles : s. du Grand Théâtre* (qui avait 2 700 pl.), transformée par les architectes Fabre et Perrottet et le scénographe Raffaëlli (réouvert. oct. 1975). Le rapport spectacle-public varie (lieu scénique et gradins mobiles) ; *Th. Gémier* inauguré janv. 1967 (430 pl.). *Dir.* Jérôme Savary. **Subventions** (millions de F) : *1980 :* 12,5 ; *85 :* 46,8 ; *86 :* 45,8 ; *87 :* 45,8 ; *88 :* 49 ; *89 :* 52,9 ; *90 :* 51,25 ; *91 :* 53,4 ; *92 :* 55,2 ; *93 :* 56. **Gestion** (en millions de F) : RESSOURCES PROPRES : *1988 :* 21 ; *89 :* 18 ; *91 :* 20 ; *92 :* 20. DÉPENSES DE PERSONNEL : *1988 :* 40 ; *89 :* 43 ; *91 :* 38 ; *92 :* 35. ARTISTIQUES : *1988 :* 27,2 ; *89 :* 25 ; *91 :* 20 ; *92 :* 26. BUDGET TOTAL : *1988 :* 70 ; *89 :* 71 ; *91 :* 74 ; *92 :* 76.

Spectacles 1991-92. 10 (représentations 429). *Spectateurs* (*1967 :* 400 000 ; *71 :* 175 000 ; *79 :* 90 000 ; *90-91 :* 209 540 ; *91-92 :* 258 178). *Coef. de remplissage : 90-91 :* 65 % ; *91-92 :* 67 %. *Coût moyen par spectateur (en F) : 1971 :* 45 ; *76 :* 221 ; *82 :* 390 ; *84 :* 437 ; *85 :* 264 ; *86 :* 270 ; *87-88 :* 377 ; *88-89 :* 582 ; *90 :* 440 ; *91-92 :* 294.

■ **Théâtre national de la Colline.** (Th. nat. de l'Est parisien) *1963 oct.* ouvert ; *de 1972 à 1987* Th. national. **Dir.** J. Lavelli. *1987 (1-7)* SARL Guy Rétoré, th. subventionné par l'État. 398 pl. **Subventions** (millions de F) : *91 :* 30,5 ; *92 :* 31,8 ; *93 :* 32,8 ; **Gestion** (millions de F, 1992). RESSOURCES PROPRES : 15,5. DÉPENSES DE PERSONNEL : 16,7 ; ARTISTIQUES : 21. BUDGET TOTAL : 45,7. **Saison :** *représentations* 1991-92 : 404 (8 spectateurs). *Coef. de remplissage* 65,24 %.

■ **Théâtre national de Strasbourg.** *1946* Centre dramatique de l'Est, *1968* Th. national, *1-7-1972* établ. public. *Dir. dep. 1990 :* Jean-Marie Villégier (1937). *Grande salle,* place de la République (dep. 1957), 730 pl. *Salle Hubert-Gignoux,* av. de la Marseillaise (dep. 85), 80 à 95 pl. **Subventions** (millions de F) : *1990 :* 28,4 ; *91 :* 33,9 ; *92 :* 37,1 ; *93 :* 39,1. **Gestion** (millions de F). RESSOURCES PROPRES : *1991 :* 6,2 ; *92 :* 4,6. DÉPENSES DE PERSONNEL : *1991 :* 21,7 ; *92 :* 23,5. ARTISTIQUES : *1991 :* 10,8 ; *92 :* 10,8. *Fonctionnement : 1991 :* 2,6 ; *92 :* 7,4. BUDGET TOTAL : *1991 :* 41,3 ; *92 :* 41,7. *Spectacles* présentés de 15 à 20 fois à Strasbourg + tournées en France et à l'étranger. *Saison 1991-92 :* à Strasbourg 114 (47 215 spectateurs), en dehors 49 (19 576 sp.). *École sup. d'art dramatique du TNS : dir. :* Jean-Marie Villégier, *dir. des études :* Cath. Delattres.

Centres dramatiques nationaux (CDN)

Troupes privées fondées par un accord entre l'État et la ou les municipalités intéressées (1er 1946, CDN de l'Est à Colmar, puis 1954 à Strasbourg). Dep. 1972, la plupart sont sous contrat triennal avec l'État (une subvention de base est versée contre l'engagement de présenter un certain nombre de spectacles nouveaux avec un nombre minimal de représentations). 5 centres furent créés entre 1947 et 1950 (le 1er, le Centre dramatique de l'Est, est devenu Th. national de Strasbourg).

■ **Saison 1989-90.** *Nombre de représentations et,* entre parenthèses, *nombre de spectateurs.* 5 407 (1 556 747) dont CDN 4 714 (1 399 440), CDNEJ 693 (157 307).

■ **Dotations** (1991, en millions de F). CDN (27) 228,8. CD pour l'enfance et la jeunesse (6) 17. Établissements assimilés (11) 301.

■ **Centres dramatiques nationaux** *Nombre de Centres* (1991) : 27. *Saison 1989-90 :* nombre de représentations et, entre parenthèses, nombre de spectateurs. **Angers,** *Nouveau Théâtre d'Angers (Nantes* créé 1957, dep. 1968 à Angers ; dir. Claude Yersin) 145 (13 027). **Aubervilliers,** *Pandora* (CDN 1971 ; dir. Brigitte Jaques et François Regnault) 628 (53 639). **Besançon,** *Nouveau Th., CDN Franche-Comté* 1971 ; dir. René Loyon 89 (14 540). **Béthune,** *Comédie de Béthune* (CDN 1982 ; dir. Agathe Alexis et Alain Barsacq) 129 (6 083). **Caen,** *Comédie de Caen* (créé 1963, CDN 1968 ; dir. Michel Dubois) 236 (47 921). **Châtenay-Malabry,** *Th. du Campagnol* (CDN 1983 ; dir. Jean-Claude Penchenat) 145 (30 866). **Dijon,** *Nouveau Th. de Bourgogne* (CDN 1972 ; dir. Alain Mergnat) 171 (47 770). **Gennevilliers,** *Th. de Gennevilliers* (CDN 1983 ; dir. Bernard Sobel) 144 (15 082). **Grenoble,** *CDN des Alpes* (créé 1960, CDN 1971 ; dir. Roger Caracache) 22 (2 673). **Lille-Tourcoing,** *Th. national de Région, La Métaphore* (dir. Daniel Mesguisch et André Guittier) 217 (75 743). **Limoges,** *CDN du Limousin* (créé 1962 ; CDN 1972 ; dir. Pierre Meyrand et Arlette Tephany) 108 (30 591). **Marseille,** *Th. nat. de Mars., La Criée* (ex-Comédie de Provence, créé et CDN 1952 à Aix, siège à Marseille ; dir. Marcel Maréchal) 317 (140 601). **Montpellier,** *Th. des Treize Vents* (CDN 1968 ; dir. Jacques Nichet et Jean Lebeau) 234 (92 194). **Nancy,** *CDN* 1988 ; dir. Charles Tordjman 93 (19 282). **Nanterre,** voir p. 476 a. **Nice,** *Nouveau Th. de Nice,* CDN Nice-Côte d'Azur (créé et CDN 1969 ; dir. Jacques Weber) 183 (174 027). **Paris,** *Tréteaux de France* (créé 1959, CDN 1971 ; dir. Jean Danet) 292 (142 052). **Reims,** *Comédie de Reims* (CDN 1980 ; dir. Christian Schiaretti) 139 (21 457). **Rennes,** *Th. National de Bretagne* (créé 1949 ; dir. Emmanuel de Véricourt) 94 (18 746). **St-Denis,** *Th. Gérard-Philipe* (CDN 1983 ; dir. Jean-Claude Fall) 266 (20 177). **St-Étienne,** *Comédie de St-Étienne* (créé 1947, CDN ; dir. Daniel Benoin) 262 (125 137). **Toulouse,** *Th. de Toulouse-Midi Pyrénées* (créé et CDN 1949 ; dir. Jacques Rosner) 210 (87 239). **Villeurbanne,** *TNP de Vill.,* Cie du Th. de la Cité (dir. Roger Planchon, Robert Gilbert, G. Lavaudant) 151 (55 973).

■ **Centres dramatiques nationaux pour l'enfance et la jeunesse** *Créés 1979. Nombre de Centres* (1991) : 6. *Saison 1989-90 :* nombre de représentations et, entre parenthèses, de spectateurs. **Caen,** *Th. du Préau* (dir. Éric de Dadelsen) 45 (16 120). **Lille,** *Le Grand Bleu* (dir. Bernard Allombert) 266 (40 348). **Lyon,** *Th. des Jeunes Années* (dir. Maurice Yendt) 191 (52 507). **Montreuil,** *Th. des Jeunes Spectateurs* (dir. Daniel Bazilier) 143 (38 758). **Sartrouville,** *Heyoka* (dir. Claude Sévenier) 48 (9 574). **Strasbourg,** *Th. Jeune Public* (CDN 1991 ; dir. André Pomarat).

Société des auteurs et compositeurs dramatiques (SACD)

Créée 1777 par Beaumarchais à la suite d'une révolte des auteurs. **Organisation :** Sté civile formée par une commission composée d'auteurs élus lors de l'Assemblée générale annuelle. *Pt* (élu par la commission) : Claude Brulé. *Délégué gén. :* Jean-Jacques Plantin. **Membres :** 25 000 auteurs et compositeurs dramatiques français et francophones. **Répertoire :** œuvres théâtrales, audiovisuelles (films, téléfilms, séries d'animation, retransmission du spectacle vivant), musicales (opéras, ballets, comédies, etc.), radiophoniques, chorégraphiques. **Mission :** recueille l'autorisation préalable de l'auteur, établit un contrat avec l'utilisateur, perçoit et répartit les droits d'auteurs (*1990 :* 548 619 635 F) en prélevant une faible « retenue statutaire », intervient directement dans les pays francophones et dans de nombreux pays étrangers. Assure protection sociale et défense morale des auteurs (permet le « dépôt du manuscrit »). Participe à des actions culturelles (festival d'Avignon, festival de Cannes, aide à l'édition théâtrale...). Décerne des prix. Met à la disposition des auteurs un « club des auteurs » et une bibliothèque sur le spectacle (60 000 documents). A créé *« Beaumarchais »* pour aider à l'écriture et à la promotion des œuvres audiovisuelles et du spectacle vivant.

Enseignement de l'art dramatique

Conservatoire national supérieur d'art dramatique. *Origine : 1808* Conserv. impérial de musique et de déclamation. *1812* établissement public d'enseignement supérieur de l'art dramatique. *Admission :* sur concours annuel, en 2 parties. *1992 :* candidats 749, admissibles 113, admis 36. *Épreuves :* 4 scènes dont 2 classiques préparées par le candidat. *Élèves :* 92 en 6 classes d'interprétation et 12 stagiaires étrangers. *Professeurs :* 19. *Dir. :* Marcel Bozonnet.

Autres écoles officielles. Conserv. de province, conserv. municipaux à Paris, École nationale supérieure des arts et techniques du théâtre, École nationale de Strasbourg.

Tournées théâtrales

Nombre (1985) : 130 directeurs de tournées théâtrales membres du syndicat national, un certain nombre d'organisateurs indépendants.

Galas Karsenty-Herbert : association des Galas Karsenty et des Productions théâtrales Georges Herbert. La plus importante entreprise de tournées théâtrales européenne. Présentent en France, Belgique, Suisse, Luxembourg, Pays-Bas, 10 spectacles différents par saison. Visitent irrégulièrement Tunisie, Maroc, Allemagne, Autriche, Réunion, Madagascar, île Maurice, Antilles, Tahiti, Nlle-Calédonie. *Représentations* 800 à 1 000 par an (la plupart en abonnement), environ 50 000 abonnés. *Places vendues* chaque saison + de 1 million.

Troupes amateurs

Nombre. Environ 5 067 associations, dont 3 640 (au 30-6-1992) appartiennent à la Féd. nat. des Cies de Th. et d'Animation 12, rue de la Chaussée-d'Antin, 75009 Paris. *Répartition des troupes :* indépendants 34 %, en milieu socio-éducatif 26 %, en milieu scolaire et universitaire 25 %, issues des activités de comités d'entreprises 15 %.

Festival. *Mondial* tous les 4 ans à Monaco (1989 ; 93 ; 97). *Le Masque d'Or* les années paires.

☞ **Théâtre démontable.** *VIe s. av. J.-C. :* Thespis crée le genre avec son chariot ambulant. *V. 1870-80* grande période. *Jusqu'en 1940 :* + de 200 établissements (+ petits : 15 × 6 m, + grands : 40 × 13 m avec balcon). 200 à 1 000 places. *1960 :* les derniers ont disparu à cette époque. Le genre existe encore sous chapiteau : Jean Danet, De Blasiis, les Baladins du miroir (Belgique). *Quelques grandes baraques :* Camp, Créteur, Cavalier, Delemarre-Ferranti, Lamarche, Montanari. *Association :* les Amis du th. démontable 40, rue Blasset, 80000 Amiens. Musée du Th. Forain 45410 Artenay.

Prix théâtraux

Arletty du Théâtre. **Créé** 1989, Pte-fondatrice : Fanny Vallon (théâtre écrit par des femmes). **Montant :** une peinture ou une sculpture d'un artiste de renom. **Lauréats : 1989** Dominique Blanc. **90** Sonia Volloreaux. **91** Christine Murillo. **92** Zabou.

Brigadier. **Créé** 1960 par l'Association de la Régie Théâtrale qui regroupe les régisseurs dep. 1911. **Lauréat : 1993** Jorge Lavelli (Macbett).

CIC du Théâtre (1er prix 700 000 F) Jacques-Pierre Amette.

Dominique. **Créé** 1953 par Léon Aronson († 1984).

Fauteuil d'Or. **Créé** 1991, programmation d'un théâtre.

Gérard Philipe. **Créé** 13-4-1962, décerné par la Ville de Paris à un acteur français de – de 35 ans (40 000 F). **Lauréats : 1990 :** Maria DE MEDEIROS. **91 :** Stéphane BIERRY et Patrick PINEAU.

Jeune Théâtre. **Créé** 1983.

Littérature Dramatique. **Créé** 1940.

Molières 1992. **Créé** 1985. **Lauréats 1993 : Spectacle subventionné :** La Serva amorosa ; **privé :** Temps contre temps ; **de la décentralisation :** Edwige Feuillère en scène ; **comique :** les Pieds dans l'eau ; **musical :** Mortadela. **Comédienne :** Edwige Feuillère (Edwige Feuillère en scène). **Comédien :** Michel Aumont (Macbett). **Second rôle, comédienne :** Françoise Bertin (Temps contre temps), **comédien :** Jean-Pierre Sentier (l'Église). **Révélation théâtrale :** Emmanuelle Laborit (les Enfants du silence). **Metteur en scène :** Laurent Terzieff (Temps contre temps). **Auteur :** René de Obaldia (Monsieur Klebs et Rozalie). **Décorateur et créateur de costumes :** Nicky Rieti et Nicole Galerne (Légendes de la forêt viennoise). **One-man-show :** Rufus (Qui vous savez). **Adaptation d'une pièce étrangère :** Jean Dalric et Jacques Collard (les Enfants du silence).

Plaisir du Théâtre (et *prix J.-Jacques Gautier*). **Créés** 1971 par Marcel Nahmias, encouragement d'ordre général à une personne ayant rendu service au théâtre (auteur, compagnie, etc.).

SACD (Grands prix et prix Nouveaux Talents Théâtre). **Créés** 1945. *Prix Suzanne Bianchetti* (créé 1950, décerné à une jeune comédienne).

Syndicat de la Critique. **Créé** 1962 (Origine : Association de la Critique créée 1877) ; *Spécialités :* 14 (meilleures créations, révélations...).

Théâtre (Grand Prix du). **Créé** 1980. *Attribué* par l'Académie française. **Montant :** 50 000 F. **Lauréats : 1980** Jean ANOUILH. **81** Gabriel AROUT. **82** George NEVEUX. **83** Marguerite DURAS. **84** Jean VAUTHIER. **85** René de OBALDIA. **86** Raymond DEVOS. **87** Remo FORLANI. **88** Loleh BELLON. **89** François BILLETDOUX. **90** Jean-Claude BRISVILLE. **91** Jean-Claude GRUMBERG. **92** non décerné.

Théâtre (Grand Prix national du). **Créé** 1969. **Montant :** 20 000 F. **Décerné** en déc. à Paris par la Direction du théâtre et des spectacles. **Lauréats : 1969** Eugène IONESCO. **70** Jean DASTÉ. **71** Jacques LEMARCHAND. **72** Madeleine RENAUD. **73** Jean-Denis MALCLÈS. **74** Jean-Louis BARRAULT. **75** Samuel BECKETT. **76** Roger BLIN. **77** François PÉRIER. **78** Jacques NOËL. **79** Roland DUBILLARD. **80** Jean ANOUILH. **81** Andrée TAINSY. **82** André ACQUART. **83** Denise GENCE. **84** Laurent TERZIEFF. **85** Ariane MNOUCHKINE. **86** aucun lauréat. **87** Antoine VITEZ. **88** Armand GATTI. **89** Pierre DUX. **90** Maria CASARÈS. **91** Claude REGY.

U. **Créé** 1954 pour l'auteur d'une pièce qui n'a pas déclenché le succès mérité.

CIRQUE

■ **Origine.** *Créé* en G-B en 1769/70 par Philip Astley (8-1-1742/1814). Au début, clowns à cheval puis clowns acrobates, jongleurs, etc.

1ers **cirques fixes : Allemagne :** *C. de Berlin* (1839) *et Renz* (1843). 1re direction : Dejean. **États-Unis :** *Bill Ricketts* (1790 env.), *Adam Ringling Brothers, Forepaugh,* puis *Ringling Bros and Barnum Bailey.* [Phineas Taylor Barnum (5-7-1810/7-4-1891), vendeur en épicerie et représentant en chapeaux, se spécialisa dans l'exhibition de phénomènes vrais ou truqués, ex. : Joice Heth (vieille Noire dont il fit la nourrice de George Washington) ; femme à barbe ; sœurs siamoises et nains, ex. : à New York, en 1851, le nain Charles Stratton (1819-79 ou Gal Tom Pouce). *1871* s'associe avec Bailey]. **France :** *(Paris) Amphithéâtre Astley* (1780-1802), bd du Temple, vendu 1795 à Antonio Franconi. *C. Olympique* (1807-62), *C. des Champs-Élysées* (C. d'été, 1841-1900), *C. Napoléon* (C. d'hiver, 1852), *C. Fernando* (1873 Médrano puis Montmartre, 1963-1973), *Nouveau Cirque* (Arènes nautiques, 1875-1927), *C. Métropole* (C. de Paris, 1906-30), *Hippodrome de la place Clichy* (1900 ; plus tard Gaumont-Palace). **G-B :** *C. Philip Astley* [Astley's Riding School 1770 (1er cirque puis Royal Amphitheatre of Arts 1780), *C. Royal* (Royal Circus) de Hughes.

■ **Cirques principaux. Étrangers. Afrique du Sud :** Boswell-Wilkie. **Allemagne :** Corty Althoff, Barum, Busch-Roland, Kröne, Sarrasani (disparus : Renz, Carola Williams, Hagenbeck). **Angleterre :** Mary Chipperfield, Tower Circus (Blackpool, c. fixe), Austen Bros, Robert Bros, Jerry Cottle, Billy Russel (Great Yarmouth, c. fixe), Hoffmann, Robert Fossett (disparus : Mills, Chipperfield, Billy Smart, David Smart). **Australie :** Ashton. **Belgique :** C. Royal de Bruxelles (disparus : Dejonghe, Semay Piste). **Chine :** C. d'État. **Danemark :** Arena, Arli, Benneweiss, Bunger, Carneval, Vivi Roncelli (disparus : Miehe, Schuman). **Espagne :** Americano, Atlas, Christo, Monumental, Price, Tonetti. **États-Unis :** Clyde Beatty-Cole Bros, Hamid-Morton, Mills Bros, Polak Bros, Ringling Bros and Barnum et Bailey (le + grand cirque du monde : 2 éditions simultanées, 300 artistes par spect.), Vargas, King Bros. **Irlande :** Fossett. **Italie :** Americano (Togni), Embell-Riva, Liana et Rinaldo Orfei, Medrano, Nando et Moira Orfei, Palmiri, Darix Togni, Tribertis, Nyuman, Cesare Togni (disparus : Biasini, Travaglia). **Norvège :** Arne Arnardo. **Pays-Bas :** Boltini (disparus : C. Carré, Strasburger). **Suède :** Benzo, Ray Miller, Scala, Scott. **Suisse :** Knie, Nock, Olympia, Stey.

Français. Disparus récemment : Amar (Frères Rech), Bureau, Loyal, Pauwells, Radio Circus (1949-55), Reno, Grand Cirque de Fr. (1959-65), cirque Jean Richard (1974-76), Lamy (1836-1952), Francki, Pourtier, Rancy Carrington. **Itinérants :** Bouglione (Joseph B. 1904-87, Émilien B., Alexandre B.), Grüss (Arlette, Alexis, Christiane), Lamy Frères, Pinder Jean Richard (dir. Eldestein), Diana, Moreno-Bormann, Achille Zavatta (Frères Micheletty), Zavatta fils (Lydia et William Z). **Fixes :** C. d'Amiens (fondé par les Rancy, 2 700 pl.), Châlons-sur-Marne, Douai, Paris (cirque d'Hiver), Reims, Troyes.

■ **Écoles de cirque. En France :** *École nat. du cirque* (2, rue de la Clôture, 75019 Paris) : P^te^ : Annie Fratellini, 100 élèves chaque année à partir de 8 ans, les mercredis et samedis, 100 de + de 16 ans tous les j. 3 ans d'études menant à un CAP d'État (contrat d'association avec l'État). *École nat. supérieure des arts du cirque* (Châlons-sur-Marne) : à partir de 16 ans. **Étranger :** *Moscou* (dep. 1929), *Budapest, Bucarest, Kiev, Le Caire, New York* (Big Apple), *Prague ; Australie, Canada, Chine, Corée, Allemagne.*

■ **Clowns. Du passé :** *Alex* Bugny de Brailly 1897-1983. *Antonet* Umberto 1872-1935. *Auriol* Jean-Baptiste 1806-81. *Bagessen* Carl 1858-1931, « casseur d'assiettes ». *Bario* [Meschi : Alfredo dit Freddy 1922-88, Bario (Manrico) 1888-1974 son père, Nello n. 1918 son frère et son ép. Henny]. *Beby* Aristodemo Frediani 1885-1958. *Belling* Tom, comique du XIXe s., le 1er auguste de la tradition. *Bocky* Roger Meslard 1927. *Boswell* James Clemens 1820-59. *Boulicot* Alphonse 1878-1957. *Boum-Boum* Geronimo Medrano 1849-1912. *Cairoli* Charlie 1910-80. Jean-Marie 1879-1956, son père. *Carl* George 1914. *Ceratto* Leonardo 1870-1926, auguste « bégayeur ». *Chadwick* 1838-99, maître de manège parodique. *Charly* Jacques Brice 1920. *Chocolat* Raphaël Padilla 1868-1917, son fils Eugène Grimaldi 1891-1934. *Culbuto* Maurice Dupont 1921. *Dario* Dario Meschi 1880-1962, Willy 1920 son fils. *Dimitri* D. Müller 1935. *Enguibarov* Leonid 1935-72. *Etaix* Pierre 1928. *Foottit* Tudor Hall 1864-1921. *Francesco* Enrico 1912-83, Ernesto 1917, Francesco 1922. *Fratellini* Louis 1868-1909, Paul 1877-1940 (dont Victor, dont Annie), François 1879-1951 (dont Henri 1906-68, Popol 1912-64, Baba 1914-81), Albert 1886-1961. *Frégoli* 1867-1936. *Griebling* Otto 1897-1972. *Grimaldi* Giuseppe 1713-88, 1er clown de scène, Joe 1778-1837, son fils. *Grock* Adrien Wettach 1880-1959, Suisse, *Gruss* André, dit Dédé 1919, Alexis 1944, son fils. *Houcke* Sacha senior 1923-89, dresseur. *Iles* Charley William 1876-1945. *Jacobs* Lou 1903. *Karandach* Mikhaïl Roumiantsev 1901-83. *Léonard* Eugène 1905-83. *Little Walter* Ulrich Alexandre 1879-1937, son fils dit Joe 1904-86. *Loriot* Georges Bazot 1884-1973. *Loyal* Théodore 1829-79, régisseur et maître de manège ; auguste : Émile 1886-1965 ; Georges 1900-69. *Maiss* Louis Maïsse 1894-1974. *Manetti* Charles 1901-69. *Mimile* Emilius Coryn 1914-84. *Nino Fabri* Jean-Antoine Arnault 1904-83. *Pipo* Gustave Joseph Sosman 1901-70, Philippe 1949 son fils. *Popof* Oleg 1930. *Porto* Arturo Mendez d'Abreu 1888-1941. *Rhum* Enrico Sprocani 1904-53. *Rivels* Charlie 1896-1983, Polo 1899-1977, René 1904-76. *Rudi-Llata* trio espagnol. *Saunders* Billy XVIIIe s., 1er clown de cirque. *Zavatta* Achille 1915, Rodolphe 1906.

Contemporains : les Alexis, Babusio, Buffo, les Carioli, les Chabri, les Chicky, Annie Fratellini (1935), les Folcos, Tino Fratellini, Petit Gougon et Eddy Sosman, les Martini, Popov (1930), les Rastelli, les Ricos, les Rivellino, Davis Shiner.

■ **Statistiques** (France). **Artistes** env. 200. **Employés** env. 1 500. **Cirques** 20 [dont env. 15 petites entreprises familiales (900 employés) et 4 « grandes »]. **Assistance :** env. 4 millions de spectateurs par an ; 10,5 % des Français sont allés au cirque ces dernières années ; 9,7 % au cours des 12 derniers mois dont 7,4 % de l'ensemble de la pop. 1 seule fois (soit 77,7 % des spectateurs), 1,4 % 2 fois (14,7), 0,4 % 3 ou 4 fois (4,1). 0,3 % y étaient allés seuls.

Budget. *Frais quotidiens :* petits cirques 25 000 à 50 000 F, grands c. 75 000 à 100 000 F. *Coût d'un orchestre* (5 musiciens) par soirée : 2 800 F ; *d'un bon numéro :* 800 à + de 5 000 F par spectacle; *de 1 t de foin :* 200 F (un éléphant en consomme plus de 200 kg par j.) ; *d'un lion :* quelques dizaines de milliers de F (prix d'achat et dressage, consomme de 5 à 10 kg de viande par j) ; *de 1 toile de chapiteau :* 250 000 à 600 000 F (à renouveler tous les 3/4 ans). *Places :* 60 à 150 F. **Subvention de l'État** (en millions de F). *1983 :* 12,07 ; *84 :* 15,07 ; *85 :* 18,6 ; *86 :* 25,6 ; *88 :* 24,3 dont Assoc. nat. pour le dévelop. art. du cirque 5,6 ; Cirque Grüss 4,6 ; Fest. mond. Cirque de demain 0,5 ; École du Cirque de Châlons 13,6 ; Gd Prix nat. du Cirque 0,05 ; *92 :* 11.

■ **Statut** (France). *Av. 1978,* non reconnu officiellement comme un art du spectacle. *1979,* création d'un fonds de modernisation du cirque pour 2/3 subventions du min. de la Culture, 1/3 cotisations des cirques bénéficiaires. *1986,* remplacée par l'ANDAC : Association Nationale pour le Développement des Arts du Cirque. **Revues spécialisées :** « le Cirque dans l'Univers », « Bretagne Circus ».

MARIONNETTES

■ **Nom.** Diminutif altéré de Mariette, Marion, petite Marie, qui désignaient au Moyen Âge des figurines représentant la Vierge. **Origine.** *XIXe s. av. J.-C. :* animation des statues sacrées dans les temples d'Égypte. *XIe s. av. J.-C. :* marionnettes à tige et silhouettes animées improvisent sur le thème des grandes épopées mythologiques en Inde et en Indonésie. *470 av. J.-C. :* Korokosmia en Grèce antique. *Moyen Âge :* en Europe, représentations religieuses dans les églises. **Type selon l'animation.** *Inférieure,* marotte, à tige ou à gaine ; *supérieure,* à fil ou à tringle ; *postérieure* (ombres, Bunraku).

■ **Dans le monde. Quelques noms. Allemagne :** Kasper. **Angleterre :** Punch. **Autriche :** Kasperl (Vienne). **Belgique :** Tchantchès (Liège). **Espagne :** Orlando, Don Cristobal Polichinela (XVIIe). **France :** Guignol (créé fin XVIIIe par Mourguet à Lyon), Lafleur (Amiens). **Grèce :** Karaghiosis. **Inde :** Vidouchaka. **Italie :** Pulcinella (Naples, XVIe), Girolama (fin XVIIIe, Milan), Cassandre (Rome), Pantalone (Venise). **Japon :** Kuraku-za (XVIe). **Indonésie** *(Bali) :* les Wayangs (ombres avec silhouettes en buffle découpé). **Pays-Bas :** Jean Klaasen, Jean Pickelhoering. **Russie :** Petrouchka. **Tchéc. :** Kasparek. **Turquie :** Karagöz.

Musées. Allemagne : Dresde, Munich. **France :** Musée des arts et traditions populaires (Paris), m. Kwok On (mar. asiatiques, Paris), m. historique (Lyon). **Pays-Bas :** La Haye. **Russie :** Moscou. **Suède :** Stockholm. **Tchéc. :** Chrudim.

Théâtres professionnels (nombre) : All. 360, Italie 150, Espagne 128, ex-Russie 107, G.-B. 85, Autriche 70, Belgique 45, Norvège 32, Pologne 25, Tchéc. 22, Roumanie 19, Yougoslavie 19, Hongrie 14 (mais beaucoup de th. amateurs), P.-Bas 14, Grèce 10, Danemark 6, Finlande, Suisse 5, Suède 2, Islande 1.

■ **En France. Associations.** *Association nationale des théâtres de marionnettes et des arts associés* 40, rue Sedaine, 75011 Paris. *Marionnette et thérapie* 14, rue St-Benoît, 75006 Paris. *Théâtre de la marionnette* 20, rue St-Nicolas, 75012 Paris. *Institut intern. de la marionnette,* créé 1981, 7, place Winston-Churchill, 08000 Charleville-Mézières. *École nat. sup. des arts de la marionnette,* créée 1987, 7, place Winston-Churchill, 08000 Charleville-Mézières. *Assoc. nat.*

ÉTABLISSEMENTS D'ACTION CULTURELLE

Nombre. Au 1-1-1991 : 61 établ. reconnus par le ministère de la Culture, sous tutelle de la Direction du Théâtre et des Spectacles.

Missions. Être des lieux de production artistique ; organiser la confrontation des formes artistiques en privilégiant la création contemporaine ; constituer des lieux de référence au niveau national et international dans l'un ou l'autre domaine de la culture contemporaine (ainsi *Amiens* pour édition et recherche sur l'identité régionale, *Bourges :* théâtre avec l'Atelier théâtral national, *Créteil :* danse, *Montbéliard :* arts plastiques et vidéo, *Villeneuve-lès-Avignon :* nouvelles technologies) ; transformer les comportements à l'égard de la création artistique et participer au développement culturel de la cité.

Fonctionnement. Gérés, dans le cadre de l'entreprise privée, par des assoc. loi 1901 dont l'État et les collectivités locales qui financent sont membres de droit, minoritaires. Le directeur, nommé par le conseil d'administration avec l'agrément des tutelles, sur la base d'un projet culturel et artistique triannuel, est seul responsable devant le conseil de la gestion, du choix du personnel, de la conception et de la réalisation du projet d'activités. Les équipements appartiennent à la collectivité locale qui les met gratuitement à la disposition de l'association.

Aide financière de l'État *(1991) :* crédits de fonctionnement 231,7 millions de F, d'équipements 47,5 millions de F.

MAISONS DE LA CULTURE

Créées à partir de 1960, dans le cadre du VIe plan, sur l'initiative d'une municipalité, en accord avec l'État. **Financement** *(équipement et fonctionnement) :* État 1/2, collectivités locales 1/2.

Nombre. 11. En *1991 :* Amiens (créée 1965), Bourges (1963), Chambéry (1964), Créteil (1975), Firminy (1965), Grenoble (1966), Le Havre (1961), Nevers (1970), Reims (1956), Rennes (1963), La Seine-St-Denis (1973).

Spectateurs payants. *(1982-83)* Amiens 44 855. Bourges 29 292. Chalon-sur-Saône 41 758. Chambéry 18 852. Créteil *(1988-89)* 98 000. Firminy 5 962. Grenoble 92 241. La Rochelle 88 423. Le Havre 90 877. Nevers 42 402. Reims 106 612. Rennes 97 720. Seine-St-Denis 77 626.

Nota. – Dans les maisons de la culture ayant des adhérents, ceux-ci représentent 78 % des spectateurs.

CENTRES D'ACTION CULTURELLE

Créés à partir de 1968. **Financement :** *fonctionnement* État : 1/3, Coll. loc. 2/3 ; *équipement :* État 1/2, Coll. loc. 1/2.

Nombre *(1990) :* 26. Angoulême, Annecy, Avignon, Belfort, Cergy-Pontoise, Le Creusot, Douai, Évry, La Guadeloupe, Istres, Mâcon, Malakoff, Marne-la-Vallée, La Martinique, Montbéliard, Mulhouse, Nantes, Orléans, Paris XIV (Th. Silvia-Monfort), St-Brieuc, St-Médard-en-Jalles, St-Quentin-en-Yvelines, Sartrouville, Sceaux, Villeneuve-d'Ascq.

NOUVELLES STRUCTURES

Financement : en partie par l'État. **Reconnues** en 1983. Centre de développement culturel de Calais ; c. d'action culturelle de Dole et de la région jurassienne ; c. de développement culturel « Le Parvis » à Ibos-Tarbes (financement : État-mécénat privé) ; « Lieux publics » association issue du c. d'action culturelle de Marne-la-Vallée.

☞ En 1991, Maisons de la Culture, Centres d'action culturelle et Centres de développement culturel ont pris le nom de Scènes nationales.

des amis de la mar., 16, rue Théophraste-Renaudot, 75015 Paris. *Sté des amis de Lyon et de Guignol.*

Bibliothèques. *Département des Arts du spectacle (Bibl. nationale)* à la bibl. de l'Arsenal, 1, rue Sully, 75004 Paris. *Médiathèque de l'Institut intern. de la Mar.*, 7, pl. Winston-Churchill, 08000 Charleville. *Centre de doc. de la marionnette de la bibl. municipale de Roubaix*, 13, rue du Château, 59100 Roubaix.

Compagnies. (1992) 350.

Théâtres fixes. Amiens, Angoulême, Beaune, Charleville-Mézières, Fontenay-sous-Bois, Lyon, Marseille, Metz, Montélimar, Nantes, Orléans, Paris (TAC-Studio, les « Guignol » des squares parisiens (ceux du jardin du Luxembourg, du Champ-de-Mars et du parc Montsouris jouent toute l'année), Roubaix, Toulouse Blagnac, Vincennes. Programmation saisonnière (Maisons de la Culture, CAC).

Budget consacré par le min. de la Culture à l'ensemble de la profession spécialisée dans la marionnette (en millions F). *1981* : 1,6 ; *82* : 6,3 ; *83* : 7,6 ; *91* : 14,9 (dont 8,9 pour 45 compagnies).

PRINCIPAUX FESTIVALS

Légende. – (1) Musique. (2) Art dramatique. (3) Danse. (4) Folklore.

Allemagne. *Ansbach* (Bach, juil.-août), *Bad Ersfeld* (id.), *Berlin* (fév.-mars-mai-août-nov.) [1, 2, 3], *Bayreuth* (Wagner, juil.-août), *Bleckede* (mai-juin) [1]. *Bonn* (Beethoven, mai-sept.), *Donaueschingen* (oct.) [1], *Dresde* (mai-juin), *Düsseldorf* (nov.) [2], *Frankfurt* (août-sept.) [1]. *Halle* (Haendel, juin), *Kassel* (nov.) [1]. *Leipzig* (Bach, sept.) [1], *Ludwigsburg* (mai-sept.) [1], *Munich* (juil.-août) [1, 2], *Schwetzingen* (avril-juin), **Autriche.** *Bregenz* (juil.-août) [1]. *Graz* (oct.) [1, 2, 3]. *Innsbrück* (août) [1]. *Linz* (sept.) [1]. *Salzbourg* (juil.-août) [1]. *Vienne* (mai-juin) [1, 2, 3]. *Ossiach-Villach* (juil.-août). **Belgique.** *F. des Flandres* (avril-oct.) [1]. *F. de Wallonie* (juin-oct.). *F. du jeune Th. de Liège* (les Nuits de Septembre) [1]. *Chatelet* (sept.-oct.) [1]. *Chimay* (juin-juil.). *Louvain* (oct.) [3]. *St-Hubert* (juil.). *Spa* (août) [1, 2, 3]. *Stavelot* (août). **Bulgarie.** *Sofia* (mai, juin) [1]. *Varna* (juin-août.) [1]. **Danemark.** *Copenhague* (juil.) [3]. **Espagne.** *Barcelone* (oct.) [1, 2, 4]. *Cordoue* (juin-juil.) [1]. *La Corogne* (juil.-août). *Cuenca* (mus. relig. mars-avril). *Grenade* (juin-juil.) [1, 3, 4]. *Jaca* (juil.-août) [4]. *Madrid* (oct.-sept.) [1]. *Niebla* (juil.-août) [3]. *Santander* (août). *Séville* (juin-juil.) [3]. **Finlande.** *Helsinki* (août-sept.) [1, 3]. *Savonlinna* (opéra, juil.).

France. (mois du début). **Janvier** : *Fondation Maeght* [1]. **Mars** : *Valenciennes* (juin) [1, 2, 3]. **Avril** : *Évian* [1]. *Lourdes* [1]. *Paris* [1] (dep. 1974). *Agen* [1] (chorales). *Strasbourg* (chant choral, avril). **Mai** : *Bourges* [1]. *Évian* [1]. *Mulhouse* [3]. *Nancy* [2] (créé par Jack Lang, repris par Lew Bodgen). *Versailles* [1, 2, 3]. **Juin** : *Angers* [2]. *Annecy* (août) [2]. *Arras* [2]. *Auxerre* [1]. *Beaune* [1] (juil.). *Côtes méditerranéennes* [fest. méd. [1], 16 villes côtières différentes (juin-août) : classique, lyrique, folkl., jazz (créé 1976)]. *Divonne-Les-Bains* [1]. *Dijon* [1]. *Lyon* [1, 2]. *Montpellier* (juil.) [1, 2, 3]. *Mulhouse* [1] (F. Bach). *Nantes* [2]. *Paris*, f. du Marais (juil.) [1, 2, 3, 4] (dep. 1962). *Petersbach* [1, 4]. *Tours* [1]. **Juillet** : *Aix-en-Pr.* [1, 2]. *Albi* [1]. *Antibes-Juan-les-Pins* [1]. *Arles* [3]. *Avignon* (juil.-août) [1, 2, 3], créé 1947 par Jean Vilar ; Entrées 1992 : 106 000, budget (1993, en millions de F) : 32 dont subventions (en %) 60, mécénat 5, recettes propres 35. *Carcassonne* [2]. *Carpentras* (août) [1]. *Castres* [1, 2, 3]. *Châteauvallon* [1]. *Gannat* [4]. *Gourdon* [1]. *Les Baux* [3]. *Montguyon* [4]. *Montignac* [1, 3, 4]. *Montpellier* [3]. *Mont-Saint-Michel* (août) [1]. *Nice* [1]. *Nîmes* [1, 3]. *Orange* (août) [1]. *Paris* [1] (f. estival ; 15 juil.-29 août). *Prades* (août) [1]. *St-Donat* (août) [1]. *St-Pierre-la-Chartreuse* [1]. *Saintes* [1, 4]. *Sceaux* [1]. *Sète* [1, 2]. *Vienne* [1]. **Août** : *Annecy* [2] (th. rel.). *Confolens* [4]. *Croisière en Méditerranée* [1]. *Évian* [2] (plein air). *La Chaise-Dieu* (sept.) [1]. *Semaines musicales du Luberon* [1]. *Menton* [1]. *Montoire* [1, 3, 4]. *Ramatuelle* [2]. *Salon-de-Provence* [1]. *Sarlat* (juil.-août) [2]. *Toulouse* [1]. *Uzeste* [1]. *Vichy* [1]. **Sept.** : *Ambronay* (sept.-oct.) [1]. *Besançon* [1]. *Chartres* [1] (sept., samedis musicaux). *Parc du Haut-Languedoc* [1] (f. Bach). *Lyon* [1] (f. Berlioz). *Orthez* [1]. *Ribeauvillé* [1]. *St-Jean-De-Luz* [1]. *Strasbourg* [1] (créé 1932, oct.) **Oct. nov.** : *Lille* [1, 2, 3, 4]. **Novembre** : *Bordeaux* [1, 2] (Sigma). *Cannes* [3]. *Paris* (sept.-déc.) [3]. *Metz* [1, 2]. **Décembre** : *Rennes* [1]. **Grande-Bretagne** Aberdeen (août) [1, 3]. Aldeburgh (juin) [1]. Arundel (août-sept.) [1, 3]. Bath (mai-juin) [1, 2]. Brighton (mai). Billingham (août) [4]. Cheltenham (juil.) [1]. Édimbourg (août) [1, 2, 3]. Glyndebourne (mai-juil.). Harrogate (juil.-août). Hereford [1], Gloucester [1], Three Choirs (août-sept.) [1], formé par roulement des chœurs de Hereford, Gloucester et Worcester. Huddersfield (nov.) [1]. Londres (mars) [1]. Salisburg (sept.) [1]. Sheffield (mai) [1]. Sidmouth (août) [1, 3, 4]. **Grèce** Athènes (juil.-sept.) [1, 2, 3]. **Hollande** Festival (mai) [1, 2, 3]. **Hongrie** Budapest (F. de printemps ; mars-juin-juil, sept.-oct.) [1, 2, 4]. **Irlande** Wexford (oct.-nov.). **Islande** Reykjavik (juin). **Israël** Césarée, Jérusalem (mai-juin) [1, 2, 3], Tel-Aviv (août-sept.) [1, 3, 4]. **Italie** Arezzo (juin) [1]. Boya (juil.-août). Cervo (juil.-août) [1]. Florence (avril-juin) [1, 3]. Gênes (juil.) [3]. Martina-Franca (juil.-août) [1]. Monreale. Pésaro (août) [1, 2]. Pérouse (sept.-oct., mus. sacrée). Ravenne (juin-juil.). Rome (juil.-août). Spolète (juin-juil.) [1, 2, 3]. Stresa (août-sept.). Taormine (août). Turin (août-sept.). Venise (mus. contemp. tous les 2 ans en sept.). Vérone (juil.-sept.) [1, 3]. Brescia-Bergame (mai-juin) [1]. **Japon** Osaka (avril) [1, 2, 3]. **Luxembourg** Echternach (mai-juin) [1]. **Monaco** Monte-Carlo (avril-mai) [1, 2, 3]. **Norvège** Bergen (juin) [1, 2, 3]. Molde (juil.) [1]. Oslo (août) [1]. **Pays-Bas** F. de Hollande (juin) [1, 2, 3] (Amsterdam, La Haye, Rotterdam). **Pologne** Varsovie (Automne de Vars., mus. contemp., sept.) [1, 4]. Wrocław (Breslau, sept.) [1]. **Portugal** Estoril (juil.-août) [1, 2, 3, 4]. **Slovaquie** Bratislava (sept.-oct.) [1]. **Suède** Drottningholm (mai-sept.) [1]. **Suisse** Engadine (juil.-août). Gstaad (juil.-sept.). Interlaken (fin juil.). Lausanne (mai-juil.) [1, 2, 3]. Lucerne (août-sept.) [1]. Montreux-Vevey (juil.) [1]. Zurich (juin-juil.) [1]. Fribourg (août) [1]. Sion (août) [1]. **Rép. tchèque** Brno (sept.-oct.). Prague (mai-juin) [1]. **Turquie** Istanbul (juin-juil.) [1, 2, 3, 4]. **Yougoslavie** Belgrade (oct.-nov.) [1]. Dubrovnik (juil.-août) [1, 2, 4]. Ohrid (juil.-août) [1, 2, 4]. Ljubljana (juil.-août) [1, 2, 3, 4]. Split (juil.-août). Zagreb (biennale) [1].

ATTENTATS POLITIQUES

LISTE NON LIMITATIVE

Nota. – (1) L'attentat échoue. *En italique* : auteurs des attentats.

Afghanistan. **1919**-*20-2* Habibullah Khan Émir. **1933**-*8-11* Nadir Shah. Roi. **1978**-*27-4* Mohammed Daoud. **1979**-*14-2* Adolph Dubs, amb. des USA. *-14-9* Nur Mohammed Taraki. Pt. *-27-12* Hafizullah Amin. Pt.

Afrique du Sud. **1966**-*6-9* H. F. Verwoerd, PM.

Algérie. **1967**-*6-1* Mohammed Khider, chef de l'opposition en exil, à Madrid. **1968**-*5-6* Houari Boumediene, Pt attaqué à la mitrailleuse sur l'esplanade d'Afrique, à Alger [1]. **1970**-*18-10* Krim Belkacen, V.-Pt du G.P.R.A.

Allemagne. **1844**-*26-7* Frédéric-Guillaume IV, r. de Prusse *(Tschesch)* [1]. **1850**-*27-5* *(Sofelage)*. **1861**-*14-7* Guillaume Ier *(Oscar Becker)* [1]. **1866**-*7-3* Bismarck *(Blind)* [1]. **1874**-*13-7* Prince Otto von Bismarck *(Kullman)* [1], à Bad Kissengen. **1878**-*11-5* Guillaume Ier *(Heinrich Max Hödel)* [1]. *2-6 (Dr Karl Edouard Nobiling)* [1]. **1900**-*20-6* Baron Klemens von Ketteler, min. résident à Pékin. *16-11* Guillaume II *(Frau Schnapke* [1], déséquilibrée). **1919**-*15-1* Karl Liebknecht et Rosa Luxemburg, chefs révolutionnaires allemands *(escorte)*. **1919**-*21-2* Kurt Eisner, PM de Bavière *(Cte Arco-Valley)*. *12-4* Otto Newvig, dirigeant politique de Saxe *(opposants)*. *-8-10* Hugo Haase, député social-démocrate. **1921**-*26-8* Mattias Erzberger *(négociateur du traité de Rethondes)*. **1922**-*24-6* Walter Rathenau, min. des Aff. étrangères. **1934**-*30-6* Röhm, gén. von Schleicher, Klausener *(nuit des « longs couteaux »)*. **1938**-*7-11* Ernst von Rath diplomate *(Grynszpan)*. **1939**-*8-2* Hitler (1889-1945) *(Georg Elser)* [1]. **1943**-*13-3* (bombe) [1]. **1944**-*20-7* (bombe placée par le *colonel von Stauffenberg*) [1]. **1958**-*10-4* Konrad Adenauer (bombe) [1].

Angleterre, Irlande. **946**-*26-3* Edmond l'Ancien. **979**-*18-3* Edmond le Martyr. **1170**-*19-12* Thomas Becket, archev. de Canterbury. **1327**-*23-9* Edouard II. **1437**-*21-2* Jacques Ier d'Écosse. **1483**-*juill.* Edouard V. **1485** Richard III *(Henri Tudor)*. **1488**-*11-6* Jacques III d'Écosse. **1567**-*9-2* Darnley (Henri Stuart Lord), époux de Marie Stuart *(Bothwell)*. **1628**-*23-8* duc de Buckingham (favori) *(John Felton)*. **1812**-*11-5* Spencer Perceval, 1er ministre *(Bellingham*, fou). **1840**-*10-6* reine Victoria *(le maître d'hôtel Oxford)* [1]. **1849**-*19-5* *(William Hamilton)* [1]. **1872**-*29-2* *(O'Connor)* [1]. **1882**-*2-3* reine Victoria *(Roderick Maclean)* [1]. *-6-5* Lord F. Cavendish, secr. d'État pour l'Irlande. **1922**-*22-6* Maréchal de l'Air Henry M. Wilson. M. Collins, dirigeant révolutionnaire irlandais **1927**-*10-7* Kevin O'Higgins, vice-Pt de l'État libre d'Irlande. **1979**-*27-8* Lord Louis Mountbatten of Burma, dernier vice-roi des Indes, cousin de la reine, oncle du Pce Philippe ; son petit-fils Nicolas Brabourne (14 ans) ; 1 jeune garçon (15 ans) ; Lady Brabourne blessée († 28-8). par l'IRA. **1981**-*16-1* Bernadette Devlin Mc Alistey et son mari [1]. **1984**-*12-10* Mme Thatcher, à Brighton par l'IRA[1].

Arabie saoudite. **1975**-*25-3* roi Fayçal (1903) *(Pce Fayçal Ibn Abdel Aziz)*.

Argentine. **1970**-*début juin* Pedro Aramburu, ex-Pt (séquestré par les *Montoneros*).

Autriche. **1853**-*18-2* Francis Joseph, empereur *(Libenyi)* [1]. **1882**-*6-5* *(Overdank)* [1]. **1898**-*10-9* Elisabeth (n. 1837), impératrice, à Genève *(Luccheni)*. **1908**-*12-4* Alfred Potocki, gouverneur de Galicie *(Miroslas Siczynski)*. **1914**-*28-6* archiduc François-Ferdinand et sa femme, à Sarajevo *(Prinzip)*. **1916**-*21-10* Karl Sturgkh, chancelier PM *(Friedrich Adler)*. **1927**-*6-11* Karl Seitz, maire socialiste de Vienne *(nationalistes)*. **1934**-*25-6* Engelbert Dollfuss, chancelier *(Otto Planetta)*.

Bangladesh. **1975**-*15-8* Cheikh Mujibur Rahman Pt, Mansoor Ali, PM. **1981**-*30-5* Zia-Ur Rhaman, Pt.

Belgique. **1901**-*26-1* Baron Edouard Orban de Xivry, gouverneur *(Schneider)* à Arlon. **1950**-*18-8* Julien Lahaut, Pt du Parti communiste.

Birmanie. **1947**-*19-7* U Aung San, PM. **1983**-*9-10* (21 † dont 5 membres du gouv. de Corée du S.).

Bolivie. **1946**-*21-7* Gualberto Villarroel, Pt.

Brésil. **1897**-*5-11* Prudente Moraes, Pt *(Bispo de Melle)* [1]. Carlos Vbittencourt, min. de la Guerre.

Bulgarie. **1891**-*27-3* Belchev, ministre des Finances (3 balles, destinées au PM Stamboulov). **1895**-*15-7* Stephan Stamboulov, PM *(3 hommes dont Halju, exécuté en 1902)*. **1902**-*6-2* Kasanchev, ministre *(Kerandyoukov)*. **1907**-*11-3* Nicolas Petkov, PM. **1923**-*9-6* Alexandre Stamboulyski, PM. **1925**-*14-15/4* Boris III (bombe, *2 communistes*) [1]. **1943**-*28-8* *(Gestapo ?)*.

Burundi. **1961**-*13-10* Pce Louis Rwagasore *(un jeune Blanc)*. **1965**-*15-1* Pierre Ngendadumwe, PM.

Canada. **1970**-*oct.* Pierre Laporte, ministre du Travail du Québec.

Chili. **1986**-*7-9* Gal. Augusto Pinochet [1].

Chine. **1928**-*4-6* général Tchang Tso-lin, chef militaire et politique (bombe).

Colombie. **1990**-*22-3* Bernando Jamamillo Ossa, candidat Pt.

Congo. **1977**-*18-3* Harien Ngouabi, Pt.

Corée du Sud. **1979**-*26-10* Park Chung Hee, Pt (Kim Jal Kyu, chef de la CIA). Voir Birmanie.

Égypte. **1944**-*6-11* Lord Moyne, Ht commiss. au Moyen-Orient, au Caire *(terroristes israéliens)*. **1945**-*24-2* Ahmed Maher Pacha, PM. **1948**-*28-12* Nokrachy Pacha, PM Frères musulmans *(Abdul Meyed Hassan)*. **1967**-*18-9* maréchal Abdel Hakim Amer, second de Nasser *(hommes de Nasser)*. **1981**-*6-10* Anouar El Sadate, Pt *(militaires)*.

Équateur. **1875**-*6-8* Gabriel Garcia Moreno, Pt *(Manuel Cornejo, Roberto Andrade, Faustio Rago)*.

Espagne. **1852**-*2-2* Isabelle II *(Martin Merino*, prêtre) [1]. **1856**-*28-5* *(Raymond Fuentes*, moine) [1]. **1870**-*28-12* Gal Juan Prim, dictateur *(José Paúl y Angulo)*. **1872**-*19-7* Amédée Ier, roi [1]. **1878**-*25-10* Alphonse XII (*Juan Oliva Mencasi*, anarchiste) [1]. **1879**-*30-12* *(Francisco Gonzalez)* [1]. **1892**-*24-9* Gal Martinez Campos *(Paulino Pallás)* [1]. **1897**-*8-1* Canovas del Castillo, 1er min. **1905**-*1-6* Alphonse XIII *(anarchistes)* [1]. A Paris, avec Loubet. **1906**-*31-5* *(Mateo Morral, anarchiste)* [1]. La reine Victoria-Eugénie également visée. **1912**-*12-11* José Canalejas y Mendez, PM (*Pardina*, anarchiste). **1921**-*8-3* Eduardo Dato y Irader, 1er min. *(opposants)*. **1926**-*1-8* Miguel Primo de Rivera [1]. **1936**-*13-8* Calvo Sotelo, monarchiste *(amis du Pt Castillo*, tué par des fascistes). **1973**-*20-11* Carrero Blanco, PM.

☞ Suite, voir l'Index.

LES RELIGIONS

LES RELIGIONS DANS LE MONDE

Les statistiques anciennes prenaient soin de faire coïncider populations et religions, chacun étant censé appartenir à une religion. Aujourd'hui, on tend à ne compter que les adhérents explicites.

Les catholiques enregistrent les baptisés, mais, dans les pays latins, aucune statistique nationale ni même régionale ne regroupe les données locales. Dans certains pays (ex. : USA), on ne prend en compte que ceux qui fréquentent l'église. En Extrême-Orient, on peut être à la fois confucianiste, bouddhiste et taoïste et, au Japon, bouddhiste et shintoïste. Dans les pays « passés par le communisme », des statistiques fiables sont encore difficiles à obtenir. En Afrique, beaucoup d'animistes s'inscrivaient naguère à l'état civil comme chrétiens ou musulmans, alors qu'ils n'étaient ni l'un, ni l'autre. Aujourd'hui, l'animisme retrouve un regain de faveur sous l'appellation de religion traditionnelle et de culte des ancêtres.

Les chiffres ci-dessous (d'origine confessionnelle, étatique, encyclopédique) sont citées avec réserve.

NOMBRE EN 1990 (EN MILLIONS)

■ **Agnostiques et athées.** 1 099.

■ **Animistes** (1989). 200 : Afrique 130, Asie 60, Amér. du S. et Antilles 4, Océanie 1. (A l'animisme se rattachent le shintoïsme et le confucianisme, comme interprétations de l'animation du monde.)

■ **Bouddhistes.** 333 : Asie 301, Amér. du N. 0,5, du S. 0,5, ex-URSS 0,4, Europe 0,3, Océanie 0,02, Afrique 0,02.

■ **Chrétiens** (terme venant de Christ, apparu comme sobriquet v. 40 apr. J.-C. à Antioche). **% de chrétiens en 500** : 22,4 (dont Blancs 38,1). **1000** : 18,7 (Bl. + de 50). **XIX**e : 23,1 (Bl. 86,5). **1950** : 34,1 (Bl. 63,5). **1989** : 32,9 % (dont Blancs 47,4, Noirs 19,4, Métis 11,6, Mulâtres 11, Jaunes 7,2, Rouges 3,9). **Nombre :** 1862 : Amér. du S. 390,1, Europe 261,1, Asie 118,9, Afrique 116,7, Amér. du N. 95,6, Océanie 8, ex-URSS 5,5. **Catholiques :** 928,5 (Afrique 88,9, Amérique 461,3, Asie 86, Europe 285,3, Océanie 7 031). **Pays comptant le + de catholiques :** Brésil 121, Mexique 76, Italie 56, USA 53, *France 47,* Philippines 46, Espagne 38, Pologne 35, Argentine 29. All. féd. 28, Colombie 27. **Orthodoxes :** 166,9 : ex-URSS 92,2, Europe 35,9, Afrique 27,1, Amér. du N. 5,9, Asie 3,5, Océanie 0,6. **Protestants :** 363,3 dont Amér. du N. 94,9, Afrique 82,9, Asie 78,4, Europe 73,5, Amér. du S. 16,6, ex-URSS 9,7, Océanie 7,3.

Langues les plus parlées par les chrétiens : esp. 220 millions, anglais 200, portugais 140, allem., français, italien, russe, polonais, ukrainien, néerlandais.

% de croyants en Europe en 1983 : Irlande 95, Espagne 87, Italie 84, Belgique 77, G.-B. 76, All. féd. 72, P.-Bas 65, *France 62,* Danemark 58.

% de catholiques dans les pays de l'Est : Pologne 94, Tchécoslovaquie 65, Hongrie 60, Yougoslavie 26, Allemagne de l'Est 7, Roumanie 5, ex-URSS 4,2 (dont Lituanie 84, Biélorussie 20, Lettonie 20, Ukraine 10), Bulgarie 0,5.

■ **Confucianistes.** 342.

■ **Hindouistes.** 732 (Asie 99,4), Afrique 1,4, Amér. du N. 1,2, Amér. du S. 0,8, Europe 0,7, Océanie 0,3.

■ **Juifs.** 19,7 : Amér. 7,9 (dont du S. 1), Asie 5,4, ex-URSS 2,2, Europe 1,5, Afr. 0,3, Océanie 0,9.

■ **Musulmans.** 937 : Asie 612,8, Afrique 264, ex-URSS 38,6, Europe 12,5, Amér. du S. 1,3, Océanie 0,1.

■ **Sikhs.** 17,6.

■ **Taoïstes.** 20 : Asie 20 ; Amér. N. 0,03, S. 0,01.

■ **Zoroastriens.** 0,2 : Asie 0,2.

Association internationale pour la défense de la liberté religieuse (AIDLR). *Créée* 1946 par le Dr Jean Nussbaum (1888-1967). Statut consultatif auprès du Conseil économique et social des Nations unies (1978), du Conseil de l'Europe (1984) et de l'Unesco (1986). S'appuie sur l'art. 18 de la Déclaration universelle des droits de l'homme adoptée le 10-12-1948, voir Index. *Publication :* Conscience et Liberté (semestrielle), éd. en 7 langues. *Europe : Secr. général :* Dr Gianfranco Rossi, Case postale 219, 3000 Berne 32, Suisse. *France : Pt :* Maurice Verfaillie, 684, av. de la Libération, 77350 Le Mée-sur-Seine.

ANIMISME

■ **Origine.** Nom donné aux religions traditionnelles des Océaniens, Africains et aborigènes d'Asie. D'autres noms ont été peu à peu écartés : *fétichisme, naturalisme, polythéisme, totémisme, manisme, dynamisme, vitalisme.* Le *paganisme* (mot devenu péjoratif) désigne les croyances locales, par opposition aux religions nouvelles monothéistes (judaïsme, islam et christianisme), et par assimilation aux religions grecques et romaines de l'Antiquité.

■ **Principales caractéristiques.** Culte des ancêtres et des forces de la nature. Les morts sont vivants et agissants, ils peuvent être plus ou moins proches, bienfaisants ou hostiles (dans ce cas, il faut les apaiser par des rites appropriés). En général conscience d'un être suprême (Nyame, Mawu, Maangal, Neele, etc.), qu'on invoque mais auquel on ne rend pas de culte direct ; initiations (rites de passage à l'époque de la puberté) ; divinations (devins-guérisseurs, hommes-médecine) ; magie ; sociétés religieuses secrètes (la plupart ayant surtout un rôle politique, économique, ethnique ou tribal).

■ **Vaudou. Origine :** Bénin, Antilles (notamment Haïti), USA (Sud : Noirs), Brésil (sous le nom de *Macumba*). **Vaudou haïtien :** associe l'animisme africain, un rituel chrétien et des pratiques magiques [satanisme, ophiolâtrie (adoration du serpent), phallicisme]. Sectes diverses de types spontanés ; admettent en gén. un dieu unique, le *Grand Maître,* créateur des génies, vénérant les forces qui nous entourent personnalisées sous des noms divers, ex. le baron Samedi, dieu des cimetières et souverain des Morts ; la maîtresse Erzulie, déesse de l'amour ; la plupart des saints catholiques (notamment Thérèse de Lisieux), dont les fêtes sont célébrées aux dates du calendrier romain.

Chaque vaudouiste a son génie spécial, le *loa,* « maître-tête », qui prend possession de lui, grâce à des procédés rituels (la crise de loa), consistant surtout à manger certains produits (le manger loa). Une fois possédé par son loa, le vaudouiste devient son interprète : les paroles qu'il prononce sont considérées comme celles du loa.

Organisation : chaque confrérie vaudou est dirigée par un prêtre, le *hougan* (« maître de dieu » en dahoméen), ou une prêtresse, la *mambo.* Les *hounsi,* fils et filles spirituels, partagent les tâches auxiliaires : le *chef-cambuse* garde la pièce des offrandes, et les administre ; la *confiance* seconde le hougan ; *« la place »* (« commandant général de la place ») veille au bon ordre des chœurs ; la *reine chanterelle* dirige les chœurs. *Rites :* initiation après un « coma sacré » de 7 à 11 j puis 7 mois de retraite au couvent, le corps baissé vers la terre, dans l'obscurité et le silence, puis enseignement de langues sacrées. Initiation en 3 ans. Sacrifices d'animaux (dons expiatoires), suivis de danses rituelles incantatoires.

CATHOLICISME

L'Église catholique est une forme de la religion chrétienne (c.-à-d. fondée par Jésus-Christ), qui se rattache à l'ensemble des religions bibliques.

BASE BIBLIQUE

☞ Depuis le IVe s., et à cause de St Jean Chrysostome, le mot *Bible,* de Byblos (qui contrôlait le commerce de papyrus égyptien, signifiant cœur de papyrus et par extension livre) désigne uniquement les saintes Écritures.

■ **Croyance en l'inspiration biblique.** L'Église catholique croit la Bible inspirée par Dieu.

■ **Canon biblique.** Le mot grec *kanôn* (« règlement ») désigne la liste des textes bibliques reconnus officiellement comme inspirés. Les *orthodoxes* ont le même que les catholiques. Les *protestants* reconnaissent les 24 livres de la Bible hébraïque et les livres protocanoniques du Nouveau Testament ; ils appellent « apocryphes » les livres *deutérocanoniques,* qu'ils publient parfois en annexe dans leurs éditions.

■ **Ancien Testament. Fixation du canon.** Comprend la *Bible judaïque* dans son édition grecque des Septante : *1re partie : 39 livres hébraïques* (formant le 1er groupe de canons) : *Loi* 5 ; *Prophètes* 17 ; *Hagiographes* 17 ; *2e : 7 livres grecs* (2e gr. de canons) : *Hagiographes* 5 ; *Histoire* 2 (les *Macchabées).* Ce classement est légèrement différent de celui que fait le judaïsme (voir p. 536 b). *Vulgate* (de *vulgatus :* populaire, d'usage généralisé) : traduction latine faite par St Jérôme entre 391 et 405 à partir de l'original hébreu ; une nouvelle traduction a été promulguée par Jean-Paul II, le 25-4-1979.

Au IIIe s. on discuta des livres de l'Ancien Testament que l'on devait considérer comme canoniques. Origène exclut les livres grecs, tandis que certains auteurs ajoutèrent des apocryphes, comme le livre d'Hénoch, l'Ascension d'Isaïe, le IVe livre d'Esdras.

RÔLE DANS LA RELIGION CHRÉTIENNE : *1°) Autorité reconnue.* Par JÉSUS : la divinité de sa mission était prouvée par 2 « témoignages » : a) son don des miracles (témoignage du Père) ; b) le témoignage de l'Écriture (3 textes invoqués : lois de Moïse, Prophètes, Psaumes). Par le Credo : la résurrection de Jésus a eu lieu « conformément aux Écritures » *(secundum scripturas) ; 2°) Prophéties dites « messianiques ».* Voir § suivant ; *3°) Enseignement de la morale* (voir Décalogue, p. 486 b) ; *4°) Grandes vérités des récits bibliques.* Voir Judaïsme, p. 535 [le pape Pie X a affirmé le caractère « historique » des faits relatés par la Genèse (30-6-1909)].

En 1948, dans une lettre au cardinal Suhard, archevêque de Paris, puis en 1950, dans l'Encyclique *Humani generis,* Pie XII a autorisé les chercheurs catholiques à prendre les récits de la Genèse, notamment celui de la création d'Adam et d'Ève, dans un sens très large, pouvant se concilier avec la théorie de la multiplicité des premiers couples humains (considérée à l'époque comme la seule scientifiquement valable ; théorie de nouveau écartée).

Controverse avec le judaïsme. L'Église catholique entend (depuis St Paul) démontrer que les grands dogmes chrétiens (incarnation, venue du fils de Dieu sur Terre, salut par le baptême, etc.) sont annoncés par l'Ancien Testament : Jésus est préfiguré par 2 personnages bibliques différents dont il a fait la synthèse : le *Messie* (roi glorieux) et le *Juste souffrant* (homme de douleur) ; Marie est préfigurée par la *Zéra* (descendance d'Ève) ; l'Église est le *Royaume* restauré, etc. Le judaïsme a toujours contesté ces interprétations. Il n'admet pas que Jésus ait réalisé les espérances juives (au contraire, Jérusalem a été détruite et le peuple hébreu dispersé 40 ans après sa mort). Actuellement, l'Église insiste sur le sens religieux des promesses de l'Ancien Testament : salut de l'âme, pardon des péchés.

■ **Nouveau Testament. Définition.** Ensemble des textes sacrés postérieurs à la venue de Jésus au monde. Pour les Églises chrétiennes, comme pour l'islam, ils font partie de la Bible au même titre que les livres de l'Ancien Testament. Pour le judaïsme, au contraire, ils ne sont ni inspirés, ni sacrés, ni divins.

Fixation du canon. Sont déclarés *canoniques :* **1°) 20 livres protocanoniques** (c.-à-d. formant le 1er § du canon) : les 4 ÉVANGILES [les évangiles de St Marc auraient été composés en 65-70, St Luc v. 80, St Matthieu v. 80-90, St Jean v. 90 ; on a longtemps admis qu'ils avaient été écrits à l'origine en araméen (et retraduits en grec) ; or il semblerait qu'ils aient été écrits en hébreu : certains passages évangéliques (Matthieu, les 2 premiers chapitres de Luc sauf le recouvrement au Temple, Marc) se traduisent en hébreu presque au mot à mot]. Les ACTES DES APÔTRES, 15 ÉPÎTRES : la 1re de St Pierre, la 1re de St Jean et 13 de St Paul [réparties traditionnellement en 3 groupes : a) *grandes épîtres dogmatiques* (Romains, I et II Corinthiens, Galates) ; b) *ép. de la Captivité* (Philémon et les 3 ép. « christologiques » : Éphésiens,

Symboles des Évangélistes. Tirés de l'Apocalypse de St Jean (IV, 6-7) qui reprend lui-même un passage de l'Ancien Testament, la Vision d'Ézéchiel (I, 5, 13, 14). Le trône céleste (trône de l'Agneau pour St Jean) est entouré de 4 êtres surnaturels, dans lesquels l'Église primitive a vu les symboles des 4 évangélistes que St Jérôme et St Augustin ont ainsi répartis : *1°) le lion :* Marc (son évangile commence par des scènes au Désert) ; *2°) le taureau :* Luc (parle du prêtre Zacharie, membre de la tribu de Lévi dont le symbole est le taureau) ; *3°) l'aigle :* Jean (le prologue de son Évangile s'élève à des hauteurs vertigineuses) ; *4°) l'homme :* Matthieu (donne la généalogie humaine du Christ).

Philippiens, Colossiens) ; c) *ép. pastorales* (I et II Timothée, Tite)]. **2°) 7 livres deutérocanoniques** [appelés jusqu'au XVIe s. « discutés » (épithète forgée par le dominicain Sixte de Sienne)] : 6 ÉPÎTRES : [Hébreux (inspirée par St Paul, mais rédigée par St Barnabé, ou St Jude, ou Apollos d'Alexandrie) ; St Jacques ; II de St Pierre ; II et III de St Jean ; St Jude] : l'APOCALYPSE [*révélations sur Jésus* (voir p. 484 a) – *symbole des « 4 Cavaliers » :* 1er *conquête,* sur un cheval blanc, a un arc et une couronne, 2e *guerre,* cheval couleur de feu, a une grande épée, 3e *famine,* cheval noir, tient une balance, 4e *mort,* cheval vert jaune ; – *symbole des « 4 animaux »* (avec anges adorateurs se tenant autour du trône). 1er ressemble à un lion, 2e à un taureau, 3e à un homme, 4e à un aigle]. Du IIIe s. jusqu'au décret du pape Gélase (492-96), on hésita pour le Nouveau Testament, par suite de la parution de nombreux apocryphes et des attaques menées par des hérétiques comme Marcion (par ex., il y a eu doute sur la canonicité de l'Apocalypse).

Apocryphes. Livres non canoniques (c.-à-d. exclus du canon). ÉVANGILES : *1°) Fragmentaires :* papyrus divers (Fayoum, Egerton, Oxyrhynchos, etc.) ; Évangiles judéo-chrétiens ; des Égyptiens ; de Pierre ; des chefs de sectes (Basilide, Marcion). *2°) Entiers :* cycle de la parenté de Jésus (protévangile de Jacques, Dormition de la Mère de Dieu) ; cycle de l'Enfance (récits de Thomas, évangile arabe) ; cycle de Pilate. ACTES : *1°) Anciens :* de Jean (avant 50, d'après une étude du fragment 795 des manuscrits découverts à Qumrân), de Paul, de Pierre, d'André, de Thomas. *2°) Plus récents :* à 2 personnages (Pierre et Paul, André et Mathias, Pierre et André, Paul et André) : à 1 [Philippe, Barthélemy, Barnabé, Thaddée (avec la correspondance entre Jésus et Abgar)]. ÉPÎTRES. Paul (aux Alexandrins, aux Laodicéens, IIIe aux Corinthiens) ; Lettre des Apôtres (Jérusalem, IIe s.). APOCALYPSES : Pierre, Paul, Thomas. En 1945, à Nag Hammadi (Hte-Égypte), on a découvert des apocryphes du IIIe s., notamment l'Évangile selon Thomas ou les « Paroles de Jésus », donnant des variantes.

■ **Versions allemandes de la Bible.** *1510-22 : Luther :* traduction, condamnée en 1523 pour 1 400 erreurs de traduction et d'interprétation. La plus notable (corrigée dans les versions modernes) introduit un adjectif dans l'Épître aux Romains (III, 28) : « L'homme est justifié sans les œuvres par la foi (seule). » *1735 : J.L. Schmidt :* « rationaliste » (1735), inachevée, expliquant de façon naturelle tous les passages contenant du « merveilleux biblique ».

■ **Versions françaises.** *1523 : Jacques Lefèvre d'Étaples* (v. 1450-1536, Fr.) : mise à l'index à cause de notes d'inspiration luthérienne. *1535 : Pierre Olivetan* (v. 1506-38, Fr.) : correction de la version de Lefèvre d'Étaples. *1555 : Sébastien Castalion* (1515-63, Fr.) : adaptation familière et souvent triviale ; condamnée par protestants et catholiques. *1672-84 : Isaac Le Maistre de Sacy* (1613-84, Fr.) : avec l'explication du sens littéral. *1894 : Louis Segond* (1810-85, pasteur genevois) : 1re version protestante dont l'usage ait été autorisé canoniquement par l'Église cath.

AUTRES ÉDITIONS MODERNES : *La Bible du Centenaire* (prot.) 4 vol., Paris 1928-47 ; *Le Nouveau Testament* (1949), par le chanoine Émile Osty (1887-1981) ; *La Sainte Bible* (catholique), sous la dir. de l'École biblique de Jérusalem, 1 vol., Paris 1956 ; *La Bible, l'Ancien Testament,* E. Dhorme, La Pléiade (Paris 1956-59) ; *La Bible par les membres du Rabbinat français* (israélite) Paris 1966 ; *Traduction œcuménique,* Paris 1967 ; La Pléiade 1987.

■ **Versions provençales.** 1°) *5 chapitres de St Jean,* copiés à Limoges au XIIe s. (au British Museum) ; 2°) v. 1250-80 : le *Nouveau Testament,* traduit à l'usage des Cathares, dans l'Aude (Musée de Lyon, édité par Léon Clédat, 1888) ; 3°) *un raccourci de ce texte* (l'Év. de St Matthieu manque) *à l'usage des Vaudois* (XIVe s. ; édité par Wollemberg 1868) ; 4°) *le manuscrit de Jean de Chastel,* év. de Carcassonne († 1475), traduit sur la Vulgate.

■ **Versions anglaises.** *Bible de Matthew* (1537) : proscrite par le Parlement, imprimée clandestinement à Paris en 1538, où elle est saisie sur ordre de la Sorbonne ; ses imprimeurs transportent les plombs à Londres, où elle reçoit l'approbation anglicane. *B. de Reims* (1609-10) : catholique, mal écrite, ne peut s'imposer. *B. du Roi* (1611) : officielle anglicane, langue très pure ; non contestée par les cath.

HISTOIRE

■ JÉSUS

■ **Noms. Josuah :** en hébreu (Dieu sauvé) ; une des transcriptions est Josué. **Jésus :** forme latinisée du grec *Iêsous* qui est une hellénisation de Josu(ah). **Christ :** qualificatif grec, ajouté par des disciples dès le début, signifie « oint », et traduit l'hébreu *hamashiah* ; *Messias* : latin « oint » (d'où le messie). Jésus lui-même n'a revendiqué ce titre qu'au moment de son procès, et a été condamné de ce fait pour blasphème. *Nazaréen* ou de *Nazareth :* indique le lieu d'origine. *Agneau :* terme souvent utilisé dans le Nouveau Testament et la liturgie (voir p. 484 a).

Fils de l'Homme (nom que Jésus se serait donné à lui-même) : mauvaise traduction de l'hébreu *Ben Adam,* « fils d'homme », c'est-à-dire « être humain ». Allusion à un passage du prophète Daniel (VII, 13-4), disant qu'un « fils d'homme » recevra de Dieu « domination, gloire et règne » sur toutes les nations.

Les chrétiens ont appelé Jésus : *Lumière des Nations, Soleil de Justice, Soleil nouveau, Vrai Soleil et Vrai Jour.*

☞ Le *Chrisme* est le monogramme du Christ. Composé des 2 premières lettres de son nom grec (chrustos) : X (khi) et P (Rô) ; figurait sur l'étendard de l'empereur Constantin.

■ **Famille. Père adoptif : Joseph** (dates inconnues), charpentier à Nazareth, descendant de David (tribu de Judas). D'après l'*Histoire de Joseph le charpentier,* texte copte du IXe s., introduit en Occident en 1522, Joseph serait mort à 111 ans, 30 apr. J.-C. (récit, s'inspirant de plusieurs apocryphes dont l'*Év. syro-arabe de l'Enfance,* et le *Protévangile de Jacques*).

Mère : Marie, en hébreu Myriam [née v. 16 av. J.-C. de parents (légendaires) : Anne et Joachim. Une tradition indique qu'elle a été élevée au Temple (orpheline, de la tribu de Lévi). L'Évangile la donne comme « parente » d'*Élisabeth* (dates inconnues), née dans cette tribu et épouse d'un lévite, *Zacharie.* Aucune mention de sa mort, mais de nombreux récits de son « départ » *(transitus),* sous forme de Dormition (Jérusalem) ou d'Assomption (Éphèse) (durant son sommeil Marie aurait été enlevée corps et âme au Ciel), dates non mentionnées]. Sa *virginité* a été affirmée par St Matthieu, qui lui a appliqué une prophétie d'Isaïe : « Voici que la vierge enfantera ». Il a cité le texte d'Isaïe d'après la traduction des Septante (voir p. 537 b), qui rend le terme hébraïque d'Isaïe *almah* par le grec *parthenos.* Mais le sens de ce mot a été discuté. Employé 9 fois dans la Bible, il signifie 2 fois « jolie fille » et 7 fois « femme consacrée à la divinité (dans l'ancienne religion cananéenne) ». Le Nouveau Testament dit que Marie était « fiancée à Joseph ». Quand l'ange Gabriel lui annonce qu'elle a été choisie pour donner le jour au fils de Dieu (*Annonciation*), Joseph, la voyant enceinte, envisage de la répudier (car la loi mosaïque aurait assimilé la grossesse de Marie à un adultère, puni de lapidation), mais il est averti divinement de la naissance miraculeuse de Jésus, et accepte d'être son père aux yeux des hommes. Dep. le IVe s., la tradition dit de Marie qu'elle est « toujours » vierge, et le Concile de Latran (649) « consacrera » l'expression.

Frères et sœurs : les Évangiles parlent des « sœurs » de Jésus, et nomment plusieurs « frères » : Jacques apôtre, Joseph ou José, Jude, Siméon de Jérusalem ; la tradition les considère comme ses cousins germains, *frère* ayant aussi ce sens en hébreu.

■ **Enfance.** 2 Évangiles sur 4 racontent l'enfance de Jésus (Matthieu et Luc).

■ **Naissance. Lieu :** à *Bethléem* de Judée, cité de David (le Messie devant selon les prophéties y naître). En 1986, à l'occasion du passage de la comète de Halley (assimilée à l'étoile des Mages depuis 1305), l'astronome soviétique Alexandre Reznikov a proposé un « autre » Bethléem, *Zabulon,* qui était au zénith de la comète en 12 av. J.-C. D'après St Luc, Joseph et Marie s'étaient rendus en Judée pour le recensement ; faute de place à l'hôtellerie, ils s'étaient logés dans une bergerie. Jésus fut couché dans une *crèche* (mangeoire d'animaux), installée dans une grotte d'après le protévangile apocryphe de Jacques (IIe s.) ; la présence d'un *âne* et d'un *bœuf* mentionnée dans un apocryphe arménien, du pseudo-Matthieu au VIe s. [considéré comme authentique jusqu'au Concile de Trente (1553)], a fait naître la dévotion des « crèches de Noël ».

Date : *l'année* 754 de Rome a été retenue par le moine Denys le Petit (VIe s.). Dep. le XIXe s., certains historiens ont estimé plus vraisemblables 759 ou 760 (5 ou 4 apr. J.-C.), d'autres 749 ou 750 [5 ou 4 av. J.-C., à cause de la mort d'Hérode (750)] ou 745 (8 av. J.-C., à cause du recensement ordonné par l'emp. Auguste). Au XXe s., certains astronomes ont voulu déterminer la date exacte d'après celle de *l'étoile des Mages* [hypothèses : 1°) *12 av. J.-C. :* comète de Halley (voir ci-dessus) ; 2°) *7 av. J.-C. :* triple conjonction Mars-Jupiter-Saturne ; 3°) *4 av. J.-C. :* apparition de la Nova du Capricorne ; 4°) *2 av. J.-C. :* conjonction Jupiter-Vénus (17-6)]. Mais les récits évangéliques ne prétendent pas à la précision astronomique.

En 354, le pape Libère imposa (après plusieurs essais infructueux) de déplacer le jour du 6 janvier au 25 décembre. Il s'appuyait sur la tradition : Jésus était mort le 8 des calendes d'avril (25 mars). Or, selon un postulat, Jésus n'ayant pu vivre qu'un nombre entier d'années, il avait été conçu un 25 mars et était donc né 9 mois plus tard, c-à-d un 25 déc. Jusqu'au VIe s., on continua à Jérusalem à célébrer la naissance du Christ le 6 janv. et jusqu'au XIVe s. dans les communautés arméniennes et mésopotamiennes. Le *jour* du 25 déc. correspondait d'ailleurs à une ancienne fête païenne solaire commune à la religion romaine et au culte de Mithra [solstice d'hiver (le solstice d'été, 24 juin, a été choisi symétriquement comme jour de naissance du cousin de Jésus, Jean le Baptiste, qui avait tressailli dans le sein de sa mère Élisabeth, à l'approche de la Vierge Marie)].

☞ Les théologiens appellent *kénose* (du grec *kenos,* vide, dépouillé) le fait pour le Fils, qui demeure Dieu, d'avoir abandonné pour son Incarnation ses attributs de Dieu.

■ **Premiers événements après la naissance. 1°) Circoncision puis reconnaissance comme Messie** par 2 fidèles du Temple, Anne et Siméon (date indéterminée ; normalement, la circoncision a lieu 8 j après la naissance).

2°) **Adoration des Mages :** des mages venus d'Orient, conduits par l'étoile à Bethléem, demandent à voir celui qui serait le roi des Juifs et apportent de l'or pour honorer Jésus comme roi (symbole de vertu). L'encens correspondait à sa divinité [résine blanche (venant du boswellia poussant en Arabie et Afrique, écorce mince)] et était symbole de prière. La myrrhe (gomme aromatique venant d'un arbuste, variété de commiphora) signe de souffrance, indiquait que Jésus était aussi homme donc destiné à mourir. Il s'agirait d'astrologues venus d'Iran, attirés par un phénomène astronomique (voir ci-dessus), signifiant, pour eux, la naissance d'un personnage illustre. Leur nombre n'est pas donné : le chiffre 3 a été adopté v. 450 par Origène et St Léon le Grand. Le titre de *rois* leur a été donné par influence d'un passage des psaumes : « les rois de Tharsis offriront l'encens ». Une tradition remontant au VIIe s. les nomme : *Melchior, Gaspard, Balthazar* [déformation de *Beltshatsar,* surnom babylonien du prophète Daniel (étymologiquement Balât-Shar-usur, « Baal protège la vie du roi »), rappelant le pouvoir d'interpréter les songes]. Au XVe s., on a attribué à chacun une race différente : *Melchior* blanc, *Gaspard* jaune, *Balthazar* noir (leur culte était devenu populaire depuis 1164, année où leurs reliques ont été déposées à Cologne, et où un prêtre rhénan, Jean de Hildesheim, a écrit leur légende).

3°) **Massacre des Innocents :** le roi Hérode Ier (dont la famille s'appuyait sur les milieux messianistes et revendiquait pour elle les droits du Messie), cherchant à supprimer un rival éventuel, a envoyé des émissaires avec ordre de tuer tous les enfants (de 2 ans et moins) de Bethléem et des environs (144 000 d'après une tradition des Égl. éthiopiennes et du ménologue grec, née d'un texte de l'Apocalypse, XIV, 1, lu le 28-12, jour de la fête des Saints Innocents, une vingtaine selon les démographes qui considèrent la population présumée de Bethléem à l'époque).

4°) **Fuite en Égypte :** Joseph met Jésus et sa mère à l'abri des persécutions d'Hérode, jusqu'à la mort de celui-ci (épisode raconté seulement par Matthieu) (env. 1 000 000 de Juifs vivaient alors en Égypte).

« Genre littéraire » de ces récits. *1°) Réminiscences historiques :* ils font allusion à des événements historiques plus ou moins contemporains de la naissance de Jésus : passage de la comète de Halley, règne d'un roi sanguinaire (Hérode Ier), habitude romaine de recenser les populations, existence d'un gouverneur nommé Quirinius. *2°) Inexactitude de la chronologie :* écrivant vers 90, Luc n'avait pas les moyens de vérifier les dates exactes des événements racontés. Les historiens modernes savent, au contraire, qu'ils s'échelonnent sur une vingtaine d'années : passage de la comète de Halley : 12 av. J.-C. ; mort d'Hérode Ier : 4 av. J.-C. [remplacé en Galilée par son fils Hérode Antipas (le « tétrarque », qui exécutera Jean le Baptiste et interviendra dans le procès de Jésus), et en Judée par le roi Archélaos] ; nomination de Quirinius : 10 apr. J.-C. *3°) Volonté de rester fidèle à l'Ancien Testament.* a) naissance à Bethléem (cité de David) : souligne l'appartenance de Jésus à la famille royale de David ; b) recensement romain et gouvernement de Quirinius. L'empereur « César Auguste » est mentionné (comme Cyrus dans l'Ancien Testament) pour montrer que les rois de la Terre font la volonté de Dieu, unique souverain du monde ; c) événement astronomique, venue des mages étrangers : montre la grandeur universelle de l'événement (la venue des bergers des environs rappelle aussi que la naissance de Jésus intéresse le peuple juif) ; d) persécution, exil : évocation de Moïse, qui aurait dû également périr à sa naissance sur un ordre royal, et qui a ramené le peuple élu en Terre sainte.

■ **Jésus retrouvé au Temple.** A 12 ans, Jésus, perdu par ses parents à l'occasion d'un pèlerinage à Jérusalem, est retrouvé au Temple, discutant des textes de la loi avec les scribes sacerdotaux (anecdote racontée peut-être par la Vierge Marie).

■ **Baptême par Jean le Baptiste (28-29).** Jésus (probablement à 34 ans) est baptisé par son cousin Jean (fils de Zacharie et d'Élisabeth, couple âgé et réputé stérile) au gué de Béthabarra, sur le Jourdain, après un jeûne de 40 j. Ces 2 rites sont dans la tradition initiatique des moines esséniens, nombreux dans la région du bas Jourdain (d'où l'hypothèse, non vérifiée, de l'appartenance de Jean aux sectes esséniennes). **29** (sans doute en août), *Hérode Antipas*, dont il avait blâmé le remariage avec Hérodiade, sa nièce et belle-sœur que lui avait cédée son frère Hérode Philippe, l'emprisonne dans l'*ergastule* (prison privée pour esclaves) de Machéronte. Ayant promis à sa belle-fille, *Salomé* (fille d'Hérodiade), pour la récompenser d'avoir dansé devant lui, de lui accorder tout ce qu'elle demanderait ; celle-ci lui demanda, à l'instigation de sa mère, la tête de Jean, qui fut exécuté ; on parle de décollation (« action de couper le cou »).

■ **Ministère public.** A partir de 29, Jésus commence à prêcher sa Bonne Nouvelle (Évangile) en Galilée, en utilisant souvent la *parabole* (genre littéraire oriental, faisant passer une idée abstraite par analogie avec des réalités concrètes). Il annonce le « Royaume des Cieux ». *1°) Doctrine spirituelle et morale* (l'amour charité devant remplacer la revendication individuelle et servir de lien entre tous les hommes, ainsi qu'entre l'homme et Dieu) ; *2°) Eschatologie* (« annonce des fins dernières »), c'est-à-dire un message de foi en un autre monde situé au-delà de celui où nous vivons et devant le remplacer ; *3°) Société humaine organisée* (le *Troupeau* ou *Église*) formée de tous les baptisés et encadrée par les apôtres.

■ **Miracles de Jésus** (du latin *mirari,* s'étonner) : événements extraordinaires où l'homme constate un pouvoir qui le dépasse. Les Évangiles en citent une vingtaine, les Év. synoptiques parlent des *actes de puissance* et celui de Jean de *signes :* pour eux, les miracles de Jésus manifestent sa puissance et sont le « signe qu'il est envoyé par Dieu ». Les contemporains du Christ ont parfois attribué ses miracles à l'action du démon mais ne les ont jamais niés. Ces miracles ont souvent persuadé les Juifs que Jésus était un imposteur, capable de séduire les foules par des actes magiques (la magie étant idolâtrique aux yeux des Juifs). *Types de miracles :* 1°) sur les choses de la nature (10) : eau changée en vin, tempête apaisée, multiplication des pains à Adjaret en Nasara ; 2°) expulsion de démons ; 3°) guérisons ; 4°) résurrections de 3 † : fils de la veuve de Naïm, fille (12 ans) de Jaïre, Lazare.

■ **Lutte avec le judaïsme.** 1°) **Les Pharisiens** (hébreu : *Perushim,* les séparés), Juifs pieux, héritiers des *Hassidim*. Pour eux, Dieu est un être spirituel tout-puissant ; il rétribue les bons après leur mort (il y aura une résurrection) ; sa présence est partout, et pas seulement dans le Temple (de nombreux « scribes » enseignent la Loi en dehors, dans des synagogues privées). Jésus fait comme eux, mais il critique la soumission aveugle des scribes à la lettre de la Loi, et dénonce l'hypocrisie d'une partie des Pharisiens.

2°) **Les Sadducéens** (hébreu : *Zedukim,* c.-à-d. sans doute « disciples de Zadok », théologien juif du IIe s. avant J.-C.), conservateurs, attachés au culte du Temple, auquel ils ramènent toute la religion. Ils ne croient pas à la résurrection et estiment qu'ils peuvent apporter Dieu aux hommes, selon une tradition influencée par le paganisme. Jésus les heurte en parlant de l'inutilité du Temple (qui peut être détruit) et de la nécessité d'une religion intérieure (plus importante que les pratiques rituelles) ; les marchands qu'il a chassés du Temple travaillaient pour l'aristocratie d'argent sadducéenne.

3°) **Les Esséniens (Hérodiens)** servaient le « tétrarque » Hérode dans ses palais et travaillaient au Temple de Jérusalem (qu'ils avaient aidé à construire sous Hérode le Grand). Jésus recrute de nombreux disciples parmi eux, mais s'oppose à la secte en refusant d'engager contre les Romains une lutte politique qui était la raison d'être de nombreux Esséniens appelés les *Zélotes.* Jésus est, en outre, en butte à l'hostilité d'Hérode, qu'il critique souvent (le traitant de « renard »), et qui a mis à mort son cousin Jean le Baptiste.

■ **Arrestation.** Une coalition momentanée entre Hérodiens, prêtres sadducéens et scribes pharisiens se noue contre Jésus lors de la Pâque de l'année 30. *Caïphe* (grand prêtre juif 18-36 après J.-C., gendre d'Anne, réputé pour sa docilité envers les Romains ; tombe découverte en 1992) réunit les grands prêtres et les anciens dans son palais pour décider de l'arrestation de Jésus. Ils entreprennent de faire condamner Jésus par le procurateur romain *Ponce Pilate* [Pontius Pilatus, c.-à-d. « Pontius titulaire d'un javelot d'honneur » ; né v. 10 av. J.-C., procurateur de 26 à 36, mort apr. J.-C., v. 39, en exil à Vienne (Gaule)]. Les conjurés bénéficient de la complicité de Judas (voir encadré), leur permettant de s'emparer de Jésus. Le prix convenu avec Judas pour la livraison de Jésus est de 30 pièces d'argent [des sicles et non des deniers comme on l'a dit souvent (somme versée normalement pour la récupération d'un esclave fugitif)]. Le mardi avant la Pâque [après avoir célébré celle-ci avec ses disciples à une date anticipée, selon le rite galiléen : pour sa dernière Pâque terrestre, dernière Cène, Jésus avait dîné avec ses 12 apôtres : ils étaient 13 (d'où la superstition de *13 à table*)], Jésus passe la nuit au *Jardin des Oliviers* (oliveraie sur une colline proche de Jérusalem). Il y souffre d'une crise d'angoisse, son « agonie ». Avant l'aube, il est arrêté par des vigiles du Temple.

■ **Procès : 1°) Religieux** *(devant le Sanhédrin,* conseil de 71 membres présidé par le grand prêtre ; cour suprême, il disposait d'une police). Jésus est reconnu comme blasphémateur et destructeur du Temple [les historiens juifs estiment qu'il n'y a pas eu de convocation du Sanhédrin pour juger Jésus (les Évangiles se contredisent sur ce point), Jésus a été interrogé par des personnalités religieuses, presque toutes sadducéennes, réunies dans la maison du grand prêtre]. A cette occasion, « Pierre » (nommé chef des disciples par Jésus) jure 3 fois qu'il ne connaît pas son maître par peur d'être arrêté avec lui.

2°) **Civil** *(devant le procurateur Ponce Pilate).* La loi romaine n'a pas à connaître les chefs d'accusation. Pilate pourrait donc relaxer Jésus. Pour des raisons politiques, il essaye d'obtenir le consentement des Juifs. La tradition permettait de gracier un accusé le jour de la Pâque. Il propose à la foule de gracier Jésus ou un condamné de droit commun, *Barabbas.* A son étonnement, la foule choisit ce dernier et le somme de condamner Jésus, même sans texte de la loi romaine.

Intervention d'Hérode. Hérode et Pilate sont brouillés, car Hérode l'a dénoncé à Rome pour avoir placé un bouclier votif sur la tour Antonia (geste jugé idolâtrique par les Juifs). Néanmoins, Pilate, embarrassé, envoie Jésus à Hérode (motif invoqué : Jésus est Galiléen et Hérode est souverain de Galilée ; mais Pilate avait reconnu à Hérode le droit de mettre à mort Jean, cousin de Jésus). Hérode fait revêtir Jésus d'une tunique spéciale (probablement la tenue portée par le personnel de ses palais). Pilate se trouve alors dessaisi de l'affaire, qui relève de la juridiction (privée) d'un *pater familias.* Il se *lave les mains,* geste rituel mettant fin aux audiences publiques.

■ **Crucifixion.** Jésus est remis à des milices privées (légalisées par la présence d'une garde romaine) pour être crucifié hors de l'enceinte de Jérusalem, sur le mont du *Golgotha* (signifiant « Mont du Crâne » ou « Mont Chauve »). Il s'y rend en portant lui-même sa croix. Avec Jésus sont mis en croix 2 « larrons » (du latin *latro :* « voleur ») ; l'un d'eux reconnaît en Jésus le Messie ; l'autre (le mauvais) méprise Jésus qui, humainement parlant, est un vaincu.

■ **Mort. Circonstances :** *Jésus* fut fixé sur une croix par des clous sans doute, non pas au niveau des paumes des mains (celles-ci se seraient déchirées), mais plus près du poignet, dans le carpe. Pilate fit mettre un écriteau avec : « Jésus le Nazaréen, le roi des Juifs » en hébreu, latin et grec. Les grands prêtres lui dirent : « Il faut rajouter : « Cet homme a dit : Je suis le roi des Juifs », Pilate répondit : « Ce que j'ai écrit est écrit ». Comme on l'a constaté sur des déportés exécutés à Dachau, un crucifié meurt par asphyxie due à une contraction du thorax empêchant l'évacuation de l'air. Jésus était déjà mort quand des légionnaires romains vinrent briser les jambes des condamnés. Après une agonie relativement brève (3 h), à cause de son épuisement dû à la flagellation (hémorragies), de l'eau (liquide péricardique) sortit de son côté quand le soldat Longin lui donna un coup de lance. Au moment de sa mort, à 9 h (soit 3 h de l'après-midi), se trouvaient près de lui Marie (sa mère), Marie de Magdala (Marie-Madeleine), les saintes femmes [Marie Salomé (femme de Zébédée, mère des apôtres Jacques le Majeur et de Jean), Marie (mère de Jacques le mineur)], Jean et il se produisit des prodiges : obscurcissement du Soleil, secousses sismiques dont l'une fit choir le linteau du Temple, ce qui déchira le voile du « Tabernacle » (partie la plus sacrée). Il fut mis au tombeau par Joseph d'Arimathie et Nicodème. **Date :** traditionnellement, l'Égl. a admis le vendredi 3-4-33 (jour d'une éclipse visible à Jérusalem) (selon le calendrier juif 13 du mois de Nisan d'où la superstition du *vendredi 13*). 2 autres ont également été retenues : les vendredis

Portraits miraculeux de Jésus

Portraits acheiropoïètes (non faits de main d'homme) : origine supposée miraculeuse : **1°) Image du Sauveur dite d'Édesse,** capitale du royaume syrien, dont il existe une copie à St-Sylvestre de Rome : attribuée par une légende du VIe s. à un miracle de Jésus en faveur du roi d'Édesse, Abgar, qui voulait se faire envoyer un portrait de lui (style byzantin). **2°) Voile de Véronique** (Volto Santo) : voile de soie conservé au Vatican qui aurait, selon une tradition du Ve s., appartenu à Ste Véronique (biographie inconnue) ; celle-ci aurait essuyé le visage de Jésus portant sa Croix, et le voile aurait gardé miraculeusement « imprimée » la Sainte Face. L'Évangile ne parle pas de cet épisode. 4 autres voiles du même type sont conservés à Besançon, Caen, Compiègne, Milan. **3°) Portrait de la Scala Santa** (chapelle de la Santa Sanctorum, près du Latran à Rome). Style byzantin. Selon la légende, commencé par St Luc, achevé par les anges. 1re mention au VIIIe s. **4°) Suaire** (voir p. 497 a).

Rôle du « tétrarque » Hérode

Hérode Antipas (20 av. J.-C.-39 apr. J.-C.) [2e fils d'Hérode Ier le Grand (73-4 av. J.-C.)] ne put hériter du titre royal et dut se contenter de celui de « tétrarque », c.-à-d. chef d'un quart du royaume paternel. Il régnait sur la Galilée, où il construisit la ville de Tibériade.

Au traité de Rhodes (9 apr. J.-C.), il reçut à titre privé le domaine de Machéronte, sur le bas Jourdain, où se trouvait le gué de Bethabarra. *Pater familias,* il disposait d'un pouvoir absolu sur les colons attachés à ce domaine. Selon l'historien Flavius Josèphe, il aurait fait décapiter Jean le Baptiste (qu'il considérait pourtant comme un prophète) pour des raisons politiques (car de nombreux zélotes, activistes antiromains, sortaient des ermitages du bas Jourdain). Politiquement, il n'avait aucun droit sur lui (Hérode régnait en Galilée, Jean était de la Judée). Pourtant son droit de vie et de mort ne lui a pas été contesté.

Droits d'Hérode sur Jésus : 1°) Autorité politique (Jésus est Galiléen), sans droit de vie et de mort ; 2°) Droits du *pater familias* de Machéronte, à cause du baptême reçu à Bethabarra des mains de Jean [contestables ; mais Hérode les a sans doute revendiqués, ne distinguant pas entre le statut juridique des deux cousins ; il a forcé Jésus à mener une vie clandestine et à fuir à l'étranger (Tyr)]. Les vigiles qui ont arrêté Jésus dépendaient d'Hérode (serviteurs du Temple, recrutés parmi le personnel de ses palais).

Judas, synonyme de « traître »

2 apôtres s'appelaient Judas (Ioudas), mais la tradition a déformé en *Jude* le nom de Judas-Thaddée, pour le distinguer de Judas Iscariote (« homme de Kériot », c.-à-d. du « Bourg », de nombreuses localités de Palestine portant ce nom : Kériat El Hénab, etc.). Judas Iscariote trahit, a-t-on dit, par ambition politique déçue, (Jésus refusant d'entraîner le peuple contre l'occupant romain) ou par amour violent et jaloux, ou par simple maladresse (pour forcer Jésus à combattre le Sanhédrin). L'explication de l'Évangile (il était voleur) admise traditionnellement (il est toujours représenté une bourse à la main) cadre mal avec la réaction de Judas après la mort de Jésus : pris de remords, il rapporta les 30 pièces reçues pour sa trahison et alla se pendre.

« Baiser de Judas » : Judas était convenu avec les vigiles d'Hérode que « celui à qui il donnerait un baiser serait l'homme à saisir ». Il s'agissait d'un baiser sur la main (marque ordinaire de respect du disciple à son maître). Mais l'iconographie chrétienne a toujours adopté le baiser sur la joue (anachronique).

18-3-29 et 7-4-30. En 1974, Roger Russk (Américain) a démontré que Jésus était mort un jeudi [avant la Pâque juive (14 nissan), le 6-4-30] ; ayant ressuscité le dimanche, il est bien resté 3 j au tombeau (et non 2 si l'on situe sa mort un vendredi).

■ **Résurrection.** Après sa résurrection, Jésus vit dans un « état glorieux » : il échappe à l'espace et au temps (apparaissant et disparaissant), tout en ayant un corps (il parle, mange, peut être touché).

Principaux témoins. *Marie-Madeleine* (assimilée par certains à Marie, sœur de Lazare) : elle découvre le tombeau de Jésus vide, le lendemain du sabbat pascal (le dimanche matin). *Disciples d'Emmaüs* (cités par St Luc) dont l'un est nommé Cléophas : cheminant sur la route de Jérusalem à Jaffa, ils sont rejoints par Jésus ressuscité qui, à Emmaüs (non localisé, à 11 km de Jérusalem), leur donne le pain consacré selon le rite eucharistique. *Apôtres :* leur apparaît plusieurs fois (il reproche à Thomas son incrédulité). Au bout de 40 j, Jésus bénit ses disciples et « monte au ciel » **(Ascension) ;** 10 j après (fête juive de la **Pentecôte,** c'est-à-dire des 50 j), les Apôtres (en présence de Marie) reçoivent le *Saint-Esprit* (des langues de feu, venues du Ciel, descendent sur leur assemblée). Ils sont chargés d'aller évangéliser tous les hommes en les baptisant. Le baptême doit être donné « au nom du Père, du Fils et de l'Esprit », 1re explicitation du dogme de la Trinité.

■ **Parousie.** Du grec, *parousia,* présence, arrivée. Désignant la venue officielle d'un prince. Pour les chrétiens, ce sera le retour du Christ à la fin des temps pour rassembler les vivants et les morts.

■ **Représentations du Christ.** *Poisson. Agneau.* tenant une croix ou un étendard crucifère, un calice recueille son sang (le Christ est l'agneau de Dieu qui enlève le péché du monde ; Jésus se charge du péché des hommes ; le Christ est le véritable agneau pascal que préfigurait l'agneau immolé par les Hébreux lors de l'Exode : il rachète les hommes au prix de son sang [l'*Agnus Dei,* chant accompagnant la fraction du pain consacré et préparant l'assemblée à la communion, fut introduit dans la liturgie romaine par le pape Serge Ier (687-701)]. *Vigne* ou *grappe de raisin. Pêcheur* d'âmes. *Bon pasteur :* art primitif ou à partir du XVIe s. *Représentation humaine :* à partir du IVe s., il porte une barbe et de longs cheveux. *Enfant Jésus :* souvent associé à la Vierge ou à certains saints (Christophe). *Christ enseignant. Christ triomphant. Christ juge ou en majesté.*

Crucifix. *Croix* pectorales. Les plus anciennes en orfèvrerie datent du VIIe s., les croix en bois du Xe s. *Clous :* jusqu'à la fin du XIIe s., le corps est représenté attaché par 4 clous (1 par membre) ; puis au XIIIe s., par 3. *INRI (Iesus Nazarenus Rex Iudaeorum,* « Jésus de Nazareth roi des Juifs »), lettres apparaissant au XIVe s., sous l'influence de Ste Brigitte († 1363). *Nimbe :* du VIe au XIIIe s., la tête est entourée d'un nimbe ; puis d'une couronne d'épines. *Vêtements :* jusqu'au XIVe s., robe sans manches ; à partir du XVe s., un simple linge sur un corps dénudé (influence de l'académisme italien). *Crucifix dit janséniste :* répandu au XVIIe s., les bras ne sont pas écartés mais redressés au-dessus de la tête et cloués d'un seul clou [procédé bon marché (le personnage étant sculpté dans un seul os, on économisait l'ajustage des 2 bras transverseaux)]. Explication théologique fournie après coup : le Christ n'ouvre pas ses bras pour accueillir *tout* le genre humain ; il rapproche ses mains pour recueillir quelques *élus.*

Révélations de l'Apocalypse sur Jésus

Dans l'Apocalypse de St-Jean (écrite vers la fin du Ier s.), Jésus est défini comme : le premier-né d'entre les morts, le prince des rois de la Terre ; le premier et le dernier qui fut mort et qui est vivant ; celui qui tient les clefs de la mort et des Enfers ; qui régit les nations avec un sceptre de fer ; qui conduit les bienheureux aux sources de vie. Ces textes parlent du gouvernement de la Providence, des armées d'anges et de démons, de la réalité de la vie future, de la rigueur des jugements de Dieu, de l'alternative inévitable d'un bonheur ou d'un malheur sans fin.

Les ennemis du Christ sont symbolisés : *Antéchrist* (« Bête de la Mer » et « Bête de la Terre »), cavalier semant la mort, sauterelles, dragon (image de Satan). L'Apocalypse prophétise néanmoins la victoire de l'Agneau (Jésus) et de son Église sur le Mal ; son message est donc, sous une autre forme, le même que celui de l'Évangile (« Bonne Nouvelle »).

Le personnage de Jésus pour les Juifs

Son nom n'a pas été mentionné dans le Talmud avant l'édition de Bâle de 1578-80. 1°) **Pour tous,** il est un prédicant et un thaumaturge (« faiseur de miracles »), comme le judaïsme en a produit plusieurs, à diverses époques. 2°) **Pour certains,** il se présentait comme le *Messie* (à une époque où les « prétendants messianiques » étaient nombreux). Quelques faits révélateurs : les 12 apôtres avaient reçu pour mission de juger les 12 tribus d'Israël, le *Jour du Jugement* (devenus seulement plus tard les chefs de l'Église) ; certains évangélistes ont fait naître Jésus dans la ville messianique, Bethléem (mais St Jean l'a présenté comme Galiléen, né à Nazareth), certains évangélistes ont parlé de sa conception miraculeuse et de la virginité de sa mère, qui conviennent à la dignité du Messie [sauf pour ceux qui considèrent que Jacques le Mineur était réellement son frère, et non son cousin (l'apôtre cousin de Jésus étant Simon le Zélote)]. La remise aux autorités romaines d'un prétendant messianique n'avait donc rien d'anormal ; elle ne nécessitait pas une sentence du Sanhédrin. 3°) **Pour d'autres,** il ne se présentait pas comme le Messie : a) il n'a jamais employé le mot *Messie,* mais l'expression *Fils de l'Homme* (formules en fait souvent synonymes à l'époque) ; b) il employait cette expression à la 3e personne, ce qui signifiait qu'il prophétisait la venue d'un autre, le véritable Messie futur (mais certaines phrases deviennent incompréhensibles si Jésus ne parlait pas de lui-même à la 3e personne) ; c) pour plusieurs sectes primitives (notamment Ébionites et Nazaréens), Jésus était simplement un prophète. Les Johannites, d'ailleurs, considéraient Jean le Baptiste comme un prophète de même envergure que Jésus.

■ Les 12 apôtres

■ **Nom.** Du grec, *apo-stello,* j'envoie. Disciples choisis par Jésus pour être ses compagnons, les témoins dans le monde, les prédicateurs de l'Évangile et les Fondateurs de l'Église. Ils se réunirent régulièrement au *Cénacle* (salle du 1er étage) après la mort du Christ. Sous la direction de Pierre, ils formeront le *collège apostolique* auquel le Christ a confié le gouvernement de l'Église. Actuellement, les évêques, successeurs des apôtres, et le pape, celui de Pierre, forment le *collège épiscopal.*

■ **Liste. Pierre** (10-64) de Bethsaïde ; Simon renommé symboliquement Pierre (traduction de l'araméen Kepha) par Jésus], pêcheur sur le lac de Génésareth à Capharnaüm, dit le Prince des Apôtres, crucifié la tête en bas en 64 à Rome sous le règne de Néron. **André** (son frère) de Bethsaïde, pêcheur, crucifié en 64 sur une croix en X à Patras (Grèce) ; il aurait évangélisé la Russie. **Jacques le Majeur** († v. 41, pêcheur sur le lac de Génésareth), fils de Zébédée, martyrisé en Palestine sur ordre d'Hérode Agrippa (ou apôtre de l'Espagne, mort à Compostelle). **Jean l'Évangéliste** († entre 98 et 117, île de Patmos (?) enterré à Éphèse ; fr. de Jacques le Majeur) (pêcheur sur le lac de Génésareth). **Philippe** († 80), de Bethsaïde (probablement pêcheur), martyrisé à Hiérapolis en Phrygie. **Matthieu** († 61), « publicain » (c.-à-d. percepteur d'impôts), martyrisé en Éthiopie. **Barthélemy** (appelé Nathanaël par St Jean), compagnon de Philippe, probablement pêcheur, martyrisé au Moyen-Orient (peut-être en Inde ?). **Thomas** (ou Didyme, c.-à-d. le Jumeau), pêcheur, martyrisé à Calamine (Méliapour, Inde). **Jacques le Mineur** († 62), cousin de Jésus, Nazaréen, probablement cultivateur, martyrisé à Jérusalem. **Simon le Zélote,** lévite (religieux essénien), demi-frère de Jacques le Mineur et de Jude (martyrisé en Perse avec Jude). **Judas** († 29, 30 ou 33, suicidé, voir p. 483 c), remplacé par **Mathias** († 61 ou 64), Galiléen, cultivateur ou pêcheur, martyrisé à Jérusalem (ou en Éthiopie ?). **Jude** ou **Thaddée** (frère de Jacques le Mineur), martyrisé avec son demi-frère, Simon le Zélote.

☞ **St Paul** (Saul, né à Tarse, Cilicie, entre 5 et 15, converti en 34 sur le chemin de Damas, martyr en 67 à Rome, décapité par l'épée car citoyen romain), leur est assimilé sous le nom de l'*Apôtre des Gentils,* c.-à-d. des non-Juifs.

■ Les débuts du christianisme

Expansion du christianisme

■ **Age apostolique.** De la mort du Christ (30) à celle de St Jean (100), le dernier apôtre survivant.

1re période (30-42). *Chrétienté de Jérusalem :* formée des disciples déjà convertis par Jésus (nombre indéterminé), encadrés par les 12 apôtres et par les 7 diacres, créés v. 32. Persécutée par les Juifs (le diacre *Étienne* est lapidé par ordre du Sanhédrin entre 32 et 36). S'étend en Palestine : Samarie, Jaffa, Lydda, Gaza. **34** *conversion de St Paul.* **42** après l'exécution de Jacques le Mineur, év. de Jérusalem, les apôtres se dispersent et rejoignent les communautés juives de la diaspora, dans tout l'Empire [St Pierre fonde la chrétienté d'Antioche, puis se rend (en 42 ou 44) à Rome qui devient la capitale de la chrétienté ; il y meurt martyr en 64].

2e période (42-70). Jusqu'en 49, l'apostolat chrétien se poursuit dans les milieux juifs (pas de rupture avec les obligations religieuses du judaïsme : interdits alimentaires, respect du sabbat, célébration des fêtes). **49** *concile de Jérusalem :* Paul et Barnabé (délégués pour Antioche, mais ayant fondé aussi des Égl. à Chypre et en Asie Mineure) réclament l'évangélisation des « Gentils » (païens). Pierre, qui s'y oppose, est mis en minorité et cède. Paul organise alors les chrétientés d'Asie Mineure et de Grèce, à majorité non juives. [VOYAGES : *49* Phrygie, Galatie, Myrie. *50-52* Macédoine, Athènes, Corinthe, Jérusalem, Antioche. *53-57* Galatie, Phrygie, Éphèse (3 ans), Macédoine, Corinthe, Jérusalem (pour remettre l'argent des collectes). *57-59* captivité à Césarée. *59* Malte (naufrage). *60-64* Rome (semi-captivité)]. **64,** *1re persécution* (Néron, à Rome : 2 000 ou 3 000 †, dont St Pierre et St Paul) : on a dit que les Juifs non chrétiens auraient demandé l'élimination des J. chrétiens par l'intermédiaire de *Poppée,* maîtresse de Néron, convertie au judaïsme (selon le Talmud, Néron aurait adopté la religion juive). **70,** *destruction de Jérusalem* par les Romains (Titus, fils de Vespasien) : les chrétiens de la ville, repliés avant le siège, ont survécu. Les J. de Palestine sont déportés à travers l'Empire (surtout en Espagne). Le christianisme s'implante dans leurs communautés.

3e période (70-100). Expansion et stabilisation de l'Égl. (dont les membres ne sont pas encore distingués des Juifs). La primauté de l'év. de Rome sur les autres Égl. est admise [le pape Clément Ier (90-100) agit comme supérieur de l'év. de Corinthe en 97]. Les textes sacrés (évangiles, épîtres, actes des apôtres) sont recueillis et diffusés. Les écrits des « pères apostoliques » (dont la lettre du pape Clément Ier) sont rédigés. Les prières et la liturgie sont unifiées. Les prêtres (« presbytres », traduction grecque du latin *seniores*) sont reconnus comme chefs des communautés. **95** *persécution de Domitien* (51-96, empereur 81) : peu sanglante (quelques exils, dont celui de St Jean à Patmos). Les chrétiens avaient été assimilés aux Juifs du point de vue fiscal, mais avaient refusé de payer le « didrachme » (impôt payé jadis par les Juifs au Temple, et réclamé par le fisc romain depuis 70). Considérés dès lors comme « athées », ils sont punis comme tels.

Raisons de l'expansion chrétienne : 1°) *Zèle apostolique* des disciples ; **2°)** *Extension de la diaspora juive* (dans toutes les villes de l'Empire) ; **3°)** *Excellence des moyens de communications* (Saint Paul a traversé plusieurs fois la Méditerranée d'est en ouest, allant jusqu'en Espagne) ; **4°)** *Baisse de la religiosité traditionnelle romaine* (les religions orientales sont accueillies avec faveur à cause de leur mysticisme) ; **5°)** *Sympathie des femmes* pour les idées de chasteté (la dépravation de la vie sexuelle les abaissait).

Obstacles à surmonter : *1°) Rigidité de la vie sociale romaine :* le culte de la famille est lié à celui de la cité ; le culte de la cité à la vie politique et institutionnelle ; *2°) Hostilité des Juifs :* les communautés j. fournissent les premiers convertis, mais s'allient aux païens pour freiner la défection de leurs membres ; *3°) Scepticisme* des intellectuels grecs, qui, maîtres à penser de la société romaine, répugnent à toute doctrine non fondée sur le raisonnement ; *4°) Concurrence des religions à mystères.* Venues d'Asie, certaines remontant aux religions protohistoriques d'Europe, gardent de nombreux adeptes, et sont parfois en expansion (culte de Mithra).

■ **Age des martyrs (112-313).** Sont appelés *martyrs* (du grec « témoins »), les chrétiens qui ont accepté de mourir pour témoigner de leur foi, au cours de 2 siècles où a été appliquée, par 8 empereurs romains, une législation antichrétienne. **Nombre des « années de souffrances » :** *IIe s. :* 86 ; *IIIe s. :* 24 ; *IVe s. (début) :* 13. Total : 123.

Rescrit de Trajan [Tertullien l'appelle par erreur *Institutum neronianum* (« décret de Néron »)]. Pris en 112 après une demande d'instructions, présentée par Pline, gouv. de Bithynie, il enjoint : de ne pas enquêter sur les croyances ; de ne pas poursuivre d'office ; de condamner ceux qui, accusés régulièrement, se reconnaissent chrétiens ; d'acquitter ceux qui déclarent ne pas l'être ou avoir cessé de l'être (en faisant publiquement un acte religieux païen : mettre de l'encens sur l'autel de Rome). *Empereurs l'ayant appliqué :* Trajan (98-117), Marc Aurèle (121-180), Septime Sévère (193-211), Aurélien (270-275), Maximin (235), Decius (250), Valérien (257-261), Dioclétien (303-311). *Hadrien (117-138),* dans un rescrit de 127, déclara caduque la législation de Trajan (« le fait d'être chrétien et de l'avouer n'entraîne pas de sanction légale »). Pourtant, le pape Télesphore, le Romain Alexandre, Ste Symphorose et ses 7 fils furent martyrisés sous son règne.

Nombre des victimes. Inconnu. En 1648, le jésuite espagnol Ildefonso de Flores (1590-1660) a parlé de 11 millions (sans preuves scientifiques). *Persécutions les plus sanglantes :* sous Septime Sévère en Afr. du N., Dioclétien, pendant 10 ans (303-313), notamment en Égypte (estimation d'Eusèbe : 10 000 †).

Pères et docteurs de l'Église

Noms des principaux maîtres de la doctrine chrétienne. Les plus anciens sont appelés *Pères ;* les plus admirés parmi les anciens, et tous les grands maîtres récents *Docteurs.*

Pères de l'Église grecque. *St Justin* (v. 100-v. 145), *Ignace d'Antioche* († v. 107, livré aux bêtes), *Basile* (329-379), *St Athanase* (v. 295-373), *Grégoire de Nysse* (v. 335-395), *Grégoire de Nazianze* (v. 330-v.390), *Jean Chrysostome* (v. 340-407), *Jean Damascène* († v. 749), le dernier.

Pères de l'Église latine. *Cyprien* (v. 200-258, martyr), *Hilaire* (v. 315-v. 367), *Ambroise* (v. 340-397), *Jérôme* (v. 347-420), *Augustin* (354-430), *Grégoire le Grand* (540-604), *Bède le Vénérable* (673-735), le dernier.

Docteurs de l'Église. L'Église romaine en reconnaît officiellement 32. Dates de naissance et de décès (entre parenthèses) ; et de reconnaissance.

Albert le Grand surnommé Doctor Universalis (1193-1280) 1931, *Alphonse de Liguori* (1696-1787) 1871, *Ambroise* (340-397) IVe s., *Anselme* (1033-1109) 1720, *Antoine de Padoue* (v. 1195-1231) 1946, *Athanase* (295-373) IVe s., *Augustin* (354-430) IVe s., *Basile de Césarée* (329-379) IVe s., *Bède le Vénérable* (673-735) 1899, *Bernard de Clairvaux,* surnommé Doctor Mellifluis (1090-1153) 1830, *Bonaventure,* surnommé Doctor Seraphicus (1221-74) 1588, *Catherine de Sienne* (seul docteur laïc), (1347-80) 1970, *Cyrille d'Alexandrie* (380-444) 1893, *Cyrille de Jérusalem* (315-386) 1893, *Éphrem* (306-373) 1920, *François de Sales* (1567-1622), le seul docteur de langue française, 1877, *Grégoire le Grand* (540-604) IVe s., *Grégoire de Nazianze* (v. 330-v. 390) IVe s., *Hilaire* († 468) 1851, *Isidore* (560-636) 1722, *Jean Chrysostome* (v. 340-407) IVe s., *Jean de la Croix* (1542-91) 1926, *Jean Damascène* († v. 749) 1893, *Jérôme* (347-420) IVe s., *Laurent de Brindes* (1559-1620) 1959, *Léon le Grand* († v. 461) 1754, *Pierre Canisius* (1521-97) 1925, *Pierre Chrysologue* (406-450) 1729, *Pierre Damien* (1007-72) 1828, *Robert Bellarmin* (1542-1621) 1931, *Thérèse d'Avila* (1515-82) 1970, *Thomas d'Aquin,* surnommé Doctor Angelicus (1225-74) 1567.

☞ Plusieurs théologiens du Moyen Age, sans porter le titre de Docteurs de l'Église, sont parmi les grands Docteurs de la Foi : *Grégoire de Rimini* (Doctor Auctus), *Jean Gerson* (1363-1429 Doctor Christianissimus), *Jean Van Ruysbroek* (1293-1381 Doctor Indivicibilis), *Roger Bacon* (v. 1220-92 Doctor Admirabilis), *John Duns Scot* (Écosse, v. 1266-1308 Doctor Subtilis, béatifié 20-3-1993). Les surnoms n'ont aucun caractère officiel.

En Espagne, *Léandre de Séville* (v. 510-98), *Ildefonse* (v. 600-67) et *Fulgence d'Ecija* (v. 580-633) sont considérés comme Docteurs de l'Église.

Les églises non catholiques d'Orient ne vénèrent que Basile, Grégoire de Nazianze et Jean Chrysostome.

Conversions célèbres

Païens. *Constantin,* empereur (v. 280-370) à env. 30 ans (311). *Clovis,* roi des Francs (465-511) à env. 30 ans (496 ?). *Boris,* khan des Bulgares (852-889). *St Vladimir* de Russie (1053-1125).

Confucianistes. Les *8 martyrs,* béatifiés le 27-5-1900 : *Augustin Tchao* († 1815), *Joseph Juen* († 1817), *Paul Lieou* († 1818), *Thaddée Lieou* († 1823), *Pierre U* († 1824), *Joachim Ho* († 1839), *Laurent Pe* († 1856), *Agnès Tsao* († 1856).

Juifs. *St Paul* (v. 10 av. J.-C.-67 apr. J.-C.) à env. 45 ans (v. 36). *David Drach,* rabbin, devenu polémiste ; ses 3 fils seront prêtres (1791-1865), 34 a. *François Libermann* (1802-52), fils de rabbin, prêtre. Les frères *Ratisbonne,* banquiers strasbourgeois : Théodore (1802-44) ordonné prêtre à 28 a. ; Alphonse (1812-84), 30 ans, ordonné prêtre à 36 a. Les frères (jumeaux) *Lehmann :* Achille (1836-1909) et Édouard (1836-1914), baptisés 18 a., ord. prêtres 24 a., fondateurs de l'Alliance cath. *Max Jacob* (1876-1944), poète, peintre, 39 a. *Gustave Cohen* (1879-1958), médiéviste, fondateur des Théophiliens, 64 a. *Edith Stein* (1891-1942), philosophe, devenue carmélite (sœur Bénédicte de la Croix), morte déportée à Auschwitz, 29 a. (sa béatification, 1-5-1987, a créé un incident, car Jean-Paul II a dit : « mise à mort par haine de la foi catholique » et les Juifs estiment « par haine du judaïsme »). *Irène Nemirovsky* († 1942 Auschwitz) en 1929 romancière. *Card. Jean-Marie Lustiger* (n. 1926, archevêque de Paris en 1981), 14 a.

Musulmans. *Mgr Paul Mulla* (1882-1959), Turc crétois, disciple (puis filleul) de Maurice Blondel, baptisé 1905, ordonné 1913, prof. à l'Institut pontifical oriental. *Jean Mohammed Abd-el-Jalil* (1904-79). Marocain, 24 ans, aide de camp du maréchal Lyautey, prêtre franciscain en 1935.

Protestants. *Henri IV* (1553-1610) : 1re abjuration à 19 a., 2e, 40 a. *Christine de Suède* (1626-89), 28 a. *Maréchal de Turenne* (1611-75), 57 a. *Cardinal Henry Newman* (1801-90), clergyman anglican, 44 a. *Cardinal Henry Manning* (1808-92), clergyman angl., 42 a. *Bienheureuse Elizabeth Seton* (1774-1821), Amér., fondatrice des sœurs de la Charité de St-Joseph (béatifiée par Jean XXIII, 1963).

Incroyants ou irréligieux. DÉJÀ BAPTISÉS : *St Jérôme* (347-420) à 25 ans. *St Augustin* (354-430), 33 a. *St François d'Assise* (1182-1226), 24 a. *St Ignace de Loyola* (1491-1556), 31 a. *Armand de Rancé* (1626-1700), 34 a., abbé de la Trappe. Le père *Henri Lacordaire* (1802-61), orateur, 21 a. *Louis Veuillot* (1813-83), journaliste, 25 a. *Léon Bloy* (1846-1917), polémiste, 38 a. *Paul Claudel* (1868-1955), écrivain, 18 a. BAPTISÉS POUR LEUR CONVERSION : *Jacques Maritain* (1882-1973), philosophe, 24 a. *André Frossard* (n. 1915), journaliste, 24 a. *Thomas Merton* (1915-68), écrivain américain, prêtre trappiste, 28 a.

La Gaule n'a connu qu'une seule brève persécution, Decius (250), voir p. 517 b.

Bilan de cette période. Implantation de la foi chrétienne dans tout l'Empire ; constitution d'évêchés dans les cités importantes ; primauté de l'Église de Rome (interventions contre les déviations de la doctrine ou de la pratique du culte) ; création de la littérature patristique (Justin, Ignace d'Autriche, Cyprien) ; œuvre théologique d'Origène et de Tertullien.

■ **Constantin le Grand** (entre 270 et 288-337), fils de Ste Hélène (milieu IIIe s.-330 ?), baptisé que sur son lit de mort. **306** empereur. **312** 12-10 avant la bataille du pont de Milvius voit dans le ciel un signe chrétien et le fait inscrire sur les boucliers de son armée. **313 Édit de Milan :** liberté du culte. **324** *Constantin devient empereur unique d'Occident et d'Orient,* en battant *Licinius* (antichrétien, persécuteur), dans un combat où son armée avait pour emblème le *labarum* chrétien. Il s'affirme alors le protecteur officiel de l'Église, appliquant les décisions conciliaires, et unifiant la date de Pâques (mars). Il décide de mettre sa capitale à Constantinople, ce qui affaiblit l'Église en créant un rival du pape romain. **325 Concile de Nicée** (voir p. 511 a).

L'Église après Constantin

368 1er emploi (par l'empereur *Valentinien Ier*) du mot « païens » *(pagani)* pour désigner les sujets non chrétiens de l'Empire : le mot signifie *ruraux,* ce qui prouve que la conversion des cités est chose faite. **391-392** l'empereur *Théodose* interdit le culte des idoles et ferme les temples païens. **IVe-Ve s.** Période des grandes hérésies. Voir encadré, ci-dessous.

Évangélisation. *Allemagne :* St Boniface (v. 680-754). *Angleterre :* St Augustin de Cantorbéry († v. 605). *Danemark* et *Suède :* St Anschaire (801-865). *Écosse :* St Colomban (v. 540-615). *Espagne :* traditionnelle. : 7 év. envoyés par St Pierre, mission de l'apôtre St Jacques le Mineur ; historique : St Fructueux de Tarragone (IIIe s.). *Gaule :* voir p. 517. *Hongrie :* St Étienne (v. 939-1038). *Irlande :* St Patrick (v. 390-v. 461). *Slaves :* St Cyrille (827-869) et St Méthode (825-885) (frères).

496 conversion de Clovis. **634-732** la moitié sud des territoires chrétiens est conquise par l'Islam. **Xe siècle** la Rome papale ressemble aux seigneuries italiennes : corruption, violences, débauches (ex. : le pape Étienne VI fait exhumer le cadavre de son prédécesseur et le traduit en justice). Cependant, à la même époque, la vie contemplative fleurit en Rhénanie [la réaction contre les potentats locaux italiens vient avec le pape français Sylvestre II (999-1003) et Grégoire VII (1073-85)].

1054 schisme d'Orient. Constitution de l'Église orthodoxe (voir p. 524). **1184** Création de **l'Inquisition :** le pape Lucius III établit avec l'empereur Frédéric Barberousse le principe du châtiment corporel des hérétiques considérés comme coupables de haute trahison. La plupart des roy. chrétiens utiliseront cette institution pour sévir contre les adversaires de l'autorité (qui était religieuse et civile). *Peines prononcées :* flagellation, pèlerinages, confiscations, destructions des maisons, prison ou exécution sur le bûcher (pour les « relaps » : ceux qui retombent dans l'hérésie après l'avoir abjurée). Les *juges* sont des ecclésiastiques, qui, comme les juges civils de l'époque, considèrent devoir défendre la cohésion et l'unité de la société contre les Albigeois, puis les Cathares (voir p. 487 b et 517 b).

☞ **Torture.** Interdite en 866 par le pape Nicolas Ier puis par le décret de Gratien en vigueur jusqu'en 1918. Au XIe s., l'université de Bologne revint au droit romain qui prévoyait la torture pour les causes laïques : Innocent II autorisa l'Inquisition à en faire usage (bulle *Extirpanda,* 15 mai 1252) ; en 1311 Clément V en restreint l'usage par l'Inquisition.

1309-76 séjour des papes à Avignon. Urbain VI est élu par les cardinaux, sous la pression des foules romaines qui refusent un pape français. 4 mois plus tard, 12 cardinaux s'enfuient, disant que l'élection n'était pas libre, et élisent le pape Clément VII, un Français. [Selon Pétrarque, la papauté avignonnaise était « la sentine de tous les vices et l'égout de la Terre ». En fait, les Italiens (jaloux de l'influence fr.) ont mis en avant des défauts réels, mais épisodiques et précurseurs de la Renaissance.]

1378-1417 schisme d'Occident. Les ambitions politiques des cardinaux provoquent une rupture entre France, Castille et Portugal d'une part ; Angleterre, Saint Empire et Flandre d'autre part : chaque parti a son pape qui excommunie son rival. Le peuple chrétien, pourtant, désire un pape unique. **1409** Les 2 papes antagonistes sont déposés par le *Concile de Pise ;* un 3e pape est élu : Alexandre V, à qui succède Jean XXIII (1er du nom). **1417** *Concile de Constance :* Jean XXIII et l'antipape Grégoire XII abdiquent. L'autre antipape est déposé. Martin V est élu pape et sera reconnu par la chrétienté.

1439 le *Concile de Bâle* essaie en vain de déposer Eugène IV et élit un antipape, Félix V, qui abdique en 1449. **XVe-XVIe s. Renaissance.** Les papes sont amis des arts, machiavéliques en politique ou (comme Jules II) de véritables *condottieri* (attitude de souverains des États de l'Église). Comme chefs religieux, ils laissent des prélats préparer les réformes (convocation du concile de Latran, 1512).

1516-17 (à partir de) réforme protestante prêchée par : Zwingli (1484-1531, tué à la bataille de Kappel), Luther (1483-1546) et Calvin (1509-64) (voir p. 527). **1545-63 Concile de Trente :** définit les dogmes sur lesquels avaient porté la contestation prot., renforce la discipline dans l'Église cath., et organise la « **Contre-Réforme** » ou « Réforme cath. », qui se traduira jusqu'en 1648 par la reconquête de plusieurs régions prot. : Bavière, Rhénanie, Silésie, Pologne.

1616-33 *procès de Galilée* (*Galileo Galilei* dit) qui s'était rallié au système de Copernic plaçant le Soleil au centre de l'Univers connu, mais voulant le prouver par les marées (condamné en 1616 par Paul V) : obligé de se rétracter et d'affirmer que le Soleil tournait autour de la Terre ; il est exilé (les minutes du procès, enlevées à Rome par Napoléon Ier, ont été rendues au Vatican par le gouv. français, contre la promesse que le procès serait révisé). Après 13 ans d'enquête (1979-92), Jean-Paul II a, le 31-10-1992, absous Galilée et ses juges dont le cardinal Bellarmin (il s'agit, a-t-il déclaré, d'« une tragique et réciproque incompréhension »). Pour le pape, Galilée a eu le tort de refuser la suggestion qui lui était faite de présenter comme une simple hypothèse scientifique le système copernicien, qui n'avait encore été confirmé par aucune preuve irréfutable. « La représentation géocentrique du monde était alors communément acceptée, en ce qu'on l'estimait parfaitement conforme à l'enseignement de la Bible ». Pour le cardinal Poupard, Pt de la commission qui a travaillé sur le cas Galilée : « Les juges ont sincèrement pensé que la diffusion des théories coperniciennes pouvait affaiblir la tradition catholique. Cette erreur les a conduits à prendre des mesures disciplinaires à l'encontre de Galilée, dont il eut beaucoup à souffrir. Il nous faut reconnaître loyalement les torts causés. »

1790-1815 période révolutionnaire (voir L'Église de France, p. 517). L'Égl. cath. est bouleversée dans d'autres pays, notamment en Allemagne.

1870 fin des États de l'Église : Victor-Emmanuel II, roi de Sardaigne, prend le titre de « roi d'Italie » et fixe sa capitale à Rome. Il est excommunié (dernier souverain régnant excommunié). Le *Concile de Vatican I* proclame le pape infaillible dans son enseignement, lorsque celui-ci est énoncé comme « de foi ». **1891** l'encyclique *Rerum Novarum* reproche à la vie économique d'être devenue « dure, implacable et cruelle ». Pour l'Église, les biens matériels sont faits pour permettre le bonheur de tous ; il est inique de les accaparer. **1929 Traité de Latran.** L'État de la Cité du Vatican remplace les États de l'Église (voir p. 504). **1962-65** *concile de Vatican II* (voir p. 512 a). **1985** *synode extraordinaire des évêques* à Rome : l'accent est mis sur la nature de l'Église (un mystère religieux) plutôt que sur sa mission (voir p. 511 a).

Caractéristiques de la religion catholique

Métaphysique chrétienne

Attributs de Dieu. Métaphysiques (dits aussi « négatifs », car ils sont des perfections excluant l'imperfection correspondante) : *1°) Aséité* (du latin *a se,* « à partir de lui-même ») : Dieu tire son être de lui-même, non d'un autre être ; *2°) Simplicité :* Dieu est un, non composé de parties ; *3e) Immutabilité :* Dieu ne peut passer d'un état moins parfait à un état plus parfait, ni réciproquement ; *4e) Éternité* (conséquence de l'*aséité* ou nécessité d'être) : l'existence de Dieu n'a pas eu de commencement et n'aura pas de fin ; *5°) Immensité :* Dieu est en dehors de l'espace, comme il est en dehors du temps. **Moraux** (dits aussi « positifs », car ils sont des facultés que possède également l'homme, mais à un degré infime) : intelligence, volonté, amour.

Preuves classiques de l'existence de Dieu. Dieu est : *1°) la cause première de tout mouvement* (« 1er moteur », Lui-même immobile parce qu'Il est en dehors de l'espace) ; *2°) le principe de toute cause* (la cause première, en lui-même : *a se*) ; *3°) l'Être nécessaire* (les autres êtres apparaissent comme contingents, c.-à-d. non éternels) ; *4°) l'Être parfait* (les autres êtres n'étant pas immuables). Il est l'intelligence parfaite que présuppose l'ordre du monde.

Personnalité de Dieu. Les arguments de l'existence de Dieu sont communs aux chrétiens et aux panthéistes, pour qui Dieu ne fait qu'un avec le monde, mais la philosophie chrét. conclut que Dieu (créateur du monde) « transcende » le monde qu'il a créé (c.-à-d. qui est d'une nature différente et supérieure) ; le dieu des panthéistes, de même nature que le monde, ne peut être infini (ils confondent l'*infini* avec la *totalité*).

Mystères chrétiens

Définition. Vérités religieuses dépassant les données purement philosophiques. La raison humaine ne peut prétendre découvrir ces vérités et les expliquer par elle seule ; elles supposent donc une *révélation :* le don d'une vérité fait par Dieu aux hommes.

Révélation. « Par la révélation divine, Dieu a voulu se manifester lui-même et communiquer les décrets éternels de sa volonté sur le salut des hommes » (Vatican II). Cette révélation, qui atteint sa plénitude dans le Christ, s'exprime dans la Bible, dont les auteurs ont été *inspirés,* et l'Église a la charge, avec l'assistance du Saint-Esprit, de la transmettre intacte et intégrale à tous les humains.

Principaux mystères. Création : la raison ne peut expliquer ni le pourquoi ni le comment de la création du monde, même si elle peut concevoir la notion d'un Dieu créateur ; la création de l'Homme, en particulier, est un mystère dépassant la raison (un mystère de « l'amour divin) : Dieu, étant infini et parfait, se suffit à Lui-même ; il peut se passer d'aimer une créature et d'être aimé par elle. La raison de son acte d'amour créateur relève du mystère. **Trinité :** la raison peut expliquer que le Dieu unique peut être en 3 personnes (Père, Fils, Esprit) et qu'il doit même l'être (l'amour réciproque du Père et du Fils étant lui-même un être fécond). **Incarnation :** mystère du même ordre. Jésus a 2 natures (divine et humaine) en une seule personne. Aucun concept humain ne peut définir ou expliquer cette réalité. **Rédemption :** le sacrifice de J.-C. a permis au monde d'être sauvé, c.-à-d. de ne pas être vaincu par le Mal (la raison n'explique ni la nature du Mal, ni en quoi consiste la victoire de J.). **Corps mystique :** expression imagée servant à faire comprendre l'unité de la vie de la grâce (il n'y a de grâce que par le Christ : il est la tête d'une réalité vivante, dont l'Église est le corps). L'épithète *mystique* a le sens de « spirituel » et de « mystérieux ». L'expression *Corpus Christi* est employée déjà par St Paul pour désigner l'Église.

Enseignement. Chaque mystère fait l'objet d'un dogme (du grec *dogma,* « enseignement »). Il constitue une vérité à croire par fidélité envers l'Église, et non par suite d'un raisonnement logique. Néanmoins, si les mystères chrétiens *dépassent* la raison, ils ne la *contredisent* absolument pas : ils ne sont ni irrationnels, ni antirationnels (lorsque Bossuet dit : « Tais-toi, raison imbécile », il emploie *imbécile* dans le sens de *faible :* la raison n'atteint pas le niveau du mystère révélé).

Notes théologiques

Définition. Notifient la « vérité » des assertions en matière religieuse, en déterminant : 1°) *l'autorité* qui a donné l'enseignement ; 2°) *la qualification* propre à une doctrine ; 3°) *la certitude* avec laquelle celle-ci est proposée.

Les 8 degrés de la vérité religieuse. 1°) *Vérités de « foi divine »* [contenues dans la Révélation, c.-à-d. dans la Parole de Dieu (implicitement ou explicitement)]. 2°) *De foi divine et catholique* (contenues dans la Révélation et proposées comme telles par un acte spécifique des pasteurs de l'Église). 3°) *Proches de la foi* (considérées comme telles par de nombreux pasteurs et théologiens). 4°) *De « foi ecclésiastique »* (en connexion avec une vérité révélée, par exemple, que Pie XII a été élu validement, car sinon, sa définition de l'Assomption, qui est de foi, ne serait pas non plus valide). 5°) *Théologiquement certaines et communes* (considérées par l'ensemble des théologiens comme élaborées en fidélité foncière avec la Révélation). 6°) *Théologiquement fondées* (comportant certains arguments ou certaines preuves non approuvés par tous les théologiens). 7°) *Jouissant d'une réelle probabilité* (faisant valoir un motif sérieux, mais non décisif). 8°) *Doctrines sûres* (dans l'état actuel des connaissances, approchant le plus sûrement de la vérité).

Dogmes

Symboles. L'essentiel de la foi cath. est résumé dans le *Symbole des Apôtres* (orig. romaine du IIIe s., fixé au VIIIe s.) ou dans le *S. de Nicée-Constantinople* (325-381), dits l'un et l'autre *Credo* (du 1er mot latin du texte) : le s. de Nicée développe la foi en la divinité de Jésus-Christ, qui était contestée par les hérétiques ariens, et en la divinité du Saint-Esprit.

Commandements de Dieu
(Décalogue)

Origine. Le Décalogue (ou Dix Commandements ou les Dix Paroles ou les deux Tables de la Loi) est attribué à Moïse et se trouve dans la Bible sous diverses formes (voir p. 538 b).

Forme courante. 1 C'est moi ton Dieu. **2** Tu ne feras pas de dieu à ton image. **3** Tu n'abuseras pas de mon nom. **4** Tu sanctifieras le jour du Seigneur. **5** Honore ton père et ta mère. **6** Tu ne tueras pas. **7** Tu ne commettras pas d'adultère. **8** Tu ne voleras pas. **9** Tu ne seras pas un faux témoin. **10** Tu ne convoiteras pas.

Forme versifiée. Le Décalogue a été mis en vers français dès 1491, pour faciliter son enseignement. Dernière version officielle (1931) :

1. Un seul Dieu tu adoreras
   Et aimeras parfaitement.
2. Dieu en vain tu ne jureras
   Ni autre chose pareillement.
3. Les dimanches tu garderas
   En servant Dieu dévotement.
4. Tes père et mère honoreras
   Afin de vivre longuement.
5. Homicide point ne seras
   De fait ni volontairement.
6. Luxurieux point ne seras
   De corps ni de consentement.
7. Le bien d'autrui tu ne prendras
   Ni retiendras à ton escient.
8. Faux témoignage ne diras
   Ni mentiras aucunement.
9. L'œuvre de chair ne désireras
   Qu'en mariage seulement.
10. Biens d'autrui ne convoiteras
    Pour les avoir injustement.

Commandements de l'Église

Rédigés aussi en vers français au XVe s., ils indiquent les principales prescriptions de la discipline ecclésiastique. Plus tard, le 4e commandement fut mis à la 2e place et un 6e fut ajouté :

1. Les dimanches messe ouïras
   et fêtes de commandement.
2. Tous tes péchés confesseras
   à tout le moins une fois l'an.
3. Et ton créateur recevras
   au moins à Pasques humblement.
4. Les fêtes sanctifieras
   qui te sont de commandement.
5. Quatre-temps, vigiles, jeûneras
   et le carême entièrement.
6. Vendredi chair ne mangeras,
   Ni le samedi mesmement.

L'*interdiction de manger de la viande* les vendredis et pendant les 40 j du Carême remonte aux premiers siècles du christianisme, et avait été rendue obligatoire sous peine d'excommunication par le *Concile de Laodicée,* entre 443 et 481 ; elle a été mitigée par la suite, et même levée pour le peuple espagnol (1570), après la bataille de Lépante gagnée sur les Turcs musulmans, en 1570, par une escadre en majorité espagnole ; le code de droit canon (1983) prescrit l'abstinence de viande (faire maigre) le vendredi, mais en France (1966), et dans de nombreux pays, cette obligation a été supprimée (sauf pendant le Carême).

Symbole des Apôtres : Je crois en Dieu, le Père tout-puissant, créateur du ciel et de la terre.

Et en Jésus-Christ, son Fils unique, notre Seigneur, qui a été conçu du Saint-Esprit, est né de la Vierge Marie, a souffert sous Ponce Pilate, a été crucifié, est mort et a été enseveli, est descendu aux enfers, le troisième jour est ressuscité des morts, est monté aux cieux, est assis à la droite de Dieu le Père tout-puissant, d'où il viendra juger les vivants et les morts.

Je crois en l'Esprit saint, à la sainte Église catholique, à la communion des saints, à la rémission des péchés, à la résurrection de la chair, à la vie éternelle. – Amen.

Symbole de Nicée : Je crois en un seul Dieu, le Père tout-puissant, créateur du ciel et de la terre, de l'univers visible et invisible.

Je crois en un seul Seigneur, Jésus Christ, le Fils unique de Dieu, né du Père avant tous les siècles : il est Dieu, né de Dieu, lumière, née de la lumière, vrai Dieu, né du vrai Dieu, engendré, non pas créé, de même nature que le Père ; et par lui tout a été fait. Pour nous les hommes, et pour notre salut, il descendit du ciel ; par l'Esprit saint, il a pris chair de la Vierge Marie, et s'est fait homme. Crucifié pour nous sous Ponce Pilate, il souffrit sa passion et fut mis au tombeau. Il ressuscita le 3e jour, conformément aux Écritures, et il monta au ciel ; il est assis à la droite du Père. Il reviendra dans la gloire, pour juger les vivants et les morts ; et son règne n'aura pas de fin.

Je crois en l'Esprit saint, qui est Seigneur et qui donne la vie ; il procède du Père *et du Fils* [le « et du Fils », en latin *Filioque,* rajouté en 794 en Occident sur intervention de Charlemagne (accepté à Rome en 1014), a été en partie la cause du schisme orthodoxe)]. Avec le Père et le Fils, il reçoit même adoration et même gloire ; il a parlé par les prophètes. Je crois en l'Église, une, sainte, catholique et apostolique. Je reconnais un seul baptême pour le pardon des péchés. J'attends la résurrection des morts, et la vie du monde à venir. – Amen.

Dogmes contenus dans les 2 symboles précédents : 1° Dieu unique, le Père, créateur. 2° Dieu le Fils. 3° Son incarnation. 4° Sa mort rédemptrice. 5° Sa résurrection. 6° Le Jugement dernier. 7° Dieu Esprit saint. 8° L'Église. 9° La Communion des saints. 10° Le baptême pour le pardon des péchés. 11° La Résurrection de la chair. 12° La Vie éternelle.

Dogmes définis au cours des âges. La Vierge Marie est « Mère de Dieu » (431) ; le Christ est une seule personne en 2 natures (451) ; la nature humaine est blessée par le péché originel, la Grâce divine lui est indispensable (429-431) ; par la consécration, le pain et le vin deviennent le corps et le sang du Christ *(transsubstantiation)* (1215) ; la soumission au pontife romain est nécessaire au salut ; l'âme est immortelle, et une assertion philosophique ne peut être vraie contre une vérité de foi (1513) ; l'Écriture sainte reconnue par l'Église est inspirée (1546) ; la messe renouvelle le sacrifice du Christ (1562) ; la Vierge Marie a été conçue sans le péché originel [dogme de l'*Immaculée Conception* (1854) : immaculée dès sa conception, « intouchée du diable », comme dit Mahomet dans le Coran (à ne pas confondre avec le dogme de la *conception virginale* de Jésus par Marie)] ; le *magistère* du pape est infaillible quand il définit solennellement une doctrine de foi ou de morale (1870) ; Marie a été glorifiée dans son âme et son corps [dogme de l'*Assomption* (1950)].

Autres croyances

Anges. Du grec *angelos,* messager. Créatures spirituelles innombrables, selon l'Ancien Testament : ils forment la cour céleste de Dieu et servent de messagers entre Dieu et les hommes. La Bible personnalise 3 archanges : *Michel* (le prince des armées du ciel), *Gabriel* (héros de Dieu) et *Raphaël* (Dieu guérit) ; fête commune : 29-9. Les apocryphes ont multiplié les listes des anges, leurs noms et leurs interventions. Les commentateurs bibliques depuis le Pseudo-Denys (VIe s.) ont réparti la hiérarchie céleste en 3 ordres et 9 chœurs : *Anges, Archanges* et *Principautés ; Puissances, Vertus* et *Dominations ; Trônes, Chérubins* et *Séraphins.* St Paul a rappelé que les anges ne font pas écran entre le Christ et les fidèles.

Anges gardiens mentionnés dans l'Ancien Testament et par Jésus (Matthieu, 18,10) comme chargés de protéger chaque être humain contre les dangers. Croyance formulée au XIIe s. par Honoré d'Autun. FÊTE : *2-10 :* attestée à Valence en 1411, étendue à toute l'Église latine par Paul V en 1608.

Représentation : d'abord éphèbes antiques vêtus de longues robes. IVe s. : apparition du type ailé, XIIe s. : des enfants, XIIIe s. : des bébés, XVe s. : des femmes, XVe-XVIe s. : vêtus de plumage, *Renaissance :* têtes d'enfants ailées.

☞ La querelle du « sexe des anges » vient de l'interprétation d'un passage de l'Évangile (Matthieu XXII, 30 ; Marc XII, 25 ; Luc XX, 35-36) où le Christ déclare qu'après la Résurrection, les saints seront sans époux, sans épouses, et comme les anges de Dieu. A plusieurs reprises, l'Église a affirmé que ces créatures étaient immatérielles (sans corps), incorruptibles, immortelles.

■ **Démons.** La Bible parle de démons ou génies, comme d'esprits impurs, malfaisants et tentateurs. Certains ont un nom collectif (les *Seirim*) ou personnel (*Lilith, Azazel, Abaddon, Asmodée, Beelzebul*), ils sont souvent assimilés à des divinités païennes « qui ne sont rien ». En face des *Anges fidèles,* la Bible présente les *Anges rebelles* ayant à leur tête *Satan*, l'adversaire, le tentateur, appelé encore *Lucifer* (en latin : « porte-lumière »), le *Diable* (du grec *diabolos :* accusateur), le *Serpent* ou le *Dragon* (*Léviathan, Béhémoth*), le *Prince des ténèbres* ou de ce monde, qui, depuis Adam, attire l'homme vers le mal. Le *livre de l'Apocalypse* évoque la lutte des anges rebelles contre les anges fidèles, et leur défaite face à l'archange Michel qui les chasse du ciel. L'Église croit à leur influence mauvaise, et même à des cas de possession, contre lesquels elle agit par exorcismes ; mais elle refuse le dualisme manichéen (2 principes égaux du Bien et du Mal) et affirme que, créés bons, les démons sont devenus mauvais par leur faute et que, s'ils peuvent tenter l'homme, ils restent soumis à la toute-puissance de Dieu.

Honorius Augustodunensis, probablement moine irlandais auteur de l'*Elucidarium* (v. 1150), déformé plus tard en *Lucidaire,* ajoute aux données bibliques des éléments des légendes irl. de la *Vision de Tungdal* (diables hideux et cruels résidant en enfer). Le *Lucidaire* inspira la *Divine Comédie* de Dante, et de nombreuses œuvres picturales du XIIIe s. Au XVe s., Denys le Chartreux (Denys Leeuwis ou Van Leeuven, né à Ryckel dans le Limbourg belge, 1402-71), auteur des *Quatre Fins de l'Homme,* commentant une vision apocryphe due à un mystique flamand ou allemand du XIVe s., répandit les concepts de la *Vision de Tungdal,* ajoutant la notion biblique de « tentateur » (le Diable, cherchant à avoir de nombreuses victimes à tourmenter pour l'éternité, s'efforce de les faire tomber en Enfer). Du XVe s. date l'expression de *« Malin »*, signifiant « cruel » et « rusé ».

☞ Des théologiens ont distingué les *succubes* (tentatrices venant, la nuit, rejoindre les hommes) et les *incubes* (tentateurs qui allaient rejoindre les femmes).

■ **Miracles.** Connus dans toute religion (judaïsme, islam, christianisme...). Un chrétien, par le fait même qu'il adhère au Christ et à son Évangile, croit au

■ Principales hérésies

■ **IIIe S. Origénisme.** Certaines thèses de l'Alexandrin Origène (185-254), auteur du « Traité des Principes ». Idées platoniciennes sur la préexistence des âmes, déformées au VIe s., et condamnées par le concile de Constantinople II (553).

Encratites. Partisans de la continence et de l'abstinence rigoureuse : condamnent le mariage. A partir du IVe s., se diversifient : Adamites, Apostoliques ou Apotactiques.

Gnosticisme. Spéculations cosmologiques ou théosophiques refusant le Dieu de l'Ancien Testament et l'Incarnation.

Manichéisme. Dû au Persan Mani ou Manès (216 ?-273). Admet 2 principes divins : le Bon et le Mauvais. Voir Parsisme à l'Index.

Ébionites. Nient la divinité de Jésus.

Montanistes. De Montanus, IIe-IIIe s. Rejettent la hiérarchie ecclésiastique. Morale rigoriste.

Artotyrites. Célèbrent le repas eucharistique avec du pain et du fromage.

■ **IVe-VIIe S. Arianisme** (Arius d'Alexandrie 280-336). Nie la divinité du Christ ; le fils de Dieu, qui s'est incarné en Jésus, n'est pas éternel ni égal à Dieu le Père. Condamné à Nicée en 325.

Donatisme. Dû à l'évêque Donat († v. 355) ; du IVe s. au début Ve s. en Afrique du N. Débat entre rigoristes et réalistes. Les uns soucieux de la fidélité aux principes, les autres plus sensibles aux aspects pastoraux et humains. L'évêque Donat entraîne dans un schisme une large part de l'Église de Numidie. St Augustin, conduira avec succès la lutte contre le donatisme.

Pneumatomaques. Dus à Macedonius († v. 370). Nient la divinité du St-Esprit. Disciples condamnés à Constantinople en 381.

Nestorianisme. Dû à Nestorius (v. 380-451), patriarche de Constantinople. Voit dans Jésus un être double : une personne humaine dans laquelle le Verbe divin habite comme dans un Temple. Rejette par conséquent la maternité divine de la Vierge. Condamné au concile d'Éphèse en 431, qui proclame Marie, mère de Dieu.

Monophysisme. Dû à Eutychès (v. 378-453). Affirme que la nature divine de Jésus a absorbé sa nature humaine. Condamné à Chalcédoine en 451. Son disciple Jacques Baradaï († 578) fonde l'Église jacobite en opposition surtout au pouvoir impérial de Constantinople.

Monothélisme. Dû au patriarche Sergius (610-38), appuyé par l'empereur Héraclius. Essai de conciliation entre l'orthodoxie et le monophysisme : il y a bien 2 natures dans le Christ (la divine et l'humaine), mais une seule volonté (la divine). Condamné à Constantinople en 680-81.

Pélagianisme. Dû au moine breton Pélage (v. 360-v. 422). Attribue un caractère tout-puissant à la volonté humaine. Croit à la perfection possible sur terre. Nie la nécessité de la grâce et le péché originel. Combattu par St Augustin. Regain avec Jansenius au XVIIe s.

■ **VIIIe-XVIIIe S. Iconoclastes.** En 730, Léon III l'Isaurien, emp. d'Orient, fit détruire les images. En 843, le culte des images, défendu par le 2e conc. de Nicée (787), est rétabli par l'impératrice Théodora.

Prédestinationnisme. Godescalc ou Gottschalk d'Orbais (v. 805-868). L'homme est prédestiné avant sa naissance au salut ou à la damnation. Condamné à Mayence en 848.

Millénarisme. Croyance au retour du Christ sur terre, ou Parousie (grec *parousia,* « arrivée ») pour un règne de 1 000 ans avec ses fidèles avant le combat final contre ses adversaires, suivi de son règne éternel dans le ciel.

Vaudois. Pierre Valdo (v. 1140-v. 1217). Promoteurs de la pauvreté, rejettent le culte des saints, le sacerdoce et la plupart des sacrements. Ils rejoindront le protestantisme. Aujourd'hui, env. 20 000 en France et Italie.

Albigeois (ou **Cathares** = purs). **Origine :** Contre-Église constituée au XIIe s. dans les régions de Carcassonne, Albi, Toulouse et Agen, et née de la rencontre : 1°) d'une population restée fidèle à l'arianisme répandu dans la région (et en Espagne où il s'est allié à l'Islam) par les Wisigoths entre VIe et IXe s. ; 2°) de la doctrine manichéenne encore vivace dans l'empire byzantin où elle comptait, au XIIe s., 3 évêchés « *bogomiles* » : Bulgarie, Philadelphie, Drugonthie. Des Croisés méridionaux de la IIe Croisade (1147, passée par Constantinople) répandent le manichéisme chez les nombreux « Goths » (secrètement ariens) de leur région ; en 1167, ils se réunissent en concile à St-Félix-de-Caraman avec l'évêque bulgare Niquintas, qui crée 6 diocèses (« albigeois ») en Fr., et 1 (« *patarin* », c.-à-d. chiffonnier) en Italie : Desenzano. Les Cathares occupent de nombreux « hauts lieux », notamment les châteaux de Pieusse (Aude), Quéribus (Aude), Montségur (Ariège). **Pratiques :** condamnent sacrements, culte extérieur, hiérarchie ecclésiastique, droit de propriété ; nient le purgatoire et la résurrection des morts ; approuvent le suicide qui libère l'âme du mal ; considèrent comme un moindre mal sexualité, mariage, procréation, sauf pour les « Parfaits ». **Condamnations :** par les Conciles de Latran de 1179 et 1215. Exterminés après 20 ans de guerre, par une croisade décidée en 1208 par Innocent III, et menée par Simon de Montfort, puis Louis VIII. Au Camp dous Cramats, près de Montségur (1 217 m d'alt.), ont lieu chaque année des réunions célébrant la défaite et l'exécution par le feu des 205 derniers résistants cathares (1244). Jusqu'au XVIe s., de nombreux groupes de « patarins » ont subsisté en Europe centrale et méditerranéenne. Ils se sont ralliés volontiers aux Turcs osmanlis après 1453 (notamment le Bosniaque Radak, qui a livré en 1463 à Mahomet II la place forte de Yaiche). Au XVIe s., ils ont rejoint le protestantisme.

Dulcinistes ou **Apostoliques.** Gérard Segarelli (1300), Dulcin (Fra Dolcino, brûlé en 1307). Proclamaient mener la vie des 1ers apôtres, dans la pauvreté en n'ayant que Dieu pour maître.

John Wyclif (Angl. v. 1320-1384). Rejette autorité des évêques, culte des saints, cérémonies, vœux, transsubstantiation, confession.

Lollards. De « lullen » ou « lollen » (chanter) ? Adeptes de Wyclif. Mouvement populaire anticlérical répandu en Angleterre (XIVe-XVe s.), critiquant les structures ecclésiastiques.

Jan Hus (recteur de l'Université de Prague, 1369, brûlé 1415). Reprend plusieurs thèses de Wyclif et les idées de Pélage sur la perfection. L'Église des Frères moraves ou Église évangélique tchèque (300 000 fidèles) se réclame de lui.

Taborites (Bohême). Disciples extrémistes (antipapistes) de Jan Hus, vaincus par les Calixtins unis aux catholiques. Se rallièrent en grand nombre aux Frères moraves.

Calixtins ou **Utraquistes** (Bohême). Disciples modérés (antischismatiques) de Jan Huss. Réclamaient la communion au calice, ou sous les deux espèces *(sub utraque specie).* Se rallièrent soit aux luthériens, soit aux Frères moraves.

Socinianisme ou **Antitrinitarisme.** Doctrine des 2 Italiens Lelio (1525-62) et Fausto Sozzini, son neveu (1539-1604), réfugiés en Pologne où ils organisèrent l'*Église des Frères Polonais.* Reconnaissent la naissance miraculeuse de Jésus, mais nient sa divinité. Leur doctrine refleurit en Angleterre au XVIIIe s., appelée *Unitarisme.*

Jansénisme. Jansenius, évêque d'Ypres, Belgique (1585-1638), expose sa doctrine dans l'*Augustinus* paru en 1640 : la grâce est nécessaire pour toute œuvre bonne, et efficace nécessairement ; Dieu la refuse à ceux qu'il n'a pas prédestinés au Ciel ; la pratique de l'Eucharistie est réservée aux âmes ferventes. Introduit en France par l'abbé de *St-Cyran* (1581-1643), adopté à Port-Royal (*Pascal,* les *Arnauld :* Angélique 1591-1661, Antoine 1612-94, Robert 1589-1674), condamné en 1713 par la bulle *Unigenitus* de Clément XI.

La résistance des jansénistes à cette Bulle se poursuivit au XVIIIe s. ; ils obtinrent la dissolution de leurs adversaires, les jésuites, en 1773. Certains jansénistes exaltés, proches des convulsionnaires de St-Médard (voir p. 517 b) ont formé des communautés dissidentes [telles que les *Flagellants* ou *Fareinistes,* fondées par les frères Claude et François Bonjour, à Fareins (Ain), à partir de 1785]. Elles subsistent encore, regroupées dans la Petite Église, l'Égl. Vieille-Catholique ou d'autres groupes « néo-gallicans » (voir p. 531 c).

Quiétisme. Idéal mystique selon lequel l'âme se tenant dans une totale quiétude passive peut se maintenir en union avec Dieu même sans pratique de dévotion. Exagéré dans son expression par le prêtre espagnol *Molinos* (1628-96), le quiétisme fut répandu en France par *Madame Guyon* (1648-1717). *Fénelon* (1651-1715) s'en fit le défenseur jusqu'en 1699.

Fébronianisme. Professé en 1763 par l'Allemand Jean-Nicolas de Hontheim (1701-90), qui écrivait sous le pseudonyme de Justin Febronius, dans son ouvrage *De Statu praesenti Ecclesiae.* Reprend les idées de Zeger-Bernard van Espen (1646-1728), Belge gallican et janséniste. Soutient que le pouvoir du pape est limité par les canons conciliaires et que ses décisions n'ont de valeur qu'avec l'approbation de l'épiscopat. Mis à l'index en 1764. Idées reprises par les jansénistes italiens du synode de Pistoie (1786), condamnés en 1794.

■ **XXe S. Modernisme.** Professé en *France* par l'abbé *Alfred Loisy* (1857-1940) ; en *Allemagne* par l'abbé *François-Xavier Kraus* (1840-1901) ; en *Italie* par l'abbé *Romolo Murri* (1870-1944) ; en *Angl.* par le P. *Georges Tyrrel* (jésuite, 1861-1909). Condamné le 8-9-1907 par le pape Pie X (encyclique *Pascendi).* Ensemble de déviations, dues au souci de ne pas couper le christianisme des découvertes modernes, et se manifestant dans de nombreux domaines : philosophie, esprit de foi, théologie, histoire, critique, apologie, discipline ecclésiastique. Les modernistes s'inspiraient des méthodes de travail de 2 protestants libéraux : Paul Sabatier (1859-1928) et Adolf von Harnack (1851-1930).

Nota. – Il n'existe plus aucun lien direct d'ordre sociologique entre grandes hérésies du Moyen Age et groupes qui s'en réclament aujourd'hui. Des sectes actuelles reprennent souvent la notion de dualisme rencontré dans catharisme et manichéisme.

pouvoir miraculeux de Dieu, forme de sa Toute-Puissance, mais n'est pas tenu de croire à tels ou tels miracles en particulier. *Miracles les plus cités ou représentés : Ancien Testament :* le passage de la mer Rouge, la manne et l'eau jaillie du rocher, le serpent d'airain, l'enlèvement d'Élie au ciel ; *Nouveau Testament :* voir Miracles de Jésus p. 483 a.

■ **Eschatologie** *(Fins dernières,* c.-à-d. vérités sur l'Au-delà). 2 vérités sont « de foi » (citées dans le *Credo*) : il y a une **vie éternelle** après la mort, celle des âmes et celle des corps. Les autres croyances en l'au-delà développent ces 2 dogmes. Certaines se fondent sur l'*Évangile :* les corps ressuscités sont dans l'état « glorieux », comme le corps du Christ après la Résurrection ; les méchants iront aux « ténèbres extérieures » ; les bons se sont amassé un « trésor dans le Ciel ». D'autres croyances se fondent sur des textes de l'*Apocalypse :* combat final contre l'*Antéchrist* (personnage nommé *fils de la Perdition* par St Paul) ; il tentera de faire damner les hommes, mais sera vaincu. **Jugement final** ou *général* ou *dernier,* appelé aussi *Jour du Fils de l'Homme, Jour du Christ, Jour du Jugement, Jour de la Colère, Grand Jour,* etc. Cette idée existe déjà dans l'Ancien Testament : aux 4 coins du monde les anges sonneront de la trompette pour convoquer les vivants, tandis que les morts ressusciteront, au *Jour du Seigneur,* les bons seront distingués des mauvais [le « sein d'Abraham » serait à peu près l'équivalent du Ciel ; la *Géhenne* (torrent de Jérusalem servant de tout-à-l'égout), celui de l'Enfer].

Paradis (du vieux persan *pairé-daza,* parc) : d'autres croyances sont des développements théologiques ou traditionnels de plusieurs textes : joies du Paradis, le « Ciel » étant vu comme le *Paradis terrestre* avant le péché, où Dieu est présent [synthèse de la *Genèse* (bonheur d'Adam), de l'*Évangile* (Jésus promet au Bon Larron de l'emmener au « Paradis »), des *Épîtres de St Paul* (il a été emmené au « Troisième Ciel »)]. Jusqu'au VIe-VIIIe s., Paradis ne signifie que Paradis terrestre (appelé le Jardin des délices), situé au pays d'Éden. Au XVIIe s. (après les grandes découvertes), on affirmera que le déluge aurait anéanti le Paradis terrestre.

Enfer [du latin *infernum* (de *inferum :* qui est en bas)]. Il faut distinguer *« les Enfers »,* lieu des morts [nommé dans l'Évangile de St Matthieu (XVI, 18) sous son nom mythologique grec : *Hadès ;* pour les juifs : *Shéol*] où le Christ lui-même est allé (Il *« est descendu aux Enfers »,* dit le Credo ; l'idée d'un séjour des morts existe dans la Bible), et *« l'Enfer »,* lieu de damnation ; la notion des *flammes de l'Enfer* est chrétienne : Matthieu parle de la *géhenne* du feu (V, 29). Elle synthétise les souffrances de ceux que Dieu a rejetés (« pleurs et grincements de dents »), la colère de Yahweh, ardente comme une flamme, le pouvoir purificateur du feu.

Purgatoire : à partir de la notion de purification par le feu *(ignis purgatorius),* a été créée celle du lieu *Purgatoire,* considéré comme différent de l'*Enfer :* les morts ayant subi l'épreuve purificatrice ont l'espoir d'être admis en présence de Dieu ; les peines de ceux qui sont « rejetés » sont, au contraire, considérées comme éternelles. On prie *pour les âmes du Purgatoire* (liturgie des défunts, commémoration de tous les fidèles défunts le 2 novembre, intercession à chaque messe et à l'office du soir, *De profundis,* confréries du Purgatoire...) ou on leur demande (en privé seulement) leur intercession.

Au Moyen Age, on a cherché à localiser l'Enfer sous terre, le Paradis dans le ciel, le Purgatoire au fond du cratère de l'Etna ou du Stromboli, ou dans une caverne d'Irlande.

Limbes : l'inquiétude sur le sort des enfants morts sans baptême a conduit des théologiens à les placer dans les *limbes* (où ils bénéficient du bonheur mais non de la vision de Dieu), et a entraîné des parents vers des rites de substitution parce qu'ils craignaient que l'enfant qui ne pouvait entrer au paradis ne revienne, en représailles, pour leur nuire. Ex. ; à Kintzheim, à la fin du XVIIIe s., des parents enterrent leur enfant mort sans baptême sous le chéneau de l'église paroissiale, espérant que l'eau de pluie le baptiserait, après avoir coulé sur le toit de l'édifice consacré. Au XIIe s., on avait aussi recours aux *sanctuaires à répit* où l'on déposait le corps. On y célébrait des messes et l'on priait. Qu'un signe apparaisse (ex. : rougeur au visage) et l'on criait au miracle, en s'empressant de baptiser l'enfant. Au XIXe s., les enfants mort-nés n'étaient pas inscrits sur les registres de catholicité.

☞ **La foi catholique n'est pas compatible avec l'astrologie.** Dieu seul connaît le futur de tout homme et celui de l'humanité ; si l'avenir était prévisible, l'homme ne serait pas maître de son destin, alors que Dieu l'a créé libre.

■ Morale

■ **Commandements moraux** (pratique des vertus, fuite du péché). La loi morale chrétienne n'a pas été présentée comme différente de la loi morale juive par Jésus-Christ lui-même, mais la surpassant : « Je ne suis pas venu abolir la loi, mais l'accomplir. » St Augustin (fin du IVe s.) a précisé : 1°) il est indispensable de pratiquer les préceptes du Décalogue qui constituent le minimum de la vie morale ; 2°) il est louable d'observer les conseils du Sermon sur la Montagne (morale des conseils dépassant la simple morale des préceptes).

Péchés. Les violations des préceptes du Décalogue (qui sont en majorité des interdictions) constituent des péchés ; les plus graves *(mortels)* amènent la rupture de la vie de grâce avec Dieu. Leur gravité dépend de l'importance de la matière (le vol d'une grosse somme est pire qu'un petit larcin), du degré de consentement, et du degré de connaissance de la faute. Quand il y a matière légère, ignorance ou manque de consentement, le péché est dit *véniel* (du latin *venialis* « excusable »). Le manque d'accueil pour la perfection évangélique, non considéré comme un « péché », risque cependant de causer un dépérissement spirituel.

☞ **Vertus. Théologales** (ayant Dieu pour objet) : foi, espérance, charité. **Cardinales** (sur lesquelles repose la vie morale ; le latin *cardo* signifie gond) : justice, prudence, force, tempérance.

On peut classer les péchés comme manquements à ces 7 vertus, *contre la foi :* infidélité, hérésie, apostasie, blasphème, aveuglement spirituel, superstition, idolâtrie, prétention de tenter Dieu, parjure, sacrilège, simonie ; *l'espérance :* désespoir et présomption ; *la charité :* haine, lassitude (acédie, opposée à la joie de la charité), envie, discorde, dispute, guerre, rixes, séditions, scandale, désobéissance, ingratitude, mensonge, simulation, hypocrisie, jactance, ironie, adulation, contestation ; *la prudence :* imprudence, négligence ; *la justice :* injustice, homicide, vol, accusations injustes spécialement devant les tribunaux, outrage, injure, dénigrement, allusion perfide, fraude, usure ; *la force :* crainte, intimidation, audace excessive, présomption, ambition, gloriole, pusillanimité, médiocrité ; *la tempérance :* avarice, prodigalité, gourmandise, ivresse, luxure, manque de maîtrise de soi, irascibilité, cruauté.

■ **Les 7 œuvres de miséricorde.** D'après l'enseignement de Jésus selon St Matthieu (25, 31-46) : nourrir les affamés, désaltérer les assoiffés, vêtir ceux qui sont nus, ensevelir les morts, accueillir les étrangers, visiter les malades, visiter les prisonniers.

■ **Péché originel.** Tendance existant dans tout être humain, et l'incitant à commettre le mal, au lieu de rechercher le bien. Tire son nom du couple « originel » de l'humanité ; le 1er homme et la 1re femme, que la Bible (livre de la Genèse) nomme *Adam* et *Ève.* Mis en demeure par Dieu par une épreuve morale (ne pas manger du *« fruit défendu »*), ils se sont laissés aller à suivre de préférence leur instinct. La tradition populaire a présenté le « fruit défendu » comme une *pomme* (du latin *pomum,* « fruit »). D'après la Genèse, il s'agit de « *l'Arbre de la Science* du Bien et du Mal ». Cette expression désigne symboliquement la loi morale (conscience de la nécessité d'observer certains préceptes).

Péchés capitaux. Sept : orgueil, avarice, gourmandise, envie, luxure, colère, paresse. Ils ne sont pas en eux-mêmes des péchés, mais des *vices,* c.-à-d. des tendances à commettre certains péchés.

☞ Jean-Paul II a rappelé que contraception, sexualité hors mariage, homosexualité, avortement, mariage des transsexuels étaient condamnables. Il a affirmé les principes moraux en matière de vie sociale, économique et politique et, en mars 1987, en matière de pratique génétique.

■ Catéchisme

Nom : dérive de « catéchèse » (faire résonner comme un écho). **Antécédents. Ancien Testament :** on trouve le mot « Didachê » (enseignement) avec le sens de transmission de la Parole de Dieu comme enseign. de vie. **Nouveau Testament** (Évangile) : Jésus « enseigne » et « instruit ». Dans les Actes et les Lettres pauliniennes, le mot « catéchiser » apparaît. *Fin Ier s.* (Syrie) : Didachê ou Doctrine des Apôtres (guide pour instruire ceux qui se préparaient au Baptême, et pour ordonner la vie de la Communauté selon les « 2 voies », celle de la « vie » et celle de la « mort »). *Fin Ve s. :* St Augustin écrit 27 chapitres pour l'approfondissement de la foi *(De catechisandis rudibus). IXe s. :* Alcuin rédige une *Disputatio puerorum per interrogationes et responsiones* (Exposition pour les enfants avec questions et réponses) : histoire sacrée et doctrine sur Sacrements, Credo et Notre Père. **XIIe s. :** « Livre de Sentences de Pierre Lombard ». « Les lucidaires et les Septénaires » adoptent des schémas différents (méthode originale de comparer ou d'opposer 7 parties : les 7 demandes de Notre Père, en relation avec les 7 Béatitudes et les 7 dons du Saint-Esprit, ou les 7 vertus principales opposées aux 7 péchés capitaux). *Moitié XIIIe s. :* St Thomas d'Aquin prêche dans un style simple (petits opuscules). **Catéchismes proprements dits.** *XIVe s. (1357):* l'archevêque d'York publie le *Lay Folks Catechism* (latin-anglais). *1368* catéchisme-major pour les clercs et texte du 1er canon du Synode de Lavaur (Narbonne). *1429* Concile de Tortosa, prescrit la rédaction d'« un résumé bref et utile de la Doctrine chrétienne... ». *1529* cat. protestant de Luther. *1545* cat. protestant de Calvin. *1555* St Pierre Canisius commence à publier en Allemagne des catéchismes (Major, Minime et Minor). 400 rééditions, traduits en 50 langues. *1566 Catechismus ex Decreto Concilii Tridentini ad Parochos* (plus connu sous le nom de Cat. de « St Pie V » ou « Cat. Romain »). Cat. major rédigé pour les curés. *1601* 1er cat. français : une traduction de Bellarmin publiée par François de Sales. *1687* parmi les plus connus, celui de Bossuet. *1947* publication d'un cat. national ; chaque diocèse français a possédé son cat., certains dep. 1660. *1966* les évêques français décident de remplacer le catéchisme national par un « fonds commun obligatoire », à partir duquel différents manuels seraient rédigés [le 1er, en 1978, à l'assemblée de Lourdes, sous le titre : « Il est grand, le mystère de la Foi » (approuvé à Rome 1978)]. A partir de ce document, seront publiés : des *Parcours catéchétiques* (diocésains) et un recueil, *Pierres Vivantes,* adopté par l'assemblée plénière de Lourdes (1980). *1991* (mai) un « Catéchisme national pour adultes » (456 p.) est publié par l'épiscopat français. *1992* cat. universel romain : paru en français le 16-11 [*1986* (10-7) le pape décide de constituer une commission de cardinaux et d'évêques (Pt : card. Joseph Ratzinger) pour préparer un projet de cat. pour l'Église universelle ou compendium de la doctrine catholique (de la foi et de la morale) qui puisse être un point de référence pour les cat. préparés ou à préparer dans les différentes régions. *1989* (nov.) envoi à tout l'épiscopat du projet révisé. *1990* (juin-oct.) examen et appréciation des réponses des évêques ; + de 24 000 amendements. *1990* (nov.)-*1991* (sept.) examen et appréciation, par la commission, du texte « prédéfinitif-version corrigée » (la 7e rédaction dep. le début des travaux). *1992* (14-2) approbation unanime de la commission du « projet définitif ». (30-4) rédaction définitive. (25-6) approbation officielle du pape)].

■ Liturgie

■ **Origine du mot.** Du grec *leitourgia :* service public, culte rendu à Dieu par les assemblées de fidèles (opposé à la dévotion privée).

■ **Livres.** *Bréviaire :* livre de l'office divin pour les moines et personnes consacrées. *Kyriale :* livre latin rassemblant les partitions des chants de l'ordinaire de la messe. *Lectionnaire :* contient les lectures liturgiques tirées de la Bible et classées pour chaque jour ou chaque fête. *Missel :* contient les textes pour la messe, a pour ancêtre le *Sacramentaire,* comme celui attribué au pape Gélase († 496). Missel Romain, publié pour la 1re fois par St Pie V (1570), souvent révisé à partir de Clément VIII (1604), réformé par Paul VI (1970) sur prescription du Concile Vatican II.

■ Calendrier liturgique

☞ **Le nouveau calendrier romain général,** promulgué par le décret de la Congrégation des rites du 21-3-1969, est entré en vigueur le 1-1-1970.

Le jour liturgique va de minuit à minuit, mais la célébration du dimanche et des solennités commence la veille au soir avec les 1res vêpres. Certaines solennités ont en outre une messe propre pour la veille au soir. Les célébrations de Pâques et Noël se poursuivent 8 j de suite. Chacune de ces octaves est régie par ses lois propres. Il y a 3 degrés de célébration : les *solennités* (10 fixes), les *fêtes* (23), et les *mémoires* (159), obligatoires (67) ou facultatives (92).

Catégories de fêtes

■ **Selon leur solennité. Fêtes de précepte ou d'obligation pour l'Égl. universelle** (d'après le Code de droit canon n° 1246) : en plus de tous les dimanches de l'année, Ste Marie, Mère de Dieu (1-1), Épiphanie (6-1), St Joseph (19-3), Ascension, Fête-Dieu, St Pierre et Paul (29-6), Assomption (15-8), Toussaint (1-11), Immaculée Conception (8-12), Noël (25-12).

Anciennes fêtes d'obligation : Purification (2-2), St Mathias (24-2), Annonciation (25-3), Lundi et Mardi de Pâques, Sts Philippe et Jacques (1-5), Lundi et Mardi de la Pentecôte, St Jean Baptiste (24-6), St Jacques (25-7), Ste Anne (26-7), St Laurent (10-8), St Barthélemy (24-8), Nativité de Notre-Dame (8-9),

St Matthieu (21-9), St Michel (29-9), Sts Simon et Jude (28-10), St André (30-11), St Thomas (21-12), St Étienne (26-12), St Jean (27-12), Sts Innocents (28-12), St Sylvestre (31-12).

Fêtes d'obligation en France et en Belgique en vertu du Concordat et de l'indult du 9 avril 1802 : Noël, Ascension, Assomption, Toussaint. Le jour est férié, et les fidèles sont tenus d'assister à la messe.

■ **Selon l'objet de la dévotion. a) Du Seigneur :** solennités : *Noël, Épiphanie, Annonciation du Seigneur, Pâques, Ascension, Pentecôte, Trinité, St-Sacrement, Sacré-Cœur, Christ-Roi, Dédicace de l'Église ;* fêtes : *Ste-Famille, Baptême du Seigneur, Présentation au Temple (Chandeleur), Transfiguration, Croix glorieuse, Dédicace du Latran.* **b) De la Vierge :** solennités : *Sainte Marie, Mère de Dieu, Immaculée Conception, Assomption ;* fêtes : *Nativité, Visitation ;* mémoires : *Marie, Reine ; N.-D. des Douleurs* (15-9, lendemain de la fête de la Croix) ; *N.-D. du Rosaire, Présentation* ; facultatives : *N.-D. de Lourdes ; du Carmel ; dédicace de Ste-Marie-Majeure ; Cœur Immaculé de Marie* (samedi après la fête du Sacré-Cœur). **c) De St Joseph :** 19-3 (sol.) et 1-5 (facultative). **d) Des Anges :** fête des archanges *Michel, Gabriel* et *Raphaël* (29-9) et des *Anges gardiens* (2-10). **e) Des Apôtres :** *St Pierre* [*Martyre,* 29-6, *Chaire* (c.-à-d. son épiscopat à Rome) 22-2] et *St Paul* (*Martyre,* 29-6 ; *Conversion* 25-1) ont 2 fêtes, les autres en ont une. **f) Des Saints :** célébrées le jour de la mort du saint [*dies natalis* (« anniversaire de la naissance » : leur mort a été leur naiss. au Ciel)] ; certains saints sont célébrés dans l'Église universelle, les autres étant laissés au culte national, régional, diocésain ou local. 64 saints ou groupes de saints inscrits au calendrier romain général ont vécu aux 10 premiers siècles ; 81 aux 10 suivants, dont XIe s. (25), XIIe (12), XVIe (17) et XVIIe (17). 128 fêtes concernent des saints d'Europe (dont 25 romains, 37 ital., 16 fr. et 11 esp.). Évêques, prêtres, religieux, religieuses y sont majoritaires, mais il y a aussi des laïcs (ex. Justin, Monique, Louis IX, Thomas More, Maria Goretti).

Le plus ancien témoignage d'un culte rendu à un martyr : saint Polycarpe, évêque de Smyrne († v. 156). *Dernière inscription au calendrier (1989) :* martyrs du Viêt-nam (1745-1802) ; *saint le plus récent (inscrit 1983) :* St Maximilien Kolbe († Auschwitz, 1941).

Déroulement

Légende.- (1) Fêtes d'obligation en France et Belgique. (2) Autres f. d'obl. pour l'Église universelle.

Octave de Noël [2]. 1er janvier. Ste Marie, mère de Dieu. La plus ancienne fête romaine de Marie (VIIe s.), restaurée en 1969.

Épiphanie [2] (du grec « apparition » ou *manifestation).* Fête d'origine orientale (v. 325), fixée au 6-1, en France le dimanche après le 1-1. *L'Orient* célèbre le 6-1 à la fois la naissance de Jésus, son baptême et le miracle de Cana, les 3 premières « manifestations » (épiphanies) au monde. Le 6-1, qui se rattache aux fêtes du solstice d'hiver, a pu être choisi pour se substituer à la naissance du dieu Aïon (parfois identifié avec Hélios, le soleil) enfanté d'une vierge. *En Occident,* où l'on célébrait la naissance de Jésus le 25-12 (à Rome v. 330), on fêta le 6-1 la « manifestation » (épiphanie) du Christ aux nations païennes, symbolisée par la venue des mages à Bethléem. La fête de la *galette* (ronde et dorée), dont on fait attribuer les parts par un enfant caché sous la table (le petit roi ou l'Enfant-soleil), se rattacherait au culte solaire préchrétien, dont une des fêtes majeures se situait au 6 janvier (en Normandie, on s'adresse à l'enfant caché sous la table en lui disant : *« Phoebe Domine »,* Seigneur Phébus). En Occident, la messe de l'Épiphanie est axée sur l'adoration de Jésus par les Rois mages et les vêpres en célèbrent les 3 mystères complémentaires, réunis en Orient sous le nom de *théophanie* : la royauté du Christ, son baptême par Jean-Baptiste où pour la 1re fois la Sainte Trinité se fait connaître à l'homme, et son 1er miracle (celui des noces de Cana) demandé par la Ste Vierge médiatrice, expliquent ce pourquoi le Christ est venu au monde : s'unir à chaque âme en des noces éternelles comme l'époux à son épouse.

Baptême du Seigneur. Le dimanche après l'Épiphanie, en Occident.

Conversion de St Paul. 25 janvier (fin VIe s. en Gaule).

Présentation du Seigneur (Chandeleur, autrefois **Purification de la Vierge Marie).** 2 février. Jésus est conduit au temple (40 j après sa naissance) où il est présenté à Siméon qui l'appela « Lumière pour éclairer les Nations ». Le nom populaire *Chandeleur* vient du latin *candelorum (festum),* « (fête) des Chandelles » : une procession avec des cierges allumés (fin VIIe s.) marque cette fête qui a peut-être pris la place des anciennes *lupercales* romaines où l'on s'assemblait avec des torches, et mangeait la galette de céréales en l'honneur de Proserpine : les *crêpes* de la Chandeleur pourraient venir de là.

Temps du Carême. 40 j de préparation à Pâques. Le Carême commence par 1 j de jeûne, le *mercredi des Cendres* (le prêtre marque de cendre le front des fidèles pour rappeler qu'ils sont « poussière » et les inviter à la pénitence) se termine le *Jeudi saint.* Les dim. de Carême sont suivis du dim. des Rameaux.

Saint-Joseph [2]. 19 mars (dep. 1479). Après Jean Gerson (1363-1429) et St Bernardin de Sienne (1380-1444) qui ont souhaité cette fête, parmi les propagateurs de la dévotion à St Joseph : Ste Thérèse d'Ávila, St François de Sales, Clément XI, Benoît XIII, Pie IX (le déclare patron de l'Église), Léon XIII, Pie XII, Jean XXIII (l'inscrit au canon de la messe).

Annonciation du Seigneur. 25 mars (dep. le VIIe s.). Annonce faite à Marie, par l'ange Gabriel, qu'elle deviendrait la mère du Messie (la fête peut être déplacée à cause de la date de Pâques).

Dimanche des Rameaux (et de la Passion du Seigneur). 7 j avant Pâques. Nommé ainsi à cause des rameaux tenus à la main au cours de la procession et rappelant les branches brandies par le peuple le jour où Jésus est entré solennellement à Jérusalem. Début de la semaine sainte.

Triduum pascal. *Début :* messe du soir le *Jeudi saint* (en mémoire de la dernière cène du Seigneur ; le matin, l'évêque qui concélèbre la messe avec ses prêtres bénit les *saintes huiles* et confectionne le *saint chrême*). *Fin :* vêpres du dimanche de *Pâques.* Traditionnellement, commencement et fin (pendant le *Gloria* de la Messe) sont marqués par une sonnerie de cloches à la volée. Entre ces 2 sonneries, l'usage des cloches est prohibé. Le *Vendredi saint,* l'après-midi, on célèbre la *Passion du Seigneur* (crucifixion et mort de Jésus). Le *Vendredi* et le *Samedi saints,* on observe le jeûne pascal.

Saintes huiles. Le jeudi saint, à la messe chrismale l'évêque bénit ou consacre 3 sortes d'huile. *Huile des catéchumènes :* fortifient le futur baptisé dans son combat avec le péché. *Huile des infirmes ou des malades. Saint chrême :* l'huile parfumée par l'adjonction d'un « baume » (mélange de résines et d'essences naturelles) rappelant l'huile dont on se servait dans l'Ancien Testament pour consacrer prêtres, prophètes et rois : signe de bénédiction particulière de Dieu, sert au baptême, à la confirmation, à l'ordre, à la consécration des églises, autels et cloches.

Pâques. Entre le 22 mars et le 25 avril. Résurrection de Jésus, célébrée dans la nuit (veillée pascale) et le jour de Pâques. Le *temps pascal* va de Pâques à la Pentecôte. Les 8 premiers j constituent l'octave de Pâques. Le *cierge pascal,* béni et allumé pendant la veillée pascale, porte le millésime de l'année en cours, une croix, les lettres A et Ω, première et dernière de l'alphabet grec. Signifiant la présence vivante du Christ dans l'Église, il est placé dans le chœur de l'église jusqu'à la Pentecôte. Allumé de nouveau pour les baptêmes et les funérailles.

Rogations (du latin *rogare,* « demander »). J. de supplication (lundi, mardi et mercredi avant l'Ascension) pour les fruits de la terre et les travaux des hommes (institués par St Mamert à Vienne vers 470).

Ascension (de Jésus au Ciel) [1]. 40 j après Pâques (toujours un jeudi). Reportée au 7e dimanche de Pâques, dans les pays où elle n'est pas un jour férié.

Pentecôte [en grec : 50e (jour)]. Célébrée dep. fin du IVe s. 50e j après Pâques. Descente du St-Esprit sur les Apôtres, clôture du temps de Pâques.

Trinité. Fête théologique occidentale, fixée en 1334 au 1er dimanche apr. la Pentecôte.

Fête-Dieu [2]. Fête du St-Sacrement ou du Corps du Christ célébrée à Liège dès 1247 sur les instances de Ste Julienne, moniale du Mont-Cornillon (1191-1258), instituée pour toute l'Église par le pape Urbain IV en 1264 (bulle Transiturus du 11-8) après le miracle de Bolsena (en 1263, l'hostie qui consacrait un prêtre de passage, Pierre de Prague, fut changée en chair saignante ; hostie et corporal tachés de sang sont conservés dans la cathédrale d'Orvieto) et promulguée de nouveau par Clément V en 1312 et Jean XXII en 1317. Devenue populaire (appelée en français « la Fête-Dieu »), elle était marquée par une procession : on sortait le saint sacrement, toutes les autorités, paroisses et corps de métier d'une ville participaient. Dans certaines régions (Anjou), on l'appelait le Grand Sacre.

Sacré-Cœur. Fête issue de la dévotion française (XVIIe s.) et étendue à toute l'Église en 1856.

Visitation de la Ste Vierge (à Ste Élisabeth, sa cousine, enceinte de St Jean Baptiste). 31 mai (instituée le 2-7-1389 et fixée d'abord au 2-7).

Nativité de St Jean Baptiste. 24 juin (dès le IVe s.).

Sts Pierre et Paul [2]. 29 juin (instituée en 258).

Transfiguration. 6 août. J.-C. est transfiguré, en présence de 3 apôtres, sur le mont Thabor (dès le Ve s. en Orient, instituée en 1457 en Occident).

Assomption de la Ste Vierge [1]. 15 août. La Vierge monte corporellement au Ciel [fête av. 431 à Jérusalem, à la fin du VIIe s. à Rome, imposée dans tout l'Empire romain par l'empereur de Constantinople Maurice (582-603) ; la date commémore l'inauguration de l'église dédiée à Jérusalem à la « Dormition » de la Vierge ; dogme le 1-11-1950].

Nativité de la Ste Vierge. 8 sept. Naissance de la Vierge (fête au VIe s. à Jérusalem, au VIIe s. à Rome).

Exaltation de la Ste Croix. 14 sept. Rappelle la dédicace des basiliques constantiniennes du Golgotha le 13 sept. 335. À Jérusalem dès le Ve s., en Occident à partir du VIIIe s. .

Saints Michel, Gabriel et Raphaël, archanges (29 sept.) (St Michel fêté dès le Ve s. à Rome).

Notre-Dame du Rosaire. 7 oct. Sanctionne (dep. 1573) l'usage d'honorer la Vierge en récitant le Rosaire.

Toussaint [1]. 1er nov. Fête de tous les saints (en Angleterre, au VIIIe s., à Rome au Xe s.).

Commémoration de tous les fidèles défunts (Trépassés). 2 nov. Jour des Morts (fixé à ce jour à Cluny par St Odilon au XIe s.).

Présentation de la Vierge au Temple. 21 nov. (au VIe s. à Jérusalem, à Rome en 1372).

Christ-Roi. Fête instituée en 1925 (dernier dimanche d'octobre) et fixée depuis 1970 au dernier dimanche de l'année liturgique.

Temps de l'Avent. 4 semaines de préparation à Noël (période instituée au Xe s.). Les dimanches s'appellent 1er, 2e, 3e et 4e dimanches de l'Avent.

Immaculée Conception [2]. 8 déc. Rappelle que la Vierge Marie a été exempte du péché originel (voir p. 487 a) avant sa naissance (fête en Orient au XIe s., à Rome en 1477 ; dogme 8-2-1854).

Noël (du latin *natale,* « jour de la naissance »). Fête établie à Rome v. 330, comme l'Épiphanie en Orient, autour du solstice d'hiver, pour célébrer la naissance du Christ, « Soleil levant ». Messe de vigile de Noël le soir du 24 déc. Le j de Noël (25 déc. voir p. 482 c), on peut selon la tradition romaine célébrer 3 messes : m. de minuit, de l'aurore et du jour. Noël est suivi de 3 fêtes : *26,* St Étienne, le 1er martyr (dès le Ve s.) ; *27,* St Jean Apôtre (dès le VIe s.) ; *28,* les Saints Innocents (dès le VIe s.). *L'arbre de Noël :* apparu en Alsace au XVIe s. ; se généralisa dans l'Europe du Nord au XIXe s. L'épouse du duc d'Orléans (née Hélène de Mecklembourg) l'introduisit en France en 1837.

Temps ordinaire. En dehors de l'Avent, Noël, Carême et Pâques, il reste env. 30 semaines qui constituent le « temps ordinaire » rythmé par le dimanche : chaque dimanche est une Pâque hebdomadaire.

Quatre-Temps. 3 jours de prière et autrefois de jeûne placés [à Rome dès le IVe s. (attestés par St Jérôme)] au début de chaque saison de l'année (mercredi, vendredi, samedi d'une même semaine), pour la sanctifier (dans un cadre avant tout agricole : semailles, moissons, vendanges). *Origine :* tradition des *feriae* de la Rome païenne ou prescription biblique de l'Exode (34,24). *Évolution :* des offices liturgiques spéciaux (avec des lectures) furent créés ; le samedi était aussi consacré aux ordinations. Depuis 1970, laissés à l'initiative des épiscopats locaux.

■ Sacrements

■ **Définition.** Acte religieux, permettant d'obtenir ou d'accroître la grâce de Dieu. Le terme, employé souvent dans un sens large, a été réservé, au Concile de Florence (1439), à 7 « signes » reconnus comme institués par le Christ lui-même. Les autres « signes » ont été appelés sacramentaux. Les sacrements font appel à des réalités de la vie humaine dans l'Antiquité, reconnues comme moyens de salut dans la Bible : eau, pain, vin, huile...

☞ La *grâce* est la participation à la vie de Dieu par l'intermédiaire du Christ (elle peut être symbolisée par la sève de la vigne dont Jésus est le cep et les fidèles les sarments, cf. Jean XV). La grâce habituelle et permanente (donnée par le baptême ; redonnée, après le péché, par la pénitence) est la *grâce sanctifiante ;* les autres participations à la vie divine sont les *grâces actuelles.*

■ **Baptême. Effets ;** 1er de tous les sacrements, introduit le fidèle dans l'Église (un chrétien est un baptisé).

Il fait obtenir la *grâce sanctifiante,* que l'on ne possède pas à la naissance, tous les hommes venant au monde avec une tendance au péché, appelée *péché originel.* Dans la *1re lettre aux Corinthiens,* St Paul signale (v. l'an 56) que certains fidèles, par superstition, administraient le baptême à des morts.

Formes : administré par *immersion totale* dans l'eau jusqu'au IVe s. en Occident (et jusqu'à nos jours dans les Églises orientales), par *immersion partielle* du Ve au XIIIe s. Le néophyte entre dans la piscine jusqu'à mi-jambes, et on lui verse de l'eau sur la tête (pratiqué après le XIIIe s. dans la liturgie mozarabe et à Bénévent). Depuis le XIIIe s. (et déjà avant pour les malades alités), on pratique le baptême par *affusion* (de l'eau est versée sur la tête). Le ministre (évêque, prêtre, diacre, ou un laïc, même non baptisé, en cas d'urgence) dit : « Je te baptise au nom du Père, et du Fils, et du Saint-Esprit. » Le baptême par *aspersion* a existé jadis pour donner le sacrement à des groupes.

Liturgie actuelle : baptême des catéchumènes (adultes se préparant au baptême) : par étapes, après préparation personnelle et communautaire, souvent plusieurs années (1972). *Baptême des petits enfants :* met en évidence le rôle et les devoirs des parents et des parrains (1969) ; leur préparation exige un temps plus ou moins long. Le regroupement des baptêmes le dimanche est recommandé pour favoriser la participation de la communauté. En nov. 1980, une instruction romaine a admis la possibilité de différer le baptême ou même de le refuser, si les garanties d'une éducation chrétienne des nouveau-nés baptisés sont insuffisantes ou nulles.

☞ On appelait *ondoiement* le baptême réduit à l'affusion d'eau sans autre cérémonie. La dévotion à *l'eau bénite* (aspersion dominicale, signe de croix avec l'eau bénite) est un rappel du baptême.

Autres formes. *Baptême de désir :* si la personne souhaite être baptisée mais ne peut l'être (exemple : en cas de danger de mort). *Baptême de sang :* en cas de martyre pour le Christ d'un non-baptisé.

■ **Confession.** Voir Pénitence.

■ **Confirmation. Effets :** complète (confirme) le baptême, assimile par l'onction d'huile le chrétien au Christ (*Christos :* celui qui a reçu l'onction), et le remplit de la force du St-Esprit pour affirmer sa foi, même en cas de péril. **Forme :** administrée avec le *saint chrême* (du grec *chrisma,* « onction d'huile »), voir p. 489. *Liturgie actuelle :* donnée, après la liturgie de la Parole au cours de la messe, normalement par l'évêque qui peut s'associer des prêtres, ou parfois par un prêtre délégué (1971).

■ **Eucharistie [1] (Communion). Formes :** sacrement de la nourriture (pain et vin), qui contient réellement, substantiellement, le corps et le sang du Christ sous les apparences du pain et du vin. La communion est la participation à ce sacrement, normalement à la messe, *sous les 2 espèces* (pain et vin) pour le prêtre qui célèbre, et habituellement *sous la seule espèce* (pain) pour les fidèles. La communion au vin, conservée par les Églises d'Orient, a été réintroduite dans l'Église latine, en 1965, pour les fidèles, dans certaines circonstances (par ex. messe de mariage, profession religieuse, baptême d'adulte...) et la discipline a été élargie depuis. La *Communion pascale* a été prescrite par le 4e Concile du Latran (1215) comme un minimum requis par l'Église. Pie X a recommandé la communion fréquente, et même quotidienne (1905).

Nota. – (1) Messe, voir Liturgie.

■ **Liturgie de la messe.** Encore appelée *sainte cène, eucharistie,* et primitivement fraction du pain, commémore le sacrifice de la croix en reproduisant les paroles et les gestes du Christ à la dernière Cène. 2 parties : la *liturgie de la Parole* [2 lectures bibliques (3 le dimanche) dont l'Évangile, avec chants, homélie et prière universelle] et *la liturgie eucharistique* (prière eucharistique, où le pain et le vin sont consacrés pour devenir corps et sang du Christ ; Notre Père ; fraction du pain ; communion). *L'anamnèse* est la prière qui suit la consécration. Après avoir élevé l'hostie et le calice, le célébrant dit : *« Il est grand, le mystère de la foi »* (ou une formule voisine), invitant l'assemblée à se remémorer la Passion, de la Résurrection et de l'Ascension du Seigneur.

☞ **Messe votive.** Célébrée pour une occasion particulière ou en l'honneur d'un saint en dehors de sa fête. Ne peut être dite que certains jours. Solennelle dans certains cas (ex. : élection d'un pape).

Rites. La structure de la messe est demeurée identique à travers les siècles et la variété des rites orientaux (byzantin, syrien, maronite, arménien, copte...) et occidentaux (ambrosien, mozarabe, gallican, dominicain, lyonnais, parisien...).

Les rites diocésains français des XVIIe et XVIIIe s. ont disparu entre 1840 et 1875 devant le rite romain. Celui-ci, fixé après le Concile de Trente (missel de St Pie V, 1570), a été de nouveau réformé après Vatican II (missel de Paul VI, 1970). Cette réforme liturgique a été rejetée par des traditionalistes et a fait l'objet de vives polémiques. Le 15-10-1984, un indult général a permis aux évêques d'autoriser la messe en latin de St Pie V, sous 5 conditions : 1°) Aucune connivence avec les adversaires de la messe de 1970. 2°) Célébration dans des lieux de culte désignés par l'évêque. 3°) Avec le missel latin de 1962. 4°) Pas de mélange avec la liturgie de 1970. 5°) Rapport présenté au pape par les évêques au bout d'un an. La 1re messe célébrée à Paris en vertu de cette autorisation a eu lieu le 15-12-1984 à St-Étienne-du-Mont. La commission romaine *Ecclesia Dei,* instituée après le schisme de Mgr Lefebvre (29-6-1988), peut étendre les concessions.

Liturgie actuelle : introduction du français dans lectures (16-2-1964), chants et prières (3-1 et 7-3-1965 et 30-1-1966), prière eucharistique (26-11-1967). Retour à l'usage romain ancien de célébrer face au peuple, de communier en certains cas sous les 2 espèces du pain et du vin (1965) et de recevoir la communion dans la main (1969). Répartition nouvelle des fonctions : lectures assurées par des laïcs, même des femmes (1964), communion donnée en certains cas par des laïcs (1970), concélébration de la même messe par plusieurs prêtres (1965). 3 nouvelles prières eucharistiques (1968), nouveau missel romain et nouveau lectionnaire comprenant pour le dimanche un cycle de 3 lectures sur 3 ans (1969). Dispositions plus souples pour messes de jeunes (1968), m. dominicales dès le samedi soir (1969), m. de petits groupes (1970), 5 nouvelles prières eucharistiques (1974) et une autre en 1991. L'*ordo liturgique* publié chaque année dans chaque diocèse donne pour chaque jour les normes de célébration. L'*ordo administratif* énumère toutes les fonctions du diocèse pour l'année.

☞ Un prêtre n'est pas tenu de célébrer la messe tous les jours, mais le droit canon le lui recommande.

Lorsqu'il y a pénurie de prêtres, les paroisses sans prêtre sont invitées, par leur évêque, à organiser des assemblées de prière le dimanche (Directoire romain, 1988).

NOTRE PÈRE

Texte commun adopté depuis 1966 par les chrétiens de langue française :

« Notre Père qui es aux cieux, que ton nom soit sanctifié, que ton règne vienne, que ta volonté soit faite sur la terre comme au ciel. Donne-nous aujourd'hui notre pain de ce jour. Pardonne-nous nos offenses, comme nous pardonnons aussi à ceux qui nous ont offensés. Et ne nous soumets pas à la tentation, mais délivre-nous du Mal. »

Nota. – Le Notre Père se conclut soit par *Amen,* soit par une « doxologie » (formule de louange) : « Car c'est à toi qu'appartiennent le règne, la puissance et la gloire pour les siècles des siècles. »

Matière de l'Eucharistie. Dans le tiers monde, certains souhaitent pouvoir consacrer la nourriture habituelle des habitants (riz, thé). Mais l'Église refuse de s'écarter de ce que Jésus a fait : « Le pain eucharistique doit être de pur froment et confectionné récemment. Le vin doit être du vin naturel de raisin, et non corrompu » [code de droit canon (1983), canon 924]. En France, on utilise en général du vin blanc car il tache moins. Lorsqu'il n'est pas possible de se procurer du vin (pays de mission), il est toléré de faire macérer dans de l'eau des raisins secs et d'en extraire le jus.

Age de la communion : jusqu'au XIIe s., les enfants communient (avec une goutte de vin consacré) aussitôt après leur baptême (coutume encore observée par les Églises d'Orient). On les admet après la messe à finir les pains consacrés non utilisés. Depuis le XIIIe s., l'usage, canonisé par le Concile de Trente (1562) était d'attendre *l'âge de discrétion* (filles : 12 ans ; garçons : 14). Pie X en 1910 a ramené cet âge à environ 7 ans.

Communion solennelle : introduite au XVIIe s., par A. Bourdoise (à St-Nicolas-du-Chardonnet) et St-Vincent de Paul pour solenniser la première communion, reçue vers 12 ans, s'accompagne du *Renouvellement de la profession de foi du baptême.*

Viatique : dernière communion du chrétien mourant, « nourriture pour le dernier voyage ».

Culte de l'Eucharistie : en dehors de la communion elle-même, il a été très répandu dans l'Église cath. surtout depuis le XIIIe s. (compensation de l'absence pratique de communion) ; il a été l'une des raisons de la révolte de Luther, qui reprochait aux Romains d'adorer un Dieu-Pain. Lié à la foi en la présence réelle, il comprenait notamment : la dévotion au *St Sacrement,* appelé aussi *Ste Réserve* (visite, garde nocturne, procession, génuflexions) ; la notion *d'objets consacrés* qui, par leur contact avec le corps du Christ, méritaient un respect spécial (notion reprise de la liturgie juive du Temple où il existait un Saint et un Saint des Saints, réservés aux prêtres). Ainsi, seuls les diacres pouvaient toucher les *« Saintes Espèces »* (hosties et vin consacrés) ; seuls les sous-diacres pouvaient toucher patènes et calices venant de servir à l'Eucharistie ; seuls les clercs (et par permission spéciale, les sacristains ou sacristines) pouvaient toucher aux objets liturgiques devant servir à l'Eucharistie : linges, pales, patènes, calices. Saisir une hostie avec les doigts, sauf cas de force majeure (incendie, etc.), était un sacrilège pour un laïc. Ces exigences ont été supprimées après Vatican II.

Pain bénit. Pain sur lequel a été prononcée une formule de bénédiction (et non de consécration) au cours de la messe : il est consommé à la fin de la messe et les assistants peuvent en emporter pour ceux qui étaient absents. Apparaît à l'époque carolingienne, quand la coutume de communier à la messe dominicale disparaît dans le peuple. En usage également dans l'Église orthodoxe.

■ **Ordre. Effets :** donne le pouvoir d'exercer dans l'Église le ministère apostolique. Il comprend 3 degrés : épiscopat, presbytérat, diaconat. **Formes :** pour chaque degré, l'ordination, réservée à l'évêque, se fait par une imposition des mains, accompagnée d'une prière de consécration. **Liturgie actuelle (1968) :** l'ordination des évêques, prêtres et diacres se déroule selon un plan identique, au cours de la messe, après la liturgie de la Parole. Pour un évêque, tous les évêques présents lui imposent les mains ; pour un prêtre, l'évêque consécrateur et tous les prêtres présents ; pour un diacre, l'évêque seul. Un homme marié peut être ordonné diacre (1970). A côté des degrés de l'Ordre, des ministères peuvent être donnés à des laïcs au cours d'une cérémonie d'institution (1972).

■ **Mariage. Effets :** sacrement du couple humain. Demande les grâces du bonheur conjugal et de la fécondité. Indissoluble, sauf par la mort d'un époux (l'Église n'admet pas le divorce, mais reconnaît des cas de nullité). **Formes :** le sacrement consiste dans la volonté des époux, exprimée publiquement, de s'unir pour la vie. Le Concile de Trente a exigé, sous peine d'invalidité, que les époux se marient devant leur propre curé pour éviter les mariages clandestins (1563). **Liturgie actuelle :** préparé par des entretiens entre les fiancés et le prêtre, le mariage est célébré après la liturgie de la Parole ou dans le cadre de la messe, avec choix possible des lectures et des prières. L'échange des consentements se fait dans un dialogue entre les fiancés (1969). La discipline est assouplie pour les mariages entre catholiques et non-catholiques (1966 et 1970).

■ **Pénitence. Effets :** sacrement de la réconciliation du pécheur : le fidèle dit à un prêtre son état de pécheur et le prêtre prononce une formule d'absolution, qui notifie le pardon accordé par Dieu des péchés commis après le baptême. Procure la grâce du repentir et rend la grâce sanctifiante, c.-à-d. la participation à la vie du Christ et à la communion des saints. **Formes :** dans l'Église primitive, les fidèles reconnaissaient leur état de pécheurs de façon générale et publique. La confession privée s'est développée en Irlande à partir du VIe s., et généralisée sur le continent aux VIIIe-IXe s. Le Concile de Trente l'a rendue obligatoire pour les péchés mortels. **Liturgie actuelle (1973) :** maintient la pratique de la pénitence sacramentelle avec confession individuelle, et institue 3 autres types de rite pénitentiel : 1°) non sacramentel ; 2°) communautaire avec confession et absolution individuelles ; 3°) communautaire avec absolution collective dans des cas exceptionnels.

■ **Onction des malades. Effets :** sacrement des malades, administré avec de l'huile, pour obtenir la guérison de l'âme et du corps. L'ancienne appellation *(extrême-onction)* a été remplacée pour éviter d'y voir le sacrement des mourants. **Formes :** conférée par l'application de *l'huile des malades* (voir Saintes huiles p. 489 b) sur le corps du malade (l'huile était utilisée dans l'Antiquité pour désinfecter les plaies) : avant 1614, onctions plus ou moins nombreuses en des endroits variables, selon rituels locaux ; après 1614, sur les organes des sens (yeux, oreilles, narines, lèvres, mains, pieds) ou seulement sur le front, dans le *rite abrégé,* lorsque la mort était proche. Depuis 1972, 2 onctions sont prévues (front et mains), et le sacrement peut être administré au cours d'une messe, dans une maison ou à l'église. Les prières sont adaptées à la situation précise du malade. Le sacrement peut être célébré de manière communautaire.

■ **Funérailles.** Le rite rénové (1969) manifeste le caractère pascal de la mort chrétienne et la foi en la résurrection (absoute finale remplacée par un « dernier adieu », couleur violette ou grise plutôt que noire, cierge pascal). Le rituel s'adapte aux usages locaux et aux requêtes des familles. L'enterrement religieux d'enfants qui n'auraient pas pu être baptisés est prévu, la crémation du corps est acceptée.

La messe des défunts est appelée *Messe de Requiem*, du 1er mot de son introït (ou chant d'ouverture) : *« Requiem aeternam dona eis Domine Et lux perpetua luceat eis »* (Donne-leur, Seigneur, le repos éternel et que la lumière brille sans fin pour eux).

■ **Liturgie des heures.** Le Bréviaire romain, fixé par St Pie V (1568), contenait 8 offices de prières (en commun ou en particulier) répartis à différentes heures de la journée : *matines, laudes, prime, tierce, sexte, none, vêpres, complies.* Depuis la réforme de Vatican II (Liturgie des heures, 1971), *matines* est devenu l'*office de lecture, prime* a été supprimé, et l'ensemble de l'office révisé.

■ **Rituels divers.** Consécration des vierges, profession religieuse, bénédiction d'un abbé ou d'une abbesse (1970), culte eucharistique (1973), admission d'un baptisé à la pleine communion catholique (1972), dédicace des églises et des autels (1977), livre des bénédictions, cérémonial des évêques (1984).

■ **Chant grégorien.** Chant propre à l'Église romaine dans la liturgie latine. Le répertoire est groupé en 2 livres, l'*antiphonaire* de l'office, et celui de la messe (appelé aujourd'hui *graduel*). Le centre de rayonnement de ce chant, dit romain mais largement remanié, paraît être Metz (VIIIe s.). Attribué par les réformateurs carolingiens à St Grégoire le Grand (pape de 590 à 604). Restauré au XIXe s. par l'abbaye de Solesmes.

Antiennes. Textes brefs, généralement bibliques, qui encadrent la psalmodie d'un psaume, et dont la mélodie indique sur quel *ton* (ou sur quel *mode*) le psaume doit être psalmodié [il y a 8 *modes diatoniques*, utilisés par les musiciens romains, mais probablement d'origine grecque : ils consistent en une note *dominante* (ré, mi, fa, etc.), combinée obligatoirement avec 2 ou 3 autres notes pour marquer milieu et fin de chaque verset]. L'antienne peut avoir une mélodie très simple ou ornée (aux fêtes). CARACTÉRISTIQUE MUSICALE : homophoniques (pas d'harmonie) ; rythme « plain » (donnant la même valeur à toutes les notes) : *plain-chant ;* on peut chanter plusieurs notes sur chaque syllabe. NOTATION MUSICALE : les chants religieux furent d'abord transmis de mémoire. Pour éviter leur altération, on inventa la notation neumatique carrée (manuscrits du Xe s.) perfectionnée par Guy d'Arezzo († vers 1050).

Mélodies grégoriennes. POUR L'OFFICE (antiphonaire) : *psalmodie des psaumes ; antiennes,* chantées au début de chaque psaume et répétées à la fin ; *hymnes,* chants à strophes alternées au début de l'office, inspirés par la fête liturgique, ou par le moment de la journée ; *répons,* bref texte biblique, chanté en 2 chœurs alternés. POUR LA MESSE (graduel) : *introïts,* antiennes (généralement très ornées) précédant et concluant le psaume psalmodié pendant la procession d'entrée ; chants à récitatifs plus ou moins ornés, comme le *Gloria,* le *Credo,* la *Préface ; graduels* (qui ont donné leur nom au livre) et *traits ; alléluias,* acclamations chantées, suivies d'un verset ; *Kyrie, Sanctus, Agnus ;* séquences ou proses (très nombreuses jusqu'au XVIe s., 4 en 1970).

Les musiciens religieux n'ont pas cessé de créer des airs d'inspiration grégorienne jusqu'au XIXe s. (par ex. les messes de Du Mont). L'introduction des langues vivantes dans la liturgie, après Vatican II, n'a pas supprimé l'usage du chant grégorien, mais a entraîné l'adoption de nouvelles formes de chant.

■ **Autres formes de chants non liturgiques.** Les textes de chant grégorien ont été aussi revêtus de polyphonie. A côté de ces chants latins d'autres ont existé, appelés « cantiques en langue vulgaire », pour les distinguer des 3 « cantiques évangéliques » : *Benedictus, Magnificat, Nunc dimittis* faisant partie de la liturgie des heures (voir ci-dessus). Ils ont été soumis longtemps à des règles sévères (de la Sacrée Congrégation des rites), pour la mélodie, les paroles et leur emploi (interdits aux messes chantées en latin). Actuellement, ils sont admis dans la liturgie, sous condition de texte et de mélodie.

A l'origine, on ne connaissait que des cantiques de Noël (appelés *noëls*), chantés pendant les veillées avant la messe de minuit. Tels étaient : *Venez, Divin Messie ; Il est né, le Divin Enfant ; Dans cette étable* (paroles de Fléchier), qui datent du XVIIe s. ainsi que l'*Adeste fideles* (en latin) de l'anglican John Reading (harmonisation d'un chant de matelots portugais). Plus tard ont été créés : *Les Anges dans nos campagnes* et *Minuit, Chrétiens,* le plus célèbre des noëls dit *noël d'Adam* [composé 1847 par Placide Capeau, poète local ; mis en musique par Adolphe Adam (1803-1856), compositeur d'opérettes ; chanté pour la 1re fois à Roquemaure (Gard) le 25-12-1847 par Mme Laurey (femme de l'ingénieur construisant le pont du Rhône), à la demande du curé, l'abbé Nicolas, concurrencé par *Stille Nacht* (noël autrichien), succès international].

■ **Objets liturgiques.** **Calice :** coupe contenant le vin consacré en Sang du Christ pendant la messe. **Ciboire :** vase sacré, en général fermé d'un couvercle, destiné à contenir les hosties consacrées. **Corporal** (du latin *corpus,* corps) : linge consacré que le prêtre place sur l'autel à l'offertoire pour y déposer la patène et le calice. **Custode** (du latin *custodia,* garde) : petite boîte ronde dans laquelle on transporte les hosties pour les malades. **Lunule** (du latin *lunula,* petite lune) : deux plaques de verre cerclées de métal doré enserrant une hostie pour la placer au centre de l'ostensoir. **Oblats** (du latin *oblatum,* offert) : nom donné au pain et au vin offerts à la messe avant la consécration. **Ostensoir** (du latin *ostensio,* mettre en avant) : apparaît au XIIIe s. pour présenter aux fidèles l'hostie consacrée. **Patène** (du latin *patena,* petit plat) : plat consacré avec du saint chrême sur lequel on dépose l'hostie pendant la messe. **Pixide** (du grec *puxis*) ; custode en bois puis en métal qui a servi longtemps à porter le saint sacrement. **Purificatoire :** linge avec lequel le prêtre essuie ses lèvres, ses doigts, le calice après la communion. **Tabernacle** (du latin *tabernaculum,* tente) : sanctuaire portatif des Hébreux protégeant l'arche de l'Alliance ; petite armoire qui abrite les hosties consacrées.

■ **Couleurs liturgiques.** Empruntées à la Bible et aux usages de la cour de l'empereur de Byzance. *Blanc :* couleur éclatante, pour les fêtes du Seigneur, de la Vierge Marie, des saints non martyrs. *Bleu :* en usage en Espagne pour certaines fêtes de la Vierge Marie. *Cendré :* autrefois en France pour le Carême ; on se mettait de la cendre sur la tête en signe de pénitence (mercredi des Cendres). *Noir :* autrefois réservé aux offices pour les défunts, souvent remplacé par le violet. *Rose :* peut remplacer le violet le 3e dim. de l'Avent *(Gaudete)* et le 4e dim. de Carême *(Laetare). Rouge :* couleur du feu et du sang, pour la Pentecôte, les Apôtres et les martyrs. *Violet :* couleur marquant la pénitence, utilisée en Avent et en Carême.

■ Dévotions non liturgiques

■ **Attitude pendant la prière.** Jusqu'au Moyen Age, debout les mains écartées et dressées vers le ciel (attitude de l'*orant* dans les fresques des catacombes, conservée par le prêtre pendant la messe) ; à partir du XVe s., à genoux, les mains jointes.

■ **« Actes ».** 4 prières traditionnelles orientées vers des attitudes fondamentales du chrétien devant Dieu. **Acte de foi :** « Mon Dieu, je crois fermement toutes les vérités que vous nous enseignez par votre Église, parce que c'est vous, la vérité même, qui les lui avez révélées et que vous ne pouvez ni vous tromper, ni nous tromper. » **Acte d'espérance :** « Mon Dieu, j'espère avec une ferme confiance que vous me donnerez, par les mérites de Jésus-Christ, votre grâce en ce monde, et, si j'observe vos commandements, le bonheur éternel dans l'autre ; parce que vous l'avez promis, et vous êtes souverainement fidèle dans vos promesses. » **Acte de charité :** « Mon Dieu, je vous aime de tout mon cœur et par-dessus tout, parce que vous êtes infiniment bon et infiniment aimable, et j'aime mon prochain comme moi-même pour l'amour de vous. » **Acte de contrition :** « Mon Dieu, j'ai un très grand regret de vous avoir offensé, parce que vous êtes infiniment bon, infiniment aimable et que le péché vous déplaît ; je prends la ferme résolution, avec le secours de votre sainte grâce, de ne plus vous offenser et de faire pénitence. »

■ **Adoration nocturne.** *1810 créée* à Rome. *1844* introduite à Paris par François de La Bouillerie (1810-82), vicaire général. *1848* transformée en dévotion paroissiale (N.-D.-des-Victoires) par le P. Hermann Cohen (1820-71), juif converti devenu religieux carme. *1852* répandue par le commandant de Cuers dans 43 autres sanctuaires, dont 25 paroisses.

Des Quarante Heures. Chaîne ininterrompue de prières, d'abord devant le tombeau du Christ entre le soir du vendredi saint et le matin de Pâques. *1527* Jean-Antoine Bellotti les institue en temps de guerre, chaque trimestre, devant le saint sacrement. St Antoine Marie Zaccaria étend cette pratique au monde entier.

Perpétuelle. *Créée* 1856 en France par St Julien Eymard (1811-68) sur le modèle des Quarante Heures, pour les communautés religieuses (les adorateurs se relaient d'heure en heure, par groupe de 2) et les diocèses (chaque paroisse se charge de l'adoration de jour et de nuit à une date fixe). Encore pratiquée à la basilique du Sacré-Cœur de Montmartre à Paris.

Réparatrice. *Créée* 1848 par Mère Marie-Thérèse (Théodelinde) Dubouché (1809-63). Adoptée par de nombreux instituts religieux et par les Confréries du St-Sacrement. *Pratique :* une visite quotidienne à l'église ou un temps déterminé d'adoration devant le saint sacrement en réparation des blasphèmes ou des injures proférés contre le saint sacrement.

■ **Chemin de Croix.** Dévotion répandue au XVe s. par les Franciscains qui, dep. 1312, avaient obtenu des Turcs la garde des *Lieux saints,* notamment de la *Via dolorosa* (*Voie douloureuse* allant du tribunal de Pilate au Golgotha). L'occupation turque rendant difficiles les pèlerinages traditionnels, les Franciscains favorisèrent l'aménagement de « Voies douloureuses » de remplacement en plein air, ou dans les églises. Pour les jalonner, on fixait des croix, tableaux, bas-reliefs représentant les étapes (ou stations) parcourues par Jésus portant sa croix vers le Calvaire. La dévotion, organisée par Clément XII (1731) et Benoît XIV (1742), comporte, devant chaque station, des prières, des cantiques et une exhortation.

Nombre des stations. A varié jusqu'au XIXe s. ; mais le chiffre de 14, propagé par les Franciscains, l'a emporté : *1* Jésus est condamné à mort ; *2* J. est chargé de sa croix ; *3* J. tombe sous le poids de sa croix ; *4* J. rencontre sa mère ; *5* Simon le Cyrénéen aide J. à porter sa croix ; *6* Une femme pieuse essuie la face de J. ; *7* J. tombe pour la deuxième fois ; *8* J. console les filles d'Israël qui le suivent ; *9* J. tombe pour la 3e fois ; *10* J. est dépouillé de ses vêtements ; *11* J. est attaché à la croix ; *12* J. meurt sur la croix ; *13* J. est déposé de la croix et remis à sa mère ; *14* J. est mis dans le sépulcre. A Lourdes (dep. 1958) *15e st* « Avec Marie dans l'espérance de la résurrection du Christ ». **Les plus célèbres en France.** *En plein air :* Lourdes, Pontchâteau (L.-Atl.), Callac (Morbihan), calvaires historiés du Finistère (antérieurs à la dévotion au chemin de croix). *Dans les églises :* de Lambert-Rucki à Ste-Thérèse de Boulogne-Billancourt.

■ **Congrès eucharistiques.** **Internationaux :** *créés* à l'initiative d'Émilie Tamisier (1844-1910), soutenue par Mgr de Ségur (1820-1881) et le pape Léon XIII. Principal organisateur du 1er en 1881 : Philibert Vram, industriel de Lille (1829-1905). *Buts :* approfondir la doctrine catholique de l'Eucharistie ; rendre un hommage public et solennel au saint sacrement. *Programme :* séances d'études, conférences, célébrations liturgiques (messe, procession du saint sacrement, adoration). *Liste :* Lille 1881, Avignon 1882, Liège 1883, Fribourg 1885, Toulouse 1886, Paris 1888, Anvers 1890, Jérusalem 1893, Reims 1894, Paray-le-Monial 1897, Bruxelles 1898, Lourdes 1899, Angers 1901, Namur 1902, Angoulême 1904, Rome 1905, Tournai 1906, Metz 1907, Londres 1908, Cologne 1909, Montréal 1910, Madrid 1911, Vienne 1912, Malte 1913, Lourdes 1914, Rome 1922, Amsterdam 1924, Chicago 1926, Sydney 1928, Carthage 1930, Dublin 1932, Buenos Aires 1934, Manille 1936, Budapest 1938, Barcelone 1952, Rio de Janeiro 1955, Munich 1960, Bombay 1964, Bogota 1968, Melbourne 1973, Philadelphie 1976, Lourdes 1981, Nairobi 1986, Séoul 1989, Séville 1993. **Nationaux français :** Faverny 1908, Ars (1) 1911, Paray-le-Monial (7) 1921, Paris 1923, Rennes 1925, Lyon 1927, Bayonne 1929, Lille 1931, Angers 1933, Strasbourg 1935, Lisieux 1937, Alger 1939, Nantes 1947, Nancy 1949, Nîmes 1951, Rennes 1956, Lyon et Ars 1959, Bordeaux 1966.

■ **Culte du Sacré-Cœur.** *Origine :* prôné par St Jean Eudes (1601-80), célébré pour la 1re fois le 8-2-1647, demandé par Ste Marguerite-Marie Alacoque († 1690), approuvé par Clément XIII en 1765, étendu à tout le rite romain par Pie IX en 1856 (le 3e vendredi après la Pentecôte). Les *litanies du Sacré-Cœur* ont été composées en 1718 par la vénérable Anne-Madeleine de Rémusat, religieuse visitandine de Marseille (1696-1730) et approuvées par Léon XIII (1899). Juin a été considéré comme *« mois du Sacré-Cœur ».*

■ **Scapulaire.** Pièce de vêtement à capuchon, couvrant les épaules et attachée à la taille par une ceinture, que les moines portaient sur leur tunique. Devenu au XIIe s. l'insigne des Tiers Ordres (c'est-à-dire des laïcs cherchant à vivre la vie spirituelle des religieux, sans toutefois quitter le monde). Porté sous les vêtements, il s'est réduit à un carré d'étoffe suspendu à un cordon, ou a été remplacé par une médaille. *Scapulaire le plus connu :* celui des Carmes [dévotion instituée v. 1240 par St Simon Stock (1165-1265)].

■ **Symboles chrétiens.** *Dieu :* œil, feu, triangle équilatéral. *Christ :* agneau, couronne, lion, livre, spectre, soleil, trône, vigne. *Esprit saint :* colombe, flamme, feu. *Passion :* arbre, clous, cœur transpercé, couronne d'épines, croix. *Eucharistie :* grappe de raisin, pain, pélican, poisson. *Église :* novice, voile. *St Pierre :* clefs, coq. *St Paul :* épée, livre. *Évangélistes :* ange ou homme (Mt), lion (Marc), taureau ou bœuf (Luc), aigle (Jean). *Saints :* nimbe. *Martyrs :* couronne, épée, palme. *Vierges :* lampe, lis. *St Laurent :* gril. *St Martin :* manteau. *Chrétien :* cerf. *Alliance ;* anneau, arc-en-ciel, olivier. *Ciel :* étoiles. *Diable :* dragon, serpent. *Immortalité :* paon, phénix. *Péché originel :* pomme.

■ **Salut du Saint-Sacrement.** Office de dévotion, suivant vêpres ou complies, répandu à partir du XVIe s. par confréries du St-Sacrement. L'hostie est déposée dans un ostensoir (qui a souvent la forme d'un soleil). Elle est encensée et montrée à la foule par un prêtre ou un diacre qui élève l'ostensoir, dans un geste de bénédiction. Le prêtre peut être revêtu de la chape et l'autel doit être décoré de cierges allumés. La seule prière prescrite jusqu'en 1973 était le *Tantum ergo* [les 2 dernières strophes de l'hymne *Pange lingua* composé par St Thomas d'Aquin (1225-74) pour l'office du St-Sacrement institué par le pape Urbain IV en 1264].

Culte marial

■ **Angélus.** Sonnerie de cloches du soir, puis du matin, enfin du midi. Promulguée par Mgr Élie de Bourdeille, archevêque de Tours et ratifiée par Louis XI. Rythmait la journée, surtout à la campagne (cf. le tableau de Millet, « l'Angélus »). *Prières l'accompagnant :* 3 *Ave Maria,* précédés d'une antienne, et une *oraison* commémorant l'Incarnation.

■ **Années mariales.** Instituées par des papes du XXe s. pour une occasion exceptionnelle, sur le modèle de l'Année sainte. **1953-54** (du 8-12 au 8-12), proclamée par Pie XII pour le centenaire de l'Immaculée Conception. **1987-88** (du 6-6 au 15-8), ouverte par Jean-Paul II à Ste-Marie-Majeure suivie par 1 milliard de téléspectateurs [*coût de la retransmission :* 2 millions de $ pris en charge par Bic, Global Media (Brésil) et Lumen 2000 (association rel. néerl.)].

■ **Chapelet.** Pratiqué dans l'Inde dep. le Ve s. av. J.-C. ; adopté par les musulmans (chapelet de 3 fois 33 grains) et avant eux par les moines orientaux puis occidentaux, puis répandu avec les croisades comme prière mariale (XIe s. : partie du Rosaire). Les musulmans considèrent que la prière est dite automatiquement quand le grain de chapelet file entre les doigts (ils en font couler ainsi 6 666 ; néanmoins, ils récitent souvent une formule à chaque passage d'un grain : « Dieu est louable », « Gloire à Dieu », « Dieu est grand »). Les chrétiens disent systématiquement une prière par grain du chapelet.

Rosaire. Dévotion répandue par Alain de La Roche (fin XVe s.) ; propagée surtout par les Dominicains et vivement encouragée par Léon XIII qui fit du mois d'octobre le *mois du Rosaire.* Chapelet comportant 50 petites boules, séparées (de 10 en 10) par 5 grosses. Pour chaque petite, on dit un *Ave Maria ;* pour chaque grosse, un *Pater.* Le chapelet est récité 3 fois (150 *Ave*), avec chaque fois la méditation d'un « mystère » : *5 joyeux :* Annonciation, Visitation, Naissance de Jésus, Présentation au Temple, Jésus perdu et retrouvé au Temple ; *5 douloureux :* Agonie au jardin des Oliviers, Flagellation, Couronnement d'épines, Portement de Croix, Crucifixion ; *5 glorieux :* Résurrection, Ascension, Descente du St-Esprit, Assomption et Couronnement de la Vierge. Un des titres donnés à la Vierge est : N.-D. du Rosaire (fête le 7-10). La fête fut instituée par Pie V en 1573. Le mot *rosaire* vient de ce qu'on a assimilé cette prière à une guirlande de roses, dont on ornait les statues de la Vierge, de même que *chapelet* (de chapel ou chapeau).

■ **Culte liturgique.** Célébration des fêtes de la Vierge. Plusieurs chants liturgiques (antiennes, hymnes, répons) sont souvent repris, en dehors de l'Office [ex. : *Ave Maris Stella, Sub tuum praesidium, Salve Regina* attribué à Hermann Contract, moine de Reichenau († 1054)]. La 1re *messe en l'honneur du cœur de Marie* (le 8-2-1648) a été célébrée à l'initiative de St Jean Eudes (1601-80). Recueil de *Messes en l'honneur de la Vierge Marie,* en latin 1986, français 1989.

■ **« Je vous salue Marie » (Ave Maria).** Prière composée : *1°) de l'antienne Ave Maria* (paroles de l'Ange, lors de l'Annonciation, Luc, 1, 28 et d'Élisabeth, Luc 1, 42) : « Je vous salue, Marie, pleine de grâce, le Seigneur est avec vous, vous êtes bénie entre toutes les femmes et Jésus le fruit de vos entrailles est béni » (en usage dep. le Ve s.) ; *2°) d'une invocation officialisée* par St Pie V, mentionnant le titre de *Théotokos* (« Mère de Dieu »), définie au concile d'Éphèse en 421 : « Sainte Marie, Mère de Dieu, priez pour nous, pauvres pécheurs, maintenant et à l'heure de notre mort. »

■ **Litanies de Lorette.** D'inspiration orientale. Nombreuses versions, à partir du XIVe s. en Occident. Forme actuelle attestée à Lorette (Italie) en 1531, approuvée par Sixte Quint en 1587 et seule reconnue par Clément VIII en 1601. Série de 49 invocations à la Vierge empruntées à la Bible (ex. : Arche d'alliance), et à la littérature poétique mariale, florissante au Moyen Age (ex. : Miroir de justice, Maison d'or). De 1862 à 1980, 6 invocations ont été ajoutées (définitions dogmatiques ou dévotions nouvelles) : *Reine conçue sans faute originelle, Reine du St Rosaire, Mère du Bon Conseil, Reine de la Paix, Reine élevée au Ciel, Mère de l'Église.*

■ **« Madone ».** Terme italien *(mia donna :* ma Dame), utilisé hors d'Italie dep. le XVe s. pour tableaux et statues d'origine it. représentant la Vierge. Le terme Notre-Dame était apparu au XIIe s.

■ **Procession du 15 août.** Dite « du vœu de Louis XIII ». Après la prise de Corbie en 1635, Louis XIII voue le royaume à Marie. Il renouvelle son vœu le 10-2-1638 et institue la procession sur l'initiative du cardinal de Richelieu et du Père Joseph. A la suite de victoires pendant la g. de Trente Ans, L. XIII promet de reconstruire le grand autel de N.-D. de Paris et d'y organiser chaque année une procession solennelle ; interdite sous la Révolution, remplacée sous l'Empire par la St-Napoléon, elle fut rétablie sous la Restauration, mais supprimée par Louis Philippe. Le 21-3-1922, Benoît XV proclama N.-D. de l'Assomption patronne principale de la France.

■ **Représentation.** Voilée (le voile est symbole de virginité) ou couronnée, généralement portant Jésus enfant sur le bras gauche. La vierge de Pitié ou *Pietà* (portant le corps du Christ sur ses genoux après la descente de croix) apparaît au XIVe s.

Droit canonique

■ **Code du 20-5-1917.** Promulgué par Benoît XV (bulle *Providentissima*) ; entré en vigueur le 19-5-1918. 1re codification officielle de la législation de l'Église catholique, ne s'appliquant qu'à l'Église latine, et laissant en vigueur les dispositions concordataires, se montrant en outre très souple envers les coutumes générales et particulières. Contenait 2 414 *canons,* répartis en 5 Livres (règles générales, personnes, choses, procès, peines). **Code du 27-11-1983.** Promulgué par Jean-Paul II (Constitution apostolique *Sacrae disciplinae legis*). Remplace celui de 1917. La révision, décidée par Jean XXIII (janv. 1959), commença en 1963, dirigée surtout par le card. Périclès Felici ; 2 livres supplémentaires : le 2e (fidèles) et le 4e (sacrements). Le nombre des canons est réduit de 2 414 à 1 752 [les 2 derniers livres (procès et peines) sont très réduits]. Le nouveau code s'efforce de faire passer dans les institutions de l'Église les indications données par le concile de Vatican II. Il insiste notamment sur les droits des laïcs et le rôle des femmes.

■ **Excommunication.** L'excommunié est exclu de la communauté des fidèles et ne peut recevoir ni sacrements, ni sépulture, ni obsèques religieuses. Le code de 1917 prévoyait 42 cas d'excommunication. Celui de 1983 n'en connaît plus que 7 : 1°) hérésie, apostasie, schisme ; 2°) avortement ; 3°) sacrilège contre l'Eucharistie ; 4°) violence physique contre la personne du pape ; 5°) absolution du complice (pour péché charnel ou l'avortement) ; 6°) consécration illicite d'un évêque (cas de Mgr Lefebvre en 1988) ; 7°) violation du secret de la confession.

Œcuménisme catholique

L'un des buts principaux de Vatican II a été de « promouvoir la restauration de l'unité entre tous les chrétiens » (décret sur l'œcuménisme). L'Église catholique : *1°) reconnaît* les sacrements des orthodoxes (autres confessions : cela dépend des Églises) ; *2°) recommande* de prier en commun avec des frères séparés (réunions aliturgiques) ; *3°) permet* d'assister à des liturgies non cath. pour une raison sociale ou d'amitié ou de rapprochement, même avec participation aux gestes, répons et chants (sauf s'ils étaient manifestement contraires à la foi cath.), cependant sans communier ; d'être lecteur dans une liturgie

Quelques dates œcuméniques

1890 P. Fernand Portal, Lazariste, engage le dialogue avec un laïc anglican, Lord Halifax. **1896** stoppé par Rome (*1921* dialogue repris sous le nom de « *Conversations de Malines* » grâce au cardinal Mercier). **1910** conférence (protestante) mondiale des Missions, à Édimbourg. **1920** appel du patriarcat de Constantinople à une association de toutes les Églises. **1921** conseil international des Missions (protestant). **1921-25** *conversations de Malines* entre cath. et anglicans (non officielle). **1933** début à Lyon de la semaine de prière pour l'unité (18-25 janv.), par le Père Couturier. **1935** fondation par l'abbé Couturier de la Semaine de prière pour l'Unité des chrétiens. **1936** le Centre Istina installé à Paris, à partir d'une fondation faite à Lille (publication « Russie et chrétienté » devient la revue « Istina »). **1937** 1re rencontre suscitée par l'abbé Couturier du « Groupe de la Dombes » (annuelle, pasteurs et prêtres pour une recherche théologique). **1948** 1re assemblée gén. du Conseil œcuménique des Églises (147 Égl. représentées ; aujourd'hui + de 300). **1960**-*5-6* Jean XXIII crée le secrétariat pour l'Unité des chrétiens. **1964**-*6-1* 1re rencontre en Terre Sainte de Paul VI et d'Athénagoras Ier patriarche œcuménique. *-21-11* décret de Vatican II sur l'œcuménisme *(Unitatis redintegratio).* **1965**-*7-12* Paul VI annule le décret d'excommunication de 1054 ; le même j. on lit à la cath. de Phanar (Istanbul) la déclaration commune sur l'effacement des anathèmes réciproques lancés par Rome et Constantinople en 1054, au début du Grand Schisme. **1966**–*23-3* Rome : rencontre de Paul VI et du Dr Ramsey, arch. de Cantorbéry, création d'une commission anglicane-cath. **1967** nouvelles rencontres Paul VI-Athénagoras Ier : Istanbul (25-7) et Rome (26/28-10). Directoire œcuménique (I) à Rome. **1969**-*15-6* Paul VI reçu à Genève, au Conseil œcuménique des Églises. **1970**-*31-3 motu proprio* de Paul VI sur les mariages mixtes. Directoire œcuménique (II) à Rome. **1971** 1ers accords cath.-anglicans (sur l'Eucharistie). *Oct.* Jacob III, patriarche syrien-orthodoxe d'Antioche reçu à Rome. **1972** rapport cath.-luthériens sur Eucharistie et Ministère. **1972-75** traduction œcuménique de la Bible (TOB) réalisée par des exégètes catholiques et protestants, avec la collaboration d'orthodoxes (Nouveau Testament en 1972, Ancien en 1975). **1973**-*4-5* Paul VI rencontre à Rome Chenouda III, patriarche d'Alexandrie, chef de l'Église copte. **1976** *sept.* 1re traduction œcuménique de la Bible publiée en français. **1977**-*29-4* Paul VI rencontre à Rome l'arch. de Cantorbéry et le Dr Coggan. **1978** Paul VI reçoit l'archev. Coggan. **1979**-*30-11* Istanbul : Jean-Paul II visite Dimitrios Ier. La constitution d'une commission mixte de dialogue théologique entre l'Église cath. romaine et les Égl. orthodoxes est annoncée officiellement. **1982** 3 pays luthériens, Suède, Danemark, Norvège, établissent des relations diplomatiques avec le Vatican. Le catéchisme avait été hors la loi jusqu'en 1781 en Suède, 1849 au Danemark, 1952 en Norvège. *Janv.* document dit de Lima, du Conseil œcuménique sur Baptême, Eucharistie, Ministère. *-29-5* Jean-Paul II reçu à Cantorbéry par l'arch. Runcie. **1983**-*11-12* visite l'égl. luthérienne de Rome (1er pape à prêcher dans un temple protestant). **1984**-*12-6* reçu au Conseil œcuménique à Genève. **1985** échange des lettres av. l'év. James Frumley, Pt des Égl. luthériennes d'Amér. **1986**-*27-10* les chrétiens séparés participent, avec Jean-Paul II, à la journée interreligions d'Assise. *-13-11* Synode général de l'Égl. anglicane (Londres) vote par 344 voix contre 137 une motion reconnaissant que le pape joue le rôle « d'un primat universel ». **1987** le patriarcat de Moscou renoue avec le Vatican ses relations interrompues dep. 1980 *-3/7-12* Dimitrios Ier au Vatican (6-12) à St-Pierre. Il reste à l'autel pendant la 1re partie de l'Eucharistie. L'évangile est proclamé en grec et en latin, pour signifier l'universalité de l'Église. Ensuite, lui et Jean-Paul II prononcent chacun une homélie exprimant le désir de réconciliation, récitent ensemble le *Credo* de Nicée et se donnent l'accolade. Puis Dimitrios se retire sur le côté pour assister à la liturgie sans y communier. *-17-12* création d'un Conseil des Églises chrétiennes en France. **1988** *juin* participation de l'Église cath. au millénaire du baptême de la Russie. **1989**-*15-5* Bâle : rassemblement œcuménique eur. groupant le Conseil des conférences épiscopales d'Europe (cath.) et le Conseil des Églises chrétiennes (non cath.). *-1-6* Jean-Paul II rencontre les Églises luthériennes de Scandinavie. *-29-9* rencontre à Rome le Dr Runcie, arch. anglican de Cantorbéry. **1991**-*31-5* lettre de Jean-Paul II aux év. européens sur les relations entre cath. et orthodoxes. *-5-10* et *7-12* célébrations œcuméniques à St-Pierre de Rome. **1993**-9/10-1 à Assise (Ombrie), rassemblement interreligieux pour la paix dans l'ancienne Yougoslavie et dans les Balkans : plus d'une cinquantaine de personnalités chrétiennes, un rabbin venu de Jérusalem et une trentaine de dignitaires musulmans.

Relations avec les non-chrétiens. **1985**-*19-8* à Casablanca, Jean-Paul II voit le roi Hassan II, chef religieux des musulmans (commandeur des croyants). **1986**-*13-4* Jean-Paul II vient prier dans la synagogue de Rome ; *22-7* les évêques polonais renoncent, à la demande des autorités juives (gd rabbin Sirat, Me Théo Klein), à construire un carmel à Auschwitz (que les juifs considèrent comme un lieu sacré de leur religion) ; *27-10* journée de prière pour la paix à Assise avec 130 représentants de toutes les communautés chrétiennes et de toutes les grandes religions non chrétiennes.

orthodoxe (avec accord de l'évêque) ; de recourir à la confession, la communion et l'onction des malades des orthodoxes, en cas de besoin (voyage, éloignement), si les épiscopats sont d'accord et en toute réciprocité (N.B. : en observant les usages particuliers, par exemple le jeûne eucharistique) ; d'assister occasionnellement le dimanche ou un jour de fête d'obligation à une messe de rite oriental séparé ; d'être parrain ou marraine d'un orthodoxe ou de prendre pour parrain ou marraine un orthodoxe (pourvu que l'autre soit catholique) ; d'être « témoin chrétien » pour les baptêmes des autres confessions ; d'être témoin à un mariage de non-cath. ; de prêter des objets et lieux de culte en cas de besoin avec l'accord de l'évêque. *Textes d'accord ou déclarations communes :* 21 entre l'Égl. cathol. et une autre Égl. chrétienne.

En matière d'œcuménisme, le Vatican reconnaît comme premier interlocuteur le Conseil œcuménique des Églises mais prend part aussi à d'autres conférences œcuméniques.

☞ **Centres œcuméniques en France.** *Secrétariat national pour l'unité des chrétiens,* 80, rue de l'Abbé-Carton, 75014 Paris. *Istina* 45, rue de la Glacière, 75013 Paris. *Unité chrétienne* 2, rue Jean-Carrières, 69005 Lyon. *Centre Saint-Irénée,* 2, place Gailleton, 69002 Lyon (Revue *Foyers mixtes*). *Formation œcuménique interconfessionnelle (FOI)* cours par correspondance. *Culture loisirs œcuméniques (Cleo). Groupe de la Dombes* (Ain). *Institut supérieur d'études œcuménique* 21, rue d'Assas, 75270 Paris Cedex 06.

Rapports avec les non-chrétiens. L'Église recommande aux catholiques de ne pas prendre part sans discernement aux actes cultuels. A la journée de prière pour la paix à Assise (27-10-1986), les représentants des religions diverses présents ont prié ensemble mais non en une prière commune.

■ Courants d'idées

■ **Catholiques traditionnels.** Rejettent l'appellation d'*intégristes* (définissant une mentalité plus qu'une doctrine), et de traditionalistes *(tradicionalistas,* désignant les Navarrais, attachés aux traditions). Célèbrent la messe dans la liturgie de St Pie V.

Quelques dates. Mgr Marcel Lefebvre (29-11-1905/25-3-1991, religieux spiritain). **1929** ordonné prêtre. **1955** arch. de Dakar. **1962** *janv.,* év. de Tulle, *août* supérieur général des Spiritains. **1968** démissionne. **1969** *6-6,* Mgr Lefebvre fonde la *Fraternité sacerdotale St-Pie X* (diocèse de Fribourg) avec l'accord (1-11-70) de l'évêque du lieu Mgr Charrière. **1971** *6-6,* pose la 1re pierre du séminaire de la Fraternité à Écône (Valais, Suisse). **1974** *21-11,* publie un manifeste attaquant Vatican II. **1975** *6-5,* Mgr Mamie (successeur de Mgr Charrière) retire (avec l'autorisation de Rome) son agrément au séminaire d'Écône. *24-5,* condamné par Paul VI, Mgr L. passe outre (juin : il ordonne 3 prêtres). **1976** *29-6,* nouvelles ordinations (15). *22-7,* Mgr L. est suspens *a divinis. 11-9,* il est reçu par Paul VI (suspens retiré). **1977**-*27-2,* occupation de St-Nicolas-du-Chardonnet (Paris). **1978** *19-11,* Jean-Paul II le reçoit. **1982** confie la Fraternité au Père Franz Schmidberger (All.). **1983** *déc.* lettre ouverte à J.-P. II ; Mgr L. l'accuse d'être aussi porté aux hérésies que Paul VI, de nommer des évêques « collaborateurs » dans les pays de l'Est, d'être « infecté d'humanisme » et d'avoir des « amourettes » avec les protestants. Il dénonce le gouvernement collégial et l'orientation démocratique de l'Église, condamnée par le Syllabus de Pie IX ; une fausse conception des droits naturels de l'homme qui apparaît clairement dans le document de Vatican II sur la liberté religieuse, condamnée par Quanta Cura ; une conception erronée des pouvoirs du pape ; la conception protestante du sacrifice de la messe et des sacrements condamnée par le Concile de Trente ; la libre diffusion des hérésies caractérisée par la suppression du St-Office. **1984** *3-10,* indult autorisant à certaines conditions (voir p. 490 b) l'usage de l'ancien rite. **1985** *16-1,* Mgr L. demande officiellement que la Fraternité soit considérée comme institut de droit pontifical, ce qui lui permettrait de faire exercer ses prêtres sans demander l'incardination à des évêques. **1986** *14-4,* la communauté monastique de Flavigny (75 m. dont 22 prêtres), différente de la « maison Lacordaire » (voir plus loin), se réconcilie avec Rome. **1987** tentatives de rapprochement avec Rome (rapport du cardinal Gagnon). **1988** *5-5,* protocole d'accord Lefebvre-Ratzinger. *6-5,* Mgr L. retire sa signature. *2-6,* ultimatum de Mgr L. *9-6,* refus de J.-P. II. *29-6,* Mgr L., assisté de Mgr de Castro Meyer, ordonne 16 prêtres et le *30-6* sacre 4 évêques [Richard Williamson (G.-B., n. à Londres en 1940), Bernard Tissier de Mallerais (n. 1945), Alfonso de Galarreta (Espagnol, n. 1957) et Bernard Fellay (Suisse, n. 1958)], ce qui entraîne son excommunication et celle des 4 év. *2-7,* motu proprio *Ecclesia Dei afflicta,* réconciliation des communautés Ste-Madeleine du Barroux (Vaucluse, env. 50 bénédictins) avec Rome. *18-7,* fondation de la *Fraternité St-Pierre* à l'abbaye d'Hauterive (Suisse) regroupant env. 16 prêtres et 20 séminaristes qui désirent « rester unis au successeur de Pierre dans l'Église catholique tout en restant liés à la tradition latine » (*Pt :* père Joseph Bisig ; *siège* à Wigratzbad, Bavière). *22-10,* ouverture d'un séminaire international à Wigratzbad. *30-11,* le prieuré St-Thomas-d'Aquin de Chemeré-le-Roi (May.), fondé le 25-11-1979 par le père Louis-Marie (Arnaud en religion) de Blignières (fils d'Hervé de B.) dans la tradition dominicaine, est reconnu par le Vatican, sous le nom de *Fraternité St-Vincent-Ferrier* et est autorisé à suivre le rituel d'avant le concile. *3-12,* 5 frères ordonnés prêtres à l'abbaye de Fontgombault (Indre). *10-7,* Mgr Lustiger : « Tout fidèle qui ferait au groupe "lefebvriste" un acte explicite d'adhésion (participation régulière à la messe ou fréquentation de sacrements dans des lieux tenus par des prêtres suspens ou excommuniés) entre dans le schisme et encourt l'excommunication ». **1989** *15-8,* 15 000 intégristes défilent à Paris pour rappeler les crimes de la Révolution. **1991** *25-3* Mgr Lefebvre meurt.

Maison généralice. Rickenbach, Suisse, Successeur désigné par Mgr Lefebvre : Franz Schmidberger (All. 19-10-46) ordonné 8-12-1975.

Effectifs. *Grands séminaires :* Suisse, All. féd., États-Unis, Arg., It., France ; 40 maisons en Europe et en Amérique, dont 7 résidences de « supérieurs de districts », plusieurs monastères de frères et de religieuses. *Lieux du culte :* 500 dans 28 pays. *Prêtres :* 268 dont 86 en France. *Ordinations : 1992 :* 27. *Carmels :* 7 ouverts de 1980 au 2-3-1988 par Mère Marie-Christiane (sœur de Mgr Lefebvre).

En France. *Chef-lieu du district :* maison St-Pie-X, 36, rue des Carrières, 92154 Suresnes. *Supérieur :* abbé Paul Aulagnier. *Écoles libres :* 7. *Instituts univ. :* 2. *Noviciat de frères :* 1. *Maisons de retraites spirituelles :* 2. *Prieurés :* 28 (résidences d'équipes sacerdotales de 2 ou 3 prêtres missionnaires itinérants). *Séminaires :* 2 (St-Curé-d'Ars), dans la maison Lacordaire, à Flavigny-sur-Ozerain (C.-d'Or), dep. 5-10-1986. *Carmels :* 3 [Bas-en-Basset (Hte-L.) ; Quiévrain (Belg.) ; Ruffec (Indre)]. *Communautés de religieuses* de la Fraternité St-Pie-X (fondées 1973) : 7. *Noviciat :* Mézières-en-Brenne (Indre). *Maisons de religieux :* 3 [Capucins (Morgon) ; bénédictins de la Ste-Croix au Brésil ; dominicains (Avrillé)]. *Fidèles :* env. 100 000. *Lieux du culte :* env. 500 dont St-Nicolas-du-Chardonnet [occupée dep. 27-2-1977 ; curé dep. 1984 : abbé Philippe Laguérie : le 7-3 avec 360 fidèles occupe St Germain l'Auxerrois (4 h), est chassé par la police, destitué le 10 par l'abbé Aulagnier, pardonné le 14] ; 5 messes + vêpres le dimanche, 2 messes en semaine. Ile-de-France : *Salle Wagram :* messe le dimanche par l'abbé Serralda. *Port-Marly : 1986 : (28-11)* église St-Louis occupée par des traditionalistes. *1987 : (30-3)* expulsés par la police ; (*Rameaux*) réoccupée (porte forcée). *1991 : (31-1)* la cour d'appel de Versailles ordonne l'expulsion (non réalisée).

☞ Tirant les conséquences du schisme, devenu officiel avec le *motu proprio* du pape du 2-7-1988, le ministère de l'intérieur et des cultes estime que la Fraternité St-Pie-X n'est plus conforme aux règles propres de l'organisation du culte en France. En conséquence, les demandes d'exonération de dons, legs et successions, faites à son bénéfice, sont bloquées dans les préfectures. Cependant, d'après un avis (du 24-1-1989) du Conseil d'État au gouvernement : « Si le gouvernement est tenu, par la loi de 1905, de s'assurer de l'organisation générale du culte en France, il ne lui appartient pas de refuser les autorisations sollicitées. » A la suite d'une assemblée générale du 29-7-1992, la Fraternité St-Pie-X a déposé de nouveaux statuts où elle renonce à s'appeler « romaine » mais indiquant que cette modification rédactionnelle ne saurait être en rien considérée comme « *une renonciation à sa romanité* ». L'État est en conséquence resté sur sa position.

Autres mouvements anticonciliaires. Contre-Réforme catholique au XXe s. (St-Parres-lès-Vaudes, Aube) : *créée* par l'abbé Georges de Nantes, déclaré « suspens » par l'évêque de Troyes, puis désavoué publiquement par la Congrégation romaine pour la doctrine de la foi en août 1969. Veut démontrer que Vatican II, dont les « décrets de mort » ont été ratifiés par Paul VI, conduit l'Église romaine à sa perte. **Union pour la Fidélité** (13, rue d'Adéliau, Forges-les-Bains, 91470 Limours) : groupe des membres (prêtres, religieux, laïcs) qui s'opposent à la « liberté religieuse », à l'œcuménisme et au rejet de la constitution monarchique de l'Église. *Revue :* « Forts dans la Foi ». **Le Combat pour la Foi :** *créé* par l'abbé Louis Coache. Moulin-du-Pin, 53290 Beaumont. 2 couvents de religieuses, à Quimperlé et à Traonfeunteuniou. **Divers.** *Noël Barbara, Michel Guérard des Lauriers* († 1988), *la Fraternité de la Transfiguration de l'abbé de Blignières, abbé Lecareux.*

■ **Charismatiques.** Se réfèrent à l'encyclique *Mystici Corporis* de Pie XII (1943), qui encourage les chrétiens à manifester à l'intérieur de l'Église (« corps mystique » du Christ) leurs inspirations individuelles ayant pour but l'édification et l'extension du Royaume. Les communautés nouvelles mettent l'accent sur la prière, le partage de biens et l'évangélisation. *Principales personnalités :* Dom Helder Camara (7-2-1909 Brésil) ; le card. Suenens (Belg.) ; l'archev. Romero à San Salvador, assassiné dans sa cath. (le 24-3-1980) à cause de sa charité envers les pauvres, qui le faisait passer pour « sandiniste ».

Monde : depuis 1968, 60 millions de catholiques touchés. *France :* 150 000 à 200 000. + de 1 000 groupes de prière organisés en communions diocésaines.

Communautés du Renouveau charismatique. Chemin Neuf : 49, montée de Fourvière, 69005 Lyon. *Fondée* 1973. Sessions « Cana », rassemblement de centaines de couples. Revue « Tychique ». 300 membres en France. **L'Emmanuel :** 31, rue de l'Abbé-Grégoire, 75006 Paris. *Fondée* 1974 par Pierre Goursat, Hervé-Marie Catta, Martine Laffite [env. 5 500 m., dont 65 prêtres incardinés (125 maisonnées en Fr., dont 72 en région parisienne)]. Accueil des êtres en détresse (drogués, marginaux). Conversations et prières au téléphone. Organise d'importants rassemblements notamment l'été à Paray-le-Monial. 2 paroisses lui sont confiées à Paris : la Trinité et St-Nicolas des Champs. *Revue :* « Il est vivant. Vie de prière ». **La Fraternité de Jésus :** prêtres diocésains et laïcs constituent des communautés au service des paroisses. **Communauté des Béatitudes du Lion de Juda et de l'Agneau immolé** (avant 1991) : Couvent Notre-Dame, 81170 Cordes. *Fondé* 1974 par Gérard Croissant, ancien pasteur protestant libéral, devenu frère Éphraïm. Vie de type monastique réunissant des couples avec leurs enfants et des hommes et femmes consacrés dans le célibat. Environ 300 membres dans une vingtaine de fondations en France, Italie, Maroc, Israël, Zaïre. **Les Fondations du Monde nouveau :** 59, rue Pierre-Brossolette, 78360 Montesson. *Fondées* 1974 à Poitiers par Jean-Michel Rousseau. Plus de 3 000 membres. Europe, Chili, Bénin, Burkina-Faso, Togo, Malaisie, Philippines. **La Théophanie :** Abbaye Ste-Marie-d'Orbieu, 11220 Lagrasse. *Fondée* 1972 à Montpellier par le père Jacques Langhart. **Le Pain de vie :** 27, rue St-Pierre-Somervieu, 14400 Bayeux. *Fondé* 1976. **Puits de Jacob :** 20 bis, rue des Glacières, 67000 Strasbourg. *Fondé* 1976 par le père jésuite Bertrand Lepesant. Communauté œcuménique. **Communion de Communautés Béthanie :** 3, rue d'Issy, 92170 Vanves. *Fondée* 1978. Chaque communauté s'engage selon sa vocation propre. **Le Rocher :** 70, rue Jean-Jaurès, 51000 Châlons-sur-Marne. *Fondé* 1975.

■ **Cidoc** (Centre intellectuel de documentation). *Fondé* 1965 à Guernavaca (Mexique) par un prêtre d'origine yougoslave, Ivan Illich (n. 1926). Conteste le sacerdoce actuel, veut séculariser la vie religieuse et créer un nouvel humanisme fondé sur la liberté individuelle.

■ **Concilium.** Revue théologique fondée 1965 par E. Schillebeeckx et K. Rahner ; y ont collaboré : Willems, Chenu, Congar, Ernst, de Lubac, Ratzinger, etc. (7 éditions, 20 000 abonnés).

■ **École de Hans Küng.** Théologien suisse (n. 1928), prof. à la Fac. de théologie de Tübingen (Allemagne) depuis 1960, expert au concile de Vatican II. Auteur en 1957 d'une thèse sur la *Justification* (réflexion sur la doctrine du théologien protestant Karl Barth), en 1962 de *Structures de l'Église,* où il réexamine le dogme de l'infaillibilité pontificale et en 1985, *la Vie éternelle.* Rappelé à l'ordre par le Vatican en 1967, 1970, 1973 (déclaration *Mysterium Ecclesiae),* 1975 (rapport des évêques allemands, suisses et autrichiens), 1977 (conférence épiscopale all.). Le 19-11-1979, la Congrégation pour la doctrine de la foi a déclaré qu'il « ne pouvait plus être considéré comme un théologien catholique ». Condamnation confirmée le 28-12-1979 par une délégation d'évêques all. réunis à Rome. Un groupe (siège à Linz, Autriche), défend ses idées.

■ **Intégrisme.** Disposition d'esprit de croyants qui veulent garder intégralement un bloc doctrinal déterminé et se méfient de toute modification, même de détail (par ex., les traditionalistes rejettent les nouvelles habitudes vestimentaires du clergé ; les progressistes rejettent toute prière en latin, même sur une musique grégorienne).

■ **Progressistes.** Chrétiens soucieux avant tout de *progrès social* et se déclarant prêts, pour le réaliser, à collaborer même avec les marxistes.

■ **Théologie de la Libération.** Courant de pensée né en Amérique latine dans les années 1960, comme un essai de réflexion à partir de l'Évangile et de l'expérience vécue pour faire disparaître des situations d'injustice. *Principaux théoriciens :* Gustavo Guttiérez (Péruvien, n. 1928), Leonardo Boff (franciscain brésilien, n. 1938, annonçant le 28-6-1992 qu'il quittait le ministère sacerdotal mais non l'Église), Enrique Dussell (Mexicain, n. 1934), Pablo Richard (Chilien, n. 1939), Jon Sobrino (jésuite salvadorien, n. 1938). Considèrent la pauvreté comme le problème le plus important de notre époque. L'Église doit d'abord aider les pauvres à se « libérer » de la misère. Ce courant de pensée utilise des formes d'analyse marxiste et « prête à des confusions entre le religieux et le politique ». Le 20-1-1986, le congrès de Lima (présidé par le card. colombien Alfonso López Trujillo, arch. de Medellín) a défini la th. de la L. comme une tentative de déstabilisation de l'Égl. (ex.-type : Nicaragua) et a proposé une *« th. de la Réconciliation ».* La Congrégation pour la doctrine de la foi est intervenue pour clarifier le débat, par 2 instructions : *sur quelques aspects de la théologie de la libération* (1984) ; *sur la liberté chrétienne et la libération* (22-3-1986).

■ **Théologie d'Eugen Drewermann** (Allemand psychanalyste). *1989* publie *Kleriker* (les Fonctionnaires de Dieu). *1991 (8-10)* privé par son évêque de son enseignement à la Faculté de théologie de Paderborn. *1992 (11-1)* privé des pouvoirs de prêcher. *(16-3)* renonce à exercer les fonctions sacerdotales. La révélation divine se réalise aussi dans l'inconscient dont mythes, légendes ou rêves sont la traduction.

■ **Relations Église/marxisme.** *1937* Pie XI (encycl. *Divini Redemptoris*) déclare l'athéisme marxiste « intrinsèquement mauvais » (formule reprise par Pie XII). *1949* un décret du St-Office déclare excommuniés *ipso facto* les cath. défendant et répandant la doctrine communiste. *1961* Jean XXIII admet le phénomène de « socialisation » et approuve le syndicalisme. *1971* Paul VI admet que la foi chrétienne est compatible avec des engagements pol. différents. *1972* les évêques fr., dans un document intitulé *Pour une pratique chrétienne de la politique,* admettent la formulation des idées pol. dans un vocabulaire de lutte des classes. *1977* ils précisent qu'on ne peut concilier foi chrétienne et marxisme. *1981 (juin)* le général des Jésuites, le P. Pedro Arrupe, prend parti pour le clergé sud-amér. cherchant le contact avec le marxisme. *1985 (mars)* son successeur (le P. Kolvenback) adopte la même attitude. *1989 (1-12)* Jean-Paul II reçoit au Vatican Mikhaïl Gorbatchev.

Pèlerinages et apparitions

Généralités

■ **Pèlerinages en Terre sainte.** Attestés dès le IIe s., faits volontairement, par dévotion ou *pénitentiels,* imposés par l'Église après un péché public, pour sortir d'excommunication, attestés dep. le VIe s. (Rome, Terre sainte). Au XIIIe s., ils sont parfois imposés par des juridictions non ecclésiastiques (Boulogne, Compostelle, Cantorbéry, Rome).

■ **Phénomènes préternaturels. Vierges qui pleurent :** *Brescia, Ancône, Pistoia (Italie), etc. ;* **saignant :** *Vierge du Kremlin, N.-D. des Miracles (Déols) ;* **donnant du lait :** *St Bernard (Châtillon-sur-Seine).* **Sang d'un martyr devenant fluide :** *St Janvier (Naples).* **Tombeaux sécrétant un liquide :** huile : *Amalfi, Arras, Eichstätt, Anaya* (Liban) ; eau dite *« manne » : Bari.*

■ **Vierges noires. Origine :** cultes anciens de la Déesse mère Cybèle (introduits d'Orient) ou des divinités celtiques ou préceltiques de la Terre et de l'Eau. Autre explication : les artistes ont façonné des Vierges noires à cause du verset du *Cantique des Cantiques* chanté à l'office de la Vierge : « Je suis noire, mais je suis belle, filles de Jérusalem. » **Nombre :** *en France,* 205, dont 190 existaient au XVIe s. (dont 31 au N.-O. d'une ligne Bordeaux-Nancy, et 159 au S.-E., dont 60 en Auvergne ; 25 ont été détruites par les Huguenots, 46 par les Jacobins, 48 ont été remplacées par des copies). Elles sont souvent vénérées auprès d'une grotte, dans une crypte et à proximité d'une source ou d'un puits. **Les plus célèbres :** *en France :* Chartres (E.-et-L.) ; Tournus (S.-et-L.) ; Le Puy (Hte-L.) ; Rocamadour (Lot) ; St-Victor de Marseille (B.-du-R.) ; N.-D.-de-Fourvière, Lyon (Rhône) ; N.-D.-de-Liesse (Aisne) ; N.-D.-du-Marthuret, Riom (P.-de-D.) ; N.-D.-du-Laghet (A.-M.) ; N.-D.-du-Port, Clermont-Ferrand (P.-de-D.) ; Orcival (P.-de-D.) ; Myans (Savoie). *A l'étranger :* Montserrat (Catalogne, Espagne) ; N.-D. de Lorette (Italie) ; Częstochowa (Pologne) ; Guadalupe (patronne du Mexique).

Principaux pèlerinages en France

Légende : v. = visiteurs par an.

Ablain-St-Nazaire (P.-de-C.). Chapelle de N.-D.-de-Lorette. Construite 1727 par Florent Guillebert [ex-voto pour une guérison obtenue à Lorette (Italie, voir p. 496 a)]. Détruite 1915 pendant la bataille d'Artois (100 000 †). Reconstruite au centre du cimetière national, tour lanterne de 52 m de haut.

Aire-sur-la-Lys (P.-de-C.). *Du dim. av. au dim. apr. le 15 août* (2 000 v.) N.-D. Panetière (« distributrice de pains »), commémore la délivrance de la ville, assiégée en 1213. Egl. collégiale du XVIe s. 3 000 v.

Amettes (P.-de-C.). Village natal de St Benoît Labre, patron des pèlerins (1748-83, canonisé 8-12-1881). Pèlerinage régional du dernier dimanche d'août au 1er dimanche de sept. Visite de la *maison natale du saint* (env. 20 000 v.).

Ardres (P.-de-C.). N.-D.-de-Grâce. Statue du XIIIe s. Neuvaine se terminant le dimanche qui suit le 15-8 par une procession à travers la ville (1re en 1532).

Argenteuil (V.-d'O.). Depuis le XIIe s. ; Ste Tunique (voir p. 497 c). *Ostension* 1934 : 150 000 v. ; 1984 : 75 000 ; prochaine prévue : 2034.

Arles-sur-Tech (P.-O.). Sarcophage du IVe s. rempli en permanence d'eau pure, surgie on ne sait d'où. Abbaye bénédictine carolingienne. *30-7,* fête de St Abdon et St Sennen, martyrs persans.

Arras (P.-de-C.). Neuvaine de l'Ascension à la Pentecôte, N.-D.-des-Ardents ; commémore la fin miraculeuse d'une épidémie de mal des ardents (1095) ; apparition à Pierre Norman (1105). Le cierge votif [« sainte chandelle d'Arras » ou « joyel » (enveloppé d'un étui d'argent)] avait été, disait-on, apporté par la Ste Vierge. 5 000 v. (500 par j pendant 10 j). Egl. reconstruite en 1876.

Ars (Ain). *4-8* anniversaire de la mort de St Jean-Marie Vianney, curé d'Ars, patron des curés (1786-1859) ; canonisé (1925). Grand pèl. le *4-8.* 400 000 v. de Pâques à la Toussaint. *1826* sa renommée de sainteté fait accourir des foules (*1845* 45 000 vis. par an). Il passe jusqu'à 18 h par jour au confessionnal. Après sa mort, il est inhumé dans l'église. On retrouvera son corps intact et on le placera dans une châsse, dans la basilique édifiée à la place du chœur de l'ancienne église, dont le reste subsiste.

Bétharram (Pyr.-Atl.). Pèlerinage 28-7 et 14/15-9. A 15 km de Lourdes. Commémore un miracle de la Vierge (XVe s.) : elle a sauvé une jeune fille tombée dans le Gave en lui tendant un « beau rameau » (béarnais : *beth arram*). Desservi depuis 1835 par les religieux bétharramites. Leur fondateur, St Michel Garicoïts, y a son tombeau. Égl. du XVIIe s., 150 000 v.

Blériot-Plage (P.-de-C.). N.-D.-de-la-Salette. Neuvaine autour du 19-9, jour anniversaire de l'apparition de la Salette.

Boulogne-sur-Mer (P.-de-C.). N.-D. de B. ; une statue de la Vierge serait arrivée là, sur une barque « sans rames ni matelots » en 636. 1er sanctuaire marial de Fr. avant les apparitions de Lourdes (au XVIe s., après un pèlerinage à Boulogne-sur-Mer, des habitants des Mesnuls reproduisirent le lieu de culte dans leur paroisse qui devint Boulogne-sur-Seine). Basilique avec dôme, commencée en 1822 ; crypte du XIe au XIVe s., et XIXe s., longueur 125 m. 100 000 v. (dont du 15 au 30-8 : 20 000). *N.-D.-du-Grand-Retour :* de 1943 à 1948, 4 chars portant une reproduction de N.-D. de B. parcoururent en France 120 000 km, visitant 16 000 paroisses, provoquant un élan de prière et de conversion (100 000 personnes au stade de Colombes en 1946).

Cadouin (Dord.). Voir p. 497 b.

Capelou (près Belvès, Dord.). N.-D.-de-Pitié. Depuis le Moyen Age. Début septembre, neuvaine de célébrations en l'honneur de la Ste Vierge.

Chartres (E.-et-L.). Basilique supérieure des XIIe et XIIIe s. et crypte N.-D.-de-Sous-Terre XIe s. ; v. 876, Charles le Chauve donne au sanctuaire le *voile de la Vierge* (longtemps appelé la *Ste Chemise* ; une expertise du XXe s. a prouvé que le voile fut tissé en Orient à l'époque du Christ). Au Moyen Age, pèl. le plus célèbre en France avec Le Puy. *Pèl. organisés par la cathédrale : Ascension* pèl. du diocèse ; *dim. le + proche du 8-9 sept.* pèl. des mères. *Principaux pèl. extérieurs : avril-mai,* pèl. des étudiants du CEP (organisé dep. 1935, fait en partie à pied) ; du Monde du Travail ; du Centre « Chrétienté » ; du Sacré-Cœur de Montmartre.

Clairmarais (P.-de-C.). *15-8* à la grotte de N.-D. de Lourdes. Procession aux flambeaux le soir.

Clichy-sous-Bois (Seine-S.-D). N.-D.-des-Anges. *Neuvaine du 8-9* (Nativité de la Vierge) *au 16-9.* Fondée 1212, comme la « portioncule » de St François d'Assise, dont elle a pris le nom. Source miraculeuse. Vierge du XVe s. 5 000 v.

Cotignac (Var). N.-D.-de-Grâce : *10/11-8-1519* app. à Jean de la Baume, bûcheron. *7-6-1660* au Mont Bessillon, St Joseph apparaît à un berger, Gaspard Richard, une source jaillit. Histoire : Vœu de Louis XIII ; venue de Louis XIV pour remercier de sa naissance. Principaux pèlerinages : fêtes des Apparitions, week-end le plus proche du 10-11 août ; fête de St-Joseph 19 mars ; plusieurs pèlerinages-marches. Intercession pour avoir un enfant.

La Délivrande (Calv.). *Jeudi après 15-8,* fête du Couronnement de la Vierge noire. *V. 8-9* fête de la Nativité de Marie, consécration des nouveaux baptisés. 50 000 v.

Domrémy (Vosges). Maison natale et église du baptême de Jeanne d'Arc ; basilique nat. illuminée tous les soirs au Bois-Chenu (1881), sur l'emplacement d'un oratoire du XIVe s., dédié à la Vierge, où J. a entendu l'appel de Dieu. Une chapelle construite par un petit-neveu de Jeanne, Étienne Hordal, chanoine de Toul, avait été détruite par les Suédois au XVIIe s. Fête de J. d'Arc le 2e dim. de mai ; pèlerinage « des Voisins » fin sept. 200 000 v.

L'Épine (Marne). V. 1405, découverte d'une statue de la Vierge dans un buisson d'épines lumineux (?) ; fêtes de la Vierge et toute l'année ; pèl. du diocèse en mai ; basilique gothique flamboyant XVe et XVIe s. A 8 km de Châlons : 100 000 v.

Frigolet (B.-du-R.). *15-5* fête de N.-D.-de-Bon-Remède (solennité le dimanche le plus près). Dernier dimanche de juin, fête des malades. *29-9* fête de St-Michel-Archange (solennité dernier dimanche de sept.) 600 000 à 700 000 v.

Garaison (près de Lannemezan, Htes-Pyr.). V. 1510 app. à Anglèze de Sagazan (12 ans). Pèl. 3e dim. de sept.

Honfleur (Calv.). *Lundi de Pentecôte.* Pèl. des marins ; 3e jeudi de juin, fête de N.-D.-de-Grâce 80 000 v.

Issoudun (Indre). Basilique de N.-D.-du-Sacré-Cœur consacrée à Marie par le père Chevalier, fondateur des Missionnaires du Sacré-Cœur (2 400 dans le monde). Animent le pèlerinage ; accueil tous les jours ; *grandes dates : dernier samedi de mai et 1er samedi de sept.* 80 000 v.

La Louvesc (Ard.). *16-6* ou le dimanche suivant, tombeau de St François-Régis (jésuite) (1597/31-12-1640 ; canonisé 1737) (100 000 v.). *1er dimanche de sept.* tombeau de Ste Thérèse Couderc (n. 1805, † 26-9-1885 ; canonisée 1970) fondatrice de la congrégation de N.-D. du Cénacle.

La Salette (alt. 1 800 m, Isère). *19-9-1846* apparition de la Vierge à Mélanie Calvat (1831-1904) et Maximin Giraud [1836-75 (caractériel, reconnu comme instable et mythomane, il ne convainc pas le curé d'Ars en sept. 1850, séminariste de 1850 à 1858, puis mène une vie errante, servant notamment comme zouave pontifical en 1865 ; il meurt dans la misère, sans avoir démenti son récit de 1846)]. Mlle Saint-Ferréol de Lamerlière, religieuse, demanda 20 000 F de dommages et intérêts aux abbés Déléon et Cartellier qui l'avaient accusée d'avoir joué le rôle de la Ste Vierge dans l'apparition. *19-9-1851* Mgr de Bruillard, évêque de Grenoble, reconnaît l'apparition comme « indubitable et certaine ». *1872* fondation des pèl. nationaux. *1873* Œuvre des Pèlerinages fondée par les Assomptionnistes (bulletin devenant « le Pèlerin »). *21-8-1879* (21-8) couronnement de la Vierge. Le sanctuaire est érigé en basilique par le cardinal Guibert. 200 000 v.

Le Laus (Htes-A.). *1664 à 1718 :* nombreuses apparitions de la Vierge à Benoîte Rencurel (1647-1718). *1666 :* église. *1893 :* érigée en basilique mineure. Grands pèl. : *lundi de Pentecôte, 15-8, 8-9.* 25 000 pèlerins ; 50 000 v.

Le Puy-en-Velay (Hte-L.). Pèl. à la Vierge noire du j de Pâques au 15-9. Procession *15-8.* Jubilé quand le vendredi saint tombe le *25-3* (dernier 1932, prochain 2005). Statue de N.-D. de France (coulée avec le bronze des canons pris à Solferino). 180 000 v.

Liesse (Aisne). A 15 km de Laon. Basilique N.-Dame, fondée 1134. 3 chevaliers d'Eppes, revenus de croisade grâce à Ismerie, musulmane convertie, lui offrent une statue en ébène. Le culte de la Vierge noire se répand. *1414* devient pèlerinage royal (Charles VI). *1601* maître-autel noir et or, offert par Marie de Médicis pour la naissance de Louis XIII. *1847* statue (brûlée à la Rév.) reconstituée (en ébène). Sanctuaire officiel de l'Ordre de Malte. Fêtes mariales, lundi de Pentecôte. 50 000 v.

Lisieux (Calv.). *Dernier dimanche de sept.,* fête de Ste Thérèse de l'Enfant Jésus et de la Ste-Face

(Th. Martin 1873-97 au Carmel de L. où elle était rentrée par dispense spéciale à 15 ans ; béatifiée 1923 ; canonisée 1925). 1 200 000 v. en 1992.

Lourdes (Htes-P.). **Apparitions** dans la grotte de Massabielle (1858 : 1re app. *11-2 ; 25-2* app. de la source ; *25-3* la Dame se nomme : « Je suis l'Immaculée Conception » ; 18e et dernière app. *16-7*) à Bernadette Soubirous (n. 7-1-1844, entrée chez les sœurs de la charité de Nevers en 1866 où elle mourra le 16-4-1879 ; béatifiée 14-6-1925 ; canonisée 8-12-1933). **Principaux pèlerinages :** *11-2* fête des App. ; *18-2* Ste Bernadette ; *25-3* Annonciation ; *juin* pèl. militaire international ; *16-7* anniv. de la 18e app. ; *12/16-8* pèl. nat. fr. créé 1873 par des Assomptionnistes et l'Ass. de N.-D. de Salut ; *30-8/4-9* pèl. des gitans ; *oct.* pèl. fr. du Rosaire animé par les Dominicains ; *8-12* Immaculée Conception. Pèl. d'un jour, de juillet à sept. ; Festival de Pâques : art et musique sacrés ; Biennale internationale du Gemmail d'art sacré, tous les 2 ans, le lundi de Pentecôte ; Assemblée plénière de l'épiscopat, en nov.

Guérisons miraculeuses : l'Église, prudente, suit la codification de 1734 du cardinal Lambertini (futur Benoît XIV). Pour qu'une guérison soit retenue, il faut que l'affection guérie ait une base organique évidente et qu'elle soit grave (les guérisons de maladies mentales ou fonctionnelles ne sont pas retenues) ; que la guérison ait été spontanée, immédiate ; non précédée d'un traitement médical ; qu'elle soit définitive et qu'on puisse faire la preuve certaine de la maladie antérieure (or, souvent le médecin refuse de témoigner). Un nouvel examen d'un cas retenu a lieu pendant plusieurs années avant qu'il soit reconnu en 1re instance par le *Bureau des constats de Lourdes*. En 2e instance, le *Comité médical international* de Lourdes (30 spécialistes) reprend l'étude du cas par l'intermédiaire d'un (ou plusieurs) de ses membres. Après dépôt d'un rapport, il admet, ou non, le caractère inexplicable de la guérison.

Nombre de guérisons dep. 1858 : alléguées 6 000 dont 2 000 extraordinaires dont 65 reconnues. La 65e : Delizia Cirolli (n. 16-11-1964) de Paterno, Sicile, guérie d'un cancer au tibia droit le 25-12-1976, après un pèlerinage à Lourdes du 5 au 13-8 (guérison reconnue le 28-7-1980 par le Bureau des constats, et le 26-10-1982 par le Comité médical international). Dep. 1947, le Comité a déclaré « médicalement inexplicables » 29 guérisons sur 56 contrôlées et reconnues par le Bureau médical. En 3e instance, 19 seulement ont été proclamées miraculeuses par l'évêque du diocèse où résidaient les personnes guéries, après un procès canonique en forme. En juillet 1988, la communauté charismatique du *Lion de Juda*, qui réunissait, du 25 au 30, 20 000 fidèles en pèl., a affirmé qu'une dizaine de ses membres auraient été guéris dont Marielle (Lyonnaise, 40 ans, médecin, atteinte de polyarthrite chronique), et Joseph Charpentier (paralysé par une hernie discale depuis 19 ans). Mais les responsables catholiques de Lourdes demeurent réservés.

Visiteurs *(1990)* 5 500 000 dont 693 293 participants à env. 1 000 pèl. organisés (227 061 en groupes indépendants, 205 190 pèlerins d'1 j). 650 trains spéciaux pour L, 4 230 avions, 11 600 cars. **Source :** *1862 :* 1er captage (approfondi 1948). Débit 17 000 à 72 000 l par j soit 10 par minute l'été et 40 l'hiver. Débit régularisé par 3 réservoirs de 24, 50 et 2 500 m³, construits depuis 1949 (source captée et mise sous plaque de verre). *Bains aux piscines (1990) :* hommes 140 077, femmes 279 335.

Lyon (Rhône). *15-8* et *8-9 N.-D. de Fourvière. Statue :* Vierge habillée à l'espagnole, XIIe s. *Quelques dates : 840* (?) 1re chapelle. *1165* autre chapelle, sera rebâtie 2 fois. *1638* (5-4) vœu de l'Aumône générale (hospice de la Charité) pour obtenir la guérison du scorbut ; chaque année, pèl. des hospices 2e samedi après Pâques. *1643* (12-3) vœu des Échevins pour que Lyon soit délivrée de la peste (ce qui arriva) : chaque année, le 8-9, pèl. de la municipalité ; 8-12, fête de l'Immaculée Conception. *1852* (8-12) inauguration de la Vierge dorée sur le clocher de la vieille chapelle et 1res illuminations (depuis le 8-12, les Lyonnais illuminent, notamment avec des lampions). *1870* app. de Mgr de Ginoulhiac pour que Lyon soit préservée des Prussiens. *1872-84* construction de la basilique à côté de l'ancienne chapelle agrandie en 1740. *1896* (juin) dédicace. *1986* (5-10) visite de Jean-Paul II. 1 500 000 v.

Magné (D.-S.). *6-7* dep. le Xe s. pèl. de Ste Macrine, patronne du Marais poitevin et des moissonneurs.

Maillane (B.-du-Rh.). Délivrance du choléra 1854.

Marseille (B.-du-Rh.). *N.-D. de la Garde* (ermitage fondé par Maître Pierre, prêtre en 1214) ; *v. 1400* nouvelle chapelle ; *1544* chap. dite « Renaissance ». *1853-64* construction de la basilique (consacrée 4-6-1864) ; statue au-dessus de la tour à 60 m du sol [cuivre fixé par galvanoplastie et recouvert de feuilles d'or ; 9,70 m, 9 796,6 kg, bénite en 1870]. *15-8* f. patronale. 1 600 000 v.

Mont-Saint-Aignan (S.-M.). Chapelle Ste-Marie. *7-10* pèl. de Ste Rita. *21-10* pèl. de Ste-Thérèse-de-l'Enfant-Jésus. Pèl. mensuel à la Vierge miraculeuse.

Mont-St-Michel (Manche). Lieu de culte antique, christianisé au VIe s. *709,* sur demande de l'Archange St Michel, l'év. d'Avranches Aubert construit la 1re chapelle. *966,* après les invasions normandes, les bénédictins y fondent un monastère qui se développera jusqu'au XVIe s. et se maintiendra jusqu'à la Révolution. *Xe-XIVe s.* édification de magnifiques bâtiments dont « la Merveille » avec l'église abbatiale. *Grands pèl. : début mai* (St-Michel du Printemps) ; *juil.* (à travers les grèves, à partir de Genêts) ; *29-9 et dim. le plus près du 29-9* Grande Fête St-Michel ; *16-10* (dédicace du Mont). 2 500 000 v.

Mont-Sainte-Odile (Bas-Rhin). Ste Odile est la patronne de l'Alsace. *Fêtes principales : 13-12* (anniv. de Ste O.), *1er dim. de juil.* (translation des reliques après la Révolution et Anniversaire de l'Adoration perpétuelle). 1 000 000 de v.

Myans (Savoie). Vierge noire. *1248* un éboulement, venu du Mt Granier, s'arrête au pied d'un oratoire de la Vierge. Pèlerinage régulier dep. le XIVe s. ; *1er dim. de juil.* (malades) ; *1er dim. de sept.* (familles) ; *7-8 :* fête patronale. 100 000 v.

Nevers (Nièvre). *18-2* Ste Bernadette Soubirous [voyante de Lourdes (1844-79), devenue religieuse de la congr. des sœurs de la Charité de Nevers en 1866 ; le corps (exhumé les 22-9-1909/3-4-1919 et 18-4-1925) s'est conservé intact. Déposé dans une châsse à St-Gildard, exposé avec une légère couche de cire sur visage et mains]. 350 000 v.

Ornans (Doubs). *N.-D. du Chêne* (Ceinture de la Vierge rapportée de Constantinople au Ve s.) *1803* app. à Cécile Mille (13 ans).

Paray-le-Monial (S.-et-L.). *Juin,* fête du Sacré-Cœur ; *juillet-août,* sessions du Renouveau charismatique ; *16-10* Ste Marguerite-Marie Alacoque (n. 1647, † 17-10-1690 ; canonisée 13-5-1920) ; basil. romane du XIIe s., prieuré bénédictin (basil. du Sacré-Cœur) ; chapelle de la Visitation (châsse de Ste M.-M.) ; La Colombière [châsse de St-Claude La Colombière, jésuite (1641-82 ; canonisé 1992), confesseur de Ste M.-M., promoteur du culte du Sacré-Cœur]. 700 000 v.

Paris. Montmartre (Sacré-Cœur) : basilique construite sous la direction de Paul Abadie (1812-84 ; restaurateur de St-Front de Périgueux) en exécution d'un Vœu national en l'honneur du Cœur du Christ (1870). Adoration perpétuelle du Christ dans l'Eucharistie et intercession pour la France, l'Église et le monde, de jour et de nuit : 12 000 participants. 5 000 000 de v. *Tous les 1ers vendredis à 15 h,* messe avec adoration. *Fêtes principales :* Vendredi Saint avec chemin de croix extérieur, et Pâques ; S.-C. en juin (3e jeudi, vendr. et dim. après Pentecôte, bénédiction extérieure de Paris le dim.) ; Christ-Roi (dernier dim. de nov.) ; vendredi saint et Pâques. **N.-D. des Victoires :** édifiée à l'initiative des Petits Pères Augustins par Louis XIII en remerciement de sa victoire sur les protestants. **St-Étienne-du-Mont :** *du 3 au 12-1,* neuvaine de Ste Geneviève, patronne de Paris. **Médaille miraculeuse** (140, rue du Bac, Paris 7e) : 2 500 000 v. en 1991 : rayonnement internat. chapelle de la maison de formation des Filles de la Charité (Sœurs de Saint-Vincent de Paul). *19-7* anniv. de la 1re app. de la Vierge (1830) à Ste Catherine Labouré [(1806-76 ; canonisée 1947)] ; 27-11 revoit la Vierge, avec des rayons qui partent de ses mains et cette inscription : « O Marie conçue sans péché, priez pour nous qui avons recours à vous » ; médailles (avers : vision de la Vierge, envers : M surmonté d'une croix et au-dessous 2 cœurs, l'un couronné d'épines, l'autre transpercé d'un glaive) diffusées : janv. 1834 : 50 000 ; déc. 1834 : 500 000 ; 1876 : 1 milliard. **Ste-Rita :** *10-3* fête du pèlerinage de St-Benoît.

Pellevoisin (Indre). 5 app. de la Vierge entre 14-2 et 19-2-1876 à Estelle Faguette (12-9-1843/23-8-1929), employée dans la famille La Rochefoucauld ; répandra la dévotion du scapulaire le 9-9. Guérison d'Estelle : reconnue par l'archevêque de Bourges le 4-9-1983. Puis 10 apparitions du 1-7- au 8-12-1876. *Pèlerinage : 1er week-end de sept.* 15 000 v., surtout avril-nov. Archiconfrérie N.-D. de Miséricorde érigée 1894 (approuvée par Léon XIII, 4-4-1900). Monastère de dominicaines contemplatives, construit 1893, avec la chambre d'Estelle comme chapelle.

Pontchâteau (L.-A.). Calvaire 200 000 v. Tous les dimanches de sept. Construit 1709 par St-Louis-Marie de Montfort, détruit 1710 sur l'ordre de Louis XIV et reconstruit en 1821.

Pontmain (May.). **1871**-*17-1* alors que les Prussiens se préparent à investir Laval, app. de la Vierge de 17 h 55 à 21 h à 7 enfants dont Eugène Barbedette (1858-1927) 12 ans ; Joseph, son frère (1860-1930) 10 a. ; Françoise Richer (1860-1915) 11 a. et Jeanne-Marie Lebossé (1861-1933) 10 a. Un message s'inscrit dans le ciel : « Mais priez mes enfants, Dieu vous exaucera en peu de temps. Mon fils se laisse toucher. » **1872**-*2-2* l'év. de Laval, Mgr Wicart, reconnaît l'authenticité de l'apparition. **1873-95** sanctuaire construit. **1877** Assoc. N.-D. de la Prière reconnue par Rome. **1934**-*24-7* cour. de la Vierge. *Fêtes principales : 17-1* (anniv. de l'app.). *Ascension, 15 août, sept.* (pèl. des malades). *Chaque mardi juill. et août.* 300 000 v.

Rocamadour (Lot). Pèl. à la Vierge noire depuis le haut Moyen Age. *1166 :* découverte du corps intact de « l'ermite Amadour » (Zachée ?). *1172 :* le Livre des Miracles de N.-D. de Rocamadour, conservé à la B. N., mentionne des pèlerins d'Esp., d'It., d'All., d'Angl., des P.-Bas, du Proche-Orient, etc. *XIIe-XIIIe s. :* les Bénédictins construisent chapelles et monastères, organisent des étapes sur le chemin de St-Jacques ainsi qu'une rayonnante confrérie. Trouvères et troubadours chantent la Dame de Rocamadour (Durandal fichée dans le rocher rappelle la Chanson de Roland). Pèlerins attestés : St Bernard, St Dominique, St Engelbert de Cologne, Raymond Lulle, St Antoine de Padoue, Henri II Plantagenêt, Blanche de Castille, St Louis, Philippe le Bel, Louis XI, etc. *1545* Jacques Cartier invoque N.-D. de Rocamadour et implante son culte au Canada. *1562* ruine. *Révolution :* à nouveau ruine. *1835* ruines restaurées. *Pèl. diocésain :* semaine du *8-9.* Ascension du Grand Escalier (223 marches) et chemin de croix dans la montagne. *Pèlerins :* env. 500 000.

Ronchamp (Hte-Saône). Pèl. dep. Moyen Age. Église détruite 1913, rebâtie, détruite 1944 ; reconstruite par Le Corbusier 1955. 120 000 v.

St-Josse-sur-Mer (P.-de-C.). St-Josse († 13-12-669), *dim. de la Pentecôte au dim. de la Ste-Trinité. Mardi de Pentecôte* procession de « Bavémont » sur 14 km.

Ste-Anne-d'Auray (Morb.). Du *7-3 au 1er dim. d'oct. ;* grand pardon *26-7,* Ste Anne (mère de la Vierge et patronne de la Bretagne). *1623-25* apparitions de Ste Anne à Yvon Nicolazic. *1625-7-3* il découvre une statue de Ste A. et construit un sanctuaire (démoli 1865, remplacé par basilique 1872-74). Au sommet (70 m) statue de Ste A. en bronze (6,50 m, de Bizette-Lindet, 1972). Autre statue en granit (5,64 m) dans le parc. 850 000 v.

Ste-Baume (Var). Pèl. séculaire à Ste Marie-Madeleine (patronne de la Provence) qui aurait séjourné à la grotte après avoir débarqué aux Stes-Maries-de-la-Mer et prêché à Marseille et à Aix-en-Pr. Ses reliques sont dans la crypte de la basilique de St-Maximin (XIIIe s.). *Fêtes principales : lundi de Pentecôte, 22-7 et Noël. Visiteurs :* 500 000.

Saintes-Maries-de-la-Mer (B.-du-Rh.). *23/24/25-5* (80 000 pèlerins dont 15 000 gitans) et *avant-dernier dim. d'oct. ;* procession à la mer. Culte de Ste Marie Jacobé, Ste Marie Salomé (mères d'apôtres) et de Ste Sarah (leur servante), patronne des gitans (crypte). Église forteresse de style roman IXe et XIIe s. 1 200 000 v.

St-Omer (P.-de-C.). N.-D. des Miracles. Dans la cathédrale, statue de la Vierge à l'Enfant (XIIIe s.). *Neuvaine* dernière semaine de sept. et fête patronale le dernier dimanche de sept. 10 000 v.

Sarrance (Pyr.-Atl.). *15-8,* N.-D. de Sarrance. Ancien couvent de Prémontrés (XIVe s.).

Sion (M.-et-M.). 250 000 v. Depuis IXe s., pèlerinage marial. Mémorial de la fidélité des Alsaciens-Lorrains. Site du roman de Maurice Barrès « La colline inspirée ».

Thierenbach (H.-Rh.). *Fondé :* 730. Pèl. de Notre-Dame de l'Espérance dep. XIIe s. Toute l'année. *Sanctuaire :* construit 1723 par Peter Thumb ; basilique mineure dep. 1936. 300 000 v.

Tilly-sur-Seules (Calv.). Du 18-3 au 26-7-1896, apparitions aux enfants de l'école du Sacré-Cœur et aux 3 religieuses, puis nombreuses apparitions à Marie Martel († 1913) jusqu'en 1899. *Chaque dimanche à 15 h* récitation du rosaire à la chapelle de la Reine-du-Très-Saint-Rosaire au champ des apparitions. *15-8* vœu de Louis XIII.

Tours (I.-et-L.). *11-11 et dim. suivant :* fête de St-Martin. *Basilique* (construite 1885-1902), renferme le tombeau de St Martin (Sabaria, Pannonie v. 315-Candes I. et L. 397) ; élevé par le bienheureux Hervé de Buzançais [dans la basilique construite entre 987 et 1014, et disparue en 1797 (2 tours romanes encore existantes)], inaugurée le 14-9-1860. *Cathédrale St-Gatien. Marmoutier* [3 km de Tours, vestiges de l'abbaye fondée par St Martin (jeune officier se préparant au baptême, il partage son manteau avec un pauvre ; fonde les 1res communautés monastiques de Gaule dont Ligugé et Tours) évêque de Tours (370 ou 371) ; mène des expéditions d'évangélisation. 1er non-martyr à être honoré comme saint. 3 672 paroisses et 485 localités portent son nom. Sa chapelle fut confiée à Hugues, duc de France, d'où son nom de Hugues Capet. L'oratoire où elle était conservée fut appelée la « Chapelle ». Son tombeau était, au Moyen Âge, l'un des lieux de rassemblement des pèlerins de Compostelle].

Trois-Épis (Ht-Rhin). *N.-D. des Trois Épis,* 1491 app. à un forgeron d'Orbey, Thierry Schoerré.

Vézelay (I.-et-L.). Église Ste-Madeleine (construite v. 1100 sur une colline) pour abriter les reliques présumées de Ste Marie-Madeleine. Étape sur la route de Compostelle. St Bernard y prêcha la 2e Croisade. Ruinée à la Révolution, fut la 1re église restaurée par Viollet-le-Duc après 1830.

Vieux-Marché (C.-d'Armor). Pèl. islamo-chrétien des 7 *Saints dormants d'Éphèse*, créé 1954, commémore la légende des saints endormis dans une grotte d'Éphèse sous la persécution de Dèce (250) et réveillés sous Théodose II (401-450). 5 000 v. [la grotte existe toujours à Éphèse, les musulmans ont également une légende similaire : Er Raqīm, à *El Kahf* (« la Grotte ») près d'Ammān (Jordanie)]. *Fête :* 4e dimanche de juillet.

A L'ÉTRANGER

■ Argentine. **Buenos Aires :** *7-8,* San Cayetano. **Corrientes :** 9-7, N.-D. de Itati. **Luján :** *8-5.* **Mendoza :** *8-9,* N.-D. du Carmel de Cuyo (centre marial : le *11-2,* fête l'apparition de Lourdes). **Salta :** *13-9,* Vierge du Miracle ; *15-9,* Seigneur du Miracle. **Santos Lugares :** *11-2* reproduction grotte et sanctuaires de Lourdes ; 2 000 000 de v.

■ Belgique. **Banneux :** 8 apparitions du 15-1 au 2-3-1933 à Mariette Beco (12 ans). Pèl. : *15-8* (600 000 v.). **Beauraing** (250 000 v.) : *22-8* pèl. d'été, solennité du Cœur Immaculé de Marie. 33 apparitions de la Vierge du 29-11-1932 au 3-1-1933 [1932, Fernande († 1979), Gilberte et Albert Voisin, Andrée († 1978) et Gilberte Degeimbre] (2-2-1943 reconnaissance du culte, 2-7-1949 du caractère surnaturel des faits). Dans le voisinage, église de Foy-N.-D. (Dinant) et basiliques de N.-D. de Walcourt et de St-Hubert : pèl. séculaires. L'Église a reconnu l'authenticité des apparitions de Beauraing et de Banneux. **Montaigu** (1 700 000 v.).

■ Bolivie. **Copacabana, Cochabamba, Potosi, Santa Cruz, Tarija.**

■ Canada. **Ste-Anne-de-Beaupré** (900 000 v. 1991) : Ste Anne est la patronne du Québec. Basilique actuelle remplace celle incendiée en 1922 ; statue du fronton de l'ancienne basilique. **N.-D. du Cap de la Madeleine** (Québec) : plus important sanctuaire marial en Amérique du N., construit 1714, basilique bâtie 1954-64 (900 000 v.). **St-Joseph-du-Mt-Royal** (Oratoire St-Joseph) : construit entre 1915 et 1967.

■ Colombie. **Chiquinquira.** *9-7* anniv. du couronn. de la Vierge (1919) et *26-12* anniv. de l'app. de N.-D. (1586) à Maria Ramos. **Notre Dame de Las Lajas,** *16-9* apparition de N.-D. à l'Indienne Maria Mueses de Quiñones au XVIe s.

■ Espagne. **Montserrat** (950 000 v.) : *11-9.* **Saragosse :** *12-10* N.-D. du Pilar. **Guadalupe :** *8-12* (fête de la Vierge) et *12-10* (fête nat. espagnole).

St-Jacques de Compostelle. *Origine :* St Jacques le Majeur (frère de St Jean) serait venu évangéliser l'Espagne, puis, rentré au Moyen-Orient, aurait été martyrisé. Ses disciples auraient mis son corps dans une barque qui l'aurait conduit au rio Ulla où il aurait été vénéré jusqu'au IIIe s. puis oublié jusqu'à ce qu'on le retrouve en 814 grâce à une étoile se tenant audessus du tombeau et délimitant le *campus stellae* (champ de l'étoile = Compostelle).

Points de départ des 4 grandes routes de pèlerinage : **Tours** [*la Via Turonensis :* les pèlerins du N. de l'Europe se rassemblaient d'abord à Paris (d'où la tour, la rue et le faubourg Saint-Jacques)]. **Poitiers** (St-Hilaire), St-Jean-d'Angély (St-Jean), Saintes (St-Eutrope), Blaye (reliques de Roland), Bordeaux, Dax, Ostabat. **Le Puy** [*Via Podensis :* pèlerins de Bourgogne, Jura, All. du S. ; par Conques (reliques de Ste-Foy), Rocamadour, Cahors, Moissac, Lectoure, Condom, Ostabat]. **Vézelay** [*Via Lemovicensis :* Nevers ou Bourges, St-Léonard-de-Noblat, Limoges (St-Martial), Périgueux (St-Front), La Réole, Bazas, Mont-de-Marsan, Ostabat]. **Arles** [*Via Tolosana :* Arles (St-Trophime, St-Gilles), St-Guilhem-du-Désert, Toulouse (St-Sernin), le Somport (jonction à Puente la Reina avec pèlerins des 3 autres routes pour les dernières étapes : Estella, Logrono, Burgos, Léon, Astorga et Ponferrada)]. Le 1er pèl. qui apercevait Compostelle était appelé Roy et pouvait garder ce nom toute sa vie et le transmettre. Il était vêtu d'une pèlerine, du galerus (chapeau à larges bords), tenait un bourdon (bâton) et arborait une coquille à l'imitation des pèlerins revenant de Jérusalem, qui ornaient leur chapeau de coquilles. Les coquilles naturelles furent concurrencées par des capsules en plomb ou en étain, vendues aux pèlerins. On utilisa des capsules d'argent pour verser l'eau du baptême, on donna la forme de grandes coquilles à des bénitiers. *Visiteurs :* 500 000 par an, 2 500 000 lors des années saintes. **Palmar de Troya à Alcaparrosa :** interdit le 8-5-1970 par l'év. de Jaén.

■ Irlande. **St Patrick :** *1-6/15-8* caverne de Lough Derg (Donegal) ; Croagh Patrick (comté de Mayo) 3e dimanche de juillet.

■ Israël (et territoires administrés). *V. 130* **Jérusalem** : fréquenté. *135* le Capitole (l'« Aelia Capitolina », avec autels à Jupiter Capitolin et à Vénus sur le Golgotha) couvre St-Sépulcre et Golgotha pour empêcher les chrétiens d'y aller en pèlerinage. *326* pèlerinage de Ste-Hélène, mère de l'empereur Constantin. On dira plus tard qu'elle y a retrouvé la vraie croix du Christ. Destruction du Capitole et construction d'un ensemble architectural dont la basilique de l'Anastasis, par Zénobis, architecte de Constantin. *333* 1er guide de pèlerinage écrit par un Bordelais : *Itinerarium Burdigala Jerusalem usque.* *386* St Jérôme s'installe à Bethléem et y travaille jusqu'à sa mort (420). *613* Chosroes (Perse) prend Jérusalem. *614* destruction basilique d'Anastasis. *626* nouvelle basil., du St-Sépulcre. *636* Omar et islamistes prennent Palestine. *800* Haroun Al-Rachid cède St-Sépulcre à Charlemagne. *1009* Hakim, « le calife fou », persécute les pèlerins. *1033* 1er millénaire de la mort du Christ, foule de pèlerins. *1050* nouvelle basil. *1078* les Turcs « bloquent » les Lieux saints. *1095* Urbain II prêche la 1re croisade. *1099* Godefroy de Bouillon proclamé roi à Jér. *1130* nouvelle basil. *1187* défaite des croisés à Hittin, Saladin reprend Jér. *1228-29* Frédéric II rend Jér. aux Francs. *1229* les musulmans reprennent Jér. *1244* les Korasmian s'établissent à Jér. *1342* les Franciscains. *1453* les Turcs prennent Constantinople. *1536* la France protectrice des Lieux saints. *1808* incendie de la basil. du St-Sépulcre. *1810* reconstruction. **Lieux Saints.** *St-Sépulcre. Cénacle* (lieu de la dernière Cène, basilique du IVe s., restaurée par les Croisés, entretenue par les Franciscains dep. 1524). *Via Dolorosa* [chemin de croix du lieu de la Flagellation au St-Sépulcre : 14 « stations » ; procession vendredi et j de grandes fêtes chrétiennes (Vendredi Saint, Rameaux, etc.) dep. 333] ; *Jardin des Oliviers* (agonie de Jésus). *Églises :* Dominus flevit, St-Pierre en Gallicante, la Dormition (basilique).

ANNÉES SAINTES ET JUBILÉS

Jubilé. De l'hébreu *Jobel,* corne de bélier avec laquelle on annonçait la fête. Selon la loi de Moïse, chaque cinquantième année (« 7 semaines d'années »), appelée année de rémission, était consacrée à Dieu. Chacun rentrait dans son héritage ; les dettes, fautes, peines étaient remises, les esclaves rendus à la liberté, le travail des champs suspendu et la terre laissée en repos.

Périodes d'un an, pendant lesquelles l'Église encourage les pèlerinages à Rome, en accordant une indulgence plénière aux pèlerins. En 1300 Boniface VIII institua le 1er jubilé chrétien sous forme *d'année sainte.* Ces années jubilaires devaient revenir tous les 100 ans, mais dès 1350, on décida 50 ans ; en 1389, 33 ans ; en 1470, 25 ans. Il y a donc en principe 4 *jubilés ordinaires* par siècle, aux années 00, 25, 50, 75. Les années saintes sont des *jub. extraordinaires,* proclamés en dehors du rythme des 25 ans (par ex. : 1933, 19e centenaire de la mort du Christ ; 1958, centenaire des apparitions de Lourdes ; 1983, du 25-3-1983 au 22-4-1984 pour le 1 950e anniversaire de la mort du Christ). En 1951, l'année jub. a été prolongée d'un an par Pie XII. Depuis 1500, l'indulgence plénière n'était accordée qu'aux pèlerins qui allaient prier successivement dans les 4 basiliques « majeures » de Rome : St-Pierre, St-Paul-hors-les-Murs, St-Jean-de-Latran, Ste-Marie-Majeure. Dep. 1950, on peut l'obtenir dans tous les pays, en visitant une église désignée par les évêques l'année suivant l'année sainte. En 1973 (en prévision du jubilé de 1975), il a été décidé que les indulgences plénières pourraient être obtenues loin de Rome au cours de l'année précédant le jubilé (1974). Une fois l'année sainte proclamée, toutes les indulgences se gagnent à Rome. *Dernière année sainte ordinaire :* 1975 8 700 000 v. à Rome. *Prochaine :* an 2000.

Jubilés de caractère national. Durée limitée [ex., en France, on en a connu 7 (1596, 1669, 1745, 1801 Concordat, 1896 14e centenaire du baptême de Clovis, 1938 3e centenaire du vœu de Louis XIII, 1958 centenaire des apparitions de Lourdes].

☞ *Années mariales* (voir p. 492 a).

AUTRES LIEUX : **En Kerem** (Visitation), **Tabgha** (lieu de la Multiplication des pains), **Nazareth** (basilique et crypte de l'Annonciation ; maison de la Ste Famille), **Mt Carmel** (tombeau du Prophète Elie), **Mt des Béatitudes** (env. de Capharnaüm), **Mt Thabor** (Transfiguration), **Carpharnaüm** (séjour de Jésus), **Bethléem** (basilique et crypte de la Nativité, champs des Bergers), **Cana** (1er miracle de Jésus), **Magdala** (ville de Madeleine). *Touristes* (1991) : 1 110 083 dont 112 459 de Fr.

■ Italie. **Assise :** *Basilique St-François* (patron de l'Italie) (égl. inférieure 1228-30, supérieure 1230-53) : vendr. et sam. de Carême (févr.-mars), *offices des Corda Pia,* commém. de la mort de Jésus et de St Fr. *3/4-10* fête de St Fr. *Basil. Ste-Claire* (constr. 1257-65), *22-6* et sanctuaire St-Damien, fête du miracle (libération des Sarrasins), *12-8* Ste Cl., *14-9* fête du Crucifix qui parla à St François. *Cathédrale St-Rufin* (1140 et XIVe s.) : jeudi saint, cérémonie de la Déposition (dep. XIVe s.) ; vendredi saint, procession du Christ mort. *-11-8* St-Rufin, patron de la ville. *Basil. de N.-D.-des-Anges* [(à 5 km) constr. 1569-1679, à l'intérieur la *Portioncule,* « petite portion », nom d'une petite chapelle choisie par St Fr. comme centre de la communauté franciscaine]. Fête-Dieu et octave : processions. *1/2-8 :* Solennité du Pardon, instituée par St Fr. (indulgence plénière concédée à perpétuité). *3-10 :* commémoration du « Transitus » de St Fr. *Égl. Ste-Marie-Majeure* (ancienne cathédr.). *15-8* Assomption.

Lorette : *7/8-9* nativité de la Vierge et *10-12* translation (1294) de la *Santa Casa* (maison de la Vierge à Nazareth, dite transportée par les Anges (en fait par bateau, peut-être à l'initiative de Nicephore Ange, despote de l'Épire). 3 500 000 v.

Naples : miracle de St Janvier, *19-9* (date de son martyre, v. 305) ; samedi précédant le 1er dim. de mai (translation des reliques à Naples) : la liquéfaction du sang coagulé de St Janvier se répète 8 j successifs après ces 2 dates, au cours d'une série d'« ostensions » (en moyenne 17 fois par an) face à la foule. *16-12,* commémor. de l'éruption du Vésuve. Ostensions aussi lors de calamités ou de visites de personnages illustres. Le sang, contenu dans 2 ampoules hermétiques disposées dans un ostensoir, se liquéfie en changeant de couleur, poids et volume (du simple au double). L'Église ne s'est pas prononcée sur le caractère miraculeux du fait. On a parlé d'une substance chimique mise au point au XIVe s., capable de se modifier en passant d'un endroit sec et obscur (niche) à un endroit illuminé, saturé de vapeur par la présence d'une foule. Mais le sang (en 1902 et 1989, des analyses spectrographiques ont prouvé qu'il s'agit bien de sang) se liquéfie dans la niche, avant les ostensions. *1er miracle. 1389* 1re nouvelle dans un *Chronicon Siculum. 1631* (16-12) éruption du Vésuve (4 000 † mais Naples fut épargnée). *1990* (12-11) Jean-Paul II vénère les reliques du Saint.

Padoue : basilique (XIIIe s.) contenant le tombeau de St Antoine (1195-1231) et sa langue incorrompue. 3 500 000/4 000 000 de v. Dévotion centrée sur la Pénitence, l'Eucharistie, les requêtes (objets perdus, peines de cœur, réussite aux examens). Milliers d'ex-voto. Mensuel *Messager de St Antoine* en 6 langues avec 1 300 000 abonnés. *Le Saint,* revue d'histoire de l'art religieux paraissant trois fois l'an.

Rome : catacombes, tombeau de St Pierre, Madonna del Divino Amore (env. de Rome), basiliques des Jubilés (voir plus haut).

■ Jordanie (voir partie occupée par Israël).

■ Mexique. **Guadalupe-Hidalgo :** *12-10, 9-12* anniv. de l'apparition. *9-/12-12-1531* 5 app. à l'Indien Juan Diego, béatifié 1990. 10 00 000 de visiteurs par an.

■ Pologne. **Czestochowa :** Yasna Gora. Vierge noire, patronne de la Pol. : icône offerte à des moines paulins (ordre de St Paul ermite), venus de Hongrie pour le Pce Ladislas Opolczyk, en 1382, qui bâtit un cloître. *1656 :* la Vierge reçoit le titre de « Reine de Pol. ». *1918 :* après le rétablissement de l'indép., env. 1 000 000 de v. par an. *1945-56 :* interdiction de tout pèlerinage. *1978 :* regain de ferveur après l'élection de Jean-Paul II (5 000 000 de v. en 1991). *1991* (14/15-8) : VIe Journée mondiale de la Jeunesse-Czestochowa (env. 2 000 000).

■ Portugal. **Fatima :** *1917 :* 13-5 Lucie dos Santos, 10 ans (devenue carmélite), François Marto, 9 ans † 4-4-1919) et Jacinthe Marto, 7 ans († 20-2-1920) voient sur un chêne vert la Vierge qui leur demande de venir 5 fois, les mois suivants, à midi. 13-7 elle promet un grand miracle « pour que tout le monde croie ». 13-10 6e et dernière apparition : « danse du Soleil » devant 70 000 personnes env. La Vierge parle aux enfants du retour aux Commandements de Dieu et à l'Évangile. Les justes sont invités à faire pénitence pour les pécheurs, afin de les préserver de l'enfer et d'obtenir la paix du monde et la conversion de la Russie. *1929* 13-6, la Vierge réapparaît à Lucie à Tuy (Esp.) et lui dit de demander la consécration de la Russie au Cœur immaculé de Marie. *1942* Pie XII procède à cette consécration (sans nommer la Russie, à cause de la g. germano-russe). *1967 :* 13-5 visite de Paul VI. *1982* et *1991 :* 13-5 visites de Jean-Paul II pour les 1er et 10e anniversaires de l'attentat dont il réchappe sur la place St-Pierre à Rome le 13-5-1981. *13-10-1991 au 13-10-1992 :* célébration du 75e anniversaire des apparitions de la Sainte-Vierge à Fatima.

■ **Tchécoslovaquie. Levoca :** *4/5-7.*

■ **Turquie. Ephèse :** *22-6* anniv. du Concile de 431 qui proclama Marie Mère de Dieu. Maison de la Vierge *(Panaya Kapulu),* découverte en 1881 à 2 lieues d'Ephèse par un prêtre français, *l'abbé Gouyet,* d'après les révélations de la visionnaire allemande *Catherine Emmerich* (1774-1824), rédigées par *Clemens von Brentano* (1768-1842) et publiées en 1833. Il organisa un pèl. devenu populaire malgré des objections (1°) son livre est fantaisiste, 2°) Marie serait morte à Jérusalem où l'on vénère son tombeau vide). Paul VI et Jean-Paul II se sont rendus à Ephèse, précisant que leur dévotion s'adressait à la ville où Marie avait été déclarée « Mère de Dieu » par l'Église Universelle. *Assomption :* pèl. à la Maison de la Vierge où chrétiens et musulmans se rejoignent pour une même vénération.

■ Apparitions récentes

☞ Selon les experts de la 42e semaine mariale (Saragosse, sept. 1986), il y a eu 21 000 apparitions de la Vierge depuis l'an 1000. 230 ont été recensées depuis 1939. De 1928 à 1971, il y eut 220 manifestations que l'Église a refusé de reconnaître. En 1940, 100 apparitions furent signalées (mais non reconnues). **Dernières apparitions reconnues par l'Église catholique :** *Beauraing* (Belg., 1932) reconnue 1943, *Banneux* (Belg., 1933) reconnue 1949, *Betania* (Venezuela, 1976) reconnue 21-11-1987 par Mgr Pio Bello Ricardo, évêque de Los Teques.

■ Principales apparitions depuis 1931

Année. Lieu. Voyants. Décision des autorités religieuses. (1 : reconnu. 2 : non reconnu. 3 : décision en suspens).

Allemagne *Fehrbach* (1949, 1 fille 12 a.)[2] ; *Forstweiler* (1947/49, 1 fille, 8 ap.)[2] ; *Heede* (1937, 4 filles 13-14 a.) ; *Heroldsbach* (1949/50, 4 filles, puis d'autres enfants)[2] ; *Pfaffenhofen* (1946, 1 j. fille 22 a., 2 ap.)[3]. **Autriche** *Aspang* (1948, 1 homme 61 a.)[2]. **Belgique** *Banneux* (1933)[1] (1949) ; *Beauraing* (voir p. 496 a). **Brésil** *Urucaina* (1947/51, 1 religieuse)[3]. **Égypte** *Zeitoun* (1968, depuis 7 mai, foule)[2]. **Espagne** *Codosera* (1945, 1 fille 10 a., puis 100 pers.)[3] ; *Ezquioga* (1931, 2 enf., puis 150 pers.)[2] ; *Garabandal* (1965, 4 filles)[2] ; *Palmar de Troya* [1968, 3 fillettes, Josefa, Rafaela, Ana (voir p. 496 b)][2]. **États-Unis** *Bayside* (banlieue de New York) (dep. le 18-6-1970, pendant 8 ans : Veronika Lueken, n. 1923, Portoricaine illettrée, mère de 5 enf.)[2]. **France** *Athis-Mons* (1950, des adultes)[2] ; *Bouxières-aux-Dames* (1947, 1 prêtre et des adultes)[2] ; *Dozulé* (Madeleine Aumont aurait vu le Christ avec sa croix de 1972 à 1982) au lieudit la « Haute-Butte ». Le 19-12-1985, Mgr Badré, évêque de Bayeux et Lisieux, a conclu à l'inauthenticité et interdit tout acte cultuel[2] ; *Englancourt* (1955, 2 enfants)[2] ; *Entrevaux* (1953, public, le doigt de Ste Anne saignait : la supercherie fut ensuite reconnue)[2] ; *Ile-Bouchard* (L') (1947, plusieurs enfants)[3] ; *Kerizinen* (Finl.) (1968, 1 femme, les app. durent depuis 28 ans)[2] ; *Montpinchon* (Manche) (1984 : 2 garçons 3 a. artistes de cirque ambulant, puis 1 mère de 9 enf.)[3] ; *Rinxent* (1953, 2 garçons, 1 fille, 1 vieille dame)[2]. **Hongrie** *Hasznos* (1949, la foule)[2]. **Italie** *Assise* (1948, la foule : « La Vierge qui bouge »)[2] ; *Bergame* (1944, 1 fille 7 a., 12 app.)[2] ; *Gimigliano* (1948, 1 fille 13 a.)[2] ; *Roma Tre Fontane* (1947, 1 homme 34 a. et 3 enf.)[3] ; *San Damiano* [16-10-1964, 1 femme mère de 3 enf., Rosa Quatrini, née Buzzini (un poirier déjà chargé de fruits se couvre de fleurs ; la Vierge Marie y apparaît plusieurs fois) ; à sa mort (1981), Rosa laisse à l'Église un complexe hospitalier de 44 ha, valant 25 millions de F [2] ; *Pie XII* (1954, 2 ap., phénomène semblable à ceux de Fatima). **Irlande** *Melleray* (1985)[3]. **Pays-Bas** *Amsterdam* (1968)[2]. **Philippines** *Lipa* (1948, 1 j. fille 19 a.)[2]. **Pologne** *Lublin* (1949, la foule « La Vierge qui pleure »)[2] ; *Varsovie* (1959, public)[2]. **Roumanie** *Cluj* (1948, la foule)[3]. **Ruanda** *Kibého* (dep. 28-11-1981, 7 voyants (1 garçon et 6 filles), dont Alphonsine Mumureke 21 a., qui a revu la Vierge chaque année le 28-11, de 1982 à 1986)[3]. **Sicile** *Acquaviva Platani* (1950, 1 fille 12 a., 7 ap.)[3]. **Tchécoslovaquie** *Turczovka* (1958, 2 hommes)[2]. **Venezuela** grotte de Betania *(Cua)* (dep. 25-3-1976 à Maria Esperanza Medrano Bianchini, puis à plusieurs centaines de personnes). **Yougoslavie** *Medjugorjé* [dep. 24-6-1981, 4 filles (Vicka, Marija, Mirjana, Ivanka) et 2 garçons (Ivan, Jakov) de 10 à 16 ans, 2 autres j. filles du village disent entendre la voix de la Vierge.][2,3]. De 1981 à 1984 env. 8 millions de visiteurs. En 1988, Medjugorjé a rapporté 100 millions de $ en devises à la Youg.

■ Reliques

■ **Origine du culte.** Né de l'habitude de célébrer la messe sur le tombeau d'un martyr (catacombes de Rome, au IIIe s.). En Afrique, dès le IVe s., les reliques des martyrs sont l'objet d'un culte privé (on les porte sur soi, dans des boîtes de fer). Au VIe s., à Rome, on prescrit d'inclure des ossements de martyrs dans les autels destinés à la célébration de la messe, pour que ces autels puissent être assimilés à un *martyrium* (en français « martroi », lieu de culte).

Malgré les critiques [notamment des protestants comme Calvin qui en 1543 dans le *Traité des Reliques* dénonça la multiplication des mêmes objets dans des endroits différents (14 clous de la Croix, 4 couronnes d'épines, etc.)], l'Église n'a pas interdit cette dévotion mais simplement édicté des règles (reprises dans le Code canonique ; can. 1281-89) et interdit le trafic des reliques (can. 2326).

■ **Commerce.** Au début, les églises comptant des martyrs envoyaient gratuitement des reliques à celles qui n'en avaient pas. Les besoins augmentant, les églises occidentales enverront à Rome, du VIe au IXe s., des centaines de pèlerins qui achèteront les ossements (de chrétiens anonymes ou sans notoriété), retrouvés en masse dans les catacombes. Après le IXe s., on exigea de plus en plus de reliques de saints célèbres (ossements ou autres souvenirs).

Le centre du commerce passa à Constantinople, où des spécialistes fournissaient des pièces douteuses. A l'abbaye bénédictine de *Corbie* (Somme), on trouvait ainsi des reliques de *Jésus* (sang, cheveux, morceaux de son cordon ombilical, de la crèche, de sa serviette d'enfant, de sa croix, de son tombeau et de ses vêtements, des pains multipliés au désert) ; *de la Vierge* (gouttes de son lait, cheveux, morceaux de son manteau et de son voile) ; *de St Pierre* (cheveux et barbe, fragments de sa croix, sandales, table, poussière de son tombeau) ; *de Marie-Madeleine* (cheveux et portion des parfums) ; *de Zacharie,* père de Jean Baptiste (os) ; *de Jean Baptiste* (vêtements) ; *de Noé* (poils de barbe).

■ **Reliques encore vénérées à l'époque moderne. Christ.** *Colonne de la flagellation* à Ste-Praxède de Rome. *Couronne d'épines* venant de la Ste-Chapelle de Paris. *Fragments de la Croix :* Paris (N.-D.), Troyes, Baugé, etc. *Clou de la crucifixion* dans la « couronne de fer » des rois d'Italie à Milan (cathédrale). *Prépuce* (provenant de St-Jean de Latran à Rome) à Calcata, près de Viterbe (volé en 1983). *Circoncision* (appelée *« Sainte Vertu » ou « Saint Nom »*) : *linges maculés de sang :* abbaye de Coulombs (E.-et-L.), abbaye de Charroux (Poitou : retrouvée en 1856, actuellement à la cathédrale de Poitiers), Hildesheim (All.), Anvers (Belg.). *Crèche* à Ste-Marie-Majeure (Rome). *Cruche de Cana* à St-Denis. *Larmes versées* par le Christ sur Lazare, à Vendôme. **Vierge.** *Cierge* (fragments) à N.-D.-des-Ardents à Arras. **St Jean Baptiste.** *Doigts* 3 à St-Jean-de-Maurienne (cathédrale). 1 à St-Jean-du-Doigt, près de Morlaix. *Tête* (fragments) à St-Jean-d'Angely (Ch.-Mme) : dans la cath. d'Amiens ; mâchoire cath. de Verdun. **Apôtres.** *St Pierre. [Chaînes* de son cachot, à St-Pierre-des-Liens, (Rome). *Reliques* à St-Sernin (Toulouse)]. *Philippe, Jacques le Majeur, Simon, Jude, Paul* à St-Sernin. **Divers.** *Écaille de la lèpre* du Lépreux à St-Denis, *ceinture de Ste Marguerite* à St-Germain-des-Prés.

■ **Saint suaire. Cadouin** (Dordogne). Toile de lin de 2,81 × 1,13 m (suaire de la tête). Rapportée de Terre Sainte par Adhémar de Montel, év. du Puy († en mer, au retour de la 1re croisade, v. *1105*). *1114* donné aux cisterciens de C., qui construisent une égl. pour l'abriter (consacrée 1154). *1345* le pape Clément VI accorde une indulgence aux pèlerins. *1934* identifié comme tissu musulman du XIe s., culte interrompu. Visible au « musée du Pèlerinage » ; 40 000 v. Cloître roman (XIIe s.), ruiné, reconstruit en gothique flamboyant (fin XVe-XVIe s.).

Turin. *Description :* toile de lin de 4,36 × 1,12 m, filée et tissée à la main en sergé à chevrons côtelé 3-1, avec 2 silhouettes couleur jaune paille d'un homme de 1,81 m, de type sémite, vu de dos et de face, au visage barbu, yeux clos, cheveux longs. L'empreinte reflète les tourments subis : couronne d'épines, flagellation du flagellum romain (120 impacts), blessure de lance dans la poitrine, clous dans les poignets (avec mouvement réflexe du pouce recroquevillé sous les doigts), écorchures aux genoux, clous dans les pieds, position du corps due à la crucifixion ; 16 détails concordent avec les évangiles, notamment : 1°) les jambes ne sont pas brisées ; 2°) les bords du visage ne sont pas gravés sur l'étoffe (il y avait un 2e linge autour de la mâchoire) ; 3°) le mort a eu (coutume juive), appliquées sur ses paupières, 2 pièces de monnaie qui y ont laissé leur empreinte : oboles de bronze palestiniennes datant des années 29 à 32 apr. J.-C. (procuratorat de Ponce Pilate) ; 4°) seule la surface de l'étoffe a été impressionnée.

Histoire : 1192-95 dans le Codex, de Pray (jésuite hongrois du XVIIIe s. qui l'a découvert), illustration du linceul. *1204* pillage de Constantinople, le suaire disparaît ; Templiers l'amènent en Europe. *1353* 1re certitude historique, Geoffroy, 1er Cte de Charney, le donne aux chanoines de Lirey (près de Troyes). *1357* l'évêque de Troyes, Henri de Poitiers, conclut à un faux et ordonne d'arrêter les ostensions. *1387* Pierre d'Arcis, son successeur, demande à Clément VII d'intervenir (les ostensions ayant repris). *1390* C. VII autorise l'ostension à condition que les fidèles soient avertis qu'il s'agit d'une représentation. *1418* mis à l'abri en Savoie, pendant la g. de Cent Ans, par Marguerite de Charny (fille de Geoffroy II, et veuve du duc Humbert de Savoie), conservé à St-Hippolyte-sur-le-Doubs. *1452* 22-5 Marguerite le donne à Anne de Lusignan, héritière de la couronne de Chypre et épouse du duc Louis Ier de Savoie. *1453-82* déposé au château ducal de Chambéry. *1532* endommagé par un incendie, confié aux clarisses de Chambéry, qui le réparent. *1579* au château ducal de Turin, chaque année les 4-5 mai, montré à la foule depuis un balcon. Les ostensions auront lieu tous les 25 ou 30 ans. *1898* 28-5 photographié par Secondo Pia ; l'image positive d'un homme de 1,81 m, nu et couché apparaît sur le négatif. *1931* ostensions : 22 j, 1 million de pèlerins (Giuseppe Enrie prend 12 nouvelles photos). *1973* Max Frei (Suisse) identifie les pollens comme venant de plantes méditerranéennes (ses conclusions seront discutées). *1977* le Sturp (Shroud of Turin Research Project, USA) conclut à l'impression par suite d'un processus de nature inexpliquée. *1978* oct. : 33 membres du Sturp et des collègues européens examinent le suaire 5 j et concluent à un contact entre l'étoffe et un corps ayant duré moins de 2 j. Pour Walter McCrone, chimiste, un artiste a tracé sur le tissu une image et l'a coloriée avec 2 pigments. Mais des analyses ont révélé la présence de sang contenant de la bilirubine (pigment de la bile, sécrété par le foie en si grande quantité, qu'en cas de souffrance, passe dans le sang). Il a été montré par la suite que l'image n'est pas une peinture, mais qu'elle est due au jaunissement des fibrilles de la cellulose par oxydation et déshydratation. *Du 27-8 au 8-10* ostensions, 3 300 000 pèlerins. *1983* légué au Vatican par le roi exilé Humbert II d'It. († 18-3). *1986,* oct., le Vatican autorise un test au carbone 14. *1988,* 13-10, déclaration du cardinal Ballestrero, archevêque de Turin : 3 examens au carbone 14 [selon la méthode de spectrométrie de masse (AMS)], effectués indépendamment à Tucson (USA), Oxford (G.-B.) et Zurich (Suisse) datent le lin du suaire des années 1260 à 1390, mais le mode de fabrication de l'image (qui n'est pas peinte) reste inconnu. Certains, récusant le choix des échantillons, nient la valeur de cet examen.

Nota. – On a signalé un suaire à Compiègne (détruit à la Révolution) et un à Besançon (peinture ; détruit sous la Révolution). Le Pr Paolo Ricca a identifié 43 copies faites à partir d'un original.

■ **Sainte tunique.** Portée par Jésus au Calvaire, tirée au sort entre les soldats chargés de son exécution. Mais les Juifs de l'époque portaient habituellement 2 tuniques : une légère par-dessous, et une épaisse par-dessus (la tunique du dessus était probablement celle qu'avait fournie Hérode, achetée aux soldats par les disciples de Jésus). **Tuniques signalées : Germia,** Galatie (Asie Mineure) VIe s. ; **Safed,** près du lac de Galilée (Palestine) VIe s. Depuis le XIIe s., **Argenteuil,** signalée depuis et désignée comme une *cappa,* « tunique de dessus », et faite d'un tissu pareil à ceux des tombes coptes du IIe s. apr. J.-C. ; possédée au VIIIe s. par Irène, imp. d'Orient, qui la donna à Charlemagne dont la fille, Théotrade, fonda le monastère d'Argenteuil et l'y déposa (dérobée le 13-12-1983, elle fut rendue intacte à un prêtre le 2-2-1984) ; **Trèves** (Allemagne), daterait du Ve ou VIe s.

■ **Saintes chapelles.** Nom donné à certaines chapelles contenant des reliques particulièrement vénérables : *Paris* (couronne d'épines, fragment de la vraie croix) ; *Chambéry* (saint suaire, actuellement à Turin).

Saints

■ Généralités

☞ V. liste de saints à l'Index (fêtes à souhaiter).

■ **Définition** (du latin *sanctus,* souverainement pur, parfait). Dieu seul est absolument saint, parce qu'il est totalement amour, il invite les hommes à partager sa sainteté et le bonheur dont elle est la source ; ceux qui ont répondu à cet appel peuvent être eux-mêmes

■ **Auréole.** (Souvent en amande), surface lumineuse figurée autour du personnage tout entier.

■ **Nimbe.** Entoure seulement la tête. Symbolise le rayonnement de la sainteté et prend l'aspect d'un nuage doré, d'un cerne plus ou moins chargé ou de traits rayonnants. **Origine :** les *imagines clipeatae* des Romains païens, « effigies sur écusson » (*clipeus* signifie « bouclier », puis « médaillon ») créées par les Grecs et répandues en Asie (hindouiste et bouddhiste) par des Grecs de Bactriane (les saints du bouddhisme chinois portent un nimbe circulaire et doré).

Évolution : apparaît dans l'iconographie chrétienne au IVe s., mais, jusqu'au VIIIe s., est réservé aux figurations de l'agneau mystique, à la colombe du St-Esprit, et au Christ (nimbe souvent orné d'une croix pourpre ou violette). Puis l'auréole entoure la Vierge quand elle est avec l'Enfant ; et à partir du XIe s., la Vierge seule. *Saints :* dans les catacombes, tête entourée d'un disque bleu sur les bords s'éclaircissant jusqu'au blanc sur le centre, ce qui suggère un rayonnement. Au XIVe s., ils ont tous une auréole. *Nom et monogramme de Jésus :* souvent entourés d'auréoles lumineuses, ou de soleils. A partir du Moyen Age, le nimbe tend à se réduire à une ligne circulaire, souvent dorée (constellée de diamants ou d'étoiles, pour la Vierge). Le nimbe de Judas est traditionnellement noir. L'usage se perd à la Renaissance, mais est repris par les artistes chrétiens modernes.

■ **Stigmates. Définition** (du grec *stigma,* piqûre, piqûre au fer rouge, tatouage). Plaies aux mains, aux pieds et à la poitrine correspondant aux 5 plaies du Christ sur la croix, rebelles à tout traitement. En 1858, A. Imbert-Gourbeyre (dans « la Stigmatisation ») a donné une liste de 321 stigmatisés (en majorité des femmes) dont 80 ayant été béatifiés ou canonisés. Depuis 1900, 20 cas ont été étudiés médicalement, en général des femmes. D'après le Dr Bolgert, il paraît vraisemblable qu'en raison de l'acuité de leur sentiment religieux et de leur désir extrême de s'identifier au Christ, des lésions de la peau puissent apparaître spontanément sous forme de rougeur et d'œdème. Ces lésions, d'abord intermittentes, peuvent être favorisées par des manipulations volontaires plus ou moins conscientes.

Stigmatisés célèbres. St François d'Assise, du 14-9-1224 à sa mort (3-10-1226). Fait déclaré authentique par une double lettre personnelle du pape Grégoire IX, en 1237, et confirmé par env. 30 bulles de souverains pontifes. La fête de la Stigmatisation de St François a été fixée le 17-9.

Marie d'Oignie († 1213), béguine.

Dodon d'Haske († 1231), ermite.

Ste Catherine de Sienne (1347-80, canonisée 1461), stigmatisée à partir du 1-4-1375 (st. douloureux, mais invisibles, révélés à son confesseur).

Catherine Emmerick(Flamschen, Olsfeld, Westphalie/8-9-1774-Dülmen 9-2-1824), (marques d'épines sur le front et de blessure à la poitrine ; douleurs invisibles aux mains et aux pieds, dès 1812) ; Clément Aug. Droste-Vischering (1773-1845), futur archev. de Cologne, conclut qu'il n'y a aucune imposture, sans définir le caractère surnaturel ; en 1892, cause de béatification introduite ; reprise 1973.

Marie von Moerl (1812-68), de Kaltern, Autriche ; l'une des 3 « stigmatisées du Tyrol ». Stigmates à partir de 1844. Non authentifiés.

Louise Lateau (1850-83) stigmatisée à partir du 24-4-1868, à Bois d'Haine (Belg.). Enquête du card. Deschamps, archev. de Malines. Non authentifiée publiquement.

Ste Gemma Galgani (1878-1903), de Lucques, Italie, canonisée le 2-5-1940. Stigmatisée à partir du 8-6-1899 ; les stigmates cessent d'être visibles, sur demande de son confesseur, mais continuent à être douloureux ; le décret de canonisation ne se prononce pas sur leur authenticité.

Padre Pio (Francesco Forgione, 1887-1968), religieux capucin de San Giovanni Rotondo en Apulie, Italie. Stigmatisé depuis le 20-9-1918. Des millions de pèlerins ont vu ses plaies.

Thérèse Neumann (8-4-1898 / 18-9-1962) ne s'était pas alimentée depuis 40 ans, dormait 2 h par nuit, travaillait le jour aux champs et revivait chaque vendredi la passion du Christ. La commission qui l'examina, en 1938, conclut à une hystérie grave.

Marthe Robin (13-3-1902 / 6-2-1981 à Châteauneuf-de-Galaure, Drôme), paralysée des jambes en mars 1928, s'alite pour la vie, cesse de manger et de boire et stigmatisée. Vivant le mystère et la passion du Christ, du jeudi au dimanche, elle versait son sang (couronne d'épines, larmes de sang). Ne s'alimentait que de l'eucharistie, 1 ou 2 fois par semaine. Atteinte, selon la thèse la plus courante, d'une encéphalite léthargique ; son estomac refuse toute nourriture et si on la force à boire, l'eau ressort par les narines. On lui humecte les lèvres et la bouche pour que la langue ne colle pas au palais et qu'elle puisse parler. 1930, les stigmates apparaissent. Jusqu'à sa mort, se contente d'une seule nourriture hebdomadaire : l'hostie. Procès de béatification introduit en 1987.

Marie Rosalina Veira (Tropeco, Portugal), 18 ans en 1982, n'aurait plus rien mangé ni bu depuis ses 12 ans pour respecter la volonté du Christ.

☞ On connaît le cas d'env. 50 personnes qui auraient vécu plusieurs années sans manger.

appelés saints dès lors que, dans l'autre vie, ils se trouvent effectivement associés à la sainteté divine. Chrétiens que l'Église proclame *saints* après leur mort et qu'elle honore (chez les catholiques et les orthodoxes) d'un culte public [*dulie :* celui de la Sainte Vierge étant hors pair *(hyperdulie) ; latrie :* culte d'adoration rendu à Dieu seul].

■ **Usage du mot « saint ». Dans la bible :** *peuple :* juifs, élu de Dieu ; *tribu :* de Lévi vouée à Dieu (lévites) ; *cité ou ville :* Jérusalem ; *terre :* Palestine ; *Saint des saints :* Dieu ; cœur du temple de Jérusalem : dans le 1er temple, construit par Salomon, là était déposée l'*Arche de l'Alliance* contenant les Tables de la loi. **Expressions :** *cité sainte* (fig.) : la Jérusalem céleste, le paradis. *Communion des saints :* ensemble des fidèles vivants et morts. *Jours saints :* j de la semaine sainte précédant Pâques. *Lieux Saints :* Jérusalem et lieux où vécut Jésus. *Saints :* nom porté par les puritains pendant la révolution anglaise de Cromwell. *Saints des derniers jours :* les Mormons. *St-Père :* le pape. *St-Sépulcre :* tombeau de Jésus, après sa mort. *St-Siège :* gouvernement pontifical.

■ **Bienheureux.** Titre attribué par décret pontifical au cours d'une liturgie solennelle présidée par le pape. Aux yeux de l'Église, les bienheureux sont admis à partager pleinement le bonheur de Dieu.

■ **Canon des saints.** Liste officielle des saints et bienheureux reconnus par l'Église.

■ **Catégories : 1°) Les martyrs** [le *martyrologe* (liste des martyrs) donne, dans l'ordre du calendrier, la liste des saints célébrés chaque j] ; env. 30 000, mis à mort pour leur foi, seuls ou en groupes (ex. : dans l'Église primitive, Japon, Chine, Corée, Viêt-nam). **2°) Les saints ou confesseurs de la foi morts en odeur de sainteté** [env. 4 000 (dont 700 femmes), 50 % canonisés par les évêques avant l'époque (XIIe s.) où le pape s'est réservé toutes les causes].

☞ *Saints anargyres* (du grec *an,* sans et *argures,* argent) : médecins, soignant gratuitement les malades. Ex. : St Côme, St Damien, St Pantaléon. *Saints céphalophores* (du grec *kephalê,* tête et *phorein,* porter) : décapités, ils auraient porté leur tête après leur décollation. Ex. : St Denis.

■ **Nombre de saints (et bienheureux) canonisés individuellement.** 2 470 dont Italie 626, *France 576,* Angleterre 243, Japon 171, Espagne 157, Viêt-nam 107, Allemagne 102, Corée 90, Chine 75, Belgique 59, Portugal 58, Pologne 25, Ouganda 22, Pays-Bas 20, Tchécoslovaquie 15, Irlande 14, Hongrie 10, Autriche 8, Danemark 7, Yougoslavie 7, Écosse 7, Turquie 7, Suède 6, Suisse 6, Arménie 5, Mexique 4, URSS 4, Syrie 4, Lituanie 4, Norvège 4, Grèce 3, Inde 3, Canada 2, Pérou 2, Paraguay 1, Roumanie 1, Éthiopie 1, Rép. Dominicaine 1, Islande 1, Canaries 1, Géorgie 1, Israël 1, Équateur 1, Liban 1 (Charbel Makhlouf, † 1898, canonisé 9-10-1977), États-Unis 1 (Ann Seton, 1774-1821, canonisée 14-9-1975). De nationalité inconnue 141.

■ **Groupes vénérés comme martyrs** (nombres les plus élevés). **1°) Non prouvés historiquement** Cologne 11 000 Vierges [le nom d'une des martyres (en 674) : *Undecimilla* (c.-à-d. « fille d'*Undecimus* ») a été lu *undecim milla* (11 000)] ; Rome 10 203 martyrs de la Grotte-qui-coule-toujours (en 198) ; Nicomédie 10 000 (en 387) ; Mt Ararat (Arménie) 10 000 (en 381) ; Perse 9 000 Compagnons d'Ia (en 69) ; Égypte 5 000 Compagnons de Julien. **2°) Prouvés historiquement** Afr. du N. 4 966 clercs déportés (en 483-84).

Les plus célèbres : 40 soldats martyrs de Sébaste (en 320), 25 martyrs (compagnons de Paul Miki), crucifiés à Nagasaki au Japon (en 1597), fêtés le 6 février. Parmi eux, 2 jeunes garçons de 11 et 13 ans. *France :* victimes de la Révolution (1792-96) : 16 carmélites de Compiègne (guillotinées 17-7-1794, béatifiées 27-5-1906), 191 prêtres réfractaires massacrés en septembre 1792, 32 religieuses d'Orange, 99 martyrs d'Angers [béatifiés 20-2-1984 ; l'abbé Noël Pineau (guillotiné revêtu de ses habits sacerdotaux, avait été béatifié dès 1926)]. 25 martyrs mexicains (dont 22 prêtres, 1 religieuse, 2 laïcs) tués pendant les persécutions (1915-37), béatifiés 22-10-1992. 122 religieux (dont 115 Espagnols et 7 Colombiens en formation en Esp.) martyrisés en 1936 pendant la guerre civile, béatifiés 25-10-1992.

■ **Saints du calendrier.** Le calendrier romain général (origine 354, révisé 1969) retient le nom des saints qui ont une importance pour l'Église d'aujourd'hui et laisse à un culte local beaucoup de saints qui n'ont pas une importance particulière pour l'Église, et ceux dont l'histoire est peu assurée. Parmi ces derniers : Alexis (10-7), Barbe (4-12), Bibiane ou Viviane (2-12), Catherine d'Alexandrie (25-11), Christophe (25-7), Cyprien et Justine (26-9), Domitille (7-5), les Douze Saints Frères (1-9), Eustache (20-9), Félix de Valois (20-11), Hippolyte (22-8), Jean et Paul du Ier s., auxquels est dédiée une basilique romaine (26-6), Marguerite d'Antioche (20-7), Martine (30-1), Modeste (15-6), Paul Ermite et Maur (15-1), Placide (5-10), Pudentienne (19-5), Respice et Nymphe (10-11), Suzanne (11-8), Symphorose (18-7), Thècle (23-9), Tryphon, Bacchus et Apulée (8-10), Ursule, ancienne patronne de l'ordre des Ursulines (21-10), Venant (18-5). Ste Cécile (22-11), patronne des musiciens, a été maintenue exceptionnellement.

■ **Légende des saints** (du latin *legenda,* ce qui doit être lu). A l'office des matines, l'évocation de la vie du saint dont on célèbre la fête est lue sous forme de « leçon ».

■ **Saints Innocents** (28 déc.). Nouveau-nés mis à mort par Hérode le Grand qui voulait éliminer l'Enfant Jésus moins de 2 ans après sa naissance ; fêtés depuis le Ve s. sous les noms d'*infantes* (nouveau-nés) ou de *parvuli* (tout petits) dans la majorité des Églises latines ; de *nêpioi* (même sens) dans l'Égl. grecque. A Rome, Milan et Naples, on les appelait plutôt Innocents. Au Moyen Age, la messe romaine du 28 déc. a été adoptée dans toute la chrétienté et y a généralisé l'expression « les Saints Innocents ».

■ **St Nicolas** (6 déc.) (n. v. 270 en Lycie, † 343). Évêque de Myre (Asie Mineure). IVe s. : patron de la Russie et des écoliers, marins, voyageurs, filles à marier, parfumeurs (jeu de mots entre Myre et Myrrhe), apothicaires. Selon la légende, ressuscite 3 enfants dépecés par un boucher qui les hébergeait. Sa réputation de donneur de cadeaux vient du fait qu'il aurait doté 3 jeunes filles pauvres menacées de perdre leur vertu. Il est à l'origine du personnage du Père Noël, en Amérique *Santa Claus,* « St Nicolas » [(déformation du néerlandais *Sinter Klaas*) fête introduite par les Hollandais au XVIe s.]. Les *Français* ont adopté la date de Noël pour la distribution des cadeaux de St Nicolas, à cause du décalage qui a existé jusqu'au XVIIIe s. entre pays à calendrier julien et pays à c. grégorien (13 j). Les *Anglais* avaient leur St-Nicolas à peu près à la date du Noël de France. Dans l'Angl. catholique, et encore pendant un demi-siècle dans les cathédrales anglicanes, les enfants de chœur avaient St Nicolas pour patron : le 6-12, pour leur fête patronale, ils élisaient leur « évêque » (le plus sage d'entre eux), à qui on rendait les honneurs jusqu'aux Sts-Innocents (28-12 suivant). En *Belgique* et aux *Pays-Bas,* le 5 au soir, les enfants laissaient devant la cheminée des sabots de bois, remplis de foin, pour le cheval blanc du saint ; le 6 au matin, ils trouvaient leurs sabots emplis de friandises. En *Alsace,* le 5 au soir, les jeunes garçons parcourent encore les rues des villages avec des clochettes en criant « Au lit les enfants ; St Nicolas va passer ! ». En *Allemagne,* l'élection de « l'évêque des enfants » a survécu, déplacée au 12-3, fête de Grégoire le Grand, patron des étudiants en théologie.

■ **Patronat sur la Mer.** En avril 1087, des matelots italiens enlèvent à Myre les reliques de St Nicolas et les transportent à Bari, dans les Pouilles. Une basilique y est construite et St Nicolas « de Bari » est reconnu par l'Égl. comme patron des gens de mer. Les marins le surnomment « le Poséidon chrétien » (on l'invoque dans les tempêtes). *Culte :* chaque année, à Bari (du 7 au 9 mai) : sur un bateau tiré au sort, la statue fait le tour de la rade, revêtue du pallium des archevêques (vêtement huméral appelé aussi *anabolium*). St Nicolas de Bari a donc été surnommé *Il Anabolione,* dont la forme populaire est « Nabulione » (retraduite en *Napoleone,* mais utilisée telle quelle dans la famille Bonaparte).

■ **Culte des saints.** Resté longtemps celui des martyrs : martyre rouge (effusion de sang), vert (pénitence), blanc (virginité et bonnes œuvres). Les

Quel est leur saint patron ?

☞ De nombreux patrons de corporations locales ou régionales sont omis et certains figurant ici sont remplacés par des patrons locaux. Entre parenthèses date avant 1-1-1970.

Métiers ou situations personnelles

Agriculteurs Benoît 11-7. Médard 8-6. **Alpinistes** Bernard de Menthon 28-5. **Apprentis** Jean Bosco 31-1. **Archers** Sébastien 20-1. **Architectes** Benoît 11-7. Raymond Gayrard 3-7. Thomas 3-7. **Archivistes** Laurent 10-8. **Ardoisiers** Lézin 13-2. **Armuriers** Michel 29-9. **Artificiers** Barbe 4-12. **Artilleurs** Barbe 4-12. **Artistes** Fra Angelico 18-3. **Assureurs** Yves 19-5. **Aubergistes** Julien l'Hospitalier 27-1. **Aumôniers d'hôpitaux** Armel 16-8. **Aumôniers militaires** Jean de Capistran 23-10. **Automobilistes** Françoise Romaine 9-3. Christophe 25-7. **Aveugles** Clair de Vienne 1-1. **Aviateurs** Joseph de Cupertino 18-9. Vierge de Lorette. **Avocats** Yves 19-5.

Balanciers Michel 29-9. **Banquiers** Matthieu 21-9. Michel archange 29-9. **Bateliers** Nicolas 6-12. Julien l'Hospitalier 27-1. Honorine 27-2. **Bergères** Geneviève 3-1. **Bergers** Germaine Cousin 15-6. Druon 16-4. Loup ou Leu 29-7. **Bibliothécaires** Laurent 10-8. **Bijoutiers** Éloi 1-12. **Bimbelotiers** Claude (du Jura) 6-6. **Blanchisseuses** Claire 11-8. Blanchard 10-3. **Bonnetiers** Fiacre 30-8. **Bouchers** Adrien 8-9. Nicolas 6-12. Barthélemy 24-8. **Bouffons** Mathurin 1-11. **Boulangers** Honoré 16-5. Michel 29-9. Lazare 17-12. **Boursiers** Brieuc 1-5. **Brasseurs** Médard 8-6. Arnoul 15-8. **Brodeurs** Claire 11-8. Clair 16-7. **Brossiers** Barbe 4-12. **Buveurs** Chrodegang (prononcé « Godégrand ») 6-3. Bibiane 2-12.

Candidats au permis de conduire Expédit 19-4. **Candidats aux examens** Joseph de Copertino 18-9. **Canonniers de marine** Barbe 4-12. **Cardeurs** Blaise 3-2. Marie-Madeleine 22-7. **Carriers** Roch 16-8. **Carrossiers** Guy (d'Anderlecht) 12-9. **Cavaliers** Benoît 11-7 (21-3). Georges 23-4. **Chantres** Grégoire 9-5. **Chapeliers** Jacques le Mineur 3-5 (1-5). **Charbonniers** Maur 15-1. Thibaud 30-6. **Charcutiers** Antoine le Grand 17-1. **Charpentiers** Julien l'Hospitalier 29-1. Joseph 19-3. **Charretiers** Vulmar 20-7. **Charrons** Éloi 1-12. **Chasseurs** Hubert 3-11. **Chasseurs alpins** Maurice 22-9. **Chaudronniers** Maur 15-1. **Chauffeurs de taxis** Fiacre 30-8. Christophe 25-7. **Chimistes** Albert le Gd 15-11. **Chirurgiens** Côme et Damien 26-9 (27-1). Luc 18-10. **Ciergiers** Geneviève 3-1. **Cloutiers** Hélène 18-8. Cloud 7-9. **Cochers** Guy (d'Anderlecht) 12-9. **Coiffeurs** Louis 25-8. **Comédiens** Genès 26-8. **Commerçants** Fr. d'Assise 4-10. **Commères** Babile 21-8. **Comptables** Matthieu 21-9. **Conduct. de machines** Benoît 11-7 (21-3). **Cordiers** Paul 29-6. **Cordonniers** Crépin, Crépinien 25-10. **Couples mariés** Lien ou Lienne 14-2. **Couteliers** Jean-Baptiste 24-6. **Couvreurs** Vincent Ferrier 5-4. **Cuisiniers** Marthe 29-7. Fortunat 14-12. Laurent 10-8. **Curés** Jean-Marie Vianney 4-8.

Déchargeurs Christophe 25-7. **Dentellières** Anne 26-7. **Dentistes** Apolline 9-2. **Diplomates** Gabriel archange 29-9 (24-3). **Doreurs** Clair 16-7. **Douaniers** Matthieu 21-9.

Écoliers Charlemagne 28-1. Barbe 4-12. Expédit 19-4. Nicolas 6-12. **Écolières** Sophie Barat 25-5. **Écrivains** François de Sales 24-1 (29-1). **Éditeurs** Jean Bosco 31-1. **Éducateurs** Jean-Baptiste de la Salle 7-4. **Électriciens** Lucie 13-12. **Éleveurs :** *bovins et ovins* Blaise 3-2. Marc 25-4. *Chevaux* Alor 26-10. *Porcs* Antoine 17-1. Epvre de Toul 15-9. **Émigrés** Françoise-Xavier Cabrini 22-12. **Employés de maison** Zita 27-4. **Enfants de chœur** Nicolas 6-12. **Enseignants** Grégoire le Gd 3-9 (12-3). Jean-Baptiste de La Salle 7-4. Robert Bellarmin 17-9. **Épiciers** Nicolas 6-12. **Escrimeurs** Michel 29-9. **Étudiants** Catherine 25-11. **Exégètes** Jérôme 30-9. **Experts** Thomas apôtre 3-7 (21-12).

Faïenciers Antoine de Padoue 13-6. **Fantassins** Martin 11-11. **Femmes enceintes** Beuve 24-4. Anne 26-7. Marguerite 20-7. **En couches** Foy 6-10. Marguerite 20-7. **De marin** Guénolé 3-3. **Stériles** Rita 22-5. **Veuves** Françoise Romaine 9-3. Anne 26-7. **Vierges** Maria Goretti 6-7. **Fermiers** Isidore le Laboureur 15-5. **Ferronniers** Éloi 1-12. **Fiancés** Valentin 14-2. **Fiancées** Agnès 21-1. **Fonctionnaires** Matthieu 21-9. **Filles repenties** Marie-Madel. 22-7. **Fondeurs** Étienne 26-12. **F. de cloches** Paulin de Nole 22-6. **Forestiers** Hubert 3-11. **Forgerons** Nicodème 3-8. Éloi 1-12. **Fossoyeurs** Maur 15-1.

Gantiers Anne 26-7. Marie-Madeleine 22-7. **Gardiens de prison** Martinien 2-7. Hippolyte 13-8. **Gaufriers** Michel 29-9. **Gendarmerie** Geneviève 3-1. **Grainetiers** Marcel 16-1.

Herboristes Marcou 1-5. **Hommes d'affaires** Expédit 19-4. **Hôpitaux** Camille de Lellis 14-7. *Personnel* Jean de Dieu 8-3. *Soignant* Catherine de Sienne 29-4 (30-4). **Horlogers** Éloi 1-12. **Hôteliers, Hôtesses** Marthe 29-7.

Illusionnistes Jean Bosco 31-1. **Immigrés** Françoise-Xavier Cabrini 22-12. **Imprimeurs** Jean (Porte-Latine) 6-5. Augustin 28-8. **Infirmiers** Camille 14-7. **Infirmières** Irène de Rome 22-1. **Ingénieurs** Dominique de La Caussade 12-5. **Instituteurs libres** Joseph Calasanz 25-8. Lô 22-9. **Intendants** Thérèse d'Avila 15-10. **Ivrognes** Urbain 25-5. **Jardiniers** Fiacre 30-8. Dorothée 6-2. Phocas 22-9. **Jeunes filles [à marier (catherinettes)]** Catherine 25-11. **Jeunesse** Louis de Gonzague 21-6. Casimir 4-3. *Abandonnée* Jérôme-Emilien 8-2. *Agricole chrétienne féminine* Germaine Cousin 15-6. **Jongleurs** Julien du Mans 27-1. **Journalistes** François de Sales 24-1 (29-1). Bernardin de Sienne 20-5. **Juristes** Yves de Kermartin 19-5. Raymond de Peñafort 27-1 (23-1).

Laboureurs Isidore 10-5. Guy (d'Anderlecht) 12-9. **Lanterniers** Clair de Vienne 1-1. **Lavandières** Marthe 29-7. Claire 11-8. Jean (Porte Latine) 6-5. **Lépreux** Sylvain 23-9. **Libraires** Jean (Porte-Latine) 6-5. **Lingères** Véronique 4-2. **Lunetiers** Clair de Vienne 1-1. **Luthiers** Cécile 22-11. Grégoire (de Nazianze) 2-1 (9-5).

Maçons Thomas 3-7 (21-12). Sylvestre 31-12. Pierre 29-6. **Maîtres d'école** Cassien 13-8. **Maîtresses de maison** Marthe 29-7. **Malades** Camille de Lellis 14-7. Jean de Dieu 8-3. **Maquignons** Éloi 1-12. **Maraîchers** Fiacre 30-8. **Marchands de vin** Nicolas 6-12. **Maréchaux** Martin 11-11. **Maris trompés** Gengolf 11-5. **Marine (guerre)** Pierre Gonzalez 15-4. **Marins** Nicolas (de Bari) 6-12. Erasme ou Elme 2-6. **Médecins** Côme, Damien 26-9 (27-9). Luc 18-10. Pantaléon 27-7. **Ménagères** Marthe 29-7. **Mendiants** Alexis 17-7. **Menuisiers** Joseph 19-3. Anne 26-7. **Mères de famille** Angèle de Mérici 27-1. Anne 26-7. **Messagers** Adrien 8-9. **Métallurgistes** Éloi 1-12. **Meuniers** Blaise 3-2. Winnoc 6-11. Catherine 25-11. **Militaires** Maurice 22-9. Martin 11-11 **(armée fr.** Jeanne d'Arc 30-5). **Mineurs** Barbe 4-12. **Missionnaires** Thérèse de Lisieux 1-10 (3-10). François-Xavier 3-12. **Moniteurs d'équit.** Viance 2-1. **Monnayeurs** Éloi 1-12. **Moralistes** Alphonse de Liguori 1-8 (2-8). **Mourants** Joseph 19-3. Catherine 25-11. **Musiciens** Blaise 3-2. Cécile 22-11. Dunstan 19-5. Grégoire le Gd 3-9 (12-3). Odon de Cluny 18-11. **Mutilés de guerre** Raphaël archange 24-10. **Naturalistes** Albert le Gd 15-11. **Navigateurs** Cuthbert 20-3. Elne 2-6. Nicolas (de Bari) 6-12. **Notaires** Yves 19-5. Marc 25-4. **Nourrices** Mammès 17-8. Agathe 5-2.

Obj. perdus Antoine de Padoue 13-6. **Œuvres de charité** Louise de Marillac 15-3. Vincent de Paul 27-9 (19-7). **Orateurs chrétiens** Jean Chrysostome 13-9. **Orfèvres** Éloi 1-12 ; **étain** Fiacre 30-8. **Organisateurs** Thomas 3-7 (21-12). **Orphelins** Jérôme Émilien 8-2. **Ouvriers** Joseph 19-3.

Palefreniers Marcel 16-1. **Parachutistes** Michel 29-9. **Parfumeurs** Marie-Madeleine 22-7. **Passementiers** Louis 25-8. **Pâtissiers** Macaire 2-1. Honoré 16-5. Michel 29-9. **Pauvres** Laurent 10-8. **Paveurs** Roch 16-8. Étienne 26-12. **Pêcheurs** Pierre 29-6. André 30-11. *D'épaves* Budoc de Dol 6-12. **Peintres** Lazare 23-2. Luc 18-10. Fra Angelico 18-2. **Pèlerins** Jacques le Majeur 25-7. **Percepteurs** Matthieu 21-9. **Pharmaciens** Jacques le Majeur 25-7. **Philosophes** Catherine 25-11. **Photographes** Véronique 6-8. **Piétons** Martin 11-11. **Plombiers** Éloi 1-12. **Poètes** Estelle 11-5. Cécile 22-11. **Poissonniers** Pierre 29-6. **Policiers** Geneviève 3-1. Sevère 25-8. **Pompiers** Laurent 10-8. Barbe 4-12. **Porteurs** Christophe 25-7. **Potiers** Bonet de Clermont 15-1. **Potiers d'étain** Fiacre 30-8. **Prédicateurs** Jean Chrysostome 13-9. **Prisonniers** Léonard de Noblat 6-11. Sébastien 20-11. **Publicité** Bernardin de Sienne 20-5.

Raccommodeurs Catherine 25-11. **Radiodiffus.** Gabriel archange 29-9 (24-3). **Radiologues** Michel archange 29-9. **Réfugiés** Benoît Labre 16-4. **Relieurs** Jean 27-12. Célestin 19-5. Barthélemy 24-8. **Rémouleurs** Jean-Baptiste 24-6. **Rôtisseurs** Laurent 10-8.

Sacristains Guy 12-9. **Sapeurs** Barbe 4-12. **Savants** Albert le Gd 15-11. **Scieurs de long** Simon, Jude 28-10. **Scouts** Georges 23-4. **Sculpteurs** Luc 18-10. **Secrétaires** Cassien 23-7. **Semeurs** Sennen 30-7. **Sergents de ville** Sébastien 20-1. **Serruriers** Pierre 29-4. Éloi 1-12. Galmier 27-2. **Servantes** Blandine 2-6. **Service de santé** Luc 18-10. **Skieurs** Bernard de Menthon 28-5. **Soldats** Adrien 8-9. Martin 11-11. Georges 23-4. Jeanne d'Arc 30-5. **Solitaires** Antoine 17-1. **Sonneurs de cor** Blaise 3-2. **Sourds-muets** François de Sales 24-1 (29-1). **Speakers** Jean Chrysostome 13-9. **Spéléologues** Benoît 11-7 (21-3). **Sténographes** Genès 25-8.

Tailleurs de pierre Blaise 3-2. Claude 6-6. Sylvestre 31-12. *D'habits* Clair de Vienne 1-1. Casimir 4-3. **Tanneurs** Barthélemy 24-8. Crépin et Crépinien 25-10. **Tapissiers** Geneviève 3-1. **Taverniers** Vincent 22-1. **Teigneux** Aignan 17-11. **Teinturiers** Maurice 22-9. **Télévision** Gabriel archange 29-9 (24-3). Claire d'Assise 11-8. **Tisserands** Blaise 3-2. Barnabé 11-6. **Tonneliers** Jean-Bapt. 24-6. Michel 29-9. Nicolas 6-12. **Touristes** Christophe 25-7. **Tourneurs** Claude (du Jura) 6-6. **Traducteurs** Jérôme 30-9. **Travailleurs** Joseph Artisan 1-5. **Tuiliers** Fiacre 30-8. **Typographes** Jean (Porte Latine) 6-5. **Universitaires** Thomas d'Aquin 28-1. (**Sorbonne** Guillaume de Bourges 10-1).

Vanniers Paul, ermite 15-1. **Verriers** Clair de Vienne 1-1. **Vignerons** Vincent le Diacre 22-1. Werner ou Verny ou Vernier 19-4. Jean (Porte Latine) 6-5. **Vinaigriers** Vincent 22-1. **Vitriers** Luc 18-10. **Voyageurs** Julien l'Hospitalier 27-1. Christophe 25-7. **Voyagistes** François-Xavier 3-12.

Pays

Afrique (du Nord) Augustin 28-8. Cyprien 16-9. **Allemagne** Boniface 5-6. **Alsace** Odile 13-12. **Amér. latine** Foy (Santa Fe) 6-10. **Amériques** Rose de Lima 23-8. **Angleterre** Georges 23-4. Édouard le Confesseur 13-10. **Asie Mineure** Jean l'Évangél. 27-12. **Autriche** Léopold 15-11. Florian 4-5. **Belgique** Charles le Bon 2-3. Joseph 19-3. **Bretagne** Yves 19-5. Anne 26-7. **Canada** Joseph 19-3. Anne 26-7. René Goupil 19-10. **(Can. fr.** Jean-Baptiste 24-6 et 29-8). **Chypre** Épiphane 12-5. Barnabé 11-6. **Corse** Dévote 27-1. Julie 22-5. **Écosse** Marguerite 16-11. André 30-11. **Espagne** Ferdinand 30-5. Jacques le Majeur 25-7. **États-Unis** Marie conçue sans péché 8-12. **Europe** Benoît 11-7. Cyrille et Méthode 14-2. **Finlande** Henri d'Uppsala 19-1. **France** Principaux : **Jeanne d'Arc** (patronne et protectrice, 30-5) ; **Vierge Marie** (Assomption 15-8) ; **archange St Michel** (29-9) ; **St Martin de Tours** [11-11 (316 Sabourra, Pannonie-397 Candes) converti au christianisme v. 15 ans, enrôlé dans la Garde impériale à Amiens. V. 338 ou 339, partage son manteau avec un pauvre mourant de froid. Autorisé à quitter l'armée, rejoint St Hilaire évêque de Poitiers. Fonde le 1er monastère d'Occident : « Ligugé ». 356, exilé en Orient. 373, élu évêque de Tours. V. 372, fonde un autre monastère à Marmoutier. 3 675 églises de France lui sont consacrées, 425 villages portent son nom. Secondaires : **Ste Thérèse de l'Enfant Jésus** (1-10). **Ste Pétronille** (31-5). **Galles** David 1-3. **Guatemala** Jacques le Majeur 25-7. **Hongrie** Stanislas Kostka 15-8. Étienne 16-8 (2-9). **Inde** François-Xavier 3-12. **Irlande** Brigitte de Kildare 1-2. Patrick 17-3. Kevin 3-6. **Islande** Olav 29-7. **Italie** Catherine de Sienne 29-4 (dep. 1939). François d'Assise 4-10. **Jordanie** Jean-Baptiste 24-6 et 29-8. **Lituanie** Casimir 4-3. Georges 23-4. **Luxembourg** Pierre de L. 5-7. Willibrord (patron secondaire) 7-11. **Madagascar** Vincent de Paul 19-7. **Mexique** N.-D. de Guadalupe 12-10. **Monaco** Dévote 27-1. **Mongolie** François-Xavier 3-12. **Nicaragua** Jacques le Majeur 25-7. **Nigeria** Patrick 17-3. **Norvège** Olav 29-7. **Pakistan** François-Xavier 3-12. **Pays danubiens** Cyrille et Méthode 14-2. **Pérou** Joseph 19-3. Rose de Lima 23-8. **Philippines** Rose de Lima 23-8. **Pologne** Casimir 4-3. Florian 4-5. Stanislas 11-4 (7-5). **Portugal** Antoine de Padoue 17-1. **Russie** Nicolas 6-12. **Suède Luthériens :** Brigitte de Suède 23-7. **Catholiques :** Éric 18-5. **Suisse** Gall 16-10. Nicolas 21-3. **Tchécoslovaquie** Ludmilla 16-9. Wenceslas 28-9. **Turquie** Georges 23-4. André 30-11. **Uruguay** Philippe et Jacques 3-5 (1-5). **Viêt-nam** Joseph 19-3.

bienheureux ont droit à un culte dans une église particulière ou dans une congrégation religieuse ; les saints sont l'objet d'un culte dans l'Église universelle.

■ **Cultes fokloriques de Saints de « fantaisie ».** Leur nom ne figure généralement sur aucun martyrologe, ni romain, ni diocésain mais leur dévotion a peut-être été suggérée par le clergé, désireux de « récupérer » une pratique superstitieuse difficile à déraciner ; certaines ont été identifiées. Ex. : *St Bonnet* (déformation de Beaunet) : nom du dieu gaulois Bélenos (Apollon) ; *St Sylvain :* culte vivace au hameau de Loubresac (Vienne), dieu des Lupercales (c.-à-d. Pan), appellé aussi *St Birotin* (réminiscence des cultes priapiques), mais on a imaginé pour justifier ses fêtes un St Sylvain, ermite, qui aurait vécu au VIe s. dans le Maine. *St Taurin :* héritier du dieu cornu Cernunos. *Stes Ouenne, Eanne*, ou *Emenane :* seraient des héritières de la déesse Epona. *Ste Macrine :* martyre authentique, peut-être appelée primitivement Morgane, comme la « fée », déesse celto-germanique. *St Goard* et *St Genard :* nom du dieu forgeron Govannon. *St Genou :* invoqué en cas de rhumatismes [nommé ainsi à cause du rôle qu'on lui attribue, un St Genou (Génufle), à Cahors, a fourni l'occasion du jeu de mots]. *St Faustin* (prononcé Foutin) : invoqué contre l'impuissance, *St Cloud :* contre les furoncles, *St Bavard :* contre le mutisme, etc.

■ **Vies des saints.** Premières, milieu du IVe s., en 356 : St Athanase écrit la vie de St Antoine (quelques années après sa mort).

Saints auxiliaires ou auxiliateurs ou guérisseurs

Acace : maux de tête. *Adrien :* peste. *Agathe :* allaitement des nourrissons. *Antoine :* feu de St-Antoine (inflammation). *Apolline :* maux de dents. *Barbe :* foudre et mort subite. *Blaise :* gorge. *Catherine :* protectrice des étudiants, philosophes chrétiens, orateurs, avocats. *Christophe :* orages, tempêtes, temps de peste, accidents de voyage. *Cyriaque :* yeux, possession du démon. *Denis :* possessions diaboliques. *Égide* (ou *Gilles*) : panique, mal caduc, folie, frayeurs nocturnes. *Érasme :* maux d'entrailles. *Eustache :* feu éternel ou temporel. *Georges :* maladies dartreuses. *Guy* (ou *Vite*) : danse de St-Guy, léthargie, morsure de bêtes. *Hubert :* rage. *Lucie :* maux d'yeux. *Marguerite :* maux de reins, accouchements. *Pantaléon :* maladies de consomption. *Archange Raphaël :* santé du corps et de l'âme. *Rita :* petite vérole, cas désespérés.

■ Quelques cas

■ **Le plus jeune saint non martyr.** St Dominique Savio (de Riva, Piémont, Italie), élève de St Jean Bosco (1842-57). Béatifié 1950, canonisé 1954.

■ **Les plus récents. Bienheureuse :** Maria Venegas de la Torre (1868-1950). Béatifiée 22-11-1992.

Bienheureux : Cristobal Magallanes (1869-1923). Béatifié le 22-11-1992.

Sainte : Marie Marguerite Dufrost de Lajemmerais, veuve d'Youville, 1re sainte née au Canada, canonisée le 9-12-1990.

Saint : Ezechiele Moreno y Dios (1848-1906). Évêque canonisé 11-10-1992 à St-Domingue.

■ **1re sainte canonisée dont on possède la photographie.** Ste Bernadette, la voyante de Lourdes, photographiée en 1862 par l'abbé Bernadou.

■ **Témoins exceptionnels. Bourreau d'une jeune martyre.** *Italie :* Ste Maria Goretti (1890-1902), tuée par Alexandre Serelli qui voulait la violer. Canonisée en 1947 (45 ans après sa mort). Serelli, converti et devenu oblat capucin, a assisté aux cérémonies (1950). *Zaïre :* Sœur Marie Clémentine (Anwarite Nengapeta, 1939-64), chrétienne tuée dans les mêmes conditions, béatifiée le 15-8-1985 par Jean-Paul II (assassin présent dans la foule).

■ **Bénéficiaire du sacrifice.** Le père Maximilien Kolbe, canonisé en 1987, avait sacrifié sa vie à Auschwitz pour sauver celle d'un codétenu, le sergent polonais Franczisek Gajonownicz. Celui-ci a été reçu par Paul VI, le 11-10-1971, pour l'ouverture du procès de béatification.

■ **1er journaliste béatifié.** P. Titus Brandsma, carme néerlandais, journ. au *De Gelderlander,* † à Dachau 26-7-1942, béatifié 3-11-1985.

Saint Adam (16-5) n'est pas le premier homme mais un bénédictin italien, † en 1212 et invoqué contre l'épilepsie. **Sainte Ève** (14-3 ou 25-6) n'est pas la 1re femme mais une martyre (patronne de Dreux, ou une vierge de Liège † peu après 1260).

■ Canonisation

■ **Histoire.** *Ier siècle* consiste simplement en l'érection d'un autel sur la sépulture d'un martyr. *993* 1er acte authentique de canonisation connu : Udalric, canonisé par Jean XV dans un concile tenu à Rome. *1042* Siméon, év. de Trèves, canonisé par Benoît VIII. *1153* Gauthier de Pontoise, dernier St canonisé par un évêque (l'archev. de Rouen).

■ **Procès de béatification.** Procédure réformée par la Constitution apostolique. *Divinus perfectionis Magister* (25-1-1983). Les évêques diocésains enquêtent sur la vie, les vertus ou le martyre, etc. de ceux dont la béatification ou la canonisation est désirée. L'évêque envoie à la Congrégation pour la cause des saints les pièces de l'enquête (actes et documents). A Rome, un rapporteur *(relator)* prépare le dossier *(positio)* sur les vertus ou sur le martyre. Le dossier, qui requiert habituellement plusieurs années d'études, est ensuite jugé par des théologiens *(congressus peculiaris)*, puis par les cardinaux et évêques, membres de la Congrégation. Même procédure pour l'examen d'une guérison miraculeuse, présentée en vue de la béatification (facultative pour les martyrs) après enquête faite dans le diocèse où a lieu la guérison, étudiée par : 1°) médecins experts, 2°) théologiens consulteurs, 3°) cardinaux et évêques, membres de la Congrégation. Jusqu'en 1983, au cours du procès, l'*avocat du diable* (nom populaire du *promoteur de la foi)* analysait et critiquait les preuves des vertus et les miracles avancés dans la cause. **Pour la canonisation,** il est requis un miracle opéré après la béatification. **Durée d'un procès de canonisation :** *maximale,* 744 ans (de 1117 à 1861), St Bernard de Tiron. *Minimale :* St Antoine de Padoue (13-6-1231 au 30-5-1232), 352 j ; *moyenne :* env. 50 ans. **Causes en instance** (1992) : env. 1 500. **Nombre de canonisations :** *XVIIe s. :* 11. *XVIIIe s. :* 9. *XIXe s. :* 8. *1900-49 :* 33 (56 saints) et 34 béatifications (564 bienheureux). *1950-88 :* 55 (367 saints) et 95 béat. (447 bienheureux).

Dep. 1588 : 11 papes ont fait 1 seule canonisation ; 12 n'en ont fait aucune. *Papes du XXe s. :* Pie X, 2 can. (13 béatifications) ; Benoît XV, 2 (7) ; Pie XI, 17 (45) ; Pie XII, 21 (52) ; Paul VI, 20 (30) ; Jean-Paul II (à fin 1989), 257 saints, dont 117 martyrs du Viêt-nam aux XVIIIe-XIXe s. [dont 96 Vietnamiens, 14 religieuses, 11 dominicains espagnols, 10 prélats français (can. 19-6-1988)] et 103 martyrs de Corée, et 304 bienheureux dont 99 martyrs d'Angers en 1793-94 (béat. le 19-2-1984) et 85 martyrs anglais.

Lieu : *En 1981 et 84,* pour la 1re fois dep. le XIIIe s., le pape a béatifié et canonisé hors de Rome : 18-2-1981 à Manille, 16 chrétiens martyrisés au Japon au XVIIe s. ; 6-5-1984 à Séoul, 103 chrétiens martyrisés entre 1838 et 1881. **1re béatification en France :** Lyon, le Père Chevrier (1826-79), fondateur de la Sté du Prado, par Jean-Paul II, le 4-10-1986.

■ **Derniers Français béatifiés ou canonisés. 1991**-*4-2* Marthe Le Bouteiller († 1883) et Louise Thérèse Montaignac de Chauvance († 1885) béat. ; **1992**-*31-5* Claude de La Colombière (1641-1682) can. ; *-27-9* Léonie Françoise de Soles (1844-1914) béat. **1993**-*16-5* Marie-Louise Trichet (1684-1759) béat.

■ Titres et terminologie

■ **Abbayes territoriales** [antérieurement *nullius (dioceseos)* (« d'aucun diocèse »), car le territoire monastique constitue un diocèse à lui seul]. Monastères dont l'abbé a territorialement les mêmes pouvoirs qu'un évêque. Directement soumis au Saint-Siège. Ex. : St-Maurice en Suisse.

■ **Ablégat.** Prélat romain chargé d'aller porter la barrette à un cardinal nouvellement créé, lorsque la tradition veut qu'elle soit imposée au nouvel élu par le chef de l'État où il réside (par ex. le nonce apostolique à Paris reçoit traditionnellement la barrette des mains du Pt de la République).

■ **Archevêque** (du grec *arché,* « primauté », et *episcopos,* « évêque » ; évêque métropolitain). Évêque préposé à une *métropole* dont dépendent plusieurs diocèses qui forment sa *province* (et dont les évêques sont dits suffragants du métropolitain). Il peut convoquer des conciles provinciaux et intervenir si un suffragant n'accomplit pas sa charge. *Insigne propre :* le *pallium* (bande de laine blanche ornée de croix noires) reçu du pape. En France, l'archiépiscopat est devenu surtout honorifique, les diocèses étant regroupés non plus en provinces ecclésiastiques, mais en « régions apostoliques » plus vastes. Marseille est archevêché sans être métropole, n'ayant pas de suffragants.

■ **Archidiacre.** Titre porté jadis par le chef des diacres d'un diocèse, actuellement par un délégué épiscopal chargé des affaires administratives.

■ **Archiprêtre.** Titre honorifique accordé dans certains diocèses aux curés de chefs-lieux d'arrondissement et des églises-cathédrales, ou anciennement cathédrales.

■ **Bedeau** (du francique *bidal* « huissier » ou « messager » ; anglais *beadle* « huissier »). Officier ecclésiastique subalterne, assure l'ordre pendant les cérémonies. Le règlement du 19-5-1786 lui assigne notamment de chasser les chiens des églises. Il peut avoir un costume spécial, comportant une robe longue ; il tient à la main une baguette ou une masse, il est laïc et n'a pas sa place au chœur.

■ **Biens ecclésiastiques.** Peuvent appartenir à l'Église romaine ou à toute autre Égl. ou à toute autre personne morale comprise dans l'Égl. universelle. En France, depuis 1924, ces personnes morales sont : 1°) pour les biens des paroisses et diocèses (notamment les égl. construites après 1905 ; les édifices du culte public antérieurs à 1905 sont devenus biens communaux) : des « associations cultuelles diocésaines », présidées par l'évêque et comprenant au moins 1 vicaire général et 1 chanoine dans leur conseil d'administration (peuvent recevoir dons et legs) ; 2°) pour les biens des monastères et des congrégations religieuses : des Stés civiles de toutes sortes, ayant souvent le statut d'un syndicat.

■ **Camerlingue.** *Du Sacré-Collège :* sorte de secrétariat, exercé chaque année à tour de rôle, par un des cardinaux, selon son rang d'ancienneté. *De l'Église romaine :* créé au XIIe s., pour remplacer l'archidiacre, c.-à-d. le responsable financier du gouvernement de l'Église. Au XVIe s., ces fonctions passent au vice-camerlingue, et le c. joue un rôle d'apparat, tant que le pape est en vie. C'est un cardinal, inamovible, nommé par le pape pour assurer la garde de l'administration des biens du St-Siège pendant la vacance du siège (act. : card. Biaggio).

■ **Cappa magna.** Tenue officielle des cardinaux.

■ **Cardinal.** Voir p. 509 b.

■ **Catéchistes.** Chargés de l'instruction chrétienne, sans appartenir à la hiérarchie ecclésiastique. *Nombre en 1985 :* 279 868 (dont Afr. 189 915, Amér. 21 928, Asie 61 709, Europe 281, Océanie 6 035).

■ **Cathédrale.** Pour *église cathédrale,* c.-à-d. où se trouve la chaire (du grec *kathedra*) d'un évêque. Jusqu'au Xe s., on disait « égl. mère » ou « égl. majeure ». Lieu réservé pour certaines cérémonies : ordinations, consécration du chrême, bénédiction des saintes huiles. Traditionnellement, la c. était l'édifice religieux le plus imposant d'un diocèse.

Dimensions les + étendues : *New York* (USA, St-Jean-le-Théologien, commencée le 27-12-1892, inachevée : 11 240 m²), *Séville* (Espagne : 10 422 m²) [France : *Amiens* 7 760 m²]. **La plus petite :** chapelle de Laguna Beach (Californie, USA, 93,6 m²).

■ **Chanoine.** A l'origine, clerc assistant l'évêque et vivant en communauté avec lui. St Augustin, év. d'Hippone, fixa par écrit les règles organisant la vie « canoniale » ; au cours des siècles, beaucoup d'essais similaires s'en inspirèrent. Le clergé s'étant accru, un petit groupe seulement resta aux côtés de l'évêque, comme ses auxiliaires directs et son conseil. Mais, à diverses époques, l'idée de St Augustin fut reprise pour la création d'ordres religieux composés de prêtres *(ch. réguliers).* Ainsi, par St Norbert, qui fonda les Prémontrés. Jusqu'à la Révolution, il a existé aussi des églises *collégiales* (526 en France), dirigées par un chapitre de *ch. séculiers,* mais sans siège épiscopal (notamment les Saintes Chapelles de Paris et de Vincennes, St-Martin-de-Tours, etc.). La dignité de ch. fut alors par courtoisie décernée à des laïcs, à charge de payer un remplaçant pour dire l'office à leur place.

Aujourd'hui, les *ch. titulaires,* dans les cathédrales, sont les membres constitutifs du chapitre. En cas de vacance du siège épiscopal, ils élisaient un *vicaire capitulaire* pour l'administration intérimaire du diocèse. Dep. 1983, cette fonction est assurée par un *administrateur diocésain* élu par un collège de consulteurs. Les ch. titulaires sont tenus également de réciter l'office public au nom du diocèse, et leurs honoraires leur sont versés en fonction de leur assiduité : jusqu'à la Révolution, ils recevaient à la fin de chaque office un jeton de présence ou *méreau* qui leur permettait de se répartir à la fin de l'année, proportionnellement au nombre de leurs jetons, les revenus dont disposait le chapitre (très importants comme à Lyon ou Strasbourg). C'est pourquoi certains nobles prenaient le titre de chanoine dans un de ces chapitres, mais n'occupaient pas leur place (chanoines *forains*), et se faisaient remplacer par des ch. *coadjuteurs.* Les ch. *honoraires* d'un diocèse sont beaucoup plus nombreux, et leur titre est seulement honorifique. Depuis Henri IV, le chef de l'État français est *ch. honoraire* – et le seul – de la basilique du Latran.

■ **Chapelle papale.** Messe solennelle, célébrée par le pape ou sous sa présidence.

■ **Chirographie** (du grec, acte manuscrit). Acte revêtu de la signature autographe du pape, et non de son cachet.

■ **Clergé. Clergé séculier** (vivant dans le siècle) : archevêques, évêques, curés et vicaires. **Clergé régulier :** prêtres ou laïcs religieux constitués en ordres ou en congrégations, et vivant sous une règle.

La législation de l'Église interdit au clergé professions et occupations profanes, à moins d'utilité pastorale. Mais il y a des prêtres, surtout en mission, médecins, chirurgiens, fonctionnaires, députés, avocats, etc., avec l'accord de l'autorité compétente (évêque, supérieur).

Prêtres ouvriers (Mission ouvrière). Nés d'une initiative française, avec le dominicain Loew (docker à Marseille) et le jésuite Magand, après la guerre de 1939/1945. *Nombre en France : 1946 :* 25 ; *50 :* 100 ; *54 :* 100 ; *84 :* 700. Le 1-3-1954, leur retrait est exigé sur l'intervention de Rome. Le 23-10-1965, l'envoi de prêtres à plein temps en usine est autorisé. La majorité faisant partie de la Mission ouvrière (fondée 6-7-1954). Leur mission consiste en une évangélisation dans le cadre du travail et non pas de la paroisse.

■ **Commende.** Coutume en vigueur dans l'Église de Fr. entre 1516 et 1789 : les revenus d'une abbaye étaient donnés à un personnage portant fictivement le titre d'abbé (et ne mettant pour ainsi dire jamais les pieds au monastère). L'abbaye était gouvernée par un *prieur claustral,* à qui l'abbé commendataire laissait une *portion congrue* (du latin *congrua,* suffisante ; et selon l'usage « à peine suffisante »).

■ **Conseil curial.** Nom donné à des conseils de fabrique élargis qui, en plus des membres prévus par le droit canonique, comportaient un nombre important de paroissiens. Leur existence n'entraînait pas la suppression des c. de fabrique, qui jouaient le rôle de c. curiaux restreints.

■ **Conseil de fabrique.** Avant 1905, comité local qui administrait les biens paroissiaux. Actuellement, il est remplacé par le *c. paroissial,* présidé par le curé.

■ **Couvent.** Maison où résident des religieux non moines, tels que franciscains ou dominicains (pour les jésuites, on dit : maison).

■ **Curé.** Prêtre chargé du soin *(cura)* des âmes, c.-à-d. de la responsabilité religieuse d'une *paroisse.* En France et Belgique, en vertu des articles organiques de 1803, certaines paroisses sont inamovibles, l'évêque ne peut déplacer le curé, sauf pour le bien des paroissiens. Avant (et dep. 1515), la nomination des curés dépendait de l'administration royale, et une cure était considérée comme une sorte de fief. Ainsi, en 1645, le sieur de Fiesque fit attaquer, par ses laquais et des spadassins, la cure de St-Sulpice de Paris sur laquelle il prétendait avoir des droits.

■ **Diaconesses.** Dans l'église primitive, étaient chargées des œuvres charitables et aidaient à l'administration du baptême par immersion. Disparurent en Occident vers le XIIe s. et en Orient après la prise de Constantinople par les Turcs (1453). Au XVIe s. les religieuses cath. passées à la Réforme ont pris le nom de « diaconesses ». Elles sont env. 40 000 dans le monde, la plupart en Allemagne ; en France, les 2 maisons les plus importantes sont celles de Strasbourg et de Paris.

■ **Diacre.** 1er degré des sacrements de l'Ordre. Le d. unit « les 3 diaconies de la liturgie, de la parole et de la charité ». Il administre solennellement le baptême, conserve et distribue l'Eucharistie, est témoin au nom de l'Église dans un mariage. Il peut bénir, présider au culte et à la prière des fidèles, porter le viatique aux mourants (mais non l'extrême-onction) et présider aux rites funèbres, mais il ne peut pas confesser ni célébrer la messe. Quelqu'un peut être ordonné et rester d. toute sa vie. Les hommes mariés peuvent être ordonnés d. s'ils ont plus de 35 ans, et si leur épouse y consent. Un d. ordonné ne peut plus se marier et un d. devenu veuf se remarier. Les candidats au sacerdoce sont d'abord ordonnés d. avant d'être ordonnés prêtres. **Nombre de diacres permanents** (1988) : monde 15 686 [dont USA 7 000 (1986) Allemagne 3 000 France 600)]. 90 % sont mariés.

■ **Dicastère** (du grec *dikasterion,* tribunal, désigne d'abord les tribunaux de la curie romaine, puis les congrégations et les offices). Se dit, au Vatican, des grandes administrations pontificales, correspondant aux différents ministères d'un État laïc. Elles ont généralement à leur tête un cardinal.

■ **Diocèse.** Dirigé par un *évêque* ou un *archevêque,* assisté éventuellement d'un ou plusieurs évêques *auxiliaires* (ayant la responsabilité d'un territoire, ou d'une catégorie de diocésains), et d'un *évêque coadjuteur* (adjoint plus jeune, ayant droit à la succession). Les *vicaires généraux* sont à la tête des administrations diocésaines. Les *curés-doyens* ont une autorité morale (surveillance et conseil) sur un groupe de curés de paroisse (un *doyenné* correspond d'habitude à un canton). Dans chaque diocèse, des *zones pastorales* peuvent regrouper plusieurs doyennés ou fractions de doyenné. Elles sont dirigées par un conseil de zone composé de prêtres, religieux, laïcs (le + étendu : Carolines-Marshall, 5 180 000 km² pour 140 000 h ; le + petit : Monaco, 1,5 km²).

■ **Ecclésiastiques.** Membres du clergé.

■ **Église.** Assemblée de fidèles réunis par une même foi sous les mêmes pasteurs. L'adjectif *chrétien* englobe catholiques, orthodoxes, anglicans et protestants. L'*Égl. catholique, apostolique* et *romaine* comprend seulement les cath. reconnaissant l'autorité du pape (*cath.* signifie universel ; *apostolique* indique la tradition des apôtres, et *romaine,* la suprématie du pape, évêque de Rome). Les cath. utilisent aussi les expressions : *Égl. militante* (fidèles vivants), *souffrante* (justes souffrant dans le Purgatoire), *triomphante* (saints triomphant dans le Ciel).

Lieu consacré ou béni en vue de la prière. *Orientation :* au début, le prêtre célébrant face au public, la façade regardait vers l'orient (ex., à Rome : St-Pierre, St-Jean-de-Latran). En Gaule chrétienne, on orientait la façade vers l'occident (mais il n'y avait pas obligation). Le seul texte prescrivant cette orientation est de 1937 (décret des év. de Belgique). Actuellement, on ne se préoccupe guère d'orienter les églises. *Les plus grandes églises du monde* (non cathédrales) : St-Pierre de Rome (surface au sol 15 142 m², longueur 187 m) ; Yammassoukro (Côte-d'Ivoire, voir Index). *Les plus longues :* Santa-Cruz de Valle de Los Caidos, Esp. : crypte 260 m ; égl. souterraine St-Pie X à Lourdes : 200 m.

☞ Le 5-12-1987, la *commission romaine pour le culte divin* a rappelé que les églises ne peuvent être des lieux publics disponibles pour n'importe quelle réunion. On ne peut donc y accueillir que des concerts de musique sacrée et religieuse.

■ **Envoyés pontificaux.** Représentent le pape. On distingue : 1°) **Les légats ordinaires** ayant une mission permanente : *Nonces :* légats détachés comme ambassadeurs auprès des gouvernements. Ils sont doyens du corps diplomatique des pays où ils sont en poste. Art. 118 de l'acte final du 9-6-1815 du Congrès de Vienne confirmé par la Convention de Vienne du 18-4-1961 (art. 16). *Prononces :* catégorie instituée par Paul VI le 28-10-1965 (suppression annoncée 13-12-1993) pour remplacer les internonces (ministres plénipotentiaires), quand le représentant du St-Siège, bien qu'ayant rang d'ambassadeur, n'est pas de droit doyen du corps dipl. (mais il peut le devenir à l'ancienneté). *Internonces :* envoyés ayant rang de ministres plénipotentiaires. *Délégués apostoliques :* représentants du pape auprès de l'épiscopat seulement, et sans mission diplomatique. *En 1991 :* 123 nonciatures (pour 41 nonces et 82 pronces).

2°) **Les légats extraordinaires** ayant une mission bien déterminée (concile, congrès, manifestation religieuse). *Légat a latere :* card. que le pape envoie comme un autre lui-même après l'avoir détaché de son côté *(a latere),* c'est-à-dire de son conseil intime, en lui déléguant des pouvoirs.

■ **Évêques** (du grec *episkopos,* surveillant). Considérés comme les successeurs des apôtres, ils sont à la tête d'une « Église », c.-à-d. d'un diocèse ; ils ordonnent prêtres, diacres, acolytes, lecteurs, bénissent le saint chrême et autres huiles employées pour certains sacrements, confirment, consacrent les églises, etc. Ils participent en outre collectivement, en union avec le pape, au gouvernement de l'Égl. univ. ; cette collectivité s'appelle le *« Collège des évêques ».* Ils sont tous égaux quant à la puissance spirituelle, mais ils sont soumis à une hiérarchie d'ordre disciplinaire (Voir Archevêque). Depuis 1966, ils sont invités à se démettre de leur charge à 75 ans. Cette démission ne peut leur être imposée. Ils sont investis par Rome et sacrés par 3 évêques (un consécrateur et 2 assistants). *Age minimal requis :* fixé à 30 ans par le concile de Latran [(1178) mais il y a des dispenses]. *En France,* jusqu'à la séparation de l'Église et de l'État (1905), le chef de l'État nommait les évêques qui étaient ensuite « préconisés » par le pape. C'est encore le cas pour Strasbourg et Metz, restés sous régime concordataire lors du retour de l'Alsace et de la Moselle à la France en 1918. Dans quelques diocèses d'*Allemagne* et de *Suisse,* le chapitre cathédral a conservé un droit de proposition ou de choix pour l'élection de l'évêque.

Consécrations récentes illégitimes. Faites par des évêques non mandatés par le pape, et par des excommuniés. Néanmoins, la consécration reste valide, et le nouvel év. (excommunié lui aussi) garde le caractère épiscopal [*1976* (11-1), Palmar de Troya (Espagne) : Mgr Ngo-dinh-Thuc (1897-1984) consacre 3 Espagnols et 2 Américains ; *1979,* Pékin (Chine) : Mgr Michel Fu Tie Shan, élu évêque par des « catholiques patriotiques » et consacré ; *1981,* Toulon (France) : Mgr Ngo-dinh-Thuc consacre 1 Français (le dominicain Guérard des Lauriers) et 2 Mexicains, dont l'un a consacré ensuite évêques 2 autres Mexicains et 1 Américain] ; *1987,* Mgr Cornejo, ancien év. auxiliaire de Lima (Pérou), consacre 3 Français. *1988, 29-6* Mgr Marcel Lefebvre ordonne 16 prêtres et le *30-6* il ordonne 4 évêques (Voir p. 493 a). *1991, 25-7* les 4 év. ordonnés par Mgr Lefebvre ordonnent au Brésil Licinio Rangel.

Évêques titulaires (autrefois *in partibus infidelium*). N'ayant pas de diocèse à gouverner, ils portent le titre d'un ancien évêché d'Europe, d'Afrique, d'Orient ou d'Amérique.

Conférence épiscopale. Avant Vatican II, l'archevêque réunissait les évêques d'une province ecclésiastique au moins tous les 5 ans. Depuis Vatican II, les év. d'un même pays (ou parfois plusieurs) forment une conférence épiscopale, dans laquelle ils peuvent se répartir entre des commissions, pour étudier des problèmes qui se posent à l'échelon national (ex. : action cath., monde du travail, presse, enseignement, liturgie, etc.) ou régional.

Anciennes seigneuries épiscopales. Les évêques ont fréquemment cumulé la juridiction ecclésiastique sur le diocèse, et la suzeraineté seigneuriale sur leur évêché. *Dans le royaume de France,* on comptait 6 pairs ecclésiastiques et de nombreux évêques-comtes, archevêques-ducs [Reims et Paris (duché-pairie de St-Cloud)], évêques-ducs (Langres, Laon), comtes (Beauvais, Cahors, Lavaux, Mende, Noyon, Rodez). *Dans le St Empire,* jusqu'au recez de 1803, les évêques étaient seigneurs souverains, plusieurs portaient un titre princier (princes-évêques de Liège, Bâle, Trente, etc. ; princes-archevêques de Prague, Olmütz, Salzbourg, Göritz, Vienne, etc.) ou électoral (archevêques électeurs de Cologne, Trèves, Mayence). *En Pologne,* l'év. de Cracovie était prince, etc. De tous ces titres féodaux portés par des évêques, il n'en subsiste qu'un seul au XXe s. : l'évêque de la Seo d'Urgel, en Espagne, est coprince d'Andorre (pouvoir partagé avec le Pt de la Rép. française).

Insignes épiscopaux. Anneau. Croix pectorale. Crosse (en latin *baculus*) : bâton de berger, symbolisant l'autorité de l'évêque sur les fidèles du diocèse, et celle de l'abbé sur les moines. En bois, puis en général en métal à partir du XVe s. ; de nouveau, couramment en bois dep. 1950. Quand un évêque officie dans son diocèse ou un abbé dans son monastère, ils tiennent la volute de leur crosse tournée vers le peuple. En dehors de leur juridiction, ils la gardent tournée vers eux-mêmes. **Mitre** (du grec *mitra,* bandeau ou diadème) : dans l'Orient antique, symbole d'autorité ; portée par évêques et abbés à partir du XIIIe s. Faite d'étoffes somptueuses, ornée de broderies et de pierreries, elle a pesé jusqu'à 15 livres. Actuellement, en toile de soie montée sur carton.

Coiffure non liturgique : de moins en moins portée. *Avec la soutane violette :* chapeau violet ou noir suivant la couleur de la soutane, à large bord, orné de cordons et glands de soie ; *la soutane noire :* noir avec cordons et houppes violets. **Coiffures figurant sur les armoiries :** *cardinal :* chapeau rouge à 30 houppes ; *patriarche :* vert à 30 h. ; *archevêque :* vert à 20 h. ; *évêque :* vert à 12 h. ; *généraux des ordres et protonotaires, abbés crossés et mitrés :* noir à 12 h. ; *prieurs et chanoines privilégiés :* noir liséré rouge à 6 h. ; *chan. ordinaires :* noir liséré rouge à 2 h.

Visite ad limina. Abrégé de *Ad limina apostolonna :* « aux seuils des basiliques des apôtres », autrement dit à Rome. Voyage que chaque év. est tenu de faire périodiquement pour rendre compte au pape de sa mission dans son diocèse (obligatoire tous les 5 ans) ; pour les év. français : 1992, etc. Les év. s'y rendent par région (en France, il y a 9 régions).

☞ **Circonscriptions ecclésiastiques** (1991). 2 491. **Évêques dans le monde.** *1990 :* 4 210.

■ **Exorcistes.** Ministres d'un ancien ordre mineur, supprimé en 1972, héritiers des ministres chargés, dans l'Église primitive, de s'occuper des énergumènes *(possédés du démon)* et plus ordinairement de faire les exorcismes mineurs (prières avec imposition des mains) sur les candidats au baptême. Actuellement, ces exorcismes mineurs peuvent être assurés par des laïcs sur les catéchumènes. Pour des cas de possession diabolique, l'év. nomme un prêtre, qui examine le sujet et ne procède à l'exorcisme proprement dit que s'il est convaincu de ne pas avoir affaire à un trouble d'origine nerveuse ou pathologique.

Comportement du possédé : insolence, haine ; parle et comprend des langues qu'il n'a jamais apprises, discute en théologien, manifeste une force herculéenne, est sujet à des phénomènes comme la

1ers évêques. Chinois Grégoire Lo-Wen-Tao (dominicain ordonné prêtre 1656, il fit quelques ordinations). 6 év. (dont Mgr Tien, 1er cardinal non européen, consacré par Pie XI le 26-10-1926). **Japonais** Mgr Hayasaka (év. de Nagasaki, 1927) ; **Indochinois** Mgr Tong (év. de Phat-Diem, 1933) ; **Noir africain** Mgr Faye (év. de Ziguinchor, Sénégal, 1939) ; **Malgache** Mgr Ramarosandratana (év. de Mianarivo, 1939).

Meurtres d'évêques. Depuis le concile de Trente (1563), sur 23 000 év., env. 50 ont été tués, en raison de leur épiscopat, d'un crime de droit commun ou d'un acte de violence ne les visant pas personnellement. La plupart dans des pays de mission (plusieurs au cours des g. de décolonisation) et en Espagne (12 tués en 1936-39, g. civile). **En France,** une douzaine d'év. ont péri pendant la Révolution, notamment les 3 év. (Arles, Beauvais, Saintes) martyrisés aux Carmes en 1792 et béatifiés en 1926. Les autres étaient membres du clergé schismatique (év. constitutionnels). 3 *archevêques de Paris* ont péri de mort violente au XIXe s. : *Mgr Affre* (abattu sur les barricades 25-6-1848) ; *Mgr Sibour* (poignardé 31-1-1857 par Jean Verger, prêtre dément, hostile au dogme de l'Immaculée Conception, qui l'assassina au cri « Pas de déesse ») ; *Mgr Darboy* (fusillé 24-5-1871 par les Communards).

lévitation, se plaint de douleurs (différent des hystériques qui hurlent, s'agitent, sont conscients de leur état). En 1986, sur 5 000 cas prétendus de possession, 3 ou 4 furent identifiés comme authentiques, les autres relevant de la psychiatrie.

■ **Fidei donum** (« don de la foi »). Institution tirant son nom du titre d'une encyclique de Pie XII (21-4-1957), chargée d'envoyer des prêtres dans les diocèses au clergé trop peu nombreux. *Age moyen :* 53 ans. *Durée moyenne des séjours :* Afr. noire, Dom-Tom, Afr. du S., Asie 12 ans ; Amér. latine 15 ans ; Maghreb 16 ans.

■ **Glossolalie** (du grec *glôssa,* langue et *lalia,* parole). Faculté de parler sous l'inspiration du Saint-Esprit.

■ **Incardination.** Du latin, *cardo* gond. Lien juridique d'un clerc ou d'une congrégation avec son diocèse.

■ **Indulgences.** Pratique, remontant à l'époque où les évêques excommuniaient leurs fidèles pendant une certaine durée, pour les punir d'une faute grave. Certains actes pieux (prières, jeûnes, aumônes) pouvaient abréger leur temps d'excommunication de 10 j, 20 j, 30 j, etc. Certains pèlerinages leur valaient une « plénière », c.-à-d. la remise totale de leur peine. Quand l'excommunication a été supprimée en pratique (VIIIe s.), les expressions de « 10 j, 20 j, 30 j d'ind. » et « ind. plénière » sont demeurées pour fixer une hiérarchie de valeur entre différents actes pieux. La pratique des ind. (et surtout des « quêtes indulgenciées ») a été violemment critiquée par Luther en 1520. Le concile de Trente (1545-63) a proclamé que les ind. étaient « utiles », sans dire en quoi, ni ce que signifiaient des expressions telles que « 10 j » ou « plénière ». Beaucoup de catholiques, sans pouvoir s'appuyer sur aucun texte officiel de l'Église, les ont interprétées longtemps dans le sens de « réduction du temps passé au Purgatoire » (ce que dénonçaient les protestants). La pratique des actes de dévotion « indulgenciés » a presque disparu dans l'Église contemporaine, sauf celle des pèlerinages pendant les années saintes, où l'on peut obtenir une « ind. plénière » en recevant la bénédiction pontificale. Un texte leur a été consacré : la constitution apostolique « Indulgentiarum doctrina » (1-1-1967). Seule est restée la distinction entre ind. *plénière* et *partielle,* la computation des j ayant disparu. Le 14-12-1985, les évêques ont reçu le droit d'accorder l'ind. plénière (5 fois par an) aux fidèles ne pouvant aller à Rome, et suivant la bénédiction pontificale à la TV.

■ **Interdit.** Interdiction d'administrer les sacrements et de célébrer les messes dans un territoire donné (« excommunication territoriale »).

■ **Missions.** Églises créées du dehors dans des pays de civilisation non chrétienne et dont les circonscriptions ecclésiastiques (921, dont 385 en Afrique) ne dépendent pas de la Congrégation des évêques, mais relèvent directement du pape par le *Dicastère de la Sacrée Congrégation pour l'évangélisation des peuples (anciennement : de la Propagation de la Foi).* Au 1-9-1990, le *Dicastère* administrait 80 000 000 fidèles répartis dans 924 circonscriptions ecclésiastiques (dont 141 archidiocèses, 660 diocèses, 64 vicariats apostoliques, 3 abbayes territoriales, 49 préfectures apostoliques, 6 missions *sui juris* et 1 administration apostolique : Asie 401 (dont Chine 141), Afrique 388, Amérique 81, Océanie 42, Europe 12.

Principaux instituts missionnaires. Masculins : *Sté des Missions étrangères de Paris* (créée 1663), *Congrégation du St-Esprit* (créée 1703), *Sté des missions africaines* (créée 1856), *Pères Blancs* (créés 1868), voir p. 514 c. **Féminins :** *Congr. des sœurs missionnaires de la Sté de Marie, Salésiennes missionnaires de Marie Immaculée, Sœurs de N.-D. des Apôtres, Missionnaires du St-Esprit, Sœurs missionnaires de N.-D. d'Afrique (Sœurs Blanches), St-Joseph de Cluny ; Franciscains, missionnaires de Marie, St-Paul de Chartres* (voir p. 516 c).

Personnel missionnaire fourni par les instituts. 4 491 femmes, 4 380 hommes. Afrique et océan Indien, 2 924 femmes (dont Afr. du Nord 713, Afr. subsaharienne 1 868, océan Indien 343) et 2 609 hommes : Asie 488 F., 825 H. ; Amérique latine 670 F., 614 H. ; Amér du N. 255 F., 179 H. ; Océanie 154 F., 153 H.

Nombre de missionnaires assassinés. *De 1980 au 1-9-1992 :* 139 [dont 7 évêques, 91 prêtres (23 du clergé diocésain, 68 religieux), 41 frères et religieuses].

Œuvres pontificales missionnaires (OPM). Regroupent : 1°) *l'Œuvre de la propagation de la foi* (*fondée* 1822, Lyon, par Pauline Jaricot), 119 219 associés (sept. 1991) ; 2°) *l'Œuvre de St Pierre Apôtre* (*f.* 1889, Caen, par Stéphanie et Jeanne Bigard), 70 805 associés (sept). Ces 2 œuvres sont rassemblées en une seule, l'*Association française des Œuvres pontificales missionnaires Propagation de la foi - St-Pierre Apôtre* (siège social : 12, rue Sala, 69287 Lyon Cedex 02 ; secrétariat nat. : 5, rue Monsieur, 75007 Paris) ; 3°) *Enfance missionnaire* dite autrefois Ste Enfance (*f.* 1843 par Mgr de Forbin-Janson, évêque de Nancy, 15, villa Molitor, 75016 Paris) ; 4°) *Union pontificale missionnaire* (*f.* Italie, 1916 par le Frère Manna, 5, rue Monsieur, 75007).

Les OPM existent dans + de 100 pays au monde. Le nombre des missionnaires originaires de pays non européens ne cesse de s'accroître (Indiens, Malgaches, Japonais, Brésiliens entre autres). Des instituts de missions étr. se sont ouverts : Mexique, Colombie, Inde, Corée, Philippines, Nigeria.

Subsides mondiaux distribués en 1991 : 974 millions de F (Propagation de la Foi, Œuvre de St Pierre Apôtre, Enfance missionnaire). *Presse :* principaux titres et tirages : *Solidaires* (fusion avec *Lumière du Monde* en 1989) 120 000 ; *Peuples du Monde,* magazine de la mission universelle 32 000 ; *Terres lointaines* 80 000 ; *Pentecôte sur le Monde* 20 000 ; *Pôles et Tropiques* 20 000 ; *Mission de l'Église* 9 000.

■ **Monseigneur.** Au XVIIe s., il était courant pour un noble de se faire appeler *monseigneur* par ses domestiques et ses fournisseurs. Les évêques français, nobles ou assimilés à des nobles par leur charge épiscopale, réclamèrent cette appellation. Pour en imposer l'usage, ils s'appelèrent entre eux « Monseigneur », ce qui les rendit ridicules aux yeux de la noblesse, car seul le dauphin de France était appelé ainsi par des nobles (avant, on avait dit : « Messire Evesque », puis « Monsieur l'Évêque » ; les prélats étaient appelés par le nom de leur charge : « Monsieur le camérier »). En 1816, les domestiques ne disaient plus à leurs maîtres « Monseigneur », mais Monsieur le comte, M. le baron, etc. L'appellation « Monseigneur » resta alors exclusivement ecclésiastique. Depuis le XIXe s., on la donna à des prélats romains tels que camériers ou protonotaires. On dit « un monseigneur » (italien : *monsignore,* espagnol : *monseñor*) pour les désigner.

■ **Notaires apostoliques.** Officiers publics de la Cour de Rome chargés de dresser des actes officiels concernant le St-Siège.

■ **Ordinaire.** Tout supérieur ayant juridiction spirituelle sur des religieux (ord. simples) ou les catholiques d'un territoire ecclésiastique (ord. des lieux).

■ **Pallium.** Dérivé de l'*omophorion* (« scapulaire ») des évêques orientaux, qui était l'ancien vêtement des pâtres anatoliens, porté symboliquement par les pasteurs d'âmes. Sorte de *poncho* de laine écrue blanche, orné de 6 croix en soie noire. Insigne de l'autorité métropolitaine, réservé aux archevêques et primats, aux patriarches et au pape. Il avait été concédé à 18 évêques dont le siège était très ancien, ou particulièrement renommé [Italie 7, Hongrie 2, Pologne 1, France 8 (Autun, Chartres, Clermont-F., Coutances, Le Puy, Soissons, Tarbes-Lourdes, Verdun)], mais un décret de Paul VI (28-5-1978) en a limité l'attribution aux seuls « métropolites » et au patriarche de Jérusalem. Depuis Jean-Paul Ier (3-9-1978), la remise du pallium au pape (primat d'Italie) remplace celle de la tiare.

■ **Papabile.** Tout cardinal ayant des chances d'être élu pape (ceux qui font campagne, plus ou moins discrètement, pour être élus sont surnommés *papeggianti*).

■ **Patriarcats catholiques d'Orient.** Autorités suprêmes des Églises de rite oriental unies à Rome. 1°) **Égl. catholiques de rites anciens existant à côté d'Églises orientales de même rite non rattachées à Rome :** *Alexandrie, des coptes* [Sa Béatitude Stéphane II (Mgr Andreos Ghattas). Le Caire, Égypte, 200 000 fidèles]. *Antioche et tout l'Orient, Alexandrie et Jérusalem, des Grecs melchites* [S.B. Maximos V (Georges Hakim n. 1908) ; hiver : Le Caire (Égypte), été : Damas (Syrie), 400 000 fid.]. *Antioche, des Syriens* [S.B. Ignace Antoine II Hayek ; hiver : Beyrouth, été : Charfé (Liban), 96 000 fid.]. *Cilicie, des Arméniens* (S.B. Jean-Pierre XVIII Kasparian ; Beyrouth, Liban, 152 000 fid.). 2°) **Égl. orientales uniquement catholiques :** *Antioche, des maronites* (S.B. Nasrallah Sfeir ; hiver : Bkerké, été : Dimane, Liban, 5 millions de fid. dont 1,5 au Liban). *Babylone, des Chaldéens* (S.B. Raphaël Bidawid ; Bagdad, Irak, 600 000 fid.) ; l'ancienne église syrienne orientale, rattachée à Rome en 1551, a été constituée en patriarcat catholique en 1830 ; même rite en araméen que celui de l'église « assyrienne » (dite à tort « nestorienne ») qui compte 90 000 fid. 3°) **Égl. latine avec juridiction :** *Jérusalem des Latins :* S.B. Michel Sabbah (n. 19-3-33), 1er patriarche palestinien (non italien), dep. près de 1 000 ans. C'est en effet, à l'époque des croisades, que fut institué un patriarcat latin à Jérusalem en 1099, tombé en désuétude puis rétabli en 1847 (65 000 fidèles dont 85 % d'origine arabe ; 78 prêtres diocésains).

Patriarcats honorifiques. *Indes orientales* (à Goa), *I. occidentales* (antérieurement à Tolède ; non conféré actuellement), *Lisbonne, Venise.* Supprimés en 1964 : *P. latin d'Alexandrie, l. de Constantinople, d'Antioche.* En France, avant la Révolution, comme il y avait 2 primats d'Aquitaine (voir ci-dessous), l'arch. de Bourges portait le titre de « primat et patriarche d'Aquitaine ».

Patriarches. Depuis 1965, ils viennent juste après les cardinaux. Les premiers furent les évêques de Rome, d'Alexandrie et d'Antioche (325), puis ceux de Constantinople (381) et Jérusalem (451). Le pape est appelé parfois patriarche d'Occident.

■ **Préfet apostolique.** Prélat (temporaire) chargé d'un territoire missionnaire non encore érigé en diocèse.

■ **Prélat.** Titre donné aux évêques, aux abbés, aux protonotaires et aux ecclésiastiques appelés « Monseigneur » à vie (ils ont droit à la soutane violette).

Prélature personnelle. Juridiction non territoriale, créée par Paul VI (1966) pour réaliser des activités pastorales ou missionnaires particulières, gouvernée par un prélat propre, ayant la même juridiction qu'un ordinaire, et nommé par le St-Siège. Peut former et incardiner des prêtres séculiers, et avoir la coopération de laïcs (ex Opus Dei).

Opus Dei (prélature de la Ste Croix et Opus Dei). *Fondée* 2-10-1928 à Madrid par Mgr Josemaría Escrivá de Balaguer [(9-1-1902/26-6-75) (béatifié le 17-5-1992 à Rome), auteur de *Chemin* (3 800 000 ex. en 39 langues), *Saint Rosaire* (611 000 ex. en 18 langues), *Chemin de Croix* (330 000 ex. en 12 langues), d'homélies et interviews *(Entretiens avec Mgr Escrivá)*]. *Érigée* le 28-11-1982 en prélature personnelle (voir ci-dessus) par Jean-Paul II. *But :* diffuser un appel à la sainteté et à l'apostolat dans la vie ordinaire (travail professionnel, occupations familiales, etc.), sous la responsabilité personnelle de chacun. *Membres :* un prélat, Mgr Alvaro del Portillo (Espagnol, n. 1914 ; ordonné év. 6-1-1991) ; + de 1 400 prêtres incardinés dans la prélature ; 73 000 laïcs, hommes et femmes, célibataires et mariés (dans 87 pays), unis à l'Opus Dei par un lien contractuel, tout en restant des fidèles ordinaires dans leurs diocèses respectifs. Des coopérateurs, qui peuvent être non cath. ou non chrétiens, collaborent par prières, travail et aumônes. **Sté sacerdotale de la Ste Croix,** association de prêtres séculiers, intrinsèquement unie à la prélature. *Pt :* prélat de l'Opus Dei. **Curie** *de la prélature :* Viale Bruno Buozzi 73, 00197 Rome. **En France** : *Vicaire régional :* abbé Augustin Roméro (5, rue Dufrénoy, 75116 Paris). *Membres :* 1 325.

Prélatures territoriales. Possédant un régime identique à celui des abbayes *nullius* (voir p. 500 b), mais ayant à sa tête un prélat du clergé séculier. De 1970 à 1985, le mot *nullius,* supprimé pour les prélatures, fut maintenu pour les abbayes ; dep. 1985, toutes deux sont appelées « territoriales ». La plupart se trouvent dans les Églises orientales ou les pays de mission. *France :* Pontigny (détachée du diocèse d'Auxerre), l'église paroissiale est une ancienne abbatiale cistercienne, confiée à la Mission de France, (voir ci-contre) dont le supérieur est choisi par le St-Siège parmi les évêques français.

■ **Prêtre. Nom.** Forme latinisée du grec *presbuteros,* comparatif de *presbus,* « vieillard », de l'hébreu *zagen,* « ancien ».

Formation. On devient prêtre par le sacrement de l'*Ordre* conféré par un évêque. Auparavant, après 5 années d'études (philosophie 2 ; théologie 3, passées normalement dans un séminaire), les *séminaristes* recevaient les *ordres mineurs,* désormais appelés *ministères : lecteur, acolyte (portier, exorciste* ayant été supprimés en 1972), puis les *ordres majeurs : sous-diaconat* (supprimé 1972), *diaconat et sacerdoce.*

Célibat. Si les ministres du Temple de Jérusalem devaient observer la continence avant de remplir leurs fonctions, aucune référence évangélique n'interdisait le mariage d'un évêque, d'un prêtre ou d'un diacre. La plupart des 1ers apôtres étaient d'ailleurs mariés, notamment Pierre qui fut le 1er pape. Du Ier au IIIe s., un homme n'ayant eu qu'une seule femme dans sa vie pouvait devenir évêque, mais un prêtre devenu veuf avait l'interdiction de se remarier. Au IVe s., un prêtre ne pouvait se marier avant d'être ordonné, mais un prêtre marié pouvait le rester après. Peu à peu, des décisions locales, conciles d'Elvire (300), Arles (314), Ancyre (315), Néocésarée, Antioche (341), Carthage (340), Tolède (400), pour ne citer que les plus anciens, imposèrent le célibat pour le clergé d'Occident. Elles furent reprises par les décrétales du pape St Sixte (386), les instructions d'Innocent Ier (402-417), les canons du 2e concile du Latran (1139) et du concile de Trente (1545-63). Au VIe s. (concile d'Elvire), le célibat s'imposa définitivement. Au XXe s., le code de droit canon de 1917, le concile Vatican II (1965), l'encyclique *Sacerdotalis cœlibatus* de Paul VI (1967), la lettre aux prêtres de Jean-Paul II (1979), le code de 1983, l'exportation papale « Pastores dabo vobis » (7-4-92) ont insisté sur ce problème du célibat.

Prêtres mariés (env. 80 000 prêtres ou ex-prêtres mariés dans le monde). **Églises occidentales :** très peu nombreux jusqu'en 1984 [pasteurs luthériens convertis, évêque vieux-catholique (Mgr Salomeo Ferraz, Brésilien, † 9-5-1969), en 1977, 60 prêtres « épiscopaliens » mariés (aux USA) ayant demandé en bloc leur admission dans l'Égl. catholique, pour protester contre l'ordination d'une femme]. **Égl. orientales :** des hommes mariés peuvent devenir prêtres (et c'est l'usage), mais un prêtre célibataire ou veuf ne peut pas se marier ; les hommes mariés ne peuvent devenir évêques. En 1899, ce régime avait été étendu aux prêtres paroissiaux des églises de rite oriental fondées en Amérique, mais le célibat y a été rendu obligatoire en 1929. **Égl. anglicane :** admet pour évêques des hommes mariés. **Égl. réformée :** les pasteurs laïcs dirigeant la prière peuvent être mariés. Luther (qui avait épousé une religieuse) et Calvin ont toujours protesté contre la règle du célibat.

Femmes. Lors du voyage de Jean-Paul II aux USA (10/20-9-1987), 2 manifestations féministes eurent lieu : 1°) Sœur Rita Jirak, Pte de la conférence pour l'ordination des femmes, invita le pape à une veillée de prières la nuit du 2 au 3 oct. ; 2°) Sœur Theresa Kane, supérieure gén. de l'Union des religieuses des USA l'exhorta à permettre aux femmes d'accéder aux ministères. Le pape répondit de prendre « Marie comme modèle de la place des femmes dans l'Église ». Le 30-9-1988, le pape a confirmé sa position dans une lettre apostolique *(Mulieris dignitatem)*. En 1987, la *Stampa* a révélé le cas d'un prêtre transsexuel qui à 50 ans changea de sexe (selon le droit canon, il a dû cesser d'exercer son ministère). En 1990, une commission d'évêques amér. présidée par Mgr Imech (év. de Joliet, Illinois) a prôné l'accession des femmes au diaconat. En Tchécoslovaquie pendant la période communiste, des femmes ont été ordonnées dans le clergé clandestin.

Sanctions subies. Suspense : le prêtre est privé par son évêque du droit d'exercer ses fonctions sacerdotales. Il peut, en outre, être frappé d'*interdit personnel* (sanction non réservée au clergé), qui le tient éloigné de tout acte religieux. **Retour à l'état laïque :** le prêtre est relevé de ses droits et obligations ecclésiastiques, ex. : célibat, célébration de la messe. [NOMBRE : de *1914 à 1963 :* 810 demandes ; *de 1963 à 1978 :* 32 231 (la plupart acceptées par Jean XXIII et Paul VI). Depuis Jean-Paul II, les demandes sont bloquées.] **Excommunication :** sur 7 cas d'excommunications encore prévus par le code de 1983, 2 sont réservés aux prêtres (absolutions illicites, viol du secret de confession).

Atteintes à la dignité sacerdotale. Énumérées dans le code de 1917, supprimées dans celui de 1983 (par ex. port d'armes, fréquentation des cabarets).

Vêtements non liturgiques. Soutane : en usage dep. le XIXe s., a cessé d'être obligatoire le 1-7-1962. Les pr. doivent porter un vêtement ecclésiastique choisi par les conférences épiscopales respectives (en Fr., il comporte en principe le col romain, mais la chemise blanche avec cravate noire était admise jusqu'en oct. 1984 ; après la promulgation du nouveau code de droit canonique, les év. fr. ont été invités à fixer des règles plus contraignantes. **Camail (mosette ou mozette) :** petite pèlerine courte arrivant à mi-bas portée par certains dignitaires ecclésiastiques. **Barrette :** petit chapeau autrefois porté par tous les clercs.

Vêtements liturgiques. Amict ou huméral : fin voile muni de cordons, que le prêtre porte sur les épaules pour la messe (d'origine juive, correspond à l'*éfod* des Israélites). **Aube :** ancien vêtement de dessous des Romains (descendant jusqu'aux pieds). Pendant la nuit pascale, consacrée aux baptêmes, les 1ers chrétiens romains se présentaient en aube (tenue normale pour le bain baptismal). A cause de sa couleur blanche, ce vêtement a été considéré comme un symbole de l'innocence, et son usage s'est généralisé pour toutes les liturgies. **Chasuble :** ancienne *penula* des Romains ; vêtement de dessus, en étoffe lourde. Utilisée par le prêtre pour dire la messe ; autrefois en soie, auj. souvent en laine ou lin, avec des broderies. Couleur variant (dep. le XVe s.) selon la messe célébrée : verte (dimanches ordinaires de l'année) ; blanche (fêtes des saints, du Christ et de la Vierge) ; rouge (fêtes des martyrs et du St-Esprit) ; violette (deuil et pénitence : le noir ayant remplacé le violet pour la liturgie des morts du XVIe au XXe s. ; actuellement, on revient au violet). Autrefois, elle n'était pas échancrée sous les bras et le poids de l'étoffe était pénible lors des prières dites avec les bras écartés et levés vers le Ciel. A partir du XVe s., on a réduit la surface de l'étoffe couvrant les bras, jusqu'à réduire la chasuble à la forme d'un scapulaire, dépassant à peine les épaules. Depuis 1950 env., a retrouvé la forme romaine, couvrant les bras jusqu'aux poignets. **Dalmatique :** de même couleur et même étoffe que la chasuble : réservée aux diacres, elle possède des manches et est fendue sur les côtés. **Étole :** même couleur et étoffe que la chasuble, portée autour des épaules. L'étole est parfois utilisée sans la chasuble, ainsi pour la communion, la confession, l'onction des malades. **Grémial :** linge en lin blanc (lacé sur les genoux de l'évêque pendant certaines cérémonies). **Manipule** (supprimé en 1965) était attaché à l'avant-bras gauche. **Surplis :** tunique blanche, de toile fine, descendant jusqu'aux genoux, sans capuchon, à larges manches, que les ecclésiastiques portent dans les cérémonies religieuses où ils n'officient pas. Ils le portaient obligatoirement sur leur soutane (qui n'était pas un vêtement liturgique). Depuis la suppression de la soutane, l'aube remplace le surplis.

☞ **Statistiques mondiales. Nombre de prêtres :** total (religieux + diocésains) *1971 :* 420 429 ; *90 :* 401 479 dont Europe 225 699, Amérique 119 386, Asie 31 171, Afrique 19 825, Océanie 5 398. **Habitants par prêtres** (1992 : 9 155) et, entre parenthèses **catholiques :** Asie 57 623 (2 588), Afr. 31 777 (4 318), Océanie 4 820 (1 289), Amér. 5 958 (3 782), Europe 2 268 (1 248). **Pays ayant le plus de prêtres** (1981) : Italie 62 861, USA 58 174, *France 33 672* (1988). Pologne 21 854 (1988). *Afrique* (entre parenthèses, proportion pour 10 000 cath.) : Zaïre 2 584 (2). Tanzanie 1 543 (4,2). Nigeria 1 350 (2,4). Afr. du Sud 1 194 (5,6). Ouganda 927 (1,7). Kenya 897 (2,7). Cameroun 862 (3,7). Madagascar 687 (3,5). Zambie 518 (3). *Asie :* Inde 12 000 (diocésains 7 058, religieux 4 943 ; évêques 146 pour 12 000 000 de cath., répartis en 5 139 paroisses). **Défections :** *entre 1973* et *1985 :* env. 40 000. *1986 :* 1 057 (0,26 %). *1987 :* 1 000. **Taux de renouvellement :** *normal :* 12,5 séminaristes pour 100 prêtres. *Maximal (1985) :* Pologne 38,1. *Minimal :* Belgique 3,6, *France 4,1.* **Ordinations.** *1979 :* 5 765 ; *86 :* 7 209 ; *87 :* 6 739 ; *88 :* 7 251 ; *89 :* 7 998.

Séminaristes (au 1-1-1989)	Grands		Petits	
	Diocésains	Religieux	Diocésains	Religieux
Afrique	10 617	2 816	35 043	3 734
Amérique	20 181	10 884	17 257	8 983
Asie	11 771	7 879	13 396	6 890
Europe	19 224	9 194	17 033	18 074
Océanie	543	296	268	42
Total	**62 336**	**31 069**	**82 997**	**37 723**

■ **Primat.** Titre porté dans l'Église primitive par les archevêques des métropoles les plus importantes, qui avaient autorité sur arch. et évêques d'une région de l'Empire romain. **Primats français :** En France, les titres primatiaux ont été supprimés au Concordat de 1801, sauf celui de *Lyon* (« primat des Gaules »), porté par l'oncle de Bonaparte 1er Consul, le card. Fesch. L'arch. de Lyon garde donc une autorité juridique sur les autres archevêques (l'officialité « primatiale » a une juridiction d'appel sur les off. métropolitaines). *Autres titres primatiaux :* honorifiques. Arch. d'*Auch :* pr. de Novempopulanie (il a porté, avant la Révolution, un 2e titre : « pr. des 2 Navarres ») ; *Bordeaux* et *Bourges :* pr. d'Aquitaine [Bordeaux était la capitale de l'Aq. Première et Bourges de l'Aq. Seconde, le titre a été longtemps disputé entre les deux ; actuellement, employé généralement pour Bordeaux ; dans certains textes anciens, l'Église de Bourges est appelée Égl. cardinale, titre non officiel, permettant de laisser à Bordeaux le primatiat] (voir Patriarcat p. 502) ; *Nancy :* pr. de Lorraine, l'archevêché (français) de *Carthage* créé 1884, pr. d'Afrique ; *Reims :* pr. de la Gaule belgique (porté seulement par 2 arch. de 1822 à 1850) ; *Rouen :* pr. de Normandie ; *Sens :* pr. des Gaules et de Germanie (mauvaise traduction pour « des Gaules germaniques », c.-à-d. des 3 provinces gallo-romaines appelées « Germanie ») ; *Toulouse :* pr. de Narbonnaise. **Étrangers :** *Bahia :* pr. du Brésil ; *Baltimore :* pr. des États-Unis ; *Dublin :* pr. d'Irlande (mais l'arch. d'*Armagh* « pr. de toute l'Irlande ») ; *Eztergom :* pr. de Hongrie ; *Malines :* pr. de Belgique (dep. 1560) ; *Tolède :* pr. d'Espagne.

■ **Protonotaires.** Prélats de la cour (ancienne Chancellerie) papale, chargés des fonctions de notaire pour les actes les plus solennels : rédaction des procès-verbaux d'intronisation des papes, transcription des délibérations et décisions des consistoires publics. Titre donné aussi honorifiquement à d'autres prélats *(pr. surnuméraires).*

■ **Recteurs d'églises.** Du latin, *regere,* diriger. Dans certaines régions (notamment en Bretagne), on appelle *recteurs* les curés de paroisse. Selon le droit canon, un recteur d'égl. est un prêtre préposé à une égl. qui n'est ni paroissiale, ni capitulaire (c.-à-d. dépendant d'un chapitre de chanoines), ni annexée à une communauté religieuse. Ex. : à Paris, la basilique de Montmartre. Un recteur d'égl. n'a pas le droit de remplir les fonctions paroissiales (baptêmes, mariages, enterrements) ; mais il peut célébrer la liturgie. On appelle aussi ainsi certains directeurs d'universités, académies ou collèges.

■ **Religieux.** Voir p. 512 à 516.

■ **Sacristain.** Officier ecclésiastique chargé de l'entretien des lieux du culte (ornementation de l'autel, surveillance des vases sacrés, balayage de l'église). Jusqu'au VIe s., leur charge était confiée aux diacres, d'où le nom de *diakonikon,* donné par les Grecs à la sacristie. Au VIe s., on les appelait *mansionnaires,* et à partir du XIe s., *bedeaux,* car on ne les distinguait pas de ceux-ci. Souvent la charge était confiée à un jeune prêtre, vicaire du curé. En 1809, un règlement définit les fonctions de sacristain prêtre. A la fin du XIXe s., les prêtres confient le plus souvent la charge de sacristain au bedeau de la paroisse. Au XXe s., les 2 fonctions furent confondues, les bedeaux étant appelés sacristains.

■ **Simonie.** Trafic des choses saintes (notamment indulgences). Vient du nom de Simon le Magicien, prestidigitateur juif qui voulut acheter à Pierre et Paul leurs dons pour faire des miracles.

■ **Sonneur.** Officier ecclésiastique subalterne, chargé des sonneries de cloches, et généralement de l'entretien des cloches et des cordes. En France, il y a 2 sortes de sonneurs : civils (communaux) et religieux (paroissiaux). Si les 2 charges sont exercées par le même homme, il touche 2 rétributions.

■ **Suburbicaire.** Diocèse situé dans les environs de Rome. Voir Cardinaux p. 509 b.

■ **Suisses.** Nom donné, à partir du XVIIIe s., aux *bedeaux,* chargés de la surveillance des églises (au XVIIe s., les maisons de la noblesse et de la haute bourgeoisie avaient des portiers armés, généralement recrutés en Suisse ; peu à peu, l'usage s'établit de les habiller à la façon des gardes suises de la Maison du Roi ; les riches paroisses parisiennes, puis toutes les églises paroissiales du royaume, ont suivi la coutume des bonnes maisons).

■ **Suspense** (voir Prêtre, p. 502 c).

■ **Tonsure.** Coutume ecclésiastique en vigueur depuis le concile d'Agde (506) jusqu'en 1972 (réforme des ordres mineurs *Ministeria quaedam* de Paul VI) : dès qu'un clerc recevait le 1er degré des ordres (l'*acolytat*), on lui coupait les cheveux d'une façon spéciale pour le distinguer des autres membres du corps chrétien. Formes de t. : *romaine,* en cercle sur le sommet du crâne (plus la dignité était élevée, plus la surface tondue était large : l'évêque de Rome portait donc la « couronne de St Pierre » qui lui laissait juste une mince frange de cheveux) ; *irlandaise,* dégarnit une bande de quelques cm audessus du front ; *de St Paul,* rase le crâne par-devant jusqu'au sommet de la tête.

■ **Tribunaux. 1re instance.** Dans chaque diocèse. *Juge :* l'évêque ou à défaut un *official* nommé par lui pour le remplacer et des *vice-officiaux* (si besoin est) et des *juges assesseurs.* Ils doivent être prêtres et docteurs ou licenciés en droit canonique. *Causes :* celles mettant en jeu le bien public, un *promoteur de justice* les plaide ; celles concernant la nullité d'un mariage ou d'une ordination, un *défenseur du lien* expose ce qui peut s'opposer à cette nullité. L'un et l'autre peuvent être des laïcs. Les parties peuvent faire appel à un avocat de leur choix : clerc ou laïc mais sans y être tenus. *Dans les congrégations religieuses,* les supérieurs majeurs sont de 1re instance.

2e instance. *Tribunal d'appel* de l'archevêque dans chaque province ecclésiastique. Les causes jugées en 1re instance devant le tribunal de l'archevêque vont en 2e instance devant le tribunal d'un autre diocèse de la province, désigné de manière permanente.

■ **Vicaire.** Auxiliaire du curé dans une paroisse. *V. général :* aide l'évêque pour administrer son diocèse. *V. aux armées :* év. chef de l'aumônerie milit. *V. apostolique :* év. chargé par le pape de gouverner un territoire (de mission) non diocésain.

Statistiques mondiales

Source : Annuario Pontificio (au 31-12-1989). **Sièges résidentiels** 2 478 (13 patriarcats, 454 métropolitains, 69 archiépiscopaux, 1 942 épiscopaux) ; **titulaires** 2 015 (évêchés fictifs : 91 métropolitains, 91 archiépiscopaux, 1 833 épiscopaux). **Prélatures territoriales** 63. **Abbayes territoriales** 16. **Administrations apostoliques** 5. **Exarchats et ordinariats apost.** 19. **Vicariats apost.** 75. **Préfectures apost.** 46. **Vicaires aux armées** 29. **Conférences épiscopales** 102. **Nonciatures** [1] 97. **Délégations apost.** [1] 27. **Missions sui juris** (ne relevant pas d'un évêque local) 6. **Synodes patriarcaux** (rite oriental) 13. **Réunions internationales** (conférences épiscopales) 12. **Représentations auprès d'organismes internationaux** [1] 10. **Ambassades auprès du Vatican** [1] 104. **Presse catho-**

lique [1] 4 669 périodiques, avec un tirage de 1 milliard 860 millions d'exemplaires.

Nota. – (1) Au 31-12-1984.

LE VATICAN

GÉNÉRALITÉS

■ **Situation.** État souverain (reconnu par l'ensemble des États même s'ils n'ont pas de relations diplomatiques avec) inclus dans Rome [*superf.* : 0,44 km²] (le plus petit État du monde) ; inscrit dans le patrimoine artistique mondial le 21-9-1984, par un vote unanime du comité du patrimoine mondial (Unesco : 83 États signataires), n'impliquant aucune subvention ; *frontières* : 4 070 m (les plus courtes du monde)]. **Nom officiel :** État de la Cité du Vatican. *Vatican* (nom d'une des 7 collines de Rome), désigne le St-Siège (gouvernement de l'Église), les bâtiments et l'État souverain (aussi appelé Cité du Vatican). **Langue officielle :** italien (et non le latin, langue de l'Église).

Nota. – *St-Siège* : vient du latin *sedere* : s'assoir. Le siège d'où l'évêque préside les cérémonies est le symbole de sa mission et de son pouvoir. Le siège de l'év. de Rome est le même que celui du chef de l'Église universelle (aussi appelé *siège ou trône de St-Pierre*). Le St-Siège désigne donc le pape et ceux qui l'assistent dans sa mission. Les ambassadeurs sont nommés près du *St-Siège*. A la mort d'un pape, on parle de *sede vacante*.

■ **Population.** 738 h. (507 hommes, 231 femmes ; non Italiens 60 %, Italiens 40 %) dont 383 sont citoyens [la citoyenneté est temporaire et correspond à l'exercice d'une fonction : cardinaux 29, diplomates 173, prélats ou ecclésiastiques 34, religieux 4, gardes suisses 100 [simples soldats, célib. ; gradés après 4 a. de service, autorisés à se marier, laïcs (seuls autorisés à avoir des enfants)]. A cause de la présence du St-Siège, il y a à Rome 86 évêques, 36 cardinaux et 5 000 prêtres en résidence permanente, mais le clergé paroissial est insuffisant (1 045 pour 310 paroisses et 604 autres lieux de culte) ; 5 paroisses comptent plus de 40 000 hab. (total de la pop. : 2 781 956 hab.).

■ **Domaines de l'Église.** ACQUISITION : **313** les papes acquièrent le domaine des *Laterani* (le Latran), où ils auront leur résidence principale jusqu'en 1309. **751** ils possèdent de grands biens fonciers dans le Latium (patrimoine de St Pierre), et exercent les fonctions de duc de Rome. **754** 22 cités de l'exarchat byzantin de Ravenne reprises aux Lombards sont cédées par Pépin le Bref au p. Étienne II dont : Ferrare, Conacchio, la Romagne (Ravenne, Bologne, Rimini, Pesaro), Urbino, les marches d'Ancône (Ancône, Camerino). **774** Charlemagne confirme cette possession. **781-87** il y rajoute Viterbe, Piombino, la Sabine (Farfa). AGRANDISSEMENTS : **1053** Bénévent. **1213** duché de Spolète (Grégoire IX). **1229** comtat Venaissin [entrée en possession 1274 ; agrandissements successifs (par achat) ; 1317 Valréas, Vinsobres ; 1325 St-Saturnin d'Apt ; 1342 Monteux ; 1344 Visan ; 1354 Avignon (non rattachée au comtat, demeurée ville libre) ; 1338 Grillon]. **1278** fraction de la « succession mathildique ». [Orvieto (bien allodial), Pérouse, Castro et Ferrare (anciens fiefs ecclésiastiques tenus par Mathilde) : accord résolvant, après 160 ans de querelles entre papes et emp., les problèmes nés du legs (invalide en droit féodal) fait aux papes par la comtesse Mathilde de Canossa, marquise de Toscane (1046-1115)]. **1511** Modène (confisquée par Jules II à Alphonse Ier d'Este, restituée 1527) ; Parme et Plaisance (cédées par Milan à Jules II). *Féodalisation* : une partie importante des terres du domaine papal ont été données en fief à des familles aristocratiques italiennes, et sont devenues autonomes, à l'intérieur des États de l'Église, par ex. Bologne (récupérée 1512), Ferrare (réc. 1598), Urbino (réc. 1631), Castro et Ronciglione (réc. 1649). PERTES : **1545** Parme et Plaisance, érigées en duché souverain (non vassal du St-Siège) par Paul III pour son fils naturel Pierre-Louis Farnèse. **1791** comtat Venaissin et Avignon. **1797** Romagne. **1808** Marches. **1809** Rome et Ombrie.

De 1814 à 1871 : 1814 Restauration de l'État pontifical (67 759 km²), sauf comtat et Avignon rattachés à la Fr., et rive g. du Pô, rattachée à l'Autr. **1849**-*9-2* proclamation de la Rép. ; le pape, réfugié à Gaète, est rétabli par une intervention franç. conduite par Oudinot contre Mazzini et Garibaldi. **1859** perte de la Romagne. **1860**-*8-9* des Marches et de l'Ombrie ; -*18-9* défaite de Castelfidardo. Les *Zouaves pontificaux* [originaires de France et de Belgique, enrôlés sans autorisation préalable de leur gouvernement (ce qui était interdit pour toute armée étrangère) ; effectifs : 6 000 h.] et les *Savoyards* (18 000) sont battus par les Ital. Les troupes françaises de Rome, en garnison dep. 1848 pour soutenir l'armée pontificale [18 000 h. dont + de 7 000 étrangers (Allemands, Américains, Autrichiens, Belges, Suisses, etc.), ne sont pas intervenues (renforcées après la bataille, 29-9)]. **1867**-*2/3-11* les Français [Gal de Failly (avec 2 200 Fr. et 3 000 Pontificaux)] battent les Garibaldiens à *Mentana* (Garibaldiens 150 †, Pontificaux 30 †, Français 4 †). **1870**-*20-9* les Garibaldiens prennent Rome. **1871**-*13-5* l'Italie abroge le pouvoir temporel du pape.

■ **Traité du Latran (11-2-1929).** Institue l'État du Vatican. L'Italie verse au St-Siège 750 millions de lires et des titres à 5 % d'une valeur nominale d'un milliard de lires pour la perte des anciens États pontificaux et des biens ecclésiastiques. Le roi d'Italie était disposé à donner au Vatican 15 à 20 km² d'un seul tenant (comprenant notamment le Borgo, le Janicule et le palais St-Calixte-du-Trastévère), mais Mussolini se montra intransigeant : rien en dehors du Vatican. Pie XI, qui avait espéré obtenir au moins la Villa Doria Pamphili (env. 5 km²) pour y construire les ambassades, dut renoncer à posséder + de 0,44 km² d'un seul tenant (motifs de son renoncement : 1°) Mussolini offrait en contrepartie un concordat et le versement immédiat de 750 millions de lires ; or Pie XI était au bord de la banqueroute ; 2°) crainte d'avoir à administrer des populations réticentes ; 3°) respect de Pie XI, patriote italien, pour la mystique de « l'Unità »).

■ **Concordat du 18-2-1984.** Remplace les accords du Latran (séparation de fait entre l'Église et l'État italien).

TOMBEAU DE SAINT PIERRE

Une tradition remontant au début du christianisme voulait que saint Pierre fût enterré au Vatican (ancien cimetière). Au IVe s., l'empereur Constantin y avait édifié une basilique, à demi effondrée au XVe s., et remplacée aux XVIe-XVIIe s. par la basilique actuelle, la plus grande église du monde (inaugurée 18-11-1626 par Urbain VIII). En 1953, après une vingtaine d'années de fouilles, on découvrit des tombeaux remontant au règne de Vespasien, et une inscription datant de 180 avec une invocation à saint Pierre. Le 26-6-1968, Paul VI annonça que les reliques de St Pierre avaient été retrouvées à la suite des travaux de Margherita Guarducci.

GOUVERNEMENT

■ **Gouvernement de l'Église universelle.** Assuré par le pape, évêque de Rome, archevêque et métropolitain de la Province romaine, primat d'Italie, « patriarche d'Occident », vicaire de J.-C., successeur du Prince (c.-à-d. « premier ») des Apôtres (l'apôtre St Pierre), pontife suprême de l'Égl. universelle en tant qu'évêque de Rome (et non l'inverse), souverain de l'État de la Cité du Vatican.

Depuis 1870 (concile de Vatican I), son infaillibilité en matière de dogme (mais non de décisions conciliaires ni d'encycliques, sauf si c'est précisé officiellement) est reconnue, à condition qu'il y engage expressément sa suprême autorité.

Sa souveraineté sur l'Église universelle repose sur 2 faits : Rome a été la capitale de l'Empire romain, et saint Pierre, chef des apôtres, a été 1er évêque de Rome. Les 1res preuves de son autorité sur les autres Églises remontent à Clément (88-101). En 330, le transfert de la capitale de l'Empire romain à Constantinople a accru l'importance des papes, seule autorité stable de l'Occident (latinophone). En 381, le concile de Constantinople a reconnu explicitement que le siège épiscopal de Rome était le 1er de la chrétienté [étant le 2e à Constantinople, Alexandrie a rejeté cette définition et, à partir de 451, s'est considérée comme la 1re Église de la chrétienté ; son patriarche (dissident) porte le titre de « *pape des coptes* »].

Innocent Ier (401-17), puis Léon Ier (440-60) revendiquèrent la souveraineté sur toutes les Églises d'Occident ; Grégoire le Grand (590-604) la fit reconnaître définitivement.

■ **Gouvernement des États de l'Église.** Jusqu'en 1567 (décret de Pie V), les territoires pontificaux étaient fréquemment donnés, à titre de fiefs, à des familles nobles italiennes. Depuis, ils furent seulement divisés en 7 provinces, chacune administrée par un cardinal. Les ressources, surtout agricoles, servaient à faire vivre la cour romaine. Les fonctionnaires, presque tous ecclésiastiques, terminaient souvent leur carrière comme cardinal. Il y avait 2 ministres principaux : le *secr. d'État* (affaires étr. et armée), le *camerlingue* (justice et finances). La *noblesse* (jusqu'au XVIe s., hobereaux turbulents) vivait à la cour pontificale, s'y partageant des charges honorifiques largement rétribuées.

■ **Gouvernorat de la cité du Vatican.** Depuis 1929, le gouvernement de l'« État » vaticanais est distingué de celui de l'Église universelle ; avant, le pape ne gouvernait pas un État, mais gérait un patrimoine.

Constitution du 7-6-1929 : le pape gouverne en souverain absolu. Les services administratifs, judiciaires, économiques, sont placés sous l'autorité d'un gouverneur. Depuis le 10-4-1984, le card. secr. d'État a reçu un « mandat spécial pour représenter le pape » dans le gouvernement civil de l'État pontifical. Le V. a sa monnaie, sa police, sa station de radio, son système postal (1er téléphone automatique du monde, 1886), son héliport (pour les relations avec Castel Gandolfo). Le *motu proprio* du 28-3-1968 a institué une commission pour l'État de la Cité du V. (24 m. nommés pour 5 ans. *Pt* : card. Baggio ; le *pro-pt*, Mgr Marcinkus, a démissionné le 30-10-1990).

Pouvoir législatif : assuré, au nom du pape, par la *Commission pontificale pour l'État de la Cité du Vatican* composée de cardinaux, présidé par le secrétaire d'État. **Pouvoir exécutif :** exercé par un délégué spécial, assisté d'un conseil de 24 laïcs romains et 6 étrangers, et d'un secrétaire général. A en charge finances de la Cité (qui a son budget propre, avec des ressources, une trésorerie, une administration financière propres), gestion du personnel, services sanitaires, communications postales et téléphoniques, émission des timbres, monnaies, médailles, entretien des bâtiments, conservation des musées, recherches archéologiques, radio, observatoire... **Pouvoir judiciaire :** exercé au nom du pape par un tribunal de 1re instance, une cour d'appel, une cour de cassation ; ces tribunaux sont indépendants des tribunaux ecclésiastiques fonctionnant au sein de la Curie romaine. **Organisation religieuse :** *vicaire général* (dont la juridiction n'inclut pas la basilique St-Pierre). **Église paroissiale :** Ste-Anne.

Représentation diplomatique du Vatican : *du XIe au XIVe s.* : les papes étaient représentés auprès des rois par des légats (souvent cardinaux) ; *au XVe s.* : par des nonces non permanents ; *à partir du XVIe s.* : par des nonces permanents ; *actuellement* : le St-Siège a 1 représentant dans 126 pays, et auprès de la Communauté européenne. Dans les pays qui lui accordent le titre de doyen du corps diplomatique, il porte le titre de nonce. Quand il n'est pas doyen, il est pro-nonce. Les « *délégués apostoliques* » sont des représentants officiels sans statut de diplomate. Plusieurs nonciatures sont en cours d'institution dans les pays de l'Est.

Régime économique actuel : tout appartient à l'État, biens, meubles compris. Pas d'impôts (directs ou indirects). Commerce nationalisé. Au supermarché (l'*Annone*), les Vaticanais peuvent en principe acheter à des prix hors taxe. Des irrégularités signalées en 1969 donnèrent à penser que le Vatican revendait à Rome des produits importés hors taxe, notamment du beurre.

☞ La Secrétairerie d'État, la Bibliothèque vaticane, les Archives secrètes du Vatican, les services économiques et financiers, quelques commissions, la filmothèque sont les seules services vaticanais demeurant au Vatican. Les autres administrations sont hébergées dans Rome.

■ **Aide financière de l'Église universelle.** Jusqu'en 1870, les revenus des États de l'Église auraient dû suffire à faire vivre l'administration pontificale de Rome, mais, mal gérés, ils rapportaient peu, et les papes (avec leur curie et leur cour) vivaient surtout des impôts prélevés sur les biens ecclésiastiques situés dans les pays catholiques (*annates*). En 1870, le roi d'Italie, qui s'était emparé des territoires pontificaux, proposa à Pie IX de lui verser chaque année 3 250 000 lires (–or) pour compenser la perte des revenus patrimoniaux. Pie IX refusa, et institua progressivement le **Denier de St-Pierre** (créé à Lyon en 1860 par Mgr de Bonald), collecte auprès des catholiques du monde entier. Après 1918, les fonds perçus ainsi devinrent très insuffisants, et Pie XI dut accepter les accords du Latran (1929) (voir p. 504 b). Les sommes reçues alors de l'Italie ont été investies en majorité dans des travaux exécutés au Vatican, pour diminuer la dépendance technique par rapport à l'administration italienne, et sont actuellement insuffisantes. La situation créée au IXe s. s'est donc inversée. Primitivement, le « patrimoine de St-Pierre » devait faire vivre l'Église ; actuellement, l'Église fait vivre l'État du Vatican, héritier de ce patrimoine. Actuellement, quête annuelle le 29-6 jour de la St-Pierre. *Montant* (en millions de F). *1988* : 360 ; *89* : 290.

■ **Budget. Bilan d'ensemble du St-Siège** (services du siège apostolique de Rome s'occupant de 2 159 circonscriptions ecclésiastiques dans le monde, dont 923 dépendant du dicastère pour les maisons). *Déficit* (millions de $). *1985 :* 39,1 ; *86 :* 56,7 ; *87 :* 68, 8 ; *88 :* 45,5 (revenus 74,4, dépenses 117,9). *89 :* 54,9 ; *90 :* 86,2. Les déficits sont couverts par le Denier de St-Pierre (montant *85 :* 28,5 ; *86 :* 32 ; *87 :* 50,3 ; *88 :* 52,9 ; *89 :* 48,4 ; *90 :* 57,8).

Bilan de l'État de la Cité du Vatican (en millions de $ 1988). *Revenus* 83,6, *dépenses* 70,4, *bénéfice* 50 % utilisé pour le St-Siège, et 50 % pour l'État de la Cité du Vatican.

La Congrégation pour l'évangélisation des peuples a un budget propre. *1985 :* 31 millions de $. Elle répartit les fonds recueillis dans le monde entier par les Œuvres pontificales missionnaires, auxquelles l'Allemagne contribue généreusement.

■ **Drapeau.** Ancien drapeau des États de l'Église, créé le 17-9-1825 par le cardinal Gatoffi, camerlingue : 2 bandes verticales, 1 jaune près de la hampe, 1 blanche portant la tiare pontificale en or, avec les rubans rouges et les clefs de St-Pierre (voir encadré p. 506). Le blanc et le jaune étaient, dep. 1808, les couleurs de la cocarde de la gendarmerie pontificale (avant, elle était rouge et jaune, mais Napoléon l'ayant laissée aux anciens gendarmes pontificaux servant dans son armée, Pie VII avait créé une cocarde blanche et jaune pour les troupes qui lui étaient restées fidèles).

■ **Hymne pontifical.** *De 1857 à 1949 : la Musica Festiva,* composée pour un voyage du pape Pie IX à Bologne (août 1857), par un compositeur autrichien peu connu, Hallmayr. *1949 oct. :* à l'occasion de l'année sainte 1950, Pie XII le remplace par *la Marche pontificale,* ayant un caractère plus religieux, composée en 1869 pour l'anniversaire de Pie IX par Charles Gounod (Fr. 1818-93). Jusqu'à Pie VI, une 2e marche officielle, dite « *des trompettes d'argent* », composée en 1846 par un garde noble, le marquis Giovannilonghi, était exécutée pour l'entrée du pape à St-Pierre. L'usage des *trompettes d'argent* remonte au XIVe s. Sous Innocent VIII, le privilège de la sonnerie d'entrée a été accordé aux gardes nobles (dissous en 1970), mais leurs instruments n'étaient pas en argent [3 trompettes de cuivre, 2 cors, 2 trombones, 1 bombardon (fanfare et sonneries supprimées 1970)]. Leur nom venait d'une sorte de jeu de mot : la marche triomphale qu'ils exécutaient était l'œuvre d'un compositeur nommé *Silveri.*

■ **Institut pour les œuvres de religion (IOR). Création :** par Pie XII en 1942, sur les conseils de la mère Pascalina Lehnert (elle voulait implanter, à Rome, une banque aux mains de l'Égl., comparable à celle de Mgr Spellman, à New York, l'Archidiocesan Reciprocal Loan Fund, devenue l'une des plus importantes des USA). **Dir. :** 1971 Mgr Paul Marcinkus. *1989* Mgr Donato De Bonis. **Conseil de surveillance :** 5 experts nommés par le pape (Pt en 1989, Angelo Caloia), contrôlé par une commission de cardinaux. **Activités :** succède à la Commission *ad pias causas* (1887), puis à la Commission pour les œuvres de religion dite « Banque vaticane ». Détenant 15 % du capital de la Banca Unione (devenue Banca Privata Italiana), elle a perdu, en 1974, 250 millions de F dans *l'« affaire Sindona »* (Michele Sindona, banquier sicilien, homme de confiance du Vatican, s'est suicidé en 1986). En 1984, 2e faillite bancaire : Roberto Calvi [directeur de Banco Ambrosiano de Milan s'enfuit à Londres et on le retrouve pendu sous un pont de la Tamise le 13-6 (il gérait des investissements de l'IOR qui a remboursé 241 millions de $ aux créanciers)]. Le 26-2-1987, le juge d'instruction milanais enquêtant sur la faillite Calvi a cité à comparaître Mgr Marcinkus. Le St-Siège contestant cette citation, les tribunaux suprêmes italiens l'ont annulée, Mgr Marcinkus agissant pour le compte d'un organisme du St-Siège, domicilié dans l'État du Vatican (art. 10 du traité du Latran du 11-2-1929).

■ **Monnaie.** Valeur exprimée en lires. Parité avec la lire italienne.

■ **Patrimoine immobilier. Total :** 6 km², le St-Siège est propriétaire de tous les immeubles. **Jouissent du privilège d'extraterritorialité :** DANS ROME (2,33 km²) : basiliques *St-Jean-du-Latran, Ste-Marie-Majeure* (appelée aussi bas. libérienne, car construite par le pape Libère 352-61) et *St-Paul-Hors-les-Murs* (construite 326-90, incendiée 1823, rebâtie 1854), palais de la *Daterie,* de la *Chancellerie,* de la *Propagation de la Foi* [dep. 1957, Congrégation pour l'Évangélisation des Peuples, place d'Espagne (palais du XVIIe s.)] ; éd. de *St-Calixte-du-Transtévère,* de la *Congr. pour l'Église orientale,* de la *Congr. pour la doctrine de la Foi,* de l'ancien *vicariat* de Rome, à la via della Pigna, et du *collège de la Propagande,* sur le Janicule. HORS DE ROME : villa pontificale de *Castel Gandolfo* (0,55 km²), résidence d'été des papes (à 25 km de Rome), sanctuaires d'*Assise* (St François), *Padoue* (St Antoine), *Lorette, Pompéi,* terrain de **Santa Maria di Galeria** (3 km²) pour Radio Vatican (2 000 kw) acquis 1951. EN PARTIE SUR ROME, EN PARTIE HORS : *Catacombes.* **Immeubles qui, sans être extraterritorialisés, sont exempts d'expropriations et d'impôts :** Université grégorienne, Institut biblique, palais des 12 Apôtres et palais annexes aux églises San Andrea della Valle et San Carlo ai Catinari, Instituts archéologique et oriental, Collèges lombard et russe, palais de St-Apollinaire, et maison d'exercices pour le clergé Sts-Jean-et-Paul.

☞ On attribue par erreur au Vatican la propriété de biens immeubles appartenant à des instituts religieux (indépendants financièrement). Ces biens atteignent en Italie 250 000 ha (dont 3 000 à Rome).

■ **Patrimoine mobilier. Actions :** dans diverses sociétés italiennes et étrangères. *Origine :* capital versé par l'It. en 1929 et placé. **Musées** (collections parmi les plus riches du monde [le traité du Latran (art. 18) en a confié la garde au St-Siège sous réserve que l'on puisse les visiter]) : m. *Grégorien* profane, m. *Pio Cristiano,* m. *Égyptien,* m. *Étrusque,* m. *Pio Clementino* [antiquités grecques et romaines (parmi les plus célèbres : le torse du Belvédère, le groupe de Laocoon, l'Apollon du Belvédère, l'Athlète)], m. *Chiaramonti,* salle de la Bigue (char antique à timon), galerie des Candélabres, m. *Sacré et Profane, Pinacothèque,* m. *Ethnologique,* m. *Historique,* m. *Sacré contemporain,* m. *Paul-VI* (collections, antérieurement au Latran). **Bibliothèque :** 2 millions de volumes.

■ **Personnel.** *Employés :* du St-Siège et de la Cité du Vatican : 3 476 personnes (dont Vatican 1 195), pour la plupart prêtres et religieuses, retraités 1 454 [dont Vatican 529, St-Siège 925 (un cardinal touchait en 1984 env. 10 000 F par mois plus des indemnités s'il n'était pas logé, un fonctionnaire touchait de 4 000 à 9 000 F). La grève est pratiquement interdite. Un office du travail est chargé de régler les conflits.

■ **Famille pontificale.** Dep. la réforme de Paul VI en 1968, moyen d'honorer des personnalités. Comprend la *famille ecclésiastique* (titulaires de fonction, auprès du St-Siège, ecclésiastiques portant les titres de protonotaires apostoliques, prélats d'honneur de Sa Sainteté, chapelains de Sa Sainteté) et la *famille laïque* (personnes exerçant des fonctions auprès du St-Siège ou de la cité du Vatican ou gentilshommes de Sa Sainteté, titres non héréditaires accordés par exemple aux camériers de cape et d'épée).

Garde noble. *Fondée* 1801. *Supprimée* 1970. Comprenait environ 75 membres it. devant justifier de plus d'un siècle de noblesse.

Garde palatine. *Fondée* 1850. *Supprimée* 1970. Comprenait 500 volontaires en 2 bataillons.

Garde suisse. *Fondée* 1480 par Sixte IV, constituée officiellement en 1506. *Effectifs :* 100 hommes, 3 officiers, 1 sergent-major, 3 sergents, 8 caporaux, 6 appointés, 51 hallebardiers (sous Jules II, 200 h. ; sous Pie XI, 131) recrutés en Suisse parmi les catholiques ; *âge :* moins de 25 ans ; *taille :* en principe, plus de 1,74 m. *Tenue de cérémonie :* dessinée par Michel-Ange, elle avait évolué ; redessinée en 1915 par le colonel Jules Repond (1853-1933). *Armement :* le 2-2-1944, les gardes suisses et 3 autres corps (gendarmes, gardes, nobles, gardes palatins) avaient été équipés de mitraillettes, en prévision d'un coup de force nazi contre le Vatican. *Engagement :* 2 ans min.

Service d'ordre civil. Remplace l'ancienne *gendarmerie pontificale* supprimée par Paul VI le 15-9-1970 [créée 1816, comprenait 113 gendarmes et 37 sous-off. commandés par un colonel, son état-major faisait partie de la famille pontificale, uniforme de grenadiers de l'Empire]. Env. 100 membres. Chargé, avec la Garde suisse, de surveiller entrées dans la Cité, jardins et palais. La police de la place St-Pierre est assurée par la *pol. d'État ital.* (ainsi, Mehmet Ağça, qui a tiré sur le pape place St-Pierre, le 13-5-1981, a été arrêté par la police it. et jugé par un tribunal it.).

■ **Presse.** *L'Osservatore Romano,* créé 1-7-1861 par Pie IX, interrompu du 20-9 au 16-10-1870 (prise de Rome par Piémontais), quotidien en italien (3 500 000 ex.). Édition hebdo. en fr. (dep. 1949, 10 000 ab.), angl. (1968, 9 500 ab.), esp. (1969, 20 000 ab.), port. (1970), all. (1971, 20 000 ab.) et pol. (mensuelle dep. 1980, 80 000 ex.) et it.

■ **Radio Vatican.** Fondée par Marconi (inventeur de la TSF) en 1929. *Inaugurée* 12-2-1931 par Pie XI avec Marani, devenue 1984 Radio-télévision (studios sur 3 étages, via delle Conciliazzione) ; *emploie :* 430 salariés (53 nationalités) dont 225 journalistes, 150 techniciens, plus de 70 prêtres (30 Jésuites) ; *coût :* 10 à 50 millions de $ par an, pas de ressources publicitaires. *Émissions de Santa Maria di Galeria* (à 18 km de Rome) en 34 langues.

■ **Télévision.** *Centre de télévision vaticane* créé 24-10-1983. Produit des programmes par câble ou cassettes vidéo sur les activités du Saint-Père et les actualités du Vatican.

■ **Timbres.** Pour le courrier expédié du Vatican. Recherchés par les collectionneurs.

PAPES

■ **Actes du pape. Bulle :** nom tiré de la capsule du sceau d'identification donné à certains documents solennels du pape (constitution apostolique, lettre décrétale) pour conférer les offices majeurs de l'Église, définir une vérité dogmatique, promulguer les canonisations des saints. Tire son nom du sceau en plomb qui l'authentifie. Écrite en latin. On la distingue généralement par les 2 premiers mots latins du texte. **Bref apostolique :** lettre de moindre importance scellée de l'anneau du pêcheur. **Chirographes :** textes très courts écrits de la main du Pape. Peuvent être employés pour une lettre à un chef d'État ou à un prélat, pour une nomination au poste de secrétaire d'État ou un agencement de structures. **Constitution apostolique :** décisions les plus importantes concernant la foi, les mœurs, l'administration de l'Église. Souvent sous forme de bulles. **Épîtres :** en général, sans portée juridique mais indiquent au plus une orientation politique ou doctrinale, ou bien soulignent une préoccupation ou une satisfaction du Souverain Pontife. Se présentent sous 3 intitulés ; *1°) encycliques :* sujets divers, adressées surtout aux évêques en certaines circonstances ; *2°) apostoliques :* comparables aux encycliques à la seule différence de l'intitulé ; *3°) sans qualification :* écrites pour des événements précis mais moins importants. **Exhortation apostolique :** proche de l'encyclique, mais plus pressante. **Lettre décrétable** (ex. : pour proclamer une canonisation), **encyclique** (voir p. 506), **apostolique** (adressée à un responsable pour développer un point précis, *donné en forme de motu proprio* [acte législatif pris et promulgué par le pape de son propre mouvement (et non pour répondre à une sollicitation) : l'équivalent d'un décret]. **Indult** (du latin *indulgere,* permettre) : acte administratif d'une autorité ecclésiastique par lequel elle accorde un privilège ou une dérogation. L'indult apostolique émane du St-Siège (ex. pour autoriser un religieux ou une religieuse ayant fait profession de vœux perpétuels à quitter la vie religieuse). **Rescrit :** acte administratif donné par écrit, par une autorité ecclésiastique (pape, Congrégation romaine, évêque, vicaire général ou épiscopal) dans le domaine de sa compétence juridique propre sous forme de réponse à une demande effectuée par une personne physique ou juridique (personne morale de droit canonique). Cet acte accorde privilège ou dispense. Il faut, par ex., un rescrit du Siège apostolique pour autoriser un prêtre à quitter l'état clérical.

☞ **Écriture. 1878-*29-12*** Léon XIII a remplacé l'écriture gothique par l'écr. moderne [dite « bollatica » ; avait été adoptée sous Clément VIII (1592-1605) et se présentait sous la forme de pleins et de déliés sans ponctuation, ni séparation entre les mots souvent abrégés ; généralement était jointe une copie en clair dite « transsumptum »]. **1908-*29-6*** Pie X substitua à l'énoncé romain des dates en calendes, nones et ides, celui de l'année civile qui débuta non plus le 25-3 (j de l'Annonciation de l'Incarnation du Sauveur) mais le 1-1. **1915-*10-8*** computation moderne réalisée avec la bulle « Incruentum ».

■ **Appellation. Titre : pape** (en grec *pappas :* « révérend père ») était donné à tous les évêques jusqu'au IXe s. Il est réservé à l'évêque de Rome dep. Jean VIII (872-82). **Périphrases désignant :** *la fonction :* Chaire de St-Pierre ; la Première des Églises ; Siège apostolique (suprême) ; chaire apostolique, tête de toutes les Églises ; *en dignité apostolique* : siège romain ; *la personne :* Évêque de la Sainte Égl. catholique ; Très Saint Patriarche ; Bienheureux Patriarche ; Patriarche universel ; Tête de l'Égl. universelle ; Très Saint Père ; Saint Père ; Bienheureux Père ; Père des Pères *(pater patrum) ;* Pontife suprême ; Souverain Prêtre (*Summus Saderdos,* titre porté par le grand prêtre du Temple de Jérusalem) ; Premier des prêtres ; Souverain pontife *(Summus Pontifex) ;* Vicaire de Dieu, Vicaire du Christ ; Successeur de Pierre ; Pontife suprême (*Pontifex maximus,* titre porté par le plus haut personnage de la religion romaine) ; Pape et Seigneur *(Dominus Pappa) ;* Vicaire apostolique ; évêque du siège apostolique ; Pape de l'Église universelle ; Évêque de l'Église catholique ; Pontife romain ; évêque de Rome (ou archev. de Rome ou patriarche de Rome). **Usages :** aucune de ces formules n'est officielle, bien que des actes officiels utilisent pour le pape *Pontifex maximus* (Souverain Pontife), et pour la fonction *Sedes apostolica* (Siège apostolique). L'expression « Saint-Siège » n'est pas utilisée par la Curie. Dans ses bulles, le pape s'intitule « Serviteur des Serviteurs de Dieu », et « pape ». On s'adresse à lui en lui disant « Très Saint Père ». A la troisième personne, on a utilisé jusqu'au XIIe s. l'expression « Votre Béatitude » (comme à tous les évêques, réservée actuellement aux patriarches). Depuis le XIIe s., on dit « Votre Sainteté ». *Titres attribués par l'Annuaire pontifical :* « Évêque de Rome, Vicaire de Jésus-Christ (imprimé en gros caractères), Successeur du Prince des Apôtres, Souverain Pontife de l'Église universelle, Patriarche d'Occident, Primat d'Italie, Archevêque et Métropolitain de la Province romaine, Souverain de l'État de la Cité du Vatican, Serviteur des Serviteurs de dieu » [appellation dont l'usage remonte à St Grégoire le Grand (VIe s.) ; formule de chancellerie ; introduite par Paul VI pour indiquer que, dans l'Église, l'autorité est ordonnée au service de la communauté (disparition du titre, la Sainteté de Notre Seigneur, par lequel la Curie désignait le Pape dans l'Annuaire jusqu'à Paul VI) ; depuis Jean-Paul Ier, est apparue officiellement l'appellation de « Pasteur suprême » reprise par Jean-Paul II qui s'est aussi présenté comme « le Pasteur de l'humanité entière » ; dans la chronologie des papes de l'Annuaire, son nom est suivi de la mention « Pasteur universel de l'Église »].

■ **Décès. Age.** *Les + âgés à leur mort :* Agathon (pape de 678 à 681) aurait, selon certains, été centenaire. Léon XIII (93 ans 140 j), après avoir régné 25 ans. Clément XII (89), Clément X et Pie IX (86), Innocent XII (85), Pie VI (82). **Circonstances.** *Mort violente :* 44 (17 %), dont martyrs attestés 22, présumés 9 (+ 6 honorés à cause de leurs souffrances), assassinés 6 [Jean VIII (882), Théodore II (897), Jean X (928), Jean XII battu à mort par un mari jaloux, Benoît VI (974), Jean XIV (984), Grégoire V (999)] ; tué par la chute d'un plafond : Jean XXI (1277). *Mort naturelle :* 214 (83 %).

Ancien rite funèbre. De la mort de Paul IV (1559) à celle de Léon XIII (1903), on embauma les papes défunts après avoir prélevé leur cœur [que l'on déposait dans une urne scellée dans le chœur de l'église Saints-Vincent-et-Anastase]. Ce prélèvement a été supprimé à partir de 1903, mais l'embaumement est toujours pratiqué, car la dépouille mortelle des papes (avec mitre, chasuble rouge et pallium) reste exposée plusieurs jours sur un catafalque.

■ **Démission** (le pape, n'ayant pas de supérieur hiérarchique, peut démissionner comme il l'entend). Papes ayant démissionné *Benoît IX* au XIe s., réélu 1045 et 1047. *Grégoire VI* (successeur de Benoît IX, 1-5-1045), obligé par l'emp. Henri III de démissionner 20-12-1046, pour céder la place à *Clément II* (mort l'année suivante, et remplacé par *Benoît IX,* pape pour la 3e fois). *Célestin V* [Pierre de Morrone (1215-96), élu 5-7-1294] : bénédictin, vivant en ermite, il se révéla incapable, se laissant duper, notamment par le roi de Naples, Charles II. Sur les conseils de nombreux cardinaux (qui regrettaient leur choix), il démissionna le 12-12-1294. Enfermé par Boniface VIII dans une forteresse, il y mourut le 12-5-1296 et fut canonisé en 1313. Dans la *Divine Comédie* de Dante (v. 1310), il est placé en Enfer. *Grégoire XII* (élu 1406), déposé à Pise en 1409, démissionna le 4-7-1415 à Constance ; *Jean XXIII,* élu 1410, démissionna le 29-5-1419. Rayé de la liste officielle des papes, il est pourtant considéré comme pape authentique par beaucoup, sinon le concile de Constance, qu'il avait convoqué, n'aurait pas été considéré comme œcuménique.

Lors de ses 80 ans (26-9-77), *Paul VI* avait voulu démissionner, se sentant surmené. Les cardinaux l'en dissuadèrent.

■ **Déplacements des papes.** *Paul VI* fut le 1er pape, depuis 1814, à sortir d'Italie. Les 2 derniers avaient été *Pie VI* (1775-99), [il alla à Vienne en 1782. Le 27-3-1799, les Français l'enlèvent de la Chartreuse de Florence (où il s'était réfugié après avoir été chassé de Rome par les Français et la révolution romaine), le conduisent à Valence où il mourra d'épuisement le 29-8-1799.] et *Pie VII* (1800-23) [en France pour le sacre de Napoléon, exilé 1809 à Grenoble, 1812 à Fontainebleau.]. *Jean-Paul II* (au 11-1-1992 : 97 pays visités) : *1979 :* Mexique, Rép. dom., Baha-

Encycliques

■ **Définition.** Lettres envoyées par le pape aux évêques et destinées à l'ensemble du peuple chrétien (dep. Jean XXIII, s'adressent même aux non-chrétiens). Désignées par leurs 2 ou 3 premiers mots. La 1re lettre est de Benoît XIV (1740), mais l'usage n'est devenu fréquent qu'à partir de Grégoire XVI. **Nombre :** env. 100 dont 34 de Pie XII et 29 de Pie XI.

Principales questions traitées. *Doctrinales* (précisent la doctrine de l'Église, condamnant notamment certaines erreurs). *Exhortatives* (les plus nombreuses : demandent des prières publiques ou recommandent certaines dévotions, comme le rosaire). *Commémoratives* (par ex., *Fulgens Radiatur* de Pie XII, 21-3-1947, sur St Benoît).

■ **Principales encycliques depuis 1800. Pie VII.** *Diu satis* Unité de l'Église menacée (1800).

Grégoire XVI. *Mirari vos* Contre l'indifférentisme (1832).

Pie IX. *Nostris et nobiscum* Contre le socialisme et le communisme (1849). *Jamdudum cernimus* Contre les doctrines politiques modernes (1861). *Quanto conficiamur* Pouvoir temporel (1863). *Quanta cura* Contenant en annexe le syllabus (« recueil ») énumérant les théories modernes condamnées (8-12-1864). *Quod nunquam* Contre le Kulturkampf allemand (1875).

Léon XIII. *Aeterni Patris* Condamne la critique rationaliste des savants (1879). *Immortale Dei* Démocratie et l'autorité de l'Église. *Libertas* Légitimité de la liberté personnelle (1888). *Rerum novarum* Condition des ouvriers (1891). *Providentissimus Deus* Enseign. de la Bible et rapprochement des Égl. (1893). *Satis cognitum* Rapprochement des Égl. (1896).

Pie X. *Gravissimo officii* Contre la séparation de l'Église et de l'État en France (1906). *Pascendi dominici gregis* Contre les modernistes (1907).

Benoît XV. *Ad beatissimi* Paix (1914). *Spiritus Paraclitus* Bible (1920).

Pie XI. *Maximum gravissimumque* Associations diocésaines (1924). *Divini illius magistri* Éducation chrétienne (1929). *Casti connubii* Mariage chrétien (1930). *Quadragesimo anno* Doctrine sociale de l'Église (1931). *Mit brennender Sorge (« Dans ma poignante inquiétude »)* Nazisme (1937). *Divini Redemptoris* Communisme athée (1937). *Non abbiamo bisogno* Contre le fascisme (1937).

Pie XII. *Summi Pontificatus* Contre les principes totalitaires. *Mystici Corporis* Église, « corps mystique » du Christ (1943). *Summi maeroris* Contre la guerre (1950). *Humani generis* Contre certaines thèses anthropologiques (1950). *Evangelii praecones* Missions (1951). *Sempiternus Rex* Commémore le Conc. de Chalcédoine (1951). *Ingruentium malorum* Recommandant la récitation du rosaire (1951). *Fulgens corona* Annonce l'année mariale (1954).

Jean XXIII. *Ad Petri Cathedram* Inaugurant le pontificat (1959). *Sacerdotii nostri primordia* Curé d'Ars (1959). *Grata Recordatio* Rosaire (1959). *Princeps pastorum* Missions (1959). *Inde a Primis* Précieux Sang (1960). *Aeterna Dei sapientia* Pape St Léon le Grand (1961). *Mater et Magistra* Problèmes sociaux [la plus longue, 25 000 mots (1961)]. *Paenitentiam facere* Préparation du Concile (1962). *Pacem in terris* Paix (1963).

Paul VI. *Ecclesiam suam* Église (1964). *Mense Maio* Vierge (1965). *Mysterium fidei* Eucharistie (1965). *Populorum progressio* Développement des pays (1967). *Sacerdotalis celibatus* Célibat des prêtres (1967). *Humanae vitae* Régulation des naissances (1968).

Jean-Paul II. *Redemptor hominis* Dignité de L'Homme (4-3-1979). *Dives in misericordia* Miséricorde de Dieu (30-11-1980). *Laborem exercens* Travailleurs et syndicalisme (14-9-1981). *Slavorum Apostoli* Évangélisation des Slaves par St Cyrille et St Méthode (2-6-1985). *Dominum et vivificantem* Saint-Esprit (18-5-1986). *Redemptoris Mater* Ste Vierge à l'occasion de l'année mariale (25-3-1987). *Sollicitudo rei socialis* Questions sociales (30-12-1987). *Redemptoris missio* Valeur permanente du précepte missionnaire (22-1-1991). *Centesimus annus* A l'occasion du centenaire de l'enc. *Rerum novarum,* problèmes actuels du travail et de la société (1-5-1991).

Nota. – La Constitution du concile Vatican II, le 7-12-1965, *Gaudium et Spes* (« Joie et espérance », connue sous son second titre, « l'Église dans le monde contemporain »), constitue aujourd'hui le texte de référence pour la politique sociale de l'Église.

Insignes de la papauté

Anneau du pêcheur. Représente St Pierre dans sa barque tirant un filet. A la mort de chaque pape, l'anneau est brisé publiquement, avec un marteau et une enclume en or, par le cardinal camerlingue. Porté à la main droite, à l'origine était le sceau du pape. D'abord utilisé pour sceller la correspondance privée du Pape, puis réservé aux brefs apostoliques à partir de Calixte III (1455-58).

Camauro. Ancienne coiffure des papes (bonnet en velours ou satin), remise en usage par Jean XXIII, mais abandonnée par Paul VI.

Clefs de saint Pierre. 1 d'or et 1 d'argent. Figurent sur les armes propres de l'Égl. romaine, le blason et le sceau de l'État pontifical et le drapeau du Vatican ; symbolisent le pouvoir spirituel (or) et le p. temporel (argent) des papes [et non les 2 pouvoirs de « lier » et de « délier » (c.-à-d. de « tout faire ») accordés à St Pierre]. Sur les armes d'Avignon figure une 3e clef, symbolisant le pouvoir du cardinal-légat.

Flabellum. Chasse-mouches à long manche, en plumes d'autruche, que l'on portait près du pape pendant les processions solennelles. Supprimé par Paul VI.

Sedia gestatoria. Fauteuil monté sur un brancard à 4 bras, porté par 16 officiers (les palefreniers). Utilisé par les papes au cours des cérémonies solennelles à St-Pierre. Remonte à la « chaise curule » des consuls de Rome (on conserve un fauteuil en bois recouvert de nacre qui servit, dit-on, à St Pierre). En 1978, Jean-Paul Ier y renonça par humilité : il se rendit à la cérémonie du couronnement à pied, entouré du Sacré Collège. La foule a protesté car elle ne distinguait plus le pape : Jean-Paul Ier est donc monté sur la sedia gestatoria à l'audience publique du 13-9-1978. Sur la place St-Pierre, Jean-Paul II utilise une voiture découverte, la *papamobile.*

Soutane blanche. Devenue de règle à partir de saint Pie V (1566-1572) : dominicain, il avait gardé la soutane blanche de son ordre (auparavant les papes portaient la soutane rouge des cardinaux).

Tiare pontificale. Coiffure traditionnelle des papes, elle n'est pas un insigne liturgique (la seule coiffure liturgique des papes est la mitre). Dérive du bonnet phrygien *(frigium* ou *camelaucum),* porté par les rois de l'Orient antique. En 1130, on lui adjoignit une couronne, symbole de la souveraineté sur les États de l'Église. Boniface VIII (v. 1300) ajouta une 2e couronne, pour symboliser son autorité spirituelle sur les âmes, et Benoît XII (v. 1340) une 3e pour symboliser son autorité morale sur les rois. Devenue l'emblème du St-Siège, la tiare est remise au pape lors de son couronnement, avec cette formule : « Sachez que vous êtes le père, le prince et le roi. »

Paul VI n'a porté qu'une fois la tiare (le j de son couronnement) ; il en possédait 4 (en métal précieux), et il en a vendu une (à un musée new-yorkais) pour faire un don en argent aux pauvres. Jean-Paul Ier et Jean-Paul II ont refusé de porter la tiare, même le jour de leur intronisation, par souci de ne pas se présenter comme des monarques absolus.

☞ Une tiare à 3 couronnes a été portée au XVe s. par l'archev. de Bénévent, et à partir de 1716, par le patriarche de Lisbonne (de nos jours, il n'en a plus, même dans ses armoiries) en raison de l'immense espace qu'il avait sous sa juridiction patriarcale. Sa cour était organisée avec un Chapitre divisé, comme le Sacré Collège, en 3 ordres, et des chanoines mitrés portant les vêtements rouges avec la « cappa magna ». Des mitres épiscopales, surmontées de couronnes comtales, ressemblant à des tiares, ont parfois été portées par des évêques-comtes, notamment par les év. de Mende, Ctes de Gévaudan (XIVe-XVIe s.)

Légende de la papesse Jeanne

Une femme déguisée en homme depuis son enfance, et entrée dans les ordres sous le nom de Johannes Anglicus (Jean Langlois) de Mayence, aurait été élue pape en 855, après Léon IV. Son sexe aurait été reconnu après 2 ans, 7 mois et 4 j, alors qu'elle accouchait en public, ou pendant qu'elle était sur une chaise percée. Condamnée à mort, traînée par un cheval, elle serait morte à 2 km de Rome, et enterrée sur place.

La légende est née d'une inscription sur une statue de Junon allaitant Hercule : PPPPPP [pour : *Papirius Patri Patrum Propria Pecunia Posuit :* « Papirius l'a érigée de ses propres deniers pour le Père des Pères » (c.-à-d. pour le grand prêtre de Mithra)] ; Jean de Mailly, v. 1250, avait adopté une autre interprétation : *Papa, Pater Patrum, Partu Papissa Proditus :* « Le Pape, Père des Pères, révélé comme papesse par son accouchement. » La légende fut répandue par Boccace, v. 1350. Des personnalités célèbres y ont cru, notamment Jan Hus, Guillaume d'Occam, Gerson. En 1561, le protestant Théodore de Bèze fit de l'existence de la papesse un argument contre la légitimité de la papauté romaine. La polémique dura jusqu'en 1685 [*Préjugés légitimes contre le papisme,* par le pasteur Jurieu (1637-1713)].

mas, USA, Turquie [1], Pologne, Irlande ; *1980 :* Afrique, France, Brésil, Allemagne ; *1981 :* Pakistan, Philippines, Japon [1], Alaska ; *1982 :* Afrique, Portugal [1], G.-B., Argentine, Genève, Saint-Marin, Espagne ; *1983 :* Portugal, Amér. centrale, Lombardie, Pologne, Lourdes, Autriche ; *1984 :* USA, Corée, Papouasie, Salomon, Thaïlande, Suisse, Canada, Espagne, St-Domingue, Porto Rico, ; *1985 :* Venezuela, Équateur, Pérou, Trinité, P.-Bas, Luxembourg, Suisse, Belgique, Afr. noire, Maroc, Liechtenstein ; *1986 :* Inde, Colombie, Sardaigne, France, Asie et Océanie [1] ; *1987 :* Amér. du S., Allem., Pologne, USA ; *1988 :* Canada, Uruguay, Bolivie, Pérou, Paraguay, Autriche, Zimbabwe, Botswana (*14-9*, escale de l'avion à Johannesburg due au mauvais temps, et parcours en voiture jusqu'à Maseru au Lesotho), Lesotho, Swaziland, Mozambique, France (Strasbourg : Institutions européennes le *8-10*) ; *1989 :* Madagascar, Réunion, Zambie, Malawi, Islande, Finlande, Danemark, Suède, Norvège. Espagne (St Jacques de Compostelle), Corée, Indonésie, Dili, Ile Maurice ; *1990 :* Cap-Vert, Guinée-Bissau, Mali, Burkina-Faso, Tchad ; *Avril :* Tchécoslovaquie ; *Mai :* Mexique, Malte ; *Sept. :* Burundi, C.-d'Ivoire (inauguration de la basilique de Yamoussoukro), Ruanda, Tanzanie ; *1991 : Mai :* Portugal, Açores, Madère ; *Juin :* Pologne ; *Août :* Pologne, Hongrie ; *Oct. :* Brésil ; *1992 : Févr :* Sénégal, Gambie, Guinée ; *Juin :* Angola ; *Sept. :* St-Domingue ; *1993 : Févr. :* Bénin, Ouganda, Soudan.

Nota. – (1) Tentative d'assassinat 13-5-1981.

■ **Déposition.** Un pape peut être déposé pour hérésie, par un concile général de l'Église, mais le cas ne s'est jamais produit. Les p. déposés ont été considérés ensuite comme des « antipapes », (c.-à-d. non régulièrement intronisés).

■ **Élection. Conditions pour être élu :** en principe, tout baptisé de sexe masculin, même marié, pouvait être élu. En fait, jusqu'en 1378, ce fut le plus souvent un prêtre du clergé de Rome, ou un évêque de la province de Rome. *Exceptions : 996* Grégoire V (clerc attaché à la cour de l'emp. Otton) ; *996* Sylvestre II (Gerbert, abbé de Bobbio) ; *1046* Clément II (év. de Bamberg) ; *1048* Damase II (év. de Brixen) ; *1049* St Léon IX (év. de Toul). *1055* Victor II (év. d'Eichstaedt) ; *1058* Nicolas II (év. de Florence), *1091* Alexandre II (év. de Lucques) ; *1119* Calixte II (arch. de Vienne), *1261* Urbain IV (patriarche de Jérusalem) ; Bienheureux Grégoire X (archidiacre de Liège) ; *1294* Célestin V (religieux) ; *1305* Clément V, pape d'Avignon (arch. de Bordeaux) ; *1362* Urbain V (abbé de St-Victor de Marseille) ; *1378* Urbain VI [(év. de Bari) ; son élection déclenche le grand schisme d'Occident et occasionne la loi exigeant que, pour être élu, un pape doit être cardinal].

Age. Élus les plus jeunes : Benoît IX (1032) : 12 ans ; Jean XII (955) : 18 ; Grégoire V (996) : 23 ; Innocent III (1179) : 37. **Les plus âgés :** Agathon (678) : 103 ans (douteux). Honorius III (1216) : 90 ; Célestin III (1191) : 86 ; Grégoire IX (1227) : 82 ou 84 ; Calixte III (1455) : 77. **Age d'élection dep. le milieu du XIXe s. :** Pie IX : 54 ; Léon XIII : 68 ; Pie X : 68 ; Benoît XV : 59 ans 11 mois ; Pie XI : 65 ; Pie XII : 64 ; Jean XXIII : 76 ; Paul VI : 66 ; Jean-Paul Ier : 66 ; Jean-Paul II : 58.

Élus sans être prêtres : *Laïc :* Jean XIX (1024) ; clerc : Grégoire V (996) ; *diacres :* Pie III (1503), Léon X (1513). **Élus, mais non devenus papes :** 1°) *ayant renoncé volontairement :* Hugues Roger, card. de Tulle (1362 ; remplacé par Urbain V) ; 2°) *frappés d'une exclusive :* card. Paolucci (1721 ; par l'Autriche) ; Imperiali (1724, 1730 ; par l'Autr. et par l'Esp.) ; Cavalchini (1758 ; par la France) ; Severini (1823 ; non révélé) ; Giustiniani (1830 ; non révélé) ; Rampolla [1903 ; véto de l'Empereur d'Autr. (sans doute à cause de son attitude lors de l'affaire de Mayerling), présenté lorsque le cardinal eut fait le plein de ses voix sans parvenir à la majorité requise. Il n'empêcha donc pas en fait son élection, remplacé par Pie X qui abolit le droit d'exclusive].

■ **Mode d'élection. Origine :** évêque de Rome, le pape fut jusqu'au XIe s. élu par les fidèles du diocèse, puis par les autres évêques de la province romaine. Actuellement, il est élu par le collège des cardinaux réunis en conclave. A partir du 1-I-1971, les cardinaux âgés de 80 ans et plus ont été privés du droit d'élire le pape *(motu proprio : In gravescentem aetatem).* **Conclave :** en 1274, pour éviter des élections interminables (la sienne avait duré 2 ans 9 mois, et les habitants de Viterbe, exacerbés, avaient fini par murer le palais dans lequel délibéraient les cardinaux jusqu'à ce que l'élection fut acquise), Grégoire X décida « la réclusion dans un local fermé ». Ainsi naquirent les *conclaves* [du latin *conclave* (chambre fermée à clef)]. Le *conclave* n'est pas tenu d'élire un de ses membres (même si cela ne s'est pas produit depuis le Moyen Age). L'élu n'est pas désigné comme représentant des divers pays catholiques ou des évêques, mais comme évêque de Rome, et à ce titre jouit de la primauté.

Campagne électorale : en principe, la *brigue* est interdite, et une élection serait annulée si l'on prouvait qu'un cardinal avait été élu contre des promesses engageant son futur pontificat. Néanmoins, on cite des cas fréquents de marchandages. Ainsi en 1721, Innocent XIII fut élu, grâce à l'appui des card. et diplomates français, après avoir promis le cardinalat à l'abbé Dubois, ministre des Affaires étrangères. En 1769, Clément XIV dut s'engager, pour être élu, à supprimer l'ordre des Jésuites. En 1939, Pie XII fut élu grâce à sa promesse de prendre comme secrétaire d'État son principal compétiteur, le card. Maglione. En oct. 1975, Paul VI a interdit, sous peine d'excommunication, toute concertation pour l'élection d'un pape, du vivant de son prédécesseur.

Date du conclave : fixée par le card. camerlingue. Pie XI avait permis de retarder le conclave jusqu'à 18 j après la mort du pape, pour permettre aux cardinaux américains d'arriver à temps. Depuis les voyages en avion, ce délai est plus court (le 1er membre d'un conclave arrivé par avion a été le cardinal Cerejeira, arch. de Lisbonne, en 1939).

Durée des conclaves depuis 1800 : *1775 :* 104 j (Pie VI). *1769 :* 106 j (Clément XIV). *1799-1800* à Venise : 3 mois 1/2 (Pie VII). *1823* à Rome : 26 j (Léon XII). *1829 :* 62 j (Pie VIII). *1831 :* 54 j (Grégoire XVI). *1846 :* 2 j (Pie IX). *1878 :* 1 j 1/2 (Léon XIII). *1903 :* 4 j (Pie X). *1914 :* 3 j (Benoît XV). *1922 :* 4 j (Pie XI). *1939 :* 1 j (Pie XII). *1958 :* 3 j (Jean XXIII). *1963 :* 3 j (Paul VI). *1978 :* 1 j (Jean-Paul Ier) ; 2 j (Jean-Paul II).

Scrutin. Théoriquement, les cardinaux peuvent élire le pape par : 1°) *acclamation* s'ils se sont mis d'accord à l'unanimité sur le choix de l'élu ; 2°) (procédé normal) : *scrutin* au 2/3 des suffrages exprimés plus 1 (voix supplémentaire exigée depuis 1946, par Pie XII) ; 3°) (en cas de blocage du conclave) : *compromis* lorsque l'ensemble des card. chargent du vote au moins 3 et au plus 7 d'entre eux (système adopté 2 fois au XIVe s. et 1 fois en 1410, pour élire l'antipape Jean XXIII).

Il y a en principe 4 scrutins par j : 2 le matin et 2 le soir. A l'issue de chaque séance de vote, les bulletins, anonymes, sont transpercés à l'endroit où se trouve le mot *eligo* et réunis par un cordon de soie ; le tout est jeté au feu. Originairement, on les brûlait dans la chapelle Sixtine, mais on remarqua que les fumées détérioraient les fresques de Michel-Ange, aussi les brûle-t-on, dep. le XIXe s., dans un poêle, dont la cheminée extérieure est visible de la place St-Pierre. Un vote positif donne une fumée blanche, négatif une fumée noire. Jusqu'à l'élection de Paul VI (1963), la fumée noire était produite par de la mousse humide mêlée aux papiers, la fumée blanche par les papiers seuls. Mais le procédé était rudimentaire, et souvent la fumée sortait grise dans les 2 cas. Dep. sept. 1978 (él. de Jean-Paul Ier), on ajoute aux bulletins un produit chimique fumigène, noir ou blanc.

■ **Mariages. Papes mariés :** les 37 premiers auraient pu se marier. On sait qu'Hormidas (514-23) fut le père de Silverius (536-37). **Dernier pape marié :** Adrien II (867-72). Plus tard, des veufs furent plusieurs fois élus. Alexandre VI (Rodrigue Borgia), élu 1492, avait eu 6 enfants (sans avoir été marié) avant son élection.

■ **Nombre de papes par siècle.** *Ier s. :* 5. *IIe :* 10. *IIIe :* 15. *IVe :* 11. *Ve :* 12. *VIe :* 13. *VIIe :* 13. *VIIIe :* 13. *IXe :* 21. *Xe :* 26. *XIe :* 19. *XIIe :* 16. *XIIIe :* 17. *XIVe :* 10. *XVe :* 13. *XVIe :* 1. *XVIIe :* 12. *XVIIIe :* 8. *XIXe :* 6. *XXe :* 8.

■ **Parenté proche entre papes. Fils :** *St Silvère* (élu 536) f. de Hormidas. **Arrière petit-fils :** *St Grégoire Ier* (590) a. pt-f. de Félix III. **Frères :** *St Paul Ier* (757) fr. d'Étienne Ier ; *Romain* (897) fr. de Constantin (lui-même fr. de Martin II) ; *Jean XIX* (1024) fr. de Benoît VIII ; **Neveux :** *Benoît IX* (1033) n. des 2 précédents ; *Alexandre IV* (1254) « proche parent » (non défini) d'Innocent III et Grégoire IX ; *Célestin IV* (1241) n. d'Urbain III ; *Adrien V* (1276) n. d'Innocent IV ; *Grégoire XI* (1370) n. de Clément VI ; *Eugène IV* n. de Grégoire XII ; *Paul II* (1464) n. d'Eugène IV ; *Alexandre VI* (1492) n. de Caliste III ; *Pie III* (1503) n. de Pie II ; *Jules II* (1503) n. de Sixte IV ; *Clément IX* (1523) n. de Léon X.

■ **Nationalité.** Sur 264 papes, 208 furent italiens, dont 112 romains (proportion due au mode d'élection des papes aux 1ers siècles de l'Église : vote du peuple et du clergé de Rome). 56 furent des étrangers, dont : 15 Grecs, 15 Français (en comptant ceux d'Avignon), 6 Allemands [17 Français et 4 Allemands, si l'on tient compte des frontières actuelles : St Léon IX (1049-54) étant alsacien, et Étienne IX (1057-58) lorrain], 6 Syriens, 2 originaires de l'actuel État d'Israël (St Pierre, Galiléen ; Théodore Ier, Grec de Jérusalem), 3 Africains (St Victor Ier, St Miltiade ou Melchiade, St Gélase Ier). 1 Polonais (Jean-Paul II). **Dernier pape non italien,** avant le pape actuel (polonais), le Hollandais Adrien VI (1522-23). **Dernier pape français,** Grégoire XI (1370-78). Maumont (Fr., Corrèze) a vu naître 2 papes : Clément VI et son neveu Grégoire XI.

■ **Noms.** Le 1er pape à changer de nom à son élection fut Jean II (533) parce qu'il portait le nom d'un dieu païen (Mercure). Puis ce fut Jean XII (Ottaviano) en 955, Jean XIV (Pierre) en 983 et Sylvestre II (Gerbert) en 999. En 1009, Serge IV (Pierre) change de nom par respect pour St Pierre, ne voulant pas qu'il y eut un Pierre II. Depuis, l'usage fut appliqué [sauf pour Adrien VI (1522) et Marcel II (1555)]. L'usage de mettre un chiffre après le nom du pape date de 1221 (Urbain V). Cet usage a enregistré quelques erreurs. Après Félix II et Jean XVI, antipapes, il n'y a pas de pape de ce nom avec le même chiffre. Etienne II, n'ayant pas été consacré évêque, n'est pas considéré comme pape, mais son chiffre n'a pas été repris. Il n'y a pas eu de pape Jean XX.

Noms les plus choisis : Jean [22 : il n'y a pas eu de Jean XX, et Jean XVI (997-98) a été radié de la liste officielle ; mais il y a eu 2 Jean XXIII dont le 1er Baltazar Cossa (1370-1419) élu 1410 démissionna le 29-5-1419 et fut rayé officiellement de la liste], Grégoire (16), Benoît (15), Clément (14), Innocent et Léon (13), Pie (12).

■ **Pontificats (durée du règne). Moyenne :** 7 ans 11 mois 16 j [VIIe s. : 20 papes (49 mois en moyenne) ; XIXe s. : 6 papes (17 ans)].

Les plus longs (+ de 20 ans) : *St Pierre* (30-64) : 34 ans ; *Pie IX* (1846-78) : 31 a 7 m ; *Léon XIII* (1878-1903) : 25 a 5 m ; *Pie VI* (1775-99) : 24 a 6 m 2 sem ; *Adrien Ier* (772-95) : 23 a 11 m ; *Pie VII* (1800-23) : 23 a 5 m 1 sem ; *Alexandre III* (1159-91) : 21 a 11m 1 sem ; *St Sylvestre* (314-35) : 21 a 11 m ; *Urbain VIII* (1623-44) : 21 a ; *St Léon III* (795-816) : 20 a 5 m g ; *Clément XI* (1700-21) : 20 a 4 m ; *St Léon le Grand* (440-61) : 20 a 6 sem.

Les plus courts : *Étienne II* (752) 4 j ; *Urbain VII* (1590) 13 j ; *Célestin IV* (1241) 14 j ; *Sisinnius* (708) 17 j ; *Léon XI* (1605) 18 j ; *Théodore II* (897) 20 j ; *Damase II* (1048) 23 j ; *Marcel II* (1555) 23 j ; *Pie III* (1503) 26 j ; *Jean-Paul Ier* (1978) 33 j. On cite également 2 règnes de 1 j : *1124* Célestin II [Tébalde Buccapeco (écarté de la liste officielle des papes)] élu le matin, abdique le soir et est remplacé par Honorius II ; *1276* (sources incertaines) le card. Vicedomini (franciscain) élu, meurt le jour même, et est remplacé par Jean XXI.

■ **Années où il y eut le plus de papes.** *De façon douteuse (chronologies embrouillées) :* 6 : *897* (Formose, Boniface VI, Étienne VI, Romain, Théodore II et Jean IX). *De façon certaine :* 3 : *827 ; 1276 ; 1555 ; 1605 ; 1978* (Paul VI, Jean-Paul Ier, Jean-Paul II).

■ **Prophétie de St Malachie.** Série de définitions en latin, résumant chacune en quelques mots la personnalité d'un pape ou l'histoire de son règne, et publiée par le bénédictin Arnold de Wion dans *Lignum vitae,* ouvrage consacré aux év. issus de l'Ordre bénédictin (Venise 1595). L'éditeur les attribue à St Malachie (Armagh 1094-Clairvaux 1148), évêque d'Armagh en Irlande, célèbre par ses connaissances héraldiques et astrologiques. Mais certains estiment qu'il s'agissait d'un trucage réalisé en 1590 par un dominicain esp., Alonso Chacón (en latin : Ciaconius, 1540-99), et destiné à favoriser, lors du conclave ayant suivi la mort d'Urbain VII, la candidature du card. Jérôme Simoncelli, évêque d'Orvieto (Orvieto se dit en latin *urbs vetus* « ville vieille », et la devise attribuée au successeur d'Urbain VII était *De antiquitate urbis* « De l'antiquité de la ville »). Les 36 papes qui devaient suivre le successeur d'Urbain VII auraient reçu des devises fabriquées au hasard, pour faire plus vraisemblable. Certaines formules tombant assez juste, on eut du mal à croire à un simple hasard. L'Église ne s'est pas prononcée sur l'authenticité de ces prophéties, et ne les a pas condamnées. Officieusement, elles ont été utilisées à la louange d'un pape.

Exemples de formules bien adaptées : **Pie VI** (1775-99) : *Peregrinus apostolicus,* « le Voyageur apostolique », étant allé à Vienne en 1782, pour négocier avec l'emp. Joseph II, et étant mort à Valence, déporté par les Révolutionnaires français [sa décision d'aller à Vienne (combattue par les cardinaux, car contraire aux traditions) a été prise *à cause* de la prophétie à laquelle Pie VI croyait]. **Pie VII** (1800-23) : *Aquila rapax,* « l'Aigle ravisseur », dépouillé de ses États par l'Aigle impérial (Napoléon). **Grégoire XVI** (1830-46) : *De balneis etruriae,* « De Balnès en Étrurie », religieux camaldule dont la maison mère était à Balnès. **Pie IX** (1846-78) : *Crux de Cruce,* « Une croix venant de la Croix », chassé de ses États par la Maison de Savoie, dont les armes portent la « Croix de Savoie ». **Benoît XV** (1914-21) : *Religio depopulata,* « La religion décimée », a régné pendant la 1re G. mondiale. **Jean-Paul Ier** (1978) : *De medietate lunae,*

Liste chronologique

Adoptée officiellement en 1947.

Source: Annuario pontificio (‡ : martyr ; ‡ p : martyr présumé ; ‡ h : honoré comme martyr à cause de ses souffrances ; Bx : bienheureux). En italique : *antipapes* (élus irrégulièrement, non reconnus par l'Église ; 35 du IIIe au XVe s.). En gras : papes français (dans les limites actuelles de la France).

1 33 St Pierre (‡ 64 Galiléen).
2 67 St Lin (Toscan ‡ p).
3 76 St Clet ou Anaclet ‡ (Romain).
4 88 St Clément Ier ‡ (Rom.).
5 97 St Évariste ‡ (Grec).
6 105 Alexandre Ier ‡ (Romain).
7 115 St Sixte Ier ‡ (Romain).
8 125 St Télesphore ‡ (Grec).
9 136 St Hygin ‡ p (Grec).
10 140 St Pie Ier ‡ p (It., Aquilée).
11 155 St Anicet ‡ († 166 Syrien).
12 166 St Soter ‡ p (Campanien).
13 175 St Éleuthère ‡ p (Grec).
14 189 St Victor Ier ‡ (Africain).
15 199 St Zéphyrin ‡ p (Rom.).
16 217 St Calixte Ier ‡ (né v. 155 Romain).
17 222 St Urbain Ier ‡ (Romain).
227-235 St Hippolyte (né v. 170 Romain).
18 230 St Pontien ‡ h (né fin IIe s. Romain).
19 235 St Anthère ‡ p (Grec).
20 236 St Fabien ‡ († 250 Rom.).
21 251 St Corneille ‡ (Romain).
251 Novatien (Romain).
22 253 St Lucius Ier ‡ (Romain).
23 254 St Étienne Ier ‡ (Romain).
24 257 St Sixte II (‡ 258 Grec).
25 259 St Denys ‡ p (nat. inconnue).
26 269 St Félix Ier (‡ 274 Rom.).
27 275 St Eutychien ou Eutychianus ‡ (220 Toscan, Luni).
28 283 St Caïus ou Gaïus ‡ (Dalmate).
29 296 St Marcellin (‡ 304 Rom.).
30 308 St Marcel Ier ‡ h (Rom.).
31 309 St Eusèbe ‡ h († 310 or. grecque, né en Sicile).
32 311 St Miltiade ou Melchiade p (Africain).
33 314 St Sylvestre Ier († 335 Romain).
34 336 St Marc (Romain).
35 337 St Jules Ier (né v. 280 Rom.).
36 352 Libère (Romain).
355-365 Félix II (Romain).
37 366 St Damase Ier (Espagnol).
366-367 Ursinus.
38 384 St Sirice (né v. 320 Rom.).
39 399 St Anastase Ier (Romain).
40 401 St Innocent Ier (Latium).
41 417 St Zosime (Grec).
42 418 St Boniface Ier (Romain).
418-419 Eulalius (v. 380-v. 450).
43 422 St Célestin Ier (Campanien).
44 432 St Sixte III (Romain).
45 440 St Léon Ier le Grand (Toscan).
46 461 St Hilaire (Sarde).
47 468 St Simplice (Tivoli).
48 483 St Félix III (Romain).
49 492 St Gélase Ier (Africain).
50 496 Anastase II (Romain).
51 498 St Symmaque (Sarde).
498-505 Laurent.
52 514 St Hormisdas (Latium).
53 523 St Jean Ier ‡ h (né v. 470 Toscan).
54 526 St Félix IV (It. Samnium), désigné par Théodoric.
55 530 Boniface II (orig. goth., Romain).
530 Dioscore (Alexandrie).
56 533 Jean II, Mercure (v. 470, Romain).
57 535 St Agapet Ier (Romain).
58 536 St Silvère (fils du pape Hormisdas) ‡ h (Campanien).
59 537 Vigile (né fin Ve s. Rom.).
60 556 Pélage Ier (né v. 500 Rom.).
61 561 Jean III Catelinus († 574 Romain).
62 575 Benoît Ier dit Bonose (Romain).
63 579 Pélage II (né 520 Romain).
64 590 St Grégoire Ier le Grand (né v. 540 Romain).
65 604 Sabinien (Toscan, Blera).
66 607 Boniface III (Romain).
67 608 St Boniface IV (Italien, Avezzano).
68 615 St Dieudonné Ier ou Adéodat Ier (Romain).
69 619 Boniface V (Naples).
70 625 Honorius Ier (Campanien).
71 640 Séverin (Romain).
72 640 Jean IV (né 580 ? Dalmate).
73 642 Théodore Ier (Grec né à Jérusalem).
74 649 St Martin Ier ‡ h (né v. 590 ; Italien, Todi).
75 654 St Eugène Ier (Romain).
76 657 St Vitalien (né v . 600 ; Italien, Segni).
77 672 Adéodat II ou Dieudonné II (Romain).
78 676 Donus (Romain).
79 678 St Agathon (Sicilien).
80 682 St Léon II († 683 Sicilien).
81 684 St Benoît II (Romain).
82 685 Jean V (Syrien).
83 686 Conon (nat. inconnue).
84 687 St Serge Ier (Syrien).
687 Théodore, puis *Pascal* (687-692).
85 701 Jean VI (Grec).
86 705 Jean VII († 707 Grec).
87 708 Sisinnius (Syrien).
88 708 Constantin (Syrien).
89 715 St Grégoire II (né 669 Romain).
90 731 St Grégoire III (Syrien).
91 741 St Zacharie (Grec).
752 Étienne, non consacré (Italien).
92 752 Étienne II (Romain).
93 757 St Paul Ier (Romain).
767-769 Constantin (Ital., Nepi) (eut les yeux arrachés).
768 Philippe (nat. inconnue).
94 768 St Étienne III (né v. 720 Sicilien).
95 772 Adrien Ier (Romain).
96 795 St Léon III (né 750 Romain).
97 816 Étienne IV (Romain).
98 817 St Pascal Ier (Romain).
99 824 Eugène II (Romain).
100 827 Valentin (Romain).
101 827 Grégoire IV (Romain).
102 844 Serge II (Romain).
844 Jean (nat. inconnue).
103 847 St Léon IV (Romain).
104 855 Benoît III (Romain).
855 Anastase (v. 815-880), Italien, sans doute apocryphe, la « papesse Jeanne »).
105 858 St Nicolas Ier le Grand (né v. 800 Romain).
106 867 Adrien II (792 Romain).
107 872 Jean VIII (820 ? Romain).
108 882 Marin Ier (Martin II) (Latium, Gallese).
109 884 St Adrien III (Romain).
110 885 Étienne V (Romain).
111 891 Formose (Latium).
112 896 Boniface VI (Romain).
113 896 Étienne VI (Romain) (étranglé).
114 897 Romain (début IXe s. Latium, Gallese).
115 897 Théodore II (840 Rom.).
116 898 Jean IX (né 840, Tivoli).
117 900 Benoît IV (Romain).
118 903 Léon V (Italien).
903-904 Christophore (déposé) († 906 Romain).
119 904 Serge III des Ctes de Tusculum (Romain, père de Jean XI).
120 911 Anastase III (Romain).
121 913 Landon (Samnium).
122 914 Jean X (860 Italien).
123 928 Léon VI (Romain).
124 928 Étienne VII (Romain).
125 931 Jean XI des Ctes de Tusculum (906-35 Romain).
126 936 Léon VII (Romain).
127 939 Étienne VIII (Romain).
128 942 Marin II (Martin III) (Romain).
129 946 Agapit II (Romain).
130 955 Jean XII des Ctes de Tusculum (937-64 Romain).
131 963 Léon VIII (Romain, laïc, élu pape).
132 964 Benoît V dit le Grammairien (Romain ; rival de Léon VIII et parfois considéré comme antipape).
133 965 Jean XIII († 972 Romain).
134 973 Benoît VI (Romain, † étranglé).
135 974 Benoît VII des Ctes de Tusculum (Romain).
974 Boniface VII (Romain).
136 983 Jean XIV, Pierre Canepanova (Italien, Pavie).
984 Boniface VII pour la 2e fois.
137 985 Jean XV (Romain, fils d'un prêtre).
138 996 Grégoire V, Brunon de Carinthie (né 973 Saxon).
997 Jean XVI († v. 1013) (Jean Filagato, It. Rossano).
139 **999 Sylvestre II** (l'érudit Gerbert, né 938 Fr.).
140 1003 Jean XVII, Siccone (Romain).
141 1004 Jean XVIII Fasano (Romain).
142 1009 Serge IV, Pierre Bucca Porci (Romain).
143 1012 Benoît VIII des Ctes de Tusculum (Italien).
1012 Grégoire.
144 1024 Jean XIX des Ctes de Tusculum, laïc (Romain).
145 1032 Benoît IX, Théophylacte des Ctes de Tusculum († 1055 Italien).
146 1045 Sylvestre III Jean (v. 1000 Romain).
147 1045 Benoît IX pour la 2e fois *(déposé).*
148 1045 Grégoire VI, Jean Gratien (Rom.), *abdique* († 1048).
149 1046 Clément II, Suidger, Cte de Morsleben et Homburg (Saxon).
150 1047 Benoît IX, pour la 3e fois.
151 1048 Damase II († 1048), Cte Poppon (Bavarois).
152 **1049 St Léon IX**, Bruno, Cte d'Éguisheim-Dagsbourg (1002-54 Alsacien).
153 1055 Victor II, Gebhard, Cte de Dollenstein-Hirschberg (Allemand).
154 **1057 Étienne IX**, Frédéric de Lorraine (Lorrain).
1058 Benoît X, Jean, Cte de Tusculum (Jean Mincius) (Romain).
155 **1059 Nicolas II**, Gérard de Bourgogne (né v. 980 Fr.).
156 1061 Alexandre II, Anselme de Baggio (Milan).
1061-1072 Honorius II (v. 1009) (germanique, Vérone).
157 1073 St Grégoire VII, Hildebrand de Soana (v. 1015/1020 Toscan).
1080-1100 Clément III, Guibert de Parme (1023 Italien).
158 1086 Bx Victor III, Didier de Montecassino Pce de Bénévent (v. 1027-87 Italien).
159 **1088 Bx Urbain II**, Odon de Lagery (né v. 1042 France).
160 1099 Pascal II, Rainier de Bieda (né v. 1050 Italie).
1100 Théodoric évêque de Ste Rufine.
1102 Albert, évêque de Sabine.
1105-1111 Sylvestre IV, Maginulfe (v. 1050 Romain).
161 1118 Gélase II, Jean de Gaëte (né v. 1058 Italie).
1118-1121 Grégoire VIII, Maurice Bourdin († 1126 Français).
162 **1119 Calixte II**, Guy de Bourgogne (né v. 1060 Fr.).
1124 Célestin II, Tebalde Buccapeco (Romain).
163 1124 Honorius II, Lambert de Fagnano (Italien).
164 1130 Innocent II, Grégoire Papareschi (Italien).
1130-1138 Anaclet II, Pierre Pierleoni (Romain).
1138 Victor IV, Grégoire.
165 1143 Célestin II, Guy (Italien, Castello).
166 1144 Lucius II, Gérard Caccianemici (Italien).
167 1145 Bx Eugène III, Bernard Paganelli de Montemagno (Pisan).
168 1153 Anastase IV, Conrad de Suburra (Romain).
169 1154 Adrien IV, Nicolas Breakspeare (v. 1100 Anglais).
170 1159 Alexandre III, Roland Bandinelli (Sienne).
1159-1164 Victor IV, Octavien de Monticello (Italien).
1164-1168 Pascal III, Guy de Crema (v. 1100 Italien).
1168-1178 Calixte III, Jean abbé de Struma (Arezzo).
1179-1180 Innocent III, Lando (Italien Sezze).
171 1181 Lucius III, Ubaldo Allucingoli (Italien).
172 1185 Urbain III, Hubert Crivelli (né v. 1120 Milanais).
173 1187 Grégoire VIII, Albert de Morra (Italien).
174 1187 Clément III, Paulin Scolari (Romain).
175 1191 Célestin III, Hyacinthe de Bobone (Romain).
176 1198 Innocent III, Lothaire, Cte de Segni (1160 Romain).
177 1216 Honorius III, Cencio Savelli (Romain).
178 1227 Grégoire IX, Ugolin, comte de Segni (v. 1145 It.).
179 1241 Célestin IV, Geoffroi Castiglioni (Milanais).
180 1243 Innocent IV, Sinibaldo Fieschi (Génois).
181 1254 Alexandre IV, Renaud de Segni (Romain).
182 **1261 Urbain IV**, Jacques de Pantaléon (v. 1200-64 Fr.).
183 **1265 Clément IV**, Gui Foulques (fin XIIe-1268 France), après son veuvage ne peut s'installer à Rome, † à Viterbe.
184 1271 Bx Grégoire X, Théobald Visconti (1210 Italie)
185 **1276 Bx Innocent V**, Pierre de Tarentaise (né v. 1225 Savoie).
186 1276 Adrien V, Ottobon Fieschi (Génois).
187 1276 Jean XXI, Pierre « fils de Julien » (né v. 1220 Portugais).
188 1277 Nicolas III, Jean Gaétan Orsini (v. 1210/20 Rom.).
189 **1281 Martin IV**, Simon de Brion (Français).
190 1285 Honorius IV, Jacques Savelli (1210 Romain).
191 1288 Nicolas IV, Girolame Masci (né v. 1230 It., Ascoli).
192 1294 St Célestin V, Pierre Angeliner de Morron (v. 1215-96 Italien), *abdique.*
193 1294 Boniface VIII, Benoît Caetani (1235 ? It., Anagni).
194 1303 Bx Benoît XI, Nicolas Boccasini (1240-1304, Italien, Trévise).

Papes d'Avignon

195 **1305 Clément V**, Bertrand de Got né à Villandraut (Gironde), archevêque de Bordeaux, ami de Philippe le Bel, sujet du roi d'Angleterre, duc de Guyenne. *1305-5-6* élu au terme d'un conclave de 11 mois. *14-11* couronné dans l'église Saint-Just de Lyon. *1309* ne pouvant gagner l'Italie, fixe sa résidence provisoire en Avignon. *1314-20-4* meurt à Roquemaure.
196 1316 **Jean XXII**, Jacques Duèse, né 1245 à Cahors, évêque de Fréjus puis d'Avignon. *1312* cardinal. *1316-7-8* élu après un conclave de 16 mois dans l'église des Jacobins de Lyon. *1334-4-12* meurt.

1328-1330 Nicolas V, Pierre Rainallucci (v. 1260-1333 It.).
197 1334 **Benoît XII**, Jacques Fournier, né à Saverdun (Ariège), évêque de Pamiers puis de Mirepoix. *1327* cardinal. *1334-20-12* élu après un bref conclave de 7 jours. *1335-8-1* couronné. *1342-25-4* meurt.
198 1342 **Clément VI**, Pierre Roger de Beaufort, né 1291 au château de Maumont (Corrèze). *1330* archevêque de Rouen. *1338* cardinal. *1342-7-5* élu à l'unanimité.
199 1352 **Innocent VI**, Étienne Aubert, né près de Pompadour (Corrèze). *1340* évêque de Noyon puis de Clermont. *1342* cardinal. *1352-18-12* élu. *1362-12-9* meurt.
200 1362 **Bx Urbain V**, Guillaume de Grimoard, né 1310 au château de Grisac (Lozère), bénédictin, abbé de St-Germain d'Auxerre. *1361* abbé de St-Victor de Marseille. Les cardinaux avaient d'abord élu Hugues Roger, frère de Clément VI qui refusa. *1362-28-9* élu. *6-11* couronné. *1367-30-4* quitte Avignon. *16-10* parvient à Rome. *1370-6-9* repart pour Avignon. *19-12* meurt. *1870* béatifié.
201 1370 **Grégoire XI**, Pierre Roger de Beaufort II, n. 1331, neveu de Clément VI. *1370-29-12* élu à l'unanimité le 1^r j du conclave. *1376-13-9* quitte Avignon. *1377-17-1* arrive à Rome (après une traversée mouvementée). *1378-26/27-3* meurt *(dernier pape français).*
202 1378 Urbain VI, Barthélemy Prignano (v. 1318-89 Naples).
1378-1394 Clément VII, Robert, comte de Genève (1342-94).
203 1389 Boniface IX, Pierre Tomaselli (1389-1404 Naples).
1394-1423 Benoît XIII, Pierre Martin de Luna (v. 1324 Espagne).
204 1404 Innocent VII, Cosme Migliorati (1336-1406 Sulmona).
205 1406 Grégoire XII, Angelo Correr (né v. 1325 Venise).
1409-1410 Alexandre V, Pierre Filargo (1340-1410 Crétois).
1410-1415 Jean XXIII, Balthazar Cossa (v. 1370-1419 Pise).
206 1417 Martin V, Oddone Colonna (Romain).
1423-1429 Clément VIII, Gil Sanchez Munoz (v. 1380-1447 Espagne).
1425-1430 Benoît XIV, Bernard Garnier, (Fr., élu par un seul cardinal, *idem* pour Jean Garnier, et Benoît XIV).
207 1431 Eugène IV, Gabriel Gondulmer (1383,Venise).
1439-1449 Félix V, duc Amédée VIII de Savoie (1383-1451).
208 1447 Nicolas V, Thomas Parentucelli (v. 1398 Sarzana).
209 1455 Calixte III, Alphonse Borgia (1378-1458 Espagne).
210 1458 Pie II, Énéas Sylvius Piccolomini (1405-64 Sienne).
211 1464 Paul II, Pierre Barbo (1417 Venise).
212 1471 Sixte IV, François della Rovere (1414-84 Savone).
213 1484 Innocent VIII, Jean-Baptiste Cybo (1432-92 Gênes).
214 1492 Alexandre VI, Rodrigue Borgia (1431-1503 Esp.).
215 1503 Pie III, François Todeschini-Piccolomini (1439-1503 Sienne).
216 1503 Jules II, Julien della Rovere (1443-1513 Savone).
217 1513 Léon X, Jean de Médicis (1475-1521 Florence).
218 1522 Adrien VI, Adrien Florensz (1459 P.-Bas).
219 1523 Clément VII, Jules de Médicis (1478-1534 Florence).
220 1534 Paul III, Alexandre Farnèse (1468 Romain).
221 1550 Jules III, Jean-Marie Ciocchi del Monte (1487-1555 Romain).
222 1555 Marcel II, Marcel Cervini (1501-55, Montepulciano).
223 1555 Paul IV, Jean-Pierre Carafa (1476-1559, Sant' Angelo della Scala).
224 1559 Pie IV, Jean-Ange de Médicis (1499-1565 Milan).
225 1566 St Pie V, Antoine-Michel Ghislieri (1504-72 It.).
226 1572 Grégoire XIII, Hugo Buoncompagni (1502 Bologne).
227 1585 Sixte-Quint, Félix Peretti (1520-90 Italien).
228 1590 Urbain VII, Jean-Baptiste Castagna (v. 1521-90 Romain).
229 1590 Grégoire XIV, Nicolas Sfondrati (1535, Cremone).
230 1591 Innocent IX, Jean-Antoine Facchinetti (1519-91 Bologne).
231 1592 Clément VIII, Hippolyte Aldobrandini (1536-1605 Florence).
232 1605 Léon XI, Alexandre Ottaviano de Médicis (1535 Florence).
233 1605 Paul V, Camille Borghèse (1552 Romain).
234 1621 Grégoire XV, Alexandre Ludovisi (1554, Bologne).
235 1623 Urbain VIII, Maffeo Barberini (1568 Florence).
236 1644 Innocent X, Jean-Baptiste Pamfili (1574 Romain).
237 1655 Alexandre VII, Fabio Chigi (1599 Sienne).
238 1667 Clément IX, Jules Rospigliosi (1600-69, Pistoie).
239 1670 Clément X, Émile Altieri (1590 Romain).
240 1676 Bx Innocent XI, Benoît Odescalchi (1611 Côme).
241 1689 Alexandre VIII, Pierre Ottoboni (1610 Venise).
242 1691 Innocent XII, Antoine Pignatelli (1615 Italien).
243 1700 Clément XI, Jean-François Albani (1649 Urbino).
244 1721 Innocent XIII, Michel-Ange Conti (1655 Rom.).
245 1724 Benoît XIII, Pierre-François Orsini (1649 Italien).
246 1730 Clément XII, Laurent Corsini (1652 Florence).
247 1740 Benoît XIV, Prosper Lambertini (1675 Bologne).
248 1758 Clément XIII, Charles Rezzonico (1693 Venise).
249 1769 Clément XIV, Laurent Jean Vincent Ganganelli (1705-74 Rimini).
250 1775 Pie VI, Jean Angelo Braschi (1717-99 Cesena).
251 1800 Pie VII, Barnabé Chiaramonti (1742 Cesena).
252 1823 Léon XII, Hannibal Sermattei della Genga (1760 Italien).
253 1829 Pie VIII, François-Xavier Castiglioni (1761-1830 It.).
254 1831 Grégoire XVI, Bartolomé Alberto Cappeliari (1765 Dolomites).
255 1846 Pie IX, Jean-Marie Mastaï Ferretti (1792 Italien).
256 1878 Léon XIII, Vincent Joachim Pecci (1810, Anagni).
257 1903 St Pie X, Joseph Sarto (1835, Trévise).
258 1914 Benoît XV, Jacques della Chiesa (1854 Gênes).
259 1922 Pie XI, Achille Ratti (1857 Milan).
260 1939 Pie XII, Eugène Pacelli (1876 Romain).
261 1958 Jean XXIII, Ange-Joseph Roncalli (1881 Bergame).
262 1963 Paul VI, Jean-Baptiste Montini (1897 Brescia).
263 1978 Jean-Paul Ier, Albino Luciani (1912 Dolomites, serait mort d'une embolie pulmonaire mal soignée).
264 1978 Jean-Paul II, Karol Wojtyla (18-5-1920 Polonais). *1946-1-11* prêtre, *1958-28-9* évêque, *1967-26-6* cardinal, *1978-16-10* élu Pape, *22-10* intronisé.

Nota. – Étienne II, simple prêtre de Rome, étant mort 4 j après son élection en mars 752, marque le véritable début du pontificat ; son nom n'est plus enregistré sur la liste officielle. Son successeur, immédiatement élu, reprit les mêmes nom et numéro d'ordre. Jean-Paul II est ainsi officiellement le 264e pape et non le 265e. Les listes non officielles donnent généralement 260 papes, en comptant pour 1 les 3 pontificats de Benoît IX (145e, 147, 150), et en écartant comme antipapes Léon VIII (131e) et Benoît V (132e). Des spécialistes rejettent Lin (2e), prédécesseur de Clet (3e), les 2 noms devant plus vraisemblablement être lus ensemble *Anaclet.* Il y a eu 2 antipapes Victor IV : en 1132 (2 mois) et en 1159.

« De la moitié d'une lunaison », n'a passé qu'un demi-mois sur le trône, entre son couronnement et sa mort. La devise appliquée au pape actuel, **Jean-Paul II,** *De labore solis,* « De l'éclipse de Soleil » ou « Des souffrances causées par le Soleil », fait penser à la sécheresse en Afrique (1972-85). Après lui, la prophétie ne désigne que 2 papes : *Gloria olivae,* « La gloire de l'olivier », et *Petrus Romanus,* « Pierre le Romain », sous le règne duquel Rome sera détruite et l'humanité paraîtra devant son juge. Une meilleure lecture du texte imprimé donne *in prosecutione* au lieu de *in persecutione :* l'auteur ne situe pas le règne de Pierre le Romain au sein de la « persécution », mais au début de la « suite du temps ».

■ **Saints et bienheureux.** 85 papes (env. 1/3). Tous les p. antérieurs à Boniface II (530-32) sont appelés saints, sauf Libère (352-66) et Anastase II (496-98). Dep. St Grégoire le Grand (590-604), époque dep. laquelle on dispose de documents certains, il y a eu 23 saints et 8 bienheureux : 3 furent *canonisés :* Célestin V (1294, abd. ; † 1296, can. 1313), Pie V (1566-72 ; can. 1712), Pie X (1903-14 ; can. 1954) ; *1 béatifié :* Innocent XI (1676-79 ; béat. 1956). Entre 1713 et 1893 il y eut 8 *confirmations de culte :* Grégoire X (1713), Benoît XI (1730), Urbain V (1870), Eugène III (1872), Urbain II (1881), Victor III (1887), Adrien III (1891), Innocent V (1898).

■ **Vacance. Maximale.** Entre Clément IV, mort le 20-11-1268, et Grégoire X, élu le 1-9-1271 (alors qu'il était en Syrie), et intronisé le 10-2-1272. A cette occasion le Conclave fut institué. *Temps modernes :* élection de Pie VIII (1829) : 50 j ; Grégoire XVI (1831) : 65 j ; Pie VII (1799-1800) : 206 j. **Minimale.** Entre Jean XXIII et Paul VI (1963) : 18 j (même durée entre Jean-Paul Ier et Jean-Paul II). **Nombre de vacances, selon leur durée.** *1 semaine :* 46. *10 j :* 10. *1 mois :* 52. *+ de 1 mois :* 28. *+ de 2 mois :* 17. *de 3 à 6 mois :* 17. *de 6 mois à 1 an :* 22.

Cardinaux

■ **Âge. Le plus vieux cardinal :** Georges da Costa (1406-1508), Portugais, mort à 102 ans. **Le plus jeune :** Louis-Antoine de Bourbon, le 19-12-1735, 8 ans et 147 j. Son fils fut c. à 23 a. [la nomination de cardinaux (qui étaient de rang princier) dans les familles souveraines, était traditionnelle].

Au 13-11-1992 : le + vieux : Cardinal Ignatius Kung Min-Pei (Chinois, né 10-8-1901), nommé in petto 30-6-1979, publié au Consistoire 28-6-1991. *Le + jeune :* 55 ans, Mgr Lopez Rodriguez (St Domingo, né 31-10-36).

Cardinalat le plus long : Jacques d'York, dernier prétendant Stuart, fut cardinal du 3-7-1747 au 13-7-1807 (60 ans 10 j).

■ **Appellation.** *Autrefois :* Illustrissime et Révérendissime. *A partir du 20-1-1630 :* Éminence. Jusqu'à la fin du XIXe s., les cardinaux de familles princières avaient droit au titre d'« Éminence Royale » ou « Impériale » et d'« Éminentissime Prince ». *Dep. 1969 :* Monsieur le Cardinal (pour le traitement : Son Éminence Révérendissime monsieur le Cardinal). Jusqu'à ce qu'Henri IV les appelle ses « cousins », les rois de France s'adressaient à eux par « cher ami ».

■ **Blason (ornement).** Timbre ecclésiastique remontant au XIVe s., mais fixé officiellement en 1833 : chapeau rouge, cordons terminés par 30 houppes, soit 15 de chaque côté de l'écu, en 5 rangs de 1, 2, 3, 4 et 5 houppes ; au-dessus, passée en pal derrière l'écu, une croix d'or tréflée, à longue hampe.

■ **Cardinal-doyen.** Président du Sacré Collège (et devenant le 1er personnage de l'Église à la mort du pape), il n'est pas forcément le plus âgé des c., étant désigné à vie par le pape, ainsi que le vice-doyen. Dep. février 1965, tous deux sont élus par les cardinaux évêques suburbicaires et parmi eux, sans limite dans le temps.

■ **Consistoire.** Réunion des cardinaux sous la présidence du pape, à Rome normalement (mais Pie VII fit un consistoire à Paris). Il est *ordinaire* (comprenant les cardinaux présents à Rome) et *public,* s'il est ouvert à d'autres personnes. Il est *extraordinaire* s'il comprend tous les cardinaux et eux seuls.

■ **Droit canonique. Les cardinaux sont répartis en 3 ordres :** *1°) cardinaux-évêques,* du titre de 8 cités voisines de Rome (« suburbicaires ») : Porto, Ste-Rufine, Ostie, Albano, Velletri, Palestrina, Sabine, Tusculum (ou Frascati). Mais les 2 titres de Porto et Ste-Rufine ont fusionné, et le titre d'Ostie est toujours ajouté en supplément au doyen du Sacré-Collège, ce qui réduit les cardinaux évêques à 6 ; *2°) card.-prêtres,* du titre des églises urbaines de Rome. Leur nombre a varié, de 25 en 499 à 123 en 1991 ; *3°) card.-diacres,* au IIe s. : administrateurs des diaconies, c.-à-d. des régions de Rome qui servaient d'unité territoriale pour les œuvres charitables (on disait un « diacre régionaire ») ; en 795, ils devinrent tous curés d'une paroisse au centre de Rome et n'ayant pas de « titre », c.-à-d. n'étant pas dirigé par un prêtre cardinal (leur nombre longtemps restreint à 16 est, en 1991, de 29 et le nombre des « diaconies » de 50). Il y eut, dans le passé, des c. qui n'étaient pas prêtres (comme Mazarin) : une bulle de Sixte Quint, *Immensa aeternis Dei* (1588), exigeait seulement que, pour être c., on soit dans les ordres mineurs depuis au moins un an. Le 19-5-1918, le Code de droit canonique (du pape Benoît XV) promulgué exigeait que tout c. soit au moins prêtre. Depuis le 15-4-1962 (*motu proprio « Cum Gravissima »,* de Jean XXIII), il doit être au moins évêque ; il est consacré év. titulaire avant de recevoir le chapeau (malgré cette décision, certains c., comme le c. de Lubac, sont demeurés simples prêtres). Les patriarches nommés

c. ont rang de c.-évêques avec leur titre patriarcal. (voir Nomination p. 510 a).

Cardinaux pris en dehors du clergé romain. Dès le Xe s., les c. issus du clergé romain furent absorbés par leur travail administratif auprès du pape et laissèrent à des vicaires leurs responsabilités paroissiales ou épiscopales pour vivre en permanence à la Curie. Cela facilita la « création » de c. non romains à partir du XIIe s., à qui le pape donna fictivement une paroisse romaine, laissée aux soins d'un prêtre local. Le c. n'y paraît que rarement et n'y tient qu'un rôle d'apparat. La *Trinité-des-Monts,* église française du couvent du Sacré-Cœur, sur le mont Pincio, est traditionnellement la « paroisse romaine » de l'archevêque de Lyon, primat des Gaules ; *St-Louis-des-Français* est devenu titre cardinalice avec le c. Veuillot. Le c. Marty conserve ce titre actuellement.

1er cardinal étranger. *Français,* Humbert de Bourgogne (bénédictin) ; *américain :* Mgr MacCloskey, 1875 ; *Asie :* Mgr Hassoun, 1880 ; *Afrique, blanc :* Mgr Lavigerie, 1882 ; *noir :* Mgr Rugambwa (Tanganyika, 1960).

■ **Étymologie.** Adjectif dérivé du latin *cardo,* « gond ». Ce sens est resté dans le verbe *incardiner,* signifiant « attacher définitivement » un curé à une paroisse ou un clerc à un diocèse : l'image est celle d'une porte fixée définitivement à son montant par un gond (opposée au panneau amovible). *Cardinal* signifie donc *inamovible.*

Étaient *cardinaux* certains curés de paroisses de la ville épiscopale servant de conseil à l'évêque. Avant 1567, il y avait des c. (prêtres ou diacres) dans d'autres églises que celles de Rome : Milan, Ravenne, Paris (au XIIe s. les curés de St-Paul, St-Martin-des-Champs, St-Jacques, St-Séverin, St-Benoît, Charonne, St-Étienne-des-Grès, St-Gervais, St-Julien-le-Pauvre, St-Merri, St-Laurent, St-Jean-en-Grève), Lyon, etc. Depuis, tout c. appartient, fictivement ou non, au clergé de Rome.

■ **Fonctions.** L'ensemble des cardinaux, ou *Sacré Collège* [terme datant de Nicolas II (1059-61), qui érigea le groupe des cardinaux en un collège chargé d'élire le pape, et qui en a l'exclusivité dep. 1179], est défini par le canon 349 comme le « Sénat du Pontife romain ». Il lui fournit ses conseillers et les chefs de son administration. Néanmoins, il faut distinguer entre les *c. de Curie,* qui résident à Rome et sont constamment à la disposition du pape, et les *c.-évêques résidentiels,* pour qui la dignité cardinalice était jadis surtout honorifique. Actuellement, la facilité des transports aidant, il est courant qu'un évêque résidentiel ait la présidence d'une « commission » pontificale à Rome, ou prenne part aux travaux d'un ou de plusieurs organismes de la curie.

■ **Nombre.** *Jusque v. 1200 :* moins de 20. *1352 :* fixé à 20 max. *XVe s. :* largement dépassé ; les conciles ont demandé qu'on ramène le nombre à 20. *1517 :* Léon X nomma 31 cardinaux d'un coup. *1555 :* nombre fixé à 40. *1577 :* 65. *1586 :* 70 (par analogie avec les 70 vieillards d'Israël). *1910 :* 41 (Italie 31, autres pays européens 9, reste du monde 1). *1939 :* 62 (It. 33, Europe 22, autres 7). *1958 :* 52 (It. 17, Europe 17, autres 18, nombre max. fixé à 75). *1960 :* nombre max. 86. *1962 :* nombre max. 90 (dont 3 in petto). *1970 (21-11) :* Paul VI fixe le chiffre max. des électeurs (– de 80 ans) à 120 (chiffre atteint par Jean-Paul II le 5-1-83). *1973 :* 145 (117 él.). *1987-1-4 :* 135 (97 él.). *1992 (1-1) :* 160 (120 él. dont Europe 85 (56) [Italie 40 (23), *France 9 (5),* Esp. 6 (5), Pologne 4 (4)] Amérique 39 (12) [USA 10 (8), Brésil 7 (6), Arg. 4 (4), Can. 4 (4)] Afrique 17 (15), Asie 15 (12) [Inde 4 (4), Philippines 3 (3), Océanie 4 (4)]. **Pays représentés.** *1903 :* 12 ; *1914 :* 15 ; *1922 :* 16 ; *1958 :* 23 ; *1963 :* 31 ; *1987 :* 57 ; *1992 :* 58.

■ **Nomination** (on dit « création »). Réservée au pape qui fait son choix parmi les hommes (au moins prêtres) qu'il estime remarquables « par leur doctrine, piété, prudence en affaires ». Jusqu'en 1917, il n'était pas nécessaire d'avoir reçu la prêtrise pour être nommé. Dep. le 15-4-1962 tous les c. doivent être ou devenir évêques (on leur donne un titre archiépiscopal). Création et publication se font au cours d'un *consistoire.* Un c. *in petto* (en latin *in pectore*) est nommé en secret par le pape ; son nom n'est pas divulgué. Le 1er fut Louis d'Aragon en 1493. Depuis 1900, 11 ont été nommés [Benoît XV : 2 ; Pie XI : 1 ; Jean XXIII (leurs noms ne furent pas révélés) : 3 ; Paul VI : 4 (dont le cardinal roumain Hossu, créé 1969, † 1970, publié en 1973) ; Jean-Paul II : 1 (Ignatius Kung Min-Pei, archev. de Shanghai, créé 1979, publié 1991)].

Scandales. Pendant la Renaissance, les nominations de c. firent parfois scandale, le pape agissant souvent en Pce italien pour qui le cardinalat était une dignité nobiliaire, sans relation avec la *doctrine* ou la *piété.* Ont pu ainsi être nommés : 2 débauchés : Bernardo Bibbiena et Innocenzo Cibo (1513) par Léon X, ou un montreur de singes de 14 ans, Innocenzo Del Monte (1551), par Jules III. Les papes ont souvent (jusqu'en 1876) nommé c. leurs neveux, ex. Calixte III (1455-58), Innocent VII [(1484-92) ; son neveu avait 14 ans]. En 1513, Léon X créa officiellement la fonction de *cardinal-neveu* qui fut supprimée en 1676 à la mort de Clément X (son neveu, le cardinal Altieri, s'étant rendu odieux, le secrétaire d'État le remplaça). Les papes ont aussi jusqu'au XIXe s. nommé à titre honorifique des membres des familles régnantes [ex. : Clément XII nomma Louis de Bourbon (fils de Philippe V, roi d'Espagne) card. archev. de Tolède à 8 ans (1735)].

■ **Privilèges diplomatiques.** Les cardinaux sont *princes de l'Église* et réputés les égaux des rois et chefs d'État.

■ **Protocole et cérémonial.** Dans tous les diocèses, on leur doit les mêmes honneurs que s'ils étaient évêques diocésains.

■ **Réunions plénières.** Organisées par Jean-Paul II pour régler de grands problèmes de l'Église.

■ **Tenue officielle. Chapeau rouge** (en italien *galero*) : date de Noël 1244 (concession d'Innocent IV), orné de 30 houppes rouges ; emblème de leur promptitude à verser leur sang pour la foi catholique ; devenu le symbole du cardinalat, il n'est plus imposé solennellement dep. 1967. Selon une coutume datant du XVe s., à la mort d'un cardinal év. d'un diocèse, son chapeau était suspendu aux voûtes de sa cathédrale, jusqu'à ce qu'il tombe en poussière. **Soutane rouge :** date de 1303. **Barrette rouge :** date de 1464. **Le manteau de cérémonie :** n'est plus porté devant le pape, mais seulement dans des circonstances exceptionnelles. **Cappa magna :** supprimée (1969), de même que le port de l'hermine et de la *manteletta,* sorte de manteau sans manches. **Mozette** de couleur (violette ou écarlate) : portée à l'office sur le rochet de lin. En dehors, chaque intéressé juge s'il doit ou non la porter dans des « circonstances tout à fait extraordinaires ».

■ Le Sacré Collège

État au 1-1-1993. *Légende :* Entre parenthèses, nationalité et date de naissance, puis date de nomination. Les cardinaux de 80 ans et +, n'étant plus électeurs du pape, sont précédés d'un astérisque :

Doyen : Card. Agnelo Rossi, dep. 19-12-1986.

Angelini Fiorenzo (1-8-16)[6] 91. * Antonelli Ferdinando Giuseppe, Franciscain (14-7-1896)[6] 73[2]. Aponte Martinez Luis (4-8-22)[7] 73. Aramburu Carlos (11-2-12)[8] 76. Araujo Sales Eugenio de (8-11-20)[9] 69. Arinze Francis (1-11-32)[10] 85[2]. Arns Paulo Evaristo (14-9-21)[9] 73. * Bafile Corrado (4-7-03)[6] 76[2]. Ballestrero Anastasio, Carme (3-10-13)[6] 79. Baum William Wakefield (21-11-26)[11] 76. Bernardin Joseph (2-4-28)[11] 83. * Bertoli Paolo (1-2-08)[6] 69[1]. Bevilacqua Anthony Joseph (17-6-23)[11] 91. Biffi Giacomo (13-7-28)[6] 85. Canestri Giovanni (30-9-18)[6] 88. Caprio Giuseppe (15-11-14)[6] 79[2]. * Carberry John Joseph (31-7-04)[11] 69. * Carpino Francesco (18-5-05)[6] 67[1]. Carter Gerald Emmett (1-3-12)[12] 79. Casaroli Agostino (24-11-14)[6] 79[1] * Casoria Giuseppe (1-10-08)[6] 83[2]. Cassidy Edward Idris (5-7-24)[13] 91. Castillo Lara Rosalio, Salésien (4-9-22)[14] 85[2]. Cé Marco (8-7-25)[6] 79. * Ciappi Luigi, Dominicain (6-10-09)[6] 77[2]. Clancy Edward Bede (13-12-23)[13] 88. Coffy Robert (24-10-20)[15] 91. Cordeiro Joseph (19-1-18)[16] 73. Corripio Ahumada Ernesto (29-6-19)[17] 79. Daly Cahal Brendan (1-10-17)[18] 91. Danneels Godfried (4-6-33)[19] 83. Darmojuwono Justinus (2-11-14)[20] 67. Decourtray Albert (20-4-23)[15] 85. * Del Mestri Guido (13-1-11)[6] 91. Deskur André (20-3-24)[21] 85[2]. * Dezza Paolo (13-12-01)[6] 91. Do Nascimento Alexandre (1-3-25)[22] 83. Dos Santos Alexandre, OFM (18-3-24)[23] 88. * Duval Léon (9-11-03)[24] 65. Ekandem Dominic (1917)[10] 76. * Enrique y Tarancón Vicente (14-5-07)[25] 69. Etchegaray Roger (25-9-22)[15] 79. Etsou-Nzabi-Bamungwabi Frédéric (3-12-30)[26] 91. Falcao José Freire (23-10-25)[9]. Felici Angelo (26-6-19)[6] 88. Fresno Larrain Juan (26-7-14)[27] 85. Gagnon Édouard, Sulpicien (15-1-18)[12] 85. Gantin Bernardin (8-5-22)[28] 77. * Garrone Gabriel (12-10-01)[15] 67[2]. Giordano Michele (26-9-30)[6]. Glemp Joseph (18-12-29)[21] 83. González Martin Marcelo (16-1-18)[25] 73. * Gouyon Paul (24-10-10)[15] 69. * Gray Gordon J. (10-8-10)[29] 69. Grégoire Paul (24-10-11)[12] 88. Groer Hans Hermann, OSB (13-10-19)[13] 88. Gulbinowicz Henri (17-10-28)[21] 85. Hamer Jean-Jérôme, Dominicain (1-6-16)[19] 85[2]. Hickey James (11-10-20)[11] 88. Hume Basil, Bénédictin (2-3-23)[29] 76. Innocenti Antonio (23-8-15)[6] 85[2]. Javiere Ortas Antonio Maria, SDB (21-3-21)[25] 88. Jubany Arnau Narciso (12-8-13)[25] 73. * Khoraiche Antoine-Pierre (20-9-07)[30] 83[5]. Kim Étienne Sou Hwan (8-5-22)[31] 69. Kitbunchu Michel Michai (25-1-29)[32] 83. * Koenig Franz (3-8-05)[33] 58. Korec Jan Cryzostom (22-1-24)[34] 91. * Krol John-Joseph (26-10-10)[11] 67. Kuharic Franjo (15-4-19)[35] 83. * Kung pin-mei Ignatius (2-8-01)[36] 91. Laghi Pio (21-5-22)[6] 91. Landazuri Ricketts Juan, Franciscain (19-12-13)[37] 62. Law Bernard (4-11-31)[11] 85. Lebrun Moratinos José Ali (19-3-19)[14] 83. Lopez Rodriguez Nicolas de Jesus (31-10-36)[38] 91. Lopez Trujillo Alfonso (8-11-35)[39] 83[3]. Lorscheider Aloysius, Franciscain (8-10-24)[9] 76. Lourdusamy Simon (5-2-24)[40] 85[2]. Lubachivsky Miroslav (24-6-14)[41] 85. Lustiger Jean-Marie (16-9-26)[15] 83. Macharski Franciszek (20-5-27)[21] 79. Mahony Roger Michael (27-2-36)[11] 91. Margéot Jean (3-2-16)[42] 88. Martinez Somalo Eduardo (31-3-27)[25] 88. Martini Carlo-Maria, Jésuite (15-2-27)[6] 83. * Marty François (18-5-04)[15] 69. * Mayer Augustin, Bénédictin (23-5-11)[43] 85[2]. * Mc Cann Owen (29-6-07)[44] 65. Meisner Joachim (25-12-33)[43] 83. Moreira Neves Lucas (16-9-25)[9] 91. * Munoz Vega Paolo, Jés. (23-5-03)[45] 69. Noè Virgilio (30-3-22)[6] 91. Obando Bravo Miguel, Salésien (2-2-26)[46] 85. O'Connor John (15-1-20)[11] 85. * Oddi Silvio (14-11-10)[6] 69[2]. Otunga Maurice (1-23)[47] 73. Padiyara Anthony (11-2-21)[40] 88. Palazzini Pietro (19-5-12)[6] 73[2]. Pappalardo Salvatore (23-9-18)[6] 73. Paskai Laszlo, OFM (8-3-27)[48] 88. * Pavan Pietro (30-8-1903)[6] 85[2]. Picasky Lawrence Trevor, Jés. (7-8-16)[40] 76. Pimenta Simon Ignatius (1-3-20)[40] 88. Piovanelli Silvano (21-2-24)[6] 85. * Pironio Edouard (3-12-20)[8] 76[2]. Poletti Ugo (19-4-14)[6] 73[4]. Posadas Ocampo Juan Jesus (10-11-26)[17] 91. Poupard Paul (30-8-30)[15] 85[2]. Primatesta Raoul, Fr. (14-4-19)[8] 73. Quarracino Antonio (8-8-23)[8] 91. Ratzinger Joseph (16-4-27)[43] 77. Razafimahatratra Victor, Jés. (8-9-21)[49] 76. Revollo Bravo Mario (15-6-19)[39] 88. Ribeiro Antonio (21-5-28)[50] 73. * Righi-Lambertini Egano (22-2-06)[6] 79[2]. Rossi Agnelo (4-5-13)[9] 65[1]. * Rossi Opilio (14-5-10)[6] 76[1]. Rugambwa Laurian (12-7-12)[51] 60. Ruini Camillo (19-2-31)[6] 91. Sabattani, Aurelio (18-10-12)[6] 83[2]. * Salazar Lopez José (12-1-10)[17] 73. Saldarini Giovanni (11-12-24)[6] 91. Sanchez José (17-3-20)[52] 91. * Satowaki Joseph (1-2-04)[53] 79. * Scherer Alfredo Vicente (5-2-03)[9] 69. Schwery Henri (14-6-32)[54] 91. * Sensi Giuseppe Maria (27-5-07)[6] 76[2]. * Silva Henriquez Raul, Salésien (27-9-07)[27] 62. Silvestrini Achille (25-10-23)[6] 88. Simonis Adrien (26-11-31)[55] 85. Sin Jaime L. (31-8-28)[52] 76. Sladkevicius Vincentas (20-8-20)[56] 88. Sodano Angelo (23-11-27)[6] 91. Sterzinsky Georg Masimilian (9-2-36)[43] 91. * Stickler Alfons, Salésien (23-8-10)[33] 85[2]. * Suenens Leo (16-7-04)[19] 62. Suquia Goicoechea Angel (2-10-16)[25] 85. Szoka Edmund Casimir (14-9-27)[11] 88. Taofiniu'u Pïo, Mariste (9-12-23)[57] 73. Thiandoum Hyacinthe (2-2-21)[58] 76. Todea Alexandru (5-6-12)[59] 91. Tomko Joseph (11-3-24)[34] 85[2]. Tumi Christian Wiyghan (15-10-30)[60] 88. Tzadua Paul (25-8-21)[61] 85. * Ursi Corrado (26-7-08)[6] 67. Vachon Louis-Albert (4-2-12)[12] 85. Vidal Ricardo (6-2-31)[52] 85. Wetter Friedrich (20-2-28)[43] 85. * Willebrands Jan (4-9-09)[55] 69[2]. Williams Thomas Stafford (20-3-30)[62] 83. Wu Cheng-Chung John Baptist (6-3-25)[63] 88. Yago Bernard (juillet 1916)[64] 83. Zoungrana Paul P. blanc (3-9-17)[65] 65.

Nota. – (1) Cardinaux-évêques. (2) Cardinaux-diacres (les autres sont cardinaux-prêtres). (3) Mgr Nicolas de Jesus Lopez Rodriguez est le plus jeune cardinal. (4) Cardinal-vicaire de Rome. (5) Patriarches de rites orientaux. (6) Ital. (7) Porto Rico. (8) Arg. (9) Brés. (10) Nigeria. (11) USA. (12) Can. (13) Austr. (14) Venez. (15) Fr. (16) Pakist. (17) Mex. (18) Irl. (19) Belg. (20) Indonésie. (21) Pol. (22) Angola. (23) Mozambique. (24) Algérie. (25) Esp. (26) Zaïre. (27) Chili. (28) Bénin. (29) G.-B. (30) Lib. (31) Corée S. (32) Thaïl. (33) Autr. (34) Tchéc. (35) Youg. (36) Chine. (37) Pérou. (38) St-Domingue. (39) Col. (40) Inde. (41) Russie. (42) Île Maurice. (43) All. (44) Afr. S. (45) Éq. (46) Nicar. (47) Kenya. (48) Hongrie. (49) Mad. (50) Port. (51) Tanz. (52) Philipp. (53) Japon. (54) Suisse. (55) P.-B. (56) Lituanie. (57) Samoa. (58) Sén. (59) Roum. (60) Cameroun. (61) Éthiopie. (62) N.-Zél. (63) Hong Kong. (64) Côte-D'Ivoire. (65) Burkina.

■ Conciles œcuméniques

Ils représentent l'Église universelle (grec : *oikouménikos* = universel). Tous les évêques y sont conviés par le pape. Les décisions du concile (du latin *concilium :* assemblée), lorsqu'elles ont été confirmées par le pape, obligent tous les fidèles. Les 1ers conciles ont souvent donné lieu à des abus, soit qu'ils fussent convoqués sans l'agrément du pape, soit que le pouvoir temporel des empereurs d'Orient s'y ingérât trop. Les orthodoxes dénient aux conciles leur qualité œcuménique à partir du 8e (Constantinople IV). A partir du IXe s., ce sont en fait des conciles de l'Égl. d'Occident, sauf 14 et 17.

Liste des conciles œcuméniques

1. Nicée I *(325)* condamne Arius, qui nie la divinité de J.-C. Rédige le Symbole de Nicée. **2. Constantinople I** *(381)* condamne les Macédoniens, qui nient la divinité et la consubstantialité du St-Esprit. **3. Éphèse** *(431)* condamne Nestorius, qui nie que Marie soit la mère de Dieu. **4. Chalcédoine** *(451)* définit les deux natures (humaine et divine) du Christ, condamnant le monophysisme (que garderont en majorité Coptes, Arméniens, Éthiopiens et Syriens). **5. Constantinople II** *(553)* confirme les 4 précédents et condamne l'origénisme. **6. Constantinople III** *(680-681)* condamne le monothélisme. **7. Nicée II** *(787)* condamne les iconoclastes qui détruisent les images. **8. Constantinople IV** *(869-877)* dépose Photius qui a usurpé le patriarcat de Constantinople. **9. Latran I** *(1123)* approuve l'accord de Worms (1122) sur les investitures. **10. Latran II** *(1139)* condamne simonie, usure ; prêche la continence des clercs. **11. Latran III** *(1179)* condamne Albigeois et Vaudois. **12. Latran IV** *(1215)* définit la transsubstantiation. **13. Lyon I** *(1245)* contre Frédéric II. **14. Lyon II** *(1274)* essai de rapprochement avec les Grecs. **15. Vienne** *(1311-1312)* condamne les Templiers. **16. Constance** *(1414-1418)* met fin au schisme d'Occident. **17. Florence** *(1439-1443)* essai de rapprochement avec les Grecs. **18. Latran V** *(1512-1517)* réforme du clergé. **19. Trente** *(1545-1563)* réforme de l'Égl., décrets dogmatiques sur le péché originel, la justification, les sacrements. **20. Vatican I** *(1869)*. Ajourné *sine die* après la prise de Rome en 1870 (clos officiellement en 1962). Définit la position de l'Égl. sur la foi et le rationalisme (constitution *Dei filius*), proclame l'infaillibilité du pape (const. *Pastor æternus*). **21. Vatican II** *(1962)*. 1er concile sans condamnation. *Sessions :* 11-10/8-12-62 ; 29-9/4-12-63 ; 14-9/21-11-64 ; 14-9/8-12-65. *Papes :* Jean XXIII († 1963), Paul VI. *Participants :* 2 000 pères conciliaires, experts religieux et laïcs, observateurs non cath. Affirme sacramentalité et collégialité de l'Épiscopat. Promulgue 4 constitutions (mystère de l'Église, révélation, liturgie, dialogue avec le monde), 9 décrets (moyens de communication sociale ; œcuménisme ; Églises cath. orientales ; apostolat des laïcs ; formation des laïcs ; form. des prêtres ; renouvellement de la vie des religieux ; activités missionnaires de l'Église ; vie et activités des prêtres), 3 déclarations (liberté religieuse, relations avec les non-chrétiens, éducation chrétienne). *Influence :* bilan dressé en nov. 1985 au synode extraordinaire des év. (24-11/8-12, voir p. 512 a) ; *aggiornamento* [terme italien ; mot à mot : remise à jour (changement dans le fonctionnement de l'Égl.)] ; *collégialité* (notamment groupement d'év. à l'échelon subcontinental ou national) ; *dialogue* (rapports élargis avec les autres religions et avec les non-croyants) ; *définition de l'Égl.* (l'encycl. *Lumen gentium* insiste sur le rôle du peuple de Dieu) ; *inculturation* (le christianisme inséré dans la mentalité des peuples) ; *liturgie ; liberté religieuse* (reconnue dans le contexte des « Droits de l'Homme ») ; *insertion dans l'époque vécue* (définie par la constitution *Gaudium et Spes*) ; *œcuménisme* [dialogue avec les autres Égl. chrétiennes (bute entre autres sur l'ordination des femmes)] ; *sources de la Révélation* (l'Écriture présentée comme aussi importante que les dogmes définis par l'autorité de l'Église).

Curie romaine

Définition. Ensemble des *dicastères* [secrétairerie d'État, congrégations, tribunaux, conseils et services administratifs (chambre apostolique, administration du patrimoine du siège apostolique, préfecture des affaires économiques du St-Siège)] et des *organismes* (*instituta* dont préfecture de la maison pontificale et office des célébrations liturgiques du Souverain Pontife) qui aident le pape dans l'exercice de sa charge suprême de pasteur. Son nom vient de la *Curia*, siège du Sénat de l'Empire romain. Elle se distingue du *vicariat de Rome* (administration du diocèse) et des *services de l'État de la Cité du Vatican*.

Dicastères. En général, composés du cardinal préfet, ou d'un archevêque président de l'assemblée des pères cardinaux, et d'évêques, avec l'aide d'un secrétaire. Des consulteurs y sont présents, des ministres *(administri)* majeurs et d'autres officiers *(officiales)* prêtent leur concours. Pourront être adjoints : des clercs et d'autres fidèles *(christifideles)* mais les membres proprement dits des congrégations sont, cependant, les cardinaux et les évêques.

Langue officielle : le latin, mais les langues modernes sont aussi utilisées.

Secrétairerie d'État

Assure les relations entre les organismes de la Curie, les relations du pape avec les évêques, les nonces, les gouvernements, les ambassadeurs, les personnes privées.

Cardinal secrétaire d'État. *1979* (30-4) Agostino Casaroli (n. 23-11-1927). *1990* (1-12) Angelo Sodano, préside les 2 sections de la secrétairerie.

Section des affaires générales. *Substitut :* Mgr Giovanni Battista Re (It.). *Assesseur :* Léonardo Sandri (Arg.). S'occupe des affaires courantes, regardant le service quotidien du pape pour l'Église universelle et dans ses rapports avec les dicastères de la Curie. Rédige et expédie constitutions apostoliques, lettres apostoliques, lettres *(epistula)* et autres documents qui lui sont confiés par le pape. Garde le sceau de plomb et l'anneau du Pêcheur. Assure la publication des actes et des documents dans le bulletin *Acta apostolicae sedis*. Publie, par l'intermédiaire de l'office spécial *(Sala stampa)*, les communications officielles. Exerce, en accord avec la section des rapports avec les États, une vigilance sur l'*Osservatore Romano*, Radio Vatican et le centre de télévision du Vatican. Coordonne et publie toutes données statistiques.

Section des rapports avec les États. *Secrétaire :* Mgr Jean-Louis Tauran (Fr., n. 4-4-1943, dep. 1-12-1990). *Vice-assesseur :* Paolo Sardi (It.). *Sous-secrétaire :* Mgr Claudio Celli (It.). Traite ce qui concerne les rapports avec les gouvernements, les relations diplom. avec les États et les autres sujets de droit internat. ; représente le St-Siège près des organismes internat. et les congrès traitant de questions d'intérêt public. Peut être amené à s'occuper des nominations d'év. dans les pays sous régime concordataire (Strasbourg et Metz en France), ou dans des situations exceptionnelles.

> Les services chargés de la correspondance (ancienne chancellerie) existaient dès le IVe s. ; des rédacteurs étaient dirigés par les *protonotaires apostoliques*, qui contresignaient et faisaient exécuter les bulles pontificales. A partir du XIIe s., le 1er chancelier de la Ste Église romaine était le principal collaborateur du pape. En 1908, Pie X réduisit ses compétences. Le dernier chancelier, le card. Traglia, démissionna le 26-2-1973 en raison de son âge.

Congrégations

Elles jouent le rôle des différents ministères d'un gouvernement moderne.

Pour la doctrine de la foi. *Origine :* c'est par la Bulle « Licet ab initio » de Paul III (1534-1549) du 21-7-1542 que fut créée la Congrégation de la « Sainte, Romaine et Universelle Inquisition » dite ensuite « Saint-Office ». Veille à la pureté de la doctrine et des mœurs. *Préfet :* cardinal J. Ratzinger ; *secr. :* Mgr Bovone. **Pour les Églises orientales.** *Préfet :* card. Achille Silvestrini ; *secr. :* Mgr Marusyn. **Du culte divin et de la discipline des sacrements.** *Préfet :* card. Javiere Ortas ; *secr. :* Mgr Geraldo Agnelo. **Pour les causes des saints.** *Préfet :* card. Angelo Felici ; *secr. :* Mgr Nowak. **Pour les évêques** (ex-Congrégation consistoriale). En font partie d'office le Pt ou préfet du Conseil pour les Affaires publiques de l'Église, les pr. des Congrégations pour la Doctrine de la Foi, pour le Clergé, pour l'Éduc. catholique. S'occupe de la création ou de la réorganisation de diocèses ou de provinces ecclésiastiques, d'établir des évêques pour des régions ou des groupes sociaux particuliers (par ex. les vicaires aux armées). *Préfet :* card. Gantin ; *secr. :* Mgr Rigali. **Pour l'évangélisation des peuples.** *Préfet :* card. Joseph Tomko ; *secr. :* Mgr Uhac. **Pour le clergé** (ex.-C. du Concile). *Préfet :* card. José Sanchez ; *secr. :* Mgr Crescenzio Sepe (It.). **Pour les instituts de vie consacrée et pour les sociétés de vie apostolique.** *Préfet :* card. E. Martinez Somalo ; *secr. :* Mgr Errazuriz Ossa. **Pour l'éducation catholique.** 3 sections : 1re : séminaires ; 2e : universités ; 3e : écoles secondaires et primaires. *Préfet :* card. Pio Laghi ; *secr. :* Mgr Saraiva Martins.

Tribunaux

Nota. – Régis par le livre VII du Code de droit canonique de 1983.

Pénitencerie apostolique. *Compétence :* affaires concernant le for interne (accorde absolutions, dispenses, commutations, validations, remises de peine et autres grâces) et les indulgences. *Pénitencier majeur :* card. William Wakefield Baum. *Régent :* Mgr L. de Magistris.

Tribunal suprême de la signature apostolique. Cour d'appel et de cassation pour les tribunaux ecclésiastiques. Conseil d'État pour les litiges administratifs. Tribunal des conflits en cas de litiges de compétence. Conseil supérieur de la magistrature, Chancellerie (administration de la justice ecclésiastique). *Pro-Préfet :* Mgr G. Agustoni ; *secr. :* Mgr Grocholewski.

Tribunal de la Rote romaine. Du latin *rota*, roue, car les 12 juges qui constituent un collège (présidé par le doyen nommé par le pape parmi les juges eux-mêmes) siègent 3 par 3 à tour de rôle. *Juge : en 1re instance* les causes réservées au St-Siège par le droit canonique (ex. celles concernant les chefs d'État et leur famille, pour éviter toute pression de leur part sur les tribunaux diocésains) ; les causes qui lui sont soumises par le pape ; évêques au contentieux ; abbés primats ou abbés supérieurs de congrégations monastiques et modérateurs généraux des instituts religieux de droit pontifical ; diocèses ou autres personnes ecclésiastiques qui n'ont pas de supérieur au-dessous du pape ; *en 2e instance,* les causes jugées par les tribunaux ordinaires de 1re instance et déférées au St-Siège par appel légitime ; *en 3e ou dernière instance,* les causes déjà connues par le même tribunal apostolique ou par quelque autre tribunal, à moins qu'elles ne soient passées en l'état de chose jugée. En raison de la primauté reconnue au pape, tout fidèle peut directement introduire une cause devant la Rote, ou le saisir alors même qu'un procès est déjà engagé devant un autre tribunal ecclésiastique ; mais il faudra toutefois que celui-ci se prononce.

Doyen : Mgr Ernesto Fiore.

Conseils pontificaux

Pour les laïcs (créé 6-1-1967). *Prés. :* card. Ed. Pironio. **Pour l'unité des chrétiens.** Compétent aussi pour les relations avec les juifs sur le plan religieux. *Prés. :* card. Edward Cassidy. *Secr. :* Pierre Duprey (Fr., n. 26-11-1922). **Pour la famille.** *Prés. :* card. Alfonso Lopez Trujillo. *Vice-prés. :* Mgr Jean-François Arrighi (Fr.). **« Justice et Paix »** (créé 6-1-1967). S'emploie à ce que dans le monde soient promues la justice et la paix selon l'Évangile et la doctrine sociale de l'Église. *Prés. :* card. Etchegaray. **« Cor unum »** (créé 15-6-1971). Exprime la sollicitude de l'Église à l'égard des nécessiteux. *Prés. :* card. Etchegaray. **Pour la pastorale des migrants et des personnes en déplacement.** *Prés. :* Mgr Giovanni Cheli. **Pour la pastorale des services de la santé.** *Prés. :* card. Fiorenzo Angelini. **Pour l'interprétation des textes législatifs.** *Prés. :* Mgr Fagiolo. **Pour le dialogue interreligieux.** *Prés. :* card. Francis Arinze. **Pour le dialogue avec les non-croyants.** *Prés. :* card. Poupard (n. 30-8-1930). **De la culture.** *Prés. :* card. Poupard. **Des communications sociales.** *Prés. :* John Foley.

Services administratifs

Chambre apostolique. *Chef* (nommé à vie) : le *camerlingue de la Sainte Église* (card. Baggio), à distinguer du camerl. du Sacré Collège. *Rôle :* en cas de vacance du St-Siège, il est gardien et administrateur des biens de la papauté et de ses droits temporels et prend possession des palais apostoliques. Il est chargé de constater officiellement la mort du pape. Il reçoit la *ferula aurea,* sorte de bâton de commandement, insigne de sa charge.

Administration du patrimoine du Siège apostolique (APSA). Chargée de gérer les domaines privés du St-Siège. *2 sections :* ordinaire (créée 1878) et extraordinaire [gérant notamment les fonds versés par l'État italien en 1929 (accords du Latran), créée 1933]. Paul IV a regroupé les 2 sections. *Prés. :* card. Rosalio José Castillo Lara dep. 1990.

Préfecture des affaires économiques du Saint-Siège. *Prés. :* card. Edmund Szoka, dep. 22-1-1990, assisté de 14 cardinaux. Examine l'état patrimonial et économique, établit le budget prévisionnel.

Autres organismes

Préfecture de la maison pontificale. Dirige la discipline et le service, clercs et laïcs constituant la chapelle et la famille pontificales. Veille à l'organisation et au déroulement des cérémonies pontificales (sauf la partie liturgique, dont s'occupe l'Office des célébrations liturgiques du pape). Établit l'ordre des préséances. Règle les audiences du pape. *Préfet :* Mgr Dino Manduzzi.

Index

Origine. *Créé* 1557. Dernière édition 1948. *Supprimé* 1966. Indiquait les livres qu'on ne pouvait lire que pour des motifs professionnels soumis à l'appréciation de l'év. diocésain. La non-lecture de livres antireligieux, immoraux ou induisant en erreur reste une exigence morale, mais qui n'est plus explicitée par une loi ecclésiastique.

Avaient été mis à l'Index : XVIIe s. : 93 auteurs, dont Pascal (les Pensées) ; XVIIIe s. : 52, dont Locke (1734), La Mettrie (1770), Condorcet (1827), Condillac (1852), Diderot (1894) ; XIXe s. : 19, dont Larousse pour le Grand Dictionnaire universel ; XXe s. : 16, dont Sartre (1948), Gide (1952), Kazantzakis (la Dernière Tentation, 1954), Simone de Beauvoir (le 2e Sexe, les Mandarins, 1956), l'abbé Steinman (la Vie de Jésus, 1961).

Office des célébrations liturgiques du Souverain Pontife. Dirigé par un maître nommé par le pape pour 5 ans : Mgr Marini.

■ Avocats

En plus des avocats de la Rote romaine et avocats pour les causes des saints, il existe une liste d'avocats habilités à assumer la défense des causes auprès du tribunal suprême de la signature apostolique et à apporter leur concours dans les recours hiérarchiques devant les dicastères de la Curie romaine. Nommés pour 5 ans par le cardinal secrétaire d'État, ils sont déchargés de leur fonction à 75 ans accomplis.

■ Institutions rattachées au Saint-Siège

Sans faire partie à proprement parler de la Curie romaine, elles rendent différents services au pape, à la Curie, à l'Église universelle et, d'une certaine façon, sont liées au Siège apostolique. Parmi celles-ci : les *Archives secrètes vaticanes,* la *Bibliothèque apostolique vaticane,* différentes *académies* créées au sein de l'Église dont l'*Académie pontificale des sciences* (voir Index), *Typographie polyglotte vaticane, Éditions* et *Librairie vaticanes, journaux* dont l'*Osservatore Romano, Radio Vatican* et le *centre de télévision* du Vatican dépendent de la Secrétairerie d'État ou d'autres services de la Curie romaine, *la Fabrique de St-Pierre* s'occupe de tout ce qui concerne la basilique St-Pierre, l'*Aumônerie apostolique* (assistance à l'égard des pauvres) dépend du pape.

Synode mondial des évêques

■ **Origines.** Du grec *Sunodos,* chemin parcouru ensemble. Réformé par Vatican II qui crée le 28-10-1965 un synode des évêques auprès du pape. Assemblée plus restreinte, plus facile à réunir qu'un concile.

■ **Types. Synode ordinaire :** évêques élus par les conférences épiscopales, patriarches orientaux, évêques nommés personnellement par le pape, religieux. **Extraordinaire** (tous les 3 ans) : présidents des conférences épiscopales, patriarches orientaux, cardinaux préposés aux congrégations de la Curie, 3 religieux et des participants nommés par le pape. Pour donner des réponses rapides à « des questions concernant le bien de l'Église universelle ». **Spécial :** convoqué sur une question propre à une région ou à une Église particulière [ex. pour l'Europe (1991), le Liban (date non fixée), l'Afrique (1993)].

A la fin d'un synode, les évêques remettent un rapport au pape et, souvent, rédigent un message au monde. Le pape, s'il en a ratifié les conclusions (ex. encyclique ou exhortation apostolique) reprend fréquemment dans un document paraissant sous sa responsabilité propre les éléments essentiels du rapport qui lui a été remis.

■ **Premiers synodes. 1967** (24-9/29-10) problèmes doctrinaux, mariages mixtes, liturgie ; **1969** (11/28-10) extraordinaire : le pape, Rome et les Églises locales ; **1971** (30-9/6-11) sacerdoce, justice dans le monde ; **1974** (27-9/27-10) évangélisation du monde ; marqué par l'invitation du pasteur antillais Philip Potter (n. 1921), secr. gén. du Conseil œcuménique des Églises dep. 1972 ; **1977** (30-9/29-10) catéchèse ; **1980** (26-9/26-10) la famille ; **1982** (29-9/28-10) réconciliation et pénitence dans la mission de l'Église. **1985** (24-11/8-12) extraordinaire : « 20 ans après Vatican II ». Les 2 tendances de Vat. II (conservateurs et progressistes) sont remplacées par « optimistes » et « pessimistes ». *Résultats :* décision d'« amplifier » Vat. II : projet de réforme du gouvernement de l'Égl. et d'un catéchisme universel ; réduction du rôle des conférences épiscopales (continentales, sud-continentales, nationales) ; relance de l'œcuménisme pour un sommet de toutes les religions, tenu à Assise le 27-10-1986. **1987** (1/30-10) mission de laïcs. **1990** (30-9/8-10) formation des prêtres pour l'an 2000.

Ordres religieux

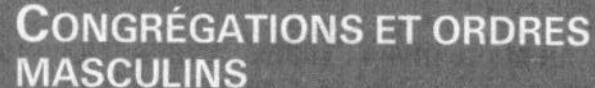

Congrégations et ordres masculins

■ Définitions

Chanoines réguliers. Voir Chanoines p. 500 c.

Clercs réguliers. Ordres fondés principalement au XVIe s. et groupant des prêtres sous une règle de vie commune et d'action dans le monde.

Congrégation. Plusieurs sens : 1°) *institut religieux* à vœux non solennels ; 2°) *groupement de monastères autonomes* (par ex. : congr. bénédictine) ; 3°) *ministère de la Curie romaine ;* 4°) *sous la Restauration,* association fondée le 2-2-1801 par un ancien jésuite, l'abbé Jean-Baptiste Delpuits (1734-1811), et dissoute par décret impérial en 1809. On la confondait souvent avec la Sté secrète des *Chevaliers de la Foi,* fondée vers juin 1810 par Ferdinand de Bertier († 1864) et Mathieu de Montmorency (1767-1826).

Couvent. Maison ou résidence des religieux non moines, tels que franciscains ou dominicains (pour les jésuites, on dit : maison). Le nom désigne également les maisons où résident les religieuses non moniales. Il a aussi pris le sens de « maison d'éducation » (d'où le mot : *couventines*).

Instituts religieux. Nom d'ensemble de tous les groupements organisés dont les membres sont des religieux ou des religieuses : ordres, congrégations cléricales (de prêtres) et laïques (de frères non-prêtres), sociétés de vie commune.

Instituts séculiers. Associations de prêtres et de laïcs pratiquant les 3 vertus de pauvreté, chasteté, obéissance, mais vivant dans le monde. Ex. : Institut du Prado. Les membres d'instituts séculiers, en France, sont surtout des femmes (25 instituts, dont *Caritas Christi,* avec 800 m.).

Moines. Religieux à vœux solennels vivant en groupe dans un *monastère,* sous la direction d'un des leurs : les *abbés,* élus d'ordinaire pour un temps indéterminé (ou indéfini), sont à la tête d'une abbaye (au moins 12 moines) ; les *prieurs,* élus ou nommés à temps, sont à la tête d'un prieuré.

Noviciat. Probation d'au moins 12 mois consacrée à la formation spirituelle. Il se passe dans une maison désignée à cet effet, ayant de contact avec le monde extérieur mais ayant un lien avec la communauté et la vie de l'institut. Dans les instituts de vie active, on peut prévoir des stages apostoliques qui en prolongent la durée.

Ordres les plus anciens. Antonins et basiliens, fondés au IVe s. (environ 1 000 m. aujourd'hui).

Ordres mendiants. Ordres fondés au début du XIIIe s. (principalement franciscains et dominicains), dont la communauté, pratiquant la pauvreté, ne peut posséder que certains biens précisés par la règle.

Postulat. Probation préalable à l'entrée au noviciat. Il peut durer de quelques semaines à quelques mois et n'est plus exigé par le droit universel.

Profès (du latin *professus :* qui a fait profession). Nom donné aux religieux qui ont prononcé des vœux. On les appelle après les vœux temporaires, profès temp. ; les v. simples : pr. simples ; les v. perpétuels : pr. perpétuels ; les v. solennels : pr. solennels.

« Union des Supérieurs généraux ». *Regroupe* 242 Supérieurs généraux d'ordres ou congrégations d'hommes, de droit pontifical. 101 résident à Rome, les autres dans différents pays (14 en France). *But :* rendre la vie religieuse toujours plus utile à l'Église et au monde. *Pt :* R.P. Flavio Carraro, Capucin ; *Secr. :* R. Fr. José Pablo Basterrechea, Écoles Chrétiennes. Via dei Penitenzieri, 19, 00193 Roma.

Vœux temporaires (profession temporaire) de pauvreté, de chasteté et d'obéissance, prononcés à la fin du noviciat : engagement temporaire et probatoire d'au moins 3 ans (max. 9 ans). **Perpétuels** (profession perpétuelle). Engagement définitif pour toute la vie dans l'institut. Certains instituts parlent de « vœux solennels ». Les Stés de vie apostolique n'ont pas de vœux, mais une autre forme d'engagement.

Statistiques

Novices (1984). 9 659 dont 7 574 se préparant au sacerdoce (*de 1979 à 1984 :* + 8,2 %).

Instituts (1984). **Total.** 226 (234 260 religieux). **Par rite :** *latin* hors pays de mission 189 (215 777), en pays de mission 23 (15 539) ; *oriental* 14 (2 944). **Par types :** *instituts religieux* 199 (215 866) dont ordres (chanoines réguliers, moines, ordres mendiants, clercs réguliers) 83 (103 736), congrégations de clercs 85 (83 966), c. de laïcs 31 (28 164) ; *stés de vie apostolique* 27 (18 934).

Nombre de religieux dans le monde

Déc. 1985	Prêtres	Frères	Religieux [1]
Afrique	10 515	5 119	15 991
Amérique	52 233	21 018	72 827
Asie	13 557	5 629	24 720
Europe	72 854	31 530	108 313
Océanie	2 711	2 991	5 177
Total	*151 870*	*66 287*	*227 028*

Nota. – (1) Prêtres et frères religieux.

Principaux instituts religieux masculins

☞ **Légende.** Bx : Bienheureux ; Ch. : Chanoines ; CL : Congrégation religieuse laïque (c.-à-d. non sacerdotale) ; congr. : congrégation ; CR : Clercs réguliers et chanoines réguliers ; CS : Congrégation sacerdotale ; IS : Institut séculier ; M. : Membres (nombre dans le monde, en 1986-91) ; Miss. : Missionnaires ; Pr. : Prêtres ; *Rel. :* Religieux ; SVA : Société de vie apostolique. – Date de fondation.

Assomptionnistes, CS (1850), groupe de prêtres professeurs du collège de l'Assomption à Nîmes érigé en congrégation par le P. Emmanuel d'Alzon (1810-80) sous la règle de St Augustin (nom officiel : Augustins de l'Ass.). Essaime à Paris en 1851. Approbation définitive par Rome en 1864. *Activités principales :* presse, édition (dont Le Pèlerin et La Croix) ; pèlerinages (N.-D. de Salut) ; œcuménisme surtout en Europe de l'Est ; collège de Mongré (Rhône) ; centres d'accueil à Lyon-Valpré (Rhône), St-Maur (M.-et-L.) ; missions (Amér. du S., Madagascar, Zaïre, Kenya, Corée) ; paroisses et établ. d'ens. européens (Amér. du N., Nlle-Zél.). *Membres :* 1 020. *Maisons :* 150.

Principaux ordres

	1939	1967	1990
Jésuites	25 954	35 573	24 346
Franciscains	24 482	26 940	18 129
Salésiens	11 070	22 626	17 161
Capucins	13 466	14 521	11 539
Bénédictins	9 070	11 400	9 096
Frères des écoles ch.	14 415	15 978	8 682
Dominicains	7 011	10 003	6 460
Rédemptoristes	6 663	8 779	6 060
Frères mar. des éc.	3 673	9 752	5 723
Oblats (OMI)	5 196	7 595	5 302
Verbe Divin	3 632	5 744	5 115
Lazaristes	5 133	6 584	3 681
Franc. conventuels	3 113	4 605	4 021
Spiritains	3 890	5 147	4 090
Augustins	2 200	3 721	3 229
Passionistes	2 887	4 137	2 627
Pères Blancs[1]	2 045	3 621	2 596
Augustins récollets	814	1 482	1 204

Nota. – (1) Dont 621 Français (dont 222 de + de 70 ans).

Augustin (chanoines réguliers de Saint) (CRSA). *IVe s.* St Augustin organise la vie commune de son clergé. *XIe et XIIe s.* Communautés créées, réorganisées et recevant leur nom. *Actuellement :* 9 congrégations indépendantes, dont 6 confédérées dep. 1959 sous la présidence d'un abbé primat [Congr. du Latran (310 membres), d'Autriche (XIe s., 191 m.), du Grand St-Bernard (XIe s., 72 m.), de St-Maurice-d'Agaune (XIIe s., 90 m.), Vindesheim-St-Victor (XIIe et XIVe s., 109 m.), l'Immaculée-Conception (XIXe s., 73 m.)]. En dehors de la Confédération : Prémontrés (XIIe s., 1 378 m.), Congr. de Ste-Croix-de-Coïmbre (XIIe s., 153 m.), Croisiers (XIIIe s., 513 m.). *Vie commune* en abbayes ou prieurés le plus souvent ; office choral public : paroisses, enseignement, missions, éducation et hospitalité. *Membres :* 3 231. *Maisons :* 404 dans 40 pays.

Augustins déchaux OAD. Mendiants, branche réformée des A. *Fondé* 1592. 1er couvent à Naples, Italie. *Membres :* 140. *Maisons :* 25.

Augustins récollets. Mendiants (1588), branche des castillans, réformée par Jerónimo Guevara (1554-89), Pedro de Rojas († 1602) et Luis de León (1528-91) et érigée en congr. distincte par Grégoire XV en 1621, et en ordre par Pie X en 1912. Répandus Esp., Italie, Amér. du S., USA, Angleterre, Mexique, Philippines, Taiwan. *Vie contemplative. Apostolat :* enseignement, paroisses et missions. *Membres :* 1 255. *Maisons :* 201.

Barnabites. CR de St Paul (1530), *fondés* 1533 à Milan, dans l'égl. St-Catherine par St Antoine-Marie Zaccaria (1502-39) ; transférés à l'égl. St-Barnabé (1545). Apostolat, enseignement, missions. *Membres :* 421. *Maisons :* 72.

Bénédictins. Confédérés, moines (v. 530, conf. 1893) ; Ordo Sancti Benedicti (OSB). St Benoît de Nursie (480-547) fonde 2 monastères : Subiaco (v. 500), Mt-Cassin (529). Il écrit pour eux la règle des moines cénobites qui militent dans un monastère sous une règle et un abbé. *V. 580,* monastères détruits par Lombards, leurs moines se réfugient à Rome (Sts-Jean-et-Pancrace, près du Latran). *597,* 1res missions (St Augustin de Cantorbéry, moine romain, évangélise l'Angl.). *VIIe et VIIIe s.*, les règles irl., dites de St Colomban et de St Benoît, sont diffusées dans les îles Brit. et sur le continent, donnant naissance au monachisme bén. colombanien régi par la règle mixte ; union entre textes celtiques de St Colomban et règle de St Benoît. Le statut de fondation des monastères règle leurs situations juridiques diverses. *817,* 1re tentative de centralisation des monastères, au synode d'Aix-la-Chapelle, sur l'initiative de St Benoît d'Aniane (750-821), abbé d'Inda près de Cologne et conseiller intime de Louis le Pieux. La règle de St B. devient l'unique règle reconnue et admise pour les monastères de l'Empire. Après la dislocation de l'Empire et la décadence du IXe s., et la fondation de Cluny (910, Bourg.), se développe le mouvement monastique des Xe et XIe s., avec l'ordre (= observance) de Cluny, fortement centralisé. Autres observances : Brogne (Belg., 923), Gorze (Lorraine, 923), Fleury (pays de Loire, 960), St Dunstan (Angl., 969), Cava et Fontavellane (It., 1025 et 1049), Hirsau (Forêt-Noire, 1049), La Chaise-Dieu (Auvergne, 1052). *XIIe s.* Cîteaux (Bourg.), pour plus de fidélité à la règle de St B. constitue un ordre à part, plus structuré (V. Cisterciens). *XIVe-XVe s.*, réforme regroupant beaucoup de mon. bénéd. en congrégrations sans liens juridiques entre elles : Olivétains (1319) et Ste-Justine (1419), devenue Mt-Cassin (1504) en It. ; Valladolid (1390) en Esp. ; Bursfeld (1440) en All. ; Chezal-Benoît (1498) en Fr. *XVIIe s.* la réforme bén. suscite 2 congr. : St-Vanne-et-St-Hydulphe (1604, Lorraine) et St-Maur (1618, Fr.), célèbres par leurs travaux d'érudition. *Révolution fr.* ruine le monachisme en Fr. et en Europe. *XIXe s.*, rétablissement d'anciennes congr. (Mt-Cassin, 1815 ; Bavière, 1858 ; Autriche, 1889), fondation de nouvelles congr. [*De Solesmes* (1837), par Dom Prosper Guéranger (1805-75), héritière de St-Maur, St-Vanne et Cluny ; *C. de Subiaco* (1872), f. par D. Pierre Casaretto ; *C. de Beuron* (1873), f. par les frères Maur et Placide Wolter en All. et *C. de Sankt-Ottilien* (Bavière, 1884)]. En Am. du N. : *C. américano-cassinaise* (1855) et *helvéto-américaine* (1881). *1893,* Léon XIII constitue la *Confédération bén.* regroupant tout l'ordre.

Actuellement, 21 congr. sous l'autorité d'un abbé primat. Solesmes et Beuron sont renommées pour leurs travaux de liturgie et d'art sacré. *Membres :* 9 096 (dont Congr. de Solesmes 763 moines, 304 moniales ; messes chantées en latin, chants grégoriens). *France métropolitaine* (1985) : 907 m. dans 20 monastères ; (Province fr. de Subiaco ; C. olivétaine et autres).

Bétharram (Prêtres du Sacré-Cœur-de-Jésus). SCJ. *Fondée* 1835 à Bétharram par St Michel Garicoïts (1797-1863). Fête le 14-5. Activités pastorales, enseignement et missions d'outre-mer. A essaimé en Italie, Esp., Angl., Am. lat., Afrique noire, Moyen-Orient, Proche-Orient (Israël) et Extrême-Orient. *Membres :* 384 dont France 100.

Camaldules. Ermites et moines (1 027, St Romuald). *Maison mère :* ermitage de Camaldoli (Apennins toscans). En 1965, les moines se sont ralliés aux Bénédictins confédérés (voir p. 512) dont ils forment la congr. des « moines-ermites camaldules ». *Membres :* 110. *Maisons :* 9. *Congr. des Ermites camaldules du Mt Corona.* Réforme de Camaldoli, *fondée* 1524 par Paolo Giustiniani (1476-1528), érémitique et indépendante. *Membres :* 98. *Maisons :* 9.

Camilliens (Serviteurs des malades) (1586, St Camille de Lellis). CR. Prêtres et frères. *Membres :* 1 073 dont France 53. *Maisons :* 131.

Carmes (Grands). Mendiants ; *v. 1209* règle reçue du patriarche latin de Jérusalem, St Albert Avogadro ; *1238* rapatriés en Occident. *1247* ordre mendiant organisé par le pape Innocent IV. Connus pour leur dévotion à Marie (Scapulaire). *Membres :* 2 051. *Maisons :* 355.

Carmes déchaux. Mendiants (*réforme* 1568). Sous l'influence de St Jean de la Croix et de Ste Thérèse d'Avila, marqués par la vie contemplative (2 h d'oraison quot., vie en cellule, silence), l'enseignement de la prière et le travail missionnaire. Supprimés en Fr. à la Révolution, rétablis à Bordeaux 1840 par un Carme déchaux esp. le P. Dominique de St-Joseph. *Membres :* 3 700 (en 43 provinces) dans 67 pays et 482 maisons. *En France :* 2 provinces (Paris 55 religieux, 6 maisons ; Avignon-Aquitaine 75 rel., 6 maisons).

Carmes de Marie Immaculée. CS. *Créée* 1831 par 3 prêtres indiens (Frères Thomas Palakal, Thomas Porukara et Cyriac Chavara). *1855* érigée officiellement sous le titre « Serviteurs de Marie Immaculée du Mont-Carmel ». *1958* titre actuel. Rite oriental. *Apostolat :* surtout éducation. *Prière. Implantées :* Inde, Amér. latine et Afrique. *Membres :* 1 680. *Maisons :* 171.

Chartreux. Moines, 2 catégories : pères (prêtres), à la vie solitaire plus accentuée ; frères, avec plus de

EXEMPLE DE VIE DANS UN MONASTÈRE

La règle de St Benoît (v. 530), encore observée par bénédictins et cisterciens, a inspiré beaucoup d'ordres et congrégations. La louange divine (chant ou récitation de l'office composé de psaumes, hymnes et lectures) et la messe conventuelle réunissent, à des moments déterminés, la communauté à l'église. Chaque moine consacre de plus un temps à la prière personnelle et à la lecture méditée de l'Ecriture sainte et des auteurs spirituels. Des réunions rassemblent aussi les moines « à la salle du chapitre » (décisions communautaires, conférences, lectures spirituelles). Les moines prennent leurs repas en commun et en silence, tandis qu'ils écoutent une lecture. Le silence de règle entre les frères est interrompu par des temps de récréation commune ou d'échanges par groupes.

Chacun enfin s'adonne aux tâches que l'abbé ou le supérieur lui a assignées : travaux manuels (entretien, cuisine, artisanat, agriculture, etc.) ou intellectuels (sciences sacrées et humaines, enseignement aux jeunes frères, publications, etc.).

Le travail artisanal est courant dans les petites communautés, surtout féminines (jouets, vêtements, pâtes de fruits, imagerie, dactylographie et polycopie, etc.). Depuis 1973, les articles produits portent un label d'origine : *Aide au travail des cloîtres, Produits monastiques.*

Les grandes abbayes ont des activités plus importantes : imprimerie d'art à La Pierre-qui-Vire, galvanoplastie à Acey, fromagerie à Belloc, céramique à En-Calcat et Tournay, recherches et éditions de chants grégoriens à Solesmes. Elles accueillent aussi des hôtes pour des récollections ou des retraites individuelles ou en groupe.

travail manuel. *1084* fondés par St Bruno (v. 1030-1101) dans la Grande Chartreuse (Isère). *1128* 7 maisons indép. ; reçoivent la règle (Coutumes) du Prieur de Chartreuse, Guigues ; *1140* érigées en ordre par St Anthelme ; *1520* apogée (195 chartreuses, en Europe, en 17 prov.) ; *1582* nouveaux statuts ; *1789* sur 122 chartreuses, 5 restent ; *1816* Grande Chartreuse restaurée. *XIXe s.* reconstitution de l'ordre. *XXe s.* après Vatican II : mise à jour des statuts. *Membres :* 395. *Maisons :* 18. *Activités :* prière : offices de j et de nuit, chantés à l'église, récités dans la cellule ; prière personnelle, lecture spirituelle ; un peu de travail manuel ; repas en solitude ; une promenade, une récréation par semaine. Pas d'activités extérieures (vie contemplative). Quelques activités artisanales pour la subsistance. Chaque moine vit dans une cellule personnelle (petite maison avec jardinet) donnant sur un cloître commun qui les relie à l'église. La communauté, dirigée par un prieur, et qui ne doit compter qu'un petit nombre de moines, constitue une *chartreuse. Supérieur de l'ordre :* le prieur de la Gde Chartreuse. *Autorité suprême :* Chapitre général (rassemblant tous les prieurs tous les 2 ans à la Gde Chartreuse). Chaque maison est inspectée tous les 2 ans par 2 visiteurs délégués du Chapitre général. *Implantation en France :* Gde Chartreuse (fondée 1084) ; Portes (Ain) 1115 ; Montrieux (Var) 1137 ; Sélignac (Ain) 1200.

Cisterciens. Moines. *Fondés* 1098 à Cîteaux (Cistercium) par St Robert de Molesmes († 1110) ; dits aussi *Bénédictins blancs* (pratiquant la règle de St Benoît ; habit blanc), et *Bernardins* [leur maître spirituel St Bernard (Fontaine-lès-Dijon 1090, Clairvaux 20-8-1153 ; canonisé 1174, docteur de l'Église 1830), 1er abbé de Clairvaux (1112), déclencha un tel mouvement en faveur de Cîteaux que même des communautés non affiliées à l'ordre adoptèrent ses observances]. D'où les moniales dites *bernardines* (ex. en France : bern. d'Esquermes). Plusieurs réformes, dont celle de Armand Jean Le Bouthillier de Rancé (1626-1700), abbé de la Trappe à Soligny (Orne), d'où les trappistes. *A la Révolution,* Dom Augustin de Lestrange (1754-1827) regroupe quelques moines à la Valsainte (Suisse), *1815* la Trappe reprend possession du monastère. *1892,* dans leur chapitre, convoqué à la demande de Léon XIII, les Trappistes se séparent et forment un ordre juridiquement distinct : **1°) O. Cistercien.** *Membres :* 1 326 dans 80 monastères, dont 2 en Fr. [île St-Honorat, îles de Lérins, A.-M. et Senanque (Vaucluse)]. **2°) O. Cistercien de la stricte observance, dit Trappistes** qui tous retrouvèrent, en 1898, Cîteaux comme maison mère. *Monastères :* 92 (dont 16 en France). *Membres :* 2 897.

Clercs de St-Viateur. CS. *Fondée* 1831 à Vourles (Rhône) par le père Louis Querbes (1793-1859). *Buts :* éducation, activités pastorales surtout auprès des jeunes. *Membres :* 930.

Consolata di Torino. CS. *Fondée* 1901 par Joseph Allamano. *But :* 1re annonce de l'Évangile et coopération avec les Églises en voie de maturation (jeunes Églises). *Maisons :* 258.

Dominicains (Frères prêcheurs). Mendiants. *Fondés* 1215 à Toulouse par St Dominique de Guzmán (Esp., 1170-1221). *Robe* de laine blanche et manteau noir. *Gouvernement :* a) prieurs conventuels élus pour 4 ans (renouvelables 1 fois) par les religieux profès perpétuels ; b) prieurs provinciaux élus par prieurs conventuels et délégués spéciaux des couvents ; c) maître de l'Ordre, élu (pour 9 ans) par prieurs prov. et délégués spéciaux (2 par province) : Timothy Radcliffe (G.-B., 22-8-1945, élu 1992). *Couvents et maisons :* 666 (au 31-12-88) dans 83 pays, administrés par un *prieur* et groupés en 49 prov. et 3 vicariats généraux dirigés par un provincial ou un vicaire gén. *Membres :* 6 774. *Buts du fondateur :* 1°) Évangélisation des païens et des hérétiques (notamment albigeois du Languedoc, où il avait prêché seul de 1206 à 1215). 2°) A partir de 1217 : étude et enseignement de la théologie [leur compétence théologique leur fera jouer un rôle prééminent dans l'*Inquisition,* fondée 1229 ; le plus grand théologien cath. St Thomas d'Aquin (1227-74) a été dominicain]. *De nos jours :* centres d'action spécialisés dans l'apostolat : *intellectuel* [ex. : éditions du Cerf et « Istina » (revue d'études œcuméniques), bibliothèque du « Saulchoir », à Paris ; à l'origine de plusieurs organismes indépendants : Économie et humanisme, Centre national de pastorale liturgique, groupe de presse Malesherbes (*La Vie, Actualité religieuse dans le monde, Télérama*) ; ils animent, sous l'autorité de l'épiscopat, l'émission télévisée « Le jour du Seigneur »] ; *ouvrier* (centre de mission ouvrière à Hellemmes, Nord) ; *œcuménisme* (l'école biblique de Jérusalem est un lieu de rencontre islamo-judéo-chrétien). *Animation spirituelle* dans 2 collèges en France : Oullins, Marseille. *Tiers Ordre régulier,* fondé 1852 par le P. Lacordaire et consacré à l'éducation ; assimilé à l'ordre en 1921. *Adresses des 3 provinces fr. :* 8, rue Fabre, 34024 Montpellier ; 222, rue du Fg-St-Honoré, 75008 Paris ; 104, rue Bugeaud, 69451 Lyon.

Eudistes (Congr. de Jésus et Marie). SVA. *Fondée* 1643 par St Jean Eudes (1601-80), ex-oratorien, pour prédication des missions et direction des séminaires ; *XVIIIe s.* combattent le jansénisme ; supprimés à la Révolution ; *1826* reconstitués. *Provinces :* Canada-USA, Colombie-Équateur-Mexique-Brésil, Venezuela, France (16 communautés, éducation, paroisses, formation des prêtres) 1 région africaine : C.-d'Ivoire et Bénin. *Maison généralice* à Rome. *Membres :* 450 dont France 129. *Maisons :* 61.

Fils de la Charité. CS. *Fondée* à Paris en 1918 par Jean-Émile Anizan (1853-1928) pour l'évangélisation du monde ouvrier et populaire. *Membres :* 213. *Maisons :* 48. Régions : France, Québec, Mexique. Branches nationales : Côte-d'Ivoire, Congo, Argentine, Brésil, Colombie, Cuba, Espagne, Portugal.

Fils missionnaires du Cœur Immaculé de Marie. CS. Clarétiens (1849). *Membres :* 2 934. *Maisons :* 391.

Franciscains ou Frères mineurs. *Fondés* 1209 par St François d'Assise (v. 1182-1226), appelés en France *Cordeliers* jusqu'en 1792. Prédicateurs orientés aussi vers les études sup. (sciences, ét. des cultures, ét. bibliques, histoire, etc.). *Actuellement* apostolats variés et populaires. 7 universités ou centres d'études sup. [théologie notamment l'Univ. pontif. St-Antoine (Rome), l'Univ. St-Bonaventure (New York), l'institut Cisneros de Madrid et le Studium biblique de Jérusalem]. *Revues :* plusieurs dont l'*Archivum franciscanum historicum. Membres (31-12-1991) :* 18 738 Pères et Frères, en 113 provinces [Europe occ. 7 330 (dont France 440), Europe-Est 2 639, Afrique 686, Terre-Ste 245, Amér. du N. 2 525, Amér. lat. 4 120, Asie 1 193]. *Adresse des 5 provinces fr. :* 7, rue Marie-Rose, 75014 Paris ; 13, av. Esquirol, 69003 Lyon ; 17, rue Marchand, 57000 Metz ; 42, rue Surcouf, 35000 Rennes ; 27, rue Adolphe-Coll, 31000 Toulouse.

Franciscains capucins. Mendiants (1528, réforme des Fr. par Matthieu de Basci). *Nom :* du capuchon long et pointu inspiré de l'antique iconographie de St François. Contemplation, simplicité de vie et prédication populaire (recherche théologique). Constitutions révisées sur le nouveau droit canon promulguées 1983. *Membres en 1991 :* 11 278.

En France : introduits par le card. Charles de Lorraine (1574), éteints pendant la Révolution, restaurés (1820) grâce à leur « Mission du Levant » à Constantinople qui avait survécu. *Membres :* 418, + de 40 *fraternités* en 4 provinces : Paris, Savoie, Strasbourg, France Sud. *Adresses :* 29, bd de Glatigny, 78000 Versailles ; 33, av. Jean-Rieux, 31500 Toulouse ; 9, av. de Cran, 74000 Annecy ; 5, rue Mgr-Hoch, 67033 Strasbourg.

Franciscains conventuels ou Frères mineurs conventuels. Mendiants, en France *Cordeliers,* à cause de la corde qu'ils portent. *1209* fondés par St François d'Assise. *1223* approuvés par Honorius III sous le nom de *Frères Mineurs. 1250* peuvent officier dans des églises « conventuelles » d'où leur nom. *Apostolat :* prédication pastorale paroissiale, enseignement, animation de sanctuaires (par ex. : à Assise, garde du corps de St François ; à Padoue, du corps de St Antoine), pénitencerie à St-Pierre de Rome. *Recherche théologique :* à Paris au *Studium generale* fondé 1236 par Alexandre de Hales près de la future Sorbonne (Grand couvent des Cordeliers), illustré par St Bonaventure et Duns Scot ; puis au *Collège St-Bonaventure,* érigé 1587 à Rome par Sixte Quint (pape franciscain conventuel) ; actuellement, Faculté pontificale de théologie « Seraphicum ». *Revue spécialisée :* Miscellanea francescana. Spiritualité mariale de St Maximilien Kolbe (mission de l'Immaculée). *Adresse principale :* Rome, piazza SS. Apostoli, 51. *Membres :* 4 303 (au 1-1-1992), en 37 provinces, 19 custodies, 11 territoires de mission.

FRANCE : supprimés à la Révolution, rétablis 1949 ; 3 couvents [Narbonne (Aude), Tarbes (2, bd Pierre-Renaudet) et Lourdes (Htes-Pyrénées)].

Franciscains de l'Expiation. *Fondés* 1898 par Fr. Paul James Wattson au sein de l'Église Épiscopale. *1909* reçus dans l'Église catholique ainsi que les Franciscaines (fondées 1898 par Mère Lurana Mary White). Suivent la règle du tiers ordre régulier de St François d'Assise. *Membres :* 175. *Adresse principale :* Graymoor Garrison, New York, USA.

Franciscains du Tiers Ordre régulier. Mendiants (1221). *Membres :* 893. *Maisons :* 206.

Frères de l'Assomption. *Fondés* au Zaïre par Mgr Henri Piérard (1893-1975). *Membres :* 40.

Frères de la Charité de Gand. CR de droit pontifical. *Fondés* 1807 par Pierre-Joseph Triest (1760-1836). *But spécial :* malades mentaux, handicapés et enfants normaux (éc. primaires, secondaires, profession.). *Membres :* 670. *Communautés :* 87 dont : Belgique 35, Canada 10, Irlance 6, Zaïre 6, Rwanda 5. *Adresse :* Via Gambattista Pagano, 35, C.P. 9082, Aurelio, I - 00167 Rome, Italie.

Frères de l'Instruction chrétienne de Ploërmel. CL. *Fondée* 1819 par les abbés Jean-Marie de La Mennais (1780-1860) et Gabriel Deshayes (1767-1841). *1822,* approuvée. *1903* dissoute en Fr. Dirige des établ. scolaires en 17 pays. *Membres* (1990) : 1 400 (dont France et missions dépend. 528, Canada et missions 390, Espagne et missions 201). *Maisons :* 206.

Frères de l'Instruction chrétienne de St Gabriel, (dits autrefois « du Saint-Esprit »). CL. *Fondée* 1715 par St Louis-Marie Grignion de Montfort (1673-1716) pour les missions paroissiales et les écoles charitables ; restaurée par Gabriel Deshayes (1767-1841). Enseignement, catéchèse, éduc. des sourds et aveugles ; Boy's Towns (Asie) ; aide au dévelop. (Asie, Afrique). *Membres :* 1 300, dans 25 pays. *Communautés :* 240.

Frères maristes des Écoles (Petits Fr. de Marie). CL. enseignante. *Fondée* 1817 par le Bx Marcellin Champagnat (1789-1840) à La Valla-en-Gier (Loire), dans le cadre de la Sté de Marie (Maristes), dont elle forme une branche autonome. *1851* reconnue en Fr. *1863* approuvée à Rome. *Membres :* 5 851, 1 043 maisons (73 pays). *France :* 420 (60 maisons).

Frères de N.-D. de Lourdes. CL. CR de droit pontifical. *Fondés* 1830 par E.-M. Glorieux (1802-72). *Adm. gén. :* rue St-Joseph 1, 9041 Oostakker (Belg.). *Missions :* Brésil, Indonésie, Zaïre. *Membres :* 362. *Maisons :* 47.

Frères de St Louis de Gonzague. CR de droit pontifical. *Fondés* 1840 à Oudenbosch, P.-Bas, par Guillaume Hellemons Cist. (1810-84). *Maisons :* 16. *Missions :* Indonésie, Tanzanie, Liberia, Canada. *Membres :* 136.

Frères des Écoles chrétiennes. CL. *Fondée* 1681 à Reims par St Jean-Baptiste de La Salle (1651-1719). *1725* approuvée. *1808* incorporée à l'Univ. Supprimée en France *1904* fondent de nombreuses écoles à l'étranger. *Actuellement,* dirigent 170 établ. en France, 1 314 écoles dans 82 pays. *Adresse France :* 78 A, rue de Sèvres, 75341 Paris Cedex 07. *Noviciat :* N.-D. de Parménie, 38140 Beaucroissant. *Membres :* 8 000 dont France 1 330. *Missions :* 120 frères français. *Maisons :* 1 173.

Frères du Sacré-Cœur. CL. *Fondée* 1821 à Lyon par André Coindre (1787-1826). *1851* reconnue en Fr. *1894* par Rome. *Jusqu'en 1903* dirigent écoles, orphelinats, instituts pour sourds-muets. *Dep. 1927* éc. et missions dans 32 pays. *Membres :* 1 540. *Maisons :* 222. *En France :* 88 membres, 9 écoles, collèges et lycées en collaboration avec laïcs.

Hospitaliers de St Jean de Dieu (St Jean de Dieu, 1495-1550). O. religieux de caractère laïc, consacré au service des pauvres et des malades. *Fondé* à Grenade. Introduit en France en 1602 où il s'est occupé surtout des malades mentaux. *Membres :* 1 611 (France : 10 hôp., 110 frères). *Maisons :* 194.

Jésuites (Compagnie de Jésus). CR. *Fondée* 27-9-1540 (bulle *Regimini militantis*) par Inigo López (St Ignace de Loyola, 1491-1556). *Devise :* Ad majorem Dei gloriam. *Dirigée* par un préposé général (surnommé le *« pape noir »*) élu à vie par la Congrégation générale [3 profès délégués par chaque province de l'ordre (actuellement 86), dont les provinciaux]. *Préposé général : 1965* (22-5) Pedro Arrupe (1907-91), *1983* (13-9) le P. Peter-Hans Kolvenbach (Hollandais n. 30-11-28). *Divisée* en 11 Assistances groupant 86 provinces. 2 catégories de membres : coadjuteurs (spirituels ou temporels) et profès.

Constitutions : rédigées par St Ignace de Loyola et Jean de Polanco, approuvées 1558 (à la fois O. des clercs réguliers et O. mendiant ; le seul O. dispensé de la récitation en commun de l'office). *Noviciat :* 2 ans, préparant à la profession des 3 vœux simples de pauvreté, chasteté et obéissance. *Formation :* environ 10 ans, puis admission aux grands vœux, solennels (avec vœu spécial d'obéissance au pape), ou simples, mais publics, conférant le statut de coadjuteur spirituel ou temporel (pour ceux qui ne sont pas prêtres et contribuent de bien des manières à l'œuvre apostolique de la Compagnie). Seuls les profès des vœux solennels ont droit à certaines charges, comme celle de supérieur majeur.

Histoire : la Compagnie s'était mise à la disposition des papes et avait été chargée de mener la lutte contre la Réforme. Demeurée largement espagnole dans ses structures, elle utilise les cadres politiques de l'ancien empire de Charles Quint pour enlever à l'emprise protestante de nombreux territoires européens (Hongrie, Pologne, All. du S., P.-Bas) et pour évangéliser outre-mer. Puis, les J. luttent principalement pour la papauté *(ultramontanisme)* contre jansénisme et particularismes religieux de chaque pays (par ex. : le gallicanisme en France) ; ils provoquent ainsi la coalition des monarchies cath. absolues, des partis dévots jansénisants et des nouveaux alliés du protestantisme, les philosophes, partisans des Lumières, c.-à-d. de la liberté de penser et d'écrire. Les philosophes, puissants à Versailles, font pression sur les cours où règnent les Bourbons et leurs alliés (or, les Bourbons d'Italie sont influents à Rome). Par ressentiment contre les actions antijansénistes de la Cie, les dévots laissent les philosophes agir. La Cie est interdite au Portugal, 1759 ; en France, 1764 ; Espagne, 1767. En 1769, lors du conclave, les ambassadeurs des Bourbons (France, Espagne, Sicile, Parme) menacent d'exclusive tout *papabile* ne prenant pas l'engagement d'interdire l'ordre. Clément XIV, élu, retarde la décision jusqu'en 1773, puis est contraint de la promulguer pour tous les États cath. (le général Ricci mourra en prison). Cependant, l'ordre se maintient en Pologne (dépendant de la Russie orthodoxe et de la Prusse protestante) et est toléré en Italie sous le nom des *Pères de la Foi* (1799). *1814,* Pie VII le rétablit officiellement. *Expulsions :* Allemagne 1872, Brésil 1874, Espagne 1767, 1820, 1836, 1868, France 1764, 1830, 1880, 1901, Italie 1870, Mexique 1873, Portugal 1873, Russie 1828.

Membres : 1965 : 36 000. *1992 :* 23 773 dans 114 pays dont Europe 9 227 (dont Esp. 2 507, It. 1 019, France 861), Amér. du N. et du S. 8 004, Asie orient. 1 801, Inde 3 557, Afr. 1 184. *Dep. 1970 :* 32 assassinés dans le monde (dont 6 à San Salvador fin 89).

Anciens élèves 3 750 000 (dont Fr. 60 000). *Congrès d'anciens : 1er :* Rome 1967, *2e :* Versailles 1986 (20/23-7), *3e :* Loyola 1990.

En France. *Assistance de France :* 1 province (résultant de la fusion des 4 prov. de Fr. en 1976). *Membres :* 861. *Provincial de France* (dep. 1990) : Père Jacques Orgebin (n. 1931). *Maisons d'enseignement où travaillent les jésuites :* ENS. SUPÉRIEUR : *Lille et Nantes* Éc. d'ingénieurs ICAM (Institut cath. d'arts et métiers) ; *Toulouse* Éc. sup. d'agric. de Purpan ; *Versailles* Éc. Ste-Geneviève (dite Ginette). ENS. SECONDAIRE : *Amiens* la Providence ; *Avignon* St-Joseph ; *Bordeaux-Caudéran* St-Joseph-de-Tivoli ; *Le Mans* N.-D.-de-Ste-Croix ; *Marseille* de Provence, St-Giniez ; *Paris* Éc. St-Louis-de-Gonzague (rue Franklin) ; *Reims* St-Joseph ; *St-Étienne* Lycée tech. du Marais, St-Michel ; *Toulouse* Éc. St-Stanislas, Le Caousou ; *Vannes* St-François-Xavier. CENTRE SCOLAIRE : *Lyon* St-Marc.

Principales publications : Études (mensuel fondé 1856) ; *Cahiers pour croire aujourd'hui* (bimensuel) ; *Projet* (trimestriel) ; *Christus* (trim.).

Lazaristes. SVA (Congr. de la Mission). *1625* établis par St Vincent de Paul (1581-1660) au coll. des Bons Enfants, puis au prieuré de St-Lazare. *1633* approuvés. *1670* constitutions définitives. Missions rurales et étrangères, aumôneries, enseignement dans les séminaires. *Membres :* 3 680 (en 1992) + 583 scolastiques. *Maisons :* 546.

Marianistes [Sté de Marie (SM)]. *1817* C. *fondée* à Bordeaux, par le Vén. Guillaume Chaminade (1761-1850). Enseignement, paroisses, missions. Prêtres et laïcs (à égalité de droits). *Provinces :* 16, France, Italie, Autriche, Suisse, Canada, Japon (1), Esp. (2), Amér. du S. (3), USA (5) ; régions : 2, Corée, Colombie. *Membres :* 1 750 dans 30 pays. *Maisons :* 220. *France,* 8 ét. scolaires, 8 paroisses ou centres spirituels.

Maristes (SM : Sté de Marie). Pères maristes. *Fondée* 1816 à Lyon et Belley par le Vén. Jean-Claude Colin (1790-1875) selon un engagement communautaire pris à Fourvière. *1836* approuvée. Missions, enseignement, paroisse, animation de jeunesse. *Congr. féminines apparentées :* Sœurs maristes (SM) ; Sœurs missionnaires de la Société de Marie (SMSM). *Membres :* 1 567 dans 29 pays (France 167, Québec 55, Océanie). *Maisons :* 240.

Maryknoll. SVA (Sté pour les missions étr.). *Fondée* 1911 J. A. Walsh et Th. F. Price. *Membres :* 789. *Maisons :* 53.

Mercédaires. Rédempteurs. Mendiants par privilège (1690, Alexandre VII). *Ordre de la Merci : fondé* 10-8-1218 par St Pierre Nolasque (1180-1245), à Barcelone (Esp.). Approuvé 17-1-1235 par le pape Grégoire IX. Ordre laïcal jusqu'en 1317, puis gouverné par des prêtres avec des membres laïcs. *But :* rachat des chrétiens prisonniers des musulmans (env. 60 000 rachetés jusqu'en 1779, coût 2 milliards de pesetas-or) ; puis missions (surtout sud-amér.) et œuvres de bienfaisance. *Membres :* 768 en 22 pays. *Maisons :* 163.

Mill Hill, MHM (S[té] missionnaire de St Joseph). SVA. *Fondée* 1866 en Angleterre par le card. Herbert Vaughan. *Membres :* 757. *Maisons de formation* en Afrique, Asie, Europe, USA. *Associés laïcs :* 12.

Missionnaires d'Afrique (Pères Blancs). Sté des Missionnaires d'Afrique. SMA *Fondée* 1868 à Maison Carrée (Algérie) par le card. Charles Lavigerie (1825-92), archev. d'Alger (1825-92). Travaillent dans 100 diocèses, dans 21 pays africains, en collaboration avec le clergé afr. En Europe, Amérique et Afrique, maisons d'études pour les futurs missionnaires, activité miss. dans les diocèses et réception des miss. âgés ou malades. *Membres* (au 1-1-1993) : 2 336 (17 év., 2 082 pères, 237 frères) dont France 5 év., 543 pères, 38 frères (le sup. g[al], dep. 1992, est un All., le P. Gotthard Rosner).

Missionnaires de N.-D. de La Salette. CS. *Fondée* 1852 par Mgr Philibert de Bruillard (1765-1860), après l'apparition de la Vierge à La Salette (19-9-1846). *Membres :* 884 (France 59 dont 41 prêtres, 16 frères profès, 2 frères oblats). *Maisons :* 195.

Missionnaires de Saint Paul. *Fondés* 1910 à Malte par Mgr Joseph De Piro (1877-1933). *Membres : 99. Maisons :* 18.

Missionnaires de Scheut ou Congrégation du Cœur Immaculé de Marie (CICM). CS. *Fondée* 1862 par P. Théophile Verbist. *Maison mère :* Scheut-Bruxelles (Belg.) ; *généralice :* Rome. *Membres :* 1 397 (prêtres 1 085, frères 90, scolastiques 222, novices 49). *Maisons :* 49.

Missions africaines (Sté des). SMA. *Fondée* 1856 à Fourvière (Lyon) par Mgr Melchior de Marion Brésillac (1813-59). *Provinces :* Lyon, France-Est, Irlande, Hollande, USA, G.-B., Italie. *Districts :* 2 : Canada, Espagne. *Nouvelles fondations :* Afrique, Asie, Argentine, Pologne. Travaille dans 45 diocèses en Afrique. *Membres* (prêtres, frères et associés laïcs) : 1 043. *Séminaristes :* 200. 36, rue Miguel-Hildago, 75019 Paris.

Missions étrangères de Paris. (SVA). *Fondée* à la suite de l'envoi par Rome, en 1658-61, de 3 vicaires apostoliques français (Mgr Lambert de la Motte, Mgr Pallu, Mgr Cotolendi) indépendants du patronage portugais, en Asie, pour y établir un clergé autochtone. *1663* création du séminaire, rue du Bac. *Membres :* 435. Présents en Perse (jusqu'en 1722) ; Canada (jusqu'en 1753) ; Chine, Viêt-nam, Thaïlande, Cambodge (dep. le XVIIe s.) ; Inde et Laos (dep. le XVIIIe s.) ; Corée, Japon, Malaysia, Singapour, Birmanie (dep. le XIXe s.), Hong Kong ; Madagascar, Maurice, N.-Calédonie, la Réunion, Brésil (dep. le XXe s.), Taiwan, Indonésie.

Montfortains. SMM (Cie de Marie). *Fondée* 1705 par St Louis-Marie Grignion de Montfort (1673-1716). Missions. *Membres :* 1 152 dans 37 pays. *Maisons :* 180.

Oblats de Marie Immaculée (OMI). *Fondés* 1816, à Aix-en-Provence, par le Bx Eugène de Mazenod (1782-1861) pour l'apostolat missionnaire dans les zones défavorisées. *Membres en 1992 :* 5 131 (3 945 prêtres, 670 frères, 516 scolastiques). *Maisons :* 1 332 en 64 provinces et délégations. *France* 301 m. en 34 maisons.

Oblats de St François de Sales. CS. *Fondée* 1871 par le P. Brisson pour vivre en communauté la spiritualité de St Fr. de Sales. Accueil, enseignement, paroisses, missions. *Membres :* 811. *Maisons :* 118.

Oratoire de France. SVA. *Fondée* 1611, sur le modèle des Oratoires de St Philippe Neri (1515-95) où les prêtres menaient une vie communautaire, par le card. Pierre de Bérulle (1575-1629), initiateur de l'« École française de spiritualité ». Disparue sous la Révolution. *1852* restaurée par les Pères Alphonse Gratry (1805-72) et Louis-Pierre Pétetot (1801-87). Éduc., paroisses, aumôneries. *Oratoriens notoires :* Malebranche (1638-1715), philosophe entré à l'Oratoire en 1660 ; RP Lucien Laberthonnière (1860-1932), théologien et philosophe. *1984* fondation de la « Communion oratorienne », ouverte aux laïcs. *Membres :* 92 ; (confédérés) : 493.

Orione (Don) (Petite Œuvre de la Divine Providence). CS. *Fondée* 1903 par le Bx Louis Orione (1872-1940) à Tortona (Italie). Service des pauvres, enseignement profess., paroisses, missions (Amér. du S. et Afr.). *Membres :* 1 200. *Maisons :* 215.

Pallottins. Sté de l'Apostolat catholique, SAC. *Fondée* 1835 à Rome, par Vincent Pallotti [(1795-1850), canonisé (20-1-1963), prêtre romain]. Missions en Amér. du S., Australie, Inde, Océanie, Afr. *Membres :* 2 234 clercs et laïcs (dont France 36).

Passionistes. Congrégation de la passion de J.-C., CP. *Fondée* 1720 par St Paul de la Croix (1694-1775). Vie contemplative et active (notamment par la prédication). 20 provinces et 6 vice-provinces, dans 52 pays. *Membres :* 2 650.

Philippins (Conféd. de l'Oratoire de St Philippe Neri). SVA (1575). Divisée en congr. indépendantes (Europe, Amérique). Œuvres de jeunesse, paroisses, charit. *Membres :* 490. *Maisons :* 66.

Piaristes (Clercs réguliers des Écoles Pies ou Scolopi). CR. *Fondés* 1617 par St Joseph de Calasanz (1557-1648). Instruction et éducation. *Membres :* 1 540. *Maisons :* 218 dans 28 pays.

Prado (Institut du). IS. *Fondé* 1860 à Lyon par le Bx Antoine Chevrier (1826-79) sous le nom de Association des Prêtres du Prado. Évangélisation des pauvres. *Membres :* 1 200 dont 700 Français, 100 It., 100 Esp.

Prémontrés. CR. *Fondée* 1121 par St Norbert (1080-1134). Ses membres sont attachés à une abbaye et peuvent être appelés à exercer leur apostolat sur place (accueil des retraitants, des pèlerins), à l'extérieur (paroisses, enseignement), ou en prêchant retraites et missions. *Membres :* 1 378. *Maisons :* 73. *France,* 2 abbayes hommes : St-Michel-de-Frigolet (B.-du-Rh.), St-Martin-de-Mondaye (Calvados). 1 monastère de chanoinesses norbertines : Ste-Anne-de-Bonlieu (Drôme). Fraternités séculières (ancien Tiers Ordre) en liaison avec chaque abbaye.

Prêtres de St-Sulpice. SVA. *Fondée* 1641 par Jean-Jacques Olier (1608-57). Direction des grands séminaires, formation permanente du clergé, en France, Amér. du N. et du S., Japon, Afrique. *Membres :* 433 dont France 245. *Maisons :* 38.

Rédemptoristes. CSSR. *Fondée* 1732 par St Alphonse de Liguori (1696-1787), év. canonisé 1839 et docteur de l'Église (1871). Prédicateurs et missionnaires. *Membres : 1750 :* 44 ; *1800 :* 197 ; *25 :* 390 ; *50 :* 1 134 ; *1900 :* 2 702 ; *30 :* 5 385 ; *63 :* 8 722 ; *90 :* 6 018 ; *91 :* 5 954 (dont 49 évêques, 4 469 prêtres). *Maisons :* 753.

Religieux de St Vincent de Paul. CS. *Fondée* 1845 par Jean-Léon Le Prévost (Pères et frères). *Membres :* 272. *Maisons :* 46.

Sacré-Cœur de Jésus (Congrégation du). *Fondée* 1864 par Joseph Marie Timon-David (1823-91).

Sacré-Cœur de Jésus (Missionnaires du). CS. *Fondée* 1854 à Issoudun par Jules Chevalier. Jeunes Églises, ministère paroissial, enseignement. *Membres :* 2 440 dans 40 pays. *Publications :* Annales d'Issoudun (150 000 ex., mensuel).

Sacré-Cœur de Jésus de St-Quentin ou Déhoniens (Prêtres du). CS. *Fondée* 1878 par le chan. Léon-Jean Dehon (1843-1925) à St-Quentin. Dévotion au Cœur de Jésus ; apostolat social ; formation du clergé et du laïcat ; missions (Cameroun, Zaïre, Mozambique, Amér. latine, etc.). *Membres :* 2 364. *Maisons :* 425.

Sacrés-Cœurs de Picpus (Congr. des). SSCC. *Fondée* 1800 par Marie-Joseph Coudrin (1768-1837) et Henriette Aymer de La Chevalerie (1767-1834) à Poitiers. 3e maison généralice à Paris (rue de Picpus) ; maintenant à Rome. Enseignement, missions, apostolats. *Membres :* 1 280 dans 40 pays. *Maisons :* 255.

Saint-Esprit (Congr. du), dits Spiritains. CSSP. *Fondée* 1703 comme séminaire de prêtres pauvres par Claude-François Poullart des Places (1679-1709). *1848* regroupée avec la Sté du St-Cœur de Marie [*fondée* 1841 par Jacob (puis François) Libermann (1802-52) converti au catholicisme 1826], devenue congr. missionnaire. *Publications :* Écho de la Mission, 30 000 ex. ; Pentecôte sur le Monde, 20 000 ; Revue de St Joseph, 100 000 ; Esprit saint, 5 000. *Membres :* 3 300 dont Français 800, Irlandais 610, Holl. 300, Nigérians 270, Portugais 215, dans 53 pays. *Maisons :* 873.

Saint-Sacrement (Congrégation du). SSS. *Fondée* 1856 par St Pierre-Julien Eymard (1811-68). Vie et apostolat centrés sur l'Eucharistie. *Membres :* 1 059. *Maisons :* 137 dans 30 pays. *France* 47 m. (6 maisons).

Sainte Croix (Congr. de la). CSC. *Fondée* 1837 au Mans par Basile Moreau (1799-1873) par le regroupement des Frères de St-Joseph fondés 1820 par Jacques Dujarié (1767-1838), à Ruillé-sur-Loir, et des prêtres auxiliaires qu'il avait lui-même fondés auparavant. Ministère pastoral, éducation chrétienne, missions. *Membres :* 1 924 (France 45). *Maisons :* 258 dans 12 provinces, 11 districts.

Sainte Famille (Fils de la). SF. *Fondée* 1864 par le Béat José Manyanet Vivés (1833-1901) à Tremp (prov. de Lérida, Espagne). *1901* approuvée. *Membres :* 242. *Maisons :* 55.

Salésiens. SDB. *Fondés* 1864 par St Jean Bosco (1815-88, canonisé 1934) dans le quartier de Valdocco à Turin. Enseignement, missions (notamment Amér. latine), apostolat. *Membres : 1877 :* 61 ; *80 :* 405 ; *90 :* 994 ; *1900 :* 2 723 ; *10 :* 4 001 ; *20 :* 4 417 ; *30 :* 7 652 ; *40 :* 12 055 ; *50 :* 14 754 ; *60 :* 19 925 ; *70 :* 20 427 ; *80 :* 17 293 ; *1990 (31-12) :* 17 631 dont 420 en France, Suisse romande et Afr. francophone. *Maisons :* 1 597.

Salvatoriens, Sté du Divin Sauveur. CS. *Fondée* 1881 par l'All. J. B. Jordan (1848-1918). Enseignement, paroisse, missions. *Membres :* 1 253 (France : 0).

Servites de Marie. Mendiants (1233). 7 fondateurs (canonisés 1888). Prêtres et frères. Missions. 21 congr. féminines, 14 monastères, 2 instituts séculiers. Théologie mariale (faculté « Marianum » à Rome). *Membres :* 1 075. *Maisons :* 200.

Société de St Colomban. SVA. *Fondée* 1918. Sté mission. *Publications :* « Far East » (280 000 ex.) ; « Columban Mission » (USA, 75 000). *Membres :* 827. *Maisons :* 42.

Société de St Paul. CR. *Fondée* 1914 à Alba (It.) par un prêtre, Giacomo Alberione (1884-1971). Apostolat. *Membres :* 1 185. *Maisons :* 95.

Somasques. CRS. *Fondée* 1534 par St Jérôme Emiliani. Soins (orphelins, jeunes abandonnés, paroisses). *Membres :* 480. *Maisons :* 85.

Trappistes (voir Cisterciens réformés).

Verbe divin (Société du). CS. *Fondée* 1875 par le Bx Arnold Janssen (1837-1909, All.) à Steyl aux P.-Bas. Missions dans 50 pays. *Membres (au 31-12-1991) :* 5 244 profès (dont 50 évêques, 3 450 prêtres, 904 scolastiques, 837 frères laïques) et 463 novices. *Maisons :* 276.

Ordres et congrégations de femmes

Généralités

■ Définitions. **Abbesse** (du syriaque, mère) titre remontant au VIe s, élue pour un laps de temps indéfini. **Moniale :** religieuse qui se consacre à une vie de prière, dans un ordre monastique, en communauté fraternelle, dans un certain retrait par rapport à la vie de société, sans œuvre d'apostolat, travaille pour gagner sa vie. **Religieuse :** a prononcé des vœux simples, appartient à une congrégation de droit pontifical ou diocésain.

■ Statistiques. **Instituts féminins** 1 175 (27 séculiers) dans le monde. **Religieuses** (au 1-1-1986) : 926 335, dont Europe 500 961, Amérique 281 444, Asie 91 760, Afrique 37 346, Océanie 14 824. Religieuses professes 717 126 dont vœux perpétuels 678 468, temporaires 38 658. Aspirantes 5 329. Novices 18 285. **Religieuses dispensées de leurs vœux :** de 1970 à 75 : 25 000. *Raisons* (%) : manque de vocation 15, santé 30, impossibilité de vivre en communauté 25, de respecter les vœux 20, diverses 10.

Principaux instituts religieux féminins de droit pontifical

Nota. – C. = congrégation. Statistiques de l'*Annuario Pontifico* reflétant souvent une situation ancienne.

Adoratrices du Saint Sacrement. *Fondées* 1882 par Francesco Spinelli (1853-1913). C. it. de *Rivolta d'Adda* [*membres :* 680, *maisons :* 77 (Italie 69, Zaïre 4, Sénégal 2, Colombie 2)].

Apparition (Sœurs de St-Joseph-de-l'). *Fondée* (1832) à Gaillac (Tarn) par Ste Émilie de Vialar (1797-1856, canonisée 1951). Congr. missionnaire (écoles, hôpitaux, foyers). *Maison généralice :* 90, avenue Foch, 94120 Fontenay-sous-Bois. *Membres :* 1 150. *Maisons :* 172.

Assomption. **Religieuses de l'Ass. :** c. de droit pontifical *fondée* 1839 par Marie-Eugénie Milleret (1817-98), contemplative, éducatrice et missionnaire, *membres :* 1 450 dans 31 pays]. **Oblates missionnaires de l'Ass. :** *fondées* 1865 par le P. Emmanuel d'Alzon (1810-80) et Marie Correnson (1842-1900), apostolat éducatif, social et missionnaire, *membres :* 400, *communautés :* 69. **Petites Sœurs de l'Ass. :** *fondées* 1865 par le P. Étienne Pernet (1824-99) et Marie de Jésus (1823-83), apostolat social et missionnaire, *membres :* 1 700, *communautés :* 230. **Orantes de l'Ass. :** *fondées* 1896 par le P. François Picard (1831-1903) et Isabelle de Clermont-Tonnerre (1849-1921), contemplatives apostoliques et missionnaires, *membres :* 140, *communautés :* 14. **Sœurs missionnaires de l'Ass. :** *fondées* 1852 par Marie-Gertrude de Henningsen (1822-1904), apostolat éducatif et social, *membres :* 120, *communautés :* 15. **Congrégations fondées par des Assomptionnistes : Sœurs de Ste-Jeanne d'Arc :** *fondées* 1914 par le P. Marie-Clément Staub (1876-1936) et Jeanne du Sacré-Cœur, apostolat au service du sacerdoce et des paroisses, *membres :* 205, *communautés :* 40. **Sœurs de la Croix :** *fondées* 1939 à Athènes par le P. Elpide Stéphanou (1896-1978). **Petites Sœurs de la Présentation de Notre-Dame :** *fondées* 1952 par Mgr Henri Piérard (1893-1975), apostolat diocésain, *membres :* 220. **Petites Missionnaires de la Croix :** *fondées* 1955 par le P. Niklaes (Colombie).

Augustines (Fédér. des Sœurs). 9 congr. *Maisons :* France 81, Madagascar 5, Belg. 3, Togo 2, Angleterre 1. *Membres :* 1 185.

Auxiliatrices (Sœurs). *Fondées* 1856 à Paris par Eugénie Smet (Bse Marie de la Providence). Activités sociales et ecclésiales. Spiritualité de St Ignace de Loyola. *Membres :* (1992) 865 (272 en France) en 140 communautés et 15 provinces dans 27 pays.

Bénédictines. *Fondées au* Ve s. par Ste Scholastique (dates inconnues), sœur de St Benoît. 21 congr. diff. *Membres :* 20 490, 610 maisons. *Bén. du Sacré-Cœur de Montmartre :* f. 1898 par Adèle Garnier, lors de la construction de la basilique. 5 maisons. *60 membres.* – Les *moniales bén.* sont rattachées aux grandes c. masculines comme Solesmes ou Subiaco, ou vivent en abbayes indépendantes ; ex. : Faremoutiers (S.-et-M.). *Membres :* 5 970. *Maisons :* 237.

Bernardines (voir Cisterciennes).

Bon Secours de Paris (Sœurs du). Sœurs de N.-D. Auxiliatrice. *Fondé* 1824 par Joséphine Potel (Picardie) et ses compagnes. Soin des malades, éducation, catéchèse, aumônerie (hôpitaux). *Membres :* 426. *Maisons :* 43.

Calvaire (Filles du). **Congr. esp. Œuvre du Calvaire** *fondée* 1842 à Lyon par Mme Garnier ; regroupe des veuves se consacrant aux œuvres, sans vœux de religion ; divisée en *dames, veuves agrégées et associées. Bénédictines de N.-D. du Calvaire* (voir ci-dessus, Bénédictines). [Une congrégation de droit diocésain, les religieuses de N.-D. du Calvaire, existe à Gramat (Lot) : enseignantes et éducatrices.] *Membres :* 393. *Maisons :* 59.

Carmélites. Rattachées à l'ordre masculin des Carmes (existant au Mt Carmel au Ier s.). *Fondées* 1451 par St Jean de Soreth. *XVIe s.* réformées par Ste Thérèse d'Avila (*Congrégations* 28, *membres* 24 500, *maisons* 2 126). [*C. déchaussées* (12 898 membres, 859 maisons). *C. de la Charité* (it., 2 674 m., 297 maisons)]. *France :* 4 féd. : St-Joseph (Paris, 28 maisons) ; Ste-Thérèse-de-Lisieux (Lisieux, 27) ; St-Jean-de-la-Croix (Avignon, 25) ; Ste-Marie-de-Jésus (Toulouse, 31). *Communautés :* 24 membres au plus, prière et pénitence sans sortir de la clôture et sans œuvre dans le monde.

Carmélites du Tiers Ordre Régulier de N.-D.-du-Mont-Carmel, Carmélites tertiaires, thérésiennes du Luxembourg (agrégation au Carmel, 29-1-1886). *Fondées* 1872 par l'abbé Nicolas Wies, les Mères Paula Bové et Jospha Niederprüm. Travaillent dans cliniques, hôpitaux, foyers pour femmes et jeunes filles en détresse, émigrants, maisons de retraites, soins à domicile. Missions au Malawi. *Maisons :* Luxembourg 11, Malawi-Afrique 3, Allemagne 1. *Membres :* (au 1-12-1992) 157.

Chanoinesses régulières. 175 maisons, 4 120 membres. 9 congr. diff., notamment *Congr. N.-D.* (chan. de St Augustin), fondée 1597 par St Pierre Fourier (1565-1640 ; canonisé 1897) et la Bienheureuse Alix Le Clerc (1576-1622). *Éducatrices :* 1 000 membres env. **Ancien Ordre des Chanoinesses régulières de Remiremont.** *VIIe s.* St Romaric fonde un mon. de femmes sur le Mt Habend, près de Remiremont (Vosges), où l'on pratique la règle de St Colomban. *IXe s.* règle de St Benoît. Plus tard, deviennent chan.

rég., sans vœux de religion. Leur abbaye était une des plus riches d'Europe (52 terres seigneuriales, 22 petites seigneuries). L'abbesse, princesse du Saint Empire, relevait de l'empereur au temporel, et du pape au spirituel. Elle portait un sceptre. Pour être admise au chapitre, il fallait être noble des 4 côtés depuis au moins 200 ans (la fille de Gaston d'Orléans, nièce de L. XIII, petite-fille de Marie de Médicis, de noblesse trop récente, ne put être abbesse). *Dernière abbesse :* Louise-Adélaïde de Bourbon-Condé.

Charité. **Filles de la charité de St Vincent de Paul :** *Fondées* 1633 à Paris par St Vincent de Paul (1581-1660 ; canonisé 1737) et Ste Louise de Marillac (1591-1660 ; canonisée 1934). Œuvres sanitaires, sociales, éducatives et charitables (79 pays, 73 provinces dont 6 en France : Paris, Lille, Lyon, Marseille, Rennes, Toulouse et 8 régions). *Membres :* 29 000. *Communautés locales :* 3 120. **Sœurs de la charité :** 73 congr. diff. *Membres :* 60 000, notamment *S. de la Ch. de Ste Jeanne-Antide Thouret* (sous la protection de St V. de P.) : fondée 1799 à Besançon par Ste Jeanne-Antide Thouret (1765-1826), religieuse de St V. de P., sécularisée à la Révolution et ayant fondé sa congr. (après un exil en Suisse sur l'ordre des vicaires généraux de Besançon), pour le service et l'évangélisation des pauvres. *Maisons :* 616 dont 97 en France. *Membres :* 4 815. **Sœurs de la charité de Strasbourg** (sous la protection de St V. de P.) : *Fondées* 1734 par le card. de Rohan. Depuis 1970 fédération de 10 congr. *Membres :* 5 200. Fondation à l'étranger. *En France :* 42 maisons et 287 membres. **Missionnaires de la charité** (voir Missionnaires, ci-contre).

Chartreuses. Moniales. *Fondées* 1145. *Monastères :* 4 [France 2 : Reillanne (A.-de-Hte-Pr.) et Nonenque (Aveyron)]. *Membres :* 57.

Cisterciennes. *Membres :* 1 756. *Maisons :* 89. Voir aussi Trappistines, p. 516 a.

Cisterciennes (dites Bernardines d'Esquermes). (Voir Cisterciens, p. 513 b.) Moniales. Les fondatrices issues de 3 abbayes de la Flandre française supprimée en 1789 se regroupèrent à Esquermes, près de Lille. *Membres :* 177. *Monastères :* 10 en Fr., Belg., G.-B., Japon, Zaïre.

Clarisses ou Ordre des Sœurs pauvres. *Fondées* 1212 par Ste Claire (1193-1253) qui s'inspira de la vie et de la règle des Frères Mineurs (pauvreté et fraternité). 9 congr. diff. Monastères autonomes, gouvernés par une abbesse (beaucoup se sont groupés en fédér. dep. 1954). Rattachées par affiliation spirituelle aux ordres des Franciscains, Capucins et Conventuels. *Maisons :* 907. *Membres :* 18 735 (dont clarisses 15 000, clar. capucines 3 285, urbanistes 640).

Cluny (Sœurs de St-Joseph-de-). *Fondées* 1807 par Anne-Marie Javouhey (1779-1851, béatifiée 1950). Enseignantes, hospitalières et missionnaires. *Provinces :* 30 regroupant 399 communautés : Europe (111), Asie (85), Afrique et océan Indien (103), Océanie (21), Amér. et Antilles (79). *Maison mère :* 21, rue Méchain, 75014 Paris. *Membres :* 3 293.

Dominicaines. 84 congr. diff., dont **moniales domin.,** *fondées* 1206 à Prouilhe (Aude) par St Dominique. Partie de l'ordre des Frères prêcheurs. Contemplatives et cloîtrées. *Membres :* 4 186. *Maisons :* 235 (Fr., 420 en 18 monastères). **Congr. du Tiers Ordre régulier :** 35 congr. *XIIe au XVe s. :* réunions de membres du Tiers Ordre de St Dom. *1509* autorisées à prononcer des vœux. Activités sociales et charitables.

Enfant Jésus – N. Barré (Sœurs de l'). Appelées à l'origine *Sœurs de l'Instruction charitable du St Enfant Jésus. Fondé* 1662, à Paris (actuellement rue de l'Abbé-Grégoire) par le P. Nicolas Barré (rel. minime, 1621-86). *Communautés :* 152. *Membres :* 1 094 (12 pays).

Franciscaines. *XIIIe s. :* 1res associations religieuses avec règle propre ; *XIVe s.* congr., activités charitables, hospitalières, enseignantes, missionnaires selon les congr. *Congrégations :* 387 du Troisième Ordre régulier de St François. *Sœurs :* 200 000.

Immaculée Conception (Sœurs de l'). *Total :* 1 346 maisons, 11 400 membres. 17 congr. diff., dont **N.-D. de Lourdes** *fondée* 1863 [à Lannemezan (H.-P.) par le P. Louis Peydessus (1807-82) et Eugénie Ducombs (mère Marie de Jésus crucifié, 1814-78)] transférée 1870 à Lourdes. (Accueil des pèlerins, maisons de retraites, enseignement, pastorale, paroissiale), Europe et Am. du S. *Maisons :* 45 (France 6) dans 5 provinces. *Membres :* 3 129.

Instruction chrétienne. *Congr.* 3 diff. **Sœurs de la Charité de Nevers :** *fondées* 1680, 111 maisons, 776 membres. **Dames de l'I. chr.** (Flône, Belgique) : *fondées* 1823 par Agathe Verhelle (1786-1838), approbation diocésaine. *1827* droit pontifical. Instruction et éducation chrétienne. Brésil (32 maisons dont 7 fraternités) et Zaïre (3 maisons ou fraternités) : option pour les pauvres ; Belgique (5 maisons + 3 fraternités) ; Angleterre (3 maisons). **Sœurs de l'I. chr. de Gildas des Bois :** *fondées* 1820 par le P. Gabriel Deshayes et Michelle Guillaume ; éducation, promotion et service ; reste de droit diocésain ; 169 communautés.

Miséricorde (Sœurs de la). *Total :* 2 352 maisons, 23 000 membres. Non fédérées : 39 maisons autonomes, 1 190 m. *Congr. :* 60 diff., notamment la congr. amér. de l'**Union des Sœurs de la M.** Œuvres sociales et charitables, aux USA surtout enseignantes. *Maisons :* 672. *Membres :* 4 635.

Missionnaires de la Charité. *Fondées* 1950 à Calcutta par Mère Teresa (Agnès Gonxha Bojahliu, Albanaise de Yougosl., n. 26-8-1910), religieuse de N.-D. de Lorette, prix Nobel de la paix 1979. *Maisons* (1992) : 496. *Membres :* 3 220. *Collaborateurs bénévoles :* 80 000. *Assistés :* 6 millions. 102 pays.

Pauvres (Sœurs, Petites Sœurs ou Servantes des). *Membres :* 7 462. *Maisons :* 796. *Congr. :* 8 diff. dont sous le patronat de St François 2 (V. Franciscaines), St Vincent de Paul 3, sous l'invocation de la Providence 1 (V. Providence). **Petites S. des Pauvres :** *fondées* 1839 par Jeanne Jugan (1792-1879), béatifiée 1982. Accueil pauvres (âgés). *Maisons :* 245 dont 74 en Fr. *Membres :* 3 996. **Servantes des Pauvres de Jeanne Delanoue (dites aussi Sœurs de Jeanne Delanoue) au Service des Pauvres :** *fondées* par Ste Jeanne Delanoue (1666-1736, canonisée 1982). *Maisons :* France 51, Madagascar 13, Sumatra 3, Mali 1. *Membres :* 400 (français et malgaches, indonésiens).

Petites Sœurs de Jésus du Frère Charles de Jésus. (Père Charles de Foucauld, 1858-1916). *Fondées* 1939 [par Magdeleine Hutin (Fr., 1898-1989), en religion Sœur Magdeleine de Jésus] à Touggourt (Sahara) ; contemplatives ; présentes particulièrement auprès des musulmans et des minorités du quart monde. *Adresse :* 18, rue Nollet, 75017 Paris. *Membres :* 1 350 [64 nationalités, 250 « fraternités » (50 régions dont 6 rattachées aux Égl. orientales)].

Présentation (Sœurs de la). *Total :* 1 194 maisons, 8 200 membres. **Congr. irlandaise de Kildare :** *fondée* Cork (Irl.) 1775 par Nano Nagle (1718-84) : enseign ; miss. ; hosp. *Membres :* 1 754. *Maisons :* 200 (Irlande, Angl., Pakistan, Zimbabwe, Zambie, N.-Zélande, Inde, USA, Philippines, Équateur, Chili) De la congr. primitive sont issues 18 congr. (total *2 680 membres,* USA, Can., Aust.). **Présentation de Marie de Bourg-St-Andéol** (Sœurs de la **:** *fondée* 1796 à Thueyts (Ardèche) par Marie Rivier (1768-1838, béatifiée 1982), *Maison généralice* à Castel Gandolfo (It.). *Maisons :* 200 en 17 pays. *Membres :* 2 030. Éducation, œuvres charitables, missions.

Providence (Sœurs de la Congr. Divine). *Total :* 458 maisons, 21 000 membres. 30 c. diff., notamment **Sœurs de la Div. Prov. de St-Jean-de-Bassel :** *fondées* 1762 par Jean Martin Moyë (1730-93, béatifié 1954). Enseignantes, soins (lépreux), promotion humaine et féminine, catéchèse, animation liturgique. *Membres :* 860. *Maisons :* 180. **Sœurs de la Div. Prov. de Portieux :** 103, rue Villiers-de-l'Isle-Adam, 75020 Paris. Enseignantes, centre de soins, missionnaires, professions sociales. 3 prov. : France-Belgique, Cambodge, Viêt-nam ; 4 régions : Italie, Suisse, C.-d'Ivoire, Taiwan. *Membres :* 920. *Maisons :* 163. En 1838, un rameau a formé les **Sœurs de la Providence de Gap :** 22, bd Gén.-de-Gaulle, 05000 Gap ; missions. *Maisons :* 140. *Membres :* 899.

Sacré-Cœur (Sœurs du). *Sté du Sacré-Cœur de Jésus,* fondée 1800 par Madeleine-Sophie Barat (1779-1865 ; canonisée 1925) ; 1818 : implantée en Amér. du N. par Rose Philippine Duchesne (1769-1852 ; canonisée 1988). Éducation, spiritualité. *Communautés :* 516 dans 43 pays. *Membres :* 4 203.

Sacrés-Cœurs de Jésus et de Marie (Sœurs des). *Total :* maisons 649, membres 5 500 [en Italie *Sacri cuori,* « les sacrés-cœurs », France (de préférence) : les *Saints Cœurs]. Congr. :* 11 ; notamment *Congr. de Paramé* (I.-et-V.), fondée 1853 par Amélie Fristel, tertiaire de St Jean Eudes. *Maisons :* 65 ; 1 fondation au Venezuela. *Membres :* 340.

Sagesse (Filles de la). *Fondée* à Poitiers (Vienne) 1703 par St Louis-Marie Grignion de Montfort (1673-1716) et Marie-Louise Trichet (1684-1759). *Maisons généralice* à Rome, *mère* à St-Laurent-sur-Sèvre. Spiritualité missionnaire apostolique (priorité aux « délaissés ») et mariale. *Communautés :* 377. *Provinces :* 16. *Membres 1703-90 :* 361 ; *1800-1900 :* 5 092 ; *1900-65 :* 5 070 ; *1992 :* 2 772 (dans 23 pays ; France 1 072).

Saint-Esprit (Sœurs, Petites Sœurs ou Filles du). *Total :* 898 maisons, 9 000 membres. 9 congr. diff., notamment **Filles du St-Es. de St-Brieuc :** *fondées* 1706 par dom Jean Leduger. Catéchèse, soins aux malades et personnes âgées [Neufchâteau (Vosges), existe une *c. du St-Es.* (de droit diocésain), héritière du *Grand Ordre Hospitalier du St-Es.,* fondée 1175 par Gui de Montpellier, approuvée 1198 par Innocent III] ; *Filles du St-Esprit* (Rennes). *Maisons :* 331. *Membres :* 2 243.

Saint-Joseph (Sœurs de). *Congr. :* 48 diff. (25 400 membres), notamment 4 féd. (Fr., USA, Can., It.) issues de la congr. des *Sœurs de St-Joseph,* fondée au Puy 1650 par le P. J.-Pierre Médaille (1610-69), jésuite. En France, 13 congr. (enseignantes, hospitalières, paroissiales, etc.). *Membres :* 7 900. Voir aussi Cluny, ci-contre.

Saint-Paul (Filles ou sœurs de). *Congrégations* diff. : 4. *Total :* membres 7 120, maisons 757. **La Pieuse Sté des Filles de St-Paul :** *fondée* 1915 par le P. Jacques Alberione (1884-1971), apostolat, *membres :* 2 610 (244 maisons dans 38 pays). **Sœurs de St Paul de Chartres :** *hospitalières et enseignantes* (appelées autrefois : de St Maurice de Ch.) : *fondées* 1696 par l'abbé L. Chauvet, *missionnaires* 1727 Guyane, 1848 Extrême-Orient, 1950 Afr., 1965 Amér. latine, 1984 Australie ; *membres :* 3 948 (506 maisons dont 39 en France). **Les Sœurs aveugles de St-Paul** (1/3 le sont) : 88, av. Denfert-Rochereau, Paris, *fondées* par la mère Anne Bergunion, enseignement des aveugles, imprimerie Braille.

Saint-Vincent-de-Paul (Sœurs de la Charité). *Congr.* diff. : 12 notamment les **Sœurs de la Charité de Halifax :** *fondées* 1849 par Ste Elizabeth Ann Seton (1774-1821), *maison mère* Halifax (Canada), éducation, *membres :* 951 (203 maisons dans 10 provinces). Mission USA Pérou et Rép. Dominicaine. Voir Charité ci-contre. 2 congr. de vincentines, sous le patronat de St V. de Paul (1 à Pittsburgh, USA *265 m.,* d. 31 maisons ; et 1 à Turin, It., *69 m.,* d. 11 maisons).

Sainte Famille (Sœurs, petites sœurs, filles ou servantes de la). *Total :* maisons 415, membres 4 766, congr. 22 diff., notamment **Sœurs de la Ste Fam. de Villefranche-de-Rouergue** (Av.) : *fondées* 1816 par Émilie de Rodat (1787-1852, canonisée 1950), enseignement, œuvres sociales, missions, *membres :* 835, 130 maisons (24 dans l'Aveyron). **Ste Famille de Bordeaux :** *fondée* 1820 par l'abbé Pierre Bienvenu Noailles, comprend 66 *religieuses contemplatives* (France, Esp., Lesotho, Sri Lanka) et 2 933 *apostoliques ; 69 séculières consacrées ; 1 973 laïcs* et *prêtres associés. Communautés :* 385.

Salésiennes de Don Bosco (Sœurs). *Fondées* 1872 à Mornese (It.) par St Jean Bosco (1815-88, Can. ; canonisé 1934) et par Ste Marie-Dominique Mazzarello (1837-81), sous le nom des filles de Marie Auxiliatrice. Enseignement (surtout professionnel) ; catéchèse ; centres loisirs et accueil ; promotion de la femme (pays de mission). *Provinces :* 81 (Europe 36). *Membres :* 16 915. *Maisons :* 1 560.

Trappistines ou Cisterciennes de la Stricte Observance. Forment un seul ordre avec la branche masc. Chaque maison fém. (abbaye ou prieuré) est autonome, mais associée à un monastère masculin qui assure la direction spirituelle. *Maisons :* 62 (15 en Fr.). *Membres :* 1 889.

Ursulines *total* 16 000 m. Plusieurs congr. se rattachent à la fondation d'Angèle Merici de 1535, notamment **Ursulines de l'Union romaine :** *membres* 3 424 dans 31 pays, *maisons* 265. **Unions canadienne, irlandaise, de Chatham, de Thildonck,** etc. communautés autonomes (plusieurs membres de la *Féd. all.*). Enseign., catéchèse, missions. *Non fédérées :* 41 maisons autonomes. *Membres :* 1 761.

Visitation Sainte Marie. Ordre contemplatif. *Fondé* à Annecy (1610) par St François de Sales (1567-1622 ; canonisé 1665 ; docteur de l'Église 1877) et Ste Jeanne de Chantal (1572-1641 ; canonisée 1767). *Monastères :* 168 [autonomes, groupés dep. 1952 en 19 féd. (2 en Fr.)]. *Membres :* 4 000.

ASSOCIATIONS CATHOLIQUES INTERNATIONALES

Conférence des organisations internationales catholiques. Group. 35 org. membres, 4 org. associées, 4 org. invitées. 37/39, rue de Vermont, 1202 Genève. *Adm. :* Paul Morand.

Aide à l'Église en détresse. BP 1 – 29, rue du Louvre, 78750 Mareil-Marly. *Fondée* 1947 par le P. Werenfried Van Straaten (religieux prémontré), reconnue par le St-Siège. Réunit + de 600 000 bienfaiteurs et donateurs. *Publications :* Bulletin, Chrétiens de l'Est, AED-Jeunes.

Bureau international catholique de l'enfance (BICE). 63-65, rue de Lausanne, 1202 Genève. 19, rue de Varenne, 75007 Paris. *Fondé* 1948. Statut consultatif auprès de Ecosoc, Unesco, Unicef, Conseil de l'Europe. *Publications :* Les cahiers (en français). *Effectifs :* 217 m. (24 actifs, 108 organisations associées, 85 m. individuels) dans + de 45 pays env. *Pt :* Me Amin Fahim. *Secr. gén. :* François Rüegg.

Caritas Internationalis. Palazzo San Calisto 00120 Vatican. *Créée* 1950, par 12 Caritas nationales. Présent dans 152 pays (services sociaux, secours d'urgence, développement communautaire, etc.). Statut consultatif auprès de : Conseil de l'Europe, Ecosoc, FAO, ILO, Unesco, Unicef. *Pt. :* Mgr Alfonso Felippe Gregory. *Assemblée générale :* tous les 4 ans. *France :* Secours catholique/Caritas France.

Centre catholique international pour l'Unesco (CCIC). 9, rue Cler, 75007 Paris. *Fondé* 1947 par le chanoine Jean Rupp. *Buts :* aide 25 organismes cath. 6 *revues* ou *bulletins. Membres :* 180 (de 80 pays diff.), groupés en une association de soutien. *Secr. gén. :* Jean Larnaud.

Centre catholique international de Genève (CCIG). 1, rue de Varembé, case postale 43, 1211 Genève 20. *Fondé* 1950.

Commission internationale catholique pour les migrations. 37-39, rue de Vermont, 1211 Genève 20. *Fondée* 1951. *S. gén. :* Dr André Van Chau.

Fraternité séculière de St François (avant : Tiers Ordre Franciscain). 27, rue Sarrette, 75014 Paris. *Fondée* par St François d'Assise (1220) à la demande de laïcs mariés ou célibataires. *Personnalités marquantes :* Frédéric Ozanam (voir Sté de St Vincent de Paul) ; Léon Harmel (1829-1915) ; Marius Gonin et Eugène Duthoit, liés aux *Semaines sociales. Publication :* « Arbre ». *Effectifs* (Fr.) : 8 000 m.

Jeunesse étudiante catholique internationale (JECI). 171, rue de Rennes, 75006 Paris. *Fondée* 1946 à Fribourg (Suisse). 95 mouvements nationaux. *Secr. gén. :* Lazare Kabran.

Mouvement international d'apostolat des enfants (Midade-Imac-Midaden). 8, rue Duguay-Trouin, 75006 Paris. *Fondé* 1962 à Paris. Statut consultatif auprès de BIT : Ecosoc, Unicef. Regroupe mouvements de 53 pays. *Publication :* Enfants en mouvement.

Mouvement international des étudiants catholiques (MIEC). 171, rue de Rennes, 75006 Paris. *Fondé* 1921 à Fribourg (Suisse). *Fédérations* dans 88 pays. *Pt :* Javier Martos. *Vice-Pte :* Helen Ting.

Mouvement international des intellectuels catholiques (MIIC). 37-39, rue de Vermont, BP 85, 1211 Genève. *Fondé* 1947.

Mouvement international de la jeunesse agricole et rurale catholique (Mijarc). Tiensevest 68, B. 3 000 Leuven, Belgique. *Fondé* 1954 par HAC Middelweerd (P.-Bas) et Flore Herrier (Belg.). *Statut* consultatif auprès de l'Unesco. *Membres :* 2 000 000, dans 60 pays. *Publication :* Mijarc-Nouvelles. *Pt :* Alfonso Tenorio Polo.

Organisation catholique internationale du cinéma et de l'audiovisuel (Ocic). 8, rue de l'Orme, B-1040 Bruxelles. *Fondée* 1928. *Publication :* Cine & Media. *Pt :* Henk Hoekstra.

Pax Christi et Pax Christi-Secteur Jeunes. 58, av. de Breteuil, 75007 Paris. *Fondé* 1945. Se présente comme : *un service de recherche et d'information* sur les problèmes de la paix, de la justice et de la sauvegarde de la Création : anime en Fr. la semaine de la Paix et la journée mondiale de la Paix ; *un mouvement d'éducation au service de la paix* (intern., politique, sociale, spirituelle) ; *un groupement de chrétiens* cherchant en équipe à faire prévaloir paix et justice dans les comportements pol. et sociaux (campagnes d'opinion, accueil aux étrangers, centres de rencontres intern., routes intern., fraternités). Statut consultatif auprès du Conseil de l'Europe, Unesco, Onu. *Membres et sympathisants :* 5 000 env. *Pt intern. :* card. Danneels, archev. de Malines-Bruxelles ; *Pt national :* Mgr Joseph Rozier, év. de Poitiers. *Publications :* le Journal de la Paix, Épiphanie.

Société de Saint Vincent de Paul. 5, rue du Pré-aux-Clercs, 75007 Paris. *Fondée* 1833 par Frédéric Ozanam (1813-53) et un groupe d'étudiants. *Vocation :* lutte contre pauvreté, souffrance et sous-développement physique, matériel, culturel ou moral, par une action fraternelle et personnalisée auprès des plus déshérités (enfants, jeunes, personnes âgées, malades, handicapés, migrants, réfugiés, marginaux, prisonniers...). Plus de 5 000 jumelages, des milliers d'œuvres et institutions spécialisées. *Membres* (hommes, femmes, jeunes) : 850 000 en 45 800 « Conférences » (équipes) dont environ les 2/3 dans les pays en développement. *Pt international :* Amin A. De Tarrazi. *France :* reconnue d'utilité publique. 14 000 membres dans 1 100 conférences. *Pt nat. :* Gérard Gorcy. *Publications :* Les Cahiers Ozanam ; *intern. :* Vincenpaul.

Union catholique internationale de la presse (Ucip). Case postale 197, 1211 Genève 20, Suisse. *Fondée* 1927 à Bruxelles par René Delforge. Présente dans 103 pays. *Pt :* Günter Mees. *Publication :* Ucip. Informations 4 000 ex.

L'Église en France

Quelques dates

V. 150 fondation de l'Église de Lyon, si l'on tient pour authentique une lettre de « chrétiens lyonnais et viennois », racontant, en 177, le martyre des chrétiens lyonnais (notamment de St Pothin, évêque, et de Ste Blandine, vierge Attala) et transcrite par Eusèbe de Césarée au chap. V de l'*Histoire ecclésiastique* (début du IVe s.). Certains pensent qu'Eusèbe a situé en Gaule occidentale une persécution qui a eu lieu en Gaule orientale ou Galatie (Asie Mineure), sous le proconsulat d'Arrius Antoninus, pendant le règne de Marc Aurèle. La présence d'une forte communauté de chrétiens d'origine phrygienne émigrée à Lyon dès le IIe s. leur paraît improbable. La 1re inscription chrétienne trouvée à Lyon date de 240 ; le 1er évêque de Lyon, mentionné sur un document historique (258), est Faustin, 5e év. de la liste traditionnelle. **200-250** fondations d'Églises épiscopales à Arles (St Trophime), Marseille (St Victor), Narbonne (St Paul), Toulouse (St Sernin), Vienne (St Crescens), Trèves (St Euchaire), Reims (St Sixte), Paris (St Denis), Autun (St Réticius). **250** persécution de Dèce, la seule sans doute qui ait frappé la Gaule, car les édits de Dioclétien (303-11) n'y furent pas appliqués. Martyre de St Saturnin ou Sernin, év. de Toulouse. **313** l'*Édit de Milan* favorise la christianisation des cités gallo-romaines, les cadres politico-religieux étant devenus chrétiens. **314** concile d'Arles : 34 ou 36 diocèses dénombrés en Gaule. **IVe-VIe s.** Des *basiliques* (édifices civils romains) ont pu être utilisées pour le culte cath. A côté des *martyriums,* construits sur les tombeaux des martyrs, toujours hors les murs, chaque cité épiscopale construit à l'intérieur des murs une église cathédrale, souvent en 3 édifices dont un baptistère. Les églises qui ne possèdent pas de martyrs recherchent des reliques, surtout en Italie. De cette époque subsistent ainsi : *N.-D.-de-Nazareth* à *Vaison-la-Romaine :* 3 absides du VIe s. ; *St-Sauveur* à *Aix :* baptistère des IVe-Ve s. ; *N.-D.* à *Fréjus :* baptistère du Ve s. ; *N.-D. de Rouen :* vestiges de la 1re cathédrale (395-96), construite pour St Victoire. **V. 400** 114 diocèses et 17 métropoles. **410-507** les rois wisigoths, ariens militants, mènent une politique anticath. en Gaule (notamment en laissant les sièges épiscopaux vacants) ; les Burgondes sont moins hostiles (païens faiblement arianisés).

496 *baptême de Clovis,* roi des Francs (païen) ; le sacre confère au roi un caractère sacré et un pouvoir religieux ; le roi est le protecteur des églises du roy., le défenseur de la foi cath. contre les ariens antitrinitariens. **507** *Vouillé.* Clovis, appelé par les évêques « soldat de la Trinité », bat les Wisigoths, qui se maintiennent seulement en Septimanie (où la noblesse restera arienne, comme en Esp., sympathisant avec les musulmans aux VIIIe-IXe s., puis favorisant le catharisme antitrinitarien). **511** concile national d'Orléans, réservant au roi franc la nomination des clercs, sauf pour les fils et petits-fils de prêtres, qui ont droit d'office au sacerdoce (le célibat est peu respecté jusqu'au XIe s.). **V. 590** arrivée en Gaule de St Colomban (Irl.) et début du monachisme irl. en Fr. (abbaye principale : Luxeuil ; autres centres : St-Gall, Stavelot-Malmédy, Rebais, Jumièges, Corbie, Remiremont, Fontenelle) ; la règle de St Benoît, moins rigoureuse, y supplantera la règle irl. à partir du IXe s. **632-39** règne de Dagobert sur la Fr. unifiée ; christianisation des campagnes (*St Éloi :* Noyonnais ; *St Ouen :* Roumois ; *St Didier :* Quercy ; *Bonitus :* Auvergne ; *Bodégisèle :* Maine). **866** l'arch. Hincmar de Reims affirme les droits des églises métropolitaines contre l'autorité papale. **V. 865** rédaction du martyrologe d'Usuard, qui recueille le nom des saints, notamment des saints évêques de la Gaule, mais aussi de tout le monde alors connu, en utilisant les *acta martyrum* d'Afrique, d'Espagne, d'Italie et d'Orient. **909** des laïcs fondent le monastère de Cluny en l'exemptant de toute autorité autre que celle de Rome ; début XIIe s., son abbé dirige seul 1 450 prieurés.

1082 1re mention, en Provence, des saintes Maries de la Mer et de St Lazare qui auraient fondé, dès le Ier s., les églises d'Aix et de Marseille (origine admise officiellement en 1102 par la papauté). **1099** St-Bernard fonde Cîteaux. **1209** *24-6 : Croisade contre les « Albigeois »* (hérétiques cathares), se terminera en 1244 par la réduction de la forteresse cathare de *Montségur* (dernier prolongement : résistance du château de *Quéribus,* 1255). **1378-1417** Grand Schisme oppose un pape français et un pape italien. L'université de Paris propose que le concile soit supérieur au pape. **1396-98** *concile de Paris,* début du *gallicanisme politique,* qui affirme l'indépendance temporelle du roi, la liberté de l'Église gallicane et la supériorité des conciles généraux sur le pape. **1438** *Pragmatique Sanction de Bourges* accordée à Charles VII : les 3 principes *gallicans* du concile de Paris sont reconnus ; le roi obtient 2 privilèges : nomination aux bénéfices ecclésiastiques (après une « élection canonique » purement formelle), suppression des *annates* (paiement au pape d'un % sur les bénéfices ecclésiastiques). Elle ne sera appliquée que dans le domaine royal. Abolie en 1461, elle est rétablie en 1499. **1512** *21-4* Louis XII veut faire déposer le pape Jules II par le concile de Milan, au nom de la *Pragmatique Sanction,* mais les Fr. sont chassés d'It. par les Suisses ; *10-12,* le Ve concile du Latran abolit la *Pr. Sanction.*

1516 *Concordat de Bologne,* François Ier renonce à subordonner le pape au Concile, obtient de Léon X le droit de nommer aux évêchés et aux grands bénéfices ecclésiastiques (le pape se contentant de conférer l'institution canonique et renonçant en outre à certaines taxes). **1559-98** guerre de religion, voir p. 637. **1604** Mme Acarie introduit le carmel. **1615** texte des décrets du concile de Trente (1545-63) accepté. **1622** *20-10* Paris érigé en archevêché, détaché de Sens. *1er grand séminaire* ouvert. **1682** l'Assemblée du clergé rappelle dans la *Déclaration des 4 articles* les libertés de l'Égl. gallicane. Louis XIV en rend l'enseignement obligatoire par les prof. de théologie, mais y renonce en 1693 contre la reconnaissance du *droit de régale,* qui lui permet de percevoir les revenus des bénéfices vacants. **1731-32** affaire des convulsionnaires de St-Médard. Le diacre *Pâris* (1690-1727), janséniste fervent, avait été enterré au cimetière de St-Médard. Les jans. s'y rendaient, en pèlerinage ; il s'y produisait des guérisons soudaines et des convulsions. Le 15-7-1731, Mgr de Vintimille, archevêque de Paris, ferma le cimetière et obtint du pape un décret et un bref interdisant le culte du diacre Pâris. Le Parlement de Paris, favorable aux jansénistes, refusa d'enregistrer ces actes.

1789 les biens du clergé sont sécularisés (confisqués). *11-8* les dîmes perçues par le clergé sont abolies. **1790** *3-7* la Constituante supprime les congrégations à vœu solennel. *12-7* Constitution civile du Clergé, visant à créer une Église nationale (un diocèse par département ; curés et évêques élus par le peuple). *24-8* le roi donne sa sanction. *27-11* décret Voidel, exigeant que les prêtres jurent fidélité à la nouvelle Constitution. *26-12* le roi donne sa sanction. **1791** *4-1* à l'Assemblée nationale, 42 évêques sur 44 refusent publiquement le serment (exceptions : Talleyrand, Jean-Baptiste Gobel). *24-2* Talleyrand sacre évêques 2 prêtres jureurs. *10-3* Pie VI condamne la Constitution civile du clergé. *13-4* les prêtres qui jurent la Constitution (assermentés ou « jureurs ») sont déclarés suspens par le pape (le roi cesse de les reconnaître). *18-11* les prêtres *réfractaires* (« non jureurs ») sont mis hors la loi (veto royal). **1792 Religion civique.** Prévoyait dans les communes un autel de la patrie ; symboles, cocarde (port obligatoire le 8-7-1792 pour les hommes, le 21-9-1793 pour les femmes), arbres de la liberté, tables de la Déclaration des droits de l'Homme et de la Constitution, offertes à la vénération publique ; culte avec cérémonies et lectures de la Constitution. **1793** *28-4* loi de bannissement et déportation des prêtres réfractaires. *9-11* abjuration du clergé (constitutionnel) de Paris : conduit par Chaumette (procureur de la Commune) et par Gobel (évêque const.), il dépose ses lettres de prêtrise à la tribune de la Convention. Imité par les conventionnels ecclésiastiques (exception : Henri Grégoire, év. const. de Loir-et-Ch.). Gobel sera guillotiné avec les hébertistes le 14-4-1794. *20-11* **Culte de la Raison,** organisé à N.-D. de Paris par les hébertistes. **1794** *8-6* solennité de l'**Être su-**

Conciles pléniers nationaux

Convoqués par les archevêques, ils réunissent tous les évêques d'un pays. L'autorisation papale est nécessaire (sauf pour ceux convoqués par patriarches syriens et coptes). Le pape est représenté par un légat. Il y a eu de nombreux conciles nat. gallicans. Arles (314, 524, 1059, 1234), Poitiers (1078), Aix-la-Chapelle (816), Worms (829), Quierzy (858), Troyes (429, 862, 1104, 1128), Reims (625, 991, 1049, 1119). Paris : nombreux dep. XIIIe s., derniers : 1521, 1811.

Nota. – Les *assemblées générales du clergé de France* de 1615, 1635, 1642, 1656, 1661, 1681-82, 1745, 1762, ne peuvent être assimilées à des conciles.

prême où Robespierre officie (religion rousseauiste : le législateur est le « prêtre du bonheur du peuple »). **1795** *21-12 (3 ventôse an III) séparation des Égl. et de l'État* (les prêtres de l'Égl. constitutionnelle ne sont plus payés ; les prêtres non jureurs sont tolérés en civil ; pas de lieux de culte reconnus). **1797** *27-4* annulation des lois frappant les gens d'Église. *1-6 (20 prairial an V) :* rapport Camille Jordan [1771-1821 (surnommé ensuite Jordan-les-Cloches)], rendant les églises aux cath. *5-9 (19 fructidor an V) :* les mesures d'apaisement sont révoquées (« 2e Terreur ») ; 2 000 prêtres déportés en Guyane, à Ré et Oléron (« fructidorisés »). **1798** le Directoire fait occuper les États de l'Église, Pie VI (84 ans) est *manu militari,* amené en France, consigné à Valence où il meurt le 29-8-1799 ; le Sacré-Collège est dispersé.

1801 *1-3* le nombre des diocèses est réduit à 60. *(17-7) (28 messidor an IX) : Concordat* entre Bonaparte et Pie VII : le catholicisme est reconnu comme la religion de la majorité des Fr. ; les circonscriptions diocésaines restent calquées sur les départements ; le clergé reçoit une indemnité de l'État (traitement annuel), contre la renonciation de l'Église aux biens confisqués ; le 1er Consul nomme les évêques, mais ils sont institués par le pape ; les évêques nomment les curés. 93 évêques survivants de l'Ancien Régime sont invités à démissionner (en vertu de l'art. III du Concordat, par une lettre circulaire du pape, datée du 15-8-1801), 55 obéissent, 38 (émigrés, en majorité à Londres) refusent. Les non-démissionnaires ne sont plus que 3 en 1817 (voir Petite Église, p. 531 b). **1802** *8-4* Bonaparte introduit le Concordat (acte diplomatique) dans la législation française : loi comportant 77 *articles organiques,* rétablissant le gallicanisme politique ; non reconnus par le St-Siège, ils seront appliqués unilatéralement par le « ministère des Cultes » jusqu'en 1905. **1804** *2-12* Pie VII (en France de nov. 1804 à avril 1805) sacre Napoléon à N.-D. de Paris. **1808** *févr.* fait occuper Rome. **1809** *17-5* Napoléon décrète la réunion à l'Empire des États pontificaux. Pie VII l'excommunie. Nap. le fait arrêter (captivité à Savone). **1811** Concile national. **1813** Concordat de Fontainebleau. **1814** Pie VII rentre à Rome. **1813**, **1817**, 2 projets de modifier le Concordat de 1801 n'aboutissent pas. **1822** application du Concordat en 1817 qui rétablit un certain nombre de diocèses (à peu près la carte de 1790). **1822-77** *(jusqu'à l'arrivée au pouvoir des anticléricaux) :* rechristianisation (en 1876 : 55 369 prêtres séculiers, 30 287 religieux, 127 753 religieuses). **1825** *24-5* loi relative aux congrégations de femmes. **1831** *nov.* Lamennais, Montalembert et Lacordaire (partisans de l'union du catholicisme et de la liberté) vont à Rome défendre leur cause devant Grégoire XVI. **1832** *15-8* l'encyclique *Mirari* les condamne. **1834** *30-4* Lamennais rompt avec l'Église *(Paroles d'un croyant).* **1849** la IIe Rép. aide militairement le rétablissement du pouvoir pontifical à Rome. **1850 et suiv.** rétablissement progressif et symbolique des anciens évêchés demeurés supprimés dep. la Révolution : leur titre est porté par l'év. de la nouvelle circonscription qui l'englobe (par ex. l'archev. d'Avignon est en même temps év. d'Apt, Carpentras, Orange, Vaison et Cavaillon. **1859** Nap. III s'engage militairement aux côtés de Cavour au profit de l'unité italienne. **1860** *19-1* Pie IX, par son encyclique, appelle les évêques afin qu'ils « enflamment » leurs fidèles pour « la défense du Saint-Siège ». L'Église de France en dix ans fournira au denier de Saint-Pierre près de 4 millions de francs-or. Le pape confie une armée au général Louis de Lamoricière. *18-9* elle est battue à Castelfidardo. **Jusqu'en 1870** *20-9* Rome résiste aux assauts de Garibaldi grâce aux troupes françaises officielles du général de Failly. **1871** l'évêque d'Oran, Irénée Callot (Lyonnais, 1814-76), tente de faire régler par le concile de Vatican I la question du refus du concordat de 1801 (échec). Les anti-infaillibilistes fr. s'allient à la Petite Égl. dissidente. **1872** dernier recensement demandant l'appartenance religieuse. **1879** suppression de la loi de 1816, interdisant le travail du dimanche. **1880** *décrets contre les congrégations* non autorisées (suppression de 261 établissements comptant 5 643 religieux, notamment les jésuites). **1881** laïcisation des hôpitaux, pompes funèbres, cimetières ; retrait du crucifix dans les tribunaux. **Mars 1882-oct. 1886** *lois sur l'enseignement primaire laïque.* **Juillet 1889** *loi obligeant les ministres du culte* à faire leur service militaire. **1890** « ralliement » voir index. **1892** *16-2* encyclique *Au milieu des sollicitudes.* **1901** *1-7 loi sur les associations* : une congrégation ne peut se former sans une autorisation donnée par une loi ; elle ne peut fonder aucun nouvel établissement qu'en vertu d'un décret rendu en Conseil d'État. Toute congrégation non autorisée ou toute succursale non autorisée dépendant d'une congrégation autorisée est illicite, et le fait d'y appartenir constitue un délit, puni d'une amende de 15 à 5 000 F et d'un emprisonnement de 6 jours à 1 an. Chaque congrégation doit tenir un état de ses recettes et de ses dépenses, et dresser des comptes et un inventaire annuel. Elle doit également posséder à son siège la liste complète de ses membres. Toutes les congrégations précédemment autorisées le demeurent ; comme la plupart des congrégations existant en 1901 ne sont pas autorisées, il leur est imparti un délai de 3 mois pour se mettre en règle. [l'art. 13 restreint le droit des *congrégations* (autorisation légale obligatoire) ; l'art. 14 interdit l'enseignement aux congréganistes dépendant de congrégations non autorisées ; l'art. 16 définit le « délit de congrégation ».] Sur 1 665 c. (154 d'hommes, 1 511 de femmes), 910 étaient autorisées dont 4 d'h. (Missions étr. de Paris, 1815 ; Spiritains, 1816 ; Sulpiciens, 1816 ; Lazaristes, 1816), 906 de f. Mais 276 c. féminines autorisées possédaient des établissements non encore déclarés, pour lesquels elles avaient négligé ou refusé de demander l'autorisation partielle. Sur 150 c. d'h. non autorisées, 64 déposent une demande d'autorisation (pour 2 001 établissements) ; 86 refusent. Sur 601 c. de f. non aut., 532 déposent une demande (pour 6 799 ét.), 69 refusent. Finalement, 448 demandes (1 958 ét. d'h. et 4 986 de f.) sont soumises au Parlement ; 148 demandes (pour 1 243 de f.) sont soumises au Conseil d'État. La Chambre rejette en bloc toutes les demandes, sauf celle des Trappistes (non autorisés mais non interdits : leur dossier reste en attente jusqu'à la g. de 1914 qui met fin aux expulsions). Les congr. non autorisées sont dissoutes ou s'exilent (13 904 écoles fermées sur 20 823). *Total des immeubles possédés par les congr. :* 48 757 ha ; 1 072 millions de francs-or (« le milliard des congr. »). *Total des établissements non autorisés et confisqués :* 25 000 ha, 440 millions de francs-or. **1904** *7-7* loi supprimant l'enseignement congréganiste (fermeture des écoles même autorisées). Toutes les congrégations (maison mère et succursales) autorisées à titre de congrégations exclusivement enseignantes devaient être supprimées dans un délai de 10 ans, ce qui entraînait la fermeture des écoles et la liquidation de tous biens ; les congrégations « mixtes », c'est-à-dire autorisées pour l'enseignement et pour d'autres objets, ne conservaient le bénéfice de l'autorisation que pour leurs services étrangers à l'enseignement. La plupart des congrégations non autorisées formèrent, dans le délai de 3 mois prévu par la loi, des demandes d'autorisation. Le gouvernement présenta au Parlement toutes les demandes formées par les congrégations de femmes. Le Parlement rejeta en bloc presque toutes les demandes. En conséquence, toutes les congrégations dont la demande avait été rejetée se trouvaient *de plano* dissoutes et furent liquidées. Par contre, les 5 congrégations d'hommes sur les demandes desquelles le Sénat ne s'était pas prononcé et les 314 congrégations de femmes dont les demandes n'avaient même pas été déférées à l'examen du Parlement constituèrent dès lors les congrégations qu'on devait qualifier par la suite de « congrégations en instance d'autorisation ». Elles étaient en règle avec la loi de 1901 au point de vue pénal mais ne pouvaient bénéficier des effets positifs de l'autorisation et, notamment, demeuraient dépourvues de la personnalité juridique, partant, étaient incapables de recevoir des libéralités et, d'une manière plus générale, de passer nominalement des actes patrimoniaux. *Congrégations dissoutes :* certaines s'expatrièrent vers Belgique, Angleterre, Suisse, Italie, Espagne. Parmi les congréganistes restés en France, la plupart ne répudièrent pas leurs vœux. Il y eut de nombreuses poursuites pénales pour reconstitution de congrégations dissoutes et pour fausses sécularisations (272 poursuites, avec 637 condamnations, de 1906 à 1911). *30-7 rupture des relations diplomatiques* avec Rome à la suite d'un incident dipl. : le 24-4, le Pt de la Rép. s'est rendu à Rome en visite officielle auprès du roi d'Italie, sans aller saluer le pape. Le St-Siège a protesté (note diplomatique adressée aux chancelleries étrangères). Le Pce de Monaco, anticlérical, a donné cette note à Jaurès, qui l'a publiée en 1re page de « l'Humanité ». Combes saisit cette occasion pour rompre. **1905** *9-12 séparation de l'Église et de l'État,* décidée par le gouvernement. Abroge le Concordat de 1801, mais maintient les lois sur les congrégations. **1906** *11-2* encyclique *Vehementer :* le Pape Pie X condamne la Séparation. *6-3 printemps* affaire *des inventaires ;* dans de nombreuses églises et maisons religieuses, notamment en Bretagne, ou à Paris (Ste-Clotilde, St-Pierre-du-Gros-Caillou) échauffourées entre police et fidèles massés devant les portes ; seuls seront déférés devant les tribunaux ceux qui ont ceinturé les commissaires de police voulant ouvrir les tabernacles. *12-7* amnistie générale. *10-8* encyclique *Gravissimo :* le pape Pie X rejette le système des Associations cultuelles. **1907** *8-10* Pie X institue le *denier du culte,* que les cath. sont tenus *en conscience* (sous peine de péché) de verser pour l'entretien de leur clergé. *% des revenus recommandé :* 1 j de salaire pour les salariés ; le rev. d'une journée moy. de l'année pour les non-salariés. **1908** *7-3* excommunication de l'abbé *Alfred Loisy* (1857-1940), chef de la tendance moderniste, condamné l'année précédente par l'encyclique *Pascendi* (il est nommé en 1909 prof. d'histoire des religions au Collège de Fr. ; prend sa retraite en 1931 ; écrit sa défense dans *Un mythe apologétique* en 1938). *13-4* loi permettant d'attribuer à des œuvres de bienfaisance laïques dons et legs faits à l'Église cath. même si le donateur fait opposition. **1910** *25-8* condamnation du mouv. chrétien de gauche, *le Sillon,* formé vers 1894 par Marc Sangnier (1873-1950). **1914** *2-8* télégramme du ministre de l'Intérieur, Malvy ; le gouvernement suspend l'exécution de toutes les mesures prises en vertu des lois de 1901 et 1904. 9 281 religieux et 14 097 religieuses, souvent revenus de Belgique, d'Italie, d'Espagne et d'au-delà des mers, servirent aux armées, dans les ambulances et dans les hôpitaux. **De 1914 à 1924** réouverture des noviciats d'un grand nombre de congrégations « non autorisées ».

1919-39 la plupart des congr. supprimées se reforment en France sans être inquiétées. Après le retour de l'Alsace-Lorraine, en 1918, le Concordat de 1801 continue à être appliqué dans le Bas-Rhin, le Haut-Rhin et la Moselle. Les év. de Metz et de Strasbourg sont désignés par l'État qui rémunère les prêtres.

1920 *16-5* Jeanne d'Arc canonisée. *17-5* Aristide Briand nomme un ambassadeur près le Saint-Siège, Célestin Jonnart ; Mgr Ceretti est accueilli à Paris comme nonce et doyen du corps diplomatique. **1921** rétablissement des relations diplomatiques avec le St-Siège. **1924** *18-1* pour la possession des biens ecclésiastiques acquis depuis 1905, de nouveaux organismes, reconnus par la loi civile française, sont autorisés par Pie XI dans son encyclique *Maximam gravissimamque* sous la forme d'associations cultuelles diocésaines respectant la hiérarchie de l'Église. Pie XI aurait souhaité le vote d'une loi, qui aurait été quasi concordataire. Mais Poincaré reconnaît les « diocésaines » par un simple acte administratif, les assimilant aux associations cultuelles prévues par la loi du 9-12-1905. Herriot au pouvoir : application des lois laïques. Le ministère Herriot se disait résolu à étendre à l'Alsace et à la Lorraine les lois laïques. La résistance catholique s'organisa : constitution de la ligue de défense des religieux anciens combattants (DRAC), de l'association des prêtres anciens combattants (PAC), de la Fédération nationale catholique. *4-10* le ministère Herriot se contente de prescrire aux préfets de réunir une documentation complète sur la situation réelle des congrégations. **1939** *5-7* Pie XII relève l'Action française de sa condamnation. **1940** l'Italie déclare la guerre ; les 27 chartreux français de Farnetta, refusant de demander l'autorisation de rester, regagnèrent la France. *21-6* ils se firent ouvrir les portes de leur ancien couvent, où ils se réinstallèrent en invoquant une autorisation verbale du ministre de l'Intérieur. Les Chartreux, dissous en 1903, ne représentaient pas une personne morale pourvue de la capacité juridique et, d'autre part, ils se trouvaient occupants sans titre d'une propriété nationale. Six établissements autorisés, sous la direction du ministre de l'Ordre. *11-3* convention signée entre les représentants des Domaines et du département et les religieux, portant concession par l'État à l'ordre des Chartreux pour une durée de 99 ans de la propriété domaniale de la Grande Chartreuse. Ainsi une congrégation d'hommes obtenait l'existence légale (elle devenait la 5e des congrégations reconnues) dans des conditions qui permettaient de se demander si l'on n'avait pas, à l'occasion d'un cas particulier, amorcé une révision de la loi de 1901.

1940-42 régime de Vichy, modifiant en partie la législation religieuse, notamment par ces 8 actes (lois) : *3-9-1940* abrogeant l'art. 14 de la loi de 1901 et la loi du 7-7-1904 ; *21-2-1941* autorisant les Chartreux ; *4-4-1941* sur les religieuses hospitalières employées dans certains établissements hospitaliers ; *30-5-1941* étendant la capacité de certaines congrégations autorisées ; *8-4-1942* (no 504) élargissant le régime d'exemption des impôts exceptionnels sur les biens des congrégations ; *8-4-1942* (no 505) supprimant le délit de congrégation et permettant la reconnaissance des congrégations par décret ; *24-10-1942* supprimant les impôts d'exception : *31-12-1942* sur l'incorporation d'immeubles dans le patrimoine des congrégations reconnues. **1943,** sept. parution de *la France, pays de mission ?* des abbés Henri Godin (1906-44) et Yvan Daniel (1936-86). Il déterminera la création (1944) de la Mission de Paris, puis (1947) des prêtres-ouvriers. **1945** Angelo Roncalli, futur Jean XXIII, nonce à Paris.

1958-76 11 « congrégations » demandent et obtiennent l'autorisation. **1959** *14-9* le Vatican met fin à l'expérience des prêtres-ouvriers. *11-12 loi Debré* accordant des subventions à l'école libre. **1970** fondation à Écône (Suisse), par Mgr Marcel Lefebvre, d'un séminaire traditionaliste (voir p. 493 a). **1972** à côté des 18 provinces ecclésiastiques qui demeurent et conservent leurs « officialités métropolitaines » (recevant les appels des officialités diocésaines), les diocèses sont regroupés en 9 régions apostoliques. **1980** *30-5 au 2-6* Jean-Paul II en Fr. (Paris, Lisieux). **1981** le Congrès eucharistique international à Lourdes, en l'absence du Pape, hospitalisé après son attentat. **1984** *24-6* manifestation des cath. pour l'école libre, avec l'approbation de Jean-Paul II. Le projet de loi adopté par l'Assemblée est retiré ; de nouveaux textes votés reconnaissent le pluralisme scolaire et l'association des établissements par contrat dans l'esprit de la loi Debré. **1986** *26-6* accord entre l'épiscopat français et le Comité catholique contre la faim et pour le développement (CCFD), accusé par certains de subventionner des actions révolutionnaires dans le tiers monde, sur ses méthodes de sélection, de réalisations financées dans le tiers monde. *4/7-10* Jean-Paul II en France : Lyon, Taizé, Paray-le-Monial, Ars, Annecy. **1987** *27-2* l'État remet en question la loi de 1881 laissant 1 j par semaine sans cours à l'école pour permettre l'enseignement religieux (d'abord jeudi, puis mercr.). *Avril* bagarres à Port-Marly entre conciliaires et intégristes, pour la possession de l'égl. St-Louis. **1988** *août* Jean-Paul II à Lourdes « en simple pèlerin ». *8-11* à Strasbourg (visite le Parlement européen), Metz, Nancy, Mulhouse. **1989** *31-7* 18 clarisses d'Aubazines (Corrèze) décident de rompre avec Rome pour se placer sous l'autorité du patriarche grec d'Antioche, Ignace IV.

ORGANISATION

☞ **Conseil des Églises chrétiennes en France.** *Créé* 1987. *Membres :* 7 catholiques (dont 6 évêques dont le Pt et le vice-Pt), 7 protestants, 7 orthodoxes et arméniens, 1 observateur anglican.

CIRCONSCRIPTIONS DIOCÉSAINES

■ **Évolution. Ancien régime** (avril 1789). *Diocèses :* 141 évêchés ou archevêchés dont 4 en Corse (annexés 1768) et l'évêché de Bethléem. En outre, *6 évêques étrangers avaient juridiction sur des paroisses faisant partie du royaume :* Ypres, Tournai, Liège, Spire, Bâle (siégeant à Porrentruy), Genève (siégeant à Annecy). *6 év. français avaient juridiction sur des territoires étrangers :* Cambrai (P.-B.), Strasbourg (Allem.), Carpentras, Cavaillon, Vaison (Comtat), Comminges (Esp.). *Sur 141 diocèses, 122 étaient « réputés français »* (ils devaient payer le « don gratuit » au roi) ; *19 étaient « réputés étrangers »* et payaient au roi des redevances spéciales : Corse 4, et territoires annexés après le XVIe s. : 15 (Cambrai, Besançon, Strasbourg, Metz, Toul, Verdun, Arras, St-Omer, Belley, Orange, Perpignan, Elne, St-Claude, Nancy, St-Dié). **1810** (avec les annexions) 23 archevêques, 75 évêques ; **1817** 7 a., 33 é. ; **1820** 9 a., 41 é. ; **1823** 13 a., 61 é. ; **1826** 14 a., 65 é. ; **1859** 16 a., 65 é. ; **1860** 17 a., 68 é. ; **1871** 17 a., 66 é. ; **1918** 17 a., 68 é. ; **1982** 18 a., 96 é. (créations : 1948 a. de Marseille ; 1966 é. de Corbeil, Créteil, Nanterre, Pontoise, St-Denis ; 1970 é. de St-Étienne ; 1976 é. du Havre ; 1979 é. de Belfort-Montbéliard).

■ **Nombre actuel.** 95 *diocèses* répartis en 9 *régions apostoliques* et dirigés par 93 évêques ou archevêques, nommés par le pape. Le titre d'archevêque est porté par les chefs des 19 *archidiocèses :* Marseille et les 18 sièges métropolitains, chefs-lieux de provinces ecclésiastiques ayant plusieurs évêchés *suffragants.* **Départements comptant plus d'un diocèse :** *Savoie* 3 (Chambéry, Maurienne, Tarentaise : administrés par le même prélat) ; *B.-du-Rh.* 2 (Aix, Marseille) ; *Marne* 2 (Reims, Châlons) ; *Nord* 2 (Cambrai, Lille) ; *Seine-M.* 2 (Le Havre, Rouen). **Diocèses. 74 correspondent à 1 département. 5 correspondent à 2 départements :** *Ajaccio :* Hte-Corse et Corse du Sud. *Bourges :* Cher et Indre. *Limoges :* Hte-Vienne et Creuse. *Poitiers :* Vienne et Deux-Sèvres. *Strasbourg :* Bas-Rhin et Ht-Rhin. **1 correspond à 1 départ. plus une partie de 2 autres départ. :** *Belfort,* canton d'Héricourt (Hte-Saône), zone de Montbéliard (Doubs). **1 correspond à 2 départ. moins une partie de chacun d'eux :** *Besançon :* Doubs moins la zone du pays de Montbéliard ; Hte-Saône moins le canton d'Héricourt. **6 correspondent à 1 départ. divisé en 2 parties :** *Aix-en-Provence, Marseille :* Bouches-du-Rhône. *Cambrai, Lille :* Nord. *Rouen, Le Havre :* Seine-Maritime. **2 correspondent à 1 départ. plus 1 partie d'un autre départ. :** *Reims :* Ardennes, + arrondissement de Reims (Marne). *Lyon :* Rhône, + arrond. de Roanne (Loire). **2 correspondent à 1 départ. moins une partie :** *Châlons :* Marne moins Reims. *St-Étienne :* Loire moins Roanne. **Les 4 diocèses d'Annecy, Chambéry, Maurienne, Tarentaise correspondent aux départ. de Savoie et Hte-Savoie :** *Maurienne :* une partie de la Savoie. *Tarentaise :* idem. *Chambéry :* id., + quelques communes de Hte-Savoie. *Annecy :* Hte-Savoie, – quelques communes, + quelques communes de Savoie. **Diocèses ayant fictivement 2 noms :** *Nancy* (+ Toul), *Périgueux* (+ Sarlat), *Toulon* [+ Fréjus (dont la cath. St-Léonce est dep. 1975 « co-cathédrale »)], *Dax* (+ Aire ; évêché à Dax dep. 1933), *Auxerre* [+ Sens (archevêché et résidence à Auxerre dep. 1973)], etc. **Évêques résidant au chef-lieu du dép., et non dans leur ville épiscopale :** *St-Dié* (résidence à Épinal) ; *Belley-St-Claude* (à Lons-le-Saunier).

■ **Diocèses de métropole par régions** (en italique les 18 archevêchés). **Sud-Ouest :** Agen, Aire et Dax, Angoulême, Bayonne, *Bordeaux,* La Rochelle, Limoges, Périgueux, Poitiers, Tulle. **Provence-Méditerranée :** *Aix et Arles,* Ajaccio, *Avignon,* Digne, Fréjus et Toulon, Gap, *Marseille,* Mende, Montpellier, Nice, Nîmes. **Midi :** *Albi, Auch,* Cahors, Carcassonne, Montauban, Pamiers, Perpignan et Elne, Rodez, St-Flour, Tarbes et Lourdes, *Toulouse.* **Nord :** Amiens, Arras, Beauvais, *Cambrai,* Châlons-sur-M., Évreux, Langres, Le Havre, Lille, *Reims, Rouen,* Soissons, Troyes. **Ouest :** Angers, Bayeux et Lisieux, Coutances, Laval, Le Mans, Luçon, Nantes, Quimper, *Rennes,* St-Brieuc, Sées, Vannes. **Centre-Est :** Annecy, Autun, Belley-Ars, *Chambéry* (+ Maurienne + Tarentaise), Clermont-Ferrand, Grenoble, Le Puy, *Lyon,* St-Étienne, Valence, Viviers. **Centre :** Blois, *Bourges,* Chartres, Moulins, Nevers, Orléans, *Sens-Auxerre, Tours.* **Est :** Belfort-Montbéliard, *Besançon,* Dijon, Metz (concordataire), Nancy, St-Claude, *St-Dié,* Strasbourg (concordataire), Verdun. **Région parisienne :** *Évry,* Corbeil-Essonne, Créteil, Meaux, Nanterre, *Paris,* Pontoise, St-Denis-en-France, Versailles.

Nota. – Il existe, en outre : *1 diocèse aux armées* (Mgr Michel Dubost, n. 15-4-1942) ; *1 prélature territoriale* (la Mission de France ; Mgr André Lacrampe n. 17-12-1941) ; *1 exarchat* et *1 éparchie* pour les fidèles de rite oriental : voir p. 520 a. *Nomination des évêques :* par le code de droit canonique de 1983 (c. 377-378). 4 étapes : *1°)* En général tous les 3 ans, les év. de chaque province (en France, de chaque région apostolique) établissent une liste secrète des prêtres les plus aptes à l'épiscopat (communiquée au Siège par le représentant du St-Siège en France : le nonce). *2°)* Lorsqu'un siège est vacant (diocèse en attente d'un évêque) ou qu'un évêque coadjuteur doit être nommé, une liste de 3 noms (la terna), tenue secrète, est établie par le St-Siège, en collaboration avec le nonce, généralement à partir des listes établies par les évêques. Pour les év. auxiliaires, la terna peut être proposée par l'év. qui demande un auxiliaire. Le nonce est chargé de s'informer sur chacune des personnes concernées. Il communique au Siège apostolique son avis, les remarques et suggestions du métropolitain (archevêque) et des év. de la province (en France, du Pt et des év. de la région apostolique) sur l'état et les besoins du diocèse où le futur év. sera nommé, les remarques du Pt de la Conférence des év., et l'avis des membres du collège des consulteurs et du chapitre cathédral de ce diocèse. Enfin, s'il le juge opportun, il peut faire part de l'avis d'autres personnes, clercs ou laïcs. Selon un usage récent, la consultation diocésaine, non prévue par le droit, s'ajoute à cette consultation obligatoire. 3°) Le pape nomme le futur év. à partir des noms communiqués après un vote par les membres de la Congrégation pour les év. (card. et év.). *4°)* Avant que la nomination ne soit publiée, le nom du futur év. est transmis au gouvernement français (min. des Affaires étrangères, puis de l'Intérieur), selon une pratique acceptée depuis 1921, afin de savoir si le gouv. a quelque chose à dire à propos du candidat choisi. Pour Strasbourg et Metz, la nomination se fait selon l'art. 5 du Concordat de 1801. Le décret de nomination du futur év. (choix comme ci-dessus) est signé par le Pt de la Rép., puis publié au Journal off., après réception des bulles pontificales conférant l'institution canonique, soumises au Conseil d'État pour vérification de leur conformité aux règles concordataires.

CONFÉRENCES DE CARÊME

1834 Créées par Mgr de Quelen, archev. de Paris. 7 prédicateurs dont Mgr Dupanloup. **1835** (8-3)-**36** Père Lacordaire (prêchera l'Avent de 1843 à 1851). **1837-47** Abbé de Ravignan. **1903-24** P. Janvier, dominicain, qui détient le record de durée avec 22 carêmes consécutifs. **1946** P. Michel Riquet (1898-1993), jésuite. **1956** P. A.M. Carré, dominicain (de l'Académie fr.). **1965** P. Jacques-Yves Calvez, jésuite. **1988** *21-1* P. Bernard Dupuy, *28-2* P. René Laurentin, *6-3* P. Bernard Sesboué, *13-3* Claude Savart, *20-3* Marie-Hélène Mathieu (laïque, 59 ans, fondatrice en 1963 de l'Office chrétien des handicapés et inadaptés, Pte du mouv. Foi et Lumière), 1re femme à prêcher à N.-D. **1989-91** Mgr Gérard Defois, recteur des Fac. catho. de Lyon, puis archev. de Sens-Auxerre. **1992** P. Jean-Michel Garrigues 47 ans (dominicain) fondateur des « fraternités monastiques ».

Outre-mer. *Fort-de-France* (Martinique), Basse-Terre et Pointe-à-Pitre (Guadeloupe), Cayenne (Guyane), St-Denis de la Réunion, *Nouméa, Papeete* (Tahiti), Taiohae (îles Marquises, Polyn. fr.), Wallis-et-Futuna, St-Pierre-et-Miquelon est vicariat apostolique.

ÉVÊCHÉS ET CATHÉDRALES

Légende : (1) Cathédrales existantes, sièges actuels. (2) Cath. existantes, anciens sièges. (3) Cath. disparues. En italique, archevêché.

Paris et région parisienne. *Paris.* Paris [1]. *Seine-et-M. :* Meaux [1]. *Yvelines :* Versailles [1]. *Essonne :* Corbeil [1]. *Hts-de-Seine :* Nanterre [1]. *Seine-St-Denis :* St-Denis en France [1]. *Val-de-Marne :* Créteil [1].

Province. Ain : Belley [1], Bourg-en-Bresse [3]. **Aisne :** Soissons [1], Laon [2], St-Quentin [3], Vermand [3] (transféré à Noyon au VIe s.). **Allier :** Moulins [1]. **Alpes-de-Hte-Prov. :** Digne [1] [cath. : ancienne N.-D. du Bourg (XVIIIe s.), actuellement St-Jérôme (XVe s.)], Riez [3], Sisteron [2], Entrevaux [2], Senez [2], Forcalquier [2], Glandèves [3] (IVe, Ve s. transférés à Entrevaux), Thorane [3] (Rigomagus) et Castellane [3] (Salinas, IVe s. unis à Senez au VIe s.). **Htes-Alpes :** Gap [1], Embrun [2] (titre « relevé » par l'archevêque d'Aix). **Alpes-mar. :** Nice [1], Vence [2], Grasse [2], Cimiez [3] (a coexisté avec Nice au Ve s., fouilles), Antibes [3] (transféré à Grasse au XIIIe s.). **Ardèche :** Viviers[1]. **Ardennes :** relève de Reims (51) [1]. **Ariège :** Pamiers [1], St-Lizier [2] (capit. de Couzerans), Mirepoix [2]. **Aube :** Troyes [1]. **Aude :** Carcassonne [1], Narbonne [2] (titre « relevé » par l'Archev. de Toulouse), Alet [2] (en ruines), St-Papoul [2]. **Aveyron :** Rodez [1], Vabres [2]. **Bouches-du-Rhône :** *Aix-en-Prov.* [1], Arles [2] [le titre d'archev. d'Embrun (05) a été également « relevé » par l'archev. d'Aix]. *Marseille* [1] (sans province ecclésiastique). **Calvados :** Bayeux [1], Lisieux [2]. **Cantal :** St-Flour [1]. **Charente :** Angoulême [1]. **Charente-Mar. :** La Rochelle [1] [par transfert de Maillezais (85) au XVIIe s.], Saintes [2]. **Cher :** *Bourges* [1]. **Corrèze :** Tulle [1]. **Corse :** Ajaccio [1], Bastia [2], Calvi [2], Nebbio [2], Mariana [2] (transféré à Bastia au XVIe s.), vestiges de la 1re cath. du IVe s., 2e cath. de la Canonica (XIIe s.), Sagone [3], Accia [3], Aléria [3], Taina [3] (site inconnu). **Côtes-d'Armor :** St-Brieuc [1], Tréguier [2]. **Côte-d'Or :** Dijon [1]. **Creuse :** relève de Limoges (87) [1]. **Dordogne :** Périgueux [1], Sarlat [2]. **Doubs :** *Besançon* [1]. **Drôme :** Valence [1], Die St-Paul-Trois-Châteaux [2]. **Eure :** Évreux [1]. **Eure-et-Loir :** Chartres [1]. **Finistère :** Quimper [1], St-Paul-de-Léon [2]. **Gard :** Nîmes [1], Alès [2], Uzès [2], Aristum [3] (Le Vigan à l'époque mérov.). **Hte-Garonne :** *Toulouse* [1], (l'archev. a « relevé » le titre de l'archev. de Narbonne) [1], Rieux [2], St-Bertrand-de-Comminges [2]. **Gers :** *Auch* [1], Condom [2], Lectoure [2], Lombez [2], Eauze [3] (a précédé Auch). **Gironde :** *Bordeaux* [1], Bazas [2], Buch [3] (Ve s.). **Hérault :** Montpellier [1], Agde [2], Béziers [2], Lodève [2], Maguelonne [2] (transféré à Montp. au XVIe s.), St-Pons-de-Thomières [2]. **Ille-et-Vilaine :** *Rennes* [1], Dol [2], St-Malo [2], Aleth [3] (a précédé St-Malo). **Indre :** relève de Bourges (18) [1]. **Indre-et-Loire :** *Tours* [1]. **Isère :** Grenoble [1], Vienne [2] [titre « relevé » par l'archev. de Lyon à partir de la Révolution]. **Jura :** St-Claude [1]. **Landes :** Dax [1], Aire-sur-l'Adour [2]. **Loir-et-Cher :** Blois [1]. **Loire :** St-Étienne [1]. **Hte-Loire :** Le Puy [1], St-Paulien [3]. **Loire-Atl. :** Nantes [1]. **Loiret :** Orléans [1]. **Lot-et-G. :** Agen [1]. **Lozère :** Mende [1], Javols [3] (au VIe s., transféré à Mende). **Maine-et-L. :** Angers [1]. **Manche :** Coutances [1], Avranches [3]. **Marne :** *Reims* [1], Châlons-sur-M. [1]. **Hte-Marne :** Langres [1]. **Mayenne :** Laval [1], Jublains (époque gallo-romaine) [3]. **Meurthe-et-M. :** Nancy [1], Toul [2]. **Meuse :** Verdun [1]. **Morbihan :** Vannes [1]. **Moselle :** Metz [1]. **Nièvre :** Nevers [1]. **Nord :** *Cambrai* [1], Lille [1]. **Oise :** Beauvais [1], Noyon [2] [succédant à Vermand (02) au VIe s.], Senlis [2]. **Orne :** Sées [1]. **Pas-de-Calais :** Arras [1], Boulogne-sur-mer [2], St-Omer [2], Thérouanne [3] (remplacé par Boulogne au XVIe s.). **Puy-de-Dôme :** Clermont-Ferrand [1]. **Pyr.-Atlant. :** Bayonne [1], Lescar [2], Oloron-Ste-Marie [2]. **Htes-Pyrénées :** Tarbes [1], Lourdes : (n'a pas de cath.) **Pyr.-Or. :** Perpignan [1], Elne [2] (transféré à Perpignan au XVIIe s.). **Bas-Rhin et Haut-Rhin :** *Strasbourg* [1] ; l'égl. St-Martin de Colmar appelée « la cath. » est une ancienne collégiale [1]. **Rhône :** *Lyon* (Primat des Gaules) [1]. **Hte-Saône :** relève pour l'essentiel de Besançon (25) sinon Belfort-Montbéliard (90) [1], Port-sur-Saône (Ve s.) [3]. **Saône-et-Loire :** Autun [1], Chalon-sur-S. [2], Mâcon (vestiges) [2]. **Sarthe :** Le Mans [1]. **Savoie :** *Chambéry* [1], Moûtiers-Tarentaise [1], St-Jean-de-Maurienne [1]. **Hte-Savoie :** Annecy [1]. **Seine-maritime :** *Rouen* [1], Havre [1]. **Deux-Sèvres :** relève de Poitiers (86) [1]. **Somme :** Amiens [1]. **Tarn :** *Albi* [1], Castres [2], Lavaur [2]. **Tarn-et-G. :** Montauban [1]. **Terr. de Belfort :** Belfort [1]. **Var :** Toulon [1], Fréjus [2]. **Vaucluse :** Avignon [1], Apt [2], Carpentras [2], Cavaillon [2], Orange [2], Vaison-la-Romaine [2] [2 cath. : la + ancienne N.-D. de Nazareth (VIe-XIIIe s. au Vieux-Bourg)], Vénasque [3] (du VIe s. au Xe s. des év. de Carpentras). **Vendée :** Luçon [1], Maillezais [3] (ruines) créé XIVe s.

transféré à La Rochelle au XVIIe s. **Vienne :** Poitiers [1]. **Hte-Vienne :** Limoges [1]. **Vosges :** St-Dié [1]. **Yonne :** *Sens* [1], Auxerre [2].

Départements d'Outre-Mer. Guadeloupe : Basse-Terre [1], Pointe-à-Pitre [3]. **Guyane :** Cayenne [1]. **Martinique :** *Fort-de-France* [1], St-Pierre [3]. **La Réunion :** Saint-Denis-de-la-Réunion [1]. **Iles St-Pierre-et-Miquelon :** vicaire apostolique des îles St-Pierre [1].

Territoires d'Outre-Mer. Iles Marquises : Taïohae ou Tefenuanata [1]. **Nouvelle-Calédonie :** *Nouméa* [1]. **Polynésie Française :** *Papeete* [1]. **Wallis-et-Futuna :** île Wallis [1].

Rites orientaux catholiques. Paris : *Éparchie Sainte-Croix-de-Paris des Arméniens Cath. de Fr.* cath., 10 bis, rue Thouin : Mgr Grégoire Ghabroyan (n. 15-11-1934) ; pop. du diocèse 30 000. *Exarchat apostolique pour les Ukrainiens de rite byzantin, Cath.* ukr. cath., 51, rue des Saints-Pères : Mgr Michel Hrynchyshyn (n. 18-12-1929) ; pop. du diocèse 30 000.

☞ **Cathédrales non catholiques en France. Paris :** *Cath. de l'Égl. orthodoxe grecque* (Patriarcat de Constantinople), 7, rue Georges-Bizet ; *Cath. de l'Égl. orthodoxe* (ex-russe), 12, rue Daru ; *Cath. américaine (Égl. épiscopalienne),* 23, av. George-V.

■ ÉPISCOPAT

■ **Assemblée plénière annuelle de l'épiscopat français.** *Siège* d'ordinaire à Lourdes et se réunit en principe une fois par an (en 1993-94 : 1er à huis clos Lourdes le 18-11-93, 2e publique Paris 12/13-4-94). *Pt :* Mgr Joseph Duval (n. 11-10-1928) (Rouen) ; *vice-Pt :* Mgr Émile Marcus (n. 29-6-1930) (Nantes). **Conseil permanent de l'épiscopat** prépare et dirige les travaux. *Pt : Mgr J. Duval* (Rouen) ; *vice-Pt : Mgr Marcus* (Nantes) ; *membres : Card. Jean-Marie Lustiger* (Paris) [n. 17-9-1926 (fils d'un Juif émigré en France v. 1918, commerçant), baptisé 25-8-1940, archev. de Paris 2-2-1981], prêtre 17-4-1954, évêque 12-1979 et 9 membres représentant les 9 régions apostoliques de France : *cardinal Paul Gouyon* [n. 24-10-1910 à Bordeaux (Gironde)], prêtre 13-3-1937, évêque 7-10-1957, cardinal 28-4-1969, archevêque émérite de Rennes, Dol et Saint-Malo (1964-85). *François Marty* [n. 18-5-1904 à Pachins (Aveyron)], prêtre 28-6-1930, évêque 1-5-1952, cardinal 28-4-1969, arch. ém. de Paris (1968-81). *Albert Decourtray* [n. 9-4-1923 à Wattignies (Nord)], prêtre 29-6-1947, évêque 3-7-1971, card. 25-5-1985, arch. de Lyon dep. 1981. *Robert Coffy* [n. 24-10-1920 à Biot (Hte-Savoie)], prêtre 28-10-1944, év. 23-4-1967, card. 28-6-1991, arch. de Marseille dep. 1985. AU VATICAN : *Gabriel-Marie Garrone* [n. 12-10-1901 à Aix-les-Bains (Savoie)] prêtre 11-4-1925, év. 24-6-1947, card. 26-6-1967, préfet émér. de la Congrégation pour l'éducation cath. (1968-80). *Roger Etchegaray* [n. 25-9-1922 à Espelette (Basses-Pyr.)], prêtre 13-7-1947, év. 27-5-1969, card. 30-6-1979, Pt du Conseil pontifical « Cor Unum » et du Conseil pontifical « Justice et paix » dep. 1984. Paul Poupard [n. 30-8-1930 à Bouzillé (Maine-et-Loire)], prêtre 18-12-1954, év. 6-4-1979, card. 25-5-1985, Pt du Conseil pontifical pour le dialogue avec les non-croyants dep. 1985, Pt du Conseil pontifical de la Culture dep. 1988. *Jacques Martin* [n. 26-8-1908 à Amiens (Somme)], prêtre 14-10-1934, év. 11-2-1964, card. 28-6-1988, Préfet émérite de la Maison pontificale (1969-86).

■ **France, « fille aînée de l'Église ».** Formule lancée par le cardinal Benoît Langénieux (1824-1904), archevêque de Reims (en 1896, à l'occasion du XIVe centenaire du baptême de Clovis, tirée d'une lettre du Cte de Chambord). Repose sur 4 données : 1°) selon le card. Langénieux, Clovis reçut en 496 du pape Anastase II une lettre le présentant comme un fils enfanté par l'Église (cette lettre est en réalité un faux, datant du XVIIe s.) ; 2°) les rois de Fr. s'appelaient habituellement « Fils aînés de l'Église » [traduction libre de leur titre officiel de *Christianissimus,* rendu dans les textes français par « très chrétien », mais signifiant « le premier des (rois) chrétiens » (Napoléon Ier prenant également ce titre dans sa correspondance avec le pape)] ; 3°) l'université de Paris s'est définie jusqu'à la Révolution comme « la fille aînée des rois de Fr. » (allusion au titre précédent) ; 4°) depuis les Mérovingiens, les souverains ont eu une dévotion à *Ste Pétronille,* fille de St Pierre ; 5°) Étienne II (pape de 752 à 757) écrit le 23-2-756 à Pépin le Bref une lettre où il fait parler St Pierre. Celui-ci s'adresse à Pépin comme à son « fils adoptif ». Dès lors, il devient courant, dans les lettres échangées entre papes et rois francs, de dire que *Ste Pétronille* est la « sœur spirituelle » de la monarchie franque.

D'après certains textes, le tombeau de Ste Pétronille, dans une des chapelles de la basilique de Constantin, était appelé *Capella Regum Francorum,* « chapelle du roi de Fr. » (on suppose que les rois de Fr. l'entretenaient sur leur trésor). Au XVe s., la dévotion des rois de Fr. envers Ste Pétronille reprit vigueur : Louis XI lui attribua la naissance de Charles VIII. Celui-ci constitua en 1490 à Rome une chapellenie de Ste Pétronille, devant assurer des messes pour le repos de l'âme de Louis XI. Ce culte n'était plus attesté au XVIIe s. et on n'a plus parlé de Ste Pétronille jusqu'en 1874, date de la découverte de son tombeau sur la voie Ardéatine près de Rome. *En 1889,* le card. Langénieux obtint que Léon XIII remette officiellement à la Fr. une chapelle de Ste Pétronille, faisant partie de la basilique St-Pierre. L'huile de la lampe du St Sacrement est payée par l'Église de Fr. La messe solennelle de Ste Pétronille, avec présence de l'ambassadeur de Fr., est célébrée officiellement chaque année (le 31-5), depuis 1949, mais on parle peu du patronage.

■ **Commissions épiscopales.** 15, composées chacune de 9 évêques ou vicaires généraux, représentant chacune des régions. *Pt :* élu par l'Assemblée plénière. *Enseignement religieux* [1] (Mgr Billé) [4]. *Catéchuménat* [2] (Père Cordonnier) [4]. *Clergé et séminaires* [1] (Mgr Poulain) presbytère de la cathédrale, rue de la Chantrerie, 46000 Cahors. *Vocations* [2] (Mgr Cornet) [3]. *Opinion publique* [1] (Mgr Fihey) [3]. *Enfance-jeunesse* [1] (Mgr Pican) [3]. *État religieux* [1] (Mgr Soulier) 25, bd des Arènes, 24000 Périgueux. *Familiale* [1] (Mgr Cuminal) [9]. *Liturgie et pastorale sacramentelle* [1] (Mgr Moutel) [4]. *Migrations* [1] (Mgr Joatton) 269 bis, rue du Fbg-St-Antoine, 75011 Paris. *Milieux indépendants* [1] (Mgr Derouet) 21, rue Brûlée, 51100 Reims. *Missions à l'extérieur* [1] (Mgr Dufaux) 5, rue Monsieur, 75007 Paris. *Monde ouvrier* [1] (Mgr Labille) [10]. *Monde rural* [1] (Mgr Taverdet) 2, rue de Rouen, 61400 Mortagne-au-Perche. *Monde scolaire et universitaire* [1] (Mgr Coloni) [8]. *Enseignement catholique* [5] (P. Cloupet) [8]. *Enseignement public* [6] (J.-M. Swerry), 7, rue Vauquelin, 75005 Paris. *Unité des Chrétiens* [1] (Mgr Vilnet) 80, rue de l'Abbé-Carton, 75014 Paris. *Sociale* [1] (Mgr Rouet) 8, rue Jean-Bart, 75006.

Comités épiscopaux. *France-Amérique latine* (Mgr Lacrampe) 2, rue de l'Abbé-Patureau, 75018 Paris. *Canonique* (Mgr Jordan) 97, rue du Mont-Cenis, 75018. *Financier* (Mgr Dardel) [3]. *Relations avec le judaïsme* (Mgr Poulain) 2 bis, quai des Célestins, 75004. *Mer* (Mgr David) Presbytère, 29115 Treffiagat. *Mission de France* (Mgr Lacrampe) [3]. *Mission ouvrière* (Mgr Labille) [10].

Groupes épiscopaux. *Communautés chrétiennes* (Mgr Marcus) [3]. *Renouveau charismatique* (Mgr Meindre) [3]. *Pastorale des réalités du tourisme et des loisirs* (Mgr Barbier) [9].

Autres organismes nationaux. *Délégation de l'épiscopat pour les questions morales concernant la vie humaine* (P. Olivier de Dinechin) 14, rue d'Assas, 75006 Paris. *Aumônerie générale des Français hors de France* (Mgr Fihey) [7]. *Délégation catholique pour la coopération* (Mgr Deroubaix) [7]. *Service Incroyance-foi* (Mgr Dagens) 8, rue de St-Simon, 75007 Paris. *Secrétariat pour les relations avec l'islam* (Mgr Dufaux) 71, rue de Grenelle, 75007 Paris. *Conseil nat. de la solidarité* (Mgr David)[3]. *Comité catholique contre la faim et pour le développement* (P. Guy Régnier) 4, rue Jean-Lantier, 75001 Paris. *Secours catholique* (P. Marie-Paul Mascarello)[3].

Nota. – (1) Commission épiscopale. (2) Service national. (3) 106, rue du Bac, 750007 Paris. (4) 6, avenue Vavin, 75006 Paris. (5) Secrétariat général. (6) Secrétariat national de l'aumônerie. (7) 9-11, rue Guyton-de-Morveau, 75013 Paris. (8) 277, rue Saint-Jacques, 75005 Paris. (9) 4, cité du Sacré-Cœur, 75018 Paris. (10) 29, place du Marché-St-Honoré, 75001 Paris.

Conférence des évêques de France. *Créée* 18-5-1964. Succède à l'Assemblée des card. et arch. (créée 1919). Au 11-1-1992, 116 membres (les cardinaux français retirés, les cardinaux de la Curie et les év. des TOM n'en sont pas membres). *Pt :* Mgr Joseph Duval (n. 11-10-1928) arch. de Rouen dep. 7-11-1990 ; *vice-Pt :* Mgr Émile Marcus (n. 29-6-1930) (év. de Nantes) dep. le 7-11-1990.

Titres féodaux ou ecclésiastiques portés par les anciens évêques de France. (*Légende :* b. : Baron, c. : Comte, pr. : Prince). *Aix* (arch.) : Président-né des États de Provence. *Ajaccio :* c. de Frasso. *Albi :* c. d'A. *Arles* (arch.) : primat, pr. de Salon. *Auch* (arch.) : primat de Novempopulanie et du royaume de Navarre. *Autun :* port du Pallium, Pt-né des États de Bourgogne, *Beauvais :* 1er des c. et pairs ecclésiastiques. *Belley :* pr. du St Empire, c. de B. *Besançon :* pr. du St Empire. *Bordeaux* (arch.) : primat d'Aquitaine Seconde. *Bourges* (arch.) : primat des Aquitaines et Patriarche. *Cahors :* b. et c. de C. *Cambrai* (arch.) : duc de C., pr. du St Empire, c. du Cambraisis, Seigneur temporel de la ville, Pt-né des États de Cambraisis. *Carpentras :* Pt-né des États du Comtat. *Chalon-sur-Saône :* c. de Ch. *Châlons-sur-Marne :* c. et pair de France. *Die* (fusionné avec Valence) : c. de D. *Digne :* b. de Lauzières, seigneur de D. *Dol :* c. de D. *Embrun* (arch.) : pr. d'É. *Gap :* c. de G. *Grenoble :* pr. de Gr. *Langres :* duc et pair de Fr. *Laon :* duc et second pair de Fr. *Lectoure :* seigneur de la ville. *Lescar :* Pt-né des États de Béarn. *Léon :* c. de L., seigneur de Brest. *Lisieux :* c. de L. *Luçon :* b. de L. *Lyon* (arch.) : c. de L., primat des Gaules. *Marseille :* B. d'Aubagne. *Mende :* seigneur et gouverneur de M., c. de Gévaudan. *Metz :* pr. du St Empire. *Montpellier :* marquis de Marquerose, c. de Mauguio et de Montferrand, b. de Sauve, de Durfort, de Salevoise, de Brissac. *Nancy :* primat de Lorraine. *Narbonne :* primat, Pt-né des États de Languedoc. *Noyon :* c. et pair de France. *Paris* (arch.) : duc de St-Cloud, 7e pair ecclésiastique. *Le Puy :* c. du Velay et de Brioude, seigneur du P. Port du pallium. *Quimper :* seigneur de la ville, c. de Cornouaille. *Reims* (arch.) : primat de Gaule Belgique, duc de R., 1er pair de France, Légat-né du St-Siège, consécrateur des rois. *Rodez :* c. de Rodez. *Rouen :* primat de Normandie. *St-Brieuc :* seigneur de St-Br. *St-Claude :* seigneur de St-Cl. *St-Malo :* b. de Beignon, c. de St-M., co-seigneur de la ville. *St-Papoul :* seigneur de la ville. *St-Paul-Trois-Châteaux :* seigneur de la ville. *Sarlat :* b de S. *Sens* (arch.) : primat des Gaules germaniques. *Sisteron :* pr. de Lurs. *Strasbourg :* pr. de Str., comte souverain du Nordgau (moitié Nord de l'Alsace) dep. 1365 (résidence à Saverne dep. 1414) ; Altesse sérénissime et éminentissime. *Tarbes :* Pt-né des États de Bigorre. *Toul :* c. de T., pr. du St Empire, doyen des év. de la prov. de Trèves. *Tulle :* seigneur et vicomte de T. *Uzès :* seigneur d'U. *Vabres :* c. de V. *Valence :* seigneur et comte de V. *Verdun :* c. de V., pr. du St Empire. *Vienne* (arch.) : seigneur de la ville, « Primat des Primats ». *Viviers :* c. de V., pr. de Donzère et de Châteauneuf-du-Rhône.

Évêché de Bethléem. *1110* créé par les Croisés (l'év. avait le privilège de consacrer les rois de Jérusalem). *1161* Guillaume III, Cte d'Auxerre et de Nevers († en Terre sainte), demande à être enseveli dans la cathédrale de B. En échange, il cède aux évêques de B.-Ascalon, en toute suzeraineté, l'hôpital construit par son père Guillaume II à Clamecy (Yonne) en 1147. *1331* l'év. Guillaume Ier, chassé par les Sarrasins, s'y installe. 44 év. s'y succéderont jusqu'à 1801 (résidence à Clamecy, la chapelle de l'hôpital est érigée en cathédrale). *1413* Charles VI reconnaît les év. de B. comme des prélats du royaume (nommés par le Cte de Nevers, agréés par le roi). Mais ils n'exercent pas de juridiction, sauf sur le personnel de l'hôpital. *1635* l'assemblée du clergé leur attribue une pension de 1 000 livres, pour qu'ils ne soient pas tentés d'usurper certaines juridictions, détenues par les év. d'Auxerre. *1801* l'évêché est supprimé. *1840* le titre d'év. de Bethléem, devenu un titre *in partibus,* est lié à la dignité abbatiale de St-Maurice-d'Agaume (Valais, Suisse). Les abbés sont appelés « év. de Bethléem St-Maurice ».

■ ÉGLISE ET ÉTAT

■ **Avant le 9-12-1905.** Le régime du Concordat (voir p. 518 b) était appliqué.

■ **Depuis le 9-12-1905** (loi de séparation de l'Église et de l'État, abrogeant le concordat de 1801 ; régime qui ne s'appliquera pas à l'Alsace-Lorraine, alors allemande, mais rendue à la France en 1918 ; elle gardera le régime de Concordat) : suppression du ministère des cultes et de la rémunération du clergé. Le libre exercice des cultes est garanti dans la limite de l'ordre public. L'État n'intervient plus dans les nominations des ministres du culte et les modifications des circonscriptions ecclésiastiques. Les *évêques* sont nommés par le pape (de fait, l'accord du gouv. est toujours donné officieusement). Les *congrégations* restent soumises à la loi concordataire du 1-7-1901 qui limite leur création et leur fonctionnement. Les *biens possédés* par les établissements du culte, devant être dévolus à des *associations cultuelles,* sont soumis à des *inventaires* par la loi du 9-12-1905. Les « *associations cultuelles* », qui ne mentionnaient pas l'autorité épiscopale, ayant été désapprouvées par Pie X (encyclique *Gravissimo* du 10-8-1906), les biens des églises paroissiales ont été dévolus aux communes qui sont tenues de les laisser « à la disposition des fidèles et des ministres du culte pour la pratique de leur religion » (loi du 2-1-1907).

Le 13-12-1923, le Conseil d'État a approuvé les statuts des associations diocésaines destinées à s'occuper des frais et de l'entretien du culte catholique (Pie XII approuve dans l'encyclique *Maximum gravissimumque* du 18-1-1924).

Il y a ainsi 3 catégories d'associations : les *cultuelles* (lois 1901 et 1905), réservées aux cultes protestants, israélite, musulman, orthodoxe, etc. et les *diocésaines* (loi 1901 et avis 1923) réservées au culte catholique ; les *quasi cultuelles* (lois 1901 et 1907 inexistantes en fait). Les associations ont le droit de recevoir des dons et legs. Les bâtiments sont entretenus par l'État ou les communes s'ils sont leur propriété.

Service des cultes. Au min. de l'Intérieur. *Compétences : 1°) Bas-Rhin, Haut-Rhin, Moselle,* où le régime concordataire est toujours en vigueur (4 cultes reconnus : catholique, luthérien, réformé, israélite – la gestion du personnel cultuel est confiée à une antenne à Strasbourg). *2°) Guyane et St-Pierre-et-Miquelon :* régime cultuel propre quasi concordataire. *3°) Gestion des lieux du culte* (cathédrales appartenant à l'État ; égl. paroissiales appartenant aux communes), qui doivent légalement être affectés au culte. *4°) Toute question juridique concernant les rapports de l'Église et de l'État* (en fait, contrôle, par l'Enregistrement et l'Inspection des Finances, en vertu de la loi du 9-12-1905 sur les associations cultuelles, de la gestion du patrimoine des « diocésaines » reconnues par l'Admin.).

Relations diplomatiques entre France et papauté. Rompues en 1904, renouées en 1920-21. **Nonce apostolique :** Lorenzo Antonetti [n. 31-7-1922, Italie], dep. 1988.

Congrégations. *1970,* le Pt Pompidou rouvre dans le *JO* la rubrique « Établissements congréganistes » (loi concordataire du 1-7-1901). Ce régime des « Congrégations reconnues » implique certains avantages judiciaires et financiers, sous tutelle administrative. *Congrégations masculines reconnues légalement :* Lazaristes, Missions étrangères, Spiritains, Sulpiciens, Chartreux, Bénédictins de Hautecombe et de St-Benoît-sur-Loire, Cisterciens de Bellefontaine, Meilleraye, Bricquebec, Timadeuc, Pères Blancs, Frères de St Gabriel, Missions afric. de Lyon, Picpusiens, Camilliens (soit 6 000 religieux sur env. 20 000). *17 en instance de reconnaissance.*

Mesures diverses. L'art. 14 du décret du 19-7-1948 mentionne l'Assemblée des cardinaux et archevêques comme l'autorité corporative du clergé ; la loi du 17-1-1948 sur l'ass. vieillesse des non-salariés cite les « ministres du culte catholique » ; la loi sur « la généralisation de la Séc. soc. » s'applique, à partir du 1-1-1978, aux prêtres, religieux, religieuses. Vis-à-vis de la commune, le curé est autorisé à recevoir une indemnité pour le gardiennage de l'église, sans être assimilé à un salarié communal.

Statut des édifices catholiques. Les diocèses ne peuvent posséder des immeubles « de rapport », mais seulement les immeubles nécessaires à leurs propres activités (logements de prêtres, locaux d'activités pastorales, séminaires, évêché...). Églises et presbytères existant avant 1905 sont devenus depuis la loi de séparation de 1905 la propriété de la commune qui doit assurer les charges du propriétaire. L'occupant d'un presbytère paye un loyer à la commune. Depuis 1905, d'autres édifices appartenant à diverses associations ou sociétés ont été construits et sont à leur charge. Il y a ainsi à Paris 89 édifices appartenant à la ville et 58 édifices privés. *Propriété ecclésiastique. Statut :* réglé par un accord quasi concordataire, déclaré légal par 2 avis du Conseil d'État (13-12-1923) et canonique par le pape (18-1-1924).

Saints patrons de la France. Voir p. 499.

Souverains français excommuniés

Robert le Pieux (998) pour avoir épousé Berthe de Bourgogne, cousine au 4e degré. **Philippe Ier** (1094) pour avoir répudié Berthe de Hollande et enlevé et épousé Bertrade de Montfort, épouse de Foulques d'Anjou. Absous 1096, excommunié de nouveau en 1100. **Louis VII le Jeune** (1140) pour n'avoir pas reconnu l'élection à l'archevêché de Bourges du P. de La Châtre. **Philippe Auguste** (1200) pour avoir répudié Ingeburge, et épousé Agnès de Méranie. **Philippe IV le Bel** (1303) pour avoir refusé de se soumettre à Boniface VIII. **Louis XII** (1512) à cause de ses victoires en It. et pour avoir convoqué à Pise un concile dirigé contre le pape. **Henri III** (1588) pour avoir ordonné l'assassinat du cardinal de Guise. **Henri IV,** encore Henri de Navarre, excommunié en 1585 pour son abjuration (ayant adhéré au catholicisme en 1572, il s'était rétracté en 1576). **Louis XIV** (18-10-1687) après la formation de l'Église gallicane, et de l'entrée à Rome du marquis de Lavardin avec 800 h. armés (affaire du droit d'asile). Par une concession exceptionnelle, la lettre pontificale fut gardée secrète. **Napoléon Ier** (18-6-1809) après l'annexion des États du pape à l'Empire fr. (mais N. n'est pas désigné nommément ; la bulle condamne « ceux qui ont spolié les biens de l'Église »).

Canonicats d'honneur

☞ Pour souverains puis présidents de la République.

■ **St-Jean-de-Latran.** Voir Chanoines, p. 500 c. Quand Raymond Poincaré fut élu Pt de la Rép. (1913), des journaux ont assuré qu'il était chanoine du Latran ; d'autres que les Pts français avaient perdu ce privilège, car Loubet avait été radié en 1905 (le Vatican a gardé le silence).

■ **France. St-Maurice d'Angers.** Charles VII a pris part à l'office canonial, revêtu du surplis et de la chappe. **Ste-Marie d'Auch** les rois de France ont hérité des comtes d'Armagnac, postérieurement rois de Navarre. **St-Vincent de Chalon-sur-Saône** accordé au duc de Bourgogne, Philippe le Bon (qui prenait part à l'office comme chanoine laïc), et passé à la couronne de France, sous Louis X. **St-Jean de Lyon** accordé en *1230* aux Dauphins du Viennois, et passé dans la famille royale après l'acquisition du Dauphiné par l'héritier de la couronne (1356). **St-Julien du Mans** immémorial. *1909* l'artiste manceau A. Échivard exécute un vitrail (refusé par l'évêque) représentant le Pt Armand Fallières à genoux, avec la chappe des chanoines, pour être placé dans le chœur de St-Julien ; *1913* Échivard refait une maquette avec le Pt Poincaré [même costume au pied d'une statue de Jeanne d'Arc (vitrail non exécuté)]. **St-Hilaire de Poitiers, St-Gratien de Tours** aucun document. **St-Jean-de-Maurienne** canonicat des ducs de Savoie, revendiqué par François Ier (1537) et Henri II (1548) lors d'annexions temporaires ; non revendiqué par Nap. III. **St-Georges de Nancy** can. des ducs de Lorraine ; reconnu à Napoléon Ier et accepté par Napoléon III ; sa transmission automatique aux Pts de la République est discutée.

■ Finances de l'Église de France

■ **Évolution. 1789 Revenu total du clergé :** 248 millions de livres, dont 150 de revenus fonciers [valeur du capital foncier : 5 milliards (dont bâtiments 500 millions) ; en surface 6 % de la superficie du royaume, la plus grosse fortune de France]. **Revenus des 118 évêques et des 18 archevêques :** 5 141 000 livres, + les revenus de leurs abbayes commendataires [*maximaux :* Strasbourg 400 000 livres, Paris 200 000, Narbonne 160 000, Cambrai 150 000, Auch 126 000, Metz et Albi 120 000 ; *minimaux :* (dits *évêchés crottés) :* Apt 9 000, St-Pons, Carpentras, Vaison 10 000]. **Revenus des ordres rel. :** 8 000 000 l. (dont 2 500 000 pour les ordres féminins). Principales abbayes commendataires : St-Germain-des-Prés 130 000 l., Cîteaux 120 000, Clairvaux 90 000, Corbie 85 000, Fécamp 80 000.

1840 *fortune foncière de l'Église :* 100 millions de F ; *revenus :* 40 MF, dont 30 de subventions de l'État et 10 de casuel ; *traitement :* archevêque de Paris 40 000 F ; cardinal 30 000 ; archevêque 15 000 ; évêque 10 000. **1880** *fortune foncière :* 712 MF (40 520 ha), dont congrégations non autorisées 210 MF (14 000 ha). **1905** *fortune foncière :* 1 071 MF appelés « le milliard des congrégations » (48 757 ha), dont congrég. non autorisées 440 MF (25 000 ha).

■ **Régime actuel.** Depuis la loi de Séparation (9-12-1905), l'Église ne reçoit plus rien de l'État [sauf en Alsace-Lorraine (Haut-Rhin, Bas-Rhin, Moselle) où persiste le régime du Concordat]. Elle ne reçoit rien non plus du Vatican. Chaque diocèse, au contraire, lui reverse le produit d'une quête annuelle, Denier de Saint-Pierre (8 millions de F en 1988). Il n'y a pas de comptes centralisés au plan national. Chaque diocèse est autonome : les finances sont sous la responsabilité de l'évêque, aidé depuis 1983 par le Conseil diocésain pour les affaires économiques.

Associations diocésaines. Déclarées comme « assoc. cultuelles » (loi de 1905, différente de la loi de 1901), elles sont soumises au contrôle financier de l'Enregistrement et de l'Inspection des Finances, et ont pour but de « subvenir aux frais et à l'entretien du culte cath. ». Elles ne gèrent pas les propriétés foncières, ni les biens des instituts et des congrégations de religieux ou religieuses. Bâtiments et comptes des écoles cath. sont gérés par des associations propres (parents d'élèves – assoc. de gestion).

■ **Ressources des diocèses** (1990). *Total :* 2 269 millions de F dont : *denier de l'Église* (autrefois *denier du culte*), 963, collecte annuelle à laquelle chacun donne librement ; *quêtes paroissiales* 601 ; *offrandes* pour des intentions de messe 395 ; *contribution des familles* pour des célébrations particulières (mariages, funérailles) 310 F.

Denier du culte. *Montant par habitant* (1984) : Annecy 2 394, Autun 1 722, Lille 1 636, Sens 1 221, Versailles 853, Marseille 619, St-Denis 441.

Quêtes paroissiales. Quête ordinaire : sans précision de destination (recette inscrite au compte de la paroisse). Couvrant les frais de fonctionnement (animation, entretien des bâtiments, éclairage, chauffage, secrétariat, assurance, impôts...). Une part est éventuellement prélevée pour être envoyée à l'évêché (complément nécessaire au Denier du culte). **Quêtes spéciales :** *ex. :* pour le Secours catholique et le Denier de St-Pierre.

■ **Dépenses d'un diocèse.** *Personnel* (60 %) : traitement et Sécurité soc. des prêtres et permanents laïcs. *Activités « pastorales »* (services, mouvements, aumôneries) (17 %). *Entretien des bâtiments* (12 %). *Formation* des prêtres et permanents (6 %). *Services administratifs* (salariés, matériel...) (5 %). **Budget annuel** *d'un diocèse moyen (500 000 hab., 300 prêtres) :* 15 millions de F. *Salaires :* voir Index.

■ **Ressources des congrégations religieuses.** *Règle :* autonomie financière. Chacune a budget et ressources propres. *Communautés :* subsistent par leur travail (ex. : exploitations agricoles, liqueurs, ouvrages imprimés d'art religieux, travaux d'aiguille ou de reliure, animations de groupe de presse ou édition, etc.). *Activité salariée :* les salaires touchés au dehors sont reversés à la communauté. *Communautés monastiques :* 2 organisations créées pour leur soutien financier, *La Fondation des monastères de France,* reconnue d'utilité publique, recueille dons, donations, legs, 21, rue Paradis, 75010 Paris ; *L'Association Aide au travail des cloîtres (ATC)* expose et vend les produits des religieuses contemplatives, 68 bis, av. Denfert-Rochereau, 75014 Paris. *Centre d'artisanat monastique :* Paris 14e, Lyon, Rennes, Lille. 150 monastères regroupant 1 600 femmes env. (50 % des religieuses cloîtrées confient au Centre en dépôt-vente leur fabrication). *C.A. 1989 :* 8,25 millions de F (layette 20 %, objets de décoration 11, céramique et porcelaine 8, lingerie, alimentation et objets religieux 6, vêtements liturgiques 2). Les carmélites fournissent 1/3 de la main-d'œuvre.

Spécialités réputées. Bénédictines *de Chantelle :* produits de beauté ; *d'Igny et Alpes-Mar. :* chocolat ; *de l'avenue Denfert-Rochereau :* hosties (env. 200 000 par mois par 3 personnes). **Clarisses** *de Neyrac (près d'Agen) :* broderies. **Carmélites** *d'Amiens :* maroquinerie ; *de St-Pair (Manche) :* porcelaine blanche décorée à la main et sur commande. **Abbaye** *de Sept-Fons :* germalyne (farine de germe de blé). **Trappistes** *de l'Ain :* musculine Guychon (carré d'extraits de viande reconstituants pour asthéniques et convalescents). **Bénédictins** *de la Pierre-qui-Vire :* éditent une collection de livres d'art roman. **Religieuses de la Retraite** *à Perne-les-Fontaines (Vaucluse) :* hosties (*C.A. :* 800 000 F).

■ **Sécurité sociale des clercs, religieux et religieuses.** Obligatoire dep. loi du 2-1-1978. *2 régimes : Camac* (Caisse mutuelle d'ass.-maladie des cultes) et *Camavic* (Caisse mutuelle d'ass.-vieillesse des cultes) gérées par le régime général. Mêmes remboursements de frais de maladie que les travailleurs salariés. Régime autonome ; les intéressés assurent, par leurs cotisations, la totalité de ses ressources. Le régime d'ass.-maladie créé à partir de 1950 : *la Mutuelle St-Martin* (qui gère des Étab. de soins et des maisons de retraite accessibles aux clercs) maintenue comme complémentaire.

Statistiques (France)

■ Clergé

■ **Aumôniers militaires.** 487.

■ **Cardinaux.** 2 à la Curie, 2 à la tête d'un diocèse, 5 à la retraite.

■ **Diacres permanents.** *Ordinations diaconales. 1970 :* 1re ordination. *75 :* 40, *76 :* 52, *77 :* 57, *78 :* 75, *79 :* 90, *80 :* 107, *81 :* 135, *82 :* 170, *83 :* 205, *84 :* 255, *85 :* 296, *86 :* 346, *87 :* 420, *88 :* 510, *89 :* 588, *90 :* 653, *91 :* 694.

■ **Évêques en activité.** Env. 120. *Métropole :* dans les 95 diocèses, vicariat aux armées (1 év.), Prélature Mission de France, exarchats (1 év. pour les Ukrainiens et 1 év. pour les Arméniens). *Outre-Mer :* DOM 4 dioc. (4 év.), 1 vicariat apostolique (év.) ; TOM 4 dioc. (4 év.).

Le plus jeune évêque français (au 12-2-1991). François Garnier, évêque coadjuteur de Luçon, (n. 7-4-1944).

■ **Instituts catholiques.** Voir Index.

■ **Mission de France.** 16, rue du R.P. Aubry, BP 18, 94121 Fontenay-sous-Bois Cedex. *Créée* 1941 par l'Ass. des cardinaux et archev. de France à l'initiative du cardinal Suhard. *But :* former un clergé spécialisé dans l'évangélisation des zones déchristianisées. *1954* le pape lui donne le statut de prélature territoriale. *Évêque :* Mgr André Lacrampe. *Prêtres séculiers :* 266 dont 89 % exercent un métier ou l'ont exercé jusqu'à l'âge de la retraite professionnelle. Une trentaine vivent dans le tiers monde. *Ordinations : 1977-92 :* 41.

■ **Missionnaires.** Au 1-1-1990, 287 prêtres diocésains fr. envoyés outre-mer au titre de « Fidei Donum ». Afrique 138, Amér. centrale et du Sud 127, DOM-TOM 21, Asie 7. Au 1-1-1980, 4 136 membres d'instituts rel. (ordres, congrégations) et de Stés de vie apostolique hors de Fr. : Afrique 2 189, Asie 565, Amér. latine 541, Europe 483, Océanie 176, Amér. du Nord 151, sans précision de continent 31.

■ **Paroisses.** 38 370 dont 15 561 avec curé résidant (séculiers 14 639, religieux 922). 21 968 sont desservies par un prêtre voisin. 12 sont confiées à 1 diacre permanent, 46 à des religieuses, 30 à des laïcs.

Chantiers du Cardinal. *Créés* 1931 par le card. Verdier (1864-1940), arch. de Paris, pour donner plus d'élan à la construction des églises de Paris et de sa banlieue [avant, constructions : *1886-1905 :* 50 églises ; *1905-14 :* 41 ; *1925-32 :* 52 (avec les chapelles)]. *Bilan : 1939 :* 100 églises et 50 presbytères ; *1945-59 :* 37 églises, 7 agrandies ; *1960-72 :* 88 réalisations ; *1973-80 :* 53 ; *1981-91 :* 40 (budget 30 millions de F). Entretiennent aussi gros-œuvre des édifices construits depuis leur création.

■ **Prêtres** (au 31-12-90, sauf nota). 32 267 (25 203 diocésains, 7 064 religieux) séculiers (40 994 en 1965) et 13 150 [1] réguliers (dont 8 123 sur le territoire français). *Activités [1] (%) :* ministère paroissial 59,3 (31,9 en milieu rural ; 27,4 urbain) ; éducation et enseignement 9,5 ; services généraux des diocèses 5,1 ; divers 20,1.

Nota. – (1) 1986.

Abandons de ministère. « Le Monde » a donné le 19-12-86 2 évaluations : Danièle Hervieu-Léger (2 500 entre 1965 et 1985) ; le P. Potel (3 500 entre 1940 et 1982, avec une pointe entre 1970 et 1974). 55 % se sont mariés à l'Égl. (après avoir demandé une dispense canonique) et 36 % civilement.

Ordinations. *1830 :* 2 300 ; *1900*[1] : 1 679 ; *1904* [1] : *1 740 ; 14* [1] : 704 ; *18* [1] : 152 ; *24 :* 907 ; *27 :* 1 043 ; *31 :* 838 ; *38 :* 1 355 ; *51 :* 1 028 ; *60 :* 595 ; *65 :* 646 ; *68 :* 501 ; *69 :* 370 ; *70 :* 285 ; *75 :* 170 ; *76 :* 136 ; *77 :* 99 ; *78 :* 118 ; *79 :* 125 ; *80 :* 111 ; *81 :* 111 ; *82 :* 106 ; *83 :* 95 ; *84 :* 111 ; *85 :* 116 ; *86 :* 94 ; *87 :* 106 ; *88 :* 139 ; *89 :* 140 ; *90 :* 133 ; *91 :* 130 ; *92 :* 126.

Nota. – (1) Sans Alsace-Lorraine. *Centre national des vocations,* 106, rue du Bac, 75007 Paris.

Prêtres âgés de moins de 65 ans. 1965 : 34 065 ; *75 :* 27 731 ; *85 :* 18 000 (sur 28 000 diocésains) ; *99* (prév.) : 9 530 (sur env. 20 000).

■ **Religieux. Nombre** *1981 :* 18 128 ; *1991 :* 15 155 (dont à l'étranger 3 223) [clercs réguliers et congrégations cléricales 4 614 (à l'étr. 910), frères enseignants et hospitaliers 3 595 (373), missionnaires 2 636 (1 356), chanoines réguliers et ordres apostoliques 1 946 (434), moines 1 603 (98), Stés de vie apostolique 761 (52)] ; **professions perpétuelles et** entre parenthèses **ordinations presbytérales** *(1989) :* moines 31 (14), chanoines réguliers et ordres apostoliques 33 (13), clercs réguliers et congrégations cléricales 11 (17), Stés de vie apostolique 6 (12), missionnaires 8 (6), frères enseignants et hospitaliers 6 (1).

> **Début XVIIIe s.,** pour 22 millions d'hab. : 200 000 prêtres, 90 000 religieux et religieuses. **1836,** pour 33 millions : 43 000 pr. **1876-77,** pour 38 millions : 55 000 pr., 30 680 religieux, 127 000 religieuses. **1967-70,** pour 50 millions : 33 775 pr., 23 000 religieux, 111 500 religieuses. *Congrégations masculines apostoliques et, entre parenthèses, monastères d'hommes : XIXe s. :* 4 (1), *1941 :* 0 (1), *1970-80 :* 7 (13), *1981-90 :* 14 (8).

Centres de formation ou scolasticats. Les importants ont disparu sauf le *Centre de Sèvres des jésuites* et une réalisation temporaire des *Fils de la Charité.* Il y a eu de nouvelles fondations [Fraternité de Jérusalem, oblats de Lérins, frères de Bethléem (patronnés par l'évêque de Grenoble aujourd'hui à la retraite, Mgr Matagrin), communauté St-Jean (fondée par le dominicain Marie-Dominique Philippe et patronnée par l'évêque d'Autun, Mgr Séguy), communauté de l'Emmanuel à Paray-le-Monial].

■ **Religieuses. Congrégations apostoliques féminines.** *Nombre :* 364. *Membres :* 60 202 de nationalité française. *Novices : 1992 (mars) :* 284. *Nombre d'instituts ayant des communautés à l'étranger :* 240 (dont hors d'Europe 212). *Nombre des femmes congréganistes apostoliques françaises présentes à l'étranger :* 4 598. 50 congrégations apostoliques féminines d'origine française ont leur maison généralice hors de France, à Rome le plus souvent.

Activités (v. 1990) : 14 100 relig. sont enseignantes. 18 600 ont des prof. sanitaires, 2 600 des prof. sociales et médico-soc., 17 500 des fonctions d'accueil, d'encadrement, d'admin. ou de gestion (dont 5 100 dans des établissements relig.). 5 400 se consacrent à des activités spécifiquement apostoliques (catéchèses, services paroissiaux, etc.). Le reste se répartit entre le « 3e âge », les étudiantes, les novices et les services généraux et domestiques.

Évolution de 1973 à 1985. 268 congrégations sur 369 ont dû fermer leurs noviciats. 1 000 petites communautés (de 4 à 5 religieuses en moyenne) sont apparues sans être toujours liées à une institution. Leurs membres n'appartiennent pas forcément à la même congrégation. Certaines, généralement en civil, qui restent intégrées à leur congrégation, sont ouvrières, cadres ou employées, travailleuses familiales, puéricultrices, ergothérapeutes, etc. Il ne faut pas les confondre avec les membres des instituts séculiers, féminins, qui prononcent les vœux de religion, tout en demeurant dans le monde.

Moniales. 1992 *mars :* 6 555 en 317 monastères, 1 communauté monastique, 2 ermitages et 1 fraternité monastique dont bénédictines (1 597 en 51 mon.), carmélites (1 869 en 112 mon.), cisterciennes (648 dans 19 mon.), clarisses (824 dans 52 mon. et 2 ermitages), dominicaines (436 dans 18 mon., 1 communauté, une fraternité) et visitandines (658 dans 31 mon.), 523 d'autres ordres dans 34 mon. : les annonciades, bernardines d'Anglet, capucines, chartreusines, norbertines, rédemptoristines, sacramentines, sœurs de la Ste-Famille.

REGROUPEMENTS : dep. 1958, les monastères de moniales ont pu se regrouper en fédérations, par ordre et par région (féd. de Carmélites, de Clarisses, de Dominicaines, de Visitandines). Dep. 1966 s'est constituée une *Union des moniales de France,* d'abord appelée Commission des religieuses contemplatives cloîtrées, puis, en 1972, Service des moniales.

Situation juridique (loi de 1901). AUTORISÉES : *Bon Pasteur (Filles du)* (fondée 1688 à Paris par Mme de Combé, refuge pour prostituées). *Bon Secours. Espérance (Sœurs de l')* (rameau de la Ste-Famille ; f. à Bordeaux 1824 par l'abbé Noailles, gardes-malades pour les classes pauvres). *Notre-Dame. N.-D. de Sion* (f. 1843 par le P. Ratisbonne ; enseignement, missions en Orient). *Petites sœurs des pauvres. Présentation de Tours* [f. à Sainteville (E.-et-L.) 1840, par Marie Pousse-Pin, gardes-malades et enseignantes]. *Providence* [2 branches : *Portieux* (Vosges). *Ruillé-sur-Loir* (Sarthe), f. 1818 par l'abbé Jacques Dujarié ; enseignement]. *Sagesse (Filles de la). Ste-Famille* [branche f. à Séez (Orne) 1820 par l'abbé Villeroy et la mère Marie-Thérèse Raguenel]. *St-Joseph de Cluny (Sœurs de). St-Maur (Dames de). St-Paul (Sœurs aveugles de). St-Paul (Sœurs de)* (dite de St-Maurice de Chartres). *St-Vincent-de-Paul (Filles de la Charité). Ursulines. Visitation.* NON AUTORISÉES : jouissent d'une tolérance, toujours révocable.

Autorisations et reconnaissances légales. Congrégations apostoliques et, entre parenthèses, monastères de moniale. *1804-15 :* 63 (4) ; *1815-70 :* 136 (40) ; *1872-1970 :* 14 (38) ; *1970-90 :* 3 (32). **XIXe s.** *Congrégations autorisées :* 300. **1941** (21-2) *ordre des Chartreux :* autorisé par la loi. **1943** (27-8) *Carmel de Créteil* ouvert par décret. **Depuis 1970 :** + 170 congrégations ou collectivités religieuses. La loi du 1-7-1901 a été appliquée aux bouddhistes de St-Léon-sur-Vézère (Dordogne) le 8-1-1988, puis à 3 monastères orthodoxes rattachés canoniquement à la juridiction de 3 patriarcats différents : moniales de Bussy-en-Othe (Yonne) le 16-2-1989, et de Villardonnel (Aude) et moines de St-Simon le Myroblite (Drôme) en déc. 1991.

ANTICLÉRICALISME

Définition. *Clérical :* utilisé par l'Église dans le sens de « propre au clergé », a pris en 1848 le sens de « visant à subordonner le pouvoir civil au pouvoir religieux ». *Anticlérical :* forgé en 1852 (après le coup d'État bonapartiste) avec le sens d'« opposé aux cléricaux ». A partir de 1870, si les catholiques désignent souvent leurs adversaires sous le nom d'*anticléricaux,* ils ne s'appellent jamais eux-mêmes les *cléricaux.*

Quelques dates. 1815 naissance de l'opposition « libérale », sous la Restauration qui est théocratique (ne distinguant pas la société religieuse de la Sté civile) ; les libéraux sont des *individualistes :* les convictions religieuses sont une affaire personnelle, et ne doivent pas obliger à un comportement social. **1830** triomphe de l'anticléricalisme « romantique » (prototype : Stendhal) : les prêtres doivent être écartés de la vie sociale, car ils sont laids, bêtes et méchants ; le jésuite est appelé « l'Homme Noir » (en 1848, cet anticléricalisme a disparu : les « quarante-huitards » sont dans l'ensemble respectueux de la religion). **1849** Victor Hugo, sans attaquer l'Évangile ni la papauté, dénonce le danger des « gouvernements cléricaux » : le « jésuitisme » est l'ennemi de la liberté. **1850 (15-3)** *loi Falloux* qui confie à l'Église l'enseignement primaire et fait naître l'anticléricalisme scolaire. **1852-70** alliance de l'Église et du régime bonapartiste, qui fait basculer dans l'anticléricalisme l'opposition républicaine. **1871** anticléricalisme révolutionnaire des Communards : exécutions de prêtres, la religion étant conçue comme un mal pour le peuple. **1875** 1res mesures anticléricales du régime républicain : cherchent à utiliser les droits de l'État sur l'Église, pour déchristianiser un certain nombre d'institutions, notamment l'enseign. **1905** l'Église est séparée de l'État ; les congrégations (religieux et religieuses) restent soumises au régime concordataire qui permet de limiter leur liberté d'action. **1940-44 :** le régime de Vichy cherche à utiliser l'influence du clergé et favorise le catholicisme. **Après 1945** anticléricalisme composite irréligieux, laïc (opposition aux écoles catholiques) ou matérialiste athée. **1981-84** renaissance de l'action laïque à propos surtout du problème scolaire. Une législation défavorable à l'enseign. cath. est ajournée par suite de violents incidents.

■ **Séminaires. Origine.** *1563* création décidée par le concile de Trente (chaque diocèse doit avoir le sien). *1564* 1er fondé à Milan par St Charles Borromée [en France 1ers fondés vers 1640 (Vincent de Paul, Lazaristes, Oratoriens, Sulpiciens, Eudistes)].

Formation. 6 ans en *3 cycles : 1er* 2 ans, études et stage, *2e et 3e* 4 ans, études, activités en paroisse. 3e facultatif.

Situation (1987-89). *19 séminaires interdiocésains* (Angers[1], Avignon[3], Bayonne[2], Bordeaux[2], Caen[3], Dax[1], Dijon[1], Issy I et II[3], Lille[3], Lyon[3], Metz[2], Nantes[2], Nancy[1], Orléans[3], Poitiers[1], Reims[2], Toulouse[3], Vannes[3]) ; *8 diocésains* (Aix[3], Arras 1er cycle, Paray[1], Paris[1], Le Puy[1], Rennes[3], Strasbourg[3], Toulon[3]) ; *4 universitaires* (Paris les Carmes, Lyon, Toulouse, 1 séminaire français à Rome) ; *Groupes de formation en monde ouvrier* (GFO et EFMO) ; *Groupes universitaires* (GFU) ; *Séminaire de la Mission de France* (Fontenay-sous-Bois) ; *Séminaire du Prado* (Lyon) ; *2 séminaires d'aînés* (Vienne, Lisieux), préparation au grand séminaire.

Nota. – (1) 1er cycle. (2) 2e-3e cycles. (3) 1er-2e-3e cycles.

Séminaristes (nombre y compris groupes de formation). *1861 :* 8 480 ; *77 :* 7 867 ; *1901 :* 9 277 ; *29 :* 7 175 ; *49 :* 8 490 ; *64 :* 4 953 ; *70 :* 3 380 ; *75 :* 1 297 ; *79 :* 1 150 ; *80 :* 1 161 ; *85 :* 1 172 ; *86 :* 1 196 ; *87 :* 1287 ; *88 :* 1253 ; *89 :* 1258 ; *90 :* 1 219 ; *92 :* 1 210 ; *93 :* 1161. ENTRÉES : *1re année : 1965 :* 845 ; *70 :* 402 ; *75 :* 202 ; *80 :* 258 ; *85 :* 229 ; *86 :* 238 ; *87 :* 276 ; *88 :* 278 ; *89 :* 285, *90 :* 276 ; *91 :* 269 ; *92 :* 209 dont 190 dans les séminaires, 19 dans des groupes de formation universitaire ou en milieu ouvrier. *2e cycle (effectifs) : 1984 :* 504 ; *85 :* 531 ; *90 :* 583 ; *92 :* 559 (2e et 3e cy.).

■ CROYANTS

■ **Assemblées dominicales en l'absence de prêtres (Adap).** Localités concernées 27 001. Animateurs 2 300. *Fidèles touchés* 80 000.

■ **Attitudes politiques.** *Sources :* « La Vie » 16-6-1988. PRÉSIDENTIELLES. Ensemble des électeurs, pratiquants réguliers entre parenthèses, pratiquants irréguliers en italique (en %). **1er tour :** R. Barre 16,5 (32,7) *21,9.* J. Chirac 19,9 (33,7) *34,8.* J.-M. Le Pen 14,4 (12,2) *13.* Droite 50,8 (78,6) *69,7.* F. Mitterrand 34,1 (15,8) *23,9.* Ext. gauche 11,3 (2,1) *3,4.* Gauche 45,4 (17,9) *27,3.* Écologistes 3,8 (3,5) *3.* **2e tour :** J. Chirac 46 (81) *61.* F. Mitterrand 54 (19) *39.* LÉGISLATIVES (vote des pratiquants en %). **Gauche :** 14 dont extrême gauche 0. Centre 46 dont centre gauche 7, centre 16, centre droit 24. **Droite :** 39 dont extrême droite 3.

■ **Aumôneries** (1992). Env. 3 200 en France regroupant 250 000 jeunes (env. 22 000 animateurs).

■ **Baptêmes.** *Nombre* (1990) : 472 130 dont 13 504 pour des + de 7 ans.

■ **Catéchistes** (1985-86). 220 000 (84 % de femmes).

■ **Convictions et pratique religieuse. Pratique (en %) :** *1946 :* 33 ; *48 :* 37 ; *58 :* 35 ; *68 :* 25 ; *75 :* 13,5 ; *88 :* 13. **Croyance. Sondage** Ifop pour L'Express, 26 et 27-3 et 2 et 3-4-1992, auprès de 677 pratiquants de 18 ans et + (en %). Résurrection du Christ 75, saints 73, miracles de Jésus décrits dans les Évangiles 70, présence réelle du Christ dans l'eucharistie 69, miracles comme ceux de Lourdes 69, paradis 67, virginité de Marie 63, Sainte-Trinité 62, vie éternelle 60, Jugement dernier 56, résurrection des morts 52, anges 50, purgatoire 41, enfer 40, démon, diable 38, apocalypse 36.

Étude du Credoc (1989) : 82 % des Français se déclarent catholiques, 2 % protestants, 1 % juifs, 1 % musulmans. *Pratique* : jamais 44 %, occasionellement 26 %, régulièrement 12 % (dont 2,5 % chez les moins de 25 ans et 22,5 % chez les plus de 60 ans) (dont 72 % de femmes). 16 % vont chaque année à la messe de minuit (15 % y vont de temps à autre, 29 % rarement. 40 % n'y assistent jamais).

■ **Mariages religieux.** *1990* : 147 146 (dont 10 190 avec un conjoint non cathol.).

■ **Pèlerinages.** 1 Français sur 4 visite chaque année 1 sanctuaire. *Sanctuaires* les + visités (nombre de pèlerins par an en millions) : N.-D. de Paris 8. Sacré-Cœur de Montmartre 7. Lourdes 5,5. Chartres 2,5. Mont-St-Michel 2,5. Médaille miraculeuse 2,1. N.-D. de la Garde (Marseille) 1,6. Lisieux 1,5. Rocamadour 1,3. Fourvière 1,2. Ars 0,6. Paray-le-Monial et Pontmain 0,5. Nevers 0,35. La Salette 0,2. Voir p. 494 c.

Associations et mouvements

■ Mouvements de spiritualité

■ **Groupements de vie évangélique (GVE).** Longtemps appelés « tiers ordres ». *Origine* : St François d'Assise, après avoir fondé l'ordre des Franciscains et celui des Clarisses, proposa une règle de vie aux laïcs qui aspiraient à une plus grande perfection, et les regroupa dans un *tiers ordre* (3e ordre) en 1221. Le tiers ordre de St Dominique date de 1422. D'autres sont plus récents, telles les communautés Vie chrétienne. Animés par des laïcs avec le concours de religieux appartenant à la famille spirituelle dont ils s'inspirent dans leur forme de prière (récitation de l'office, par ex.) et la discipline de vie. **Communautés Vie chrétienne** (mouvance des jésuites) 128, rue Blomet, 75015 Paris. **Fraternités carmélitaines** 1, rue du Père-Jacques, 77120 Avon. **Frat. séculières Charles-de-Foucauld** 10, rue de la Halle, 59800 Lille. **Frat. laïques dominicaines** 222, rue du Fg-St-Honoré, 75008 Paris. **Frat. séculières de St François d'Assise** 27, rue Sarrette, 75014 Paris. **Frat. Lataste** (fondateur des Dominicains de Marie, 1864) 1, rue d'Auvergne, 78450 Villepreux. **Frat. marianistes** Maison St-Jean, 5, rue Maurice-Labrousse, 92150 Antony. **Frat. maristes** 6, rue Jean-Ferrandi, 75006 Paris. **Oblatures bénédictines** 7, rue d'Issy, 92170 Vanves.

■ **Autres mouvements s'adressant à tous. Équipes d'Eaux vives** 16, rue St-Martin, 75004 Paris [issu 1941 du mouvement noëliste (revue *Noël*)] *fondé* 1901 par les assomptionnistes. En majorité des femmes ; quelques équipes mixtes (jeunes). Activités de loisirs et culture. **Équipes du Rosaire** 222, rue du Faubourg-Saint-Honoré, 75008 Paris. Animées par les dominicains. **Focolari** (en italien, foyers) *Centre masculin* : 8, rue Gambetta, 92320 Châtillon-sous-Bagneux. *Féminin* : 41, rue Boileau, 75016 Paris. *Fondé* 1943 en Italie par Chiara Lubich. Communautés de vie laïques. En 1967 branche jeune : GEN (« génération nouvelle »). Chaque été rassemblements de 8 j, les *Mariapolis-vacances*. *Membres* : 1,1 million dans le monde. *Publications* : *Nouvelle Cité* (adultes). *GEN* (jeunes). *Parole de vie* (45 000 ex., traduit 80 langues). Éditions de livres et disques *Nouvelle Cité*. **Légion de Marie** 43, rue Boileau, 75016 Paris. *Fondée* 1921 en Irlande par Frank Duff ; en France dep. 1940. Vie spirituelle s'inspirant de St Louis-Marie Grignion de Montfort. **Pax Christi** 58, av. de Breteuil, 75007 Paris, voir p. 517 a. **Prière à Marie** 1, rue St-Lazare, 28400 Nogent-le-Rotrou. *Fondé* 1942 sous le nom de Prière des hommes à Marie pour obtenir la paix par le renouveau spirituel. Mixte depuis 1972.

■ **Pour les jeunes. Équipes Notre-Dame Jeunes** 49, rue de la Glacière, 75013 Paris. Célibataires de 18 à 27 ans. *Membres* : 4 500 dont France 1 500. Jeunesses mariales 67, rue de Sèvres, 75006 Paris. Ancienne Association des enfants de Marie Immaculée *fondée* 1830 à l'initiative de Catherine Labouré à partir du message de la rue du Bac. Mixte. **CPM (Centres de préparation au mariage)** 6, av. Vavin, 75006 Paris.

■ **Foyers. Équipes Notre-Dame** 49, rue de la Glacière, 75013 Paris. *Fondé* 1939 par le Père Caffarel. *Équipes* : 6 500 (dont France 1 870, Brésil 1 025, Espagne 844).

■ **Femmes seules. Espérance et vie,** *mouvement chrétien de femmes pour les 1ers temps du veuvage,* 49, rue de la Glacière, 75013 Paris. **Renaissance Séparées et divorcées** 13 bis, rue des Bernardins, 75005 Paris. *Fondé* 1953. **L'Aide au Prêtre pour le service des Prêtres** La Contie, 15250 Jussac. *Fondé* 1946 par le P. Bonhomme.

■ **Retraités et troisième âge. La Vie montante** 7, rue Berteaux-Dumas, 92200 Neuilly. Organisé 1962.

■ Action catholique

Quelques dates

1871 *Œuvre des Cercles* avec René de La Tour du Pin (1831-1924), Albert de Mun (1841-1914), Léon Harmel (1829-1915). **1886** A. de Mun crée l'ACJF (Association cath. de la jeunesse de Fr.). **1894** *le Sillon* de Marc Sangnier (1873-1950). **V. 1920** *Fédération nationale catholique* (FNC) organisée par le général de Castelnau (1851-1944) (créée en Belgique en 1925 par l'abbé Cardjin). **1927** Organisation de la JOC en Fr. Branche autonome de l'ACJF. **1930** Pie XI charge le card. Verdier et Mgr Courbe de mettre en place l'ACF (*Action catholique française*). **1931** ses statuts sont approuvés par l'épiscopat fr. **1932-50** mouvements spécialisés d'action catholique ; mouv. de la jeunesse fédérés au sein de l'ACJF **1957** l'ACJF est dissoute, chaque mouv. reprend son autonomie mais relié au *Secrétariat pour l'apostolat des laïcs* (106, rue du Bac, 75341 Paris Cedex 07) et aux commissions épiscopales.

Associations et mouvements existants dans le cadre des statuts de 1931

Action catholique des enfants (ACE). 6, rue Duguay-Trouin, 75006 Paris. *Créée* 1929 par les P. Courtois (1897-1970) et Pihan. *Pte* : Catherine Bony. *Activités* : rencontres de clubs d'enfants, actions dans le quartier, à l'école, fêtes, camps. *Statistiques* : 90 000 enfants de 5 à 15 ans et 13 000 accompagnateurs. *Presse* : journaux édités par Fleurus : « Perlin » (5-8 ans), « Fripounet » (8-11 ans), « Triolo » (11-15 ans). *Revues des clubs ACE* : « Les Mifasols » (cl. Perlin), « Ricochet » (cl. Fripounet), « Vitamine 11-15 » (cl. Triolo).

Action catholique générale féminine (ACGF). 98, rue de l'Université, 75007 Paris. *Issue* 1954 de la *Ligue féminine d'Action catholique. Effectifs* : env. 30 000 femmes. *Presse* : « Horizon Femme » et « En équipe ACGF au service de l'Évangile ».

Action catholique des membres de l'enseignement chrétien (ACMEC). 95, rue de Vaugirard, 75006 Paris. *Fondée* 1947. *Membres* : env. 1 000. *Presse* : « Engagement ».

Action cath. des milieux indépendants (ACI). 3 bis, rue François-Ponsard, 75116 Paris. *Fondée* 1938 par Marie-Louise Monnet (1902-88), sœur de Jean Monnet, 1re femme auditrice à Vatican II en 1964. Elle avait fondé en 1935 le JICF. *Membres* : env. 20 000. *Pts* : Bénédicte Carment, Dominique Lemeau de Talance. *Presse* : « Le Courrier », « Prêtres en milieux indépendants », 13 000 ex.

Action catholique des milieux sanitaires et sociaux (ACMSS). 36, rue Klock, 92110 Clichy. *Créée* 1956. *Membres* : 1 500 à 2 000. *Presse* : « BL » (Bulletins de liaison), trimestriel : 1 000 ex.

Action catholique ouvrière (ACO). 7, rue Paul-Lelong, 75002 Paris. *Fondée* 1950. *Origine* : LOC (Ligue ouvrière chrétienne, 1935), puis MPF (Mouvement populaire des familles) (1941). *Membres* : 19 000. *Presse* : « Témoignage ACO » (mensuel) 16 000 ex., revue de masse (1 fois par an) 50 000 ex., revue pour responsables du mouvement (trimestrielle) 3 500 ex.

Chrétiens dans le monde rural (CMR). 9, rue du Général-Leclerc, 91230 Montgeron. *Origine* : Ligue agricole catholique (LAC) *créée* 1938 par des anciens de la JAC et devenue Mouvement familial rural (MFR) après la guerre, puis le CMR en 1966. *Membres* : env. 20 000. *Presse* : « Agir en rural » 5 000 ex., « Sève église aujourd'hui » 5 000 ex.

« David et Jonathan ». 92, rue de Picpus, 75012 Paris. Mouv. de chrétiens homosexuels créé 1972. Hommes et femmes s'interrogent sur leur vie, l'homosexualité et leur foi. *Membres* : 500.

Jeunesse de la mer (voir Index).

Jeunesse étudiante chrétienne (JEC). 27, rue Linné, 75005 Paris. *Fondée* 1929 par Louis Chaudron et Paul Vignaux. *1965* à la suite d'un conflit avec la hiérarchie cath., elle perd ses branches étudiantes et devient progressivement un mouv. de lycéens. *1983* la branche étudiante est réintégrée. 8 350 lycéens en mouvement et 1 100 ét. *Presse* : « Aristide-Infos » pour lycéens et étudiants (6 nos/an). *Pte* : Hélène Blondelle. *Membres* : env. 4 000.

Jeunesse indépendante chrétienne (JIC). 5, allée des Anémones, 91330 Yerres. *Fondée* 1931 sous le nom de Jeunesse Chrétienne, au sein de l'ACJF par Noël Souriac pour regrouper les jeunes gens ne pouvant faire partie d'un mouvement « spécialisé » (ouvrier, étudiant, marin, paysan). *1935* prend le nom de JIC. *Mixte* dep. 1978. Jeunes de 15 à 28 ans. *Membres* : 2 000. *Presse* : « Recherche » (bimestriel). *Pt* : Luc Allemand.

Jeunesse indépendante chrétienne féminine (JICF). 7, bd Delessert, 75016 Paris. *Fondée* 1935 par Marie-Louise Monnet. Filles de 14 à 28 ans. *Pte* : Anne Devolder. *Filles en équipe* : 1 500. *Presse* : 2 bitrimestriels, « Aujourd'hui » (14-18 a.) et « Jeunesse et Présence » (18-28 a.).

Jeunesse ouvrière chrétienne (JOC), Jeunesse ouvrière chrétienne féminine (JOCF). 246, bd St-Denis, 92403 Courbevoie Cedex. *Fondées* 1925 par l'abbé Cardjin (belge) puis, en France, en 1927 (JOC) et 1928 (JOCF) par l'abbé Guérin, pour les 15-26 ans. *Membres* : 20 000. *Pts* : Christophe Lemoine (JOC), Catherine Hoffarth (JOCF). *Presse* : « Effervescence » (7 nos annuels), « Jociste » (4 nos ann.).

Mission étudiante. 7, rue Vauquelin, 75005 Paris. *Créée* 1892 par Pupey-Girard, fondateur des « Unions d'Écoles ». Aumôneries, communautés, centres catholiques. *Pt* : Dominique Héron. *Membres* : 13 000. *Presse* : « Mission étudiante-Actualités » (5 fois par an). 2 branches plus spécifiques : **Chrétiens en Grande École (CGE)** 18, rue de Varenne, 75007 Paris. *Membres* : 2 200. *Pt* : Stéphane Lamy. *Presse* : « Journal des Chrétiens en Grande École » (4 nos/an) 700 ex. Région parisienne : **Communautés chrétiennes univ.** (Le Cep) ; *créées* 1968, héritières du *Centre Richelieu,* fondé 1945, place de la Sorbonne. *Adhérents* : 2 500. 5, rue de l'Abbaye, 75006 Paris. *Presse* : « Paraboles » 1 700 ex.

Mouvement des cadres : techniciens, ingénieurs et dirigeants chrétiens (MCC). 18, rue de Varenne, 75007 Paris. 1966 fusion de l'Union sociale d'ingénieurs cath., cadres et chefs d'entr. (Usic) fondée 1906, et du Mouv. d'ing. et de chefs d'ind. d'action cath. (Miciac) fondé 1937. *Membres* : 6 000 en équipes de foyers. *Pt* : Alain Heilbrunn. *Presse* : « Responsables » 6 000 ex. (men.).

Mouvement eucharistique des jeunes (MEJ). 19, rue de Varenne, 75007 Paris. *1962* issu de la Croisade eucharistique, née 1917 au sein de l'Apostolat de la prière. *Membres* : 60 000 de 9 à 19 ans (milieux : indépendant 47 %, ouvrier 37, rural 16). 5 branches : *Feu nouveau (FNou)* : 9/11 ans ; *Jeunes Témoins (JT)* : 11/13 ans ; *Témoins Aujourd'hui (TA)* : 13/15 ans ; *Équipes Espérance (ES)* : 15/17 ans ; *Équipes apostoliques (EA)* : 17/19 ans. Unité de base : équipe (5 à 7 jeunes accompagnés d'un adulte parfois aidé d'un jeune de 16 à 18 ans). *Presse* : 1 revue par branche ; 1 pour responsables, « Partage ».

Mouvement rural de jeunesse chrétienne (MRJC). 53, rue des Renaudes, 75017 Paris. *Né 1963,* de la fusion de la Jeunesse agricole cath. (JAC, f. 1929) et de la Jeunesse agric. cath. féminine (JACF, f. 1933). 15 000 militants, 40 000 sympathisants. 3 branches : *JAC* (exploitants agricoles, jeunes en formation agricole, aides-familiaux : 20 %) ; *JTS* (jeunes travailleurs salariés : apprentis, salariés, chômeurs : 20 %) ; *GE* (groupe école : scolaires, lycéens, étudiants : 60 %). *Pt* : Bernard Vilboux. *Presse* : « Canard Plus », « Graffiti ».

Partage et Rencontre. 18, rue de Varenne, 75007 Paris. *Fondé* 1974. *Membres* : 4 000. Échanger en équipe sur les réalités de sa vie et celles de l'Évangile. *Pts* : Marie-Laure et Jean-Paul Vandererven, 29, rue Fénelon, 76600 Le Havre.

Scoutisme catholique (voir Index).

Vivre ensemble l'Évangile aujourd'hui (VEA). 12, rue Edmond-Valentin, 75007 Paris. *Origine* : Féd. nat. cath. (FNC) fondée 1924 par le Gal de Castelnau (1851-1944). *1945* Féd. nat. d'action cath. (FNAC). *Pt* : J. Le Cour Grandmaison. *1954* Action cath. gén. des hommes (ACGH). *1976* nom actuel : Mouv. apostolique mixte. *Membres* (1991) : 10 000. *Presse* : « Vivre ensemble ».

Autre origine

Communauté de l'Emmanuel. *Membres* : 3 500. *Vocations principales* : adoration, en participant à une messe et à des prières quotidiennes ; évangélisation (lieux publics), compassion (assistance téléphonique, visite aux malades, soupe populaire).

Communautés néo-catéchumènes. Env. 60 dont le Chemin ouvert 1973 à St-Germain-des-Prés.

Credo. Association catholique traditionaliste. *Fondée* 1975 par Michel de Saint-Pierre (1916-87). Bulletin bimestriel. *Pt* : Jacques Plaçon. *Siège* : 5, allée Corot, 78170 La Celle-St-Cloud.

Vie nouvelle. Mouvement de formation et d'action communautaire (assoc. d'éduc. populaire) reconnu comme organisme de formation permanente. *Fondé* 1947. S'inspire du personnalisme communautaire d'Emmanuel Mounier (1905-50). 55 groupes locaux, 1 conseil des régions, 2 permanences nationales. *Périodiques* : « Vers la vie nouvelle », « Citoyens ». Jacques Delors a été 20 ans responsable de l'équipe politique. *Adr.* : 74, bd. Beaumarchais, 75011 Paris.

☞ *CNER* (relevant de la Commission épiscopale de l'enseign. religieux) 6, avenue Vavin, 75006 Paris. *CLER (Centre de liaison des équipes de recherche)* 65, bd de Clichy, Paris 9e. Fondé 1962. *Confédération nat. des assoc. familiales catholiques* 28, place Saint-Georges, 75009 Paris. Fondée début XXe s.

ÉGLISES CATHOLIQUES ORIENTALES

■ **Rites d'Antioche-Jérusalem.** Le rite antiochien sur le point d'avoir disparu au VIe s., pour être remplacé par la « liturgie de St Jacques » : variété locale, pratiquée par l'Église primitive de Jérusalem (dont Jacques le Mineur a été le 1er évêque). **En grec.** Supplantée par le rite byzantin-grec, sauf pour la messe de St Jacques le Mineur (23 oct.).

En syriaque occidental (dialecte araméen de la région d'Édesse). **Églises séparées monophysites syriennes** (Voir p. 532). **Églises catholiques : I) proche du patriarcat d'Antioche des Syriens** [*fondé* 1830 ; *résidence* actuelle Beyrouth ; en dépendent 3 *vicaires patriarcaux* (Jérusalem, Liban, Turquie), 2 *archevêques irakiens* (Bagdad, Mossoul), 2 *métropolitains syriens* (Damas, Homs), 2 *arch. syriens* (Alep, Hassassé-Nissibi), 1 *évêque égyptien* (Le Caire)]. **France :** *Égl. syrienne St-Éphrem,* 15, rue des Carmes 75005 Paris. **II) Inde** (d'abord dans le Kerala, puis a essaimé : **Égl. syr. orthodoxe** (10 éparchies rattachées au patriarche jacobite d'Antioche) ; *Égl. syr. indépendante du Malabar* (ne sont pas du rite chaldéen « malabar », voir ci-dessous) ; *Égl. syr. de Mar Thomas* [dite *Mar Thomiti*) (5 éparchies, 250 000 fidèles)] ; *Égl. du sud de l'Inde* (créée 1947, proche des Anglicans) ; *Égl. anglicane* (100 000 fidèles formant le « diocèse de Travancore et Cochin ») ; *Égl. évangélique de St-Thomas* (protestants séparés de l'Égl. Mar Thomiti). *Catholiques : Égl. métropolitaine de Trivandrum des Syro-Malankars* (Inde, Kerala) (fondée 1930 par Mar Ivanios). Archevêque : Mgr Grégorios Thangalatil. *Diocèse suffrageant :* Tiruvala. – *Ordres religieux :* Imitation du Christ (f. 1919, rallié à Rome 1930) ; monastère de la Montagne de la Croix créé 1958 par un bénédictin et un trappiste français : vie des *ashrams* hindous avec office du rite syrien. Pas de centre à Paris.

■ **Rite maronite.** Liturgie de l'Église syriaque mère. Subit l'influence latine à partir du XIIe s. Pratiqué par les maronites, disciples de St Maroun (Ve s.) restés catholiques après la crise monophysite. *Patriarche (d'Antioche) :* dep. avril 1986, Nasrallah Pierre Sfeir (n. 1920). *Résidence :* Bkerké (Liban) ; 21 archevêchés ou évêchés (Liban 10, Chypre 1, Syrie 3, Égypte 1, USA 2, Brésil 1, Australie 1, Canada 1, Argentine 1). *Vicariat à Paris :* N.-D. du Liban, 15-17, rue d'Ulm, 75005 Paris. *Fidèles :* env. 5 millions (dont 1,2 au Liban).

■ **Rite chaldéen. En syriaque oriental** [dialecte araméen de la région de Nisibe (*chaldéen* a été longtemps, pour les linguistes, synonyme d'« araméen »)] : le plus ancien rite de la chrétienté (Ier s.) ; évangélisation de la Mésopotamie par l'apôtre Thomas et ses compagnons Addaï et Mari, qui ont créé la liturgie eucharistique ; modifié 410, puis 650, après la coupure avec les Égl. d'Antioche et d'Alexandrie ; VIIIe-XIVe s. : répandu de l'Arabie à la Chine par les missionnaires nestoriens (chrétienté la plus importante après l'Occident) ; diminué par les persécutions musulmanes. Commun aux *Égl. séparées « nestoriennes »* ou *« assyriennes »* (voir p. 532), et aux *Cath. du patriarcat de Babylone. Créé* 1551 à Diarbakir (Turquie) [*fidèles :* 410 000, *siège actuel :* Bagdad (*patriarche :* Raphaël Ier Bidawia dep. mars 1989) ; Irak 10 diocèses ; Iran 4 ; Liban 1 ; Syrie 1 ; Turquie 1 (l'arch. de Diarbékir) ; 2 vicariats patriarcaux : Jérusalem et Paris ; 1 exarchat aux USA (Southfield, Michigan)]. **En malayalam** (depuis Vatican II) : liturgie des *Indiens chrétiens « syro-malabars »,* commune à *plusieurs Égl. séparées* (Voir p. 532) et aux *cath. des archevêchés de Changanacherry et d'Ernakulam* (avec certains rites romains adoptés dep. 1599). En févr. 1986, Jean-Paul II a béatifié 2 membres de cette Égl. : Kyriakos Elias Chavos et la Mère Alphonsa. *Fidèles en France :* 3 500 [*région parisienne :* 2 000 (500 nouveaux arrivés de Turquie en 1983), *marseillaise :* 130 familles].

■ **Rite byzantin** (10 langues différentes, dont 6 utilisées par des Égl. unies à Rome). Variété de la liturgie de St Jacques. A supplanté le rite d'Antioche quand Constantinople est devenue capitale de l'Empire romain d'Orient, et s'est imposé chez les païens convertis par des missionnaires de Byzance. Le plus répandu après le latin. **En grec : Églises séparées orthodoxes** du patriarcat de Constantinople (voir p. 525 b), *2 exarchats cathol. d'Athènes et Istanbul.* **En arabe :** *Église melkite,* c.-à-d. « royale », car elle était celle des Grecs de Syrie, qui au VIIe s. ont refusé de rallier l'Égl. de Jacques Baradaï et sont restés fidèles au « roi », c.-à-d. l'empereur de Constantinople). Arabisée dep. le XIIIe s. ; *4 Égl. séparées orthodoxes* (patriarcats d'Antioche, Jérusalem, Alexandrie ; archevêché du Sinaï) ; *Égl. grecque melkite cathol.* (patriarcat d'Antioche des Melkites, siégeant à Damas) ; *4 vicariats patriarcaux* (Égypte et Soudan, Jérusalem, Irak, Koweit) ; *diocèses :* Syrie 6, Liban 7, Jordanie 1, Israël 1 (St-Jean-d'Acre), Brésil 1 (Saõ Paulo), USA 1 (Newton, Massachusetts). *Centre à Paris :* Égl. grecque melkite St-Julien-le-Pauvre. **En albanais :** *Égl. albanaise orthodoxe* autocéphale, 3 *diocèses « italo-albanais »* d'Italie. **En hongrois :** *exarchat orthodoxe de Budapest* (rattaché au patriarcat orthodoxe de Constantinople, 1930, de Moscou, 1946), *exarchat cath. de Hajdudorog* (Hongrie), fondé 1912. **En roumain :** *Égl. séparée orthodoxe* (patriarcat de Bucarest) ; *Égl. métropolitaine catholique d'Alba Julia* [avec 5 diocèses (supprimée par le gouv. roumain en 1946)]. *Centre à Paris :* Égl. roumaine St-Georges, 38, rue Ribera, 75006 Paris. **En vieux slavon :** *9 Égl. séparées* de pays slavophones (voir p. 526). **Catholiques :** *Bulgarie :* exarchat de Sofia ; *Yougoslavie :* évêché de Crisio (Krizevci), siégeant à Zagreb ; *Ruthénie :* siège de Munkacs vacant (4 diocèses aux USA) ; *Ukraine :* 3 diocèses (dont l'arch. de Lwow) vacants ; diocèses de la diaspora : Canada 5, USA 3, Australie 1, Brésil 1, Argentine 1 ; exarchats : France 1, G.-B. 1, Allemagne 1 (Munich) ; *Slovaquie :* év. de Presov (Prjasev). **Centres à Paris :** 1°) *Égl. cath. russe de la Ste-Trinité, fondée* 1932 par Mgr Alexandre Evreinoff, env. 120 familles, 39, rue François-Gérard, 75016 Paris ; 2°) *Égl. cath. ukrainienne St-Vladimir-le-Grand,* 51, rue des Saints-Pères, 75006 Paris. **A Lyon :** Foyer oriental St-Basile, 25, rue Sala, 69002.

Église gréco-catholique d'Ukraine. *Chef* (en exil à Rome) : card. Lubatchivsky. De rite byzantin, née 1596, quand les évêques des diocèses orthodoxes d'Ukraine occidentale, intégrés à la Pologne, signent avec Rome *l'union de Brest-Litovsk. 1946* un synode, auquel ne participe aucun év. cath., proclame sa réintégration dans l'Égl. orthodoxe. L'Égl. uniate est déclarée illégale. 3 000 églises, 150 monastères sont confisqués. Ses év. sont emprisonnés ou tués. *1963* l'URSS expulse le dernier survivant : Mgr Slypyi. *1980* (21-3) Jean-Paul II réunit un synode particulier d'év. ukr. à Rome, malgré la protestation du patriarcat moscovite (l'Ukr. lui fournit 90 % de ses séminaristes et la majeure partie de ses revenus). *1990* (juin) synode à Rome, 29 év. (dont 11 venus d'Ukr.). **Membres :** ex-*URSS* 4 000 000. *Émigrés :* 1 000 000 dont Europe 400 000 (France 17 000), USA 300 000, Amér. du S. 250 000.

■ **Rite arménien.** *Égl. chalcédoniennes* (Voir p. 525 b). *Église arménienne cath.* [patriarcat de Cilicie des Arm. (restaurée 1742, actuellement Beyrouth, Liban) : diocèse patriarcal, Liban ; 3 archevêques (Syrie, Irak, Turquie) ; 3 évêques (Syrie, Égypte, Iran) ; dep. 1983, 2 exarchats (Amér. du N. et Amér. latine), 1 éparchie (France), dep. 1992, 1 archev. (Arménie-Géorgie)]. *Centre à Paris :* Cathédrale arm. cath. Ste-Croix, 13, rue du Perche, 75003 ; Évêché, chancellerie et Centre culturel S. Mesrob, 10 bis, rue Thouin, 75005.

■ **Rite paulicien.** Proche du r. arménien. Du VIIe au XIIe s., rite des hérésiarques pauliciens, d'origine arménienne aux tendances gnostiques, et rejetant tout le Nouveau Testament, sauf saint Paul. Implantés en Bulgarie. Pour échapper à l'autorité du patriarche de Constantinople, ils se font catholiques au XIIIe s. Env. 70 000, formant 2 diocèses, distincts de l'exarchat bulgare de rite byzantin : Nicopoli (à Roussé) et Sofia-Philippopoli (à Plovdiv).

■ **Classification.** On distingue les *uniates* (catholiques unis à Rome), relevant d'un des 6 patriarches en communion avec Rome (dont 2 card.) et reconnaissant l'autorité de l'Église romaine, et les *orientaux « séparés »* (avant Vatican II « schismatiques ») relevant d'Églises qui ne reconnaissent pas l'autorité de Rome, rattachées à l'orthodoxie ou indépendantes.

■ **Effectifs approximatifs en milliers dont, entre parenthèses, % des catholiques (uniates). Rite arménien :** 6 000 (10). **Byzantin :** 200 000 (4,5) dont Grecs 9 000 (0,2) ; Arabes (Melkites) 620, dont 150 émigrés (40) ; Albanais 180 (42) ; Italo-Albanais et Italo-Grecs 150 (100) ; Ukrainiens-Ruthènes en ex-URSS 4 000 [100 (?) ; il n'y avait plus de hiérarchie organisée depuis 1946], émigrés 1 000 (80) ; Hongrois 200 (83) ; Roumains 18 000 [12 (?) ; il n'y avait plus de hiérarchie organisée]. **Chaldéen :** M.-Orient 1 000 (84) ; Inde 2 500 (99,8). **Copte :** Égypte 10 000 (4), Éthiopie-Érythrée 14 000 (0,4). **Maronite :** 1 200 au Liban, 3 à 4 millions dans le monde (Argentine, Brésil, USA, Canada, Afr. noire, Europe) dont émigrés 750 (100). **Syriaque :** M.-Orient 190 (45) ; Inde 1 020, dont Anglicans 300 (7).

■ **Rite d'Alexandrie.** Appelé « liturgie de St Marc ». Célébré en grec jusqu'au Xe s., puis en copte. Comprend des prières très particulières, les *diptyques.* **Liturgie copte** (actuellement bilingue, arabe et copte) : *Église non chalcédonienne* copte (voir p. 532), *Égl. copte cath.* [patriarcat d'Alexandrie f. 1824 (Stephanos II Ghattas, dep. 1986)] ; 4 évêques en Égypte : Assiout, Louxor, Minya, Sohag). **Rite éthiopien** (en ghéez) : *Église nationale éthiop.* (voir p. 532 a), *Égl. métropolitaine cathol.* d'Addis-Abeba (fondée 1961) 2 évêques (Adigrat, Asmara).

■ **Ordinariats communs à plusieurs rites orientaux.** *Buenos Aires* (Argentine) ; *Vienne* (Autr.) ; *Rio de Janeiro* (Brésil) ; *Paris* (l'arch. de Paris est l'Ordinaire en titre ; mais il a un vicaire général délégué : Mgr Y. Marchassou, 24, rue de Babylone, 75007 Paris).

ORTHODOXES

QUELQUES DATES

IVe s. la primauté de Rome oppose l'Occident, qui considère l'évêque de Rome comme chef de droit divin en tant que successeur de St Pierre (1er év. de Rome), à l'Orient qui ne voit là qu'un phénomène historique dû à l'importance numérique de l'Église romaine et au caractère de Rome, ancienne capitale de l'Empire. **325** *Concile de Nicée* reconnaît l'autorité exceptionnelle (hiérarchique mais non dogmatique) des évêques de Rome, Alexandrie et Antioche. Le Fils de Dieu est reconnu consubstantiel au Père. **381** *Concile de Constantinople* reconnaît l'autorité de l'évêque de Constantinople. Affirme la divinité du St-Esprit, 3e personne de la Ste-Trinité. **451** *Concile de Chalcédoine,* crée la juridiction territoriale du patriarcat de Constantinople. Dissidence des *Coptes, Arméniens* et *Syriens* (considérés dès lors comme « monophysites »). Reconnaît en J.-C. 2 natures (divine et humaine), et 1 personne, celle du Fils de Dieu, 2e de la Ste-Trinité.

787 *Concile de Nicée.* 7e et dernier concile considéré comme œcuménique par les orth., reconnaît la légitimité du culte des images. **794** Charlemagne demande d'intégrer le *filioque* à une phrase du Credo : « Credo in spiritum sanctum qui ex patre *filioque* procedit » (« Je crois au St-Esprit qui procède du Père *et du Fils* ») ; l'Orient s'y refuse, pour 3 raisons : 1°) Destruction de l'équilibre de la Trinité. 2°) Violation du principe voté à Constantinople (381) et Éphèse (431), interdisant de modifier le symbole de Nicée. 3°) Négation de l'enseignement évangélique (Jean, XV, 26) : « Je vous enverrai l'esprit de la Vérité qui procède du Père » [en fait, le *filioque* était une adaptation maladroite, Charlemagne aurait dû distinguer entre les 2 ablatifs : *Ex patre (procedit)* et *A filio (mittitur).* Mais il fit tout dépendre de *ex.*] **810** le pape Léon III refuse d'insérer le *filioque* dans la liturgie romaine et tâche de le faire biffer de la littérature impériale carolingienne, puis se contente, « par amour pour la vraie foi », de faire déposer près des tombeaux des apôtres Pierre et Paul le texte du Credo sans *filioque,* gravé en grec et en latin, sur des plaques d'argent. La formule sera finalement acceptée à Rome dans la 1re moitié du XIe s. **857** l'empereur d'Orient exile Ignace, patriarche de Constantinople, qui avait blâmé son impiété, et nomme à sa place un laïque, *Photius* (v. 820-v. 895), qui est ordonné en quelques j. Ignace fait appel à Rome où un concile condamne Photius. Le pape Nicolas Ier demande à Ignace et Photius de venir à Rome. Photius refuse et dénonce la primauté juridictionnelle de Rome (n'admettant que la primauté d'honneur). Remplacé par Ignace, il est condamné et la primauté est de nouveau reconnue. **877** Photius succède à Ignace, le pape Jean VIII (877-882) le reconnaît.

Xe et XIe s. Rome et Constantinople s'ignorent. **1054** Michel Cérulaire (v. 1000-59), patriarche de Constantinople (adversaire du *filioque*), est excommunié par les légats du pape Léon IX. Il avait voulu imposer aux églises latines de son diocèse les usages byzantins (le pape ayant exigé des Grecs d'It. l'adoption des usages latins, notamment l'emploi de pain azyme). La rupture n'est pas définitive. **1204** les Croisés pillent Constantinople ; un Vénitien en devient patriarche latin. **1261** Michel VIII Paléologue reprend Constantinople aux Latins. **1274** au Concile de Lyon, il reconnaît Rome. **1369** Jean V (1341-91) se dit catholique, mais n'est pas suivi. **1438-39** Concile d'union à Ferrare, puis Florence ; l'opposition à Rome ne compte plus que St Marc d'Éphèse, mais les Grecs ralliés se rétractent après leur retour en Orient.

1453 *Constantinople pris* par les Turcs ; rupture consommée par le patriarche Gennade Scholarios. **1589** Moscou érigée en patriarcat. Les Russes parlent de « la *3e Rome* ». **1596** les évêques orth. « ruthènes » (ukrainiens) signent avec Rome le tr. d'Union de Brest-Litovsk : certaines églises ukr. reconnaissent Rome, en conservant liturgie et calendrier orientaux, et en étant dispensées du *filioque*. **1697** Mgr Téofil, év. roumain orthodoxe d'Alba Julia (en Transylvanie alors sous domination hongroise), signe avec Rome un acte d'union analogue pour les Roumains de Transylvanie (1853 : Égl. métropolite de Blaj). Les Églises de Grèce (1850), Moldo-Valachie (1885), Bulgarie (1870), Serbie (1920), Pologne (1924), Albanie (1925) seront reconnues autocéphales par Byzance. **1922** *tr. de Lausanne ;* l'arch. de Constantinople renonce au titre d'ethnarque (politique) pour celui de patriarche (spirituel). **1946** les Soviétiques suppriment l'Égl. de l'Union de Brest-Litovsk (prêtres et évêques fusillés, fidèles rattachés d'office à l'Égl. orthodoxe). **1948** les communistes roumains font de même pour les Unis de Blaj.

1964 (5-1) Paul VI rencontre à Jérusalem Athénagoras Ier, patriarche de Constantinople : accolade et échange de cadeaux reconnaissant symboliquement la valeur de leur épiscopat [calice pour Ath., *engolpion* (médaillon avec icône du Christ) pour P. VI]. **1965 (déc.)** clôture de Vatican II, Paul VI et Athénagoras Ier lèvent réciproquement les excommunications de 1054. La décision de Paul VI engage toute l'Église romaine ; celle d'Athénagoras n'engage pas toute l'orthodoxie (il ne jouit que d'une primauté d'honneur). **1978 (5-9)** le métropolite Nikodim, de Leningrad, en visite officielle au Vatican, meurt d'une crise cardiaque dans les bras de Jean-Paul Ier. **1979 (30-11)** Jean-Paul II rencontre à Istanbul le patriarche œcuménique Dimitrios Ier et y chante le Pater en latin à la messe du patriarche. **1992**-13-3 début d'un sommet extraordinaire sur l'unité des églises orth. à l'initiative de Bartholomeos Ier élu patriarche œcuménique le 22-10-91.

Parallèle avec la religion catholique romaine

Calendrier. L'Église orthodoxe russe conserve le calendrier julien (elle fête Noël le 7 janvier). D'autres orthodoxes, les patriarcats de Constantinople et d'Antioche, les Églises de Grèce et de Finlande, célèbrent Noël le 25 déc., mais gardent le cal. julien pour fixer la date de Pâques.

Célibat. Un homme marié peut être ordonné diacre, puis prêtre. Un prêtre ou un diacre une fois ordonné ne peut ni se marier ni se remarier (veuf ou divorcé). Les évêques sont célibataires (dep. le VIe s.). Ils sont élus [parmi moines et prêtres non mariés, en général par des synodes, parfois par le clergé et le peuple (les élections populaires devant être confirmées par un synode d'évêques)].

Culte de la Vierge. Refus du dogme de l'Immaculée Conception ; des théologiens occidentaux, notamment St Bernard l'ont combattu, et l'Écriture sainte n'en parle pas.

Doctrine (divergences). Refus de la formule cath. du *filioque* qui fait procéder le St-Esprit du Père et du Fils ; refus de la primauté hiérarchique du pape et de son infaillibilité qui ne peut appartenir à un homme seul, fût-il patriarche (elle appartient à l'Église et s'exprime dans le concile œcuménique). Seul est « œcuménique » un concile témoignant de la foi orthodoxe ancrée dans la Tradition.

Icônes. En représentant le Christ dans une image, on affirme qu'il s'est rendu visible.

Liturgie. Le rite byzantin s'est imposé. Il est célébré dans les langues nationales ou liturgiques (slavon pour Russes, Serbes, Bulgares ; grec byzantin). La messe est chantée. Aucun instrument de musique n'est utilisé.

Monachisme. Pas d'ordres religieux, mais des monastères soumis à l'évêque du lieu ; la tendance contemplative domine.

Ordres. **Mineurs :** lecteur, sous-diacre. **Majeurs :** diacre, prêtre, évêque [à leur ordination, le peuple doit clamer : *Axios* (en grec : « Il est digne »). Si un fidèle a une raison canonique valable d'empêcher l'ordination, il clamera : *Anaxios* (« Il n'est pas digne ») et l'on arrêtera l'ordination]. Les *évêques* peuvent être : *archevêque* (ayant sous sa juridiction un ou plusieurs évêques) ; *exarque* (représentant d'une Église locale pour l'émigration de celle-ci à l'étranger) ; *patriarche* (titre honorifique que porte un primat, conféré en concile à certaines Églises locales). Chez les Slaves, le métropolite peut être le primat d'une Égl. locale ; chez les Grecs, tous les évêques diocésains portent le titre de métropolite. *Archidiacre, archiprêtre et archimandrite :* titres honorifiques correspondant souvent à des charges administratives.

Sacrements. Différences de rites : baptême par triple immersion ; confirmation suivant toujours le baptême ; eucharistie ouverte aux enfants en bas âge ; fidèles communiant sous les deux espèces ; divorce admis dans certains cas.

Nombre d'orthodoxes

☞ Sont orthodoxes les Églises fidèles au concile de Chalcédoine ; *au sens large* (en usage chez de nombreux catholiques) : toute Église orientale dissidente, même les non-chalcédoniennes ; *au sens strict* (en usage chez les orthodoxes). (Voir p. 532).

Églises chalcédoniennes. ex-URSS 40 à 80 millions. Roumanie 16 000 000 (1989). Yougoslavie 8 160 000. Grèce 8 100 000. Bulgarie 6 000 000. USA 4 000 000. Chypre 470 000. Pologne 450 000. Tchéc. 400 000. Argentine 275 000. Albanie 250 000 (?). Canada 240 000. Liban 200 000. Syrie 200 000. Turquie, Égyp. 150 000. Australie 100 000. Brésil 100 000. Finlande 75 000. Jordanie 60 000. Hongrie 40 000. Japon 35 000. Ouganda 30 000.

Églises non chalcédoniennes. Voir p. 532 a.

Organisation actuelle

Complexe. *1°) les territoires historiques de l'orthodoxie* ont été occupés par des non-orthodoxes (souvent des musulmans), mais les vieux sièges de l'orthodoxie historique ont conservé leur prestige et une partie de leurs privilèges et de leur autorité ; *2°) les populations orthodoxes* répandues dans le monde entier sont restées fidèles à leur foi, leurs traditions religieuses et leur langue liturgique. On a créé pour elles des cadres nouveaux.

L'organisation doit donc être étudiée : 1°) selon l'Église historique à laquelle chaque Église se rattache ; 2°) selon le pays moderne dans lequel elle est implantée.

Autorité des Églises historiques

Églises orthodoxes grecques

■ **Patriarcat œcuménique de Constantinople. Origine.** *324* l'emp. Constantin fonde Constantinople. Les conciles de Constantinople (381) et de Chalcédoine (451) reconnaissent au siège de C. des privilèges égaux à ceux de Rome et la 2e place d'honneur. *Après 1453,* C. exerce son autorité sur une grande partie des chrétiens vivant en pays islamiques ; les conquêtes turques lui imposent cette juridiction.

Organisation. *Patriarche* assisté par un synode (12 métropolites) qui l'élisent. Tous résident au palais du *Phanar,* à Constantinople. Ils doivent être de nationalité turque et sortir du collège théologique de Haiki (île proche), actuellement fermé par le gouvernement turc. Ils sont recrutés parmi la colonie grecque de C. (les « Phanariotes »), dont le nombre diminue par suite de l'émigration. Ils sont donc peu représentatifs des orthodoxes d'Australie (300 000 fidèles) et d'Amérique (3 millions). Certains envisagent l'abandon du Phanar, l'établissement du patriarche dans une région plus peuplée de Grecs orthodoxes, la réforme des canons régissant la nomination du synode. *Titulaire :* Sa Sainteté Dimitrios Ier (n. 1914), élu 1972 à la suite d'Athénagoras Ier (25-3-1886/7-7-1972) titulaire depuis 1948.

Les Égl. orthodoxes étant « épiscopaliennes » (chaque évêque étant souverain dans son diocèse), l'autorité du patriarcat est variable ; pour certains, il n'y a qu'une primauté d'honneur, pour d'autres, une autorité canonique sur une Égl. De nombreuses Égl. se déclarent en « intercommunion » avec le trône de Constantinople, sans dépendre organiquement de lui. Certaines Égl. non grecques se sont placées, au contraire, sous sa juridiction.

Territoires sous juridiction directe. Diocèses patriarcaux en Turquie : Constantinople, Chalcédoine, Imbros et Tenedos, îles des Princes, Derques. Il est interdit aux Grecs d'habiter des territoires turcs situés en dehors de ces 5 diocèses (nombre des Grecs de Turquie : *1922 :* 2 000 000 ; *56 :* 300 000 ; *85 :* 5 000). **Diocèses du Dodécanèse :** 4 dioc., occupés par les Italiens de 1911 à 1945, redevenus politiquement grecs en 1947, mais demeurés sous la juridiction directe du patriarche, sans être rattachés à l'Église autocéphale d'Athènes.

Territoires semi-autonomes. Église de Crète : 8 diocèses, avec un archevêque (Heraklion) ; administrée par un synode ; 400 moines. **Mont Athos :** (Ste Montagne) République monastique formée de 20 grands monastères. Moines en majorité grecs, mais aussi 3 monastères slaves et un roumain. *Effectifs. 1903 :* 7 432 moines ; *13 :* 6 345 ; *52 :* 2 700 ; *59 :* 1 641 ; *84 :* 1 555.

Territoires autonomes, parfois non hellénophones. Église de Finlande : *1917* rompt avec Moscou. *1923* Égl. métropolitaine à Kuopio [l'archevêque, Mgr Paul (depuis 1955), a le titre de primat de Carélie et de Finl.]. 60 000 fidèles env. ; concordataire ; 1 métropolite à Helsinki ; 1 monastère d'hommes et 1 de femmes. Mission de Laponie. *Langue liturgique :* finnois. *Calendrier :* occidental.

Exarchats et évêchés de la diaspora (4 millions). Grecs émigrés reconnaissent la juridiction du patriarche, tout en ayant une autonomie plus ou moins accentuée. L'ancienne Égl. missionnaire russe de Corée est rattachée à Constantinople, ainsi qu'une des Égl. russes de Paris. Voir ci-dessous, organisations nationales. **Centre administratif de Chambésy** (Suisse) : activités œcuméniques du Patriarcat.

■ **Patriarcat d'Alexandrie. Origine :** Ier s., affaibli en 451 par la scission des coptes. **Organisation :** patriarche siégeant à Alexandrie choisi par le St-Synode sur une liste de 3 noms dressée par une assemblée de 36 ecclésiastiques et 72 laïcs. *Titulaire :* Sa Béatitude Parthénios Konodis (n. 1919), dep. 1987. *En dépendent :* 8 métropoles (Tripoli, Ismaïlia, Port-Saïd, Tantah, Addis-Abeba, Johannesburg, Khartoum, Tunis) ; 3 sièges créés après 1454 : Accra, Afr. centrale et orientale.

■ **Patriarcat de Jérusalem. Fondé** 451. Gardien des Lieux saints. **Organisation :** la Confrérie du St-Sépulcre comprend environ 100 m. en majorité grecs, se partageant les titres épiscopaux et élisant le patriarche parmi les membres. Bas clergé arabe. *Titulaire :* Sa Béatitude Diodore Ier (Damianos Karivallis), dep. le 1-3-1981. *En dépendent :* 6 archevêchés (Sébaste, Mont-Thabor, Diocésarée, Philadelphie, Éleuthéropolis et Tibériade).

■ **Église autocéphale de Chypre. Origine :** *431* Archevêché autonome. **Organisation :** un *archevêque,* Mgr Chrysostome de Paphos (n. 1927), depuis le 12-11-1977 ; 3 *métropolites.*

■ **Église autocéphale de Grèce. Origine :** *733* rattachée au patriarcat de Constantinople. *1833* autocéphale (Constantinople la reconnaît en 1850). **Organisation :** *dirigée par le St-Synode* (*Pt :* Sa Béatitude Séraphim, archevêque d'Athènes et de l'Hellade). 2 *séries de diocèses,* dont les liens avec Constantinople sont différents (37 dans les limites de 1881 ; 33 plus au N.). Missions intérieures dont la Confrérie de Zoé fondée 1911. Refuse calendrier occidental et intrusion du modernisme.

■ **Archevêché du Mt Sinaï. Origine :** monastère de Ste-Catherine fondé au VIe s. **Organisation :** 1 archevêque élu par les moines (env. 100). *Titulaire :* Sa Béatitude Damianos (Samartis), dep. le 23-12-1973, résidant au Caire.

Patriarcats orthodoxes non grecs

■ **Patriarcat d'Antioche. Langue :** arabe. **Origine :** au Ier s., quand Antioche était la 3e ville de l'Empire romain (aujourd'hui 40 000 h). L'église de Qualat es Salihiye, en Syrie or. (construite 232), est le plus ancien lieu de culte chrétien conservé. **Organisation :** *patriarche* (souvent arabophone) élu à plusieurs degrés, siégeant à Damas (Syrie). *En dépendent :* 11 métropoles (Alep, Cheikh Tabba, Beyrouth, Homs, Hama, Lattaquié, Zahlé, Tripoli, Tyr, Sidon, Bagdad) ; 3 évêchés, en Amér. du N. et du S. *Titulaire :* Sa Béatitude Ignace IV Hazim, dep. 2-7-1979. Les métropolites se réunissent une fois par an après Pâques.

■ **Catholicosat de Tiflis (Géorgie). Origine :** *Ve s.,* dépend d'Antioche. *Jusqu'au VIIe-VIIIe s.* seul ne dépendait de Constantinople que l'Ouest de la Géorgie (G. orientale, G. occid. furent unifiées fin Xe/début XIe s.). *VIIIe s.,* autonome. *1057* autocéphale. *1811 à 1917* soumis au synode de Moscou (où il n'y avait plus de patriarche depuis Pierre le Grand). *1918* autocéphale sous l'autorité du catholicos de Mtzkhet, ayant rang de patriarche. *1944* reconnu par le patriarcat de Moscou. **Organisation :** *Catholicos* (Sa Sainteté Élie II dep. 1977), 15 *diocèses.*

■ **Patriarcat de Bucarest. Origine :** christianisme de tradition latine. *Après le IXe s.* dans l'orbite de Byzance et influence slave-bulgare, d'où une liturgie en slavon jusque vers le milieu du XIXe s. *1885* autocéphale en Valachie-Moldavie. *1925* patriarcat. **Organisation :** patriarche secondé par un St-Synode, 2 Instituts de théologie. *En dépendent :* 15 métropoles et 52 diocèses (8 185 paroisses, avec 8 600 prêtres). L'Église est contrôlée par le *Département des cultes ;* elle a plus ou moins l'administration de ses affaires intérieures et dirige ses séminaires. Dépenses et salaires sont réglés par l'État. *Titulaire :* Sa Béatitude Théoctiste Arapas (n. 1915), dep. le 16-11-1986.

■ Bulgarie. **Origine :** *XVIIIe s.*, patriarcat de Tirnovo à Constantinople. *1860* schisme des évêques bulgares. *1945* autocéphalie reconnue par Constantinople. *1947* séparation de l'Église et de l'État. **Organisation :** un *exarque* assisté d'un St-Synode. 11 *diocèses*. *Patriarcat :* rétabli pour le siège de Sofia 1953 (reconnu par Constantinople 1961) ; les évêques majoritaires ont choisi comme nouveau patriarche le métropolite Pimène de Nevrokop, mais cette élection est contestée par les partisans du patriarche Maxime (titulaire en 1971).

■ Patriarcat de Moscou. **Origine :** *1438-39* Église de Moscou reconnue autocéphale et instituée en patriarcat en 1589. *1652-58* schisme des vieux croyants (*raskol :* scission) après la réforme du patriarche Nicon. *1721* Pierre le Grand remplace le patriarcat par un St-Synode. *1917* le Concile panrusse le rétablit. *1922* persécution (évêques, prêtres et religieux mis à mort par milliers), confiscation des biens religieux, arrestation du patriarche Tikhon, création de « l'*Église vivante* » et de « l'*Église réformée* » soutenues par le gouvernement soviétique. *1925* Tikhon meurt (circonstances mal déterminées). Interdiction d'élire un nouveau patriarche. *1927-29-7* le gouvernement obtient qu'un évêque (Serge) crée l'Église officielle. Les autres év. sont emprisonnés ou entrent dans la clandestinité (260). *1943* une assemblée épiscopale (19 m.) est autorisée à élire le successeur de Tikhon. *Après 1945* par suite de l'attitude patriotique des évêques pendant la guerre, politique plus libérale : libération d'év. emprisonnés, élection d'un patriarche, ouverture d'écoles de théologie. *1959* politique plus rigoureuse ; interdiction de vendre des bibles et d'enseigner le catéchisme ; pas de prêtres en robe dans les rues ; nombre des séminaires réduit de 8 à 3 ; nombre des églises de 22 000 à 7 000. *1982* confiscation des livres religieux imprimés à l'étranger ou imprimés en « samizdat ». *1989* libéralisation. **Organisation :** Conseil aux affaires religieuses près le Conseil des ministres de l'ex-URSS : organisme politique coiffant le Conseil créé 1945 ; patriarche [*titulaire :* Sa Sainteté Alexis II qui a succédé à Pimène (Serge Mikhailovich Izvekov, n. 1910), dep. 1971], assisté d'un synode de 6 évêques, 3 séminaires, 2 académies de théologie (Zagorsk, Leningrad), 6 000 prêtres, 900 séminaristes. 73 diocèses, plusieurs exarques en mission à l'étranger.

Nota. – Il existe depuis 1927 une *Église des Catacombes* (clandestinité). 15 évêques. Métropolite : Mgr Théodose.

■ Patriarcat de Belgrade. **Origine :** *1220* St Sabbas, 1er archevêque serbe ; ensuite quasi indépendante (avec patriarcat à Pecs). *1766* rattachée à Constantinople. *Au XIXe s.* naissent *Égl. du Monténégro*, métropole de Carlovitz, métropole de Cernauti (dont dépendent les paroisses orth. de la côte dalmate), *Égl. de Serbie* (autonome 1832, autocéphale 1879), *Égl. de Bosnie-Herzégovine* (1878). *1913* diocèses macédoniens devenus serbes. *1920* réunion de ces entités. **Organisation :** patriarche assisté d'un synode, Sa Béatitude Germain (n. 1899) depuis 1959. *Diocèses :* 31 en Youg. 2 *séminaires*.

■ Patriarcat de Macédoine. Non reconnu par les autres Égl. orthodoxes. **Origine :** héritier de l'ancien archevêché d'Okhrida (XVIIe-XVIIIe s.). *1959* Égl. autonome de Macédoine, affirme la personnalité macédonienne face aux revendications bulgares. **Organisation :** 4 *diocèses,* 953 *paroisses,* 1 200 000 *fidèles. Siège :* Skopje.

ÉGLISES NON PATRIARCALES

■ Albanie. *1937 :* autocéphale. *1946 :* séparation de l'Église et de l'État. *1963 :* interdiction des religions.

■ Amérique (Église autocéphale d'). Ancienne mission russe en Alaska. *1796* évêché auxiliaire dépendant d'Irkoutsk. *1840* création de l'archevêché du Kamtchatka (avec Kouriles et Aléoutiennes). *1872* création de l'évêché indépendant d'Alaska et des Aléoutiennes (dep. 1867, devenu américain). *1872* l'év. transfère son siège à San Francisco. *1900* création du diocèse des Aléoutiennes et d'Amér. du N., siège New York.

■ Estonie, Lettonie, Lituanie. *1919 à 45 :* constituent 3 Égl. autocéphales dépendant de Constantinople. Actuellement, diocèses du patriarcat de Moscou. Le métropolite de Riga, réfugié en Suède, a constitué une Église dépendant de Constantinople.

■ Hongrie. 40 000 orthodoxes, pas de hiérarchie hongroise : les Serbes dépendent de Belgrade ; les Roumains de Bucarest ; les Ruthènes du patriarcat de Moscou.

■ Pologne. *1924* autocéphale, confirmée après 1945. 1 *métropolite :* Mgr Basile dep. 1970.

■ Russie. **Église russe hors frontières : Origine :** fonde son existence canonique sur l'oukase du 20-11-1920 du patriarche Tikhon. **Organisation** ecclésiale autonome regroupant les émigrés orth. russes et leurs descendants qui ne sont pas en communion avec le patriarcat de Moscou, ni avec les Égl. « de la Dispersion » relevant directement du patriarcat de Constantinople, ni avec aucune autre Église orthodoxe sauf l'Église serbe. En nov. 1981, elle a déclaré saint et martyr le tsar Nicolas II de Russie, assassiné par les Bolcheviks en 1917. *Métropolite* Vitaly [Oustinov (n. 1910)] dep. 22-1-1986 (év. d'Europe occid. dep. 1978). *St-Synode* à New York, 20 *évêques*, 220 *paroisses*, 110 *chapelles*, 13 *monastères*, *séminaire* de théologie. *Le 27-5-1992,* à Lvov, au moment du 1er synode des évêques uniates dép. 1946, une réunion épiscopale rassemblée à Kharkov, transformée en concile, élut à bulletins secrets Mgr Vladimir, métropolite Kiev et Ukraine, et destitua le métropolite Philarète (il aurait collaboré avec le KGB, aurait femme et enfants, et nourri ses chèvres avec des pains bénits).

■ Tchécoslovaquie. Autocéphale dep. 1951, mais Constantinople ne la reconnaît pas. Un *archevêque* (Prague) : Mgr Dorothios, 4 *diocèses*.

■ Ukraine. Égl. ukrainienne orthodoxe autocéphale, en relation œcuménique avec le patriarcat de Constantinople. **2 Égl. métropolitaines :** *1°) États-Unis :* siège à South Bound Brook (New Jersey) ; métropolite : Mgr Mstyslaw Skrypnyk ; 3 évêques, 104 prêtres, 11 diacres, 92 paroisses ; *2°) Canada :* siège à Winnipeg ; métropolite : Mgr Wasyly Fedak ; 2 év., 94 prêtres, env. 100 paroisses ou groupements. **3 diocèses :** *1°) Australie-N.-Zélande :* siège à Blacktown, N.-Galles du S. ; *2°) G.-B. :* l'évêque réside provisoirement à Munich, All. ; *3°) All. :* siège à Neu-Ulm (l'Égl. parisienne en dépend).

Autres Communautés organisées (sous l'autorité du métropolite am.) Argentine, Belgique, Brésil, Paraguay.

■ ORGANISATION EN FRANCE

■ Église orthodoxe grecque. **Rite byzantin** selon St Jean Chrysostome et St Basile, en grec (français dans certains cas). *Fidèles :* env. 50 000. **Organisation :** *métropolite :* Mgr Jérémie (Paraschos Calligeorges), archevêque nommé 9-6-1988, exarque de patriarche œcuménique pour Espagne et Portugal et Pt du comité interépiscopal orthodoxe en France. *Cathédrale :* St-Étienne (St-Stéphanos), 7, rue Georges-Bizet, 75016 Paris. *Évêque auxiliaire :* Mgr Stéphanos (Christakis Charalambidis), év. de Nazianze, 2, avenue Désambrois, 06000 Nice. *Vicaire général :* archiprêtre Panayotis Simiyatos. 23 *paroisses* et 5 *monastères* en France.

Districts diocésains. CENTRE DE LA FRANCE : *créé* 1978 à Lyon (10 000 fidèles, dont Grenoble 2 000, Lyon 1 500, St-Étienne 1 500 ; la plupart réfugiés de Turquie en 1922). *Siège :* égl. orth. grecque de l'Annonciation, 45, rue du Père-Chevrier, 69007 Lyon. *Recteur* de la paroisse : Rév. archiprêtre Athanase Iskos. MIDI (20 000 fidèles, réfugiés de Turquie et originaires du Dodécanèse en majorité). *Siège :* égl. orth. grecque de Nice, 2, av. Desambrois, 06000 Nice. *Recteur :* Mgr Stéphanos Charalambidis, év. de Nazianze (dep. 13-1-1987). Concerne l'émigration grecque en France.

■ Paroisse orthodoxe géorgienne de Ste Nino. 8, rue de la Rosière, 75015 Paris. **Fondée** 1929 avec la bénédiction du patriarche œcuménique (de Constantinople), pour regrouper les Géorgiens exilés en France après 1921 (occupation de la Géorgie par les Soviétiques). **Culte** en géorgien (seul lieu de culte en géorgien en dehors de Géorgie). **Organisation :** dépend de Mgr Jérémie, Pt de la Conférence épiscopale orthodoxe de Fr., archevêque. *Recteur :* Artchil Davrichachvili. *Fidèles :* 1 000.

■ Église autocéphale orthodoxe ukrainienne. *Évêque diocésain :* Mgr Anatolij Dublanskyj, arch. de l'Eur. occ. (Finninger Strasse 10, 7910 Neu-Ulm, All.). En relations œcuméniques avec Constantinople (voir p. 525 b). *Église :* St-Simon, 6, rue de Palestine, 75019 Paris. 10 paroisses en province. *Fidèles :* Paris 100, province 800. La Confrérie St-Simon s'occupe de l'activité culturelle orth. auprès de l'Égl. de Paris.

■ Église orthodoxe serbe. *Église :* Paroisse St-Sava, 23, rue du Simplon, 75018 Paris. Sous l'obédience du patriarcat serbe (Belgrade) et sous la juridiction de Mgr Dositej (év. pour l'Eur. occ.) à Johanneshov (Suède).

■ Diaspora russe. Depuis 1928, en 3 groupes :

1°) **Église patriarcale orthodoxe russe.** *Exarchat pour l'Europe occid. du patriarcat de Moscou :* 26, rue Péclet, 75015 Paris. *Exarque :* N... qui assume temporairement la charge d'évêque ordinaire pour le diocèse de Chersonèse. 1 *communauté monastique*, 7 *paroisses*, 5 *chapelles*.

2°) **Église orthodoxe russe hors frontières.** *Évêque diocésain :* Mrg Antony, archev. de Genève et de l'Europe occ. (résidant à Genève), 3, rue Toëpffer. 16 églises, 23 chapelles. Le *monastère* de Lesna (Provémont, Eure) est le plus important monastère de moniales orth. d'Europe occ. *Paroisse de Paris :* 19, rue Claude-Lorrain, 75016 Paris.

3°) **Archevêché des Églises orthodoxes russes en Europe occidentale.** *Fondé* 1921 par le métropolite Euloge. Dep. 1931, sous la juridiction de Constantinople. Reconnu par l'État fr. comme « Union directrice diocésaine des associations orth. russes en Eur. occid. ». *Archevêque :* Mgr Georges (Wagner). *Église cathédrale :* St-Alexandre Nevsky, 12, rue Daru, 75008 Paris. *Évêque auxiliaire :* Mgr Paul Alderson. *Siège :* cath. St-Nicolas, bd Tsarévitch, Nice. *Paroisses :* France 38 (dont région parisienne 16), Belgique 3, All. 3, Scandinavie 2, Italie et Pays-Bas 3. *Offices* en slavon et dans les langues occidentales (paroisse de langue fr. à Paris, dans la crypte rue Daru). **France** env. 50 000 fidèles ; 2 monastères, 2 ermitages et plusieurs chapelles (maisons de retraite, etc.).

Institut de théologie orthodoxe St-Serge (fondé 1925), 93, rue de Crimée, 75019 Paris. *Recteur :* archev. Georges Wagner (n. 10-3-1930).

■ Églises roumaines. **Origine :** dep. le 2-4-1952, cathédrale gérée par une Association pour la pratique du culte orth. en Fr. rejetant l'autorité du patriarcat de Bucarest, et reconnaissant l'autorité du métropolite Vitaly (Égl. russe hors frontières) résidant aux USA. **Diocèse orthodoxe roumain pour la France et l'Europe occidentale. Organisation :** *cathédrale :* Paroisse des Saints-Archanges, 9 bis, rue Jean-de-Beauvais, 75005 Paris, achetée 1882 par le roy. de Roumanie. *Paroisses :* France 3 (env. 1 500 fidèles), Allem., Angl., Esp. 4. Suisse 1. Diocèse autonome concernant la diaspora roum.

Paroisse de la Descente du St-Esprit. Ouverte en 1980 pour les Roumains fidèles au patriarcat de Bucarest et à l'Église orthodoxe de Roumanie.

Hébergée au temple protestant, 44, bd des Batignolles, 75017 Paris. *Recteur :* Père Aurel Grigoras.

■ Église orthodoxe d'Antioche. Vicaire patriarcal pour l'Europe occidentale. *Fondée* 1980. Évêque Gabriel. 22, av. Kleber, 75016 Paris.

■ Église catholique orthodoxe de France (ÉCOF). *1937* reçue dans l'Église orthodoxe russe avec Mgr L. J. Winnaert, passe ensuite avec le P. Eugraphe Kovalevsky sous la juridiction de l'exarchat russe du Patriarcat de Constantinople, puis sous celle de l'Église russe hors frontières où le P. Eugraphe est consacré évêque. *1967,* il quitte cette Église. *1972,* l'Église de Roumanie (?) prend sous son obédience l'ÉCOF et sacre Mgr Germain, évêque de St-Denys ; son évêque n'est pas accepté dans le Comité interépiscopal orthodoxe de France. *Centre :* 96, boulevard A. Blanqui, 75013 Paris.

PROTESTANTISME

CARACTÉRISTIQUES GÉNÉRALES

■ Classification. Apparu au XVIe s., sous l'impulsion des Réformateurs (Luther en Allemagne, Zwingli en Suisse et Calvin en France) qui, après avoir tenté de réformer l'ensemble de l'Église, ont créé une nouvelle Égl. Pour les protestants, l'Égl. est une communauté qui ne prétend à aucune infaillibilité et qui croit à la nécessité d'une réforme permanente, ce qui explique la diversité actuelle du protestantisme. On peut grouper les Égl. protestantes en 6 grandes confessions : 1°) luthérienne, 2°) calviniste ou réformée, 3°) baptiste, 4°) méthodiste, 5°) pentecôtiste, 6°) évangélique.

Il existe aussi des Églises réunissant des Églises de différentes confessions, ex. : luthérienne réformée en Allemagne (1817), unie de l'Inde du Sud (1947) et Église du Cameroun (1957). Réformés et congrégationalistes, séparés jusqu'en 1971, se considèrent depuis comme faisant partie d'une même famille.

■ Culte. S'adresse à Dieu le Père, le Fils ou le St-Esprit. La Vierge peut être honorée comme la mère du Seigneur. 2 sacrements reconnus : baptême et Sainte-Cène (sous les 2 espèces). La confirmation, couramment pratiquée, n'est pas un 3e sacrement mais un acte complémentaire du baptême.

■ Liturgie. Comprend la lecture de la Bible, la prédication (traditionnellement importante) : invocation, lecture du Décalogue et du Sommaire de la loi, confession des péchés, promesses de grâce, confession de Foi, prières d'intercession, oraison dominicale, psaumes, chorale et bénédiction.

■ Morale. Les protestants insistent sur la responsabilité personnelle de chacun (les Églises ne donnent pas d'instructions mais des indications). Ils admettent la contraception. Une majorité accepte le divorce et l'avortement : certains (notamment les baptistes) les refusent. La plupart des nouvelles techniques de bioéthique sont acceptées à condition qu'elles ne déresponsabilisent pas l'individu. Le travail, l'ascension sociale sont souvent valorisés. La laïcité est, en France, considérée comme un principe à défendre.

■ **Principes communs.** 1°) **Justification par la foi.** Le croyant n'est pas sauvé par ses œuvres mais par la décision gratuite de Dieu de lui pardonner en Christ et de lui accorder le salut. Le croyant doit évidemment manifester sa reconnaissance par sa vie morale (insistance plus ou moins grande suivant les Églises sur la sanctification). 2°) **Principe formel.** Fidèles et Églises doivent se soumettre à l'autorité de la Bible en matière de foi, de morale ou d'organisation religieuse (mais, suivant les tendances théologiques, l'interprétation des textes est plus ou moins large).

■ **Structure.** Églises locales gouvernées par un collège d'anciens (en grec *presbyteros*) envoyant des délégués à des *assemblées synodales* (régime *presbytérien synodal*) ou autonomes, mais groupés pour des actions communes (régime *congrégationaliste*). **Évêque :** titre (comme dans l'Église réformée de Hongrie et certaines Églises luth.) attaché à une fonction et non à vie à une personne (sauf chez les luth. de Suède et Finlande). **Pasteurs :** en principe nommés par les paroisses, sous le contrôle des commissions synodales ; ils sont instruits dans des facultés de théologie (études : en général 5 ans). Dans presque toutes les Églises, les femmes peuvent être pasteurs. **Communautés :** quelques-unes se consacrent à des tâches précises (soin des malades, assistance, tâches paroissiales). L'engagement d'obéir à une règle est différent des vœux traditionnels, perpétuels et méritoires.

■ **Parallèle avec le catholicisme romain. Baptême.** Donné par les protestants, est reconnu valide par les cath. et vice versa (depuis déc. 1972, les cath. considèrent valide tout baptême qui n'est pas explicitement antitrinitarien). Certaines églises prot. baptisent seulement les adultes capables de professer personnellement leur foi.

Sainte-Cène. Cath. et prot. (la plupart) affirment la présence réelle du Christ dans le pain et le vin consacrés, mais les prot. n'admettent pas la *transsubstantiation* (changement de la substance du pain et du vin). Les prot. ont contesté l'aspect sacrificiel de la messe cath., affirmant que le Christ a accompli une fois pour toutes l'offrande de son corps sur la croix. La communion est communion avec le Ressuscité et non avec le Christ de l'histoire passée. Le *groupe œcuménique* (non officiel) des théologiens *des Dombes* (fondé 1937) a estimé que l'accès à la communion ne doit pas être refusé à un chrétien d'une autre confession et définit ainsi l'Eucharistie : « repas du Seigneur, action de grâces au Père, mémorial du Christ, don de l'Esprit, présence sacramentelle du Christ » (absence du sacrifice répétitif). Il subsiste des difficultés au sujet de la définition du ministère qualifié pour la célébrer.

Mariage. Le mariage n'est pas un sacrement. L'Église doit tenir compte de l'échec d'un mariage et peut autoriser la bénédiction d'un 2e mariage après examen de chaque cas particulier. Pour le *groupe des Dombes*, « l'engagement matrimonial est voulu par les chrétiens permanent et définitif. Cette indissolubilité, les époux chercheront à la vivre dans la foi. Mais cet effort peut être insuffisant. L'alliance conjugale peut se vider de tout amour. L'Église peut être amenée à prendre acte de la dislocation du foyer. Il reste à savoir si et quand le lien conjugal est pour autant détruit au point qu'un nouveau mariage puisse être envisagé » (il ne peut être automatique).

Ministères. *Pour les cath.*, célébration et administration des sacrements sont réservées aux prêtres, ordonnés par les évêques, eux-mêmes successeurs des apôtres. Ils refusent l'ordination des femmes. *Pour les prot.*, le sacerdoce a été confié par le Christ à l'Église tout entière. Il y a donc un sacerdoce des croyants (principe non contesté par les cath., qui confient néanmoins le « sacerdoce ministériel » aux seuls prêtres). Le *groupe des Dombes* a affirmé que si le ministère protestant « a surgi en dehors d'une succession épiscopale, il peut, dans un certain nombre de cas, s'appuyer du moins sur le signe d'une continuité presbytérale ».

Église. Selon le Comité mixte catholique-prot. de France (1987), la « différence fondamentale » concerne la conception de l'Église. Pour les prot., l'Église est seconde par rapport à la relation 1re qui existe entre Dieu et l'être humain. Elle ne joue aucun rôle médiateur dans le salut.

Huguenot. Nom fréquemment donné aux calvinistes à partir de 1550, dérive de *Eidgenossen* [« confédérés », c.-à-d. *Suisses* (adversaires prot. des Savoyards cath.)] : les Savoyards catholiques appelaient « confédérés » les Genevois protestants révoltés contre leur duc et ralliés aux autres cantons helvétiques. La déformation de la 1re syllabe serait peut-être venue, plus tard, d'un rapprochement avec le nom du « Roi Hugon » (un fantôme nocturne dont parlaient les légendes populaires dans de nombreuses régions).

Parpaillot. Apparu en 1621. Plusieurs étymologies : a) viendrait du languedocien : papillon : 1°) les prot. risquent d'être brûlés sur les bûchers ; 2°) ils volent de fleur en fleur, au lieu de s'en tenir à la religion romaine ; 3°) ils se sont laissé piéger à la St-Barthélemy. b) déformation volontaire par les catholiques de *Papau,* « papiste », surnom languedocien donné aux cath. par les prot. c) parpaillot, en languedocien, signifie aussi « gredin ». d) de Jean-Perrin, seigneur de Parpaille, chef prot. décapité à Lyon en 1562.

Protestant. De l'allemand juridique *Protestant,* « auteur d'une déclaration publique » : en 1529, à la 2e Diète de Spire, 5 princes et 14 villes impériales déclarèrent en appeler au Concile contre Charles Quint qui voulait révoquer les concessions accordées par la Diète précédente, en restaurant intégralement hiérarchie et culte romain. Aujourd'hui, les prot. se réfèrent plutôt à l'étymologie latine *testari pro,* « témoigner pour ».

Noms donnés en France : *bibliens, luthériens, christaudins* (écouteurs du Christ), *calvinistes, réformés, religionnaires, évangéliques.*

☞ Aujourd'hui, le terme protestant s'applique aux Églises issues de la Réforme du XVIe s., luthériens, réformés (appelés presbytériens dans les pays anglo-saxons), congrégationalistes, baptistes, moraves, méthodistes, ou à des groupements (l'Armée du Salut, pentecôtistes, darbystes, adventistes et quakers). Les autres groupements théosophes ou anthroposophes sont en contradiction formelle avec plusieurs grands principes du protestantisme.

Principales Églises

■ **Église réformée (ou calviniste). Doctrine :** contenue dans différentes *Confessions de foi :* C. de La Rochelle 1559-71 (France) ; C. Helvétique 1535-66 ; C. Écossaise 1560 ; C. Belge 1561 ; C. Palatine 1563, etc. Les divergences doctrinales avec les luthériens, aujourd'hui estompées, portaient essentiellement sur la présence réelle de Dieu dans l'Eucharistie qui n'est pas, selon Zwingli (1484-1531) et Calvin (1509-1564), matérielle mais spirituelle ; la prédestination appelée aussi « élection » [admise par Luther, niée par Melanchthon (1497-1560) mais très fortement soulignée par Calvin]. **Ordination des femmes :** admise pratiquement par toutes les Églises issues de la Réforme. Certaines ordonnent des évêques femmes (USA, Canada, N.-Zélande) ou, comme en France, des présidentes d'Église. En 1990, une centaine de femmes ordonnées en France (env. 10 % des pasteurs sont des femmes). **Organisation :** variable. *L'ARM* (*Alliance réformée mondiale*) : siège à Genève ; *Pte* (1990) : Jane Dempsey Douglass, théologienne (faculté de Princeton, USA) regroupe 175 Églises, 75 millions de membres dans 87 pays.

Presbytériens d'Écosse. Origine : le mot presbytérien créé par Calvin définit l'*Église de Genève* et sa république théocratique. Autorité religieuse collégiale aux mains de *presbytres* (pasteurs qui prêchent et « anciens » laïcs qui administrent), élus par les fidèles. Pas d'épiscopat. *1554 à 59* le principal collaborateur de Calvin à Genève est un ancien prêtre écossais John Knox (1505-72) qui regagne ensuite son pays pour y fonder une Égl. calviniste qu'il appela presbytérienne. *1560* le Parlement écossais dénonce la juridiction du pape, abolit la messe, ratifie la Confession de foi préparée par Knox. **Organisation :** assemblée gén. (pasteurs et laïcs représentant les presbytres) présidée par un modérateur choisi annuellement par l'ass. (env. 1 300 000 m. adultes).

Nombre de calvinistes, presbytériens et réformés (en milliers). USA 6 000. Canada 5 000. P.-Bas 4 000. Suisse 3 000. Afr. du S. 2 900. G.-B. 2 200. Hongrie 2 000. Indonésie 2 000. Australie 1 000. Corée 780. Roum. 700. N.-Zél. 484. *France 460.* Rhodésie 400. Philippines 300. Tanzanie 300. Cameroun 280. Madagascar 250. Nigeria 250. Brésil 200. Formose 200. Japon 194. Ghana 150. Tchéc. 150. Lesotho 140. Zaïre 130. Jamaïque 62. Lituanie 60. Esp. 30.

■ **Église luthérienne. Doctrine :** contenue dans les 7 « Livres symboliques », dont la Confession de foi d'Augsbourg rédigée en 1530 par Philippe Melanchthon. **Organisation :** variable : *la Féd. luthér. mondiale* (FLM) regroupe 107 Églises dans plus de 80 pays et 93,2 % des luthériens du monde, soit 54,7 millions. *Pt :* Pasteur Gottfried, Brakemeier (Brésil).

■ Luthériens en France

Histoire. En Alsace : tolérée sous l'Ancien Régime [mais Strasbourg (gouverné depuis 1529 par un sénat luthérien) est rendu en 1681 à l'év., résidant à Saverne, et la cathédrale redevient cath. ; l'autorité religieuse est détenue par un consistoire collectif]. **A Paris :** les luth. alsaciens célèbrent leur culte à la chapelle de l'ambassade de Suède (1re égl. à Paris : 1809). *1801 :* tr. de Lunéville (les luthériens montbéliardais officiellement français).

Français connus. Alsaciens : *Gal Frédéric Walther,* Cte d'Empire [(1761-1813), seul luth. enterré au Panthéon (1806 chambellan de l'empereur, il obtient la création d'une Égl. luthérienne concordataire)] ; *Gal Jean Rapp* (1771-1821), Cte d'Empire ; *baron Georges-Eugène Haussmann,* (1809-91), préfet de la Seine ; *Dr Albert Schweitzer* (1875-1965), prix Nobel de la Paix 1952 (devenant unitarien 1913). **Montbéliardais :** *Fanny Durbach* (1822-1901), préceptrice de Tchaïkowski ; *Georges-Frédéric Parrot* (1767-1852), 1er recteur élu de l'université de Dorpath (Tartu), précurseur de la biologie moderne ; *Georges Bretegnier* (1863-92), peintre ; *Jules Zingg* (1882-1947), peintre ; *Henri-Frédéric Iselin* (1825-1902), sculpteur. **Famille des Duvernoy :** *Georges-Louis* (1777-1855), anatomiste et zoologiste ; *Frédéric-Nicolas* (1765-1838), corniste et compositeur ; *Charles* (1766-1845), clarinettiste et compositeur. **Parisiens d'adoption :** *Bon Georges Cuvier* (1769-1832), paléontologiste ; *André Parrot* (1901-80), pasteur, archéologue. **Psses d'origine allemande :** *Elisabeth-Charlotte* (Psse Palatine), duchesse d'Orléans [(1652-1722), abjuration de façade] ; *Hélène de Mecklembourg-Schwerin,* Pesse d'Orléans (1814-58).

Nombre de luthériens (en milliers, 1991). All. 15 183, USA 8 399, Suède 7 630, Finlande 4 609, Danemark 4 574, Norvège 3 920, Indonésie 2 239, Tanzanie 1 500, Inde 1 300, Brésil 1 057, Éthiopie 1 050, Madagascar 1 000, Afr. du Sud 778, Papouasie-N.-Guinée 649, Namibie 583, France 258. *Par continents :* Europe 38 475, Amér. du Nord 8 658, Afrique 5 720, Asie 4 485, Amér. latine 1 252. Total 58 693.

■ **Églises congrégationalistes. Issues** des Indépendants d'Angleterre, elles insistaient sur l'autonomie des Églises locales. Ont fusionné avec les réformés. *Membres :* env. 3 000 000 dans le monde.

■ **Églises baptistes et mennonites. Origine :** issues de la Réforme, remontent aux anabaptistes et mennonites du XVIe s. (de Menno Simons, 1495-1560) ou aux Indépendants du XVIIe s. Ne baptisent que les adultes convertis. **Organisation :** Églises de *professants* (fidèles pratiquant leur foi), ce qui les distingue des Églises de type *multitudiniste* (fidèles non militants). Seuls sont admis comme membres ceux qui, déclarant croire sincèrement en J.-C. et adhérant à la confession de foi des Églises, ont alors reçu le baptême par immersion totale. Il y a des Égl. bapt. dans 143 pays. **Conférence mennonite mondiale (CMM).** *Siège :* Strasbourg (avant Chicago). *Membres* (1990) : 850 000. *Pt :* Raul Garcia.

Personnalités baptistes connues. Pts des USA *Harry S. Truman* (1884-1972) et *James Carter* (n. 1924) ; *Martin Luther King* (1929-68, assassiné) ; *James Irwin* (1930-91), astronaute ; *Billy Graham* (n. 1918), créateur de la BGEA (Billy Graham Evangelical Association), devenue indépendante (budget : 30 millions de $), prêche depuis 1957 (émission radio l'Heure de la Décision : 20 millions d'auditeurs). Est venu en France 3 fois : 1955, 1963, 1986 (15 000 auditeurs à Bercy, chaque soir pendant 8 j). En All. : 19/21-3-1993.

Nombre (en milliers, 1990). 35 000 (dont USA 28 700, Inde 900, ex-URSS 500, Brésil 400, Nigeria 400, Zaïre 400, G.-B. 200, Roumanie 100, *France 6*). *1991 :* Hongrie 20, Danemark 6,4, G.-B. 166.

France. 1re église en 1835. *Villes principales :* Bordeaux, Grenoble, Lille, Lyon, Marseille, Montpellier, Mulhouse, Nancy, Nice, Nîmes, Paris, Poitiers, Roubaix, Rouen, Strasbourg, Toulouse. *Fidèles* (1986) : 6 500 représentants, 20 000 paroissiens. *Groupe le plus important :* Fédération des Égl. évangéliques baptistes de France (16 000 membres, 78 paroisses, 75 pasteurs). *Pt :* Pasteur Robert Somerville (n. 1930) (dep. 1987).

Branche des Amish. Mennonites traditionalistes, fondés en Suisse au XVIIe par Jacob Amman ; réfugiés aux USA vers 1850, et implantés dans le comté de Lancaster, à 130 km de Philadelphie. N'ont accepté que certains progrès techniques (ex : refus de l'électricité produite en dehors de la communauté).

■ **Église méthodiste. Origine :** issue de la prédication (1739) de John (1703-91) et Charles (1707-88) Wesley. Nom donné en quolibet par les étudiants d'Oxford qui se moquaient de la dévotion méthodique des premiers adeptes. Nie la prédestination et affirme la sainteté possible sur terre. **Organisation :** le *Conseil méthodiste mondial* (Lake Junaluska, North Carolina, 28745 USA) représente 64 Égl. membres dans 90 pays. Les méthodistes possèdent l'édifice religieux le plus haut du monde : à Chicago, rue Clark, érigé en 1924 (croix à 173,12 m).

Nombre (en milliers, 1990). Amér. du N. (Mexique inclus) 15 499, Asie 4 024, Afrique 3 262, Europe 690 (dont *France 2*), Australie et îles du Pacif. 743, Amér. du S. 657, Amér. centrale et Caraïbes 263. *Total :* membres 25 141, communauté 54 246.

France. *1791* introduite par John Angel, laïc des îles Anglo-Normandes. *1852* Égl. organisée par le Rév. Charles Cook († 1858). *1907* les méthodistes amér. (épiscopaliens) ouvrent une mission fr. *2 branches :* 1°) Alsace-Lorraine : *Union de l'Église évangélique m.* (7, rue Kageneck, 67000 Strasbourg), reliée à la Conférence suisse, faisant maintenant partie de l'*Église m. unie* et membre de la FEF. 2°) l'*Église évangélique m. de France* (La Borie Blanche, 30270 St-Jean-du-Gard) qui n'est pas entrée dans l'unité réformée en 1938.

■ **Armée du Salut. Origine :** *1865* William Booth (1829-1912), pasteur méthodiste, fonde la Mission chrétienne. *1878* devenue l'Armée du Salut, elle adopte une organisation quasi militaire. Dirigée par un « général » élu par un Ht Conseil, présente dans 94 pays (2 500 000 m.).

France. *Établie* dep. 1881 ; *dirigée* par un commissaire général ; 300 officiers, 1 500 militants laïcs et plusieurs milliers de personnes dont l'Armée est le foyer spirituel. *Abrite* env. 4 000 personnes chaque jour. *Adresse à Paris :* 76, rue de Rome, 75008. *Publication :* « En avant » (hebdo.), 13 000 ex.

■ **Pentecôtistes. Origine :** mouvement religieux créé spontanément à Los Angeles (1906), par des baptistes, notamment le pasteur américain Charles Parham. **Principes :** caractérisé par un retour aux vérités fondamentales de l'Écriture Sainte, telles qu'elles se vivaient dans l'Église primitive. **Organisation :** *principales cérémonies :* baptême des adultes par immersion ; Ste Cène sous les 2 espèces. Pas de hiérarchie organisée : chaque Église locale prend le nom d'Assemblée de Dieu et reste indépendante. **Conventions :** *mondiales :* tous les 3 ans, *nationales :* tous les ans.

Nombre (en milliers). Brésil 6 000. Europe 4 200. USA 4 000. Ex-URSS 3 000. Indonésie 2 000. Chili 1 700. Kenya 1 200. Suède, Norv. Finl. 1 000. Corée du S. 1 000. Afr. du S. 850. Nigeria 850. Canada 800. Congo 500. *Total :* 60 000 (ou 115 000 ?).

France. *1re communauté :* Le Havre, créée 1930 par un Anglais D.-R. Scott. *Membres actifs (1991) :* 150 000 dont 65 000 tsiganes. *Lieux de culte :* 687 dans 95 départements et 612 communes. 361 pasteurs en 1991. *L'Union nationale des Assemblées de Dieu de France* représente le mouvement. *Siège :* 15 bis, rue du Parc-de-Clagny, 78000 Versailles. *Revue :* « Pentecôte », 60, rue de Cauville, Rouen.

Conseil œcuménique des Églises

Origine. Conférence universelle des missions à Édimbourg : 1910. Conf. œcuméniques : Stockholm (1925), Lausanne (1927), Oxford (1937), Édimbourg (1937), Amsterdam (1948, création officielle).

Secrétariat permanent. 150, route de Ferney, CH-1211 Genève 2 (annexe à New York).

Fonctionnement. Assemblée [protestantes, anglicanes, orthodoxes, catholiques non romaines. Tous les 7 ou 8 ans : 1re ass., Amsterdam (P.-Bas, 1948) ; 2e Evanston (USA, 1954) ; 3e New Delhi (Inde, 1961) ; 4e Upsal (Suède, 1968) ; 5e Nairobi (Kenya, 1975) ; 6e Vancouver (Canada, 1983) ; 7e Canberra (Australie, 1991). *Comité central* (150 m. élus par l'ass.) se réunit tous les 12-18 mois. *Comité exécutif* (25 m.) se réunit 2 fois par an. 8 *coprésidents. Secr. général :* Dr Konrad Raiser (All., n. 25-1-1938) dep. 24-8-1992. **Églises membres :** 320 représentant 400 millions de fidèles dans env. 100 pays.

But. Appeler les Églises à tendre vers l'unité visible en une seule foi et en une seule communauté eucharistique ; faciliter leur témoignage commun en chaque lieu et en tout lieu ; exprimer leur souci de servir l'homme et de promouvoir la justice et la paix.

Protestantisme en France

Histoire

■ **De l'origine à l'édit de Nantes. 1177** *Pierre Valdo* (1140-97) fonde la Confrérie des Pauvres de Lyon, prédicateurs laïques qui répandent l'Évangile en langue vulgaire. Ses disciples, les *Vaudois,* se maintiennent dans les Alpes (ralliés au protest. en 1532). **1498** début de l'action (surtout sur le plan intellectuel) des *Bibliens* français : *Jacques Lefèvre d'Étaples* (v. 1450/55-1536), *Guillaume Briçonnet* (1472-1534), *Guillaume Farel* (1489-1565) le « groupe de Meaux ». **1512** *Lefèvre d'Étaples,* dans un commentaire sur les Épîtres de St Paul, enseigne dans une certaine mesure la justification par la foi. **1521** *Martin Luther* (n. 10-11-1483 Eisleben, Saxe 18-2-1546) est condamné par la Sorbonne. **1523** *Jean Vallière,* de Falaise, moine augustin, est brûlé vif à Paris comme luthérien. *Jean Calvin* (Noyon 10-7-1509 – Genève 27-5-1564) arrive à Paris pour faire ses humanités. **1525** *Jean Leclerc,* marqué au fer rouge à Meaux comme luthérien, exécuté 1526. **1533** discours réformateur publié sous le nom de *Nicolas Cop* (v. 1450-1532), recteur de l'Université de Paris (mais en réalité de Calvin).

1534 après l'*affaire des Placards* (déclarations contre la messe, affichées même sur la porte de la chambre du roi), François Ier s'oppose à la Réforme. Nombreux exils vers les pays du 1er Refuge (surtout Suisse et Hollande). **1540** lutte contre les Vaudois (massacre dans le Luberon : Médindol 1540, Cabrières 1545). **1541** 1re édition en français (1536, en latin) de l'*Institution de la Religion chrétienne de Calvin,* imprimée probablement à Genève. **1555** fondation clandestine, à Paris, d'une Église réformée. *Rejette* sacerdoce sacramentel (prêtre, évêque, pape), messe, présence matérielle du Christ dans l'Eucharistie, intercession de la Vierge, et le culte des Saints. *Enseigne* libre choix divin des élus et des damnés, rôle essentiel de la pratique et de la lecture de la Bible. « Prêche » célébré plusieurs fois par semaine (lecture, homélie, méditation, chants). *Prière* adressée à Dieu. *Communion* donnée 4 fois par an. **1559** *1er synode nat. des Églises réformées* de Fr. à Paris [les participants gardent l'anonymat, mais prennent la parole au nom des Égl. suivantes : Paris, Dieppe, St-Lô, Orléans, Angers, Tours, Châtellerault, Poitiers, St-Jean-d'Angély, Saintes, Marennes (pas d'Égl. méridionales)]. Élaboration d'une Confession de foi calvinienne (dite de La Rochelle, 1571), d'une Discipline, de type calviniste instituant le régime *presbytérien synodal.* **1561** *9-9/9-10 Colloque de Poissy* (échec d'une tentative de rapprochement entre cath. et réformés). **1562** l'*Édit de Janvier* accorde la sanction légale aux Assemblées publiques des Égl. réformées (2 150 selon de Coligny). *1-3 massacre de Wassy* (12 à 60 †) : début des guerres de religion. **1572 (24 août)** *St-Barthélemy :* assassinat de l'amiral Coligny et massacre de prot. (voir p. 637).

1598 (13-4) édit de Nantes, Henri IV accorde la liberté religieuse avec des restrictions.

1610-20 réaction antiprotestante après la mort d'Henri IV (la régente est influencée par le nonce et l'ambassadeur d'Espagne). **1620** proclamation à *La Rochelle* d'une fédération des provinces prot. françaises (sur le modèle des provinces unies hollandaises). **1624** Ministère Richelieu ; alliance des prot. et des Angl. (débarquement angl. à Ré, 1627). **1628** *29-10 prise de La Rochelle* (après 14 mois de siège) par Louis XIII, marquant le déclin politique du prot. **1629** *28-6 Édit de grâce d'Alès :* interdiction définitive des assemblées politiques et suppression des places de sûreté. Nomination d'un député général unique. **1637** Richelieu réduit à 626 les « lieux d'exercice » ; mais, conformément à l'Édit, les seigneurs hauts justiciers protestants en ouvrent de nouveaux sur leurs terres. **1648** annexion de l'Alsace, moins Strasbourg (1681) et Mulhouse (1798) : les prot. luthériens y gardent la liberté de culte. **1659** dernier synode national des Églises réformées à Loudun. **1679** les Hollandais prot. vaincus, malgré leur alliance avec Espagnols et Impériaux cath., signent la *paix de Nimègue,* avantageuse pour la Fr. Les 2 puissances prot. (Hollande et Angl.) se trouvant affaiblies, Louis XIV estime qu'elles ne sont plus en état de soutenir les huguenots fr. Il décide de rétablir l'unité religieuse du royaume (catholicisme gallican ; persécution aggravée). **1681** Poitou, début des *dragonnades* pour convertir les prot. par la force (les dragons du roi sont logés chez l'habitant) ; l'intendant René II de Marillac ayant obtenu 38 500 « conversions », les dragonnades sont étendues au Béarn (1682 : 22 000 conv.), puis généralisées (1685). **1682-85** plusieurs milliers de déclarations du roi, interprétant de façon restrictive les clauses de l'Édit de Nantes, notamment fermeture de temples [motifs invoqués : 1°) sermons séditieux. 2°) fréquentation par des « relaps » (prot. convertis fictivement au catholicisme). Il ne reste que 70 temples] ; interdiction de toute conversion de cath. au prot., ce qui rend impossibles les mariages mixtes, les prot. demandant la conversion du conjoint cath. ; interdiction aux cath. de servir chez des maîtres prot. (en 1683, 700 000 cath. servaient ainsi).

Régime de l'édit de Nantes. Les *Assemblées politiques,* interdites par l'Édit de Nantes (art. 83), sont tolérées de fait ; il y a des *synodes nationaux* (religieux) tous les ans de 1598 à 1626 (ensuite par intervalles : Charenton 1631, Alençon 1637, Charenton 1644, Loudun, XXIXe, 1659). Les pasteurs reçoivent de l'État en tout 48 000 écus. **Statistiques.** *Fidèles :* 274 000 familles (probablement 1 200 000 personnes) dont 2 468 nobles. Les 3/4 dans le Midi ; 1/10 en Normandie et Paris. *Pasteurs :* 800 ministres et 400 proposants (futurs pasteurs) ; admission à tous les emplois et charges ; *églises reconnues* 951 (2 par bailliage et sénéchaussée, en plus des places protestantes). *Députés généraux :* 2 nommés en 1601 auprès du roi (élus par le synode nat.). *Temples principaux :* Dieppe, Charenton, La Rochelle ; jugement par tribunaux mixtes (Paris, Castres, Nérac ou Bordeaux, Grenoble). *Places de sûreté :* 51 avec gouverneurs et soldats prot., payés par le roi, plus 80 places particulières, fiefs de nobles prot.

QUELQUES PLACES PROTESTANTES : Sedan (aux ducs de Bouillon). *Normandie :* Valognes, Carentan. *Champagne :* Rozay-en-Brie. *Île-de-France :* Houdan, Dourdan, Mantes, Essonne. *Bretagne :* Josselin et Pontivy (aux Rohan), Vitré (aux La Trémoille). *Pays de la Loire :* 10 dont Montcenis, Vezins, Château-Renaud, Saumur (siège d'une université). *Poitou :* 7 dont Talmont, Thouars, Loudun, Châtellerault. *Aunis-Saintonge :* 5 dont La Rochelle (république calviniste quasi indépendante), St-Jean-d'Angély, Royan. *Béarn :* 8 dont Orthez, Mauléon, Sauveterre, Oloron. *Basse-Guyenne :* 17 dont Castillon, Bergerac, Caumont. *Hte-Guyenne-Toulousain :* 30 dont Montauban, Figeac, Capdenac, Castres. *Bas-Languedoc-Cévennes :* 20 dont Marvejols, Sommières, Lunel, Nîmes, Montpellier. *Provence-Dauphiné :* 12 dont Die, Gap, Tallard, Serres, Embrun, Orange.

UNIVERSITÉS (« académies ») : *dates de fondation et de suppression :* Nîmes 1561-1664, Orthez 1566-1620, Orange 1573-1690, Sedan 1579-1681, Montpellier 1596-1627, Saumur 1598-1685, Montauban 1600-85, Die 1604-84.

■ **Révocation de l'édit de Nantes. 1685** expulsion des pasteurs. **Émigration** 250 000 (surtout de 1679 à 1700, mais se poursuit jusqu'en 1763). *Départs par régions (en %) :* Bassin parisien 50 ; Normandie, Dauphiné, Saintonge 40 ; Vivarais, Cévennes 10. *Recensés à l'étranger* (*pays du 2e Refuge*) : États-Unis 10 000 (en majorité : Caroline du S.), Suisse 22 000, Allemagne 30 000 (en 1870, 21 généraux all. sur 144 commandant des unités engagées en France portaient des noms à consonance française), Angleterre env. 40 000, Hollande 70 000 (40 % des pasteurs), autres pays 2 000 (dont Afr. du S. 97 familles), soit au total env. 170 000. Une régie des biens des fugitifs est instituée en 1690 (devenue 1790 Régie des Biens nationaux). Après la victoire protestante en Angleterre (1688), beaucoup profiteront pour partir d'un relâchement aux frontières dû aux hostilités. A Paris, à la fin 1685, 16 000 (sur 30 000) protestants partent, 7 300 se sont convertis [dont 300 notables (dont les banquiers Samuel Bernard, Crozat frères, Legendre Frères)]. En janv. 1686, il reste seulement 45 protestants déclarés, mais il y a de nombreuses fausses conversions et un culte clandestin.

■ **Traditions des chrétientés huguenotes.** *Temples anciens :* 4 plans : rectangulaire (Charenton), circulaire (Lyon), octogonal (La Rochelle), ovale (Dieppe). *Tenue des pasteurs :* semblable à celle des gens d'Église et de robe. *Titre officiel* « Fidèle ministre du St Évangile » (FMDSE). *Contraste avec les catholiques :* fréquentation du Temple (les Parisiens vont à Charenton) ; refus de tout divertissement le dimanche, de participer aux fêtes religieuses cath. (notamment de décorer les maisons en cas de procession), de prêter serment sur la Croix et de posséder un crucifix ; interdiction de la danse, des jeux (cartes, dés, tarots), de la mascarade. Comparution des coupables d'adultère ou de rixes devant le consistoire.

■ **Période du Désert (1685-1775).** Nom donné pour les protestants restés en France. **1702-04 g. des Camisards** dans les Cévennes (nom dérivé de Camisade : attaque nocturne où les assaillants portaient des chemises pour se reconnaître ; déclenchée par le meurtre d'un agent royal, l'abbé du Chayla), nombreuses tueries (ex. : par les insurgés de toute la population de Frayssinet de Fourques), g. animée par des inspirés (prophétisme), terminée en principe par un accord entre le maréchal de Villars et le chef camisard *Jean Cavalier* (1681-1740) qui deviendra finalement major dans l'armée angl. Plusieurs rebelles armés resteront en dissidence jusqu'au tr. d'Utrecht (1713), notamment *Pierre Laporte,* dit *Roland,* tué au combat [sa maison au hameau du *Mas Soubeyran* près de Mialet (Gard) a été aménagée en 1910 en *musée du Désert ;* le 1er dimanche de sept., un rassemblement organisé par la Sté de l'histoire du protestantime réunit env. 15 000 personnes (fr. ou étrangers, descendants de huguenots) ; on y honore : Marie Durand (1715-79, prisonnière à Aigues-Mortes de 1750 à 1768)], *Jean Cavalier, Esprit Séguier* (prophète). Ceux qui sont pris sont condamnés aux galères. **1709** soulèvement du Vivarais (échec). **1715** *1er Synode à Monoblet* (Gard) sous la direction d'Antoine Court [1695-1760 (pasteur 1718) : effort pour reconstituer l'Église]. **1716** le Régent interdit les assemblées (peine de mort pour les pasteurs, galères pour les participants, prison pour les participantes). **1726** Synode national (clandestin) de Vivarais-Dauphiné-Cévennes-Languedoc. **1742**-*16-9* le culte luthérien, interdit enFrance dep. 1521, est célébré pour la 1re fois en français dans la chapelle de l'ambassade de Suède (protégée par l'exterritorialité) où dep. 1626, se retrouvaient déjà des Pces scandinaves et allemands. **1759** Louis XV crée le Mérite militaire, pour les officiers prot. étrangers servant dans ses armées (All., Suédois, Suisses). **1762** exécution du pasteur Rochette et des 3 frères Grenier à Toulouse ; Jean Viala *dernier prot. à être condamné aux galères* (il y a en tout env. 4 000 galériens). *Affaire Calas :* Voir Index. **1764** à la suite du tr. de Paris avec l'Angl. (10-2-1763), fin des persécutions anti-protestantes (en échange de la liberté de culte pour les cath. canadiens). **1768** libération des dernières prisonnières de la tour de Constance. **1771** *dernier pasteur tué,* près de Meaux (P. Charmuzy). **1775** libération des 2 derniers galériens pour la foi : Riaille et Achard (30 ans de galères). **Protestants déclarés :** 593 000 (dont env. 400 000 « ouvertement » prot.).

■ **De 1783 à 1789. 1783** à la suite du tr. de Versailles avec Angl. et USA (3-9), Louis XVI promet de nouveaux avantages aux Prot. fr. **1785** La Fayette vient saluer officiellement à Nîmes le pasteur Paul Rabaut (1718-95) de la part de Washington ; il prend en main, avec Jefferson, amb. des USA, le dossier du protestantisme fr. **1786** *janv.* Rabaut Saint-Étienne (1743-94, guill.), fils de Paul Rabaut, vient à Versailles, invité par La Fayette : reçu par Malesherbes, garde des Sceaux, il est chargé de rédiger une nouvelle loi sur les prot. (avec l'avocat Gui Target). **1787,** *mai* La Fayette pose le problème prot. devant l'Assemblée des notables ; *nov.* il obtient (de Malesherbes) *l'édit de tolérance* (proclamé le 29-1-1788), rendant aux « non-catholiques » les *droits civils* (sans liberté du culte, sans accès aux charges). **1788** *mai* les *quakers* fr. se séparent des calvinistes.

■ **De 1789 à nos jours. 1789** *Déclaration des Droits de l'Homme et du Citoyen* [rendant l'égalité complète aux prot. (reconnus dep. 1788 comme « citoyens »)]. **1790** loi rendant automatiquement la nationalité française aux descendants d'émigrés huguenots désireux de revenir en Fr. [restée en vigueur jusqu'en 1945 ; Benjamin Constant (1767-1830) avait demandé à en bénéficier ; sa demande fut rejetée, sa famille ayant quitté la Picardie alors espagnole]. **1793** réunion de Montbéliard, ville et région à forte implantation luthérienne. **1798** annexion de Mulhouse.

1802 *Articles organiques* de la loi de germinal an X, organisant un régime légal pour les Églises luth. et réformées : pas de synode autorisé ; consistoires locaux (pour groupes de 3 000 à 6 000 âmes) et paroissiaux ; 1 consistoire général luth. **1806** la Suède étant entrée dans la coalition, culte luth. transféré de la chapelle de l'ambassade de Suède à celle du Danemark. **1809**-*26-11* culte luth. égl. des Billettes. **1817** 1re revue prot., *Archives du christianisme au XIXe s.* **1819** l'amiral Verhuell [(1764-1845) Holl. nat. fr. 1814] entre à la Chambre des Pairs : leader des prot. fr. **V. 1820-30** réveil religieux et fondation de nombreuses Stés bibliques [notamment *la Sté biblique prot.* (Paris, fin 1818), des sous-sociétés missionnaires, d'enseignement, de charité]. **1822** Verhuell fonde (accord entre la Sté des missions évangéliques et les Afrikaners) la mission du Basutoland. **1824** Georges Cuvier (1769-1832) nommé grand-maître des Facultés prot. **1828** Cuvier directeur des cultes non cath. au ministère de l'Intérieur. **1835** débuts en Fr. du prot. libéral [Athanase Coquerel (1795-1868) : fonde l'Alliance chrétienne universelle]. **1841** 1re Église baptiste de Fr. à Douai. **1843**-*25-6* égl. de la Rédemption, 2e égl. luth. à Paris. **1848** fondation à La Force (Dordogne) des asiles John Bost (vieillards, déficients, aliénés, etc.). **1849** Frédéric Monod (1794-1863) et Agénor de Gasparin (1810-71) fondent l'*Union des Églises évangéliques libres de Fr.* (séparées de l'État). **1852** fondation de l'*Église méthodiste* de Fr. Officialisation des « conseils presbytéraux » locaux (changement de nom des consistoires locaux de 1802) ; Guizot entre à celui de Paris. **1855** Guizot, Pt de la *Société biblique prot. ;* milite pour l'adoption d'une doctrine officielle. **1872** organise le XXXe synode nat. de l'Égl. réformée (le 1er depuis Loudun 1659) ; obtient la promulgation d'une doctrine off. Mais il y a scission entre orthodoxes et libéraux. **1881** 1re réunion en Fr. de l'*Armée du Salut.*

Personnalités protestantes

■ **Arts. Architectes :** plusieurs familles apparentées : *Androuet Du Cerceau, de Brosse, du Ry.* En outre, *Jacques Aleaume* († 1627), *Salomon de Caus* († 1626). **Arts décoratifs :** *Boulle*, ébénistes, et les *Gobelin*, tapissiers ; nombreux parmi les ouvriers tapissiers du fbg St-Marcel employés chez les Gobelin. **Graveur :** *Abraham Bosse* (1602-76). **Miniaturistes et émailleurs :** notamment *Jean Petitot* (1607-91), *Paul Le Prieur* (1620-?, exilé au Danemark). **Peintres :** *Jacob Bunel* (1558-1614), *Claude Vignon* (1593-1673), *Sébastien Bourdon* (1616-71) un des 7 prot. parmi les fondateurs de l'Académie de peinture en 1648 (réservée aux cath., 1681).

■ **Chefs militaires.** *Duc Henri de Rohan* [(1579-1638) gendre de Sully]. **Connétable :** *François de Lesdiguières* (1543-1626, abj. 1622). **Maréchaux :** *de La Force* (1558-1652), *de Gassion* (1609-47), *de Schomberg* (1615-90, devenu Anglais), *de Turenne* (1611-75, abj. 1668) ; les frères *Jacques-Henri de Durfort-Duras* (1626-1704) et *Guy de Duras-Lorge* (1630-1702), neveux de Turenne (de Lorge abjure 1668 ; un Duras devient Anglais : lord Feversham). **Chef d'escadre :** *Abraham Duquesne* (1610-88, non converti ; ses fils deviennent Suisses).

■ **Écrivains.** *Agrippa d'Aubigné* (1552-1630), grand-père de Mme de Maintenon, épouse de Louis XIV ; *Marie Bruneau*, dame des Loges (1585-1641), qui tient un salon d'intellectuels prot. rue de Tournon, exilée à Rochechouart après 1629 ; *Théophile de Viau* (1590-1626) poète ; *Pierre Jurieu* (1637-1713, exilé à Rotterdam) ; le pasteur *Claude* (1619-87, exilé à La Haye) ; *Pierre Bayle* (1647-1706, exilé à Rotterdam), auteur du *Dictionnaire historique et critique ; Claude Brousson* (1647-98, exécuté). **3 académiciens :** *Valentin Conrart* (1603-75) et *Marc-Antoine de Saint-Amant* (1594-1661) élus 1635, *Paul Pellisson* (1624-93 élu 1653, abjure 1670) [un 4e d'origine huguenote, *François de Boisrobert* (1589-1662), avait abjuré en 1621, 14 ans avant la création de l'Académie].

■ **Huguenots d'avant la Révocation (1610-85). Noblesse.** Pas de princes du sang après l'abjuration d'Henri de Condé (1599). **6 familles ducales :** *Bouillon*, princes de Sedan (abjurent 1637), *La Force* abjuration contestée à la Bastille (1685), *La Trémoille* (abjuration 1628), *Lesdiguières* (abj. 1622), *Rohan* (abj. 1684), *Sully*, princes d'Henrichemont (éteints 1641). **Autres grands seigneurs :** les *Châtillon-Coligny* (abjurent 1643), les marquis *de Ruvigny* (devenus Anglais). **Noblesse de robe :** *les Harlay, les Mesmes.*

■ **Quelques personnalités récentes.** *Frédéric Bazille* (1841-70). *Marc Boegner* (1881-1970), de l'Ac. fr. *Alain Bombard* (n. 1924). *Ferdinand Buisson* (1841-1932), prix Nobel de la Paix. *Jean Cavaillès* (1903-44), philosophe, résistant, fusillé. *Pierre Chaunu* (1923). *Maurice Couve de Murville* (1907), 1er min. (1968-69). *Gaston Doumergue* (1863-1937), seul Pt de la Rép. protestant. *Georgina Dufoix* (1943), min. 1984-86, 1988-92. *Jacques Ellul* (1912), prof. *Georges Fillioud* (1929), min. 1981-86. *Charles de Freycinet* (1828-1923), Pt du Conseil. *François Guizot* (1787-1874), min. et historien. *Lionel Jospin* (1937), 1er secr. du PS 1981-88, min. 1988. *Pierre Joxe* [1934 (fils de Louis)], min. 1981-82, 1986, 1988-93. *Catherine Lalumière* (1935), min. 1982-86. *Pierre Loti* (1850-1923), écrivain. *Louis Mermaz* (1931), Pt de l'Ass. nat. (1981-86), min. 1988-93. *Louis Mexandeau* (1931), min. 1983-86. *Jacques Monod* (1910), prix Nobel de Médecine 1967. *André Philip* (1902-70), min. entre 1943 et 1947. *Paul Ricœur* (1913), philosophe. *Michel Rocard* (1930), 1er min. 1988-91. *Yvette Roudy* (1929), min. 1981-86. *Albert Schweitzer* (1875-1965), Nobel de la Paix 1952. *Delphine Seyrig* (1932-90, actrice). *Catherine Trautmann* (1951), maire de Strasbourg. *William H. Waddington* (1826-94), Pt du Conseil.

■ **Élevés dans le protestantisme, puis détachés.** *André Gide* (1869-1951), Nobel de littér. *Roland Barthes* (1915-80), philosophe, créateur de la sémiologie. *Le Corbusier* (1887-1965), architecte.

■ **Nés dans une famille protestante.** *Jean-Paul Sartre* (1905-80), prix Nobel de litt. *Gaston Defferre* (1910-86), ministre 1981-86. *Jacques Soustelle* (1912-90), ministre 1958-60.

1904-06 fondation de la *Fédération protestante de France* (1re assemblée : 1909). **1905** séparation des Églises et de l'État (mesure anticath., atteignant aussi, indirectement, le prot.). **1938** réunion dans l'*Église réformée de France* de l'Union des Églises réformées évangéliques, de celle des Églises réformées (plus libérales) et d'une partie des Églises libres et méthodistes. **1942-45** résistance spirituelle et aide aux juifs persécutés. **1969** fondation de *la Fédération évangélique de France (FEF).* **1971** texte « Église et pouvoir » (prônant un réformisme hardi). **1985** tricentenaire de la Révocation de l'édit de Nantes. **1987** bicentenaire de l'édit de tolérance donné par Louis XVI. **1989** texte commun Fédération prot. de France – Ligue de l'Enseignement : « Pour un nouveau pacte laïque ».

■ Organisation

■ **Fédération protestante de France (FPF).** *Fondée* 1904-06 pour représenter les Églises prot. devant les pouvoirs publics et coordonner leur action dans le domaine moral et social. Son rôle s'est élargi depuis, à mesure que se développaient des activités communes aux Églises (cultes à la radio et à la télévision, service de presse BIP, aumônerie militaire et pénitentiaire, mouvements de jeunesse, œuvres diverses). *Pt:* pasteur Jacques Stewart (n. 24-7-1936). *Secr. gén. :* pasteur Louis Schweitzer (n. 2-4-1952). *Formée* de 15 Églises et Unions d'Églises et d'institutions, œuvres et mouvements protestants.

Église réformée de France (ERF). *Née* 1938 (regroupement des Églises évangéliques et libérales). *Membres :* 400 000. *Paroisses :* 475. *Pasteurs :* 460 (dont 40 femmes). *Pt :* pasteur Michel Bertrand (n. 5-3-1946), dep. 1992.

Église de la Confession d'Augsbourg d'Alsace et de Lorraine (ECAAL) (1802, 1852). Luthérienne et concordataire, fortement rurale. *Membres :* 230 000. *Pasteurs :* 208. *Pt :* pasteur Michel Hoeffel (n. 11-6-1935), dep. 1987.

Église réformée d'Alsace et de Lorraine (ERAL) (1895). Concordataire, regroupe les « réformés », (calvinistes). *Membres :* 42 000. *Pasteurs :* 52. *Pt :* pasteur Antoine Pfeiffer (n. 27-2-1940), dep. 1988.

Église évangélique luthérienne de France (EELF) (1872). Seule Égl. strictement francophone à représenter la tradition théologique luth. (2 « inspections », correspondant aux « évêchés » luth. : Paris et Montbéliard). *Membres :* 30 000. *Pasteurs :* 54. *Pt :* Jean-Michel Sturm (n. 9-5-1931), dep. 1988.

Églises réformées évangéliques indépendantes (EREI) (1948). Méridionales ; ont refusé en 1938 de faire partie de l'Égl. réformée. *Membres :* 12 000. *Pasteurs :* 31. *Pt :* pasteur Maurice Longeiret (n. 1927), dep. 1989.

Féd. des Églises évangéliques baptistes de France (FEEBF) (1914). *Membres :* 6 000. *Pasteurs :* 95. *Pt :* pasteur Robert Somerville (n. 7-7-1930), dep. 1986.

Mission populaire évangélique. *Créée* 1871 par le pasteur britannique Mac All dans les quartiers ouvriers de Belleville. *Membres :* 4 000. *Pasteurs :* 16. *Pt :* Marc Brunschweiler (n. 1950), dep. 1989.

Église apostolique (EA). Attentive au « renouveau charismatique » et « solidaire de toutes les Églises ». *Membres :* 1 000. *Pasteurs :* 11. *Pt :* pasteur Jacques Vavasseur (n. 1938), dep. 1980.

Mission évangélique des tziganes de France (METF). *Fondée* 1946 par le pasteur Clément Le Cossec. Rattachée à la FPF en 1974. *Membres :* 65 000. *Pasteurs :* 360. *Centre :* « Les Petites Brosses », 45500 Nevoy. + de 100 000 participants en Europe, Amér., Inde, dont 45 000 baptisés par immersion et + de 1 000 prédicateurs.

Églises pentecôtistes. Plusieurs petites églises (Égl. de Dieu en France, Union des Égl. évangéliques de réveil, etc.), rattachées dep. 1983. Non-rattachées : les Assemblées de Dieu. 687 lieux de culte dans 612 communes. 48 000 membres baptisés. 359 pasteurs.

■ **Organismes divers. Action missionnaire commune.** *CEVAA (Communauté évangélique d'action apostolique)* 12, rue de Miromesnil, 75008 Paris. Remplace dep. 1971 la Sté des missions évangéliques de Paris (SMEP, *fondée* 1822). Composée de 47 Églises : 5 réformées et luthériennes de France, groupées dans le *Département évangélique français d'action apostolique (DEFAP) ;* 7 réformées cantonales de la Suisse romande, groupées dans le *Département missionnaire romand (DM) ;* l'Égl. vaudoise d'Italie, celle du Río de la Plata (Uruguay, Argentine) et les Égl. évangéliques du Cameroun, du Gabon, du Lesotho, de N.-Calédonie, de Polynésie française et du Togo ; l'Union des Églises baptistes du Cameroun, l'Égl. unie de Zambie, l'Égl. de J.-C. à Madagascar, les Égl. méthodistes du Bénin, du Togo et de la Côte-

Nombre de protestants. *Vers 1670 :* 882 000, *1815 :* 472 000, *1851* (recens.) : 480 000 réformés et 267 000 luth., *1862 :* 589 000, *1895 :* 538 000, *1935 :* 402 000, *1955 :* 461 000, *1987 :* 950 000 (dont 140 000 non-membres : certains baptistes, pentecôtistes, méthodistes, mennonites, quakers, darbystes, évangélistes libres, adventistes et l'Armée du Salut). **Pratique** (1989). 10 %.

d'Ivoire et l'Égl. presbyt. du Mozambique. 16 Égl. de Suisse alémanique par la KEM (Coopération des Égl. et missions en Suisse allém.) ; l'Égl. protestante du Sénégal, l'Égl. du Christ-Roi à Bangui (Centrafrique), l'Égl. presbyt. de l'île Maurice et l'Égl. prot. de la Réunion sont membres associés.

Alliance évangélique française. *Fondée* 1846 à Londres. 1er mouvement œcuménique mondial érigé sur une déclaration de foi précise.

Centre protestant d'études et de documentation (CPED). 46, rue de Vaugirard, 75006 Paris.

Conseil permanent (24 membres). Rassemble depuis 1970 les 2 *Églises luthériennes* EELF et ECAAL, réunies en une Alliance nationale des Égl. luthériennes de France (1950)] et les 2 *Églises réformées* [de France (ERF) et d'Alsace et de Lorraine (ERAL) concordataire]. Assemblée des représentants des 4 Églises tous les 3 ans.

Étudiants protestants (Association). 46, rue de Vaugirard, 75006 Paris.

Facultés. De théologie protestante de l'université des Sciences humaines de Strasbourg *Créée* 1538. Prépare à 8 diplômes nation. et à 3 dipl. univ. **Théologie réformée** 33, avenue J.-Ferry, 13100 Aix-en-Prov.

Théologie évangélique 85, av. Cherbourg, 78740 Vaux-sur-Seine.

Institut protestant de théologie. Dépend de l'Égl. luthérienne de Fr. et de l'Égl. réformée de Fr. *2 facultés [Paris* (1er cycle : licence ; 3e : doctorat), 83, bd Arago, 75014 ; *Montpellier* (2e cycle : maîtrise ; 3e : doctorat), 13, rue Louis-Perrier, 34000]. *Bibliothèques :* Paris 60 000 vol., Montpellier 80 000.

■ **Fédération évangélique de France.** *Fondée* 1969 à Paris. Représente les Égl. évang. auprès des pouvoirs publics. Regroupe 219 unions d'Églises, Égl. indép., œuvres notamment : Alliances des Égl. chrétiennes missionnaires, des Égl. év. indépendantes, Union de l'Égl. év. méthodiste (voir p. 528 a), Égl. év. de la Guadeloupe, France-Mission, Unions des Égl. chrétiennes bibliques, des Égl. év. Chrischona, Assemblées év., Communautés év., Égl. prot. év., France pour Christ, Ligue biblique fr., Mission év. des Alpes fr. *Publications :* Annuaire év. (bisannuel) ; Info-FEF (trimestriel). *Lieux de culte :* 450. *Siège :* 40, rue des Réservoirs, 91330 Yerres. *Pt :* Gérard Dagon (n. 1936). *Secr. gén. :* Maurice Decker (n. 1945).

Société de l'histoire du protestantisme français (1852). Reconnue d'utilité publ. 1870. A créé la fête de la Réformation (le 1er dimanche d'oct.). *Musée. Bibliothèque* de 180 000 vol. et 12 000 mss. *Bulletin* trimestriel. 54, rue des Saints-Pères, 75007 Paris.

AUTRES ÉGLISES CHRÉTIENNES

ÉGLISE ANGLICANE

■ **Origine. 1532-33** le pape Clément VII (de Médicis) refuse l'annulation du mariage contracté en 1503 par le roi Henri VIII (12 ans) avec sa belle-sœur, Catherine d'Aragon (18 ans), veuve d'Arthur, prince de Galles. **1534** *acte de suprématie :* H. VIII, désireux d'épouser Anne Boleyn, soustrait l'Église d'Angl. à l'autorité du pape (en en devenant lui-même le chef) et fait annuler son mariage par l'archevêque de Cantorbéry, Thomas Cranmer (1489-1556 ; condamné au bûcher comme protestant par Marie Tudor). **1547** Édouard VI († 1553) roi. **1570** Pie V excommunie Élisabeth Ire. **1593** Richard Hooker (1553-1600) publie les lois de la politique ecclésiastique, qui créent la théologie de l'anglicanisme. **1618** Lancelot Andrewes (1555-1626), prédicateur et écrivain, devient évêque de Winchester (crée la littérature religieuse anglicane).

Nota. – L'anglicanisme a eu plusieurs martyrs, dont *William Laud,* archev. de Cantorbéry (n. 1573-décapité 10-1-1645), qui tenta d'imposer l'épiscopat aux Écossais et fut condamné à mort en 1644 pour avoir tenté d'abattre la religion protestante. Le roi *Charles Ier,* décapité en 1649, sur l'ordre du « Parlement croupion » dominé par les Puritains, est souvent considéré aussi comme martyr. *Thomas Wentworth,* Cte de Strafford, décapité en 1641, est plutôt considéré comme la victime d'un complot politique.

■ **Controverse sur l'annulation.** 1°) Cranmer l'a prononcée en invoquant l'impossibilité canonique d'épouser une belle-sœur (mais H. VIII avait obtenu de Rome les dispenses nécessaires). 2°) Le mariage pouvait être déclaré nul pour défaut de consentement, H. VIII ayant été marié d'office (mais tous les mariages princiers de l'époque se faisaient ainsi). 3°) Les annulations de mariages royaux étaient fréquentes, mais Clément VII craignait de se brouiller avec Charles Quint, neveu de Catherine. 4°) H. VIII convoitait les biens de l'Église d'Angl., notamment : abbayes et couvents.

■ **Clergé** (évêques, prêtres, diacres). Le clergé séculier n'est pas astreint au célibat. Les évêques, nommés par la Couronne sur proposition d'une commission ecclésiastique, prêtent hommage au souverain ; ils reçoivent de leur clergé le serment d'obéissance canonique. En dehors de l'Angl., évêques élus par l'Église. **Ordination des femmes.** *1978 (8-11),* le Synode général de l'Égl. d'Angl. s'y refuse (par 262 voix contre 246 et 3 abstentions), [mais certaines Égl. anglicanes (N.-Zélande, Canada, USA, Hong Kong, Ouganda, Kenya) le pratiquent]. *1981 (12-11),* le synode admet le principe de donner aux femmes le diaconat (ainsi que le titre de « Révérend »). *1984 (16-11),* par 307 voix contre 183, il autorise la préparation d'un texte législatif qui permettrait l'ordination des femmes [en protestant, 62 prêtres passent à l'Église romaine (épiscopaliens américains, mariés ou non)]. *1987 (26-2),* le syn. vote la mise en place d'une législation permettant cette ord. mais aucune ne doit avoir lieu avant 1991 (96 % des fidèles favorables, 69 % du clergé). Le même jour, l'arch. de Cantorbéry ordonne 15 diaconesses. L'év. anglican de Londres, Graham Leonard, envisage de fonder une Égl. anglicane dissidente. *1989 (11-2),* Barbara Harris (noire, divorcée, 58 ans), élue évêque le 25-9-88, est sacrée évêque à Boston (USA) dans l'Église épiscopalienne. Elle était une des 1 500 femmes ordonnées prêtres dep. 1978. *(7-11)* le syn. de l'Église d'Angl. se déclare favorable aux femmes-prêtres (décision définitive 1992). *1990 (17-5)* le syn. de l'Égl. d'Irlande admet l'ordination des femmes. 1re femme évêque diocésaine Pénélope Jamieson, N.-Zélande. **1992** *11-11* syn.de l'Église d'Angl. (par 384 voix contre 169). *21-11* le syn. de l'Église d'Australie admet l'ordination des femmes. 1 300 femmes diacres seront ordonnées prêtres à partir de 1994.

■ **Doctrine.** *Foi professée :* celle des Pères et des Conciles antérieurs à la séparation des Églises d'Orient et d'Occident. Sa formulation officielle se trouve dans le *Book of Common Prayer* (1549, plusieurs fois révisé), les *39 articles* (adoptés en 1562) et le *quadrilatère de Lambeth* (1888) qui insiste sur les points suivants : 1°) La Bible contient tout ce qui est nécessaire au salut. 2°) Les symboles des apôtres et de Nicée exposent l'essentiel de la doctrine. 3°) Il y a 2 sacrements essentiels : baptême et eucharistie, institués par le Christ (caractère sacramentel : confirmation, pénitence, ordre, mariage et onction des malades n'est pas nié). 4°) Les évêques anglicans sont les successeurs historiques des apôtres.

■ **Liturgie et culte.** Comporte traditionnellement 2 « ailes » : la *Haute Égl. (High Church),* où le cérémonial ressemble souvent à celui de l'Égl. cath. romaine, et la *Basse Égl. (Low Church)* où l'influence est surtout protestante. Une certaine unification s'était produite au XIXe s. [bien que plusieurs provinces (sur 27) aient créé leurs propres rites], car il existait un livre de la prière commune. Ce livre n'est plus utilisé et de nouvelles liturgies nationales et locales ont été créées. Mais l'unité anglicane a été maintenue grâce au respect de la tradition liturgique et de l'ordre traditionnel.

■ **Ordres religieux.** Supprimés au XVIe s., rétablis au XIXe s. Il en existe actuellement un grand nombre (franciscains, bénédictins, etc.).

■ **Organisation.** 29 Églises membres autonomes ou provinces dans plus de 160 pays (484 diocèses), admettant le principe de l'épiscopat et le gouvernement synodal représentatif.

1°) **Église d'Angleterre :** Church of England (2 *provinces :* Cantorbéry et York), gouvernée par le *Synode général* [présidé conjointement par archevêques d'York et de Cantorbéry, George Carey (n. 1936, entre en fonction le 19-4-1991)], connu sous le nom de « Convocations de Cantorbéry et d'York », réunit clergé et laïcs des 2 provinces en 3 « chambres » séparées : évêques (43), prêtres (250) et, dep. 1970, laïcs (250) qui peuvent et, dans certaines circonstances, doivent voter séparément (il doit alors y avoir majorité dans chaque chambre). Chaque chambre peut se réunir à son gré en dehors de la convocation générale. En Angl. le souverain est chef temporel de l'Égl. et le gouvernement participe à la nomination des archev., des év. et de certains autres dignitaires ecclésiastiques. Les décisions synodales sont soumises au vote des évêques, puis à celui du Parlement. Biens de l'église : fonciers : 63 133 ha. *Mobiliers :* 7 milliards de F (administrés par les Church Commissioners).

2°) **Églises autonomes :** à l'origine, l'Église d'Angl. s'implanta dans les territoires sous influence britannique. Aujourd'hui, l'ensemble est divisé en provinces ou Églises régionales (3 conseils régionaux : Asie de l'E., Pacifique S., Amér. du S.). *Pays* (outre l'Angl.) : Afr. centrale, Nigeria (1979), Afr. de l'O., Afr. du S., Amér. du S., Asie du S.-E., Australie (4 prov. dirigées par un Pt élu), Birmanie, Brésil, Canada (4 prov. ; primat élu par les évêques), Chine, Écosse, États-Unis (Église épiscopale, 9 prov.), « Indes occid. », Irlande (2 prov., gouvernement par les 2 archevêques assistés d'un Synode général et d'un Corps législatif représentant les diocèses), Japon, Jérusalem, Kenya, Philippines (hispanophone), Mélanésie, N.-Zél., Océan Indien, Ouganda, Ruanda-Burundi-Zaïre (francophone), Pacifique Sud, Papouasie-N.-Guinée, pays de Galles (6 diocèses, dirigés par un archevêque et une assemblée législative élue), Soudan, Sri Lanka, Tanzanie.

Nota. – Inde, Pakistan et Bangladesh ont créé des Égl. unies nationales qui ne sont plus anglicanes mais en communion avec les Égl. anglaises.

Conférences de Lambeth : réunissent tous les 10 ans, dep. 1867, les évêques des Églises anglicanes ; présidées par l'archevêque de Cantorbéry. A la dernière réunion à Cantorbéry, le 1-8-1988, 527 évêques dont 175 africains venant de 32 pays et 27 provinces ont voté (par 423 voix contre 28) un texte laissant libres les Égl. membres qui le souhaitent d'ordonner des femmes à l'épiscopat. **Conseil consultatif anglican :** réuni tous les 3 ans dep. 1971. *Adresse :* Partnership House, 157 Waterloo Road, Londres SE1 8UT. **Comité des Primats :** réunit tous les 2 ou 3 ans dep. 1979 les év. présidents de chaque Égl.

■ **Relations avec Rome. 1896** Léon XIII (bulle *Apostolicae Curae)* déclare nulles et non avenues les ordinations anglicanes parce qu'elles venaient d'évêques consacrés selon le rite introduit par Édouard VI en dehors de la continuité apostolique et de l'intention sacramentelle de l'Église. **1921-25** *conversations de Malines* menées par le cardinal Mercier et lord Halifax (1839-1934). **1962-65** Vatican II reconnaît à *l'Ecclesia Anglicana* une « place particulière » parmi les Égl. et communautés séparées de Rome par la Réforme, mais gardant en partie les structures et les traditions cath. **1966** *(24-3)* Paul VI reconnaît implicitement l'ordination du Dr Ramsey, archev. de Cantorbéry, en l'invitant à bénir la foule romaine. **1980** *(26-3)* le card. Hume, archev. de Westminster, assiste à l'intronisation du primat anglican, le Dr Robert Runcie (archev. de Cantorbéry). **1982** *(29-5)* Mgr Runcie reçoit Jean-Paul II dans la cath. de Cantorbéry. **1986** *(6-3) la lettre du card. Willebrands* (Pt du secrétariat romain pour l'Unité des chrétiens) dans *l'Osservatore Romano*, envisage la levée de l'invalidation des ordinations angl. *(17-6) la 2e lettre* condamnera l'éventuelle ordination des femmes. **1989** *(sept.)* Mgr Runcie déclare, avant de le rencontrer au Vatican, que le pape a une « primauté universelle ».

Commissions internationales romano-anglicanes (ARCIC). 1970-82 : 1re commission (20 membres, présidée par l'archev. anglican de Dublin et l'év. cath. d'East Anglia), étudie les divergences : autorité dans l'Égl., primat universel, dogmes mariaux, mariages mixtes, ordination des femmes, éthique sexuelle, divorce et divorcés remariés. **1988** la conférence de Lambeth reconnaît les déclarations communes sur la doctrine eucharistique, le ministère et l'ordination des prêtres « conformes en substance à l'esprit de l'anglicanisme », et les déclarations 1 et 2 sur l'autorité de l'Égl. sont accueillies comme « une base solide pour l'orientation du dialogue poursuivi. »

■ **Statistiques. Fidèles. Nombre d'anglicans et épiscopaliens** (en milliers, 1991). *Afrique :* Nigeria 3 900. Afr. du S. 2 400. Ouganda 2 200. Kenya 1 500. Tanzanie 1 000. Burundi, Rwanda, Zaïre 700. Afr. centr. 600. Soudan 400 à 2 500. Afr. occident. 135. Seychelles 83. *Amériques :* USA 2 433. Canada 2 600. Caraïbes 770. Amér. du S. 95 (dont Brésil 65). Bermudes 25. Cuba 7. *Asie :* Japon 58. Sri Lanka 55. Birmanie 42. *Jérusalem et Moyen-Orient :* 35. *Océanie : Hong Kong 28. Singapour 20. Europe :* Angleterre 25 000. Irlande 410. P.-de Galles 116. Écosse 60. France (est.) 5. Australie 3 724. N.-Zél. 200. Papouasie-N.-Guinée 184. Mélanésie 120. *Total* env. 70 000 (en majorité noirs dep. 1983). **Proportion des Anglais** *ayant reçu le baptême anglican* 57,9 %, *de couples ayant reçu le mariage anglican* 34,2 %. *Pratique dominicale* 2,7 %.

Prêtres (1983) env. 10 789 (dans le monde : 64 000, dont 2 000 *femmes,* 600 *évêques,* 430 *diocèses*). En Angleterre : *Ordinations annuelles* 331.

Ordination des femmes. Hong Kong et Macao : *1922* diaconat. *1944* Florence Tim Oi Li ordonnée prêtre. *1971* 2 femmes (1 Britannique, 1 Chinoise) ordonnées. **Canada :** dep. 1975. *1993* 164 femmes diacres et 158 prêtres (10 % du clergé). **États-Unis :** Égl. épiscopalienne dep. 1976. *1988* 1re femme évêque, Barbara Harris. *1992* 2e : Jane Dixon. *1993* 1 030 femmes prêtres, 800 diacres (12 % du clergé). **Nlle-Zélande :** dep. 1976. *1993* 120 femmes prêtres. Dep. 1989 Penelope Jamieson, 1re femme évêque titulaire. **Australie :** *1992 (7-3)* 10 diacres. *21-11* accord pour l'ordination sacerdotale ; 60 femmes ordonnées. **Afr. Australe :** *1992 (5-9)* l'archevêque Desmond Tutu ordonne 3 femmes. **Écosse :** *1993 (juin)* les anglicans se prononceront.

☞ **En France :** env. 5 000 fidèles. *Église St-Georges* 7, rue Auguste-Vacquerie, 75016 Paris ; recteur : Père Martin Draper. Dépendant du diocèse de l'Égl. d'Angl. en Europe. *Cathédrale de l'Égl. épiscopale américaine en Europe,* 23, av. George-V, 75008 Paris ; recteur : Père James Leo.

ADVENTISTES

■ **Origine. Milieu d'origine :** groupes protestants anabaptistes (voir p. 527 c). **XIXe s.,** regain de popularité, principalement auprès des croyants évangéliques. **1831,** le baptiste américain William Miller (1782-1849) annonce publiquement le retour de J.-C. **1843-44,** un mouvement interconfessionnel se constitue. **Après 1844,** il se divise en plusieurs groupes et tendances. **1863** le plus important devient l'Église adventiste du 7e jour. **1864** (6-6) M.B. Czechowski, ex-prêtre polonais réfugié aux USA débarque en Angleterre et organise des communautés chrétiennes en Italie puis en Suisse. **1877** (sept.) : 1re Église adventiste fondée en France (à Valence).

■ **Doctrines essentielles.** Divinité de J.-C., Trinité, autorité de la Bible, (écrite sous l'impulsion du Saint-Esprit) en matière de doctrine, salut par grâce et justification par la foi, baptême par immersion après confession de foi. Les adv. acceptent le primat de la Bible (*sola scriptura*) et la doctrine réformée de la justification par la foi (*sola fide, sola gratia*). Ils attendent le retour personnel et glorieux de J.-C., selon les promesses du Nouveau Testament.

L'Eglise adv. n'entend pas se substituer unilatéralement aux autres Eglises chrétiennes pour la proclamation de l'Evangile. Sa mission particulière : réhabiliter plusieurs éléments importants de la doctrine biblique laissés dans l'ombre.

■ **Particularités.** Sans avoir de crédo, les adv. professent cependant des croyances fondamentales. Ils acceptent les articles fondamentaux de la foi chrétienne tels qu'ils ont été énoncés par les 3 anciens symboles de l'Eglise (s. des apôtres, de Nicée-Constantinople, d'Athanase). 1°) *Sabbat :* Dieu a créé le monde en 6 j et s'est reposé le 7e (samedi). Le sabbat rappelle l'acte créateur de Dieu et la libération du péché, et annonce par anticipation le royaume de Dieu où le repos sera éternel. Le Christ-Jésus, créateur du monde, libérateur du péché et fondateur du royaume est le maître du sabbat. Le samedi est jour de culte. 2°) *Baptême :* décision de mener une vie nouvelle. Le baptisé exprime sa foi en la mort et en la résurrection du Christ et sa volonté d'être uni au corps du Christ qui est l'Église. Administré par immersion, réservé aux adultes ou adolescents. 3°) *Mort :* état où l'homme tout entier (esprit, âme et corps) demeure dans une inconscience totale jusqu'à la résurrection finale. Pas de culte des saints, ni de prière pour les morts. 4°) *Santé :* pour mieux servir Dieu et les hommes, les adv. s'appliquent à suivre les principes d'une hygiène de vie d'inspiration biblique et scientifique. Ils évitent de consommer drogues, tabac et alcool. 5°) *Retour du Christ :* seul espoir des croyants. Personne ne peut en fixer le moment. Toutefois, les signes précurseurs donnés par le Christ lui-même se réalisent rapidement. Ils confirment à la fois la proximité de ce retour et son caractère de surprise.

■ **Relations avec la société religieuse.** Les adventistes aspirent à l'unité des chrétiens, réalisée autour de l'Ecriture sainte et autour du Christ. Ils participent à des rencontres œcuméniques et interconfessionnelles (ABU : Alliance biblique universelle ; CCM : Communions chrétiennes mondiales ; Commission Foi et Constitution du COE, etc.).

■ **Organisation.** *Communautés locales* regroupées en *fédérations* qui se rassemblent en *Unions,* forment la *Conférence générale* (siège Washington ; pour l'Europe, Berne et Londres). L'*Église locale* est souveraine. Chaque responsable est élu ou réélu chaque année par l'assemblée des membres.

■ **Œuvres.** Nombreuses dont le « Plan de 5 jours » organisé par la ligue Vie et Santé pour cesser de fumer. Campagnes contre l'alcoolisme (méthode Atout 4), le stress, pour la diététique, le contrôle du poids, l'hygiène de vie.

■ **Statistiques.** *Sympathisants* adventistes 15 000 000. *Membres* adultes baptisés 6 861 398 (juin 1991), soit en moyenne 1 105 par jour en 1991. *Pays* couverts 190. *Pasteurs* 124 900 (licence, maîtrise ou doctorat en théologie). *Écoles* élém. et secondaires 5 262 ; d'infirmières 47. *Universités et collèges* 76. *Enseignants* 29 853. *Hôpitaux et cliniques* 490. *Avions et bateaux dispensaires* 26. *Maisons de retraite* 71. *Personnel médical* 57 411. *Centres de secours* 18 092. *Maisons d'édition* 58. *Périodiques* 582. *Stations de radio* 3 000. *Émissions TV* 2 133 (par semaine).

☞ **France** (1990). *Sympathisants adv.* 70 000. *Adultes baptisés* 44 298 (dont outre-mer 33 426, et métropole 10 872). *Églises* 143. **Pays francophones** 647 177 adultes baptisés.

1 maison de retraite, 2 écoles élém., 1 éc. secondaire, 1 faculté de théologie (Hte-Savoie), 1 institut d'étude de la Bible par corresp., 1 maison d'édition, 1 centre média de production et d'enreg., 8 radios locales, 4 périodiques, 1 fabrique de produits alim., 4 centres de jeunesse.

Sièges. *Union franco-belge ;* BP 7, 77350 Le Mée-sur-Seine. *Fédération France-Nord :* 130, bd de l'Hôpital, 75013 Paris. *Fr.-Sud :* rue du Romarin, Clapiers, 34170 Castelnau-le-Lez.

PETITE ÉGLISE

■ **Origine. 1801** signature du Concordat entre Napoléon Bonaparte et Pie VII. Sur 81 évêques non constitutionnels, émigrés en Angleterre, 38 refusent de démissionner en vertu de l'art. III du Concordat. **1803** *(6-4)* ils adressent au pape des « Réclamations ». **1814** 1re Restauration. Sur les 38 évêques, 16 survivent. 1 s'était soumis en 1812 (Mgr de Bovet), 14 vont se soumettre [dont, en 1816, Alexandre de Talleyrand-Périgord (grand-aumônier, archevêque de Reims, nommé cardinal) ; Mgr de La Fare (évêque de Nancy) ; Mgr de Coucy (1766-1824, évêque de La Rochelle, nommé archevêque de Reims) ; en 1818 Mgr de Brou de Vareilles (évêque de Gap)]. 1 ne se soumet pas : Mgr de Thémines (?-1829, évêque de Blois). **1814** *(17-8)* les prêtres de la Petite Égl. jurent de lui rester fidèles. 40 000 fidèles dont 25 000 à Lyon (3 % du diocèse) et quelques dizaines de prêtres dont l'abbé de La Roche-Aymon se révèlent anti-concordataires. **1820** *(27-9)* bref du pape qualifiant de « schisme manifeste » l'attitude de la Petite Égl. *(23-12)* Louis XVIII refuse la publication du bref. **1829** Mgr de Thémines meurt en Belgique. Il n'a jamais consenti à ordonner prêtres ou évêques qui auraient constitué un clergé schismatique. **1841** mort de l'abbé de Broglie qui lui a succédé comme chef spirituel. **1847** mort du dernier prêtre [l'abbé Ozouf aux Aubrais (Deux-Sèvres)]. **1857** *(20-5)* mort du laïc Philippe Texier (n. 1802). **1894** Joseph Bertrand (chef à Courlay dep. 1887, gendre de Phil. Texier) et Marius Duc (Pt de la chambre de commerce de Lyon) se soumettent. **1905** l'abolition du Concordat ne modifie pas la position de la Petite Égl. qui désire que Rome reconnaisse le bien-fondé des « Réclamations » de 1803. **1948-49** le pape autorise les membres qui veulent se soumettre à ne plus, désormais, faire abjuration ou déclaration de soumission, le baptême et le mariage faits par la Petite Égl. étant considérés comme valides. **1955** *(20-12)* Pie XII désigne 2 visiteurs apostoliques [Mgr Derouineau († 1973) pour la Petite Égl. du Poitou et Mgr Morel pour les Stevenistes (Petite Égl. de Belgique)]. **1965** *(26-3),* à N.-D. de la Pitié, à 10 km de Bressuire, pour la 1re fois, dep. 1847, 130 membres de la Petite Égl. acceptent de recevoir les sacrements (confession, communion, confirmation des enfants) des mains du clergé cath. Mais l'intervention des Lyonnais empêche un ralliement officiel et général, rendu encore plus difficile par les innovations de Vatican II.

■ **État actuel.** On appelle les fidèles de la Petite Église *Clémentins, Basniéristes* ou *Bétournés* en Normandie, *Louisets* en Bretagne, *Chambristes* ou *Enfarinés* dans le Rouergue, *Purs* à Montpellier, *Stévenistes* à Namur, *Filochois* en Touraine, *Dissidents* dans le Poitou, *Jansénistes* dans le Lyonnais (héritiers des adversaires de la *bulle Unigenitus*), *Blanchardistes* en Angleterre, à cause de l'abbé Pierre-Louis Blanchard (1758-1829), principal pamphlétaire des 400 prêtres anticoncordataires formant la « Petite Église » de Londres (leur nom de « Petite Église » a été donné par la suite à tous leurs partisans sur le continent). Ces 400 prêtres devinrent anglophones et desservants paroissiaux (le renouveau du catholicisme anglais au XIXe s. leur est dû en grande partie).

Implantation. Petite Église de France : *Poitou* 3 500 fidèles (743 familles), *Lyonnais* 400 fid. [83 fam. à Lyon, quelques-unes dans l'Ain et à St-Jean-de-Bonnefonds (Loire), 95 en S.-et-L. : St-Germain-en-Brionnais, St-Symphorien-les-Bois, Varennes-sous-Dun, St-Maurice-de-Châteaudun, Buffières, St-Julien-de-Civry, Génelard]. Ils ont chaque année un pèlerinage à Alise-Ste-Reine (C.-d'Or). **De Belgique :** une centaine de familles, quelques groupes à Paris, Marmande (L.-et-G.), Villedieu-les-Poêles (Manche), Nortes (B.-du-Rh.), St-Maximin (Var).

Clergé. Il n'y en a plus ; dep. 1849 un Conseil des Anciens dirige l'Église. **Livres religieux :** grand missel de 1787, catéchisme d'avant 1789. **Fêtes :** toutes les f. d'obligation d'avant 1789. **Jeûne :** vendredi et samedi, chaque semaine. **Carême :** sans viande (et semaine sainte : pas d'œufs). **Dimanche :** office de jour chanté en latin et français, sur l'autel sont disposés ornements de la fête du jour, calice et ciboire vides. **Baptême :** conféré par des laïcs. **Communion :** de désir (1re à 10 ans). **Mariage :** échange de consentement mutuel, cérémonie.

ÉGLISE VIEILLE-CATHOLIQUE

■ **Histoire. 1704** Pays-Bas ; regroupe des jansénistes : le pays, étant officiellement protestant, n'avait pas de hiérarchie cath. et le clergé cath., comprenant de nombreux réfractaires au formulaire antijanséniste, dépendait d'un vicaire apostolique envoyé par Rome. **1713** de nombreux prêtres cath. hollandais rejettent la bulle *Unigenitus.* **1724** *14-10* un évêque fr. janséniste, réfugié en Hollande, Dominique Varlet, consacre évêque l'un d'eux, Cornelius Steenhoven, qui prend le titre d'év. d'Utrecht (on disait alors *l'Église d'Utrecht* ou « *vieille-épiscopale* »). **1724-40** accueil des jansénistes venus de France. **1742** nouveau diocèse à *Haarlem.* **1757** à *Deventer.* **1763** *concile d'Utrecht.* **1871** congrès à Munich, autour d'Ignaz von Döllinger, des opposants à l'infaillibilité du pape, proclamée en 1870. **1873** l'abbé Reinkens, de Breslau, évêque des anti-infaillibilistes, se fait sacrer par l'év. de l'Église d'Utrecht. **1874** l'Église « vieille-catholique » (anti-infail.) se constitue en féd. d'Églises nat. autonomes : Allemagne, Suisse [« cath. chrétiens » (reconnus par le gouv. fédéral ; fac. de théologie intégrée à l'Univ. de Berne)], Autriche, Tchécoslov., Youg., Pologne, France. **1889** union officielle du clergé vieil-épiscopal et des Vieux-Cath. : l'év. d'Utrecht devient le Pt de la Conférence des év. de l'Union d'Utrecht (chaque Égl. étant autonome). **1907** fondation à Scranton (USA) de l'*Égl. cath. nationale polonaise* dirigée par un primat.

■ **Personnalités marquantes. Charles Loyson** (1827-1912), dit le Père Hyacinthe (ancien dominicain puis carme), il rompt avec l'Égl. romaine le 20-9-1869 et épouse en 1872 une Américaine, Emily Meriman, née Butterfield. N'ayant pu rejoindre, à cause de son mariage, l'Église d'Utrecht, il crée en 1879 une *« Église catholique gallicane »,* qui sera prise en charge par des év. anglicans jusqu'en 1890 ; puis s'efface en 1893 devant l'abbé Georges Volet pour permettre l'agrégation à l'Égl. de Hollande. A la fin de sa vie, il devient théiste ; un pasteur protestant sera présent à ses obsèques. **Julien Ernest Houssay** (abbé Julio) (1844/27-9-1912), prêtre séparé, se fait sacrer évêque en 1904 par Paolo Miraglia (év. de l'Église indépendante d'Italie) et devient chef de l'Égl. cath. libre de France. **Georges Volet** (1864-1915), ordonné prêtre en 1887 par Mgr Herzog (év. vieux-cath. de Berne) ; rattache en 1893 l'égl. gallicane de Paris aux Vieux-Cath. hollandais, il édite de 1891 à sa mort un mensuel, *le Catholique français.* **Jean-Joseph Van Thiel** (1843-1912), Hollandais, vicaire épiscopal de l'Égl. gallicane en 1893, év. de Haarlem 1906. **Paul Fatome** (1881-1950), ordonné prêtre par Mgr Herzog en 1905, fonde la paroisse vieille-cath. de Nantes en 1910 et la dirige jusqu'en 1936 ; en 1938, n'ayant pu obtenir d'Utrecht la consécration épiscopale, il l'obtient de l'év. mariavite polonais Kowalski, rompant ainsi avec Utrecht. **Abbé Eugène Michaud** (1839-1917) vicaire de la Madeleine à Paris ; rallié aux vieux-cath. en 1870 ; fonde en Suisse la Faculté de théologie vieille-cath. à Berne et la « Revue intern. de théologie » (actuellement « Internationale Kirchliche Zeitschrift », IKZ, publiée par la Fac. de Théologie de Berne). **Joseph-René Vilatte** (1854-1929), voir p. 534 a, Égl. vilattienne.

☞ **Désaccord avec la doctrine catholique romaine.** Prépondérance du concile sur le pape ; refus des dogmes de l'infaillibilité du pape et de son magistère universel, de l'Immaculée Conception et de l'Assomption, de la doctrine du « sacrifice » de la messe ; droit au mariage des prêtres (dep. 1922) ; en All. féd., dep. mai 1989, droit à la prêtrise des femmes. Sur certains points de discipline ecclésiastique (par ex. les langues liturgiques), les doctrines se sont rapprochées. Un observateur vieux-cathol. a assisté à Vatican II. Rapports œcuméniques officiels et officieux avec l'Égl. romaine.

■ Rapports avec différentes Églises chrétiennes. Pleine communion avec les anglicans dep. 1931 (participation aux Conférences de Lambeth). Intercommunion avec l'Égl. cath. nationale des Philippines, l'Égl. cath. réformée d'Espagne et l'Égl. Lusitania du Portugal. *Avec orthodoxes :* reconnaissent partager une foi commune.

Nombre (1989) : USA 250 000. Pologne 50 000. Autriche 30 000. All. féd. 20 000. Suisse 16 000. Hollande 9 000. Youg. 8 000. Canada 7 000. Tchéc. 4 000. All. dém. 2 000. *France 1 500.*

■ Organisation épiscopo-synodale. **Diocèses :** 3 hollandais, 5 amér., 1 suisse (Berne), 1 allem. (Bonn), 1 autr. (Vienne), 1 tchéc. (Prague), 1 pol. (Varsovie). **Paroisses :** 616.

France [mission vieille-all. en Fr. (union d'Utrecht)] placée, dep. le 1-5-1893, sous la juridiction directe de l'arch. d'Utrecht (il y a 4 prêtres mais aucun évêque). *Centres permanents :* Paris 9e (15, rue de Douai), Lyon, Haguenau, Annecy, Rouen.

Joseph-Antoine BOULLAN [(1824-† 1893 sans doute assassiné), prêtre de la Congr. du Précieux-Sang, condamné par Rome en 1867, puis en 1870, pour ésotérisme ; quitte l'Église cath. en 1875 et fonde à Lyon une communauté anti-infaillibiliste sans lien avec Utrecht. Ses écrits ont été remis au romancier cath. Joris-Karl Huysmans, qui dans *Là-bas* en a fait le « docteur Johannès »].

ÉGLISE VIEILLE-CATHOLIQUE MARIAVITE DE POLOGNE

Nom. Vient de *Mariae Vita* (la vie de Marie). Spiritualité centrée sur l'Eucharistie. Origine. *Père Honorat Kozminski,* frère mineur capucin [(1829-1916), béatifié le 6-10-1988 par Jean-Paul II], qui fonda dans la Pologne (alors occupée par la Russie), de nombreuses autres congrégations ; mais la papauté, suspicieuse, reconnut avec réticence cette Église (le démit de ses fonctions). **V. 1886** la *Mère Marie-Françoise Koslowska* fonde une communauté contemplative sous la règle de St-François. **V. 1893** fonde une congr. de Prêtres mariavites qui se donnent la règle de St-François pour modèle. Tous étaient d'anciens élèves de l'académie ecclésiastique de St-Pétersbourg (seule faculté de théologie cath. autorisée en Russie). **1903** persécution par des Év. polonais (à cause de leur désir de réforme de l'Église et du Clergé). Prêtres, religieuses et env. 44 000 adultes laïcs fondent l'Égl. mariavite ; mais l'Égl. romaine avec l'aide des autorités administratives, de l'armée, de la police confisque leurs biens. **1906** les Mariavites construisent de nouvelles égl., maisons religieuses. **1909** l'Égl. mariavite est reçue dans l'Union d'Utrecht (des Égl. vieilles-cath.), le supérieur général devenant l'Év.-Primat de l'Égl. **1924** retrait de l'union d'Utrecht. **1935** réforme et retour aux sources du mouvement ; dissidence de Felicjanow. **1972** *6-8* biens repris avec l'u. d'Utrecht. **Siège :** Plock (Pologne). **Évêque-primat :** Mgr Tymoteusz Kowalski dep. 6-8-1972. Membre du COE. **Province de France.** Érigée 1989, Mgr Alain Fraysse (consacré 2-2-1992). *Siège :* Paroisse [St-Jean, St-Étienne, 43, av. du 8-Mai-1945, Sarcelles (Val-d'Oise) 95200. **Statistiques.** *Fidèles : 1921 :* env. 120 000, *1990 :* 25 000.

ÉGLISES ORIENTALES NON CHALCÉDONIENNES

■ Coptes. Déformation arabe du mot grec *aiguptios,* « égyptien ». Les coptes ont rompu avec le patriarcat de Byzance, à l'occasion du concile de Chalcédoine (451) ; mais il s'agissait de politique ecclésiastique plus que de doctrine. *Langue liturgique* dérivée de la langue parlée à l'époque pharaonique, mais écrite en caractères grecs. **Égypte :** Église patriarcale distincte des patriarcats coptes-catholiques et grecs-orthodoxes d'Alexandrie. *Patriarche* d'Alexandrie et de toute l'Afrique : Chenouda III. *Fidèles :* env. 13 000 000. **Éthiopie** Égl. autocéphale depuis 1951 ; *langue liturgique :* ghéez : *fidèles :* 14 000 000. *Chef :* Aba Melaku Woldie-Michael, sous le nom d'Abouna Tikle Haimanot. [a rencontré à Rome Jean-Paul II en 1981 (1re rencontre pape-Abouna dep. 15 siècles).] **Soudan :** 60 000. **Jérusalem, USA :** petites communautés. **France :** un év., Mgr Markos, résidant à Toulon ; un prêtre, le P. Girgis Luka Iskander (Égyptien) pour Paris (1 500 fidèles).

■ Arméniens. Église apostolique, fondée selon la tradition par les apôtres *St Thaddée* (martyrisé en 50, tombeau vénéré à Ardaze) et *St Barthélemy* (martyre 68, tombeau à Caschkolé). Appelée aussi Égl. grégorienne : son 1er évêque attesté par les historiens fut St Grégoire l'Illuminateur, sous Tiridate (261-317). *374* se déclare autonome. *505,* puis *554,* les évêques arm., réunis en concile à Dvin, rejetèrent les définitions du concile de Chalcédoine sur les 2 natures du Christ ; l'Église arm. fut alors considérée comme monophysite par les orthodoxes byzantins (et plus tard par les latins), alors qu'elle rejetait la doctrine d'Eutychès. **Rite :** variante du rite byzantin. *Fidèles :* env. 2 000 000.

Catholicosats arméniens indépendants : 1°) **Etchmiadzine** (Arménie) *Catholicos et Chef suprême de tous les Arm.* Sa Sainteté Vazken Ier ; en dépendent un patriarcat à Istanbul et un à Jérusalem. *France* Mgr Kude Naccachian (cathédrale : 15, rue Jean-Goujon, 75008 Paris), archevêque « délégué apostolique pour l'Europe occid. ». 2°) **Antélias** (Liban) *Catholicos de la Grande Maison de Cilicie* Sa Sainteté Karekine II.

ÉGLISES SYRIENNES

■ Occidentale (syriaque). **Origine :** héritière de l'Église jacobite de Syrie (fondée par Jacques Baradaï, VIe s., ordonné clandestinement à Constantinople en 542). *VIIIe s.* prend parti pour les conquérants arabes contre les Byzantins. *Jusqu'au XVIe s.* protection musulmane : 20 métropoles, 103 évêques. *1783* affaiblis par la création des Syriens uniates. Liturgie en araméen occidental (dialecte d'Édesse). **Patriarche :** S.B. Eiwas Zakka (dep. 1980) Homs-Damas, résidant à Damas dep. 1959. **Fidèles :** *Syrie* 50 000 (2 diocèses), *Irak* 30 000 (plusieurs diocèses). *USA* 60 000, *Inde* (Égl. syro-malankare) 1 000 000 (12 diocèses).

■ Orientales (souriennes). **Langue liturgique :** en araméen ou syriaque oriental (dialecte de Nisibe et d'Edesse). Appelées longtemps « *nestoriennes* », elles ont rejeté en 1976 cette appellation, jugée injurieuse ; certaines ont choisi le nom d'« *assyriennes* », qui était, depuis le XIXe s. celui des Églises protestantes issues de leur sein. Le cas de Nestorius avait déjà été abordé au concile de Chalcédoine, auquel il n'a pas participé, étant sans doute malade. L'Église d'Orient mésopotamien, devenue nestorienne après le concile d'Ephèse, a fondé des Égl. prospères dans toute l'Asie, jusqu'au Tibet et en Chine. Quelques-unes ont subsisté au Kurdistan, en Mésopotamie, Iran et Turquie. **Patriarcat :** jusqu'en 1976, héréditaire d'oncle à neveu dans la famille des Ishaï [le patriarche portait le titre de Mar Ishaï Shimoun (Simon) : le dernier (Mar Shimoun XXIII) a démissionné en 1973 et a été assassiné à San Francisco en 1977]. Le 17-10-1976 l'év. métropolite d'Iran, Khanania Denkha (n. 1935), a pris (en G.-B.) le titre de Patriarche de l'Église assyrienne d'Orient (siège à Chicago : Séleucie-Ctésiphon) et le nom de Mar Denkha IV. Mais de nombreux Mésopotamiens chrétiens demeurés en Irak se sont ralliés en 1968 à un patriarche dissident, Mar Thomas Darmo († 1969). *Patriarche actuel (Bagdad) :* Mar Addaï II.

ÉGLISE IRVINGIENNE

Nom officiel. *Égl. irvingienne.* égl. cath. apostolique. Origine. **1835** fondée par des disciples du théologien (protestant) écossais Edward Irving (1792-1834). Pasteur de l'Église calédonienne, apôtre des classes laborieuses, devenu vers 1827 disciple du philosophe Samuel Coleridge, il prêchait un christianisme mystique, teinté d'ésotérisme. Dans plusieurs paroisses écossaises, des disciples d'Irving se présentèrent comme des prophètes inspirés par l'Esprit. Irving fut exclu de sa paroisse de Londres en 1832, et condamné comme hérétique en 1833, mais en 1834, il fut réordonné comme « chef pasteur de l'Église assemblée Newman Street ».

ÉGLISE NÉO-APOSTOLIQUE

■ Origine. L'Église cath. apostolique n'ayant pas prévu le remplacement des apôtres décédés, le mouvement se poursuivit en prenant sa forme définitive avec l'appel de nouveaux apôtres en 1863. Il se développa d'abord et surtout en Allemagne et en Hollande. **Doctrine.** Se considère comme la vraie Égl. instituée par J.-C. *Sacrements :* 3 comme au temps des 1ers apôtres : Baptême, Saint Scellé (dispensation du St-Esprit par l'imposition des mains et la prière d'un apôtre), Cène. *Principaux enseignements :* plan de salut divin (salut de l'humanité déchue) ; incarnation de Dieu en Jésus, son fils ; mission confiée aux apôtres ; retour du Christ ; règne millénaire de paix ; Jugement dernier ; communion éternelle des rachetés avec Dieu.

■ Organisation. *Siège :* Zurich (Suisse). *Apôtre-patriarche* statuant en dernier ressort sur toutes les questions religieuses. *Communautés :* chacune est confiée à un conducteur (évêque, berger, évangéliste et prêtre). Assisté de diacres et sous-diacres. Les serviteurs sont des laïcs n'ayant pas fait d'études théologiques. *Apôtre de district de France :* Robert Higelin, 140, route de Lorry, 57000 Metz.

■ Effectifs. *1930 :* 200 000. *1975 :* 1 000 000. *1992 :* 7 000 000.

ÉGLISE VIVANTE (ÉGLISE RÉNOVÉE)

■ Origine. **1917** formée par l'aile épiscopale progressiste du concile panrusse. **1922** le patriarche Tikhon lui remet ses pouvoirs. **1923** convoque à Moscou un nouveau concile panrusse, sur lequel s'appuient son statut canonique et ses réformes ecclésiastiques (retour aux évêques mariés), liturgiques, etc. **1924** le patriarcat de Constantinople la déclare « seule autorité religieuse légitime en URSS ». **1943** politiquement progressiste, elle est jugée évangélisatrice et Staline lui préfère la traditionnelle Église patriarcale qui la déclare schismatique et la prive de ses églises et chapelles. **1945** survit en URSS et s'étend après en Serbie, Bulgarie..., pays gréco-orthodoxes non socialistes, en Europe occ. et en Amérique. **1977** supprimée en URSS.

■ Statut. N'est pas reconnue comme Égl. orthodoxe par les autres Égl. *Titre officiel en France, dep. 1977 :* Aumônerie des chrétiens orthodoxes relevant du concile général de Moscou de 1923 (plus de hiérarchie organisée). Dépend pour les autres pays d'un synode à Beyrouth (son Pt, Mgr Kyrill Markovitch, a été tué au cours de la guerre civile de 1976).

■ Effectifs *1943 :* 17 000 000. *1982 :* Europe de l'E. 1 500 000, de l'O. 50 000, Grèce et pays libres gréco-orthod. 10 000, Amér. 10 000, divers 3 000.

ÉGLISE KIMBANGUISTE

■ Nom officiel. Égl. de Jésus-Christ sur Terre par Son Envoyé spécial Simon Kimbangu (EJCSK).

■ Origine. **1921** *(6-4)* fondée au Zaïre par Simon Kimbangu (1887-1951) catéchiste et prédicateur baptiste. Dans son village natal de Nkamba devenu Nkamba-Jérusalem, il annonce le retour du Christ sur terre. Condamné à mort par un conseil de guerre belge le 3-10-1921, gracié par le roi Albert, emprisonné 30 ans (mort en prison ; ses disciples le considèrent comme un martyr). **1959** *(24-12) :* statut légal. **Doctrine :** la Bible est l'unique livre d'autorité. **1969** *(16-8) :* admise au Conseil œcuménique des Églises. **Père spirituel :** Diangienda Kutima (n. 22-3-1918, fils de Simon Kimbangu). *Sacrements :* 4 (baptême, cène avec un gâteau et du miel, ordination, mariage). La confession et l'imposition des mains sont pratiquées sans être considérées comme sacrements. *Prescriptions :* vie austère sans alcool ni tabac, monogamie. **Activités** agricoles enseignantes et médicales. **Fêtes liturgiques.** 25-12 : Noël ; 6-4 : anniv. de la fondation de l'Église (1921) ; 12-10 : ann. de la mort de Simon Kimbangu ; Pâques.

■ Effectifs (1991). 6 227 512, dont 4 950 000 au Zaïre (Congo, Zambie, Ruanda, Burundi, Rép. centrafr., Gabon, Angola ; France, Espagne, Portugal). **Diaspora.** Paroisses tolérées : Suisse, Canada, G.-B., Allem., P.-Bas, Suède, USA.

MOUVEMENT DIT DES FRÈRES

■ Origine. **Vers 1827,** à Dublin, quelques chrétiens (y compris catholiques) redécouvrent que la Personne de J.-C. est le seul véritable lien d'unité entre eux, au-dessus de toute appartenance ecclésiale. Ils l'affirment en se réunissant pour partager le pain et le vin (le « Repas du Seigneur ») sans la présence ou même l'autorisation du clergé. Le mouvement s'étend ; les « assemblées » se multiplient, principalement en G.-B. (les plus nombreuses sont celles de Plymouth et de Bristol) et en Suisse où le mouvement rejoint le réveil dit « de Genève » (né 1817). **1847,** John Nelson Darby, pasteur anglican, entraîne nombre d'assemblées à la pratique d'une stricte discipline, touchant surtout la doctrine. Il les amène à rompre toute relation avec celles qui ne la pratiquent pas (d'où leur nom d'« **exclusifs** »).

■ Organisation. Pas de clergé. Chaque assemblée locale (dirigée par des anciens) s'autodétermine et se réunit chaque dimanche pour le « culte d'adoration », avec partage du pain et du vin (Sainte Cène) et participation de chacun par la prière, le chant, la lecture ou l'exhortation. En fonction des besoins, certaines assemblées ont créé des groupes de coordination au plan régional ou national, pour administrer les œuvres faites en commun (éditions, œuvres sociales ou de jeunesse, action missionnaire, soutien mutuel...). Tendance évangélique (autorité de la Bible, divinité de J.-C., salut éternel gratuit reçu par la foi en J.-C., attente de son retour).

■ **Frères exclusifs.** *Périodique :* « Le Messager évangélique », Vevey (Suisse) ; 30, rue Châteauvert, 26000 Valence.

■ **Frères larges.** CAEF (Communautés et Assemblées Évangéliques de France). *Périodique :* « Servir en l'attendant », 31, rue Robert-Schuman, 69960 Corbas, AESR (Assemblées évangéliques de Suisse romande). *Périodique :* « Semailles et Moisson », Case postale 73, CH 1247 Anières (Genève, Suisse). **Membres :** 2 à 3 millions dans env. 40 pays dont Roumanie 150 000, G.-B. 100 000, *France :* 4 000, 400 églises en Inde et 250 au Pakistan.

Église du Christ scientiste (Christian Science)

■ **Origine.** *Fondée* 1879 aux États-Unis par Mary Baker-Eddy (1821-1910) dont le livre « Science et Santé, avec la clef des Écritures » contient les articles de foi. **Doctrine.** Dieu est le Principe divin de tout ce qui existe réellement. Le Christ rachète l'homme du péché, de la maladie et de la mort, indiquant ainsi leur irréalité. Quand la loi les y autorise, les scientistes chrétiens préfèrent s'appuyer uniquement sur les moyens spirituels pour le traitement des maladies.

■ **Organisation.** *Église Mère* à Boston (administrée par le Conseil des directeurs de la Sc. Chrétienne de 5 m. cooptés). *Filiales :* env. 3 000 dans 68 pays (dont USA 2 300, G.-B. 250) organisées en Églises ou Stés de la Science chrétienne. Église de laïcs (il n'y a pas de clergé, les services sont conduits par des lecteurs élus). Service le dimanche. Réunion le mercredi. *Presse,* « The Christian Science Monitor » (quotidien, 100 000 ex., hebdo. 50 000 ex., mens. 230 000 ex.), 4 périodiques en 16 langues. **En France :** *fondée* 1898 ; *adresse :* 66, rue La Boétie, 75008 Paris. *Églises :* 15.

Mouvements chrétiens libres

Quakers (Société religieuse des Amis)

■ **Origine.** **V. 1650** mouvement *fondé* par George Fox (1624-91) en G.-B., également illustré par William Penn, fondateur de la Pennsylvanie aux USA [*Quaker,* « trembleur » : surnom ironique donné en 1650 à Fox et à ses 1ers compagnons (qui parlaient de « trembler » devant Dieu) par le juge Gervase Bennett, adopté ensuite par les Amis]. **1702** à l'occasion de la guerre des Camisards, naissance, en France, du mouv. des « Inspirés » ou « Prophètes » ou « Gonfleurs », dans la Vaunage (canton de Congénies), à l'ouest de Nîmes. **1785** Jean de Marcillac, chef des Inspirés de la Vaunage, prend contact avec les quakers angl., qui reconnaissent les liens de fraternité. **1788** *(27-1)* les Gonfleurs sont mentionnés implicitement dans l'édit de tolérance (« ceux qui ne reconnaissent pas la nécessité du baptême ») ; *mai* 7 quakers anglo-amér. créent à Congénies la Sté des « Amis » ou « Trembleurs » français.

■ **Organisation.** Association religieuse libre sans profession de foi, sacrements, ni clergé, fondée sur la recherche dans la méditation de l'esprit apporté par le Christ et éclairé par la « Lumière intérieure ». Accent mis sur : valeur du silence en particulier dans le culte, fraternité, intégrité, tolérance, non-violence (qui mène à l'objection de conscience), réconciliation et paix, aide aux victimes (guerre, autres fléaux).

■ **Effectifs.** 221 000 dont G.-B. 20 000, USA 110 000 env. et petits groupes en Europe [France : Béziers, Nice, Marseille ; personnage célèbre : Marius Grout (Goncourt 1942)], Asie, Afrique et Australie.

■ **Adresses.** *Société religieuse des Amis (Quakers),* Assemblée de France et Centre quaker international, 114, rue de Vaugirard, 75006 Paris. *Comité consultatif mondial des Amis,* FWCC World Office, 4 Byng Place, Londres WC1E7J4, Grande-Bretagne.

Témoins de Jéhovah

■ **Nom.** Tiré d'un passage biblique (Isaïe 43:10) selon lequel les serviteurs de Dieu sont ses témoins. Adopté en 1931 (avant, connus sous le nom d'« Étudiants de la Bible »).

■ **Origine.** **1870** Charles Taze Russell (1852-1916) entreprend l'étude de la Bible avec quelques associés (Pennsylvanie, USA). **1877** le livre *Les Trois Mondes* identifie la date de 1914 à celle de la fin des « temps des Gentils » mentionnée par Jésus, commencés en 607 av. J.-C. avec la prise de Jérusalem par Nabuchodonosor. **1879** 1er numéro de *La Tour de Garde* destiné à favoriser l'étude et l'enseignement de la Bible. **1933-45** en Allemagne, témoins emprisonnés pour refus du nazisme : env. 10 000 (soit 1 sur 2). Plusieurs milliers meurent dans les camps de concentration.

■ **Croyances.** Fondées sur la Bible. Croient en un Dieu unique, le Père, Jéhovah, Créateur de toutes choses. Son Fils fut créé esprit et devint plus tard l'homme Jésus. L'Esprit saint est la force active invisible de Dieu. Rejettent l'immortalité de l'âme et les supplices éternels. Pensent que les événements survenus depuis 1914 accomplissent les prophéties de Jésus sur le « temps de la fin » consignées dans les Évangiles. Croient à une intervention divine prochaine qui fera disparaître la méchanceté de la Terre, après quoi survivants et ressuscités transformeront notre planète en Paradis, selon le dessein originel de Dieu. L'immense majorité des humains seront ressuscités sur Terre. Un petit nombre est appelé à régner au ciel avec Jésus. Les témoins prêchent de maison en maison (en France, une dizaine d'heures par mois). Œuvre financée par des offrandes volontaires. Pas de hiérarchie, pas de quête. **Principes.** Ceux du christianisme. S'appliquent à garder un haut niveau de moralité. Rejettent drogue, tabac, avortement. Suivent le principe mentionné dans le livre des Actes (15 : 29) demandant de s'abstenir de sang (refusent viandes non saignées, transfusions).

■ **Organisation. Siège.** *International :* Brooklyn à New York. *En France :* 81, rue du Point-du-Jour, 92100 Boulogne-Billancourt. **Témoins.** *1945 :* 127 000 (dont 1 700 en France) ; *1992 :* 4 313 871 répartis dans 67 227 congrégations, dans 229 pays dont (1992, nombre maximal), USA 904 963, Mexique 354 023, Brésil 335 039, Japon 171 438, *France* 119 674 (1 565 congrégations), Belgique 26 554, Suisse 17 674. **Publications (bimens.).** « La Tour de Garde », 15 570 000 ex. en 112 langues ; « Réveillez-vous ! », 13 110 000 ex. en 67 langues.

Amis de l'Homme

Origine. *Fondé* 1916 sous le nom d'« Anges de l'Éternel », par Alexandre Freytag (Suisse, 1870-1947). **Doctrine.** Chrétienne préconisant le changement du caractère par la pratique de l'Évangile. **Siège.** *Mondial :* le Château, route de Vallière 27, CH 1236 Cartigny (Genève), Suisse. *France :* 22, rue David-d'Angers, 75019 Paris. **Stations.** *En Suisse, France* [« La Nouvelle Terre », Oraison (Alpes-de-Hte-Pr.), « Château de la Prospérité » à Méthamis, station de Draveil], *Allem., Belgique* dep. 1925. **Journaux.** « Moniteur du Règne de la Justice » (96 000 ex., bimensuel, en 7 langues), « Journal pour tous » (hebdo.).

Unitariens

■ **Origine.** **1531** Michel Servet (1511-53, exécuté par le feu) publie à Haguenau un pamphlet antitrinitariste, *De Trinitatis erroribus.* **1579** Lelio et Fausto Sozzini, disciples de Servet, fondent l'Égl. « socinienne » (voir p. 487 c) *des Frères Polonais* (unicité de Dieu, non-divinité de Jésus-Christ). **Fin XVIe s.** leur doctrine s'implante en Transylvanie [région de Cluj (une Égl. subsiste actuellement)]. **1654** John Biddle (1615-62), fondateur de l'Unitarisme anglais est emprisonné par les Anglicans. **1750** James Relly (1720-78) prêche à Londres une doctrine voisine, *l'Universalisme.* **1770** le 1er prédicant universaliste, John Murray, débarque aux USA. **1774** Théophile Lindsey (1723-1808) crée à Londres la 1re congrég. unit., détachée de l'Égl. anglicane. Autres prédicants unit. de l'époque en Angl. et aux USA : Joseph Priestley (1733-1804), William Channing (1780-1842) ; leur théologie est celle de Biddle, plus le libéralisme (rationalisme) du siècle des Lumières. **1813** l'Unitarisme est autorisé par le Parlement angl. **1817** Hosea Ballou (1771-1852) implante à Boston l'Égl. universaliste. **1961** les 2 Égl. fusionnent.

■ **Croyances.** Chrétiens « anté-nicéens », les Unitariens refusent la plupart des dogmes élaborés par les Conciles des IIIe et IVe siècles. Ils ne croient pas à l'Incarnation (divinité de Jésus), à la Trinité, au Péché originel, à la Prédestination.

■ **Organisation.** *Églises anglo-saxonnes :* congrégationalistes, chaque Église est indépendante. *Égl. de l'Est :* presbytériennes-synodales, ont des évêques élus (Budapest, Cluj).

■ **Principales personnalités.** John Adams (1735-1826) [1]. John Quincy Adams (1767-1848) [1]. Phineas T. Barnum (1810-91). Béla Bartók (1881-1945). Ambrose Bierce (1842-1914). Karen Blixen (famille de) (1885-1962). Robert Burns (1759-96). Neville Chamberlain (1869-1940). Charles Darwin (famille de) (1809-82). Charles Dickens (1812-70). Ralph Waldo Emerson (1803-82). Millard Fillmore (1800-74) [1]. Nathaniel Hawthorne (1804-64). Thomas Jefferson (1743-1826) [1]. Herman Melville (1819-91). John Milton (1608-74). Isaac Newton (1642-1727). Linus Pauling (n. 1901). Paul Revere (1735-1810). Albert Schweitzer (1875-1965). Sir Henry Tate (1818-99). Frank Lloyd Wright (1869-1959).

Nota – (1) Président des USA.

■ **Effectifs.** 300 000, dont USA 198 000, Roumanie 70 000, G.-B. 9 000, Inde 5 000, Philippines 3 000, Hongrie 1 800, Tchèques 1 000. **France** quelques dizaines : Association unitarienne francophone. *Pt d'honneur :* Théodore Monod, de l'Ac. des sciences. *Pt :* A. Blanchard-Gaillard. *Secr. gén. :* P. Subrini, 9, allée Goya, Le Roy d'Espagne, 13008 Marseille *Bulletin intérieur :* « Approches unitariennes ».

Taizé. Communauté œcuménique. *Fondée* 1940 à Taizé (S.-et-L.) par frère Roger Schutz-Marsauche (n. 1915 à Provence, Suisse). Comprend plus de 90 frères d'origines catholique et protestante et d'une vingtaine de pays. Engagés pour la vie par les vœux monastiques. Accueillent des jeunes du monde entier pour vivre avec eux la recherche de réconciliation, d'unité et de paix. Animent un « pèlerinage de confiance sur la Terre » [(à Madras 1985 et 88, Londres 1986, Rome 1987, Paris 1988, Pologne 1989, Prague 1990, Budapest 1991, Vienne (18-12-92/2-1-93) 105 000 jeunes]. Le fr. Roger a accueilli Jean-Paul II à Taizé, le 5-10-1986. A reçu le Prix de l'éducation pour la paix de l'Unesco en 1988.

Autres communautés d'inspiration chrétienne ou biblique

☞ Voir aussi Communautés, enseignements et mouvements divers, p. 551.

■ **Alliance universelle.** *Nom* pris le 15-6-1983 par l'*Église chrétienne univ.* fondée 1953 par Georges Roux, guérisseur [dit le Christ de Montfavet (1903-81)] « forme humaine par laquelle Dieu intervint pour redonner son message d'amour afin que tous les hommes, accomplissant les actes essentiels à l'individualisation de leur âme, forment la véritable humanité ». *Siège :* 9, rue de la Pépinière, 84000 Avignon. *Pte :* Jacqueline Van Gerdinge (fille de G. Roux).

■ **(Culte) Antoiniste.** **Fondé** 1910 à Jemeppe-sur-Meuse (Belgique) par Louis Antoine dit le Père, ouvrier mineur (1846-1912). Culte fondé sur la foi, le désintéressement, le respect de toutes les croyances et l'amour du prochain, sur la prière qui consiste en l'élévation de la pensée. Croient à la réincarnation comme étant la loi de l'évolution des êtres. **Temples :** Belgique 31, France 33 ; nombreuses salles de lecture en divers pays. **Adeptes :** 2 500 à 3 000, revêtus du costume religieux antoiniste et chargés d'assurer le travail moral que comporte l'activité du culte. **Pratiquants :** 150 000 (France 100 000).

■ **Doukhobors** (en russe : combattants de l'esprit). *1740* fondés dans la région de Kharkov (Russie) par un sous-officier prussien, de nom inconnu, converti au *quakerisme. 1769* repris en main après sa mort, par Sylvan Kolesnikov († 1780) puis par d'autres prophètes. *1884* déportation de la secte en Géorgie (*prophète :* Pierre Vériguine, assassiné 1924). *1898* permission d'émigrer au Canada. **Doctrine :** refus des actes sociaux : service militaire, possession de maisons, port des vêtements. Au Canada, ont souvent été poursuivis pour destructions d'immeubles et nudisme. **Statistiques :** 12 000 au Canada (dont 3 000 en Colombie brit.) pratiquant avec modération et intégrés à la société chrétienne.

■ **Églises des « évêques hors collégialité »** (voir le statut canonique, p. 501 b).

Église de la succession Vilatte-Álvarez. Ire Égl. vilattienne. *Fondée* 1907 par Joseph-René Vilatte (1854-1929), élevé à Angers par ses grands-parents, membre de la Petite Égl., pasteur presbytérien au Canada puis ordonné prêtre vieux-catholique à Berne le 7-6-1885 par Mgr Herzog (voir p. 531 c). Parti pour les USA, il fonde des paroisses « anciennes-catholiques ». *1892* (20-5) consacré évêque à Colombo (Sri Lanka) par un ancien missionnaire cath. espagnol, Julio Álvarez (Mar. Julius Ier), devenu en 1889 évêque jacobite de l'Église d'Antioche syrienne, voir p. 532 b). *1898* les vieux-cath. de Suisse concluent à l'invalidité de sa consécration (pour « simonisme », c.-à-d. payée en argent, mais Rome le reconnaît comme év. validement consacré). *1900* (6-5) consacre évêque un prêtre romain excommunié ; le St-Siège les excommuniera tous les 2. *1901* choisi comme archevêque-primat par des néo-gallicans de la région de Bordeaux. Héritiers de l'*Église cath. française* de « Mgr » François-Ferdinand *Chatel* (1795-1857, sacré par Fabré-Palaprat Grand Maître d'un groupe néo-templier ; fondée 15-1-1831, supprimée en 1850), ils sont opposés au vieux-catholicisme hollandais et suisse (leur chef avait été le chanoine Pierre-François Junca, † 1899), mais Mgr Vilatte ne réside pas près d'eux, retournant, semble-t-il, aux USA. *1907* (fév.), il occupe, 22, rue Legendre, à Paris, l'ancienne chapelle des Barnabites, confisquée 1903, et y fonde l'égl. des Saints-Apôtres. *1907-09* chassé par des émeutiers cath., occupe un hangar, 51, rue Boursault à Paris. *1908* Henri Durand-Morimbau dit Henri des Houx (1848-1911) journaliste du « Matin », Eugène Réveillaud (1851-1935) sénateur protestant de la Charente-Inférieure et Pierre-Paul Guieysse (1841-1914), égyptologue député radical du Morbihan, fédèrent sous le patronage du « Matin » 184 ass. cultuelles, qui se rallient à l'*Égl. catholique, apostolique et française* de la rue Boursault ; puis des Houx se brouille avec Vilatte. *1911* des Houx meurt dans le sein de l'Église vieille-cath. de l'abbé Volet (ses cultuelles disparaissent par suite de procès avec l'Égl. cath.). Abandonné par Briand, Vilatte tombe dans la misère. *1925* (1-6) abjure dans les mains du nonce à Paris. *1929* meurt le 2-7 à l'abbaye cistercienne de Pont-Colbert, près de Versailles. **IIe Égl. vilattienne (Égl. gallicane).** *Patriarches. 1928* Mgr Louis-François Giraud (ordonné prêtre 1907 par Mgr Vilatte, consacré évêque *1911,* installé *1916* au Gazinet près de Bordeaux où il déclare l'ass. cultuelle St-Louis). *1950* Mgr Jalbert-Ville († 1956). *1956* Mgr d'Eschevannes († 1970). *1976* Mgr Truchemotte († 12-12-1986). *1987* Mgr Thierry Teyssot (évêque gallican d'Aquitaine, consacré par Mgr Agostinho, év. gallican du Portugal, consacré lui-même en 1985 par Mgr Truchemotte).

Multiplication des évêques « antiochiens ». Avant son abjuration, Mgr Vilatte avait consacré plusieurs év., dont un Italien, Mgr Miraglia (consécrateur, à son tour, de plusieurs év. non rattachés à une Égl. déterminée). Plusieurs dizaines d'év. se réclament de cette succession apostolique. Ils sont désignés *episcopi vagantes* (« év. errants » ou « marginaux », c.-à-d. n'appartenant pas au « collège universel » des év.). Eux-mêmes s'appellent « antiochiens », mais, dep. 1938, ne sont plus reconnus par le patriarche syrien d'Antioche.

Égl. catholique libérale. Créée 1918 par un Anglais, Mgr James Ingall Wedgwood, vieux-catholique dissident. Sacré par Frédéric Willoughby, lui-même sacré 1914 par Arnold Morris Mathew (Montpellier, n. 6-8-1852, né de parents anglais, † 20-12-1919), prêtre catholique. *1877* retourne à l'anglicanisme. *1890* au catholicisme. *1899* rejoint les vieux-cathol. *1907* consacré évêque à Utrecht 28-4-1908 par Gérard Gul, consacré évêque le 6-1-1911, constitue l'Église catholique anglaise.

☞ Au moins 3 évêques romains ont pratiqué des consécrations épiscopales non canoniques : **Mgr Renato Cornejo Radavero,** ancien évêque auxiliaire de Lima [consécrateur en 1970 de Mgr Maurice Cantor (ancien moine bénédictin, chef de l'*Église cath. traditionnelle* de Mont-St-Aignan, près de Rouen et déjà consacré en 1964 par Mgr d'Eschevannes)] ; *1987,* pour la même Église Mgr Ducrocq, Mgr Fleury. **Mgr Pierre Martin Ngo Dinh Thuc** (1897-USA 13-12-1984), frère du Pt Diem et ancien archev. de Hué. *1962* quitte le Viêt-nam (est à Rome au concile quand son frère est assassiné) ; a ordonné 5 prêtres et consacré 5 évêques. S'installe à Toulon ; il est relevé de l'excommunication encourue. *1976,* excommunié pour consécrations et ordinations illicites. *1978* fait amende honorable. *1981* excom. après avoir consacré Mgr Laborie, desservant le sanctuaire d'Espis, près de Moissac (T.-et-G.), également non reconnu par Rome. Ordonne év. le Père Guérard des Lauriers (dominicain). *1984* juill. 4 mois avant sa mort, fait amende honorable, exhortant Mgr Laborie à se rallier à Rome. Meurt aux USA. En juill. 1984 (5 mois avant sa mort), il envoya une circulaire au clergé palmariste, lui demandant de se rallier à Rome. Actuellement 43 évêques schismatiques. **Mgr Lefebvre,** excommunié après avoir consacré plusieurs évêques en 1988 (voir p. 493 a).

Nota. – Une grande partie des év. hors collégialité ont été consacrés plusieurs fois, car certaines consécrations sont déclarées invalides dans les milieux des *episcopi vagantes* comme dans certaines Égl. canoniques.

Palmaristes (Andújar, Espagne). Disciples de Clemente Dominguez y Gómez, qui croient aux apparitions de Palmar de Troya (n. 1946 ; *1968* comptable servant à Palmar ; *1969* revient et voit la Vierge ; *1970* reçoit des stigmates ; *1975* fonde l'Ordre de la Sainte-Face ; *1976*-1-1 ordonné prêtre, 11-1 évêque par Mgr Ngo Dinh Thuc à la mort de Paul VI (6-8-1976). Jésus lui apparaît et le nomme pape (Grégoire XVII). *1978* **Mgr Dominguez** se proclame pape (Grégoire XVIII) à la mort de Paul VI ; excommunie Jean-Paul II, et crée un Vatican dissident, près de Barcelone. En France à Andiran-le-Fréchou une communauté *(Serviteurs de N.-D.* ou *Fraternité Salve Regina),* qui a rompu avec Mgr Dominguez ; assure avoir des apparitions de la Vierge Marie, non reconnues par l'év. d'Agen.

Autres papes. *Clément XV* (Michel Collin) (Clémery, France), prêtre † 23-6-1974 ; avait soutenu Léon Millet dit le Roi blanc en 1943, se déclare pape à la mort de Jean XXIII, est excommunié, annonce au Sacré-Cœur de Montmartre le 15-8-1964, devant l'assistance médusée, la « consécration de la France au Sacré-Cœur de Jésus, par Louis XIX, le futur roi », présente le Vte Gilles Artur de La Villarmois (prétendant descendre de Jean Ier le Posthume). En sept. 1969, il déclare, sous l'Arc de triomphe « le Christ empereur de la France ». *Jean-Grégoire XVII* (Gaston Tremblay St-Jovite, Québec).

■ **Église de J.-C. des saints des derniers jours (Mormons). Origine : 1830** fondée par Joseph Smith (1805-44), « après une visite de Dieu et de Jésus-Christ » sur la colline de Cumorah près de Palmyra (New York, USA), aujourd'hui lieu saint de l'Église. **1844** Smith présente sa candidature à la présidence des USA, 1 émeute éclate, son frère et lui sont arrêtés et tués par la populace dans leur prison (le 27-6). **1847** les Mormons s'établissent près du lac Salé au pied des monts Uinta sous le gouv. de leur 2e prophète, Brigham Young (1801-77), après avoir franchi le Missouri gelé. **1847-69** État indépendant du *Déseret (nom tiré du livre de Mormon voulant dire abeille).* **1850** intégré à l'Union amér. (territoire de l'Utah) après construction du chemin de fer du Pacifique. **1861-68** superficie réduite. **1896** l'Utah constitué en État, les M. dirigent économie et administration. **1985** *Salt Lake City :* Hofmann, faussaire de documents historiques et tueur par colis piégé (2 victimes), est démasqué alors qu'il tentait de vendre à l'Église une pseudo-lettre de la « Salamandre blanche » de Martin Harris.

Doctrine. Principe essentiel : le libre arbitre, base de tout acte et de toute décision. **Livres saints :** la *Bible, Doctrine et Alliance,* la *Perle de grand prix,* le *Livre de Mormon* (traduction des plaques d'or gravées de hiéroglyphes en égyptien réformé dont un messager de Dieu, Moroni, avait révélé l'existence à Joseph Smith). Celui-ci les découvrit le 22-9-1827 sur une colline avec 2 pierres, l'*Urim* et le *Thummin,* qui sont mentionnées dans la Bible (Esdras 2-62) et qui lui permirent de les déchiffrer. Sa traduction donna le Livre de Mormon le 2-5-1838. Le messager de Dieu reprit les plaques que nul n'a revues depuis. Selon ce livre, un 1er groupe vint de Babylone en 2200 av. J.-C. pour s'établir en Amérique, un 2e vint de Palestine en 600 av. J.-C. et un 3e en 590 av. J.-C. Les Amériques auraient été peuplées par 4 grandes civilisations : les *Jarédites* (qui s'entre-tuèrent), les *Néphites* (anéantis env. 421 apr. J.-C. ; un des leurs, le prophète Mormon, écrivit les plaques d'or), les *Lamanites* (ancêtres des Indiens d'Amér.) et les *Mulékites,* émigrés en Amér. et qui seraient parmi les ancêtres des Indiens. Jésus serait venu parmi eux après sa résurrection et aurait établi une branche de son Église. **Polygamie :** selon l'exemple des prophètes de l'Ancien Testament, David, Salomon, le « mariage plural » était pratiqué avec l'accord de la 1re épouse. Cause principale des difficultés entre Mormons et Américains [émeutes de Nauvoo (Illinois), exil au lac Salé, impossibilité de former un État normal] ; pratiquée par 2 % des Mormons autorisés par le prophète et capables de subvenir aux besoins de leurs familles : Brigham Young (17 épouses, 56 enfants) l'avait prônée pour que leur nombre augmente rapidement. Abolie le 6-10-1890. Mais, en 1955, une branche dissidente (et excommuniée) des Mormons a rétabli la polygamie, au Mexique et aux USA (40 000 membres, dont 5 000 à Colorado City). Les différentes « tribus » polygamiques ont fondé des coopératives très prospères.

Recherches généalogiques. Selon un texte de l'apôtre Paul (1 Cor., 15-29), tout croyant peut obtenir par procuration le baptême rétroactif (c.-à-d. le salut) de ses ancêtres. Chacun prend donc à cœur de rechercher sa généalogie. Les Églises locales ont le devoir de collaborer à ces recherches. Des microfilms portant sur 14 milliards d'individus ont été stockés à Little Cottonwood Canyon (Utah) dans des tunnels aménagés. L'Église a mis au point un logiciel pour micro-ordinateur.

Organisation. Siège *mondial :* Salt Lake City (USA). **Président** *(prophète, voyant* et *révélateur) :* Ezra Taft Benson (n. 4-8-1899), assisté de 2 conseillers et 12 apôtres. **Prêtrise :** 2 degrés : à 12 ans (pr. d'Aaron) ; à 18 ans (pr. de Melchisédech) ; dep. 1978, accordée à toutes races. A partir de 19 ans, et pendant 2 ans, les jeunes hommes peuvent partir en mission (les jeunes femmes, à partir de 21 ans et pendant 18 mois). Tout Mormon, entre 19 et 27 ans, peut accomplir une mission d'évangélisation à l'étranger (18 à 24 mois) à ses frais, ainsi que les femmes et les couples sans enfants à charge entre 40 et 60 ans.

Statistiques (1992). **Membres :** 8 120 000 dont *USA* 4 466 000 [297 770 baptêmes de convertis et 75 000 d'enfants (8 ans minimum)]. 43 395 missionnaires dans 267 missions, 18 810 paroisses (dirigées par un évêque ayant une activité professionnelle et une famille) et 1 837 pieux (diocèses). *Europe :* 2 461 000 (France 24 000). *Amér. latine :* 2 461 000 m. **Temples.** *Nombre :* 44 dans le monde (+ 6 en construction) dont Europe 5 et Tahiti 1, *le plus grand :* consacré 1974, 14 770 m², situé Kesington (Maryland, USA).

Finances. Les fidèles donnent 10 % de leurs revenus annuels [selon la loi de la dîme de la Bible (Abraham paya la dîme à Melchisédech)]. L'Église possède une grande partie des immeubles de Salt Lake City, 160 000 ha de terrains, des Cies d'assurances (pour protéger les dons des fidèles de l'inflation), 1 quotidien, 11 stations de radio, 2 chaînes de télévision, 1 Sté sucrière, des actions dans une chaîne de grands magasins, 2 universités et 2 collèges.

Adresses. *Missions françaises : Paris :* 23, rue du 11-Novembre, 78110 Le Vésinet ; *Bureau de la communication pour l'Intégration d'Europe-Méditerranée :* 1, av. du Mont-Blanc, BP 59, 01710 Thoiry ; *Publication mensuelle :* « l'Étoile ».

■ **Église réorganisée de J.-C. des saints des derniers jours. Origine :** continuation légale du mouvement après l'assassinat de Joseph Smith en 1844 (jugement du 23-2-1880, Lake County, Ohio). *Dirigée actuellement* par le docteur W.B. Smith, arrière-petit-fils du fondateur. D'après un document récemment découvert, son grand-père, Joseph Smith II, aurait bien désigné son père Joseph Smith III comme successeur légitime à la tête de l'Église mormone. Le *Collège des 12 Apôtres,* qui dirige l'Église (non réorganisée) dep. la mort de Joseph Smith II, continue néanmoins à se considérer comme l'autorité légitime, estimant que le document découvert est une bénédiction, non une désignation. **Doctrine :** croit que la volonté divine pour l'homme se trouve dans les Écritures et dans la révélation prophétique contemporaine. Croit aux dons et aux manifestations du St-Esprit. **Membres :** 230 000 dans 30 pays. **Centre mondial :** PO BOX 1059, Independence, Missouri 64051, USA. **Universités :** Graceland College, Iowa Park College, Kansas City. *Centre d'enseignement :* BP 92, Sanito, Tahiti. **Siège social à Paris :** 11, rue Sédillot, 75007 Paris.

■ **Église de l'Unification.** (*Nom officiel :* Association pour l'unification du christianisme mondial, AUCM). **Origine :** *fondée en 1954* à Séoul par Yun Myung-Moon (deviendra Sun Myung Moon : soleil brillant, lune) (n. 6-1-1920, Corée). *1936* le dimanche de Pâques, Jésus lui serait apparu. *1939* études d'électricité à Tōkyō. *1945* retour en Corée : 1er mariage. *1946* prédication à Pyongyang (Corée du N.). Arrêté et torturé. *1948-50* interné en Corée du N. pour « infractions à l'ordre social », libéré pendant la g. de Corée par les troupes de l'ONU, puis militant évangéliste ; se réfugie à Pusan puis Séoul. *1957* publie « les Principes divins ». *1958* envoie des missionnaires au Japon. *1959* aux USA. *1960* 2e mariage de Moon avec Hak Ja Han, 13 enfants. *1962* missionnaires en Europe. *1964* Korean Cultural and Freedom Foundation créée en Corée du S. (gèrera la radio Free Asia). *1972* s'installe aux USA. *1974* se fait le défenseur de Nixon dans l'affaire du Watergate. *1984* Moon est condamné à 18 mois de prison pour une fraude fiscale de 162 000 $. (20-7) incarcéré. *1985* (20-8) libéré. Moon et l'Égl. de l'Unification militent pour l'effondrement du communisme notamment avec CAUSA (« Confédération d'Associations pour l'Unité des Sociétés des Amériques »), alternative au communisme, en Amérique et en Europe puis cherchent à s'implanter dans les pays en sortant (rencontre Moon-Gorbatchev avril 1990 à Moscou, Moon-Kim Il Sung le 6-12-1991). *1992* Publication des « Principes divins » adaptés au public russe dans *les Isvesztia* (presse à gros tirage). M. Vinogradov, directeur des ballets Kirov de St-Pétersbourg, a fondé, grâce à Moon, l'Académie universelle de ballet, à Washington.

Doctrine. Contenue dans « les Principes divins », de Moon. L'idéal de Dieu se réalisera par l'établissement du Royaume de Dieu sur Terre coïncidant avec le retour du Christ. L'unification de toutes les cultures et religions viendra en prélude. Préconise un christia-

Réarmement moral

Origine. *Lancé* en 1938 à Londres (et en France après 1947) par Frank Buchman (1878-1961), Américain d'origine suisse. **Doctrine :** ni parti, ni religion, il invite chacun à œuvrer à l'amélioration de la société et à la paix dans le monde en partant d'une qualité de vie personnelle. D'inspiration chrétienne, il rassemble des hommes de toutes croyances. Propose une philosophie d'action fondée sur l'écoute intérieure et la référence à des principes absolus (honnêteté, pureté, détachement, amour). Travaille à la transformation des attitudes et à la réconciliation dans la famille, dans la vie sociale, nationale et internationale. Les équipes du Réarmement moral ont été notamment à l'œuvre dans le processus de la réconciliation de l'Allemagne et du Japon avec leurs anciens adversaires, durant la période des décolonisations et sur le plan des rapports sociaux dans l'industrie.

Organisation. *Rencontres internationales* plusieurs fois par an dans les centres de Caux (Suisse) et de Panchgani (Inde) ou ailleurs . *Direction :* collégiale depuis 1965. *Adresse suisse :* 1824 Caux. *France :* 22, av Robert-Schuman, 92100 Boulogne-Billancourt. *Périodique* en français : « Changer » (mensuel).

nisme intégral, notamment la pratique de la prière et le don de soi total pour prévenir le matérialisme communiste, aider les pays qui en sortent et lutter contre le déclin spirituel et moral du monde actuel.

Le mariage est une institution centrale, équivalente aux sacrements de baptême et d'ordination de l'Église catholique. *Exemple de mariages célébrés collectivement :* Séoul (1992) 20 000, plus 10 000 par satellite (Brésil, Afrique, Philippines).

Budget annuel. Plusieurs milliards de dollars, venant des activités industrielles initiées par Moon, des fidèles et sympathisants.

Terrains d'action. Scientifique *(Conférence intern. pour l'unité des sciences).* **Médical** *(Fondation mondiale de secours et d'amitié).* **Social** *(Projet Volunteer),* en Amérique, organise collecte et distribution de vivres aux indigents, spécialement en Californie, etc. *Fédération interreligieuse pour la paix mondiale* (27-9-1991), *Fédération pour la paix mondiale* (28-9-1992), *Fédération des femmes pour la paix mondiale* (10-4-1992). **Économique. Agro-alimentaire.** *Il Hwa* (produits à base de ginseng) ; *usines Mc Col* (boisson gazéifiée à base d'orge) ; *International Oceanic Enterprises :* 290 bateaux de pêche au thon sur les côtes américaines (plusieurs chalutiers de haute mer). **Mécanique et métallurgique.** *Tongil* (un des 30 1ers groupes ind. de Corée du S.) ; *automobiles Panda* (construites en Chine). **Électronique.** *Wacom* (Sté japonaise, logiciels pour PC) ; *projet Wrist* (recherche en électronique). **Communication.** *News World Communications* [comprend New York City Tribune, Noticias del Mundo, Ultimias Noticias, The Middle East Times, Washington Times, Insight (600 000 abonnés), et The World & I]. *The Segye Times* (quot. Séoul, 1 200 000 ex.), *Sekkai Nippon* (quotidiens Tōkyō). *Atlantic Video* (montages vidéo). En France, la bijouterie Christian Bernard [usines aux Ulis (91) et à Maîche (25)]. Terrains et immeubles en Corée, aux USA ; en France : 1 château-hôtel (Bellinglise, 60) ; hôtel Trianon-Palace à Versailles, revendu à une Sté japonaise « proche de Moon » ; château de Mauny (76) ; château de Challain-la-Potherie (49).

Membres. *France :* 1 200 (siège social : *Paris :* 9, rue de Châtillon, 75014), 15 centres]. Déclarée comme association sans but lucratif.

Nota. – De nombreux chrétiens dénient la qualité d'Égl. chrétienne à « l'Église de l'Unification ». La Cour Suprême de l'État de New York a toutefois jugé le 6-5-1982 qu'elle présentait le caractère de « religion de bonne foi ». La Commission de contrôle des institutions charitables d'Angl. et du Pays de Galles (« Charity Commission »), dans son rapport 1982, a écrit que « les Principes divins » (doctrine officielle) pouvaient raisonnablement être considérés comme faisant partie du christianisme dans le sens le plus large de ce terme. Le Conseil œcuménique amér. (26 membres cath., orthodoxes, prot.) a refusé le qualificatif de « chrétien » au mouvement.

■ **La Famille d'Amour.** *Fondée* 1968 aux USA, sous le nom d'*Enfants de Dieu,* par un ancien pasteur méthodiste, David Brandt Berg (n. 1918) (Mo ou Dad pour ses adeptes). *1978* clandestinité. Moïse David. *1981* il demande aux adeptes de rejoindre l'Amérique du Sud. S'implante en Inde, Asie du S.-E., Australie, Japon (dep. 1986). Pratique le *Flirty Fishing* (séduction programmée, par des filles et femmes souvent très jeunes, de messieurs riches et influents), assurant argent et protections.

Le Judaïsme

Sens du mot juif

Yehoudi (mot hébraïque) : signifie judéen, c.-à-d. du pays de Juda (Judée) au sud de l'Eretz Israël (pays d'Israël). Il a désigné également, ensuite, les habitants de Samarie, au N. du pays, et tous ceux qui pratiquaient la religion j. après l'exil à Babylone (VIe s. av. J.-C.). **Ioudaios :** forme grecque. **Judaeus :** forme latine. Le *f* qui termine le mot français est diversement expliqué : certains le considèrent comme l'aboutissement normal d'un *f* en fin de mot (soif, veuf, fief, bief, suif, etc.) ; d'autres comme une forme masculine refaite sur le féminin « juive ». **Israélite :** utilisé surtout de 1800 à 1950 ; mot qui tombe en désuétude, car il prête à confusion avec le terme moderne *israélien* désignant un citoyen d'Israël. **Juif :** le mot a repris son sens religieux, bien que l'expression « confession israélite » soit encore officielle en France.

Population juive

■ **En 1911.** 11 817 783 J. dont : Europe 9 942 266, Amérique 1 894 209, Asie 522 635, Afrique 341 867, Océanie 17 106. **Par pays :** Russie 5 110 548, Autriche 1 224 899, Hongrie 851 378, Allemagne 607 862, Turquie d'Europe 282 277, Roumanie 266 652, Angleterre 238 175, Hollande 105 988, *France 100 000,* Italie 52 115, Bulgarie 33 663, Belgique 15 000, Suisse 12 264. **Villes** (entre parenthèses, pop. j. actuelle) : New York 1 062 000 (1 720 000), Varsovie 204 712 (2 000), Budapest 186 047 (80 000), Vienne 146 926 (11 000), Londres 144 300 (220 000), Odessa 138 935 (120 000), Brooklyn 100 000 (760 000), Berlin 98 893 (5 900). **En 1939** (voir Israël).

■ **En 1988** [1]**. Afrique** [2] **:** Afr. du Sud 120 000, Algérie 900, Égypte 300, Éthiopie 15 000, Kenya 800, Libye 20, Maroc 12 000, Rhodésie 1 170, Tunisie 3 000.

Amérique : du Nord : Canada 325 000, États-Unis 5 835 000 (46 % de la pop. j. mondiale), Mexique 35 000. **Centrale et du Sud :** Argentine 228 000, Bolivie 650, Brésil 150 000, Chili 17 000, Colombie 7 000, Costa Rica 2 500, Cuba 800, Curaçao, Équateur 1 500, Guatemala 800, Panamá 3 800, Paraguay 1 200, Pérou 5 500, Uruguay 44 000, Venezuela 21 000.

Asie [2] **:** Afghanistan 200, Inde 1 000, Irak 300, Iran 28 000, Israël 3 653 100, Japon 1 000, Liban 100 [3], Syrie 4 000, Yémen 1 000.

Australie et Nouvelle-Zélande (1984) : 7 000.

Europe : All. (1984) 34 000 (est. : 400), Autriche 12 000, Belgique 30 000, Bulgarie 5 100, Danemark 9 000, Espagne 12 000, Finlande 1 000, *France 535 000,* G.-B. et Irl. du N. 330 000, Grèce 5 000, Hongrie 80 000, Irlande 2 000, Italie 35 000, Luxembourg 1 000, Pays-Bas 25 000, Pologne 6 000, Roumanie 23 000, Suède 16 000, Suisse 18 300, Tchéc. 12 000, Turquie 24 000, URSS (1989) 1 449 117, Yougosl. 6 000.

Total mondial (1989) : env. 14 343 900.

Nota. – (1) Estimations (dans la plupart des pays, les J. ne font pas l'objet de recensements). (2) Selon l'Organisation mondiale de Juifs originaires des pays arabes (WOJAC), 2 000 000 de Juifs ont quitté les pays arabes en 25 ans. (3) Forte réduction depuis les combats de 1975.

Quelques dates

Les origines

■ **Entre 2000 et 1700 ans av. J.-C.** Dieu se révèle à *Abraham,* puis à son fils *Isaac* et à son petit-fils *Jacob,* comme le Dieu unique et tout-puissant. Il leur promet la terre de Canaan en récompense de leur fidélité. Par cette alliance divine Israël, dépositaire de la promesse divine, qui doit établir, en entraînant toute l'humanité, le règne de Dieu sur Terre.

Abraham : né à Ur, colonie syrienne en Mésopotamie [la forme Abra-mu a été retrouvée sur les *tablettes* d'Ebla (2500 av. J.-C.) découvertes en 1975 à *Ebla* (Syrie)] ; fondateur du peuple hébreu, ayant émigré d'Ur vers la Terre de Canaan, il institue la *circoncision,* marque de l'Alliance avec Dieu. Son nom signifie Père d'une multitude de nations. Sa femme *Sara,* alors stérile, lui conseilla de s'unir à sa servante Agar (il en aura *Ismaël :* après la naissance d'Isaac, Abraham le chassera avec sa mère) ; les Arabes se considèrent comme les descendants d'Ismaël. De sa femme Sara, il aura un fils (Isaac, qu'il acceptera de sacrifier à Dieu, mais le sacrifice sera interrompu par un ordre divin). **Sodome et Gomorrhe :** au sud de la mer Morte, habitées par des pop. impies incapables de piété et débauchées. Villes détruites, mais les rares justes qui y vivent sont épargnés (*Loth,* neveu d'Abraham, et ses filles) : Yahvé décide de détruire les 2 villes (les tablettes d'Ebla mentionnent un tremblement de terre). Abraham obtient qu'elles en soient épargnées s'il s'y trouve seulement 10 justes ; il n'y en a qu'un seul : Loth qui accueille sous son toit les anges envoyés pour détruire Sodome. Les habitants de la ville l'apprennent et assiègent la maison de Loth pour « connaître » au sens biblique les 2 invités (d'où le terme « sodomite »). Loth propose aux habitants de leur livrer ses 2 filles, vierges, à la place de ses hôtes. Comme ils refusent, les anges frappent les assiégeants de cécité pour qu'ils ne puissent trouver l'entrée, puis font sortir Loth et sa famille en leur recommandant de fuir, sans se retourner. Un jour, ivre, Loth commettra un double inceste avec ses filles, devenant ainsi l'ancêtre des *Moabites* et des *Ammonites*). Les tablettes d'Ebla (2500 av. J.-C.) mentionnent un tremblement de terre. **Isaac :** fils d'Abraham et de Sara, épouse Rebecca dont il a 2 jumeaux *Ésaü* (ou Édom) [en hébreu, celui qui est déjà fait (homme) : le velu], l'ancêtre du peuple iduméen. Sorti du sein de sa mère *(Rébecca)* le premier, il avait le droit d'aînesse (héritage de la plus grande part des biens de son père Isaac ; et droit à recevoir la bénédiction paternelle, c.-à-d. de participer après Isaac à l'alliance divine). Mais il vendit ce droit à son frère contre un plat de lentilles (un jour qu'il était affamé en revenant de la chasse) et son frère, avec l'aide de Rébecca, se substitua à lui frauduleusement pour recevoir la bénédiction paternelle. Et *Jacob* [nommé également Israël (qui signifie « a affronté Dieu », car Jacob, au cours d'une théophanie, a lutté contre l'Ange de Dieu)]. Célèbre par sa vision d'une échelle qui relie le Ciel à la Terre. Il aura 12 fils (*de Léa :* Ruben, Siméon, Lévi, Juda, Issachar, Zabulon ; *de Bilha :* Dan, Nephtali ; *de Zilpa :* Gad, Aser ; *de Rachel :* Joseph, Benjamin (appelé par sa mère Ben-oni : fils de mon malheur que son père changea en Benjamin : fils de ma droite, c.-à-d. de mon bonheur), qui seront les chefs des 12 tribus d'Israël. **Joseph :** fils préféré de Jacob. Ses frères voulurent le tuer, jaloux de lui, mais *Ruben* obtint qu'il ne soit pas exécuté, mais vendu comme esclave à des Égyptiens (divinateur de songes et chaste, il repousse les avances de la femme de l'Égyptien *Putiphar*), devenu ministre de Pharaon, il appelle sa famille en Égypte à l'occasion d'une famine qui dure 7 ans. Leurs descendants formeront le *peuple d'Israël* ou peuple hébreu [*ivri,* racine araméenne, signifiant « de l'autre côté » ; le 1er Hébreu, Abraham, étant venu de l'autre côté du désert arabo-syrien ; le nom des nomades Habiru (Asie occidentale, XXe s. av. J.-C.) serait de la même racine].

■ **1200 av. J.-C. Moïse.** Hébreu de la tribu de Lévi, ayant été placé par sa mère dans une nacelle de papyrus calfatée de bitume et de poix (*origine de cette légende :* celle de Sargon, roi d'Agadé au XXIVe s., fils de prostituée sacrée, abandonné à l'Euphrate dans un berceau semblable), sur le bord du Nil (les enfants juifs devant être massacrés), est recueilli par la fille du Pharaon qui l'élève. Plus tard, il commandera l'armée égyptienne et gagnera la bataille de *Méroé.* Il épousera la fille d'un prêtre de Madiân. Moïse gardant les moutons entendit la voix de Yahvé s'élever d'un buisson qui brûlait sans se consumer (le buisson ardent). Dieu ordonne à Moïse d'emmener son peuple dans la *Terre promise.* Le pharaon refusant de laisser sortir les Hébreux, Moïse obtient de Dieu qu'il inflige les 10 plaies à l'Égypte pour le contraindre à laisser partir le peuple hébreu [d'après Emmanuel Anati (voir p. 536 a) ce serait Mentouhotep (2196-2122 av. J.-C.)] : 1°) eau changée en sang ; 2°) grenouilles ; 3°) moustiques ; 4°) mouches ; 5°) peste ; 6°) ulcères ; 7°) grêle ; 8°) sauterelles ; 9°) ténèbres ; 10°) mort des premiers-nés. Il conduit env. 600 000 h. vers la *Terre promise (l'Exode) ;* poursuivis par les Égyptiens, ils arrivent sur la *mer Rouge* qui s'avançait alors plus vers le nord (jusqu'aux lacs amers actuels) : un vent d'est envoyé par Dieu dessèche le fond de la mer, et les Hébreux passent à pied sec. Quand les Égyptiens s'engagent derrière eux, les eaux reviennent et les engloutissent.

Les Esséniens. Secte religieuse qui s'est développée dans les déserts de Judée depuis la fin de l'époque hasmonéenne (v. 100 av. J.-C.) jusqu'après la guerre juive contre les Romains (70 apr. J.-C.). Au max. 4 000, ils vivaient dans des cœnobiums où ils pratiquaient une religion proche de celle des Pharisiens, se recrutaient après une période probatoire et une cérémonie rituelle d'initiation. Jean le Baptiste faisait partie des Esséniens ou d'une secte voisine. Le baptême qu'il administra à Jésus devait faire partie des rites d'initiation de sa secte.

Moïse peut ainsi mettre son peuple à l'abri dans la péninsule du Sinaï. Selon Emmanuel Anati (voir p. 535 c) qui a identifié le Mt Sinaï avec le Mt Karkom, dans le Néguev, au nord d'Eilat, cet épisode eut lieu en bordure de la Méditerranée, dans l'étang salé du Sabkhat el Badawill. D'autres chercheurs ont pensé au cordon alluvial qui sépare le Sabkhat de la mer. 6 semaines après leur passage de la mer Rouge, les Hébreux étaient à court de vivres. Dieu leur promit un « pain tombé du ciel », qu'il faudrait aller ramasser hors du camp, tous les jours (sauf le sabbat). Ce « pain » avait la forme d'une gelée blanche, et le goût d'un gâteau. Il fut donné sans interruption au peuple hébreu pendant les 40 ans de son séjour dans le Sinaï. Il était appelé la *manne*, car le 1er jour, en voyant le sol du désert couvert de cette substance, les Hébreux s'écrièrent : *Mân hu ?*, « qu'est-ce que cela ? » Des naturalistes ont plus tard assimilé la manne à des graines de tamaris. L'eau potable a été également donnée miraculeusement (Moïse ayant frappé un rocher de son bâton). Pour Anati : phénomène possible au Har Karkom (roches emmagasinant les pluies). Mais il s'attarde dans le Sinaï, pour purifier le peuple des souillures morales et physiques dues à l'esclavage dans la vallée du Nil. Dieu lui apparaît, lui révèle son nom : YAHVÉ (déjà attesté sur les tablettes d'Ebla), et lui donne les 10 Commandements (*Décalogue).* Pendant 40 j où *Moïse* se trouve seul sur le Sinaï (pour y recevoir la loi de Dieu), *Aaron,* son frère fit exécuter un veau en or, en déclarant : demain il y aura une fête en l'honneur de Dieu. Moïse, revenant de la montagne, broie le veau d'or et répand la poudre dans de l'eau qu'il fit boire au peuple. Avec l'aide des enfants de Lévi, il massacre les idolâtres les plus coupables (3 000). Puis il remonte sur le Sinaï et obtient de Dieu le pardon pour l'ensemble du peuple, à condition de construire *l'Arche d'Alliance.* Cette alliance (renouvellement de celle d'Abraham) est conclue par Moïse sur un autel de pierre, entouré de 12 stèles, représentant les 12 tribus d'Israël (Anati a retrouvé, au Har Karkom, un autel entouré de 12 stèles). Le *décalogue* sera inscrit sur des Tables déposées dans l'*Arche d'Alliance* à la garde de la tribu de Lévi). Lors d'une révolte des Hébreux : Dieu punit les révoltés en leur envoyant des serpents qui les mordent. Pour les guérir, Dieu ordonne à Moïse de construire un serpent d'airain, et de l'élever au bout d'une perche : les coupables qui se repentent sincèrement sont guéris. Plus tard, *Ézéchias* (roi de 726 à 697) fera détruire le serpent d'airain, qui était honoré comme une idole. Moïse institue le Sabbat, les fêtes et une législation destinée à assurer la justice et la protection du pauvre, du serviteur, de la veuve et de l'étranger. Meurt sur la rive gauche du Jourdain avant d'arriver. **Josué** lui succède. Après 40 ans de traversée du désert, les Hébreux arrivent avec lui à la *Terre de Canaan* (en hébreu : pays de la pourpre), *Terre promise* par Dieu à Abraham et habitée par 7 peuples d'origines diverses : Amoréens, Périzéens, Cananéens, Hittites, Girgachéens, Hivites, Jébuséens. Josué les vainc les uns après les autres. Dieu ordonne à *Josué* de faire faire le tour des remparts de *Jéricho* (aujourd'hui Er Riha), à 12 km de Jérusalem, place forte des Cananéens, réputée imprenable[1], avec des joueurs de trompettes et les porteurs de l'Arche d'Alliance : 1 fois par j pendant 6 j et 7 fois le 7e j. Après le dernier tour, les murailles s'effondrent et les Hébreux prennent la ville, qui sera plus tard donnée à la tribu de Benjamin.

Nota. – (1) Le lieu de culte le plus ancien du monde (– 7800) a été retrouvé à Jéricho. Il appartient à la civilisation (néolithique) dite natoufienne (d'après le site de Ouadi en Natouf, Palestine) ; on y célébrait une déesse de la fécondité. Le site occupé jusqu'au Bronze ancien est resté désert le millénaire suivant.

A la bataille de Bethoron contre les Cananéens, Dieu vient en aide aux Hébreux. Double miracle : 1°) il fait pleuvoir du ciel des pierres sur l'armée cananéenne ; 2°) Josué arrête le Soleil pour avoir encore de la lumière et exterminer les ennemis en fuite. Épisode cité lors du procès de Galilée au XVIe s. (voir p.485 c) (la Bible dit en effet que Josué a arrêté le Soleil et non la Terre, impliquant que pour lui c'est le Soleil qui tourne autour d'elle).

☞ La plupart des exégètes bibliques non religieux considèrent la rédaction du Pentateuque [les « 5 rouleaux » de la Loi (voir p. 537 a)] comme postérieure à Moïse (4 traditions, du Xe au VIe s.) ; mais la substance des lois remonterait bien au XIIe s.

Selon *Emmanuel Anati* (1983), chef de 15 campagnes de fouilles (1980-86) dans le Sinaï (Mar Karkom), cette chronologie doit être revue ainsi : migration d'Abraham : *2600 ;* implantation en Égypte : *2500 ;* fuite des Hébreux : *2250 ;* séjour au mont Sinaï (Mar Karkom) : *2250-v. 2000 ;* prise de Jéricho et installation en Terre promise : *2000 ;* période des Juges (très allongée) : *tout le IIe millénaire.*

Les Juges (IIe millénaire av. J.-C.)

A l'époque de Josué, le peuple hébreu se fractionne en *14 tribus locales,* dont 11 portent le nom d'un des frères de Joseph (voir ci-dessus), et 2 celui d'un fils de Joseph : Éphraïm et Manassé. Le pays d'Israël (en hébreu : *Éretz Israël*) ne correspond pas à l'État moderne d'Israël [*en plus :* 3 territoires à l'E. du Jourdain (Ruben, Gad, Manassé-Est) ; *en moins :* la frange côtière (*Philistins, Cananéens, Phéniciens)* et le S. du Néguev]. Il est divisé en 12 territoires tribaux, *Éphraïmites* et *Manasséens* ayant chacun le leur, mais les *Lévites* (descendants de Lévi) n'en ont aucun, car ils sont affectés au service du Temple. Chaque tribu est commandée par un juge, chef militaire et religieux dont le 1er souci est d'empêcher l'assimilation par les tribus idolâtriques de Canaan. Les tribus sont unies par un acte traditionnellement lié au sanctuaire de Sichem. *XIIe et XIe s. av. J.-C.* l'anarchie résultant de luttes entre tribus facilite les entreprises des voisins *(Moabites, Ammonites, Édomites, Amalécites, Madianites)* et des envahisseurs *philistins.* Certaines des tribus s'éteignent ; d'autres s'imposent, comme celle de *Juda* (centre : Jérusalem), berceau de la dynastie de David qui donnera plus tard son nom à tout le peuple juif. *V. 1050,* les *Philistins* (Thraco-Illyriens venus d'Anatolie et faisant partie des « Peuples de la Mer », envahisseurs de l'Égypte), débarquent à Gaza, Ashdod et Ascalon. *Légende de Samson :* celui-ci ayant proposé aux amis phil. de sa femme une énigme qu'ils ne purent résoudre, le mot devint synonyme de rustre ignorant. Pour combattre les Phil., les Hébreux retrouvent leur unité nationale.

Livre des Juges. La fille de Jephté. Jephté, juge d'Israël et chef de la tribu des *Galaadites,* a fait le vœu, avant une bataille contre les Ammonites, de sacrifier en cas de victoire le 1er être humain qu'il rencontrerait après le combat ; il rencontre sa fille et la tue pour accomplir son vœu. Il lui avait laissé un mois pour se préparer à la mort.

Samuel. Consacré à Dieu dès 3 ans, vit au Temple près du grand prêtre *Héli* (mal vu de Dieu, parce que ses fils sont impies et qu'il est trop faible envers eux). Dieu réveille Samuel en pleine nuit et lui dit d'aller avertir Héli : les Philistins vont s'emparer du Temple et de l'Arche et massacrer ses fils. Héli, sous le coup de l'émotion, tombe à la renverse et se tue.

Les prophètes (1050-586 av. J.-C.)

Saül, choisi par le prophète *Samuel,* devient roi en 1035. Il se suicide sur le champ de bataille. **David** roi de 1070 à 970 env. Descendant d'Abraham (par Isaac et Jacob), fils de *Jessé ;* il tue le géant philistin *Goliath* d'un coup de fronde. Selon la tradition, auteur des *Psaumes.*

■ **Ier livre des Rois. L'amitié de David et de Jonathan.** *Jonathan :* fils du roi Saül. *David :* consacré dès son enfance par le prophète Samuel (désigné comme successeur du roi *Saül*). Leur amitié rendait le roi Saül furieux : il accusait Jonathan, son fils, de le trahir. Jonathan sauva plusieurs fois la vie de David menacé par le roi. Il proclama sa volonté de devenir le second de son ami, quand celui-ci serait monté sur le trône. Mais il fut tué à la bataille de Gelboé contre les Philistins. David l'ensevelit et composa sur lui un chant funèbre.

■ **IIe livre des Rois. L'adultère de David.** David épouse *Bethsabée,* la femme d'un officier mercenaire hittite, Uri, dont il se débarrasse du mari en l'envoyant se faire tuer, au cours d'un combat avec les Philistins. Le prophète *Nathan* lui reproche son crime, et l'oblige à des pénitences publiques. David connut de grands malheurs : la mort du 1er fils de Bethsabée, un inceste (*Amnon,* fils de David et d'Achinoam, viole sa demi-sœur *Thamar,* fille de David et de Maacah) et un fratricide (*Absalom,* frère de Thamar, venge celle-ci en tuant *Amnon*). Absalom se révolte ensuite contre son père et meurt assassiné (ses meurtriers l'ont frappé alors que sa longue chevelure s'était prise dans une branche d'arbre). **Salomon** fils de David et de Bethsabée, roi v. 970 à 930, construit le 1er Temple. Célèbre pour son amour de la richesse, des femmes (700 épouses, 3 000 concubines, il épouse aussi la fille d'un pharaon) et sa sagesse. Auteur présumé du *Cantique des Cantiques,* des *Proverbes* et, selon une tradition, de l'*Ecclésiaste. Le jugement de Salomon.* 2 prostituées avaient mis au monde un fils le même jour, et l'une d'elles étouffa accidentellement le sien pendant son sommeil. Au réveil, elle alla chercher le bébé vivant de sa voisine et mit le mort à sa place. La mère reconnut la substitution et traîna l'autre femme devant le roi Salomon. Celui-ci donna l'ordre de couper le bébé vivant en deux et d'en remettre une moitié à chacune. La fausse mère accepta la sentence. La vraie mère la refusa avec horreur, disant : « Non, donnez plutôt l'enfant vivant à cette femme. » Salomon lui donna alors le bébé, ayant reconnu la vraie mère à ce cri du cœur. **Jéroboam** roi de 930 à 910 entraîne en dissidence 10 tribus et fonde le *royaume d'Israël,* où se succèdent 19 rois (capitale Samarie) ayant son occupation par Sargon, roi d'Assyrie (722). **Elie** dont la vie est attestée entre 876 et 854 av. J.-C. Enlevé au Ciel dans un char de feu. **Roboam,** (roi 931-913) fils de Salomon, ne gouverne plus que les tribus de *Juda* et de *Benjamin,* qui s'unissent en *royaume de Juda* (capitale Jérusalem) où se succèdent 20 rois. **Osée,** prophète du VIIIe av. J.-C., prévoit la destruction du royaume de Samarie par Sargon (621). **Isaïe** (740-700) prophétise l'arrivée des Assyriens. **Jérémie** (650 à 590 av. J.-C.) prophétise les malheurs de Jérusalem qui sera détruite par Nabuchodonosor, et compose sur la ruine de Jérusalem des chants appelés *Lamentations de Jérémie.* Les prophètes commencent à annoncer la venue des *temps messianiques,* c'est-à-dire le rétablissement d'Israël, la fin des guerres et des injustices et la reconnaissance universelle du Dieu Unique.

☞ **Les 3 grands prophètes** sont Isaïe (n. v. 765-701), Jérémie (n. v. 650) et Ézéchiel, et **les 13 petits :** Daniel, Osée, Joël, Amos, Abdias, Jonas, Michée, Nahum, Habacuc, Sophonie, Aggée, Zacharie, Malachie.

Royaume d'Israël. rois **Jéroboam Ier** (933-910). **Nadab** (910). **Basha** (909). **Ela** (886). **Zimri** (885). **Omri (Amri)** (885) ; fait de Samarie sa capitale. **Achab** (874), son frère, allié par moments au roi de Juda, Joram ; il combat les Assyriens, les rois de Damas et de Moab. Il épouse *Jézabel,* fille du roi-prêtre de Tyr, qui a fait tout pour imposer le culte de Baal et d'Astarté ; père d'*Athalie.* **Ochozias,** fils d'Achab (853). **Joram** (852). **Jéhu** (841) ; chargé par le prophète Élisée de la vengeance divine, tue Joram, il fait jeter Jézabel par une fenêtre (son corps est dévoré par les chiens). **Joachaz** (814). **Joas** (798). **Jéroboam** II (783). **Zacharie** (743) + **Shallum** (743) + **Menahem** (743). **Pecahya** (738). **Pegah** (737). **Osée** (732). Chute de Samarie 722 ou 721.

Royaume de Juda. Rois **Roboam** (931). **Abiyyam** (931). **Asa** (911). **Josaphat** (870). **Joram** (848), épouse *Athalie,* fille d'Achab roi d'Israël. **Ochozias** (841) ; ses autres frères ayant été tués par des bandits, il succède à son père ; **841** à sa mort, **Athalie,** sa mère, instaure le culte du dieu phénicien Baal, fait égorger tous ceux qui peuvent prétendre à la Couronne mais **Joas,** son petit-fils, est sauvé du massacre par sa tante **Josabeth,** femme du grand prêtre Joad, est élevé secrètement dans le Temple ; **835** *Joad,* le grand-prêtre, le fait proclamer roi à 7 ans (Athalie est massacrée par le peuple) ; Joas fera tuer le grand-prêtre *Zacharie* et mourra assassiné. **Amasias** (796). **Osias** (781). **Yotham** (740). **Achaz** (736). **Ézéchias** (716). **Manassé** (687). **Amon** (642). **Josias** (640). **Joachaz** (609). **Joiaquim** (609-598), vassal de Nabuchodonosor pendant 3 ans, idolâtre, persécute les prophètes. **Joiakin** (597, déporté à Babylone avec le prophète Ézéchiel). **Sédécias** (597). Chute de Jérusalem (587) prise par Nabuchodonosor.

Le judaïsme (586-47 av. J.-C.)

586 av. J.-C. *Nabuchodonosor,* roi de Babylone, bat *Sédécias,* roi de Juda (qui sera condamné à avoir les yeux crevés et mourra captif à Babylone), détruit le Temple et déporte la population. **539** *Cyrus,* le grand roi des Perses, prend Babylone. **538** il autorise le retour des Juifs à Jérusalem. Une communauté se reforme sous l'autorité des grands prêtres. **525** *Esdras,* scribe, reconstruit le Temple. Le code religieux est fixé, des synagogues s'ouvrent. **333** Alexandre le Grand († 323) bat Darius III, roi des Perses, **332** conquiert l'Asie Mineure, prend Tyr, Gaza, Jérusalem. **304** Ptolémée Ier s'impose en Palestine. **198** Antiochos III (chef des Séleucides de Syrie) s'impose. Antiochos s'étant emparé de l'or du temple et interdisait la pratique religieuse. **168** *Mattathias* et ses 5 fils (dont *Judas,* dit *Maccabée* signifiant sans doute le Désigné) organisent une révolte qui réussit. **164** Judas reprend Jérusalem. **161** Jonathan, son frère, lui succède. **142-67** indépendance, sous le gouvernement des princes hasmonéens, de la famille de Judas Maccabée. Principaux chefs militaires et religieux : *Siméon* († 134), fr. de Judas qui fait reconnaître l'indépendance et obtient le titre héréditaire de grand prêtre ; *Jean Hyrcan,* 1er ethnarque et grand prêtre (134-104), fils de Siméon ; il lègue son royaume à son épouse, mais son fils aîné, Aristobule, à la suite d'une révolution de palais, enferme sa mère au cachot (où elle mourut de faim) ; il fait incarcérer ensuite 3 de ses frères et assassiner le 4e qu'il soupçonne de vouloir le renverser ; 1 des frères incarcérés lui succède (par sécurité, il tue l'un des 2 autres restés en prison). *Aristobule Ier,* 1er roi de la dynastie (104-103) ; *Alexandre Jannée,* roi et grand prêtre (103-76) qui conquiert tout l'Erez Israël, battu par une émeute de pharisiens, fit massacrer 6 000 contestataires ce qui provoqua une rébellion qui dura 9 ans avec 50 000 † (prise de 800 chefs pharisiens qu'il fit crucifier près de son palais à l'occasion d'un banquet public en plein air qu'il présida). *Salomé Alexandra*, son épouse, reine (76-67), *Hyrcan II*, son fils étant grand prêtre (76-67). **67** mort de Salomé. Guerre de succession entre ses 2 fils. *Aristobule II*, roi et grand prêtre (67-63), prince avec des pouvoirs et un territoire amputés [il lui reste Judée, Samarie méridionale, Pérée (Transjordanie) et Galilée], assassiné à Rome 49. *Hyrcan II*, grand prêtre exécuté 30 ans après conquête romaine. **57** 1re mention du *Sanhédrin* ou *Synode,* assemblée sacerdotale et aristocratique, qui a un rôle politique (représentant la communauté j. en face des Romains), puis un pouvoir religieux et judiciaire. Présidé par un patriarche, titre héréditaire dans la famille de Hillel, il sera supprimé en 425 apr. J.-C.

La dynastie des Hérodes (47 av. J.-C. – 92 apr. J.-C.)

Av. J.-C. **47** Jules César, maître de la Syrie, nomme le chef iduméen *Antipater Ier*, régent de Judée à la place du prince hasmonéen Mattathias Antigone (neveu d'Hyrcan II). **43** *Hérode Ier* le Grand (73-4 av. J.-C.), fils d'Antipater, épouse la princesse hasmonéenne Marianne (exécutée en 29), petite-fille d'Hyrcan II. **40** Hérode, gouverneur de Galilée, vaincu par Antigonos, soutenu par les Parthes, s'enfuit à Massada puis en Égypte, et de là, gagne Rome et demande assistance. Antigonos II, roi exécuté en **37**. Hérode, nommé roi de Judée par le Sénat de Rome, met à mort 45 membres du Sanhédrin, partisans des Hasmonéens. Aristobule III, grand prêtre, frère de Marianne, assassiné en 35. **22-13** Hérode reconstruit le Temple de Jérusalem. Le service y est assuré par la secte sacerdotale des *Sadducéens* (libéraux) rivaux des *Pharisiens* (traditionalistes).

Après J.-C. Embellissement du Temple poursuivi jusqu'au règne d'Hérode Agrippa II, arrière-petit-fils d'Hérode Ier, monté sur le trône en 61, déposé par les Romains en 92. Les 2 Hérodes de l'Évangile sont : *1°) Hérode Ier le Grand* (roi de Judée en 34, mort en 4 av. J.-C.), présenté comme le massacreur des Innocents ; 2°) *le tétrarque Hérode Antipas* (26 av. J.-C.-41 apr. J.-C.), son fils, qui intervint dans le procès de Jésus. Exilé en 39 ap. J.-C. **29** Jésus est crucifié par les Romains ; les Juifs ne l'ont pas reconnu comme le Messie ; le christianisme naît. **41** Hérode Agrippa Ier († 44), neveu d'Antipas. **50** les *Pharisiens* enlèvent aux *Sadducéens* l'administration du Temple. **64** révolte contre Rome. **67** arrivée d'une armée de répression romaine. **70** 31-3 *Titus* assiège Jérusalem avec 60 000 h. ; 20-6 s'empare de la Tour Antonine ; 23-7 assaut final des Romains : le *Temple est incendié ;* 1-8 fin de résistance ; 1 100 000 Juifs périssent [tués au combat (580 000), morts de faim, exécutés après la reddition], 300 000 sont vendus comme esclaves. **73** *Massada ;* près de la mer Morte, une garnison (750 rescapés) recourt au suicide collectif plutôt que de se rendre, après un siège de 3 ans. **100** mort d'Hérode Agrippa II (f. d'H. Agr. I), dernier de la dynastie. **132-135** les Romains transforment Jérusalem en Aelia Capitolina, l'empereur Adrien réprime la révolte de *Simon Bar-Kokhba* (135 †). Les Juifs émigrent vers la Babylonie, ou rejoignent les communautés de la *diaspora,* dans le bassin méditerranéen.

Dates admises jusqu'au XIXe s. 4963 création du monde (*1er jour* lumière ; *2e* ciel, sépare eaux supérieures et inférieures ; *3e* mer et terre ; *4e* soleil, lune et étoiles ; *5e* poissons, oiseaux ; *6e* animaux domestiques, sauvages, reptiles, homme ; *7e* se repose). **4833** Caïn tue Abel (1er meurtre sur Terre). **3307** déluge. **3164** dispersion des peuples. **2958** mort de Noé à 950 ans. **2191** d'Abraham à 175 a. **1605** de Moïse à 120 a. **1500** de Josué à 110 a. **1040-1001** règne de David (1011 à 70 a.). **1011-962** Salomon (règne).

Livres saints et traditions

La Bible

La Bible juive, appelée par les chrétiens *Ancien Testament,* comprend 24 livres divisés en 3 parties.

■ La loi (Torah ou Pentateuque). 1 **La Genèse** (de la création du monde à la mort de Joseph). Contient les plus importants récits symboliques, voir ci-contre. Tous les personnages importants énumérés dans la descendance d'Adam, puis, après le déluge, entre Noé et Jacob, sont honorés du titre de patriarche. Il y a 3 patriarches hébreux : Abraham, Isaac, Jacob. 2 **L'Exode** (la sortie d'Égypte) et le *Décalogue.* 3 **Le Lévitique** (contenant des indications sur le rituel du Temple, les fêtes, les lois de pureté et de sainteté). 4 **Les Nombres** (marche dans le désert). 5 **Le Deutéronome** (derniers discours de Moïse : répétition des lois et du Décalogue). Le Talmud en tire 613 commandements (en hébreu *mitzva,* pl. *mitzvoth*) : 248 positifs (ordonnant certains actes), 365 négatifs (prohibitions diverses). Les désobéissances à ces lois (connues sous le nom générique de péchés) sont désignées dans la Bible par 20 mots différents ; le plus employé *het',* « manquement » (de la racine *ht'*), revient 459 fois.

■ Les Prophètes. 6 **Josué** (conquête de la Terre promise, sa répartition entre les tribus). 7 **Les Juges** (guerres contre les voisins). 8 **Samuel** *1 et 2* (hist. de Samuel, Saül et David, naissance de la Monarchie). 9 **Les Rois** *1 et 2* (histoire de Salomon, schisme entre Israël et Juda). 10 **Isaïe** (les prophéties ; probablement l'œuvre de 2 ou 3 prophètes portant le même nom). 11 **Jérémie** (prophéties concernant la destruction du Temple et l'exil). 12 **Ézéchiel** (Dieu changera l'esprit et le cœur de l'homme. Prophéties de l'Apocalypse). 13 **Les 12 prophètes** (Osée, Joël, Amos, Abdias, Jonas, Michée, Nahum, Habacuc, Sophonie, Aggée, Zacharie, Malachie).

■ Les Écrits (ou Hagiographes). 14 **Les Psaumes** (c'est-à-dire louanges). 15 **Job** (Pourquoi les justes souffrent-ils ?). 16 **Les Proverbes** (recommandations de sagesse). 17 **Ruth** (histoire d'une jeune Moabite, aïeule du roi David, qui abandonne l'idolâtrie). 18 **Le Cantique des Cantiques** (poèmes chantant l'amour réciproque de Dieu et d'Israël). 19 **L'Ecclésiaste** (thème : la vanité des choses humaines). 20 **Les Lamentations** (le repentir d'Israël après la ruine de Jérusalem). 21 **Esther** [épisode de l'histoire des juifs exilés en Perse, miraculeusement sauvés du massacre grâce à la reine Esther (épouse juive du roi perse Assuérus) et à son oncle Mardochée, commémoré par la fête de Pourim]. 22 **Daniel** (son histoire, ses prophéties et visions apocalyptiques). 23 **Esdras. Néhémie** (restauration juive en Terre sainte après l'exil). 24 **Les Chroniques** (généalogies, histoire de David et de ses successeurs impies, ruine de Jérusalem).

☞ Lors du banquet donné à Babylone par le roi Balthazar, une main apparaît et trace sur le mur *Mené, Teqél* et *Parsîn.* Daniel lui explique. *Mené :* Dieu a mesuré ton royaume et l'a livré ; *Teqél :* tu as été pesé dans la balance et ton poids se trouve en défaut ; *Parsîn :* ton royaume a été divisé et donné aux Mèdes et aux Perses.

Traduction des Septante

Traduction en grec de la Bible élaborée à Alexandrie sur l'ordre du roi Ptolémée II (283-246 av. J.-C.). D'après une légende rapportée par la lettre d'Aristée, chacun des 70 traducteurs aurait travaillé isolément dans une cellule ; tous auraient terminé leur travail au même moment, après 70 j, et leurs versions auraient toutes été absolument identiques. Les historiens placent cette traduction entre 250 et 150 av. J.-C. Le texte hébraïque utilisé par les traducteurs diffère sur certains points des textes *massorétiques,* notamment dans les livres de Samuel (passages résumés ou allongés), dans le 1er livre des Rois (additions) et dans le livre de Job (coupures).

La traduction admet certaines interprétations, *ex. :* l'expression *Yahvé Sébaoth* (mot à mot : « Dieu des armées »), employée 282 fois, est toujours traduite par « Seigneur Tout-Puissant » (les « armées » étant conçues comme les éléments de l'Univers, obéissant à Dieu).

Textes massorétiques

La *massore* (hébreu *massorah*) est la transmission orale des textes bibliques, non écrits, mais appris par cœur dans les écoles rabbiniques. Au VIIIe s. apr. J.-C., un groupe de docteurs des écoles de Tibériade (Galilée) entreprit de fixer par écrit ces textes. La langue utilisée était le dialecte galiléen (faisant partie des langues araméennes), avec des notes en néo-hébreu (hébreu biblique, enrichi de termes nouveaux). Mais dans certains cas (par ex., les mots abrégés), on ne peut dire avec certitude si un terme est hébraïque ou araméen, les 2 langues étant assez voisines. Les *Massorètes* ont créé une orthographe originale, avec des consonnes dont 5 affectent 2 formes possibles selon leur place dans le mot, et avec des points servant de voyelles, et ont fixé les signes servant pour la cantilation du texte (en hébreu, té'amim). Ils ont noté les variantes possibles de chaque passage. La tradition orale des Massorètes est restée fidèle aux textes primitifs. Des textes plus anciens que la Bible massorétique l'ont prouvé [*papyrus Nash* (publié 1903) avec le Décalogue (150 av. J.-C.) ; *rouleaux de la mer Morte* (Qumran), datés de 100 av. J.-C. à 100 apr. J.-C. (1re découverte 1947, puis 1952, grotte IV, avec 500 manuscrits) ; *plaques d'argent* découvertes en janv. 1983 près de l'égl. écossaise de Jérusalem : 3 versets du Livre des Nombres (chapitre 6), gravés en caractères cunéiformes et datant du VIIe s. av. J.-C.].

Les interprétations de la Bible

La Michnah (compilée par Juda Hanassi 164-217), texte définitif des 6 codes de la loi orale ; date inconnue, postérieure à 400 av. J.-C., constitue la 1re partie du Talmud et contient des prescriptions rituelles, notamment sur le service du Temple. La Tosephtah (= addition) sur les traditions orales. La Guemara (*discussions* sur la Michnah : le mot n'est employé que dans les éditions du Talmud). Le Talmud, réunissant Michnah et Guemara, comprend la *Halakha* (règle de vie, jurisprudence), et la *Aggada* (récit) : récits, fables, commentaires historiques, anecdotiques ou moraux. Cette littérature rabbinique est basée sur le *Midrach* (interprétation), exégèse méticuleuse du texte biblique. On connaît le Talmud de Jérusalem (IVe s. ap. J.-C.) et celui de Babylone (Ve-VIe s. ap. J.-C.), comptes rendus des réflexions et des délibérations des rabbins (IIe-VIIIe s.), mise par écrit de la tradition orale du judaïsme. Le Targum (traduction de la Bible en araméen) : 3 versions, la plus connue est l'Onkelos (IIe s.). La Mischné Torah (ou Yad Hazaka = main-forte), codification du Talmud par Maïmonide (1180). Le Shulhan Aroukh (= table dressée), rédigé par le rabbin Joseph Caro et paru en 1565, codifiant le Talmud et les décisionnaires postérieurs.

Nota. – La *Kabbale* est l'ensemble des enseignements mystiques et ésotériques commentant la Bible. Les ouvrages kabbalistiques les plus connus sont le *Zohar* et le *Sefer Yeçirah.*

Grands récits bibliques

Tenus pour « historiques » jusqu'au XVIIIe s., les grands récits bibliques ont, au XIXe s., été rapprochés des légendes mésopotamiennes (mythe du déluge) ou égyptiennes (création par un dieu-potier).

■ Genèse. *1909,* les autorités religieuses catholiques réagirent et affirmèrent le caractère historique des 3 premiers chapitres de la Genèse (voir p. 481 c). Les Juifs, eux, considèrent la Genèse avant tout comme le 1er livre de la Torah, qui rappelle la promesse divine et les droits d'Israël sur la Terre promise. Actuellement, on sait que plusieurs grands récits ont des parallèles qui remontent au IIIe millénaire (tablettes d'Ebla), et sont nés chez les ancêtres des Hébreux. Pour ceux qui croient au caractère inspiré de la Bible, les grands récits de la Genèse apportent aux hommes des idées valables sur le monde et l'humanité. Certains cherchent à retrouver dans les récits bibliques des preuves historiques de l'action dans l'histoire humaine des « extraterrestres » (ex. : Pierre-Jean Moatti).

Création du monde. Elle est géocentrique et offre des ressemblances avec la tradition mésopotamienne [retrouvée sur les *tablettes d'Ebla* (2500 av. J.-C.)] : le monde avant la création était un mélange de terre et d'eau, de lumière et de ténèbres. Dieu créera le monde en 6 jours (1er création de la lumière et du jour, 2e de l'architecture de l'univers, 3e sépare la terre et les eaux, 4e crée les plantes, 5e les étoiles et les astres, 6e les animaux et l'homme).

Création des êtres vivants. Végétaux, poissons, oiseaux, reptiles, mammifères, hommes apparaissent à une exception près (oiseaux avant reptiles) dans l'ordre que les biologistes ont découvert aux XIXe-XXe s. Pour la plupart des exégètes, il s'agit là d'une simple coïncidence.

Création et perfection du couple humain. *Adam* (le 1er homme) a été tiré du limon de la terre ; *Eve* (la 1re femme) a été tirée d'une côte d'Adam pendant son sommeil (elle est « la chair de sa chair » et « les os de ses os »). Les nouvelles théories chromosomiques de Jean de Grouchy (Ève serait la fille d'Adam) donnent aux formules de la Genèse une résonance insoupçonnée : pourquoi « chair de ma chair » ne signifierait-il pas : « fille » ?

Chute du couple humain. Le Tentateur, présenté comme un *serpent,* incite les hommes à rejeter les ordres de Dieu en goûtant le fruit de l'arbre de la Science (on parle du pommier), pour devenir eux-mêmes semblables à Dieu. Ce texte révèle l'existence d'une loi morale (précisée dans les textes législatifs de Moïse). Dieu punit Adam et Ève en les privant de l'immortalité et de la béatitude : ils sont chassés du *« Jardin de l'Éden »* (traduit par *paradeison,* « jardin » ou « paradis », dans la Bible grecque des Septante) et condamnés à « gagner leur pain à la sueur de leur front » ; Ève doit « enfanter dans la douleur » (3 fils : *Abel, Caïn, Seth*) et rester soumise à l'homme. Caïn, agriculteur, jaloux de voir Dieu préférer les offrandes de son frère cadet Abel, le berger, le tuera.

Déluge et Arche de Noé. Dieu annonce à Noé qu'il va exterminer toutes les créatures, mais lui ordonne de construire une arche, dont il lui fournit le plan. Noé y entre avec sa famille [ses 3 fils : *Sem, Cham* (qui lui manquera plus tard de respect, alors qu'il s'était enivré et dénudé pendant son sommeil ; il sera maudit ainsi que sa descendance) et *Japhet*] et des couples de chaque espèce d'animaux (a. purs : 7 couples ; a. impurs : 1). Le déluge s'abat 150 j (40 j selon une variante) ; tout périt. L'eau dépasse de 15 coudées les plus hautes montagnes, la décrue commence : l'arche se pose sur le *mont Ararat* (Arménie, Turquie), et Dieu conclut avec Noé et sa descendance une alliance dont l'arc-en-ciel est le signe. Ce récit sans doute d'origine mésopotamienne (retrouvé sur les tablettes d'Ebla, 2500 av. J.-C.) peut être lié à de grandes inondations dans les vallées du Tigre et de l'Euphrate. Au IVe millénaire, il existe une couche de 2,50 m d'argile près d'Ur. Au XXe s., J. de Morgan a pensé plutôt aux dernières glaciations du quaternaire (dites périodes pluviales dans le Moyen-Orient).

Ararat. Forme hébraïque de *Urartu,* qui désigne en assyrien tout le haut bassin du Tigre (en hébreu, *Ararat* signifie « Arménie ») ; la Bible parle de « montagnes », au pluriel. Le mont nommé actuellement *Ararat* (vrai nom : *Mt Massis*) est le plus visible de la région. Considéré comme le lieu d'échouage de Noé depuis Flavius Josèphe (v. 100 apr. J.-C.) [autres lieux mentionnés : Djebel Judi, au Kurdistan (version syriaque de la Bible) ; Mt Lubar, non identifié (Livres des Jubilés) ; Mt Nisir, c.-à-d. le Pir Omar Gudrun, Est assyrien (tradition babylonienne)]. *Explorations :* 1re, un évêque chaldéen qui découvre une planche, mentionnée par l'historien arménien Fausete de Byzance (317-80). *1670,* le Hollandais Jans Janszoon. *1896,* un diacre malabar (nestorien). *1930,* Hardwicke Knight (N.-Zél.). *1952,* George Creen (G.-B.) prend des photos d'une « plate-forme ». *1952, 53, 55 :* expéditions de Fernand Navarra. *1958* Navarra rapporte des morceaux de bois extraits de la glace, dont l'âge a été estimé à 4 000 ou 5 000 ans. D'après des photos prises par Skylab, les glaces du mont Ararat emprisonneraient un « objet » long de 135 m et de la forme d'un navire.

Tour de Babel. Les descendants de Noé parlaient tous la même langue, et s'étaient mis d'accord pour bâtir une tour devant monter jusqu'aux cieux (même thème que pour Adam et Eve : devenir semblable à des dieux). Dieu les rend incapables de travailler en commun, en les faisant tous parler des langues différentes : la tour est abandonnée. Explication rationnelle du récit : la ziggourat de Babylone, en plein désert, excitait les imaginations : Bab-Il, « porte de Dieu », a été compris *Babel,* « confusion » ; l'idée d'un complot contre Dieu vient sans doute de l'utilisation des ziggourats : des observatoires astronomiques (c.-à-d. en fait astrologiques).

■ **Livre des Nombres. L'ânesse de Balaam.** Le prophète païen Balaam, qui possédait des dons surnaturels, avait été acheté par le roi de Moab, Balac, et chargé de maudire les Hébreux. Dieu le lui interdit, mais, aveuglé par la cupidité, Balaam se mit en route sur son ânesse et alla rejoindre Balac. En chemin, l'ânesse se mit à parler (prodige qui aurait dû indiquer à Balaam qu'il était sous le regard de Dieu). Il passa outre, mais Dieu lui dicta les formules de bénédictions au lieu de malédictions.

■ Quelques personnages bibliques

Énoch, personnage mystérieux, mentionné par la *Genèse* parmi les patriarches (fils de Caïn), rendu célèbre par un apocryphe, le livre d'Énoch, d'inspiration apocalyptique, écrit au Ier s. av. J.-C. **Esdras,** prêtre et scribe des Ve ou IVe s. av. J.-C., ayant ramené à Jérusalem un groupe de Juifs de Babylone. **Esther,** Juive d'une grande beauté, de la tribu de Benjamin, déportée en Assyrie et épouse du roi perse Xerxès (Assuérus). A l'appel de Mardochée (son oncle et père adoptif), elle obtient de son époux qu'il autorise les Juifs à combattre l'ordre d'extermination obtenu par le Vizir Aman, qui sera tué. **Job,** émir du pays d'Uz, c.-à-d. d'Edom, symbole du juste souffrant (accablé de malheurs, malgré sa vertu), dans le *Livre de Job,* conte moral du Ve s. av. J.-C. **Judith,** héroïne d'un conte (apocryphe) écrit en 63 av. J.-C. Veuve, d'une grande beauté, elle se fait inviter par *Holopherne,* général assyrien (mythique), et lui coupe la tête, sauvant Israël de l'invasion. **Mathusalem,** fils d'Énoch, mourra à 969 ans. **Ruth,** héroïne d'un conte écrit (sans doute avant l'Exil à Babylone). Épouse du riche propriétaire *Booz.* Arrière-grand-mère du roi David. **Samson,** juge d'Israël, doué d'une force prodigieuse, résidant dans ses cheveux. Il épousa une étrangère, *Dalila,* qui, par trahison, lui coupa les cheveux et le livra aux Philistins. Samson, devenu aveugle, attendit que ses cheveux repoussent. Ayant récupéré sa force, il mourut écartant les colonnes porteuses du temple qui s'écroula sur les 3 000 Philistins réunis là. **Suzanne,** héroïne d'un conte (apocryphe) écrit au Ier s. av. J.-C. et servant d'appendice au livre de Daniel. Calomniée par 2 vieillards qu'elle avait repoussés, elle est sauvée de la mort par Daniel qui confond ses accusateurs (livre non canonique). **Tobie,** héros d'un conte moral (apocryphe) écrit v. 180 av. J.-C. Il épouse *Sarah,* juive d'Ecbatane (en Médie), la délivre d'un maléfice (le démon assyrien *Asmodée)* (livre non canonique).

Doctrine

Croyances en. *Un seul Dieu, la Torah* inspirée, l'*immortalité* de l'âme, le *libre arbitre,* la *responsabilité* individuelle (l'homme ayant été créé à l'image de Dieu, libre et souverain), la *solidarité* et l'*avènement* de la justice.

Décalogue (Commandements de Dieu). La loi s'exprime par le respect de sa morale : 1. *Je suis l'Éternel ton Dieu, qui t'ai tiré du pays d'Égypte, de la maison des esclaves.* 2. *Tu n'auras pas d'autre dieu que moi ; tu ne feras et n'adoreras aucune image.* 3. *Tu ne prononceras pas le nom de Dieu à l'appui du mensonge, car Dieu ne laisse pas impuni celui qui prononce son nom pour le mensonge.* 4. *Souviens-toi du jour du Sabbat pour le sanctifier. Tu travailleras pendant six jours, mais le septième jour est consacré à l'Éternel, ton Dieu. Tu ne feras aucun ouvrage, ni toi, ni ton fils, ni ta fille, ni ton serviteur, ni ta servante, ni ton bétail, ni l'étranger qui est dans tes murs, car l'Éternel a créé en six jours le ciel, la terre, la mer et tout ce qu'ils renferment et il a béni le septième jour et l'a sanctifié.* 5. *Honore ton père et ta mère, afin que tes jours soient prolongés sur la terre que l'Éternel ton Dieu te donne.* 6. *Tu ne tueras pas.* 7. *Tu ne commettras pas d'adultère.* 8. *Tu ne voleras pas.* 9. *Tu ne commettras pas de faux témoignages.* 10. *Tu ne convoiteras pas la maison de ton prochain, ni sa femme, ni son serviteur, ni sa servante, ni son bœuf, ni son âne, ni rien de ce qui appartient à ton prochain.*

Articles de foi rédigés par Maïmonide (1135-1204) résument les croyances essentielles du judaïsme : 1. *Dieu a créé et gouverne tout ce qui existe.* 2. *Dieu est Un et Unique.* 3. *Dieu est Esprit et ne peut être représenté par aucune forme corporelle.* 4. *Dieu n'a pas de commencement et n'aura pas de fin.* 5. *A lui seul nous devons adresser nos prières.* 6. *Toutes les paroles des prophètes (de la Bible, c'est-à-dire de l'Ancien Testament) sont vérité.* 7. *Moïse a été le plus grand de tous les prophètes.* 8. *La loi, telle que nous la possédons, a été donnée par Dieu à Moïse.* 9. *Cette Loi, nul homme n'a le droit de la remplacer ni de la modifier.* 10. *Dieu connaît toutes les actions et toutes les pensées des hommes.* 11. *Dieu récompense ceux qui accomplissent ses commandements et punit ceux qui les transgressent.* 12. *Dieu nous enverra le Messie annoncé par les Prophètes.* 13. *Notre âme est immortelle et, à l'heure que Dieu choisira, il rappellera les morts à la vie.*

Dieu. La tradition juive considère le nom de Dieu comme ineffable : il ne peut donc être ni prononcé ni écrit. Selon la tradition chrétienne, le Dieu de l'Ancien Testament est souvent appelé *Iahweh* (écrit fautivement *Jéhovah* en ajoutant les voyelles d'un autre mot : *adonaï,* « mon Seigneur ») ; on ajoute souvent le mot hébreu *Sabaoth,* multitudes, armées au nom de Yawhé, ce qui indique sa souveraineté absolue.

Messie (du latin *messias,* transcription de l'hébreu *mashiah,* « qui a reçu l'onction »). Descendant de David appelé à établir la Justice et la Paix, à restaurer le royaume d'Israël et à y ramener les Juifs en exil. Pour les chrétiens, le Messie est Jésus, qui a restauré une Jérusalem spirituelle. **Faux messies.** *Nombreux ex. : Shabbetaï Zevi* (ou Tsvi), né à Smyrne (1626), s'est proclamé Messie en 1660, puis converti à l'islam ; *Jacob Frank* (1726-91), fondateur des frankistes en Pologne et Bohême.

Karaïsme. Secte apparue au VIIIe s., reprenant sans doute la tradition des Sadducéens (voir p. 483 b). *Nom :* verbe *Kara,* « lire ». Préconisent une lecture attentive de la Bible et rejettent la loi orale des rabbins. Militent pour le retour en Eretz Israël (s'y implantent dès 850, avec Daniel al Qumiqi).

■ **Principales différences avec le christianisme. Salut du Monde.** *Doctrine chrétienne :* chaque homme et toute l'humanité doivent être sauvés. *Doc. judaïque :* le salut de la Maison d'Israël prise dans son ensemble peut sauver le monde. Un non-Juif observant les 7 lois Noah'ides (morale universelle) aura part au monde futur ; s'il pratique la justice, il peut se sauver individuellement.

Messie. *Doc. chr. :* il est venu, c'est Jésus. *Doc. jud. :* il doit venir sauver Israël et toute l'humanité.

Divinité de Jésus. *Doc. chr. :* Jésus est Dieu, fils de Dieu. *Doc. jud. :* il est un Juif parmi les autres (Dieu est unique, transcendant et incorporel).

■ **Relations avec les confessions chrétiennes. Protestantisme.** Traditionnellement étroite à cause de l'intérêt porté par les pr. à l'Ancien Testament (depuis le XVIe s., ils se sont mis à l'école des rabbins pour l'étude de la Bible).

Catholicisme. Devenues bonnes après la publication du texte conciliaire *Nostra Aetate* (28-10-1965), qui condamne l'antisémitisme. *Ex. : 1969* en France, création d'un Comité pour les relations avec le judaïsme (Pt : Mgr Matagrin, év. de Grenoble). *1973* il publie des « orientations » (Attitude des chrétiens envers le judaïsme). *1983* le card. Etchegaray reçoit le prix œcuménique d'Israël. *1985* (25-6) 20e anniversaire de *Nostra Aetate,* le St-Siège publie une note pour une correcte présentation des J. et du judaïsme.

Hassidisme. Mouvement piétiste, né en Podolie dans la 2e moitié du XVIIe s. Certains considèrent que les mouvements messianiques des XVIIe-XVIIIe s. sont à l'origine du *hassidisme.* Les hassidims (pieux) sont J. traditionalistes, observateurs rigoureux des préceptes moraux et disciplinaires, pratiquant avec ferveur prières, chants et danses (spiritualité de la joie, liée à l'espérance messianique). Groupés en communautés fermées depuis le XVIIIe s., ils se distinguent par leur tenue (chapeau noir, barbe, cheveux tressés).

Clergé

■ Prêtres

Origine. Appelés *kohen* (pl. *kohanim*) dans la Bible, descendent d'Aaron (frère de Moïse), chargés héréditairement du culte divin. Ils constituaient une caste fermée. *Fonctions essentielles :* sacrifices dans le Temple, bénédiction sacerdotale prononcée sur le peuple, transport de l'Arche d'Alliance, purification des malades et des sujets atteints d'impureté légale. En outre, le *grand prêtre* rendait des oracles après avoir pénétré dans le *Saint des Saints.* Après la destruction du Temple, les cérémonies sacrificielles furent suspendues et seule subsista dans le rituel la bénédiction sacerdotale des fidèles.

Prêtres modernes. En principe, tous les descendants d'Aaron ont conservé leurs droits au sacerdoce héréditaire et cette descendance est difficile à prouver depuis l'exil. Les J. réformés rejettent la notion de sacerdoce héréditaire et, dans leurs synagogues, les rabbins (voir ci-dessous) récitent la bénédiction sacerdotale sans se préoccuper de laisser la priorité à un kohen. Les J. orthodoxes, au contraire, reconnaissent aux descendants d'Aaron les droits des anciens prêtres du Temple, y compris celui de dire la prière sacerdotale dans les synagogues. Ils exigent de même que les prêtres modernes soient soumis aux mêmes obligations que les anciens prêtres du Temple : notamment fuir tout contact avec les cadavres et interdiction d'épouser une divorcée. Ainsi, la route Jérusalem-Jéricho, tracée par les Jordaniens à travers un cimetière, comporte une déviation spéciale pour les kohanim, contournant ce lieu interdit.

■ Le Rabbinat

Rabbins. Docteurs de la Loi, habilités à commenter les textes de la Bible et du Talmud. Ils ont la charge de l'enseignement religieux des enfants et adultes, président les cérémonies de la vie religieuse, doivent posséder un diplôme de séminaire ou un équivalent, accordé par des grands rabbins.

Grands Rabbins. Outre leur sacerdoce, à l'instar des Rabbins, ils sont les représentants des communautés juives en face des autorités civiles d'un pays ou des autres groupes religieux. Dans l'Espagne médiévale, le « rabbin mayor » était chargé de récolter les taxes spéciales acquittées par les J. En France, le poste de Grand Rabbin a été créé par Napoléon Ier en 1808 pour les chefs de chaque consistoire régional ; le Grand Rabbin de France est élu par une assemblée spéciale, composée de laïcs et de rabbins. Plusieurs pays ont suivi l'exemple fr., notamment G.-B. (1845) et Turquie (v. 1850). En Israël, il y a actuellement 2 Grands Rabbins : un pour le rite ashkénaze, l'autre pour le rite sépharade.

Ministres-officiants. Membres de la communauté israélite n'ayant pas le diplôme de rabbin, mais habilités à diriger une réunion cultuelle ou des cours d'instruction religieuse. Ils chantent les offices. En pratique, les fonctions de rabbin et de min. officiant peuvent être assumées par tout homme adulte qui en a les compétences.

Femmes rabbins. Bien que ce soit contraire à la tradition juive en général, il y avait fin 1990 env. 200 femmes rabbins aux USA, 10 en G.-B., 4 en Israël et 1 en France (1989 : Pauline Bebe 25 ans, ordonnée le 8-7-90 à Londres). Le judaïsme de la réforme (1 500 000 membres dans le monde) fut le 1er aux USA à accepter, en 1972, des rabbins femmes et, en 1990, le principe de rabbins homosexuels.

Liturgie

Fêtes

■ **Fêtes entièrement chômées. Chabbat** (sabbat ou samedi). Commence le vendredi soir à la tombée de la nuit et se termine le samedi à la nuit close. Le repos est obligatoire. Le Talmud a établi une liste de 39 travaux interdits : pendant le sabbat il est interdit de créer, transformer ou transporter matière ou énergie. En Israël, la législation facilite le respect du sabbat : transports publics arrêtés ; bureaux, écoles, magasins fermés, etc. Ailleurs, les J. rencontrent des difficultés. En France, le Grand Rabbinat aide les étudiants à faire les démarches nécessaires pour obtenir des régimes spéciaux permettant de concilier observance religieuse et poursuite des études.

■ **5 grandes fêtes annuelles** (débutant la veille au soir comme les sabbats).

Rosh Haschana [(« début de l'année ») 2 j]. Jour de l'An israélite, le 1er Tischri (entre 6 sept. et début oct.) ; début de 10 j de pénitence, dont le dernier, le *Yom Kippour,* est également férié.

Yom Kippour (jour de la Purification). Appelé le Sabbat des Sabbats. J. de jeûne absolu, terminant le 10 Tischri (entre le 15 sept. et le 14 oct.) la période de 10 j pénitentiels (appelés « les j redoutables » car on considère que le monde entier passe en jugement devant le trône de Dieu et rend compte des péchés commis pendant l'année écoulée) qui commence à Rosh Haschana. Le jeûne débute la veille au déclin du soleil et dure un peu plus de 24 h jusqu'à la nuit suivante, les Juifs affluent dans les synagogues. L'office (très long) commence par le *Kol Nidrei* (« tous les vœux »), formule qui annule les serments faits et non encore tenus. La moralité de cette pratique a été discutée (elle pourrait pousser les Juifs à se parjurer, confiants dans le pardon qui leur sera accordé au Yom Kippour). Certains disent qu'elle fut instituée en Espagne du temps des *marranes* (Juifs faussement convertis au christianisme) : les serments qu'on déclarait nuls étaient ceux de leur pseudo-conversion ; on reconnaissait ainsi la légitimité de leur statut équivoque. L'office du Kippour se termine par la *Neilah* (fermeture).

Solennité des Tabernacles ou **Soukkot** (fête des tentes, le 15 Tischri, en oct.) dure 7 j (2 premiers j chômés). Célèbre la protection de Dieu durant le séjour dans le désert. Les Juifs quittent leur maison 7 j et résident dans des cabanes, pour rappeler qu'ils ne sont fixés nulle part dans le monde. Actuellement, ils se contentent de dresser sur leurs balcons ou à l'extérieur une petite cabane symbolique dans laquelle ils prennent leur repas. Une cabane est installée dans la cour des synagogues pour ceux qui n'en ont pas chez eux. Les Juifs libéraux la montent dans la synagogue même, ce qui n'est pas réglementaire, la cabane devant être en plein air. *Fête de la récolte,* suivie de la *fête de clôture et réjouissance de la loi* (2 j chômés, 1 en Terre sainte).

Pâque [*Pessah,* « passage » (toujours au singulier)] c.-à-d. commémoration du passage de l'Ange qui a tué tous les premiers-nés d'Égypte en épargnant ceux des Hébreux ; célébré le 15 du mois de Nissan (souvent en avril) en souvenir de la sortie d'Égypte. Dure 8 j (7 j en Terre sainte) (les 1er et 2 derniers j sont chômés). Les 2 premiers soirs (en Terre sainte) sont marqués par le repas pascal : *Séder,* au cours duquel est raconté le récit de la délivrance d'Égypte *(Hagadah).* Pendant la durée de la fête, consommation de tout levain interdite, notamment le pain, remplacé par du pain azyme *(matza).*

Pentecôte (*Shavouoth,* « semaines », c.-à-d. 7 semaines ou 50 j après Pâque). Dure 2 j (2 j chômés, 1 j en Terre sainte) ; rappelle le don de la Torah sur le mont Sinaï et aussi *Fête des prémices.*

■ **Demi-fêtes** (chômage non obligatoire). **Hanouka** *fête des Lumières* (25 kislev, fin déc.), commémore la dédicace du Temple par Judas Maccabée. **Pourim** (1 mois avant Pessah). Célèbre la délivrance des Juifs de Perse, grâce à l'intervention d'Esther. **5 Iyar** anniversaire de l'indépendance de l'État d'Israël (15 mai 1948). **5 jours de jeûne** *10* Tebeth ; *13* Adar, jeûne d'Esther ; *17* Tammouz ; *9* Ab ou Ticha Béav (anniversaire de la destruction du Temple) ; *3* Tischri.

■ **Fêtes israélites en 1994.** *Années 5754/5755 :* Toubichvat 27-1. Jeûne d'Esther 24-2. Pourim 25-2. Pessa'h 27-3/3-4. Yom Haatsmaout 16-4. Lag Baomer 29-4. Yom Yerouchalaïm 9-5. Shavouoth 16/17-5. Jeûne du 17 Tammouz 26-6. Jeûne du 9 av 17-7. *Année 5755 :* Rosh Haschana 6/7-9. Jeûne de Guedaliah 8-9. Yom Kippour (fête et jeûne) 15-9. Soukkot 20/21-9. 27-9 (Chemini Atsereth) : 28-9 (Sim'hat Tora). Hanouka 28-11/5-12. Jeûne du 10 Tevet 13-12.

Divers

Bain rituel. Obligatoire pour les femmes mariées pour mettre fin à leur état de *Niddah* (pendant et après leurs règles menstruelles) qui se vit dans l'abstention de l'intimité conjugale ; pour les jeunes filles avant leur mariage religieux. Intervient également dans les modalités de la conversion.

Châle de prière (talith). Porté par les hommes pendant la récitation des prières du matin (en application du texte biblique, Nombres XV, 37-41). Il est blanc, avec des bandes noires ou bleues, et porte des franges *(tsizith)* pour rappeler au fidèle qu'il doit consacrer sa vie au service de Dieu.

Chandelier à 7 branches (Menorah). Son usage, attesté depuis l'âge de bronze moyen, a peut-être été emprunté aux populations primitives de Canaan. Une menorah en or était placée dans le Temple, et elle est devenue le symbole du judaïsme (actuellement emblème de l'État d'Israël). Lors du pillage du Temple en 70, la menorah a été transportée à Rome (elle est représentée sur le bas-relief de l'arc de triomphe de Titus, au Forum romain) ; elle aurait été ensuite emportée à Carthage par les Vandales en 45, ce qui laisse supposer qu'elle a abouti à Byzance, ayant été récupérée par Bélisaire en 533. Dans les synagogues modernes, les chandeliers à 7 ou à 9 branches sont largement utilisés pour la décoration.

Chémoné-Esré [« les Dix-huit » (bénédictions)] : prières prononcées à l'office des jours ordinaires.

Choffar. Corne de bélier, utilisée le j de l'An.

Circoncision (ablation du prépuce). Prescrite par Dieu à Abraham. Le 8e j après la naissance. L'opération est presque toujours faite par un médecin. Malgré une opposition née dans les milieux libéraux, la circoncision est encore pratiquée par la majorité des Juifs : elle scelle et confirme l'Alliance dont Dieu a dit : elle sera à perpétuité dans votre chair. Pour les premiers-nés, il y a la cérémonie du rachat, *Pidyon-ha-Ben,* le 31e j après la naissance.

Deuil rituel. Une dizaine de prescriptions traditionnelles ; notamment 7 j de plein deuil pour les proches parents du mort. Des carrés réservés aux Juifs existent dans certains cimetières parisiens.

Initiation (Bar-mitzva). Profession de foi à 13 ans (garçons), 12 ans (filles). Bat-mitzva.

Langues liturgiques. Hébreu et, accessoirement, araméen ; yiddish, judéo-espagnol ou judéo-arabe étant des langues populaires.

Mezouza (chambranle). Rouleau de parchemin fixé sur le chambranle des portes dans les maisons juives. Porte le mot *Tout-Puissant* (qui constitue également les initiales des mots hébraïques signifiant « Gardien des Portes d'Israël »), et le texte du *chemâ* (« Écoute, Israël »), profession de foi j.

Natalisme. Quiconque n'accomplit pas le devoir de procréation doit être comparé à un meurtrier (Rabbi Éliézer). Le *célibat* est déconsidéré : le célibataire ne s'appelle pas vraiment homme (Talmud). C'est la procréation qui confère au mariage son caractère sacré. La *monogamie* n'est pas imposée par la Bible, et la bigamie (moins rare que la polygamie) a été pratiquée par les J. en milieu musulman. Mais elle a été interdite par les rabbins ashkénazes dep. le xe s. et est interdite par le Code civil israélien.

Nourriture cachère (c'est-à-dire permise). *2 raisons :* distinguer le peuple juif des autres et ne pas faire souffrir les animaux lors de leur exécution. Il est interdit de mélanger viande et lait et de consommer sang et suif sous quelque forme que ce soit ; les seules viandes autorisées sont celles des ruminants aux pieds fendus en deux, c.-à-d. bovins, ovins [ni lièvres, ni chameaux (ruminants mais sans pieds fendus), ni porcs (pieds fendus mais non ruminants)], animaux de basse-cour, pigeons et colombes ; les seuls poissons autorisés sont ceux pourvus d'écailles et de nageoires : carpes, truites, saumons, harengs ; mais non requins, raies, anguilles, etc.

Plusieurs centaines de règles fixent la façon d'abattre les animaux : bêtes non anesthésiées ; opération avec un couteau parfaitement aiguisé, dont la lame est contrôlée ; section nette de la trachée artère et de l'œsophage en un endroit précis (le moindre écart de la lame entraînant la nullité de l'opération). A Paris, 30 exécuteurs assermentés sont contrôlés par une commission rabbinique intercommunautaire (il y avait, en 1986, 130 boucheries cachères). Pendant la *Pâque,* tout pain et toute pâte levés sont rigoureusement interdits, le *pain azyme* (sans sel, non levé) est prescrit ; tout aliment fermenté est interdit, sauf les alcools à base de fruits.

Phylactères (tefillin). Objets de piété composés de 2 petites boîtes de cuir noir contenant des passages de l'Écriture sainte. On les fixe autour du bras gauche et autour de la tête au moyen de lanières de cuir noir ; les hommes les portent aux services religieux du matin, sauf les sabbats et les j de fête chômés (en application du Deutéronome VI, 4-9 ; XI, 13-21).

Prières. 3 prières essentielles (communautaires ou individuelles). Chacune doit son origine à un des 3 patriarches : Abraham, Isaac, Jacob. *Matin* (Chahrith) et *soir* (Maariv ou Arbith) : lecture du Chema (verset 4, chap. VI, Deutéronome) et Tefilla (v. 18, bénédictions). *Après-midi* (Min'ha) : Tefilla. *Chabbat* (samedi) et les *j de fête* s'y ajoutent hymnes et lectures de passages de la Torah.

Rites. *Ashkenasi* (allemand), pratiqué par la majorité des Juifs d'Europe et d'Amérique. *Sefardi* (espagnol), pratiqué surtout dans les pays méditerranéens. *Orientaux* (Proche-Orient). Les différences apparaissent surtout dans la prononciation de l'hébreu et dans l'ordonnancement des prières.

Sept Espèces. Produits agricoles considérés comme un don particulier fait par Dieu à la Terre sainte : orge, figue, miel, grenade, olive, blé, vigne.

Synagogues (hébreu : *Beth Knesset,* maison de réunion). Bâtiments servant aux assemblées religieuses, existant depuis le VIe s. av. J.-C., date de la destruction du 1er Temple. Elles ont servi primitivement aux réunions sociales et politiques, puis comme maisons d'enseignement. Actuellement, elles servent surtout à la prière et aux cérémonies cultuelles. On peut d'ailleurs réciter en commun les prières liturgiques dans tout autre lieu dès qu'on forme un *Miniane* (groupe d'au moins 10 hommes de 13 ans révolus). On distingue les synagogues (lieux de cultes importants), appelées *schuhl* (écoles) par les Ashkénazes, et les oratoires locaux (plus petits), appelés *stiebel* (chambrettes) par les Ashkénazes. On emploie peu le mot « temple », réservé au Temple de Jérusalem. *La plus grande synagogue du monde* est celle de la 5e avenue à New York (Emmanu-El). Contenance : 6 000 personnes. Surface au sol : 3 760 m².

Téphila. Examen de conscience, prières, louanges, supplications. Prescrit 3 fois par jour.

Tendances actuelles

Orthodoxes ou *religieux,* très attachés à l'observance rigoureuse des pratiques religieuses. Certains d'entre eux, notamment en Israël, se distinguent par leur tenue : lévite noire, chapeau noir, barbe ; ils se marient exclusivement entre Juifs. Ils sont conscients du danger de déjudaïsation. **Conservatifs** (surtout aux USA où ils sont les + nombreux) sont partisans de certains aménagements de la pratique, mais dans le respect des principes traditionnels de la Loi (*Thora* et *Talmud*) dont ils reconnaissent l'autorité. Une communauté à Paris : *Adath Chalom.* **Libéraux** (surtout USA et Europe occid.), partisans d'une « réforme » pour « moderniser » certaines prescriptions et en assouplir les interdits. Environ 3 millions de membres dans le monde appartiennent à l'*Union mondiale du judaïsme libéral* (France : quelques communautés dont le MJLF : Mouvement Juif Libéral de France).

Prévisions (sous toutes réserves). *USA :* actuellement 5 100 000 J. (dont orthodoxes : 2 000 000) ; *Israël :* actuellement 3 000 000 (dont 1 200 000 orth.) ; en 2000 : 4 500 000 (dont 4 000 000 orth.).

Antisémitisme

Des origines à 1945

■ **Définition.** Mot créé en 1862 par le pamphlétaire allemand *Wilhelm Marr* (1818-1904), qui fonda en 1879 une ligue antisémite. L'ouvrage du Français *Ernest Renan* (1823-92), « Système comparé des langues sémitiques » (1858), venait de donner une grande notoriété au mot *sémite.* Marr l'a utilisé pour préciser qu'il n'attaquait pas le judaïsme en tant que religion, mais en tant que force politique et groupe racial. Néanmoins, les J. ont employé le mot antisémitisme pour désigner toute attaque menée contre leur peuple, y compris les attaques religieuses.

■ **Quelques dates. Avant J.-C., v. 1200** (relaté par le Livre de l'Exode) les Égyptiens traitent en esclaves leurs colonies hébraïques (voulant empêcher les J. de partir). **V. 330** (relaté par le Livre d'Esther) les colonies J. de Perse sont menacées d'extermination par Haman (personnage non identifié, mais peut-être un partisan d'Alexandre le Grand contre les Perses). **IIIe-IIe s.** dans l'Égypte des Ptolémées, nombreuses émeutes contre les J. alexandrins. **161** à Rome, Marcus Pompeïus, prêteur, interdit l'accès de la ville aux J. **Après J.-C. 22** 4 000 J. romains sont transportés en Sardaigne. **70** les Romains *détruisent le Temple* et transforment Jérusalem en *Aelia Capitolina.* **135** extermination des J. après la révolte de *Barkochba* ; actions sanglantes contre les J. révoltés d'Eg. et de Cyrénaïque.

■ **Antijudaïsme chrétien. Après J.-C., 49** *concile de Jérusalem :* les chrétiens qui jusque-là pratiquaient la religion juive et se considéraient comme une secte judaïque rompent avec la Synagogue, sous l'influence de St Paul, renonçant à la circoncision et acceptant le recrutement des païens. Certains pensent que St Paul cherchait simplement à tenir éloignée la communauté chrétienne de l'État théocratique j. menacé d'anéantissement par les Romains. Les J. ont considéré cette prudence comme une trahison. **I-IIIe s.** polémique religieuse notamment avec le traité de Justin le Philosophe (IIe s.). Dialogue avec Tryphon. Élaboration de la doctrine que l'Église enseignera jusqu'au XXe s. : les J. sont à l'origine le peuple élu de Dieu mais, comme ils ont rejeté Jésus, ils sont devenus des réprouvés (peuple dit *déicide*). **305** avant le concile d'Elvira (Esp.), s'applique à séparer les chrétiens des juifs en leur interdisant de partager leurs repas, ou de se marier avec eux, d'observer le chabbat ou de demander à un juif de bénir leurs champs. Interdictions réitérées par les conciles de Vannes (465), Epaon (517), Orléans II (533), Clermont (535), Orléans III (538) et IV (541). **IVe-VIe s.** après le décret de Constantin (313) faisant du christianisme la religion d'État, le prosélytisme est interdit aux J. **VIIIe-XIe s.** les J. sont assimilés aux musulmans par les chrétiens (à cause de la réussite sociale et économique des J. de l'Islam). **XIe s.** ils sont victimes des Croisades anti-islamiques. **A partir de 1243** 28 cas d'accusation, le pape Calliste II (1119-1124) prend leur défense dans une bulle, *Sicut Judeis.* Innocent III (1179-1180) ordonne aux évêques de veiller à ce que les croisés ne maltraitent pas les juifs. Grégoire IX (1145-1241) en 1236 souhaite que les crimes commis contre les juifs ne demeurent pas impunis. *Profanation d'hostie :* Portugal 2, Espagne 4, France 1, Belgique 1, Allemagne 8, Autriche 6, Tchéc. 3, Pologne 3. Il s'agissait d'hosties consacrées que l'on retrouvait tachées de rouge. On disait que les J. les perçaient avec des clous pour renouveler sur elles la crucifixion de Jésus, ce qui les faisait saigner miraculeusement ; des émeutes antijuives, souvent sanglantes, s'ensuivaient. En 1948, des chercheurs de l'Institut de Rehovoth (Israël) ont démontré que la farine des hosties pouvait être attaquée par un champignon rouge sang, le *Bacterium prodigiosum.* **XIIe-XVe s.** fréquentes accusations de *« meurtres rituels »* [mise à mort d'enfants chrétiens pour renouveler sur eux le supplice du Christ, ou pour utiliser leur sang comme remède : *1235* Fulda (Allemagne) ; *1462* Rinn (Autriche) : André de Rinn, béatifié 1752 ; *1472* Trente (Italie) : St Simon de Trente (2 ans ½), martyr, canonisé 1476, retiré du calendrier 1966]. **XIIIe-XVIe s.** beaucoup de conversions forcées, ex. en Espagne [1492 : conversion ou exil : 75 % (150 000) émigrent] ; suicides collectifs de J., pour éviter les conversions. Urbain VIII (1568-1644), le 233e pape (1623-44), permet le baptême forcé et condamne la profanation des cimetières j.

XVIIIe s. Clément XII (1730-40) et Benoît XIV (1740-58) codifient des lois antijuives : les juifs, sous peine de sanctions sévères, doivent porter la rouelle. Plus tard, Pie VI (1717-99), 248e pape (1775) condamne la Constitution civile du clergé après avoir intensifié la répression avec un Édit sur les juifs (1775) qui leur interdit de sortir du ghetto la nuit sous peine de mort. **XIXe s.** on reparle de *meurtres rituels,* notamment en Russie où une commission officielle d'enquête est instituée en 1837 [1863 à Saratov, 2 J. et un apostat sont condamnés à mort pour le meurtre de 2 enfants chrétiens ; 1911-13 à Kiev, Menahem Beilis est jugé pour le meurtre d'un chrétien de 12 ans, Andrei Yushchinsky (acquitté, il émigre en Israël)] et à Damas, où en 1840 les J. sont accusés d'un meurtre rituel après la disparition d'une supérieure d'un couvent de religieuses. Le ministre j. (français) Crémieux obtient du sultan une loi condamnant à l'avenir tous ceux qui accuseraient les J. d'un crime rituel. **1858,** *affaire Mortara :* dans les États de l'Église, à Bologne, un enfant de 11 mois, Edgard Mortara, en danger de mort, avait été baptisé par une servante chrétienne (en 1852) ; à 7 ans (1858), il est emmené par la police pontificale et placé d'office dans un hospice de catéchumènes ; il n'a jamais été rendu à ses parents et deviendra prêtre en 1867 ; pour obtenir sa libération, se fonde à Paris l'*Alliance israélite universelle* (voir p. 542 c).

XXe s. 1952, *affaire Finaly* Robert (n. 1941) et Gérald (n. 1942) qui ont perdu leurs parents arrêtés le 14-2-1944 [leur père Fritz Finaly (n. 1906), médecin juif autrichien, exilé à Grenoble puis mort en déportation, avait épousé Annie Schwartz à Auschwitz] ont été recueillis par les religieuses de N.-D. de Sion, puis par Mlle Antoinette Brun (directrice de la crèche municipale de Grenoble) qui les fait baptiser en 1948. En janvier 1953, la Cour d'appel de Grenoble stipule qu'ils doivent être rendus à leurs tantes habitant en N.-Zélande et Israël, mais les religieuses les font passer en Espagne. Fin juillet, une des tantes peut les récupérer et les emmène en Israël. **1960** suppression de la prière pour les J. « perfides » (en réalité *perfidus* signifiait « incrédule »). L'historien j. (français) Jules Isaac (1877-1963) avait entrepris de mettre fin à l'antisémitisme de l'Église. Il avait contacté le cardinal Béa et le pape Jean XXIII pour leur faire reconnaître que les J. n'étaient pas un peuple déicide. **1965** le concile du Vatican affirme qu'il n'y a pas d'hostilité entre christianisme et judaïsme.

■ **Antijudaïsme social et religieux.** L'Église ayant interdit aux chrétiens de prêter à intérêt, les non-chrétiens organisent au XIe s. le secteur bancaire. La plupart des confiscations et des expulsions de J. (Angleterre 1290, France 1394) s'expliqueront par le désir de récupérer les capitaux détenus par la banque j. ou de restreindre le crédit (l'expulsion d'un usurier correspond empiriquement à une mesure anti-inflationniste). Les 1res *« juiveries »* étaient des quartiers spécialisés dans un métier, des « rues au change », comme il y avait des rues aux bouchers et des rues poissonnières. **XIIIe s.,** la résidence des J. dans les quartiers spécifiques devient obligatoire (Perpignan 1251, Carpentras 1269, Londres 1276, Paris 1292, Marseille 1320, Aix-en-Pr. 1341). **V. 1320** *complot des lépreux :* les J. sont accusés d'utiliser des lépreux pour contaminer les Européens (en accord avec le sultan de Grenade en Espagne), notamment en polluant l'eau des puits et les hosties [exécutions de J. notamment à Chinon (160 J. brûlés, dont le rabbin Éliézer Ben Joseph) et Vitry-en-Perthois]. **1348** *peste noire :* les J. sont accusés (surtout en All.) d'empoisonner les puits ; env. 300 communautés j. sont supprimées (exode des J. allemands vers la Pologne). **1349** (14-2) 2 000 J. mis à mort à Strasbourg. **1516** institution des *ghettos* (du nom du quartier j. de Venise, la Fonderie ou ghetto) : les juiveries sont désormais entourées d'un mur avec une seule porte ; les J. qui la franchissent doivent porter un insigne spécial (rouelle ou chapeau jaunes). A l'intérieur, les J. peuvent exercer sur les maisons un droit de jouissance et de vente semblable au droit de propriété (interdit ailleurs). Ils y ont leurs institutions propres. La ségrégation permettra aux communautés j. de se structurer pendant 3 siècles (en 1791, dans le comtat Venaissin annexé, de nombreux J. refusent d'adopter la législation française et de quitter leur ghetto). **XIXe s.** antisémitisme social des fouriéristes (réaction contre le judaïsme des saint-simoniens). Alphonse Toussenel (1803-85) publie en 1845 *les Juifs rois de l'époque, histoire de la féodalité financière,* soulignant la continuité entre les activités bancaires j. du Moyen Age et les grandes entreprises j. modernes. Il fournira de nombreux arguments aux antisémites maurrassiens (voir ci-contre).

■ **Antisémitisme racial.** La division de l'humanité en 3 grandes races : *Japhétites, Sémites, Hamites* ou *Chamites,* enseignée par la Bible (Livre de la Genèse, épisode du Déluge), a été admise par chrétiens, musulmans et juifs jusqu'au XVIIIe s. (avec des divergences pour la répartition des peuples entre ces 3 groupes) : la découverte de l'Amérique et l'exploration des côtes africaines et asiatiques (XVIe-XVIIe s.) ont bouleversé ces données, mais, longtemps, les anthropologues ont tenu à conserver ce chiffre de 3 : Linné et Buffon ne distinguaient que Noirs, Jaunes et Blancs. La notion de race sémite (ou j.) est née au XIXe s., après les travaux de linguistique qui avaient démontré l'existence d'un groupe hébréo-arabe. Les J. eux-mêmes ont cru longtemps à la pureté de leur race (descendant des Béné-Israël de l'époque des patriarches). Ils admettent aujourd'hui que le prosélytisme religieux israélite a fait entrer dans le judaïsme des milliers de non-sémites.

En Allemagne, la notion de *race nordique* ou de *race aryenne* a été adoptée en 1894 d'après les ouvrages de Joseph Arthur de *Gobineau* (Fr. 1816-82), qui utilisait des découvertes philologiques (groupe des langues indo-europ.) et croyait à la dégénérescence des races latines et méditerranéennes (fondation de la Gobineau Vereinigung). Le *racisme hitlérien,* qui a tenté d'exterminer les races « inférieures » (Juifs, Jennitchs, Tziganes) entre 1940 et 45, avait pris comme point de départ ses théories. Beaucoup d'Allemands étaient convaincus : 1°) de la supériorité raciale des Nordiques ; 2°) de la réalité, sur le plan politique et national, du péril j., mais n'ont pas (sauf de nombreuses exceptions) voulu le génocide lui-même [appelé par les J. *l'holocauste :* extermination de plusieurs millions de J. européens, par exécutions massives ou mort lente dans des camps de concentration *(Shoa)*]. Ils « ignoraient », ont-ils dit, ou avaient voulu ignorer, les crimes raciaux nazis (voir Israël, à l'Index).

Depuis 1973 et la crise pétrolière, un certain antisémitisme semble renaître. Certains ont vu un essai de déstabilisation de l'Occident provoqué, à l'époque, par les pays de l'Est ou la Libye ; d'autres y voient l'action de néo-nazis convaincus.

■ **Antisémitisme politique et national. En France.** *Charles Maurras* (1869-1952), fondateur de *l'Action française,* définit lors de l'affaire Dreyfus (1894-1906) une nouvelle thèse : les J. alliés aux 3 grandes internationales (protestante, révolutionnaire, maçonnique) représentent un péril pour la nation française, dont ils cherchent à contrôler la destinée en s'emparant de la puissance économique et politique [Dreyfus est présumé coupable car il appartient « à une race portée à la trahison » (voir Affaire Deutz, p. 542 a)], mais Maurras condamne cependant « l'antisémitisme de peau » et se situe sur le plan politique et national : les J. doivent être combattus par les nations, car ils forment une nation ennemie décidée à les asservir. *Édouard Drumont* [(1844-1917), auteur de *la France juive* (1886), directeur d'un quotidien antisémite, *la Libre Parole,* élu député d'Alger (1898)] : reproche moins aux J. d'être des agents internationaux que des agents allemands (opinion liée à la forte immigration ashkénaze après 1871). *Louis-Ferdinand Céline* [(1894-1961), auteur de *Bagatelles pour un massacre* (1936)], antisémite non nationaliste, et antimilitariste, reproche surtout aux J. d'être bellicistes. Il admet la notion hitlérienne de races et veut enfermer tous les J. du monde dans un vaste ghetto palestinien.

En Russie. *Constantin Pobiedonostsev* (1827-1907), conseiller du tsar Alexandre III, assimile les J. aux révolutionnaires qui ont assassiné Alexandre II le 13-3-1881. Il édicte une législation sévère contre les J. et organise avec le baron de Hirsch leur émigration de Russie. L'antisémitisme du gouvernement tsariste encourage les *pogroms* (attaques) populaires, 800 jusqu'en 1917 [le plus sanglant : Odessa 1905 (300 tués)].

De 1917 à 21, les Russes blancs tsaristes ont exécuté massivement les J. (ceux-ci étant nombreux parmi les bolcheviks, notamment Trotski, Sverdlov, Kamenev, Zinoviev).

En 1927, à Paris, un réfugié j. de Russie, Chalom Schwartzbard (1886-1938) tue un G^al^ ukrainien, l'Atman Petlioura, coupable d'avoir massacré, en 1919, 50 000 J. ukrainiens. Il sera acquitté.

Protocoles des Sages de Sion. Adaptation russe d'un pamphlet français de Maurice Joly (1829-78), *le Dialogue aux Enfers entre Montesquieu et Machiavel* (Bruxelles, 1864). Publié en 1905 à Moscou par Serge Nilus, comme le révéla Philip Graves (dans le Times, en août 1921), averti par Michel Raslovleff († 1987). Traduit en allemand (1919), polonais, anglais et français (1920). Présenté comme les conclusions secrètes du 1er Congrès sioniste de Bâle. Le livre, dénoncé comme un faux, inspirera néanmoins Hitler (*Mein Kampf*) et deviendra un manuel officiel de l'antisémitisme en Allemagne nazie après 1929. Voir *antisémitisme arabe,* p. 541 a.

■ ÉPOQUE ACTUELLE

■ **Antisémitisme soviétique. URSS.** Sensible dès l'arrivée de Staline au pouvoir, il s'intensifie en 1948 (assassinat à Minsk de l'acteur J. Solomon Mikhoels), et se poursuit par l'interdiction de la littérature et du théâtre en langue yiddish, même dans la *région autonome juive de Birobidjan* (voir Index), où elle est théoriquement l. officielle, à égalité avec le russe. Des J. sont déportés en Sibérie, mais non au Birobidjan, où leur nombre est restreint (15 000). Le 12-8-1952, 26 membres j. du Comité antifasciste sont fusillés. 6 médecins j. accusés d'espionnage sioniste sont arrêtés. Ils seront libérés en avril 1953, après la mort de Staline. Entre 1956 et 1963, le nombre des synagogues décroît de 450 à 96. En 1960, la confection des pains mazzot est interdite ; l'impression des livres j. est suspendue, sauf celle du livre des prières Siddur ha-Shalom (imprimé à 3 000 ex. en 1957, réimprimé en 1960, mais non mis en circulation) ; les écoles en yiddish, supprimées sous Staline, ne sont pas rouvertes, et une seule publication en yiddish est autorisée (en 1961) : le mensuel officiel *Sovetish Heymland ;* les J. sont écartés des postes dirigeants dans le parti.

De 1965 à 1967, quelques centaines de familles sont autorisées à émigrer vers Israël. Après la g. des Six Jours (1967), cette émigration est limitée, jusqu'en 1974. Avec l'accession au pouvoir de Gorbatchev, l'émigration se développe et les mesures prises à l'encontre de la vie culturelle juive à l'intérieur se sont atténuées ; mais le « *Pamyat* », mouvement antisémite, se développe et s'appuie sur les traditions religieuses et nationales de l'ancienne Russie.

■ **Antisémitisme polonais.** Pogrom sanglant en 1946, à Kielce, puis l'antisémitisme reste vivace, en particulier pendant l'ère Moczar où la communauté juive disparaît pratiquement.

■ **Antisémitisme arabe. Avant le sionisme,** dans les empires arabes ou turcs, les J. occupent une position inférieure par rapport aux musulmans mais ils sont privilégiés par rapport aux païens. Avec les chrétiens (autre peuple du Livre, c.-à-d. de la Bible), ils ont, dans les villes, leur autonomie à l'intérieur de leurs quartiers. Ils paient une taxe spéciale pour obtenir la liberté de leur culte. Les musulmans les traitent en général avec condescendance, sans hostilité ; il y a eu pourtant des persécutions, surtout chez les chiites (Iran, Yémen), et des expulsions en pays sunnites (notamment Espagne musulmane, XIIIe s.).

Depuis le sionisme (1898), les Arabes s'opposent à l'établissement d'un foyer j. en Palestine (à plus forte raison à la création d'un État). A partir de 1927 (accroissement de l'immigration j.), ils passent à l'action armée contre les colons sionistes.

La Ligue arabe, créée en 1945, utilise pour la propagande de nombreux arguments antisémites de type hitlérien ou maurrassien. Elle a fait rééditer à des millions d'exemplaires les *Protocoles des Sages de Sion* (voir p. 540 c, Russie). Les Révolutionnaires musulmans iraniens ont fait de même en 1978. A partir de 1948, env. 1 million de J. ont dû quitter, de gré ou de force, les pays musulmans. Le 5-9-1989, Kadhafi a suggéré de régler le « problème palestinien » en transférant les J. d'Israël en Alsace-Lorraine, à défaut en Alaska ou dans les pays baltes.

■ **« Antisionisme » gauchiste pro-arabe.** Les mouvements modernes d'extrême gauche, ayant pris parti pour les Arabes dans la question palestinienne, ont adopté une attitude « antisioniste », hostile en principe à l'État israélien et non à l'ethnie ou à la religion j. Mais le mouvement arabe gauchiste Convergence 84 a refusé l'alliance avec les mouvements antiracistes proches du judaïsme (par ex. « Touche pas à mon pote »). Pour eux, les antiracistes arabes sont manipulés par les sionistes. Les J. refusent en majorité de faire la distinction entre antisionisme et antisémitisme. Cependant le petit Mouvement sémitique d'Uri Avneri (n. 1924) a préconisé l'abandon du messianisme j. et la fondation d'un État sémitique israélo-arabe. En 1980, un gauchiste j., Jean-Gabriel Cohn-Bendit (frère de Daniel), a soutenu les thèses de Robert Faurisson sur le génocide hitlérien. Depuis 1982 (intervention d'Israël au Liban), des antisionistes de droite ont accusé Israël d'avoir agressé les Libanais chrétiens.

■ **Antisémitisme américain.** Apparut entre les 2 guerres mondiales (principal leader : Henry Ford, qui diffusa les *Protocoles des Sages de Sion*). Reproche aux J. leur puissance financière qui leur permet de contrôler les USA où ils formeraient un État dans l'État. Les J. amér. émigrent peu vers Israël : 25 000 Isr. d'origine amér. sur 1 360 000 immigrants entre 1948 et 68, soit 2 % (alors que les J. amér. représentent plus de 40 % de la Diaspora).

Terrorisme antijuif contemporain

Anvers (Belg.). *1980 27-7 :* colonie de vacances j. (1 †, 17 bl.). *1981 20-10 :* ateliers de diamantaires, synagogue (3 †, 95 bl.). **Bruxelles** (Belg.). *1982 18-9 :* synagogue (4 bl.). **Istanbul** (Turquie). Synagogue. **Paris** *1979 27-3 :* restaurant rue Médicis (30 bl.). *1980 3-10 :* synagogue rue Copernic (4 †, 10 bl.). *1982 9-8 :* restaurant Goldenberg, rue des Rosiers (6 †, 22 bl.) ; *10-8 :* banque Meyer et Sté d'importation israël. rue de La Baume (plastic, 1 bl.) ; *14-8 :* rue Auguste-Laurent, incendie ; *17-9 :* voiture piégée, rue Cardinet (5 bl.). *1985 29-3 :* cinéma (18 bl.). **Rome** (Italie). Synagogue. **Vienne** (Autriche). *1981 29-8 :* synagogue (2 †, 19 bl.).

Les auteurs (arrêtés) du 1er attentat d'Anvers étaient « antisionistes » arabes ; les attentats de la rue des Rosiers et de la rue Copernic étaient dus au groupe palestinien Abou Nidal. L'extrême gauche antisioniste « Action directe » a revendiqué l'attentat de la rue de La Baume et 7 explosions antérieures.

Statistiques. En France *de 1980 à 1992 :* 317 agressions antisémites (dont 288 de l'extrême droite, 24 liées au terrorisme international, 5 d'Action directe) ; 1 669 menaces ou actions injurieuses. **Attentats :** *1978 :* 15, *79 :* 25, *80 :* 75, *81 :* 26, *82 :* 34, *83 :* 21, *84 :* 15, *85 :* 11, *86 :* 2, *87 :* 13, *88 :* 17, *89 :* 18, *90 :* 20, *91 :* 40, *92 :* 80. **Profanations de cimetières :** 6 entre 1987 et 89. *1990-9-5 :* Carpentras (non élucidée). *1992-30-8* Herrlisheim (Ht-Rhin) ; *-12/13-9* Lyon. *1993-10-6* Haut-Vernet (P.-O.) ; **de synagogues :** [exemple : 31-12/1-2 Villepinte, Bisheim (banlieue de Strasbourg)]. **Victimes :** *1988-92 :* 12 † (11 de terrorisme), 151 blessés.

Ligue internationale contre le racisme et l'antisémitisme (Licra). *Fondée* 1927 par Bernard Lecache (1895-1968). *Pt :* Pierre Aidenbaum (élu 25-10-1992). *Revue* mensuelle, *Le Droit de vivre* (30 000 ex.). Entre juin 1981 et févr. 1983, a plaidé 4 fois [en 1re instance, puis en appel (pénal et civil)] contre Robert Faurisson (prof. de littérature à l'univ. de Lyon) qui soutenait que « le mythe des chambres à gaz » est une « escroquerie » sioniste. F. a été condamné pour diffamation (en appel). A engagé 100 procès entre juill. 1987 et avril 90 pour injures, provocation et diffamation.

La religion juive en France

Histoire

■ **Origine. Ier s.** Immigration probable de familles juives avec les armées romaines. Inscriptions j. à Orgon (B.-du-Rh.), Salignac-de-Pons (Char.), Bordeaux et Avignon. **IVe s.** inscr. à Auch, Lyon, Arles ; traces à Metz, Poitiers. **Ve s.** implantations à Valence, Agde, Vienne, Clermont-Ferrand, Marseille, Narbonne, Uzès, Bourges, Mâcon, Tours, Orléans, Lutèce. **576** 500 J. vivent à Clermont-Ferrand où l'évêque saint Avit leur propose le baptême ; 35 villes sont citées comme ayant également une communauté. Dagobert (631-39) a, semble-t-il, rendu un décret d'expulsion contre eux. **IX-Xe s.** les J. d'Espagne immigrent, attirés par Charlemagne et Louis le Pieux qui créent le poste de *magister Judaeorum.* Leurs communautés austrasiennes et neustriennes fondent des foyers culturels ashkénazes, notamment à Paris, Troyes [où vivra le rabbin Salomon ben Isaac Rachi (1050-1105), commentateur de la Bible et du Talmud], et surtout à Rouen, où, protégés par les ducs de Normandie, ils créent une yechiva ; la Narbonnaise reste le centre principal des études j.

■ **Changements dus aux croisades. 1096-1501** les Croisés (surtout ceux qui ont combattu en Espagne) considèrent les J. comme les alliés des musulmans. Conversions forcées des J. à Rouen et Metz (mais non dans le Languedoc). **1171** *à Blois,* 1re attestation d'une condamnation à mort pour accusation de meurtre rituel ; *26-5,* 31 hommes, femmes et enfants brûlés vifs sur le bûcher, sur l'ordre du Cte Thibault (autres cas attestés : Pontoise, Joinville, Épernay). **1182** Philippe Auguste décrète l'expulsion des J. du domaine royal (ils se réfugient surtout à Rouen). **1198** il revient sur sa décision. **1240** procès contre le Talmud : sa lecture est interdite aux chrétiens ; nombreux manuscrits j. brûlés. **1269** St Louis impose aux J. une tenue spéciale : bonnet pointu et « rouelle » (médaillon rond de tissu jaune). **1276** Philippe III le Hardi oblige les J. à vivre en milieu non rural (les biens ruraux étaient reçus « en tenure » des seigneurs terriens ; le tenant devait prêter serment sur l'Évangile, ce qui écartait les J.). Ils s'installent en ville, dans des *juiveries* ou rues aux J., successions d'échoppes (prêteurs, orfèvres, etc.). De nombreuses synagogues datent de cette époque ; la lecture du Talmud y est autorisée alors qu'elle est toujours interdite aux chrétiens. **1290** expulsion des J. du S.-O. dépendant du roi d'Angleterre, duc de Guyenne. **1306** décret d'expulsion (Philippe le Bel) ; confiscation des biens j. **1315-94** les J. sont autorisés à vivre dans le royaume et à pratiquer le crédit moyennant paiement de taxes. **1322-23** expulsion momentanée (fausse accusation de complicité avec des lépreux pollueurs de puits). **1394** *(17-9)* Charles VI annule l'autorisation de résidence. Les J. du Nord se replient en territoire impérial (surtout Lorraine et Alsace) ; les J. du Sud vers le Comtat Venaissin, le Dauphiné (qu'ils évacueront progressivement au XVe s.), la Provence [âge d'or des J. provençaux sous le roi René (1431-80)]. **1481** la Provence est rattachée au roy. **1498** les J. se replient en Avignon. **1501** il n'y a pour ainsi dire plus de J. dans le roy. (sauf peut-être à Paris, où les fripiers auraient été des descendants de J., convertis en apparence).

1501-1723 : période de tolérance pour les « Portugais » (immigrants j. en Gascogne). Les J. sépharades expulsés d'Espagne en 1492, puis du Portugal en 1497, s'introduisent dans le S.-O. et forment des communautés à St-Esprit (faubourg de Bayonne), Bordeaux, Peyrehorade, Bidache, Labastide-Clairence. Ils y ont le même statut que les étrangers chrétiens [il s'agit de *conversos* ou *marranes* (J. convertis officiellement au christianisme, mais continuant à pratiquer le judaïsme en secret)]. **1550** Henri II leur accorde des lettres patentes qui ne mentionnent pas leur religion. **1625** leurs biens sont confisqués (comme sujets du roi d'Espagne, les biens des Français résidant en Esp. ayant été confisqués par Philippe IV). **1565** 1er texte reconnaissant à des J. le droit de résider dans le royaume : il porte sur les ashkénazes de Metz, l'un des 3 évêchés impériaux rattachés à la France. Soumis au régime du ghetto allemand *(Judengasse),* ils conservent ce régime sous l'occupation française. **1569** les J. d'Avignon et du Comtat sont soumis au régime des ghettos [appelés par les chrétiens *carrières* ou *juiveries,* par les J. les *4 cités saintes* : Avignon (en hébreu : *Ir ha-gefanim,* « ville des raisins »), L'Isle-sur-la-Sorgue, Cavaillon, Carpentras]. Les « Portugais » du S.-O. sont plus mêlés aux populations chrétiennes du fait de leur statut mal défini. **1691** les J. de Paris, originaires du S.-O. ou de la « Jurue » messine, acquièrent leur 1er cimetière depuis l'expulsion de 1394, dans le jardin d'un aubergiste, le sieur Camot, patron de *l'Étoile* (actuellement 44, rue de Flandres, 75019 Paris). Ils peuvent y enterrer leurs morts, de nuit. **1697** annexion de l'Alsace ; les ashkénazes y reçoivent les mêmes droits que dans les Trois-Évêchés (mais comptent de nombreuses communautés rurales). Dès cette époque, les J. d'Avignon et du Comtat Venaissin pénètrent sans entrave en Languedoc et en Provence pour y commercer.

XVIIIe s. des J. s'installent à Paris mais ils n'y ont pas le droit de propriété : à leur mort, leurs biens reviennent à la Couronne. **1723** renouvellement des lettres patentes d'Henri II (100 000 livres), mentionnant leur qualité de j. mais ne leur accordant pas officiellement le droit de pratiquer la religion. **1775** à la requête des J. de Lorraine, française en 1766, et de l'Alsacien Herz Cerfbeer (1726-94), L. XVI accorde à tous les J. de France les mêmes droits patrimoniaux qu'aux autres Français. Néanmoins, d'après la brochure publiée à Metz à cette occasion par l'abbé Grégoire (1750-1831), *Essai sur la régénération physique, morale et politique des J.,* on voit que l'intention de L. XVI était l'assimilation et la conversion des J. **1784** Cerfbeer obtient l'abolition de l'impôt personnel *(Leibzoll)* frappant les J. d'Alsace. **1789** *(janv.) :* 3 500 J. portugais du S.-O. sont admis au vote désignant les députés aux états généraux ; ceux d'Alsace sont exclus.

■ **Après la Révolution. 1790** *(janv.)* la citoyenneté fr. est reconnue aux J. portugais du S.-O. **1791** *(27-9)* le décret Duport accorde aux autres J. de France (25 000 en Alsace, 7 500 dans le Messin, 700 à Paris, 3 000 en Provence) les mêmes droits qu'aux Port. du S.-O. et aux autres citoyens français. 84 % sont des ashkénazes, 16 % des sépharades. **1792** *juin* les J. avignonnais reçoivent les droits civiques français ; *sept.* Avignon est annexé à la France. **1793** les J. portugais offrent au comte de Provence (en exil) de lui acheter 25 millions la baie d'Arcachon et les Landes entre Bordeaux et Bayonne pour y installer une principauté sépharade dépendant de la couronne (proposition connue par Bonaparte en 1807).

1806 *26-7 assemblée de notables j.* [111 délégués nommés par les préfets, dont ashkénazes 67 (rabbins 8, laïcs 59), sépharades 45 (r. 7, l. 37). *Pt :* Abraham Furtado, négociant bordelais ; rôle : concilier le mode de vie des communautés j. avec les exigences du Code Napoléon (régimes matrimoniaux, devoirs envers l'Empereur, égalité des J. et non-J.) ; fin officielle des travaux : 6-4-1807]. **1807** *7-2/7-3 « grand sanhédrin »* de Paris [71 délégués, en majorité choisis parmi les « notables » réunis à ce moment, dont ashkénazes 40 (rabbins 27, laïcs 13), sépharades 32 (r. 19, l. 12). *Pt :* David Sintzheim (1745-1812), rabbin de Bischheim (Bas-Rhin) ; rôle religieux : faire passer dans la loi j. les conclusions adoptées par les « notables »]. **1808** *17-3 :* 3 décrets : 1°) création de consistoires locaux, calqués sur le protestantisme (2 rabbins, 1 laïc dans les dép. comptant + de 2 000 j.) ; 2°) consistoire national (3 rabbins, 2 laïcs, nommés par le gouv.) ; 3°) (« décret infâme ») régime d'exception, pour 10 ans, limitant déplacements et activités économiques des J.

XIXe s. accroissement de l'immigration ashkénaze (40 000 J. à Paris, 152 synagogues en France). Migration générale des J. des bourgades vers les grandes villes. Aristocratie financière ashkénaze : Gunzburg, Cahen d'Anvers, Bischoffsheim, Heine, Finaly, Koenigswarter, Ephrussi, Lazard, Reinach, Stern, Rothschild, Seligmann d'Eichtal, Deutsch de la Meurthe, Weisweiller ; sépharade : Pereire, Camondo. Branche française des *Rothschild* [James (1792-1868), ses fils Alphonse (1827-1905), Gustave (1829-1911) et Edmond (1845-1934) ; ses petits-fils Édouard (1868-1949, fils d'Alphonse), Robert (1880-1946, fils de Gustave), Maurice (1881-1957, fils d'Edmond) ; ses arrière-petits-fils Guy [n. 1909, fils d'Édouard, père de David (n. 15-12-1942)], Alain (1910-82), Élie (n. 1917, fils de Robert), Edmond (n. 30-9-1926, fils de Maurice)] ; installée en France en 1811 ; titre de baron autrichien en 1822 (transmissible à tous les héritiers légitimes). **1823** le banquier sépharade *Olinde Rodrigues* (1795-1851) sauve Saint-Simon de la misère et devient le leader du saint-simonisme proche de la pensée biblique. Il partage la direction du mouvement avec 6 autres J. (son fr. Eugène, ses cousins Émile et Isaac *Pereire,*

Léon *Halévy*, Gustave d'*Eichtal*, Jules *Carvallo*). Le mouvement gagnera l'Allemagne grâce à 4 J. allemands (Eduard *Gans*, Heinrich *Heine*, Rahel *Varnhagen* et Moritz *Veit*). **1832-35** affaire *Deutz*, qui brouille le judaïsme avec la Droite. Simon Deutz (1802-52), converti au catholicisme, mais fils du Grand Rabbin de France, Emmanuel Deutz (1763-1842), était devenu l'homme de confiance de la duchesse de Berry. Le 6-11-1832, à Nantes, il la livre à la police de Louis-Philippe. Dans un *mémorandum* publié en 1835, il assure avoir agi par patriotisme (pour éviter que les Russes, alliés de la duchesse, n'envahissent la France) ; mais il insiste maladroitement sur ses besoins d'argent (Thiers lui avait versé une prime de 500 000 F). Malgré les efforts d'Adolphe Crémieux (1796-1880), le Grand Rabbin refuse de désavouer son fils qui abjure le catholicisme et redevient israélite, se rendant ainsi coupable d'une « double trahison » (fréquemment rappelée lors de l'affaire Dreyfus, 1896-1904). **1870** *24-10* le *décret* Crémieux du gouvernement provisoire accorde la citoyenneté française aux 33 000 J. d'Algérie. **1875** il y a 80 000 J. en France, dont beaucoup déjudaïsés. **Après 1880** naissance de l'antisémitisme nationaliste français, Drumont reproche aux J. d'être venus d'Allemagne (voir p. 540 c). **1894-1906** affaire Dreyfus (voir Index). Réaction philosémite des chrétiens dreyfusards, avec C. Péguy.

■ **De 1919 à 1940.** Accroissement de la population ashkénaze, immigrations de J. d'All. (à partir de 1933), d'Europe centrale et orientale (40 000 Russes, 40 000 Polonais) ; installation des 1ers J. de rite oriental, venus de Grèce et Turquie (20 000). **1927** *20-8* loi sur la naturalisation, permettant à de nombreux J. de devenir rapidement Fr. (3 ans de résidence, parfois 1 an). **1939** *3-9* : 290 000 J. en Fr., dont 90 000 Français et 200 000 étrangers ou apatrides. **1940-45** persécutions hitlériennes, avec le consentement du gouv. de Vichy (voir p. 680).

■ **Après 1945.** **1956** 20 000 J. égyptiens (rite oriental) s'installent en France. **1957-64** immigration massive de J. sépharades venus d'Algérie, Tunisie, Maroc. Les Alg. de nationalité fr. s'intègrent sans difficultés ; les Marocains, occidentalisés, acquièrent dans l'ensemble la nationalité fr. Les Tunisiens (17 % de nationalité fr.) forment parfois des groupes fermés et plus traditionalistes. Les sépharades sont de nouveau plus nombreux que les ashkénazes (env. 400 000 contre 250 000). Une synthèse des 2 cultures se fait dans de nombreuses synagogues. **1967** g. des Six Jours : un mouvement de solidarité envers Israël provoque un certain nombre d'émigrations. **1972** *1-7*-loi contre l'incitation à la haine raciale, les injures et la discrimination raciales (dite *loi Pleven*). **1980** *juin* pour la 1re fois, un rabbin sépharade (René Samuel Sirat) est élu Gd Rabbin de France. **1981** 75 % des 200 000 électeurs d'origine j. votent pour Mitterrand [ils reprochent au Pt Giscard d'Estaing de ne pas être revenu d'Alsace (où il chassait) à Paris le 3-10-1980 le soir de l'attentat rue Copernic]. **1985** à propos du mariage d'un J. ashkénaze (le baron Éric de Rothschild) avec une non-J. (l'Italienne Maria-Beatrice Caracciolo), une crise éclate : le tribunal rabbinique de Paris (conservateur, majorité sépharade) s'oppose au mariage. Mais celui-ci se fait avec l'autorisation du tribunal rabbinique de Rabat (célébrant : l'ancien Gd Rabbin ashkénaze Jacob Kaplan ; témoin : le Pt du Consistoire central, Jean-Paul Elkann). **1987** élection de Joseph Sitruk.

■ Consistoires

Origine. Organisation officielle créée par Napoléon Ier, le 17-3-1808, par un décret rendant exécutoire le règlement organique délibéré par l'assemblée des notables juifs de 1806, et organisant le culte israélite dans l'Empire (les protestants possédaient dep. le XVIe s. leurs consistoires nationaux et locaux). Le *Consistoire central* de France, à Paris, est constitué alors par 3 grands rabbins et 2 laïcs nommés par cooptation ; les *c. régionaux* par 1 grand rabbin et 3 laïcs désignés par 25 notables, élus par les membres des communautés et confirmés par les préfets. Le C. central veille à l'exécution du règlement organique, confirme la nomination des rabbins. Le 25-5-1844, une ordonnance royale fait du C. central l'intermédiaire entre les ministres des cultes et les c. départementaux, et le charge de la haute surveillance des intérêts du culte israélite (délivrance des diplômes rabbiniques, nomination des rabbins).

Statut actuel. En droit, cette institution a cessé d'exister depuis la loi de séparation des Églises et de l'État du 9-12-1905. Une *Union des associations cultuelles israélites de Fr. et d'Algérie,* dont le conseil d'administration a relevé la dénomination de « Consistoire central », lui a succédé. Aujourd'hui, le C. central « pourvoit aux intérêts généraux du culte israélite, veille à la sauvegarde des libertés nécessaires à son exercice, défend les droits des communautés et assure la fondation, le maintien et le développement des institutions et services communs aux organismes adhérents ». Il assure la permanence de la fonction de Grand Rabbin de France et gère l'École rabbinique de France.

Les consistoires de Strasbourg, Metz et Colmar, redevenus français en 1919, sont encore concordataires. Depuis 1962, les consistoires algériens n'existent plus que nominalement.

Consistoire central. *Pt : 1982* Jean-Paul Elkann (n. 1921, ashkénaze), *1992* Jean-Pierre Bansard (Oran n. 15-5-1940, séfarade). *Membres de droit :* le Grand Rabbin de France, Joseph Sitruk (n. Tunis, 1944), grand rabbin de Marseille en 1975, juif sépharade élu 17-6-1987 pour 7 ans par 99 voix sur 138, à compter du 1-1-1988 (avant René Samuel Sirat n. 1930) ; le Gd Rabbin du Consistoire central, Jacob Kaplan (n. 1895). SIÈGE : *1822 :* rue du Vert-Bois, Paris 3e ; *1879 :* 44, rue de la Victoire, Paris 9e ; *1940 à 44 :* rue Beissac à Lyon ; *1944 :* 17, rue St-Georges, Paris 9e.

Consistoires régionaux. *Créés* en 1808. *Membres :* 30. *Paris* [*Pt :* Benny Cohen (n. 1950), élu 10-12-1989 (renouvellement par moitié). L'élection s'est faite avec une liste d'opposition qui a remporté les 14 sièges à pourvoir, obtenant ainsi la majorité sur 26 voix (nombre de membres). *Membre de droit :* le Gd Rabbin de Paris, Alain Goldmann (n. 14-9-1931), dep. 22-6-1980], *Strasbourg, Wintzenheim* (Ht-Rhin), *Metz, Nancy, Bordeaux, Marseille,* plus 6 dans les territoires annexés d'All. ou d'Italie. **Créés depuis 1808 :** *Bayonne* (1846), *Lyon* (1857), *Alger, Oran* et *Constantine* (1858), *Lille* et *Vesoul* (1872).

■ Statistiques

■ **Population juive en France.** *1306 :* 100 000. *1400 :* 25 000. *1500 :* 5 000. *1789 :* 40 000. *1875 :* 80 000. *1939 :* 290 000. *1945 :* 170 000. *1964 :* 600 000. *1977 :* 700 000 [région Paris 380 000, Marseille 75 000 (total B.-du-Rh. 120 000), Lyon 25 000, Toulouse 20 000, Nice 18 000, Strasbourg 12 000]. *1987 :* 550/750 000.

☞ Depuis 1948 env., 60 000 Juifs de France ont émigré en Israël, 26 000 sont revenus.

■ **Pratique.** D'après une enquête d'Éric Cohen (de nov. 1986 à juill. 88, sur 1 113 J. français) : 15 % observent les lois, 49 ne respectent que les grandes fêtes et quelques prescriptions alimentaires, 36 n'observent pas ; 45 % mangent kasher, 48 ne participent qu'exceptionnellement à la vie de la communauté, 29 que 2 ou 3 fois par an et 22 régulièrement.

■ **Rabbins.** *France :* 100 (+ 54 délégués rabbiniques et une centaine de ministres du culte adjoints). *Strasbourg :* 14 pour 12 000 J. *Région parisienne :* + de 30 rabbins (+ une quinzaine de dél. rabbiniques) pour 380 000 J.

■ **Synagogues et oratoires.** *Région parisienne :* 60 synagogues consistoriales, 15 associées aux consistoriaux, 15 à 20 non consistoriales. *Province :* les anciennes juiveries paysannes d'Alsace ont disparu en 1940 ; celles du comtat Venaissin après 1791. Des communautés comprenant surtout des J. d'Afr. du Nord fonctionnent de nouveau en Avignon, à Carpentras, à Cavaillon.

Image des Juifs en France. Du 11 au 25 nov. 1987 auprès de 1 000 personnes, commandée à la SOFRES par « Tribune juive et Radio » : *adjectifs ou expressions s'appliquant aux Juifs (en %) :* débrouillards (47), aiment l'argent (43), intelligents (36), ambitieux (28), créatifs (26), envahissants (9), dominateurs (8), et m'as-tu-vu (1), mais aussi généreux (8) n'ont recueilli que peu de suffrages. 91 % des Français jugent que les Juifs sont « très attachés à leurs traditions » ; 72 % qu'ils « sont un vrai pouvoir international, car ils s'entraident entre Juifs de différents pays » ; 70 % qu'« ayant été persécutés, ils sont sensibles à toutes les injustices » ; 9 % jugent que les Juifs devraient éviter de « se singulariser ».

■ **Enseignement. Écoles privées.** Environ 60, en France, dont 8 yéchivoth (pluriel de **yéchiva,** « école talmudique ») dirigées à titre privé par des rabbins ; l'enseignement y est plus traditionaliste (7 % des enfants j. fréquentent une école privée).

Cours d'instruction religieuse. Mercredi ou dimanche, dans le cadre des communautés (fréquentés par env. 15 % des enfants j. d'âge scolaire).

■ **Presse.** *Tribune juive* (hebdo.) : 20 000 ex., *Actualité Juive* (hebdo), *L'Arche* (mens.), *L'Information Juive* (mens.), *Les Nouveaux Cahiers* (trim.).

■ Liens avec Israël

Définis le 25-1-1977 par le Conseil représentatif des institutions j. de France. Les J. de France affirment l'existence d'un lien historique, spirituel et vital, vieux de 4 000 ans, entre l'âme juive et Erez Israël. Ils ressentent toute menace envers l'État d'Israël comme une atteinte à la communauté j. Ils rappellent les exigences de justice et d'émancipation des peuples qui constituent l'essence prophétique du judaïsme : pour des raisons morales, ils réclament une politique d'équilibre et d'amitié envers Israël.

■ Organismes divers

ADIAM (Association d'aide aux israélites âgés et malades). 6, rue Rembrandt, 75008 Paris. Service d'aides ménagères à domicile.

AJDC (American Joint Distribution Committee). Org. d'assistance sociale et d'aide aux réfugiés.

Alliance israélite universelle (AIU). 45, rue La Bruyère, 75009 Paris (bibliothèque de + de 120 000 ouvrages). *Fondée* 1860 à Paris par de jeunes intellectuels j. français, pour développer l'enseignement dans les communautés j. des pays méditerranéens et orientaux. Crée à partir de 1862 un réseau d'écoles privilégiant l'enseignement du français tout en réservant une place prépondérante à la langue du pays et à la culture j. *Écoles et éc. affiliées en 1991-92 :* 47 établissements (primaires, secondaires, techniques et supérieurs : + de 20 000 élèves) en Belgique, Canada, Espagne, France, Iran, Israël, Maroc, Syrie. *Pt :* Pr Steg (n. 1925), avant, Jules Braunschvig et René Cassin (1887-1976). *Publications :* « Les Nouveaux Cahiers » ; « Les Cahiers de l'AIU ». **École normale israélite orientale.** (6 *bis,* rue Michel-Ange, 75016 Paris). *Fondée* 1865 pour former des enseignants pour les écoles de l'AIU hors de France. Second cycle du secondaire, sous contrat d'association. Internat, 1/2 pension, externat.

American Jewish Committee. 165 E 56 Street, New York NY 10022. *Fondé* 11-11-1906 à la suite du pogrom de Kichinev. Défend les droits civils et religieux des J. dans le monde ; milite pour le progrès des relations entre les peuples. *Publications :* « American Jewish Year-Book », « Commentary ».

Appel unifié juif de France. 19, rue de Téhéran, 75008 Paris. Organisme central de la collecte au sein de la communauté j. de France, *né* 1968 de la fusion de l'Appel unifié pour Israël et du département collecte du FSJU. Produit de la collecte affecté à des programmes sociaux, éducatifs et culturels réalisés en Israël par l'Agence juive et en France par le FSJU. *Fonds recueillis en 1991 :* 175 000 000 de F (53 000 donateurs). *Pts :* Michel Topiol (n. 1910) et David de Rothschild (n. 15-12-42).

B'nai B'rith (hébreu : Fils de l'Alliance). 38, rue de Clichy, 75009 Paris. *Fondé* 1843 aux USA (sur le modèle de la franc-maçonnerie anglo-saxonne) pour aider les nouveaux émigrants j. 1 700 loges (dont 25 % en Amér. du N.) dans 45 pays (env. 500 000 membres). Introduit en France 1932 ; le cérémonial maçonnique est abandonné (on parle encore de « loges »). *Pt (France) :* Marc Rosenblum.

Bureau du Chabbath. 8, rue de Pali-Kao, 75020 Paris. *Fondé* 1962. Antenne de l'ANPE pour la communauté j.

CADI (Comité d'aide aux détenus israélites). 8, rue de Pali-Kao, 75020 Paris. *Créé* 1977.

CASIP (Comité d'action sociale israélite de Paris). 8, rue de Pali-Kao, 75020. *Fondé* 1809, reconnu d'ut. publ. 1887. *Pt :* Bon Éric de Rothschild (n. 3-10-40).

Centre de documentation juive contemporaine. 17, rue Geoffroy-l'Asnier, 75004 Paris. *Créé* 1943. *Pt :* Bon Éric de Rothschild. Bibliothèque, archives. *Publication :* « Le Monde juif » (créée 1945, trim.). *Mémorial du Martyr juif inconnu :* élevé, en 1956, à la mémoire des victimes sans sépulture de la déportation (crypte, exposition sur la résistance des Juifs à l'hitlérisme).

Centre Rachi-CUEJ (Centre universitaire d'études j.). *Fondé* 1973. Du nom de Salomon ben Isaac Rachi (1040-1105), exégète de Troyes.

CIDE (Caisse israélite de démarrage économique). 6, rue Rembrandt, 75008 Paris. Prêts sans intérêts.

COJASOR (Comité juif d'action sociale et de reconstruction). 6, rue Rembrandt, 75008 Paris. *Fondé* 1945. Œuvrant notamment pour 3e âge et réfugiés.

Congrès juif mondial. *Fondé* 1936, représente 70 communautés dans le monde. 6 bureaux (New York, Buenos Aires, Jérusalem, Paris, Londres et Genève). Défend les droits des Juifs et des communautés j. Représenté à l'ONU, l'Unesco, au Conseil de l'Europe, à la Commission des communautés européennes. **Congrès juif européen :** 78, av. des Champs-Élysées, 75008 Paris. *Secr. gén. :* Serge Cwajgenbaum.

CRIF (Conseil représentatif des institutions juives de France). 19, rue de Téhéran, 75008 Paris. *Fondé* 1943. Représente 58 org. j. de Fr. *Pt :* Jean Kahn (n. 17-5-1929). *Directrice :* Jacqueline Keller.

CRJTF (Conseil représentatif du judaïsme traditionaliste de France). 23 bis, rue Dufrénoy, 75016 Paris. *Créé* 1952.

Éclaireurs et éclaireuses israélites de France. Voir Index.

Écoles religieuses non rabbiniques. *Séminaire de professeurs d'enseignement religieux Beth-rivkah :* 43-49, rue Raymond-Poincaré, 91330 Yerres, *fondé* 1958. Forme des professeurs pour les écoles privées j. (env. 70 étudiantes). Jardin d'enfants, école primaire et collège secondaire privés pour jeunes filles et section informatique. *Dir. :* rabbin O. Y. Schonthal. *École Rambam Maïmonide : fondée* 1935. 11, rue des Abondances, 92100 Boulogne, maternelle, primaire et secondaire. *École normale israélite orientale* (voir AIU, p. 542 c). *École Ozar Hatorah de Créteil :* primaire, classe 6e. 65, rue St-Simon, 94000. Autres écoles : Paris, Ile-de-Fr. (notamment École primaire Lucien de Hirsch et École Yabné, secondaire), Marseille, Strasbourg, Lyon, etc.

Fédération des Stés juives de France. 68, rue de la Folie-Méricourt, 75011 Paris. *Fondée* 1923. Regroupe des Stés de secours mutuels. *Pt :* Maurice Skornik.

FSJU (Fonds social juif unifié). 19, rue de Téhéran, 75008 Paris. *Fondé* févr. 1950. Centralisation de l'action sociale, éducative et culturelle, pour le maintien de la vie j. en France ; favorise les rapports de la communauté j. de Fr. avec Israël et les communautés j. dans le monde ; réunit les ressources nécessaires à son action et décide de leur affectation. *Membres :* 25 000 qui élisent tous les 4 ans un *conseil national* 120 représentants siégeant à côté de 80 m. élus par les associations adhérentes au FSJU. *Pt :* David de Rothschild (n. 1942).

Jewish Chronicle. 25 Furnival Street, Londres EC4A 1 JT. Hebdomadaire *créé* 12-11-1841 à Londres, par Isaac Valentine : 50 000 abonnés.

KKL (Keren Kayemeth Leisraël, « Fonds national juif »). 51 bis, rue Ste-Anne, 75002 Paris. *Fondé* 1901 par Théodore Herzl. Recueille des fonds pour bonifier la terre, reboiser et aménager Israël, donner à la jeunesse une éducation sioniste, créer l'infrastructure des logements, construire des réservoirs d'eau, lutter contre les incendies de forêts. *Adhérents :* 40 000. *Conseil national :* 140 membres. *Pt :* Jacques Orfus.

Mouvement Loubavitch. *Nom :* de Loubavitch (Biélorussie), célèbre par une communauté. Tige centrale du mouvement hassidique, de hassid (homme pieux), *né* des enseignements du Baal-Chem-Tov (fondateur du hassidisme général), *fondé* 1778 par Rabbi Schnéour-Zalman de Liadi (1745-1813). *Nom officiel :* Habad (d'après les monogrammes des 3 mots de la kabbale signifiant « sagesse, compréhension, connaissance »). *Buts :* rassembler le peuple j. en exil et le ramener aux authentiques valeurs du judaïsme. *Membres :* Israël 70 000, USA 50 000, France 12 000. *Siège mondial* (dep. 1950) : 770 Eastern Parkway (N. Y., USA), Rebbe (chef médiateur) Rabbi Menachem-Mendel Schneersohn (n. 18-4-1902). *Pour Europe, Afr. du N. et Israël :* 8, rue Meslay, 75003 Paris. *Directeur :* Gd Rabbin Benjamin Gorodetzki (dep. 1946).

OPEJ (Œuvre de protection des enfants juifs). 10, rue Théodule-Ribot, 75017 Paris. *Fondée* dans la Résistance en 1942, pour sauver les enfants j. (reconnue d'utilité publique). Action sociale, maison d'enfants, action éducative en milieu ouvert, clubs de prévention, colonies de vacances.

Organismes sionistes. Organes de liaison entre les J. d'Israël et les J. répartis dans le monde. 1°) **Congrès sionistes.** Tous les 4 ans à Jérusalem (entre-temps le *Comité d'action sioniste* détient les pouvoirs). Le 1er congrès (Bâle 29/31-8-1897) convoqué par Théodore Herzl a défini la charte du sionisme. Organe exécutif permanent *(Agence juive)* à Jérusalem. 2°) **Organisation sioniste américaine (ZOA).** *Fondée* 1898 par Richard Gottherl (1862-1936). Depuis la création d'Israël (1948), son rôle pratique a diminué (les tâches matérielles ayant été reprises par l'administration israélienne), son rôle financier demeure important. 3°) **Fédération des organisations sionistes de France (FOSF).** 17 bis, rue de Paradis, 75010 Paris. *Membres :* 35 000. *Pt :* Francis Kalifat.

ORT (Organisation Reconstruction Travail). 10, villa d'Eylau, 75116 Paris. *Créée* 1880 en Russie ; *1921 en France. But :* formation professionnelle et technique. Reconnue d'utilité publique. *Élèves et stagiaires : 1990 :* 10 000 préparant les diplômes d'État (CAP, BEP, BTN, BTS). *Écoles en France* 8 (Paris, Montreuil, Choisy-le-Roi, Villiers-le-Bel, Strasbourg, Lyon, Toulouse et Marseille). *Pt* du conseil d'admin. : Gilbert Dreyfus.

OSE (Œuvre de secours aux enfants). 9, passage de la Boule-Blanche, 75012 Paris. *Créée* 1933 en France. Reconnue d'utilité publique 1951.

Séminaire israélite de France. 9, rue Vauquelin, 75005 Paris. *Fondé* 1829 à Metz, transféré à Paris en 1859. *Cycles d'études :* 1°) (3 ans) : hébreu, histoire j., Bible, livres de la Tradition (Talmud, etc.). 2°) (2 ans) : ministère rabbinique (psychologie, culte, pédagogie). *Élèves :* env. 20. En moy. 4 diplômes de rabbin et 2 de ministre officiant chaque année. *Bibliothèque :* + de 25 000 ouvrages.

Sté des études juives. 19, rue de Téhéran, 75008 Paris. *Fondée* 1880. Reconnue d'utilité publique. *Pt :* Gabriel Sed-Rasma. *Secrétaire :* Evelyne Oliel Grausz. Publie la *Revue des études juives.*

Trait d'union. Œuvre d'adoption. *Créée* 1962.

Tribunal rabbinique de Paris (Beth Din). 17, rue St-Georges, 75009 Paris. Statue en matière de droit religieux, divorce et conversion. Confirme dans ses fonctions le personnel du culte chargé de l'abattage rituel ; responsable de la diététique cachère.

UESF (Union des étudiants juifs de France).

UISF (Union des israélites sépharades de France). 12, rue Puvis-de-Chavannes, 75017 Paris. *Fondée* 3-4-1919. *Centre d'études Don Isaac Abravanel* (créé 1980). A regroupé d'abord les J. de Salonique.

ULIF (Union libérale israélite de France). Assoc. cultuelle *fondée* 1907. *Synagogue principale :* 24, rue Copernic 75116 Paris. *Communautés sœurs :* Vigneux, Région parisienne, Marseille et Nice. *Publication :* Hamevasser (Le Messager).

WIZO (Women's International Zionist Org.). *Fondée* 1920 par Rebecca Sieff (G.-B., 1890-1966). Association féminine à but humanitaire et caritatif. Statut consultatif auprès de Unicef et Ecosoc. *Siège social :* Tel-Aviv. *Fédérations :* dans 52 pays (250 000 m.). *Congrès mondiaux :* tous les 4 ans en Israël. *Pte pour la France :* Nora Gaillaud, 24, rue du Mont-Thabor, 75001 Paris.

ISLAM

☞ Les termes *islam* et *musulman* ne sont employés couramment en français que depuis le XXe s. ; on disait avant : *mahométisme* (anciennement *mahométanisme*) et *mahométan.*

ORIGINE

■ **Mahomet** (en arabe : **Mouhammad**), « le loué » (569-632), fils d'Abdallah et d'Amina, appartenant à la tribu de Quraych (arabe et associatrice), naquit à La Mecque, carrefour de caravanes et centre de pèlerinage.

Épouses. 11 : en 595 *Khadidja,* pendant 25 a. († 619 à La Mecque, veuve, de 15 ans son aînée, dont il eut 3 garçons et 4 filles ; seules les filles survécurent) ; *Sauda* (épousée 619, † 674 à Médine) ; *Aïcha,* fille d'Abu Bekr, qui avait 9 ans (épouse favorite, mais stérile, † 13-7-678 à Médine) ; *Hafsa* (épousée 625, † 665 ou 666) ; *Zainab,* fille de Khuzaima [épouse de Zayd ou Saïd Ibn Haritha, fils adoptif de Mahomet, qui divorça pour laisser Zainab (voir ci-dessous) épouser celui-ci en 626 ; elle mourut après 3 mois de mariage] ; *Umm Salama* (épousée 626) ; *Zainab,* fille de Djahch (épousée 626, † 641) ; *Djuwairiya* (captive épousée 626) ; *Umm Habiba,* veuve d'un chrétien (épousée 628, † vers 678) ; *Safiya,* d'origine juive (épousée 627, † 670 ou 672) et *Maimouna,* veuve âgée de 51 ans, belle-sœur d'Al Abbas (épousée 629, † 681 à Sarif). Il eut aussi 2 femmes affranchies : *Marie la Copte* (mère d'Ibrahim né 630, † à 2 ans) et *Raihana* (juive, dont le mari avait péri à la guerre contre les fils de Quraiza).

Révélation. Berger, caravanier, commerçant, Mahomet se retirait fréquemment dans le désert pour méditer. L'ange *Gabriel* lui apparut, le 22-12-609 pour la 1re fois, puis fréquemment les années suivantes. Il lui annonça que Dieu *(Allâh)* l'avait choisi comme son Envoyé *(rasûl)* auprès des hommes et lui dicta les premières paroles du Coran dont la révélation allait s'échelonner sur 23 ans. Mahomet se mit alors à prêcher la nouvelle religion, l'*islâm* (soumission, ou abandon, à Dieu). Khadidja fut la 1re à croire en sa mission et bientôt se forma autour de lui un petit groupe de musulmans (de *mouslim,* « qui se soumet à Dieu »). **Départ pour Médine.** Persécuté par les dirigeants mecquois, Mahomet décida d'émigrer avec ses compagnons, d'abord en Éthiopie, puis dans l'oasis de Yathrib (qui prit le nom de Médine, la « ville », et fut appelée par les musulmans *Madinat an-Nabi,* « la ville du Prophète ») où il parvint le 30-9-622. *L'ère musulmane,* dite de l'**hégire,** commence le 16-7-622, mais Mahomet ne partit pour Médine que quelques mois plus tard. Dès lors, s'organisa la nouvelle communauté des croyants conformément à l'ordre de Dieu, révélé dans le Coran, et aux instructions de son Envoyé. La nouvelle communauté entra en conflit avec les Quraychites restés païens et il y eut plusieurs affrontements armés.

Retour à La Mecque. Après 8 ans de guerre défensive, Mahomet rentra à La Mecque qui fit sa soumission, en 630, et y proclama immédiatement l'amnistie ; le lendemain, toute la population se convertit à l'islam. Le 4-6-632 (ou le 25-5), il mourut à Médine. Sa mosquée est considérée comme un lieu saint de l'islam après la Kaaba de La Mecque. La vie du prophète *(Sira)* est connue par des traditions.

LIVRES SAINTS ET TRADITIONS

Coran. De l'arabe : *Qur'an,* « lecture ». Recueil des révélations que Dieu fit (à La Mecque entre 609 et 622, puis à Médine) à Mahomet. Il se compose de 114 chapitres, *sourates* (« sections »), divisées en versets (3 pour la plus courte, 286 pour la plus longue). La 1re, ou *Fâtiha* (celle qui ouvre), comprend versets d'adoration et d'implorations constituant l'élément principal de la prière rituelle des musulmans.

RÉDACTION : après la mort de Mahomet (632), le calife *Abu Bakr,* sur les conseils de Omar, fils de Khattâb, et avec l'aide de *Zayd,* fils adoptif de Mahomet, fit mettre par écrit le texte de tous les passages dictés par le Prophète, mais il y eut, en fait, plusieurs lectures, ce qui créa certains problèmes. Le 3e calife, *Othman* (644-56), fit rédiger un texte unique et officiel (avec la collaboration de Zayd, fils de Thabit) et en envoya des copies dans les différentes provinces (2 ont été conservées à Tachkent et à Istanbul : elles sont identiques au texte en usage aujourd'hui). Cette nouvelle rédaction a été rejetée par les Kharidjites (voir p. 546 b), qui considèrent notamment comme apocryphe le chapitre 12, narrant les amours de Joseph et de l'Égyptienne.

La Sunna [« tradition » (sens primitif : « voie »)]. Relate les enseignements du Prophète, ses paroles et gestes, et les débuts de la 1re communauté musulmane de Médine. Sert d'exemple et de modèle aux croyants de l'Islam. Consignée dans les recueils des *Hadîths,* relations de sa vie et de ses dires.

La Charî'a. Loi religieuse comprenant l'ensemble des obligations procédant du Coran et de la Sunna. Embrassant tous les aspects de la vie individuelle et collective des musulmans, elle est, chez les Sunnites, codifiée dans le cadre de 4 écoles juridico-théologiques « orthodoxes » : 1°) *Hanafite* (de Abu Hanifa, † 767) dominant en Turquie et dans la plupart des pays asiatiques ; 2°) *Malékite* (de Malik, fils d'Anas, † 795) : Afrique ; 3°) *Chaféite* (de Muhammad, fils d'Idris ach-Chafii, † 826) : Proche-Orient, Asie du S., Indonésie ; 4°) *Hanbalite* (de Ahmad, fils d'Hanbal, † 833) : Arabie.

Le fiqh (« dogme »). Droit jurisprudentiel de l'islam, interprétation et application de la Charî'a.

> La louange est à Dieu Maître des Mondes. Le Tout-Miséricordieux. Le Très Miséricordieux. Souverain du Jour de la Rétribution. C'est Toi que nous adorons et c'est de Toi que nous implorons le secours. Dirige-nous sur la voie droite. La voie de ceux sur qui Tu répands Tes bienfaits. Non la voie de ceux sur qui est Ta colère, ni la voie des égarés *(Sourate 1* ou *Fâtiha).*

DOCTRINE

■ **Origine.** Mahomet n'a pas prétendu apporter une religion nouvelle, mais restaurer celle de toujours que Dieu avait précédemment révélée aux prophètes (et que les hommes avaient oubliée ou altérée) : *Adam, Noé, Abraham (Ibrâhîm),* désigné comme *hanif,* c'est-à-dire un fidèle de la religion pure et primordiale que l'islam entend restaurer, *Moïse (Moussa),* et plusieurs prophètes d'Israël notamment *David, Salomon, Élie, Élisée, Job, Jonas.* Prophètes étrangers à la tradition judéo-chrétienne : *Sâlih, Hûd, Chu'aïb.*

Jésus. Fils de Marie *(Issa ibn Maryam),* il occupe une place éminente parmi ces prophètes. L'islam le qualifie de « verbe et esprit de Dieu », mais ne lui reconnaît pas de divinité, le désignant comme « serviteur » *('abd)* au même titre que les autres prophètes et messagers de Dieu.

Marie. Elle est mentionnée dans le Coran plus souvent que dans les Évangiles. Élue par Dieu « au-dessus de toutes les femmes de l'univers », elle est très respectée et est considérée comme étant la mère des Croyants. Elle a été fécondée par un souffle de l'Ange. L'islam est la seule religion non chrétienne à admettre que Jésus est né miraculeusement sans père, d'une vierge. Marie a accouché près d'un palmier et Jésus a parlé dès sa naissance pour attester l'innocence de sa mère. Le mariage de Marie avec **Joseph,** la naissance de « frères » ou de « sœurs » de Jésus, sont inconnus de l'islam.

Mahdi. Jésus n'a pas été tué par les hommes qui, en fait, ont crucifié l'apparence de son corps. Il a été élevé au ciel d'où il doit revenir sur terre lorsque les temps seront accomplis. L'attente de son retour est souvent associée à celle du Mahdi qui, à la fin, doit surgir pour lutter contre les forces du mal aux ordres du **Dajjâl** (Antéchrist). Selon certaines traditions, Jésus lui-même sera le Mahdi. Un verset de l'Évangile (Jean 16,7) : « Je vous enverrai le Paraclet » (à rapprocher des versets 14,6 et 16, 13-14) fait l'objet de discussions dans les dialogues islamo-chrétiens.

Thèse de certains exégètes chrétiens : confondant les 2 adjectifs grecs *paraklètos,* « consolateur », et *périklutos,* « brillant », Dieu annonce dans le Coran, comme prédite par Jésus, la venue de Mahomet sous le nom de *Ahmad,* « le Très glorieux ». *Thèse musulmane : Ahmad* (Coran, 61/6) est un synonyme de *Muhammad* et signifie « Très glorieux » ou « Très loué » (mot différent de *Mahdi,* qui signifie : « bien guidé »). On ignore quel était le mot araméen que l'Évangile a traduit en grec par *paraklètos ;* il avait peut-être le sens de « directeur », qui est aussi voisin de « prestigieux » que de « consolateur ».

Jean le Baptiste (Yahya). Cité dans plusieurs récits coraniques.

Sort des Juifs et Chrétiens. Juifs et Chrétiens, auxquels sont parfois ajoutés les Sabéens, sont considérés comme « Gens de la Bible » *(ahl al-kitâb).* Ils ont, comme tels, accès au salut et bénéficient d'un statut spécial dans la société musulmane, mais il leur est aussi reproché d'être infidèles à leur propre tradition et d'avoir falsifié leurs Écritures.

■ **Articles.** Articles de la conviction (les 5 piliers de l'islam) : *chahâda* (profession de foi), prière, *zakat, syyam* (Ramadan), *hadj* (pèlerinage à La Mecque, voir ci-contre). Il n'est de divinité que Dieu ; Mahomet est l'envoyé de Dieu. De cette formule découlent un strict monothéisme et la conformité aux enseignements et à la tradition *(sunna)* du Prophète. 1°) Croyance à l'unicité absolue *(tawhîd)* de Dieu ; à ses attributs. 2°) Aux anges. 3°) Aux Livres révélés. 4°) Aux prophètes. 5°) Au Jugement dernier (articles de la foi, les 6 piliers de la croyance). 6°) Au décret divin [*(gadar)* prédéterminant le destin de chacun].

Anges. Parmi les anges, la tradition islamique mentionne particulièrement *Djibraïl* (Gabriel), porteur des ordres divins, *Azraïl,* ange de la mort, et *Israfil* qui sonnera la trompette annonçant le Jugement dernier. La croyance aux *djinns* (génies), êtres créés de feu, invisibles aux humains, n'est pas obligatoire, mais, comme le Coran les mentionne, les musulmans croient à leur existence. Théologiens et philosophes ont à leur sujet des opinions divergentes.

Livres révélés. En dehors du *Coran* sont explicitement reconnus par l'orthodoxie musulmane : la *Torah* (Pentateuque), les *Psaumes* et l'*Évangile,* bien qu'elle considère que ces Écritures des juifs et des chrétiens ont subi au cours des âges des altérations qui en ont déformé le sens.

Jugement dernier. Rangés derrière leur Prophète, les musulmans trouveront en lui un intercesseur efficace. Les justes entreront au Paradis [appelé notamment *Jannat* (jardin) et *Adn* (Éden)] et les injustes subiront le feu de l'Enfer [appelé notamment *Jahannam* (géhenne)] jusqu'à ce que Dieu leur accorde sa grâce (les péchés pourront être pardonnés, sauf le refus obstiné de reconnaître l'Unité divine).

Le voyage du pape Jean-Paul II en Turquie, le 28-11-1979, a été présenté comme une tentative de rapprochement entre le christianisme et l'islam. Le pape a déclaré éprouver de l'estime pour les valeurs religieuses musulmanes mais, en fait, il était venu en Turquie musulmane pour y rencontrer le patriarche de Constantinople. Dans l'ensemble, les musulmans turcs sont restés indifférents. L'un d'eux, Mehmet Ali Agça, a tiré sur le pape à Rome, le 13-5-1981, prétendant d'abord avoir voulu le punir pour ce voyage, qui avait défié l'islam. Les autorités islamiques ont condamné l'attentat [d'origine politique (le personnage clé du complot, le Turc Béchir Celenk, étant mort le 14-10-1985, la vérité ne sera jamais confirmée, mais on a soupçonné le KGB)]. En 1985, le pape est allé saluer le roi du Maroc, commandeur des croyants, mettant fin aux campagnes hostiles à l'islam.

■ **Fatalisme.** *On peut lire dans le Coran :* « Dieu égare qui Il veut, et guide qui Il veut sur le droit chemin. » Cette formule ne doit pas être interprétée dans un sens « fataliste », mais sert à souligner le fait qu'il n'y a qu'un seul Dieu. « Bien et Mal » ne le sont que par rapport aux individus humains, le Bien de l'un peut être le Mal de l'autre : en eux-mêmes, le Bien et le Mal sont tous deux de la création du Dieu unique. Dieu, dans le Coran, fit ressortir qu'il avait déjà agréé le repentir d'Adam et d'Ève, quand Il leur donna l'ordre d'aller vivre sur terre. Certains savants musulmans en ont conclu qu'il ne s'agissait donc pas d'un châtiment, mais d'une faveur : ils étaient investis de la lieutenance de Dieu sur la Terre.

PRATIQUE DE LA RELIGION

5 obligations majeures, ou « piliers » *(arkân) :*

■ **1°) L'attestation de la foi (chahâda).** Consiste à prononcer la formule : « Il n'est de divinité que Dieu ; Mahomet est l'envoyé de Dieu. » Elle établit la distinction entre l'Absolu et le relatif, et offre à l'homme la possibilité de retourner à Dieu. Le fait de la prononcer avec sincérité détermine la qualité de musulman et la cause de son entrée au Paradis.

■ **2°) La prière rituelle (çalât).** La seule véritable liturgie du culte musulman. Précédée d'un rite d'ablution avec de l'eau ou, à défaut, avec du sable ou une pierre, elle est dite 5 fois par jour. Elle est accomplie par les fidèles tournés vers La Mecque. L'obligation de se tourner vers La Mecque *(qibla)* a fait naître la science astronomique arabe.

1°) *Office de l'aube : Sobh,* 2 *rekaa* (comprend inclinaison, génuflexions-prosternations et position rituelle sur les talons) : 1 h 30 avant le lever du soleil, sinon 20 min après. 2°) *Office de midi : Dohr,* 4 rekaa ; au moment où le soleil franchit le méridien jusqu'à env. 3 h plus tard. 3°) *Milieu de l'après-midi : Assr,* 4 rekaa ; jusqu'au coucher du soleil. 4°) *Soir : Maghreb,* 4 rekaa ; du coucher du Soleil à env. 1 h 30 plus tard. 5°) *Nocturne : Icha,* 4 rekaa ; de la disparition du crépuscule à l'aube. *Prière du vendredi :* faite en groupe à la mosquée, remplace le *Dohr.*

Chaque prière est annoncée par les **muezzins** du haut des **minarets** des mosquées (actuellement, souvent pourvus de haut-parleurs diffusant l'appel traditionnel enregistré sur bande). « Allah est le plus grand. J'atteste qu'il n'y a pas de divinité en dehors de Dieu. J'atteste que Mahomet est l'envoyé de Dieu. Venez à la prière. Venez au salut. Allah est le plus grand. Il n'y a pas de divinité en dehors de Dieu. »

☞ *Les plus hauts minarets du monde :* Maroc [mosquée Hassan II à Casablanca ; *achevée* 1990, *conçue* par l'architecte français Michel Pinseau, *capacité :* 80 000 personnes, *largeur :* 200 m, *hauteur :* 60 m, *superficie* (ensemble) : 9 ha ; *coût :* 3 milliards de F ; le + haut minaret du monde] : 175 m ; Pakistan (mosquée d'Islāmābād) : 100 m ; Égypte (mosquée du sultan Hassan, 1356 au Caire) : 86 m ; Inde (Qutub Minâr, 1194 à Delhi) : 72,54 m (ne fait pas partie d'une mosquée).

■ **3°) Le jeûne du ramadan** (9e mois du calendrier musulman). De 29 à 30 j/an (j de l'*Achoura* recommandé ; j de l'*Aïd el-Fitr* et de l'*Aïd el-Adha* interdits). Enfants, vieillards, voyageurs au-delà de 80 km, malades : dispensés. Certains pieux jeûnent le jeudi et le lundi + jours de pleine lune. Consiste à s'abstenir totalement, dès avant l'aube et pendant toute la journée jusqu'au coucher du soleil, de manger, de boire, de fumer et de s'adonner à des plaisirs charnels. Il est recommandé pendant cette période de dire des oraisons spéciales et de lire le Coran en entier. La nuit les abstinences sont levées, tout se déroule souvent dans une atmosphère de fête. La rupture du jeûne donne lieu à une fête *(Aïd-el-Fitr* ou *Aïd-el-Seghir* « Petite fête » par opposition à la « Grande fête », *Aïd-el-Kébir* célébrée le lendemain du Sacrifice et le surlendemain de l'Arafat, le point culminant du pèlerinage à La Mecque). *Objectif : spirituel* détachement par rapport au monde de la matière et concentration sur la réalité divine ; *social :* soumet riches et pauvres aux mêmes privations et impose le paiement d'une aumône spéciale *(zakât al-fitr)* à la fin du ramadan. Dans plusieurs pays d'Islam, comme l'Algérie, il demeure punissable de manger, boire ou fumer en public aux heures où la population s'en abstient. Des horaires allégés sont alors en vigueur dans les administrations. Des dispenses existent pour malades, voyageurs et femmes enceintes, indisposées ou en couches.

■ **4°) L'aumône légale (zakât).** Est une expression de l'idéal de solidarité sur lequel l'islam a insisté dès le début. Obligatoirement payée par les seuls citoyens musulmans, elle est consacrée en principe à l'entraide sociale et s'applique aux biens et revenus suivants : or, argent, marchandises et bénéfices commerciaux au taux de 2,5 %, si on emploie des équipements pour la production ou l'élevage de 5 %, des produits de la terre et bestiaux de 10 %.

■ **5°) Le pèlerinage à La Mecque (Hadj). Origine.** Perpétue une tradition antérieure à l'islam. Il est dit que la 1re **Kaaba** avait été édifiée par Adam et détruite lors du Déluge avant d'être reconstruite par Abraham et son fils Ismaël, puis rendue par Mahomet au culte du pur monothéisme oublié depuis des générations. Située au centre de la grande mosquée (al Masjid al Harâm, qui a 7 minarets, de 45 m de haut), la Kaaba (15 m de haut, 12 m de large ; généralement recouverte de la *kiswa,* brocart noir brodé d'inscriptions coraniques dorées) est désignée comme la « Maison sacrée d'Allâh ». **La pierre noire** donnée à Abraham par l'archange Gabriel est toujours enchâssée dans le mur sud-est de l'édifice, à 1,50 m du sol. A l'intérieur de l'enceinte de la mosquée se trouvent également la « station d'Abraham » *(Maqâm Ibrâhîm :* bloc de pierre sur lequel Abraham montait pour construire les murs de la *Kaaba* au-dessus de sa propre taille), et le *puits de Zamzam* dont, selon la tradition, l'eau avait jailli miraculeusement pour sauver de la soif Agar, femme d'Abraham, et son fils Ismaël.

Prescriptions. En principe obligatoire pour tout musulman qui en a les moyens matériels, le *Hadj* symbolise le retour au centre de toutes choses. Le croyant doit s'y rendre dans un esprit de repentir pour que ses péchés soient pardonnés et pour que le pèlerinage soit un renouvellement intérieur et exprime la réalité spirituelle d'un mouvement de l'âme vers la *Kaaba* du cœur.

En pratique le pèlerin accomplit, avant de pénétrer dans le territoire sacré de La Mecque, un rite de sacralisation *(ihrâm)* et se vêt de 2 pièces de tissu blanc sans coutures. En approchant des lieux saints, il répète la *talbiya :* « Me voici, ô mon Dieu, me voici ! Tu n'as pas d'associé, me voici ! A toi la louange et la grâce et le royaume ! Tu n'as pas d'associé ! » Dès lors il ne doit ni se raser, ni se parfumer, ni commettre de violence, ni accomplir d'acte sexuel.

Les rites proprement dits comprennent d'abord le *tawâf,* circumambulation de 7 tours autour de la *Kaaba* [en principe, il faudrait toucher la pierre noire à chaque passage, mais la foule (quelquefois + de 100 000 personnes) rend le geste très difficile], puis la marche accélérée *(sa'y)* entre Safâ et Marwa, petites collines situées à l'intérieur du *Harâm,* ou enceinte sacrée de la mosquée, commémoration de la course désespérée d'Agar à la recherche d'eau pour son fils. Dans la *plaine d'Arafat,* sur les lieux mêmes où, selon la tradition, Adam et Ève trouvèrent grâce devant Dieu et se retrouvèrent après avoir été chassés du Paradis et s'être égarés sur terre, sont accomplis les rites marquant le point culminant du pèlerinage. Le 10e jour a lieu le grand Sacrifice *(al-adha)* dans la plaine de Mina, en souvenir d'Abraham qui, par obéissance à Dieu, s'apprêtait à immoler son fils auquel fut miraculeusement substitué un bélier. C'est l'occasion d'égorger de nombreux moutons, chameaux, bœufs et chèvres. On se rase ou on se coupe les cheveux. Lapidation avec 7 cailloux de la grande pierre ou colonne baptisée *Samrat* ou *Lakaba ; tawaf alifada.* Les autres rites du *Hadj* ont lieu dans les environs immédiats de la Ville sainte. Le 11e jour, à Mina, à 5 km, les pèlerins lapident, avec 7 petits cailloux par colonne, 3 colonnes de pierre (petite *Assougha,* moyenne *Alwousta,* grande *Alakaba)* figurant Satan qu'Abraham avait repoussé lorsqu'il lui était apparu à cet endroit (Satan l'avait invité à rejeter l'ordre donné par Dieu de sacrifier son fils). Le 12e j, on peut quitter Mina avant le coucher du soleil, sinon on doit rester le 13e j. Avant de quitter les lieux saints, le pèlerin retourne au *Harâm* où il accomplit de nouveaux tours autour de la *Kaaba* et boit de l'*eau de Zamzam* (dont il fera souvent provision pour en rapporter chez lui), puis se rend à Mina pour une dernière lapidation de Satan.

Après le *Hadj,* il est recommandé de visiter la *mosquée du Prophète,* à *Médine,* car, selon ses propres paroles, « pour qui me visite après ma mort, c'est comme s'il m'avait visité de mon vivant ». Quand la situation le permettait, bon nombre de pèlerins se rendaient encore à *Jérusalem,* 3e ville sainte de l'islam, et à *Hébron* où est enterré Abraham, « Ami de Dieu » *(Khalîl)* et père des monothéistes.

Le *Hadj* a lieu du 8 au 12 de *Dhu'l'Hijja,* 12e mois du calendrier lunaire musulman (700 000 à 950 000 participants). La *'Umra,* petit pèlerinage, peut être accomplie à tout autre moment de l'année.

Traditions sociales

Arts. Architecture et arts graphiques non figuratifs caractérisés par une sévérité géométrique, alliée souvent à de la préciosité et parfois à de l'exubérance.

Communauté musulmane (Oumma). Principe régissant l'ensemble de la vie sociale : tous les croyants sont frères, c.-à-d. égaux entre eux. Il n'y a pas d'inégalité en droit. Seul leur degré de piété les distinguent aux yeux de Dieu. Les inégalités sociales, dues à la fortune, ne sont pas interdites par la loi coranique : chacun a le droit d'acquérir, par son effort, les biens matériels et terrestres en s'acquittant de son impôt légal.

Fêtes musulmanes 1992-93. Années de l'Hégire 1413, entre parenthèses 1414. 1er Muharram 2-7-92 (23-06-93), anniversaire du Prophète 10-9-92 (31-8-93), Ramadân du 24-2 au 5-4, fête des sacrifices 11-06-92 (01-06-93).

Langue arabe. *Arabe littéraire :* proche de la langue classique (VIIIe-XIIe s.) qui a été celle du Coran, du Hadith et des grands livres religieux philosophiques ou poétiques. Redevenu courant, à la radio, dans les journaux et dans les livres, il regagne du terrain dans les milieux populaires dialectophones, du Maroc à l'Irak. *Arabe dialectal* ou *populaire* (dialectes libanais, égyptien, algérien, etc.) : langue d'env. 40 % des musulmans, les grandes nations musulmanes (Bangladesh, Indonésie, Iran, Pakistan, etc.) n'étant pas arabophones. Néanmoins, les élites sociales et culturelles musulmanes non arabophones connaissent l'arabe littéraire, étudié comme langue sacrée, utilisé par le Coran et le Hadith (le marché du livre arabe s'étend sur tous les pays musulmans).

Propriétés collectives. Biens de mainmorte donnés à Dieu, et dont l'usufruit alimente des fondations religieuses ou de charité.

Vie intellectuelle. La pensée islamique a perdu au XVe s. (hégémonie de l'Empire militaire turc) l'originalité qui avait émerveillé l'Occident médiéval (astronomie, mathématiques, médecine, géographie, sciences agricoles, etc.). On a admis, au XIXe s., que la science médiévale arabe était une synthèse d'éléments pris à des civilisations antérieures, notamment à l'hellénisme alexandrin, à la Perse, à l'Inde, à la Chine. On reconnaît aujourd'hui qu'il y a eu de nombreux apports originaux.

Vie privée. Marquée par les prescriptions coraniques, notamment : puissance des liens familiaux (autorité du père, solidarité familiale, cousinage et parentage maintenus plusieurs générations). Statut de la femme souvent considéré (à tort) comme antiféministe ; or la femme est très honorée en Islam. Pour la protéger de la méchanceté des hommes de bas caractère, Dieu dans le Coran lui a imposé le voile. Les femmes paient l'impôt zakât sur leurs bijoux et parures quelle que soit leur valeur ; elles sont exemptées des prières quotidiennes lors de leurs règles mensuelles. La polygamie est possible. L'épouse peut obtenir le droit de divorcer d'avec son mari si elle le stipule dans le contrat de mariage. Sa quote-part dans l'héritage est moindre, parce qu'elle n'est pas tenue, comme l'homme, d'entretenir ses père, mère, frères, sœurs, mari, enfants et autres proches parents.

Autres prescriptions

Aliments. Le sang étant considéré comme nourriture impure, la viande doit être issue d'un animal abattu et égorgé selon le rite. Les musulmans peuvent consommer la viande casher. De nombreuses associations veillent sur cette activité, dont l'association *A votre service.*

Circoncision des enfants mâles et femelles (excision) (tradition abrahamique). Généralement observée ; n'étant pas d'institution coranique, elle n'est pas obligatoire pour ceux qui se convertissent à l'islam.

Décès. La tombe est orientée vers la Mecque.

Effort suprême (Djihâd). **« Guerre sainte »,** c'est l'« effort collectif » des musulmans, qui ont le devoir de lutter, au besoin jusqu'au sacrifice de leur vie, pour la défense et les progrès de l'islam. Dans un sens spirituel, il se rapporte à la lutte du croyant contre les passions et les mauvais penchants de l'âme. Sur le plan historique, la *guerre sainte* a été menée d'abord contre les Arabes et certaines tribus juives puis contre les empires chrétiens et païens. Dieu dans le Coran (2/190) n'autorise que la guerre défensive : « Et combattez dans la voie de Dieu ceux qui vous combattent et ne transgressez pas, Dieu n'aime pas les transgresseurs. »

Le *Djihâd* armé a reparu au cours des guerres dites de décolonisation (1950-70). Un Fonds du *Djihâd* a été créé le 7-8-71 en Libye par le colonel Kadhafi ; il subventionne les guérilleros musulmans, notamment en Mauritanie, aux Philippines, au Liban. Durant le conflit du Golfe (1991), Sadam Hussein relança le *Djihâd* pour le compte de l'Irak.

Interdits. Boissons alcooliques, stupéfiants, viande de porc et d'animaux sacrifiés à d'autres divinités qu'au Dieu unique ou tués de façon non rituelle ; prêt à intérêt assimilé à l'usure, jeux de hasard : tiercé, roulettes, lotos, etc.

Mariage. Le mariage fécond est recommandé. Les pénalités pour adultère et fornication sont aussi sévères pour l'homme que pour la femme consentante (la femme non consentante n'est jamais poursuivie). *Polygamie :* un homme est autorisé à avoir jusqu'à 4 épouses simultanées, mais il lui est conseillé de se limiter à une seule s'il craint d'user d'injustice envers plusieurs. En principe le nombre des esclaves-concubines n'est pas limité : celles-ci peuvent cohabiter avec leur maître seul, à l'exclusion de tout autre ; si leur maître les marie, il perd le droit d'avoir des relations avec elles (raison juridique : le maître conserve la propriété du corps de son esclave ; mais le mari en a légalement l'usufruit). *Divorce :* les hommes peuvent facilement l'obtenir par répudiation. Les femmes peuvent aussi le demander, toutefois le Prophète a présenté le divorce comme « de toutes les choses permises, celle que Dieu déteste le plus ». *Mariage mixte :* un musulman peut épouser une juive ou une chrétienne (mais non une païenne). Si l'épouse ne se convertit pas, elle perd le droit de garde des enfants en cas de divorce. Le 6-10-1985, Hocine Abbas, recteur de la Gde Mosquée de Paris, a rejeté la jurisprudence française sur le div. après mariage mixte.

Peines légales. 1°) LAPIDATION : châtiment réservé primitivement aux sacrilèges, et d'origine prébiblique. La Bible (Deutéronome) l'a appliqué à d'autres crimes (par ex. : violation du sabbat, adultère de l'épouse, infidélité d'une fiancée, rébellion d'un enfant contre ses parents). Par contre, la loi biblique concernant la fornication (contenue dans le Deutéronome XXII, 28, 29) sera modifiée par la loi coranique (Coran XXIV, 2). Le châtiment de la femme adultère, selon la *Voie* du Prophète, est la lapidation. En fait, la lapidation par preuve a été très rare en Islam, à cause de la nécessité (s'il n'y a pas aveu) de fournir 4 « témoins oculaires » (sourate 24/4). 100 COUPS DE FOUET : pour la fornication *(Zina).* 80 COUPS DE FOUET : pour la dénonciation calomnieuse d'adultère ; – pour la consommation de vin *(shurb).* MISE À MORT : pour l'apostasie. ABLATION DE LA MAIN DROITE : pour le vol. ABLATION DES MAINS ET DES PIEDS : pour le brigandage armé (sans meurtre). MISE À MORT PAR DÉCAPITATION OU CRUCIFIXION : pour le brigandage armé avec meurtre. **2°)** REPRÉSAILLES. Exercées par la victime (en cas de coups et blessures) ou par ses héritiers (en cas de meurtre). Consiste à faire subir au coupable le même dommage qu'il a causé (loi du talion, *Qisas*). **3°)** CHÂTIMENT FIXÉ PAR LE JUGE. *Tazir : Minimum* 3 coups de fouet. *Maximum* 39.

Port du voile. Les passages du Coran relatifs au port du voile *(hidjâb)* ont été diversement interprétés selon les écoles juridiques, les époques et les régions. En usage surtout en ville, il est souvent ignoré dans les villages et chez les nomades. Le voile est souvent remplacé, de nos jours, par un foulard cachant cou et cheveux. Le *burga* (voile) cache la figure à l'exception des yeux et descend aux pieds ; les plus beaux étant ceux du Cachemire ; il peut être un ample vêtement de dessus de n'importe quelle couleur ou une simple bande de fine étoffe blanche cousue à un ruban qui fait le tour de la tête.

Nota. – En France, à l'automne 1989, des élèves musulmanes refusèrent de se rendre en classe sans leur foulard. Des proviseurs s'y opposèrent invoquant le principe de la laïcité de l'École publique.

Prohibition des images animales et humaines. Elle n'est pas révélée dans le Coran, mais a été enseignée par le Prophète et respectée même dans les pays musulmans non arabes. Les sculptures à représentation humaine, cultuelles ou profanes, restent interdites dans les lieux du culte.

Terminologie

■ **Ayatollah.** De l'arabe *âyatullâh,* employé par les Iraniens chiites, « signe de Dieu ». Ce titre (acquis dans une université religieuse) désigne en général chez les chiites les *mujtahids* (ceux qui sont dignes de pratiquer l'interprétation de la volonté de l'Imam caché et ont reçu de leur maître l'autorisation d'enseigner la théologie). Seuls les *mujtahids* sont en contact intérieur avec l'Imam caché. Leur prestige est renforcé par leur origine ; la plupart d'entre eux descendent du Prophète et donc des Imams.

■ **Alim.** Savant religieux. Singulier d'Oulémas.

■ **Cadi.** Magistrat ou juge chargé d'appliquer la Loi de l'islam.

■ **Calife.** Successeur de Mahomet, il était le chef spirituel et temporel des Croyants. Le titre signifie « vicaire » ou « lieutenant » du Prophète ; dans le Coran, Dieu le donne à Adam (vicaire de Dieu sur Terre) et à David (lieutenant de Dieu). Dignité élective ; condition d'éligibilité (remplie de 632 à 1517) : appartenir à la tribu des Quraych, dont est originaire Mahomet. Après 1517, le califat a passé aux Turcs ottomans ; la succession se faisant à l'intérieur de la famille califale ; l'élection était souvent la sanction symbolique d'une prise de pouvoir forcée.

Premiers califes. 632 Abu Bakr (apr. 550-634) : beau-père de Mahomet, qui se fait appeler Khalifa Raçoul Allah (le successeur de l'envoyé de Dieu). Son choix avait mis aux prises les Qurayshites émigrés à Médine et les Médinois qui avaient accueilli et soutenu le Prophète. Surnommé *As-Siddik,* « le Véridique ». **634 Omar** (590-assassiné 644) : autre beau-père de Mahomet, qui conquiert Perse, Syrie et Égypte, puis prend le titre d'Émir des Croyants. **647** (Othman) : bords de la Caspienne, Turkestan, Afghanistan, Bassin de l'Indus. **660-710** (Omeyades) : Afrique du N. **710-720** (id.) : Espagne et Septimanie (le S.-O. de la France, occupé temporairement 730-732). **1071** (Turcs Seldjoukides) : Asie Mineure. **1353** (Turcs Ottomans) : Balkans. **1453** (id.) : Constantinople. **XVe-XVIe s.** (id.) : Europe du S.-E. et Hongrie. – Les autres territoires actuellement islamisés (Asie du S.-E., Afrique) sont devenus musulmans sous l'influence de missionnaires, marins, négociants (XVIe-XIXe s.) et surtout de notables favorisés par les colonisateurs (XXe s.). **644-570 Othman :** 656 lynché par la foule car il favorisait sa tribu omeyyade ; conquiert Abyssinie (647) et Transoxiane. **656 Ali** (602-661, assassiné par un fanatique kharedjite : gendre de Mahomet, époux de Fatima. Contesté par le gouverneur de la Syrie, Mu'âwiya (cousin d'Othmân), qui lui reprochait de ne pas avoir puni les assassins de celui-ci. En 659, Abdur-Rahman ben Muljam, dans l'intérêt de la communauté, l'assassine, voulant supprimer Mu'âwiya et Ali. Seul Ali fut tué. **660 Hassan** (624-669, empoisonné) : fils d'Ali, vend son abdication à Mu'âwiya. **661 Mu'âwiya Ier** (603-680) : gouverneur de Syrie, conteste l'élection d'Ali. Mu'âwiya devient calife de tout l'Empire islamique, installe sa capitale à Damas et, pour éviter les guerres de succession, suit l'exemple d'Ali et nomme son propre fils (Yazid) comme prince héritier [dynastie des *Omeyyades* qui comptera 14 membres jusqu'en 749 ; + 57 m. en Espagne de 755 à 1492 (califats de Cordoue et de Grenade)].

Autres califes : *750,* les *Abbassides* (descendants d'Al Abbas, oncle de Mahomet) supplantent les Omeyyades et s'installent à Bagdad (37 califes jusqu'en 1258). *1258,* chassés par les Mongols, ils se réfugient en Égypte. *1517,* les Turcs conquièrent l'Égypte et leur sultan prend le titre de calife (29 califes turcs à Constantinople de 1517 à 1924, date d'abolition du califat par le Pt Mustapha Kemal).

909, des Chiites ismaéliens (voir p. 546), se réclamant du calife Ali (assassiné 659), fondent la dynastie *fâtimide* à Mahdia (Tunisie actuelle). *969,* conquièrent l'Égypte et fondent Le Caire (14 califes au Caire jusqu'en 1171 ; califat détruit par Saladin ; reconnait le califat des Abbassides). *1939,* le roi d'Ég. Farouk essaie, sans succès, de rétablir le califat.

■ **Émir.** Amir al Mouminin (déformé au Moyen Age en *Miramolin*), titre signifiant *Commandeur des Croyants,* porté en principe par ceux qui se prétendent issus du sang de Mahomet. Pris par Omar, puis par les califes abbassides et les sultans jusqu'en 1924. Actuellement, porté par le roi du Maroc. Le titre d'émir fut aussi décerné à des chefs locaux ou à des officiers.

■ **Imam. Chez les chiites :** titre désignant le chef spirituel et temporel de la communauté. Il est porté par les descendants d'Ali, 1er imam, et de Fatima, la fille du Prophète, jusqu'au 12e imam, l'Imam caché pour les Duodécimains. Les imams sont considérés comme les dépositaires du sens secret de la Révélation coranique et comme les successeurs légitimes du Prophète. **Chez les sunnites :** il désigne celui qui est chargé de conduire la prière et il est parfois attribué à une autorité religieuse éminente (les fondateurs des 4 rites sunnites, etc.). Les imams guidant la prière sont généralement choisis pour leur intégrité et leur dévotion, et souvent anciens élèves d'une école ou d'une université islamique. L'*imam khâtib* préside la prière du vendredi.

■ **Marabouts.** Descendants de saints (soufis), qui, dans certains pays, héritent de l'influence spirituelle de leurs ancêtres (baraka), influence dont ils ont parfois abusé à des fins non spirituelles, ce qui a déclenché contre eux la réaction des réformistes. Autre signification : savants religieux.

■ **Mirzas.** Descendants du Prophète par leur mère (voir ci-dessous, sayyeds). Env. 500 000.

■ **Mufti.** Jurisconsulte et, dans certains pays, fonctionnaire religieux (ex. : Algérie, Jordanie). *Grand Mufti :* conseiller spirituel d'une région.

■ **Nabi.** Prophète.

■ **Oulémas** *(Ulamâ).* « Savants » en sciences religieuses, aptes à interpréter la Loi divine ou *Charî'a.*

■ **Sayyeds.** Dans le monde indo-iranien et particulièrement chez les chiites, désigne l'aristocratie par le sang des descendants en ligne masculine de la famille du Prophète. Équivalent de l'arabe *Sayyid,* « seigneur » et de l'algérien *sidi,* « monsieur », qui a donné le nom du Cid. La graphie adoptée par Voltaire (séide) a pris en français le sens de « partisan fanatique ». Chez les sunnites, équivalent de *chérif* (pluriel *chorfa*) ou « noble ».

■ **Ummah.** Communauté des Croyants.

L'ISLAM CONTEMPORAIN

Tendances historiques

Chiisme. Le « parti *(chi'at)* » groupe près de 10 % des musulmans du monde. Ils ont leur propre école juridique *(djafarite),* et croient généralement que le dernier *imam* vient d'Ali. Constituèrent un groupe séparé pour des raisons plus politiques que religieuses, estimant que la succession de Mahomet aurait dû revenir, non aux 3 premiers califes Abu Bakr, Omar et Othman reconnus par les sunnites, mais à Ali (époux de Fatima), son cousin et son gendre.

Après la mort d'Ali, certains se rallièrent à ses fils Hasan (2e *imam*) et Husayn [*3e imam* tué à Kerbela (Irak, 680), vénéré comme un martyr]. Le souvenir de cet événement, ajouté à l'idée que le pouvoir légitime ne saurait émaner que d'un *imam* descendant du Prophète par sa fille, épouse d'Ali, a entretenu dans le chiisme un élément de douleur et de tristesse et une certaine méfiance envers tout gouvernement séculier. Les chiites vénèrent Fatima : en particulier sa main, dont l'image attire la protection divine. Les chiites attendent la réapparition de l'« Imam caché » à la fin des temps. Cependant ils se répartissent en différents groupes qui divergent quant au nombre des *imams.*

Duodécimains ou imamites. Secte dominante en Iran, représentée en Irak, Liban, Afghanistan, Pakistan et Inde ; croit à 12 *imams.* Le 11e, *Hassan al-Askari,* descendant direct d'Ali II (4e imam, fils du 3e), épouse une princesse chrétienne convertie, Nargis Khatum, fille de l'empereur de Constantinople. Son fils, le 12e, *Muhamad al-Mahdi,* ou Imam al-Mahdi, décide de « s'occulter » en 873, dès la mort de son père. D'après la prophétie, il devait être le *mahdi,* c.-à-d. le calife bien guidé, dont le retour (ayant lieu en même temps que celui du prophète Jésus) inaugurera une ère de justice et de bonheur. La plupart des chiites croient qu'il n'est pas mort et qu'il reviendra lui-même quand les Temps seront accomplis, d'où le nom de *chiites duodécimains* (Mahdi ou 12e Imam), qu'ont pris ses partisans [*imâmiya* (« ceux qui croient en 12 imams »)].

Ismaéliens ou septimaniens (Inde, Pakistan, Turquie, Afrique orientale) reconnaissent 7 *imams* (le 7e était *Ismaïl,* fils du 6e imam). Ils comprennent plusieurs branches, divergeant sur des points de doctrine, notamment celles des **nizaris** (voir ci-dessous), et des **nusaïris** ou **alaouites** de Syrie.

Zaïdites (partisans de Zaïd fils cadet du 4e imam, Ali Zayn al-Abidin), chiites modérés plus proches des sunnites, majoritaires dans le haut Yémen, croient à 5 *imams.*

Ismaéliens nizârites (15 000 000 au Pakistan, Inde, Syrie et Soudan). CHEFS RÉCENTS : *Agha Khan Ier* (1800-81), 46e imam, descendant d'Ali et des anciens rois de Perse ; il établit son autorité sur les ismaéliens de l'Inde. Enterré en Égypte. *A.K. II* (1846-85), son fils. *A.K. III* (Muhammad Châh, 1877-1957), son fils, conseiller privé des rois d'Angl. et fondateur de la ligue panmusulmane de l'Inde ; obtint en 1919, qu'Istanbul ne soit pas rendue aux Grecs, mais laissée aux Turcs musulmans. Il fut l'homme le plus riche du monde (400 milliards d'AF) : pour son 60e anniversaire, il reçut de ses fidèles son poids en platine et en diamants ; il possédait une écurie de courses renommée. Il ép. 1°) Bégum Shahzadi, 2°) Teresa Magliano dont Ali Khan, 3°) Andrée Carron, 4°) 1944 Yvette Labrousse (Miss France 1930) connue comme la *Bégum* (la femme de l'Agha), mais dont le titre officiel était *Mata Salamat* « Que vive la Mère ! ». *A.K. IV* (Karim, n. 1936), 49e imam, petit-fils d'A.K. III et fils d'Ali Khan [(1911-60) et de sa 1re femme Joan Yarde-Buller (n. 1909) ; Ali divorcera et épousera en 2e noces Rita Hayworth (1919-87) dont il divorcera], marié à une Anglaise, Sarah Crocker Poole (n. 1940, épouse en 1res noces de M. Chrichton Stuart), devenue la *Bégum Salima* (dont Zahra 1970, Raïm 1971, Hussein 1974). En 1967, il a créé à Genève une fondation humanitaire (hôpitaux, écoles en Inde, Pakistan, Kenya), dont le budget est alimenté par la « didar », contribution en espèces versée par chaque fidèle. Il a racheté pour 41 millions de F l'écurie de course Boussac. Mais, pour son jubilé en 1982, il n'a pas reçu l'équivalent de son poids en platine (tradition perdue).

Kharedjisme (de *kharadja,* « sortir »). Secte des « sortants » qui, dès 657, se séparèrent de la communauté majoritaire après être entrés en dissidence avec Ali, 4e calife, à qui ils reprochaient sa compromission avec Mu'âwiya, fondateur de la dynastie omeyyade, lors de l'« arbitrage » de Siffîn. Leur communauté, connue pour son rigorisme, s'est perpétuée dans le cadre de la secte ibadite (remontant à Abdallâh, fils d'Ibâd, VIIe s.). Ceux-ci fondèrent en 761 à Tahert, la « Purifiée » (à 9 km de Tiaret, Algérie), une communauté prospère, la seigneurie *rostémide* (détruite en 909), dont les continuateurs sont les actuels *Mzabites.* Survivances à Mascate, Zanzibar, Djerba (Tunisie), Mzab (Algérie). Env. 1 000 000 de m.

Soufisme. *Le taçawwuf,* généralement traduit par « soufisme », désigne le mysticisme de l'islam avec ses aspects spirituels et ésotériques. Il se fonde essentiellement sur le Coran et la *sunna* (tradition). Ses manifestations, distinctes de la piété ordinaire, datent du Ier s. de l'hégire et il n'a cessé depuis de constituer une source de ferveur dans les régions du monde musulman, où pratiquement tous les saints dont on respecte la mémoire et dont on visite les tombeaux furent des soufis. Cependant, le soufisme entra en conflit avec les autorités religieuses, notamment à Bagdad sous les Abbassides (Xe s. : Hallâdj fut jugé hétérodoxe et mis à mort). Puis, surtout depuis Ghazâlî (XIe s.), le soufisme se réconcilia avec l'orthodoxie officielle et se développa.

Confréries les plus importantes : Qâdiriya issue d'Adb-al-Qadîr al-Djîlânî (XIIe s.), saint de Bagdad ; *Châdhiliya* fondée par Abou'l-Hasan ach-Châdhilî (XIIIe s.) : nombreux adhérents en Afrique du N. et au Proche-Orient ; *Mawlawiya* remontant à Djalâl ad-Dîn Rûmî (XIIIe s.), célèbre par la danse cosmique des *derviches tourneurs. Pratique la plus caractéristique des confréries :* le *dhikr,* ou « souvenir » de Dieu, sous forme d'invocations, de litanies ou de danses sacrées. Parfois dégénéré pour n'être plus que maraboutisme ou fakirisme, le soufisme a aussi été mêlé, en quelques occasions, à des mouvements politiques.

Sunnites ou orthodoxes. Mettent l'accent sur la fidélité à la tradition *(sunna)* et se considèrent comme orthodoxes par rapport au chiisme. Ils reconnaissent les 4 premiers califes comme légitimes (Abu Bakr, Omar, Othman, Ali) et désignent le successeur du Prophète (calife) par investiture *(Bai'a).* Partisans de l'élection. Divisés en 4 écoles juridico-théologiques (voir Fiqh p. 543 c).

Tendances récentes

Ahmadiya. Mouvement *fondé* le 23-3-1889 par Hazrat Mirza Ghulam Ahmad (1835-1908), de Qadian, Inde, qui se présenta comme le *Mujaddid* du XIVe s. de l'hégire (réformateur), l'imam Madhi ou Messie promis ; représenté par son 4e Calife, Hazrat Mirza Tahir Ahmad. *Adhérents :* + de 10 millions dans plus de 114 pays (G.-B. : + de 10 000). *Adresse (France) :* 54, rue du Lieutenant-Col.-Donzelle, 95390 Saint-Prix. Tendance non musulmane.

Frères musulmans *(Al-Ikhwân al-muslimûn).* **1928** association créée en Égypte par l'instituteur Hassan al-Bannâ. Inspirée par la *Salafiya,* elle veut aussi mettre en pratique ses idées et s'adresse à toutes les catégories sociales, gagnant à sa cause une bonne partie de la jeunesse, vise à lutter contre toute emprise étrangère dans les pays musulmans, et à retourner aux sources de la religion du Prophète, rejette toute imitation du modèle occidental, origine de la corruption et de la déchéance du monde musulman, veut édifier une société islamique idéale [« pas de Constitution si ce n'est le Coran » ; la *choura* (conseil), dont les membres représentent la communauté et élisent le chef de l'État, contrôle ses actes et légifère avec lui], abolir la prostitution, interdire les écoles mixtes, organiser la *zakât* (aumône publique) et la propriété privée, interdire l'usure, lutter contre les fausses confréries, limiter la polygamie, laisser libres les écoles juridico-théologiques. **1932** l'organisation se politise et, grâce à ses multiples cellules implantées notamment en Égypte, devient une force importante menaçant le régime. **1948** dissous par le gouv. égyptien, les Frères répliquent par l'assassinat du Premier ministre Nokrachi Pacha (28-12). **1949** (12-2) al-Bannâ est tué, mais la confrérie continue une vie clandestine. **1951** reprend ses activités au grand jour. **1952** les « Officiers libres » de Néguib et Nasser, en contact avec les Fr., prennent le pouvoir et cherchent leur collaboration. **1954** (oct.) déçus dans leurs espoirs de voir s'instaurer un régime islamique, les Fr. attaquent le gouv. et fomentent un attentat contre Nasser ; la confrérie est dissoute, les Fr. arrêtés et des exécutions spectaculaires ont lieu (1954, 66, 74, 78, 80 et 81). Cependant l'Association continue de se manifester, souvent avec violence (1981, affrontements au Caire avec les coptes : 14 †, 54 blessés ; assassinat du Pt Sadate imputé aux Fr.).

> Le succès des doctrines fondamentalistes vient du fait que le modernisme et les idéologies nationaliste, libérale, socialiste importées ont échoué. Pour les peuples du tiers monde qui estiment perdre leur âme par une modernisation excessive, l'islam apparaît comme faisant cause commune avec celle du tiers monde.

Mouridisme. Communauté *fondée* v. 1890 par le cheikh Ahmadou Bamba (1852-1927), au Sénégal, à l'époque française. Les Mourides considèrent le travail comme un moyen de sanctification aussi important que la prière. Ont créé des villages communautaires, pratiquant les techniques agricoles modernes, dont l'un est leur ville sainte : Touba. Pour eux, le Djihâd n'est pas violent (combat spirituel pour la perfection de l'âme), et la femme joue un rôle capital dans la société. Pour la prière et la méditation, les femmes font cercle autour de la maîtresse, les hommes autour du maître. *Adhérents :* 3 000 000, surtout au Sénégal.

Salafiya. Courant réformiste né au XIXe s., se réclamant des pieux « ancêtres » *(salaf)* et d'un certain modernisme, pour revivifier un islam en « stagnation » face à un Occident dynamique et puissant. Après l'Iranien Djamal al-Dîn al-Afghânî, partisan du panislamisme, l'Égyptien Muhammad Abduh (1848-1905), son disciple, élabora un réformisme théologique et culturel. Il épura l'islam, combattant superstitions et culte des saints en prêchant le retour à la foi originelle. Il chercha à développer l'enseignement des sciences occidentales et de l'histoire. Son œuvre fut poursuivie dans un sens plus nationaliste arabe par Rachid Ridâ († 1935) qui, avec la revue *Al-Manâr* (« Le Phare »), propagea les idées de la *Salafiya* (Maghreb, mouvement réformiste des oulémas algériens ; Inde, « Ahl-il-Hadith » combattant les superstitions ; Indonésie, « Mohammadiya », 1912, œuvrant à approfondir l'islamisation du pays). Il en résulta la création d'universités modernes.

Sanûsiya. *Confrérie soufie fondée* 1837 à Mazouna (Alg.) par Muhammad Ibn-Ali as-Sanûsî (1787-1859) qui a émigré à Koufra (Libye). Marquée par le wahhabisme, elle a lutté pour le retour aux sources de la foi, et a combattu contre la pénétration italienne en Libye, où se trouvait le centre de l'ordre des Sénoussis, dont le chef était à la tête d'un empire s'étendant jusqu'en Afrique centrale. Le chérif *Idris* (petit-fils du fondateur), défait par les Italiens en 1931, roi de Libye à son indépendance (1951), fut renversé en 1969 par Khadafi.

Tabligh. Mouvement pur et missionnaire. Env. 3 000 000 en 1986.

Wahhabisme. Mouvement religieux réformiste fondé en Arabie par Muhammad ibn Abd al-Wahhâb (1703-91). Influencé par l'école hanbalite, il s'éleva contre les pratiques jugées incompatibles avec la pureté de la religion et considérées comme des innovations *(bid'a)* blâmables, telles que le culte des saints et la visite de leurs tombeaux. Il s'attaqua aussi aux philosophes, aux soufis et aux chiites, accusés également d'avoir introduit des innovations dans l'islam, et prêcha une foi rigoriste et une interprétation littérale de la *Charî'a.* Au XIXe s., l'émir Muhammad ibn Saoud, gagné à la cause wahhabite et désireux de la répandre dans le monde musulman, entraîna ses guerriers à la conquête de l'Arabie, alors sous domination ottomane. Il réussit à la soumettre presque entièrement, puis il parvint à Bagdad et à Damas, mais fut vaincu par le calife. Le wahhabisme restait toutefois vivace et c'est en son nom qu'Ibn Saoud fonda le royaume d'Arabie saoudite en 1932. Depuis, étant donné les contacts sans cesse croissants du royaume avec le monde extérieur, la rigueur du wahhabisme tend à se tempérer.

☞ **Lieux saints principaux. Communs.** ARABIE : *La Mecque* (plus de 2 000 000 de pèlerins par an), *Médine.* ISRAËL *(et territoires occupés), Jérusalem.* **Chiites.** IRAN : *Meshed.* IRAK : *Nadjaf, Karbala, Kazimeyn.*

■ Universités islamiques principales

Afghanistan : Fac. de théologie de Kaboul (fondée 1856). **Algérie :** U. Abdelkader à Constantine (f. 1983). **Égypte :** U. Azhar du Caire (f. 973, réformée 1936 ; Fac. de théologie 1945, de droit musulman 1946). **Inde :** U. Dârul-aboum Deoband (f. 1870) ; U. islamique Alighar (f. 1877) ; Nawat Al Ulama (f. 1898). **Iran :** Meshed (Bibl. XVe s. ; U. 1939) ; Fac. des études islamiques à Qom ; Fac. de théologie à Téhéran. **Maroc :** U. Qaouyine à Fès (f. IXe s., réf. 1936). **Nigeria :** U. Ahmadu Bello Zaria. **Pakistan :** U. d'Islamabad (f. 1980). **Arabie Saoudite :** Riad, U. Mohamed Ben Saoud ; U. Médine. **Soudan :** U. Oum Darman. **Syrie :** Damas (f. 1920). **Tunisie :** Fac. Zaïtouna à l'U. de Tunis (f. Xe s.). **Turquie :** Fac. de théologie d'Ankara (f. 1949) ; Marmara à Istanbul.

Déclaration islamique universelle des droits de l'homme. Proclamée officiellement le 19-9-1981, à Paris (Unesco) par Salem Azzam, secr. gén. du Conseil islamique. Composée de 23 art., elle ne doit, en principe, être transgressée par aucun gouv. islamique. Outre le droit à la vie, sont reconnus les droits à la liberté ; à l'égalité et à la prohibition de toute discrimination ; à la justice ; à un procès équitable ; à la protection contre l'abus de pouvoir et contre la torture ; à l'honneur et à la réputation ; à la liberté de déplacement et de résidence ; et à 13 droits politiques et sociaux : droit d'asile, droit des minorités, droit et obligation de participer à la conduite et à la gestion des affaires publiques, droit à la liberté de croyance, de pensée et de parole, droit à la liberté religieuse, droit de libre association, droits découlant de l'ordre économique, droit à la protection de la propriété, statut et dignité des travailleurs, droit à la sécurité sociale, droit de fonder une famille, droit de la femme mariée, droit à l'éducation et droit à la vie privée.

Statistiques

■ Les musulmans dans le monde en 1986

■ **Population musulmane en millions, % par rapport à la pop. totale du pays. Tendance : c : chiite, s : sunnite, z : zaidite. Monde arabe. Afrique.** Algérie 20 (95 %) s. Bénin 0,3 (10). Botswana 0,001. Burundi 0,05 (1,5). Cameroun 1 (14). Cap Vert, néant. Centrafricaine (Rép.) 0,2 (6,5). Comores 0,3 (99). Congo 0,005. Côte-d'Ivoire 1,7 (23). Djibouti 0,2 (92). Égypte 41 (90) s. Émirats arabes unis 0,75 (68) s. Éthiopie 11,5 (40). Gabon, quelques milliers. Gambie 0,4 (85). Ghana 1,2 (12). Guinée 4,4 (75). Guinée-Bissau 0,2 (33). Guinée équatoriale, quelques milliers. Burkina-Faso 1,8 (30). Kenya 0,8 (6). Lesotho, quelques centaines. Liberia 0,4 (26). Libye 3 (99) s. Madagascar 0,4 (5) Malawi 0,6 (12). Mali 4,4 (70). Maroc 9,3 (99) s. Mauritanie 1,5. Mozambique 1,3 (15). Namibie, néant. Niger 4 (85). Nigeria 28 (36). Ouganda 0,6 (5). Réunion, quelques milliers. Rwanda, quelques milliers. Sénégal 4,3 (84). Sierra Leone 1,5 (50). Somalie 3,2. Soudan 13,2 (75) s. Sud-Africaine (Rép.) 0,4 (1,5). Swaziland (Ngwane), néant. Tanzanie 5,2 (33). Tchad 2,2 (53). Togo 0,2 (10). Tunisie 5,9 (92) s. Zaïre 0,3 (1,25). Zambie, quelques milliers. Zimbabwe, quelques milliers. **Asie arabe.** Arabie Saoudite 9,3 (99) s. Bahreïn 0,34 (95) c. 55, s. 40. Irak 12,9 (96) c. 70. Jordanie 3,1 (94) s. Koweït 1,2 (95) s. Liban 1,6 (1) c. 60. Oman 0,81 (99) s. Qatar 0,22 (88) s. Syrie 8 (87) s. Yémen du N. 5,5 (99) z. Yémen du S. 1,7 (99) s. **Asie non arabe.** Afghanistan 17,5 (99) s. majorité, c. 40. Bangladesh 84 (85) s. Birmanie 1 (3) s. Brunei 0,2 (75) s. Chine 30 (1,4) s. Chypre 0,1 (18) s. Inde 80 (12) s. Indonésie 135 (90) s. Iran 40 (98) c. 97. Israël 0,5 (14) s. [intérieur : Palestiniens ; Cisjordanie et Gaza : 1,3 (87)]. Malaysia 7,8 (52) s. Maldives 0,17 (99,9). Pakistan 89 (95) s. 75. Philippines 2,4 (5) s. Singapour 0,3 (14). Sri Lanka 1,4 (9) s. Thaïlande 1 (2) s. Turquie 44,8 (90) s. **Europe orientale.** URSS 48 (18) s.

Europe (en millions). Albanie (7), Allemagne (RFA) 1,8 (6), Bulgarie 1, *France 2,5 (5)*, G.-B. 0,6 (1,4), Grèce 0,27, Yougoslavie 3,5. **Amérique.** Am. latine 2,5 (0,6), Canada 0,14 (0,6), USA 3 (1,4).

Total islam (1982). *Évaluation Encyclopaedia Britannica :* 588. *Missi :* 745. *Autres sources :* 1990 : + d'un milliard. *2020 (prév.) :* 2 milliards (soit 23 % de la population mondiale qui atteindra 8,6 milliards).

Chiites (1980, en millions). Iran 33, Inde 17, Pakistan 15, Afghanistan 7,2, Irak 4,8, Liban 1,1 ; total 78,1. *Non islamiques :* URSS 2, autres 5,4.

☞ L'islam progresse en Afrique noire, au détriment du christianisme, depuis la décolonisation. Les conversions de Noirs chrétiens à l'islam sont fréquentes. Les conversions d'animistes se font plus vers l'islam que vers le christianisme.

Agents de l'islamisation : prédicateurs locaux ; confréries sociales et professionnelles ; centres éducatifs (notamment mosquées des villes). *Transformations sociales :* adoption de prénoms musulmans ; écoute des émissions arabes ; alliance entre groupes sociaux musulmans et rejet des mécréants (kâfirs) ; restructuration des familles.

Taux de natalité moyen (1988) dans le monde musulman : 42 ‰ ; dans le reste du tiers monde : 34 ; pays industralisés : 13.

■ Les musulmans en France

Historique. *VIIIe s. :* installation de musulmans dans le Sud de la Fr. : mosquées (Narbonne), villes et forteresses (Carcassonne), influences sur l'art et la culture. *VIIIe-XXe s. :* éclipse. *XXe s. :* début de l'immigration massive.

Nombre. *1987 :* env. 3 010 000 dont Français d'origine maghrébine 1 000 000. Algériens 900 000. Marocains 400 000. Tunisiens 200 000. Turcs 200 000. Français d'origine européenne 100 000. Africains 100 000. Iraniens 60 000, autres 50 000.

Opinion des musulmans français. D'après une enquête Sofres-Nouvel Observateur de mars 1989, 10 % se sentent avant tout Français, 27 % avant tout musulmans, 59 % autant l'un que l'autre, 4 % sont sans opinion. 44 % pensent qu'un musulman a le droit de rompre avec l'islam, 48 % qu'il n'en a pas le droit. 53 % pensent acceptable qu'une femme épouse un Français non musulman, 42 % que ça n'est pas acceptable.

Pratique. Env. 40 % des musulmans vont régulièrement dans une mosquée.

Mosquées et Imams de France (il n'y a pas de hiérarchie religieuse en islam). *1965 :* 4 ; *75 :* 68 ; *80 :* 274 ; *85 :* 922 ; *92 :* env. 1 008 dont 8 mosquées de plus de 1 000 places, 100 de 100 à 600 places et environ 900 de 10 à 40 places. **Paris :** 23 mosquées ou salles de prières dont les plus importantes : *Grande Mosquée de Paris* (construite de 1922 à 1926), inaugurée 15-7-1926 par le Pt Doumergue et le sultan du Maroc Moulay Youssef, 2, place du Puits-de-l'Ermite, 75005 ; l'Institut musulman de Paris qui en dépend était à l'origine un mémorial des musulmans d'outre-mer tués à la guerre de 1914-18, son administration avait été confiée à la Sté des *Habous* [ou *waqf :* biens de main-morte, c'est-à-dire capitaux, immeubles, etc. dont le produit est destiné à l'entretien d'une fondation pieuse (mosquée, école coranique, subsides au pèlerinage)] et des Lieux saints de l'Islam, créée en 1917 à Alger par le gouvern. français. Une autre (association déclarée 1958), dont le siège a été transféré à Paris en 1962, lui a succédé. **Recteurs :** *1917* Si Kadour Ben Ghabrit (1873-1954). *1957* Si Hamza Boubakeur. *1982* Cheikh Albas († 1989), Alg. *1989* Cheikh Tedjini Haddam, Alg., a démissionné après avoir été nommé en Alg. au sein du Ht Comité d'État alg. *1992* (12-4) Dalil Boubakeur (Français, médecin n. 2-11-1940), fils de Si Hamza. *Mosquée Da'wa,* 39, rue de Tanger, *Mosquée Al Fath,* 53, rue Polonceau, *Mosquée Omar Ibn al Khattab,* 79, rue J.-P. Timbaud, *Union islamique en France* (Turcs), 64, rue du Fg-St-Denis, **Banlieue :** env. 100 mosquées ou salles de prières dont : *Asnières, Clichy, Mantes-la-Jolie, Les Mureaux, Nanterre, St-Denis.* **Province :** env. 300 dont : *Bordeaux, Clermont-Ferrand, Dijon, Laval, Lille, Lyon* et banlieue, *Marseille* (9, av. Camille-Pelletan, 13001), *Mulhouse, Nantes, Reims, Roubaix, Strasbourg.*

Comité de coordination des musulmans de France. *Pt :* Dalil Boubakeur, recteur de la Mosquée de Paris, élu 8-10-1992. Réunit : *Mosquée de Paris, Union des organisations islamiques de Fr.* (UOIF : créée 1983, proche du mouvement des Frères musulmans, prônant l'intégration, 165 associations), *Association des étudiants islamiques de Fr.* (AEIF), *Fédération nat. des musulmans de Fr.* (FNMF : créée 1985), *Association Foi et Pratique* (Tabligh : créée 1968), *Conseil de réflexion sur l'islam en Fr.* (Corif : créé 1990 à l'initiative du ministère de l'Intérieur et des Cultes, instance consultative).

Autres mouvements. *Fédération des associations islamiques d'Afrique, des Comores et des Antilles, Union des islamistes de Fr., Fraternité algérienne de Fr.* (FIS algérien).

Centres de conférences. Paris : *Association des étudiants islamiques en France :* 23, rue Boyer-Barret, 75014, *Amicale des musulmans de Fr. :* 59, rue Claude-Bernard, 75005. *Bureau de Paris de la Ligue islamique mondiale :* 22, rue François-Bonvin, 75015. *Centre culturel et religieux chiite en Europe :* 16, av. du

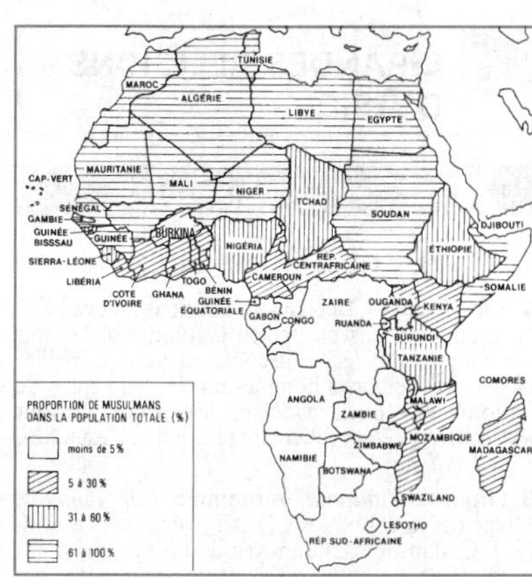

Pt-Kennedy, 75016 (imam : Mehdi Rouhani). *Centre des hautes études sur l'Afrique et l'Asie modernes,* fondé 1936. *Institut islamique,* siège ancienne halle aux vins. *Institut du Monde arabe.*

Convertis à l'islam. *Maurice Béjart* (n. 1927, doctrine chiite). *Michel Chodkiewicz,* origine polonaise. *Isabelle Eberhardt* (1877-1904), or. russe, en fait jamais baptisée, † à 27 ans en Algérie. *Roger Garaudy* (n. 1913), catholique et militant communiste, en 1982, sunnite. *René Guénon* (1886-1951), en 1911, vécut au Caire de 1930 à sa mort sous le nom d'Abd El-Wahid Yahya. *Joseph Seve* (n. Lyon 1788, † Caire 1860, devenu Soliman Pacha).

☞ Sondage IFOP (Le Monde, nov. 89) : 38 % des Français sont opposés aux constructions de mosquées, chez les sympathisants du *FN* 74, *PC* 49,6, *RPR* 43,8, *UDF* 32,6, *PS* 29,5.

Foi baha'ie

■ **Origine.** 2 fondateurs (persans) : *Mirza Ali Muhammad* dit le *Bab* (la Porte), de son vrai nom *Siyyid'Ali Muhammad* (1819-50 fusillé), annonce en 1844, à Chiraz (Perse) la venue d'un grand prophète ; exécuté par ordre du Chah avec 20 000 de ses disciples ; enseveli sur le mont Carmel, Haïfa (Israël), devenu un lieu saint de la foi baha'ie. *Mirza Husayn-Ali* (1817-92), dit *Baha'u'llah* (la Gloire de Dieu), déclare en 1863 être la grande manifestation de Dieu annoncée par le Bab. Exilé à St-Jean-d'Acre jusqu'à sa mort et enseveli au manoir de Bahji, à la sortie de St-Jean d'Acre.

■ **Principes.** La foi baha'ie proclame le caractère nécessaire et inévitable de l'unification du genre humain, demandant à ses adeptes de travailler à ce qui peut rapprocher les hommes et établir la paix et la concorde ; elle prône la recherche personnelle de la vérité et l'abandon des préjugés, affirme que la religion doit être en harmonie profonde avec la Science, soutient l'égalité des droits de l'homme et de la femme, le principe de l'éducation obligatoire, la suppression des extrêmes dans la richesse et la pauvreté et condamne l'esclavage ; élève au rang de prière le travail accompli dans un esprit de service. Elle n'a pas de clergé et abolit les pratiques d'ascétisme, de mendicité et monacales, prescrit la monogamie, encourage la vie de famille et décourage le divorce ; prescrit l'obéissance au gouvernement.

■ **Structures.** *Maison universelle de justice :* élue tous les 5 ans (dep. 1963), au cours d'un congrès international. *Assemblées spirituelles nationales :* 165, *locales élues annuellement :* 18 232. *Centre à Paris :* 45, rue Pergolèse, 75016. **Statistiques** (1992). Baha'is : 6 millions dans le monde.

■ **Persécutions en Iran.** *L'islam chiite* iranien n'a jamais accepté la proclamation, en 1844, de l'indépendance religieuse des Babis, puis des Baha'is, et les traite en hérétiques à exterminer. *L'islam sunnite* a, en 1925 et 1939, banni de l'islam la communauté baha'ie pour « apostasie » et décrété qu'elle constituait une communauté non musulmane indépendante, ayant ses croyances, son statut et ses règles hors de l'islam. Il n'a pu l'admettre en tant que nouvelle religion indépendante étant tenu de croire qu'aucune religion ne doit succéder à celle de Mahomet. *Avant 1978,* les Baha'is ont subi une législation d'exception (confiscation d'immeubles, impôts spéciaux, interdiction de réunions, etc.), et des exactions populaires (viols, rapts, assassinats, incendies, pillages) impunies. *Après la Révolution* (1978) la persécution s'est amplifiée : immeubles détruits (notamment la maison du Bab, en nov. 1979) ; fidèles torturés, condamnés à mort et exécutés.

Grandes religions d'Asie

Religions bouddhiques

Bouddhisme indien

Sens du mot « Bouddha ». Sanskrit : « éveillé ». Titre donné à l'ascète indien Gautama qui s'était « éveillé » à la Vérité, découvrant alors la réalité cachée aux yeux des hommes par le voile épais de l'ignorance. L'Éveil *(bodhi)* est le but visé par tout *bodhisattva* [« être recherchant l'Éveil », c'est-à-dire futur *bouddha*].

Origine. *Gautama*, surnommé *Çâkyamouni*, « Sage (de la tribu) des Çâkya », vécut vers le Vᵉ s. av. J.-C. dans le bassin moyen du Gange, prêchant la doctrine de salut qu'il avait découverte, accompagné des ascètes « mendiants » *(bhikshou)*, ses disciples, organisés en communauté *(sangha)*. Ses cendres furent divisées en 8 lots et gardées dans 8 pays. En 1981, l'un d'eux (boîte de 4 × 5 cm) aurait été retrouvé au temple de Yunju, à 75 km de Pékin.

Grâce à la conversion et au zèle de l'empereur Açoka (milieu du IIIᵉ s. av. J.-C.), le bouddhisme se répandit dans le sous-continent indien et à Ceylan. Plus tard, il atteignit Sud-Est asiatique et Insulinde par la mer, Asie centrale, Chine (IIᵉ s. apr. J.-C.), Corée, Japon (VIᵉ s.), Tibet (VIIᵉ s.) et Mongolie (XIIIᵉ s.) par voie de terre. Partout, il sut s'adapter aux cultures et mentalités. En Inde, il fleurit jusqu'au VIIIᵉ s., puis déclina et disparut après le XIIIᵉ s.

Doctrine fondamentale *(dharma).* **Base :** repose sur 2 croyances indiennes prébouddhiques : 1°) Tous les êtres vivants renaissent après la mort et chacun d'eux traverse ainsi une série indéfinie d'existences parmi les hommes, les dieux, les animaux et les damnés. 2°) Chacune de ces renaissances, sa part de bonheur ou de malheur, est déterminée par la valeur morale des actes accomplis dans les vies précédentes, selon une justice immanente, automatique et inéluctable.

Les 4 vérités. Saintes : découvertes par Gautama lors de l'Éveil : 1°) Toute existence est par nature pénible et décevante, même celle des dieux. 2°) L'origine de ce malheur est la soif d'exister, qui conduit à renaître. 3°) La cessation de cette soif entraîne celle de la renaissance et par là celle du malheur inhérent à l'existence. 4°) Cette cessation, donc la Délivrance du cycle des renaissances et des souffrances, est obtenue en suivant la Sainte Voie *(mârga)* aux 8 membres, c.-à-d. par la correction parfaite des idées, intentions, paroles, actes, moyens d'existence, efforts, attention et concentration mentale.

Le terme de cette Voie est appelé « Extinction » *(nirvâna)* des passions, des erreurs et des autres facteurs de renaissance. C'est un état de sérénité imperturbable qui dure jusqu'à la mort du saint, après laquelle celui-ci ne renaît plus jamais nulle part.

Autre enseignement : la Doctrine enseigne en outre que tout, êtres et choses, est transitoire, changeant, composé d'éléments eux-mêmes en perpétuelle transformation, soumis à un rigoureux enchaînement de causes et d'effets. Tout a un commencement, une durée variable et une fin, il n'y a que des séries de phénomènes évoluant plus ou moins rapidement, et par conséquent il n'existe ni âme immortelle ni Dieu éternel, omnipotent et créateur.

« Moines » : la Voie de la Délivrance ne peut guère être suivie jusqu'au bout que par les ascètes mendiants *(bhikshou)*, subsistant d'aumônes, soumis à une discipline fort austère. Ces « moines » doivent pratiquer des exercices variés, appelés en général « méditations » *(dhyâna)* et apparentés au *yoga*, pour affaiblir et supprimer erreurs et passions, obtenir la vision parfaitement claire de la réalité et la sérénité parfaite du *nirvâna*.

Prescriptions pour les fidèles : ils doivent pratiquer l'aumône, s'abstenir comme les moines du meurtre de tout être vivant, de vol, de luxure, de mensonge et de l'usage des boissons enivrantes.

Culte bouddhique. Origine : la vénération des premiers adeptes envers le Bouddha et ses plus saints disciples s'est transformée en culte, à cause des habitudes religieuses des laïcs, et parce que ses manifestations étaient regardées comme des bonnes actions permettant de renaître dans des conditions agréables, parmi les dieux ou les hommes riches et puissants.

Objet : ce culte s'adressait d'abord au *Bouddha Gautama*, à sa doctrine et à sa communauté monastique, puis il s'étendit aussi aux divers *bouddha* qui l'avaient précédé et aux *bodhisattva* qui devaient lui succéder. Les innombrables divinités indiennes, considérées comme des protectrices zélées du bouddhisme, parurent dignes de recevoir hommages et offrandes des fidèles laïcs.

Formes : empruntées au culte indien prébouddhique, en retranchant ce qui était incompatible avec la doctrine bouddhique et notamment avec sa morale (comme les sacrifices sanglants). Il consiste en divers gestes et attitudes de vénération, en offrandes de fleurs, parfums, lampes allumées, musique et chants de louanges, en audition et récitation de textes sacrés attribués au Bouddha, et en méditations. A cela s'ajoutèrent très tôt : le culte des reliques et les pèlerinages aux lieux saints. Au cours des siècles, le culte s'est développé et compliqué, parfois jusqu'à l'exubérance, par l'adjonction de pratiques plus ou moins symboliques empruntées à l'hindouisme et relevant souvent plus de la magie que de la religion.

Évolution du bouddhisme indien. Il se divise en 3 groupes principaux, dont les 2 premiers, du moins, sont appelés « véhicules » *(yâna)* ou moyens de progression sur la Voie de la Délivrance.

« Petit Véhicule » *(hînayâna) :* ainsi nommé par les adeptes des 2 autres, il est le plus ancien, le plus fidèle aux enseignements du Bouddha. Il a compté une vingtaine de sectes, nées la plupart avant notre ère et dont seul subsiste aujourd'hui le *theravâda*, ou « Enseignement des Anciens » ; florissant à Ceylan, en Thaïlande et Birmanie, et naguère au Cambodge et Laos ; littérature rédigée en pâli, langue sœur du sanskrit, concernant surtout les moines *(bhikshou)*, auxquels elle enseigne la méthode à suivre pour devenir des *arhant*, hommes « méritants », c.-à-d. des saints ayant atteint le *nirvâna*.

« Grand Véhicule » *(mahâyâna) :* apparu à la fin du Iᵉʳ s. av. J.-C., a produit de nombreux textes sanskrits. Exhorte ses adeptes à devenir, non pas des *arhant*, mais des *bodhisattva*, en portant à leur perfection *(pâramitâ)* l'exercice des vertus, notamment en aidant et secourant les autres êtres, sans épargner leur peine ni leur vie, et en retardant leur propre entrée dans le *nirvâna* jusqu'à ce que tous les autres l'aient atteint eux-mêmes. La plupart de ses fidèles ont une vénération particulière pour le *bodhisattva Avalokiteçvara*, dont la compassion sans limite et toujours active leur sert de sauvegarde et de modèle. D'autres vouent un culte exclusif au *bouddha* mythique *Amitâbha*, « Lumière infinie », qui accueille, dans son paradis nommé *Sukhâvatî*, tous ceux qui ont eu même une seule pensée de respect à son égard. *Écoles de philosophie : Mâdhyamika*, fondée par Nâgârjuna (IIᵉ s.), démontre et enseigne que tout est « vide » *(çûnya)* de nature propre derrière le monde illusoire auquel croient et s'attachent les êtres ; *Vijñânavâdin*, fondée par Asanga (fin du IVᵉ s.), réduit tout, êtres et choses, à la pure conscience *(vijñâna)* virtuelle, vide elle-même de nature propre comme de tout contenu autre qu'illusoire. Les penseurs du mahâyâna voulaient aider leurs disciples à se détacher des objets, des passions et des erreurs en prouvant l'irréalité de ceux-ci. En soutenant la thèse de la vacuité de nature propre, intermédiaire entre l'être et le néant, ils rejetaient l'accusation de nihilisme lancée par les autres philosophes indiens.

Tantrisme bouddhique : appelé ainsi parce que sa littérature, en sanskrit, est constituée d'ouvrages nommés *tantra*, « fil de chaîne ». Ensemble de sectes nées du mahâyâna à partir du VIIᵉ s., différentes les unes des autres par leurs doctrines et leurs pratiques religieuses, où l'on note une forte influence de l'hindouisme, qui subit à la même époque une évolution parallèle. Elles se distinguent en gros du bouddhisme plus ancien par un panthéon (ensemble de dieux) riche et complexe et par des activités rituelles, où la symbolique et la magie exercent des fonctions déterminantes, en vertu d'un principe d'identité universelle fondé sur la doctrine de la vacuité.

Bouddhisme tibétain ou lamaïsme

Origines. Forme du monachisme tibétain et mongol, depuis l'introduction du tantrisme bouddhique au Tibet par *Padmasambhava* (VIIIᵉ s.) qui triompha de la religion autochtone, le *Bôn.* **Bonnets rouges :** 3 sectes anciennes [Nygma-pa, fondée par Padma-Sambhava ; Sakya-pa (monastère principal), fondée par Atisha ; Kagyü-pa, fondée par le plus grand des ascètes tibétains, Milarepa] ; pratiquant le bouddhisme sous la forme du *Vajrayâna tantrique.* Groupées en monastères ou lamaseries *(gompa)*, elles s'articulent en une hiérarchie sacerdotale dont le moine *(gelong)* est le centre : il est célibataire, alors que le *lama* ou *bla-ma* (érudit) peut être marié et vivre avec sa famille. Chaque gompa est dirigé par un ou plusieurs *rinpoché*, lamas réincarnés ou *tulkou*, reconnus comme tels grâce à une procédure traditionnelle.

Bonnets jaunes ou **Gelug-pa** (« secte vertueuse ») : secte la plus nombreuse (3 monastères principaux groupés à Lhassa : Debung, Sera, Galdan). Axée sur la réforme entreprise par Tsong-ka-pa (1356-1418) qui a imposé le célibat et réduit l'aspect tantrique de la doctrine. *Chef spirituel :* le *dalaï-lama* (signifiant : « lama pareil à l'Océan »), considéré comme une réincarnation du bodhisattva Avalokiteçvara (« le Seigneur qui regarde en bas »). Le 5ᵉ dalaï-lama, Ngawang Lobzang Gyamtso (1617-1682), cumulant ainsi pouvoirs spirituel et temporel, a établi la dynastie théocratique qui régna à Lhassa jusqu'en 1959, et érigé le *Potala*, palais-monastère. Il fut reconnu et anobli par l'empereur de Chine (dynastie Tsing). Depuis, le dalaï-lama est considéré comme l'un des 2 pontifes du bouddhisme tibétain en Mongolie et au Tibet, le 2ᵉ étant le *tashi-lama* (« lama qui est un joyau »), incarnation du bouddha Amitâbha (« Lumière infinie »). *Actuel dalaï-lama tibétain,* Sa Sainteté Tenzin Gyatso (n. 5-5-1935). *1935* choisi par les sages 5 j après sa naissance. *1937* reconnu comme 14ᵉ dalaï-lama. *1959* réfugié à Dharamsala (Inde) avec 100 000 fidèles, après l'échec d'un soulèvement antichinois, préparé dep. 1950. La Chine communiste annonça la dissolution du gouvernement tibétain qu'il dirigeait. *1964* proclamé « traître ». *1977* son adjoint, le *panchen-lama* († 28-1-1984, vice-Pt de l'Assemblée nat. pop.), rallié à la Chine, l'invita officiellement à revenir au Tibet. Il réserve sa réponse, menant une action diplomatique en faveur du Tibet, par des voyages : Mongolie, Japon, URSS, États-Unis, Suisse, Italie, Espagne, France (reçu 6-10-1982 à l'Hôtel de Ville de Paris : la Chine a protesté). *1986-3-2* rencontre en Inde le pape Jean-Paul II. *1989 avr.* nouvelle visite en France. Prix Nobel de la Paix.

En Mongolie, le bouddhisme a pris un aspect magique par emprunt au chamanisme (voir ci-dessous), il a recours aux pratiques magiques mises au service du bouddhisme populaire. *Dernier bouddha vivant de Mongolie intérieure,* Changchia Hutukhtu Lozang Paldan Tanpei Dronme, réfugié à T'ai-wan au moment de la prise du pouvoir par les communistes en 1949, mort à T'ai-pei le 4-3-1957. Il avait été remplacé par le lama Thubten Yeshe († 1984, à Los Angeles). *Lama désigné :* Osel Hita Torres [n. 12-2-1985 à Grenade (Esp.), de parents espagnols convertis au bouddhisme en 1977 ; vit au Népal, avec ses parents].

Statistiques. Lamas : avant 1959, 100 000, regroupés dans 2 000 lamaseries (provinces du Tibet, du Sik'ang et du T'sing-hai).

Bouddhistes en France : 500 000 dont 350 000 du Sud-Est asiatique et 150 000 Français convertis (la plupart adhérents au mahâyâna (Grand Véhicule).

Bouddhisme japonais

Origine. Introduit au Japon par vagues successives, depuis la Chine, entre le VIᵉ et le XIIᵉ s. Comprend des sectes principales, souvent divisées en plusieurs sous-sectes : *Ritsu* (Discipline) ; *Hosso* ; *Kegon* ; *Tendaï* ; *Shingon* ; *Yûzû nembutsu* ; *Jodo* ; *Jodo shin* ; *Rinzaï* ; *Soto* ; *Obaku* ; *Nichiren* ; *Ji.*

Zen

Origine. École de méditation bouddhiste, connue en Chine sous le nom de *Ch'an* (japonais : Zen, du sanskrit : Dhyâna, « concentration »). A partir du Vᵉ s., elle est une des principales écoles du Grand Véhicule (mahâyâna). Pratique le *mushotoku* [c.-à-d. la méditation sans objet (mot à mot : sans recherche de profit)], en insistant sur la posture *(zazen shikantaza)*, la respiration (concentration sur le *hara*, expiration profonde) et l'attitude de la conscience [penser sans penser, l'au-delà de la pensée *(hishiryo)* : intuition et sagesse du corps influencent le corps et l'esprit dans la vie quotidienne].

Écoles principales. Au Japon : 3 (depuis le XIIᵉ s.) : **Zen Rinzaï** (maîtres en Chine : Rinzaï ; Japon : Eïsaï) : recherche l'Éveil *(Satori)* par la méthode des paradoxes *(Koans)* mettant en échec la raison raisonnante, 5 758 temples. **Zen Obaku** (maître : Ingen, Chinois nat. Japonais, même famille religieuse que Rinzaï Zen, 474 temples). **Zen Soto** (maîtres en Chine : Tozan et Sozan ; Japon : Dogen) : pratique du *zazen* sans les *koans*, 14 219 temples. **En Occident : Zen Rinzaï** introduit avant 1939 (USA, Europe et France en 1974 par Maître Taïkan Jyoji, « Kaikyoshi » ou maître-fondateur du Zen Rinsaï en Europe). **Zen Soto,** introduit en Europe en 1967 par Maître Taisen Deshimaru, 200 centres regroupés dans l'*Assoc. Zen internationale* fondée 1970 ; siège : 17, rue Keller, 75011 Paris ; principaux centres en France : Centre Zen international (même adresse) et Château de la Gendronnière, 41120 Les Montils, Valaire. Centre Zen Rinzaï du Taillé, La Riaille, 07800 St-Laurent-du-Pape. Plusieurs milliers d'adhérents.

☞ **Zen macrobiotique.** Considéré par les représentants du Bouddhisme Zen comme factice et erroné. *Fondé* par Nyoiti Sakurazawa [dit Georges Oshawa, Jap. (1893-1967)]. A 18 ans, il a une auto-révélation : pour tout guérir, revenir « aux saines nourritures de ses ancêtres jap. d'il y a 5 000 ans ». *Successeur :* Michio Kushi (n. 1926, Jap.). *1968* expansion en France. *Doctrine :* la macrobiotique est « l'art de se nourrir en harmonie avec les lois de l'Univers... pour aboutir au bonheur en passant par la paix et la santé ». « Toute maladie doit être guérie en 10 jours : la maladie venant du sang dont nous éliminons 1/10e tous les j, il doit être renouvelé en 10 j par une alimentation convenable ; utiliser les aliments naturels et abandonner médicaments, opérations et cures de repos... » Abandonner toutes formes d'éducation moderne : « La plupart des grands hommes se sont faits eux-mêmes, donc l'éducation scolaire est à proscrire. L'éducation professionnelle est faiseuse d'esclaves, et la mentalité d'esclave est incompatible avec le bonheur. » Ohsawa prescrit 10 régimes nutritifs et « curatifs ». *Points particuliers :* 20 maladies (parmi lesquelles cancer, diabète, hémophilie, épilepsie, sclérose en plaque...) ont pour remède universel le régime no 7 (uniquement des céréales, en buvant le moins possible).

Organisation : France : Institut Kushi, Kameo-Centre Ignoramus à Paris. Fondation à St-Gaudens, Terre et Partage à Muttersholtz.

Nichiren Shoshu

École du bouddhisme Nichiren fondée (1930) par Tsunesaburo Makiguchi (Jap. 1871-18-11-1944, philosophe et enseignant † en prison, pour s'être opposé à la politique militariste japonaise pendant la guerre), *Nishiren Shoshu* signifiant « École orthodoxe de Nichiren ». Elle se fonde sur les principes essentiels du Sûtra du Lotus, enseignement ultime du Bouddha Shakyamuni. *Nam Myôhô Renge Kyo :* invocation récitée pour la 1re fois en 1253 par Nichiren Daishonin et seul enseignement pouvant conduire tous les êtres à l'illumination cachée dans leur cœur. *Myôhô Renge Kyo* (titre du Sûtra du Lotus) est la « Loi merveilleuse » permettant de saisir le principe mystique dans sa propre vie et d'atteindre ainsi à la boddhéité.

Origine. *Nichiren Daishonin* (16-2-1222/13-10-1282). *Nikko Shonin*, son successeur immédiat, construit un temple, *Taiséki-ji*, au pied du mont Fuji, où sont conservées plusieurs de ses reliques et notamment un objet de culte, le *Daï-Gohonzon,* concrétisation du principe d'*ichinen sanzen* (une pensée, trois mille dharma), autrement dit de la Loi de l'univers.

Doctrine morale. L'homme doit accomplir individuellement l'effort qui mène à la boddhéité (plein épanouissement de l'être). Le résultat de cet effort, sur le plan social, est la prospérité des pays et la paix entre les nations.

Forme laïque. **Soka Gakkaï :** *1930* (18-11) Soka Kyoiku Gakkaï (association de laïcs mettant en pratique le bouddhisme de Nichiren) fondée par Tsunesaburo Makiguchi et Josei Toda. *1951 :* Josei Toda (1900/2-4-1958), Pt, donne le nom au mouvement et fait passer ses adeptes de 5 000 à 765 000. *1960* (3-5) Daisaku Ikeda (n. 1928) Pt. *1964* Kômei-Tô (Parti pour un gouvernement probe) créé. *1974* Ikeda se sépare formellement du Kômei-Tô, mais continue à le soutenir et à le contrôler. *1975* Soka Gakkaï Internationale (SGI) fondée au Japon. *1979* (avril) Ikeda démissionne : les moines l'accusaient d'être devenu un bouddha autoritaire. Hiroshi Hopo († 1981) Pt. *1981* (juillet) Unosuke Akiya Pt. *1983* (févr.) la SGI est reconnue ONG à statut consultatif, à l'ONU. *1991* 29-11 Nichiren Shoshu exclut le S.G. « en raison d'agissements incompatibles avec sa doctrine ».

Membres. **Dans le monde :** + de 11 000 000 (Japon 10 000 000, Amér. du N. 500 000, Amér. latine 300 000, S.-E. asiatique et Australie 900 000, Europe, Afrique et Moyen-Orient 30 000).

Centre européen : Trets (B.-du-R.), créé 1975. *Nichiren Shoshu Soka Gakkai France :* BP 4, 92332 Sceaux Cedex. Fondée 1961 par un médecin japonais, chercheur au Collège de Fr., Eiichi Yamazaki (naturalisé français 1979). Association déclarée (loi de 1901) dep. 20-4-1966.

Autres formes extrême-orientales

En Chine, Japon, Corée, au Viet-nâm. **Amidisme.** *Amida* est la forme sino-japonaise de 2 mots sanskrits, *Amitâyus* (« vie éternelle ») et *Amitâbha* (« lumière éternelle ») : nom donné à un bouddha, le moine Dharmakâra, qui est vénéré par les sectes Jodo et Yûzû Nembutsu (Japon, XIe-XIIe s.). Culte du saint personnage, montrant du doigt le paradis. **Cultes ésotériques.** Proches de 2 sectes japonaises (IXe-XIIe s.) : Tendaï et Shingon. Issus du Grand Véhicule et du tantrisme ; riches en rites et en magie.

☞ **En France** 60 bouddhistes tibétains de l'école Kagyupa, 9 centres [dont la lamaserie de Chaban (55 hectares), à Landrevie, près de Peyzac-le-Moustier (24 620 Les Eyzies-de-Tayac), créée en 1974, par un Américain, Bernard Benson ; le château de Plaige (S.-et-L.), 71320 Toulon-sur-Arroux].

Brahmanisme (Hindouisme)

■ **Origines.** Religion traditionnelle, considérée comme révélée, des Indo-Européens entrés en Inde vers le XVIe s. av. J.-C.

■ **Textes.** **La Çruti** ou **Révélation.** Comprenant : **Les 4 Veda.** Révélés aux rishi (sages des 1ers âges) : *a) le Rigveda,* V. des stances, composé sous sa forme actuelle entre 1500 et 1000 av. J.-C. (1 023 hymnes) ; *b) le Yajurveda,* V. des formules accompagnant les rites préliminaires du sacrifice védique ; *c) le Sâmaveda,* Veda des mélodies liturgiques ; *d) l'Atharvaveda* de composition hétéroclite (hymnes philosophiques, recettes magiques, incantations). **Les Brâhmana** (XIe au VIIIe s. av. J.-C.). Commentaires sur les rites et les formules des V. **Les Aranyaka.** « Textes de la forêt » de nature ésotérique. **Les Upanishad ou « Corrélations ».** Appellation qui rappelle leur composition établissant des correspondances entre 3 domaines : macrocosme, microcosme et rituel. Ces textes comportent des spéculations philosophiques centrées sur les notions du Soi *(âtman)* et de l'Énergie universelle *(brahman).*

La Smriti ou **Tradition.** Comprend des textes annexes au rituel, des textes épiques, des recueils de Loi *(dharma).* **Les Kalpasûtra** (sortes de fils conducteurs). Aphorismes concernant l'exécution des rites. **Les Textes épiques.** Exposant légendes, mythes et récits cosmogoniques, représentés par : a) les 2 grandes épopées, composées entre le IIIe s. av. J.-C. et le IIIe s. apr. J.-C. : le *Mahâbhârata* [racontant la rivalité entre 2 clans, apparentés, descendant de Bhârata (la *Bhagavadgîtâ :* Chant du Seigneur, célèbre poème philosopho-religieux, en fait partie)] ; le *Râmâyana* (relatant les aventures de Râma, 7e *avatâra* de Vishnu) ; b) Les *Purâna :* Antiquités, composés du IVe au XIe s. après J.-C. **Les Textes de Dharma.** Recueils juridiques : *Manusmriti,* les « Lois de Manu », le plus connu.

■ **Description.** **Doctrines.** Le *Brahman* neutre est l'Être suprême en tant qu'Énergie universelle, à distinguer de *Brahmâ* (divinité personnifiée) et du *brâhmane* (représentant de la classe sacerdotale gardienne des textes sacrés). Il est considéré comme identique au Soi *(âtman),* dont tout être semble offrir un aspect particulier. Le monde sensible et l'Ego sont donnés, avec des nuances qui varient selon les interprètes, comme les résultats de l'Illusion cosmique *(mâyâ),* jeu de l'Être suprême.

3 autres notions tiennent une place primordiale : le cycle des renaissances *(samsâra),* conditionné par les actes *(karman) ;* le *dharma* régit l'univers entier dont toutes les manifestations, animées ou inanimées, ont leur loi propre *(dharma).* La durée de l'univers correspond à un jour de Brahmâ (le démiurge), et sa dissolution, nuit de Brahmâ, est d'une durée égale. Au début de chaque période de création *(kalpa),* le monde se réorganise suivant des règles immuables ; à la fin du kalpa, il se dissout dans l'ordre inverse.

Disciplines philosophiques. Nombreuses doctrines [« points de vue » (sur la Réalité)], dont 6 principales classiques : *1o) La Pûrvamîmâmsâ :* exégèse première, celle des injonctions védiques. *2o) L'Uttaramîmâmsâ :* plus souvent dite *Vedânta,* littéralement « achèvement du Veda », dans la ligne des *Upanishad. 3o) Le Sâmkhya :* dénombrement des constituants cosmiques et psychiques de tout ce qui existe. *4o) Le Yoga :* discipline tendant à joindre et à équilibrer les constituants psychiques et, plus tardivement, à assurer leur jonction avec un principe supérieur (voir index). *5o) Le Nyâya,* la logique. *6o) Le Vaiçeshika :* étude spécifique des divers aspects du manifesté. Ces différents enseignements concourent à l'obtention de la connaissance de l'Unique Réalité, substrat de toute manifestation particulière.

De telles notions relèvent de la culture générale ; au contraire, les spéculations religieuses forment la trame des Textes *(tantra)* ou Traditions *(âgama),* manuels techniques de l'hindouisme traitant théoriquement 4 sujets principaux : *1o) doctrine ; 2o) conditions extérieures du culte,* y compris construction des temples et fabrication des images ; *3o) comportement religieux ; 4o) yoga,* discipline spirituelle conditionnée par une discipline gestuelle, particulièrement par le contrôle du souffle (le *hatha-yoga :* yoga de l'effort, ne se présente souvent que sous son aspect d'une culture physique particulière).

Aux spéculations proprement philosophiques, il faut ajouter celles sur la langue, la grammaire *(vyâkarana)* et la poétique *(alamkara).* La doctrine communément admise de la transmigration *(samsâra),* dite parfois réincarnation, explique, par les traces qu'ont laissées les actes passés *(karman)* dans l'individualité psychique, la nécessité pour celle-ci de transmigrer après la mort d'un corps dans un autre corps où elle actualise les tendances accumulées dans les vies précédentes.

■ **Divinités.** **Triade hindoue.** Correspond aux 3 aspects de l'univers : création, maintien, dissolution.

Brahmâ : l'ordonnateur, fait passer l'inarticulé *(ânrita)* à l'état articulé *(rita).* La dévotion populaire ne s'adresse pas à lui, mais aux 2 suivants.

Vishnu : assure la conservation de l'univers quand celui-ci se manifeste ; quand celui-ci se dissout, Vishnu, endormi sur le serpent d'infinitude, *Çesha,* conserve en sa pensée le schéma prêt à reparaître lors d'une nouvelle création. Pour protéger l'ordre cosmique et moral *(dharma)* lorsqu'il est en péril, Vishnu descend sur terre sous une forme appropriée à ses desseins. Les plus célèbres de ses descentes *(avatâra)* sont celle de Râma et celle de Krishna.

Çiva (ou **Rudra**) : apparaît sous 2 aspects : *1o) destructeur* de l'univers à la fin d'un kalpa, on l'identifie à la mort et au temps *(kâla) ; 2o)* on peut le rendre *favorable* par des actes propitiatoires, d'où son appellation-épithète de Çiva (« bienveillant »).

Vishnu ou Çiva sont souvent tenus comme la divinité suprême ; les autres n'en sont que des formes secondaires. Le terme de *trimûrti* (triple forme) désigne la triade divine. Lorsque Çiva est considéré comme l'Absolu personnifié (au-dessus de cette trimûrti), il est créateur aussi bien que destructeur [par l'intermédiaire de son énergie, personnifiée sous une forme féminine, la çakti, que l'on assimile à *Mahâdevî,* la Grande Déesse (parèdre [1] de Çiva, appelée aussi *Pârvatî,* « la Montagnarde » ; *Umâ,* « la Bienveillante » ; *Kâlî,* « la Destructrice » ; ou *Durgâ,* « l'Inaccessible », selon que l'on considère l'un ou l'autre de ses aspects)].

Autres dieux. Divinités de l'époque brahmanique ancienne : *Indra,* dieu de l'orage ; *Varuna,* dieu des eaux, primitivement gardien de l'Ordre cosmique et moral ; *Agni,* le feu (sacrificiel et domestique) ; *Kâma,* dieu de l'amour ; *Sarasvatî,* parèdre [1] de Brahmâ, présidant aux sciences et aux arts ; *Ganesha,* dieu à tête d'éléphant, fils de Çiva et de Pârvatî, protecteur des entreprises particulièrement intellectuelles ; *Hanuman,* dieu-singe, allié de Vishnu sous son *avatâra* de Râma ; *Lakshmî,* parèdre [1] de Vishnu ; *Râdhâ,* l'amante de Krishna ; *Sîtâ,* modèle des épouses, femme de Râma ; *Sûrya,* le Soleil ; *Yama,* 1er des hommes, donc 1er des morts (par suite, dieu des morts).

Il existe d'autres divinités, forces naturelles ou abstractions personnifiées, tel *Dharma,* l'Ordre, la Loi universelle.

Nota. – (1) Divinité inférieure, dont le culte est associé à celui d'une divinité plus puissante.

■ **Culte.** **Fêtes principales.** Mobiles (dépendent des lunaisons). *1o) Durgâpûjâ :* fête de Durgâ, manifestation de la Grande Déesse Mahâdevî (oct.-nov.). *2o) Çivarâtrî :* grande fête de Çiva (févr.). *3o) Dîpavâlî :* fête des lumières (nov.-déc.). *4o) Holî :* festival de la joie, le carnaval indien (févr.-mars). *5o) Dassain :* festival d'oct., repris en mars. *6o) Indrayatra :* fête d'Indra, chef des dieux de l'ancien panthéon (sept.).

Lieux saints. *Bénarès, Hardvâr, Ujjain, Mathurâ, Ayudhya, Dvârkâ, Kanchipuram* et *Allahabad* (fête tous les 12 ans). Rassemblements exceptionnels pour célébrer certaines positions planétaires ; ainsi, à *Kumb Mela,* le 10-1-1977 [12 700 000 participants (dont 200 000 seulement ont pu se baigner dans le Gange)].

Pûjâ. Offrande quotidienne individuelle ou collective de fruits, fleurs, lumières. Quelques autre formes d'hommage (hymnes, processions, etc.) remplacent de plus en plus les rites « plus compliqués » de l'Antiquité.

Samskâra. Rites rythmant la vie depuis avant la naissance jusqu'aux funérailles ; la plupart se placent pendant l'enfance et la jeunesse. Les rites d'initiation religieuse sont parmi les plus importants (pour la femme, les rites du mariage en tiennent lieu).

■ **Sectes et mouvements.** **Grandes sectes.** Aucune n'est exclusive : à côté d'une certaine divinité (Dieu suprême), on honore les autres en tant que formes partielles de celle-ci.

Vishnouites. Dans le Sud. Sectes les plus réputées : *râmânujîya* [disciples de Râmânuja († en 1137) ; cap. religieuse, Çrîrangam] ; *mâdhva* [disciples de Madhva (1199-1276)] ; disciples de *Nimbarka,* originaire du Sud [capitale religieuse Mathurâ dans le N. (fidèles de l'avatâra Krishna et de sa favorite Râdhâ)].

Çivaïtes. Voués à Çiva, plusieurs sectes, dont les *vîraçaiva* ou *lingâyat* qui portent sur eux en permanence un *linga,* symbole phallique de Çiva qui représente l'énergie créatrice et l'infinitude.

Çâkta. Adorateurs de la *çakti,* énergie personnifiée du dieu ; la plupart suivent la traditon çivaïte.

■ Mouvements modernes. **Brâhmo-Samâj.** Essai de synthèse des spiritualités hindoue, islamique, bouddhique et chrétienne ; *fondé* 1832 par Ram Mohan Ray (1772-1833) [scindé 1864, en *Adibrahmosamâj* avec Debendranâth Tagore (1838-1905) et *Brâhmo-Samâj* avec Krishna Chandra Sen (1838-84)].

Aryasamâj. *Fondé* 1875 par Dayânanda Sarasvatî (1824-83) ; coloration nationaliste et populaire.

Râmakrishna Mission. *Fondée* 1897 par Vivekânanda (1862-1902), disciple de Râmakrishna (1834-1886), centrée sur une action sociale et éducative, et répandue à travers le monde (voir p. 553 a).

Ashram de Sri Aurobindo (1872-1950). Ermitage fondé 1914 à Pondichéry ; développé en mouvement spiritualiste.

Association intern. pour la conscience de Krishna (voir p. 552 b). Son caractère international et son zèle missionnaire (en contradiction avec la tradition brahmanique) ne permettent pas de le classer dans l'orthodoxie hindoue.

Fondation Sri Nisargadatta Adhyatma Kendra. *Fondée* par le gourou Sri Nisargadatta Maharaj *(1897-1981),* surnommé Maruti. Disciple du gourou Sri Siddharameshwar et philosophe du monisme de l'advaita-vedânta. *Siège international :* Ganpati Bhawan Deorukhkar road, Naigaon, Dadar, Bombay 400 014 (Inde). *En France :* ouvrages diffusés par Les Deux Océans, 19, rue du Val-de-Grâce, 75005 Paris.

Mahikari *(Sekai Mahikari Bunmei Kyodan,* ou « Mouvement pour réaliser une Nouvelle Civilisation par la Lumière de la Vérité »). Secte guérisseuse japonaise, syncrétiste, fondée 1960 par M. Okada (1901-74). « Les miracles se renouvelleront chaque fois que vous lèverez la main. »

Mandar'Om. *Ashram* proposant un syncrétisme religieux dans la ligne de l'hindouisme, et un ordre monacal : « les Chevaliers du Lotus d'Or » [*fondé* par Georges Bourdin, haut. 33 m, 1 100 tonnes, domine monastère Mandar'Om près de Castellane (Alpes-de-Hte-Provence)].

Martiniste. « Ordre » initiatique *fondé* au début du siècle par le Dr Gérard Encausse († 1916) dit « Papus », occultiste. Quelques ordres dérivés, par ex. : *L'Ordre martiniste traditionnel* d'Augustin Chabozeau. Revue : *L'Initiation.*

■ Statistiques. *Inde :* 458 000 000 ; *Pakistan :* 9 784 000 ; *Népal :* 4 500 000 ; *Ceylan :* 1 615 000 ; *Bali :* 1 112 000 ; *Malaysia, Singapour :* 436 000 ; *Afrique du Sud :* 181 000.

Gourou

Maître spirituel. Étymologiquement « lourd, personnage de poids ». Mot utilisé par les hindous et auquel correspond *lama* en tibétain. Il aide ses disciples à éliminer les voiles ou écrans émotionnels et mentaux qui les séparent de la Réalité, et leur permet d'entrer en contact ou de réaliser leur identité avec la Réalité ultime.

Chamanisme

Définition. Ensemble de pratiques et croyances magico-religieuses auxquelles se livrent, sous extase, les *chamanes* (« sorciers guérisseurs ») des tribus de Sibérie, d'Asie centrale, d'Amér. du N. et du S., d'Australie et du N. de l'Europe. Appelés *Ojun* en yakoute, *bögä* en mongol, *kam* en turco tatar, *shaman* en toungouze, *mudang* en coréen. Les Yakoutes ont aussi des femmes-chamanes qu'ils appellent *udoyan.*

Pratiques. Se distinguent des pratiques habituelles des sorciers et guérisseurs (relation avec les esprits, permettant de chasser ou d'infliger les maladies, de mener les âmes au repos éternel ou de les rendre errantes, etc.) par les techniques d'acquisition de l'état extatique. Un chamane n'est agréé dans ses fonctions qu'après être passé par la maladie initiatique (signe de l'obtention de pouvoirs surnaturels : élection par les Esprits ou héritage des pouvoirs d'un chamane défunt), période comateuse de 3 à 9 j, accompagnée de sueurs de sang, difficilement explicables du point de vue médical. Les jeunes manifestant leur vocation ont souvent des crises épileptiques, mais la maladie initiatique n'affecte que des sujets guéris de tout trouble cérébral. A la fin de leur période de maladie, les futurs chamanes décrivent les tourments que leur ont infligés les Démons (ils se considèrent comme ayant été morts, puis ayant ressuscité). Les chamanes titularisés ont dans leur cabane un tronc de bouleau vertical qui sort par la cheminée : il symbolise leur montée au Ciel. De cette hauteur, ils s'adressent à la foule. Après leur maladie initiatique, les chamanes atteignent l'état extatique de façon aisée et fréquente.

Confucianisme

Origine. **Initiateur :** *Confucius* (en chinois K'ong fou tseu, ou K'ong le Maître, 551-479 av. J.-C.). N'a jamais été considéré comme une divinité, mais plutôt comme un maître immortel de sagesse et de sainteté. Néanmoins, en 1914, par décret du Pt de la Rép. ch., sa naissance (28-9) a été commémorée officiellement comme pour un saint. **Continuateurs principaux :** *Mencius* (Meng Tseu, 372-288 av. J.-C.) ; *Siun Tseu* (298 ?-238 av. J.-C.). Se développe d'abord dans le Chan-Toung. Après quelques vicissitudes, il renaît vers le XIIe s.

Livres canoniques. *Yi King* (Livre des Mutations). *Che King* (Livre des Odes). *Chou King* (Livre des Documents historiques). *Tchouen Tsiou* (Annales du Printemps et de l'Automne). *Li Ki* (Livre des Rites). Les *Louen Yu* ou *Analectes* (Entretiens de Confucius, recueillis par ses disciples). *Ta-Hsoueh* (la Grande Étude) sur des questions morales. *Tchong Yong* (Doctrine du Milieu), par Tsu Szu, petit-fils de Confucius. Le *Livre de Mencius.*

Doctrine. Confucius croit en un Ciel régulateur de l'ordre moral et social, mais refuse de parler des divinités, des démons et des esprits des morts. Il adhère pourtant au culte des ancêtres. Il met l'accent sur la pratique du *Jen* (humanité, bonté, charité), qui va de l'individu à la famille, à l'État et à l'humanité par élargissement progressif. L'École confucéenne enseigne en outre *8 vertus : Hsiao* (piété filiale), *Ti* (affection entre frères), *Tchong* (loyauté), *Sin* (fidélité), *Li* (rite), *Yi* (équité), *Lien* (intégrité), et *Tchi* (sens de l'honneur). Le confucianisme est plutôt une morale et n'a jamais été considéré en Chine comme une religion mais, jusqu'en 1905, les fonctionnaires chinois devaient étudier sa doctrine.

Fétichisme du cargo

« Culte du cargo ». Croyances religieuses répandues dans la Mélanésie. Mouvement dont le nom comporte toujours le mot cargo (Pidgin Kago), cargaison. Les ancêtres vont rejoindre les vivants apportant avec eux sur un grand bateau blanc venu du ciel tous les « trésors » de l'Occident. *XIXe s. (fin)* début (mouvement Tuka à Fidji 1885). *1944-45* cultes renforcés par le passage des troupes américaines. Comportent généralement la destruction de tous les biens existants, maisons, ustensiles, animaux, jardins en vue de leur remplacement immédiat par d'autres meilleurs. Ex. récents : Naked Cult à Espiritu Santo (Vanuatu), « John Frum Movement » à Tanna (Vanuatu), « Masinga Rule » à Malaïta (îles Salomon), « Palau Movement » à Manus, îles de l'Amirauté, Papouasie Nouvelle-Guinée.

Jinisme ou jaïnisme

Origine. Mouvement de protestation antibrahmanique, à peu près contemporain du bouddhisme. Organisé aux VIe-Ve s. av. J.-C. dans la plaine indogangétique sous l'impulsion de Mahâvîra : « Grand Héros », le 24e Jina : « Victorieux », et dernier des *Tirthamkara,* ou Prophètes : « Faiseurs de gué », vénérés par les fidèles.

Communauté jaïna. Env. 2 600 000 jaïnas en Inde (recensement de 1971), répartis en 2 Églises séparées dep. 80 apr. J.-C., les *svetâmbara* (religieux « de blanc vêtus »), les plus nombreux et les *digambara,* (« de ciel vêtus », c.-à-d. « nus ») qui n'admettent pas les mêmes Écritures. Reconnaissables à leur équipement (bol à aumône, plumeau et, le cas échéant, pièce d'étoffe masquant la bouche) ; leurs ascètes, errants (sauf pendant la mousson), vivent de mendicité, dispensant leur enseignement à la communauté laïque qui vit en étroite solidarité avec eux (charité, donations, mécénat, etc.) ; surtout influente dans l'O. (Gujarat, Rajasthan) et le S. (Karnatak), elle joue un rôle économique, social et intellectuel considérable (hommes d'affaires, commerçants...).

Les jaïnas se signalent par leur activité culturelle : création littéraire ; préservation du patrimoine (manuscrits, bibliothèques) ; la profusion de l'art et la richesse de certains lieux de pèlerinage (Mt Abu, Palitana, Shravana-Belgola).

Principaux mouvements. **Non idolâtriques :** *Sthânakvâsî* (dep. le XVIIe s.), *Terâpantha* (dep. le XVIIIe s.) aujourd'hui rassemblés autour de l'Acârya Tulsi. **Idolâtriques :** *Mûrtipûjak :* « adorateurs d'images », participant au culte des temples ; certaines cérémonies évoquent le rituel hindou.

Philosophie et morale. Principes analogues dans les 2 Églises, notamment dans le *corpus canonique svetâmbara,* rédigé en langue « naturelle » (prakrit) et codifié au Ve s. ap. J.-C. La philosophie jaïna repose sur le dualisme de l'âme ou « vie » : *jîva,* et de la « non-vie » : *ajîva,* qui inclut matière, espace, mouvement et temps. Ce dernier, conçu comme cyclique, est divisé en 6 ères ascendantes *(utsarpinî)* et descendantes *(avasarpinî) :* la 4e était celle des Prophètes jaïna ; la nôtre est la 5e. Le monde *(loka)* est figuré en 3 étages superposés : supérieur (céleste), inférieur (infernal), médian, au centre duquel est situé celui des humains où règne la loi de la rétribution des actes *(karman)* et de la réincarnation, fondement de la doctrine.

Le but suprême est la Délivrance de l'âme qu'assure l'observance des principes éthiques : les 5 vœux des moines (et leurs contreparties « mineures », destinées aux laïques) : *1°) ne pas nuire aux 5 catégories d'êtres vivants* (principe fondamental de *l'ahimsâ ;* innocuité (dont le végétalisme est l'un des corollaires) ; *2°) ne pas mentir ; 3°) ne pas s'approprier ce qui n'a pas été donné ; 4°) ne pas manquer à la chasteté ; 5°) ne pas s'attacher aux possessions matérielles.* Cette morale se trouve condensée dans le « triple joyau » : connaissance-conduite-foi (et ascèse).

Parsisme (zoroastrisme ou mazdéisme)

Fondateur. *Zarathoustra* (ou *Zoroastre*) (650-583 ? av. J.-C), en Iran. On ne le considère plus actuellement comme un personnage légendaire ; on admet parfois qu'il était mage (astronome) à la cour d'un roi de Bactriane. Le nom de *mazdéisme* vient de *Mazdâh,* le *Grand Créateur* (voir ci-dessous) ou Zarthoshti. Religion officielle des Empires perses arsacide et sassanide.

Livre sacré. Appelé à tort *Zend-Avesta ;* son vrai nom est *Avesta* (la loi). *Zend* veut dire « interprétation », c.-à-d. traduction en pahlavi (moyen perse) du texte original rédigé en avestique (vieux perse). 5 parties : 1°) le *Yasna,* 72 chapitres sur les rites dont font partie les 17 Gâthâs, écrits par Zoroastre luimême. 2°) le *Vispered* (tous les chefs), énumération des 24 dieux compagnons d'Ormuzd. 3°) le *Vendidad* (« donné contre les démons »). 4°) les *Yashis,* invocations aux anges. 5°) le *Khordah Avesta* (petit Avesta), dévotionnaire privé. Au XIXe s., les théologiens parsis ont accompli un retour systématique aux *Gâthâs* iraniennes, source essentielle de la doctrine.

Dieux. Les zoroastriens sont dualistes. 2 hypostases divines créées par le temps éternel (Zurvan Akarana) : le dieu du Bien (*Ahura Mazdah* ou *Ormuzd*) et le dieu du Mal (*Ahriman* ou *Angra Mainyu*). Primitivement Ormuzd, insaisissable par l'esprit humain, prenait 6 aspects différents (3 féminins et 3 masculins) : les *Amesha-Spentas* ou Saintetés immortelles. Ces aspects devinrent 6 dieux différents vers le IVe s. av. J.-C. ; puis leur nombre s'accrut, ex. : *Mithra* (dieu du Soleil), devenu l'objet des cultes mithraïques (jusqu'au Ve s. apr. J.-C.).

Doctrine. L'accent est mis sur la bonté en pensée, parole et action. Les bons iront au Ciel, les mauvais en Enfer. Influence hindouiste : prêtrise héréditaire, mariage des enfants, pratiques superstitieuses [ex. : ablutions à l'urine de vache (supprimées aujourd'hui)]. Mais la réincarnation est rejetée.

Rites. Vénération du feu, symbole de la pureté. Par souci de pureté, les Parsis fuient la pollution de l'eau, de l'air, de la terre. Les cadavres sont exposés sur les *tours du Silence* pour être dévorés par les vautours. Les fêtes célèbrent les 6 périodes de la Création, l'agriculture, la floraison. La fête la plus importante est celle de *yazdegerd* (voir ci-dessous).

Prêtres. Héréditaires ; ordre hiérarchique : Destours, Mobeds Herbads.

Sectes. *Shahanshakis* et *Kadmis ;* opposées pour la date de leurs fêtes : le point de départ du calendrier parsi est la chute du dernier empereur sassanide, Yazdegerd (640 apr. J.-C.). Les Kadmis la datent avec 1 mois de retard sur les Shahanshakis.

Situation actuelle. Persécutés après la conquête musulmane, les zoroastriens se réfugièrent dans les montagnes de Perse, où leurs descendants, les *Guèbres* (ou Zarthoshti), sont encore plus de 10 000, et en Inde occidentale (dans la région de Bombay), où les *Parsis* (nom des habitants du Farsistan actuel, noyau de la Perse antique), primitivement établis au Gujarat (Sanjan, Udwada, IX-XIe s.), sont près de

200 000 et fournissent la majorité des cadres supérieurs à Bombay (leur centre religieux dep. 1640).

☞ En 1968, Jacques de Marquette et Paul du Breuil ont fondé un mouvement néo-zoroastrien, devenu en 1971 la *Sté d'études zoroastriennes* (71, rue Borghèse, 92200 Neuilly) [(rattachée à la World Zoroastrian Organization (Londres) et au KR Cama Oriental Institute (Bombay)].

Shintoïsme

Doctrine. Religion autochtone du Japon, pratiquée par la famille impériale. Il n'est plus religion d'État depuis 1945, par ordre des autorités militaires américaines. La plupart des Japonais sont à la fois shintoïstes [pour les grands événements de la vie (naissance, mariage, relations sociales)] et bouddhistes (pour la mort et les fins dernières).

Selon la tradition consignée dans le *Kojiki* (712) et le *Nihon-shoki* ou *Nihongi* (720), recueils des choses anciennes et chroniques du Japon, *Izanagi* et *Izanami,* créateurs mythiques du Japon, ont donné naissance à *Amaterasu,* déesse du Soleil (encore déesse principale) ; sa lignée aboutit à celle des empereurs terrestres, dont le 1er est Jinmu Tennô.

Culte. Polythéiste [800 millions de dieux, les *Kami* (chiffre symbolique)]. Vénère les forces qui animent la nature ; les ancêtres impériaux ; quelques grands hommes ; les morts de la guerre ; les 3 « Trésors sacrés » : miroir, sabre, joyaux (donnés par Amaterasu à son petit-fils, l'empereur Ninigi-no-mikoto). **Rituel :** comporte des purifications (chassant fautes, souillures, malheurs), des invocations aux kami, récitées par les prêtres *(Kannushi). Fêtes :* 1er jour de l'année, fêtes de la Fécondité [d'origine agraire (matsuri), avec offrandes propitiatoires et danses symboliques], etc. **Édifices :** *jinja* (oratoires ou temples officiels), *kyokaï* (églises populaires).

Clergé. *Officiant principal :* l'empereur. *Prêtres (guji) :* ne sont pas tenus au célibat, il y a des jeunes filles prêtresses.

Statistiques. Shintoïsme national (anciennement d'État) ou *Jinja Shinto* (célébré dans les 110 500 *jinja* officiels dont chacun a ses dieux et ses héros) : env. 36 000 000 de m. et 15 800 prêtres ; *sanctuaire principal :* Isé, dans la préfecture de Mié (culte de la déesse solaire Amaterasu O-mikami). **Shintoïsme sectarien** ou *Shûha Shinto* (13 sectes et 100 sous-sectes, célébré dans les 16 000 *kyokaï*) : env. 12 000 000 de m. et 121 000 prêtres ou enseignants.

Sikhisme

Nom. Le mot *sikh,* dérivé du sanskrit *shishya* (disciple), vient aussi du verbe pendjabi *sikhna* (apprendre). Il désigne les disciples des 10 gourous (maîtres spirituels). **Origine.** Fondé au XVe s. par le gourou (ou Baba) Nânek (1469-1539), né au Pendjab (actuel Pakistan), fils d'un percepteur. Dès sa jeunesse, il visita les grands centres de pèlerinage hindous et musulmans, attirant de nombreux disciples ou *sikhs* (dont il sera le 1er gourou) et prêchant la tolérance. De 1499 à 1517, 3 voyages en Inde et 1 à travers l'Afghanistan, l'Iran, la Russie et la Chine, et à La Mecque, Médine (Arabie), Bagdad. **Les 10 gourous.** Nânek (1469-1539). Angad (1504-53). Amardas (1479-1574). Ramdas (1534-81). Ardjan Dev (1573-1606). Hargobind (1595-1644). Har Rai (1630-61). Harkrishan (1656-64). Tégh Bahadour (1621-75). Gobind Singh (1666-1708). 7 furent des poètes féconds. Le 1er et le 10e ont écrit en plusieurs langues.

Doctrine. Rejet de tout culte idolâtre, monothéisme absolu, et croyance en l'immanence de Dieu dans la Création. L'amour de l'Être suprême *(Bhakti)* est à la base des pratiques spirituelles. La morale rejette les pratiques antihumaines de l'Inde : infanticide, crémation de la veuve sur le bûcher de son mari *(sati),* mariage des enfants, claustration des femmes des membres de castes inférieures (ainsi, castes supprimées) ; femmes proclamées égales des hommes. Elle offre pour idéaux : vie active et dynamique, générosité, liberté-égalité-fraternité, dignité et respect des hommes de toutes races, castes et religions, dévouement, travail. L'action militaire est utilisée en dernier ressort pour défendre le droit. Les sikhs ne doivent ni fumer, ni boire d'alcool, mais ils peuvent manger la viande des animaux tués d'un coup (l'abattage s'appelle *jhatka*).

Le *Khalsa,* créé en 1699 par le gourou Gobind Singh, est une phase finale du sikhisme.

Les combattants de la foi reçoivent le *baptême de l'épée à double tranchant (kandé-da-pahul)* et jurent de rester fidèles aux 5 K : *Kesh* (cheveux et barbe jamais coupés), *kangha* (peigne de bois) et *kachcha* (pantalon court), *kara* (bracelet d'acier) et *kirpan* (épée). Tous les hommes doivent porter le nom de *Singh* (« lion ») ; toutes les femmes, celui de *Kaur* (« princesse »).

Histoire. Les musulmans ont vénéré Nânek et ont apprécié sa morale humaniste. Les rapports sont bons avec le gouvernement moghol jusqu'au règne du 5e gourou, Ardjan Dev (1581-1606). A partir de là, les relations commencent à se détériorer avec le gouvernement, ce dernier ayant béni le fils révolté de l'empereur Djahangir, Grand Moghol. Ardjan Dev, torturé, est exécuté en 1606 à Lahore. Sous le règne du Xe et dernier gourou, Gobind Singh (1675-1708), à l'époque du Grand Moghol Aureng Zeb, la guerre se déclenche entre le gouvernement, les rajahs hindous et les sikhs, qui sont tous condamnés à mort comme hérétiques. Au lieu de se soumettre, ils acceptent le combat, sous la direction de Banda Singh Bahadour (exécuté 1716 avec 800 fidèles) ; en 1750, ils organisent le Pendjab en une fédération de 12 principautés. *A partir de 1799,* le maharaja Ranjit Singh (1780-1839), devient le maître du Pendjab, du Cachemire et du Ladakh. Après sa mort, les Anglais occupent le Pendjab qui est annexé à l'Inde britannique en 1849 après 2 guerres anglo-sikhs. Plus tard, les sikhs joueront un rôle important dans le « mouvement d'indépendance de l'Inde », jusqu'en 1947. Leur leader, Baba Ram Singh (1816-85), de Bhaini, invente les mouvements de non-coopération et désobéissance civile contre les Anglais (en 1872), 50 ans avant ceux du Mahatma Gandhi.

Époque moderne. En 1947, lors du partage de l'Inde du N.-O. entre Inde et Pakistan, les sikhs optent pour l'Inde ; des extrémistes revendiquent le Khalistan comme pays sikh indépendant de l'Inde. Ils sont aujourd'hui en guerre ouverte avec le gouvernement de New Delhi, surtout dep. l'action militaire contre leur Temple d'Or à Amritsar (3-6-1984). Indira Gandhi a été assassinée par 2 gardes du corps sikhs (31-10-1984). Voir index Pendjab.

Temple d'Or d'Amritsar. Achevé en 1604 par le gourou Ardjan Dev. Les 4 portes, correspondant aux points cardinaux, signifient que l'on peut venir de toutes les directions du monde, et s'y asseoir sans distinction de race, caste, sexe ou religion.

Livre sacré. *V. 1604,* Ardjan Dev achève « l'Adi-Granth » (ou « Livre saint des sikhs »), et le dépose dans le Temple d'Or. Contient + de 5 000 hymnes de gourous sikhs et de saints hindous, musulmans ou intouchables ; rédigé en pendjabi, avec un alphabet spécial dit *gourmoukhi,* très facile à apprendre, créé par Nânek. *1708,* à sa mort, Gobind Singh, le dernier gourou, décrète l'*Adi-Granth* son successeur et gourou éternel. Depuis il s'appelle *Gourou Granth Sahib* (« Gourou illustre le livre »), l'original est dans le Temple d'or. D'autres exemplaires se retrouvent chez les familles sikhes et dans les temples sikhs dit *gourdwaras* (Maisons de Dieu). On lui rend les honneurs dus aux souverains ; le titre de gourou cessera d'être porté par un mortel.

Statistiques (1989). Inde 20 000 000, USA et Commonwealth 5 000 000.

Adresse en France. Mr. Manjeet Singh, 71, rue St-Martin, 75004 Paris.

Taoïsme

Étymologie. L'idéogramme *Tao,* datant de l'Antiquité, a été simplifié il y a 2 200 ans env. et en 1956. La transcription phonétique française en 3 lettres *(Tao)* crée une confusion avec 22 autres mots chinois transcrits *tao* et 35 mots transcrits *t'ao.*

Origine. VIe s. av. J.-C. : fondé par des inconnus, et systématisé par le philosophe chinois Lao-tseu ou Lao Tan, archiviste à la cour des Tcheou, et contemporain de Confucius (qu'il aurait rencontré en 517 avant J.-C.). Son nom de famille était Li et il serait originaire du Ho-Nan *(Lao Tseu* signifie « vieux maître »). IIe s. apr. J.-C. société religieuse créée par Tchang Tao-ling, qui prend le titre de *Précepteur Céleste* et fonde de nombreux monastères où est réglé le culte des dieux chinois (polythéisme fantastique). *404,* devient religion d'État ; les descendants de Tchang Tao-ling obtiennent un fief dans le Kouang-Si ; ils portent le titre de *maître du Ciel* et sont de véritables *papes chinois. 666,* Lao-tseu est proclamé officiellement comme supérieur à Confucius et Bouddha. *1927,* les maîtres du Ciel sont supprimés par le gouvernement chinois.

Livres. Le **Tao-tö King** (le Livre du Principe et de sa vertu, dicté par Lao-tseu et appelé *Lao-tseu* jusqu'à l'époque des Han). Le **Tchouang-tseu,** qui aurait été écrit par Tchouang Tchéou (IVe s. av. J.-C.). Le **Lietseu** (IIIe s. av. J.-C.), recueil de légendes et d'écrits philosophiques, attribué au personnage de ce nom.

Doctrine. Le *Tao* est un principe qui règne à l'origine de la vie, c'est le Cours des choses. Le mot, traduit généralement par *voie,* signifie aussi *puissance résidant dans et derrière la Nature* et animant le jeu cosmique. Il est principe d'ordre et de réalisation. Celui qui vit uni à lui a soin de ne jamais prendre parti, de « ne pas intervenir » *(wou wei).*

San T'sing (les Trois Purs) ont pour personnage central *Yuan-che T'ien-tsouen* (le Vénérable Céleste du Commencement originel) qui aurait délégué ses pouvoirs à l'empereur de Jade qui avait été, jusqu'alors, le 2e personnage de cette Trinité. Sur le nom du 3e personnage, les textes diffèrent. Auparavant, la Trinité taoïste avait eu pour chef le Grand Un *(T'ai-Yi).*

Vie religieuse. Il y a un clergé régulier, vivant dans les monastères, et un clergé séculier : prêtres de villages, mariés, ne mettant leurs habits religieux que pour officier au temple. Ils pratiquent les sciences occultes, et les paysans font appel à eux pour des affaires de charmes et d'amulettes.

Philosophie. L'idéogramme Tao contient plusieurs éléments symboliques, notamment 2 principes (appelés des *âmes* ou des *respirations*) qui, tantôt par leur conflit, tantôt par leur union féconde, sont à l'origine de l'Univers et de l'Humanité : le *yang* (solaire) et le *yin* (lunaire). Le *yang* est formé d'une multitude de bons esprits *(shen),* le *yin* d'une multitude de particules plus ou moins mauvaises, les spectres ou *kweï.* Les dieux sont composés uniquement de *shen,* les hommes d'un mélange de *shen* et de *kweï.* A leur mort, leur partie *shen* va au ciel et leur partie *kweï* demeure sur terre.

Sectes. Ts'iuan-tchen (« Réalisation parfaite »), école dite du Nord, fondée par Wang Tche (v. 1140). Le monastère des Nuages-Blancs à Pékin en dépendait. **Tcheng Yi** (« Unité réalisée »), secte des « Maîtres célestes », qui prétend avoir pour fondateur Tchang Tao-ling (né v. 147-167 apr. J.-C.), souvent considéré comme le fondateur de la « religion taoïste » (Tao kiao). On distingue l'école philosophique du Tao *(Taokia),* dont Lao-tseu apparaît comme le patron, et le taoïsme magico-religieux qui se développa à partir du IIe s. de notre ère. Le Maître Tchang En-p'uo (1894-1969) se trouvait à Formose, où il a créé 2 associations. Actuel Maître Céleste : Tchang Yuan-hsien, neveu du 63e.

Yikouan tao (« Unité qui embrasse toutes choses »), religion officiellement reconnue par le gouvernement de Taiwan, et se référant aux livres confucianistes, taoïstes et bouddhistes. *Principe :* unifier ces 3 doctrines avec celles de la Bible et du Coran. **Association taoïste chinoise,** *fondée* 1957 à Pékin pour « unir les taoïstes chinois dans le patriotisme et l'aide à la construction socialiste ».

Statistiques. *Asie :* 421 millions [dont Taiwan 3 900 000 (prêtres-pasteurs-moines 12 600, temples, chapelles familiales 17 300)] ; *Amérique :* 4 600 000 ; *Europe :* 230 000.

Siège en France. *Académie Wan Yun Lou, Pagode de Rambouillet,* 3, rue Pasteur, 78120. La directrice, Tchen Gi-Vane (pour l'état civil : Mme Bertrand), a posé, en 1981 et en 1988, sa candidature à la présidence de la République, mais n'a pu recueillir les 500 parrainages nécessaires.

Mouvements divers

☞ **Union des Athées.** *Fondée* le 14-3-1970 par Albert Beaughon (n. 1915).

Doctrine et buts : opposer à la croyance en Dieu (aussi bien déisme que christianisme) des certitudes fondées sur des études scientifiques sérieuses ; dénoncer l'intoxication par les sectes ; rejeter les conceptions fondées sur la notion de « perfection et d'absolu » ; organiser en ce but des campagnes de « désintoxication psychique ». En relation avec la Libre Pensée, l'Union rationaliste, les American Atheists, l'Atheist Centre (Inde), l'Atheist Society of Australia.

Prix littéraire annuel. Décerné dep. 1977 (1992, à Henri Gouteniel pour *Et voilà pourquoi ils ne croient plus*). *Publication :* « Tribune des Athées » (2 500 ex.). *Siège :* 03330 Bellenaves. Adhérents 1991 : 2 740.

■ **Acropole-France (Association Nouvelle) (ANAF).** *Fondée* 1973 Lyon par Fernand Schwarz et sa femme Laura Winckler (n. 1951, Buenos-Aires). Filiale de l'Organisation Internationale Nouvelle Acropole (OINA) fondée 1971 à Lima (Pérou) par Jorge Angel Livraga Rizzi (n. 1930, Buenos-Aires) dit JAL, et son épouse Ada Albrecht. *Doctrine :* sur le plan externe, organisation culturelle et humaniste. Sur le plan interne, école de Mystères ou théosophique. Milite pour un gouvernement aristocratique et totalitaire, avec un « commandement central de l'État » formé d'un Conseil Suprême ou Sénat et d'un président. *Pratiques :* cycle de formation (doctrines ésotériques, astrologie, numérologie, arts martiaux, yoga, etc.). Pratiques de vie saine (ni alcool, ni tabac, limitation des relations sexuelles). En 1989, l'ANAF a créé un Comité International de réhabilitation de Giordano Bruno (dominicain brûlé vif par l'Inquisition en 1600). *Effectifs :* 10 000. *Siège :* la Lyre d'Orphée, 75014 Paris. *Autres centres :* Centre Européen de Prospective et Tradition, la Cour-Pétral (28 Boissy-les-Perche). Institut International Hermès, fondé 1988 par Livraga. Groupes d'Écologie Active (GEA).

■ **Anthroposophie.** *Fondateur :* Rudolf Steiner (Autrichien 1861-1925) ; *1882 à 1900* élabore une approche de l'âme et de l'esprit selon la méthode scientifique (œuvre majeure : *La Philosophie de la Liberté,* 1894) ; *1902* Secr. gén. de la Section all. de la Sté théosophique ; *1913* ayant souligné le rôle fondamental du Christ dans l'évolution, est démis de ses fonctions par A. Besant ; *1913-22* construction du Goetheanum ; développe l'activité artistique (eurythmie, art de la scène) avec Marie von Sivers (1867-1948) qu'il épouse en 1914 ; *1919* développement des activités scientifiques, culturelles et sociales (pédagogie, médecine, etc.) ; *1923* fonde la *Sté Anthroposophique universelle.* Des institutions s'en inspirent : écoles pour les enfants (pédagogie *Waldorf*), établissements médico-pédagogiques, universités libres, banques, écoles d'eurythmie (nouvel art du mouvement), de peinture, d'art dramatique, agriculture biodynamique (label Déméter), hôpitaux et cliniques, produits pharmaceutiques (Wéléda, Wala). *Siège :* Goetheanum, CH 4143 Dornach, Suisse (*France :* Sté anthroposophique, 68, rue Caumartin, 75009 Paris).

■ **Chevaliers du lotus d'or (les).** *Fondée* 1967 par Gilbert Bourdin (n. 1923, Martinique). *Siège :* Le Mandarom, ashram ouvert à Castellane (A. de Hte-P.). *Effectifs :* 1 000.

■ **Druidisme.** Ressurgi à Londres en 1717. *3 « branches » : « ésotérique »* de John Toland, Druid Order ; *« mutualiste »* de Henry Hurle (1781) devenue société d'entraide ; *« culturelle »* de Iolo Morganwc (prononciation : morganouk) (1792) à laquelle appartient le Gorsedd de Bretagne.

Fraternité des Druides, Bardes et Ovates de Bretagne. *Fondée* à Guingamp, le 1-9-1900 [à l'imitation de l'assemblée des Bardes existant au pays de Galles, dep. le XVIe s., sous le nom de « *gorsedd* » (Hautes Assises)], par Jean Le Fustec (1er Grand Druide), François Vallée, François Jaffrenou, à la suite de l'intronisation d'une délégation bretonne par l'Archi-Druide de Galles à Cardiff en 1899. Constituée en fraternités (breuriez), la Gorsedd comprend des druides (saie blanche), bardes (bleue), ovates (verte). La Gorsedd contemporaine (Sté philosophique) compte env. 150 membres. *Langue officielle :* breton. *Pt :* Gwenc'hlan Le Scouezec (Grand Druide de Bretagne). *Secrétariat général :* B. Borne, Ker Henri Saint-Thurien, 29114 Bannalec.

Collège des Druides, Bardes et Ovates des Gaules (Collège druidique des Gaules). *Pt :* 1943 Paul Bouchet, 1976 Jacques Gestalder. *Publication :* Ar Gael. *Siège :* 14, route de Brêval, Perdreauville, 78200 Mantes-la-Jolie.

Wicca internationale. Se rattache aux religions néolithiques (avec certaines survivances dans le celtisme traditionnel, notamment plusieurs rites sexuels). *Nom :* celtique (« sagesse »). *En France :* 6, rue Danton,94270 Kremlin-Bicêtre. *Prêtresse :* Diane N. L'Hôtellier. *Membres :* 3 000 000.

Collège druidique de Bibracte. *Fondé* 1981 par Henri-Robert Petit († 1985). Organise des séances près des anciens dolmens [notamment celui de Chevresse (près de St-Brisson, Nièvre)]. *Clergé :* druides et druidesses. *Pt :* Jacques Billard, rue Principale, 89420 Cussy-les-Forges.

Kredenn Geltiek Breizh (Kevanvod Tud Donn : Assemblée des Gens de Dana). *Fondée* 1936 par Raffig Tullou († 1990). Collège druidique initiatique, possède un cercle intérieur, la *Comardiia Druuidiacta Aremorica* (« Confraternité druidique d'Armorique ») rassemblant ses sacerdotes. *Publications :* Ialon, Kad-Nemeton. *Renseignements :* Alain Le Goff, Bothuan, 29450 Commana.

Église druidique des Gaules. *Fondée* 2-11-1985 à Balesmes. Fédération néo-païenne religieuse, refusant ésotérisme et folklorisme. Association cultuelle reconnue (JO du 13-6-1990). *Fête* 4 grandes cérémonies druidiques : *1-2* Ambolc, *1-5* Beltane, *1-8* Lugnasad, *1-11* Samon. *Primat :* Pierre de La Crau (depuis mai 1986). *Membres :* 200 actifs. *Siège :* EDG-Henri Larcher, 71700 Le Villars. *Publication :* Le Druidisme. *Adr. :* BP 13, 93301 Aubervilliers.

■ **Église de Scientologie ou de la Nouvelle Compréhension.** *Fondée* par l'auteur de science-fiction et philosophe, Lafayette Ronald Hubbard (1911/24-1-1986), ayant pour objet de diffuser l'enseignement « scientologique » (traitant des moyens de la connaissance) et « dianétique » (étude du fonctionnement de l'esprit humain, se donnant un caractère thérapeutique). Les termes « scientologie » et « dianétique » ont été forgés par R. Hubbard et sont protégés comme des marques. *1950* publie « la Dianétique, science moderne de la santé mentale ». *1954* fonde à Washington la 1re Égl. de Scientologie. *1959* début de l'expansion européenne. *1982* dissensions au sein de la Sea-Org, David Miscavige crée à Los Angeles, le « Religious Technology Center (RTC) ». Des dissidents s'affilient à un mouvement libre dont le chef de file David Mayo crée « l'Advanced Ability Center » puis Theta International. *Culte :* baptêmes, ordinations, mariages, enterrements. *Organisation :* Église centrale, égl. principale dans chaque continent (Copenhague pour l'Europe) et des égl. dans différents pays. **En France** (Paris) : siège : 65, rue de Dunkerque, 75009 ; centre culturel, rue Legendre, 75017. *Activités :* lutte contre toxicomanie, illettrisme, abus psychiatriques. *Publications :* Éthique et Liberté (bimensuel). *Livre de base :* la Dianétique (12 millions d'ex. vendus dont 150 000 en France). *Adeptes :* 8 millions dont *France :* 40 000.

☞ L'Église de Scientologie est souvent attaquée (notamment pour escroquerie, fraude fiscale et exercice illégal de la médecine), par des anciens membres, leur famille, ou la justice. Nombreux procès à l'étranger.

■ **Église Universelle de Dieu,** connue aussi sous le nom de ses émissions radio **Le Monde à venir,** ou de sa revue **La Pure vérité** (éditée en 6 langues). Se veut la continuatrice de l'Église fondée par Jésus-Christ. *Créée* 1934, par Herbert W. Armstrong (USA, 1892-1986), dirigée par Joseph W. Tkach. *1961* apparition en France. S'efforce d'être fidèle à la Bible. Célèbre sabbat et fêtes mentionnées dans la Bible. Croit que tous les hommes auront un jour la possibilité d'hériter de la vie éternelle. Proclame le retour futur du Christ sur Terre. Autrefois, a eu une attitude réservée vis-à-vis de la médecine. *Membres :* 100 000 (baptisés).

■ **Élan Vital.** Filiale de la Divine United Organization du Guru Maharadji. *1973* déclarée en France sous le nom de Mission de la Lumière Divine. *1987* transformée en Centre Élan Vital. Culte de la personnalité.

■ **Famille de Nazareth ou Commune de Nazareth.** *Fondée* 1969 à Fribourg par Daniel Blanchard, ex bénédictin, pour former une « communauté de laïcs voulant vivre selon l'esprit de l'Évangile et témoigner dans le monde ». *1979* pour unir psychologie et religion, il fonde l'Institut de Psychologie et d'Analyse Existentielle. *1985* devient l'Institut d'Analyse et de Psychologie Existentielle.

■ **Fraternité du Frechou-Andiran** (dite aussi Fraternité des Serviteurs et Servantes de Notre-Dame). *Fondée* 1977 par 2 pseudo-prêtres et évêques excommuniés par l'Église catholique : Roger Kozic et Michel Fernandez.

■ **Krishna (conscience de).** *Association internationale pour la conscience de Krishna* branche moderne de l'hindouisme monothéiste. *Origine : 1936* Abday Charan De Bhaktivedanta qui prend en 1959 le nom de Swami Prabhupada (Calcutta 1896, Londres 1977). Succession spirituelle confiée à 11 de ses disciples. *1966* fondation. *1970 (15-6)* déclarée à Paris. *Doctrine :* considère Krishna comme dieu unique, créateur universel. Le bhakti-yogo (yoga de la dévotion) rigoureux (jeûne, lever à 3 h, travail manuel) est exigé de tous. Pour accéder à la conscience de Krishna et être sauvé par l'éternité, il faut chanter 1 728 fois par j le Maha-Mantra « Hare Krishna... Hare... Hare rama... Hare... ». Commencé il y a 5 000 ans, ce chant durera encore 432 000 ans (période de décadence de l'humanité). *Périodique :* « Retour à Krishna ». *Effectifs (Inde exclue) :* env. 6 millions dont 10 000 prêtres et membres actifs. *En France :* env. 200 membres actifs, quelques dizaines de milliers de fidèles. L'Association a été mise en liquidation judiciaire après le départ de William Ehrlichmann, chef spirituel pour la France, pour les USA, en 1986. La Nouvelle Mayapoura (château d'Oublaisse, Luçay-le-Mâle, acheté 1975) 36600 Valençay (Indre) a été vendu le 6-12-1988. Le centre d'Ermenonville (Oise,ouvert 1980) a été fermé à la suite d'une escroquerie (1987).

■ **Krishnamurti.** Jiddu Krishnamurti (1895-1986). Né à Madanapalle (Inde du S.) de parents brahmanes, adopté par Annie Besant [théosophe et leader des nationalistes indiens (1847-1933)], promu chef d'un nouveau mouvement messianique d'inspiration théosophique. Reprenant sa liberté (1929), il créa un enseignement spirituel original excluant tout dogmatisme, tout rituel, toute organisation ecclésiastique et ne relevant d'aucune autorité spirituelle, la sienne comprise. Il affirme que l'homme ne peut parvenir à sa plus haute réalisation spirituelle qu'en se libérant de tous ses conditionnements imposés ou acquis, en reprenant sa vie à son propre compte. Et il ne peut s'affranchir de ses conditionnements que par une prise de conscience aiguë et immédiate, impartiale, incessante et sans analyse, de toutes ses pensées, sentiments, désirs et peurs, de tous les actes de sa vie quotidienne pris sur le vif. Cet enseignement a été à l'origine de recherches pédagogiques nouvelles et de la création de plusieurs écoles en Inde, USA, G.-B. *Renseignements pour l'Europe :* Krishnamurti Foundation Trust Ltd, Brockwood Park, Bramdean, Hampshire, SO24 OLQ, G.-B. *Siège en France :* Association culturelle Krishnamurti, 73, rue Fondary, 75015 Paris.

■ **Kumaris (Université Spirituelle des Brahmas) (USBK).** *Fondée* 1947 à Karachi par le diamantaire Brahma Baba Lekk Raj. († 1969). Filiale, déclarée à Paris en 1980, de la Brahma Kumaris World Spiritual University (BKWSU) qui a le statut consultatif (ONG) auprès de l'Unicef et du Conseil économique et social de l'Onu. *Doctrine :* imminence du désastre nucléaire, auquel succédera un monde de paix. La paix dans le monde passe par la paix en soi, la « Connaissance » et la libération des passions. *Pratiques :* célibat (interdiction rituelle de l'acte sexuel), alimentation végétarienne, restrictions de nourriture et de sommeil, yoga, rupture des liens familiaux et sociaux.

■ **Longo Maï (Coopérative européenne).** Dite aussi **SCOP européenne.** Fondée 1973 à Limans (Alpes de Haute-Pr.) par Roland Perrot (n. 1930, France). Communauté alternative, laïque, néo-rurale et autogestionnaire. A l'origine, lieu de vie collective, fonctionnant en autarcie, avec mise en commun de l'amour, des biens, des enfants, etc., elle est devenue une entreprise recherchant le profit.

■ **Méditation transcendantale (technique de méditation transcendantale ; AMT Paris).** Technique diffusée depuis 1958, par Maharishi Mahesh Yogi. *1958* fondation du Mouvement de régénération spirituelle de l'humanité. 1960 aux USA et en Europe. *Technique mentale* pratiquée 20 min 2 fois par jour, assis confortablement, permettant d'atteindre un état de relaxation associé à un plus grand éveil de l'esprit. *Méditants :* + de 4 000 000 (dont USA 1 000 000). *Centres :* 1 600. *Professeurs :* 16 000. **France :** *méditants 32 000, professeurs* 260, *centres* 30. *Siège :* 13, rue Étienne-Marcel, 75001 Paris.

■ **Métapsychique. Origine :** *1889,* Max Dessoir propose le terme de *parapsychologie* pour « caractériser toute une région frontière encore inconnue qui sépare les états psychologiques habituels des états pathologiques » ; et celui de *paraphysique* pour désigner ses manifestations objectives. *1922,* Charles Richet (1850-1935, prix Nobel de physiologie 1913) unifie ces 2 concepts en définissant la *métapsychique* comme « une science qui a pour objet des phénomènes mécaniques dus à des forces qui semblent intelligentes ou à des puissances inconnues latentes dans l'intelligence humaine ». *1954,* Fernand Clerc propose le terme de *psychotronique* pour désigner « les phénomènes dans lesquels l'énergie est dégagée par le processus de la pensée ou par la pulsion de la volonté humaine ». **But :** étude rationnelle des phénomènes paranormaux (c.-à-d. assez improbables pour paraître faire exception aux lois reconnues par la science classique). La *métapsychique objective* étudie actions et interactions paranormales (psychocinèse, prodiges) qui intéressent la paraphysique et le versant physique de la psychotronique. La *m. subjective* étudie les informations et communications paranormales (clairvoyance, télépathie, prémonition) qui intéressent la parapsychologie et le versant psychologique de la psychotronique.

France : *Institut métapsychique international,* 1, place Wagram, 75017 Paris. Reconnu d'utilité publique. *Pt :* Dr Jean Barry. *Directeur :* Dr Hubert Larcher. *Publication :* la Revue métapsychique (paraît depuis 1919).

Nota. – La métapsychique ne doit pas être confondue avec le *spiritisme* qui est l'étude des phénomènes médiumniques (voir p. 553 c).

■ **Mission d'Arès.** *Fondée* 1974 par Michel Potay, prêtre de l'Église catholique orthodoxe, qui prétend avoir reçu des révélations de Jésus au cours de 40 apparitions à Arès (33) (association déclarée le 4-3-1987 sous le nom de *L'Œil s'ouvre*). Bien que prônant une vie spirituelle libre sans structures ni clergé, Mgr Potay a institué de « nouvelles assemblées de Dieu » ou Assemblées d'Arès, et des « pèlerinages à Arès, la « nouvelle Jérusalem ». *Bulletin :* « Le Pèlerin d'Arès ». *1987,* création de l'association « Les Torrents » pour travailler à l'accomplissement de la révélation d'Arès.

■ **Omkarananda (centre spirituel international).** *Fondé* par le Swami Omkarananda. *Siège :* 41, Anton Graffstrasse, CH 8400 Winterthur. Suisse.

■ **Osho Rajneesh.** *Fondée* 1968 par Rajneesh Chandra Mohar (1931-90, Inde) qui prendra le nom de Bhajwan Shree Rajneesh après s'être déclaré Bouddha vivant, puis en 1989 celui d'Osho (Conscience élargie) après l'extraction d'une dent de sagesse. Expérimente la Psychologie nouvelle et totale de l'Illumination (dépersonnalisation et sexe vus comme une introduction à la Vie éternelle). A partir de 1988, pratique la Mystie Rose Meditation, nouvelle technique méditative (7 j de rire, 7 j de pleurs, 7 j de silence intérieur). **En France,** Centre Ruchya à Nans-les-Pins (83). Association Conscience à Guillard (74).

■ **Parapsychologie de Paris (Faculté de).** *Fondée* 1987 par Marguerite Preux (n. 1935, Corse). Établissement d'ens. privé. *But :* parvenir à l'unification du Soi par la découverte de sa vraie personnalité (« individualisation »). Cursus ésotéro-occulto-psychologique en 3 degrés d'initiation sur 4, 5 ans et plus. Séjours en communauté à la Cité des Immortels (gare désaffectée de Morsain 02). Interdiction de radio, télé, presse. Vie sentimentale et sexuelle réglementée.

■ **Raëlien français (Mouvement) (MRF).** *1973* (13-12) Claude Vorilhon (n. 30-4-1946, Vichy) dit avoir rencontré un extra-terrestre au Puy de Lassolas (Puy-de-D.). *1975* (7-10) puis avoir été transporté sur la planète de l'extra-terrestre. *1976* mouvement *fondé* par C. Vorilhon. *Origine : 1974* sous le nom de Raël (messager des Elohim), crée Madech (Mouvement pour l'accueil des Elohim, créateurs de l'humanité), dissous 1975. *1976-6-7* crée le MRF. *1977* constitue le Mouvement pour la Géniocratie mondiale (Pt Jean-Claude Reuille, Suisse). *Doctrine :* religion athée. Toutes les formes de vie existant sur Terre ont été créées par les Elohim, habitants d'une planète à 9 milliards de km. Les Elohim ont chargé Raël d'instaurer la géniocratie (gouvernement mondial des génies). *Pratiques :* « baptême raëlien », qui transmet par contact manuel le code génétique du nouveau Raëlien au « grand ordinateur ». Le prélèvement après la mort d'une partie de l'os frontal (1 cm² à 33 mm au-dessus de l'axe reliant les 2 pupilles), la réincarnation des Raëliens se faisant à partir de ces prélèvements osseux confiés au Guide. La méditation sensuelle (recherche du plaisir par la satisfaction des sens). *Effectif :* 20 000 dans 26 pays. *Lieu de rassemblement :* Domaine de la Bastide. Le Dourn (Valence-d'Albigeois 81) acquis 1987 par l'association suisse « Éveil Développement Énergie Nature » (EDEN).

■ **Râmakrishna Mission.** *Fondée* 1897 par Vivekânanda (1863-1902), disciple de Râmakrishna (voir p. 550 a). Action éducative et sociale. **En France :** *Centre védântique Râmakrishna,* 64, bd Victor-Hugo, Gretz-Armainvilliers, 77220 Tournan-en-Brie, *fondé* en 1947 par le Swâmi Siddheswarânanda († 1957), dirigé par le Swâmi Ritajânanda. *Membres :* 245. *Publication :* « Vêdânta » (800 ex.).

■ **Sahaja Yoga.** *Fondée* 1970 par Nirmala Salve Devi (n. 1923, Inde), la « Mère sacrée ». *14-5-1981* déclaration de l'Association à Paris. *Doctrine :* syncrétisme spirituel (Sri Kalki, Bouddha, Jésus, Mahomet) à dominante hindouiste. Rejette la médecine moderne (recours à la médecine ayurvédique codifiée dans les Védas), le raisonnement, la sexualité, condamnée comme expression des « forces sataniques ». *Pratiques :* méditation individuelle matin et soir devant la photo de la Mère, et en commun dans les ashrams, renoncement aux relations familiales et sociales qui ne serviraient pas l'intérêt de Sahaja Yoga, légitimation de l'abandon des enfants (qui peuvent être séparés de leurs parents et envoyés dans d'autres ashrams), participation aux Pujas (rassemblements internationaux). Mariages organisés. *Effectif :* 300 environ en France (monde, quelques milliers).

■ **Sainte-Famille (Église de la).** *Fondée* 1974 par Pierre Poulain (n. 1924) pour « restaurer toute l'Égl. catholique et Universelle ». Fin du monde proche, révolution, apparition d'un roi, couronné en 1999 à Derval d'où partiront les élus de Dieu.

■ **Satanisme.** « Antireligion » non structurée. *Principal précurseur :* l'Anglais Aleister Crowley (1875-1947), auteur du Livre de la Loi (1904), fondateur de sectes adonnées à la magie sexuelle, notamment l'Ordre de l'Étoile d'Argent (1904) et l'Ordre Germanique du Temple Oriental (1920). Il avait appartenu en 1898, sous le nom de Frère Perdurabo, à l'Ordre Hermétique de l'Aurore, qu'il quitta pour enseigner le culte de « l'Énergie solaire phallique », que lui aurait révélé un démon nommé Aiwass. Promoteur de la « contre-culture occidentale », il a pratiqué alcoolisme et hallucinogènes (dès 1930). « *Église de Satan* » fondée à San Francisco en 1966 par un ancien dompteur, Szandor La Vey, portant le titre de Mage, qui écrivit une « Bible satanique ». 10 000 sectateurs en Californie (sorciers, enchanteurs, magiciens, apprentis). Certains se livrent en privé à des séances de satanisme (messes noires, débauches, zoophilie, sacrifices rituels d'animaux, vandalisme). Charles Manson (1935), coupable d'avoir organisé en août 1969 l'assassinat de 5 personnes, dont l'actrice Sharon Tate à Bel Air (Californie), possédait la « Bible satanique ».

■ **Shri Ram Chandra Mission France (SRCMF).** *Créée* à Paris en 1986, filiale de Ram Chandra Mission [groupe hindouiste fondé 1945 en Inde par Shri Ram Chandraji Maharaj (1873-1931), dit Babuji]. Prône le « Sahaj Marg », système amélioré de Raja yoga, méthode à base de méditation et de purification du cœur pour trouver « la force de vie originelle ». *Siège européen :* château d'Augerans, 39380 Mont-sous-Vaudray. *Effectifs :* 60 précepteurs pour 600 abhyasis (disciples).

■ **Société théosophique.** *Fondée* 1875 à New York par Helena Petrovna Blavatsky et le colonel Henry Steel Olcott. Émigra à Adyar, près de Madras. Sous l'impulsion de sa fondatrice et de ses continuateurs, dont Annie Besant (1847-1933), la Sté a répandu une sorte de synthèse d'enseignements traditionnels de la spiritualité (hindouisme, bouddhisme, etc.), a contribué dans l'Inde, alors colonisée, à la renaissance de ces enseignements, et a été dans le monde un important agent de leur diffusion. Sur le plan politique, elle a joué un rôle important dans le mouvement qui aboutit à l'indépendance de l'Inde. *Annie Besant* avait adopté Krishnamurti en 1910. Mais celui-ci, ayant dissous en 1929 l'Ordre dont on lui avait confié la direction, se mit soudainement à professer un enseignement spirituel original et révolutionnaire. A. Besant avait suscité en France, en 1893, la création d'une franc-maçonnerie féminine, *le Droit Humain.* En 1913, *Rudolf Steiner* entraîna des dissidents allemands et créa *l'anthroposophie. Principales activités :* cours, conférences, séminaires ; bibliothèque spécialisée. *Membres :* 1 500. *Secrétaire gén. en France :* Phan-Chon-Ton. *Publication :* « le Lotus bleu » (2 000 ex.). *Siège en France :* 4, square Rapp, 75007 Paris.

■ **Spiritisme** (en anglais : modern spiritualism). *1844-1910* doctrine philosophique élaborée aux USA par Andrew Jackson Davis (1826-1910), auteur de la « Philosophie de l'Harmonie » (8 vol.) ; *1857-69* en France, d'après des messages médiumniques et diverses observations et expériences, par le professeur Hippolyte Denizard Léon Rivail (1804-69 ; tombeau en forme de dolmen au Père-Lachaise), qui a publié sous le pseudonyme d'Allan Kardec : « le Livre des Esprits », « le Livre des Médiums », « l'Évangile selon le Spiritisme », « le Ciel et l'Enfer », « la Genèse », « les Miracles et les Prédictions selon le Spiritisme ». A séduit des savants : Camille Flammarion, Alfred Russel Wallace, William Crookes, Oliver Lodge, César Lombroso, Hans Driesch ; des écrivains : Victor Hugo, Victorien Sardou et Arthur Conan Doyle. *Doctrine :* l'Ame est associée à un organisme énergétique (« perisprit »), corps astral,

LES SECTES AUX ÉTATS-UNIS

Toute société se présentant comme « religieuse » est dispensée d'impôts (sur revenus, biens immeubles, dons et legs reçus).

Cette disposition a incité des sociétés non religieuses à prendre le masque de la religion pour échapper au fisc. En 1977, l'État de New York a renforcé sa législation et pu inculper Moon de fraude fiscale.

LES SECTES EN FRANCE

■ **Nombre de sectes.** Il y a env. 10 000 sectes dans le monde (dont plusieurs centaines en France).

■ **Statut.** Certaines ont été citées en justice, notamment pour extorsion de fonds aux adhérents, détournement de mineurs, non-assistance à personne en danger de mort, et ont fait l'objet d'un contrôle fiscal [ex. : la Conscience de Krishna (redressement de 65 millions de F) ; les Moonistes (AUCM) (redr. + pénalités : 35 millions de F)]. Dans un rapport rendu public le 9-4-1985, Alain Vivien a proposé la création d'organismes médiateurs et la nomination de juges de tutelle, même pour des majeurs, si leur famille l'exige. Aucune suite n'a été donnée à cette proposition.

■ **Union nationale des associations pour la défense des familles et de l'individu (UNADFI).** Centre d'études et de documentation sur les sectes. 10, rue du Père-Julien-Dhuit, 75020 Paris. Bulletin trimestriel *Bullés.* **Centre de documentation, d'éducation et d'action contre les manipulations mentales (CCMM).** *Créé* 1981 par Roger Ikor (1912-86). 19, rue Turgot, 75009 Paris. **Ass. d'étude et d'information sur les mouvements religieux.** *Créée* 1979 par Bernard Blandre et le pasteur Gérard Dagon (Pt Bernard Blandre). BP 733, 57207 Sarreguemines Cedex.

Définition des sectes pour l'ADFI. Une secte est un groupe dans lequel on pratique une *manipulation mentale,* endoctrinement, contrôle de la pensée, viol psychique... qui entraîne *une destruction de la personne* sur le plan : physique (alimentation carencée, manque de sommeil, travail intensif), psychique (altération de la personnalité, du comportement et de l'esprit critique), intellectuel (rétrécissement des champs de connaissances extérieures à la secte), relationnel (régression des capacités de communication), social (animosité totale envers le système global de la société), *une destruction de la famille :* critiques, attaques, injures, calomnies, éloignement, rupture de la relation parents-enfants, séparations, divorces ; voire *une destruction de la société :* soit en empêchant les adeptes de participer à la vie sociale et culturelle de leur pays, soit en demandant à des adeptes d'infiltrer tous les réseaux de la vie économique, politique avec à la base *une escroquerie :* intellectuelle, morale, financière.

Moyens utilisés par les sectes. *1°) Séduire et survaloriser le futur adepte :* en proposant des réponses simples aux questions complexes de l'existence (la vie, la mort, la maladie...) à l'intérieur d'un groupe a priori chaleureux, en utilisant des grands thèmes mobilisateurs (écologie, OVNI, méditation, relaxation), en le valorisant : « tu es beau, intelligent, nous avons besoin de toi pour une grande mission », en lui garantissant le bonheur, la liberté, la connaissance. *2°) Anesthésier l'esprit critique et la personnalité du futur adepte :* en créant un état de fatigue (longues journées de travail, conférences, démarchage à domicile ou sur la voie publique, longs temps de méditation, prière, formation à la doctrine du groupe), en modifiant les habitudes alimentaires (régime, jeûne), en créant des conditions de vie qui l'empêchent de prendre le recul nécessaire et qui l'autoriserait à réfléchir à ce qu'il fait ou vit, en réduisant l'intimité (impossibilité d'être seul un instant, obligation de se raconter, confession obligatoire et dirigée), en modifiant le vocabulaire (il doit s'approprier un langage qui fait sérieux, scientifique ou religieux, mais qui n'a de sens qu'à l'intérieur du groupe ; cette technique, sournoise, le prive de toute communication avec le monde et paupérise sa pensée). *3°) Renforcer l'adhésion au groupe et favoriser les ruptures :* abandon des études, départ à l'étranger (pour une formation généralement), rupture avec famille, amis, société. Les informations qui viennent de l'extérieur sont déclarées suspectes ou manipulées. Les personnes qui critiquent la secte sont décrites comme négatives, dangereuses, opposantes aux progrès de l'humanité. Il est conseillé de ne pas ou ne plus les fréquenter, de les calomnier et éventuellement de les poursuivre en justice. La famille est parfois déclarée responsable de toutes les difficultés que connaît ou qu'a connues l'adepte. La société est présentée comme un lieu de perdition, la médecine comme inutile, la psychiatrie comme dangereuse, les religions comme dépassées, la politique comme désuète. Seul, le groupe conduit par son maître qui s'autoproclame sauveur de l'humanité, peut conduire les hommes sur le chemin du bonheur. Les adeptes ont alors la certitude d'avoir une mission rédemptrice à accomplir mais, leur dit-on, « la Société a des résistances, des habitudes, des intérêts, on ne vous croira pas, on vous persécutera. C'est ici la preuve que vous êtes dans la vérité. N'en fut-il pas de même pour la plupart des disciples de la paix ? » *4°) Rendre le retour impossible :* par l'absence de revenus, couverture sociale, réelle expérience professionnelle, les déplacements géographiques fréquents qui ne permettent pas de tisser des liens avec les personnes extérieures au groupe qui pourraient aider à un retour, l'abandon des anciens amis, les liens familiaux coupés ou conflictuels, le mariage à l'intérieur du groupe (impossible de partir seul, il faut être 2 à le vouloir en même temps), la peur, punitions, délation permanente, crainte du monde extérieur (dettes), représailles. On reste, on se laisse faire. Le bonheur, la liberté, l'épanouissement ou la connaissance sont promis à chacune des étapes, si bien que l'adepte accepte de souffrir encore plus que ce qu'il pouvait souffrir à l'extérieur (au moment de son engagement) parce qu'à chaque fois, il se dit qu'il serait trop bête de s'arrêter si près du but, que toute sa souffrance (et parfois son argent) n'aurait servi à rien. Plus l'adepte a souffert, plus il est prêt à souffrir davantage.

double ou corps-énergie, qui l'accompagne au moment de la mort, lorsqu'elle se dégage du corps physique. Pendant une période plus ou moins longue, l'Esprit « désincarné » peut se manifester aux vivants par des phénomènes divers : spontanément et directement (apparitions plus ou moins matérialisées, visions en rêve, coups frappés) ou par l'intermédiaire de « médiums » (clairvoyance, clairaudience, écriture automatique, parole inspirée, etc.). Le Professeur Charles Richet a étudié cette science « métapsychique », aujourd'hui « *parapsychologie* ». Les scientifiques de cette discipline se tiennent généralement à distance de l'hypothèse spirite de la survivance. *L'idée de réincarnations successives* à travers les mondes végétal, animal et humain, ayant permis à l'Ame de se former et d'évoluer parallèlement à l'évolution biologique. Principe fondamental : l'âme évoluant dans l'Univers, son développement et son plein épanouissement constituant sa finalité naturelle, le Spiritisme considère le monde matériel comme une école de formation du caractère, un moyen de développement et de prise de conscience de la solidarité qui relie tous les êtres dans leur ascension. La contemplation des beautés de l'Univers et la méditation sont pour lui des moyens de vibrer en harmonie avec des plans supérieurs, mais il préconise une *Spiritualité active*, tendant à assurer la maîtrise de notre nature intérieure et celle du monde matériel, et à réaliser une vie sociale basée sur l'aide mutuelle, la solidarité, la bienveillance entre les individus et les peuples. La revue « Reformador », organe de la Fédération Spirite du Brésil, prône un « Spiritisme Chrétien ». Le Centre d'investigations métapsychiques et connexes (CIMA) du Venezuela et son organe « Evolucion » militent pour un Spiritisme scientifique laïque et universitaire.

En France : 2 tendances se disputent l'héritage spirituel d'Allan Kardec : **1°)** *l'Union scientifique et francophone pour l'investigation psychique et l'étude de la survivance* (USFIPES), 15, rue J.-J.-Rousseau, 75001 Paris. Nom adopté 25-4-1976 par l'« Union Spirite Française », fondée 1919, héritière de la Sté d'Études Spirites d'Allan Kardec. A des filiales à Lyon (Sté d'Études Psychiques), Lille (Cercle d'Études Psychologiques), Marseille (Institut d'Études Psychiques et Parapsychologiques). Appliquant la recommandation d'Allan Kardec (le Spiritisme, marchant avec le progrès) d'assimiler les nouvelles découvertes et connaissances, l'USFIPES, par ses conférences et ses cercles d'étude, travaille à l'élaboration d'une doctrine scientifique, philosophique, éthique et sociologique, basée sur les faits qui constituent l'objet de ses recherches, en les reliant, par un effort de synthèse, avec les résultats acquis dans d'autres domaines, tels que la psychologie générale, la physique atomique et la biologie. Elle poursuit, au point de vue expérimental, la recherche privilégiée de tous les faits pouvant accréditer la thèse de la survivance de la personnalité humaine après la Mort et celle des antériorités prénatales. *Revue : Renaître 2000* (29, avenue des Sablons, 77230 Dammartin-en-Goële) dirigée par André Dumas, Pt de l'USFIPES, nom pris depuis 1977 par la « Revue Spirite » fondée 1858 par Allan Kardec. **2°)** *l'Union spirite française et francophone* (USFF), 1, rue du Dr Fournier, 37000 Tours. Pt : Roger Perez. Créée 4-6-1985, fait enregistrer le 11-5-1989 le titre la « Revue Spirite » à l'INPI après avoir, le 23-3-1989, obtenu du Tribunal de Meaux qu'André Dumas soit déchu de ses droits de propriétaire pour avoir renoncé à exploiter la marque.

Dans le monde : *Fédération Spirite Internationale :* fondée 1919, siège à Londres. En Italie, des Stés scientifiques spirites représentent le mouvement spirite novateur, de même qu'en Belgique, la Sté d'Études Psychiques de Charleroi (Eugène Bertrand, rue Ferrer 77, B 6240).

■ **Sri Chinmoy (Fédération Française des Centres).** *Origine :* Sri Chinmoy Church Center fondé 1971 par Chinmoy Kumar Ghose (n. 1931, Bangladesh), qui aurait écrit 843 poèmes en 24 h (17 000 au total, réunis dans 750 livres), peint 14 000 tableaux et composé 6 000 morceaux de musique. Champion de décathlon, marathon et haltérophilie, il aurait soulevé + de 3 tonnes. *1975* l'assoc. est admise comme organisation non gouvernementale (ONG) à l'ONU où elle forme le « meditation group ». *1977* déclaration en France (ass. loi de 1901), *1983*, organisation de la « Marche de la Paix ». *1984* du « Concert de la Paix ». *1987* de la « Course de la Paix ».

Doctrine : la voie du salut par la dévotion à Brahma. L'État d'Être réalisé par la « voie du cœur » (concentration sur un objet, méditation, contemplation). La voie de la manifestation qui mène au dépassement de soi. *Pratiques :* méditation individuelle 3 fois par jour. *Organisation :* centres Sri Chinmoy à Paris et Lyon, groupes de méditation dans une dizaine de villes.

■ **Vimala Thakar.** Née en Inde, petite-fille d'un rajah, collaboratrice de Vinoba Bhave dans le mouvement Bhoodan pour la distribution des terres. Né de sa propre expérience intérieure – même si, à certains égards, il s'apparente à celui de Krishnamurti. *Renseignements :* Thakar, Bookfund Vimala, G. Niesten, Johannes Worpstraat 23, 1076 BD Amsterdam (P.-B.).

■ **Voie Internationale (la).** *Fondée* 1942 par un ancien pasteur, l'Américain Victor Paul Wierwille (1916-85), pour faire connaître le message sur « le secret d'une vie de puissance et de victoire » qui lui aurait été révélé par Dieu.

MYTHOLOGIE GRÉCO-ROMAINE

Comprend env. 30 000 dieux, déesses, demi-dieux, héros ou autres divinités inférieures dont l'origine remonte au vieux fonds indo-européen. Chaque puissance naturelle, mais aussi chaque réalité locale, est symbolisée par une divinité (salutaire ou nuisible). Certains étaient communs à toute la Grèce, d'autres n'étaient adorés que localement.

Les Romains adoptèrent les dieux grecs et leurs légendes ; ils y retrouvaient, sous une forme littéraire, les légendes importées en Italie par « Italiotes » (XIe s. av. J.-C.) et Étrusques (IXe s. av. J.-C.).

■ **Origine.** Du *Chaos,* naissent la *Terre (Gaia)* [qui aura (sans l'aide d'un principe mâle) la *Lumière terrestre (Hemera),* le *Ciel étoilé (Ouranos)* et la *Mer (Pontos)*] et le *Désir (Éros).* Suivent les *Ténèbres (Érebos),* la *Nuit (Nyx)* [Nyx aura (sans l'aide d'un principe mâle) la *Lumière des astres (Aither),* la *Lumière terrestre (Hemera),* le *Ciel étoilé (Ouranos)* et la *Mer (Pontos)*].

Ouranos et *Gaia* ont une nombreuse descendance : *Okéanos* (fleuves) ; *Hypérion,* père d'*Hélios* (le Soleil) ; *Phoïbé* (la Lune) ; les *Cyclopes ; Thémis* (la Loi) ; *Mnémosyne* (la mémoire) ; *Titan* [qui eut avec Gaia 12 enfants géants, les Titans. Il céda le trône à *Cronos,* son frère, mais, pour que l'empire revienne ensuite à ses propres fils, il obligea Cronos à dévorer ses enfants mâles. Zeus, Poséidon et Hadès échappèrent toutefois à la mort grâce à une ruse de leur mère. Titan, l'ayant appris, enchaîna Cronos et sa famille] ; *Cronos* (Saturne), qui tue *Ouranos,* engendre avec *Rhéa* de nombreux enfants (voir ci-dessus), dont *Zeus* qui le détrônera et deviendra le Dieu suprême siégeant dans l'*Olympe.*

☞ **Divinités olympiennes :** *Zeus, Hestia* (Vesta déesse du foyer domestique) et les 10 autres dieux ou déesses ci-dessous, désignés par un astérisque (*).

■ **Le Ciel. Zeus (Jupiter ;** attributs : aigle, sceptre, foudre). Il est appelé *pantocrator* (du grec, *pan :* tout et *kratos :* puissance). C'est le maître des dieux et des hommes.

Descendants de Zeus. De *Héra [Junon (mariage) ; attributs : paon, grenade] → *Hébé* (jeunesse) ; **Arès* [*Mars* (guerre) ; attributs : casque, armes] ; *Enzo (Bellone)* (bataille) ; **Héphaïstos (Vulcain)* (forgeron, boiteux) ; attributs : enclume, marteau ; qui épouse *Aphrodite.* **De *Déméter [Cérès** (agriculture) ; attributs : gerbe, faucille] → *Coré (Perséphone)* épouse d'*Hadès (Pluton).* **D'*Aphrodite [Vénus** (beauté) ; attribut : colombe ; s'éprit *d'Adonis* et le disputa à *Perséphone,* reine des Enfers ; blessé à mort par un sanglier, il fut changé en sanglier par Aphrodite] → *Eros* (amour). **De Maia** (croissance) → **Hermès* [*(Mercure)* ; commerce, dieu des voleurs, voyageurs, messager des dieux) ; attributs : ailes, caducée] qui a d'*Aphrodite : Hermaphrodite* (symbole de l'ambivalence sexuelle), et de *Timbris : Pan* (bergeries, fécondité et puissance sexuelle). **De Thémis** (loi ; attributs : glaive, balance) → les 3 *Moira* (les *Parques*) : *Clotho* (naissance), *Lachésis* (jours de la vie), *Atropos* (mort). **De Dioné** (nymphe de l'Océan) → *Aphrodite (Vénus)* (beauté voir plus haut). **De Léto (Latone)** → **Phoïbos (Apollon)* (Soleil, beaux-arts) ; attributs : arc, lyre, combat le serpent Python avant d'être exilé sur terre pour avoir tué les Cyclopes ; il aurait également écorché vif un satyre et fait pousser des oreilles d'âne au roi Midas ; père de *Phaéton* et d'*Asclépios* [*(Esculape)* (médecine), père d'*Hygieïa* (santé)] ; *Artémis* [*Phoïbé* ou **Diane* (lune, chasse) ; attributs : croissant, arc, biche]. **De Mnémosyne** (la mémoire) → les *Muses : Clio* (histoire), *Melpomène* (tragédie), *Thalie* (comédie), *Euterpe* (musique), *Terpsichore* (danse), *Érato* (poésie pastorale, élégie), *Calliope* (éloquence), *Uranie* (astronomie), *Polymnie* (poésie lyrique). **De Léda** (†) → *Pollux ; Hélène.* **D'Alcmène** (†) → *Héraklès (Hercule).* **De Danaé** (†) → *Persée.* **D'Europe** (†) → *Minos ; Rhadamante ; Sarpédon.* **D'Eurynomé** → *les 3 Grâces : Euphrosyne ; Thalie ; Aglaé.* **De Sémélé** (†) → *Dionysos [Bacchus* (vin) ; attributs : pampres, panthère ; sa mère voulut contempler Jupiter au grand jour, et fut foudroyée ; Jupiter, pour sauver son fils, lui fit passer à l'intérieur de sa cuisse les mois qui manquaient à l'enfant pour naître à terme ; qui a d'*Aphrodite : Hyménée* (mariage), *Priape* (virilité)].

Zeus engendra seul **Athéna* [*Pallas ;* ou *Minerve* (sagesse) ; attributs : chouette, égide, olivier], qui jaillit tout armée de sa tête.

Iris. Voyage entre ciel et terre, messagère des dieux (son écharpe est l'arc-en-ciel).

Atlas. Titan (géant immortel), frère de Prométhée, tous deux fils de Japet. Il porte sur ses épaules la voûte du ciel. Père des *7 Pléiades* qu'il eut de *Pléione* (fille de l'Océan et de Thétys), métamorphosées en étoiles parce que leur père avait voulu lire dans les secrets des dieux, appelées aussi Vergilies (printanières ou étoiles du printemps) par les Latins : *Maïa* qui eut de Jupiter Mercure, *Électre* qui eut de Jupiter Dardanus, *Taygète* qui eut de Jupiter Taygétus, *Astérope, Mérope* qui eut de Sisyphe Glaucus père de Bellérophon, *Alcyone* qui eut de Neptune Glaucus, *Céléno* qui eut de Neptune Lycus, et des 7 *hyades* (ou pluvieuses) qu'il eut d'*Éthra* (fille de l'Océan et de Téthys) : *Ambrosie, Eudore, Phoésyle, Coronis, Polyxo, Phoéo, Dioné.*

Nota. – (†) Simple mortelle.

■ **Les Eaux. Okéanos** dieu des eaux. **Téthys** sa sœur (la Mer, mère des fleuves), mer calme. **Nérée, Doris** parents des *Néréides.* ***Poséidon (Neptune)** attributs : trident, cheval. Dieu des océans et des mers et des terres (à l'origine), époux d'*Amphitrite,* reine de la mer, dont il a *Triton* (dieu du bruit de la mer). **Protée** mer en mouvement. Gardien des troupeaux de phoques, veaux marins et autres animaux de son père Poséidon. Ayant le don de prophétie, pour échapper à ceux qui l'interrogeaient, il revêtait des formes diverses. **Glaucos** dieu de la vie de la mer. **Sirènes** divinités locales (malfaisantes : naufrageuses : *Parthénopé, Texielpie, Pisinoé ;* du grec seirên désignant des monstres mi-femmes mi-oiseaux dont la voix envoûtante égarait les marins). **Typhon** dieu de l'ouragan, père de la *Chimère* et des *Harpies* (vents terrestres, voir ci-dessous). **Ino** secours des marins, mère de *Palémon.* **Océanides** nymphes des océans (dont *Calypso*). **Éole** roi des vents de la mer *(Boréas, Notos, Euros, Zéphyros).*

■ **Les Enfers. *Hadès (Pluton)** (dieu des ténèbres). Attributs : sceptre, chien *Cerbère* (né de 2 monstres : *Typhon* et *Échidna :* cou hérissé de serpents, à 3 têtes ; garde l'entrée des Enfers du bord du *Styx. Orphée,* descendant aux Enfers pour ramener *Eurydice,* réussit à l'assoupir par les sons de sa lyre et *Énée* l'amadoua avec un gâteau de miel. *Héraklès* parvint à l'enchaîner à ses pieds). **Perséphone (Proserpine)** déesse des Enfers et de la végétation, sa femme. **Hécate** Artémis infernale. **Les Érinyes (Furies)** aux cheveux noués de serpents, armées de torches et de fouets, exécutant la vengeance des dieux et suscitant la haine entre les humains, dites *Euménides* (bienveillantes) : *Mégère, Tisiphone, Alecto.* **Les Kères (Destinées)** Filles de la nuit. **Thanatos** (la mort). **Les Juges :** *(Minos, Éaque, Rhadamante).* **Hypnos** (le sommeil). **Aux Champs Élysées** séjournent les justes ; au **Tartare,** les criminels.

■ **Fleuves. Achéron** avec **Styx, Cocyte** et **Pyriphlégéton,** que les âmes des morts doivent traverser sur la barque du nocher Charon, avant de séjourner dans leur dernière demeure.

■ **La Terre. DÉESSES : Gaia** (à l'origine). **Rhéa (Cybèle)** épouse de Kronos, le temps, mère de Zeus ; attributs : corne d'abondance. **Déméter** d. des moissons, mère de Perséphone. **Flore** d. des fleurs. **Pomone** d. des fruits. **DIEUX : Sylvain** d. des forêts et de la fécondité (attribut : maillet). **Faune** d. des bergers. **Ploutos** d. des richesses accumulées [le dieu des richesses acquises (par l'agriculture et le commerce) étant **Vertumne** emprunté aux Etrusques (voir ci-dessous)]. **Dionysos (Bacchus)** d. de la vigne ; attributs : pampres, panthères. **NYMPHES : Naïades** d. des cours d'eaux. **Hamadryades :** des arbres. **Oréades :** des montagnes. **Napées :** des bocages.

Les 3 Harpies. Vents terrestres (confondues plus tard avec les Furies) : *Aëllo, Ocypète, Céléno.* Filles de Poséidon et de la Terre. Messagères de Zeus, elles avaient un visage de femme, un corps de vautour, des ongles crochus et des ailes.

Les 3 Gorgones. Divinités pré-indo-européennes, monstres ailés à chevelure de serpents : *Méduse* ou *Gorgos* (tuée par Persée), *Euryale, Sthéno.* Elles avaient 3 sœurs, vieilles dès leur naissance, les **Grées** (« Vieilles femmes ») : *Péphréso, Enyo, Dino.*

Héros ou demi-dieux. Fils d'un dieu et d'une mortelle ou d'une déesse et d'un mortel. Ainsi **Atlas, Argos, Thésée** (Ariane lui remit, avant qu'il ne s'enfonçât au cœur du labyrinthe pour y affronter le Minautore, une pelote de fil qu'il déroula derrière lui. Après avoir tué le monstre, Thésée retrouva facilement la sortie) et **Héraklès (Hercule) :** fils de *Zeus* et d'*Alcmène,* (femme du roi de Tirynthe Amphytrion) ; jalouse d'Alcmène, *Héra* envoya 2 serpents dans le berceau d'Héraklès (8 mois) mais celui-ci les étouffa d'une main. Il tua *Nessus*, un centaure ayant voulu enlever *Déjanire* sa femme, mais avant de mourir, Nessus donna à Déjanire une tunique teinte de son sang et permettant, selon lui, de s'assurer la fidélité de l'être aimé. Héraklès regarda un jour une autre femme ayant revêtu la fameuse tunique ; il ressentit des brûlures si atroces qu'il se jeta dans le feu.

Travaux d'Hercule. 1. Étouffe le *lion de Némée.* 2. Tue l'*Hydre de Lerne.* 3. Prend vivant le *sanglier d'Érymanthe.* 4. Rejoint à la course la *biche aux pieds d'airain.* 5. Tue à l'arc les *oiseaux du lac Stymphale.* 6. Dompte le *taureau* envoyé par Poséi-don contre Minos. 7. Tue *Diomède,* roi de Thrace, qui nourrissait ses chevaux de chair humaine. 8. Vainc les *Amazones.* 9. Nettoie les *écuries* (3 000 bœufs, pas nettoyées depuis 30 ans) d'*Augias,* roi d'Élide, en y détournant 2 fleuves l'Alphée et le Pénée. Augias refusa de payer Héraklès. Celui-ci le tua et pilla sa ville. 10. Tue *Géryon,* dont il prend les troupeaux. 11. Prend les pommes d'or du *jardin des Hespérides.* 12. Délivre *Thésée* des Enfers, ramène le chien Cerbère.

Géants. Fils de la Terre qui voulurent escalader l'Olympe pour détrôner Jupiter ; ils furent foudroyés par lui.

■ **Animaux légendaires. Pégase** cheval ailé, né du sang de Méduse décapitée. Fait jaillir d'un coup de sabot la source de l'Hippocrène, sur l'Hélicon. Dompté par Minerve, sert de monture à *Persée* et *Bellérophon.* Demeure ensuite sur le Parnasse, près d'Apollon, dieu des poètes. **Pyton** (de Pythô, ancien nom de Delphes) serpent monstrueux qu'Apollon tua d'une flèche. **Sphinx** fille de *Typhée* et d'*Échidna.* Tête et poitrine de femme, corps de lion, aile d'aigle. Proposait des énigmes insolubles et dévorait les voyageurs qui n'avaient pu les résoudre. *Œdipe* ayant résolu l'énigme qu'elle lui soumettait, elle se tua [Qui a 4 pieds le matin, 2 à midi, 3 le soir ? L'homme (enfant, il marche à 4 pattes ; veillard, il s'appuie sur un bâton)].

☞ **Amphitryon :** hôte chez qui l'on trouve une table généreuse. Amphitryon, roi de Tyrinthe en Argolide, étant parti à la guerre, Zeus prit son apparence pour séduire son épouse *Alcmène*, aidé par *Hermès* qui avait pris l'apparence de *Sosie*, valet d'Amphitryon ; Zeus passa la nuit avec Alcmène qui ne soupçonna pas la substitution. De leur union naquit *Héraclès.* **Castor et Pollux :** jumeaux nés d'un œuf (ou 2 ?) pondu par *Léda*, épouse du roi de Sparte *Tyndare*, qui avait eu des faiblesses pour un *cygne* (apparence prise par Zeus). Plus tard, les jumeaux *Dioscures* (en grec Dioskouroi, « les fils de Zeus ») furent d'actifs protecteurs de l'humanité. **Centaure :** monstre à corps de cheval et buste d'homme se nourrissant de chair crue, en général brutal avec les femmes et ivrogne. L'un, bon et sage, Chiron, précepteur de Jason et d'Achille, découvrit les vertus médicinales de la plante qu'on appelle centaurée. **Danaïdes :** les 49 filles de Danaos condamnées aux enfers à remplir un tonneau sans fond pour avoir tué leurs époux. **Europe :** fille d'*Agénor*, roi de Phénicie ; jouant au bord de la mer avec ses compagnes, *Zeus* l'aperçut et en tomba amoureux ; il se métamorphosa en un taureau blanc, aux cornes dorées, et vint rôder sur la plage ; elle monta alors sur son dos et Zeus-taureau s'élança dans les flots ; ils atteignirent Gortyne (Grèce) et eurent 3 enfants : *Minos, Rhadamanthe* et *Sarpédon.* **Flûte de pan :** la nymphe Syrinx ne voulant pas céder aux avances de *Pan* (dieu de la nature), se jeta dans les eaux du Ladon où elle fut métamorphosée en roseau. Pan coupa le roseau et en fit une flûte. **Gorgone :** dragon femelle à la tête énorme, hérissée de serpents, ailes en or, yeux immenses ; on imagina qu'elle avait 3 têtes et le poète Hésiode en fit 3 sœurs, les Gorgones : Sthéno, Euryale et Méduse. **Pandore :** créée par Héphaïstos. Zeus lui donna une boîte contenant tous les maux. Pandore épousa *Épiméthée,* le frère de Prométhée, et Zeus, pour se venger, l'incita à ouvrir la boîte de Pandore. Les maux se répandirent sur la Terre et ne resta plus au fond de la boîte que l'espérance. **Prométhée :** fils d'un Titan. Prométhée vola une étincelle et la porta aux hommes. Zeus le fit enchaîner à une montagne, le Caucase ; chaque jour un vautour venait lui dévorer le foie qui se reconstituait quotidiennement. **Pythie :** jeune fille chaste de Delphes consacrée au dieu ; assise sur un trépied posé sur une crevasse d'où montaient les vapeurs de la terre, elle entrait en transes, délivrant aux pèlerins venus la consulter des messages obscurs que les agents du sanctuaire traduisaient souvent de manière ambigüe. A ne pas confondre avec la **Pythonisse,** esclave possédée par un démon, qui prédisait l'avenir et que l'apôtre Paul rencontra à Philippes. **Tantale :** meurtrier de son fils, il fut condamné à être éternellement dévoré de faim et de soif près d'une table couverte de mets et de boissons qu'enchaîné, il ne pouvait atteindre.

☞ **La mort du dieu Pan.** D'après Plutarque, v. 100 après J.-C. le pilote d'un navire entendit une voix lui ordonnant de s'approcher de la côte de la Grèce. Il put, ainsi que ses passagers, entendre cette phrase : « le grand Pan est mort », suivie de gémissements. Les chrétiens en déduisirent que les dieux du paganisme annonçaient leur propre disparition.

Religion des Étrusques

Religion révélée (par la nymphe *Bégoé* et le génie *Tagès*), et transcrite dans une « discipline », ouvrage composé de 4 livres : I. les Haruspices ; II. les Foudres ; III. les Rites ; IV. l'Au-delà. Les Étrusques sont restés fidèles à cette foi rigide longtemps après leur assimilation par les Romains, et les auteurs chrétiens fulminent encore au Ve s. contre les nombreuses superstitions pratiquées en Toscane.

■ **Dieux et démons.** **Triade suprême :** composée de **Tinia** (assimilé à Jupiter Capitolin), **Uni** (Junon) et **Mnerva** (Minerve). **Autres dieux** (plusieurs sont communs aux mythologies étrusques et latines) : **Vertumne** ou **Voltumna,** créateur de la végétation, peut-être un substitut local de Tinia à Volsinies (Toscane). **Fufluns,** protecteur de Populonia, ville des Pampres, dieu de la vigne, assimilé à Bacchus. **Sethlans,** protecteur de Pérouse, d. des forges souterraines. **Turms,** protecteur d'Arezzo, génie multiforme assimilé à Hermès. **Maris,** guerrier et agricole (Mars). **Aplu** (Apollon). **Hercle** (Héraklès), auteur d'exploits surnaturels. **Velchans,** d. du feu et de la végétation. **Déesses. Tiv,** la lune (haute Antiquité). **Artumes** (Artémis), venue d'Asie Mineure, sœur d'Aplu. **Nortia,** protectrice de Volsinies, déesse de la justice. **Turan** (« la tyrannique »), déesse-mère commandant à la vie et à la mort, à la fois Héra, Artémis, Perséphone et Aphrodite. **Génies et divinités mineures : Faveurs,** compagnes de la Fortune. **Pales, Cilens,** génies voilés et mystérieux. **Lases,** annonciatrices de la destinée. **Lares** et **Pénates,** semi-divinités attachées aux familles (adoptées par les Romains : protectrices du foyer ; représentées par des poupées de bois auxquelles on apportait des offrandes). **Génies,** semi-divinités attachées aux individus (chaque homme a son *genius*).

■ **Monde de l'au-delà.** Les morts vont dans un domaine souterrain que l'on peut atteindre par le *mundus,* fosse voûtée, ouverte rituellement les jours de fêtes *(religiosi)* pour permettre aux morts de rejoindre les vivants. **Dieu des enfers :** jusqu'au IVe s. **Turan,** la déesse-mère ; ensuite **Eita** (Hadès), **Persipmai** (Perséphone), **Athrpa** (une des Parques), **Culsu** (porteuse de flambeaux), **Leinth,** à la face voilée, **Vanth,** tenant le livre du destin, **Charun,** démon au nez crochu qui achève les mourants. Les tombes étrusques représentent des scènes d'horreur qui ont inspiré les peintres chrétiens de l'enfer.

■ **Art divinatoire. Éclairs** le ciel est divisé en 16 régions, toutes consacrées à un dieu (Tinia ou Jupiter en a 3). Les éclairs jaillis en Toscane sont observés et notés dans les archives. On compare leur heure et leur date selon chaque région pour juger des dispositions d'un dieu. **Examen des entrailles** des animaux tués au cours d'un sacrifice rituel. *1°) le foie (hépatoscopie)* : s'il possède certaines rides (causées par la pression des organes), il est habité par le dieu : on peut tirer un présage de la forme de ses lobes, de ses protubérances, de ses creux. La face externe révèle les ennemis ; la face interne les amis. On a trouvé à Plaisance un foie de bronze divisé en 16 régions, comme le ciel (chacune consacrée à un dieu). *2°) les exta (entrailles) (extispicium) :* rate, cœur, rognons, estomac, poumons. **Haruspices** interprétations divinatoires de phénomènes « sacrés » (*haru :* du grec *hieros,* « sacré »). **Présages** tout événement fortuit est une indication d'une volonté divine : passage d'une belette, toile d'araignée, éternuement ou pet, et surtout vol des oiseaux (auspices). **Prodiges** on observe les événements naturels (grondements souterrains, mugissements, tremblements de terre, pluies de sang), les bizarreries du monde animal et végétal (essaims d'abeilles, arbustes fleuris, chant des grenouilles), les malformations (veaux à 2 têtes ou à 5 pattes, enfants androgynes). Les devins professionnels les considèrent comme des signes de courroux de telle ou telle divinité.

Autres mythologies

■ **Assur Babylone. Ishtar ou Ashtart :** déesse de la fécondité, de la végétation et de l'amour. **Shamash :** dieu du Soleil justicier. **Sin :** dieu de la Lune, père de Shamash et d'Ishtar. **Tiamat :** déesse du mal, vaincue par Mardouk qui fait de son corps les deux moitiés du monde : Ciel et Terre. **Mardouk :** dieu créateur babylonien.

■ **Aztèques** (voir Mexique, à l'Index).

■ **Carthage. Baal :** Soleil. **Moloch :** Feu purificateur. **Tanit :** Lune.

■ **Celtes.** Dieux indo-européens auxquels les Romains ont donné les noms latins : **Belenos,** guérisseur, dieu de la lumière *(gallo-romain* Apollon) ; **Donn** (« Sombre »), dieu de la Terre (Pluton) ; **Gofannon,** le forgeron (Vulcain) ; **Lug,** dieu du commerce et des techniques (Mercure) ; **Mullo,** dieu de la guerre (Mars) ; **Smertios** ou **Ogmios,** dieu protecteur des troupeaux (Hercule) ; **Sucellos,** dieu au maillet, protecteur de la fécondité (Sylvain) ; **Taranis,** dieu du Ciel (Jupiter). Dieux propres : animaux ou semi-animaux : **Borvo,** serpent à tête de bélier ; **Cernunnos,** dieu solaire, maître des bêtes fauves (porteur de cornes de cerf) ; **Ésus,** dieu forestier (un taureau accompagné de 3 grues). Nombreux dieux locaux : les **Teutates,** totémiques de chaque tribu ; les **Matrae,** déesses mères, vénérées auprès des sources. Chaque espèce animale ou végétale avait sa divinité protectrice : **Arto** pour les ours, **Épona** pour les chevaux ; les chênes étaient protégés directement par **Taranis,** et tout ce qui venait d'eux était sacré, notamment le gui, objet d'un culte rituel.

■ **Égypte** (voir Égypte, à l'Index).

■ **Germanie et pays scandinaves. Ases :** principaux dieux (12 ou 14 ?) dont *Odin, Thor, Balder, Frigg.* **Balder :** lumière et beauté. **Elfes :** génies inférieurs. **Freyja :** déesse de la fécondité et de l'amour. **Freyr :** père de Freyja, fils de Njord, époux de Gerd ; fertilité et végétation. **Frigg ou Frigga :** épouse d'Odin, mère de Balder, amour et mariage. **Heimdal :** fils d'Odin, dieu de la lumière et gardien des dieux. **Jord :** la Terre, épouse d'Odin, mère de Thor. **Loke :** malin et rusé. **Mani :** Lune. **Nerthus :** Terre nourricière. **Nibelungen :** nains descendants de Nibelung, enfants de la brume ; Siegfried prit leur trésor. **Njord :** roi des vents et de l'Océan. **Odin (Wotan) :** le Soleil créateur de toutes choses. **Thor :** dieu du tonnerre. **Walhalla :** paradis germanique. **Walkyries :** vierges guerrières.

■ **Mayas** (voir Mexique, à l'Index).

SOCIÉTÉ

FEMMES

GÉNÉRALITÉS

Féminisation des noms de métier, fonction, grade ou titre (Circulaire ministérielle du 11-3-1986). *Noms terminés par un « e » muet :* féminin identique (architecte, comptable) ; *une autre voyelle :* f. en « e » (déléguée) ; *une consonne :* f. identique au masculin (médecin) ou en « e » avec éventuellement accent sur dernière voyelle ou doublement de la dernière consonne (agente, huissière, mécanicienne) ; *en « teur » :* si le « t » appartient au verbe de base : f. en « teuse » (acheteuse) sinon en « trice » (animatrice). L'usage actuel tend à donner un f. en « trice » même pour des noms dans lesquels le « t » appartient au verbe de base (éditrice). Dans certains cas, forme en « trice » non acceptée : dans ce cas f. identique (auteur). Autres noms en « eur » : f. en « euse » (vendeuse, danseuse).

Journée internationale des femmes. Origine. 1910 *août* 2e conférence internationale des femmes socialistes à Copenhague, Clara Zetkin (journaliste all. 1857-1933) fait voter une résolution proposant que les « femmes socialistes de tous les pays organisent une journée des femmes ». Le *8-3* rappelant la grève des ouvrières du textile, qui opposa les f. à la police de New York, le 8-3-1857. **1911**-*8-3* un million de f. manifestent en Europe. **1913**-*8-3* f. russes organisent des rassemblements clandestins. **1914**-*5-7* manif. à Paris (groupement des f. socialistes avec Louise Saumoneau). **1915**-*8-3* Oslo, f. défendent leurs droits et réclament la paix. **1917**-*8-3* f. russes manifestent pour le pain et contre la guerre (signal de la révolution). **1921** Lénine décrète le 8-3 Journée des femmes. **1924** célébrée en Chine. **1943**-*8-3* résistantes ital. manifestent. **1946** journée célébrée dans pays de l'Est. **1947**-*8-3* Léon Blum salue la place importante des f. dans la Résistance. **1948**-*8-3* à l'appel du PC et de la CGT, 100 000 f. défilent à Paris de la République à la statue de Jeanne d'Arc (30 000 à Marseille, 12 000 à Lille, 5 000 à Lyon). **1977** officiellement adoptée par ONU. **1982** statut officiel de la Journée en France.

Décennie de la femme 1975-85. Du 10 au 26-7-1985 : Nairobi (Kenya), une conférence internationale des Nations unies a réuni 10 000 femmes du monde entier pour faire le bilan.

Record de fécondité. 2 femmes ont eu 69 enfants en 27 couches ; une Russe (1707-82), Mme Fiodor Vassiliev, et une Autrichienne († 1911 à 56 ans), Mme Bernard Scheinberg. Les deux ont eu 4 fois des quadruplés, 7 fois des triplés et 16 fois des jumeaux. Bernard Scheinberg se remaria et eut 18 enfants de sa 2e femme. En 1989, Marie Olivera (n. 1939) donna naissance à son 32e enfant.

La plus jeune grand-mère. 17 ans : une Noire musulmane du Nigeria, Mum-zi, concubine du chef de Calabar, qui avait eu à 8 ans et 4 mois une fille qui fut mère à son tour à 8 ans.

Grandes différences d'âge au mariage. On peut citer Lucile de CHATEAUBRIAND (1764-1804) qui, à 32 ans, épousa M. de Caud, de 37 ans son aîné (il mourut 1 an après). Le roi Philippe VI de Valois (56 ans) épousa en 2e noces Blanche de NAVARRE (19 ans). Diane de POITIERS (1499-1566) était la maîtresse d'Henri II (il avait 20 ans de moins). Laure de BERNY (1777-1836), mère de 9 enfants, devint en 1822, à 45 ans, la maîtresse de Balzac (23 ans).

Le 7-11-1991, « Paris Match » a publié la photo de couples dont les femmes avaient des compagnons nettement plus jeunes. Ex. : Mme Soleil (78 ans) : 59 ans. Gloria Lasso (63) : 35. Annie Girardot (60) : 45. Régine Desforges (56) : 42. Ursula Andress (55) : 23. Raquel Welch (51) : 30. Linda Evans (49) : 27. Liza Minelli (45) : 27.

Différences hommes (H.)-femmes (F.). Agressivité *F. :* moindre, due à la prolactine (hormone). **Alcool** *H. :* le supportent mieux, une enzyme le dégradant mieux chez eux. **Bégaiement** 3 fois plus fréquent chez l'H. **Cerveau** *F. :* capacités mieux réparties dans les 2 hémisphères du cerveau féminin. **Chromosomes sexuels** *H. :* XY, *F. :* XX. **Graisse** *F. :* en ont 2 fois + que les H., surtout poitrine, hanches. *H. :* surtout abdomen. **Mathématiques** d'après différentes études et tests (controversés), *F. :* aptitude moindre. **Naissances** taux légèrement supérieur pour les filles. *Conceptions :* 130 à 150 garçons pour 100 filles, mais beaucoup de fœtus mâles sont victimes d'avortements spontanés. **Sommeil** (adolescence) *troubles :* plus fréquents chez les filles ; *difficultés d'endormissement* (en %) : filles 46, garçons 35 ; *réveil nocturne :* f. 25 (g. 16), *cauchemars* f. 11 (g. 5). **Sport** Coubertin, rénovateur des jeux Olympiques, disait en 1912 : « Une olympiade femelle serait impratique, inintéressante, inesthétique et incorrecte. » Certains records seront cependant détenus par des femmes : Jennie Longo, cycliste 46,352 km (bat les records de l'heure de Fausto Coppi 1942 et Jacques Anquetil 1956), mais avec un matériel amélioré. Angela Bandini, plongeuse en apnée, a battu d'un mètre Jacques Mayol (106 m). **Système cardio-vasculaire** *F. :* hormones entraînant une meilleure élasticité des vaisseaux pour permettre les augmentations de volume sanguin liées à la grossesse. Hormones faisant produire plus de « bon » cholestérol. **Système immunitaire** *F. :* œstrogènes renforçant l'immunité les protégeant mieux contre les infections. **Taille** *H. :* moyenne 10 cm de +.

Esclaves. Des centaines de femmes sont encore vendues comme esclaves en Inde, dans la région de Dholpur-Morena.

Excision. Ablation partielle ou totale du clitoris (clitoridectomie) et parfois des petites et grandes lèvres qui sont alors suturées (infibulation). Cette pratique, qu'aucune religion ni législation nationale n'impose, se développe dans le monde arabe et en Afr. noire où l'on avance des motifs moraux, hygiéniques, sociaux et esthétiques. *Effets fréquents :* hémorragie (décès possibles), cicatrisation douloureuse, infections chroniques et complications obstétriques entraînant la stérilité, perturbation de la sexualité allant jusqu'à la frigidité. *France :* l'excision d'une enfant de – de 15 ans relève de l'art. 312 du Code pénal qui réprime le crime de mutilation. **Statistiques :** env. 100 millions de femmes sont excisées ou infibulées en Afr., Indonésie, Malaisie. En France, 23 000 femmes et enfants.

L'ÉGLISE CATHOLIQUE ET LES FEMMES

Selon une légende, un concile aurait débattu de cette question : « Les femmes ont-elles une âme ? » En fait, lors d'un synode provincial (Mâcon 585), un assistant protesta qu'une femme ne pouvait être appelée homme. Les évêques répondirent, en citant la Genèse : « Au commencement Dieu créa l'homme, il les créa mâle et femelle et leur donna le nom d'Adam ou homo terrenus, homme de la terre. L'épouse fut donc désignée comme le mari et tous deux furent appelés homme. » De même, le Christ est dit Fils de l'homme bien qu'il soit né d'une femme, car le mot femme est entendu ici au sens génétique, mais la protestation mal traduite donna « une femme ne peut être appelée créature humaine ».

En 1965, dans un des textes de Vatican II (*Gaudium et Spes*), l'Égl. a condamné toute forme de discrimination. Mais le canon 1024 du nouv. code réserve le « pouvoir de l'ordre » (diacre, prêtre, évêque) aux hommes, et les femmes ne jouissent pas des pleins droits et devoirs des laïcs [le lectorat et l'acolytat (canon 230) sont réservés explicitement aux hommes]. Le canon 517 prévoit d'accorder des charges aux femmes « par suppléance ». Ex. être juges et assesseurs dans les trib. ecclésiastiques. Mais le canon 129 renforce le pouvoir clérical (« seuls les membres ordonnés sont habilités au pouvoir de juridiction ») et précise que les laïcs peuvent coopérer à l'exercice de ce même pouvoir, selon la norme du droit.

Femmes-girafes. Birmanie : les Padaungs portent des spirales de métal autour du cou qui, en provoquant l'affaissement du haut du thorax, font atteindre au cou 30 cm de hauteur.

Femmes à plateaux. Dans la tribu Saras-Djingés (sud du lac Tchad), les femmes portent 2 petits bouquets de feuilles attachés à la taille par une ficelle. L'homme choisit sa fiancée très jeune, souvent une fillette de 4 ou 5 ans, parfois un nourrisson ; entre 5 et 10 ans, il perfore ses lèvres puis y dispose des plateaux dont il augmentera le diamètre jusqu'à 7 cm pour la lèvre supérieure, 17 cm pour la lèvre inférieure (parfois 24 cm).

Pin-up. Mot apparu en 1942 : Betty Grable faisait la 1re de couverture du magazine « Movie Story », sa photo retouchée était fixée par 4 *pins* (épingles) sur le même livre.

Place. Les femmes représentent 50 % de la population adulte mondiale et 1/3 de la main-d'œuvre officielle. Elles accomplissent près des 2/3 de l'ensemble des heures de travail, ne reçoivent que 1/10e du revenu mondial et possèdent moins de 1 % de la propriété mondiale. Dans le tiers monde, 40 % sont illettrées (hommes 20 %).

Rosières. La coutume de les couronner remonte à St-Médard († 560), évêque de St-Quentin, qui avait décidé d'attribuer chaque année une somme de 25 livres à la jeune fille la plus vertueuse ; il détacha 12 arpents de sa terre « le fief de la rose » dont les revenus serviraient à doter l'élue et payer la fête.

LES FEMMES EN FRANCE

■ STATISTIQUES GÉNÉRALES

■ **Nombre de femmes** (en millions, en 1990). 29,08 (51,3 % de la pop.) dont de 15 ans et + 23,8 ; mariées 12,6 ; célibataires 12 ; veuves 3,3 ; divorcées 1,2.

■ **Vie. Espérance de vie** (1992) : femme 81,3 ans, homme 73,1 ans. **Vie génitale féminine au XXe s. et, entre parenthèses, au XIXe s. :** *âge des 1res règles* 13 (18), *de la ménopause* 53 (45). *Nombre de grossesses* 1,8 (10), *de mois d'allaitement par enfant* 4 (20). *Cycles stériles possibles* 200 (50). **Vie moyenne du couple :** *XVIIIe s.* 18 a. ; *1975* 45. **Nombre d'enfants :** *au XVIIIe s. :* sur 1 000 filles nées vivantes, 220 parvenaient à 50 ans, avaient en moyenne 6 à 7 enfants nés vivants dont 3 ou 4 survivaient ; elles mouraient, en moyenne, à 50 ans. *En 1975 :* 900 filles sur 1 000 dépassaient 60 ans. Il suffisait qu'elles aient eu en moy. 2,05 enfants pour que la population fût stable.

■ **Femmes seules** (1989). 3 714 000 dont vivant seules 16,2 % des femmes, (5,7 % des 15-24 ans ; 7,3 des 25-54 a. ; 17,5 des 55-64 a. ; 34,1 des 65-74 a. ; 55,6 des 75 et +). **Célibataires** (1985). **% de célibataires :** *15-24 ans :* 71,6 ; *25-29 :* 31,7 ; *30-34 :* 15,8 ; *35-39 :* 8,9. **Veuves** (1990) : 3 258 286 (veufs 633 055) dont *15-24 ans :* 2 881 ; *25-54 :* 250 468 ; *55 et + :* 3 004 937. Moins de 60 % des – de 65 ans travaillent (contre 35 % des femmes mariées), 7 % n'ont pas d'enfants. Entre 65 et 69 ans, 56 veuves sur 100 000 se suicident (152 veufs). **Veuves de guerre et orphelins :** env. 173 000 dont *g. de 1914 :* env. 28 500 ; *1939-45, Indochine, Afrique du N. :* (y compris victimes civiles et hors guerre) env. 144 500.

■ **Mères.** 6 900 000 dont *1 enfant :* 3 100 000 (de 0 à 16 ans), *2 :* 2 500 000, *3 ou + :* 1 300 000. **Isolées.** 821 000 dont séparées ou divorcées 464 000 (enfants confiés à la mère dans 85 % des divorces). **Divorcées** *(1983) :* 858 780 dont *15-29 ans :* 94 580 ; *30-39 :*

Diplômes en %	15-29 ans		30-54 ans		55 ans et +		Effectif total	
	Femmes	Hommes	Femmes	Hommes	Femmes	Hommes	Femmes	Hommes
CEP ou –	43,3	44,8	58,9	51,5	85,3	78,8	14 128 720	11 769 760
BEPC, BE, BEPS	16,8	13,2	7,3	4,4	6,1	4,1	2 139 020	1 460 780
CAP-BEP	16,5	23,2	14,7	22,6	2,7	5,7	2 493 460	3 781 960
BAC	14,6	11,6	9,2	10,3	3,4	6,2	1 957 560	1 984 800
BAC + 2	6	4,2	5,9	4,1	1,7	1,2	1 005 840	697 160
> BAC + 3	2,8	3	4	7,1	0,8	4	584 340	1 036 760
Effectif par âge (rec. 1982)	*6 327 280*	*6 460 940*	*8 477 080*	*8 695 240*	*7 504 640*	*5 575 040*	*22 309 000*	*20 731 220*

239 240 ; *40-49* : 73 140 ; *50-59* : 152 720 ; *60-69* : 97 880 ; *70-79* : 73 280 ; *80-89* : 25 060 ; *90 et +* : 2 780. **Mères divorcées :** *1981* : 353 289. *1986* : 399 000. **Veuves** 220 000. **Célibataires** 135 000 [40 % ont – de 30 ans ; en 1987, + de 6 000 enfants sont nés de mères de – de 18 a. (dont 10 % de – de 16 a.)]. Mieux aidées et comprises qu'auparavant, les mères célibataires, quel que soit leur âge, ne cherchent plus à « régulariser » leur situation à tout prix. Les mères célibataires de 2 enfants sont nombreuses.

■ **Femmes battues** (1990) 12 732 femmes battues (sur 2 millions) ont déposé plainte. 150 000 interventions de police urbaine, 60 % des appels Police Secours Paris. **Violences** 87 % exécutées à la maison, 50 en soirée, 23 la nuit, 58 à cause de l'alcoolisme. **Victimes :** entre 20 et 45 ans 85 %, mariées 54 %, vivant en concubinage 38 %. **Agresseurs :** maris 60, entre 18 et 30 ans : 39, 31 et 50 a. : 55, ouvriers 35, employés et cadres moyens 30, chômeurs 25, cadres supérieurs ou prof. libérales 10.

■ **Enseignement. Élèves des sections de techniciens supérieurs** (% de filles, 1988) : 51,2 dont secrét., compt., inform. de gest. 74,1 ; comm. vente 52,8 ; tourisme, comm. 77,1 ; conseil écon. soc. et fam. 98,1 ; phys. biol. chimie 65,6 ; agr. agroalim. 24,3 ; prof. artist. esthét. décoration 64,5 ; hôtell. rest. 43,4 ; paramédical 86,2 ; textile habil. 61,7.

Bacheliers (% de filles, 1992) 56,05.

Étudiants dans les universités (% de femmes) 1992 : 53 dont lettres 67,8, pharmacie 61,7, Deug pluridisciplinaire 59,2, droit 52,4, médecine 43,8, dentaire 36,4, sciences écon. 42,4, IUT 37,6, sciences 32,9.

IUT % de filles (1988-89) : *Sect. secondaire :* biologie appliquée 60,4, chimie 50,7, informatique 28,9, hygiène et sécurité 24,2, mesures physiques 21,8, génie civil 8,4, génie électr. et inform. industr. 5,7, génie mécanique 3,7. *Sect. tertiaire :* inform. 77,3, carrières juridiques 76,8, sociales 68,4, gestion 58,9, commercialisation 57,9, stats. et techn. quantitatives 49,2, transp. logistique 36,4.

Classes préparatoires aux grandes écoles (% de filles, 1991-92) *littéraires* 68 (1980-81 : 66,2). *Économiques* 53 (42,9). *Scientifiques* 22 (17,5).

Élèves de grandes écoles (% de filles 1988-89) : *écoles d'ingénieurs* 19,3 (agriculture, agroalimentaire 41,9, physique, chimie 31,3, univ. techno. de compagnie 22,7, électricité, électronique 13,3, construction, TP Mines, géologie 11,8, mécanique, métallurgie 10,8, techn. indust. 9,9). *Architecture* 36,2. *Vétérinaires* 40,5 (1991 : 52). *Supérieures agricoles* 26,4. *Diverses* 39,2. *Commerce et gestion* 44 (dont ESCAE 50,5, ESCP 43,1, ESSEC 35,6, HEC 35,4). *Sciences juridiques et administr.* 33,4 (dont notariat 74,2, impôts 49,2). *Normale sup.* 36,5. *Caractère artistique* 58,6 dont instit. sup. d'interprétariat 89,8, éc. du Louvre 80, éc. nat. des Beaux-Arts 59,2. *Journalisme* 76,2.

■ **Pouvoir. Participation des femmes aux instances du pouvoir** (%) : **personnel politique :** voir p. 560.

Fonction publique (1990) : ensemble des fonctionnaires 52,3, cadres 23,5, chefs de service, directrices adjointes, sous-directrices 11,9, dir. d'administration centrale 3,1.

Haute fonction publique : sous-préfets 5,2, recteurs 3,6, dir. d'administr. centrale 2,4, préfets 0,9, trésoriers payeurs généraux 0,9. **Grands corps de l'État :** 9,4 dont inspect. générales 11 (aff. soc. 30,4, éduc. nat. 16,1, finances 3,8), Conseil d'État 10, Cour des comptes 10.

Magistrature (1990) : 40,5, Cour de cassation 16,42 ; cours d'appel 23,4 ; Pt de tribunal adm. 9,1 ; avocats 38,2 ; huissiers 10 ; notaires 5,7.

Entreprises : chefs d'entreprise d'au moins 500 sal. 12 ; de 50 à 500 sal. 10 ; de 10 à 50 sal. 13 ; administrateurs des banques nationalisées (1982) 9,5. (Équipes dirigeantes des 20 1res entreprises : 5 sur 264 dont CGE 1, PSA 1, St-Gobain 1, Citroën 1, CRD Total France 1.).

Enseignement : Éducation nationale (au 1-1-1989). Inspecteurs généraux 18, d'académie 21, départementaux 29, autres 22. Professeurs d'université (1987) 10. Proviseurs de lycées 22, censeurs 35. Proviseurs de lycées professionnels 19, censeurs 39. Principaux de collèges 23, principaux adjoints 32. Enseignants lycées, collèges, lycées prof. 55. **Chercheurs au CNRS** (au 31-12-1992) sciences de la vie 41,3, de l'homme 38, chimie 27,5, univers 25,8, physique et mathématiques 18,8, nucléaire et corpusculaire 16,4, ingénieurs 15,8.

Information, arts et spectacles : journalistes, secrét. de rédaction 29 (dont j. TV 12, encadrement TV 26) ; auteurs, scénaristes, dialoguistes 34 ; cadres de presse, édition, audiovisuel et spectacles 23 (dont réalisateurs de films 5) ; cadres artistiques des spectacles 25 ; artistes plasticiens 24 ; professionnels musique et chant 20 ; dramatiques, danseurs 45 ; de variétés 41.

Syndicats : CGT adhérentes 25, bureau confédéral 3 sur 18 m. **CFDT** adh. 30, bureau national 7 sur 39, commission exécutive 2 sur 11. **CFTC** adh. env. 30 ; bureau nat. 3 sur 27, conseil 6 sur 49. **CGC** adh. 5, comité exécutif 3 sur 26, bur. exécutif 1 sur 8. **FO** adh. 40, bur. conféd. 1 sur 12, féd. nat. 2 sur 30, union départ. 4 sur 107.

■ **Justice. % de femmes mises en cause :** voir Index. **Bagnardes :** sur env. 100 000 bagnards de 1859 à 1907, 2 000 furent des femmes, condamnées le plus souvent pour infanticide. Le 1er convoi (36 f.) partit de Brest en décembre 1858.

Femmes emprisonnées (au 1-1-92) : *2 100* (soit 4,4 % des emprisonnés), dont condamnées à : *contrainte par corps :* 2,3 %, *– de 3 mois :* 16,1, *3 à 6 mois :* 41,3, *6 mois à 1 an :* 42,5, *1 à 3 a. :* 18,9, *3 à 5 a. :* 13,1, *5 a. et + :* 30,6, *perpétuité :* 3,5.

Motifs des condamnations (%) : infraction à la législation sur stupéfiants 28,1, crime de sang 10,1, vol simple 21,6, homicide, blessures involontaires 3,2, escroquerie, abus de confiance, recel, faux usage 8,3, vol qualifié 3,4, coups et blessures volontaires, coups à enfants 5,1, viols, attentats aux mœurs 4,1, proxénétisme 0,1, autres 9,7.

TRAVAIL

Nombre de femmes actives en millions et, entre parenthèses, **en % de la population totale des femmes.** *1901 :* 7 (36) ; *21 :* 7,2 (35,6) ; *46 :* 4,7 (32,5) ; *62 :* 6,58 (29,6) ; *82 :* 9,58 (34,5) ; *91 :* 10,6 (37,9) (et 43 % des actifs).

Taux selon l'âge en 1990. *15-19 ans :* 9, *20-24 :* 60, *25-29 :* 82, *30-34 :* 78, *35-39 :* 77, *40-44 :* 77, *45-49 :* 73, *50-54 :* 64, *55-59 :* 46, *60-64 :* 17.

Féminisation des secteurs. Emploi féminin en 1990 en milliers et, entre parenthèses, taux de féminité en 1990, en % : Agriculture 426 (34,1), industrie 1 512 (29,9), bâtiment, génie civil et agr. 135 (8,2), tertiaire 7 352 (51,4). *Ensemble* 9 425 (42,4).

Professions ayant les taux de féminité les plus élevés (en 1990, en %). Assistantes maternelles, gardiennes d'enfants et trav. familiales 99,66, puéricultrices 99,59, sages-femmes 99,56, manucures, esthéticiennes salariées 99,26, personnel de secrétariat de niveau sup., secrétaires de direction (non cadres) 98,59, employés de maison et femmes de ménage 98,16, secrétaires 97,64, aides familiaux non salariés ou associés d'artisans effectuant un travail admin. ou commercial 96,14, assistantes sociales 95,64, caissières de magasin 94,69, standardistes, téléphonistes 93,52, agents et hôtesses d'accueil et d'information 92,96. **Les moins élevés.** Couvreurs qualifiés 0,07, tuyauteurs industriels qualifiés 0,07, chefs d'équipe de gros œuvre (bâtiment) et des trav. publics 0,08, carrossiers d'automobile qualifiés 0,09, mineurs de fond qualifiés 0,11, conducteurs qualifiés d'engins de chantier du BTP 0,11, maçons qualifiés 0,12, ouvriers qualifiés du travail du béton 0,12, plombiers et chauffagistes qualifiés 0,14, charpentiers en bois qualifiés 0,16, menuisiers qualifiés du bâtiment 0,26, mécaniciens qualifiés de l'automobile (entretien, réparation) 0,29.

Professions comptant le nombre le plus élevé de femmes. Effectifs féminins en milliers et, entre parenthèses, taux de féminité en %, en 1990 : secrétaires 702 (97,64), agents de bureau de la fonction publique 289 (83,24), employés des services comptables ou financiers 274 (83,24), aides-soignants (du public ou du privé) 266 (91,53), assistantes maternelles, gardiennes d'enfants et trav. familiales 261 (99,66), instituteurs 243 (78,78), agents de services hospitaliers (du public ou du privé) 236 (83,39), commis, adjoints admin. de la fonction publique 235 (88,42), nettoyeurs 217 (66,05).

Professions comptant le nombre le plus élevé d'hommes. Effectifs masculins en milliers et, entre parenthèses, taux de féminité en %, en 1990 : conducteurs routiers (salariés) 321 (0,40), ouvriers non qualifiés de montage, de contrôle etc., en mécanique 190 (31,33), manutentionnaires, agents non qualifiés des services d'exploitation des transports 181 (25,76), maçons qualifiés 176 (0,12), magasiniers 171 (11,63).

Catégories socioprofessionnelles. Emploi féminin en milliers et, entre parenthèses, taux de féminité en %, en 1990 : *Ensemble* 9 425 (42,4) dont : *employés 4 493 (76,2)* [dont empl. admin. d'entreprise 1 597 (83,5), empl. civils et agents de service de la fonction publique 1 528 (79), personnels des services directs aux particuliers 771 (82,4), empl. de commerce 572 (78,4), policiers, militaires 25 (6,4)] ; *professions intermédiaires 1 963 (44,1)* [dont prof. interm. admin. et commerciales des entreprises 579 (45,6), prof. interm. de la santé et du trav. social 569 (76,4), instituteurs et assimilés 481 (65,2), prof. interm. admin. de la fonction publique 194 (49,9), techniciens 85 (11,9), contremaîtres, agents de maîtrise 34 (6,3), clergé, religieux 20 (41,4)] ; *ouvriers 1 243 (19)* [dont ouvr. non qualifiés de type industriel 603 (35,2), non qualifiés de type artisanal 266 (30,6), qualifiés de type industriel 189 (12,8), qualifiés de type artisanal 95 (7,2), agricoles et assimilés 47 (19,8), qualifiés de la manutention, du magasinage, des transports 27 (7,7), chauffeurs 15 (2,8)] ; *cadres et professions intellectuelles sup. 800 (30,7)* [dont professeurs, professions scientifiques 278 (50,1), cadres admin. et commerciaux d'entreprises 211 (29,9), professions libérales 101 (32,3), cadres de la fonction publique 80 (28,4), ingénieurs et cadres techniques d'entreprise 68 (11,4), professions de l'information, des arts et des spectacles 61 (40,5)] ; *artisans, commerçants et chefs d'entreprise 560 (31,9)* [dont commerçants et assimilés 339 (44,6), artisans 198 (23,8), chefs d'entreprise de 10 salariés ou + 24 (14,3)] ; *agriculteurs exploitants 366 (36,9)* [dont agric. sur petite exploitation 138 (42,2), grande 122 (34), moyenne 106 (34,8)].

Police. 6 591 sur 112 167 (5,5 %) dont (en 89) gradées ou gardiennes de la paix 4 302, inspectrices 1 282, enquêtrices 374, commissaires 165, officiers de paix 47. *Taille minimale* 1,66 m.

% de femmes travaillant à temps partiel. *1991 :* 23,7 (salariées 2 095 600, non salariées 115 500) ; *92 :* 24,2.

Chômage. *1989 :* 54 % des chômeurs. *Taux global 1989 :* 13,4 % (hommes 7,7 %). *92:* 13 % (hommes 8,6 %).

■ EMPLOI DU TEMPS

18-64 ans Moyenne hebdomadaire ramenée à la journée	Femmes				Hommes	
	Sans enf.		1 enf. ou +			
	Sa	In	Sa	In	Sa	In
Travail domestique, dont :	4h06	5h52	5h18	7h25	2h52	3h45
cuisine-vaisselle	1h15	1h49	1h29	2h04	24	29
ménage	34	51	41	1h02	7	11
linge	22	29	27	35	1	2
achats	29	33	26	31	17	28
trajets non liés au trav.	41	47	40	51	43	59
soins aux enfants	2	6	42	1h14	6	2
Travail prof. dont :	5h18	1h29	4h46	1h02	6h04	2h26
trav. normal	4h27	5	4h04	1	5h07	6
trajets liés au trav.	36	12	30	6	40	17
formation étudiants	1	1h08	1	50	1	1h53
Sommeil, temps personnel, dont :	11h32	12h22	11h19	11h49	11h19	12h23
sommeil, sieste, repos	8h36	9h14	8h33	9h01	8h23	9h22
repas à domicile	1h18	1h40	1h22	1h37	1h23	1h37
repas hors dom.	35	22	29	17	40	29
toilette, soins	1h04	1h06	56	55	54	55
Temps libre, dont :	3h05	4h18	2h38	3h44	3h45	5h26
visite chez parents et amis	15	22	12	19	13	17
spectacles et sorties	10	9	8	7	10	15
conversations, téléphone, courrier	28	37	26	36	28	37
sports	6	6	4	5	10	21
promenade, tourisme	12	17	8	13	11	22
télévision	1h13	1h52	1h07	1h43	1h38	2h12
lecture	21	26	16	18	21	30
musique, radio	3	7	2	4	6	13
jeux	7	10	5	7	10	19

Légende : In : Inactif (ve), Sa : Salarié (e), S. enf. : sans enfants de – de 15 ans dans le ménage, 1 e. ou + : ayant au moins 1 enfant de – de 15 a. dans le ménage. *Source :* INSEE enquête 1985-86.

après 64 ans	Femmes Seule	Hommes Seul
Travail domestique, dont :	5h08	4h39
cuisine-vaisselle	1h46	1h27
ménage	50	32
linge	17	7
achats	24	27
trajets non liés au trav.	32	46
soins aux enfants	2	–
Travail professionnel, dont :	6	15
travail normal	6	11
trajets liés au trav.	–	2
formation des étudiants	–	–
Sommeil, temps personnel, dont :	13h40	13h19
sommeil, sieste, repos	10h41	10h27
repas à domicile	1h36	1h26
repas hors dom.	14	30
toilette, soins	1h09	56
Temps libre, dont :	5h05	5h47
visite chez parents et amis	35	19
spectacles et sorties	5	1
conversations, téléphone, courrier	28	27
sports	–	5
promenade, tourisme	16	33
télévision	2h15	2h18
lecture	44	1h02
musique, radio	9	11
jeux	14	22

Femme au foyer. Coût du temps passé par mois (famille de 4 personnes) : *cuisine* 90 h par mois (soit au prix du Smic au 1-3-1993 un salaire d'env. 3 065 F), *ménage* 104 h (3 542 F), *soins de santé et d'hygiène* 60 h (2 044 F), *couture* 24 h (817 F), *gestion du budget familial et divers* 40 h (1 362 F). Total 318 h : 10 831 F.

Harcèlement sexuel. Sondage du secrétariat d'État aux droits des femmes réalisé par l'institut Louis-Harris (9/13-12-1991), auprès de 1 000 Français (hommes et femmes 18 ans et +) et 300 femmes (actives 18 à 40 ans). *Harceleurs :* personnes en situation de pouvoir 29 %, supérieur hiérarchique 26 %, client 27 %, collègue 22 %. *Formes :* propos et gestes douteux 63 %, avances répétées malgré refus 60 %, assorties d'un chantage 12 %. **Art. 222-33 du Code pénal :** le fait de harceler autrui en usant d'ordres, de menaces ou de contraintes, dans le but d'obtenir des faveurs de nature sexuelle, par une personne abusant de l'autorité que lui confèrent ses fonctions, est puni d'un an d'emprisonnement et de 100 000 F d'amende.

■ **Pratiques culturelles au foyer des femmes et, entre parenthèses, des hommes (%).** Télévision 95,8 (95,6), radio 85,3 dont + de 3 h/j 19,9 (29/15,1), lecture de livres 71,1 dont + de 2/mois 16,2 (62,7/11,3), lecture de journaux quotidiens 69,1 dont tous les j 38,1 (78,1/44,8), lecture de bandes dessinées 19,7 dont 1/m. 9,1 (34,2/18,7), pratique d'un instrument de musique 8,7 (11,3).

■ **Passe-temps des femmes et, entre parenthèses, des hommes (%).** Bricolage 74,4 dont tous les j 14,2 (84,8/13,8), cartes ou jeux de société 58,6 dont chaque semaine 16,3 (68,4/20), mots croisés 45,6 dont + 50 min/j 6,3 (35,5/3,8), loto et jeux semblables 34,7 dont + 16 F/sem. (1988) 7,6 (38,3/11,8), collections 21,6 (23,6), tiercé et courses de chevaux 9,7 (16,5).

■ Viol

Définition (Loi N° 92-684 du 22-7-1992). **Art. 222-23 du Code pénal.** Tout acte de pénétration sexuelle, de quelque nature qu'il soit, commis sur la personne d'autrui par violence, contrainte, menace ou surprise est un viol.

Nombre. 20/25 000 par an. *En 1991 :* 5 068 ont fait l'objet d'une constatation (2 063 violeurs écroués), 1 viol sur 5 fait l'objet d'une condamnation (plusieurs plaintes pour un seul violeur, violeurs non identifiés, déqualifications en attentat à la pudeur). La police estime que 88 % des victimes préfèrent se taire. Voir Index.

Peines encourues. (Loi du 22-7-1992) *15 ans de réclusion criminelle. 20 ans :* si le viol entraîne mutilation ou infirmité permanente ; le mineur à – de 15 ans ; est commis sur une personne vulnérable (malade, infirme, atteinte de déficience physique ou psychique...) ; par un ascendant légitime ; par une personne usant de l'autorité que lui confèrent ses fonctions ; par plusieurs personnes ; avec usage d'une arme. *30 ans de réclusion criminelle* si le viol a entraîné la mort de la victime. *Réclusion criminelle à perpétuité* en cas de viol accompagné de tortures ou d'actes de barbarie.

Moyens de contrainte reconnus. Violences physiques (coups, séquestration, menaces d'une arme) et morales (menaces policières, médecins profitant d'un examen gynécologique pour se livrer à des attouchements non justifiés par une nécessité professionnelle), recours aux aphrodisiaques, à l'alcool, aux méthodes hypnotiques.

■ Mouvements et organismes

☞ Le mot féminisme apparaît en France en 1837.

Association des centres d'accueil de femmes seules, 6, av. Général-Balfourier, 75016 Paris. **Association et entraide des veuves et orphelins de guerre** (AEVOG), 18, rue de Vézelay, 75008 Paris. **Bibliothèque Marguerite-Durand,** 79, rue Nationale, 75013 Paris.

Centre féminin d'études et d'information (CFEI Femme Avenir), 6, cité Martignac, 75007 Paris. *Créé* 1965, 50 000 adhérentes et sympathisantes. *Pt :* Noëlle Dewavrin. *Pt d'honneur :* Christiane Papon. *Publications (trimestr.) :* Femme Avenir (journal) ; Lectures (critique de livres) ; Grand Écran (cinéma et audiovisuel). *Activités :* 300 délégations métropole, outre-mer, étranger. **Centre international de culture populaire** (CICP), 14, rue Nanteuil, 75015 Paris. **Centre national d'information et de documentation des femmes et des familles (CNIDFF),** 7, rue du Jura, 75013 Paris. *Origine :* Centre d'information féminine, créé 1972 après les États généraux de la femme (Versailles 1970). 318 points d'information en France (domaine : droit, emploi, santé). A accueilli 50 000 personnes à Paris et 600 000 en France en 1992. *Publications :* brochures de vulgarisation, 3 000 ouvrages, 900 dossiers thématiques. *Pte :* Jacqueline Perker. *Dir. :* Françoise Michaud. **Choisir,** 102, rue St-Dominique, 75007 Paris. *Créé* 1971 pour l'avortement, la contraception et l'information sexuelle. A étendu son activité : lutte contre les discriminations sexistes.

Prix Cognacq-Jay. *Créé* 1920 par Ernest Cognacq (1839-1928), fondateur de la Samaritaine, et sa femme née Marie-Louise Jay (1838-1925) ; récompense les familles méritantes de 9 enf. vivants et plus (un prix par départ.), de 5 enf. au moins (200 prix).

Secrétariat d'État chargé des droits de la femme, 31, rue Le Peletier, 75009 Paris. *Créé :* 28-6-1988.

Fédération des associations de veuves chefs de famille (Favec), 28, place St-Georges, 75009 Paris. 93 assoc. départementales, 1 120 points d'accueil. **Fédération syndicale des familles monoparentales** (ex Femmes chefs de famille), 53, rue Riquet, 75019 Paris. 49 associations.

Halte aide aux femmes battues, 14, rue Mendelssohn, 75020 Paris. *Créée* 1983. Gère à Paris le Foyer Louise Labé. **Ligue du droit des femmes,** 54, av. de Choisy, 75013 Paris. *Née* 1974 d'une scission du MLF. *Pte :* Anne Zelensky après Simone de Beauvoir († 1986). Lutte contre le sexisme. **Maison des femmes,** 8, cité Prost, 75011 Paris. *Publication :* Paris féministe. **Mouvement de libération des femmes (MLF),** 31, rue Le Peletier, 75009 Paris. *Créé* 1968. *Publications :* le Torchon brûle (1971-73), le Quotidien des femmes (1974-76), Des Femmes en mouvement (1979-82) (hebdo). *Maison d'édition :* Des Femmes, 6 rue de Mézières, 75006 Paris. *Librairie :* Des Femmes, 74, rue de Seine, 75006 Paris. **Parti féministe unifié,** 55, rue St-Antoine, 75004 Paris.

SOS femmes alternative, 54, av. de Choisy, 75013 Paris. *Association* issue de la Ligue du droit des femmes. A créé le *1er centre pour femmes et enfants victimes de violences* en France (Centre Flora-Tristan, 142, av. de Verdun, 92320 Châtillon-sous-Bagneux). **SOS Viols femmes informations,** 4, square St-Irénée, 75011 Paris.

UCTEH (Union contre le trafic des êtres humains), 92, bd de Port-Royal, 75005 Paris. *Créée* 1926. **Union des femmes françaises (UFF),** 146, rue du Faubourg-Poissonnière, 75010 Paris. *Créée* 1945. *Publication :* Clara-Magazine. **Union féminine civique et sociale (UFCS),** 6, rue Béranger, 75003 Paris. *Créée 1929.* Organisme de formation et organisation de consommateurs. *Adhérents :* 12 000. *Presse :* Dialoguer (bimestr.). **Kvinnor Kan** (Salon des Femmes de Suède). *Créé* 1984, tous les 2 ans. *Renseignements :* Ostermalmsgatan 33, S 114 26, Stockholm Suède.

■ Prostitution

Répression de la traite des Blanches

Législation. 1904-*18-5* arrangement internat. traite des Blanches. **1910**-*4-5* convention relative à la répression de la traite des Blanches. **1921**-*30-9* conv. internat. pour la répression de la traite des femmes et enfants. **1933**-*11-10* c. internat. pour la répression de la traite des femmes majeures. **1946** loi Marthe Richard ordonne la fermeture des « maisons de tolérance » (l'auteur de la prop. de loi est le dipl. Pierre Dominjon). **1947**-*20-10* protocole de l'Onu amendant la conv. de 1933. **1948**-*30-12* protocole de l'Onu modifiant la conv. de 1904. **1949**-*2-12* conv. pour la répression de la traite des êtres humains et de l'exploitation de la prostitution d'autrui. **1960**-*25-11* approbation de cette déclaration par la France (décret n° 601251). Principes consacrés : est punissable toute personne qui, pour satisfaire les passions d'autrui : 1°) embauche, entraîne ou détourne en vue de la prostitution une autre personne même consentante ; 2°) exploite la prostitution d'une autre personne même consentante.

En France

■ **Nombre de prostituées** (estimations). 15 000 à 30 000 professionnelles (dont 95 % aux mains de 15 000 proxénètes) **(à Paris)** 3 000 sur le trottoir dont 1 700 quartier rue St-Denis (le « plus chaud »), 60 000 occasionnelles. Environ 200 s'en sortent chaque année (soit 1 sur 100). **Prostituées fr. à l'étranger** (1979) 4 200 : Belgique 3 000, All. féd. 800 à 1 000, Côte-d'Ivoire et Sénégal 200, Hollande 100.

■ **Fréquence des rapports.** 1 homme sur 10 a eu ses premiers rapports sexuels avec une prostituée, et 33 % des Français de plus de 20 ans ont avoué avoir fait cette « expérience ». Selon la police, il y aurait au moins 45 000 passes par jour.

■ **Chiffre d'affaires de la prostitution.** Env. 10 milliards de F. Une professionnelle peut gagner en moyenne 38 000 F par mois à Paris, une call-girl jusqu'à 200 000 F. Les proxénètes en studio (env. 1 300 en France) reçoivent env. 120 F par client.

■ **Fiscalité.** Une prostituée qui exerce son activité en France, à titre individuel, de façon habituelle ou occasionnelle, doit la TVA à 18,60 % pour ses encaissements, la taxe professionnelle, l'impôt sur le revenu au titre des bénéfices non commerciaux sur l'écart entre ses recettes et ses dépenses et charges. Elle doit souscrire une déclaration de revenus, sous peine d'être taxée d'office.

☞ Madame Claude (Fernande Grudet 70 ans), qui eut un réseau de call-girls pendant + de 20 ans avant d'avoir des démêlés avec le fisc (1986), et être poursuivie pour proxénétisme aggravé (1992), disait que dans les années 60 ses filles gagnaient de 60 à 70 000 F par mois, plus les cadeaux, visons, bijoux, voitures et pourboires. Elle prenait 30 % sur leur rémunération.

■ **Répression.** La prostitution n'est ni interdite ni réglementée *en France.* La répression ne peut être que locale, momentanée et parfois illégale. **Peines encourues.** *Racolage :* attitude de nature à provoquer la débauche, sans gestes ni paroles ni écrits (par ex. prostituées dans la rue, dans une attitude provocante). Amendes de 80 à 160 F. *Proxénétisme :* emprisonnement de 6 mois à 2 ans et amende de 10 000 à 200 000 F (2 à 10 ans et 20 000 à 250 000 F s'il s'agit d'une mineure ou si la femme a agi sous la contrainte) ; *en studio :* 2 à 10 ans, amendes et fermeture de tout ou partie de l'établissement.

☞ En 1975, env. 100 prostituées lyonnaises ont occupé l'église Saint-Nizier pour protester contre l'excès de zèle de la police.

☞ La *chandelle* stationne. La *marcheuse* fait les cent pas sur une portion de trottoir. L'*échassière* attend sur un tabouret de bar, l'*entraîneuse* dans le bar. La *zonarde* ou *bucolique* travaille dans les bois et les parcs. La *serveuse montante* de certaines auberges est inscrite à la Sécurité sociale. Pour toutes celles-ci, le prix de la passe varie entre 60 et 400 F.

Les *amazones* draguent au volant, les *call-girls* se font appeler par téléphone, les *michetonneuses* se font racoler aux terrasses de café, les *caravelles* fréquentent palaces et aérogares. L'*étoile filante* arrondit ses fins de mois. Tarifs de 600 à 3 500 F pour une nuit.

Droits des femmes

Quelques dates

■ **A Rome.** La femme pouvait parler au Forum.

■ **Moyen Âge.** Peu de distinction, du point de vue du droit féodal, entre la femme et l'homme seigneur de fief. Les femmes titulaires d'un fief peuvent désigner un mandataire ; celui-ci vote pour elles lors de l'élection des députés aux états généraux. Avant Philippe le Bel, certaines bourgeoises auraient été consultées par le roi. Certaines femmes ont été régentes (dont Mme de Sévigné qui a siégé aux états de Bretagne). *A Rome :* sous le pape Innocent IX, droit électoral pour tous les majeurs de 14 ans, hommes et femmes. *En Angleterre,* certaines femmes de grandes familles seront représentées au Parlement et exerceront des fonctions de juge de paix jusqu'au début du XVIIIe s.

■ **France. XIXe-XXe s. 1804** Code Napoléon, la célibataire jouit en théorie de la plénitude de ses capacités civiles, mais le Code affirme l'incapacité juridique totale de la f. mariée. Elle porte le nom de son mari. Même séparée de corps, ne peut jamais changer de nationalité sans le consentement de son mari et, à défaut, sans l'autorisation du juge. L'enfant prend la nationalité du père. **1810** l'adultère est un délit. La f. adultère est passible de prison, l'homme d'une amende, seulement dans le cas de la présence d'une concubine au domicile conjugal. Le « devoir conjugal » est une obligation : pas de viol entre époux. **1838** 1re École normale de filles. **1842** *loi du 30-11* autorise les f. à devenir dentistes et médecins. **1848** la Constituante interdit aux f. d'assister aux réunions politiques. **1850** loi Falloux rendant obligatoire la création d'une école de filles dans toute commune de + de 800 h. **1880** organisation de l'ens. secondaire féminin mais sans préparation au bac. **1881** *loi du 9-4* la f. peut se faire ouvrir un *livret de Caisse d'épargne* sans l'assistance de son mari et retirer sans l'autorisation de celui-ci les sommes inscrites au livret. Création de *l'École normale sup.* de Sèvres. **1884** *loi du 27-7* rétablit le *divorce* et déclare que *l'adultère de l'homme* sera sanctionné par une amende et celui de la f. par de la prison. **1885**-*31-7* Eugène Poubelle (1831-1907), préfet de la Seine, fait signer l'arrêté ouvrant *l'internat des hôpitaux* aux f. (contre l'ensemble du corps médical et de l'Assistance publique). **1892** interdiction du *travail de nuit* des f. et instauration d'autres mesures protectrices concernant leur travail. **1893** *loi du 6-2* accorde à la f. séparée de corps la pleine *capacité civile.* **1896** *loi du 20-6* en cas de *désaccord pour le mariage de leurs enfants,* entre époux divorcés ou séparés de corps, l'avis de 2 époux a valeur égale. **1897** *loi du 7-12* la f. peut être *témoin* dans les actes civils ou notariés. **1898**-*23-1* les f. peuvent être *électrices* aux tribunaux de commerce. *La durée du travail* des f. dans les ateliers est réduite à 10 h/j. **1900** *loi du 1-12* les f. licenciées en droit peuvent prêter serment d'*avocat* et exercer la profession. **1906** *École des chartes* ouverte aux f. **1907** *loi du 13-7* la f. mariée administre les produits de son travail et ses économies et en jouit quel que soit son régime matrimonial. F. électrices et éligibles aux conseils des prud'hommes (loi du 27-5). Melle Jousselin (synd. des couturières-lingères) élue. **1908**-*3-5* manif. à Paris pour droit de vote. **1909** *loi* instituant un *congé de maternité* de 8 semaines sans rupture du contrat de travail. Le port du *pantalon* n'est plus un délit si la f. tient à la main un guidon de bicyclette ou les rênes d'un cheval. **1910** congé de maternité payé pour les institutrices. **1914**-*3-2* 238 députés sur 591 refusent le vote des femmes. **1918** Éc. centrale ouverte aux f. **1919** création d'un bac fém. *Loi votée par les députés accordant aux f. les droits pol.,* refusée par le Sénat. Création d'une *agrégation* f. de philosophie. Éc. sup. de chimie de Paris et Éc. sup. d'électricité ouvertes aux f. Poste de rédacteur au min. du Commerce ouvert aux f. **1919**-*20-5* la Chambre des députés accorde aux femmes tous les droits polit. par 324 v. contre 53, en 1922 le Sénat repoussera la proposition par 184 v. contre 156, il recommencera en 1933. **1920** les f. peuvent adhérer à un *syndicat* sans l'autorisation de leur mari. Loi réprimant l'avortement et la contraception. **1924** les programmes d'études dans le secondaire pour garçons et filles deviennent identiques ; *équivalence bac* masculin et féminin. **1925** des candidates communistes se présentent aux *municipales* (invalidées). Marie-Louise Paris fonde l'*Éc. polytechnique fém.* (fondation de l'Union nationale pour le vote des femmes). **1927** principe de l'égalité des traitements des *professeurs* titulaires des mêmes diplômes. **1928** généralisation du *congé de maternité* de 2 mois à plein traitement dans la fonction publique. **1931**-*9-12* les f. peuvent être élues juges. **1937** le Père Talvas fonde le *Nid* pour aider les prostituées. **1938** *loi du 18-2* supprimant l'incapacité civile relative à la personne pour la f. mariée ; subsistent la fixation de la résidence par le mari, la possibilité pour le mari de s'opposer à l'exercice d'une profession par sa f., l'exercice de la seule autorité paternelle. La capacité relative à l'administration des biens dépend du contrat de mariage ; elle est réduite dans le régime de la communauté de biens. **1942** *loi du 22-9* abolition de la *puissance maritale* et, théoriquement, de l'*incapacité* de la f. mariée. **1944** *ordonnance du 21-4* prévoit le *vote des femmes et l'éligibilité ;* elles voteront pour la 1re fois le 29-4-45 aux municipales [1], puis les 23 et 30-11-45 aux cantonales (39 conseillères générales élues) et le 21-10-45 pour élire l'Assemblée constituante. Création de l'Éna (éc. mixte). **1945** *congé de maternité* (2 sem. avant, 6 après) obligatoire et indemnisé à 50 %. **1946** le préambule de la Constitution pose le principe de *l'égalité des droits* entre hommes et femmes dans tous les domaines ; *30-9* fin légale de l'abattement pour salaire féminin. **1950** loi instaurant la *fête des mères.* **1959** Éc. des Ponts et Chaussées ouverte aux f. **1961** Éc. des Télécom. ouverte aux f. **1965** *loi du 13-7* réformant les *régimes matrimoniaux* visant à accroître les pouvoirs de la f. mariée sur les biens communs ; le mari ne peut plus s'opposer à l'exercice de l'activité professionnelle de sa f. **1966** *congé maternité* : 14 semaines. **1967** *loi Neuwirth* autorisant la contraception. **1970** « l'autorité paternelle » est remplacée par « *l'autorité parentale* » : les 2 époux assurent ensemble la direction morale et matérielle de la famille. *Éc. Polytechnique* ouverte aux f. Possibilité pour la f. mariée de *contester la paternité* du mari et de reconnaître son enfant sous son nom de naissance. **1972** *loi* posant le principe de *l'égalité de rémunération* pour les travaux de valeur égale. Éc. de la marine marchande, ESSEC, HEC (1re major en 1973) ouvertes aux f. **1974** remboursement des frais relatifs à la *contraception.* Secrét. d'État à la condition fém. créé. **1975** *loi* autorisant l'*interruption volontaire de grossesse* (Ivg) (définitive en 1979). *Loi* interdisant la discrimination à l'embauche en raison du sexe, sauf motif légitime. *Loi* interdisant toute distinction de traitement entre hommes et f. dans la fonction publique, sauf exceptions (recrutement séparé possible...). *Loi instituant le divorce par consentement mutuel.* Les 2 époux déterminent ensemble le *lieu de résidence* du couple. Peuvent choisir d'avoir 2 *domiciles différents.* **1977** création d'un *congé parental d'éducation. Pension de vieillesse* à 60 ans (au lieu de 65) pour 37,5 ans de travail. **1979** interdiction du *travail de nuit* dans l'industrie levée pour les f. occupant des postes de direction ou techniques à responsabilités. **1980** interdiction de *licencier une f.* en état de grossesse. *Congé maternité :* 16 semaines. Statut de conjoint collaborateur pour les f. d'artisan et de commerçant. Mesures visant à la reconnaissance de l'activité professionnelle des f. d'agriculteurs (actes d'administration de l'exploitation, congé maternité...). **1981** création du *ministère des Droits de la f.* **1982** *loi du 10-7* amélioration du statut des conjoints d'artisan, qui définit les droits professionnels et sociaux des femmes en leur permettant de choisir entre les statuts de collaboratrice, associée, salariée du conjoint ou chef d'entreprise ; *loi du 31-12* remboursement de l'Ivg. **1983** *loi du 13-7* sur l'*égalité professionnelle,* qui interdit toute discrimination *en raison du sexe* ; rapport annuel obligatoire sur l'égalité professionnelle dans les entreprises de + de 50 salariés. **1984** *loi du 22-12* recouvrement des pensions alimentaires impayées par les organismes débiteurs des prestations fam. ; reconnaissance de l'égalité des époux dans les régimes matrimoniaux et pour l'administration des biens des enfants. **1985** *loi* renforçant l'*égalité des époux* dans la gestion du patrimoine de la famille (égalité dans la gestion des biens des enfants et des biens en communauté). Les enfants légitimes peuvent porter à titre d'usage le nom de leur mère. **1986** circulaire légalisant l'emploi du féminin pour les noms de métier et fonctions : écrivaine, peintre, juge, maire-adjointe, docteure, auteure, professeure. **1987** abolition des restrictions de l'exercice du travail de nuit des f. et de certaines dispositions particulières à leur travail. **1990**-*12-7* loi permettant à des associations civiles de se porter partie civile avec l'accord de la personne victime de violences.

Nota. – (1) Au milieu du XIVe s., lors d'élections à Provins et dans sa banlieue pour « demeurer sous le gouvernement de maires et eschevins », ou « être gouverné par le roi seulement », il y eut sur 2 701 votants, 350 femmes veuves et mariées, votant pour leur mari, leur fils.

■ **Étranger. 1860** *G.-B. :* élections (à partir de 30 ans, peuvent voter avec certaines restrictions lors des municipales). **1863** *Suède :* droit d'élire le conseil municipal. **1865** *Finlande :* même droit. **1869** *USA : Wyoming :* él. locales (11 États des USA suivront avant 1914). **1881** *Ile de Man.* **1893** *N.-Zélande* [1]. **1902** *Australie* [1]. **1906** *Finlande* [1] (élues *1907* 19 ; *1908* 25 ; *1909* 21). **1907** *Norvège :* él. législatives pour les femmes payant l'impôt. **1908** *Danemark :* + de 25 ans et payant des impôts. **1913** *Norvège :* pour toutes (étaient éligibles à l'Ass. nat. dep. 1911). **1915** *Danemark* [1]. **1917** *Pologne* [2], *Canada* (sur le plan fédéral ; sur le plan provincial, le Manitoba fut la 1re province à l'admettre, en janv. 1916, les 2 dernières furent Terre-Neuve, avril 1925, et Québec, avril 1940). **1918** *G.-B.* (à 30 ans). *Russie.* **1919** él. lég., *Islande* [2], *Allemagne* [2], *P.-Bas* [2], *Finlande :* égalité des sexes dans la Constit. *N.-Zélande :* éligibles au Parlement. **1920** *Autriche* [1]. *Hongrie* [1]. *USA* en entier. **1921** *Tchécoslovaquie* [1]. **1928** *G.-B. :* à 21 ans. Admission des sportives aux jeux Olympiques en athlétisme. **1930** *Afr. du S* [1]. **1931** *Espagne* [1], *Portugal* [1] (pour diplômées de l'ens. sup.). *Brésil* [1]. **1934** *Turquie.* **1935** *Philippines :* consultées par référendum pour leur accorder le droit de vote (oui : 90 %). *Roumanie.* **1945** *Italie* [1]. **1946** *Albanie* [1]. **1947** *Venezuela* [1]. *Argentine* [1]. *Yougoslavie* [1]. *Bulgarie* [1]. **1948** *Belgique* [1]. *Roumanie* [1]. **1949** *Chili* [1]. *Inde* [1]. **1952** *Bolivie* [1]. *Grèce* [1]. **1953** *Mexique* [1]. **1954** *Grèce* (aux municipales). *Pakistan* [1]. *Colombie* [1]. *Syrie* [1]. **1955** *Pérou* [1]. **1956** *Égypte* [1]. *Côte-d'Ivoire* [1]. *Madagascar* [1]. *Viêt-nam* [1]. **1959** *Vaud* et *Neuchâtel* (Suisse). **1960** *St-Marin* (mais non éligibles). *USA* commercialisation de la 1re pilule contraceptive. **1961** *Paraguay* [1]. **1962** *Monaco.* **1963** *Iran* [1]. *Kenya* [1]. **1966** *Bâle. 7-9 USA* début du Women's Lib. **1969** *Fribourg.* **1971** *Suisse* [1] (toute la). **1974** *St-Marin* (éligibles). **1983** *Égypte,* loi réservant 38 sièges au Parlement à des f. **1984** *Liechtenstein* (7 communes sur 11).

Nota. – (1) Droit de vote accordé pour les législatives. (2) Élections locales.

■ **Droits des veuves. Assurances décès du régime général de la Séc. soc.** Montant : 90 fois le salaire journalier de l'assuré décédé (min. 1 458 F, max. 36 450 F au 1-7-92). Un mois ou 2 ans pour faire la demande selon les cas. Pas de saisie possible.

Assurance maladie. Le conjoint survivant bénéficiant des prestations comme ayant droit de l'assuré décédé est couvert pendant 1 an à partir de la date du décès (prolongation jusqu'à ce que le dernier enfant à charge ait 3 ans), ensuite il doit être assuré personnellement (activité professionnelle ou assurance volontaire). L'ayant droit d'au moins 45 ans, qui a eu à charge au moins 3 enfants, bénéficie du maintien des droits pour une durée illimitée. **Veuvage.** Temporaire (3 ans), allouée au survivant dont le conjoint décédé était salarié, ayant ou ayant eu au moins un enfant à charge et disposant de ressources inf. à 10 624 F par trim., allocation comprise (au 1-7-92). *Montant mensuel :* 1re année : 2 833 F, 2e : 1 861 F, 3e : 1 417 F. Allocation maintenue jusqu'au 55e anniv. du survivant âgé d'au moins 50 ans au décès du conjoint.

Prestations familiales. Maintenues tant que les enfants sont à charge + allocation de soutien familial : 444 F par mois et par enfant (au 1-7-92). Incluses dans allocation de parent isolé : minimum garanti avec un enfant à charge 3 947 F ; par enfant en plus 987 F.

Pension de réversion. 52 % de la pension de vieillesse du conjoint décédé (ou à laquelle il aurait eu droit) sous condition de ressources 70 844 F/an et d'âge (55 ans). Majoration 453,02 F par mois et par enfant à charge.

■ **Veuves de guerre** (droits spécifiques pouvant se cumuler avec les droits des v. civiles). *V. de « morts pour la France » et d'anciens combattants, invalides de guerre au taux de 85 à 100 %, ou au taux de 60 à 80 %* si décédés des suites de l'invalidité pensionnée : pension au taux normal : (– de 40 ans) : 2 973 F/mois et (+ de 40 ans) : 3 015 F, ou, *spécial* (de 57 ans ou avant, si malades ou inaptes au travail, et, sous conditions de ressources) : 3 962 F. *Veuves de pensionnés au taux de 60 à 80 %,* décédés d'une affection sans relation avec l'invalidité pensionnée : pension au taux de réversion : 1 984 F (montant modulable selon date du décès ou % d'invalidité du mari).

Politique

En France

De 1945 à 1970, l'abstentionnisme des femmes fut supérieur à celui des hommes de 7 à 10 %. **Depuis,** leur participation élect. et leurs réponses aux sondages polit. sont équivalentes à celles des hommes.

Sous la Ve Rép., l'électorat gaulliste se composait en majorité de femmes (moy. 55 %). **En 1965,** au 2e tour, 39 % des femmes avaient voté Mitterrand

(51 % des h.). **En 1981,** aux législatives, 54 % avaient voté pour la gauche (58 % des h.).

Femmes responsables de partis politiques (en %, 1992). *P. communiste :* adhérentes 38, comité central 20,8, bureau pol. 13, secrétariat 12,5 ; *P. socialiste :* adh. 21, comité directeur 18, bureau exécutif 15, secrétariat 14 ; *P. rép. :* adh. 40, comité nat. 32, bureau pol. 20, secrétariat 6 ; *RPR :* adh. 30,69, bureau pol. 10,5, conseil nat. 13,49, commission exécutive 17,95.

21 à 43 % des adhérents des partis sont des femmes.

Conseil économique et social. Nommées : 54-59 3 sur 200 (1,5 %). **74-79** 7 sur 200 (3,5 %). **79-84** 16 sur 200 (8 %). **84-89** 22 sur 230 (9,56 %). **89-94** 26 sur 231 (11,25 %).

Conseils généraux. Élues (entre parenthèses % par rapport aux sièges à pourvoir) : **58** 12 (0,8). **61** 16 (1,1). **64** 17 (1,1). **67** 40 (2,3). **70** 22 (1,4). **73** 53 (2,7). **76** 41 (2,3). **Juill. 82** 154 (3,8). **84** 158 (4). **89** 157 (9,3). **91** *femmes membres* 154 sur 3 694 (4,17 %) ; Pte Janine Bardoux (UDF, Lozère), Anne d'Ornano (n. 7-12-1936), UDF, Calvados. **92** 195 sur 3 840 (5,1).

Conseils municipaux. Élues (% entre parenthèses) : **59** 11 246 (2,4). **65** 11 145 (2,3). **71** 20 684 (4,4). **77** 38 852 (8,4). **83** 70 854 (14,08). **89** 86 549 (17,03) [communes de *- de 3 500 h. :* 70 403 (16,28), *3 500 à 9 000 :* 8 571 (21,4), *9 000 à 30 000 :* 5 120 (23,05), *+ de 30 000 :* 2 455 (23,63)]. A Bizeneuille (Allier, 296 hab.) : 7 élues sur 11. **92** 86 693 sur 505 916 élus (17,1).

Conseils régionaux. Femmes membres (1992) : 206 sur 1 671 (12,3 %). **Pte** Marie-Christine Blandin, Les Verts (N.-Pas-de-Calais). Lucette Michaux-Chevry (n. 5-5-1929) RPR (Guadeloupe).

Maires. Élues (% entre parenthèses) : **59** 381 (1). **65** 421 (1,1). **71** 677 (1,8). **77** 1 018 (2,8). **Juill. 82** 1 147 (3,1). **83** 1 496 (4,1). **89** 1 986 sur 36 441 communes (5,3), dont 1 Catherine Trautmann (PS), maire d'une ville de + de 100 000 h. (Strasbourg). **92** 2 035 sur 36 545 (5,6).

Nota. – Une loi votée en juillet 1982 prévoyait un quota d'au moins 25 % de candidats du même sexe sur les listes aux élections municipales, dans les communes de + de 3 500 h., mais le Conseil constitutionnel a rejeté ce principe de quota.

Dans le monde

Reines (en 1993) : **Danemark, Pays-Bas, Royaume-Uni. Vice-reine : Canada :** Jeanne Sauvé (n. 26-4-1922), gouverneur général 14-5-84. **Présidentes de la République : Argentine :** Maria Estela Martinez dite Isabel Peron (4-2-1931) en 1974-76. **Bolivie :** Lidia Gueiler (Pte intérim.) (16-11-79 au 19-07-80). **Éthiopie :** impératrice Zaouditou remplace son neveu détrôné, jusqu'à sa mort (1930), mais le pouvoir appartient à Hailé Sélassié. **Haïti :** Ertha Trouillot (Pte par intérim 13-9-1990 à 7-2-1991). **Irlande :** Mary Robinson dep. 1990. **Islande :** Vigdis Finnbogadottir [n. 15-4-1930, élue au suffrage universel en sept. 1980, réélue 1988 avec 93 % des voix devant une autre femme, Sigrun Thorsteindottir (3 %)]. **Malte :** Mlle Agatha Barbara (n. 1922) dep. 16-02-82. **Nicaragua :** Violetta Chamorro (n. 1930) dep. 25-2-90. **Philippines :** Corazón Aquino (n. 25-1-1933) en févr. 1986. **Vice-présidente : Chine** en 1949 : Mme Sun Yat-sen.

Premiers ministres. Antilles néerlandaises : Maria Liberia-Peters (1984). **Bangladesh :** Khaleda Zia dep. févr. 91. **Canada :** Kim Campbell (14-6-1993). **Centrafrique :** Élisabeth Domintren (75/76). **Dominique :** Mary Eugénie Charles (n. 1919) dep. 21-07-80. **France :** Édith Cresson (27-1-34) 16-5-1991. **Inde :** Indira Gandhi (1917-84) de 1966 à 1977 et 1980 à 1984. **Israël :** Golda Meir (1898-1979) de 1969 à 1974. **Norvège :** Gro Harlem Brundtland 1980, 86, 90. **Pakistan :** Benazir Bhutto 1988-90 ; **Portugal :** Maria de Lourdes Pintasilgo (n. 1930) 7-07-79 au 3-01-80. **Royaume-Uni :** Margaret Thatcher (n. 1925) du 5-05-79 au 28-11-90. **St-Marin :** Maria Angelini capitaine régent en 1981. **Sri Lanka :** Sirimavo Bandaranaike (n. 17-04-16) 1960-65, 1970-77. **Turquie :** Ciller Tansu (n. 1946) 13-6-1993. **Yougoslavie :** Milka Planinc (n. 1924) 1982-86.

Gouverneurs d'États. *USA :* Dixy Lee Ray (dém.) (3-9-1914) État de Washington en 1976, Ella Grasson (dém.) Connecticut en 1974.

Présidentes d'assemblée. Norvège : Inger Gjorv. **Vice-présidentes d'assemblée. All. féd. :** Anne-Marie Renger (7-10-1919) Bundestag (déc. 72). **Pologne :** Halina Skib (10-1-1921).

Nombre de femmes dans les gouvernements des États membres du Conseil de l'Europe (1992). Autriche 4 (sur 20), Belgique 2 (16), Bulgarie 1 (15), Chypre 0 (11), Danemark 4 (19), Espagne 2 (18), Finlande 6 (17), *France 7 (44),* Grèce 5 (49), Hongrie 0 (19), Irlande 1 (15), Islande 1 (10), Italie 4 (60), Liechtenstein 0 (5), Luxembourg 1 (12), Malte 0 (20), Norvège 9 (19), P.-Bas 6 (25), Pologne 1 (25), Portugal 0 (32), St-Marin 1 (12), Allemagne 4 (20), G.-B. 3 (48), Suède 8 (21), Suisse 0 (7), Turquie 2 (33), Tchécoslovaquie 1 (17).

Femmes parlementaires (en %). Dans la CEE (en mars 1992) : *Chambre des députés ou équivalent et,* entre parenthèses, *Sénat ou équivalent :* Allemagne 16 (13,4). Belgique 8,5 (8,2). Danemark 30,7. Espagne 7,8 (5,9). *France 5,7* (5 au 15-11-92). G.-B. 6,5 (5,6). Grèce 4,3. Italie 12,9 (6,3). Irlande 8,4 (8,3). Luxembourg 10,9. P.-Bas 21,3 (21,3). Portugal 10.

Parlement européen (élection 1989) : 96 [18,5 % (*1979 :* 15 % ; *84 :* 16 %)] dont RFA 25, *France 19,* G.-B. 17, Esp. 9, Italie 8, P.-B. 7, Danemark 6, Belg. 4, Port. 3, Luxemb. 2, Grèce 1, Irlande 1.

En France

■ **Femmes au gouvernement. IIIe République : 1936,** Gouv. Blum : 3 sous-secrétaires d'État ; *Recherche scientifique :* Irène Joliot-Curie (1897-1956), savante, prix Nobel ; *Éducation nationale :* Suzanne Brunschvig (1877-1946), présidente de l'Union pour le suffrage des femmes ; *Enfance :* Suzanne Lacore (1875-1977), institutrice.

IVe République : 1947, *1re femme ministre :* Mme Poinso-Chapuis (1901-81) min. de la Santé publique (gouv. Schuman), *1 sous-secrétaire d'État* (Jeunesse et Sports) : Mme Andrée Viénot (1901-76) (1946-49, gouv. Bidault et Blum).

Ve République. De 1958 à mai 1981. Secrétaires d'État : Action soc. et Réadaptation : Marie-Madeleine Dienesch (3-4-14) du 22-6-69 au 5-7-72. Hélène Missoffe (15-6-27) du 30-3-77 au 31-3-78. **Affaires algér. :** Nafissa Sid Cara (18-4-10). **Affaires culturelles :** Françoise Giroud (21-9-16) du 27-8-76 au 30-3-77. **Affaires sociales :** M.-M. Dienesch du 12-7-68 au 20-6-69. **Chargée de l'emploi des femmes :** Nicole Pasquier (19-11-30) du 12-1-78 à juin 82. **Condition féminine :** Françoise Giroud du 16-7-74 au 25-8-76. **Consommation :** Christiane Scrivener (1-9-25) du 12-1-76 à avril 78. **Éducation nat. :** M.-M. Dienesch du 31-5 au 10-7-68. **Enseignement préscolaire :** Annie Lesur (28-3-26) du 8-6-74 au 11-1-76. **Justice :** Monique Pelletier (25-7-26) du 12-1-78 au 23-6-81. **Réforme pénitentiaire :** Dr Hélène Dorlhac (4-10-35) du 8-6-74 au 25-8-76. **Santé :** M.-M. Dienesch du 6-2 au 27-5-72. **Universités :** Alice Saunier-Seité (26-4-25) du 12-1-76 à avril 78. **Ministres : Santé :** Simone Veil (13-7-27) du 24-5-74 (de la Santé et du Travail dep. avr. 78) au 4-7-79. **Universités :** Alice Saunier-Seité d'avr. 78 au 23 juin 81.

De mai 1981 à avril 1993. Premier ministre : Édith Cresson (27-1-34) nommée 15-5-1991. **Ministre d'État : Solidarité nat. :** Nicole Questiaux (19-12-30) du 22-5-81 au 22-3-83. **Affaires sociales :** Simone Veil (13-2-27) 4-93. **Ministres : Affaires européennes :** Édith Cresson (27-1-34) du 10-5-88 au 2-10-90. **Affaires sociales et solidarité nat. :** Georgina Dufoix (16-2-43) du 19-7-84 au 7-12-84 *+ porte-parole du gouv.* du 7-12-84 au 20-3-86. **Agriculture :** Édith Cresson du 22-5-81 au 22-3-83. **Commerce extérieur :** Édith Cresson du 22-3-83 au 20-3-86. **Consommation :** Catherine Lalumière (3-8-35) du 23-6-81 au 22-3-83. **Coopération :** Edwige Avice (13-4-45) nommée 16-5-91. **Environnement :** Huguette Bouchardeau (1-6-35) du 19-7-84 au 20-3-86 ; Ségolène Royal (22-9-53) du 2-4-92 au 21-3-93. **Famille et condition féminine :** Alice Saunier-Seïté (26-4-25) 4-3-1981. **Jeunesse et sports :** Frédérique Bredin (2-11-56) du 16-5-91 au 21-3-93. Michèle Alliot-Marie (10-9-46) 4-93. **Travail :** Martine Aubry (8-8-50) du 16-5-91 au 21-3-93. **Min. déléguées : Action humanitaire :** Lucette Michaux-Chevry (5-3-29) 4-93. **Affaires étrangères :** Edwige Avice du 10-5-1988 au 15-5-91. Élisabeth Guigou (6-8-48) du 16-5-91 au 21-3-93. **Affaires sociales :** Georgina Dufoix du 10-5 au 23-6-1988. **Communication :** Catherine Tasca (13-12-41) du 10-5-88 au 15-5-91. **Droits de la Femme :** Yvette Roudy (10-4-29) du 22-5-81 au 20-3-86 ; Hélène Gisserot (11-5-36) du 20-3-86 au 10-5-88. **Francophonie :** Catherine Tasca nommée 16-5-91. **Logement et cadre de vie :** Marie-Noëlle Lienemann (12-7-51) du 2-4-92 au 21-3-93. **Santé et Famille :** Michèle Barzach (11-7-43) du 20-3-86 au 10-5-88. **Temps libre, Jeunesse et Sports :** Edwige Avice du 19-7-84 au 20-3-86. **Secrétaires d'État : Affaires européennes :** Catherine Lalumière du 7-12-84 au 20-3-86. **Affaires sociales :** Catherine Trautmann (15-1-51) du 10-5 au 23-6-88. **Consommation :** Catherine Lalumière du 22-3-83 au 7-12-84. Véronique Neiertz (6-11-42) du 10-5-1988 au 15-5-91. **Défense :** Edwige Avice du 19-7-84 au 20-3-86. **Droits des Femmes :** Michèle André (6-2-47) du 28-6-88 au 15-5-91. Véronique Neiertz (6-11-42) du 16-5-91 au 21-3-93. **Enseignement :** Michèle Alliot-Marie (10-9-46) du 20-3-86 au 10-5-88. **Environnement :** Huguette Bouchardeau du 22-3-83 au 19-7-84. **Famille :** Georgina Dufoix du 22-5-81 au 19-7-84. Hélène Dorlhac 1988. **Fonction publique :** Catherine Lalumière du 22-2-81 au 23-6-81. **Formation prof. :** Nicole Catala (2-2-36) du 20-3-1986 au 10-5-1988. **Francophonie :** Lucette Michaux-Chevry (5-3-29) du 20-3-1986 au 10-5-1988. Catherine Tasca (13-12-41) du 4-4-92 au 21-3-93.

■ **Femmes parlementaires** (en % des candidats) : **1946** 13,6. **51** 11. **56** 9,2. **58** 2,27 (64 candidates sur 2 809). **62** 2,44 (53 c. sur 2 172). **67** 2,92 (64 c. sur 2 190). **68** 3,3 (75 c. sur 2 265). **73** 6,6 (200 c. sur 3 023). **78** 16 (684 c. sur 4 266). **86** 33 (1 728 c sur 6 925). **93** 19,6 (1 015 c. sur 5 169). **Élues** (entre parenthèses % par rapport au total des élus) : **45** 33 élues. **46** juin 30. nov. 42 (6,4). **51** 22 (3,6). **56** 22 (3,1). **58** 6 sur 465 (+ 2 pour les dép. algériens) (1,6). **62** 8 sur 465 dép. (1,6). **67** 9 sur 470 (2). **68** 8 sur 470 (1,4). **73** 8 sur 473 (1,69). **78** 17 sur 491 (4,3). **81** 29 sur 491 (5,9). **82** 25 sur 495 (5,89). **86** 34 sur 577 (5,89). **88** 33 sur 577 (5,7) (17 PS, 2 UDC, 1 UDF, 1 PC, 10 RPR, 1 FN, 2 non-inscrits). **90** 33 sur 577 (dont 16 PS, 10 RPR, 2 UDF, 3 UDC, 1 PC et 1 non-inscrit).

■ **Femmes sénateurs. Candidates : 59** 33. **62** 9. **68** 17. **71** 9. **74** 12. **77** 40. **80** 23. **83** 21. **86** 75. **89** 31. **Élues** (entre parenthèses en %) : **47** 22 (7). **49** 12 (3,8). **52** 9 (2,8). **54** 9 (2,8). **56** 9 (2,8). **58** 6 (1,9). **60** 5 (1,63). **62** 5 (1,85). **64** 5 (1,83). **66** 5 (1,82). **68** 5 (1,77). **71** 4 (1,42). **74** 7 (2,47). **77** 5 (1,7). **80** 7 (2,3). **83** 9 (2,84). **86** 9 (2,82) (5 PC, 1 PS, 3 RPR). **89** 10 (3,2) (5 PC, 4 RPR, 1 PS). **92** 16 sur 321 (soit 5 %) dont 4 RPR, 6 PC, 5 PS, 1 UDF.

Nota. – 26 départements sur 95 n'ont ni député ni sénateur femme.

Quelques femmes célèbres

☞ En 1975, Françoise Giroud, secrétaire d'État à la Condition féminine, disait que la femme sera « vraiment l'égale de l'homme le jour où, à un poste important, on désignera une femme incompétente ». Il n'y a qu'une femme au Panthéon, Sophie Berthelot (avec son mari voir p. 689 c). Hélène Carrère d'Encausse, académicienne, Simone Veil, députée européenne, Françoise Gaspard, ancienne députée socialiste, ont écrit en juillet 1992 au Pt Mitterrand, réclamant le transfert des restes de femmes qui par leur action, leur talent ou leurs découvertes, ont servi la démocratie, le progrès ou les arts. En tête de liste : Marie Curie, George Sand.

■ **Ambassadrice. 1re femme** *Renée du Bec* (veuve du maréchal de Guébriant) accréditée en 1646 auprès du roi de Pologne (elle accompagnait Marie de Gonzague qui devait épouser le roi). Avant, plusieurs femmes avaient rempli des fonctions diplomatiques. Ex. : la mère de François Ier et la gouvernante des Pays-Bas qui négocièrent le traité de Cambrai (appelé paix des dames), le 5 août 1529.

■ **Académiciennes. Académie française.** Voir p. 321.

Académie des beaux-arts. *Membres associés étrangers :* 1964, l'impératrice d'Iran Farah Diba ; 1974, la reine de Belgique et Mrs Lila Acheson-Wallace. *Correspondantes :* 1978, Mmes Florence J. Gould ; 1989, Florence Van Der Kemp.

Académie Goncourt. Judith Gautier (1850-1917), fille du poète Théophile Gautier, élue 28-10-1910. Colette (1873-1954), élue 4-5-1945. Françoise Mallet-Joris (1930), élue 8-12-1970. Edmonde Charles-Roux (1920) élue 13-9-1983. **Prix Goncourt.** Elsa Triolet (1945), Béatrix Beck (1952), Simone de Beauvoir (1954), Anna Langfus (1962), Edmonde Charles-Roux (1966), Antonine Maillet (1979), Marguerite Duras (1984).

Académie des inscriptions et belles-lettres. Jacqueline de Romilly élue 1975. Colette Caillat élue 1989.

■ **Couronnement d'une reine morte.** En 1354 le roi Alphonse IV de Portugal, qui voulait marier autrement son fils Pierre, le Pce héritier, fit assassiner sa 1re épouse Inès de Castro. Celui-ci monta sur le trône 3 ans plus tard. Pierre II ordonna qu'on retire le squelette d'Inès du tombeau et qu'on le place, revêtu des ornements du sacre, sur un trône somptueux. Inès fut alors couronnée « reine du Portugal » selon les formes officielles : une main était fixée au sceptre, et sur la paume de l'autre on avait posé le globe d'or. Les courtisans vinrent lui prêter hommage comme si elle avait été en vie.

Académie des sciences. *Membres correspondants :* Mme Marguerite PEREY (1909-75 physicienne), 1re élue 1962 [l'Ac. avait préféré successivement Édouard Branly à Mme CURIE en 1911, Eugène Darmois (1951), Francis Perrin (1953) et Georges Chaudron (1954) à Irène JOLIOT-CURIE]. 2e Mme Marianne GRUNBERG MANAGO (née 6-1-21 Leningrad). Mme Madeleine GANS (n. 5-6-20), biologie (élue 7-5-87). Mme Arlette NOUGARÈDE (n. 7-5-30), biologie (élue 10-5-87). Mme Geneviève COMTE-BELLOT (n. 29-7-29), sciences mécaniques (élue 2-4-90). *Membres :* Marianne GRUNBERG MANAGO (n. 6-1-21), biologie (élue 1-3-82). Mme Y. CHOQUET-BRUHAT (29-12-23) mécanique (élue 14-5-79). Mme Nicole LE DOUARIN (n. 28-8-30), biologie animale (élue 15-2-81). Marie-Anne BOUCHIAT (n. 19-7-1934), physique, élue 1988.

Académie des sciences morales et politiques. *1969*-(24-11) Louise WEISS (1893-1983) est battue (17 voix contre 21 à Pierre-Olivier Lapie). *1971* mars, Suzanne BASTID (15-8-1906) (section de législation, droit public et jurisprudence) ; son mari, Paul, en était déjà membre.

Académie nationale de médecine. Marie CURIE (1867-1934) élue 1922. Lucie RANDOIN (1885-1960). Thérèse BERTRAND-FONTAINE (1895-1987) élue 1969.

Académie vétérinaire de France. *Membres titulaires :* Mme DHENNIN-BALSSA (11-10-1914) (1re élue 17-5-1979 ; Pte en 1989). Josée VAISSAIRE-SCHILLER (22-4-1942) (2e élue 4-10-1990).

■ **Amazones** (du grec *a mazos :* sans-mamelle car censées se brûler le sein droit pour mieux tirer à l'arc). D'après Homère, envahirent Asie Mineure et Grèce avant la guerre de Troie (XVIe s. av. J.-C.), Hérodote en parle aussi. Au XVIe s., Orellana prétendit avoir lutté contre des amazones sur les bords du Maranon, d'où le nom d'Amazone donné au fleuve.

■ **Aviatrices** Maryse BASTIÉ (1898-1952) qui franchit l'Atlantique Sud, 1er commandeur de la Légion d'honneur à titre militaire. Suzanne BERNARD, 1re f. victime de l'aviation, à 18 ans. Adrienne BOLLAND (1896-1975), 1re à franchir la cordillère des Andes 1921. Hélène BOUCHER (1908-34), morte à l'entraînement, détenait 7 records mondiaux. Isabelle BOUSSAERT (1-3-1963), 1re pilote militaire, 1985. Jacqueline COCHRAN (Amér. 1907-80) franchit le mur du son (18-5-1953) sur un Sabre canadien. Danièle DECURE (4-2-1942), 1re pilote Air France, 1974. Élise DEROCHE, dite baronne Raymonde de LA ROCHE (1886-1919), 1re à recevoir, en mars 1910, son brevet de pilote. Jacqueline DROUET (n. 5-2-1917), épouse de Paul AURIOL fils du Pt de la Rép. Vincent Auriol, franchit le mur du son sur Mystère II (29-8-53), bat le record de vitesse fém. 1951, 1re pilote d'essai en vol 1955. Jacqueline DUBOUT, 1re pilote de ligne en Fr., 1967 Air-Inter. Amélia EARHART (1898-1937), Amér., 1re à survoler (en passagère) l'Atlantique. Eugénie EICHENWALD, 1re Cdt de bord en 1933. Maryse HILSZ (1901-46), parachutiste d'exhibition, puis pilote. Marie MARVINGT (1875-1963), pilote, 1er record officiel de durée et de distance en avion [*1903,* ascension des Grands Charmoz et du Grépon. *1905,* conduit une locomotive, des bateaux à vapeur et fait en canoë Paris-Coblence. *1906* 7-7 1re traversée féminine française de Paris à la nage. *1910* 25-1 1re championne féminine internat. de bobsleigh, gagnant la Coupe Léon Auscher. 15-3 Médaille d'Or de l'Académie des Sports pour tous les sports. 10-6 brevet de pilote aéronaute. 8-11 3e femme au monde à obtenir son brevet de pilote d'avion et « sans casser du bois ». *1914-18* sert dans les tranchées (42e Bataillon de Chasseurs à Pied) et participe à des bombardements aériens. En mer, nage 20 km ; remporte 20 premiers prix de ski, luge, bobsleigh, patinage... et manie fleuret, épée et sabre. A cheval, 1re de son temps à accomplir le saut périlleux au galop ; 1er tireur du min. de la Guerre. *1955* 2-4 pour son 80e anniversaire, s'envole aux commandes d'un hélicoptère à réaction. *1961* fait Nancy-Paris à bicyclette (86 ans) et l'après-midi de son arrivée survole Paris dans un hélicoptère à réaction. *1963* 14-12 meurt à 88 ans. Femme la plus décorée de France (34 médailles et décorations), maniait poids et haltères, pratiquait boxe, lutte, jiu-jitsu, judo, karaté, tennis, golf, billard, water-polo, polo à cheval, hockey, baseball, football, saut, course à pied, travaillait sur le fil de fer et savait jongler et dompter, pratiquant aussi l'as, skiff, canot automobile, vol à voile, sabre, épée, fleuret, championne au tir aux pigeons, chassait panthère et phoque. Seule femme au monde détentrice de 4 brevets (avion, ballon, hydravion, hélicoptère), pilotait également des dirigeables, parlait 5 langues (diplômée en Esperanto), joua au cornet, a étudié tragédie, dessin, peinture, sculpture, danse, cuisine (reçut un prix), pratiqué hypnotisme, la graphologie, chiromancie, astrologie, phrénologie, physiognomonie, géodésie, taxidermie, météorologie, psychologie, océanographie, balistique. Se faisait surnommer « la fiancée du danger »]. Amy MOLLISSON née Johnson (1908-41) : *1933,* avec son mari, le capitaine Mollisson, 1re traversée aérienne de l'Atlantique sans escale, d'est en ouest. Gaby MORLAY (1897-1964), 1re à avoir passé son brevet de pilote de dirigeable. Mme PELTIER (1873-1926), 1re à voler en aéroplane. Yvonne POPE, Anglaise, 1re à avoir obtenu la qualification de pilote de ligne. Harriet QUIMBY (1881-1912), 1re à survoler la Manche, 1912. **Nombre de femmes pilotes** (1988). Air Canada 12 sur 800, Swissair 1 sur 1 200, Air France (au 31-12-91) 36 sur 2534 (2 Cdts de bord, 30 off. pilotes de ligne, 4 off. mécaniciens).

■ **Barbe (femmes à barbe célèbres).** *Ste* WILGEFORTE (?). Marguerite d'AUTRICHE duchesse de Parme (1522-86). Barbara ULSERIN (d'Augsbourg, née 1633). Madeleine VENTURA des Abruzzes (XVIIe s.). Marie-Madeleine LEFORT (Française, née 1799). Julia PASTRANA (née à Mexico 1832). Clémentine DELAIT, de Thaon-les-Vosges (1865-1939).

■ **Cantatrices ayant eu une longue carrière.** Adelina PATTI (italienne, 1843-1919), soprano léger, chanta plus de 60 ans. Joan SUTHERLAND (Austr. n. 1926) + de 40 ans à l'Opéra et continue à se produire en concert.

■ **Chefs d'orchestre.** Nadia BOULANGER (1887-1979), Jane EVRARD (1893-1984), Veronika DUDAROVA (Russe, n. 1916), Claire GIBAULT (n. 1945), Jane GLOVER (Angl., n. 1949), Sian EDWARDS (Angl.).

■ **Comédienne (jeune).** Mlle GEORGE (1787-1867), la plus jeune à jouer Clytemnestre à la Comédie-Française (en 1802, à 15 ans), fut la maîtresse de 2 empereurs : Napoléon Ier (1802-08) et le tsar Alexandre Ier (1808).

■ **Compagnons de la Libération (femmes).** *Décorées de leur vivant :* Émilienne MOREAU (1898-1971) et Laure DIÉBOLD (1915-65). *A titre posthume :* Bertie ALBRECHT (1895-1943), Maria HACKIN (n. 1905, disparue avec son mari au cours d'une mission pour la France libre le 24-2-1941), Simone MICHEL-LÉVY (n. 1906, pendue au camp de Flossenburg pour un sabotage dans l'usine où elle travaille le 13-4-1945), Marcelle HENRY (n. 1895, déportée à Ravensbrück, † 24-4-1945).

■ **Compositrices de musique (femmes).** (Voir aussi à l'Index virtuoses, chanteuses.) Elsa BARRAINE (1910). Louise BERTIN (1805-77). Lily (Juliette) BOULANGER (1893-1918) 1re qui obtint le grand prix de Rome de composition, 1913. Francesca CACCINI (1587-1640), 1re f. auteur d'un opéra. Cécile CHAMINADE (1861-1944). Gabrielle FERRARI (1806-1921). Sofia GUBAIDULINA (Russe, 1931). Fanny HENSEL (1815-47) sœur de Felix Mendelssohn. Augusta HOLMÈS (1847-1903) auteur de « Trois anges sont venus ce soir » composé un soir de Noël, alors qu'elle attendait son ami Catulle Mendès pour un réveillon en tête à tête. Élisabeth JACQUET (1664-1729). Betsy JOLAS (1926). Maria-Theresia von PARADIS (1759-1824) aveugle dès 5 ans. Clara SCHUMANN (1819-96), femme de Robert Schumann. Germaine TAILLEFERRE (1892-1983), du Groupe des Six.

■ **Criminelles.** LOCUSTE, Romaine, empoisonna l'empereur Claude (champignons) puis Britannicus. AGRIPPINE, la mère de Néron. Ctesse Erzébet BATHORY (v. 1570-1614), Hongroise, torturait et égorgeait les jeunes filles (de 60 à 600, selon les sources). Marie-Madeleine d'Aubray, marquise de BRINVILLIERS (1630-76), Française (V. Affaire des poisons). Bella POULSDATTER SORENSEN GUNNESS (1859-1908), Américaine (16 assassinats + 12 victimes possibles). Violette NOZIÈRES et Marie CAPELLE (voir à l'Index). Fanny KAPLAN (militante soc. révolut. russe) 1918 tire sur Lénine et le blesse ; exécutée. Violet Albina GIBSON (Brit.) 1926 en Italie tire sur Mussolini. Ruth ELLIS (Brit.) meurtrière de son amant [dernière (1955) des 15 femmes exécutées en G.-B. dep. 1900].

■ **Éducatrice.** Maria MONTESSORI (1870-1952), Italienne. *1re femme médecin d'Italie (1894).* Renouvela l'éducation des enfants de 3 à 6 ans.

■ **Espionnes.** Thérèse Lachman (1819-84), marquise de PAIVA, puis Ctesse de Donnersmarck, danseuse et aventurière d'origine russe ; elle servit d'agent de renseignements au profit de Bismarck. Virginia Oldoini (1837-99), Ctesse Verasis di CASTIGLIONE, Italienne qui séduisit Napoléon III pour le compte de l'Italie. Mata HARI (Margareta Gertruida Zelle) (1876-1917, fusillée voir à l'Index), Hollandaise. Louise de BETTIGNIES (1880-1918), Française, morte en déportation. Marthe RICHARD (1889-1980), Française. Mathilde LE CARRÉ (dite La Chatte) condamnée à mort, graciée (1949).

■ **Féministes. France :** Olympe de GOUGES (7-5-1748/guillotinée 3-11-1793) écrit en 1791 la Déclaration des droits de la femme et de la citoyenne. Elle proclamait : « Les femmes montent à l'échafaud, elles doivent avoir le droit de monter à la tribune. » Flora TRISTAN (1803-44), grand-mère du peintre Gauguin. Pauline ROLAND (1805-52). Jeanne DEROIN (1805-88). Marie DERAISMES (1828-94). Clémentine ROYER (1830-1902). Hariette MARLINEAU. Maria VÉRONE (1874-1938). Louise WEISS (1893-1983). Eugénie NIBOYET (née 1804). **G.-B. :** Mary WOLLSTONECRAFT (1759-1797) publie en 1792 un pamphlet, *Revendication des droits de la femme.* Annie BESANT (1847-1933). Mrs PANKHURST née Emmeline GOULDEN (1858-1928), de Manchester, crée en 1903 l'Union féminine sociale et politique ; leurs membres, les « suffragettes », militent de façon spectaculaire pour le vote des femmes (et obtiennent gain de cause en 1918). Mairead CORRIGAN (1944) et Betty WILLIAMS (1943 Irl. du N.). **USA :** Betty FRIEDAN (1921) crée en 1966 le mouv. réformiste Now. Des New-yorkaises fondent en 1967 le mouv. Witch (Women's International Terrorist Conspiracy of Hell : conspiration des femmes pour l'enfer), *witch* signifie sorcière. *1968-7-9* naissance officielle de Women's Lib à Atlantic City (N. Jersey). *1979* à la suite de revendications fém., la météo qui désignait les tornades par des prénoms fém. alterne avec des prénoms masc.

■ **Femmes d'affaires françaises.** Jacqueline BAUDRIER (16-3-1922), P.-D.G de Radio-France. Gilberte BEAUX (12-7-29). Mme BOUCICAUT, née Marguerite GUÉRIN (1816-87), épouse du fondateur du Bon Marché. Marie BRIZARD (1714-1801), lança une anisette. Mme CINO DEL DUCA (Italie 18-7-1912), éditrice. Veuve CLICQUOT, née Nicole-Barbe PONSARDIN (1777-1866), fonde une Sté de champagne. Francine GOMEZ (12-10-1932), à 27 ans, P.-D.G de Waterman (1965-71). Yvonne FOINANT (1892), maître de forges. Marthe HANAU (1885-suicidée en prison 14-7-1935) directrice de journaux ; compromise dans un scandale. Marguerite LAROCHE-NAVARRON (27-11-1909), directrice de lab. pharmaceutiques.

Prix Veuve Clicquot de la femme d'affaires de l'année. *Créé* 1983. **Lauréates.** *1983 :* Annette ROUX (4-8-42), Chantiers Beneteau. *84 :* Marie-José JOBERT (16-7-41), Thalassothérapie Sofitel. *85 :* Catherine PAINVIN (23-7-47), Tartine et Chocolat. *86 :* Monique FIESCHI et Mylène GALHAUD, Point à la Ligne. *87 :* Gilberte BEAUX (12-7-29), Générale Occidentale. *88 :* Marion VANNIER (24-4-50), Amstrad France. *89 :* Évelyne PROUVOST (16-4-39), Marie-Claire. *90 :* Brigitte DE GASTINES (22-3-44), SVP. *91 :* Françoise NYSSEN (9-6-51), Actes Sud. *92 :* Dany BREUIL (28-6-48), Smoby.

■ **Femme de l'année.** *1991 :* Sylvie Brunel (a créé la fondation « mieux aider le Sud »).

■ **Femmes de lettres** Voir Quid 1982 p. 1613 ; *dont l'œuvre est parue dans « la Pléiade » :* Mme DE SÉVIGNÉ (1953), George SAND (1970), Marguerite YOURCENAR (1982), COLETTE (1984). Mary SHELLEY (1797-1815), femme du poète, romancière, auteur de Frankenstein.

■ **Femme à laquelle « le crime a le plus rapporté ».** Agatha CHRISTIE (avec ses romans policiers).

■ **Femme fidèle.** Juliette DROUET (1806-83) pendant 50 ans la maîtresse de V. Hugo (à partir de 1833) ; elle lui écrivit 17 000 lettres.

■ **Femmes riches** (en milliards de F). *Selon Harpers and Queen (1991).* ELISABETH II, reine d'Angleterre (64 ans) 66. Johanna QUANDT (63 ans, veuve du propriétaire de BMW, Allemande) 26. En 6e position : Liliane BETTENCOURT (67 ans, fille d'Eugène Schueller, créateur de L'Oréal) 1,3.

■ **Fondatrices de religion.** Mary BAKER EDDY (1821-1910), Américaine, fondatrice de la Science chrétienne. Nakayama MIKI, Japonaise, créa le Tenri-Kyö. Alma BRIDWELL-WHITE fonda en 1917 l'Église du Pilier de Feu (méthodiste), 1re évêque.

■ **Furies.** Déesses de la vengeance : Mégère, Alecto, Tisiphone.

■ **Grandes (femmes les plus).** Jane BUNFORD (26-7-1895/1-4-1922, G.-B.) : 2,31 m (1,98 m à 13 ans). Sandy ALLEN (18-6-1955, USA) : 2,32 m (2,16 m à 16 ans). Zeng JINLIAN (26-5-1964/82, Chine) : 2,47 m, 147 kg (2,13 m à 13 ans).

■ **Héroïnes.** Bertie ALBRECHT (1895-1943), Française, héroïne de la Résistance, morte en prison. Marie de BARBANÇON (fin du XVIe s.), protestante qui défendit son château contre les troupes royales. Renée BORDEREAU (1770-1828), chouanne. Edith Louisa CAVELL (1865-1915), infirmière anglaise, exécutée par les Allemands. Charlotte CORDAY (1768-93), assassina Marat par patriotisme et fut guillotinée. Christine de Lalaing, Pcesse d'ÉPINOY, belge du XVIe s. ÉPONINE (79 après J.-C.), Gauloise pour ne pas survivre à son mari Sabinus, insulta l'empereur et fut suppliciée. Jeanne Laisné dite HACHETTE (n. 1456) ; Française. Jeanne d'ARC (1412-31) ; Française, voir Index. Philis de LA TOUR DU

PIN DE LA CHARCE (1645-1703) ; Dauphinoise, appela ses vassaux pour repousser l'armée d'Amédée, duc de Savoie (1692). Émilienne MOREAU (n. 1898), décorée de la Légion d'honneur et 1re déc. de la Croix de guerre (27-11-1915) à 17 ans. Florence NIGHTINGALE (1820-1910), fondatrice en Angl. des infirmières militaires. Gabrielle PETIT (1893-1916), Belge.

■ **Hôtesses de l'air.** *1930* Ellen CHURCH (infirmière amér.) 1re hôtesse ligne San Francisco-Chicago (suivie par 7 autres). *1934* Nelly DIENER 1re Européenne (Swissair). *1935* TWA. *1943* Panam. *1946* 1er concours de recrutement Air-France : doivent mesurer de 1,58 m à 1,78 m, avoir 21 à 30 ans, le bac et connaître l'anglais. Jusqu'en 1963 le mariage signifie rupture de contrat (si ne se marient pas, limite : 35 ans) ; Solange CATRY en 1955 fit repousser cette limite. *1981* égalité avec les stewards pour l'âge de la retraite.

■ **Inspiratrices.** De nombreux poètes, prosateurs, musiciens... ont rendu célèbre leur nom.

Écrivains étrangers. *Catulle :* Lesbia CLODIA (Ier s. av. J.-C.). *Dante :* Béatrice PORTINARI (v. 1265-90). *Pétrarque :* Laure de NOVES (v. 1308-?). *Milton :* Catherine WOODCOCK (v. 1640-57). *Goethe :* Frédérique BRION, Minna HERZLIEB, Lili SCHÖNEMANN, etc. *Nietzsche :* Lou Andréas SALOMÉ (1861-1937).

Écrivains français. *Jaufré Rudel :* Odierne, Ctesse de TRIPOLI (XIIe s.). *Joachim du Bellay :* La « Viole », Olive de SÉVIGNÉ (v. 1525-?). *Ronsard :* Cassandre SALVIATI (v. 1530-?). *Molière :* Armande BÉJART (1642-1700). *Racine :* « La Champmeslé », Marie DESMARES (1642-98). *Rousseau :* Mme de WARENS (1700-62), Mme d'ÉPINAY (1726-83), Mme d'HOUDETOT (1739-1813). *Voltaire :* Mise du CHATELET (Émilie de BRETEUIL 1706-49). *Diderot :* Sophie VOLLAND (1725-84). *Chateaubriand :* Mme RÉCAMIER (Julie BERNARD, 1777-1849), Pauline de BEAUMONT (1768-1803). *Lamartine :* « Elvire » (Julie CHARLES, née Bouchard des Hérettes, 1784-1817). *Benjamin Constant :* Charlotte de HARDENBERG (1771-1827). *Dumas fils :* Marie DUPLESSIS (1824-47) (La Dame aux camélias). *Vigny :* Marie DORVAL (1798-1849). *Victor Hugo :* Juliette DROUET (1806-83). *Gérard de Nerval :* Jenny COLON (1814-42). *Auguste Comte :* Clotilde de VAUX (1815-46). *Anatole France :* Mme de CAILLAVET (1844-1910). *Maurice Maeterlinck :* Georgette LEBLANC (1870-1932). *Louis Aragon :* Elsa TRIOLET (Elsa Kazan, 1896-1970).

Inspirateurs de poétesses : *Louise Labé*/Olivier de Magny (v. 1529-v. 1561) ; *Marceline Desbordes-Valmore*/Olivier Henri de La Touche (1785-1851).

Musiciens. *J.-S. Bach :* Anna Magdalena BACH (1701-60) (Petit livre d'A.-M. Bach). *Beethoven :* Thérèse de BRUNSWICK (Sonate « A Thérèse »). *Wagner :* Mathilde WESENDONCK (1828-1902).

■ **Inventrices.** MARIE, sœur légendaire de Moïse, alchimiste, invente le bain-marie. Marie BRIZARD (Française, 1714-1801), lance à la cour de Versailles la liqueur que l'on conservera sous ce nom. La CAMARGO [Marie-Anne de Cupis de Camargo, dite] (Française, 1710-70), innove à l'Opéra l'usage des « collants », alors des espèces de caleçons. Antoinette NORDING (Suédoise, 1814-87), lance, en 1847, l'eau de Cologne. Julia BERNÈRES invente les 1res mouches artificielles pour la pêche. Marie HAREL, née Fontaine (Française, 1761-1813), invente le camembert. MME MIRCKEL invente la 1re allumette à friction. Myrfrena VAN BENSHOTON invente le dé à coudre. Annie JUMP CANNON (Américaine, 1863-1941) fonde la classification des spectres stellaires, classe près de 600 000 étoiles. Marie MATÉ invente le télescope marin que perfectionnera sa fille.

■ **Mannequins.** *1984* Inès de LA FRESSANGE (26 ans, 1,81 m, 55 kg), signe un contrat d'exclusivité de 7 ans avec Chanel ; salaire minimal annuel 300 000 $ (mannequin préféré de Karl Lagerfeld). *1992* Claudia SCHIFFER (USA 1,80 m, poitrine 95 cm, taille 62 cm, hanches 92 cm) ; Elle MACPHERSON (Austr. 27 ans, 1,80 m, poitrine 92 cm, taille 61 cm, hanches 92 cm).

■ **Mécènes.** Florence GOULD (née Lacaze 1895-1983, Amér.). Wilhehmina C. HOLLADAY (Américaine, 1928) a fondé en 1987 le 1er musée consacré à 180 artistes femmes de 19 pays (500 œuvres). Peggy GUGGENHEIM (Amér. 1898-1979) épouse 1922 Laurence Vail sculpteur, 1939 Max Ernst (divorce 1943), fonde un musée à Venise.

■ **Médecins.** Mary MONTAGUE (lady Wortley) (1690-1762) ; f. de lettres atteinte par la variole, découvre l'inoculation. Suzanne NECKER (Mme Cuchod) (1739-1794) ; publie en 1750 un traité sur les inhumations précipitées. Madeleine BRES (1842-1922) ; 1re à soutenir une thèse de doctorat en 1875, « Mamelle et allaitement », fonde en 1885 une des 1res crèches maternelles. Blanche EDWARDS-PILLET (1858-1940) ; lutte pour l'accession des f. aux concours des hôpitaux. Henriette MAZOT (1874-1972) 1re interne en pharmacie (1897), 2e sur 152 candidats. A. TALON 1re thèse en pharmacie en 1906. Augusta DEJERINE-KLUMPKE (1859-1927) 1re à passer le concours de l'internat des hôpitaux en 1886.

■ **Mère cruelle.** IRÈNE (v. 752-803), impératrice d'Orient de 780 à 790 et de 792 à 802 ; elle fit aveugler son fils pour gouverner seule.

■ **Militaires.** Marie SCHELLINCK (Gand, 1757-1840) engagée à 35 ans, sous-lieutenant en 1806. Geneviève PREMOY (née 1660-début XVIIIe s.) dite la Dragonne, lieutenant de cavalerie, connue sous Louis XIV sous le nom de chevalier de Balthasar. PE-MEI-HUANG, sans doute la seule femme de notre époque à avoir capturé des navires de guerre, pendant la 2e Guerre mondiale, dans la baie d'Along. Polina NEDYALKOVA (1916), général de brigade bulgare. – Voir aussi Légion d'honneur, à l'Index.

■ **« Miss ».** *1921 1re Miss America. 1927 1re Miss France* Roberte CUSEY. *1929 Miss Europe* (Hongroise). *1935 Miss Univers* (Égyptienne). *1951* le fabricant de maillots de bain qui habille les concurrentes de Miss America dénonce son contrat et fonde 2 autres concours : Miss USA et Miss Univers. *1959* Colombie émet des timbres pour « sa » Miss Univers. *1983 1re Noire Miss America* Vanessa Williams. *1986* Trinité émet des timbres pour « sa » Miss Monde. *1re* Miss Hongrie depuis la guerre ; se suicide. **Miss devenues célèbres :** Colette DERÉAL (Fr., actrice), Sophia LOREN (Ital., actrice), Claudine AUGER (Fr., act.), Lucia BOSE (Ital., act.), Anita EKBERG (Sué., act.), Yvette LABROUSSE (Fr., Miss France 1930, épouse l'Aga Khan et devient Bégum). **1re Miss Moscou :** Macha KALININE. **Miss France :** *1991* Mareva GEORGES, Tahitienne (21 ans, 1,71 m).

■ **Mode.** Elizabeth ARDEN (1891-1966 USA). Coco CHANEL (1883-1971). Jeanne LANVIN (1867-1946). Nina RICCI (1883-1970). Helena RUBINSTEIN (1872-1965). Elsa SCHIAPARELLI (1890-1973), etc.

■ **Morts tragiques (femmes qui eurent des).** La reine d'Austrasie, BRUNEHAUT (v. 534-613), attachée par les cheveux, un pied et un bras à la queue d'un cheval indompté ; elle fut déchiquetée. Eleonora Dori, dite GALIGAÏ (v. 1576-1617), femme de Concini, décapitée comme sorcière. La princesse de LAMBALLE (1749-92), massacrée par la foule ; sa tête fut promenée au bout d'une pique sous les fenêtres de Marie-Antoinette et son corps déchiqueté fut en partie mangé par la foule. MARIE-ANTOINETTE, Mme ROLAND, Olympe de GOUGES et beaucoup d'autres guillotinées sous la Révolution. ELISABETH (1837-1898), impératrice d'Autriche (Sissi), assassinée à Genève. DRAGA tuée avec son époux Alexandre Obrenovitch, roi de Serbie (10-6-1906). Isadora DUNCAN (1878-1927), danseuse étranglée par son écharpe, qui se prit dans les rayons d'une roue d'auto. Grace MOORE (1901-47) cantatrice amér., Ginette NEVEU, violoniste (1919-49), accident d'avion. Emily WILDING DAVIDSON (1878-1913), suffragette, se jette au Derby d'Epsom (1913) au-devant du cheval Anmer portant les couleurs du roi ; elle mourra le 14-6 des suites de ses blessures. ALICE, tsarine de Russie, massacrée 1917 avec ses 4 filles. Sharon TATE, assassinée 1969. Francine ARRAUZAU (1935-81), cantatrice fr., renversée par une voiture. Indira GANDHI (n. 1917), assassinée le 31-10-1984.

■ **Peintres. Françaises** Louise ABBEMA (1858-1927). Marie BENOIT (1768-1826). Rosa BONHEUR (1822-99). Elisabeth CHERON (1648-1711). Lucie COUSTURIER (1876-1925). Sonia DELAUNAY (1885-1974, or. russe). Eva GONZALES (1849-83). Louise HERVIEU (1878-1954). Adélaïde LABILLE-GUIARD (1749-1803). Marie LAURENCIN (1885-1956). Berthe MORISOT (1841-95). Séraphine LOUIS, dite SÉRAPHINE (1864-1934). Elisabeth VIGÉE-LEBRUN (1755-1842). Suzanne VALADON (1867-1938). Anne VALLAYER-COSTER (1744-1818). **Étrangères** Vanessa BELL (1879-1961), Angl. Maria BLANCHARD (1881-1932), Esp. Anne BONNET (1908-60), Belge. Mary CASSATT (1845-1927), Amér. Artemisia GENTILESCHI (1593-1652), It. Marthe GUILLAIN (1890-1974), Belge. Angelica KAUFFMANN (1741-1807), Suisse. Judith LEYSTER (1609-60), Holl. Bridget RILEY (1931), Angl. Rachel RUYSCH (1664-1750), Holl. Sophie TAEUBER-ARP (1889-1943), Suisse. Maria Helena VIEIRA DA SILVA (1908-92), Port.

■ **Prix Nobel. Paix 1905** Bertha KINSKY, Bonne von SUTTNER (1843-1914), Autr. **31** Jane ADAMS (1860-1935), Amér. **46** Emily GREENE BALCH (1867-1961). **76** Mairead CORRIGAN (1944) et Betty WILLIAMS (1943 Irl. du N.). **79** Mère Teresa (1910, Inde). **82** Alva MYRDAL (1902-86, Suè.). **91** Aung SAN SOU KYI (1945, Myanmar). **Littérature 1909** Selma LAGERLOF (1858-1940), Suè. **26** Grazia DELEDDA (1871-1936), Ital. **28** Sigrid UNDSET (1882-1949), Norv. **38** Pearl BUCK (1892-1973), Amér. **45** Gabriella MISTRAL (1889-1957), Chil. **66** Nelly SACHS (Berlin 1891-1970), All. **91.** Nadine GORDIMER 20-11-23 (Afr. du S.). **Physique ou chimie 1903** Marie CURIE (avec son mari Pierre CURIE et H. BECQUEREL), née Sklodowska (1867-1934), Franç. d'origine polonaise ; **11** Marie CURIE (chimie). **35** Irène JOLIOT-CURIE (1897-1956), Franç. **63** Marie GOEPPERT-MAYER (1906-72), All. **64** Dorothy CROWFOOT HODGKIN (1910), G.-B. **Physiologie et médecine 1947** Gerty CORI (1896-1957), avec Karl CORI (1896-1984) ; tous 2 devinrent Américains en 1932. **77** Rosalyn YALOW (1921, USA). **83** Barbara MCCLINTOCK (1902, USA). **86** Rita LEVI-MONTALCINI (1906, juive de Turin, naturalisée Amér.), prix partagé avec son partenaire Stanley Cohen. **88** Gertrud Belle ELION (1918, USA).

■ **Révolutionnaires. Allemagne** Rosa LUXEMBURG (Pologne russe, 1870-Berlin, 1919). **Espagne** La PASIONARIA [Dolores Ibarruri (1895-1989)], héroïne de la guerre civile de 1936-39. **États-Unis** Angela DAVIS (n. 26-1-1944), militante, Noire. **France** Mme ROLAND (1754-93). Anne-Josèphe TERWAGNE, dite Théroigne de Méricourt (Belgique, 1762-Paris, 1817), surnommée la « Belle Liégeoise » ou la « Furie de la Gironde », morte folle. Louise MICHEL, dite la Vierge rouge (1830-1905), héroïne de la Commune. **URSS** Vera FIGNER (1852-1942). Nadejda KROUPSKAIA (1869-1939), compagne de Lénine. Sofia PEROVSKAIA (1853-81), fille du gouverneur de Saint-Pétersbourg ; elle participa à l'attentat manqué contre le train impérial ; condamnée à mort, elle fut pendue.

■ **Saintes.** % de femmes parmi les saints canonisés par l'Église catholique : 10 % jusqu'au début du XXe siècle ; 43 % depuis. Parmi les saintes : 14 mères de famille, 32 veuves, plusieurs centaines de religieuses, de martyres, de vierges.

■ **Savantes.** Marie AGNESI (1718-99), Ital., mathématicienne. Gertrude BELL (1868-1926), Angl., archéologue. A. BYRON, Ctesse LOVELACE (1815-52), Angl., math. Jacqueline CIFFRÉO découvre 1985 la comète qui porte son nom. Marie CURIE (1867-1934) et sa fille Irène, Fr. (voir ci-contre Prix Nobel). Jeanne DIEULAFOY (1851-1916), Fr., archéologue qui portait un costume d'homme. Rosalind FRANKLIN (1920-58), recherches sur ADN. Sophie GERMAIN (1776-1831), Fr., math. Caroline HERSCHELL (1750-1848) Hanovrienne décrivit 3 nébuleuses. Sophie KOWALEVSKI (1850-91), Russe, math. Stéphanie KWOLEK, Amér., découvre 1965 le Kevlar. Mileva MARIC (1875-1934), femme d'Albert Einstein. Margaret MEAD (1901-78), Amér., ethnologue. Lise METTNER (1878-1908), Autr., physicienne. Maria MITCHELL (1818-89), Amér., découvrit une comète. Emmy NOETHER (1882-1935), All., math. Marguerite PEREY (1909-75), Fr., assist. de Marie Curie, découvre le francium. Pauline RAMART (née Lucas 1880-1953), Fr., chimiste. Mary FAIRFAX SOMMERVILLE (1780-1872), Angl., math. Sheila WILDNALL, Amér. Pte du MIT.

■ **Scandaleuses (femmes les plus) (?).** Angélique d'ESTRÉES (sœur de Gabrielle), abbesse de Maubuisson, mère de 12 bâtards de pères différents ; il fallut l'expulser de son couvent par la force armée en 1618. MESSALINE (25-48 apr. J.-C.) impératrice romaine, femme de Claude, son nom est devenu synonyme de débauche.

■ **Sculpteurs.** Camille CLAUDEL (1864-1943). Marie-Anne COLLOT (1748-1821). Marie d'ORLÉANS, fille de Louis-Philippe, duchesse de Wurtemberg (1813-39). Louise NEVELSON (1900-88), Amér. d'or. russe.

■ **Sport. Alpinistes** Lucy WALKERT (1835-1916). Marie PAILLON (1848-1936). Fanny BULLOCK-WORKMAN (1839-1925) qui monta sur le Kun (7 085 m en 1906). Gertrude BELL (1869-1926). Claude KOGAN (1919-59). *1808 :* Marie PARADIS (XVIIIe-XIXe s.) atteint le sommet du mont Blanc. *1903 :* Marie MARVINGT (1875-1963) : V. Aviatrice. *1975 :* Junko TABEI (Jap. n. 1939) atteint le sommet de l'Everest (1re). *1983 :* Martine ROLLAND, 1re guide de haute montagne. *1992 :* Catherine DESTIVELLE face N. de l'Eiger en hiver.

Athlétisme *1918* 1ers championnats de France fém. *1948 :* Micheline OSTERMEYER : 1re ch. olympique fr. *1978 :* Sara SIMEONI : 1re à sauter 2,01 m.

Automobile Giovana AMATI (It. n. 20-7-1962) 1re femme à courir en F1. Michèle MOUTON (Fr. n. 23-6-1951) court en rallye.

Aviron *1909 :* Mme BINDER gagne la 1re course en France.

Cyclisme Jeannie LONGO (n. 11-10-1958).

Équitation Isabelle LE MARESQUIER, 1re femme jockey. Darie BOUTBOUL.

Football *1970*-29-3 : Football féminin reconnu en France. *1974 :* ch. de France créé.

Haltérophilie *1987 :* 1er ch. du monde.

Judo *1934 :* 1er cours officiel féminin. *1951 :* Mme LEVANNIER, 1re Française ceinture noire. *1988 :* Judo féminin aux JO.

Lutte *1980:* 1er ch. de France féminin. *1987:* 1er ch. du monde féminin.

Natation *1912 :* femmes aux JO. *1926 :* Gertrude EDERLE (USA 23-10-1906) traverse la Manche.

Parachutisme Jeanne GARNERIN (1775-1847), 1re à tenter et réussir une descente en parachute. *1912 :* Tiny BROADWICK, 1re parachutiste amér.

Patinage *1909 :* Yvonne LACROIX, 1re champ. fr.

Planche à voile *1989 :* Brigitte GIMENEY (Fr.) atteint 72,46 km/h aux Stes-Maries-de-la-Mer.

Ski *1908 :* Hélène SIMOND, 1re championne fr. *1935 :* Maguy PELLETIER, 1re monitrice. *1988 :* au km lancé, Jacqueline BLANC atteint 211,143 km/h.

Spéléologie *1988:* Véronique LE GUEN (Fr. † 1990) 111 j dans l'aven du Valat-Nègre à 82 m sous terre.

Tauromachie Conchita CINTRON (Péruvienne n. 1922), 1re à être descendue dans l'arène, 550 combats, a mis à mort 350 taureaux. Clarita MONTEZ, *mars 1965 :* 1re femme autorisée, en Espagne, à combattre un taureau à pied (elle a 19 ans). *1991 :* Maria SARA (Fr. n. 1964) prend l'alternative.

Tennis *1879 :* à Dublin, 1re compétition ouverte aux femmes. *1900:* tennis féminin aux JO. Ont gagné le Grand Chelem : *1953* Maureen Connolly (1934-69), *1970* Margaret Court (16-7-42), *1984* Martina Navratilova (18-10-56), *1988* Steffi Graf (14-6-69).

Voile *1953 :* Ann DAVIDSON (Brit.) 1re à traverser l'Atlantique en solitaire. *1967 :* Mrs SHARON (1914), 1re à trav. le Pacifique en solitaire. *1990 :* Florence ARTHAUD (20-10-57) : record de traversée de l'Atl. en solitaire, sur *Pierre Ier* en 9 j 21 h 42 min.

Jeux Olympiques d'été Wilma RUDOLPH « la gazelle noire » *(athlétisme)* amér., 1re championne olympique à avoir commencé par marcher avec des appareils, étant à moitié infirme ; 3 médailles d'or (1960). Vera CASLAVSKA *(gym.),* Tchéc. n. 3-5-1942, 3 méd. d'or (1964), et 4 (dont 2 partagées) 1968. Shane GOULD *(natation),* Austr. n. 23-11-1956, battit 11 rec. du monde entre 1971 et 73, 3 méd. d'or en 1972. Nadia COMANECI *(gym.),* Roum. n. 12-11-1961 ; ch. d'Europe à 14 ans, 3 méd. d'or et 2 d'arg. (1976 : 1re gym. ayant obtenu des notes 10 en concours et 20 en finale), 2 méd. d'or et 2 d'arg. (1980, bien qu'elle ait grandi de 5 cm et grossi de 7 kg). Cornelia ENDER *(natat.),* All. dém. n. 25-10-1958, 22 records du monde ; 4 méd. d'or et 1 d'arg. 1976.

Jeux Olympiques d'hiver les sœurs GOITSCHEL, Fr. *(ski alpin) :* Christine (n. 29-6-1944), méd. d'or en slalom spécial (devant sa sœur) et méd. d'arg. en géant (1964) ; Marielle (n. 28-9-1945), méd. d'or en slalom géant (1964 devant sa sœur), d'argent en spécial, et d'or en spécial (1968).

Nota. – 1971-85 : Monique BERLIOUT (Fr. 22-12-1923) directeur du CIO.

■ **Sultane** Mlle de BARBEYRAC DE SAINT-MAURICE, enlevée par des pirates et vendue à Mahmoud II, sultan de 1809 à 1839 ; mère d'Abd-ul-Mejid (n. 1822, sultan 1839-61) et d'Abd-ul-Aziz (n. 1830, sultan 1861-76).

■ **Voyageuses** Jane DIEULAFOY (1851-1916), Française s'habillait en homme, exhuma à Suze la prise des Lions. Alexandra DAVID-NEEL (1868-1969). Rose de FREYCINET (1794-1832), Française, suivit son mari autour du monde. Ida PFEIFFER (1797-1858). Lady STANHOPE (1776-1889), Anglaise. Alexandrine TINNÉ (1839-69), Hollandaise.

Sommet sur la promotion économique des femmes rurales (Palais des Nations, Genève : 25/26-2-1992) : réunissait, à l'instigation de la reine Fabiola de Belgique, 64 premières dames dont la reine Sophie d'Espagne, la Pcesse Lalla Meriem (fille du roi Hassan II), la Pcesse Sonam Choden Wangchuck (Bhoutan), Mme Munoz de Gaviria (Colombie), Mme Moubarak (Égypte), Mme Babangida (Nigeria), Mme Diouf (Sénégal), Mme Özal (Turquie), la grande-duchesse de Luxembourg, la Pcesse Margaretha (Liechtenstein).

■ QUELQUES « PREMIÈRES »

☞ Voir aussi rubriques précédentes.

■ **Du monde.** Ève selon la Bible (les Juifs du Moyen-Âge parlèrent d'une 1re épouse d'Adam : Lilith, stérile et démone).

■ **En France. 1681** *1re femme autorisée à tenir un rôle en scène* (le Triomphe de l'amour) Mlle de La Fontaine (1655/65-1738) danseuse. **1694** *1re compositrice d'opéra,* Élisabeth Jacquet de La Guerre (« Céphale et Proscris »). **1767-69** *1re à naviguer autour du monde,* Jeanne Baret (sur le bateau de Bougainville). **1784** *1re effectuant un vol en ballon libre,* Mme Thible. **1849** *1re se présentant aux élections.* **1851** *1re décorée de la Légion d'honneur,* Angélique Duchemin (1772-1859, voir Index). **1858** *1re licenciée ès sciences,* Mlle Chenu. **1861** *1re bachelière,* Julie Daubié (1824-74), institutrice de 37 ans, licenciée ès lettres *1871.* **1869** *1re reçue pharmacienne,* Mlle Doumergue. **1870** *1res diplômées de la Fac. de médecine :* 2 étrangères : miss Garret (1870), miss Putman (1871). **1875** *1re soutenant sa thèse à la Fac. de médecine,* Madeleine Brès (1839-1925). **1882** *concours de l'externat de médecine,* Blanche Edwards et Augusta Klumpke. **1884** *1re enseignante à la Sorbonne* (sans chaire) Clémence Royer. **1885** *concours de l'internat,* Blanche Edwards et Augusta Klumpke. *1res autorisées* par Millerand, min. du Commerce, *à entrer comme dactylographes dans les services d'État. 1re docteur en sciences géographiques,* Dorothea Klumpke. *1re agrégée des sciences,* Mlle Bornicker. **1892** *1re à passer le concours de l'assistance médicale de Paris,* Madeleine Pelletier. **1896** *1re metteur en scène* Alice Guy (future Mme Herbert Blatché) avec la Fée aux choux, 1er film à scène. **1897** *1re docteur en droit,* Jeanne Chauvin (1862-1926). *1re titulaire du permis de conduire automobile,* la duchesse d'Uzès (1847-1933). *1re interne en pharmacie,* Henriette Mazot. **1900** *1re inscrite au Barreau,* Jeanne Chauvin. **1902** *1re docteur ès sciences,* Lucie Luzeau-Rondeau. *1re architecte sortie de l'école des Beaux-Arts,* Julia Morgan (Amér.). **1904** *1re concourant pour le Prix de Rome (musique),* Hélène Fleury. **1905** *1re agrégée de philosophie,* Mlle Baudry. **1906** *1er professeur titulaire de la chaire de physique générale à la Sorbonne,* Marie Curie (1867-1934). *1re admissible à l'École normale supérieure,* Mlle Robert. *1re chartiste,* Mlle Aclocque (1884-1967), reçue 4e au concours, diplômée 1910. *1re ayant soutenu une thèse en pharmacie,* A. Talon. **1907** *1re élue au Conseil des prud'hommes,* Mlle Jousselin, secrétaire du syndicat des couturières-lingères. *1res femmes cochères* à Paris, Mmes Dufaut et Charnier. *1re agrégée de sciences nat.,* Mlle Robert. **1908** *1re à plaider en Cour d'assises,* Maria Vérone (1874-1938), avocate. *1re chauffeur de taxi,* Mme Decourcelle. **1909** *1re instrumentiste à l'Opéra de Paris,* Lily Laskine (1893-1988 ; harpiste). **1910** *1re à l'Académie Goncourt,* Judith Gautier (1850-1917). **1911** *1re à la villa Médicis et 1er grand prix de Rome de sculpture,* Lucienne Heuvelmans (n. 1885). **1912** *1re nommée officiellement astronome,* Mme Edmée Chandon. *1re agrégée de grammaire,* Jeanne Raison. **1913** *1er grand prix de Rome de musique,* Lili Boulanger (1893-1918). **1914** *1re docteur ès lettres,* Mlle Jeanne Duportal. *1re docteur en philosophie,* Léontine Zanta. **1918** *1re prix de littérature de l'Académie française,* Gérard d'Houville (pseud. de Marie de Régnier, 1875-1963). *1re dipl. de l'Institut agronomique.* **1919** *1re dipl. de l'École des Mines de St-Étienne,* Mlle Schrameck. **1920** *1re prof. d'enseignement sup. au Conservatoire,* Marguerite Long (1874-1966). *1re ingénieur de l'École centrale,* Marie Buffet. **1921** *1re prof. de la faculté* (Grenoble). **1922** *1re élue CGTU,* Marie Guillot. *1re à l'Académie de médecine,* Marie Curie (1817-1934). Victor Margueritte publie *la Garçonne* (roman héroïne : Monique Lerbier). **1923** *1re lieutenant de louveterie,* duchesse d'Uzès (1847-17/1-1933 à 85 ans suivant sa dernière chasse à courre à cheval). **1923** *1re architecte diplômée de l'école des Beaux-Arts,* Jeanne Surugue (1896-1990). **1924** *1re dipl. de l'École supérieure d'aéronautique,* Mlle Fradis (1847-1933). **1927** *1re chef de clinique titulaire,* Mme Odier-Dollfus. *1re major de la promotion de l'Institut agronomique,* Pcesse d'Annam, Nhu May. **1929** *1er grand prix de Rome de peinture,* Mlle Pauvert. **1930** *1re reçue à l'École vétérinaire,* Jeanne Miquel. *1re prix Renaudot,* Germaine Beaumont. *1re « médecin des hôpitaux de Paris »,* Mme Bertrand-Fontaine (concours ouvert aux femmes dep. 1927). 2e 1939 Jenny Aubry (sœur de Louise Weiss). *1re chef d'orchestre,* Jane Évrard (n. 1891). **1931** *1re vétérinaire. 1re française à chanter à Bayreuth,* Marcelle Bunlet (1900-91). **1932** *1re conseiller d'ambassade,* Suzanne Borel (qui épousera le 28-12-45 G. Bidault). *1re course de jockeys femmes à Maisons-Laffitte.* **1933** *1re commissaire-priseur,* Me Le Queméner. **1934** *1re agrégée de médecine à Paris,* Jeanne Lévy. **1935** *1re assistante de police. 1re jurée au tribunal de commerce,* Mlle Sylvia Ollivier (Nice). **1936** *1res sous-secrétaires d'État,* Irène Joliot-Curie (1897-1956), Suzanne Brunschvig (1877-1946), Suzanne Lacore (1875-1977). *1re avocate élue secrétaire de la Conférence du stage,* Lucienne Scheid. **1938** *1re metteur en scène à la Comédie-Française,* Marie Ventura (Iphigénie). *1re contemporaine figurant sur un timbre,* Marie Curie (avec son mari). **1939** *1re agrégée de math cacique (major)* (avec Roger Apéry), Jacqueline Ferrand. **1945** *1re avocate admise à un Conseil de l'ordre,* Mme Blanchard-Pavie (Le Mans). *1re titulaire des grandes orgues d'une église de Paris,* Rolande Falcinelli (n. 1920) (Sacré-Cœur). **1946** *1re élue à la Chambre de commerce de Paris,* Yvonne Foinant. *1re station de métro à nom de femme :* « Vallier » devient « Louise-Michel ». *1re élue au bureau confédéral de la CGT,* Marie Couette. *1re secrétaire d'État,* Andrée Vinot (Jeunesse et Sports). **1947** *1re ministre,* Mme Germaine Poinso-Chapuis (1901-81) [Santé publique et Population (le décret Poinso-Chapuis du 22-5-1948 visant à aider l'enseignement privé provoque une crise gouv.) ; *2e ministre,* Simone Veil (n. 13-7-27), 1974 (même portefeuille)]. *1er magasin Prénatal* (St-Denis). *1res reçues à l'ENA,* 3 (dont Yvette Chassagne) (n. 28-3-22). **1948** *1re huissier, garde champêtre.* **1949** *1re pasteur de l'Église réformée de Fr.,* Élisabeth Schmidt († 14-3-1986 à 77 ans). *1re notaire,* Me Gayet. *1res speakerines à la TV,* Jacqueline Joubert (n. 29-3-21) et Arlette Accart. **1950** *1re admise au Conseil de l'ordre des avocats de Paris,* Lucile Tinayre. **1953** *1res auditeurs au Cons. d'État,* Mlles Trial et Griffon. *1re nommée au Conseil d'État,* Jacqueline Bauchet (n. 21-2-27). **1955** *1re percepteur.* **1959** *1re titulaire d'une chaire à la Faculté de médecine de Paris,* Jeanne Lévy. **1960** *1ers bigoudis chauffants.* **1961** *1re chauffeur d'autobus à Paris,* Marcelle Clavère. **1962** *1re à l'Académie des sciences,* Marguerite Perey (1909-75). **1963** *1re pilule commercialisée en France. 1re maître des requêtes au Conseil d'État,* Nicole Questiaux (n. 19-12-30). **1965** *1re assistante de police* (brigade des mineurs, Paris). **1967** *1re consul général,* Marcelle Campana (à Toronto). *1re pilote de ligne,* Danielle Decuré (n. 4-2-1942). *1re vice-prés. de l'Assemblée nat.,* Marie-Claude Vaillant-Couturier (n. 1912) (communiste, jusqu'en 1968). *1re sous-directrice des Finances,* Yvette Chassagne (n. 28-3-22). **1968** *1re doyenne de Faculté* (Lettres et Sc. humaines de Brest), Alice Saunier-Seïté (n. 26-4-25). **1969** *1re major de l'ENA,* Françoise Chandernagor (n. 19-6-45) [2e : Élisabeth Grosdhomme, 1991]. *1re membre titulaire de l'Académie de médecine,* Mme Thérèse Bertrand-Fontaine (n. 15-10-95) voir 1930. **1970** *1re Pte de conseil général,* Évelyne Baylet (n. 14-6-13) (T.-et-G.). *1re secr. général du Conseil sup. de la magistrature,* Simone Veil (n. 13-7-27). **1971** *1re membre de l'Institut (Académie des Sciences morales et politiques),* Suzanne Bastid (n. 15-8-06). *1res au défilé militaire du 14 juillet.* **1972** *1re prés. du conseil municipal de Paris,* Nicole de Hauteclocque (1913-93). *1re ambassadrice,* Marcelle Campana (à Panamà) ; depuis furent nommées Mlle M.-M. Dienesch (n. 1914), au Luxembourg, Mlle Christiane Malitchenko (n. 6-12-24), en Bulgarie. *1re officier des haras,* Nicole Gerrer. *1re reçue major à Polytechnique,* Anne Chopinet, 18 ans (*1re major du concours étranger,* Thu Thuy Ta, Vietnamienne, 19 ans). *1res inspectrices de police.* **1973** *1res reçues à HEC,* dont le major, Florence Cayla. *1re à l'École nationale de la marine marchande,* Alix Daujat, cours de capitaine de 1re classe. *1re recteur,* Alice Saunier-Seïté (n. 26-4-25). 1re doyenne de faculté en 1968. *1re Pte d'un tribunal administratif,* Mme Marcelle Pipien (n. 12-1-20). **1974** *1re au Collège de France,* Jacqueline de Romilly (n. 26-3-13). *1res inspecteurs des finances,* Nicole Briot (n. 8-5-38) et Elisabeth Bukspan (n. 14-9-48). *1re sous-préfet,* Florence Hugodot (n. 22-3-48). *1re au Conseil d'État,* Françoise Jurgensen (Chandernagor, n. 19-6-45). *1re admise dans le Corps des mines,* Anne Chopinet. *1re candidate à la présidence de la République,* Arlette Laguiller (n. 18-3-40). **1975** *1re Pte de chambre à la cour d'appel,* Mme Suzanne Challe (n. 13-3-26). *1re conseillère à la Cour d'appel de Paris,* Mme Marie-Amélie Perraudin (n. 22-6-25). *1re à l'Académie des inscriptions et belles-lettres,* Jacqueline de Romilly (n. 26-3-13). **1976** *1re général* (armée de l'air) Valérie André (n. 21-4-1922) le 21-4. *1re avocate au Conseil d'État et à la Cour de cassation,* Martine Luc-Thaler (32 ans). *1re membre du Conseil supérieur de la Magistrature,* Mme Denise Rémuzon (n. 26-6-26). *1res commissaires de police,* 4. *1re Pte du tribunal de grande instance de Paris,* Simone Rozès (n. 29-3-20). **1977** *1re commissaire-priseur (à Paris),* Mme Chantal Pescheteau-Badin (n. 26-10-45). *1re élève-officier de la Marine nationale,* Dominique Roux (n. 23-11-49). **1978** *1res élèves à St-Cyr-Coëtquidan. 1re Pte de cour d'appel,* Mme Suzanne Challe (n. 13-3-26) à Nîmes. *1re conductrice de métro,* Marie-Jeanne Vignière à Lyon. *1res gardiennes de la paix.* **1979** *1re à l'Académie des sciences,* Yvonne Choquet-Bruhat (n. 29-12-23). *1re à l'Acad. vétérinaire,* Mme Léone Dhennin-Balssa (n. 14-10-14). *1re officier d'admin. de la Marine,* Anne-Marie Guerder. *1re admin. des affaires maritimes et 1re sur un navire de la marine nat. pour une longue croisière :* Claude Lemale (n. 1954). *1re conseillère-maître à la Cour des comptes :* Yvette Chassagne (n. 28-3-22). *1re avocat gal à la Cour des comptes :* Hélène Gisserot (n. 11-5-36).

1980 *1re arbitre de rugby,* Arlette Bouvier. *1re capitaine des sapeurs-pompiers,* Micheline Colin, médecin. *1re à l'Académie française,* Marguerite Yourcenar (1903-87). **1981** *1re procureur général près d'une cour d'appel,* Nicole Pradain (24-5-24). *1re préfet :* Yvette Chassagne (28-3-22), devient dir. de l'UAP en 1983. **1982** *1re conductrice de métro à Paris :* Yvonne Brucker. *1re recteur de l'Académie de Paris,* Hélène Ahrweiler (29-8-26). *1re à la tête d'une Église protestante,* pasteur Thérèse Klipfel, élue prés. du

Conseil synodal de l'Égl. réformée d'Alsace et de Lorraine. *1re à l'Académie de chirurgie,* Claire Nihou-Fékété. *1res pilotes hélicoptères militaires,* Anne Dugaleix (30 ans) et Fone-Tchoura Réna (28 ans). **1983** *1re Pte d'un club de rugby,* Christiane Hiot (Albi). *1re officier embarquée* sur un bâtiment de guerre « Jeanne d'Arc », Dominique Roux (33 ans). *1re admission au prytanée militaire de La Flèche,* Sandrine Mathieu (16 ans). *1re Pte de la Cour de cassation,* Simone Rozès (29-3-20). **1984** *1re admise au Cadre Noir,* Florence Labran (30 ans). *1re gagnant une course à tiercé 1-4,* Darie Boutboul. *1re croupier,* Florence Micharoff. **1985** *1re Pte de section du Conseil d'État,* Suzanne Grévisse (4-11-27). *1re pilote de l'armée,* Isabelle Bousaert (22 ans), *1re agent de change* (Lyon), Sylvie Girardet de Longevialle (20-9-41). *23-10 1re général de brigade de l'armée de terre,* Andrée Tourné (27-9-29). **1986** *1res à atteindre le pôle Nord,* 6 Françaises et 2 Canadiennes. *1re trésorier-payeur gal :* Jeanine Meilhon (8-10-30). **1987** *1re pilote à l'Aéronavale :* Christine Clément (11-6-60). **1988** *1re à prêcher à Notre-Dame de Paris,* Marie-Hélène Mathieu (conférence de Carême). **1989** *1re lieutenant de gendarmerie mobile :* Isabelle Guion de Mauritens (sortie de St-Cyr, n. 1962). *1re capitaine chef d'escadrille :* Nicole Riedel (n. 4-2-1956). *1re dont les obsèques ont lieu aux Invalides,* Marie-Madeleine Fourcade (Résistante). *1re maire d'un arrondissement de Paris,* Benoîte Taffin (30-1-48) (2e). *1re Pte. du Centre Pompidou,* Hélène Ahrweiler (29-8-26). *1re agrégée de math. major (seule),* Mireille Bousquet-Mélou. **1990** *1re rabbin,* Pauline Bèbe. *-17-7 1re gendarme tuée* en service (Isabelle Cuntz, 24 ans, par un poids lourd). **1991**-*20-2 1re gardien de la paix tuée* par balles en service (Catherine Choukroun, 27 ans). **1992** *mars 1re au Conseil constitutionnel,* Noëlle Lenoir (27-4-48). **1993** *1re à piloter un avion de ligne supersonique,* Barbara Harmer (n. 1954). *Juin 1er officier féminin de la marine nationale à recevoir un commandement à la mer,* Dominique Magne (l'« Athos » : vedette de surveillance basée à Bayonne).

■ **A l'étranger 1849** *1re reçue docteur en médecine,* Miss Elizabeth Blackwell (USA) [en Europe Mlle Souslov (Russe) à Zurich, Suisse 1868]. **1865** *1re femme amér. exécutée* (pendue) après une condamnation régulière : Mary Eugénie Surrat (n. 1818). **1901** *1re évêque,* Alma Bridwell White (USA, secte méthodiste). **1907** *1res députés :* 19 femmes en Finlande (des intellectuelles, 1 sage-femme, 1 cuisinière). *1re réalisatrice de films,* Loïs Weber (The Merchant of Venice). **1913** *1re député aux USA,* Nena Jolidon-Croake. **1916** *1re au Parlement USA,* Jeannette Rankin (Montana). **1917** *1re au gouv. URSS,* Alexandra Kollontaï. *1re au Parlement, Canada,* Louise McKinney (Alberta). **1918** *1re ambassadrice, Hongrie,* Rosika Schwimmer (envoyée en nov. en Suisse par le gouv. du Cte Karolyi). **1919** *1re prof. à Harvard,* Alice Hamilton. **1921** *1re à l'Académie royale de littérature fr. de Belgique,* Anna de Noailles (1re Belge Marie Gevers 1938). *1re député au Canada,* Agnès McPhail. *1re ministre, USA,* Marie Ellen Smith. *1re prix Pulitzer,* Edith Wharton. **1922** *1re sénateur (USA).* **1923** *1re ministre* (Canada) (sans portefeuille), Mrs. Mary Ellen Smith. **1924** *1re ambassadeur soviét.,* Alexandra Kollontaï (1872-1952), au Danemark. *1re Roumaine* Hélène Vacaresco représente la Roumanie à la SDN. *1re femme sous-secrétaire d'État en Europe* (Mines), miss M. Bondfield (G.-B.) cabinet MacDonald. *1re femme ministre* en Europe (Instruction publique), Nina Bang (Danemark). **1925** *1re femme gouverneur d'État* (Wyoming, USA). *1re Belge architecte,* J. Van Celts-Emonts. *1re à diriger un orchestre important, USA,* Ethel Leginska (pianiste brit.). **1927** *1re ministre Finlande,* Miina Sillanpäa (Affaires soc.). **1929** *1re tractoriste,* Pacha Anguelina (16 ans, URSS). *1re ministre G.-B.,* Margareth Bondfield (Travail). **1930** *1re hôtesse de l'air,* Ellen Church (USA, voir Index). **1932** *1re sénateur USA,* Hattie Caraway. **1933** *1re au Parlement, N.-Zélande,* Elizabeth McCombs. *1re ministre USA,* Frances Perkins. **1938** *1res « Héros de l'Union soviét. »,* Valentina Grizodoubova, Paulina Ossipenko et Marina Raskova pour un vol sans escale de + de 8 000 km. **1939** *1re titulaire de chaire à Cambridge,* Dorothy Garrod. **1946** *1re ministre Inde,* Vijaya Lakshmi Pandit. **1947** *Suède,* Karin Hock. *N.-Zélande,* Mabel Howard (Santé et Enfance). **1949** *1re ambassadrice accueillie en France,* Miss Cynthia Mackenzie (N.-Zél.) **1951** *1re au gouv. Italie,* A. Cingolani. *Suède,* Hildur Nygren. **1954** *1re ministre Grèce.* **1956** *1re au gouv. P.-Bas.* **1960** *1re PM,* Sirimavo Bandaranaike (Sri Lanka). **1961** *1re ministre All. féd.,* Elizabeth Schwarzhaupt (Santé). **1962** *1re chef de délégation à la conférence de Genève sur le désarmement,* Alva Myrdal (Suédoise). *1re auditrice au Concile Vatican II,* Marie-Louise Monnet (sœur de Jean Monnet). **1963** *1re dans l'espace,* Valentina Terechkowa (URSS). *1re ministre Belgique,* Marguerite de Riemacker-Légot (Aff. familiales). **1968** *1re Noire élue au Congrès USA,* Shirley Chisholm. **1971** *1re juge à la Cour européenne des droits de l'homme,* Helga Pedersen (Danoise). *1re ministre Portugal,* Maria Teresa Lobo (Bien-être social). *1res prêtres anglicans,* 2 à Hong Kong. **1972** *1re rabbin aux USA,* Sully Priesand. *1re vicaire épiscopal (dans les temps modernes),* Mère Marie-Antoine Azcune, Compagnie de Marie (Brésil). *1re femme des neiges connue* (ayant la tête d'un singe et des mains trois fois plus grandes que celles d'un être humain ordinaire) tuée au Tibet. *1re prés. du Conseil de sécurité des Nations unies,* Jeanne-Martin Cissé (Guinéenne). *1re prés. du Bundestag (All. féd.),* Anne-Marie Ringer. **1973** *1res admises à l'Académie militaire de West-Point, USA* **1976** *1re ministre Italie,* Tina Anselmi (Travail). **1977** *1re Noire ministre aux USA* (Logement puis Santé et Éducation) Patricia Harris († 23-03-85 à 60 a.). **1978** *1re prés. de la Chambre des dép. italienne :* Leonilde Jotti. **1979** *1re Prés. de la Rép. Bolivie,* Lydia Gueiler Tejada (renversée par un coup d'État 8 mois après). *1re PM Portugal,* Maria de Lurdes Pintassilgo (6 mois). **1981** *1re à la Cour suprême américaine :* Sandra O'Connor. **1982** *1re ministre Brésil :* Figueiredo Ferraz. *1re gouverneur civil de province* (Espagne). *1re membre de la Cour suprême* (Canada). *1re Pte du Conseil exécutif, Yougoslavie,* Milka Planinc. **1983** *1re Lord-maire de Londres,* Lady Donaldson. *1re conseillère d'État Suisse,* Hedi Lang (Zurich). **1984** *1re gouv. gén. du Canada,* Jeanne Sauvé. *1re candidate à la vice-présidence USA,* Geraldine Ferraro (démocrate). **1986** *1re Gal de l'armée israélienne* Amira Dotan. **1987** *1re pilote de chasse,* Nelly Speerstra (P.-Bas). *1re Noire élue à la Chambre des Communes G.-B.,* Diane Abbott. **1988** *1res commissaires européens,* Vasso Papandreou (Grèce), Christiane Scrivener (France). **1990** *1re officier amér. ayant mené un assaut,* Linda Bray (capitaine de police militaire, à la tête de 30 hommes contre 50 Panaméens). **1992** *(4-4) 1re femme évêque luthérienne,* Maria Jepsen (All. 47 ans).

> **1928** Dr Gräfenberg, All., invente le stérilet. **1920** Kotex : *1res serviettes périodiques jetables* aux USA. **1937** Docteur Earle Haas (USA) invente le *tampon périodique* (Tampax, 1er commercialisé). **1960** *1re pilule qui supprime l'ovulation* (« Enovid ») commercialisée aux USA (expérimentée à Porto Rico) par les labo. Searle.

NOBLESSE

BLASON

■ ORIGINE ET LÉGISLATION

■ **Origine des armoiries.** Dès l'Antiquité, des décors à thèmes militaires ornent les « armes » [latin *arma,* désignant l'équipement défensif, notamment le bouclier (l'éq. complet se dit : *arma telaque*)] : les boucliers des hoplites étaient souvent décorés d'emblèmes de cités ou d'embl. individuels. Mais les décors des boucliers ne deviennent des armoiries que lorsqu'ils se fixent, et deviennent héréditaires (vers 1130). Seules, jusqu'à cette époque, les enseignes permettaient de reconnaître un groupe de combattants (le chevalier armé n'était pas reconnaissable). Vers 1250, l'usage des armoiries s'étend à toute la noblesse : de marques distinctives, militaires, elles deviennent familiales et les 1ers *sceaux frappés d'armoiries* apparaissent [l'usage d'armoiries s'étend aux non-combattants (femmes, clercs, villes), et au XIIIe s. à l'ensemble de la société, sans distinction de classe]. **Emblèmes :** les plus anciens figurent des animaux (lion, dragon, aigle) stylisés, quelques-uns comportaient un champ plain.

■ **Droit de porter des armoiries en France. Sous l'Ancien Régime.** Les familles titrées ou issues de la noblesse possèdent toutes des armoiries, mais également beaucoup de non-nobles, roturiers (tiers état et corporations) ou ecclésiastiques. En 1696, un édit d'enregistrement des armoiries fut pris dans un but fiscal : 116 944 personnes (dont env. 80 000 non-nobles), 2 171 villages, 934 villes, 28 généralités firent enregistrer leurs armoiries (tantôt volontairement, tantôt obligatoirement) ; ce qui rapporta, de 1696 à 1709, 5 800 000 livres au Trésor royal. Ces enregistrements sont conservés au Cabinet des Titres de la Bibliothèque nationale dans 70 in-folio manuscrits (35 de descriptions, 35 de blasons coloriés). Les armoiries des familles non nobles n'étaient pas timbrées (c'est-à-dire non surmontées d'une couronne ou d'un casque). **Régime actuel.** *Personnes privées :* bien que les textes anciens relatifs aux armoiries n'aient pas été explicitement abrogés, l'État n'exerce aucun contrôle qu'il s'agisse d'armoiries de personnes privées ou morales. La Chancellerie ne délivre ni concession, ni autorisation, ni confirmation, et aucune demande relative aux armoiries ne peut être prise en considération. Chacun est donc libre d'adopter les armoiries de son choix, sous réserve des droits des tiers, c'est-à-dire à condition de ne pas prendre un blason déjà utilisé par une personne privée ou morale, car le blason, étant « le nom dessiné et colorié », jouit de la même protection que le nom. Les trib. civils sont compétents pour statuer sur les litiges relatifs aux usurpations d'armoirie. On peut faire protéger son blason en déposant son dessin à l'Office de la propriété artistique et industrielle : la protection et l'exclusivité du dessin entraînent celles du blason qu'il figure. *Personnes morales* (villes, assoc., académies, sociétés, firmes commerciales) : elles ne peuvent prendre d'armoiries qu'avec accord de l'État (ord. de Louis XVIII, 26-9 et 26-12-1814).

> **CRI D'ARMES**
>
> A partir du Xe s., les familles nobles avaient un cri traditionnel, pour animer leurs hommes d'armes au combat, et pour se faire connaître dans les batailles ou dans les tournois. Par ex. : Vicomtes de Melun : A moi Melun ! Marquis, puis comtes de Flandres : Flandres au lion ! Les cadets modifiaient légèrement les formules. Outre le cri de guerre, il y avait **7 cris rituels :** *1°) invocation* (Montmorency : Dieu aide !) ; *2°) résolution* (Dieu le veut !) ; *3°) exhortation* (A la rescousse !) ; *4°) défi* (Sires de Chauvigny : Chevaliers pleuvent !) ; *5°) terreur* (Sires de Bar : Au feu ! ; Sires de Guise : Place à la bannière !) ; *6°) événement,* c.-à-d. allusion à un fait anecdotique (Sires de Prie : Cant l'oiseau !, c.-à-d. « que l'oiseau chante », allusion à une victoire remportée dans un bois où chantaient les oiseaux) ; *7°) ralliement* (maison royale de France : Montjoye Saint-Denis).

■ SIGNES CARACTÉRISTIQUES ET REPRÉSENTATIONS

■ **Émaux. Métaux.** *Or* (couleur jaune) : points multipliés. *Argent* (blanc) : blanc simple.

Couleurs. *Azur* (bleu) : lignes horizontales. *Gueules* (rouge) : lignes verticales. *Sable* (noir) : lignes horizontales et verticales croisées. *Sinople* (vert) : diagonales de dextre à senestre de l'écu, de haut en bas. *Pourpre* (violet) : diagonales de senestre à dextre de l'écu. *Couleurs de carnation* (couleur humaine) *et au naturel* (animaux, fruits, fleurs, etc.). En G.-B., en outre, *orangé :* verticales croisées par des diagonales de senestre à dextre.

Fourrures. *Hermine :* fond d'argent parsemé de mouchetures de sable. *Contre-hermine :* fond de sable et mouchetures d'argent. *Vair :* petites pièces d'argent et d'azur en forme de cloche posées alternativement. *Contre-vair :* mêmes pièces opposées entre elles par la pointe et par la base.

■ **Manteaux.** *Origine :* les tentes d'armes qui servaient à l'exposition des armes des souverains ou grands seigneurs lors des tournois. Utilisés comme décor des armoiries par les souverains, fin XVe s., et princes, ducs et pairs et leurs familles à partir du XVIIe s. Armoriés à l'extérieur, doublés d'hermine, sortent d'une couronne placée très haut (le chancelier et le président aux Parlements les portaient de gueules et non armoriés ; les pairs de France sous la Restaura-

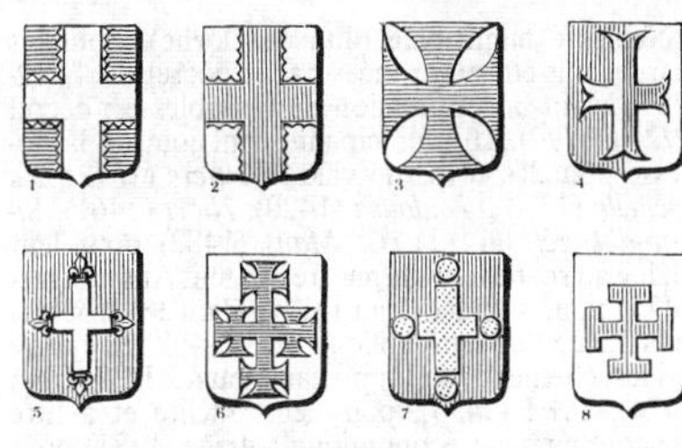

Croix usitées : 1 Endentée. 2 Engrêlée. 3 Pattée. 4 De l'un en l'autre. 5 Fleurdelisée. 6 Recroisetée. 7 Pommetée. 8 Potencée.

Émaux : 1 Azur. 2 Gueules. 3 Sable. 4 Sinople. 5 Pourpre.

Métaux : 1 Or. 2 Argent. *Fourrures :* 1 Hermine. 2 Vair.

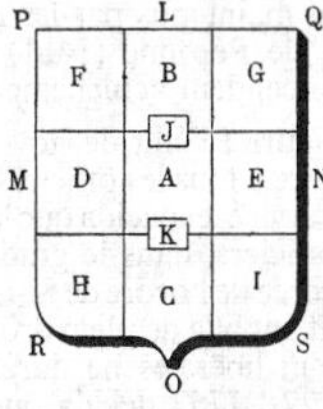

Partitions de l'écu : A Cœur. B chef. C Pointe. D Flanc dextre. E Flanc senestre. F Canton dextre du chef. G Canton senestre du chef. H Canton dextre de la pointe. I Canton senestre de la pointe. J Lieu d'honneur. K Nombril. L Bord du chef. M Bord ou côté dextre. N Bord ou côté senestre. O Bord de la pointe. P Angle dextre du chef. Q Angle senestre du chef. R Angle dextre de la pointe. S Angle senestre de la pointe.
On dit aussi : FBG Chef. HCI Pointe. FDH Flanc dextre. GEI Flanc senestre.

tion : d'azur bordé de broderies et doublé d'hermine, sortant de la couronne de titre comblée d'un bonnet d'azur à houppe d'or).

■ **Cris et devises.** Le cri de guerre se met au-dessus du timbre ; la devise au-dessous des armes, l'un et l'autre sur un listel. La devise était à l'origine un emblème (le corps) associé à une légende explicative (l'âme). Ex. les Corsard : une licorne (corps) avec la devise *Sans venin* (allusion à la corne qui blesse sans envenimer). Il existe des devises sans emblèmes ou sans sentences (badges anglais).

■ **Brisures.** En principe, seul le chef de famille porte les armes pleines ; les cadets, et même le fils aîné (jusqu'à l'héritage), doivent briser leurs armes, soit par changement des couleurs, augmentation ou diminution ou disposition différente des meubles ou ajout de certaines figures (brisures) dont le lambel (à 3 pendants, porté en chef, très répandu en France), la cotice et la bordure dentelée ou engrêlée. Les bâtards brisaient souvent d'une barre ou par réduction des armes de leur père dans une petite partie de l'écu. Depuis le XVIIe s., l'usage des brisures a disparu (sauf pour la maison royale).

■ **Timbres.** Constitués par les coiffures surmontant l'écu : couronnes, cimiers, heaumes, drapeaux, etc. (privilège théorique de la noblesse, mais les familles bourgeoises eurent aussi des armes timbrées du heaume, et à tort). *Les couronnes* sont apparues aux XVIe et XVIIe s. (existaient auparavant seulement pour les souverains). Napoléon remplaça les couronnes par des *toques* (le *mortier* ou toque plate était l'insigne des magistrats avant 1789). En Grande-Bretagne sont réservées aux lords ; en Allemagne et Belgique, les barons portent une couronne (à 7 perles) ; les princes du Saint-Empire et des divers États allemands, du pape, russes, etc., portent une couronne fermée remplie d'un bonnet doublé d'hermine.

■ **Insignes de dignité ou de fonction.** Beaucoup de dignités civiles, militaires ou ecclésiastiques se marquent traditionnellement par des ornements extérieurs au blason. *Connétable :* 2 épées hautes et nues (l'épée de connétable) flanquant l'écu, tenues par des mains qui sortent d'un nuage. *Maréchal de France :* 2 bâtons de maréchal passés en sautoir derrière l'écu. *Amiral de France :* 2 ancres passées en sautoir derrière l'écu, la trabe fleurdelisée. *Vice-amiral :* 1 ancre posée en pal derrière la trabe fleurdelisée. *Grand chambellan :* 2 clés d'or passées en sautoir derrière l'écu. *Chancelier de France :* 2 masses d'armes d'or passées en sautoir derrière l'écu ; manteau de gueules fourré d'hermine sortant d'un mortier d'or bordé d'hermine ; couronne de duc. *Grand veneur :* 2 cors de chasse flanquant l'écu. *Maréchal de la Foi* (Lévis-Mirepoix) : 2 bâtons d'azur semés de croisettes d'or passés en sautoir derrière l'écu.

Noblesse française

Régime juridique

■ Noblesse

■ **Sous l'Ancien Régime,** le *noble* se définit ainsi, selon Henri Jougla de Morenas († 1958) : le noble a seul droit de se qualifier d'écuyer, de chevalier, de porter l'épée et de timbrer ses armoiries ; il a préséance sur tous les roturiers, est seul capable de porter les titres de baron, vicomte, etc. Il est exempt de taille, de banalité, de corvée ; il partage noblement ses biens, est exempt du logement des gens de guerre, n'est pas sous la juridiction des prévôts. Il peut être jugé par la Grand-Chambre du Parlement. Il ne peut sans déroger faire de commerce (sauf maritime) ni exercer un métier (sauf celui des armes, de membre d'une cour souveraine, d'avocat, de notaire à Paris, de verrier, de métallurgiste). Il doit servir le roi quand celui-ci convoque son ban et son arrière-ban.

☞ **Noble homme.** D'après l'article 2 de l'arrêt du Conseil d'État du roi, du 4-6-1668, la qualité de *noble homme,* prise dans des contrats, avant et dep. 1560, ne peut établir une *possession de noblesse.* Mais d'après l'article 4 d'un autre arrêt du Conseil, du 15-5-1703, « outre les qualités d'écuyer et de chevalier, celle de *noble* est une qualification de noblesse dans les provinces de Flandre, Hainaut, Artois, Franche-Comté, Lyonnais, Dauphiné, Provence, Languedoc et Roussillon, et dans l'étendue des parlements de Toulouse, Bordeaux et Paris ».

Particule (de, du, d', de la, des) : elle servait, avant la Révolution, à désigner la terre possédée à titre de seigneurie par un noble ou celle possédée par un roturier, ou celle acquise en propriété, ou tout simplement le lieu d'origine. Elle n'a jamais impliqué la noblesse (décision de la Cour de cassation). Un anobli n'avait pas « droit » à la particule et d'innombrables roturiers la possédaient. Elle attestait l'origine ou la propriété ou sous-entendait parfois « seigneur de » ou « sieur de » (ce qui n'implique pas nécessairement la noblesse : depuis l'ordonnance de 1579, un roturier pouvait acheter des fiefs et en devenir le seigneur sans devenir noble) ; il s'est créé ainsi une caste de « personnes vivant noblement », (roturiers, gros propriétaires terriens).

Particules accordées par la procédure des changements ou addition de noms de janv. 1980 à janv. 1983 : 270 demandes, 33 autorisations et 1 autorisation pour supprimer la particule. Le Conseil d'État peut annuler un décret d'autorisation (délai de recours : 1 an après la parution du décret au JO).

☞ Mac-Mahon accorda 3 particules en 1874, 1877 et 1878, par décrets personnels (en dehors de la procédure normale de la loi de Germinal an XI sur les changements et modifications de noms toujours en vigueur).

Quartiers de noblesse : ils correspondent au nombre d'auteurs nobles à un degré déterminé (père et mère nobles = 2 quartiers ; grands-parents = 4 ; arrière-grands-parents = 8, etc.). Jamais utilisés en France où l'on ne s'occupait que de la lignée mâle pour l'estimation de la noblesse. Les chapitres nobles (Lyon, Remiremont, Ottmarsheim, Andlau, etc.), les ordres de Malte et Teutonique (alsaciens) demandaient des quartiers (à la méthode allemande).

■ **Régime actuel. Noblesse :** en 1955, le tribunal de la Seine a affirmé que « la noblesse est une qualité qui n'a plus d'effet juridique ». La Constitution de 1958 a confirmé (en vertu du principe d'égalité affirmé par la Déclaration des Droits de l'homme et du citoyen du 26-8-1789, citée dans le préambule de la Constitution) qu'il ne peut exister en France ni nobles, ni noblesse, ni qualité nobiliaire, et même ni titres ou autres distinctions attachées à la naissance [*Constitution de 1958 (art. 2) :* « La France est une République indivisible, laïque, démocratique et sociale. Elle assure l'égalité devant la loi de tous les citoyens sans distinction d'origine, de race ou de religion. Elle respecte toutes les croyances. » *Déclaration des Droits de 1789 (art. 1er) :* « Les hommes naissent et demeurent libres et égaux en droits ; les distinctions sociales ne peuvent être fondées que sur l'utilité commune. »]. *Le décret du 23-6-1790* (voté le 19, signé par Louis XVI le 23-6) avait appliqué ce principe d'égalité en supprimant la noblesse héréditaire et tous les titres. Par contre, la *charte de 1814* avait spécifié : « L'ancienne noblesse reprend ses titres. La nouvelle conserve les siens. »

En revanche, on peut se dire *d'ascendance noble ou titrée.* C'est ce qu'a autorisé le décret du 29-7-1967 de reconnaissance d'utilité publique de l'Association d'entraide de la noblesse française (ANF) en approuvant ses statuts, en particulier l'article 3 qui demande au candidat de justifier qu'il est issu en ligne masculine d'un auteur pourvu de la noblesse acquise et transmissible. Cela équivaut seulement à perpétuer un souvenir, comme le font par exemple les descendants des combattants français de la guerre d'Indépendance des États-Unis (Sté des Cincinnati), ou les descendants des Français libres de 1940-43 (Association des Français libres).

> **Déclinaison des titres**
>
> Une ordonnance du 25-8-1817, *ne visant que la pairie,* avait autorisé le fils d'un duc et pair à porter le titre de marquis, celui d'un marquis et pair, le titre de comte, celui d'un comte et pair, le titre de vicomte, celui d'un baron et pair, le titre de chevalier. Cette « déclinaison » disparut légalement avec l'abolition de la pairie héréditaire en 1832. Constamment pratiquée pourtant de nos jours pour *tous* les titres, et non seulement les titres de l'ancienne pairie, elle ne repose plus sur aucun fondement juridique.

■ Titres

■ **Statut.** Si la loi française ne reconnaît pas juridiquement la noblesse, elle reconnaît les titres (qu'elle n'appelle d'ailleurs pas nobiliaires). Il subsiste un certain nombre de titres authentiques dont la jurisprudence admet encore la survivance en tant que compléments du nom. Leur existence est légale.

Nota. – Constitutionnellement, aucune disposition n'interdit au Pt de la Rép. de conférer un titre ou de régulariser un titre imparfait. Toutefois, il est d'usage de parler en ce cas de « titre » et non pas de « titre de noblesse », car l'art. 259 du Code pénal en vigueur sur l'usurpation des titres a volontairement omis de préciser « de noblesse », cette qualité n'étant plus accordée de nos jours. La jurisprudence des cours et tribunaux en matière de titres reconnaît que le titre régulier est une distinction héréditaire qui aide à distinguer les membres d'une même famille (seul le chef de famille ayant, en règle générale, droit au titre) sans porter atteinte à l'égalité des citoyens. Il aurait été question de conférer au maréchal Joffre le titre de « duc de la Marne »...

■ **Contentieux actuel des titres. Compétence administrative :** seule l'autorité administrative (Sceau de France au min. de la Justice) est compétente pour vérifier la validité du titre, et le reconnaître par un arrêté du garde des sceaux, moyennant paiement d'un droit de sceau. Le refus du ministre peut être déféré au tribunal administratif de Paris avec possibilité d'appel devant le Conseil d'État.

Compétence judiciaire : le titre étant un accessoire du nom, destiné à honorer celui auquel il a été conféré, les tribunaux judiciaires peuvent statuer sur les litiges portant sur la propriété des titres à condition que le litige ne porte pas sur la validité, l'interprétation, le sens ou la portée des actes ayant conféré ou confirmé le titre, sinon la question relève de la compétence administrative. Mais la frontière entre les deux compétences reste indécise, car lorsqu'il n'y a pas contestation sur un titre, l'ordre judiciaire rend son jugement ou arrêt.

Droit pénal : l'usage d'un titre auprès des autorités publiques ou sur les actes qui leur sont soumis (état civil, procédure devant les tribunaux, actes notariés...), sans droit et en vue de s'attribuer une distinction honorifique, est sanctionné par l'art. 259, § 3 du Code pénal (rarement appliqué). En France, le titre est indivisible (sauf dans l'Est) et ne repose que sur une seule tête. Il est imprescriptible et il n'y a plus de dérogeance.

■ **Investitures.** La collation ou création de titres est incompatible avec les institutions républicaines. Toutefois, en vertu de l'art. 7 du décret du 8-1-1859 modifié par le décret du 10-1-1872, « toute personne peut se pourvoir auprès du garde des sceaux pour provoquer la vérification de son titre par le conseil d'administration du ministère de la Justice ». Cette vérification ne peut donner lieu qu'à un arrêté du garde des sceaux (couramment, mais improprement dit « arrêté d'investiture ») autorisant l'inscription du nom d'un citoyen sur les registres du Sceau « comme ayant succédé au titre dont son ancêtre avait été revêtu ». Conformément à la déclaration du gouvernement à la chambre des députés (séance du 14-12-1906), cette autorisation ne peut être accordée qu'à propos de « titres sur lesquels ne peut s'instituer aucune contestation ». Le conseil d'administration vérifie que l'impétrant est bien l'unique personne apte, d'après les règles du droit nobiliaire français, à recueillir le titre devenu vacant. Toute requête tendant à un tel objet doit être obligatoirement présentée par ministère d'un avocat aux conseils. Un droit de sceau de 2 000 F est perçu. Le même titre doit faire l'objet d'une nouvelle autorisation d'inscription au décès du titulaire précédemment investi.

La formalité d'inscription sur le registre du Sceau n'est pas obligatoire et n'influe en rien sur l'authenticité du titre. La production de l'arrêté doit seulement être exigée par les autorités appelées à faire figurer ce titre tant sur les actes d'état civil que sur divers documents administratifs (passeport ou carte d'identité).

Du 4-3-1872 au 31-12-1992, il a été procédé à 407 vérifications de titres nobiliaires, dont 190 depuis 1908 (ducs 47, princes 2, marquis 30, comtes 40, vicomtes 8, barons 63).

☞ Au Moyen Age, l'*investiture* consistait en la remise d'un objet symbolisant la faveur reçue (ex. : une motte de terre symbolisant le fief). De grands féodaux comme les ducs de Bretagne et de Normandie recevaient petite couronne, sceptre, épée, bannière. La remise de la barrette cardinalice par le Pt de la République était une survivance de cette coutume.

■ **Juridiquement.** La noblesse n'existe plus en France. Les titres sont un accessoire du nom que la constitution assurant l'égalité sans distinction d'origine ne permet donc pas d'accorder seulement au descendant mâle et légitime cet accessoire et de le dénier à d'autres porteurs du même nom (puînés, filles adoptées). En cas d'adoption : on ne peut non plus refuser cet accessoire à un adopté qui ne serait pas noble selon d'anciens critères, car cela aboutirait en faveur du noble à un privilège anticonstitutionnel. Ces principes ont été confirmés par le Pacte international relatif aux droits civils et politiques, applicable en France depuis le 4-2-1981 (art. 26) et la convention sur l'élimination de toutes les formes de discrimination à l'égard des femmes dite convention de New York, applicable en France depuis le 13-1-1992 (art. 5). Du protocole additionnel n° 7 à la convention de sauvegarde des droits de l'homme et des libertés fondamentales dite convention européenne des droits de l'homme, applicable en France depuis le 29-1-1989 (art. 5 et déclaration du gouvernement français à son égard), il ressort que le titre doit se transmettre même lorsque l'adoptant est une femme, dès lors que le nom lui-même est transmis. Le chef de l'État français n'a pas à reconnaître un titre octroyé par un gouvernement étranger, mais peut accorder par décret au bénéficiaire le droit de le porter en France « pour des raisons graves et exceptionnelles » (art. 1er du décret du 5-5-1859). Ces autorisations étaient par essence *ad personam* et viagères. Le chef de l'État peut aussi accorder par un nouveau décret le droit de porter le titre devenu vacant à toute personne habilitée par le roi d'Espagne, seul compétent en la matière. Le service du Sceau peut, si on le lui demande, contribuer à la constitution matérielle du dossier et le conseil d'Administration du ministère de la Justice, si on le lui demande, donner un avis qui ne lie pas le chef de l'État.

Familles d'ascendance noble

Classification d'après la source de noblesse

Noblesse d'Ancien Régime

■ **1°) Familles d'extraction (noblesse immémoriale).** Familles qui furent toujours réputées et tenues pour nobles, sans que l'on puisse trouver trace qu'aucun souverain ne leur ait jamais accordé la noblesse.

Classifications intermédiaires : *noblesse féodale* (familles connues à partir du XIe s.), *chevaleresque* (prouvées dès avant le XVe s.). 1 408 familles subsistent. La noblesse de ces familles n'était admise que dans la mesure où le souverain les « maintenait » dans leur état de noblesse et privilèges afférents par un acte d'autorité. Louis XIV, voulant dresser le catalogue des nobles du royaume, prescrivit, dès 1666, à ses intendants de vérifier les titres des privilégiés ; la preuve centenaire suffisait. Ces « grandes recherches » furent le fondement juridique de presque toute la noblesse d'extraction (la 1re recherche fut faite sous Louis XI).

Nota. – On distingue aussi la **noblesse utérine** ou **coutumière**, c.-à-d. anoblie par le ventre (la mère). Autorisé à la suite de combats qui décimèrent la noblesse (en 841 à Fontenoy-en-Puisaye, dit une tradition légendaire), très étendu en France, cet usage ne fut conservé en Bourgogne que jusqu'en 1750. Dans la Lorraine et le Barrois, il fut expressément reconnu et conservé légalement lors de leur rattachement à la France en 1766, et maintenu jusqu'à la Révolution. Peu de cas connus.

■ **2°) Familles anoblies par lettres patentes. 1re lettre d'anoblissement connue :** *1270* délivrée par Philippe le Hardi à son argentier Raoul (Ph. le Hardi anoblit par la suite son barbier, Pierre Labrosse) ; *1285* Gilles de Concevreux (Philippe le Bel) ; *1290* Jean de Taillefontaine. *1320* Philippe le Long anoblit son argentier, Geoffroy Floriac ; *1345*, Jean, régent du royaume, anoblit son cuisinier, Jean de Gencourt. Au *XIVe s.* devint une grâce courante (et payante). *1339* (sous Philippe de Valois), les lettres d'an. doivent être visées par la Chambre des comptes, et plus tard doivent être enregistrées au Parlement et à la Cour des aides. Les an. par lettres, qui ont subsisté jusqu'en 1830, ont été très nombreux : ils avaient souvent lieu à l'occasion d'événements affectant la famille royale (sacre, mariage, baptême) ou d'événements politiques (alliances, traités, victoires). *Plus ancienne famille subsistante anoblie par lettres :* Hurault de Cheverny et de Vibraye.

Noblesse vénale ou de finances : constituée par les anoblis par lettres vendues par les rois (pour renflouer leur trésorerie) : *1564 :* 12 lettres ; *1568 :* 30 ; *1576-77 :* 1 000 ; *1592 :* 40 ; *1594 :* 10 ; *1609 :* 10 ; *1645 :* 50 ; *1696 :* 500 ; *1702 :* 400 ; *1711 :* 100 (sous Louis XIV, les besoins du Trésor amèneront la chancellerie royale à adresser des lettres de noblesse « en blanc » aux intendants pour être vendues 6 600 livres, mais destinées cependant à des personnes jugées aptes par leurs mérites et leurs services). Les an. par lettres furent parfois révoqués en bloc (quitte à payer une 2e fois les droits), le plus souvent lors de crises économiques. *1556,* les an. doivent payer la confirmation de leur noblesse 1 500 livres ; *1713 :* 2 000 livres ; *1715 :* 6 000. *1593* révocation des anoblissements faits depuis le décès du roi Henri III († 1589) ; les anoblis redeviennent taillables. *1598* annulation de tous les an. dep. 1578 ; *1640* de tous ceux accordés dep. 1610 ; *1664* de tous ceux accordés depuis 1614 en Normandie, dep. 1611 dans le reste du royaume. Moins de 600 familles anoblies ainsi subsistent. *1715* de tous ceux accordés dep. 1696.

■ **3°) Familles anoblies par charges et par fonctions. Charges de judicature et de chancellerie :** certaines juridictions et les chancelleries anoblissaient au 1er degré, d'autres, la majorité, au 2e degré, c'est-à-dire en 1 ou 2 générations accomplissant chacune 20 ans de service ou mourant revêtue. *La noblesse de 2e degré*, dite graduelle, donnait au père, puis au fils, la noblesse personnelle. Elle était acquise dès réception dans la charge et transmissible parce qu'elle pouvait se transmettre héréditairement lorsque le fils avait servi 20 ans ou était mort revêtu. *La noblesse au 1er degré* donnait, dès réception, la noblesse héréditaire à la famille, gardée définitivement après 20 ans de service ou mort revêtu. Dans ces 2 formules, la démission prématurée sans accord du pouvoir royal (avant 20 ans) ou la suppression de la charge faisaient perdre la noblesse. Mais ces charges ne créèrent pas autant de nouvelles familles nobles, parce que certaines cours ne recevaient que des nobles (Parlements de Paris, Besançon, Nancy et Rennes ; Chambres des comptes de Bar et de Nancy), et parce qu'un bon tiers d'entre elles étaient exercées par des personnes déjà nobles, et dispensées de l'impôt du marc d'or (qui n'était payé que par les roturiers acquérant une charge anoblissante).

Nombre de charges anoblissantes *(à la fin de 1789) :* 4 160 : Conseil d'État 46, Requêtes 80, Grande et Petite Chancelleries 848 (360 subsistaient en 1989 selon Régis Valette), Grand Conseil 66 (8 subsistaient), Parlements et Conseils supérieurs 1 272 (91 subs.), Chambres des comptes 756 et Cour des aides 191 (81 subs.), Cour des monnaies 39 (6 subs.), Bureau des finances 769 (49 subs.), Présidiaux (Paris-Châtelet et Marseille) 93.

Fonctions universitaires : docteurs en droit en Avignon (parfois qualifiée de *noblesse comitive :* dignité de comte). État pontifical (mais la monarchie s'est opposée à l'établissement de ce mode d'anoblissement en France).

Association d'entraide de la noblesse française (ANF). *Fondée* 1932 et reconnue d'utilité publique 29-7-1967. *Adresse :* 9, rue Richepanse, 75008 Paris. *Pt :* Mis de Vogüé, *1er vice-Pt :* Mis de Boisséson, *2e vice-Pt :* Mis de Dreux-Brézé. *Pt de la commission des preuves :* Cte Jean de Bodinat. *Familles représentées au 1-1-1993 :* 2 085 dont une centaine éteintes (env. 1 400 familles d'origine noble ne sont pas encore représentées).

Réunion de la noblesse pontificale en France. *Pt :* Cte Bertrand de Pesquidoux. *Adresse :* 13, rue Bernouilli, 75008 Paris.

Noblesse municipale (dite de cloche), dont les charges ont été supprimées par le décret du 14-12-1789 (avant la suppression de la noblesse : décret 19/23-6-1790). 16 municipalités ont joui de la noblesse pour les corps de ville : *Poitiers* (1372), *La Rochelle* (1373), *Toulouse* (1420), *Niort* (1461), *St-Jean-d'Angély* (1481), *Le Mans* (1482) pour leur fidélité au roi pendant la guerre de Cent Ans ; *Angers* (1475) pour sa fidélité au roi pendant les troubles de la Ligue du bien public ; *Tours* (1462) en raison de l'attachement que lui portait Louis XI ; *Bourges* (1474), *Lyon* (1495), pour leur fidélité et à titre d'encouragement économique ; *Arras* (1481) pour des raisons politiques, économiques et démographiques ; *Angoulême* (1507) et *Nantes* (1560) pour leur fidélité ; *Issoudun* (1651) et *Cognac* (1651) pour leur fidélité pendant la Fronde ; *Paris* en 1706. En 1666, le privilège anoblissant de ces villes a été restreint au seul maire, à l'exception de Paris, Lyon et Toulouse (capitouls).

Citoyens de Perpignan *(immatriculés de 1449 à 1785) :* bourgeois nommés par lettres du souverain ou élus par le conseil de la cité et inscrits au livre de la matricule de la ville. La reine Marie, épouse d'Alphonse IV d'Aragon, accorda le 18-8-1449 la chevalerie et la noblesse transmissible à ces citoyens [env. 2 citoyens furent anoblis chaque année par 9 notables et 5 consuls qui avaient ainsi le droit de conférer la noblesse ; le souverain pouvait aussi accorder la noblesse directement par lettre (Charles Quint le fit en 1542 pour Jacques Antich Triniach)]. 22 citoyens furent ainsi nommés de 1659 à 1763. Ces privilèges furent maintenus par les rois de France depuis le traité de Péronne (1461) jusqu'à 1789. 8 familles en descendent actuellement.

Noblesse militaire : l'édit de nov. 1750 accorda la nobl. héréditaire à tous les officiers généraux non nobles alors en service, et décida que la 3e génération consécutive d'officiers, dans le grade de capitaine au moins, et décorée de l'ordre de St-Louis, ou morte au service, serait anoblie de plein droit. Ces dispositions relativement libérales ne durèrent pas. Une déclaration du 22-1-1752 décida que chacune des 3 générations devrait solliciter des lettres patentes d'approbation de services scellées du grand sceau en fin de carrière. Il y avait peu d'officiers roturiers sinon dans les grades subalternes. 11 familles subsistent. L'édit de 1750 s'appliquait également à la marine très aristocratique et il ne s'est trouvé aucune personne pour en bénéficier, en raison notamment du nombre infime de nominations dans l'Ordre de St-Louis [en 97 ans, 17 capitaines de Brulot décorés (grade équivalent à celui de capitaine d'infanterie) sur + de 10 000 nominations dans l'Ordre)].

Autres sources de noblesse

Noblesse d'Empire. Nom impropre : il ne s'agissait pas d'anoblissement. Seuls des « titres impériaux », n'honorant qu'une personne par génération – c'est-à-dire le titulaire – étaient conférés. Les enfants avaient le droit de porter les armoiries, sans les signes caractéristiques du titre (sans toque ni lambrequins).

Noblesse de la Restauration. En 1814, l'article 71 de la Charte disposa : « La noblesse ancienne reprend ses titres, la nouvelle conserve les siens. Le roi fait des nobles à volonté, mais il ne leur accorde que des rangs et des honneurs sans aucune exemption des charges et des devoirs de la société. »

☞ Pendant les Cent-Jours, Napoléon supprima les titres féodaux (14-3-1815) et sous la IIe République tous les titres furent abolis le 29-2-1848. Il fut interdit de les mentionner dans des documents comme les contrats de mariage, et d'exhiber publiquement des armoiries.

Noblesse du IIe Empire. Napoléon III n'anoblit pas, mais accorda la particule à 34 personnes et conféra ou régularisa des titres.

Noblesse papale. Env. 400 familles françaises ont été anoblies par le Saint-Siège entre 1820 et 1920.

Noblesse étrangère. 31 familles (avec homologation dans la noblesse française) subsistent en France.

Familles subsistantes

■ **En 1789** env. 17 000 familles (12 000 fam. complétées par 5 000 branches cadettes sous Louis XVI).

■ **Actuellement** env. 3 500 authentiques, et au moins 10 000 d'apparence noble (par le port de particules, de noms de terres, etc.). La durée moyenne d'une famille est de 350 années.

Selon **Régis Valette**, dans son *Catalogue de la noblesse française*, 3 225 familles dont le principe de noblesse paraissait valable subsistaient au 1-1-1989, ainsi réparties : **Ancien Régime** 2 811. *Noblesse d'extraction* 1 408 (dont extr. chevaleresque 312, ancienne extr. 531, extr. simple 565). *Anoblis ou confirmés* 594 (dont 413 par lettres patentes, 150 par

l. de confirmation, 31 étrangers). *Anoblis par charges ou fonctions* 809 (dont 360 conseillers secrétaires du roi, 173 par charge municipale, 91 par les parlements, 185 par charges diverses). **Empire** 150 (il n'y eut que des titres et aucun anoblissement). **Restauration** 222 (titres et anoblissement par lettres). **Louis-Philippe** 12 (titres). **Second Empire** 23 (titres). **Noblesse de Savoie** (1800-60) 7 reconnus en France (par l'effet du traité de Turin rattachant la Savoie à la France en 1860). **Total noblesse XIXe s. :** 414.

Selon **Étienne de Séréville** et **Fernand de Saint-Simon** dans leur *Dictionnaire de la noblesse française*, 5 033 familles nobles subsistaient en 1900, 4 057 en 1975 [Ancien Régime 3 494 : extraction 1 600 (dont chevaleresque 365, ancienne 434) ; par lettres patentes 640 ; par charges 1 010 (secrétaires du roi 441, noblesse municipale 224, autres charges 345) ; divers (Savoie, Comtat Venaissin, étrangers reconnus) 244].

☞ Un certain décalage vient, entre autres raisons, de ce que des familles titrées n'ont pas constitué de majorat avant 1835 (formalité nécessaire pour l'hérédité du titre), et que certains auteurs ne les considèrent pas ainsi comme anoblies héréditairement si le bénéficiaire du titre est décédé avant 1835.

■ **Noms d'apparence nobiliaire.** Il y avait, d'après une étude faite sur le Bottin mondain en 1973, 7 000 à 8 000 noms d'apparence nobiliaire. Les porteurs de nom d'apparence ne sont pas tous nobles (1 sur 3 seulement) : 9 familles nobles sur 10 ont un nom comportant une particule (sont généralement sans particule celles de la noblesse dite d'Empire, et quelques familles d'Ancien Régime). Chaque année, env. 6 autorisations de porter une particule par addition de nom (quand la famille est éteinte ou en extinction) sont données par décret du 1er ministre (6 en *1975,* 1 en *76,* 8 en *77,* 7 en *78,* 7 en *79, 2 fin août 80).*

■ **Titres réguliers.** D'après des sondages effectués sur l'ouvrage de *Chasot de Nantigny* (publié 1751) et une liste parue dans *l'Annuaire de la noblesse française* (1857) concernant les concessions de titres réguliers, c'est-à-dire « érection de telle terre en fief de dignité sous le titre de... », par lettres patentes enregistrées et vérifiées, on aboutit, en dehors des ducs, aux % suivants, *avant 1789 :* marquis env. 60 % des titres réguliers, comtes 20 %, vicomtes 8, barons 12. *XIXe s. :* marquis réguliers 18 %, comtes 25, vicomtes 5, barons 52, le reste concernant le titre de chevalier rarement régularisé et très peu porté.

Les plus anciennes familles de France

Nous donnons ci-dessous une liste de familles nobles dont il existe des descendants directs du nom avec la *date de filiation continue prouvée la plus reculée* (parfois date où le nom apparaît cité pour la 1re fois, puis celle à partir de laquelle la filiation noble est prouvée). Pour nombre de familles (Andlau, Harcourt, Rohan, Polignac, La Rochefoucauld, Maillé, Toulouse-Lautrec, Lévis-Mirepoix, Gramont, etc.), la tradition peut remonter plus haut, mais nous signalons la date d'un premier document sûr. Pour d'autres, on peut remonter plus haut que la date indiquée, mais avec interruption ou amalgame hasardeux avec une famille antérieure.

Attention : cette liste (établie à partir du catalogue de la noblesse française de Régis Valette, éditions Robert Laffont, 1989), *qui n'est pas exhaustive* (notamment pour les familles bretonnes et de l'Est), *est donnée sous toute réserve.*

IXe siècle. Les Capétiens (début IXe ; certain 852).

Xe siècle. Harcourt 966 (?) (du latin Hariulfi Curtis), v. 1050 Anchetil prend le nom Harcourt. Rochechouart-Mortemart 980 (issus des vicomtes de Limoges, 876).

XIe siècle. Gramont (issus des Ctes de Comminges) 1003. La Rochefoucauld 1019. Tyrel (de Poix) citée 1030 (?) (sinon 1484 ?). Caumont la Force 1040. Mailly-Nesle, Montesquiou-Fezensac 1050. Choiseul-Praslin 1060. Maillé de la Tour Landry 1069. Clermont (devenu Clermont-Tonnerre) 1080. Castellane 1089.

XIIe siècle. Rohan-Rohan (Bretagne) 1100. Gontaut-Biron 1124 (citée 926). Châteauneuf-Randon 1135. Arenberg (Maison de Ligne, St Empire et France) 1142 (connue avant). Viry 1160. Scorraille 1168. Sparre (Suède et France), Tournebu 1170. Wall 1171 (?). Ligniville 1172. Walsh-Serrant (Angl.-Anjou) 1174. La Roche Aymon 1179. Lévis-Mirepoix 1180. Faucigny-Lucinge (Savoie, Bresse) 1180 (branche Faucigny 981). Villeneuve (Languedoc) 1183. Prunelé 1191. Beaufort (issus des Thouars) 1198.

XIIIe siècle. Cosnac 1200. Bauffremont 1202 (citée 1090). Chalencon devenue Polignac (citée 1062) 1205. La Fare, Riencourt 1206, Gouyon-Matignon 1209. Reinach (Werth, Hirtzbach) 1210. Pontevès d'Amirat, Regnauld de la Soudière (citée 1034). Sabran-Pontevès (citée 1064) 1213, Andlau 1274 selon R. Valette (citée 1178 ou IXe pour certains), Ginestous, Crussol d'Uzès (citée 1190) 1215. Quatrebarbes 1218. Menthon (Aviernoz) 1219. Argouges, Rasilly 1223. Noailles, Mostuejouls 1225. St-Phalle 1230 (citée 1171). Waldner de Freudstein 1235. Wangen de Géroldseck aux Vosges 1257. Villeneuve (Trans, Flayosc, Bargemon, Esclapon) 1240. Foucher de Brandois 1245. Briey 1247. Roys d'Eschandelys 1253. Carbonnières 1254. Vogüé 1256. Landenberg 1257 (1209 ?). La Panouse 1257. Reich de Reichenstein 1258 (citée 1181). Tournemire 1259. Granges de Surgères 1261. Durfort-Civrac de Lorge (citée 1093), La Porte aux Loups 1262. Curières de Castelnau, Levezou de Vésins 1264. Beauvau-Craon 1265 (éteint dans les mâles, Foulques, 1er Beauvau mentionné, branche cadette probable des 1ers Ctes d'Anjou, † 1009). Lubersac 1267. Rohan-Chabot 1269 (Chabot citée 1040, la branche aînée est devenue Rohan-Chabot 1645). Gourcy 1270. Menou 1272. La Rochelambert 1274. Cadoine de Gabriac 1279. Pérusse des Cars 1281. Saint-Gilles 1283. Croix, Montrichard 1285. Abzac, Loubens de Verdalle 1287. Albon (connue 1140), Noé, Rivoire de la Batie 1288. Esclaibes, Kerret 1290. Mérode (Belgique) 1295. Laguiche 1296. Foucauld 1298. La Tribouille 1299. Arcy, Budes de Guébriant 1300. La Grandière 1300.

1301-1350. Boisgelin, Lameth, Du Merle, Sade 1302. Galard et de G. Béarn 1303. Goulaine 1304. Rodez-Bénavent 1307. Maulmont, Noue 1308. d'Aux de Lescout 1312. Carbonnel de Canisy, Yzarn de Freissinet de Valady, Adhémar (Panat, Cransac, Lantagnac) (citée 1095) 1313. Damas (citée 1247), Guiny 1315. Charry 1316. Commarque, Montalembert 1317. Chasteignier 1318. Galard Terraube 1320. d'Arces, Beaumont d'Autichamp (Repaire, Verneuil d'Auty, Beynac) 1322. Mullenheim-Rechberg 1323 ou 1337 (filiation bourgeoise v. 1250). Goys de Mézeyrac, Moÿ de Sons 1327. Bouillé, Chevron-Villette, Goesbriand, Hérail de Brisis, Kermabon 1328. Fayolle, Saint-Pern, Seyssel 1330. Colonna d'Istria, Raincourt 1331. Schauenburg 1332 ou 1274. Sallmard de Ressis 1333. du Authier, Rouvroy de Saint-Simon, Saint Priest d'Urgel, Villelume 1334. Grammont, Chastellux, La Tour d'Auvergne 1335. Busseul 1336. d'Albignac 1339. d'Andigné, Brémond d'Ars, Genève de Boringe, Hauteclocque, Kergariou, La Poëze (Harambure), Luzy de Pélissac, Parc Locmaria, Saint Pol, Saint Pol de Lias 1340. Grasse, Mathan 1341. Malet de Coupigny 1342, Dillon, Drée, Mauléon-Narbonne (citée 1209) 1343. Bosredon, Lesquen du Plessis-Casso, Pechpeyrou-Comminges de Guitaut 1346. Chabot (Rohan-Chabot, Chabot, Chabot-Tramecourt), Courseulles 1347. Hurault de Vibraye, Goullard d'Arsay, Leusse 1349.

1350-99 Croy, La Vergne de Tressan 1350. Ferrand, Lestrange, Sarret de Coussergues 1351. Beaurepaire, Chabannes (citée 1170) 1352. d'Espinay-Saint-Luc, Montault 1352. Forges de Parny, Ussel 1353. Huon de Kermadec, Villardi de Montlaur 1354. Soussay 1355. Chaumont-Quitry 1358. Aurelle de Paladines, Houdetot. Lancry de Pronleroy, La Rochette de Rochegonde 1360. Chauveron, Faydit de Terssac, Lambilly 1361. France, La Croix de Castries (charge anoblissante en 1487), Pins, Sartiges 1362. Hoffelize 1363. Coustin du Masnadaud, Doynel de La Sausserie (Saint Quentin) 1364. Achard de Bonvouloir, Bonneval (citée 1055) 1365. Foucaud et d'Aure, Joussineau de Tourdonnet, Orléans 1366. Brossin de Méré, La Laurencie, La Tour d'Auvergne-Lauraguais, Le Viconte de Blangy 1367. Nattes, Touchet 1369. Chevigné, du Couëdic de Kergoaler, Crécy, Gibon, La Fléchère de Beauregard, Loz de Coatgourhant, Tudert 1370. Amphernet de Pontbellanger, Coëtlogon, Lasteyrie (Saillant), Grouchy, Le Forestier de Vandeuvre, Méherenc de Saint-Pierre 1372. Espagne de Vénevelle, Fontanges, Wimpfen 1373. Ligondès, Voyer de Paulmy d'Argenson 1374. Kérouartz, Malet (La Jorie, Roquefort), Le Roy de Valanglart. Mons, Prévost de Sansac de Traversay, Rougé, Sesmaisons 1375. La Bourdonnaye, Brillet de Candé 1376. Belloy de Saint-Liénard, Boisbaudry (citée 1150) 1377. Pierre de Bernis, Tristan, Vincens de Causans, Belzunce (citée 1145) 1378. Boberil, Des Monstiers-Mérinville, Quélen, Toucheboeuf Beaumond 1379. Castelbajac, Kergorlay, Kersaint-Gilly, La Roche-Saint-André, Luppé, Montecler 1380. Chardonnet, Ferron (Chesne), Gramont, La Villéon, L'Estourbeillon, La Sayette, La Tousche d'Avrigny, Solages, Tulle de Villefranche, Boisboissel 1382. Moy, Royère 1384. Comminges, Desgrées du Lou, Roffignac, Rolland de Renvergé, Tinteniac 1385. Freslon de la Freslonnière, Lancrau de Bréon, Nettancourt Vaubecourt, Pluvié, Vanssay 1386. Hays 1387. Autier de la Rochebriant, Fumel, Pindray d'Ambelle, Trolong de Rumain 1388. Conchy, Costa de Beauregard, La Jaille, Lestang Parade, Robien 1389. Audiffret et Audiffret-Pasquier, Audren de Kerdrel, Blacas, Castel, Dion, Kermoysan, Quengo de Tonquédec, Toulouse-Lautrec, Anthenaise, Caupenne d'Aspremont, Liniers, Percy 1391. d'Astorg, Brossard de Saint-Martin au Bosc, Certaines, Foras, Guiry, Hennezel (Francogney, Ormois, Essert, du Mesnil), Isle de Beaucheine, La Rivière du Pré d'Auge 1392. Beaunay, Chaunac-Lanzac, Frotier (La Messelière, La Coste-Messelière, Bagneux), La Haye Saint-Hilaire, Livron, Kelly Farrel, Penfentenyo (citée avant 1171), Roquefeuil (Montpeyroux, Cahuzac), Sainte Marie d'Agneaux 1393. Aigneaux, Zorn de Bulach (connue 1250 env. mais rupture de filiation fin XIVe s.), Broglie, Hautpoul, Thy, Virieu 1394. La Cropte de Chantérac, Digoine du Palais, Morel de la Colombe, Poulpiquet du Halgouët (Brescanvel), Tryon-Montalembert, Banville 1395. Lantivy de Trédion, Lestang de Turigny (Ringère), Orglandes, Villers au Tertre 1396. Aymer de la Chevalerie, Bonald, Cumont, La Garde de Saignes, Lignaud de Lussac, Pouilly, Saint Pastou de Bonrepaux 1397. La Forest-Divonne, Montaignac de Chauvance 1398. Armagnac de Castanet, Breil de Pontbriand, La Celle (dans la Marche) (citée 1040). Navailles-Labatut 1399. Boisguéheneuc, Casteras Sournia, Chérisey, Gouyon de Coipel, Grave, Kermenguy, Kersauson, Le Gualès de Mézaubran, Mourins d'Arfeuille, Pontavice, Pontual, Vassinhac d'Imécourt, Vergier de Kerhorlay 1400, Zorn de Bulach (citée 1225).

Nota. – Cossé-Brissac (le nom apparut en 1180, achète Brissac en 1492, comte en 1560, duc 1611 et pair).

Titres

☞ La plupart des nobles authentiques portent un titre choisi dans la hiérarchie nobiliaire pour affirmer leur noblesse en face des non-nobles ; le plus souvent le titre, assumé par eux, n'a pas été conféré régulièrement par une autorité souveraine. Voir p. 566. Depuis 1975, le Pt de la Rép. a supprimé toute mention de titres, même authentiques, dans les réceptions de l'Élysée, mis à part certains titres royaux ou impériaux (Cte de Paris, Pce Napoléon).

■ Sortes de titres

■ **Titres authentiques.** Seuls susceptibles d'être reconnus par le Sceau de France (min. de la Justice) en vertu d'un arrêté dit d'investiture pour les titres conférés en France par les chefs de l'État : *avant 1789* [de lettres patentes enregistrées en parlement et vérifiées par les cours souveraines (c. des comptes, des aides...)] ; *de 1806 à 1814* (lettres patentes impériales de Napoléon Ier moyennant constitution d'un majorat qui seul pouvait en assurer la transmission héréditaire, obligation supprimée en 1835) ; *de 1814 à févr. 1824* (lettres patentes) ; *de 1824 à 1835* (avec obligation de constitution de majorats, sauf pour les lettres de noblesse qui ne furent plus délivrées après août 1830) ; *de 1835 à 1870,* sauf entre *29-2-1848* et *24-1-1852* (lettres patentes) ; *de 1871 à 1877* (décrets du Chef de l'État).

■ **Titres réguliers.** Titres authentiques dont les bénéficiaires ont omis de demander l'investiture.

■ **Titres de courtoisie.** Titres dont les preuves sont insuffisantes ou qui ont été transmis irrégulièrement. **Avant 1789,** l'expression, au sens strict, s'entendait pour les personnes qui, ayant fait leurs preuves pour les *Honneurs de la Cour* (c.-à-d. noblesse prouvée avant 1400, alliances de marque et importance des services rendus, avec aussi l'agrément royal qui pouvait dispenser des familles de l'une de ces 3 conditions), étaient présentées au roi et à la famille royale avec un titre assumé par elles, voire choisi par elles mais accepté par le roi qui, de sa main, sur chaque nom de la liste des honneurs, écrivait « bon » ou « ne se peut pas ». Les fils de ceux qui avaient obtenu les Honneurs de la Cour et avaient été gratifiés d'un titre se considérèrent comme investis de ce titre dont la « qualité » n'était pas discutable alors. *Seul le titre de duc avait un usage strictement réglementé* puisque la plupart des ducs héréditaires siégeaient au Parlement. Le roi acceptait aussi, sans les reconnaître par des patentes scellées et enregistrées, des titres portés chez des familles d'ancienne noblesse, le plus souvent ducales. **Régime actuel.** Aux XIXe et XXe s., on a jugé que l'appellation d'un noble avec un titre de courtoisie dans des documents publics (même dans des contrats de mariage signés par le roi) n'entraînait pas, pour les familles honorées de cette appellation titrée, le droit au titre vis-à-vis du Sceau de France. L'expression « titre de courtoisie » s'est ainsi étendue à tout titre porté par une famille noble, mais non susceptible d'être reconnu par le Sceau de France. Cependant un arrêt de la cour d'appel de Paris du 5-2-1962 a reconnu implicitement les titres de courtoisie « validés par l'admission aux Honneurs de la Cour ».

■ **Titres irréguliers.** Autres titres français non reconnus par le Sceau, ni susceptibles de l'être, ni issus des Honneurs de la Cour. Ils peuvent être portés par des familles d'ancienne et illustre noblesse non titrée comme par des familles usurpant la qualité nobiliaire en plus des titres qu'elles se donnent et qui sont sans fondement juridique.

■ **Titres étrangers.** Pour être authentiques, doivent être conférés par une autorité souveraine (sont donc exclus les titres conférés par des princes dont la famille n'est plus régnante). Considérés comme une distinction héréditaire ou personnelle (selon les dispositions de l'acte étranger conférant le titre). En France, ils ne peuvent ni conférer la qualité de noble à celui qui ne la possède pas, ni être considérés comme titres réguliers pour un noble qui les reçoit.

Sous l'Ancien Régime, comme au XIXe s., il a toujours été nécessaire, pour porter un titre étranger en France, d'obtenir une autorisation du souverain, moyennant de nouvelles lettres patentes enregistrées, ou un décret (au XIXe s.). Avant 1859, les titres purent être reconnus personnellement ou héréditairement (un texte de 1819 non publié, mais quelquefois appliqué, exigeait l'autorisation du roi pour porter un titre étranger). Après le décret du 5-3-1859, les titres furent simplement autorisés personnellement (et fort rarement).

Titres étrangers reconnus ou autorisés en France de 1830 à 1992. 1) Avant le décret de 1859, par Louis-Philippe : Bon Henrion (titre du Pape, 1838), Cte Lurde (titre du Pape, 1839, héréditairement), Cte de Bourguignon (Sardaigne, 1839, hérédit.), Cte de Fürstenstein (Westphalie, 1812, rec. 1839), Cte de Reiset (titre du pape Grégoire XVI, 1842, rec. héréd. 1842), Bon Heeckeren (P.-Bas, 1847), duc de Santa Isabela (Bresson, Espagne, rec. 1847), titre de duc (Espagne) reconnu pour M. de Walsh Serrant en 1838 († 1842, sans postérité masculine). **Total :** 9 titres étr. reconnus (2 ducs, 5 comtes, 2 barons) ; tous avant la révol. de 1848. **2) Depuis le décret du 5-3-1859** (toujours en vigueur) disposant que les titres étr. ne seraient reconnus en France que pour raisons graves et exceptionnelles : 27 titres de 1859 à 1991 (1 prince, 1 duc, 2 marquis, 20 comtes, 2 barons, 1 chevalier) dont : *Pce de Sagan* (Prusse, Talleyrand-Périgord, 1859), *Casy, Cecille, Janvier de la Motte* (Cte, titre du Pape, 1859), *Glot, Rostolan* (Cte, du Pape, 1860), *Tresvaux de Berteux* (Cte, conféré par Grégoire XVI, 1845, autorisé 1861), *Mis d'Iranda d'Arcangues* (Espagne 1764, aut. 1862), *Livio* (chevalier, Bavière 1812, aut. 1864), *de Boigne* (Cte, Italie, aut. 1865), *d'Adelsward* (Bon, Suède, aut. 1866), *Armand* (Cte, du Pape, 1868), *Lemesre de Pas, de Lanet, Vaysse de Rainneville* (Mis), *Le Goazre de Toulgoët-Treanna, Carmoy* (5 titres de Cte du Pape, aut. 1874), *Espivent de la Villesboinet, de Fresne, Despous, Despous de Paul, Niel, Maillères* veuve Niel (5 titres de Cte et 1 de Ctesse, du Pape, aut. 1877), *Bon de Malsabrier* (Morin) (Saint-Marin, 1877), *Cte Lefebvre Pigneaux de Béhaine* (du Pape, aut. 1893), *duc de San Fernando Luis* avec grandesse d'Esp. (Lévis-Mirepoix, 24-8-1961).

■ Titres sous l'Ancien Régime

Sous la monarchie, l'ancienneté de la noblesse, les illustrations et les alliances d'une famille pesaient plus qu'un titre. Ainsi les *Montmorency* (1ers barons chrétiens) étaient de plus grands seigneurs que bien des marquis du royaume. **Gentilhomme** n'était pas un titre, mais une qualité donnée au noble d'origine et non à l'anobli (d'où expression « le roi peut faire un noble et non faire un gentilhomme »). Tout roturier acquéreur d'une seigneurie s'en qualifiait **seigneur** ; mais si la terre était une baronnie, un comté, etc., il ne pouvait se qualifier que *seigneur de la baronnie de X...*, et non *baron de X...* ou *comte de Y...*

En 1582, Henri III fixa ainsi *l'assiette territoriale* devant servir de *support* aux titres : *duché :* il devait produire un revenu annuel de 8 000 écus (les terres érigées en duchés-pairies présentaient, pour leurs habitants, l'avantage de relever directement du Parlement, les dispensant ainsi de parcourir les degrés de juridictions intermédiaires) ; *marquisat :* 3 baronnies et 3 châtellenies ou 2 baronnies et 6 châtellenies ; *comté :* 2 baronnies et 3 châtellenies ou 1 baronnie et 6 châtellenies ; *baronnie :* 3 châtellenies unies ensemble. Sous Louis XIV, un comté comprenait une douzaine de sous-fiefs. L'importance des seigneuries était très différente de l'une à l'autre (elles étaient très nombreuses et plus petites dans les provinces qui dépendaient du Parlement de Paris).

Hiérarchie

Écuyer ou damoiseau. Noble d'ancienne souche ou d'anoblissement récent (à l'origine, damoiseau = jeune noble). Le titre d'écuyer est examiné par les juridictions administratives et judiciaires, pour les cas de noblesse inachevée « en cours de charge, la Révolution survenant ». Il peut être porté ou inscrit à l'état civil dans le Nord de la France et son féminin « Dame » figure sur quelques actes d'état civil.

Chevalier. Noble de race plus ancienne, ou anobli possédant une charge ou une fonction importante. Titre souvent porté par les cadets de grandes maisons.

Banneret. Chevalier possédant assez de biens pour lever une bannière (c.-à-d. grouper sous son autorité plusieurs chevaliers).

Baron. A l'origine, chez les Francs, fonctionnaire royal (au-dessous du comte), chargé de percevoir les amendes. Le mot est passé en latin avec le sens de « guerrier, homme libre » et également de « mercenaire ». Le chef de la maison de Montmorency portait dep. le XIVe ou XVe s. le titre de « premier baron chrétien » (du duché de France, avant 987, et non du royaume de France ?). Cette désignation est unique dans le droit français des titres nobiliaires.

Vidame. Du latin *vice domini,* désignait aux XIIe et XIIIe s. le seigneur chargé de la défense des biens temporels d'un évêché (Amiens, Beauvais, Cambrai, Châlons, Chartres, Laon, Le Mans, Meaux, Reims, Rouen, Senlis, Sens) ou d'une abbaye (dit avoué : charge donnée à de hauts barons ; le roi de France, en qualité de comte du Vexin, était avoué de l'abbaye de Saint-Denis). En outre, le vidame devait conduire à l'ost les troupes de l'évêché et protéger la maison épiscopale après la mort de l'évêque. Il avait le droit de prélever certaines redevances sur les habitants. A partir du XVe s., son rôle se réduit avec l'accroissement du pouvoir royal et communal (les Bons d'Esneval étaient vidames de Normandie).

Vicomte. A l'origine, remplaçait le comte dans les villes secondaires d'une province (chefs-lieux d'un *pagus*). Ils s'affranchirent de l'autorité comtale au Xe s. (Narbonne, Nîmes, Albi) et devinrent de hauts barons au XIe s. (Melun, Bourges, Thouars).

Comte. A l'origine, dignitaire chargé de l'administration d'une province (à partir du Xe s., il possédait souvent des droits régaliens).

Marquis. A l'origine, chargé de la défense des provinces frontières (marches). Il a rang sur le comte.

Duc. A l'origine, chef militaire et administrateur. Titre donné ensuite aux comtes et marquis les plus importants. On distinguait en 1789 : les *ducs et pairs* (43) possesseurs de fiefs érigés en duché-pairie (à condition que la terre rapporte 8 000 écus de rente) relevant uniquement du Parlement de Paris (ex. : Uzès, Luynes, Fronsac, Mortemart, Noailles, Clermont-Tonnerre, Choiseul) ; *ducs non pairs* (15) : titre héréditaire décerné par le roi et enregistré par le Parlement (ex. : Chevreuse, Broglie, Polignac) ; *ducs à brevets d'honneur* (16) : titre non héréditaire ni enregistré (ex. : Lauzun, Castries, Mailly...). Tous étaient dits « cousins du Roi », comme les grands officiers de la Couronne (sauf le chancelier et le garde des sceaux).

Les Français créés **Grands d'Espagne** partageaient en France les honneurs des ducs en vertu de l'édit du 21-8-1774 (il fut appliqué en août 1961 par décret rendu en faveur du duc de Lévis-Mirepoix).

Prince. Il n'y avait, en droit, de princes que les princes de sang ou les princes étrangers. Toutefois, quelques seigneuries étaient fondées sur des **alleux** (terres **allodiales,** du francique *allod,* « propriété complète », franches et libres de toute suzeraineté depuis un temps immémorial). Ces **alleux** se situaient à la limite de plusieurs provinces. Dans le Nord, entre St-Amand et la mer, beaucoup de parcelles de terre n'étaient pas soumises au régime féodal. Il s'agissait sans doute de biens qui n'avaient pas été conquis lors de l'invasion franque, ni distribués, et de là, non soumis à la féodalité jusqu'en 1789. Parfois, les possesseurs d'alleux se groupèrent pour défendre leurs intérêts (les Estimaux, dans le N.). **Le Franc-Alleu,** petit pays du N. (il y en avait des centaines), avait encore en 1789 des règles coutumières. Ces terres étaient souvent exiguës (un simple champ). Pour certaines, leurs seigneurs prirent la dénomination de prince (du latin *princeps, primum,* « premier », et *capere,* « occuper, prendre place »). Épithète synonyme de seigneur portée dans des familles d'ancienne noblesse à qui leur haut rang assura la tolérance du roi, qui leur confirma parfois leur possession. Le roi érigea par lettres patentes des terres en principautés [Joinville, Lambesc, Martigues, Poix pour Noailles, Guéméné pour Rohan]. Il est arrivé que les arrêts d'enregistrement des Parlements ne mentionnent pas les qualifications de « prince » et « principauté » en France.

1 Empereur. 2 Roi. 3 Prince (non français). 4 Duc. 5 Marquis. 6 Comte. 7 Comte sous l'Empire. 8 Vicomte. 9 Baron.

Napoléon Ier créa des titres de princes, Louis XVIII et Charles X acceptèrent dans l'expositif des lettres patentes de titres de pairs de France de faire figurer cette qualification, par courtoisie et à la demande des familles, mais celle-ci figura rarement dans le dispositif proprement dit de ces lettres. Cependant Louis XVIII, dans un brevet, fait Talleyrand Pce de Talleyrand compensant ainsi la perte de la Pté de Bénévent. Ces princes eurent le rang des ducs à la Chambre des Pairs.

Titres de ducs

Seuls sont indiqués ici les titres encore portés actuellement (pour les titres portés dans la famille de France et d'Orléans voir p 621). Date du titre (entre parenthèses, nom de famille s'il diffère).

1572 Uzès (de Crussol). *1588* Montbazon (de Rohan), pair 1595. *1598* Croy. *1611* Luynes (d'Albert), pair 1619. *1620* Brissac (de Cossé), pair. *1622* La Rochefoucauld, pair 1769. Rohan (de Rohan-Chabot), pair 1652. *1648* Gramont, pair 1663. *1650* Mortemart (de Rochechouart), pair 1663. *1663* Noailles, pair 1663. *1667* Chevreuse (d'Albert de Luynes). *1700* Harcourt, pair 1710. *1737* Ayen (de Noailles). *1742* Broglie, pair 1815. *1755* Clermont-Tonnerre, pair 1775. *1762* Praslin (de Choiseul), pair. *1773* Lorge (de Durfort-Civrac), pair 1815. *1780* Polignac (Polignac ex-Chalencon), pair 1815. *1784* Maillé, pair 1815. *1787* La Force (de Caumont), brevet avec hérédité.

Certains ducs ayant plusieurs duchés avaient parfois reçu l'autorisation de faire porter par leur fils le titre de duc : Chevreuse, 1692, aîné du duc de Luynes. Guiche, 1700, aîné du duc de Gramont. Ayen, 1737, aîné du duc de Noailles. Lesparre, 1739, cadet de Gramont. Liancourt, 1758, aîné des La Rochefoucauld.

La Maison de *Rohan,* titulaire des duchés de Montbazon (1588), de Bouillon (par héritage reconnu en 1816) et des titres princiers de Guéméné et de Rochefort (1728), etc., est fixée en Autriche. La maison de *Croy* a pour chef le duc de Croy qui est Allemand (Dülmen, Westphalie).

Ducs à brevet et Grands d'Espagne français du XVIIIe siècle

1°) Appelés à la pairie depuis 1814 avec le titre héréditaire de duc. Titres portés. *Noailles, Pce de Poix* (titre français) *[duc de Mouchy,* grandesse 1712 ; titre esp. mais le duc actuel n'est pas investi en Esp.] ; *Chalais,* 1713 (subsiste par transmission chez les Galard de Brassac de Béarn, par confirmation de la grandesse, en Espagne, en 1883, et cédule royale en 1904, titre de courtoisie fr. non reconnu en Esp.) ; *Cossé,* duc à brevet non héréditaire 1756, 1774, 1784, duc-pair 1817 (duc de Brissac et pair de France 1611). **Éteints :** *Castries,* duc à brevet 1794, relevé après 1884, duc-pair 1817, éteint 1886 mais relevé ; *Caylus* (Rougé, titre concédé 1742, transmis 1770 aux Lignerac et reporté), duc à brevet 1783, duc-pair 1818, éteint 1905, grandesse d'Espagne et titre ducal transmis par cédules espagnoles de 1893 au Cte de Rougé (éteint 1954, en France), et de 1963 à Mme Jeanne Rous de la Mazelière, dame Philippe de Dampierre (n. 5-11-1917) qui avait été autorisée à relever le titre par décret du 16-7-1981, ayant hérité ce duché de la famille de Rougé ; déchue de son investiture de Caylus, pour n'avoir pas réglé ses droits.

2°) Autres Grands d'Espagne. *Croy-Dülmen,* grandesse 1528 par Charles Quint, duc (n'est plus investi en Esp.), souverain médiatisé ; *Valentinois,* duché-pairie 1642 pour Honoré II Pce de Monaco, puis nouvelle érection des terres en duché-pairie 1716, transmission à Honoré III et extinction dans les mâles 9-6-1949 avec la mort de Louis II de Monaco, titre devenu monégasque pour sa fille, créée (par un souverain étranger et en dehors du droit français pour une personne devenue monégasque) Desse de Valentinois en 1920 ; grandesse conférée par Philippe V ; *San Fernando Luis,* 1816 (Lévis-

Mirepoix) : son petit-fils, investi en Esp. Antoine de Lévis-Mirepoix (1884-1981) fut autorisé en 1961 à porter en France le titre du duc de San Fernando-Luis, auquel est attachée la grandesse d'Espagne, titre et grandesse relevés en faveur d'Adrien de Lévis-Mirepoix par la reine Isabelle II d'Espagne en 1866. *Doudeauville* (La Rochefoucauld), gr. 1782 ; *Vogüé*, gr. 1724 conférée au maréchal duc de Villars, puis léguée en 1777 au Cte de Vogüé ; *La Mothe-Houdancourt*, 1722, gr. confirmée 1824 par Ferdinand VII pour M. de Walsh-Serrant, transmissible selon le droit espagnol par réhabilitation éventuelle ; *Saint-Priest* (Guignard), duc d'Almazan 1830 avec gr. **Éteints :** *Beauvau-Craon*, gr. 1727 (les derniers princes n'étaient pas reconnus en Esp.) ; *Brancas*, gr. 1730, éteinte 1852 ; *Crillon*, gr. 1782, ét. 1870 ; duc *d'Esclignac* (Preyssac-Fimarcon), gr. 1787, éteinte 1868 ; *Narbonne-Pelet*, 1789, éteinte 1901 (les Narbonne-Lara s'éteignirent en 1916) ; *Saint-Simon* (Rouvroy), Melle de St-Simon, Ctesse de Rasse, obtint en Esp. en 1803 confirmation de la gr. conférée en 1722 au duc de Saint-Simon, le mémorialiste, puis transmise en 1751 par son testament ; duc de *Serent*, gr. 1799, éteinte 1822.

Nota. – La grandesse héréditaire étant transmissible par les femmes, une grandesse peut toujours être réhabilitée en Espagne s'il existe encore des descendants de celui qui se la vit conférer. Cependant la réhabilitation est à la fois un droit et une grâce du roi d'Espagne.

Bâtards. Ceux reconnus des rois naissaient princes, ceux des princes naissaient gentilshommes ; les bâtards des gentilshommes ont été considérés comme nobles jusqu'en mars 1600. Une ordonnance d'Henri IV les a privés en principe de ce privilège, mais, dans de nombreuses provinces, la coutume est restée la plus forte pendant encore plusieurs générations.

Chevaux de Lorraine. Nom donné en Lorraine à 2 groupes d'ancienne et illustre chevalerie. (*Grands chevaux :* du Châtelet, Lignéville, Haraucourt et Lenoncourt ; *petits :* 8 à 16 familles, notamment Bassompierre, Bauffremont, Nettancourt-Vaubécourt, Beauvau, Raigecourt, Choiseul, Custine, Gourcy, Briey, Haussonville, Ludre, Mitry.) *Origine de l'appellation.* Au XVIe s. mode (venant d'Italie) de souliers à talons très élevés dénommés grands chevaux. Au début du XVIIIe s., par comparaison à ces souliers, l'usage se prit de désigner ainsi les grandes familles de Lorraine qui fréquentaient la cour de Lunéville et dont le rang social était élevé.

Honneurs de la Cour. 942 familles françaises et parfois étrangères avaient été admises aux Honneurs de la Cour (privilège de monter une fois dans des carrosses du roi après avoir été présenté à la famille royale) au XVIIIe s. (entre 1715 et 1790), sur preuves de l'ancienneté de leur noblesse (datant d'avant 1400), de l'illustration de leurs services et de leurs alliances, avec l'agrément du roi, seul maître d'accepter ou d'écarter les admissions. Sur les 880 familles françaises honorées, 302 subsistent (dont 80 % sont membres de l'ANF).

Nombre théorique de nos ancêtres. *2e génération* (nos parents) : 2. *3e* : 4. *4e* : 8. *5e* : 16. *6e* : 32. *7e* : 64. *8e* : 128. *9e* : 256. *10e* : 512. *11e* : 1 024... *17e* : 65 536, etc. Si les alliances ne réduisaient pas la progression géométrique du nombre des aïeux, chacun aurait eu 32 aïeux sous Louis XVI, 32 768 sous François Ier, et 16 777 276 sous St Louis (soit le double de la population de cette époque). Mais le nombre réel est différent en raison des unions consanguines : ainsi Charlemagne se retrouve *4 200 000 fois* l'ancêtre du Cte de Paris, St Louis *plus de 15 000 fois*, Henri IV *108 fois*. A la 14e génération, le Cte de Paris n'aurait que 546 ancêtres au lieu de 8 192. Charlemagne aurait plus de 20 000 000 de descendants vivant actuellement (souvent par le biais d'enfants naturels) ; ce chiffre pouvant doubler en une génération.

Salle des Croisades à Versailles (1839). Désireux de ne créer que peu de titres nouveaux, mais soucieux de se concilier l'ancienne noblesse, Louis-Philippe, en restaurant le château de Versailles pour célébrer les gloires de la France, décida en 1839 de consacrer des salles aux chevaliers croisés. Les familles issues des nobles ayant participé aux Croisades du XIe au XIIIe s. cherchèrent à se faire inscrire pour y figurer. Leur inscription constituait une sorte d'enregistrement de leur noblesse immémoriale. Sur 738 noms ainsi inscrits (316 en 1840, 347 entre 1840 et 1843, 75 ensuite), 219 subsistent actuellement (en 1926 selon le Bon de Woelmont 160). **Dates d'inscriptions filiatives** *la plus ancienne* 1096, *les plus récentes* 1365 et 1521. **Noms y figurant à tort** 200. Le problème des preuves s'étant posé, près de 200 documents furent acquis à env. 500 F/or ; la « Collection Courtois » étant apparue en 1842, avec des pièces du cabinet de Tellier. Michel Fleury et Robert H. Bautier ont démontré entre 1954 et 1974 leur fausseté. Il s'agissait de contrats d'emprunts faits par les croisés à des marchands italiens, de procurations passées en Terre sainte, ou de quittances de chevaliers ou d'écuyers pour leur solde, fort bien imités (sous Louis-Philippe).

Titres historiques exceptionnels (sommet de la hiérarchie) : *1°) 1er baron chrétien :* figure encore dans des lettres patentes de pairs de Louis XVIII pour l'aîné des Montmorency. Éteint. *2°) Maréchal héréditaire de l'armée de la Foi* contre les Albigeois (depuis Simon de Montfort) : continue à être porté par l'aîné de la maison de Lévis-Mirepoix, car il fut attaché à la terre de Mirepoix.

Qualifications de princes qui furent ou sont portées en France

Amblise (Champagne) sirerie possédée avec la qualification de P^{ce} par la maison d'Anglure. **Amboise** titre porté par Louis d'Amboise (1392-1469), qui était P^{ce} de Talmont. **Andlau** l'abbesse était P^{cesse} du St Empire. **Andorre** voir Index. **Anet** sirerie, près de Dreux, aux ducs de Vendôme. **Antibes** (Provence) attestée 960, passée aux Grimaldi et, par succession, à la maison de Grasse. **Arenberg** chef de la maison et tous les cadets ducs du St Empire souverain 1806, médiatisé 1815, (devenue française par lettres de grande naturalisation de Charles X), puis pair de France ; sans majorat : non héréditaire. Tous ses représentants portent en France le titre de P^{ce} et P^{cesse} d'A. **Assier.** aux Uzès. **Beaumont** (sur Sarthe). Le futur Henri IV, avant d'être roi de Navarre, était souvent appelé « P^{ce} de B. » ; en réalité, il était, comme héritier de Navarre, P^{ce} de Viane ; on reportait son titre princier sur sa duché-pairie de Beaumont, du domaine des Bourbon-Vendôme. **Beauvau-Craon** (St Empire 1775) admis sous ce titre aux honneurs de la Cour. **Bédeille** (Béarn) souveraineté territoriale à la maison d'Albret passée en 1692 à Charles de Lorraine, Cte de Marsan, qui ne disparut qu'en 1790. **Béthune Hesdigneul** (Artois) branche cadette des ducs de Béthune Sully, P^{ces} d'Henrichemont, et des ducs de Béthune Charost ; obtint 1782 l'autorisation de porter en France le titre de P^{ce} octroyé en 1781 par l'empereur Joseph II en tant que Souverain des Anciens Pays-Bas catholiques. **Bidache** aux confins du Labourd, de la Guyenne et de la basse Navarre ; franc-alleu de temps immémorial possédé par les Gramont qui, y exerçant leur souveraineté sans partage, s'en qualifièrent souverains en 1570, ce que le roi leur contesta... Cette situation dura jusqu'en 1790 et ne fut jamais régularisée ensuite (prise du titre de prince au XIXe s.). **Bouillon** titre *ducal* (St Empire) lié à partir de 1520 au titre princier de Sedan (créé par François Ier en faveur de Robert II de La Marck). **Bourbon** et **Orléans** la qualification de P^{ce} est de droit, avec parfois des désignations différentes, dans la descendance des Capétiens.

Carency (Artois) terre ayant appartenu à des Bourbons dont les descendants par les femmes se titrèrent P^{ce} de Carency (les La Vauguyon, Bauffremont, etc.). **Carignan** près de Sedan ; donnée en 1661 au comte de Soissons par Louis XIV qui érigea cette terre en duché en 1662, mais ses possesseurs continuèrent à s'en qualifier princes. **Céreste** titre porté par le frère du duc de Brancas, au XIXe s. **Chabanais** (Angoumois) attesté 980 ; d'abord comté, puis principauté (XVIe s.), et enfin marquisat. **Chalais** (Périgord) terre entrée dans la maison de Talleyrand par mariage après 1321 ; ses possesseurs portèrent le titre de prince. **Charleville** bâtie en 1609 par Charles de Gonzague, duc de Nevers et de Mantoue ; passa ensuite aux Condé. **Châteauneuf-sur-le-Rhône** titre attaché à l'évêché de Viviers, attesté 1718. **Château Porcien** (Champagne) seigneurie du comté de Ste-Ménehould érigée en principauté (1551) pour les Croy, elle passa aux ducs de Nevers, puis à Mazarin, aux Richelieu et au P^{ce} de Monaco. **Château Renaud** (Hainaut) érigée en comté (1470) par le duc de Bourgogne pour Jean de Croy, dont le petit-fils fut créé P^{ce} du Saint Empire ; passée par alliance à la maison de Ligne, puis d'Hénin-Liétard (éteint 1806 – titre princier relevé par la branche cadette de la maison de Riquet de Caraman). Titre belge : P^{ce} de Caraman Chimay 1824. **Châtelaillon** (Char.-Mar.). **Commercy** (Lorraine) souveraineté, propriété des maisons de Nassau-Sarrebruck, puis Gondi et Lorraine. **Condé** (Hainaut) ; possédée par une branche cadette des Bourbons (éteint 1830). Le duc d'Aumale, neveu et filleul du dernier P^{ce} de Condé, qui fut son légataire universel, ne releva pas le titre. **Conti** (Picardie, Somme) ; une branche cadette de la maison de Bourbon-Condé acquit cette terre par le mariage de Louis Ier de Condé en 1551, mais le titre de P^{ce} de Conti fut porté pour la 1re fois par son fils François de Bourbon (1558-1614). Il s'éteignit à la mort de Louis François II (13-3-1814). **Courtenay** seigneurie qui n'était plus dans la maison des Courtenay quand ils se titrèrent P^{ces} au XVIIe s., ce que le roi n'admit jamais ; les Bauffremont prirent le nom de Bauffremont-Courtenay au XIXe s. dans une branche cadette devenue aînée.

Delain (Franche-Comté) sous Charles Quint, Jean de Goux, dit de Rupt, se qualifia souverain de Delain, terre passée aux Clermont d'Amboise. **Denain** titre attaché à l'évêché d'Arras ; attesté 1718. **Déols** (Berry) ; les anciens seigneurs s'appelaient « P^{ces} de la principauté déolaise » (éteinte sous Philippe Auguste). **Dombes** le Beaujolais « à la part de l'empire » devint Dombes sous François Ier lors de l'annexion de 1527 ; formée d'un débris du roy. de Bourgogne, fut possédée par les Montpensier, puis rattachée à la couronne en 1762. **Donzère** (Dauphiné) les évêques de Viviers portèrent le titre de P^{ces} de Donzère et de Châteauneuf. **Elbeuf** qualification de P^{ce} portée par les cadets des ducs de ce nom. **Embrun** titre attaché à l'évêché ; attesté 1718. **Épinoy** (Artois) châtellenie de la maison de Melun 1327, érigée en comté par lettres patentes de Louis XII (1514) en faveur de François de Melun créé prince par Charles Quint ; passée aux Rohan-Soubise (1724). **Espinoy** aux Vaudémont (Lorraine) cité par Saint-Simon en 1720. **Fénétrange** seigneurie libre et immédiate de l'Empire, partagée en 1469 en 2 coseigneuries passant aux Saarwerden et aux Croy-Havré ; aux Polignac en 1789. **Foucarmont ;** cité par Semonville en 1858. **Grenoble** titre attaché à l'évêché. **Grimberghe** titre porté dans la maison de Luynes. **Guéméné** (Bretagne) érigée en principauté 1547 pour Louis de Rohan, Cte de Montbazon. **Harcourt** Jean VII († 1452) était qualifié P^{ce} d'H. **Henrichemont** (Boisbelle-en-Berry devenu Henrichemont sous Henri IV) ; franc-alleu de temps immémorial acheté par Sully aux Gonzague. **Isenghien et Masmines** à Maximilien de Gand dit Villain, par lettres patentes de Philippe II du 29-5-1582. **Isle-sur-Montréal** qualification princière portée dans la maison de Mailly-Nesle. **Joinville** (Champagne) possédée par les sires de Joinville, puis P^{té} de la maison de Lorraine (9-5-1552), le P^{ce} de J. est sénéchal héréditaire de Champagne ; devint, par succession, bien patrimonial de la maison d'Orléans (et non un apanage).

Lamballe (Bretagne) duché de Penthièvre en 1695 pour le Cte de Toulouse, légitimé de France, qualification de prince de L. pour ses possesseurs. **Lambesc** (Provence). P^{té} priv. érigée par le roi de France Cte de Provence. Quelques membres de la maison de Lorraine portèrent le titre de prince jusqu'en 1825 ; titre représenté par le chef de la Maison de Savoie. **La Roche-sur-Yon** (Vendée) simple seigneurie entrée dans la maison de Bourbon (1454) et dont les possesseurs assumèrent la qualification princière. **Léon** (Bretagne) les plus anciens seigneurs se qualifiaient C^{tes} ou V^{tes} ; en 1363, le dernier Vte de la branche aînée, Hervé VIII, mourut à 22 ans ; sa sœur Jeanne épousa le Vte Jean Ier de Rohan, lui apportant ses biens. Le C^{té} fut érigé en P^{té} sous Henri IV, passant ainsi aux Rohan. **Lillebonne** cité par Saint-Simon (f. Espinoy) 1720. **Linchamps** cité par Semonville 1858. **Listenois** qualification princière des Bauffremont (1762). **Lixin** qualification princière portée dans la maison de Lorraine. **Longjumeau** (Ile-de-Fr.) baronnie de coutume possédée par les Lusignan (rois de Chypre) puis par la Maison de France ; passée par mariage dans la branche aînée des barons de Gaillard, agrandie par mariage, devenue le nom patronymique de la famille. **Lorraine** duché créé 895 (maison attestée depuis 1048). 8 pairies furent instituées en France, au bénéfice de ses différentes branches. Définitivement réunie à la France 1766. L'« archimaison d'Autriche » (actuelle famille Habsbourg-Lorraine) en est issue dep. 1736. Qualification de P^{ce} inhérente aux membres de cette famille autrefois souveraine. **Lure** l'abbé était P^{ce} du St Empire dep. 1232. **Lurs** titre porté par les év. de Sisteron. **Luxe** (Basse-Navarre) C^{té} souverain passe par dot, 1593, aux Montmorency-Boutteville.

Marnay porté par les Bauffremont. P^{ce} du St Empire (reconnu en France par Louis XV comme P^{ce} de Bauffremont). **Marsillac** (Angoumois) terre échue en dot à Gui de La Rochefoucauld dont l'arrière-arrière-petit-fils François († 1533) fut le 1er à être qualifié de P^{ce} de M. **Martigues** (Provence) terre vicomtale érigée, par Henri III en 1582, en P^{té} pour Marie de Luxembourg, elle passa aux Bourbon-Condé puis par acquisition au maréchal de Villars ; revendue aux Gallifet (1772). **Maubuisson** (Yvelines) qualification portée par les Rohan. **Metz** l'év. était P^{ce} du St Empire. **Meurs** P^{té} de la maison de

Croy. **Monaco** (voir Index). **Montauban** (Ille-et-V.) qualification portée par les Rohan. **Montbarrey** titre accordé 1774 par l'emp. Joseph II à Alexandre de St-Maurice, Cte de M. (1732-96), min. de la Guerre de Louis XVI 1777-80 ; descendant du colonel franc-comtois Jean-Baptiste de St-Mauris, vainqueur de la bataille de Prague 1620. Son fils, guillotiné 1794, a porté le titre de « Pce de St-Maurice ». **Montcornet** (Aisne) Charles Armand, duc de Mazarin, l'acquit en 1666, en même temps que Château-Porcien ; passée dans la maison de Monaco. **Mondragon** titre attaché à l'évêché ; attesté 1718. **Montlaux** à la famille de Créquy. **Mortagne** (Saintonge) quelques seigneurs en ont été qualifiés Pces (1487) ; terre passée des Cœtivy aux La Trémoïlle, Gouyon-Matignon et Richelieu. **Murbach** l'abbé était Pce du St Empire (titre réuni à celui de Lure 1554).

Nice l'évêque de Nice (ville non française en 1789) bénéficiait d'un titre de Pce reporté sur une autre localité. **Orange** (Dauphiné) ville et Pté enclavées dans la Provence passée 1173 à la maison des Baux, 1388 à celle de Chalon, puis à celle de Nassau jusqu'à Guillaume-Henri de Nassau, Pce d'Orange, stathouder de Hollande († sans postérité 1702). Louis XIV, après avoir autorisé en 1706 Louis de Mailly-Nesle, héritier de la maison de Chalon, à se qualifier prince d'O., réunit O. à la couronne et la donna en 1712 à Louis-Armand de Bourbon-Conti. Le Mis de Mailly-Nesle s'est dit Pce d'O. **Phalsbourg** qualification princière portée dans la maison de Lorraine. **Poix** (Picardie) les 1ers seigneurs de cette terre issus de la maison de Tyrel se qualifièrent de Pces (1159-1236). Et cette seigneurie ainsi qualifiée passa à la maison de Créquy, puis fut érigée en duché-pairie (1652) et acquise par les Noailles. Lettres pat. de principauté en 1765. Pce (et duc pair sous la Restauration) de Poix est le seul titre « valable » du « duc de Mouchy » (titre espagnol dont il n'est pas investi). **Pons** qualification princière portée dans la maison d'Albret, passée à celle de Lorraine. **Rache** (Artois) aux Berghes St-Winocq. Pté 1682. **Raucoux** fief souverain en Luxembourg, aux ducs de Bouillon. **Remiremont** l'abbesse était Pcesse du St Empire. **Revel** portée par les Broglie. **Rochefort** à la maison de Rohan.

Salon titre attaché à l'archevêché d'Arles ; attesté 1718. **Sayans** (Vivarais) chef-lieu d'une viguerie avec château, dont les ducs d'Uzès et les évêques de Valence se qualifièrent quelquefois de Pces (vraisemblablement en raison de leur suzeraineté en « paréage », comme, encore, de nos jours, l'Andorre). **Sedan, Jametz, Raucourt** Pté composée de 32 paroisses, qui fut abandonnée au profit du roi Louis XIII le 15-9-1642 par le duc souverain de Bouillon (Frédéric Maurice de La Tour d'Auvergne), frère aîné de Turenne, et complice de Cinq-Mars (exécuté pour avoir comploté contre le roi). Cet abandon lui sauva la vie. En mai 1647, Frédéric Maurice, demeuré duc de Bouillon, réclama la restitution de sa Pté (échec). Le 20-3-1651, il consentit à sa cession définitive, en échange du duché d'Albret. Ses descendants ont fait passer le titre princier sur leur Vté de Turenne (voir ci-dessous). **Sieviers** (aux Lannes de Montebello) Pté faisant partie de la dotation de l'évêché de Cracovie (Pologne) et incluse dans la dotation accordée par Napoléon Ier au maréchal Lannes, par décret du 30-6-1807. Bien que le majorat n'ait pas été constitué, le titre de Pce de Sieviers a été parfois utilisé à tort dans cette famille. **Solre** titre princier par diplôme espagnol (1677) pour le lieutenant général de Croy au service de la France. **Soubise** sur la Charente, en Saintonge, d'abord seigneurie en 1218, avec Guillaume l'Archevêque, de Parthenay et de Soubise, titre de Pce en 1667 pour les Rohan [qui s'ajoute pour cette famille à ceux de Pce de Léon (XVIe s. et 1603), Rochefort (1728) et Guéméné (1570)]. **Strasbourg** titre de Pce du St Empire attaché à l'évêché attesté avant 1718.

Talmont Louis de La Trémoïlle reçut T. lors de son mariage en 1446 avec Marguerite d'Amboise et se qualifia prince de T. ainsi que ses descendants. **Tancarville** (Normandie) dans la famille de Montmorency. **Tarentaise** titre princier en Savoie porté par les évêques de Moutiers. **Tarente** (Naples) porté par François de La Trémoïlle, arrière-petit-fils de Louis Ier (car il avait épousé, en 1521, Anne de Laval, héritière de sa mère Charlotte d'Aragon qui pouvait prétendre au roy. de Naples). Titre reconnu 1651 par Louis XIV pour les aînés et dignité princière pour tous les mâles. Dernier titulaire Louis Jean (1910-33), 12e duc de La Trémoïlle, 13e duc de Thouars, 13e Pce de Tarente, 17e Pce de Talmont. **Tingry** (Picardie). Qualification portée dans la maison d'Albret, puis de Luxembourg par érection de la baronnie de Tingry, Hesdigneul et Hucqueliers, par lettres patentes d'Henri III de janvier 1587. Un Montmorency fut dit Pce de Tingry au XIXe s. **Tonnay-Charente** (Saintonge) ; à la maison de Rochechouart (depuis le XIIIe s.) qui en porta le titre à partir de 1591. **Tourrette** un des fiefs de l'évêché d'Apt qui bénéficia d'immunités accordées par la reine Jeanne en 1355. **Turenne** Vté souveraine passée aux La Tour d'Auvergne, qui furent un temps simultanément ducs de Bouillon et Pces de Sedan ; comprenait une centaine de paroisses dans les dép. actuels de Corrèze et Dordogne, avec droit de frapper monnaie ; avant 1700, les Vtes de Turenne prirent la qualification de Pces de Turenne. **Vaudémont** à la maison de Lorraine. **Vergagne** aux cadets de la maison de Mancini. **Vivarais** cité par Semonville.

Yvetot. Le Viking Ivar, originaire de Toft en Norvège (d'où Ivar Toft devenu Yvetot) eut ce territoire du pays de Caux en alleu souverain, ce qu'acceptèrent Hrolf (Rollow) et ses successeurs, au Xe s. et après. Attesté pour la 1re fois en 1024. 3 paroisses d'Yvetot : Ste-Marie-des-Champs, St-Clair et une partie de celle d'Écalle-d'Aix. Les seigneurs portaient souvent le titre de « roi ». Ils bénéficièrent de tous les privilèges de souveraineté jusque sous Henri II (1551). Tout en conservant de larges immunités et exemptions fiscales, ses possesseurs se qualifièrent sous Louis XIV de Pces et Pcesses. Le château fut rasé sous la Révolution et les biens vendus en 1789. Au XXe s., le titre de Pce d'Yvetot a été porté pendant une génération, par un marquis d'Albon (Antoine 1892-1965), sa famille, et quelques autres, descendant par les femmes des anciens souverains du lieu].

■ Sous la Révolution

Le 23-6-1790, Louis XVI promulgua un décret de l'Assemblée Constituante disposant que la noblesse héréditaire était pour toujours abolie. L'insertion des titres dans les actes fut interdite le 16-10-1791 et, le 17-6-1792, on ordonna de brûler les papiers concernant chevalerie et noblesse.

■ Titres sous le Premier Empire

Généralités

■ **Nombre de titres accordés.** 2 191 (princes 7, ducs 33, comtes 251, barons 1 516, chevaliers 385). Il en subsiste de 234 à 239 + 66 personnes dont l'ascendant fut décoré du titre de chevalier. D'après Campardon, il y aurait eu 3 263 « *anoblissements* » (soit 1 chef de famille pour 10 000 citoyens en 1814 contre 7 pour 10 000 en 1789). 59 % sont des militaires, 22 % des hauts fonctionnaires, 17 % des notables. *Pendant les Cent-Jours*, Napoléon conféra 12 titres de comte, 5 de baron.

☞ Les titulaires des grandes dignités (créées 1804) : *archichancelier* (Cambacérès), *architrésorier* (Lebrun), *connétable* (Louis Bonaparte), *grand amiral* (Murat), *grand électeur* (Joseph Bonaparte) furent titrés ducs, sauf 2 maréchaux d'Empire sur 18 [*Brune* (qui deviendra pair de France pendant les Cent-Jours) et *Jourdan* (qui sera anobli par Louis XVIII le 1-1-1815 ; on a dit à tort que Napoléon l'avait fait duc de Fleurus)].

■ **Titres de la famille impériale.** Prince et princesse, traitement d'Altesse impériale. Sous le Ier et IIe Empire, pour les successibles et leurs filles : Pces et Pcesses français(es).

■ **Titres accordés avec souveraineté. Pris sur les territoires acquis ou conquis. Rois.** *Naples :* Joseph Bonaparte (30-3-1806) puis Murat. *Hollande :* Louis Bonaparte (5-6-1806). *Westphalie :* Jérôme Bonaparte (1807). **Autres titres.** *Grand-duc de Clèves et de Berg* 1806 Murat, 1808 fils aîné de Louis roi de Hollande. *Grande-duchesse de Toscane* 1808 Elisa Bonaparte. *Pce souverain de Neufchâtel :* Berthier (1806). *Pce souverain de Bénévent :* 5-6-1806 Talleyrand (c'était alors une enclave du St-Siège dans le royaume de Naples). *Pce souverain de Ponte Corvo* 5-6-1806 Bernadotte [il restitua son État à Napoléon en 1810 en devenant Pce héritier de Suède] ; un décret impérial, pris en faveur de Lucien, 2e fils de Joachim-Napoléon et de Caroline, le fit Pce de Ponte Corvo, mais il fut renvoyé à Paris, car l'aîné Achille, n'avait rien. *Pté et duché de Guastalla* 1806 Pauline Bonaparte qui les rétrocéda aussitôt à Napoléon en n'en conservant que le titre.

Tous ces titres avec souveraineté seront « abdiqués » au congrès de Vienne en 1815, et leurs titulaires les perdront lors de la remise en ordre de l'Europe et des restitutions des divers pays souverains à leurs monarques légitimes (par ex. : Neuchâtel et Valengin restitués à la Prusse, Bénévent au roi des Deux Siciles et Ponte Corvo au Saint-Siège, etc.).

■ **Titres accordés sans souveraineté. Duchés, grands fiefs :** *attribués en dehors de la famille impériale et des grands dignitaires.* Le 20-3-1806, Napoléon avait institué, hors de France (pour ne pas manquer à son serment du 13-7-1804, lors de la distribution des 1res croix de la Légion d'honneur, de combattre toute entreprise qui tendrait à rétablir le régime féodal), mais sous son autorité, des duchés grands fiefs qui furent attribués ultérieurement aux maréchaux et hauts fonctionnaires de l'Empire en 1808-09. Ces duchés n'impliquaient aucun pouvoir féodal, mais une part des revenus de ces territoires formait le majorat obligatoire de chaque titre.

Autres titres : des titres dits décoratifs (assimilables à des décorations) étaient accordés à titre personnel. Ils pouvaient devenir héréditaires après autorisation donnée sur constitution d'un *majorat* [bien inaliénable attaché au titre et transmissible avec lui, de mâle en mâle par ordre de primogéniture, il était exigé pour un duc 200 000 F de revenus, comte 30 000, baron 15 000, chevalier 3 000 ; l'abrogation de cette condition le 12-5-1835 bénéficia aux titres de l'Empire et aussi de la Restauration pour les titulaires qui, ayant négligé d'accomplir cette formalité entre 1808 et 1835, étaient encore en vie à cette dernière date]. Seuls 15 % des bénéficiaires constituèrent un majorat, formalité onéreuse et qui nécessitait 10 étapes de procédure. Les titrés de l'Empire (prince, titre de « victoire », duc, comte, baron, chevalier) furent pour 59 % d'origine non noble.

Titres de fonction : étaient automatiquement : *princes* les grands dignitaires (et *ducs* leurs fils aînés après constitution d'un majorat) ; *comtes* les ministres, sénateurs, conseillers d'État à vie, Pts du corps législatif, archevêques ; *barons* titulaires de diverses fonctions publ. (Pt de cour de cassation, procureurs gén., évêques, maires des 37 bonnes villes assistant au sacre, cons. d'État, préfets).

Légion d'honneur : aux termes de l'art. II du décret du 1-3-1808 et des textes qui l'ont complété sous le Ier Empire, les membres de la Légion d'honneur, à quelque grade qu'ils appartiennent dans l'ordre, ont droit au titre de *Chevalier.* L'ordonnance du 8-10-1814 dispose, dans son art. II, que « lorsque l'aïeul, le fils et le petit-fils auront successivement été membres de la Légion d'honneur et auront obtenu des lettres patentes (supprimées depuis lors), le petit-fils sera noble de droit et transmettra la noblesse à toute sa descendance ».

Ducs

Légende : é = éteint.

■ **Duchés souverains.** Guastalla (Pauline Bonaparte) créé dans les états de Parme et Plaisance ; Bénévent (Talleyrand) ; Ponte Corvo (Bernadotte) créés dans les États du pape (voir ci-contre).

■ **Duchés grands fiefs (non souverains) créés hors de France. 13 dans le royaume d'Italie :** Dalmatie (Mal Soult) é 1857 ; Istrie (Mal Bessières) é 1856 ; Frioul (Gal Duroc) é 1813 ; Cadore (Contre-amiral Nompère de Champagny) é 1893 relevé ; Bellune (Mal Victor) é 1853 ; Conegliano (Mal Moncey) é 1842 ; Trévise (Mal Mortier) é 1912, relevé, é 1946 ; Feltre (Gal Clarke) ; Bassano (pour Maret, ministre) é 1906 ; Vicence (Gal Caulaincourt) é 1896 ; Padoue (Gal Arrighi de Casanova) é 1888 ; Rovigo (Gal Savary) é 1872 ; Massa di Carrara (détaché de l'Italie le 1-5-1806 et rattaché à la Pté de Lucques, accordé 1809 au grand juge Régnier) é 1962.

4 dans le royaume de Naples : Gaëte (Gaudin, min. des Finances) é 1841 ; Otrante [1] (Fouché) ; Reggio (Mal Oudinot) é 1956 ; Tarente (Mal Mac Donald) é 1912. **3 dans les états de Parme et Plaisance :** Parme (Cambacérès, archichancelier) é 1824 ; Plaisance (Lebrun, architrésorier) é 1926 ; Guastalla (pour Pauline Bonaparte ; quand elle eut renoncé à sa souveraineté, voir plus haut).

■ **Ducs portant des titres de victoires.** *1805* Elchingen (Mal Ney) é 1969 ; *1807* Dantzig (Mal Lefebvre) é 1820 ; *1808* Abrantès (Gal Junot ; é 1813, réservé aux Le Ray, 1869, é 1985) ; Auerstaldt [1] (Mal Davout ; é 1853, réservé aux descendants de Charles d'Avout, fr. cadet du Mal) ; Castiglione [1] (Mal Augereau) ; Montebello [1] (Mal Lannes) ; Raguse (Mal Marmont) é 1816 ; Rivoli [1] (Mal Masséna) ; Valmy (Mal Kellermann) é 1868 ; *1813* Albufera [1] (Mal Suchet) ; Wagram (Mal Berthier) é 1918.

■ **Autres titres. Ducs :** Decrès (vice-amiral Decrès, min. de la Marine) é 1820 ; d'Arenberg [1] (titre de duc de l'Empire[2] conféré 1811 au duc régnant d'Arenberg, en Allemagne, lors de l'annexion de son duché à l'Empire français) ; de Salm-Kyburg (même remarque que pour Arenberg[2]) ; duchesse de Frioul (Hortense Duroc en 1813 à la mort de son mari) é 1829 ; duchesse de Navarre, créé 9-4-1810 pour l'impératrice Joséphine après son divorce, titre passé aux Beauharnais-Leuchtenberg, éteint en France dep. un arrêt du 10-8-1858.

Nota. – Les titres de ducs de Lodi (accordé 1807 à François Melzi d'Ezril), de Lita étaient italiens. (1) Titre subsistant. (2) Pas de lettres patentes.

Princes

■ **Titres.** Les membres de la famille impériale.

4 titres fondés sur des victoires : P^ces d'ECKMÜHL. (Davout) éteint 1853, d'ESSLING (Masséna), de la MOSKOWA (Ney) é 1969, de WAGRAM (Berthier) é 1918. Berthier, Davout et Masséna reçurent respectivement, par décret du 15-9-1809, les châteaux de Chambord, Brühl (Prusse rhénane) et Thouars, appartenant à la Légion d'honneur, érigés en principautés du nom de leur titre de victoire.

■ Titres sous Louis XVIII et Charles X

■ **Nombre de titres accordés.** 2 130 dont *Ducs* avec lettres patentes enregistrées 19 (9 ducs à brevet et Grands d'Espagne français du XVIIIe s. avaient été appelés à la pairie depuis 1814, celle-ci étant héréditaire). *Marquis* 44. *Comtes* 205. *Vicomtes* 214. *Barons* 779. *Nobles* (lettres d'anoblissement) 726. *Confirmations de noblesse* 141.

■ **Ducs. 10 subsistent actuellement :** *1817* SABRAN (relevé 1828 par son neveu, marquis de Pontevès ; d'où la Maison de Sabran-Pontevès) ; TALLEYRAND (de Talleyrand-Périgord ; la veuve porte le titre) ; DOUDEAUVILLE (br. cadette de La Rochefoucauld) et CROY ; *1818* BAUFFREMONT (de Bauffremont) ; *1822* DECAZES ; *1824* BLACAS D'AULPS ; *1828* ARENBERG (à vie, pas de majorat) ; *1830* DES CARS (Pérusse) avril 1830, patentes de juillet 1830, non scellées du fait de la révolution de Juillet. **Éteints :** AVARAY (Bésiade) 1818 (é 1943). CADEROUSSE (Grammont) 1825 (é 1865). CARAMAN (Riquet de), ordonnance 10-5-1830, sans patentes ultérieures, confirmé par Napoléon III 1869 ; le bénéficiaire décéda sans postérité en 1919, titre relevé. CASTRIES 1817 (é 1886), titre relevé. CAYLUS (Lignerac) 1818 [é 1905, retransmis ensuite selon la loi espagnole par cédule d'Alphonse XIII de 1843 et soumis (1976) à la procédure de succession en ligne fém. en Espagne]. CRILLON 1817 (é 1870). DAMAS-CRUX 1818 (é 1846). DAMAS D'ANTIGNY 1825 (é 1827), titre personnel. LA CHASTRE 1815 (é 1824), ordonnance sans patentes. LA VAUGUYON (de Quelen) 1818 (é 1837). MONTESQUIOU 1812 (é 1913, relevé). MONTMORENCY [plusieurs pairies conférées : 1817 duc-pair pour Mathieu Jean de Montmorency, cousin du précédent, duc réinstitué 1864 dans la famille des Talleyrand (é 1951)]. NARBONNE PELET 1817 (é 1901). RAUZAN (Chastellux) 1819 (titre personnel, relevé). RICHELIEU (Chapelle de Jumilhac) 1822 (é 1952). RIVIERE 1825 (é 1890). TASCHER 1818 (é 1901), relevé.

■ Titres sous Louis-Philippe

■ **Nombre de titres accordés.** 118 (66 créations, 52 régularisations, confirmations et autorisations). 5 familles titrées sous Louis-Philippe subsisteraient de nos jours.

■ **Ducs. Créés :** PASQUIER (Audiffret) 1845, devenu Audiffret-Pasquier en 1862. ISLY (maréchal Bugeaud) 1845, é (éteint) vers 1865. MONTMOROT 1847 (à Fernand Muñoz, époux de la reine Marie-Christine, veuve de Ferdinand VII), é 1873. **Régularisés :** CHOISEUL (Marmier) 1839 [gendre du duc de Choiseul-Stainville (1760-1838)], é 1947. **Étrangers espagnols reconnus :** WALSH-SERRANT 1838. SANTA ISABELA (Bresson) 1847.

■ **Autres titres. Marquis** 0. **Comtes** créés 17 (9 subsistent), 10 confirmés, 2 n'eurent pas leurs patentes, 1 (Bourbon-Conti) « ajourné par le roi », 5 étrangers autorisés : 3 pontificaux (1 personnel), 1 Sarde, 1 de Westphalie. **Vicomtes** 7 confirmés dont 3 personnels. **Barons** 46 créés dont 4 personnels (13 subsistent), confirmés 23, étrangers reconnus 2 (1 pontifical, 1 des Pays-Bas). **Chevalier** 1 confirmé à titre personnel.

■ Titres sous le Second Empire

■ **Nombre de titres. Créés** 43, régularisés 227. **Ducs :** *4 créés :* MALAKOFF (M^al Pélissier) *1856,* é (éteint) 1864. MAGENTA (M^al de Mac-Mahon) *1859.* MORNY *1863,* é 1943. PERSIGNY (Fialin) *1863,* é 1885. *14 régularisés :* PLAISANCE (Maillé de la Tour Landry, é 1926). PARME (Cambacérès, é). ELCHINGEN (Ney, é 1973). DALBERG (Tascher), é 1901, relevé par les Tascher de la Pagerie. GADAGNE (Galléan) é. CARAMAN (Riquet, Napoléon III régularise en 1869 le titre du 1er duc de 1830 pour le petit-fils mais celui-ci mourut célibataire en 1919). CHÂTELLERAULT (ayant droit actuel : Douglas Hamilton, duc d'Hamilton, duché étant passé par une femme, en cette maison, avant 1711 ; la branche est éteinte mais, avec ce système, l'actuel duc d'Hamilton semble effectif duc de Châtellerault). OTRANTE (Fouché, actuellement porté en Suède). AUERSTAEDT (d'Avout ou Davout, duché du maréchal en 1808, conféré à un cadet de cadet non issu du maréchal). FELTRE (Goyon). ABRANTES (Le Ray, duché du Gal Junot en 1808, conféré à un descendant par une femme). AUDIFFRET-PASQUIER. MONTMORENCY (Talleyrand-Périgord), créé 1864, é 1951. MONTMOROT (conféré 1862 à un cadet du duc Muñoz, officier de la Légion étrangère, par transmission du titre paternel ; é 1863 ; relevé par les Muñoz d'Espagne).

■ **Autres titres. Marquis :** 4 confirmés, 44 rég., 1 titre étranger. **Comtes :** 19 créés, 64 réguliers 7 titres étrangers. **Vicomtes :** 4 créés, 14 rég. **Barons :** 16 créés, 61 réguliers. **Chevaliers :** 22 réguliers et enregistrés, 1 titre étranger autorisé.

■ Titres sous la IIIe République

■ **Régularisation de titres.** *Jusqu'en 1877,* Mac-Mahon confirma des titres acceptés le 1-8-1870 par le Conseil du Sceau (Mis des Roys), autorisa une adoption (Bon Évain Pavée de Vandeuvre, 1873), une clause de réversion (Mis Rolland Dalon, 1874), confirma une possession de fait (Mis Carbonnier de Marzac 1874, Cte de Martimprey 1874, Mis de Vassinhac d'Imécourt 1877). *Après 1877,* il y eut 2 régularisations : Cte Regnault de Savigny de Moncorps, 1883 ; Mis de St-Brisson (Ranst de Berchem), 1908.

■ Pairs de France

Ancien Régime. Issus de l'institution coutumière apparue vers 1200, qui persista jusqu'en 1789, ils bénéficient de privilèges judiciaires et honorifiques, notamment au sacre des rois. De 1200 à 1789, on a dénombré 7 pairies ecclésiastiques et 152 fiefs principaux érigés en pairie (ce qui fait avec les érections successives de certains fiefs 306 pairies ayant existé sous l'Ancien Régime). **Le 4-8-1789** il existait 66 pairies : 4 princes de sang, 62 pairies (possédées par 48 personnes) dont 7 ecclésiastiques, 55 laïques (17 possédées par des princes capétiens, 4 par des princes étrangers, 34 par 33 membres de l'aristocratie). **En 1980,** subsistaient 15 pairies d'Ancien Régime dont 5 *capétiennes* représentées par le comte de Paris (Orléans, Valois, Chartres, Nemours, Montpensier) et 10 ayant encore 1 représentant : Uzès, Montbazon (Rohan), Brissac, Luynes, Gramont, Rohan, Mortemart, Noailles, Harcourt, Clermont-Tonnerre (Fitz-James s'est éteint en 1967).

Cent-Jours. L'acte additionnel aux Constitutions de l'Empire (22-4-1815) institua une Chambre des Pairs, pairs par droit de naissance (8 membres de la famille impériale) et 114 pairs nommés, héréditaires, dont 29 étaient issus des 147 pairs déjà nommés par Louis XVIII, les 85 autres étant : 12 anciens sénateurs, 5 maréchaux, 39 lieutenants généraux et 4 ducs civils d'Empire, 1 ancien conventionnel régicide, 14 notables fidèles à Napoléon Ier et 10 représentants de l'ancienne noblesse, presque tous déjà titrés de nouveau par l'empereur. Ces 114 pairs, nommés le 2-6-1815, siégèrent 15 fois et se dispersèrent le 7-7-1815. 65 sur 114 furent rappelés par Louis XVIII, 1 par Charles X, 24 par Louis-Philippe, et 1 par succession. Il n'existait pas de titres spéciaux liés à cette pairie éphémère.

Sous Louis XVIII, Charles X et Louis-Philippe (jusqu'en 1832). 434 pairies furent créées (118 confirmations dans la fonction par Louis XVIII, 39 réintégrations, 182 nominations nouvelles ; 95 par Charles X : 1 réintégration et 94 nominations nouvelles). Il y eut des barons, vicomtes, comtes, marquis et ducs-pairs. 309 furent instituées à titre héréditaire et 125 à titre viager par Louis XVIII, Charles X et Louis-Philippe (avant l'abolition de l'hérédité de la pairie) (dont 92 ecclésiastiques). 162 pairies sont considérées comme ayant eu le caractère héréditaire (lié à la délivrance des patentes et à l'institution des majorats). Tous ces pairs de France étaient nobles et généralement titrés (titres héréditaires s'ils avaient accompli, entre 1814 et 1831/35, les formalités, ou, sinon, viagers) ; *Ravez* pair sous Charles X n'eut pas le temps d'être titré.

Sous Louis-Philippe. L'hérédité de la pairie fut abolie le 29-12-1831 à effet du 8-1-1832. A son avènement, 81 pairs laïcs furent exclus (80 de Charles X, 1 de Louis XVIII : Polignac). Le *dernier pair de France* (prince du sang, pair-né n'ayant pas siégé vu son jeune âge) mourut le 28-8-1922 : Gaston d'Orléans, comte d'Eu, petit-fils de Louis-Philippe.

☞ Actuellement, il reste 103 représentants de la pairie héréditaire de 1814-30, autres que les princes de la famille royale ou les princes du sang. Il y a en outre 19 représentants de pairs n'ayant pu bénéficier de toutes les formalités (lettres patentes ou majorat) et 3 ducs non pairs : La Force, Otrante, Rivoli.

■ Titres d'origine étrangère

(titres portés en France, mais dont beaucoup ne sont pas reconnus)

■ **Princes du Saint Empire. 1576** et **1674** ARENBERG (prince et duc). Sous la Restauration, la Chancellerie opposa constamment à Pierre d'Alcantara d'Arenberg sa renonciation à tous ses titres signée par lui lorsqu'il prit la qualité de Français (arrêté du 6 brumaire An XI : 29-10-1803) publié au *Bulletin des lois,* mais il figure parmi les 76 pairs nommés par ordonnance le 5-11-1827 et d'ailleurs obtint l'autorisation personnelle et exceptionnelle de constituer directement un majorat de duc. Ce majorat n'était pas encore constitué à la chute de Charles X, les nominations portées par l'ordonnance du 5-11-1827 furent annulées par l'ordonnance de Louis-Philippe du 7-8-1830. **1722** BEAUVAU-CRAON (reconnu en Fr. en 1755) pair impérial 1815, éteint. **1734** LOOZ-CORSWAREM (prince et duc). **1757** MARNAY (BAUFFREMONT, reconnu en Fr. en 1757). **1759** BROGLIE (reconnu en Fr., par le roi au XVIIIe s., Montrarrey voir p. 570 a). **1816** BOUILLON (duc pour le P^ce de Rohan, duc de Montbazon).

■ **Grandesses d'Espagne. Ducs. 1782** DOUDEAUVILLE (La Rochefoucauld). **1816** SAN FERNANDO LUIS voir p. 568 a. **1893** CAYLUS.

Princes espagnols. 1713 ROBECH (Lévis-Mirepoix, venu des Montmorency par mariage en 1906 avec Marie de Cossé-Brissac) éteint, revendiqué en Espagne par un Espagnol.

■ **Saint-Siège. Ducs. 1669** GALLÉAN DE GADAGNE (éteint 1940). **1725** CRILLON (Berton des Balbes, éteint 1870). **1822** MONTBOISSIER DE BEAUFORT CANILLAC (é 1910). **1824** CANINO et MUSIGNANO vendus 1853 par le P^ce Charles-Lucien Bonaparte aux Torlonia. Les Bonaparte princiers s'éteignent par les mâles avec le P^ce Napoléon-Charles † 1899, dont les filles meurent en 1947 et 1950. Roland et sa fille Marie (de Grèce) n'étaient ni prince ni princesse. **1831** STACPOOLE (restaurateur de St-Paul-hors-les-murs, naturalisé Français, créé comte par Louis XVIII). **1869** RARÉCOURT (de la Vallée de Pimodan, tous les hommes sont ducs romains). **1875** ACHERY (éteint 1923). **1875** RENART DE FUCHSAMBERG (éteint 1881). **1893** LOUBAT (éteint 1927) ; HENRY DE NISSOLE (éteint 1927). **1898** ASTRAUDO (éteint 1944). SAN LORENZO (Dampierre, reconnu en Espagne 1903). FERY d'ESCLANDS (éteint 1969). **1899** LA SALLE (Rochemaure, éteint 1945). **1900** WARREN (éteint 1926). **1908** RAVESE (Rohan-Chabot, éteint 1964). **1909** VANDIERES (Desrousseaux).

Princes. 1820 POLIGNAC (reconnu en Fr. 1822 pour le ministre). **1823** CLERMONT-TONNERRE (confirmé 1911). **1847** MONTHOLON-SÉMONVILLE (éteint 1951). **1853** LA TOUR d'AUVERGNE-LAURAGUAIS (reconnu en Fr. 1869), attribué aux Latour de Saint-Paulet (originaires du Languedoc et qui ne portent le nom d'Auvergne que dep. le début du XIXe s.), contesté par une branche cadette des La Tour d'Auvergne portant ce nom depuis le XVIIIe s. **1951** DENTELIN (Le Salle).

Titres pontificaux concédés à des Français. Dep. le XVIe s. 577 [princes 13 (dont 5 héréditaires), ducs 28 (14 hér.), marquis 82 (30 hér.), comtes 429 (64 hér.), vicomte 1 (hér.), barons 24 (3 hér.) ; plus 9 anoblissements, soit 585 distinctions (126 hér.)], *dont décernés avant 1804 :* 116, *1804 à 1900 :* 418, *1900 à 1963* (plus de concessions à partir de janvier 1964) : 52, dans 576 familles (233 nobles, 343 bourgeoises). De 1830 à 1877, 22 titres romains furent reconnus en France ; il n'y a plus eu de reconnaissance depuis 1877, d'après M. Labarre de Raillicourt.

Allemagne. CROY (Picardie, 1207), duc 1598, 1788 en France, pair 1814. 1803 indemnisé avec Dülmen, donc toujours duc de Croy (à Dülmen) ; médiatisé 1806 comme vassal du duc d'Arenberg (pleinement souverain dans la confédération du Rhin) ; remédiatisé 1815 comme sujet du roi de Prusse et reconnu P^ce prussien à diverses dates au XIXe s.

Autriche. P^ce PONIATOWSKI (1764) (mais les princes P. habitant en Fr. ont un titre autrichien de 1850), P^ce de BLACAS 27-11-1808. **Bavière** P^ce de LA ROCHEFOUCAULD-MONTBEL (1909), P^ce de POLIGNAC (XIXe s.). **Belgique** P^ce de CHIMAY (Riquet) (roi des Pays-Bas, 1824) et de CARAMAN (Riquet) (roi des Belges, 1856). **Danemark** Duc de GLÜCKSBIERG (Decazes, 1818, reconnu en Fr. 1818). **Espagne** Duc de CAYLUS (Rougé, 1817, éteint 1954). Duc d'ESTRÉES et VALLOMBROSA (assumé 1898 dans la famille de La Rochefoucauld Doudeauville, éteint 1907). Duc de LA MOTHE HOUDANCOURT (créé 1722 dans la famille de Cossé-Brissac, éteint en France dès 1842). Duc de Mouchy (Noailles, 1867). **Géorgie** Pce Amilakvari, Pce Bagration, Pce Dadiani. **Hainaut** (XVe s.) Ligne, Pce d'Epinoy et du St Empire 1592 ; Pce de Ligne 20-3-1601 ; d'Amblise 20-4-1608 (P.-Bas), duc belge. **Pays-Bas catholiques (anciens)** Pce de Bethune Hesdigneul (1781, autorisé en France 1782). **Pologne** Pce Sapieha (Rozanski, 1512). **Prusse** Sagan (Talleyrand, créé 1846, éteint 1968). Pce Sturdza (Moldavie). **Russie** Nombreux princes dont Pce Galitzine (1841). **Sardaigne** Duc de Vallombrosa (Manca-Amat, 1715). **Deux Siciles.** Duc de Bisaccia [transféré 1851 par le roi Ferdinand II après le mariage 1807 du duc de Doudeauville (1785-1864) avec Élisabeth de Montmorency-Laval, éteint 1968, porté dans la famille La Rochefoucauld-Doudeauville]. Duc de Dino (créé 1817, éteint 1968 dans la famille de Talleyrand). Duc Pozzo di Borgo (créé 1852).

Titres ducaux de courtoisie actuels

Arenberg (« Pces et ducs d'Arenberg du St Empire », cas unique) duc pair (1827). **Beuvron** (1784, duc à brevet non héréd.). Famille d'Harcourt. **Cadore** (Nompère de Champagny) duc 1809 (é 1893). **Caraman** (de Riquet) duc et pair par ordonnance du 10-5-1830 sans être suivie des lettres patentes, duc confirmé par Napoléon III 1869, en faveur du frère du bisaïeul du duc actuel († 1919 célibataire). **Castries** duc à brevet le 24-1-1784 avec promesse de duché héréditaire, duc et pair héréditaire le 31-5-1817, avec faculté de transmettre par la ligne collatérale ; le titre s'éteignit en ligne directe le 19-4-1886 et une autre ligne, n'ayant pas d'ancêtre commun avec le 1er duc, se saisit du titre de duc. **Chaulnes et Picquigny** (Chaulnes 1621, é 1793) titres de ducs appartenant à la maison d'Albert de Luynes ; après la mort de Charles d'Albert de Luynes, favori de Louis XIII, créé duc de Luynes 1619, sa veuve Marie de Rohan se remaria à Claude de Lorraine. Après la mort (sans postérité) en 1657 de ce 2e mari, duc de Chevreuse, Marie de Rohan eut le duché de Chevreuse qu'elle donna à Charles (aîné de son 1er mariage). Honoré, frère de Charles, épousa en 1620 l'héritière du Cté de Chaulnes, à charge de prendre les noms, titres et armes de cette maison, érigée ensuite en duché-pairie en 1621. La maison d'Albert possédait aussi le duché non-pairie de Picquigny (1695). Seule la souche des ducs de Luynes et Chevreuse subsiste et porte alternativement l'un de ces deux titres.

Dalmatie (Soult, duc, 1808) relevé par la famille Reille en 1911. **Dedeyan** (Arménie, maison Arzonni) titre accepté par l'Office français des réfugiés et apatrides le 16-12-1953, comme princes en Sionnie 1867. **Des Cars** (Pérusse) duc héréditaire créé 11-4-1830, mais la révolution de 1830 empêcha que les lettres fussent scellées ; reconnu par Napoléon III. **Estissac** titre de duc 1737-58 transformé 1817 par lettres en Liancourt ; un cadet fut fait pair de Fr. (non héréditaire) comme duc d'Estissac en 1839. **Faucigny-Lucinge** Pce, Sardaigne 1729 l'un époux d'une fille du duc de Berry et d'Amy Brown fut reconnu en 1829 Pce à titre personnel sans qu'il y ait eu constitution de majorat puis lettres patentes. **Grasse** des princes d'Antibes ; présentation sous ce nom en 1764, 1766 ; origine : Provence Xe s., selon le dossier de la Cour. **Guiche** le titre de duc (brevet du 16-1-1780) ne paraît pas héréditaire ; porté dep. traditionnellement par le fils aîné du duc de Gramont. **La Roche-Guyon** La Rochefoucauld (duc 1679, éteint 1762) ; titre relevé au XIXe s. sans lettres de confirmation, par Alfred de La Rochefoucauld (1819-83), et porté par ses descendants. **La Tour d'Auvergne** (Pce de) leur qualification de Pce français ne peut se soutenir ; par contre leur titre est pontifical (1853). Les La Tour d'Auvergne, vicomtes de Sedan, ducs de Bouillon, Pces de Sedan, sont éteints. **Lesparre** (duc à brevet, 1739) ; famille de Gramont ; relevé par une branche quand le titre s'éteignit en 1931. **Lévis-Mirepoix** duc 1723, éteint 1734. Par contre le titre espagnol de duc de San Fernando Luis a été reconnu en France par décret du 24-8-1961 pour un Lévis-Mirepoix. **Longueval** Pce autrichien 1-6-1688. N'est plus porté depuis 1703 mais non éteint.

Montesquiou duc et pair le 30-4-1821, confirmé le 5-2-1832 ; éteint 1913, relevé sans collation par une autre branche. **Poix** (1729) titre donné à Ph. de Noailles, Grand d'Espagne (pour Mouchy). **Rauzan-Duras** (Chastellux) duc, 1819 brevet, duc et pair 1825, mais pas de lettres patentes. **Tascher de La Pagerie** duc 1818, puis réversion 1833, confirmation 1859, éteint 1901, relevé « proprio motu » ensuite. **Tonnay-Charente** (prince 1591) pour le fils aîné du duc de Mortemart (Rochechouart-Mortemart). Le titre de duc de Vivonne (brevet 1668) fut parfois porté, mais seul le titre de Tonnay-Charente est inscrit à l'ANF. **Walsh-Serrant** (duc de La Mothe-Houdancourt 1830) titre espagnol, reconnu en France 1838, en faveur d'Olivier-Louis W. de S. à l'occasion de son mariage avec Élise d'Héricy, descendante des La Mothe-Houdancourt, héritière d'une grandesse d'Espagne donnant droit au titre ducal. Sans postérité masculine, ce titre s'est éteint en 1842. Le titre de duc de Walsh-Serrant a été relevé en France par un porteur du nom. La grandesse demeure actuellement vacante en Espagne.

Statistiques des titres

Étienne de Séréville et Fernand de Saint-Simon ont dénombré en France en 1977 : 36 titres de ducs régulièrement portés par 33 maisons ou familles ; en effet, 3 titres se confondent : Ayen avec Noailles, Chevreuse avec Luynes, Liancourt avec La Rochefoucauld. Sur les 36 ducs, il y avait 29 ducs et pairs (dont : 15 de l'Ancien Régime, 6 ducs de l'Ancien Régime, devenus ducs et pairs sous la Restauration, 8 ducs et pairs créés par la Restauration, 7 ducs qui n'étaient pas pairs du Ier et du IIe Empire).

Régis Valette dans son « Catalogue de la noblesse française » (éditions Robert Laffont, 1989) relève 172 titres de l'Ancien Régime qui subsistent (duc 17, marquis 93, comte 37, vicomte 2, baron 23) et 494 du XIXe s. (duc 10, marquis 40, comte 126, vicomte 40, baron 278), soit au total 666 titres réguliers. **Labarre de Raillicourt** a publié un livre sur les titres pontificaux (1962).

Titres portés en France (1980-90)

	Titres fr. réguliers subsistants (dont Ancien Régime)		Titres pontificaux subsistants attachés à des Fr.
Ducs	35 [1]	(21)	14
Princes	1 [2]	(0)	5
Marquis	133	(93)	30
Comtes	163	(37)	64
Vicomtes	42	(2)	1
Barons	301	(23)	3
Total	*675*	*(176)*	*117*

Nota. – (1) Authentiques et susceptibles d'être investis au Sceau de France ou réguliers mais lettres patentes non retirées du fait des événements de 1830, etc. (2) Prince d'Essling, dernier titre de « victoire », avec la dénomination légale de Prince. **Tenant actuel :** Victor-André duc de Rivoli, 7e Pce d'Essling (n. 1950), seul descendant en ligne directe d'un des 4 maréchaux de Napoléon, créés Pce avec un titre de victoire. On admet en outre que les Pces Murat, dont le titre est d'origine autre (souverains étrangers), pourraient peut-être être considérés comme des princes français authentiques, à cause de la reconnaissance de leur titre en 1853.

Duchés (d'après Séréville)

Abrantès (1808-70, Le Ray, éteint). *Albufera* [1] (1813, Suchet). *Audiffret-Pasquier* [1] (1862 [4], Audiffret). *Auerstaedt* (1808-64/65 [4], Davout). *Ayen* [1] (1737, Noailles). *Bauffremont* [1] (1787-1818). *Blacas* [1] (1821). *Brissac* [1] (1611-20, Cossé). *Broglie* [1] (1742). *Chevreuse* [1] (1667-98, Albert de Luynes). *Clermont-Tonnerre* [1] (1775). *Croÿ* [1] (1598-1788). *Decazes* [1] (1820). *Doudeauville* [1] (1817, La Rochefoucauld). *Feltre* (1809-64 [4], Goyon). *Gramont* [1] (1648-63). *Harcourt* [1] (1700-01). *La Force* [1] (1637-87, 1784 Caumont). *La Rochefoucauld* [1] (1622-1758). *Liancourt* [1] (1758, La Rochefoucauld). *Lorge* [1] (1773, Durfort). *Luynes* [1] (1619-47, Albert). *Magenta* (1859, Mac-Mahon). *Maillé* [1] (1784, Maillé de La Tour Landry). *Montbazon* [1] (1588-94/99, Rohan-Rohan). *Montebello* [1] (1808, Lannes). *Mortemart* [1] (1650-63, Rochechouart). *Noailles* [1] (1663). *Otrante* [1] (1809, Fouché). *Poix* [1,2] (1817, Noailles). *Polignac* [1] (1780). *Praslin* [1] (1762, Choiseul). *Rivoli* [2] (1808, Masséna). *Rohan* [1] (1648-52, Rohan-Chabot). *Sabran* [1] (1825-29 [3], Pontevès). *Uzès* [1] (1565, Crussol).

☞ **Almanach de Gotha.** *Créé* par Guillaume de Rotberg à Gotha (Thuringe) en 1763, en français (20 pages contenant le calendrier astronomique, des tablettes gravées sur lesquelles on pouvait inscrire jour par jour pertes et gains de jeu, un tableau des départs et des arrivées du courrier et un autre indiquant la valeur des monnaies). Se subdivisant en 4 parties : généalogie [*1re partie :* maisons souveraines ou ci-devant souveraines : A européennes, B non européennes. *2e :* maisons seigneuriales médiatisées d'Allemagne (princières ou comtales ayant la qualité d'État du St Empire et qui ont les droits d'égalité de naissance avec les maisons souv.). *3e :* autres maisons princières non souv. d'Europe], annuaire diplomatique, statistique, chronique. *Nombre de pages. 1763 :* 20 ; *1816 :* 296 ; *1824 :* 440 ; *1870 :* 1 108 ; *1914 :* 1 251 ; *1936 :* 1 432. *Dernière édition :* en français : 1944 (tirage 6 000 ex.), en allemand 1942. Le Starke lui a succédé dep. 1951.

Nota. – (1) Lettres patentes. (2) En 1817 Louis XVIII décida que le fils aîné du duc de Mouchy (branche cadette des Noailles) serait duc comme le fils aîné des ducs de Noailles (qui portait le titre de duc d'Ayen). Une branche cadette des Noailles est Pce de Poix avec le titre de duc pour la pairie. Donc Pce-duc de Poix sur lettres patentes. Mais le titulaire préfère se titrer duc de Mouchy (titre espagnol dont il n'est pas investi en Espagne) et laisse le titre de Pce de Poix à son fils. (3) Sur réversion.

Noblesse étrangère

■ **Allemagne fédérale** (v. aussi à l'Index). **Noblesse :** env. 50 000 personnes d'origine dont 8 000 à 10 000 portent des noms de famille différents. *La particule von* n'est pas toujours nobiliaire : dans l'All. du N. et de l'O., beaucoup de familles bourgeoises la portent devant le nom comme indicatif du lieu de leur origine ; *les « traitements »* [*Kgl Hoheit* (Altesse royale), *Durchlaucht* (Altesse sérénissime), *Erlaucht* (Altesse illustrissime)] ont été supprimés en 1919 (pour la Prusse, les qualifications d'altesse ont été abolies par la loi du 26-6-1920). Le nom des terres nobles relié au patronyme est considéré par la loi comme partie du nom de famille, par exemple Kress von Kressenstein. **Titres** (hormis les titres souverains toujours portés dans les maisons encore régnantes en novembre 1918) : *Herzog* (duc), *Fürst* (prince chef de la famille), *Prinz* (qualité princière ou titre), *Graf* (comte), *Baron* [baron (seulement pour la noblesse d'origine étrangère : le titre allemand correspondant est *Freiherr*)], *Ritter* (chevalier), *Edler* (noble). Le titre nobiliaire hérité fait partie du nom (il passe aussi aux membres féminins et aux enfants naturels des filles). Un « trafic d'adoptions » s'est pour cette raison développé (moyennant finances).

■ **Amérique latine** (titres hispano-américains de l'Amérique espagnole). Les rois d'Espagne anoblirent et titrèrent les principaux conquistadores (dont Pizarre et ses 13 compagnons). Le 1er titré fut *Hernán Cortés*, au Mexique, le 6-7-1529, comme marquis de la Vallée d'Oaxaca. *Christophe Colomb* fut « *amiral des Indes* » et son fils devint *duc de Veragua* et *Mis de la Jamaïque* en 1537, etc. Voir Panamá. Puis la descendance de l'empereur *Moctezuma* fut titrée (voir Mexique). La concession des titres se poursuivit. Il y eut ainsi au Pérou 8 titres créés sous Philippe IV, 21 sous Charles II, et davantage ensuite. Charles IV fixa de nombreuses conditions pour les nouvelles titulatures (noblesse préalable, alliances notables, services éminents, jouissance de revenus suffisants, etc.). Ces titres étaient concédés par le roi, ou plus rarement par les vice-rois. Ils étaient « bénéficiés », c'est-à-dire accordés en vertu de dotations pécuniaires (30 000 pesos) et enregistrés par la Chambre des Indes ou celle de Castille. Les titres durent, à partir de 1788, obtenir l'autorisation royale pour se marier. Il fut aussi décidé que l'on ne pouvait accéder à un titre de Cte ou de Mis sans avoir été préalablement titré Vte (on devait ainsi payer 2 fois les droits). Même après leur indépendance, Alphonse XIII accorda encore des titres à des citoyens des ex-colonies en raison des services rendus par eux à l'Espagne. Les titres concédés restent valables en Espagne mais ne sont pas reconnus en Amér. lat. [v. ci-dessous : Argentine, Chili, Colombie, Cuba, Équateur, Guatemala, Mexique, Panamá, Pérou, Philippines, Porto Rico, Rép. Dominicaine (ex.-St-Domingue), Venezuela]. Bolivie, Costa Rica, Équateur, Honduras, Nicaragua, Paraguay, Salvador, Uruguay n'eurent jamais de titres conférés.

■ **Andorre.** Seuls existent les titres liés à une fonction et pour la durée de celle-ci : *princep sobira* ou « coprince épiscopal » pour l'évêque d'Urgel, et « coprince français » pour le Pt de la Rép. française. Noblesse abrogée de facto au XVIIIe s., mais rien n'empêche d'inclure des titres dans les actes de baptême, mariage, sépulture (seuls actes d'état civil existant en Andorre). Si un non-Andorran se marie catholiquement (seule confession admise) et qu'un titre figure sur l'acte religieux de mariage – seul admis – l'État français, qui ne peut aller en cette matière contre les droits souverains du coprince-évêque, considère ce titre comme provisoirement valable. **Titre subsistant :** Areny, baron de Plandolit.

■ **Argentine. Titres** *conférés par l'Espagne* (1675-1809) : 7 dont 2 marquis, 5 comtes ; *par le St-Siège :* 2 marquis. Port des titres interdit.

■ **Autriche. Noblesse :** comprenait l'ordre des seigneurs (*Herrenstand*) qui exerçaient tous les pouvoirs locaux, et celui des chevaliers *(Ritterstand).* Pour entrer dans le « *Herrenstand* », il fallait être homme de qualité dans le « *Ritterstand* », avoir conclu une alliance très notable et payer 2 080 florins. Il y avait 4 ordres en tout (outre ces 2 ordres nobiliaires) avec le clergé et les villes libres. **Titres :** *Erzherzog* (archiduc) conféré pour la 1re fois en 1453 par l'empereur du St Empire. *Grossherzog* (grand-duc) pour le souverain de Toscane (qui dépendait de la maison d'Autriche jusqu'en 1859) et qui fut conféré pour la 1re fois par le pape à Cosme de Médicis, alors duc de Florence. *Prinz et Fürst* quand aucune souveraineté territoriale ne s'y attache ou comme « qualité » pour les membres de maisons dynastiques, sauf pour la maison d'Autriche dont les membres dynastes portent le titre d'archiduc (archiduchesse). 1804 : Pces impériaux et archiducs d'Autriche, Pces royaux de Hongrie et de Bohême. *Graf* (comte). *Freiherr* (baron). *Ritter* (chevalier). Les titres du St Empire étaient reconnus en Autr. (État du St Empire jusqu'en 1806 dont le chef de la maison d'Autriche était l'empereur). Aux titres autr. s'ajoutèrent ceux de la Galicie (comte et baron) lors de son incorporation à l'Autr., et ceux de la partie de la Pologne annexée fin XVIIIe s. La noblesse a été abolie le 3-4-1919 et le port de la particule et des armoiries et de son usage dans les textes officiels le 19-4-1919. Otto d'Autriche (fils du dernier empereur) n'est en Autriche que « Dr Otto Habsburg-Lothringen ».

Titres autrichiens *de « prince » conférés directement par l'empereur d'Autriche :* Clary et Aldringen (1767 et 1905), Collalto (1822), Dietrichstein (1868), Hanau (Hesse et Autriche 1853), Hohenberg (1900) et titre de duchesse (personnel 1900) pour l'épouse morganatique de l'archiduc héritier François-Ferdinand (assassinés tous deux à Sarajevo en 1914), Kinsky (Bohême 1746), Lynar (1807), Lieven (St Empire 1779 et Autriche 1846), Rohan (titre français reconnu comme prince en Autriche 1808), Starhemberg (St Empire et Autriche 1765), Thun et Hohenstein (1911), Weikersheim (1911).

Accordés en Hongrie (éteints aujourd'hui) : Perényi, Kohàry, Rakoczi et Grassalkovich (V. Hongrie).

Titres de prince émanant de la Pologne *reconnus en Autriche :* Radziwill (St Empire 1544, Pologne 1564, Autriche 1784-1883, puis Russie également), Sanguszko (Pologne 1569, Autriche 1785), Poniatowski (Pologne 1764).

■ **Belgique. Noblesse :** selon la Constitution aucun privilège ne peut lui être attaché ; elle n'a qu'un caractère honorifique. Appartiennent à la nobl. officielle du royaume les descendants légitimes du nom de ceux dont la noblesse ou les titres ont été reconnus ou concédés de 1815 à 1830 par le roi Guillaume Ier des P.-Bas et, après 1831, par le roi des Belges, ainsi que ceux qui, eux-mêmes, ont levé des lettres patentes nobiliaires. Lorsque le territoire belge et celui des Provinces-Unies furent unis (1814) pour former le royaume des P.-Bas (1815), la noblesse y avait perdu toute existence légale depuis l'annexion des provinces belges à la France (le décret de l'Assemblée nationale française de juin 1790, abolissant la noblesse, étant entré en vigueur dans le pays dès sa publication en novembre 1795).

Titres : hiérarchie (disposition du 12-12-1838) : *Prince, duc, marquis, comte, vicomte, baron, chevalier.* Les non-titrés ont droit au titre d'*écuyer* (en néerlandais : *jonkheer* pour les hommes, *jonkvrouw* pour les jeunes filles). Tous ceux qui font partie de la noblesse ont droit, en français, à la qualification de messire (sans correspondant pour les femmes), en néerlandais à celle de *Hoogwelgeboren Heer ou Hoogwelgeboren Vrouw,* et *Hooggeboren Heer* ou *Hooggeboren Vrouw,* s'ils ont un titre de vicomte ou un titre supérieur.

Statistiques : depuis 1814, 1 459 familles ont fait l'objet de reconnaissance ou d'anoblissement : 761 reconnues avant 1795 (date de l'application des lois françaises abolissant la noblesse), dont 358 éteintes ; 11 titrées par Napoléon, dont 5 ét. ; 37 anoblies par Guillaume Ier, dont 23 ét. ; 586 anoblies par les souverains belges depuis 1831, dont 111 ét. (253 personnes an. dep. 1951, début du règne de Baudouin Ier). En 1986, 980 familles nobles subsistaient (dont 401 antérieures à 1789) : 9 princières, 5 ducales, 10 ayant titre de marquis, 85 de comte, 35 de vicomte, 317 de baron, 113 de chevalier, les autres ayant titre d'écuyer. En 1986, 18 nouvelles faveurs nobiliaires ont été accordées, dont 11 anoblissements et 7 promotions dans la hiérarchie nobiliaire.

Familles princières belges : *Arenberg* (St Empire 1576) ; *Bernadotte :* Pce et duc de Ponte Corvo (1806), Pce héréditaire de Suède et Norvège (1810), titre personnel de Pce concédé en Belgique 1938 ; *Béthune-Hesdigneul* (1781, titre des P.-Bas cathol., reconnu en Belg. 1888 et 1932, éteint 1976) ; *Croÿ,* Pce de Solre (1677) et du St Empire (1742) ; *Habsbourg-Lorraine* (St Empire 1274, admis en Belgique 1978) ; *Ligne* (St Empire 1601) ; *Lobkowicz* (St Empire 1624, admis. en Belg. 1958) ; *Looz-Corswarem* (1825 ; l'aîné est duc : 1734) ; *Mérode,* confirmation des titres de Pce de Rubempré et d'Everberg (1823), Pce de Grimberghe (1842), titre de Pce de Mérode à tous

États continuant à conférer noblesse et titres : Belgique, Liechtenstein, Royaume-Uni (avec Canada, Australie, Nlle-Zélande).

États conférant des titres sans conférer la noblesse : Espagne, Luxembourg, Monaco.

États reconnaissant la noblesse et les titres sans les conférer : Danemark, Finlande, ordre de Malte, P.-Bas, St-Marin (n'en confère plus dep. une loi de 1983), Saint-Siège (n'en confère plus dep. 1964), Suède.

États reconnaissant les titres sans les conférer : France, Irlande, Sri Lanka.

États ayant abrogé les titres, mais les reconnaissant comme : partie du nom : Allemagne, Cuba (dans une certaine mesure) ; *faisant figurer le prédicat du titre dans le nom patronyme :* Italie (pour les titres existant avant le régime fasciste, 1922).

États ayant abrogé les titres mais les tolérant : Autriche, Birmanie, États d'Amérique latine, États-Unis, Grèce, Inde, Indonésie, Islande, Norvège, Pakistan, Philippines, Porto Rico, Suisse, Tchécoslovaquie.

États ayant abrogé titres et noblesse et les prohibant : Albanie, Bulgarie, Hongrie, Mexique, Norvège, Pologne, Roumanie, Russie, Venezuela.

États où, constitutionnellement, il n'y a ni noblesse ni titres : Grèce, Roumanie, Tchécoslovaquie, Yougoslavie.

Pays ou États possédant des listes officielles : Belgique, Danemark, Espagne (noblesse titrée), Finlande, Hongrie (av. 1945), Irlande, Malte, P.-Bas, Roy.-Uni (sauf Écosse), Suède.

Pays ou États ayant des associations ou ouvrages semi-officiels : Allemagne, Autriche, Belgique, Italie, Pays Baltes, Pays-Bas, Portugal (Conseil de la noblesse sous l'autorité du duc de Bragance).

Pays ou États ayant des ouvrages ou listes exhaustives : Albanie, Espagne, Liechtenstein, Luxembourg, Pologne.

Les autres États, sans reconnaître les titres, en tolèrent souvent l'usage.

(1930) ; *Riquet de Caraman-Chimay* (incorporé dans la noblesse belge 1824, avec le titre de Pce de Chimay).

Familles ducales belges : *Arenberg* (duc d'Arschot pour l'aîné, en 1612 ; titre avec souveraineté St Empire 1644), *Beaufort-Spontin* (duc, 1782, aux P.-Bas cathol. anciens, Pce du St Empire en 1783), *Croÿ* (idem St Empire 1598), *Looz-Corswarem* [duc 1734, titre des P.-Bas cathol. anciens, avec souveraineté en St Empire (Rheina-Wolbeck) 1803], *Ursel* (duc 1716, titre des P.-Bas cathol. anciens, autorisé Belgique 1884).

■ **Brésil. Titres :** *Prince :* réservé aux membres de la famille impériale ; *duc :* 3 titres octroyés par l'Empire dont 2 à une descendance naturelle de l'emp. ; *marquis ; comte ; vicomte ; baron.* Pas de réglementation officielle, les titres sont utilisés dans la vie sociale.

■ **Bulgarie.** Seule la famille royale possédait un titre : *Pce* de Tarnovo pour l'héritier, *Pce* de Vidin et *Preslav* ensuite.

■ **Centrafricain (ex-Empire).** Bokassa Ier a donné le titre de prince (ou princesse) à son oncle maternel Ambroise Denguiade, à sa sœur Catherine Ghagalama, à ses 59 enfants : Jean-Bedel (prince héritier), Georges, Jean-Charles, Charlemagne, Saint-Cyr, Nicaise, Nicole, Martine, etc.

■ **Chili.** *Titres conférés par l'Espagne* 21 (1 duc, 11 marquis, 7 comtes, 1 vicomte, 1 baron). Ne sont plus off. reconnus, mais toujours en usage.

■ **Colombie.** *Titres conférés par l'Espagne* 7 : 5 marquis, 2 comtes. Ne sont plus portés.

■ **Cuba.** *Titres conférés par l'Espagne* 100 : 57 marquis, 48 comtes, 4 vicomtes. Dans certains cas, le titre peut devenir patronyme.

■ **Danemark. Noblesse :** une nouvelle noblesse fut instituée par le roi Christian V le 25-5-1671 avec les seuls titres de comte et de baron. 31 domaines furent alors érigés en comtés et baronnies, selon leur importance, mais 11 seulement appartenaient à des Danois, les autres étaient à des familles d'origine allemande. Depuis 1849, aucune concession de titre ou de noblesse (sauf dans la famille régnante), mais des autorisations de transmission, confirmation et reconnaissance héréditaire de noblesse et de titres (une centaine environ). **Titres :** *Prince* réservé à la famille royale (création du titre de Pce de Dan. en 1967 pour Henri de Laborde de Monpezat quand il épousa la Pcesse Margrethe de Dan., reine en 1972). *Duc. Comte* porté par le chef de famille, son fils aîné et sa fille aînée (si elle est née la première), les autres ayant le titre de baron ou baronne, sauf exceptions prévues par décret et accordant le titre à tous les membres de la famille. *Baron* porté par toute la famille (sauf Berner et Hambro ; porté par le seul chef de famille). **Statistiques :** *Familles titrées* (1953) 208 dont 56 à l'étranger et 152 au Danemark. *Duc* 1 (Decazes af Glucksbierg) conféré 1818, reconnu en Fr. 1822. *Landgrave* 1 (Blücher af Altona) reconnu 1818. *Comte* 56 plus 16 titres de « Cte de Rosenborg » accordés à des membres de la famille royale en certaines circonstances (mariage morganatique). *Nobles sans titre* env. 3 000.

■ **Dominicaine (République).** *Duc :* après l'arbitrage rendu en 1538 par Diego Colón (fils de Christophe Colomb) en faveur de son neveu Luis Colón, celui-ci reçut le 16-3-1557, outre certains avantages, le titre de « duc de la Vega de la Isla de Santo Domingo » pour avoir renoncé également à certains de ses droits. Ce titre fut uni à celui de duc de Veraguas (V. Panamá). *2 titres concédés* quand le pays revint sous l'autorité de l'Espagne (1861-65) : *duc* de la Torre (1862) et *marquis* de las Carreras.

■ **Égypte.** Noblesse abolie le 30-7-1952.

■ **Équateur.** *Titres conférés par l'Espagne* 6 : 5 marquis, 1 comte.

■ **Espagne. Noblesse :** jusqu'au 14-4-1931 (départ d'Alphonse XIII) comprenait : 1°) *La noblesse non titrée (hidalguía).* La plus nombreuse, bien que n'ayant pas perdu son caractère juridique propre défini pour la 1re fois par Alphonse X le Sage dans ses « Partidas » (2°, titre XXI, loi 3) : « L'hidalguía est la noblesse qui vient aux individus par leur lignage » ; était hidalgo qui pouvait prouver la noblesse de son père et de son grand-père. Elle n'est cependant plus recensée dans les municipalités depuis 1836. Au 15-10-1982, plus de 5 000 personnes étaient groupées dans l'« Asociación de hidalgos a fuero de España » instituée en 1955, reconnue d'utilité publique par le Conseil des ministres espagnol du 1-4-1967, et en 1970. Elle rassemble également les personnes pouvant prouver leur hidalguía (noblesse) en faisant remonter leur filiation à l'époque où de nombreux territoires appartenaient à la couronne d'Espagne (Flandre, Hainaut, roy. des Deux-Siciles, Amérique centrale et du Sud, etc.). Les personnes occupant de hautes fonctions entraînant l'hidalguía selon les statuts en vigueur jusqu'en 1835 (ex. magistrat du Tribunal suprême, conseiller d'État...) peuvent y entrer ainsi que celles qui ont été décorées d'ordres entraînant concession de noblesse (O. de Charles III...). 2°) *La noblesse titrée. Hiérarchie :* duc, marquis, comte, vicomte, baron, seigneur. Les membres de la famille royale, enfants du roi ou du Pce des Asturies (l'héritier du trône), s'appellent *infants* ou *infantes.* Le titre de Pce n'a été accordé que 2 fois hors de la maison royale et à titre non héréditaire (Godoy, Pce de la Paix ; Espartero, Pce de Vergara). En 1972, le petit-fils d'Alphonse XIII avait été autorisé à porter le titre de duc de Cadix avec le traitement d'Altesse royale, mais un décret royal du 6-11-1987 a aboli l'hérédité des titres de la maison royale, ce qui le rendit non transmissible à son fils unique Luis Alfonso de Bourbon. 3°) *Les Grands d'Espagne.* Instituée par Charles Quint en 1520, répartie jusqu'en 1874 en 3 classes, la grandesse offre le privilège de passer devant tout autre noble quel que soit son titre, de rester couvert du chapeau adéquat devant le roi, d'occuper certaines charges et d'être appelé « cousin » par le roi.

Régime actuel : seule la noblesse titrée et la grandesse sont reconnues (elles furent abolies du 1-6-1931 au début 1948, mais dep. 1936, le régime franquiste admettait implicitement les titres, la députation de la grandesse d'Esp. assurant un intérim officieux pour l'attribution des titres). Le 4-5-1948, une loi a rétabli la légalité des « titres du royaume ».

Statistiques : créés de 1948 au 25-11-1975 : 1 prince (le « Pce d'Espagne » en 1969, devenu le roi Juan Carlos Ier), 5 ducs, 17 marquis, 14 comtes, 1 baron, 4 grandesses et 1 titre de « señora (dame) de Meiras » pour la veuve du général Franco († 1988), 1972. **Nombre de titres de la maison royale au 1-1-1983 ;** *titres avec la grandesse d'Espagne* 405 (149 ducs, 141 marquis, 102 comtes, 1 vicomte, 2 barons, 3 seigneurs dont 1 titre de « dame ») ; *grandesses sans titre* 7 ; *titres du roy. sans grandesse* 2 352 (1 213 marquis, 828 comtes, 137 vicomtes, 166 barons) ; *dignités* 2 : grand amiral des Indes, amiral d'Aragon ; *privilège* 1, seigneurs 3. *Total* 2 748 titres + 31 titres étrangers autorisés et portés par des Esp. (la plupart pontificaux), et 86 titres étrangers auxquels des Esp. ont succédé et qui étaient en cours de régularisation. **Titres créés par le roi Juan Carlos :** *1975* duchesse de Franco (fille de Franco) ; *1976* Mis de Arias Navarro avec grandesse (Pt du Gouvernement lorsqu'il quitta ses fonctions) ; Cte de Rodriguez de Valcarcel (Pt des Cortes et Pt du Conseil) ; *1977* Ctesse (veuve d'Antonio Iturmendi, Pt des Cortes) ; duc de Fernández-Miranda (Torcuato Fernández Miranda, Pt des Cortes). 21-1, le Pce Don Felipe de Bourbon et de Grèce, héritier de la couronne, a reçu du roi Juan Carlos, son père, sur proposition du gouvernement, le titre et la dénomination de *Pce* des Asturies à laquelle correspondent les titres et dénominations de Pce de Gérone et de Viana, duc de Montblanch, Cte de Cervera et seigneur de Balaguer ; *1981* duc de Suares (Adolfo Suares, ancien PM) ; duchesse de Soria (Marguerite de Bourbon, sœur du roi) ; Mis de Salobreña (Andrés Segovia), Mis de Bradomin (Carlos Luis del Valle-Inclán, en mémoire de Ramón del Valle-Inclán, homme de lettres) ; Cte de Villacieros ; *1982* Mis de Pubol (Salvador Dalí) ; *1983* 1 grandesse pour Mis de Valenzuela de Tahuarda. *1991* Mis de Aguilas (Alfonso Escámez López) ; Mis de Jardines de Aranjuez (Joaquín Rodrigo Vidré) ; Mis de Samaranch (Juan Antonio Samaranch Torelló, Pt. du COI). *1992* Cte de Latores avec grandesse (Sabino Fernández Campo, Chef de la Maison Royale). **Titre de « Seigneur » :** une instance est en cours devant les tribunaux pour solliciter le droit au titre de « seigneur », hérité légalement.

Cumul des titres : un titre ne se perdant jamais, tant qu'un descendant par le sang subsiste en ligne masculine ou féminine, le cumul est légal si les formalités de succession au droit au titre ont été accomplies. Ainsi la *18e duchesse d'Albe,* doña Maria del Rosario Cayetana Fitz-James Stuart y Sylva, est 8 fois duchesse, 1 fois comtesse-duchesse (d'Olivares) avec grandesse, 3 fois marquise avec gr., 10 fois marquise sans gr., 10 fois comtesse avec gr., condestable de Navarre avec gr., 10 fois comtesse sans gr., 1 fois vicomtesse. La *duchesse de Medinaceli* est 6 fois duchesse (avec gr., 10 fois marquise, 17 fois comtesse, 4 fois vicomtesse). Le « titre » passant par le sang, il y a env. 40 réhabilitations, demandes de succession de titres paraissant éteints, « partages » lors du décès d'une personne largement titrée (un décret royal annonce que X, Y et Z, succédant aux 10, 20, voire 100 titres du défunt, reçoivent 1 ou plusieurs titres, chacun, parmi ceux du défunt ou de la défunte).

■ **États-Unis.** Titres interdits pour tout fonctionnaire (art. VI du 15-11-1777 et Constitution du 17-4-1787). Tout étranger demandant sa naturalisation doit renoncer sous serment à ses titres et appartenance à la noblesse. Avant 1777, quelques titres ont été accordés, dont certains à des Indiens (Pocahontas), et, depuis, certains titres pontificaux. **Familles notables :** la Sté des descendants du *Mayflower* a établi la généalogie des 162 passagers du bateau qui arriva le 11-11-1620 à Plymouth ; une liste des 184 premières familles des USA a été publiée en 1976 : Astor, Du Pont de Nemours, Ford, Getty, Gould, Grosvenor, Guggenheim, Hearst (Randolf), Hugues (Howard), Kennedy, Rockefeller, Roosevelt, Taft, Vanderbilt, Warren, Washington...

■ **Éthiopie. Titres** *nobiliaires :* Pce, Pcesse, duc, duchesse, dans 10 familles environ ; les titres de Pce, Pcesse donnés aux pers. de sang royal sont abolis (21-3-1975). *Titres honorifiques :* 10 000 personnes environ (appellations : *bitoded,* etc.) ; titre acc. aussi à des étrangers. [Ex. : Léonce Lagarde (1860-1936), gouverneur d'Obock puis ambassadeur en Éth. de 1877 à 1907 : *mesfin* d'Entoto].

■ **Finlande.** Depuis le 22-11-1918 la noblesse est considérée comme corporation autonome. La Constitution du 17-7-1919 interdit la création de titres (dernière création 1912). **Familles inscrites** *à la maison de la noblesse de Finl. au 31-12-1991 :* 148 dont 4 comtales ; 25 baronniales ; 117 nobles. Les titres appartiennent à tous les membres, mais seuls les chefs du nom ont droit de séance.

■ **Géorgie, Mingrélie, etc.** *Géorgie :* royaume indépendant jusqu'en 1801 avec la dynastie des Bagration (remontant au IXe s.). L'empereur de Russie reconnut le titre de prince *(knias)* aux membres de l'ancienne dynastie ainsi qu'à d'autres familles très anciennes, Amilakvari entre autres, et également aux descendants des divers princes régnants de *Mingrélie* [(Dadian) indép. jusqu'en 1801], *Svanétie* [(Dadechkeliani) indép. jusqu'en 1858], d'*Imérétie* (indép. jusqu'en 1801) avec les Bagration, etc.

■ **Grèce.** La Constitution de 1844 interdit de porter un titre mais de nombreuses familles, telles les Roma, Metaxas, Capodistria, jouissent de titres étrangers réguliers. L'héritier du trône est *« diadoque ».*

■ **Guatemala.** *Titres conférés par l'Esp. :* 2 marquis.

■ **Haïti.** A connu 3 souverains : *Jean-Jacques Dessaline* (1758-1806), empereur (1804-06). *Henry Christophe* (1767-1820 : roi Henry Ier, 1811-20) qui institua le 5-4-1811 une noblesse héréditaire titrée (6 princes, 8 ducs, 1 marquis, 18 comtes, 34 barons, 7 chevaliers), titres qui ne survécurent pas au régime. *Faustin Soulouque* (1782-1867 : empereur Faustin Ier, 1848-55) qui créa 4 princes d'Empire, 59 ducs, 90 comtes, 2 marquises, 30 chevalières, 215 barons, 349 chevaliers.

■ **Hongrie.** *Nobilis :* terme utilisé dès le XIe s. *1er Cte héréditaire :* créé 1453, *1er baron* 1506. En 1873, 1 titre de *marquis* (Csaky-Pallavicini de Körösszeg et Adorjàn), en 1911, 5 titres de *Pce* (Festetics de Tolna, Lónyay de Nagy-Lónya, Batthyány de Német-Ujvár, Esterházy de Galánta, Pálffy de Erdõd). On peut citer également d'autres titres de Pces mais conférés par l'Autriche et éteints de nos jours : Perényi, Kohàry, Rákóczi et Grassalkovich. Ces titres ne portaient que sur le nom patronymique sans assiette territoriale. *Dernier titre concédé,* 17-10-1918 aux Ungar (militaires). *Titres abrogés* et interdits par la loi du 14-1-1947. **Statistiques :** *1784* 416 000 nobles (pour 9 millions d'hab.) ; on avait anobli des villages entiers pour avoir combattu les Turcs. *1918,* 325 titres sans hiérarchie nobiliaire.

■ **Inde** (voir à l'Index).

■ **Italie. Titres :** *prince, duc, marquis, comte, vicomte, baron, noble, patricien, chevalier* et quelques titres anciens de *seigneur* et de *coseigneur.* Le royaume d'Italie ne s'étant formé qu'en 1861, les titres italiens comprennent également ceux conférés autrefois par le St Empire, l'Autriche (pour la Lombardie), la France (sous Napoléon Ier), les rois de Naples, Sicile, Sardaigne, les papes (av. 1870), les grands-ducs de Toscane et de Milan, les ducs de Modène, Parme et Lucques, les doges de Venise et de Gênes, etc., et aussi par les villes (surtout pour le titre de patricien). Les titres des États pontificaux (après 1870) et ceux de Saint-Marin sont étrangers, non reconnus, mais leur usage est autorisé. Les titres étaient soit conférés aux descendants masculins ou à toute la descendance masculine et féminine, soit limités à la primogéniture, ou personnels (très rarement). Un seul titre pouvait ainsi être porté par toute la descendance et dans plusieurs branches. La Constitution de 1947 ne reconnaît pas officiellement les titres nobiliaires mais maintient le prédicat des titres conférés avant l'arrivée du fascisme (28-10-1922). Dans la vie courante, l'usage des titres s'est maintenu. Les nobles se sont réunis dans le *Corpo della Nobiltà Italiana* qui a pris la place de la *Consulta Araldica* et dont les jugements sont reconnus par l'Ordre de Malte. **Statistiques :** 10 000 à 12 000 titres figuraient dans *l'Elenco Ufficiale della Nobiltà Italiana* (publié en 1921 et 1931 par la Présidence du Conseil). A cette époque, 70 000 demandes avaient été reçues. *Familles (1978) :* 111 princières, 91 ducales portant de nombreux titres [ex. : le Pce Aldobrandini est 1 fois prince, 2 fois duc, marquis (du St Empire), 1 fois comte, 1 fois noble romain, 2 fois patricien, 14 fois seigneur ; le Pce Chigi est prince (du St Empire), 3 fois prince, 2 fois duc, 1 fois marquis, 3 fois noble, 2 fois patricien]. **Nombre de titres subsistant** (évaluation 1976) : Prince 260. Duc 226. Marquis 518. Comte 931. Vicomte 5. Baron 368. Chevalier 29. Seigneur 114. Coseigneur 5. En 1936 : Marquis 366. Comte 672. Vicomte 2. Baron 233. Chevalier 28. Noble 68. Seigneur 89. Coseigneur 68. Nombreux patriciens. S'y ajoutent, portés par les ducs et princes, env. 110 titres de marquis, 60 de comte, 65 de baron, 25 de chevalier et 25 de seigneur. **Concessions récentes de 1936-1943 :** Duc 1. Prince 1. Marquis 13. Comte 82. Vicomte 3. Baron 19 ; *par Umberto II* [comme lieutenant général puis comme roi d'Italie (mai-juin 1946) et en exil] : Prince 7. Duc 4. Marquis 29 (dont 2 personnels). Comte 117. Baron 51. Chevalier 1. Noble 2.

■ **Liechtenstein.** Depuis 1662 les princes ont conféré : 12 *anoblissements* (particule « von » toujours nobiliaire), 1 titre de *chevalier (Ritter)* (1723), 7 de *baron (Freiherr),* 5 de *comte (Graf)* (tel le titre de Cte de Bendern, localité de la principauté). *Fürst (prince)* pour le prince régnant et pour un membre d'une maison antérieurement souveraine. *Duc :* pas de titres sauf parmi ceux portés par le souverain (duc de Troppau et Jägersdorf).

■ **Luxembourg.** *Grand-duc* ou *grande-duchesse,* titre appartenant au souverain. *Pce ou Pcesse* de Lux. et de Nassau, qualification pour les membres de la maison régnante. **Octroi de titres** dep. le XIXe s. (indép.) : aucun, sauf aux Pces étrangers qui, par suite d'un mariage inégal en naissance ont, à l'étranger, perdu leurs droits (ex. : Cte de Viborg à des Ctes Bernadotte, non-dynastes de Suède).

■ **Malte (île de).** En Angleterre, les Maltais titrés ont droit au traitement « Most noble ». **Titres** *concédés par les rois d'Aragon* (le + ancien en 1350), par l'*Ordre souverain de Malte* qui régna sur l'île de 1530 à 1798 (9 marquis, 10 comtes, 13 barons furent reconnus par le gouv. britannique 1878-83). Selon la loi du 23-6-1975, la noblesse n'est pas reconnue.

■ **Mexique. Titres accordés par l'Espagne :** *duc* 3 (Atrisco 1708, Regla 1858, Moctezuma de Tultengo 1865, voir ci-dessous). *Marquis* 45 dont Hernàn Cortés, qui revenant en Espagne, reçut (outre le titre d'« Amiral de la mer du Sud ») celui de « Mis de la Vallée d'Oaxaca » (6-7-1529) dont Charles Quint lui assura la possession inaliénable et territoriale pour lui et ses descendants. *Comte* 42. *Vicomte* 3. *Baron* 1. *Seigneur* 3 (uniques sur le continent américain) : à *Atrisco,* avec le duché du même nom, à José Sarmiento de Valladares, comte-consort de Moctezuma, vice-roi et capitaine général de la Nouvelle-Espagne ; vallée de 1 lieue 1/2 de large, dans la province de Tlaxcala à 5 lieues au S. de Los Angeles ; *Tecamachalco,* avec (entre 1571 et 1574) 3 930 vassaux et un petit monastère (pour Rodrigue de Vivero) ; *Tula,* seigneurie unie au comté de Moctezuma, vicomté de Ilucan. **Titres conférés par l'empereur Iturbide** *(1822-23) à sa famille :* reconnus par l'emp. Maximilien (1864-67) en adoptant comme successeur un fils d'Iturbide.

Législation actuelle : selon la loi du 31-1-1917, la noblesse n'est pas reconnue et le Mexicain acceptant un titre étranger perd sa nationalité ou sa citoyenneté.

☞ **Titres de la famille Moctezuma :** le 13-12-1627, Pedro Tesifon Moctezuma de la Cueva, arrière-petit-fils de Moctezuma II et de l'impératrice Miahuajochitl, fut créé Cte de Moctezuma après avoir été créé Vte de Ilucan le 24-2-1627. Ce titre reçut la grandesse d'Espagne le 13-5-1766, puis fut élevé à la dignité de duc le 11-10-1865 en faveur de Fernando Moctezuma, tandis que le titre de Mis de Moctezuma était créé pour Alonso Holgaso Moctezuma le 29-4-1864. Ces 2 titres sont légalement portés en Espagne actuellement.

■ **Monaco. Titres** *créés* au XIXe s. : 2 marquis, 1 comte, 1 baron. *Au XXe s.* quelques titres conférés pour la famille régnante : 1 titre *ducal* 1920 pour Charlotte de Monaco (Desse de Valentinois ; création selon le droit monégasque, le Valentinois et les Baux étant cependant des fiefs français) ; 1 *baronnial* Baronne de Massy (fief fr.) pour la sœur du Pce.

■ **Monténégro. Titres :** *archiduc, duc, marquis, comte,* conférés entre 1697 et 1852 avant l'indépendance. Danilo Ier conféra quelques titres de *baron* et Nicolas Ier accorda, même en exil en 1920, des titres de duc, marquis, comte, baron à des étrangers.

■ **Norvège.** La Constitution du 17-5-1814 interdit la création de titres nobiliaires. En 1821, les titres furent abolis.

■ **Panamá.** *Titres concédés par l'Espagne* 4 (1 duc, 2 marquis, 1 comte), dont 3 dans la descendance de Christophe Colomb : duc de Veraguas concédé 19-1-1537 à Diego Colón, son fils, comme suite à la demande d'exécution, présentée par Diego Colón à Charles Quint, des promesses faites à son père en 1492 par les Rois Catholiques. Après l'arbitrage d'une commission présidée par le cardinal Loaysa, confesseur de l'empereur, la province de Veraguas (découverte par Colomb lors de son 4e voyage), située entre l'actuel Costa Rica et Panamá, lui fut concédée avec le titre de duc, la prééminence de la dignité d'amiral et 10 000 ducats de rente perpétuelle sur la maison des Indes. Elle fit retour au domaine royal après une transaction au milieu du XVIe s. ; la famille Colomb conserva le titre ducal et la rente ainsi que le titre de Mis de la Jamaïque concédé 1537.

■ **Pays-Bas. Au Moyen Âge,** seul subsistait la qualification de chevalier *(ridder)* à l'époque où les Pays-Bas étaient gouvernés par de hauts seigneurs féodaux dont les Ctes de Hollande et de Zélande, les ducs de Gueldre et de Brabant et les évêques d'Utrecht. Le Limbourg actuel relevait des ducs de Gueldre et de Clèves et de l'évêque de Liège. Des gouverneurs de la maison de Saxe régnèrent quelques années sur la Frise jusqu'à ce que Charles Quint l'inclût dans son territoire. **Sous les Habsbourg :** titres de droit espagnol conférés. **République** *(1579-1795) :* quelques titres de princes étrangers. **Sous Louis-Napoléon** *(1806-10) :* peu d'anoblissements et de concessions de titres. **Napoléon Ier** (annexion 1810-13) : quelques titres pour membres de familles féodales et autres. **Dep. 1813** *(retour de la maison d'Orange-Nassau avec le futur Guillaume Ier) :* les familles d'ancienne noblesse nationale (féodales) furent reconnues et reçurent le titre de baron qu'elles avaient déjà fin XVIIe s., celles de noblesse étrangère furent incorporées et d'autres anoblies eurent droit au titre de *jonkheer* (écuyer). Les titres de comte et de chevalier remontent au St Empire romain ou à l'Empire français. Les anoblis grâce à leur mérite reçurent le titre de comte ou de baron, souvent par primogéniture. *Titre de Pce des P.-Bas* concédé 1966 à Claus von Amsberg lors de son mariage le 10-3-1966 avec la Pcesse héritière

Beatrix, comme ce fut le cas avec les époux des reines Wilhelmine et Juliana. **Nombre de familles anoblies** à partir de 1814 (outre celles devenues belges en 1830-39 au moment de l'indépendance de la Belgique) : 572 (247 éteintes) dont portant le titre de marquis 1 (de Heusden, donné à Trench Le Poer, earl of Clancarty), comte 38 (20 éteintes), baron 196 (81 é), chevalier 11 (5 é), jonkheer 326 (141 é).

■ **Pérou.** **Titres** *conférés par l'Espagne* 112 : 58 marquis, 53 comtes, 1 vicomte. François Pizarre, conquistador du Pérou, reçut de Charles Quint, à son retour en Espagne en 1537, un titre sans dénomination propre, avec 20 000 vassaux dans la région d'Altabillos et fut désigné comme « Mis d'Altabillos ». Son arrière-petit-fils, Juan Fernando Pizarro, fut le 8-1-1631 titré Mis de la Conquista.

■ **Philippines.** **Titres** *conférés par l'Espagne* 8 : 2 marquis, 5 comtes, 1 vicomte.

■ **Pologne.** **Noblesse** : avant 1420 existait la *Szlachta,* noblesse constituée des magnats et propriétaires fonciers représentant env. 10 % de la pop., qui bénéficiait d'une égalité de droits entre ses membres et était hostile aux titres héréditaires. Seule la hiérarchie des fonctions assurait une distinction entre les nobles dans cette monarchie élective. Le plus élevé des honneurs était la noblesse et il n'y avait rien au-dessus. Même le roi élu ne pouvait rien contre cette égalité. L'Union de Lublin entre la Pologne et la Lituanie (1569) entraîna l'incorporation des qualifications de prince chez les anciennes familles dynastiques des deux États. Il y avait 725 000 nobles en 1760 pour 7 millions d'hab. *La Constit. du 21-3-1921* de la P. (devenue république indépendante) ne reconnaissait « aucun privilège héréditaire ou de classe, aucune armoirie, aucun titre de noblesse ou autre... ». La *Constitution du 23-3-1935* abrogea ce texte. Dep. les événements de 1939, noblesse et titres ont été abolis.

Titres : de la Pologne partagée. Conférés par : Autriche, Prusse, Russie (qui s'étaient partagé 3 fois la Pol. en 1772, 1792, 1795), France (Ier Emp.), Italie, St Empire, Saxe. **Statistiques :** *familles* titrées 288. *Princes :* 18 familles dont 10 d'origine dynastique, soit 2 descendants des P^ces qui régnèrent en Lituanie avant le XIVe s. (Giedroyc, Sanguszko), 5 issues de Rurik (dont Massalski, Oginski), 3 de Guedymine (dont Czartoryski) et 8 qui avaient obtenu leurs titres princiers [1 du pape, 4 du St Empire (dont Jablonowski, Radziwill, Lubomirski), 2 de la Diète de P. (Poninski, Poniatowski), 1 du tsar de Russie]. 8 autres familles d'origine dynastique appauvries avaient abandonné leur qualification de P^ce. *Marquis* 2 : Umiastowski, Wielopolski, C^tes du St Empire avec confirmation du titre de Mis par Alexandre II en 1879. *Comtes* 197 : du St Empire et de l'Autriche 104, Prusse et Allemagne 41, royaume de P. 19 (1815-30), pape 17, Russie 9, Saxe 4, Italie 2. *Vicomte* 1 : Verny-Geraud, autorisé 1824 à porter son titre. *Barons* 38 : Autriche 19, de Napoléon Ier 13, roy. de P. 3, Prusse 1, Saxe-Cobourg-Gotha 1. *Chevaliers* 41 de Napoléon Ier entre 15-3-1810 et 16-8-1813, mais comme 8 obtinrent des titres de baron ou de comte, il en reste 33.

■ **Porto Rico.** *Titres conférés par l'Espagne* 6 : 3 marquis, 3 comtes. Titres interdits, mais tolérés.

■ **Portugal.** Seuls sont reconnus les titres conférés sous l'ancienne monarchie (jusqu'en 1910). Un Conseil de la noblesse autorisé par le prétendant au trône dom Duarte de Bragance († 1977) puis par son fils, autre dom Duarte (portant le titre de SAR le duc de Bragance), constitue, non officiellement, le seul organisme en matière de titres. L'usage privé est toléré parfois dans des décrets officiels. **Titres :** *Duc* 3 (Cadaval, Palmela, Lafões) + 2 (1982) pour les frères de dom Duarte (infants Michel, duc de Viseu, Henri, duc de Coimbra). *Marquis* 32. *Comte* 101. *Vicomte* 71. Baron 10. *Seigneur* 1 (actuellement la dame de Casa Solar do Paço de Pombeiro). *Qualification* chevalier tombée en désuétude.

■ **Roumanie.** Jusqu'au début du XVIIe s., la *Moldavie* est régie par des voïvodes de la dynastie des Musat et la *Valachie* par ceux de la dynastie des Basarab. Les trônes sont ensuite électifs. *Noblesse de fait :* familles de grands boyards, d'origine autochtone ou phanariote (venant du Phanar, quartier de Constantinople), se définissant par les hautes fonctions exercées dans le gouv. des 2 principautés. En 1858, la Convention de Paris (loi fondamentale du pays jusqu'au « coup d'État » du 2-5-1864 du P^ce Couza) abolit rangs et privilèges des boyards. Les principautés porteront le titre de Principautés unies de Moldavie et Valachie. Les Constitutions de 1866 et de 1923 interdirent les titres mais l'usage reconnut la qualité princière à certaines familles dont : Bibesco, Brancovan, Callimaky, Cantacuzène, Ghika, Mavrocordato, Moruzi, Rosetti, Soutzo, Stirbey, Stourdza. *Liste des familles autochtones :* Balaceanu, Baleanu, Bals, Bogdan, Bratianu, Campineanu, Catargi, Filipescu, Florescu, Golescu, Gradisteanu, Grecianu, Kogalniceanu, Magheru, Manu, Vacarescu. *L'héritier du trône* portait le titre de grand voïvode d'Alba Julia.

■ **Royaume-Uni.** Voir à l'Index.

■ **Russie.** Voir à l'Index.

■ **Saint Empire.** Voir Allemagne à l'Index.

■ **Saint-Marin.** Le Conseil grand et général a concédé des titres de 1621 à 1907, puis de 1928 à 1976 : *duc, marquis, comte, vicomte, baron, patricien* et *noble.* **Statistiques** (1861 à 1976). 177 titres concédés [1 princesse (Pallavicini, en 1961), 12 ducs, 19 marquis, 76 comtes, 4 vicomtes, 39 barons, 1 prédicat, 5 patriciens, 20 nobles (dont 73 héréditaires et 3 personnels conférés entre 1960 et 75)]. **Dernier titre concédé.** 1976 dont Cte François Porteu de la Morandière.

■ **Suède.** **Titres** institués par Erik XIV en 1561 qui créa 3 titres de comte et 9 de baron. La *maison des Nobles (Riddarhus)* instituée 1626 par Gustave Adolphe « classa » la noblesse. Supprimée comme chambre haute en 1866, elle subsiste comme organisme représentatif de la noblesse suédoise. 200 familles britanniques entrèrent dans la noblesse, dont 44 d'origine anglo-écossaise. *Duc :* 1 titre autorisé : duc d'Otrante (Fouché). *Comte :* porté par le chef de nom et d'armes et par ses héritiers en primogéniture mâle (Brahe fut le 1er comte). *Baron :* porté par tous les descendants mâles du titre (Oxenstiern fut le 1er baron). Les filles non mariées des comtes et barons portent le titre de comtesse ou baronne avant leur prénom. **Statistiques** (1992) : comtes 46, barons 123, familles nobles sans titres 448.

■ **Tchécoslovaquie.** Quelques titres de P^ces furent concédés dans le royaume de Bohême, tel celui de P^ce Kinsky (1746) porté encore en Europe. Noblesse et titres ont été abolis (loi du 10-12-1918).

■ **Turquie.** Noblesse et port des titres abolis et interdits (Constitution du 10-1-1945).

■ **Vatican.** **Titres :** *prince, duc, marquis, comte* (le plus fréquent), *vicomte* (un seul cas), baron et l'anoblissement. Les titres ont été délivrés le plus souvent « ad personam » et rarement héréditairement, et fort peu à des femmes (si le titre était héréditaire, le fils aîné de la bénéficiaire devait en demander confirmation). Les principales concessions furent faites à des Fr., des Italiens, des Espagnols. La concession n'entraînait pas le droit de bourgeoisie à la Cité du Vatican. L'anoblissement héréditaire fut aboli le 11-11-1931 et le port de titres nobiliaires interdit aux évêques le 12-5-1951. Le pape Paul VI a fait savoir le 13-1-1964 qu'il n'y aurait plus de concessjon de titres. **Concessions depuis 1929** (création de l'État du Vatican) sont très rares : *prince* 1, *marquis* 1 (1929, Pacelli), *comte* 1 (1932).

■ **Venezuela.** *Titres conférés par l'Espagne* 8 : Marquis 6. Comte 1. Vicomte 1.

■ **Yougoslavie.** La Constitution du 3-9-1931 ne reconnaissait aucun privilège de naissance tel que ceux de la noblesse et des familles titrées. Mais le souverain conféra ou reconfirma des titres. Le roi Alexandre Ier reconfirma 3 titres (dont celui de comte Mijatovich). Le 29-11-1945 la monarchie a été abolie par l'Assemblée Constituante de la Y. démocratique fédérale (DFJ) bien que le roi Pierre II n'ait jamais abdiqué. **Statistiques** (1988) : familles nobles subsistantes 223. Le roi Pierre II en exil, a conféré et confirmé 7 titres : *prince* 1 (Premuda), *duc* 1 (Saint-Bar), *comtes* 4, *barons* 2 (dernier : 1964, Gilbert de Melita, d'origine anglaise, résidant au Portugal). Seuls les membres de la famille roy. étaient (et sont) P^ces (ou P^cesses) de Youg.

ORDRES ET DÉCORATIONS

ORDRES DE L'ANCIENNE CHRÉTIENTÉ

Ordres religieux militaires. *Origine.* La croisade – c.-à-d. la défense, sous le signe de la Croix – de la chrétienté dans les domaines spirituel et temporel contre l'hégémonie des Infidèles, a donné naissance à 2 catégories d'ordres : ceux des grandes croisades internationales comme les 5 ordres ibériques (Alcantara, Calatrava, St-Jacques de l'Épée, Montesa, Avis) qui furent d'abord militaires. Ces milices, levées pour repousser les Maures, obtinrent du pape bénédictions, approbations et règles, et de leur souverain des donations permettant d'ériger des établissements religieux où l'on remerciait Dieu, la Vierge et les saints ayant permis les victoires.

Après le départ de l'envahisseur, certains de ces ordres devinrent des communautés religieuses et/ou hospitalières. Plus tard sécularisés et rattachés à la couronne, ils ne furent plus que des corps de distinction et leurs insignes devinrent souvent de simples « décorations ».

Ordres de Terre sainte. Dès le VIe s. des chrétiens d'Europe se rendaient en pèlerinage aux Lieux saints. Certains y restèrent et fondèrent de petites communautés religieuses pour accueillir, nourrir et soigner d'autres pèlerins ou la population locale. Ainsi, Godefroy de Bouillon entrant à Jérusalem en 1099 y trouva les frères de l'hôpital St-Jean. Les croisades suscitèrent de nombreuses fondations de ce genre qui reçurent du pape bénédictions, bulles d'approbation et règles. Certaines (Hospitaliers de St-Jean) organisèrent des milices privées pour assurer la sécurité du pays. Strictement religieuses au départ, ces communautés devinrent mixtes, comprenant des religieux voués aux tâches hospitalières, et des chevaliers avec leurs servants d'armes, qui affrontaient l'ennemi. Après le retrait des chrétiens du Levant, la plupart de ces ordres disparurent. 5, les plus importants, ont survécu. On peut supposer que les frères religieux étaient obligatoirement revêtus de la robe de leur état et de leur congrégation, frappée de l'insigne, robe qu'ils protégeaient sans doute d'un scapulaire de toile pour donner les soins aux malades et vaquer aux tâches domestiques.

Les frères militaires, afin de se reconnaître dans les mêlées, revêtaient sur le haubert un survêtement de tissu distinctif. Les chevaliers templiers avaient une cotte d'armes blanche frappée d'une croix rouge. Les chevaliers hospitaliers portaient une soubreveste rouge à la croix latine blanche.

Vœu de chasteté. Les religieux-soldats des ordres militaires sont, jusqu'au XIIIe s., tenus aux vœux de chasteté, pauvreté, obéissance, qui sont obligatoires dans les ordres religieux. Leur règle est souvent celle de St Benoît, modifiée spécialement pour eux par St Bernard (1128). Celle de St Augustin fut adoptée par les teutoniques et les frères du St-Sépulcre et de St-Lazare.

LES ORDRES MILITAIRES DES LIEUX SAINTS

Généralités. Les 2 plus importants (souvent rivaux) ont été le *Temple* et l'*Hôpital* (St-Jean). Subsistent aujourd'hui 2 ordres à vocation internationale [les Hospitaliers de St-Jean (ordre souverain de Malte) et les frères du St-Sépulcre (ordre équestre du Saint-Sépulcre de Jérusalem)] ; les frères de Ste-Marie-des-Teutoniques, ces derniers constituant une communauté religieuse germanique (voir p. 577).

■ ORDRES INTERNATIONAUX

L'ordre souverain de Malte et l'ordre équestre du St-Sépulcre de Jérusalem sont les 2 seuls ordres reconnus par le St-Siège et dans le monde entier, notamment par la France. Celle-ci reconnaît également, pour des raisons historiques, le grand bailliage de Brandebourg de l'ordre de St-Jean de l'Hôpital de Jérusalem (voir p. 576 c).

ORDRE SOUVERAIN DE MALTE

Nom. Ordre souverain militaire et hospitalier de St-Jean de Jérusalem, de Rhodes et de Malte, ou ordre souverain de Malte (OSM).

Origine. Dès la fin du IXe s. existaient à Jérusalem une église et un couvent placés sous le patronage de saint Jean, où des moines venus d'Italie donnaient des soins aux pèlerins chrétiens et aux malades de toutes confessions. Quand Godefroy de Bouillon (1re croisade) entra à Jérusalem en 1099, l'hôpital existait déjà sous l'autorité de frère Gérard (né à Martigues en Provence ? béatifié). L'ordre fut approuvé par le pape Pascal II le 13-2-1113. Après la mort de frère Gérard (env. 1120), sous son successeur, Raymond du Puy (premier qualifié maître de l'ordre), l'institution devint également militaire par l'organisation d'une milice privée. L'ordre était divisé en régions, dites **langues :** Provence, Auvergne, France, Italie, Aragon-Navarre, Castille-León-Portugal, Angleterre et Allemagne. Le chef de chaque langue portait le titre de *pilier.* Les Hospitaliers, chassés par les Ottomans en même temps que les Croisés, s'établirent à Chypre (1291), puis Rhodes (1309), et Malte (1530) que Charles Quint leur avait donnée en fief de son royaume des Deux-Siciles. L'ordre resta maître de l'île jusqu'à sa capitulation devant Bonaparte en 1798.

L'empereur Paul Ier de Russie, offrant asile à quelques chevaliers ne pouvant regagner leur pays d'origine, s'institua « protecteur » de l'ordre. Le 27-10-1798, les chevaliers exilés à St-Pétersbourg le proclamèrent « grand maître » mais cette élévation à la grande maîtrise d'un orthodoxe (donc schismatique), marié et n'ayant jamais appartenu à l'ordre (il était seulement décoré, en tant que monarque ami, de la grand-croix d'honneur), n'était ni constitutionnellement ni canoniquement valide, et Pie VI refusa de reconnaître cette élection. L'emp. Alexandre Ier, qui avait saisi l'irrégularité de la situation et ne souhaitait pas la prolonger, édicta le 16-3-1801, 4 j après son accession au trône, que l'ordre devait élire son grand maître selon ses statuts et usages antiques. Comme on ne pouvait convoquer une assemblée générale des membres de l'ordre, il fut convenu qu'il serait proposé au pape de choisir, pour cette unique fois, un grand maître parmi les candidats déjà élus par chacun des prieurés de l'ordre. Le 9-2-1803, Pie VII choisit le candidat élu par le prieuré de Russie, le bailli Jean-Baptiste Tommasi, qui devenait ainsi légitimement le 73e chef suprême de l'ordre. En 1801, l'ordre s'était installé définitivement en Italie.

L'ordre fut souvent un novateur. *1er service hospitalier :* un hospice international à Jérusalem pouvant recevoir plus de 1 000 malades à la fois (fin du XIe s.). *1re armée permanente. 1re école navale. 1re retraite du combattant.*

Entre-temps, la Grande-Bretagne avait ravi Malte aux Français, en nov. 1800, mais le traité d'Amiens (1802) avait confirmé les droits de l'ordre sur l'île et ses dépendances. Les hostilités ayant repris entre Fr. et G.-B., celle-ci n'appliqua pas les clauses du tr. Le nouveau grand maître Tommasi s'installa donc en Sicile, y attendant la possibilité de recouvrer son territoire. En 1814, *le tr. de Paris* entérina une situation de fait en reconnaissant à la G.-B. la possession de Malte, décision confirmée par les tr. suivants, bien que l'ordre spolié n'ait jamais renoncé à sa souveraineté ainsi bafouée.

En 1820, la *convention de Vérone* reconnut son caractère souverain. En 1831, l'ordre s'installa définitivement dans Rome. A partir de 1864, l'organisation en « langues » ayant disparu, les membres constituèrent des associations nationales.

Statut. A Malte, l'ordre était le vassal du roi des Deux-Siciles, lui-même vassal du pape. Il fut très tôt une monarchie élective et constitutionnelle fortement hiérarchisée dont les membres étaient recrutés parmi de nombreuses nations (France, Italie, Espagne, G.-B., Allemagne). Il possédait un territoire, une population, une autorité responsable, une armée, le droit de battre monnaie et d'entretenir des relations diplomatiques avec d'autres nations par des ambassadeurs accrédités [jusqu'à son départ de Malte en 1798, l'ordre entretenait 4 ambassades : auprès du pape, de l'emp. des Romains roi de Germanie (Autr.), du roi de Fr. et du roi d'Esp. ; il en aurait eu auprès du roi d'Angl. si Henri VIII n'avait pas dissous et spolié l'ordre dans ses États en 1540]. De nos jours, ordre de droit international, il possède dans Rome un territoire de quelques ha [2 parties : villa Malta, sur l'Aventin (ancien bien des Templiers, donné aux Hospitaliers en 1312 et devenu siège du grand prieuré de Rome), également résidence des ambassadeurs auprès du Quirinal et du Vatican ; palais de la via Condotti, siège du grand magistère et du gouvernement bénéficiant de l'exterritorialité]. Il bat monnaie (non reconnue), émet des timbres (il y a un surintendant des postes magistrales et de la monnaie). **Timbres :** valables pour la correspondance avec 41 pays : Argentine, Autriche, Bénin, Burkina, Cameroun, Cap-Vert, Centrafrique, Chili, Comores, Congo, Costa-Rica, C.-d'Ivoire, Cuba, Équateur, Gabon, Guatemala, Guinée-Bissau, Guinée, Honduras, Hongrie, Liban, Liberia, Macao, Nicaragua, Niger, Panamá, Paraguay, Philippines, Pologne, Portugal, St-Marin, Salvador, São Tomé, Sénégal, Sierra Leone, Somalie, Tchad, Togo, Uruguay, Venezuela, Zaïre et à Rome entre les 2 propriétés de l'Ordre. **Relations diplomatiques.** *Ambassades :* Argentine, Autriche, Bénin, Bolivie, Brésil, Burkina Faso, Cameroun, Centrafrique, Chili, Colombie, Comores, Costa Rica, C.-d'Ivoire, Cuba, Égypte, Équateur, Espagne, Éthiopie, Gabon, Guatemala, Guinée, Haïti, Honduras, Hongrie, Italie, Liban, Liberia, Madagascar, Mali, Malte, Maroc, Maurice, Mauritanie, Nicaragua, Niger, Panamá, Paraguay, Pérou, Philippines, Pologne, Portugal, rép. Dominicaine, Roumanie, St-Marin, St-Siège, Salvador, Sénégal, Somalie, Tchad, Tchécosl., Thaïlande, Togo, Uruguay, Venezuela, Zaïre. *Représentants :* auprès de France, Suisse, Belgique ; délégués officiels en Allemagne, Luxembourg, Monaco et auprès du Conseil de l'Europe, Unesco, UNHCR, Comité internat. de la Croix-Rouge, OMS, Comité intergouv. pour les migrations européennes.

Prince et grand maître. Élu parmi les chevaliers religieux (profès) par le Conseil complet d'État de l'ordre (élection soumise à l'approbation pontificale). Le gd maître Pierre d'Aubusson fut fait cardinal après avoir soutenu, victorieusement, le siège de Rhodes en 1480. Hugues de Verdalle (gd maître de 1581 à 98) fut également cardinal. Dep. 1630, le gd maître jouit des honneurs cardinalices d'où le prédicat d'Altesse Éminentissime, mais il ne participe ni aux conclaves, ni aux conciles, ni à aucune des assemblées du Sacré Collège. *Titre habituel :* Son Altesse Éminentissime, le Pce grand maître ; dans ses actes : frère N... par la grâce de Dieu, humble maître de l'hôpital sacré de St-Jean de Jérusalem et de l'ordre militaire du St-Sépulcre du Seigneur, et gardien des pauvres du Christ. *Gd maître (78e) :* SAÉ Fra Andrew Bertie (Londres 15-5-1929), élu 8-4-1988. *Souverain Conseil :* véritable gouvernement, l'assiste.

Drapeau. Rouge à croix blanche. Approuvé 1130 par le pape Innocent II (une bulle d'Alexandre IV du 11-8-1259 parle de celui-ci). **Armes.** De gueules à la croix d'argent. **Emblème.** Croix blanche à 8 pointes dite « de Malte ». **Distinction.** *Pro merito melitensi* (mérite de l'ordre), croix 5 cl. et médaille 3 cl.

Membres dans le monde. 11 150 (France 480). 3 classes : 1°) *Chevaliers de justice et chapelains conventuels, profès de vœux de religion.* 2°) *Chev. d'obédience et donats de justice* (promettent de tendre à la perfection de la vie chrétienne). 3°) *Ceux qui ne font ni vœu de religion ni promesses,* divisés en 6 branches : chev. et dames d'honneur et de dévotion ; chapelains conventuels « ad honorem » ; chev. et dames de grâce et de dévotion ; chapelains magistraux ; chev. et dames de grâce magistrale ; donats de dévotion. La catégorie de « grâce magistrale » (aucun principe de noblesse requis) constitue plus de 60 % des effectifs.

Activités par le truchement des associations nationales d'œuvres hospitalières : léproseries, hôpitaux, dispensaires, centres de rééducation, services d'ambulances, etc., dans le monde entier. Équipes médicales et d'urgence pour aider les victimes de guerres ou de cataclysmes. Importante action au Liban.

En France. *Représentant officiel auprès de la France :* l'ambassadeur bailli Cte Géraud Michel de Pierredon (n. 22-4-16). *Ass. Fr. des Membres de l'Ordre* fondée 1891, successeur des 3 Langues de Provence, d'Auvergne et de France : bailli Pce Guy de Polignac (29-4-05). *Œuvres hospitalières françaises de l'Ordre* créées 1927 : Pt. Cte Arnold de Waresquiel (9-1-17). *Adresse :* 92, rue du Ranelagh, 75016 Paris.

Sté de l'Histoire et du Patrimoine de l'Ordre de Malte. Fusion en 1992 de la Sté de l'Histoire de l'O. de Malte, créée 1947, et de la Fondation de l'O. de Malte pour la recherche et la sauvegarde de son patrimoine, créée 1986. *Pt :* Ambassadeur Bailli Cte Géraud Michel de Pierredon.

Prière quotidienne des membres

Seigneur Jésus, qui avez daigné m'appeler dans les rangs de la milice des chevaliers de St-Jean de Jérusalem, je vous supplie humblement par l'intercession de la Très Sainte Vierge de Philerme, de St Jean Baptiste, du bienheureux Gérard et de tous les saints, de m'aider à rester fidèle aux traditions de notre ordre, en pratiquant et en défendant la religion catholique, apostolique et romaine contre l'impiété et en exerçant la charité envers le prochain, avant tout envers les pauvres et les malades. Donnez-moi les forces nécessaires pour pouvoir mettre en exécution ces désirs, selon les enseignements de l'Évangile, avec un esprit désintéressé et profondément chrétien, pour la gloire de Dieu, la paix du monde et le bien de l'ordre de St-Jean de Jérusalem. Ainsi soit-il.

Ordres de Saint-Jean

☞ Les 4 ordres qui, issus de la même souche, peuvent, avec l'ordre souverain de Malte (catholique), se prévaloir du vocable de St-Jean de Jérusalem. Ils jouissent de la reconnaissance officielle des États dans lesquels ils existent. Ils ont créé en 1961 une **Alliance des ordres de chevalerie des Hospitaliers de St-Jean de Jérusalem** (siège : Berne) dont sont également membres les 4 commanderies non allemandes du gd bailliage de Brandebourg.

Grand bailliage de Brandebourg de l'ordre des Chevaliers de Saint-Jean de l'Hôpital de Jérusalem, *Ordre protestant autonome. Vers 1250* le grand prieuré d'Allemagne des Hospitaliers de St-Jean de Jér. englobant bailliage de Brandebourg, Bohême, Hongrie et Dacie se constitue. *1332,* les chevaliers se donnent un chef local, le *maître et grand bailli (Herrenmeister). 1382,* le gd maître de l'ordre (alors à Rhodes), Jean-Ferdinand de Heredia, accepte l'élection du *grand bailli* sous réserve de l'approbation, toujours consentie, du gd prieur d'Allemagne. *A la Réforme,* 7 des 13 commanderies du gd bailliage embrassent la confession nouvelle. *1555* le tr. d'Augsbourg, établissant la tolérance religieuse, les reconnaît. *1648,* le tr. de Westphalie règle la situation du gd bailliage, vis-à-vis du gd magistère installé à Malte depuis 1530. Le gd bailliage acquiert sa liberté moyennant 2 500 florins d'or, reporte son allégeance sur les margraves de Brandebourg et prend la dénomination d'**ordre évangélique de St-Jean** ou **Johanniter Orden,** qui, par la suite, choisira ses maîtres parmi les princes de Hohenzollern. *1810,* Frédéric-Guillaume III, roi de Prusse, sécularise l'ordre, confisque ses biens, supprime la dignité de *grand bailli. 1812,* il institue l'*ordre royal prussien de St-Jean,* plus connu sous le nom de *St-Jean de Prusse,* dont il s'intitule grand protecteur. *1852,* Fréd.-Guill. IV rétablit l'*Ordre évangélique* selon la structure du gd bailliage de Brandebourg dont le *maître et gd bailli,* élu par les chevaliers reçus avant la sécularisation, fut le Pce Charles de Prusse, frère du roi. Dep. leur fondation, les commanderies française, finlandaise, hongroise et helvétique sont restées attachées au bailliage de Brandebourg, faute de pouvoir reporter leur allégeance sur un Pce national de confession réformée. *Maître et gd bailli :* Pce Guillaume-Charles de Prusse. *Commanderie française :* 38, rue de Laborde, 75008 Paris. Commandeur : Bertrand de Bary. Sec. gén. M. de Luze. *Décoration :* croix de mérite (2 classes).

☞ Le grand bailliage de Brandebourg a donné naissance à 2 rameaux nationaux : **Johanniterorden i Sverige :** *1170,* Valdemar Ier de Danemark fonde un gd prieuré englobant les pays scandinaves. *A la Réforme,* les commanderies du prieuré sont confisquées et les chevaliers suédois se rattachent au gd bailliage de Brandebourg. *1920,* ils forment une commanderie nat. *1945,* le roi de Suède devient le *haut protecteur* héréditaire et nomme le *Kommendör* (Commandeur), actuellement le Gal Frederick Löwenhielm. **Johanniter Orden in Nederland :** *1909,* les chevaliers néerlandais, jusqu'alors membres du gd bailliage de Brandebourg, fondent une commanderie nat. *1946,* elle reporte son allégeance sur le souverain (la reine Wilhelmine) qui nomme le *Landcommandeur,* actuellement le Pce Bernard des P.-Bas.

Grand Priory of the British Realm of the most venerable Order of the Hospital of St John of Jerusalem ou The Order of St John. *1540,* le Grand prieuré d'Angleterre est supprimé par Henri VIII. *1557,* rétabli par Marie Ire. *1560,* spolié par Élisabeth Ire qui le met en sommeil sans l'abolir. *1827,* les chevaliers anglicans élisent un gd prieur et veulent reconstituer un ordre de leur confession. *1888,* Victoria octroie une charte royale au gd prieuré qui prend sa dénomination actuelle et fait acte d'allégeance à la reine qui devient *chef souverain (Sovereign Head)* par des liens personnels et non d'État. Depuis, tous les monarques britanniques portent ce titre et confèrent la dignité de *Grand Prieur (Lord Prior)* à un membre de la maison royale, actuellement le duc de Gloucester. The Order of St John est représenté auprès de l'ordre souverain de Malte par un officier de liaison.

Ordre équestre du Saint-Sépulcre de Jérusalem (1099)

Origine. *1099* fondé à Jérusalem, par Godefroy de Bouillon, chargé d'assurer la garde et la prière au St-Sépulcre. *1103 Baudouin Ier* leur donne leurs premiers règlements ; ils assistent les clercs de la milice du St-Sépulcre (ultérieurement chanoines) et sont comme eux soumis à l'autorité du patriarche latin de Jérusalem. *1291* après la disparition du royaume latin de Jérusalem, les chevaliers se replient dans leur pays d'origine, puis vont de nouveau se faire adouber à Jérusalem, sur le tombeau du Christ, par le Custode de Terre sainte rétabli en 1336. L'ordre s'emploie à œuvrer pour la propagation de la foi, à faciliter les pèlerinages aux Lieux saints et à maintenir la présence catholique en Terre sainte. *1847* rétablissement du patriarcat de Jérusalem, le pape Pie IX dote l'ordre de nouveaux statuts et le donne comme soutien à ce patriarcat. Il autorise les chevaliers à se faire adouber dans leurs pays d'origine. Le patriarche devient alors « Recteur de l'Administration de l'Ordre ». Par la suite, Pie X, Benoît XV et Pie XI assument la grande maîtrise de l'ordre, avant qu'elle ne soit confiée en 1939 à un cardinal.

« Ordre » du Temple

Origine : *1119*, Hugues, originaire de Payns en Champagne, chevalier croisé, réunit à Jérusalem 9 autres compagnons qui prennent la dénomination de « pauvres chevaliers du Christ » et font vœu de défendre les pèlerins et de protéger les chemins menant en Terre sainte. Le roi Baudouin II leur concède pour logis une salle de son palais de l'esplanade du Temple ; d'où le nouveau nom de la communauté dite des Templiers. *1127*, le pape Honorius II accorde son agrément officiel. *1128*, le futur St Bernard réunit à Troyes un concile qui définit la règle de l'ordre. Les Templiers participent à la défense du royaume franc de Terre sainte, organisent le commerce avec l'Europe et gèrent les finances des croisés. A la chute du royaume franc, ils se replient sur leurs commanderies d'Europe et le maître de l'ordre établit la « maison chèvetaine » au Temple de Paris où le roi de Fr. dépose le trésor royal dont il confie la gestion aux Templiers. *1310 (13-10)*, le roi Philippe IV le Bel, désireux d'unifier tous les ordres pour aller à la croisade et de se libérer de la puissance financière de l'ordre et de s'en attribuer les biens, fait arrêter les Templiers de son royaume sous l'accusation d'apostasie, d'outrage à la personne du Christ, de rites obscènes et d'idolâtrie. Ceux qui « avouent » (sous la torture) sont condamnés à l'emprisonnement, les relaps (qui sont revenus sur leurs aveux) sont livrés au bras séculier et voués au bûcher. *1312*, le pape Clément V supprime l'ordre et en attribue les biens aux Hospitaliers de St-Jean de Jérusalem. Nombreux dans la péninsule ibérique, les Templiers y sont reconnus innocents. *1318*, Denis de Portugal, pour défendre son royaume de l'invasion sarrasine, les regroupe, avec ceux échappés de Fr., dans l'ordre des chevaliers du Christ. *1319 (14-3)* leur dénomination originelle est approuvée par le pape Jean XXII. *1789*, sécularisé il devient l'ordre du Christ (voir Portugal, à l'Index).

Ordre teutonique

Origine : *1190* fondé en Terre sainte, sur l'initiative de négociants hanséatiques de Brême et de Lübeck, pour le service hospitalier des pèlerins et des croisés tombés malades. *1191*-6-2 mis sous la protection pontificale. *1196*-21-12 le pape Célestin lui reconnaît le statut d'ordre. *1198*-5-3 érigé en ordre religieux, comprenant des prêtres, puis également des chevaliers, originaires des régions germanophones du St Empire. *1199*-19-2 Innocent III confirme cette érection. *1234-1300* colonise l'Europe de l'Est. *Sièges de l'ordre 1190* St-Jean-d'Acre. *1291* Venise. *1309* Marienbourg. *1410* battu à Tannenberg par Lituaniens et Polonais, *1466* perd la Prusse Occidentale *1525* perd tous ses territoires de l'Est et se retire en Allemagne. *1809* dissous par Napoléon. *1834* rétabli par l'empereur Ferdinand Ier d'Autr. *1929*-27-11 renonce à son statut d'ordre chevaleresque pour devenir un ordre religieux de type courant, privilégiant néanmoins les authentiques valeurs de la chevalerie. **Organisation :** *Grand maître* (*Hochmeister*) : père Dr Arnold Wieland (1-8-1940), élu pour 6 ans le 29-8-1988 (réside à Vienne). *Prêtres* et *frères* servants 63, *sœurs* servantes 346, *chevaliers* honoraires 12, *marians* (n'exerçant pas de responsabilités et ne prenant pas d'engagement) 499.

Ordre de Saint-Lazare

1099-1187 à Jérusalem, les Lazaristes sont des frères hospitaliers s'occupant particulièrement des lépreux, d'où l'invocation de St Lazare, patron de ces malades. *1187* (chute de Jérusalem) devient militaire. *1256* sur pied d'égalité avec les autres grands ordres. *1291* replié en France à Boigny, près d'Orléans (fief acquis 1154, baronnie 1288). Autre fief à Paris (St-Lazare), château avec léproserie (acquis en 1150 ; a donné son nom à ce quartier). **Italie :** branche indépendante, à Capoue, relevant du pape. *1608* dissolution des 2 branches (voir France, Ancien Régime, et Italie, ci-contre).

Emblème. Les armes du roy. de Jérusalem : d'argent à la croix potencée cantonnée de 4 croisettes, mais d'émail de gueules (rouge) pour rappeler les 5 plaies du Christ. (armes de Jér. : d'or sur argent).

Organisation. Grand magistère : *Grand maître :* S. Ém. le cardinal Caprio. *Grand prieur :* Sa Béatitude Mgr Sabbah, patriarche latin de Jérusalem. *Assesseur :* Mgr del Gallo di Roccagiovine. *Lieutenant général :* Pce Massimo Lancellotti. *Gouverneur général :* Cte Carducci Artenisio. *Lieutenances* dans 31 pays. *Chevaliers et dames* 12 000. **En France :** *Lieutenant de Fr. :* Gal-Cte Louis d'Harcourt (n. 2-5-1922). *Chancelier :* Me Roland Jousselin. *Chevaliers* 400. *Délégations régionales* 14. *Association française des œuvres de l'ordre :* 5, av. Montaigne, 75008 Paris. Reconnue d'utilité publique 29-12-1975.

Buts et activités. Accroître, au sein de ses membres, la pratique de la vie chrétienne par des pèlerinages, retraites et recollections notamment à Paris : l'église St-Leu/St-Gilles, égl. capitulaire d'une organisation similaire dep. 1780. Encourager conservation et propagation de la foi en Terre sainte en y soutenant les droits de l'Égl. catholique en contribuant aux œuvres du patriarcat latin de Jérusalem. L'ordre entretient en Terre sainte 52 paroisses, 42 écoles (14 000 élèves), des crèches, des dispensaires, le séminaire de Beit Jala qui forme 70 séminaristes par an. La lieutenance de France a en charge la paroisse de Taybeh (ancienne Ephrem de la Bible) où elle a implanté une maison des pèlerins, un centre de soins et 1 école de 350 élèves et la paroisse de *Reneh* (jardin d'enfants, école de 150 élèves).

Décorations et ordres français

Ancien Régime

Ordres de chevalerie

■ **Ordre des chevaliers de la noble maison de St-Ouen** ou **chevaliers de l'Étoile.** *Créé* par Jean le Bon en 1351, il disparut dès le règne de Charles V, pour des raisons inconnues, mais non – contrairement à la légende – pour avoir été trop distribué.

■ **Ordre de St-Michel.** *Créé* par Louis XI le 1-8-1469 pour répliquer à la fondation de l'ordre bourguignon de la Toison d'or. Nombre de membres limité à 36 « gentilshommes de nom et d'armes » élus par les membres de l'ordre sous la présidence du Roi, lors du « chapitre » annuel, à mesure des extinctions. *Siège* (théorique) : abbaye du Mont-St-Michel (transféré ensuite à la Ste-Chapelle de Vincennes, puis, par Louis XIV, aux Cordeliers de Paris). *Tenue rituelle jusqu'à la fin du XVIe s. :* manteau blanc, chaperon cramoisi sur la tête et le cou. *Obligations religieuses :* office quotidien de St-Michel (pas dans les statuts mais on essaye de l'imposer au XVIIIe s.), chapitre des coulpes aux réunions de l'O. (on s'accuse publiquement des manquements à la règle). Serment de fidélité irrévocable liant les chevaliers au grand maître et à la couronne de France. *Après 1560 :* le chiffre limite de 36 membres est abandonné ; l'O. est conféré à de nombreux courtisans parfois non combattants. Comme il est ainsi dévalorisé, Henri III crée, en 1578, l'*O. du St-Esprit*, qui sélectionne 100 de ses membres. En 1661-65, Louis XIV décide de limiter également à 100 les chevaliers de St-Michel non décorés du St-Esprit et le destine peu à peu (non officiellement) à honorer également artistes et savants, préalablement anoblis. Il remplace l'insigne primitif (un collier composé de coquilles reliées par des « lacs d'amour » auquel était suspendu un médaillon représentant St Michel terrassant le dragon) par un grand cordon noir auquel est suspendue une croix de Malte centrée de l'image de l'Archange. Aboli par la Révolution, continué en émigration, rétabli sous la Restauration pour les seuls civils, supprimé 1830.

■ **Ordre du St-Esprit.** *Créé* par Henri III le 31-12-1578 (après la dévalorisation de l'O. de St-Michel) qui le place sous l'invocation du Saint-Esprit en mémoire des 2 événements les plus importants de sa vie, arrivés la veille ou le jour de la Pentecôte, son élection au trône de Pologne le 9-5-1573, et son avènement au trône de France le 30-5-1574. *Membres* (déclaration de Louis XVI du 8-6-1783) *:* 100 gentilshommes français nobles depuis au moins 3 générations paternelles [87 chevaliers reçus préalablement chev. de St-Michel hors contingent, 9 ecclésiastiques commandeurs du St-Esprit (4 cardinaux + 5 prélats dont le grand aumônier de France qui, seul, était dispensé des épreuves de noblesse), 4 grands officiers commandeurs] + le roi chef et souverain gd maître + les étrangers (nombreux à partir de 1814) + les Pces souverains capétiens établis hors du roy. *Office à réciter quotidiennement :* celui du St-Esprit. *Costume revêtu pour le chapitre annuel :* manteau noir brodé de flammes d'or, doublé d'orange, mantelet vert et habit complet de draps d'argent. *Collier* formé de 29 maillons plats quadrangulaires, où alternent des H couronnés, des trophées et des fleurs de lys entourés de flammes d'émail rouge. *Insigne :* croix d'or à 8 pointes pommetées émaillées vert et blanc, cantonnée de fl. de lys et portant au centre, à l'avers la colombe, au revers le médaillon de St Michel (pour les 9 ecclésiastiques : colombe des 2 côtés). Les jours ordinaires, cette croix était portée suspendue à un cordon bleu, d'où le surnom de « cordons-bleus ». *Plaque* pailletée cousue sur l'habit, représentant la colombe. Devenue d'argent au XIXe s. Les chevaliers de l'O. du St-Esprit s'intitulent « *chevaliers des O. du Roi* » car ils ont toujours les 2 ordres. Au contraire, les membres du seul O. de St-Michel se disent « *chevaliers de l'O. du Roi* ». Aboli par la Révolution, continué en émigration, rétabli sous la Restauration jusqu'en 1830 (sans preuves de noblesse ; la seule fête est la Pentecôte).

■ **Ordre de St-Lazare et N.-D.-du-Mont-Carmel.** Henri IV voulant donner au pape des gages de la sincérité de sa conversion fit créer en 1608 l'O. de N.-D.-du-Mont-Carmel par le pape qu'il unit à la branche française de l'O. de St-Lazare moribond (replié en France en 1291). Il attribua les biens de ce dernier au nouvel O., portant la double dénomination. Le pape avait attribué de son côté les biens italiens de St-Lazare à l'O. savoyard de St-Maurice. Les nouveaux chevaliers (100) étaient tenus à la récitation du rosaire. Ils portaient le scapulaire du Carmel avec croix verte à 8 pointes : centrée, d'un côté, de la Vierge à l'Enfant et de l'autre, de Lazare, suspendu à un cordon vert puis ponceau. Théoriquement militaire, l'ordre comprendra souvent des officiers civils (principalement des diplomates) de la haute noblesse. Le roi, souverain chef et protecteur, nommait le gd maître (au XVIIIe s. un prince du sang) qui n'était reconnu par le pape qu'en tant que grand maître de N.-D.-du-Mt-Carmel. *Révolution :* quelques décorations furent données en émigration mais Louis XVIII et Charles X laissèrent l'ordre (fondé sur des preuves de noblesse) s'éteindre à la Restauration car il était contraire à la Charte de 1814 consacrant l'égalité des sujets du roi.

Nouvel ordre : *vers 1910*, un O. de St-Lazare vit le jour et prétendit continuer l'ancien. Cette continuation fut considérée comme abusive par le Vatican, la République italienne et la Rép. française. Les membres de ce groupement ont constitué une *association*, régie par la loi de 1901, et dépourvue des caractéristiques voulues pour être considérée comme un authentique ordre de chevalerie d'une lignée historiquement démontrée, légitime et continue depuis les croisades. *Protecteur spirituel* S.B. Maximos V, patriarche grec melkite catholique d'Antioche, Alexandrie et Jérusalem. En 1967, l'administration française de l'ordre destitua le *grand maître* don Francisco de Bourbon-Séville (n. 1912, gd maître dep. 1952) et élut Charles duc de Nemours (1905-70) qui, déposé en *1969*, fut remplacé par le duc de Brissac (n. 13-3-1900) élu 47e gd maître. *1980*, abandonnant la dénomination d'« ordre », il dote de nouveaux statuts son association qui prit le titre d'*Hospitaliers de St-Lazare*.

Groupement dissident : le duc de Nemours n'avait pas accepté sa déposition de 1969. Il entendit conserver sa gde maîtrise et nomma coadjuteur le Pce Michel d'Orléans (n. 1941, fils du Cte de Paris). A la mort du duc, le 10-3-70, le Pce Michel d'Orléans assura l'intérim ; le 22-5-73, don Francisco de Bourbon-Séville redevint gd maître. Le Pce Michel d'Orléans quitta ce groupement en 1976. Le groupement (siège à Malte) a créé une association déclarée à Strasbourg, ce qui ne vaut que pour l'Alsace et non pour l'ensemble du territoire français.

Des tentatives d'unification entre les 2 branches ont échoué. En septembre 1986, au cours d'un chapitre réuni à Oxford, François de Cossé-Brissac, marquis de Brissac (né 19-2-29), déjà coadjuteur de son père, le duc de Brissac, démissionnaire pour raison d'âge, fut élu « *48e grand maître de tout l'ordre* » ce qui est contraire aux statuts de l'association dite « *Hospitaliers de Saint-Lazare* » en France en 1980 et tolérée comme telle par la grande chancellerie de la Légion d'honneur. Les partisans de don Francisco de Bourbon-Séville considèrent cette élection irrégulière.

■ **Ordre de Cincinnatus.** Ordre américain reconnu par la monarchie française. A l'échelon français, il a été attribué à des officiers supérieurs et généraux de l'armée ou de la marine et à des officiers subalternes blessés ou récompensés. Juridiquement, il ne pouvait pas être considéré comme un ordre national, Washington n'étant pas chef d'État lorsqu'il le fonda, mais comme une association héréditaire se prévalant d'un insigne distinctif qui ne peut être considéré comme une décoration. Nombre des 1ers titulaires fr. 370 selon le Bon de Contenson, 362 par l'Amér. Asa Brid-Gardner. Certains officiers français ayant servi dans l'armée américaine ont été admis dans la branche française de l'ordre. *Textes officiels de la monarchie reconnaissant l'ordre américain comme « 1er ordre étranger »* (l'insigne se portant après la croix de St-Louis) : lettres de Louis XVI du 8-8-1784, confirmées par une lettre du 12-12-1789, au vice-amiral Cte Jean-Baptiste d'Estaing [(1729-94, guillotiné), *1er Pt de la branche française*], du Cte César-Henri de La Luzerne (1737-89), ministre de la Marine et frère d'Anne-César, Mis de La Luzerne (1741-91), membre fondateur de l'ordre. (Voir Sté des Cincinnati, ci-contre).

■ **Ordres royaux repris.** Depuis la disparition de la monarchie, plusieurs prétendants au trône de France se sont considérés comme chefs souverains des ordres royaux. Le *Cte de Chambord* (Henri V) porta l'insigne du St-Esprit et donna une croix de St-Louis à son neveu le Cte de Bardi. Le *duc d'Orléans* (Philippe VIII) décerna le St-Esprit à de proches parents : Ferdinand Ier, roi des Bulgares, les ducs de Montpensier et de Vendôme, et Manuel II, roi du Portugal. De leur côté, 3 aînés de la maison royale d'Espagne, devenue branche aînée des Bourbons à la mort du Cte de Chambord, se sont tenus pour grands maîtres des ordres royaux français. *Don Carlos, duc de Madrid* (1847-1919) fit (en ayant hérité des colliers du St-Esprit déposés à Frohsdorf), en tant que Charles XI, plusieurs chevaliers français. Son fils *don Jaime, duc de Madrid* (1870-1931), en tant que Jacques Ier, duc d'Anjou, fit de même (dont les Pces Paul de Yougoslavie et Xavier de Bourbon-Parme, duc de Parme, en 1927). Le fils aîné du roi Alphonse XIII, *don Jaime, duc de Ségovie* (1908-75), en tant que Jacques Henri VI, duc d'Anjou (V. Index), a nommé 4 chevaliers du St-Esprit (ses 2 fils et les ducs de Bauffremont et de Polignac) et 4 de St-Michel (1972). Son propre fils, *duc d'Anjou et de Cadix* (1936-89), a confirmé les nominations qui n'avaient pu être faites en règle et fait de nouvelles nominations dont celle de son fils Louis, duc de Bourbon (n. 1974) devenu grand maître en 1989.

Ni la République française ni la monarchie espagnole entre autres ne reconnaissent ces ordres, disparus légalement en 1830.

■ Ordres de mérite

■ **Ordre de St-Louis.** *Créé* par Louis XIV en 1693, pour les officiers français cathol. ayant servi 10 ans dans l'armée royale et dispensés de preuves de noblesse. *3 classes :* chevalier, commandeur et grand-croix. *Croix :* de Malte blanche et or avec fl. de lys aux angles ; au centre un médaillon avec à l'avers l'effigie de St Louis, au revers une épée passée dans une couronne de lauriers entourée de la devise. *Ruban :* rouge feu. Les chevaliers la portent sur le sein gauche, les commandeurs et grand-croix sur la hanche gauche, pendue à une écharpe, et accompagnée, pour les gd-croix, d'une plaque pailletée d'or portant l'effigie de St Louis. *Devise :* « Bellicae Virtutis praemium ». *L'office liturgique* prescrit en principe était celui de la Couronne d'épines ; mais, en fait, la seule obligation religieuse (peu suivie) était l'assistance à la messe de St-Louis le 25 août. Sous Louis XV, la réception dans l'ordre est le plus souvent déléguée à un haut dignitaire. Le port illégal (1er cas en 1749) entraîne : dégradation et perte de la noblesse, 20 ans de prison pour un noble ; les galères pour un roturier. En 1750, l'ordre de St-Louis fut assimilé à une charge anoblissante : après 3 générations de titulaires, une famille est anoblie par lettres patentes. Toujours réservé aux officiers, il est maintenu sous le nom de *Décoration militaire* (décret 1/7-1-1791) puis aboli (décret 15-10-1792). Continue à être conféré en émigration. Rétabli en 1814, aboli en 1830 mais porté (sans fleur de lis) par les titulaires pendant la monarchie de Juillet et sous Napoléon III.

■ **Mérite militaire.** *Créé* par Louis XV le 10-3-1759, pour les officiers protestants étrangers servant dans l'armée royale et se trouvant dans l'impossibilité de recevoir l'O. de St-Louis (Suisses, All., Suédois). Ce n'était pas un ordre mais une institution, sans grand maître. Ses titulaires avaient les mêmes avantages que la croix de St-Louis (titre de chevalier, pension, anoblissement après 3 générations). Il y avait 2 grand-croix et 4 commandeurs (chevaliers en nombre illimité). *Croix :* de St-Louis mais avec des médaillons différents (avers : épée en pal entourée de la devise ; revers : couronne de lauriers). *Ruban :* bleu foncé. *Devise :* « Pro virtute bellica » (Pour le courage militaire). Plaque avec une couronne de laurier pour les grands-croix.

Supprimé à la Révolution et rétabli à la Restauration, il fut, depuis le 28-11-1814, attribué aux off. protestants, même de nationalité française (1er titulaire fr. : marquis de Ségur-Bouzeli). Le ruban est alors de la même couleur rouge feu que la croix de St-Louis. Aboli en 1830, mais porté sous les mêmes réserves que l'O. de St-Louis.

Les filles de nombreux chevaliers de St-Louis furent élevées à la maison de St-Louis fondée par Mme de Maintenon à St-Cyr. Après la Révolution, il fut créé des maisons d'éducation pour les filles des membres de l'ordre (les filles des off. protestants furent élevées aux frais de l'O. de St-Louis dans d'autres institutions).

■ Autres distinctions

■ **Médaille des pilotes.** *Créée* par Louis XIV (1683) en faveur des matelots et pilotes, elle n'est pas dans la tradition des ordres mais dans celle des phalères romaines : médaille à l'effigie de Louis XIV.

■ **Médaillon de vétérance.** *Créé* par Louis XV le 16-4-1771, pour les soldats et bas-officiers ayant servi 24 ans sous les drapeaux (double ou triple médaillon pour 48 ou 72 ans de service). Un modèle spécial pour les marins fut créé le 25-12-1774. Beaucoup d'officiers le portèrent après la disparition de l'ordre de St-Louis dont ils étaient titulaires.

■ Période révolutionnaire

■ **Insigne des vainqueurs de la Bastille.** *Losange* pour les Gardes françaises. *Couronne murale* pour les citoyens bourgeois ayant pris part à l'assaut de la Bastille. *Ruban* portant la mention brodée d'or « Trésor de la Ville sauvé et conservé le 5 décembre 1789 » pour les hommes du bataillon de Belleville.

■ Consulat et Empire

■ **Consulat. Armes d'honneur :** de 1800 à 1802, Bonaparte fit attribuer aux soldats ayant accompli des faits d'armes env. 2 000 récompenses dont 784 fusils d'infanterie ou fusils de dragons ; 151 mousquetons ; 94 carabines ; 429 sabres d'infanterie ou de cavalerie ; 241 grenades d'or (entourées d'un losange doré et placées sur fond de velours noir pour être portées sur le baudrier ou sur le bras gauche) ; 44 haches d'abordage en argent doré (portées sur le baudrier ou sur la poitrine à hauteur du troisième bouton) ; 6 haches de sapeur ; 39 baguettes de tambour ; 13 trompettes ; 53 (sans indication). Les bénéficiaires de ces récompenses, automatiquement admis dans la Légion d'honneur, en furent les premiers titulaires. Les généraux en chef purent donner des armes de récompense, souvent identiques aux armes d'honneur.

Légion d'honneur (voir p. 579 a).

■ **Empire. Ordres créés dans le royaume d'Italie :** *ordre de la Couronne de fer* (1805) : attribué aux sujets italiens de Napoléon, couronné roi d'Italie.

Dans les territoires annexés : *ordre impérial de la Réunion* (créé par Napoléon 1811) : civil et militaire. Décerné aux Français et aux membres d'ordres étrangers, supprimé pour ces derniers lors des annexions à l'Empire français. Aboli 1815.

Projet non réalisé : *ordre des 3 Toisons d'or :* en 1809, après la conquête de Vienne (siège de la Toison d'or autrichienne), qui survenait 5 mois après la conquête de Madrid (siège de la Toison d'or espagnole), Napoléon décida de créer un ordre impérial [sur lequel figuraient 3 toisons d'or (les 2 précédentes, plus la française)] réservé aux héros les plus exceptionnels de son armée (certains étaient désignés par élection de leurs régiments) : 100 grands chevaliers, 400 commandeurs et 1 000 chevaliers, ainsi qu'aux drapeaux des régiments ayant pris part aux 8 plus grandes batailles d'Ulm à Wagram. Un décret du 15-8-1809 nomma un grand chancelier (le général Andreossi) et un grand trésorier (le comte Schimmelpenninck). Mais devant la désapprobation des titulaires de la Légion d'honneur, qui craignaient que leur décoration ne fût dévalorisée, Napoléon renonça à conférer son nouvel ordre. Le 27-9-1813, il prononça sa dissolution et réunit sa dotation à celle de la Légion d'honneur.

■ **Société des Cincinnati.** Ordre héréditaire, institué en 1783, et dont les statuts ont été rédigés par le Gal Henry Knox (1750-1806), chef de l'école militaire de West Point, qui en devint le secrétaire général (1785-90), puis le Vice-Pt gén. (1805). *Premier Pt gén.* (1783-99) : George Washington (1732-99). *But :* Sté d'amis regroupant les officiers anciens combattants de la guerre d'Indépendance américaine, puis leurs descendants (culte du souvenir, aide sociale), et spécialement les officiers français pour maintenir à jamais des liens étroits avec la France, sans laquelle la victoire contre la G.-B. eût été impossible ; conserver intacts les droits et libertés de l'individu, maintenir entre les États l'union et l'honneur national à l'exemple de Lucius Quintius Cincinnatus, qui, ayant commandé 2 fois en chef l'infanterie romaine (en 459 et 437 av. J.-C.) avec le titre de *dictator,* reprit après la victoire son métier de laboureur. Il était prévu au début que la qualité de membre se transmettrait de mâle en mâle par primogéniture, mais, dès 1784, la transmission par les femmes héritières fut admise en cas d'extinction de ligne masculine. *Organisation :* dans chacun des 13 premiers États de l'Union et en France (depuis le 18-12-1783), existe une « branche » dirigée par un Pt, un Vice-Pt et un comité, chargés notamment de reconnaître les titres d'un candidat à la succession d'un membre héréditaire, qui est ensuite élu par les membres de l'ordre.

Insigne : dessiné par le major Pierre L'Enfant (1754-1825 ; 1er secr. français) ; aigle d'or amér. avec ruban bleu clair bordé de blanc et rosette : l'aigle à tête blanche *(bald eagle)* a servi de modèle à celui de l'écusson des USA ; il porte un médaillon à fond bleu avec Cincinnatus à sa charrue. Sous l'Ancien Régime, il se portait immédiatement après la croix de St-Louis. La Gde Chancellerie en autorise le port en France, à condition qu'il soit épinglé sur le revers droit, le ruban étant remplacé par une rosette. Le Pt gén. reçoit l'aigle ornée de diamants qui avait été offerte en 1783 à Washington par la marine fr. De 1978 à 1980, il y a eu à Washington un vice-Pt gén. fr. *Siège social :* Sté gén. représentant les 14 Stés d'État : Anderson House (Washington DC), qui abrite également le musée de la société.

Branche française de la « Société des Cincinnati ». Elle n'est ouverte qu'aux descendants (représentants, par primogéniture, de chaque famille) des généraux, des colonels ou capitaines de vaisseaux et des officiers morts à la guerre ou blessés au combat pendant la guerre d'Indépendance. A la chute de la monarchie, elle a été « mise en sommeil » *(rendered dormant).* Le dernier Français d'origine mourut en 1854. Les sociétés américaines qui s'étaient maintenues après la guerre de 1914-18 ressusciteront la branche française en se constituant (4-7-1925) en association suivant la loi de 1901. Déclarée 1-7-1930, reconnue d'utilité publique par décret 20-7-1976.

Siège : 9, av. F.-D.-Roosevelt, 75008 Paris. *Pts dep.* 1930 : duc de Broglie (Maurice), duc de Lévis-Mirepoix, duc de Castries († 1986), Cte François de Castries. *Secr. gén. :* marquis de Bausset-Roquefort. *Membres (1993) :* 225 titulaires (héréditaires) et 21 honoraires choisis *intuitu personae* (à titre personnel et sans hérédité). Alphonse de Bourbon, duc d'Anjou et de Cadix († 31-1-1989) était m. titulaire depuis 1983, représentant le roi Louis XVI, son fils Louis-Alphonse lui succédera. Le Cte de Paris était m. titulaire représentant son aïeul le duc de Chartres, mais a choisi de ne plus l'être. Voir également **Ordre de Cincinnatus,** p. 577.

■ **Fils de la Révolution américaine.** 52, av. des Champs-Élysées, 75008 Paris. Association fondée en 1926. Branche fr. de la National Society of the Sons of the American Revolution (fondée en 1879). Ouverte à l'ensemble des descendants des combattants de la guerre d'indépendance américaine. *But :* entretenir l'amitié franco-américaine née sur les champs de bataille. *Insigne :* Croix surmontée d'un aigle ; rosette bleu, blanc, chamois. *Pt d'honneur :* S.E. l'amb. des États-Unis : Cte René de Chambrun (n. 23-8-1906). *Pt :* Hélie de Noailles, duc d'Ayen. *Membres :* 350.

■ **Filles de la Révolution américaine (DAR).** 47 bis, bd des Invalides, 75007 Paris. Association patriotique, historique et généalogique fondée aux USA en 1890 sous le nom de NSDAR (National Sty of the Daughters of the American Revolution), regroupant les descendantes directes des combattants de la guerre d'Indépendance américaine (plus de 200 000 membres à travers le monde). Depuis 1934, une branche française accueille 125 membres env. réunis sous le nom de Chapitre Rochambeau. *But :* maintien des liens d'amitié franco-américaine et du souvenir des principes ayant animé les patriotes de la guerre d'Indépendance, commémoration du 4 Juillet à la statue de Rochambeau. *Régente pour la France :* Mme Thadée Szewczyk née Jacqueline Berthelot. *Vices-Régentes :* Mme Baudoin Simonard, Mme Hervé Kergall.

Restauration

Décoration du Lys. *Créée* 26-4-1814 (fleur de lys ; ruban blanc) pour les membres de la Garde nationale de Paris, ralliée à Louis XVIII. Répandue largement par la suite et dévaluée. Chaque département reçut un ruban d'une couleur distinctive.

Brassard de Bordeaux. Accordé le 12-3-1814 aux gardes d'honneur du duc d'Angoulême ayant débarqué à Bordeaux. Pièce de soie portée en brassard, du coude à l'épaule gauche, remplacée ensuite par un médaillon en or et émaux blanc et vert.

Décoration du siège de Lyon. *Créée* 1814 pour les vétérans du siège de Lyon (1793) : à l'origine, la même que le Lys, avec un ruban amarante.

Médaillon de Gand. *Créé* 17-5-1815 pour les jeunes Parisiens (étudiants en droit et étudiants en médecine) ayant suivi Louis XVIII à Gand. *Ruban* bleu et blanc.

Croix d'honneur de la duchesse de Berry. Même insigne que les « croix du Lys ». *Créée* 1814 par la duchesse de Berry à Dieppe, pour les dames nobles lui ayant fourni une escorte à cheval.

Croix de la Fidélité. *Créée* 1816 pour la Garde nationale de Paris. Destinée à remplacer le Lys distribué à quiconque le demandait et même à des enfants (Charles de Cazals reçut son brevet à 2 ans).

Médaille de l'Instruction primaire. Appelée médaille des Instituteurs. *Créée* 15-6-1818, pour les maîtres d'école ayant une certaine ancienneté. Toujours en vigueur. Elle remplaçait pour eux les Palmes académiques, réservées à l'ens. supérieur et qui ne devinrent « décoration » que sous Napoléon III.

Monarchie de Juillet

Croix de Juillet. *Créée* 13-12-1830 pour les émeutiers des « Trois Glorieuses ». *Étoile* à 3 branches, surmontée d'une couronne murale avec au centre un coq gaulois. *Ruban* bleu, liséré rouge.

Médaille de Juillet. Donnée aux émeutiers n'ayant pas obtenu la croix ; de ce fait, appelée « médaille des Mécontents » ; en argent.

Décorations contemporaines

Prescriptions

Toute décoration étrangère non conférée par une puissance souveraine est déclarée illégalement obtenue et son port puni d'une amende de 600 à 1 300 F. Amende de 1 300 à 3 000 F et ou emprisonnement de 5 j au plus pour quiconque porte en public des insignes, rubans ou rosettes présentant une ressemblance avec ceux des décorations conférées par l'État français ou fait usage de grades ou dignités dont la dénomination présente une ressemblance avec les grades ou dignités conférés par la Rép. fr. Nul Français ne peut accepter et porter une décoration sans y être autorisé par un décret du Pt de la Rép. fr. (amende de 250 à 600 F).

Ordre dans lequel les décorations doivent être portées. Un rang de préséance est fixé, par décret, pour : Légion d'honneur, croix de la Libération, médaille militaire, ordre national du Mérite.

Pour les autres, l'usage établi prévaut : récompenses pour faits de guerre et activités patriotiques (croix de guerre 1914-18, 1943-45, TOE, Valeur militaire, médaille de la Résistance, croix du Combattant volontaire de la guerre 1914-18, médailles des Évadés, de la Reconnaissance française, de l'Aéronautique, de la Gendarmerie nationale, de la Déportation et de l'Internement pour faits de Résistance, de la Déportation et de l'Internement (politique), de la Défense nat., croix du Combattant volontaire de la Résistance, médaille de la France libérée, etc.) ; récompenses pour actes de dévouement, anciens Ordres coloniaux ; Ordres ministériels : Palmes académiques, Mérite agricole, Mérite Maritime, ordre des Arts et Lettres ; médailles d'honneur décernées par le Gouv., croix et médailles commémoratives selon l'ordre chronologique de leur création ; décorations étrangères dont le port a été autorisé ainsi qu'il est précisé ci-dessus.

Légion d'honneur

■ **Origine.** *Créée* par Bonaparte, Premier Consul, le 19 mai 1802, pour récompenser les mérites civils et militaires en temps de paix ou de guerre. Sous le Consulat, puis l'Empire, du 24-9-1803 au 6-4-1814, ont été élevés aux *dignités* de grand aigle (créée en 1805, sous le nom de grande décoration ; appelée grand cordon le 28-3-1816, puis grand'croix en 1830) : 64 ; de grand officier : 137 ; aux *grades* de commandeur (appelé commandant jusqu'au 28-3-1816) : 649 ; d'officier : 3 069 ; de chevalier (appelé légionnaire jusqu'en 1808) : 32 906.

■ **Nom.** Faux-sens sur le participe latin *honoratus,* « honoré », c.-à-d. soldat romain titulaire d'un insigne honorifique (phalère, bracelet, etc.). Il aurait fallu dire : Légion des honneurs (au pluriel). Traduction du latin *Legio honoratorum conscripta,* « Légion composée de soldats décorés ». Bonaparte souhaitait composer un corps de soldats vétérans et de partisans politiques, qui aurait joué le rôle de « corps intermédiaire » entre l'État et le peuple. Sa *légion* groupait primitivement 16 grands officiers, chacun à la tête d'une *cohorte* régionale (regroupant 5 à 7 départements) ; les commandants étaient les chefs des légionnaires pour chaque département, les officiers pour chaque arrondissement. Chaque cohorte avait à sa disposition une rente de 200 000 francs en biens nationaux, plus un hospice réservé aux légionnaires (ancien couvent nationalisé). Cette organisation est tombée en désuétude dès 1809 (date à laquelle furent aliénés ses biens territoriaux), les légionnaires devenant des *chevaliers* (dans la tradition nobiliaire).

■ **Insigne. Description :** étoile à 5 rayons doubles, surmontée d'une couronne ovale de chêne et de laurier. Le centre de l'étoile, émaillée de blanc, est entouré de branches de chêne et de laurier et présente à l'avers l'effigie de la République avec cet exergue : « République française » ; revers : 1 drapeau et 1 étendard tricolores croisés ; légende « Honneur et Patrie » et la date : « 29 floréal an X ». *Ruban :* rouge inspiré du rouge feu de l'O. de St-Louis.

Nota. – (1) *Ier et IIe Empire :* profil de Napoléon, couronne impériale. *1816-48 :* profil d'Henri IV, couronne royale. *IIe République :* profil de Bonaparte, feuillages républicains.

Port : *Chevaliers* et *officiers* portent l'insigne (en argent, diam. 40 mm) sur la gauche de la poitrine, attaché à un ruban moiré rouge de 37 mm, orné d'une rosette pour les off. Les *commandeurs* portent l'insigne (or, diam. 60 mm) en sautoir avec un ruban moiré de 40 mm. Les *gds off.* portent la croix d'off. à droite et une plaque ou étoile à 5 rayons doubles, diamantée tout argent, diam. 90 mm, le centre représentant l'effigie de la République avec l'exergue « Honneur et Patrie ». Les *grands-croix* portent en écharpe un ruban rouge de 10 cm de large passant sur l'épaule droite et au bas duquel est attachée une croix semblable à celle des commandeurs mais de 70 mm de diam. et sur le côté gauche de la poitrine une plaque en vermeil semblable à celle des grands officiers. En costume de ville ou en petite tenue, pour les militaires, la croix est remplacée par : un ruban rouge (chevaliers), une rosette rouge (off.), une rosette rouge sur demi-nœud argent (commandeurs), argent et or (gds off.), or (grand-croix).

Pour les femmes : vêtements de soirée : *Chevaliers et officiers :* miniatures en usage pour les hommes, ou petit nœud du ruban des miniatures avec croix suspendue par le nœud. *Commandeurs* croix en sautoir (or, diam. 50 mm), ruban moiré 30 mm ou petit nœud du ruban miniature avec rosette sur demi-barrette d'argent avec croix miniature suspendue par le nœud. *Gds off.* plaque (argent, diam. 72 mm), croix d'off. miniature ou petit nœud du ruban miniature avec rosette sur demi-barrette d'argent et d'or avec croix miniature suspendue par le nœud sur le côté gauche. *Grands-croix* plaque (vermeil, diam. 72 mm) sur le côté gauche, ruban en écharpe (55 mm) avec croix 60 mm.

Collier : le gd maître de l'O. a pour attribut de sa fonction un collier d'or réalisé en 1953 par les artistes Arbus, décorateur, et Subes, ferronnier. Il est porté uniquement le jour de son entrée en fonction par le Pt de la Rép. (qui devient en même temps gd maître de l'O.). Les Pts Giscard d'Estaing et Mitterrand se sont fait seulement présenter le grand collier. Le collier actuel (1 kg) est formé de 16 maillons, portant chacun un médaillon rectangulaire avec figures symboliques représentant l'Armée (infanterie, chars, etc.) et la Civilisation fr. (agriculture, sciences, etc.). La croix est suspendue à un monogramme HP (Honneur et Patrie). Le précédent collier, conservé au musée de la Lég. d'h., est de 1881.

■ **Organisation. Grand maître :** Pt de la Rép. **Grand chancelier :** choisi parmi les grand-croix, nommé par décret du Pt de la Rép. en conseil des min. pour un mandat (renouvelable) de 6 ans ; il assure l'administration de l'O., en préside le Conseil et présente au grand maître rapports et projets concernant Légion d'h., médaille militaire. Il assure la discipline des titulaires de celles-ci et est consulté sur les questions de principe concernant les décorations fr. sauf l'O. de la Libération et la médaille de la Résistance.

Grande Chancellerie : administration centrale autonome (son budget est un budget annexe rattaché pour ordre au ministère de la Justice). *Derniers gds chanceliers : 1954* Gal Georges Catroux (1877-1969) ; *1969* Amiral Georges Cabanier (1906-76) ; *1975* Gal Alain de Boissieu (n. 5-7-1914, gendre du Gal de Gaulle), qui démissionna en 1981 pour protester contre l'élection de F. Mitterrand à la présidence de la Rép. et pour ne pas avoir à lui remettre personnellement le collier de gd maître de l'O. ; *1981,* 4-6 Gal André Biard (n. 23-7-1918). **Conseil de l'ordre :** 16 membres (dont 14 dignitaires et commandeurs, 1 off., 1 chevalier) nommés par le Pt de la Rép. sur proposition du gd chancelier. Présidé par le gd chancelier.

Nominations et promotions : faites par décret signé du Pt de la République, rendu sur rapport du Premier ministre et du ministre intéressé, et visé pour exécution par le gd chancelier, qui centralise les propositions des différents ministres pour soumission au conseil de l'ordre. Admissions et avancements sont prononcés dans la limite de contingents fixés par décret du Pt de la Rép. pour 3 ans. Certaines nominations et promotions à titre militaire peuvent intervenir « hors contingents ». **3 grades :** chevalier, officier, commandeur. **2 dignités :** grand officier et grand-croix. Nul Français ne peut accéder à un grade ou une dignité supérieur(e) s'il n'est pas déjà titulaire du grade ou de la dignité inférieur(e), à l'exclusion du nouveau Pt de la Rép. à qui les insignes de grand-croix sont remis avant la cérémonie d'investiture par le grand chancelier.

Conditions exigées en temps de paix : *pour être nommé chevalier :* 20 ans de services publics (ou 25 ans d'activités professionnelles) assortis de mérites éminents ; avoir satisfait aux enquêtes de moralité et d'honorabilité prévues par les textes. *Pour être promu officier,* il faut être chevalier depuis 8 ans ; *commandeur,* officier dep. 5 ans. *Pour être élevé à la dignité de grand officier,* commandeur dep. 3 ans ; *grand-croix,* gd officier dep. 3 ans. Ces délais ne s'appliquent pas aux promotions pour services exceptionnels. Les services de guerre et certains services militaires peuvent donner droit à des bonifications dans le calcul des annuités. Nul ne peut se prévaloir d'un grade ou d'une dignité dans la Légion d'honneur, ni en porter les insignes, rubans ou rosettes avant sa réception dans ce grade ou cette dignité. Le nouveau promu est « reçu » par un parrain (qu'il est généralement invité à proposer lui-même) qui doit être titulaire, dans la Légion d'honneur, d'un grade au moins égal au sien et avoir été préalablement délégué par le gd chancelier.

Nota. – Un décret du 28-10-1870 voulait réserver à l'ordre un caractère militaire, mais la loi du 25-7-1873 abrogea le décret.

Décorations à titre posthume : depuis le décret no 62-1472 du 28-11-1962 abrogeant notamment le décret du 1-10-1918, il n'est plus prévu d'attribuer de distinctions dans la Légion d'honneur à titre posthume (Napoléon entendait d'ailleurs réserver la Légion d'honneur à l'élite vivante de la Nation). Cependant, certains policiers abattus en service ont été faits chevaliers à titre posthume sur proposition du min. de l'Intérieur.

Droits de chancellerie : chevalier 110 F, Officier 176, Commandeur 264, Gd Off. 396, Gd'Croix 550.

■ **Honneurs héréditaires.** D'après les *art. 11 et 12 du décret du 1-3-1808,* les membres de la Légion d'honneur portent le titre de chevalier ; ce titre est transmissible à la descendance directe légitime, de mâle en mâle, par ordre de progéniture, de celui qui en aurait été revêtu et qui justifierait d'un revenu net de 3 000 F au moins. *L'art. 22 du décret du 3-3-1810* limite la transmissibilité à l'aîné de ceux qui auraient réuni une dotation au titre de chevalier, et à la charge d'obtenir confirmation jusqu'à la 3e génération sans pourvoir au sort du titre des chevaliers non dotés. *Ordonnance du 8-10-1814, art. 1 :* ordonne de continuer à expédier des lettres patentes conférant le titre personnel de chevalier et des armoiries aux membres de la Légion d'honneur qui se retireront à cet effet devant le chancelier de France et qui justifieront d'un revenu net de 3 000 F au moins, en biens immeubles situés en France ; *art. 2 :* lorsque l'aïeul, le fils et le petit-fils auront été successivement membres de la Légion d'honneur et auront obtenu des lettres patentes conformément à l'art. 1, le petit-fils sera noble de droit et transmettra la noblesse à toute sa descendance. La *loi du 12-5-1835* éteint les « majorats sur demande » et interdit d'en constituer de nouveaux ; supprime, en l'interdisant, l'obligation de justifier du revenu de 3 000 F. *Sous le Second Empire* (décret du 8-1-1859), il n'est plus exigé de lettres patentes que si les impétrants sollicitent des armoiries ; sinon les titres sont conférés par simple décret. La Grande Chancellerie de la Légion d'honneur rappelle que, si les dispositions de 1808, 1810 et 1814 n'ont pas été expressément abrogées, le maréchal de Mac Mahon, Pdt de la Rép., a cependant décidé le 10-5-1875, en Conseil des ministres, qu'en

Premiers comédiens décorés. Professeurs au Conservatoire : Philoctès Régnier (1807-85) le 5-8-1872, Edmond Got (1822-1901) le 4-8-1881, Louis Delaunay (1826-1903) le 4-5-1882. **Non professeur :** Mounet-Sully (1841-1916), chevalier en 1889, officier en 1910.

Premières femmes décorées. Cas douteux. *1808* selon une légende, Napoléon Ier aurait décoré, le 20-6, Marie-Jeanne Schellinck (25-7-1757/1-9-1840), sous-lieutenant de 52 ans. Selon une 2e légende, démentie par le Gd Chancelier Macdonald, la 1re légionnaire aurait été Virginie Ghesquière, engagée volontaire au 27e de ligne et héroïne de la campagne du Portugal. **Cas certains.** *1851* Marie-Angélique Duchemin, veuve Brulon [20-1-1772/13-7-1859, combattante des armées de la République ; pensionnaire des Invalides dep. le 14-12-1798 (réformée en juin 1798) ; nommée sous-lieutenant en 1822, avec 7 campagnes et 3 blessures ; retraitée aux Invalides]. Elle reçut la croix du Pce président Louis-Napoléon, le 15-8-1851. *1852* Mme Absicot de Ragis, femme du maire d'Oizon (Cher) qui avait résisté à des malfaiteurs venus détruire les registres de la commune. *1853* Sœur Rosalie Rendu, 1re religieuse décorée ; Sœur Hélène Dusoullier, de l'hospice de La Ferté-sous-Jouarre ; Sœur Penon, supérieure des Filles de la Charité de l'hôpital gén. de la Grave à Toulouse ; Jeanne-Claire Massin, ancienne sup. de l'Hôtel-Dieu de Compiègne ; Mathurine-Foise Fourchon, ancienne cantinière en Afrique. *1878* Juliette Dodu (1848-1909), postière à Pithiviers (Loiret), maîtresse du Pce Frédéric-Charles de Prusse, pendant la g. de 1870-71, décorée de la Légion d'honneur (en 1878) et de la médaille militaire pour son prétendu héroïsme (elle aurait espionné les messagers prussiens et failli être fusillée).

Autres premières. *1865* Rosa Bonheur, 1re femme artiste [fait unique ; elle sera décorée par une femme non décorée (l'Impératrice)], et à devenir off., en 1895 ; *1886* Mme Dieulafoy, exploratrice ; *1888*, Marie Laurent, comédienne, parce qu'elle avait fondé l'orphelinat des Arts ; *1906*, Julia Bartet, 1re à titre de comédienne ; *1914*, Sarah Bernhardt, tragédienne. *14-12-1900*, Mme de Rosthern, femme du chargé d'affaires d'Autriche-Hongrie à Pékin, 1re décorée à titre étranger. *1921* Marguerite Long, professeur. *1932* Maryse Bastié, aviatrice (off. *1937*, comm. 1974). 1re étrangère commandeur de la Légion d'honneur, Anne Tracy Morgan.

☞ En 1914, il y avait environ 110 femmes chevalières de la Légion d'honneur. En 1938, 3 000.

Anna de Noailles (la 1re en 1931), Louise de Vilmorin, Yvonne Sarcey, Mme P. Dupuy, Colette, Marguerite Long, Maryse Bastié (1re à titre militaire) ont été *commandeurs.* La maréchale Lyautey et Colette (en 1953), Louise Weiss (en 1974), la générale Valérie André (1981) ont été nommées *gds officiers.* Seules quelques souveraines étrangères ont été *gd-croix.*

Premiers saints décorés. Jean-Marie Vianney, curé d'Ars, décoré le 15-8-1855. Il porta une fois sa croix : sur son cercueil, le 6-8-1859. Le bienheureux Eugène de Mazenod (1782-1861), en tant qu'évêque de Marseille. Le père Daniel Brottier (1876-1936), de la congrégation du St-Esprit, béatifié le 25-11-1984 (missionnaire au Sénégal, fondateur de l'Association des anciens combattants, directeur de l'œuvre des Orphelins d'Auteuil).

Parmi ceux qui ont refusé d'être décorés. Ier Empire : La Fayette (« pour éviter le ridicule »), l'amiral Truguet, le poète Népomucène Lemercier. Le maréchal Augereau, républicain convaincu, refusa de répondre à l'appel de son nom lors de la remise des insignes en 1804. **Monarchie de Juillet :** le chimiste Raspail, dont le nom fut cependant inscrit sur les registres de l'O. (son fils, Camille, refusa également la croix sous Nap.III), Berryer, Montalembert, le chansonnier Béranger, Lamennais, Berlioz (on lui offrait la Légion d'honneur à la place de 3 000 F promis par le ministre de l'Intérieur pour son *Requiem*). Sainte-Beuve refusa la croix en 1837, mais l'accepta sous le IIe Empire. Gérard de Nerval l'aurait refusée, notamment pour éviter des frais de costume. **Second Empire :** George Sand (elle craignait d'« avoir l'air d'une vieille cantinière »), Littré, Barbey d'Aurevilly, Francisque Sarcey, Paul de Kock, le sénateur Scheurer-Kestner (pour « rester dans la tradition républicaine »), Nadar, Gustave Courbet, Daumier (par modestie). **IIIe République :** M. Sénard, Pt de l'Assemblée constituante de 1848, qui avait déjà refusé la croix sous Louis-Philippe, Maupassant, Eugène Le Roy, auteur de *Jacquou le Croquant,* la romancière Marcelle Tinayre (elle l'estimait déplacée pour une femme), le peintre Monet. **Ve République :** Antoine Pinay (n. 30-12-1891), ancien Pt du Conseil sous la IVe Rép., nommé chevalier par décret du 31-12-1986 sur le contingent du ministère de l'Économie.

l'état des lois constitutionnelles, il y avait lieu d'écarter à l'avenir les demandes ayant pour objet la collation de titre français nouveaux. Elle estime que toute autre interprétation desdits textes est incompatible avec la Constitution de 1958 (le préambule et l'article 2 s'opposent à ce que, même dans certains cas ou sous certaines conditions, la seule naissance puisse conférer à des Français titres ou privilèges honorifiques particuliers).

Une Association des honneurs héréditaires (32, sentier de l'Aubépine, 67000 Strasbourg) créée 1967, pour perpétuer dans les familles le zèle pour le bien de l'État, par d'honorables souvenirs (ordonnance du 8-10-1814). Elle regroupe les personnes répondant aux critères de ce texte, lettres patentes exclues, celles-ci n'étant plus attribuées dep. le Second Empire. L'adhésion est prononcée par le conseil d'administration, sans conférer aucun titre, et atteste que l'adhérent a justifié par pièces authentiques ou certifiées, déposées ensuite à la Bibliothèque nationale universitaire de Strasbourg, de sa filiation agnatique et de l'appartenance dans celle-ci de 3 membres successifs de la Légion d'honneur. *Nombre de membres (1993)* 370 représentants, 250 familles.

■ **Privilèges.** Les dignitaires de la Légion d'honneur ont droit aux honneurs militaires à leurs obsèques.

La qualité de légionnaire ou médaillé militaire est indiquée sur les registres de l'état civil. Quand la décoration est attribuée avant la réception de l'acte, elle peut aussi être mentionnée. Ex. : sur l'acte de décès, sur l'acte de mariage si le (ou la) marié(e) a la Légion d'honneur avant le mariage, mais jamais sur l'acte de naissance. Les militaires (non officiers) décorés ont droit au salut de la part des militaires de même grade non décorés (en théorie). Les sentinelles à la porte des casernes rendent les honneurs aux personnes décorées de la Légion d'honneur (privilège tombé en désuétude).

Les membres de la Légion d'honneur peuvent mentionner leur titre sur leur carte de visite, mais non en faire usage pour des motifs commerciaux (ni l'inscrire en tête d'un papier à lettre commercial). Quiconque, dans un établissement commercial, ind. ou financier, fait figurer le nom d'un membre de la Légion d'honneur dans une publicité pour l'entreprise, est punissable de 1 à 6 mois de prison et d'une amende de 2 000 à 10 000 F.

■ **Traitements.** Fixés sous le IIe Empire (décret des 22 et 25 janv. 1852) ; réservés aux décorés à titre militaire : chevaliers 250 F, officiers 500 F, commandeurs 1 000 F, grands officiers 2 000 F, grand-croix 3 000 F (en 1852, le salaire annuel d'un ouvrier agricole était de 105 F). En 1992, leur montant (fixé le 1-1-1982), en principe réservé aux militaires, est de : chevaliers 40 F par an, officiers 60 F, commandeurs 80 F, grands officiers 160 F et grand-croix 240 F. *Bénéficiaires d'un traitement* au 1-1-1991 : médaillés militaires 386 074, membres de la Légion d'honneur : 115 388 (dont grand-croix 28, grands officiers 329, commandeurs 2 999, officiers 18 636, chevaliers 93 496). *Coût annuel des traitements* (1992) : 8,8 milliards de F. Un décret du 24-4-1991 supprime l'octroi du traitement pour les militaires nouvellement décorés dont le dossier ne fait pas apparaître une blessure, une citation ou un acte de courage et de dévouement.

Nota. – Le traitement de légionnaire ne se cumule pas avec celui de médaillé militaire.

■ **Radiation, exclusion ou suspension.** *Sont exclus de droit* les membres condamnés pour crime ou peine d'emprisonnement sans sursis d'au moins 1 an. *Peuvent être exclus,* au terme d'une procédure disciplinaire, les légionnaires condamnés à une peine correctionnelle ou qui ont commis un acte contraire à l'honneur. *2 autres peines disciplinaires,* prononcées après avis du conseil de l'ordre : censure (c.-à-d. blâme) ou suspension pour durée déterminée. Exclusion (sauf de droit) et suspension sont prononcées par décret du Pt de la Rép. publié au *Journal off.* **Nombre d'exclusions :** *1988* : 3 ; *89* : 1 ; *90* : 1.

■ **Contingents annuels normaux** (du 1-1-1991 au 31-12-1993) **à titre civil et, entre parenthèses à titre militaire.** Gd-croix 2 (2), gds off. 8 (8), commandeurs 61 (68), off. 384 (306), chevaliers 1 140 (800). **Pour les étrangers :** gd-croix 1, gds off. 15, commandeurs 27, off. 66, chevaliers 111.

■ **Effectifs.** *1815* : 30 747 ; *1870* : 78 145 ; *1914* : 50 439 ; *1924* : 128 548 ; *1939* : 208 157 ; *1965* : *(1-1)* 317 314 (max.) ; *1991 (30-6)* : 223 857.

	Effectifs au 30-6-91 (sur contingents)	Objectifs
Grand-Croix	65	75
Grands Officiers .	456	250
Commandeurs ..	5 136	1 250
Officiers	42 669	10 000
Chevaliers	175 531	113 425
Total	*223 857*	*125 000*

■ **Maisons d'éducation de la Légion d'honneur.** *Créées* 15-12-1805. Réservées aux filles ou petites-filles de légionnaires français. Peuvent y être accueillies, s'il existe des places disponibles, les filles des membres français de l'ordre national du Mérite dont la situation familiale le justifie, ainsi que les filles et petites-filles de légionnaires étrangers après consultation du grand maître. **Maison des loges** (St-Germain-en-Laye) : peut accueillir 600 élèves (de 6e à 3e). **Maison de St-Denis :** 500 élèves [2e à terminale et classes prépa : Lettres sup. et IEP ; BTS (commerce international)]. *Recrutement :* sur dossier à fournir avant le 15-5 pour les prépa., 31-5 pour les autres. Quelques élèves en situation particulière peuvent être admises à titre gratuit. Toutes les élèves sont internes. *Ceinture* portée sur robe d'uniforme : 6e verte, 5e violette, 4e aurore, 3e bleue, 2e nacarat, 1re blanche, terminales multicolore. Reçus au bac (1990-91) : 91,18 %. **Maison d'Écouen :** fermée 1962.

■ Ordre de la Libération

Origine. Ordre national *institué* par une ordonnance du Gal de Gaulle, prise à Brazzaville le 16-11-1940, pour récompenser personnes ou collectivités militaires et civiles qui s'étaient signalées d'une manière exceptionnelle dans l'œuvre de libération de la France et de son Empire. Il n'est plus attribué depuis le 23-1-1946 [excepté au roi George VI (à titre posthume) le 4-4-1960, et à Winston Churchill le 18-6-1958].

Insigne. Écu de bronze chargé d'un glaive sur lequel est posé une croix de Lorraine. *Devise : Patriam servando victoriam tulit* (En défendant la Patrie, il a remporté la victoire). *Ruban :* vert rayé de noir.

Statut. Le général de Gaulle fut l'unique grand maître. *Chanceliers* (dep. la création) *1940* : amiral Georges Thierry d'Argenlieu (1889-1964), démissionna ; *1958* général Joseph Ingold (4-4-1894-† v. 1980), démissionna ; *1962* ambassadeur Claude Hettier de Boislambert (1906-86), démissionna ; *1978* gén. d'armée Jean Simon (30-4-1912). *Conseil de l'ordre :* chargé de la discipline. *Grade :* un seul : « compagnon de la Libération ».

Membres. Nombre : il y eut 1 059 Compagnons de la Libération dont 238 nommés à titre posthume (270 étaient encore en vie au *1-11-1992*) ; *6 femmes* ont été nommées : Berthie Albrecht (1889-1943), Laure Diebold (1915-65), Émilienne Évrard (1898-1971), Marie Hackin (1905-41), Marcelle Henry (1895-1945), Simone Michel-Lévy (1906-45) ; *5 localités :* Grenoble, île de Sein, Nantes, Paris, Vassieux-en-Vercors ; *18 unités combattantes* de l'air, de mer et de terre. *Le plus jeune décoré :* Mathurin Henrio dit Barrioz (16-4-1929, résistant mort à 14 ans sous la torture le 10-2-1944 à Baud, Morbihan). *Le plus jeune décoré encore vivant en 1990 :* Lazare Pytkowicz (17 ans en 1945).

Quelques compagnons célèbres. Maréchaux : Jean de Lattre de Tassigny (1889-1952), Philippe Leclerc (1902-47) et Pierre Kœnig (1898-1970). **Généraux :** Georges Catroux (1877-1969), René-Marie-Edgar de Larminat (1895-1962, suicidé), Alain de Boissieu (1914), Jean Simon (1912), Jacques Massu (1908), Antoine Béthouard (1889-1982), Pierre Billotte (1906-92), Jacques Chaban-Delmas (1915). **Colonels :** Pierre de Chevigné (1909), Pierre Messmer (1916). **Divers :** Georges Bidault (1899-1973), Maurice Bourgès-Maunoury (1914-93), René Pleven (1901-93), Gaston Palewski (1901-84), Achille Peretti (1911-83), Maurice Schumann (1911), François Jacob (1920), Eugène Claudius-Petit (1907-89), René Cassin (1887-1976), Louis Armand (1905-71), Jacques Baumel (1918), Robert Galley (1921), André Malraux (1901-76), Romain Gary (1914-80, suicidé), Dominique Ponchardier (1917-86), Pierre Clostermann (1921), Jean Moulin (1899-1943 tué par Allem.), Pierre Brossolette (1902-43, suicidé, pour échapper aux tortures all. ; à titre posthume).

■ Médaille militaire

Origine. *Instituée* par le décret du 22-1-1852, abrogé et remplacé par le décret du 28-11-1962. Récompense les militaires et assimilés non officiers ; ne constitue pas un « ordre ». Les noms des titulaires figurent sur des contrôles détenus et mis à jour par la grande chancellerie de la Légion d'honneur.

Pour la rendre populaire auprès des hommes de troupe, qui la considéraient comme une Légion d'honneur au rabais, Napoléon III (qui la portait, ainsi que le P^ce impérial) décida le 13-6-1852 qu'elle serait concédée aux maréchaux de France (les 1res furent concédées à Reille et Vaillant le 10-5-1852) et aux généraux gd-croix de la Légion d'h. qui, en temps de guerre, ont exercé un commandement en chef devant l'ennemi, ou qui ont rendu des services exceptionnels (ex. : Gal Weygand). Depuis 1888, peut être donnée à des généraux de corps d'armée ; depuis 1909 à des inspecteurs généraux. Décernée au maréchal Tito et à sir Winston Churchill ; refusée par le Gal de Gaulle et le Gal Giraud. Le Gal Koenig l'avait gagnée comme aspirant sur le champ de bataille (décret du 8-9-1918). Le G^al de brigade Amanrich, admis à la retraite et rayé des cadres en 1914, s'engagea pour la durée de la guerre comme simple soldat et en cette qualité gagna la médaille.

Statistiques. **Médailles accordées** aux combattants des guerres de *1870-71, 1914-18, 1939-45* : 1 million (dont 64 000 pour 1870-71) dont 4 700 à des femmes. *De 1952 à 1961* : 157 officiers gén. dont 33 amiraux ou vice-amiraux (*1852-69* : 31 gén., 11 amiraux. *1870-1913* : 35 gén., 12 am. *1914-38* : 35 gén., 6 am. *1939-61* : 23 gén., 4 am.). **De 1852 à 1969,** l'ont reçue : 1 342 femmes, 60 off. généraux et 24 maréchaux. **Effectifs** (au 30-6-1991) : 405 396. **Traitement :** 30 F par an (dep. 1-1-1982). **Contingents annuels** (1991, 92, 93) : 3 500.

■ Ordre national du Mérite

Origine. *Institué* par décret du 3-12-1963. Organisation. *Grand maître :* Pt de la République. *Conseil de l'ordre :* présidé par un chancelier qui est en même temps le gd chancelier de la Légion d'honneur. *Administration :* confiée à la gde chancellerie de la L. d'hon. *3 grades :* chevalier, officier, commandeur ; *2 dignités :* grand officier, grand-croix. *Membres :* contingent fixé par le gd maître. Les étrangers peuvent se voir attribuer des distinctions dans des conditions analogues à celles prévues par la Légion d'honneur.

Insigne. *Étoile :* à 6 branches doubles émaillées de bleu. Centre entouré de feuilles de laurier entrecroisées. Effigie de la Rép. avec l'exergue « République française ». Revers : 2 drapeaux tricolores avec inscription « Ordre national du Mérite » et date « 3 décembre 1963 » (Chevaliers : argent ; Off. et Commandeurs : or). *Ruban :* moiré bleu de Fr.

Effectifs (au 30-6-91). Gd-croix 151. Gds officiers 413. Commandeurs 6 395. Officiers 34 856. Chevaliers 149 555. *Total 191 370.* **Contingents** (période 1-1-91 au 31-12-93) **à titre civil** et, entre parenthèses, **à titre militaire :** Gd-croix 5 (5). Gds off. 12 (12). Commandeurs 173 (116). Officiers 877 (585). Chevaliers 3 344 (2 230). **Étrangers :** Gd-croix 9. Gds off. 21. Commandeurs 120. Officiers 285. Chevaliers 480. **Exclusions :** *89* 2.

■ Autres décorations militaires

Croix de guerre (voir p. 584 a).

Croix de la Valeur militaire. D'abord dénommée « médaille de la Valeur militaire ». **Instituée** 11-4-1956, lors des opérations en AFN, pour récompenser les militaires ayant accompli des actions d'éclat au cours ou à l'occasion d'opérations de sécurité ou de maintien de l'ordre. Elle peut être attribuée, exceptionnellement, au personnel non militaire. **Décernée** jusqu'au 1-1-1963 pour les faits antérieurs au 1-7-1962 accomplis en Afr. du N., elle continue à être attribuée par décisions particulières pour les opérations de sécurité ou de maintien de l'ordre dans certains pays (Zaïre, Tchad, Djibouti, Mauritanie, Liban, Sinaï, Koweït). **Étoile** *de bronze* (citation à l'ordre du régiment ou de la brigade), *d'argent* (division), *de vermeil* (corps d'armée), **palme** *de bronze* (armée). **Ruban :** écarlate, coupé de 3 raies blanches (1 raie large, au centre et 2 étroites, au bord).

Médaille de la Résistance française. *Gérée* par la chancellerie de l'ordre de la Libération. **Créée** par le Gal de Gaulle, par les ordonnances des 9-2-1943 et 7-1-1944, pour « reconnaître les actes remarquables de foi et de courage qui, en France, dans l'Empire et à l'étranger, auront contribué à la résistance du peuple français contre l'ennemi et contre ses complices depuis le 18-6-1940 ». Une ordonnance du 2-11-1945 a créé la médaille avec rosette. **Médaille :** en bronze portant à l'avers une croix de Lorraine avec l'exergue « 18 juin 1940 », et au revers l'exergue « *Patria non immemor* » (la Patrie n'oublie pas). **Ruban :** rayé et bordé rouge sur fond noir. **Attribution :** bilan *au 31-3-1947 :* 6 000 à 6 500 sans rosette et 2 200 avec rosette (vivants et posthumes) ; 1 800 à titre posthume ; 55 à des collectivités (15 avec rosette, 40 sans). N'est plus attribuée depuis le 31-3-1947 (décret du 16-1), sauf pour les morts de la Résistance.

Mérite militaire. **Créé** par la loi du 22-3-1957 pour remplacer la croix des Services militaires volontaires et sanctionner, en temps de paix, les activités volontaires des cadres réservistes dans l'instruction des réserves et la préparation de la défense nationale, ainsi que des cadres actifs participant à l'instruction des réserves en dehors de leur emploi habituel. *Supprimé* dep. le 1-1-1964. **Grades :** chevalier, officier, commandeur. **Ruban :** milieu rouge, encadré de bandes bleu roi de même largeur et liséré blanc. *Rosette* pour les officiers, sur galon argent pour les Commandeurs. **Croix décernées :** commandeurs 1 299 ; officiers 3 223 ; chevaliers 10 080.

Médaille des Services militaires volontaires. **Créée** par décret du 13-3-1975 pour récompenser les services particulièrement honorables accomplis par les militaires n'appartenant pas à l'armée active, au titre de l'information, de l'instruction et du perfectionnement des réserves, du recrutement, de la préparation militaire ainsi que l'activité au sein des associations. **Échelons :** bronze, argent, or. **Insigne :** bronze, argent ou or du module de 32 mm environ, à l'avers, profil de la République ; au revers inscription « Services militaires volontaires ». **Ruban :** bleu outremer partagé par une bande médiane rouge foncé du tiers de la largeur, pour la médaille de bronze ; agrémenté d'un liséré blanc de 3 mm pour la m. d'argent ; avec rosette aux mêmes couleurs que la m. d'argent pour celle d'or. **Nombre attribué :** *de sa création au 3-5-1975 : 20 979,* or 1 325, argent 5 211, bronze 14 443. *Contingents annuels* (du 1-1-86 au 31-12-88) : or 130, argent 400, bronze 1 200.

Médaille de la Défense nationale. **Créée** par décret du 21-4-1982. Récompense les services particulièrement honorables rendus par les militaires à l'occasion de leur participation aux activités opérationnelles ou de préparation opérationnelle des armées, notamment les manœuvres, exercices, services en campagne, ainsi que les interventions au profit des populations. **Échelons :** bronze (6 mois de services), argent (5 ans), or (10 ans).

Médaille de la Gendarmerie nationale. **Créée** par décret du 5-9-1949. **Décernée** aux officiers et sous-officiers de la Gend. nat. cités à l'ordre de la Gend. Peut aussi être décernée, sans citation, à des personnes qui ont rendu à la Gend. des services importants ou qui, par leur aide particulièrement méritoire à l'occasion de ses missions spéciales, se sont acquis des titres à sa reconnaissance. **Ruban :** bande centrale jaune, bordée de 2 lisérés blancs, et encadrée de deux bandes bleu gendarme bordées à l'extérieur d'un liséré rouge vif. Grenade en bronze pour chaque citation à l'ordre de la Gend. **Nombre décerné** au 1-1-1992 : aux personnels de la Gend., 1 277 dont à titre posthume 599 ; à des personnes étrangères à la Gend., 59 dont à titre posth. 11. Femmes décorées 3.

Villes décorées

■ **Croix des mayeurs.** Accordée à Péronne, 1537, et St-Quentin, 1746. Ne fut pas ajoutée à leurs armoiries municipales, mais portée par leur maire, d'où son nom.

■ **Légion d'honneur. Villes françaises. 1815**-*22-5* Chalon-sur-Saône, St-Jean-de-Losne, Tournus. **1864**-*7-5* Roanne. **1877**-*3-10* Châteaudun. **1896**-*19-4* Belfort, Rambervilliers. **1897**-*6-6* St-Quentin. **1899**-*18-5* Dijon. **1900**-*9-10* Bazeilles, Lille, Paris, Valenciennes. -*29-10* Landrecies. **1905**-*16-9* St-Dizier. **1913**-*3-10* Péronne. **1916**-*12-9* Verdun. **1919**-*14-6* Bitche. -*4-7* Reims. -*9-8* Dunkerque. -*14-8* Phalsbourg, Strasbourg. -*30-8* Arras, Lens. -*13-9* Cambrai, Douai. -*20-9* Longwy. -*10-10* Bapaume. -*11-10* Nancy. -*27-10* Metz. -*5-12* Béthune. **1920**-*10-1* Noyon. -*15-1* Soissons, Thionville. -*17-7* Château-Thierry. **1924**-*22-9* Montdidier. **1928**-*28-9* Nomény. **1929**-*20-4* Badonviller. **1930**-*23-7* Gerberviller. -*21-8* Audun-le-Roman, Longuyon, Pont-à-Mousson. **1932**-*15-4* Albert. **1947**-*10-7* Boulogne-sur-Mer, Calais. **1948**-*9-2* Brest. -*2-6* Abbeville, Amiens, Caen, St-Lô. -*8-7* St-Malo. -*2-8* Falaise. -*27-8* Évreux. **1949**-*28-2* Ascq, Étobon, Le Havre, Lorient, Lyon, Oradour-sur-Glane, Rouen, St-Dié, St-Nazaire. -*28-7* Argentan. **Étrangères. 1914**-*7-8* Liège. **1920**-*28-12* Belgrade.

■ **Croix de guerre. Guerre 1914-18** 2 952 (toujours avec palme). 1re : Dunkerque, oct. 1917 ; 2e : Thann, janv. 1919 (liste close 1926). **Guerre 1939-45** 1 585 (avec palmes ou étoiles en bronze, argent, vermeil). **Villes ayant reçu les 2 croix de guerre** 209. **Département ayant le plus de villes décorées** Aisne avec 713 (708 croix 1914-18, 12 croix 1939-45, 7 les 2).

■ **Croix de la Libération. 1941**-*11-1* Nantes. **1944**-*4-5* Grenoble. **1945**-*24-3* Paris. -*4-8* Vassieux-en-Vercors. **1946**-*1-1* Île de Sein.

■ **Ville la plus décorée de France.** Verdun (26 décorations). Lille a eu la Légion d'honneur et les 2 croix de guerre.

Croix du Combattant volontaire 1914-1918. **Créée** par la loi du 4-7-1935. **Délivrée** par le min. de la Défense. Aucune demande n'était plus acceptée depuis le 1-1-1952, mais la forclusion a été levée par décret du 21-9-1976. **Ruban :** vert avec au milieu une bande rouge et à chaque bord une bande jaune. **Nombre délivré** (au 1-1-92) : 10 203 (hommes et femmes).

Croix du Combattant volontaire 1939-1945. **Créée** par la loi du 4-2-1953 (décret d'application du 19-11-1955 et instruction du 18-11-1956). **Attribuée** aux militaires engagés volontaires pendant la guerre 1939-1945, ayant appartenu à une unité combattante homologuée. Aucune demande n'était plus acceptée depuis le 31-12-1970, mais la forclusion a été levée par décret du 21-9-1976. La loi du 4-2-1953 a été abrogée par décret n° 81-844 du 8-9-1981 créant une **croix du Combattant volontaire,** dont le ruban rouge avec au milieu une bande verte et à chaque bord une bande jaune est orné d'une barrette en métal blanc portant l'indication de la campagne ou de l'opération pour laquelle l'ayant-droit s'est engagé volontairement : **barrette Guerre 1939-1945.** *Créée* par décret n° 81-845 du 8-9-1981 et attribuée dans les mêmes conditions que la CCV 1939-1945 (voir ci-dessus). *Croix délivrées au 1-1-92 :* 110 009. **Barrette Indochine** *créée* par décret n° 81-846 du 8-9-1981 et attribuée aux militaires français titulaires de la carte de combattant et de la médaille commémorative au titre de cette campagne, ayant contracté un engagement pour servir en Indochine, entre le 15-9-1945 et le 11-8-1954. *Croix délivrées au 1-1-92 :* 17 926. **Barrette Corée** *créée* par décret n° 81-847 du 8-9-1981 et attribuée aux militaires français titulaires de la carte du combattant et de la médaille commémorative au titre de cette campagne et ayant contracté un engagement pour la Corée entre le 26-6-1950 et le 27-3-1953. *Croix délivrées au 1-1-92 :* 384. **Barrette AFN** *créée* par décret n° 88-390 du 20-4-1988 et attribuée aux militaires français titulaires de la carte du combattant (AFN) et de la médaille commémorative aux titres des opérations de sécurité et de maintien de l'ordre, qui ont contracté un engagement et ont à ce titre participé, dans une unité combattante aux opérations en Algérie (du 31-10-1954 au 31-7-1962), au Maroc (du 1-6-1953 au 2-3-1956), en Tunisie (du 1-1-1952 au 20-3-1956). *Croix délivrées au 1-1-92 :* 4 468.

Médaille des Évadés. **Créée** par la loi du 20-8-1926. Peuvent y prétendre les évadés militaires et civils des 2 guerres. L'évasion doit avoir été accomplie avec franchissement clandestin et périlleux d'un front ou d'une frontière. Les évadés de France (g. 1939-45) doivent en outre s'être engagés dans une unité combattante. **Attribuée** par le min. de la Défense après avis d'une commission. **Ruban :** vert, trois raies orange. **Nombre décerné :** env. 7 300 (la guerre de 1914-18) et au *1-1-92 :* 38 976 (1939-45). Le décret n° 81-1156 du 28-12-1981 (JO du 31-12-1981) a levé, sans condition de délai, la forclusion frappant les demandes d'attribution.

Anciens combattants et victimes de guerre

Croix du Combattant. **Créée** par la loi du 28-6-1930 et le décret du 24-8-1930, peut être portée par tous les titulaires de la carte du comb. **Délivrée** par l'Off. nat. des Anc. Comb., les bénéficiaires se procurent la médaille eux-mêmes. **Ruban :** bleu, coupé de bandes rouges. **Cartes délivrées** *(au 31-12-1991) : g. 1914-18 et TOE :* 4 425 037, *g. 1939-45 :* 2 563 677, *Indochine et Corée :* 175 723, *AFN :* 954 482.

Croix du Combattant volontaire de la Résistance. **Créée** par la loi du 15-4-1954. Relève du min. des Anciens Combattants. Peut être *portée* par tous ceux qui possèdent la carte du même nom, dont l'attribution a été prévue en faveur de ceux qui ont appartenu, pendant 3 mois au moins avant le 6-6-1944, dans une zone occupée par l'ennemi, soit aux Forces françaises de l'intérieur, soit à une formation homologuée des Forces fr. combattantes, soit à une organisation de résistance régulièrement homologuée, soit encore sous certaines conditions aux Forces fr. libres. **Ruban :** noir, avec sur le bord une bande rouge et 4 bandes vertes au centre. **Cartes délivrées** *(au 31-12-91) :* 259 757.

Médaille de la Déportation et de l'Internement (politique). **Créée** par la loi du 9-9-1948. **Attribuée** à tout porteur de la carte de déporté ou interné politique de l'une ou l'autre guerre. **Ruban :** liséré jaune d'or. Coupé dans le sens de la longueur de bandes bleues et blanches alternées : verticales (déportés). diagonales (internés). **Cartes délivrées :** 116 977 au 31-1-1985 (forclusion 1-1-1967 ; levée 6-8-1975).

Médaille de la Déportation et de l'Internement pour faits de résistance. Créée par la loi du 6-8-1948. Elle peut être *portée* par tous les titulaires de la carte de déporté ou d'interné résistant, et par les internés ou déportés résistants de la guerre 1914-18. **Ruban :** bordé d'un liséré rouge et coupé de 7 bandes bleu et blanc, verticales (déportés), diagonales (internes), et comprenant une barrette métallique portant l'inscription 1914-18 pour les intéressés. **Cartes délivrées :** 74 864 au 31-1-1985 (forclusion 1-1-1967 ; levée 6-8-1975).

Médaille des Prisonniers civils déportés et Otages de la guerre 1914-18. Créée par la loi du 14-3-1936 pour les victimes de l'invasion de la g. 1914-18 et **délivrée** par le min. des Anciens Combattants. **Ruban :** rouge, bordé d'un liséré vert et coupé d'une bande bleue entourée de 2 bandes blanches. **Médailles accordées :** 10 431 (forclusion 1-2-1958).

Médaille du Patriote résistant à l'occupation des départements du Rhin et de la Moselle incarcéré en camps spéciaux. Créée par décret du 27-12-1954. *Portée* par les titulaires de la carte du « patriote proscrit et contraint à résidence forcée en pays ennemi ». Peut être attribuée aux Français des Haut-Rhin, Bas-Rhin et Moselle qui, en raison de leur attachement à la Fr., ont été arrêtés et contraints par l'ennemi à quitter le territoire national pour être internés dans des camps surveillés (au moins 3 mois, sans évasion, blessure ou maladie). **Délivrée** par le min. des Anciens Combattants. **Ruban :** soie verte, partagé en son milieu par une bande noire, et bordé d'un liséré bleu-blanc-rouge à gauche, rouge-blanc-bleu à droite. **Médailles décernées :** 14 688 au 31-12-1991 (forclusion 1-1-1968 ; levée 6-8-1975).

Médaille de la France libérée. Créée par décret du 12-9-1947 pour commémorer la Libération de la France. **Décernée** aux « ressortissants français ou alliés qui ont apporté une contribution notable à cette libération ». **Délivrée** par le min. des Anciens Combattants. **Ruban :** couleur de l'arc-en-ciel, violet au centre et rouge sur les bords. **Médailles décernées :** 13 469 (forclusion 7-7-1957).

Médaille de la Fidélité française. Créée par la loi du 3-7-1922 en faveur des Alsaciens-Lorrains emprisonnés ou déportés par les Allemands de 1870 à 1918 pour leur attachement à la France. *N'est plus attribuée.* Pas de statistique. **Ruban :** tricolore avec agrafe portant l'inscription « Fidélité ».

Insigne du Réfractaire. Créé par arrêté du 21-10-1963. *Porté* par les titulaires de la carte délivrée par le service de l'Office nat. des anciens combattants et victimes de guerre du département de résidence. Carte de France avec au centre une enclume brisée, au sommet une croix de Lorraine. Initiales RF, devise « J'ai livré un bon combat ». Revers : « Aux réfractaires guerre 1939-45 ». **Ruban :** jaune orangé avec 6 raies rouges. **Cartes délivrées :** 107 784 au 31-12-91 (forclusion 1-1-1967 ; levée 6-8-1975).

☞ En application du décret du 6-8-1975, les victimes de g. qui n'ont pu faire reconnaître dans les délais réglementaires leurs titres (déporté ou interné de la Résistance, déporté ou interné pol., combattant volontaire de la Résistance, réfractaire (personne contrainte au travail en pays ennemi ou en territoire étranger ou français occupé par l'ennemi), patriote résistant à l'occupation des départements du Rhin et de la Moselle) peuvent à nouveau le faire si elles remplissent les conditions exigées par les statuts.

Loi du 31-12-1989 : Statut de prisonniers du Viet-Minh (capturés entre 16-8-1945 et 20-7-54) aux militaires et ressortissants français décédés en détention ou détenus au moins 3 mois ou évadés, ou présentant des infirmités, blessures imputables à la détention.

MÉDAILLES COMMÉMORATIVES

■ **Statut.** Elles commémorent une action militaire, campagne, bataille, occupation, etc., et peuvent être portées par ceux qui ont pris part à cette action. Le droit de porter la médaille est justifié par une pièce quelconque : livret militaire, état signalétique, attestation du chef de corps, etc.

■ **Origine.** *Médailles* marquant le souvenir d'un événement mais non faites pour être portées par les personnes : Antiquité. Nombreuses depuis la Renaissance, notamment sous Louis XIV, qui a fondé pour leur création l'*Académie des inscriptions et médailles* (1663, future Ac. des inscriptions et belles-lettres). Médailles commémoratives d'une campagne militaire, faites pour être portées au bout d'un ruban de couleur(s) distinctive(s), et distribuées à tous les hommes de troupe inscrits aux contrôles pendant la durée de cette campagne, et ont été créées en Angleterre au début du XIXe s.

Cependant, il semble que la médaille frappée en 1451 (fin de la guerre de Cent Ans), par Charles VII pour célébrer *l'Expulsion des Anglais* ait été distribuée à d'anciens combattants, qui l'auraient portée sur eux au bout d'un cordon.

■ **Monarchie de Juillet. Médaille de Juillet :** récompense les citoyens qui se distinguèrent pendant les *Trois Glorieuses*. Loi du 13-12-1830 crée la *Croix de juillet* et la *Médaille de juillet* ; ordonnance royale du 30-12-1830 traite de la croix, celle du 13-6-1831 de la médaille. *Croix :* étoile à 3 branches en argent. Face : « 27, 28, 29 juillet 1830 – Donné par le roi des Français (une variante : Donné par la Nation) ». Revers : « Patrie et Liberté ». *Ruban :* origine bleu d'azur avec liséré rouge de 2 mm à 2 mm du bord et d'une largeur de 37 mm, remplacé par un ruban moiré à 3 bandes verticales et égales, 1 bleue entre 2 rouges. *Médaille :* argent, diamètre 33 mm. Face : « A ses défenseurs la Patrie reconnaissante ». Revers : « 27, 28, 29 juillet 1830 », « Patrie. Liberté ». Tranche : « Donné par le roi des Français. ».

Médaille de Mazagran : *créée* 11-3-1840 pour les 123 officiers, sous-officiers et hommes de troupe de la 10e Cie du 1er bataillon d'inf. légère d'Afrique. M. non portable mais qui fut nantie ultérieurement d'une bélière et d'un ruban tricolore.

■ **Second Empire. Médaille de Ste-Hélène** (12-8-1857) : *attribuée* à tous les militaires français et étrangers des armées françaises de terre et de mer ayant servi du 22-9-1792 au 15-5-1815. Décoration officielle, destinée à remplacer les nombreux insignes des associations privées, tels que les **Débris de la Grande Armée :** en 1865, sur les 55 000 titulaires de la médaille, il y avait 43 000 bénéficiaires d'un secours annuel de 250 F. En 1869, il ne restait plus que 16 000 médaillés bénéficiaires d'une pension (le secours viager avait été transformé en pension par une loi de la même année). *Dernier médaillé :* Louis-Victor Baillot, mort le 9-6-1898 à 105 ans.

Médaille d'Italie (11-8-1859) : *attribuée* aux militaires ayant pris part aux batailles de Montebello, Palestro, Turbigo, Magenta, Marignan, Solferino.

Médaille de Chine (23-1-1861) : porte au revers les noms des batailles de Takou, Chang Kia Wou, Palikao, Pékin. *Ruban* avec 2 idéogrammes signifiant « Peking ». Reprise sous la IIIe Rép. (15-4-1902) pour les membres de l'expédition de 1900-01.

Médaille du Mexique (23-8-1863) : *commémore* les campagnes de 1862-67 : Cumbres, Carro-Borrejo, San Lorenzo, Puebla, Mexico. *Ruban* orné d'un motif tissé représentant l'aigle mexicaine posée sur une croix de St-André et dévorant un serpent.

☞ Napoléon III a autorisé les militaires français à porter les médailles commémoratives existant dans les armées étrangères pour les campagnes auxquelles l'armée fr. avait participé : *m. britanniques* de Crimée (1856) et de la Baltique (1856) ; *m. turque* de Crimée (1867) ; *m. pontificales* de Rome (1849), Castelfidardo (1860), Mentana (1867) ; *m. sarde* de Solferino (1859).

■ **IIIe République. Médaille de 1870-71 :** *créée* 9-11-1911 pour les vétérans avec une agrafe en argent pour les volontaires ; *ruban* : vert et noir.

Campagnes coloniales : *Tonkin* 1883-85 (loi du 16-12-1885 ; 97 300 titulaires) ; *Madagascar* 1883-86 (31-7-1886), 1895 (15-1-1896) ; 52 000 tit. ; *Chine* (1902 ; 33 900 tit.) ; *Dahomey* 1892 (24-11-1892 ; 12 171 tit.) ; *Maroc* 1909 (22-7-1909 ; 63 200 tit.).

Médaille coloniale puis d'outre-mer : *créée* par la loi du 26-7-1893 avec agrafe, pour récompenser les services militaires dans les colonies, résultant de la participation à des opérations de guerre, dans une colonie ou un pays sous protectorat. Sans agrafe, accordée aussi aux militaires ayant un certain nombre d'années de service dans les territoires d'outre-mer. *Ruban :* bleu ciel, coupé de trois bandes blanches ; barrettes portant la désignation des campagnes. *Attribuée* à 209 000 militaires.

Médaille commémorative de la Grande Guerre (1914-18) : *créée* le 23-6-1920, pour tous les mobilisés. Les mobilisés combattants ont exigé une distinction spéciale (voir ci-dessus, Croix du combattant). *Ruban :* rayé rouge et blanc.

Médaille interalliée dite de la Victoire (1914-18) : *créée* le 24-1-1919 par le Mal Foch (loi 20-7-1922). Peut être portée par les militaires combattants de toutes les armées alliées. Ronde en bronze. Victoire ailée, debout, au centre. Revers : inscription « La Grande Guerre pour la Civilisation – 1914-1918 », surmontée des majuscules RF encadrant un bonnet phrygien. *Ruban :* 2 arcs-en-ciel juxtaposés par le rouge avec sur chaque bord un filet blanc.

Médaille de Syrie-Cilicie : *créée :* loi du 18-7-1922.

Médaille des Dardanelles : *créée* par la loi du 15-6-1926 pour les vétérans de Gallipoli (1915). *Méd. :* en exergue *Dardanelles. Ruban :* coupé de 11 raies verticales blanches et vert foncé alternés.

Médaille d'Orient : *créée :* loi du 15-6-1926 pour les vétérans de Salonique (1916-18). *Méd. :* en exergue *Orient. Ruban :* bleu avec 3 raies verticales jaunes.

■ **IVe et Ve Républiques. Médaille commémorative de la guerre 1939-45 :** *ruban :* bleu et vert entre deux liserés rouges.

M. c. des Services volontaires dans la France libre : *créée* par décret du 4-4-1946, elle définit la qualité de « Français libre » ; décernée à tous ceux qui ont servi effectivement et volontairement la Fr. libre, entre le 18-6-1940 et le 3-6-1943 (création du CFLN de Gaulle-Giraud) ou entre le 3-6-1943 et le 1-8-1943 pour les Forces armées (fusion des armées de Gaulle et Giraud). *Insigne :* croix de Lorraine d'argent. *Ruban :* bleu de France coupé de rayures obliques rouges. *Médailles attribuées :* 42 000 (env. 40 000 bénéficiaires éventuels ne se sont pas fait connaître ou ont disparu sans que leurs descendants aient fait des demandes à titre posthume).

M. c. de la Campagne d'Italie : *créée* par la loi du 1-4-1953. *Ruban :* rayé rouge clair et blanc.

M. c. de la Campagne d'Indochine : *créée* par décret du 1-8-1953. Peut être *portée* par tous les militaires qui ont participé au moins 90 j à la campagne d'Indochine (sauf blessures ou citations). *Ruban :* bandes vertes et jaunes bordées d'un liséré vert.

M. c. française des Opérations de l'ONU en Corée : *créée* par décret du 8-1-1952 pour les militaires qui ont séjourné au moins 2 mois en Corée à l'occasion des opérations (délai non exigé des blessés ou cités au cours de leur séjour). *Ruban :* couleurs de l'ONU, encadrées de 2 bandes tricolores.

M. c. des Opérations en Moyen-Orient : *créée* par décret du 22-5-1957. *Attribuée* aux militaires ayant participé entre le 1-9 et le 22-12-1956 (inclus) aux opérations entre les 20e et 36e parallèles et les méridiens 24° E et 40° E (opérations de Suez), et aux non-militaires, dans les mêmes conditions, notamment aux équipages des navires marchands et des appareils de l'aviation commerciale. *Ruban :* bleu, coupé par 3 raies jaunes, avec agrafe « Moyen-Orient ».

M. c. des Opérations de sécurité et de maintien de l'ordre : *créée* par décret du 11-1-1958, abrogeant celui du 12-10-1956 créant cette m.c. pour le maintien de l'ordre en AFN. Peut être *portée* par les militaires des armées de terre, de mer et de l'air, qui ont participé pendant au moins 90 j (sauf blessures ou décorations de la Valeur militaire), dans une formation régulière ou supplétive, aux opérations de sécurité et de maintien de l'ordre : *Tunisie,* du 1-1-1952 au 5-5-1958 ; *Maroc,* du 1-6-1953 au 5-5-1958 ; *Algérie,* du 31-10-1954 au 1-7-1964 ; *Mauritanie,* du 10-1-1957 au 1-1-1960 ; *Sahara,* du 28-6-1961 au 1-7-1964. *Ruban :* une raie centrale bleue encadrée d'une raie rouge et blanc, et bordé de rouge.

AUTRES DÉCORATIONS

ORDRES

■ **Ordre des Palmes académiques** (dit la Légion violette). **Origine :** en 1808, Napoléon Ier institua des titres (titulaire, officier de l'Université, off. des Académies) destinés à récompenser les services rendus à l'enseignement par les « fonctionnaires de l'Université », matérialisés par une double palme brodée sur la robe professorale. Les décorés recevaient le titre d'*officier d'académie* ou d'*off. de l'Université.* En 1850, le Prince-Pt Louis-Napoléon Bonaparte la transforma en une véritable décoration, dont les titulaires sont appelés *officiers d'académie et off. de l'Instruction publique.* Toutefois l'ordre ne fut créé que le 4-10-1955. **Insigne :** 1 double palme d'émail violet formant une couronne allongée. **Ruban :** violet. 3 **Grades :** chevalier, officier, commandeur. **Nominations et promotions :** à l'occasion du 1er janvier et du 14 juillet. **Contingent annuel :** *nombre attribués en 1992 : 1-1 :* 1 340 chevaliers, 670 officiers, 35 commandeurs ; *14-7 :* 5 930 chev., 2 965 off., 205 comm. Quelques décorations hors contingent peuvent être attribuées à des étrangers. *Age min. :* 35 ans. *Ancienneté :* 15 ans de services rendus à l'Éd. nationale pour le grade de chevalier ; 5 ans dans le grade inférieur pour être nommé officier ou commandeur (des dérogations sont prévues). *En 1923 :* les 3 frères Fratellini (clowns) en furent décorés. Le 30-6-1962, Marcel Pagnol fut promu commandeur.

■ **Ordre du Mérite agricole** (dit le « poireau »). **Créé** 7-7-1883 par Jules Méline, ministre de l'Agriculture, pour pallier l'insuffisance des contingents de Légion d'honneur. **Destiné** à récompenser tous ceux qui contribuent au développement de l'agriculture et à ses progrès. *Age minimal :* 30 ans, et au moins 15 ans de services rendus à l'agriculture. **3 grades :** chevalier (1883), officier (18-6-1887), commandeur (3-8-1900). *Promotion* au grade supérieur : 5 ans (de chev. à off.), 10 ans (d'off. à com.) d'ancienneté et justifiant de titres nouveaux. **Étoile** à 6 rais blancs reliés par une couronne de maïs et de blé. Au centre, médaillon doré à l'effigie de Cérès. **Ruban :** vert à bords rouges. **Contingent annuel :** 60 commandeurs, 800 officiers, 3 200 chevaliers. Des décorations hors contingent peuvent être attribuées à des étrangers. 2 promo. par an (1-1 et 14-7). **Médailles attribuées dep. 1883 :** chev. 435 000, off. 63 000, com. 4 300. *1re promo. (17-7-1883) :* 15 pers. *1re femme nommée chevalier :* Mme Millet-Robinet, auteur d'ouvrages d'économie rurale (1884). Pasteur fut décoré en reconnaissance de ses travaux sur la vigne et le vin (décret 15-6-1959).

■ **Ordre du Mérite maritime.** **Créé** par la loi du 9-2-1930. *Age min. :* 30 ans et 15 ans de services rendus. **3 grades. Contingent annuel :** 9 c., 75 off., 260 chev. **Croix attribuées** dep. la création de l'O. : 521 commandeurs, 5 192 off. et 12 301 chevaliers. **Étoile** en forme de rose des vents à 16 branches avec une ancre. **Ruban :** bleu outremer avec 2 lisérés verts.

■ **Ordre des Arts et des Lettres.** **Institué** par décret du 2-5-1957, modifié par ceux des 29-9-1975 et 25-3-1987. **Récompense** les personnes qui se sont distinguées par leurs créations dans le domaine artistique ou littéraire, ou par la contribution qu'elles ont apportée au rayonnement des arts et des lettres en France et dans le monde. *Age minimal :* 30 ans. Nul ne peut être promu au grade supérieur s'il ne justifie d'une ancienneté de 5 ans dans le grade immédiatement inférieur (demandes de dérogation examinées pour les candidats justifiant de titres exceptionnels, les officiers et commandeurs de la Légion d'h. qui peuvent être promus directement au grade correspondant, et les personnalités étrangères qui peuvent être admises directement sans condition d'âge et d'ancienneté à tous les grades). *Conseil de l'ordre :* comprend des membres de droit, des personnalités des milieux artistiques ou littéraires et un représentant du conseil de l'ordre national de la Légion d'h. ; donne son avis au min. de la Culture et de la Communication sur nominations ou promotions et veille à l'observation des statuts et règlements. **3 grades :** chevalier (insigne en argent), officier (vermeil), commandeur (or). **Contingent annuel** *des personnalités françaises :* 30 c., 90 off., 300 chev. **Croix :** à 8 branches (chacune à 2 extrémités terminées par 1 boule dorée), émaillée vert, sertie d'une arabesque dorée. Motif central, monogramme AL entrelacés, serti d'une moulure dorée. Revers : centre sur fond d'émail blanc, effigie de la Rép. avec listel doré portant l'inscription « Ordre des Arts et des Lettres ». **Ruban :** vert rayé de blanc.

■ MÉDAILLES

■ **Médailles pour actes de courage et de dévouement.** **Créées** par décision royale de Louis XVIII du 2-3-1820, comme médailles non portables (pour les marins), en souvenir des *médailles des pilotes* créées par Louis XIV en 1693. Rendues portables par décret de Louis-Philippe (12-4-1831). **Les préfets par délégation du min. de l'Intérieur** décernent des récompenses (environ 400 par an) pour des traits de courage et de dévouement hors des eaux maritimes : lettre de félicitations, médailles de bronze, d'argent de 2e cl., de 1re cl., de vermeil et d'or. **Le min. de la Défense (Marine) et le min. des Transports (Marine marchande)** attribuent des distinctions à l'occasion d'actes de dévouement et de sauvetage suivant les risques courus : lettre de félicitations, mention honorable, médailles d'honneur, de bronze, d'argent de 2e classe, de 1re cl., vermeil, or de 2e cl., de 1re cl.

Marine : actes accomplis par les militaires de la Marine nat. en activité de service, ou à terre dans l'enceinte d'un arsenal de la Marine et en règle générale dans tout établissement de la Marine, par du personnel militaire ou civil en service, ayant eu pour objet de porter secours à un bâtiment de la Marine nat. ou un appareil de l'Aéronautique navale, quelle que soit la qualité de la personne à récompenser. *Marine marchande :* actes accomplis en mer ou rivière, dans les eaux soumises au régime des Aff. maritimes, lorsque ces actes ne relèvent pas de la compétence de la Marine nat. **Ruban :** tricolore de 3 cm de large, bandes verticales et égales (avec ancre dorée pour les médailles d'or, rouge pour les autres).

■ **Médaille des Épidémies.** **Créée** par décret du 31-3-1885 après l'épidémie de 1884 pour récompenser les personnes signalées par leur dévouement pendant les épidémies. **N'est plus attribuée** depuis la création de la médaille d'honneur du Service de santé des armées par décret du 1-9-1962.

■ **Médaille d'honneur des Affaires étrangères.** **Créée** par ordonnance roy. du 28-7-1816 puis décret du 6-7-1887, pour récompenser les actes de courage et de dévouement accomplis par des Français en territoire étranger (vermeil, argent ou bronze).

■ **Médaille d'honneur des Marins du commerce et de la pêche.** **Créée** par la loi du 14-12-1901. **Promotions :** 2 par an (mars et septembre). Les marins comptant 300 mois de navigation, et dont les bons et loyaux services ont été reconnus, peuvent, sur la proposition des directeurs des Affaires maritimes, recevoir du ministre chargé de la Mer un diplôme d'honneur et une méd. d'argent. **Médailles attribuées :** env. 300 par an.

■ **Médailles d'honneur des Personnels civils du ministère de la Défense.** *Échelon* or. Or décerné par le ministre, bronze, argent et vermeil décernés par les autorités locales (*en 1992 :* or 693, vermeil 1 684, argent 2 242, bronze 3 787).

■ **Médaille de la Famille française.** **Créée** 26-5-1920 pour encourager la natalité, après les pertes en vies humaines de la guerre 1914-18. Le décret no 82-938 du 28-10-1982 et l'arrêté du 15-3-1983 ont modifié les conditions d'attribution. **Conférée** aux pères et/ou mères de famille qui élèvent, ou qui ont élevé, dignement de nombreux enfants afin de rendre hommage à leurs mérites et de leur témoigner la reconnaissance de la nation. *Remise :* chaque année à l'occasion de la fête des Mères. **3 modèles :** de bronze (4 ou 5 enfants) ; d'argent (6 ou 7 enf.) ; d'or (8 enf. ou +). Sont pris en compte enfants légitimes ou adoptés, et enfants recueillis au foyer. Demandes ou propositions doivent être déposées à la mairie de la résidence habituelle ; après avis de la commission départementale, le préfet attribue la médaille. A l'étranger, demandes ou propositions au consulat français (médaille conférée par arrêté du min. des Aff. sociales, après avis d'une commission supérieure). **Médaille** *(décret 28-10-1982) :* à l'avers une famille : père, mère et 3 enfants et l'inscription « Famille française » (avant 1982, une mère tenant un enfant dans ses bras) ; au revers les mots « République française ». **Ruban :** 1 bande médiane vert lumière entre 2 bandes rouge ponceau ; pour médailles d'argent et d'or : porte une rosette aux couleurs du ruban. **Insignes :** même couleur, nœud de ruban (pour méd. de bronze), rosette (méd. d'argent et d'or). **Médailles décernées :** *dep. 1921 :* 918 945 (dont bronze 665 730, argent 168 090, or 85 135) au 1-1-1980 ; *en 1991 :* 18 144 (dont bronze 10 649, argent 4 399, or 3 096).

■ **Médaille de l'Aéronautique.** **Créée** par décret du 14-2-1945. Récompense la valeur professionnelle du personnel civil et militaire, navigant ou non navigant, relevant du min. de la Défense et du min. des Transports, ainsi que les mérites des citoyens qui se sont distingués dans le développement de l'aviation civile ou militaire. **Contingent annuel :** 275. **Total des médailles attribuées** *au 1-1-1992 :* 15 408.

■ **Médailles d'honneur.** **Des PTT** (créées par décret 22-3-1882, bronze et argent et le 1-12-1913, or). **Des Halles et Marchés** (22-6-1900). **De la Police française** (30-4-1903 ; argent, avec étoile en argent sur le ruban pour acte exceptionnel, env. 5 000 par an). **Des Sapeurs-pompiers** (16-2-1900 puis 12-12-1934, argent, vermeil et or pour l'ancienneté ; argent et vermeil avec rosette pour acte exceptionnel ; 5 000 à 7 000 par an). **Régionale, départementale et communale** (2-7-1987 remplaçant la méd. dép. et comm. 9 000 à 12 000 par an). **De la Jeunesse et des Sports.** Décret 14-10-1969 ; (créée 4-5-1929, sous le nom de M. H. de l'Éducation physique 3 degrés : bronze 8 ans d'ancienneté, argent 12 ans, or 20 ans). **Du Travail** (16-7-1886, m. de vermeil 18-10-1913 puis 15-5-1948, 4-7-1984) : argent 20 ans (chez 4 employeurs en Fr.), vermeil 30 ans, or 38 ans, grande méd. d'or 43 ans. **De l'Enseignement du 1er degré** (loi du 30-10-1886, confirmant la méd. créée par Louis XVIII). **Agricole** (arrêté du 31-12-1883 décret 17-6-1890, pour les ouvriers agr., 15 par an). **Des Douanes** (décret du 14-7-1894 ; 100 d'entre elles ont récompensé des douaniers résistants). **Des Eaux et Forêts** appelée aussi *méd. forestière* (15-5-1883). **Des Travaux publics** (1-5-1897). **Des Chemins de fer** (19-8-1913, argent 25 ans de services, vermeil 35, or 38). **Des Stés musicales et chorales** (24-7-1924). **De la Mutualité** (1852, attribuée par le min. des Aff. sociales). **De l'Administration pénitentiaire** (6-7-1896). **Des Syndicats professionnels** (14-2-1933). **De l'aéronautique** (décret 12-1-1921, décret 23-2-1937 modifié par décret du 14-2-1978) : bronze 25 ans de services, argent 30, vermeil 35, or 40.

Nota. – La médaille régionale, départementale et communale, la méd. des Sapeurs-pompiers et la méd. d'hon. du Travail ont été déconcentrées au profit des préfets depuis le 1-1-1969.

FOURRAGÈRES ET AIGUILLETTES

Insignes honorifiques collectifs portés sur les uniformes et consistant en une tresse de couleur, terminée soit par un seul ferret (fourragère), soit par 2 ferrets (aiguillettes).

■ **Aiguillettes** (déformation d'aiguillées). A l'origine, lacet réunissant les pièces d'armure. Aujourd'hui, ornement réservé aux off. d'état-major, aux aides de camp et aux gendarmes de la Garde rép. de Paris. Se portent attachées à l'épaule droite et au 1er bouton de la tunique. Celles de la Garde rép. (rouges pour gardes, or pour off. et gradés) se portent à gauche.

■ **Fourragères.** Cordes à fourrages portées par les dragons autrichiens autour de l'épaule gauche et adoptées par les hussards et les artilleurs de Napoléon. Supprimées de l'uniforme en 1870, ont reparu après la circulaire ministérielle du 21-4-1916, comme insignes de distinctions honorifiques, accordées définitivement à une unité militaire (attribuées de droit à tous les hommes faisant partie de l'unité décorée). On les porte attachées à la patte d'épaule, passant sous et sur le bras gauche. Destinées à rappeler les actions d'éclat de certains régiments et unités formant corps cités à l'Ordre de l'Armée. La fourragère est tressée *aux couleurs du ruban : de la croix de guerre* pour les régiments ou unités ayant 2 ou 3 citations à l'Ordre de l'Armée ; *médaille militaire* (4 ou 5 cit.) ; *Légion d'honneur* (6, 7 ou 8 cit.) ; *Lég. d'honn. et croix de g.* (9, 10, 11 cit.) ; *Lég. d'honn. et méd. mil.* (12, 13 ou 14 cit.).

Régiments décorés. Les drapeaux des régiments « à fourragère » portent sur la cravate les rubans des décorations correspondantes, avec étoiles et palmes des citations. La coutume de décorer les drapeaux remonte à Napoléon III : 7 drapeaux décorés (1859-65) [les 2 premiers en 1859 pendant la campagne d'Italie, juin 2e zouave ; juil. 76e d'infanterie]. IIIe Rép. décore 7 dr. avant la g. de 1914-18 (1880-1913).

☞ La *cordelière de soie rouge à 1 ferret,* portée par les policiers parisiens sur leur tenue de gala, n'est pas une fourragère. En effet, le drapeau des gardiens de la paix a été décoré de la Légion d'h. en août 1944, mais le nombre de ses citations est insuffisant pour donner droit au port de la fourragère militaire. En tenue de cérémonie, certains personnels de la Gendarmerie nat. portent à l'épaule gauche une aiguillette de soie blanche à ferrets d'argent, dont l'existence remonte à l'ordonnance du 16-3-1720 sur la subordination et la discipline des nouvelles maréchaussées.

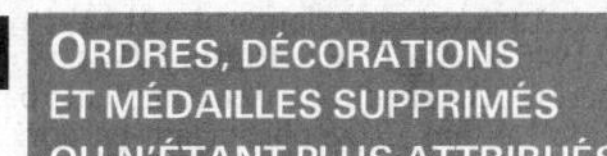

■ ORDRES, DÉCORATIONS ET MÉDAILLES SUPPRIMÉS OU N'ÉTANT PLUS ATTRIBUÉS

■ **Tarifs de décorations neuves** (en F, au 13-4-1992, TVA incluse [1]), *modèle ordonnance* (or : o ; argent : a ; bronze : b ; vermeil : v). **Médailles commémoratives :** 290 a (Chine et Maroc), 80 b argenté : campagne d'Italie. **Croix de guerre :** 57 b. Médaille militaire : 290 a. Méd. des services mil. volontaires : 260 v, 230 a, 57 b. **Légion d'honneur :** Chevalier 755 a, lég. o 1 090 a ; off. 865 v, lég. o 1 100 v ; commandeur 1 700 v ; croix, gd-croix 2 180 v ; gd off. plaque 2 550 a ; gd-croix plaque 2 780 v. **Mérite :** Chevalier 755 a ; off. 865 v ; commandeur 1 700 v ; croix, gd-croix 2 180 v ; gd off. plaque 2 550 a ; gd-croix plaque 2 780 v. **Palmes académiques :** Chevalier 290 a ; off. 335 v ; commandeur 1 150 v.

Nota. (1) Taux de TVA : 22 % (Légion d'h., Mérite, Mérite agr.) ou de 18,6 % (la plupart des autres). Si la décoration est en entier ou en partie de platine, d'or ou d'argent : le taux majoré est applicable. Si elle est en métal commun, même doré, argenté, plaqué or ou argent, ou composée en totalité ou partie d'argent, à l'exclusion de tout autre métal précieux, le poids de l'argent n'excédant pas 20 g : taux normal.

■ **Droits de chancellerie.** Sommes à payer lors de l'admission dans un ordre pour couvrir les frais d'inscription. Perçus pour les ordres nationaux (Légion d'honneur, ordre du Mérite) et étrangers non reçus pour fait de guerre.

■ **Ordres de mérite ministériels.** La création (3-12-1963) de l'ordre nat. du Mérite entraîna la suppression, dès le 1-1-1965, des ordres ministériels particuliers : **du Mérite social** (*créé* 25-10-1936, se substituant aux méd. de la mutualité, de la prévoyance et des assurances sociales) ; **de la Santé publique** *(créé* 18-2-1938, remplaçant les méd. d'honneur de l'Assistance publique, de l'hygiène publ. et de la protection des enfants du 1er âge, *ruban* bleu) ; **du Mérite commercial** *(créé* 27-5-1939, *ruban* gris, argent et or) ; **du Mérite touristique** *(créé* 27-5-1949, *ruban* bleu azur, vert, or, rouge) ; **du Mérite artisanal** (*créé* 1-6-1948, *ruban* gris, argent et bleu roi) ; **du Mérite combattant** (*créé* 14-9-1953, *ruban* vert foncé et jaune d'or) ; **du Mérite postal** (*créé* 14-11-1953) ; **de l'Économie nationale** (*créé* 6-1-1954) ; **du Mérite sportif** (*créé* 1956) ; **militaire** (*créé* 1957) ; **du travail** (*créé* 1957) ; **civil du min. de l'Intérieur** (*créé* 1957) ; **saharien** (*créé* 1958).

■ Médaille de la Reconnaissance française. **Instituée** par décret du 13-7-1917 et reprise par celui du 14-9-1945 pour personnes ou collectivités qui se sont distinguées par leur dévouement à la cause française au cours des guerres 1914-18 et 1939-45 (en dehors de toute activité militaire). **3 échelons :** vermeil, argent et bronze. N'est plus attribuée dep. 14-2-1959. **Médailles attribuées :** env. 15 000.

■ Croix de guerre. **Origine :** *1914-18* instituée par la loi du 8-4-1915. L'idée d'une croix de guerre peut être attribuée au général Boelle. Le sénateur Émile Cauvin s'en fit le défenseur mais le ministre de la Guerre, Millerand, refusa. Boelle convainquit Maurice Barrès qui, du 23-11-1914 au 12-1-1915, mena campagne dans la presse « afin que le chef puisse décorer ses soldats sur le champ de bataille après chaque affaire ». Le 28-1-1915, 67 députés dont Georges Bonnefous déposèrent un projet de loi que le lieutenant-colonel Driant, son ami, soutint devant la Chambre des députés le 8-2-1915. **TOE (Territoire des opérations extérieures) :** instituée par la loi du 30-4-1921, pour les opérations militaires menées entre 1918 et 1921, c.-à-d. Levant (Palestine-Syrie), Orient (Constantinople), Maroc, Afrique-Équatoriale et Occidentale française, mission militaire aux pays baltes, Hte-Silésie, Pologne, Tchécoslovaquie, URSS, Hongrie, Roumanie. La loi prévoyait son extension à d'autres théâtres d'opérations. Furent depuis considérées notamment comme TOE les opérations en Extrême-Orient, à Madagascar, en Corée, en Méditerranée orientale et dans le golfe persique. **1939-45 :** instituée par le décret du 26-9-1939. **Commémorent** les citations à l'ordre de l'armée, du corps d'armée, de la division, de la brigade et du régiment. Quand la Légion d'honneur ou la Médaille militaire sont conférées, pour faits de guerre, avec une citation parue au Journal officiel, la Croix de guerre est attribuée automatiquement avec ces décorations. **Insigne :** croix pattée en bronze du module de 37 mm avec, entre les branches, 2 épées croisées ; à l'avers, une tête de République, au bonnet phrygien ornée d'une couronne de laurier, avec en exergue « RF ». Au revers inscription « 1914-1918 » ou « 1939-1945 » ou « TOE ». **Ruban :** *1914-18 :* vert, avec liséré rouge à chaque bord en comptant 5 bandes rouges de 1,5 mm ; *TOE :* bleu clair, encadré de 2 bandes rouges ; *1939-45 :* rouge, à 4 bandes verticales vertes (en juillet 1940, le gouvernement de l'État français institua une commission de révision des Croix de guerre attribuées en mai et juin 1940 et, par décret du 28-3-1941, les croix « maintenues » reçurent un nouveau ruban, vert à 5 raies et liserés noirs ; une ordonnance du Gouvernement provisoire rétablit le ruban rouge à 4 bandes vertes le 7-1-1945). Chaque *citation* comporte une **étoile** (citation à l'ordre du régiment et de la brigade : *de bronze ;* de la division : *d'argent ;* du corps d'armée : *de vermeil*) ou une **palme** *de bronze* (cit. à l'ordre de l'armée : *de bronze*). *1 palme d'argent* peut remplacer 5 palmes de bronze. **Nombre de citations** *portant attributivement la Croix de guerre. 1914-18 :* 2 065 000. *1939-45 et TOE :* pas de statistiques.

Association nat. des Croix de guerre et de la Valeur militaire. *Fondée* 1919. Pt : Gal Pierre Richard. *Siège :* Hôtel des Invalides, 75007 Paris.

ÉTAT FRANÇAIS (1940-44)

■ Francisque gallique. Décoration **créée,** approuvée et régie par les dispositions des arrêtés du 26-5-1941, loi du 16-10-1941 et décrets des 14-3-1942 et 31-7-1942. **Insigne :** 26,5 mm de haut sur 19,4 mm de large, rappelle la forme de la pseudo-hache à double tranchant des guerriers francs (c'était en fait une arme de jet à 1 fer). Le bâton de maréchal émaillé de bleu, à 10 étoiles et extrémités dorées, est le manche où s'attachent 2 fers émaillés de tricolore. **Attribution :** directement décernée par le Mal Pétain, ou attribuée après étude du dossier par un conseil de 12 membres nommés par le maréchal (Pt : Gal Brécard, grand chancelier de la Légion d'h., nommé par décret du 1-8-1942). Le candidat devait avoir 2 parrains et « présenter des garanties morales incontestées et remplir des conditions : a) avant la guerre, avoir pratiqué une action politique nationale et sociale, et conforme aux principes de la Révolution nat. ; b) manifester depuis la guerre un attachement actif à l'œuvre et à la personne du maréchal ; c) avoir de brillants états de services militaires ou civiques ». Il devait prêter ce serment : « Je fais don de ma personne au Mal Pétain comme il a fait don de la sienne à la France. Je m'engage à servir ses disciples et à rester fidèle à sa personne et à son œuvre. » **Nombre attribué :** – de 3 000. De nombreux décorés ont poursuivi sous les IVe et Ve Rép. leur carrière politique (ex. François Mitterrand, no 2202).

■ Ordre national du Travail. **Institué et régi** par décrets des 1-4-1942 et 16-4-1943. **Destiné** « à distinguer les personnes qui ont marqué leur activité professionnelle d'une qualité technique rare, ou d'un sens social élevé, ou d'un dévouement particulier et soutenu à la profession et à la nation ». Il fallait être français, avoir au moins 35 ans, jouir de ses droits civils et justifier de 10 ans mini. de services professionnels. **Conseil de l'ordre** (institué auprès du secr. d'État au Travail et présidé par lui) : 12 membres dont 2 employeurs, 2 agents de maîtrise, 2 artisans, 2 employés et ouvriers. **Insigne :** croix à 8 pointes pommetées, en argent, émaillée de bleu foncé, reposant sur une couronne de palme et laurier en vermeil ; centre en vermeil, à l'effigie du Mal Pétain, portant en bandeau : « Philippe Pétain chef de l'État » ; au revers : francisque gallique et en bandeau : « Ordre national du Travail ». **Ruban :** bleu de France avec raie rouge près de chaque bord. **Grades :** chevalier, officier, commandeur. **Nominations :** 2, de 100 chevaliers chacune, les 1-4-1943 et 28-4-1944, à l'occasion de la fête du Travail.

■ Médaille du Mérite de l'Afrique noire française. **Instituée** par décret du 26-6-1941. **Destinée** « à récompenser les actes de courage, la distinction des services et les marques de loyauté du personnel européen et indigène de toutes catégories dans les territoires de l'Afrique noire et de la Côte française des Somalis ». **Attribuée** (par délégation du secr. d'État aux Colonies) « par le haut commissaire de l'Afrique fr. et le gouverneur de la Côte fr. des Somalis ». **Insigne :** médaille de bronze, ronde ; à l'avers glaive targui brochant sur la carte de l'Afrique ; au revers ancre croissant et étoile à 5 branches. **Ruban :** bleu pâle avec fines raies rouges et vertes près de chaque bord.

■ Médaille commémorative du Levant. **Instituée** par décret-loi du 24-12-1942. **Destinée** « à remplacer la méd. commémorative de Syrie-Cilicie (créée 1922 qui cesse d'être attribuée) pour services rendus postérieurement au 25-6-1940 ». **Insigne et ruban :** similaires à ceux de la méd. de Syrie-Cilicie, mais avec barrette portant « Levant 1941 ».

☞ *Ces décorations, ordres et médailles* ont cessé d'être attribués et d'avoir une existence légale dès la disparition de l'État français en août 1944.

■ Insignes souvenirs. *Créés* par des municipalités ou associations. Ne peuvent être portés qu'en privé ou dans les réunions des membres des fédérations ou Stés concernées. **Guerre 1914-18 :** *Médaille de l'Aisne :* décernée par la municipalité de Soissons. *Argonne :* Varennes-en-Argonne. *Arras, Notre-Dame de Lorette :* Rambervilliers (Vosges). *Artois. Château-Thierry :* Château-Thierry. *Marne :* Meaux. *Rhénanie :* Féd. des Anciens Combattants de Rhénanie, 75009 Paris. *Saint-Mihiel :* hôtel de ville de St-Mihiel (Meuse). *Somme :* Péronne. *Trois Cités :* Nieuport, Dixmude, Ypres. *Verdun :* Verdun (la liste des combattants est conservée, dans la crypte du monument « à la victoire », sur un livre d'or). *Yser.* **Guerre 1939-45 :** *Dunkerque :* Dunkerque. *Flandres et Dunkerque. Gembloux :* Conseil de la ville de Gembloux (Belgique). *Libération de Metz :* Metz. *Somme.* **Autres :** *Croix du Combattant de l'Europe :* Confédération européenne des anciens combattants, 56, bd Exelmans, 75016 Paris. *Méd. franco-britannique :* Ass. nat. franco-brit., 16, rue du Général-Guilhem, 75011 Paris. *Méd. du Souvenir français :* Ass. « le souvenir français », 9, rue de Clichy, 75009 Paris.

ANCIENS ORDRES COLONIAUX FRANÇAIS

Ordre royal du Cambodge (8-2-1864), *homologué* ordre colonial le 12-1-1897 ; 5 classes. **Du Dragon d'Annam** (14-3-1886), *homologué* 10-5-1896 ; 5 cl. **Du Nichan el-Anouar** (14-10-1887) *fondé* par le sultan de Tadjourah (territoire de Djibouti), *homologué* 10-5-1896 ; 5 cl. **De l'Étoile noire** (30-8-1892), *fondé* par le roi Toffa de Porto-Novo (Bénin), *homologué* 10-5-1896 ; 5 cl. **De l'Étoile d'Anjouan** (30-8-1892), *fondé* par Saïd Mohammed, sultan d'Anjouan (Comores), *homologué* 1-5-1897 ; 5 cl.

Ordres tunisien et marocain. Nichan Iftikhar (Tunisie). *Créé* par le bey Mustafa le 20-5-1835. Ruban jaune à 2 bandes rouges. **Ouissam alaouite** (Maroc). *Créé* par un dahir du sultan Moulay Youssef et du général Lyautey le 15-5-1913. Ruban orange clair, liséré blanc (*l'Ouissam hafidien,* supprimé le 15-5-1913 par le même dahir, avait un ruban rouge à bandes blanches).

Pendant la période des protectorats, ces ordres servaient à la France de « décoration musulmane » : ils étaient fréquemment remis à des personnalités ayant rendu service à la France en pays islamiques.

☞ Les *phalères romaines* sont à l'origine des médailles : plaques de bronze rondes, fixées sur les cuirasses, elles pouvaient être remplacées par des colliers (torques), des javelots d'honneur ou des bracelets. Elles ornèrent aussi les enseignes des centuries. Les Romains avaient emprunté cette coutume aux Grecs (couronnes) et peut-être aux Égyptiens (colliers). On appelle *phaléristique* la science des décorations.

DÉCORATIONS ET ORDRES ÉTRANGERS (LISTE NON LIMITATIVE)

■ Allemagne. **Pour le mérite** *créé* 1667 sous le nom d'ordre de la Générosité. 1740, devenu O. du Mérite. Pas décerné sur le plan milit. depuis 1918. **Croix de Fer** *créée* 1813 par Frédéric-Guillaume III. 2 classes et 1 grand-croix, décernée 19 fois (dernière à Goering). En 1939, Hitler y ajouta la *Ritter Kreuz* (croix de chevalier). **Pour le Mérite (Friedensklasse)** *créé* 1842 par Frédéric-Guillaume IV de Prusse. Réservé aux savants, hommes de lettres, peintres, sculpteurs et musiciens ; continue à être décerné par un conseil privé non étatique. **Ordre du Mérite de l'Aigle allemand** *fondé* 1937 pour étrangers. 6 cl. **Deutsches Kreuz** la plus haute décoration décernée par Hitler pendant la guerre. 2 cl. **Croix du Mérite militaire** *instituée* pendant la g. de 1939-45. **Ordre du Mérite de la République fédérale d'Allemagne** [1] *créé* 1951 ; 8 cl. **Croix d'honneur de l'insigne d'honneur de la Bundeswehr** *créée* 1980 ; 3 cl. ; décernée par le min. fédéral de Défense, principalement aux militaires. Certaines décorations sont décernées par les Länder.

■ Autriche. **Décorations d'honneur pour services rendus à la République** *créées* 1952-55. 5 groupes et 1 cl. spéciale. **Insigne d'honneur pour les Sciences et l'Art** *créé* 1955. 1 classe. Réservé à 36 Autrichiens et 36 étrangers. **Croix d'honneur pour les Sciences et l'Art** *créée* 1956. 2 classes. **Insigne d'honneur pour services rendus pour la libération de l'Autr.** *créé* 1976.

■ Belgique. **Ordre de Léopold** *créé* 11-7-1832. 5 classes : Chevalier, Off., Commandeur, Gd Off., Gd Cordon ; le roi, Gd maître, a droit à un collier (comme tous les Gds cordons) mais ne le porte jamais, de même que les Gds cordons ; ce collier est visible dans les armoiries du roi et du royaume (il y en a 1 exemplaire au Musée de la dynastie). *Ruban :* ponceau. **Décoration civique** *créée* 21-7-1867. 2 cl. pour ancienneté et pour actions d'éclat. **Croix militaire** *créée* 11-2-1885. 2 cl. **Ordre de l'Étoile africaine** *créé* 30-12-1888 par Léopold II pour services rendus au Congo. 5 cl. et méd. (or, argent, bronze). N'est plus conféré dep. 1960. **O. royal du Lion** *créé* 9-4-1891 pour services rendus au Congo. 5 cl. et médailles (or, argent, bronze). N'est plus conféré dep. 1962. **O. de la Couronne** *créé* 15-10-1897 et complété 25-6-1898. 5 cl. : Chevalier, Officier, Commandeur, Gd Officier, Gd-Croix et, en outre, des palmes (or, argent), des médailles (or, argent, bronze). **O. de Léopold II** *créé* 24-8-1900, modifié 1908. 5 cl. : Chevalier, Officier, Commandeur, Gd Officier, Gd-Croix et des méd. (or, argent, bronze). **Décoration militaire** *créée* 15-9-1902, renouvelée 1952. 2 cl. (1 ancienneté, 1 mérites spéciaux). **Croix de guerre 1914-18** *créée* 25-10-1915 ; n'est plus conférée dep. 1952. **1940** *créée* 20-7-1941.

■ Brésil. **Ordre de la Croix du Sud** *créée* 1822. **O. académique de St-François d'Assise.**

■ Canada. **Ordre du Canada** *créé* 1-7-1967. *Élisabeth :* souveraine. *Gouverneur général :* chancelier et compagnon principal. 3 grades, compagnons (150 au max.), officiers, membres.

■ Chine. **Ordre du Jade brillant** *créé* 1933. 3 cl. en 3 degrés. **O. du Tigre rayé** *créé* 1912. 3 cl. en 3 degrés. **O. du double Dragon** *créé* 1882. 3 cl. en 3 degrés, aboli 1912. **O. du précieux Grain d'Or** *créé* 1912. 5 cl.

■ **Croix-Rouge internationale. Médaille Henry-Dunant** *créée* 1965 pour services exceptionnels de ses membres, ou actes de grand dévouement à la cause de la Croix-Rouge. Attribuée en principe tous les 2 ans à 5 personnes au max. Dep. sa création à 1991 : 57 médailles décernées dont 22 à titre posthume. Plus haute décoration mondiale de la Croix-Rouge. **Méd. Florence-Nightingale** *créée* 1912 en mémoire de cette Anglaise (1820-1910) qui se dévoua pendant la guerre de Crimée. *Destinée* aux infirmières, infirmiers diplômés et auxiliaires volontaires, membres actifs ou collaboratrices ou collaborateurs réguliers de leur sté nat. de la Croix-Rouge ou du Croissant-Rouge, ou d'une institution de soins médicaux ou infirmiers affiliée à celle-ci. *Attribuée* tous les 2 ans selon contingent limité à 36 (de 1912 à 1982) et à 50 dep. 1982. De 1920 à 91 décernée à 1 040 infirmières et auxiliaires qui se sont distingués d'une façon exceptionnelle par leur dévouement en temps de paix ou de guerre.

■ **Danemark. Ordre de l'Éléphant** *fondé* 1462. *Rétabli* 1693 par Christian V. *Classe* unique. *Réservé* aux chefs d'État et P^{ces} ; 1 ou 2 Danois en font partie. **O. du Dannebrog.** *fondé* 1671, modifié 1 808 4 cl. 6 *classes* et Croix d'honneur.

■ **Deux-Siciles (Ordres royaux des). Ordre constantinien de St-Georges** selon la légende, Constantin, empereur de Byzance, aurait créé en 312 une Milice constantine de St-Georges, réformée en 1190 par l'empereur Ange Comnène. L'o. date en réalité du XVIe s. En 1697, Ange-André-Flave Comnène, dernier descendant des fondateurs, en céda à Jean-François Farnèse, duc de Parme, la grande maîtrise, qui, au XVIIIe s., revint aux Bourbons de la branche des Deux-Siciles. **O. de St-Janvier** *fondé* 1738 par le roi Charles (futur Charles III d'Espagne).

Nota. – 2 princes appartenant à 2 branches des Bourbons des Deux-Siciles [issues d'Alphonse, Cte de Caserte (1841-1934)] prétendent au trône et à la grande maîtrise de ces ordres. L'Italie reconnaît l'ordre constantinien de St-Georges et l'ordre de St-Janvier sous la grande maîtrise du P^{ce} Ferdinand de Bourbon qui se dit chef légitime de la famille des Deux-Siciles. Le duc d'Anjou, le Cte de Barcelone, le roi d'Esp., le duc de Parme Robert II, etc. ont reconnu Charles, duc de Calabre (n. 1940) pour gd maître et chef de famille.

Marie-Louise, archiduchesse d'Autr., ex-impér. des Français, qui, devenue duchesse de Parme, se déclara grande maîtresse du Constantinien fonda en fait, un nouvel ordre de mérite civil en 1816, repris à sa mort par Charles-Louis II Ferdinand de Bourbon, duc de Parme, en 1847. Certains princes de Bourbon-Parme le portent encore.

■ **Eire (Irlande). An Bonn Seirbhise 1917-21** (Médaille du service 1917-1921) *créée* 1941 pour récompenser les services actifs pendant la guerre de Libération. **An Bonn Mileata Calmachta** (Médaille militaire pour la vaillance) *créée* 1944 pour reconnaître une vaillance exceptionnelle dans les missions non offensives. Décernée aux membres des groupes de défense, aux aumôniers et aux infirmières de l'armée. 3 classes. **An Bonn 1916** (Médaille de 1916) *créée* 1961 pour les membres de l'insurrection de 1916.

■ **Espagne. Ordre royal de Charles III** *créé* 1771 par Charles III (1 cl.) réorganisé 1804 (2 cl.), 1847 (4 cl.). 5 classes. Encore décerné. **O. de St-Herménégilde** *créé* 1814 par Ferdinand VII pour le mérite militaire. 3 cl. **O. militaire de St-Ferdinand** *créé* 1811, réorganisé 1815. 5 cl. **O. royal d'Isabelle la Catholique** *créé* 1815 par Ferdinand VII. Récompense des mérites dans les pays hispano-améric. ou dans des affaires avec ces pays. 4 puis 5 cl. **O. de Marie-Christine (ou Croix de guerre)** *créé* 1890 par Alphonse XIII. 3 cl. réorganisé 1937. 2 cl. **O. du Mérite militaire** *créé* 1864 par Isabelle II. 2 divisions de 4 cl. **O. du Mérite naval** *créé* 1891. 2 div. de 4 cl. **O. civil d'Alphonse XII** *créé* 1902. 4 cl. Remplacé par l'ordre d'Alph. X le Sage. **O. de Marie-Louise** *créé* 1792 par Charles IV. Réservé aux dames, décerné par le Cte de Barcelone ; ne semble plus devoir être attribué (8 pers. en font partie). **O. de Bienfaisance** *créé* 1856 par Isabelle II. **Ordre impérial du Joug et des Flèches** *créé* 1937 par Franco. 5 cl., n'est plus attribué. **O. d'Alphonse X le Sage** *créé* 1939. 3 cl. donné par l'Éducation nat. **O. de Cisneros. O. de Saint-Raymond de Peñafort** (min. de la Justice) *créé* 1945. 5 cl. **O. du Maroc espagnol ordres de Mehdavian, de Hassania** *créé* 1949, **d'Afrique** *créé* 1933, renouvelé 1950.

Pour 4 grands ordres chevaleresques (St-Jacques, Calatrava, Alcantara, Montesa), il n'y avait plus de nominations dep. 1931 sans l'accord du pape, leur chef naturel (car religieux) mais, en 1978, on a laissé ces organisations devenir de simples associations. Aujourd'hui le G^{d} maître est le roi. Son père, le Cte de Barcelone est doyen, Pt du Conseil et du tribunal des Ordres, mais porte les insignes du Gd maître.

La Toison d'or

■ **Origine.** *Créée* 1430 par Philippe le Bon, duc de Bourgogne (voir p. 635 b). La souveraineté de l'ordre, propriété héréditaire de cette maison, était, à défaut d'héritier mâle, destinée à l'époux de l'héritière jusqu'à la majorité du fils de celle-ci. La grande maîtrise passa donc à la maison d'Autriche par mariage, en 1477, de Marie, fille de Charles le Téméraire, dernier duc, avec l'archiduc (ultérieurement empereur) Maximilien d'Autriche. Par le mariage de Jeanne la Folle avec l'archiduc Philippe Ier, l'Espagne passa en 1516 à la maison d'Autriche. Charles Quint légua la grande maîtrise de l'ordre avec le trône d'Espagne à son fils Philippe II, après avoir cédé ses États d'Autr. dès 1521 à son frère Ferdinand. En 1700, le dernier Habsbourg d'Espagne, Charles II, institua comme héritier son petit-neveu Philippe de France, duc d'Anjou, petit-fils de Louis XIV, qui devint Philippe V (désignation qui causa la guerre de la Succession d'Esp.). Légitimes chefs souverains, Philippe V et Ferdinand VI lièrent la Toison d'or à la couronne d'Esp., le duché de Bourgogne n'étant plus que théorique (réuni à la couronne de France par Louis XI). En 1712, le chef de la maison d'Autriche réclama l'O. avec la couronne d'Esp., mit la main sur le trésor qui fut apporté à Vienne (où il se trouve toujours), et s'affirma dès lors chef souverain. Depuis 1712 il y a donc eu 2 ordres de la Toison d'or (voir ci-dessus), chacun contestant la légitimité de l'autre (la France ne reconnaît que l'ordre de la branche espagnole). *Chevaliers reçus entre 1430 et 1700 :* 618.

■ **Ordre de la branche autrichienne.** Il a conservé les statuts de création : rituel d'admission avec adoubement par l'épée et serment solennel ; langue officielle : le français. Dep. la fin de la monarchie (1918), l'empereur Charles Ier (1887-1922), puis son fils, Othon d'Autriche, chefs souverains, ont continué à le conférer. Reconnu personnalité juridique de droit international par la Rép. autrichienne (décret du 8-9-1953, par assimilation aux anciens ordres de religieux-soldats qui ont possédé jadis des territoires souverains).

■ **Ordre de la branche espagnole.** Devenu ordre royal à caractère civil, décrets de 1847 et 1851. *3 dérogations* à la charte de fondation bourguignonne s'étaient produites au XIXe s. : le chef souverain a été une femme (Isabelle II) de 1833 à 1868 ; un roi élu par les Cortes (Amédée Ier), de 1871 à 73. Un roi, Joseph Napoléon, se considéra chef souverain (1808-1813) mais ses chevaliers furent rayés des registres ainsi que les membres de la famille Bonaparte (sauf le P^{ce} Eugène). Décerné même à des non-catholiques [souverains et princes de Russie, G.-B. (aussi à Wellington qui fut le 1er non cathol. nommé par les Cortès de Cadix), Allemagne, Japon, Turquie ; et à des non-nobles : Pts de la Rép. française : Gaston Doumergue (protestant)]. Après la chute de la monarchie (1931) et jusqu'à sa mort, Alphonse XIII (1886-1941) ne fit aucune nomination. Depuis 1951, son fils le Cte de Barcelone (voir Index), chef de la maison royale d'Esp., l'a conféré à 6 personnes de sang royal. Après la renonciation du Cte à ses droits, le roi Juan Carlos a nommé plusieurs Espagnols et souverains étrangers dont Charles XVI (roi de Suède), Jean (duc de Luxemb.), Olav V (roi de Norvège), Akihido (emp. du Japon), Hussein (roi de Jordanie), Béatrice (reine des P.-Bas), Marguerite (reine de Dan.), Élisabeth II (reine de G.-B.).

Revenant sur ses renonciations (1933, 1943, 1949), don Jaime, duc de Ségovie (voir Index), fils aîné d'Alphonse XIII, se proclama (Paris 1963) chef de la Toison d'or et la conféra (aucune liste des bénéficiaires publiée). Les ducs de Bauffremont et de Polignac, titulaires aussi de l'ordre du St-Esprit de ce prince, en portent l'insigne. Les 3 astronautes amér. Borman, Lovell et Anders ont été nommés sur simple télégramme.

☞ Voir projet de Napoléon p. 578 c.

■ **Insigne** (commun aux 2 branches). Collier d'or composé d'une succession de « briquets » alternant avec des pierres environnées de flammes, auquel est appendue une dépouille de bélier d'or. Porté attaché (sauf dans cérémonies d'apparat) à un ruban de moire rouge en sautoir au col.

■ **États-Unis. Medal of Honor** dite médaille du Congrès, car instituée par un vote du Congrès le 12-7-1862. *Nombre :* avant 1914 : 2 625 (liste révisée – 911) ; guerre 1914-18 : 123, 39-45 : 433, de Corée 131, Viêt-nam 239. *Insigne :* étoile blanche, ceinte de feuillage, portant l'effigie de l'Union. *Devise :* valor ; *ruban :* bleu ciel, avec étoiles blanches. **Distinguished Service Cross** (2-1-1918). **Navy-Air Force Cross** (Navy 4-2-1919, Air Force 6-7-1910). **Distinguished Service Medal** (Army 2-1-1918, Navy-Marine Corps 4-2-1919, Air Force 6-7-1966, remplace l'Army Distinguished Service Order Personal Air Force). **Silver Star** (8-8-1932, accordée aux combattants cités à l'ordre du jour, mais non décorés ; 20 000 attribuées rétroactivement au titre de la guerre hispano-amér. ; Navy 7-8-1942). **Legion of Merit** (20-7-1942, attribuée aux citoyens non américains ; 4 grades : chief comm., comm., off., légionnaire). **Distinguished Flying Cross** (2-7-1926). **Soldier's-Airman's-Navy-Marine Corps Medal** (Army 2-7-1926, Navy-Marine Corps 7-8-1942, Coast Guard 1951, Air 6-7-1960). **Bronze Star** (4-2-1944). **Air Medal** (11-5-1942). **Joint Service Commendation Medal** (25-6-1963). Army-Navy-Marine-Air Force Commendation Medal (Army 1954, Navy-Marine, Coast Guard 26-8-1947, Air Force 28-3-1958). **Purple Heart** (1782, par G. Washington). **Presidential Medal of Freedom** (1957, plus haute décoration en temps de paix décernée par le Pt aux civils et aux milit.). **Medal of Freedom.**

■ **Grande-Bretagne. Ordre très honorable de la Jarretière** *fondé* 1348 par Édouard III d'Angleterre. *Membres :* souveraine, la reine, 3 chevaliers royaux (duc d'Édimbourg, P^{ce} de Galles, duc de Kent), 3 dames (la reine mère Élisabeth, la P^{cesse} Juliana des Pays-Bas, la reine du Danemark), 24 chevaliers compagnons, 7 extra knights (dont les rois de Belgique, de Suède, d'Esp. et le gd-duc de Luxembourg). En dehors de la famille royale, 2 dames ont reçu la jarretière : lady Harcourt Maid, fille de lord Grey, et la duchesse de Suffolk). *Devise* « Honi soit qui mal y pense ». *Ruban* bleu, « Jarretière ». **O. très ancien, très noble du Chardon** (au titre du royaume d'Écosse) *fondé* 1687 par Jacques II. *Membres :* Souveraine la reine, la reine mère, 2 chevaliers royaux et 16 ch. écossais. *Devise :* « Nemo me impune lacessit » (Personne ne me provoque impunément). *Ruban* vert. **O. très illustre de St-Patrick** (au titre du roy. d'Irlande) *fondé* 1788. *Devise en latin* « Qui pourra nous séparer ? » *Ruban* bleu ciel. *Plus décerné* dep. 1934 [dernier chevalier : duc de Gloucester († 1974)]. **O. très honorable du Bain** [1] *fondé* 1399 et repris 1725, comprend un ordre civil et un ordre militaire, chacun à 3 cl. : Knight Grand Cross (GCB), Knight Commander (KCB), Companion (CB). Gd maître : P^{ce} de Galles (dep. 1975). *Ruban* cramoisi. **O. du Mérite** (OM) *fondé* 1902. *Membres :* 24. *Ruban* bleu et cramoisi. **O. très éminent de l'Étoile des Indes** [1] *fondé* 1861, n'est plus conféré dep. 1947. *3 cl. :* Knight Gd Comm. (GCSI), Kn. Comm. (KCSI), Comp. (CSI). *Ruban* bleu clair à bord blanc. **O. très distingué de St-Michel-et-St-Georges** [1] *fondé* 1818 par le régent (plus tard Georges IV), récompense principalement les services rendus dans les Aff. étrangères et le Commonwealth. *3 cl. :* Kn. ou Dame Gd Cross (GCMG), Kn. Comm. ou Dame (KCMG ou DCMG), Comp. (CMG). *Gd maître :* duc de Kent (dep. 1967). *Ruban* bleu avec centre écarlate. **O. très éminent de l'Empire des Indes** [1] *fondé* 1877, n'est plus conféré dep. 1947. *3 cl. :* Kn. Gd Comm. (GCIE), Kn. Comm. (KCIE), Comp. (CIE). **O. royal de Victoria** [1] *fondé* 1896. *5 cl. :* Kn. ou Dame Gd Cross (GCVO), Kn. ou Dame Comm. (KCVO ou DCVO), Comm. (CVO), Membre 4e ou 5e classe (MVO). *Gd maître :* reine mère Élisabeth (dep. 1937). *Ruban* bleu à bords rouge et blanc. **The Imperial Service Order** *fondé* 1902 par Édouard VII. *1 cl. :* Companion. **O. très excellent du « British Empire »** [1] *fondé* 1917. *5 cl. :* Kn. ou Dame Gd Cross (GCBE), Kn. ou Dame Comm. (KBE ou DBE), Comm. (CBE), Officer (OBE), Member (MBE). *Gd maître :* duc d'Édimbourg (dep. 1953). **Distinguished Service Order** (DSO) *fondé* 1880 pour les officiers. **O. des Compagnons d'honneur** (CH) *fondé* 1917. *1 cl. Membres :* 65. **Victoria Cross** (VC) *fondée* 1856. *Ruban* cramoisi. 1 346 accordées entre 1856 et 1945 ; depuis, 2 posthumes à la fin de la guerre des Malouines. **Military Cross** (MC) *fondée* 1914. **George Cross** (GC) *fondée* 1940. *Ruban* bleu foncé. **Distinguished Flying Cross** (DFC) *fondée* 1918 pour officiers de la Royal Air Force. **Distinguished Service Cross** (DSC).

Nota. – (1) La reine en est souveraine.

■ **Grèce. Ordre du Rédempteur** *créé* 1833, modifié 1865. 5 cl. **O. de l'Honneur** *créé* 1975. 5 cl. **O. royal du Phénix** *créé* 1926, *remplacé* par **O. du Phénix** *créé* 1926, *modifié* 1939. 5 cl. **O. de la Bienfaisance** *créé* 1948. 5 cl. (féminin).

ORDRES QUI NE SONT PLUS DÉCERNÉS : *O. royal de Georges Ier* (créé 1915, 5 cl.), *O. de St-Georges et St-Constantin* (pour les membres masculins de la famille royale, 5 cl.), *O. de Ste-Olga et Ste-Sophie* (pour les femmes de la famille royale, 4 cl.).

■ **Islande. Ordre du Faucon islandais** *créé* 1921. 4 cl. Seul ordre islandais.

■ Israël. **Ot Ha Hagvoura** décoration « pour l'Héroïsme ». **Ot Hakomeniout** méd. de la Liberté. **Magen Yeroushalaim** méd. de la Défense de Jérusalem. **Itour Hamofet** méd. de la « Valeur militaire ». **Itour Haoz** méd. de la « Bravoure ».

■ Italie. **Ordres de la République. Ordre du Mérite de la République italienne** *créé* 1951. 6 cl. : Gd-cordon, Gd-croix, Gd-officier, commandeur, officier, chevalier. **O. de l'Étoile de la solidarité italienne** *créé* 1951. 3 cl. (supprimé). **O. du Mérite du travail.**

Ordres royaux (*Grand Maître :* Pce royal Victor-Emmanuel de Savoie, Pce de Naples et fils du dernier roi, Humbert II, en tant que chef de la maison de Savoie). **O. Suprême de la Très Sainte Annonciade** (Annunziata) *créé* 1362. Amédée VIII lui donna ses premiers statuts en 1409 qui furent ajournés par Charles III en 1518, Emmanuel-Philibert Ier en 1570, Victor-Emmanuel Ier le 27-12-1816, Charles-Albert Ier le 9-12-1831 et le 2-3-1838. *3-6-1989* nouveaux statuts de Victor-Emmanuel II : 20 chevaliers + chef souverain, Pce héréditaire et Pces parents par ligne paternelle jusqu'au 4e degré inclus ; ecclésiastiques et étrangers non comptés. *Nominations :* 27 Humbert II, 3 Victor-Emmanuel dont son fils, le Cardinal Casaroli (secr. d'État du Vatican) et Fra'Andrew Berthie, Gd Maître de l'Ordre de Malte. **O. civil de Savoie** *fondé* 29-10-1831 par Charles-Albert 1er, duc de Savoie, roi de Sardaigne. 1 cl., 12 chevaliers puis *9-2-1841 :* 40. *23-6-61* étendu à Italie : 60 chev. puis 70. Humbert II fit plusieurs promotions dont *15-9-1961 :* 15 chev., *15-9-64, 15-9-70 :* 14 chev., *15-9-74 :* 15 chev. dont Luchino Visconti. **O. des Saints-Maurice-et-Lazare** créé la milice de *St-Maurice* en 1434 (Amédée VIII) 1er duc de Savoie, renouvelé 1572 et uni à la branche savoyarde de *St-Lazare* (voir St-Lazare et Mt-Carmel, p. 577 c). Chapitre annuel en sept. en l'abbaye de St-Maurice (Valais). 5 cl. Décerné par le Pce Victor-Emmanuel IV de Savoie qui a réformé les statuts et, en exil à Genève a créé une « Médaille du mérite de l'Ordre (or, argent et bronze) le 11-6-1985, mais la Rép. italienne ne reconnaît pas ces nominations, une loi de 1951 ayant aboli les ordres royaux. *Chevaliers (en 1992) :* 1 000. **O. militaire de Savoie** *créé* 1815. 5 cl. Renommé après 1943 « O. du Mérite militaire d'Italie ». N'est plus décerné dep. 14-6-1946. **O. civil de Savoie** *créé* 1831, était limité à 70 chevaliers de cl. unique. **O. de la Couronne d'Italie** *créé* 1868 par Victor-Emmanuel II, roi d'It. 5 cl. N'a pas été décerné dep. la mort d'Humbert II (18-3-1983). **O. du Mérite. O. du mérite de l'ordre civil de Savoie** *créé* par le Pce Victor-Emmanuel. Honore les récipiendaires qui auraient pu recevoir le précédent si le Gd Maître le décernait.

■ Japon. **Ordre suprême du Chrysanthème** *collier,* créé 1888 (remis depuis à 73 personnes : dont empereur, membres de la famille impériale, chefs d'État étrangers et hommes d'État qui se sont distingués au service du pays. Shigeru Yoshida, ancien PM († 1967), fut le seul Japonais décoré. *Gd Cordon* créé 1872 (remis à 311 personnes, dont les 73 récipiendaires du Collier). **O. du Soleil-Levant** *créé* 1875. Donné à des hommes ayant rendu des services méritoires à l'État. *1re classe* (« O. du Soleil-Levant » et « O. du Soleil-Levant avec Fleurs de Paulownia ») *créée* 1888, 8 cl., les 6 premières avec le soleil levant avec feuilles de paulownia, 7e et 8e avec seulement les feuilles de paulownia. **O. de la Couronne précieuse** *créé* 1888, donné à des femmes. 8 cl. **O. du Trésor sacré** *créé* 1888, remis à des hommes ayant rendu de louables services et aussi à des femmes dep. 1919. 8 cl. **O. de la Culture** *créé* 1937, remis à des personnes distinguées dans science, littérature, peinture, sculpture, architecture, musique ou théâtre. 1 cl. **Médailles d'honneur. Coupes d'argent et de bois** pour services méritoires. **O. de la Vertu militaire (O. du Milan d'Or)** 7 cl *fondé* 1890, aboli 1947.

La Rose d'or

Distinction honorifique (orfèvrerie de prix) accordée par les papes à des étrangers de haut rang (en majorité des souverains). Selon une coutume ancienne, on bénissait une rose au cours de la messe du Laetare (IVe dimanche de carême). Serait due au pape Léon IX qui, en 1049, solennisa un usage sans doute déjà établi. En 1088, Urbain II concrétisa le geste. La Rose d'or fut remise d'abord seulement aux préfets de Rome, puis aux princes (Louis VII reçut ainsi une rose d'or en 1163), églises et villes [comme Venise (plusieurs fois)], à des monuments [cathédrale de Florence qui depuis se nomme Ste-Marie-de-la-Fleur ; cath. de Goa (1953, Inde) ; Notre-Dame-de-Fatima (1965)]. Le pape la remettait traditionnellement aux étrangers de passage à Rome qu'il voulait honorer. Au cours des siècles, la rose est devenue un bijou d'or émaillé, avec un rubis au centre ; elle a parfois atteint un poids et une valeur considérables. Par ex., pour le Dauphin, fils de Louis XIV : 8 livres d'or.

Depuis le XVIIIe s., les envois de roses se font surtout à des dames : Marie Leszczyńska (France) 1732 ; Marie-Thérèse d'Autriche 1739 ; archiduchesse Marie-Christine (Autr.) 1776 ; Marie-Caroline de Naples 1791 ; impératrice Caroline-Auguste d'Autr. 1825 ; Marie-Christine de Sardaigne (1re ép. de Ferdinand II, roi des Deux-Siciles ; vénérable 9-7-1859) 1825 ; Anne d'Autr. 1836 ; Marie de Portugal 1842 ; duchesse Marie-Adélaïde de Savoie 1849 ; impér. Eugénie (France) 1856 ; Sophie de Bavière, reine de Naples 1860 ; Isabelle II (Esp.) 1868 ; Marie-Christine d'Autr., régente d'Esp. 1886 ; doña Isabel (Brésil) 1888 ; Amélie de Portugal 1892 ; Marie-Henriette de Belg. 1893 (la plus grande de toutes : 40 cm de haut) ; Victoire-Eugénie d'Esp. 1923 ; Élisabeth reine de Belg. 1925 ; Hélène de Savoie (reine d'It.) 1937 ; Gde Duch. Charlotte de Lux. 1956.

Héros de l'Union soviétique

Le titre **Héros de l'Union soviétique** a été institué le 16-4-1934, 13 000 personnes l'ont reçu dont une centaine de femmes (24 pour leur lutte partisane). L'ont reçu à l'occasion de la guerre de 1939-45 : 11 500 combattants dont 104 ont été décorés de 2 médailles de l'« Étoile d'or », 1 de 4 méd. (le Mal Joukov). 20 étrangers ont été titrés dont 5 Français (4 pilotes de « Normandie-Niémen » : Marcel Albert, Roland de La Poype, Jacques André, Marcel Lefèvre, et en temps de paix le spationaute Jean-Loup Chrétien).

On remettait au héros : l'Ordre de Lénine, décoration suprême de l'URSS ; la médaille de l'« Étoile d'or » ; le diplôme du Présidium du Soviet Suprême de l'URSS. Si un héros accomplissait un autre exploit héroïque qui valait le titre de « Héros de l'Union soviétique », il était décoré de l'*Ordre de Lénine* et de la 2e médaille de l'« Étoile d'or ». On érigeait dans la localité où il était né son buste en bronze.

Les « Héros » jouissaient des facilités suivantes : pension à titre personnel, remise de 50 % sur le loyer, déplacement gratuit une fois par an (1re classe, aller et retour) jusqu'à n'importe quel point de l'URSS et par n'importe quel moyen de transport, transports urbains gratuits, octroi annuel d'un bon de séjour gratuit dans une maison de cure ou de repos, entrée prioritaire dans les établissements culturels et récréatifs, réalisation prioritaire des services courants.

■ Luxembourg. Distinctions honorifiques civiles. **O. du Lion d'or de la Maison de Nassau** *créé* 1858, commun avec l'ordre du même nom des P.-Bas. 1 cl. Très rarement décerné. **O. du Mérite civil et militaire d'Adolphe de Nassau** *créé* 1858. 8 grades ; plusieurs croix et médailles de mérite. **O. de la Couronne de Chêne** *créé* 1841. 5 cl. ; méd. de mérite. **O. de Mérite du Grand-Duché de L.** *créé* 1961. 5 cl. et 1 méd. de vermeil. **O. de la Résistance 1940-44** *créé* 1946. 2 cl. ; méd. de mérite. **O. national de la Médaille du Mérite sportif** *créé* 1976. 3 grades. Insignes et méd. **I. de Résistant** *créé* 1967. **Méd. de la Reconnaissance nationale** *créée* 1968. **Méd. du Mérite pour le don du sang** *créée* 1979. **Méd. commémorative 1981** *créée* 1981. **Croix de service** pour agents des douanes *créée* 1967, du service de garde des Éts pénitentiaires *créée* 1979. **Médaille militaire** *créée* 1945. **Croix d'honneur et de mérite milit.** *créée* 1951. **Croix de Guerre 1940-45** *créée* 1945. **Croix de Guerre** *créée* 1951. **Médaille des Volontaires luxemb. de la Grande Guerre 1914-18** *créée* 1923. **De la Guerre 1940-45** *créée* 1945. **Croix de service pour les membres de l'Armée, de la Gendarmerie et de la Police** *créée* 1850.

■ Monaco. **Ordre de St-Charles** (1858). 5 cl. **O. de la Couronne** (1960). 5 cl. **O. des Grimaldi** (1954). 5 cl. **O. du Mérite culturel** (1952). 3 cl.

■ Norvège. **Ordre royal de St-Olav** *fondé* 1847 par Oscar Ier. 6 cl.

■ Organisation des Nations unies. **Médaille de Corée** *créée* 12-12-1950. **Méd. des Forces d'urgence de l'ONU** *créée* 30-11-1957 pour les militaires qui ont patrouillé le long de la frontière israélo-égyptienne. **Méd. des Nations unies** *créée* 30-7-1959.

Médaille Nansen *créée* 1954. *Décernée* par le haut commissaire des Nations unies pour les réfugiés, normalement une fois par an, à une personne ou organisation pour des services exceptionnels rendus à la cause des réfugiés. Depuis 1979, conjuguée avec la remise d'un prix (max. 50 000 $) destiné à la mise en œuvre par le lauréat ou par son intermédiaire d'un projet d'aide aux réfugiés, choisi de concert avec le Ht Commissariat pour les réfugiés.

■ Pays-Bas. **Ordre militaire de Guillaume** *créé* 30-4-1815 par Guillaume Ier, rétabli 30-6-1941. 4 cl. Pour civils et militaires de tous grades pour leur action devant l'ennemi. **O. du Lion des Pays-Bas** *créé* 29-9-1815 par Guillaume Ier. 3 cl. Pour services civils, œuvres scientifiques ou artistiques. **O. d'Orange-Nassau** *créé* 4-4-1892 par la régente Emma. 5 cl. Pour services rendus. **O. du Lion d'or de la Maison de Nassau** *créé* 29-1-1858, rétabli 20-7-1905. 1 cl. Octroyé aux chefs d'État. Commun aux maisons néerlandaise et luxembourgeoise. L'octroi dépend de l'initiative de la reine, sans ingérence du gouvernement (elle demande le consentement du grand-duc du Lux.). **O. de la Maison d'Orange** *créé* 19-3-1905. Rétabli 30-11-1969. 4 groupes : *O. de la Maison* 3 cl. *O. de Fidélité et Mérite* 2 cl. *Méd. d'honneur pour l'Art et la Science* ou *pour l'Expédition et l'Esprit. O. de la Couronne* créé 19-3-1950, 5 cl. L'octroi dépend de l'initiative de la reine, sans ingérence du gouv.

■ Pologne. **Ordres royaux : O. de l'Aigle blanc** *fondé* 1325 par Ladislas Ier le Bref, réorganisé 1705 par Auguste II, transformé en ordre impérial russe après partage de la Pologne (1815). Redevient pol. 1921. **O. de St-Stanislas** *fondé* 1765 par Stanislas II (une branche créée en Russie après le Congrès de Vienne). **O. de la Vertu militaire** *créé* 1792, repris 1919. 5 cl. **République : O. des Bâtisseurs de la république populaire de Pologne** *créé* 1949. 1 cl. **O. de la Polonia Restituta** *créé* 1921. 5 cl. Pour services civils de tous ordres. **O. de la Croix de Grunwald** *créé* 1944. Militaire. 3 cl. **O. du Drapeau du Travail** *créé* 1949. 2 cl. **O. du Mérite de la république populaire de Pologne** *créé* 1974. 5 cl.

■ Portugal. **Ordre militaire d'Aviz** *créé* 1144, comme ordre militaire religieux sous l'invocation de St Benoît, sécularisé 1789, conservé par la Rép. pour les services militaires, 3 cl. (Gd-croix, commandeur, chevalier). **O. de St-Jacques de l'Épée** *créé* 1290 comme ordre militaire religieux, sécularisé 1789, conservé par la Rép. comme O. de mérite pour sciences, littérature et arts, 5 cl. **O. du Christ** *créé* 1318, regroupant les chevaliers ibériques de l'ordre du Temple, supprimé (voir p. 577 a), approuvé par le pape Jean XXII (1319), sécularisé 1789, conservé par la Rép. pour d'éminents services civils et de hautes personnalités étrangères, 3 cl. **O. de la Tour et de l'Épée** *créé* 1459, réformé 1832 pour services civils et militaires puis 1896, 5 cl. **O. de l'Empire** *créé* 1932. **O. de l'Infant Henri le Navigateur** *créé* 1960. **O. de mérite civil (Bienfaisance, Instruction publique, Mérite agricole et industriel,** etc.). Le duc de Bragance distribue l'*O. de N.-D. de la Conception de Villaviciosa,* dont il est grand maître (ordre de famille).

■ Saint-Siège. **Ordre suprême du Christ (Milice de NSJC)** *créé* 1319 par Jean XXII, réorganisé 1905, très rarement décerné (chefs d'État, hommes d'État prééminents chrétiens). 1 cl. : chevalier. Un seul protestant le reçut (Bismarck 1884). **O. de l'Éperon d'or** (et de la Milice dorée) *décerné* dep. 1539, et sans doute avant, changé 1841 en O. de St-Sylvestre, réinstitué 1905. 1 cl. : chevalier. **O. de Pie IX** *créé* 1847 par Pie IX, réorganisé 1905 et 1907. Collier d'or (1re cl.) donné aux chefs d'État en des occasions solennelles (ex. visite officielle). Chevalier de Gd-croix, commandeur avec plaque, commandeur, chevalier : attribués aux min. et ambassadeurs (Gd-collier, Gd-croix conférant jusqu'en 1939 héréditairement la noblesse, commandeur conférant la noblesse personnelle, chevalier). **O. de St-Grégoire le Grand** *créé* 1831 par Grégoire XVI pour les citoyens fidèles et les troupes autrichiennes qui défendirent le St-Siège réorganisé 1905. 2 divisions (civile et militaire), chacune de 3 cl. (Gd-croix, commandeur, chevalier). **O. de St-Sylvestre-Pape** *créé* 1841 par Grégoire XVI en mémoire de son fondateur présumé (Sylvestre Ier, 314-335), remplaça l'O. de l'Éperon d'or, réorganisé 1905 comme O. du Mérite. **Croix d'honneur « Pro Ecclesia et Pontifice » et médaille « Benemerenti »** *instituées* 1888.

■ Roumanie. **Ordre de l'Étoile** *créé* 1877. 5 cl., aboli 1947. **O. de la Couronne** *créé* 1881. 5 cl., aboli 1947.

■ Suède. Ces ordres ne sont plus décernés qu'à des étrangers. **O. des Séraphins** *fondé* 1335 par Magnus IV, rénové 1748 par Frédéric Ier. 1 cl. Rarement décerné. **O. de l'Épée** *fondé* 1748. 5 cl. Militaire. **O. de l'Étoile polaire** *fondé* 1748 pour mérites civils. 4 cl. **O. de Vasa** *fondé* 1772 pour services rendus à l'industrie nat. 5 cl. **O. de Charles XIII** *fondé* 1811 pour francs-maçons de haut grade. 1 cl.

■ Tchécoslovaquie. **Ordre militaire du Lion blanc pour la victoire** *créé* 1945. 3 cl. **O. du Lion blanc** *créé* 1922 pour les étrangers. 5 cl. **O. de Jan Zizka de Trochnova** *créé* 1946 pour les officiers. 3 cl. **O. du Février victorieux. O. du Travail. O. de la Croix de guerre.**

■ Turquie. **Istiklal Madalyasi** (Médaille de l'Indépendance) *créée* 1920 par Atatürk pour services exceptionnels rendus pendant la guerre d'indépendance (1919-22). En bronze, *ruban* triangulaire rouge (jusqu'en 1934, 4 couleurs différentes). Seule décoration de la République, n'est plus conférée. Port autorisé pour les descendants par ordre de primogéniture. **Ancienne. O. du Midjidie** *créé* 1852. 5 cl. **O. de l'Osmanie** *créé* 1861. 5 cl.

■ URSS. **O. de Lénine** (la plus haute récompense). *Créé* 6-4-1930. *Décerné* par le Pt du Soviet suprême à certains Soviétiques, à des étrangers, des collectivités, des institutions, des entreprises et organisations sociales pour mérites particuliers dans l'édification du socialisme. Peut être décerné à ceux qui ont déjà eu le titre de Héros de l'Union soviét. et de Héros du Travail soc. (voir p. 586 b). *Insigne* frappé d'un portrait en médaillon de Lénine, au milieu, buste en relief de Lénine, en or, s'épingle sur l'habit à l'aide d'une forme à 5 côtés couverte d'un ruban de soie moirée. **Drapeau rouge du Travail** *créé* 7-9-1928. **Étoile rouge** *créée* 6-4-1930. **O. de la Guerre patriotique** *créé* 20-5-1942. 2 degrés. 1re décor. créée pour la 2e G. mondiale. **O. de Souvorov** *créé* 29-7-1942. **O. de Koutouzov** 1re et 2e cl. *créées* 29-7-1942 ; 3e cl. *créée* 8-2-1943. **O. d'Alexandre Nevski** *créé* 29-7-1942. **O. de Bogdam Khmelnitski** *créé* 10-10-1943. **O. de la Victoire** *créé* 8-11-1943. Considéré aujourd'hui comme la plus haute décoration militaire. *Décerné* à 4 étrangers : Gal Eisenhower, Mal Montgomery, Mal Tito, roi Michel de Roumanie. **O. de la Gloire** *créé* 8-11-1943. **O. d'Ouchakov** *créé* 3-3-1944. **O. de Nakhimov** *créé* 3-3-1944. **O. de la Gloire au Travail** *créé* 18-1-1973. 3 degrés « pour un travail de longue durée, de grand rendement et d'abnégation dans une seule entreprise, organisation, kolkhoze ou sovkhoze ». **Vétéran du travail** *créé* 18-1-1973 ; pour « un travail consciencieux et de longue durée dans l'économie nationale, la culture, l'éducation, la santé, les établissements d'État et les organisations soc. ». **Insigne d'honneur** *créé* 25-11-1935. **« Mère héroïque »** *créé* 8-7-1944. **« Gloire maternelle »** *créé* 8-7-1944. 3 cl. ; pour mères de famille nombreuse.

■ Russie impériale. **Ordre de St-André** *créé* 1698 par Pierre le Grand pour souverains et nobles ; entraînant l'appartenance aux ordres de l'Aigle blanc, St-Alexandre Nevski, Ste-Anne et St-Stanislas ; 1 cl. Rarement conféré par le gd-duc Wladimir, chef de la famille impériale russe. **O. de l'Aigle blanc** *créé* 1765 ; 3 cl. **O. de St-Georges** *créé* 1769 par Catherine II pour bravoure devant l'ennemi. 4 cl. Était le plus prisé. **O. de St-Vladimir** *créé* 1782, civil, puis après la G. de Crimée, également militaire. 4 cl. **O. de Ste-Catherine** *créé* 1714 par Pierre le Grand pour les dames. 2 cl. **O. de St-Anne** *créé 1735,* réorganisé 1815 : 4 cl. ; 1835 : 5 cl. **O. de St-Stanislas** *créé* 1765, réorganisé 1816 : 4 cl. ; modifié 1839 et 1856 : 3 cl.

FRANC-MAÇONNERIE

GÉNÉRALITÉS

■ Histoire. **Origines :** les « Old Charges », documents corporatifs anglais établis du XIIIe au XVIIIe siècle, donnent à la Maçonnerie « de métier » ou « opérative » des origines légendaires, bibliques et antiques. Par la suite, les Maçons ont fait intervenir les mystères anciens, les traditions égyptiennes et grecques, les Croisés ou les Templiers. **Périodes :** *opérative* des constructeurs des cathédrales médiévales ; *de transition* (XVIe et XVIIe s.) ; *spéculative* de 1717 à nos jours (on appelait « maçons spéculatifs » ou « gentilshommes maçons » les maçons non opératifs, c.-à-d. les membres des loges maçonniques qui n'étaient pas des artisans de la maçonnerie), née en 1717 avec la fondation de la Grande Loge de Londres (révérend Dr Désaguliers ; devenue ensuite Gde Loge d'Angleterre, de caractère interconfessionnel), codifiée par les Constitutions d'Anderson (1723).

Le passage de la période opérative aux suivantes s'est fait grâce à *« l'acceptation »,* qui a amené, dans les groupements ou « loges » des constructeurs britanniques, des notables n'appartenant pas au « métier ». Au début du XVIIIe s., celles-ci avaient perdu tout caractère professionnel et n'en conservaient plus que les symboles. **Extension :** *1711 Irlande, 1725* ou *1726* France [seigneurs anglais émigrés fidèles à la cause des Stuarts, tels les Gds Maîtres Philippe, duc de Wharton (1698-1731), et Charles Radclyffe, Cte de Derwentwater (1693-décapité en 1746). *1736* interdite. Mais, le duc d'Antin fut élu grand maître en 1738 et, en 1743, le comte de Clermont. Constituée en *Grande Loge anglaise de France,* devint en 1755 Grande Loge de France. Se donna des Ordonnances générales, tirées des Constitutions d'Anderson. *1742* tendance réformatrice apparaît], *1729* Pologne, *1731* Russie, *1733* Massachusetts, *1738* Allemagne, *1756* Pays-Bas, *1776* Hongrie, *1856* Roumanie.

Relations avec les Templiers : selon une légende réfutée, l'Ordre écossais serait un rameau secret de l'Ordre du Temple, dissous par le pape Clément V le 13-4-1312. Un religieux, Humbert Blanc, réfugié en Angleterre, y aurait perpétué les traditions des Templiers. De 1808 à 1830, un illuminé, Raymond de Fabré-Palaprat (1775-1838), reconstitua un pseudo *« Ordre du Temple »* dont il se proclama Grand Maître. Quelques francs-maçons le rejoignirent, convaincus de l'origine commune des 2 institutions. Charles-Louis Cadet-Gassicourt (1769-1821) en était aussi convaincu.

■ Symbolisme. *3 « Grandes Lumières » :* le Volume de la Loi sacrée, l'Équerre et le Compas ; *nombreux symboles :* sceau de Salomon, delta lumineux, maillet, ciseau, levier, règle, niveau, etc. Ces symboles, ainsi que « les colonnes du Temple », la lettre G dans l'Étoile flamboyante, la connaissance de la légende de Hiram, sont les supports de la progression dans la connaissance de l'*initié*. La symbolique a pénétré v. 1700 par le canal des « acceptés » qui amenèrent celle des hermétistes et de la Kabbale : elle s'imposa progressivement. Le terme « Volume de la Loi sacrée » est apparu au XXe s.

Calendrier : dep. le XVIIIe s., les loges anglo-saxonnes, françaises et allemandes utilisent « l'Année de la Vraie Lumière », ou « Anno Lucis », pour faire remonter l'origine de la Maçonnerie à la création du monde selon la Bible. Ce calendrier, apparu chez les Maçons anglais, serait dû à James Usher (prélat anglican né à Dublin en 1580), qui, dans ses *Annales Verteris* et dans ses *Novi Testamenti* (1650-1654), utilisait une chronologie remontant à 4000 av. J.-C. Anderson reprend dans ses *Constitutions* une datation proche, coïncidant avec les données bibliques.

Nota. – L'âge d'admission réel est celui de la majorité civile (dispenses très rares).

Signes de reconnaissance : diffèrent selon les grades. Le plus célèbre de tous est le signe de détresse, que l'on fait en cas de danger de mort.

Tablier : ancienne tenue de travail des maçons (opératifs), devenue tenue rituelle, utilisée au cours des réunions. La décoration varie selon les grades (les apprentis ont un tablier blanc sans broderies).

■ Organisation. *Loges* autonomes, dirigées par un Pt élu (le Vénérable) et un collège d'Officiers (surveillant, orateur, expert, secrétaire, trésorier, etc.), dont les fonctions varient selon les rites. *Obédience :* regroupe des loges au niveau d'un pays [dite « Grande Loge » (fédération de loges) ou « Grand Orient » (féd. de rites)], dirigée par un Grand Maître, des grands officiers et un conseil. Une Grande Loge ou un Grand Orient seuls peuvent pratiquer plusieurs *rites* [principaux : r. Émulation, r. écossais rectifié, r. écossais ancien et accepté, r. d'York (USA), r. suédois, r. français, r. de Memphis Misraïm, presque disparu, etc.].

Age symbolique en grade : un *rite* (sauf le r. Émulation) comprend, en plus des *3 premiers grades* (apprenti, compagnon, maître), dits « gr. symboliques » ou « gr. bleus », un certain nombre de « hauts gr. » ou « gr. de perfection » à l'origine variée. *Le rite écossais ancien et accepté a 33 gr. ou degrés : 1* Apprenti : 3 ans. *2* Compagnon : 5 a. *3* Maître : 7 a. et plus. *4* Maître secret : 3 fois 27 a. accomplis. *5* Maître parfait : 1 a. pour ouvrir les Travaux, 7 a. pour fermer les travaux. *6* Secrétaire intime : 10 a., le double de 5. *7* Prévôt et Juge : 14 a., le double de 7. *8* Intendant des bâtiments : 3 fois 9 a. *9* Maître élu des Neuf : 21 a. accomplis, le triple de 7. *10* Illustre Élu des Quinze : 25 a. accomplis, 5 fois 5. *11* Sublime Chevalier élu : 27 a. *12* Grand Maître Architecte : 45 a., 5 fois le carré de 3. *13* Royale Arche : 63 a. accomplis, 7 fois le carré de 3. *14* Grand Élu parfait et Sublime Maçon : 27 a. accomplis. *15* Chevalier d'Orient ou de l'Épée : 70 a. *16* Prince de Jérusalem : 25 a. accomplis. *17* Chevalier d'Orient et d'Occident : pas d'âge. *18* Chevalier Rose-Croix : 33 a. *19* Grand Pontife ou Sublime Écossais : pas d'âge. *20* Vénérable Grand Maître de toutes les loges régulières : pas d'âge. *21* Noachite : pas d'âge. *22* Chevalier Royal-Hache : pas d'âge. *23* Chef du Tabernacle : pas d'âge. *24* Prince du Tabernacle : pas d'âge. *25* Chevalier du Serpent d'Airain : pas d'âge. *26* Écossais trinitaire : 81 a. *27* Grand Commandeur du Temple : pas d'âge. *28* Chevalier du Soleil : pas d'âge. *29* Grand Écossais de Saint-André : 81 a. *30* Chevalier Kadosch (hébreu *saint*) : 1 siècle et plus. *31* Grand Inquisiteur Commandeur : pas d'âge. *32* Chevalier (Sublime Prince) du Royal Secret : pas d'âge. *33* Souverain Grand Inspecteur général : 33 a. accomplis.

■ Situation actuelle. **Afrique noire :** situation instable. **Amér. du Sud :** maçons influents, mais divisés par des querelles de rites et des options politiques. **Asie :** se développe en Inde, Japon, Philippines, Hong Kong, Formose, Liban et Israël. **Iran :** proscrite depuis la chute du Chah. **Europe de l'Est :** la montée du fascisme entraîna la dissolution des loges (Roumanie 1937, Hongrie et Pologne 1938, Tchécoslovaquie 1939, Bulgarie 1941). De nombreux Maçons furent arrêtés et exécutés. Après la guerre, les loges qui avaient pu se reconstituer furent à nouveau dissoutes par les communistes (Roumanie 1948, Hongrie 1950), et leurs membres emprisonnés et jugés pour haute trahison et espionnage. Certaines loges survécurent dans la clandestinité ou en exil. La chute des régimes communistes a entraîné leur réveil. *Hongrie :* Gde Loge (450 frères survivants) et Gd Orient, 1re à se réveiller. *Tchécoslovaquie. Russie :* plusieurs loges tolérées. *Roumanie, Bulgarie, Pologne :* plusieurs loges ouvertes par des Obédiences françaises (GODF, GLDF). **Europe occidentale :** après avoir souffert des régimes nazi et fasciste – sauf en Suisse et Suède –, essor notamment en France, Belgique, Pays-Bas, Norvège, Allemagne, Italie, Autriche, Portugal et Espagne (où elle était interdite sous Franco).

Nombre de Maçons dans le monde : 6/7 000 000 dont *USA :* env. 4 000 000. *G.-B.* 1 000 000 (Gd maître de la Gde Loge d'Angleterre : duc de Kent). *France :* 90 000.

OBÉDIENCES FRANÇAISES ACTUELLES

■ Grand Orient de France. 16, rue Cadet, 75009 Paris. **Fondé** 1773 (Ainsi appelé parce que « de l'Orient vient la lumière »). Franc-Maçonnerie libérale ouverte aux croyants comme aux incroyants, *Devise :* « Liberté, Égalité, Fraternité ». **Grands Maîtres** (dep. 1944) : *1944* Arthur Groussier (1863-1957), ancien vice-Pt de la Chambre des députés, ancien secr. gén. adjoint de la SFIO ; *45* Francis Viaud ; *48* Louis Bonnard ; *49* F. Viaud ; *52* Paul Chevallier ; *53* F. Viaud ; *56* Marcel Ravel ; *58* Robert Richard ; *59* M. Ravel ; *62* Jacques Mitterrand (1908-91), conseiller de l'Union française de 1947 à 58 (Union progressiste) ; *64* Paul Anxionnaz, ancien ministre, ancien député de la Marne (1946-51 et 56-58), secr. gén. du parti radical de 1945 à 48 ; *65* Alexandre Chevalier ; *66* P. Anxionnaz ; *69* J. Mitterrand ; *71* Fred Zeller ; *73* Jean-Pierre Prouteau, secr. d'État chargé des PMI ; *75* Serge Behar ; *77* Michel Baroin (1930-accident d'avion au Cameroun 4/5-2-1987) ; *79* Roger Leray (1921-91) ; *81* Paul Gourdot (20-8-30) ; *86* R. Leray ; *87* Jean-Robert Ragache (12-12-39). *88* Christian Pozzo di Borgo (20-8-1944) ; *89* J.-R. Ragache ; *92* Gilbert Abergel (7-6-49). **Conseil de l'ordre :** 33 m., élu par les loges locales et renouvelé chaque année par tiers. **Membres :** 35 000 (dont env. 100 députés et sénateurs en majorité socialistes, 10 ministres). **Loges :** 790 présentes sur tous les continents.

Du 14 au 16-5-1987, le Gd Orient de France a organisé un rassemblement maçonnique international (le 1er dep. 1889), où étaient représentées les 2 traditions : originelle anglo-saxonne (vision déiste de l'Univers) et libérale.

■ Grande Loge de France. 8, rue Puteaux, 75017 Paris. **Fondée** 1894. **Grands Maîtres** (dep. 1944) : Jacques Dumesnil de Gramont : 1938-40, 44-48 et 50-52 ; Georges Chadirat : 1948-50 ; Louis Doignon : 1952-55, 61-63 ; Antonio Coen : 1955-56 ; Richard Dupuy (1914-85) : 1956-57, 58-61, 63-65, 66-69, 71-73 et 75-77 ; Georges Hazan : 1957-58 ; Pierre-Simon : 1969-71, 73-75 ; Georges Marcou (n. 17-2-23) : 1977-78 et 81-83 ; Michel de Just (n. 1934) : 1978-81 ; Henri Tort-Nouguès (n. 19-11-21) : 1983-85 ; Jean Verdun

(n. 21-3-31) : 1985-88 ; Guy Piau (n. 6-5-30) : 1988-90 ; Michel Barat (n. 25-3-48) dep. 24-6-90. **Membres :** 22 000. **Loges :** 530. Pratique du rite écossais ancien et accepté.

■ **Grande Loge nationale française (GLNF)** 65, bd Bineau, Neuilly. **Fondée** 1913 par Édouard de Ribaucourt (1865-1936) sous le nom de Gde Loge nationale indépendante et régulière. Seule obédience française reconnue par la Gde Loge unie d'Angl. et la Maçonnerie anglo-saxonne, en raison de sa « régularité » c'est-à-dire en respect de la règle des *landmarks* de la Franc-Maçonnerie universelle caractérisée par sa croyance en Dieu et son apolitisme. *Nom actuel* depuis oct. 1948. A essaimé en Afrique noire francophone (Gdes Loges du Gabon, de Côte-d'Ivoire, Gde Loge du Togo et du Sénégal). En 1982, a créé la Gde Loge d'Espagne et en 1990, la Gde Loge régulière du Portugal. **Grands Maîtres :** *1913* E. de Ribaucourt, *1919* C. Barrois, *29* H. de Mondehare, *33* G. Jollois, *38* M. Vivrel, *47* P. Chéret, *58* E. Van Hecke, *71* A.-L. Derosières (1905-82), *80-89* Jean Mons (1906-89), *89* André Roux (1927-92), *92* intérim Claude Charbonniaud (élection 1992). **Loges :** 700. **Membres :** 15 000. Plusieurs rites pratiqués : écossais ancien et accepté, écossais rectifié, Émulation, français, d'York. Au sein de l'obédience fonctionne également un Grand Chapitre de l'Arche royale pour la France.

■ **Grande Loge féminine de France (GLFF)** 101, rue de Charonne, 75011 Paris. **Fondée** 1945. **Grande Maîtresse :** Jeannine Augé dep. sept. 1992. **Membres :** 8 500. **Loges :** 236 (France, Afrique, océan Indien, Amérique, Antilles, Espagne, Portugal, Hongrie, Allemagne).

■ **Grande Loge traditionnelle et symbolique Opéra** (ex-Gde Loge nationale française Opéra) 17, avenue du Dr-Arnold-Netter, 75012 Paris. **Fondée** 1958 par des dissidents de la GLNF. Travaille de façon traditionnelle et spiritualiste. **Grand Maître :** Maurice Haquin. **Loges :** 114. **Membres :** 2 000. En relation avec les Gdes Loges et Gds Orients de France et d'Europe non inféodés à la Gde Loge unie d'Angleterre. **Rites :** principalement Écossais rectifié, mais plusieurs loges pratiquent le r. Émulation et le r. Français traditionnel.

■ **Droit humain.** *Ordre maçonnique mixte international,* 5, rue Jules-Breton, 75013 Paris. **Fondé** 1893 par une féministe française, Maria Deraismes (1828-94) et le Dr Georges Martin (1844-1916), sénateur de la Seine ; présent dans 50 pays. **Souverain Grand Commandeur, Grand Maître de l'Ordre :** Marc Grosjean. **Grand Commandeur de la Fédération française :** Élise Rouet (49, bd Port-Royal, 75013 Paris). **Pt du Conseil national :** Jacqueline Neyrat. **Ateliers :** 430. **Membres :** 13 500 env. **Rites :** Écossais ancien et accepté.

■ **Grande Loge indépendante et souveraine des rites unis (Glisru)** BP 1404, 59015 Lille Cedex. **Fondée** 1976. **Grand maître général :** René-Jacques Martin ; **Loges :** masculines, féminines ou mixtes.

■ **Grande Loge mixte de France** 23-25, rue Pétion, 75011 Paris. **Créée** 1982. Héritière de la Gde Loge mixte française de 1913. Obédience libérale composée de Loges féminines, masculines et mixtes, n'obligeant pas ses membres à la croyance en une vérité révélée et prônant la laïcité comme éthique de société. **Loges :** + de 50. **Grand Maître :** Martine Lannes. **Membres :** env. 1 100.

■ **Grande Loge œcuménique d'Orient et d'Occident** Bt 4, La Coupiane, 83160 La Valette-du-Var. **Fondée** 1976 par Émile Delplanque (1910-87). **Armoiries :** Étoile de David (noire), Croix latine (rouge), Croissant musulman (vert) entrelacés de rameaux d'olivier (Paix) et de laurier (Victoire). **Devise :** « Dieu, Amour, Tous Frères. » **Rites :** œcuménique, écossais ancien et accepté. **Grand Maître :** René Ripoll. **Loges et triangles :** en France, Europe, Afrique. **Membres :** *31-12-1989* : 1 894.

■ **Grande Loge mixte universelle** 10, rue Saulnier, 75009 Paris. **Fondée** 1973 par Raymond Jalu et Éliane Brault. **Loges et Triangles** en Fr., Espagne, Gibraltar, Allemagne. **Grand Maître :** Michèle Cherpillod. **Rite :** français. Obédience libérale. Fidélité à l'idéal laïque, à la mixité et à la liberté de conscience. **Membres :** 650.

■ **Ordre initiatique et traditionnel de l'Art Royal** 25, rue Boyer, 75020 Paris. **Fondée** 1974. Opératif de Salomon établi en 9 degrés. **Loges :** 32. **Membres :** 700.

■ **Quelques maçons célèbres. Allemagne :** *Écrivains :* Goethe, Herder, Lessing, Richter, Schiller. *Empereurs :* Guillaume Ier de Prusse, Frédéric II, Frédéric III. *Hommes pol. :* Hardenberg, Stein, Stresemann. *Médecin :* Mesmer. *Militaires :* Blücher, Gneisenau. *Musiciens :* J.-C. Bach, Hummel, Meyerbeer. *Peintre :* Zoffany. *Princes et rois :* Ernest de Hanovre, Georges V de Hanovre, Frédéric II de Prusse, Frédéric-Guillaume III de Prusse, Frédéric Ier de Wurtemberg. **Amér du Sud :** *Hommes pol. :* Allende, Bolívar, Miranda, O'Higgins, San Martín. **Autriche :** *Musiciens :* Haydn, Mozart. **Belgique :** *Roi :* Léopold Ier. **Brésil :** *Empereur :* Pierre Ier. **Canada :** *Homme pol. :* Diefenbaker. **Danemark :** *Rois :* Frédéric VII, Christian IX, Frédéric VIII, Christian X. **Espagne :** *Hommes pol. :* Aranda, Arguelles, Riego. *Peintre :* Gris. **Finlande :** *Musicien :* Sibelius. **France :** *Écrivains :* Brisson, Dumézil, Littré, Montesquieu, Stendhal, J. Vallès, Voltaire. *Explorateur :* Brazza. *Famille Bonaparte :* Napoléon, Joséphine, Joseph, Jérôme, Joachim Murat, Louis, Lucien. *Hommes pol. :* Pierre Brossolette, Chautemps, Combes, Doumer, Doumergue, Félix Faure, Ferry, Gambetta, Guizot, La Fayette, Marat, Mendès France, Millerand, Guy Mollet, Jean Moulin, Mirabeau, Philippe Égalité, Ramadier, Schoelcher, Talleyrand, Viviani. *Ingénieurs :* Eiffel, Montgolfier. *Militaires :* Cambronne, Dumouriez, Gallieni, Joffre, Magnan, Masséna, Miollis, Macdonald, Ney, Soult. *Musicien :* Boieldieu. *Peintre :* Greuze. *Pts :* Doumer, Faure. *Sculpteurs :* Bartholdi, Houdon. *Divers :* Augereau, Brune, Pierre Dac, Grouchy, Guillotin, Kellermann, Lannes, Lefebvre, Molitor, Moncey, Mortier, Sérurier, Soult et Oudinot. **G.-B. :** *Écrivains :* Burnes, Doyle, Gibbon, Jerome, Kipling, Lytton, Pope, Scott, Sheridan, Wallace. *Explorateurs :* Burton, Scott. *Hommes pol. :* Churchill, Rhodes. *Médecins :* Fleming, Jenner. *Militaires :* Abercromby, Alexander, Auchinleck, French, Wellington. *Peintre :* Hogarth. *Rois :* Georges IV, Guillaume IV, Édouard VII, Édouard VIII, Georges VI. **Grèce :** *Rois :* Georges I, Constantin I, Georges II. **Hawaii :** *Rois :* Kamehameha IV, Kamehameha V, David Kakana. **Hongrie :** *Hommes pol. :* Andrássy, Kossuth. *Musicien :* Liszt. **Inde :** Aga Khan III. **Irlande :** *Cinéma :* Todd. *Écrivains :* Goldsmith, Swift, Wilde. *Homme pol. :* O'Connell. **Islande :** *Pt :* Björnsson. **Italie :** *Écrivain :* Casanova. *Hommes pol. :* Crispi, Garibaldi, Manin, Mazzini. *Musicien :* Rossini. **Norvège :** *Explorateur :* Amundsen. *Roi :* Haakon VII. **Pays-Bas :** *Roi :* Guillaume II. **Pologne :** *Roi :* Stanislas II. **Russie :** *Écrivain :* Pouchkine. *Homme pol. :* Kerenski. **Saint Empire :** *Empereur :* François I. **Suède :** *Rois :* Adolphe Frédéric, Gustave IV, Gustave V Adolphe, Gustave VI Adolphe. **Suède-Norvège :** *Rois :* Charles XIII, Charles XIV Jean, Oscar Ier, Charles XV Louis, Oscar II. **Suisse :** *Divers :* Dunant. **Tchécoslovaquie :** *Homme pol. :* Masaryk. *Peintre :* Mucha. *Pt :* Beneš. **USA.** *Astronautes :* Aldrin, Cooper, Eiselle, Glenn, Grisson, Mitchell, Schirra, Stafford. *Aviateur :* Lindbergh. *Cinéma :* Borzage, Cantor, De Mille, Fairbanks, Gable, Griffith, Jolson, Lloyd, Mix, Murphy, Powell, Rogers, Wyler, Zanuck, Zukor. *Écrivain :* Twain. *Explorateurs :* Byrd, Peary. *Hommes pol. :* Dewey, Franklin, Goldwater. *Militaires :* Bradley, Clark, Jellicoe. *Pts :* Washington, Monroe, Jackson, Polk, Buchanan, Lincoln, A. Johnson, Garfield, Th. Roosevelt, Taft, Harding, F.D. Roosevelt, Truman, L. Johnson, Ford. *Sports :* Dempsey. *Voitures :* Ford. *Divers :* Buffalo Bill, Houdini.

Contrairement à la légende, Danton, Pie IX, lord Baden-Powell, le Dr Zamenhof n'ont pas été membres de l'ordre. L'appartenance de Beethoven, Rameau, Condorcet (il était membre de la Sté olympique composée uniquement de Maçons), Napoléon, Mirabeau, Robespierre et du Mis de Sade reste discutée.

■ **Politique et maçonnerie. 1870** (4-9) gouvernement provisoire 7 maçons sur 12 membres. **1899** 8 ministres sur 11, 150 députés sont Maçons. **1934** l'affaire Stavisky rejaillit sur la F.-M. : 3 000 Maçons démissionnent. *1936* il y a 91 députés maçons (soit 15 % des dép.). On croit Maçons – à tort – Laval, Blum, Herriot qui ont refusé de l'être. **1940**-*10-7* 98 F.-M. votent les pleins pouvoirs à Pétain ; *13-8* une loi de Vichy dissout les loges et interdit les Stés secrètes ; les archives des Loges sont saisies ; une exposition antimaçonnique est organisée au Petit Palais à Paris. **1958-68** pas de F.-M. au gouvernement, sinon Philippe Dechartre, Pt du mouvement Solidarité Participation (gaullistes de gauche). **1965** le Grand Orient soutient Mitterrand aux présidentielles. **Années 70** projets de loi sur insémination artificielle, divorce par consentement mutuel, greffe d'organes, droit des homosexuels, internement psychiatrique, euthanasie ont été étudiés dans les Loges. **1974-81** présidence de V. Giscard d'Estaing ; *ministres F.-M. :* Robert Boulin, J.-P. Prouteau. **1981** *ministres F.-M. du gouv. Mauroy :* Roland Dumas, Yvette Roudy, André Labarrère, Henri Emmanuelli, Joseph Franceschi, Guy Lengagne, Georges Lemoine, Christian Nucci, Edmond Hervé, Charles Hernu, André Cellard, André Henry, André Delelis, Louis Mexandeau. Jack Lang et Pierre Joxe l'ont été. **1986** *ministres F.-M. du gouv. Chirac :* Georges Fontès, André Rossinot, Alain Devaquet, Didier Bariani, Christian Bergelin, Lucette Michaux-Chevry, ex-sœur. La Fraternelle des parlementaires regroupe 172 députés (dont Olivier Stirn), sénateurs et conseillers économiques et sociaux. Avant le 16-3-86, ils étaient env. 220. Il y a des *Maçons de droite* [ex. ceux du CA 25 : cercle des amis du 25 mars (créé 1982 par référence au 25-3-77, date d'élection de Chirac à la mairie de Paris), 1 000 m. ; ceux de l'Atelier Montesquieu ; des partisans de Barre (2 000 ?) (Fraternelle maçonnique UDF « Club de la Rue de Poitiers », Pt André Rossi)] ; d'autres de *gauche.* En N.-Calédonie : Georges Lemoine et Jacques Lafleur sont Maçons.

Nombreux Maçons dans police, assurances, PTT, justice.

La Franc-Maçonnerie et l'Église catholique

■ **Au XVIIIe s.** La *Maçonnerie spéculative anglaise,* créée par des membres du clergé protestant, excluait, dès 1723, athées et libertins. Elle considère toujours que la présence de la Bible sur l'autel et l'obligation de prêter serment sur le Livre saint [la croyance au « Grand Architecte de l'Univers » (expression non biblique, désignant le Dieu Créateur) et en sa volonté révélée] sont le *landmark* (« borne », marque distinctive) de la Maçonnerie. En pays musulman, aux Indes ou en Extrême-Orient, les protestants peuvent prêter serment sur le livre sacré de leur confession. Les diverses Églises issues de la Réforme, certaines Églises orthodoxes, le judaïsme, plusieurs sectes islamiques, les religions d'Extrême-Orient ont admis cet aspect libéral et humaniste interconfessionnel, mais l'Église catholique a entretenu avec la F.-M. de sérieuses querelles, aujourd'hui closes. **1738** 1re bulle papale contre les F.-M. (*In Eminenti* de Clément XII) en raison du secret de leurs assemblées et « pour d'autres motifs justes et raisonnables de Nous connus ». Selon Alec Mellor (n. 1907), ces motifs n'étaient pas d'ordre doctrinal (car l'ordre ne fut pas condamné comme hérétique), mais de nature politico-religieuse, le St-Siège protégeant les Stuarts détrônés et réfugiés à Rome, mais ne voulant pas détacher les Écossais du Nord, partisans des Stuarts quoique protestants, du prétendant Charles-Édouard (qui préparait le débarquement de 1745 et qui aurait restauré le catholicisme en Angl.). M.-P. Chevallier, au contraire, pense que le pape a craint de voir dans la Maçonnerie une résurgence du jansénisme et du quiétisme. La bulle n'ayant pas été enregistrée par le Parlement de Paris ne fut pas applicable en France, mais rendit la vie maçonnique précaire en Espagne, au Portugal, en Amérique latine et dans les États italiens. **1751** bulle *Providas* de Benoît XIV, aussi peu explicite (mais il est douteux que les idées du XVIIIe s. et la philosophie des « Lumières » soient visées car l'offensive antireligieuse des Encyclopédistes n'était pas déclenchée). **1776** Pie VI condamne les idées du XVIIIe s. (bulle *Inscrutabili*), la F.-M. n'est pas nommée.

■ **XIXe s. 1821** encyclique *Ecclesiam* de Pie VII. **1873** enc. *Et si multa* de Pie IX, condamnant moins la Maçonnerie que les *Carbonari* et autres sectes politiques secrètes qui noyautaient les Loges. **1877** après la Belgique, la Hongrie et divers pays d'Amér. du S., le Grand Orient de Fr. décide de supprimer de la Constitution l'article 1er imposant la croyance en Dieu et en l'immortalité de l'âme. Cependant, « La Maçonnerie n'exclut personne pour ses croyances. » Néanmoins, la rupture devient alors définitive entre Français et Anglo-Saxons (elle restera toujours moins nette entre la « Masonry » et les Obédiences continentales ou sud-amér. qui ont eu pourtant les mêmes problèmes). **1884** encyclique *Humanum genus* de Léon XIII reprochant à la Maçonnerie l'anticléricalisme militant, le positivisme et le rationalisme adoptés officiellement par le Grand Orient de Fr. (voir p. 587). Cette enc. s'expliquait aussi par les tendances de la Maçonnerie italienne de l'époque, visant à détruire le pouvoir temporel des papes, et escomptant la destruction à plus ou moins longue échéance du catholicisme lui-même.

☞ En raison des condamnations de l'Église, la Maçonnerie prend souvent, en pays catholique, des formes différentes de la « Masonry » britannique : un certain mysticisme ésotérique, plus ou moins orthodoxe, s'y est introduit au XVIIIe s. et s'y maintiendra parfois avec ce caractère « catholique » de certains grades (écossais trinitaires par exemple) dans lequel certains ont voulu voir, à tort, la main des jésuites. A l'inverse, dès 1750, il y eut sur le continent une Maçonnerie inspirée par l'*Aufklärung* allemande (philosophie des Lumières ou anti-obscurantisme) de Christian Thomasius (1655-1728), qui deviendra libérale et « nationale » au XIXe s.

Ainsi, la Maçonnerie sud-américaine jouera un rôle important dans les guerres d'indépendance, bien des Maçons italiens seront des apôtres de l'unité italienne, les loges tchèques et hongroises joueront un rôle capital dans la renaissance de leur pays.

■ XXe s. **1904-05** *Affaire des fiches :* l'état-major du min. de la Guerre (Gal Louis André) demande aux loges locales du Grand Orient de signaler les officiers allant régulièrement à la messe (25 000 fiches établies) ; un employé des loges en communique au *Figaro* qui les publie le 27-10-1904. André doit démissionner et 35 députés F.-M. se désolidarisent du ministère Combes (les loges avaient violé les statuts de l'ordre en travaillant pour un organisme d'État). **1913** des F.-M. français fondent la *Grande Loge nationale indépendante et régulière* reconnue par la Gde Loge d'Angl. et par là, *ipso facto,* par les 6 millions de Maçons reconnus comme « réguliers » par elle. **1940-44** approuvé par l'Église de Fr., le régime de Vichy (1940-44) interdit la Maçonnerie et confisque ses biens. **1974**-*11-9* la Sacrée Congrégation de la doctrine de la foi (ex-St-Office), sous la signature du cardinal Seper, dit que le canon 2 335 du Code du droit canon qui interdit aux catholiques, sous peine d'excommunication, de faire partie de la F.-M. ou autres associations du même genre, ne viserait que les catholiques faisant partie d'associations agissant contre l'Église, ce qui n'est pas explicitement le cas de la « Masonry » anglo-saxonne, ni de la GLNF. Cependant, il reste toujours interdit aux clercs, religieux et membres des instituts séculiers, de faire partie d'une association maçonnique quelle qu'elle soit, sauf dispense individuelle délivrée par l'évêque du lieu. **1983** le nouveau Code de droit canon (c. 1184) ne mentionne pas les F.-M. parmi ceux auxquels on doit refuser des funérailles à l'Église. Il ne maintient pas l'excommunication prévue par l'ancien canon 2335 concernant ceux qui « donneraient leur adhésion à une secte maçonnique ou autre se livrant à des complots contre l'Église ou les pouvoirs civils légitimes ». Le nouveau canon 1374 prévoit simplement que « doivent être punis d'une juste peine ceux qui donnent leur nom à une association qui se livre à des complots contre l'Église ; les promoteurs ou dirigeants d'une telle association seront punis par l'interdit ». *-26-11* la Congrégation pour la doctrine de la foi rappelle l'interdiction pour les cath. de s'inscrire dans une Loge, ceux qui s'y inscrivent « sont en état de péché grave et ne peuvent accéder à la sainte communion ». **1985**-*22-2* cette interdiction est à nouveau rappelée dans l'*Osservatore Romano.* **1987**-*13-7* le synode général de l'Église d'Angl., par 394 voix contre 52, qualifie la F.-M. d'hérétique et juge la pratique maçonnique incompatible avec l'appartenance à l'Église chrétienne.

Pamphlétaires adversaires de la Maçonnerie

XVIIIe s. *Angleterre :* de 1717 à 1730, plusieurs libelles antimaçonniques, appelés *exposures* (divulgations), reprochent au Maçon : ivrognerie, homosexualité (à cause de l'exclusion des femmes), papisme (à cause de la grande maîtrise du duc de Norfolk qui était catholique, en 1729-30). Des processions burlesques sont organisées à Londres avec des ornements maçonniques. En *France :* de 1742 à la Révolution, les antimaçons sont surtout membres du parti antiphilosophique. Après 1797, ils sont antirévolutionnaires. Reproche principal : les F.-M. ont ourdi la Révolution [v. pamphlet du jésuite Augustin de Barruel (1741-1820), *Mémoires pour servir à l'histoire du jacobinisme,* publié à Londres 1797].

XIXe s. *Anglophobes :* dénoncent la collusion de la F.-M. et de l'Intelligence Service. *Antisémites :* soulignent les ressemblances entre la symbolique maçonnique et celle du Temple de Jérusalem. *Ésotéristes :* cherchent à démontrer le caractère luciférien de la Maçonnerie [Satan (Lucifer, l'Ange de lumière) serait adoré par les hauts grades, les grades inférieurs n'en sauraient rien]. L'ordre maçonnique doit réparer l'injustice et la condamnation de Lucifer. Pour d'autres, les F.-M. se livrent à des messes noires et à des cérémonies sacrilèges. Pamphlet principal : *les Mystères de la Franc-Maçonnerie dévoilés* de Gabriel Jogand-Pagès, dit Léo Taxil (1854-1907), qui prétendait détenir ses informations de Diana Vaughan, ex-grande prêtresse du palladisme [haute-maçonnerie luciférienne ; le chef du culte palladiste était l'Américain Albert Pike (33e degré), le diable lui apparaissant chaque vendredi à 15 h]. En avril 1897, Léo Taxil dévoila son imposture.

XXe s. Reprennent les thèmes du XIXe s., mais développent surtout celui de l'arrivisme et du « copinage ». Principal écrivain : Roger Mennevée (1885-1973) ; principal historien : Bernard Fay, *la Franc-Maçonnerie française et la préparation de la Révolution* (thèse : les idées révolutionnaires sont les idées maçonniques) ; principal organisme : Ligue française antimaçonnique, fondée en 1910 par Paul Copin Albancelli (1851-1939).

Ordre de la Rose-Croix AMORC

Nom. Amorc signifie « Ancien et Mystique Ordre de la Rose-Croix ». Symbole. Croix dorée ayant une rose rouge en son centre, la croix représentant le corps de l'homme et la rose symbolisant l'évolution progressive de son âme. Nature. Mouvement philosophique, initiatique et traditionnel mondial, non sectaire et non religieux, ouvert aux hommes et aux femmes, sans distinction de race, de religion ou de rang social. Devise. « La plus large tolérance dans la plus stricte indépendance ». But. Perpétuer la connaissance des lois cosmiques et enseigner comment vivre en harmonie avec ces lois, de manière à acquérir la maîtrise de la vie, sur le plan matériel et spirituel.

Tradition. **Origines :** anciennes écoles de mystères d'Égypte v. 1500 av. J.-C. (règne de Thoutmôsis III). D'Égypte, l'Ordre s'est répandu en Grèce, Italie puis Europe du Moyen Age par le biais des alchimistes et des Templiers. *1er document écrit mentionnant la Rose-Croix :* « Fama Fraternitatis », imprimé à Cassel et Londres en 1614. Se réfère à un personnage du XVe s., Christian Rosenkreutz, personnage légendaire correspondant au titre symbolique que les dirigeants de l'Ordre ont porté à certaines époques de son histoire. Au XVIIIe s., il existait un lien étroit entre Rose-Croix/Franc-Maçonnerie (aujourd'hui indépendantes), même si l'un des grades maçonniques est celui de « Chevalier Rose-Croix ».

Rosicruciens célèbres. Léonard de Vinci, Paracelse, Rabelais, Francis Bacon, Jacob Boehme, Descartes, Pascal, Spinoza, Newton, Leibniz, Benjamin Franklin, le Cte de Saint-Germain, Cagliostro, Louis Claude de Saint-Martin appelé le *« Philosophe Inconnu »* et inspirateur de l'Ordre martiniste traditionnel parrainé de nos jours par l'Amorc, baronne de Krüdener, Napoléon Ier, Faraday, Debussy, Erik Satie, etc., auraient été membres de l'Ordre ou en contact direct avec lui.

Enseignement. Des monographies sont adressées chaque mois à tous les membres, s'échelonnant sur 12 degrés, chaque degré étant consacré à l'étude d'un thème majeur (matière, conscience, vie, ontologie, thérapeutique rosicrucienne, phénomènes psychiques, âme humaine, alchimie spirituelle, etc.). Les Rosicruciens peuvent aussi se réunir dans des « Organismes affiliés » pour être initiés à la tradition orale : Pronaos (entre 20 et 40 membres), Chapitre (40 et 60 m.) et Loge (60 m. et +). Des conventions régionales, nationales ou mondiales sont organisées.

Structure actuelle. *Gde Loge suprême* dirigée par l'Imperator. Actuellement, Christian Bernard (Fr. n. 1951). En dépendent 10 Gdes Loges dirigées chacune par un Gd Maître (allemande, anglaise, espagnole, française, grecque, hollandaise, italienne, japonaise, nordique, (Scandinavie), portugaise). **Siège français** château d'Omonville, 27110 Le Tremblay. **Conseil international de recherche** regroupant des Rosicruciens faisant autorité dans les sciences, littérature et arts. **Revue officielle de l'Ordre** *Rose-Croix.* **Centres culturels** ouverts aux non-membres (dont 199 bis, rue St-Martin, 75003 Paris).

Compagnonnage

Origine. Attesté depuis 1360, il est plus ancien que la Maçonnerie (les premières loges sont du XVIIe s.). Mais de nombreux historiens contestent que le compagnonnage ait été à l'origine de la F.-M. moderne. Ils estiment au contraire que les compagnons formaient d'abord des sociétés profess. dont le souci était la conquête de la « maîtrise » permettant d'exercer un métier, au sein de corporations très fermées. Il est possible aussi que *compagnons* et *F.-M.* aient puisé à une même source ancienne certains symboles communs : Salomon, Hiram, le Temple, etc. Pour certains, il représente ce qu'était la Maçonnerie « opérative » avant de devenir au XVIIe s. la « Franc-Maçonnerie » ou Maçonnerie « spéculative », composée essentiellement de membres non ouvriers.

Organisation. Ensemble de sociétés regroupant des ouvriers d'élite et existant dans plusieurs corps de métiers, notamment ceux du bâtiment (maçons, couvreurs, plombiers, plâtriers, tailleurs de pierre, charpentiers). Elles possèdent leurs rites, comme le hiéronyme (surnom comme *Louis-le-Charolais* ou *Manceau-la-Fermeté*), les épreuves (cérémonies d'admission. Elles organisent des concours de *chefs-d'œuvre* et, pour les jeunes de 16 à 25 ans, un *tour de France* de formation professionnelle, comportant nécessairement un séjour dans certaines villes, dites villes *de devoir.* Ils y sont hébergés dans une maison appartenant aux compagnons et font leur apprentissage dans une entreprise choisie par ceux-ci. Tous les compagnons possédaient un passeport secret nommé le *« cheval »* ou l'*« arriat »*, plié de façon rituelle et ne devant être montré à personne, sinon aux autres compagnons (il est brûlé sur le cercueil d'un compagnon défunt).

Sociétés de compagnonnage. **France :** *Association ouvrière des Compagnons du Devoir et du Tour de France,* 82, rue de l'Hôtel-de-Ville, 75004 Paris. 4 000 jeunes en formation dans 100 maisons d'accueil en Fr. et à l'étranger. *Fédération nationale compagnonnique des Métiers du Bâtiment,* 145, av. Jean-Jaurès, 75019 Paris. *Union compagnonnique des Compagnons du Tour de France des Devoirs unis,* 15, rue Champ-Lagarde, 78000 Versailles.

Cercles, Clubs et Usages

Cercles

Principaux cercles

Automobile-Club de France 6, pl. de la Concorde, 75008 Paris, dep. 1903 (hôtels de Pastoret et Moreau de Gabriel, 1755). *Fondé* 12-11-1895 par le Mis de Dion (n. 9-3-1856), le Bon de Zuylen de Nyevelt et Paul Meyan, comme un « Sté d'encouragement à la locomotion automobile ». *Admission :* par parrainage. 2 150 m. *Activités :* autom., sportives, culturelles, jeux. Restauration. *Cotisation annuelle :* 6 600 F + abonnement sportif éventuel 3 900 F. *Pt :* Philippe Clément (n. 16-5-22) dep. 1989.

Cercle de l'Union interalliée 33, rue du Faubourg-St-Honoré, 75008 Paris (construit 1714). *Fondé* 1917 par Cte Marc de Beaumont et Mal Foch pour accueillir officiers et personnalités des nations alliées venues à Paris lors de l'entrée des USA en guerre. Association maintenue après la guerre pour créer entre les peuples des rapprochements nécessaires au maintien de la paix. *Admission :* par parrainage. *Cotisation :* 6 800 F (+ abonnement sportif éventuel 5 000 F : piscine, solarium, squash, gym., yoga, aérobic). *Membres :* 3 000. *Pt :* Cte Jean de Beaumont (n. 13-1-1904) dep. 1975.

Jockey-Club 2, rue Rabelais, 75008 Paris. *Fondé* 19-6-1834 par la Sté d'encouragement pour l'amélioration des races de chevaux en France (fondée 11-11-1833). S'installa 2, rue du Helder, se déplaça plusieurs fois ensuite avant de se fixer en 1863 rue Scribe et en 1924 rue Rabelais. Cercle de tradition. Réservé aux hommes. Souci de la distinction et de l'élégance. *Admission :* présentation par 2 parrains au suffrage des membres permanents (1 vote contraire annule 5 votes favorables : il faut donc recueillir 84 % des voix pour être élu). *Membres permanents :* env. 1 150. *Pt :* Alexandre de La Rochefoucauld, duc d'Estissac (n. 20-8-1917) dep. le 28-3-1985. Le 1er fut lord Henry Seymour.

Nouveau Cercle de l'Union 33, Fg-St-Honoré, 75008 Paris. *Né* de la fusion du Nouveau Cercle et du Cercle de l'Union, le 27-6-1983. **Pt :** le Cte Arnold de Waresquiel (n. 9-1-1917), ex-Pt du Nouveau Cercle. **Origines** *Nouveau Cercle :* 1835 fondation du Cercle agricole (surnommé « la Pomme de Terre ») hôtel de Nesles ; 1916 fusion avec le Cercle de la rue Royale, prend le nom de Nouveau Cercle de la rue Royale ; 1946 fusion avec l'Union artistique. *Sièges successifs :* hôtel de Nesles 2, rue de Beaune ; hôtel (construit spécialement sous le IIe Empire) 288, bd St-Germain ; à l'Interallié 33, Fg-St-Honoré, dep. 1979. *Cercle de l'Union :* fondé 1828 à l'instigation du P[ce] de Talleyrand, pour grouper à Paris une élite française et étrangère. Les membres permanents font partie de la Sté d'histoire générale et diplomatique. Attribution de 2 prix littéraires annuels (Histoire, Souvenirs). *Admission :* par parrainage, acceptation et vote (1 vote contraire annule 6 v. favorables). *Cotisation :* 7 000 F. *Membres :* env. 450.

The Travellers 25, Champs-Élysées, 75008 Paris (hôtel de la Païva). Cercle privé, de rayonnement international. *Fondé* 1903. *Admission :* présentation par 2 parrains, dont un au moins de la même nationalité que le candidat. *Élection :* par le comité (1 Pt, 2 vice-Pts et 15 m.). *Pt :* Claude Foussier (n. 19-4-1925) dep. 29-9-1983. *Membres :* 800.

Quelques autres cercles

Aéro-Club de France 6, rue Galilée, 75782 Paris Cedex 16, *Pt :* Pierre Chanoine-Martiel (n. 1-4-1921). *Admission :* par parrainage.

Cercle Anglais 7 bis, av. de la Fontaine-Trespouey, 64000 Pau. *Pt :* Maurice Jeantet (n. 8-4-1933).

Cercle Carpeaux 8, rue Scribe, 75009 Paris. *Pt :* Juan de Beistegui.

Cercle Foch 33, av. Foch, 75116 Paris. *Fondé* 1973 par le baron Edmond de Rothschild (n. 30-9-1926). *Pt :* Victor Sasson (n. 13-8-1928). *Admission :* par parrainage. *Droit d'entrée :* 8 000 F. *Cotisation :* 6 550 F. *Membres :* 625. *Activités :* natation, sauna, solarium, gym., aérobic, stretching, escrime, karaté, judo, bridge, échecs.

Cercle France-Amérique 9-11, av. Franklin-Roosevelt, 75008 Paris, dep. 1927 (hôtel Le Marois). *Fondé* 1909 par Gabriel Hanotaux pour resserrer les liens entre la France et les Amériques. *Pt :* Jean Pineau (n. 26-1-1921). *Admission :* par parrainage.

Cercle de la Mer Port de Suffren, 75007 Paris. *Fondé* 1972. *Admission :* par parrainage. *Pt :* amiral Christian Brac de La Perrière (n. 4-9-1926).

Cercle National des Armées (C. militaire) 8, place St-Augustin, 75008 Paris (immeuble construit 1927 par le Maresquier). *Fondé* 1887. *Pt :* Gal Guignon. *Membres :* 750. *Cotisation :* donateur 5 750 F, actif 1 150 F.

Cercle républicain 5, av. de l'Opéra, 75001 Paris. *Pt :* Marcel Martin (n. 19-11-1916).

Cercle Saint-Germain-des-Prés 15, rue Princesse, 75006 Paris. *Fondé* 15-1-1981 chez Castel. *Pt :* Mis d'Arcangues (n. 31-5-1924).

Maison de la Chasse et de la Nature 60, rue des Archives, 75003 Paris. Hôtel Guénégaud. *Ouvert* 1966. *Fondateurs :* Jacqueline et François Sommer. *Pt d'honneur :* Jean de Lachomette. *Pt :* André Damien (n. 10-7-1930). *Membres :* 700. *Cotisation :* 5 000 F (Parisiens). *Dir. :* Melchior d'Aramon.

Le Siècle 13, av. de l'Opéra, 75001 Paris. *Pt :* Jean-Claude Paye (n. 26-8-34). *Vice-Pts :* Jean Dromer (n. 22-9-1929), Jean Peyrelevade (n. 24-10-1939), Jacques Rigaud (n. 2-2-1932). *Secrétaire gén. :* Étienne Lacour (n. 7-4-1947).

> **Le bottin mondain.** *Créé* en 1903 par la S[té] Didot Bottin pour recenser les abonnés au téléphone qui n'étaient en général à l'époque que des « gens du monde ». Paraît chaque année (sauf de 1915 à 19, 40, 41, 44 et 45). De 1947 à 49, il fut divisé en 2 volumes (Tout Paris et Toute la France) qui ont fusionné en 1950. A racheté en 1937 « l'Annuaire des châteaux », en 1939 « le Tout-Paris » et en 1950 Ehret (La Société et le High Life). **Inscriptions :** 44 000. Les nouveaux descendent en majorité de personnes déjà mentionnées. Jusqu'aux années 1930 est bourgeois à 80 % ; accueille les indications professionnelles : Maurice Thorez figure comme député (1933-39), puis député et secr. gén. du PC (1946-47) enfin député et ancien min. (1948-49). **Renseignements donnés :** nom de famille, titre, prénom, décorations, diplômes, cercles et clubs, possession d'une automobile (de 1911 à 43), d'un hôtel particulier (de 1911 à 65), et dep. 1903 d'un yacht, avion, écurie de course ou équipage de chasse à courre, nom de jeune fille de l'épouse, prénom et date de naissance des enfants, nom d'épouse des filles mariées. *Renseignements utiles :* gouvernement, ambassades, bienséance, cultes, théâtres, plans des grandes villes de France, châteaux et parcs ouverts au public, réceptions et créations d'évènements, etc. *Tirage : 1949 :* 5 000 ; *91 :* 20 000. *Nombre de pages* (et, entre parenthèses, pour la liste mondaine) : *1903 :* 1 586 (1 046) ; *92 :* 1 768 (1 419). *Prix en 1994 :* 1 020 F.

Clubs

☞ Clubs politiques, voir à l'Index.

Académie de l'Art de Vivre 22, rue Legendre, 75017 Paris. *Fondée* 1961 par Pierre Benoît. *Membres :* 30. *Principales activités :* intellectuelles, artistiques, libérales, commerciales ou industrielles. *Pt :* Jacques Raphaël-Leygues (n. 18-12-1913).

Académie des Sports 40, quai Dion-Bouton, 92806 Puteaux Cedex. *Pt :* Alain Danet (n. 24-6-1931).

Agora 12, av. des Hêtres, 77000 Melun. Club féminin fr. *fondé* 1987 par Annick Thierry. Rassemble les membres sortants du Ladies Circle, les épouses des membres du Club 41 et leurs amies. *Devise :* donner et tolérer. *Pte :* Francine Honoré.

Ambassador Club International *fondé* à Berne 1956. Club de contacts internationaux. Clubs locaux composés d'un membre par profession se réunissant au minimum 1 fois par mois. *Affiliés :* 4 000 dans 230 clubs dans 12 pays d'Europe et 2 pays d'outre-mer, T'ai-wan, Philippines. *Pt international :* Gerold Haenssler, CH-1807 Blonay ; *français :* Christian François, 06600 Antibes. *Secrétariat général :* Arthur Carl Bisegger, CH-5401 Baden PF 1929.

Les Amitiés françaises 33, av. Foch, 75116 Paris. *Pt :* P[ce] Paul Mourousy.

Association des descendants de corsaires Tour Grand'Porte, BP 13, 35402 St-Malo Cedex. *Pt :* Gilles Duverger-Nedellec.

Le Cent d'As 8, rue Jean-Richepin, 75016 Paris. *Fondé* 1939 ; cercle de bridge. *Membres :* 100. *Pt :* baron Paul Le Vert.

Centre des jeunes dirigeants d'entreprise (CJD) 13, rue Duroc, 75007 Paris. *Pt :* Pierre Garcia. *Membres actifs :* 3 000.

Club des Explorateurs 184, bd St-Germain, 75006 Paris. *Pt :* Bernard Pierre (n. 27-7-1920). *Fondé* 1937 par l'éditeur Jean Lauga, P.-É. Victor, Théodore Monod, etc. *Admission :* par parrainage. *Activités :* bulletin, conférences, octroi de prix et bourses d'exploration.

Club des Habits rouges 140, rue du Fg-St-Honoré, 75008 Paris. *Pt :* Bertrand Mirabaud. *Membres :* 750.

Club 41 français *Siège* chez M. Jacques-Henry Penant, 15, rue Gal-Leclerc, 02140 Vervins. *Fondé* 1961 à Brest par Maurice Fidelaire. Anciens membres (de la Table ronde) et leurs amis de + de 40 ans. France : 210 clubs + 7 en formation. 4 200 m. Club 41 international, *fondé* 1975 (14 pays). *Devise :* entente, amitié, tolérance, action.

Jeune Chambre économique française 10, rue de Louvois, 75002 Paris. Affiliée à la *Jeune Chambre internationale,* créée 1915 par Henri Giessembier sous le nom d'« Association pour le progrès civique ». Nom actuel dep. 1944. *Membres* (1992) : 450 000 (dans 105 pays). *JCEF,* fondée en 1952 par l'éditeur Yvon Chotard (n. 25-5-1921) et reconnue d'utilité publique le 10-6-1976, comptait, au 31-12-91, 280 jeunes chambres locales et 6 750 m. en France et Dom-Tom dont 40 % de femmes. *Âge moyen :* 33 ans. *Cotisation annuelle :* env. 800 F. *Buts :* promouvoir l'étude, favoriser la compréhension et susciter la solution des problèmes économiques, sociaux et culturels parmi les responsables de – de 40 ans ; développer les qualités individuelles de ses membres ; favoriser le développement économique et la compréhension entre les peuples. *Pt :* Alain Lejeau du 1-1-92 au 30-6-93.

Kiwanis International club service fondé en 1915 aux USA (Détroit) par Allen Browne. *Nom :* d'origine indienne : nous communiquons. *Devise :* We Build, *règle d'or :* fais à autrui ce que tu voudrais qu'il fasse pour toi. Apolitique et philantropique. *Membres :* responsables dans la société 330 000, dans 8 700 clubs. France 260 clubs, 6 000 membres. *Siège européen :* 6331 Hunenberg (Suisse) im. Bösch 37.

Ladies Circle International *fondé* 1959. *Origine :* Grande-Bretagne et Irlande. Femmes de moins de 45 a. *Membres :* 30 000. Dans 30 pays. **Ladies Circle français** *fondé* à Hirson, 26-11-1970, par Malou Coffin. *Adresse :* Anita Weigt, 21, quai du Maroc, 68330 Huningue. *Recrutement :* par parrainage. *Membres :* 400. *Clubs :* 30. Réunion mensuelle.

Lions International 295, rue St-Jacques, 75005 Paris. *1er club* créé aux USA 1917 par Melvin Jones (1879-1961) ; en France (Paris) 1948 par Doumé Casalonga. Lions signifie « Liberty Intelligence Our Nations Safety » (Liberté et compréhension sont la sauvegarde de nos nations). Association d'hommes ou de femmes choisis pour leurs compétences professionnelles et leur rayonnement social. Les Lions sont des hommes ou des femmes qui cultivent l'amitié et sont animés du désir de servir. *Devise :* « Nous servons. » Ils mènent une réflexion éthique sur le devenir de la société et s'informent des réalités du monde actuel à l'occasion de débats animés par des conférenciers. *Réunions :* 2 fois par mois. *Recrutement* par cooptation avec parrainage 2 membres. *Clubs* (au 1-1-93) : 41 500. *Membres :* 1 400 000 (dans 177 pays) [en France, 1 151 clubs. *Cotisation :* 1 000 F par an. *Pt international :* Rohit C. Mehta (Inde) ; Armand Nedjib (France).

Maxim's Business Club (MBC) 3, rue Royale, 75008 Paris. *Fondé* 1968 par Paul Dupuy (n. 3-3-1938), Patrick Guerrand-Hermès (n. 25-9-1932), Jean Poniatowski (n. 10-6-1935) et André-Pierre Tarbès (n. 13-4-1917). *Secr. gén. :* Nicole Frey. Club d'hommes d'affaires. *Réunions :* restaurant Maxim's, 3, rue Royale, Paris. *Membres :* 1 200 au 1-12-1992. *Cotisation annuelle :* 3 400 F en 1992. *Droit d'entrée :* 5 000 F (plus de 30 ans), 3 000 F (moins de 30 ans).

Mensa *fondée* 1945 à Oxford par l'avocat R. Berril et le Dr Ware. *Mensa* (latin *table*) symbolise la table ronde où tous sont assis sans ordre de préséance. Les candidats doivent subir un examen démontrant un niveau d'intelligence supérieur à celui de 98 % de la population [QI de 132 (échelle Stanford-Binet), ou 148 (éch. de Catell)]. *Activités :* réunions conviviales, conférences, séminaires et congrès ; Sig (Special Interest Groups) rassemblant les membres intéressés par le même sujet ; Sight (service d'hospitalité et d'accueil ; questionnaires nationaux et internationaux pour recueillir l'opinion des membres sur certains problèmes). *Membres* (1992) : env. 110 000 dans env. 80 pays (dont USA 53 000, G.-B. 35 000, Canada 2 500, *France 850,* Pologne et Yougoslavie env. 800 chacun, Australie 780, Allemagne 600, Finlande 600, P.-Bas 500, Autriche 450, Belgique 400, Italie 400, Tchécoslovaquie env. 300, N.-Zélande 260, Japon 250, Inde 110, Norvège 110, îles Anglo-Normandes 100, Israël 75, Malaysia 70, Suisse 50, Espagne 25, Côte-d'Ivoire 10). **Mensa France** *secrétariat gén. :* 4, av. Hoche, 75008 Paris. *Pt :* Carlos Parra Perez. Des membres de Mensa ont créé l'Association nationale pour l'enfance intellectuellement précoce (ANPEIP), *Pt :* Jean-Charles Terrassier (Nice), et l'Association loisirs et rencontres pour l'enfance précoce (ALREP), *Pt :* Paul Merchat (Nîmes). *Minitel :* 3615 Mensa.

Parisiens de Paris 4, rue Joseph-Bara, 75006 Paris. *Pt :* Pierre-Christian Taittinger (n. 5-2-1926).

Rotary Club 40, bd Émile-Augier, 75116 Paris. Club international *fondé* par Paul Harris réunissant des hommes d'affaires et des représentants des professions libérales (ex. à Paris, déjeuner hebdomadaire suivi d'une conférence). *1er Club* (Chicago) tint sa 1re réunion le 23-2-1905 et fut dénommé Rotary, car au début les membres se réunissaient par rotation dans leurs bureaux d'affaires. *Programme :* 1°) Relations personnelles d'amitié entre ses membres en vue de leur fournir des occasions de servir l'intérêt général. 2°) Observation des règles morales de haute probité et de délicatesse dans l'exercice de toute profession ; reconnaissance de la dignité de toute occupation utile ; effort pour honorer sa profession et en élever le niveau, de manière à mieux servir la société. 3°) Application de l'idéal de servir, dans sa vie personnelle, professionnelle et sociale. 4°) Compréhension mutuelle internationale, bonne volonté et amour de la paix, en entretenant à travers le monde des relations cordiales entre les représentants des diverses professions, unis dans l'idéal de « servir ». *Clubs* (1992) : 25 670 dans le monde (870 en France). *Rotariens :* 1 134 435 dans le monde (35 040 en Fr.). *Pt Rotary Club de Paris :* Jacques Guinard.

INNERWHEEL : groupe les femmes de rotariens. *Membres :* 100 000 dans le monde. ROTARACT : *créé* Paris 1968 pour les 18 à 28 ans (enfants de rotariens ou non, recrutement par cooptation). Juridiquement indépendant du Rotary. *Clubs* 4 929 (Fr. 85). *Membres* 113 367 (Fr. 1 300) dans 100 pays.

Saint-James's Club *créé* 1986. 5, place du Chancelier-Adenauer, 75116 Paris (dans l'hôtel construit en 1892 par Mme Adolphe Thiers). *Droit d'inscription :* 5 000 F, *cotisation annuelle :* 5 000 F.

Skal Clubs (initiales de 4 mots scandinaves signifiant « Bonheur, Santé, Amour, Longue Vie »). *Fondé* 1932 à Paris par Florimond Volckaert. Regroupe les professionnels du tourisme. *Association internationale,* fondée 1934. *Membres :* 30 000. *Clubs :* 550 dans 80 pays. **France :** 24, rue Buffault, 75009 Paris. *Membres :* 1 200. *Clubs :* 30. *Pt :* Jacques Manuel.

Soroptimist International (du latin : sœurs pour le meilleur) 13, passage Ramey, 75018 Paris. *Minitel:* 3616 Sorop. *Fondé* 1921 à Oakland (USA) ; en France 1924. *Buts :* maintenir un haut niveau de moralité ; promouvoir les droits de l'homme et la promotion de la femme ; développer le sens de l'amitié ; maintenir vivant l'esprit de service ; contribuer à l'entente internationale. *Clubs dans le monde :* env. 3 000 dans plus de 100 pays. *En France :* 108 clubs, 3 220 membres. *Pte* (France) : Colette Émery, 1992-94.

Table ronde française 18, rue Berthollet, 75005 Paris. *Fondée* 1926 par Louis Marchesi, membre du Rotary Club de Norwich (G.-B.), et, en France, en 1950 par Lucien Paradis et Michel Le Troquer. *Devise : « Adopt, adapt, improve. »* Rassemble des hommes de – de 40 ans, de professions différentes, « pour promouvoir les plus hautes valeurs morales, professionnelles et civiques, et favoriser l'entente, la compréhension et la paix internationales, par l'amitié, la tolérance et la solidarité ». *Clubs (1993) :* 317. *Membres :* 4 300. *Réunions :* 2 par mois (dîners suivis d'une conférence). *Recrutement* par parrainage. *Membre du Woco* (World Council of Service Clubs) qui regroupe les clubs des Tables rondes de 60 pays, ainsi que les clubs : Active 20-30 International (USA), Apex (Australie), Kinsmen Clubs (Canada), Junior Executive Council Clubs, JECC (Japon).

Zonta international c/o Brigitte Martin, 11, rue Miromesnil, 75008 Paris. *Créé* 1919 aux USA. Groupe des femmes responsables souhaitant faire usage de leurs capacités et des expériences qu'elles ont acquises pour contribuer à la solution des problèmes de l'heure. *Membres :* 33 000. *Clubs dans le monde :* 900 dans 50 pays. *Pte* du Zonta club, Paris 1 : Dominique Ciavatti.

Clubs sportifs

Cercle du bois de Boulogne (dit **Tir aux pigeons**) *créé* 1899. *Adresse :* route de l'Étoile, 75116 Paris. *Admission :* par parrainage. *Cotisation annuelle* (tir et piscine inclus) : ménage 4 970 F, individuel 3 270 F. Utilise un terrain appartenant à Paris concédé par le conseil municipal pour l'encouragement des tirs en France (loyer annuel assis sur les recettes du cercle). *Activités sportives :* tir aux pigeons d'argile et aux hélices (tir aux pigeons vivants interdit dep. 1976), piscine d'été, tennis. *Membres :* 2 000 familles. *Pt :* Cte Gérard de Gouvion-Saint-Cyr dep. 1983. *Dir. :* Arnaud de La Mettrie.

Club international du Lys BP 11, 60260 Lamorlaye. *Fondé* 1964. *Superficie :* 126 ha. *Activités :* golf (36 trous), tennis (29 courts), piscine (50 × 50 m), centre équestre (manège olympique, 40 boxes), rugby, bridge, foot-ball, gymnastique. *Cotisation* (1992, hors droit d'entrée) : golf : couple 22 400 F, enfant 4 585 F ; tennis : couple 11 900, enfant 4 585. *Membres :* 1 600 (750 familles). *Pt :* Pierre Roque dep. le 29-1-1977. *Dir. :* Philippe Pontalier.

Étrier (Sté équestre de l') Route de Madrid aux Lacs, bois de Boulogne, 75116 Paris. *Fondé* 1-3-1895 par le duc de Brissac. *Activités :* club hippique, concours de dressage et de sauts d'obstacles nationaux, enseignement. *Admission :* par parrainage. *Droit d'entrée :* 840 F + supplément selon catégorie choisie. *Cotisation annuelle :* 840 F. *Adhérents :* 850. *Pt :* Vte Aymard de Jourdan-Savonnières (stages ouverts aussi aux non-membres de l'Étrier.)

Golf de Mortfontaine 60128 Mortefontaine. Club privé ; golf créé 1908 par le duc de Gramont. 135 ha, 2 parcours : 18 trous (par 70) et 9 (par 35) de catégorie internationale. Practice sur herbe. *Membres :* 400. *Pt :* Gérard Boulot (n. 4-5-1912).

Golf de Saint-Cloud Parc de Buzenval, 92380 Garches. *Fondé* 1911 par M. Cachard. 2 parcours : vert 18 trous 1913, jaune 18 trous 1931. *Admission* par parrainage. *Cotisation annuelle* (1993) : membres actifs : 11 850 F (ménages 20 580 F). *Membres :* env. 2 000. *Pt :* Gérard Thibaud.

Golf de Saint-Nom-la-Bretêche 78860 Hameau La Tuilerie-Bignon. *Fondé* 3-10-1957 par Daniel Féau. Golf privé par actions. Visiteurs admis en semaine, parrainés et classés (24/28 ncp). 2 parcours de championnat SSS 72 (Bleu 6 128 m, record 62 par Ramón Sota, Open de France 1965. Rouge 6 165 m, record 63, par B. Lane et B. Langer, Lancôme 1987). *Cotisation annuelle* en F (1993) : membres actifs : 11 800 ; semainiers : 10 400. *Membres :* 1 600. *Pt :* Philippe Dailey (n. 6-5-1937) ; *dir. :* Dan Pesant.

Liberty Country Club 2, chemin de Neauphle, 78850 Thiverval-Grignon. *Fondé* 1987 acheté 1988 par la famille Bedel. *Activités :* 18 tennis (dont 9 couverts), 2 squashs, 2 piscines chauffées (int. et ext.), golf (practice et parcours 18 trous). *Cotisations :* 1 850 F à 4 870 F. Droit d'entrée 1re année : individuel 1 000 F ; couple 1 800 F.

Paris Country Club 121, rue du Lt-Col.-de-Montbrison, 92500 Rueil-Malmaison. Propriété du groupe Gymnase Club. *Superficie :* 5 ha. *Activités :* 9 golfs, piscines, 23 tennis. *Admission :* par parrainage. *Droit d'entrée :* 10 000 F (famille : 27 500 F). *Cotisations annuelles :* 9 050 F (6 400 F pour non-joueurs). *Membres :* 3 000 (enfants 25 %). *Dir. :* Patrick Dalia.

Polo de Paris Bois de Boulogne, 75016 Paris. Pelouse de Bagatelle (8 ha). *Fondé* 1892 par le Vte de La Rochefoucauld. *Sports :* tennis (17 courts), polo, équitation, piscine, practice de golf. *Admission* par parrainage. *Pts successifs : 1905* Mis de Ganay ; *21* Duc de Doudeauville ; *40* Duc Decazes ; *50* Bon J. de Nervo ; *75* Bon Élie de Rothschild (n. 29-5-1917) ; *83* Gal du Temple de Rougemont (n. 10-6-1910-† v. 1990) ; *85* Bon Michel Petiet (1919-88) ; *88* Cte de Fels (n. 4-9-1919). *Membres :* 7 700. *Familles 1892 :* 112, *1991 :* 2 770 (dont env. 30 jouent au polo et 1 600 au tennis). *Droit d'entrée :* 50 000 F. *Cotisation annuelle :* 4 400 F.

Pyramides (les) 16, av. de St-Germain, 78560 Port-Marly. *Créé* 1986. *Membres :* 4 000. *Droit d'entrée :* 4 500 F. *Cotisation annuelle :* 6 950 F.

Racing-Club de France *fondé* sur l'initiative d'élèves du lycée Condorcet qui, dep. 1880, pratiquaient la course à pied dans la « grande salle » de la gare St-Lazare. Rejoints par des élèves des lycées Monge et Rollin, ils créèrent au printemps 1882 le Racing Club et obtinrent de la ville de Paris l'autorisation d'utiliser chaque dimanche un terrain au bois de Boulogne. *1885* devient le Racing Club de France. *1886* obtint de la ville la concession de la Croix-Catelan au bois de Boulogne. *Pt :* Xavier de La Courtie (n. 11-7-1938) dep. 19-12-1992. *Membres : 1882 :* 48 ; *85 :* 139 ; *95 :* 520 ; *1905 :* 1 200 ; *14 :* 2 200 ; *25 :* 5 000 ; *39 :* 9 000 ; *55 :* 15 000 ; *65 :* 20 000 ; *85 :* 21 000 ; *89 :* 20 000 (y compris sections sportives, golf et divers) ; *92 :* 20 000. **Centres :** *Siège social :* 5, rue Éblé, 75007 Paris. 2 piscines de 25 m (9 lignes d'eau), 3 tennis couverts, basket-ball, badminton, volley-ball, escrime (16 pistes), tatami (312 m²), sauna. *La Croix-Catelan :* bois de Boulogne, 75016 Paris (7,2 ha) ; 24 tennis terre battue, 25 en « dur », piscines de 50 m (10 lignes d'eau), 33 m (5 lignes d'eau), piste en herbe (480 m), parcours de décathlon, pelouse de culture physique, 4 courts de volley, saunas. *Stade de Colombes :* 12, rue François-Fabert, 92700 Colombes (18 ha) ; stade olympique, piste et aires de concours en Tartan, piste couverte en Tartan, salle de musculation, gymnase (15 × 70 m), 13 terrains de foot, 4 de rugby, 1 de basket. *Golf de la Boulie :* le Pont-Colbert, 78000 Versailles (106 ha) ; 2 parcours de 18 trous, 1 de 9, 1 practice, 2 puttings, 1 terrain de rugby, 4 de hockey (dont 1 en synthétique), 6 tennis terre battue, 1 en « dur ». *Tennis Saussure :* 154, rue de Saussure, 75017 Paris ; 3 courts couverts. *Droit d'entrée et cotisation (1992) : Croix-Catelan* 23 400 F (ménage 35 100) ; cot. ann. avec tennis 6 860, piscine seule 4 980. *Golf de la Boulie* 104 000 (ménage 166 400) ; cot. ann. 13 420 (ménage 21 870). *1991-92* sections sportives : juniors 250 F, seniors 500 F.

Stade français *sièges successifs :* rue Louis-le-Grand ; 56, rue Saint-Lazare, 75009 Paris ; actuellement, 2, rue du Cdt-Guilbaud, 75016 Paris. *Pt :* François Kosciusko-Morizet (n. 16-8-1940) dep. 1980. *Fondé* 1880 sous le nom de Sté de gymnastique du lycée St-Louis (nom actuel dep. 13-12-1883). Ses membres commencèrent par pratiquer la course à pied au Luxembourg et aux Tuileries avant d'obtenir la concession d'une piste et d'un tennis couverts au Champ-de-Mars après 1889. Cofondateur en 1887 de l'USFCP Dedet, Géo André, Rigoulot, Paoli, Lesieur, Jaureguy, Lacoste, Sera Martin, Ladoumègue, G. Drut, Lewden, El Mabrouk, Oestermeyer, Dujardin ont appartenu au Stade fr. *Membres : 1883 :* 34 ; *85 :* 120 ; *95 :* 372 ; *1914 :* 1 483 ; *35 :* 3 000 ; *74 :* 6 000 ; *80 :* 8 000 ; *89 :* 14 000. *Installations Centre sportif Géo-André :* 75016 Paris : 7 tennis couverts, 6 squashs, judo (300 m²), salle de 1 600 m² (basket, hockey, handball, tennis, volley). *La Faisanderie :* parc de St-Cloud, 10 ha, 36 tennis, piscine découverte (25 × 20) 8 lignes d'eau, rugby, hockey. *Haras Lupin :* Vaucresson, 27 ha, golf de 9 trous, parcours de 2 077 m par 64, centre d'entraînement, practice de 30 000 m² (57 tapis dont 24 sous abri), bunkers, 1 zone d'approche de 10 000 m², 1 putting green de 2 000 m², terrains football 2, rugby 2, hockey en synthétique. *Courson-Monteloup :* golf 2 × 18 trous par 72, putting green 1 500 m². **Droits et cotisations :** Sports loisirs : *tennis :* d. 2 250 à 9 000 F selon âge ; c. annuelle 3 200 à 6 400 F ; *squash :* d. 1 200 F ; c. an. 2 900 F ; formule tickets possible, centre sport. Géo-André (carnet ou individuel) squash 400 F, tennis 600 F ; *golf practice :* d. 2 500 F, c. 1 250 à 3 250 F, seaux de balle compris. Compétition : *athlétisme, basket, football, golf, handball, hockey sur gazon, judo, natation, rugby, ski, squash, tennis, triathlon, volley-ball :* selon sports et âges : admission 120 F, c. an. 500 à 1 250 F.

Yacht Club de France 4, rue Chalgrin, 75116 Paris. *Fondé* 1867 sous les auspices du ministre de la Marine, l'amiral Rigault de Genouilly. Reconnu d'utilité publique 1914. *But :* concourir au développement de la navigation de plaisance sous toutes ses formes. *Admission :* par 2 parrainages. *Membres titulaires :* 650. *Flotte :* 558 yachts, 366 à voile, 132 à moteur. *Pt :* François Carn (n. 6-9-1945). *Vice-Pts :* Jean de Roany, Jacques Dewailly, Philippe Guillou, Marc Forissier.

Confréries gastronomiques

Académie des gastronomes 23, rue d'Artois, 75008 Paris. *Fondée* 1928 par Curnonsky (Maurice Saillant, 1872-1956). *Membres* 40 (recrutés par cooptation) et au max. 10 m. libres. *Activités :* 1 déjeuner (hommes) par mois, 1 dîner (avec femmes) par mois, 2 grands dîners par an. *Pt :* M. Jean Sefert (n. 17-9-1908) dep. juin 1986. *Édite* dictionnaire et ouvrages culinaires.

Académie de gastronomie Brillat-Savarin *fondée* 1955. *Membres :* 300 max. *Activités :* attribution de prix en littérature gastr., concours. *Pt :* Jean Valby.

Cercle des gourmettes 4, av. Élisée-Reclus, 75007 Paris. *Fondé* 1929 par Mme Ettlinger († 1957). *Membres :* 50. *Pte :* Marie-Andrée Thiault dep. 25-10-1983.

Club des Cent 31, rue de Penthièvre, 75008 Paris. *Fondé* 4-2-1912 par Louis Forest. Déjeuner le jeudi. Manifestations diverses. *Membres :* 100. *Pt :* Maurice Letulle (n. 16-10-1923) dep. 1984.

Club gastronomique Prosper-Montagné 45, rue St-Roch, 75001 Paris. *Fondé* 1949 par les amis de Prosper Montagné (1865-1948), créateur des cuisines centrales des armées françaises et écrivain gastr. (directeur du Larousse gastr.). *But :* défendre la gastr. française et développer les grands établissements d'art culinaire. *Prix culinaire* annuel Prosper-Montagné. *Championnat des écaillers* et *coupe Léon-Beyer* pour vitesse d'ouverture de 100 huîtres et présentation d'un plateau de fruits de mer. *Diplôme de maîtrise* et *panonceaux* de « Maison de qualité » décernés aux établissements dignes par leur loyauté, leurs efforts et la valeur de leurs produits ou de leur cuisine. A fondé l'*Ordre de St-Fortunat* (patron des gastronomes). *Pt :* B. Chevereau.

Confrérie de la chaîne des rôtisseurs 7, rue d'Aumale, 75009 Paris. *Fondée* 1950. *Membres :* 80 000 dans 116 pays. *Grand chancelier et fondateur :* Jean Valby.

Confrérie des chevaliers du Tastevin 21700 Nuits-St-Georges. *Fondée* 1934 par Camille Rodier et Georges Faiveley. *But :* mettre en valeur grands vins et cuisine de Bourgogne ; chapitres traditionnels au Château du Clos-Vougeot (siège social : 21640, Vougeot) ; sélectionner les vins de Bourgogne pouvant porter le label de la confrérie (« tastevinage »). *Prix du Tastevin* chaque année : une œuvre littéraire, artistique, cinématographique ou musicale. *Grand maître :* Cte Daniel Senard (n. 15-3-1913).

Usages

Correspondance

Définition. Appel utilisé au début d'une phrase (ex. Sire, Monseigneur, Monsieur l'Ambassadeur). **Réclame :** indication, en tête de lettre, des nom et titre du destinataire. **Suscription :** reproduction de la réclame sur l'enveloppe. **Traitement :** titre utilisé dans le corps d'une phrase à la place du pronom (il ou elle) quand on utilise la 3e personne (ex. Votre Majesté, Votre Excellence). On ne l'utilise pas à la 2e personne, ainsi il ne faut pas dire : « Comment allez-vous, Excellence ? » mais : « Comment allez-vous, Monsieur l'Ambassadeur ? », ou : « Monsieur l'Ambassadeur, comment va Votre Excellence ? ».

☞ **Enveloppe.** Voir cas particuliers p. 592, sinon : Monsieur X..., Madame X... (certains continuent à répéter sur 2 lignes Monsieur X, Madame X. On ajoute souvent le titre sous le nom, ex. : Monsieur X Ministre de... – Ancien ministre – Ministre plénipotentiaire – Président de... – de l'Académie française – membre de l'Institut – Préfet du... – Préfet honoraire.

Nota. – On n'abrège pas, en France, les appellations et les titres.

Formules particulières

☞ Il est devenu courant d'appeler les femmes exerçant des fonctions autrefois réservées aux hommes : Madame le Ministre (et non ... la Ministresse), l'Ambassadeur (et non l'Ambassadrice), etc.

Académicien. *Appel :* Maître. *Enveloppe :* Maître X... *En-tête :* Maître, Cher Maître.

Ambassadeur. *Appel :* Monsieur l'Ambassadeur. *Envel. :* à Son Excellence Monsieur X... (ou Monsieur le Comte...), Ambassadeur de... ; S.E. Monsieur X..., Ambassadeur de... et Madame X ; ou S.E. Monsieur l'Ambassadeur et Madame X. *En-tête :* Monsieur l'Ambassadeur. *Traitement dans la lettre :* Votre Excellence. *Fin :* Veuillez agréer, Monsieur.., les assurances de ma (très) haute considération. Une femme terminera : Recevez (ou acceptez), Monsieur, l'expression de mes sentiments distingués. **Épouse d'ambassadeur :** *Appel :* Madame. *Traitement :* Votre Excellence.

Archevêque et Évêque. *Appel :* Monseigneur. *Envel. :* Son Excellence Monseigneur X... Évêque de V... ou Son Excellence Monseigneur X... Auxiliaire de Son Éminence le Cardinal-Archevêque de Z. *En-tête :* Monseigneur. *Dans la lettre :* Votre Excellence. *Fin :* Daigne Votre Excellence recevoir mon plus profond respect..., l'assurance de ma plus haute considération (ou très, ou plus, respectueuse considération). Dep. 1967, l'usage s'est instauré de dire Père au lieu d'Excellence [appellation qui date de Pie XI (31-12-1930), auparavant on disait Sa Grandeur].

Avocat. *Envel. :* Maître X... *En-tête :* Maître, Cher Maître, Monsieur le Bâtonnier.

Cardinal. *Envel. :* Son Éminence Révérendissime Monseigneur le Cardinal X..., Archevêque de... (ou Évêque) ; ou Son Éminence le Cardinal X. *Appel, en-tête :* Éminentissime Seigneur ou Éminence. *Dans la lettre :* Votre Éminence. *Fin :* Daigne, Éminentissime Seigneur, Votre Éminence agréer l'hommage de mon profond respect. Une femme dira : Je prie Votre Éminence d'accepter l'expression de mes sentiments de profond respect. Depuis 1967, l'usage s'est instauré de dire seulement Monsieur le Cardinal.

Clergé. *Envel. :* Pour un curé : Monsieur X..., Monsieur l'abbé X... (ou le chanoine X...), curé de Ste-Clotilde. Monsieur le chanoine X... curé archiprêtre de St-Vincent. Pour un vicaire : Monsieur l'Abbé X... *Début de lettre :* Monsieur le Curé, Monsieur l'Abbé. *Fin :* Agréez ou Recevez, Monsieur, l'assurance de ma considération distinguée (ou de mes sentiments très respectueux).

Commissaire-priseur. *Appel :* Maître.

Député. *Envel. :* Monsieur X... député de... *En-tête :* Monsieur le député.

Écrivain célèbre. *Envel. :* Maître. *En-tête :* Maître, Cher Maître.

Évêque. V. Archevêque.

Grand-duc de Luxembourg. *Envel. :* A son Altesse royale le... *Appel :* Monseigneur. *Traitement :* Votre Altesse royale. *Fin :* voir Rois.

Grande-duchesse. *Envel. :* A Son Altesse la... *Appel :* Madame. *Traitement :* Votre Altesse royale. *Fin :* Daigne Votre Altesse royale agréer l'hommage de mon profond respect.

Grand maître de l'ordre souverain de Malte. *Envel. :* A Son Altesse éminentissime, Monseigneur le Grand Maître de... *Appel :* Éminentissime Seigneur. *Traitement :* Votre Altesse éminentissime. *Fin :* voir Rois.

Magistrature. *Envel. :* Monsieur X... Premier Président de la Cour des comptes. Monsieur le Conseiller. Monsieur le Professeur. *En-tête :* Monsieur le Premier Président... *Fin :* Veuillez agréer, Monsieur le..., les assurances de ma haute considération ou de ma considération la plus distinguée (ou très distinguée).

Maire. *Envel. :* Monsieur X... Maire de... *En-tête :* Monsieur le Maire.

Médecin. *En-tête :* Monsieur le Docteur, Docteur, Madame le Docteur.

Militaire. Armée de terre et de l'air. *Envel. :* Colonel X..., Colonel et Madame X..., Colonel et Baronne de X... Pour un général titré : Général-Comte de – et Comtesse de, sinon Colonel X et Comtesse de... *En-tête :* à un Maréchal : Monsieur le Maréchal, sinon, mon Général, mon Colonel, etc. Les dames écriront Monsieur jusqu'au grade de capitaine ; au-dessus, elles diront : Commandant, Colonel, Général ou Monsieur le Maréchal. **Marine :** *En-tête :* Amiral ; aux officiers supérieurs : Commandant. Pour les autres grades : Monsieur. **Épouse :** Madame la Maréchale, sinon : Madame.

Ministre plénipotentiaire. *Envel. :* Monsieur X... (ou titre nobiliaire), Ministre plénipotentiaire. Monsieur le Ministre et la Comtesse de X... *En-tête :* Monsieur le Ministre.

Ministre. *Envel. :* Son Excellence, Monsieur (Madame)... Ministre de... *Appel. En-tête :* Monsieur (Madame) le Ministre (min. de la Justice : Monsieur le Garde des Sceaux). *Fin :* Veuillez agréer, Monsieur (Madame) le Ministre, l'assurance de ma haute considération. **Ancien ministre.** *Envel. :* Monsieur... *En-tête :* Monsieur le Ministre. *Appel :* Monsieur le Ministre.

Nobles titrés. *Envel.* (nobles titrés qui ne sont pas de sang royal) : Monsieur le Duc et Madame la Duchesse de X..., Le Prince de X..., Madame la Princesse de X..., Prince et Princesse de X..., Marquis et Marquise de X..., Madame la Comtesse de Y..., Vicomte de X... Pour une femme titrée, il est plus courtois de faire précéder le titre de Madame. *Dans le corps de la lettre à un duc :* Monsieur le Duc (Madame la Duchesse), à un Prince (non de sang royal) : Prince (Princesse), simplement Monsieur ou Madame (sans le titre). **En Angleterre :** *Envel. : Duc :* His Grace the Duke of... ; *Marquis :* His Worship the Marquis of... ; *Earl, Viscount :* titre suivi du nom ; *Baron :* Lord, Lady. *Baronet, knight :* Sir suivi obligatoirement du *prénom* avant le nom ; *Bourgeois :* John Smith Esq. (c.-à-d. Esquire), Mrs Smith. *Appel :* Your Grace ; autres pairs : Mylord ; knight : Sir.

Nonce du Pape. *Envel. :* Son Excellence Monseigneur X... Nonce apostolique auprès du Gouvernement de la République. *En-tête :* Monsieur le Nonce, ou Monseigneur.

Notaire. *Appel :* Maître.

Officier ministériel. *Envel. :* Maître X... *En-tête :* Maître, Cher Maître.

Pape. *Envel. :* A Sa Sainteté le Pape X... Pour *les catholiques, commencer la lettre :* Très Saint-Père, humblement prosterné aux pieds de Votre Sainteté et implorant la faveur de la bénédiction apostolique..., puis exposer la requête. *Fin de la lettre :* Et que Dieu... (avec des points de suspension). Pour les *non-catholiques :* utiliser la même formule finale que pour un souverain temporel, en donnant appel et traitement appropriés.

Pasteur. *Envel.* et *en-tête :* Monsieur le Pasteur...

Patriarche œcuménique de Constantinople. *Envel. :* A Sa Sainteté le Patriarche... *Appel :* Très Saint-Père. *Traitement :* Votre Sainteté. *Fin :* Daigne, Très Saint-Père, Votre Sainteté agréer l'hommage de mes sentiments de très profond respect.

Patriarche (autre). *Envel. :* A Sa Béatitude Monseigneur X..., Patriarche de... *Appel :* Monseigneur. *Traitement :* Votre Béatitude (pour les patriarches cardinaux : Votre Béatitude éminentissime). *Fin :* Daigne Votre Béatitude agréer l'expression de ma très respectueuse considération.

Personne non titrée. Monsieur X..., Madame X... Pour une femme mariée, les prénom et nom de son mari seront précédés de Madame ; femme divorcée : Madame suivi du prénom et du nom de jeune fille ; exerçant une profession, on écrit souvent le titre au masculin : Madame Jeanne Dupont, avocat à la Cour. *En-tête : D'un homme à une femme :* Madame, de préférence à Chère Madame. *A un autre homme :* Monsieur ou Cher Monsieur. D'une femme à une femme : Chère Madame. *Pour marquer l'amitié et la déférence :* Cher Monsieur et Ami.

Préfet, sous-préfet. *Envel. :* Monsieur X..., Préfet de... ; Sous-Préfet de... *Appel :* Monsieur le Préfet (le Sous-Préfet).

Prélat. *Envel. :* Monseigneur, suivi du titre, s'il y a lieu : Monseigneur X, Doyen de la Faculté catholique de... *Appel :* Monseigneur. *Fin :* Daignez agréer, Monseigneur, mes sentiments très respectueux (ou l'assurance de ma très haute considération).

Premier ministre. *Envel. :* Son Excellence M... Premier Ministre. *En-tête :* Monsieur le Premier Ministre. *Fin :* Veuillez agréer, Monsieur le Premier Ministre, l'assurance de ma haute (ou très respectueuse) considération. *Appel :* Monsieur le Premier Ministre. **Ancien Premier ministre.** *En-tête, fin* et *appel :* idem.

Président de la République. France. *Envel. :* Monsieur le Président de la République. *Appel :* Monsieur le Président. *En-tête :* Monsieur le Président de la République. *Fin :* Daignez agréer, Monsieur le Président de la République, l'hommage de mon profond respect (ou l'expression de ma très haute considération). **Étranger.** *Appel :* Son Excellence Monsieur le Président. *Traitement :* Votre Excellence.

Président du Conseil (ancien). *Appel, en-tête :* Monsieur le Président. *Fin :* voir Premier ministre.

Président, directeur ou administrateur de société. Les membres de la Sté peuvent écrire en tête : Monsieur le Président, Monsieur l'Administrateur, le Directeur, etc.

Prétendant au trône. *Envel. :* A Monseigneur le Comte de (ou le Duc selon son titre). *Appel :* Monseigneur. *Traitement :* le Prince. *Fin :* J'ai l'honneur de me déclarer, Monseigneur, du Prince le très dévoué et obéissant serviteur (ou Daigne, Monseigneur, le Prince agréer l'expression de ma très respectueuse considération). **Son épouse.** *Appel :* Madame. *Traitement :* la Princesse.

Prince et Princesse de maison souveraine. *Envel. :* A Son Altesse (impériale, royale ou sérénissime). Monseigneur (ou Madame) le Prince (ou la Princesse X) (prénom) de... Le titre peut être en abrégé : SAR, SAS, SA, LLAARR (Leurs Altesses royales), sauf pour les princes de sang royal. *Appel :* Monseigneur ou Madame. *Traitement :* Votre Altesse (impériale, royale ou sérénissime). *Fin :* Daigne, Monseigneur, Votre Altesse agréer l'hommage de mon profond et respectueux dévouement. **Prince souverain.** *Envel. :* Son Altesse impériale (ou royale ou sérénissime) le Prince X..., Madame la Princesse X... Leurs Altesses impériales (ou royales ou sérénissimes) le Prince et la Princesse de X. Le titre peut être en abrégé : SAR, SAS, SA, LLAARR (Leurs Altesses royales), sauf pour les princes du sang. *Dans la lettre :* Employer la 3e personne avec Monseigneur ou Madame, votre Altesse (impériale ou royale ou sérénissime). *Fin :* Je prie Votre Altesse (impériale ou royale ou sérénissime) d'agréer l'assurance de ma (plus) respectueuse considération (ou de mon profond respect, ou l'hommage de mon respect, pour une Princesse). Les dames peuvent terminer : Je suis, Monseigneur (ou j'ai l'honneur d'être, Madame), de Votre Altesse impériale (ou royale) la très respectueusement dévouée. Princes de Liechtenstein et de Monaco : Altesse sérénissime.

Professeur de faculté. Monsieur le Professeur.

Rabbin. *Envel.* et *en-tête :* Monsieur le Grand Rabbin ou Monsieur le Rabbin. *Fin :* Veuillez agréer l'expression de mes sentiments très respectueux.

Religieux. Supérieur : *Abbé mitré :* Au Révérendissime Père X... abbé de... *Chartreux :* Révérend Père. *Directeur de Collège religieux :* Monsieur le Supérieur. *Frère des Écoles chrétiennes :* Supérieur général. *Frère prêcheur :* Préposé général. *Jésuite :* Préposé général. *Lazariste :* Monsieur. *Oratorien :* Supérieur général. *Sulpicien :* Monsieur le Supérieur. *Trappiste :* Abbé général. **Supérieur d'un couvent ou religieux profès :** *Envel. :* Révérend Père X... *En-tête :* Mon Révérend Père. *Fin :* Veuillez agréer, mon très Révérend Père, mon plus profond respect (ou mes respectueux sentiments). **Frère :** *Envel. :* Le Très Honoré Frère X... (ou le Très Cher Frère). *En-tête :* Très Honoré Frère (ou Très Cher Frère). *Fin :* Veuillez agréer, mon Frère (ou mon très Honoré Frère), mes respectueux sentiments.

Religieuse. Supérieure d'un ordre : *Envel. :* Madame la Supérieure générale des Sœurs. *En-tête :* Madame. *Fin :* Je vous prie d'agréer, Madame, l'hommage de mon profond respect. **Autre religieuse :** *Envel. :* Révérendissime Mère Abbesse (ou Révérende Mère X... ou Sœur X...). *En-tête :* Ma Révérende Mère (ou Ma Sœur). *Fin :* Veuillez agréer, ma Révérende Mère (ou ma Sœur), mes respectueux sentiments.

Roi, reine, empereur, impératrice. *Envel. :* A Sa Majesté (impériale et royale pour un Empereur) le Roi de (ou l'Empereur). *En-tête* (appel) : Sire. *Dans la lettre* (traitement) : employer la 3e personne avec Votre Majesté. *Fin :* C'est avec un profond respect que j'ai l'honneur de me déclarer, Sire, de Votre Majesté le (la) très humble et obéissant(e) serviteur(-ante). Je prie Sa Majesté d'agréer l'assurance de ma très respectueuse considération.

Secrétaire d'État. *Envel. :* Monsieur X..., Secrétaire d'État aux (Beaux-Arts) et Madame X... *Fin :* voir Ministre.

Sénateur (voir Député).

Formules de fin de lettre

Entre égaux. *Si vous entretenez déjà des rapports :* Veuillez trouver ici l'assurance de mon amitié (l'assurance de ma cordiale sympathie). Je vous adresse mon meilleur souvenir. Veuillez recevoir l'expression de mes meilleurs souvenirs ; de mon amical souvenir ; de mon fidèle souvenir.

Si vous ne vous connaissez que peu ou pas : Veuillez recevoir, agréer ; *ou* daignez agréer ; je vous prie d'agréer, Monsieur, l'assurance ; l'expression de ma considération distinguée ; de mes sentiments les meilleurs ; de mes sentiments distingués ; de ma (très) haute considération ; de ma respectueuse sympathie, de ma parfaite considération.

A un supérieur. Je vous prie d'agréer, Monsieur, l'assurance de mon profond respect. Veuillez agréer, Monsieur, l'assurance de mon profond respect. Daignez agréer, Monsieur, l'expression de mes respectueux sentiments. Veuillez recevoir, Monsieur, l'expression de mes respectueux sentiments ; de mon respectueux dévouement. Veuillez croire, Monsieur, à mon entier dévouement.

A une dame. Veuillez agréer (ou recevoir), Madame, mes respectueux hommages.

A une jeune fille que l'on ne connaît pas. Veuillez recevoir, Mademoiselle, l'expression de mes respectueux sentiments.

Suivra la souscription, qui, sous la signature, est l'indication des nom et titre de l'expéditeur.

Dans la conversation

Armée. **Entre militaires :** *de subalterne ou subordonné à supérieur :* Mon Général, Mon Capitaine, Mon Lieutenant. Pour les aspirants : Mon Lieutenant. Adjudant de cavalerie : Mon Lieutenant. *De supérieur à subalterne ou subordonné :* Capitaine, Lieutenant (sans le *« mon »*).

De civils à militaires : Mon Général, Mon Colonel, Mon Commandant. Pratiquement, les civils ne donnent leur grade aux militaires qu'à partir de commandant. A un lieutenant-colonel, on dit Mon Colonel. *Femme de militaire :* Maréchale : Madame la Maréchale ; sinon, Madame.

Artiste réputé. Maître.

Corps diplomatique. *Ambassadeur :* Excellence, Monsieur l'Ambassadeur. *Ministre plénipotentiaire :* Monsieur le Ministre. *Consul :* Monsieur le Consul.

Ecclésiastique. *Pape :* Très Saint-Père. *Cardinal :* Éminence. *Évêque :* Excellence. *Prélat :* Monseigneur. *Curé :* Monsieur le Curé, Monsieur le Doyen, Monsieur le Chanoine (suivant les cas), Monsieur le Recteur. *Général d'un Ordre :* Mon Révérendissime Père, Monsieur l'Abbé, Mon Père (religieux, prêtre), Mon Frère (religieux non prêtre). *Supérieure d'un Ordre :* Ma Mère ou Ma Sœur. *Religieuse :* Ma Mère ou Ma Sœur. *Pasteur, rabbin :* Monsieur le Pasteur, Monsieur le (Grand) Rabbin.

Femme exerçant une fonction officielle. Madame l'Ambassadeur, Madame le Ministre (le Député, le Président, le Docteur, etc.).

Homme de loi (avocat, avoué, notaire, huissier, agréé). Maître ou cher Maître.

Marine. *De civil à marin :* Amiral, Contre-Amiral et Vice-Amiral : dire Amiral. Capitaine de vaisseau, de frégate, de corvette : dire Commandant. Lieutenant de vaisseau : dire Capitaine. Enseigne de vaisseau : dire Lieutenant. On dira Commandant, à leur bord, aux lieutenants de vaisseau et enseignes, s'ils commandent un bâtiment.

Personnes titrées. *Empereur ou roi :* Sire, Votre Majesté. *Impératrice ou reine :* Madame. *Prince de Monaco :* Monseigneur. *Princes du sang :* Monseigneur, Votre Altesse royale (ou impériale). *Princesses du sang :* Madame, Votre Altesse royale ou impériale. *Duc et duchesse :* Monsieur le Duc et Madame la Duchesse. *Prince et princesse :* Prince, Princesse. Le titre ne se donne pas aux autres gens titrés.

Président de la République, du Sénat, de la Chambre, du Conseil. Monsieur le Président.

Professeur de l'Enseignement supérieur. Monsieur le Professeur, Maître.

Autres fonctions publiques. Les personnes appartenant au même corps de l'État donnent le titre, ex. : Monsieur le Premier Président, Monsieur le Conseiller. Les autres donnent le titre suivant les circonstances. Ex. : Monsieur le Préfet. Ministre ou ancien ministre : Monsieur le Ministre.

Les invitations

Une invitation d'ordre privé peut être faite par carte de visite imprimée, lettre ou verbalement. Dans ce dernier cas, il convient de la confirmer par une carte portant la mention : pour mémoire.

Ordre des préséances

Ordre officiel

Fixé par le décret 89655 du 13-9-1989 [origine : décrets 24 messidor an XII (13-7-1804), 16-6-1907, 5-10-1907 pour l'Algérie, 10-12-1912 (Colonies), 30-1-1926 et 20-11-1944].

■ Art. I. **Pour les cérémonies publiques organisées sur ordre du Gouvernement ou à l'initiative d'une autorité publique.**

■ Art. II. **A Paris :** lorsque les membres des corps et les autorités assistent aux cérémonies publiques. 1. Pt de la République. 2. Premier ministre. 3. Pt du Sénat. 4. Pt de l'Assemblée nationale. 5. Anciens Pts de la Rép. dans l'ordre de préséance déterminé par l'ancienneté de leur prise de fonctions. 6. Gouvernement dans l'ordre de préséance arrêté par le Pt de la Rép. 7. Anciens Pts du Conseil et anciens Premiers ministres dans l'ordre de préséance déterminé par l'ancienneté de leur prise de fonctions. 8. Pt du Conseil constitutionnel. 9. Vice-Pt du Conseil d'État. 10. Pt du Conseil économique et social. 11. Députés. 12. Sénateurs. 13. Grand Chancelier de la Légion d'honneur, Chancelier de l'ordre nat. du Mérite et membres des conseils de ces ordres. 14. Chancelier de l'ordre de la Libération et membres du conseil de l'ordre. 15. Premier Pt de la Cour de cassation et Procureur général près cette Cour. 16. Premier Pt de la Cour des comptes et Procureur général près cette Cour. 17. Chef d'état-major des armées. 18. Médiateur de la Rép. 19. Préfet de la région d'Île-de-Fr., de Paris. 20. Préfet de police, de la zone de défense de Paris. 21. Maire de Paris, Pt du Conseil de Paris. 22. Pt du Conseil régional d'Île-de-Fr. 23. Représentants au Parlement européen. 24. Chancelier de l'Institut de Fr., secrétaires perpétuels de l'Académie française, de l'Ac. des inscriptions et belles lettres, de l'Ac. des Sciences, de l'Ac. des Beaux-Arts et de l'Ac. des sc. morales et polit. 25. Secrétaire général du Gouvernement, secr. gén. de la Défense nat., secr. gén. du min. des Aff. étrangères. 26. Délégué gén. pour l'armement, secrétaire gén. pour l'administration du min. de la Défense, chef d'état-major de l'armée de terre, chef d'état-major de la marine, chef d'état-major de l'armée de l'air. Gouverneur milit. de Paris, commandant la 1re région militaire. 27. Pt du Conseil sup. de l'audiovisuel. 28. Pt de la Commission nat. de l'informatique et des libertés. 29. Pt de la Cour administrative d'appel de Paris. 30. Premier Pt de la Cour d'appel de Paris et Procureur gén. près ladite Cour. 31. Pt du Conseil de la concurrence. 32. Pt de la Commission des opérations de bourse. 33. Recteur de l'Académie de Paris, Chancelier des universités de Paris. 34. Hauts-commissaires, comm. gén., comm., délégués gén., délégués, secr. gén., directeurs de cabinet, dir. gén. de la gendarmerie nat., les dir. gén. et dir. d'administr. centrale dans l'ordre de préséance des ministères déterminé par l'ordre protocolaire du Gouvernement et, au sein de chaque ministère, dans l'ordre de préséance déterminé par leur fonction ou leur grade. 35. Gouverneur de la Banque de Fr., directeur gén. de la Caisse des dépôts et consignations, gouverneur Crédit foncier de France. 36. Préfet, secrétaire gén. de la préfecture de la région d'Île-de-Fr., préfet, dir. du cabinet du préfet de police, préfet, secrétaire gén. de la préfecture de Paris, préfet, secr. gén. de l'administration de la police, le préfet, secrétaire général de la zone de défense. 37. Membres du Conseil de Paris, m. du Conseil régional d'Île-de-Fr. 38. Chef du contrôle gén. des armées, généraux de division ayant rang et appellation de gén. d'armée, vice-amiraux ayant rang et appellation d'amiraux, gén. de div. aérienne ayant rang et appellation de gén. d'armée aér., gén. de div. ayant rang et appellation de gén. de corps d'armée, les vice-amiraux ayant rang et appellation de v.-am. d'escadre, gén. de div. aérienne ayant rang et appellation de gén. de corps aérien. 39. Pt du trib. administratif de Paris. 40. Pt du trib. de grande instance de Paris et procureur de la Rép. près ce trib. 41. Pt de la chambre régionale des comptes d'Île-de-Fr. 42. Pts des universités de Paris, directeurs des grandes écoles nat., dir. des grands établ. nat. de recherche. 43. Pt du trib. de commerce de Paris. 44. Pt du conseil de prud'hommes de Paris. 45. Secrétaire gén. de la ville de Paris. 46. Dir. gén. des services administratifs de la région d'Île-de-Fr. 47. Pts et secrétaires perpétuels des Académies créées ou reconnues par une loi ou un décret. 48. Pt du Comité écon. et social Île-de-Fr. 49. Chefs des services extérieurs de l'État en Île-de-Fr. et dans le département de Paris dans l'ordre de préséance attribué aux départements ministériels dont ils relèvent et les dir. gén. et dir. de la préf. de région, de la préfecture de Paris et de la préfecture de police. 50. Pt de l'Assemblée permanente des chambres de commerce et d'industrie, Pt de l'Ass. perm. des Ch. d'agriculture, Pt de l'Ass. perm. des Ch. de métiers. 51. Pt de la Ch. de commerce et d'industrie de Paris, Pt de la Ch. rég. de com. et d'ind. d'Île-de-Fr. 52. Pt de la Ch. rég. d'agriculture d'Île-de-Fr., Pt de la Ch. interdépart. d'agr. d'Île-de-Fr. 53. Pt de la Ch. départem. de métiers de Paris. 54. Pt du Conseil de l'Ordre des avocats au Conseil d'État et à la Cour de Cassation. 55. Bâtonnier de l'Ordre des avocats au barreau de Paris et Pt de la conférence des bâtonniers. 56. Pts des Conseils nat. des Ordres professionnels. 57. Directeurs des services de la Ville de Paris dans l'ordre de leur nomination. 58. Commissaires de police, officiers de gendarmerie et officiers de la brigade de sapeurs-pompiers de Paris. 59. Pt de la Chambre nat. des avoués près les cours d'appel. 60. Pt du Conseil supérieur du notariat. 61. Pt de la Chambre nat. des commissaires-priseurs. 62. Pt de la Chambre nat. des huissiers de justice. 63. Pt de la Compagnie nat. des commissaires aux comptes.

■ Art. III. **Dans les autres départements et St-Pierre-et-Miquelon et Mayotte :** 1. Préfet, représentant de l'État dans le département ou la collectivité. 2. Députés. 3. Sénateurs. 4. Pt du Conseil régional ou, dans les départements de Corse-du-Sud et de Hte-Corse, Pt de l'Assemblée de Corse. 5. Pt du Conseil général. 6. Maire de la commune dans laquelle se déroule la cérémonie. 7. Représentants au Parlement européen. 8. Général commandant la région militaire, Préfet maritime com. la région maritime, Gén. com. la région aérienne, Gén. com. la région de gendarmerie, Gén. com. la division militaire territoriale. Dans les dép. et les collectivités territoriales d'outre-mer, l'autorité militaire exerçant le commandement supérieur des forces armées. 9. Dignitaires de la Légion d'honneur, Compagnons de la Libération et dignitaires de l'Ordre nat. du Mérite. 10. Pt du Comité écon. et social de la région ou, en Corse-du-Sud et Hte-Corse, Pt du Conseil écon. et social de la région Corse, C.-du-Sud et Hte-Corse, Pt du Conseil de la culture, de l'éducation et du cadre de vie. Dans les Dom, Pt du comité de la culture, de l'éducation et de l'environnement. 11. Pt de la Cour administrative d'appel. 12. Premier Pt de la Cour d'appel et Procureur général près ladite Cour ou, à St-Pierre-et-Miquelon et à Mayotte, Pt et Procureur gén. du tribunal sup. d'appel. 13. Pt du tribunal administratif ou, à Mayotte, du Conseil du contentieux administratif. 14. Pt de la Chambre régionale des comptes. 15. Membres du Conseil rég. ou, en Corse-du-Sud et en Hte-Corse, membres de l'Assemblée de Corse. 16. Membres du Conseil général. 17. Membres du Conseil écon. et social. 18. Recteur d'Académie, chancelier des universités. 19. Bas-Rhin, Haut-Rhin et Moselle : évêque, Pt du directoire de l'Église de la confession d'Augsbourg d'Alsace et de Lorraine, Pt du synode de l'Église réformée d'Alsace-Lorraine, grand rabbin, Pt du consistoire israélite. 20. Préfet délégué pour la police. 21. Sous-préfet dans son arrondissement, secr. gén. de la préfecture ou secr. gén. pour les affaires régionales et secr. gén. pour l'administration de la police, dir. du cabinet du préfet du département. 22. Pt du trib. de grande instance et procureur de la Rép. près ledit trib. ou, à St-Pierre-et-Miquelon et à Mayotte, Pt du trib. de 1re instance et le procureur de la Rép. près ledit trib. 23. Officiers généraux exerçant un commandement. 24. Chefs des services extérieurs des administrations civiles de l'État dans la région et dans le département, dans l'ordre de préséance attribué aux départements ministériels dont ils relèvent, l'officier supérieur délégué mil. départemental, l'officier supérieur commandant le groupement départ. de gendarmerie. 25. Pts des universités, dir. des grandes écoles nat. ayant leur siège dans le départ., dir. des grands établ. de recherche ayant leur siège dans le départ. 26. Directeur gén. des services de la région. 27. Directeur gén. des services du départ. 28. Conseillers municipaux de la commune dans laquelle se déroule la cérémonie. 29. Secrétaire gén. de la commune dans laquelle se déroule la cérémonie. 30. Pt du trib. de commerce. 31. Pt du conseil de prud'hommes. 32. Pt du trib. paritaire des baux ruraux. 33. Pt de la chambre rég. de commerce et d'industrie, Pt de la chambre rég. d'agriculture, Pt de la chambre ou de la conférence rég. des métiers, Pt de la chambre départementale de commerce et d'industrie, Pt de la chambre dép. d'agriculture, Pt de la chambre dép. des métiers. 34. Bâtonnier de l'Ordre des avocats, Pts des conseils rég. et dép. des Ordres professionnels. 35. Secrétaire de mairie.

☞ Polynésie, Wallis-et-Futuna : dispositions particulières.

■ Art. VII. **Lorsque les corps sont convoqués ensemble :** leurs délégations prennent place dans l'ordre de préséance des autorités qui assurent leur présidence. Les dignitaires de la Légion d'honneur et du Mérite, les compagnons de la Libération, et les membres de l'Institut prennent place respectivement avec le Grand Chancelier de la Lég. d'honneur et de l'O. national du Mérite, le Chancelier de l'Ordre de la

Libération, le Chancelier de l'Institut de France. Les membres du conseil de l'Ordre des avocats et de la conférence des bâtonniers prennent place avec le bâtonnier. **Lorsqu'ils sont convoqués ensemble à Paris :** les Conseils de l'O. de la Lég. d'honneur, de l'O. de la Libération et de l'O. du Mérite prennent place, dans cet ordre, immédiatement après députés et sénateurs ; les membres du Conseil supérieur de la magistrature immédiatement avant la Cour de Cassation ; le Collège de France immédiatement après le recteur de l'Académie de Paris ; les membres du Conseil économique et social immédiatement après les représentants au Parlement européen.

■ Art. VIII. **Ailleurs qu'à Paris :** si la cérémonie est présidée par le Pt de la Rép. ou le Premier min., corps et autorités mentionnés au 1° et 18° de l'art. 2 prennent place en tête, dans l'ordre des préséances observées à Paris. Corps et autorités mentionnés au 1° et 7° de l'art. 3 prennent place après les corps et autorités mentionnés à l'alinéa précédent, dans l'ordre de préséance fixé par les art., sauf le représentant de l'État dans le département qui accompagne l'autorité présidant la cérémonie. Corps et autorités mentionnés aux 24° à 28°, 31°, 32°, 34°, 35°, 38° de l'art. 2 prennent place dans l'ordre fixé par cet art., après les corps et autorités mentionnés à l'alinéa précédent et avant les autres corps mentionnés aux art. 3, 4, 5, 6, qui se placent dans l'ordre de préséance fixé par ces articles.

■ Art. IX. **Dans les cérémonies publiques non prescrites par ordre du Gouvernement :** l'autorité invitante occupe le 2e rang après le représentant de l'État. Lorsque l'invitation émane d'un corps, les dispositions de l'alinéa précédent s'appliquent au seul chef de corps. Les membres du corps invitant et les autorités invitées gardent entre eux les rangs assignés par les art. 2 et 3.

■ Art. X. **A Paris, en l'absence du Pt de la Rép. et de membres du Gouv. :** le préfet de la région d'Île-de-Fr. prend rang après le Pt de l'Assemblée nat.

■ Art. XI. **Dans les arrondissements, en l'absence d'un ministre ou du préfet.** Les sous-préfets occupent le rang du représentant de l'État dans le département.

■ Art. XII. **En mer et dans l'emprise des bases navales.** Le préfet maritime occupe le 1er rang, accompagné le cas échéant du préfet du département ou du sous-préfet.

■ Art. XIII. **Rangs et préséances ne se délèguent pas :** à l'exception des représentants de la Rép., les représentants des autorités qui assistent à une cérémonie occupent le rang correspondant à leur grade ou fonction et non pas le rang de l'autorité qu'ils représentent. Les autorités qui exercent des fonctions à titre intérimaire ou dans le cadre d'une suppléance statutaire ont droit au rang de préséance normalement occupé par le titulaire desdites fonctions.

■ Art. XIV. **Sous réserve de cette exception,** en l'absence du Premier min., les membres du Gouv. le représentant occupent le 1er rang. Les autres autorités sont placées à Paris dans l'ordre déterminé par l'art. 2, ailleurs dans l'ordre déterminé par l'art. 8. Par exception, un vice-pt de l'Ass. nat., du Conseil économique et social, d'un conseil régional ou général représentant le Pt de l'une de ces assemblées et un adjoint représentant un maire occupent le rang de préséance de l'autorité qu'ils représentent. Un vice-président représentant le Pt du Sénat vient après le Pt de l'Assemblée nat. Un membre du Conseil constitutionnel représentant le Pt dudit Conseil, un Pt de section représentant le vice-Pt du Conseil d'État, un Pt de chambre représentant le Premier Pt de la Cour de Cassation, un Pt de chambre représentant le Premier Pt de la Cour des comptes occupent le rang de l'autorité qu'ils représentent.

■ Art. XV. **En l'absence d'un membre du Gouv.,** le préfet du dép. a seul qualité pour représenter le Gouv. dans les cérémonies publiques. Les membres des cabinets ministériels, les fonctionnaires des adm. centrales peuvent participer aux cérémonies publ. aux côtés du préfet, lorsque l'objet de la cérémonie le justifie. Le préfet de région, en dehors du dép. chef-lieu de région, n'a pas préséance sur le préfet du dép.

■ Art. XVI. **Lorsque les autorités sont placées côte à côte,** l'autorité à laquelle la préséance est due se tient au centre. Les autres autorités sont placées alternativement à sa droite puis à sa gauche, du centre vers l'extérieur, dans l'ordre décroissant des préséances. **Lorsque les autorités sont placées en rangs successifs** de part et d'autre d'une allée centrale, l'autorité à laquelle la préséance est due se tient à la gauche de la travée de droite. L'autorité occupant le 2e rang se tient à la doite de la travée de gauche. Les autres sont placées, dans l'ordre décroissant des préséances, rangée par rangée et, pour une même rangée, alternativement dans la travée de droite, puis dans la travée de gauche, du centre vers l'extérieur. **Lorsque l'objet de la cérémonie et le nombre important d'autorités militaires présentes le justifient :** les autorités peuvent être scindées en 2 groupes, les civiles étant placées à droite et les militaires à gauche. Dans chaque groupe, les autorités sont placées dans l'ordre décroissant des préséances du centre vers l'extérieur et de l'avant vers l'arrière.

■ Art. XVII. **Les ambassadeurs étrangers** prennent place, à Paris, immédiatement après le Gouv. et, dans les départements, après les représentants de l'État.

■ Art. XVIII. **Des personnalités françaises ou étrangères,** notamment de la CEE qui ne sont pas au nombre des autorités mentionnées dans les art. 2 à 6 du décret peuvent, en fonction de leur qualité et selon l'appréciation du Gouv. ou de l'autorité invitante, prendre place parmi les autorités.

■ Art. XIX. **Les cérémonies publiques ne commencent** que lorsque l'autorité qui occupe le 1er rang a rejoint sa place. Cette autorité arrive la dernière et se retire la première. Les allocutions sont prononcées dans l'ordre inverse des préséances.

Honneurs civils (article 21 à 29) se rapportent essentiellement aux conditions d'accueil du Pt de la République et des membres du gouvernement, et aux égards dont ils sont l'objet à leur départ, de la part des autorités locales.

Honneurs militaires, autorités civiles qui y ont droit (art. 31) : *Pt de la République ; Premier ministre ; Pt du Sénat ; président de l'Assemblée nat. ; ministre chargé des armées ou le membre du gouvernement délégué auprès de lui ; autres membres du gouv. ; Pt du Conseil constitutionnel ; préfets et les représentants de l'État dans les Tom, autres autorités civiles de l'État dans l'exercice de leurs fonctions lorsque des circonstances particulières le justifient ; officiers généraux et commandants d'armes* (art. 32).

Concernant : *droit au salut.* Préfet ou haut-commissaire de la Rép. en uniforme ont droit au salut des militaires et marins de tous grades. Sous-préfet et secrétaire général de la préfecture en uniforme doivent le salut aux officiers généraux. Ils ont droit au salut de tous les officiers, militaires ou marins ; *exécution de l'hymne national et de diverses sonneries ; prérogatives d'escortes. Les cocardes.* (art. 50, relatif à l'utilisation de cocardes et insignes particuliers aux couleurs nationales sur les véhicules automobiles, aéronefs et vedettes maritimes ou fluviales) : membres du Parlement, membres du gouvernement, préfets régionaux dans la limite de leur région, préfets départementaux et préfets délégués dans leur département, président du Conseil constitutionnel, Vice-Pt du Conseil d'État et Pt du Conseil économique et social.

■ Préséances à table

Le protocole des déjeuners et des dîners date du XVIIIe s. **Autorités religieuses :** dans beaucoup de familles, le ministre du culte (même un simple prêtre) est mis à la 1re place. **Autorités étrangères :** chefs d'État, représentants des maisons souveraines, ambassadeurs en poste (ordre d'après leur prise de fonction, sauf pour le nonce qui passe avant tous les autres), simples étrangers méritant des égards particuliers ou invités pour la 1re fois. **Noblesse :** chefs de familles ayant régné sur la France, sinon seuls princes et ducs ont droit à une place particulière. Les ducs français ont en France la préséance sur les princes des maisons non souveraines. **Anciens Pts d'assemblée, chefs de gouvernement, ministres, hauts fonctionnaires :** en principe immédiatement après leurs homologues en activité. A rang égal, fonctionnaires et officiers sont placés par ordre d'ancienneté.

☞ **Dans les dîners privés ou semi-officiels,** on tient compte de l'âge, de la notoriété (militaire, scientifique, artistique, littéraire, économique). Les présidents de table peuvent être au centre (à la française) ou en bout de table (à l'anglaise). Si l'on veut honorer simultanément plusieurs personnalités, on peut organiser un repas par petites tables ou une présidence en croix. Pour un repas composé d'autant d'hommes que de femmes, si le nombre des invités est un multiple de 4, la table est présidée par 2 hommes ou 2 femmes ; s'il est un multiple de 4 + 2, la table est présidée par 1 homme et 1 femme.

Les duels

Origine : Ve s. : *jugement de Dieu* ou duel judiciaire. Introduit en Occident par les germaniques. **VIe s. :** la loi des Burgondes dite *loi gombette* le prévoit lorsque dans un procès le demandeur refuse de prêter serment. Les lois des Francs Ripuaires, des Thuringiens, des Saxons l'admettent également dans divers cas. **Xe au XIIIe s. :** le duel judiciaire *(ordalie)* reste en vigueur ; seuls nobles et hommes libres y sont en principe admis. **1254** ou **1258 :** édit de St Louis interdisant les duels judiciaires en matière de droit civil, en particulier en matière d'héritage. **1260 :** ordonnance l'interdisant pour les procès criminels et lui substituant la preuve par témoignage. **1306 :** ordonnance de Philippe le Bel autorisant les proches d'une victime d'assassinat à la venger en provoquant le meurtrier en duel s'ils ne peuvent obtenir judiciairement la condamnation du coupable. Le duel reste cependant interdit sauf autorisation royale prise au Parlement. **1545 :** François Ier refuse ainsi au sire de La Châtaigneraie l'autorisation de se battre en duel avec Guy de Jarnac. **1545 :** (concile de Trente) condamnation du duel par l'Église. Il reste largement pratiqué en France (l'édit n'a pas été promulgué par les rois et nombre de gentilshommes sont protestants). **1589 à fin 1608 :** 7 000 lettres de grâce auraient été accordées et 7 à 8 000 gentilshommes auraient été tués en duel. **1623 :** ordonnance royale punissant de mort les duellistes. **1626 :** édit les privant de la noblesse. Le duel ayant entraîné mort d'un homme est assimilé à un crime de lèse-majesté. En application de cet édit, Richelieu fera décapiter en 1627 le comte de Montmorency-Bouteville déjà 2 fois condamné. **1651 :** édit de Louis XIV sanctionnant le duel de roture et d'infamie à perpétuité. **1679 :** édit imposant l'arbitrage du tribunal des maréchaux. Les contrevenants sont passibles de la prison, les récidivistes de la mort avec confiscation de leurs biens. **XVIIIe s. :** jusque vers le milieu du siècle, ces édits restent lettre morte. Les Codes pénaux de 1791, du 8 brumaire an IV (30-10-1795) et de 1810 ignorent le duel.

XIXe s. : duel très répandu chez les officiers de Napoléon, et sous la Restauration entre royalistes et demi-soldes. **1837 :** *(15-12) :* un arrêt de la Cour de cassation déclare que l'homicide et les coups et blessures infligés en duel rentrent dans le droit commun. Cependant, jusqu'en 1914, les duellistes accusés d'homicide volontaire sont régulièrement acquittés par les tribunaux. Après 1920 les « affaires d'honneur » se raréfient (quelques cas entre les deux guerres, dont le duel de Gaston Defferre contre René Ribière (député Gaulliste) (21-4-1967) et contre Paul Bastide (directeur politique de l'« Aurore ») (1947).

Législation actuelle : le duel est assimilé par la loi à un assassinat s'il entraîne la mort ; sinon, à des coups et blessures volontaires.

Règles : l'offensé choisit 2 témoins et les envoie à son offenseur qui les met en rapport avec 2 de ses amis. Les 4 témoins établissent s'il y a matière à duel ou à arrangement. S'ils estiment que la réparation par les armes s'impose, ils fixent les conditions du combat. L'offensé a le choix des armes (épée ou pistolet, plus rarement le sabre). Les armes sont fournies par les témoins et tirées au sort entre les adversaires. Le duel à l'épée est *au premier sang* si l'offense est légère, *à mort* quand les témoins estiment que l'insulte le justifie. Sur le terrain, les témoins attribuent leur place aux adversaires en veillant à l'égalité des chances (duel au pistolet, 30 pas de distance entre les adversaires). Le combat ne commence que sur leur ordre et cesse avec la mort de l'un des adversaires ou lorsque les témoins estiment que la réparation est suffisante.

■ **Duels célèbres : 1547** *(10-7)* François de La Châtaigneraie contre Guy de Jarnac ; autorisé par Henry II, il a lieu en présence de la Cour, sur la terrasse de Saint-Germain ; Jarnac blesse mortellement son adversaire en lui tranchant le jarret (le « coup de Jarnac »). **1578** *(24-4)* duel des Mignons (favoris d'Henri III), derrière le château des Tournelles à Paris ; Quélus, Maugiron et Livarot contre d'Entragues, Ribérac et Schomberg. 2 tués sur le coup, 2 blessés mortellement, 1 blessé grièvement. **1627** *(15-5)* Montmorency-Bouteville se bat à midi sur la place Royale contre le marquis de Beuvron. Règne de Louis XV Mmes de Nesle et de Polignac se battent au pistolet au bois de Boulogne. Mme de Polignac a le bout de l'oreille emporté. **1836** *(22-7)* duel au pistolet entre journalistes Emile de Girardin et Armand Carrel qui est tué.

LA FRANCE

GÉOGRAPHIE PHYSIQUE

SITUATION, LIMITES

■ **Position astronomique.** La France continentale est située entre les 42°20′ et 51°5′ de latitude N. ; en longitude, elle s'étend du 5°56′ de longitude O. au 7°9′ de longitude E.

■ **Points extrêmes du territoire continental. Nord :** plage de Bray-Dunes près de Dunkerque (51°5′27″). **Sud :** montagne de la Bague de Bordeillat, près de Prats-de-Mollo (42°20′). **Ouest :** pointe de Corsen, à l'ouest de Brest (4°47′47″ de longitude O.). **Est :** embouchure de la Lauter, dans le nord de l'Alsace (8°1′47″ de longitude E.).

■ **Distances maximales :** Nord-Sud (Dunkerque-Prats-de-Mollo) 973 km ; Est-Ouest (Lauterbourg-Pointe de Corsen) 945,5 km ; Nord-Ouest-Sud-Est (Pointe de Corsen-Menton) 1 082 km.

■ **Centre géométrique du territoire continental. Cher. St-Amand-Montrond :** *colline du Belvédère* (tour Malakoff). Point de rencontre entre le méridien 2°30′37″ de longitude Est et le parallèle 46°43′17″ de latitude Nord, chacun étant respectivement équidistant des méridiens et parallèles passant aux points extrêmes de la France, à savoir : pour les parallèles : 51°5′27″ Nord, plage de Bray-Dunes, près de Dunkerque, 42°20′00″ Sud, montagne de Bordeillat, près de Prats-de-Mollo (distants de 973 km) ; pour les méridiens : 4°47′47″ Ouest, pointe de Corsen, ouest de Brest 8°01′47″ Est, embouchure de la Lauter, nord de Strasbourg (distants de 945,5 km). Mais du fait de la forme allongée de la Bretagne où se situe la pointe de Corsen, il est excentré vers l'ouest (plus proche de l'Atlantique que de la Suisse), et sa qualité de « centre géométrique » est contestée. **Bruères-Allichamps :** d'après Adolphe Joanne (1813-81), calculs effectués entre 1860 et 1870 : le centre de la France est compris entre les 2 latitudes et les 2 longitudes entre lesquelles pourrait s'inscrire la plus petite figure semblable à la France. Point situé entre 46°51′32″ et 46°40′02″ de latitude Nord et 0° et 0°10′33″ de longitude Est. Si l'on suppose un quadrilatère construit avec 4 points et dans lequel tient la France, le Centre sera l'intersection des 2 médianes. L'une de ces médianes se confond avec le méridien passant par 0°5′15″ de longitude Est, et l'autre avec le parallèle situé à 46°45′47″ de latitude Nord. Au centre du village, borne romaine découverte en 1757 dans un champ voisin. **Vesdun :** d'après Pierre Vermond (n. 1830), à la Coucière, à 8 km de Saulzais. Entre les hameaux de « Frappon » et « la Presle » d'après le général Gérin (n. 1928) en 1957. A 300 m du point Gérin d'après Georges Dumont (n. 1914) en 1966. Près du hameau de « Mondan » d'après Puisségur (n. 1910) en 1976. Centre de gravité d'une plaque d'épaisseur égale ayant la forme de la France [sans la Corse mais avec les îles côtières (d'après Jean Denègre (n. 1944) et Claude Pilkiewicz de l'IGN)]. Dalle de 5 m de diamètre construite en 1984. **Allier. Chazemais :** d'après Georges Dumont en 1966. Même procédé mais en ajoutant la Corse. A 550 m au N.-N.O. de Villevendret : borne pierre.

■ **Superficie.** 551 602 km², en comptant les îles et notamment la Corse (8 747 km²) ; 550 986 en 1946 (avant l'annexion des territoires de Tende et de la Brigue) ; 528 400 de 1871 à 1918 (avant la récupération de l'Alsace-Lorraine) [selon les mesures géodésiques de l'Institut géographique national (ne descendant pas au-dessous de l'arrondissement)]. – 543 998,03 km² [selon le Service du cadastre (données disponibles pour l'ensemble de la France et pour chaque commune)]. Ce sont ces dernières données qui ont été retenues dans Quid avec la définition suivante : sont comprises toutes les surfaces du domaine public et privé cadastrées ou non cadastrées, à l'exception des lacs, étangs et glaciers de plus d'1 km² ainsi que des estuaires des fleuves. **Par rapport à l'Europe :** 1/18e. Au 1er rang après la Russie (4 500 000 km²). En 1900 (528 400 km²), au 5e après : Russie, Union suédonorvégienne (760 166), Autr.-Hongrie (622 269) et Empire all. (540 496). **Aux terres émergées :** 0,4 %.

■ **Altitude.** *Moyenne.* 342 m (Corse exclue 297 m). *Commune habitée la plus haute :* St-Véran (Htes-A.) 2 200 m. *Lieu habité le plus haut :* observatoire du pic du Midi 2 859 m.

RÉPARTITION SUIVANT L'ALTITUDE

Altitude en m	Surface en km²	% de la France
0 à 100	135 524	25,4
100 à 250	192 301	36,4
250 à 500	110 453	20,4
500 à 1 000	64 730	11,0
1 000 à 2 000	28 830	5,3
+ de 2 000	8 425	1,5

■ **Frontières** (longueur en km). 5 663. **Terrestres :** 2 970 [dont 1 750 montagneuses (Pyrénées 740, Alpes 660, Jura 350), 195 sur un fleuve (Rhin)]. 8 États limitrophes : Espagne 650, Belgique 620 (dont Nord 357, Ardennes 238, Meuse 24), Suisse 572 (dont Ht-Rhin 77), Italie 515 (dont Htes-Alpes 98), Allemagne 450 (dont Ht-Rhin 66), Luxembourg 73, Andorre 57, Monaco 4,5 [4 États limitrophes des Dom-Tom : Brésil, Surinam (Guyane), Pays-Bas (St-Martin), Australie (Antarctique)].

Maritimes : 2 693 sans compter les découpures (Atlantique et Manche 2 075, Méditerranée 617), avec découpures 5 500 (dont continent et Corse 4 200, îles côtières 600, estuaires 700). Plages 1 900. Marais et zones humides 1 300. Côtes rocheuses et falaises 2 300.

☞ 10 200 communes sont directement menacées par une ou plusieurs calamités naturelles (7 500 par les inondations, 3 000 par les mouvements de terrain, 1 400 par les séismes et 400 par les avalanches).

FORMATION DU SOL FRANÇAIS

■ **Jusqu'à la fin du primaire,** seuls émergent quelques îlots dans les mers silurienne et dévonienne. A la fin du carbonifère surgit la *chaîne hercynienne* qui dessine un V depuis le Massif central vers la Bretagne et la Cornouailles britannique d'une part, vers les Vosges et la Forêt-Noire d'autre part. Les montagnes des Maures et de l'Esterel appartiennent au système *tyrrhénien,* rattaché actuellement au bloc continental de l'Afrique. Les chaînes hercyniennes ont atteint probablement 3 000 à 4 000 m d'altitude. Des accidents tectoniques les ont fragmentées avant le début du secondaire et n'en ont laissé que des plaques isolées. Une végétation exubérante se développe pour des raisons climatiques et s'accumule dans les dépressions lacustres et fluviales.

■ **Secondaire.** Des mers profondes recouvrent la moitié sud du pays où des couches épaisses de matériaux sont formées. Dans la moitié nord, les mers sont peu profondes : les régions sont successivement inondées et découvertes selon les abaissements et les soulèvements du socle (principale avancée de la mer : au liasique ; principal retrait : au crétacé).

■ **Tertiaire.** Le plissement alpin qui se manifeste dans tous les continents affecte les terrains malléables du Sud (les Pyrénées se soulèvent à l'éocène ; les Alpes et le Jura, au pliocène) et le vieux socle primitif [Ardennes, Vosges, Morvan se soulèvent une 2e fois ; le volcanisme se développe dans le Massif central ; des fractures apparaissent, notamment en Alsace, séparant les Vosges de la Forêt-Noire (un volcan y naît également, le Kaiserstuhl, sur la rive droite du Rhin, en Allemagne)].

Profondeur des cratères de quelques volcans éteints (en m). *Ardèche :* Jaujeac 250 ?, la Coupe d'Ayzac 200 ?, les Balmes de Montbrul (Montbrun) 150,

CARTOGRAPHIE DE LA FRANCE

1670 déterminations astronomiques sur le pourtour de la France et mesure d'un arc de méridien. Carte de l'abbé Jean Picard (1620-82) par mesure d'une base et observation des angles d'une chaîne de 13 triangles de Paris à Amiens. Méridienne prolongée au nord par Philippe de La Hire (1640-1718) et au sud par Jean-Dominique (1625-1712) puis Jacques Cassini (1677-1756). **1735-43** César-François Cassini de Thury (1714-84) et l'abbé Nicolas Louis de La Caille (1713-62) vérifient la méridienne. **1744** carte des Triangles (après achèvement des chaînes de triangulation primordiale et de la 1re chaîne perpendiculaire). **1747,** *17-7* après la bataille de Lawfeld, Louis XV charge Cassini de Thury de dresser une carte générale du Royaume à échelle de 1/84 600 (1 ligne pour 100 toises). **1791** Jean-Baptiste Delambre (1749-1822) et Pierre Méchain (1744-1804) mesurent sur ordre de la Convention la méridienne de Dunkerque à Barcelone (travaux de 1792 à 1798). Ils complètent les travaux de Cassini et La Caille en établissant la définition du mètre par rapport à la toise : 1 m = 0,513074 t. **1793** 165 des 181 feuilles de la carte de Cassini achevées et rendues à la Nation. **1802** commission de Topographie. Adoption du système métrique en topographie, du niveau de la mer comme référence pour les altitudes et codification des signes conventionnels. Le Dépôt de la guerre réalise la carte de l'Empereur en 1 exemplaire (420 feuilles au 1/100 000e couvrant une partie de l'Europe). **1807** Napoléon 1er décide la réalisation du 1er cadastre général parcellaire de la France. **1824** adoption des échelles au 1/40 000e pour les levés et 1/80 000e pour la publication. **1870-82** nouvelle mesure de la Méridienne de France. **1889** création du service de Nivellement général de la Fr. **1900** 1re version en 10 couleurs de la Fr. au 1/50 000 (seulement région parisienne et frontières de l'Est). **1910** 1re carte Michelin. **1914-18** plans directeurs de guerre au 1/20 000 réalisés par les « Groupes canevas de tir ». **1922** carte de Fr. au 1/50 000. **1940** achèvement presque total de la triangulation primordiale entreprise en 1898. *1-7* l'Institut Géographique National (IGN) remplace le service géogr. de l'armée. **1976** série rouge (Fr. en 16 cartes au 1/250 000), verte (74 au 1/100 000), orange (1 100 au 1/50 000). **1980** achèvement de la carte au 1/25 000 (4 000 feuilles). **1978-89** série bleue (2 000 feuilles au 1/25 000). **1989** début de la TOP 25.

Bases de données en cartographie numérique. *1986* achèvement de la BD Altimétrique. *1988-93* BD Cartographique (précision décamétrique). *1991* début de la BD Topographique (précision métrique).

Cartes d'État-Major. Origine : *1818* création du « Corps d'État-Major » ; *1831* celui des ingénieurs géographes y est intégré. **Nom :** appelées ainsi parce que les relevés étaient faits par des officiers d'État-Major. *Évolution : 1821* 1re feuille (Paris), *1880* dernière (Corte). *1889* édition de la carte en 965 coupures « type 1889 » en quart de feuille. **Révisions :** 1re 1883-1907, 2e 1908-52. **Principales dérivées :** cartes au *1/320 000* (terminées 1886), en 33 feuilles en hachures, *1/500 000* en 15 feuilles en couleurs du colonel Prudent, *1/200 000* en 82 feuilles en couleurs (1880-88), au *1/100 000* du ministère de l'Intérieur (service vicinal) dressée à partir de 1878 en 5 couleurs, *1/80 000* et *1/320 000* géologiques.

Cartes Taride. *1852* Alphonse Taride édite des itinéraires de promenade, puis le plan du métro parisien et des cartes scolaires. *1986* rachetées par Frédérique Ihmof : édition de cartes et guides dont le Guide Rouge de Paris. Seul fabricant français de globes terrestres.

☞ On peut inscrire la carte de France dans un *hexagone* (presque) régulier (3 côtés terrestres et 3 maritimes : Manche et mer du Nord ; Méditerranée ; Atlantique).

■ Le territoire français

■ **La République française** comprend : *France métropolitaine* (France continentale et Corse), *5 départements d'outre-mer* (Guyane, Martinique, Réunion, Guadeloupe, St-Pierre-et-Miquelon) constituant également chacun une région depuis la loi du 31-12-1982, 4 *territoires d'outre-mer* (Mayotte, îles Wallis et Futuna, Nouv.-Cal. et dépendances, Polynésie fr.) ayant un statut particulier.

■ **Frontières.** Dates de fixation des frontières actuelles. **Nord et Nord-Est :** 2ᵉ traité de Paris (20-11-1815 après Waterloo 18-6-1815), qui a maintenu ou modifié des frontières déjà tracées : du Nord, tr. d'Utrecht (11-4-1713) ; avec le Luxembourg, tr. de Rastadt (6-3-1714) ; annexion de la Lorraine, tr. de Vienne (2-5-1738, mais daté du 18-11-1738). Le 13-3-1769, Choiseul et l'ambassadeur d'Autriche signent à Versailles un traité régularisant le tracé et échangeant les enclaves [29 e. autr. en Fr. contre 14 e. fr. aux P.-Bas (accord définitif 1779)]. En 1772, traité similaire avec l'évêque de Liège [le 1ᵉʳ tr. de Paris (30-5-1814) accordait à la Fr. des limites plus favorables que celles de 1792, c.-à-d. pour le Nord, env. 1 000 km² de plus qu'au tr. d'Utrecht ; le 2ᵉ tr. de Paris enlevait à la Fr. Bouillon, Philippeville et Marienbourg et tout le terrain nouvellement acquis. Lorsque les Belges se révoltèrent contre le roi de Holl. (25-8-1830), Talleyrand s'efforça sans succès à la Conférence internationale de Londres (1830-31) de récupérer pour la Fr. Bouillon, Philippeville et Marienbourg mais obtint le démantèlement de quelques places fortes belges, telles que Mons et Philippeville].

Est : le 1ᵉʳ tr. de Paris (30-5-1814) laissait en outre à la Fr. Sarrelouis, Sarrebruck et Landau. 2ᵉ tr. de Paris (20-11-1815) les frontières du tr. de Rastadt (6-3-1714) plus favorables que celles de 1792, plus le territoire de Mulhouse acquis au tr. de Lunéville le 9-2-1801 (20 pluviôse de l'an IX).

Centre-Est : avec la Suisse : le 2ᵉ tr. de Paris (20-11-1815) laisse à la Fr. le Cté de Montbéliard mais lui enlève le demi-canton de Porrentruy acquis au tr. de Lunéville le 9-2-1801 (20 pluviôse de l'an IX) que le 1ᵉʳ tr. de Paris lui laissait. La frontière de Franche-Comté date du 2ᵉ tr. de Nimègue (17-9-1678), celle du pays de Gex et du Val-Romeu du tr. de Lyon avec la Savoie (27-1-1601). Celle du Genevois, du Congrès de Vienne (9-6-1815).

Sud-Est : *Savoie :* tr. de Turin (24-3-1860) et plébiscite (22-4-1860) ; tr. de Paris du 10-2-1947 : la Fr. annexe le Petit St-Bernard et le mont Cenis. *Dauphiné :* tr. de Romans (30-3-1349), avec des échanges de territoires ultérieurs, ramenant les frontières sur la crête (tr. d'Utrecht, 11-4-1713 : vallée de Barcelonnette à la Fr. ; vallées d'Oulx et de Pignerol au Piémont) ; tr. de Paris du 10-2-1947 : annexion du plateau du mont Tabor et du massif du Chaberton. *Comté de Nice :* tr. de Turin (24-3-1860) et plébiscite (15-4-1860) ; tr. de Paris du 10-2-1947 : annexion des vallées de la haute Roya (avec Tende et La Brigue), de la Tinée et de la Vésubie (env. 1 000 km²). *Avec Monaco* (février 1861).

Midi : *Pyrénées :* paix des Pyrénées [(7-11-1659), Llivia est rétrocédée à l'Espagne en 1660]. *Andorre :* en 1607, les droits du comte de Foix, cosuzerain d'Andorre, passent à la couronne de France (Henri IV). Les traités définitifs, avec mise en place des bornes-frontières, datent du 14-4-1862 pour Andorre, de 1856, 1862, 1863, 1866 et 1868 pour l'Espagne (avec un rectificatif du 14-6-1906 pour les bornes 579 et 580).

Corse : tr. de Versailles (1768), la république de Gênes cède ses droits sur la Corse à Louis XV.

■ Particularités

■ **Enclaves étrangères. Principauté de Monaco** (1,5 km², 23 500 h.) dans les Alpes-M. (voir Index).

Llivia (12 km², 1 200 hab. avec les hameaux de Sareja et Gorguja), enclave espagnole dans les Pyrénées-Orientales depuis le tr. des Pyrénées (1659) et la convention du 12-11-1660 qui cédait à la Fr. 33 villages catalans, sauf Llivia, ancienne capitale de la Cerdagne jusqu'au XIᵉ s. et qui avait le titre de ville (« Llivia » vient de Julia Livia, femme de l'empereur romain Auguste ou, selon d'autres sources, de Julia Libyca, colonie de vétérans originaires de Cyrénaïque). Elle est reliée à l'Espagne par une route neutre de 4 km, isolée des chemins qui la traversent par des barrières gardées par la douane française ; elle ne peut être fortifiée par l'Espagne.

■ **Abbaye de Hautecombe** (Savoie). Abbaye cistercienne fondée XIIᵉ s., rebâtie XVIIIᵉ, restaurée 1842-43, occupée par les bénédictins dep. 1922.
A la suite de la cession, par le roi de Sardaigne, de Nice et de la Savoie à la Fr., des dispositions internationales stipulèrent que la Fr. s'engageait à respecter à perpétuité la destination religieuse de l'abbaye (protocole franco-sarde du 18-8-1860, arrangement du 4-8-1862, déclaration du 19-2-1863). Les lois sur les congrégations religieuses prononçant, en Fr., leur expulsion ne furent pas applicables aux religieux de Hautecombe, patronnés par la Maison de Savoie et dont le chef possédait le droit de nomination de l'abbé, droit qu'Humbert II (roi d'Italie du 9-5 au 13-6-1946) a abandonné par testament. L'abbaye est terre française mais, son affectation religieuse étant garantie à perpétuité par suite des dispositions de droit international, la place néanmoins en dehors du champ d'application de certaines lois fr. Les dépenses d'établissement sont à la charge de l'abbaye et des Monuments historiques. C'est un des lieux de sépulture des princes de la Maison de Savoie qui régnèrent en Italie jusqu'en 1946. Humbert II y fut inhumé le 24-3-1983.

■ **Île de la Conférence (ou île des Faisans).** Moins de 3 000 m² de superficie. Les représentants des communes riveraines s'y réunissaient pour conclure des accords de « faceries » (d'où viendrait le mot « faisans ») sur la pêche au saumon (communauté de pêche) dans la Bidassoa, et régler les questions d'intérêt local. Le 7-11-1659, les ministres de Louis XIV et de Philippe IV y signèrent le traité des Pyrénées (mariage du roi de France et de l'infante Marie-Thérèse d'Espagne). L'île était considérée comme propriété commune des royaumes d'Esp. et de Fr. Dep. le tr. de Bayonne du 2-12-1856 (complété par la convention du 27-3-1901 qui établit les droits de police et de justice), c'est un condominium de droit international. Le droit de police de ce territoire indivis (indivision perpétuelle, exceptionnelle en droit international) incombe à tour de rôle, tous les 6 mois, à la Fr. (du 12-8 au 11-2) et à l'Esp. (la Fr. est représentée par le capitaine de frégate commandant la station navale de la Bidassoa). Il y a en fait 2 îles des Faisans : *l'île des Faisans* proprement dite, située contre la rive fr. (seule île concernée par le condominium de 1856 malgré une confusion de l'art. 9) et *l'île de la Conférence,* plus petite, située au sud de la 1ʳᵉ et au milieu de la rivière.

■ **Ondarrolle.** Hameau français et paroisse esp. de la vallée des Aldudes, à 6 km du village fr. d'Arnéguy, en face du village esp. de Valcarlos (dont il n'est séparé que par la Nive d'Arnéguy). Sur le plan religieux, il dépend du diocèse esp. de Pampelune : mariages et enterrements sont célébrés à Valcarlos et les inhumations ont lieu en Esp. Dep. le Moyen Âge les habitants d'Ondarrolle allaient à l'église de Valcarlos ; on ne put ensuite faire coïncider (la coutume étant plus forte) frontières politiques et religieuses malgré les différentes tentatives (bulle papale de 1566, accords fr.-esp. au XVIIIᵉ s., concordat de 1801, concile de Vatican II...). En juin 1940, Ondarrolle resta en zone libre, Arnéguy étant en zone occupée.

■ **Pays Quint.** Depuis le traité fr.-esp. de Bayonne du 2-12-1856 (complété par la convention du 28-12-1858), c'est un territoire esp. (bordant l'extrémité sud de la haute vallée du Baïgorry sur 2 à 6 km de profondeur) à statut particulier. Il est divisé en 2 régions ayant chacune leur statut :

1°) le Pays Quint du Sud : territoire de faceries (communautés de pâturages) où les habitants de Baïgorry (territoire français) possèdent le fermage des herbes et des eaux ainsi que des privilèges douaniers. **2°) le Pays Quint du Nord** où, malgré la souveraineté espagnole, l'exploitation (des pâturages) appartient à la France (habitants de la vallée du Baïgorry) grâce à un droit de bail perpétuel (anomalie exceptionnelle en droit international) ; l'Esp. n'a pas la compétence de disposition (elle ne peut modifier l'état des sols). Actuellement, la frontière du Pays Quint est clôturée sur 37 km, mais les Baïgorriens ont libre accès au territoire ; pour la douane française, les frontières politique et économique ne coïncident pas ; les PTT françaises distribuent le courrier dans le territoire et les gardes civils espagnols assurent la police.

■ **Faceries de la frontière espagnole.** *Facerie :* association ou communauté de pâturages entre villages voisins pour leurs troupeaux. *Origine :* conventions passées entre « vallées » (ou paroisses) pyrénéennes voisines au Moyen Âge : elles organisent la possession et la jouissance indivises de hauts pâturages situés sur leurs limites respectives ; ces faceries devinrent des traités politiques de neutralité et de non-belligérance par lesquels les vallées (souvent des « Républiques ») se désolidarisaient des guerres franco-esp. (exemple le « Plan d'Arrem » de 1315, entre plusieurs vallées). Cette organisation, respectée ensuite par la France et l'Espagne, perdit son caractère politique au début du XVIIIᵉ s. et reprit son caractère primitif de convention pastorale conservé jusqu'aujourd'hui. Depuis le tr. de Bayonne de 1856 qui a en général respecté la démarcation fixée auparavant par conventions, on distingue, outre le cas spécial du Pays Quint (voir plus haut), les faceries locales (durée limitée à 5 ans, mais renouvellement tacite), et 2 faceries perpétuelles : entre Cize et Aezcoa, entre Roncal et Baretous (depuis la Sentence d'Anso de 1375, chaque 13 juillet, les habitants béarnais de Baretous offrent à leurs voisins navarrais de Roncal 3 génisses de 2 ans, saines et sans tache).

Freycinet 120. *Hte-Loire :* Bar 40. *Puy-de-Dôme :* la Vache 153, Louchadière 148, Montchié 104, Pariou 93, Petit-Puy-de-D. 89, la Nugère 82, Puy-de-D. 76.

■ **Quaternaire.** Période glaciaire laissant des traces profondes dans le relief actuel : érosion, dépôts de moraines. Les alluvions fluviales comblent les anciens golfes marins (Bassin parisien, Aquitaine, Sillon rhodanien, Alsace). A la fin du quaternaire, la *fonte des glaces* relève de 50 m le niveau des mers : les rias bretonnes sont noyées.

Terrains géologiques actuels

■ **Terrains précambriens.** *Massif armoricain, Massif central* et *Vosges.* Autrefois on leur donnait une vaste extension (tout l'ancien socle soulevé à l'époque hercynienne), actuellement on les réduit à quelques zones où le paysage ressemble à celui du Pays de Galles (période algonquienne) – ex. granites de Bretagne et du Cotentin.

■ **Terrains cambriens.** *Ardennes* (paysage aussi voisin de celui du pays de Galles) : roches métamorphiques ayant subi une recristallisation très poussée. Il y a peu de fossiles. *Massif armoricain* (poudingues pourpres, ardoises rouges sans fossiles, arènes feldspathiques de la Sarthe) ; *Montagne Noire* (cambriens à fossiles de l'époque acadienne, ardoises jaune et violette).

■ **Terrains siluriens.** *Bretagne,* dépôts d'arènes ordoviciens (vallée de la Laize), peu fossilifères ; *Montagne Noire* (trilobites fossiles de type scandinave et gallois, arènes sans fossiles et ardoises à fossiles de l'étage gotlandien, puis calcaires gris très fossilifères).

■ **Dévonien.** Séries de bandes étroites, mêlées à du carbonifère ; *Massif armoricain* (orientées d'est en ouest dans le Cotentin, dans l'axe Brest-Laval à Angers, à Ancenis) ; *Massif central* (Allier et Morvan et surtout dans vallée de la Loire où les calcaires sont zoogènes) ; *Vosges ; Montagne Noire* et surtout *Pyrénées* (ardoises fossilifères, calcaires à nodules rouges et verts appelés marbres griottes ou de Campan).

■ **Carbonifère.** *Massif armoricain* ; occupe les mêmes synclinaux que le dévonien, mais des accidents tectoniques l'ont fragmenté. Se prolonge jusqu'aux bassins de Laval et de Châteaulin. *Vallée de la Sarre et Vosges* (principaux fossiles : fleurs variées, insectes, arachnides). *Bassins de Commentry, de St-Étienne. – Montagne Noire* (ardoises avec bancs calcaires, dépôts de sables et calcaires à fossiles contenant notamment de nombreux mollusques). *Corbières* et *Pyrénées* (notamment le massif de la Maladetta, période westphalienne).

■ **Permien.** *Bassin de Littry* (Calvados) : sables, arènes, poudingues, argiles de couleurs vives et calcaires dolomitiques ; *vallée de la Bruche* : ardoises rouges, riolite du Nideck ; *bassin d'Autun et Hérault* : ardoise bitumeuse ; *Maures, Esterel* et *Alpes-Mar.* : atteignent 900 m d'épaisseur (ardoises rouges et vertes ; porphyre bleu).

■ **Triasique.** Recouvrent les terrains anciens du *Cotentin,* des *Ardennes* et des *Vosges* où les grès bigarrés (grès vosgiens), contenant des grains de silice cimentés, atteignent 400 m d'épaisseur. Les fossiles sont souvent des crustacés (d'eau douce). *Morvan, Massif central* et *basse Provence* (vastes dépôts de calcaires coquilliers), *Pyrénées* (arènes rougeâtres et dépôts salins du triasique supérieur).

■ **Jurassique.** *Normandie* et *seuil du Poitou* ; *Jura* et *Haute-Saône* ont des aspects analogues à la Souabe (liasique supérieur). *Rebords du Massif central, Languedoc, vallée du Rhône.* A la période oolithique, d'importantes couches se sont déposées des *deux* *côtés de la Manche actuelle* ; les terrains normands et boulonnais ressemblent à ceux de G.-B. : calcaires marneux, contenant des céphalopodes fossiles. Nombreux autres dépôts : *Bassin parisien, Meurthe, Vosges, Causses, vallée du Rhône, Pyrénées*, etc. Tous ces sédiments sont d'origine marine.

■ **Crétacé.** Vaste sillon *du Dauphiné au Boulonnais*, se prolongeant en G.-B. Le crétacé moyen notamment (cénomannien) forme la majeure partie du *Bassin parisien :* calcaires marneux. Autres dépôts : *Massif central, Pyrénées, Bretagne occidentale.*

■ **Éocène et Oligocène** (calcaire à nummulites). Vastes terrains en *Picardie* et *Normandie* (sables siliceux et marnes de Meudon). Sparnacien : littoral de la *Manche, Soissonnais, Champagne*. Lutécien : environs de *Paris* (la couche de gypse atteint 50 m à Montmartre). Autres sites : *Cotentin, Aquitaine*, rebords du *Massif central, Provence* (bassins d'Aix et d'Apt), nombreux mammifères fossiles. Oligocène : domine en *Beauce*, à *Fontainebleau*, dans l'*Étampois. La Limagne* est un ancien lac oligocénique à la faune lacustre et continentale. A *Manosque*, les fleurs fossilisées sont de type subtropical ; en *Quercy*, les gisements de phosphates de calcium contiennent de nombreux types de vertébrés.

■ **Néogène (Miocène et Pliocène).** Bien moins abondant que le crétacé. Dépôts principaux : *Orléanais, Touraine, Maine* et *Anjou*. En *Armagnac*, le calcaire est d'origine lacustre et contient des mammifères fossiles. Autres sites : *vallée du Rhône* (notamment colline de la Croix-Rousse à Lyon ; gisement de fossiles de vertébrés). La mer pliocène a laissé des dépôts en *Vendée* et en *Aquitaine* et dans la région basse du *Languedoc*, des *Pyrénées au Rhône*.

■ **Époque moderne.** *Principal dépôt morainique* (plateau sableux et caillouteux, tapissé d'argile) : les *Dombes*, golfe comblé par l'ancien glacier du Rhône. *Principal dépôt d'alluvions fluviales :* la *Limagne*, série de fossés tectoniques comblés par des débris végétaux (terre noire), coupés à l'est par des « varennes » sableuses, longtemps marécageuses, aujourd'hui changées en prairies. *Alluvions déposées par des vents :* dunes de la région landaise ; collines de lœss en Alsace.

CLIMAT

☞ Dans l'ensemble, le climat français appartient au domaine tempéré (effet de la latitude, à mi-chemin entre le pôle et l'équateur).

Sous-types de climats. 1°) Atlantique (ou maritime tempéré), du Cotentin aux Pyrénées, subdivisé en *armorique* (humide, brumeux et froid) et *aquitain* (plus chaud et plus ensoleillé) ; **2°) Continental** atténué, du Cotentin à la vallée du Rhône, subdivisé en *parisien* (assez proche du climat atlantique, mais moins pluvieux), *auvergnat* (rude et froid à cause de l'altitude), *lorrain* (aux hivers froids et humides), *alsacien* (le plus typiquement continental : plus sec avec orages estivaux) ; **3°) Méditerranéen,** côtes sud et Corse ; **4°) Alpestre,** Alpes et Pyrénées.

PRESSIONS ET VENTS

1°) Vents dominants ou océaniques (vents d'ouest). Du S.-O. au N.-O. en hiver [les centres de basses pressions passant généralement au N. (de la Manche au N. de l'Écosse)] : ils sont relativement tempérés ; du N.-O. en été (les basses pressions se situant vers le S.-E. du territoire) : ils sont relativement frais. Les températures extrêmes sont ainsi atténuées à chaque saison.

2°) Vents continentaux ou bise du nord. Affectent la partie la plus orientale du pays (à l'est d'une ligne Sedan-Toulon) et soufflent surtout en hiver et au printemps, quand les plaines nord-orientales de l'Europe sont nettement plus froides que l'Atlantique. Leur direction est initialement N.-E./S.-O. Ils sont ensuite fréquemment happés par le couloir Saône-Rhône et se ruent vers la Méditerranée, selon une direction N.-S. : le *mistral* qui atteint 200 km/h (mais jamais plus de 3 000 m d'altitude). La bise du nord est donc relativement rare dans l'ouest du pays.

3°) Vents locaux méditerranéens. Outre le *mistral* qui vient de régions éloignées, le Midi méditerranéen connaît une alternance de vents locaux ; chauds et humides venus de la mer, puis vents froids et secs soufflant de la terre, qui rappellent, sur une petite échelle, le mécanisme des moussons (mer située au sud d'un continent) :

Mini-mousson d'été : l'*autan blanc* (en latin *altanus :* « originaire du large ») attiré par les basses pressions du Massif central surchauffé, il vient par le S.-E. et déverse son eau sur les rebords des Cévennes (le mont *Aigoual* veut dire le mont de l'eau). Il continue vers les vallées ouest du Massif central, toujours chaud, mais devenu sec et violent (effet de fœhn). **Mini-mousson d'hiver :** la *tramontane* (froide et sèche) : descend du Massif central, attirée vers le S. par les basses pressions hivernales de la Méditerranée. Elle est souvent confondue avec le mistral, bien qu'elle soit moins violente.

4°) Vent de la Méditerranée vers l'Atlantique : l'*autan noir* n'est pas forcément estival (comme l'*autan blanc*), il souffle d'E. en O., chaque fois qu'une basse pression atlantique se produit dans le golfe de Gascogne : il amène la pluie entre Massif central et Pyrénées.

ÉTÉS LES PLUS CHAUDS

1604. 05. 12. 15. 19. 22. 23. 36. 37. 45. 52. 53. 54. 62. 66. 69. 76. 81. 84. 85. 91. 98.

1704. 05. 06. 07. 12. 17. 18. 19. 23. 26. 29. 31. 36. 41. 42. 43. 51. 57. 59. 60. 61. 62. 64. 65. 66. 72. 73. 78. 83. 84. 85. 88. 90. 93. 95. 98. 99.

1803. 05. 11. 18. 22. 25. 26. 35. 42. 46. 52. 57. 58. 59. 64. 70. 74. 76. 81. 84. 92. 93. 95. 99.

1900. 04. 06. 11 [seule année où le max. a dépassé 35 °C pendant 3 mois : juil. (35,7 °C), août (36,5 °C), sept. (35,8 °C) ; 32 j à Paris et 53 à Marseille au-dessus de 30 °C]. **13. 21** (sécheresse record dans la moitié N. de la France ; 5 mm de pluie à Paris pour juin et juil ; 41,6 °C à Chaumont et à Vesoul). **23. 28. 33. 45. 47** (40,4 °C à Paris Montsouris en juillet). **49** (30,2 °C à Paris en avril). **50. 52. 55. 59. 61. 62. 64. 76. 83. 90.**

HIVERS LES PLUS DURS

1607-08. 15-16. 20-21. 40-41. 55-56. 57-58. 59-60. 62-63. 69-70. 76-77. 83-84 (la mer gèle sur plusieurs milles). **94-95.**

1708-09 (Garonne, Rhône, Meuse gelés), 1 400 000 † (froid, famine, épidémie). **15-16. 28-29. 39-40. 41-42. 75-76. 83-84. 88-89** (Seine gelée à Paris du 26-11 au 20-1 ; 56 j de gelées consécutives ; mer gelée à Ostende). **94-95.**

1819-20. 22-23. 29-30 (record de longueur : 15-11/28-2, 2 m de neige en Normandie). **37-38. 40-41. 44-45. 70-71. 79-80** [record absolu du froid : 10-12 (1 h 10) – 25,6 °C à St-Maur ; – 33 °C à Langres ; – 28 °C à Orléans ; 30 cm de glace sur la Seine à Paris (– 23,9 °C). 2-1 débâcle, 3-1 le pont des Invalides s'écroule]. **90-91. 92-93. 94-95.**

1916-17. 28-29 (record du froid dans l'Est : 70 cm de glace sur le Rhin). **38-39. 39-40. 41-42** (28-12/4-3). **44-45. 46-47. 55-56** (fév. exceptionnellement glacial, après un janv. tiède ; 30 j de gels consécutifs à – 20 °C ; 30 à 60 cm de neige à St-Raphaël et Antibes ; – 25 °C à Romilly, – 24,8 °C à Nancy, – 16,8 °C à Marignane, t. moyenne à Paris-St-Maur – 4,2 °C). **62-63** (13-11/5/6-3). **70-71** (déc. 70-début janv. 71 ; autoroute près de Montélimar : 60 cm de neige ; – 23,2 °C à Strasbourg, – 22,4 °C à Lyon). **78-79** (31-12/1-1. La région parisienne est traversée très vite par un front froid et très neigeux : le 31-12 dans la journée, – 10 °C à l'aéroport du Bourget et + 13 °C à Orly ; quelques h après, – 10 °C à Orly). **84-85** (janv.) – 2 °C à Strasbourg (44 j), Paris (36 j), Lyon [29 j (– 18 °C le 7-1)] ; – 18,6 °C à Toulouse (16-1), 16,4 °C à Bordeaux (16-1). **85-86** (3 dernières semaines de janv. et 10/25-2 ; surmortalité 6 100 †). **86** (fév.-mars). **87** (janv.-fév.-mars) – 18,5 °C à Strasbourg (11-1), – 13,6 °C à Toulouse (18-1). **91** (fév.).

MÉTÉOROLOGIE NATIONALE. MÉTÉO-FRANCE

Siège : 73-77, rue de Sèvres, 92100 Boulogne. *Service central d'exploitation :* 42, av. G. Coriolis, 31057 Toulouse Cedex (depuis sept. 1991). *Centre technique et du matériel* (Trappes, Yvelines). *École nat. de la Météorologie* (Toulouse-Mirail). **Origine :** *1796* division météorologique de l'observatoire de Paris, organisée par Lamarck. *1878* Bureau central météo. *1920* Office national de météo (ONM). *1945* devient Météorologie nationale. La *Direction de la Météorologie* est une des Directions du ministère des Transports. **Budget :** 1991. 851,4 millions de F. **Personnels civils :** 3 510 (techniques et contractuels 2 904, administratifs 373, ouvriers d'État 233). **Appareils :** métropole et outre-mer : 3 816 *pluviomètres* dont 95 télémesures ; 1 722 *thermohygro* sous abri (86 avec télémesure) : 285 *ensembles anémomètre-girouette ;* 241 *héliographes* (instrument de mesure et d'enregistrement de la durée d'insolation) ; 92 *télémètres de nuages* (mesure de la hauteur de la base des nuages au-dessus du sol) ; 34 *stations automatiques* de surface ; 27 *calculateurs pour radiosondage ;* 24 *récepteurs de radiosondage ;* 18 *radiothéodolites ;* 31 *radars pour la mesure du vent ;* 19 *radars panoramiques* (nuages et pluie) ; 14 *récepteurs de satellites ;* 40 *pyranographes* [mesure et enregistrement du rayonnement ; 27 (rayonnement global), 13 (diffus)] ; 6 *pyrhéliomètres* (de mesure du rayonnement solaire venant directement du disque solaire) ; 20 *transmissomètres* (mesure de la transparence de l'atmosphère) ; 9 *calculateurs de visibilité aéronautique ; 5 rétrodiffusomètres* (mesure du pouvoir absorbant optique de l'atmosphère en vue d'apprécier la visibilité).

Publications : *Annuaire météorologique de Lamarck* (11 vol., 1800-10) interrompu par ordre de Napoléon (choqué qu'un membre de l'Institut « s'amuse » à faire des prédictions) ; *Annales du Bureau central météorologique* dep. 1879.

TEMPÉRATURE LA PLUS ÉLEVÉE

44 °C Toulouse, Haute-Garonne (8-8-1923)
43,9 °C Entrecastaux, Var (8-7-1982)
42,8 °C Montpellier, Hérault (19-7-1904)
42 °C Bergerac, Dordogne (27-7-47) (12-7-49)
41,6 °C Nîmes, Gard (9-8-1923)
41,6 °C Chaumont-sur-Loire, Loir-et-Cher et Vesoul, Hte-Saône (28-7-1921)
41,4 °C Angoulême, Charente (8-8-1923)
41,4 °C Tours, Indre-et-Loire (28-7-1947)
41,2 °C Grasse, Alpes-Maritimes (17-7-1932)
41 °C Agen, Lot-et-Garonne (1-8-1947)
40,4 °C Paris, Montsouris (28-7-1947)
40,2 °C Châteauroux, Indre (28-7-1947)
40 °C Cazaux, Landes (30-6-1968)
39,8 °C Paris, St-Maur (28-7-1947)
38,8 °C Bordeaux, Gironde (21-7-1990)

TEMPÉRATURE LA PLUS BASSE

– 41 °C Mouthe, Doubs (17-1-1985)
– 39,5 °C Combsfroide, Doubs (17-1-1985)
– 39 °C Chapelle-des-Bois, Doubs (17-1-1985)
– 35 °C Mouthe, Doubs (3-1-1971)
– 33 °C Langres, Hte-Marne (9-12-1879)
– 31 °C Granges-Ste-Marie, Doubs (2-1-1971)
– 30 °C Nancy, Meurthe-et-M. (8-12-1879)
– 30 °C Morbier, Jura (13-1-1968)
– 26,6 °C Commercy, Meuse (8-12-1879)
– 26 °C Épinal, Vosges (8-12-1879)
– 26 °C Gien, Loiret (9-12-1879)
– 25,2 °C Luxeuil, Haute-Saône (13-1-1968)
– 25,2 °C Romilly, Aube (6-1-1971)
– 25 °C Limoges, Haute-Vienne (18-1-1893)
– 25 °C Paris, St-Maur (10-12-1879)
– 20,3 °C Luxeuil, Haute-Saône (7-2-1991)
En 1928, il y eut 70 cm de glace sur le Rhin.

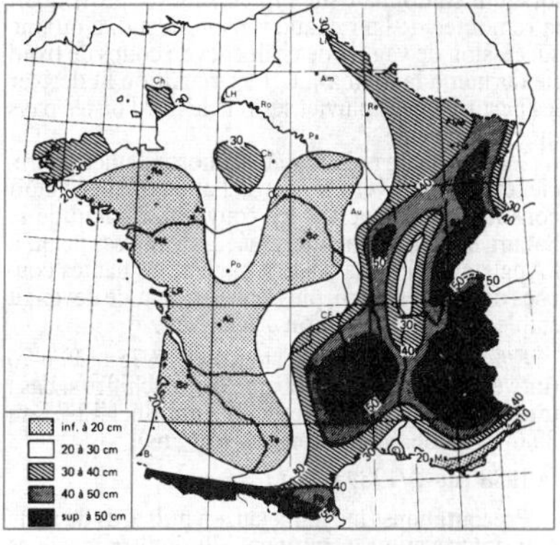

Épaisseur maximale de neige observée en moyenne une fois tous les 50 ans.

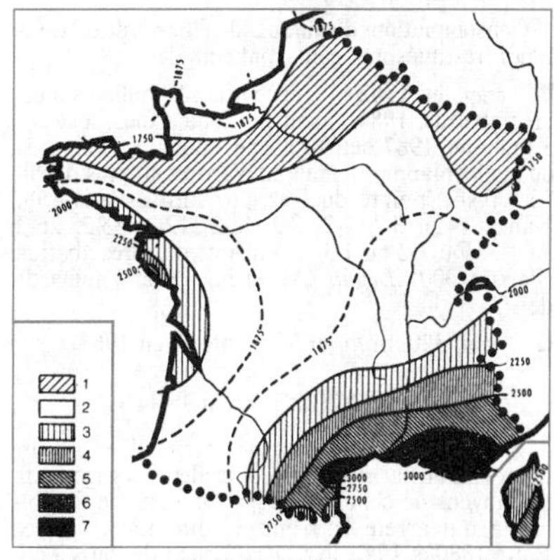

Durée moyenne d'insolation (année). (1) < 1 750 h. (2) 1 750 à 2 000 h. (3) 2 000 à 2 250 h. (4) 2 250 à 2 500 h. (5) 2 500 à 2 750 h. (6) 2 750 à 3 000 h. (7) > 3 000 h.

■ **Enneigement. Faible : 1949, 1962, 1988-90. Fort : 1971-77** (surtout 1973), **1978-84** (surtout 1982).

■ **Foudre.** Chaque année, plus de 1,5 million d'impacts foudre touchent le sol. *Dégâts :* plusieurs milliards de F. La foudre serait responsable de 10 % de tous les incendies. Elle provoque la mort de 2 000 têtes de bétail. 50 personnes sont foudroyées, accidentées ou brûlées par un incendie provoqué par la foudre. Elle endommage 250 clochers.

■ **Grêle. Dégâts :** en moyenne 1 milliard de F par an : 11-7-1984 [19 départements atteints, 256 communes sinistrées en Côte-d'Or (plus de 900 millions de F de dégâts)]. 11-8-1958 : Strasbourg, Bas-Rhin, grêlons dont le plus gros pesait 972 g.

■ **Insolation annuelle. La plus forte :** 3 144 h à Toulon (1961). **La plus faible :** 1 243 h à Rostrenen (1958). **Paris** : *1988 :* 2 158 h, *89 :* 1 812. **Brest :** *1954 :* 2 039, *89 :* 1 849. **Lyon :** *1949 :* 2 260, *89 :* 1 922. **Lille :** *1959 :* 1 945, *89 :* 1 688.

■ **Pluie** (100 mm = 100 l par m²). **En 30 minutes** 88 mm à Bordeaux le 20-7-1883. **En 1 jour** 840 mm à la Llau (P.-O.) le 18-10-1940. **En 1 an** 4 017 mm au mont Aigoual (Gard) en 1913. **Moyenne** (1951-80) : 800 mm. **1988** 3-10 orage de 8 à 9 h. 228 l d'eau entre 6 h et 12 h à Nîmes-Courbessac ; dégâts 4 milliards de F, 45 000 sinistrés. **1992** 22/24-9 pluies et crues en Vaucluse (Vaison-La-Romaine) Drôme, Ardèche 40 †.

■ **Pression** *(réduite au niveau de la mer).* **Maximale :** 1 050,2 mb à Paris (Observatoire astronomique) le 6-2-1821 ; 1 049,5 mb à Paris-St-Maur le 29-1-1905. **Minimale :** 947,1 mb à Boulogne-s-Mer le 25-12-1821.

■ **Sécheresses. Les plus longues :** 97 j à Marseille (6-7/10-10-1906). 55 j à Paris (21-1/16-3-1897). 34 j à Paris (20-2/26-3-1953). **Automnes et hivers secs :** *1953-54, 1956-57, 1988-89* [du 1-9-88 au 31-1-89 : Toulouse 114 mm (normale 372), Nantes 213, Rennes 158], *1989-90* (début hiver 90 : 11 000 km de cours d'eau à sec), *1991-92.* **Janviers « secs » :** *1964 :* 17 mm, *76 :* 29, *89 :* 22.

Années : 1303. 1540. 1719. 1874. 1921 [pluies en mm : Le Mans 289 (norm. 728), Nancy 200 (728), Paris 278 (env. 600), Tours 392 (650)]. **1945. 1947. 1949. 1975.**

1976 : exceptionnelle, non par ses records absolus (températures inférieures à celles de 1911 ; sécheresse moins prolongée qu'en 1921), mais par ses causes météorologiques. 1°) En déc. 1975, un anticyclone s'est installé entre l'Écosse et l'Allemagne, effectuant un mouvement de va-et-vient. Lorsqu'il stationnait sur l'Écosse, il dirigeait sur la Fr. des vents du nord ; lorsqu'il stationnait sur l'Allemagne, il provoquait la remontée de l'air chaud venant du sud, d'où une succession de vagues de chaleur et de coups de froid (le dernier à la mi-mai). Cette circulation fit dériver les perturbations pluvieuses vers le nord ou les pays méditerranéens.

2°) La frange polaire s'étant anormalement rétrécie et décalée vers le nord, l'anticyclone chaud constitué d'air tropical sec couvrant d'habitude le Sahara et les pays méditerranéens progressa jusqu'à l'Angleterre. Plus la chaleur gagnait les hautes couches de l'atmosphère, plus la masse chaude devenait stable et plus la situation s'aggravait.

Effets : pluies à Paris, 121 mm du 1-12-75 au 30-6-76 (moyenne : 304 mm ; probabilité d'un chiffre si bas : tous les 95 ans) ; Rennes : 136 mm du 1-12-75 au 30-6-76 (probabilité : tous les 110 ans).

1988 (nov.)/1989 (oct.) : 560 mm.

Précipitations (moyenne/an, en milliards de m³) : 440 dont évapotranspiration 270, infiltration dans les nappes env. 100, rivières 70. *Année sèche :* 300 dont 60 dans les nappes.

Consommations d'eau/an : 40 milliards de m³ dont 7 non restitués aux eaux continentales.

■ **Tempêtes. 1982** Massif central : 10 millions d'arbres abattus. **1984** Normandie, Picardie, Vosges : 3 millions. **1987** oct. Bretagne, coût : 3,5 milliards de F, Normandie 10 millions d'arbres abattus. **1990**-25-1 (vent, pointe du Raz, 167 km/h, Paris 158, Nancy 145), 3-2, 7-2, 8-2, 11-2, 12-2, 13-2, 26-2 au 1-3. Du 3-2 au 1-3 : 8 millions d'arbres abattus (Paris, 6 000). *Dégâts (1-1 au 1-3 :* + de 7 milliards de F).

■ **Vents.** 320 km/h au Mt Ventoux en 1967.

■ Records parisiens

Réchauffement continu de Paris. Il existe un microclimat parisien, dû à la chaleur dégagée par les moyens de chauffage et par une lentille de pollution qui arrête les vents et diminue la pluie. Entre 1880 et 1940, le réchauffement de Paris a été de 1,2 °C à Montsouris et de 1,5 °C au centre de la ville.

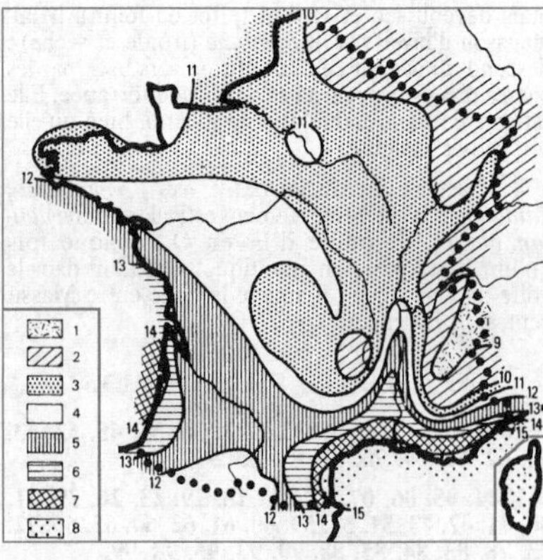

Température moyenne (année)
Légende : (1) < 10 °C. (2) 10 à 11 °C. (3) 11 à 12 °C. (4) 12 à 13 °C. (5) 13 à 14 °C. (6) 14 à 15 °C. (7) 15 à 16 °C. (8) > 16 °C.

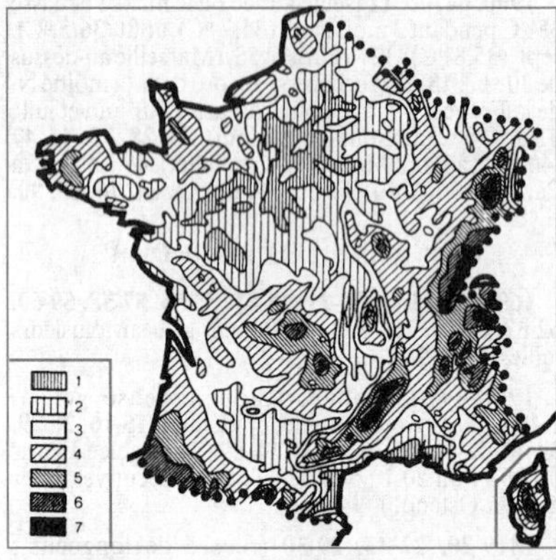

Hauteur moyenne des précipitations (année)
Légende : (1) < 600 mm. (2) 600 à 700 mm. (3) 700 à 800 mm. (4) 800 à 1 000 mm. (5) 1 000 à 1 200 mm. (6) 1 200 à 1 500 mm. (7) > 1 500 mm.

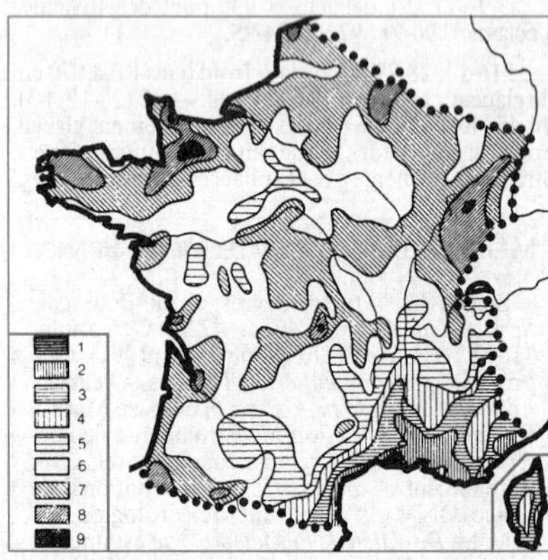

Nombre moyen de jours de précipitations (année)
Légende : (1) < 60 jours. (2) 60 à 80 j. (3) 80 à 100 j. (4) 100 à 120 j. (5) 120 à 140 j. (6) 140 à 160 j. (7) 160 à 180 j. (8) 180 à 200 j. (9) > 200 j.

Nombre de jours dans l'année. De pluie (j de neige inclus) : *maximal* 199 (1970) ; *minimal* 114 (1921) ; *moy.* 164. **De neige :** *max.* 36 (1970) ; *min.* 2 (1957, 1961) ; *moy.* 15. **Avec orages :** *moy.* 19.

Nota. – 8 cm de neige 1-5-1945. 3 cm 18-5-1935.

Pluie (en mm). 1900-79 : moitié des observations normalement entre 628 (moyenne) – 88 (écart moyen) = 540 mm et 628 + 88 = 716 mm.

Hauteur des pluies en mm

depuis 1873	Maximum	Minimum
Juin	138 (1873)	1 (21-76)
Juillet	168 (1972)	6 (1949)
Août	161 (1931)	3 (1940)
Septembre	149 (1896)	0 (1895)
Dans l'année	880 (1965)	270 (1921)

Records récents. 1980 *(juill.). Soleil* 158,8 h (moyenne 247 h). *Pluie* 110,1 mm d'eau (au lieu de 57,4 mm) pendant 83,1 h réparties sur 18 j. *Tempéra-*

Le temps à Paris (Montsouris)

	Temp.			Jours avec			Haut. pluies (mm)
	moy.	max.	min.	pluie	neige	orages	
1900	11,5	38,6	– 6,6	161	20	30	497
1901	10,5	33,9	– 10,3	149	32	22	547
1902	10,3	33,9	– 9,4	172	16	18	571
1903	10,7	33,5	– 8,9	179	17	23	614
1904	10,9	37,1	– 6,2	153	10	16	593
1905	10,5	33,8	– 9,4	176	11	26	721
1906	11,1	34,9	– 7,7	176	34	15	684
1907	10,7	34,4	– 10,4	159	19	14	534
1908	10,5	32,5	– 11,6	158	19	18	560
1909	10,2	32,5	– 8,1	167	29	27	661
1910	10,9	29,7	– 7	197	13	32	792
1911	11,8	37,7	– 5,4	146	18	15	496
1912	11,0	34,4	– 8,7	175	7	22	627
1913	11,3	31,2	– 7	176	8	21	638
1914	11,1	33	– 10	177	11	27	608
1915	10,9	33,0	– 7,3	164	13	22	693
1916	11,0	31,8	– 5,3	195	14	19	684
1917	9,9	34,4	– 13,4	165	29	22	614
1918	11,1	36,4	– 13,8	158	13	12	603
1919	10,4	35,2	– 10,7	181	32	10	705
1920	11,1	31,8	– 8,9	152	7	17	532
1921	12,0	37,1	– 8,9	114	7	13	270
1922	10,4	34,8	– 8,5	179	1	19	742
1923	11,1	36,1	– 3,4	182	6	19	697
1924	10,7	32,9	– 6	180	12	23	633
1925	10,6	31,6	– 9,4	180	26	18	731
1926	11,4	32	– 7,6	162	12	21	613
1927	10,9	30,2	– 10,3	191	12	26	757
1928	11,8	36,3	– 4,1	175	6	26	709
1929	11,0	34,8	– 14,1	133	23	17	471
1930	11,6	34,2	– 4,1	197	9	20	745
1931	10,8	32	– 5,4	184	20	32	797
1932	11,2	35,7	– 8,9	159	6	21	491
1933	11,2	36,2	– 9,7	133	14	21	469
1934	12,0	33,6	– 5,6	152	8	19	572
1935	11,4	33,1	– 7,1	165	14	17	631
1936	11,3	32,4	– 5,1	176	14	26	709
1937	11,9	34,4	– 4,3	171	11	5	760
1938	11,7	33,5	– 12,9	146	10	5	503
1939	11,4	32,9	– 4,7	182	15	11	754
1940	10,7	32,1	– 14,6	160	20	5	615
1941	10,8	35,3	– 9	166	18	7	730
1942	10,8	32,5	– 13,3	166	31	20	828
1943	12,0	36,6	– 4,3	141	5	18	537
1944	11,2	34,8	– 6,7	157	14	15	684
1945	12,2	36,8	– 10,2	153	20	18	456
1946	11,1	36,9	– 12,6	171	17	15	616
1947	12,3	40,4	– 12,2	163	18	19	610
1948	11,7	33,7	– 9,3	168	7	18	632
1949	12,3	33,6	– 4,2	127	5	16	402
1950	11,6	33,6	– 7,2	177	16	24	687
1951	11,3	30,4	– 7,1	188	5	25	783
1952	11,3	38	– 4,4	184	22	20	715
1953	11,7	34,6	– 5,2	133	17	9	425
1954	11,0	34,3	– 12,9	184	9	11	483
1955	11,3	33	– 4,3	148	16	18	678
1956	10,4	31,1	– 14,7	154	12	14	545
1957	11,7	36	– 7	161	2	11	536
1958	11,4	31,1	– 4,4	193	20	22	783
1959	12,8	36,4	– 4,5	131	7	14	453
1960	11,7	30,5	– 11,3	198	7	20	739
1961	12,4	34,4	– 3,4	152	2	16	541
1962	10,5	32,1	– 8,5	159	22	18	528
1963	10,1	31	– 12,3	159	29	14	559
1964	11,7	35,2	– 8,5	146	18	16	521
1965	11,1	30,5	– 10,4	196	21	23	880
1966	11,9	32,7	– 13,6	192	14	20	834
1967	11,9	33	– 6,4	161	11	23	592
1968	11,2	34	– 7,7	176	22	16	634
1969	11,7	32,8	– 8,1	173	31	28	618
1970	11,6	31,2	– 6,5	199	36	17	631
1971	11,8	31,6	– 8,6	141	18	18	508
1972	11,1	30,1	– 7,2	170	13	26	740
1973	11,6	32,7	– 4,2	156	12	18	576
1974	12,0	34	– 0,4	198	5	27	668
1975	11,7	35,7	– 4,5	164	12	21	658
1976	12,4	35,4	– 6,2	135	12	12	417
1977	11,7	29	– 3,7	179	8	17	717
1978	10,9	30,1	– 10,3	171	23	16	743
1979	11,0	32,1	– 12,7	172	24	17	729
1980	11,2	31,3	– 5,1	170	10	17	690
1981	11,8	31,9	– 3,1	197	13	17	746
1982	12,4	32,8	– 6,6	173	13	25	700
1983	12,3	33,4	– 4,2	177	9	38	623
1984	11,7	34,8	– 3,3	177	12	22	745
1985	10,8	32	– 13,9	163	22	19	501
1986	11,0	34,9	– 9,1	176	14	11	611
1987	10,9	33	– 12,1	180	19	16	707
1988	12,2	31,1	– 2	167	7	18	734
1989	12,4	33	– 2,6	140	1	20	573
1990	12,9	36,6	– 2,1	149	5	17	501
1991	11,8	34,5	– 11,5	140	12	13	472
1992	12,4	35,9	– 4,4	154	2	23	645

PRÉCIPITATIONS, INSOLATION ET TEMPÉRATURES DANS QUELQUES VILLES DE FRANCE

Source : Mémorial de la Météorologie nationale, période 1951-1970 pour les précipitations et insolations. 1931-1960 pour les températures.

Précipitations (1951-1970) Hauteur moyenne (en mm) et nombre de jours *(en italique).*

VILLE	Année	J	F	M	A	M	J	J	A	S	O	N	D
Aix-en-Provence	630	45	50	47	45	45	43	25	35	60	85	80	70
Ajaccio	653 *95*	78 *12*	69 *10*	51 *9*	39 *9*	43 *8*	23 *4*	10 *1*	15 *2*	43 *6*	81 *10*	105 *11*	96 *13*
Alençon	730	72	62	54	48	46	48	48	55	62	72	86	77
Angers	690 *154*	65 *16*	50 *13*	60 *12*	45 *12*	50 *13*	55 *10*	35 *11*	60 *11*	55 *12*	65 *13*	80 *15*	70 *16*
Angoulême	826 *160*	79 *16*	68 *14*	64 *13*	62 *12*	70 *14*	58 *11*	53 *12*	66 *12*	69 *12*	70 *13*	79 *15*	88 *16*
Auxerre	626	53	51	42	42	63	68	44	56	56	48	49	54
Besançon	1 088 *169*	94 *17*	87 *14*	75 *12*	74 *14*	86 *14*	107 *14*	80 *14*	116 *13*	106 *13*	78 *14*	92 *15*	93 *15*
Biarritz	1 474 *177*	128 *16*	105 *14*	98 *13*	102 *15*	100 *77*	91 *14*	69 *13*	123 *13*	155 *14*	152 *15*	175 *16*	176 *17*
Bordeaux	947 *162*	100 *16*	84 *13*	66 *13*	57 *13*	64 *14*	71 *11*	52 *11*	65 *12*	88 *13*	84 *14*	99 *15*	117 *17*
Bourges	722	62	56	54	47	65	64	49	73	70	56	63	63
Brest	1 157 *201*	130 *22*	98 *16*	89 *15*	77 *15*	74 *14*	60 *13*	51 *14*	80 *15*	95 *16*	108 *19*	136 *20*	159 *22*
Briançon	757	65	74	59	51	50	60	31	60	60	73	96	78
Caen-Carpiquet	713 *169*	65 *17*	61 *14*	45 *12*	44 *13*	53 *14*	52 *12*	45 *13*	57 *13*	66 *13*	75 *15*	79 *16*	71 *17*
Carnac	732	72	68	55	42	47	41	33	55	70	74	87	88
Chartres	551	46	38	38	35	44	46	42	53	54	50	55	50
Château-Chinon	1 276	122	106	97	78	102	106	83	115	114	98	111	144
Cherbourg	1 032	116	86	67	60	61	51	55	70	90	104	132	140
Clermont-Ferrand	571 *132*	28 *12*	27 *11*	30 *9*	41 *12*	78 *12*	79 *12*	48 *9*	70 *10*	58 *10*	43 *11*	39 *12*	30 *12*
Deauville	795	70	60	50	50	60	63	55	67	80	85	80	75
Dieppe	778	68	60	46	48	53	54	59	77	73	78	87	75
Dijon	734 *147*	62 *16*	48 *13*	51 *10*	48 *11*	68 *12*	79 *12*	44 *11*	79 *11*	74 *11*	53 *12*	67 *14*	61 *14*
Dinard	698	66	55	47	48	55	49	44	54	59	67	77	77
Embrun	698 *107*	61 *9*	55 *9*	55 *8*	48 *9*	47 *11*	63 *10*	41 *7*	65 *8*	60 *8*	60 *9*	81 *10*	62 *10*
Évreux	584	52	45	41	40	47	53	35	50	57	54	56	52
Grenoble	1 005 *144*	80 *14*	79 *11*	69 *11*	69 *12*	83 *14*	94 *11*	74 *10*	96 *11*	88 *11*	85 *12*	90 *13*	98 *14*
La Rochelle	785	75	63	55	49	51	53	42	58	69	80	99	91
Le Mans	684	64	57	52	45	49	57	42	58	57	57	76	70
Lille	612 *171*	45 *18*	43 *14*	38 *13*	37 *14*	45 *13*	57 *12*	62 *13*	64 *13*	53 *14*	56 *14*	56 *16*	56 *17*
Limoges	910 *165*	87 *17*	75 *14*	68 *13*	69 *13*	72 *14*	71 *12*	56 *12*	73 *12*	87 *12*	72 *14*	82 *15*	98 *17*
Lyon	828 *145*	53 *15*	50 *12*	60 *11*	54 *11*	67 *13*	84 *11*	55 *10*	104 *11*	86 *11*	73 *12*	80 *14*	62 *14*
Marseille Marignane	533 *76*	36 *8*	49 *6*	40 *7*	35 *6*	38 *7*	33 *4*	13 *2*	27 *4*	65 *6*	67 *8*	69 *8*	61 *10*
Metz	736	62	58	53	47	65	66	58	81	63	52	63	68
Montélimar	972	61	74	78	60	80	69	35	91	134	102	116	72
Montpellier	736 *88*	56 *8*	59 *6*	69 *8*	46 *8*	47 *9*	41 *5*	20 *3*	52 *6*	78 *7*	125 *9*	70 *9*	73 *10*
Nancy	731 *161*	66 *16*	58 *13*	43 *12*	45 *13*	62 *13*	70 *13*	58 *12*	76 *13*	65 *12*	52 *13*	59 *15*	67 *16*
Nantes	819 *168*	83 *18*	65 *14*	53 *14*	48 *11*	54 *13*	52 *11*	42 *12*	66 *12*	80 *14*	77 *15*	95 *16*	94 *18*
Nice	868 *86*	67 *9*	83 *7*	71 *8*	70 *9*	39 *8*	37 *5*	21 *2*	38 *4*	83 *7*	109 *9*	158 *9*	92 *9*
Nîmes	680 *92*	52 *8*	53 *6*	57 *9*	45 *8*	50 *9*	40 *6*	25 *4*	40 *6*	75 *7*	100 *9*	83 *10*	60 *10*
Orléans	621 *156*	57 *16*	48 *13*	43 *12*	46 *12*	52 *13*	54 *11*	47 *11*	54 *12*	51 *12*	54 *13*	61 *15*	54 *16*
Paris Montsouris	624 *162*	53 *17*	48 *14*	40 *12*	45 *13*	53 *12*	57 *12*	54 *12*	61 *13*	54 *13*	50 *13*	58 *15*	51 *16*
Pau	108[1]	111	85	84	95	92	88	52	76	87	83	96	134
Perpignan	628 *85*	27 *7*	52 *6*	59 *8*	47 *7*	49 *9*	33 *7*	27 *5*	28 *6*	69 *7*	97 *8*	70 *6*	71 *9*
Poitiers Briard	702 *155*	65 *16*	58 *13*	56 *13*	49 *12*	55 *14*	55 *11*	46 *10*	59 *11*	52 *12*	61 *12*	78 *15*	68 *16*
Reims	575 *164*	43 *17*	44 *15*	42 *12*	37 *13*	52 *13*	53 *13*	47 *12*	58 *13*	54 *12*	43 *13*	52 *16*	50 *16*
Rennes	634 *168*	57 *18*	50 *14*	45 *14*	43 *12*	46 *13*	48 *11*	36 *12*	57 *12*	53 *13*	60 *15*	73 *16*	66 *18*
Rouen	716 *167*	65 *17*	58 *15*	50 *12*	44 *12*	50 *13*	57 *12*	49 *12*	67 *13*	70 *13*	72 *15*	68 *16*	66 *18*
St-Étienne	728	40	36	43	51	79	94	63	86	76	60	63	37
St-Quentin	684 *164*	52 *17*	50 *14*	46 *12*	44 *12*	52 *12*	63 *12*	61 *13*	69 *14*	67 *13*	52 *14*	63 *15*	65 *16*
Strasbourg	719 *158*	51 *15*	44 *13*	42 *12*	58 *13*	71 *13*	88 *14*	73 *14*	90 *13*	61 *12*	43 *12*	51 *13*	47 *14*
Toulon	837 *81*	76 *9*	86 *6*	82 *8*	60 *7*	49 *7*	35 *4*	12 *2*	31 *4*	77 *5*	105 *9*	117 *9*	107 *11*
Toulouse	656 *137*	53 *14*	50 *12*	52 *11*	55 *12*	65 *13*	65 *10*	44 *9*	43 *9*	57 *10*	49 *11*	58 *12*	65 *14*
Tours	687 *157*	63 *16*	55 *13*	52 *12*	51 *12*	53 *13*	58 *11*	47 *11*	60 *12*	60 *13*	55 *13*	68 *15*	65 *16*
Vichy	761 *161*	50 *17*	45 *14*	51 *12*	52 *13*	84 *14*	84 *12*	63 *11*	86 *22*	75 *12*	58 *13*	58 *15*	55 *16*

Insolation (1951-1970) Durée moyenne (en heures).

VILLE	Année	J	F	M	A	M	J	J	A	S	O	N	D
Aix-en-Provence	2 835	145	150	210	255	300	325	380	335	250	200	145	140
Ajaccio	2 811	136	136	199	241	302	334	380	338	271	213	141	120
Alençon	1 674	53	77	136	181	215	221	227	197	154	113	58	42
Angers	1 899	73	95	152	196	229	231	248	223	179	139	75	59
Angoulême	1 989	80	104	155	189	227	240	266	231	187	158	86	66
Auxerre	1 842	58	86	149	186	226	23	251	218	184	136	62	42
Besançon	1 897	66	92	149	178	226	234	262	224	189	148	69	60
Biarritz	1 921	90	107	161	178	220	221	231	214	182	152	94	71
Bordeaux	2 076	82	109	168	201	235	252	272	244	194	165	88	66
Bourges	1 837	63	88	150	185	220	225	250	220	180	137	66	53
Brest	1 757	67	91	139	180	220	221	220	200	163	126	71	59
Briançon	2 480	50	55	205	220	245	255	295	260	230	190	135	140
Caen-Carpiquet	1 776	70	92	150	180	220	225	230	195	165	130	65	55
Carnac	2 055	75	110	165	215	240	255	270	245	195	150	75	60
Chartres	1 730	55	80	140	180	215	230	235	200	170	120	60	45
Château-Chinon	1 847	67	88	144	173	218	225	246	212	187	150	75	62
Cherbourg	1 665	55	80	140	175	220	225	230	190	145	110	55	40
Clermont-Ferrand	1 899	78	100	151	174	212	217	255	222	194	148	80	68
Deauville	1 778	60	85	152	183	222	225	235	200	168	135	63	50
Dieppe	1 624	52	75	135	160	210	215	220	195	150	115	52	45
Dijon	1 934	62	96	166	196	239	243	260	227	195	134	63	53
Dinard	1 920	70	99	162	202	242	238	247	220	170	131	80	59
Embrun	2 604	148	159	215	229	260	272	315	281	244	204	138	139
Évreux	1 760	60	85	145	185	220	230	235	200	165	125	60	50
Grenoble	2 100	80	103	166	192	240	262	300	255	207	150	80	65
La Rochelle	2 331	95	122	178	228	276	290	307	276	211	174	94	80
Le Mans	1 873	65	90	153	192	233	243	254	220	170	135	68	50
Lille	1 641	58	72	122	170	210	220	220	195	155	116	58	45
Limoges	1 853	73	95	143	175	213	225	246	213	181	149	77	63
Lyon	2 036	60	96	165	198	251	260	293	254	207	139	66	47
Marseille Marignane	2 866	147	160	215	256	305	330	377	331	260	205	145	135
Metz	1 613	42	75	135	162	205	210	225	200	165	110	47	37
Montélimar	2 571	115	134	191	239	292	306	351	305	244	185	113	96
Montpellier	2 709	143	158	206	246	290	313	360	306	237	185	137	128
Nancy	1 633	46	76	136	164	208	211	228	199	165	113	49	38
Nantes	1 901	74	101	149	193	229	233	246	223	174	142	78	59
Nice	2 779	152	157	205	245	284	306	362	320	253	208	146	141
Nîmes	2 628	140	149	193	240	284	304	352	301	229	182	132	122
Orléans	1 799	62	86	143	185	227	230	238	211	177	128	63	49
Paris Montsouris	1 814	62	86	146	187	222	233	239	213	181	131	64	50
Pau	1 936	98	118	165	172	207	207	222	214	186	161	106	80
Perpignan	2 603	155	164	214	237	271	277	315	276	224	183	148	139
Poitiers Briard	2 024	75	100	160	201	238	252	272	242	194	153	74	63
Reims	1 702	54	80	140	178	219	221	222	194	172	119	58	45
Rennes	1 835	69	93	151	191	226	232	238	210	168	129	71	57
Rouen	1 694	55	78	140	175	210	220	230	195	163	125	58	45
St-Étienne	1 920	80	95	145	175	220	225	265	230	200	145	75	65
St-Quentin	1 661	52	78	130	170	215	218	220	192	170	116	57	43
Strasbourg	1 696	45	85	150	165	215	225	240	205	170	115	45	36
Toulon	2 917	151	161	216	262	309	334	383	337	265	206	152	141
Toulouse	2 081	78	116	179	195	235	242	268	244	205	164	92	63
Tours	1 859	64	87	157	190	215	245	259	220	173	128	70	51
Vichy	1 873	66	90	149	180	219	229	259	229	190	139	67	56

Températures (1931-1960) Sous abri, normale.

VILLE	Année	J	F	M	A	M	J	J	A	S	O	N	D
Aix-en-Provence	12,9[1]	5,3	6,1	8,8	11,6	15,4	18,7	21,2	20,6	18,3	14,4	9,2	5,5
Ajaccio	14,7	7,7	8,7	10,5	12,6	15,9	19,8	22	22,2	20,3	16,3	11,8	8,7
Alençon	10,2[1]	3	3,9	7	9,4	12,6	15,6	17,4	17,1	14,8	10,7	6,3	4
Angers	11,3	4,2	4,9	7,9	10,4	13,6	17	18,7	18,4	16,1	11,7	7,6	4,9
Angoulême	12	4,6	5,4	8,9	11,3	14,5	17,8	19,5	19,4	16,9	12,5	8,1	5,3
Auxerre	10,8[1]	2,6	3,3	7,5	10,5	14	17	19	18,7	16,2	11	6,4	3,5
Besançon	10	1,1	2,2	6,4	9,7	13,6	16,9	18,7	18,3	15,5	10,4	5,7	2
Biarritz	13,6	7,6	8	10,8	12	14,7	17,8	19,7	19,9	18,5	14,8	10,9	8,2
Bordeaux	13,3	5,6	6,6	10,3	12,8	15,8	19,3	20,9	21	18,6	13,8	9,1	6,2
Bourges	11,1	3	3,9	7,6	10,6	14,2	17,6	19,4	19	16,2	11,3	6,8	3,8
Brest	10,8	6,1	5,8	7,8	9,2	11,6	14,4	15,6	16	14,7	12	9	7
Briançon	–	–	–	–	–	–	–	–	–	–	–	–	–
Caen-Carpiquet	10,5	4,3	4,6	6,9	9,2	12,3	15	16,9	17	15,2	11,5	7,4	5,1
Carnac	–	–	–	–	–	–	–	–	–	–	–	–	–
Chartres	10,4[1]	2,7	3,6	6,9	9,7	13,1	16,2	18,2	18,1	15,5	11	6,5	3,6
Château-Chinon	9,3[1]	1,1	1,6	6,1	8,6	12,2	15,3	17,3	17	14,6	10,1	5,6	2
Cherbourg	11,4[1]	6,4	6,2	7,7	9,6	12,2	14,9	16,6	16,8	15,9	12,9	9,7	7,4
Clermont-Ferrand	10,9	2,6	3,7	7,5	10,3	13,8	17,3	19,4	19,1	16,2	11,2	6,6	3,6
Deauville	10,1[1]	3,9	4,1	6,6	9	12,1	14,7	16,4	16,5	14,9	11,1	7,1	4,9
Dieppe	10,1[1]	4,1	4,3	6,6	8,3	11,5	13,9	16	16,3	15	11,7	7,8	5,3
Dijon	10,5	1,3	2,6	6,9	10,4	14,3	17,7	19,6	19	15,9	10,5	5,7	2,1
Dinard	11,0[1]	5,5	5,6	7,7	9,6	12,5	14,9	16,7	16,8	15,5	12,3	8,5	6,3
Embrun	9,4	0,5	1,6	5,7	9	13	16,4	18,9	18,3	15,3	10,1	4,6	0,5
Évreux	10,1[1]	3,4	4,2	6,3	9,2	13	15,7	17,6	17,2	14,5	10,4	6	4,2
Grenoble	11,0	1,5	3,2	7,7	10,6	14,5	17,8	20,1	19,5	16,7	11,4	6,5	2,3
La Rochelle	12,7[1]	5,8	6,4	9,3	11,7	14,7	17,8	19,5	19,8	17,8	13,8	9,6	6,8
Le Mans	11,1[1]	3,8	4,5	7,6	10,2	13,7	17	18,8	18,4	15,9	11,5	7,4	4,5
Lille	9,7	2,4	2,9	6	8,9	12,4	15,3	17,1	17,1	14,7	10,4	6,1	3,5
Limoges	10,6	3,1	3,9	7,4	9,9	13,3	16,8	18,4	17,8	15,3	10,7	6,7	3,8
Lyon	11,4	2,1	3,3	7,7	10,9	14,9	18,5	20,7	20,1	16,9	11,4	6,7	3,1
Marseille Marignane	14,2	5,5	6,6	10	13	16,8	20,8	23,3	22,8	19,9	15	10,2	6,9
Metz	9,9	1,2	2	6	9,6	13,6	16,7	18,6	18,3	15,3	10,1	5,6	2
Montélimar	13[1]	4	5,4	9,2	12,1	15,7	19,6	22,3	21,8	18,6	13,4	8,5	4,9
Montpellier	13,9	5,6	6,7	9,9	12,8	16,2	20,1	22,7	22,3	19,3	14,6	10	6,5
Nancy	9,5	0,8	1,6	5,5	9,2	13,3	16,5	18,3	17,7	14,7	9,4	5,2	1,8
Nantes	11,7	5	5,3	8,4	10,8	13,9	17,2	18,8	18,6	16,4	12,2	8,2	5,5
Nice	14,8	7,5	8,5	10,8	13,3	16,7	20,1	22,7	22,5	20,3	16	11,5	8,2
Nîmes	14,2	5,7	6,8	10,1	13	16,6	20,8	23,6	22,9	19,7	14,6	9,8	6,5
Orléans	10,5	2,7	3,6	6,9	9,8	13,4	16,6	18,4	18,2	15,6	10,9	6,6	3,6
Paris Montsouris	11,2	3,4	4,1	7,6	10,7	14,3	17,5	19,1	18,7	16	11,4	7,1	4,3
Pau	12,4[1]	5,5	6,2	9,5	11,4	14,2	17,7	19,5	19,5	17,6	13,1	8,9	6
Perpignan	15,2	7,5	8,4	11,3	13,9	17,1	21,1	23,8	23,3	20,5	15,9	11,5	8,6
Poitiers Briard	11,3	3,8	4,6	8	10,4	13,7	17,1	18,9	18,8	16,3	11,7	7,4	4,6
Reims	10,1	1,9	2,8	6,2	9,4	13,3	16,4	18,3	17,9	15,1	10,3	6,1	3
Rennes	11,1	4,8	5,3	7,9	10,1	13,1	16,2	17,9	17,8	15,7	11,6	7,8	5,4
Rouen	10,3	3,4	3,9	6,8	9,5	12,9	15,7	17,6	17,2	15	11	6,8	4,3
St-Étienne	10,3[1]	1,9	2,8	6,7	9,3	13,2	16,7	18,9	18,5	15,7	10,5	6,2	3
St-Quentin	9,9	2	2,9	6,3	9,2	12,7	15,6	17,4	17,4	15	10,5	6,1	3,1
Strasbourg	9,7	0,4	1,5	5,6	9,8	14	17,2	19	18,3	15,1	9,5	4,9	1,3
Toulon	15,3	8,6	9,1	11,2	13,4	16,6	20,2	22,6	22,4	20,5	16,5	12,6	9,7
Toulouse	12,7	4,7	5,6	9,2	11,6	14,9	18,7	20,9	20,9	18,3	13,3	8,6	5,5
Tours	11,2	3,5	4,4	7,7	10,6	13,9	17,3	19,1	18,7	16,2	11,7	7,2	4,3
Vichy	10,7	2,4	3,4	7,1	9,9	13,6	17,1	19,3	18,8	16	11	6,6	3,4

Nota. – (1) (1959-1960).

ture moyenne 17,3 °C (au lieu de 19,1 °C). **1982.** *Soleil* 76 h en oct. (au lieu de 132 h). *Pluie* 104 mm en mai (au lieu de 57 mm). **1985. Janvier :** *pluie* 21 j (normale : 16 j). *Température* min. absolue – 18,2 °C le 17. **Mai :** *soleil* 146 h (au lieu de 225). **Septembre :** *pluie* 11 mm (5 j) au lieu de 50 mm. **1989.** *Température :* 24,8 °C le 22-10.

1990. Février : *température* Paris 18,5 °C le 20 (records précédents : 15,4 °C 1896, – 9,3 °C 1948). *Le 24 :* Paris 20 °C, Lyon 21,4, Bordeaux 24,2, Tarbes 24,5, Biarritz 26. **Mars :** *température : le 17 :* 24 °C (17-3-1940 : 21 °C), Caen 22,1, Rennes 21,9, Cherbourg 20,9 ; *le 21 :* Tarbes 28 °C, Toulouse, Perpignan 27.

Températures à Paris depuis 1872

	Maximales	Minimales
Jan.	15,6° (1-1-1883)	– 18,2° (17-1-1985)
Févr.	21,4° (28-2-1960)	– 14,7° (2-2-1956)
Mars	25,7° (25-3-1955)	– 9,1° (3-3-1890)
Avr.	30,2° (18-4-1949)	– 3,5° (13-4-1879)
Mai	34,8° (24-5-1922) (29/30-5-1944)	– 0,1° (7-5-1874)
Juin	37,6° (26-6-1947)	+ 3,1° (10-6-1881)
Juil.	40,4° (28-7-1947)	+ 6° (3-7-1907)
Août	37,7° (9-8-1911)	+ 6,3° (29-8-1881)[1]
Sept.	36,2° (7-9-1895)	+ 1,8° (26-9-1889)
Oct.	29° (1-10-1985)	– 3,1° (27-10-1887) (29-10-1890)
Nov.	23° (2-11-1982)	– 14° (28-11-1890)
Déc.	17° (15-12-1990)	– 23,9° (10-12-1879)

Nota. – (1) Plus faibles temp. maximales : 13,4 °C (25-8-1979, couche de nuages de 10 000 m) ; 16,5 °C (25-8-1924, 25-8-1966).

Végétation

La flore comprend 6 000 espèces, appartenant pour la plupart aux espèces communes du domaine tempéré nord (atlantique, continentale, méditerranéenne, alpine). Seules 200 espèces sont « endémiques » en France (n'existant pas ailleurs).

1°) Flore des plaines. 3 régions :

a) **Régions atlantiques.** *1°) Région aquitaine* (des Pyrénées aux Sables-d'Olonne) : espèces atlantiques, plus 162 méditerranéennes. – *2°) Armoricaine* (des Sables-d'Olonne au Cotentin) : terrains siliceux, climat plus froid. Possède 120 espèces méditerranéennes et 254 espèces atlantiques de moins que la région Aquitaine. Arbres dominants : pin (sylvestre au N., maritime au S.), genévrier, chêne (rouvre ou sessile sur terrains secs, pédonculé sur terrains humides, souvent mélangé de chêne pubescent méditerranéen), houx, hêtre, bouleau, charme, frêne. De nombreuses plantes atlantiques remontent les vallées de la Loire et de ses affluents, jusqu'au Berry, notamment : fougère grand-aigle, canche flexueuse, fétuque capillaire, luzule champêtre, digitale pourpre, millepertuis élégant, germandrée scorodoine.

Principales plantes de la lande atlantique : Arbustes : ajoncs, genêt, bruyère, hélianthèmes ; *Buissons :* en terrains secs, canche argentée, nard, lichen, mousse ; en t. humides, graminées, juncées, cypéracées, gentianes, sphaignes (dans le Béarn, la lande à ajoncs, bruyère et fougères aigles est nommée « touya »).

b) **Régions continentales nord-européennes** (basses altitudes de l'embouchure de la Loire aux Vosges). Plantes des plaines nord-eur., avec peu d'éléments non homogènes : 78 espèces montagnardes, 7 atlantiques. La vigne y est à peu près bannie. Selon les terrains, on peut avoir les *savarts* champenois (aspect steppique ; une graminée steppique, *Stipa pennata,* s'y est maintenue), les *landes* gâtinaises (bruyère rose et ajonc), le *pâturage* (Normandie et Flandre), la *forêt à lichen* (Ouest), les céréales du Bassin parisien. *Arbre dominant :* hêtre ; autres feuillus : charme, érable, chêne, frêne, aulne ; principaux conifères : sapin, épicéa, pin sylvestre.

c) **Région rhodanienne.** Climat voisin de celui des plaines continentales (étés chauds, hivers froids), mais les pluies y sont moins abondantes, même en automne, et le manteau végétal est moins fourni. Les espèces atlantiques sont rares, mais la flore méditerranéenne remonte vers le N. et se mêle aux espèces rhod. jusqu'à Tournus. Les régions granitiques sont généralement couvertes de landes arbustives ou buissonneuses ; seul le châtaignier constitue encore de vastes forêts naturelles.

2°) Flore des basses montagnes **(au N. des Alpes).** Plus de la moitié de la France continentale : Massif central, plateau de Langres et Vosges, Ardennes. *Types : a) Ardennais :* pauvre en calcaires (landes marécageuses ou fagnes sont peuplées surtout de saules). Sur les hauteurs, forêts de chênes pédonculés, hêtres, charmes, frênes, aulnes, bouleaux, sorbiers. *b) Lorrain :* terrains le plus souvent calcaires, les plantes calcifuges y disparaissent. *c) Vosgien :* terrains en majorité siliceux et froids, espèces nord-eur. calcifuges (plantes ne supportant pas le calcaire) ; sapin, épicéa, hêtre, charme, bouleau ; bouquets de châtaigniers (dans les collines sous-vosgiennes) ; myrtilles, fougères ; spirées, aconits. Les plus hauts sommets offrent des paysages alpestres : chaumes (terrains dénudés), avec quelques hêtres buissonneux.

3°) Flore montagnarde (massif jurasso-alpin, Pyrénées). Comprend 1 157 espèces dont 600 seulement se retrouvent dans les Pyrénées. *a) Zone alpine.* Au-dessus de 1 900 m (en moyenne ; varie selon la latitude), disparition des arbres et des arbustes, remplacés par des pâturages en zone continentale, par des pelouses tourbeuses (vert tendre) en Corse. Les plantes ont des souches ou des racines fixées dans les fissures de rochers. Entre 1 600 et 1 900 m : zone des aulnes nains (dans le lit des torrents). *b) Zone subalpine.* Dans le Midi et en Corse. *Zones :* des pins (1 000-1 600 m : pin aster à partir de 500 m, laricio à partir de 800-900 m) ; du châtaignier (400-1 000 m) ; du maquis (plantes xérophiles, arbres à feuilles persistantes, au-dessous de 400 m).

4°) Flore méditerranéenne. Essentiellement xérophile (avec 2 végétations, au printemps et à l'automne) ; feuilles persistantes, avec repos estival. Sur 750 espèces méd., la France n'en abrite que 500, dont 129 ligneuses : chêne-liège et chêne vert (ou yeuse ; les « yeusaies » persistent jusqu'à 1 200 m au Mt Ventoux), pin d'Alep, pin parasol, cèdre de l'Atlas (importé) ; laurier, amandier, mûrier, figuier ; olivier d'Europe et lentisque, jadis abondants, ont disparu, mais des espèces importées sont devenues spontanées : châtaignier, olivier d'Asie, platane, oranger, citronnier, mimosa, eucalyptus, palmier ; + agaves et cactées. Arbustes, arbrisseaux et sous-arbrisseaux prédominent : sur les sols siliceux, ils forment le *maquis* (arbousiers, bruyère arborescente, lentisque, buis, garou, ajoncs, enchevêtrés de salsepareille) ; sur les sols calcaires, les *garrigues* [plantes plus petites, cistacées, sous-arbrisseaux : buis, chêne kermès, genévrier et labiées odorantes (romarin, lavande aux feuilles larges, thym)]. Parmi les fleurs printanières : ombellifères, astragales ; et les plantes à bulbe (tulipes, jacinthes, crocus).

Montagnes

☞ Légende. m. : massif, v. : vallée, c. : col. Voir aussi p. 55.

Alpes françaises

■ Origine du nom. Du ligure *alp,* « pâturage ». Longueur env. 350 km. Largeur de 50 à 60 km. Superficie de la zone de montagne pour chaque département alpin (en km²) : Isère 9 350, Alpes-de-Hte-Provence 6 195, Htes-Alpes 5 520, Savoie 5 317, Alpes-Maritimes 3 443, Hte-Savoie 3 337, Drôme 3 022, Var 1 206, Vaucluse 903. *Total France :* 32 296, dont Alpes du Sud 20 291, du Nord 12 005. *Sommet* voir p. 56 c.

■ Divisions d'est en ouest. *a) Chaîne centrale,* haute et massive, courant N.-S., de la Suisse à la mer, et servant de frontière entre France et Italie ; elle s'incurve vers l'O. en son milieu ; *b) une vingtaine* de massifs secondaires s'articulant à l'E. sur la chaîne centrale, séparés entre eux par des vallées profondes et limités à l'O. par le Sillon alpin ; *c) le Sillon alpin ;* dépression tombant par endroits à 200 m d'alt., large de 10 à 20 km et courant du N.-E. (Cluses) au centre O. (Luz la Croix-Haute), puis du centre-O. au S.-E. (vallée de l'Argens) ; *d) une dizaine de « contreforts alpins »* à l'O. de ce sillon.

■ Principaux massifs. a) **Chaîne frontalière :** *m. du Mt-Blanc* (Hte-S.) : hautes v. du Giffre, de l'Arve et de l'Arly ; *m. du Grand-Paradis ou de l'Iseran* (Savoie – anciennement Alpes Grées) : hautes v. de l'Isère et de l'Arc (Grand-Paradis en Italie) ; *m. du Tabor ou du Briançonnais* (Htes-A. – anciennement Alpes Cottiennes) : haute v. de la Durance ; *m. du Queyras ou du Viso :* haute v. de l'Ubaye (Mt Viso en Italie) ; *m. de l'Argentière ou de Larche* (A.-de-Hte-Pr.) : hautes v. de l'Ubaye et de la Tinée ; *m. du Mercantour* (A.-M.) : hautes v. de la Vésubie et de la Roya.

b) **Entre chaîne frontalière et Sillon alpin :** *m. du Chablais* (Hte-S.) : frontière fr.-suisse ; entre les v. du Rhône et du Giffre ; *m. du Beaufortain* (Savoie, entre v. de l'Arly et Tarentaise ou v. de la Hte Isère) ; *m. de la Vanoise* (Savoie) entre Tarentaise et Maurienne, ou v. de l'Arc ; *m. des Grandes-Rousses*

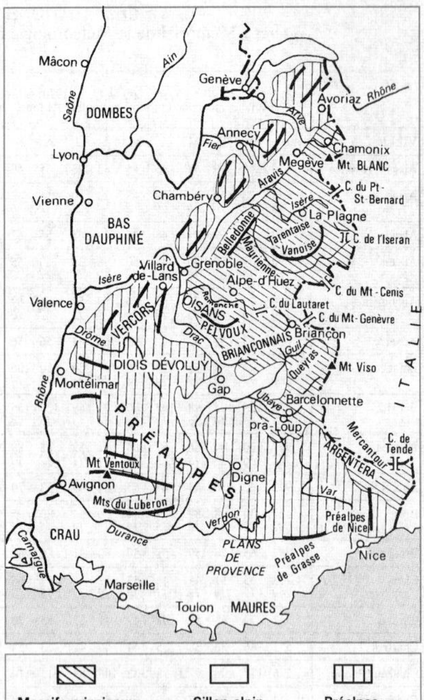

(Savoie et Htes-A.), prolongé par la chaîne de Belledonne (Savoie et Isère) : entre Maurienne, Grésivaudan ou v. de la moyenne Isère et v. de la Romanche ; *m. du Pelvoux* (Htes-A.) : entre Romanche, Durance et Val Godemar ou v. de la Séveraise ; *m. du Champsaur* (Htes-A.) : entre Val Godemar et v. du Drac et de la Durance ; *m. du Parpaillon* (A.-de-Hte-P.) : entre Durance et Ubaye ; *m. de la Blanche ou du Mt-Pelat* (A.-de-Hte-P. et Ht Var) : au S. de l'Ubaye : hautes v. de la Bléone, du Verdon (nombreuses ramifications) ; *m. de l'Argentera* (A.-M.) : entre le Var et la Roya.

c) **A l'ouest du Sillon alpin :** *m. du Faucigny* (Hte-S.) : entre Arve, Arly et Fier (lac d'Annecy), prolongé au S. par la chaîne du Reposoir ; *m. des Bauges* (Hte-S. et Savoie) : entre lac d'Annecy et « combe de Savoie » prolongée par la dépression du lac du Bourget ; *m. de la Grande Chartreuse* (Isère), prolongé par les monts du Chat (Savoie) parfois classés parmi les jurassiens : haute v. du Guiers ; *m. du Vercors* (Isère) : entre Drac et Drôme ; *m. de Laupouffre* (Drôme) : entre Drôme et Aygue ; *m. de Lure* (A.-de-Hte-P.), prolongé par le Ventoux (Vaucluse) : au S. de la v. de l'Aygue ; *plateau de Vaucluse :* mont St-Pierre à 1 256 m ; *m. du Luberon* (Vaucluse) : entre basse v. de la Durance et v. du Coulon ; *m. des Alpilles* (B.-du-R.) : entre basse Durance et delta du Rhône ; *m. de la Ste-Victoire, de l'Étoile et de la Ste-Baume* (B.-du-R.) : entre basse Durance et Méditerranée.

■ Sillon alpin. *Hte-Savoie :* rejoint les dépressions de l'Arve et la v. de l'Arly par le « col de St-Gervais » (800 m d'alt.). *En Savoie :* creuse la combe de Savoie, empruntée par l'Isère à la sortie de la Tarentaise. *Isère :* constitue le Grésivaudan, à 200 m d'alt., qui sert de vallée à l'Isère moyenne puis remonte vers le S. par la v. du Drac et culmine au col Bayard (Htes-A.) à 1 248 m ; canalise ensuite vers le S. les v. du Buech et de la Durance (A.-de-Hte-P.) ; au S. du Verdon, se dirige vers l'E., entre la montagne Ste-Victoire et le plateau de Valensole. *Var :* constitue presque tout le bassin de l'Argens, jusqu'à la mer, entre Maures et Esterel (massifs non alpins).

Jura

■ Origine du nom. Du latin *jura,* fabriqué par Jules César sur le celtique *juris,* « hauteur boisée ». Repris par les érudits de la Renaissance. Superficie 5 840 km². Longueur 300 km du S.-O. au N.-E. Largeur 80 km au maximum. Fait de lignes courbes, plus large au centre qu'aux extrémités, il a la forme d'une tranche de mandarine. **S'étend** sur 6 départements français : Isère, Savoie, Ain, Jura, Doubs, Ht-Rhin, et en Suisse.

Nota. – Les deux « Juras » allemands (J. souabe, J. franconien) sont formés des mêmes roches calcaires que le Jura franco-suisse. Mais ce sont des plateaux non plissés, ne faisant pas partie de la même chaîne montagneuse.

■ Nombre de plis. Isère 1, Savoie 3, Bugey 7, à hauteur de Besançon 14, sud de Montbéliard 9, à

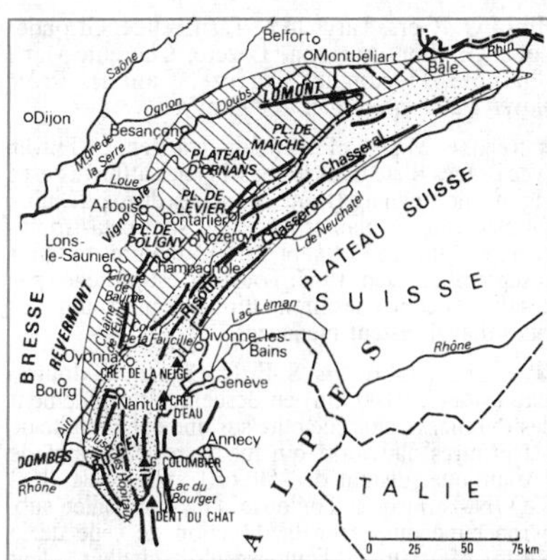

Zurich (Suisse) 1. Ces plis, en gros parallèles, forment des chaînons plus ou moins distants.

■ Profil d'est en ouest. a) **Au sud d'une ligne Bourg-Genève** (Juras savoyard et bugésien), les plis forment des chaînons élevés et rapprochés entre eux (altitude max. : 1 500 m), dominant des vallées encaissées (altitude moy. : 450 m) ; distance moy. d'un synclinal à l'autre : 5 km.

b) **Au nord de la ligne Bourg-Genève : 1°)** *Les chaînons bugésiens se prolongent vers le N.-E.* (nombre : 5 ou 6 ; alt. max. : 1 700 m ; écartement moyen : 6 km ; alt. des vallées intermédiaires : 700 m). Cet ensemble constitue, à l'E. du massif jurassien, les Hautes Chaînes que longe la frontière franco-suisse. **2°)** *Plus à l'O.* des Hautes Chaînes : 5 ou 6 chaînons parallèles, au plissement moins prononcé, constituant un « plateau » à peine vallonné (largeur : 45 km ; alt. moy. chaînons : 900 m, creux intermédiaires : 800 m ; écartement d'un synclinal à l'autre : 9 km). Le plateau jurassien ne se prolonge pas en Suisse et disparaît à la hauteur du Mt Terri. **3°)** *Sur le rebord O.* du plateau, dominant la plaine de la Bresse et la dépression du seuil de Bourgogne, 1 ou 2 plis fortement accentués (ayant buté sur les vieilles roches cristallines du socle vosgien) constituent un rebord escarpé (falaises, protubérances, collines viticoles à forte pente). – Une crête du socle cristallin a été incorporée au plissement entre Dole et Besançon : le massif de la Serre (alt. max. : 391 m).

■ Morcellement du système plissé. Les plis (anticlinaux) et creux (synclinaux) ne se prolongent pas de façon continue tout le long du Jura.

a) **Dans les Hautes Chaînes :** les lignes de hauteurs (monts) ont été brisées par des cassures transversales qui ont fait communiquer entre elles 2 ou plusieurs vallées : les **cluses.** Empruntant les couloirs des cluses, les rivières changent de vallées ; leurs cours dessinent des coudes brusques. Principaux éléments de chaînons isolés par des cluses : le *Clos du Doubs* (mi-français, mi-suisse, altitude : 919 m), le *Larmont* (alt. : 1 324 m) entaillé par la cluse de Pontarlier, le *Noirmont de Mouthe* (alt. : 1 240 m), la *Joux derrière* et la *Joux devant* (alt. : 1 138 m), le *chaînon du Reculet* (avec le Crêt de la Neige, alt. : 1 718 m), le *mont de la Chaux* (alt. : 969 m) ; ex. dans le Bugey : cluses de l'*Albarine* qui coupent 4 chaînons, cluse de la *Sérine* (2 chaînons).

b) **Sur le plateau central :** les masses compactes de calcaires ont été entaillées par des gorges qui les découpent en compartiments. Ex. plateaux d'*Orchamps* (avec le Mt Chaumont, alt. : 1 122 m), de *Nozeroy,* d'*Ornans* (entaillé par la Loue), *Lédonien* (c.-à-d. de Lons-le-Saunier), de *Champagnole* (entaillé par l'Ain).

c) **Sur le rebord occidental :** le *Lomont,* découpé par le Doubs, près de Baume-les-Dames ; le *Revermont,* entre l'Ain et la Valouze.

■ MASSIF CENTRAL

■ Situation. Séparé des Alpes par le couloir Rhône-Saône ; des hauteurs vosgiennes par le *détroit de Dijon ;* des reliefs armoricains par le *seuil du Poitou ;* du massif pyrénéen par le *col ou seuil de Naurouze.* Superficie 86 000 km². Altitude moy. 700 m, max. 1 886 m. Longueur max. (N.-S.) : 500 km. Largeur max. (E.-O.) : 350 km. **S'étend** sur 22 dép. : Indre, Cher, Nièvre, Creuse, Allier, Saône-et-Loire, Charente, Hte-Vienne, Corrèze, Puy-de-Dôme, Loire, Rhône, Lot, Cantal, Hte-Loire, Ardèche, Aveyron, Tarn, Lozère, Gard, Hérault, Aude.

■ Divisions d'ouest en est. a) **Plateaux cristallins de l'O. :** longueur (N.-S.), env. 350 km ; largeur (E.-O.), moitié S. (jusqu'à la Dordogne) : 60 km ; moitié N. : 200 km. Croupes granitiques, végétation verdoyante (herbe). Arbres dominants : châtaignier, reboisements récents en résineux. b) **Chaos montagneux du centre :** région hétéroclite. Longueur (N.-S.) : env. 200 km (de Brioude à Moulins, un effondrement de plus de 150 km remplace la montagne : plaines du *Bourbonnais* et de *Limagne*). Largeur : tiers sud 100 km ; central : 150, dont 60 de plateaux cristallins ; nord : 60. Paysages différents selon les terrains : calcaires dénudés et déchiquetés dans le S., aiguilles et cônes de basaltes dans le centre et le N., interrompus par des croupes granitiques. c) **Rebord surélevé de l'E.** *(Cévennes) :* longueur (S.-O./N.-E. puis S./N.), 550 km ; largeur, env. 70 km. Ligne de séparation des eaux Atlantique/Méditerranée.

Subdivisions (S.-N.) de plateaux cristallins occidentaux : extrémité sud : *ségalas de Vabre et de Sidobre* entre Cévennes et v. de l'Agout ; entre Agout et Tarn, *ségala de Lacaune* (alt. : 1 266 m, point culminant du plateau occidental) ; *ségala du Rouergue* entre Tarn et Lot (alt. moy. : 750 m ; max. : 1 157) ; entre Lot et Dordogne, croupes granitiques de Hte Auvergne (alt. moy. : 500 m) ; entre Dordogne et Vienne, à l'ouest : *monts du Limousin* (800 à 1 000 m) ; à l'E. : *plateau de « Millevaches »* c'est-à-dire de 1 000 vasques (1 000 sources) (alt. max. : Mt Bessou, 984 m) ; au N. de la Vienne, *monts de la Marche* (alt. max. : Puy d'Hyvernaresse, 854 m) ; au N.-E. (haute v. du Cher) : *collines de Combrailles* (alt. moy. 500 m).

■ Massifs centraux. a) **Au S. entre Cévennes et vallée du Lot :** sur 100 km de long. N.-S. et sur 50, puis 100 km de largeur E.-O. (5 000 km²) : les *7 m. des « Causses »,* c'est-à-dire des « Calcaires », roches sédimentaires différentes des roches endogènes forment le reste du M. central (env. le 12e de la surface totale) : dépôts marins du secondaire (comme ceux du Jura), non plissés, mais surélevés en même temps que les Cévennes, puis fracturés et fissurés. Épaisseur des masses calcaires au-dessus des vallées : 400 à 600 m (alt. moy. : 800 m ; max. : causse *Méjean,* 1 278 m) – **1°)** entre les Cévennes et la v. de la Dourbie : *C. du Larzac* (659 km², alt. max. : 904 m) ; **2°)** entre Dourbie et Trévezel (vers l'E.) : *C. Bégon* (alt. moy. : 900 m) ; **3°)** entre la Dourbie et Tarn (vers l'O.) : *C. Noir* (déboisé, autrefois couvert de résineux, 130 km², alt. : moy. 850 m, max. 1 178 m) ; **4°)** entre Jonte et Tarn (vers le N.-E.) : *C. Méjean* (322 km², 120 km de tour ; alt. moy. : 1 000 m, max. : 1 278 m) ; **5°)** entre Tarn et Lot (vers l'E.) : *C. de Sauveterre* (648 km², alt. max. : 1 181 m) ; **6°)** entre Aveyron et Sauveterre : *causse de Séverac* 1 000 m ; **7°)** entre Aveyron et Dourdou (vers l'O.) : *C. Comtal ou de Rodez* (360 km², alt. : 600 m).

b) **Au nord de la vallée du Lot :** sur 150 km de long. (N.-S.), enchevêtrement de massifs volcaniques et de restes du vieux plateau cristallin (relevés en même temps que les Cévennes).

Volcans. a) *Groupe de l'O.* (orienté S.-N.) : longueur : 150 km (du Lot à la Sioule) ; largeur : 20 à 60 km. *Aubrac* (alt. max. : 1 471 m), *Cantal* (alt. max. : Plomb du Cantal, 1 858 m), *Mont-Dore* (alt. max. : puy de Sancy, 1 886 m), *puys d'Auvergne* (alt. max. : 1 465 m au Puy de Dôme). La « chaîne des Puys » [impropreement appelée « chaîne » (non plissée)] est un alignement S.-N. de volcans coniques (éteints) dont certains ont gardé leur cratère (puy de Pariou). b) *Groupe de l'E.* (orienté transversalement N.-O./S.-E.) : long. 120 km, de l'Allier au Rhône ; larg. 40 km. *Velay* (alt. max. : Devès, 1 423 m), *Mézenc* et *du Mégal* (alt. max. : Mt Mézenc, 1 776 m), *Coiron* (alt. max. : roc de Gourdon, 1 061 m), coulée basaltique à l'extrême E., faisant déjà partie des monts du Vivarais (Cévennes). c) *Entre les 2 groupes de volcans :* restes du socle cristallin ancien : *monts de la Margeride* [(long. 100 km, larg. 70 km, alt. max. : signal de Randon, 1 554 m) ; orientés N.-O./S.-E. ; leur extrémité S.-E. est appelée le *« Toit de la France »,* car les ruisseaux qui y prennent leur source (à environ 8 km de Châteauneuf-de-Randon) se dirigent vers le Rhône (par le Chassezac, affluent de l'Ardèche), la Garonne (par le Lot), la Loire (par l'Allier)]. d) *Au N. du groupe E. des volcans : Mts du Livradois* (vers l'O., entre Allier et Dore ; alt. max. : N.-D. de Mons, 1 210 m) ; *monts du Forez* (vers l'E., entre Dore et Loire ; alt. max. : Pierre-sur-Haute, 1 640 m ; c. du Béal : 1 390 m, entre Puy-de-Dôme et Loire), prolongés vers le N. par *monts Noirs* et *monts de la Madeleine,* entre Allier et Loire (alt. max. : le Montoncel, 1 292 m).

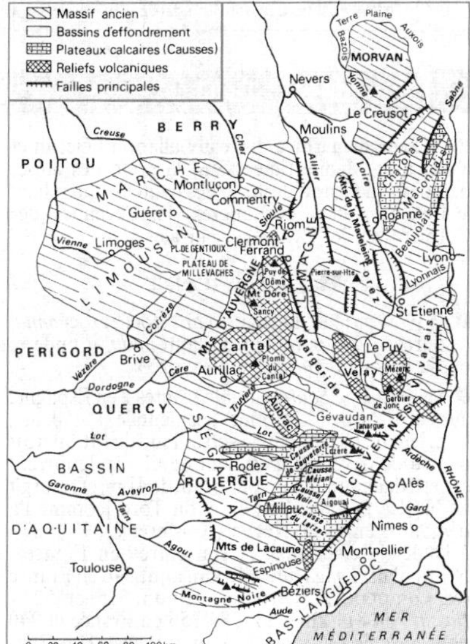

■ Descriptions (S.-O./N.-E.) du rebord cévenol. Le nom de *Cévennes* s'applique aux escarpements dominant les plaines du Languedoc, du Rhône et de la Saône, depuis le col ou seuil de Naurouze (Aude) jusqu'aux sources de la Cure (Nièvre), mais on tend, actuellement, à le restreindre aux régions du Gard et de l'Ardèche du S., où vivent les protestants cévenols (80 km de long sur un ensemble de 550 km). a) **Du col de Naurouze à la vallée du Chamoux** (Aude) : *Montagne Noire* (1 210 m). b) **Du Chamoux à l'Orb :** *monts du Minervois* (806 m), vers le S. et *chaîne du Saumail* au N. de l'Orb (alt. max. : *m. de l'Espinouze,* 1 126 m ; *m. du Caroux,* 1 093 m). c) **Entre Orb et Ergue :** *m. de l'Escandorgue,* coulée volcanique isolée (alt. : 866 m). d) **Entre Ergue et Hérault :** la *garrigue de Lodève* (848 m, 943 m dans la Séranne, vers le N.-E.) : coulée calcaire rattachée au Causse du Larzac. e) **Entre Hérault et Ardèche :** *m. de l'Aigoual* (alt. max. : pic. de l'A., 1 567 m), *de la Lozère* (alt. max. : Signal de Finiels, 1 702 m) et *m. du Tanargue* (alt. max. : Croix de Bauzon, 1 549 m) ; région culminante des Cévennes, la plus arrosée de France (2,28 m au pic de l'Aigoual dont le nom signifie aqueux) ; après le Tanargue, la direction du bourrelet des Cévennes devient S./N. sur 300 km. f) **Entre Ardèche et Gier :** *monts du Vivarais :* chaîne des Boutières (1 383 m), puis *m. du Mont-Pilat* (1 434 m). g) **Entre Gier et Furens :** *monts du Lyonnais* (mont Boussièvre, 1 004 m) ; **entre Furens et Crosne :** *monts du Beaujolais* (alt. max. : mont St-Rigaud, 1 012 m, la dernière hauteur cévenole dépassant 1 000 m vers le nord). h) **De la Crosne à la Dheune :** *monts du Mâconnais* (vers l'est) et du *Charolais* (vers l'ouest). i) **Au N. de la Dheune** (hautes v. de l'Yonne et de la Cure) : *m. du Morvan* (alt. max. : le Haut Folin, 902 m).

■ PYRÉNÉES

■ Origine du nom contestée : 1°) celtique *biren* ou *piren,* « pâturage élevé » ; 2°) nom mythologique grec *Pyrené,* nymphe aimée d'Hercule ; 3°) dérivé du grec *pyrinos,* « riche en froment » (qui désignerait toute la Narbonnaise) ; 4°) dérivé du grec *pyr,* « feu », désignant le phare du port de Narbonne, puis Narbonne et la Narbonnaise.

Géologie : chaîne édifiée au tertiaire entre – 65 et – 40 millions d'années (m.a.). On l'explique actuellement comme un bourrelet, né de la collision du socle européen avec la péninsule Ibérique. Celle-ci s'était détachée à partir de – 230 m.a. de l'hexagone français, par suite de l'ouverture du golfe de Gascogne (jusqu'alors, la Galice jouxtait la Bretagne).

Pendant 165 m.a., elle a dérivé vers l'est, parcourant un arc de cercle dont le centre se situait dans l'actuelle région parisienne. En abordant vers – 65 m.a. les côtes S. de l'Aquitaine (région de Port-Bou), elle a refermé un canal qui réunissait l'Atlantique à Thétys (l'actuelle Méditerranée).

Cette région côtière se serait alors surélevée par suite du choc entre les 2 masses.

■ Longueur : 450 km. Largeur : 90 à 150 km (en France : 50 à 80). Superficie : env. 55 000 km² dont 17 000 en France. Altitude (max.) : 3 482 m (pic de Netou). **Couvrent** 6 départements : Pyrénées-Atlantiques, Hautes-Pyrénées, Haute-Garonne, Ariège, Aude, Pyrénées-Orientales. *Sommets* voir p. 56 c.

■ Divisions du sud au nord. a) **Chaîne frontalière :** bourrelet continu de roches anciennes, alt. 2 000 m au centre (entre les cols du Somport – 1 631 m – et de Puymorens – 1 915 m, sur 200 km de long), max. 3 404 m. Du col de Puymorens à la Méditerranée (partie E.), le bourrelet est moins élevé et moins massif (col du Perthus, 290 m) ; du col du Somport à l'Atlantique (partie O.), il disparaît sous les terrains prépyrénéens (par ex. au pic d'Orhy, alt. : 2 017 m, synclinal perché de calcaire éocène) ou se réduit à quelques îlots sur 50 km de long ; il reparaît au Pays basque, avec des hauteurs modestes (la

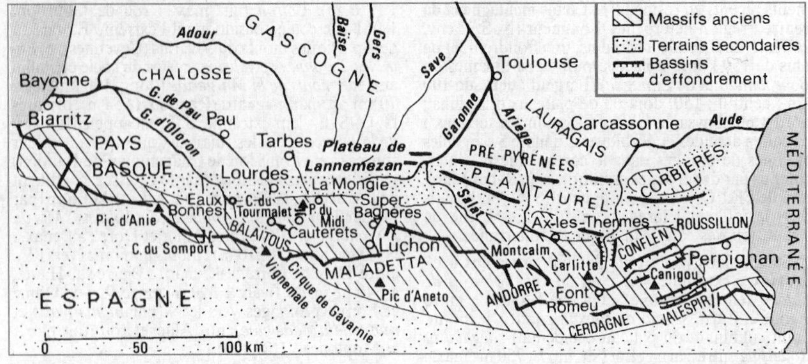

Rhune, 900 m). **b) Pré-Pyrénées :** région calcaire de 60 km de large sur 450 km de long, plissée (à la façon du Jura) entre la chaîne frontalière et les plaines aquitaines. Les plis rasés par l'érosion transformés en plateaux (alt. moy. : 400 m), sauf au N.-E. où subsistent 2 massifs montagneux : les *Petites Pyrénées* (900 m dans l'Ariège) et les *Corbières* (450 m, dans l'Aude), longs de 200 km et larges de 20 à 40 km.

Subdivisions de la chaîne frontalière : les vallées [qui sont glaciaires entre Aspe et Val du Carol (Pyr.-Or.)] qui descendent du bourrelet axial O.-E., selon une direction S.-N., découpent la chaîne frontalière en une douzaine de chaînons qui sont de l'O. à l'E. : *m. du Labourd* (900 m) et *des Aldudes* (1 459 m), entre Océan et Nive ; *m. des Arbailles* (2 759 m), entre Nive et Soude ; *m. de l'Anie* (2 504 m), entre Soule et gave d'Aspe ; *m. du Balaïtous* (3 146 m), entre gave d'Ossau et gave de Pau ; *m. de Néouvielle* (3 092 m) *et du Marboré* (3 260 m comprenant cirque de Gavarnie, Mt Perdu, hautes v. du g. de Pau et de l'Adour), entre g. de Pau et v. de la Neste (Val d'Aure) ; *m. de la Maladeta* (3 404 m, en partie en Esp.), entre val d'Aure et Hte-Garonne (val d'Aran, en Esp.) ; *m. d'Aspet* (2 968 m), entre Garonne et Salat ; *m. d'Arize* (1 622 m) et *des Trois Seigneurs* (2 199 m), entre Garonne et Ariège ; *m. du Canigou* (2 786 m), entre Têt et Tech ; *m. des Albères* (1 275 m) entre Tech et Méditerranée. En outre, une partie du m. ancien se trouve isolé au milieu du plissement des Corbières, à 40 km au nord du bourrelet axial : le Monthoumet (alt. : 880 m).

Subdivisions du plateau sub-pyrénéen : 4 régions de la zone des plateaux constituent des zones à caractère particulier : plateaux de *Lannemezan* (389 à 679 m) au N. du Val d'Aure ; de *Plantaurel* (764 m) au N. de Foix ; de *Sault* (1 000 m) entre Ariège et Aude, prolongé au N. par le *Mirepoix* (621 m) ; le *Fenouillèdes* ou *Fenouillet* (926 m), entre Canigou et Corbières.

■ MONTAGNES TYRRHÉNIENNES

Appartiennent au massif hercynien de la « Tyrrhénide » qui avait soulevé la plate-forme continentale euro-africaine, considérées comme des débris du socle africain.

■ **Maures** (c.-à-d. Montagnes Noires, à cause des résineux). Dans le Var (long. 60 km, en direction S.-O./N.-E., de Hyères à Fréjus ; larg. 30 km) ; limites (S. et E. : Méditerranée ; N. : dépression de l'Argens ; O. : vallée du Gapeau). **Divisions du N. au S. :** 3 crêtes parallèles soulevées en même temps que Pyrénées et Alpes : *1°)* entre v. de l'Aille (affluent de l'Argens) et Giscle : crête principale (long. 50 km, larg. 15 km, alt. max. *La Sauvette,* 779 m) ; *2°)* entre v. de la Giscle et de la Môle : chaîne de la Verne, parallèle à la 1re (long. 35 km, larg. 10 km, alt. max. 629 m) ; *3°)* entre la Môle et la mer : chaînon littoral (long. 40 km dont 10 forment la presqu'île de St-Tropez, larg. 8 km ; alt. max. *Les Pradels,* 524 m). *4°)* crête aux 3/4 submergée : presqu'île de *Giens,* îles d'*Hyères.*

■ **Esterel** (du latin *sterilis,* « terre improductive »). Dans le Var, à l'E. des Maures dont il est séparé par la dépression de l'Argens ; entre Méditerranée et v. de l'Endre, affluent de l'Argens. Long. (N.-S.) 20 km ; larg. (E.-O.) 15 km ; env. 300 km². Alt. max. : *Mt Vinaigre* (616 m). Enchevêtrement de roches volcaniques, notamment de porphyres surgis à l'époque du plissement hercynien.

■ **Corse** (voir Index).

■ VOSGES

■ **Origine du nom.** Peuplade gauloise : les Vosèges ou Voséguns (celtique *Vo,* « sous » ; ligurique *Sek* ou *Seg,* « hauteur »).

■ **Situation.** Système montagneux ancien (plissement hercynien, soulevé au tertiaire par la poussée alpine), orienté du S.-O. au N.-E. entre la trouée de Belfort et la v. de la Lauter (**longueur** : 170 km) ; limité à l'E. par la plaine d'Alsace (cassure brusque), à l'O. par le plateau lorrain (**largeur** : 30 km) ; **couvrent** 7 départements : Territoire de Belfort, Ht-Rhin, Bas-Rhin, Hte-Saône, Vosges, Meurthe-et-Moselle, Moselle.

■ **Description de l'O. à l'E.** 2 chaînes parallèles : **a) Vosges cristallines** (long. : 90 km, de la haute vallée de l'Ognon à la v. de la Bruche ; alt. moy. : 1 000 m). 1°) *Crête principale :* parcourt toute la chaîne, du ballon de Giromagny (1 149 m) au Struthof (959 m). Principaux sommets : ballon d'Alsace (1 250 m), Hohneck (1 366 m), Champ du Feu (1 004 m). 2°) *Secondaires :* entre Doller et Thur, c. du Rossberg (1 196 m) ; entre Thur et Lauch, ballon de Guebwiller (1 426 m, alt. max. des Vosges) ; entre Lauch et la Fecht, c. du Petit Ballon (1 274 m) ; entre Andlau et l'Elm, c. du Hohwald et du Mt Ste-Odile (823 m). **b) Vosges gréseuses** (long. 80 km), de la v. de la Bruche à celle de la Lauter (alt. moy. : 600 m). 1°) *Crête principale :* se relie à la chaîne des Vosges cristallines par le chaînon du col de Saales (700 m) ; parcourt la moitié environ de la chaîne, de St-Dié à Saverne. Sommets principaux : Ormont, Donon (1 009 m) et Haut Barr (720 m). 2°) *Secondaires :* Grand Brocart (802 m), Mt Dabo (750 m). Au N. de Saverne, les V. gréseuses se réduisent à une série de collines (Basses Vosges).

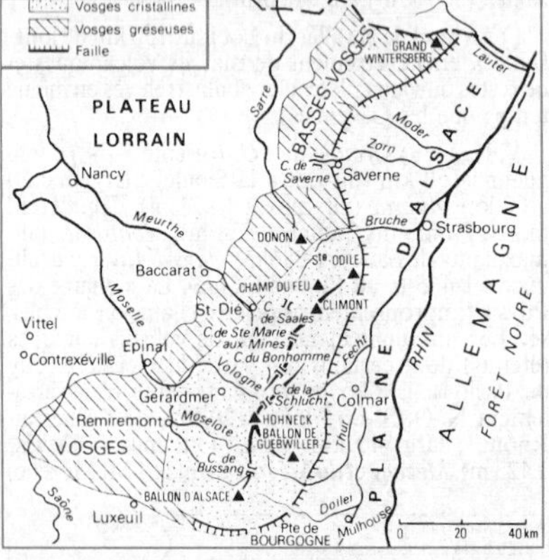

■ FLEUVES

☞ **Ligne de partage des eaux** allant à l'Océan et allant à la Méditerranée. Suit la crête des Alpes bernoises, du Jorat, du Jura, des hauteurs qui relient le Jura au plateau de Langres, des Cévennes, des Corbières et des Pyrénées centrales.

■ LA GARONNE

■ **Origine du nom.** Du ligure *gar,* « rocher », et *onna,* « source », à rapprocher du latin *unda,* « onde », ou du basque *ingurune,* « méandre ».

■ **Statistiques.** *Source* double : toutes 2 en Espagne, au Val d'Aran : Garonne occidentale 1 430 m ; G. orientale 1 872 m (sur le versant sud du Mt Aneto) ; au lieu de devenir un affluent de l'Èbre, le torrent se perd dans un canyon souterrain de 4 km, et resurgit au N. des Pyrénées, au Trou du Toro [comme l'a démontré en 1931 Norbert Casteret (1897-1987), à l'aide de colorants]. A son entrée en France : 581 m d'alt. *Longueur :* 647 km, dont 596 en France (en comptant la Gironde ; sinon 575 et 524). *Bassin :* 84 811 km², dont 84 756 en France et 240 pour la seule Gironde (17 dép. : Ariège, Hte-Gar., Htes-Pyr., Gers, Tarn-et-G., Tarn, Aude, Gironde, Lot-et-G., Lot, Aveyron, Lozère, Charente-Mar., Charente, Dordogne, Corrèze, Cantal). *Débit moyen :* 200 m³/s, max. 8 000 m³/s.

■ **Régime.** Mixte : pluies méditerranéennes d'hiver avec orages d'été dans les bassins des affluents est ; régime montagnard (fonte des neiges de mars à juin ; s'il pleut sur les plaines, les crues sont catastrophiques, ex. juin 1875, mars 1930) : maigres en août et septembre. Dep. 1955, Toulouse est protégée par des digues contre les inondations de mars-juin ; les villes d'aval restent menacées.

■ **Description du cours.** S.-E./N.-O. jusqu'à Montréjeau (Hte-G. ; 100 km) en descendant rapidement des Pyrénées ; puis elle bute sur une colline faite de ses propres alluvions, qui lui barre le chemin de l'Atlantique (distant de 250 km) ; elle coule alors S.-O./N.-E. jusqu'à Toulouse dans une vallée subpyrénéenne qui garde la direction de celle de la Neste. A partir de Toulouse (140 m d'alt.), lent écoulement jusqu'à l'estuaire, en direction S.-E./N.-O., à travers les plaines du Bassin aquitain dont 100 000 ha inondables. L'influence de la marée se fait sentir à Bordeaux. Un estuaire de 72 km de long, appelé *Gironde* (déformation bordelaise du mot Garonne), s'élargit progressivement : 5 km en face de Blaye, 11 km en face de Talmont, 25 km entre la pointe de la Négade et la pointe de la Coubre, avec un brusque rétrécissement entre Royan et la pointe de Grave (5 km). La Gironde est parfois considérée comme un bras de mer distinct de la Garonne et servant d'estuaire commun à 2 fleuves indépendants : Garonne et Dordogne (le bassin de la Garonne n'aurait en ce cas que 57 000 km²).

■ **Affluents. Rive gauche : La Neste** (nom générique des torrents pyrénéens, plus ancien que *gave*). *Sources multiples :* la Grande Neste ou Neste d'Aure (*source :* lac de Cap de Long, 2 250 m d'alt.) et la Petite Neste ou Neste de Louron (*source* au pied du pic du Midi de Génost, qui a 2 479 m d'alt.) se réunissent à 700 m d'alt. à Arreau. *Long. :* 65 km. *Bassin :* 906 km². *Débit* moyen : 13 m³/s [supérieur à celui de la Garonne au point de confluence (Montréjean, Hte-Garonne), mais diminue de 7 m³ en alimentant le canal de Lannemezan].

Le Gers (du latin *Egirtius,* où se retrouve l'ibéro-basque *aguirre,* « lande », ou du basque *Igeri*). *Source :* à 2,5 km de Lannemezan (Hte-P.) ; alt. 660 m. *Long. :* 178 km (presque rectiligne au sud-nord). *Bassin :* 1 230 km². *Débit :* max. 9 m³/s, parfois à sec.

La Baïse (de l'ibéro-basque *ibaia,* « fleuve »). *Source :* Plateau de Lannemezan, alt. 640 m. *Long. :* 185 km. *Bassin :* 2 910 km² (Landes, Htes-Pyr., Gers, Lot-et-Gar.). *Débit* (m³/s) : moyen, max. 1 000. *Sous-affluent :* **la Gelise** (« eau glacée »), *source :* Lupiac, Gers, alt. 230 m ; *long.* 92 km, rive gauche, abondante en été ; *bassin* 1 485 km².

Rive droite : L'Ariège (déformation de *la Riège,* même racine que le latin *reg-are,* « irriguer », se retrouvant dans le basque *erreka*). *Source :* le lac Noir, massif du Carlitte (P.-O., alt. 2 150 m), à la limite France-Andorre. *Long. :* 170 km. *Bassin :* 3 860 km². *Débit :* moyen 48 m³/s, min. 14 m³/s, max. 1 100 m³/s. *Sous-affluent :* **l'Hers** (de l'ibérique *ertz,* « rochers », dont la racine sans doute ligure se retrouve dans *Hercynia,* « Forêt noire ») *source :* plateau du Chioula (Ariège), 1 500 m ; *long.* 133 km ; *bassin* 1 420 km² ; *débit* (m³/s) : max. 665.

Le Tarn (du latin *Tanarus,* Piémont : le Tanaro ; 2 racines ligures *tan,* « la falaise », *ar,* « le fleuve »). *Source :* Mt Lozère, *alt.* 1 575 m. *Long. :* 375 km. *Bassin :* 15 700 km². *Débit* (en m³/s) : *moyen :* Millau 55, Albi 98, Villemur 180 ; *crue except.* 1 fois par siècle : 3 300 ; *millénaire :* 5 400 à Albi et Montauban, *mars 1603 :* 3 500, *juill. 1652 :* 5 000, *mars 1930 :* 6 000. *Canyon du Tarn :* long. 53 km, haut. max. 600 m ; écartement des falaises au sommet : de 1 500 à 2 400 m. *Sous-affluents :* **l'Agout** (bas latin *adguttum,* « déversoir » ; peut-être fausse étymologie

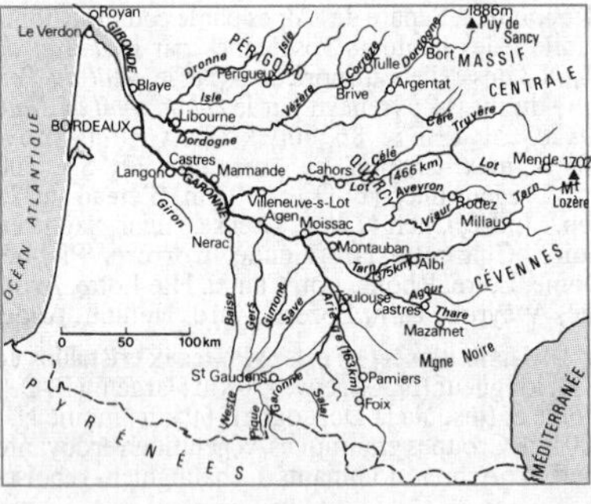

populaire d'un mot contenant la racine ligure *akw*, qu'on retrouve dans *Aquitaine*) (rive gauche) ; *source :* Mt de l'Espinouse, Hérault, alt. 1 100 m ; *long.* 180 km (est-ouest) ; *bassin* 3 465 km^2 ; *débit* moyen 25 m^3/s, max. 1 800 m^3/s (le 1/3 des eaux du Tarn) ; **l'Aveyron** (latin *aquarius,* voir Guiers ; le *on* final est sans doute un augmentatif) (rive droite) ; *source :* causse de Sauveterre, près de Séverac-le-Château, alt. 900 m ; *long.* 250 km ; *bassin* 5 357 km^2 ; *débit* moyen 25 m^3/s, max. 1 500 m^3/s. *Affluent du sous-affluent :* **le Viaur** [déformation de Varaïr (le petit Viaur s'appelant *le Varaïroun*), même racine préceltique que dans *Var*] ; *source :* plateau de la Tousque, au pied du Pal (1 157 m), dans l'Aveyron ; *long.* 153 km ; *bassin* 1 550 km^2 ; *débit* moyen 6 m^3/s, débit supérieur à celui de l'Aveyron au point de confluence (Lagueypie, Tarn) : 4,8 m^3/s.

Le Lot (du latin *Oltis,* le fleuve s'appelle encore l'Olt dans son cours supérieur). *Source :* montagne du Goulet, Lozère, alt. 1 499 m. *Long. :* 481 km. *Bassin :* 11 254 km^2. *Débit :* moyen 60 m^3/s, max. 4 000 m^3/s (crues subites atteignant 15 m de haut). *Sous-affluent :* **la Truyère** [bas latin *traucaria,* « celle qui sort du trou », construit sur le ligure *trauk,* « trou » ; ou bas latin *trebucaria,* « celle qui passe à Trebuc » (hameau dont le nom signifie « chute » en occitan)] (rive droite) ; *source :* Mts de la Margeride, Lozère, alt. 1 494 m ; *long. :* 160 km ; *bassin :* 3 250 km^2 ; *débit :* moyen 25 m^3/s, max. 2 800 m^3/s ; *confluent :* Entraygues-sur-Truyère (Aveyron).

La Dordogne (du celtique *Dorunia,* féminin dérivé du celtique ancien *dubro,* « eau »). *Source :* puy de Sancy (Puy-de-Dôme), dans les Mts d'Auvergne, alt. 1 720 m. *Long. :* 480 km. *Bassin :* 23 870 km^2 (6 départements : Puy-de-Dôme, Corrèze, Cantal, Lot, Dordogne, Gironde). *Débit :* moyen 320 m^3/s, max. 12 500 m^3/s. Rejoint l'estuaire de la Gironde, non le fleuve de la Garonne. *Sous-affluent :* **la Vézère** (rive droite) (nom : probablement Isara, comme l'Oise et l'Isère) ; *source :* plateau de Millevaches, Corrèze, alt. 970 m ; *long.* 192 km ; *bassin* 3 708 km^2 ; *débit* moyen 50 m^3/s.

■ La Loire

■ **Origine du nom.** De la même racine que le celtique *liga,* « lie », dans le sens d'« eau trouble ».

■ **Statistiques.** *Source :* Mt Gerbier-de-Jonc (Ardèche), alt. 1 408 m. *Longueur :* 1 012 km. *Bassin :* 117 812 km^2. *Départements traversés ou bordés* par la Loire : 12 (Ardèche, Hte-Loire, Loire, Saône-et-L., Allier, Nièvre, Cher, Loiret, Loir-et-Cher, Indre-et-Loire, Maine-et-L., Loire-Atl.). Seul des 6 grands fleuves français dont le bassin soit entièrement en France. *Débit moyen :* 835 m^3/s à Montjean (basse Loire), max. 8 000 m^3/s, min. 11 m^3/s à Gien.

■ **Description du cours.** Naissant à 150 km de la Méditerranée, la Loire s'éloigne d'elle en coulant pendant 250 km env. vers le N., à travers le Massif central ; elle y creuse 3 séries de gorges : *1°)* en amont de Coubon ; *2°)* entre la Voulte (Hte-L.) et St-Rambert (L.), en entrant dans l'ancien lac du Forez ; *3°)* à Neulise (Loire), en sortant du Forez. Entre Digoin (S.-et-L.) et Briare (Loiret), elle coule vers le N./N.-O. pendant 150 km, dans des plaines rattachées au Bassin parisien. Jusqu'au quaternaire, elle continuait alors vers le N., par la dépression actuelle du canal de Briare et la vallée du Loing, pour se jeter dans la Seine. Captée au quaternaire par un affluent de la Cens, elle s'infléchit vers le N.-O. et l'O. jusqu'à Orléans pendant env. 100 km. Elle coule alors vers le S.-O. Après Angers, s'encaisse dans le Massif armoricain. L'influence de la marée se fait sentir jusqu'à Ancenis, à 87 km de l'embouchure.

■ **Régime.** Très irrégulier, lié à la pluviosité, en raison de l'imperméabilité des terrains traversés et de l'absence de réserves en neiges et de nappes régulatrices. Les crues succèdent aux maigres, indépendamment des périodes de basses et hautes eaux, jusqu'au confluent avec la Maine. Instantanées, elles provoquent des catastrophes quand il y a conjonction entre climats méditerranéen et atlantique (débit dépassant 6 000 m^3/s, à l'aval du confluent de l'Allier, en moy. 1 fois par siècle). Entre la Maine et la mer, le régime redevient celui des fleuves atlantiques : hautes eaux en hiver, basses en été ; mais la différence entre les 2 saisons y est relativement forte.

Plus grands débits instantanés observés depuis 1846 à Gien (Loiret) : 7 200 m^3/s (juin 1856 sept. 1866), 7 000 (oct. 1846), 4 500 (déc. 1825), 4 300 (oct. 1907), 4 200 (oct. 1872). *Programme de soutien d'étiage* (pour garantir un débit minimal toute l'année) et d'écrêtement des crues. *Objectif :* 60 m^3/s à Gien (Loire moyenne).

☞ Le *21-9-1980,* en 2 heures : plus de 4,5 m à Brives-Charensac (Hte-Loire) ; 8 †.

■ **Aménagement du cours. Organismes :** *Épala (Établissement public d'aménagement de la Loire et de ses affluents)* créé 22-11-1983, regroupe 15 départements, 6 régions, 17 villes de plus de 30 000 hab., 10 syndicats intercommunaux, Pt : Jean Royer (maire de Tours). *Associations opposées :* Loire vivante, SOS-Loire vivante, Collectif pour une Haute-Loire vivante. **Ouvrages existants.** *Villerest* [1, 2] (Loire en amont de Roanne) 230 millions de m^3. *Naussac I* [1] (Lozère) sur le Donozau (affluent de l'Allier) 190. *Rochebut* (à la source du Cher) : reconstruction prévue pour tripler sa capacité 80 (noiera 417 ha et 23,7 km de gorges). *Pont Rousseau* (Nantes) évite les perturbations dues aux marnages sur la rivière Sèvre Nantaise. **En projet.** *Naussac II* [2] permettra de pomper une partie des eaux du haut Allier et de les stocker à Naussac I. *Veurdre* [2] (Nièvre, Allier) sur l'Allier, doit écrêter les crues de la branche Allier et permettre de réduire, avec Villerest, la fréquence des crues catastrophiques jusqu'en Anjou. Construction de *digues de protection* et installation d'un *radar météo* donnant l'alerte 7 h avant les crues de la Hte-Loire. **Projets gelés le 7-2-1990 :** *Chambonchard* [2] (Creuse) sur le Cher en amont de Montluçon 125. *Serre-de-la-Fare* [2] sur la Loire en amont du Puy-en-Velay 74. **Coût** (protocole d'accord fév. 1986). 2 330 millions de F dont barrage de Serre-de-la-Fare 460, de Chambonchard 400, du Veurdre 500, digues de protection de la vallée de l'Allier 100, aménagement de Naussac II 170, ensemble des ouvrages de la basse Loire 500, du bassin de la Vienne 200.

Nota. – (1) Soutien d'étiage. (2) Écrêtement des crues.

☞ *En sept. 1991 :* 190 millions m^3 ont été déversés dans la Loire pour soutenir son débit. Ouverture exceptionnelle de l'ouvrage EDF de Fade-Besserve (23 m^3/s.).

■ **Affluents. Rive droite : L'Arroux** (nom : gaulois *aturavos,* diminutif du préceltique *atur,* « la rivière » – cf. Adour, Aar, etc., signifie à peu près « la rivièrette »). *Long. :* 120 km (Côte-d'Or, S.-et-L.), direction N./S. *Bassin :* 3 174 km^2. *Débit* moyen : 31 m^3/s à Rigny, avec des crues très fortes (1 575 m^3/s). *Point de confluence :* Digoin (S.-et-L.).

La Nièvre (nom : gaulois *Nivara,* formé sur une racine plus ancienne *niv* signifiant « cours d'eau » – cf. la Nive). *Long. :* 53 km ; composée de 3 rivières différentes : les *Nièvres de Champlemy, de Bourras* et *de Prémery. Bassin :* total 630 km^2. *Débit :* moyen 5 m^3/s, max. 230 m^3/s. *Point de confluence :* Nevers.

La Cisse (nom : latin *cista,* « l'osier »). *Long. :* 27 km + 37 km bassin de 1 295 km^2. Direction E.-O. *Débit* moyen : 1,5 m^3/s (à Coulanges) jusqu'à 60 m^3/s en crue. *Points de confluence :* Chouzy puis Vouvray.

La Maine ou **Maine d'Angers** (nom : latin *mediana,* « située au milieu », c.-à-d. « servant de frontière », qui est celui de la Mayenne, déformé ; autre hypothèse : celtique, *Ma-aïnn,* « rivière des rochers »). *Long. :* 10 km ; formée de 3 cours d'eau réunis : **la Mayenne** (même nom que la Maine ; autre hypothèse : celtique *Maduaïnn,* « rivière noire des rochers ») ; *source :* à la Lacelle (Orne) alt. 300 m ; *long.* 195 km, *bassin* 5 820 km^2, *débit* max. moyen 37 m^3/s à Chambellay ; **la Sarthe** (nom : diminutif gaulois ou latin, construit sur un mot préceltique *sar,* « cours d'eau ») ; *source :* Moulins-la-Marche (Orne), alt. 250 m ; *long.* 280 km ; *bassin* 7 864 km^2 ; *débit* moy. 34 m^3/s à Spay ; *confluent* avec la Mayenne à Port-Mesley (M.-et-L.) ; **le Loir :** se jette dans la Sarthe 4,5 km avant le *confluent* Sarthe/Mayenne (nom : doublet masculin de *Liger,* « la Loire ») ; *long.* 312 km ; *bassin* 8 270 km^2 ; *débit* moyen 33 m^3/s. **Total pour la Maine :** *bassin :* 22 194 km^2 ; *débit :* moyen 128 m^3/s, en crue : 1 500 m^3/s. Les eaux de la Loire remontent la Maine lors des hautes eaux jusqu'à 12 km en amont d'Angers (inondations de longue durée).

L'Erdre (nom : *Arar,* voir Saône). *Source :* La Pouège (M.-et-L.), alt. 85 m. *Long. :* 95 km, dont un fjord de 28 km. *Bassin :* 936 km^2. *Débit :* 2,5 m^3/s. Forme 2 lacs, appelés « plaines » : de la Poupinière (2 km^2) ; de Mazerolles (3 km^2).

Rive gauche : L'Allier, le plus important des affluents de la L., considéré parfois comme la branche mère du réseau hydrographique (nom : latin *Elaver,* formé sur la racine ligure *el,* « arbre » : fleuve forestier ou servant au flottage du bois). *Source :* Mt Maure de la Gardille (Lozère), alt. 1 501 m. *Long. :* 410 km. *Bassin :* 14 321 km^2. *Débit :* moyen 140 m^3/s, max. 4 500 m^3/s. Le cours de l'Allier (N.-S.) a imposé sa direction à celui de la Loire (*confluent* au Bec d'Allier, à 6 km de Nevers). *Sous-affluents :* **la Dore** (hydronyme préceltique ou celtique *Dor, Dur*), 140 km (r. droite), **la Sioule** [latin médiéval *Siccula ;* du nom de la montagne dont elle est issue, la chaîne des Puys (racine ligurique *sekk*)], 150 km (r. gauche).

Le Beuvron (nom : du gaulois *bebros,* « castor » ; la vraie orthographe serait Bevron). *Source* à 176 m

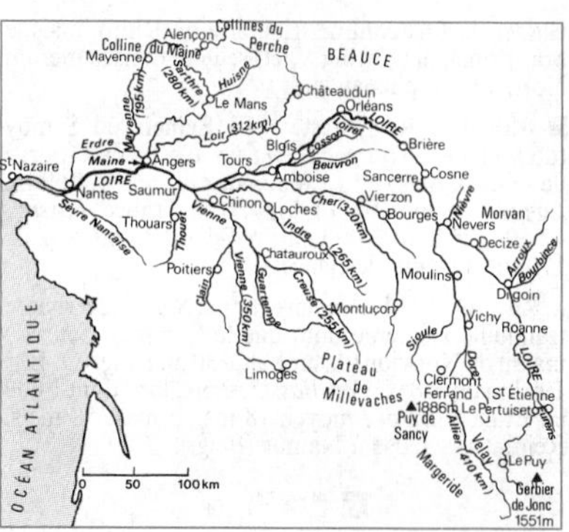

(Sologne). *Long. :* 125 km. *Bassin :* 2 193 km^2 (dont 779 pour son *affluent* le Cosson). *Départements parcourus :* Cher, Loiret, L.-et-C. *Débit :* 7 m^3/s, crues modérées, absorbées par les étangs solognots. *Confluent* à Candé-sur-Beuvron (L.-et-C.).

Le Cher [nom : préceltique (ligure) *kar,* « la pierre » : rivière caillouteuse]. *Source* à 762 m (Creuse). *Long. :* 367 km. *Bassin :* 13 688 km^2 (7 départements) dont 972 km^2 pour la **Tardes,** considérée parfois comme branche mère. *Débit :* moyen, à Tours 104 m^3/s, max. 1 350. *Se jette dans la Loire* à Villandry (I.-et-L.) ; autrefois la rejoignait aussi à Tours par un canal artificiel de 2 km de long transformé en autoroute. Un ancien lit de 11 km, le Vieux-Cher, continue jusqu'à l'Indre, mais est considéré actuellement comme un bras de la Loire. *Confluent* à Meaulne (Allier). *Sous-affluents :* **la Tardes** (nom d'une localité traversée : Tardes, *Tarodunum,* « le bourg de Taros »), *long.* 100 km ; *bassin* 972 km^2, *débit* moyen 9,5 m^3/s à Évaux ; **l'Aumance** (du ligure *el,* « arbre », et de l'indo-européen *man,* « sourdre »), *long.* 74 km, *bassin* 986 km^2, *débit :* moyen, 8,1 m^3/s à Hérisson, crues 600 m^3.

L'Indre (nom : latin *Ennara,* venu du ligure *Enn* – Enn ou Inn, fleuves d'Allemagne – et *ar* – cf. Aar, Samara, Isara, etc.). *Source :* Mts de St-Marien (Creuse), 504 m. *Long. :* 266 km. *Bassin :* 3 462 km^2. *Débit :* moyen 19 m^3/s, max. 320. *Confluent* à Avoine (I.-et-L.). *Sous-affluent :* **l'Igneray** (de Ligneray ou Ligneret, cf. le Lignon, même racine que le latin *limpidus,* « limpide »), *long.* 32 km ; *bassin* 170 km^2, *débit* 2,5 m^3/s.

La Vienne (nom : du latin *Vinganna,* en patois local Vignague, avec transcriptions variables, comme Vingenna et Vigenna ; du gaulois *venda,* « brillante » et du ligure *onna : Venda-onna,* « rivière brillante »). *Source :* plateau de Millevaches (Corrèze), alt. 850 m. *Long. :* 372 km. *Bassin :* 21 105 km^2. *Débit :* moyen, 203 m^3/s, max. 2 700 à Nouatre. *Confluent :* à Candes St-Martin (I.-et-L.). *Sous-affluent :* **la Creuse** (branche mère du bassin ; nom : celtique *croza,* « marmite » ou « creuset »), *long.* 255 km ; *bassin* 9 570 km^2 ; *débit :* moyen, 81 m^3/s, max. 1 040 ; grossie de **la Gartempe** [porte le nom du village où elle prend sa source, dans la Creuse : Gartempe (anciennement Gard-Temple), réserve de chasse d'une commanderie de Templiers], *long.* 190 km ; *bassin* 3 922 km^2, *débit* : moyen, 23 m^3/s à Montmorillon, max. 400 m^3/s.

La Sèvre Nantaise (nom : latin *Sapara,* du ligure *sap,* « buisson, fourré » ; et *ar,* « rivière ») – l'épithète *nantaise* la distingue de la Sèvre *Niortaise,* fleuve côtier. *Source :* Gatine poitevine, alt. 259 m. *Long. :* 136 km. *Bassin :* 2 356 km^2. *Débit :* moyen 9,5 m^3/s à Tiffoges, max. 650 m^3/s.

■ La Meuse

■ **Origine du nom.** Du latin *Mosa,* du celto-germanique *mod,* « la boue » ; cf. la Moder.

■ **Statistiques.** *Source :* Pouilly-en-Bassigny (Hte-Marne), alt. 403 m. *Longueur :* 950 km dont 500 en France (192 en Belgique, 258 aux Pays-Bas). *Bassin :* 33 000 km^2 dont 7 750 en France (4 dép. : Hte-Marne, Vosges, Meuse, Ardennes). *Débit* m^3/s à la sortie de France : moyen 100 ; max. 7 000 ; min. 27.

■ **Description du cours.** Dans l'ensemble S.-N., avec un crochet S.-E./N.-O., entre Verdun et Mézières. Jusqu'à Mézières, rectiligne dans les alluvions du Bassin parisien, entre 2 lignes de côtes (Plateaux du Barrois, Côtes de Meuse) ; après Mézières, sinueux et encaissé dans le massif ancien de l'Ardenne. Bassin très étroit pour sa longueur : 2 *affluents* ont été capturés au quaternaire (rive dr. : *la Moselle,* capturée par un affluent de la Meurthe et devenue tributaire du Rhin ; rive g. : *l'Aire,* capturée par un affluent de l'Aisne et devenue tributaire de l'Oise). *Embouchures :* un des bras de la Meuse rejoint, en Hollande, un des bras du Rhin (ce qui l'a fait classer parfois comme tributaire du Rhin), mais le bras principal (Haring Vliet) se jette dans la mer du Nord 15 km plus au sud.

■ **Affluents. Rive droite : La Semois** ou Semoy (du nom de sa source : *Som Oize,* c'est-à-dire source de l'Oize). *Source :* Luxembourg belge, alt. 360 m. *Long. :* 198 km (E.-O.) dont 26 en France. *Bassin :* 1 550 km² dont 1 000 en Fr. *Débit :* 20 m³/s, max. 170 m³/s (fonte des glaces).

Rive gauche : La Sambre (nom : *Samara,* « rivière tranquille », même nom que la Somme). *Source :* massif du Nouvion (Aisne), alt. 230 m. *Long.* (O.-E.) : 190 km dont 85 en Fr. *Bassin :* 2 662 km² dont 1 000 en France. *Débit :* moyen 18 m³/s ; max. 58 m³/s. Rejoint la Meuse à Namur (Belg.).

■ Le Rhin

■ **Origine du nom.** Gaulois *renos,* « fleuve » ; l'orthographe *rh* est imitée du grec *rheein,* « couler ».

■ **Statistiques.** *Source :* lac Toma, C. des Grisons, Suisse, alt. 2 344 m. *Long. :* 1 298 km, dont 190 à la frontière franco-all. [Suisse 456 (dont frontière avec Liechtenstein 41, All. 130), All. 476, P.-B. 176]. *Bassin :* 116 000 km² [28 000 en France (Belfort, Ht-Rhin, Bas-Rhin, Moselle, Meurthe-et-M., Vosges)]. *Débit :* moyen 2 210 m³/s ; max. 10 000.

■ **Régime.** En Alsace, est encore un fleuve alpestre (deviendra un fleuve mixte après le confluent avec le Main, rivière continentale) : hautes eaux en mai-juin, à la fonte des neiges ; basses en septembre ; parfois gelé en hiver (climat alsacien, quasi continental).

■ **Description du cours.** Entre Bâle et Lauterbourg, quasi rectiligne S.-O./N.-E., au bas de la plaine d'Alsace, pente assez forte mais nombreux faux bras, actuellement drainés par le canal latéral.

■ **Affluents** (en France). **Rive gauche : L'Ill** (nom : racine ligurique *el,* « rivière », fréquente en Europe). *Source* au Glasberg, contrefort du Jura (Ht-Rhin), alt. 500 m. *Long. :* 208 km. *Bassin :* 9 800 km². *Débit :* moyen 25 m³/s, max. 150. Coule à 10 ou 20 km du Rhin, dans la plaine alsacienne.

La Moselle (diminutif de *Mosa,* « la Meuse »). *Source :* col de Bussang, Vosges, alt. 725 m. *Long. :* 550 km, dont 259 en Fr. *Bassin :* 28 360 km², dont 15 147 en Fr. *Débit :* moyen 150 m³/s, max. 1 500. *Cours :* S.-E./N.-E. jusqu'à Toul où elle est capturée par un affluent de la Meurthe et fait un coude brusque vers l'est. Après Frouard, S.-N. jusqu'à la front. all. *Sous-affluents* (rive droite) : **la Meurthe** (racine ligure *mor,* « débris de roches », qu'on retrouve dans *moraine*), *long.* 170 km ; *bassin* 2 910 km² ; *débit* moyen 20 m³/s, max. 600 ; **la Sarre** (racine celtique, voir la Sarre dans le Morbihan) ; *sources :* au pied du Donon (S. Blanche et S. Rouge), alt. 465 m ; *long.*

240 km, dont 80 en France ; *bassin* (en France) 3 800 km² ; *débit* max. 500 m³/s.

■ Le Rhône

■ **Origine du nom.** Grec *Rhodanos,* utilisé par les Phocéens de Marseille ; racine indo-eur. sans doute rhétique (*rho/rhe* que l'on retrouve dans Rhe-nus, « le Rhin »), comprise par les Grecs – en grec *rhe-ein* = « couler ».

■ **Statistiques.** *Source :* Massif du St-Gothard (Suisse). Un torrent, appelé *Rotten* (« Rhône »), sort à 2 200 m au pied d'un massif de 3 600 m. Il se jette dans un cours d'eau plus important qui a sa source à 1 753 m, au pied du Pizzo Rotondo (3 192 m). Ce cours d'eau est parfois considéré comme le vrai Rhône supérieur, parfois appelé Gerenwasser. *Longueur :* 812 km, dont 290 en Suisse ; mais l'ensemble Grand Rhône-Saône a 860 km ; l'ensemble Grand Rhône-basse-Saône et Doubs : 1 025 km. *Bassin :* 97 800 km², dont 90 630 en France. *Couvre 20 dép. :* Bouches-du-R., Vaucluse, Alpes-de-Hte-Pr., Drôme, Htes-Alpes, Isère, Savoie, Ain, Hte-Savoie, Jura, Doubs, Hte-Saône, Terr. de Belfort (plus quelques ha dans le Haut-Rhin), Gard, Ardèche, Loire, Rhône, Saône-et-Loire, Côte-d'Or, Hte-Marne. *Débit :* à Lyon, min. 250 m³, max. 6 000 m³.

■ **Régime.** Mixte : r. *alpestre* par le Rhône et ses affluents de la rive gauche (Isère, Durance) qui ont leurs sources dans les glaciers ; r. *tempéré atlantique ou semi-continental* par la Saône et le Doubs ; r. *méditerranéen* par l'Ardèche et le Gard. Au total, r. abondant toute l'année : fonte des neiges alpestres avec maximum en mai-juin ; pluies d'automne avec 2ᵉ maximum en oct. ; pluies d'hiver sur le bas Rhône, avec de violentes crues d'été en cas d'orage sur le Vivarais (les « coups » de l'Ardèche).

■ **Description du cours.** En Suisse, il emprunte une vallée glaciaire surcreusée (auge), de 165 km de long, orientée E.-O. et aboutissant au lac Léman, également d'origine glaciaire (prof. max. : 309 m). Au sortir du Léman et à son entrée en France, il coule plein S., se frayant un passage à travers les plis du Jura méridional (Bugey) : gorges profondes et même, entre Bellegarde (Ain) et Lucey (Savoie), disparition dans une crevasse (anciennes *« Pertes du Rhône »,* noyées depuis 1948 dans la retenue de *Génissiat*). Au sortir du Jura, coude brusque en direction du N./N.-O. qui est celle de la vallée du Guiers (phénomène de « capture », le Rhône se jetant primitivement dans l'Isère). Le cours du Guiers se poursuivait, au quaternaire, en direction du lac ou de la mer de Bresse, entre Villefranche et Bourg, mais les alluvions glaciaires de la fin du quaternaire l'ont dévié E./O. Il se fraye difficilement un chemin vers l'O. jusqu'à Lyon où il tourne à 90° vers le S., empruntant la *ria* maritime située entre Alpes et Cévennes que ses alluvions ont comblée. Après le confluent avec le Gard, commence le delta du Rhône divisé alors en 2 bras : *Petit Rhône,* à l'ouest, 14 % du débit ; 58 km : appelé anciennement Rhône majeur, car il avait alors le débit le plus important, subdivisé à 16 km de la mer [sous-bras : Rhône Mort (21 km), appelé successivement canal de Peccais, puis *Rhône Vif*] ; *Grand Rhône* (long. : 51 km). Le delta du Rhône avance vers le S. (moy. 67 m par an ; volume des alluvions : 21 millions de m³).

■ **Affluents. Rive gauche : L'Arve** (*Aturava,* forme féminine de *Aturavos,* « l'Arroux »). *Long. :* 102 km, dont 93,5 en France (Hte-Savoie) et 8,5 en Suisse. *Source :* col de Balme, alt. 2 204 m. *Bassin :* 2 060 km². *Débit :* moyen 35 m³/s, max. 1 200. *Confluent* à Genève, Suisse. *Sous-affluent :* **le Giffre** (forme régionale de *gypière,* « carrière »), *long.* 50 km ; *bassin* 440 km² ; *débit* moyen 77 m³/s.

Le Guiers (latin *aquarius,* « débouché des eaux ») (formé du Guiers mort, Isère et du Guiers vif, Savoie). *Long. :* 48 km. *Bassin :* 555 km². *Débit :* moyen 10 m³/s, max. 150. *Confluent* à St-Genix-d'Aoste (Sav.).

L'Isère (nom : hydronyme double, courant en Europe : Isar, Yser ; voir Oise). *Source* 2 400 m (Mt Iseran, Savoie). *Long. :* 290 km. *Bassin :* 12 140 km². *Débit :* moyen 425 m³/s, max. 2 900. *Confluent* à Valence. *Sous-affluents :* **l'Arc** (adjectif celtique formé sur le radical ligurique *ar,* voir Saône ou Arar), *long.* 150 km ; *débit* moy. 100 m³/s, max. 1 200. *Confluent* à St-Pierre-d'Albigny (Savoie) ; **le Drac** [déformation du celtique *Drau,* doublet de *Drave,* fleuve hongrois *(dorawa,* « eau du torrent »)], grossi de **la Romanche ;** *long.* 78 km ; *débit* moy. 150 m³/s, max. 1 800. *Confluent* à Grenoble (Isère).

La Drôme (*Drauma,* adjectif formé sur *Drau,* voir Drac, ci-dessus). *Long. :* 102 km. *Source :* Le Laup (Drôme), 1 646 m. *Bassin :* 1 735 km². *Débit :* moyen 15 m³/s, max. 3 500. *Confluent* à Livron.

La Durance (du celtique ancien *dubro,* « eau »). *Source :* massif du Montgenèvre (Htes-Alpes), alt.

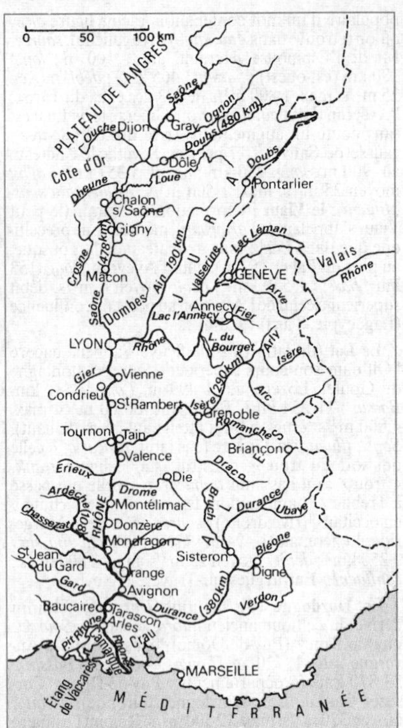

1 800 m. *Long. :* 350 km (380 km en comptant la Clairée comme branche mère). *Bassin :* 15 000 km² (6 dép. : Htes-Alpes, Alpes-de-Hte-P., Drôme, Var, B.-du-Rh., Vaucluse). *Débit :* moyen 125 à 350 m³/s, selon les années ; max. 10 000 ; min. 70. Indépendante jusqu'au quaternaire (embouchure golfe de Fos), la Durance a été déviée ensuite vers le N.-O., d'Aix à Avignon, par suite de sa capture par un affluent du Coulon. *Sous-affluent :* **le Verdon** (probablement, nom de la vallée : verdoyante), *long.* 175 km ; *bassin :* 2 270 km² ; *débit* moy. 25 m³/s, max. 1 430.

Rive droite : L'Ain [anciennement *Ouain,* cas régime (féminin) de l'Oue, ou la Loue (cf. le Loing), du latin *Odoanna ;* voir Odet]. *Source :* Nozeroy (Jura), alt. 750 m. *Long. :* 190 km, 205 en comptant la Serpentine comme branche mère. *Bassin :* 4 183 km² (Jura, Ain). *Débit :* moyen 50 m³/s, max. 2 500. *Confluent* à St-Maurice-de-Gourdans (Ain).

La Saône [appelée jusqu'au Iᵉʳ s. apr. J.-C. Arar (de *ar,* « eau ») ; puis Sauconna, « source Sainte », du nom d'une de ses sources divinisées : *sawk* ou *sakw* est de la même racine que *sanctus* et *sacratus* en latin, *hagios* en grec]. *Source :* Mts Faucilles (à Vioménil, forêt de Darney à 402 m, au pied du Méamont, Vosges, 472 m) alt. 396 m. *Long. :* 482 km (647 en comptant le cours du Doubs). *Bassin :* 29 580 km² (9 dép. français : Vosges, Hte-Saône, Côte-d'Or, S.-et-L., Ain, Rhône, Jura, Doubs, Terr. de Belfort et 2 cantons suisses). *Débit :* moyen 432 m³/s, max. 4 000 (en 1840, 8,05 m). Au XXᵉ s. : 11 crues de + de 6 m dont 1981 et 1983 6,65 m. *Cours :* N.-E./S.-O. jusqu'à Chalon, en contre-bas du plateau de Langres ; à Chalon, cours N./S. de 200 km, dans le « couloir Saône-Rhône », ancienne ria maritime comblée au quaternaire. *Sous-affluents :* **l'Ognon** (déformation de Lignon, hydronyme courant) ; *source :* ballon de Servance, Vosges, alt. 695 m ; *long.* 185 km ; *bassin :* 2 250 km² ; *débit* moyen 10 m³/s, max. 800 ; *coule* du N.-E. au S.-O., parallèlement au Doubs dont il est distant de 8 à 15 km seulement ; **le Doubs** (du celtique *dub,* « noir ») ; *source :* Mt Risoux (Jura) alt. 937 m ; *long.* 450 km ; *bassin* 7 826 km² ; *débit* moyen 62 m³/s, max. 1 000 ; cours très irrégulier, dû à la traversée du Mt Jura : S.-O./N.-E. au début, N.-E./S.-O. à la fin : 2 anticlinaux parallèles mais en pente inverse ; entre eux, traversée de 2 cluses ; le « Saut du Doubs », à la frontière franco-suisse, a 29 m de haut.

L'Ardèche (d'*Arctica,* « la rivière aux ours »). *Plusieurs sources,* notamment à la Croix de Bauzon, Ardèche, alt. 1 537 m, et dans la forêt de Mazan, près du col de la Chavade, alt. 1 271 m. *Long. :* 112 km. *Bassin :* 2 387 km². *Débit :* moyen 10 m³/s, max. 7 900 (pente rapide, terrains imperméables, lit encaissé ; le niveau peut monter de 21 m en quelques heures). *Sous-affluent :* **le Chassezac** (d'une localité arrosée : *Casatiacum,* domaine de Casatus, déformé en Catiasacum) ; *long.* 75 km ; *bassin* 560 km² ; *débit* moyen 6 m³/s ; crues terribles.

Le Gard (ligure *gar,* « le rocher »). *Sources* nombreuses : 5 ou 6 torrents de la Lozère, nommés les *Gardons,* alt. 1 100 à 1 200 m. *Long.* : 113 km, pour la branche du Gardon St-Jean, 62 km pour le Gard réuni. *Bassin* : 2 200 km^2. *Débit* : moyen 6 à 40 m^3/s, avec des crues subites de 7 000 m^3/s.

■ La Seine

■ **Origine du nom.** Primitivement, il semble que seul le cours supérieur était appelé *Seine* [du latin *Sequana,* transcription faite par César du mot *(I)sicauna* où l'on retrouve le nom de l'Yonne : Icauna ou Icaonna (les 2 rivières étaient sans doute considérées comme jumelles) ; à cause du nom de Rouen (*Rotomagus,* mais vraisemblablement *Rhodomagus*), on peut conclure que le cours inférieur était appelé Rhodos (comme le Rhône)].

■ **Statistiques.** *Source* : St-Seine-l'Abbaye (Côte-d'Or), alt. 471 m. *Longeur* : 776 km. *Bassin* : 77 767 km^2, dont 40 km^2 en Belgique (source de l'Oise) ; le 1/7e du territoire français. *Départements drainés* : 14 (Côte-d'Or, Aube, Marne, Seine-et-M., Paris, Yvelines, Essonne, Val-d'Oise, Hts-de-Seine, Val-de-M., Seine-St-Denis, Eure, Seine-Mar., Calvados). *Débit* : moyen 375 m^3/s, max. 2 500 ; min. (Paris) 75. *Crues* (voir p. 808).

■ **Description du cours.** Marcilly (confluent avec l'Aube), passe de la direction N.-O. à la dir. S.-E. ; à Moret, il se redresse vers le N. en empruntant l'ancien lit de la Loire, occupé par le Loing (cours d'eau résiduel). Après Fontainebleau, direction générale : S.-E./N.-O. jusqu'à la Manche, avec de nombreux méandres dont 8 très accusés, entre Paris et Caudebec-en-Caux (le plus sinueux des fleuves français). Influence de la marée jusqu'à Poses, au confluent de l'Andelle, à 22 km en amont de Rouen. Estuaire primitif commençant à Caudebec, mais comblé en grande partie par des vases et stabilisé par des digues. Une ligne de falaises mortes signale l'extension en largeur du lit.

■ **Affluents. Rive droite : L'Aube** [du latin *alba,* « blanche », confondu avec le préceltique (ligurique) *albis,* « fleuve » – nom ancien de l'Elbe en Allemagne]. *Source* : plateau de Langres (Hte-M.), alt. 516 m. *Long.* : 248 km. *Bassin* : 4 500 km^2 (Hte-Marne, Côte-d'Or, Aube, Marne). *Débit* : moyen 25 m^3/s, max. 348. *Confluent* à Marcilly (Marne) où elle apparaît comme la branche mère du réseau (longueur et volume supérieurs à la Seine, vallée orientée est-ouest).

La Marne (du latin *Matrona,* transcription approximative de *Matter-onna,* du ligure *matta,* « pâturage buissonneux » et *onna,* « source, rivière »). *Source* : à 5 km de Langres (Hte-M.), alt. 381 m. *Long.* : 525 km. *Bassin* : 12 679 km^2 (7 dép. : Hte-Marne, Meuse, Marne, Aisne, S.-et-M., Seine-St-D., Val-de-M.). *Débit* : moyen 36 m^3/s, max. 700. *Confluent* à Charenton (Val-de-Marne). *Sous-affluent* : **l'Ourcq** (gaulois *Aturicos* : du préceltique *atur,* voir Adour) ; *longueur* 80 km ; *bassin* 1 087 km^2 (Aisne, Oise, S.-et-M.) ; *débit,* réduit de moitié par le canal de l'Ourcq, 1 m^3/s.

L'Oise (nom : doublet de Isère, Isar, Yser, etc., latin *Isara,* du ligure *is* ou *viz,* « rivière » et *ar,* « cours d'eau »). *Source* : en Belg., près de Chimay (Hainaut). *Long.* : 300 km pour la rivière portant le nom ; 420 km en comptant le cours de l'Aisne et de l'Aire, affluent et sous-affluent de l'Oise. *Bassin* : 16 667 km^2, dont 40 km^2 en Belgique (5 dép. fr. : Nord, Aisne, Oise, Val-d'O., Yvelines). *Débit* : moyen 55 m^3/s, max. 650. *Point* d'O.). *Sous-affluents* : **l'Ailette** (du ligure *el,* voir Allier) ; *source,* à 2 km de Craonne, alt. 200 m ; *long.* : 63 km, *bassin* : 800 km^2 ; *débit* : 1 m^3/s. *Confluent* à Manicamp (Aisne) ; **l'Aisne** (du latin *Axonna,* racine celtique *Akw,* « eau », suivie du ligure *onna,* « source, rivière »), *source* : dans l'Argonne à 240 m d'alt ; *long.* : 280 km (300 avec l'Aire) ; *bassin* : 7 752 km^2 (Meuse, Marne, Ardennes) ; *débit* : moyen 45 m^3/s. L'Aisne a capturé un des affluents de la Meuse, **l'Aire** (féminin du ligure *Ar,* voir Saône), *long.* 131 km ; *bassin* 1 000 km^2 ; *débit* moyen 3 m^3/s, max. 100.

L'Epte (du latin *Icta,* hydronyme préceltique *ik,* avec diminutif (?) ; doublet de *iton* ou *icton,* petit cours d'eau de l'Eure). *Source* : la fontaine d'Epte, à 5 km de Forges-les-Eaux. Alt. 190 m. *Long.* : 117 km. *Bassin* : 872 km^2 (4 dép. : Seine-Mar., Oise, Eure, Val-d'Oise). *Débit* : moyen 9 m^3/s, max. 35.

Rive gauche : L'Yonne (du latin *Icauna* ou *Imgauna,* des préceltiques *Inka-onna*). *Source* : Mt Préneley (Nièvre, à 855 m). *Long.* : 293 km. *Bassin* : 10 887 km^2. *Débit* : moyen 75 m^3/s, max. 1 200. *Confluent* à Montereau où elle apparaît comme la branche mère du réseau (longueur, débit bassin supérieurs à la Seine) ; le nom de la Seine (Is-Icauna) semble un diminutif du sien. *Sous-affluents* : **la Cure** (de l'indo-eur. *kwr,* dont dérive aussi le latin *currere,*

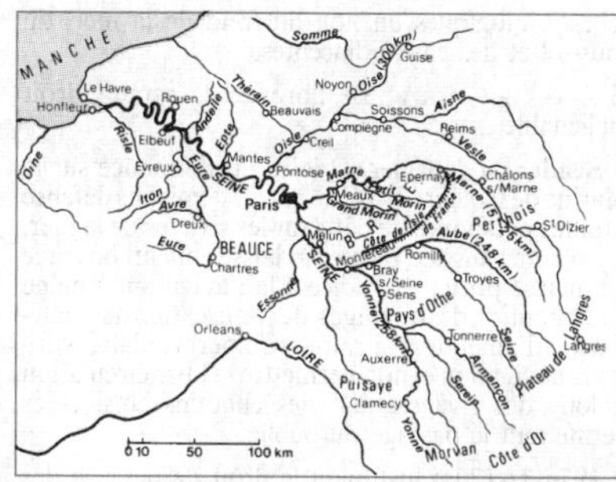

« courir ») *long.* 109 km ; *bassin* 1 267 km^2 ; *débit* 1,6 m^3/s ; **l'Armançon** (même étymologie que *Aumance,* voir p. 603 c) ; *long.* 174 km ; *bassin* 2 900 km^2 ; *débit* 24 m^3/s.

Le Loing [nom : déformation de Louhain, cas régime de Loue (féminin) ; *Odoanna,* voir Ain et Odet ; en latin retraduit : *lupa,* « la louve », fausse étymologie populaire] ; résidu de l'ancienne Loire coulant N.-S. et captée au quaternaire. *Source* : à Ste-Colombe-sur-L. (Yonne). *Long.* : 160 km. *Bassin* : 4 150 km^2 (Yonne, Loiret, S.-et-M.). *Débit* très faible (0,8 m^3/s).

L'Essonne (même nom que l'Aisne, *Axonna*). *Source* : double [l'*Œuf* : étang du Grand-Veau, près de la Neuville, Loiret (alt. 130 m) et la *Rimarde* : petit étang près d'Aulnay-la-Rivière, Loiret (alt. 182 m)]. *Long.* : 90 km. *Bassin* : 1 850 km^2. *Débit* : moyen 8 m^3/s ; crue 30.

L'Eure (du latin *Atura ;* racine ligure *atur,* « source » – cf. Adour). *Source* : étang Rumieu, dans le Perche, alt. 250 m. *Long.* : 225 km. *Bassin* : 5 500 km^2. *Débit* : moyen 19 m^3/s, max. 230. *Sous-affluent* : **l'Avre** (gallo-latin *Avara* : de l'indo-eur. *aw,* « eau », et de *ar,* comme *Arar,* « la Saône » ; nom voisin d'Avaricum, « Bourges », située sur l'Avron) utilisée pour fournir de l'eau à Paris, *source* : forêt du Perche (Orne), alt. 290 m ; *long.* 72 km ; *bassin* 980 km^2 ; *débit* moyen 4 m^3/s, max. 5 000.

La Risle (du latin *Lirizina,* du préceltique *Liri* – cf. fleuve d'Italie). *Long.* : 140 km. *Bassin* : 2 310 km^2. *Débit* : moyen 10 m^3/s, max. 330. Se jette dans l'estuaire de la Seine à Berville-sur-Mer (considéré parfois comme fleuve côtier).

■ Fleuves côtiers

Mer du Nord

L'Escaut (du germanique *Schelde* – racine *schalt,* « communiquer »). *Source* : colline du Catelet, Aisne, alt. 100 m. *Long.* : 430 km (dont France 107, Belgique 233, Pays-Bas 90). *Bassin* : 32 000 km^2 (dont France 7 000, Belgique 20 500, P.-B. 4 500). *Débit* : moyen 25 m^3/s, max. 230 m^3/s. *Affluent* : **la Lys** (celtique *liga,* voir Loire ; la forme franç. vient du flam. Leye). *Source* : plateau de Hesdin, P.-de-C. ; alt. 180 m. *Long.* : 214 km (dont France 126, frontière franco-belge 27, Belgique 88). *Bassin* : 3 910 km^2, dont France 2 750. *Débit* : moyen 7 m^3/s, max. 230. Ancien fleuve indépendant, elle recevait l'Yser sur sa rive gauche et se jetait dans la mer du Nord à Terneuzen (P.-B.). Actuellement capturée par l'Escaut à Gand (Belgique).

Manche

La Canche (bas-latin *quantia,* « caillouteuse » ; du ligure *kant,* « rocher » ; voir Cantal, Cancale, Cancaval, etc.). *Source* : St-Pol-de-Ternoise (P.-de-C.), alt. 150 m. *Long.* : 97 km. *Bassin* : 1 384 km^2 (P.-de-C.). *Débit* : 1,5 m^3/s.

L'Authie (latin *altus,* « haut » : cours d'eau venant d'une hauteur). *Source* : Coigneux (Somme). *Long.* : 100 km. *Bassin* : 1 040 km^2 (+ 200 km^2 pour les marais du Marquenterre). Limite entre la Somme et le P.-de-C. *Débit* : 7 m^3/s.

La Somme (du celtique *Samara,* la « rivière tranquille », cf. Sambre). *Source* : Font-Somme, Aisne, alt. 80 m. *Long.* : 245 km. *Bassin* : 5 530 km^2. *Débit* : moyen 35 m^3/s, max. 88 (Aisne, Somme). *Cours* : après Péronne, nombreux faux bras et ramifications dans une vallée spongieuse et tourbeuse. *Affluent* : **l'Avre picarde** (même nom que l'Avre, affluent de l'Eure). *Long.* : 65 km. *Bassin* : 1 150 km^2. *Débit* : moyen 4,3 m^3/s.

L'Orne (du ligure *Otorna,* riv. de Champagne ; *Atur,* « source »). *Source* : Aunou près de Sées, plaine d'Alençon, alt. 200 m. *Long.* : 152 km. *Bassin* : 2 570 km^2 (Orne, Calvados). *Débit* : moyen 13 m^3/s, max. 300. *Affluents* : **le Noireau** (d'après la couleur de son lit). *Long.* : 38 km. *Bassin* : 465 km^2. *Débit* : moyen 5 m^3/s, max. 32. **L'Odon** (racine *Olt,* voir Lot). *Long.* : 50 km. *Bassin* : 180 km^2. *Débit* : moyen 1 m^3/s, max. 30.

La Vire (déformation de l'Avire, latin *aquaria ;* voir Aveyron et Guiers). *Source* : St-Sauveur-de-Chaulieu (Orne). *Long.* : 118 km. *Bassin* : 1 170 km^2 (3 080, en comptant les bassins tributaires de son estuaire). *Débit* : moyen 6 m^3/s, max. 100.

La Rance (*Rancia,* adj. formé sur la racine celtique ou préceltique *ranc,* « rocher »). *Source* : Méné (C.-d'Armor). *Long.* : 100 km dont estuaire 10. *Bassin* : 1 195 km^2. *Débit* : moyen 12 m^3/s.

Le Trieux. D'une localité traversée (Pontrieux), du latin *pons,* et du celtique *Treb,* « bourg ». *Source* : Kerscoëdec (C.-d'Armor). *Long.* : 71 km. *Bassin* : 850 km^2. *Débit* : 4 à 10 m^3/s.

Mer d'Iroise

L'Élorn (du breton *elo,* « peuplier » ; d'après une tradition locale : « eau de l'épouvante »). *Source* : monts d'Arrée, près de Commana (Finistère), alt. 344 m. *Long.* : 37 km. *Bassin* : 272 km^2. *Débit* : 2 à 4 m^3/s (max. 7).

L'Aulne (formé sur la racine *el ;* voir Ill et Allier). *Source* : Lohuec (Fin.), alt. 326 m. *Long.* : 140 km. *Bassin* : 1 875 km^2. *Débit* : moy. 9 m^3/s, max. 80.

Atlantique

L'Odet [racine *od,* peut-être indo-européen *wod,* « eau » (voir Ain et Loing) ; ou signifierait « les rivages » (celtique)]. *Source* : Montagnes Noires, à la limite du Morbihan, alt. 250 m. *Long.* : 56 km, dont 18 km d'estuaire (fjord large de 1 500 m). *Bassin* : 180 km^2 (Finistère). *Débit* : 7 m^3/s.

Le Blavet [diminutif de *bleu* (du francique *blabo*)] ; son estuaire forme la ria de Lorient (*long.* 15 km ; *larg.* : 2 km). *Source* : collines de Landevel (C.-d'Armor), alt. 306 m. *Long.* 140 km. *Bassin* : 2 615 km^2 (C.-d'Armor, Fin., Morb.). *Débit* : moyen 15 m^3/s. *Affluent* : **le Scorff** (déversoir d'étang, en breton). *Source* : collines de Mellionec (C.-d'Armor), alt. 283 m. *Long.* : 78 km. *Bassin* : 490 km^2 (C.-d'Armor, Morbihan, Fin.). *Débit* : max. 50 m^3/s, min. 2,5. *Confluent* : Lorient (forme une sous-ria prolongeant la ria de Lorient).

La Vilaine (de *Visnaine,* en latin *Vicinonia ;* cf. la Vienne : *Viciniaca*). *Source* : hauteurs de la Mayenne, alt. 153 m. *Long.* : 225 km. *Bassin* : 10 882 km^2 (Mayenne, Ille-et-V., Côtes-d'Armor, Loire-Atl., Morbihan). *Débit* : moyen 80 m^3/s, max. 800. A Redon commence la *Vilaine maritime* (50 km) sensible à la marée et navigable. *Affluents rive gauche* : **l'Ille** (avant la construction du barrage d'Arzal), long. 40 km, utilisée pour alimenter le canal d'Ille-et-Rance entre Vilaine et Manche ; *rive droite* : **l'Oust** (déformation de *oult*). *Source* : plateau de Rohan, C.-du.N., à 25 km de la Manche, alt. 320 m. *Long.* : 155 km. *Bassin* : 3 630 km^2 (C.-d'Armor, Morb., I.-et-V.). *Débit* : moyen 25 m^3/s, max. : peu de crues. Sensible à la marée sur 1,5 km.

La Charente (du ligure *car,* « roche » et *onna,* « source »). *Source* : à Chéronnac, près de Rochechouart, Hte-Vienne, alt. 300 m. *Long.* : 361 km. *Bassin* : 10 000 km^2 (Hte-V., Vienne, Charente, Charente-M., Dordogne, D.-Sèvres). *Débit* : moyen 95 m^3/s, max. 300. *Barrage de la Trézenze* (en millions de m^3) : 30 en 1993 (projet : 70 puis 150).

La Seudre [devrait être masculin : St-Laurent-du-Seudre ; nom d'une localité traversée, Seudre (Ch.-M.) : gaulois *Solodurum,* même origine que Soleure (Suisse)]. *Source* : St-Genis (Ch.-M.), alt. 60 m. *Long.* : 60 km. *Bassin* : 855 km^2. *Débit* : faible, mais aboutit à un estuaire profond, la baie de Seudre.

L'Adour (du ligure passé par l'ibéro-basque, *Aturra,* « la source »). *Source* : col du Tourmalet, Htes-Pyr., alt. 1 931 m. *Long.* : 335 km. *Bassin* : 17 020 km^2 (Htes-Pyr., Pyr.-Atl., Gers, Landes). *Débit* : moy. 150 m^3/s, max. 1 500. *Affluents* : **les gaves** (en basque : *Gabarra,* du celtique *gab,* « ravin », ligurique *ara,* « cours d'eau ») de Pau (180 km) et d'Oloron [formé des g. d'Ossau (48,5 km) et d'Aspe (48)].

Méditerranée

Le Tech (gallo-romain *Tichis,* d'après une racine hydronymique très ancienne). *Source* : Roque-Couloum, Pyr.-Or. (2 500 m). *Long.* : 79 km. *Bassin* : 937 km^2 (P.-O.). *Débit* : moy. 5 m^3/s, max. 4 500.

Le ou la Têt (latin *Tetum,* cité par Pline ; origine inconnue). *Source* : Puig de Prigue, Pyr.-Or. (2 810 m). *Long.* : 120 km. *Bassin* : 1 550 km^2 (P.-O.). *Débit* : moy. 7,5 m^3/s, max. 3 600.

L'Agly (adj. latin *aquilinus,* « peuplé d'aigles »). *Source* : Pech de Bugarach, Aude (1 231 m). *Long.* : 80 km (103 en comptant la Boulzanne comme branche mère). *Bassin* : 1 105 km^2 (Aude, P.-O.). *Débit* : moy. 0,6 m^3/s, max. 1 800.

L'Aude (*Elita,* adj. formé sur la racine ligurienne *el,* « arbre »). *Source :* lac d'Aude, Pyr.-Or. (2 377 m). *Long. :* 223 km. *Bassin :* 5 340 km² (P.-O., Ariège). *Débit :* moy. 62 m³/s, max. 3 000.

L'Orb (préceltique *Orobis,* cf. *Orobia,* « Orge », dans l'Essonne). *Source :* le Bouviala, Aveyron (884 m). *Long. :* 145 km. *Bassin :* 1 400 km² (Aveyron, Hérault). *Débit :* moy. 25 m³/s, max. 2 500.

L'Hérault (*Araris,* même nom que la Saône). *Source :* Aigoual, Gard (1 567 m). *Long. :* 160 km. *Bassin :* 2 900 km² (Gard, Hérault). *Débit :* moy. 50 m³/s, max. 4 000 (crues soudaines).

Le Vidourle (dérivé du radical *vendo,* voir Vienne). *Source :* St Roman de Codières, Gard (525 m). *Long. :* 85 km. *Bassin :* 1 335 km² (Hérault, Gard). *Débit :* moy. 3,5 m³/s, max. 1 500. *Crues records :* 6 cm/mn (4-10-1958).

L'Argens (r. préceltique *ar* + celt. *gwenn,* « blanc »). *Source :* Seillon, Var (270 m). *Long. :* 116 km. *Bassin :* 2 678 km² (Var). *Débit :* moy. 10 m³/s, max. 600.

Le Var (du ligurien *Ibar,* « vallée »). *Source :* Entraunes, Alpes-M. (1 800 m). *Long. :* 120 km. *Bassin :* 2 742 km² (Alpes-M.). *Débit :* moy. 50 m³/s, max. 5 000. *Affluents :* **l'Esteron, la Vésubie** (48 km), **la Tinée** (72 km), **le Cians** (25 km).

La Roya (latin *rubea,* « rouge »). *Source :* Col de Tende, Alpes-M. (1 875 m). *Long. :* 60 km, dont 45 en France. *Bassin :* 560 km² dont 410 en France (Alpes-M., se jette dans la mer à Vintimille, Italie). *Débit :* moy. 8,5 m³/s, max. 1 130.

Plans d'eau douce

Plans d'eau naturels. 1 618 de 10 ha au min., soit **151 lacs** (50 000 ha), dont (en ha) : partie franç. (23 900) du lac Léman (58 396), Le Bourget 4 462, Annecy 2 700, Aiguebelette 545, Raviège 403, St-Point 400, Paladru 390, Viam 189, Nantua 143, Gérardmer 117, Laffrey 110, Pierre Chatel 101, Marceney et Larrey 100 ; **1 227 étangs** (130 000 ha), dont (en ha) étangs de Cazaux et Sanguinet 5 800, Der 4 800, Biscarrosse et Parentis 3 450, Carcans 2 611 (avec Hourtin 3 620), Lacanau 2 000, Soustons 650, Gondrexange 650, Léon 450, Aureilhan 344, Duc (Ploermel) 240, Blanc 194, Vaux 177, Puits 150, la Gabrière 110, Landes 102, la Blissière 100 [sans compter étangs salés comme Berre 11 500, Thau 7 500...]. Voir **lacs** à l'Index.

Lacs de retenue électrique d'EDF. 240, dont (en ha) réservoir de Serre-Ponçon 3 000, barrage de Ste-Croix 2 300, r. de Pareloup 1 200, b. de Vassivière 1 100, b. de St-Étienne-Cantales 562, b. Grangent 500, b. St-Cassien 400, b. de Guerledan 400.

Réseau artificiel pour le canal du centre Torcy Neuf : 198 ha.

Départements ayant la plus grande superficie de plans d'eau (en km²). Bouches-du-Rhône 387, Ain 268, Gironde 251, Hérault 236, Htes-Alpes 210, Loire-Atlantique 177, Indre 125, Charente-Maritime 122.

Côtes

Définitions

Eaux territoriales s'étendent sur 12 milles à partir des lignes de base vers la mer. L'espace aérien, le sol et le sous-sol des eaux territoriales sont sous la souveraineté de l'État français. **Estran** zone comprise entre les plus hautes mers et les plus basses mers. **Lais** terres nouvelles formées par dépôts d'alluvions sur le rivage. **Laisse de basse mer** ligne définie par la limite des plus basses mers. **Lignes de base** tracées pour définir la limite des eaux territoriales. Constituées par une ligne brisée comprenant, selon la géomorphologie du rivage, les laisses de basse mer, les lignes droites et les lignes de fermeture de baie qui sont tracées par décret du ministre chargé des transports. **Littoral** bande large de plusieurs km qui comprend l'ensemble des cantons côtiers et en mer la largeur des eaux territoriales. **Rivage** « Sera réputé bord et rivage de la mer tout ce qu'elle couvre et découvre pendant les nouvelles et pleines lunes, et jusques où le grand flot de mars se peut étendre sur les grèves » (ordonnance d'août 1681, art. 1). **Trait de côte** ligne des plus hautes mers, délimite la ligne supérieure de l'estran. **Zone économique des 200 milles** s'étend sur 188 milles au-delà des eaux territoriales : les États riverains y exercent des droits privilégiés, voire exclusifs, dans certains domaines : l'exploration et l'exploitation des ressources naturelles, biologiques ou non du fond de la mer, du sous-sol et des eaux adjacentes.

■ **Accès au rivage.** Le libre accès est un droit inaliénable.

Sentier du douanier. *Origine :* ordonnance sur la Marine de Colbert de 1681. *Art. 2 :* « Faisons défense à toutes personnes de bâtir sur les rivages de la mer, d'y planter aucune pierre, ni laisser aucun ouvrage qui puisse porter préjudice à la navigation à peine de démolition des ouvrages, de confiscation des matériaux et d'amende arbitraire. » Colbert voulait favoriser la navigation et non permettre la libre circulation le long des rivages, mais les chemins ainsi créés permettent le passage du public.

1976-*31-12* loi instituant le droit de passage des promeneurs le long du bord de mer. *Servitude de passage* afin de favoriser la circulation des piétons le long du littoral et de permettre l'accès aux plages. 1 600 km env. de cheminements piétons sont ouverts au public. **1977**-*7-7* décret, et **1978**-*20-10* circulaire, complètent la loi. « Les propriétés privées sont grevées sur une bande de 3 m de largeur d'une servitude destinée à assurer exclusivement le passage des piétons. » 3 m à partir de la limite du domaine public maritime [depuis l'arrêt Kreitman du 12-10-1973 du Conseil d'État, la limite du Domaine public maritime (DPM) est fixée « au point jusqu'où les plus hautes mers peuvent s'étendre en l'absence de perturbations météorologiques exceptionnelles » (définition valable pour départements et territoires d'outre-mer)]. La loi exclut 15 m de terrain entourant les habitations construites avant le 1-1-1976, et les terrains attenant à des maisons, entièrement clos par des murs. Le promeneur peut donc, en application de la loi, franchir grillages et clôtures légers qui sont dans la zone des 3 m, mais pas les murs seuls.

1979-*26-6* décret : sont interdits toute construction nouvelle, camping ou caravaning, à moins de 100 m d'un rivage. Toute construction de logement sur le domaine public maritime, les clôtures entourant les plages en concession, les routes de lido ou de front de mer, le stationnement des voitures sur plages et dunes. Lors des renouvellements des concessions de plages, les surfaces concédées seront réduites. Les plages de – de 100 m en Méditerranée et de – de 300 m ailleurs devront être librement accessibles. Les concessions n'y seront pas renouvelées.

Quelques chiffres

■ **Longueur des côtes. Totale :** *1 600 km en ligne droite* (long. totale des 3 côtés maritimes de l'Hexagone) ; *3 120 km en tenant compte des sinuosités* [mer du Nord et Manche 605 (1 120), Atlantique 390 (615), Méditerranée 605 (1 385) ; il n'y a que 2 péninsules fortement découpées : Cotentin et Bretagne] ; *4 458 km en tenant compte des estuaires* (756 km) ; *5 533 km* des îles et îlots (582 km). **Répartition en km** (compte non tenu de l'urbanisation) plages 1 948 (35 %), marais et vasières 1 316 (24 %), côtes rocheuses découpées 1 548 (28 %), falaises 721 (13 %).

■ **Recul des côtes.** 850 km du littoral français reculent de plus de 1 m par an. *Raisons :* **1°)** l'élévation lente du niveau de la mer (fonte de la calotte glaciaire antarctique) due au réchauffement de la basse atmosphère, expliqué par l'augmentation de sa teneur en gaz carbonique consécutive à l'utilisation croissante de combustibles fossiles (pétrole, gaz...). **2°)** exploitation des matériaux meubles des dunes et des plages destinés à la voirie et à la construction. **3°)** disparition en Méditerranée des prairies à posidonies qui jouent un rôle de brise-lames mais sont sensibles au rejet en mer des matériaux solides et des polluants chimiques, notamment dans le Var.

Exemples : à l'est de Dunkerque recul de plus de 30 m entre 1947 et 1977 (le nouveau port de Dunkerque a accentué cette tendance entraînant des érosions de plus de 1 m par an). *Pays de Caux* destruction des falaises calcaires 800 000 à 900 000 m³ par an entre Antifer et la baie de Somme. *Bretagne* rive sud de la baie d'Audierne 150 m entre 1952 et 1969. *St-Hilaire-de-Riez* (Vendée), un ensemble Merlin, construit il y a 10 ans, est menacé par l'érosion maritime. *Côte d'Arvent* à l'entrée de la Gironde, reculs moyens de 18 m, parfois 35 (le phare de la Coubre a dû être reconstruit plusieurs fois). *Côte des Landes* de 1 à 3 m par an. *Plage de Fréjus* a reculé à l'ouest de 100 m au XIXᵉ siècle.

■ **Occupation du littoral. Espaces : urbanisés** 51 % dont 960 km de façon dense et 1 844 km de zones de mitage (Alpes-Mar. 92 %, Loire-Atl. 86 %, Nord 80 %, Bretagne 70 %) ; **non urbanisés** 37 % des plages, 24 des marais et vases, 17 des côtes découpées, 22 des falaises, 30 des côtes rocheuses. *Sur une longueur continue de 2 000 m au moins et sur une profondeur de 500 au moins :* 1 272 km soit 23 %, dont ouest 21 %, Méditerranée 26 % (13 % sans la Corse). **Naturels continus** *sur 2 km de longueur et 2 km de profondeur :* 5,6 % pour l'ensemble du littoral dont Océan 230 km (152 dans les dunes d'Aquitaine), Méditerranée (hors Corse) 17,5 km, Bretagne et Normandie 0 km. *Composition :* zones sableuses (dunes essentiellement) 80 %, falaises 10 %.

Peuplement permanent. 5 270 000 (1975, communes littorales) soit 10 % de la population sur 3 % du territoire, 35 % dans 5 grandes villes (Marseille, Nice, Le Havre, Toulon et Brest), 25 % dans 35 villes de 20 000 à 100 000 hab., moins de 8 % dans les communes de moins de 2 000 hab. **Non permanent :** l'été, la population double ou quadruple (Loire-Atl., Vendée, Ch.-Mar., Gironde, Languedoc-Roussillon), ou même décuple dans des petites communes, et celles situées dans les zones les plus naturelles (Vendée, Gard, Somme).

■ Description

■ **1°) Mer du Nord.** DE LA FRONTIÈRE BELGE À SANGATTE (60 km E.-O.) : côte basse, sablonneuse, rectiligne, avec des dunes. DE SANGATTE AU CAP GRIS-NEZ (15 km N.-E./S.-O.) : falaises calcaires du Boulonnais (134 m de haut).

■ **2°) Manche.** DU CAP GRIS-NEZ À AUDRESSELLES (7 km N.-S.) : falaises calcaires du Boulonnais. D'AUDRESSELLES À BOULOGNE (10 km N.-S.) : cordon littoral submergé. DE BOULOGNE À AULT (80 km N.-S. puis N.-E./S.-O.) : basse et sablonneuse (dunes du **Marquenterre,** 49 m). Estuaires : Authie, Canche, Somme ; dite **côte d'Opale** (vers Le Touquet). D'AULT AU HAVRE (120 km N.-E./S.-O., puis N.-S.) : falaises de craie du **Pays de Caux** (alt. max. Mt Joli-bas 140 m ; dénivellation max. cap d'Antifer, 110 m), dite **côte d'Albâtre** du Tréport au Havre. DU HAVRE À HONFLEUR (creux de 20 km de profondeur et de 14 km de large) : estuaire de la Seine : plat, envasé et endigué, laissant 2 lignes de falaises mortes au N. et au S. DE HONFLEUR À ST-VAAST-LA HOUGUE (110 km E.-O., puis 35 km N.-S.), **« baie de la Seine » :** alternance de plages sablonneuses et de falaises basses et friables (terrains sédimentaires de Normandie) ; échancrures : estuaires de l'Orne, de la Vire (envasé) ; dite **côte fleurie** (v. Deauville). DE ST-VAAST-LA HOUGUE AU CAP DE LA HAGUE (50 km en ligne droite S.-E./N.-O.) : nombreuses sinuosités : pointes de Saire, de Barfleur ; cap Lévy, **rade de Cherbourg ;** falaises cristallines (granitiques) de la presqu'île du Cotentin ; dite **côte de Nacre** (Cherbourg).

DE LA HAGUE À AVRANCHES (110 km N.-S.) : **côte de la Déroute :** profondeur max. des eaux territoriales fr. (Raz Blanchard, entre la Hague et Aurigny, 172 m). Falaises granitiques à l'ouest du Cotentin : Nez de Jobourg, pointe du Roc à Granville ; échancrures : baies de Barneville, d'Avranches. D'AVRANCHES À CANCALE (40 km E.-O.) : **baie du Mt-St-Michel :** basse, rectiligne, envasée ; Mt-St-Michel : avancée granitique, devenue insulaire. DE CANCALE AU CAP FRÉHEL (45 km E.-O. en ligne droite) : très fortes découpures et échancrures : rias de la Rance, de l'Arguenon ; baie de la Frénaye, pointe du Grouin, de St-Cast ; nombreux îlots et récifs ; côte granitique appelée **côte d'Émeraude** ou « baie des caps ». DU CAP FRÉHEL À PAIMPOL (60 km S.-E./N.-O. en ligne droite ; 40 km N.-E./S.-O. jusqu'au fond de la baie de St-Brieuc, puis 50 km à angle droit S.-E./N.-O. jusqu'au sillon de Talbert) ; **baie de St-Brieuc :** falaises moins hautes et moins découpées entrecoupées de plages. DE PAIMPOL À TRÉBEURDEN (55 km E.-O. en ligne droite) : fortes découpures et échancrures : rias du Trieux et de Tréguier, pointe de l'Arcouest, sillon de Talbert, pointe du Château ; nombreux îlots et récifs, île de Bréhat ; **côte des Roches :** chaînons granitiques attaqués par l'érosion ; **côte de granit rose** (Perros-Guirec). DE TRÉBEURDEN À ROSCOFF (35 km E.-O. en ligne droite) : baies de Lannion et de Morlaix : falaises rondes, galets et sables ; échancrures : rias de Morlaix, du Penz, île de Batz. DE ROSCOFF À LA POINTE ST-MATHIEU (100 km N.-E./S.-O., en ligne droite ; d'abord 60 km E.-O. jusqu'à Argenton, puis 40 km N.-S.) : côte du Léon : falaises granitiques déchiquetées ; échancrures : Aber Wrac'h, Aber Benoît, Aber Ildut ; nombreux îlots, île d'Ouessant.

■ **3°) Atlantique.** DE ST-MATHIEU À LA POINTE DE PENMARCH (70 km en ligne droite, 300 km avec les sinuosités) : **côte des Promontoires** (Finistère) ; bras de mer : l'Iroise ; rade de Brest (sup. : 15 000 ha ; long. max. : 23 km ; larg. max. : 18 km ; pourtour : 70 km), **baie de Douarnenez** (larg. à l'entrée : 8 km ; max. : 16 ; profondeur : 20 km ; dite **côte des Légendes**), séparées par la presqu'île de Crozon (pointes du Diable, du Toulinguet, de Pen-lui ; cap de la Chèvre) ; baie d'Audierne, au S. de la pointe du Raz (île de Sein) ; échancrures ; rias de l'Elorn (Brest) et de l'Aulne, falaises hautes et massives. DE PENMARCH À L'ESTUAIRE DE LA VILAINE

(160 km N.-O./S.-E.) : côte sud de la péninsule armoricaine : basse et souvent sablonneuse ; échancrures profondes : estuaire de l'Odet (Quimper), du Blavet (Lorient), rivière d'Etel, golfe du Morbihan ; presqu'île de Quiberon. DE LA VILAINE À L'ÎLE DE NOIRMOUTIER (80 km en ligne droite ; 250 km en comptant les creux de la Loire et de la **baie de Bourgneuf**) : côtes de roches anciennes envasées par les alluvions de la Loire : **« Grand estuaire de la Loire » :** baie de La Baule, pointe de St-Gildas, goulet de Fromentine au fond de la baie de Bourgneuf, entre le continent et la pointe de la Fosse, île de Noirmoutier [« Marais breton », très envasé ; dite **côte d'Amour** (La Baule)].

DE NOIRMOUTIER À ROYAN (220 km N.-O./S.-E.) : côtes de Vendée, basses, souvent sablonneuses avec dunes ; îles d'Yeu, de Ré, d'Oléron ; îlots d'Aix ; échancrure : Marais poitevin, ancien golfe comblé par les alluvions de la Sèvre niortaise ; embouchures de la Charente et de la Seudre ; pointes de Chassiron (île d'Oléron) et de la Coubre ; dite **côte de Jade** (Les Sables d'O.), **d'Argent** ou **de Beauté** (Royan). DE LA POINTE DE LA COUBRE À LA POINTE DE LA NÉGADE (35 km N.-N.-O./S.-S.-E.) : estuaire de la Gironde : long. : 80 km, largeur : diminue jusqu'à 5 km en face de Blaye. Pointe de Grave en face de Royan (long. 10 km ; réduit la Gironde à un goulet de 5 km) : baie du Verdon, au S. de Grave. DE LA NÉGADE À BIARRITZ (225 km N.-S.) : **côte des Landes :** rectiligne, sablonneuse avec dunes et étangs littoraux (alt. max. des dunes 89 m) ; étang de Cazaux ; échancrures : bassin d'Arcachon (à l'E. du cap Ferret) ; estuaire de l'Adour (Bayonne) ; l'ancien lit de l'Adour, à Capbreton, a creusé un *gouf*, canyon sous-marin de 1 500 m de profondeur à 50 km du rivage (*5 km :* 375 m ; *16 km :* 574 m ; *37 km :* 1 000 m). DE BIARRITZ À LA FRONTIÈRE ESP. (35 km N.-E./S.-O.) : côte rocheuse, falaises schisteuses et rectilignes : **côte basque :** échancrures : baie de St-Jean-de-Luz, estuaire de la Bidassoa (du basque *bide oxoa,* « chemin aux Ours »).

■ **4°) Méditerranée.** DE LA FRONTIÈRE ESP. À COLLIOURE (20 km S.-E./N.-O.-O.) : **côte des Albères :** falaises et rochers des contreforts pyrénéens ; corniche découpée : cap l'Abeille, cap Béard ; échancrures de Port-Vendres et Collioure. DE COLLIOURE À PORT-DE-BOUC (230 km S.-N. jusqu'à Port-la-Nouvelle ; S.-O./N.-E. jusqu'à Port-de-Bouc) : basse, alluviale, avec cordons littoraux et étangs ; échancrures : étang de Leucate, étang de Vaccarès (Camargue), golfe de Fos (Camargue) ; promontoire : cap d'Agde, ancienne île volcanique englobée dans le littoral. Le delta du Rhône avance de 50 m par an. DE PORT-DE-BOUC AU BEC DE L'AIGLE (60 km N.-O./S.-E., en ligne droite ; 100 km avec les sinuosités) : côte marseillaise : falaises calcaires découpées (calanques) ; échancrures ; étang de Berre (communiquant avec la mer par un étroit chenal, dans l'étang de Caronte) ; rade de Marseille, avec les îles d'If, de Pomègues, de Ratonneau ; baie de Cassis ; promontoires ; cap Couronne, cap Croisette avec l'archipel des îles du cap Croisette, Bec de l'Aigle.

DU BEC DE L'AIGLE À LA FRONTIÈRE ITALIENNE (180 km S.-O./N.-E., en ligne droite ; nombreux changements de direction) : **Côte d'Azur,** divisée en 4 parties : A) DU BEC DE L'AIGLE À GIENS (45 km O.-E. en ligne droite) : côte toulonnaise, de part et d'autre de la péninsule du cap Sicié (long. : 12 km) ; à l'ouest, baies de La Ciotat et de Bandol ; à l'est, rade de Toulon ; promontoire : cap Céret se détachant de la péninsule de Sicié (longueur : 6 km) : contreforts des Alpes tombant à pic dans la mer (Mts de Toulon, 800 m) ; dite **côte vermeille** (Canet), **d'Améthyste** (Stes-Maries), **des Calanques** (Sanary). B) DE GIENS À FRÉJUS (70 km S.-O./N.-E., coupés par la péninsule de St-Tropez E.-O., S.-N., O.-E.) : **côte des Maures :** massif cristallin ancien attaqué par l'érosion ; promontoires : presqu'île de Giens, cap Bénat ; les 6 caps de la péninsule de St-Tropez (notamment Camarat et St-Pierre), cap Magnat ; échancrures : baies de Cavalaire et de Pampelonne, golfe de St-Tropez, baie de Fréjus ; archipel d'Hyères. A l'est de la presqu'île de Giens, côte basse (16 km N.-S.) le long de la plaine d'Hyères. C) DE FRÉJUS AU VAR (50 km S.-O./N.-E.) : **côte de l'Esterel :** roches volcaniques (porphyre) tombant à pic dans la mer : falaises massives ; échancrures : golfe de La Napoule (Cannes) et golfe Juan, séparés par le cap de la Croisette et les îles de Lérins ; promontoires : pointe de l'Esquillon, péninsule du cap d'Antibes (longueur 6 km). D) DU VAR À LA FRONTIÈRE ITAL. (30 km S.-O./N.-E.) : **Riviera** niçoise : Alpes maritimes tombant dans la mer ; escarpements élevés (corniches) ; échancrures : baie des Anges (Nice) plaine côtière comblée par les alluvions du Var, rade de Villefranche ; promontoires : péninsule du cap Ferrat avec la presqu'île de l'Hospice (long. 4 km) ; cap Martin.

■ Conservatoire du littoral et des rivages lacustres

Fondé le 10-7-1975. Établissement public à caractère administratif. Compétence limitée aux cantons côtiers et aux communes riveraines des lacs et plans d'eau d'une superficie au moins égale à 1 000 hectares (Der, Chantecoq, Forêt d'Orient, Vouglans, le Léman, Annecy, Le Bourget, Serre-Ponçon, Sainte-Croix-du-Verdon, Sarrans, Bort-les-Orgues, Pareloup et Vassivière), concerne 20 régions, 40 départements, 388 cantons et plus de 1 000 communes, sur un littoral de 5 500 km (7 700 avec les départements d'outre-mer).

Mission. Politique foncière de sauvegarde des espaces naturels et des paysages maritimes et lacustres. Par convention, la gestion des terrains acquis est confiée aux collectivités locales (communes et départements) ou à des associations de protection de l'environnement. L'Office national des forêts apporte son concours technique pour entretien et aménagement des espaces boisés. Le conseil d'administration du Conservatoire définit les programmes d'acquisition après avis des Conseils de rivage. Un terrain acquis ne peut être aliéné (sauf procédure exceptionnelle nécessitant une majorité qualifiée du conseil d'administration et un décret en Conseil d'État).

Budget (millions de F). Crédit de paiement disponible *1985 :* 80. *86 :* 80. *87 :* 75,3. *88 :* 77. *89 :* 73,8. *90 :* 81. *91 :* 75,3. *92 (prév.) :* 90,8. Bénéficie aussi des concours des régions et départements et des particuliers (le Conservatoire est habilité à recevoir tous dons et legs : *Fondation Conservatoire du littoral,* 72, rue Regnault, 75013 Paris).

Acquisitions. 1976 (1re : 23-12) à 1991 ; 38 000 ha concernant 290 sites et 520 km de rivages (7 % du rivage français), coût : 1 000 MF.

Terrains acquis les plus étendus (en ha). Les Agriates (Hte-Corse) 4 399, La Côte Bleue (B.-du-R.) 3 136, Étang de Vic (Hér.) 1 341, Eccica (Corse-du-S.) 1 271, Les Combots d'Ansoine (Ch.-M.) 954, L'Étang de Canet (Pyr.-Or.) 894, Les Éouvières (Var) 808, La Palissade (B.-du-R.) 702, Senetosa (Corse-du-S.) 603, Anse Couleuvre (Martin.) 509, Pointe de Ceppo Étang du Loto (Haute-Corse) 506, Roccapina (Corse-du-S.) 503.

GÉOGRAPHIE HUMAINE

Population française

Caractéristiques

■ **Moyennes nationales. Taille : Conscrits** (moyenne) : *1939 :* 1,66 m, *1980 :* 1,74 m. Parmi les causes de cet accroissement : la bicyclette (les jeunes cherchant plus loin leurs conjoints, réduisent ainsi les mariages consanguins). **Étudiants** (1974) : 1,78 m. **Manuels :** 1,73 m. Les enfants des VIIIe et XVIe arr. de Paris (quartiers bourgeois) avaient en moy. 2 à 4 cm de plus que ceux des XIIIe et XIXe. Raisons : régime alimentaire plus équilibré, hygiène améliorée, travail moins dur, union des parents plus diversifiée (génotypes plus dissemblables). **Femmes :** *1939 :* 1,59 m, *1975 :* 1,65 m. *Tour de taille : 1939 :* 88 cm, *75 :* 86 ; *hanches : 1939 :* 93 cm, *75 :* 96. **Nains :** *– de 1,40 m :* 5 000 à 6 000.

Poids moyen (en kg, 1970) : *hommes* 72,2 (*20 à 29 a :* 69,8, *50 à 59 a :* 74,4). *Femmes* 60,6 (*20 à 29 a :* 55,7, *50 à 59 a :* 64,2).

Yeux (en %) : bleu ou gris-bleu, entre parenthèses gris, en italique foncés. 31 (14) *55.* [Nord-E. 41 (13) *46.* Paris et rég. par. 34 (9) *57.* Nord-O. 29 (20) *51.* Sud-E. 25 (11) *64.* Sud-O. 23 (14) *63*].

Cheveux : blonds diminuent. Roux : *1965 :* 0,6 %, *1972 :* 0,3 % (Moselle 5,4 %, Corse 3,1 %).

■ **Par régions. Nord :** stature haute, cheveux et yeux très clairs, méso-brachycéphale. **Est :** stature très haute, cheveux et yeux foncés, méso-brachycéphale. **Sud :** stature faible, cheveux et yeux foncés, brachycéphale. **Noyau breton :** stature faible, cheveux plus ou moins clairs, yeux clairs, assez brachycéphale (voir p. 97). **Noyau basque :** stature haute, cheveux très foncés, yeux clairs, assez brachycéphale. **Bande pyrénéo-méditerranéenne :** stature moyenne, cheveux et yeux très foncés, méso-dolichocéphale.

Évolution

■ Population totale

Le 1er document officiel valable est de 1794.

15000 av. J.-C.	50 000	1950	41 740 000
5000 av. J.-C.	500 000	1960	45 465 000
2500 av. J.-C.	5 000 000	1968	49 795 010²
Sous César	6 700 000	1970	50 770 000
Clovis	12 200 000	1975	52 658 253³
Charlemagne	8 800 000	1980	53 731 400⁴
1226	16 000 000	1981	54 028 600⁴
1345	20 200 000	1982	54 335 000²
1357-1453	16 600 000	1983	54 625 700⁴
1457	19 700 000	1984	54 830 900⁴
1594	18 500 000	1985	55 062 500⁴
1700	21 000 000	1986	55 278 400⁴
1715	19 200 000	1987	55 510 000⁴
1740	24 600 000	1988	55 750 000⁴
1789	27 600 000	1989	56 017 000
1810	30 000 000	1990	56 614 493²
1850	35 630 000	1991	56 893 000
1896¹	38 228 969²	1992	57 200 000
1901¹	38 641 333²	2000	58 226 000⁵
1920	39 000 000	2010	59 720 000⁵
1939	41 900 000	2020	60 541 000⁵

Nota. – (1) Sans l'Alsace-Lorraine. (2) Recensement. (3) Recensement février-mars (l'INSEE avait prévu 52 733 000). (4) Au 1-1. (5) *Hypothèse a* [descendance finale 2,1 enfants par femme, pour les générations 1970 et suivantes (remplacement assuré)] : 58 240 000 ; *b* (descendance finale 1,8 enfant par femme) : 56 005 000.

■ Nombre total

Évolution récente

■ **Répartition de la population vivant en France** (en milliers, 1990). Source INSEE Sondage 1/20e. *Total :* 56 630 dont Français 53 030 (dont Fr. de naissance 51 250 et Fr. par acquisition nés en Fr. 472, Fr. par acquisition nés hors de Fr. 1 305). *Étrangers* (en milliers) 3 607 (dont étr. nés hors de France 2 865 [dont Europe 1 226 (CEE 1 097), Afrique 1 223 (Maghreb 1 017, Afr. noire 150), Asie 339, Amérique 71,3, ex-URSS 4,2, Océanie 2,4], étr. nés en Fr. 742 – [ensemble des immigrés : 4 170 (dont étr. nés hors de Fr. 2 865, Français par acquisition nés hors de Fr. 1 305 [dont Europe 911 (CEE 738), Afrique 222 (Maghreb 165, Afr. noire 34), Asie 133, Amérique 24, ex-URSS 14, Océanie 0,5)].

■ **Estimation globale des immigrés et des personnes d'origine étrangère au 1-1-1986** (en millions). Immigrés 4 (dont 1,3 Français), enfants d'immigrés 5 (dont 4,2 Français, dont 3,3 dès la naissance), petits-enfants d'immigrés 4,4 à 5,3 (tous Français). *Total :* 13,4 à 14,3 dont 3,5 étrangers, 9,9 à 10,8 Français. Voir **Étrangers** p. 610.

■ **Population française en % par rapport à l'Europe (avec ex-URSS) et, entre parenthèses, au monde.** *52 av. J.-C. :* 21,9 (2,7). *1340 :* 28,4 (4,9). *1550 :* 35,6 (4). *1650 :* 24,2 (4). *1750 :* 23,6 (3,2). *1800 :* 19 (3). *1850 :* 17,5 (3,5). *1900 :* 13,8 (2,5). *1950 :* 10,6 (1,7). *1980 :* 11,1 (1,2). *1990 :* 11,5 (1,1). *2000 :* 11,5 (0,9). *2025 :* 11,8 (0,7).

Population (en milliers) au 1-1-1993 [4]

Age [1]	H [2]	F [3]	Age [1]	H [2]	F [3]
0	374	356	50	287	280
1	379	363	51	257	253
2	385	366	52	271	268
3	385	369	53	286	289
4	390	372	54	282	287
0-4	*1 913*	*1 826*	*50-54*	*1 383*	*1 377*
5	390	373	55	281	289
6	397	378	56	284	294
7	392	374	57	281	294
8	386	369	58	287	304
9	381	364	59	281	301
5-9	*1 946*	*1 859*	*55-59*	*1 415*	*1 482*
10	408	389	60	290	314
11	412	392	61	288	312
12	413	394	62	286	319
13	391	373	63	269	303
14	382	364	64	265	304
10-14	*2 006*	*1 912*	*60-64*	*1 392*	*1 552*
15	386	368	65	254	298
16	376	360	66	251	299
17	391	374	67	244	298
18	417	399	68	231	289
19	442	424	69	226	287
15-19	*2 013*	*1 925*	*65-69*	*1 206*	*1 472*
20	452	435	70	220	286
21	450	439	71	221	291
22	438	428	72	218	291
23	431	424	73	127	173
24	422	418	74	105	150
20-24	*2 194*	*2 144*	*70-74*	*891*	*1 191*
25	421	416	75	89	130
26	432	429	76	79	119
27	436	433	77	93	146
28	442	442	78	129	211
29	439	440	79	122	203
25-29	*2 171*	*2 160*	*75-79*	*512*	*809*
30	428	429	80	113	197
31	433	436	81	96	175
32	434	436	82	90	171
33	434	437	83	77	156
34	425	429	84	68	144
30-34	*2 154*	*2 167*	*80-84*	*444*	*843*
35	427	431	85	56	126
36	425	430	86	48	113
37	425	430	87	50	98
38	426	429	88	31	84
39	422	423	89	25	71
35-39	*2 125*	*2 143*	*85-89*	*200*	*492*
40	432	431	90	20	60
41	425	423	91	15	48
42	446	441	92	10	35
43	442	436	93	7	26
44	445	434	94	5	19
40-44	*2 191*	*2 165*	*90-94*	*57*	*189*
45	438	427	95 ou +	8	44
46	416	408	**Total**	**28 018**	**29 509**
47	318	311			
48	312	306	- de 20	7 878	7 523
49	306	300	20 à 64	16 819	16 946
45-49	*1 791*	*1 753*	65 ou +	3 321	3 320

Nota. – (1) En années révolues. (2) Hommes. (3) Femmes. (4) Évaluation provisoire fondée sur les résultats du recensement de 1990.
Source : INSEE.

Répartition de la population totale au 1-1-1993 par sexe et âge, selon l'année de naissance

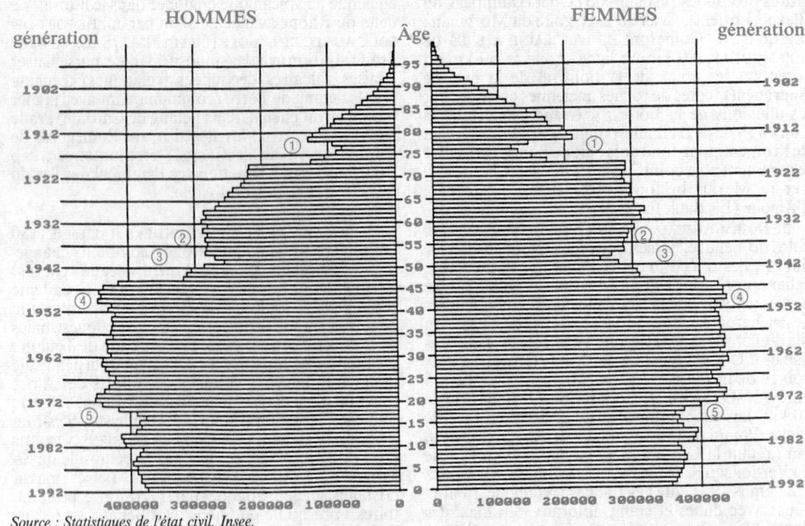

Source : Statistiques de l'état civil, Insee.

Effectifs des classes d'âge (en milliers) : (1) Déficit des naissances dû à la guerre 1914-18 (classes creuses). (2) Passage des classes creuses à l'âge de fécondité. (3) Déficit des naissances dû à la guerre 1939-45. (4) « Baby boom ». (5) Non-remplacement des générations.

Années	Nombres					Taux pour 1 000				
	Population [1]	Mariages [2]	Nés vivants [2]	Décédés [2]	Excédent naiss. sur décès [2]	Nuptialité [3]	Natalité [4]	Mortalité [5]	Accroiss. naturel [6]	Mortal. inf. [7] (taux rectifié)
1861-1865	37 700 000	301 800	1 005 000	861 700	+ 143 300	8	26,7	22,9	+ 3,8	330[8]
1901-1905	40 900 000	312 000	883 500	801 000	+ 82 500	7,6	21,6	19,6	+ 2	142
1926-1930	41 100 000	339 400	748 100	690 000	+ 58 100	8,2	18,2	16,8	+ 1,4	94,1
1935-1937	41 900 000	279 800	629 800	643 400	– 13 600	6,7	15,2	15,5	– 0,3	71,4
1946-1950	41 100 000	397 400	860 100	537 200	+ 322 900	9,7	20,9	13,1	+ 7,8	63,4
1951-1955	42 800 000	313 800	814 100	538 600	+ 275 500	7,3	19	12,6	+ 6,4	43,3
1956-1960	44 800 000	311 400	816 900	521 700	+ 295 200	7	18,2	11,6	+ 6,5	31,7
1961-1965	47 600 000	333 000	856 700	532 600	+ 324 100	7	18	11,2	+ 6,8	24,5
1966-1970	49 900 000	363 300	846 500	548 200	+ 298 300	7,3	17	11	+ 5,9	20,1
1971-1975	52 100 000	401 100	832 500	555 200	+ 277 300	7,7	16	10,7	+ 5,3	15,4
1976-1980	53 288 000	354 300	752 000	545 800	+ 206 200	6,6	14,1	10,2	+ 3,8	11
1975	52 699 200	386 900	745 100	560 400	+ 184 700	7,3	14,1	10,6	+ 3,5	13,6
1976	52 908 600	374 000	720 400	557 100	+ 163 300	7,1	13,6	10,5	+ 3	12,6
1977	53 145 300	368 200	744 700	536 200	+ 208 500	6,9	14	10,1	+ 3,9	11,5
1978	53 376 300	354 600	737 100	546 900	+ 190 200	6,6	13,8	10,2	+ 3,5	10,6
1979	53 606 200	340 400	757 400	541 800	+ 215 600	6,4	14,1	10,1	+ 4	10,1
1980	53 880 000	334 400	800 400	547 100	+ 253 300	6,2	14,9	10,2	+ 4,7	10,1
1981	54 181 800	315 100	805 500	554 800	+ 250 700	5,8	14,9	10,2	+ 4,6	9,7
1982	54 492 492	312 405	797 223	543 104	+ 254 119	5,7	14,6	10,0	+ 4,6	9,5
1983	54 772 419	300 513	748 525	559 655	+ 188 870	5,5	13,7	10,2	+ 3,5	9,1
1984	55 026 079	281 402	759 939	542 490	+ 217 449	5,1	13,8	9,9	+ 3,9	8,3
1985	55 284 271	269 419	768 431	552 496	+ 215 935	4,9	13,9	10,0	+ 3,9	8,3
1986	55 546 509	265 678	778 468	546 926	+ 231 542	4,8	14,0	9,8	+ 4,2	8,0
1987	55 823 961	265 177	767 828	527 466	+ 240 362	4,8	13,8	9,4	+ 4,4	7,8
1988	56 117 976	271 124	771 268	524 600	+ 246 668	4,9	13,8	9,4	+ 4,4	7,9
1989	56 423 405	279 900	765 473	529 283	+ 236 190	5,0	13,5	9,4	+ 4,2	7,5
1990	56 735 103	287 099	762 407	526 201	+ 236 206	5,1	13,4	9,3	+ 4,1	7,3
1991 (9)	57 049 706	280 175	758 400	524 685	+ 233 000	4,9	13,0	9,2	+ 4,1	7,4
1992 (9, 10)	57 372 000	269 940	742 840	520 940	+ 219 000	4,7	12,9	9,1	+ 3,8	6,6
1993 (9, 10)	57 526 500									

Nota. – (1) Au milieu de la période ou de l'année. (2) Moyenne annuelle de la période, puis, à partir de 1976, moyenne annuelle. (3) Mariages pour 1 000 h. (4) Nés vivants pour 1 000 h. (5) Décédés pour 1 000 h. (6) Accroissement naturel (excédent de naissances pour 1 000 h.). (7) Décédés de moins d'un an pour 1 000 nés vivants ; le taux non rectifié est calculé en rapportant le nombre de décédés de moins de un an au nombre d'enfants nés vivants à l'état civil ; le taux rectifié est calculé de la même façon, mais en ajoutant aux deux nombres précédents le nombre d'enfants nés vivants et décédés avant la déclaration à l'état civil (ces enfants sont légalement enregistrés avec les mort-nés). (8) 1801. (9) Résultat provisoire. (10) Au 1-1.

Nombre et % depuis 1851 [1]

(*Source :* Recensements)

	Naturalisés		Étrangers	
1851	13 525	*0,04*	379 289	*1,06*
1866	16 286	*0,04*	655 036	*1,72*
1876	34 510	*0,10*	801 754	*2,17*
1901	221 784	*0,59*	1 037 778	*2,66*
1911	252 790	*0,64*	1 159 835	*2,93*
1921	254 343	*0,66*	1 532 024	*3,95*
1931	361 231	*0,88*	2 714 697	*6,58*
1936	516 647	*1,25*	2 198 236	*5,34*
1946	853 100	*2,14*	1 743 619	*4,38*
1954	1 068 121	*2,50*	1 765 298	*4,13*
1962	1 283 690	*2,76*	2 169 665	*4,67*
1968	1 320 000	*2,66*	2 621 088	*5,28*
1975	1 392 000	*2,65*	3 442 415	*6,54*
1982	1 421 000 [2]	*2,62*	3 714 000	*6,84*
1990	1 777 955	*3,14*	3 607 000 [3]	*6,4*

Nota. – (1) De 1851 à 1876, et depuis 1954 : pop. résidant en France. De 1881 à 1946 : pop. présente. A partir de 1954, les Algériens musulmans, bien qu'encore juridiquement de nationalité fr. (en 1954 et 1962), sont comptés avec les étrangers. Les ressortissants des territoires de l'Union fr. sont comptés en 1954 avec les Fr. de naissance, à la différence des autres rec. où ils sont comptés avec les étrangers. (2) Dont Eur. 1 141 300 (80 % dont Esp. + de 400 000, It. près de 270 000, Port. 160 000), Afr. 173 020 (12,1 % dont Alg. + de 70 000), Asie 77 880 (5,5 %), autres nat. 33 720 (2,4 %). (3) Dont 2 865 422 nés hors de France (CEE 38 %, hors CEE 62 %), 742 168 nés en France.

Proportion par âge pour 100 hab.

Année	– 20 a.	20/64 a.	65 a./+	– 15 a.	60 a./+
1740	42,1	—	—	—	8,3
1830	40,6	—	—	—	9,8
1861	35,8	57,5	6,7	27,1	10,9
1901[1]	34,2	57,3	8,5	25,7	12,7
1931	30,1	60,4	9,6	22,6	14,2
1936	29,9	60,0	10,0	24,4	14,9
1946	29,5	59,4	11,1	21,4	16,0
1954	30,7	57,8	11,5	23,9	16,2
1962	33,1	55,1	11,8	26,4	17,1
1968	33,8	53,7	12,6	25,2	17,9
1975	32,1	54,5	13,4	24,1	18,4
1988	28,3	58,2	13,5	20,5	18,6
1993[3]	26,7	58,7	14,5	19,9	19,7
2000[2]	25,5	58,3	16,1	n.c.	20,8
2010[2]	23,6	59,1	17,3	n.c.	23,6
2020[2]	22	56,4	21,1	n.c.	28

Nota. – (1) 87 départements. (2) Taux de fécondité : 1,8. (3) Évaluation provisoire.

Accroissement

■ **Accroissement annuel** (milliers). *1962-68 :* 549. *1968-75 :* 413. *1975-82 :* 248. *1982-90 :* 279. **Solde migratoire** (milliers). *1982 :* 61. *83 :* 56. *84 :* 45. *85 :* 38. *86 :* 39. *87 :* 44. *88 :* 57. *89 :* 71. *90 :* 80. *91 :* 80. *92 :* 90.

Densité

■ **Moyenne de la France** (en habitants par km²). *1851 :* 66,28. *72 :* 68,46. *1901 :* 73,97. *11 :* 75,42. *21 :* 71,29. *36 :* 76,20. *68 :* 86. *75 :* 96. *80 :* 97,6. *83 :* 98,5. *84 :* 100. *89 :* 101,5. *90 :* 102,7. *91 :* 103,4. *92 :* 103,7. *93 :* 104,2. La pop. française vit sur env. 200 000 km² habitables, où la densité moyenne est donc de 280,1 [en Italie, 25,5 millions des Italiens (soit 43 %) vivent sur 25 % du territoire (densité 1 558)].

■ **Départements** (1990). **Les plus denses :** Paris 20 421. Hts-de-S. 7 923. Seine-St-Denis 5 847. Val-de-M. 4 976. Val-d'Oise 842. Essonne 601. Yvelines 572. Rhône 464. Nord 441. B.-du-Rh. 346. Alpes-M. 226. T. de Belfort 220. Pas-de-Calais 215. Bas-Rhin 200. Seine-M. 195. Haut-Rhin 190. Seine-et-M. 182. Moselle 163. Loire 156. Loire-Atl. 154. Hte-Garonne 147. Isère 138. Var 137. M.-et-M. 136. Vaucluse 131. Hte-Savoie 130. Hérault 130. Finistère 125. Oise 124. Ille-et-V. 118. Calvados 111.

Les moins denses : Yonne 44. Dordogne 43. Corrèze 41. Hte-Loire 42. Indre 35. Landes 34. Nièvre 34. Hte-Marne 33. Meuse 32. Aveyron 31. Lot 30.

Ariège 28. Cantal 28. Hte-Corse 28. Gers 28. Corse-du-S. 27. Creuse 24. Htes-Alpes 20. Alpes-de-Hte-Provence 19. Lozère 14.

NATALITÉ

Source : INED

■ Naissances. **Nombre total :** *1991 :* 759 056 [dont naturels 241 628 (31,8 % de l'ensemble), légitimes 517 428 (*du 1er rang :* 229 311, *2e :* 169 625, *3e :* 76 362, *4e et + :* 42 130. Voir tableau p. 608)]. *1992 :* 742 000.

Naissances par nationalité des parents (1990) : *légitimes* de 2 parents français 451 521, d'1 parent étranger 22 827, de 2 parents étr. 58 952. *Naturels* de mère étrangère 13 386.

Nota. – Sur 81 779 enfants légitimes nés en 1990 qui ont au moins 1 parent étranger, 67 978 ont 1 mère étrangère et 13 801 ont 1 mère française, 54 % ont 1 père africain, 31 % 1 père européen (français 11 %), 7 % turc.

Naissances vivantes par sexe (1989) : nés vivants 391 649 garçons (51,16 %), 373 824 filles ; mort-nés (1986) 2 881 g, 2 734 f. Pour 100 filles vivantes, il y a 105 garçons. *Il naît plus de garçons viables que de filles :* 101 à 113 %.

■ Avortements enregistrés. *1976 :* 134 173. *80 :* 171 218. *81 :* 180 695. *82 :* 181 122. *83 :* 182 862. *84 :* 180 789. *85 :* 173 335. *86 :* 166 797. *87 :* 162 352. *88 :* 166 510. *89 :* 163 090. *90 :* 169 303.

■ Conceptions prénuptiales (en %) : *1957 :* 16. *1965-67 :* 22,5. *72 :* 26,3. *80 :* 17,7. (*Max.* pour les mariages célébrés entre *1924* et *1973.* P.-de-C. 24,4. Indre 24. *Min.* Alpes de H.-P. 8,8. Aveyron 9,6.).

■ Naissances hors mariage (en %). *1946-50 :* 5,4. *60 :* 6,2. *70 :* 6,8. *75 :* 8,5. *80 :* 11,4. *81 :* 12,7 (Italie 4,1, All. féd. 7,6, États-Unis 17, Danemark 31,7). *85 :* 19,6. *90 :* 30,1. *91 :* 30,1.

■ Familles. **Répartition en % selon le nombre d'enfants et par catégorie socio-professionnelle du chef de famille (1986). Ensemble :** *pas d'enfant :* 50,5 ; *1 :* 22,7 ; *2 :* 17,69 ; *3 :* 6,5 ; *4 :* 1,7 ; *5 :* 0,6 ; *6 :* 0,3. **Agriculteurs :** *pas d'enf. :* 52,6 ; *1 :* 20,5 ; *2 :* 16,7 ; *3 :* 7,3 ; *4 :* 2 ; *5 :* 0,6 ; *6 :* 0,2. **Artisans Commerçants :** *pas d'enf. :* 44,5 ; *1 :* 26 ; *2 :* 21,1 ; *3 :* 6,6 ; *4 :* 1,3 ; *5 :* 0,3 ; *6 :* 0,1. **Cadres, prof. intellect. sup. :** *pas d'enf. :* 38,6 ; *1 :* 26 ; *2 :* 25,5 ; *3 :* 8,8 ; *4 :* 1,4 ; *5 :* 0,2 ; *6 :* 0,05. **Prof. intermédiaires :** *pas d'enf. :* 37,3 ; *1 :* 29,9 ; *2 :* 24,8 ; *3 :* 6,7 ; *4 :* 1 ; *5 :* 0,2 ; *6 :* 0,07. **Employés :** *pas d'enf. :* 36,6 ; *1 :* 32,6 ; *2 :* 21,9 ; *3 :* 6,8 ; *4 :* 1,5 ; *5 :* 0,3 ; *6 :* 0,2. **Ouvriers :** *pas d'enf. :* 34,4 ; *1 :* 28,1 ; *2 :* 22 ; *3 :* 10 ; *4 :* 3,2 ; *5 :* 1,2 ; *6 :* 0,8. **Retraités :** *pas d'enf. :* 97,3 ; *1 :* 1,9 ; *2 :* 0,4 ; *3 :* 0,1 ; *4 :* 0,05 ; *5 :* 0,02 ; *6 :* 0,02. **Autres, sans prof. :** *pas d'enf. :* 56,1 ; *1 :* 22 ; *2 :* 11,7 ; *3 :* 5,8 ; *4 :* 2,4 ; *5 :* 1,1 ; *6 :* 0,7.

■ Familles nombreuses. Il y eut une génération où les Gramont furent 12, les Rohan 13, les Croÿ 14, les Catinat et les Montgolfier 16, les La Rochefoucauld et les Carnot 18, les Arnauld 19 ; le père de Marie Agnesi (mathématicienne) eut 23 enfants (3 mariages). Les couples étrangers représentent 38,1 % des naissances des familles nombreuses.

■ Fécondité. **Indice synthétique. Descendance finale des générations** (nombre effectif de naissances, par couple en âge de procréer au cours d'une génération) *1670-89 :* 6,5 ; *1690-1719 :* 6,2 ; *1720-39 :* 6 ; *1740-69 :* 5,8 ; *1770-89 :* 5,5 ; *1790-1819 :* 4,6 ; *1851-55 :* 3,4 ; *1870 :* 2,7 ; *1900 :* 2 ; *30 :* 2,6 ; *40 :* 2,5 ; *46 :* 2,16 ; *68 :* 2,59 ; *75 :* 1,95 ; *80 :* 1,95 ; *85 :* 1,81 ; *90 :* 1,78 ; *91 :* 1,77 ; *92 :* 1,73. *2020 :* 1,80. Au-dessous de 2,10, une population n'assure plus son renouvellement.

Taux de fécondité en zone rurale, entre parenthèses, **dans des communes de - de 5 000 hab.,** et entre crochets, **en région parisienne :** *1975 :* 1,99 (2,08) [1,78], *90 :* 1,75 (1,80) [1,82].

Nombre d'enfants par femme (selon certains facteurs) : *mariées avant 20 a.* 3,23 ; *entre 30 et 34 a.* 1,56. *Milieu social :* salariés agricoles 3,35, cadres moyens 2,16. *Niveau d'éducation :* sans diplôme 2,79, titulaire du BEPC 2,13. *Région :* Basse-Normandie 3,10, Ile-de-Fr. 2,10. *Religion :* 0,5 enfant de + chez les catholiques que chez les agnostiques. *Taille des familles des époux :* filles uniques 2,15, femmes ayant au moins 8 frères et sœurs 3,19 (fils uniques : 2,11 et 3,22) ; 2 époux enfants uniques 1,88 (2,10 si chaque parent est issu d'une famille de 2 enf. ; 3,95 si de + de 9 enf.). *Rang de naissance :* souvent les aîné(e)s ont plus d'enfants que les cadets(tes).

Age moyen de la mère à la naissance : *1970 :* 26 a. ; *1980 :* 27 ; *1990 :* 28/30.

RECENSEMENT

■ **1ers recensements modernes.** *1665* Québec, *1749* Finlande, *1750* Suède, *1769* Norvège et Danemark, *1790* USA, *1801* G.-B.

■ **En France.** Avant la Révolution, il existait des évaluations tirées de l'état des « feux » ou des paroisses (sous St Louis, Charles VI, Charles VIII), de l'état des provinces (Colbert) ou des mémoires des intendants (XVIIIe s.). La loi du 22-7-1791 prévit un rec. Préparé par Lucien Bonaparte et Chaptal, il eut lieu en 1801 (plus de 33 millions d'h. dans les 98 départements de l'époque, dont 27 349 000 sur le territoire attribué à la France par le traité de 1815). Puis (par l'ordonnance du 16-1-1822) on effectua un rec. tous les 5 ans (années terminées par 1 et 6) ; le 1er fut effectué en 1831. A cause des guerres, le rec. de 1871 fut reculé d'un an et il n'y en eut pas en 1916 et 1941. Après 1945, le recours aux enquêtes par sondage devait, pensait-on, permettre d'effectuer un rec. seulement tous les 10 ans. Mais un rythme plus rapide se révéla nécessaire dès 1946. On a depuis réalisé 6 recensements : 1954, 1962, 1968, 1975, 1982, 1990.

Recensement de 1990. Préparé par l'INSEE (Inst. nat. de la statist. et des études écon.). Réalisé du 5-3 au 4-4-90 en métropole (du 15-3 au 12-4-90 dans les DOM). L'INSEE a utilisé 110 000 agents recenseurs, chacun recensant env. 500 pers.

Prescriptions. *Toute personne est obligée de répondre, avec exactitude, aux questions posées sous peine d'amende de 100 F.* Les renseignements donnés sont utilisés pour établir des tableaux statistiques anonymes et ne peuvent servir en aucun cas à des fins fiscales ou pour un contrôle administratif quelconque. Tout participant aux opérations du recensement étant astreint au secret professionnel, l'INSEE ne pourra communiquer aucun résultat individuel des questionnaires avant 100 ans. La CNIL (Commission nationale de l'informatique et des libertés) a autorisé l'INSEE à vendre certaines analyses statistiques (20 millions de F gagnés avec le recensement de 1982) mais elle a exigé en avril 1989 des protections, interdisant notamment la diffusion de résultats portant sur des zones de - de 5 000 hab. Les résultats, obtenus par comptabilisation des bulletins individuels, sont authentifiés par un décret et prennent, de ce fait, le nom de *population légale.* De nombreux textes législatifs s'y réfèrent notamment dans les domaines suivants : crédits aux départements et aux communes ; subventions de l'État aux collectivités locales ; élections municipales ; détermination du nombre des emplois communaux ; traitement et indemnités des fonctionnaires des collectivités locales ; règles d'adjudication des marchés ; plans et travaux d'urbanisme, etc. ; impôts et taxes ; législation des loyers ; hygiène, nombre d'officines de pharmacie.

Un *recensement complémentaire* peut être effectué dans les communes en forte expansion.

Coût du recensement (en millions de F). *1975 :* 211,2. *1982 :* 450. *1990 :* 1 000.

■ Prématurés. 1 enfant sur 10 en France. 65 000 env. chaque année (20 000 garderont des séquelles + ou – graves). *Pr. célèbres :* Napoléon Bonaparte, Isaac Newton, Charles Darwin, Victor Hugo et Voltaire.

■ Mortalité infantile (1re année de la vie). Plus forte pour enfants illégitimes (garçons) ; la mortalité fœtale + 20 % pour l'embryon mâle. **Taux (‰)** familles nombreuses (y compris pour les premiers-nés), chez les immigrés (18,4), personnes non scolarisées (32,8). Age de la mère (avant 30 ans 6,8 ; 13,3 entre 30 et 39 ; 42 après 40). Parfois en cas de consanguinité des parents. **Répartition des causes** (voir p. 140).

La maladie hémolytique du nouveau-né, provoquée par l'incompatibilité Rhésus (différence de facteur Rhésus entre le père et la mère) est l'une des plus graves et plus fréquentes causes de mortalité (risques chez 5 à 10 % des couples incompatibles).

Décès de moins d'un an (pour 1 000 nés vivants). **Vrais mort-nés** (décès *in utero* de fœtus de + de 6 mois, avant ou pendant l'accouchement) : *1930-32 :* 29,50, *51-55 :* 18,30. *61 :* 16,50. *73 :* 12,1. *79 :* 9,2. *80 :* 10,1. *85 :* 8,3. *90-91 :* 7,3. **Faux mort-nés** [enfants ayant respiré à la naissance, mais décédés avant la déclaration à l'état civil (dans les 3 j au plus)] 70 à 80 % décèdent la 1re journée. Pour 100 mort-nés 14,9 % d'enf. naturels.

Décès de la 1re semaine (y compris faux mort-nés). *1960 :* 14,5. *65 :* 12,7. *70 :* 10,2. *75 :* 7,3. *80 :* 4,4. *85 :* 3,4. *90 :* 2,5. **Des 28 premiers j :** *1955 :* 20,8. *60 :* 17,6. *65 :* 15,2. *70 :* 12,6. *75 :* 9,1. *80 :* 5,8. *85 :* 4,6. *90 :* 3,6. **Du 29e au 365e j :** *1955 :* 17,7. *60 :* 9,7. *65 :* 6,7. *70 :* 5,5. *75 :* 4,6. *80 :* 4,3. *85 :* 3,7. *90 :* 3,8.

POPULATION URBAINE

Nota. – En 1982, sur 1 782 unités urbaines, 830 sont des agglomérations urbaines et 952 sont des communes qui sont des villes isolées.

Unités urbaines 1990	Agg.	dont ville
Paris	9 318 821	2 152 423
Lyon	1 262 223	415 487
Marseille-Aix-en-Pr.	1 230 936	800 550
Lille	959 234	172 142
Bordeaux	696 364	210 336
Toulouse	650 336	358 688
Nice	516 740	342 439
Nantes	496 078	244 995
Toulon	437 553	167 619
Grenoble	404 733	150 758
Strasbourg	388 483	252 338
Rouen	380 161	102 723
Valenciennes	338 392	38 441
Grasse-Cannes-Antibes	335 647	180 069
Nancy	329 447	99 351
Lens	323 174	35 017
Saint-Étienne	313 338	199 396
Tours	282 152	129 509
Béthune	261 535	24 556
Clermont-Ferrand	254 416	136 181
Le Havre	253 627	195 854
Montpellier	248 303	207 996
Rennes	245 065	197 536
Orléans	243 153	105 111
Dijon	230 451	146 703
Mulhouse	223 856	108 357
Angers	208 282	141 404
Reims	206 437	180 620
Brest	201 480	147 956
Douai	199 562	42 175
Metz	193 117	119 954
Caen	191 490	112 846
Dunkerque	190 879	70 331
Le Mans	189 107	145 502
Avignon	181 136	86 939
Limoges	170 065	133 464
Bayonne	164 378	40 041
Perpignan	157 873	105 983
Amiens	156 120	131 872
Pau	144 674	82 157
Nîmes	138 527	128 471
Thionville	132 413	39 712
Saint-Nazaire	131 511	64 812
Annecy	126 729	49 644
Troyes	122 763	59 255
Besançon	122 623	113 828
Montbéliard	117 510	29 005
Lorient	115 488	59 271
Hagondange-Briey	112 061	12 728
Valence	107 965	63 437
Melun	107 705	35 319
Poitiers	107 625	78 894
Chambéry	103 283	54 120
Angoulême	102 908	42 876
Maubeuge	102 772	34 989
Calais	101 768	75 309
La Rochelle	100 264	71 094
Creil	97 119	31 956

☞ Évolution, voir chaque ville à l'Index.

Tranche d'importance	Communes ou unités urbaines	Population 1990	Densité au km² en 1990
Communes rurales de			
Moins de 50 habitants	1 111	38,1	5
50 à 99	3 016	226,1	9
100 à 199	6 728	991,4	14
200 à 499	10 620	3 413,2	23
500 à 999	6 036	4 169,3	39
1 000 à 1 999	3 064	4 178	58
2 000 habitants ou plus	676	1 701,2	71
Ensemble	*31 251*	*14 717,3*	*32*
Unités urbaines de			
Moins de 5 000 habitants	1 003	3 387,1	125
5 000 à 9 999	455	3 117,3	169
10 000 à 19 999	201	2 765	256
20 000 à 49 999	122	3 836,6	395
50 000 à 99 999	53	3 658,8	562
100 000 à 199 999	28	3 892,3	861
200 000 habitants ou plus	28	11 921,6	1 184
Agglomération de Paris	1	9 318,8	3 618
Ensemble	*1 891*	*41 897,7*	*467*
France métropolitaine	33 142	56 615	499

RÉPARTITION DE LA POPULATION

Année	Urbaine[2]	Rurale[2]
1806	5 454 821	23 652 604
1866	11 595 348	26 471 716
1911	17 444 948	22 096 052
1936	21 566 642	19 935 358
1954	23 946 000	18 829 445
1968[1]	33 633 168	17 207 309
1975	36 003 922	16 654 331
1982	39 975 300	14 459 600
1990	41 897 759	14 717 396

Nota. – (1) Avec doubles comptes, c'est-à-dire que la population *comptée à part* (militaires, élèves internes) est comptée 2 fois : dans la commune où se trouve la caserne ou l'établissement, et dans celle de leur résidence personnelle. (2) Pop. des communes ayant – de 2 000 h. agglomérées au chef lieu.

En 1990, 80 % des Français vivaient en ville. Au recensement de 1982, on a constaté que la croissance des communes rurales était plus rapide : retournement massif des courants migratoires malgré le vieillissement de la population des communes rurales.

LES FRANÇAIS À L'ÉTRANGER

■ **Nombre probable.** *1972* (1-1) : 1 002 769. *1982* (1-1) : 1 039 556. *1989 :* 1 400 000. *1991* (1-1) : 1 349 607. *1992* (1-1) : 1 283 709, soit 2,2 % de la pop. française.

■ **Nombre d'immatriculés dans les ambassades et consulats** (1992, *Source :* ministère des Affaires étrangères). 902 719 dont en 1991 : Afghānistān 9, Afrique du Sud 4 180, Albanie 23, Algérie 20 909, All. 156 377, Angola 948, Arabie Saoudite 4 028, Argentine 10 534, Australie 8 601, Autriche 3 546, Bahreïn 394, Bangladesh 163, Belgique 72 072, Bénin 2 883, Birmanie 62, Bolivie 363, Brésil 12 598, Brunei 104, Bulgarie 219, Burkina-Faso 2 760, Burundi 737, Cameroun 8 248, Canada 35 622, Cap-Vert 105, Centrafrique 3 000, Chili 4 973, Chine populaire 17 504, Chypre 727, Colombie 2 239, Comores 1 276, Congo 6 506, Corée du S. 765, Costa Rica 602, Côte-d'Ivoire 22 060, Cuba 190, Danemark 1 194, Djibouti 11 242, Rép. Dominicaine 631, Égypte 3 041, El Salvador 343, Émirats arabes unis 1 581, Équateur 957, Espagne 50 017, États-Unis 64 872, Éthiopie 398, Fidji 100, Finlande 812, Gabon 12 342, Ghāna 253, Grande-Bretagne 42 417, Grèce 5 615, Guatemala 478, Guinée 2 658, Guinée-Bissau 151, Guinée Équatoriale 182, Haïti 1 557, Honduras 216, Hong Kong 3 034, Hongrie 453, Inde 9 042, Indonésie 1 789, Iran 236, Irlande 1 580, Islande 137, Israël 24 580, Italie 29 195, Jamaïque 192, Japon 4 033, Jérusalem 6 602, Jordanie 363, Kenya 769, Laos 203, Liban 6 120, Libye 460, Luxembourg 12 589, Madagascar 15 455, Malaisie 820, Malawi 104, Mali 2 718, Malte 89, Maroc 25 343, Maurice 4 267, Mauritanie 1 397, Mexique 9 646, Monaco 15 133, Mozambique 372, Namibie 26, Népal 152, Nicaragua 263, Niger 2 548, Nigeria 2 026, Norvège 2 063, Nouvelle-Zélande 1 014, Oman 327, Ouganda 129, Pakistan 543, Panamá 376, Papouasie-Nouvelle-Guinée 113, Paraguay 1 019, Pays-Bas 8 232, Pérou 1 815, Philippines 574, Pologne 1 889, Portugal 5 941, Qatar 449, Roumanie 161, Rwanda 515, Saint-Siège 12, Sainte-Lucie 346, Sénégal 15 992, Seychelles 234, Sierra Leone 141, Singapour 1 516, Soudan 96, Sri Lanka 168, Suède 3 567, Suisse 77 322, Surinam 193, Syrie 1 490, Tanzanie 209, Tchad 1 478, Tchécoslovaquie 608, Thaïlande 1 519, Togo 3 493, Trinité et Tobago 335, Tunisie 10 436, Turquie 2 396, ex-URSS 1 100, Uruguay 1 294, Vanuatu 856, Venezuela 5 717, Viêt-nam 425, Yémen 383, Yougoslavie 1 005, Zaïre 3 946, Zambie 199, Zimbabwe 269.

Secteur public : 106 072 dont secteur public *français* (militaires et divers dont diplomates) 57 811 (dont 55 740 milit. en Europe en 1991), *étranger* (coopérants, services publics locaux et org. inter.) 48 261. **Privé** 253 178 (dont prof. libérales 45 928, industrielles 62 434, commerciales 137 424, agricoles 7 392).

Hors classement : 543 469 (dont religieux, étudiants majeurs 58 794, pères et mères au foyer 85 043, retraités 47 033, divers et enfants mineurs 342 267).

■ **Population rapatriée admise au bénéfice de la loi du 26-12-1961** (au 31-12-1989). 1 482 560 dont Algérie 969 045 (dont 651 000 en 1962), Maroc 263 538, Tunisie 180 213, Indochine 44 129, Afrique noire et Madagascar 15 453, Égypte 7 307, Vanuatu 2 378, Comores 340, Guinée 153, Djibouti 4. *En 1990 :* 17 dont Madagascar 14, Vanuatu 2, Laos 1. *En 1991 :* 12 dont Algérie 3, Maroc 3, Madagascar 2, Viêt-nam, 2, Tunisie 1, Inde 1.

☞ **Recours-France** (Rassemblement et coordination unitaire des Français rapatriés et de Métropole). *Fondé :* 18-12-1976. *Pt d'Honneur :* Pierre Laffont (1913-93). *Pt :* Guy Forzy (n. 17-12-1925). *Objectifs :* défense des droits moraux et matériels des 2 000 000 de Français rapatriés (Pieds Noirs et Harkis). Est à l'origine des lois votées en faveur des rapatriés (lois d'indemnisations du 2-1-1978 et du 16-7-1987, loi d'amnistie du 3-12-1982 et du 8-7-1987).

ÉTRANGERS EN FRANCE

☞ Voir aussi **Étranger** (actif, chômeur, délit, élève, expulsion, formalités, naturalisation, statut, travailleurs, vote, etc.) à l'Index.

STATISTIQUES

Principales évaluations. INSEE (à partir des recensements), parfois sous-estimées, et min. de l'Intérieur (comptabilisant les titres de séjour en cours de validité et les enfants de – de 16 ans des titulaires).

Raisons d'omissions. Absence des personnes seules lors du passage des agents recenseurs. Erreurs dans leurs déclarations. Ex. : enfants de couples d'Algériens déclarés alg. par leurs parents, alors qu'ils sont français par la loi fr. (voir ci-après : Naturalisation). Décès et naturalisation non systématiquement transmis au min., départs ou retours vers pays d'origine pas toujours connus (les entrées sont enregistrées par l'Office nat. de l'immigration, mais pas pour toutes les nat. ; il n'y a pas d'enregistrement des retours), l'étranger n'étant pas tenu de rendre son titre de séjour.

DONNÉES GLOBALES

■ **Solde migratoire.** *1982-90 :* 410 000 (51 000 par an). *1990 :* 80 000 [97 000 ont reçu pour la 1re fois un titre de séjour de 1 an ou + dont du Maghreb 34 000, Asie 21 000, Europe 17 000, Turquie 7 000 (dont 22 000 trav. permanents, 37 000 membres des familles, 15 000 conjoints de Français, 13 000 réfugiés)]. *1991 :* 90 000.

■ **Nombre d'étrangers (selon le ministère de l'Intérieur)** (en milliers). *1975 :* 4 196 ; *80 :* 4 168 ; *81 :* 4 224 ; *82 :* 4 459 ; *1990 :* 4 500 en situation régulière + 1 000 clandestins (2 à 3 000 selon certains) + 2 500 ayant acquis la nationalité française dep. 20 ans ; *91 :* 4 700 en sit. rég. (dont 60 saisonniers) selon rapport Laurin.

■ **Nombre d'immigrés (selon l'INSEE)** (en milliers, en 1990). 4 168 (*1982 :* 4 038) dont 2 859 étr. nés hors de Fr. métr. (*1982 :* 2 870), 1 309 Fr. par acquisition nés hors de Fr. métro. (*1982 :* 1 168).

☞ **Clandestins** (en milliers). Selon Jean-Claude Barreau (ex-Pt de l'OMI) 500, Gérard Moreau (Populations et Migrations) 50 à 350, rapport Laurin 300, Betco (Institut privé) 237 à 400, Pasqua et Bariani 500, Secrétariat Gén. à l'Info. 300 à 1 000.

■ **Origine des 3 597 000 étrangers en situation régulière en 1990** selon l'INSEE : **Maghreb et Afrique noire :** 46 % (Algériens 614 207, Marocains 572 652, Tunisiens 206 336, Sénégalais 43 692, Maliens 37 693, Zaïrois 22 740, Camerounais 18 037, Ivoiriens 16 711, Congolais 12 755, Malgaches 8 859, Mauritaniens 6 632, Égyptiens 6 341, Togolais 6 009, Béninois 4 304, Centrafricains 4 059, Gabonais 3 013). **Europe :** (Portugais 649 714, Turcs 197 712, Italiens 252 759, Espagnols 216 047, Belges 56 129, Allemands 52 723, ex-Yougoslaves 52 453, Britanniques 50 422, Polonais 47 127, Grecs 6 091, Roumains 5 114, Suédois 4 805, Danois 3 544, Autrichiens 3 280). **Proche-Orient :** (Libanais 20 953, Syriens 6 104, Israéliens 2 908). **Asie :** (Laotiens 31 803, Japonais 10 901, Sri-Lankais 10 310, Pakistanais 9 796, Russes 9 239 [1], Chinois 8 175 [1], Indiens 4 579). **Amériques :** (Américains 24 236, Haïtiens 12 311, Chiliens 7 468, Canadiens 6 808, Brésiliens 6 301, Colombiens 3 761, Argentins 3 104).

Nota. – (1) 1989.

☞ 18 millions de Français (soit plus du tiers de la population), nés entre 1880 et 1980, descendent d'immigrants à la 1re, 2e ou 3e génération.

Pays européens. *Étrangers en millions et % de la population (1990) :* All. féd. 5,2 (8,2) ; Autriche 0,41 (5,3) ; Belgique 0,9 (9,1) ; Danemark 0,16 (3,1) ; Espagne 0,4 (1) ; G.-B. 1,8 (3,3) ; Grèce 0,07 (0,6) ; Irlande[1] 0,1 (2,4) ; Italie 0,7 (1,4) ; Luxembourg 0,104 (27,5) ; P.-Bas 0,7 (4,6) ; Portugal 0,1 (1) ; Suède 0,4 (5,6) ; Suisse 1,1 (16,3).

RÉPARTITION (AU RECENSEMENT DE 1990)

■ **Sexe.** Hommes 55,1 %, femmes 44,9 (42,8 en 82, 40,1 en 75, 38,2 en 62).

■ **Age. Répartition des étrangers et,** entre parenthèses, **des Français** (de naissance par acquisition) : *0 à 14 a.* 21,1 (18,9), *15 à 24 a.* 14,2 (15), *25 à 64 a.* 56,9 (50,8), *65 a. ou +* 7,8 (15,2). 28 % des étrangers ont – de 20 a. (27 % pour les Fr.) [% des – de 20 a. par nationalité : It. 8,6, Esp. 10,8, Port. 25,5, Alg. 27, Tun. 40,3, Mar. 45, Turcs 48]. 44 % ont – de 30 a. (43 % pour les Fr.).

64 % des – de 20 a. sont nés en France (3,3 % pour les 20 a. ou +, 20 % pour l'ensemble). 1/3 possèdent la nationalité française.

■ **Ménages.** 4 356 520 personnes (fr. ou étr.) vivaient dans un ménage dont la personne de référence était étrangère [4 058 000 en 1982]. Ces ménages (1 288 164) comptaient en moyenne 3,4 personnes dont 1,3 actif contre respectivement 2,5 et 1,1 pour les ménages dont la personne de référence était fr. *Nombre moyen d'enfants de 16 a. ou – :* 1,39 (ménages fr. : 0,74).

■ **Durée du séjour.** *En 1982 :* 70 % des étr. résidant en France y sont depuis + de 10 ans. 1 sur 5 ne parlait pas le français.

■ **Implantation géographique.** 58,3 % des étrangers étaient concentrés dans 3 régions : Ile-de-Fr. (38 % ; 36 % en 1982), Rhône-Alpes (12 %), Prov.-Côte d'Azur (8,3 %). **% des étrangers dans la pop. totale. Régions :** *max. :* Ile-de-Fr. 12,9 (19 en Seine-St-Denis et 16 à Paris), Corse 9,9 ; Rhône-Alpes 8 ; Alsace 7,9 ; Prov.-Alpes-C. d'Azur 7,1. *Min. :* Bretagne 1, Pays de la Loire 1,5, Basse-Normandie et Poitou-Charente 1,6, Limousin 2,8. **Départements** (hors Ile-de-Fr.) : Rhône, Ht-Rhin, Hte-Corse, Corse du Sud, Alpes-Mar. : env. 10 %. **Villes (1982) :** Paris 16,6 ; Villeurbanne 15 ; Grenoble 13,1 ; Strasbourg 12,7 ; St-Étienne 12,5 ; Metz 11,1 ; Lyon 11 ; Clermont-Ferrand 10,9 ; Besançon 10,2 ; Lille 9,4 ; Marseille 9,3 ; Montpellier 9 ; Dijon 8,5 ; Toulouse 8,5 ; Aix-en-Provence 8,3 ; Toulon 8 ; Reims 7,8 ; Bordeaux 7,6 ; Nice 6,5 ; Le Havre 6 ; Tours 5,6 ; Amiens 5,4 ; Limoges 5,1 ; Nîmes 5 ; Nantes 3,6 ; Rennes 3,2 ; Caen 3,2 ; Le Mans 2,8 ; Brest 2,5.

Nota. – Le % d'étr. avait décru de 1975 à 1982 en Languedoc-Roussillon (– 19 %) et Midi-Pyrénées (– 11,5 %) du fait de nombreux retours d'Espagnols en Espagne (en 1975, il y avait 57 Espagnols sur 100 étr. en Languedoc-Rouss. et 34 en Midi-Pyr., en 1982, 40 et 23). 65 % des étrangers vivaient dans une agglomération de 100 000 h. ou + (70 % en 91).

NAISSANCE ET FÉCONDITÉ

Nombre moyen d'enfants par femme. *Femmes françaises et, en italique f. étrangères.* **1968** 2,50, *4,01* (Alg. 8,92, Port. 4,90, It. et Mar. 3,32, Esp. 3,20). **75** 1,84, *3,33* (Alg. 5,28, Tun. 5,27, Mar. 4,68, Port. 3,30, Esp. 2,60, It. 2,12). **82** 1,84, *3,20* (Mar. 5,23, Tun. 5,20, Turques 5,05, Alg. 4,29, Port. 2,17, Esp. 1,77, It. 1,74). **92** 1,70 *2,80* (Tun. 3,9, Turques 3,7, Mar. 3,7, Alg. 3,2, Port. 1,9, Esp. 1,5, It. 1,4).

Naissances vivantes. *Total dont,* entre parenthèses, *naissances étrangères :* **1960-64 :** 844 000, **75** 745 065, (75 761 dont Port. 21 755, Alg. 16 810, Mar. 8 235). **80** 800 376 (81 291 dont Alg. 19 274, Port. 15 532, Mar. 15 115). **83** 748 525 (85 236 dont Alg. 20 191, Mar. 16 928, Port. 12 624, Tun. 7 211, Turques 4 410, Esp. 2 420, It. 1 616). **84** 759 939 (84 848). **85** 768 431 (82 801). **86** 778 468 (80 874). **87** 767 828 (75 805). **88** 771 268 (80 526). **89** 765 407. **90** 762 407 (81 779). **91** 759 000.

Nota. – En 1990 : 47 % des naissances étr. étaient maghrébines (52 % en 1982). De 1978 à 1982, la part des naissances de mère étrangère de rang 5 (5e enfant) est passée de 46,4 % à 57,2 % ; elle concernait 13 % env. du total des naissances.

ENFANTS ÉTRANGERS SCOLARISÉS (1990-91)

Total. 1 056 154 dont 1er degré 643 928, 2e degré 412 226 (24,9 % des effectifs du 1er degré à Paris, 1, 3 à Rennes) [1].

Répartition par pays d'origine (en %). Maroc 23, Algérie 22,7, Tunisie 8,1, autres pays d'Afrique francophone 7,3, non francophone 6,2, Portugal 14,7, autres pays de la CEE 5,5, Turquie 7,1, ex-Yougoslavie 1,1 [1], Sud-Est asiatique 4,9, autres 6.

Nota. – (1) 1989-90.

Naturalisés et étrangers

■ **Acquisition de la nationalité française** (naturalisation, réintégration, mineurs compris dans le décret de naturalisation de leurs parents). **1979** 46 790. **80** 52 103. **81** 54 011. **82** 48 827. **83** 39 695. **84** 35 573. **85** 60 677. **86** 55 968. **87** 41 754. **88** 54 299. **89** 59 508. **90** 64 976 (dont par déclaration 30 077, naturalisation ou réintégration 34 899 dont mineurs 10 610).

■ **Origine par pays en 1991.** *(% du total annuel et,* entre parenthèses *en 1985)* : Maghreb 35,7 (26,3), Europe 27 (49,6), Asie 19,3 (19,1).

■ **Français par acquisition recensés en 1990.** 1 777 955 dont Italiens 421 502, Espagnols 306 972, Polonais 160 399, Portugais 153 259, Algériens 112 069.

■ **Principales nationalités antérieures pour 59 684 acquisitions en 1991** [ne comprenant pas les mineurs ayant acquis la nationalité fr. par « effet collectif » (procédures par décret)]. Maroc 10 289, Portugal 7 126, Algérie 6 631, Tunisie 4 377, Espagne 2 317, Viêt-nam 2 139, Cambodge 1 729, Italie 1 475, Liban 1 390, ex-Yougoslavie 1 367, Laos 1 343, Pologne 1 230, Turquie 1 124, Sénégal 972, Suisse 896.

Immigrations et mouvements

Officiellement, les frontières françaises sont fermées à l'immigration de travailleurs permanents depuis 1974, mais pour rendre étanches les 6 000 km de frontières de la France, il faudrait 100 000 hommes (la police de l'Air et des Frontières en a 4 000). Aussi le nombre des immigrés n'a-t-il cessé de croître, du fait des regroupements familiaux et des régularisations, au rythme moyen de 60 000 personnes par an. Il faut ajouter les clandestins et les réfugiés politiques (près de 30 000 par an). *Étrangers refoulés : 1985 :* 44 794. *1991 :* 60 368. *Clandestins appréhendés :* env. 10 000 par an.

■ Entrées

Comprennent : l'introduction consécutive à une 1re immigration réelle avec franchissement des frontières, la régularisation d'étrangers déjà présents en France de manière irrégulière, le changement de statut de personnes résidant légalement.

■ **Types de flux. Permanent :** réunion des familles [1], exercice d'une activité salariée d'au moins un an, statut de réfugié. **Temporaire :** activité salariée entre 3 mois et 1 an, stagiaires, étudiants, demandeurs d'asile. **Saisonnier :** contrat de travail de 6 mois (parfois 8) valant autorisation de travail.

Nota. – (1). Personnes rejoignantes (conjoints, enfants, ascendants) par **1°)** *regroupement familial autour d'étrangers,* déjà établis en France, selon les règles définies par le décret de 1976 modifié en 1984 ; les familles des ressortissants de la CEE qui entrent librement en France ne figurent pas dans le dénombrement annuel, à quelques dizaines près (qui demandent l'aide de l'OMI). *1987 :* 26 769, *88 :* 29 769, *89 :* 34 594, *90 :* 36 949, *91 :* 35 625 (dont Afrique 23 607 (Maghreb 60 %, dont Maroc 12 557, Algérie 5 666, Turquie 5 106), Amérique 1 884, Europe hors CEE 1 801. **2°)** *entrée des membres de famille de Français se produisant autour de nationaux,* au titre de l'article 15-1er, 2e et 3e alinéas de l'ordonnance de 1945 modifiée ; les ressortissants communautaires sont pris en compte. *1991 :* 22 987 pers. dont Afrique 14 754 (dont Afr. noire 3 594), Asie 2 988, Europe 2 479, Amérique 2 270.

■ **Immigration officielle** (hors CEE) **1984** 166 234. **86** 146 220. **88** 148 725. **89** 176 480. **90** 169 899 (selon l'OMI) [96 997 selon le Haut Conseil à l'Intégration]. **91** 160 781 dont travailleurs permanents 19 460 (dont salariés 18 018), bénéficiaires d'une autorisation provisoire de travail 4 075, trav. saisonniers 54 241, regroupement familial 35 625, demandeurs d'asile 47 380 [dont Europe (Roumanie 2 486), Afrique (dont Zaïre 4 402, Mali 3 223, Angola 1 718, Mauritanie 1 116, Guinée 1 101), Asie (dont Turquie 9 915, Sud-Est asiatique [1] 4 393, Sri-Lanka 3 400, Chine 2 439, Pakistan 1 892, Inde 1 128)].

Nota. – (1) Laos, Cambodge, Viêt-nam.

■ **Immigration permanente. Type de flux : Travailleurs salariés : 1990** 14 642. **91** 18 018. **Regroupement familial : 1987** 26 600. **88** 29 100. **89** 34 400. **90** 36 949. **91** 35 625 dont conjoints 16 510 (hommes 3 745, femmes 12 765), enfants 18 526 (garçons 10 155, filles 8 381), ascendants 515, collatéraux 74. **Membres de famille de Français : 1989** 14 000. **90** 19 357. **91** 22 987 dont conjoints 18 763 (hommes 9 949, femmes 9 314), enfants 221, ascendants 857, parents d'enfants français 3 146 (hommes 1 174, femmes 1 972). **Actifs non salariés : 1990** 1 439. **91** 1 442. **Travailleurs CEE : 1989** 6 000. **90** 7 751. **91** 7 589. **Visiteurs : 1990** 8 627. **91** 8 648. **Réfugiés : 1990** 13 486. **91** 15 467 dont Sri-Lanka 4 050, Afrique 2 268 (Zaïre 744, Mauritanie 423, Angola 312), Europe de l'Est 1 036 (Roumanie 609), Amérique 528 (Haïti 260), ex-URSS 200. **Autres : 1990** 173. **91** 109.

Continent d'origine (*en 1991 et,* entre parenthèses *en 1990*) : 109 885 (102 424) dont Afrique 48 911 (46 311), Asie 31 621 (29 606), Europe 19 698 (18 714), Amérique 8 184 (6 749), ex-URSS 931 (591), Océanie 337 (203), nat. non déclarée ou apatride 203 (250).

Nota. – (*). *Chiffrage :* 1°) Addition des nombres lus sur des états statistiques de l'Office des migrations internationales (à partir des visites médicales qui s'y déroulent) et de l'Office français de protection des réfugiés et apatrides. *1991 :* 109 885. 2°) Ajout d'un certain nombre d'étrangers, nombre lu, à qui ont été délivrés de plein droit une carte de résident (ou un certificat de résidence pour Algérien). *1991 :* 3 528. 3°) Estimation de certains flux non mesurés ou mesurés de manière insatisfaisante. *1991 :* env. 10 000. *Total 1991 :* 123 415.

Total travailleurs et regroupement familial. 1970 293 737 (dont 212 785 travailleurs permanents). **71** 258 873 (177 377). **72** 194 604 (119 649). **73** 226 066 (153 419). **74** 132 500 (64 462 ; immigration des travailleurs permanents suspendue à partir de juillet). **75** 77 413 (25 591). **76** 84 320 (26 949). **77** 75 071 (22 756). **78** 58 476 (18 356). **79** 56 693 (17 395). **80** 59 388 (17 370). **81** (33 433, y compris 1 043 légalisations exceptionnelles et 21 084 régularisations exceptionnelles). **82** 144 358 (96 962). **83** 64 250 (18 483). **84** 51 425 (11 804). **89** 53 240 (15 592). **90** 59 242 (22 293). **92** 61 223 (25 607).

■ **Immigration temporaire. 1990** 80 846. **91** 75 802 dont **demandeurs d'asile** 47 380, **étudiants** 22 468 (*1989* 22 000, *90* 20 468), **actifs non CEE ayant 1 contrat de – de 6 mois** 4 075, **actifs CEE** 1 171, **stagiaires** 607 (*1989* 1 000, *90* 489), **divers** 101. **Saisonnière** (voir Travailleurs sais. à Travail).

■ Départs

■ **Sorties géographiques définitives. 1986** 1 219 138. **87** 1 136 096. **Solde 1986** 87 843. **87** 161 584. *Sources :* Police de l'Air et des Frontières *(PAF).*

■ **Sorties « contraintes ». Expulsions pour motifs d'ordre public :** *1986 :* 3 548 ; *87 :* 1 746 ; *88 :* 1 235 ; *89 :* 565 ; *90 :* 384 ; *91 :* 506. **Décisions de reconduction aux frontières** (entre parenthèses **exécutées**) **:** *1986 :* 12 364 (7 911) ; *87 :* 15 837 (9 160) ; *88 :* 15 665 (7 953) ; *89 :* 14 850 (6 994) ; *90 :* 18 238 (7 180) ; *91 :* (8 480).

■ **Sorties assistées. Aide publique à la réinsertion** (créée 1984) : concerne les salariés étrangers menacés de licenciement, dont l'employeur a conclu une convention avec l'OMI, ou âgés de + de 45 ans et dont l'employeur a signé avec l'OMI une convention prévoyant l'attribution d'une rente, ainsi que des demandes d'emploi en cours d'indemnisation par le régime d'assurance chômage. *Conventions signées de 1984 à 1991 :* 3 752 (+ 12 conventions spécifiques « rente-réinsertion »). *Personnes concernées de 1984 à 1991 :* 70 766, dont travailleurs 31 109, membres des familles 39 657 (dont conjoints 11 352, enfants 28 305) [Algériens 24 369, Portugais 16 155, Turcs 10 623, Marocains 8 018, Tunisiens 4 951, ex-Yougoslaves 3 142, Africains 2 012, Espagnols 1 234, autres 262].

Nota. – + de 90 % des personnes rentrées ont regagné leur pays d'origine entre les derniers mois de 1984 et de 1987. En 1991 : 285 personnes, dont 173 actifs (dont 136 demandeurs d'emploi, 33 salariés menacés de licenciement économique et 4 salariés désireux de percevoir une rente-réinsertion, accompagnés de 112 membres de famille).

Solde net de l'immigration

	Non Alg.	Alg.[1]		Non Alg.	Alg.
1964	100 000	43 802	1975	n.c.[2]	– 3 528
1965	100 000	9 281	1976	n.c.	– 37 046
1966	90 000	35 568	1977	n.c.	+ 1 477
1967	82 000	11 286	1978	n.c.	+ 1 633
1968	70 000	32 755	1979	n.c.	+ 56 871
1969	125 000	27 328	1980	n.c.	+ 86 401
1970	135 000	61 112	1981	45 223	99 124
1971	110 000	36 840	Entre 1982 et 1990, le nombre d'immigrés a augmenté de 130 000, soit 60 000 par an, dont 40 000 de CEE.		
1972	84 000	29 774			
1973	95 000	41 202			
1974	60 000	8 123			

Nota. – (1) *Entre 1955 et 1963 :* solde max. ; *1963 :* 50 543 (dont 43 064 de + de 17 ans). (2) Le solde net de l'immigration pour les non-Algériens n'est plus comptabilisé que pour les ressortissants de l'Afrique noire francophone.

Réinsertion aidée des étrangers invités à quitter le territoire (créée 1991).

■ **Sorties « juridiques ». 1991 :** 95 000 étrangers devenus Français dont 72 242 par acquisition de la nationalité traitée par la Sous-Dir. des naturalisations (dont 46 104 majeurs, 26 138 mineurs).

☞ **Répression** (en chiffres) : *refus d'admission d'étrangers* (entre parenthèses dont *clandestins* [1]). *1987 :* 71 063 (5 754), *88 :* 66 646 (7 217), *89 :* 68 020 (10 668), *90 :* 65 998 (11 426), *91 :* 60 368 (12 124). *Découverte de faux papiers* 1991 [2]. *Aide à l'entrée et au séjour* 1 600 [2].

Nota. – (1) Étrangers ayant franchi irrégulièrement la frontière et arrêtés en zone frontalière par la PAF. (2) 1990.

Originaires des DOM. Citoyens français à part entière, ils peuvent venir librement en métropole. Leur migration est organisée en grande partie par le *Bumidom (Bureau des migrations pour les DOM).* Env. 337 000 Martiniquais et Guadeloupéens (1990), 40 000 Réunionnais et 3 000 Guyanais vivent en France.

Nationalité des étrangers

■ Évolution comparée

Total en milliers et entre parenthèses % des nat. *(Source : recensements).* **1851** 379 (1 % de la pop.). **1861** 506 (dont Belg. 40,6, It. 15,2, Esp. 6,9, Suisse 6,9). **1866** 655 (1,7 %). **1872** (terr. de 1871) : 676 [1] (Belg. 51,5, It. 16,7, Esp. 7,8, Suisse 6,4). **1876** 801 (2 %). **1901** (terr. de 1871) : 1 037 (2,6 %) (It. 31,9, Belg. 31,2, All. 8,7, Esp. 7,7, Suisse 7). **1911** 1 159 (2,9 %). **1921** 1 532 (nat. d'Eur. 83 dont It. 29,4, Belg. 22,8, Esp. 16,6, Suisse 5,9, All. 5, Pol. 3 ; nat. d'Afr. 2,5). **1931** 2 715 (Eur. 79 dont It. 29,7, Pol. 18,7, Esp. 13, Belg. 9,4, Suisse 3,6 ; nat. d'Afr. 3,9). **1936** 2 198 (Eur. 80 dont It. 32,8, Pol. 19,2, Esp. 11,6, Belg. 8,9, Suisse 3,6 ; nat. d'Afr. 3,9). **1946** 1 744 (Eur. [2] 88,7 dont It. 25,9, Pol. 24,3, Esp. 17,3, Belg. 8,8 ; Asie 4 ; Afr. 3,1 dont Alg. 1,3, Mar. 0,9, Tun. 0,1 ; Am. 0,5 ; Sov. 2,9). **1954** 1 765 (Eur. [2] 79,1 dont It. 28,7, Esp. 16,4, Pol. 15,2, Belg. 6,1 ; Afr. 13 dont Alg. 12, Mar. 0,6, Tun. 0,3 ; Am. 2,8 ; Asie 2,3 ; Sov. 2). **1962** 2 170 (Eur. [2] 72,2 dont It. 29, Esp. 20,4, Pol. 8,2, Belg. 3,6 ; Afr. 19,7 dont Alg. 16,2, Mar. 1,5, Tun. 1,2 ; Am. 4,1 ; Asie 1,7 ; Sov. 1,2). **1968** 2 621 (Eur. [2] 71,6 dont Esp. 23,2, It. 21,8, Port. 11,3, Pol. 5 ; Afr. 24,8 dont Alg. 18,1, Mar. 3,2, Tun. 2,3 ; Asie 1,7 ; Am. 1,1 ; Sov. 0,7). **1975** 3 442 (Eur. [2] 60,7 dont Port. 22, Esp. 14,5, It. 13,4 ; Afr. 34,6 dont Alg. 20,6, Mar. 7,6, Tun. 4,1 ; Asie 3 ; Am. 1,2 ; Sov. 0,4). **1982** 3 680 (Eur. [2] 47,6 dont Port. 20,8, It. 9,1, Esp. 8,7 ; Afr. 42,8 dont Alg. 21,6, Mar. 11,7, Tun. 5,2 ; Asie 8 dont Turcs 3,4 ; Am. 1,4 ; Sov. 0,2). **1990** 3 607 (CEE 36, hors CEE 64).

Nota. – (1) 65 000 Als.-Lorrains n'ayant pas encore opté pour la Fr. après le tr. de Francfort (1871) sont comptés avec les Fr. de naissance. (2) Sauf URSS.

■ Étrangers par nationalité

Algériens. *1940 :* 22 114 ; *54 :* 211 675 ; *62 :* 350 484 ; *68 :* 473 812 ; *72 :* 798 690 ; *75 :* 710 690 (+ 118 500 Fr. musulmans) ; *76 :* 884 320 ; *1-1-83 :* 805 355. *Au 1-1-86 :* 820 900. *89 :* 725 049. *90 :* 614 207 (sans compter les harkis et leurs familles de nationalité fr. : 420 000 à 800 000 ?). Selon l'accord fr.-alg. du 27-12-68, les porteurs d'une carte délivrée par l'*Office national alg. de la main-d'œuvre (ONAMO)* pouvaient venir librement travailler en Fr. (dans la limite de 35 000 par an en 1969, 1970, 1971 et 25 000 par an pour 1972 et 1973). Le 20-9-73 le gouv. algérien a décidé d'interrompre l'émigration de travailleurs vers la Fr. La *population alg.* en France devait être stabilisée en 3 ou 4 ans (au rythme précédent, il y aurait eu 2 500 000 Nord-Africains en l'an 2000). **Allemands.** *1901 :* 90 000 ; *11 :* 102 271 ; *21 :* 76 000 ; *31 :* 72 000 ; *36 :* 58 138 ; *46 :* 103 970 ; *54 :* 58 022 ; *60 :* 48 336 ; *68 :* 43 724 ; *75 :* 42 955 ; *80 :* 47 797 ; *89 :* 52 629 ; *90 :* 52 723. **Américains** (USA). *1946 :* 10 769 ; *75 :* 20 915 ; *79 :* 23 188 ; *80 :* 21 665 ; *89 :* 25 670 ; *90 :* 24 236. **Argentins.** *1975 :* 2 090 ; *80 :* 3 045 ; *90 :* 3 104. **Arméniens.** *1975 :* 6 905 ; *80 :* 5 805 ; *82 :* 4 780. **Australiens.** *1975 :* 910 ; *80 :* 1 155 ; *90 :* 1 744. **Autrichiens.** *1975 :* 3 315 ; *80 :* 2 858 ; *90 :* 3 280.

Belges. *1861 :* 205 000 ; *72 :* 348 000 ; *86 :* 482 261 ; *1901 :* 323 000 ; *21 :* 348 946 ; *31 :* 72 000 ; *36 :* 195 447 ; *46 :* 145 947 ; *54 :* 106 828 ; *60 :* 89 757 ; *68 :* 65 224 ; *75 :* 55 945 ; *89 :* 63 283 ; *90 :* 56 129.

Béninois. *1975* : 3 460 ; *80* : 4 259 ; *89* : 4 885 ; *90* : 4 304. **Brésiliens.** *1975* : 2 940 ; *80* : 3 568 ; *89* : 5 008 ; *90* : 6 301. **Britanniques.** *1946* : 19 736 ; *68* : 18 760 ; *75* : 24 850 ; *83* : 43 119 ; *89* : 43 852 ; *90* : 50 422. **Bulgares.** *1975* : 1 410 ; *80* : 1 112 ; *90* : 968. **Burkinabés.** *1975* : 1 725 ; *80* : 2 112 ; *90* : 2 280.

Cambodgiens. *1975* : 4 520 ; *82* : 36 880 ; *90* : 44 029. **Camerounais.** *1975* : 8 275 ; *82* : 14 118 ; *89* : 16 999 ; *90* : 18 037. **Canadiens.** *1975* : 5 180 ; *80* : 4 816 ; *89* : 5 434 *90* : 6 808. **Centrafricains.** *1975* : 1 315 ; *80* : 2 592 ; *89* : 4 141 ; *90* : 4 059. **Chiliens.** *1975* : 2 360 ; *80* : 6 443 ; *90* : 7 468. **Chinois.** *1946* : 2 356 ; *68* : 5 000 ; *75* : 3 115 ; *80* : 5 514 ; *89* : 8 175. **Colombiens.** *1990* : 3 761. **Congolais.** *1975* : 3 435 ; *80* : 6 816 ; *89* : 14 138 ; *90* : 12 755. **Danois.** *1975* : 1 695 ; *80* : 2 045 ; *89* : 2 965 ; *90* : 3 544.

Égyptiens. *1975* : 2 615 ; *80* : 3 239 ; *89* : 5 868 ; *90* : 6 341. **Espagnols.** *1861* : 35 000 ; *72* : 53 000 ; *1901* : 80 000 ; *21* : 255 000 ; *31* : 351 864 ; *36* : 253 599 ; *46* : 302 201 ; *62* : 441 658 ; *68* : 706 184 ; *75* : 497 480 ; *80* : 429 987 ; *85* : 286 000 ; *86* : 267 900 ; *90* : 216 047. *Entrées* : *1964* : 66 269 ; *65* : 49 865 ; *70* : 15 738 ; *75* : 3 892 ; *80* : 604 ; *87* : 200 ; *88* : 300 ; *89* : 300. **Éthiopiens.** *1975* : 425 ; *80* : 554. **Finlandais.** *1975* : 725 ; *80* : 837 ; *90* : 1 552.

Gabonais. *1975* : 2 070 ; *80* : 2 301 ; *89* : 3 200 ; *90* : 3 013. **Ghanéens.** *1990* : 2 809. **Grecs.** *1946* : 16 184 ; *68* : 9 000 ; *75* : 9 580 ; *80* : 9 516 ; *90* : 6 091. **Guinéens.** *1975* : 935 ; *80* : 1 592 ; *90* : 5 853.

Haïtiens. *1975* : 1 175 ; *80* : 2 479 ; *90* : 12 311. **Hongrois.** *1975* : 5 705 ; *80* : 4 879 ; *90* : 2 736.

Indiens. *1975* : 1 680 ; *80* : 2 294 ; *89* : 4 330 ; *90* : 4 579. **Irakiens.** *1982* : 2 400 ; *90* : 2 212. **Iraniens.** *1975* : 3 300 ; *80* : 13 193 ; *82* : 10 420 ; *90* : 15 209. **Irlandais.** *1975* : 1 250 ; *80* : 1 909 ; *90* : 3 542. **Israéliens.** *1975* : 3 985 ; *80* : 3 787 ; *82* : 4 040 ; *89* : 3 692 ; *90* : 2 908. **Italiens.** *1861* : 77 000 ; *72* : 113 000 ; *1901* : 330 000 ; *21* : 451 000 ; *31* : 808 038 ; *36* : 720 926 ; *46* : 450 764 ; *54* : 589 524 ; *60* : 688 474 ; *62* : 628 956 ; *66* : 678 037 ; *68* : 571 694 ; *72* : 573 817 ; *75* : 462 940 ; *82* : 333 740 ; *85* : 293 000. *86* : 277 100. *90* : 252 759. *Entrées* : *1955* : 14 246, *56* : 52 782, *57* : 80 385, *58* : 51 146, *59* : 21 262, *60* : 19 515, *72* : 5 093. **Ivoiriens.** *1975* : 6 645 ; *82* : 12 213 ; *89* : 13 357 ; *90* : 16 711.

Japonais. *1975* : 4 935 ; *80* : 54 ; *89* : 8 784 ; *90* : 10 901. **Laotiens** : *1975* : 1 605 ; *80* : 31 846 ; *82* : 33 480 ; *89* : 37 904 ; *90* : 31 803. **Libanais.** *1975* : 3 870 ; *80* : 13 752 ; *82* : 11 200 ; *89* : 17 597 ; *90* : 20 953. **Libériens.** *1975* : 155 ; *80* : 54. **Luxembourgeois.** *1926* : 28 270 ; *46* : 9 002 ; *54* : 7 381 ; *60* : 4 876 ; *68* : 3 940 ; *75* : 3 380 ; *80* : 2 945 ; *90* : 3 040.

Malgaches. *1975* : 4 060 ; *80* : 5 770 ; *89* : 10 637 ; *90* : 8 859. **Maliens.** *1975* : 12 580 ; *80* ; 17 924 ; *89* : 32 161 ; *90* : 37 693. **Marocains.** *1946* : 16 458 ; *54* : 10 734 ; *62* : 33 320 ; *66* : 102 193 ; *68* : 84 236 ; *72* : 218 146 ; *75* : 260 025 ; *80* : 421 369 ; *82* : 431 120 ; *85* : 504 000 ; *89* : 558 799 ; *90* : 572 652. *Entrées* : *1974* : 27 870, *75* : 13 706, *80* : 13 602. *87* : 8 600. *89* : 13 600. **Mauriciens.** *1980* : 10 624 ; *82* : 13 090 ; *90* : 13 017. **Mauritaniens.** *1975* : 5 415 ; *80* : 4 383 ; *89* : 5 906 ; *90* : 6 632. **Mexicains.** *1975* : 1 155 ; *80* : 1 747 ; *90* : 1 948. **Monégasques.** *1975* : 1 100 ; *80* : 6.

Néerlandais. *1946* : 10 580 ; *68* : 10 600 ; *75* : 10 935 ; *80* : 10 600 ; *90* : 17 881. **Néo-Zélandais.** *1975* : 235 ; *80* : 274. **Nigérians.** *1982* : 688 ; *90* : 873. **Nigériens.** *1975* : 620 ; *80* : 1 033 ; *90* : 1 342. **Norvégiens.** *1975* : 1 385 ; *80* : 1 277 ; *90* : 1 924. **Pakistanais.** *1989* : 8 328 ; *90* : 9 796.

Péruviens. *1975* : 740 ; *80* : 803 ; *90* : 2 340. **Polonais.** *1921* : 45 766 ; *31* : 507 811 ; *36* : 422 694 ; *46* : 423 470 ; *54* : 281 384 ; *60* : 176 749 ; *62* : 177 181 ; *68* : 131 668 ; *75* : 93 655 ; *80* : 73 302 ; *82* : 64 820 ; *89* : 68 331 ; *90* : 41 127. **Portugais.** *1921* : 10 788 ; *31* : 48 963 ; *36* : 28 290 ; *46* : 22 261 ; *62* : 50 010 ; *66* : 270 972 ; *68* : 296 448 ; *72* : 742 646 ; *75* : 758 925 ; *79* : 873 944 ; *82* : 764 860 ; *83* : 866 595 ; *86* : 751 300 ; *90* : 649 714. *Entrées* : *1961* : 6 716, *65* : 47 330, *66* : 44 916, *67* : 34 764, *68* : 30 868, *69* : 80 829, *70* : 88 634, *71* : 64 328, *72* : 30 473, *73* : 32 082, *74* : 37 727, *75* : 23 436, *76* : 17 919, *77* : 13 265, *78* : 7 406 (dont 368 travailleurs permanents et 7 038 membres de familles). *87* : 400. *88* : 600. *89* : 900.

Roumains. *1975* : 3 730 ; *80* : 3 815 ; *89* : 5 005 ; *90* : 5 114. **Russes.** *1975* : 12 450 ; *80* : 7 580 ; *89* : 9 239 ; *90* : 4 661.

Sénégalais. *1955* : 14 920 ; *60* : 40 604 ; *72* : 29 202 ; *82* : 22 833 ; *89* : 42 260 ; *90* : 43 692. **Suédois.** *1975* : 3 015 ; *80* : 3 369 ; *89* : 4 779 ; *90* : 4 805. **Suisses** : *1861* : 35 000 ; *72* : 43 000 ; *1901* : 72 000 ; *21* : 90 000 ; *26* : 123 119 ; *31* : 98 000 ; *36* : 79 000 ; *46* : 53 526 ; *54* : 47 779 ; *60* : 40 604 ; *66* : 37 248 ; *75* : 28 085 ; *80* : 23 747 ; *82* : 22 833 ; *90* : 22 137. **Syriens.** *1975* : 3 010 ; *80* : 3 891 ; *82* : 3 640 ; *89* : 7 367 ; *90* : 6 104.

Tamouls (Sri-Lankais). *1985* : 10 000 ; *89* : 10 160 ; *90* : 10 310. **Tchadiens.** *1975* : 880 ; *80* : 1 057 ; *90* : 1 418. **Tchèques.** *1975* : 4 530 ; *80* : 3 398 ; *90* : 2 433. **Togolais.** *1975* : 4 035 ; *80* : 5 001 ; *89* : 6 581 ; *90* : 6 009. **Tunisiens.** *1946* : 1 916 ; *54* : 4 800 ; *62* : 26 569 ; *68* : 61 028 ; *75* : 139 735 ; *80* : 181 618 ; *85* : 202 000 ; *90* : 206 336. *Entrées* : *1975* : 4 691, *80* : 3 380 ; *86* : 2 600 ; *89* : 3 200. **Turcs.** *1948* : 7 878 ; *54* : 7 628 ; *60* : 3 336 ; *68* : 7 628 ; *72* : 24 501 ; *75* : 50 860 ; *80* : 104 818 ; *85* : 144 000 ; *89* : 160 140 ; *90* : 197 712. *Entrées* : *1973* : 18 628, *75* : 7 192, *80* : 7 084 ; *86* : 4 600 ; *89* : 5 300.

Vénézuéliens. *1975* : 930 ; *80* : 1 731 ; *90* : 1 040. **Vietnamiens.** *1975* : 11 380 ; *80* : 34 483 ; *90* : 33 743.

Ex-Yougoslaves. *1948* : 18 966 ; *54* : 15 379 ; *60* : 13 510 ; *62* : 21 314 ; *66* : 34 355 ; *68* : 47 544 ; *72* : 68 748 ; *75* : 70 280 ; *76* : 77 810 ; *80* : 72 164 ; *82* : 64 420 ; *89* : 68 809 ; *90* : 52 453. *Entrées* : *1970* : 10 639 ; *73* : 18 628 ; *74* : 4 500 ; *75* : 1 183 ; *80* : 362 ; *89* : 600. **Zaïrois.** *1989* : 10 679 ; *90* : 22 740.

Tsiganes en France. 150 000 à 250 000. 97 % env. d'entre eux sont français. 70 % sont analphabètes. 2/3 sont sédentarisés (dans des conditions souvent mauvaises). 1/3 voyage. 15 000 adultes sont baptisés par la Mission évangélique des Tsiganes. 5 000 fréquentent cette Église.

Nota. – Originaires d'Afr. noire ex-française et de Madagascar. *1975* : 70 320 ; *82* : 138 080.

☞ **Pays de naissance.** *Argentine* : Daniel Barenboïm (chef d'orchestre). *Bulgarie* : Sylvie Vartan (chanteuse). *Égypte* : Dalida (chanteuse). *Espagne* : Maria Casarès (actrice). *Grèce* : Hélène Ahrweiler (recteur de l'Académie de Paris). *Hongrie* : Christine Arnothy (écrivain) ; Jean Image (réalisateur de cinéma) ; Victor Vasarely (peintre). *Italie* : Yves Montand (chanteur) ; Lino Ventura (comédien). *Roumanie* : Émile-Michel Cioran (philosophe) ; Mircea Éliade (historien) ; Elvire Popesco (actrice). *Russie* : Marc Chagall (peintre) ; Serge Lifar (danseur) ; Zoé Oldenbourg (écrivain) ; Nathalie Sarraute (écrivain) ; Henri Troyat (écrivain, membre de l'Académie fr.) ; Léon Zitrone (journaliste).

■ La politique d'immigration depuis 1973

■ **Principales étapes. 1973** *loi du 19-1* : réforme du Code de la nationalité. Encourage les étrangers résidant en Fr. à opter pour la nat. fr. **1974** *juillet* : fermeture des frontières. Exceptions : étr. admis en France au titre du droit d'asile, ressortissants des États membres de la CEE, membres de la famille (regroupement familial : conjoints, enfants mineurs). **1975** *juillet* : autorisation des regroupements familiaux. *Nov.* : décret autorisant l'expulsion des clandestins. **1976** *27-7* : regroupements familiaux favorisés (prime de 1re installation). **1977** *juillet* : plan Stoleru : *aide au retour* pour les chômeurs (10 000 F), *sept.* : aide au retour étendue à tous les étr., interruption totale de la délivrance de doubles cartes de trav., suspension de l'immigration fam. pendant 3 ans (mesure rapportée le 25/26-10). **1979** *déc.* : loi Bonnet facilitant notamment l'expulsion des clandestins ; dénoncée par le PS comme « grave atteinte à la dignité des immigrés et aux droits de l'homme ».

1980 accord avec l'Algérie visant à favoriser le retour des trav. dans leur pays dans de bonnes conditions (formation professionnelle et création de petites entreprises). Abrogation partielle de la loi Bonnet par le Conseil constitutionnel. Mise en place de la Mission interministérielle de lutte contre le travail clandestin. Le décret Imbert institue un niveau min. pour les étudiants s'inscrivant dans les univ. **1981** *été* : opération exceptionnelle de régularisation pour les trav. « sans papiers » entrés en France avant le 1-1-1981. *Loi du 9-10* abrogeant les décrets-lois du 12-4-1939 ; elle permet aux étr. de se regrouper dans des ass. sportives, religieuses, parents d'élèves, locataires correspondant à leur identité culturelle ; une clause restrictive concernant les ass. « dont les activités sont de nature à porter atteinte à la situation diplomatique de la Fr. » a été supprimée par l'Ass. nat. malgré l'avis du min. Autain. Le statut de réfugié est reconnu par l'Office français de protection des réfugiés et apatrides (OFPRA), sous contrôle d'une juridiction d'appel, la Commission de recours. *Loi du 21-10* : supprime l'autorisation administrative préalable au mariage d'un étranger avec un Français. *Loi du 29-10* : la possibilité d'expulsion pour présence irrégulière est supprimée et remplacée par une procédure de « reconduite à la frontière » (1 seul cas d'expulsion adm., par le min. de l'Intérieur : « menace grave pour l'ordre public ») ; compétence des tribunaux, appel possible pour les immigrés. Autres sanctions : amendes (180 à 8 000 F), prison (1 mois à 1 an). *Nov.* : suppression de l'aide au retour. **1982** *décret du 27-5* : exige certains documents pour entrer en Fr. : visa ou certificat d'hébergement, couverture bancaire de frais de rapatriement. *Nov.* : visas rétablis pour les courts séjours (ressortissants d'Amér. latine). **1983** *loi du 10-6* : autorise les tribunaux à décider des expulsions avec « exécution provisoire » (l'immigré clandestin est renvoyé, puis a droit de faire appel de son pays d'origine). **1984** *loi du 7-5* : fixe un délai min. de 6 mois entre le mariage d'un (ou d'une) étr. avec un(e) Fr. et l'acquisition de la nat. fr. (voir aussi naturalisation, à l'index). *Mai* : rétablissement par la gauche de l'aide au retour supprimée en 1981. *Loi du 17-7* : titre unique de séjour et de travail valable 10 ans, automatiquement renouvelable. *Décret du 17-7* : crée le Conseil nat. des pop. immigrées. **1987** *nov.* : rapport Hannoun (RPR) favorable à l'intégration des immigrés. **1988** *janv.* : le gouvernement Chirac renonce à la réforme du code de la nationalité. **1989** *nov.* : nomination d'un secr. général permanent chargé des problèmes de l'immigration. **1991** *mai* : nomination d'un secr. d'État chargé des affaires sociales et de l'intégration. *Sept.* : circulaire sur l'aide au retour pour les étrangers dont le titre de séjour n'a pas été renouvelé et les demandeurs d'asile déboutés (sur 80 000 à 90 000, 2 000 admissions et 7 000 rejets) ; coût : 10 000 à 12 000 F par personne (30 000 pour un retour forcé).

■ **Mesures contre l'immigration clandestine** (statistiques, voir p. 610). **1983** *31-8* : multiplication des contrôles d'identité par les préfets ; augmentation des amendes en cas de fraude (6 000 à 24 000 F) ; *août* : mesures financières pour freiner la venue des saisonniers ; création d'un diptyque (carte d'identité à 2 volets dont un est laissé à la frontière et l'autre gardé pour être présenté à tout contrôle) obligatoire pour les ressortissants du Maghreb en visite en France ; **1984** *oct.* : diptyque pour tout étranger venu des pays d'Afrique noire ; renforcement de la police de l'Air et des Frontières : 900 à 1 000 fonctionnaires de plus ; reconduction à la frontière assortie d'une interdiction de retour sur le territoire et inscription de l'identité des immigrés expulsés pour irrégularité au fichier informatisé des personnes recherchées ; sanction de l'embauche des irréguliers : amende ou prison pour l'employeur fautif (loi du 17-10-1981). Jusqu'en 1974, l'étranger pouvait régulariser sa situation si on lui proposait un emploi (80 % des entrées en 1968). **1986** *août* : *loi Pasqua* visant à endiguer l'immigration clandestine et à favoriser les reconductions à la frontière. Protestations des socialistes qui défèrent le texte au Conseil constitutionnel. **1989** *juillet* : *la loi Joxe* remplace la loi Pasqua (voir à l'Index). **1991** *25-7* : visa de transit pour les ressortissants de 10 pays (Albanie, Angola, Bangladesh, Éthiopie, Ghana, Nigeria, Pakistan, Somalie, Sri-Lanka, Zaïre) ; *31-8* : décret renforçant les conditions de délivrance des certificats d'hébergement. **1992** *26-2* : loi prévoyant des sanctions à l'égard des transporteurs ayant acheminé des étrangers non admissibles (convention de Schengen). **1993** (voir index).

☞ *Parmi les propositions visant à renforcer les actions contre les clandestins* : reconductions à la frontière, police des ateliers clandestins, sanctions contre les salariés clandestins, leurs employeurs et leurs passeurs, renforcement des pouvoirs et des effectifs de la police de l'Air et des Frontières, contrôles mobiles multipliés le long des routes, points de passage obligatoires pour les étr. devant avoir un visa, contrôle du départ des détenteurs de visas de tourisme, refus des faux étudiants, lutte renforcée contre les trafics de faux papiers, meilleur contrôle des conditions de réalisation des regroupements familiaux.

Pour Didier Bariani, l'abrogation de la loi Sécurité et Liberté et l'interdiction faite à la police d'effectuer tout contrôle d'identité sauf vis-à-vis de ceux qui troublent l'ordre public, ou sont dans des zones où la sécurité publique est en danger, empêchent un contrôle efficace de la clandestinité, un étranger entré illégalement en France et n'ayant pas troublé l'ordre public pouvant y résider en toute impunité et indéfiniment.

Réfugiés politiques

■ Total. **Années 1950 : 300 000. Au 1-1-1988 :** 179 306 (2 264 apatrides) dont par nationalité : Afghane 1 326. Albanaise 398. Algérienne 93. Angolaise 848. Argentine 590. Bengalienne 23. Béninoise 113. Birmane 9. Bolivienne 230. Bouthanaise 3. Brésilienne 201. Bulgare 708. Burkinabé 34. Burundaise 55. Cambodgienne 36 227. Camerounaise 59. Capverdienne 4. Centrafricaine 105. Chilienne 5 463. Chinoise 1 196. Chypriote 2. Colombienne 252. Comorienne 10. Congolaise 183. Cubaine 198. Djiboutienne 8. Dominicaine 22. Égyptienne 571. Équatorienne 32. Équato-Guinéenne 17. Est-Allemande 236. Éthiopienne 829. Gabonaise 7. Ghanéenne 821. Guatémaltèque 31. Guinéenne-Bissau 433. Guinéenne-Conakry 637. Haïtienne 2 735. Hondurienne 1. Hongroise 3 449. Indienne 18. Indonésienne 49. Irakienne 197. Israélienne 11. Ivoirienne 7. Jordanienne 4. Kényane 1. Koweïtienne 1. Laotienne 23 455. Libanaise 17. Libérienne 124. Libyenne 16. Malaise 11. Malgache 50. Malienne 90. Marocaine 218. Mauricienne 9. Mexicaine 7. Mozambicaine 16. Namibienne 10. Nicaraguayenne 5. Nigériane 59. Nigérienne 20. Nord-Yéménite 1. Ougandaise 71. Pakistanaise 115. Panaméenne 1. Paraguayenne 41. Péruvienne 282. Philippine 13. Polonaise 11 747. Roumaine 4 807. Rwandaise 30. Salvadorienne 71. São-Tomé 5. Sénégalaise 10. Seychelloise 2. Sierra-Léonaise 10. Singapourienne 1. Somalienne 8. Soudanaise 16. Soviétique 8 961 (dont Arménienne 4 523). Sri-Lankaise 2 208. Sud-Africaine 78. Sud-Coréenne 7. Suriname 1. Syrienne 154. Taïwanaise 1. Tanzanienne 4. Tchadienne 266. Tchécoslovaque 1 518. Tibétaine 29. Togolaise 190. Tunisienne 95. Turque 7 715. Uruguayenne 780. Vénézuélienne 2. Vietnamienne 34 723. Yougoslave 4 568. Zaïroise 3 959. Zimbabwéenne 11. Divers Europe 454.

■ Demandeurs d'asile. **Nombre et,** entre parenthèses **% d'acceptation :** *1972 :* 2 000, *1976-80* (moy. annuelle) : 15 000, *1980-84 (id.) :* 20 000, *1983 :* 22 285, *84 :* 21 624, *85 :* 26 925, *86 :* 26 920 (39 %), *87 :* 27 568 (31 %), *88 :* 34 253 (25 %), *89 :* 61 372 (14 % dont Turcs 17 335, Zaïrois 7 417, Maliens 3 807, Sri-Lankais 3 236), *90 :* 54 813 (15 %), *91 :* 47 380 (18 %), *92 :* env. 28 000. **Nombre de décisions, et % de demandes traitées :** *1987 :* 26 628 (96 %), *88 :* 25 425 (74 %), *89 :* 31 111 (50 %), *90 :* 87 352, *1991 :* 78 442.

Nombre de réfugiés statutaires : *1987 :* 179 306, *88 :* 183 945, *89 :* n.c., *92 :* 141 676. **Nouveaux admis :** *1990 :* 13 486, *91 :* 15 467. **Nombre de réfugiés du S.-E. asiatique :** *1980 :* 12 001, *81 :* 12 290 (dont Cambogiens 5 684, Laotiens 3 888, Vietnamiens 3 192, autres 26), *82 :* 9 207 (dont C. 4 273, V. 3 276, L. 1 653, autres 5), *83 :* 8 690 (dont C. 5 032, V. 2 995, L. 632, autres 31), *87 :* 4 222, *88 :* 4 462, *89 :* 4 909, *90 :* 5 039, *91 :* 4.265 (dont V. 2 557, C. 887, L. 621). **Nombre de recours enregistrés par la Commission des Recours des Réfugiés :** *1987 :* 14 737, *1988 :* 15 657, *1989 :* 16 000, *1990 :* 615, *1991 :* 1 341, *1992 :* 1 231. **Annulation des décisions de l'Office :** *1988 :* 7 %, *1989 :* n.c., *1990 :* 11,6 %, *1991 :* 22,1 %.

☞ Voir : Travailleurs étrangers, formalités, statistiques, à l'Index.

Histoire de France

Souverains et chefs d'État

☞ Pour en savoir plus, demandez le *Quid des Présidents de la République* (et des candidats). 717 pages de faits, de dates, de chiffres et d'anecdotes sur la vie des présidents et des candidats à la présidence. Chez tous les libraires (éditions Robert Laffont).

Nombre de rois : 86 de Clovis à Louis-Philippe. Sous l'Ancien Régime, on comptait à partir de Pharamond, mais on oubliait les empereurs et rois associés (dont les noms figurent pourtant dans les diplômes), et on donnait Louis XVI, 66e roi de France. **Nombre d'empereurs** des Français : 3 [Napoléon Ier, Napoléon II (reconnu par les Chambres et proclamé dans plusieurs villes), Napoléon III].

Empereurs gaulois et empereurs des Gaules

☞ *Abréviations :* Cte : comte ; e. : empereur ; e. g. : empereur gaulois ; e. d g. : empereur des Gaules ; ép. : époux, épouse ; f. : fils, fille ; g. : Gaule ; p. : précédent ; v. : vers. *D'après* Maurice Bouvier-Ajam.

Les *empereurs gaulois (e. g.)* sont des Gaulois proclamés empereurs par leurs compatriotes ou une grande partie d'entre eux. Les *empereurs des Gaules (e. d g.)* sont des Romains ou des non-Gaulois, sujets de Rome, qui ont pris ou reçu ce titre. **70** *(janv.-mars) :* **Sabinus,** César des G. : 1er empereur gaulois. **70** *(août) :* préside une assemblée d'une république aristocratique des G. **121** *(?)* **: Caius, Julius, Aupex,** conservateur des G. **124** *(?)* **: Adrien,** restaurateur des G. **138 : Antonin,** Gallo-Romain. **186 : Maternus,** soldat révolté. **192 : Caracalla** (4 ans), symbolique protecteur de la G.

257-267 : 2e Empire gaulois. **Salonin** f. de l'emp. Gallien, associé en g., tué 260 par Postumus son tuteur. **267** *(juil.)***-268** *(août) :* **Lélien** (ass.), **Marius** (ass.), **Victorien** (ass.) (e. g.). **268 : Postumus :** usurpateur ass. **270 : Domitianus,** usurpateur à Lyon. **268-273 : Tetricus 1,** usurpateur en Gaule, sénateur déposé par Aurélien, assassiné. **273 : Tetricus 2,** son f., usurpateur en Gaule. **276 : Probus,** Pannonien, proclamé en G. avant d'être investi par le Sénat romain. **276-279 : Proculus,** Bononus se révoltent contre Probus (ass. 282). **282 : Carus,** Narbonnais, proclamé e. romain. **283 : Lélien,** e. bagaude. **287 : Carausius,** e. g. **293 : Constance Chlore,** Pannonien, César des G.

340 : Constant. 350 : Magnence, Lète, e. g. **353 : Decentius,** s. frère, e. d g. **354 : Silvanus,** Lète franc, e. g. **355** *(oct.) :* **Julien,** César des G., nommé par l'e. romain Constance II, dit le Libérateur des G. **361** *(mai) :* **Julien,** e. d g., e. romain. **364 : Salluste,** Gaulois, refuse l'empire. **375 : Gratien,** e. romain d g. ; Gaule continentale, Britannia, Espagne. **383 : Maxime,** e. d g.

407 : Constantin, e. d g. **412 : Maxime le Tyran,** dernier e. d g. **435-436 : Tibaton,** dernier e. bagaude. **452-464 : Egidius,** Cte romain, patrice des g. **455** *(juil.)***-456** *(avril) :* **Avitus,** Gaulois, e. romain d'Occident. **464 à 476** (chute de l'Empire romain) : **Syagrius,** patrice des g. **476 à 486** *(juil.) :* **Syagrius,** patrice d'un E. d'Occident qui n'existe plus, mais se réclame de l'E. d'Orient. **486 :** fin de la Gaule romaine.

Les Mérovingiens

Nota. – La France a été plusieurs fois divisée en royaumes : Austrasie, Neustrie, Orléans, Paris, Aquitaine et Bourgogne. Cette coutume a été expliquée de 2 façons différentes : 1°) elle serait d'origine germanique ; 2°) elle prétendait imiter les empereurs romains postérieurs à Dioclétien (voir à Italie).

v. 396 rois dits « chevelus » : **v. 413 Théodemir** (Trèves) † 418. **v. 428 Clodion le Chevelu** († v. 455) fils de Pharamond, dont l'existence est contestée. **v. 451/5 Mérovée** parent de Clodion. **v. 451 Childéric Ier** (v. 436-482) f. du p. *Ép.* Basine de Thuringe, déposé, restauré v. 458.

481 Clovis Ier (465-511) f. du p. *Ép.* 493 Clotilde (v. 470-545) (f. de Chilpéric, roi des Burgondes) qui sera canonisée.

■ **1er partage (511-558). 4 royaumes (511-524).** REIMS et AUVERGNE : **Théodoric (Thierry Ier)** (486-534) f. de Clovis, ép. Suavégote (Pcesse burgonde). ORLÉANS : **Clodomir** (495-524) f. de Clovis, ép. Gondioque. PARIS : **Childebert Ier** (v. 497-558) f. de Clovis, ép. Vultrogote. SOISSONS (NEUSTRIE) : **Clotaire Ier le Vieux** (v. 497-561) f. de Clovis. Roi de tout le royaume de 558 à 561. *Ép.* 1°) Chunsène ; 2°) Gondioque ; 3°) Ingonde ; 4°) Arégonde ; 5°) Ste Radegonde de Thuringe (519-87) ; 6°) Vultrade, Pcesse lombarde.

3 royaumes (524-555). REIMS et AUVERGNE : **Théodoric (Thierry Ier)**, devenu roi de Thuringe 531. **534 Théodebert (Thibert Ier),** s. f. (v. 504-548), titré roi d'Austrasie, *ép.* Vingarde, Pcesse lombarde. **548 Théodebald (Thibaut)** (v. 535-555) s. f. ORLÉANS et PARIS : **Childebert Ier,** roi d'Orléans jusqu'à 532 ; co-roi de Bourgogne 534, *ép.* Vultrade, Pcesse lombarde. NEUSTRIE : **Clotaire Ier le Vieux,** roi d'Orléans 532 ; co-roi de Bourgogne 534.

2 royaumes (555-58). PARIS et coroyauté de BOURGOGNE : **Childebert Ier († 558).** NEUSTRIE, ORLÉANS, coroyauté de BOURGOGNE. AUSTRASIE : **Clotaire Ier le Vieux.**

■ **1re réunification (558-61). Clotaire Ier le Vieux** (479-† 561), roi de Paris, r. unique de Bourg., souverain de tous les roy. francs à la mort de Chil. Ier.

■ **2e partage (561-613). 4 royaumes (561-568).** PARIS : **Caribert Ier** (521-567) f. de Clotaire Ier. *Ép.* 1°) Ingoberge ; 2°) Méroflède ; 3°) Marcovèfe ; 4°) Teutechilde. ORLÉANS et BOURGOGNE : **Gontran (St)** (525-592) f. de Clotaire Ier. *Ép.* 1°) Vénérande ; 2°) Marcatrude ; 3°) Austrechilde. AUSTRASIE : **Sigebert Ier** (535-assassiné en 575 sur ordre de Frédégonde) f. de Clotaire Ier. *Ép.* Brunehaut (534-613/4). SOISSONS : **Chilpéric Ier** (539-assassiné 584) f. de Clotaire Ier et d'Haregonde. *Ép.* 1°) Audovère († 580/1) ; 2°) Galsvinthe, Pcesse wisigothe (?-568) ; 3°) Frédégonde (543-97).

3 royaumes (568-592). ORLÉANS et BOURGOGNE : **Gontran (St)** († 592), roi de Paris (à la place de Chilpéric Ier à partir de 584). AUSTRASIE : **Sigebert Ier** († 575). **575 Childebert II** (570-95) f. de Sigebert et Brunehaut. *Ép.* Faileube. SOISSONS et PARIS : **Chilpéric Ier.** A sa mort (584), le roy. de Paris va à Gontran. **584 Clotaire II le Jeune** (584-629) s. f.

2 royaumes (592-595). AUSTRASIE, ORLÉANS, PARIS, BOURGOGNE : **Childebert II** recueille l'héritage de son oncle Gontran jusqu'à sa mort (595). SOISSONS : **Clotaire II le Jeune, † 629.** *Ép.* 1°) Haldetrude ; 2°) Bertrude ; 3°) Sichilde ou Sicheut.

3 royaumes (595-612). AUSTRASIE : **Théodebert ou Thibert II** (585-612, assassiné) f. de Childebert II. *Ép.* 1°) Bilichilde ; 2°) Théodechilde. BOURGOGNE, PARIS, ORLÉANS : **Thierry II** (587-613) f. de Childebert II. SOISSONS : **Clotaire II le Jeune.**

2 royaumes (612-613). BOURGOGNE, PARIS, ORLÉANS, AUSTRASIE : **Thierry II** recueille l'héritage de son fr. *Ép.* Ermenberge, Pcesse wisigothe. SOISSONS : **Clotaire II le Jeune.**

■ **2e réunification (613-634). 613 Clotaire II le Jeune.** Recueille l'héritage de ses 2 cousins germains, fils de son oncle Childebert II. **629 Dagobert Ier** (v. 600-39) f. du p. et de Bérétrude. *Ép.* 1°) 626 Gomatrude ; 2°) 629 Nanthilde († v. 642) ; 3°) 630 Ragnétrude.

■ **3e partage (634-656). 2 royaumes.** NEUSTRIE et BOURGOGNE : **634 Dagobert Ier** († 639). *Ép.* 1°) Ragnétrude ; 2°) Gomètrude ; 3°) Nanthilde ; 4°) Vulfégonde ; 5°) Berthilde. **639 Clovis II le Fainéant** (v. 630-57) f. de Dagobert Ier et de Nanthilde. *Ép.* 651 Ste Bathilde († 678). AUSTRASIE : **634 St Sigebert III** (631-56) f. de Dagobert Ier. *Ép.* Himnechilde. Règne sous la tutelle de Pépin l'Ancien et de Grimoald, son père l'ayant nommé fictivement roi, à 3 ans.

■ **3e réunification (656-660).** NEUSTRIE, BOURGOGNE, AUSTRASIE : **Clovis II le Fainéant** recueille l'héritage de son frère St Sigebert († 656), en écartant le futur St Dagobert II, âgé de 4 ans. **657 Clotaire III** (v. 652-673) f. de Clovis II. **(656** reçoit fictivement la couronne austrasienne de son oncle St Sigebert. **657** hérite des autres roy. francs).

■ **4e partage (663-675). 2 royaumes.** NEUSTRIE et BOURGOGNE : **Clotaire III** († 673) donne la couronne d'Austrasie à son fr. Childéric II en 663. **673 Thierry III** (v. 657-690 ou 91) 3e f. de Clovis II et de Ste Bathilde. *Ép.* Clotilde (Doda) († 694/9), succède à son fr. aîné. AUSTRASIE : **Childéric II** (v. 653/7-assassiné 675) f. de Clovis II et de Ste Bathilde. *Ép.* v. 668 Bilichilde († 675), fille de Sigebert II.

■ **4e réunification (675-676).** NEUSTRIE, BOURGOGNE, AUSTRASIE : **Thierry III** recueille un an l'héritage austrasien de son fr. Childéric II.

■ **5e partage (676-79). 2 royaumes.** NEUSTRIE et BOURGOGNE : **Thierry III.** Donne en 676 l'Austrasie à son cousin germain Dagobert, f. de son oncle St Sigebert († 656). AUSTRASIE : **676 St Dagobert II** (v. 652-assassiné 679) f. de Sigebert III. *Ép.* 1°) Mathilde († 670) ; 2°) Gisèle.

■ **5e réunification (679-717).** NEUSTRIE, BOURGOGNE, AUSTRASIE : **679 Thierry III.** Reprend la couronne austrasienne après assassinat de son cousin. **691 Clovis III** (682-95) f. du p. et de Clotilde. Pépin d'Héristal dirige le royaume. **695 Childebert III** (683-711) f. de Thierry III et de Clotilde. *Ép.* N. Sous la tutelle de Pépin d'Héristal. **711 Dagobert III** (v. 699-715) f. du p. *Ép.* N. **715 Chilpéric II** (v. 670-721) f. de Childéric II et de Bilichilde. *Ép.* N.

■ 6e partage (717-719). **2 royaumes.** NEUSTRIE et BOURGOGNE : **Chilpéric II,** contraint de céder en 717 la couronne austrasienne à son cousin germain, Clotaire IV, protégé de Charles Martel. AUSTRASIE : **717 Clotaire IV** (684-719) f. de Thierry III, désigné par Ch. Martel. Opposé à Chilpéric II.

■ 6e réunification (719-751). NEUSTRIE, BOURGOGNE, AUSTRASIE : **719 Chilpéric II** reprend sa couronne austrasienne à la mort de son rival. **721 Thierry IV** (v. 713-737) f. de Dagobert III. *Seul roi.* **737-43 Interrègne :** Charles Martel (carolingien) au pouvoir. **743-51 Childéric III** (v. 714-754) f. de Chilpéric II. *Ép.* Gisèle, dont il eut Théodoric ou Thierry, mort sans post., et dernier des Mérovingiens. Déposé par Pépin le Bref en 751, après consultation du pape.

LES CAROLINGIENS (DITS AUSSI PIPPINIDES)

751 Pépin le Bref (714, Jupille/24-9-768, St-Denis) f. de Charles Martel [v. 676/12-10-741, Quiercy-s/Oise. F. de Pépin d'Héristal (v. 635-714), lui-même petit-f. de Pépin le Vieux ou de Landen (v. 580-640), maire du palais d'Austrasie sous Clotaire II, Dagobert I et Sigebert II. *Ép.* 1° Rotrude ou Chrotrud († 724) ; 2° 741 Swanahilde ou Sonichilde, de la famille des ducs de Bavière] ; maire du palais de Neustrie (741), proclamé roi de France (751), sacré roi de Fr. à Soissons par St Boniface, archevêque de Mayence (5-3-752), puis à St-Denis par le pape Étienne III (*juillet* ? 754). *Ép.* v. 740 Bertrade de Laon, dite Berthe au Grand Pied (726-783), f. du Cte de Laon, Caribert.

768 Charles le Grand, dit **Charlemagne** (742-28-1/814), Aix-la-Chapelle, f. du p. et de Bertrade de Laon. Sacré Patrice des Romains à St-Denis (28-7-754), *Roi de Neustrie, Austrasie* et *Aquitaine occidentale* à Noyon (9-10-768), *Bourgogne, Provence, Septimanie* et *Aquitaine orientale* après la mort de son fr. Carloman Ier (751-71) ; *roi des Lombards* et *patrice de Rome* (7-7-774) ; couronné *empereur gouvernant l'Empire des Romains* le 25-12-800 par le pape Léon III. *Canonisé* 1165. Longtemps considéré comme le roi des Francs Charles Ier (Charles le Chauve étant appelé Charles II, et Charles le Gros, avant Charles III le Simple, n'ayant aucun numéro). Actuellement, on considère *Charlemagne* comme un nom différent de *Charles,* et on appelle Charles le Chauve : Charles Ier. *Ép.* 1° Himiltrude (morganatique) ; 2° 770 Désidérade (?), f. de Didier, roi des Lombards, répudiée 771 ; 3° 771 Hildegarde (758-83), petite-f. du duc d'Alémanie, Godefroy ; 4° 783 Fastrade († 794), f. du Cte de Franconie, Radulf ; 5° av. 796 Liutgarde († 800) ; 6° Madelgarde ; concubines ; 7° Gerswinde ; 8° Regina ; 9° Adelinde ; 10° N.

813 Louis Ier le Débonnaire ou **le Pieux** (778, Chasseneuil/20-6-840, Ingelheim) f. du p. et de Hildegarde. *Ép.* 1° v. 794 Ermengarde († 818) ; 2° v. 819 Judith (v. 805-43), f. du Cte de Bavière, Welft. A la dignité de *roi d'Aquitaine* (778-814), sacré à Rome par Adrien Ier (15-4-781), associé à son père comme *empereur* (813), couronné à Reims (818 ou 816 par le pape Étienne IV), seul 814-833, déposé par ses fils (833), restauré (834). [Si l'on comptait les 3 Clovis mérovingiens (dont le nom est une autre forme de Louis = Hlodovicus), il serait appelé Louis IV, et Louis XIV serait Louis XVII. Longtemps on commença la liste des rois à Charlemagne (actuellement, à Louis le Débonnaire, ce qui fait de Charles le Chauve un Charles Ier)].

A partir de 814, les souverains sont empereurs et rois sans qu'il soit dit de quoi (sauf en Aquitaine : Pépin Ier et II sont rois des Aquitains).

817 Lothaire (795/29-9-855, Prüm), f. du p. et d'Ermengarde, a la dignité de *roi de Bavière* (814), associé à son père *empereur* (817), *roi d'Italie* (820, couronné à Rome (5-4-823), associé (825-829, 830-831), seul emp. (833), démis et simple roi en Italie (834), seul emp. et forcé d'abandonner la Francie de l'Ouest (ou France) dès 840, moine à Prüm (855). *Ép.* 821 Ermengard († 851), f. du Cte d'Alsace.

817 Pépin Ier († 838) a l'Aquitaine dès 814, comme roi 817.

839 Pépin II († après 864) proclamé roi d'Aquitaine 839 contre Ch. le Chauve, reconnu 845-848.

840 Charles II le Chauve (13-6-823, Francfort-s-le Main/6-10-877, Avrieux) f. de Louis le Pieux et de Judith. *Roi d'Aquitaine* (838), en Francie de l'Ouest (840), couronné à Orléans (6-6-848), *Roi de Lorraine* (couronné 869) et *de Bourgogne* (870), *empereur* (875 ou 876 par Jean III, à Rome), *Roi des Lombards* (5-1-877 Pavie). *Ép.* 1° 842 Ermentru († 869) f. du Cte d'Orléans ; 2° 870 Richeut († 877) f. du Cte d'Ardenne, Bivin.

855 Charles l'Enfant († 866).

877 Louis II le Bègue (1-11-846/10-4-879, Compiègne) f. de Charles le Chauve et d'Ermentru. *Roi d'Aquitaine* en 867, couronné à Compiègne (8-12-877) puis à Troyes (17-9-878 par Jean VIII). *Ép.* 1° 862 Ansgarde d'Hiémois († ap. 875), répudiée en 866 ; 2° 870 Adélaïde (Aélis) de Paris († ap. 901).

879 Louis III (864/5-8-882, St-Denis) f. du p. et d'Ansgarde. Sans postérité. Couronné roi avec Carloman à Ferrière-en-Gâtinais (10-4-879), roi de Neustrie et d'Austrasie (880). Ce fut le dernier partage du royaume (879-882).

879 Carloman II (866/12-12-884) f. de Louis II et d'Ansgarde. Sans post. *Roi avec Louis III* d'Aquitaine, de Bourg. et de Septimanie (880-82), *roi de Fr. seul* (882). *Ép.* 878 la f. de Boson, roi de Bourg.

884 Charles II le Gros (839/13-1-888, Neidingen) f. de Louis II le Germanique (v. 806-76, 3e f. de Louis Ier le Débonnaire, roi de Germanie et d'Ermengarde) et d'Emma. *Roi de Souabe* (876-87), *d'Italie* (879, couronné, janv. 880), *empereur* (880-87, couronné à Rome 12-2-881), *roi de France* au détriment de Charles le Simple (12-12-884) ; déposé en 887 (11-11). *Ép.* 862 Ste Richarde, dont il eut Carloman († 876).

---

888 Eudes (864/mai 998) non carolingien, voir ci-dessous, Capétiens.

---

898 Charles III le Simple (c'est-à-dire le Loyal) (17-9-879/7-10-929, Péronne) f. posth. de Louis II le Bègue et d'Adélaïde. *Roi avec Eudes* (893-98, couronné à Reims 18-1-893), *puis seul* [reprend en 911 (extinction des Carolingiens de l'Est) le titre : rex Francorum, abandonné depuis 814], déposé (923-927), roi (927), renonce (928). *Ép.* 1° 907 Frédérune (Frérone) († 916/17) ; 2° 919 Edvige d'Angleterre (896-951) f. du roi Édouard 1er d'Angleterre.

A partir de 911, lorsque disparaît Louis IV l'Enfant, dernier Carolingien de la Francie de l'Est ou Germanie, qui ne portait que le simple titre de roi, le titre de roi des Francs sera parfois repris en Germanie, puis disparaîtra avec Henri IV (1056-1106) ; le roi de la Francie de l'Ouest ou France, assume le titre de roi des Francs.

---

922 Robert Ier (866-923) non carolingien, voir ci-dessous, Capétiens.

923 Raoul duc de Bourgogne († 936) non carolingien, voir ci-dessous, Capétiens.

---

936 Louis IV d'Outremer (921, G.-B./10-9-954, Reims) f. de Charles III et d'Edvige ; couronné à Laon (19-6-936). *Ép.* 939 Gerberge de Saxe [(913/14-984, f. d'Henri l'Oiseleur († 968)].

954 Lothaire (941, Laon/2-3-986, Compiègne) f. du p. et de Gerberge, associé à son père (952) ; sacré à Reims (12-11-954). *Ép.* 966 Emma († 988) f. de Lothaire II, roi d'Italie.

986 Louis V le Fainéant [1] (v. 967/21-5-987) f. du p. et d'Emma ; associé à son père (978) ; couronné à Compiègne (8-6-979). *Ép.* 982 Adélaïde d'Anjou, veuve d'Étienne Ier, Cte de Gévaudan († v. 1010). Sans postérité.

Nota. – (1) Surnom donné sous le règne des Capétiens, mais ne correspondant à rien.

LES CAPÉTIENS

■ **Origine du nom.** *Capet :* surnom [dû sans doute à la *cappa* (demi-manteau de Saint-Martin), déjà relique d'État sous les Mérovingiens et les Carolingiens], donné par les chroniqueurs du début du XIe s., à Hugues Ier le Grand († 956), à son fils le roi Hugues II Capet († 996) et au roi Hugues III le Grand († 1026, avant Robert II le Pieux, dont il était le fils aîné). Vers 1200, on parla de Capétiens, mais ce ne fut jamais une appellation officielle. Le roi, ses enfants, ceux du dauphin et ceux du fils aîné du dauphin sont « *de France* », seul nom de famille possible pour celui qui a contracté un « mariage saint et politique » avec la couronne, le royaume et la nation. Louis XIV instaura officiellement dans certains textes le terme de « *Maison de Bourbon* » (1er texte : traité de Montmartre du 6-2-1662).

■ **Ancienneté.** Jusqu'en 1958, on ne faisait pas remonter la généalogie des Capétiens plus haut que Robert le Fort, père d'Eudes, roi de Fr. de 888 à 898. On connaît aujourd'hui ses ancêtres : ce sont les Ctes de Wormsgau et Oberrheingau, qui étaient certainement alliés aux Carolingiens par les femmes, et qui étaient très probablement des Mérovingiens d'une branche cadette. Leur liste a paru après l'analyse du cartulaire de l'abbaye St-Nazaire de Lorsch (près de Worms), fondée vers 764 par Williswinte, veuve d'un Pce robertien. **Ascendance : Lambert,** référendaire de Dagobert Ier, roi de Neustrie, vivant le 8-4-630. **Robert,** s. f., maire du palais de Clovis II, chancelier de Clotaire III entre 639 et 675. **Lambert,** s. f. (dates inconnues). **Robert Ier,** s. f., duc en Hesbaye (Liège) mort v. 764. **Turimbert,** s. f. (d. inconnues). **Robert II,** s. f. (d. inconnues). **Robert III,** s. f., administrateur royal à Hornbach († v. 834). **Robert le Fort.** (v. 800-66), Cte d'Angers et de Tours, abbé laïc de Marmoutier.

■ **Rois frères.** Les 3 branches des Capétiens qui ont régné en Fr. ont fini par le règne successif de 3 frères : *de 1314 à 1328,* les 3 derniers Capétiens directs (Louis X, Philippe V, Charles IV) ; *de 1559 à 1589,* les 3 derniers Valois (François II, Charles IX, Henri III) ; *de 1774 à 1830,* les 3 derniers Bourbons (Louis XVI, Louis XVIII, Charles X).

■ ROIS ROBERTIENS ANTÉRIEURS À HUGUES CAPET

888 Eudes (v. 860-98) f. de Robert le Fort. *Épouse* v. 882 Théoderade (Thierrée) (de la famille des Ctes de Troyes), dont 1 fils Guy (cité 903) ; Cte de Paris 882 ; reconnu r. des Francs par l'emp. Arnulf 889. Couronné à Reims, quelques mois après avoir été sacré et couronné à Compiègne. Eudes, qui semble avoir été l'homme de confiance de Charles le Gros pour le royaume occidental, fut naturellement élu après la mort de l'emp. et reconnu par le roi (puis emp.) Arnoul, seul Carolingien adulte à être alors sur un trône. Charles III le Simple ayant été couronné et sacré en 893, un arrangement eut lieu avec Eudes (897), les 2 élections étant considérées légitimes.

922 Robert Ier (866-923 à la bat. de Soissons) frère d'Eudes et 2e f. de Robert le Fort ; élu roi. *Ép.* 1° N... 2° apr. 893 Béatrice de Vermandois. Reconnu par le pape Jean X et Henri Ier l'Oiseleur de la Maison de Saxe, roi de la Fr. orientale, ou Germanie.

923 Raoul duc de Bourgogne († 936) f. de Richard Cte d'Autun, puis duc de Bourg. ; élu roi, sacré le 13-7 à Soissons. *Ép.* Emma († 934), f. de Robert Ier et de Béatrice de Vermandois. *Roi avec Charles le Simple jusqu'en* 929, *puis gouverne seul.* Reconnu par Henri Ier l'Oiseleur et le roi de Bourg. Raoul (Rodolphe II). Bénéficiant de l'appui de l'Église de Reims, de la bienveillance de l'emp. (Hugues II était gendre d'Henri Ier et beau-fr. d'Otton Ier) et du titre de duc des Francs (autrefois porté par les Pippinides avant d'être rois), Hugues II, petit-f. de Robert Ier, était en 987 le seul « prince » (chef d'une Neustrie ou « France ») capable d'être élu à la mort de Louis V.

■ CAPÉTIENS DIRECTS

987 Hugues Capet (v. 941, Paris ?-96) f. d'Hugues le Grand [† 956, f. de Robert Ier et beau-f. de Raoul, surnommé le *faiseur de rois* car il laissa 2 fois la couronne à des Carolingiens] et d'Hathude ou Hedwige (f. de Henri l'oiseleur, roi de Germanie, Cte de Paris, duc de Fr. (956), suzerain d'Aquitaine et de Bourgogne (956), élu roi à Noyon (1-7-987), sacré à Noyon ou à Reims (3-7-987). *Ép.* 963-68 Adélaïde (Aélis) d'Aquitaine ou de Poitiers (v. 945-1006) f. de Guillaume III (dit Tête-d'Étoupes) duc d'Aquitaine, descendante de Charlemagne.

987 Robert II le Pieux (v. 970, Orléans/juillet 1031) f. du p. et d'Adélaïde ; d'abord duc de Bourgogne, associé au trône et sacré à Orléans (v. 987), roi (23, 24 ou 25-10-996). *Ép.* 1° 988 Suzanne ou Rosala de Provence répudiée en 992 (950/60/7-2-1003) f. de Bérenger, roi d'Italie, veuve d'Arnoul II, dit le Jeune, Cte de Flandre ; 2° 996 Berthe de Bourgogne (v. 964), rép. 998, f. de Conrad le Pacifique, duc de Bourgogne et de Mathilde de France (f. de Louis IV), veuve (995) de Eude, Cte de Chartres, Tours et Blois ; 3° v. 1002 Constance d'Arles († juil. 1032, Melun) f. de Guillaume Ier, Cte d'Arles.

1017 Hugues le Grand (1007/17-9-1025) f. du p. et de Constance d'Arles ; associé au trône à St-Corneille de Compiègne (19-6-1017).

1026 Henri Ier (1008/4-8-1060, Vitry près d'Orléans) f. de Robert II et de Constance d'Arles ; duc de Bourgogne (v. 1017), associé et sacré à Reims (?) (1027), roi (juil. 1031). *Ép.* 1° Fiancé à Mathilde († 1034) f. de Conrad le Salique, roi de Germanie, qui mourut avant d'arriver en France ; 2° Mathilde († v. 1044), nièce de Henri II, emp. d'Allemagne ; 3° 1049 (14-5) Anne de Russie (v. 1024-v. 1075) f. de Jaroslaw Wladimirowitch, grand-duc de Russie et d'Ingegerd de Norvège (remariée après 1060 avec Raoul de Péronne, Cte de Crépy et de Valois ; *régente* de 1052 à 1065).

1059 Philippe Ier (1052/entre 29 et 31-7-1108, château de Melun), f. du p. et d'Anne de Russie ; associé et sacré à Reims (23-5-1059), roi sous la régence de Baudouin V, Cte de Flandre, qui dura 7 ans (4-8-1060). *Ép.* 1° 1071 Berthe de Hollande (v. 1055-94), f. de Florent Ier, Cte de Hollande, répudiée 1091. 2° 1092 (15-5) Bertrade de Montfort (sacrée 1097). Nommé Philippe en souvenir de Philippe de Macédoine dont sa mère prétendait descendre.

1100 Louis VI le Gros (v. 1081/1-8-1137, Paris) f. du p. et de Berthe de Hollande ; d'abord Cte de Vexin et Cte de Vermandois, associé (v. le 25-12-1101), roi (entre 29 et 31-7-1108), sacré à Orléans par l'archevêque de Sens (3-8-1108). *Ép.* 1° 1104 Lucienne de Rochefort, f. de Gui le Rouge, Cte de Rochefort, rép. 1107 (23-5) ; 2° 1115 Alix (Aélis) de Savoie ou de Maurienne († 1154), f. de Humbert II, Cte de Maurienne, remariée avec Mathieu de Montmorency, connétable.

1129 Philippe (29-8-1116/13-10-1131, Paris) f. du p. et d'Alix de Savoie ; associé et couronné à Reims (14-4-1129).

1131 Louis VII le Jeune (v. 1120/18-9-1180, Paris) fr. du p. ; associé et sacré à Reims (25-10-1131), roi (1-8-1137), sacré duc d'Aquitaine à Poitiers (8-8-1137), sacré roi de Fr. à Bourges (25-12-1137), sacré avec Constance à Orléans (1154). *Ép.* 1° 1137 Éléonore d'Aquitaine ou de Guyenne (1122, Berlin/31-3-1204) f. de Guillaume X, dernier duc d'Aquitaine, sacrée Desse d'Aquitaine (8-8-1137), répudiée (18-3-1152) pour inconduite, remariée (1152) avec Henri Plantagenêt (1133-99), Cte d'Anjou et duc de Normandie, puis roi d'Angl. sous le nom de Henri II ; 2° 1154 Constance de Castille († 4-10-1160) f. d'Alphonse VII, roi de Castille ; 3° 1160 (30-11) Adèle (Aelis) de Champagne (v. 1140/4-6-1206, Paris) f. de Thibaut IV, Cte de Champagne. (1147-50 *Suger, régent* pendant la croisade.)

1179 Philippe II Auguste (août 1165, Gonesse/14-7-1223, Mantes) f. du p. et d'Adèle de Champagne ; associé et sacré à Reims (1-11-1179), roi (18-9-1180). *Ép.* 1° 1180 (28-4) Isabelle de Hainaut ou de Flandre (1170/15-3-1190, Paris) f. de Baudouin V, Cte de Hainaut et de Flandre, couronnée à St-Denis (29-5-1180) ; 2° 1193 (14-8) Ingeburge ou Isambour de Danemark (1175/29-7-1236, Essonnes) f. de Valdemar le Grand, roi de Danemark, sacrée par l'archevêque de Reims (15-8-1193), répudiée (5-11-1193), reprise officiellement (mais emprisonnée) en 1201, reprise effectivement en 1212 ; 3° 1196 Agnès ou Marie de Méranie († 1201) f. de Berthold, duc de Méranie, répudiée 1200 et morte de chagrin.

1223 Louis VIII le Lion (3 ou 5-9-1187, Paris/8-11-1226, château de Montpensier) f. du p. et d'Isabelle de Hainaut ; roi d'Angleterre (1216), roi de Fr. (14-7-1223), sacré à Reims (6-8-1223). *Ép.* 1200 *Blanche de Castille* (av. 4-3-1188, Palencia/26 ou 27-11-1252, Paris), sacrée et couronnée à Reims (6-8-1223), *régente* 1226-36 et 1248-52 (7e crois.). Louis VIII est le *1er roi capétien qui n'ait pas été associé à la couronne du vivant de son prédécesseur.*

1226 Louis IX (St Louis) (25-4-1214, Poissy/25-8-1270, Tunis) f. des p. ; roi sous la tutelle de sa mère (8-11-1226), sacré à Reims (29-11-1226), déclaré majeur (25-4-1236). Canonisé par le pape Boniface (11-8-1297). *Ép.* 1234 (27-5) Marguerite de Provence (1221/21-12-1295) f. de Raymond-Bérenger IV, Cte de Provence.

1270 Philippe III le Hardi (1-5-1245, Poissy/5-10-1285, Perpignan) f. des p. ; roi (25-8-1270), sacré à Reims (1271). *Ép.* 1° 1262 (28-5) Isabelle d'Aragon (1243/28-1-1271) f. de Jacques Ier, roi d'Aragon ; 2° 1274 (21-8) Marie de Brabant (v. 1260/10-1-1321) f. de Henri III, le Débonnaire, duc de Brabant, couronnée (24-6-1275) à la Ste-Chapelle de Paris.

1285 Philippe IV le Bel (1268, Fontainebleau/29-11-1314, idem) f. du p. et d'Isabelle d'Aragon ; roi (5-10-1285), sacré à Reims (6-1-1286). *Ép.* 1284 (16-8) Jeanne de Navarre (1271/2-4-1304, château de Vincennes) f. et héritière de Henri Ier, roi de Navarre, Cte de Champagne et de Brie. *1er roi de Fr. à porter également le titre de roi de Navarre* (la loi salique n'existant pas en Navarre).

1314 Louis X le Hutin (de *hustin :* bruit, querelle) (4-10-1289, Paris/5-6-1316, château de Vincennes) 1er f. des p. ; d'abord roi de Navarre, Cte de Champagne et de Brie, sacré roi de Navarre à Pampelune (1307), roi de Fr. (29-11-1314), sacré à Reims (24-8-1315). *Ép.* 1° 1305 (21 ou 23-9) Marguerite de Bourgogne (1290-avril 1315) f. de Robert II, duc de Bourgogne et d'Agnès de France, f. de Louis IX ; 2° 1315 (19-8) Clémence d'Anjou et de Hongrie (1293/13-10-1328) f. de Charles Ier, roi de Hongrie, sacrée à Reims (24-8-1315). *Roi de Fr. et de Nav.* On a prétendu qu'il avait été assassiné par sa tante Mahaut d'Artois, ou qu'il y aurait eu substitution avec l'enfant de sa nourrice né le même jour. Lui serait réapparu à Sienne en 1356 sous le nom de Giannino Baglioni ; reconnu par le roi Louis Ier de Hongrie qui lui donne une armée ; il est arrêté en Provence et meurt en 1363.

1316 Jean Ier (14-11-1316/19 ou 20-11-1316) f. du p. et de Clémence de Hongrie, né posthume 5 mois après la mort de son père, il vécut et régna 6 à 7 j. sous la régence de Philippe Cte de Poitiers, futur Philippe V. Sans post. *Roi de France et de Navarre.*

1316 Philippe V le Long (1294/3-1-1322, Longchamp) 2e f. de Philippe IV le Bel (1268-1314) et de Jeanne de Navarre ; d'abord Cte de Poitou, régent (16-7-1316), roi (19 ou 20-11-1316), sacré à Reims (9-1-1317). *Ép.* 1307 (janv.) Jeanne de Bourgogne (1294/21-1-1329) f. d'Othon V, Cte de Bourgogne et de Mahaut, Ctesse d'Artois, dont il eut 4 filles. *Roi de France et de Navarre.* Il fut le 1er pour qui fut invoqué le principe de masculinité, appelé en 1358 *loi salique.* En fait, Jeanne, demi-sœur de Jean Ier (fille de Louis X et de Marguerite de Bourg.), avait été exclue car elle passait pour adultérine.

1322 Charles IV le Bel (1294/1-2-1328, château de Vincennes) 3e f. de Philippe IV le Bel et de Jeanne de Navarre ; d'abord Cte de la Marche, roi (3-1-1322), sacré à Reims (11-2-1322). *Ép.* 1° 1307 Blanche de Bourgogne (1296/avril 1326), f. d'Othon IV, Cte de Bourgogne, et de Mahaut d'Artois, rép. en 1322, 2 enf., Philippe (n. 1314, mort jeune), Jeanne (n. 1315, morte jeune), 2° 1322 (21-9) Marie de Luxembourg (1304-24), f. de l'emp. Henri VII, 1 enf., Louis (n. 25-3-1324, mort en bas âge, sa naissance provoqua la mort de sa mère) ; 3° 1325 (5-7) Jeanne d'Évreux (1310/4-3-1371, Brie-Comte-Robert), f. de Louis, Cte d'Évreux, 3 enf. : Jeanne (n. 1326, morte en bas âge), Marie (n. 1327, morte jeune), Blanche (n. posthume 1328, qui épousera Philippe comte de Valois, et Beaumont duc d'Orléans). *Roi de France et de Navarre.* La *Navarre* n'étant pas régie par la loi salique, la couronne de *N.* revint en 1328, à sa mort, à Jeanne (1312-42), f. du roi Louis X et de Marguerite de Bourgogne, qui ép. en 1329 Philippe (1301-43) Cte d'Évreux qui devint roi de *N.* (Phil. V et Charles IV s'étaient dits rois de *N.* comme tuteurs de leur nièce Jeanne).

Valois

1328 Philippe VI de Valois (1293/22-8-1350, Nogent-le-Roi) f. de Charles de France [(1270-1325) 3e f. de Philippe III le Hardi et d'Isabelle d'Aragon, il était *Cte de Valois, d'Anjou, d'Alençon, de Chartres et du Perche, roi titulaire d'Aragon et de Valence, Cte de Barcelone* (1284-95) par investiture du pape, *empereur titulaire de Constantinople* par son mariage (1301) avec Cath. de *Courtenay,* seule fille, héritière de Philippe de Courtenay, emp. de Const.] et de Marguerite d'Anjou et de Sicile († 1299). *Régent à la mort de Charles IV,* la reine Jeanne étant enceinte, il devient roi à la naissance de l'enfant (une fille, Blanche, qui épousa un f. de Phil. VI). Sacré à Reims (29-5-1328). *Ép.* 1° 1313 (juillet) Jeanne de Bourgogne (1293-1348) f. de Robert II, duc de Bourgogne ; 2° 1349 (29-1) Blanche de Navarre (1330-98) f. de Philippe III, roi de Navarre, qui avait 35 ans de moins que lui.

1350 Jean II le Bon (26-4-1319, près du Mans/8-4-1364, Londres) f. du p. et de Jeanne de Bourgogne. D'abord duc de Normandie ; régent en 1332 ; sacré à Reims (26-9-1350). *Ép.* 1° 1332 (23-7) Bonne de Bohême (1315-49) f. de Jean de Luxembourg, roi de Bohême (morte avant l'avènement de son mari, elle n'eut jamais le titre de reine) 2° 1350 (19-2) Jeanne d'Auvergne (1326-60) f. de Guillaume XII, Cte d'Auvergne, veuve (1345) de Philippe de Bourgogne Cte de Nevers.

1364 Charles V le Sage (21-1-1338, Vincennes/16-9-1380, château de Beauté, près de Vincennes) f. du p. et de Bonne de Luxembourg. D'abord duc de Normandie. *1er fils aîné du roi à porter le titre de dauphin du Viennois.* Ce titre appartenait à Humbert II de La Tour du Pin, qui le vendit au roi Philippe VI avec ses États, en spécifiant que tous les fils aînés de France seraient, en naissant, dauphins du Viennois et posséderaient le Dauphiné. Le roi donna ce titre (1349) à Charles son petit-f. Lieutenant-général du royaume (1356) ; régent (1358) ; sacré à Reims (19-5-1364). *Ép.* 1350 (8-4) Jeanne de Bourbon (1338-77) f. de Pierre I, duc de Bourbon.

1380 Charles VI le Bien-Aimé ou le Fol (3-12-1368, Paris/21-10-1422) f. des p. 1380-89, *régence* de ses oncles. ; sacré à Reims (4-11-1380). *Ép.* 1385 (17-7) Isabeau de Bavière (1371-1435) f. d'Étienne III, duc de Bavière-Ingolstadt.

Branches cadettes de la Maison de Valois

Branche d'Alençon. Issue de Charles de France, Cte de Valois (1270-1325). Philippe III, son père, lui donna le comté d'Alençon en 1284. Lui succédèrent 7 comtes, puis ducs, sur 6 générations : Charles II de Valois 2e f. de Charles, de 1325 à 1346 (tué à Crécy) ; ses fils, Charles III qui devint dominicain et archevêque de Lyon, et Pierre II († 1404) ; Jean Ier, duc en 1404 († à Azincourt 1415) ; Jean II († 1476) ; René († 1492) ; Charles IV, dernier duc († 1525), beau-frère du roi François Ier du fait de son mariage avec Marguerite d'Angoulême.

Branche d'Anjou. Issue du 2e fils de Jean le Bon, Louis (1339-1384), qui reçut le comté d'Anjou en apanage en 1356 (transformé en duché-pairie en 1360) et hérita du roy. de Naples et du comté de Provence. 3 ducs lui succédèrent : son fils Louis II, de 1384 à 1417 ; les fils de Louis II, Louis III de 1417 à 1434, et René (amateur d'art) de 1434 à 1480. Ils tentèrent de faire valoir leurs droits à Naples mais ne purent s'y maintenir. René par sa femme devint duc de Lorraine mais dut abandonner son duché. De Charles, frère de René, sortit la branche des *Ctes du Maine* éteinte en 1481.

Branche de Bourgogne. Issue du 4e fils de Jean II le Bon, Philippe le Hardi (1342-1404), auquel la Bourgogne fut donnée en apanage en 1363. 3 ducs lui succédèrent, de père en fils : Jean sans Peur de 1404 à 1419 (assassiné à Montereau) ; Philippe le Bon de 1419 à 1467 ; Charles le Téméraire de 1467 à 1477 (tué devant Nancy). De Philippe le Hardi sortit la branche cadette des *Ctes de Nevers* éteinte en 1491.

1422 Charles VII le Victorieux (22-2-1403, Paris/22-7-1461, Mehun-s/Yèvre) f. des p. (Henri V d'Angl. le disait f. de Louis, duc d'Orléans). D'abord Cte de Ponthieu, puis duc de Touraine et de Berry ; dauphin (1417) ; régent (24-6-1418), roi (22-10-1422) ; couronné à Poitiers (1422) ; sacré à Reims (17-7-1429). *Ép.* 1422 (2-6) Marie d'Anjou (1404-63) f. de Louis II, duc d'Anjou, roi de Naples et de Sicile.

1461 Louis XI le Prudent (3-7-1423, Bourges/30-8-1483, Plessis-lès-Tours) f. des p. Né dauphin ; sacré à Reims (15-8-1461). *Ép.* 1° 1436 (24-6) Marguerite d'Écosse (1418-45) f. de Jacques Ier, roi d'Écosse ; 2° 1451 (9-3) Charlotte de Savoie (1445-83) f. de Louis, duc de Savoie.

1483 Charles VIII l'Affable (30-6-1470, Amboise/7-4-1498, Amboise) f. du p. et de Charlotte de Savoie (fut *roi de Sicile et de Jérusalem :* conquête de Naples 1495). Né dauphin (on a dit qu'il y avait eu substitution d'enfant : à une fille mourante, on aurait substitué la f. d'une maîtresse de L. XI ou d'un boulanger) ; sacré à Reims (30-5-1484) ; sous la tutelle de sa sœur Anne de Beaujeu (1461-1522), jusqu'à son 2e mariage (6-12-1491). *Ép.* 1° 1483 Marguerite d'Autriche (1480-1530), f. de l'empereur Maximilien (nommée Madame la Dauphine), élevée à la cour de Fr., mariage annulé ; 2° 1491 Anne (1476-1514) (1,43 m), Desse de Bretagne, Ctesse de Montfort (l'Amaury) et d'Étampes, Capétienne, f. de François II, duc de Bretagne.

Valois-Orléans

Les enfants de Charles VIII étant morts en bas âge, la couronne revient aux Valois-Orléans en raison de leur filiation : *Louis de France* (1371-1407), duc de Touraine (1386) puis d'Orléans (1392), 3e fils de Charles V et de Jeanne de Bourbon. *Ép.* (1389) Valentine Visconti (1370-1408), f. de Jean Galéas Visconti, duc de Milan, et d'Isabelle de France, f. de Jean II le Bon → *Charles Ier d'Orléans,* le poète (1391-1464), duc d'Orléans, duc de Milan, qui *ép.* 1° 1406 Isabelle de France (1389-1409), f. du roi Charles VI et d'Isabeau de Bavière ; 2° 1410 Bonne d'Armagnac (1399-1419) ; 3° 1440 Marie de Clèves (1426-87), dont → :

1498 Louis XII, le père du peuple (27-6-1462, Blois/1-1-1515, Paris) *(roi de Naples et de Jérusalem, duc de Milan)* ; duc d'Orléans (1465) ; sacré à Reims (27-5-1498). *Ép.* 1° 1476 (8-9) *Jeanne de France* (1464-1505) f. de Louis XI, mariage annulé 1498 (béatifiée 1742, canonisée 1950) ; 2° 1499 (8-1) *Anne* (1476-1514), *Desse de Bretagne* et veuve de Charles VIII (elle avait 14 ans de plus que lui mais ce mariage permettait de garder la Bretagne) ; 3° 1514 (9-10) *Marie d'Angleterre* (1496-1533) f. d'Henri VII, roi d'Angleterre.

Favorites royales et leurs enfants

☞ bât. : bâtard(e). lég. : légitimé(e).

Charles VI. Odette de Champdivers (v. 1384-v. 1424) : *Marguerite de Valois* dite « la petite reine », demoiselle de Belleville (v. 1407-58), 1427 légitimée, 1428 ép. Jean III de Harpédienne, seigneur de Montagu, postérité jusqu'en 1587.

Charles VII. Agnès Sorel (v. 1422-49), dame de Beauté (château de Beauté-sur-Marne) : *Charlotte de Valois,* bâtarde de Fr. (1434-77), 1462 ép. Jacques de Brézé, Cte de Maulévrier, M^al^ et grand-sénéchal de Normandie, qui assassina sa femme surprise en flagrant délit d'adultère ; *Marguerite de Valois,* bât. de Fr. (1436-av. 73), 1458 ép. Olivier de Coëtivy, sénéchal de Guyenne, dont post. ; *Jeanne de Valois,* bât. de Fr. (1439-apr. 67), ép. Antoine de Bueil, Cte de Sancerre, amiral, dont post. Antoinette de Maignelai, dame de Villequier (v. 1430-apr. 1461).

Louis XI. Marguerite de Sassenage, dame de Beaumont (v. 1449-71) : *Jeanne,* bât. de Fr., dame de Mirebeau (v. 1446-56/1519), 1466 lég., 1466 ép. Louis, bât. de Bourbon, Cte de Roussillon, amiral, dont post. ; *Marie,* bât. de Fr. (v. 1449-51/69), 1467 lég., 1467 ép. Aymar de Poitiers, dont post. ; *Isabeau,* bât. de Fr., ép. Louis de Saint-Priest, dont postérité. Guyette (n. 1446), (fille de Phélix Regnard), 1460 ép. Charles de Sillons.

François Ier. D'une grande dame inconnue : *Nicolas d'Estouteville,* sire de Villeconnin (v. 1545-1570). Françoise de Foix, Ctesse de Châteaubriand (1495-1537). Anne de Pisseleu, D^esse^ d'Étampes (1508-80). La « Belle Féronnière » (femme de l'avocat Jean Féron).

Henri II. Mary Fleming (v. 1520-apr. 53) : *Henri,* bât. d'Angoulême (1551-86), grand prieur de Fr., gouverneur de Provence, amiral. Filippa Duco (v. 1520-?) : *Diane de Fr.* (1538-1619), 1548 lég., 1563 D^esse^ de Châtellerault, 1576 d'Étampes, puis 1582 d'Angoulême, sans post., 1553 ép. Horace Farnèse, duc de Castro († 1554), 1557 ép. François, duc de Montmorency, M^al^ de Fr. Nicole de Savigny (1535-90) : *Henri de Saint-Rémy,* bâtard de Valois, baron de Fontette (1557-1621), dont post. [notamment Jeanne de La Motte-Valois (voir p. 645 a, affaire du collier)]. Diane de Poitiers, D^esse^ de Valentinois (1499-1566).

Charles IX. Marie Touchet (1549-1638) [(anagramme : je charme tout), dame de Belleville, épousa le 20-10-1578 François de Balzac d'Entragues, dont elle eut 2 filles : Catherine-Henriette (maîtresse de Henri IV, devint D^esse^ de Verneuil) ; Marie (vécut 10 ans avec Bassompierre).] *Charles,* bât. de Valois (1573-1650), 1619 duc d'Angoulême, 1591 ép. Charlotte de Montmorency, Ctesse de Fleix († 1636), dont post., puis 1644 Françoise de Narbonne (1621-1713), sans postérité.

Henri IV. Diane d'Andouins (1554-1620) : la « Belle Corisande », 1580 Ctesse de Guiche. Françoise de Montmorency, B^onne^ de Fosseux, dite de la « Fosseuse » (n. 1564), fille du Bon de Fosseux, ép. François de Broc, Bon de Cinq-Mars, 1 enf. Gabrielle d'Estrées, M^ise^ de Monceau (1573-99), 1595 D^esse^ de Beaufort, 1595 de Verneuil ; 1591 ép. Nicolas d'Amerval, seigneur de Liancourt (séparés 1594) : *Catherine-Henriette,* bât. de Bourbon, Mlle de Vendôme (1596-1663), 1597 lég., 1619 ép. Charles II de Lorraine, duc d'Elbeuf (1596-1657) ; *César,* bât. de Bourbon, duc de Vendôme (1594-1665), 1595 lég., parmi ses enfants : François de Vendôme, duc de Beaufort, dit le « Roi des Halles » (1616-69) ; Alexandre de Bourbon, chevalier de Vendôme, grand-prieur de Fr. (1598-1629), 1599 lég. Catherine-Henriette de Balzac d'Entragues (1579-1633), 1599 M^ise^ de Verneuil, fille de Marie Touchet (maîtresse de Charles IX) : *Henri de Bourbon,* duc de Verneuil (1601-82), 1603 lég., évêque de Metz, gouverneur du Languedoc, sans post. ; *Gabrielle-Angélique,* bât. de Bourbon, Mlle de Verneuil (1603-27), lég., 1622 ép. Bernard de La Valette, duc d'Épernon, d'où post. Jacqueline de Bueil (v. 1580-1651), 1604 Ctesse de Moret, 1604 ép. Philippe de Harlay, Cte de Césy (rompu 1607), 1617 René du Bec, Mis de Vardès : *Antoine de Bourbon,* Cte de Moret (1607-1703), 1608 lég., abbé, sans post. Charlotte des Essarts (v. 1588-1651), Ctesse de Romorantin, « Mlle de La Haye », 1630 ép. François de L'Hospital, M^al^ de Fr. : *Jeanne-Baptiste de Bourbon* (av. 1608-1670), 1608 lég., abbesse de Fontevrault ; *Marie-Henriette de Bourbon* (v. 1608-29), abbesse de Chelles.

Louis XIII. Louise de La Fayette (v. 1616-65).

Louis XIV. Louise-Françoise de La Baume Le Blanc (1644-1710), 1667 D^esse^ de La Vallière et de Vaujours : *Charles de Bourbon* (1663-† jeune) ; *Philippe de Bourbon* (1665-† jeune) ; *Louis de Bourbon* (1665-66) ; *N...* († jeune) ; *Marie-Anne de Bourbon,* bât. de Fr., Mlle de Blois (1666-1739), 1667 lég., D^esse^ de La Vallière, 1680 ép. Louis-Arnaud de B., P^ce^ de Conti (1661-85), sans postérité ; *Louis de Bourbon,* bât. de Fr., Cte de Vermandois (1667-83), amiral, 1669 lég. Françoise-Athénaïs de Rochechouart de Mortemart, M^ise^ de Montespan (1641-1707), 1663 ép. Henri-Louis de Pardaillan de Gondrin, Mis de Montespan (séparée 1674) : *un garçon* (1669-† jeune) ; *une fille* (1669-72) ; *Louis-Auguste de Bourbon,* bât. de Fr. (1670-1736), 1673 duc du Maine et lég., 1692 ép. Anne-Louise-Bénédicte de Bourbon, Mlle de Charolais (1676-1753), fille de Henri-Jules de B., P^ce^ de Condé ; *Louis-César de Bourbon,* bât. de Fr. (1672-83), 1673 Cte de Vexin et lég., abbé de St-Denis et St-Germain-des-Prés ; *Louise-Françoise de Bourbon,* bât. de Fr., Mlle de Nantes (1673-1743), 1673 lég., 1685 ép. Louis III, duc de Bourbon, P^ce^ de Condé (1668-1710), dont post. ; *Louise-Marie-Anne de Bourbon,* bât. de Fr., Mlle de Tours (1674-81), 1676 lég. ; *Françoise-Marie de Bourbon,* bât. de Fr., Mlle de Blois (1677-1749), 1681 lég., 1692 ép. Philippe II d'Orléans, duc de Chartres, puis d'Orléans, régent de Fr., dont postérité ; *Louis-Alexandre de Bourbon,* bât. de Fr., Cte de Toulouse (1678-1737), 1681 lég., amiral, Gr. gouverneur de Fr., gouv. de Guyenne et Bretagne, 1723 ép. Marie-Victoire-Sophie de Noailles (1688-1766). Claude de Vim des Œillets (v. 1637-87) : *Louise de Maisonblanche* (1676-1718), 1696 ép. Bernard des Prés, seigneur et B^on^ de La Queue. Marie-Angélique de Scoraille de Roussille (1661-81), D^esse^ de Fontanges : *un fils* (1681-81). Françoise d'Aubigné, M^ise^ de Maintenon, veuve Scarron (1635-1719) (épousée en 2es noces).

Louis de France, Grand Dauphin (1661-1711). Marie-Émilie de Choin (1670-1732), maîtresse dep. 1690 (veuvage du Dauphin), épouse morganatique 1695.

Philippe II d'Orléans, le Régent. Léonore : *une fille* (v. 1688), ép. M. de Charencey. Mlle de Florence (actrice) : *Charles de Saint-Albin,* bât. d'Orléans, dit l'abbé de Saint-Albin (1698-1764), 1706 lég., év. de Rouen puis archevêque de Cambrai. Marie-Louise-Madeleine-Victorine le Bel de la Boissière de Séry, Ctesse d'Argenton (v. 1680-1748 ; ép. 1713 le chevalier de Forbin d'Oppède) : *Jean-Philippe,* chevalier d'Orléans (1702-48), 1706 lég., grand prieur de Fr. Charlotte Desmares (tragédienne, 1683-1753) : *Philippe-Angélique de Froissy* (v. 1702-85), 1718 ép. Henri-François, Cte de Ségur. Mlle d'Arancour, D^esse^ de Phalaris.

Louis XV. 4 sœurs : Louise de Mailly Nesle, Ctesse de Mailly (1710-51). Félicité de Mailly, Ctesse de Vintimille (1712-41), 1739 ép. J.-B., Cte de Vintimille : *Charles-Emmanuel de Vintimille du Luc,* dit le Demi-Louis (car il ressemblait beaucoup à Louis XV) (1741-1814), Mis du Luc, dont postérité Diane-Adélaïde de Mailly Nesle, D^esse^ de Lauraguais (1713-60). Marie-Anne de Mailly Nesle, M^ise^ de La Tournelle, D^esse^ de Châteauroux (1717-44). Antoinette le Normant d'Étioles, née Poisson, M^ise^ de Pompadour (1721-64) [mère d'Alexandrine Le Normant d'Étioles (1744-54), née de son mariage légitime, élevée en princesse et anoblie (Mlle de Crécy), fiancée au duc de Picquigny]. Anne Bécu dite Jeanne de Vaubernier, Ctesse du Barry (1743-guillotinée 8-12-1793). Marie-Louise O'Murphy, Mlle de Morphise (1737-1815) : *Agathe-Louise de Saint-Antoine de Saint-André* (1754-74), ép. 1773 René-Jean-Mars de La Tour-du-Pin, Mis de la Charce. Françoise de Châlus, D^esse^ de Narbonne-Lara (1734-1821), ép. J.-F., duc de Narbonne († 1806) : *Louis,* Cte de Narbonne-Lara, (1755-1813) dont postérité. Marguerite-Catherine Haynault (1736-1823), 1766 ép. Blaise, Mis de Montmélas : *2 filles : Agnès-Louise de Montreuil* (bapt. 1760-1837), 1778 ép. Gaspar, Cte de Montmélas, dont postérité ; *Anne-Louise de La Réale* (1762-1831), ép. 1780 Cte de Geslin. Lucie-Madeleine d'Estaing (1726-1807, ép. 1768 François, Cte de Boysseulh) : *Agnès* (1761-1822), ép. 1777 ép. Vte Charles II de Boysseulh, dont post. Anne Couffier de Romans (1737-1808, ép. 1772 Gabriel-Guillaume de Siran, Mis de Cavanac) : *Louis-Aimé de Bourbon,* dit l'abbé de Bourbon (1762-87), seul enfant illégitime reconnu par le roi. Jeanne-Louise Tiercelin (1746-79), Mme de Bonneval. Benoît Louis Le Duc (1764-1837, abbé). Catherine Éléonore Bérard [1740-69, ép. 1768 Joseph Starot de Saint-Germain († 1794)]. Marie-Thérèse-Françoise Boisselet (1731-99, ép. 1771 Louis-Claude Cadet de Gassicourt) ; Charles-Louis Cadet de Gassicourt (1769-1821).

Napoléon Ier. Marguerite Weimer, Mlle George (1787-1867). Giuseppina Grassini (1773-1850). Émilie Levert (1788-1843). Carlotta Gazzani (1789-1827). Éléonore Denuelle de la Plaigne [1778-1868, ép. 1805 Jean-Fr.-Honoré Réval (1773-1835), div. 1808, puis ép. Pierre-Philippe Augier († 1812), puis 1814 ép. Cte de Luxbourg († 1849)] : *Charles Léon,* dit le Cte Léon (1806-81). Marie Walewska [1789-1817, ép. 1814 Cte Walewski († 1814), puis 1816 ép. Philippe-Antoine d'Ornano (1784-1863)] : *Alexandre,* Cte Walewski (1810-68). Charlotte, Ctesse de Kielmansegge. Adèle, Ctesse Duchâtel. Charlotte Rigaud de Vaudreuil, Ctesse de Walsh Serrant, etc. (Jean Savant en a dénombré 51, dont 12 dames de la Cour et 14 actrices).

Louis XVIII. Zoé Talon, Ctesse du Cayla (1785-1852), etc.

Napoléon III. Désirée-Éléonore-Alexandrine Vergeot [1820-86, ép. 1858 Pierre-Jean-François Bure (1807-82)] : *Alexandre-Louis-Eugène Bure,* Cte d'Orx (1843-1910) ; *Alexandre-Louis Ernest Bure,* Cte de Labenne (1845-82), d'où un fils, Louis († 1884). Elizabeth-Ann Haryett, dite Lady Howard [(1823-65, Ctesse de Beauregard, ép. 1854 Sir Clarence Trelawny] : *Martin Constantin Haryett* (1842-1907) [créé Cte de Béchevêt, il passa pour le fils de N. III, mais était né d'une précédente liaison entre Miss Howard et le major Francis Martyn (1809-74)]. Mme Hugenschmidt (née Élisabeth Hauger), lingère aux Tuileries : *Arthur Christophe Hugenschmidt* (1862-1929, médecin de l'impératrice en exil à Farnborough). Marguerite Bellanger (Julie Lebœuf, 1840-86) : *Charles Lebœuf* (n. 24-2-1863). Virginie Oldoini, Ctesse de Castiglione (1837-99). Valentine Haussmann (1850-1908) : *Jules Hadot* (1865-1937).

Répudiations de souveraines

■ **1°) N'ayant pas abouti : Bertrade,** ép. de Pépin le Bref. 752 répudiée, mais reprise même année sur menace d'excommunication du pape Zacharie. **Teutberge,** ép. de Lothaire Ier. 862 mariage déclaré nul par des évêques mais Hincmar, archev. de Reims proteste. 867 Lothaire, *excommunié,* fait le pèlerinage de Rome, et doit reprendre sa femme, en éloignant sa concubine Waldrade. **Ingeburge de Danemark,** 2e ép. de Philippe Auguste (voir p. 615 a et 631 b).

■ **2°) Ayant abouti en fait : Rosala de Provence,** 989, répudiée par Robert le Pieux qui épouse Berthe de Bourgogne (mariage béni par l'archev. de Tours Archambaud). 998 Berthe et Robert *excommuniés* par le concile de Rome. 1003 Robert renvoie Berthe, mais ne reprend pas Rosala, devenue nonne (il ép. en 1007 Constance d'Arles). **Berthe de Hollande,** 1091 ép. de Philippe Ier (voir p. 615 a).

■ **3°) Ayant abouti en droit : « Désidérade »,** 771, 2e ép. de Charlemagne. Le pape Étienne III autorise un 3e mariage de Charles avec Hildegarde, fille du duc d'Alémanie (peut-être parce que Himiltrude, la 1re, était une concubine, voir p. 614 a). **Éléonore d'Aquitaine,** 1152, ép. de Louis VII (voir p. 630 c). **Sainte Jeanne de France.** 1498, 1re ép. de Louis XII (voir p. 636 b). **Marguerite de Valois.** 1599, 1re ép. d'Henri IV. **Joséphine de Beauharnais,** ép. de Napoléon Ier, répudiée (pour stérilité) le 30-11-1809 (voir p. 655 c).

Valois-Angoulême

Louis XII n'ayant pas d'héritiers mâles, la couronne revient aux Valois-Angoulême en raison de cette filiation : *Jean II d'Orléans* (1404-67), Cte d'Angoulême et de Périgord, 3e fils de Louis de France (1371-1407) et de Valentine Visconti qui *ép.* (1449) Marguerite de Rohan († 1496), dont → *Charles d'Orléans* (1459-96), Cte d'Angoulême qui *ép.* (1487) Louise de Savoie (1476-1531), *régente* (1515 et 1525 ; 1525-26 captivité de François Ier), Desse d'Angoulême (1515), de Bourbon (1527), dont → :

1515 François Ier le père et le restaurateur des lettres (12-9-1494, Cognac/31-3-1547, Rambouillet) ; Cte d'Angoulême (1496), puis duc de Valois, d'Orléans et de Romorantin (1498), duc de Milan (1515) ; sacré à Reims (25-1-1515). *Ép.* 1° 1514 (13-5) *Claude de France* (1499-1524), Desse de Bretagne et de Milan, f. de L. XII et d'Anne de Bret. (ex-fiancée de Charles Quint) ; 2° 1530 (7-7) *Éléonore d'Autriche* (1498-1558) f. de Philippe le Beau et de Jeanne la Folle, rois d'Espagne, sœur de Charles Quint, veuve d'Emmanuel le Grand, roi du Portugal († 1521).

1547 Henri II (31-3-1519, St-Germain-en-Laye/10-7-1559, Paris) f. du p. et de Claude de France ; *dernier duc couronné de Bretagne* (1532), dauphin (1536), sacré à Reims (26-7-1547), protecteur des libertés germaniques (1552). *Ép.* 1553 (28-10) *Catherine de Médicis* (1519-89) f. de Laurent de Médicis, duc d'Urbino, Cesse de Boulogne et d'Auvergne, *régente* 1552, 1559, 1574.

1559 François II (19-1-1544, Fontainebleau/5-12-1560, Orléans) f. d'Henri II et Catherine de Médicis ; duc de Bretagne, dauphin (1547), officiellement *roi d'Écosse* (1558), puis, à la mort de Marie Tudor, *roi d'Angleterre et d'Irlande* (1558), sacré à Reims (18-9-1559). *Ép.* 1558 (24-4) *Marie Ire Stuart* (1542-exécutée 1587) [reine d'Écosse (héritière de Jacques V, roi d'Éc.) ; veuve, épousera 1° 1565 Henri Stuart, lord Darnley, duc d'Albany puis roi d'Éc., assassiné 1567 par le suivant ; 2° 1567 James Hepburn, lord Bothwell, duc d'Orkney († 1578)]. Sans post.

1560 Charles IX (Charles-Maximilien) (27-6-1550, St-Germain-en-Laye/30-5-1574, Vincennes) f. d'Henri II et de Catherine de Médicis ; titré duc d'Angoulême à sa naissance (27-6-1550), puis duc d'Orléans à la mort de son fr. Louis (24-10-1550), sacré à Reims (15-5-1561). *Ép.* 1570 (26-11) *Élisabeth d'Autriche* (1554-92) f. de Maximilien II, emp., dont Marie-Élisabeth (archiduchesse, 1572-78).

1574 Henri III (Alexandre-Édouard) (19-9-1551, Fontainebleau/2-8-1589, St-Cloud) f. d'Henri II et de Cath. de Médicis ; prend le nom d'Henri (1566), duc d'Orléans, puis d'Anjou, élu *roi de Pologne* et *grand-duc de Lituanie* (9-5-1573), couronné à Cracovie (21-2-1574), sacré à Reims (13-2-1575), remplacé en 1576 ; il en garde les armes jusqu'à sa mort, titré roi de Fr. et de Pol. *Ép.* 1575 (15-2) *Louise de Lorraine-Vaudémont* (1553-1601) f. de Nicolas, Cte de Vaudémont, duc de Mercœur. Sans post.

☞ En décembre 1588, la Ligue proclame la déchéance d'Henri III (coupable d'avoir fait assassiner le duc de Guise), et proclame roi, sous le nom de **Charles X**, le cardinal Charles de Bourbon (1523-90), oncle d'Henri IV, reconnu comme héritier d'Henri III en 1584 par l'Espagne et le St-Siège. Le Parlement a ratifié cette décision par un arrêt du 3-3-1590, après la mort d'Henri III (1-8-1589).

Bourbons

La couronne revient aux Bourbons en raison de cette filiation : *Robert de France* Cte de Clermont, 6e fils de St Louis, qui épousa Béatrice de Bourgogne (v. 1258-1310), dame de Bourbon → *Louis* (1270-1342) Cte de Clermont (1317), Cte de la Marche et duc de Bourbon (1327), ép. Marie de Hainaut → *Jacques Ier* (v. 1315-61) Cte de la Marche (1342) ép. Jeanne de Châtillon-St-Paul → *Jean* († 1393) Cte de la Marche (1361) ép. Catherine de Vendôme → *Louis* (v. 1376-1446) Cte de Vendôme ép. Jeanne de Montfort-Laval → *Jean II* († 1477) Cte de Vendôme (1466) ép. Isabelle de Beauvau → *François* († 1495) Cte de Vendôme (1477) ép. Marie de Luxembourg St-Paul → *Charles* (1489-1537) Cte, puis (1515) duc de Vendôme, chef de la branche de Bourbon (1527), ép. Françoise d'Alençon → *Antoine* (1518-62) duc de Vendôme (1537), roi de Navarre par son mariage (1548) avec Jeanne III d'Albret (1528-72) f. d'Henri II d'Albret, roi de Navarre, et de Marguerite d'Angoulême, sœur de François Ier, dont : 1° le duc de Beaumont ; 2° le Cte de Merle (tous 2 morts en bas âge) ; 3° Henri, qui suit.

1589 Henri IV le Grand (14-12-1553, Pau/14-5-1610, assassiné à Paris) ; d'abord Pce de Viane, de Beaumont et de Navarre, *roi de Navarre* sous le nom d'Henri III (9-6-1572), roi de Fr. (2-8-1589), abjure à St-Denis (25-7-1593), sacré à Chartres (7-2-1594).

> **Quelques chiffres**
>
> **Règnes les plus longs :** *Louis XIV :* 72 ans 3 mois 17 j (de 4 ans 8 m 9 j à 76 ans 11 m 26 j, dont 59 ans de règne personnel) ; *Louis XV :* 59 ; *Philippe Ier :* 48 ; *Childéric Ier :* 47 ; *Charlemagne :* 46 ; *Saint-Louis (Louis IX) :* 44 ; *Louis VII, Philippe Auguste :* 43 ; *Charles VI :* 42. **Les plus courts :** *Louis XIX :* 20 minutes [mais il ne s'est pas considéré comme roi pendant ces instants, et a été roi en droit 8 ans (1836-44)] ; *Jean Ier le Posthume :* 5 j. ; *Napoléon II :* empereur implicitement jusqu'à la fin de la commission de gouvernement (qui parle de l'Empereur) : 15 j. (voir p. 618) [en droit : 11 ans (1821-32)]. **Régences les plus longues :** *Blanche de Castille :* 10 ans ; *Anne d'Autriche :* 8 ans.
>
> **Roi mort le plus vieux :** *Charles X,* mort à 79 ans et 11 mois, en exil.
>
> **Rois morts hors de France.** *Saint Louis* 1270 à Tunis, *Philippe III* le Hardy 1285 Perpignan (roy. d'Aragon), *Jean le Bon* 1364 prisonnier à Londres, *Charles X* 1836 en exil en Autriche, *Louis Philippe* 1850 en exil en Angleterre.
>
> **Sang royal.** Louis XVI et ses frères, Louis XVIII et Charles X, étaient français pour 1/128. Louis XVII pour 1/256.

Ép. 1° 1572 (18-8) *Marguerite de Valois* dite Margot (14-5-1553, St-Germain-en-Laye/27-3-1615, Paris), f. d'Henri II et de Cath. de Médicis ; emprisonnée à Usson 1586, en sortira (1605) ; mariage annulé 1599 [motifs : 1° défaut de consentement de Marguerite (menacée par son fr. Charles IX) ; 2° dispense pour consanguinité, non indiquée à la reine (elle aurait exigé un consentement spécial)] ; 2° 1600 (17-12) *Marie de Médicis* (26-4-1573, Florence/3-7-1642, Cologne), *régente* 1610-14. *Il réunit la Navarre à la couronne de France* en 1607 (*réunion confirmée par Louis XIII,* en 1620)].

1610 Louis XIII le Juste (27-9-1601, Fontainebleau/14-5-1643, St-Germain-en-Laye) f. d'Henri IV et de Marie de Médicis. *Cte de Barcelone* (1641), roi sous la tutelle de sa mère (14-5-1610), sacré à Reims (17-10-1610), déclaré majeur le 28-10-1614. *Ép.* 1615 *Anne d'Autriche* (22-9-1601/20-1-1666, Paris), *régente* 1643 (18-5)-51. Barcelone a appartenu à l'Empire carolingien puis à la Francie de l'Ouest ou Fr., indépendante entre 986 et 1025, le traité de Corbeil (1258) ratifia cette situation. Le principat de Catalogne se donna à Louis XIII en 1640, qui l'accepta en 1641. Les actes de Louis XIII et de Louis XIV ajoutaient après la titulature normale : Cte de Barcelone, de Roussillon et de Cerdagne. En 1652, les Esp. reprirent Barcelone, et le vice-roi résida à Perpignan puis à Puigcerda jusqu'en 1659. A la paix des Pyrénées, Louis XIV renonça à Barcelone. Roussillon et Cerdagne restèrent fr.

1643 Louis XIV le Grand (nommé ainsi par la Ville de Paris en 1680 après la paix de Nimègue) **ou le Roi-Soleil** (tiré de sa devise choisie 1662) (5-9-1638, St-Germain-en-Laye/1-9-1715, Versailles, régna 72 a. 3 m. 18 j) f. des p., *Cte de Barcelone* (1643-52) ; roi sous la tutelle de sa mère (14-5-1643), déclaré majeur le 7-9-1651, sacré à Reims (7-6-1654). Prit le pouvoir à 22 ans le 10-3-1661. *Ép.* 1° 1660 (par contrat en l'île des Faisans 7-11-1659, par procuration à Fontarabie 3-6-1660, en personne à St-Jean-de-Luz 9-6-1680) *Marie-Thérèse d'Autriche* (20-9-1638, l'Escurial/30-7-1683, Versailles) infante d'Espagne, sa cousine germaine, f. de Philippe IV, roi d'Espagne, et d'Élisabeth de France ; 2° 12-6(?)-1684 *Françoise d'Aubigné,* Mise de Maintenon (27-11-1635, Niort/en prison où son père était enfermé par lettre de cachet 15-4-1719, St-Cyr), petite-f. d'Agrippa d'Aubigné, veuve du poète Scarron (1610-60) épousé en 1652, gouvernante des bâtards du roi et de Mme de Montespan (1669), maîtresse du roi (av. 1674), dame des seigneuries de Maintenon et du Parc (par achat 27-12-1674), 2e dame d'atours de la Dauphine (1680).

1715 Louis XV le Bien-Aimé (15-2-1710, Versailles/10-5-1774, Versailles). *Filiation : Louis XIV* et Marie-Thérèse → *Louis,* dit Monseigneur ou le *Grand Dauphin* (1-11-1661-14-4-1711), ép. 7-3-1680 Marie de Bavière (28-11-1660-20-4-1690) → *Louis de France* (6-8-1682-18-2-1712) *duc de Bourgogne* puis dauphin du Viennois. *Ép.* 7-12-1697 Marie Adélaïde de Savoie (6-12-1685-12-2-1712) → *Louis XV* (3e fils après Louis 1704-05, Louis 1707-12), d'abord duc d'Anjou, 2-9-1715/16-2-1723, a été roi sous la *régence de Philippe II duc d'Orléans* (1674-1723) neveu de Louis XIV ; sacré à Reims (25-10-1722), majeur le 22-2-1723. *Ép.* 1725 ((5-9) *Marie Leszczyńska* (Pasen 23-6-1703-Versailles 24-7-1768), fille unique de Stanislas Ier, roi de Pologne, et de Catherine Opalinska.

1774 Louis XVI (23-8-1754, Versailles/21-1-1793, Paris). *Filiation : Louis XV* et Marie Leszczyńska → *Louis, dauphin du Viennois* (4-9-1729-20-12-1765), ép. 1° 1745 (23-2) Marie-Thérèse d'Espagne (11-6-1726-27-7-46 en couches) ; 2° 1747 (9-2) Marie-Josèphe de Saxe (4-11-1731/13-3-1767), dont → *Louis (Auguste) XVI* [3e fils après Louis-Joseph-Xavier, duc de Bourgogne (13-9-1751/22-3-1761), Xavier-Marie-Joseph, duc d'Aquitaine (8-9-1753/22-2-1754)] ; d'abord duc de Berry, roi (10-5-1774), sacré à Reims (11-6-1775), roi des Français du 6-11-1789 au 10-8-1792, détrôné 21-9-1792, condamné à mort 15-1-1793, guillotiné 21-1-1793. *Ép.* (19-4 par procuration à Vienne, 16-5 en personne à Versailles) 1770 *Marie-Antoinette « de Lorraine »,* Pcesse royale de Hongrie et de Bohême, archiduchesse d'Autriche (2-11-1755, Vienne, guillotinée 16-10-1793) f. de François Ier, emp. d'Autriche, et de Marie-Thérèse, reine de Hongrie et de Bohême. Elle se refuse au roi jusqu'au 20-7-1777.

1793 Louis XVII (27-3-1785 Versailles, présumé mort au Temple le 8-6-1795) 2e f. de Louis XVI [après Louis, dauphin (22-10-1781/Meudon 4-6-1789, dernier Pce enterré dans St-Denis avant l'exhumation 12/25-10-1793)]. Duc de Normandie, dauphin de Fr. (4-6-1789), Pce royal (14-8-1791), enfermé au Temple (13-8-1792) roi de Fr. (21-1-1793 à la mort de son père, pour les royalistes, la Rép. ayant été proclamée le 21-9-1792 ; séparé de sa famille 3-7-1793, confié au cordonnier Antoine Simon et à sa femme jusqu'au 19-1-1794). Sans postérité. Voir p. 621.

Ire République

Convention

☞ La France vivait sous le régime du gouvernement d'Assemblée. Les Pts de l'Assemblée, renouvelés tous les 15 jours, avaient un pouvoir disciplinaire sur les débats, mais n'avaient ni rôle représentatif, ni pouvoir exécutif.

Pouvoir exécutif exercé collectivement (« Comité de Salut public » de 9 Conventionnels). 6-4-1793 : *Bertrand Barère* (1755-1841), *Jean-François Delmas* (1751-98) éliminé 10-7, *Jean-Jacques Bréard* (1751-1840) démissionnaire 5-6, *Pierre-Joseph Cambon* (1756-1820) él. 10-7, *Jean Debry* (1760-1834) immédiatement remplacé par *Robert Lindet* (1743-1823), *Georges Danton* (1759-94, guill.) él. 10-7, *Louis Guyton-Morveau* (1737-1816) démiss. 10-7, *Jean-François Lacroix* (1753-94, guill.) él. 10-7, *Jean-Baptiste Treilhard* (1742-1810) dém. 12-6. **10-7-1793 :** 2 maintenus : *Barère* et *Lindet.* 7 nouveaux : *Jean Bon-Saint-André* (1749-1813) [1], *Thomas Gasparin* (1754-93) remplacé 27-7 par *Maximilien de Robespierre* (1763-94, guill.), *Georges Couthon* (1755-94, guill.), *Marie-Jean Hérault de Séchelles* (1759-94, guill.) dém. 29-12, *Pierre-Louis Prieur de la Marne* (1756-1827) [1], *Antoine de Saint-Just* (1767-94, guill.), *Jacques Thuriot* (1753-1829) dém. 20-9-1793. **14-8-1793 :** adjonction de *Claude Prieur de la Côte-d'Or* (1763-1839) et de *Lazare Carnot* (1753-1823). **6-9-1793 :** adjonction de *Jacques Billaud-Varenne* (1756-1819) et de *Jean-Marie Collot d'Herbois* (1749-96) déporté.

Nota. – (1) Membres itinérants en surplus [10e et 11e membre du « Grand Comité » ayant fonctionné du 29-12-1793 au 9 thermidor (27-7-1794)].

Directoire

Fonctions de chef d'État exercées collectivement

1795 (1er nov.) *Jean-François Rewbell (ou Reubell)* (1747-1807) ; *Paul (Vte de) Barras* (1755-1829) ; *Louis-Marie (de) La Révellière-Lépeaux* (1753-1824) ; *Louis-François Letourneur* (1751-1817) ; *Lazare Carnot* (1753-1823) [remplace l'abbé Joseph Sieyès (1748-1836) qui, élu, refusa]. **1796 (juin)** *François (futur marquis de) de Barthélemy* (1747-1830) remplace L.-F. Letourneur, éliminé par le sort. **1797 (4 sept.) (18 fructidor an V)** *Philippe-Antoine Merlin de Douai* (1754-1838) et *Nicolas-Louis F. de Neufchâteau* (1750-1828) remplacent Barthélemy et Carnot (proscrits). **1798 (15 mai) (20 floréal an VI)** *J.-Baptiste Treilhard* (1742-1810) remplace F. de Neufchâteau, éliminé par le sort. **1799 (16 mai) (21 floréal, an VII)** *l'abbé Sieyès* remplace Rewbell, éliminé par le sort. **(18 juin) (30 prairial, an VII)** *Louis Gohier* (1746-1830) remplace Treilhard dont l'élection vient, après 13 mois, d'être annulée. *Roger Ducos* (1747-1816), le *Gal Jean-François Moulin* (1752-1810) remplacent La Révellière-Lépeaux et Merlin de Douai, contraints de démissionner.

Composition au 18 brumaire : *Barras, Sieyès, Gohier, Roger Ducos, Moulin.*

Consulat

Commission consulaire provisoire. 1799 (19 nov.) (18 brumaire, an VIII) *Bonaparte, Sieyès, Roger Ducos.*

Consulat décennal. 1799 (13 déc.) (22 frimaire, an VIII). Trois consuls : *Bonaparte,* 1er consul, *Jean-Jacques de Cambacérès* (1753-1824, sous l'Empire, duc de Parme), *Charles-François Lebrun* (1739-1824, sous l'Empire, duc de Plaisance).

Consulat bidécennal. 1802 (8 mai) (18 floréal, an X) *Bonaparte, Cambacérès, Lebrun.*

Consulat à vie. 1802 (2 août) (14 thermidor, an X) *Bonaparte.*

Premier Empire

1804 (18 mai) (28 floréal, an XII) Bonaparte revêtu de la « dignité impériale héréditaire », devient **Napoléon Ier** (15-8-1769/5-5-1821). Sacré *empereur des Français* 2-12-1804 et couronné *roi d'Italie* 26-5-1805 ; *protecteur de la Confédération du Rhin* 12-7-1806 ; f. de Charles Bonaparte (1746-85) et de Marie Letizia Ramolino (1750-1836). *Ép.* 1° 9-3-1796 Joséphine Tascher de La Pagerie (Trois Ilets, la Martinique 23-6-1763/La Malmaison 29-5-1814), veuve du Gal Vte Alexandre de Beauharnais (1760, guill. 1794), mariage dissous civilement 16-12-1809, annulé 14-1-1810 ; 2° 1-4-1810 *Marie-Louise,* archiduchesse d'Autr. (Vienne 12-12-1791/id 17-12-1847), *régente* 30-3-1813 (campagne de Russie) et 25-1-1814 sous Napoléon Ier. 3-4-1814 déclaré déchu par Sénat et Corps législatif. 4-4-1814 abdique en faveur de son fils et 6-4-1814 sans condition. *Souverain de l'île d'Elbe* en 1814 (garde son titre d'empereur).

Régime transitoire

1814 (31 mars), gouvernement provisoire (5 membres nommés par le Sénat) : *Pierre Riel, général, Mis de Beurnonville* (1752-1821) ; *Emmeric, duc de Dalberg* (1773-1833) ; *François Arnail, Cte de Jaucourt* (1757-1852) ; *l'abbé François-Xavier de Montesquiou, duc de Fezensac* (1756-1832) ; *Charles Maurice de Talleyrand-Périgord, Pce de Bénévent* (1754-1838). Cessent leurs fonctions le 14-4-1814.

Première Restauration

1814 Louis XVIII le Désiré (17-11-1755/16-9-1824), frère de Louis XVI. *Cte de Provence, Monsieur* (1774), *duc d'Anjou, d'Alençon et de Brunoy, Cte du Maine, du Perche et de Senonches. Ép.* 1771 (14-5) Marie-Louise de Savoie (Turin 2-9-1753/Hartwell 13-11-1810). Sans postérité. *Roi de France et de Navarre* selon la tradition, à la mort de Louis XVII le 8-6-1795, mais, en réalité, le 6-4-1814 [émigré 20-6-1791 sous le nom de Michel Foster (passeport britannique) en Belgique puis à Coblence (All.), Hamm (Westphalie), Vérone (It.), Riegel, Dilligen (All.), Blankenberge (Belg.), Mitau, Varsovie (Pol.), Mitau puis G.-B. (1807 à Hartwell de 1809 à 1814)]. Forcé par moment de porter incognito le titre de Cte de L'Isle (de L'Isle-Jourdain, en Armagnac, comté qui lui appartenait en propre) déformé souvent en Cte de Lille. Rentre à Paris le 3-5-1814, se réfugie à Gand le 23-3-1815.

Cent-Jours

1815 Napoléon Ier débarque au golfe Juan (1-3), est à Lyon (12-3), à Paris (20-3). 2° abdication en faveur de Napoléon II (22-6).

1815 Napoléon II (Tuileries, Paris 20-3-1811/Schoenbrunn, Autr. 22-7-1832, 1,90 m). F. de Napoléon Ier et de Marie-Louise. *Prince impérial* et *roi de Rome* (1811-14). Quitte Paris 29-3-1814, va à Blois avec sa mère puis en Autriche. Reconnu emp. des Français par la Chambre le 22-6-1815. Devenu en exil *prince de Parme* (1815-18), puis *duc de Reichstadt* (18-7-1818, château à 65 km de Prague, il prenait rang à la cour après les archiducs). Sans postérité [1re aventure connue : Ctesse Camerata Napoléone Bacciochi (n. 1806), ép. 1825 Cte Philippe Camerata]. Inhumé dans le caveau des Habsbourg (crypte des Capucins, à Vienne) (en nov. 1938, Benoist-Méchin, partisan d'un rapprochement avec l'Allemagne, suggéra à Otto Abetz la restitution du corps de N. II ; Hitler accepta, mais Mussolini, qui revendiquait la Corse, s'y opposa ; en 1940, Abetz reprit le projet) ; ses cendres ont été transférées à Paris, par ordre de Hitler, le 15-12-1940 ; elles sont déposées près du tombeau de Napoléon, aux Invalides [sont restés à Vienne son cœur (égl. des Augustins), ses entrailles (cath. St-Étienne)]. Son surnom de « l'Aiglon » a été créé en 1852 par Victor Hugo, dans le poème *Napoléon II.*

Commission de gouvernement

1815 (23-6/7-7). Commission de 5 membres élus : 3 par la Chambre des Représentants (au 1er tour : *Carnot* par 324 suffrages, et *Fouché,* duc d'Otrante, par 293 sur 511 ; au 2e tour : le Gal *Grenier*). 2 par la Chambre des Pairs (*Caulaincourt,* duc de Vicence, et le baron *Quinette*). Le 23-6, la « Commission » se réunit aux Tuileries et Fouché est désigné comme Pt sur la proposition du Gal Grenier, approuvée par le duc de Vicence et Quinette.

Seconde Restauration

1815 (7-7) Louis XVIII († Tuileries 16-9-1824, dernier roi inhumé à St-Denis).

1824 Charles X (Versailles, 9-10-1757/Goritz 6-11-1836), frère de L. XVI et de L. XVIII. *Cte d'Artois, duc d'Angoulême, de Berry, d'Auvergne, de Châteauroux,* puis *Monsieur* (1795). *Ép.* 1773 (16-11) Marie-Thérèse de Savoie (13-1-1756/Gratz 2-6-1805). Sacré à Reims 29-5-1825. Abdique le 2-8-1830 en faveur de son f. le duc d'Angoulême *(Louis XIX),* qui abdique aussitôt en faveur de son neveu le duc de Bordeaux *(Henri V).* Ch. X. vécut en exil se titrant *Cte de Ponthieu.* Part en exil 4-8, atteint Cherbourg 16-8, débarque en Angl. 23-8, s'installe à Lullworth (Dorset) puis Holyrood (ancien palais des rois d'Écosse, où ses créanciers ne peuvent le poursuivre), 22-2-1832 au 26-5-1836 à Prague (au Hradschin), Toplitz, Kirchberg 21-10-1836 à Goritz (château de Graffenberg), [autr. (actuellement Italie) où il meurt de choléra] ; inhumé dans la crypte du couvent de Castagnavizza (Kostanjevica, Youg.).

☞ *Charles X eut 2 fils :* 1° *Louis-Antoine d'Artois* (Versailles 6-8-1775-Goritz, Autr. 3-6-1844, inhumé à côté de Ch. X) *duc d'Angoulême,* puis dauphin 1824 (à la mort de L. XVIII), qui ép. à Mittau le 10-6-1799 Marie-Thérèse de France (Versailles 19-12-1778/Frohsdorf 19-10-1851) f. de L. XVI et de Marie-Antoinette, dite Madame Royale, sa cousine germaine. Sans postérité, il renonça à la couronne le 2-8-1830 et prit le titre de *Cte de Marnes* (-la-Coquette). 2° *Charles Ferdinand d'Artois, duc de Berry* (Versailles 24-1-1778 – assassiné par Louvel le 14-2-1820), ép. 17-6-1816 Marie-Caroline des Deux-Siciles (Naples 5-12-1798-Brünnsee, Autr. 16-4-1870), dont il eut Louise d'Artois (13/14-7-1817), 1 fils (mort-né 13-9-1818). *Louise d'Artois* (21-9-1819/Venise 1-2-1864), qui ép. 10-11-1845 Ch. III de Bourbon (1823-54) duc de Parme ; *Henri d'Artois* (posthume Paris Tuileries 29-9-1820/24-8-1883) dit l'Enfant du miracle par Lamartine, *duc de Bordeaux* (titre donné en hommage à la ville qui la 1re se rallia aux Bourbons en mars 1814), qui, proclamé roi par Ch. X le 2-8-1830 sous le nom d'*Henri V,* prit le titre de *Cte de Chambord* (château acheté par souscription publique qui lui fut donné le 5-3-1821), en exil, et de *Cte de Mercœur* pendant son voyage en Fr. (1871). Malgré les actes du 2-8-1830, ne se considéra pas comme roi avant la mort de Louis XIX, « Cte de Marnes » (1844). Il alla à Londres en 1843/44, habita Frohsdorf (Autr.) après la mort du duc d'Angoulême, vécut aussi à Venise (palais Cavalli). Il ép. 16-11-1846 Marie-Thérèse d'Este-Modène (Modène 14-7-1817-Goritz 25-3-1886) et n'eut pas de postérité. Les lois d'exil (19-4-1832 contre la branche aînée, 26-5-1848 contre Orléans) étant levées le 8-6-1871 ; vint en Fr. en 1871 à Chambord (3 au 5-7) et repartit en Autriche. Refusant d'adopter le drapeau tricolore et le projet de constitution orléaniste libéral, il fit échouer en 1873 les projets de restauration sur le point d'aboutir (voir à l'Index). Mort à Frohsdorf (Autriche), enterré au couvent de Castagnavizza (Kostanjevica, Youg.).

Monarchie de Juillet

1830 (9-8) Louis-Philippe Ier (Paris 6-10-1773/26-8-1850) duc de Valois 1773, de Chartres 1785 et d'Orléans 1793, lieutenant-général du roy. 31-7-1830, *roi des Français* 9-8-1830. A son abdication 24-2-1848, prit le titre de *Cte de Neuilly,* du nom de son château près de Paris (pillé et incendié en 1848), jusqu'à sa mort à Claremont (G.-B.). *Ép.* 1809 Marie-Amélie de Bourbon (1782-1866), f. de Ferdinand Ier roi des Deux-Siciles.

Descendants de Louis-Philippe : 1° *Ferdinand* (1810-42), duc de Chartres 1810, *duc d'Orléans* 1830, prince royal 1830 ; ép. 1837 Hélène de Mecklembourg-Schwerin (1814-58), dont 2 f. : le Cte de Paris (1838-94) et le duc de Chartres (1840-1910), lui-même père du duc de Guise (1874-1940). 2° *Louis* (1814-96), *duc de Nemours,* élu roi des Belges 1831 (refus), épouse 1840 Victoire de Saxe-Cobourg Gotha (1822-57), dont 2 f. : le Cte d'Eu (1842-1922), tige des Orléans et Bragance, et le duc d'Alençon (1844-1910), tige des ducs de Nemours. 3° *François* (1818-1900), *prince de Joinville,* ép. 1843 Françoise de Bragance, Pcesse du Brésil (1824-98), dont 1 fils, le duc de Penthièvre (1845-1919), sans postérité. 4° *Henri* (1822-97), *duc d'Aumale,* ép. 1844 Marie-Caroline de Bourbon, Pcesse des Deux-Siciles, sans postérité. 5° *Antoine* (1824-90), *duc de Montpensier,* infant d'Espagne 1859, ép. 1846 Marie-Louise de Bourbon, sœur de la reine d'Esp. Isabelle II, dont Antoine (1866-1930), infant d'Esp., duc de Galliera 1895, tige de la branche des ducs de Galliera.

Filiation : Philippe de France (1640-1701), fils cadet de Louis XIII et d'Anne d'Autriche, duc d'Anjou 1640, Monsieur 1643, duc de Chartres 1661, d'Orléans (Philippe Ier) 1660, de Nemours, de Valois 1661, de Montpensier 1690, Pce de Joinville 1690, Cte de Beaujolais 1690 ; ép. 1° 1661 Henriette d'Angleterre (1644-70) ; 2° Élisabeth Charlotte de Bavière (1652-1722) dite la Palatine, dont → *Philippe II* (1674-1723) *duc d'Orléans, le Régent* (1715-23) ép. Melle de Blois (1677-1749) (Françoise Marie de Bourbon, f. légitimée de Louis XIV et de la Mise de Montespan), dont → *Louis II duc d'Orléans* (1703-52) ép. Auguste Marie Jeanne de Bade (1704-26), dont → *Louis-Philippe Ier* (1725-85) *duc d'Orléans,* ép. Melle de Conti (Louise Henriette de Bourbon, 1726-59) fille du Pce de Conti dont → *Louis-Philippe Joseph* (St-Cloud 13-4-1747/Paris 6-11-1793 guillotiné), *duc d'Orléans, dit Philippe Égalité* sous la Révolution, qui vota la mort de Louis XVI, ép. Louise Marie Adélaïde de Bourbon (Melle de Penthièvre 1753-1821), père de Louis-Philippe.

Nota. – (1) Épousa secrètement (23-4-1775) en 2es noces MME de Montesson (1737-1806).

IIe République

1848 (24-2) Gouvernement provisoire avec *Jacques-Charles Dupont de l'Eure* (1767-1855), *Alphonse de Lamartine* (1790-1869), *Adolphe Crémieux* (1796-1880), *François Arago* (1796-1853), *Alexandre Ledru-Rollin* (1807-74), *Louis-Antoine Garnier-Pagès* (1803-78), *Pierre-Thomas Marie* (1795-1870), *Armand Marrast* (1801-52), *Louis Blanc* (1811-82), *Ferdinand Flocon* (1800-66), *Alexandre Martin,* dit l'Ouvrier Albert (1815-95).

1848 (10-12) Louis-Napoléon Bonaparte (20-4-1808/9-1-1873), élu Pt le 16-12, s'installe à l'Élysée. Il est le 3e f. de Louis Bonaparte [(2-9-1778/25-7-1846), frère de Napoléon Ier, roi de Hollande (1806-10), Cte de St-Leu après 1810, marié 3-1-1802 à Hortense de Beauharnais (1783-1837), f. d'Alexandre de B. et de Joséphine de Tascher de La Pagerie (plus tard impératrice], *ses deux fr. aînés* 1° *Napoléon-Charles* (1802-07) Pce royal de Holl. 2° *Napoléon-Louis* (1804-31) Pce royal de Holl. 1807-10, gd-duc de Berg et de Clèves 1809-13, époux de Charlotte Bonaparte (1802-39) f. de Joseph Bonaparte et de Julie Clary, étaient sans postérité. **Vice-Pt :** Cte *Georges-Henri Boulay de la Meurthe* (1797-1858), fils du conventionnel régicide Antoine-Claude-Joseph Boulay de la Meurthe (1761-1840), ministre d'État pendant les Cent-Jours.

1851 (2-12) *Coup d'État du 2 décembre.* (21/22-12) **Louis-Napoléon** élu chef de l'État pour 10 ans (la vice-présidence est supprimée).

Second Empire

☞ Le 7-11-1852, un *sénatus-consulte* (ratifié les 20 et 21-11 par un plébiscite) proclame Louis-Napoléon empereur des Français sous le nom de Napoléon III. Le Sénat proclame les résultats le 2-12 (date officielle du début du règne).

1852 (2-12) Napoléon III (20-4-1808/9-1-1873). *Ép.* 29-1-1853 *Eugénie de Guzmán Portocarrero, etc.* (5-5-1826/11-7-1920) f. du Cte de Montijo et connue sous le nom de Mlle de Montijo. Renversé le 4-9-1870. Il mourut en exil à Chislehurst (G.-B.), inhumé à Farnborough. L'impératrice Eugénie fut 3 fois *régente.* Voir Index.

IIIe République

☞ Pour en savoir plus, consulter le Quid des Présidents de la République (éd. Robert Laffont chez tous les libraires).

1870 (du 4-9 au 12-1-1871) Gouvernement de la Défense nationale. Pt Gal Louis Trochu (1815-96).

Du 7-10-1870 au 12-1-1871, le min. de l'Intérieur, Léon Gambetta (1838-82), dirige à Tours une *« délégation gouvernementale »*.

1871 (12-1) Gouvernement de l'Assemblée nationale (réunie à Bordeaux). *Chef du gouvernement exécutif :* Adolphe Thiers (1797-1877).

Présidents de la République

☞ Présidents de la République (en gras), vice-présidents du Conseil (jusqu'au 10-3-1876), puis présidents du Conseil (la liste ne tient pas compte des remaniements intérieurs des ministères).

1871-73 Adolphe Thiers (1797-1877). *Pt de la République* (31-10-1871/24-5-1873). *19-2-71/24-5-73* Armand Dufaure (1798-1881).

1873-79 Maréchal Patrice de Mac-Mahon, duc de Magenta (1808-93). *25-5-73/16-5-74* Albert, duc de Broglie (1821-1901). *22-5-74/10-3-75* Gal Ernest Courtot de Cissey (1810-82). *10-3-75/23-2-76* Louis-Joseph Buffet (1818-98). *5-3/2-12-76* Armand Dufaure. *12-12-76/17-5-77* Jules Simon (1814-96). *17-5/15-11-77* Albert, duc de Broglie. *23-11/30-11-77* Gal Gaétan de Grimaudet de Rochebouët (1813-99). *13-12-77/30-11-79* Armand Dufaure.

1879-87 Jules Grévy (1807-91). *4-12/26-12-79* William Henri Waddington (1826-94). *28-12-79/19-9-1880* Charles de Freycinet (1828-1923). *23-9-80/10-11-1881* Jules Ferry (1832-93). *14-11-81/27-1-1882* Léon Gambetta (1838-82). *27-1/29-7-82* Charles de Freycinet. *7-8-82/22-1-1883* Charles Duclerc (1812-88). *29-1/18-2-83* Armand Fallières (1841-1931). *21-2-83/30-3-1885* Jules Ferry. *6-4/29-12-85* Henri Brisson (1835-1912). *7-1/3-12-86* Charles de Freycinet. *12-12-86/18-5-87* René Goblet (1828-1905). *30-5/4-12-87* Maurice Rouvier (1842-1911).

1887-94 Sadi Carnot (1837-assassiné 94). *12-12-87/30-3-88* Pierre Tirard (1827-93). *3-4-88/14-2-89* Charles Floquet (1828-96). *22-2-89/1-3-90* Pierre Tirard. *17-3-90/19-2-92* Charles de Freycinet. *27-2/28-11-92* Émile Loubet (1838-1929). *6-12-92/30-3-93* Alexandre Ribot (1842-1923). *4-4/25-11-93* Charles Dupuy (1851-1923). *3-12-93/22-5-94* Jean Casimir-Perier (1847-1907). *30-5-94* Charles Dupuy →.

1894-95 Jean Casimir-Perier (1847-1907). *94 → (15-1-95)* → Charles Dupuy.

1895-99 Félix Faure (1841-99). *26-1/28-10-95* Alexandre Ribot. *1-11-95/23-4-96* Léon Bourgeois (1851-1925). *29-4-96/15-6-98* Jules Méline (1838-1925). *28-6/25-10-98* Henri Brisson (1835-1912). *1-11-98* Charles Dupuy →.

1899-1906 Émile Loubet (1838-1929). *12-6-99* → Charles Dupuy. *22-6-99/7-6-1902* Pierre Waldeck-Rousseau (1846-1904). *7-6-02/18-1-05* Émile Combes (1835-1921). *24-1-05* Maurice Rouvier →.

1906-13 Armand Fallières (1841-1931). *7-3-06* → Maurice Rouvier. *14-3/19-10-06* Ferdinand Sarrien (1840-1915). *25-10-06/20-7-09* Georges Clemenceau (1841-1929). *24-7-09/27-2-11* Aristide Briand (1862-1932). *2-3/23-6-11* Ernest Monis (1846-1929). *27-6-11/14-1-12* Joseph Caillaux (1863-1944). *14-1-12/21-1-13* Raymond Poincaré (1860-1934). *21-1-13* Aristide Briand →.

1913-20 Raymond Poincaré (1860-1934). *22-3-13* → Aristide Briand. *22-3/9-12-13* Louis Barthou (1862-1934). *9-12-13/9-6-14* Gaston Doumergue (1863-1937). *9-6/13-6-14* Alexandre Ribot. *13-6-14/29-10-15* René Viviani (1863-1925). *29-10-15/20-3-17* Aristide Briand. *20-3/12-9-17* Alexandre Ribot. *12-9/16-11-17* Paul Painlevé. *16-11-17/20-1-20* Georges Clemenceau. *20-1-20* Alexandre Millerand (1859-1943) →.

1920 (28-2/22-9) Paul Deschanel (1855-1922). *24-9-20* → Alexandre Millerand.

1920-24 Alexandre Millerand (1859-1943). *24-9-20/16-1-21* Georges Leygues (1857-1933). *16-1-21/15-1-22* Aristide Briand. *15-1-22/8-6-24* Raymond Poincaré. *8-6/13-6-24* Frédéric François-Marsal (1874-1958).

1924-31 Gaston Doumergue (1863-1937). *14-6-24/10-4-25* Édouard Herriot (1872-1957). *17-4/22-11-25* Paul Painlevé. *28-11-25/17-7-26* Aristide Briand. *19-7/21-7-26* É. Herriot. *23-7-26/27-7-29* R. Poincaré. *29-7/22-10-29* A. Briand. *2-11-29/17-2-30* André Tardieu (1876-1945). *21-2/25-2-30* Camille Chautemps (1885-1963). *2-3/4-12-30* A. Tardieu. *13-12-30/22-1-31* Théodore Steeg (1868-1950). *26-1-31* Pierre Laval →.

1931-32 Paul Doumer (1857-assassiné 1932). *16-2-32* → Pierre Laval. *20-2/10-5-32* André Tardieu.

1932-40 Albert Lebrun (1871-1950). *3-6/14-12-32* Édouard Herriot. *18-12-32/1-33* Joseph Paul-Boncour (1873-1972). *31-1/18-10-33* Édouard Daladier (1884-1970). *26-10/23-11-33* Albert Sarraut (1872-1962). *26-11-33/27-1-34* Camille Chautemps. *30-1/7-2-34* Édouard Daladier. *9-2/8-11-34* Gaston Doumergue. *8-11-34/1-6-35* Pierre-Étienne Flandin (1889-1958). *1-6/4-6-35* Fernand Bouisson (1874-1959). *6-6-35/22-1-36* Pierre Laval. *24-1/30-5-36* Albert Sarraut. *6-6-36/21-6-37* Léon Blum (1872-1950). *29-6-37/13-3-38* Camille Chautemps. *14-3/26-3-38* Léon Blum. *10-4-38/21-3-40* Édouard Daladier. *21-3/16-6-40* Paul Reynaud (1878-1966). *17-6/12-7-40* M^al^ Philippe Pétain (1856-1951).

État français à Vichy

1940-44 Maréchal Philippe Pétain (24-4-1856/23-7-1951) *Chef de l'État* (10-7-1940 jusqu'à son enlèvement de Vichy par les Allemands le 20-8-1944). Condamné à mort, à Paris, le 14-8-1945. Peine commuée en détention perpétuelle à l'île d'Yeu. *13-7/13-12-40* Pierre Laval (1883-exécuté 15-10-1945) Vice-Pt du Conseil. *13-12-1940/9-2-1941* Pierre-Étienne Flandin (1889-1958). *10-2-41/18-4-42* Amiral de la Flotte François Darlan (1881-assassiné à Alger le 24-12-1942) Vice-Pt du Conseil. *18-4-42/20-8-44* Pierre Laval, chef du Gouv.

France libre

■ **Français libres 1940 (26-6). Gal Charles de Gaulle** (23-11-1890/9-11-1970), reconnu comme chef des Français libres (Londres).

■ **Comité français de Libération nationale (3-6-1943). Gal Charles de Gaulle et Gal Henri Giraud** (1879-1949). Pts alternatifs. **9-11-1943, Gal de Gaulle** seul Pt.

Gouvernement provisoire

1944 (3-6/2-11-1945) Gal Charles de Gaulle.

IVe République

Gouvernement provisoire

1945 (2-11/20-1-1946) Gal Charles de Gaulle.

1946 (23-1/12-6) Félix Gouin (1884-1977).

1946 (24-6/28-11) Georges Bidault (1899-1983), maintenu après la promulgation de la Constitution.

1946 (28-11/18-12) Vincent Auriol (1884-1966), Pt de l'Ass. nationale élue le 10-11-1946, assure par intérim les fonctions de chef de l'État.

1946 (18-12/22-1-1947) Léon Blum (1872-1950), chef du gouvernement provisoire.

Présidents de la république
et Présidents du Conseil

1947 (16-1) Vincent Auriol. *17-1/21-11-47* Paul Ramadier (1888-1961). *24-11-47/24-7-48* Robert Schuman (1886-1963). *26-7/31-8-48* André Marie (1897-1974). *31-8/12-9-48* Robert Schuman. *12-9-48/27-10-49* Henri Queuille (1884-1970). *28-10-49/24-6-50* Georges Bidault. *2-7/4-7-50* Henri Queuille. *12-7-50/28-2-51* René Pleven (15-4-1901). *10-3/10-7-51* Henri Queuille. *11-8-51/7-1-52* René Pleven. *20-1-52/29-2-52* Edgar Faure (1908-88). *8-3/22-12-52* Antoine Pinay (30-12-1891). *6-1/21-5-53* René Mayer (1895-1972). *26-6-53* Joseph Laniel (1889-1975).

1954 (23-12) René Coty (1882/22-11-1962). → *12-6-54* Joseph Laniel. *17-6-54/5-2-55* Pierre Mendès France (1907-82). *23-2-55/24-1-56* Edgar Faure. *30-1-56/21-5-57* Guy Mollet (1905-75). *12-6/30-9-57* Maurice Bourgès-Maunoury (19-8-1914). *6-11-57/15-4-58* Félix Gaillard (1919-70). *13-5/31-5-58* Pierre Pflimlin (5-2-1907). *1-6-58/8-1-59* Gal Charles de Gaulle.

Ve République

■ Présidents de la République
et Premiers ministres

1959 (1-8) Gal Charles de Gaulle (22-11-1890/9-11-1970). Élu le 21-12-1958, intronisé le 8-1-1959. Pt de la Rép. et de la Communauté. Chef du gouvernement jusqu'au 8-1-59. *8-1-59/14-4-62* Michel Debré (15-1-1912). *14-4-62/21-7-68* Georges Pompidou (1911/74). *21-7-68/16-6-69* Maurice Couve de Murville (1907).

1969 (28-4/19-6) Alain Poher (17-4-1909) (Pt du Sénat) par intérim.

1969 (16-6) Georges Pompidou (5-7-1911/2-4-1974). *20-6-69* Jacques Chaban-Delmas (7-3-1915). *7-7-72* Pierre Messmer (20-3-1916).

1974 (2-4) Alain Poher (17-4-1909) (Pt du Sénat) par intérim.

1974 (19-5) Valéry Giscard d'Estaing (2-2-1926). *28-5-74* Jacques Chirac (29-11-1932). *27-8-76* Raymond Barre (12-4-1924).

1981 (21-5) François Mitterrand (26-10-1916). *21-5-81* Pierre Mauroy (5-7-1928). *19-7-84* Laurent Fabius (20-8-1946). *20-6-86* Jacques Chirac (29-11-1932). *12-5-88* Michel Rocard (23-8-1930). *16-5-91* Edith Cresson (27-1-1934). *2-4-92* Pierre Bérégovoy (23-12-1925/1-5-1993). *29-3-1993* Edouard Balladur (11-5-1924).

■ Quelques chiffres

Présidents de la République

Nombre de présidents. 21. **Ire République : 0, IIe :** 1, **IIIe :** 14, **IVe :** 2, **V^e^ :** 4 (Coty avait été élu sous la IVe) + Pt intérimaire à 2 reprises (Alain Poher, Pt du Sénat).

Age. Les plus jeunes : Louis-Napoléon Bonaparte 40 ans. Jean Casimir-Perier 46. Valéry Giscard d'Estaing 48. Sadi Carnot 50. **Les plus vieux :** Paul Doumer 74 ans. Thiers 74. Grévy 72 (réélu à 79). Mitterrand 64 (réélu à 71 ans). René Coty 71. De Gaulle 69 (réélu à 75 ans 28 j.).

Démissionnaires. Thiers, Mac-Mahon, Grévy, Casimir-Perier, Deschanel, Millerand, Coty, de Gaulle. **Déposé.** Lebrun. **Devenu empereur.** Louis-Napoléon Bonaparte (Napoléon III). **Mandat complet.** Grévy (1er mandat), Loubet, Fallières, Poincaré, Doumergue, Lebrun (1er mandat), Auriol, de Gaulle (1er mandat 1958-65), Giscard d'Estaing, Mitterrand (1er mandat 1981-88 ; 2e en cours). **Morts en exercice.** *Assassinés :* Carnot, Paul Doumer. *De maladie :* Faure, Pompidou. **Records de pouvoir.** *Le plus longtemps :* Mitterrand 11 ans (en mai 92), de Gaulle 10 ans 3 mois, Grévy 8 ans 10 m., Lebrun 8 ans 2 m. *Le moins longtemps :* Casimir-Perier 6 m. 20 j., Deschanel 9 m. 4 j., Doumer 11 m. 25 j.

Ministères

■ **Nombre. IIIe République. 1873** *(25 mai)* 9 ministères (Affaires étrangères, Justice, Intérieur, Finances, Guerre Marine et Colonies, Instruction publique, Cultes et Beaux-Arts, Travaux publics, Agriculture et Commerce). *Le duc de Broglie* est vice-Pt du Conseil (la fonction et le titre de Pt du Conseil n'apparaîtront qu'en mars 1876) et min. des Aff. étrangères. 1 sous-secr. d'État (à l'Intérieur). **1936** ministère Léon Blum, *nombre record* de la IIIe Rép. 21 ministres, 14 sous-secr. d'État.

IVe République. 1946 le titre de secr. d'État apparaît. *Nombre des membres du Gouv. :* 22 (de Gaulle 1945) à 46 (Bourgès-Maunoury 1957), *des ministres :* 14 (Guy Mollet 1956 et Bourgès-Maunoury 1957) à 26 (Edgar Faure 1952) *secr. d'État :* 0 (de Gaulle 1945) ou 1 (Bidault et Blum en 1946) à 25 (Bourgès-Maunoury) ou 32 avec les *sous-secr. d'État.*

Ve République. *Membres du Gouv. :* de 25 (Debré, 14-4-1962) à 43 (Chirac, 28-5-1974).

Nota. – Les *Pdts du Conseil* ont jusqu'en 1933 [sauf Poincaré (11-11-1928/27-7-1929)] exercé en même temps une fonction ministérielle (ex. : Aff. étr., Intérieur, Finances, Instruction publique). Ensuite ils furent souvent sans portefeuille, notamment de 1936 à 1938 et de 1947 à 1952.

De Gaulle, dernier Pt du Conseil de la IVe, fut en même temps min. de la Déf. nat. Sous la Ve Rép., les Premiers min. n'ont eu aucune fonction ministérielle sauf Raymond Barre, min. de l'Économie et des Finances (1976-78).

■ **Présidence des ministères.** Durée de quelques présidences (en ne tenant pas compte des remaniements des ministères). **Les plus longues : IIIe République.** *3 ans 19 jours :* Poincaré (23-7-1926/27-7-1929). *2 a. 11 m. 17 j :* Waldeck-Rousseau (22-6-1899/7-6-1902). *2 a. 9 m. :* Clemenceau (25-10-1906/24-7-1909). *2 a. 7 m. 18 j :* Combes (7-6-1902/24-2-1905). **IVe République.** *1 a. 4 m. 15 j :* Mollet (1-2-1956/13-6-1957). *1 a. 1 m. 16 j :* Queuille (12-9-48/27-10-49). **Ve République.** *6 a. 3 m. 25 j :* Pompidou (14-4-62/21-7-68). **Les plus courtes : IIIe Rép.** *3 j :* Herriot (19/21-7-1926). *4 j. :* Bouisson (1/4-6-1935). *4 j :* Ribot (9/13-6-1914). *6 j :* François-Marsal (9/14-6-1924). *8 j :* Dufaure (18/25-5-1873). *9 j :* Reynaud (5/13-6-1940). **IVe Rép.** *2 j :* Queuille (2/4-7-1950). *13 j :* Schuman (31-8/12-9-1948). **Ve Rép.** *11 m., 10 j :* Couve de Murville (10-7-1968/20-6-1969).

Premiers ministres (Ve République). **Âge à la 1re nomination :** *le + âgé :* Couve de Murville 61 a. 5 mois 17 j ; *le plus jeune :* Fabius 35 a. 10 m. 27 j.

Ministres. Age à leur 1re nomination : *IIIe République :* Pierre-Étienne Flandin (30), Georges Mandel (30), Louis Barthou (32), Léon Gambetta (32), Jean Zay (32), Raymond Poincaré (33), Guy La Chambre (34), Joseph Caillaux (35), Waldeck-Rousseau (35), Paul-Boncour (38), Camille Chautemps (39). *IVe République :* Félix Gaillard (sous-secr. d'État 27, secr. d'État 31, min. 37, Pt du Conseil 38), François Mitterrand (30), René Arthaud (31), Tanguy-Prigent (35), Paul Coste-Floret (36), Maurice Faure (36), Félix Gaillard (38), Pierre-Henri Teitgen (38). *Ve République :* Valéry Giscard d'Estaing (secr. d'État 32, min. 35), Jacques Chirac (secr. d'État 34, min. 38, Premier min. 41), Laurent Fabius (min. 34, Premier min. 35). Pierre Méhaignerie (38), Claude Évin (39).

■ **Crises de la IVe République. Les plus longues :** *38 j* (21-5/28-6-53 Mayer-Laniel). *32 j* (10-7/11-8-51 Pleven-Queuille). *28 j* (16-4/14-5-58 Gaillard-Pflimlin). *21 j* (16-10/6-11-57 Bourgès-Maunoury-Gaillard). **Les plus courtes :** *1 j* (31-5/1-6-58 Pflimlin-de Gaulle). *3 j* (8-9/11-9-48 Schuman-Queuille) ; (10-6/13-6-57 Mollet-Bourgès-Maunoury).

■ **Longévité ministérielle.** *Robert Boulin* [au Gouv. du 24-8-61, à sa mort 8-11-79 : 14 ans, 11 mois (interruption 28-3-73 au 27-8-76) ; secr. d'État : Rapatriés, Budget, Finances ; min. : Fonction publ., Agric., Santé, Relations avec le Parlement, Travail)]. *Robert Galley* [dep. 31-5-68, soit env. 12 ans ; record sans interruption ; min. : Équipement, Recherche, PTT, Transports, Armées, Coopération]. *Pierre Messmer* (du 5-2-60 au 27-5-74 : 12 ans 9 mois, interruption 22-6-69 au 24-2-71, min. : Armées, DOM et TOM et Premier ministre).

DESCENDANTS DES ANCIENS SOUVERAINS FRANÇAIS

☞ Seul, le Cte de Paris s'est défini lui-même comme prétendant, Rabat (1-7-1941).

La loi du 22-6-1886 (dite *loi d'exil*), interdisait aux chefs des familles ayant régné sur la France et à leurs fils aînés de séjourner ou de venir en France, et à tous les hommes de ces familles de servir dans l'armée française (Bourbon, Orléans et Bonaparte). Elle fut abrogée sur proposition de Paul Hutin-Desgrées, député (MRP) du Morbihan, adoptée par l'Assemblée nationale le 16-5-1950 par 314 voix contre 179 et par le Conseil de la République le 22-6 par 218 voix contre 84, promulguée le 24-6-1950, mais les princes de ces familles peuvent être expulsés de France avec facilité s'ils troublent l'ordre public.

DESCENDANCE DES MÉROVINGIENS ET DES CAROLINGIENS

6 familles descendraient de Clovis par les mâles (de La Rochefoucauld, d'Aure puis de Gramont, de Comminges de Peguilhan, de Galard, de Luppé, de Montesquiou Fezensac). Ces familles, qui n'ont jamais prétendu à la couronne de France, ne peuvent pas prouver scientifiquement leur filiation. De même les familles de Sohier de Vermandois et de Chaumont-Quitry (issues de Charlemagne par les femmes). Les Capétiens ont eu des liens nombreux avec les Carolingiens et Mérovingiens, et ont toujours prétendu descendre de Charlemagne, donc de Clovis (v. p. 614 b).

Les Capétiens seraient la plus ancienne race royale du monde [si l'on ne compte pas les Bagration (Géorgie) à la filiation incertaine, et la dynastie japonaise dont la filiation est légendaire durant les premiers siècles de l'ère chrétienne].

DESCENDANCE DES CAPÉTIENS

■ LE DUC D'ANJOU

CHEF DE LA MAISON DE BOURBON (SOUTENU PAR LES LÉGITIMISTES)

■ **Mgr Louis-Alphonse, duc d'Anjou** (Madrid 25-4-1974), titré duc de Touraine puis 19-9-1981 duc de Bourbon et 2-2-1989 duc d'Anjou. Citoyen français par sa mère. Études à Madrid. *Secrétariat :* 10, av. Alphonse-XIII, 75016 Paris.

■ **Filiation : Louis XIV, Louis Gd Dauphin, Philippe V d'Espagne,** 5 générations, **Alphonse XIII** (roi d'Esp. † 28-2-1941), son fils aîné, **Jacques (Jaime) Henri de Bourbon, duc de Ségovie** (La Granja, Esp. 23-6-1908/St-Gall 20-3-1975) qui a fait acte de roi de France en prenant le titre de duc d'Anjou et les pleines armes de France (Rome 28-3-1946). Ép. à Rome le 4-3-1933 Melle Emmanuelle de Dampierre [n. 8-11-1913, fille du vicomte (français) Roger de Dampierre, second duc de San Lorenzo, et de la P^cesse^ (italienne) Vittoria Ruspoli]. Après divorce prononcé à Bucarest 6-5-1947 (enregistré à Turin 3-6-1949), il se remariera civilement en 1949 avec une protestante, Mme Charlotte Tiedemann († 3-7-1979, ancienne chanteuse ; divorcée). Emmanuelle de Dampierre épousera Antonio Sozzani (union non reconnue en Espagne ; séparée). Il eut d'elle 1° *Alphonse* (voir ci-dessous), 2° *Charles-Gonzalve* (Rome 5-6-1937), qui a reçu de son père (21-9-1972) le titre héréd. de duc d'Aquitaine, marié plusieurs fois, et 2 fois divorcé. Voir Espagne.

Alphonse de Bourbon, duc d'Anjou et de Cadix (Rome 20-4-1936/Beaver Creek, Colorado, USA – accident de ski 30-1-1989), porta le titre de duc de Bourbon en Espagne et de Bourgogne du 25-11-50 au 3-8-75. Reconnu en Espagne comme SAR le duc de Cadix, le 22-11-1972 ; succéda à son père le 20-3-1975, avec prise du titre de duc d'Anjou le 3-8 suivant. De nationalité française confirmée par jugement (Montpellier 13-11-1987), avocat (non exerçant) au barreau de Madrid, ambassadeur d'Esp. à Stockholm (1969-72), banquier, Pt de l'Institut de culture hispanique (1973-77), Pt du Comité Olympique esp., Pt d'honneur de l'Institut de la Maison de Bourbon, Pt d'honneur du Mémorial de France à St-Denis, maire d'honneur de Jonage (Rhône), etc. Marié au Pardo, près de Madrid, le 8-3-1972, à Marie Carmen Martinez Bordiu y Franco (Madrid 26-2-1951), fille du Mis de Villaverde et petite-f. du généralissime Franco [dont *François, duc de Bourbon* (Madrid 1973/Pampelune 7-2-1984, accident de la voiture conduite par son père) et *Louis-Alphonse* (Madrid 25-4-1974) (voir ci-dessus)]. Après séparation (prononcée par le tribunal diocésain de Madrid) 16-11-1979, et divorce 10-4-1980 (mariage annulé 16-12-1986), Marie Carmen s'est remariée civilement 11-12-1984 avec Jean-Marie Rossi (antiquaire parisien d'origine ital., divorcé de Barbara Hottinguer) dont elle est la 3e femme. Peu avant sa mort, Alphonse s'était fiancé à l'archiduchesse Constance d'Autriche.

Le 21-12-1988, le tribunal de grande instance de Paris avait tranché en faveur du duc d'Anjou et de Cadix (défendu par Jean Foyer) dans le procès intenté par Henri d'Orléans, comte de Mortain (représenté par Paul Lombard) et les P^ces^ Ferdinand de Bourbon-Siciles et Sixte Henri de Bourbon-Parme (représentés par Jean-Marc Varaut) qui souhaitaient que la justice lui interdise de porter le titre de duc d'Anjou et d'user des armoiries de la Maison de France (3 fleurs de lys d'or sur fond d'azur). Le jugement constatait que : « Les titres nobiliaires supprimés par les Révolutions de 1789 et de 1848 et rétablis par le décret du 28-1-1952 ne peuvent être régulièrement portés et ne peuvent être donnés à leurs titulaires dans les actes d'état civil qu'en vertu d'un arrêté d'investiture pris par le garde des Sceaux, en application de l'acte royal ou impérial qui les a, à l'origine, conférés. » Un titre de noblesse « ne peut être défendu contre toute usurpation que par celui qui en dispose lui-même dans les conditions rappelées, ou qui fait partie d'une famille à laquelle a été, de la même manière, reconnue cette distinction honorifique ». Or le titre de duc d'Anjou « a été concédé, en dernier lieu, par Louis XV à son 2e petit-fils Louis Stanislas Xavier (futur Louis XVIII) puis a été aboli par l'effet du décret de l'Ass. nat. constituante du 19-6-1790. La survivance actuelle de ce titre ne pourrait être vérifiée que par le garde des Sceaux, éventuellement saisi. Dans ces conditions, Henri d'Orléans doit être déclaré irrecevable à agir en défense du titre de duc d'Anjou sur lequel il n'établit pas que lui-même ou sa famille aient des droits. Il doit en être de même quant à Ferdinand de Bourbon-Siciles et Sixte de Bourbon-Parme qui ne justifient pas davantage d'un intérêt à intervenir ». Pour le port des armoiries, « il n'appartient pas à une juridiction de la République d'arbitrer la rivalité dynastique qui soustend en réalité cette querelle héraldique comme l'ensemble de la procédure. »

L'arrêt de la Cour d'appel de Paris (22-11-1989) confirma ce jugement. Les pleines armes de France prises dep. plus de 100 ans par les aînés des Bourbons d'Espagne (dep. la mort d'Henri V en 1883) ne peuvent être contestées au P^ce^ Louis, nouvel aîné. Dep. la chute de Charles X, ce sont des armes privées, non étatiques, elles sont un attribut de la famille.

■ **Pour ses partisans : 1°)** La couronne se transmet par ordre d'aînesse, de mâle en mâle appartenant à une même branche ; c'est seulement en cas d'extinction de la branche aînée qu'elle passe à l'aîné de la branche qui vient tout de suite après. Ainsi le roi Louis-Philippe n'est qu'un usurpateur. **2°)** Aux disciples du P. Pierre Poisson (?-1744), cordelier, défenseur des droits du Régent (auteur v. 1720 d'un opuscule *La loy fondamentale de la succession à la couronne de Fr.,* publié par Mgr Baudrillart en 1890), qui disent que les descendants de la branche aînée, étant espagnols, ne sauraient avoir de droits sur la couronne, ils répondent : « Les exigences de l'ordre successoral, qui est une des "lois fondamentales" du Royaume, l'emportent sur des réalités contingentes, telles que la nationalité du prince capétien héritier » (elles l'ont emporté même sur l'appartenance *religieuse* d'Henri IV), et invoquent des précédents : Louis XII était roi de Naples et duc de Milan, François II roi d'Écosse et Henri III roi de Pologne ; de même, Philippe le Bel, Louis X le Hutin et Henri IV avaient été rois de Navarre (et même Napoléon III qui était fils de Louis, roi de Hollande !). **3°)** La couronne n'est pas un droit mais une charge (principe de « l'indisponibilité de la c. ») ; elle ne peut appartenir à celui qui la porte, mais lui est seulement confiée par Dieu ; celui auquel elle échoit se trouve dans l'incapacité de la refuser.

Validité des renonciations : par les traités d'Utrecht, Louis XIV renonçait pour lui et son petit-fils Philippe V à la réunion des couronnes de France et d'Espagne, Philippe V abandonnait pour lui et ses descendants toute prétention à la couronne de France. Cependant, pour les partisans du duc d'Anjou, ces renonciations ne peuvent avoir d'effets sur la succession capétienne : 1° Louis XIV, même agissant en tant que roi, ne pouvait modifier l'ordre successoral ; il essaya également de le faire en faveur des légitimés et on annula les dispositions ; 2° Philippe d'Anjou, n'étant pas roi de Fr., n'avait aucun titre pour disposer de la couronne française ; 3° les décisions en matière de succession relèvent des états généraux : le parlement de Paris n'est pas compétent pour les enregistrer ; 4° les juristes français (notamment le négociateur d'Utrecht, le Mis de Torcy) ont fait l'impossible pour accorder aux Angl. la séparation des couronnes de Fr. et d'Esp., tout en réservant les droits des Bourbons-Anjou à la succession capétienne ; 5° le tr. d'Utrecht n'a pas mis fin à la g. de Succession d'Esp. Celle-ci s'est terminée en 1714, par les tr. de Rastatt (en français) et de Baden (en latin, à cause de la présence d'un légat du pape). Plusieurs clauses secrètes, signées entre le maréchal de Villars et le P^ce^ Eugène (St Empire) excluaient les Orléans de la succession et réservaient les droits des P^ces^ d'Anjou-Esp. ; 6° quand la question des droits de Philippe V d'Anjou-Esp. s'est posée sérieusement (mauvaise santé du jeune Louis XV, unique héritier des Bourbons de France) entre 1715 et 1723, le peuple français était unanime à suivre les lois fondamentales et à faire appel à Philippe V contre le Régent (le Régent aurait eu en compensation la couronne d'Espagne, comme petit-f. d'Anne d'Autriche) ; 7° un édit de Louis XV (1717), prescrit qu'en cas d'extinction de la Maison de France ou de Bourbon, c'est à la nation de décider. 8° Louis XVI a reconnu les Bourbons d'Esp. comme aînés après lui de la famille capétienne : le 12-10-1789, il a remis entre les mains de Charles IV, « chef de la seconde branche », sa protestation, contre les concessions arrachées par les révolutionnaires ; 9° la Constitution de 1791 ne rejetait pas les droits successoraux des Bourbons d'Anjou-Esp., et ne fixait aucune règle relative à la nationalité des rois héréditaires (la charte de 1814 refusait d'expliciter ce point, les « lois fondamentales » restant en vigueur telles qu'elles étaient jusqu'à 1789). Louis-Philippe redoutait d'ailleurs tellement la compétition avec la branche carliste d'Esp. qu'il fit pression sur Ferdinand VII pour que celui-ci maintînt la loi salique en Esp. : avec les carlistes sur le trône de Madrid, il pouvait leur opposer le tr. d'Utrecht. Avec les carlistes privés du trône d'Esp., il avait une dynastie française mieux placée que la sienne ; 10° à la mort du comte de Chambord (1883), le ralliement des monarchistes français à don Juan, Cte de Montizon (Jean III de France), aurait sans doute été unanime, si ce prince n'avait pas fait preuve de graves défauts de caractère : il avait déjà abdiqué ses droits espagnols en faveur de son fils don Carlos VII (Charles XI de France). 11° les partisans du Cte de Paris qui considèrent valables les renonciations de Louis XIV et de Philippe V sont en contradiction avec eux-mêmes en ne reconnaissant pas comme valable le fait que Philippe Égalité ait par 3 fois, pour lui et pour ses descendants,

Succession de la royauté française selon l'ordre de primogéniture mâle (théorie des légitimistes)

*** Entre parenthèses les numéros d'ordre des rois carlistes**

- **HENRI IV** (1553-1610)
  - **LOUIS XIII** (1601-1643)
    - **LOUIS XIV** (1638-1715)
      - **Louis le grand dauphin** (1661-1711)
        - **Louis duc de Bourgogne** puis **dauphin** (1682-1712)
          - **LOUIS XV (1710-1774)**
            - **Louis dauphin** (1729-1765)
              - **LOUIS XVI** (1754-1793)
                - **LOUIS XVII** (1785-1795)
              - **LOUIS XVIII** (1755-1824)
              - **Charles X** (1757-1836)
                - **LOUIS XIX** comte de Marnes (1775-1844)
                - Charles-Ferdinand duc de Berry (1778-1820)
                  - **HENRI V** comte de Chambord (1820-1883)
        - Philippe duc d'Anjou puis Philippe V roi d'Espagne
          - Louis Ier roi d'Espagne
          - Ferdinand VI roi d'Espagne
          - Charles III roi d'Espagne
            - Charles IV roi d'Espagne
              - Ferdinand VII roi d'Espagne
              - **CHARLES (V)***
                - Charles (VI)
                - **Jean III (III)*** comte de Montizon (1822-1887)
                  - **Charles XII** Alphonse-Charles (I) duc d'Anjou et de San Jaime (1849-1936)
                  - **CHARLES XI (VII)*** duc de Madrid 1848-1909
                    - **JACQUES Ier (III)*** duc d'Anjou et de Madrid (1870-1931)
              - François de Paule infant d'Espagne
                - François d'Assise roi consort = Isabelle reine d'Esp. f. de Ferd. VII
                  - Alphonse XII roi d'Espagne
                    - **ALPHONSE Ier XIII (XII)*** roi d'Espagne (1886-1941)
                      - **Jacques-Henri VI** duc d'Anjou et de Ségovie (1908-1975) = Emanuela de Dampierre
                        - **Alphonse II** duc d'Anjou et de Cadix (1936-1989) = Marie-Carmen Martinez-Bordiu y Franco (1986)
                          - François duc de Bourbon (1972-84)
                          - Louis XX-Alphonse (1974), duc d'Anjou (1989)
                        - Charles-Gonzalès duc d'Aquitaine 1937
                      - Jean comte de Barcelone 1913 = Marie de Bourbon P^cesse des Deux-Siciles
                        - Jean-Charles roi d'Espagne 1938 roi depuis 1975 = Sophie princesse de Grèce
                          - Philippe P^ce des Asturies 1968
                - Henri duc de Séville
                  - Ducs de Séville et de Santa-Elena
            - Ferdinand roi des Deux-Siciles
              - Branche royale des Deux-Siciles
          - Philippe duc de Parme
            - Branches : ducale de Parme et grand-ducale de Luxembourg
    - **PHILIPPE** (1600-1700) Monsieur, duc d'Orléans
      - Branches : ducale d'Orléans, impériale du Brésil (Orléans et Bragance) et esp. d'Orléans

Maison d'Orléans (filiation du comte de Paris)

- **Louis XIII** (1601-43)
  - **Louis XIV** (1638-1715) (de Mme de Montespan) branche illégitime
    - Louis-Alex., Cte de Toulouse (1678-1737) ép. Sophie de Noailles
      - Louis-Jean-Marie, duc de Penthièvre (1725-93) épouse → M.-Th. d'Este-Modène (1726-54)
        - Louis-Alexandre, P^ce de Lamballe (1747-68) ép. Marie de Savoie-Carignan (1749-92)
        - Louise-Marie-Adélaïde de Bourbon (1753-1821) épouse → L.-Ph. Joseph
    - Françoise-Marie de Blois (1678-1749) épouse → Philippe II
  - Philippe Ier de France, duc d'Orléans (1640-1701) ép. Élisabeth-Charlotte de Bavière, P^cesse Palatine
    - Philippe II, duc d'Orléans le Régent (1674-1723)
      - Charlotte-Aglaé d'Orléans (1700-61) ép. François-Marie d'Este, duc de Modène
        - M.-Th. d'Este-Modène (1726-54)
        - Fortunée d'Este-Modène ép. le Cte de la Marche, puis P^ce de Conti (1734-1814)
      - Louis, duc d'Orléans (1703-52) (Louis le Pieux) ép. Auguste-Marie de Bade
        - L.-Philippe Ier, duc d'Orléans (1725-85) ép. Louise-Henriette de Bourbon Conti
          - L.-Ph. Joseph, duc d'Orléans (1747-93) Philippe Égalité
            - **Louis-Philippe Ier** (1773-1850) roi des Français 1830-48 Comte de Neuilly (1848-50) ép. Marie-Amélie (1782-1886), fille de Ferdinand Ier, roi des Deux-Siciles
              - Ferd.-Philippe (1810-42), duc de Chartres (1810-30), duc d'Orléans et P^ce royal (1830-42) ép. 1837 Hélène de Mecklembourg-Schwerin (1814-58)
                - **Louis-Philippe, Cte de Paris** (1838-94), prince royal (1842-48) ép. 1864 Marie-Isabelle d'Orléans-Montpensier (1848-1919)
                  - **Philippe** (1869-1926), **duc d'Orléans** ép. 1896 Marie Dorothée d'Autriche
                    - Sans postérité
                  - Isabelle d'Orléans ép. 1899 (7-5/1878-21/4/1961) → Jean, duc de Guise
                - Robert (1840-1910) duc de Chartres, dit : Robert le Fort (1871) ép. 1863 Françoise d'Orléans-Joinville
                  - **Jean, duc de Guise** (1874-25/8/1949)
                    - **Henri** (1908), **comte de Paris** ép. Isabelle d'Orléans Bragance
                      - **Henri** (1933) comte de Clermont ép. Marie-Thérèse de Wurtemberg (1934), divorcés
                        - **Jean** (1965), duc de Vendôme
                      - Autres enfants
              - Marie D^esse de Wurtemberg
              - Louis, duc de Nemours
              - 5 autres enfants
          - Louise-Bathilde d'Orléans (1750-1822) ép. Louis-Henri-Joseph, duc de Bourbon (1756-1830), le dernier des Condé
            - Louis-Antoine-Henri de Bourbon, duc d'Enghien (1772-1804)

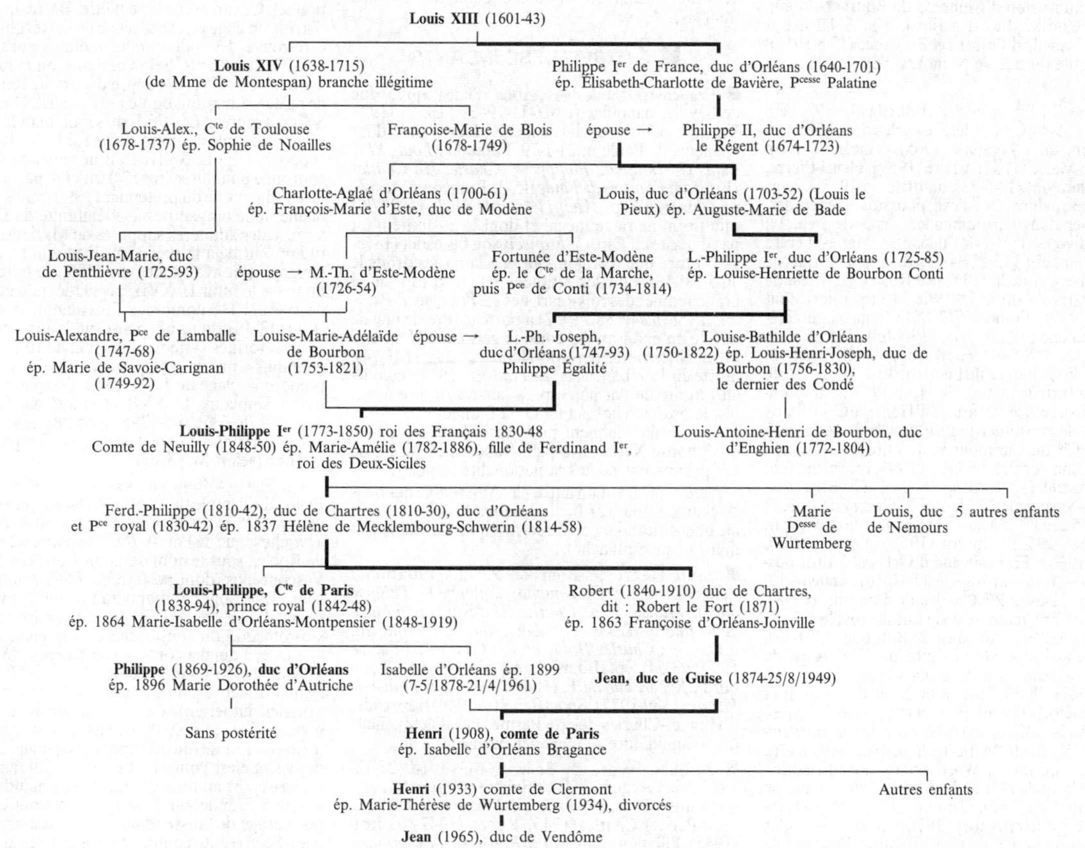

renoncé à la couronne. Il aurait même pris le patronyme d'Égalité pour montrer qu'il rejetait les droits des Bourbons (les orléanistes disent que ce patronyme lui a été imposé par les révolutionnaires, comme celui de Capet à Louis XVI).

■ **Suite des « rois de France » depuis la mort de Charles X, pour les légitimistes.** **1836** LOUIS XIX Cte de Marnes (-la-Coquette) (ex-duc d'Angoulême, ex-dauphin, fils de Charles X). **1844** HENRI V Cte de Chambord (1820-83), fils du duc de Berry († 1820, frère cadet de L. XIX) petit-fils de Ch. X. **1883** JEAN III (1822-87), petit-fils d'un fr. cadet de Ferdinand VII roi d'Esp. (celui-ci avait 1 seule fille, la reine Isabelle II d'Esp., qui, femme, ne pouvait transmettre les droits héréditaires français, mais avait épousé son cousin François d'Assise, fils d'un autre cadet, Fr. de Paule). **1887** CHARLES XI, duc de Madrid (1848-1909), son fils. **1909** JACQUES Ier duc d'Anjou et de Madrid (1870-1931), son fils. **1931** CHARLES XII, Alphonse duc d'Anjou et de San Jaime (12-9-1840/30-9-1936), son oncle (fr. de Ch. XI et dernier roi d'Esp. de la branche carliste). **1936** ALPHONSE Ier (roi d'Esp. sous le nom d'Al. XIII, 1886-1941), son cousin. **1941** HENRI VI, Jacques duc d'Anjou et de Ségovie (1908-75), Voir plus haut. **1975** ALPHONSE II, duc d'Anjou et de Cadix (1936-89). **1989** LOUIS XX, duc d'Anjou (n. 1974).

■ Le comte de Paris
(soutenu par les Orléanistes)

■ **Mgr Henri d'Orléans, Cte de Paris** (5-7-1908, château du Nouvion-en-Thiérache, Aisne), également duc d'Orléans, de Valois, de Chartres, de Nemours et de Montpensier, dauphin d'Auvergne, Pce de Joinville et sénéchal héréditaire de Champagne, Mis de Coucy et de Folembray, comte de Soissons, de Dourdan et de Romorantin, baron de Beaujolais, etc., Pce du sang. Enfance au Maroc, à Larache. Élève à la Fac. cath. de Louvain. Exilé (par le fait de la loi de 1886) en 1926 avec son père, le duc de Guise, quand celui-ci devint, à la mort du duc d'Orléans Philippe VIII, l'aîné des descendants du roi Louis-Philippe. S'installe au manoir d'Anjou, près de Bruxelles. Réside (1940-50) près de Rabat, puis à Pampelune (Esp.) et Cintra (Port). Rentré en France le 5-7-1950 après l'abrogation de la loi d'exil, s'installe au manoir du Cœur-Volant (Louveciennes, près de Paris), puis réside à Paris et au château du Nouvion-en-Thiérache, et enfin à Chantilly dans son hospice de la fondation Condé ; Pt de la Fondation St-Louis, membre d'honneur et titulaire de la société des Cincinnati de France (représentant le duc de Chartres, futur Philippe Égalité, il a démissionné lors de l'admission d'Alphonse de Bourbon-Anjou, duc de Cadix, duc d'Anjou). *Ép.* 8-4-1931 à Palerme Isabelle d'Orléans et Bragance (13-8-1911), descendante du duc de Nemours. Séparés de biens 1986.

■ **Enfants** (11 Pces et Pcesses) : **Isabelle** (8-4-1932) ép. à Dreux 10-9-64 Cte Frédéric-Charles de Schönborn-Buchheim, dont Damian (1965), Vincenz (1966), Lorraine-Marie (1968), Claire (1969). **Henri-Pierre, Cte de Clermont** (14-6-33), autorisé en 1948 à venir en France, malgré la loi d'exil, poursuivre ses études, fut officier dans l'arme blindée cavalerie ; ép. 1°) 5-7-57 (divorcé le 3-2-84) duchesse Marie-Thérèse de Wurtemberg (12-11-34), f. de Philippe duc de Wurtemberg et de la Desse, née Rose d'Autriche (le Cte de Paris l'a titrée Desse de Montpensier) dont Marie (1959), François [(7-2-61), handicapé cérébral], Blanche (1962), Jean (19-5-65), duc de Vendôme, Eudes (18-5-68), duc d'Angoulême ; 2°) 31-10-84 Micaela Quinones de Leon (n. 30-4-38), divorcée (1966) de Jean Boeuf (ép. 1961) ; en 1982, désapprouvant le divorce et le remariage d'Henri, le Cte de Paris a décidé de substituer le titre de Cte de Mortain à celui de Cte de Clermont et de faire de Jean, son petit-fils, son héritier direct ; en 1991, réconciliation. **Hélène-Astrid** (17-9-34) ép. 17-1-57 *Cte Évrard de Limburg-Stirum* (1927), f. du Cte Thierry de L.-S. et de la Ctesse née Pcesse Marie-Immaculée de Croy, dont Catherine (1957), Thierry (1959), Louis (1962), Bruno (1966). **François duc d'Orléans** à titre posthume (1935, tué en Algérie 11-10-60). **Anne** (4-12-1938) ép. 12-5-65 Pce Charles de Bourbon (1938), *duc de Calabre*, membre de la famille royale d'Esp., f. de l'infant d'Esp. Alphonse de Bourbon (1901-64), duc de Calabre et de l'infante n. Pcesse Alice de Bourbon-Parme, dont Cristina (1966), Maria Paloma (1967), Pedro (1968), titré duc de Noto, Inès (1971), Victoria (1976), Pcesse et Pce des Deux-Siciles. **Diane** (24-3-1940) ép. 21-7-60 *Carl duc de Wurtemberg* (1936), fr. de Marie-Thérèse (voir plus haut), chef de la maison de Wurtemberg, dont Friedrich (1961), Mathilde (1962), Éberhard (1963), Philippe (1964), Michel (1965), Éléonore (1977). **Michel** (25-6-1941) **Cte d'Évreux** (dep. 1976) ép. 18-11-67, sans l'autorisation du Cte de Paris, Béatrice Pasquier de Franclieu (1941), dont Clotilde (1968), Adélaïde (1971), Charles-Philippe (1973), François (1982). **Jacques** (25-6-1941), son jumeau, **duc d'Orléans**, ép. 3-8-1969 Gersende de Sabran-Pontevès (1942), f. de Foulques de Sabran-Pontevès, duc de Sabran, dont Diane (1970), Charles-Louis (1972), Foulques (1974). **Claude** (11-12-1943), ép. 1°) 22-7-64 *Pce Amédée de Savoie, duc d'Aoste* (27-9-1943), f. du Pce Aimon de Savoie, duc d'Aoste (1900-48), et de la Desse n. Pcesse Irène de Grèce [divorcée 1982 (annulation 1987)], dont Bianca (1966), Aimone (1967), Mafalda (1969), 2°) 1982 Arnaldo La Cagnina (1929). **Chantal** (9-1-1946) ép. 1972 *Bon François-Xavier de Sambucy de Sorgue* (1943) dont Axel (1976), Alexandre (1978), Kildine (1979). **Thibaut** (1948-83), **Cte de La Marche** (dep. 1976) ép. 1972 Marion Gordon-Orr (1941) (union non agréée par le Cte de Paris), dont Robert Cte de La Marche (1976), Louis-Philippe (1979-81).

■ **Sœurs du Cte de Paris** : **Isabelle** (1900-83) ép. 1° le *Cte Bruno d'Harcourt* (1899-1930) ; 2° Pce Pierre Murat (1900-48). **Françoise** (1902-53) ép. 11-2-29 le *Pce Christophe de Grèce* (1889-1940) dont Michel de Grèce (n. 7-1-1939), écrivain. **Anne** (1906-86) ép. 5-11-1927 *Pce Amédée de Savoie, duc d'Aoste* (1898-1942).

■ **Suite des rois de France, depuis la mort du Cte de Chambord (Henri V, 1820-83), pour les orléanistes.** **1883** PHILIPPE VII, Cte de Paris (1838-94), petit-f. de Louis-Philippe Ier. **1894** PHILIPPE VIII, duc d'Orléans (1869-1926), s. f. **1926** JEAN III, duc de Guise (1874-1940), son cousin germain. **1940** HENRI VI, Cte de Paris (n. 1908), s. f.

■ **Branches cadettes** issues des fils de Louis-Philippe. **1°)** Du *Pce Louis d'Orléans, duc de Nemours* (1814-96), 2e f. du roi Louis-Philippe : par le Pce Gaston d'Orléans, Cte d'Eu (1842-1922), f. aîné de Louis (branche d'Orléans et de Bragance, héritière des droits impériaux du Brésil), et par le Pce Ferdinand d'Orléans, 2e f. de Louis (branche de Nemours, éteints en 1970). **2°)** *Du Pce Antoine d'Orléans, duc de Montpensier* (1824-90), ép. (1846) Louise d'Espagne (1832-97) : branche des ducs de Galliera, infants d'Espagne. *Chef actuel :* Alphonse d'Orléans, 6e duc de Galliera (1910). **Droits dynastiques en France.** Les deux branches étant composées de princes ayant une nationalité étrangère (brésilienne, espagnole), en principe elles ne sont pas reconnues comme dynastes par les orléanistes. Cependant le pacte de famille conclu le 26-4-1909 avait stipulé qu'en vertu des Édits du Roi du 2-7-1717 et du 23-4-1723, enregistrés au Parlement, les Orléans Bragance, devenus étrangers en tant que Maison impériale du Brésil, n'auront aucun droit à la couronne de France (sauf en cas d'extinction des Orléans français).

■ Autres descendants

■ **François de Paule de Bourbon et Escasany**, 5e duc de Séville, banquier (n. 16-11-1943) ; *ép.* 7-7-1973 Béatrice, Ctesse de Hardenberg, dont 3 enf. dont François de Paule n. 21-1-79. **Filiation :** *Louis XIV, Louis Gd Dauphin, Philippe V, Charles III, Charles IV, infant François de Paule* (fr. de François d'Assise, roi consort d'Esp.), *Henri Ier duc de Séville* (1823-70) (qui fit un mariage inégal et dont la postérité n'est pas dynaste en Esp.) [1], *François* son fils cadet (1853-1942) titré duc d'Anjou, qui proclama ses droits le 30-7-1894 devant les attitudes par trop esp. de la branche aînée des rois « carlistes » [2]. *François de Paule duc de Séville* [(1882-1952) a porté le titre de duc de Séville en épousant sa cousine germaine Henriette (4e duchesse) héritière de Henri (2e duc 1848-94), morte en 1967]. *François de Paule* (n. 1912), colonel en retraite de l'armée esp., a laissé son titre à son fils, le 5e duc, chef actuel de la famille.

Les Séville viennent juste après la descendance d'Alphonse XIII sur le plan français. Plusieurs de ces princes ont acquis la nationalité française.

Nota. – (1) Il eut un autre fils, Albert, tige des ducs de Santa Elena. (2) Il eut 3 autres fils qui ont tous eu une descendance (titrée marquis de Balboa et marquis de Squilache).

■ **Sixte-Henri de Bourbon-Parme.** **Filiation :** *Louis XIV ; Louis Gd Dauphin ; Philippe V ; Philippe duc de France (fr. de Charles III d'Esp.) ép. d'Élizabeth, fille de Louis XV ; Louis duc de Parme,* roi d'Étrurie ; *Charles II duc de P. ; Charles III duc de P.* (1623-54) ép. Louise, sœur du Cte de Chambord ; *Robert duc de P.* (1848-1907) ; *Xavier duc de Parme* (1889-1977), *Sixte-Henri* (n. 1940) frère cadet d'Hugues-Charles duc de Parme. Pas d'acte officiel de « candidature », mais des partisans.

■ **Jacques, comte de Bourbon-Busset** (n. 27-12-1912), de l'Académie fr., ministre plénipotentiaire, 4 enfants : Hélène (1940, Cte Amaury de Poilloüe de St-Périer), Charles (1945), Robert (1947-80), Jean (1948). **Filiation :** *saint Louis, Robert Cte de Clermont, Louis Ier duc de Bourbon, Pierre Ier duc de Bourbon* (dont le fr. cadet Jacques Ier, Cte de la Marche, est l'ancêtre d'Henri IV, et ainsi de tous les Bourbons et Orléans actuels) ; 3 générations. *Louis de Bourbon* (1437-assassiné 1482) Pce-évêque de Liège (1455), ordonné 1466, sacré 1467 qui aurait épousé (avant d'être ordonné) Catherine d'Egmont, f. du duc de Gueldre dont seraient nés ses 3 fils. La réalité de cette union a été discutée, aucun acte n'ayant été produit ; les fils se dirent et portèrent des armoiries de bâtards, mais en 1518 demandèrent à être considérés comme légitimes (ce que leur aurait accordé un arrêt du Parlement de Paris qui n'a pas été retrouvé). En 1589, leurs descendants ne firent pas valoir leur droit au trône (à la mort d'Henri III, ils seraient devenus les aînés des Capétiens). *Pierre* († 1529), fils aîné de Louis, chambellan de Louis XII, épousa Marguerite d'Allègre, dame de Busset ; 2 générations, *César de Bourbon,* titré (1578) Cte de Busset († 1631) ; 9 générations de Ctes de Busset, puis de Bourbon-Busset, reconnus « cousins » par le roi (usage pour les bâtards capétiens).

■ Personnes ne pouvant prouver leur rattachement à la maison capétienne

■ Faux dauphins

Le mystère du Temple. Selon la thèse officielle, le Dauphin (n. 27-3-1785), devenu Louis XVII à la mort de son père L. XVI (guillotiné le 21-1-1793), est mort au Temple le 8-6-1795 (20 prairial an III) et a été enterré au cimetière Sainte-Marguerite le 12-6, mais de nombreux historiens ont soutenu qu'il s'était évadé du Temple. Ils s'appuient notamment sur le fait que le rapport d'autopsie (9-6-1795) et l'examen du squelette exhumé 2 fois (1846 et 1894) font état d'un cadavre mesurant 1,47 m et 1,65 m (alors que L. XVII n'avait que 1,15 ou 1,20 m) et ayant entre 15 et 20 ans (alors que L. XVII né en 1785 avait 10 ans). En fait, il est certain que le squelette (mélange d'os de diverses personnes) n'était pas celui de l'enfant mort au Temple qui a été inhumé dans une fosse commune (on est allé rechercher des ossements près de l'église Ste-Marguerite, à des dizaines de mètres du trottoir de la rue St-Bernard, sous laquelle elle se trouve actuellement). De nombreux comploteurs, semble-t-il, ont essayé entre le 3-7-1793 et le 8-6-1795 de s'emparer de L. XVII. Il s'agissait soit de royalistes (comme le Cte de Puisaye ou Mrs Atkins), désireux de rétablir la monarchie, soit de républicains (comme le conventionnel Chaumette et peut-être Barras), désireux d'avoir un gage en cas d'échec de la Révolution. On a retrouvé des indices d'au moins 4 substitutions possibles d'enfants. Selon certains, on aurait perdu la trace de L. XVII après son départ du Temple [lieu de refuge : Livradois ou Velay (P.-de-D., Hte-Loire)]. Selon d'autres, L. XVII se serait manifesté mais n'aurait pas été reconnu par le roi L. XVIII [motifs supposés : 1°) L. XVIII était désireux de garder la couronne pour lui-même ; 2°) il n'était pas convaincu de l'authenticité du prétendant ; 3°) (le plus vraisemblable) il ne croyait pas à la légitimité du Dauphin, à cause des adultères supposés de Marie-Antoinette (il appelait déjà le précédent Dauphin : « le fils de Coigny ») et avait tenté, en 1789, de faire écarter du trône le futur L. XVII, persuadé qu'il était le fils de Fersen. De nombreux faux dauphins ont ainsi surgi (43). Certains ont pensé qu'ils auraient été des enfants formés systématiquement au rôle de « faux dauphins » par des comploteurs décidés à leur faire prendre la place de L. XVII au Temple. Selon Edmond Dupland, L. XVII est mort au Temple le 4-1-1794 (le 3 ou 4-6-1795 selon Marina Grey), et aurait été inhumé dans l'enclos du Temple près de la Tour (selon M. Grey).

Charles Guillaume Naundorff (1787?-1845). Évadé du Temple (le 12-6-1795) (selon ses partisans, ou entre 28 et 30-3, comme il l'écrivit le 28-8-1833 à l'archevêque de Paris). *1803 :* se marie selon Xavier de Roche, sous le nom de Louis Capeto à Marie de Vasconcellos (dont postérité). *1809 :* commis-voyageur en horlogerie, il apparaît à Berlin ; personne ne sait d'où il vient. *1812 :* il s'établit à Spandau, sous la protection du conseiller Le Coq, ancien chef de la police, à qui il a confié « son secret ». *1815 :* écrit à la duchesse d'Angoulême. *1818-19-11 :* épouse Jeanne Einert (15 ans et demi, fille d'un négociant prussien luthérien), quitte Spandau pour Brandebourg. *1820 :* écrit au Pce de Hardenberg, chancelier d'État de Prusse (qui ne répond pas) pour lui demander les papiers confiés à Le Coq ou lui faire établir un passeport au nom du duc de Normandie. *1821 :* se fixe à Brandebourg. *1824 :* comparaît en justice pour usage de fausse monnaie (accusation non fondée). Se présente comme un prince français de sang royal. *1826-30-11 :* condamné à 15 coups de fouet [selon la procédure de la *poena extraordinaria* (pour s'être rendu « indigne de la confiance du juge »)] et à 3 ans de prison (l'enquête ordonnée sur lui n'a pu remonter au-delà de 1809). *1828-5-5 :* libéré, horloger à Crossen ; convainc le commissaire Pezold († 1832) chargé de sa surveillance qu'il est L. XVII. *1831 :* se fait connaître en France par un article du *Constitutionnel ;* convainc le juge d'Albouys, de Cahors, qui le fait venir à Paris. *1833-36 :* vit à Paris aux frais d'Albouys : étonne une vingtaine d'anciens courtisans de Versailles, par la précision de ses « souvenirs ». *1834 :* janv. victime d'une tentative d'assassinat. *1836 :* saisit le tribunal de la Seine d'une demande d'annulation de l'acte de décès de 1795 et assigne la duchesse d'Angoulême et le Cte d'Artois (Charles X) à comparaître ; le procès n'aura pas lieu. *-5-6* le gouv. de Louis-Philippe le fait arrêter. *-15-6* expulsé vers l'Angleterre. *1838 :* 2e attentat à Londres (balle dans le bras gauche). Une explosion provoquée par des inconnus, ayant mis le feu à son laboratoire, emprisonné pour dettes. *1843-3-11 :* condamné par Grégoire XVI pour avoir écrit la Doctrine céleste. *1845 :* le gouv. hollandais lui achète ses découvertes pyrotechniques. *-25-1 :* arrive à Delft. *-30-6 :* directeur des Ateliers de pyrotechnique. *-12-8 :* y meurt. Acte de décès rédigé au nom de « Charles-Louis de Bourbon, duc de Normandie : L. XVII, connu sous le nom de Charles-Guillaume Naundorff, fils de L. XVI et de Marie-Antoinette ». Enterré à Delft (mêmes indications sur sa tombe malgré les protestations du gouv. français). *1850-29-8 :* la famille d'Angoulême, le duc de Bordeaux et sa sœur la duchesse de Parme devant le tribunal civil de 1re instance de la Seine. *1851-2 et 30-5 :* Jules Favre défend sa veuve (est déboutée 5-9). *1872-3-4 :* sa veuve, ses descendants, Amélie, Marie-Antoinette, Louis-Charles, Marie-Thérèse, Adelberth et Ange-Emmanuel font appel du jugement de 1851 et assignent le Cte de Chambord devant la cour d'appel de Paris. Jules Favre ne demande plus à la cour de proclamer « que Naundorff avait été le fils de L. XVI mais de reconnaître que les présomptions en faveur de cette filiation étaient suffisantes pour qu'il y ait lieu d'ordonner une enquête ». Mais la cour ne voit en Naundorff « qu'un aventurier hardi, d'un profond esprit de combinaison et d'astuce, capable d'une fourbe habile pour jouer un grand rôle ou faire lucrativement des dupes... ». Un des enfants Naundorff, Charles-Edmond, alors en froid avec sa famille, ne s'était pas joint à elle lors du procès de 1872. Il n'avait donc pu lui-même être débouté. Cette absence va permettre à ses descendants de relancer la machine. *1891 août :* Christina Schoenlau, veuve de Charles-Edmond de Bourbon, obtient la modification des actes de naissance de ses enfants et la reconnaissance du nom de « Bourbon ». *1943* André Castelot propose au professeur Locard, directeur du Laboratoire de police scientifique de Lyon, d'analyser une mèche de cheveux prélevée sur la tête de Naundorff le j. de sa mort à Delft, en 1845, et une du Dauphin. *1950* on ouvre le cercueil de Naundorff. Le corps est celui d'un décédé à 60 ans, âge « qu'aurait eu » L. XVII. *1951* nouvelle expertise de Locard : les cheveux ne présentent pas la particularité remarquée en 1943. *1954-5-5 :* cour d'appel de Paris, « affaire Louis XVII », opposant certains héritiers Naundorff aux Pces de Bourbon-Parme et au Cte et à la Ctesse Roger de La Rochefoucauld, descendants de Charles X défendus par Me Maurice Garçon. *-7-7 :* arrêt rendu : la Cour confirme le jugement du 5-6-1851, concluant que si les circonstances de la détention et de la mort de L. XVII étaient troublantes, les preuves n'étaient pas suffisantes pour annuler l'acte de décès du 8-6-1795.

On a avancé qu'une Melle Naundorff était, vers 1785, domestique de Louis-Joseph de Bourbon, 8e Pce de Condé (1736-1818). Celui-ci, veuf depuis 1760 de Godefride de Rohan, aurait été le père de Naundorff. Selon certains, il aurait même demandé l'autorisation d'épouser sa maîtresse à L. XVI qui aurait refusé, les Condé étant princes du sang. Naundorff serait donc authentiquement un Bourbon. « La Gerbe » publie que Locard a observé dans les 2 mèches la même et rarissime excentration du canal médullaire.

Descendance : porte légalement le nom de Bourbon. Naundorff eut avec Jeanne Einert : *5 garçons :* Charles Édouard (1821-66) dit Ch. X sans postérité ; Louis Charles (1831-99) dit Ch. XI sans post. ; Charles Edmond (voir ci-dessus) ; Adalbert (ou Adelberth) (voir ci-contre) ; Ange-Emmanuel (1843-78) Cte de Poitiers sans post. *4 filles :* Jeanne-Amélie (1819-92) ép. Abel de Laprade ; Marie-Antoinette († 1893) ép. 1°) Sébastien Guillaume Van der Horst ; 2°) M. Daymonaz ; Marie-Thérèse ép. M. Leclercq ; N....

Naundorff se serait aussi marié au Portugal et aurait eu une autre descendance.

Descendance de Charles-Edmond (1833-83) « Cte d'Anjou » (marié religieusement avec Christine Schönlau le 22-5-1872 à Maestricht) : *9 enfants* dont *5 garçons : 1°)* Auguste Jean (Jean III) [(1872-1914) dont Henri (1899-1960) (Henri V) « duc de Bourgogne » sans post.] ; *2°)* Charles Louis Mathieu [(1875-1944) « duc de Berry » dont Charles Edmond (n. 1929) Cte de Poitiers (Charles XII) dont Hugues (n. 29-12-1974) ; *3°)* Louis-Charles (1876- †) ; *4°)* Abel-Louis-Charles (1877- †) ; *5°)* Louis Charles Emond [(1878-1940) « duc d'Aquitaine » dont René Tschoeberlé (1898-1979), reconnu 1940, devenu R. de Bourbon].

Descendance d'Adalbert ou Adelberth (1840-87) « Cte de Provence » : *5 garçons : 1°) Louis Charles* (1866-1940, « Pce de Sannois ») sans post. mâle ; *2°) Henri* [(1867-1937) « duc de Normandie » dont *Louis* (1908-75) « Cte de Boulogne, duc de Normandie » dont *a) Charles Louis* (n. 1933) « duc de Guyenne, duc de Berry » dont Philippe (1953-55), Michel-Henri (n. 1957) « duc de Normandie » [dont Charles-Michel (n. 1976) « duc de Bourgogne » ; André-Louis (n. 1977) ; Marc Édouard (n. 1986)] ; Jean-Edmond (n. 1960) « duc de Vendôme » ; *b) Henri-Emmanuel* (n. 1935) « duc d'Anjou » dont Guillaume (n. 1957), Henri (n. 1966) ; *3°) Ange Emmanuel* (1869-1938) « Cte de Poitiers » sans post. ; *4°) Jean-Louis-Marie* (1870-70) ; *5°) Charles-Ferdin.* (1871-73).

☞ *La Légitimité* (1er numéro 21-1-1883, lancé par l'abbé Berton, curé de Chantecoq, Loiret), a soutenu cette cause jusqu'en 1940. *L'Association Institut Louis XVII,* 3, rue des Moines, 75017 Paris publie un bulletin trimestriel dep. le 4e trimestre 1990.

■ **Autres faux dauphins. Jean-Marie Hervagault** (St-Lô 20-9-1781 , arrêté 16-9-1799, condamné à 4 ans de prison et enfermé à Bicêtre 17-2-1802 où il meurt 8-5-1812), manifesté en 1798. **Mathurin Bruneau** Vezins, M.-et-L. 10-5-1784 , fils de sabotiers, débarqué à St-Malo en 1815 sous l'identité de Charles de Navarre, s'inspire du roman de Régnault-Warin « Le Cimetière de la Madeleine », incarcéré à Rouen ; après une proclamation au peuple français, transféré à la Conciergerie où, après son procès, son imposture est dévoilée ; condamné à 7 ans de prison et 7 200 F d'amende, écroué 25-5-1821 à Ste-Pélagie puis au Mont-St-Michel où il meurt 26-4-1822. **Claude Perrein,** dit le **Cte de Richemont** (1786-1853). *1825* employé préfecture de Rouen. *1831* publie des « Mémoires du duc de Normandie, fils de Louis XVI, par lui-même ». Écroué à Ste-Pélagie le 30-8. *1834* oct. procès : condamné à 12 ans de détention pour escroqueries. *1835* s'évade. *1840* amnistié. Écrit une nouvelle version de ses mémoires, incohérente. *1849* assigne en revendication d'héritage la duchesse d'Angoulême. Plainte classée. *1853*-10-8 meurt et ses partisans font graver sur sa tombe : « ci-gît Louis-Charles de France, fils de L. XVI et de Marie-Antoinette, né à Versailles le 27-3-1795, mort à Gleizé le 10-8-1853. *1859* acte de décès rectifié et pierre tombale retournée. **Alexis Morin de Guérivière,** confié par Genès Ojardias à un libraire de Thiers. **Léon-Louis Maillard d'Angoulême. Louis Mazel** (garçon d'écurie à l'hôtel de France à Auch). **Victor Persat. Diebitsch** Feld-maréchal, Prussien naturalisé russe (1831 † du choléra). **Louis Fuchart ou Fauchart** († 1851), soldat, souleva la chouannerie en 1813. **Jenny Savalette de Lange** († 1858), homme déguisé en femme. **Fantin** († 1855), patronyme Louis-Georges St-André. **Père Fulgence** († 1869) trappiste de Belle-Fontaine, s'appelait en vérité Guillaume. **Frère Vincent** († 1873). **Louis Louvel** (1783-1820), meurtrier du duc de Berry. **Jean Ligny de Luxembourg** († Russie 1867). **Trévizon,** horloger de Zara. **Simon Loritz,** capitaine, devenu fou suite à une blessure à la tête lors de la Berezina. **Victor Persat** (n. 10-12-1790 † 1878), blessé à la tête durant la campagne de Russie. **Jean-François Dufresne,** aliéné. 18-2-1818 se présenta comme L. XVII aux Tuileries, portant le signe du St-Esprit tatoué sur sa cuisse par le pape. **Roume,** 26-2-1820, demande gîte et couvert à L. XVIII. **Un huissier d'Uzès** se déculotte en public pour montrer « une marque intime l'authentifiant comme duc de Normandie ». **Claude Labroissière,** ouvrier fou et alcoolique. **Fontolive,** maçon lyonnais. Pensionnaires de Bicêtre : **Martin** ancien clerc de notaire, **Junt** ancien secrétaire d'ambassade, **Thomas. Varney Eléazar Williams,** pasteur de l'Église épiscopale, métis de père anglo-amér. et de mère indienne. **Auguste Mèves,** 1830 prétendant britannique. **Louis Lery** à New York. **Pierre Brosseau** au Canada. **Colonel James de Rion** aux États-Unis. **M. Louis** aux Seychelles...

■ Autres cas

■ **Freeman. Filiation prétendue :** *Charles X, duc de Berry* [(1778-1820), époux d'Amy Brown (1783-1876) (le mariage n'a pas été prouvé)], *John Freeman* (1801 ?-66) (qui n'aurait pas été son fils), marié à Sophie de Blonay. *William Freeman* (1855-1907), marié à Marie-Janvière de Bourbon-Siciles. *John William* (1902-68), marié à Béatrice de Galard de Brassac de Béarn (f. du Pce de Béarn et Chalais).

En 1945 et 1946, usant d'artifices de procédure, il obtint du tribunal de Thonon le droit de porter le nom de Bourbon, mais la cour d'appel de Chambéry (1-7-1952) puis la Cour de cassation (5-1-1956) infirmèrent ces décisions, et lui défendirent d'employer cette identité sous laquelle il avait eu, entre-temps, des ennuis judiciaires pour d'autres faits. *Henry Freeman,* dit Henry de Bourbon (27-8-1929/30-11-1987), marié plusieurs fois (dont Antoine), condamné par le tribunal de la Seine (7-4-1964), pour usurpation du nom de Bourbon, tenta d'obtenir le droit de le porter, mais fut débouté par le tribunal de grande instance de Paris (1973).

■ **Bourbons des Indes.** Descendants soit *1°)* de Jean-Philippe de Bourbon (alias Bourbon-Busset, n. 5-10-1567, disparu en mer v. 1580), *2°)* du 4e enfant (n. 1535) du Connétable de Bourbon [qui, ayant dû s'exiler à la suite d'un duel, fut pris en mer par des pirates, débarqué en Égypte, repris par des Abyssins et serait passé en Inde v. 1560 (hypothèse la plus vraisemblable)], *3°)* du fils (n. 1525) du connétable et d'Alaïque, Pcesse indienne (ayant échoué dans la conspiration d'Amboise pour renverser les Valois, il serait parti pour l'Inde). A la 7e génération, il y eut un Gal en chef (Salvador III) de Bhopal, à la 8e un ministre et régent de Bhopal (Balthazar † 1879), à la 13e Balthazar-Napoléon (n. 29-7-1958) avocat à Bhopal. S'il était prouvé que ces Bourbons indiens descendent légitimement du Connétable, ils seraient les aînés de la Maison de Bourbon et de tous les Capétiens.

■ **« Charles-Louis de Bourbon, duc de Vendée »** (Alexandrie 9-8-1897/24-10-1986), en réalité le peintre Georges Comnène qui eut des « ennuis » pour ses « copies » de tableaux de maîtres. Il s'est voulu tour à tour roi d'Esp., comme duc de Santiago-de-Compostelle, puis roi de Fr. sous le nom de « Charles XII ». Se prétendit « fils secret » de don Carlos, duc de Madrid (1848-1909) (Charles XI de France, voir supra) et de Polyxène Asklepiadis (célibataire qui aurait ultérieurement épousé un sieur Comnène : nom répandu chez des descendants probables d'esclaves des empereurs Comnène ayant régné sur Byzance au XIIIe s., la coutume voulant que les esclaves prennent le nom de leur maître). La seule preuve de cette « union » est une « confirmation » par « rescrit impérial de SAI le prince Lascaris Comnène, chef de la Maison impériale de Byzance » [Eugenio Lascorz, Espagnol, né à Saragosse le 26-3-1886, † à Madrid le 1-6-1962, dont la généalogie est fortement contestée).

■ **Prétendants mystiques. Abbé Henri-Félix de Valois** (1860-1924), prétendant descendre du Masque de Fer, et se déclarant le 15-7-1884 couronné Roi de Fr. dans le Ciel. **Charles de Gimel** (1891-1982) dit le Prétendant caché, le Lion de Juda, le Roi du Sacré-Cœur, ou Duc de Normandie, † sans postérité. **Léon Millet** (n. 1920) dit le Chevalier Blanc ou le Roi Blanc, se disait le Grand Monarque annoncé par les prophètes, se manifesta à Romans (1942-43). Il fut aidé un certain temps par le Père Michel Collin (1905-74) de la Congrégation du Sacré-Cœur de St-Quentin qui, à la mort de Jean XXIII, se proclama pape sous le nom de Clément XV et fut excommunié le 14-10-1963. **Gilles-Arthur de La Villarmois** (1897-1971). Le 15-8-1964, « Clément XV » monta à l'autel et le présenta à l'assistance comme Louis XIX, le futur roi qui allait consacrer la Fr. au Sacré-Cœur. **Pierre Plantard** (n. 1920). **Robert Barabino** (n. 29-4-1923), de Barbier-Bernier, se disant Pce de Bourgogne et de Northumberland. **Antoine Ré** (n. 8-4-1947), se disant descendant de L. XVIII.

■ Maison impériale

Nota. – Le nom officiel de la famille Bonaparte est devenu Napoléon en 1804 (mais le Pce Napoléon actuel a enregistré ses enfants à l'état civil avec le patronyme Napoléon Bonaparte).

■ **S.A.I. le prince Napoléon Bonaparte (Louis).** *1914* 23-1 né à Bruxelles. *1926* chef de la maison impériale. *1932* étudiant en lettres à Louvain. *1934* ét. en sciences sociales à Lausanne. *1938* comme Cte de Montfort gagne le gd prix automobile de Berne. *1939-40* combattant dans la Légion étrangère sous le nom de Louis Blanchard. *1942* capturé par les All. (en tentant de passer en Espagne) interné à Foix, Bordeaux, puis Paris, assigné à résidence, rejoint le maquis sous le nom de Louis Monnier. *1944 28-8* blessé, nommé sergent. *5-9* lieutenant. *1945* démobilisé lieutenant à l'armée De Lattre (sous le nom de Louis de Montfort) ; capitaine de réserve. *1946* chevalier, puis (1979) officier de la L. d'honneur, croix de g. 1939-45. *1950* après l'abolition de la loi d'exil de 1886, vit officiellement à Paris. Ép.

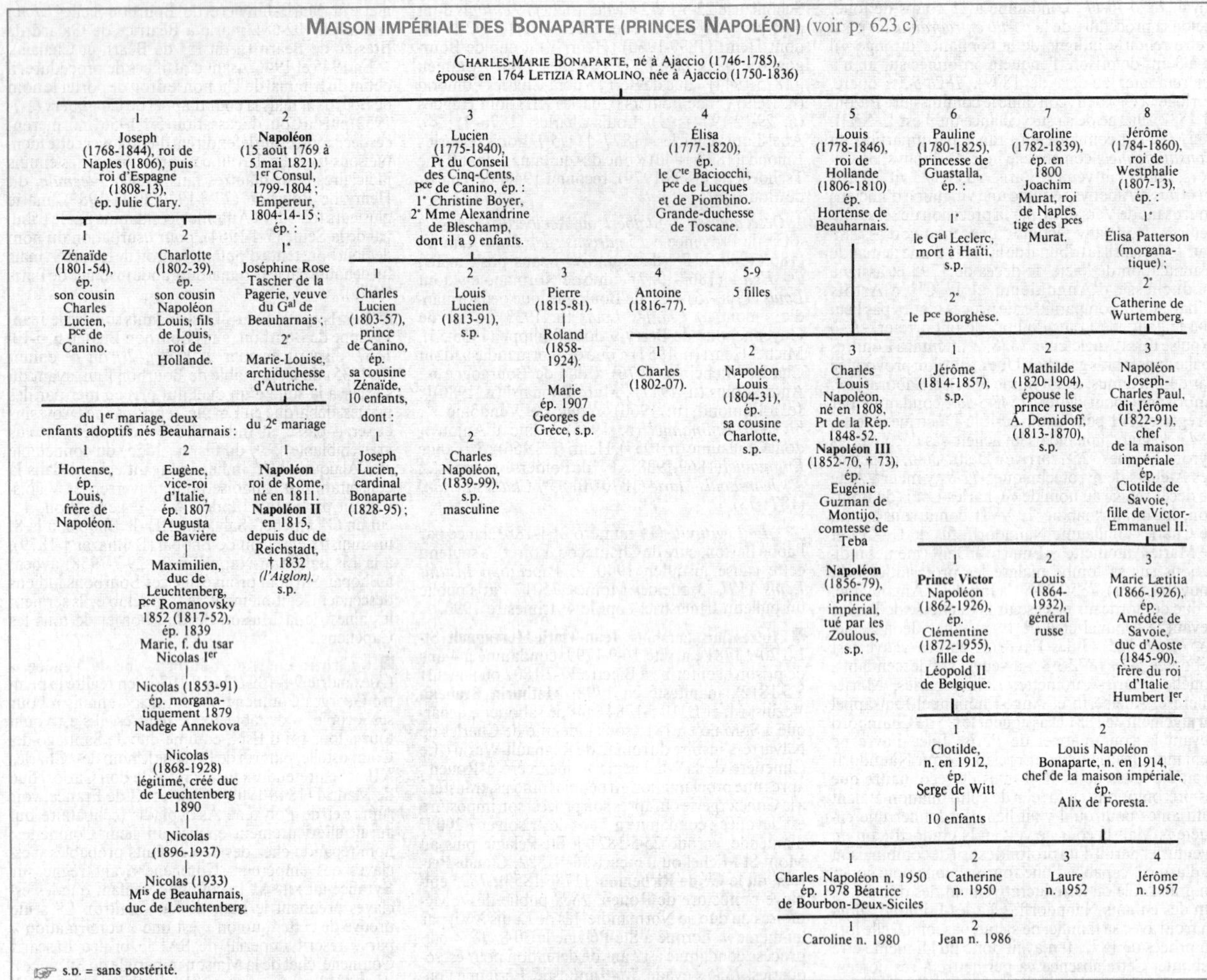

16-8-1949 Alix de Foresta (4-4-26) ; *4 enfants :* Pce Charles (19-10-50) ép. civilement 18-12-78 Béatrice de Bourbon, Pcesse des Deux-Siciles (n. 16-6-50), puis divorce le 2-5-89 [dont Caroline (n. 24-10-80) et Jean (n. 11-7-86)] : sa jumelle, Pcesse Catherine, ép. : 1°) 1976, Mis Nicolo San Martino di San Germano (n. 48), 2°) 13-10-82 (après divorce) Jean Dualé (n. 3-11-36) ; Pcesse Laure (n. 8-10-52), ép. 23-12-82 Jean-Claude Leconte (n. 15-3-48) ; Pce Jérôme (n. 14-1-57).

Filiation : *Jérôme Bonaparte* (1784-1860), roi de Westphalie (1807-13), dernier frère de Nap. Ier, ép. 1°) 1803 Elizabeth Patterson [1] (1785-1879), mariage annulé 1805 ; 2°) 1807 Catherine de Wurtemberg (1783-1835) dont → le *Pce Nap. Jérôme* (1822-91) ép. 1859 Clotilde de Savoie (1843-91), *Chef de la famille imp.* en 1879 [après la mort de Nap., Pce Impérial (1856-tué par les Zoulous en 1879), seul fils de Nap. III, sans alliance] dont → *Pce Nap. Victor* (1862-1926) ép. 1910 Clémentine de Belgique (1872-1955) fille du roi Léopold II dont → *Pce Louis* (voir p. 623 c).

Nota. – (1) 2 fils (légitimes) dont Jérôme B. (1805-70). Son fils Jérôme-Napoléon (1832-93) fut lieut.-col. de l'armée fr. sous le nom de B. Patterson mais ne put se faire reconnaître, en 1865, comme prince B. Famille redevenue amér. (éteinte 1945).

Sœur du Pce. *Pcesse Marie-Clotilde* (1912) ép. 17-10-38 Cte Serge de Witt (n. 1891) de famille russe, dont 10 enfants.

PRINCIPAUX ÉVÉNEMENTS

Légende. – Cte : comte, déf. : défaite, emp. : empereur, Emp. : Empire, f. : fils ou fille, Fr. : France ou Français, g. : guerre, Mis : marquis, roy. : royaume, tr. : traité, vict. : victoire.

Pour l'histoire des régions françaises, des élections, des chefs d'État et des pays étrangers ou l'histoire des arts, des sports, etc., voir Index.

PRÉHISTOIRE

AVANT LES NÉANDERTALIENS (DE – 950000 À – 80000)

Vers – 950000 (prépaléolithique). Glaciation de Günz. Faibles groupes humains (10-15 personnes), hominiens du type *Homo erectus* (« homme debout »), originaires du Tanganyika (Afrique) ; *taille :* 1,20 m ; *capacité cérébrale :* env. 680 cm³. Savent tailler des galets (d'un seul côté), travailler les os, édifier des murettes. Chasseurs (gibier : éléphant méridional, baleines échouées, etc.). Viennent d'Afrique par le détroit de Gibraltar, qui est une terre ferme à l'époque. **Site typique :** grotte du Vallonnet près de Roquebrune (Alpes-Mar.).

V. – 650000 (début du paléolithique inférieur). Période interglaciaire Günz-Mindel. Les mêmes hominiens (appelés aussi *Archanthropiens,* « anthropiens anciens ») occupent de nombreux sites [Préalpes de Provence, Roussillon, Tarn, Charente, vallée de la Somme, où Abbeville a donné son nom à leur civilisation (*abbevillienne*)] ; ils chassent l'hippopotame et le machairode ou « tigre à dents de sabre » ; ils fabriquent des coups-de-poing ou « bifaces » avec des rognons de silex. *Habitat :* huttes, forges de Lunel-Viel (– 700 000).

V. – 400000 (paléolithique inférieur). Glaciation de Mindel, puis interglaciaire Mindel-Riss. D'autres hominiens, venus d'Asie (*Pithécanthropes* de Java, *Sinanthropes* de Chine) remplacent les Africains. **Site typique :** *Terra Amata* (Nice, Alpes-Mar.), connu en 1958, sur une plage marine fossile, « fonds de cabane » correspondant à des huttes ovales de 8 à 15 m × 4 à 6 m au centre desquelles était allumé, dans une petite fosse creusée dans le sable, un foyer protégé par une murette de pierre. Sur 210 m³ : 21 niveaux successifs d'habitats ; près de 35 000 objets répertoriés. Ces foyers sont, avec ceux de Choukoutien, en Chine (environ – 500000), et de Vertesszöllos, en Hongrie, les plus vieux connus.

V. – 280000 (paléolithique inférieur, suite). Interglaciaire Mindel-Riss et glaciation de Riss : les *« Atlanthropes d'Afr. du N. »* (de 1,50 à 1,65 m ; orbites saillantes ; *habitat :* grottes) s'installent en Esp. et en Fr. et passent en Angleterre (la Manche n'existait pas) ; ils apportent une nouvelle technique (africaine), des outils bifaces, d'un type *acheuléen* [de St-Acheul (Somme)] : le coup-de-poing est remplacé par un casse-tête en amande, à la pointe acérée, fixé au bout d'un manche, servant de hache. On a trouvé des poinçons en os dans la grotte du Lazaret, près de Nice. **Principaux sites :** Basses-Alpes, Ardèche, vallées de la Garonne, Vienne, Dordogne, Somme.

Vivent aussi en France d'*autres Archanthropiens,* ex. : *homme de la grotte de La Caune de l'Arago* (Tautavel, Pyr.-Or., connue depuis 1838 ; on y a trouvé 2 mandibules, un crâne le 22-7-1971, et un os iliaque en août 1978). Ils se distinguent nettement des populations africaines. *Civilisations : Tayacien ancien* (voir ci-dessous) et *Acheuléen* moyen, outils sur éclats et galets (quelques bifaces).

V. – 100000 (fin du paléolithique inférieur). Interglaciaire Riss-Würm. Invasion venue d'Asie des **Pré-Sapiens.** Capacité crânienne : 1 470 cm³ ; pas d'arcades sourcilières proéminentes. Chasseurs vivant dans des grottes (gibier : rhinocéros, lions et ours des cavernes, hyènes). Outillage : peu perfectionné (grattoirs massifs taillés sur une seule face, pics, ciseaux, tarières). **Civilisations** *tayacienne* [Eyzies-de-Tayac (Dordogne)] ; *acheuléenne* [subsiste par endroits (beaux outils de silex), attestée également en Angleterre (Swanscombe)] ; *Moustérienne* (– 100000 à – 36000 ; Le Moustier, Dordogne ; ind. à éclats, parfois à lames ; *outil dominant :* le racloir).

CIVILISATION DE NEANDERTAL (DE – 80000 À – 30000)

V. – 80000 (paléolithique moyen). Glaciation de Würm. Invasion de peuples asiatiques (Java, Chine, Inde, Proche-Orient, Asie Mineure) : 20 000 individus, en 2 vagues (l'une venue par le Danube, l'autre par l'Afrique du N. et Gibraltar). Taille : 1,55 m (tête grosse, mâchoire puissante, sans menton). **Sites connus :** une trentaine en Europe et au Proche-Orient : *Neandertal* (Rhénanie, Allemagne), *La Chapelle-aux-Saints, La Quina, Le Moustier.* **Civilisation :** vivent dans des grottes (Poitou, Charente, Dordogne). Taille perfectionnée du silex selon la techni-

Types de monuments mégalithiques

☞ **Menhir** (en bas-breton : pierre longue). Pierre fichée dans le sol, poids de 2 à 200 tonnes. *Les plus hauts menhirs en France :* Mané er *Groach* (Locmariaquer, Morbihan) : 23,50 m [auj. en 4 morceaux totalisant 20,60 m : 350 t (un des morceaux a été réutilisé comme couverture d'un dolmen, dans l'île de Gavrinis, à 11 km)]. *Plesidy* (C.-d'Armor) : 11 m. *Louargat* (C.-d'Armor) : 10 m. *Champ Dolent* (I.-et-V.) : 9,50 m. *Kerloaz* (Plouarzel, Finistère) : 9 m.

■ **Alignement.** Menhirs dressés en lignes parallèles. *Carnac* 4 km, 2 935 menhirs (autrefois 8 km ?) ; comprend 2 enceintes et 3 alignements : Le Menec : 1 169 menhirs sur 11 files, Kermario : 1 029 sur 10 files, Kerlescan : 594 sur 13 files. *Kerzerho* (Erdeven) 2,1 km, 1 129 menhirs.

■ **Enceinte** (improprement appelée *cromlech*). Série de menhirs : *de forme ovoïde,* souvent liée aux alignements (ex. : *Kermario* et *Le Menec* à Carnac) ; *disposée en cercles tangents ;* 2 en France : *Er Lannic,* île du Morbihan, dont une partie est submergée, témoignant ainsi de la remontée du niveau des mers après le Néolithique ; *grotte de la Caougno, pic de St-Barthélemy,* près de Luzenac (Ariège) ; *en cercles* apparemment *astronomiques :* uniquement en G.-B. (ex. : *Avebury,* diam. 365 m, le + grand du monde, comportait 650 pierres) ; *formant des ensembles complexes : Stonehenge* (G.-B.), modifié au cours des siècles (diam. 31 m, 125 pierres).

■ **Dolmen** (du breton *dol* ou *taol :* table, et *men :* pierre). Sépulture collective matérialisant la puissance du groupe social. Types : *d. à couloir,* les plus anciens, surtout dans l'O. de la Fr. : chambre ronde ou carrée précédée d'un couloir plus étroit que la ch. ; parfois en pierres sèches, y compris la couverture de la ch. dite alors en encorbellement. *Barnenez à Plouezoch* (Finist.) ; *d. à allées couvertes* (ch. rectangulaires allongées, parfois précédées d'un court vestibule de même largeur que la ch.) ; *d. simples* (sans structure d'accès). Ils sont découverts, ou sans tumulus, ou à moitié enterrés. Les monuments bien conservés sont inclus dans un *cairn* avec enceintes ou bien sous tumulus (t. St-Michel à *Carnac,* Morbihan, représenterait 35 000 m³ de terre). Le d. de *Gavrinis,* Morbihan, est orné de gravures géométriques. Parfois la dalle entre chambre et entrée est trouée (ex. d. de *Conflans,* Yvelines, transporté à *St-Germain-en-Laye,* ou d. de *Trie-Château,* Oise).

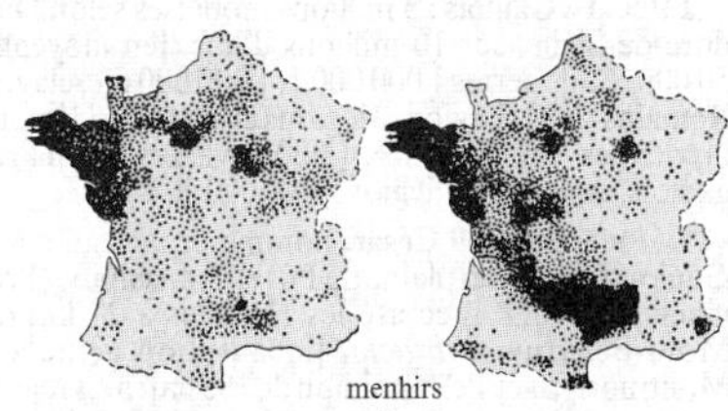

Bagneux-Saumur (M.-et-L.), d. le plus grand d'Europe (ch. de 20 m de long). *Cueva de la Pastora* (Castillejo de Guzmán, Esp.), env. 30 m de long. *Antequera* (Andalousie, Esp.), plus de 25 m de long (une des pierres pèse 100 t). *Locmariaquer* (Morbihan) : pierres plates, dolmen en équerre de 28 m de long ; Mané-Rutual, table mesurant 11,50 m + 4,20 m et 0,50 m d'épaisseur, pesant 60 t. *Mettray* (I.-et-L.) 60 t. *La pierre la plus lourde* serait celle de *Gast* (Calv.), granit bleu 300 t (brisée), mais il n'est pas prouvé qu'il s'agisse d'un dolmen. Le 28-7-1979, près de la carrière d'Escoudun à Bougon (sud de Poitiers), l'archéologue Jean-Pierre Mohen et le producteur Robert Clarke ont fait déplacer une masse de 32 t, tirée par 170 hommes et poussée avec des leviers de chêne par 30 autres.

Monuments répertoriés en France. Dolmens et allées couvertes : 4 500 dont Aveyron 487, Ardèche 400, Finistère 353, Morbihan 312, Lot 285, Gard 224, Lozère 213. **Menhirs isolés :** 2 208 dont Finistère 314, Morbihan 240, Loire-Atlantique 155, Ille-et-Vilaine 114, Vendée 100, Côtes-d'Armor 98, Corse 70, Yonne 69. **Cromlechs :** 106 dont Finistère 22, Ille-et-V. 22, Morbihan 14, Oise 6, Dordogne 4, M.-et-L. 4. **Alignements :** 70 dont Ille-et-Vilaine 27, Finistère 17, Morbihan 12, Loire-Atlantique 2, Oise 2.

que de **Levallois** (Levallois-Perret) : l'artisan détache d'un coup sec, à partir d'un gros nucléus ovoïde tenu verticalement, un éclat long et triangulaire donnant des lames de toutes tailles : racloir à peaux (en forme de tranche d'orange) ; pointe triangulaire, scies, burins, taraudes, éclats à encoches, hachettes emmanchables [nucléus en silex erratiques de la région du Grand-Pressigny (I.-et-L.) : surnommés « mottes de beurre » ; longueur max. : 40 cm ; fabrication industrielle (technique non retrouvée) ; découverte de + de 130 lames en 1886 et 1971]. Chassent bison, aurochs, cheval (pottok), loup (technique : boules de pierres réunies par une longue courroie de peau), et surtout renne ; mammouth et rhinocéros velu sont piégés dans des fosses. *Culte des morts :* ensevelis dans des fosses de 1,40 m × 1 m × 0,30 m ; on pose à côté des corps des rations de viande, des objets en silex et un crâne de bison ; les funérailles s'accompagnent d'un repas pris en commun. **Disparition** *des néandertaliens* vers – 35000 [duels (?) ; réchauffement vers – 40000, suivi d'un retour brutal de la glaciation (?)].

■ Ère de l'Homo sapiens (de – 33000 à – 10000)

V. – 33000 (paléolithique supérieur). Fin de la glaciation de Würm. De petits groupes néandertaliens subsistent, par ex. à *La Ferrassie* (Dord.). **L'Homme de Cro-Magnon** repeuple les régions désertées. La 1re vague **(Aurignaciens)** vient peut-être du Moyen-Orient (chaque tribu compte plusieurs milliers de membres) ; ils colonisent aussi Asie orientale et Amérique (passage par le détroit de Béring gelé) ou hypothèse non vérifiée : ils seraient des *Atlantes,* ayant débarqué en Amérique, à l'O. ; en Europe (Sud-Portugal) et en Afrique (Maroc), à l'E. Densité maximale au S.-O. de la péninsule Ibérique et à l'O. du Maghreb. **Caractéristiques :** crâne volumineux (dolichocéphale), front bombé, face large et basse, avec saillies du menton et du nez ; hauteur 1,71 m (Cro-Magnon, Dordogne) à 1,77 m (Grimaldi) ; avant-bras long, jambes longues. Ce type se retrouve (légèrement métissé) à la fin de la période, chez les **Magdaléniens ;** encore décelable actuellement. *Exceptions :* H. de *La Combe Capelle* [Dordogne (Neandertal)]. *Chanceladiens* [Chancelade, Dordogne : petits (1,60 m.), parfois comparés aux Esquimaux]. **Civilisation :** *taille de la pierre* au marteau de bois (principalement buis) ; éclats ensuite travaillés avec des pointes d'os. *Os de renne :* on enlève les tissus spongieux avec des grattoirs en pierre, pour obtenir des pointes de sagaies (15 cm de long), spatules, poinçons, lissoirs, flacons. Les objets sont fignolés et décorés. *Arc :* inventé vers – 15000. **Sites :** *Pincevent* (près de Montereau) découvert 1964. *Lascaux* (grottes : dessins de – 21500). *Casquer* (grotte découverte 1991, – 25110 ± 350). *Gargas* (H.-P. – 24860 ± 460).

Subdivisions du Paléolithique supérieur : *Périgordien inf.* (– 33000 ; Châtelperron, Allier). *Aurignacien* (– 30000 ; Aurignac, Hte-Gar.). *Périgordien sup.* (– 20000 ; La Ferrassie, Dord.). *Solutréen* (– 18000 ; Solutré, S.-et-L.). : chasseurs de chevaux ; artisanat en os de cheval. *Magdalénien* (– 15000 ; La Madeleine, Dord.) : chasseurs de rennes et pêcheurs (harpon à pointe mobile) ; connaissent les couleurs rouge et bleu ainsi que la musique (pipeaux).

■ Ère postglaciaire (– 10000 à – 4000)

« Épipaléolithiques » régionaux (vers – 10000). Réchauffement. Disparition du renne et du phoque. Une civilisation *magdalénienne finale* se répand du Sud-O. français vers le N.-E. plus froid.

Romanelliens (– 10000 – 8500) appelés aussi *Microgravettiens* (grattoirs très courts, lames de canifs) : populations non cro-magniennes en Provence orientale ; **Aziliens** (– 9000 à – 8500, Le Mas d'Azil, Ariège) : héritiers des Magdaléniens, sous l'influence culturelle des Microgravettiens : chassent le petit gibier et fabriquent de petites armes (microlithes). Ramasseurs d'escargots.

Civilisations mésolithiques régionales (– 8000 – 4000). Héritières des dernières civilisations du magdalénien. Variétés locales : *Montadien* (– 8000 – 7000, Montade, B.-du-Rh.). *Castelnovien* (– 7500 – 6000, Châteauneuf-lès-Martigues, B.-du-Rh.) : domestication du mouton sauvage. A partir de – 6000, élevage du petit bœuf. *Sauveterrien* (– 7500 – 3000, Sauveterre-la-Lémance, L.-et-G.) : emploi de l'arc, connu déjà en Afrique (chasse au lapin). *Tardenoisien* (– 7000 à – 3000, Fère-en-Tardenois, Aisne), 8 variétés locales : Belgique, Bassin parisien, Bretagne (notamment l'île d'Hoëdic, alors reliée au continent), Loire, Rhodanien, Aquitaine, Languedoc, Bas-Rhône (outils en trapèze et têtes de flèches tranchantes).

Potiers du Cardial (– 5600 – 4000). Classés parfois parmi les Néolithiques, mais leurs outils sont mésolithiques (pierre taillée, minuscules). Héritiers des mésoli. castelnoviens, qui possédaient des récipients de vannerie et de cuir : les 1ers pots auraient été des paniers enduits d'argile.

■ Civilisations néolithiques (– 4000 à – 2500)

Le polissage des pierres leur a donné leur nom *néolithe,* « pierre nouvelle » (polie), opposée à « pierre ancienne » ou *paléolithe* (taillée).

« Révolution néolithique » : fin de la civilisation de la cueillette et de la chasse ; culture des céréales, domestication des animaux, poterie, tissage, polissage instruments ; premiers villages, premiers tombeaux mégalithiques (tumulus, cairns, dolmens).

V. – 4000 (proto-néolithique). Civilisation du *Rubané* (motif décoratif fréquent sur les poteries). Originaire des régions danubiennes, se retrouve en Alsace, Lorraine, Somme, Bassin parisien. Les côtes restent sous l'influence d'autres civilisations (Pologne et Allemagne du N.).

– 3200 – 2400 (néolithique moyen). *Chasséen* (Chassey, Côte-d'Or) : sites en éperon, barrés par un fossé, habitations rectangulaires, étables rondes et enclos à bétail ; empierrage avec des galets fréquent. **Site typique :** *St-Michel-de-Touch* (Hte-G.) ; poteries à décor incisé, couteaux à tranchant convexe ; travail du bois de cerf. Dans l'Ouest, décor géométrique pointillé (style de Luxé).

Néolithique final (v. – 2500). Voir ci-dessous.

Protohistoire (préceltique)

Période intermédiaire entre la **préhistoire** [pour laquelle on dispose exclusivement de documents archéologiques (objets recueillis dans des fouilles)] et l'**histoire** (on dispose de sources écrites ou de témoignages oraux). Quoique considérés comme préhistoriques, les *Ligures* sont un peuple protohistorique, car on a gardé d'eux des noms géographiques (toponymes) ; les SOM (Seine-Oise-Marne), car ils ont laissé leur empreinte dans le paysage rural (ils ont découpé les terrains dont les limites forment encore de nos jours les propriétés rurales du centre de la France). Les *Campaniformes* qui leur sont contemporains, mais que l'on ne connaît que par l'archéologie, sont cependant classés dans la protohistoire (– 2500) par commodité. Actuellement, tout **l'âge des métaux,** classé primitivement dans la préhistoire, est considéré comme protohistorique.

■ Civilisation agricole en France (– 2500)

– 2500-2000 colonisation du Nord par des défricheurs, qui seraient venus du Proche-Orient. 3 axes différents : Caucase, plaines du Nord ; Balkans-Danube (le décor des céramiques est de type danubien) ; Méditerranée. Appartenant au type « méditerranéen gracile » ils sont appellés **SOM** (Seine-Oise-Marne), lieu de leur foyer territorial. Pour certains, ce sont des *Armoricains* (ils ont introduit les chambres funéraires armoricaines dans le Bassin parisien). Mais en Hte-Normandie, il y a un peuplement de petits brachycéphales trapus, venus du Rhin supérieur. **Civilisation :** *Villages :* nombreux (mêmes emplacements qu'aujourd'hui). *Cultures :* dans des clairières défrichées (arbres abattus avec des haches de pierre polie) ; céréales, légumes, fruits. Découpage des terrains en champs individuels qui se retrouvent dans le cadastre contemporain. *Habitations :* légères, en bois (peu de traces). *Industrie :* de type *campignien* (Campigny, Somme). *Armement :* flèches tranchantes, casse-tête, poignards (importés du Grand-Pressigny, Indre). *Poteries :* gobelets à fond plat, décorés à coups d'ongle. *Sépultures :* collectives ; les morts ne sont pas brûlés, mais déposés dans des allées couvertes de type armoricain ou dans des tumuli à chambres multiples.

– 2350 (Chalcolithique). 1ers **« Campaniformes »** [utilisant des gobelets en forme de cloche (latin *campana*)], venus d'Espagne, voyagent avec des chevaux de bât ; ne se mêlent pas aux populations locales, mais forment de petites colonies de métallurgistes et de potiers. *Armement :* en cuivre : poignards à languette, têtes de flèches, haches. *Céramique :* rouge vif ou noire, décorée au peigne fin ou à la cordelette ;

Énigmes

Glozel. Le 1-3-1924, un paysan, Émile Fradin (18 ans), présenta à la Sté d'Émulation du Bourbonnais des briques cuites découvertes dans le champ de son grand-père au hameau de Glozel (Ferrières-sur-Sichon, Allier) couvertes d'inscriptions utilisant un alphabet inconnu. Des archéologues en vue comme Salomon Reinach (1858-1932), Joseph Loth (1847-1934) et Émile Espérandieu (1857-1939) conclurent à leur authenticité [certains les datant du néolithique (– 8000), d'autres comme Camille Jullian (1859-1933) les considérèrent comme des amulettes de sorciers gaulois]. Le Journal des Débats ayant fait paraître le 13-5-1929 un article de la Sté préhistorique de Fr. qualifiant le Dr Morlet (partisan actif de Glozel) d'entrepreneur d'escroquerie fut condamné (avec la Sté) le 26-9-1929 et en appel le 28-2-1930 (Riom) à 16 F d'amende avec sursis et 1 F de dommages et intérêts. Une plainte en escroquerie déposée par le Dr Regnault, Pt de la Sté préhistorique de France, contre Fradin aboutit à un non-lieu (ordonnance du juge d'instruction de Cusset du 26-6-1931, confirmée par arrêt de la cour d'appel de Riom du 30-7-1931). Fradin ayant déposé une plainte en diffamation contre Dussaud et le journal « Le Matin », le 23-3-1932 le tribunal correctionnel de la Seine condamna Dussaud et « Le Matin » au franc de dommages-intérêts.

En 1972, des techniciens du commissariat à l'Énergie atomique analysèrent quelques tablettes par « thermoluminescence ». 20 sur 25 dateraient de 700 av. J.-C. à 100 apr. J.-C. Certains objets en os remonteraient au paléolithique supérieur (– 17000). Cependant, beaucoup de sceptiques s'étonnent qu'on ait retrouvé des objets datant de 2 époques distantes de 15 000 ans dans un même lot archéologique.

Mammouths des grottes de Rouffignac (Dordogne). En 1956, des préhistoriens découvraient une fresque pariétale représentant des mammouths. Or, des spéléologues ayant déjà pénétré dans la grotte, l'authenticité des peintures fut contestée. Mais la représentation de détails anatomiques très peu connus du mammouth (par exemple dans les organes génitaux) indiqua que seuls des témoins visuels de cet animal avaient pu peindre les fresques.

jarres, tasses, bols, vases, écuelles, coupes. *Bracelets d'archer :* en pierre polie, passés sur le bras gauche pour caler l'arc, tandis que la main droite tirait la corde. Chaque archer est enterré avec son bracelet, d'où le 2e nom des Campaniformes : peuple aux bracelets d'archer.

– 2150 (Chalcolithique récent) les SOM civilisent Alsace, Franche-Comté, Val de Loire. Leurs ustensiles sont également utilisés en Armorique (acculturation sans immigration). La France du Nord est soumise à leur civilisation.

– 2100 (Age du Cuivre) naissance de la métallurgie dans les Cévennes. Les 1ers fondeurs ont peut-être été formés par des navigateurs méditerranéens qui recherchaient de nouveaux gisements de cuivre (l'ère a commencé en Syrie – 3600). Ils n'avaient pas de rapports avec les SOM, dont la civilisation n'a pas pénétré au sud de la France. *Civilisation type :* le *Fontbuxien* (Fontbouisse, près de Sommières, Gard) ; découverte vers 1940 et appelée *civilisation des pasteurs des plateaux :* maisons en pierres sèches, rectangle arrondi, murs 1,50 m de haut, toits en bois à 2 pentes ; vases carénés ou sphéroïdes, décorés de cannelures ; colliers en perles de cuivre ; statues-menhirs aux flancs côtelés, avec des faces stylisées (hommes, chouettes).

Empire des Ligures (– 1800 à – 1200)

– 1800 *origines :* habitants primitifs de l'Europe occid. (peut-être parents des Campaniformes ; comme eux, ils avaient des tombes individuelles et des maisons en bois) ; ou Indo-Européens (voir ci-contre) détachés du groupe primitif de la Russie du S. plusieurs siècles avant l'éclatement du groupe. *Pays colonisés :* on les retrouve là où le nom des fleuves contient la syllabe *ar,* et où le nom des localités se termine par *sk* (Allemagne, Suisse, France, Angl. du S., Irlande, Italie du N. et du Centre, Corse puis Italie du S. et Espagne seront colonisées le millénaire suivant). *Apport culturel :* la charpente. *Sépultures :* sous la maison.

Légende des villages lacustres : les Ligures construisaient des maisons de bois reposant sur plusieurs pieux, souvent sur le bord des lacs alpestres. Le niveau de ces lacs ayant monté depuis, ces pieux ont été submergés sous 3 ou 4 m d'eau, ce qui les a protégés jusqu'à nos jours, en les carbonisant (début de fossilisation). Au XIXe s., on a cru qu'il s'agissait de villages lacustres construits sur pilotis. Mais des plongeurs ont trouvé, entre ces pilotis, des foyers, avec des cendres.

Fin de l'Empire des Ligures (– 1200 – 1000) *vers – 1200* ils sont chassés d'Italie par les *Italiotes* (Indo-Européens) ; *v. – 1100* de Corse par les *Korsi,* rameau de l'ethnie étrusque (Thraco-Illyriens faisant partie des « Peuples de la Mer ») ; *v. – 1000* d'Allemagne par les *Celtes* (voir ci-dessous).

Préhistoire et protohistoire celtiques

☞ Le nom des Celtes apparaît v. – 500 chez les anciens Grecs. Il viendrait de l'indo-eur. *keletos,* « rapide », ou de *kel-kol,* « habitant, colon ».

V. – 2500 les *Indo-Européens* quittent le Kazakhstan (entre la Volga et l'Ienisseï), devenu trop sec, et fondent en Russie méridionale la civilisation de *Kurgan* (en russe : « tertre ») : ils construisent des positions fortifiées pour leurs aristocraties militaires (guerriers à cheval). **– 2300** les cavaliers du Kurgan ravagent le Proche-Orient ; ils détruisent Lerne (Grèce), Troie III en Asie Mineure, et reviennent au nord de la mer Noire avec leur butin. **– 2000** dislocation du groupe indo-européen : les futurs *Celtes* font partie du groupe des Occidentaux, qui se dirigent vers la Baltique ; puis d'un sous-groupe, Italo-Celtes et Germains, avançant plus vers l'ouest. **– 1600** les *Celtes* de Bohême créent la civilisation d'*Unetice* et l'industrie européenne du bronze. Ils se différencient des autres Indo-Européens occidentaux : futurs *Italiotes,* restés longtemps leurs compagnons (groupe italo-celtique), et *Germains. Armement :* poignard de bronze triangulaire d'Unetice. *Sépultures :* guerrier enterré avec ses armes et objets en bronze sous un tumulus atteignant parfois 6 m (d'où le nom de *civilisation des tumulus*). **– 1250** naissance de la *civilisation des champs d'urnes* en Eur. centrale, les Celtes vivent dans des clairières défrichées, où il y a peu de place pour les grandes sépultures. Ils brûlent les cadavres et mettent leurs cendres dans des urnes regroupées dans des cimetières collectifs hors des villages (plus tard, ils reprendront l'usage des tumulus pour les chefs). **– 1200** 1ers champs d'urnes celtiques en Allemagne du S. puis en Fr.

– 1000 les Celtes de l'All. du S. créent la *civilisation du fer* dite de **Halstatt** [bourgade proche de Salzbourg (Autriche) ; gisement (– 1000 à – 500.) découvert 1846 par un ingénieur des salines, Georges Ramsauer] : ils utilisent le minerai de Bohême, Bavière, Autriche. *Armement :* grande épée de fer, de Halstatt I (– 1000-700) ; après – 700, épée courte, de Halstatt II ; mors de cheval en fer. **– 950** les Celtes chassent les Ligures d'All. de l'O., mais montagnes et rivières conservent leurs noms ligures. **– 800** pénètrent dans la Fr. de l'E. où ils remplaceront les Ligures. Leurs tombeaux à tumulus apparaissent au milieu des « champs d'urnes » des non-Celtes. **– 700** une partie des Celtes de la Fr. de l'E. traverse l'Ouest français, de civilisation ligure, et va fonder l'Espagne celtique (civilisation hispano-halstattienne de Galice). **– 600** les *Ibères* en Aquitaine ; les *Grecs* à Marseille.

– 500-400 les Celtes occupent la Gaule au N. d'une ligne Carcassonne-Genève : ils fondent la *civilisation de* **La Tène** [village entre lacs de Bienne et de Neuchâtel (Suisse) ; site découvert 1856 par le colonel Friedrich Schwab, et fouillé en 1881 par Emil Vouga ; on y a trouvé les 1res tombes contenant des chars à 2 roues]. *Écriture :* connue, peu utilisée (quelques inscriptions funéraires, avec le nom du défunt). Leur culture et leurs traditions ont été transmises oralement ; les 1res transcriptions datent des XIe-XVe s. apr. J.-C. (faites en Irlande par des moines, qui disposaient sans doute de textes plus anciens, sauvées des destructions vikings des VIIIe-IXe s.). *Architecture :* lieux cultuels et maisons en majorité en bois et terre [exception. en pierre, Entremont et Glanum (en Provence), en os humains, Ribemont-sur-Ancre (Somme)] ; Gournay-sur-Aronde (Oise), fossé rempli de 3 000 os d'animaux et de 2 000 armes volontairement tordues ou cassées. *Armement :* char de combat et casque. *Art gaulois ancien :* reproduction d'animaux. **– 387** Ambicat (« roi suprême »), chef des *Bituriges,* conquiert l'Italie du N. (qui devient Gaule cisalpine). **– 385** il prend et pille Rome, sauf le Capitole, sauvé par les cris des oies sacrées. **– 278** ils conquièrent bassin du Danube et Balkans : fondation de Singidunum (Belgrade), suivie du pillage de la Grèce [notamment Delphes par 150 000 Gaulois sous le commandement de « Brennos » (nom commun signifiant chef)] ; ils fondent ensuite un empire durable en Thrace et Asie Mineure [*Galatie* (c.-à-d. « Pays des Galates », nom grec des Gaulois), près de la Phrygie]. **– 218** 25 000 Gaulois servent comme mercenaires dans l'armée carthaginoise d'Hannibal. **– 192** *offensive romaine* en Gaule cisalpine ; les G. de la plaine du Pô sont soumis. **– 154** les Romains débarquent à Marseille qui les a appelés à l'aide contre les Celto-Ligures de la Basse-Durance. **– 125-121** ils conquièrent [sur *Bituit* (roi des *Arvernes*), les tribus celto-ligures (*Salyens*) et plusieurs tribus gauloises (*Allobroges, Volques*)] un sixième environ du territoire gaulois, entre Espagne et Italie : la Province romaine. **– 113** attaque germanique contre les terr. celtiques de la rive droite du Rhin : les *Helvètes* (bassin du Main) se replient au sud du Rhin (Suisse actuelle). **– 60** *Arioviste* (chef suève) bat les *Éduens* [localisation actuelle : entre Aumur et Pleure, au S. de Dole (Jura)]. **– 58** les *Helvètes,* inquiets de la proximité des Germains, décident de s'installer en Saintonge (Char.-Marit.) ; cette migration déclenche la guerre contre Rome.

Période gallo-romaine (50 av. J.-C.-481 apr. J.-C.)

Guerre des Gaules 58-50

Causes. 1°) Impérialisme des Romains, notamment de Jules César, désireux de conquérir la Gaule riche en or (il est criblé de dettes) ; 2°) Crainte des Gaulois devant les Germains : le chef suève Arioviste a franchi le Rhin en 61 av. J.-C. et a soumis la tribu gauloise des Éduens : le protectorat romain semble nécessaire à de nombreuses tribus ; 3°) Crainte des Romains devant les Germains : l'émigration des Helvètes vers la côte atlantique leur permettrait d'atteindre les Alpes. Une Gaule romanisée servirait de rempart.

Effectifs. Gaulois : 3 millions mobilisés selon Diodore de Sicile, sur 10 millions d'hab. [en moyenne 50 000 (62)] : pertes 1 000 000 †, 1 000 000 d'esclaves. **Romains :** la Xe Légion, 2 légions cisalpines, 3 légions illyriennes (36 000 h.) + 4 000 cavaliers auxiliaires gaulois. *Après 57* 8 légions (48 000 h.).

Déroulement. 59 César, nommé proconsul des 2 Gaules : Cisalpine (plaine du Pô) et Transalpine (Provincia). **58** juill. il écrase les Helvètes à 27 km du Mont-Beuvray *(Bibracte)* [localisation actuelle : Montmort (S.-et-L.), oppidum de 135 ha] ; il les rejette sur leur base de départ (226 000 † sur 336 000 d'après César : chiffre forcé) ; août : César occupe Besançon, cap. des Séquanes menacés par Arioviste. 10-9 bataille de *Cernay :* Arioviste battu et blessé repasse le Rhin. **Hiver 58-57** coalition des Belges contre César ; chef : *Diviciacos,* roi des *Suessions* (Soissons). Armée principale : les *Bellovaques* (Beauvais), 60 000 h. **57** printemps, les *Éduens* pillent le territoire des *Bellovaques* qui se retirent de la coalition. Les *Suessions* sont battus à *Noviodunum* (Pommiers, Aisne) ; fin juillet, bat. de la Sambre ; César bat *Nerves* et *Atrébates ;* sept. : César fait capituler les *Aduatuques* à Namur (?). Crassus (avec 1 légion) reçoit la soumission du N.-O. (entre Loire et Seine). **56** les peuples du N.-O., sous la direction des *Vénètes* (Morbihan), rompent le tr. passé avec Crassus ; juin : César bat la flotte des Vénètes au N. de l'île du Pouliguen (actuellement marais salants) ; *Sabinus* bat *Virodorix,* chef des tribus de l'actuelle Basse-Normandie, et soumet leur pays. Crassus bat les Aquitains à Sos (Lot-et-G.). 10-9 César rejoint Crassus en Aquitaine (occupation temporaire du pays) ; oct. raid punitif de César vers le Pas-de-Calais (*Morins* et *Ménapes* avaient aidé les Vénètes). **55** offensive germanique sur le Rhin (tribus des *Usipètes* et des *Tenctères*). Début juin, bat. de Fort St-André (Hollande) : ils sont écrasés ; César fait un raid sur la rive dr. du Rhin ; août-sept. échec d'un raid de César en G.-B. (flotte détruite par la tempête). **54** juin-août, 2e raid en G.-B. (5 légions, 5 000 cavaliers éduens). Soumission des Londini (vallée de la Tamise). Oct. rév. des *Éburons ;* leur chef, *Ambiorix,* soulève plusieurs tribus belges : les lieutenants de César, *Sabinus* et *Cotta,* sont vaincus et tués à Aduatuca (Tongres, Belgique). *Quintus Cicéron* est assiégé à Charleroi par Eburons, Aduatuques, Nerves. Nov. : César, parti d'Amiens, délivre Cicéron. Déb. déc. *Labienus* bat et tue *Indutiomaros* (chef des *Trévires*) qui est venu attaquer son camp près de Reims. **53** août raid punitif contre Ambiorix et les Aduatuques (avec 10 légions, 60 000 h.) : la Belgique du N.-E. est ravagée, mais Ambiorix s'échappe.

52 janv. Vercingétorix, chef des Arvernes, prépare un raid contre la Provincia [son nom n'est pas un patronyme, mais un titre : « chef suprême des combattants » ; il n'apparaît dans les histoires de Fr. qu'à partir de 1828 (*Histoire des Gaulois,* d'Amédée Thierry, fr. d'Augustin) ; auparavant les historiens négligent les Gaulois, faisant remonter l'origine des Français aux Francs. Magnifié comme le premier héros national français à la fin du XIXe s., il est de nouveau contesté aujourd'hui : César, source

La France à l'arrivée de César

unique de son histoire, aurait imaginé un grand chef gaulois à sa taille, pour se vanter de l'avoir vaincu] ; **févr.** César lance un raid sur Brioude, désorganisant l'offensive arverne ; **mars** il rejoint ses alliés Éduens (Bourgogne) ; **déb. avr.** il prend Orléans (Genabum) ; Vercingétorix pratique la tactique de la terre brûlée au S. de la Loire, mais épargne Avaricum (Bourges) ; **mai,** César prend Avaricum ; Vercingétorix soulève toute la Gaule. Raid de César contre l'Auvergne : siège de **Gergovie** [*localisée* à Merdogne [(à 12 km, au S. de Clermont) renommée Gergovie par Napoléon III le 11-1-1865] ; ou sur les côtes au N. de Clermont (camp gaulois) ; ou Montferrand (grand camp de César), Puy de Chanturgue (petit camp) ; ou dans le Cantal à Chatecol près de Blesles] ; **déb. juin** vict. de Vercingétorix sur César à Gergovie (700 Romains, dont 46 centurions †). César lève le siège, les Éduens se rallient à Vercingétorix ; **mi-juin,** vict. de *Labienus* (parti de Reims) à Lutèce, contre les Parisii ; **fin juin,** César rejoint Labienus à Joigny ; **août,** ils enferment Vercingétorix dans **Alésia** [localisée sous Napoléon III à Alise-Sainte-Reine. D'autres lieux ont été proposés : dans le Jura *(Salins-les-Bains),* l'Yonne (*Guillon :* le site comporte un oppidum dominant la plaine de 120 m, avec une triple enceinte en pierres sèches, de 12 km de long, de 2 à 8 m de haut et de large), à *Syam/Chaux des Crotenay* (site de Cornu), à env. 10 km de Champagnole ; mais le relief semble trop montagneux, César parlant de « collines » (alors qu'il appelle la citadelle de Besançon une « montagne énorme », *mons ingens*) *Izernore* (Ain)]. **Sept.** une armée de secours (246 000 h., dont 8 000 cavaliers), sous la direction de *Commios,* roi des Atrébates, est battue par Labienus non loin d'Alésia (d'après B. Fèvre, à Cisery) ; fin sept. capitulation d'Alésia : d'après Dion Cassius, Vercingétorix (enfermé avec 80 000 h.) se serait livré seul à César, pour tenter d'obtenir la grâce de la garnison (César ne le dit pas) ; V. est emmené à Rome [il y sera exécuté (étranglé) après 6 ans de cachot, ayant figuré au « triomphe » de son vainqueur]. Soumission des *Éduens.* 29-12 soumission des *Bituriges.* **51** janv. soumission des *Carnutes.* **51-50** guérilla en Gaule. Le pays est entièrement pacifié fin 50 : destruction d'*Uxellodunum* [localisations actuelles, dans le Lot : Puy d'Issolud ou Capdenac-le-Haut, Murcens (près de Lauzès), Luzech]. **49** fin de l'indépendance de Marseille (favorable à Pompée, est prise par César). **13** la Gaule, récemment conquise, est divisée en 3 provinces : Aquitaine, Lyonnaise, Belgique. Lyon devient capitale des *« 3 Gaules ».* **10** *Auguste* soumet les peuplades alpines. **9** *Varus* essaie de conquérir la rive droite du Rhin, mais est écrasé par *Arminius* (la frontière de la Gaule se fixe sur le Rhin).

■ **Après J.-C.** **21** révoltes de l'Éduen *Sacrovir* et du Trévire *Florus ;* ils sont écrasés à Autun par l'armée de Germanie *(Silius).* **68** soulèvement de *Vindex,* gouverneur d'Aquitaine, qui se rallie à Galba contre Néron ; battu à Besançon par *Virginius Rufus,* gouverneur de Germanie (20 000 Gaulois †), il se suicide. **70** avènement de la *Paix romaine,* qui durera jusqu'en 253, et permettra la création de la civilisation gallo-romaine (routes, villes, arts plastiques, littérature). **208-211** campagnes de Bretagne. **250** les Francs franchissent le Rhin. **253** l'emp. *Gallien* (« Restaurateur des Gaules ») fait des provinces gauloises le centre politique et militaire de l'Empire romain (début de la période dite de l'Emp. gaulois). **258-68** *Postumus,* emp. des Gaules, repousse les Francs. **276** raid des *Alamans* jusqu'aux Pyrénées. Vict. de l'empereur *Probus.* **285** révolte des *Bagaudes* (du gaulois *badad* ou *bagad,* assemblée tumultueuse) : paysans gaulois, transformés en esclaves par la civilisation romaine [dans la Gaule celtique, les *dunans* (artisans) et les *magans* (agriculteurs) travaillaient pour les guerriers nobles, sans leur appartenir] ; la g. des Bagaudes préfigure les jacqueries médiévales. **V. 300** Dioclétien réunit l'ancienne *Provincia Romana* aux « 3 Gaules ». L'ensemble est divisé en 17 provinces. **313 Édit de Constantin,** la Gaule est christianisée par fonctionnaires et magistrats romains. **356** l'emp. *Julien l'Apostat* fait de Lutèce la cap. militaire de l'Emp. et la résidence impériale. Vict. sur les **Alamans** en Alsace : Brumath (356), Oberhausbergen (357). **375-83** *Gratien* transfère la cap. à Trèves. **V. 390** *Théodose* la transfère à Arles. **406-20** *grandes invasions germaniques :* Vandales, Alains, Burgondes, Quades, Wisigoths.

LES GRANDES INVASIONS

■ **Causes.** **1°)** Décadence administrative et militaire de l'Empire romain (après Théodose le Grand, 379-95, il n'y a plus de hiérarchie civile organisée). **2°)** Poussée vers l'ouest des peuplades germaniques, elles-mêmes poussées par les Slaves et Asiatiques des plaines orientales de l'Europe, en pleine expansion démographique. **3°)** L'élément germanique était déjà puissant dans l'Emp. romain (depuis le IIe s., installations de colons et de mercenaires ; depuis 382, colonisation de la Thrace par les Goths, avec la permission de Théodose le Grand).

■ **Déroulement en France.** **Francs** (Germains occidentaux dont le nom signifie « frais », c.-à-d. « libres ou féroces ») : ils n'ont pas pris part à la « ruée » de 406 ; ils forment 2 groupes principaux : dans l'île des Bataves ou Bétuwe (embouchures du Rhin et de la Meuse) et en Toxandrie (Limbourg). **1°) Francs Saliens :** installés depuis 358 (par l'emp. Julien) comme auxiliaires des armées romaines ; occuperont Tournai et Cambrai en 430, et obtiendront d'Aetius le statut de « fédérés ». **2°) Francs Ripuaires,** sur la rive droite du Rhin, jusqu'à Mayence, ils ne franchiront le fleuve qu'en 410 (puis 423, 430, 440), et n'occuperont définitivement la vallée de la Moselle qu'en 454, après la mort d'Aetius.

Burgondes (Germains occidentaux, orientalisés après un long séjour dans la Hongrie actuelle) prennent part, avec Vandales, Quades et Alains, à la « ruée » de 406. Ils franchissent le Rhin dans la région de Worms et s'y fixent jusqu'en 435. En 436, vaincus par Aetius, ils obtiennent le droit de coloniser la Suisse romande actuelle (N. du lac Léman).

Vandales (Germains orientaux) franchissent le Rhin en janv. 406 en face de Mayence, avec leurs alliés Quades et Alains. Ils traversent la Gaule en la pillant, puis franchissent les Pyrénées en 408 et se dirigent vers l'Espagne du S. **Alains** (non germaniques, proches des Daces) « clients » des Vandales qu'ils suivront jusqu'en Afrique.

Quades (longtemps appelés **« Suèves »,** par confusion avec les Souabes, confédération de Germains occid.) : Germains orientaux, proches des Vandales, ils suivent ceux-ci jusqu'aux Pyrénées, puis conquièrent le León actuel.

Wisigoths (Germains orientaux) ; vivaient en Thrace depuis 383 ; pénètrent en Gaule par les Alpes en 410, et colonisent l'Aquitaine, après avoir pillé l'Auvergne.

■ **Conséquences.** **1°) Ethniques :** faibles ; les Germains étaient peu nombreux et leur passage rapide ; **2°) Politiques :** le royaume wisigothique du S.-O. et de Narbonnaise a brisé l'unité de « l'Empire gaulois », réduit aux territoires d'Aetius, entre Seine et Rhin ; les royaumes ultérieurs des Francs et des Burgondes achèveront la dislocation de cet empire ; **3°) Religieuses :** les Germains orientaux ont importé l'arianisme (traces en Narbonnaise).

■ **Après les invasions.** **416** *Wallia,* roi des Wisigoths, accepte le statut de « fédéré » en échange de terres, au S. de la Loire. **423** *Aetius,* le Silistrien, gouverneur de la Gaule. **448** *Mérovée,* roi franc, fait la paix avec Aetius. **451 Attila** (petit père ; nain ; n. v. 395 † 453), roi des **Huns,** en 434 à la mort de son oncle Roas nommé en 408 Gal par Théodose II emp. d'Orient [cavaliers, nomadisant depuis les steppes sibériennes, sont réputés cruels (d'après St Grégoire de Tours : Attila est le « fléau de Dieu » et « l'herbe ne pousse plus où les Huns ont passé », car ils brûlent les récoltes sur pied) ; ils n'ont pas de tentes mais des chariots bâchés où vivent leurs familles ; ils ne sont pas barbares et sont d'habiles orfèvres, mais ils ignorent l'extraction du sel : pour saler leur viande, ils la mettent sous la selle de leurs chevaux, utilisant ainsi la sueur du cheval] : *Attila* pille Metz 7-4, envahit la Gaule. Voulant récupérer ses sujets wisigoths, qui se sont échappés d'Ukraine sans sa permission,

La Gaule en 481

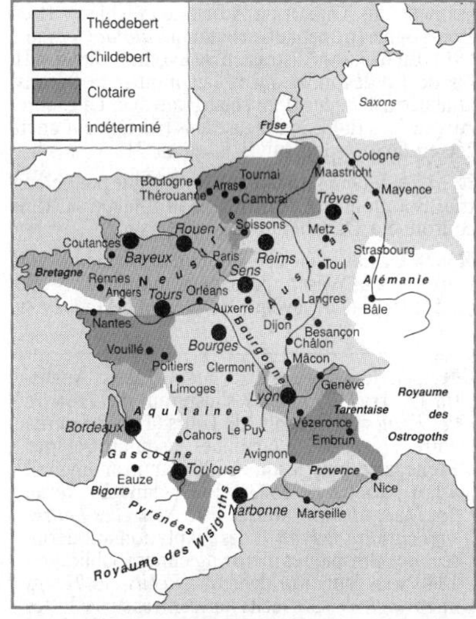

La Gaule en 545

pour s'installer en Aquitaine et Espagne, juin, Attila devant Paris : *Ste Geneviève* exhorte les habitants à se défendre ; repoussé, pille Reims et Troyes, prend Orléans (30-6) ; début juil. il est vaincu par Aetius et par le roi wisigoth Théodoric (qui y meurt) à Campus Mauriacus [Moirey, commune de Dierrey-St-Julien (Aube) ; les Gallo-Romains ont parlé de la « région de Châlons » (Campi Catalaunici, traduit par *Champs catalauniques*)]. **452** dévaste Italie du N., revient en Pannonie. **453** Attila meurt la nuit de ses noces avec Ildiko. **454** *Aetius* mis à mort par l'emp. Valentinien III. **457** Gaule gouvernée par *Aegidius* († 467). **476** Afranius *Syagrius,* fils d'Aegidius, gouverne la Gaule entre Loire et Somme (capitale Soissons) après la chute du dernier emp. de Rome (Romulus Augustule). L'emp. de Byzance lui reconnaît le titre de *« roi des Romains »* (dernier souverain de l'Emp. d'Occident).

PÉRIODE MÉROVINGIENNE (481-752)

■ **Clovis Ier** (465-511) roi des Francs [son nom (germano-latin Hludovicus) est un doublet de « Louis ». Son arrière-grand-père (mythique) *Pharamond* a été considéré jusqu'au XIXe s. comme le 1er des « rois de Fr. », car les historiens admettaient que la civilisation et la langue fr. avaient été introduites en Gaule par les Francs] ; il commande env. 5 000 guerriers, avec lesquels il bat successivement : Syagrius (*Soissons* 486 ; exécuté en 487) ; Alamans, rejetés sur la rive dr. du Rhin (*Tolbiac* 496) ; Burgondes qui deviennent tributaires (*L'Ouche* 500) ; Wisigoths, rejetés au S. des Pyrénées (*Vouillé* 507). **493** Clovis épouse *Clotilde* (catholique), nièce du roi burgonde Gondebaud. **496** ou **498** (?) 25-12 baptisé à Reims par St Rémi (avant Tolbiac, il avait promis au Dieu de Clotilde de se faire baptiser s'il gagnait). **510** à Tours, il reçoit, de l'empereur byzantin Anastase, les insignes de consul honoraire de Rome.

■ **511 Partage du royaume** à sa mort (Austrasie, Orléans, Paris, Neustrie) entre ses 4 fils [il ne s'agissait pas d'une tradition « germanique », mais d'une imitation de l'ancien Empire romain. Considéré par les évêques comme le successeur des empereurs, Clovis, comme Dioclétien (292), répartit ses territoires entre 2 *Césars* et 2 *Augustes,* chargés de gouverner ensemble]. **523** lutte franco-burgonde. *Sigismond,* roi des Burgondes, exécuté ; *Clodomir* tué au combat de *Véséronce* [524 ; ses domaines sont annexés par ses frères, au détriment de ses fils qui sont égorgés, sauf *Clodoald* (le moine St Cloud)]. Les 3 frères conquièrent : Provence (530-37), roy. burgonde (532-37).

■ **558-61 Clotaire Ier** (479-561) roi unique. **561** partage, par tirage au sort, du royaume entre *Sigebert* († 575), *Gontran* († 593), *Caribert* († 567), *Chilpéric* († 584) et *Frédégonde* la maîtresse de Clotaire (545-597) [qui lui fait répudier sa 1re femme, Audovère, et fait étrangler Galswinthe, sa 2e. *Brunehaut* (v. 534-613), fille du roi des Wisigoths et sœur de Galswinthe, veut la venger ; son époux, Sigebert (roi d'Austrasie), est assassiné sur ordre de Frédégonde ; elle épouse Mérove, fils de Chilpéric Ier, mais il sera tué (578). En 584, Frédégonde fait tuer Chilpéric et gouverne sous la protection de Gontran, roi de Bourgogne. Quand il meurt (582), elle reprend la lutte contre Brunehaut que celle-ci mène au nom de ses petits-fils Thibert en Austrasie et Thierry II en Bourgogne. Brunehaut est battue à *Latofao* (Laffaux, 596). En 613, les Austrasiens la livrent à Clotaire II, fils de Frédégonde, qui la fait mourir (à 80 ans) attachée à la queue d'un cheval sauvage. La g. entre Austrasiens (à l'E.) et Neustriens (à l'O.), commencée en 568, se poursuivra jusqu'en 719.

■ **613 Clotaire II** (584-629). Roi unique pour Neustrie, Bourgogne et Austrasie. **628** il lègue sa triple couronne à Dagobert.

■ **628 Dagobert** (v. 600-39). Son domaine va de la Garonne à la Weser ; principaux ministres : *St Éloi* (v. 588/1-12-660), évêque de Noyon ; *St Ouen* (v. 610-v. 684), év. de Rouen ; *Pépin de Landen* († 639), maire du palais d'Austrasie, tige de la dynastie carolingienne.

■ **639** mort de Dagobert (**partage** entre les 2 premiers *rois fainéants :* Sigebert III et Clovis II) ; reprise de la guerre neustro-austrasienne. **679** *Ébroïn* († v. 681), maire du palais de Neustrie, fait exécuter *St Léger,* év. d'Autun, maire du palais de Bourgogne, et unifie les 2 mairies (roi en titre : Thierry III). **679** fin de la royauté mérovingienne en Austrasie (dictature du maire du palais *Pépin d'Héristal* († 714, petit-fils de Pépin de Landen). **680** Ébroïn (avec Thierry III) bat Pépin à *Leucofao* [Bois-du-Fay (Ardennes)] ; il est assassiné peu après. **687** *Testry :* Pépin bat *Berthaire,* successeur d'Ébroïn, et unit les mairies du palais des 3 royaumes. Les rois *(fainéants)* ne sont plus que rois de Neustrie, et les *maires du palais* (Austrasiens) gouvernent les 3 roy.

■ **Charles Martel** (v. 676-741). Maire du p. d'Austrasie (fils naturel de Pépin d'Héristal), est écarté par Plectrude, la veuve de Pépin, mais prend le pouvoir de force (716), bat Neustriens révoltés (*Soissons* 719), Frisons (724), Bavarois (725), Saxons (724-38), Arabes (*Poitiers* 732 ; *Étang de Berre* 738). À la mort de Thierry II (737), le pape Grégoire II lui propose le titre impérial.

■ **Les Mérovingiens d'Augustin Thierry.** Augustin Thierry (1795-1856), s'inspirant de *l'Histoire des Francs* de Grégoire de Tours (15 livres écrits entre 575 et 592 ; continués jusqu'en 641 par Frédégaire, puis, jusqu'en 720, par un anonyme), a fait paraître de 1833 à 1837, dans *La Revue des Deux-Mondes,* sous le titre *Nouvelles Lettres sur l'Histoire de France,* des adaptations modernisées des chroniques mérovingiennes (publiées en 1840 sous leur titre définitif : *Récits des Temps mérovingiens).* Ces récits sont centrés sur les luttes pour le pouvoir que se sont livrées les 4 fils de Clotaire Ier : Chilpéric, Sigebert, Gontran, Caribert et leurs femmes : Brunehaut, Frédégonde, Galswinthe. Souvent repris par les historiens du XIXe s., notamment Henri Martin (1810-1883), ils ont fait naître la croyance en une « époque barbare », où les égorgements étaient une pratique quotidienne.

Les historiens du XXe s. considèrent plutôt les temps mérovingiens comme une période de décadence administrative, héritée du bas-empire romain, avec prépondérance de l'économie rurale et importance accrue du clergé dans la vie sociale. L'intégration des nouveaux venus germaniques ne s'est pas faite sans difficultés, mais l'époque ne se signale pas par une immoralité particulière.

L'invasion sarrasine de 720-39

☞ Sarrasin vient du bas latin *sarracenus* (nom d'une peuplade d'Arabie) issu de l'arabe *charqryin,* pluriel de *charbi* (oriental).

711 l'Espagne wisigothique, officiellement catholique mais avec de fortes minorités juives et ariennes, accueille les musulmans venus d'Afrique du N. (dits « arabes » mais en majorité berbères). **720** ils occupent la Septimanie (capitale Narbonne), ancienne province wisigothique (Gothie). **721** ils attaquent Toulouse (le duc d'Aquitaine, Eudes, repousse Al Samah, gouverneur musulman d'Esp. : 3 750 mus. †). **724-25** ils pillent la vallée du Rhône jusqu'à Autun. *V.* **730** Eudes s'allie à un émir aragonais, Othman ben Abi Nassa, contre le sultan mus. Abd el Rahman ; Othman est vaincu et Abd el Rahman attaque l'Aquitaine. **732** juin, il conquiert Bordeaux, assiège Poitiers et marche sur Tours ; 17-10 il est vaincu et tué par Charles Martel à Moussais-La-Bataille (Vienne), à 20 km de Poitiers (la cavalerie lourde des Francs écrase sa cavalerie légère). **732-39** offensives des musulmans de Narbonnaise contre Provence et vallée du Rhône. **739** Pépin, fils de Charles, et Liutprand, roi des Lombards, les écrasent devant Marseille et les rejettent sur la Narbonnaise.

Période carolingienne (752-987)

■ **752 Pépin le Bref** (714-68) [Maire du palais depuis 741, avait soumis les Germains de la rive dr. du Rhin (Saxons, Alamans, Bavarois) et leur avait fait prêter hommage à *Childéric III* (roi en titre dep. 742)]. Fait déposer Childéric III qui, tondu rituellement (les guerriers francs tressaient leurs cheveux en nattes ; les moines avaient le crâne rasé), est enfermé dans l'abbaye de St-Omer ; Pépin est proclamé roi (751), sacré à Soissons (5-3-752) par St Boniface, archevêque de Mayence. Le soutien du pape Zacharie lui a été acquis contre la promesse d'intervenir militairement contre les Lombards qui occupaient Italie et emp. byzantin ; Constantin V, suzerain en titre du pays, était incapable de les chasser. Sacré à Reims une 2e fois par le pape Étienne III (juil. 754) ; passe en Italie, chasse les Lombards de l'exarchat de Ravenne qu'il donne au pape. **755-59** prend la Septimanie aux musulmans. **769** Waïfre, roi des Gascons, exécuté (l'Aquitaine n'est pourtant pas soumise).

■ **768 Charlemagne** (742-814). Roi du N.-O. (des Pyrénées à la Bohême) ; **771** de tous les domaines francs († de son frère Carloman, roi du S.-E.). Ch. battra les *Lombards* (774, annexe leur royaume) ; *Saxons* (785-99 ; les frontières franques sont sur l'Elbe et la Baltique) ; *Arabes* d'Esp. (778-811 ; création de la marche d'Esp. en bordure des Pyrénées *Roland* † à *Roncevaux* 15-8-778) ; *Bavarois* (788) ; *Avars* (796). **V. 796** prend pour capitale Aix-la-Chapelle. **800** (25-12) couronné empereur d'Occident à Rome par le pape Léon III.

Empire d'Occident à la mort de Charlemagne (814)

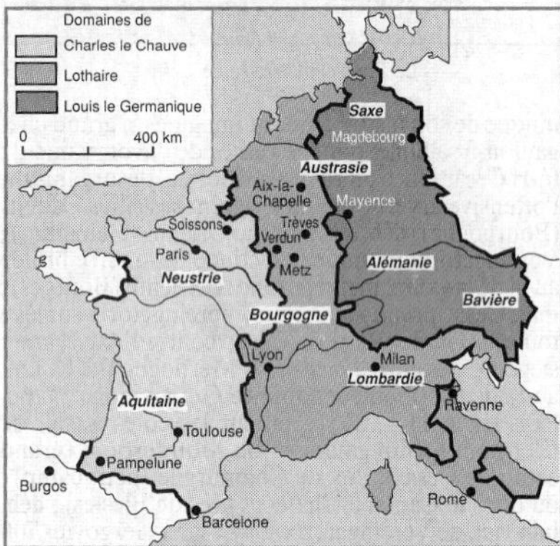

Le partage de Verdun (843)

805 révolte des Saxons : 10 500 familles déportées en France méridionale. **806** Charlemagne divise son empire en 3 roy. : *Aquitaine* [Louis le Romain fils légitime d'une princesse, son nom le distinguait d'un 2e Louis, de *pute aire* (d'obscure naissance), fils naturel de Charlemagne et d'une servante], *Francie* (Charles), *Italie* (Pépin, puis Bernard fils de Pépin). Charles meurt avant son père et Louis reçoit 2 parts. **812** paix entre Emp. d'Occ. et d'Orient.

■ **814-817 Louis le Débonnaire** en 817 partage entre ses fils ses 2 roy. en 3 sous-roy. (*Aquitaine :* Pépin II ; *Bavière :* Louis le Germanique ; *Centre,* avec la couronne impériale : Lothaire). Ce partage déclenche de nombreuses g. qui dureront jusqu'en 843. **841** *25-6* Lothaire battu à *Fontenoy* (en Puisaye, Yonne) par ses frères : Charles le Chauve et Louis le Germanique. **842 Serments de Strasbourg** Charles le Chauve et Louis le Germanique, contre Lothaire (prêtés en français par les soldats de Charles : 1er document écrit en langue fr.). **843 Tr. de Verdun**

Invasions normandes (810-911)

Causes. 1°) Pression démographique en pays scandinaves (Norvégiens, Suédois, Danois formant alors un seul peuple). 2°) Attaque de Charlemagne contre la péninsule danoise en 808 : il est arrêté par une ligne de fortifications et les « Vikings » contre-attaquent sur les côtes franques et anglo-saxonnes.

Effectifs. Raids de 300 à 400 h. montés sur 30 ou 40 *snekkja* (navires légers) ; ils installent des bases fortifiées (par ex. l'île de Jeufosse, près de Mantes, en 856) où ils créent des armées terrestres avec cavalerie et matériel de siège.

Opérations. 1°) Milliers de *levées de tribut* sur les villes et les États (Danegeld, payé presque annuellement à partir de 845), *enlèvements* de personnes (vendues comme esclaves ou qui payent rançon), *pillages* de monastères. 2°) *Armées normandes équipées sur place : 856,* 8-4 prise d'Orléans, 27-12 de Paris. *858* Charles le Chauve échoue dans une attaque de l'île de Jeufosse. *861* prise de Paris. *867* bat. de *Brissarthe :* Hasting b. et tue Robert, Cte de la Marche, et Renoul, duc d'Aquitaine. *873* Charles le Chauve et Salomon de Bretagne reprennent Angers. *881* vict. de *Saucourt-en-Vimeu* (Louis II et Carloman : 8 000 Normands †). *883* bat. de *Reims* (Carloman) indécise. *885-86* Siegfried assiège Paris, défendu par le Cte Eudes (Charles le Gros paye 7 000 livres de rançon). *889* Eudes paye rançon pour Paris. *890* il est battu à *Noyon* et *891* à *Valenciennes. 896* les Normands créent une base à l'embouchure de la Seine. *903* ils prennent Tours. *910 Rollon* (Hrolf) attaque *Paris,* mais est repoussé. *911* il assiège *Chartres* (repoussé par l'évêque Gouteaume ; 7 000 †) ; il accepte le baptême et devient duc de Normandie, vassal du roi de Fr. [Rollon refuse par orgueil le cérémonial de l'hommage, consistant notamment à baiser le pied du suzerain ; il délègue à sa place un seigneur lui recommandant de ne pas s'incliner trop : selon la légende, celui-ci s'incline si peu qu'il fait tomber le roi à la renverse, en lui soulevant le pied très haut].

Invasions sarrasines (v. 830-990)

Causes. A partir de 800, les musulmans fixés en Espagne et en Afr. du N. effectuent des raids maritimes. Les États carolingiens, trop étendus, ne peuvent résister à la fois aux raids normands et aux raids sarrasins.

Opérations. *838* et *842* raids sur Marseille. *842* et *850* sur Arles. *869* installation d'une base en Camargue. *870-90* les Vikings supplantent les Sarrasins. *890* fondation de la base sarrasine à La Garde-Freinet (Var). *972* capture de St Mayeul, abbé de Cluny, sur la route du Mont-Genèvre. *983* Guillaume, Cte de Provence, prend La Garde-Freinet. *990* fin de la domination en Provence. Néanmoins les raids se poursuivent jusqu'au XIIIe s. (Lérins 1047, 1107, 1197 ; Toulon 1178, 1197).

partage l'Empire carolingien entre les 3 fils de Louis le Débonnaire : **Lothaire Ier**, emp., reçoit la « *Lotharingie* » (de la mer du N. aux États de l'Église) ; **Louis le Germanique**, la *Francie orientale (Allemagne)* ; **Charles II le Chauve**, la *Francie occidentale (France).*

■ **847** constitution du duché de France, donné à *Robert le Fort,* ancêtre des Capétiens. **870 Tr. de Meersen.** Charles le Chauve et Louis le Germanique se partagent la Lotharingie. **876** Charles le Chauve essaie de s'emparer de toute la Lotharingie, il est battu par Louis le Jeune (fils de Louis le Germanique), à *Andernach.* **877** 14/16-6 *capitulaire de Kiersy* [Quierzy-sur-Oise (Aisne), résidence impériale], rendant les charges comtales héréditaires. **879-88** Lotharingie divisée en Lorraine, Bourgognes (Cisjurane et Transjurane), Provence.

■ **888-98** crise dynastique : **Eudes,** ancêtre des Capétiens, est élu roi de Fr. mais redonne à sa mort la couronne à un Carolingien [**Charles III le Simple** (c.-à-d. « le loyal », ne jouant pas double jeu)]. **912** 21-1 Charles se fait proclamer roi de Lotharingie, après la mort de Louis l'Enfant.

■ **922** 30-6 mécontents de la préférence accordée par Charles aux Lotharingiens, les seigneurs fr. couronnent à Reims **Robert,** frère d'Eudes. **923** 15-6 Charles attaque Robert à Soissons et le tue ; 13-7 les seigneurs fr. couronnent à Soissons un autre Capétien, le gendre de Robert, **Raoul de Bourgogne** : celui-ci a un rival, son beau-fr. Herbert de Vermandois. **924-29** Herbert garde Charles en otage ; il l'utilise pour lutter contre Raoul. **925** Charles est dépouillé de la Lotharingie par le roi de Germanie, Henri Ier l'Oiseleur. **926** invasion hongroise. **933** le roi de Bourgogne, Rodolphe II, annexe la Provence et fonde le *« roy. d'Arles »,* de Bâle à la Méditerranée. **936-54** nouvelle g. entre Carolingiens et Capétiens [**Louis IV d'Outremer** (élevé dep. 926 à la cour du roi d'Angl. Athelston, fr. de sa mère, la reine Ogive) contre Hugues de Vermandois, duc de Fr.] : le pape prend parti pour Louis et excommunie Hugues. **978** le roi de Fr. **Lothaire** prend Aix-la-Chapelle. **979** il est battu par l'emp. Otton II qui brûle Compiègne et prend Montmartre, puis est repoussé par le duc de France, *Hugues Capet.* **984-85** Lothaire prend Verdun et meurt. **987** 21-5 mort (chute de cheval) du dernier Carolingien, **Louis V.** Les nobles, réunis à Senlis, écartent son oncle Charles, duc de Basse-Lorraine, sur intervention d'Adalbéron, archevêque de Reims et chancelier du roy. (adversaire des Carolingiens ; menacé par Louis V d'un procès en haute trahison) et élisent roi Hugues Capet, le 1-7 à Noyon.

La légende de Charlemagne

1°) *Barbu :* aucune miniature carolingienne ne le représente avec une barbe, mais le poète de la *Chanson de Roland* (publiée au XIXe s.) l'a imaginé comme un patriarche de la Bible (la barbe était un insigne de dignité chez les Hébreux), et Ch. est traditionnellement appelé « l'empereur à la barbe fleurie » (c.-à-d. « blanche »). Il mesurait + de 1,90 m.

2°) *Culte religieux :* en 1165, l'emp. Frédéric Barberousse fait rechercher le corps de Charlemagne et l'élève sur le maître-autel d'Aix-la-Chapelle, dans une châsse ornée de pierreries. Le pape Pascal III donne son assentiment (mais il est chassé comme antipape). Ni le pape légitime de l'époque (Alexandre III), ni aucun de ses successeurs n'ayant formulé d'objection, la canonisation peut être considérée comme valide (la Saint-Charlemagne est célébrée le 28-1). Le culte a été introduit par Louis XI (1475) dans l'Université. Il n'a jamais cessé d'être célébré en Belgique et en Allemagne. Mais l'expression « Bienheureux Ch. » est plus adéquate, car il ne s'agit pas d'un saint de l'Égl. universelle, inscrit au martyrologe romain.

La légende de Roland

Chanson de Roland. Composée par un clerc anonyme entre 1100 et 1125, elle a fait naître la « légende de Roland » (*Roland* a un ami aussi chevaleresque que lui, *Olivier ;* il est trahi par *Ganelon ;* son épée s'appelle *Durandal ;* en cherchant à la briser, il entaille les Pyrénées ; il souffle dans un cor en ivoire d'éléphant, ou *« olifant »,* pour appeler Charlemagne à son secours). Pour certains, il s'agit d'une œuvre fictive, destinée à recruter des combattants français pour la croisade contre Saragosse (1110-18) menée par le roi d'Aragon, Alphonse Ier le Batailleur (1104-34). Pour d'autres, l'auteur a utilisé des récits traditionnels oraux d'Andorre et d'Ariège remontant aux temps carolingiens.

Lieu de la bataille. L'historien carolingien Éginhard (v. 770-840) raconte dans sa *Vie de Charlemagne* (v. 820) que l'armée de Charlemagne, après un raid manqué au S. des Pyrénées, se repliait par un col pyrénéen (non nommé), quand son arrière-garde fut attaquée par des « Vascons », qui pillèrent les chariots et tuèrent de nombreux soldats francs, notamment le sénéchal Éginhard, le Cte du Palais Anselme, le préfet des Marches de Bretagne, Hruotland ou Roland. En 1130, à la suite d'une vision en songe de l'évêque de Pampelune, Sancho de la Rosa, le terrain du combat fut localisé à Orréaga, lieu-dit, près du col d'Ibañeta, entre haute et basse Navarre. Tradition conservée, notamment par les Basques, qui se proclament les descendants des « Vascons » et considèrent la victoire remportée sur les troupes carolingiennes comme un fait d'armes national (ils organisent chaque année un pèlerinage au monument d'Orréaga).

D'autres estiment : 1°) que Sancho de la Rosa a donné arbitrairement à Orréaga le nom de *Roncevaux,* qui n'est pas dans Éginhard, mais dans la *Chanson de Roland* (orthographié Rencesvals) ; 2°) que *Vascon* désigne non seulement les Basques, mais tous les habitants de la Vasconie, région allant de l'Èbre à la Garonne ; 3°) que la *Chanson de Roland* situe les Rences vals (*Roza valles,* selon d'autres sources) au pied du col de « Ciser » (*Sisera,* selon d'autres sources), qui semble correspondre au Port de Siguer (Andorre) ; 4°) qu'elle ne désigne jamais les adversaires de Roland comme des Vascons, mais comme des « Sarrasins », qui au VIIIe s. occupaient la Vasconie.

La renaissance carolingienne

Elle a duré de l'installation du Palais à Aix-la-Chapelle (792-98 ; constr. de la chapelle 798-800) à 930 (reprise des guerres civiles entre rois francs). *Caractéristiques :* essor économique fondé sur l'administration centralisée : les ordres écrits, les rapports, les comptes remplacent les ordres oraux. Pour former des administrateurs lettrés, on multiplie les centres d'instruction (« école du palais », monastères) en faisant appel aux Anglo-Saxons, bons latinistes ; aux juifs (de culture arabe, venus d'Espagne) ; aux Byzantins, spécialistes du beau manuscrit.

Un essor culturel remarquable s'ensuit : littérature, philologie, sciences, arts décoratifs, architecture, industrie textile. Son financement est assuré surtout par la vente des esclaves (prisonniers de g.) : chaque été, les raids en territoires germaniques ou slaves rapportent de nombreux sujets. Malgré les bonnes relations avec le monde arabe (Haroun el Rachid), un rescrit de 779 interdit la vente d'esclaves aux musulmans. Charlemagne, puis Louis le Pieux, ont tenté, sans succès, de recréer une monnaie d'or (disparue sous les Mérovingiens).

Dynastie capétienne directe (987-1328)

■ **987** 3-7 **Hugues Capet** (v. 941-96). Proposé comme roi à l'Assemblée de Senlis fin mai 987 ; proclamé roi, et dernier roi de Fr. à être élevé sur le pavois, à Noyon ; le 1-7, sacré à Reims (?) par l'archevêque Auberon (certains disent à Noyon le 3-7) ; juill. rend Verdun à l'empereur, en échange de sa reconnaissance ; 25-12 associe au trône son fils Robert. Adalbert de Périgord, refusant de lever le siège de Tours, Hugues Capet lui écrit pour lui rappeler que les comtes ne sont que des fonctionnaires du pouvoir royal ; Adalbert répond que c'étaient les ducs et les comtes qui l'avaient élu roi. Ainsi résumé : « Qui t'a fait comte ? Qui t'a fait roi ? » **989** Concile de Charroux, instituant la *« paix de Dieu »* (interdiction de faire la g. aux non-combattants). **991** 29-3 capture à Laon du dernier Pce carolingien, Charles de Basse-Lorraine († au cachot à Orléans v. 995).

■ **996 Robert II le Pieux** (v. 970-1031). **1000** *Terreurs de l'An Mille* mentionnées pour la 1re fois en 1590, légende née d'une citation pieuse, souvent faite dans les formules des chartes de donation, et rappelant la vanité des biens de ce monde (St Paul, II Cor., I, 22), établie aux XVIIIe s. (William Robertson, Anglais, 1721-93) et XIXe s. (Jules Michelet, Fr., 1798-1874) : les chrétiens auraient cru à une fin du monde inéluctable, 1 000 ans après la venue du Christ. **1002-14** Robert conquiert le duché de Bourgogne. **1017** Hugues, fils de Robert, est associé au trône. **1019** s'allie avec Baudoin de Flandres, qui épouse sa fille Adèle. **1023** réunion des comtés de Blois et de Champagne qui encercleront 200 ans le domaine capétien. **1026** Hugues meurt ; son frère cadet, Henri, est associé au trône. **1027** l'emp. d'Allemagne hérite de la Bourgogne transjurane.

■ **1031 Henri Ier** (1008-60). **1031-39** g. civile : les grands féodaux (avec le Cte Eudes II de Blois) sont battus par Henri Ier, aidé du duc de Normandie, Robert le Magnifique. **1047** Henri Ier aide Guillaume le Bâtard, duc de Norm., à battre ses vassaux révoltés (bat. de *Val-ès-Dunes*). **1053** rupture de l'alliance franco-normande.

■ **1060 Philippe Ier** (1052-1108). **1059** associé au trône à 7 ans. **1060** Roi. **1060-66** sa mère Anne de Russie (Kiev) est la *1re régente* de France. **1066** Guillaume, duc de Norm., conquiert l'Angl. **1077** il fait la paix avec le roi de Fr. et renonce à conquérir la Bretagne. **1081** Philippe Ier battu à Yèvres-le-Châtel par un vassal révolté, Hugues du Puiset. **1095** début des croisades. **1095, 1097, 1100** excommunié pour bigamie, mariage invalide avec Bertrade de Montfort. **1105** absous.

Les Croisades (1096-1291)

1096-99 (1re). Causes : 1°) désir de la papauté de sauver l'Empire chrétien d'Orient, menacé de destruction par les Turcs dep. 1077 (désastre de Manzikert) ; 2°) désir des puissances italiennes (dont la papauté) de briser si possible la domination arabo-musulmane en Méditerranée ; 3°) existence d'un potentiel militaire inemployé chez les chrétiens occidentaux, dep. la création de la « chevalerie » (conception religieuse du métier des armes). **Prêchée** par le pape Urbain II au concile de Clermont. **Opérations.** *2 expéditions* avec des bandes de pèlerins sans valeur militaire : *Pierre l'Ermite* (1050 ?/8-7-1115) et *Gauthier sans Avoir* († 1096 ou 97), battus à Nicée *(1096) ; 1096, 15-8 départ des Croisés armés* (4 500 chevaliers, 30 000 fantassins, 60 000 à 100 000 auxiliaires civils et pèlerins non combattants). 1°) Français du Nord et Lorrains [(Godefroi de Bouillon (1061-1100), Robert, Cte de Flandres (v. 1065/5-10-1111)] à pied par la vallée du Danube. 2°) Occitans [*Raymond de St-Gilles,* Cte de Toulouse (1042/28-2-1105)] à pied par la Dalmatie. 3°) Normands de Sicile [*Bohémond, Pce de Tarente* (v. 1057-1111)] par mer, de Bari à Durazzo, puis à pied par la Macédoine. 4°) Neustriens [*Étienne de Blois, Hugues de Vermandois* (1057/18-10-1101), *Robert Courteheuse,* duc de Norm. (v. 1054/3-2?-1134)] rejoignent Bohémond à Bari (à pied par les Alpes). Point de jonction : Constantinople. *1097,* 26-6 prise de *Nicée* (rendue aux Byzantins) ; 1-7 *Dorylée* (Bohémond et Godefroi de Bouillon battent Gilidj Arslan ; 50 000 Turcs †) ; 21-10 début du siège d'Antioche. *1098,* 2-6 prise d'*Ant. ;* 3-6 siège des chrétiens dans Ant. par l'émir de Mossoul ; 28-6 vict. de *Kerbogah* (30 000 Syriens †) : délivrance d'Ant. *1099,* 13-1 les Croisés partent d'Ant., devenue capitale de la « princée » de Bohémond ; 15-7 ils prennent *Jérusalem* (40 000 musulmans et juifs †). *1101,* sept. des renforts nivernais et aquitains sont anéantis à Héraclée. *1104* prise d'Acre, renommée St-Jean-d'Acre.

1147-49 (2e). Causes : 1°) émotion causée en Occident par la chute d'Édesse (reprise par l'atabeg de Mossoul Zenghi, le 23-12-1144) ; 2°) obligation pour Louis VII de faire un acte pénitentiel en expiation du massacre de Vitry (1142). **Prêchée** par St Bernard (1090-1153) à Vézelay le 31-3-1146. **Effectifs :** 70 000 Fr. (Louis VII), 65 000 Allem. (Conrad III). Itinéraire par la vallée du Danube jusqu'à Constantinople. **Opérations :** *1147,* nov. l'armée allem. de Conrad est battue à *Dorylée. 1148,* 6-1 les Fr. battus à *Pisidie,* mars : embarquement des Fr. à *Adalia* sur des vaisseaux grecs. *Été 1148* échec fr.-allem. devant Damas (l'offensive sur Édesse est annulée). *1149* retour ; résultats nuls.

1189-92 (3e). Cause : émotion suscitée en Occident par la chute de Jérusalem (2-10-1187) [prise par Saladin après sa victoire d'*Hattin* (4-7-1187)] ; la croisade est ordonnée par le pape Grégoire VIII. **Effectifs :** 100 000 All. [Frédéric Barberousse (v. 1112, 10-6-1190)], voie terrestre par Constantinople et l'Asie Mineure ; 30 000 Fr. [Phil. Auguste (1165/14-7-1223)] ; 20 000 Angl. [Richard Cœur de Lion (8-9-1157/6-4-1189)], embarqués à Aigues-Mortes (en route Richard conquiert Chypre sur un despote grec). **Opérations :** *1190,* 17-5 Frédéric Barberousse écrase les Turcs à *Konya.* 10-6 Fréd. noyé, son armée se disperse. *1191,* 10-6 Richard Cœur de Lion et Philippe Auguste reprennent *St-Jean-d'Acre ; 7-9 Arzuf :* Richard bat Saladin. *1192* Jaffa, Ascalon reprises ; 3-9 *tr. de Jaffa* entre Richard et Saladin : Jérusalem est laissée aux musulmans ; admission des pèlerins sans armes.

1202-04 (4e). Causes : 1°) désir de reprendre les Lieux saints ; volonté d'Henri VI, fils de Frédéric Barberousse, de poursuivre la croisade de son père ;

Fiefs chrétiens de Terre sainte

Royaume de Jérusalem (1099-1291)

☞ 3 grands fiefs vassaux : *comté d'Édesse* (1098-1144), *« princée » d'Antioche* (1098-1268), *comté de Tripoli* (1102-1289) ; 2 autres royaumes non vassaux créés fin XIIe s. : *Chypre* (1192-1489) et *Petite-Arménie* ou *Cilicie* (1198-1375).

Rois de Jérusalem

1099 Godefroi de Bouillon (v. 1060-1100), chef des croisés lorrains, élu roi par l'assemblée des Seigneurs le 23-7-1099. Refuse le titre : n'est qu'avoué du Saint-Sépulcre.

1100 Baudouin Ier, son frère (v. 1070-1118), Cte d'Édesse (1093-1100). Conquiert Acre (1104), Beyrouth (1109), Sidon (1110).

1118 Baudouin II, son cousin (v. 1070-1131), Cte de Rethel, Cte d'Édesse (1100-18). Conquiert Tyr (1124).

1131 Foulques Ier, son gendre (1092-1143), Cte d'Anjou, abdique sa couronne comtale en épousant (1129) *Mélisende,* fille de Baudouin II.

1144 Baudouin III, son frère (1131-62). Perd Édesse le jour de son couronnement (Noël 1144) ; échoue contre Damas (1148) ; prend Ascalon (1153), Césarée (1159).

1162 Amauri Ier, son frère (1135-73). Tente de conquérir l'Égypte (1166-67). Battu par Saladin 1170, recherche l'alliance byzantine en épousant la nièce de l'emp. Isaac Comnène (1167).

1173 Baudouin IV, le Lépreux, son frère (1160-85). Mineur à son avènement, laisse la régence à Milon de Planès. Bat Saladin à Ramleh (25-11-1177), est battu à Sidon (1178), perd la forteresse du Gué de Jacob (1179), bat Saladin à Tibériade (1182), contracte la lèpre ; marie sa sœur Sybille († 1191), veuve de Guillaume de Montferrat, à Gui de Lusignan.

1185 Baudouin V, son neveu (1176-86), fils de Sybille et de Guill. couronné à 7 ans (1188) ; régence de son grand-oncle, le Cte de Tripoli, qui conclut avec Saladin une trêve de 4 mois, pour ravitailler le pays, ruiné par la famine. Meurt pendant la famine, peut-être empoisonné.

1186 Gui Ier de Lusignan, son beau-père (v. 1129-1194). 2e époux de Sybille. Prend la couronne malgré les barons. Battu et pris par Saladin à Hattin (1187). Perd Jérusalem. Libéré 1188 contre rançon. Laisse en 1192 la couronne de J. contre celle de Chypre, achetée 100 000 besants.

1192 Isabelle Ire, sœur de Sybille (1169-1205) et **Conrad de Montferrat** (?-ass. 28-4-1192), roi consort (ancien beau-frère de l'empereur byzantin, et seigneur de Tyr depuis 1188) ; elle l'a épousé dès son couronnement, en faisant casser son mariage avec Onfroi de Toron.

1192 Isabelle Ire et Henri de Champagne (?-1197) qui, replié à Acre, refusa le titre de roi de J. Avec les Croisés de la IVe Cr., rompt la trêve avec Saladin ; perd Jaffa et meurt (tombe par la fenêtre du château d'Acre).

1197 Isabelle Ire et Amauri II de Lusignan (v. 1130-1205). Frère de Gui de Lusignan, il est roi de Chypre (Amauri Ier) dep. 1194. Reconquiert Beyrouth et Giblet (1197-98) avec les Croisés all. Mais il ne peut empêcher le détournement de la IVe Croisade vers Constantinople.

1205 Jean de Brienne (1148-1237). A la mort d'Amauri, épouse Marie de Montferrat, fille d'Isabelle Ire et de Conrad, héritière du royaume. Couronné roi de J. à Acre. 1212, mort de Marie, il devient régent de leur fille Yolande. Celle-ci épouse en 1225 l'emp. Frédéric II qui prend le titre de roi de J. Jean rejoint alors Constantinople dont il est régent (1227), puis empereur (1231).

1225 Frédéric II, son gendre (1194-1250), roi de Sicile (1197), emp. germanique (1220). Prend la couronne à J. en 1229 (cérémonie laïque car excommunié), en vertu d'un tr. passé avec Malik al-Kalil. Puis laisse le gouvernement du pays à Richard Filangieri qui laisse les musulmans reprendre J. (1244) et l'anarchie s'installer.

☞ **Survivance du titre.** Le titre de *roi de Jér.* a été disputé entre : 1°) les *Lusignan,* qui, en 1239, se firent confier la « garde » de la couronne par la noblesse chypriote (sans préjudice des droits des Hohenstaufen), la reine Alix, veuve de Hugues Ier de Chypre (1205-21), étant petite-fille du roi Amauri II. Joint au titre de Chypre, celui de J. a passé aux Savoie ; 2°) les *Hohenstaufen,* descendants de Fréd. II. Le pape, suzerain, en ayant investi le roi des Deux-Siciles Charles de Bourbon, futur Charles III d'Espagne, le duc de Calabre est actuellement le seul roi de J. possible. *Charles Ier de France,* roi de Sicile qui règne sur St-Jean-d'Acre [1277-86 (royaume détruit 1291)] leur achète le titre. Les Anjou de Naples se disent rois de Sicile. Les ducs d'Anjou issus des rois Valois prétendent à Sicile et Jérusalem. Le roi René (1409-80) a une fille Yolande dont le fils, René II (1451-1508), duc de Lorraine, arbore les armes de Jér. Les ducs de Lorraine donneront François Ier empereur élu des Romains : depuis, les emp. d'Autriche se diront rois de Jérusalem.

Empire latin de Constantinople (1204-61)

(Voir Turquie à l'Index).

3 grands fiefs vassaux : *royaume de Thessalonique* (1204-24), *« princée » de Morée* (c.-à-d. du Péloponnèse : 1205-1428), *duché d'Athènes* (1205-1436).

Autres fiefs

Crète possession vénitienne de 1206 à 1669 ; **Rhodes** terre souveraine des Chevaliers de St-Jean-de-l'Hôpital de 1309 à 1522.

2°) le détournement vers Constantinople est dû : a) à l'exaspération des chrétiens romains de Terre sainte qui voient dans les Byzantins des alliés des musulmans ; b) au désir des Vénitiens de dominer économiquement la mer Noire. **Effectifs :** 20 000 Allem. débarqués à Acre dès 1197, se rembarquent en 1298 ; 30 000 Fr., 5 000 Flamands, 5 000 Italiens concentrés à Venise (doivent s'embarquer sur les vaisseaux vénitiens ; objectif initial : l'Égypte). **Opérations :** *1202,* nov. délivrance de *Zara* (Dalmatie), port vénitien assiégé par les Hongrois (service rendu comme équivalent des 85 000 marcs d'or dus pour le transport). *1203,* printemps, le prétendant byzantin Isaac l'Ange se rend à *Zara* et propose 35 000 marcs pour la prise de Constantinople ; 17-7 Isaac rétabli sur le trône byzantin. *1204,* févr. Isaac meurt ; 12-4 *prise de Const.* par les Croisés et les Vénitiens ; 9-5 Baudoin de Flandres couronné emp. Voir Turquie à l'Index.

1212 (Croisade des Enfants). Cause : indignation du peuple chrétien contre le détournement de la 4e cr. **Déroulement :** 1°) *Cr. française* (quelques centaines d'enfants). Étienne, un jeune berger de Cloyes (près de Vendôme), conduit des groupes d'enfants en prières sur les routes de Norm., Picardie, Ile-de-Fr. On a dit qu'ils avaient été vendus comme esclaves à Bougie et Alexandrie (en fait, leur troupe, affamée, a dû se disperser en Ile-de-Fr.). 2°) *Cr. allemande* (plusieurs milliers). Prêchée par Nicolas de Cologne, gagne Gênes par les Alpes, mais ne trouve pas de navires. Certains croisés s'y fixent, d'autres vont s'embarquer à Pise ou Brindisi. Nicolas, avec un groupe important, va à Rome se faire relever du vœu de croisade. La plupart meurent de faim sur le chemin du retour.

1212-21 (5e). Cause : renouveau de ferveur chrétienne dû aux papes Innocent III, puis Honorius III et au concile du Latran. **Effectifs :** au moins 200 000 h. (max. des Cr.) : Autr. et Hongrois (André II de Hongrie), Danois et Frisons, Fr. et Anglais. **Opérations :** transport par mer jusqu'à Acre. *1217-18* (cr. hongroise) : échec des Hongrois au mont *Tabor,* réoccupation et fortification de *Césarée* et du mont Carmel. *1218-21* campagne de *Damiette* (Égypte). *1218,* 24-8 débarquement et début du siège. *1219,* 5-11 *Damiette* prise d'assaut. *1220* négociations : le légat Pelage refuse d'échanger Damiette contre Jérusalem. *1221,* 12-7 Croisés vaincus à *Mansourah ;* sept. évacuation de Damiette sans conditions.

1228-29 (6e). Menée par l'emp. Frédéric II (excommunié) et ayant consisté en négociations ; non homologuée par les historiens de l'Égl. (Jérusalem récupérée, puis reperdue).

1248-54 (7e). Prêchée par le concile de Lyon, juin 1245. **Effectifs :** 25 000 Fr. (St Louis) embarqués à Aigues-Mortes pour Chypre sur des navires génois. **Opérations :** *1249,* 7-6 St Louis prend *Damiette ;* 20-11 offensive sur Le Caire. *1250,* 8-2 St Louis battu à *Mansourah.* Prisonnier à *Mansourah,* libéré 2-5 (rançon et abandon de Damiette) ; relève les villes fortes de Terre sainte, notamment Césarée. *1254 avril* rembarque.

1251 (Croisade des Pastoureaux). Cause : émotion causée par la défaite de St Louis à Mansourah ; elle soulève surtout des ruraux (pastourou = paysan). **Opérations :** pogroms contre les communautés juives de France (Joseph, dit le *Maître de Hongrie*) ; 11-6 écrasés à Villeneuve-sur-Cher (Joseph †) ; quelques rescapés rejoindront Acre.

1270 (8e). Cause : St Louis et son frère Charles d'Anjou, roi de Sicile, après l'offensive victorieuse de *Baïbars* en Terre sainte (prise de *Césarée* 5-3-1265, du *mont Carmel* 16-3-1265, d'*Antioche* 20-5-1268), décident d'attaquer la Tunisie, base future de départ contre Égypte ou Constantinople, en demandant un armistice à Baïbars. **Opérations :** *1270,* 18-7 débarquement à *Tunis ;* 25-8 épidémie de « peste », *mort de St Louis. 1271* les survivants débarquent à Acre, 23-3 chute du *Krak des Chevaliers. 1271-91* Baïbars, puis Spinola, enlèvent les dernières places fortes de Terre sainte : Beyrouth, Tripoli, Sidon, Tyr.

■ **1108 Louis VI le Gros** (v. 1081-1137). **1100** désigné comme roi. **1109-35** « *Guerre de Gisors* » : Henri Ier, duc de Norm. et roi d'Angl., a occupé indûment la forteresse de Gisors, clef du Vexin, et a refusé l'hommage féodal. Il prend part à toutes les luttes féodales contre Louis VI. **1111** Louis VI conquiert le château du Puiset (à un baron révolté). **1112-15** *Émeutes de Laon,* constitution d'une commune avec « charte municipale » (voir Institutions). **1114** début de la g. contre Thomas de Marle (durera jusqu'en 1130). **1119** 20-8 Louis VI battu par Henri Ier à Noyon-sur-l'Andelle (Brenneville). **1124** 1re g. nat. fr.-all. : l'emp. Henri V attaque Reims, mais doit battre en retraite. **1127** mariage de Mathilde de Normandie-Angl. avec Geoffroi d'Anjou, point de départ de « l'Empire angevin ». **1131** Philippe (associé au trône et couronné) se tue en tombant de son cheval gêné par un cochon.

■ **1137 (août) Louis VII le Jeune** (v. 1120-80). Couronné roi de Fr. puis duc d'Aquitaine, à Poitiers, comme époux d'Éléonore (ou Aliénor). **1142-43** guerre fr.-champenoise : L. VII attaque le Cte Thibaut et incendie *Vitry* (1 300 †). **1152 Éléonore** répudiée [(à Antioche, en mars 1148, elle aurait été la maîtresse de son jeune oncle, Raymond II d'Antioche) ; motif officiel : Louis VII et Él. ayant un ancêtre commun, Robert le Pieux, étaient cousins au 12e degré (6e degré canonique), leur mariage est annulé le 21-3-1152, par le concile de Beaugency, pour avoir été célébré sans dispense de consanguinité]. Elle épousera le 18-5 Henri II Plantagenêt (en 1173 il la fera enfermer 16 ans à Winchester, sans la répudier pour ne pas perdre l'héritage poitevin). A la mort d'Henri II (6-7-1189), Eléonore reprendra le gouvernement de ses fiefs et soutiendra son fils préféré, Richard Cœur de Lion. Elle sera régente quand Richard sera en Terre sainte, et réunira en 1193 sa rançon. En févr. 1194, elle fera se réconcilier les 2 frères, Richard et Jean sans Terre.

Guerre franco-angevine « 1re guerre de Cent Ans » (1159-1299)

■ **Causes.** 1°) *féodales :* rivalité des 2 maisons d'Anjou (Plantagenêts) et de Fr. (Capétiens) ; de nombreuses autres maisons féodales se mêlent à la lutte : Toulouse, Bretagne, Champagne, Flandres ; 2°) *politiques :* les Capétiens sont rois de Fr. et cherchent à unifier le roy. ; les Angevins sont rois d'Angl. et cherchent à briser la puissance royale fr. Mais les rois de Fr. sont les suzerains des Anglais : toute attaque angl. contre la Fr. est une « félonie ».

■ **Effectifs.** Variables selon les époques, et selon les coalitions ; maximum à Bouvines 1214 (15 000 Français contre 20 000 coalisés).

■ **Opérations.** 1°) **Entre Louis VII et Henri II : 1159** juill. offensive d'H. II contre le Cte de Toulouse, vassal du roi de Fr. Louis VII s'enferme à Toulouse et fait reculer H. II ; oct. offensive d'H. II en Beauvaisis, prise et démantèlement de *Gerberoy.* **1173** 23-6 les fils d'H. II révoltés contre leur père sont soutenus par L. VII qui met le siège devant *Verneuil ;* 23-7 il est forcé de lever le siège ; oct. H. II reconquiert le Poitou sur Éléonore (qui a pris parti pour ses fils). **1174** mars, offensive de L. VII en Norm. (siège de *Rouen*) ; sept. H. II bat L. VII à Rouen et le force à lever le siège ; 30-9 *paix de Montlouis* (statu quo).

2°) **Entre Philippe Auguste et Henri II : 1188** juin, offensive de Philippe sur le Berry, *Châteauroux* pris ; conquête de *Vendôme ;* H. II prend *Dreux,* échoue devant *Mantes ;* automne Phil. fomente une révolte générale des vassaux d'H. II au N. de la Loire. **1189** 4/11-6 conquête du Maine ; 12-6 prise du *Mans ;* 2-7 de *Tours ;* 4-7 *paix d'Azay-le-Rideau* (H. renonce au Berry et à l'Auvergne).

3°) **Entre Philippe Auguste et Richard Cœur de Lion : 1189** 18-7 Phil. rend toutes les conquêtes faites sur H. II à Richard, son héritier (ils partiront ensemble pour la Terre sainte). **1194** 12-5 rentrant de captivité, R. attaque Norm. et Touraine, occupées par Phil., avec la complicité de Jean sans Terre, frère de R. ; juin il reprend *Verneuil* et *Loches* ; 3-7 R. victorieux à *Fréteval* (Phil. mis en fuite). **1196** R. construit Château-Gaillard. **1197** avr. offensive de Phil. en Norm., *Aumale* prise. Offensive de R. en Beauvaisis ; sept. Baudouin de Flandres s'allie à R. et attaque l'Artois ; Phil. capitule à *Ypres ;* 8-10 Baudouin prend *St-Omer* et *Aire.* **1198** 28-9 *Courcelles* près de Gisors : R. écrase Phil. ; oct., *Vernon :* Mercadier bat Phil. (cavalerie fr. détruite). **1199** 13-1 *trêve de Vernon* (Phil. garde Gisors).

4°) **Entre Philippe Auguste et Jean sans Terre : 1199** 15-8 offensive fr. en Norm., Conches prise, et dans le Maine (siège du Mans, échec). **1200** *tr. du Goulet :* Phil. reçoit Évreux, Issoudun. **1202** 25-3 condamné pour « félonie » (il a enlevé la fiancée de Hugues de Lusignan, son vassal) doit céder à son neveu, Arthur de Bret., Anjou, Maine, Touraine, Norm. ; offensive de Phil. en Norm., d'Arthur en Touraine ; juill. à *Mirebeau* (près de Loudun), Arthur fait prisonnier par J. (égorgé 3-4-1203). **1204** 6-3 Phil. enlève *Château-Gaillard ;* avril-mai conquête de la Norm. ; août ralliement du Poitou. **1205** juin conquête de l'Ouest et de la Bret. **1206** 6-10 *trêve :* J. cède Norm., Maine, Touraine, Anjou. **1214** coalition : Angl., Flandres et Allemagne contre Fr. ; févr. offensive de J. au Poitou (débarqué à La Rochelle avec 15 000 h.) ; 2-7 est écrasé à *La Roche-aux-Moines ;* 15-7 se rembarque ; 27-7 à *Bouvines* (Nord) Phil. bat alliés de J. : Flamands, Impériaux, Boulonnais + contingents anglais (l'emp. Othon perd l'aigle impérial que Phil. envoie à son rival Frédéric de Hohenstaufen ; Fernand de Flandres et Renaud de Dammartin-Boulogne prisonniers) ; *épisodes célèbres :* les contingents des communes lâchent pied devant l'infanterie teutonique : le roi est jeté à bas de son cheval, mais délivré par des chevaliers fr. (le porte-oriflamme Galon de Montigny leur a fait des signaux de détresse) ; les fantassins brabançons refusent de se rendre : ils sont exterminés par les chevaliers de Thomas de St-Valéry. 18-9 *tr. de Chinon :* Jean paie 60 000 livres, renonce à Anjou, Maine, Touraine, Poitou, garde Aquitaine ; Bret. vassale de Fr. **1216** avr., Louis de Fr. (futur L. VIII), fils de Phil., nommé roi d'Angl. par les barons révoltés, débarque et prend *Londres* (juill.) ; 19-10 Jean meurt ; proclamation de Henri III, son fils mineur, qui est protégé par le pape Honorius III, suzerain du royaume anglais ; Louis se rembarque (janv. 1217).

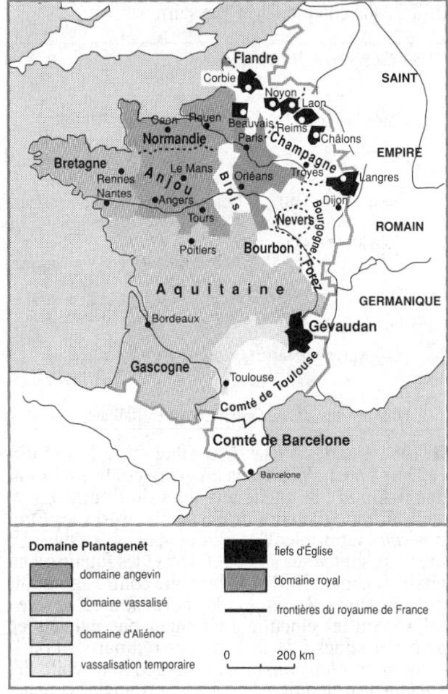

Le royaume de France et les domaines des Plantagenet à la mort de Louis VII (1180)

Le royaume de France à la mort de Philippe Auguste (1223)

5°) **Entre Philippe Auguste et Henri III : 1217** avril Louis de Fr. redébarque en Angl. ; mais il est battu à *Lincoln ;* août sa flotte (Eustache le Moine) est détruite devant Douvres ; 11-9 *tr. de Lambeth :* Louis renonce au trône anglais contre 10 000 marcs. **1221** renouvellement du tr. de Chinon.

6°) **Entre Louis VIII et Henri III : 1224** les barons poitevins (Hugues de Lusignan) se rallient à H. ; 5-7/3-8 L. VIII assiège La Rochelle ; 3-8 La R. capitule ; Poitiers reprise ; sept. l'Aquitaine conquise, échec devant Bordeaux. **1225** contre-offensive angl. (Richard de Cornouailles, frère d'Henri III), La Réole et les places aquitaines reprises.

7°) **Entre St Louis et Henri III : 1227** janv. offensive de Richard de Cornouailles contre Chinon ; trêve négociée par Blanche de Castille et Thibaut de Champagne. **1229** janv. Pierre Mauclerc, duc de Bretagne, se rallie à Henri III ; mai débarquement angl. à Tréguier. **1230** H. III prend Nantes. **1231** juin vict. de Mauclerc à *Fougères ;* 4-7 trêve. **1241** les barons poitevins se rallient à H. III. **1242** offensive de St Louis en Poitou ; 21-7 vict. de *Taillebourg* sur les Anglo-Poitevins (Cte de la Marche). St L. à la tête de quelques chevaliers force le pont sur la Charente. H. III demande une suspension d'armes, et va chercher refuge à *Saintes* (quelques tués sur le pont) ; 22-7 St L. attaque Saintes, les Angl. s'enfuient en désordre (H. III perd son trésor et se rembarque à Blaye). St L. les poursuit jusqu'à Cartalègue, mais malade, s'arrête. *Conséquence :* St L. rallie la noblesse saintongeaise et poitevine. **1259** *tr. de Paris,* constitution du duché de Guyenne (au S. de la Charente) vassal du roi de Fr. [raisons : hostilité des Bordelais à l'annexion par le roi de Fr. (ils vendaient leurs vins en Angl. depuis 100 ans) ; or les Parisiens faisaient venir les leurs de Bourgogne par l'Yonne et de Bourbonnais ou de Touraine par la Loire et le Loing].

8°) **Entre Philippe le Bel et Édouard Ier : 1286** 5-6 É. prête hommage pour la Guyenne. **1292** incidents navals entre Anglo-Gascons et Fr. au large de La Rochelle. **1293** 5-1 É. accusé de « félonie », 6 villes gasconnes occupées. **1294** le Cte de Richemont concentre des troupes angl. à Bordeaux. **1295** janv. il conquiert Blaye, La Réole, Bayonne, St-Sever ; mars-sept. reconquête par Charles de Valois, frère de Phil. **1296** trêve. **1297** 27-1 le Cte de Flandres, Guy de Dampierre, se rallie à É. ; 13-8 vict. de Robert d'Artois à Furnes : Guy et É. enfermés dans Gand. **1298** juin *tr. de Montreuil-sur-Mer :* Isabelle de France devra épouser le futur Édouard II.

■ **Conséquences.** *1°)* Fr. et Anglais deviennent « ennemis héréditaires » (hostilité surtout entre marins). *2°)* les Plantagenêts héritent par les femmes des droits sur la couronne de Fr. (d'où : « 2e g. de Cent Ans »).

■ **1180 Philippe II Auguste** (1165-1223). **1179** associé au trône. **1181** 8-5 ligue féodale contre Philippe Auguste ; il isole son meneur, Philippe d'Alsace, Cte de Flandres, et lui impose la paix. **1190** signature du *testament* de Phil. Auguste, s'embarquant pour la Terre sainte ; création des *baillis* (Vermandois, Senlis, Orléans, Bourges, Sens) qui contrôlent les prévôts du domaine royal. **1193** 14-8 ép. Ingeburge (Isambour) de Danemark ; 5-11 mariage cassé à Soissons (non-consommation) ; Knut VI, roi de Dan., frère de la reine se plaint. **1196** 13-3 cassation annulée ; Phil. ép. Agnès de Méranie. **1199** 6-12 concile de Dijon : Phil. est frappé d'interdit à cause de son mariage irrégulier avec Agnès. **1200** répudiée, Agnès meurt (1201), Phil. reprend off. Ingeburge qui reste en prison jusqu'en 1212. **1209-29** *Croisade contre Albigeois* (voir Religions p. 517 b) battus par Simon de Montfort. **1212** 12-9 Pierre II, roi d'Aragon, allié des Alb., vaincu et tué à Muret. [Raisons de son intervention : comme Cte de Barcelone, il était en principe vassal du roi de Fr. ; tant que celui-ci régnait à Paris, le comté de B. était en fait une prov. du roy. d'Aragon. Avec un sénéchal capétien à Carcassonne, il risquait de retomber dans la « mouvance » fr.] **1214** *Bouvines* (voir ci-contre).

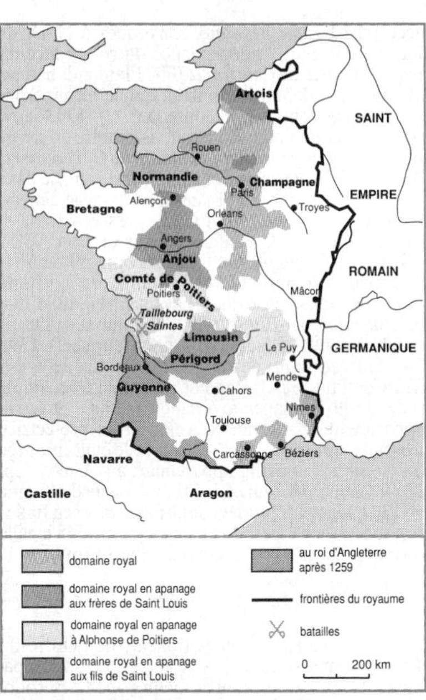

Le royaume au temps de Saint Louis

■ **1223 Louis VIII le Lion** (1187-1226). **1224** offensive contre l'Aquitaine angl. (voir ci-contre). **1226** 26-1 les domaines toulousains d'Henri de Montfort sont remis à Louis VIII par le card. de St-Ange, légat de Honorius III (principale motivation du pape : détourner Louis de ses projets anglais) ; 9-9 L. VIII prend Avignon, puis conquiert le Languedoc.

■ **1226 (3-11) Louis IX** (St-Louis) (1214-70 ; canonisé 1297). **1227** déc. tentative d'enlèvement du jeune roi L. IX à Montlhéry (échec grâce aux milices parisiennes). **1229** alliance de la régente Blanche de Castille (mère de L. IX) et de Thibaut IV de Champagne (1201-53), contre les ligues féodales ; 26-2 *tr. de Paris,* annexion du Languedoc ; constitution du comté de Toulouse pour Alphonse de Poitiers (réuni à la couronne en 1271). **1244** prise du château de *Montségur,* fin de la résistance *albigeoise.* **1246** 21-1 Béatrice de Provence épouse Charles d'Anjou, fr. de L. IX ; début de la maison d'Anjou-Prov. (qui régnera à Naples). **1251** troubles en France, quand L. IX est en Terre sainte : révolte des *Pastoureaux* exterminés par la régente Blanche de Cast. **1261** fondation du roy. capétien de Naples (Charles d'Anjou). **1270** 25-8 L. IX meurt à Tunis.

■ **1270 Philippe III le Hardi** (1245-85). **1276** 7-8 rivalité à la Cour de Fr. entre la coterie du favori Pierre de la Brosse et celle de la reine Marie de Brabant (Pierre pendu sans jugement en juin 1278). **1282** 30-3 *Vêpres siciliennes :* troupes de Charles d'Anjou massacrées en Sicile ; 8-5 le roi d'Aragon, responsable du massacre, est excommunié ; Philippe III nommé roi d'Aragon par le pape Martin IV. **1285** 15-6 avec une armée de croisés (20 000 cavaliers, 80 000 fantassins), franchit les Pyrénées au col de Mangana ; 5-10 meurt de la malaria, son armée décimée par la malaria se retire.

■ **1285 Philippe IV le Bel** (1268-1314). **1301** 12-7 l'évêque de Pamiers, Bernard Saisset, l'accuse publiquement d'être un « faux-monnayeur » (de 1295 à 1306, il a fait frapper des monnaies contenant une valeur-or inférieure à la valeur nominale, parfois de 50 %) ; 24-10 Bernard en prison ; 5-12 *bulle Ausculta fili :* le pape Boniface VIII somme Phil. de libérer l'évêque (les clercs relevant uniquement des tribunaux ecclésiastiques). **1302** 11-2 Phil. fait jeter la bulle au feu et la remplace par un résumé tendancieux, portant uniquement sur la collation des bénéfices

Controverse sur Philippe le Bel

De nombreux historiens [dont Renan (1858)] lui ont reproché sa malhonnêteté en finances, sa mauvaise foi, sa rapacité, sa cruauté (envers les Templiers et ses brus), son machiavélisme dans ses relations avec le pape, sa brutalité envers Flamands et Juifs. Ils lui reconnaissent : sang-froid, lucidité, obstination, capacité de dissimuler. Actuellement, on tire un bilan favorable de son règne [enrichissement, agrandissement du domaine royal, indépendance face aux grands féodaux et à la papauté, création d'institutions quasi démocratiques (États généraux)].

eccl. ; 10-4 *États généraux* convoqués à N.-D. de Paris ; affirment l'indépendance du roi en face du pape ; 11-7 *bat. de Courtrai,* 20 000 Flamands battent 50 000 Fr. : début des g. flam. qui se termineront par la sécession de la Flandre (xve s.). **1303** janv. Bon. VIII convoque à Rome une assemblée du clergé fr. ; 14-6 *États généraux :* ils chargent *Guillaume de Nogaret* (?-1313), juriste et conseiller du roi, né dans une famille cathare, d'organiser un concile général pour juger le pape ; août Guill. passe en Italie et s'entend avec les Colonna, ennemis de Bon. VIII ; 7-9 attentat d'*Anagni :* Guill. fait prisonnier Bon. VIII [qui meurt d'émotion le 11-10 (Guill. qu'il a traité de *patarin,* c.-à-d. de cathare l'ayant giflé)]. **1304** 10-8 bat. de *Mons-en-Pévèle :* 80 000 Flamands battus (6 000 † dont Guillaume de Juliers, leur chef). **1308** 24-3 *États généraux* de Tours ; nov. Charles de Valois (frère de Phil. le Bel), candidat, battu à l'élect. impériale. **1309** les papes à Avignon (motif : *Avignon* appartenait à la famille d'Anjou-Prov. protectrice des papes contre les emp. gibelins ; elle était entourée du Comtat Venaissin, appartenant aux papes dep. 1274. Clément V, qui était allé au concile de Vienne en 1307, jugea plus prudent de ne pas rentrer en Italie ; son successeur Clément VI achètera en 1348 la ville d'Avignon à la Ctesse Jeanne d'Anjou-Prov.).

Procès des Templiers (1310-14)

1307 13-10 les membres français de l'Ordre du Temple sont arrêtés. Du 19-10 au 24-11, 138 comparaissent sous l'accusation de mœurs obscènes, sodomie, hérésie, idolâtrie, pratiques de messes noires. Après 7 ans d'instruction, 56 sont envoyés au bûcher ; Jacques de Molay (n. 1243), Hugues de Pairaud, Geoffroi de Gonneville, Geoffroi de Charney sont condamnés à la prison perpétuelle, mais Molay et Charney rétractent leurs aveux, et sont brûlés sur un bûcher le 18 ou 19-3-1314. On dit que Molay assigna le pape et Phil. le Bel à comparaître avant 1 an devant Dieu (les 2 moururent quelques mois plus tard). [*Trésor des Templiers :* serait réparti dans plusieurs caches en Fr. (on cite souvent la forteresse de Gisors, Eure). Les trésors découverts v. 1891 à *Rennes-le-Château* (Aude) par le curé Saunières, et comportant notamment des pièces d'or de St Louis et un calice du XIIIe s., auraient en partie appartenu aux T. Les objets les plus précieux, trouvés dans un sarcophage de l'époque carolingienne, remonteraient aux Albigeois, et auraient été mis à l'abri v. 1212, à l'arrivée des Croisés de Simon de Montfort.] 1311 expulsion des banquiers lombards ; 13-1 Philippe de Poitiers (futur Phil. V), candidat, battu à l'élection impériale. 1314 scandale des brus de Phil. le Bel : *Marguerite de Bourgogne,* femme de Louis (futur Louis le Hutin) et *Blanche,* femme de Charles (futur Charles IV) convaincues d'adultère ; leurs amants, les frères Philippe et Gauthier d'Aulnay sont émasculés, tirés aux chevaux, décapités ; les princesses sont tondues et enfermées au cachot des Andelys (Marg. y meurt de froid ou de mort violente ; Blanche accepte l'annulation de son mariage et se retire à l'abbaye de Maubuisson). La 3e bru (*Jeanne de Bourgogne,* femme de Phil., futur Phil. V) est acquittée par défaut de preuves : elle vivra tour de Nesle, en face du Louvre et mourra en 1329 [selon une légende, datant de 1471, c'est dans la t. de Nesle que les 3 brus royales avaient reçu des amants jusqu'en 1314 ; elles les faisaient noyer dans la Seine, cousus dans un sac, après 3 j de débauche ; seul un maître de philosophie, nommé *Buridan,* repêché par ses étudiants, en aurait réchappé, mais c'est peu vraisemblable : né en 1300, Buridan ne pouvait, à 14 ans (1314, date du procès), être professeur de philosophie]. La condamnation pour adultère de Marg. de Bourgogne fit écarter sans difficulté de la couronne de Fr. sa fille Jeanne en 1328, fille de Louis X le Hutin, sa légitimité étant douteuse.

■ **1314 Louis X le Hutin** (1289-1316). **1315** 3-4 exécution d'*Enguerrand de Marigny* (n. 1260), ancien favori de Phil. le Bel (haï par la haute noblesse et notamment par Charles de Valois, frère de Phil. le Bel, parce qu'il s'était enrichi comme garde du Trésor : L. X l'a laissé accuser de sorcellerie et de trahison, Enguerrand ayant été le plus sévère accusateur de la princesse Jeanne, certainement innocente) ; 11-7 L. X affranchit les serfs du domaine royal.

■ **1316 Jean Ier le Posthume** (1316-16). A la mort de Louis X, sa femme, la reine Clémence, se trouve enceinte : son beau-frère (Philippe le Long) se déclare alors régent jusqu'à la naissance. On admet qu'il sera roi si la reine met au monde une fille. [Ce fut un garçon (Jean Ier) né le 15-11-1316 (5 mois après la mort de son père Louis X le Hutin), il vécut 4 j]. 40 ans après sa mort apparut à Sienne Jean 1er se disant « roi des Français » (à sa naissance, on lui aurait substitué un autre enfant pour le protéger des ambitions du Cte de Poitiers). Reconnu par le gouvernement de Sienne et Louis de Hongrie, ce « Jean 1er » pénétra en Provence à la tête d'une armée ; fait prisonnier, il mourut en captivité à Naples.

■ **1316 Philippe V le Long** (1294-1322). **1317** crée les milices non nobles (recensement des manants aptes au service militaire par les baillis). **1318** suppression de la commune de Sens, par vote des habitants ; de nombreuses autres villes l'imiteront (réaction contre les dynasties bourgeoises qui avaient accaparé l'administration).

■ **1322 Charles IV le Bel** (1294-1328). **1323** incidents franco-anglais en Guyenne (le roi d'Angl. Édouard II n'ayant pas prêté hommage, comme seigneur de Guyenne et de Ponthieu). **1324** 1-7 Charles de Valois envahit la Guyenne angl. ; 22-9 prend La Réole puis le Bazadais. **1325,** le pape Jean XXII (le Fr. Jacques Duèze) tente de faire élire Charles IV (époux de Marie de Luxembourg) empereur d'All. ; Marie meurt d'une chute de cheval, et Louis de Bavière s'assure du trône impérial. **1327** 31-3 Isabelle de Fr., devenue régente d'Angl., cède à la Fr. les conquêtes de Charles de Valois (son fils Édouard III consent à prêter hommage).

Dynastie capétienne des Valois (1328-1589)

■ Valois directs (1328-1498)

■ **1328 (29-5) Philippe VI de Valois** (1293-1350). Couronné à Reims, par application de la loi appelée plus tard « salique » ; 20-8 expédition de Flandres, pour soutenir le Cte Louis de Nevers contre ses sujets révoltés ; 23-8 vict. de Cassel (12 000 Flamands † sur 15 000). **1329** *Robert III d'Artois,* beau-frère du roi, héritier de l'apanage d'Artois mais dépossédé par un jugement de 1315 [favorable à sa tante paternelle Mahaut (?-1329)], réclame son héritage avec des documents falsifiés et fait mourir par le poison Mahaut, puis sa fille Jeanne. Menacé d'arrestation, il s'enfuit en Angl. (il conseillera à Édouard III d'attaquer la Fr. ; tué 1342). **1341** 7-9 le conseil des Pairs de France attribue le duché de Bretagne à Charles de Blois, parent du roi. **1344** 11-4 Humbert II, *dauphin du Viennois,* choisit pour héritier le fils aîné du roi de Fr. **1346** févr. *États généraux* (le 2 à Paris pour la langue d'oïl, le 15 à Toulouse pour la langue d'oc). Des « aides » (impôts exceptionnels) sont votées. **1347-48** épidémie de *« peste noire »* (bubonique), 25 millions de † en Europe, environ 10 millions en France (50 % de la population).

■ **1350 Jean II le Bon** (1319-64). Déprécie 85 fois la monnaie (perte de 70 % de la valeur). **1354** 8-1 assassinat du connétable Charles d'Espagne (Charles de la Cerda, favori du roi) par *Charles le Mauvais* [Charles d'Évreux (1332-87), prince du sang (petit-f. de Louis d'Évreux, frère de Philippe le Bel et 1er Cte apanagé d'Évreux), roi de Navarre par son père (gendre de Jean le Bon), son surnom de « Mauvais » lui fut donné par ses sujets navarrais], qui est mis en prison ; ses amis décapités (en nov., il se ralliera au roi d'Angl.). **1354** *Étienne Marcel* (1315-58, assassiné) devient prévôt des marchands de Paris. **1355** 2-12 *États généraux* à Paris, ils votent la *Grande Ordonnance* (28-12) limitant les pouvoirs royaux, sur le modèle de la Grande Charte anglaise (votée également à Toulouse le 24-3-1356 par les États de langue

Le royaume en 1328 à l'avènement de Philippe VI de Valois

d'oc et publiée en 1357). **1356** 17-10 le dauphin Charles (devenu le « lieutenant du roi », à cause de la captivité de son père) convoque les *États généraux :* Ét. Marcel y dirige l'opposition ; clôture brusquée 3-11. **1358** janv. Ét. Marcel (appuyé par Ch. le Mauvais) se rend maître des rues de Paris ; 14-3 le dauphin prend le titre de régent ; 25-3 il réunit une assemblée de nobles à Paris et obtient des « aides » sans États généraux ; juin : révolte paysanne *(jacquerie)* écrasée par Ch. le Mauvais et Ét. Marcel ; 31-7 Ét. Marcel exécuté par des Parisiens partisans du dauphin. **1360-64** Jean le Bon rentre en France en vertu du tr. de Brétigny, laissant en otages à Londres, puis à Calais, ses 2 fils : les ducs d'Anjou et de Berry (il séjourne à Avignon, préparant une croisade en Terre sainte). **1364** 4-10 son fils, Louis d'Anjou, s'étant évadé de Calais, Jean retourne en Angl., où il meurt 2 mois après (autre raison possible : il voulait retrouver sa maîtresse, la comtesse de Salisbury).

■ **1364 Charles V le Sage** (1338-80). **1365** *12-4 traité de Guérande,* mettant fin à la *« g. des 2 Jeanne »* (Bretagne). **1366** janv.-mars intervention fr. en Esp. (Du Guesclin fait triompher la dynastie des *Transtamare,* qui deviendra l'alliée de la Fr.). **1369** 12-4 mariage de Marguerite de Flandre et de Philippe de Fr., duc de Bourgogne (fondement de l'Empire bourg. du xve s.). **1380** 29-6 Louis, duc d'Anjou, le plus jeune fr. du roi, adopté par la reine Jeanne de Naples, devient héritier du roy. nap. : il garde ses droits de prince fr., notamment le droit à la régence ; 16-9 sur son lit de mort, Ch. V abolit les *fouages* (impôt sur chaque foyer paysan).

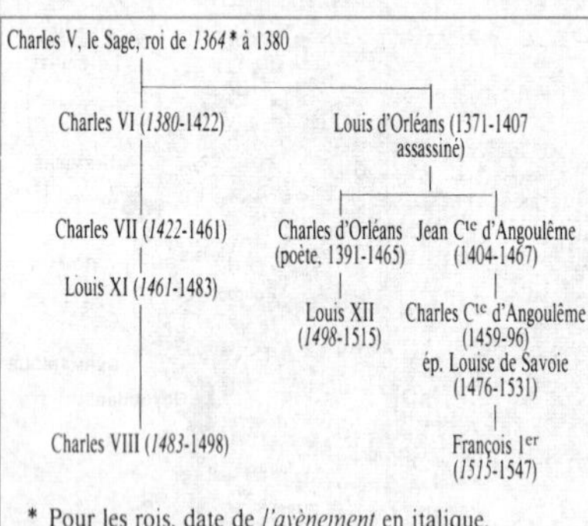

■ **1380 Charles VI le Bien-Aimé ou le Fol** (1368-1422). *Oct.* Ch. VI a 6 ans : *régence* confiée à Louis, duc d'Anjou ; la tutelle aux ducs de Bourgogne et de Bourbon : d'où des tiraillements ; 14-11 les *États généraux* suppriment les « aides », mais des subsides spéciaux sont votés au début déc. et les fouages sont rétablis en mars 1381. **1382** révolte contre les impôts [notamment à Rouen, où la répression est sévère ; à Paris où les émeutiers s'arment des maillets en plomb destinés à la défense des remparts (d'où le surnom de *Maillotins*) ; au Languedoc (révolte des *Tuchins* ou « maquisards » : ils vivent dans les Touches ou Touques, « bosquets »)]. **1383** 3-1 répression des Maillotins. Loi martiale à Paris, suppression de la prévôté des marchands, les impôts sont fixés sans vote des États ; 29-2 le dernier prévôt des marchands, *Jean des Marès,* est exécuté (cause du ralliement des Parisiens au roi d'Angl. en 1420). **1387** 8-4 Louis de Touraine (bientôt d'Orléans), frère du roi, ép. Valentine Visconti, héritière du Milanais, cause des futures g. d'Italie. **1389** janv. retour au pouvoir des *Marmousets* (petites gens), anciens conseillers de Ch. V : appuyés par le connétable de Clisson, ils promulguent des ordonnances, réformant l'administration royale (ils forment un « grand conseil » recruté par cooptation) ; 27-1 rétablissent la prévôté des marchands ; 5-2 la cooptation est étendue aux magistrats (parlementaires, juges, baillis, etc.). **1390** août : Louis, duc d'Anjou, roi de Naples. **1392** 4-8 Ch. VI *est atteint de folie* [(à Parigné-le-Polin, près du Mans, il tue 4 cavaliers de sa suite) ; en 35 ans, il gardera de nombreuses périodes de lucidité]. **1393** 28-1 *régence du duc d'Orléans* (avec duc de Berry, lieut.-gén., et duc de Bourg., chargé des affaires polit.), début de la rivalité entre Orléans et Bourg. 29-1 *bal des ardents* [hôtel St-Pol, Paris ; au cours d'un charivari (lors du mariage d'une dame d'honneur veuve), le roi et 5 seigneurs déguisés en sauvages, couverts de poils, s'enflamment (imprudence du duc Louis d'Orléans avec une torche), 4 †]. **1396** 24-3 Ch. VI nommé souverain de Gênes par le doge Antonio Adorno. **1399** été, Louis II d'Anjou expulsé de Naples. **1399-1402** grave épidémie de peste. **1400** *Jean le Meingre,* dit *Boucicaut* (v. 1365/21-6-1421), gouverneur de Gênes, conquiert l'île d'Elbe, Savoie et Monaco. **1404** 27-4 mort de Philippe le Hardi ; son fils, Jean sans Peur, devient duc de Bourgogne. **1407** 23-11 à Paris, rue Vieille-du-Temple, *assassinat de Louis duc d'Orléans* (n. 1372) par les hommes de Jean sans Peur

■ Controverse sur le Moyen Age

Origine. L'expression *moyen âge* (1640) vient de l'italien *medio evo,* « époque intermédiaire », créée au moment de la « Renaissance » [Régine Pernoud (n. 1909) a démontré qu'elle était absurde]. La date admise comme *fin du « Moyen Age »* (1453) : correspond à la fin de la g. de Cent Ans et à la destruction de l'empire de Constantinople (prise par les Turcs 29-5-1453).

Défauts reprochés au Moyen Age par les historiens du XIXe s. *Idées :* dogmatisme religieux étroit, s'appuyant sur une philosophie purement formelle. *Structures sociales :* oppression des classes pauvres (serfs) par les seigneurs, guerriers, et par l'Église, propriétaire et éducatrice. *Sécurité des biens et des personnes :* inexistante, à peine compensée par une justice seigneuriale expéditive. *Guerres :* incessantes (g. privées des châtelains ; g. féodales des grands barons). *Institutions :* inconsistantes, sauf l'Église qui règne despotiquement ; État : volatilisé en des centaines de terres suzeraines, n'ayant pas les moyens de se structurer. *Moyens de transport :* à peu près nuls, ce qui réduit les échanges à de petits trafics locaux. *Finances :* multiplication des monnaies locales, pratique généralisée de l'usure et du troc. *Arts :* ignorance des règles académiques dans les arts plastiques, négligence du confort et de l'habitabilité en architecture, barbarie et naïveté de la musique. *Lettres :* pédantisme et futilité des ouvrages faits par les lettrés, grossièreté des œuvres populaires, rudesse et incorrection de la langue.

Défense du « Moyen Age ». *Idées :* chrétiennes et bibliques, elles gardent, grâce à l'Église romaine, de nombreux traits gréco-latins. Mais elles restent imprégnées de traditions préchrétiennes (celtiques et préceltiques) et accueillent de nombreux éléments arabes et orientaux. *Structures sociales :* se ramènent au patronat romain et à la *Treue* (fidélité personnelle) germanique, mais sont marquées par l'égalitarisme évangélique (tout baptisé est le frère d'un baptisé). *Sécurité des biens et des personnes :* difficile, mais recherchée dans le lien féodal : le fort protège le faible. *Guerres :* inévitables en l'absence d'un arbitre incontesté (empereur, roi, seigneur régalien), elles sont régentées par des règles (paix de Dieu, trêve de Dieu, droit d'asile, quarantaine-le-roi, etc.) qui les rendent moins désastreuses. *Institutions :* se ramènent à des *coutumes,* ayant conservé ce qui avait structuré les sociétés celtiques, germaniques et romaines. *État :* la tradition impériale de Rome, toujours vivante à Byzance, reste l'idéal : le machiavélisme (prince subordonnant tout à l'intérêt de l'État), qui passe pour une invention des Temps modernes, a été le fait de milliers de souverains médiévaux. *Moyens de transport :* la navigation n'a jamais cessé d'être active et prospère. *Finances :* la production est surtout agricole, mais l'artisanat crée la richesse : le commerce et la spéculation n'ont jamais disparu. *Arts :* architecture, orfèvrerie, miniature, sculpture atteignent à certains siècles un degré de perfection inégalé ; la tapisserie et les arts ménagers sont florissants à toutes les époques. *Lettres :* le latin est une langue vivante et pittoresque où les chefs-d'œuvre littéraires abondent ; les lettres françaises à partir du XIe s. (langues d'oc et d'oïl) ne paraissent « barbares » que si l'on ignore les dialectes employés. La poésie est remarquable.

(n. 1371), duc de Bourgogne, cousin germain du roi et de Louis. Création du *Parti Armagnac* [chef : le Cte d'Armagnac, beau-père du nouveau duc d'Orléans, Charles (1391-1465, le poète)]. **1409** Boucicaut chassé de Gênes par une émeute populaire. 9-3 paix de Chartres, le roi pardonne à Jean sans Peur. **1410** 15-4 ligue de Gien, naissance du parti armagnac. 2-11 paix de Bicêtre. **1411** *G. civile entre* **Armagnacs et Bourguignons** (se prolongera jusqu'en 1435, tr. d'Arras). **1412** 22-8 paix d'Auxerre. **1413** 27-4 l'écorcheur *Simon Caboche* prend Paris (partisan des Bourg., il sera mis à mort en août par les Arm.) ; mai « *ordonnance cabochienne* », instituant une monarchie constitutionnelle, 28-7 paix de Pontoise entre Armagnacs et Bourguignons (annulée en sept. par les Arm.). **1414** 4-9 préliminaires de paix à Arras. **1415** 23-2 paix d'Arras publiée à Paris. 14-8 Anglais débarquent en Normandie. 25-10 Français écrasés par Henri V à *Azincourt.* **1416** le dauphin est régent. **1417** 5-4 exécution de *Louis de Boisdredon,* un des amants de la reine Isabeau. **1418** les Bourg. massacrent les Arm. à Paris [522 † la 1re nuit (29-5) ; 80 000 † de juin à sept., beaucoup de victimes du choléra]. Le dauphin quitte Paris (reviendra en 1437). 16-9 traité de St-Maur-des-Fossés entre dauphin Charles et duc de Bourgogne : les meurtriers du duc d'Orléans

Le Royaume à l'avènement de Charles VII (1422)

et les massacres commis à Paris en 1418 ne seront pas punis. **1419** 19-1 Henri V entre dans Rouen ; Normandie entière conquise par le roi d'Angleterre. 8/13-7 paix de *Pouilly-le-Fort,* près de Melun, entre dauphin Charles et duc de Bourgogne. **1419** 10-9 *Jean sans Peur* assassiné au pont de Montereau (en présence du dauphin) ; les Bourg. s'allient aux Anglais. **1420** 20/21-5 traité de Troyes (Henri V/Charles VI) ; dauphin Charles déshérité ; Henri V épouse Catherine, fille de Ch. VI et sera roi de France et d'Angleterre à la mort de Ch. VI.

■ **1422 Charles VII le Victorieux** (1403-61). Régent et dauphin en 1416. Il était le 5e fils de Ch. VI et d'Isabeau et n'est devenu héritier du trône qu'après la mort de ses frères. Proclamé roi à Poitiers, il a douté pendant 7 ans de sa naissance légitime et se défendait faiblement contre le duc de Bedford, régent anglais. **1422-35** avec l'aide du personnel royal (acquis aux Bourg.), le *duc de Bedford,* régent, gouverne le roy. au N. de la Loire ; les lois et coutumes d'après le tr. de Troyes restant celles du roy. de Fr. (seuls les chefs militaires sont Anglais). 31-8 mort de Henri V. 21-10 mort de Ch. VI. **1429** 8-3 convaincu par J. d'Arc d'être bien le fils de Charles VI, Ch. VII accepte de se faire sacrer à Reims (17-7) et de reconquérir son royaume. **1431** 16-1 Henri VI d'Angl. (9 ans) couronné à Paris roi de Fr. **A partir de 1435** réconcilié avec les Bourguignons, Ch. VII chasse les Anglais de toutes leurs positions. 21-9 paix d'Arras entre Ch. VII et Philippe le Bon, duc de Bourgogne ; le roi regrette le meurtre de Montereau. **1436** 13-4 les troupes de Ch. VII entrent dans Paris.

1438 7-7 *Pragmatique Sanction de Bourges* (voir Index). **1439** 2-11 *Grande Ordonnance royale sur l'armée,* supprimant les armées seigneuriales : les troupes (sauf les garnisons fixes des châteaux) relèvent désormais du roi, le budget militaire royal est alimenté par une *taille permanente.* **1440** janv.-mars : la haute noblesse se révolte contre la suppression des armées seigneuriales (*Praguerie :* signifiant révolte armée, à cause de la g. des Hussites à Prague, terminée 1436). Elle est matée par le connétable de Richemont ; 26-10 *exécution de Gilles de Rais* (voir p. 634 c). **1444** juill.-août le dauphin (futur Louis XI) aide l'emp. Frédéric à vaincre les révoltés bâlois (vict. de *Farnsbourg,* 26-8). **1445** 9-2 prise de Metz à la demande du roi René de Provence-Lorraine. **1447** 1-1 le dauphin exilé en Dauphiné (pour avoir comploté contre son père avec Antoine de Chabannes). Oct. Charles d'Orléans, en possession du vicomté d'Asti, essaye en vain de conquérir le Milanais. **1450** 6-4 François II duc de Bretagne fait exécuter son frère et rival Gilles (étouffé entre 2 matelas).

1455 23-5 *procès de Jacques Cœur* (voir p. 634 a). A Vendôme, procès du *duc d'Alençon,* qui a essayé d'empoisonner Charles VII (condamné à mort ; peine commuée en détention perpétuelle au château de Loches ; libéré à l'avènement de Louis XI) ; 30-8 le dauphin L., compromis dans le complot, s'enfuit à Louvain. **1456** 7-7 procès en réhabilitation de J. d'Arc. **1457** *Dauphiné* réuni à la Couronne. **1458** 11-5 le duc de Calabre (Jean d'Anjou) reconquiert Gênes.

« 2e guerre de Cent Ans » (1337-1453)

■ **Causes.** *1°) Séquelles de la « 1re g. de Cent Ans »* (franco-angevine) : le roi d'Angl. doit au roi de Fr. l'hommage-lige pour le duché de Guyenne (Édouard y répugne) ; le roi de Fr. peut faire saisir les terres de son vassal pour des questions de dettes (par ex. Puymirol en 1336) ; les seigneurs de Guyenne poussent leur suzerain à s'affranchir de la tutelle royale fr. *2°) Question de Flandres :* le nouveau Cte de Flandres, Louis de Nevers, est l'allié du roi de Fr., mais les Flamands, utilisateurs de la laine angl., sont de cœur avec les Angl. et contre la Fr. *3°) Question dynastique :* Édouard III (17 ans), fils d'Isabelle de Fr. fille de Philippe le Bel, serait, selon le droit anglais, héritier de la couronne de Fr. ; il ne rejette pas la « loi salique », inventée sous les règnes de ses 3 oncles Louis X, Philippe V et Charles IV, et dont profite son cousin germain, Philippe de Valois (35 ans) qui s'est proclamé régent ; il admet qu'une femme ne puisse régner en Fr., mais prétend qu'une fille de roi peut transmettre à ses fils les droits à la couronne (elle en est « le pont et la planche »). *4°) Rôle des grands barons :* ils prennent parti pour Philippe de Valois, cousin germain du roi défunt Charles IV : a) ils ne veulent pas d'un roi étranger ; b) ils préfèrent un roi moins puissant que le riche duc de Guyenne, possesseur du royaume angl. *5°) Intervention de Robert d'Artois :* pour récupérer son apanage, confisqué par les Valois, il a poussé Édouard à revendiquer la couronne de France.

■ **Effectifs.** Ils ont souvent varié ; les archers anglais (6 000) étaient beaucoup moins nombreux que la cavalerie fr. (env. 40 000 h.) ; l'utilisation de l'artillerie, à la fin du XIVe s., a changé les rapports de force (forte supériorité fr. après 1435).

■ **Déroulement. 1°) Entre Philippe VI et Édouard III : 1337** oct. Éd. cesse de reconnaître Phil. comme roi de Fr. ; 1-11 lui déclare la g. (« lettre de défi »). **1338** les Flamands *(Jacques Artevelde)* passent dans le camp angl. **1340** 23-1 poussé par Artevelde, Éd. III prend le titre de roi de Fr. ; 24-6 à *l'Écluse* (avant-port de Bruges), Éd. III détruit la flotte fr. (amiral Nicolas Béhuchet ou Buchet, pris et pendu), pertes fr. 30 000 tués ; 23-9 trêve d'*Esplechin* (la 1re de la g. jusqu'en 1342). **1341** début de la **« g. des 2 Jeanne »** en Bretagne, entre la famille de *Montfort* (pro-angl.) et la famille de *Blois* (pro-fr.) (voir p. 789 a). **1342** juin Robert d'Artois tué en Bret. à la tête d'un corps d'armée angl. **1343** 19-1 2e trêve (jusqu'au 24-6-1345). **1345** 17-6 Artevelde tué dans une émeute de Flamands pro-français ; juill.-août récolte catastrophique en Fr. (famine en 1346) ; sept.-oct. offensive angl. en Gascogne (Cte de Derby). **1346** 7-6 offensive d'Éd. III en Normandie (débarque à *St-Vaast-La Hougue* avec 15 000 h.) ; 21-7 prend *Caen* (le gouverneur, le connétable *Raoul de Brienne, Cte d'Eu,* sera exécuté pour trahison le 20-11-1350) ; 16-8 franchit la Seine à Poissy ; 23-8 la Somme au gué de Blanchetagne ; 26-8 bat. de **Crécy** (Ponthieu) : archers anglais et coutiliers gallois battent arbalétriers génois et cavalerie fr. [*pertes :* 1 542 chevaliers fr. tués, dont 11 de haute noblesse (roi de Bohême, Cte d'Alençon, duc de Lorraine, Cte de Flandres, de Savoie, etc.) ; 2 300 archers génois (pertes des milices fr. inconnues) ; Angl. : pertes insignifiantes]. *Épisodes célèbres :* 1°) les archers angl. avaient gardé les cordes de leurs arcs au sec pendant un orage, tandis que les arbalètes des Génois avaient des cordes mouillées (les arcs ont une portée très supérieure) ; 2°) Éd. III a fait tirer des canons (les Génois se sont débandés) ; 3°) les coutiliers (à pied) tuaient les chevaux, puis poignardaient le chevalier tombé à terre. **1347,** 4-8 *Calais* capitule (les Fr., affaiblis par les souffrances du siège, périront en 1348 de la « peste noire » ; la ville, repeuplée d'Anglais, restera angl. 211 ans, jusqu'en 1558). *Épisodes célèbres :* 1°) 27-7 Phil. VI arrive à Sangatte (2 km de Calais) avec une armée de chevaliers : incapable de percer les lignes angl., il offre à Éd. III un combat singulier ; Éd. refuse, l'armée de secours se retire. 2°) 3-8 Éd. a décidé de passer la population au fil de l'épée ; puis il accepte de décapiter seulement 6 otages (les « *bourgeois de Calais* » : Eustache de Saint-Pierre (1287-1371), Jean d'Aire, Pierre et Jacques de Wissant, Jean de Fiennes, Andrieux (d'Ardes) ; 3°) 4-8 les otages arrivent sur le lieu de l'exécution, en chemise et la corde au cou, mais la reine d'Angl., Philippine de Hainaut, obtient leur grâce. **1347,** 28-9 trêve générale (jusqu'en sept. 1355).

2°) Entre Jean II le Bon et Édouard III : 1351 mars *combat de Ploërmel,* dit *combat des Trente* (combat sur défi), Jean IV de Beaumanoir, seigneur de Josselin, avec 29 chevaliers bretons bat Richard Bemborough avec 19 Angl., 6 All., 4 Bretons [15 † (camp fr. 3, camp angl. 12 dont Bemborough), le reste prisonnier]. **1354** nov. *Charles le Mauvais* se rallie à Éd. III. **1355** sept.-oct. offensive du *Pce Noir* [Édouard, prince de Galles, gouverneur à vie d'Aquitaine (1330-76), fils aîné d'Éd. III] en Languedoc (avec 8 000 Gallois et Irlandais débarqués à Bordeaux, prise de Carcassonne, échec devant Narbonne). **1356** 5-4 capture de Charles le Mauvais à Rouen (ses terres sont confisquées) ; juin-juill. double

■ Quelques personnages

■ **Anne de Beaujeu** (1461-1522). Fille de Louis XI. *1470* vicomtesse de Thouars. *1474* ép. Pierre de Beaujeu, fr. du duc de Bourbon (prince de sang). *1482* Louis XI lui confie la garde et le gouvernement de Charles VIII (mais non la régence). *1483-91* gouv. avec son mari (règle notamment la révolte nobiliaire de 1485 et le mariage breton). *1488* son mari devient duc de Bourbon. *1491* laisse le pouvoir à Charles VIII, qu'elle a marié à Anne de Bretagne. *1503* veuve, gouverne le Bourbonnais au nom de sa fille Suzanne.

■ **Bayard** (1476-1524). Pierre du Terrail, seigneur de Bayard, en Dauphiné, surnommé le Chevalier sans peur et sans reproche. Choisi à Marignan (1515) pour armer chevalier Fr. Ier. Sa vie fut écrite par son écuyer, qui signait le *Loyal Serviteur*. – Épisodes célèbres : Pont du Garigliano (oct. 1503), B., seul, interdit le passage à une escouade de cavalerie ; B., mourant de ses blessures, reproche au connétable de Bourbon sa trahison.

■ **Bourbon (Charles de)** (1490-1527). Fils d'un seigneur de la famille de Bourbon, Gilbert de Montpensier ; *1505* ép. Suzanne de Bourbon-Beaujeu, fille de Pierre et d'Anne de Beaujeu, et devient le seigneur le plus riche d'Europe (duc de Bourbon, Auvergne, Châtellerault, etc.) ; *1515* connétable ; *1521* mort de Suzanne, qui avait testé en sa faveur (mais Louise de Savoie, mère de François Ier, cousine germaine de Suzanne et fille de Marguerite de Bourbon, sœur de Pierre de Beaujeu, conteste cet héritage) ; *1522* Anne de Beaujeu meurt et lui lègue ses biens. Fr. Ier, conseillé par Duprat, considérant qu'il s'agissait d'un « apanage » qu'Anne avait reçu de son père, saisit le legs pour sa mère Louise. *1523* le Parlement casse le testament de Suzanne et attribue l'héritage à Louise : le connétable perd tous ses biens, *sauf* le fief de Montpensier. Furieux contre les Valois, il se rallie à Charles Quint, espérant devenir son beau-frère et recevoir la couronne de Naples. Il bat François Ier à Pavie, mais il est abandonné par le roi d'Esp. Il décide alors de prendre Rome d'assaut, pour obliger le pape à le nommer roi de Naples, mais il est tué pendant l'attaque. Ses mercenaires (all. luthériens) pillent la ville pour le venger.

■ **Cœur (Jacques)** (1395-1456). Fils d'un riche pelletier de St-Pourçain (Allier), établi à Bourges. *1418* fondeur de monnaie à Bourges (condamné, pour fabrication de monnaie trop légère, puis gracié 1429). *1432* fonde une société pour le Levant (séjour en Syrie 1435). *1436* directeur des monnaies à Paris. *1438* « commis au fait de l'argenterie » au Louvre, c.-à-d. directeur des services financiers. *1440* « grand argentier du roi », c.-à-d. min. des Finances. Anobli, prend le titre d'écuyer. Fonde des comptoirs commerciaux en Turquie, Asie, Afrique. *V. 1447* envoie son neveu, J. du Village, négocier un tr. commercial avec le Soudan d'Égypte. *1448-49* ambassadeur auprès des 2 papes rivaux, Félix V et Nicolas V. *1450* mort d'Agnès Sorel : désigné comme exécuteur testamentaire, est accusé de l'avoir empoisonnée. *1451* arrêté : procès instruit par son ennemi Jacques de Chabannes. *1453,* 13-1 torturé, n'avoue rien ; 23-5 condamné à restituer 100 000 écus et à une amende de 300 000 écus, à la confiscation de ses biens et à l'amende honorable ; 5-6 ses biens sont vendus à l'encan. *1454* s'enfuit à Rome. *1455* amiral des galères du pape (meurt à Chio, lors d'une croisade contre les Turcs).

■ **Coligny (les).** Fils du Cte de Châtillon et de Louise de Montmorency, ils étaient les neveux du connétable Anne de Montmorency, chef des cath. *1561* avril, **Odet de Coligny** (1517-71), évêque de Beauvais, cardinal, abjure le cath. pour épouser Isabelle d'Hauteville, dame de Loré, avec qui il vivait maritalement. *1564-69* habite avec sa femme son palais épiscopal, portant le titre de Cte de Beauvais. *1569* exilé à Londres, *1571* y meurt empoisonné. **Gaspard de Coligny** (1519-72), amiral de France, héros de Cérisoles (1544) et St-Quentin (1557), chef de la tendance modérée des huguenots depuis 1559, avait comme objectif le départ massif des prot. français vers le Nouveau Monde (Brésil 1555, Floride 1562 et 65). *1562* avec son oncle Montmorency, reprend Le Havre sur les Anglais. *1569* après la mort de Condé à Jarnac, il commande les armées prot. qu'il sauve du désastre. *1570* obtient la paix (avantageuse) de St-Germain. *1570 à 72* pousse le roi Charles IX vers un compromis, ce qui déclencha la St-Barthélemy, où il fut égorgé (Voir p. 637 b). **François de Coligny-Andelot** (1531-69) ; *1560* chef extrémiste des huguenots ; *1562* conquiert Orléans et recrute en Allemagne des mercenaires luthériens ; *1563* sauve la Normandie ; *1567-68* dirige le soulèvement ; meurt sans doute empoisonné.

■ **Dunois (Jean,** bâtard d'Orléans, comte de) (1402 ?-68). Fils de Louis, duc d'Orléans, frère de Charles VI et de Mariette d'Enghien (épouse d'Aubert Le Flamenc, chambellan du duc). Élevé avec ses demi-fr. par la Dchesse Valentine Visconti († 1408). *1418* prisonnier des Bourguignons (relâché 1420). *1421* combat pour le dauphin Charles à Baugé ; reçoit seigneurie de Valbonnais, en Dauphiné. *1422* ép. Marie Louvet, fille du favori du Dauphin (disgraciée 1425). *1427* revient aux armées. *1429-31* compagnon de Jeanne d'Arc. *1432* enlève Chartres aux Anglais. *1439* créé Cte de Dunois ; ép. en 2e noces Marie d'Harcourt. *1443* enlève Dieppe, créé duc de Longueville. *1444* négocie avec Anglais trêve de Tours. *1446-48* avec Bourguignons. *1449* conquiert Normandie. *1451* Guyenne. *1453* négocie fin g. de Cent Ans. *1465* prend part à g. de « la Ligue du Bien public ».

■ **Guesclin (Bertrand du)** (1320-80). *1341* de petite noblesse bretonne, combat dans le parti français (Charles de Blois). *1364* comte de Longueville ; arme chevalier ; chargé de saisir les fiefs normands de Charles le Mauvais ; 16-5 victoire de *Cocherel*. *1369* connétable de Castille et duc de Molina ; 14-3 victoire de *Montiel*. *1370* connétable de France ; remporte de nombreux succès. *1378* resté Breton de cœur, désapprouve le rattachement de la Bret. au domaine royal et tombe en disgrâce pour avoir combattu mollement le duc Jean IV, allié des Angl. *1379* sept. Charles V l'envoie en Auvergne. *1380* 14-7 meurt près du Puy-en-Velay, où l'on enterre ses entrailles dans l'église des Cordeliers. Il a un autre tombeau (vide) au Mans, où les bourgeois voulaient garder le corps, mais, par ordre de Ch. V, il fut enseveli à St-Denis, dans la crypte des rois de Fr. Ch. VI, en 1389, lui a fait de nouvelles funérailles solennelles. Il avait été fait prisonnier 3 fois : 1359, 64 (libéré contre rançon de 100 000 livres), 67.

■ **Guise (les).** Descendent par les femmes de la maison capétienne d'Anjou-Provence (René II de Lorraine, grand-père de François de Guise, était le fils de Yolande d'Anjou, fille du roi René), ils ne peuvent rivaliser avec les Bourbons pour la succession au trône de Fr. **Claude Ier** (1496-1550) 1er duc de Guise. **François Ier** (1519-63) 2e duc, son fils, *conservateur de la patrie,* défenseur de Metz 1552, conquérant de Calais 1558, de Rouen 1562, de Dreux, abattu au cours du siège d'Orléans 18-2-1563 par un huguenot, Jean Poltrot de Méré (v. 1535-écartelé 1563). **Charles,** cardinal de Lorraine (1524-74), frère de François Ier de Guise, min. sous François II et Charles IX, représentant de la Fr. au concile de Trente. **Henri** (1550-88 assassiné), 3e duc, surnommé *le Balafré* (blessure à la joue à la bataille de Dormans) ; lieut.-gén. du roy., chef de la Ligue ; cherche à détrôner Henri III, en se posant comme l'héritier direct des Carolingiens, par les Lorraine, tué par ordre d'H. III le 13-12 à Blois au pied du lit du roi. **Louis II** (1556-88), cardinal de Guise, son frère, tué 2 j après lui par ordre d'H. III (corps détruits à la chaux vive). **Charles** (1554-1611), *duc de Mayenne,* leur frère, chef de la Ligue en 1588, se soumet à Henri IV, 1595.

Le titre de duc de Guise, éteint en 1675 (au 7e duc), a été repris en 1688 par les Condé. D'après Camille Bartoli (1977), le « masque de fer » aurait été le 5e duc de Guise.

■ **Hospital (Michel de l')** (1507-73). Fils de médecin, docteur en droit, *1537* épouse la fille du lieutenant criminel Morin et obtient une charge de conseiller au Parlement de Paris. *1547* chancelier du Berry. *1560* chancelier de Fr. *1561* tente d'éviter les g. civiles par une réforme de l'Église et de la justice, mais le colloque qu'il organise à Poissy ne donne pas de résultats. *1568* écarté de la Cour.

■ **Jeanne d'Arc.** *Origine :* Domrémy. Née le 6-5-1412 dans le fief de Neufchâteau, ancienne terre lorraine devenue champenoise en 1220. Dite *la Pucelle d'Orléans* (nom apparaissant pour la 1re fois en 1555). Fille de Jacques et Isabelle d'Arc. Béatifiée 1909 et canonisée 9-5-1920. Elle et ses frères ont reçu des armoiries (écu d'azur, 2 lys d'or, une épée au milieu). Certains ont vu en elle une fille naturelle d'Isabeau de Bavière [le 10-11-1407, Isabeau accoucha officiellement d'un fils nommé Philippe et mourut peu après ; elle aurait eu cet enfant de L. d'Orléans (son beau-frère † assass. 7-11-1407). Pendant sa grossesse, tous les deux, craignant une vengeance de Charles VI quand il reviendrait à la raison, auraient décidé de soustraire l'enfant qui naîtrait à sa vengeance et de lui substituer un enfant mort (le véritable enfant, une fille, aurait été caché en province chez les d'Arc). J. aurait été ainsi la demi-sœur de Charles VII (par Isabeau) et de Dunois (par Louis), d'où ses rapports confiants avec eux, d'où la haine du duc de Bourgogne]. Cette thèse est réfutée par tous les historiens. *1425* à 13 ans, éveil de sa vocation (délivrer la Fr. au nom de l'archange St Michel). *1428 13-5* Robert de Baudricourt, capitaine de la cité de Vaucouleurs, l'éconduit. *1429* J. revoit Baudricourt qui accepte de la faire accompagner jusqu'à Chinon pour voir le roi. *23-2* est à Chinon. *8-3* reçue par Ch. VII, se déclare envoyée de Dieu pour lui révéler qu'il est fils de Ch. VI et héritier de Fr., l'engage à se faire couronner à Reims. *15-4* J. nommée chef de l'armée de Ch. VII (voir p. 635 b). *1430 23-5* blessée, capturée à Compiègne par les Bourguignons qui la vendent (10 000 livres) aux Anglais.

1431 procès : condamnée à mort par un tribunal ecclésiastique à la suite de 2 procès : 1°) *en sorcellerie :* elle est condamnée au cachot, ayant accepté de faire pénitence (la peine capitale n'était prévue que pour les récidivistes ou « relaps ») ; 2°) *en récidive :* J., ayant promis de ne plus mettre d'habits masculins, fut privée, dans son cachot, de ses vêtements féminins. Pour ne pas rester nue, elle s'habilla de nouveau en homme, ce qui la fit condamner au bûcher comme « relapse ». *30-5* elle est brûlée vive à Rouen. *Pt du tribunal :* Pierre Cauchon (1371-† en 1442 en se faisant la barbe), év. de Beauvais (diocèse où J. avait été capturée), conseiller du duc de Bedford. Rallié à la couronne d'Angl., il considérait la rébellion contre le pouvoir punissable comme un crime. Calixte III (pape de 1455 à 1458) excommuniera Cauchon, fera jeter son corps à la voirie et fera réhabiliter J. d'Arc en 1456.

Fausses Jeanne d'Arc. Au moins 4 aventurières se firent passer pour Jeanne d'Arc, à partir de 1439 (à Poitiers, au Mans, à Cologne, etc.). La plus célèbre a été *Claude des Armoises,* qui se fit reconnaître par le frère et la mère de Jeanne, commit de nombreuses escroqueries, mais, protégée par le roi René de Lorraine-Provence, mourut riche et anoblie en 1458.

■ **Orléans (Louis d')** (1372-1407). Frère du roi Charles VI, entre au conseil de régence en 1392 et y devient le rival du duc de Bourgogne, son oncle. Ambitieux, il épouse Valentine Visconti (1366-1408), riche héritière du duc de Milan. Son frère l'aimait et le couvrit de faveurs ; il était pourtant l'amant de sa femme, la reine Isabeau. Il fut également celui de sa cousine, Jacqueline de Bavière, femme de Jean sans Peur. Ce dernier, qui le haïssait (sans doute pour cette raison), le fit assassiner le 23-11-1407 dans un guet-apens rue Vieille-du-Temple. Louis avait pour enfant naturel Dunois (Voir ci-dessus), compagnon de Jeanne d'Arc. Certains ont avancé que Jeanne était la fille adultérine de Louis et d'Isabeau (Voir ci-contre).

■ **Rais (Gilles, baron de)** (1404-40). Petit-neveu de du Guesclin. Compagnon de J. d'Arc, maréchal 1429, retiré à Tiffauges v. 1434. Condamné pour apostasie, hérésie, évocation des démons, crimes contre nature (plusieurs dizaines d'enfants torturés et égorgés), sacrilège et violation des immunités ecclésiastiques. Pendu et brûlé à Nantes, sur l'île de Biesse, le 26-10-1440. La légende a fait de lui *Barbe-Bleue.* Mais aujourd'hui, on voit dans son procès un complot : *politique* (Rais est condamné par le tribunal de Nantes partisan des Anglais), *juridique* (le tribunal ecclésiastique est composé de ses débiteurs), *crapuleux* (le duc de Bretagne Jean V veut prendre ses biens).

■ **Sully** (1559/Villebon 22-12-1641) [Maximilien de Béthune, baron (puis marquis 1601) de Rosny, duc et pair (1606) de Sully]. Maréchal de Fr. (1634). Principal ministre d'Henri IV, présenté longtemps comme très populaire. En fait, imbu de sa noblesse, il méprisait la bourgeoisie et dédaignait la misère du peuple. Démissionne 26-1-1611 ; retiré 31 ans, après sa disgrâce, au château de Sully (Loiret), il y a joué au souverain, exigeant une étiquette rigoureuse. Il est le véritable auteur du mot historique : « Paris vaut bien une messe. » Huguenot, il a poussé Henri IV à se convertir, mais a lui-même refusé d'abjurer, acquérant ainsi chez les protestants une renommée d'héroïsme.

offensive angl., duc de Lancastre en Normandie, Pce Noir en Berri ; 19-9 *b. Poitiers* près de Nouaillé, le Pce Noir (avec 7 000 h., dont 2 500 Angl. et 4 500 Gascons, commandés par le captal de Buch) bat 15 000 cavaliers fr., commandés par Jean le Bon qui est fait prisonnier.

3°) **Entre Charles V** [d'abord dauphin et régent pendant les captivités de son père (1356-60 et 1363-64), puis roi (1364)] **et Édouard III : 1357** 4-1 offensive de Philippe de Navarre, fr. de Charles le Mauvais, contre la Beauce (Chartres prise) ; 23-3 trêve de Bordeaux (de 2 ans) ; 7-11 Étienne Marcel libère Charles le Mauvais, qui occupe Rouen. **1358** Ch. le Mauvais, allié à Étienne Marcel, écrase la *Jacquerie* d'Ile-de-Fr. (15 000 Jacques † à Clermont-en-Beauvaisis, 10-6), puis fait occuper Paris par des Anglo-Navarrais (8-7) ; 2-8 le régent reprend Paris, Ch. le Mauvais repoussé devant Amiens par le connétable de St-Pol. **1359** 24-3 *tr. de Londres* (signé par J. le Bon), Éd. III récupère l'emp. des Plantagenêts (+ Ponthieu, Montreuil, Calais, Boulogne) en toute souveraineté (sans être vassal du roi de Fr.), conditions rejetées par le régent ; 18-6 *Du Guesclin* reprend Melun à Ch. le Mauvais ; oct. off. d'Éd. III cherche à prendre Reims (lieu du sacre) ; les Fr. se replient en pratiquant la terre brûlée ; déc. Éd. III échoue devant Reims (défendue par Gaucher de Châtillon). **1360** hiver, les Angl. pillent la Bourg. ; 7-4 Éd. III menace Paris (prend Châtillon, Issy, Vanves, Vaugirard) ; 12-4 « *Lundi noir* » : les chevaux de l'armée angl. sont tués par des grêlons ; 1-5 *paix de Brétigny :* l'Angl. reçoit en toute souveraineté Guyenne, Gascogne, Poitou, Aunis, Limousin, Agenais, Rouergue ; Éd. III renonce à la couronne de Fr. **1362** 6-4 *Brignois,* les *Grandes Compagnies* anglo-navarraises (15 000 h.) écrasent l'armée royale. **1362** *2e peste noire* en Angleterre.

1363 6-9 Ch. le Mauvais reprend la g. **1364** 7-4 *Du Guesclin* prend Mantes ; 16-5 bat le captal de Buch à *Cocherel* (paix signée mai 1365). **1365-66** emmène les Grandes Compagnies en Espagne et fait couronner Henri de Transtamare roi de Castille. **1367** 3-4 il est battu et pris à *Najera* par le Pce Noir et Pierre le Cruel (1334-69), rival de Henri son frère bâtard ; déc. prisonnier à Bordeaux, il fixe le prix de sa rançon : 100 000, puis 60 000 florins (somme énorme) ; les rois de Fr. et de Castille la paient (libéré 1368). **1368** 18-11 *Charles V rompt le tr. de Brétigny,* en agissant comme suzerain des seigneurs devenus vassaux du roi d'Angl., qui ont fait appel en dernier ressort devant son Parlement [raison juridique : le détachement total de la souveraineté fr. devait avoir lieu quand les « actes de renonciation », fief par fief, seraient rédigés et scellés officiellement ; or les notaires avaient pris (volontairement) du retard]. **1369** *3e peste noire* en Angl. (catastrophe économique) ; janv. soulèvement du Quercy et du Rouergue contre le Pce Noir ; 15-1 *Montalzat :* Fr. b. Angl. ; 14-3 *Montiel :* Castillans et Du Guesclin b. Pierre le Cruel (qui sera pris et tué quelques j plus tard), allié des Angl. ; avril soulèvement du Poitou et du Ponthieu ; juin soulèvement de Montauban, Tarbes, Périgord ; sept.-oct. offensive du duc de Lancastre en Artois ; 30-11 confiscation de la Guyenne ; déc. offensive du sénéchal poitevin *Jean Chandos* (?-1369) contre le Limousin [il est tué à Chauvigny (31-12)]. **1370** 11-8 Ch. V reprend *Limoges.* Août-sept. *Robert Knolles* (1325-1407) (avec 1 600 chevaliers et 2 500 archers) débarque à Calais et menace Paris (prise de *Villejuif,* 25-9), faute de vivres se replie vers la Bret. ; 14-9 Pce Noir prend *Limoges* d'assaut (3 000 civils massacrés) ; 4-12 *Du Guesclin* (connétable dep. 2-10), *Olivier de Clisson* (1336-1407) et *Jean de Vienne* (1341-96) écrasent à Pontvallain (près du Mans) Knolles et Granson. **1371** janv. le Pce Noir se réfugie en Angl. ; sept. alliance de Jean de Montfort (chef d'un des camps bretons) et d'Éd. III, débarquement angl. à Brest. **1372** Du Guesclin et Clisson conquièrent la Bret. ; juin *bat. navale de La Rochelle :* 20 galères castillanes détruisent l'escadre angl. de Pembroke ; 7-8 Du Guesclin prend *Poitiers ;* 23-8 prend *La Rochelle.* **1373** 21-3 vict. de Du Guesclin à *Chizé ;* 25-7 duc de Lancastre débarque à Calais ; oct. il est battu à Sens par Clisson ; déc. se replie sur Bordeaux après avoir pillé l'Auvergne. **1374** offensive en Guyenne de Du Guesclin, en Basse-Normandie de Jean de Vienne. **1375** Éd. III signe une trêve de 2 ans, ne conservant que Calais, Brest, Bordeaux, Bayonne. **1375-76** création de l'artillerie royale.

4°) **Entre Charles V et Richard II : 1377** juin raid fr.-castillan sur le port angl. de Rye (pris et détruit) ; juill. prise de *Yarmouth ;* août Jean de Vienne prend *Douvres ;* oct. Louis d'Anjou et Du Guesclin enlèvent 134 forteresses et villes de Guyenne (Bordeaux est isolée). **1378** 4-1 alliance de Charles V et de l'emp. d'Allemagne Charles IV ; 25-4 capture de Ch. le Mauvais à Bernay (par Du Guesclin) ; avr.-juin conquête des fiefs normands de Ch. le Mauvais (Évreux, Carentan, Mortain, Avranches, Pont-Audemer, etc.) et de Montpellier (pris par Jean de Bueil) ; fin août vict. navale de *Cherbourg,* Jean de Vienne bat Lancastre. **1380** 13-7 mort de Du Guesclin (maladie, pendant le siège de *Châteauneuf-de-Randon*) ; 19-7 Buckingham débarque à Calais, ravage Ile-de-Fr. et Chartrain ; 30-8 Jean de Vienne prend *Gravesend,* port anglais ; 16-9 mort de Ch. V, les Angl. n'ont plus que 5 villes fr. : Calais, Cherbourg, Brest, Bordeaux, Bayonne.

5°) **Entre Charles VI et Richard II : 1382** oct. les Flamands (Philippe Artevelde) se rallient aux Angl. ; 27-11 *Roosebecke :* Clisson (avec 30 000 archers et 10 000 cavaliers) bat Artevelde (40 000 h., dont 9 000 Gantois) ; 25 000 Flamands tués. **1383** mars les Angl. débarquent à Calais et occupent la Flandre (Dunkerque, Bergues, Cassel) ; août-sept. Ch. VI reconquiert Flandre (trêve de *Leulinghem :* statu quo jusqu'en mai 1385). **1384** les Gantois font allégeance à R. II ; 28-8 *Gand* est prise et pillée par Ch. VI et Philippe le Hardi. **1386** mai-juin une flotte franco-bourg. est concentrée à *l'Écluse* pour débarquer en Angl. ; sept. attaque de corsaires angl. (partis de Calais) sur Cassel et Bourbourg ; la flotte de Clisson est détruite par la tempête à l'embouchure de la Tamise. **1388** le duc de Gueldre déclare la g. à Ch. VI ; 18-8 trêve (renouvelée pour 3 ans le 18-6-1390). **1389** Ch. VI attaque la Gueldre, son armée fond sur le chemin du retour. **1396** mars *trêve* fr.-angl. prévue pour 28 ans [R. II est fiancé à Isabelle de Fr. (fille de Ch. VI), le parti belliciste angl. le détrônera en 1399 et donnera le trône à Henri IV de Lancastre (1367-1413 ; fils de Jean de Gand, 4e fils d'Édouard III, qui ép. 1359 Blanche héritière des Lancastre)].

6°) **Entre Charles VI et Henri V : 1414** août H. V (fils d'H. IV de Lancastre, roi d'Angl. dep. 1413) revendique officiellement la couronne de Fr. (il n'a aucun droit héréditaire, étant Lancastre). **1415** il dénonce la trêve de 1396 ; 13-8 il débarque à la pointe de La Hève (13 000 h.) ; 19-8 prise de *Honfleur ;* 25-10 *Azincourt,* H. V (13 000 h.) b. Clisson (avec 45 000 h.), pertes 8 000 Fr. † (dont 1 700 prisonniers égorgés), 113 Angl. **1416** août *bat. nav. d'Harfleur* (Fr.-Génois battus par Angl.). **1417** 1-8 H. V débarque à Trouville ; 4-9 Caen pris (population évacuée ; quartier général anglais) ; oct. Argentan et Alençon pris. **1418** 22-8 Cherbourg pris. **1419** 20-1 *Rouen* capitule (assiégée dep. le 29-7 par 45 000 Angl. ; Alain Blanchard, chef des défenseurs, exécuté) ; 25-12 Philippe le Bon (fils de Jean sans Peur, assassiné 10-9) signe avec H. V *le tr. d'Arras :* H. V doit recevoir Guyenne, Gascogne, Normandie sans hommage. **1420** 21-5 *tr. de Troyes* ratifié, Ch. VI (fou) et Isabeau de Bavière reconnaissent H. V pour leur fils et héritier, les 2 couronnes de Fr. et d'Angl. sont réunies à perpétuité (art. 24) ; 1-12 H. V et Ch. VI entrent à Paris. **1421** 3-1 le dauphin Charles (futur Ch. VII) est déclaré « banni du royaume » ; 22-3 *Jean Stuart* (Écossais anti-anglais, au service du dauphin) bat au Vieil Baugé le duc Thomas de Clarence (n. 1389, 2e fils d'H. IV d'Angl.) qui est tué, et reconquiert l'Anjou ; juin avec 30 000 h. prend Dreux, Épernon, Beaugency, Meaux. **1422** avr. les Angl. prennent *Meaux* (trêve de fait jusqu'à juill. 1423) ; 31-8 H. V meurt à 35 ans, à Vincennes, régence du *duc de Bedford* (Jean Plantagenêt 1384-1435, 3e fils d'H. IV, frère cadet d'H. V) ; 21-10 Ch. VI meurt.

7°) **Entre Charles VII et Henri VI :** principaux chefs militaires ralliés à Ch. VII : *La Hire* (Étienne de Vignolles, 1390-1443) ; *Jean Poton,* sire de Xaintrailles (v. 1400-61, maréchal 1454) ; le connétable de *Richemont* [Arthur III (1395-1458) duc de Bretagne 1457, successeur d'Arthur Ier (1187-1203) et d'Arthur II (1262-1312)]. **1423** 31-7 *Cravant-sur-Yonne* Angl.-Bourg. écrasent les Écossais de Ch. VII (3 000 †) ; 30-11 Lathie prend Compiègne par surprise. **1424** 17-8 *Verneuil,* Bedford (10 000 h.) bat et capture le duc d'Alençon (14 000 h.), 7 000 Fr. † ; 28-9 début du siège du *Mont-St-Michel* par les Angl. (résistera victorieusement 30 ans, ravitaillé par mer). **1426** 6-3 échec de Richemont à *St-James-du-Beuvron ;* 5-9 Dunois délivre *Montargis.* **1428** 7-10 Salisbury assiège Orléans, défendue par Dunois. **1429** 12-2 *bat. « des Harengs »* au *Rouvray,* près d'Angerville, le Cte de Clermont attaque Falstaff qui commande un convoi de vivres angl. (avec les harengs du carême), il est repoussé ; 4-3 à *Ste-Maure,* près de Tours, intervention de Jeanne d'Arc, venue en 11 j avec 6 h. donnés par le sire de Baudricourt, capitaine de Vaucouleurs (seigneurie lorr. appartenant aux Valois) ; 8-5 délivrance d'Orléans ; 12-6 reprise de *Jargeau,* capture de Suffolk ; 17-6 reprise de Beaugency ; 18-6 *Patay :* Jeanne bat Falstaff (4 000 Angl. † ou pris) ; 10-7 prise de *Troyes ;* 17-7 *sacre de Ch. VII* à Reims ; juill.-août ralliement à Ch. VII de nombreuses places, notamment Beauvais et Laon ; 8-9 Jeanne échoue devant *Paris* (garnison bourguignonne) ; 21-9 à *Gien,* démobilisation de l'armée royale : Jeanne continue la g. avec des forces réduites. **1430** 23-5 elle est blessée et capturée par les Bourg. à *Compiègne* (trêve de fait entre Angl. et Fr. jusqu'à sept. 1435) ; 24-12 Jeanne est vendue aux Anglais (10 000 livres). **1431** 30-5 elle est brûlée à Rouen (voir Index). **1432** 5-3 le duc de Bretagne se rallie à Ch. VII. **1435** 28-10 *tr. d'Arras,* Philippe, duc de Bourg., se rallie à Ch. VII : il quitte l'alliance angl. ; il est dégagé à titre personnel de toute vassalité à l'égard de Ch. VII (mais ses descendants redeviendront vassaux de la couronne de Fr.) ; il reçoit les *villes de la Somme* (rachetables). **1435-44** ravages des *Écorcheurs* (mercenaires déserteurs). **1436** 13-4 *libération de Paris* (la garnison angl. obtient des émeutiers le droit de se replier sur Rouen). **1437** 12-11 Ch. VII entre à Paris. **1441** prise de *Pontoise.* **1442** offensive dans le S.-O. **1443** avr. raid angl. contre Angers (échec). **1444** 28-5 *trêve* anglo-fr. signée à Tours. **1448** juin rupture (les Angl. n'ayant pas évacué Le Mans) : Dunois et Brézé prennent Le Mans ; juill. offensive en Norm. (prise de *Rouen,* 29-10). **1449** 17-7 une assemblée autorise Ch. VII à mener la g. à outrance. **1450** 18-4 *Formigny,* Clermont et Richemont battent Thomas Kyrielle (sur 6 000 Angl., 3 774 †, 1 200 prisonniers, pertes fr. 12 †) ; juill.-oct. conquête totale de la Norm. **1451** offensive en Guyenne (Dunois : 6 000 h. ; amiral Jean le Boursier : escadre hispano-rochelaise) ; 23-6 prise de *Bordeaux,* suivie de 2 ans d'interruption des combats. **1453** 17-7 *Castillon,* Jean de Bueil bat 8 000 Angl. (artillerie fr. des frères Bureau) ; pertes angl. 4 000 ; août-sept. reconquête du Bordelais et *fin de la g. de Cent Ans sans traité.* **1475** 29-8 tr. de *Picquigny* entre Fr. et Angl. Pour certains (notamment Jean Favier), la g. de Cent Ans, se terminant ce jour-là, aura duré 137 ans, 10 mois et 22 j (dont 26 ans et 3 mois seulement d'hostilités, compte tenu des trêves).

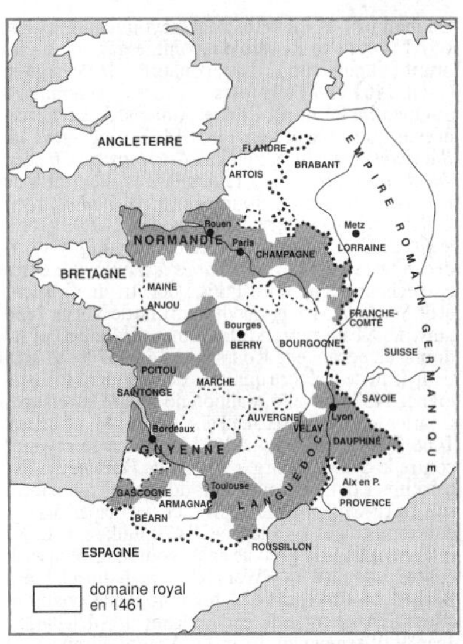

La France sous Louis XI

■ **1461 Louis XI** (1423-83). Constamment révolté contre son père Charles VII, et chef du parti des grands seigneurs, L. XI entreprend dès son couronnement de ruiner la féodalité. Ses principaux adversaires sont son frère Charles de France (1446-72 duc de Guyenne, de Berry et de Normandie), Charles le Téméraire (1433-77 duc de Bourgogne), le duc François II de Bretagne (1435-88), le duc Jean II d'Alençon (1415-en prison 1474). Par la force et la ruse, il les vaincra l'un après l'autre. Au cours de son règne, il a augmenté le roy. de 4 provinces « terres d'empire » (Franche-Comté, Roussillon et Cerdagne, Provence) et a fait rentrer dans le domaine royal 4 apanages (Picardie, Artois, Bourgogne, Anjou). N'aimant pas Paris, il habitait volontiers le Val de Loire (notamment Plessis-lez-Tours). Dévot, il devint en vieillissant de plus en plus superstitieux. Encensé par Philippe de Commynes (1447-1511), ancien conseiller du duc de Bourgogne, couvert de largesses (1468). Caricaturé par le romancier angl. Sir Walter Scott (1771-1832) dans *Quentin Durward* (1823) et après lui par bien des historiens, réhabilité 1927 par Pierre Champion, puis, 1971, par l'Amér. Paul Murray Kendall. Parmi ses résultats positifs : création des parlements de Bordeaux et Dijon ; développement du commerce internat. ; amélioration des routes, création de la poste royale, fondation des 1res imprimeries et des manufactures de soie. Les « *cages* » dans lesquelles il enfermait les prisonniers politiques ayant tenté de s'évader mesuraient : 2,60 m × 2,60 m et 2,25 m de haut. Le card. Jean La Balue (v. 1421-91) emprisonné en 1469 (pour avoir intrigué avec Charles le Téméraire) ne le fut pas dans l'une d'elles.

1461 juill. perte de Gênes ; 15-8 L. XI rentré en Fr. est sacré à Reims. Sept.-oct. Dunois, Brézé,

Chabannes, Bueil, etc. sont révoqués et exilés. L. XI occupe le Roussillon [comme gage d'un emprunt fait par Jean II d'Aragon, prise de Perpignan (7-1)]. **1463** 12-9 rachète les 5 « villes de la Somme » St-Quentin, Péronne, Corbie, Amiens, Abbeville cédées à titre précaire en 1435. **1465** 1-3 *g. civile du Bien public* (révolte nobiliaire) ; 4-3 *Monsieur Charles, duc de Berry*, fr. du roi, rejoint les révoltés (ducs de Bretagne, Bourbon, Bourgogne) ; 16-7 *Montlhéry*, L. XI et Galéas Sforza (1444-assass. 1476) battent le *Cte de St-Pol* (Louis de Luxembourg-Ligny 1418-décapité 19-12-1475) et *Charles le Téméraire* et les empêchent de prendre Paris ; oct. tr. de *Conflans* et de *St-Maur*, M. Charles devient duc de Norm. **1466** janv. L. XI lui reprend (les armes à la main) et lui donne en échange le Roussillon. **1466-67** L. XI soutient Jean de Calabre qui tente de conquérir la Catalogne. **1467** nouvelle coalition nobiliaire (Bretagne, Charles le Téméraire, Jean d'Alençon, M. Charles). **1468** 20-9 L. XI pousse les Liégeois à se révolter contre le duc de Bourg. ; 9-10 *tr. de Péronne :* L. XI prisonnier dans Péronne doit donner en apanage à son frère Champagne et Brie et participer à la g. contre ses alliés les Liégeois. **1470** juill.-sept. L. XI intervient dans la g. civile angl., soutenant Warwick contre Édouard IV (Warwick sera battu et tué à Barket 14-4-1471). **1472** févr. nouvelle coalition (Bourg., Angl., grands féodaux français : M. Charles, Jean V d'Armagnac, Jean II d'Aragon, François II de Bret, Jean d'Alençon) ; 24-5 mort de M. Charles ; la joie de L. XI cause un scandale ; 27-6/22-7 *Jeanne Hachette* (J. Laîné, v. 1454-?) défend Beauvais. **1475** 6-7 Édouard IV débarque à Calais pour soutenir Ch. le Téméraire ; 29-8 il signe une trêve avec L. XI à *Picquigny*. *Charles le Téméraire,* battu par les Suisses (1476) à *Grandson* et *Morat,* et à *Nancy* (avec 10 000 h.) par René II d'Anjou duc de Lorraine (avec 20 000 h.), meurt après la bat. (5-1-1477). La Fr. récupère Bourg., mais non Flandres-Artois qui demeurent hors du roy. [Louis XI avait fiancé son fils de 8 ans (le futur Charles VIII) à Marie, fille du Téméraire (dot de la fiancée : Flandres, Artois, Hainaut, comté de Bourg.) ; le 29-8-1477, Marie épouse Maximilien d'Autr. et reprend sa dot (le duché de Bourg. suit un sort différent, étant un apanage fr.).] **1479** 7-8 L. XI veut prendre Flandres et Hainaut, mais est battu à *Guinegatte.* **1480** 10-7 le dauphin Charles hérite de la Provence.

■ **1483 Charles VIII l'Affable** (1470-98). **1485-88 Guerre folle** contre la régente *Anne de Beaujeu. Cause :* coalition entre grands féodaux fr. (chef : duc d'Orléans, futur Louis XII ; but : régime aristocr.), Maximilien d'Autr. (fiancé à Anne de Bret., héritière du duché), François II de Bret., Henri VII d'Angl. *Déroulement :* **1485** 1er soulèvement, échec. **1486** invasion autr. repoussée en Picardie. **1487** févr. soulèvement de la Guyenne (reconquise mars) ; avr. échec de Ch. VIII et La Trémoille devant Nantes. **1488** avr. offensive de La Trémoille en Bret. ; 26-7 vict. de St-Aubin du Cormier (duc d'Orléans prisonnier). 20-8 *tr. de Verga :* pas de mariage d'Anne sans le consentement du roi ; 9-9 François II de Bret. meurt. **1490** 19-12 Anne épouse Maximilien par procuration. **1491** août-nov. assiégée dans Rennes par La Trémoille, elle capitule ; 6-12 épouse Charles VIII (s'engage, en cas de veuvage sans postérité, à épouser son héritier). **1494** rétablissement officiel du prêt à intérêt ; institution des foires de Lyon et de Nantes (où les Espagnols ouvrent une bourse). **1496** la chancellerie de Bretagne remplacée par un conseil de 6 membres (6 mois à Nantes ; 6 m. à Vannes).

GUERRES D'ITALIE (1494-1559)

■ **Causes. 1°) directes :** les Valois (Charles VIII) ont hérité les droits de la maison de Provence-Anjou-Naples par testament du roi René Ier (10-7-1480). **2°) indirectes :** ils ont hérité les droits sur le Milanais des Visconti [par Valentine (1366-1408) ép. de Louis Ier d'Orléans]. Les revendications des Orléans-Visconti ont déjà provoqué plusieurs g. sous Ch. VII et L. XI, sans qu'ils interviennent directement.

■ **Effectifs.** *Charles VIII* réunit 36 000 h. (16 000 cav., 20 000 fant., dont 10 000 mercenaires suisses et all. et 4 000 Bretons) et une forte artillerie. Ses adversaires de la Ligue de Venise (1495) ont 49 000 h., dont 15 000 cav. *Louis XII* n'a que 1 000 cav. et 6 000 fant., mais ses alliés vénitiens ont 15 000 h., dont 10 000 Suisses. *François Ier* (en 1515) a 30 000 h. dont 6 000 cavaliers et une forte artillerie. En 1525, 1 500 cav. et 30 000 fant., dont 14 000 Suisses et 6 000 All. Les Esp. lui opposent 22 500 h., dont 13 000 All. (1 800 cav.). *Henri II* a env. 50 000 h. (40 000 fant., 12 000 cav. en 1554).

■ **1re guerre d'Italie (1492-97) : 1492,** 3-11 les Anglais, qui assiègent Boulogne, acceptent de se retirer pour 745 000 écus d'or. **1493,** 19-1 *tr. de Barcelone* avec Esp. : neutralité esp. en échange de Roussillon et Cerdagne ; 12-6 *tr. de Senlis* avec Autriche : neutralité impériale en échange d'Artois, Franche-Comté, Charolais. **1494,** 25-1 mort de Ferdinand, roi de Naples ; Ch. VIII prend officiellement le titre de roi de Naples et de Jérusalem ; sept.-déc. traversée de l'Italie sans combat ; 31-12 entrée à Rome (le pape n'accorde pas l'investiture de Naples). **1495** prise de *Naples,* sans combat ; 1-3 *« Ligue de Venise »* contre Ch. VIII : pape, empereur, Milan, Esp., Venise ; 20-5 Ch. VIII repart pour la Fr. avec 9 000 h. Il laisse à Naples un vice-roi : Gilbert de Montpensier (3 000 fant., 500 cav.) ; 6-7 *Fornoue.* Ch. VIII s'ouvre le passage avec 9 000 h. contre 30 000 h. du Mis de Mantoue (pertes : Fr. 1 000, alliés 2 000) ; 9-10 prise de *Verceil* (Louis d'Orléans, futur L. XII, renonce au Milanais et évacue Novare). La syphilis (mal de Naples) décime l'armée. **1496,** 17-12 offensive esp. contre Naples (*Gonzalve de Cordoue*, dit le Grand Capitaine, 1453-1515, vice-roi de Naples 1504). **1497,** 15-2 reddition des Fr. de Naples.

LES VALOIS INDIRECTS (1498-1589)

■ **1498 (10-9) Louis XII, le père du peuple** (1462-1515) (ancien L. II d'Orléans, chef de la Guerre Folle). 17-12 mariage avec Jeanne de Fr., fille de L. XI, annulé par le tribunal ecclésiastique de Tours pour pouvoir épouser Anne de Bret., veuve de Charles VIII [motifs donnés : non-consommation (Jeanne était contrefaite), manque de consentement (L. XII s'était marié sous la menace)]. **1498-1510** le cardinal *Georges d'Amboise* (1460-1510) administre le royaume. **1499** 8-1 le mariage est célébré (la Bret. garde une administration distincte). **1512** tentative de faire déposer le pape Jules II par un concile profrançais réuni à Pise. Échec (excommunication des membres du concile). **1513** 16-8 *Guinegatte,* Henri VIII d'Angl. bat les Fr. (journée dite *des Éperons* : la cavalerie fr. s'est enfuie au galop), occupe Thérouanne, puis Tournai ; 20-8 au *cap St-Matthieu* : Hervé de Portzmoguer (v. 1470-1512), dit *Primauguet,* coule avec *la Belle Cordelière,* faisant couler avec elle le navire angl. *la Régente.* **1514** 18-3 *François d'Angoulême,* fils de Charles d'Angoulême, cousin germain du roi (héritier de la couronne), épouse Claude de Fr. (fille de Louis XII et héritière de Bretagne).

2e guerre d'Italie (1499-1500) : 1499, 9-2 alliance de L. XII et Venise pour reconquérir le Milanais contre *Ludovic Sforza* (1452-1508), rival des Visconti ; août-oct., Milanais conquis, Ludo. s'enfuit. **1500,** févr. Ludo. reprend Milan et Novare sur le gouverneur *Jean-Jacques Trivulce* (1448-1518) ; avril contre-offensive de La Trémoille : Ludo. capturé dans Novare (après la reddition de ses mercenaires suisses).

3e guerre d'Italie (1500-04). 1500, 1-11 *tr.* (secret) *de Grenade :* L. XII reçoit Naples, laisse à l'Esp. Pouilles et Calabre. **1501,** juin occupe Naples. **1503,** avr. offensive esp. (Gonzalve) ; 28-4 il bat à *Cerignola* Gaston de Foix (14 ans) [(1489-1512) duc de Nemours, neveu de L. XII, sera commandant en chef de l'armée d'Italie en 1512 (à 23 ans), surnommé le *Foudre d'Italie* pour sa campagne éclair]. Louis d'Ars se retranche dans Venise ; oct. au *Garigliano :* une armée de secours fr. (Trivulce avec 1 000 cav., 6 000 fant.), Gonzalve arrêté. **1504,** 1-1 reddition de *Gaète,* les Fr. sont rapatriés par mer.

4e guerre d'Italie (1508-13). 1508, 10-11 *paix de Cambrai :* L. XII et Maximilien s'allient contre Venise (adhésion du pape, mars 1509). **1509,** 10-5 *Agnadel,* L. XII (avec Bayard) bat 40 000 Vénitiens (Alviano). **1510,** 24-2 le pape Jules II se rallie à Venise et recrute 6 000 Suisses. **1511,** 20-1 il prend d'assaut *Mirandole ;* contre-offensive fr. : J. II se replie sur Rome ; 4-10 il constitue la *Ste Ligue* contre la Fr. (L. XII excommunié) et recrute 10 000 Suisses. **1512** la ligue attaque Brescia, délivrée 19-2 par Gaston de Foix ; 11-4 *Ravenne :* Gaston victorieux, mais est tué en poursuivant l'ennemi ; juin La Pallice évacue l'Italie. **1513,** mai contre-offensive fr., prise d'Alexandrie ; 6-6 *Novare :* 24 000 Suisses battent La Trémoille et Trivulce (8 000 Fr. †) ; sept. offensive suisse en Bourg. ; 13-9 *tr. de Dijon :* La Trémoille cède Milan et Asti (L. XII refuse la ratification).

■ **1515. François Ier** (1494-1547). 18-8 concordat de Bologne abolissant la Pragmatique Sanction : le pape récupère les annates et peut refuser l'investiture des évêques et archevêques. **1517** fondation du port du Havre ; 21-3 réforme de la monnaie (interdiction des pièces de « mauvais aloi »). **1518** 22-3 le Parlement enregistre le *concordat* par lit de justice (ordre exprès du roi) après 3 ans de résistance. **1519** 28-6 échec de Fr. Ier à l'élection impériale (Charles Quint est élu). **1520** 7-6 *camp du Drap d'Or,* entre Guines et Ardres, entrevue de Fr. Ier avec Henri VIII d'Angl. (luxe inouï, pas de résultats). **1523** 9-10 le connétable de Bourbon se rallie à l'Espagne et gagne Besançon (sera condamné pour trahison, voir p. 634 a). **1526** juill. négociations fr.-turques (1re alliance d'un royaume chrétien avec un État musulman). **1527** 11-8 *Semblançay,* ancien min. des Finances, condamné pour malversations et pendu. **1532** août les états de Bret. réclament le rattachement direct à la France. **1534** 20-4 *Jacques Cartier* part explorer le nord de l'Amérique ; 24-7 création d'une armée nationale [6 000 h. recrutés dans les 7 provinces principales (légions provinciales)], 18-10 *affaire des Placards* (déclarations contre la messe jusque sur la porte de la chambre de Fr. Ier). Fr. Ier prend position contre la Réforme. **1535** mai 2e départ de J. Cartier (prise de possession du Canada, 6-5). **1539** 10-8 *ordonnance de Villers-Cotterêts* (voir Index). **1539** déc. **1540** janv. Charles Quint séjourne à Chambord, puis à Paris. **1541** *Philippe de Chabot* (v. 1492-1543), amiral, condamné pour malversations à la prison perpétuelle ; absous par Fr. Ier et réintégré. **1543** 1-6 Chabot meurt, l'*amiral d'Annebaut* au pouvoir [en réalité le pouvoir appartient à la favorite, la *duchesse d'Étampes* (1508-80)].

5e guerre d'Italie (1515-16). 1515, 25-3 Fr. Ier promet aux Vénit. de reprendre l'offensive contre Suisses et Milanais ; fin juill. il franchit le col de Larche ; 13-9 *Marignan :* Fr. Ier et Alviano (Vénitien) écrasent les Suisses (14 000 S. †, 2 500 Fr.-Vén. †) ; 15-9 reprise de Milan ; 3-10 *tr. de Viterbe,* Fr. reçoit Milanais, Parme, Plaisance. **1516** 29-11 *paix de Fribourg ou « Paix perpétuelle » :* les Suisses n'attaqueront plus jamais ni France ni Milan.

6e guerre d'Italie (1521-26). 1521, mars offensive fr. (Lautrec) ; 29-4 *La Bicoque* (Lautrec battu par Colonna, 2 000 †, perte de Milan). **1523,** sept. offensive fr. (Bonnivet) : *siège de Milan.* **1524,** 3-4 contre-attaque de Lannoy : Bonnivet blessé, Bayard tué. Siège de Milan levé ; 30-6 Bourbon attaque la Provence, bombarde Marseille, prend Aix ; oct. Fr. Ier (avec Bonnivet et 32 000 h.) passe le Mont-Genèvre. **1525,** 3-2 bat. de *Pavie :* Bourbon et Lannoy anéantissent les Fr. (Bonnivet tué, Fr. Ier prisonnier). **1526,** 13-1 *tr. de Madrid,* Esp. reçoit Bourgogne, Tournai ; la Fr. abandonne ses droits sur Milanais (donné à Bourbon) ; suppression de la suzeraineté fr. sur Flandre et Artois, les 2 fils du roi en otages.

7e guerre d'Italie (1526-29). 1526, 22-5 *ligue de Cognac* (Angleterre, Fr., pape, Vénitiens, P^ces allemands contre l'Esp.). **1528,** févr. Lautrec (25 000 h.) reconquiert Milanais et Gênes ; avr.-mai il attaque Naples avec le marin génois *Andréa Doria* (1468-1560) ; juill. Doria se rallie au roi d'Esp. ; 15-8 l'armée fr. est atteinte de la peste (Lautrec †). Capitulation des survivants. **1529,** 1-6 défaite et capitulation de l'armée fr. du Milanais à Landriano ; 3-8 *tr. de Cambrai (paix des Dames) :* Fr. Ier récupère Bourg., Boulogne, villes de la Somme, Ponthieu ; cède Flandres et Artois sans suzeraineté ; renonce à ses droits sur Milan, Asti, Naples ; ses fils sont libérés contre rançon de 2 millions d'écus d'or.

8e guerre d'Italie (1536-42). 1536, 2-6 Charles Quint attaque la Provence ; 14-9 Montmorency délivre Alpes et envahit Piémont (au duc de Savoie). **1537** conquiert tout le pays ; 18-6 *paix de Nice :* Fr. Ier garde 2/3 du Piémont ; Ch. Q. 1/3 et le Milanais. **1540,** oct. Ch. Q. donne Milanais à son fils Philippe.

9e guerre d'Italie (1543-45). 1543, 29-6 Fr. Ier s'allie à Soliman, pacha de Turquie ; juill. une escadre fr.-tur. (*Barberousse*) prend Nice, mais la citadelle résiste. **1544,** 14-4 *Cérisoles,* duc d'Enghien bat Mis del Vasto ; 8-7 les Fr. évacuent Piémont pour défendre Champagne (prise de Château-Thierry et d'Épernay, fin juin) ; 18-9 *paix de Crépy :* Fr. Ier renonce à Savoie et Piémont, mais promet Milanais à Charles d'Orléans, fiancé à une infante. **1545,** 8-9 † de Ch. d'Orléans, le tr. de Crépy devient caduc.

■ **1547. Henri II** (1519-59). 2-4 disgracie les conseillers de son père ; *Anne de Montmorency* (1493-1567), maréchal (1522), G^d-maître de France (1526), connétable (1538), duc (1551), influence de la favorite *Diane de Poitiers ;* 10-7 dernier duel autorisé par un roi de Fr. Guy de Chabot B^on de *Jarnac* (1509-1572), devant H. II et la Cour, frappe au jarret (coup inattendu) et tue François de Vivonne seigneur de la Châtaigneraie (n. 1520) ; 13-9 lettres patentes créant la *marine fr.* (vaisseaux ronds dans l'Atlantique, galères en Méditerranée) ; déc. création de la *censure* sur les textes imprimés. **1552** 15-1 la Fr. s'allie aux princes protestants d'All., en échange des 3 évêchés *(Metz, Toul* et *Verdun)* qui sont occupés en avr.-mai ; 3-5 échec d'un raid contre Strasbourg ; nov.-déc. François de Guise résiste à Metz contre Charles Quint. **1554** janv. échec d'une offensive fr.

contre Belgique. **1555** 2-5 *Antoine de Bourbon* (père du futur Henri IV) devient roi de Navarre. **1557** 7-6 *Marie Tudor*, reine d'Angl., épouse de Philippe II, déclare la g. à Henri II. **1558** 6-1 François de Guise prend *Calais* (cédé au *tr. du Cateau-Cambrésis* le 3-4-1559 par l'Angl. contre 500 000 écus). **1559** 30-6 tournoi à l'occasion des mariages de Marguerite de Valois et d'Élisabeth de France, le Cte *Gabriel de Montgomery* (fils du capitaine des gardes écossais) affronte le roi (les lances se brisent, le tronçon de celle de M. soulève la visière d'H. II et entre dans son œil) ; 10-7 † d'H. II.

10e guerre d'Italie (1447-1556). 1547, oct. H. II s'allie avec le pape Paul III. **1550** *Charles de Brissac* (1505-63), gouverneur du Piémont, prend l'offensive en Milanais. **1552,** 26-2 H. II exige Milan, Asti, Naples et Sicile ; 26-7 Sienne ralliée à la Fr. est occupée par *Monluc* [Blaise de Lasseran Massencone, seigneur de M. (1502-77), combattant à Pavie 1525, Cérisoles 1544, défend Sienne 1554-55, lieutenant Gal de Guyenne 1565 (répression du protestantisme), Mal de France 1574 ; blessé et réformé 1570, auteur de *Mémoires* (parus 1592)]. **1553** escadre fr.-turque occupe Corse. **1554-55** siège de Sienne par le Mis de Marignan (17-4-1555 Monluc capitule). **1556** *trêve de Vaucelles* (Fr. garde Piémont).

11e guerre d'Italie (1556-59). 1556, août, offensive esp. contre le pape Paul IV (duc d'Albe prend Ostie et Agnani). H. II intervient, Rome n'étant pas comprise dans la trêve de Vaucelles ; 25-11 François de Guise chargé de conquérir Naples. **1557,** 31-1 déclaration de g. ; 5-4 offensive de Guise depuis Rome contre Naples ; 15-5 échec à Civitella, rappel de Guise en Fr. 10-8 *St-Quentin,* Montmorency battu et pris par les Esp. **1559,** 3-4 *tr. du Cateau-Cambrésis :* H. II rend Milanais, Montferrat, Piémont, Corse.

■ **1559 François II** (1544-60). 10-7 charge sa mère *Catherine de Médicis* du gouv. Elle renvoie *Montmorency*, exile *Diane de Poitiers* et confie le gouv. aux Guise : *François de Guise* (aff. militaires), *cardinal de Lorraine* (aff. civiles). 20-5 *Michel de l'Hospital* chancelier de Fr.

■ **1560 Charles IX Maximilien** (1550-74). 21-12 mort de François II, Catherine est régente ; Antoine de Bourbon lieutenant général du royaume. **1561** janv. *États généraux* (grande ordonnance d'Orléans). 9-9/9-10 *colloque de Poissy* (tentative de rapprochement entre cath. et réformés : échec). **1562** 1-3 *massacre de Wassy ;* début des g. de Religion (voir ci-contre). **1566** *Assemblée de Moulins* (grande ordonnance de Michel de l'Hospital réorganisant l'administration : les *Grands Jours* provinciaux sont institués). **1567-68** 2e g. de Religion (voir ci-contre). **1568-70** 3e g. **1571** 7-10 enthousiasme en Fr. pour la victoire des Esp. sur les Turcs à *Lépante.* **1572** 19-4 alliance défensive fr.-angl. contre l'Esp. ; 16-8 édit fiscal frappant les procureurs ; 18-8 Henri de Navarre ép. Marguerite, sœur de Ch. IX ; le Parlement boude ostensiblement les cérémonies officielles ; 21-8 massacre de la *St-Barthélemy* (voir encadré p. 637 b). **1573-74** 4e g. de Religion (voir p. 637 c). **1574** 30-5 meurt à 24 ans (– 28 j) empoisonné ont cru certains.

■ **1574 Henri III** (1551-89). Élu roi de Pologne et grand-duc de Lituanie le 15-5-1573, il partit en Pol. en déc. avec Hurault de Cheverny, Villequier, Richelieu (père du cardinal). **1574** 18-2 arrive à Cracovie, refuse d'épouser Anne Jagellon (47 ans et laide), sœur de Sigismond ; 14-6 apprend la mort de Ch. IX ; 18-6 s'enfuit, rejoint Oświęcim (Auschwitz) et promet de revenir dans les 9 mois [son blason personnel : 3 couronnes : France, Pologne et celle qu'il espérait obtenir après sa mort lorsqu'il figurerait parmi les élus, explique sa devise : « Manet ultima caelo » (« La dernière se trouve au ciel »] ; quitte la Pol. et rejoint la Fr. en passant par Venise, Lyon où il apprend la mort de sa maîtresse Marie de Clèves (6-9). **1575** 13-2 sacré à Reims, ép. Louise de Vaudémont. **1576** 5e g. de Religion (voir p. 637 c) ; 13-6 Henri de Navarre abjure le catholicisme ; 6-12 la taille est levée [sur chaque « feu » (maison familiale), impôt unique, proportionnel aux ressources]. **1578** 28-4 duel Maugiron (tué), Caylus (percé de 19 coups d'épée † peu après), Livarot (n'est que blessé) contre Entraguet (blessé), Ribérat († le 29-4), Schoenberg (tué). **1578-79** conférence de Nérac entre les cours de France (cath.) et de Navarre (prot.). **1579** 28-2 *édit de Nérac,* accordant pour 6 mois aux prot. 3 places de sûreté en Guyenne et 11 au Languedoc. **1580** 22-8 *François duc d'Alençon* (Monsieur, frère d'H. III) élu souverain des Pays-B., s'installe à Cambrai. **1584** 10-6 il meurt, léguant son fief à Henri III (Jean de Montluc, gouverneur). **1585** 9-10 les Esp. (Cte de Fuentes) reprennent Cambrai. **1588** déc. *cardinal de Bourbon* proclamé roi (*Charles X*) par la Ligue (voir 8e g. de Rel.). **1589** 8e g. de Rel. ; 5-1 Cath. de Médicis meurt ; 1-8 H. III poignardé à St-Cloud par le moine Jacques Clément (22 ans, tué sur place) (manœuvre par la Ligue), meurt le 2 dans la nuit.

Catherine de Médicis. *1519* née de petite noblesse, devenue souveraine par parenté avec les papes. *1533* ép. le Pce Henri, cadet des fils de François Ier (non destiné à être roi, il régna sous le nom de Henri II). Stérile jusqu'en 1544, elle fut menacée de répudiation. *1559-89* régente, reine mère, gouverne la Fr. Rendue responsable du massacre de la St-Barthélemy (qu'elle aurait combiné avec le duc d'Albe pendant l'entrevue de Bayonne 1565), elle eut, en fait, une seule politique : maintenir ses fils sur le trône. Elle a éliminé Coligny à la St-Barthélemy, car il était devenu dangereux pour la monarchie, comme elle a fait éliminer les Guise (catholiques). Tant qu'elle ne pouvait abattre un adversaire, elle se mettait de son côté, d'où sa réputation de perfidie. Henri IV lui a rendu hommage pour sa ténacité.

Favoris d'Henri III. Mis *François d'O* (1535-94) surintendant des Finances 1585, *Henri de Saint-Sulpice, d'Inteville, Jacques de Lévis* (Cte de Caylus), *Saint Mégrin* (ass.), *Maugiron* († 1578) *Anne de Châteauneuf Randon,* Bon d'Arques (n. 1561), *Livarot, Jean-Louis de Nogaret de La Valette* [n. 1594, duc d'Épernon (1580) ép. Marguerite de Foix-Candale (très riche)], *Roger de Saint-Lary* (Mis puis duc de Bellegarde, grand écuyer, amant de Gabriel d'Estrées).

Guerres de Religion (1560-98)

1560 conjuration d'Amboise : les calvinistes veulent soustraire François II à l'influence des Guise et porter au pouvoir Louis 1er, prince de Condé (1530-69). 17-3 *Godefroy de Barry, seigneur de La Renaudie* (?-1560), masse 500 cavaliers dans les bois de Château-Renault pour attaquer Amboise. Trahis par un complice, ils sont cernés et anéantis, env. 100 se réfugient au château Moisay et se rendent contre la vie sauve. Le lendemain, ils sont pendus et décapités. La Renaudie est tué au combat ; son cadavre est pendu au pont d'Amboise, puis décapité. La répression dure plusieurs semaines (1 200 exécutés).

1re guerre (1562-63). Prot. : *Gaspard II, amiral de Coligny* (1519-72), *Louis Ier Pce de Condé* (1530-69), *Antoine de Bourbon* († 17-11-1562) ; **Cath. :** *Anne, connétable de Fr., duc de Montmorency* (1493-1567), *François, 2e duc de Guise* (1519-63), *Jacques d'Albon, Mal de Saint-André* (1505-62). **1562,** 1-3 : *massacre de Wassy.* 300 Prot. surpris dans une grange, en train d'écouter un prêche, par des archers du duc de Guise (60 †, 200 bl.) ; 19-12 *Dreux :* Condé battu et prisonnier. **1563,** 19-3 *paix (édit) d'Amboise.* Le culte prot. est autorisé dans les maisons nobles, domaines des seigneurs hauts-justiciers, une ville par bailliage ou sénéchaussée (amnistie générale).

2e guerre (1567-68). Prot. : Pce de Condé, électeur palatin (Frédéric III, 1515-76) ; **Cath. :** duc de Montmorency. **1567,** 10-11 *bataille de St-Denis.* Condé et Coligny tentent d'enlever Paris ; Montmorency les attaque par surprise, avec la garnison cath. de Paris, depuis Aubervilliers (est tué au cours de l'assaut, mais les prot. se replient), **1568,** 23-3 *paix de Longjumeau.* Mêmes clauses qu'à Amboise (La Rochelle reconnue comme place huguenote).

3e guerre (1568-70). Prot. : Pce de Condé [1530-tué 13-3-1569 par Montesquiou (cap. des gardes du duc d'Anjou) après s'être rendu à Jarnac], Coligny, Guillaume de Nassau (1487-1559) ; **Cath. :** duc d'Anjou (futur H. III), Henri, 3e duc de Guise (1550-88), Gaspard de Saulx, Mal de Tavannes (1509-73). **1569,** *défaites prot. :* Jarnac 13-3. Moncontour 3-10 ; 15-8 ; *paix de St-Germain-en-Laye* obtenue par Coligny et reconnaissant légalement le protestantisme, avec 4 places de sûreté.

1572 (24-8) *massacre de la St-Barthélemy ;* Pce de Condé [Henri Ier (1552-88)] et Henri de Navarre (le futur Henri IV) abjurent.

4e guerre (1573-74). Prot. : *François de la Noue* [1531-91 (rallié au roi 14-3-1573)], *Gabriel de Lorges, Cte de Montgomery* (1530-74) ; **Cath. :** *François duc d'Anjou*, frère d'Henri III, d'abord duc d'Alençon, dit « *Monsieur* » (1554/10-6-1584 de la tuberculose), *Charles de Gontaut, 1er* duc de Biron (1524-92). **1573** *siège de La Rochelle ; paix de La Rochelle.* 24-6 levée du siège (*l'édit de St-Germain* rétablit la liberté du culte pour les seigneurs hauts-justiciers et retire les garnisons royales de La Rochelle, Nîmes, Montauban). **1574** 26-5 exécution de Montgomery ; 29-5 trêve de 7 mois au Languedoc.

5e guerre (1576). Prot. : *Henri Ier Pce de Condé* (1552-1588 empoisonné par sa femme ?), *Cte palatin Jean-Casimir* (1543-92, fils de l'électeur Frédéric III), *Henri de La Tour d'Auvergne, duc de Bouillon et Vte de Turenne* (1555-1623) ; **Cath. :** *duc d'Anjou, 1er duc de Mayenne.* **1576** 6-5 *paix de Beaulieu-lès-Loches* ou *de Chatenoy* ou *de Monsieur* (73 articles) : Monsieur reçoit Anjou, Touraine, Berry ; liberté des cultes dans les villes closes et à Paris ; chambres de justice mi-parties (moitié cath., moitié prot.). 8 places fortes aux Réformés, sans garnison royale ; condamnation de la St-Barthélemy ; réhabilitation de Montgomery (exécuté 26-5-1574).

6e guerre (1577). Prot. : Henri Ier Pce de Condé (1552-88), François de Coligny [(1557-91), fils de l'amiral] ; **Cath. :** duc d'Anjou, Henri Ier, 3e duc de Montmorency (1534-1614), d'abord connu sous le nom de Damville, fervent cath. mais tolérant. **1577,** 1-5 Monsieur prend La Charité ; 1-6 enlève Issoire ; 15-9 *paix de Bergerac,* 17-9 promulguée par l'*édit de Poitiers,* mêmes clauses qu'à Beaulieu (1576), mais le culte cath. est rétabli dans les lieux à majorité prot. ; les 2 ligues dissoutes.

7e guerre (1580). Prot. : Henri Ier Pce de Condé (1552-88), Henri de Navarre (futur Henri IV) ; **Cath. :** Jacques de Goyon, Mal de Matignon (1525-97). **1580** 30-5 Henri de Navarre prend Cahors ; 26-11 *paix de Fleix,* confirmant l'*édit de Nérac* du 18-2-1579 (en accordant les 14 places pour 6 ans au lieu de 6 mois).

8e guerre (1585-98). Prot. : Henri de Navarre le Balafré (futur H. IV) ; **Cath. :** Anne, duc de Joyeuse (1561-87), Henri duc de Guise (1550-1588). **1587,** 20-10 *Coutras,* Joyeuse vaincu et tué par Henri de N. ; Condé mortellement blessé ; 24-11 *Auneau,* H. de Guise bat les mercenaires all. **1588,** 12-5 *Journée des Barricades.* Paris s'insurge contre H. III ; 23-12 H. de Guise assassiné sur ordre du roi par le capitaine du Guast et 45 gardes. 24-12 cardinal de Guise, son frère, assassiné. **1589,** janv. H. III s'allie à H. de Navarre : 30-4 se rencontrent à Plessis-les-Tours, assiègent Paris ensemble ; 1-8 H. III assassiné, ses soldats catholiques abandonnent H. de Navarre (devenu le roi H. IV) ; 6-8 il doit lever le siège de Paris. La g. finira sous H. IV, voir p. 638).

La Saint-Barthélemy

Causes. Coligny, devenu le principal conseiller du roi Charles IX, le poussait à attaquer l'Esp. en Flandres et à y fonder une république calviniste. Le parti pro-esp. [la reine mère, Catherine de Médicis, le duc d'Anjou (frère du roi, futur Henri III), et les Guise, qui avaient quitté ostensiblement la Cour] était décidé à tuer Col. avant les hostilités. Le 22-8 à 11 h du matin, un capitaine gascon, Nicolas de Louviers, sire de Maurevert, chargé par les Guise d'exécuter Col., se met en embuscade rue Béthisy et le blesse de 2 coups d'arquebuse. Le lendemain, une délégation huguenote (Henri de Navarre, Condé) se présente au Louvre pour exiger la punition de l'assassin et de ses complices. Ch. IX se rend au chevet de Col., qui lui conseille de se « défier de sa mère ». Rentré au Louvre, le roi répète les propos de Col. à sa mère, celle-ci décide avec les Guise le massacre des huguenots : Col. ne pourra échapper. L'opération est confiée aux gardes du corps des Guise et du roi, renforcés des milices du prévôt des marchands (signe de ralliement : croix blanche au chapeau, écharpe blanche au bras). A 5 h du matin, un groupe commandé par le duc de Guise, le duc d'Aumale et le duc d'Angoulême (frère naturel du roi) va égorger Col. dans son lit et jette le cadavre dans la cour. Les milices bourgeoises sont alors convoquées par le tocsin : le déchaînement de la violence provoque de nombreuses exécutions non prévues.

Nombre de victimes. Incertain. *Pour tout le royaume :* de 2 000 à 100 000 [selon Jean-Auguste de Thou : 30 000, selon le *Martyrologe des calvinistes* (imprimé en 1582) : 15 168 † désignés et 786 † nommés]. *A Paris :* de 1 000 à 10 000 [selon le livre de comptes de l'Hôtel de Ville de Paris : 1 100 sépultures et selon le *Martyrologe :* 10 000 † désignés en gros et 468 † désignés en détail (total des † par lieu de massacre) et 152 † nommés].

La Ligue

Dirigée par des nobles depuis 1576 (maréchal d'Humières, gouverneur de Picardie), elle avait été fondée par des bourgeois (Toulouse 1563, Angers 1565, Dijon 1567, Bourges et Troyes 1568), dont les préoccupations étaient surtout religieuses. Les bourgeois parisiens, les 1ers, s'organisèrent en mouvements politiques (1587), sous la direction des « Seize », et se rallieront au duc de Guise, au cardinal de Bourbon ou à l'infante d'Espagne, bien résolus à ne pas avoir un roi huguenot.

Dynastie capétienne des Bourbons (1589-1792)

☞ Filiation et origine, voir p. 632.

Henri IV le Grand (1553-1610)

1589 *Roi de Navarre (1562) et de France.* 15-27/9 *Arques :* Henri IV bat le duc de Mayenne. **1590** 3-3 *la Ligue,* avec Mayenne, proclame roi le card. de Bourbon sous le nom de Charles X (n. 1520, emprisonné 1588, † en prison 9-5-1590, oncle paternel d'Henri de Navarre) ; de son côté, Philippe II d'Esp. cherche à faire couronner sa fille Isabelle, petite-f. de Henri II ; 14-3 *Ivry :* H. IV bat le duc de Mayenne ; 9-7 prend St-Denis ; 24-12 card. de Guise, frère du duc de May, assassiné. **1591** H. IV *bloque Paris* et y déclenche la famine ; obtient l'appui militaire de l'électeur de Brandebourg, mais il est battu par Alexandre Farnèse, duc de Parme (Esp.) qui libère Rouen et met une garnison dans Paris. **1592** intervention du duc de Savoie, qui est battu par Lesdiguière [François de Bonne (1543-1626), duc 1611] en Dauphiné. **1592-96** révolte des Croquants paysans (les 1ers de Crocq ?), Limousin. **1593** 28-6 *loi salique :* le Parlement exclut les femmes de la succession royale (mesure visant l'infante Isabelle, petite-f. de Henri II). 25-7 H. IV abjure à St-Denis. 31-7 trêve avec la Ligue. **1594,** 27-2 sacré à Chartres ; 22-3 entre à Paris ; nov. duc de Guise se rallie à H. IV ; 27-12 H. IV blessé (coupure lèvre) par *Jean Châtel* (1575-écartelé 29-12-1594) ; 29-12 Jésuites bannis du royaume. **1595** 16-1 H. IV déclare la g. à Philippe II d'Esp. ; 6-6 *Fontaine-Française* H. IV et Biron (900 cavaliers) battent Mayenne et l'Esp. Velasco (2 000 cav., 10 000 fant.) ; 17-9 le pape Clément VIII absout H. IV ; nov. Mayenne se soumet. **1596** Sully administre les Finances. **1597** soumission des derniers Ligueurs [Philippe de Lorraine (1558-1602), beau-frère d'H. III, duc de Mercœur, gouverneur de Bretagne]. 11-3 Esp. prennent Amiens par surprise ; 25-9 H. IV la reprend. **1598** Sully surintendant des Fin. 15-4 *Édit de Nantes :* confère la liberté de conscience et de culte aux villes à majorité protestante ; les prot. retrouvent leurs droits civiques ; 2-5 *paix de Vervins* avec l'Esp. : retour au statu quo du tr. du Cateau-Cambrésis (1559). **1599** remise de 20 millions d'arriérés sur les tailles. Création de la maîtrise des Digues, confiée au Hollandais Humphrey Bradley. 13-11 Sully, Gd Maître de l'artillerie ; 17-12 mariage d'H. IV avec Marguerite de Valois annulé. **1600** Olivier de Serres (1539-1619) crée l'industrie de la soie (élevage du ver à soie) ; guerre de Savoie. 17-12 H. IV ép. Marie de Médicis ; **1603** sept. rappel des Jésuites. **1604** 7/12-12 création de la *Paulette :* en payant chaque année une cotisation égale au 1/60 de la valeur vénale de la charge, les détenteurs la rendent héréditaire. **1605-42** constr. du canal de Briare. **1605** (à partir de) augmentation de la flotte. **1606** prise de possession du Canada. Mars expédition de H. IV contre duc de Bouillon révolté ; 2-4 Bouillon capitule à Sedan. **1607** Béarn réuni à la Fr. **1609** préparatifs pour conquête des Pays-Bas et de Rhénanie. **1610** 13-5 couronnement de Marie de Médicis ; 14-5 H. IV assassiné par *Jean-François Ravaillac* (n. 1578) déclaré coupable le 27-5-1610, condamné à mort (écartelé) ; sa main qui a tenu le couteau est brûlée au soufre. Déséquilibré, Ravaillac a agi pour le parti esp. qui craint l'attaque des P.-Bas. Sont compromis : le *duc d'Épernon,* ancien favori d'H. III (sa maîtresse, *Charlotte du Tillet,* connaissait Ravaillac et lui donnait de quoi vivre ; le duc espérait prendre le pouvoir sous la régence de M. de Médicis, mais se brouilla avec elle), la *Mise de Verneuil* (maîtresse délaissée de H. IV) et *Marie de Médicis,* manœuvrée par les cours esp. et it. (elle avait été couronnée reine la veille, ce qui lui assurait la régence). Les dossiers de cette affaire seront brûlés en 1618 (incendie).

Le « bon roi Henri » a-t-il été populaire ? En fait, Henri IV n'a été populaire qu'au Béarn et auprès des Béarnais émigrés à Paris qu'il a couverts de faveurs. Le peuple a reconnu sa bravoure, mais lui a reproché d'avoir acquis la paix au prix des énormes concessions faites aux huguenots par l'Édit de Nantes. Sa politique économique a passé pour brouillonne et inconséquente et la répartition capricieuse des bénéfices ecclésiastiques lui a valu de nombreux ennemis. Ses allures rustiques, son goût effréné pour les femmes et son humeur joviale ont choqué ses contemporains, habitués dep. Henri II à une étiquette de cour très stricte. Son culte date de la fin du XVIIIe s. et du début du XIXe s. (sous la Restauration, on adopte pour hymne officiel le *Vive Henri IV*).

Guerre franco-savoyarde (1600-01)

Causes. Le duc de Savoie, Charles-Emmanuel Ier, contraint par la paix de Vervins à céder à la France le marquisat de Saluces et la Bresse, cherche à gagner du temps et conspire contre Henri IV avec le maréchal de Biron. **Forces en présence** 7 000 Français commandés par Sully et Henri IV ; des garnisons sav. dans toutes les grandes places. **1600** résistance de Bourg-en-Bresse, 16-11 Sully prend *Montmélian,* 16-12 le *fort Ste-Catherine* (S. de Genève). **1601** janv. tout le duché est occupé. 16-1 *tr. de Lyon* la Fr. abandonne le marq. de Saluces mais reçoit Bresse, Bugey, Valromey et Pays de Gex.

Louis XIII le Juste (1601-43)

Marie de Médicis au pouvoir (1611-17)

1610 15-5 Louis XIII devient roi ; 16-5 sa mère, proclamée régente, écarte les conseillers d'H. IV et mène une politique antiprotestante, entourée de l'ambassadeur d'Esp., du nonce et du Père Pierre Cotton (1564-1626), jésuite. **1611** 26-1 disgrâce de Sully. Licenciement de l'armée réunie par H. IV et Sully. Influence de *Concino Concini* (?-1617), Mal d'Ancre, et d'*Éléonore Galigaï* (1576-1617, sa femme, sœur de lait de la reine). Concini accumule les richesses (armée privée de 7 000 h. ; achat envisagé du comté de Montbéliard). **1614** majorité de L. XIII (il n'a aucun pouvoir, Concini les détenant tous). *États généraux* à Paris (aucune mesure pratique). **1615** 28-11 L. XIII épouse à Bordeaux Anne d'Autriche (13 a.), fille du roi d'Esp. et garante de la politique antiprotestante. **1616** révolte nobiliaire (notamment le duc de Vendôme, bâtard d'H. IV) contre Concini ; 21-2 *paix de Loudun* (apaisement à prix d'argent). **1617** 24-4 avec son favori, le duc de Luynes [Charles, Mis d'Albert (1578-1621), connétable 1621], L. XIII fait abattre Concini par le *baron de Vitry* (capitaine des gardes du corps) à coups de pistolet dans la cour du Louvre ; son corps, enterré à St-Germain-l'Auxerrois, est exhumé par la foule, dépecé, brûlé sur le Pont-Neuf ; sa femme est jugée et décapitée le 8-7. Marie de M. est exilée et emprisonnée à Blois.

Louis XIII sans Richelieu (1617-24)

1617-20 la noblesse, fidèle à Marie de M., se révolte. Chef : le duc de Bouillon, Pce de Sedan (Henri de La Tour d'Auvergne 1555-1623). **1620** les protestants proclament à La Rochelle l'Union des provinces réformées de Fr. ; L. XIII et Luynes assiègent *Montauban* (échec). **1621** 15-12 Luynes meurt. Gouvernement de *Henri II. Pce de Condé* (1588-1646) : il enlève Montpellier aux prot. **1622** 5-9 Marie de M. fait nommer cardinal Armand de Richelieu, directeur de sa maison ; 18-10 *paix de Montpellier,* les prot. ne gardent que 2 grandes villes fortifiées : La Rochelle et Montauban. **1624** 29-4 Marie de M. fait entrer Richelieu au Conseil du roi (présidé par La Vieuville).

Louis XIII et Richelieu (1624-42)

1624 13-8 R. fait arrêter *La Vieuville* et devient chef du Conseil ; programme : éliminer le protestantisme fr., mettre au pas la haute noblesse, lutter contre les Habsbourg d'Esp. et d'Autr. **1625** expédition de *La Valteline* (Annibal d'Estrées, Mis de Cœuvres : 500 cavaliers, 3 000 fantassins), payée par les Holl., ennemis de l'Esp., 1 200 000 livres : conquiert et donne aux Suisses la route Milan-Tyrol *(tr. de Monzon,* 5-3-1626). **1626** édit contre les duels [2 duellistes, les comtes de *Montmorency-Boutteville* (n. 1600) et des Chapelles exécutés 21-6 1627]. Le maréchal d'Ornano (n. 1581-† en prison 2-9-1626) et le *Cte de Chalais* (Henri de Talleyrand n. 1599-exécuté le 19-8). Ils auraient conspiré contre R. Comptoirs coloniaux fondés au Sénégal et en Guyane. **1629** 28-6 *édit de grâce d'Alès* (voir Index) ; 15-9 L. XIII et Marie de M. se réconcilient ; 21-11 R. nommé « principal ministre ». **1630** 3-1 L. XIII et son frère, Gaston d'Orléans, se réconcilient ; 11-10 *journée des Dupes* [Marie de M. obtient de L. XIII, malade, le renvoi de R., mais L. XIII change d'avis et exile Marie à Compiègne ; *Michel de Marillac* (n. 1563, garde des Sceaux, incarcéré, † en prison 1632)]. **1631** 30-1 Gaston quitte le royaume ; 19-7 Marie de Médicis égarée († Cologne 1642). **1632** 10-5 Mal Louis de Marillac (n. 1573 fr. de Michel) exécuté à Toulouse ; 11-6 Gaston rentre en Fr. ; obtient l'aide *d'Henri, 4e duc de Montmorency* (n. 1595, amiral 1612, maréchal 1630) ; avec 3 000 cavaliers all., ils veulent prendre le Languedoc ; 1-9 battus à *Castelnaudary* par Schomberg ; 30-10 *Montmorency* exécuté ; 6-11 Gaston s'enfuit à Bruxelles. **1633** 25-9 prise de *Nancy* (le duc Charles III de Lorraine, beau-fr. de Gaston, accepte une garnison fr. jusqu'au tr. de paix avec l'All.). **1634** 18-8 *Urbain Grandier* (n. 1590), curé de Loudun, est exécuté pour sorcellerie. St Vincent de Paul et Ste Louise de Marillac fondent les Filles de la Charité. **1635** 19-5 L. XIII déclare la guerre à l'Esp. (et donc à Philippe IV, frère de sa femme). Voir g. de Trente Ans. **1637** 7-1 représentation du *Cid* de Corneille au théâtre du Marais à Paris. **1638** 10-2 *vœu de L. XIII* consacrant la France à Dieu ; 5-9 naissance du dauphin (futur L. XIV) ; 18-12 mort du *père Joseph* (n. 1577), surnommé grand écuyer. **1642** complot (soutenu par l'Espagne) contre R. pour faire cesser la g. franco-esp. : *Cinq-Mars* [Henri Coiffier de Ruzé, Mis de (1620-42) qui espère être promu duc et pour épouser Marie de Gonzague et remplacer R.], *Gaston d'Orléans* (frère du Roi), qui fait amende honorable, et le duc *Frédéric-Maurice de Bouillon* (1605-52), dépouillé de la seigneurie de Sedan ; 12-9 Cinq-Mars et son ami François Auguste de Thou (n. 1607) exécutés place des Terreaux à Lyon ; le bourreau, un remplaçant, doit frapper 2 fois (la tête tombe à terre aux pieds d'un spectateur qui la rejette sur l'échafaud) ; pour de Thou, il frappe 5 fois ; Mazarin est nommé cardinal (ce qui le désigne comme successeur de R.) ; 4-12 R. meurt ; 5-12 Mazarin entre au Conseil du roi. **1643** 14-5 L. XIII meurt d'une péritonite (anniversaire de son avènement et de la mort d'H. IV).

Psychologie de Louis XIII. Il y a chez lui un déséquilibre psychologique attribué parfois à l'épilepsie : impulsivité, timidité et bégaiement, mysticisme, scrupules. Son conflit avec sa mère s'explique probablement par le traumatisme subi lors de l'assassinat de son père (il avait 9 ans ; Marie de Médicis, sa mère, fut soupçonnée de complicité). Il éprouva de la répulsion pour sa femme, l'infante Anne d'Autr. : leur nuit de noces (il avait à peine 15 ans), en présence de témoins, a sans doute été un échec, d'où une longue inhibition. Ses 4 favoris successifs : Luynes († 1621), Baradès (Claude de), François de Barradat (1621 à 1626) Saint-Simon (1626 à 36 qu'il fit duc et pair), Cinq-Mars (voir ci-dessous), ont souvent été appelés ses « mignons », mais son homosexualité n'est pas prouvée. On a parlé de son impuissance, ce qui pose le problème de la légitimité de Louis XIV. On estime actuellement qu'il était capable de procréer, mais que, tuberculeux, il se sentait trop épuisé pour avoir une vie sexuelle normale.

Cardinal de Richelieu. 1585 Armand, Jean de Vignerot du Plessis. **1607,** évêque de Luçon (« l'évêché le plus crotté de France »). **1622**-5-9, cardinal. **1624** août, chef du conseil. **1626,** grand maître et surintendant de la Navigation, crée une flotte de guerre fr. Imposa la monarchie absolue aux nobles (ruine du pouvoir féodal), parlements (suppression du droit de remontrance politique 1641), protestants (suppression de leur organisation militaire 1629). Lutte contre l'Esp. et son alliée l'Autr. des Habsbourg, mais ne déclare la g. qu'en 1635 et ne fait pas de grandes conquêtes militaires. Ses grands succès sont surtout politiques : sécession du Portugal (1640), annexion temporaire de la Catalogne (1641).

Guerre contre les huguenots (1627-29)

Causes 1°) Prise d'armes du duc de Rohan en Languedoc (5 500 h.). 2°) Alliance du maire de La Rochelle, Jean Guiton (1585-1654), avec les Anglais (duc de Buckingham). **Déroulement** *1°) La Rochelle. 1627,* 22-7 débarquement angl. à Ré (Buckingham, 100 cav., 5 000 fantassins) ; 11-7 rembarquement ; 13-11 arrivée de L. XIII et Richelieu (25 000 h.) ; fin nov. digue construite entre Ré et la côte. Capitulation (famine, 15 000 †) 28-10-1628. *2°) Raid en Italie* (V. g. de la Succession de Mantoue). *1629,* mars-avril l'armée de La Rochelle passe les Alpes ; début mai revient en Languedoc. *3°) Campagne en Languedoc. 1629,* 17-5 prise de Privas ; 9-6 d'Alès. 28-6 *paix d'Alès :* reddition de Rohan, démantèlement des places protestantes, suppression des assemblées politiques, liberté de culte. Juillet, soumission de Montauban.

Guerre de la Succession de Mantoue (1629-32)

Causes. Vincent II de Gonzague (1594/26-12-1627) a désigné comme héritier un Français, Charles de Gonzague-Nevers, son neveu, mais Charles-Emmanuel, duc de Savoie, revendique le Montferrat, fief féminin, avec l'appui de l'Esp.

Déroulement. **1628** Ch.-Em. conquiert le Montferrat et bloque Ch. de Nevers dans Casal. **1629,** 6-3 L. XIII et Richelieu, avec l'armée de La Rochelle, forcent le pas de Suse ; 18-3 délivrent Casal ; avr. *trêve de Suse ;* oct. attaque (esp.) contre Montferrat et Mantoue. **1630,** 23-3 Richelieu prend d'assaut Pignerol (savoyard) ; 17-5 L. XIII prend Chambéry, puis conquiert Savoie ; 6-7 *traité secret de Turin* (négociateur : Mazarin). La Savoie donna Pignerol à la Fr. contre Albe (mantouane) que L. XIII paya 494 000 écus à Nevers ; 10-7 Montmorency et Effiat battent Ch.-Em. à Veillane ; 18-7 les Esp. prennent Mantoue ; 20-7 La Force prend Saluces. **1631** 16-4 *tr. de Cherasco :* l'emp. donne l'investiture de Mantoue et Montferrat à Nevers. **1632** 29-3 *tr. de St-Germain :* reconnaît l'annexion de Pignerol.

Louis XIV le Grand, le Roi-Soleil (1638-1715)

Gouvernement de Mazarin (1643-61)

Dans son testament, L. XIII avait nommé Mazarin Pt du Conseil de régence (L. XIV n'ayant que 5 ans). Le Parlement casse ce testament comme « contraire aux lois fondamentales du royaume », car la monarchie est successive et non héréditaire : dès qu'un roi (ou une régente) est au pouvoir, il l'exerce à sa volonté, sans avoir à tenir compte des volontés du roi précédent. Mais la régente, Anne d'Autriche, nomme Mazarin 1er ministre.

1643 14-5 L. XIV roi (à 4 ans 8 mois 9 j). **1643-48** opposition systématique du Parlement aux édits financiers (ils sont chaque année amendés ou rejetés). *1643 Michel Particelli d'Emery* (1595-1650) surintendant des Fin. ; réforme des impôts (taxe des aisés, taxe du toisé 1644). *Cabale des Importants :* des membres de la haute noblesse [chef : le duc de Beaufort (1616-69) (voir p. 640 a) essaient de remplacer Maz. par Châteauneuf, ancien garde des Sceaux. Beaufort est embastillé en sept., les autres exilés en province. **1650** « Disette monétaire » qui affectera l'Europe jusqu'en 1730 (chute de 80 % des envois d'or péruvien en Esp.). **1651** 7-9 L. XIV déclaré majeur. **1651-52** peste, Maz. a été accusé de l'avoir introduite (1 000 000 de † dont Rouen 17 000). **1652** Colbert intendant de Maz. **1653** 10-7 enregistrement de la bulle pontificale *Augustinus,* condamnant le jansénisme. **1654** 7-6 sacre de L. XIV ; déc. *Nicolas Fouquet* surintendant des Fin. voir p. 640 b. **1660** 2-2 Monsieur (Gaston d'Orléans, oncle du roi) meurt, le petit Monsieur (Philippe, frère du roi) devient duc d'Orl. ; 26-8 entrée solennelle de L. XIV et Marie-Thérèse à Paris. **1661** févr. dispersion des Solitaires de *Port-Royal* (jansénistes) ; 8-3 Mazarin meurt (il lègue tous ses biens à L. XIV et met hors la loi le card. de Retz, chef de la Fronde).

Louis XIV et Colbert (1662-83)

1661-62 maintien des min. de Mazarin : Séguier (garde des Sceaux), Le Tellier (Guerre), Hughes de Lionne (Marine et Affaires ext.), Fouquet (Finances). **1661** 16-3 Colbert intendant des Fin. ; 5-9 il fait arrêter Fouquet (voir p. 640 b). **1662** Colbert « Contrôleur général » des Fin. (titre nouveau). **1664** fondation de la Cie des Indes occ. **1665** Philippe IV, roi d'Esp., meurt. Outre son fils de 4 ans, Charles II (1661-1700), 2 prétendants à sa succession : L. XIV et l'emp. d'Allemagne. **1665-67** *G. anglo-holl* (voir p. 639 a). Colbert fait construire une flotte de g., en prévision de la g. contre l'Esp. **1666** François-Michel de Louvois (1639-91) fils de Michel Le Tellier, succède à son père comme min. **1667-68** *G. de Dévolution* (voir p. 639 a). **1669** janvier occupation de la Lorraine ; juin *expédition de Candie* (Crète) contre les Turcs (échec ; le duc de Beaufort tué). **1670** 30-6 *Henriette d'Angl.* (26 ans), Dchesse d'Orléans (sœur du roi Ch. II), meurt, sans doute d'une péritonite, mais des contemporains ont cru à un empoisonnement (coupables présumés : l'entourage du chevalier de Lorraine, mignon de « Monsieur », mari d'Henriette). L. XIV n'a pas admis la thèse du poison.

1673-79 *Affaire des Poisons* [*1673* Jean Amelin, dit La Chaussée, roué vif pour avoir empoisonné les 2 frères de la Mise de Brinvilliers ; nov. mort du Cte de Soissons, rumeur d'empoisonnement contre la Ctesse (née Olympe Mancini). *1676* 10-7 Marie-Madeleine Dreux d'Aubray (n. 1630), ép. d'Al. Gobelin, marquis de Brinvilliers, accusée d'avoir empoisonné son père, ses frères et attenté à la vie de sa sœur, condamnée, reconnaît ses crimes, fait amende honorable, puis est décapitée et brûlée (16-7). *1679* 7-4 *Chambre ardente* créée à l'Arsenal recherchant les clients éventuels de la Mise ; la Ctesse de Soissons, mère du Pce Eugène, est exilée ; la Mise de Montespan, maîtresse du roi, est disgraciée : elle avait acheté des aphrodisiaques destinés au roi (elle vivra encore à la Cour avant de se retirer en 1691 et mourra le 26/27-5-1707 à 67 ans) ; L. XIV met fin à l'enquête et fait brûler les dossiers pour éviter que le scandale n'éclabousse la Cour. Principale accusée : la Voisin (Catherine Deshaye, ép. Monvoisin) ; née 1640, arrêtée 12-3-1679, exécutée 22-2-1680 après avoir subi la question ; sa fille, mettant en cause Mme de Montespan, est enfermée à Belle-Ile]. **1678** constitution des *Chambres de réunion* (commissions d'experts en droits féodaux, chargés de délimiter les territoires acquis en 1648, 68, 78). **1680** 21-10 fondation de la Comédie-Française. Début des *dragonnades* antiprotestantes (V. Religions). **1681** 28-6 Angélique de Fontanges (20 ans), maîtresse de L. XIV, meurt [on a parlé d'empoisonnement (vengeance de Mme de Montespan disgraciée ?), thèse aujourd'hui écartée] ; 8-7 tr. secret entre L. XIV et *Charles III de Gonzague-Mantoue,* contre une pension de 60 000 livres, le duché de Mantoue devient protectorat fr. (avec droit de garnison à Casal, occupée le 30-9). *Négociateur :* le Cte Mattioli (peut-être le « Masque de fer ») ; 30-9 *Strasbourg,* annexé par décision de la chambre de réunion d'Alsace (à Brisach) ; 5-10 *Alger* bombardé par Petit-Renaud (représailles contre piraterie barbaresque sur les côtes provençales). **1682** 3-2 tr. de commerce avec sultan du Maroc Moulay Ismaïl (liberté commerciale pour la Fr.) ; 19-3 *déclaration des 4 Articles,* soustrayant le clergé fr. à l'autorité du pape (rétractation : 1693).

Louis XIV sous l'influence de Mme de Maintenon (1684-1715)

1683 30-7 la reine Marie-Thér. meurt ; L. XIV se remarie secrètement, en 1684, avec Mme de Maintenon, sa principale conseillère politique ; 6-9 Colbert meurt. **1684** humiliation du doge de Gênes ; bombardement de la ville par Duquesne. *Motif :* on y avait construit 17 galères pour la flotte esp. Le doge présente ses excuses à Versailles. **1685** 18-10 *révocation de l'Édit de Nantes* [(voir Index) jugée sévèrement après le XVIIIe s., elle fut alors très populaire en Fr.]. De 1685 à 1688, le départ en exil des protestants est contrarié aux frontières ; il sera massif ensuite (*conséquences :* essor démographique et écon. du Brandebourg ; renforcement de l'armée de Guillaume d'Orange par 700 officiers huguenots). **1686** 18-11 L. XIV est opéré d'une fistule anale. **1693-94** mauvaises récoltes : famine. **1700** Philippe d'Anjou, petit-fils de Louis XIV, roi d'Esp. **1702** *g. des Camisards* (voir p. 643 a). **1711** 14-4 le dauphin meurt. **1715** 1-9 L. XIV meurt.

Guerre de Trente Ans (période française 1635-48)

Antécédents. *1°) période palatine* (contre les princes protestants allemands) (1618-24) ; *2°) danoise* (1624-29) ; *3°) suédoise* (dès 1630) ; *4°) française* (1635-48). Richelieu veut affaiblir les Habsbourg.

Occasion : 1634, les Esp. des P.-B. occupent l'évêché de Trèves qui s'était placé sous protectorat fr. 1-11 alliance franco-suéd. **1635,** Pces all. signent la *paix de Prague ;* seuls restent en lutte contre Habsbourg d'Autr. : Suédois (Oxenstierna) ; contre Habsbourg d'Esp. : Hollandais ; 19-5 la Fr. déclare la g. à l'Esp. **1636,** l'emp. déclare la g. à la Fr.

Armée française. 20 880 cavaliers, 135 000 fantassins + armée (germano-suédoise) de Bernard de Saxe-Weimar : 6 000 cavaliers, 12 000 fantassins.

Opérations. **1635** mai échec d'une attaque sur les P.-B. [victoire stérile d'*Avein* (20-5) ; rapatriement par mer]. **1636** avr. Henri II de Condé échoue en Fr.-Comté ; 4-8 Esp. prend *Corbie.* **1637** le duc de Rohan évacue La Valteline et les Grisons. **1638** Bernard de Saxe-Weimar conquiert l'Alsace (il meurt en 1639 et son armée est prise en main par le Mal de *Guébriant*). **1639** défection des alliés italiens (Mantoue, Parme, Savoie) et perte de l'It. du N. **1640** *Turin* prise et tr. de protectorat imposé à Christine de Savoie ; *Arras* prise ; Châtillon conquiert l'Artois. **1641** échec d'une occupation de la Catalogne révoltée contre Madrid ; l'amiral de Sourdis (1593-1645, archevêque de Bordeaux) battu à *Tarragone.* **1642** 17-1 à *Kempen,* Guébriant b. l'Esp. Lamboy ; avr. Roussillon conquis ; 9-9 capitulation de *Perpignan ;* juin victoire sur les beaux-fr. de Christine de Savoie (Thomas et Maurice) ; nov. Silésie, Saxe conquises, le Suédois Torstenson envahit la Bohême. **1643** 19-5 *Rocroi,* Condé anéantit l'infanterie esp. **1643-46** conquête de Thionville, Gravelines, Courtrai, Mardyck, Furnes, Dunkerque. **1644** mai Turenne évacue *Fribourg ;* 10-8 Condé victorieux à *Fribourg.* **1645** 5-5 Turenne vaincu à *Marienthal* ; 3-8 Condé et Turenne vict. à *Nordlingen ; Trèves* prise. **1648** 17-5 Turenne et le Suédois Carl-Gustav Wrangel vict. à *Zusmarshausen,* Wurtemberg et Bavière conquises, menaces sur Vienne ; 20-8 *Lens* Condé b. les Esp.

Conclusion. *Tr. de Westphalie* à Münster (8-9-1648) et Osnabrück (6-8-1648) (2 tr. diplomatiques, 1 Constitution germanique). Fr. garde Alsace (moins Strasbourg), Brisach, Pignerol ; son annexion des Trois Évêchés est confirmée ; Suisse et Provinces-Unies sortent de l'Emp. germanique.

Le refus de l'impôt

■ **Gabelle.** Créée par Philippe VI en 1340 (impôt sur le sel), la plus grosse ressource du fisc royal, n'est pas uniforme à l'intérieur du roy. : des pays *rédimés* ont fait un versement forfaitaire (Poitou, Saintonge, Aunis, Angoumois, Gascogne, Périgord, Marche, Limousin, Guyenne, Cté de Foix, Bigorre, Comminges) ; des *provinces franches* ont été dispensées de la gabelle ; [1°) par acte gracieux, lors de leur annexion à la Fr. (Cambrésis, Flandre, Hainaut, Bretagne, Béarn) ; 2°) à cause de leur façade maritime, rendant le contrôle impossible (Boulonnais, Calaisis, côtes de l'Aunis et de la Saintonge, côte du Poitou)]. *Dans les pays de grande gabelle* (Ile-de-France, Picardie, Champagne, Orléanais, Perche, Normandie non côtière, Maine, Anjou, Touraine, Berry, Bourbonnais, Bourgogne), on doit acheter une quantité raisonnable de sel par an (sel du devoir) soit 9 livres, portée à 11 livres 3/4 par personne. Des émeutes s'ensuivent notamment en Bretagne (greniers à sel pillés à Fougères et à Rennes ; 7 000 émeutiers ; 6 000 h. de troupe engagés dans la répression). *Dans les pays de petite gabelle* (Languedoc, Provence, Roussillon, Rouergue, Gévaudan, partie de l'Auvergne, Bresse, Bugey, Dombes, Lyonnais), il n'y a pas de « sel du devoir ». *Dans les pays de quart-bouillon* (Normandie côtière), on a le droit de faire bouillir de l'eau de mer. *Dans les pays de saline* (producteurs de sel), on peut acheter directement le sel aux salines d'Etat (Franche-Comté, Alsace, Trois-Évêchés, Rethélois, Clermontois).

Les FAUX-SAUNIERS font le commerce clandestin du sel dep. les pays où il est le moins cher vers les pays où il est le plus cher. En 1675, le faux-saunage est défini comme un crime.

Révolte du Papier timbré. 1675. A Bordeaux (27 au 30-3) ; Rennes (18-4) ; représailles en sept. : les maisons des meneurs sont rasées. Près de Morlaix (50 paroisses) en juin (meneur : le notaire Le Balp) : le duc de Chaulnes écrase la révolte en août.

Bilan du règne de Louis XIV

1°) **Il a recueilli l'héritage espagnol** (jusqu'en 1715, il gouverne Espagne et Amérique du S. ; les galions du Pérou débarquent à St-Nazaire).

2°) **Il a échoué dans la défense du catholicisme anglais :** la défaite des Stuarts en 1688 marque le début d'une « *3e g. de Cent Ans* » (1688-1815), que la Fr. perdra.

3°) **Il s'est vengé de la Fronde.** Les nobles sont presque constamment mobilisés (une des raisons des g. incessantes a été le désir d'envoyer les nobles au feu), sinon, ils sont gardés à la Cour, dotés de riches pensions, mais contraints à des dépenses encore supérieures, réduits ainsi à la merci du roi ; ce ne sont plus que des courtisans. Les parlementaires perdent le pouvoir administratif et politique au profit des « officiers » royaux.

4°) **Les frontières du N.-E. ont avancé** sur certains points de 200 km : Franche-Comté-Alsace, ligne Meuse-mer du N. Les forteresses de Vauban ont été efficaces et peu coûteuses.

5°) **Il a créé un type de monarchie (absolue)** qui deviendra au XVIIIe s. le « despotisme ». Mais, obsédé par les questions de décorum et d'étiquette, il n'a pas orienté l'absolutisme vers l'efficacité politique.

6°) **Il a répandu en Europe le prestige de la culture classique fr. :** Versailles va pendant un siècle servir de modèle (voir Index).

7°) **Le peuple (rural à 90 %) est resté pauvre** (forte mortalité, famines fréquentes). Mais un certain progrès s'est accompli (infrastructures, annexion de territoires plus riches, début des manufactures et du commerce maritime).

Fortunes comparées

Actif et, entre parenthèses, **passif** (en livres, en sept. 1661). *Mazarin (à sa mort) :* 35 144 891 (1 421 000) ; *Fouquet (lors de son arrestation) :* 15 442 473 (15 531 725) ; *Servien (à sa mort) :* 4 306 944 (2 000 000).

Quelques personnages du règne de Louis XIV

Bart, Jean (1650-1702). Fils d'un armateur dunkerquois, sert dans la marine holl. contre l'Angl. (1666-87). Passe au service de la Fr. comme corsaire en 1672 (g. contre la Holl., 81 prises de g.). Capturé par les Anglais en 1689, s'évade en traversant la Manche à la rame. Se distingue en 1690 à Beachy Head. Chef d'escadre en 1691. Se spécialise dans les actions ponctuelles, avec quelques navires (force ainsi le blocus de Dunkerque, 1694). Anobli, créé chevalier de St-Louis. Meurt de pleurésie au début de la g. de Succession d'Esp., alors qu'il préparait l'attaque de la Holl.

Beaufort, François de Vendôme, duc de (1616-69). Petit-fils d'Henri IV et de Gabrielle d'Estrées. D'abord favori d'Anne d'Autriche, puis évincé par Mazarin, prend part à la Fronde (notamment à la *Cabale des Importants*), où il reçoit le surnom de « Roi des Halles », à cause de son succès auprès des masses populaires. Réconcilié avec la Cour en 1653, il est employé dans la lutte contre les Barbaresques en Méditerranée. Chef de l'expédition de Crète (Candie) en 1669, il meurt à l'ennemi (certains en ont fait « l'homme au masque de fer »).

Catinat, Nicolas (1637-1712). Avocat devenu officier de Turenne, 1680 maréchal de camp, 1688 Lt gén., (1690-93) Cdt en chef de l'armée de Piémont, force le duc de Savoie à la paix (vict. de Staffarde 18-8-1690, et de La Marsaille 4-10-93). 1693 maréchal de Fr. 1701 commande l'armée d'Italie au début de la g. de Succ. d'Esp., battu par le P^ce^ Eugène à Carpi, et disgracié. Finit sa vie dans son château de St-Gratien (Val-d'O.).

Colbert, Jean-Baptiste (1619-83). Fils de Nicolas Colbert de Terron, bourgeois de Reims, lui-même fils d'un contrôleur des gabelles anobli en 1595. *1649* commis dans les services de Michel Le Tellier. *1651* présenté à Mazarin. *1652* gère sa fortune privée. *1659* chargé de veiller à la gestion des Finances de l'État (fait un rapport sur les malversations de Fouquet). Surintendant des bâtiments du roi, il a en main toute l'architecture et les beaux-arts. *1661* intendant des Fin. à la mort de Maz., qui le recommande à L. XIV avant de mourir. *1665* contrôleur gén. des Fin. *1666* 2-12 fait arrêter Fouquet. *1667* à l'Acad. fr. *1669* 18-2 secrétaire d'État à la Maison du roi et 7-3 à la Marine. Construit une flotte de g. de 276 bâtiments et crée le *colbertisme* (la puissance politique, militaire et écon. d'un pays dépend de la masse monétaire dont il dispose : l'essentiel est donc de gagner de l'argent par tous les moyens ; autre nom : mercantilisme national). Contrôlant les dépenses du min. de la Guerre, il mécontente Louvois, qui le dessert auprès de L. XIV. Il risquait d'être disgracié quand il mourut.

Condé (le Grand). Louis II de Bourbon, P^ce^ de (1621-86). Fils du P^ce^ Henri II de Bourbon-Condé (1588-1646), il porte jusqu'à la mort de son père le titre de *duc d'Enghien*. Appelé à la Cour « Monsieur le Duc ». *1641,* ép. Claire-Clémence de Maillé-Brézé (nièce de Richelieu) ; il essaiera, en vain, de faire casser ce mariage pour épouser sa maîtresse Marthe de Vigean. *1642,* mis à la tête d'une armée à 21 ans. *1643,* 18-5 vict. à Rocroi ; 10-8 prend Thionville. *1644,* chef de l'armée du Rhin, enlève Fribourg, Philipsbourg, Mayence. *1645,* ayant rejoint Turenne, remporte avec lui la bat. de Nordlingen (3-8). *1646,* conquiert Dunkerque. *1647,* échoue devant Lérida (Catalogne). *1648,* après la paix de Westphalie, désœuvré, il se jette dans la Fronde. *1649,* 2-7 il prend Paris après le combat du Faubourg St-Antoine, mais, chassé par le peuple parisien, il rejoint le 5-9 l'armée esp. qu'il commandera contre les troupes roy. (chef : Turenne) jusqu'au tr. des Pyrénées (1659). *1660,* amnistié, il cherche à se faire nommer roi de Pologne (échec : Michel Wisniowiecki est élu à sa place en 1669). Reprend du service comme chef des armées de L. XIV. *1672,* 12-6 blessé au passage du Rhin, remporte encore plusieurs victoires, notamment Seneffe (11-8-1674) sur le P^ce^ d'Orange. *1675,* se retire dans son château de Chantilly.

Conti, Armand de Bourbon, P^ce^ de (1629-66). Frère du Grand Condé, entraîné dans la Fronde par leur sœur, la duchesse de Longueville. *1650-51,* enfermé au Havre. *1654,* ép. Anne-Marie Martinozzi, nièce de Mazarin, ce qui le réconcilie avec la Cour. *1655-57,* prend part aux campagnes, puis se convertit au jansénisme et finit dévot.

Conti, François-Louis de Bourbon, P^ce^ de (1664-1709). Fils du précédent. *1688-97,* brillant combattant de la g. de la Ligue d'Augsbourg. *1697,* élu roi de Pologne, il est évincé du trône par Auguste II. *1709,* Cdt en chef dans les Flandres.

Duguay-Trouin, René (1673-1736). Fils d'un riche armateur malouin. *1688,* combat comme corsaire contre les Angl.-Holl. *1697,* dans la marine royale. *1707,* prend une flotte de 64 nav. *1711,* conquiert Rio de Janeiro. *1715,* chef d'escadre, combat encore, notamment les Barbaresques.

Duquesne, Abraham (1610-88). *1617,* mousse à 7 ans sur le bateau de son père (corsaire). *1644,* vice-amiral. *1647,* chef d'escadre. *1650,* ép. Gabrielle de Bernières et vit dans le domaine des Moros (Finistère). *1661,* Colbert le rappelle au service. *1663,* campagne contre les corsaires algériens. *1669,* lieut.-gén. des armées navales. *1672,* relevé de son commandement après la défaite de Solebay. *1674,* commande l'escadre de la Méditerranée. *1675,* vainqueur des Esp. à Stromboli. *1676,* de Ruyter à Alicudi, à Agosta (29-4 ; Ruyter †) ; anéantit les escadres hollandaises-esp. à Palerme (22-6). N'est pas nommé amiral (car, protestant, il refuse d'abjurer). *1679,* campagne contre les Turcs ; bombarde Chio. *1682,* bombarde Alger. *1684* bombarde Gênes, obligeant le Doge à s'humilier. *1688,* meurt d'apoplexie. *1701,* son fils Henri, resté protestant, s'établit à Genève.

Fouquet, Nicolas (1615-80). Fils d'un conseiller au Parlement, vicomte de Vaux, enrichi par le commerce avec le Canada, il achète la charge de procureur général au Parlement de Paris et devient l'ami de Mazarin. *1653* nommé surintendant gén. des Fin., il s'enrichit et peut acheter le marquisat de Belle-Isle. Colbert prouve au roi ses nombreuses malversations. *1661*-17-8, Louis XIV, fastueusement reçu au château de Vaux, le fait arrêter le 5-9 à Nantes par d'Artagnan. *1664* 30-12, après un procès en partie falsifié par Colbert, il est condamné pour abus, malversations et lèse-majesté, au bannissement et à la confiscation de ses biens. Louis XIV transforme le bannissement en prison perpétuelle. Fouquet est interné à la forteresse de Pignerol. *1680* 23-3, il y meurt. Certains ont prétendu qu'il avait été empoisonné à Chalon-sur-Saône par des agents de Le Tellier et de Colbert. Il a été considéré comme l'un des « masques de fer » possibles. *Devise :* Quo non ascendet (jusqu'où ne montera-t-il pas ?). *Emblème de la famille :* un écureuil (fouquet, en vieux français).

Lionne, Hugues de (1611-71), Mis de Bercy. Diplomate, collaborateur de Mazarin 1641 ; min. d'État 1659 (dirige les Aff. étr.) ; min. des Aff. étr. 1663 (ayant acheté la charge au Cte de Brienne). A le mérite des plus grands succès dipl. de Louis XIV : mariage espagnol (1647), ligue du Rhin (1657), paix des Pyrénées (1659), achat de Dunkerque (1662), tr. de Breda (1667), d'Aix-la-Chapelle (1668), alliance avec Charles II d'Angl. (1671). Sa femme fut célèbre par ses aventures galantes.

Louvois, François-Michel Le Tellier, marquis de (1641-91). Fils du min. Michel Le Tellier, seigneur de Chaville (1603-85). *1655,* à 14 ans reçoit la survivance de la charge de secrétaire d'État à la G., dont il fait l'apprentissage sous les auspices de son père, qui devient conseiller de la régente. *1662,* associé à son père au secrétariat d'État. *1666,* partage avec son père la responsabilité de min. de la G. (Le Tellier fixé à Paris ; Louvois souvent aux armées). *1668,* surintendant des Postes. *1672,* ministre d'État ; exerce l'intérim des Affaires étr. *1679,* commande de fait la diplomatie (organise les annexions appelées « réunions »). Responsable des provinces-frontières : Flandres, Alsace, Franche-Comté. *1683,* achète la charge de surintendant des bâtiments, que possédait Colbert († 1683). *1689,* disgracié après la chute de Mayence (sur intervention de Mme de Maintenon). *1691,* sa mort soudaine en sortant de chez Mme de Maintenon fit croire à son empoisonnement. L'autopsie montra qu'il avait succombé à « une attaque d'apoplexie pulmonaire ».

Luxembourg, François de Montmorency-Bouteville, duc de (1628-95). Fils du duelliste décapité sous L. XIII (1627). Partisan de Condé, combat dans l'armée esp. contre L. XIV jusqu'en 1659. *1661,* amnistié après le tr. des Pyrénées, ép. l'héritière de la maison de Lux. dont il prend le nom (reconnu duc et pair par le roi). *1668,* conquiert la Franche-Comté. *1672,* commande en chef l'armée de Holl. *1675,* maréchal. *1677,* prend part à la bat. de Cassel (gagnée par le duc d'Orléans). *1685,* disgracié pendant l'affaire des Poisons, retrouve un commandement pendant la g. de Succ. d'Esp. Victoires : Fleurus 1690, Steinkerque 1692, Neerwinden 1693. Surnommé « le Tapissier de Notre-Dame » (on y exposait les drapeaux qu'il avait pris à l'ennemi).

Mademoiselle (la Grande). Anne-Marie d'Orléans, duchesse de Montpensier (1627-93). Fille de Gaston d'Orléans (appelé « le Grand Monsieur »), cousine germaine de L. XIV. Prend part à la Fronde avec son père (dont elle est la conseillère) et sauve l'armée de Condé au combat du Faubourg St-Antoine (2-7-1652) en lui ouvrant les portes de Paris. Cette intervention brise son projet d'épouser L. XIV (elle avait 11 ans de plus que lui, mais possédait l'immense fortune des Bourbon-Montpensier). Exilée à St-Fargeau (Yonne) jusqu'en 1657. *1669* (42 ans), s'éprend du Cte de Lauzun (Antoine Nompar de Caumont, 1633-1723), que le roi fait enfermer à Pignerol. *1680,* voulant doter richement ses fils légitimés, L. XIV autorise la Gde Mademoiselle à épouser Lauzun (créé duc), à condition de léguer au duc du Maine, fiancé à la P^cesse^ d'Orléans, les fiefs de la Dombes et d'Eu. *1685,* maltraitée par son mari, s'en sépare et finit sa vie dans la dévotion.

Maintenon, Françoise d'Aubigné, marquise de (1635-1719). Petite-fille du poète Agrippa d'Aubigné, fille d'un huguenot emprisonné pour intelligence avec l'Angl. (née à la prison de Niort). Enfance à la Martinique. *1647,* revient en Fr., orpheline et ruinée ; mise chez les Ursulines. *1649,* abjure. *1652,* sans un sou, épouse un paralytique, l'auteur comique Paul Scarron (1610-60). Tient un salon littéraire brillant. *1660,* veuve, pensionnée par Anne d'Autr. *1669,* gouvernante des bâtards royaux, nés de la Montespan. *1673,* à l'occasion de leur légitimation, créée M^ise^ de Maintenon. *1680,* dame d'atour de la dauphine (devient sans doute alors la maîtresse de L. XIV, qu'elle épouse secrètement après la mort de la reine, entre 1683 et 1686). *1685,* rend austère la vie de la Cour. Combat les protestants, s'acharne contre Louvois. *1686,* fonde la maison d'éducation de St-Cyr. *1715,* s'y retire après la mort de L. XIV.

« Masque de fer » († 19-11-1703). Prisonnier non identifié, portant un masque de velours noir quand il devait paraître devant une personne étrangère à son service, surveillé par le même officier (M. de Saint-Mars) dans 3 lieux de détention successifs : Pignerol (1679-87), île Ste-Marguerite de Lérins (4-9-1687-98), Bastille (18-9-1698-1703). Enterré au cimetière St-Paul, sous le nom de « Marchiali » (âgé de 45 ans env.), ce qui a fait penser au Cte Mattioli [1er négociateur du tr. de protectorat entre la France et Mantoue (conclu 1681, après 3 ans de discussions), coupable d'avoir révélé le début des pourparlers aux Esp.]. Certains en ont fait un jumeau de L. XIV (Voltaire), son bâtard, le duc de Beaufort, le Cte de Vermandois, le P. Jacques de La Cloche, le duc de Monmouth (bâtard de Charles II d'Angl.), Fouquet, Eustache Dauger de Cavoye (avis d'Alain Decaux) n. 30-8-1637 valet qui aurait empoisonné Fouquet (peut-être à l'instigation de Colbert, d'après Maurice Duvivier), etc.

Mazarin, Jules (1602-61). Diplomate italien, au service du pape (clerc tonsuré, non prêtre), remarqué par Richelieu pendant sa nonciature à Paris (1634-36). *1640,* nommé cardinal « de la couronne de Fr ». *1643-51,* choisi comme successeur par Richelieu mourant, il gouverne la Fr. pendant la régence d'Anne d'Autr. Puis il reste Premier min. avec un pouvoir presque absolu jusqu'à sa mort [on a souvent affirmé l'existence d'un mariage secret avec Anne d'Autr. (il était parrain de L. XIV) ; la reine a toujours nié, disant que Maz. « n'aimait pas les femmes ». Peut-être ont-ils été amants à partir de 1652. Mais Maz. cherchait à se faire élire pape : signant toute sa vie *Mazarini,* pour préserver ses chances ; à plus forte raison, il refusait le statut d'homme marié]. S'intéressant surtout aux affaires étrangères, a remporté des succès diplomatiques (tr. de Westphalie 1648, tr. des Pyrénées 1659). Enrichi par 18 ans de gouv., il bâtit à ses frais le palais où siège actuellement l'Académie et où il a son tombeau. *Nièces* (les « Mazarinettes ») : 2 filles de sa sœur Margarita Martinozzi : Anne-Marie (1637-72) et Laure (1640-87) ; 5 de sa sœur Girolama Mancini : Laure (1636-57), Olympe (1638-1708), Marie [(1639-1706) aimée de L. XIV qui, en 1659, demanda sa main, mais Mazarin refusa (Marie épousa en 1661 le P^ce^ Onuphre Colonna)], Hortense (1646-99), Anne-Marie (1649-1714). *Neveux* Mancini : Paolo (1636-52, tué pendant la Fronde) ; Filippo (1639-1707, créé duc de Nevers 1670) ; Lorenzo (1642-58, mort accidentellement).

Négresse de Moret. Religieuse noire qui, à la fin du XVIIe s., vivait au couvent de Moret (S.-et-M.) et y recevait la visite des plus hauts personnages de la Cour. Appelée sœur Louis Marie-Thérèse, elle était, disait-on, la fille (née le 16-11-1664) de la reine Marie-Thérèse d'Autr., femme de L. XIV, et d'un Noir, qui lui servait de page.

Orléans, Gaston, duc d' (1606-60). Frère de L. XIII duc d'Anjou jusqu'en 1626, ép. 1626 Marie de Bourbon D^{esse} de Montpensier (dont 1 fille : la Grande Mademoiselle). Titre officiel à la Cour : *Monsieur* (on l'appelle « le *Grand Monsieur* », pour le distinguer de son neveu, frère du roi). Complote contre Richelieu, abandonne ses complices (Ornano, Chalais 1626, Montmorency 1632, Cinq-Mars et de Thon 1642) est sauvé car frère du roi. *1642* Richelieu mort, se réconcilie avec L. XIII. Prend part aux campagnes de 1644, 45, 46 (sièges de Gravelines, Courtrai, Bergues). Lt gén. du roy. pendant la minorité de L. XIV. *1648-52,* chef de la Fronde. *1652,* se soumet, livrant à Maz. tous ses partisans (sauf Condé, qui rejoint l'armée espagnole). Exilé jusqu'à sa mort (2-2-1660) dans son château de Blois.

Orléans, Philippe, duc d' (1640-1701). Frère de L. XIV, duc d'Anjou jusqu'en 1660. *1660,* reçoit le duché d'Orléans à la mort de son oncle Gaston. Mazarin, chargé de son éducation, s'efforça d'affaiblir sa personnalité pour éviter à L. XIV les ennuis que L. XIII avait connus avec Gaston. *V. 1656,* il le fit initier à l'homosexualité par son neveu Filippo Mancini. Philippe restera homosexuel (favori : le chevalier de Lorraine), mais eut plusieurs enfants de ses 2 épouses [1°) *Henriette d'Angleterre* (1644-70) ; 2°) Charlotte-Élisabeth de Bavière, P^{cesse} *Palatine* (1652-1722), mère du futur Régent]. *1677,* à Cassel, se révèle un des meilleurs chefs militaires de son temps, écrasant le P^{ce} d'Orange. Mais L. XIV, jaloux, lui retire tout commandement.

Tourville, Hilarion de Cotentin, Cte de (1642-1701). Chevalier de Malte. *1667,* passe dans la marine. *1689,* vice-amiral, comm. la flotte d'invasion d'Irlande. *1690,* 10-7 bat l'amiral angl. Herbert à Beachy Head ; mai, écrasé à La Hougue (pour avoir obéi aux ordres de L. XIV). *1692,* nommé M^{al} de Fr. après sa défaite. *1693,* victorieux au cap St-Vincent.

Turenne, Henri de La Tour d'Auvergne, vicomte de (1611-75, tué au combat). Appartient à la famille protest. des Bouillon (fr. du duc de Bouillon, chef de la Fronde). *1643,* maréchal de Fr. *1648 à 51,* chef militaire de la Fronde. *1651-58,* victorieux des Frondeurs. Il espérait recevoir le titre de connétable, mais à cause de son protestantisme il n'eut que celui de « maréchal général » (1660). *1668,* sa femme Charlotte de Caumont (huguenote convaincue) meurt ; T. se convertit au cath. *1672,* pratique au Palatinat la politique de la « terre brûlée ». Provoqué en duel par l'Électeur palatin, il refusa le combat singulier, par ordre du roi. *1675,* 27-7 tué à Salzback (Bade ; monument élevé dans une enclave française). *1800* Bonaparte fait transférer ses cendres aux Invalides.

Vauban, Sébastien Le Prestre, maréchal de (1633-1707). Petite noblesse bourguignonne, sans fortune. *1650,* officier de Condé (contre la Cour). *1653,* prisonnier, passe au service de Maz. *1655,* ingénieur du roi. Dirige presque tous les sièges. *1674,* brigadier général. *1678,* commissaire gén. des fortifications. Entoure le roy. d'une ceinture de villes fortifiées et d'ouvrages isolés, avec des lignes rasantes, moins vulnérables à l'artillerie. Crée également des ports et travaille au canal des Deux-Mers. Se brouille progressivement avec le roi [1689, critique la révocation de l'Édit de Nantes ; 1698, écrit le *Projet d'une disme royale,* envisageant la suppression de l'exemption fiscale des nobles (publié 1707 ; saisi par la police)]. *1702,* chute de Landau, fortifiée par lui (reprise 1703, reperdue 1704), il envisage de remplacer les villes fortifiées par des camps retranchés, regroupant plusieurs forteresses. *1703,* M^{al} de Fr. mais disgracié.

Vendôme, Louis-Joseph de Bourbon, duc de (1654-1712). Arrière-petit-fils par son père d'Henri IV et, par sa mère, petit-neveu de Maz. *1612-69,* duc de Penthièvre jusqu'à la mort de son père Louis de V. *1695-97,* Cdt en chef en Catalogne, prend Barcelone. *1702,* remporte des victoires en Italie (Luzzara) et 1705 (Cassane). *1708,* accusé de la défaite d'Audenarde en Flandre (le responsable était, en fait, le duc de Bourgogne, petit-fils du roi). Disgracié en France, appelé en Esp. par Phil. V, dont il sauve le trône par des vict. décisives (notamment Villaviciosa, 10-12-1710). Devenu prince esp., enterré à l'Escurial.

Villars, Claude-Louis-Hector, duc de (1653-1734). Fils de diplomate. *1671,* entre dans l'armée. *1674,* colonel de cav. *1683,* ambassadeur à Vienne. *1690,* M^{al} de camp. *1693,* Lt gén. *1697-99,* amb. à Vienne. *1702,* victorieux à Friedlingen (nommé maréchal par ses soldats ; titre confirmé par L. XIV). *1703,* à Hochstaedt. *1704,* pacif. des Cévennes. *1705,* duc. *1709,* blessé à Malplaquet (semi-victoire : l'ennemi est stoppé). *1712,* vict. à Denain, sauve la monarchie. Pt du Conseil de régence. *1715,* joue encore un rôle important aux armées de L. XV (Cdt en chef en Italie à 80 ans).

Villeroi, François de Neufville, duc de (1644-1730). Fils du gouverneur du roi ; élevé avec L. XIV, reste son ami. *1693,* M^{al} de Fr. ; remplace Luxembourg à la tête des armées. Sans cesse vaincu [Chiari 1701 ; Crémone 1702 (prisonnier) ; Ramilies 1706]. L. XIV lui retire son commandement, puis le nomme par testament gouverneur de L. XV.

Villeroi

■ La Fronde (1648-53)

■ **Nom.** Donné par dérision [arme d'enfants (les révoltés n'ont pas pu faire sérieusement du mal à la monarchie)].

■ **Fronde parlementaire (1648-49). Causes :** avr. **1648** *Édit du rachat :* les parlementaires des cours souveraines sont privés pendant 4 ans de leur traitement ; ils ne le récupéreront qu'en rachetant leur charge au prix qu'elle valait lors de l'institution de la paulette (voir p. 638 a). 15-6 *Déclaration de 27 articles :* suppression des intendants, interdiction des impôts non approuvés par le Parlement, garantie de la liberté individuelle. **Déroulement : 1648** 26-8 arrestation du conseiller *Pierre Broussel* (v. 1575-1654), meneur du Parlement ; 29-8 émeutes pop. en sa faveur, la régente libère Broussel et s'enfuit à Rueil. **1649** 5-1 la Cour se replie à St-Germain, fait assiéger Paris par Condé ; 1-4 *paix de Rueil,* Parlement et bourgeois se soumettent.

■ **Fronde des princes (1651-53). Causes :** Les grands seigneurs tiraient la majeure partie de leurs revenus de leurs « gouvernements » (délégation de l'autorité royale dans une province). La création des intendants par Richelieu avait dévalué leur charge et ils voulaient profiter du changement de ministres pour supprimer les intendances. **Chefs :** Gaston d'Orléans, oncle du roi, et sa fille, la G^{de} Mademoiselle ; card. de Retz ; P^{ces} du sang : Condé, Conti (son frère), Longueville (descendant des Dunois : il a épousé la sœur de Condé et de Conti, Anne, qui est la maîtresse de La Rochefoucauld), duc de Beaufort ; D^{esse} de Chevreuse et sa fille, maîtresse de Condé ; M^{al} de Turenne, amoureux de Mme de Longueville et frère du duc de Bouillon.

Déroulement : 1650 janv. Mazarin fait arrêter Condé, Conti, Longueville ; mars, l'armée royale (la reine, L. XIV, Mazarin) assiège Bordeaux (soulevé à cause de la mévente des vins ; la P^{cesse} de Condé est à la tête des insurgés) ; juin, Turenne, avec une armée esp., attaque Guise ; oct. Bordeaux capitule ; 15-12 Mazarin bat Turenne à *Rethel.* **1651** 7-2 le duc de Beaufort *soulève les Halles,* bloque la reine au Palais-Royal. Mazarin s'enfuit en All. ; août, rupture entre Beaufort et Condé ; sept. L. XIV est déclaré majeur. Condé, gouverneur de la Guyenne, prend les armes ; L. XIV le bat à Poitiers ; déc. Mazarin rejoint L. XIV à Poitiers. Le Parlement met sa tête à prix (50 000 écus). **1652** janv. Turenne, chef de l'armée roy. ; Condé recrute une armée esp. ; 1-4 *Bléneau,* Condé bat Turenne puis est battu à *Gien ;* 2-7 *faubourg St-Antoine,* Turenne bat Condé, mais la G^{de} Mademoiselle fait tirer le canon de la Bastille sur les troupes roy. et sauve l'armée de Condé ; 4-7 anarchie à Paris : incendie de l'Hôtel de V. et du Palais Mazarin ; août, Mazarin s'enfuit à Brühl, près de Cologne ; août-oct. Turenne assiégé à Villeneuve-St-Georges par Condé avec des mercenaires wurtembergeois ; 21-10 Paris ouvre ses portes à L. XIV. **1653** févr. Mazarin rentre ; cardinal de Retz arrêté ; Gaston d'Orléans et la G^{de} Mademoiselle exilés à Blois. **1654** 27-3 Condé condamné à mort par le Parlement (rallié au roi) [combattra la Fr. jusqu'au tr. des Pyrénées].

■ Guerre franco-anglo-espagnole (1655-59)

■ **Causes.** [Les princes frondeurs (dont Condé) utilisaient des troupes esp.] ; Angl.-Esp. : rivalité coloniale. **1655** avr. l'Angl. conquiert la Jamaïque ; déc. l'Esp. lui déclare la g. **1657** 23-3 Mazarin et Cromwell signent un tr. d'alliance.

■ **Opérations. 1657** mai-oct. les Fr.-Anglais assiègent et prennent Mardyck (remis à Cromwell). **1658** 14-6 *Les Dunes,* Turenne bat les Esp. (Don Juan d'Autriche, Condé) et prend *Dunkerque* (remis à Cromwell) ; juill.-oct. Turenne conquiert la Flandre et Ypres.

■ **Conclusion. 1659** *7-11 tr. des Pyrénées* (négociateurs : Mazarin, Luis de Haro) [ou *tr. de l'île des Faisans,* car signé dans une île de la Bidassoa, territoire neutre, en esp. Isla de la Facienda (esp. moderne « hacienda », c.-à-d. domaine du fisc : on y pêchait les saumons réservés à l'administration royale) ; dep. le XXe s., appelée « île de la Conférence » et on y élève des faisans] : Esp. cède à Fr. Philippeville, Marienbourg, Avesnes, Roussillon et Cerdagne, Artois (moins Aire et St-Omer), Gravelines, Bourbourg, St-Venant, Landrecies, Le Quesnoy, Thionville, Montmédy. L. XIV épousera l'infante Marie-Thérèse (son père devra verser 500 000 écus d'or le j. du mariage). Maz. l'avait choisie car elle pouvait acquérir des droits sur la couronne esp., mais, pour piquer au vif Philippe IV d'Esp., père de Marie-Thér., il avait feint de rechercher pour L. XIV Marguerite de Savoie. **1660** *5-6* L. XIV et Philippe IV se retrouvent île des Faisans. *9-6* L. XIV ép. Marie-Thérèse à St-Jean-de-Luz.

Nota. – **Cousines de L. XIV pouvant l'épouser :** *Marguerite,* fille de Christine de Fr., régente de Savoie ; *Henriette,* fille d'Henriette-Marie de Fr., reine douairière d'Angl., veuve du roi Charles Ier, décapité ; et *Marie-Thérèse* d'Autr., fille de feu Élisabeth de Fr., 1re épouse de Philippe IV d'Esp.

■ Guerre de Dévolution (1667-68)

■ **Causes.** L. XIV souhaite recueillir l'héritage de son beau-père, le roi d'Esp. (au tr. des Pyrénées, Marie-Thérèse avait renoncé à ses droits contre une dot de 500 000 écus, jamais payée). M.-Th. est fille d'un 1er lit, et, selon le droit coutumier des Pays-Bas, il y a (en droit privé) *dévolution* totale des biens paternels aux héritiers du 1er lit. L. XIV réclame la *dévolution* des P.-Bas (thèse contestable en droit public) et de la Franche-Comté (thèse insoutenable).

■ **Effectifs.** *Flandres :* Français (Turenne) 50 000 h. (Aumont) 8 000 h. ; Esp. (Marcin) 20 000 h. *Franche-Comté :* Fr. (Condé) 15 000 h. ; Esp. 2 000 cavaliers., 6 000 miliciens.

■ **Opérations. 1667** 10/19-2 Franche-Comté conquise ; mai-sept. Flandres conquises jusqu'à Alost (prise de Charleroi, Tournai, Douai, Courtrai, Lille) ; 31-8 Créqui bat Marsin (père) à Gand. **1668** 2-5 *Paix d'Aix-la-Chapelle* sur médiation (menaçante) des Provinces-Unies. La Fr. restitue Franche-Comté, reçoit 11 villes des P.-Bas : Charleroi, Binche, Ath, Douai, Tournai, Audenarde, Lille, Armentières, Courtrai, Bergues, Furnes et le fort de la Scarpe.

■ Guerre de Hollande (1672-78)

■ **Causes.** 1°) ressentiment de L. XIV pour la médiation menaçante des Holl. lors de la g. de Dévolution. 2°) ressentiment des Holl. pour la non-participation de L. XIV à la g. contre l'Angl. en 1666-67.

■ **Effectifs.** *Hollande :* 32 000 en 1669, 80 000 en 1672 (levées réclamées par De Witt). *Brandebourg* (allié des Holl.) : 20 000 h. *Français :* 2 armées de 60 000 h. *Bavière* (alliée) : 18 000 h.

■ **Opérations.** Condé (40 000 h.), Turenne (80 000 h.) se rejoignent devant Maëstricht. **1672** 12-6 *passage du Rhin* à Tolhuis ; 14-6 raid de cavalerie jusqu'à Muyden (10 km d'Amsterdam) ; 19-6 ouverture des écluses de Muyden et inondation de la Hollande ; 20-6 *Jean De Witt* assassiné, remplacé par Guillaume d'Orange 20-8. **1673** févr. Turenne bat les Brandebourgeois en Westphalie ; 7/14-6 les flottes anglo-fr. sont repoussées par Ruyter au banc de Schoonveldt ; 18-6 ouverture de négociations à Cologne ; 1-7 L. XIV prend *Maëstricht,* Cte d'Artagnan, [Charles de Batz (ou de Montesquieu, nom de sa mère)] capitaine, lieutenant de la 1re Cie des mousquetaires, maréchal de camp dep. 25-4-1672, a été tué le 23-6 pendant le siège ; L. XIV adopta ses 2 fils et s'occupa de leur éducation ; 30-8 Holl. obtiennent l'alliance de l'emp. (16 000 h.), Esp. et Lorraine (16 000 h.) : pourparlers rompus ; 7-9 Louvois prend *Trèves ;* 14-9 Esp. et Holl. reprennent *Naarden.* **1674** mai-juin L. XIV et Vauban conquièrent la Fr.-Comté ; juin, Turenne occupe le *Palatinat* et des paysans, ayant tué des soldats, incendient une trentaine de villages ; 11-8 à *Seneffe* Condé vict. [pertes : Fr. 8 000 †, Alliés (Pce d'Orange, Holl. ; Monterey, Esp. ; De Souche, Lorraine) 12 000 †] ; oct. Orange reprend Grave, dernière ville de Holl. occupée par les Fr. ; 4-10 bataille indécise d'*Entzheim* (Turenne 30 000 h., contre Électeur de Brandebourg 57 000 h.). **1675** janv. victoire de Turenne en *Alsace* (campagne d'hiver : par surprise, il prend tous les camps d'hiver des Impériaux ; bataille principale : *Turckheim,* 14-1) ; févr. L. XIV obtient l'alliance de Suède et Pologne (Jean Sobieski) contre le Brand. ; 27-7 Turenne tué à *Salzbach.* Montecucculi conquiert l'Alsace ; sept. Condé reconquiert l'Als. (manœuvres, aucune bataille). **1676** 8-1 bat. indécise de *Stromboli* (Ruyter, Holl. : 36 v., 19 galères ; Duquesne, Fr. : 30 v., 10 brûlots, 24 g.) ; 22-4 *Agosta,* Duquesne vict. (Ruyter tué) ; 2-6 victoire de *Palerme.* **1677** 28-2 L XIV prend Valenciennes ; 11-4 v. *Cassel* [Philippe d'Orléans fr. de L. XIV (30 000 h.)] bat le Pce d'Orange (30 000 h.) : 3 000 †, 4 000 prisonniers. **1678** janv. repli de la flotte de Duquesne ; févr. offensive de L. XIV en Flandres (120 000 h.) ; 12-3 *Gand* prise. **1678-79** *tr. de Nimègue :* Fr. rend Maëstricht, mais acquiert Franche-Comté ; Valenciennes, Bouchain, Condé, Cambrai, Aire, St-Omer, Bailleul, Cassel, Bavay, Maubeuge (P.-B.) (+ Ypres, Warwick, Warneton, Poperingue, maintenant belges) ; Fribourg (Allemagne) ; Longwy (Lorraine). **1679** campagnes contre Brandebourg, Danemark et Saxe, restés en dehors des tr. : 30-6 passage de la *Weser* (Créqui) ; oct. conquête de l'*Oldenbourg* (Créqui) ; juin-nov. paix signée avec Brandebourg (*Nimègue,* 29-6), Danemark et Saxe (*Fontainebleau,* nov.) : statu quo territorial, subventions payées par la Fr.

■ Guerre de la Ligue d'Augsbourg (1688-97)

■ **Causes.** 1°) **Luxembourg :** décrété fr. par la Chambre de réunion de Lorraine ; *1683* 31-8 ultimatum à l'Esp. ; 26-10 décl. de g. 2°) **Palatinat :** *1685* 26-5 mort de l'électeur Charles. L. XIV réclame pour sa belle-sœur, la princesse Palatine, Oppenheim, Simmern, Kaiserslautern, Sponheim (l'agressivité de L. XIV s'explique par la g. austro-turque : l'emp., assiégé dans Vienne, ne peut agir sur la rive gauche du Rhin). *1686* 9-7 l'emp., délivré des Turcs, signe à Augsbourg un tr. d'alliance avec l'Esp. S'y joignent : Suède, Bavière, Franconie, Saxe, Palatinat. 3°) **Cologne :** *1688* 3-6 mort de l'archevêque électeur. L. XIV veut faire élire le card. de Furstenberg, év. de Strasbourg ; 6-9 le pape nomme Joseph-Clément de Bavière, frère de l'Électeur. 4°) **Angleterre :** le roi cathol., Jacques II Stuart, a un fils (J. III) ; *1688* 20-6 son gendre, Guillaume d'Orange, protestant, stathouder de Holl., prend la décision de le renverser.

■ **Effectifs. Français :** 100 000 h. + 25 000 miliciens, 12 compagnies de canonniers ; flotte : 219 vaisseaux de ligne, 45 galères. *Principaux généraux :* Lorges, Boufflers, Catinat, Luxembourg ; amiraux : Tourville, Château-Renault, Forbin, Jean Bart, Duguay-Trouin ; ministre de la Marine, dep. le 3-11-1690 : Louis Phélypeaux de Pontchartrain. **Alliés :** *principaux généraux :* le margrave Louis de Bade, Guillaume III, le duc de Lorraine.

■ **Opérations. 1688** 30-9 occupation de l'électorat de Cologne (et d'Avignon, représailles contre le pape) ; oct.-nov. conquête de la rive g. du Rhin sauf Coblence ; 18-10 l'emp. déclare la g. ; 15-11 débarquement holl. en Angl. (son armée compte 700 off. huguenots). Jacques II fuit. **1689** 23-2 Guillaume et Marie proclamés roi et reine ; mars-juin *destruction du Palatinat* par le maréchal de Tessé, sur ordre de Louvois : Mannheim (presque entièrement détruite), Heidelberg, Spire, Worms, Oppenheim, Brangen sont incendiées ou dévastées, les habitants n'ont eu que quelques j pour évacuer ; Trèves devait être brûlée, mais L. XIV furieux fait donner le contrordre (épisode célèbre : il frappe Louvois à coups de pincettes) ; but : empêcher les armées impériales de « vivre sur le pays » pendant que l'armée fr. attaquait l'Angl. (aucune attaque impériale n'eut lieu dans ce secteur entre 1689 et 1697) ; 22-3 débarquement en *Irlande* (Château-Renault avec Jacques II). **1690** 1-7 *Fleurus* (Belg.) Luxembourg (40 000 h.) bat Waldeck (48 000 h.) ; 18-8 *Staffarde* (Italie) Catinat bat Victor-Amédée ; 23-9 *bat. de Béveziers* [Tourville (70 vaisseaux) bat Anglo-Holl. (60 v., dont 9 détruits et 12 incendiés plus loin)] ; juin *Drogheda* Jacques II battu

Controverses sur la Régence

Portrait du Régent. *Traditionnel :* débauché, libertin, immoral, indolent, organisateur de « soupers » orgiaques avec ses roués ; livré à un favori méprisable, l'abbé Dubois : son ancien répétiteur devenu son compagnon d'armes ; désireux de s'emparer de la couronne roy. ou, à défaut, de celle d'Esp. *Critique :* acharné au travail, ami de la liberté et admirateur des libertés angl., porté à l'ivrognerie et à la paillardise, mais veillant à éviter les scandales ; très peu porté à la dévotion (par réaction contre L. XIV), mais bien disposé envers les jansénistes (qu'il a tirés de prison) ; ami des arts (style « rocaille »).

Bilan de la Régence. A amorcé le redressement économique de la Fr. : la paysannerie s'est enrichie, une nouvelle classe de chefs d'entreprises est née ; gros travaux d'infrastructure (canal de Montargis, port de Lorient, routes) ; mise en valeur de la Louisiane. Mais la politique antiesp. (ayant permis l'anéantissement de la marine de g. esp.) aura des conséquences funestes au cours de la « 3e g. de Cent Ans » contre l'Angl. : le désastre de 1763 (perte du Canada, de la Louisiane et de l'Inde) s'explique par l'affaiblissement des Bourbons d'Esp.

Système de Law

John Law. Écossais (1671-1729), venu en France en 1695 à la suite d'un duel ; publie en 1705 les *Considérations sur le numéraire et le commerce ;* apprécié par le futur Régent ; après sa faillite, vivra 9 ans dans la misère à Venise.

Principe. Remplacer les pièces d'or et d'argent par du papier-monnaie, qui circule plus vite (une somme qui a circulé 2 fois plus vite égale une somme double). Création d'une banque d'État (capital 6 millions ; 1 200 actions), ouvrant des crédits illimités, garantis par des entreprises (coloniales, commerciales, agric., fin., fiscales). **Déroulement.** *1716-19 :* création d'entreprises (par actions), dites sociétés filles et petites-filles de la Banque générale drainant les capitaux nécessaires à la banque d'émission (d'énormes dividendes sont promis). *1719 déc.* plus-value de 40 % sur les dividendes. *1720 févr.* effondrement des actions [passées de 500 livres (mai 1719) à 8 000 – 10 000 (nov. 1719) : causes : spéculation à la baisse des frères Pâris qui provoquent une panique ; et découragement des actionnaires qui touchaient des dividendes de 2 % par rapport au prix payé] ; *17-7* la banque suspend ses paiements, les actions tombent à 50 livres et les billets à 0 (ils sont brûlés). Law s'enfuit en Belgique puis à Venise.

Bilan. A ruiné de nombreuses personnes, mais a relancé les entreprises (boom économique durable) et a permis aux paysans de se libérer de leurs dettes. *Billets en circulation : 1718 (déc.) :* 12 millions. *1719 (24-12) :* 1 000. *1720 :* 2 922.

fuit en Fr. **1691** 8-4 L. XIV prend Mons. **1692** 29-5 *La Hougue* fin des offensives fr. contre les îles Brit. ; 5-6 Namur prise ; 3-8 *Steinkerque* Luxembourg bat Guillaume d'Orange (1 300 pris.). **1693** 28-6 *Lagos* ou cap St-Vincent (Esp.) Tourville (72 vaisseaux) bat Rook et Vandergoes (22 vais., 200 nav. marchands) : 82 nav. coulés ; 29-7 *Neerwinden* Luxembourg (66 000 h.) bat Guillaume d'Or. et Max.-Emmanuel de Bavière (50 000 h.) : 15 000 pris. ; 14-10 *La Marsaille* (Italie) Catinat bat Victor-Amédée (6 000 †, 2 000 pris.). **1696** la Savoie quitte la coalition. **1697** 20-9 et 30-10 *traités de Ryswick :* la Fr. restitue Lorraine, sauf Sarrelouis et Longwy ; ses conquêtes sur la rive dr. du Rhin (garde Strasbourg) ; rend Luxembourg à l'Esp., Pignerol à la Savoie ; reconnaît le changement dynastique en Angleterre.

■ Guerre de Succession d'Espagne (1701-13)

■ **Causes.** 1°) l'emp. Léopold, 2e héritier de la couronne d'Esp. après les Bourbons, ne se résigne pas à perdre ses droits. 2°) Angl. et Holl. (alliées) redoutent la fusion des monarchies esp. et fr. 3°) la dynastie protestante d'Angl. redoute l'appui donné par L. XIV aux Stuarts (influence de Mme de Maintenon, circonvenue par la femme de Jacques II).

■ **Chefs principaux. France :** L. XIV dirige les armées et les flottes esp. et fr. ; les généraux n'osent pas prendre de décisions et envoient des messagers à Versailles ; les ordres arrivent souvent trop tard. **Alliés :** « Triumvirat » Heinsius (Hollande), prince Eugène de Savoie (Empire), John Churchill, duc de Marlborough (Angleterre).

■ **Effectifs France** (1706). 8 armées : Villeroi, Marsin (fils), La Feuillade, Noailles, Tessé, Vendôme, Berwick, Villars ; ministre de la Guerre : Chamillart ; Mal des logis de l'armée : Chamlay.

■ **Déroulement. 1701** 6-2 L. XIV fait occuper P.-Bas esp. : les Holl. craignent pour leur sécurité. **1702** 15-5 Angl., Hollande et Emp. déclarent la g. à Fr. et Esp. (en vertu du tr. de La Haye, dit la *Grande Alliance,* 7-9-1701) ; tous les princes all. y participent, sauf les électeurs de Cologne et de Bavière. Autres alliés de Louis XIV : Savoie (jusqu'en nov. 1703), Portugal (jusqu'en déc. 1703). **Victoires :** *du Mal de Villars :* Hochstaedt 20-9-1703, Friedlingen 14-10-1709, Denain 24-7-1712 ; *du duc de Vendôme :* Luzzara 15-8-1702, Cassano 16-8-1706, Villaviciosa 10-12-1710 ; *de Berwick :* Almansa 25-4-1707 (l'armée fr. est commandée par un Anglais, le duc de Berwick, et l'armée anglo-all. par un Français, Ruvigni Cte de Galway). **Défaites :** Hochstaedt *(Tallard)* 13-8-1704 ; Ramillies *(Villeroi)* 23-5-1706 ; Turin *(La Feuillade)* 8-9-1706 ; Audenarde 11-7-1708 et Lille 30-8-1708 (duc de Bourgogne) ; Malplaquet *(Villars,* puis *Boufflers :* bat. indécise) ; la chanson « Malbrough s'en va-t-en guerre ? » rappelait le Gal anglais John Churchill, duc de Malborough (1650-1722), dont le bruit de la mort s'était répandu dans les lignes françaises lors de la bat. 11-9-1709. **1711** l'Angl. abandonne ses alliés (préliminaires de Londres). **1713** 11-4, *tr. d'Utrecht ;* **1714** 6-3 *tr. de Rastadt* et 7-9 *tr. de Baden.* Fr. cède Terre-Neuve, Acadie, baie d'Hudson à l'Angl., 4 villes de Flandres aux P.-Bas. Phil. V renonce à la couronne de Fr., conserve celle d'Esp., cède Gibraltar, Minorque à l'Angl. Autriche

Quelques personnages

Dubois, Cardinal Guillaume (1656-1723). Fils d'un pauvre apothicaire de Brive-la-Gaillarde (Correze). Études à Paris (payées en étant domestique) ; secrétaire du curé de St-Eustache, *Juin 1683* prend le *petit collet* (homme d'Église sans prêtrise) et devient répétiteur du duc de Chartres (chargé de chercher les mots dans le dictionnaire latin). *1687* gouverneur intérimaire du duc à la mort de St-Laurent (2-8), puis en titre (3-9). *1689* chanoine honoraire d'Orléans. *1690* abbé commendataire d'Airvault. *1691* prend part avec son élève au siège de Mons. *1692* pousse son élève à épouser une « légitimée », Mlle de Blois. *1692-93* secr. du duc de Chartres ; l'accompagne en Flandre (combat vaillamment à Steinkerque 3-8-92). *1693* abbé commendataire de St-Just. *1694-96* combattant en Flandre, près du duc. *1698* négociateur à Londres avec le Mal de Tallard. *1702* secr. des commandements du duc (devenu duc d'Orléans à la mort de son père). *1706-07* combattant en Italie (bat. de Turin 7-9-1706). *1716* nommé conseiller d'État d'Église, par le duc devenu Régent. *1717* négociateur à Londres, conclut le tr. d'alliance contre l'Esp. *1718* min. des Aff. étr. *1720* 14-4 archevêque de Cambrai (ordonné prêtre la veille) ; 4-12 fait enregistrer la *bulle Unigenitus. 1721* 16-7 cardinal. *1722,* janv. membre du Conseil de Régence ; 22-8 principal min. Il meurt relativement pauvre (800 000 livres).

Maupeou, René-Nicolas de (1714-92). Vieille noblesse de robe. *1743-57* 1er Pt du Parlement de Paris. *1763-68* vice-chancelier et garde des Sceaux. *1768* (16-9) chancelier (ami des Jésuites exilés). *1769* appelle l'abbé Terray aux Finances. *1770* fait renvoyer Choiseul. *1771*-3-1 forme le *Triumvirat* avec Terray et d'Aiguillon ; 23-2 réussit le « coup d'État royal » contre le Parlement. *1774* chassé par Louis XVI, se retire dans ses terres en Normandie.

Richelieu, Louis-Armand du Plessis, duc et Mal de (1696-1788). Petit-neveu du cardinal, jeune, porte le titre de duc de Fronsac. *1711* embastillé à 15 ans pour débauche. *1713* officier de l'armée de Villars. *1715* duc à la mort de son père. *1719* compromis dans la conspiration de Cellamare et embastillé. Prend part à toutes les g. de L. XV (faisant fortune en 1757 : pillage du Hanovre). *1780* 3e mariage (84 ans). Très populaire.

Terray, l'abbé Joseph-Marie (1715-78). Sans vocation et libertin : sa fille naturelle, Lucile, épousera Camille Desmoulins, journaliste révolutionnaire. *1736* conseiller ecclésiastique au Parlement de Paris (spécialiste des finances de l'Église). *1769* appelé au min. des Finances par Maupeou, régit 5 ans les fin. de façon dictatoriale (réductions des taux de rentes, augmentation des impôts directs et indirects : surnommé « Vide-gousset »). *1779* remplacé par Turgot.

reçoit P.-Bas, Milanais, Naples, Sardaigne. Duc de Savoie reçoit Sicile.

■ Guerre des camisards (25-7-1702 – 12-5-1704)

■ **Cause.** **1661-1740** les huguenots des Cévennes, commandés par Jean Cavalier (1681-1740), prennent parti pour les Angl. et Holl., protestants. **Effectifs.** *Protestants* 1 500 à 1 800. *Armée royale et supplétifs* 60 000 h. (généraux : M[al] La Baume Montrevel jusqu'en avril 1704, puis M[al] de Villars). **Début.** **1702** 24-7 abbé du Chaila, inspecteur des missions en Cévennes, assassiné au Pont-de-Montvert. Automne, révolte généralisée.

■ **Victoires prot.** *1702,* 24-12 *Mas Rouge,* contre le gouv. d'Alès. *1703,* 17-1 *Sauve. 1704,* 13-3 *Devoir de Martignargues. 1705,* 12-4 *Plan-de-Font-mort.* **Défaites prot.** *Vagnas* (décisive) 10-2-1703 ; *La Tour-du-Billot* 30-4-1703 ; *Nages* 16-4-1704 (1/3 des camisards tués ; Cavalier réduit à négocier). **1704** 12-5 *armistice du pont d'Avène* ; 16-5 Villars offre à Cavalier un brevet de colonel et un régiment dans l'armée royale. Cavalier ne recrute que 97 anciens camisards et déserte le 26-8 (rejoint l'Angl., devient en 1735 G[al]. de l'armée angl.). 470 villages cévenols ont été détruits par l'armée (« grand brûlement des Cévennes »).

La Régence (1715-23)

Le Régent (voir Généalogie p. 621). **Philippe d'Orléans** (1674-1723), neveu de L. XIV, duc de Chartres (1674), duc d'Orléans et 1er prince du sang (1701) ; commandait les armées fr. en 1693 (Neerwinden), 1706 (Turin), 1707-08 (Lérida) : très brave.

1715 2-9 le *testament* de L. XIV organisant la régence pour son arrière-petit-fils, L. XV (5 ans), est lu en public : Phil. d'Orléans s'impose en face de son rival, le duc du Maine (fils légitimé de L. XIV) ; 12-9 le Parlement casse le test. et confie la régence à Phil. d'Orléans ; en échange, il retrouve le droit de remontrance. **1715-18** Phil. gouverne au moyen de « conseils délibératifs » *(polysynodie)* : chaque ministre est remplacé par une assemblée de magistrats et de grands seigneurs, compétente pour les affaires du ministère (inefficacité, perte de temps) : système abrogé le 16-9-1718, sauf pour le Conseil de Rég., composé des conseillers privés du Régent, notamment l'abbé Guillaume Dubois (1656-1723 ; card. 1721). **1716** 2-5 création de la Banque générale et de la Cie d'Occident. **1717** séjour à Paris du tsar Pierre le Grand. **1718** 22-8 les princes légitimés perdent la qualité de pr. du sang. Fondation de La Nouvelle-Orléans (cap. de la Louisiane 1721).

1720 *Peste de Marseille* (85 000 † en Provence) ; 4-12 la *bulle Unigenitus* (antijanséniste) est enregistrée malgré l'opposition des Parlements ; le cardinal Dubois devient officiellement 1er ministre. **1721** 28-11 Louis-Dominique *Cartouche* (n. 1693), chef de brigands, opérant dans la région parisienne (roué vif) ; avant de mourir, dénonce des complices (dont certains de la Cour). **1723** 10-8 mort du cardinal Dubois ; le Régent devient 1er ministre (le roi étant majeur à 13 ans) ; il meurt le 2-12.

■ Guerre de la Quadruple Alliance

■ **Causes.** 1°) Hostilité dynastique entre les Bourbons-Anjou (Philippe V d'Espagne) et les Bourbons-Orléans (le Régent). 2°) Ambition du ministre esp., le cardinal *Jules Alberoni* (1664-1752), voulant récupérer les domaines esp. d'Italie, perdus au tr. d'Utrecht. 3°) Volonté angl. d'affaiblir les Bourbons en profitant de leurs dissensions. **Préparation** *1717* 4-1 triple alliance (Angl., P.-Bas, France) signée à La Haye contre l'Espagne ; *1718* 2-8 adhésion de l'Emp. d'Autriche attaqué par Alberoni en Italie.

■ **Opérations.** **1717** juillet les Esp. conquièrent Sardaigne et Sicile. **1718** juillet-août tentative esp. de fomenter une g. civile en Bretagne [l'ambassadeur d'Esp. Antonio del Giudice, duc de Giovenazzo, P[ce] de *Cellamare* (1657-1733), obtient l'appui du duc et de la duchesse du Maine, du duc de Richelieu, du P[ce] de Conti, du cardinal de Polignac, qui sont exilés ; 4 conjurés bretons sont pris en 1719 et exécutés en avr. 1720 : Mis de Pontcallec, Talhouët, Montlouis, du Couëdic (les principaux coupables : Le Gouvello, Kérantré, Lambilly)] ; oct. les Anglais détruisent la flotte esp. à *Syracuse.* **1719** Berwick attaque l'Esp. par le Guipúzcoa (avril), la Navarre (juin), Urgel (oct.) ; nov. Philippe V renvoie Alberoni. **1720** il adhère à la Quadruple Alliance. **1721** L. XV (11 ans) est fiancé à la fille de Philippe V, Marie-Anne-Victoire (3 ans). **Bilan.** Retour à la politique du bloc franco-esp. de L. XIV, mais l'Esp. a perdu son escadre de Méditerranée.

Louis XV le Bien-Aimé (1710-74)

■ Louis XV avant Choiseul (1723-57)

1723 3-12 le *duc de Bourbon* (Louis-Henri de Condé, 1692-1740) 1er ministre à la mort du Régent ; sa maîtresse, la M[ise] de Prie (1698-1727), gouverne en son nom : elle confie les finances à Joseph *Pâris-Duverney* (1684-1770), banquier partisan des dévaluations monétaires. **1725** 5-9 L. XV ép. la fille de l'ex-roi de Pologne, Marie Leszczyńska (qui a 7 ans de plus). *Motif* : l'infante d'Esp. est trop jeune ; L. XV ne pourrait l'épouser avant d'avoir 23 ans (et s'il mourait sans enfants, le trône irait au duc d'Orléans, f. du Régent, ennemi des Condé). **1726** 11-6 disgrâce de Bourbon (exil de Pâris-Duverney et de *Mme de Prie)* ; 15-6 l'abbé *Fleury* (73 ans) entre au Conseil (nommé cardinal le 20-8, il le préside d'office) ; il stabilise le cours des monnaies.

1727 acquisition du comptoir de *Mahé* (Indes) ; Mgr Soanen, év. de Senez, adversaire de la bulle Unigenitus, est déposé et exilé. **1729** 4-9 naissance du dauphin Louis († 1765) : fin de la rivalité dynastique fr.-esp. : installation des Bourbons d'Esp. (branche cadette) à Parme et en Toscane. **1737** 20-2 disgrâce de *Chauvelin* ; le maréchal de *Belle-Isle* devient le chef du parti anti-autr. **1745** début de la liaison de L. XV avec la *M[ise] de Pompadour* [(Jeanne Poisson, 1721-64) ; elle est roturière, fille et épouse de financier ; les nobles lui sont hostiles : elle régentera : finances, guerre, aff. étr. (avec les conseils du banquier Pâris-Duverney). Elle fait disgracier Orry (1745) (remplacé par Machault d'Arnouville), Maurepas (1749)] ; **1745** mai *création du vingtième,* impôt sur tous les biens, même nobles. Opposition du Parlement. **1750** le clergé refuse de payer la contribution réclamée par Machault (1 500 000 livres). **1751** 23-12 L. XV cède. **1752** Mme de Pompadour fait entrer au Conseil l'abbé François de Pierre *de Bernis* (1715-94), partisan de l'alliance autr. [la g. contre l'Angl. (à cause du Canada et de l'Inde) paraît inévitable ; il faut trouver un allié continental]. **1754** *Godeheu* abandonne aux Angl. les territoires indiens conquis par Dupleix. **1755** 26-5 exécution (strangulation) à Valence de *Louis Mandrin* (n. 1724), chef des faux sauniers et des contrebandiers opérant en Dauphiné et Savoie ; il s'était rendu populaire en attaquant fermes générales et greniers à sel, mais en respectant (dans l'ensemble) les propriétés privées. 31-8 Bernis, négociateur à Vienne ; sept. directeur des Affaires étr. (secr. d'État 1757, card. 1758).

1756 16-1 Frédéric II s'allie à l'Angl. *(tr. de White-hall)* ; 1-5-la Fr. s'allie avec l'Autr. *(tr. de Jouy-en-Josas)* : pour la 1re fois depuis 1498, un roi de Fr. est allié avec un Habsbourg *(renversement des alliances).* Création de la manufacture de Sèvres (porcelaines tendres, puis dures 1770). **1757** 5-1 L. XV blessé par Robert-François *Damiens* (n. 9-1-1715) d'un coup de couteau à la poitrine ; Damiens écartelé 28-3. Conséquences : L. XV, prétextant d'avoir perdu l'affection de ses sujets, renvoie ses 2 ministres réformateurs : Machault d'Arnouville et d'Argenson.

■ Louis XV et Choiseul (1757-70)

1757 mars *Choiseul* est envoyé à Vienne poursuivre la politique de Bernis ; juin, il est créé duc. **1758** oct. Bernis est nommé cardinal, puis disgracié (il voulait traiter avec Frédéric II et abandonner l'alliance autrichienne) ; 3-10 Choiseul remplace Bernis aux Affaires étrangères [il sera 1er min. de fait, avec 3 autres portefeuilles : Postes (28-6-1760), Guerre (27-1-1761), Marine (13-10-1761 ; il crée une flotte de g.)]. **1761** 16-8 *Pacte de famille* entre les Bourbons (France, Espagne, Naples, Parme) : réalise les vues de L. XIV sur la succession d'Esp. (chaque État devient solidaire des 3 autres). **1762** 8-3 *Jean Calas* (né 1698), commerçant protestant de Toulouse, déclaré coupable de la mort de son fils aîné qui se disposait à abjurer, condamné à la torture et au supplice de la roue, exécuté 9-3 (Mme Calas est acquittée), réhabilité 9-3-1765 à la suite d'une campagne de Voltaire ; le fils s'était suicidé. 1-4 le Parlement de Paris ferme les collèges des jésuites ; août *supprime la Cie de Jésus* [motifs : « perverse, pernicieuse, séditieuse, attentatoire », etc. ; raisons réelles : alliance entre jansénistes (dévots, mais gallicans) et philosophes (irréligieux) contre les jésuites antigallicans, antijansénistes (« ultramontains »)]. **1763** 18-2 *tr. de Paris* (voir guerre de Sept Ans p. 644 a).

1764 5-6 le parlement de Rennes (procureur général : La Chalotais) dresse un réquisitoire contre le duc d'Aiguillon, gouverneur de Bretagne ; 16-7 rupture entre Aiguillon et Parlement (début de la « g. parlementaire », qui amènera la fin de l'Ancien Régime). **1766** 23-2 mort (accidentelle) de Stanislas Leszczyński (tombé dans sa cheminée) et annexion de la Lorraine ; 1-7 exécution du *chevalier Jean-François Lefebvre de La Barre* (né 1745), accusé de blasphèmes, de chansons infâmes, de profanation et de ne pas s'être découvert lors d'une procession de la Fête-Dieu, 28-2 condamné à avoir la langue coupée, la tête tranchée et le corps réduit en cendres. Voltaire prendra sa défense. **1768** mars-avr. début de la liaison de L. XV et Jeanne Bécu (future *Ctesse du Barry*). **1769** Académie de Besançon ouvre un concours pour un nouvel aliment végétal [lauréat : Antoine Augustin *Parmentier* (1737-1813) (pomme de terre)]. **1770** 13-5 le dauphin Louis épouse l'archiduchesse Marie-Antoinette d'Autriche [aboutissement de la politique de Bernis, soutenue à Paris par le Cte Mercy d'Argenteau (1727-94), ambassadeur d'Autr. dep. 1766] ; 6-6 le duc d'Aiguillon obtient l'appui de la Ctesse du Barry contre les parlementaires bretons ; juillet-août L. XV sévit contre parlementaires provinciaux ; 2-11 supprime le pouvoir politique des parlements (édit rédigé par le chancelier Maupeou le 23-10). 23-11 disgrâce de Choiseul (qui veut déclarer la g. à l'Angleterre à propos de l'incident anglo-esp. des îles Malouines).

Controverse sur Louis XV

Thèse traditionnelle. Adonné aux plaisirs, paresseux, inconstant (incapable de mener une guerre à terme), dépensier, il ruina la France ; mort haï du peuple, enterré sous les huées.

Thèse de l'école Gaxotte. Intelligent et consciencieux ; sensuel, mais veillant à ce que ses liaisons ne nuisent pas à son gouvernement (il gardait discrètement dans le *parc aux Cerfs* à Versailles des filles jeunes, aux parents consentants : elles ignoraient la personnalité de leur amant et on les mariait à des courtisans en cas de grossesse). L'influence des maîtresses officielles (Pompadour, puis du Barry) était en fait superficielle (portait sur pensions et charges). Le roi menait sa politique en secret et ressemblait aux « despotes éclairés » de son temps, en étant plus libéral et plus généreux. Moderniste et réformateur, il lutta contre les parlementaires rétrogrades, conservateurs des privilèges féodaux (Voltaire a approuvé Maupeou). L. XV s'est aliéné le monde des *Lumières* car il jugeait sévèrement l'anglomanie et la prussomanie des « philosophes » : snobisme et affairisme. Seule plaie de son règne : l'incapacité des généraux fr. (son meilleur G[al] fut un All., le M[al] de Saxe), la haute noblesse « militaire » s'étant muée en noblesse courtisane dep. L. XIV. L. XV a toujours fourni à ses généraux des armées suffisantes (g. de Sept Ans : 160 000 h., de quoi conquérir l'All.). Perte des colonies : un repli provisoire en attendant la nouvelle flotte de Choiseul. L'élimination des parlements par L. XV (« révolution royale » ou « coup d'État royal ») aurait sans doute sauvé l'Ancien Régime, si L. XVI avait poursuivi la politique de L. XV (voir encadré p. 646).

Thèse de l'école Paul del Perugia. L. XV a été victime de sa bonté (il attendit jusqu'à 1771 pour frapper les parlementaires ennemis de la monarchie) et de sa piété (les dévots abusaient de sa crainte de l'Enfer ; ils obtenaient de lui des faveurs, en expiation de ses péchés contre la chasteté ; mais insatiables, ils se sont alliés aux antimonarchistes pour salir sa réputation).

☞ **Le cabinet noir** (appelé aussi « *Secret du Roi* »). Employant 32 personnes, dirigé successivement par Louis-François de Bourbon, P[ce] de Conti (1717-76), Jean-Pierre Tercier (1704-67) et Charles-François, Cte de Broglie (1719-81). Il comprenait un service de renseignements (rapports oraux du lieutenant de police, interception des lettres privées) et un service de correspondance avec l'étranger permettant une diplomatie parallèle. Son existence n'a été découverte que la semaine précédant la mort du roi. Il a fonctionné en secret plus de 20 ans.

■ « Révolution royale » (1770-74)

1771 3-1 ministère *Maupeou (triumvirat),* avec abbé *Terray,* contrôleur général des Finances, et duc d'*Aiguillon,* min. des Affaires étrangères ; 20-1 dispersion du Parlement de Paris ; 23-2 nomination d'un nouveau Parlement, dont les membres ne sont plus propriétaires de leur charge. **1772** L. XV laisse s'accomplir le 1er partage de la Pologne qui profite surtout à son alliée, l'Autriche (il évite un partage de la Suède, projeté par Fr. II et Catherine de Russie). **1773** échec du projet de mariage entre L. XV et Mme du Barry, long procès d'annulation du mariage avec Guillaume du Barry ; la Ctesse joue officieusement le rôle de reine de Fr. 1774 10-5 L. XV meurt de la petite vérole, dans l'indifférence.

■ Guerre de Succession de Pologne (1733-38)

■ **Causes.** 1°) *Désir de la reine* Marie Leszczyńska de remettre son père, Stanislas Leszczyński (1677-1766), sur le trône de Pol. à la mort du roi Auguste II (1-2-1733). 2°) *Volonté d'abattre l'Autr.* [chef du parti antiautr. : Germain de *Chauvelin* (1685-1762), secr. d'État aux Aff. extér.] ; Fleury est pacifiste, mais a la main forcée. **Opérations. 1733** 24-9 : 20 000 Russes (alliés de l'Autr.) chassent Stanislas réélu roi 12 j avant ; 26-9 tr. d'alliance avec Esp. et Sardaigne ; oct. déclaration de g. à l'Autr. **1734** mai : le corps de débarquement fr. à Dantzig est anéanti : Stanislas s'enfuit ; juin-sept. les Fr.-Esp. conquièrent le roy. de Naples. **1738** *tr. de Vienne* 18-11 : Stanislas renonce à la Pol., mais reçoit la Lorraine qui doit devenir française à sa mort ; François de Lorraine, époux de Marie-Thérèse d'Autr., reçoit la Toscane ; Don Carlos de Bourbon devient roi des Deux-Siciles.

■ Guerre de Succession d'Autriche (1740-48)

■ **Causes.** 1°) *Mort sans héritier mâle du dernier emp. Habsbourg,* Charles VI (oct. 1740). Il laisse ses biens héréditaires à sa fille Marie-Thérèse, par la *Pragmatique Sanction.* Mais elle a des rivaux : Auguste de Saxe, Charles-Albert de Bavière (succession entière) ; roi de Sard. (Milanais) ; roi d'Esp. (Autriche, Hongrie, Bohême) ; Frédéric II roi de Prusse (Silésie). Le parti antiautr. voit une occasion de ruiner l'emp. des Habsbourg. 2°) *L'Angl. est décidée à conquérir les colonies fr. et si possible esp.* ; une g. entre Habsbourg et Bourbons est de son intérêt. **Coalitions.** Autr.-Hongrie alliée à Angl., Hollande, Russie contre Prusse, alliée à France et Espagne, Sardaigne, Bavière [l'électeur Charles-Albert est élu emp. 24-1-1742 (Charles VII)], Saxe.

■ **Opérations en Europe. Effectifs** *Français :* 40 000 h. (Belle-Isle) en Bavière, 30 000 h. (Maillebois) contre le Hanovre anglais. **1740** déc. Fréd. II occupe la Silésie. **1741** Belle-Isle occupe Bohême, mais doit l'évacuer (résistance dans Prague du colonel Chevert, 1742). **1742** défection de Fréd. II (*tr. de Breslau* 11-6). **1743** débarquement angl. au Hanovre : George III bat Noailles à Dettingen (27-6) ; juillet, défection de Charles VII de Bav. ; nov. défection de Savoie et Saxe. **1744** Charles de Lorr. franchit Rhin et envahit Alsace (L. XV part à sa rencontre mais tombe malade à Metz) ; nov. d'Argenson (antiautr.), min. des Aff. étr. **1745** Charles VII meurt ; son fils renonce à l'Empire ; 10-5 *Fontenoy :* Maurice de Saxe (50 000 h.) bat le duc de Cumberland (50 000 h.) : 9 000 Anglais † ; oct. le prétendant Stuart conquiert l'Écosse (battu à *Culloden* le 16-5-1746) ; 2-12 Fréd. II prend sa voix à Charles de Lorr. en échange de la Silésie (*tr. de Dresde*). **1746** 21-2 Maurice de Saxe prend Bruxelles ; 10-6 défaite de Maillebois à *Plaisance :* perte de l'Italie, invasion de la Provence ; 11-10 *Raucoux :* Maur. de Saxe bat Charles de Lorr. **1747** 2-2 *Antibes :* Belle-Isle bat les Austro-Sardes et les rejette en Italie ; 2-7 *Lawfeld :* Maur. de Saxe bat Cumberland ; 19-7 *l'Assiette* (Piémont) : Belle-Isle ne peut envahir l'It. (il est tué ; 4 000 Fr. †) ; 16-9 *Berg-op-Zoom :* les Fr. envahissent la Holl.

■ **Opérations coloniales et navales. Effectifs** *Français :* 50 vaisseaux de ligne, 19 frégates. **1744** 22-2 bat. de *Toulon* (indécise). La Bruyère de Court contre Matthews et Hawke. **1745** 6-7 bat. de *Mahé* (Indes) : La Bourdonnais contre Peyton (indécise). **1746** 12-9 La Bourdonnais prend *Madras* ; 13-10 sa flotte est détruite par ouragan ; 19-10 il propose de rendre Madras aux Angl. pour 11 millions (accusé de trahison par Dupleix, directeur de la Compagnie des Indes ; embastillé 1749, acquitté 1751). **1748** Dupleix attaqué dans Pondichéry par Boscawen (30 nav., 8 000 h.) résiste jusqu'à la signature de la paix.

■ **Conclusion 1747,** 10-1 d'Argenson (belliciste) disgracié. **1748** janv. *congrès d'Aix-la-Chap.* La Fr. rend P.-Bas et Madras, reçoit l'île du Cap-Breton et Louisbourg au Canada ; s'engage à éloigner le prétendant Stuart. Frédéric II garde la Silésie.

■ Guerre de Sept Ans (1756-63)

■ **Causes.** 1°) *l'Angl. veut conquérir Inde et Amér. du N.* 2°) l'Autriche veut reprendre Silésie à Frédéric II. 3°) le *parti prussien,* puissant à Versailles à cause des subventions payées par Fréd. II aux « philosophes », s'effondre lorsque Mme de Pompadour passe dans le camp autr. (1752). 4°) la Russie est décidée à attaquer Fréd. II.

■ **Europe. Effectifs français :** 160 000 h. + 24 000 à la disposition de l'Autr. (en Bohême). **Opérations 1755** 28-8 Fréd. II attaque Saxe (qui capitule) ; 15-10 incorpore les Saxons à l'armée pruss. **1757** 6-5 Fréd. II bat François de Lorr. devant Prague ; 18-6 est battu par Daun à Kollin ; 26-7 *Hastenberck :* d'Estrées bat Cumberland : conquête du Hanovre par le M^al de Richelieu ; 8-9 Cumberland capitule à *Closterseven* (Richelieu ne désarme pas l'armée anglo-hanovrienne qui reprendra la lutte en 1758 sous les ordres du duc de Brunswick) ; 5-11 *Rossbach :* Fréd. II (20 000 h.) bat Soubise et Hildburghausen (général des contingents impériaux, 60 000 h.) ; 5-12 *Leuthen :* Fréd. II bat Charles de Lorr. (22 000 prison.) et reconquiert Silésie. **1758** 13-7 *Sundershausen :* Soubise bat Brunswick ; 23-8 *Crefeld :* Brunswick (40 000 h.) écrase Clermont (70 000 h.) ; 25-8 *Zorndorff :* Fréd. II contre Russes (bat. indécise) ; oct. repousse les Autr. en Saxe ; 10-10 *Lutzelberg :* Soubise bat Brunswick. **1759** 13-4 *Bergen :* Broglie (34 000 h.) bat Brunswick (40 000 h.) ; 1-8 *Minden :* Brunswick bat Broglie et Contades ; 12-8 Fréd. II écrasé à Kunersdorf (20 000 † sur 50 000 h.) par Autr. et Russes réunis qui n'exploitent pas la victoire. **1760** 10-6 *Korbach :* Broglie et Saint-Germain battent Brunswick ; 16-7 *Cassel :* Brunswick bat Broglie ; oct. Russes et Autrichiens prennent et pillent Berlin ; 16-10 *Clostercamp :* Castries bat Brunswick (mort du chevalier d'Assas) ; 3-11 *Torgau :* Fréd. II bat Daun. **1761** 16-7 *Villingshausen :* Brunswick bat Soubise (100 000 h.) et Broglie (50 000 h.). **1762** 5-5 défection de l'armée russe (rappelée par Pierre III, tsar depuis le 5-1). *Johannisberg :* Soubise et d'Estrées battent Brunswick.

■ **Guerre navale et coloniale. Effectifs :** *Anglais* (1756) 345 vaisseaux de ligne ; (1760) 422. *Français* 63. **1754** 28-5 un parlementaire fr., Jumonville, tué par les Angl. à Fort Duquesne (Ohio) ; les Fr. détruisent *Fort Necessity.* **1755** 10-6 attentat de Boscawen (amiral anglais) près de *Terre-Neuve* (3 nav. de g. fr. attaqués, 2 capturés) ; juin-juil. l'amiral angl. Hawk capture 300 bateaux de commerce. **1756** 17-8 La Galissonnière (marine) et Richelieu (armée) prennent *Minorque.* L'amiral angl. Byng, repoussé à Mahón, sera fusillé le 4-3-1757. **1757** *Plassey :* 4-2 Clive bat Souradja (Indien allié des Fr.) ; juin conquiert le Bengale ; juin-août les Angl. font de nombreux débarquements sur les côtes de Fr. (île d'Aix, St-Malo) ; 27-7 ils enlèvent *Louisbourg* au Canada. **1759** 17-2 Thomas, Cte de *Lally,* Bon de Tollendal (n. 1702) échoue devant Madras ; sept. la flotte fr. (amiral d'Aché) évacue l'Inde ; 21-6 Wolfe (10 000 h.) débarque à Québec ; 31-7 Montcalm (16 000 miliciens) les repousse ; 13-9 *Québec* pris ; 17-9 capitulation fr. **1760** Lally bloqué dans Pondichéry (capitule janv. 1763 ; condamné à mort par le Parlement de Paris le 6-5-1766, action en révision commencée en 1778 grâce à Voltaire, stoppée 1779 ; son fils Gérard, Mis de Tollendal, avait été élu député de la noblesse aux États généraux). **1762** août les Angl. prennent La Havane.

■ **Conclusion. Tr. de Paris (10-2-1763)** entre Fr., Esp., Angl. *Pertes fr. :* Inde (sauf 5 comptoirs), Canada, Ohio, rive g. du Mississippi, Sénégal, Antilles (sauf St-Domingue, Martinique, Guadeloupe). *L'Esp.* cède Floride à l'Angl. et reçoit Louisiane fr. **Tr. d'Hubertsbourg (15-2-1765)** entre Fr., Prusse, Autr. et pr. allemands : Frédéric II garde Silésie.

Louis XVI (1774-92)

■ De 1774 à 1789

Caractère L. XVI est considéré par une partie de sa Cour, notamment par le duc de Choiseul, comme *imbécile* (handicapé cérébral). D'après ses frères et cousins, cette imbécillité aurait justifié un conseil de régence (comme jadis la folie de Charles VI). Il semble que le parti de Marie-Antoinette (soutenue par sa mère, l'impératrice d'Autriche, et par l'ambassadeur d'Autr., Mercy d'Argenteau) ait fait écarter cette solution. En réalité, L. XVI [plutôt grand pour l'époque (1,76 m), ce qui le faisait passer pour un « grand dadais »] était un timide maladif (il ricanait et se dandinait) et un myope (il ne reconnaissait pas les gens) [il buvait beaucoup d'après Paine].

1774 12-5 exil de Mme du Barry ; 31-8 disgrâce de Maupeou ; remplacé par Jean Phélypeaux *de Maurepas* (1701-81), de la famille des Pontchartrain [L. XVI avait choisi J.-Baptiste Machault d'Arnouville (1701-94), mais sa tante, Mme Adélaïde, l'a obligé à le changer] ; *Turgot,* intendant de Limoges, remplace l'abbé Terray ; *Vergennes,* ambassadeur en Suède, remplace d'Aiguillon ; 12-11 annulation de la réforme judiciaire de Maupeou (1771) et *rappel du Parlement de Paris* (une des causes principales de la chute de la monarchie) ; 9-12 le Parl. adresse des remontrances à L. XVI qui les accepte. **1775** mai *g. des farines :* émeutes à Paris (augmentation du prix du pain) ; 21-7 *Malesherbes* entre au gouv. (min. de la Maison du Roi) ; 21-8 le *Cte de Saint-Germain* min. de la Guerre. **1776** janv. Turgot remplace la *corvée* par une *taxe additionnelle ;* 12-5 sur intervention du Parl., Turgot disgracié (la nouvelle taxe frappant les privilégiés). Malesherbes démissionne ; 11-8 *Clugny* rétablit la corvée ; 22-10 *Necker* remplace Clugny. **1777** 29-6 Necker contrôleur gén. des Fin. lance un emprunt (600 millions). **1778** mémoire secret de Necker au roi : il faut créer, en pays d'élections, des assemblées régionales élues pour diminuer les pouvoirs des parlementaires (1er essai : Berry).

1780 27-2 constitution d'une *Ligue des Neutres* qui reconnaît la liberté de navig. (avec l'appui de Vergennes et malgré l'hostilité anglaise) ; déc. la dette atteint 1 milliard. **1781** 20-4 le Cte de Provence communique aux parlementaires le mémoire secret de Necker sur les assemblées provinciales. Offensive du Pt d'Aligre contre Necker ; 19-5 Necker renvoyé. **1783** *Calonne* aux Fin., emprunt (305 millions) ;

Quelques personnages

Calonne Alexandre de (1734-1802). Noblesse de robe, protégé de Vergennes. **1783** 10-1 contrôleur général des Finances. **1784-86** émet 3 emprunts (env. 300 millions). **1785** se contente d'un « don gratuit » de 18 millions (sur les finances de l'Égl.) ; accusé de complicité avec elle. **1786** juill. propose un vaste plan de réformes (exigeant la réunion des notables). **1787** 13-2 mort de son protecteur Vergennes ; 2-3 mis en échec devant les notables ; 18-4 congédié (exil en Angleterre ; rappelé par Bonaparte en 1802).

Loménie de Brienne, Étienne-Charles (1727-1794). Cadet de famille entré dans les ordres sans vocation. **1752** prêtre. **1760** év. de Condom. **1763** archev. de Toulouse. **1787** min. des Finances ; échoue dans la réforme des services financiers. **1788** renvoyé du ministère, nommé arch. de Sens, puis cardinal. **1789** fait partie des év. libéraux. **1791** prête le serment de la Constitution civile du clergé, renonce au cardinalat. **1793** démissionne de son évêché. Vit à Sens comme simple particulier, souvent maltraité par les sans-culottes. **1794** 18-1 brutalisé toute une nuit, est retrouvé mort le lendemain.

Necker, Jacques (Suisse, 1732-1804). Banquier à Genève, ministre de la Rép. de Genève. Père de Mme de Staël (voir Index). **1772** prête de l'argent à l'abbé Terray et s'introduit dans les milieux financiers de Paris (ambitionne de lui succéder). **1774** évincé par Turgot ; polémique avec lui sur la liberté du commerce des grains (Turgot pour ; Necker contre). **1777** 29-6 contrôleur gén. des Finances ; adopte le système des emprunts (490 millions en 4 ans). **1780** économies dans la Maison du roi ; en butte aux attaques des antiphilosophes. **1781** févr. se justifie dans un *Compte rendu au Roi* (immense succès) ; 19-5 congédié. **1787** polémique avec Calonne sur brochure (il aurait truqué les chiffres de 80 millions) ; exilé en Suisse. **1788** 25-8 rappelé aux Finances. **1789** 11-7 congédié (exilé à Bâle) ; 20-7 rappelé après les émeutes. **1790** 18-9 démissionne et retourne en Suisse.

Turgot, Robert, B^on de L'Aulne (1727-81). Cadet d'un magistrat, destiné à l'Égl. **1752** magistrat à la mort de son père. **1761** intendant à Limoges, lié avec les physiocrates (écrit des ouvrages d'économie). **1774** 24-8 succède à l'abbé Terray (évince Necker, grâce à l'appui de l'abbé de Véry, confesseur de Mme de Maurepas). Programme : création de richesses et économies, mais ni banqueroute, ni impôts nouveaux, ni emprunts ; 13-9 décrète la liberté du commerce des grains (polémique avec Necker). **1776** mars-avril : émeutes (renchérissement des grains) ; 12-5 congédié, remplacé par Necker.

Vergennes, Charles Gravier, comte de (1717-87). Noblesse de robe, neveu de l'ambassadeur Chavigny. **1740** diplomate. **1754** ministre à Constantinople. **1771** ambassadeur en Suède. **1774** remplace le duc d'Aiguillon aux Affaires étr. **1776** contribue à faire tomber Turgot. **1777** prépare la coalition contre l'Angl. **1779** médiateur au traité de Teschen qui amène le 2e partage de la Pologne. **1781** contribue à faire tomber Necker. **1783** 3-9 au tr. de Paris, renonce à récupérer le Canada. **1786** tr. de commerce avec l'Angl. (libre-échangiste, mal accueilli par les industriels français). Meurt en charge pendant les négociations sur le 2e partage de la Pologne.

La France en 1789

..... Limite de Gouvernement
--- Limite de Généralité
Pays d'Élection
Pays d'État
• Chef-lieu de Gouvernement
• Chef-lieu de Généralité
Limite entre pays de droit écrit (au sud) et pays de droit coutumier (au nord)
• Siège du Parlement

GUERRE DE L'INDÉPENDANCE AMÉRICAINE (1775-83)

Causes *1°) révolution des colons anglais d'Am. du N.,* qui ont la sympathie des « philosophes », leur idéologie s'inspirant de Montesquieu et de Rousseau ; *2°) désir des Bourbons de Fr. et d'Esp. de prendre leur revanche du tr. de Paris (1763),* en utilisant la flotte créée par Choiseul.

Opérations *I. En Amér. du N.,* voir États-Unis, à l'Index. II. *Sur mer :* principaux marins français : d'Estaing, Suffren, Latouche-Tréville, La Motte-Picquet, Guichen, de Grasse. **1778** 27-7 bat. d'Ouessant : Orvilliers (Fr.) avec 27 vaisseaux, contre Keppel (G.-B.), indécise. **1778-79** campagne décevante de d'Estaing sur les côtes amér. (Delaware, puis Rhode Island). **1779-81** les Fr.-Esp. assiègent en vain Gibraltar. **1781** de Grasse bloque Yorktown ; capitulation angl. **1782** fin août Suffren prend *Trinquemalé* (Indes).

Conclusion *Tr. de Versailles* (3-9-1783) ; la Fr. ne récupère ni Louisiane, ni Canada (opposition de Washington), mais ses comptoirs d'Inde et du Sénégal. Elle obtient St-Pierre-et-Miquelon, le droit de pêche à Terre-Neuve. L'Esp. récupère Minorque et Floride, mais non Gibraltar. *Conséquences pour la Fr. :* dette alourdie.

21-10 1re ascension (Pilâtre de Rozier et Mis d'Arlandes) à bord d'une montgolfière. **1783-84** hiver exceptionnel, qui détruit les semis de blé. **1785-86** affaire du *Collier :* la Ctesse Jeanne de La Motte-Valois (1756-91) persuade le card. de Rohan (1734-1803) [qui voulait s'attirer les faveurs de Marie-Antoinette] d'acheter à crédit un collier de 1 600 000 livres que M.-A. lui remboursera secrètement ; il remet le collier à un pseudo-officier de M.-A. qui revend les diamants au détail ; les bijoutiers lui réclament la somme ; comme il est insolvable, ils adressent la facture à la reine ; procès devant le Parl. de Paris : J. de La Motte condamnée à être fustigée de verges, marquée au fer et détenue à perpétuité à la Salpêtrière (s'évade 1787 ; meurt à Londres 1791). Le card. de Rohan acquitté est exilé par le roi. *Cagliostro* (1743-95) est acquitté. M.-A. est déconsidérée. **1785-88** expédition de *La Pérouse* vers le N.-O. de l'Amérique (voir Index) : échec.

1786 mars introduction des moutons *mérinos* ; juillet plan de réforme financier et admin. de Calonne : une assemblée de notables sera substituée aux Parl. (qui refuseraient certainement d'enregistrer l'édit). **1787** 22-2/25-5 réunion de l'**Assemblée des notables,** réclamant l'enregistrement des réformes de Calonne par le Parl. ; 8-4 Calonne disgracié : remplacé par *Loménie de Brienne ;* juin le Parl. rejette la « *Subvention territoriale* » qui impose terres nobles et privilégiées ; 6-8 le roi fait enregistrer la subvention par lit de justice ; 14-8 le Parl., qui a mis Calonne en accusation, est exilé à Troyes : émeutes à Paris ; 19-9 il est rappelé à Paris : rentrée triomphale ; 19-11 L. XVI lui impose, au cours d'une séance royale, d'enregistrer un nouvel emprunt de 420 millions. Le duc d'Orléans prend publiquement parti contre L. XVI. **1788** janv. Adrien Duport (1759-98) crée le parti des « Nationaux », opposé à la distinction entre les 3 ordres [*30 membres,* dont Talleyrand et Montesquieu (clergé), La Fayette (noblesse), Dupont de Nemours (Tiers)]. 29-4 le Parl. réclame le partage des pouvoirs politiques entre roi, Parl. et États généraux ; 4-5 L. XVI tente de revenir à la politique de Maupeou (suppression des Parl. et rétablissement de la « Cour plénière », réunion de conseillers désignés par le roi), mais déclenche des émeutes, notamment à *Grenoble* (les magistrats protestent le 20-5 contre la cour plénière ; condamnés à l'exil, ils sont soutenus le 7-6 par la population qui jette des tuiles sur les forces armées : *journée des Tuiles*) ; 13-6 les parlementaires grenoblois cèdent et quittent la ville ; les « Nationaux » y réunissent une assemblée régionale illégale ; 5-7 L. XVI annonce la convocation des États gén., sans précision de date ; 21-7 réunion à *Vizille* de l'assemblée régionale (légale) du Dauphiné qui réclame la double représentation du Tiers État et le vote par tête aux futurs États généraux (formule préconisée par les « Nationaux ») ; elle invite les autres assemblées régionales et états provinciaux à ne voter aucun impôt avant la convocation des États généraux (ce qui équivaut à une grève des impôts) : dépression de L. XVI (crises de larmes) ; 8-8 il supprime la cour plénière et fixe une date pour les États généraux : le 1-5-1789 ; 16-8 l'État suspend les paiements (banqueroute) ; 26-8 *Necker* remplaçe Brienne ; 27/31-8 émeutes réprimées par le M^al de Biron ; 23-9 L. XVI rétablit les parlementaires dans leurs droits (rentrées triomphales dans leur siège en oct.). 20-12 pour éviter la convocation des États généraux, clergé et noblesse de l'Assemblée des Notables (2e session) renoncent à leurs privilèges fiscaux ; 27-12 L. XVI maintient le principe des États généraux (voir p. 695 b).

1789 janv. élections des représentants aux États gén. (participation variable, faible à Paris : 1 706 votants sur 50 000 inscrits ; forte en Bretagne) ; 18-4 émeutes à Paris, rue de Montreuil (le duc d'Orléans est soupçonné de les avoir fomentées) ; 27/28-4 saccage de la manufacture Réveillon (rumeur de baisse de salaires), la troupe tire 35 à 300 †. 5-5 ouverture des **États généraux** [1 139 députés, dont clergé 291 (curés 206), noblesse 270, Tiers État 578] ; 17-6 le Tiers État se proclame **Assemblée nationale ;** 20-6 serment du *Jeu de Paume* (le Tiers État jure de ne pas se séparer avant d'avoir pu donner une Constitution au royaume). 23-6 les députés du Tiers, sommés de se réunir par ordre, refusent. Mirabeau répond : « Nous sommes ici par la volonté du peuple, nous n'en sortirons que par la force des baïonnettes ». 27-6 L. XVI cède et demande à la noblesse et au clergé de se réunir au Tiers. Il ordonne de concentrer des troupes autour de Paris.

■ MONARCHIE NON ABSOLUE (9-7-1789/1-10-1791)

1789 9-7 l'Ass. nat. devient **Constituante ;** 12-7 le roi, pressé par ses frères et Marie Antoinette, renvoie Necker ; le peuple redoute la disette et les bourgeois la banqueroute : manif. à Paris : les électeurs parisiens s'emparent de l'Hôtel de Ville et y installent le comité permanent de la **Commune** (120 m.), qui décide de prendre les gardes fr. comme force armée [au Palais Royal, appartenant au duc d'Orléans, où la police ne peut pénétrer, Camille Desmoulins harangue la foule]. 13-7 celles-ci s'emparent de 28 000 fusils et de 20 canons aux Invalides ; 14-7 **prise de la Bastille :** [garnison : 32 Suisses et 82 invalides (gouverneur : Mis Bernard de Launay, n. 1740, † massacré après la prise de la forteresse). Assaillants : 800 à 3 000 gardes fr., sans officiers, commandés par un ancien sergent blanchisseur à La Briche, Pierre Hulin (1758-1841, Cte d'Empire 1806). Voulant s'emparer de poudre et de munitions, ils franchirent le pont-levis de l'Avance, puis la cour du gouvernement et mirent leurs canons en batterie ; après 4 h de tir, la garnison capitula malgré Launay. PERTES : *assaillants :* env. 100 † et 115 blessés ; *garnison :* 5 massacrés après la reddition (Launay ; son adjoint, Losme ; 2 officiers : Person et Miray ; le prévôt des marchands Jacques de Flesselles, n. 1721) ; *prisonniers délivrés :* 7 (4 escrocs ayant falsifié une lettre de change : Jean Bechade, Bernard Laroche, Jean La Corrège, Jean-Antoine Pujade ; 2 malades mentaux : Tavernier et le Cte de Whyte de Malleville ; 1 jeune prodigue : le Cte de Solages enfermé pour inceste)]. Les assassins vont boire au café de Foy au Palais Royal, déposant sur une table les têtes de Launay et de Flesselles. En juin 1790 les assaillants recevront le titre honorifique de vainqueurs de la Bastille. 15-7 *Te Deum* à N.-D.

16-7 L. XVI rappelle Necker ; **création de la 1re commune de Paris** [maire : Jean-Sylvain Bailly (1736-93, guill.) ; 60 commissions électorales de districts ; une assemblée permanente de leurs délégués], fin de la police royale [les pouvoirs du *lieutenant de police* sont dévolus à l'assemblée permanente ; ceux des *commissaires de police* aux *comités de districts* (dévolution confirmée par une loi du 4-8)]. 17-7 L. XVI vient à l'Hôtel de Ville où il est forcé d'arborer la cocarde tricolore. Le Cte d'Artois part en émigration. 20-7 à 6-8 **Grande Peur** dans les campagnes (émeutes paysannes, peut-être provoquées par les patriotes, réclamant l'abolition des droits seigneuriaux sur les récoltes : plusieurs centaines de châteaux pillés, notamment en Maine et Picardie) ; 29-7 la Constituante crée sa propre police, le *Comité de recherches ;* 30-7 création, à la commune de Paris, d'un conseil de 120 représentants (2 par districts), remplaçant l'assemblée permanente des délégués ; **Nuit du 4 août** abolition des privilèges [décret d'application pris le 15-3-1790 : sont abolies servitudes personnelles : mainmorte, corvée, droit de justice, péage, chasse, pêche ; doivent être rachetées : redevances foncières *réelles* reposant sur d'anciens contrats : cens, rentes, casuels, droits de mutation (abolis 17-7-1793)] ; 26-8 **Déclaration des Droits de l'Homme et du Citoyen ;** 11-9 vote à la Constituante : 673 pour le veto relatif au roi se rangeant à gauche du Pt, 325 contre le veto relatif se rangeant à droite ; 1-10 banquet des gardes du corps qui acclament la reine et foulent aux pieds (dira-t-on) la cocarde. 6-10 L. XVI ramené aux Tuileries à Paris par la foule (comprenant des milliers de femmes venues à Versailles envahir le Palais) (*chef :* Hulin, devenu commandant des gardes nationaux, ex-gardes françaises) ; L. XVI contresigne la Déclaration des Droits de l'Homme ; 21-10 la municipalité crée son propre *Comité de recherches* (qui reçoit les dénonciations) ; 2-11 *nationalisation des biens du clergé* [principal opposant : l'abbé Maury (1746-1817), card. 1794, arch. de Paris 1805] ; 14-12 création des *assignats* [sorte de bons du Trésor, émis sur un capital de 400 millions, la *Caisse de l'extraordinaire,* alimentée par la vente des biens du clergé ; valeur de l'émission : 1 000 livres par bon, intérêt de 5%. Cours forcé d'avril 1790 : intérêt réduit à 3 %, coupures de 300 et 200 l. ; de sept. 1790 : 200 millions supplémentaires, coupures de 50 l. ; décrets du 8-10 et du 18-11-1790 : intérêt supprimé (l'ass. devient un simple papier-monnaie) ; cours forcé de mai 1791 : coupures de 5 l. Juillet 1794 : circulation fiduciaire : 6 milliards ; déc. : 11 ; oct. 1795 : 18 ; janv. 1796 : 39 (l'ass. de 100 l. vaut 1 sou)].

1790 15-1 division de la Fr. en 83 départements ; 13-2 suppression des ordres religieux ; 19-2 le Mis de Favras, accusé d'un projet d'enlèvement de la famille royale, est exécuté ; 15-3 suppression des droits seigneuriaux personnels ; 21-5 **création de la 2e commune** de Paris [48 *Sections* remplacant les 60 districts (chacune a 1 Pt, des secrétaires et 1 commissaire de police élu, avec 16 adjoints chargés de le contrôler) ; un maire (Bailly) ; un bureau de 16 administrateurs ; un conseil municipal de 32 membres, 1 procureur, 2 substituts] ; 12-6 *Avignon* annexé ; 13/15-6 à Nîmes, les milices protestantes massacrent plusieurs centaines de catholiques ; 19-6 *titres de noblesse* supprimés ; 3-7 Mirabeau se rallie à la monarchie ; 12-7 **Constitution civile du clergé ;** 14-7 *Fête de la Fédération* (anniv. de la prise de la Bastille) : messe célébrée au Champ-de-Mars par Talleyrand, év. d'Autun ; 25/26-7 début d'émeute royaliste à Lyon réprimée par garde nationale ; 10-8 plusieurs milliers de gardes nationaux du Vivarais se rassemblent au « *camp de Jalès* ». Bastide Malbosc ramène le calme ; 4-9 *Necker démissionne,* s'estimant incapable de

LA MONARCHIE POUVAIT-ELLE SE RÉFORMER ?

Il y avait 2 solutions possibles :

1°) LE « **DESPOTISME ÉCLAIRÉ** » tel qu'il existait en Autriche (Marie-Thérèse, Joseph II), Prusse (Frédéric II), Russie (Catherine II), Espagne (Charles III) : solution choisie par Louis XV et Maupeou en 1771. *Obstacle :* l'ancienneté et la puissance de la noblesse française (la noblesse espagnole trop pauvre ; les noblesses d'Europe orientale, presque exclusivement rurales, ont cédé devant leurs monarchies ; Napoléon pourra, en 1804, créer un despotisme monarchique français, grâce à la disparition du corps nobiliaire, due à l'émigration). L. XV en imposait suffisamment à ses gentilshommes pour devenir, au-dessus d'eux, un « despote éclairé » (mais il est mort moins de 3 ans après sa « révolution » de 1771). Avec L. XVI, l'échec était certain.

2°) LA MONARCHIE CONSTITUTIONNELLE de type anglais (un Parlement élu, mais tenant ses pouvoirs d'une charte royale, contrôle finances et pouvoir exécutif). Cette solution cherchée en 1787-89, la plus à la mode, après les analyses de Montesquieu, supposait un monarque incontesté conférant aux corps intermédiaires un pouvoir légitime. Ce sera le cas en 1814 : L. XVIII pourra « octroyer » une charte constitutionnelle, étant alors la seule autorité valable dans le pays (la seule reconnue par les puissances occupantes). En 1789-92, au contraire, les Ass. ont dû aller chercher leur légitimité dans la « volonté du peuple » (théorie rousseauiste et antimonarchique).

Causes de la Révolution

I. Révolution « parlementaire » (1788-89) : les parlementaires ne sont ni contre l'absolutisme, ni contre l'hérédité, mais ils veulent que le roi partage ses pouvoirs absolus et héréditaires avec une oligarchie parlementaire formant des assemblées souveraines et de droit divin (le royaume devenant aristocratique au lieu de monarchique). L. XV les avait vaincus en 1771, mais L. XVI a rétabli leur situation en 1774. En 1788, en lui refusant tout emprunt et en préconisant la grève de l'impôt (Vizille), ils essayent d'obtenir de lui le partage de l'autorité royale.

II. « Insurrection des curés » (1788-89) : 60 000 curés, recteurs, desservants, vicaires, prêtres habilités, etc. se répartissent un revenu très inférieur à celui qui va aux évêques, abbés, chanoines nobles ; ils réclament une forte augmentation de la « portion congrue » et une réduction importante des hauts revenus ecclésiastiques ; ils veulent profiter des élections aux États généraux pour faire aboutir cette réforme (211 curés élus contre 48 évêques). De nombreux curés admettent la théorie du presbytérat (hérité des 72 disciples) égal collectivement à l'épiscopat (hérité des 12 apôtres). Le roi passe pour ultramontain (curés et évêques veulent en majorité l'obliger à s'émanciper de Rome). Les cahiers du clergé recommandent souvent aux élus de se considérer comme « des représentants de la nation plutôt que comme les ministres d'une religion ».

III. Révolution nobiliaire (1789-91) : 1°) *Les nobles sont solidaires des parlementaires* pour revendiquer un partage des pouvoirs absolus du roi. 2°) *Endettés, ils réclament de nouvelles sources de revenus :* charges, pensions et surtout profits de g. ; L. XVI étant peu dynamique, beaucoup envisagent un changement dynastique (un frère du roi, le duc d'Orléans ou le P^ce^ de Condé) : l'émigration sera la suite de la rév. nobiliaire (appel aux monarchies étrangères, surtout autrichienne, russe, anglaise). 3°) *Action de La Fayette :* il passe (à tort) pour républicain à cause de sa dévotion à Washington ; son idéal est plutôt de rendre la noblesse pop. en la chargeant de faire triompher le libéralisme. Rôle essentiel dans 3 événements : édit de tolérance (1787), convocation des États généraux (1789), déclaration des droits (1789, inspirée par le *Bill of Rights* américains).

IV. Révolution bourgeoise (1789-92) : 1°) *Désir du « Tiers État »* (intelligentsia bourgeoise, surtout provinciale) de participer aux privilèges des parlementaires et de la noblesse, par la création d'assemblées *électives.* 2°) *Désir d'acquérir des domaines fonciers,* en se partageant les terres d'Église. 3°) *Idéologie « patriote »* (mot forgé vers 1750), ouverte aux idées de *libertés,* notamment de la presse et professionnelle (destruction des corporations).

V. Révolution populaire (1792-94) : 1°) *Mépris pour L. XVI et haine pour Marie-Antoinette (l'Autrichienne).* On dit le roi impuissant : les grossesses de la reine sont attribuées à des adultères (même le Cte de Provence est de cette opinion). De fait, L. XVI était atteint d'un phimosis. On a prétendu en nov. 1776 qu'il avait été opéré. En réalité, l'opération n'a jamais eu lieu et l'illégitimité des naissances royales est souvent admise. 2°) *Hostilités contre noblesse, clergé et bourgeoisie* (formant à elle seule le Tiers État) qui ont commencé une révolution orientée vers le maintien des privilèges. 3°) *Idéologie républicaine* de certains « patriotes », disciples de Rousseau. 4°) *Misère* [plusieurs récoltes déficitaires, arrêt des investissements (par manque d'argent liquide) ; augmentation du coût de la vie, « g. des farines »]. 5°) *Chez les paysans* (88 % de la population) : mentalité opposée aux dîmes, droits féodaux, privilèges ecclésiastiques, ayant provoqué historiquement les « jacqueries » (la *Grande Peur* de juill.-août 1789 est une « jacquerie » antiseigneuriale et anti-ecclésiastique). Mais le sentiment religieux des paroisses neutralise en de nombreux points les tendances sociales.

VI. Déchristianisation. Pour des historiens comme Jean Dumont (*les Prodiges du Sacrilège,* 1984), les révolutionnaires n'étaient opposés ni au pouvoir absolu, ni à la richesse, ni à la noblesse, mais à la religion catholique (application des idées de Voltaire ou Diderot).

Rôle de la franc-maçonnerie

Partisans du rôle joué. *Principaux arguments :* 1°) Le duc d'Orléans, grand responsable des révolutions « parlementaires » et « nobiliaires » qui ont abouti à la révolution rép. de 1792, était f.-m. (Grand Maître) ainsi que La Fayette, son principal lieutenant. Autres f.-m. célèbres de l'époque : Marat, Grouchy, Talleyrand, Le Chapelier, Condorcet, Laclos, Sieyès, Bailly, Pétion, Guillotin, Brissot, Desmoulins, Danton, Hébert. 2°) Les loges ont été l'ossature des clubs révolutionnaires, qui ont forcé la main aux Ass. élues et ont mené la Fr. à la Rép., puis à la Terreur. 3°) Le Directoire, puis le Consulat, qui ont créé l'Empire, sauveur de l'acquis révolutionnaire, étaient aux mains de f.-m. notoires (dont plusieurs Bonaparte).

Adversaires. *Principaux arguments :* 1°) le duc d'Orléans était Grand Maître de la f.-m., mais son ambition était personnelle : il voulait monter sur le trône. 2°) Les f.-m. ont bénéficié de la liberté de la presse et de l'expression qui a caractérisé la société fr. de 1789 à 92 ; ils ont été ensuite les victimes de la Terreur au même titre que les non-maçons. 3°) Le Code civil napoléonien contient très peu de références à la *Déclaration des droits de l'homme* qui était d'inspiration maçonnique.

L'émigration

Origine. Départ vers l'étranger (à partir du 16-7-1789, date de l'émigration du Cte d'Artois, frère de L. XVI, et de ses fils les ducs d'Angoulême et de Berry, des Condé et Conti) de nobles, suivis de prêtres « réfractaires », de soldats des armées royales restés fidèles à leurs officiers, de bourgeois désireux de rejoindre à l'étranger l'élite de la noblesse, et de nombreux gens du peuple. Le Cte de Provence (autre frère de L. XVI) n'émigra que le 20-11-1791. Considérée longtemps comme un mouvement contre-révolutionnaire, l'émigration a été rapprochée des grandes révoltes nobiliaires, telles que la « Ligue du Bien public » ou la « Fronde ». En 1789-90, en effet, de nombreux nobles se sont regroupés à l'étranger par opposition à L. XVI, et dans l'espoir d'obtenir, grâce à une victoire militaire, un régime aristocratique où la noblesse héréditaire jouerait un rôle politique essentiel.

Effectifs. Mal déterminés. En 1825 on a liquidé 25 000 dossiers représentant 67 250 chefs de famille, ce qui correspond à 250 000 ou 300 000 personnes, dont 1/3 du Tiers État (soit 1 Français sur 100) ; 60 % d'h. adultes (dont 1/3 d'ecclésiastiques) ; 40 % de femmes et d'enfants.

Répartition géographique. Les régions frontières (Bas-Rhin, Var) sont les plus touchées par l'émigration populaire (plus de 20 000 paysans catholiques du Bas-Rhin passent en Allemagne). En Vendée, très peu de nobles ont émigré : ils ont encadré les insurgés.

Division politique. *1ers* émigrés (de 1789-90) divisés en « purs » (ultraroyalistes groupés autour du Cte d'Artois), et en partisans de L. XVIII, plus souples, qui tenteront (vainement) de négocier une restauration avec Bonaparte. *2^ds^ émigrés* (de 1792), qui ont fui la Rép. mais sont restés fidèles à la monarchie constitutionnelle (appelés « constitutionnels » et regroupés entre eux, ils sont tenus pour suspects par les autres).

Armées. 25 000 combattants [« *armée de Coblentz dite des Princes* » (les frères du Roi) 10 000 ; *a. du duc de Bourbon* (formée plus tard) 9 000 ; *a. de Worms dite du P^ce^ de Condé* 6 000]. Les 2 premières se sont dispersées après Valmy. La 3e s'est maintenue jusqu'à 1801, à la solde de l'Angl. (armée à cocarde noire, exterminée en 1795 à Quiberon), puis à celle du tsar.

Sièges de la Cour en exil. Principaux centres de ralliement des émigrés (1789-90) : Piémont (*Turin*), puis la Rhénanie (*Coblence*). Après la déposition de L. XVI (10-8-1792), ses 2 frères reçoivent du roi de Prusse une maison à *Hammsur-la-Lippe* en Westphalie ; de là, le Cte de Provence, devenu lieutenant général du roy. à la mort de L. XVI, se rend par mer à *Vérone* (Rép. de Venise) ; il y est proclamé roi de Fr. à la mort de L. XVII (21-6-1795), mais en est chassé le 14-4-1796 ; il retourne en All. à *Blankenburg* (au duc de Brunswick) jusqu'en févr. 1798 ; puis à *Mittau,* dans le palais du duc de Courlande (hôte du tsar, jusqu'en 1807). Menacé par l'avance de Napoléon après Eylau et Friedland (1807), il s'embarque pour l'Angl. le 3-9-1807 ; il y reste au château de *Hartwell* jusqu'à la Restauration de 1814.

Retours. Jusqu'en 1794, les émigrés rentrés clandestinement en France ou faits prisonniers au cours des conquêtes révolutionnaires en Belg., Holl., All., Suisse, It. étaient exécutés. A partir de Thermidor (juillet 1794), il leur est interdit de revenir ; ceux qui rentrent sont reconduits à la frontière. Le 9-1-1795, la *loi Laurenceaux* autorise le retour de 40 000 paysans du Bas-Rhin et du Haut-Rhin. Les nobles demeurés en France organisent dès lors pour leurs parents émigrés un trafic de faux « certificats de résidence », attestant que les intéressés n'avaient jamais quitté la France, et permettant leur radiation de la liste des émigrés. A partir de 1801, Bonaparte prend 20 mesures aboutissant à une *amnistie* quasi générale : en 1802, 40 % des émigrés étaient rentrés. Env. 25 000 nobles en Angl., USA, Russie refuseront de rentrer avant la Restauration de 1814.

---

maintenir l'ordre dans la rue (les gardes nat., membres des Sections en armes, y font la loi) ; 21-9 drapeau tricolore remplace officiellement dr. blanc ; 10-11 Calonne arrive à Turin et devient « premier ministre » de l'émigration ; 26-11 l'Assemblée vote la « *loi du serment* » obligeant les prêtres ayant un ministère à jurer fidélité à la Constitution, 26-12 L. XVI accepte la loi du serment (Voir Religions, p. 517 c). 16-12 à Aix, bandes armées massacrent des notables royalistes emprisonnés ; 22-12 1re loi contre émigrés.

1791 26-1 mise en application de la loi du serment [la majorité des prêtres la refusent, notamment en Vendée (75 %) ; les « réfractaires » sont, en principe, révoqués et remplacés par des « jureurs » (mais ceux-ci sont en nombre insuffisant)] ; 20-2 2e *camp de Jalès* convoqué après le massacre de catholiques à Uzès (le 13-2) ; 28-2 quelques nobles, venus aux Tuileries pour défendre L. XVI contre d'éventuels agresseurs, sont désarmés par La Fayette ; 10-3 le pape Pie VI condamne la constitution civile du clergé ; 20-3 la Constituante déclare Arles (à la municipalité royaliste) en état de rébellion ; 29-3 l'armée départementale des Bouches-du-Rh. y entre et fait régner la terreur ; 2-4 Mirabeau meurt (voir p. 650 c) ; 31-5 torture abolie, guillotine adoptée ; le Cte d'Artois s'installe à Coblence ; 20/25-6 **fuite de Varennes** combinée par Mercy d'Argenteau, amb. d'Autr., et exécutée par l'amant de la reine, le Cte suédois *Axel de Fersen* [(1755-1810), rentré en Suède, feld-maréchal ; accusé sans preuve d'avoir empoisonné le prince royal, le duc d'Augustenborg, massacré au cours des funérailles]. La reine, Fersen, L. XVI et ses enf. s'enfuient vers la Lorraine pour rejoindre la garnison royaliste de Nancy (Mis de Bouillé) ; partie des Tuileries vers minuit, le 20-6, la famille roy. arrive à Somme-Vesle ; à 20 h, elle est à Ste-Menehould : des hussards de Bouillé sont là, mais la population les désarme ; le maître de poste, Drouet, mandaté par la municipalité de Ste-Menehould, part à la poursuite de la berline, la dépasse avant Varennes et y organise un piège ; 22-6 à 5 h du matin, Bayon, aide de camp de La Fayette, arrive à Varennes et fait ramener la berline à Paris sous escorte ; 25-6 L. XVI suspendu par Constituante. Juin-sept. gouvernement du « *triumvirat* » Barnave, Lameth, Duport. 1-7 *1er manifeste républicain* (l'Amér. Paine et 4 Fr. : Achille du Chastellet, Condorcet, Brissot, Nicolas Bonneville) ; 17-7 **massacre du Champ-de-Mars :** La Fayette et Bailly, maire de Paris, font tirer sur des pétitionnaires, demandant le « remplacement » de L. XVI (pétition rédigée par Danton, et peut-être inspirée par le duc d'Orléans) ; env. 400 blessés, entre 12 et 40 † ; 9-7 *décret enjoignant aux émigrés de rentrer* en Fr. ; juillet-août : *plébiscite à Avignon et dans le Comtat Venaissin* [150 000 votants, 102 000 pour la Fr., 17 000 contre, 31 000 abst. (résultats confirmés le 18-8 par l'ass. électorale de Bédarrides)] ; 27-8 *déclaration de Pillnitz :* empereur d'Autriche et roi de Prusse regardent « la situation où se trouve actuellement Sa Majesté le roi de Fr. comme un objet d'un intérêt commun à tous les souverains d'Europe » ; 14-9 Avignon annexé (Carpentras reste fidèle au pape et la g. éclate entre les 2 villes) ; L. XVI prête serment à la Const. ; il est reconnu roi héréditaire ; 30-9 séparation de l'Assemblée constituante que remplace l'Ass. législative ; aucun de ses membres ne peut être un ancien constituant (les principaux orateurs de la Constituante deviennent orateurs des Clubs : Jacobins, Feuillants, Cordeliers).

■ Monarchie constitutionnelle (1-10-1791/10-8-1792)

1791 1-10 réunion des 745 députés de l'**Ass. législative :** droite 160, centre 449, gauche 136 ; 14-10 L. XVI ordonne aux émigrés de rentrer en France ; 16/17-10 Avignon, massacres de la Glacière : 60 prisonniers royalistes jetés du haut d'une tour ; 17-11 Pétion, maire de Paris (procureur : Manuel ; substitut :

Danton) ; 25-11 création du *Comité de surveillance* (futur Comité de sûreté générale) ; 29-11 *Loi dite « du 1er Veto »* contre les prêtres réfractaires (ils pourront être éloignés de leur commune en cas de troubles). Non sanctionnée par L. XVI, elle est malgré tout envoyée par la Législative dans les départements et appliquée localement. Les clubs mènent campagne contre le droit de veto.

1792 1-1 décret d'accusation contre les princes émigrés ; 7-2 traité d'alliance Prusse/Autriche à Berlin : chaque État fournira 40 000 h pour une g. éventuelle contre Fr. ; 9-2 les biens des émigrés sont déclarés biens nationaux ; 1-3 Léopold II meurt à Vienne. Son fils François II, neveu de Marie-Antoinette, plus hostile à la révolution, lui succède ; 5-4 François II refuse l'ultimatum de la Fr. (disperser tous les rassemblements d'émigrés) ; 20-4 déclaration de g. au « roi de Bohême et de Hongrie » (c.-à-d. François II) ; 25-4 *1re guillotine* place de Grève ; 27-5 loi « *du 2e Veto* » (ou « *décret Guadet* ») contre les prêtres réfractaires (ils pourront être déportés hors du royaume sur plainte de 20 citoyens actifs) ; L. XVI met son veto, mais le décret est appliqué malgré tout dans 53 départements sur 83 ; 8-6 décret du min. de la Guerre, Servan, ordonnant la formation d'un camp de 20 000 h. près de Paris ; 9/11-6 pétition dite des *Huit Mille* [tentative d'utiliser contre la gauche l'intervention des *pétitionnaires* (8 000 gardes nationaux parisiens, modérés, viennent protester contre le camp de 20 000 « brigands ») : s'appuyant sur eux, L. XVI, qui a mis son veto, renvoie Servan] ; 10-6 *Monsieur* et *Madame* sont remplacés par *Citoyen* et *Citoyenne ;* 20-6 **Tuileries envahies** par les Sections protestant contre le veto royal ; famille roy. molestée : le futur conventionnel Louis Legendre (1752-97) coiffe L. XVI d'un bonnet rouge ; 7-7 *baiser Lamourette* à l'Assemblée législative [après un discours d'Adrien Lamourette (évêque constitutionnel, 1742-guillotiné 11-1-1794), les députés se réconcilient et s'embrassent ; leur réconciliation ne durera que 1 j] ; 8-7 3e *camp de Jalès :* cernés par les républicains, les catholiques sont égorgés (200 †) ; 11-7 décret proclamant la *patrie en danger ;* 1-8 publication à Paris du *« manifeste de Brunswick »* [écrit 25-7, signé par le duc Charles-Guillaume-Ferdinand de B. (1735-1806), rédigé par Geoffroi de Limon (?-1799), émigré orléaniste] ; maladroit, il provoque la colère des sectionnaires parisiens : le roi de Prusse et le duc de B. menacent Paris d'une « vengeance exemplaire en livrant la ville à une exécution militaire et à une subversion totale » ; 9-8 *« Commune révolutionnaire »* de Paris, contrôlée par Danton, Marat, Robespierre.

Captivité de Louis XVI. 10-8 *Danton,* substitut du procureur de la commune légale de Paris, et agissant comme chef d'une commune insurrectionnelle de Paris (le maire, Pétion, demeurant caché), fait prendre d'assaut les *Tuileries* par la section du Faubourg St-Antoine [env. 12 000 h. et 5 000 provinciaux, en majorité marseillais, conduits par le futur conventionnel girondin Charles Barbaroux (1761-94, guill.)]. Le palais est défendu par 1 100 Suisses, 2 000 gardes nationaux (en partie gagnés aux Républicains), 900 gendarmes avec artillerie (peu sûrs) et 150 gentilshommes volontaires (sur 2 000 convoqués). Soit 1 800 défenseurs sûrs, contre 17 000 assaillants. Pour désorganiser la défense, Danton convoque le commandant (marquis de Mandat) à l'Hôtel de Ville et le fait exécuter. L'assaut commence à 9 h. L. XVI donne immédiatement l'ordre aux Suisses de cesser le feu et de regagner leurs casernes (Courbevoie). En chemin, ils sont massacrés par les Républ. (786 †, dont 26 officiers). Autres défenseurs tués : env. 20. Assaillants : 98 †, 270 blessés. L. XVI est suspendu (par 250 voix et 550 abstentions sur 800 votants), puis enfermé au Temple avec sa famille.

Dictature de la Commune 10-8/21-9-1792

1792 10-8 les 180 sectionnaires au pouvoir à l'Hôtel de Ville, depuis la veille, introduisent 108 membres supplémentaires (6 par sections) dont Robespierre, Hébert, Fouquier-Tinville ; 11-8 la Législative remet les pouvoirs à un *Conseil exécutif provisoire* de 7 membres : Danton, à la fois substitut de la Commune et min. de la Justice, y exerce tous les pouvoirs ; 15-8 soulèvements en Vendée ; 16-8 la Commune, érigée en assemblée souveraine, crée 6 comités exécutifs, dont le *comité de surveillance* (où Marat entrera le 2-9) qui a des pouvoirs dictatoriaux. Il envoie des commissaires en province pour contacter les comités locaux ; 17-8 création du *Tribunal criminel* (Pt : Robespierre qui démissionne aussitôt), pour juger les crimes commis le 10-8 ; *guillotine* dressée place du Carrousel (6 exécutions à partir du 21-8) ; 20-8 La Fayette quitte la Fr. avec son état-major ; 24-8 échauffourées à *Bressuire* (Deux-Sèvres) ; 26-8 bannissement des prêtres réfractaires dans les 15 j ; 29-8 le Tribunal criminel décrète perquisitions nocturnes à domicile et *arrestations des suspects* (env. 12 000 emprisonnements) ; 30-8 la Législative décrète la suppression de la Commune, mais, menacée d'une insurrection par le procureur Manuel, retire son décret ; 31-8 la Commune organise sur le Champ-de-Mars des levées de volontaires pour défendre *Verdun* (assiégé dep. le 29-8) : 1 800 hommes partent chaque jour, équipés par ses soins ; 2/5-9 **massacres de Septembre** 50 % des tueurs sont des « Volontaires » (soit parisiens, soit provinciaux, notamment marseillais) ; 50 %, des « Sectionnaires » (petite bourgeoisie parisienne). *Causes :* 1°) les orléanistes [Marat (longtemps tenu pour l'unique responsable), Danton, Fabre d'Églantine, François Robert] veulent créer un effet de terreur, les troubles étant favorables au duc d'Orléans présenté comme une planche de salut. Ils choisissent de faire tuer des prisonniers dont la mort a moins de conséquences. Danton, ministre de la Justice, dira après Valmy : « J'ai voulu que la jeunesse parisienne arrivât en Champagne couverte d'un sang qui m'assurât de sa fidélité. J'ai voulu mettre entre eux et les émigrés un fleuve de sang ». 2°) les ennemis de l'Égl. (notamment Stanislas Fréron, imprimeur de *l'Orateur du Peuple,* et de nombreux Girondins, dont Gorsas) veulent l'extermination des prêtres non jureurs : ceux-ci sont présentés aux « Volontaires » comme un danger moral pour les épouses laissées à l'arrière du front ; l'abbaye leur est fréquemment désignée comme objectif ; 3°) les boutiquiers ou artisans des « sections » croient à l'arrivée prochaine des Prussiens. Ils tiennent à éliminer des pillards éventuels (notamment les enfants ou jeunes délinquants). L'écrivain Jacques Cazotte (1719-92, guill.), commissaire de la Marine, est sauvé par sa fille (qui trinque avec les bourreaux, dans un verre taché de sang ; on dira ensuite qu'elle a accepté de boire du sang). Les prisonniers (de droit commun et politiques) sont égorgés dans les prisons de Paris [*statistiques pour les prisons parisiennes,* % des † sur le total des incarcérés : Bernardins 96/97 %, St-Firmin 80/83, Châtelet 79/82, Carmes 71/76, Abbaye 58/75, Conciergerie 50/70, Bicêtre 39/41, Grande Force 39/41, Salpêtrière 12. *Catégorie des victimes* (en %) : militaires 6, politiques non-prêtres 5, prêtres 17 (total 223 dont 191 béatifiés le 17-10-1926, 187 ca. comme martyrs), prisonniers de droit commun 72 (total 974, dont 37 femmes et env. 300 enfants ou adolescents). Total général : 1 395 †] ; une circulaire de la commune de Paris, envoyée aux municipalités de province, déclenche les mêmes massacres dans les prisons de Versailles, Meaux, Reims, Orléans, Lyon (env. 300 †) ; 20-9 création de la *carte civique* (obligatoire ; délivrée par le Pt de la section, signée par les secrétaires ; appelée « certificat de civisme » et devant être présentée à toute réquisition ; accompagnée dans certains cas d'un certificat de non-suspicion et d'un c. de non-émigration).

Ire République 22-9-1792/25-10-1795

☞ Voir **Institutions** p. 696.

Convention girondine (21-9-1792/31-5-1793)

1792 21-9 fin de la Législative, *entrée en fonction de la Convention :* 200 Girondins (droite), 140 Montagnards [gauche ; il y a une extrême gauche, formée du « triumvirat » : Claude Basire (1764-94, guill.), François Chabot (1759-94, guill.) et Antoine Merlin de Thionville (1762-1833)], 160 centristes qui se rallieront aux Montagnards. Sur 749 conventionnels, on compte 15 cultivateurs et 1 ouvrier. Dès la 1re séance, la proposition « la royauté est abolie en France » est votée à l'unanimité ; 22-9 jour choisi comme le 1er jour de la Rép. et le point de départ du calendrier rép. ; 6-11 Dumouriez bat Autrichiens à *Jemmapes.* 20-11 découverte de *l'armoire de fer* [où L. XVI gardait des papiers compromettants (correspondance avec Mirabeau, La Fayette, Talon, Dumouriez, etc.)] ; 27-11 *Savoie annexée* (départ. du Mt-Blanc) ; 2-12 dissolution de la « commune des Sections » [Pétion remplacé par le girondin Chambon, à la tête d'une « commune provisoire », formée de 12 commissaires (4e commune)].

Procès de Louis XVI. 1792 11-12 L. XVI prend comme avocats : François Tronchet (1726-1806), Guillaume de Malesherbes (1721-94, guillotiné) et Romain de Sèze (1748-1828). **1793** 17-1 L. XVI condamné à mort : 3 questions ont été posées. 2, le 15-1 : « Louis Capet, ci-devant roi des Français, est-il coupable de conspiration contre la liberté et d'attentat contre la sûreté de l'État ? » (sur 749 conventionnels, 691 oui, 31 absents, 27 abstentions) ; « le jugement sera-t-il soumis à la ratification du peuple réuni dans les assemblées primaires ? » (287 oui, 424 non, 28 absents, 20 abstentions) ; 1, le 16-1 : peine (l'appel nominal commence à 20 h et le vote se termine le 17-1 à 20 h) [sur 745 membres 721 votants (1 †, 6 malades, 2 absents sans cause, 11 par commission, 4 dispensés), majorité : 361, pour la mort 366, détention jusqu'à la fin de la guerre et bannissement après la paix 319, fers 2, mort avec clause restrictive 34 [possibilité de commutation 1, discussion sur l'époque de l'exécution (amendement Mailhe) 23, sursis jusqu'à l'expulsion des Bourbons 8, jusqu'à la paix (époque à laquelle la mort pouvait être commuée et réservant le droit d'exécution en cas d'invasion par une puissance étrangère, dans les 24 h de l'irruption) 2]. La mort a donc été votée à une majorité de 5 voix (en réalité 12 votes pour la mort étaient nuls : Robert, député de Paris, non-Français ; 4 dép. non inscrits ; 4 suppléants n'ayant pas le droit de vote ; 3 dép. ayant voté après s'être récusés) ; 18-1 nouveau décompte nominal demandé par des modérés, résultat porté au procès-verbal : votants 721, majorité absolue 361, mort sans condition 361, avec l'amendement de Mailhe 26, avec diverses modalités de sursis 44, pour d'autres peines (détention, bannissement, fers) 290. Vergniaud ajoutant aux 361 votes inconditionnels les 26 favorables à l'amendement Mailhe, annonça 387 pour la mort. Morisson (de La Bassetière), seul député royaliste de la Vendée, ne vota pas (juger le roi est sacrilège). 19-1 nouvel appel nominal : « Sera-t-il sursis à l'exécution du jugement de Louis Capet ? » Vote terminé le 20-1 à 2 h du matin. Sur 690 suffrages, 310 pour, 380 contre. 21-1 L. XVI exécuté à 10 h 22 place de la Révolution (actuellement pl. de la Concorde) par Sanson : il veut parler au peuple mais les tambours de la Garde nat. (commandés par Santerre) couvrent sa voix ; enterré cimetière de la Madeleine (actuellement bd Haussmann). Son confesseur fut l'abbé irl. Henri Edgeworth de Fermont (1745-Mitau 12-5-1807).

1793 28-1 le *dauphin* est proclamé roi (L. XVII) par les émigrés (Cte de Provence, régent ; Cte d'Artois, lieut. gén. du roy.) ; 1-2 la Convention déclare guerre à Angleterre et Hollande ; 4-2 *comté de Nice* annexé (dép. des Alpes-M.) ; chômage et disette favorisent les enragés : Jacques Roux (prêtre), Leclerc (journaliste), Varlet (orateur) réclament impôts sur les riches, prix fixes pour denrées de 1re nécessité, peine de mort contre accapareurs ; 14-2 les Montagnards reprennent la commune de Paris [maire : Pache ; procureur : Chaumette ; substitut : Hébert ; sous le nom de « *triumvirat* », ils font de la municipalité un foyer d'insurrection (5e commune, dominée par un « comité central des 33 sections » siégeant à l'Archevêché, et intervenant constamment dans la salle de la Convention)] ; 24-2 décret de la Convention prescrivant une levée de 300 000 h. ; 7-3 canton de *Porrentruy* annexé (partie cathol. de l'anc. évêché de Bâle ; dép. du Mont-Terrible) ; Convention déclare g. à l'Esp. ; 8-3 loi : tout émigré est banni à perpétuité, ses biens confisqués ; tout émigré capturé sera exécuté ; 10-3 institution du *tribunal révol.* (malgré l'opposition des Girondins) ; 19-3 les biens des condamnés à mort sont déclarés nationaux ; 6-4 établissement du *Comité de salut public ;* 11-4 cours forcé de l'assignat ; 4-5 *loi du maximum* sur le prix du grain. 30-5 *Chalier,* chef des Montagnards lyonnais arrêté (exécuté 16-7).

Convention montagnarde (31-5-1793/2-4-1794)

1793 31-5 *mise en accusation des brissotins* (girondins) ; 2-6 la Convention, encerclée par sans-culottes et partie de la garde nationale, vote l'arrestation de 29 députés girondins (dont Brissot, Vergniaud, Pétion, Barbaroux, Lanjuinais) et 2 ministres (Lebrun et Clavières) : 21 seront guillotinés le 31-10 ; 9 évadés dont Buzot, Barbaroux, Pétion, tentent de soulever la province et se suicident. Mme Roland sera guillotinée le 8-11, son mari (non député) se suicidera le 10-11 ; 6-6 Marseille, début de l'insurrection ; 14-7 *Marat* assassiné dans son bain par *Charlotte de Corday d'Armont* (n. 1768, guillotinée 17-7-1793, girondine influencée par Barbaroux, elle a voulu libérer la Fr.) ; 27-7 l'armée de la Convention reprend Avignon ; 1-8 la Convention décide de détruire les sépultures roy. à St-Denis ; loi pour la répression en Vendée ; 8-8 au 9-10 siège de *Lyon ;* 19-8 fédéralistes marseillais battus par l'armée de Carteaux près de Salon ; 25-8 Carteaux entre à Marseille rebaptisée « Ville-sans-nom » ; 17-9 *loi des Suspects* (permet d'arrêter « tous ceux qui doivent être considérés comme défavorables au régime nouveau ») ; 18-9 Bordeaux : terreur avec Tallien ; 27-9 *loi du maximum* (fixant un prix-plafond pour des produits courants autres que le grain : les hausses illicites sont punies de mort) ; 1-10 décret enjoignant d'exterminer les brigands de Vendée ; 9-10 républicains entrent à Lyon rebaptisé « Ville-affranchie » ; répression féroce avec Fouché, et Collot d'Herbois ; 14-10 *procès de Marie-Antoinette* [avocats : Guillaume Tronson du Coudray (1750-98, déporté en Guyane) et Claude Chauveau-Lagarde (1756-1841) ; chefs d'accusation : 1°) manœuvres en faveur « des ennemis extérieurs de la Rép. » ; 2°) complot pour allumer la g. civile] ; 16-10 exécutée à 12 h 15 (ensevelie à côté de L. XVI)] ; 6-11 *exécution de Philippe Égalité* (duc d'Orléans) ; 7-11 la Vendée est renommée Vengé ; 10-11 établissement du *culte de la Raison* (non officiel : Robespierre n'y participe pas) ; 19-11 les biens des accusés sont déclarés nationaux, même avant le procès (pour empêcher les donations entre vifs faites par les accusés sûrs d'être mis à mort) ; 4-12 Lyon, Fouché ordonne 1re canonnade à mitraille : 64 jeunes gens tués plaine des Brotteaux (1 683 Lyonnais seront tués ainsi) ; 8-12 mort en Vendée de *Joseph Bara* [(palefrenier, abattu par des voleurs de chevaux) : Robespierre organisera son culte, comme celui d'une victime de la barbarie royaliste ; 28-12 au Panthéon] ; 19-12 Dugommier, secondé par Bonaparte, prend Toulon ; fin du mouvement fédéraliste.

1794 4-2 *esclavage aboli* dans les colonies ; 15-2 adoption comme *drapeau national* du pavillon de marine : bleu-blanc-rouge ; 14-3 arrestation de 21 *ultra-révolutionnaires* ou *hébertistes* du club des (nouveaux) Cordeliers (partisans de la Commune contre la Convention) : 19 exécutions le 24-3, dont Hébert et Cloots.

■ Dictature de Robespierre (2-4-1794/27-7-1794)

1794 2-4 *arrestation des « dantonistes »* ou « vieux Cordeliers » : Danton, Camille Desmoulins, Hérault de Séchelles, etc. (exécutés 4-4) ; 16-4 décret : aucun ex-noble ne peut habiter Paris ; 10-5 *Mme Élisabeth*, sœur de L. XVI, exécutée ; nomination d'un nouveau maire de Paris (Fleuriot-Lescot), et d'une nouvelle municipalité entièrement robespierriste (la Commune perd son influence politique) ; 22-5 attentat manqué d'Admirat contre Rob. et Collot d'Herbois ; 23-5 de Cécile Renault contre Rob ; 28-5 à Bédoin (Vaucluse), un arbre de la liberté est abattu : 63 h. et femmes de 19 à 74 ans exécutés ; Bédoin brûlé ; 8-6 *fête de l'Être suprême*, célébrée par Robespierre (croyance décrétée le 7-5) ; 10-6 (22 prairial) *Loi de prairial* permettant d'exécuter tout accusé sans audition de témoin ou interrogatoire, sur simple preuve *morale* (1 376 exécutions en vertu de ce texte) ; 15-6 1re manœuvre pour ridiculiser Robespierre : Marc Vadier (1736-1828), membre du Comité de sûreté générale, lit un rapport prouvant que la fête de l'Être suprême a été organisée en liaison avec un groupe d'illuminés se réunissant rue de la Contrescarpe [le chartreux Dom Gerle (1736-1801), les prophétesses Suzanne Labrousse (1747-1821) et Catherine Théot (1716-94)] qui saluait Robespierre comme le Messie. Gerle et Catherine sont arrêtés (lui sera libéré après Thermidor, elle mourra en prison) ; 16-6 : 2e manœuvre pour ridiculiser Robespierre : on exécute, revêtus de chemises rouges (tenue des condamnés pour parricide), une simple d'esprit, Cécile Renault (20 ans), accusée d'avoir voulu poignarder Robespierre, et 52 autres condamnés considérés comme ses « complices » ; l'opinion publique est choquée de la mégalomanie du « tyran » (qui n'a rien fait pour interdire la mascarade).

24-7 : 38 guillotinés ; 25-7 : 25 (dont André Chénier) ; 26-7 : 25 (dont 1 père pris pour son fils et la Pcesse de Monaco) ; 27-7 : 24 (dont 2 montreurs de marionnettes).

9 thermidor (27-7) coup d'État anti-rob. *Causes :* 1°) les abus de la *loi de prairial* (les conventionnels eux-mêmes ne sont pas à l'abri) ; 2°) le 8 thermidor (26-7) R. a annoncé une nouvelle purge, menaçant notamment Tallien écroué dep. le 31-5 et sa maîtresse, Teresa Cabarrus (1773-1835), Carnot, Fouché, Barras (mais il ne les nomme pas en public) : ceux-ci s'entendent pour le renverser. *Déroulement :* le *9 thermidor*, à 11 h du matin, R. monte à la tribune pour désigner les épurés ; les modérés avec Tallien l'empêchent de parler. Après 11 interruptions, 2 modérés, Louchet et Lozeau, demandent la mise en accusation de R., son frère, Couthon, Saint-Just, Lebas ; 17 h 30 : les Sections populaires (constituant la Commune révolut.) se soulèvent en faveur de R. et ses amis ; elles les libèrent et les transfèrent à l'Hôtel de V. (chef des émeutiers : Hanriot). 18 h : la Convention met R. « hors la loi » (peut être exécuté sans jugement). 23 h : les troupes d'Hanriot se dispersent à cause de la pluie, Barras occupe l'Hôtel de Ville R. a la mâchoire cassée d'un coup de pistolet, soit tentative de suicide, soit tiré par un gendarme [Charles-André Merda (1770-1812, tué à la Moskowa) qui s'en vanta, reçut un pistolet d'honneur et un brevet d'officier (sous l'Empire : baron, colonel)].

Principaux leaders de la Convention

Période girondine : 21-9-1792 au 31-5-1793. Jean-Pierre Brissot (1754-93, guill.), Étienne Clavière (1735-93, suic.), Armand Gensonné (1758-93, guill.), Élie Guadet (1758-93, guill.), Maximin Isnard (1751-1835), Pierre Tondu, dit Lebrun-Tondu (1754-93, guill.), les époux Roland [Jean-Marie (1734-93, suic.) et Manon, née Philippon (1754-93, guill.)], Charles de Valazé (1751-93, suic.), Pierre Vergniaud (1753-93, guill.).

Période montagnarde : 31-5-1793 au 27-7-1794 (9-10 thermidor an II). *Leaders :* ce sont surtout les membres du Comité de salut public, voir p. 617 c. Également : Camille Desmoulins, voir p. 649, Pierre-Joseph Cambon (1756-1820), membre du comité des Fin. et l'évêque Henri Grégoire (1750-1831), membre du comité de l'Instr. publ.

Période thermidorienne : 27/28-7-1794 au 23-9-1795 (4 brumaire an IV). Le Centre (Marais) domine avec Régis de Cambacérès (1753-1824, duc de Parme 1804), François Boissy d'Anglas (1756-1826), Jean-Lambert Tallien (1767-1820), Paul, Vte de Barras (1755-1829).

☞ **Sort des conventionnels.** Sur 749 : 56 guill., 27 † de mort violente, 15 † fous. Les bourreaux sont jugés après Thermidor (16-12-1794) : 91 acquittés ; 3 guill. : Carrier, Pinard, Grandmaison.

■ Réaction thermidorienne (28-7-1794/23-9-1795)

1794 28/31-7 R. et 103 robespierristes exécutés dont le 28 R. et Fleuriot-Lescot, maire de Paris : 21-8 explosion de la *poudrière de Grenelle,* attribuée aux robespierristes (env. 400 †) ; 31-8 la Commune de Paris est remplacée par des commissions dont le Pt est élu chaque mois ; 11-11 Club des Jacobins fermé ; les conventionnels jac. forment le groupe des *« Crêtois »* [siègent à la crête de la Montagne (extrême gauche)].

1795 17-2 *paix de la Jaunaie* (Vendée) ; 1-4 *Journée de germinal :* émeute jacobine fomentée par les Crêtois ; la foule envahit la Convention ; seuls les Crêtois restent en séance. Mais la salle est évacuée par la troupe, aidée des Muscadins (sectionnaires royalistes). 20 Crêtois arrêtés ; Barrère, Vadier, Billaud-Varenne, Collot d'Herbois sont condamnés à la déportation en Guyane ; 5-4 traité de Bâle, fin de la g. avec Prusse ; 10/11-4 terroristes désarmés ; 16-5 paix avec Autriche ; 20/22-5 : 2e émeute jacobine, *Journée de prairial :* la foule s'empare de l'Ass. le 20, met à mort le conventionnel Féraud, nomme Pt le Crêtois Soubrany, et une commission crêtoise qui amnistie les déportés de germinal (trop tard : ils ont déjà embarqué à Oléron), le retour à la taxation, etc. Les soldats de Menou et Murat, appelés par Tallien, rétablissent l'ordre : 12 députés crêtois sont arrêtés ; 31-5 suppression du Tribunal révolut. (Fouquier-Tinville et 15 juges ont été guillotinés 7-5) ; 8-6 mort officielle de L. XVII au Temple (voir p. 622 c) ; 24-6 début 2e g. de Vendée ; 26-6 débarquement d'émigrés à Carnac et Quiberon ; 23-9 proclamation de la nouvelle Constitution (Directoire) ; 1-10 incorporation au territoire national de la rive gauche du Rhin ; 5-10 *(13 vendémiaire)* les Sections royalistes et modérées de Paris se soulèvent ; dispersées au canon, devant l'*église St-Roch,* par Bonaparte, adjoint de Barras, Cdt des forces de l'intérieur ; 9-10 exécution à Amiens du conventionnel *Joseph Lebon,* robespierriste, ancien oratorien (1765-95), bourreau d'Arras en 1794 ; 26-10 *fin de la Convention.*

■ Directoire (23-9-1795/9-11-1799)

☞ Voir **Institutions** p. 696.

1795 4-11 le « Directoire exécutif » (formé 1-11) s'installe au Luxembourg ; 21-12 échange de *Madame Royale,* fille de L. XVI, contre le ministre Beurnonville et 4 commissaires livrés à l'Autr. par Dumouriez [notamment Bancal des Issarts (1750-1826) et Armand Camus (1740-1804)]. **1796** 26-1 reprise de la g. de Vendée (voir p. 652) ; 19-2 la planche aux assignats est solennellement brûlée place

Terreur

■ **Bilan global des différentes guerres civiles.** 600 000 à 800 000 †. Statistiques incertaines, beaucoup d'archives détruites lors de la Commune en 1871.

■ **Exemples de bilans dressés par des particuliers. Par le bourreau Charles Sanson** (dans ses *Mémoires*), pour la période du 14-7-1789 au 27-10-1795. Mis à la lanterne, tués dans les châteaux 400. Suites des guerres civiles 32 000. Massacres de Septembre 3 400. Morts par guillotine 13 800. Exterminations en Vendée et Chouannerie 180 000. Républicains tués par les Chouans 87 000. Famine et peur 7 000. Émigrés morts à l'étranger ou guillotinés 14 000. Fusillés, mitraillés, noyés en province 18 500. Massacres des Blancs et hommes de couleur aux colonies 50 000. Jacobins mis à mort dans le Midi 14 600. Le roi, la reine, la sœur du roi, le prince du sang 4. Le dauphin 1. Morts aux armées 290 000.

■ **Par Louis-Marie Prudhomme** (1752-1830), dans *Histoire générale et impartiale de la Révolution* (1797). *Guillotinés 18 613,* dont : ci-devant nobles 1 278. Femmes 750. Femmes de laboureurs et d'artisans 1 467. Religieuses 350. Prêtres 1 135. Hommes non nobles de divers états 13 663. Femmes mortes de frayeur ou par suite de couches prématurées 3 748. *Morts de la Vendée 337 000* (dont : femmes 15 000 ; enfants 22 000 ; morts dans la Vendée 300 000). *Victimes à Lyon* 31 000. *Victimes de Carrier à Nantes* 32 000 (dont enfants fusillés 500, noyés 1 500, femmes fusillées 264, noyées 500, prêtres fusillés ou noyés 760, nobles noyés 1 400, artisans noyés 5 300).

■ **Guillotine.** Du nom de Joseph Guillotin (1738-1814), médecin élu à la Constituante qui proposa l'utilisation de cette machine épargnant au condamné les lenteurs et les maladresses du bourreau (admise le 1-12-1789). Connue dès le XVIIe s., la machine fut remaniée par le docteur Antoine Louis, secrétaire de l'Académie de Chirurgie (on la surnomma Louison ou petite Louisette) puis améliorée par un mécanicien, Schmidt. *Nombre* fixé par un décret du 13-6-1793 : 1 par département.

■ **Guillotinés. A Paris.** *1res expériences* 17-4-1792 (sur 3 cadavres) ; *1ers usages* 25-4-1792 place de Grève pour Nicolas Jacques Pelletier voleur et assassin ; 21-8-1792 Collonot d'Angremont. *Nombre total* du 21-1-1793 au 9-9-1795 : 2 794 guillotinés, dont 1 376 entre le 10-6 et le 28-7-1794 (de la loi de prairial au 9 thermidor). *Maximum quotidien :* 7-7-1794 : 68 ; 29-7-1794 (11 thermidor) : 70. *Chiffres de René Sédillot (1987) :* 2 639 dont 1 862 entre mars 1793 et juillet 1794. *Age :* de 16 à 93 ans (L. XVI : 39). **En province** (total) 42 000 dont : 17 000 à la suite d'un procès ; par ex. : Orange 332 [on exécutait aussi par fusillade, le rendement de la guillotine étant insuffisant (notamment le 28-5-1793 : 16 guillotinés pour 45 fusillés)] ; Bayonne (1794) 62 ; Bordeaux 298 ; Arras 391 ; Rennes 267 ; 25 000 par simple décision administrative (hors-la-loi : rebelles, émigrés ou déportés rentrés clandestinement). Condamn. à mort : Ouest 52 %, Sud-Est 19 %. Victimes aristocrates 2%, adversaires politiques 8 à 18 %, roturiers, affairistes, escrocs 80 à 90 %. Dans 6 départements : il n'y eut aucune exécution, dans 31 autres : – de 10.

■ **Exécutions hors guillotine :** à Paris, pendant la dictature de la commune (tribunal criminel du 17-8-1792) et dans les départements insurgés.

Armes blanches et massues : *Paris* (août-sept. 1792 ; 1 395 †, dont 420 ne purent être identifiés (cadavres mutilés ou brûlés). *Bois de Beaurepaire* en Vendée (déc. 1793) : 300 femmes, etc. (le 17-1-1794 Turreau prescrit les exécutions à la baïonnette pour épargner les munitions).

Canonnade : *Lyon* (plaine des Brotteaux, du 4-12 au 27-12-1793) : 1 876 exécutions. Les canons sont chargés à la mitraille.

Fusillade : *Toulon* (du 20-12 au 25-12-1793) : 800 exécutions. *Noirmoutier* (mai 1794) : 1 200 prisonniers exécutés avec d'Elbée. *Angers* (1794) env. 3 000 [dont 800 à *Pont-de-Cé* (corps jetés à la Loire)]. *Nieuport* (Belgique, 17-6-1794) : 1 200 émigrés exécutés par Pichegru (encore républicain). *Auray* (1795) : 952, etc.

Noyade : *Nantes* (du 3-10 au 31-12-1793) : 4 800, dont 2 000 la semaine de Noël [maximum le 23-12 : 800 (« *mariages républicains* » : noyades par couples nus, 1 h lié à 1 f.)]. Voir le bilan de Prudhomme, ci-contre.

Quelques personnages de la Révolution et de l'Empire

☞ **Famille Bonaparte** (voir p. 655).

Augereau, Pierre-François-Charles (1757-1816). Bas peuple parisien. *1774* simple soldat. *V. 1780,* chassé de l'armée, sert dans un régiment russe (blessé à Ismaïloff contre les Turcs). *1792* volontaire dans la garde parisienne. *1793* lieutenant-colonel ; puis G[al] de division. *1795* armée Bonaparte. *1796* se distingue en Italie, notamment contre l'armée pontificale. *1797* sauve la Rép. par le coup d'État de Fructidor (approuvé par Bonaparte). *1799* bien que jacobin, se rallie à Bonaparte au 19 brumaire. *1801* refuse d'aller au Te Deum du Concordat. *1804* M[al] de France. *1807* se distingue à Eylau. *1808* créé duc de Castiglione. *1813* se brouille avec Nap. après Leipzig. *1814* livre Lyon sans combat à Schwarzenberg ; injurie Nap. sur le chemin de l'île d'Elbe. *1815* écarté aux Cent-Jours ; se retire dans ses terres.

Bailly, Jean-Sylvain (1736-93). Fils du garde des tableaux du roi, fait de la littérature et de l'astronomie. *1785* appartient aux 3 Académies (française, Beaux-Arts, Sciences). Orateur larmoyant, surnommé « le Pleureur ». *1789* Pt des États généraux ; 23-6 auteur principal du coup d'État (Jeu de Paume). 14-7 élu maire de Paris ; se rallie à L. XVI (surtout à la reine) : passe pour avoir favorisé leur départ pour Varennes. *1791* 25-6 fait proclamer la loi martiale, pour le retour du roi, ce qui permet à La Fayette de faire tirer sur les pétitionnaires dantonistes réclamant, au Champ-de-Mars, le « remplacement » du roi (17-7). 12-11 haï, il démissionne de la mairie. *1793*-5-9 arrêté à Melun, 15-10 témoigne en faveur de Marie-Antoinette. 10-11 condamné à mort. 12-11 exécuté sur le Champ-de-Mars (« lieu de son crime »).

Barras, Paul, Vte de (1755-1829). capitaine. de l'armée roy., officier aux Indes, quitte l'armée. *1793* conventionnel régicide, déc. épure cruellement Toulon. *1794* ennemi personnel de Robespierre, il assure le succès du 9 thermidor en prenant le commandement des sections modérées. Grâce à plusieurs tirages au sort favorables, il est le seul Directeur à être resté en charge sans interruption de 1794 à 99. C'est lui qui protège Bonaparte et lui fait réussir son coup d'État du 18 Brumaire. Il comptait sur lui pour rétablir les Bourbons avec qui il était en contact dep. 1797. Mais Bon. le laisse sans fonctions ni dignités sous l'Empire. *1816,* seul régicide à ne pas être inquiété par les Bourbons.

Bernadotte, Jean-Baptiste (1763-1844). Fils d'un avocat béarnais. *1780* s'engage. *1789* sergent-major. *1792* colonel. *1793* G[al] de brigade, *1794* de division (un des vainqueurs de Fleurus), *1796* de corps d'armée avec Jourdan ; rejoint Bonaparte en Italie avec 20 000 h. *1797* chargé de porter au Directoire les drapeaux pris à l'ennemi. *1798* ambassadeur à Vienne ; épouse Désirée Clary, belle-sœur de Joseph Bonaparte (et ex-fiancée de Napoléon). Min. de la G. *1799* reproche à Bon., revenu d'Égypte, d'avoir « déserté ». *1804* réconcilié avec lui, nommé M[al] et P[ce] de Pontecorvo. *1805-09* prend part à plusieurs campagnes, s'entend mal avec Nap. *1810* élu P[ce] royal de Suède (par reconnaissance, pour avoir fait relâcher 1 600 mercenaires suédois prisonniers en 1806). *1811* rompt avec Nap. qui a occupé la Poméranie suédoise. *1812* s'allie à la Russie. *1813* l'un des vainqueurs de la bataille de Leipzig. *1814* tente à Paris de recueillir la succession de Nap., mais est conspué par la foule. *1818* roi de Suède, sous le nom de Charles XIV ; accueille les descendants de Fouché dont il fait des ducs suédois.

Berthier, Alexandre (1753-1815). Noblesse récente (père cartographe, anobli 1763). *1778-81* combat en Amérique. *1792* M[al] de camp, destitué par Dumouriez. *1795* G[al] de division, chef d'état-major de Bonaparte. *1796* début de liaison avec une Milanaise, Mme Visconti. *1800* ministre de la G. *1804* M[al] de Fr. (1er de la liste). *1806* P[ce] souverain de Neuchâtel (enlevé au roi de Prusse). *1807* vice-connétable (quitte le ministère de la G.). *1808* ép. la nièce du roi de Bavière (sans rompre avec la Visconti). *1809* mars Cdt provisoire de la Grande Armée (Nap. étant en Esp.), se révèle incapable. 15-8 P[ce] de Wagram. *1814* 1-6, se rallie aux Bourbons, doit rendre Neuchâtel à la Prusse (contre une pension de 25 000 F). *1815* aux Cent-Jours, se réfugie chez son beau-père, en Bavière. 1-6 meurt [tombé par la fenêtre (suicide ?)].

Brune, Guillaume (1763-1815). *1790* typographe et journaliste, [*le Journal de la Cour et de la Ville,* puis *la Bouche de Fer* (feuille ordurière, inspirée par les Cordeliers, proche de Danton et Marat)]. *1791* commissaire civil en Belgique. *1793* G[al] de brigade, chargé avec Fréron de la répression du terrorisme royaliste dans le Midi (« Compagnons de Jéhu » exterminés). *1798* ambassadeur en Suisse. *1799* Cdt en chef en Hollande, vainqueur à Bergen des Anglo-Russes. *1800* rétablit l'ordre en Vendée. *1803-05* amb. à Constantinople (nommé M[al] de Fr. 1804). *1807* disgracié pour avoir parlé de « l'armée fr. » au lieu de « l'armée de SM Impériale ». *1815* pendant les Cent-Jours, Cdt militaire en Provence ; 2-8 reconnu à Avignon, est mis à mort.

Carnot, Lazare (1753-1823). Officier du génie maintenu au grade de lieutenant comme roturier. Fréquente Robespierre à Arras. *1790* membre du club jacobin d'Aire-sur-Lys ; député à la Législative, puis à la Convention (vote la mort du roi). *1792* sept. mission à l'armée des Pyrénées. *1793* juin à l'armée du Nord ; juil. entre au Comité de salut public ; responsable des armées ; 23-9 décrète la levée en masse. Surnommé l'« Organisateur de la Victoire ». *1795*-5-3 quitte le Comité ; élu au Conseil des Cinq-Cents. *1797* se rallie aux royalistes. *1798* doit s'exiler après le coup d'État de Fructidor. *1802 à 1807* rentré en France après le 18 Brumaire, siège au Tribunat ; tenu à l'écart par Nap. qui le sait trop populaire. *1814* défend Anvers contre Bülow ; rallié à Louis XVIII ; puis de nouveau à Nap. (min. de l'Intérieur pendant les Cent-Jours). Après Waterloo, essaye de devenir Pt d'une nouvelle rép. ; exilé comme régicide, meurt à Magdebourg.

Cloots, Jean-Baptiste, dit Anacharsis (1755-94). Sujet prussien (né à Clèves), fils du Bon de Gnadenthal, ayant francisé son nom en Val-de-Grâce, neveu du philosophe hollandais Cornelius De Pauw. Élevé à la française, étudiant en philo. à Paris, devient militant athée. *1776* hérite 100 000 livres de rente. *1789* août entre au club des Jacobins. *1789-90* parcourt la Bret., répandant les idées jacobines. *1790* 19-6 (anniversaire du Jeu de Paume) organise à la Législative une manifestation internationale ; surnommé l'« Orateur du genre humain » ; élu à la Convention, vote la mort du roi et l'élimination des Girondins. Annexionniste et belliciste. *1793* déc. dénoncé par Camille Desmoulins, avec Hérault de Séchelles, comme un agent ennemi jouant la politique du pire. Organise le culte de la Raison, se brouillant avec Robespierre, théiste. Arrêté comme étranger, il est incarcéré 2 mois et demi à St-Lazare, puis jugé et guillotiné avec les hébertistes.

Danton, Georges (1759-94). Avocat parisien, il fréquente noblesse et grande bourgeoisie libérale ; il tente de faire proclamer le « remplacement » du roi dès l'arrestation de Varennes. Poursuivi par La Fayette, il s'enfuit en Angl. 6 semaines grâce à l'appui du Marseillais Barbaroux (touche des subsides anglais). *1792* 10-8 joue un rôle capital dans l'émeute qui renverse L. XVI. Min. de la Justice du gouv. provisoire, il démissionne en sept. pour rester député à la Convention qu'il domine par son éloquence. *1793* juin il fait tomber les Girondins et remplace le gouv. d'Assemblée par celui du Comité exécutif. 10-7 il en est exclu par Hérault de Séchelles, annexionniste et belliciste, encore allié aux Robespierristes. Il entre alors en lutte avec ce comité, en recherchant, comme les Hébertistes, l'appui de la Commune, mais s'oppose aux Hébertistes par une politique de paix à tout prix. *1793* sept. négocie avec Mercy d'Argenteau, ancien amb. d'Autr., réfugié à Bruxelles, la libération de Marie-Antoinette (on lui offre une grosse somme, il promet son appui, mais n'a plus aucun pouvoir). *1794* 19-3 prend le parti de Pache, maire de Paris, qui vient d'abandonner Hébert ; il est soupçonné de préparer à son tour une insurrection de la Commune contre la Convention (chef militaire : Westermann). Devancé par ses ennemis du Comité (Saint-Just et Billaud-Varenne), il est condamné à la guillotine après un procès illégal. On sait actuellement qu'il avait été également payé par le duc d'Orléans. Après la mort de celui-ci (6-11-1793), il était soupçonné d'aspirer à la « régence ». Il songeait, disait-on, à capituler devant l'Angl. et à offrir la couronne de Fr. au duc d'York, qui aurait épousé Madame Royale.

David, Louis (1748-1825). Peintre, rallié à la Révolution, auteur du *Serment du Jeu de Paume.* Élu à la Convention, il vote la mort du roi et se rallie à Robespierre. Arrêté le 2-8-94 (15 thermidor), il est relâché pour pouvoir travailler à ses toiles dans son atelier, mais est arrêté de nouveau après l'émeute « crêtoise » de prairial (22-5-95). Amnistié le 4 brumaire (26-10-95), il se rallie à Bonaparte et devient le peintre officiel de l'Empire. Exilé en 1815 comme régicide, meurt à Bruxelles.

Davout, Nicolas (1770-1823). Noblesse bourguignonne (d'Avoust), élève de l'école militaire royale. *1792* Cdt des volontaires de l'Yonne. *1793* G[al]. *1801* épouse la sœur du Gal Leclerc (devient beau-frère de Pauline Bonaparte). *1804* M[al] de Fr. *1805* se distingue à Austerlitz. *1806* vainqueur des Prussiens à Auerstaedt. *1808* duc d'Auerstaedt. *1809* P[ce] d'Eckmühl. *1813* assiégé dans Hambourg (capitule sur ordre de Louis XVIII le 31-5-1814). *1815* Cent-Jours, min. de la G. ; 3-7 Cdt en chef, signe une convention avec les Alliés (repli au S. de la Loire). *1819* pair de Fr.

Desmoulins, Camille (1760-94). Bourgeoisie de robe ; condisciple de Robespierre à Louis-le-Grand. *1789* avocat à Paris, élu aux États généraux (Tiers État), d'abord partisan de Mirabeau. Nov. fonde le journal *les Révolutions de France et de Brabant.* *1792* rallié à Danton, qui le nomme après le 10 août secr. gén. du min. de la Justice et le fait profiter des subsides anglais (18 000 livres remises par le banquier Perrégaux). Élu à la Convention, siège à la Montagne, où il s'oppose au bellicisme des Girondins. Mais leur mise à mort le bouleverse. *1793* sept. accuse Hérault de Séchelles (belliciste et annexionniste) d'être un agent ennemi, jouant la politique du pire. 30-10 lance le journal *le Vieux Cordelier,* où il défend la politique de Danton contre le Comité de salut public. Déc. chassé du Comité de salut public. *1794* mars condamne l'épuration sanglante des *Enragés* ou Hébertistes. 5-4 guillotiné avec les Dantonistes. 13-4 sa femme Lucile (n. 1771, ép. 29-12-1790), guillotinée, était la fille naturelle de l'abbé Terray (1715-78), min. de L. XV.

Duroc, Géraud de Michel du Roc, dit Michel (1770-1813). Noblesse d'épée. Élève officier de l'armée royale (artilleur). *1797* capitaine, aide de camp de Bonaparte. *1799* prend part au coup d'État du 18 Brumaire. *1800* G[al] de brigade. *1804* M[al] de F., Grand M[al] du Palais (ami de l'Emp.). *1808-13* missions diplom. (notamment paix de Vienne 1809). *1808* duc de Frioul. *1813* tué par un boulet avant la bataille de Bautzen.

Dumouriez, Charles François Du Périer, dit (1739-1823). Ancien agent secret de L. XV ; mis à la Bastille pour avoir travaillé contre l'Autriche en faveur du roi de Prusse. Rallié ensuite aux Orléans, tente d'amener sur le trône Philippe Égalité. Négocie avec l'armée prussienne en 1792 pour la séparer des Autrichiens, favorables à L. XVI, et arrive à la faire se replier à Valmy. Conquiert P.-Bas sur les Autr. après sa vict. de Jemmapes où combat le fils du duc d'Orléans ; mais perd Neerwinden (févr. 1793). Menacé d'arrestation, livre les commissaires à l'ennemi et s'enfuit en Allemagne. A la Restauration, L. XVIII refusera de lui pardonner ses manœuvres orléanistes et le laissera finir sa vie en exil en Angleterre.

Fouché, Joseph (29-5-1759-Trieste 26-12-1820). Religieux oratorien, professeur au collège de Juilly, élu député à la Convention. Vote la mort du roi. *1793* Épura cruellement Lyon en nov. *1794* menacé par Rob., organise avec Barras le « 9 thermidor ». *1798* min. de la Police, aide Bonaparte à devenir consul, et le soutient jusqu'en 1810. *1809* duc d'Otrante. *1814* fortune considérable, espère pouvoir se rallier aux Bourbons. *1816* exilé comme régicide, se réfugie en Autriche ; ses descendants, protégés par Bernadotte, sont devenus ducs suédois.

Fouquier-Tinville, Antoine (1746-95). Fils de paysans picards. *1773-83* procureur au Châtelet. Révoqué pour inconduite, devient commis dans les bureaux de la police. Organise, sous la direction de Danton, l'émeute du 10 août ; nommé aussitôt directeur du jury d'accusation, puis substitut. *1793* 10-3 accusateur public du tribunal criminel. Chargé, 17 mois, des causes importantes, notamment Marie-Antoinette, Philippe Égalité, les 22 députés girondins, Hébert, Danton, Camille Desmoulins, qu'il envoie à l'échafaud. *1794* 10 thermidor, il « constate l'identité » de Robespierre (contre lequel il n'a pas à requérir, puisqu'il s'agit d'un hors-la-loi) et l'envoie à l'échafaud. *1795* 6-5 exécuté après 41 jours de procès.

Grégoire, Henri (4-12-1750/28-5-1831). *1774* prêtre. *1788* défend les Juifs dans un écrit. *1789* député du clergé aux États généraux (l'un des 1ers à provoquer la réunion des 3 ordres, prêta le serment du Jeu de Paume) ; 14-7 préside la séance où les députés se déclarent en permanence ; 4-8 propose l'abolition du droit d'aînesse. *1790* juil. vote la constitution civile du clergé ; nov. 1er à prêter le serment civique. Élu évêque de Blois. A la Convention, appuie l'abolition de la royauté. *1794* fait décréter l'abolition de l'esclavage. *1795/98* membre du Conseil des Cinq-Cents. *1797* et *1801* réunit 2 conciles nationaux. *1800* m. du Corps législatif. *1801* sénateur. Refuse d'accepter le concordat et renonce à son évêché. *1814* un des 1ers à proposer la déchéance de l'Empereur mais maintenu en disgrâce par la Restauration et exclu de l'Institut. *1819* élu député de l'Isère mais invalidé. *1831* Mgr de Quélen, archevêque de Paris, interdit de lui administrer les sacrements et lui refuse une sépulture chrétienne (il fut pourtant administré mais refusa toute rétractation). *1989* 12-12 transfert de ses cendres au Panthéon.

Hébert, Jacques (1757-94). Fils d'un orfèvre parisien, débute à 16 ans dans la presse clandestine ; emprisonné, condamné au bannissement, puis acquitté en appel. *1786* commis au théâtre des Variétés. *1789* nombreux pamphlets d'un style populacier. *1790* juil. fonde *le Père Duchesne*. *1793* 24-5 arrêté par les Girondins, 14-7 libéré par une émeute populaire. Après la mort de Marat, est l'idole des sectionnaires parisiens ; oct., lance une campagne contre Marie-Antoinette (l'accusant d'inceste avec son fils). Ses campagnes de presse imposent au Comité de salut public : levée en masse, greniers d'abondance, loi des suspects, maximum, épuration, gouvernement révolutionnaire, etc. Oct.-nov. Camille Desmoulins le présente comme complice de Hérault de Séchelles et des « agents étrangers ». *1794* 4-3 il tente de remplacer la Convention par la Commune, et le Comité de salut public par un Tribunal suprême, avec Pache, maire de Paris, comme « grand juge ». Mais celui-ci se dérobe. 24-3 guillotiné.13-4 sa veuve, la « Mère Duchesne », est exécutée.

Hérault de Séchelles, Marie Jean, dit Hérault Séchelles (1759-94). Noble devenu feuillant, puis girondin, belliciste et annexionniste. *1793* 10-7 membre du Comité de salut public, dirige les aff. étrangères, essayant de déclencher la g. contre les 2 neutres : États-Unis et Suisse. Sept., Camille Desmoulins dénonce sa collusion avec les révolutionnaires étrangers vivant à Paris (notamment Cloots), l'accusant de la politique du pire et de rechercher une défaite. Déc. contraint de démissionner. *1794* arrêté avec Cloots (hébertiste), 20-9 exécuté avec Danton et Camille Desmoulins.

Hoche, Lazare (1768-97). Ennemi du Gal royaliste Pichegru qui arrive à le faire mettre en prison en 1794. Accusé d'avoir trahi sa parole en accordant une capitulation aux émigrés débarqués à Quiberon (en majorité des off. de la marine royale), puis en les livrant, après leur reddition, aux tribunaux révolut. d'Auray qui les ont mis à mort, s'est toujours défendu d'avoir accordé une capitulation écrite (son adjoint, Rouget de Lisle, ancien officier du roi, avait persuadé Sombreuil de rendre son épée à Tallien). Lui-même n'aurait promis la vie sauve à personne. Après il ne pourra obtenir l'appui de la marine, demeurée royaliste, et échouera dans ses tentatives de débarquement en Irlande. *1797* sollicité par Barras pour faire un coup d'État rép. Min. de la G., amène des troupes à La Ferté-Alais ; dénoncé par Pichegru, il doit renoncer. Meurt tuberculeux à Wetzlar (All.). Ses descendants, devenus royalistes, ont en 1871 refusé le transfert de son corps au Panthéon. Souvent cité avec Marceau comme symbole des vertus militaires de la Ire République.

Junot, Andoche (1771-1813). Fils d'un magistrat bourguignon. *1792* volontaire dans le bataillon de la Côte-d'Or (surnommé « La Tempête »). *1793* siège de Toulon, aide de camp de Bonaparte. *1796* blessé à la tête au combat de Lonato, devient psychopathe. *1799* gouverneur de Paris, épouse Laure de Saint-Martin Permon (1784-1838, mémorialiste). *1807* Gal en chef de l'armée du Portugal. *1808* duc d'Abrantès, capitulation de *Cintra*. *1810* blessé (au visage). *1812* disgracié après la campagne de Russie. *1813* 29-7 se suicide.

Kellermann, François (1735-1820). Hussard alsacien, volontaire pendant la g. de Sept Ans, un des rares généraux roturiers de l'Ancien Régime [*1788* (53 ans) Mal de camp]. *1789* se rallie à la Révolution. *1791* Cdt de l'armée d'Alsace. *1792* offensive en Sarre, puis retraite jusqu'à Valmy. Considéré comme le « vainqueur », affecté à l'armée de la Moselle, échoue devant Mayence et passe en jugement (acquitté). Contribue à la reprise de Lyon révolté. *1793-94* emprisonné 13 mois pour mollesse lors du siège de Lyon. *1794* 8-11 acquitté (après thermidor). *1795* Cdt de l'armée des Alpes, il rend service à Bonaparte. *1804* Mal. *1808* duc de Valmy.

Kléber, Jean-Baptiste (1753-1800). Alsacien, d'abord officier dans l'armée bavaroise, *1789* s'enrôle dans la garde nationale, et se rend célèbre par sa bravoure au siège de Mayence. Commande ensuite l'avant-garde des « Mayençais » contre les Vendéens, refuse d'être Gal en chef. *1799* gouverneur de l'Égypte après le départ de Bonaparte, essaie de négocier une évacuation honorable. *1800* 14-6 assassiné au Caire par un mameluk.

La Fayette, Gilbert Motier, Mis de (1757-1834). Noblesse auvergnate. Libéral et franc-maçon, dévoué au duc d'Orléans, prend part à la g. d'Indépendance américaine et devient populaire. Député de la noblesse aux États généraux. *1789* 15-7 Cdt de la Garde nationale ; influent à la Cour, préconise une monarchie constitutionnelle garantissant les libertés. *1791* juin après la fuite de L. XVI à Varennes, accrédite la thèse de l'enlèvement du roi. 17-7, fait tirer au Champ-de-Mars sur des « pétitionnaires » demandant le « remplacement » de L. XVI ; devient impopulaire. *1792* 20-4 prend la tête de l'armée du Nord et négocie avec les Autr. : en échange d'un armistice, il emmènera son armée à Paris pour rétablir la monarchie constitutionnelle. 19-7 décrété d'accusation, passe chez les Autr. ; prisonnier jusqu'en 1797. *1802-03* facilite la cession aux États-Unis de la Louisiane, y acquérant de vastes domaines. Refuse le poste (américain) de gouverneur de la Louisiane. Sous l'Empire, reçoit de nombreux Anglais dans son château de la Grange. *Cent-Jours* député, fait proclamer la déchéance de Nap. *1830* chef de l'opposition libérale, fait triompher Louis-Philippe, refusant la présidence d'une nouvelle République.

Lannes, Jean (1769-1809). Fils d'un garçon d'écurie ; apprenti teinturier. *1792* s'engage dans l'armée des Pyr.-Or. *1795* chef de brigade. *1799* en Égypte, Gal de division. *1800* 16-4 bat les Autrichiens à Montebello. *1804* Mal (le seul qui ait tutoyé l'empereur). *1808* duc de Montebello. *1809* prend Saragosse, 22-5 blessé mortellement à Essling († 31-5). *1812* enseveli au Panthéon.

Lefebvre, François-Joseph (1755-1820). Fils de soldat ; *1773* engagé dans les gardes françaises. *1788* sergent, épouse une blanchisseuse, Catherine Hubscher (dite « Madame Sans-Gêne »). *1792* capitaine. *1793* Gal de brigade. *1797* Cdt de l'armée de Sambre-et-Meuse, blessé. *1799* candidat des Cinq-Cents au Directoire (échec). *1800* Pt du Sénat (jusqu'à 1814). *1804* Mal de Fr. *1807* prend Dantzig, créé duc de Dantzig. *1809* commande l'armée bavaroise à Wagram. *1814* pair de France. *1815* pair de l'Empire ; destitué après Waterloo. *1819* réintégré.

Marat, Jean-Paul (né en Suisse, 1743-93). Médecin en Angl. *1777* à Paris ; le Cte d'Artois le nomme médecin de ses gardes du corps. Un de ses livres, *Plan de législation criminelle,* est mis au pilon sur ordre du procureur Brissot. *1789* 12-9 fonde *l'Ami du Peuple,* subventionné par le duc d'Orléans : s'oppose aux bourgeois, notamment aux Brissotins (Girondins). *1792* 10-8 fonde *le Journal de la Rép. fr.,* où il défend les institutions rép. contre les démagogues. *1793* 14-7 assassiné dans sa baignoire par une jeune normande, Charlotte de Corday d'Armont (1768-93, guill.), descendante de Corneille. On ignorait au XIXe s. la collusion de Marat et du duc d'Orléans.

Marceau, François (1769-96). Simple soldat de l'armée royale. *1793* nov. Gal de l'armée rép., après plusieurs victoires sur les Vendéens ; Gal en chef de l'armée de l'Ouest, remporte les victoires du Mans et de Savenay. Ensuite aux armées de « Sambre-et-Meuse », acquiert une grande réputation. *1796* 19-9 abattu par un autrichien le lendemain de la bataille d'Altenkirchen (corps transféré au Panthéon en 1889).

Marmont, Auguste Viesse de (1774-1852). Petite noblesse, fils d'officier. *1793* lieutenant ; s'attache à Bonaparte (siège de Toulon). *1796* devient son aide de camp en Italie. *1806* conquiert Dalmatie. *1808* duc de Raguse. *1809* Mal *1812* vaincu par Wellington aux Arapiles. *1814* 30-3 conclut un cessez-le-feu pour ses troupes à Belleville (à l'insu de Mortier qui défendait La Villette et de Moncey qui défendait Clichy) avec l'autorisation du roi Joseph. 4-4 chef du 6e corps d'armée (ramené de Belleville à Essonnes, au terme d'une capitulation, et couvrant la ligne N. de Nap.), rejoint Talleyrand et le Mal autrichien Schwarzenberg à Paris, ses troupes passant dans les lignes russes. (Considéré comme un traître : on parle de *ragusade* ; lui, expliquera qu'il avait négocié la veille avec Schwarzenberg la reddition de son corps ; mais, allant négocier à Paris l'abdication conditionnelle de N., il a donné un contrordre, dont son remplaçant, le Gal Souhan, n'a pas tenu compte). Tenu à l'écart des postes importants. *1830* juil. nommé par Charles X Gal en chef, il se rallie sans combat à Louis-Philippe.

Masséna, André (1758-1817). Niçois, né Sarde. *1775* s'engage dans la marine. Ne peut être officier (roturier). *1786* quitte le service. Tient une épicerie à Antibes. Volontaire dans le bataillon du Var. *1793* général de brigade (participe à la bat. de Loano, 23-11). *1796-98* remporte victoires de Diego, Lodi, Rivoli (sous le commandement de Bonaparte). Surnommé l'*Enfant chéri de la Victoire*. S'enrichit par des rapines en Italie. *1799* Gal en chef en Suisse ; écrase les Russes à Zurich. *1800* 18-6 défend Gênes contre les Autrichiens, permettant la victoire de Marengo. Nap. le jalousait. *1804* maréchal. *1808* duc de Rivoli. *1811* Pce d'Essling. *1812-13* défaites en Esp., disgracié (retraite au château de Rueil).

Mirabeau, Honoré Riqueti, comte de (1749-91). Noblesse provençale, d'origine it. Neveu de l'économiste Victor de Mirabeau (1715-89). Débauché, il passe de nombreuses années en prison (condamné à mort par contumace en 1771). Franc-maçon, publie des ouvrages politiques, dont un éloge du Grand Frédéric : *la Monarchie prussienne,* écrit sous sa direction par des rédacteurs appointés. Avocat, bon orateur. *1788* élu aux États généraux par le Tiers État de Provence (la noblesse l'a refusé, à cause de ses condamnations). *1789* 23-6 auteur du coup d'État « du Jeu de Paume », qui transforme les États généraux en Constituante. Ne peut être ministre, la Constituante ayant décidé que ses membres ne pourraient l'être (mesure le visant personnellement). Se rallie secrètement à L. XVI (dont il reçoit de fortes sommes). *1791* avril, avant de mourir conseille au roi de s'enfuir en province et de reconquérir Paris par les armes. 2-4 meurt : on parle d'orgie, de poison ; autopsie le 3-4 devant 56 témoins conclut à mort naturelle ; 4-4 funérailles devant 300 000 personnes au Panthéon (son corps en sera retiré le 21-9-1794 quand Marie Joseph Chénier aura découvert sa collusion avec la cour).

Moreau, Jean (1763-1813). Avocat, devenu officier de la Garde nationale. *1794* janv. (30 ans) Gal. Victorieux des Autr. en Belg. Juill. se brouille avec la Rép. (père guillotiné à Brest) et se rallie secrètement à Pichegru (royaliste) tout en continuant de combattre les Autr. *1800* 3-12 victorieux à Hohenlinden, Bonaparte le suspecte. *1803-04* compromis dans le complot royaliste de Pichegru et de Cadoudal ; condamné à l'exil, restera 8 ans aux États-Unis. *1813* conseiller mil. des Alliés, tué aux côtés du tsar à Leipzig. L. XVIII le nommera Mal de Fr. à titre posthume.

Ney, Michel (1769-1815). Fils d'un tonnelier sarrois, sert dans l'armée de Hoche, désapprouve le coup d'État du 18 Brumaire. *1802* épouse une amie de Joséphine, Aglaë Auguié. *1804* Mal. Surnommé le *Brave des braves*. *1808* duc d'Elchingen. *1812* Pce de la Moskowa, sauve les débris de la Grande Armée en Russie. *1814* à la tête des Gaux mécontents force Nap. à abdiquer et se rallie à L. XVIII. *Cent-Jours* se rallie à Nap., mais combat mollement en Belg., n'exploitant pas la victoire de Ligny et commettant de grosses erreurs à Waterloo. *1815* 7-12 fusillé au terre-plein de l'Observatoire ; le bruit a couru que son exécution était une mise en scène et qu'il avait fini ses jours aux États-Unis (voir Ney à l'Index).

Philippe Égalité, Louis, Philippe, Joseph, duc d'Orléans, dit – (1747-93). Prince du sang, l'homme le plus riche d'Europe après son mariage (1769) avec Adélaïde de Bourbon-Penthièvre, héritière des biens des légitimés. Grand-Maître du Grand Orient de Fr. Ambitieux, décidé à monter sur le trône, il était considéré par Marie-Antoinette et les frères du roi comme le personnage clé de la Rév. Les historiens modernes reviennent à cette opinion (abandonnée au XIXe s.), tout en admettant qu'il n'était pas à la hauteur du rôle qu'il voulait jouer. Grâce à sa fortune, il a pu avoir à sa solde plusieurs grands chefs révolutionnaires : modérés comme La Fayette, Talleyrand et Dumouriez, ou des démagogues, comme Marat, Hébert, Danton, Desmoulins. Il n'a pourtant pu acheter ni les Girondins, ni les Robespierristes, notamment Billaud-Varenne (le surnom d'« Incorruptible » donné à Robespierre vient de là). *1789 :* rejoint le Tiers État ; réunit les opposants au Palais-Royal et organise les journées des 5/6 octobre. *1790 :* émigre en Angleterre, mais revient en juil. *1791 :* tente de se faire nommer roi après Varennes : la fusillade du Champ-de-Mars naît d'une rivalité entre Danton (qui a réclamé le « remplacement » de L. XVI) et La Fayette (entraîné par Bailly, rallié à la reine). *1792,* sept. inscrit pour les élections sous le nom d'Orléans, on lui demande de prendre un nom de famille, il n'en connaît pas et demande à la Commune de choisir pour lui, celle-ci choisit Égalité ; élu à la Convention, prend le nom de Philippe Égalité. *1793,* janv. vote la mort de L. XVI ; févr. compromis par la fuite de son fils et de Dumouriez ; 10-2 déclare au club des Jacobins être le fils du cocher Lefranc, amant de sa mère ; 6-4 arrêté par la Commune, il perd ses moyens d'action, ses biens étant mis sous séquestre. Danton, membre du Comité de salut public, le fait envoyer à Marseille, comme membre de la famille Capet (est acquitté par le tribunal local). Sept. Billaud-Varenne, entré au Comité, le fait inscrire sur la liste des Girondins (avec qui il n'a aucun rapport). 6-11 ramené à Paris, jugé et guillotiné dans la journée.

Pichegru, Jean-Charles (1761-1804). Fils d'un paysan ; volontaire dans l'artillerie pendant la g. d'Amérique (1780-83) ; *1792,* 9-10 adjudant à Besançon, Pt d'un club, élu lieut.-c^{ol}. *1793,* 22-8 G^{al} de brigade ; G^{al} de division ; 27-10 G^{al} en chef de l'armée du Rhin ; 24-12 vainqueur à Wissembourg. *1794,* 8-2 G^{al} en chef de l'armée du Nord ; conquiert Belg. et Holl. *1795,* 20-1 prend la flotte holl. bloquée par les glaces à Texel. *1795-96,* Cdt en chef contre les Autr., il se rallie aux royalistes et se fait battre volontairement. *1796,* janv. contraint de quitter l'armée ; élu Pt des Cinq-Cents (conservateur). *1797,* 12-4 déporté à la Guyane, après le coup d'État rép. de Fructidor, 4-10-1797. *1798,* juin s'évade, se réfugie à Londres où il fait équipe avec Cadoudal. *1803,* secrètement à Paris ; dénoncé, emprisonné au Temple. *1804,* 5-4 retrouvé étranglé (sur ordre de Bonaparte ?).

Robespierre, Maximilien de (1758-94). Avocat d'Arras, député du Tiers aux États généraux ; défend des thèses démocratiques d'origine rousseauiste et, en mai 1791, fait passer dans la Constitution l'article affirmant le *droit de pétition,* qui paralysera les assemblées. Orateur du club des Jacobins sous la Législative, il préconise l'élection d'une convention au suffrage universel. Membre de la Commune insurrectionnelle après le 10-8-1792, il devient, avec Danton, l'un des chefs de la Montagne à la Convention. Il utilise les « Sections » révolutionnaires parisiennes contre la Conv. modérée, en multipliant les interventions de *pétitionnaires,* favorables à ses thèses. *1794* la Commune devenue hébertiste, il remplace le 20-5 le maire Pache par Fleuriot-Lescot qui lui est dévoué, et qui renonce à faire de la Commune un contre-pouvoir opposé à la Convention. Mai, institue le culte de l'Être suprême et s'en nomme le chef, cumulant ainsi pouvoir religieux et p. politique. Sa dictature est sanglante. Renversé par des conventionnels qui craignaient pour leur vie. Les sections parisiennes qui tentaient de le sauver, en recourant à l'insurrection (chef : Hanriot), sont dispersées par les partisans de l'Assemblée. Guillotiné.

Saint-André (Jean Bon), André Jeanbon, dit (1749-1813). Pasteur protestant de Montauban, *1789* fonde la S^{té} populaire, pour répandre les idées nouvelles. Élu à la Convention, vote la mort du roi. *1793* juil. entre au Comité de salut public. Sept. chargé des affaires de la Marine, envoyé à Brest pour la réorganiser. *1794* 1-6 participe à la bataille où sombra le *Vengeur.* En mission à Toulon lors du 9 Thermidor ; *1795-97* consul à Alger, puis *1798-1801* à Smyrne. *1803-13* préfet du Mont-Tonnerre (Mayence).

Saint-Just, Louis (1767-94). Fils d'un paysan, ancien soldat. Étudiant en droit à Reims, *1789* se trouve à Paris ; juill. lieut.-c^{ol} de la Garde nat. *1791* juin escorte la voiture du roi lors du retour de Varennes, sept. élu à la Législative (invalidé car trop jeune), *1792* sept. élu à la Convention. Siégeant à la Montagne, *1793* joue un grand rôle dans la condamnation à mort du roi et dans la rédaction de la Constitution. Avril au Comité de salut public, en est le porte-parole auprès de la Convention. Théoricien de la Terreur. *1793* (16-10)-*1794* (4-1) missions aux armées, prend Bitche et délivre Landau ; *1794* 28-4 fait gagner par des offensives à outrance les batailles de Courtrai et de Fleurus. Reste silencieux du 8 au 10 Thermidor (peut-être épuisé nerveusement ?), ce qui provoque la chute des Robespierristes. Guillotiné.

Savary, René (1774-1833). Soldat de Louis XVI. *1793* capitaine. Aide de camp de Desaix en Égypte et à Marengo. *1801* C^{ol} de la gendarmerie consulaire, chef de la police secrète. *1804* G^{al} chargé de l'exécution du duc d'Enghien. *1808* pousse Ferdinand VII d'Espagne à abdiquer à Bayonne ; créé duc de Rovigo. *1810* min. de la Police (remplaçant Fouché). *1812* dépassé lors de la conspiration de Malet. *1815* (Cent-Jours) inspecteur gén. de la gendarmerie ; 15-7 suit Nap. sur le *Bellérophon,* est fait prisonnier de g. *1816* s'évade (réfugié en Turquie) ; 25-12 condamné à mort par contumace. *1819* rentre en Fr. ; jugement cassé : réfugié à Rome. *1831* 16-12 C^{dt} en chef de l'armée d'Algérie.

Sieyès, Abbé (prononcer si-yès), Joseph (1748-1836). Ecclésiastique (grand vicaire de l'év. de Chartres en 1787). *1789* député du Tiers État, rôle important aux journées du « Jeu de Paume » et au début de la Constituante ; puis travaille surtout à la rédaction des constitutions. Élu à la Convention, vote la mort du roi et se « déprêtrise » selon le rite officiel. *1795* membre du Directoire. *1799* prend part au coup d'État du 18 brumaire ; consul provisoire le 19 brumaire. Pt du Sénat sous l'Empire. *1814-30* exilé comme régicide.

Soult, Nicolas (Jean de Dieu dit) (1769-1851). Fils d'un notaire ; volontaire à 16 ans au Royal Infanterie. *1791* sous-lieutenant. *1793* capitaine. *1794* G^{al} de brigade. *1799* remplace Lefebvre, blessé, comme C^{dt} en chef de l'armée de Sambre-et-Meuse ; G^{al} de division, adjoint de Masséna à Zurich et à Gênes. *1802* présenté au 1er Consul par Masséna ; C^{ol} de la garde consulaire. *1804* M^{al} de France, Cdt en chef du camp de Boulogne. *1806* gouverneur de Vienne. *1807* gouv. de Berlin, duc de Dalmatie. *1808-14,* Cdt en chef en Esp. ; bat en retraite jusqu'à Toulouse (dernière bataille 7-4-1814). *1815* chef d'état-major de Nap. à Waterloo, se révèle incapable ; révoqué par Louis XVIII. *1819* réintégré comme M^{al}. *1830* ministre de la G. de Louis-Philippe. *1834* Pt du Conseil. *1838* mission diplomatique à Londres. *1847* « M^{al}-G^{al} » ; se démet de la présidence.

Talleyrand, Charles-Maurice de (1754-1838, P^{ce} de Bénévent 1806). Évêque d'Autun en 1788, il accepte de passer dans l'Église constitutionnelle et de consacrer le 24-1-1791 les 2 premiers évêques const. de l'Aisne et du Finistère (Marolle et Expilly). *1792 à 96* séjourne en Angl. et aux États-Unis, évitant de voter la mort du roi, mais travaillant pour les Orléans. *1797* min. des Aff. étr., choisit d'aider Bonaparte. *1803* épouse sa maîtresse, Mme Grant. *Empire* min. des Aff. étr., amasse grosse fortune. *1814* se rallie aux Bourbons qui lui reconnaissent son titre de P^{ce} de Bénévent et le chargent de négocier le tr. de Vienne. Il vit maritalement avec sa nièce (épouse de son neveu, Edmond de Périgord), la D^{esse} de Dino (1793-1862 ; née Dorothée de Courlande, P^{cesse} de Sagan). *1830* récompensé de sa fidélité aux Orléans par de hautes fonctions, notamment l'ambassade de Londres. *1838* 17-5 meurt après avoir reçu les derniers sacrements de l'abbé, futur Mgr Dupanloup (son fils naturel ?).

Tallien, Jean Lambert, dit (1767-1820). Clerc de notaire. *1790* fonde la Sté fraternelle du faubourg St-Antoine. *1791* directeur du journal *l'Ami du Citoyen.* *1792* sept. député à la Convention, siège à la Montagne, vote la mort du roi. Membre du Comité de sûreté générale. *1793* en mission à Bordeaux, fait tomber de nombreuses têtes, s'enrichit en vendant des grâces. Devient l'amant d'une Esp., Teresa Cabarrus (n. Espagne 1773, père banquier, 1789 ép. Davis Cte de Fontenay, 1793 divorce, 1794 ép. Tallien, 1802 divorce, 1805 ép. Cte de Caraman futur P^{ce} de Chimay, 1835 meurt). Dénoncé, rappelé à Paris, suspect aux yeux des Robespierristes (Teresa est emprisonnée), il organise le coup d'État du 9 Thermidor, qui abat Robespierre et sauve Teresa (surnommée « Notre-Dame de Thermidor »). Il accompagne Hoche à Quiberon, puis tombe dans l'oubli. Napoléon le nomme consul à Alicante ; ayant contracté la lèpre, il quitte ce poste. *1820* meurt dans la misère.

Vendôme ; 23-2 Bonaparte nommé Cdt en chef de l'armée d'Italie ; 8/10-5 découverte du complot des *babouvistes,* qui sont arrêtés (Babeuf et Darthé seront exécutés le 26-5-97) ; 19-8 *tr. de St-Ildefonse,* alliance de l'Esp. ; 9/10-9 machination policière contre les derniers partisans des babouvistes : attirés dans la plaine de Grenelle, ils sont chargés par les dragons (20 †, 132 prisonniers, dont 31 fusillés le 2-11) ; 21-10 les Anglais évacuent la Corse.

1797 19-2 *tr. de Tolentino* avec le pape [cession d'Avignon, de 30 millions de livres-or et des œuvres d'art cédées par l'armistice de Bologne (23-6-96) : 100 statues ou tableaux, 500 manuscrits, entreposés dep. 1815 à la Pinacothèque de Bologne] ; 21-3 début des élections (portent sur un tiers des députés aux Conseils des Cinq-Cents et des Anciens) ; succès royalistes (clichyens) : sièges 200 sur 216 à pourvoir ; 17-4 *Pâques véronaises :* à Vérone (Rép. vénitienne), les blessés fr. de l'hôpital sont massacrés ; Bonaparte déclare la g. à Venise ; 20-5 Pichegru, élu Pt des Cinq-Cents, vote liberté des cultes à l'intérieur des églises, l'abrogation des mesures contre réfractaires, réintégration des émigrés dans la fonction publique... ; 4-9 *(18 fructidor)* coup d'État du directeur Barras, aidé du Gal Augereau, contre la majorité royaliste et modérée des Assemblées (Cinq-Cents et Anciens) ; seuls les républicains gardent leur mandat ; 18-9 Hoche meurt ; Pichegru et une cinquantaine de députés déportés en Guyane ; 27-11 gén. Léonard *Duphot* assassiné à Rome dans une émeute : rupture avec le pape.

1798 28-1 annexion de *Mulhouse ;* 26-3 de *Genève ;* juin Pichegru s'évade de Guyane ; 9-9 la célébration du décadi (jour férié révol. 1 j sur 10) est rendue obligatoire (le peuple ne s'y habitue pas : suppression le 7 thermidor an VIII, 26-7-1800) ; oct.-déc. fin de la domination fr. à *Haïti ;* 6-10 insurrection contre-révolutionnaire dans Sud-Ouest.

1799 12-3 France déclare g. à l'Autriche ; 28-4 assassinat à *Rastadt* de 2 plénipotentiaires français : Claude Roberjot (n. 1753) et Antoine Bonnier d'Alco (n. 1750) ; le 3e, Jean Debry (1760-1834) survit à 14 coups de sabre. 12-7 décret de levée en masse (voir guerres, ci-dessous) ; août soulèvements : Ouest, Normandie (Frotté), Bretagne (Cadoudal), Anjou (Bourmont, d'Andigné, Suzannet), Midi, vallée de la Garonne et Rhône ; début 3e g. de Vendée ; 9-10 *Bonaparte rentre d'Égypte* et débarque à Fréjus ; 17/20-10 il complote avec 2 directeurs sur 5, Sieyès et Ducos ; 9-11 *(18 brumaire* de l'an VIII), il paye un 3e directeur (Barras) pour qu'il quitte Paris (il ne reste plus que 2 dir., Gohier et Moulin, et ils n'ont plus d'autorité constitutionnelle) ; 10-11 son frère Lucien, Pt des Cinq-Cents (en majorité rép.), l'aide [il convoque l'Assemblée à St-Cloud où elle est plus vulnérable ; lorsque les députés veulent mettre Bonaparte hors la loi, il prend prétexte d'une bagarre pour appeler dans la salle les grenadiers de Murat, partisans de Bon. (il en a le droit d'après le règlement) ; les grenadiers font évacuer la salle sur son ordre ; le Conseil des Anciens, constatant la « retraite » des Cinq-Cents et la dissolution du Directoire, nomme une commission exécutive provisoire ; Lucien réunit en pleine nuit quelques membres des Cinq-Cents retrouvés dans St-Cloud et Boulogne et leur fait approuver le texte voté par les Anciens ; les 5 directeurs sont remplacés par 3 « membres du Conseil exécutif » : Bonaparte, Sieyès, Ducos].

■ Guerres extérieures de la Révolution

(1792-97 ; appelées aussi **« g. de la 1re coalition »**)

Causes. 1°) le roi et la reine attendent la victoire de leur neveu, l'emp. d'Autriche, qui les délivrera ; 2°) les « Brissotins » (futurs Girondins) veulent démontrer que les Bourbons ont fait une erreur en choisissant l'alliance autr. dep. 1756 : ils veulent conquérir les Pays-Bas sur l'Autriche, au lieu de les attendre d'un échange amiable avec les Habsbourg ; 3°) après l'institution de la Rép. (sept 1792), l'armée révol. mènera une g. idéologique tendant à l'abolition des monarchies hors de France.

Effectifs. Armée de terre : *1792 :* env. 80 000 h., avec un nombre insuffisant d'officiers (troupes sujettes aux paniques ; par dérision, on les surnommait « vaincre ou courir »). *1793* juil. (après levée de 300 000 h) 471 290 h ; 16-8 (après levée en masse : célibataires et veufs sans enfants) 645 195 h ; fin 1793 : 1 million. **Flotte :** *1792* néant. *1793* nov. (action de Jean Bon Saint-André) : 12 vaisseaux, 5 frégates, 3 corvettes.

Opérations. I. Jusqu'à l'alliance espagnole (1792-96) : 1792 févr.-mars le M^{al} Luckner (1722-94) pénètre aux P.-Bas, prend Menin et Courtrai ; 29-4 *déf. de Baisieux ;* bat en retraite précipitamment (destitué, puis guillotiné) ; le Gal Théobald Guillon est massacré à Quiévrain par ses soldats ; 2-9 les Prussiens prennent *Verdun ;* 11-9 avancent en Argonne ; 20-9 reculent à **Valmy** (*effectifs :* 52 000 Fr., 34 000 Pr., 30 000 Autr., 6 000 émigrés) ; *pertes :* Fr. 150 †, 260 blessés ; coalisés : 160 h hors de combat. 21-9 début de la retraite des coalisés, rendue catastrophique par la dysenterie (30 000 Pr. atteints, dont 3 000 †) (Brunswick s'était-il laissé acheter ? On trouvera dans sa succession, en 1806, plusieurs beaux diamants de la Couronne de Fr.) ; 22-9 conquête de la Savoie par les Fr. ; 28-9 prise de Nice ; sept.-oct. offensive de Custine en Rhénanie (prise de *Mayence* 21-10, de *Mannheim* 22-10) ; 6-11 **Jemmapes** Dumouriez bat Clerfayt [plus de 50 000 † (la plus sanglante bat. de l'époque), 18 000 † autr.] ; nov.-déc. conquête de Belg. et Sarre. **1793** 1-2 déclaration de

g. à la Holl. ; 7-3 à l'Esp. Sont ainsi *coalisés* contre la Fr. : Autr., Prusse, Empire, Angl., Holl., Espagne, Deux-Siciles, Portugal, États de l'Église, Sardaigne ; 3-4 Dumouriez avec le duc de Chartres passe aux Autr. et leur livre la Belg. (son chef d'É.-M., le futur Mal Macdonald, empêche les troupes de le suivre) ; 27-8 *Toulon* livré aux Anglais ; 8/20-9 campagne de Houchard dans le N. (bat le duc d'York à *Hondschoote* 8-9 ; mais est chassé de Ménin ; destitué, puis guillotiné) ; 13-10 Wurmser (Autr.) force les lignes fr. à *Wissembourg ;* 16-10 *Wattignies :* Jourdan, successeur de Houchard, et Carnot battent Clerfayt (dép. du Nord reconquis) ; 19-12 Gal Dugommier (Jacques Coquille dit ; 1738-94, tué à Figueras) [remplaçant de Jean-François Carteaux (1751-1813), artiste peintre nommé Gal après la prise des Tuileries] reprend *Toulon* aux Anglais (capitaine Bonaparte, chef de l'artillerie). **1794** févr. l'amiral angl. Jervis occupe la *Corse* (Georges III proclamé roi de C., 19-6) ; 30-4 les Alliés prennent *Landrecies ;* 18-5 vict. de Moreau et Souhans à *Tourcoing :* dép. du N. reconquis pour la 2e fois ; 26-6 *Fleurus* Jourdan bat Autr. [1er emploi de ballon captif *(l'Entreprenant)* en observation] ; 15-6/31-7 reconquête de la Belg. ; août offensive en Guipúzcoa ; sept. en Belg. et Rhénanie ; sept./déc. en Holl. (armée Pichegru). **1795** 23-1 *Helder,* les cavaliers de Pichegru capturent la flotte holl., bloquée dans les glaces ; févr. offensive en Catalogne ; 14-2 Pichegru prend *Groningue* et occupe toute la Holl. (sera alliée de la Fr. 16-5) ; 5-4 la Prusse se retire de la coalition *(tr. de Bâle) ;* 17-6 prise de *Bilbao* et de *Vitoria ;* 22-7 l'Esp. se retire de la coalition (s'alliera à la Fr., voir ci-dessous) ; oct. offensive autr. en Rhénanie (Wurmser reprend Mannheim 21-12) ; 23-11 *Loano* (It.) : Masséna et Scherer battent les Autr. et conquièrent la Riviera jusqu'à Savone ; déc. Carnot organise 3 armées : Rhin-et-Moselle (Pichegru, puis Moreau), Sambre-et-Meuse (Jourdan, puis Hoche), Italie (Bonaparte). **1796** 10-4 Bonaparte prend l'offensive en Italie, partant de Savone : vict. de *Montenotte* 12-4 et de *Dego* 15-4 sur les Autr. ; de *Millesimo* 14-4 et de *Mondovi* 21-4 sur les Sardes. 28-4 *armistice de Cherasco :* la Sardaigne se retire de la coalition [*tr. de Paris* (cédant Nice et la Savoie) 15-5]. 10-5 vict. du *Pont de Lodi* sur les Autr.

II. **Après l'alliance espagnole (1796-97) :** maîtrise de la Méditerranée, rendant possible la campagne d'Italie. Le Directoire espérait aussi contrôler la mer du Nord avec l'alliance hollandaise ; mais la flotte holl. est détruite à Camerdown 11-10-1797. **1796** 18-6 l'Esp. s'allie à la Fr. par le *tr. de San Ildefonso* (déclaration de g. à l'Angl. 8-10) ; 29-6 prise de Milan ; 15-7 début du siège de *Mantoue,* clé de l'Italie du N. [*durée :* 6 mois 1/2 : 60 000 † par paludisme, 4 tentatives autr. pour délivrer la place : 1°) *fin juill.* Quasdanovitch battu à *Lonato ;* Wurmser entre à M. ; puis, battu à *Castiglione* (5-8), doit s'éloigner ; 2°) *début sept.* Wurmser battu à *Roveredo* (4-9), puis *Bassano* (8-9 ; s'enferme dans M.) ; 3°) 17-9 Alvinczi battu à *Arcole ;* 4°) **1797** 16-1 Alvinczi battu à *Rivoli* 17-1 Provera capitule à *La Favorite*] ; août-déc. offensive autr. en Allemagne ; 24-8 *Bamberg* l'archiduc Charles bat Jourdan ; 3-9 *Altenkirchen* Marceau vaincu et tué ; 25-10 Moreau vaincu en Forêt-Noire ; 10-10 les Deux-Siciles se retirent de la coal. ; 22-10 Jervis évacue la Corse et se replie sur Gibraltar. **1797** 9-1 arch. Charles prend *Kehl ;* 2-2 Wurmser capitule à *Mantoue* (les Autr. perdent l'Italie du N.) ; mars-avr. offensive de Bonaparte vers l'Autr. (vict. du Tarvis 24-3 ; prise de Trieste 24-3, Klagenfurt 29-3, Ljubliana 1-4) ; 15-4 l'Autr. signe les préliminaires de *Leoben ;* avr. offensive en Rhénanie ; mai-juin destruction de la Rép. de Venise (prise de Venise 16-5, de Corfou 28-6) ; 17-10 **tr. de Campoformio :** l'Autr. cède la rive gauche du Rhin et reçoit la moitié de la Vénétie.

■ Guerres civiles de la Révolution

1re guerre de Vendée (1793-94)

Causes. 1°) le peuple du bas Poitou (appelé plus tard « vendéen ») a été formé à une piété catholique fervente par la prédication de St Louis Grignion de Montfort (1673-1716), puis tr. des missionnaires « mulotins » (prédicateurs ruraux) ; il est révolté par la Constitution civile du clergé (1res émeutes religieuses en 1791 à St-Christophe-de-Ligneron) ; 2°) les nobles vendéens n'ont pas émigré (par suite de l'absence de jacqueries) ; d'abord constitutionnalistes, ils se rallient à l'absolutisme après l'exécution de L. XVI (21-1-1793), encadrent militairement leurs métayers et les forment à la « g. de chicanes » (guérilla) ; 3°) intervention financière et mil. des Angl. ; ceux-ci furent d'abord favorables à la Révolution qui affaiblissait la Fr. de L. XVI, mais appuyant ensuite les émigrés quand la Révolution devint conquérante.

Effectifs. **Armée vendéenne** appelée par ses chefs le 12-6-1793 *grande armée catholique et royale,* 80 000 à 100 000 h., en 4 armées : pays de Retz et bas Bocage (Charette) ; Centre et haut Bocage (les 2 Sapinaud et Gal de Royrand 71 ans) ; Mauges (Cathelineau, d'Elbée, Bonchamps, Stofflet) ; Poitou dite Grande Armée (La Rochejaquelein, Marigny, Lescure). L'armée n'était pas permanente : les paysans rejoignaient leurs seigneurs pour des opérations ponctuelles, puis retournaient à leurs champs ; seuls demeuraient auprès des chefs quelques centaines de mercenaires (cavaliers, déserteurs de l'armée rép.). Les effectifs varient ainsi : 25 000 h. s'emparent de Bressuire le 3-5-1793 ; 6 000, le 16-5, attaquent Fontenay-le-Comte (échec), et 30 000 l'enlèvent, le 25-5, puis partent en masse, et La Rochejaquelein doit évacuer la ville. **Armées bleues** 20 000 à 60 000 h., organisées (mai 1793) en 2 armées : côtes de Brest [Gal de La Bourdonnaye à Nantes, Gal Jean-Baptiste Cte de Canclaux (1740-1817, emprisonné oct. 1793, secondera Hoche à Quiberon, ambassadeur à Naples 1796-98, inspecteur de la cavalerie, sénateur, Cte d'Empire 1808, pair de Fr. 1814)] et côtes de La Rochelle [Gal ex-baron de Verteuil puis Gal Louis de Gontaut duc de Lauzun et de Biron (guillotiné 1794) et Gal de Berruyer à Angers].

Opérations. **Grande guerre : 1793** 10-3 Vendée, plusieurs révoltes lors du recensement pour la levée en masse des 300 000 h. (décidée par décret du 21-2), notamment dans le Choletais et à Challans ; 11-3 prise de *Machecoul ;* 12-3 le chevalier Sapinaud de Bois-Huguet (1736-93 † au combat) prend la tête des insurgés ; 13-3 prise de *Chemillé* par Cathelineau (rejoint le lendemain par Stofflet) ; 14-3 prise de *Cholet* et de *La Roche-sur-Yon* par les Vendéens, ralliement de Charette ; 15-3 prise de *La Roche-Bernard* et de Clisson ; 17-3 ralliement de Gigot d'Elbée ; 19-3 conquête de *Noirmoutier ;* 21-3 ralliement de Bonchamps, occupation totale des *Mauges ;* Gal Macé (3 000 h.) défait à Pont-Charrault ; 22-3 prise de *Chalonnes ;* 24-3 *Pornic* (300 Vendéens prisonniers exécutés) ; 27-3/22-4 représailles, 150 à 160 Bleus fusillés ; avr. conquête du littoral, sauf Les Sables-d'Olonne ; 18-4 Bois-Grolleau, Cathelineau et Stofflet battent Berruyer ; 2-5 La Rochejaquelein prend *Bressuire ;* 5-5 20 000 Vendéens prennent *Thouars :* 25-5 prise de *Fontenay ;* 9-6 de *Saumur-sur-Menou* (des milliers de prisonniers sont relâchés après avoir été tondus) ; juin conquête de la rive dr. de la Loire ; 23-6 prise d'*Angers ;* 29-6 *Châtillon-sur-Sèvre,* Charette bat Westermann ; 29-6 échec devant *Nantes :* retraite sur Angers (Cathelineau blessé ; † 17-7) ; juillet les Rép. prennent *Angers, Ancenis, Saumur* (Gal bleu : Rossignol ; chefs chouans : d'Elbée qui succède à Bonchamps † 14-7, adjoint : Stofflet) ; 1-8 : 15 000 h. de l'armée du Rhin capitulent à Mayence : ne devant plus combattre la coalition, ils sont affectés en Vendée ; 2-8 Bertrand Barère de Vieuzac donne à Kléber la consigne d'exterminer la population ; 5-8 Vendéens battus devant Saumur ; 5-9 d'Elbée vainqueur à *Chantonnay ;* 16-9 Charette battu à Montaigu ; 18-9 Santerre (rép.) battu à *Coron ;* Duhoux (rép.), à *Pont-Barré ;* 19-9 Charette et Bonchamps, réunis près de *Torfou,* écrasent l'avant-garde de Marceau (5 000 h., commandés par Kléber) ; 21-9 Charette bat Beysser à *Montaigu ;* 22-9 fausse manœuvre de *St-Fulgent* [les Blancs devaient exterminer les Mayençais à Clisson ; mais Lescure fit remettre cette bataille (décisive) pour aller enlever un convoi à St-Fulgent ; les Mayençais purent se refaire à Nantes] ; 9-10 début des offensives de 5 *colonnes rép.* en direction de *Châtillon-sur-Sèvre* [François-Joseph *Westermann* (1751-94, guillotiné), ancien grand bailli de la noblesse d'Alsace, exécuté comme dantoniste], *Bressuire* (Chalbos), *Clisson* (Kléber), *Le Luc* (Cordelier : 564 †, dont 109 de moins de 7 ans, le 28-2-1794), *étang de Drillais* (Huché : 4 000 † le 27-2-1794) ; Gal en chef et organisateur de la répression rép. : Louis-Marie *Turreau* [(1756-1816) futur ambassadeur de l'Empire aux États-Unis (1803-11) ; Bon de Linières (1812) ; prête serment à L. XVIII (1814)] ; 15/17-10 Bonchamps écrasé à *Cholet,* blessé mortellement (d'Elbée, blessé, est transporté à Noirmoutier) ; La Rochejaquelein (21 ans) devient Gal en chef.

Virée de Galerne (vent du Nord, nom donné au pays au N. de la Loire) **: 1793** 18-10, 100 000 Vendéens, dont de nombreux civils, se réfugient au N. de la Loire, malgré l'opposition de La Rochejaquelein [avant la bataille de Cholet, le Pce de Talmont à la tête de 4 000 Chouans (voir ci-dessous) avait été chargé d'enlever Varades, sur la rive droite, pour permettre aux Vendéens de fuir, en cas de défaite] ; 21-10 La Rochejaquelein prend *Laval ;* 26-10 il bat Westermann à *Entrammes* (10 000 †) ; 3-11 mort de Lescure, blessé à Cholet ; 4-11 prise de *Fougères* [permettait d'attaquer Rennes ou Granville ; un conseil de g. décide de marcher sur Granville, pour y recevoir l'aide des Angl. (Francis Rawdon Hastings, Cte de Moira, 1754-1826, ayant sa base à Jersey)] ; 7-11 la Convention retire son nom à la Vendée et lui donne celui de *Vengé ;* 12-11 Vendéens prennent *Avranches ;* 14-11 échec devant *Granville :* retraite vers la Loire ; 20-11 les Vendéens battent Rossignol à *Antrain ;* 4/5-12 échouent devant *Angers,* se retirent en désordre vers Le Mans sur la Sarthe ; 7-12 *Joseph Barra* (13 ans) tué à Jallais lors d'un accrochage (après avoir tenté de prendre 2 chevaux ?) ; 13-12 défaits près du Mans, se retirent vers Laval ; 23-12 vaincus à *Savenay* (15 000 † sur 18 000 h. ; prisonniers, hommes ou femmes, fusillés). Westermann dira au Comité de salut public : « Il n'y a plus de Vendée ! Suivant les ordres que vous m'avez donnés, j'ai écrasé les enfants sous les pieds des chevaux, massacré les femmes qui, au moins pour celles-là, n'enfanteront plus de brigands. Je n'ai pas un prisonnier à me reprocher. J'ai tout exterminé ! » **1794** exécutions : 6-1 d'Elbée (fusillé à Noirmoutier, voir ci-dessous) ; 27-1 : Pce de Talmont, guill. à Laval ; 5-2 abbé Jean-Louis Guillot de Folleville (pseudo-évêque d'Agra), guill. à Angers ; janv.-févr. 15 000 Chouans exécutés à Angers, Laval, Saumur [dont à Angers env. 3 000, exéc. pour raisons religieuses (assistance quotidienne à la messe, port des bannières aux processions, etc.), 99 ont été béatifiés par Jean-Paul II en févr. 1984].

Guerre sauvage : 1794 janv.-juill. Passées de 5 à 12, les colonnes rép. (*« colonnes infernales »*) pratiquent la « terre brûlée » et exécutent env. 160 000 civils ; 28-1 La Rochejaquelein tué entre Cholet et Nuaillé ; 28-2 massacre des Lucs par la colonne Cordelier (564 † dont 107 enfants, 200 femmes et filles de + de 8 ans ; selon certains, 300 à 500 † en plusieurs semaines ou même 1 année) ; 20-3 aux *Clouzeaux,* Charette bat Gal Haxo qui est tué ; 29-9 Turreau arrêté par ordre du Directoire à cause des excès de sa répression (acquitté 1795) ; 2-12 amnistie accordée par la Convention thermidorienne ; 16-12 Charrier guillotiné. **1795** 17-2 *paix de La Jaunaie,* signée par Charette et Canclaux [libre exercice du culte ; remboursement des bons signés par l'armée vend. (ces « bons royaux » ne seront jamais remboursés, même la Restauration les ignorera)] ; 2-5 *paix de St-Florent* (Stofflet).

Guerre fédéraliste (juin 1793-janvier 1794)

Causes. Les Jacobins ont anéanti la minorité des Girondins (dits alors Brissotins) qui voulaient organiser une fédération de départements. Plusieurs villes et régions de province, hostiles à la centralisation jacobine, prennent les armes pour eux.

Opérations. **1793** 15/20-6 les Girondins prennent Marseille, Toulon, Bordeaux. A Caen, les Montagnards sont arrêtés et la Normandie se soulève (12-7), l'armée gir. est formée (Gaux : Wimpffen et Puisaye ; chefs civils : Brissot, Lanjuinais, Buzot, Valadé, Pétion) ; 13-7 Puisaye battu à *Pacy-sur-Eure* par le colonel Brune (futur Mal) ; 16-7 gouvernement fédéral local à *Lyon,* Joseph Chalier (jacobin, n. 1747) exécuté ; 31-7 dispersion des féd. bordelais. Carteaux entre à Marseille ; 9-8 début du siège de Lyon ; 22-8 Lyon bombardée ; 27-8 les féd. livrent Toulon aux Angl. ; 9-10 Lyon capitule, renommée *Commune affranchie* (répression avec Couthon, Fouché, Collot d'Herbois : 15 000 †) ; 15-12 *Toulon* reprise (+ de 1 000 exécutions ; déportations des hab.). **1794** janv. Fréron achève l'épuration de *Marseille* renommée *Sans Nom* (400 exécutions).

1re guerre des Chouans (décembre 1793-avril 1796)

☞ Les 2 guerres des Chouans se sont déroulées au nord de la Loire.

Nom. Forme dialectale de *Chat-huant :* surnom d'un des chefs, Jean Cottereau, dit Jean Chouan, parce qu'il avait comme signal de ralliement le cri de la chouette, du temps où il était faux saunier ; se distinguent des Vendéens par leurs motivations (devise : *Dieu et mon pays* au lieu de *Dieu et mon roi)* et leur localisation (au N. de la Loire) ; ils ont pourtant combattu à leurs côtés pendant la « virée de Galerne » et la IIe g. vendéenne.

Effectifs. *Chouans :* 40 000 h. en Anjou-Touraine, peut-être plus en Bretagne (Cadoudal), mais rarement rassemblés. *Républicains* (armée des côtes de Brest) : 30 000 h., employés contre les Vendéens (au S. de la Loire).

Opérations. **1792** 15-8 à St-Ouen (Mayenne) constitution du 1er groupe de réfractaires armés, sous le commandement de Jean Chouan. **1793** 10-3 1ers troubles publics armés à *St-Florentin-le-Vieil* (M.-et-L.), à l'occasion de la levée des 300 000 h. ; mi-mars, les mutins sont organisés militairement (principaux combats : la Baconnière, Port-Brillet, Andouillé, Le Pertre) ; le Mis de Scépeaux combat sur la rive g.

Principaux chefs vendéens

Bonchamps (Charles, Mis de) (1760-93), lieutenant en Inde et en Amérique, blessé à Cholet ; transporté sur la rive dr. à St-Florent le 17-10, admiré pour sa foi religieuse (ordonne avant de mourir d'épargner 5 000 prisonniers bleus, meurt de ses blessures). **Cathelineau** (Jacques) [1759-Ancenis 14-7-1793 (15 jours après avoir été blessé à Nantes)], le *Saint de l'Anjou*, colporteur, élu généralissime le 12-6-1793, tué au combat ; sa famille sera anoblie en 1817 ; son fils Jacques, rallié à la Desse de Berry, sera tué par les gendarmes de Louis-Philippe, 27-5-1832. **Charette de La Contrie** (François-Athanase de) (n. 1763, fusillé à Nantes le 29-3-1796) ancien officier de marine ayant participé à la g. de l'Indépendance américaine. **Elbée** (Maurice Gigost d') (Dresde 1752-94, fusillé) officier émigré, élu généralissime le 19-7-1793 après la mort (14-7) de Cathelineau ; blessé le 17-10. Capturé, exécuté dans un fauteuil le 7-1-94. La Rochejaquelein lui succède. **La Rochejaquelein** (Henri du Vergier, Cte de) (1772-94) officier (gouverneur de Saumur le 12-6-1793 ; généralissime le 18-10-1793 ; tué au combat le 28-1-1794). **Lescure** (Louis-Marie de Salgues, Mis de) (1766-93, tué au combat) châtelain de Clisson et chef des combattants poitevins. **Marigny** (Bernard de) (1754-94, fusillé par les Vendéens) officier de marine, Cdt en chef de l'artillerie vendéenne (mai 1793) ; chef d'une armée de partisans en Vendée (avril 1794) ; vainqueur à Clisson ; accepte de collaborer avec Charette et Stofflet (mai 1794) ; sommé de renoncer à son commandement en chef et de reprendre sa place à la tête de l'artillerie, il refuse et fait sécession (juin 1794) ; capturé par Stofflet et exécuté le 10-7-1794 (graves dissensions entre Vendéens après sa mort). **Sapinaud de La Rairie** (v. 1760-1829), ancien officier au régiment de Foix, chef de l'armée du centre. Il reprend les armes en 1815. Pair de Fr. **Stofflet** (Jean-Nicolas) (v. 1751-1796, fusillé 26-2) garde-chasse des Mis de Colbert, Lorrain.

Principaux chefs chouans

Becdelièvre (Anne-Christophe, Mis de) (1774-95) ; émigré dans l'armée de Condé, revenu dans l'O. comme major gén. des armées du N. de la Loire, sous les ordres de Scépeaux (déc. 1794-juill. 1795). Blessé mortellement au combat d'Oudon. **Bourmont** (Louis-Auguste, Cte de) (1773-1846) ; émigré dans l'armée des Princes 1791 ; débarqué en Bret. 1795 et chef d'ét.-m. de Scépeaux ; nommé Mal de camp à Londres 1797 ; Cdt en chef des Chouans 1799 ; compromis en 1801 lors de la séquestration du sénateur Clément de Ris et incarcéré au Temple ; évadé 1804 ; rallié à Napoléon 1807 ; Gal de division 1814 ; le 15-6 passe à l'ennemi avant Waterloo ; Cdt en chef de l'expédition d'Alger 1830 ; Mal de Fr. (14-7) ; compromis dans la révolte vendéenne (Desse de Berry) 1832 ; condamné à mort par contumace, devient Portugais et Cdt en chef de l'armée port. ; amnistié 1834. **Cadoudal** (Georges) (1769-1804, guillotiné) ; royaliste, mais hostile à l'aristocratie, il constitue une chouannerie plébéienne, et essaye même de faire fusiller le Cte de Puisaye qu'il soupçonne de trahison ; Bonaparte l'admirait et lui offrit les galons de Cel (refus) ; il fut soupçonné, sans doute à tort, d'avoir monté la conspiration de la machine infernale (1804), mais il complota réellement avec Pichegru une attaque contre le palais consulaire, suivie de l'exécution du 1er Consul. **Cormatin** (Pierre Dezoteux, baron de) (1753-1812) émigré, venu d'Angl. en 1794 et nommé Gal en chef, se préoccupe de conclure la paix avec Hoche ; jugé sévèrement par les historiens chouans. **Cottereau** (les « Frères Chouans ») : Jean (1757-† 27-7-94 au combat) ; François, † d'une blessure infectée ; Pierre, aîné, fait prisonnier et guillotiné à Laval en juin 1794 ; René, cadet, surnommé *Faraud* († 1846) ; 2 sœurs : Perrine 18 ans et Renée 15 ans, guillotinées le 25-4-94. **Frotté** (Louis, Cte de) (1755-1800, fusillé) protestant, émigré à Londres ; 1795 lieut. gén. et chef de la chouannerie normande [rive gauche de la Seine (rive droite, le chef est un autre protestant, François de Mallet)]. Plusieurs campagnes victorieuses. 1797-98, commande 1 500 h. dans la forêt d'Halouze, les « gentilshommes de la Couronne ». 1799, avec 11 000 h., conquiert régions d'Alençon et Mortain. 28-1-1800 pris dans un guet-apens (par un faux sauf-conduit de Bonaparte), fusillé. **La Rouërie** (Armand Taffin, Mis de) (1751-93). Chef du parti antirévolutionnaire breton dep. 1787, reçoit en 1791, à Coblence, la mission de coordonner la résistance nobiliaire en Bret. ; en contact avec Londres à partir de janv. 1793 ; meurt de pneumonie durant une mission clandestine à Laguyomarais. **Puisaye** (Joseph-Geneviève, Cte de) (1755-1827), ancien chef des insurgés fédéralistes, organise la chouannerie d'Ille-et-Vil. Soupçonné de complicité avec les Rép., rejoint la flotte angl. après Quiberon et se fait naturaliser angl. **Scépeaux** (Marie-Paul, Mis de) (1769-1821), respecte la trêve qu'il signe avec Hoche ; se fait radier de la liste des émigrés, devient inspecteur gén. des armées imp. ; Mal de camp sous la Restauration. **Tinténiac** (chevalier) (?-1795). Aide de camp de La Rouërie, passe en Angl., devient l'agent de liaison entre Pitt et les Vendéens. Juil. 1793, débarque à St-Malo et organise en Vendée l'expédition de Granville (échec). 1795, rejette le tr. de La Mabilais, prend part au combat de Quiberon, débarque avec 4 000 Chouans (repliés sur Houat) à la pointe St-Jacques, près de Vannes, bat Hoche, ne peut prendre Josselin et est tué à Coëtlogon.

avec son beau-fr. Bonchamps ; oct.-déc. de nombreux Chouans prennent part à la *« Virée de Galerne »,* notamment les frères Chouans et les Morbihannais de Cadoudal ; 10-12 défaite du Mans ; déc. après le désastre des Vendéens à *Savenay,* les Chouans restent sur la rive droite (Cadoudal dans le Morbihan ; Scépeaux en M.-et-L.). **1794** captivité de Cadoudal à Brest ; le Cte de Silz, chef des Chouans bretons. **1795** 27-1 Pce de Talmont guillotiné à Laval ; 20-4 *paix de La Mabilais* entre Hoche et Scépeaux (Cadoudal, évadé de Brest, la refuse ; le Mis de Cormatin, chef d'état-major du Cte de Puisaye, l'accepte) ; 25-5 Hoche fait arrêter Cormatin ; 12-6 reprise de la guérilla, Scépeaux prend *Segré ;* 27-6 *débarquement à Quiberon* de 3 700 émigrés (chefs : Puisaye, Sombreuil, d'Hervilly), transportés par les Angl. ; 28-6 Cadoudal prend *Auray,* 29-6 Hoche la reprend, 16-7 son lieutenant, Jean Humbert, perce les lignes de Quiberon (1 200 émigrés † ; 1 800 regagnent la flotte) ; 19/20-7 fort Penthièvre livré ; 22-7 reddition des survivants avec colonel de Sombreuil en échange de la vie sauve, mais seront fusillés à Vannes et Auray sur ordre de Hoche [12 fusillés par j (952 †) au « Champ des Martyrs »] du 28-7 au 2-9 ; 18-11 le Cte d'Artois évacue l'île d'Yeu et renonce à débarquer. **1796** 12-4 suspension d'armes entre Scépeaux et Hoche (rive droite de la Loire, de Nantes à Blois) ; mai entre Cadoudal et Hoche (Bret.).

2e guerre de Vendée (1795-96)

Causes. Charette n'avait jamais vraiment déposé les armes ; après la paix de La Jaunaie (17-2-1795), il va à son quartier gén. de Belleville et 25-6 dirige de nouvelles guérillas parce qu'on n'avait pas tenu les promesses qu'on lui avait faites dira-t-il. Stofflet, brouillé avec lui, observe la paix qu'il a signée avec Hoche à St-Florent le 17-5-1795. Mais les agents du Cte d'Artois le contactent à l'occasion du débarquement de Quiberon, et il se réconcilie avec Charette (sept. 1795).

Opérations. 1796, 26-1 Stofflet reprend les armes ; 24-2 pris à Chemillé ; exécuté 26-2 ; 23-3 Charette pris à la Chabotterie (St-Sulpice), 29-3 fusillé à Nantes ; avril : dernières guérillas.

3e guerre de Vendée (1799-1800)

Opérations. Guérillas. **Chefs.** Charles d'Autichamp (Anjou), Constant de Suzannet (basse Vendée) en liaison avec Cadoudal et Bourmont (voir ci-dessus).

2e guerre des Chouans (1799-1800)

Opérations. 1799, août, Cadoudal réunit les Ch. bretons au camp de Beauchêne ; le marquis de Bourmont est envoyé de Londres pour prendre le commandement du Maine, Perche, Chartrain, Vendômois ; sept. Cadoudal attaque Vannes et s'empare de *Sarzeau ;* oct. Bourmont s'empare de *Saumur* et du *Mans ;* nov. coup d'État du 18 brumaire : Bonaparte au pouvoir ; déc. Cadoudal, avec 800 Chouans, occupe l'estuaire de la Vilaine pour recevoir armes et munitions angl. **1800,** il a 15 000 h. ; 25/26-1 il est battu par le Gal Brune à *Grand-Champ* et à *Elven ;* 4-2 Bourmont signe la paix avec Bonaparte (pays de la Loire) ; 9-2 Cadoudal signe la paix avec Brune à *Theix ;* mars, menacé d'arrestation, il passe en Angl. ; déc., il échoue dans une attaque de Brest. **1802,** Bonaparte, à la paix d'Amiens, demande aux Angl. de lui livrer Cadoudal (refus).

Bilan des guerres de Vendée et de la Chouannerie. *Vendée militaire :* 117 000 (selon Reynald Secher). *Ensemble Vendée-Chouannerie :* 400 000 (selon René Sédillot). + de 600 000 † (selon Hoche, Pierre Chaunu), dont : soldats républicains 18 000, chouans 80 000, civils exécutés 210 000, † de froid et de faim 300 000, dont + de 100 000 enfants. 400 000 selon A. Casanova (dont 220 000 Vendéens et 180 000 Bleus). *Pertes civiles des Vendéens :* femmes et enfants massacrés sur place, exécutés en captivité (noyades de Carrier à Nantes : 4 800 † en automne 1793, liés 2 par 2 dans des galiotes coulées dans la Loire) ou morts de misère en déportation ; la Convention avait exclu la région vendéenne des lois de la g. : prisonniers et blessés étaient fusillés ; les cadavres étaient envoyés à des tanneries de peau humaine, à Meudon et aux Ponts-de-Cé. Dans ses *Mémoires* (1824), le Gal Turreau affirme que les Vendéennes exécutées étaient des combattantes, habillées en hommes. En fait, Turreau a appliqué des consignes organisant un authentique génocide (1/3 de la population détruite).

☞ **Vendée militaire :** théâtre de la guerre civile, entre la Loire au *Nord,* l'Atlantique de Paimbœuf aux Sables-d'Olonne à l'*Ouest,* les 2 lignes idéales : Les Sables-d'Olonne-Fontenay-le-Comte-Parthenay au *Sud,* et Parthenay-Thouars-Angers à l'*Est.* 750 paroisses dont 480 forment la Vendée insurgée.

■ État de la France au 18 Brumaire (9-11-1799)

Société. Frénésie de plaisirs (par réaction contre les années d'austérité et de terreur) dans les milieux riches : goinfrerie, excès des *muscadins* (mot forgé en 1792 par le conventionnel Chabot, pour désigner les jeunes royalistes lyonnais, utilisant de riches parfums au musc) et des *merveilleuses* (épithète ironique pour les élégantes : employée aussi au masculin, ainsi qu'*incroyables,* pour les « muscadins »). Brigandage généralisé (à l'origine, bandes monarchistes).

Économie. Commerce et industrie ruinés (à Paris, production réduite de 62 %, à Lyon de 85 %) ; ports de Marseille et Bordeaux fermés ; forêts domaniales pillées. Réseau routier détruit ; le service des diligences n'est plus assuré. **Finances.** Dévaluation de 99,966 % ; les caisses de l'État sont vides, fonctionnaires et soldats sont payés avec 10 ou 12 mois de retard ; les rentes ne sont pas versées. Il n'y a pas de budget établi (chaque administration dépense au jour le jour).

Libertés. Suspendues après le 18 Fructidor (4-11-1796) : la presse modérée est supprimée ; 1 700 prêtres réfractaires emprisonnés à Rochefort.

■ Consulat (13-12-1799/18-5-1804)

☞ Voir **Institutions** p. 696.

1799 13-12 *Constitution de l'an VIII :* 3 « consuls » : Bonaparte, Cambacérès, Lebrun, désignés par Sieyès (12-12) ; 25-12 décret de mise en vigueur de la Constitution ; 26-12 création du Conseil d'État. **1800** 17-1 suppression de 60 des 73 journaux politiques parisiens ; 13-2 création de la *Banque de Fr. ;* 14-2 soumission de *Cadoudal ;* 17-2 réorganisation administrative ; 19-2 Bon. s'installe aux Tuileries ; 20-2 lettre de L. XVIII à Bon., lui offrant le titre de connétable s'il rétablit la monarchie ; 3-3 *clôture de la liste des émigrés ;* 14-6 victoire de *Marengo ;* 2-7 Bon. revient aux Tuileries après ses victoires en It. ; 12-8 début des travaux du Code civil ; 7-9 réponse de Bon. à L. XVIII (refus) ; 1-10 *2e tr. de St-Ildefonse :* l'Esp. rend la Louisiane à la Fr., en échange de Parme ; amnistie pour de nombreux émigrés ; 9-11 *complot* de Joseph *Ceracchi* [sculpteur it. (n. 1751), avec 4 complices, dont le peintre *Topino-Lebrun* (n. 1769), élève de David, et l'officier corse *Arena* (n. 1771), projette de poignarder Bon. à l'Opéra. Arrêté dans le couloir de la loge, il est condamné à mort et exécuté avec ses complices le 28-1-1802]. 24-12 *explosion de la « machine infernale » rue St-Nicaise :* un tonneau de poudre rempli de clous saute au passage de la voiture de Bon., elle devait être arrêtée par un embarras de voitures, mais le cocher ivre fonce sur l'obstacle sans ralentir ; Bon. est sauf mais il y a : 10 †, 20 blessés, 46 maisons détruites ; 130 jacobins déportés aux îles Seychelles, par sénatus-consulte du 5-1-1801. L'idée (jacobine) de l'attentat avait été utilisée par les Chouans : Jean-François Carbon (n. 1756) (dit le Petit François) et Pierre St-Réjant (n. 1768), arrêtés 15 jours après. Condamnés le 6-4-1801, exécutés le 20-4 ; le chevalier de Limoëlan, chef du complot, en réchappe.

1801 3-2 paix de Lunéville avec l'Autriche ; 17-7 Concordat avec le pape (signature) (voir p. 518) ; 22-11 réunion du corps législatif ; départ pour *St-Domingue* de l'expédition du Gal Charles Leclerc [(1772-1802), beau-fr. de Bonaparte]. **1802** 18-1 élimination des membres du Tribunat hostiles à Bon. ; 25-1 Bon. élu Pt de la Rép. ital. ; 8-4 promulgation du *concordat* et de ses *articles organiques* (voir

p. 518 a) ; 26-4 *amnistie* pour les émigrés qui rentreront en Fr. avant le 23-9 ; 1-5 loi sur l'instruction publique, créant notamment les lycées ; 8-5 Bon. nommé 1er Consul pour 10 années supplémentaires ; 19-5 création de la *Légion d'honneur ;* 20-5 *esclavage* rétabli dans les colonies ; 24-5 protestation du pape contre les articles organiques (rejetée par Bon., ainsi que les suivantes, remises par le card. Caprara) ; 7-6 *Toussaint-Louverture* pris à St-Domingue ; 29-7 Bon. plébiscité, *1er Consul à vie ;* 4-8 nouvelle Constitution, avec une loi électorale favorisant Bon. ; 11-9 Piémont réuni à la Fr. ; 13-9 suppression du ministère de la Police (éviction de Fouché) ; 20-9 Bon. s'installe à St-Cloud, avec une cour consulaire ; 2-11 Gal Leclerc meurt à St-Domingue de la fièvre jaune, son armée est décimée ; 23-11 Bon. nommé médiateur de la Conféd. suisse.

1803 25-2 *Recez* (ou recès) de l'Empire allemand (voir Index) ; 27-3 création du *franc germinal* à l'effigie de Bonaparte ; 11-5 *décl. de g. à l'Angl.* (la paix ne sera plus jamais rétablie avant 1815) ; 13-5 la Louisiane est vendue aux USA ; août débarquement clandestin de Georges Cadoudal (n. 1771) en Normandie ; nov. évacuation de *St-Domingue.*

1804 févr. complot de *Cadoudal* (arrêté 9-3, exécuté 25-6 avec ses complices), Pichegru, Moreau (condamné 10-6-1804 à 2 ans de prison pour non-dénonciation de malfaiteurs lors de l'attentat) ; 15-3 *duc d'Enghien* (Louis de Condé, n. 1772), enlevé à Ettenheim en territoire all. [par le Gal Armand de Caulaincourt, Mis de l'Ancien Régime, futur duc de Vicence (1773-1827)] et 21-3 exécuté [après jugement d'un tribunal milit. présidé par le Gal Pierre Hulin (1758-1841 ; Cte d'Empire 1808) et contrôlé par le Gal Savary, chargé de l'exécution immédiate du condamné dans les fossés de Vincennes] [*raisons :* 1°) Cadoudal, au cours de son interrogatoire, avait révélé qu'« un prince » devait prendre la tête des conjurés chouans dès la mort du 1er Consul (il s'agissait du Cte d'Artois qui avait promis de venir, sans en avoir l'intention). 2°) Bonaparte a su qu'Enghien n'était pas le Pce en question, mais il a appliqué la règle corse de la vendetta, permettant de tuer les parents d'un adversaire. 3°) Fouché (régicide) et Talleyrand ont poussé Bon. à tuer un Bourbon, pour lui faire rejoindre le camp des régicides. 4°) Enghien avait en Alsace un réseau d'agents antirépublicains, ce qui suffisait à le faire condamner pour complot] ; 21-3 *Code civil* adopté ; 6-4 suicide (suspect) de *Pichegru* à la prison du Temple ; 30-4 le tribun Jean-François Curée (1755-1835), ancien conventionnel, propose la création d'un empire héréditaire (3-5 proposition adoptée par le Tribunat).

Guerres de la 2e Coalition (1798-1801)

Causes. 1°) L'Angleterre n'a pas pris part aux traités de paix (Bâle et Campoformio) qui ont mis fin à la 1re Coalition. Voir p. 651 b. Restée en g., elle cherche des alliés : Turquie (19-9-1798), Naples et Sardaigne (6-12), Russie (18-12), Autriche (12-3-1799), Portugal, États d'Afr. du N. (mars 1799). 2°) Bonaparte veut combattre les Anglais en Méditerranée (Égypte, sur la route de l'Inde). Cela implique l'entrée en g. des puissances méditerranéennes. 3°) La Russie se méfie de l'annexion des îles Ioniennes, base de départ vers Constantinople.

Effectifs. *France* 230 000 h. (Égypte 60 000, Italie 45 000, Rhénanie 40 000, Suisse 40 000, Danube 45 000) ; *Autriche* 215 000 (Bavière 75 000, Vénétie 60 000, Tyrol 20 000) ; *Russie* 75 000 ; *Turquie* 45 000 (Albanie 15 000, Égypte 30 000).

Opérations. 1798 19-5 la flotte fr. quitte Toulon ; 10/13-6 prise de Malte ; 1/3-7 d'Alexandrie ; 21-7 vict. des *Pyramides* et occupation du Caire ; 1-8 Nelson anéantit la flotte de Brueys à *Aboukir* (13 vaisseaux angl. contre 13 fr. : 9 fr., 2 angl. détruits, Brueys tué) ; sept-oct. Desaix conquiert la Hte-Égypte dont il devient gouverneur (surnommé le « sultan juste ») ; 23-10 le Gal Richemont, gouverneur des îles Ioniennes, chargé de conquérir l'Albanie turque, est écrasé à *Préveza* (4 000 †, Richemont prisonnier) ; déc. Joubert occupe le Piémont, Championnet conquiert l'Italie (*Rome* 15-12, *Naples* 31-12). **1799** janv.-mai offensive de Bon. en Palestine (prise de *Gaza* 24-2, de *Jaffa* 6-3, siège de *St-Jean-d'Acre :* mars-avr. ; vict. sur Turcs au *Mont Thabor* 17-4 ; levée du siège de *St-Jean-d'Acre* 20-5 ; retour au Caire 14-6) ; 27-4 offensive russe (Souvarov) en It. du N. (défaite de *Novi,* mort de Joubert 15-8) ; 21-7 Bon. bat Anglo-Turcs qui ont débarqué à *Aboukir ;* 27-8 débarquement anglo-russe en Holl. (battus par Brune au *Helder,* capitulent à *Alkmaar* 6-10) ; 27-9 Masséna bat Souvarov, puis Korsakov à *Zurich ;* 9-10 Bon. débarque en Fr. (Kléber Cdt en chef de l'armée d'Égypte) ; 30-12 le grand vizir turc s'empare d'El Arich. **1800** 24-1 Kléber signe la convention d'*El Arich,* prévoyant le rapatriement de son armée par la flotte angl. (refus angl.) ; 1-3 l'amiral russe Ouchakoff prend les îles Ioniennes ; 20-3 Kléber bat grand vizir à *Héliopolis ;* 5-5 Moreau bat Autr. à *Stockach ;* mai, Masséna résiste dans Gênes ; 20-5 Bon. franchit le *Gd-St-Bernard ;* 4-6 Masséna capitule à *Gênes* (retraite sur Nice autorisée). 14-6 *Marengo* (Bon. bat Mélas, Desaix tué) ; Kléber assassiné au Caire par le janissaire Souleïman el Alepi ; 19-6 *Hochstaedt* Moreau bat Kray ; 28-6 l'Autr. signe un cessez-le-feu pour l'It. ; *sept.* l'armée de Suisse (Macdonald) conquiert Vorarlberg et Tyrol ; 25-9 Angl. conquièrent *Malte ;* 3-12 *Hohenlinden* Moreau bat l'archiduc Jean (12 000 †, 25 000 pris.) ; 16-12 Bon. propose Malte au tsar Paul Ier, qui se retire de la coalition (assassiné 23-3-1801) ; 18-12 Autr. signe armistice à *Steyer* (tr. définitif *Lunéville* 9-2-1801 : l'It., sauf Venise, est laissée sous l'influence fr. ; cession définitive de la rive gauche du Rhin, avec compensation pour les princes rive droite). **1801** 22-2 Esp. alliée à la Fr. contre Angl. ; mars-juin Lord Abercromby bat Menou, qui a remplacé Kléber, et conquiert Égypte ; 2-9 *Menou capitule* (rapatriement de son armée par la flotte angl.) ; 8-10 **tr. de Paris** (paix entre Fr. et Russie) : îles Ioniennes sous protectorat russe (Rép. des *Sept-Iles* unies) ; 9-10 ouverture de négociations franco-angl. à *Amiens* (tr. définitif 25-3-1802 : Méditerranée à la Fr. ; océan Indien à l'Angl. ; o. Atlantique indivis ; frontières du Rhin reconnues).

Ier Empire (18-5-1804/6-4-1814)

1804 18-5 le Sénat proclame l'Empire par sénatus-consulte (unanimité moins 5 voix) ; 19-5, 18 maréchaux nommés ; 20-5 décret lu dans les rues de Paris ; *fin mai* plébiscite sur l'hérédité (pas sur la dignité impériale, déjà décrétée) ; *7-6* Eugène de Beauharnais installé comme vice-roi à Milan ; St-Napoléon devient fête off. fixée au 15-08, anniversaire de l'Emp. ; 28-8 abandon du plan de conquête de l'Angl. ; 21-10 déf. de *Trafalgar* (décisive) ; 2-12 vict. d'*Austerlitz* et *sacre* de N. [Pie VII accepte de venir à Paris pour *sacrer* N. (c.-à-d. lui donner l'onction avec le saint chrême), mais N. se couronne lui-même et couronne sa femme, Joséphine (épousée religieusement la veille à 4 h de l'après-midi, sans témoins, dans le salon des Tuileries) ; jure sur l'Évangile l'irrévocabilité de la vente des biens nationaux (anciens biens fonciers de l'Église). L'Angleterre est la seule nation européenne à n'avoir jamais reconnu le titre impérial de N. ; à Ste-Hélène, il sera appelé le « Gal Bonaparte »]. **1805** 19-5 création de la dignité de Mal ; 26-5 Nap. (proclamé roi d'It. 18-3) couronné roi d'It. à Milan ; 26-12 *tr. de Presbourg ;* titre de Grand ; 31-12 fin du calendrier républicain.

1806 *26-2* Nap. décide de construire l'Arc de triomphe de l'Étoile ; *30-3* Nap. protecteur de la Conféd. du Rhin (à la demande du Pce-archevêque de Ratisbonne Charles de Dalberg) ; Joseph Bon. roi de Naples ; 5-7 Louis Bon. roi de Hollande ; 12-7 création de la *Confédération du Rhin ; 4-8* publication du catéchisme impérial (« Dieu a établi Nap. notre souverain, l'a rendu à son image sur la terre ») ; 21-11 institution du *Blocus* continental : ports européens fermés aux navires angl. ; 11-12 l'Électeur de Saxe devient roi et entre dans la Conféd ; *19-12* entrée à Varsovie (souveraineté indirecte sur la Pologne). **1807** *1-6* création du 1er duc d'Empire (Mal Lefèvre, duc de Dantzig) ; *7-7* tr. de *Tilsit,* alliance avec Russie [annexion des îles Ioniennes (projet d'empire oriental)] ; 17-10 expédition de Junot au Portugal (qui refuse d'appliquer le Blocus) ; 27-10 *tr. de Fontainebleau :* Port. partagé entre Fr. et Esp. ; *13-11 code Nap.* appliqué aux territoires annexés ou administrés ; 23-11 *décret de Milan :* fin de la navigation neutre (tout navire visité par les Anglais est considéré comme anglais) ; 8-12 Jérôme Bon. roi de Westphalie. **1808** *2-2 occupation de Rome ; 1-3* création de titres de noblesse ; *18-3* entrée des Fr. (Murat) en Espagne ; *22-7* 1re défaite terrestre de l'armée fr. (capitulation de Dupont à *Bailén*) ; *27-9* fêtes d'*Erfurt* (Nap. et le tsar Alexandre Ier devant un « parterre de rois »).

1809 17-5 annexion des États pontificaux ; 10-6 Nap. *excommunié ;* 6-7 pape arrêté (interné à Savone 20-8 ; à Fontainebleau juin 1812) ; *14-10 paix de Vienne* (annexion des provinces illyriennes) ; Metternich devient chancelier d'Autriche (politique : s'allier à Nap., pour l'abattre au bon moment) ; 16-12 *annulation* du mariage civil de Nap. prononcée par sénatus-consulte, l'un des témoins (l'aide de camp Le Marois, 19 ans) n'étant pas majeur.

1810 10-1 *mariage religieux avec Joséphine* annulé (voir encadré p. 655) ; 5-2 censure pour les imprimeries ; *6-2* le tsar répond évasivement à une demande en mariage pour sa sœur Anne (15 ans) ; *7-2* Nap. demande en mariage Marie-Louise d'Autr. ; 17-2 Rome réunie à la Fr. ; création du titre de *roi de Rome* (porté par Nap.) ; 10-3 le 5 % est à 83,90 F (max. sous l'Empire) ; 2-4 Nap. *épouse Marie-Louise* (la *noblesse* de l'Ancien Régime se rallie) ; 9-7 roy. de Holl. transformé en départements fr. ; 21-8 Bernadotte roi de Suède ; *12-11* annexion des villes hanséatiques ; *10-12* d'une partie du roy. de Westphalie. **1811** 11-1 annexion du duché d'Oldenbourg (appartenant à un cousin du tsar) ; 20-3 *naissance du roi de Rome* (fils de Nap.) ; 17-6 ouverture d'un *concile à Paris* pour trouver un arrangement avec le pape emprisonné (échec). **1812** 15-1 création de l'industrie sucrière (betterave) ; *17-4* tentative de paix vers l'Angl. (échec) ; 9/21-5 *congrès de Dresde,* réunissant les rois soumis à Napoléon ; le pape transféré à Fontainebleau (en vue d'une réconciliation éventuelle) ; *22-6* début de la *campagne de Russie* (régence de Marie-Louise) ; *juil.* épidémie de typhus, va détruire la Grande Armée ; 23-10 *conjuration du Gal Malet* [Claude François de Malet (1754-1812), noble périgourdin devenu républicain, membre de la société secrète des Philadelphes, Gal en 1799, destitué 1807, essaie de rétablir la rép. en s'emparant de la préfecture de la Seine et du gouvernement militaire de Paris, au moyen de faux documents (dont un sénatus-consulte annonçant la mort de Nap. en Russie) ; reconnu par le gouverneur, le Gal Hullin, il l'abat d'un coup de pistolet, mais se fait arrêter par la garde ; exécuté 29-10 avec 13 complices (dont Gal Victor de Lahorie, amant de la mère de Victor Hugo)] ; *25-11* passage de la *Berezina ; 5-12* Nap. quitte son armée ; 18-12 il arrive à Paris. **1813** 25-1 *pseudo-concordat de Fontainebleau* entre N. et Pie VII (récusé par le pape) ; *mars* dissolution de la Confédération du Rhin ; *21-4* défaite de *Vitoria* et perte de l'Esp. ; *18/21-10* défaite de *Leipzig* et perte de l'All. ; *12-11 tr. de Valencay :* Nap. rétablit les Bourbons d'Esp. ; *29-12* fin de la « médiation » de Nap. en Suisse. **1814** 11-1 défection de Murat ; 13-1 Pie VII libéré ; 28-1 Joseph, lieut. gén. de l'Empire (Marie-Louise régente) ; *21-3* défaite d'*Arcis-sur-Aube* (décisive) ; 24-3 Nap. voit pour la dernière fois Marie-Louise et son fils ; 29-3 Marie-Louise et son fils quittent Paris ; 31-3 : 2 h Paris capitule, Alexandre Ier (qui loge chez Talleyrand) et les Alliés déclarent ne plus vouloir de Nap. et de sa famille ; 1-4 le Sénat (60 présents sur 170) élit un gouv. provisoire (5 membres dont Talleyrand Pt) ; le Conseil municipal de Paris (13 membres sur 24) et le Conseil général de la Seine demandent le retour des Bourbons ; 2-4 le Sénat proclame la *déchéance* de Nap. ; 3-4 le Corps législatif (80 membres présents sur 300) la vote ; 4-4 défection de Marmont (voir p. 650) ; 5-4 Nap. abdique en faveur de son fils ; Alexandre Ier refuse Napoléon II avec une régence de sa mère ; 6-4 Nap., au courant, signe son acte d'abdication (pour lui et ses enfants), à Fontainebleau ; le Sénat (66 présents) fait connaître sa Constitution appelant à régner le Cte de Provence ; 11-4 *Convention de Paris :* Nap. garde le titre impérial, reçoit l'île d'Elbe et 2 millions par an (jamais versés) ; Marie-Louise reçoit Plaisance, Parme et Guastalla (Nap. II devient « Pce de Parme »).

Crises économiques

1802-03 crise agricole (subsistance). **1805-07** financière (déflation : rareté des arrivées d'or amér. et financement de la g.). Solution : rafle de monnaie en Autriche et Allemagne. **1810-11** industrielle (rareté des matières premières). **1811-12** agricole (subsistance : baisse de la main-d'œuvre agricole). **1812-15** financière (déflation). Les milieux boursiers poussent le 30-3-1814 à la signature de l'armistice (par Marmont) et le 31-3 à la capitulation de Paris (la Bourse remonte).

Guerres de la 3e Coalition (1803-05)

Causes. 1°) l'Angl. n'a pas évacué Malte comme l'exigeait le tr. d'Amiens (raison officielle : annexion du Piémont par Bon. contrairement au tr. d'Amiens). 2°) Prusse et Russie craignent comme elle une hégémonie fr. en Europe. 3°) l'Angl. ne peut admettre que les Fr. occupent la Hollande (en plus de la Belg. annexée). 4°) l'Autr. cherche à récupérer l'It. du N. : elle signe une convention avec l'Angl. (6-11-1804), lui promettant 235 000 h. 5°) Nap. a une alliée : l'Esp. [qui a déclaré la g. à l'Angl. en déc. 1804 (motif : les Angl. ont capturé 4 galions)].

Effectifs français. Dep. 1805, le contingent annuel est fixé par l'Empereur. Le 28-8-1805, l'Armée d'Allemagne comptait 592 000 h. (inf. 440 000, cavalerie 77 000, artill. 23 000, génie, train, pontonniers, etc. 28 000, gendarmerie 16 000, Garde 8 000).

Opérations. 1804 concentration à *Boulogne* de l'armée d'invasion d'Angl. [10 000 h. ; 2 400 navires (appelée *Grande Armée,* par opposition aux corps d'Italie et d'Esp.)] ; 70 nav. angl. croisent au large

La famille Bonaparte

☞ Voir p. 624.

Napoléon Ier

■ **Nom.** Sur son acte de baptême (21-7-1771) figurent le nom Bonaparte (et non Buonaparte) et le prénom Napoleone [forme pseudo-latine de « Nabulione » ; (sa mère l'appelle *Nabulione*)], venant sans doute d'*Anabulione,* c.-à-d. le saint revêtu d'un *anabolium* [voir p. 498 c, St Nicolas (en avril 1814, la presse royaliste a rappelé que Nap. se nommait en réalité Nicolas)] ; ou sobriquet désignant les Napolitains établis hors de la ville. Jusqu'en 1796, Napoléon signera Buonaparte (Napolione Buonaparte, acte de son 1er mariage). Empereur, il signe Napoléon, Nap., N. La Ville de Paris le déclare « Napoléon le Grand » en 1806. Les membres de la famille impériale perdirent leur nom de Bonaparte de 1804 à 1814, puis lors des Cent-Jours.

■ **Naissance.** Ajaccio, Corse 15-8-1769. Utilisa pour son mariage avec Joséphine l'acte de baptême de Joseph, son père, du 8-1-1768.

■ **Santé.** « Infatigable » (journées entières à cheval, nuits entières sans dormir, brèves siestes en cours de journée) ; mais il souffrait sans doute d'une hépatite chronique (teint jaune depuis sa jeunesse), d'origine paludéenne.

■ **Grands traits psychologiques.** Aristocrate, orgueilleux de son ascendance et ambitionnant avant tout la gloire de sa maison (opinion de Chateaubriand). Volonté implacable (ébranlée fréquemment par ses ennuis de santé) ; ascendant sur autrui (autorité naturelle, sens du commandement) ; imagination ; sûreté du coup d'œil ; intelligence synthétique et analytique, servie par une mémoire exceptionnelle ; don de la simulation et sens du théâtral. *Failles :* non-respect de la personne et de la vie humaines (« qu'est-ce qu'un homme après tout ? ») ; croyance excessive en la bassesse des hommes (peur, servilité, cupidité) ; avec l'âge, mégalomanie (objectifs irréalistes) et confusion mentale (poursuites d'objectifs inconciliables). Superstition (parfois optimiste, parfois pessimiste) ; préjugés d'aristocrate génois (aversion pour Venise, mépris pour les Espagnols et les Orientaux, hostilité envers l'Allemagne et le protestantisme ; ignorance des valeurs plébéiennes) ; complexe du gentilhomme de petite noblesse (fascination devant les grandes familles).

■ **Carrière. 1774-78** élève des jésuites à Ajaccio. **1778** avec l'aide de Marbeuf, boursier au collège d'Autun. **1779-84** à l'école militaire de Brienne. **1784** reçu au concours de l'école militaire de Paris (1 an d'études). **1785** *sept.* sous-lieut. d'artillerie à La Fère. **1785-91** lieut. d'art. à Valence, Lyon, Douai, Auxonne, et de nouveau Valence. **1792-93** tente fortune en Corse (indépendantiste) ; évincé par les paolistes, se réfugie en Fr. avec sa famille (pauvreté). **1793** *juin* capitaine d'artillerie à Nice ; rencontre Augustin Robespierre ; devient jacobin ; *sept.* commande artillerie au siège de Toulon ; *22-12* Gal de brigade (à cause de son rôle brillant à Toulon). **1794** *juil.* emprisonné par les thermidoriens, libéré ; sans emploi un an (refuse un commandement en Vendée). **1795** se lie avec Barras et prépare un plan de conquête de l'Italie du N. ; *5-10* (journée de Vendémiaire) fait échouer une émeute royaliste ; nommé par Barras Gal de div. **1796** liaison avec Joséphine de Beauharnais, ex-maîtresse de Barras (épousée 9-3) ; *5-3* nommé par Barras Gal en chef de l'armée d'It., grands succès ; *29-6* crée la *République cisalpine* (qu'il gouverne sans titre, depuis Mombello) ; *4-9* (18 Fructidor) par l'intermédiaire d'Augereau (qu'il a envoyé à Paris) rétablit une rép. jacobine ; *17-10 tr. de Campoformio ; 27-10* Gal en chef de l'armée angl. ; *26/30-11* négociateur à Rastatt (récupère Mayence) ; *15-12* à Paris. **1798** *5-3* Gal en chef de l'armée d'Égypte ; *19-5* s'embarque à Toulon. **1799** *22-8* quitte son armée (confiée à Kléber). S'embarque pour la Fr. ; *9-10* débarque à Fréjus ; *17-10* arrive à Paris, contacte Barras en vue d'un coup d'État ; *10-11* coup d'État (« 18 Brumaire » ; consulat. **1798-99** *(date incertaine)* est reçu dans la franc-maçonnerie à Memphis (crée la loge **Isis**). **1804** empereur (voir p. 654).

■ **Souverain de l'île d'Elbe (1814-15).** *4-5* débarque à Porto-Ferraio ; *28-5* Joséphine meurt à la Malmaison ; *déc.* Nap. décide de rentrer en Fr. **1815** *févr.* Fleury de Chaboulon, sous-préfet de Reims, combine à Paris (avec Maret, duc de Bassano) le retour ; *26-2* Nap. quitte Elbe.

■ **Les Cent-Jours (21-3/23-6-1815).** Voir p. 657 a-618 a.

■ **Dernières années (1815-21). 1815** *15-7* Nap. s'embarque sur le navire angl. *Bellerophon ; 24-7* en rade de Plymouth ; *7-8* passe sur le *Northumberland ; 16-10* arrive à Ste-Hélène ; *10-12* s'installe à Longwood. **1816** *17-4* arrivée de Hudson Lowe (1769-1844), chargé de sa surveillance. **1821** *17-3* fait son testament ; *5-5* meurt ; *9-5* enterré avec les honneurs militaires dans la vallée « du Géranium ». **1840** *12-5* la chambre vote le retour des cendres (budget de 1 million) ; *15-10* exhumé à Ste-Hélène ; corps ramené sur la *Belle-Poule* par le Pce de Joinville (fils du roi Louis-Phil.) ; *15-12* enseveli aux Invalides.

Parents de Napoléon

■ **Père :** Charles-Marie de Bonaparte (1746-85), ancienne et modeste noblesse florentine, ayant obtenu le patriciat d'Ajaccio, valable pour la noblesse de France. **Mère :** Letizia Ramolino (1750-1836), titrée *Madame Mère* (1805).

■ **Oncle :** le cardinal Joseph Fesch (1763-1839), demi-fr. de Letizia (mère, Angela-Maria Pietra-Santa qui, après la mort de son 1er mari, Jean-Jérôme Ramolino, s'était remariée avec un officier suisse, Franz Fesch).

Frères et sœurs

■ **Frères : Joseph** (1768-1844), baptisé *Nabulione,* il ne reçut le prénom de *Joseph* qu'après le baptême de son fr. Napoléon, le futur empereur. Roi de Naples 1806, d'Espagne 1808-13 ; ép. 1794 Julie Clary (1771-1845). Après 1815, porte le titre de Cte de Survilliers. Descendance : 2 filles.

Lucien (1775-1840), non reconnu comme « Pce français » par Nap. avant 1815, à cause de son mariage non autorisé en 1803. Pce de Canino (titre pontifical du nom d'une terre achetée en 1806) en 1814. Nap., qui avait voulu qu'il épouse la reine d'Étrurie, le fit rayer des successibles (1804), du Sénat et de l'Institut (1810). Ép. 1794 Catherine dite Christine Boyer (1773-1800), fille d'aubergiste ; 1803 Alexandrine Jacob de Bleschamp (1778-1855), veuve d'un banquier, Jean Jouberthon. Descendance : 7 filles (dont 5 mariées dont 1 avec M. Wise) et 5 fils, dont la ligne des Pces de Canino (éteinte en 1895) et la ligne de Pierre Napoléon Bonaparte (1815-81) [qui eut d'une union non autorisée par Nap. III (sa femme était couturière) 2 enfants réputés bâtards et non Pce et Pcesse selon le statut de famille] éteinte avec Roland, géographe (1858-1924), père de Marie Bonaparte (1882-1962) (Pcesse Georges de Grèce), psychanalyste.

Louis (1778-1846), Pce français 1804, roi de Hollande 1806-10 ; après abdication, Cte de Saint-Leu. Ép. 1802 Hortense de Beauharnais (1783-1837), belle-fille de Nap. Descendance : *1°) Charles* (1803-07) passa pour être le fils de Nap. Ier (pour cette raison, Louis refusa que Nap. Ier l'adopte en 1804). *2°) Napoléon-Louis* (n. 1804 – † 17-3-1831 de la rougeole ; on a dit abattu par les carbonari pour avoir fui devant les Autrichiens). *3°) Louis-Napoléon* devenu Nap. III (1808-73) (Voir p. 661).

Jérôme (1784-1860), Pce français 1806, roi de Westphalie (18-8-1807/28-10-1813), Pce de Montfort 31-7-1816 par le roi de Wurtemberg, gouverneur des Invalides 1848, Mal de France 1850, Pt du Sénat 1851 réintégré comme Pce français 1852. Ép. 1°) 1803 Elizabeth Patterson (1785-1879), mariage annulé 1805 ; 2°) 1807 Catherine de Wurtemberg (1783-1835). Descendance : du 1er mar. : branche des Bonaparte-Patterson (éteinte 1945, non princière) ; du 2e : Jérôme-Napoléon-Charles (1814-47), colonel de la garde lux., sans postérité, Pcesse Mathilde (1820-1904) (Voir p. 661) ; Pce Napoléon (1822-91) (Voir p. 661).

■ **Sœurs : Élisa** (1777-1820), Pcesse 1804, de Lucques et de Piombino 1805, Gde-Desse de Toscane 1809-14 ; apr. 1815 Ctesse de Compignano. Ép. 1797 Félix Baciocchi (1762-1841). Descendance : Napoléone ép. 1825 le Cte Philippe Camerata, Pcesse Baciocchi 1856 (1806-69), dont 1 fils, conseiller d'État, suicidé 4-3-1856 (le Cte Félix-Marnès Baciocchi, 1er chambellan de Nap. III, était le neveu du Pce Félix).

Pauline (1780-1825), Pcesse, Desse de Guastalla 1806. Ép. 1798 Gal Charles Leclerc (1772-1802) qu'elle accompagne à St-Domingue où il meurt de la fièvre jaune. Ép. 1805 le Pce Camille Borghèse (1775-1832). Sans postérité.

Caroline (1782-1839), Pcesse 1804. Ép. 1800 Joachim Murat (1771-1815), fils d'aubergiste, Gal de div. en Égypte 1799, Mal et Pce 1804, Gd-duc de Berg 1806, roi de Naples 1808-15. Après 1815 Ctesse de Lipona (anagramme de *Napoli*). Descendance : Pces Murat (8e, Joachim, né 1944).

Épouses

Joséphine Tascher de la Pagerie (23-6-1763/29-5-1814), née à Trois-Ilets (Martinique), veuve du Vte de Beauharnais, Gal en chef de l'armée du Rhin (1760-guillotiné 94) épousé 1778. Arrêtée, libérée le 6-8-1794. Obtient que Barras (son amant) nomme Bonaparte Gal en chef en Italie. Mariage civil 9-3-1796, religieux 2-12-1804 (la veille du sacre). Impératrice des Français 1804. Reine d'Italie 1805. Répudiée pour stérilité 30-11-1809 : 16-12-1809 annulation du mariage civil par sénatus-consulte, 10-1-1810 déclaration de nullité du mariage religieux par l'officialité métropolitaine de Paris [motif officiel (d'ordre « externe », selon les exigences de Napoléon) : le curé de la paroisse n'était pas présent à la bénédiction nuptiale ; motif réel : manque de consentement de l'Empereur (normalement irrecevable, car il y avait eu « simulation »)], garde le titre impérial 1810-14. Descendance de son 1er mariage : Eugène et Hortense (voir ci-dessous).

Marie-Louise d'Autriche (Vienne 12-12-1791/Vienne 18-12-1847, inhumée aux Capucines de Vienne), fille de l'Emp. d'Autr. François Ier, mariage 1810 (par procuration 11-3, civil à St-Cloud 1-4, religieux, salon Carré du Louvre, 2-4). Impératrice des Fr., reine d'Italie 1810, régente 1812 (lettres patentes du 30-3-1813 prorogées par décret 2-11-1813, confirmées 23-1-1814), puis 1814 (ne participe pas aux affaires). Faite par son père Desse de Parme, Plaisance et Guastalla avec qualification de majesté (tr. de Fontainebleau 11-4-1814) ; se remarie 1°) sept. 1821 au Gal Cte Adam von Neipperg (1775-1829), Autrichien, dont elle est la maîtresse depuis le 29-9-1814 ; 2°) 17-2-1834 Cte Charles de Bombelles (1785-1856), émigré. Descendance : *De Napoléon :* Napoléon II. *De Neipperg :* adultérins, non légitimés par le mariage subséquent (voir ci-dessous). Albertine de Montenuovo (1817-67, ép. 1835 le Cte Louis San Vitale) ; Mathilde (n. 1818, morte en bas âge) ; Guillaume de Montenuovo (1819-95), Gal et Pce autrichien 1854.

Enfants

■ **Fils légitime : De Marie-Louise :** Napoléon François, **Napoléon II** (1811-32) : voir p. 618. **Enfants naturels :** voir p. 616.

■ **Beaux-enfants : Eugène de Beauharnais** (1781-1824), aide de camp de son beau-père en Égypte (1798-99 ; blessé à St-Jean-d'Acre ; ramené en Fr. avec lui, oct. 1799) ; chef d'escadron 1800, Cel 1802, Gal de brigade 1804. Pce et archichancelier de l'Empire 1805. Vice-roi d'Italie 1805-14. Adopté par Nap. 1806, Pce de Venise 1807. Grand-duc de Francfort 1810 (compensation pour le divorce de sa mère), duc de Leuchtenberg et Pce d'Eichstadt 1817. Ép. 1807 Augusta de Bavière (1788-1851). Descendance : les Pces de Leuchtenberg, devenus russes (voir p. 624).

Hortense de Beauharnais (1783-1837), reine de Hollande 1806-10, puis Ctesse de Saint-Leu ; créée Desse de St-Leu par Louis XVIII 1814. Ép. Louis Bonaparte. Descendance : *de son mari :* Napoléon III ; *de sa liaison avec le Cte Auguste de Flahaut (1784-1870) :* Charles duc de Morny (1811-63) (branche éteinte 1940).

■ **Fille adoptive : Stéphanie de Beauharnais** (1789-1860). Cousine issue de germain des précédents. *1806* (3-3) adoptée, mariée au Pce Charles-Louis-Frédéric, héritier de la couronne de grand-duc de Bade. *1811* Grande-Desse. *1812* a un fils qu'on ne lui montra pas et qui fut déclaré mort après 3 jours. *1818,* son mari meurt, devient (à 29 ans) Grande-Desse douairière. *1828,* mai, *Gaspard Hauser,* 16 ans, apparaît, à Nuremberg, reconnu par plusieurs souverains comme son fils disparu en 1812 (notamment le roi de Bavière) ; il est assassiné 5 mois plus tard (5-10).

et harcèlent la côte. **1805,** mars-août échec du plan de Nap. prévoyant la concentration dans la Manche des escadres fr. de la Méditerranée (Villeneuve), de l'Atlantique (Ganteaume), et de la flotte esp. (Gravina) : Villeneuve et Gravina, qui ont lâché Nelson aux Antilles, se heurtent 22-7 au cap Finistère à l'amiral angl. Robert Calder (repliés à Cadix où ils sont bloqués par Nelson) ; 28-8 l'armée d'invasion d'Angl. est détournée vers l'Autr. ; 20-10 Nap. fait capituler Mack à *Ulm* (27 000 prisonniers dont 18 Gaux) ; 21-10 Villeneuve et Gravina écrasés par Nelson à *Trafalgar* (18 vaisseaux fr.-esp. sur 33 pris ou coulés, Nelson tué, Villeneuve fait prisonnier, relâché en 1806, craignant la colère de Nap. se suicidera le 22-4) ; 31-10 offensive fr.-it. sur l'Adige ; 13-11 Nap.

Empire à son apogée 1811

Départements (130) *dont incorporés :* en 1802 Piémont (5), Valais (1), 1805 Gênes (3), 1808 Parme (1), Toscane (3), 1810 États de l'Égl. (2), Hollande (8), nord de la Westphalie (4), 1811 Oldenbourg (1). Voir liste ci-contre. *Rattachés sans être départementalisés* (8-2-1810) : Catalogne, Aragon, Navarre, Biscaye détachés du royaume d'Esp. **Provinces illyriennes** (1809) : *1°) anciennes possessions vénitiennes* à l'E. de l'Adriatique ; autr. depuis le tr. de Campoformio (1797) ; cédées à Nap. en 1805 : Frioul, Istrie, Dalmatie, Raguse, Bouches de Cattaro ; cap. : Zara. *2°) territoires enlevés à l'Autr. par le tr. de Schoenbrünn* (1-8-09) : Croatie, Carinthie, Carniole. 6 prov. civiles, sur le modèle des dép. fr., mais non départementalisées : Carniole, Carinthie, Istrie, Croatie civile, Dalmatie, Raguse ; 1 prov. militaire : Croatie mil. ; cap. : Laybach (Ljubljana).

États satellites de l'Empire : *Suisse* (dont Nap. est *médiateur*, 1803) ; *roy. d'Italie* (dont Nap. est roi, avec Eugène de Beauharnais comme vice-roi, 1805) ; *Confédération du Rhin* [dont Nap. est protecteur, 1806, et qui réunit 16 États en 1806, puis 29 après 1807, dont le roy. de Westphalie (Jérôme Bonaparte) et le duché de Varsovie (roi de Saxe)] ; *roy. de Naples* (à Joseph Bonaparte, 31-3-1806 ; puis Joachim Murat, 15-7-1806) ; *rép. des îles Ioniennes* (1807).

☞ Le M^al^ français Bernadotte, devenu P^ce^ héritier de Suède en 1810, n'a pas été l'allié de Nap. Autriche et Prusse lui ont fourni des contingents (34 000 et 20 000 h.) en 1812 contre la Russie.

Départements nouveaux sous la Révolution et l'Empire

1793 : *Vaucluse, Mont-Blanc* (Savoie et Hte-Savoie actuels), *Mont-Terrible* (chef-lieu Porrentruy ; réparti en 1800 entre le Doubs et le Ht-Rhin). **1795 :** *Lys* (Bruges), *Escaut* (Gand), *Jemmapes* (Mons), *Deux-Nèthes* (Anvers), *Dyle* (Bruxelles), *Meuse-Inférieure* (Maestricht), *Ourthe* (Liège), *Sambre-et-Meuse* (Namur), *Forêts* (Luxembourg). **1798 :** *Sarre* (Trèves), *Rhin-et-Moselle* (Coblence), *Mont-Tonnerre* (Mayence), *Roër* (Aix-la-Chapelle), *Léman* (Genève). **1802 :** *Doire* (Ivrée), *Sésia* (Verceil), *Pô* (Turin), *Stura* (Coni), *Marengo* (Alexandrie). **1805 :** *Montenotte* (Savone), *Gênes* (id.), *Apennins* (Chiavari). **1808 :** *Arno* (Florence), *Méditerranée* (Livourne), *Ombrone* (Sienne), *Taro* (Parme). **1810 :** *Simplon* (Sion), *Tibre* (Rome), *Trasimène* (Spolète). **1811 :** *Bouches-de-l'Escaut* (Middelbourg), *Bouches-du-Rhin* (Bois-le-Duc), *Bouches-de-la-Meuse* (La Haye), *Yssel-Supérieur* (Arnhem), *Zuyderzee* (Amsterdam), *Bouches-de-l'Yssel* (Zwolle), *Frise* (Leuwarden), *Ems-Occidental* (Groningue), *Lippe* (Munster), *Ems-Supérieur* (Osnabrück), *Ems-Oriental* (Aurich), *Bouches-du-Weser* (Brême), *Bouches-de-l'Elbe* (Hambourg).

entre à Vienne ; 19-11 offensive en Bohême ; 2-12 *bat. d'Austerlitz* (actuellement Slavkov-n-Brno, Tchécosl.) ou des *Trois Empereurs* (Nap. avec 65 000 h. bat les emp. d'All. et Russie avec 90 000 h. : 15 000 †, 20 000 prisonniers ; *pertes fr. :* 800 †, 7 000 bl.) ; 26-12 *tr. de Presbourg* (actuellement Bratislava) : Autr. cède à Bavière : Tyrol et Trentin ; au Wurtemberg : Brisgau et Souabe ; à la France : Vénétie, Istrie, Dalmatie, Cattaro. Le tsar ne traite pas.

Guerres de la 4e Coalition (1806-07)

Causes. 1°) Lors de la création de la Conf. du Rhin (12-7), Nap. propose de rendre au roi d'Angl. le Hanovre, occupé par la Prusse. La reine de Prusse, Louise, pousse son mari à rejoindre la Russie et l'Angl. (qui n'ont pas fait la paix). L'Autr. ruinée par sa contribution de 50 millions (tr. de Presbourg) reste neutre. 2°) La Turquie, inquiète de la présence russe en Adriatique, s'allie à Nap. et déclare la g. à la Russie le 24-12-1806.

Opérations. 1806 5-3 l'amiral russe Séniavine occupe *Cattaro ;* 14-10 *Iéna* Nap. avec 80 000 h. bat Hohenlohe avec 50 000 h. ; *Auerstaedt* Davout avec 26 000 h. bat le roi de Prusse avec 70 000 h. ; oct.-nov. anéantissement de l'armée pr. ; occupation des États pr. (sauf Pr. orientale) et de la Pologne. **1807** janv.-févr. Sébastiani, amb. de Fr. à Constantinople, repousse une escadre angl. qui a forcé les Dardanelles. 8-2 bataille d'*Eylau* (indécise : 20 000 † fr. sur 60 000 h. ; 26 000 † pr.-russes sur 88 000 h.) ; 14-5 prise de *Dantzig*, dernière place prussienne ; 14-6 *Friedland* Nap. avec 26 000 h. (1 800 †) bat Bennigsen avec 70 000 h. (30 000 † et pris.) ; 1-7 bat. navale du *Mt Athos* (Séniavine détruit 8 nav. turcs).

Conclusion. 7-7 *tr. de Tilsit* (accepté par la Prusse le 9-7) : la Pr. perd ses territoires à l'ouest de l'Elbe, et rend les terres polonaises acquises en 1792-95 (Grand-Duché de Varsovie). La Russie s'allie à Nap. Pr. et Russie adhèrent au *Blocus.* Projet de partage de la Turquie : la Fr. retrouve Cattaro et reçoit les îles Ioniennes.

Guerre d'Espagne (1808-14)

Causes. Nap. voulait annexer l'Esp. à son système en mariant son fr. Lucien à une fille du roi Bourbon (Charles IV). Lucien ayant refusé, il choisit la solution du « roi intrus » (1er projet : Murat, puis : Joseph). Mais le 2-2-1808, Rome est occupée : le clergé esp., fidèle au pape, soulèvera le peuple en faisant connaître l'excommunication de Nap. (les Français sont appelés les Infidèles).

Opérations. 1808 18-3 Murat (chef des troupes qui doivent en principe opérer au Portugal) fait pression sur Charles IV pour qu'il s'enfuie en Amérique : Ch. IV abdique à Aranjuez en faveur de son fils Ferdinand VII ; 23-3 Murat occupe Madrid ; 30-4 F. VII et Ch. IV comparaissent devant Nap. à Bayonne ; 2-5 *(Dos de Mayo)* insurrection des Madrilènes contre Murat (1 200 † français, 2 500 † espagnols) ; 5-5 F. VII et Ch. IV remettent leur couronne à Nap. qui la donne à Joseph Bon., roi de Naples (Murat devient roi de Naples) ; juin-juil. développement de la guérilla ; 22-7 capitulation de Dupont à *Bailén* (ses troupes seront exterminées sur l'îlot de Cabrera, îles Baléares) ; 31-7 Wellington débarque au Portugal ; 1-8 Joseph évacue Madrid ; 30-8 capitulation de *Cintra :* Junot battu à *Vimeiro* (Port.) est ramené avec ses troupes à Quiberon par la flotte angl. ; 3-11 offensive de la Grande Armée, commandée par Nap. ; 10-11 prise de *Burgos ;* 30-11 vict. de *Somo-Sierra ;* 3-12 capitulation de *Madrid :* Joseph remis sur le trône. **1809** 17-1 *Nap. rentre à Paris,* laissant le commandement à Soult, Moncey, Lannes ; 24-2 Lannes prend *Saragosse* (50 000 Espagnols †) ; 29-3 vict. de Soult à *Oporto ;* les Angl. fortifient les lignes de *Torres Vedras ;* 26-9 Soult Cdt en chef : 19-11 vainqueur à *Ocaña* (30 000 Esp. †). **1810** 1-2 Victor prend *Séville ;* 6-3 Masséna lève le siège de *Torres Vedras* et évacue le Port. **1811** 11-3 Soult prend *Badajoz ;* 3-5 *Fuentes de Onoro* (Masséna bat Wellington). **1812** 9-1 Suchet prend *Valence ;* 21-7 Wellington bat Marmont aux *Arapiles,* puis prend *Madrid.* **1813** 11-5 offensive de Wellington (80 000 h.) ; 21-6 il bat Joseph Bon. à *Vitoria ;* 8-9 il s'empare de *St-Sébastien ;* 12-12 *tr. de Valençay :* les Bourbons rétablis sur leur trône.

Guerres de la 5e Coalition (1809)

Causes. L'Autr. veut profiter de la g. d'Esp. pour prendre sa revanche sur la Fr. et sur la Bavière.

Effectifs. *France* 280 000 h. (sans l'Espagne) ; *Autriche* 300 000 hommes.

Opérations. 1809 12-3 offensive autr. en Bavière ; 12-4 occupation de Munich ; 19/23-4 contre-offensive de Nap. (vict. de *Tengen, Abensberg, Landshut, Eckmühl, Ratisbonne* sur l'archiduc Jean ; pertes autr. 60 000 h.) ; 13-5 prise de *Vienne ;* 21-5 bataille d'*Essling* (indécise, 16 000 † français, dont Lannes ; 27 000 † autr.) ; 5-7 d'*Enzersdors* (15 000 Fr. franchissent le Danube) ; 6-7 de *Wagram* (Nap. avec 150 000 h. et 600 canons bat archiducs Charles et Jean avec 180 000 h. : 18 000 † fr., 32 000 † autr.) ; 12-7 *armistice de Znaïm* avec Autr. ; 30-7 débarquement angl. à Walcheren (échec) ; 14-10 *paix de Vienne :* Autr. perd 300 000 km² et 3 500 000 hab. (Galicie à Varsovie, Illyrie à la Fr.).

Guerres de la 6e Coalition (1812-14)

Causes. 1°) En 1812, le tsar Alexandre est ulcéré par l'annexion de l'Oldenbourg, fief appartenant à son cousin. 2°) La Russie souffre du Blocus continental. 3°) Elle a fait la paix avec la Turquie (tr. de Bucarest). 4°) Napoléon est tenté par la conquête de la Russie. 5°) En 1813, les États germaniques ont compris que l'Empire français est touché à mort.

Effectifs. *Russie* 350 000 h. *Napoléon :* 700 000 h. dont Français 300 000, Autrichiens 38 000, Prussiens 20 000. Engagés en Russie : 400 000, mais le typhus et les désertions ont fait perdre 150 000 h. le 29-7 (arrivée à Vitebsk).

Opérations. 1°) **Campagne de Russie (1812-13) : 1812** 17-8 prise de *Smolensk ;* 7-9 bat. de la *Moskova,* appelée *Borodino* par les Russes [Nap. avec 130 000 h. bat Koutouzov (Michel Golenistchev, 1745-1813 ; P^ce^ de Smolensk en 1812) et Bagration (le P^ce^ Pierre, Géorgien, 1765-1812 tué à la Moskova) avec 100 000 h. : 58 000 † russes, 20 000 † alliés ; blessés : 25 000 russes, 10 000 alliés (13 000 blessés russes † faute de soins ; la plus sanglante bataille napol.)] ; 14-9 *prise de Moscou ;* évacuée sur ordre du gouverneur le Gal Rostopchine ; sauf pour les prisonniers de droit commun à qui il avait promis la réhabilitation s'ils mettaient le feu (18-9) : 2/3 de la ville sont brûlés ; le reste est pillé par les Fr. (Rostopchine avait agi seul : le tsar a toujours considéré les Fr. comme les auteurs de l'incendie) ; 23-10 Nap. ordonne au M^al^ Mortier (duc de Trévise, 1768-1835) de faire sauter le Kremlin, ordre exécuté en partie ; 10-10 début de la retraite ; 17/25-11 passage de la *Berezina* par 65 000 h. sur le pont construit par les sapeurs du Gal Éblé ; Nap. ordonne la destruction du pont alors que 12 000 traînards sont sur la rive dr., Éblé désobéit et en sauve encore 4 000 ; 5-12 Murat quitte l'armée (Cdt : P^ce^ Eugène) ; 16-12 Eugène ramène env. 100 000 h. à l'ouest du Niémen [pertes globales 532 000 h. (dont typhus : 450 000), 1 200 canons] ; 30-12 les Prussiens pactisent avec les Russes (déclarent la g. à la Fr. 17-3-1813).

2°) **Campagne d'Allemagne (1813) : Effectifs :** sur le Rhin, 240 000 h., dont 150 000 Fr. (dont beaucoup de « Marie-Louise », conscrits des classes 1814 et 1815, non formés), 600 canons, cavalerie insignifiante (60 000 chevaux perdus en Russie). Eugène : 100 000 h. dont 60 000 occupent les places fortes prussiennes ; le typhus détruira 60 % des effectifs. **Opérations :** avril offensive vers Dresde ; 2-5 vict. de *Lutzen* (Nap. bat les Prussiens) ; 20-5 *Bautzen* Nap. bat les Russes ; 29-5 prise de *Hambourg ;* les Prusso-Russes repassent l'Oder ; 4-6 *armistice de Pleiwitz* (cessez-le-feu) ; 12-7 *congrès de Prague* (Metternich décide l'emp. d'Autr. à se déclarer contre Nap.) ; 11-8 l'Autr. déclare la g. (effectifs alliés 1 million d'h., dont 40 000 Suédois) ; 27-8 vict. de *Dresde* (Nap. bat Autr., Prussiens, Russes ; 27 000 coalisés †, 12 000 pris.) ; 21-9 décret appelant 300 000 jeunes gens sous les drapeaux ; 12-10 la Bavière abandonne l'alliance fr. ; 16/18-10 *Leipzig* ou *bat. des Nations* [185 000 Fr. contre 300 000 coalisés (dont Bernadotte) avec 1 500 canons : 20 000 † fr., 38 000 pris., anéantissement évité grâce au Gal Antoine Drouot (1774-1847), chef de l'artillerie, surnommé le « Sage de la Gde Armée »] ; 23-10 évacuation de l'Allemagne ; 30-10 combat de *Hanau* contre les Bavarois : 45 000 Fr. repassent le Rhin ; 15-11 la Holl. rappelle Guillaume d'Orange.

3°) **Campagne de France (1814) : Effectifs :** *Chiffres traditionnels :* coalisés 350 000 h. (dont Blücher 70 000, Schwarzenberg 130 000), Napoléon 50 000 h. *D'après Jean Savant :* coalisés 140 000 h., Napoléon 160 000. Batailles : *St-Dizier* 27-1, *Brienne* 29-1, *La Rothière* 1-2, *Champaubert* 10-2, *Montmirail* 11-2, *Mormant* 17-2, *Troyes* 24-2, *Craonne* 7-3, *Laon* 9-3, *Arcis-sur-Aube* 19-3 (défaite décisive) ; 30-3 *capitulation de Paris :* Nap. se replie sur Fontainebleau ; 1-4 le chirurgien Gal Percy sauve 12 000 bl. russes et prussiens (réquisitionne les abattoirs de Paris ; les transforme en hôpitaux) ; 5-4 *Nap. abdique ;* 23-4 *armistice* entre Cte d'Artois et coalisés : reddition des 54 places qui résistent encore ; abandon des conquêtes de la Rép. et de l'Emp. ; livraison à l'Angl. des navires se trouvant dans les ports étrangers, des colonies et de Malte.

4°) **Autres campagnes (1814) : Espagne** (voir ci-contre). Janv. Wellington passe la Bidassoa ; 2-2 le duc d'Angoulême le rejoint à St-Jean-de-Luz (13-3 il entre à Bordeaux) ; 27/28-2 *Orthez* Wellington bat Soult ; 10-4 Wellington entre à Toulouse. **Italie :** 11-1 Murat s'allie aux Autr. contre le P^ce^ Eugène ; 2-3 vict. de *Parme* (Eugène bat Murat et Bellegarde) ; avril, offensive austro-nap. ; 16-4 convention de Mantoue. **Suisse : 1813** 30-12 les Autr. occupent Genève. **1814** janv. pillent la Bresse ; 26-2 battus devant Lyon par Augereau ; mars, occupent Lyon.

1re Restauration (avril 1814-mars 1815)

1814 11-3 Louis XVIII proclamé roi à Bazas ; 12-3 à Bordeaux ; 12-4 *entrée du Cte d'Artois* (futur Charles X) à Paris (Nap. à Fontainebleau essaie de s'empoisonner, le poison, trop vieux, n'agit pas) ; 13-4 rétablissement du drapeau blanc et de la cocarde blanche ; 4-4 *gouv. provisoire du Cte d'Artois, « lieutenant-général du roy. » ;* 20-4 *adieux de Nap.* à sa Garde (Fontainebleau) ; il part pour l'île d'Elbe avec 1 000 h. ; 24-4 Louis XVIII débarque à Calais ; 2-5 L. XVIII octroie la Charte constitutionnelle *(acte de St-Ouen) ;* 3-5 entrée à Paris ; 12-5 licenciement de 300 000 soldats et mise en *demi-solde* de 12 000 officiers (20 000 en 1815, ils constitueront jusqu'en 1848 la masse des militants bonap. ; les plus jeunes seront en général réintégrés en 1830 par Louis-Philippe et prendront part à la conquête de l'Algérie) ; 29-5 Joséphine meurt ; 30-5 *tr. de Paris :* la Fr. revient à ses frontières de 1792, mais garde une partie de Savoie, Sarre et Hainaut ; 4-6 réunion du Corps législatif et du Sénat : la Charte est promulguée solennellement ; nov. (jusqu'au 9-6-1815) *Congrès de Vienne* (voir p. 658). **1815** 3-1 Talleyrand conclut un tr. secret avec Autr. et Angl. contre Prusse et Russie ; 17-2 dissolution de l'Université de Fr., remplacée par 17 univ. particulières ; 26-2 *Nap. s'embarque* à l'île d'Elbe sur le brick « l'Inconstant », avec 5 autres navires et 1 200 h. ; 1-3 il *débarque au golfe Juan* (Talleyrand, d'accord avec les congressistes de Vienne, l'aurait manœuvré pour ce coup de tête, afin de l'abattre définitivement) ; 7-3 Nap. atteint Grenoble ; 10-3 Lyon ; 13-3 il supprime la cocarde blanche ; à Vienne, il est mis au ban de l'Europe ; 14-3 à Lons-le-Saunier, ralliement de Ney.

LES CENT-JOURS (1815)

1815 19-3 Louis XVIII quitte Paris pour *Gand ;* 20-3 Nap. entre le soir à Paris ; 21-3 obtient l'alliance de Murat ; 27-3 le Conseil d'État relève Nap. de sa déchéance et annule son abdication ; 31-3 *gouv. provisoire* nommé par le Sénat [Emmerich, duc de Dalberg (Mayençais, donc Fr. à l'époque, 1773-1833), François, Mis de Beurnonville (1752-1821), abbé François de Montesquiou-Fezensac (1757-1832), Pce Charles-Maurice de Talleyrand (1754-1838)] ; 22-4 *actes additionnels* à la Constitution de l'Empire ; 2/3-5 Murat battu à *Tolentino ;* 30-5 Murat attaque l'Italie du N. (autrichienne) ; 31-5 *tr. de Vienne,* mettant Nap. *hors-la-loi ;* 1-6 *Champ de Mai* à Paris (présentation des dignitaires de l'Empire) ; à Bamberg (Bavière), suicide de Berthier ; 2-6 plébiscite proclamé (1 500 000 oui ; 4 802 non) ; 3-6 réunion de la Chambre des députés ; 15-6 Nap. attaque en Belgique. 18-6 Waterloo ; 20-6 Nap. rentre à Paris, le 5 % est à 53 F ; 21-6 Nap. tente de s'empoisonner (sauvé par des lavages d'estomac, pratiqués par le pharmacien Charles-Louis de Gassicourt, fils naturel de L. XV) ; 22-6 avant midi, *2e abdication* à Paris de Nap. en faveur de son fils ; 23-6 l'acte d'abdication paraît, la Chambre et les Pairs reconnaissent Nap. II, mais créent une Commission de gouvernement (Pt Fouché) ; 24-6 L. XVIII rentre en Fr. ; 26-6 la Commission s'installe aux Tuileries ; 29-6 Nap. quitte Paris ; 2-7 loi concernant les droits de la nation franç. reconnaît Nap. II (publiée le 6-7) ; 3-7 convention militaire livrant Paris aux Alliés ; 6-7 les Alliés occupent Paris ; 7-7 Wellington déclare à Fouché que les Alliés ne reconnaissent que L. XVIII (qui voit secrètement Fouché et lui offre la Police) ; Talleyrand (qui aurait été à Gand) rentre à Paris ; 8-7 L. XVIII rentre à Paris ; 15-7 Nap. s'embarque à l'île d'Aix.

GUERRE DE LA 7e COALITION (1815)

Cause. Volonté des puissances européennes d'en finir avec Napoléon. **Effectifs.** *Français* 420 000 h. dont 120 000 utilisables immédiatement. *Coalisés* 500 000 h. (Belgique : 120 000 Prussiens, 88 000 Anglais, 20 000 Holl ; Italie : Murat 40 000 h. ; Autrichiens 70 000 h.).

Opérations. 1815 Belgique : 15-6 offensive de Nap. sur Charleroi : *Ligny* bat. indécise : Blücher se replie en bon ordre ; 18-6 *Waterloo* [Wellington (77 000 h.) rejoint par Blücher (88 000 h.) battent Napoléon (74 000 h.) privé du corps de Grouchy (33 000 h.) ; *pertes alliées :* 15 000 h. ; *françaises :* 30 000 h., dont 7 000 pris.]. Pour la 1re fois au cours des g. napoléoniennes, l'armée fr., après un 7e assaut tenté en vain contre les lignes de Wellington, vers 18 h, s'est débandée aux cris de « Nous sommes trahis ». Cette panique s'explique par la désertion à l'ennemi (prussien) du Gal français Louis de *Bourmont* (1773-1846 ; maréchal 1830), le 14-6-1815. Ancien chef chouan, il s'était rallié à Nap. en mai 1815 et avait obtenu le commandement de la 6e division (il n'est pas sûr qu'il ait communiqué à Blücher le plan fr., bien que Nap. l'en eût accusé dans le *Mémorial de Ste-Hélène*). Les soldats, impressionnés, ont répandu le bruit de la trahison de plusieurs Gaux, notamment Soult, Vandamme, Dhérin. Celle de Grouchy (admise sous la Restauration) n'a pas été évoquée le j. de la bataille. Les 1ers *sauve-qui-peut* avaient été poussés à 16 h à l'aile droite de l'armée fr. au village de La Haye, attaqué inopinément par Blücher et défendu par la 4e div. fr. (son chef, le Gal Durutte, agressé en 1813 à Leipzig par les alliés saxons, est peut-être à l'origine de la panique générale). Seule la Garde [Gal Pierre *Cambronne* (1770-1842), qui aurait répondu merde aux Angl. lui demandant de se rendre] a tenu ses lignes. 23-6 Nap. abdique ; 3-7 armistice (militaire) : l'armée fr. doit se retirer derrière la Loire dans les 8 j. **Italie :** 20-3 offensive de Murat dans les États de l'Église ; 6-4 Murat enlève Florence aux Autrichiens ; 2/3-5 Murat écrasé à *Tolentino* (30 000 † ou pris sur 40 000 h.). **Vendée :** 15-3 soulèvement général ; 1-6 débarquement angl. dans le Marais vendéen ; 4-6 *Les Marthes :* Estève bat les royalistes, La Rochejaquelein (fils) tué ; 26-6 armistice *(Convention de Cholet).* **Haute Alsace :** 2-7 le Gal Barbanègre, commandant Huningue, demeuré fidèle au régime impérial, subit le feu des Austro-Suisses ; 26-7 il bombarde *Bâle* (grosses destructions) ; 14-8 nouveau bombardement de Bâle. 22-8 l'archiduc Jean, avec 20 000 h., assiège et bombarde *Huningue ;* 26-8 Barbanègre capitule et va rejoindre les armées fr. au sud de la Loire.

> **Principauté de Waterloo.** Érigée le 3-6-1817 pour Wellington, par Guillaume Ier, roi des P.-Bas. Non souveraine. 1 000 ha près de Waterloo (Nivelles, Vieux-Genappe, etc.). Transmissible par les mâles, elle appartient au 8e duc de Wellington, titré Pce de Waterloo, qui touche les revenus des fermages versés par les fermiers quasi-propriétaires (fermage héréditaire), mais ne pouvant vendre leur fonds.

2e RESTAURATION (22-6-1815/7-8-1830)

LOUIS XVIII (22-6-1815/16-9-1824)

1815 *Terreur blanche,* contre Jacobins et bonapartistes ; env. 100 000 arrestations, 45 mamelouks massacrés à Marseille ; le Mal Brune (ancien « septembriseur », responsable de la mort de Mme de Lamballe), tué à Avignon ; 2-8 colonel Charles de La Bédoyère condamné à mort (fusillé 19-8), Antoine de La Valette, directeur des Postes (qui s'évadera) ; 15-8 Gal Ramel tué à Toulouse par les « *Verdets* » (terroristes

BILAN DE L'EMPIRE

■ **Démographie. Population de la France.** *1789 :* 27 000 000, *1815 :* 29 400 000 [accroissement 9 % (Angl. 23 %)]. **Proportion des hommes** (*1806 :* 1 000 h. pour 1 034 f., *1815 :* 1 000 h. pour 1 059 f., 14 % de f. célibataires). **Natalité (‰)** *1789 :* 36, *1813 :* 29, *1815 :* 32 (Angl. 37). **Mortalité** hors combat, stable, sauf 1814 (typhus 100 000 † civils).

Pertes militaires : 430 000 à 2 600 000 †. J. Bourgeois-Pichat : 860 000 ; Jean Tulard : 1 million (470 000 †, 530 000 disparus) dont Russie (1812) 300 000, Allemagne (1813) 250 000, la plupart † du typhus. *Batailles les plus sanglantes :* Borodino (1812) : 91 000 †, Leipzig (1813) : 60 000 †.

■ **Domaine culturel et artistique. Objets d'art :** les guerres ont restreint les industries de luxe (ébénisterie, orfèvrerie, bijouterie) et provoqué l'exil de nombreux artistes (Fragonard, Vigée-Lebrun, etc.). Lors de la paix d'Amiens (1802), de nombreux objets d'art, achetés par des Angl., partent pour la G.-B. *Style Empire* (voir p. 396).

Destructions de monuments médiévaux : commencées sous la Révolution, elles se poursuivent sous le Consulat et l'Empire : Paris (le Temple, St-André-des-Arts, St-Jean-en-Grève, St-Thomas du Louvre, le Grand Châtelet, le séminaire St-Sulpice, l'abbaye St-Victor, les couvents des Feuillants, Célestins, Cordeliers, Capucines, Carmes) ; province (St-Pierre d'Angoulême, château comtal à Troyes, abbayes de St-Jean-des-Vignes à Soissons, St-Martin à Nevers, St-Germain à Auxerre, St-Sernin à Toulouse et surtout Cluny, en 1810).

Constructions en style Empire (voir p. 355).

Littérature : période stérile. Napoléon préférait les œuvres de style néoclassique, de préférence sans originalité, pour éviter les créations subversives. Les 3 grands écrivains de l'époque : Mme de Staël, Chateaubriand, Benjamin Constant étaient de l'opposition. Malgré de sévères lois restreignant sa liberté, le théâtre reste vivant (notamment le mélodrame : Caigniez, Pixérécourt).

■ **Économie. Grands travaux publics :** *Routes alpines :* Simplon, Mt-Cenis, Montgenèvre. *Ports :* Cherbourg, mais surtout Anvers, qui a mobilisé presque tout le budget de la marine. *Routes* (en étoile autour de Paris) ; améliorées et prolongées (notamment corniche Nice-Gênes-La Spezia). *Total :* 219 impériales, 1 165 r. départementales.

Agriculture : betterave (culture lancée 1812 par Delessert) : le prix du sucre tombe de 99 %. Pastel (introduit dans le Midi, pour compenser l'indigo, devenu introuvable). Tabac, vigne et élevage des bêtes à viande progressent. Ver à soie, lin, chanvre, sylviculture, céréales régressent. *Production agricole* plus 48 % entre 1789 et 1814.

Industrie. Sidérurgie : les forges se développent, grâce à l'industrie de l'armement (notamment Wendel à Hayange), elles utilisent encore le bois comme combustible. Les *Peugeot* (de Montbéliard), devenus français en 1790, créent l'industrie de l'acier. **Textile :** développement des filatures de coton, par suite de la prohibition des tréfilés anglais (Paris : établissement *Richard Lenoir ;* Lille, Roubaix, Tourcoing, Mulhouse, Rouen). Développement de la laine dû aux machines cardeuses, fileuses, finisseuses. *Soie :* Jacquard parvient, à la fin de l'Empire, à faire adopter son métier à tisser (progrès sensibles sous la Restauration). **Chimie :** à Paris, création de l'usine de *Javel* (eau de Javel) et de l'usine à gaz du Gros-Caillou. En province : *St-Gobain* (soude). **Total de la production industrielle :** elle retrouve en 1809 son niveau de 1789. En 1811, crise, baisse. **Commerce :** déclin maritime (1789 : 2 000 navires long-courriers ; 1801 : 1 500, 1812 : 179). Nantes, Bordeaux, Marseille sont victimes du Blocus continental. La contrebande, active, profite à Strasbourg et à Lyon. La navigation fluviale est délaissée.

Encaisse-or. *1812 :* 82 millions, *mars 1814 :* 9 ; *avr. 1814 :* 2. **Déficit budgétaire cumulé :** *1814 :* 1 300 ou 1 640 millions (évaluation de Louis Corvetto : 500 à 600). **Dette publique à long terme.** *1815 :* 1 272 millions. **Revenu national :** le PIB (sans les services) : *1789 :* 4 milliards ; *1812 :* 5,7. **Progression** (1796-1815) 3 % par an.

■ **Influence à l'étranger. Europe :** la France qui, au XVIIIe s., n'avait plus qu'un seul ennemi (l'Angl.), se retrouve en 1815 avec presque toute l'Europe contre elle : Portugal, Espagne, Suisse, Hollande, Allemagne, Autriche, Russie, Suède. Seules, Italie et Belgique restent politiquement fidèles à Nap. (sentimentalement mais non politiquement : Pologne). Italie, Espagne, Allemagne, Russie vont rejeter la culture française, même si le Code civil napoléonien se maintient parfois (Allemagne, Italie, Espagne, Belgique et Hollande). Dans les États de l'Église (ex-départements de Trasimène et de Rome), la structure administrative reste en place. La laïcisation ne disparaît nulle part. La carte de l'Allemagne est modifiée. Les coutumes féodales ont disparu presque partout. **Hors d'Europe :** l'Angl. réalise son projet du XVIIe s. : chasser l'Espagne et le Portugal de leurs possessions américaines (succès rendus possibles par l'occupation fr. de la péninsule Ibérique et la rupture des communications entre Europe et Amér.). Les républiques sud-amér. restent hispanophones, mais l'influence maçonnique y est forte et les Angl. y dominent économiquement (en Argentine, vers 1900, 85 % des capitaux investis seront angl.).

■ **Institutions.** Nap. a rétabli les corps centralisés de la monarchie (enregistrement, domaines, impôts directs, hypothèques, caisse d'escompte, postes, eaux et forêts, haras, écoles vétérinaires, archives, cartographie, poudres) ainsi que 6 classes de charges vénales (notaires, avoués, greffiers, huissiers, courtiers, agents de change) ; il a créé (surtout pendant le Consulat) d'autres organismes nécessaires à un État centralisé : administrations, préfectures, municipalités ; Conseil d'État, Cour des comptes, Corps législatif et Sénat, Code civil avec tribunaux hiérarchisés, Banque de France, Institut de France. Pendant un siècle et demi, on a considéré comme positive cette centralisation. Mais, sous des chefs d'État plus faibles, elle est tombée dans le « caciquisme » administratif, chaque administration ignorant ou combattant les autres. Plusieurs entités ont disparu. (*1905 :* Église concordataire ; *1919 :* franc germinal ; *1968 :* université). Et l'idée de « décentralisation » (anti-napol.) s'est imposée ; on a aussi critiqué la soumission du pouvoir judiciaire (nomination et avancement des magistrats dépendent du gouvernement).

Dynastie. Les Napoléonides ont encore régné de 1852 à 1870 (IIe Empire). Actuellement les Bonaparte se trouvent sur un pied d'égalité avec les anciennes maisons souveraines (plusieurs alliances). **Noblesse.** Échec. Sur 3 600 familles anoblies par Napoléon, il en restait 167 (env. 4 %) en 1987.

■ **Territoire.** Légèrement agrandi en 1814, par rapport à 1789, la métropole se retrouve en 1815 légèrement rapetissée (Avignon et Mulhouse compensant à peu près certaines rectifications de frontières défavorables). Mais Napoléon perd la Louisiane (qui aurait pu faire de la France au XIXe s. la 1re puissance mondiale) et plusieurs îles : St-Domingue (55 % de la production mondiale de sucre), Tobago, Ste-Lucie, Dominique, Maurice et Rodrigues, Seychelles.

royalistes existant depuis la Révol.) ; 2-9 les « jumeaux de La Réole » (G[aux] César et Constantin Faucher, nés 1759) fusillés à Bordeaux. Août élections : *Chambre « introuvable »* [surnom donné par le roi, majorité *ultra-royaliste* (terme forgé par Jean-Marie Duvergier de Hauranne, 1798-1881, député libéral de Rouen), partisan d'une sévère répression anti-rép. et anti-bon., chef : le Cte d'Artois] ; dissoute 5-9-1816 ; 6-9 *min. du duc de Richelieu* (1766-1822) ; 18-9 Longwy se rend ; 26-9 *tr. de la Ste-Alliance* signé à Paris entre Prusse, Autriche, Russie (transformée en Quadruple Alliance avec l'Angl. 20-11 ; et en Pentarchie, avec la Fr., en oct. 1818) : antirévol. ; 20-11 *2e tr. de Paris* ; 7-12 M[al] Ney condamné à mort pour s'être rallié à Nap. ; exécuté 18-12. **1816** 4-5 Grenoble, mouv. insurrectionnel (Didier) ; 6-6 naufrage de la *Méduse* (voir Index) ; 26-7 Gal Mouton-Duvernet exécuté à Lyon ; oct. élections favorables aux « Constitutionnels » (160 élus sur 262 sièges). **1817** lois électorales (5-2) ; sur lib. individuelles (12-2) ; sur presse (28-2). Juin, mouv. insurrectionnels à Sens, Nogent le 4, Lyon le 8, oct. conspiration de l'*Épingle noire*. **1818** 30-9 ouverture des négociations d'Aix-la-Chapelle entre Richelieu et Alliés ; 30-11 évacuation des troupes étrang. ; 26-12 *min. du Gal Dessolles* (1767-1828) *et du duc Élie Decazes* (1780-1860). **1820** 20-2 *du duc de Richelieu* († 17-5-1822) ; 13-3 duc de Berry assassiné par Louis Louvel (n. 1783), ouvrier sellier rép. (condamné à mort le 6-6, guillotiné le 7) : Decazes, 1er min., chef des lib. et favori de L. XVIII, rendu responsable du crime, accusé de complicité en pleine Chambre, doit se retirer, mais L. XVIII le nomme ambassadeur à Londres et duc français (il était déjà, par mariage, duc danois) ; 29-9 naissance du duc de Bordeaux, futur Henri V. **1821** 5-5 Nap. meurt à Ste-Hélène ; 14-12 *min. du Cte de Villèle* (1773-1854). **1822** 1-1 *conspiration de Saumur* (Sirejean, exécuté 2-5 ; Gal Berton, exécuté 5-10) ; 17-3 complot des *4 sergents de La Rochelle :* Bories (26 ans), Goubin (20 ans), Pommier (25 ans) et Raoul (24 ans) (exécutés 21-9) ; 20-10 *congrès de Vérone* [emp. d'Autr., emp. de Russie, roi de Prusse, Chateaubriand (Fr.), Hardenberg (Prusse), Metternich (Autr.), Nesselrode (Russie), Wellington (Angl.)] : l'intervention fr. contre les libéraux d'Esp. est décidée, l'Angl. refuse de s'y associer et rompt avec la Ste-Alliance. 28-12 Chateaubriand, min. des Aff. étr. **1823** 3-3 Jacques-Antoine Manuel (1775-1827) député libéral, expulsé de la Ch. ; avril expédition d'Esp. pour abattre le libéralisme esp. ; 31-8 prise du *Trocadéro* par le duc d'Angoulême. **1824** 24-2 élection : *Chambre retrouvée* (415 conservateurs, dont 264 fonctionnaires sur 430 élus) ; 15-8 censure rétablie ; 16-9 L. XVIII meurt (hydropique, les 2 jambes gangrenées).

Charles X (16-9-1824/2-8-1830)

1824 23-9 funérailles de L. XVIII ; 27-9 entrée de Ch. X à Paris. **1825** 17-3 indépendance de *St-Domingue* (150 millions pour les colons rapatriés) ; 20-4 loi sur le *sacrilège* ; 28-4 *« milliard des émigrés »* remboursé sous forme de rentes à 3 % aux familles nobles qui n'ont pas récupéré leurs biens fonciers vendus sous la Révolution comme « biens patrimoniaux » ; principaux bénéficiaires : duc d'Orléans (510 000 F annuels), La Fayette. En contrepartie, les biens patrimoniaux étaient garantis à leurs propriétaires, ce qui fit monter leur valeur de 25 % ; 29-5 *sacre de Charles X* à Reims ; 28-11 mort du Gal Sébastien Foy (n. 3-2-1775) : funérailles suivies par 100 000 personnes (manif. d'opposition aux Bourbons). **1826** 13-10 girafe donnée par Mehemet-Ali arrive à Marseille (30-6-1827 à Paris, y meurt 1845). **1827** 12-3 loi sur la presse (antilibérale, dite *loi de Justice et d'Amour*) ; 17-4 la Chambre des Pairs la modifie tellement que Villèle la retire : Paris illumine ; 24-6 rétablissement de la censure ; 4-10 intervention en Grèce ; 20-10 *Navarin :* flotte turco-égypt. (Ibrahim Pacha) détruite par escadre anglo-franco-russe (amiral fr. : Henri de Rigny, 1782-1835), protégeant les insurgés grecs ; 5-11 Chambre dissoute ; 17-11 élections : victoire des libéraux ; 19/20-11 troubles à Paris. **1828** 4-1 *min. du Vte de Martignac* (1778-1832) min. de l'Intérieur. **1829** 8-8 *min. du P[ce] de Polignac* (1780-1847, 17-11 reçoit le titre de Pt du Conseil). **1830** 16-3 : 221 députés libéraux votent une *Adresse* (contre 181 voix ultras), demandant l'observation de la règle du jeu parlementaire ; 16-5 Chambre dissoute ; 25-5 la flotte part pour Alger ; 3-7 élections : la majorité libérale s'accroît de 53 voix ; 4-7 prise d'*Alger* (voir Index) ; 26-7 *ordonnances* (1 : censure rétablie ; 2 : Chambre dissoute ; 3 : loi électorale modifiée ; 4 : élections fixées en septembre) ; 27/28/29-7 *les Trois Glorieuses,* insurrection.

Congrès de Vienne

Souverains présents. Empereurs : *Russie* (Alexandre Ier, 1777-1825) ; *Autriche* (François II, 1768-1835). **Rois :** *Prusse* (Frédéric-Guillaume III, 1770-1840) ; *Bavière* (Maximilien-Joseph Ier, 1756-1825 ; *Wurtemberg* (Frédéric Ier, 1754-1816) ; *Danemark* (Frédéric VI, 1768-1839).

Diplomates. *France :* Charles-Maurice de Talleyrand-Périgord (1754-1838). *Angleterre :* Henry Robert Stewart, Vte Castlereagh (1769-1822) et le Gal Arthur Wellesley, duc de Wellington (1769-1852). *Autriche :* Clément, P[ce] de Metternich (1773-1859). *Prusse :* Charles-Auguste, P[ce] de Hardenberg (1750-1822), Guillaume, Bon de Humboldt (1767-1835). *Russie :* Antoine Capo d'Istria (Grec, 1776-1831), Robert, Cte de Nesselrode (1780-1862) et André Cyrilovitch Razoumovski (1752-1836). *St-Siège :* cardinal Hercule Consalvi (1757-1824), secr. d'État. *Espagne :* Pedro Gomez Havelo, Mis de Labrador (1775-1852). *Secrétaire g[al] du Congrès :* Friedrich von Gentz (Autr., 1764-1832).

Sujet des négociations. *Refaire la carte de l'Europe* (en fixant, notamment, les frontières des anciens États, et en réglant le sort des États nouvellement créés en Italie et Pologne). *Problèmes secondaires :* navigation sur Danube et Rhin ; traite des Noirs ; sort des juifs ; préséance entre agents diplomatiques.

Comité directeur. Les 4 grandes puissances, signataires du tr. d'alliance de Chaumont (14-3-1814), Angleterre, Autriche, Prusse, Russie, prétendent le constituer seules. Mais Talleyrand, aidé par l'Espagnol Labrador, forme contre elles une ligue des petites puissances qui bloque les négociations. Les 4 grandes consentent alors à admettre la Fr. comme 5e membre du comité, à égalité avec ses anciens ennemis (décision due surtout à Lord Castlereagh, qui redoute les ambitions de la Prusse et de la Russie).

Politique de Talleyrand. Il est P[ce] de Bénévent, ancienne terre pontificale enclavée dans le royaume de Naples, aux mains de Murat, qui s'appuie sur l'Autriche. Ferdinand IV (1751-1825), roi de Naples déposédé (mais qui a gardé la Sicile), offre à Talleyrand d'échanger la principauté de Bénévent contre un titre ducal napolitain. T. adopte cette stratégie : *1°) éliminer Murat* [en 1815, des agents provocateurs poussent Napoléon et Murat à se lancer dans l'aventure sans issue du « retour de l'île d'Elbe » (les Cent-Jours : mars-juin). Murat est fusillé le 13-10-1815]. *2°) faire admettre le principe de la légitimité* [les territoires ayant changé de statut depuis 1791 doivent revenir à leurs souverains légitimes et Ferdinand récupérera les territoires dans lesquels le Bénévent est enclavé (conséquences : favorable pour la Fr. : elle récupère ses colonies ; défavorable : le projet russo-prussien d'installer en Rhénanie le roi de Saxe, dépouillé de son roy. au profit de la Prusse, échoue ; la Prusse s'installe sur le Rhin)]. *3°) faire admettre le principe de la « suppression des enclaves »* (le pape devrait ainsi donner le Bénévent à Ferdinand IV, ce qui rendrait possible l'octroi du titre ducal). En vertu de ce 3e principe, la France bénéficie en 1814 de rectifications de frontières en Belgique, dans la vallée de la Sarre, à Landau-Germersheim (Palatinat bavarois) et dans la vallée du Rhône (annexion d'Avignon, enclave pontificale jusqu'à 1791) ; mais, après Waterloo, la Fr. est privée de ses enclaves d'avant 1792 (sauf Avignon, que le cardinal Consalvi a réclamé en vain pour le St-Siège). Consalvi refuse de livrer le Bénévent à Ferdinand IV. Celui-ci cède, et crée Talleyrand duc sans réclamer en échange sa principauté (en 1817, le titre ducal sera fixé sur l'îlot de Dino, pour le neveu et la nièce de Talleyrand).

Traité secret franco-anglais. Talleyrand (orléaniste et de formation libérale) s'entend avec Castlereagh pour briser la coalition de Chaumont, et défendre l'Europe, au besoin par les armes, contre les ambitions éventuelles de Prusse, Russie, Autriche. Cet accord sera dénoncé après l'assassinat du duc de Berry et la conclusion de la Sainte-Alliance (1823) : la France rejoint les 3 puissances conservatrices. Mais il reprendra vie en 1830 (France et Angl. formant le groupe des « puissances libérales »), grâce à Talleyrand, ambassadeur de L.-Phil. à Londres, qui, à propos de l'indépendance belge, met fin au principe de « légitimité ».

La guerre civile de 1830

Causes. Tentative de Charles X de gouverner par ordonnances (c.-à-d. sans le Parlement : la Charte de 1814 l'y autorise). En fait, Charles X aurait pu gagner la partie contre le libéralisme maçonnique en instituant le suffrage universel. Les citadins, libéraux et républicains étaient env. 10 fois moins nombreux que les paysans (conservateurs et bien encadrés par le clergé paroissial).

Effectifs. *Troupes royales* à Paris (Marmont) : 10 000 h. *Insurgés :* anciens gardes nationaux (dissous le 24-7-1827, mais ayant conservé leurs armes) : 20 000 h. ; insurgés républicains (ayant pillé les armureries) : env. 5 000 h. **Pertes** [29-7 à midi (évacuation de Paris)]. *Insurgés :* 1 800 † ; *troupe :* env. 200 †.

Opérations. 27-7 patrouilles des troupes royales dans les rues de Paris. Jets de projectiles. 2 compagnies passent aux émeutiers (5e de ligne) ; 28-7 constructions de barricades ; Marmont forme 4 colonnes pour les déblayer ; à 17 h, il reçoit l'ordre de tenir Louvre et Tuileries. La nuit, il s'y fait bloquer par des barricades ; 29-7, 13 h les insurgés prennent le Louvre ; débâcle des troupes de Marmont ; 13 h 30 duc d'Angoulême C[dt] en chef : il évacue Paris (Ch. X est à St-Cloud) ; 15 h duc de Mortemart (1787-1875) 1er ministre ; 30-7, 6 h retrait des Ordonnances ; 8 h Thiers et Mignet font placarder un manifeste orléaniste ; 10 h la Garde nationale est rétablie (commandant : La Fayette) ; elle occupe l'Hôtel de V. et y fait hisser le drapeau tricolore ; 31-7 le duc d'Orléans prend le titre de lieut. gén. du roy., 11 h se rend à l'Hôtel de V. ; 1-8 Ch. X, replié à Rambouillet, nomme officiellement le duc d'Orléans lieut.-gén. du roy. (refus du duc) ; 2-8 Ch. X nomme le duc régent (chargé de proclamer roi le duc de Bordeaux) ; il abdique, ainsi que son fils (le duc d'Angoulême, devenu Louis XIX), impressionné par le M[al] Maison (1771-1840), orléaniste, qui lui signale une offensive de 100 000 Parisiens (partis 30 000, ils arrivent moins de 1 000) ; l'armée royale (12 832 h.) se replie ; 4-8 Ch. X se replie vers Cherbourg ; 16-8 il s'y embarque pour l'Angl. ; il mourra en exil à Gorizia (Italie), le 6-11-1836.

Pouvait-elle être gagnée ? a) *Militairement :* le rapport des forces était favorable au roi ainsi que la position (les insurgés ayant quitté les rues de Paris pour le plateau des Yvelines, la cavalerie aurait pu les balayer). Mais, le Gal Maison, commandant l'armée royale, haut dignitaire maçonnique (grand-officier du Grand-Orient, grand trésorier du Suprême Conseil) a agi en faveur de Louis-Philippe.

b) *Psychologiquement :* le duc d'Angoulême, devenu le roi L. XIX, avait le droit de tenir pour nulles les décisions de son père, Ch. X, et de garder la couronne au lieu de la transmettre à son neveu, Henri V. Ayant lui-même servi comme G[al] (notamment lors de l'expédition d'Esp. en 1823), il aurait pu disperser les insurgés et reprendre Paris, mais il a abdiqué (soit par confiance envers le duc d'Orléans, soit par simple faiblesse).

Monarchie de Juillet

Louis-Philippe (9-8-1830/24-2-1848)

☞ **1800** se réconcilie avec Louis XVIII.

1830 6-8 Bérard propose à la Chambre des dép. de nommer roi le duc d'Orléans ; 7-8 proposition votée par 219 voix sur 252 ; 9-8 vote de la *Charte rénovée* (liberté de la presse, abolition de la censure ; initiative des lois reconnue également à la Chambre ; le catholicisme n'est plus religion d'État ; suppression des justices exceptionnelles). Le duc d'Orléans prête serment et est nommé « roi des Français » ; 27-8 mort inexpliquée (« suicide » invraisemblable) du P[ce] Louis de *Condé* [n. 1756, père du duc d'Enghien (fusillé 1804) ; oncle de Louis-Philippe ; fils de l'ancien chef de l'armée des émigrés ; sa fortune revenant au duc d'Aumale, son petit-neveu et filleul, la famille d'Orléans fut soupçonnée de crime ; on a dit également que le duc était mort accidentellement, au cours d'une partie de plaisir avec sa maîtresse, la B[onne] de Feuchères (v. 1795-1840 Sophie Dawes : liaison nouée v. 1811 à Londres, qu'il fit épouser en 1818 par un officier de la garde royale)]. Nov. *Laffitte* Pt du Conseil. 25-12 *procès des ministres* de Ch. X signataires des ordonnances du 25-7-1830 ; 4 condamnés à la prison perpétuelle (P[ce] de Polignac, Cte de Peyronnet, Victor de Chantelauze, Cte de Guernon-Ranville) conduits à Ham le 30-12 ; 3 cond. par contumace (B[on] d'Haussez, Bon Capelle, M. de Montbel). **1831** 16-2 L.-Phil. refuse pour son fils, le duc de Nemours (élu 2-2 roi par le Congrès national de Belg.), la couronne de Belg. (indépendante dep. 4-10-1830) ; motif : crainte de mécontenter l'Angl. ; 3-2 émeute anticléricale (des légitimistes ayant fait célébrer à *St-Germain-l'Auxerrois* une messe à la mémoire du duc de Berry) : l'*archevêché de Paris* et l'égl. St-G. sont saccagés ; 13-3 *Casimir Perier* († 16-5-1832) Pt du conseil ; 11-7 une escadre fr.-angl.

installe à Lisbonne don Pedro de Bragance (libéral) qui chasse Miguel II (conservateur) ; 18-10 pairie héréditaire abolie ; 21/22-11 insurrection des *canuts* (ouvriers de la soie) à Lyon (les patrons refusent d'établir un salaire minimal). 40 000 ouvriers en armes, 20 000 soldats (Mal Soult) ; tués : 171 civils, 170 soldats (600 arrestations) ; 23-12 abrogation du deuil du 21-1 (commémorant la mort de L. XVI).

1832 23-2 occupation d'*Ancône* (États de l'Église) par représailles contre Metternich qui a occupé Bologne ; 3-3 échec d'un complot légitimiste dit de la *rue des Prouvaires ;* mars-avr. épidémie de *choléra* à Paris (18 402 † en 180 j) ; 30-4 la *duchesse de Berry,* mère d'Henri V, débarque à Marseille ; début mai ne parvenant pas à soulever le Languedoc, gagne la Vendée ; mai-juin suscite des troubles en Vendée (prise d'armes du Cte de Charette, neveu du chef vendéen, à La Chaise-en-Vieille-Vigne, 3/4-6) ; 5/6-6 émeute à Paris ; 22-7 duc de Reichstadt meurt (voir Index) ; 6-11 Duchesse de Berry (dénoncée par Deutz pour 500 000 F voir p. 542 a) arrêtée à Nantes (cachée derrière une cheminée, doit sortir, à cause de la chaleur), internée à Blaye sous la surveillance du futur Mal Bugeaud, elle doit révéler une grossesse ; le 22-2-1833 dit avoir conclu un mariage secret le 14-12-1831 avec un Italien, le Cte Lucchesi-Palli (sa fille naît dans sa prison le 9-5-1833 ; déconsidérée, est libérée le 9-6 par L.-Ph., mais écartée de la cour de Ch. X, à Gorizia) ; 30-11 *intervention en Belg.* en faveur des insurgés (Mal Gérard) ; 23-12 prise d'Anvers. **1834** 9/11-4 combats à Lyon à propos de la loi contre les associations ; 13/14-4 massacre de la *rue Transnonain* à la suite d'une émeute fomentée par la Sté des droits de l'homme (19 tués ou blessés). **1835** 28-7 attentat de *Fieschi* (18 tués dont le Mal Mortier, duc de Trévise, ancien Pt du Conseil) : fin de la politique libérale [3 exécutions : Guiseppe Fieschi (n. 1790), Morey, Pépin le 19-2-1836]. **1836** 26-6 Louis *Alibaud* (n. 1810), républicain, tire un coup de fusil sur L.-Ph. (exécuté 11-7) ; 29-10 *Strasbourg,* 1er complot de Louis-Nap. Bonaparte (soulève le 4e régiment d'artillerie, avec la complicité du colonel Vaudrey ; mais Varoy, Gal gouverneur, refuse son concours ; Louis-Nap. est arrêté par le 46e de ligne ; L.-Ph. le fait embarquer pour les USA) ; 6-11 Ch. X meurt à Gorizia ; 27-12 *Meunier* tire un coup de pistolet sur L.-Ph. (gracié). **1838** 17-5 Talleyrand meurt ; 11-10 intervention en *Argentine* contre le dictateur Rosas (antifédéraliste) qui institue le monopole commercial de Buenos Aires brimant les négociants fr. ; la flotte fr. bloquera le Rio de la Plata jusqu'en 1849 ; 25-10 les Fr. évacuent *Ancône ;* nov. les Fr. débarquent à *Vera Cruz* (Mexique) pour obliger le gouv. à payer ses dettes aux négociants fr. (dont un pâtissier, *« g. des gâteaux »*). **1839** 12-5 émeutes déclenchées par Barbès et Blanqui (prise de la Préfecture, de l'Hôtel de V., du marché St-Jean) ; les gardes nationaux contre-attaquent et capturent Blanqui, blessé (condamné à mort, il sera gracié, sur intervention de la Desse d'Orléans, qui vient de mettre au monde le Cte de Paris).

1840 20-2 la Chambre rejette une dotation demandée par le roi pour le mariage du duc de Nemours. 6-8 *Boulogne,* complot de Louis-Nap. : il débarque avec 56 h. (dont plusieurs agents secrets orléanistes) et 475 000 F ; les officiers orléanistes de la garnison empêchent le ralliement des troupes ; les conjurés essayent de se rembarquer, mais ils ont 1 tué, 1 noyé, plusieurs blessés ; Louis-Nap. est capturé (il sera enfermé au fort de Ham dont il s'échappera le 25-5-1846) ; 22-10 attentat de Darmès contre L.-Ph. (condamné à mort 29-11-1841) ; 15-12 transfert des cendres de Nap. aux Invalides (voir p. 655 b). 20-12 condamnation de Lamennais (auteur de *Paroles d'un croyant*). **1841** 25-4 protectorat sur Mayotte (océan Indien) ; 5-5 prise de possession des îles de *Nossibé* et *Nossi-Komba* (océan Indien) ; 13-7 sign. à Londres de la *Convention des Détroits* (fermés à tout navire de g.) ; 13-9 *Quenisset* tire sur le duc d'Aumale (gracié). **1842** 8-5 accident du chemin de fer de St-Germain (amiral Dumont d'Urville †) ; 11-6 création du réseau des chemins de fer ; 13-7 *mort accidentelle du duc d'Orléans,* fils de L.-Ph. (il se brise les reins, près de la place des Ternes, en sautant d'un cabriolet dont le cheval s'était emballé) ; 9-9 prise de possession de *Tahiti.*

1843 16-5 le duc d'Aumale prend la *Smala d'Abd el-Kader* (23 000 h. dont 5 000 combattants, enlevés par 500 cavaliers) ; 2-9 visite de Victoria, reine d'Angl., à Paris ; sept.-déc. occupation de comptoirs africains : Assinie, Grand-Bassam, côte du Gabon. **1844** févr. à Tahiti, *Pritchard* (missionnaire anglican) pousse la reine Pomaré à rejeter le protectorat fr. ; mars l'amiral Dupetit-Thouars l'expulse ; juil. la presse angl. réclame la g. contre la Fr. ; Guizot promet une indemnité ; fin août apaisement (l'indemnité ne sera jamais payée). Juil.-sept. campagne contre le Maroc qui soutient Abd el-Kader ; 14-8 l'*Isly,* Bugeaud bat les Marocains ; 10-9 convention de Tanger (Abd el-Kader expulsé du Maroc). **1845** 22-9 *Sidi-Brahim* en Alg. : Fr. battus (450 †). **1846** 16-4 attentat de Lecomte contre L.-Ph. ; 25-5 Louis-Nap. s'évade du fort de Ham. **1847** 18-8 le duc de Choiseul-Praslin tue sa femme ; 23-11 soumission d'Abd el-Kader (voir Index). **1848** 24-2 le roi abdique. Le 5 % était à 116,10 F.

La guerre civile de février 1848

Causes. 1°) immobilisme du gouvernement (Louis-Ph. démoralisé depuis la mort de son fils aîné ; Guizot est sans imagination) ; 2°) l'opposition rép. à laquelle on avait volé sa victoire de 1830 exploite les scandales [corruption du Pt de la Cour de cassation Teste, et du Gal Cubières ; assassinat de la Desse de Choiseul-Praslin par son mari (18-8-1847)] ; 3°) *les réunions étant interdites,* les rép. organisent une campagne de *banquets* (autorisés) : 70 en 1847 (17 000 participants) ; *le recours au suffrage universel* (qui aurait sauvé les Bourbons en 1830) ne pouvait aider les Orléans (beaucoup de paysans étaient légitimistes, le bonapartisme était implanté dans le peuple). **Chefs républicains :** Ledru-Rollin, Barbès, Louis Blanc, Schoelcher, Proudhon, Arago.

Déroulement. *1848,* 31-1 interdiction du banquet de la 12e légion de la Garde nationale (prévu le 22-2) ; 21-2 défilé de protestation décidé par Louis Blanc et Ledru-Rollin. 22-2, 10 h attroupement à la Madeleine, puis à la Concorde ; 16 h 1res barricades ; 24 h occupation des pavillons de l'octroi ; 23-2 les troupes quadrillent Paris ; nombreuses barricades ; 8 h assaut contre celle de la rue Quincampoix : 16 soldats † ; 12 h la Garde nat. est convoquée ; 14 h elle prend parti pour l'émeute ; renvoi de Guizot ; 22 h fusillade boulevard des Capucines (52 civils †, 95 bl.). Bugeaud Cdt en chef, Thiers 1er ministre ; 24-2, 3 h Bugeaud décide d'envoyer 4 colonnes depuis le Carrousel. Mais les émeutiers évacuent les barricades sans combat, et les reforment derrière la troupe (exception : Barrière de Montmartre, forte barricade que l'armée n'attaque pas). Seul point de combat : pl. de la Bastille [brigade du Gal Duhot (1788-1858), encerclée, met rapidement la crosse en l'air : Duhot se replie sur Vincennes] ; 8 h Thiers exige le cessez-le-feu ; 10 h la troupe pactise avec l'émeute ; Thiers propose la retraite sur St-Cloud (son plan qui sera appliqué en 1871 contre les Communards consistait à évacuer et à encercler Paris ; puis à le reconquérir comme une place forte ennemie avec de la troupe de métier). L.-Phil. refuse ; 12 h il abdique en faveur de son petit-fils [le Cte de Paris, 10 ans (la Dsse d'Orléans est régente)]. Il aurait sauvé la dynastie s'il avait laissé la couronne à l'un de ses cadets, le duc d'Aumale ou le Pce de Joinville. 13 h les Tuileries prises et pillées ; 15 h les émeutiers envahissent la Chambre, molestent la régente, nomment un *gouvernement provisoire :* Dupont de l'Eure, Ledru-Rollin, Arago, Marie, Lamartine ; 17 h 30 un *2e gouv.* (radical et socialiste) se forme à l'Hôtel de V. (Louis Blanc, Marrast, l'éditeur Laurent Pagnerre, Flocon, l'ouvrier Albert) ; 20 h les 2 gouv. fusionnent et *Lamartine proclame la rép. ;* 25-2 soumission des fils du roi (Aumale et Joinville) qui commandent l'armée et la flotte en Algérie ; 26-2 L.-Phil. (réfugié à Dreux) part pour l'Angl. où il mourra le 26-8-1850.

Pertes. Insignifiantes sur les barricades, vu la non-combativité des troupes [peut-être une dizaine de † à la brigade Duhot (?)].

> **Ministères sous la monarchie de Juillet :** *11-8-1830* Jacques Laffitte (1767-1844) ; *13-3-1831* Casimir Perier (1777-1832) ; *23-4-1832* Mal Soult (1769-1851) ; *19-7-1834* Mal Gérard (1773-1855) ; *10-11* Maret, duc de Bassano (1763-1839) ; *19-11* Mal Mortier ; *16-3-1835* duc de Broglie (1785-1870) ; *22-2-1836* Adolphe Thiers (1797-1877) ; *6-9* Cte Molé (1781-1855) ; *31-3-1839* Mal Soult ; *12-3-1840* Adolphe Thiers ; *29-10* Mal Soult [vrai chef du gouv. : François Guizot (1787-1874)] ; *26-9-1847* François Guizot ; *23-2-1848 :* Molé, puis Thiers.

IIe République (25-2-1848/7-11-1852)

☞ Voir **Institutions** p. 697.

1848 26-2 création des *ateliers nationaux* [chantiers non spécialisés (terrassements ouverts aux chômeurs (salaire 2 F par j)] ; bientôt 40 000 volontaires dont de nombreux provinciaux ; on ne sait à quoi les employer ; 29-2 abolition des titres de noblesse ; 2-3 fixation à 10 h de la j. de travail (pour l'imposer effectivement aux employeurs, nombreux mouvements de grève) ; 5-4 le 5 % est à 50 F ; 27-4 *esclavage aboli* aux colonies ; 27/30-4 insurrection Rouen et Limoges ; 4-5 *Ass. constituante* élue au suffrage universel ; proclame la République ; 6-5 le Gouv. provisoire remplacé par une *Commission exécutive* de 5 membres (Arago, Garnier-Pagès, Lamartine, Ledru-Rollin, Marie) ; 13-6 Louis-Nap. élu à des partielles par 4 départements ; 23-6 *suppression des ateliers nationaux* (trop coûteux) ; 23/26-6 émeutes ; *Cavaignac* reçoit les pleins pouvoirs (mort de Mgr Affre ; armée 800 †, garde nationale 800 †, insurgés 4 000 † ; 11 000 prisonniers, 4 300 déportés) ; 12-11 nouvelle *Constitution ;* 10-12 *Louis-Nap. élu Pt* par 5 658 755 voix contre Cavaignac 1 448 007, Ledru-Rollin 370 117, Raspail 36 290, Lamartine 17 910, Changarnier 4 790. **1849** 7-3/2-4 procès des chefs émeutiers de juin (Barbès, Blanqui, Raspail, Marie-Joseph Sobrier condamnés) ; avr.-mai constitution d'un corps expéditionnaire destiné à soutenir le Piémont contre les Autr. (mais le Piémont capitule avant sa mise en route) ; 26-5 installation de l'*Ass. législative ;* juin épidémie de choléra (Paris, 600 † par j) ; 1-6 envoi d'un corps expéditionnaire dans les *États de l'Église,* pour soutenir le pape contre les rép. romains ; 11-6 Ledru-Rollin met le gouv. en accusation pour viol de la Constitution (elle interdit de faire la g. aux peuples). 12-6 l'accusation est rejetée, mais il y a des

> ### Quelques personnages de la IIe République
>
> **Barbès,** Armand (1809-70). Fils de riches propriétaires terriens de la Guadeloupe, élevé en France, *1827* au Parti républicain (clandestin). *1839* 12-5 prend part au soulèvement manqué ; blessé, arrêté, condamné à mort, puis gracié par L.-Phil. sur intervention de Victor Hugo. *1848* févr. élu député de l'Aude, 15-5 organise le soulèvement socialiste qui s'empare de l'Hôtel de V. *1849* arrêté, condamné à la prison perpétuelle (à Bourges). *1854* gracié, exil en Espagne (1854-56), puis en Hollande où il meurt des suites de ses captivités.
>
> **Blanc,** Louis (1811-86). Grande bourgeoisie (père inspecteur des finances ; mère née Pozzo di Borgo) ruinée par la rév. de Juillet. Renonce à la diplomatie ; clerc de notaire et précepteur. *1839* fonde la *Revue du Progrès* (rép.) et devient théoricien socialiste (*De l'organisation du travail* 1840, *le Droit au travail* 1848). *1848* se joint au gouv. provisoire et fait proclamer la Rép. Devenu ministre, il organise la commission du Luxembourg (réunissant patrons et ouvriers) et crée les ateliers nationaux, conséquence de la proclamation du « droit au travail », 4-5 éliminé du gouv., ne prend pas part au soulèvement manqué du 15-5 mais, accusé par Marrast de complicité, il doit s'enfuir à l'étranger en juin, il vit à Londres jusqu'en 1871, correspondant du *Temps* sous le nom de Weller. *1871* 8-2, élu député de la Seine, il rejoint Bordeaux et siège à l'extrême gauche, mais refuse de s'allier aux communards. *1876* fonde *l'Homme libre.*
>
> **Blanqui,** Auguste (1805-81). Fils d'un conventionnel de Puget-Théniers, Girondin rallié à Napoléon. *V. 1825* carbonaro. *1827* 29-4 blessé lors du soulèvement rép. *1830* blessé lors de la révolution de Juillet. *1834* avr. arrêté lors de l'insurrection de « la rue Transnonain ». *1839* 12-5 condamné à la prison perpétuelle après le soulèvement manqué. *1848* févr. libéré, crée avec Barbès la *Sté républicaine centrale* qui tente de s'emparer du pouvoir le 15-5 (attaque de l'Hôtel de V.), incarcéré. *1859* libéré par l'amnistie mais condamné pour complot contre l'Empire à 4 ans de prison (1861-64). *1864-70* exilé. *1871* membre de la Commune, mai arrêté, condamné à mort et gracié. *1879* 30-4 élu député socialiste (de nouveau prisonnier à Clairvaux). Siège à l'extrême gauche jusqu'à sa mort. Il a passé 37 ans en prison.
>
> **Raspail,** François (1794-1878). *1815* séminariste à Avignon, chassé pour s'être rallié à Napoléon. Fait sa pharmacie à Paris, s'affilie au Parti rép. clandestin, *1830* blessé à la rév. (ne se rallie pas à L.-Phil. ; *1832* emprisonné comme membre de la Sté des amis du peuple). *1840* après le procès de Marie Lafarge, démontre qu'un cadavre peut contenir de l'arsenic sans qu'il y ait eu empoisonnement. *1841* publie des traités de vulgarisation médicale. *1848* 25-2 fonde *l'Ami du Peuple,* 15-5 prend part à l'occupation du Palais-Bourbon. *1849* 24-4 arrêté, condamné à 6 ans de prison. *1855-59* exilé en Belgique. *1859* amnistié. *1874* condamné à 1 an de prison pour des passages de son *Almanach et Calendrier météorologique.* *1876* député de Marseille. *1877* réélu.

émeutes à Paris (13-6) et Lyon (15-6) ; 3-7 les Français occupent *Rome,* rétablissant Pie IX. **1850** 15-3 *Loi Falloux* (enseignement, voir Index) ; 31-5 loi restreignant le suffrage universel, il faut 3 ans de résidence au lieu de 6 mois pour voter : les ouvriers journaliers, main-d'œuvre mobile, sont éliminés (40 % des électeurs) ; août-sept. négociations entre orléanistes et légitimistes pour former un parti unique. **1851** 2-12 *coup d'État présidentiel* [exécutants : Morny (voir p. 661), Charlemagne Émile de Maupas (1818-88) préfet de police, Persigny (voir p. 661), Gal de Saint-Arnaud] ; 4-12 résistance armée (300 †, 6 642 arrestations, 9 530 déportés en Algérie, 2 804 internés, 1 545 expulsés, 5 000 coupables placés sous surveillance) ; 21/22-12 Louis-Nap. élu pour 10 ans (7 439 216 oui, 646 737 non après un plébiscite au suffrage universel). **1852** 14-1 *nouvelle Constitution ;* 22-1 confiscation des biens de la famille d'Orléans ; 24-1 rétablissement des titres de noblesse ; 7-11 sénatus-consulte proposant un plébiscite sur le rétablissement de la dignité impériale ; 21-11 plébiscite (7 800 000 oui ; 280 000 non) ; 1-12 le Pt du Sénat apporte à St-Cloud les résultats du référendum et salue le nouvel empereur.

SECOND EMPIRE (2-12-1852/4-9-1870)

NAPOLÉON III (20-4-1808/9-1-1873)

1852 3-12 Angleterre, Prusse, Russie, Autriche reconnaissent l'Empire par un protocole secret (prenant acte des déclarations pacifiques de Napoléon III). **1853** 29-1 Nap. III ép. Eugénie de Montijo ; 1-7 baron Haussmann préfet de la Seine. **1855** 28-4 Giovanni *Pianori* [1827-1855 (guillotiné) : cordonnier italien (carbonaro)] tire 2 coups de pistolet sur Nap. III aux Champs Élysées ; 15-5 ouverture de *l'Exposition universelle ;* 23-11 visite à Paris de Victor-Emmanuel du Piémont. **1856** 16-3 naissance du P^ce impérial (nom envisagé : roi d'Alger, à cause des projets d'un roy. arabe en Alg.). **1857** 3-1 assassinat à St-Étienne-du-Mont de *Mgr Sibour,* archev. de Paris, par l'abbé Jean Verger, interdit et dément, opposé au dogme de l'Immaculée Conception (sera exécuté) ; 21-6 élections (seulement 5 opposants rép. : Jules Favre, Ernest Picard, Émile Ollivier, Louis Hémon et Alfred Darimon). **1858** 14-1 attentat d'*Orsini* [8 †, 142 blessés ; 1er attentat par un explosif chimique ; Felice Orsini (n. 1819) et son complice Joseph-André Pieri exécutés 13-3] ; 20-5 *1er tr. de T'ien-Tsin* [ouverture aux missionnaires et aux négociants européens de 6 ports supplémentaires : T'aiwan et Tamsoui (Formose), Kioung-Tchéou (Haïnan), Nankin, Tchao-Tchéou (Kouang-Toung) et Tang-Tchéou (Chan-Toung)] ; 21-7 Nap. III rencontre le 1er ministre piémontais Cavour (1810-61) à *Plombières.* **1860** 23-1 *tr. de libre-échange* avec l'Angl. (droits de douane fixés en fonction de la valeur des produits) ; 24-3 *tr. de Turin,* Fr. reçoit Savoie et comté de Nice (plébiscites 15-4 et 23-4) ; 30-8 débarquement fr. au *Liban* (protection des chrétiens maronites contre les Druses) ; 21-9 *Palikao :* Cousin-Montauban, avec un corps franco-angl., bat la calaverie chinoise ; 6-10 prise de Pékin, *sac du Palais d'Été ;* 28-10 *2e tr. de Tien-Tsin* (ouverture confirmée des ports chinois au commerce ; protection des missions cath.). **1861** 31-10 *Convention de Londres,* prévoyant d'envoyer un corps franco-anglo-espagnol (9 000 h.) au Mexique. **1862-67** *Guerre du Mexique* (voir Mexique à l'Index). **1862** 5-6 *tr. de Hué :* basse Cochinchine annexée (Saigon, Mytho, Bien-Hoa) ; 18-11 *percement de l'isthme de Suez.* **1863** échec de la médiation de Nap. III dans la g. de Sécession américaine ; 31-5 élections : net progrès de l'opposition rép. (élection de Thiers à Paris). **1864** 12-1 rétablissement du droit de grève (non violente) ; févr.-mars organisation de l'opposition parlementaire (rép. et anticléricale) sur le modèle anglais (leaders : Ferry, Gambetta, Carnot, Garnier-Pagès) ; 17-1 Nap. III fait échouer un projet angl. d'intervention en faveur du Danemark, attaqué par Prusse et Autriche (*g. des Duchés :* le D. capitule 1-8) ; 12-8 création de la *Croix-Rouge* intern. (convention de Genève) ; automne : Nap. III atteint de lithiase (coliques néphrétiques violentes et fréquentes). **1865** 10-3 † du duc de Morny, Pt du Corps législatif (l'influence d'Eugénie devient prépondérante) ; mai, Eugénie régente pendant un voyage de *Nap. III en Algérie ;* 4/11-10 entrevue de *Biarritz* avec Bismarck (Nap. III soutiendra la politique anti-autr. de la Prusse). **1866** 7-6 début de la g. austro-prussienne (Nap. III laisse battre l'Autr. à Sadowa 3-7) ; 26-7 *tr. de Nikolsbourg,* la Prusse peut réorganiser l'All. (défaite diplomatique fr. , la politique de Nap. III étant celle des « 3 Allemagnes », indépendantes les unes des autres : Prusse, Autriche, États princiers ou royaux). **1867** 20-1 les députés reçoivent le droit d'interpellation ; avril-oct. *Exposition universelle ;* 11-5 *conférence de Londres :* Nap. III se voit refuser le Luxembourg (compensation demandée pour Sadowa) qui devient indép. et neutre ; 6-6 attentat de *Berezowski,* au Bois de Boulogne, contre le tsar venu pour l'Exposition : brouille avec la Russie ; 29-10 les Fr. débarquent à *Civitavecchia,* pour empêcher Garibaldi de prendre Rome ; 3-11 *Mentana,* les troupes fr. et pontificales battent les garibaldiens. **1868** 1-2 vote du projet Niel réorganisant l'armée. **1869** 9-3 loi sur la presse (abolition de l'autorisation préalable et des avertissements) ; 24-5 *élections :* progrès républicains (voir Index) ; 6-7 abolition de l'autorisation pour les réunions non politiques ; 27-10 Émile Ollivier, chef du Tiers Parti (rép. ralliés) ; 17-11 *inauguration du canal de Suez* (voir Index). **1870** 12-1 manifestations anti-bonap. pour l'enterrement de *Victor Noir* (Yvan Salmon, dit ; n. 27-7-1848), journaliste abattu le 10-1 par le P^ce Pierre Bonaparte oncle de Nap. III (venu au domicile du P^ce pour y arranger les conditions d'un duel, il aurait eu une attitude menaçante ; P^ce acquitté en haute-cour 21-3) ; 8-5 plébiscite favorable à l'Empire (7 358 000 oui, 1 572 000 non), sur la libéralisation de la Constitution (le Sénat 2e chambre législative) ; 17-7 Émile Ollivier *déclare la g. à la Prusse* (déclaration notifiée le 19-7, voir ci-contre) ; 27-7 Eugénie nommée régente ; 4-9 Jules Favre, Gambetta, Jules Ferry (avec le Gal Trochu, gouv. de Paris) renversent la régente et proclament la République ; 9-9 Eugénie arrive à Hastings (G.-B.) où son fils le P^ce Impérial vient d'arriver, après avoir franchi la frontière franco-belge dès l'annonce du désastre de Sedan.

Ministères sous Napoléon III (pas de 1er ministre, mais un *min. d'État* représentant, devant les Chambres, l'empereur, chef du gouvernement) : *22-1-1852* Xavier de Casabianca (1797-1881) ; *30-7-1852* Achille Fould (1800-67) ; *23-11-1860* Cte Alexandre Walewski (1810-68) ; *23-6-1863* Auguste Billault (1805-63) ; *18-10-1863* Eugène Rouher (1814-84), « vice-empereur » ; *17-7-1869* Jean de Forcade (1820-74) ; *21-1-1870* Émile Ollivier (1825-1913).

Sous la régence d'Eugénie : *22-8-1870* Gal Charles Cousin-Montauban, Cte de Palikao (1796-1878), *Pt du cons.,* min. de la G. Mais un comité de défense de Paris (Gal Jules Trochu) fonctionne avec 3 députés et 2 sén. (il fera le coup d'État du 4-9).

GUERRE DE CRIMÉE (1854-55)

Causes. 1°) désir de l'Angl. de contrer les ambitions russes au Caucase et au Moyen-Orient. 2°) désir de Nap. III de remporter des victoires contre les coalisés de 1815 (en s'alliant avec les uns, contre les autres). 3°) désir de l'Église cath. de ne pas perdre le protectorat des chrétiens de Turquie, que le tsar orthodoxe cherche à acquérir.

Effectifs. *Alliés* 75 000 h. (Fr. 30 000, Angl. 25 000, Piémontais 15 000, Turcs 5 000) ; *Russes* 40 000 h. puis 100 000 à partir de sept. 1854.

Opérations. **1854** 20-9 *Alma* Saint-Arnaud et lord Raglan battent Menchikov ; 25-10 *Balaklava* vict. franco-angl. Charge de la brigade légère de Lord Cardigan : sur 661, 102 tués, 127 blessés, 58 prisonniers ; 5-11 *Inkerman* Bosquet bat Menchikov. **1855** 10-9 prise de *Sébastopol* après 350 jours de siège. **1856** 30-3 *tr. de Paris :* la Russie renonce à s'agrandir aux dépens de la Turquie (la mer Noire est neutralisée, le Danube est internationalisé).

GUERRE AUSTRO-FRANCO-SARDE (1859)

Causes. 1°) ambition de la maison de Savoie de s'agrandir en Italie. 2°) volonté des *carbonari* it. de détruire les États de l'Église. 3°) sympathie de Nap. III pour les « nationalités europ. » et désir d'obtenir Nice et la Savoie en laissant à la maison de Savoie la possibilité de prendre la Lombardie occupée par l'Autr. 4°) action personnelle de la *Ctesse de Castiglione* [Virginia Oldoini (1837-99), surnommée la *divina contessa,* envoyée par Cavour à Paris pour être la maîtresse de Nap. III (elle se brouilla avec lui après l'armistice de Villafranca que Cavour désapprouvait, et vécut à Paris en demi-mondaine, obtenant de ses amants jusqu'à 1 million par nuit)].

Effectifs. *France* 120 000 h. (débarqués à Gênes), *Sardes* 40 000, *Autr.* 180 000, puis 270 000.

Opérations. **1859,** 30-5 *Palestro* Victor-Emmanuel II et C^el de Chabron (3e zouave) battent Gyulay ; 4-6 *Magenta* Nap. III bat Gyulay ; 24-6 *Solferino* Nap. III bat François-Joseph ; 17-7 *armistice de Villafranca ;* 10-11 *tr. de Zurich.* La France reçoit la Lombardie, mais la remet au Piémont. L'Autriche garde la Vénétie.

ESSOR INDUSTRIEL DU IIe EMPIRE

Développement des chemins de fer *1848* 1 322 km de voies ; *1855* 3 248 ; *1859* 9 000 ; *1870* 18 000. **Créations de banques** Comptoir d'escompte (1848), Crédit foncier (1852), Société générale (1858), Crédit Lyonnais (1863). **Escompte de la Banque de France** *1852* 1,8 milliard ; *1854* 3 ; *1869* 6,3. **Mécanisation de l'ind.** machines à vapeur : *1850* 5 322 ; *1860* 14 936 ; *1870* 27 958. **Production de charbon :** *1848* 7 600 000 t ; *1869* 12 200 000 t. **Principales ind. :** métallurgie (procédé Bessemer 1855), textiles (machines à tisser Schlumberger 1855), chimie (prod. ind. de l'acide sulfurique et du carbonate de soude), confection (machine à coudre Thimonnier 1851-57).

GUERRE DU MEXIQUE (1862-67)

☞ Voir **Mexique** à l'Index.

GUERRE FRANCO-ALLEMANDE DE 1870-71

Causes. 1°) *Volonté de Bismarck de mener une g. victorieuse contre la Fr., pour cimenter l'unité all. avec un emp. prussien et protestant* [le chef d'état-major all., Moltke, connaît l'impréparation de l'armée fr., due : *a)* à l'expédition du Mexique qui a désorganisé l'administration mil., *b)* au rejet de la loi Niel par la Chambre, *c)* à la faiblesse de l'artillerie fr. (canons se chargeant par la bouche), *d)* aux traditions tactiques de l'armée d'Afrique, impropres à une g. européenne (fantassins lourdement chargés, bivouacs en plein air, dispositifs resserrés), *e)* au vieillissement et au manque de valeur des généraux (aucun chef compétent) ; Moltke et Bismarck décident de déclencher la g. en juillet (motif : le 1-8, le traité d'alliance militaire avec la Bavière devient caduc ; ils savent que Louis II refusera de le renouveler)].

2°) *Volonté de l'imp. Eugénie de mener une g. victorieuse pour assurer l'accession au trône du prince impérial* [14 ans ; Nap. III, malade, est proche de sa fin (les Fr., sauf Thiers, sont convaincus de la supériorité de leurs armées : depuis la Crimée, 1854-55, elles ont toujours été victorieuses ; même le Mexique a passé pour une victoire)].

3°) *Bellicisme des garibaldistes :* les partisans de la Rép. italienne savent qu'une guerre obligerait la Fr. à rappeler les troupes qu'elle a envoyées à Rome pour soutenir le pape. Ils poussent à la g. sur le Rhin pour dégarnir l'État pontifical.

4°) *Affaire de la succession d'Espagne* (particulièrement sensible à Eugénie, espagnole) : *1870* 21-6 Léopold de Hohenzollern-Sigmaringen (cousin cath. du roi de Prusse) est candidat au trône d'Esp. vacant depuis 1868 ; 6-7 Gramont, min. des Aff. étr., annonce au Corps législatif que la Fr. fait opposition ; 12-7 retrait de Léopold, notifié par son père, le P^ce Antoine ; 13-7 Gramont réclame que ce retrait soit garanti par son suzerain, le roi de Prusse (à cause du précédent roumain de 1866 : Charles de Hohenzollern était devenu roi de Roumanie malgré une renonciation antérieure). Refus du roi de Pr. que Bismarck notifie par un communiqué officiel (dit *dépêche d'Ems*) rendu volontairement plus sec que la réponse du roi : les Fr., bellicistes, crient à la provocation ; 17-7 Émile Ollivier, porté par l'opinion publique, déclare la g. (Nap. III, pacifiste mais malade, laisse faire).

■ **Effectifs.** 1re PARTIE (jusqu'à la capitulation de Metz) : *France* 350 000, *Prusse* 450 000. 2e PARTIE (après Metz) : *à Paris : Fr.* 400 000 (dont soldats 131 000 ; mobiles 70 000), *Allemagne* 250 000 ; *province : Fr.* 600 000, *All.* 350 000 (1 003 485 All. entrent en Fr. dont 780 723 en août 1870). Marine française 339 bâtiments en service (dont 45 cuirassés). Allemande 5 cuirassés. La flotte all. se réfugie dans la baie de la Jade. La marine fr. fournit à l'armée de terre env. 30 000 h, 2 300 canons, 100 mitrailleurs.

■ **Opérations. 1re partie : 1870** (1-8/28-10) : **Armée Mac-Mahon** (170 000 h.) : 4-8 défaites de *Wissembourg,* 6-8 de *Reichshoffen* et *Froeschwiller ;* 16-8 repli sur Châlons ; 25-8 offensive (prévue par Montmédy ; 140 000 h.) pour rejoindre Bazaine sous Metz ; 17-8 Gal Trochu nommé gouverneur de Paris ; 30-8 déf. de *Beaumont,* retraite sur Sedan ; 31-8/1-9 *Bazeilles,* les troupes de marine arrêtent les Bavarois puis se rendent, faute de munitions (dernière cartouche tirée par le capitaine Aubert, de l'Auberge Bourgerie, entourée de 600 ennemis †) ; 1/3-9 défaite et capitulation de *Sedan* [Fr. 15 000 † ou blessés, 91 000 prisonniers, 3 000 internés en Belgique, 10 000 repliés à Paris ; All. 10 000 † ou blessés sur 250 000 h. (Nap. III, qui accompagne Mac-Mahon, est fait prisonnier : interné à Wilhelmshoehe près de Cassel jusqu'au 6-3-1871, il rejoint ensuite sa femme et son fils à Chislehurst]. **Armée Bazaine** (150 000 h.) : 6-8 déf. de *Forbach ;* 12-8 retraite sur Metz ; 14-8 combats de *Borny* (indécis), 16/18 de *Gravelotte* (indécis) (mis hors de combat : 19 000 All., 13 000 Fr.) ; 18-8 déf.

de *St-Privat :* Bazaine enfermé dans *Metz ;* 28-10 reddition sans conditions [173 000 prisonniers, 1 570 canons. On l'accusera d'avoir tenté de conserver son armée intacte, sans combats, pour servir d'arbitre entre les républicains et la famille impériale ; il ambitionnait la régence. Bismarck lui a permis d'envoyer des émissaires à Londres pour contacter Eugénie (durée des tractations : 1 mois, pendant lequel l'armée de Metz a usé ses subsistances) ; puis il a exigé la reddition].

2e partie : **siège de Paris (par 180 000 All.) : 1870,** 19-9 déf. de *Châtillon ;* 21-10 vict. de *Bougival,* 28-10 du *Bourget ;* 28-11/3-12 déf. de *Champigny* [(Ducrot) pertes : 8 000 Fr., 5 000 All.]. **1871,** 5-1 début du bombardement (durée 1 mois) : 10 000 projectiles, en moy. 60 † ou bl. chaque jour ; 20-1 déf. de *Montretout* et *Buzenval* [(Vinoy) pertes : 4 000 Fr.]. Il est sorti de Paris, pendant le siège, 65 ballons dont 47 frétés par l'Administration des Postes, 7 par l'Adm. des Télégraphes, 1 par le min. de l'Instruction publique, 1 par le min. des Travaux publics et 9 par des particuliers. Ces 65 ballons emportèrent 164 personnes, 381 pigeons, 5 chiens, des appareils et des engins, de la dynamite, 10 675 kg de courrier postal.

Province : 1870. Armée de la Loire (100 000 h.) ; 18-10 prise et incendie de *Châteaudun ;* 27-10 vict. de Coulmiers (Aurelle de Paladines) ; 2-11 levée en masse ; 28-11 *Beaune-la-Rolande* le Pce Charles de Prusse bat Aurelle de Paladines (3 000 Fr., 800 Pr. †) ; 2/4-12 déf. de *Patay-Orléans* ; 11-12 déf. de *Villarceau* (Chanzy) ; **1871,** 11-1 déf. du *Mans.* **Armée du Nord** (Faidherbe, 45 000 h.) : **1870,** 23-11 combat de *Pont-Noyelles* (indécis) ; **1871,** 3-1 *Bapaume* Faidherbe bat Goeben ; 19-1 déf. de *St-Quentin.* **Armée de l'Est : 1870,** 14-11 siège de *Belfort* (résistance de Denfert-Rochereau jusqu'au 29-1) ; 18-12 bat. de *Nuits* (indécise) ; **1871,** 9-1 *Villersexel* Bourbaki, avec 120 000 h., bat Schmeling ; 18-1 déf. d'*Héricourt ;* 24-1 de *Baume-les-Dames* (exclue de l'armistice par Jules Favre à cause des convictions bonapartistes de Bourbaki, l'armée passe en Suisse 1-2).

■ **Conclusion. Armistice de Versailles : 1871,** 28-1 (Jules Favre et Bismarck) : l'armée de Paris (131 000 h. de ligne) déclarée prisonnière de g. reste à Paris désarmée (la Garde nation. conserve ses armes).

Traité de Francfort (10-5-1871). Fr. perd *Alsace-Lorraine* (1 447 466 ha, 1 694 communes, 1 600 000 hab.) et doit verser 5 *milliards de francs ;* 50 000 à 100 000 Als.-Lorr. optent pour la France et quittent l'Als.-Lorr. ; 16-9 *libération du territoire* (la dette de 5 milliards est payée par des emprunts à 6 %, 4 900 millions souscrits dès le 1er emprunt du 27-6-1871) ; les sommes dégagées sont converties en or et en devises étrangères avec l'aide de banques européennes favorables à Thiers (le coût total de la g. 1870-71 a été évalué à 15 592 468 626 F).

■ **Causes de la défaite française. 1°) Militaires :** *a)* l'effort de g. prussien a été considérable dep. 1864. L'armée prussienne victorieuse du Danemark (1864) et de l'Autriche (1866) possède une excellente artillerie et de gros effectifs (450 000 h. contre 350 000 Fr.) ; *b)* l'armée française aurait dû être modernisée par le projet du Mal Adolphe Niel (1802-62, min. de la G. en 1867, qui fit adopter le chassepot et la « garde mobile »), mais la Chambre le rejeta le 19-12-1866.

2°) Politiques : Avant Sedan : l'opposition rép. souhaite une défaite des armées impériales, sachant que l'Empire n'y résisterait pas. La capitulation de Sedan a été accueillie par des applaudissements de la gauche à la Chambre. **Après Sedan :** 1°) *Paris :* les « modérés », qui ont pris le pouvoir, préfèrent une victoire all., même avec une amputation du territoire, à une victoire du peuple de Paris (patriote

NAPOLÉON III (1808-73)

Naissance. Le 20-4-1808. Son père Louis, roi de Hollande, déclara qu'il n'était pas de lui et rompit avec sa femme (Hortense de Beauharnais). *Pères putatifs le plus souvent cités :* l'amiral hollandais Charles-Henri Verhuell (1764-1845) ; Adam de Bylandt-Hastelcamps (écuyer d'Hortense) ; le marquis de La Woestine (1786-1870) (thèse adoptée par Jean Savant) ; le Cte de Villeneuve, 1er chambellan d'Hortense. Cependant Hortense n'a pas admis la naissance adultérine de Louis, alors qu'elle a avoué celle du futur duc de Morny, fils du Cte de Flahaut. Selon d'autres sources, Nap. III ressemblait beaucoup au roi Louis ainsi qu'au Cte de Castelvecchio, fils naturel du roi Louis. **Carrière. 1817** réfugié en Suisse à Arenenberg avec sa mère. **1829** élève de l'école d'artillerie de Thoune. **1832**-14-4 naturalisé Suisse. **1835** capitaine d'artillerie du canton de Berne. **1835** citoyen d'honneur de Thurgovie. **1836**-31-10 suscite un complot à Strasbourg, 21-11 expulsé vers l'Amérique. **1837**-4-8 rentré à Arenenberg. **1838**-26-9 part volontairement pour l'Angleterre quand L.-Phil. exige son expulsion en massant 25 000 h. à la frontière. **1840**-6-8 débarque à Boulogne, arrêté, enfermé au fort de Ham. **1846**-25-2 s'en évade, rejoint l'Angleterre. **1848**-26-2 rentre en Fr. quand la Rép. est proclamée, 10-12 élu Pt de la Rép. **1851**-2-12 coup d'État. **1852**-1-12 devient empereur. **1853**-29-1 épouse Eugénie de Montijo. **1870**-26-7 Eugénie régente. 27-7 Nap. III part (avec le Pce impérial) pour Metz prendre le commandement de l'armée du Rhin. 30-8 fait prisonnier à Sedan par les All. 4-9 renversé. **1871**-19-3 libéré, s'établit à Camden Place (Chislehurst, à 20 km de Londres). **1873** un complot est prévu pour le faire rentrer ; avant il veut se faire opérer (calcul de vessie), il meurt le 9-1 des suites de l'opération.

EUGÉNIE (IMPÉRATRICE) (1826-1920)

Nom. Marie Eugénie de Montijo, Ctesse de Teba. **Née** le 5-5-1826, Espagnole par son père (3 fois Grand d'Esp.), Irlandaise par sa mère (Marie Emmanuelle Kirkpatrick de Closeburn). **Mariage.** Nap. III l'épousa au moment où l'on négociait son mariage avec la nièce de la reine Victoria (il comptait en faire sa maîtresse, mais elle avait exigé le mariage ou rien). Après la naissance du Pce impérial, elle fit chambre à part et laissa à son mari toute liberté dans ses liaisons féminines, mais se passionna de plus en plus pour la politique (expédition du Mexique, intervention à Rome de 1867, g. de 1870 à propos de la succession d'Espagne). *Régente* 1859 (guerre d'Italie), 1865 (voyage de Nap. III en Algérie), 1870 (guerre), lutte pour assurer la couronne au Pce impérial. À la mort de son fils (1-6-1879), elle renonça à toute activité politique, meurt le 11-7-1920.

LOUIS NAPOLÉON (PRINCE IMPÉRIAL) (1856-79)

Né le 16-3-1856, baptisé le 14-6 (parrain : le pape, marraine : la reine de Suède ; étaient représentés). **Carrière. 1870**-28-7 part avec Nap. III pour Metz ; 2-8 participe à l'attaque de Sarrebruck ; 4-9 réfugié en Belgique ; 9-10 débarque à Hastings (Angleterre) et retrouve sa mère. **1872**-17-11 entre à l'école d'artillerie de Woolwich. **1875**-juin sort sous-lieutenant. **1879**-28-2 lassé de l'exil, rejoint en Afr. du S. l'armée angl. qui lutte contre les Zoulous ; 1-6 à Istelizi, tué par les Zoulous de 17 coups de lances ; juill., corps ramené en Angl.

AUTRES PERSONNAGES DE L'EMPIRE

Bazaine, François-Achille (Mal) (1811-88), officier sorti du rang. **1832** volontaire dans l'armée libérale espagnole, capitaine à titre espagnol. **1838** réintégré dans l'armée fr. (Algérie). **1850** colonel. **1854** en Crimée, général. **1855** gouvern. de Sébastopol. **1859** commande une division à Solférino. **1862** *g.* du Mexique, prend Pueblo. 7-6 entre à Mexico, juil. Gal en chef (suicide de sa femme, compromise dans une affaire d'adultère). **1864** Mal. **1865** ép. une Mexicaine et essaye d'être chef d'État au Mexique. **1867** rappelé en Fr. ; privé d'honneurs militaires 6 mois. **1869** Cdt de la garde impériale. **1870**-6-8 laisse écraser Frossard à Forbach (par jalousie) ; 12-8 à la tête de l'armée (Nap. III, malade, laisse faire). 18-8 capitule à Metz. **1873**-10-12 condamné à mort pour avoir capitulé à Metz. Peine commuée en 20 ans de détention. **1874** nuit du 9 au 10-8 s'évade. Finit sa vie en Espagne.

Haussmann, Eugène (1809-91). Protestant alsacien, sous-préfet sous L.-Phil. **1848** rallié à Louis-Nap. **1851** préfet de la Gironde, fait triompher le coup d'État à Bordeaux. **1853** 26-3 préfet de la Seine. **1857** baron et sénateur. Remodèle Paris (immeubles nouveaux, larges avenues). **1870** janv. destitué par Émile Ollivier ; **1870-77** exilé puis député bonapartiste de la Corse. Sa fille Valentine fut la maîtresse de Nap. III dont elle eut un fils, Jules Hadot (1865-1937).

Howard (Elizabeth Haryett, dite Miss Howard, 1823-65), actrice anglaise. **1846** maîtresse de Louis-Nap., à Londres. Enrichie par un ancien amant dont elle a eu un fils, aide financièrement Louis-Nap. **1849** s'installe à côté de l'Elysée, rue du Cirque, et paraît aux soirées privées du prince-président, sans jouer de rôle officiel. **1853** Nap. III, épousant Eugénie, signe un contrat avec elle : il lui rembourse 4 millions de F et lui donne le domaine de Beauregard et un titre comtal [qui passera à son fils en 1866 : la famille de Beauregard (noblesse de l'Ancien Régime) ayant fait opposition à la création du titre de comtesse de Beauregard, Miss Howard fut Ctesse non titrée, et son fils, Cte de Béchevert].

Mathilde (Princesse). Mathilde-Laetitia Bonaparte (1820-1904). Fille du roi Jérôme ; cousine germaine de Nap. III (à qui elle aurait été fiancée vers 1835). **1841** épouse un richissime parvenu russe, le Pce Anatole Demidoff (1813-70) (elle s'en sépare en 1845, avec une pension de 200 000 roubles). **1848** maîtresse de maison de son cousin, à l'Élysée, mais n'envisage plus de l'épouser [elle vit maritalement avec le sculpteur Alfred de Nieuwerkerke (1811-92)]. **1853** perd sa prééminence à la Cour après le mariage de Nap. III. Tient un salon littéraire, artistique et politique dans sa villa de *St-Gratien* (Val-d'Oise) et dans son hôtel rue de Courcelles. Influente sous la IIIe Rép.

Morny (Auguste Demorny, 21-8-1811/10-3-1865, duc de Morny 1862). Demi-frère de Nap. III [fils de la reine Hortense et du Cte de Flahaut, lui-même présenté généralement comme un fils de Talleyrand, mais plus vraisemblablement fils du ministre britannique William Windham (1750-1810)], officier de l'armée d'Afrique devenu riche homme d'affaires, il réalise le coup d'État du 2 décembre (comme min. de l'Intérieur) ; *1854* Pt du corps législatif, oriente l'Empire vers un certain libéralisme, et neutralise l'opposition républ. par le ralliement d'Emile Ollivier. *1860* arbitre des élégances, crée la station de Deauville.

Napoléon (Prince) (9-12-1822/17-3-1891). Fils du roi Jérôme, cousin germain de Nap. III. Petit-fils du roi de Wurtemberg, gendre du roi d'Italie. *1852-56* héritier présomptif, perd ce titre à la naissance du Pce impérial, ce qui le rend hostile à l'impératrice. Républicain et anticlérical, se conduit en opposant de gauche. *1858-59* min. de l'Algérie. *1879* exclu de la succession impériale, en faveur de son fils Victor, par le testament du Pce impérial, il persiste à se poser en prétendant jusqu'à sa mort.

Ollivier, Émile (2-7-1825/20-8-1913). Avocat marseillais. *1848* préfet des B.-du-Rh. *1857* élu député (rép.) de la Seine. *1870* 2-1 clef de l'opposition rép., se rallie à l'Empire, devient chef du gouvernement (min. d'État). 17-7 déclare la g. à la Prusse, 9-8 renversé. Exilé en Italie. *1873* rentre d'exil, exige de lire son discours de réception (probonapartiste) à l'Académie (où il avait été reçu en 1870) tel qu'il avait été rédigé. L'Académie refuse. Il y siégera jusqu'à sa mort sans avoir été reçu.

Persigny (Gilbert Fialin, 11-1-1808/14-1-1872, duc de P. 1863). Aide de camp de Louis-Nap. Prit part aux tentatives de Strasbourg et de Boulogne, et fut condamné à 20 ans de détention, commués en résidence forcée à Versailles. *1851* 2-12 s'empare de l'Ass. nat. *1852-54* min. de l'Intérieur. *1855-60* amb. à Londres. *1860-63* min. de l'Intérieur. *1864* retraite politique.

Rouher, Eugène (30-11-1814/3-2-1884). Avocat à Riom (P.-de-D.), *1848* député du P.-de-D. sous la IIe Rép., *1849* oct. min. de la Justice ; se rallie à Louis Nap. et approuve le coup d'État du 2-12-1851. *1852-55* Conseiller d'État. *1855* min. du Commerce. *1863* min. d'État. *1867-69* (Empire libéral), chef des bonap. conservateurs, garde un grand ascendant sur Nap. III, et reçoit le surnom de « vice-empereur ». *1869* démissionne après la victoire électorale des libéraux, et devient Pt du Sénat. *1872-76* dép. bonap. de Corse. *1876* dép. de Riom ; *1879* se retire de la polit. à la mort du Pce imp.

Saint-Arnaud (Jacques Leroy, Mal de, 20-8-1801/29-9-1854). *1831* attaché au Mal Bugeaud, gardien de la Desse de Berry à Blaye. Protégé par la Desse, fait une carrière rapide (Col 1844, Gal 1847, Cdt en chef en Kabylie 1851). *1851* 26-7 appelé à Paris, 26-10 min. de la G. avec mission de préparer le coup d'État. *1852* 2-12 Mal. *1854* Cdt en chef de l'expédition de Crimée. 20-9 victorieux à L'Alma. Meurt du choléra peu après.

Walewski (Alexandre Colonna, comte, 4-5-1810/27-10-1868). Fils naturel de Nap. Ier et de Marie Walewska, cousin germain de Nap. III. *1830* prend part à l'insurrection polonaise. *1832* naturalisé Français, officier en Algérie. *1837* démission, liaison avec l'actrice Rachel (1820-58). *1849* amb. à Florence. *1851-55* à Londres (obtient la reconnaissance de Nap. III par la reine Victoria) ; négocie le mariage de l'emp. et de la nièce de Victoria, Adélaïde de Hohenlohe : échec. *1855-60* min. des Aff. étr. *1856* Pt du congrès de Paris. *1860-63* min. des Beaux-Arts. *1865-67* Pt du corps législatif.

mais révolutionnaire) : la résistance de Trochu et de Ducrot à Paris a semblé être un trompe-l'œil (baroud d'honneur en attendant une capitulation due à la famine ; refus de percer). 2°) *En province :* les Fr. sont divisés entre royalistes, rép., bonapartistes. Bismarck en profite, il accule Bazaine à la capitulation, lui laissant croire pendant 2 mois que la Prusse est prête à s'entendre avec Eugénie (réfugiée à Londres). Le 4-11-1870, il menace Thiers de négocier avec le Cte de Chambord ; il fait droit, le 28-1-1871, à la demande de Jules Favre, faisant exclure de l'armistice l'armée Bourbaki (bonapartiste), afin d'anéantir celle-ci.

3°) **Diplomatiques :** par suite des incohérences de sa diplomatie, Nap. III n'a gagné aucun allié : l'Autriche, qui avait pardonné Solferino et Magenta, lui en voulait de ne pas l'avoir aidée contre la Prusse à l'époque de Sadowa, la Russie lui en voulait à cause de la g. de Crimée, l'Angleterre (à cause du lâchage du Danemark en 1864), le Piémont (à cause du retour du corps expéditionnaire fr. à Rome).

4°) **Questions de personnalités :** *Avant Sedan :* Nap. III souffrait de la vessie : il n'avait plus la force de donner des ordres (par ex., il ne voulait pas de Bazaine comme chef de la 1re armée, mais ne s'est pas opposé à sa nomination). *Après Sedan :* Gambetta et Freycinet, qui ont pris en main, à partir du 7 oct., la direction des opérations, étaient militairement incapables. Les défaites décisives subies autour d'Orléans (du 9-11 au 3-12-1870) sont dues à leur impéritie. *Thiers,* qui s'était opposé en 1870 à la déclaration de g., comprend que son heure est venue : il sait que la défaite va renforcer son prestige et assurer sa prise de pouvoir. Il est prêt à beaucoup de concessions pour obtenir la consécration par le suffrage universel.

■ **La guerre pouvait-elle être gagnée ? 1°) En août/septembre 1870 :** *a) L'armée de Metz* pouvait remporter une victoire éclatante le 16-8 (j. de Gravelotte). Une armée all. isolée sur la rive gauche de la Moselle était opposée à 2 armées fr. disposant des réserves d'artillerie de la place-forte ; une attaque le long du fleuve aurait amené sa capitulation, mais Bazaine ordonne le repli sur Metz. *b) La marche de Mac-Mahon sur Metz* par les Ardennes aurait pu amener l'écrasement des 2 armées assiégeant Metz. Mais Mac-Mahon était lent et hésitant, et la presse dévoila son plan (la censure n'existait pas). Sur 130 000 † All., 78 000 ont été tués avant le 4-9, dont 64 000 en août.

2°) **Après Sedan :** *a) A Paris :* la « percée » des 2 armées de Paris à travers les lignes très peu fournies (il s'agissait d'un blocus plus que d'un siège) était possible. Les Parisiens avaient pour eux le nombre, et leurs ateliers avaient en quelques semaines créé une bonne artillerie (1 362 pièces de remparts, 602 pièces de campagne). Si Ducrot avait attaqué vers l'ouest, avec résolution, il aurait pu prendre à revers les All. opérant en Normandie. *b) En province :* Gambetta a rejeté les offres de service du capitaine Rossel (promu Col), évadé de Metz et futur ministre de la G. de la Commune. Bon stratège, il aurait pu gagner la bataille de Coulmiers-Orléans-Artenay (9-11/3-12-1870), avant que les forces libérées par la capitulation de Metz aient pu être engagées dans la bataille : la délivrance de Paris aurait eu des conséquences (stratégiques et psychologiques). Mais Gambetta, se méfiant de la jeunesse de Rossel, a préféré Freycinet qui a conduit les armées au désastre.

3°) **Autres erreurs :** *Bazaine* capitule à Metz (surtout pour raisons politiques) ; *Faidherbe,* ayant battu les All. à Bapaume le 3-1-1871, n'ose pas attaquer les assiégeants de Péronne qu'il pouvait mettre en déroute. Il s'arrête à 16 km de la place, qui capitule le 9-1, et le 19, se laisse écraser à St-Quentin. *Gambetta* refuse à Kératry (nommé 22-10-70 Cdt des forces de Bretagne) armes et vivres pour les 80 000 Bretons du camp de Conlie et refuse leur évacuation (craignant un réveil chouan).

4°) **Armistice prématuré :** *Jules Favre* était résolu, le 23-1-1871, à mettre fin coûte que coûte aux hostilités, pour éviter à Paris une prise de pouvoir révol. Or, le plus dur de la guerre était passé (l'hiver avait coûté des milliers de † par pneumonie). Les All., écœurés par la résistance de la nation, étaient prêts à une paix blanche pour éviter une 2e année de g. Le moral de l'armée all. était au plus bas à cause de pertes très lourdes : 129 610 † ou disparus, dont 6 251 officiers (12 854 « disparus » étaient des prisonniers mis à mort par les francs-tireurs). Généraux : 5 †, 20 bl. Colonels : 27 †, 51 bl. La plupart des Gaux étaient pour un repli sur l'All., en cas de résistance prolongée des Fr. qui eurent moins de tués que les All. (120 000 contre 130 000).

IIIe République (4-9-1870/13-7-1940)

De 1870 à 1914

■ **1870** 9-9 création de la *délégation gouvernementale de Tours* (Crémieux) ; 19/20-9 tentative de paix à Ferrières (Jules Favre-Bismarck) : échec ; 7-10 *Gambetta* quitte Paris en ballon, atterrit à Montdidier (Somme), gagne Tours en train ; il devient min. de l'Intérieur et de la Guerre (adjoint pour la G. : Freycinet) ; 3-11 les Parisiens *plébiscitent le gouv. « de la Défense nationale »* par 321 373 oui contre 53 584 non ; 2/4-11 tentative de paix à Versailles (Thiers-Bismarck) : échec ; 3-11 le gouv. Gambetta se replie sur *Bordeaux.*

■ **1871** 19-1 le Gal Jules *Trochu* (1815-96), gouverneur de Paris et chef du gouv., qui avait promis que « jamais le gouverneur de Paris ne capitulerait », démissionne de son poste de gouverneur (il capitulera comme chef du gouv.) ; 22-1 *émeutes à Paris* (50 †) ; 8-2 élections générales (majorité monarchiste et bonapartiste) ; 12-2 réunion à *Bordeaux* de l'Ass. nat. : *Thiers* élu « chef du pouvoir exécutif » ; 26-2 il signe avec Bismarck les *préliminaires de la paix ;* 1-3 *occupation* symbolique des quartiers ouest de Paris par les Prussiens, les dép. d'Alsace-Lor. quittent l'Ass. nat. ; Jules Grosjean lit leur protestation ; 3-3 la Garde nat. de Paris s'organise en *fédérations ;* les gardes nat. s'appellent désormais les *Fédérés ;* 8-3 Thiers supprime la paye des gardes nat. ; 10-3 *« pacte de Bordeaux » :* l'Ass. se transfère à *Versailles ;* le régime politique ne sera pas défini avant la réorganisation du pays. Mars-mai, la Commune (voir ci-dessous) ; 1-7 le *Cte de Chambord* rentre en France. 5-7 manifeste du « drapeau blanc » publié. 7-7 le Cte de Chambord quitte la Fr. 30-8 l'Assemblée s'attribue le pouvoir constituant (proposition Rivet).

Guerre civile de la Commune (mars-mai 1871)

■ **Causes.** 1°) le peuple de Paris est sous-alimenté depuis 5 mois (consommation d'absinthe quintuplée) ; 2°) indignation de la Garde nationale devant : a) la capitulation de Jules Favre (29-1) qui pourtant lui laissait ses armes ; b) les préliminaires de Thiers (26-2) qui l'obligeait à livrer ses canons ; c) la suppression de la solde des gardes nationaux (unique ressource des ouvriers mobilisés) ; d) l'annulation du moratoire des effets de commerce et des loyers (obligeant les ouvriers sans ressources à payer brusquement leurs dettes) ; 3°) développement de la propagande révolutionnaire, grâce à l'entière liberté de la presse et des réunions (clubs) ; 4°) Thiers est décidé à gagner en 1871 la bataille contre le peuple de Paris qu'il a perdue en févr. 1848 ; 5°) Bismarck (antirévolutionnaire) pousse à écraser un mouvement armé populaire à prétentions socialistes.

■ **Fédérés. Effectifs :** 234 bataillons (garde active 80 000 h., garde sédentaire 113 000 h.). **Délégués à la guerre :** 3-4/1-5 *Gustave Cluseret* (1823-1900), Gal de l'armée nordiste américaine ; 1/9-5 *Col Louis Rossel* (1844-71, fusillé) ; 11/25-5 *Charles Delescluze* (1809-71, † au combat). **Chefs militaires :** *Jaroslaw Dombrowski* (1836-71, † au combat), quartier-maître de l'armée russe ; *Gustave Flourens* (1838-71, assassiné) ; *Charles Lullier,* lieutenant de vaisseau (1838-91, destitué le 25-3-1871). **Autres personnages :** *Louise Michel* (1830-1905), conférencière, puis combattante ; déportée à Nouméa, libérée 1880. *Jules Vallès* (1832-85), condamné à mort par contumace. *Félix Pyat* (1810-89), membre de la commission des Finances. *Raoul Rigault* (1846-71, fusillé), préfet de police. *Prosper-Olivier Lissagaray* (1838-1901), journaliste. *Eugène Varlin* (1839-71, fusillé), commissaire aux subsistances.

■ **Versaillais. Chefs militaires :** Cdt en chef : *Mac-Mahon* (1808-93) ; de l'infanterie : *Vinoy ;* de la cavalerie : *Gallifet* (1830-1909). **Effectifs :** 130 000 h. jusqu'au 16-4 puis 170 000.

■ **Déroulement.** 18-3 soulèvement à Paris ; les Gaux Lecomte et Thomas exécutés ; Thiers gagne Versailles ; le comité central siège à l'Hôtel de Ville ; 26-3 élect. d'un cons. municipal (90 m., dont 71 révolutionnaires) qui prend le nom de *Commune ;* 3-4 les Fédérés attaquent vers Versailles mais sont arrêtés par le canon du Mt-Valérien ; le Gal Émile Duval (n. 1840) pris et fusillé avec son chef d'état-major ; 4-4 les Versaillais attaquent Neuilly, prennent Courbevoie et Châtillon ; 5-4 prise de 74 otages par les communards (dont l'archev. de Paris Mgr Darboy) ; 1-5 institution d'un comité de salut public ; 21-5 : 70 000 Vers. entrent à Paris par le bastion du Point du Jour, dégarni ; 22/28-5 *« semaine sanglante » :* Paris conquis rue par rue ; 23-5 incendie : Hôtel de V., quai d'Orsay, Tuileries, Légion d'Honneur, Cour des Comptes, Palais de Justice, Bibl. du Louvre ; 24/25 et 26-5, 424 Fédérés prisonniers fusillés au parc Monceau et à Montmartre ; 26-5 rue Haxo, 52 otages tués par insurgés ; 27-5 prise du Père-Lachaise ; 28-5 chute de la dernière barricade, rue Ramponeau. **Bilan.** *Massacrés par les Fédérés :* 484 dont 66 otages. *Pertes militaires des Versaillais :* 880 †. *Répression :* 400 000 dénonciations écrites. *Pertes des Insurgés :* de 20 000 à 35 000 (selon Rochefort) [selon d'autres 100 000 (dont 3 500 fusillés sans jugement dans Paris, 1 900 le furent cour de la Roquette, plusieurs centaines au « Mur des Fédérés » du Père-Lachaise)]. *Fédérés prisonniers* plus de 40 000 (faute de places, ils sont internés sur des pontons et dans les forts côtiers), *condamnés* 10 137 [à mort 93 dont 23 exécutés ; travaux forcés 251 ; déportations dans une enceinte fortifiée 1 169 ; dép. simples (Algérie ou N.-Calédonie) 3 417 ; réclusions 1 247 ; emprisonnement plus d'un an 1 305 ; moins d'un an 2 054 ; mineurs en maison de correction 55] ; acquittés 2 445 ; non-lieux 22 727.

■ **Conséquences.** Paris doté d'un régime municipal spécial (pas de maire avant 1977) ; les Parisiens sont considérés (jusqu'en 1914) par les provinciaux comme de dangereux anarchistes (état de siège maintenu jusqu'en 1876, avec autorisation préalable pour les journaux, censure des théâtres, couvre-feu pour cafés et restaurants) ; l'artisanat parisien est décimé (50 % des peintres, plombiers, couvreurs, cordonniers) ; la propagande officielle a interdit toute apologie de la Commune jusqu'à la 1re G. mondiale. Depuis 1917, les révolutionnaires étrangers ont exalté son souvenir (notamment la « commune hongroise » de 1927).

■ **1871 (31-8) Adolphe Thiers** [(Marseille, 15-4-1797 / St-Germain-en-Laye, 3-9-1877). Fils d'un aventurier condamné pour escroquerie. *1821* journaliste et écrivain à Paris (Hist. de la Révolution fr. 1823-27). *1830* cofondateur du *National. 1830-40* ministre de L.-Phil. *1833* Acad. fr. *1840-48* chassé du pouvoir parce que belliciste, redevenu historien (Hist. du Consulat et de l'Empire). *1848* tente de sauver la monarchie. *1848-49* rallié à Louis Nap. *1850* févr. devenu républicain. *1870* juil.-sept. s'oppose à la g. *1871* 12-2 chef du pouvoir exécutif]. *18-8* Pt de la Rép. [après sa présidence : *1876* député de la Seine. *1877* 24-5 prend parti contre Mac-Mahon (manifeste des 363), meurt pendant la campagne électorale].

1872 14-5 Mal Bazaine arrêté (condamné à mort 10-12, puis gracié). **1873** 24-5 Thiers battu par 360 voix contre 344 sur l'« ordre du jour Ernoul » [Edmond Ernoul, député monarchiste de la Vienne (1829-99)], réclamant une « politique résolument conservatrice », cède la place à Mac-Mahon.

■ **1873 (24-5) Maréchal de Mac-Mahon** élu *Pt de la Rép.* [Edme-Patrice, Cte de Mac-Mahon, duc de Magenta (Sully, S. et L. 13-6-1808 / Montcresson, Loiret 17-10-1893). Vieille noblesse légitimiste d'origine irlandaise. Officier de carrière (saint-cyrien 1828, Gal 1848, se distingue à Malakoff 1855, Mal, duc 1856). Vaincu et prisonnier à Sedan 1870. Chef nominal de l'armée des Versaillais 1871. S'entend avec le duc de Broglie pour occuper la présidence de la Rép. et restaurer la monarchie].

1873 5-8 le Cte de Paris reçu à Frohsdorf (Autr.) se réconcilie avec le Cte de Chambord. 30-10/12-11 *échec de la restauration monarchique du Cte de Chambord :* légitimistes et orléanistes avaientla majorité absolue à l'Ass. nat. mais malgré plusieurs démarches, dont celle de Charles Chesnelong le 14-10, ne purent le convaincre de renoncer au drapeau blanc. Chambord confirma sa position dans une lettre ouverte à Chesnelong, datée du 27-10, publiée dans *L'Union* du 30-10. Il voulait se présenter à l'Ass. nat., appuyé sur le bras de Mac-Mahon, le 12-10-1873, et s'y faire acclamer comme roi (mais Mac-Mahon refusa). Du 9 au 21-11, il réside à Versailles chez le Cte de Vanssay, mais ne peut rencontrer Mac-Mahon ; l'Assemblée n'ayant pas voté le rétablissement de la monarchie mais instauré, le 20-11, le *septennat présidentiel,* il quitte Versailles. **1874** 15-3 *tr. de Hué :* Tonkin protectorat fr. 4-10 élections cantonales : succès des républicains. **1875** *Constitution* [30-1 : article additionnel proposé par Henri Wallon (1812-1904, surnommé plus tard le « Père de la République »), voté par 353 voix contre 352 (plusieurs orléanistes, qui avaient refusé jusque-là que le mot *République* figure dans les textes, votent oui par crainte d'un retour du bonapartisme] : le Pt de la Rép. est élu pour 7 a. à la majorité absolue des suffr. par le Sénat et la Ch. des députés réunis en Ass. nat., il est rééligible ; 24-5 loi constitutionnelle sur le Sénat ; 25-5 sur l'organisation des pouvoirs publics ; 16-7 sur les rapports entre les pouvoirs publics. **1876** 20-2 et 5-3 élections favorables aux rép. (360 rép.). **1877** 16-5 Mac-Mahon renvoie Jules Simon (prétexte : désaccord à propos de la loi sur

Principaux personnages de la IIIe République

☞ Pour en savoir plus, demandez le *Quid des présidents de la République* (et des candidats). 700 pages de faits, de dates, de chiffres et d'anecdotes sur la vie des présidents et des candidats à la présidence. Chez tous les libraires (éd. Robert Laffont, 1987).

Légende. AE : Affaires étrangères. AN : Assemblée nationale. D : député. EM : état-major. M : ministre. Pt C : Président du Conseil. Pt Ch : Président de la Chambre. Rep. : représentant. S : sénateur. SS : sous-secrétaire d'État.

Blum, Léon (Paris 8-4-1872/30-3-1950). Père mercier et négociant en textiles. Lic. droit, philo. Auditeur puis maître des requêtes au Conseil d'État 1910. Journaliste : coll. à *l'Humanité* 1904. PS : 1902. D Seine 1919-28. D Aude 1929-40. Pt C 4-6-36/21-6-37. Vice-Pt C 1937 (3e cab. Chautemps). Pt C 13-3/8-4-38. Il joue un grand rôle (accords Matignon, non-intervention en Espagne). Emprisonné par le gouv. de Vichy (1940-42) puis déporté en All. (1942-45), est sous la IVe Rép. le défenseur de l'alliance avec les USA (politique « atlantique »). Pt du gouv. provisoire 12-12-46/21-1-47. La Chambre lui refuse l'investiture le 22-11-47 pour 9 voix (300 au lieu de 309). Chef de la délégation fr. à l'Unesco 1947. Vice-Pt dans le gouv. Marie (31-8/12-9-48). Son livre, *A l'échelle humaine,* écrit pendant sa captivité au Portalet (1941-42), est devenu l'ouvrage de base de l'humanisme socialiste. En 1937, il avait pris parti contre le Mal Toukhatchevski, victime de Staline, ce qu'Édouard Depreux avait révélé aux Fr. après la 2e G. mondiale. En 1939, comme beaucoup d'autres, Blum fut pris au dépourvu par le pacte germano-soviétique entre Hitler et Staline. Inconscient à la fois de l'agressivité hitlérienne et de la faiblesse française, il ne sut pas prévoir le désastre de juin 1940.

Bouisson, Fernand (Constantine 16-6-1874/28-12-1959). Père industriel (tanneur). Industrie [tannerie familiale à Aubagne (B.-du-Rh.)]. SFIO 1909-34. Cons. mun. et maire (Aubagne). Cons. gén. B.-du-Rh. 1907-20. D B.-du-Rh. 1909-40. Maire (La Ciotat) 1938-41. 2 fois commiss. Transports mar. et Marine marchande (1918 et 1919). Pt C 1-6/4-6-35. Pt Ch 1927/7-6-35. Vote la délégation des pouvoirs constituants au Mal Pétain (10-7-40) et se retire de la politique.

Briand, Aristide (Nantes 28-3-1862/7-3-1932). Taille : 1,70 m. Père hôtelier (à moins qu'il ne fût le fils naturel d'un baron). En 1891, il passe en correctionnelle pour une affaire de mœurs [acquitté en appel (mais ses adversaires de l'Action franç. lui reprocheront ce fait toute sa vie)]. Lic. droit, avocat POF puis Parti socialiste (secr. gén. du Comité général). D Loire 1902-19. D Loire-Inf. 1919-32. 2 fois M (Instruction publique et Cult. 1906 ; Justice et Cult. 1908). 3 fois Pt C et M Int. 1909, 1910, 1913, 7 fois Pt C et M des AE 1915, 1916, 1921, 1925, 1926, 1929 (2 fois). M Justice 1914. 4 fois M des AE 1925 (2 fois), 1926, 1928. 6 fois M des AE 1929-1932. Surnommé l'« Arrangeur », a cherché des solutions de compromis : en 1906, avec l'Église sur la question des biens ecclésiastiques (refus du pape Pie X) ; en 1925-32, avec l'All. sur le problème des réparations et du désarmement (voir traité de Locarno). Son idéal pacifiste, sa foi en la Sté des Nations (« l'esprit de Genève », qui a abouti au pacte Briand-Kellog d'août 1928, mettant la g. hors la loi), l'a fait surnommer le « Pèlerin de la Paix ». Battu le 13-6-31 aux élections présid. par Paul Doumer.

Caillaux, Joseph (Le Mans 30-3-1863/21-11-1944). [Père S Sarthe M TP 1874-76, M Finances 1877, ingénieur Chemins de fer]. Lic. droit, reçu à l'Inspection des Finances 1888. Professeur. Parti radical (Pt en janvier 1914). D Sarthe 1898-1919. S Sarthe 1925-40. 3 fois M Finances 1898, 1906, 1911. Pt C et M Int. 27-6-1911/11-1-1912. Puis 4 fois M Finances 1913, 1925, 1926, 1935. Passe pour la plus brillante intelligence de sa génération. De gauche, mais également financier, il est en 1911 pour une entente avec l'All. Le 16-3-14 sa femme tue de 6 coups de revolver Gaston Calmette (n. 30-7-1858), dir. du *Figaro,* dans le bureau de celui-ci [Calmette s'était procuré des lettres de Caillaux (sujets financiers, diplomatiques, politiques et privés, notamment une lettre écrite en 1901 à sa maîtresse, devenue sa 1re épouse, Mme Gueydan). Le 14-3-14, *le Figaro* avait publié cette lettre, donnant à entendre qu'il publierait aussi les lettres de Caillaux à une autre maîtresse, devenue sa 2e épouse]. Mme C. sera acquittée le 28-7-14, mais son mari restera impopulaire. Ennemi personnel de Clemenceau et de Poincaré. Mobilisé, puni de 8 j d'arrêt pour avoir envoyé un télégramme à sa femme avec indication d'origine ; venu en permission, il est menacé dans un restaurant ; le gouv. l'envoie en mission au Brésil en déc. 1914 ; arrêté le 14-1-18 (pour avoir négocié une paix séparée avec Autr. et Bavière). Condamné par le Sénat constitué en cour de justice le 23-4-20 à 3 ans de prison (couverts par la détention préventive), 10 ans de privation de droits civiques et 5 ans d'interdiction de séjour pour correspondance avec l'ennemi. Revient aux affaires avec l'appui de Painlevé (1925-26), mais ne peut vaincre l'hostilité de la droite. Il estimait que le chantage de Gaston Calmette était un coup monté par les bellicistes pour écarter du gouv. une personnalité « germanophile ».

Chautemps, Camille (Paris 1-2-1885/1-7-1963). [Père D Seine 1889-97, Hte-Savoie 1897-1905 ; S Hte-Savoie 1905-18 ; Vice-Pt du Sénat ; M. Colonies 1895, Marine 1914]. Docteur droit, avocat Grande Loge de Fr. Parti radical. D I.-et-L. 1919-28. L.-et-C. 1929-34. S L.-et-C. 1934-40. M Justice 1925, 3 fois M Int. 1924, 1925, 1926. Pt C et M Int. 21-2/25-2-30. M Instruction publ. 1930, 4 fois M Int. (1932, 1933). Pt C et M Int. 26-11-33/30-1-34. M TP et M d'État 1936. Pt C (sans portefeuille) 22-6-37/14-1-38 et 18-1-/10-3-38, 3 fois Vice-Pt C (1938, 1940, cabinet Pétain). Le 10-7-40, vota la délégation des pouvoirs constituants au Mal Pétain. Celui-ci l'envoie (nov. 1940) en mission officieuse aux USA où il demeurera jusqu'à sa mort. En 1947, condamné pour « actes contraires à la Défense nat. » à 5 ans de prison, à l'indignité nat. à vie et à la confiscation de ses biens (par contumace). Amnistié en 1954, résida normalement à Washington.

Clemenceau, Georges (Mouilleron-en-Pareds 28-9-1841/24-11-1929 ; enterré couché et non debout comme il a été dit, à Colombier, Mouchamps). Père médecin. Épouse : Mary Plummer (Américaine). Études de médecine à Nantes 1858, puis Paris 1860. Externe des hôp. 1861-62. Emprisonné 4 mois à Mazas pour avoir proclamé la République sur la place de la Bastille 1863. Interne provisoire des hôp. de Paris, thèse de doctorat 1865. Part pour l'Amérique. Médecin 1869. Exercera jusqu'en 1885. Journalisme : *le Temps, la Justice* (fondateur en 1880), *l'Aurore, la Dépêche, le Bloc, l'Homme libre* (suspendu 29-9-1914), *l'Homme enchaîné...* Fondateur du parti radical socialiste. Maire XVIIIe Paris 5-9-1870/27-3-1871. Cons. mun. 1875. Représentant de l'AN 8-2/27-3-1871. D Seine 1876-85. D Var 1885-93. S Var 1902-20. M. Int. 1906. Pt C et M Int. 20-10-1906/20-7-1909. Pt C et M Guerre 19-11-1917/18-1-1920. Compromis dans l'affaire de Panamá (1892), il est battu aux élections de 1893 et écarté de la vie politique [on l'accuse notamment de toucher de l'argent anglais ; on lui reproche d'être l'ami de Cornélius Herz (grand officier de la Légion d'honneur, mais qui se révèle malhonnête), on forge contre lui le faux Norton] ; refait surface lors de l'affaire Dreyfus. De 1906 à 1909 brise plusieurs grèves ; crée le min. du Travail. Ennemi de Poincaré, il est dans l'opposition au début de la g. ; puis, à partir de nov. 1917, exerce des pouvoirs très étendus que Poincaré ne cherche plus à limiter, se contentant de lui écrire des reproches. Adversaire de toute paix de compromis, il mène la Fr. à la victoire mais impose l'armistice à Poincaré pour épargner des vies humaines avant d'avoir rejeté l'armée all. hors de France (surnommé le « Père la Victoire »). Partisan du démantèlement de l'Empire austro-hongrois, il laisse, au traité de Versailles, Lloyd George et Wilson l'emporter sur plusieurs points (la SDN, l'étendue de l'occupation de la Ruhr, le sort des provinces de l'Empire ottoman). Il est battu par Deschanel aux élections présidentielles de 1920 (son anticléricalisme est une des causes de son échec). A la fin de sa vie, il rédige un ouvrage polémique *(Grandeur et Misère d'une victoire),* défendant, contre Poincaré et le Mal Foch, son action politique de 1917-19, et évoquant le risque du réarmement all. en raison de l'abandon des garanties du traité de Versailles et des complaisances de Briand.

Daladier, Édouard (Carpentras 18-5-1884/10-10-1970). Père boulanger. 1er à l'agrég. d'histoire. Professeur. Franc-maçon. Parti radical (Pt 1927-30 et 1936-38). Maire (Carpentras) 1912. D Vaucluse 1919-40. 7 fois M [Colonies 1924, Guerre 1925 et 1932, Instruction publ. 1925, TP (3 fois 1930-32)]. Pt C et M Guerre 31-1/24-10-33. 2 fois M Guerre 1933. Pt C et M des AE 30-1/7-2-34. 3 fois M Guerre 1937, 1938. Pt C et M Défense nat. et Guerre 10-4-38/20-3-40. M Guerre et M des AE, cabinet Reynaud. Emprisonné par Vichy de 1940 à 43, déporté en Allemagne (1943-45). Réélu dép. du Vaucluse 1946, maire d'Avignon (1953-58), Pt du Parti radical (1957-58). Se retire au début de la Ve Rép., mais anime jusqu'à la fin de sa vie des manifestations anticléricales.

Deschanel, Paul (voir p. 670 b).

Ferry, Jules (St-Dié 5-4-1832/17-3-1893). Père avocat. Droit. Avocat. Journalisme : articles polit. dans *la Presse, le Courrier de Paris, le Temps, la Tribune, la Revue politique, l'Éleveur.* Adepte du positivisme 1859 ; franc-maçon 1875. Pt de la Gauche rép. 1873-77. D Paris 1869. Représentant AN Vosges 1871-76. D Vosges 1876-89. S Vosges 1891-93. Secr. du gouv. de la Défense nat. 4-9/15-11-70. Préfet de la Seine 15-11-1870/5-6-1871 (poste cumulé avec la mairie de Paris dep. le 16-11-1870). Ambassadeur à Athènes 12-5-1872/24-5-1873. 2 fois M Instruction publ. 1879. Pt C et M Instr. publ. 23-9-1880/13-11-1881 et 22-2-1883/30-3-1885. Échec à la prés. de la Rép. 1887. Pt Sénat 1893. Considéré comme le chef des « opportunistes », en réalité rép. de gauche, décidé à enlever l'Éducation à l'Église cath. De 1880 à 83, crée l'enseignement laïc. A partir de nov. 1883 (laissant l'Instr. publ. à Armand Fallières), prend en main les Aff. étr. : tente de détourner vers les conquêtes coloniales l'ardeur militaire des Fr., jusque-là surtout anti-allemande. Il y est encouragé par Bismarck. La défaite de *Lang-Son* (Tonkin, 2-3-1885) brise sa carrière.

Flandin, Pierre-Étienne (Paris 12-4-1889/13-6-1958) [Père D Yonne 1893-98 et 1902-09. S Inde française 1909-20]. Droit. Avocat. Parti rép. démocratique et social. D Yonne 1914-40. 2 fois SS Aéronautique 1920. Vice-Pt Ch 1928 et 1929. 2 fois M Industrie 1929-30. 4 fois M Finances 1931, 1932. M TP 1934, Pt C (sans portefeuille) 8-11-34/31-5-35. M d'État 1935, AE 1936. Rallié au Mal Pétain en 1940, M d'État après la chute de Laval (13-12-40), il rejoint l'Afr. du N. en 1942. Emprisonné le 20-12-43, désigné pour être fusillé en 1944, est sauvé par une intervention de Churchill. Condamné à l'indignité nat. en 1946, est relevé de cette peine, mais demeure inéligible. Réanime *l'Alliance démocratique* qui soutient le gouv. Pinay en 1952.

Gambetta, Léon (Cahors 2-4-1838/31-12-1882). Père immigrant italien, épicier à Cahors. Opte pour la nationalité fr. en 1859. Petit séminaire. Lic. droit. Avocat. Journaliste, fonde *la Revue politique* en 1868 (avec Brisson et Challemel-Lacour), *la République fr.* en 1871. Franc-maçon. D Marseille 1869-70. M Intérieur (gouv. de Défense nat.) 4-9-70/6-2-71. Représentant AN Bas-Rhin 8-2/1-3-71. Seine 2-7-71/76. D Seine 1876-82. Pt Ch 1879, 1880, 1881. Pt C et M des AE 14-11-81/29-1-82. L'un des leaders de l'opposition rép. sous l'Empire, seul homme de gauche, après Sedan, à penser qu'une victoire serait plus profitable à la Rép. qu'une défaite. Remuant mais brouillon : le Gal all. von der Goltz verra en lui l'un des responsables de la défaite des armées de la Déf. nat. Domine par son éloquence les 1res années de la IIIe Rép., mais, au pouvoir, se révèle peu capable. Il était prêt à enterrer l'esprit de revanche, mais il en fut détourné par Juliette Adam (nationaliste). Blessé à la main, en réparant son pistolet (on a dit que la balle avait été tirée par sa maîtresse Léonie Léon), sa blessure était presque cicatrisée le 8-12-82, mais (après être resté longtemps alité), il fut saisi de douleurs abdominales ; n'ayant pas été opéré, il mourut le 31-12 de 2 perforations internes.

Grévy, Jules (voir p. 664 a).

Herriot, Édouard (Troyes 5-7-1872/30-3-1957) [Père sous-lieutenant]. Normale sup. 1er à l'agrég. de lettres. Docteur ès lettres. Professeur. Académie fr. 1946. Radical (Pt du parti 1919-25, 1931-35, 1945-57). Maire de Lyon (1905-57). S Rhône 1912-19. D Rhône 1919-40. M des TP 1916. Pt C et M des AE 15-6-24/10-4-25. Pt Ch (avr. 1925-juill. 1926). Pt C 19/21-7-26. M Instr. publ. 1926, Pt C et M des AE 4-6/13-12-32. 4 fois M d'État (1934-36). Pt Ch 1936-40. Pt AN 1947-53. Créateur de l'expression, se présente « comme un *Français moyen* », ce qui le rend populaire. Considérant toujours Pierre Laval comme « un membre de la famille rép. », il perdra de sa popularité après 1945, malgré ses mérites (interné en France, nov. 1942-août 1944 ; déporté en Allemagne, sept. 1944-avr. 1945). Pendant son voyage en URSS (août 1933), Pierre Gaxotte, alors journaliste à *Je suis partout,* suggérera un canular : Herriot a reçu le grade de Cel de l'armée Rouge. La « nouvelle » est téléphonée à la presse qui la répand dans le monde. Herriot n'arriva jamais à dissiper complètement cette légende.

Jaurès, Jean (Castres 3-9-1859/Paris 31-7-1914). Taille : 1,67 m. Normalien, agrégé de philo., prof. au lycée de Toulouse. 1885 élu (26 ans) député du Tarn, sans étiquette, rejoint ensuite le socialisme ; 1889 battu ; 1893 élu, 1898 battu. 1902 réélu. 1904 fonde *l'Humanité* qui rallie les socialistes au dreyfusisme. 1906 succès électoral (74 sièges socialistes). Pacifiste, antimilitariste (auteur de *l'Armée nouvelle* qui a fait scandale), il est accusé de germanophilie, notamment par Péguy. Abattu par un nationaliste, Raoul Villain [(1885-1936), qui sera acquitté le 23-3-1919 mais assassiné aux Baléares le 15-9-1936, pendant la g. civile esp.] au *Café du Croissant,* 16, rue Montmartre, 4 j avant la déclaration de g. Son frère était amiral.

Mac-Mahon (voir p. 662 c).

Mandel, Georges (Chatou 5-6-1885/7-7-1944). Fils de 2 commerçants israélites, Edmond Rothschild et Hermine Mandel, prend en 1903 le patronyme de sa mère (pour éviter l'homonymie avec les banquiers sans lien de parenté avec lui). Journaliste ; chef de cabinet de Clemenceau (1917-20). D Gironde 1919, 1928-40. M PTT 1934-36. M Colonies 1939-40. M Intérieur 21-3-1940. Attaqué par la gauche (pour son train de vie dispendieux) et la droite (surtout pour son judaïsme). En juin 1940 il fait arrêter, pour intelligence avec l'ennemi, plusieurs anciens cagoulards, dont Thierry de Ludre (1903-40, abattu par son gardien) ; s'embarque sur le *Massilia* (voir Index). Emprisonné par le gouv. de Vichy (jusqu'à nov. 1942), puis livré aux Allemands. En juil. 1944, ceux-ci le remettent à des miliciens fr. qui, pour se venger de l'assassinat de Philippe Henriot, le tuent le 7-7 dans la forêt de Fontainebleau.

Millerand, Alexandre (voir p. 670 b).

Paul-Boncour, Joseph (St-Aignan 4-8-1873/28-3-1972). Père médecin. Docteur en droit. Avocat. Académie Sc. morales et politiques. SFIO D Loir-et-Cher 1909-14, Seine 1919-24, Tarn 1924-31. S Loir-et-Cher 1931-40. M Travail et Prévoyance sociale 1911, M Guerre 1932. Pt C et M des AE 18-12-1932/28-1-1933. 4 fois M des AE 1932 et 38. M. Déf. nat. 1934, d'État 1936. Vote contre la délégation des pouvoirs au M[al] Pétain (10-7-1940). Conseiller de la Rép. 1946-48.

Poincaré, Raymond (voir p. 666 a).

Reynaud, Paul (Barcelonnette 15-10-1878/21-9-1966). Taille : 1,60 m. Père négociant au Mexique, rentré en France. HEC, docteur en droit. Avocat. Parti rép. démocratique et social. D Basses-Alpes 1919-24, Paris 1928-40, Nord 1946-62. M Finances 1930 et 38. M Colonies 1931. M Justice 1932 et 38. Pt C et M des AE (et Guerre à partir du 18-5-40) 21-3/16-6-40. Nommé ambassadeur à Washington par le M[al] Pétain 17-6-40, décide de rester en Fr. et de regrouper à Port-Vendres les adversaires de l'armistice, pour créer éventuellement un gouv. prov. à Alger. Blessé dans un accident de voiture (où est tuée sa maîtresse et inspiratrice, la Ctesse Hélène de Portes), il ne joue aucun rôle lors du changement de régime (Vichy, 10-7-40). Emprisonné par Vichy (1940-42), déporté en All. (1942-45). Dép. de Dunkerque à l'Ass. const. (1946) puis à l'Ass. nat. (1946-62). M des Fin. 1948, M d'État 1950, M des États associés 1953, délégué au Conseil de l'Europe 1949-55. Rallié au Gal de Gaulle, Pt du comité consultatif constit. (août 1958). Rompt avec lui lors du référendum de 1962 et perd son siège de D. Supporter de Lecanuet aux él. de 1965.

Ribot, Alexandre (St-Omer 7-2-1842/Paris 13-1-1923). Bourgeoisie protestante. Juriste. Académie des Sc. morales et pol. 1903. Ac. fr. 1906. D Pas-de-Calais 1878-1909. S Pas-de-Calais 1909-23. 4 fois Pt C 6-12-92/30-3-93, 26-1/28-10-95 et M des Fin., 9/13-6 1914, 20-3/12-9-1917 ; 3 fois M AE. 1890-92, 1892-93, 1917 ; 2 fois M Finances 1895, 1914-17 ; M Int. 1893 ; M Justice 1914. Considéré par certains comme un des acteurs les plus importants de la g. 1914-18 (au pouvoir pendant les grands événements de 1917) ; il semble, en réalité, être un homme de Clemenceau, ayant accepté d'assurer la transition entre Briand et lui, mais obéissant à celui-ci, notamment pour le rejet des offres de paix autr. Le 23-10-1917, il est chassé des Aff. étr. dans des conditions considérées comme mystérieuses (soupçonné de s'être vendu aux Italiens, ne se défend pas, pour couvrir Clemenceau).

Sarraut, Albert (Bordeaux 28-7-1872/26-11-1962). Père maire de Carcassonne et dir. du *Radical du Midi ;* frère dir. de *la Dépêche* (Maurice, Pt du Parti radical-s., 1869-1943, assass.). Avocat et propriétaire viticulteur. Académie des Sc. morales et pol. Gouverneur gén. de l'Indochine 1911-14 et 1916-19. Ambassadeur à Ankara, mars 1925-juillet 1926. Parti radical. D Aude 1902-24. S Aude 1926-40. 3 fois SS (Int. 1906-09, Guerre 1909). 13 fois M (2 fois Instr. publ. 1914, 8 fois Colonies 1920-24 et 1932-33 ; Int. 1926, Marine 1930 et 6-9-33). Pt C et M Marine 26-10/24-11-1933. M Marine 27-11-1933, Int. 1934, Pt C et M Int. 24-1/4-6-1936, 2 fois M d'État 1937 et 38 ; 2 fois M Int. 1938. M Éducation nat. 1940. Vote la délégation des pouvoirs au M[al] Pétain. Déporté en Allemagne (1944-45). Membre, puis Pt de l'Ass. de l'Union française.

Sembat, Marcel (Bonnières-sur-Seine 19-10-1862/5-10-1922). Père postier. Droit. Journaliste. Directeur de *la Petite République* (socialiste) 1890-97. Parti soc. révolutionnaire. M. du comité rév. central dep. 1881. D Paris (socialiste indép.) 1893-1922. Parti SFIO 1904. Leader de *l'Humanité* 1904. Dignitaire du Gd Orient. M. Trav. publics 1914-16. Hostile à la guerre, aux expéditions coloniales et aux missions catholiques. Auteur en 1913 du pamphlet « Faites la paix, sinon faites un roi ». Rallié aux minoritaires au Congrès de Tours 1920.

Tardieu, André (Paris 22-9-1876/15-9-1945). Père avocat. Lettres et droit. Secr. AE (reçu 1er en 1898). Inspecteur de l'administration. Journaliste. Professeur. Parti rép. démocratique et social. D S.-et-O. 1914-24 ; Belfort 1926-36. M Régions libérées 1919, TP 1924, 1926, Int. 1928 et 1929. Pt C et M Int. 3-11-1929/17-2-1930 et 5-3-/4-12-1930. 2 fois M Agriculture 1931. M Guerre 1932. Pt C et M des AE 20-2/3-6-1932. M d'État et Vice-Pt C 9-2/8-11-1934. Plénipotentiaire à la Conf. de la Paix 1918. Rép. de droite, lié à la finance, domine la législature 1928-32, inventant la politique des investissements créateurs d'emplois et de richesses. Battu par la gauche aux él. de 1932, il ne peut réaliser son programme de lutte contre la crise écon. Impopulaire (allure désinvolte, autoritarisme). Frappé d'hémiplégie en 1934, se retire à Menton jusqu'à sa mort.

Thiers, Adolphe (voir p. 662 c).

Waldeck-Rousseau, Pierre (Nantes 2-12-1846/10-8-1904). Père avocat. Droit. Avocat. Franc-maçon (?). D Ille-et-Vilaine 1879-89. S Loire 1894-1904. Pt du groupe de l'Union rép. 1882. Candidat à l'élection présid. de 1895. 2 fois M Int. Anticlérical et libéral, détient le record de longévité ministérielle de la IIIe Rép. Crée la législation sociale fr. (inspirée par Millerand, alors socialiste). Auteur de la loi de 1901 (qui, dans son idée, devait permettre aux religieux de s'intégrer à la société rép.), il fut débordé par les combistes, anticléricaux extrémistes.

Zay, Jean (Orléans 6-8-1904/20-6-1944 assassiné). Père israélite, alsacien, réfugié en Fr. 1871, rédacteur en chef du *Progrès du Loiret.* Mère protestante ; élevé dans le protestantisme. Journaliste au *Progrès du Loiret.* Droit. Avocat 1928. Parti rad. soc. Membre du Grand-Orient 1926. D Orléans 1932 et 1936. SS à la Prés. du Conseil 1936. M. Éduc. nat. 1936-39. Haï par la droite pour avoir écrit en 1924 une *Ode au Drapeau* antimilitariste. 1937, auteur d'une loi créant l'Ena (votée après guerre). 1939, mobilisé. 1940 juin, s'embarque sur le *Massilia,* emprisonné comme déserteur à Riom. 1942, publication illégale de ses carnets secrets : haine accrue. 1944 extrait de sa cellule et abattu par 3 miliciens.

les délits de presse ; *raison profonde :* les catholiques réclament une intervention contre le gouvernement it. qui s'oppose au pape ; les rép. la refusent) ; 22-6 *dissolution de la Chambre ;* 14-10 élections, les rép. obtiennent encore 327 sièges. **1878** 1-5 : 3e *Exposition universelle* de Paris. **1879** 5-1 les rép. ont la majorité au Sénat ; 30-1 Mac-Mahon démissionne pour protester contre le départ du Gal Jean-Louis Borel (1819-84), min. de la G. exclu du gouvernement par Dufaure, le 13-1.

■ **1879 (30-1) Jules Grévy** [François-Jules, dit Jules (Mont-sous-Vaudrey 15-8-1807/9-9-1891). Fils d'un paysan franc-comtois. *1837* avocat (républicain) au barreau de Paris. *1848* dép. du Jura. *1851* arrêté le 2-12, libéré et redevenu avocat. *1869* député (rép.) de Paris. *1871* dép. du Jura, 16-2 Pt de l'Assemblée à Bordeaux, confie le pouvoir exécutif à Thiers. *1875* vote l'amendement Wallon. *1876* Pt de la Chambre]. *1879* 30-1 élu Pt de la Rép.

1879 31-1 1er vote des Chambres revenues de Versailles à Paris : le *14 Juillet* fête nationale et *la Marseillaise* hymne national ; 21-2 la Chambre prend parti pour la démolition des Tuileries (qu'on aurait pu restaurer) ; 1-6 mort du prince impérial, tué au Zoulouland. **1880** opérations de police contre de nombreuses maisons religieuses (jésuites, dominicains) ; 29-5 Lesseps entreprend le percement du canal de Panamá (voir Index). **1881** 12-5 *Tunisie protectorat* (17-4 raid de 500 Kroumirs en Algérie, 5 Fr. tués ; avril 30 000 Fr. passent la frontière algéro-tunisienne et 8 000 débarquent à Bizerte) ; 16-6 *vote des lois scolaires* (gratuité et caractère obligatoire de l'ens. primaire, création des écoles normales d'instituteurs) ; 29-7 *liberté de réunion et de la presse.* **1882** 28-3 *laïcité de l'enseignement ;* 18-5 fondation de la *Ligue des Patriotes* (Paul Déroulède) ; 20-5 formation de la *Triple-Alliance* (All., Autr., It.) contre la Fr ; 20-12 Eugène Bontoux (1820-1905), accusé dans l'affaire du *krach de l'Union générale,* condamné à 5 ans de prison et à 3 000 F d'amende [15-3-1883, peine réduite à 2 ans (l'Union générale, créée en 1877, était une Sté financière prospère mais, attaquée par la spéculation, elle a des difficultés de trésorerie (non insurmontables) en 1881. Au moment où Bontoux arrive à se renflouer, le garde des Sceaux, Gustave Humbert (1822-84), le déclare en faillite et le fait arrêter (motif supposé : Bontoux, député conservateur, était un ami de Mac-Mahon, il avait été invalidé de façon suspecte, le 14-10-1877). Bontoux a remboursé son passif sur sa fortune personnelle et a écrit en 1888 un livre dénonçant l'injustice d'Humbert]. **1883** 7-7 visite des *princes d'Orléans* (le Cte de Paris et le jeune duc d'Alençon) *au Cte de Chambord à Frohsdorf.* 24-8 *mort du Cte de Chambord ;* le Cte de Paris le notifie aux chancelleries étrangères mais n'assiste pas aux obsèques, la Ctesse de Chambord lui refusant la 1re place au profit des Bourbon-Parme et d'Espagne ; 25-8 *protectorat fr. en Annam.* **1883-85** expédition de *Madagascar.* **1884** 22-3 *liberté syndicale ;* 27-7 rétablissement du *divorce ;* sept.-oct. grève des mineurs *d'Anzin* (40 000 grévistes, 46 j de grève) ; 18-12 déclaration de g. à la *Chine* [qui a attaqué Tuyên-Quang (15 000 Chinois assiègent 400 légionnaires et 165 tirailleurs annamites commandés par le Cdt *Dominé ;* ils résistent plus de 100 j et sont délivrés le 3-3-1885 par la brigade Giovaninelli ; 6 000 Chinois †, parmi les morts fr., le sergent *Bobillot*)]. **1885** 3-2 défaite de *Lang Son* (200 Fr. tués ou blessés) ; 29-3 la nouvelle arrive à Paris, causant la chute de Jules Ferry ; 28-12 Grévy réélu Pt. **1886** 7-1 le Gal *Boulanger,* min. de la G. ; 23-6 *loi d'exil :* expulsion des princes (Bourbon et Bonaparte) ; janvier troubles à *Decazeville.* **1887** 20-4 *affaire Schnaebelé* (commissaire de police du poste frontière de Pagny-sur-Moselle ; attiré en territoire all. par son homologue et incarcéré comme espion ; relâché le 30-4 sur ordre de Bismarck) ; sept. découverte d'un *trafic de décorations* [Daniel Wilson (1840-1919), gendre de Grévy, député d'Indre-et-Loire dep. 1876, a ouvert à l'Élysée, où il loge, une officine où l'on peut obtenir la légion d'honneur en payant. Après une violente campagne de presse, le 17-11 la Chambre autorise l'ouverture d'une action judiciaire contre Wilson ; 19-11 discours de Clemenceau faisant tomber le ministère ; 2-12 Sénat et Chambre votent une double résolution demandant la démission de Grévy qui se soumet (Wilson, condamné à 2 ans de prison le 23-2-1888, est acquitté en appel, et réélu député en 1893 et 1898)].

■ **1887 (3-12) Sadi Carnot** [(Limoges 11-8-1837/Lyon 24-6-1894, assass.). Fils d'Hippolyte C., ministre ; petit-fils de Lazare C., Cte d'Empire. *1857* polytechnicien. *1863* ingénieur des Ponts et Chaussées. *1876* dép. de Beaune. *1880* min. des Trav. publ. dans le cabinet Jules Ferry. *1881* vice-Pt de la Chambre. *1886* min. des Trav. publ. du cabinet Freyssinet ; doit démissionner pour avoir demandé des économies]. *1887* 3-12. Pt de la Rép.

1889 6-5 inauguration de la *tour Eiffel* (*Exposition universelle*). **1890** 7-2 Philippe, duc d'Orléans (1869-1926), fils du Cte de Paris, arrive clandestinement à Paris pour son service militaire. Il est arrêté et condamné le 12-2 à 2 ans de prison (surnommé le P[ce] Gamelle, reconduit à la frontière suisse le 6-6). Prise de *Ségou* par le C[ol] Archinard, Cdt supérieur au Soudan (destruction de l'Empire d'Ahmadou). 12-11 début du *ralliement* des cath. aux rép. (sur l'ordre de Léon XIII, le card. Lavigerie, archev. d'Alger, porte un toast à la Rép. et fait jouer *la Marseillaise* au cours d'un banquet d'officiers de marine). **1891** 1-5 *fusillade de Fourmies :* la troupe tire sur les grévistes qui défilent pour le 1er Mai (9 † dont 1 enfant de 11 ans, 30 bl.), 2 des organisateurs du défilé sont emprisonnés : Culine et Paul Lafargue (1842-1911), élu député du Nord le 25-10 ; 23-7 visite à *Cronstadt* (Russie) d'une escadre fr. (le tsar écoute, tête nue, la Marseillaise) ; 27-8 accord diplomatique fr.-russe (consultations en cas de menaces extérieures). **1892** 11-1 *lois Méline* (retour au protectionnisme agricole) ; 11-3 début des *attentats anarchistes* à Paris ; 17-8 signature de la convention mil.

franco-russe ; sept. début du *scandale de Panamá* [pots-de-vin distribués à des parlementaires (dont Clemenceau) par le Bon de Reinach pour obtenir le vote de subventions à la Cie de Lesseps ; 26 parlementaires dont les noms sont divulgués, sont appelés les *chéquards* (104 auraient reçu des subventions) ; *Ferdinand de Lesseps* (1805-94) et *son fils Charles,* administrateurs de la Cie, condamnés à 5 ans et 3 000 F d'amende pour « escroquerie » le 9-2-1893 (puis à 1 an de prison pour corruption) ; *Charles Baïhaut* (ancien ministre) à 5 ans de prison, 750 000 F d'amende et à la dégradation civique ; non-lieu pour tous les autres chéquards : *Marius Fontane* et *Henri Cottu* condamnés à 2 ans de prison et à 3 000 F d'amende ; *Gustave Eiffel* (1832-1923) qui s'est engagé à mener à bonne fin la construction du canal, à 2 ans et 20 000 F d'amende ; *Léopold-Henri Aaron,* dit *Émile Arton,* est acquitté le 25-2-1897]. **1893** 2-7 Nuger, le cousin d'un étudiant, est tué (porte-allumettes en fonte, reçu à la tempe, lancé par policier en fuite) ; 3/4-7 manif. étudiante : déprédations de voyous ; 7-7 Bourse du travail fermée ; oct. esc. russe visite Toulon ; 17-8 Aigues-Mortes, affrontements entre travailleurs, 7 Italiens †. **1894** 10-1 prise de *Tombouctou* (Afr.) par le Lt-C^ol Bonnier, intérimaire du C^ol Archinard ; 24-6 *Carnot est assassiné* à Lyon par Caserio (voir ci-contre attentats anarchistes).

Boulangisme (1886-89)

Causes. 1°) discrédit de la Rép. parlementaire, du fait notamment du trafic des décorations à l'Élysée ; 2°) désir de revanche, fomenté dans l'opinion publique par la bourgeoisie conservatrice accusée d'avoir signé le tr. de Francfort (1871) par crainte de la Commune parisienne ; 3°) engouement des foules, surtout à Paris, pour un beau cavalier.

Le personnage. *Georges Boulanger* (1837-91), brillant combattant d'Algérie, Italie, Cochinchine ; G^al à 43 ans (1880), chef du corps expéditionnaire en Tunisie (1884-85) ; condisciple de Clemenceau au lycée de Nantes, se rallie à lui en 1886, abandonne le duc d'Aumale qui a fait sa carrière milit. Se pose en « G^al républicain ». Ambitieux, il vise la présidence à vie d'une rép. nationaliste. Les monarchistes, notamment la *duchesse d'Uzès* (1847-1933), qui alimente son budget, le soutiennent pour qu'il renverse le régime, la restauration ayant ses chances après lui ; Boul. garde néanmoins des partisans à gauche : *Henri Rochefort* (1831-1913), *Alfred Naquet* (1834-1916). Principal propagandiste : *Paul Déroulède* (1846-1914) qui le surnomme « Gal Revanche ». Les rép., connaissant son manque d'intelligence et de caractère, l'ont vu avec satisfaction à la tête de la droite (monarchistes, bonapartistes, conservateurs) et le tiennent en main par sa maîtresse *Marguerite de Bonnemain,* qui travaillait pour la police.

Déroulement. *1886,* janvier-mai, Boul., min. de la G., se rend populaire dans l'armée par des réformes (fusil Lebel, guérites tricolores, incorporation des séminaristes, etc.) ; 14-7 revue à Longchamp (il est acclamé) ; oct. parution du journal *la Revanche* (frontispice : portrait de Boul.) faisant campagne pour la reconquête de l'Alsace-Lorr. *1887,* 20/21-4 affaire Schnaebelé : Boul. veut mobiliser ; 31-5 il est remplacé au min. de la G. ; 22-5 : 39 000 électeurs votent pour lui lors d'une partielle (non éligible, bulletins nuls) ; 28-6 affecté à Clermont-Ferrand ; nov. création du *Parti boulangiste* (baron de Mackau, 1832-1918). *1888,* 14-3 Boul. mis en non-activité ; 4-6 élu député du Nord ; 13-7 duel à l'épée avec Charles Floquet (1828-96), Pt du Conseil (Boul. est blessé). *1889,* 27-1 élu à une partielle de Paris [245 000 v. contre 162 000 au radical Édouard Jacques (1828-1900 ; élu dép. de la Seine 1889)] : la foule marche sur l'Élysée où le Pt Carnot fait ses malles, mais Marguerite de Bonnemain empêche Boul. de prendre le pouvoir ; 2-4 elle s'enfuit avec lui à Bruxelles, lui faisant croire qu'il va être arrêté ; sept.-oct. élections : reflux du boulangisme (38 sièges sur 571) ; 14-8 Boul. condamné par contumace à la détention perpétuelle (complot contre la sûreté de l'État) dans une enceinte fortifiée ; s'enfuit. *1891,* 16-7 mort de Marguerite de Bonnemain ; 14-8 suicide de Boul. sur sa tombe à Ixelles (Belg.).

Conséquence. Le nationalisme revanchard continue, dans les milieux de droite, sans leader qualifié. Il ne pourra jamais renverser la Rép. radicale, même à l'occasion de l'affaire Dreyfus.

■ **1894 (27-6) Jean Casimir-Perier** [(Paris 8-11-1847/11-3-1907). Fils d'un min. de l'Intérieur ; petit-fils du 1er min. de L.-Phil. *1870* équipe un bataillon de mobiles dans l'Aube et sert comme capitaine. *1876* dép. (centre gauche) de Nogent-sur-S. *1885* dép. de l'Aube, vice-Pt de la Chambre. *1893* Pt du Conseil, crée le min. des Colonies]. *27-6* élu Pt de la Rép. par 451 voix sur 851 (accepte après beaucoup d'hésitations). Violemment attaqué par la gauche, à cause de sa grosse fortune. *1895* 15-1 démissionne brusquement, se plaignant de ne pas être informé de la situation politique par ses ministres. Devenu Pt de la Cie des mines d'Anzin, se retire de la vie politique.

Attentats anarchistes (1892-94)

Causes. 1°) souvenirs de la Commune de Paris [la militante révolutionnaire Louise Michel (1830-1905), rentrée de N.-Calédonie en 1880, est la théoricienne des anar. fr.] ; 2°) hostilité envers les partis organisés de gauche (marxistes) qui veulent créer un État socialiste ; 3°) haine et mépris pour la bourgeoisie affairiste, au pouvoir dep. 1877.

Déroulement. 1892, 11-3 bombe de *Ravachol* (François Koenigstein, n. 1859) chez le Pt Benoît ; 15-3 attentat, caserne Lobau ; 27-3 bombe de Ravachol chez Bulot ; 30-3 Ravachol arrêté ; 25-4 explosion au restaurant Véry (2 †) ; 26-4 procès de Ravachol ; 11-7 exécuté ; **1893,** 8-11 bombe déposée par *Émile Henry* (19 ans), 11, av. de l'Opéra (siège des Mines de Carmaux), transportée au commissariat de police rue des Bons-Enfants : 5 † ; 9-12 *Auguste Vaillant* (1861-94) lance une bombe à 16 h 02 dans la Chambre des dép. [*Le Crapouillot* a dit en 1935 que Vaillant était téléguidé par le policier Puyrabaud, chargé de faire adopter les *lois scélérates,* utiles à la répression. Sa bombe aurait été fabriquée à la préf. de police : chargée de clous, elle avait fait 57 bl. légers (dont 18 députés et l'abbé Lemire, cath. libéral) ; le procès fut bâclé en 1 mois] ; 11/12-12 *1re loi « scélérate »* sur les « appels au meurtre et au pillage » ; 18/19-12 2e sur les « assoc. de malfaiteurs ». **1894,** 5-2 Vaillant exécuté ; 12-2 Henry fait sauter le café Terminus (gare St-Lazare) : 1 †, 20 bl. ; 15-3 le Belge Pauwels saute avec sa bombe à la Madeleine ; 4-4 explosion au restaurant *Foyot* (l'écrivain Laurent Tailhade perd un œil) ; 27-4 procès d'Henry ; 21-5 Henry exécuté ; 24-6 Santo Hieronimus Caserio (n. 8-9-1873), pour venger Vaillant, tue à Lyon le Pt Sadi Carnot (exécuté 16-8) ; 27/28-7 *3e loi « scélérate »* sur la « propagande par le fait » votée par 269 voix contre 163. **Dernières manif. de l'anarchie :** *1910* exécution de Liabeuf ; *1911,* 21-12 garçon de recettes de la Sté générale tué ; *1912* extermination de la *bande à Bonnot* [20 accusés. Joseph Bonnot (1876-1912) abattu par la police. 4 cond. à mort 27-2-1912 : Eugène Dieudonné, Raymond Callemin, André Soudy et Monier].

■ **1895 (17-1) Félix Faure** [(Paris 30-1-1841/16-2-1899). Fils d'entrepreneur ; apprenti tanneur en Touraine, puis ouvrier aux tanneries du Havre ; y crée une maison de commerce. *1870* Cdt d'un bataillon de mobiles. *1881* dép. du Havre (union rép.). *1881* sous-secr. d'État au Commerce et aux Colonies. *1888* leader de l'anti-boulangisme. *1894* min. de la Marine et des Colonies]. *17-1* élu Pt de la Rép. contre Henri Brisson, radical ; surnommé le « Pt Soleil » à cause de son ostentation, il est militariste, prorusse et antidreyfusard.

1895 1-10 protectorat fr. à *Madagascar ;* oct. émeutes de mineurs grévistes à *Carmaux.* **1896** 6-8 annexion de Mad. ; 5/9 oct. Nicolas II en Fr. **1897** août, Félix Faure en Russie, alliance fr.-russe. **1898** 7-2 procès d'Émile Zola ; 4-11 à la suite d'un ultimatum anglais, le cap. Jean-Baptiste *Marchand* (1863-1934) reçoit l'ordre d'évacuer *Fachoda* [conséquences : l'Angl. réalise son projet de colonisation N.-S. de l'Afrique ; la Fr. renonce à son Empire E.-O. (Dakar-Djibouti). Mais l'*Entente cordiale* devient possible, et l'Angl. laissera à la Fr. le Maroc contre l'Égypte (l'opinion publique ne comprend pas et reste anglophobe)]. **1899** janv. les écrivains François Coppée (1842-1908) et Jules Lemaître (1853-1914) fondent la *Ligue de la Patrie française* (extrême droite) ; 16-2 Faure meurt à l'Élysée au cours d'une aventure galante (avec Marguerite Steinheil, née Japy, future héroïne du « drame de l'impasse Ronsin », en 1908).

■ **1899 (18-2) Émile Loubet** [(Marsanne, Drôme 31-12-1838/La Bégude de Mazenc, Drôme 20-12-1929). Fils de paysans ; avocat (républicain) sous l'Empire. *1870* maire de Montélimar. Franc-maçon, proche de la petite bourgeoisie. *1876* dép. *1885* sénateur. *1892* Pt du Conseil. *1896* Pt du Sénat]. *1899* 18-1 élu Pt de la Rép. par les radicaux et les « révisionnistes » (dreyfusards) contre Méline. 4-6 frappé à coups de canne au champ de course d'Auteuil par le baron de Cristiani (à cause de son appui aux dreyfusards). *1906* après sa présidence, se retire de la vie politique, mais reste membre du « Comité Mascuraud » (Comité républicain du Commerce et de l'Industrie), dont le rôle électoral est important.

1899 23-2 échec d'un putsch de *Paul Déroulède :* après les obsèques de Félix Faure, il veut entraîner vers l'Élysée les troupes qui ont défilé (leur chef, le Gal Roget, refuse) ; acquitté en Cour d'assises ; 29-5

■ L'affaire Dreyfus (1894-1906)

Déroulement. 1894, fin sept. une femme de ménage fr. de l'ambassade allemande, travaillant pour le SR (Service des Renseignements) français, découvre un *bordereau* prouvant la trahison d'un officier de l'état-major français ; 14-10 le Gal *Mercier,* min. de la Guerre, met en cause un capitaine juif, Alfred Dreyfus (1859-1935) ; il lui fait faire une dictée et conclut à sa culpabilité (similitude des écritures) ; 15-10 Dreyfus incarcéré ; 22-12 condamné à la déportation à vie dans une enceinte fortifiée : 12-3-1895/9-6-1899 envoyé en Guyane, à l'île du Diable (ni lui ni son avocat n'ont eu en main le dossier secret sur lequel il a été condamné). **1895,** 5-1 dégradé à l'École militaire ; 1-7 C^ol Georges *Picquart* (1854-1914) nommé à la tête du SR : il découvrira en 1896 que 2 pièces d'un « dossier secret » communiqué au jury militaire qui a condamné Dr. sont sans valeur, notamment un billet de l'attaché militaire italien portant mention : « ce canaille de D... » (on sait actuellement qu'il s'agissait d'un cartographe nommé Dubois) ; 5-8 il en avertit le G^al de *Boisdeffre,* chef de l'état-major général ; 26-10, il est envoyé en Tunisie ; 6-11 Bernard Lazare publie une brochure : « Une erreur judiciaire : la vérité sur l'affaire Dreyfus. » **1897,** 15-11 Mathieu Dreyfus (1858-1931), frère d'Alfred, accuse le Cdt Charles Walsin *Esterhazy* (1847-1923) d'être l'auteur du bordereau. **1898,** 11-1 Esterhazy, qui a demandé à être jugé, est acquitté (il se révèle néanmoins qu'il fait de l'espionnage) ; 13-1 Émile *Zola* publie dans *l'Aurore* un article « *J'accuse* » (titre de Clemenceau) ; 4-6 création de la Ligue des droits de l'homme pour défendre Dr. (idée lancée le 20-2 par le sénateur Ludovic Trarieux) ; 31-8 suicide en prison du C^ol *Henry,* auteur d'un faux daté de 1896, et rajouté au dossier de Dr., pour couper court à toute révision. Les antidreyfusards concluent à un crime politique et *la Libre Parole* ouvre une souscription pour sa femme. **1899,** 3-6 *cassation du jugement* (motif : non-remise à la défense du « dossier secret ») ; 9-9 Dr. *rejugé à Rennes,* condamné à 10 ans de réclusion (reconnu coupable avec circonstances atténuantes) ; 19-9 *gracié ;* [12-8/20-9 Paul Déroulède et Jules Guérin, pour échapper à une arrestation, déclenchent un mouvement armé de protestation au 51 rue de Chabrol, siège du Gd Occident de France (rite antijuif) dit alors « *Fort-Chabrol* » où ils résistent à la police]. **1906,** 12-7 la Cour de cassation *annule sans renvoi* le jugement de Rennes : « prononcé par erreur » ; 13-7 Dr. réintégré (nommé Cdt et chevalier de la Légion d'hon. en 1906, lieut.-col. 1918) ; Picquart réintégré (vote à la Chambre 432 contre 32) et nommé G^al ; de 1906 à 1909, min. de la Guerre de Clemenceau. **1908,** 4-6 lors du transfert des cendres d'Émile Zola au Panthéon, Louis-Anthelme Gregori, journaliste, tire 2 coups de revolver sur Dreyfus blessé au bras droit.

Conséquences. 1°) Psychologiques. « Dreyfusards » et « antidreyfusards » s'accusant des plus graves forfaits (déni de justice, haine raciale, violation des droits de l'homme, d'une part ; trahison, antipatriotisme, complot contre l'armée, d'autre part). Sous l'influence de Charles Maurras et de *l'Action française* (créée en 1899), l'antidreyfusisme se transforme chez beaucoup de gens de droite en « antisémitisme d'État ». **2°) Politiques.** Des opportunistes (radicaux modérés) révisionnistes, c.-à-d. dreyfusards, rallient la gauche. *a)* Présidence de la Rép. : 18-2-1899, Jules Méline, modéré, est battu par Émile Loubet, radical (279 voix contre 483). *b)* Gouvernement : 22-6-1899, Charles Dupuy, modéré, est remplacé par Waldeck-Rousseau, radical. Les radicaux, puis le « Bloc des gauches », s'installent au pouvoir pour 20 ans. **3°) Militaires.** L'armée sort affaiblie de la crise. *a)* Les officiers sont divisés en dreyfusards et « anti » (nombreux duels). *b)* Le Gal André écarte les dreyfusards des postes importants. *c)* Le SR est supprimé et ses fonctions sont confiées à la police civile (qui sera surclassée par le SR allemand).

État actuel de la question. Dreyfus est considéré par les historiens comme innocent. Certains auteurs ont émis des hypothèses qu'aucun élément n'est venu confirmer : Dreyfus aurait-il occasionnellement collaboré avec le SR ? Le Cdt Henry ne peut-il être soupçonné ? L'auteur du bordereau ne serait-il pas l'attaché militaire all. de Paris, Schwartzkoppen, qui l'aurait établi pour « intoxiquer » le SR ?

conférence intern. de La Haye (interdiction des gaz asphyxiants). **1900** janv. *Exposition universelle ;* juill.-sept. expédition intern. en Chine *(g. des Boxers) ;* la Fr. y participe ; déc. Delcassé obtient le retrait italien de la Triple-Alliance. **1901** 18-9 le *tsar Nicolas II en Fr.* **1902** 20-5 *Loubet* en Russie ; 1-6 arrivée au pouvoir du « *Bloc* » anticlérical (Émile Combes) ; 9-8 P[ce] Henri d'Orléans (n. 15-10-1867) meurt à Saïgon. **1903** 1-5 *Edouard VII d'Angl.* à Paris ; 22-8 *Thérèse Humbert* (n. 1850) condamnée avec son mari à 5 ans de réclusion pour faux et escroquerie basés sur un héritage imaginaire. **1904** mars écoles congréganistes interdites ; 8-4 convention fr.-angl., concrétisant l'*Entente cordiale* [Delcassé la croit dirigée contre l'Allemagne, alors que les Angl. cherchent à paralyser l'alliance franco-russe (le Japon, allié de l'Angl., s'apprête à attaquer la Russie, mais serait battu si l'Indochine fr. prenait part à la lutte ; Delcassé laissera écraser les Russes)]. **1905** 6-6 *démission de Delcassé* imposée par l'All. (conséquence de l'affaire de *Tanger ;* Guillaume II avait soutenu contre la Fr. l'indépendance du Maroc.) ; 14-9 Savorgnan de Brazza (n. à Rome 25-1-1852, naturalisé 1874) meurt à Dakar ; 9-12 *séparation* de l'Église et de l'État (voir Index).

■ **1906 (18-1) Armand Fallières** [(Mézin, L.-et-G., 6-11-1841/Loupillon, L.-et-G., 22-6-1931). Fils d'un greffier ; études à Angoulême ; avocat à Nérac. *1876* dép. de Nérac (anticlérical). *1882* min. de l'Intérieur. *1883* proposition de la loi expulsant de Fr. les P[ces] héritiers des anciennes familles régnantes. *1887* min. de l'Intérieur de Rouvier, lutte contre le boulangisme. *1890* min. des Cultes de Freycinet ; fait condamner l'arch. d'Aix à 3 000 F d'amende pour outrages envers le gouvernement ; sénateur. *1899* Pt du Sénat ; préside la Hte Cour jugeant Déroulède]. *1906* 18-1 élu Pt de la Rép. contre le modéré Paul Doumer (449 voix contre 371). *1913* après sa présidence, cultive ses vignes dans sa terre du Loupillon jusqu'à sa mort.

1906 janv. début de la *conf. d'Algésiras* [par 10 voix contre 3 (All., Autr., Maroc), la Fr. obtient un droit « spécial » au Maroc] ; févr.-mars, affaire des *Inventaires* dans les églises (1 cathol. †). **1907** mai-juin, agitation chez les viticulteurs du Languedoc (voir Index : *Marcelin Albert*). **1908** grèves fréquentes et violentes, notamment à *Draveil* (juillet) : 4 †. Juin, l'État rachète la Cie des chemins de fer de l'Ouest. **1909** 9-2 arbitrage de la cour de La Haye après le vote d'Algésiras (accord fr.-all. sur le Maroc) ; mars, grève des postiers (600 révoqués) ; avril-mai, échecs de grève générale. **1910** 25-8 condamnation par le pape du *Sillon* de Marc Sangnier (1873-1950) (socialisme chrétien) ; oct. grève des cheminots (révocations, mobilisation). **1911** 17-1 à la Chambre des Députés, Auguste Gisolme, ancien magistrat révoqué jadis par Briand, tire sur celui-ci 2 balles (l'une s'est perdue, l'autre a atteint la jambe de Mirman, commissaire du gouv. ; Gisolme sera interné dans un asile. Avril troupes fr. à Fès et Meknès. 1-7, *Agadir* (l'All. envoie la canonnière Panther pour protéger les maisons all. contre les tribus) ; 21-8 Joconde volée ; 4-11 accord fr.-all. sur Maroc et Congo [la Fr. a les mains libres au Maroc ; l'All. reçoit en échange le « *bec de canard* » (250 000 km² entre le Cameroun et le fleuve Congo, coupant en 2 l'Afr. équatoriale fr.)]. **1912** 30-3 *Maroc protectorat fr. ;* 23-7 tr. d'assistance navale avec l'Angl. ; 29-4 Bonnot tué. 26-7 Henri *Rochette* (n. 1878) condamné à 3 ans de prison pour escroquerie (sera recondamné le 24-3-34 à 3 ans de prison).

Guerres des Balkans. 1912-8-10 g. des Balkans, le roi de Montenegro déclare la g. à Turquie. 15-10 Serbie, Bulgarie, Grèce déclarent g. à Turquie. 3-12 armistice. **1913**-3-2 g. reprend, la T. refusant Andrinople aux Bulgares. 30-5 préliminaires de paix à Londres : Turquie cède à Ligue balkanique Macédoine et Crète. Albanie État indépendant. Bulgarie réclame la Macédoine. Serbie, Grèce puis Roumanie déclarent g. à Bulgarie. Turquie reprend les armes. 10-8 Bulg. battue : tr. de Bucarest. L'Autriche est mécontente du soutien russe aux Serbes (furieux de n'avoir pu annexer l'Albanie, ni obtenu un accès à l'Adriatique).

■ **1913 (17-1) Raymond Poincaré** [(Bar-le-Duc 20-8-1860/15-10-1934). Père ingénieur des Ponts et Chaussées. Lic. droit et ès lettres. Avocat. Académie fr. 1909. Jeunesse rép. *1887-1903* député de la Meuse. *1903-13* et *1920-34* sénateur. *1893* et *95* min. Instr. publique. *1894* et *1906* min. des Finances. *1912* (14-1)-*13* (18-1) Pt du Conseil et min. des Aff. étr. *1913* (18-2)-*1920* (18-2) Pt de la Rép. *1922* (15-1)-*24* (26-3) Pt du Conseil et min. des Aff. étr. *1924* (26-3/1-6), *26* (23-7)-*28* (6-11), *28* (11-11)-*29* (27-7) Pt du Conseil et min. des Finances. Partisan de la revanche, il acquiert une réputation d'homme énergique, sauf auprès de Clemenceau qui dénonce sa pusillanimité. La façon dont il a poussé le gouv. russe, en juillet 1914, à faire preuve de fermeté lui a valu le surnom de « Poincaré-la-Guerre ». Pendant la g., s'efforce de respecter la Constitution (maintien du pouvoir exécutif sous le contrôle du Parlement). Redevenu sénateur, min. et Pt du Conseil après son septennat.

1913 3-4 atterrissage forcé d'1 zeppelin all. à Lunéville ; 13-4 Nancy rixe entre touristes all. et français dans une brasserie. 10-8 service militaire de 3 ans ; nov. incidents de Saverne entre Alsaciens francophiles et soldats all. ; 31-3 *la Joconde,* qui avait été volée, revient à Paris. **1914** 28-6 assassinat à *Sarajevo* (Bosnie) de l'archiduc François-Ferdinand, héritier d'Autr. (voir Index) ; 20/24-7 visite *en Russie* de Poincaré et du Pt du Conseil, Viviani ; 31-7 Jean Jaurès assassiné par Raoul Villain (voir p. 664).

Première Guerre mondiale (1914-18)

☞ *Dite la « Grande Guerre » :* expression employée pour la 1re fois devant Stéphane Lauzanne (journaliste) par le Gal Joffre en août 1912. Il citait le titre d'un ouvrage publié en Allemagne par le Gal Falkenhausen : « La Grande Guerre d'aujourd'hui ».

Les débuts

Causes. 1°) **Rivalités européennes** (Russie contre Autr. au sujet des Balkans ; France contre Allemagne au sujet de l'Alsace-Lorraine ; All. contre Fr. et Angl. au sujet des colonies ; Angl. contre All. au sujet du réarmement naval ; Italie contre Autr. au sujet des provinces « irrédentes » ; Autr. contre Serbie au sujet des Slaves du Sud, etc.).

2°) **Crainte des conséquences financières de la « course aux armements » :** dep. 1901, chacune des grandes puissances europ. dépense de 1 à 2 milliards de F annuels pour s'armer ; la tentation est venue d'utiliser ces armes pour réduire (après une victoire) les budgets des armées et des marines.

3°) **Croyance générale en une g. courte :** la Fr. surestime la puissance russe (« le rouleau compresseur ») ; Poincaré pense reconquérir l'Alsace-Lorraine en quelques semaines ; les All. pensent écraser l'armée fr. en 1 mois grâce au « *plan Schlieffen* » ; les Autr. pensent liquider la Serbie en 8 j ; le chef d'état-major russe Ianushkevitch croit prendre les All. de vitesse s'il peut mobiliser avant eux et charge Sazonov d'arracher au tsar l'ordre de mobilisation générale le 30-7 à 16 h.

4°) **Bellicistes.** *L'été 1914, il y a simultanément au pouvoir, en Europe, plusieurs bellicistes :* le comte de Berchtold en Autriche, Iswolsky et Sazonov en Russie, Poincaré en France, Nicolas Pachitch en Serbie. Le chancelier allemand Bethmann-Holweg longtemps considéré comme un médiocre s'étant laissé entraîner dans la g. sans l'avoir voulue, aurait été, selon l'historien all. Fritz Fischer, un expansionniste et un belliciste convaincu.

5°) **L'Angleterre (sir Edward Grey) préfère la neutralité** (ce qui pousse l'Allemagne à la g.), mais, après l'invasion allem. en Belgique, verra dans la violation de la neutralité belge un *casus belli.*

La guerre était-elle évitable ? Caillaux assurait que sans le meurtre de Calmette par sa femme (voir Index), il aurait été Pt du Conseil à la place de Viviani, homme sans caractère, ayant laissé agir Poincaré. Caillaux pensait faire entrer Jean Jaurès dans son gouv. et empêcher Poincaré de se rendre en Russie [il estimait qu'Iswolsky avait soutenu à fond la Serbie contre l'Autr. (ce qui a déclenché la g. par réaction), Poincaré lui ayant promis son soutien].

D'après les marxistes, les milieux financiers internat. ont poussé à la guerre, pour affaiblir et dominer le prolétariat des belligérants. D'après Caillaux, les banques étaient, au contraire, pacifistes, redoutant un conflit mondial (ruine des monnaies, crise des échanges, suprématie financière des USA).

■ **Plans de campagne.** France : « *Plan XVII* », élaboré par Joffre en 1914, mais reprenant les idées d'offensive « à outrance » du colonel, puis général Louis de Grandmaison (1861-1915, tué au combat), prof. à l'École de g. : la victoire dépend de la supériorité des forces morales [des soldats résolus, armés de baïonnettes, l'emportant sur des adversaires retranchés et mieux armés, mais moins vaillants ; ces théories étaient battues en brèche, dep. avr. 1913, par le capitaine Bellanger, observateur militaire de la g. des Balkans, qui avait compris l'efficacité de l'ensemble défensif : tranchées, barbelés, mitrailleuses. Bellanger était soutenu par le Gal Estienne (futur créateur des chars d'assaut) et le C[ol] Pétain. Mais la tendance Grandmaison prévalait chez les officiers d'état-major]. Offensives prévues : par le plateau lorrain vers Sarrebourg, puis le Palatinat ; par la trouée de Belfort vers le Rhin.

Allemagne : « *Plan Schlieffen* » (modifié par von Moltke) : supériorité du feu (mitrailleuse, artillerie lourde, gros effectifs) ; 27 corps d'armée doivent violer la neutralité belge et déborder l'aile g. des Fr. Après la bat. de la Marne, les All. adopteront à leur tour la tactique des masses profondes attaquant à la baïonnette (bat. de l'Yser) et sacrifieront 4 corps de volontaires à Dixmude.

Effectifs (voir p. 669 a).

Grands événements stratégiques

■ **1914. Guerre de mouvement sur 2 fronts.** Les All. veulent éliminer d'abord les Fr. pour se retourner ensuite contre les Russes (ils redoutent la g. sur 2 fronts) ; ils espèrent que les Autr. pourront contenir les Russes pendant que l'armée all. triomphera à l'Ouest. Cette stratégie échoue : 1°) Les Fr. résistent à l'O. [ils sont renforcés par Belges et Angl. ; ils gagnent la bat. de la Marne (sept.) puis celle des Flandres (Dixmude, Ypres, nov.)]. 2°) Les Autr. sont écrasés par les Russes qui ont envahi leur territoire et menacé la Silésie all. 3°) Les Russes, fidèles à la parole donnée aux Fr., ont attaqué la Prusse Orientale all. sans avoir achevé leur concentration. Ils ont été battus à *Tannenberg* et aux lacs Mazurie, mais Guillaume II, affolé, a exigé qu'on prélève 2 corps d'armée à l'O. pour sauver Koenigsberg (ce qui a soulagé les Fr. pendant la Marne).

Théâtre secondaire : la Serbie. Les Autr., qui avaient monté une « expédition punitive », sont battus par les Serbes, et doivent, eux aussi, creuser des tranchées (bataille du Roudnik, 13-12-1914).

Changement de doctrine des Allemands (hiver 1914-1915). Falkenhayn décide de rester sur la défensive à l'O., de porter tous ses efforts contre les Russes qui manquent de munitions. En mars-avril, Fr. et Angl. attaquent les *Dardanelles* (Turquie) pour pouvoir ravitailler la Russie par la mer Noire. Échec [cause vraisemblable : la mauvaise volonté des Angl. (voir p. 668 a : *occasions perdues*)]. Le 2-5, les Russes sont battus à *Gorlice* par les All. et perdent de vastes territoires (Pologne, Lituanie, Courlande).

■ **1915. Massacres inutiles.** Joffre, incapable d'aider les Russes directement, décide de lancer des offensives locales (il espère immobiliser ainsi de gros effectifs all.). En Artois, Champagne, Vosges, il perd 600 000 h. sans entamer l'ennemi.

Ouvertures de nouveaux fronts. Voulues par les Alliés pour éviter l'obligation de percer les lignes all. en Fr. 1°) *23-5,* entrée en g. de l'Italie (mais le front austro-ital. se stabilise immédiatement comme celui de l'O.). 2°) *nov.-déc.,* Aristide Briand (Pt du Conseil dep. oct.) décide d'ouvrir un *front dans les Balkans (Salonique).* Raisons : a) la Serbie vient d'être écrasée, mais une partie de son armée s'est réfugiée à Corfou ; b) les troupes franco-angl. des Dardanelles peuvent être utilisées en Grèce, au lieu d'être gaspillées en Turquie ; c) les Bulgares sont entrés en g. aux côtés de l'All. le 25-9 : s'ils sont battus dans une g. de mouvement, la Turquie est isolée, l'Autr. prise à revers. L'idée de Briand est critiquée par l'état-major fr. (et par Clemenceau) ; le front de Salonique sera immobilisé, comme ceux de l'Ouest et d'Italie.

■ **1916. Nouveau changement allemand : Verdun.** Falkenhayn, ayant fait reculer les Russes loin des frontières allem., espère vaincre à l'Ouest : il attaque à Verdun en févr. La résistance française est vigoureuse ; les All. subissent de lourdes pertes.

Nouvelles théories sur la g. industrielle. A partir de Verdun, les états-majors sont convaincus que la victoire s'obtiendra par la supériorité des armements (bombardements massifs, chars d'assaut, aviation). Les All. croient en la g. sous-marine (le blocus sous-marin devant paralyser l'industrie de g. anglaise) ; les états-majors alliés croient au blocus (la pénurie en matières premières devant ruiner l'industrie de g. allemande). Voir guerre navale p. 667 a.

Diversions. 1°) *Entrée en g. de la Roumanie.* Provoquée par Briand qui cherche à ranimer le front du S.-E. (déception : les Roumains sont immobilisés rapidement par Austro-All. et Turcs). 2°) *Offensive Broussilov en Bukovine.* Déclenchée en juill., elle doit soulager la pression all. sur Verdun. Succès limité, qui épuise définitivement l'armée russe. 3°) *Offensive anglo-fr. sur la Somme (sept.-oct.).* Conçue par les Angl., devait démontrer que la « rupture » était possible grâce à la supériorité du matériel. Échec coûteux en vies humaines. Mais rupture momentanée obtenue sans être exploitée ; les états-majors persistent à croire en une percée décisive, obtenue grâce à la supériorité en matériel lourd.

■ **1917. Priorité de la politique sur la stratégie.** 1°) *Les Alliés obtiennent l'intervention des USA :* le potentiel écon. naval américain doit permettre d'écraser l'All. 2°) *Les All. jouent la carte révolutionnaire russe* contre la Russie tsariste et obtiennent l'effondrement du front oriental (Russie et Roumanie éliminées). 3°) *Nombreuses tentatives de paix* (voir p. 668 b).

Manifestations attardées des anciennes stratégies. 1°) *Défaite de Nivelle au Chemin des Dames (avr. 1917).* Nouvelle tentative de percée. Échec sanglant qui démoralise l'armée fr. (se borne désormais à attendre les Amér.). 2°) *Offensive des Angl. en Palestine,* « g. de mouvement » à partir de l'Égypte (et également en Mésopotamie). Vise à obtenir (à longue échéance) un effondrement de la Turquie, compensant l'effondrement russe.

■ 1918. **Guerre totale (à outrance).** Menée par des chefs aux pouvoirs dictatoriaux (Clemenceau en Fr. avec Foch, généralissime des armées alliées ; Hindenburg, Ludendorff en All., ayant de fait le commandement de toutes les armées des « Empires centraux »). Vise l'écrasement de l'adversaire grâce à la supériorité en armement et en effectifs.

– Les Allemands, n'ayant plus que le front de l'Ouest à supporter après l'élimination des Russes et des Roumains, espèrent vaincre, début 1918, avant que l'armée amér. soit opérationnelle. *3 percées réussies* (St-Quentin, Mt Kemmel, Chemin des Dames) : aucune décisive. Raisons : 1°) les effectifs all. ont fondu, et la victoire à l'Est n'a pas permis de récupérer plus de 30 divisions, à cause de la nécessité d'occuper d'immenses territoires (la cavalerie est restée en Russie, ce qui a empêché l'exploitation des percées) ; 2°) les soldats sont affaiblis par la famine ; 3°) les Alliés gardent la supériorité en avions, chars, artillerie ; 4°) les Américains ont été jetés dans la bataille plus tôt que prévu et s'y sont bien comportés (juill. 1918).

– Les Alliés. *Sur le front Ouest :* Foch n'essaye pas de faire des manœuvres stratégiques : il *martèle* d'obus le front all., successivement dans tous les secteurs. La seule manœuvre prévue pour la capture, sur le champ de bataille, de l'armée all. prise à revers (attaque au S.-E. de Metz en direction du Luxembourg), a été retardée jusqu'au 14-11-1918. L'armistice est intervenu avant. *Salonique :* Franchet d'Esperey réussit la percée et conquiert les Balkans, réalisant le plan de Briand. Mais il doit s'arrêter sur ordre de Clemenceau (ennemi politique de Briand) alors qu'il prend l'Autr.-Hongrie à revers. *Au Moyen-Orient :* les Anglais de Mésopotamie et Palestine réussissent une percée et contrôlent les territoires arabophones de Turquie.

■ **Guerre navale (1914-18).** – Navires de surface : **1°) Succès alliés :** en 1914-15 les corsaires allemands (chargés de détruire le trafic entre Angl., Bel., Fr. et leurs colonies) sont éliminés (principale bataille : les *Falkland*, déc. 1914) ; en 1916, dans la mer du N., les navires de g. all. tentent de briser le blocus pour rejoindre les mers libres. Ils sont refoulés (bataille du *Jutland*), après un combat où les Angl. ont eu des pertes plus lourdes que les leurs. **2°) Succès all. :** en juil.-août 1914, 2 cuirassés all. *(Goeben, Breslau)* traversent la Méditerranée et rejoignent Constantinople. Ils sont supérieurs aux navires russes de la mer Noire. Jusqu'en 1918, ils suffiront à interdire tout trafic en mer Noire, empêchant la victoire russe sur la Turquie, et provoquant la défaite roumaine.

– Guerre sous-marine : (en 1917, les *U Boote* allemands coulent 3,5 fois plus de navires que les Angl. n'en construisent) : 3 750 000 t contre 1 110 000. A partir de 1918, la construction navale amér. compense les pertes (3 millions de t contre 2).

– Ravitaillement de la Russie : l'échec des Dardanelles (1915) a coupé la meilleure voie, et a été la cause première de l'effondrement russe. *Voies de remplacement : Mourmansk* [raccordé par voie ferrée au réseau russe seulement en févr. 1917 (à partir de janv. 1916, il y a une liaison ferroviaire Arkhangelsk-Petrograd)], *l'Iran et la Caspienne* (au S.) jusqu'en 1917. A partir de 1917, les Amér. ravitaillent la Russie à travers le Pacifique (Vladivostok, puis le Transsibérien), mais trop tard.

■ Déroulement

■ **Déclarations de guerre. 1914** 28-7 Autriche à Serbie ; 1-8 All. à Russie ; 3-8 All. à France, Serbie ; 4-8 Angl. entre en g. ; 5-8 Autr. à Russie ; 6-8 Serbie à All. ; 12-8 France et Angl. à Autr. ; 20-8 les All. entrent à Bruxelles ; 22-8 Autr. à Belg. ; 1-11 Russie à Turquie ; 2-11 Serbie à Turquie ; 5-11 G.-B. et Fr. à Turquie. **1915** 23-5 It. à Autr. ; 21-8 It. à Turquie ; 14-10 Bulg. à Serbie ; 15-10 G.-B. à Turquie. **1916** 9-3 All. à Port. ; 15-3 Autr. à Port. ; 17-8 Roumanie à Autr. ; It. à All. ; 30-8 Turquie à Roumanie ; 28-10 All. à Roumanie ; 1-9 Bulg. à Roumanie. **1917** 6-4 USA à All. ; Grèce à All. ; 2-7 Grèce à Turquie, Autr., Bulg. ; 7-12 USA à Autr.

L'Europe en 1914

■ 1914. 21/23-8 **bataille de Charleroi** [le Gal Lanrezac Mis de Cazernal, 1852-1925) sauve son armée de l'anéantissement en se repliant malgré l'ordre de Joffre ; il sera révoqué le 3-9] ; 25-8 Joffre renonce au *plan XVII ;* il renforce son aile gauche ; plus de 162 généraux ou colonels commandant une brigade, ont été « limogés » (nommés à des postes dans des villes de l'arrière, comme Limoges) ; 26-8 Gallieni gouverneur de Paris ; 29-8 **Guise** : Lanrezac bat Bülow (5 800 All. †, l'armée de Kluck se dirige vers l'est de Paris au lieu de Rouen, pour soutenir Bülow) ; 2-9 gouvernement fr. quitte Paris pour Bordeaux ; 6/13-9 **la Marne** [les All. sont arrêtés devant Meaux (44 km de Paris) et au sud de Senlis (35 km). *Vaincus :* Kluck, avancé trop loin au S.-E. de Paris (jusqu'à Coulommiers), attaqué de flanc par Gallieni ; Bülow, qui bat précipitamment en retraite quand Kluck remonte vers Paris. *Vainqueurs :* Joffre qui a décidé les Angl. (French) à contre-attaquer ; Gallieni qui a eu l'idée de la manœuvre ; Franchet d'Esperey (successeur de Lanrezac) qui a foncé entre Kluck et Bülow ; Foch qui a arrêté les Saxons en Champagne (*marais de St-Gond*) ; *taxis de la Marne* (1 100 chauffeurs réquisitionnés ont conduit, dans le secteur de Nanteuil-le-Haudouin, 5 000 h. de la 7e DI ; le Trésor public a versé 70 102 F à la Cie de taxis G7, appartenant au Cte André Walewski, petit-fils de Nap. Ier, qui eut l'idée de l'opération)] ; 14-9 rétablissement de l'aile droite all. sur l'Aisne, Joffre ayant stoppé à Sissonne (Aisne) la contre-offensive fr. [*controverse :* 1°) le Gal René Chambe accuse Joffre d'avoir manqué une occasion et le Gal Conneau (chef de la cav.) d'avoir été inactif ; 2°) Conneau et Joffre répliquent que les chevaux étaient fourbus ; 3°) Liddell Hart estime que c'était la faute de Joffre : il avait envoyé le corps de Conneau jusqu'à Liège entre le 4 et le 10-8] ; sept.-oct. **« course à la mer » ;** début g. des tranchées ; 26/29-8 **Tannenberg** (vict. all. sur Russes) ; 3/11-9 **Lemberg** (vict. russe sur Autr.) ; 16-10/1-11 **bat. de l'Yser** (Dixmude).

■ 1915. Févr. bat. des **Éparges** (S.-E. de Verdun) ; févr.-sept. des **Dardanelles** [tentative de prendre Constantinople pour assurer la liaison entre Occidentaux et Russes ; longues tractations entre Alliés : les Angl. craignant de livrer les Détroits aux Russes, les All. profitent du délai pour fortifier les D. (pertes fr. 50 000 †, 95 000 bl., 100 000 malades : les rescapés débarquent à Salonique en oct. et forment l'armée d'Orient)] ; avril, *offensive all. en Flandres ;* 22-4 à Steenstrate, sur l'Yser, *1er emploi des gaz asphyxiants* sur le front occidental (voir Index) ; 7-5 torpillage du **Lusitania** (Angl., 1 198 † dont 128 Amér. ; on sait actuellement qu'il était « croiseur auxiliaire armé », avec 12 canons de 6 pouces et plus de 3 000 caisses de munitions) ; 23-5 *Italie déclare g. à Autr. ;* mai-sept. offensive fr. Champagne, Artois ; 5-10 débarquement allié à *Salonique.*

■ 1916. 4-1 offensive all. en Champagne ; 21-2 au 15-12 *bat. de* **Verdun** [offensive all. confiée au Kronprinz, pour le prestige de la monarchie ; *objectif :* Verdun, « cœur de la Fr. » (les All. pensent que l'armée fr. se laissera saigner à blanc pour défendre la ville) ; *chefs fr. :* 26-2 Pétain, puis Nivelle ; *pertes* (de 50 à 65 % effectifs) : Fr. 221 000 †, 216 000 bl. ; All. 500 000 †, bl. ou disp. *Voie Sacrée :* route nationale de Bar-le-Duc à Verdun, par Souilly (75 km) : 11 500 camions, avec 8 500 h. et 3 000 off. assurent les convois (par semaine : 50 000 t de munitions, 90 000 h.), 1 camion toutes les 14 secondes ; *principaux forts :* Douaumont enlevé par surprise par les All. 25-2, repris et reperdu 22/25-5, repris définitivement 24-10 ; Vaux assiégé 9-3/7-6 (le C^{t} Raynal capitule), évacué par All. 2-11 ; Souville : résistance vict. 22/30-6] ; 9-3 *l'All. déclare la g. au Portugal* (qui a saisi les navires all. dans ses ports en févr.) : une division port. sera intégrée aux forces angl. de Flandres en 1917-18 ; 31-5 au 1-6 bat. navale du **Jutland** (voir ci-contre, col. a) ; 13/11-7 *offensive de la Somme* [les Anglo-Fr. ne peuvent percer les lignes allemandes entre Péronne et Bapaume ; *pertes :* Fr. 200 000, Angl. 400 000, All. 300 000 ; Foch est limogé (on lui reproche de ne pas avoir attaqué à Verdun, lorsque les All. occupaient des positions non fortifiées)] ; 27-8 *Italie déclare g. à All. ;* 15-10 les Angl. utilisent les *1ers chars d'assaut ;* août-déc. invasion de la Roumanie ; 21-11 Charles Ier emp. d'Autriche ; 2-12 Nivelle remplace Joffre ; 15-12 : *1re tentative de paix négociée.*

■ 1917. 23-1 : *2e tentative de paix* négociée. 30-1 l'All. annonce aux Neutres qu'elle torpillera tous les bateaux au large des côtes angl., franç., et ital. 3-2 USA rompent relations diplom. avec All. 26-2 Nicolas II abdique ; 2-4 *entrée en g. des USA ;* mars-avril, offensive britannique au Sinaï, stoppée à Gaza ; 9/10-4 victoire canadienne à **Vimy ;** avril *1re défaite du* **Chemin des Dames** [147 000 † en 15 j (les plus sanglants de la g.), démoralisation ; *vaincu :* Gal Nivelle (offensive mal conçue)] ; à partir du 2-5 : *mutineries* dans l'armée fr. ; on a noté 250 cas de sédition, dans 68 divisions ; env. 30 000 mutins ou manifestants (dont à la 41e DI 2 000 h. ; durée max. : Missy-aux-Bois, 4 j) ; 15-5 *Pétain remplace Nivelle ;* 19-5 il met fin aux offensives inutiles ; 13-6 Gal Pershing arrive à Boulogne ; 28-6 St Nazaire, arrivée de la 1re division amér. (14 500 h. dits *Sammies*) ; 29-6 **la Grèce** (PM Venizélos) déclare la g. à l'All. ; juill.-nov. *bataille des* **Flandres ;** 25-7 Marguerite Gertrude Zelle [n. 7-8-1876 à Leeuwarden (Hollande, où elle a sa statue), fille d'un marchand de casquettes, divorcée de Rudolf Mc Leod, officier connu par petites annonces, épousé 13-7-1895, dont elle eut 2 enf., danseuse nue et demi-mondaine, arrêtée 13-2], appelée *Mata Hari* (œil du jour ou soleil en malais), condamnée à mort pour espionnage pour l'All. (agent H 21, fusillée à Vincennes le 15-10 à 6 h 15) ; 11-9 *Guynemer* tué ; 17/26-10 succès local au Chemin des Dames *(vict. de La Malmaison) ;* 19-10, 13 zeppelins envoyés sur Londres, 1 seul y parvient. 24/25-10 défaite italienne à *Caporetto ;* 31-10 victoire angl. en Palestine (le Gal Edmund Allenby perce les lignes turques à Bersheeba) ; 2-11 *« déclaration Balfour »* sur le Foyer national juif ; 7-11 *Lénine et Trotski au pouvoir en Russie* (12-3 mutinerie de Vyborg ; 14-3

1er soviet, à Moscou ; 15-3 abdication du tsar ; 16-4 retour de Lénine) ; 9-11 Allenby prend *Jérusalem.* **Répressions en 1917 :** condamnations prononcées par le Conseil de g. 50 900 (dont 38 315 au titre des armées) (moyenne autres années 34 643), désertions 2 656 cas jugés (moy. autres années 1 437), mutineries 1 121, incarcérations 986, condamnations à mort (mai à oct.) 412 dont 219 commuées et 55 exécutées dont pour *crimes de droit commun* 8, *cr. militaires* dans les unités troublées 25, *isolés* (dont quelques-uns seulement se rattachent aux actes de rébellion) 22.

Commandants en chef. Français : 1914 : *Joseph Joffre* (1852/3-1-1931, reçu 14e à Polytechnique, sorti 33e sur 136, Gal dep. 28-7-1911, Cdt en chef des armées du N. et N.-E. en 1914, élu 14-2-1918 à l'Académie fr.) ; 12-12-1916 : *Georges Nivelle* (1856-1924) ; 15-5-1917 : *Philippe Pétain* (1856-1951). **Anglais :** 5-8-1914 : *John French* (1852-1925) ; 31-12-1915 : *Douglas Haig* (1861-1928). **Américain :** 13-6-1918 : *John Pershing* (1860-1948). **Armées alliées :** 26-3-1918 : *Ferdinand Foch* (1851-1929). **Allemands :** 3-8-1914 : *Helmuth von Moltke* (1848-1916) ; 14-9-1914 : *Erich von Falkenhayn* (1861-1922) ; 28-8-1916 : *Paul von Hindenburg* (1847-1934) avec *Erich Ludendorff* (1865-1937).

■ **1918.** 14-2 *Paul Bolo* condamné à mort, il a reçu des fonds allemands pour acheter le quotidien « Le Journal » destiné à la propagande ennemie (fusillé 17-4) ; 3-3 *tr. de Brest-Litovsk* (Russie-Allem.) : l'All. annexe Pologne et pays baltes, occupe Ukraine et en exploite les ressources écon., mais récupère peu de troupes pour le front occidental, étant donné les vastes territoires à occuper ; 21-3/4-4 défaite angl. en Picardie (*St-Quentin*), qui aurait pu être décisive ; 23-3/9-8 Paris bombardé par la *Grosse Bertha* (v. Index) ; 15-4 *Foch généralissime* unique ; 27-5/6-6 *2e défaite du* **Chemin des Dames** (60 000 Fr. prisonniers) ; 6-8 Louis *Malvy* (1875-1949), condamné à 5 ans de bannissement pour avoir méconnu les devoirs de sa charge de min. de l'Intérieur ; 15/17-7 vict. défensive en *Champagne ;* 18-7/6-8 **2e vict. de la Marne** [l'armée all. a 8 millions d'h. hors de combat sur 14 millions mobilisés ; à l'O. : 187 divisions « squelettiques » (17 en réserve) soit 3 800 000 h., dont 500 000 fantassins en face de 205 divisions (103 en réserve), plus de 6 000 000 h. (102 Fr., 60 Brit., 12 Belg., 29 Amér., 2 Portug., 2 It.) ; seuls les Fr. ont incorporé la classe 19 ; 50 000 All. de la classe 19 sont au front, 200 000 de la classe 20 sont mobilisés ; les Fr. ont plus de chevaux pour l'artillerie de campagne] ; 1-9 Ludendorff se replie sur la ligne Hindenburg (allant de la région lilloise à l'Argonne, enfoncée en sept.-oct. par les Alliés) ; 18-9 Allenby conquiert toute la Palestine (prise de Nazareth) ; 29-9 *armistice avec Bulgarie ;* 30-10 *avec Turquie ;* 24/29-10 victoire it. à **Vittorio Veneto ;** oct. épidémie de **grippe espagnole** (env. 400 000 † en Fr.) ; 4-11 *Autr.-Hongrie capitule* ; 5-11 recul all., prise de Guise.

■ **Armistice de Rethondes.** *11-11* (1 561e j de guerre) signé à 5 h du matin (en fait entre 5 h 20 et 5 h 30) (cessez-le-feu à 11 h) [signé dans un wagon sur une ligne reliée à gare de Reth., mais sur la commune de Compiègne ; *clauses principales :* évacuation de Fr., Belg., Lux. pour le 26-11 (entrée des Fr. à Metz 19-11, Strasbourg 22-11), de la rive g. du Rhin au 10-12 ; constitution d'une Pologne indépendante avec accès à la mer ; l'All. renonce à l'annexion de l'Autr. germanophone, résidu de l'ancien Empire austro-hongrois. Les Angl. exigent l'abandon des colonies et la livraison de la flotte de g. (qui sera sabordée par son chef l'amiral von Reuter, à *Scapa Flow* en Écosse le 21-6-1919 : les Angl. l'auraient laissé faire pour être débarrassés définitivement de 10 cuirassés d'escadre, 6 croiseurs de bataille, 84 croiseurs légers, 50 destroyers)].

Une offensive fr.-amér. prévue pour le 14-11 devait prendre Metz, descendre la Moselle jusqu'au Rhin et obliger les All. de Belgique à se rendre sans conditions. Foch l'annula en imposant l'armistice : l'armée all. a pu repasser le Rhin « invaincue » ; – motifs : 1°) Foch se méfiait de Pétain, auteur du plan d'off. [il fallait une avance rapide (30 à 40 km par j), or Pétain était lent et n'aurait pas mené l'aile marchante beaucoup plus vite que le centre] ; 2°) il se considérait comme généralissime d'une coalition internat. devant obéissance à l'Angl. et aux USA autant qu'à la Fr. ; 3°) mal renseigné sur l'All., il ignorait l'effondrement imminent de l'armée ennemie, mais savait l'armée fr. incapable de faire la g. en 1919 [crise d'effectifs (115 000 † dep. le 18-7)].

■ **Occasions de victoires décisives perdues. Par les Alliés : 1°) 1914** *août : défense de Liège.* Le plan all. Schlieffen reposait sur une occupation rapide de Liège, nœud ferroviaire et routier. Si Joffre avait envoyé, dès le 3 août, l'armée Lanrezac à Liège par chemin de fer, l'armée all., embouteillée autour d'Aix-la-Chapelle, était battue. **2°)** *sept. :* après la victoire de la Marne, l'encerclement et la destruction de l'armée von Kluck aurait entraîné la capture de l'armée von Bülow, et la défaite all. Maunoury venant de l'Ouest était à 5 km de La Ferté-Milon ; Franchet d'Esperey, venant du S.-E., à 6 km. Faute de cavalerie, les 2 avant-gardes ne se sont pas vues, et ont laissé l'armée de Kluck s'écouler par cet étroit couloir.

3°) 1915 *févr. : bataille navale des Dardanelles.* Les cuirassés franco-angl. ont pénétré de plus de 20 km dans le détroit, canonnant les forts turcs. Ils ont subi de lourdes pertes, mais les derniers forts turcs n'ont plus de munitions. Rien ne peut empêcher les escadres alliées d'atteindre Constantinople. Mais l'amiral angl. De Robeck (Cdt en chef) ordonne la retraite (à la stupéfaction des Turcs). Les Angl. ont souvent été accusés de mauvaise foi (les Russes ont dit que les Angl. préféraient une défaite à une victoire, qui aurait donné Constantinople à la Russie).

4°) *3-5 : percée stérile de Vimy.* Au cours de l'offensive d'Artois (Foch), le 33e corps (Pétain), attaquant dans le secteur de Souchez, perce les lignes all. et conquiert la crête stratégique de Vimy, 12 km plus loin. Quand Pétain avertit Foch, celui-ci refuse de le croire, et n'envoie pas de troupes pour exploiter ce succès. Une contre-attaque all. a lieu le lendemain (Foch et Pétain dès lors brouillés).

5°) 1916 *8-7 : percée stérile de Biaches.* Au cours de l'offensive de la Somme (Foch), le 1er corps d'armée colonial (Berdoulat) crève le front all. sur 8 km et atteint la Somme à Biaches (près de Péronne). Foch demande à Joffre d'exploiter cette brèche, de prendre Péronne et d'encercler les All. de la rive g. Joffre refuse, car Péronne, d'après son plan, doit être enlevée par les Angl. Berdoulat reçoit l'ordre de s'arrêter. Les Angl. ne perceront jamais.

6°) 1918 *oct. : invasion manquée de la Hongrie.* Franchet d'Esperey, ayant obligé la Bulgarie à capituler le 29-9, décide de foncer sur Belgrade, d'où il peut attaquer la Hongrie. Clemenceau lui ordonne d'obliquer vers le N.-E. et d'occuper la Roumanie. L'Autriche capitulera le 3-11 (devant l'Italie).

Par les Allemands : 1°) 1914 *août : encerclement manqué de Charleroi.* Le plan de marche all. prévoyait l'encerclement et la destruction de l'aile gauche (ve armée, Lanrezac, 350 000 h.), que Joffre avait alignée sur la rive S. de la Sambre, face au N., de Charleroi à Namur. Pendant que la IIe armée all. (von Bülow) l'attaquait de front sur la Sambre, en marchant N.-S., la IIIe armée all. (von Hausen), marchant E.-O., devait franchir la Meuse à Dinant (à 30 km au S. de Namur) et attaquer Lanrezac de dos. Le 23-8, Hausen passe le fleuve. Lanrezac a reçu de Joffre l'ordre de ne pas bouger, et la manœuvre all. est sur le point de réussir. Mais Lanrezac, désobéissant à Joffre, bat en retraite par le S.-O. de Charleroi. Quand Hausen rejoint Bülow, les Français se sont repliés sur la haute Oise.

Non-exploitation du repli de Lanrezac. Ce repli (23-8) avait découvert les Anglais (Gal French) qui tenaient, 40 km plus à l'Ouest, la position de Mons (où ils avaient arrêté Kluck). En lançant toutes ses forces vers l'O., dans le flanc angl., Bülow aurait écrasé French entre lui et Kluck, mais il met son aile gauche à la poursuite de Lanrezac.

2°) 1918 *mars-avril : non-exploitation de la victoire du Gal Oskar von Hutier en Picardie.* Après la défaite brit. à St-Quentin, les All. avaient conquis 1 000 km² de terrain en 3 j, fait 90 000 pris. et ouvert la route de Paris entre les Angl. (à l'O.) et Fr. (à l'E.) : Ludendorff estimera qu'il aurait pu gagner définitivement la g. alors que les Amér. n'étaient pas encore en ligne ; il aurait fallu que Hutier, au lieu de s'attarder devant Montdidier, fonce immédiatement sur Compiègne et Paris. Le 24-3, Hutier, pour des raisons inconnues (beuveries de ses soldats, bombardements aériens fr. ?), ne s'engouffre pas dans cette brèche de 20 km de large. Elle sera bouchée le 28 par Debeney. Normalement, Paris devait être pris en 5 j.

■ **Négociations de paix avortées. 1°) 1914** *(déc.) :* battu par les Russes en Galicie et par les Serbes au S. du Danube, l'emp. d'Autr. François-Joseph propose à Guillaume II de mettre fin à la g. désormais impossible à gagner. G. II contacte Nicolas II, mais l'état-major all. refuse tous pourparlers. **2°) 1915-16** le 18-10-1915, le Cte Hans Törring zu Jettenbach, beau-frère bavarois du roi des Belges Albert Ier, propose par lettre à celui-ci un armistice séparé. Albert Ier envoie à Zurich le prof. Émile Waxweiler, qui rencontre 3 fois Törring (nov. 1915, janv. et févr. 1916). Mis au courant, Lord Curzon fait échouer la négociation ; les Alliés promettent en compensation une « large indemnisation » à la Belgique (déclaration de Sainte-Adresse, 14-2-1916).

Pourparlers avec l'Autriche. 1916 21-11 Charles Ier devient emp. d'Autriche. Sa femme, l'impératrice, est la sœur des Pces Sixte et Xavier de Bourbon-Parme, officiers dans l'armée belge ; 30-11 il les charge de faire connaître aux Alliés ses désirs de paix ; Sixte invite à déjeuner l'ambassadeur Jules Cambon, dir. des Aff. étr. ; 4-12 les 2 princes contactent le Gal Gouraud, en Champagne ; 15-12 leur mère, la Desse de Parme, écrit au roi des Belges Albert Ier, lui demandant de les rencontrer en Suisse ; 25-12 Albert Ier consent. **1917** 23-1 Cambon donne aux 2 princes des passeports diplomatiques ; 28-1 leur mère leur transmet le désir de paix de Charles Ier ; 13-2 le comte Erdödy les contacte à Neuchâtel et leur transmet ce qu'accepterait Charles : Alsace-Lorr. rendue à la Fr. avec les frontières de 1814, Constantinople laissée aux Russes ; 2-3 le roi d'Espagne, Alphonse XIII, donne sa garantie à l'attaché militaire fr. à Madrid, le Gal Joseph Denvignes, qui transmet au ministre de la G., le Gal Lyautey ; 5-3 les princes contactent Poincaré qui, le 8-3, donne son accord à Sixte qui repart pour la Suisse avec son frère ; 19-3 les Pces revoient Erdödy à Neuchâtel ; 22-3 ils sont à Vienne ; 24-3 Charles Ier met ses propositions par écrit (demandant qu'elles restent secrètes) ; 30-3 Sixte apporte la lettre à Poincaré, mais entre-temps Briand a été renversé : Ribot est aux Affaires étr. ; 31-3 il rencontre Clemenceau (jusqu'au-boutiste), qui le convainc de rompre les pourparlers ; 19-4 il rencontre Sonnino, min. des Aff. étr. italien qui veut annexer un territoire autr. important (quelques mois auparavant, il avait contacté l'Autr. pour une paix séparée, se contentant du Tyrol italophone) ; 20-6 Ribot prévient Sixte que les pourparlers sont inutiles, Denvignes (redevenu colonel) est rappelé de Madrid ; 22-7 violant ses engagements, Ribot montre à Sonnino les lettres de Charles Ier ; 12-10 il en parle à la Chambre : rupture avec Sixte.

Pourparlers avec l'Allemagne. 1917 : début janv. le représentant à Bruxelles du ministère all. des Aff. étrang., le Bon von der Lancken, contacte chez la Pcesse de Mérode (avec l'approbation du card. Mercier qui a la confiance d'Albert Ier) les barons belges Coppée père et fils ; il leur laisse entendre que l'All. est prête à céder sur l'Alsace-Lorr. en échange de compensations en Lituanie et Courlande (russes). 23-1 Coppée père contacte au Havre le Cte de Broqueville (min. de la G. belge, puis le 4-8 min. des Aff. étr.) ; 17-8 Coppée fils rejoint son père au Havre et contacte Briand, lui proposant d'aller en Suisse rencontrer Lancken ; 3-9 Broqueville reçoit Briand à dîner et donne sa garantie à la mission des Coppée ; 13-9 Briand contacte Painlevé, Pt du Conseil dep. le 12-9 ; 21-9 Lancken arrive en Suisse ; 22-9 Poincaré demande à Albert Ier confirmation des pourparlers, il l'obtient ; 23-9 Ribot, min. des Aff. étr., notifie à Briand l'interdiction d'aller en Suisse ; 24-9 Coppée fils prévient Lancken de l'échec (celui-ci quitte la Suisse le 25-9) ; 12-10 Ribot interpellé à la Chambre par Georges Leygues est contraint à la démission. Pour se justifier, il présente comme liées les 2 négociations autr. et all. alors qu'elles étaient séparées.

Raison de l'échec des pourparlers. On a souvent mis en cause l'Italie, mais en fait elle était prête à de larges concessions. *Explication retenue actuellement :* influence de Clemenceau sur Ribot. Une paix négociée aurait empêché Clemenceau d'accéder au pouvoir (il devient Pt du Conseil en nov. 1917), et d'appliquer sa politique jusqu'au-boutiste.

Autres propositions de paix faites vers la même époque. Le Pt amér. Wilson, le roi d'Espagne Alphonse XIII (qui transmet à Vienne une proposition de paix séparée entre Angl. et Autr.), le pape Benoît XV, le congrès socialiste de Stockholm. Joseph Caillaux, après la g., a affirmé avoir eu des propositions de paix séparées faites par la Bavière (passées probablement par le Cte de Törring et la reine des Belges). Matthias Erzberger (1875-1921, assassiné), futur négociateur all. de l'armistice de Rethondes, a signalé qu'un prélat all., Mgr Rodolpho Gerbach, était resté en contact en 1917 avec le Cte Törring, au Vatican, pour négocier une paix séparée avec la Belgique.

■ Traités

■ **Signatures. 1919 : Tr. de Versailles** (28-6 avec l'Allemagne). Sur la base des *« 14 points » de Wilson,* qui affirment notamment le principe des nationalités : la Sarre germanophone ne sera pas donnée à la Fr. qui a pourtant besoin du charbon sarrois, et Dantzig germanophone ne sera pas donné à la Pologne qui a besoin d'un débouché maritime, Memel germanophone ne sera pas donné à la Lituanie (qui l'annexera unilatéralement en 1923) ; ils deviendront des territoires autonomes, sous l'autorité de la Sté des Nations. Wilson refuse de détacher la Rhénanie de l'All. : simple zone d'occupation, elle devra être évacuée par les Fr. quand l'All. aura payé les réparations. Wilson craint qu'un traitement trop sévère ne fasse basculer l'All. dans le camp du bolchevisme] ; **Tr. de St-Germain** (10-9, avec l'Autr.). **Tr. de Neuilly** (27-9, Bulgarie). **1920 : Tr. de Trianon** (4-6, Hongrie). **Tr. de Sèvres** (10-8, Turquie). **Tr. de Rapallo** (12-11, Italie-Youg.).

Les USA ayant rejeté le tr. de Versailles le 19-11-1919, signèrent des tr. séparés en 1921 : 28-8 avec Autr., 25-8 avec All., 29-8 avec Hongrie.

■ **Conséquences géographiques.** 1°) *3 empires sont démembrés : a) Russie* (occidentale) 5 États nouveaux créés [Finlande, Estonie, Lettonie, Lituanie, Pologne (qui comprend également des terr. all. et autr.)], Bessarabie annexée à la Roumanie ; *b) Autriche-Hongrie :* 5 États : Pologne, Tchécoslovaquie, Autriche, Hongrie, Yougoslavie (Serbie agrandie) ; Transylvanie annexée à la Roumanie ; Tyrol et Trentin à l'Italie ; *c) Turquie* arabophone : 5 États (Irak, Syrie, Liban, Palestine, Transjordanie) [l'Asie Mineure devait être démembrée, mais Kemal Atatürk a fait échouer ce projet (1920-22) (voir Turquie à l'Index)].

2°) *Une nation indépendante est supprimée en faveur d'un ensemble plus vaste :* le Monténégro, annexé à la Serbie à l'intérieur de la Yougoslavie.

3°) *5 belligérants obtiennent des agrandissements territoriaux : France* (Alsace-Lorraine ; droits spéciaux en Sarre) ; *Belgique* (Eupen et Malmédy) ; *Italie* (Trentin, Tyrol, Trieste, îles et ports dalmates) ; *Roumanie* (Bessarabie, Transylvanie, Bukovine) ; *Grèce* (Thrace bulgare ; les gains sur la Turquie seront reperdus en 1922).

4°) *1 non-belligérant* (*Danemark*) reçoit un territoire (allemand), le Schleswig (principe des nationalités).

5°) *Les colonies all. sont réparties entre les vainqueurs. 2 annexions :* la partie du Congo donnée aux All. en 1911 redevient française ; l'Afr.-Orientale all. devient colonie brit. Le reste forme des « *mandats* » confiés par la SDN aux vainqueurs : *France* (partie du Togo et du Cameroun), *Belgique* (Rwanda-Burundi), *Afr. du S.* (S.-O. africain), *G.-B.* (partie du Togo et du Cameroun), *Australie* (N[lle]-Guinée), *Japon* (îles du Pacifique).

6°) *Des entorses sont faites au principe des nationalités.* EUROPE : a) les Autrichiens se voient refuser le droit de devenir allem. ; b) dans les territoires changeant de souveraineté, il y a de nombreuses minorités nationales : Tchécosl. (All., Hongrois) ; Pologne (All., Ukrainiens), Youg. (All., Hongrois, Alb.), Belgique (All.), Roumanie (Hongrois, All., Bulgares, Ukrainiens), Italie (All., Youg.), Autriche (Hongrois). EXTRÊME-ORIENT : le territoire allemand de Kiao-Tchéou, peuplé de Chinois, est donné au Japon (raison principale du rejet par le Sénat amér. du tr. négocié par Wilson). En principe, ces minorités reçoivent des garanties pour leurs droits culturels, politiques, religieux. En fait, la IIe G. mondiale va naître du « problème des minorités ».

■ Quelques chiffres

■ **Pays belligérants.** 35, dont **Europe** 14 [*Alliés* 10 : France, Angl., Belg., Russie, Serbie, Monténégro (1914) ; Italie (1915) ; Portugal, Roumanie (1916) ; Grèce (1917) ; *Empires centraux* 4 : Allem., Autr., Turquie (1914) ; Bulgarie (1915)]. **Amérique** 11 [*Alliés* 11 : Canada, Terre-Neuve (dominions, 1914) ; USA, Panamá, Cuba, Bolivie, Uruguay, Brésil, Équateur (1917) ; Guatemala, Nicaragua, Costa Rica, Honduras (1918)]. **Asie** 5 [*Alliés* 4 : Japon (1914 : s'est emparé des positions all. d'Extrême-Orient) ; Hedjaz (1916) ; Chine (en g. nominalement), Siam (1917) ; *Empires centraux* 1 : Turquie (1914)]. **Océanie** *Alliés* 2 [Australie, N.-Zél. (dominions, 1914)]. **Afrique** *Alliés* 1 [Liberia (1917) + dépendances des alliés européens].

■ **Effectifs. 1914** *(15-8).* **France** 93 divisions (57 actives, 25 réserves, 11 territoriales dont aviation : 321 pilotes, 4 021 autres). **Allemagne** 94 div. (Ouest, 77 ; Est, 17). **Autriche-Hongrie** 94 div. **Belgique** 7 div. **Gde-Bretagne** 5 div. **Russie** 99 div. d'infanterie + 42 de cavalerie. **Serbie** 11 div. (1 div. d'inf. = 12 bataillons).

1918. Front français *mars :* 172 div. all. + 2 autr. ; 99 div. fr. (dont aviation : 6 417 pilotes, 68 588 autres) + 58 brit. (+ 1 200 avions) + 12 belg. + 2 port. + 3 amér. *11 nov. :* 181 div. all. ; 211 alliées (104 fr. + 60 brit. + 30 amér. + 12 belg. + 2 port. + 2 ital. + 1 pol.). *Total :* chevaux 1 214 000, fusils-mitrailleurs 89 168, mitrailleuses 44 276, canons 26 692, avions 6 186, chars 3 000. **Macédoine** 17 div. austro-germano-bulgares ; 28 alliées (8 fr. + 4 brit. + 6 serbes + 9 gr. + 1 ital.). **Front italien** *sept. :* 61 div. autrich. ; 58 alliées (51 ital. + 2 fr. + 3 brit. + 1 amér. + 1 tchèque). **Mésopotamie** 240 000 Brit. **Palestine** 210 000 Brit. + 7 000 Fr., 30 000 Turcs. **Effectifs alliés sur l'ensemble des fronts le 1-11-1918 :** 9 355 500 (*France 2 834 000,* G.-B. 2 335 000, Italie 2 194 500, USA 1 805 000, Belg. 185 000).

■ **Matériel. 1914** *(15-8).* **Avions en ligne** 174 all., 150 fr., 66 brit., 24 belg. **Artillerie lourde** 308 pièces fr., 548 all. **Mitrailleuses** 2 200 fr., 2 450 all. (dont 2 250 à l'ouest). **1918. Avions** en ligne *(oct.-nov.) :* 3 600 fr., 1 760 brit., 800 ital., 740 amér. **Sous-marins allemands :** *1914 :* 15 ; *entrés en service 1914-18 :* 343 ; *en construction au 11-11-1918 :* 226 ; *pertes de guerre :* 178 ; *sabordés :* 14 ; *remis aux Alliés :* 176.

■ **Dépenses de guerre** (en milliards de F-or). **Prix total de la g. :** au moins 2 500. **« Dépenses globales de guerre »** (du 1-8-14 au 31-12-18) : All. 231, *France 156,* USA 114, Autr.-Hongrie 100, Russie 92, G.-B. 80, Italie 58, Turquie 49, Belg. 42, Grèce 2,5. **Dommages de la guerre :** *France 160,* Italie 120, G.-B. 100, Russie 83, Roumanie 35, Belg. 30, Serbie 10, USA 4. D'autres éléments n'apparaissent pas dans le budget : en Allemagne, par ex., les allocations aux familles des mobilisés ont été en majeure partie à la charge des budgets locaux.

■ **Pertes. Militaires** (*Source :* US War Department) : *La France fut le pays le plus touché :* pour 100 h. actifs, il y eut 10,5 † ou disparus (All. 9,8 ; Autr. 9,5 ; Italie 6,2 ; G.-B. 5,1 ; Russie 5 ; Belgique 1,9 ; USA 0,2). Si les autres pays avaient eu proportionnellement autant de morts, les USA en auraient eu 3 200 000, la G.-B. 1 500 000, l'All. 2 700 000. *Pertes françaises (tués et prisonniers) : 1914* (août-déc) : 500 000. *1915 :* 430 000. *1916 :* 364 000. *1917 :* 191 000. *1918 :* 365 000. *Total :* 1 850 000.

Nationalités	Mobilisés	Morts et tués	Blessés	Prisonniers
Alliés				
Belgique	267 000	13 716	44 686	34 659
France	*8 410 000*	*1 357 800*	*3 595 000*	*510 000*
G.-B.	8 904 467	908 371	2 090 212	191 652
Grèce	230 000	5 000	21 000	1 000
Italie	5 615 000	650 000	947 000	600 000
Japon	800 000	300	907	3
Monténégro	50 000	3 000	10 000	7 000
Portugal	100 000	7 222	13 751	12 318
Roumanie	750 000	335 706	120 000	80 000
Russie	12 000 000	1 700 000	4 950 000	2 500 000
Serbie	707 343	45 000	133 148	152 958
USA	4 734 991	116 516	204 002	4 500
Total	*42 568 801*	*5 188 631*	*12 129 706*	*4 121 090*
Empires centraux				
Allemagne	11 000 000	1 773 700	4 216 058	1 152 800
Autr.-Hong.	7 800 000	1 200 000	3 620 000	2 200 000
Bulgarie	1 200 000	87 500	152 390	27 029
Turquie	2 850 000	325 000	400 000	250 000
Total	*22 850 000*	*3 386 200*	*8 388 448*	*3 629 829*
Total général	65 418 801	8 574 831	20 518 154	7 750 919

Civiles : env. 13 millions de † dont Arménie 1 500 000, surmortalité due aux famines et aux déportations 6 000 000, civils tués au combat ou par bombardement 800 000, victimes de la grippe espagnole de 1917-18 : 4 700 000.

Aériennes : aviateurs : Allemands 4 578 † au combat, 1 800 par accident. **Anglais** 6 166 † au combat ou par acc., 3 312 disparus ou prisonniers. **Français** 1 945 pilotes et observateurs † au combat ou par acc., 1 461 disparus, 2 922 blessés. **Appareils :** Allemands 3 128, *Français* 3 000, *Anglais* 4 000.

Maritimes : marine marchande (milliers de t) : *Alliés et neutres* 12 700 [dont G.-B. 7 760, Norvège 1 174, *France 878,* Italie 830, USA 395, Grèce 343, Danemark 241, Norvège 207, Hollande 198, Russie 180, Espagne 165, Japon 113, Portugal 100, Belgique 83] dont par sous-marins 11 135, mines 1 000, corsaires 564. **Marine de guerre** (milliers de t). *Alliés* G.-B. 7 760, Italie 846, *France 109,* USA 31. *Empires centraux* Allemagne 200, Turquie 60, Autriche, Hongrie 15.

■ **Raids aériens (grands).** *Sur Londres* (13-6-1918) : 14 avions all., 162 †. *Sur l'Allemagne* (juil.-nov. 1918) : 550 t de bombes († indéterminés).

■ **As de l'aviation. Français :** *René Fonck* (1894-1953) 75 victoires (plus 52 non homologuées). *Georges Guynemer* (1894-1917) 53. Abattu en combat aérien le 11-9-1917 par le lieut. all. Kört Wissemann, il a été cité à l'ordre de la Nation, et son nom figure sur une plaque de marbre au Panthéon. Son corps fut repéré par une patrouille all. (atteint d'une balle dans la tête) dans le no man's land de Poelkapelle (Belg.). Un sous-off. prit sa carte d'id. et l'envoya en 1923 à la mère de Guynemer. Le corps fut détruit en sept.-oct. 1917 par les tirs d'art. En 1923, une stèle de 11 m fut dressée sur les lieux. *Charles Nungesser* (1892-1927) 45. *Georges Madon* (1892-1923) 41. **Allemands :** *Manfred von Richthoffen* (1892-21-4/1918, abattu par des Australiens) 80 . *Ernst Udet* (1896-17-11/1941, suicidé, partisan des avions à réaction, il se sentait incompris du haut commandement, qui dissimula son suicide en accident lors d'un vol d'essai de prototype) 62. *Theo Osterkamp* 59. **Anglais :** *Mannock* 73. *W.A. Bishop* 72. *Mc Cudden* 54.

■ La guerre et la France

■ **Blessés.** 3 595 000 (dont la moitié furent blessés 2 fois et + de 100 000, 3 ou 4 fois). **Invalides** *permanents d'au moins* 10 % : 1 100 000, *amputés* 56 000, *mutilés fonctionnels* 65 000. **Invalides** *1922 :* 1 117 874 ; *1938 :* 1 005 000. **Enfants d'inv.** *1924 :* 692 315 ; *1925 :* 838 058 ; *1926 :* 1 025 663.

Nota. – Un nombre indéterminé de blessés et de malades, morts ailleurs que dans les hôpitaux militaires, ne sont pas comptabilisés comme tués.

■ **Bombardements Paris. Par avions :** *30-8-1914 au 22-5-1915 :* 46 projectiles (+ banlieue 12). *Du 30/31-1 au 14/15-3-1918 :* 295 projectiles. **Par Zeppelin** *le 21-3 et le 29/30-1916 :* 24 projectiles (+ banlieue 369). **Canon longue portée (Bertha)** du 23-3 au 9-8-1918 : 183 projectiles (+ banlieue 120) voir à l'Index. **Bilan total** (Paris et banlieue) : projectiles 1 049 (avions et zeppelins 746, canons 303). Tués 522 (avions zepp. 226, canon 256). Blessés 1 223 (603 et 620).

■ **Coût de la guerre** (en milliards de francs-or). *Dépenses de g.* 156. *Dommages subis* 34, *usure du patrimoine* 10, *créances sur l'étranger* 8, *réduction du stock d'or* 3 (soit 15 mois du revenu nat. de 1913, soit 11 ans d'investissements perdus). *Prix alimentaires :* hausse de 1914 à 1917 (+ 150 %).

■ **Destructions.** 13 départements sinistrés (superficie dévastée : forêts 4 856 km², terres cultivables 20 720 km²), 812 000 immeubles détruits en tout ou partie, 54 000 km de routes à refaire, des milliers de ponts et des km de voies ferrées.

■ **Matériel français. Artillerie : 1914** *canons de 75 à tir rapide (modèle 1897) :* 15-18 coups/mn ; portée 3 000-4 000 m (max. 6 000 m) ; emploi : destruction du personnel et neutralisation de l'art. adverse. *Pièces de 80 à 90 (modèle 1877),* canons de montagne de 65, canons longs et courts de 150 et 120, matériel Rimailho à tir rapide de 155, mortiers de 220 et 270. **1915** création de l'art. de tranchée : *mortiers* de 58, 150, 240 (transportés sur chariots), 340 (bombes en acier de 195 kg). **1916** *art. lourde* pour la destruction des tranchées ennemies : *canons* de *95,* de *100* (modèle 1913), de *14 cm,* de *155* Schneider, *155* Filloux ; canons courts : *155* (modèle 1890, 1892 et Schneider) ; *art. à pied :* canons longs : *95, 120, 155, 90* sur affût ; canons courts : *120, 155, 220* sur plate-forme ; *art. lourde à grande puissance* (sur voie ferrée) : obusiers de *370* et *400,* canons de *200, 293* et *370* Filloux. **1917** obus de *75* à explosif.

Infanterie : 1914 *fusil Lebel* modèle 1886, à magasin et à répétition (chaque homme porte 210 cartouches) ; *mitrailleuses* St-Étienne (voir Index). **1915** *pistolet* automatique, *fusil* à chargeur de 3 cartouches, *canons* de 37 sur trépied et voiturette (obus pleins, portée 2 km), *mortiers* Stokes, *mitrailleuses* Hotchkiss [(modèle 1914, 450 coups min, voir Index) ; *1-1-18 :* 25 000 mitr. Hotchkiss, 18 000 mitr. St-Étienne], *fusils-mitrailleurs* (construction : 400 par j) : balles de fusil de 86, chargeurs circulaires de 20 cartouches ; *fusils VB* (lance-grenades) : 88 cart. par grenadier, voiture de munitions : 200 cart., section de munitions : 2 000.

Cavalerie : 1914 sabres, lances, mousquetons. **1915** mousquetons avec baïonnette, fusils-mitrailleurs, grenades (pour les régiments à pied : mêmes armes que l'infanterie).

Aviation : avions aux armées : *1914 :* 216, *15 :* 800, *16 :* 1 500, *17 :* 2 600, *18 :* 3 600. **Dirigeables :** *1914 :* 5 en service, 7 en commande (*1916 :* l'armée cède les 7 à la Marine). **Ballons captifs :** *1914 :* aucun, *15 :* 75, *16 :* 1 500.

■ **Mobilisés.** Sur 8 410 000 h., 8 030 000 de la métropole (20,2 % de la population, 75 % des h. de 20 à 35 ans). **Effectifs :** *15-8-1914 :* 92 838 off., 3 781 000 soldats ; *1-1-17 :* 115 074 off., 5 026 000 sold. (infanterie 2 106 575 ; artillerie 899 845 ; cavalerie 166 422 ; génie 185 110 ; aéronautique 59 275). *Démobilisation : 30-9-1919 :* 900 000 h. ; *1-1-20 :* 794 000 (dont métropolit. 510 000, N.-Afr. 164 000, coloniaux 120 000).

Nota. – En août 1914, l'état-major escomptait 13 % de réfractaires ; il n'y en eut que 1,5 %.

■ **Morts. Civils :** 210 000 † (dont des anciens militaires) + 400 000 de la grippe espagnole de 1918.

Militaires : 1 357 800 (dont 252 900 disparus et 18 222 † en captivité). Selon certains, le nombre des morts français a été volontairement sous-évalué. Chiffres officiels par année : *1914 :* 301 000 ; *1915 :* 349 000 ; *1916 :* 252 000 ; *1917 :* 164 000 ; *1918 :* 235 000 ; par batailles : *Frontière et Marne :* 250 000 ; *Artois-Champagne :* 232 000 ; *Verdun :* 221 000 ; *Somme :* 104 000 ; *Chemin des Dames :* 78 000 ; *Offensives all. de 1918 :* 107 000 ; *Offensives Foch :* 131 000. En additionnant Verdun et Somme (1916), on obtient 325 000 (contre 252 000 officiels pour l'année 1916) ; en additionnant les 2 bat. de 1918 :

238 000 contre 235 000. Pour Guy Pedroncini, la bat. du Chemin des Dames (1917) a fait 147 000 † (dont 7 800 off.). Le Gal Baratier estimait le 19-2-1937 qu'entre déc. 1914 et janv. 1916, il y eut 477 000 † en métropole, plus env. 50 000 aux Dardanelles, soit 527 000. Les pertes de 1915 représentant env. 1/5 des pertes subies en 5 années, le total serait de 2 500 000.

% des morts ou disparus par rapport aux mobilisés : *Officiers* 22 (infanterie 29 ; aviation 21,6 ; cavalerie 10,3 ; génie 9,3 ; artillerie 9,2). *Hommes de troupe et sous-off.* 15,8 (inf. 29,9, cav. 7,6, génie 6,4, art. 6, train 3,6, av. 3,5). *Grandes écoles,* env. 20 % (promotion de 1913 de Polytechnique : 46 tués sur 230 ; École normale sup. Lettres : 28 % de tués) ; les élèves servirent comme lieutenants d'inf.

Fusillés (condamnés pour désertion, mutinerie...) : *1934 : le Crapouillot* a parlé de 1 637 exécutés (*1914 :* 215, *15 :* 442, *16 :* 315, *17 :* 528, *18 :* 136).

■ **Pertes navales. Marine de guerre :** 4 cuirassés, 5 croiseurs, 15 contre-torpilleurs, 8 torpilleurs, 14 sous-marins, 5 canonnières ou chasseurs, 6 croiseurs auxiliaires, 70 chalutiers, dont près de la moitié coulés au cours de dragages de mines. **Marine marchande :** 50 % de la flotte [52 paquebots (total 284 000 t), 189 cargos (460 000 t), 74 grands voiliers (160 000 t), 373 petits voiliers (46 000 t)].

■ **Prisonniers.** 557 000 (18 222 moururent en captivité soit 3,93 %).

■ **Production de guerre française (de 1914 à 1918). Avions :** 51 000, moteurs avions 95 000. **Chars :** Schneider 400, St-Chamond 400, F.T. Renault 3 000. **Obus 75 :** *1914* 10 000, *15* 150 000, *16* 200 000, *17* 230 000, *18* 230 000 ; **155 :** *15* 3 600, *16* 30 000, *17* 40 000, *18* 40 000 ; **220 :** *15* 460, *16* 2 000, *17* 3 500, *18* 3 500. **Fournitures aux Alliés.** 25 000 moteurs, 10 600 avions (dont 4 000 aux USA), 7 000 canons (dont 4 000 aux USA), 400 chars (dont 240 aux USA).

Fabrications d'armement (au 1-11-1918). Entreprises privées 15 500. Arsenaux 10. **Effectifs :** 1 688 000 dont 494 000 mobilisés affectés spéciaux, 425 000 ouvriers, 426 000 femmes, 132 000 jeunes, 110 000 étrangers, 61 000 coloniaux, 40 000 prisonniers de guerre.

■ **Restrictions. 1917** *janv. :* sur charbon, sucre, pommes de terre ; menus de restaurants à 2 plats ; pâtisseries fermées 2 j par semaine, théâtres et cinémas 4 j sur 7 ; suppression de pain frais, trains rapides, bains publics. *Avril :* plus de viande aux menus du soir ; boucheries fermées à 13 h. **1918** *janv. :* cartes de pain (300 g par j), suppression du pétrole, de la circulation autom. privée. *Mai :* boucheries fermées 3 j sur 7 ; eau chaude dans les hôtels 2 j sur 7.

■ **Veuves avec orphelins.** 600 000 (dont remariées *en 1923 :* 140 000 ; *27 :* 262 500 ; *34 :* 280 000). **Enfants de veuves.** *1920 :* 760 000.

■ LES RÉPARATIONS

☞ L'indemnité de 1871 (5 milliards) représentait 5 mois du revenu national. Sur la même base, l'indemnité demandée à l'All. après la g. de 1914-18 aurait été de 12 à 13 milliards de marks-or, mais on demanda plus.

■ **Montant fixé à Versailles.** 269 milliards de marks-or (52 % à la France), soit 400 milliards de F-or, ce qui dépasse de beaucoup la totalité de la fortune all. Les Anglais estimaient qu'on ne pouvait pas demander à l'All. + de 75 milliards.

Discussions. De 1920 à 1921 accord difficile entre Alliés : Clemenceau trouve trop faible le chiffre brit. On se répartit donc un % de sommes non encore fixées (Fr. 52 %). *Janv. 1921* on admet le principe de 42 annuités (montant non précisé). *Été 1921* Clemenceau accepte la somme de 85,8 milliards (1/10 de la créance fr.). **1923 à 1929** rupture de l'entente entre Alliés : les Allemands payant mal, les Fr. occupent la Ruhr, malgré les Angl. Les Amér., en échange de l'évacuation de la Ruhr, proposent (1924) le plan de *Charles Dawes* (1865-1961) : les Allemands paieront des annuités variables selon leur prospérité écon. **1929-30** Pt américain, Hoover, veut garantir le paiement des dettes interalliées (la Fr. doit 32 milliards). Il remplace le plan Dawes par le plan d'*Owen Young* (1874-1962) : 59 annuités au lieu de 42, dont 37 pour les réparations et 22 pour les dettes interalliées. Les Allemands paient directement les dettes interalliées en remettant aux USA des obligations. **1930-32** Hoover, voulant sauver le pouvoir d'achat allemand (afin que l'Allemagne achète en Amérique), impose le *moratoire,* c.-à-d. la remise *sine die* des paiements all. **1932** *conférence de Lausanne :* elle annule les dettes allemandes (mais les Amér. ne cessent de réclamer le paiement des dettes interalliées).

Bilan. La France a reçu env. 5 milliards, soit 2 % de sa créance.

■ L'ENTRE-DEUX-GUERRES (1919-39)

■ **Présidence de Poincaré** (début : voir p. 666 a).

1919 18-1 Versailles ouverture conférence de la paix ; 25-1 loi sur *conventions collectives ;* 9-2 1er vol commercial Paris/Londres sur *Goliath ;* 19-2 Clemenceau blessé par Émile Cottin (anarchiste, condamné à mort, sera gracié) ; 2-4 journée de travail fixée à 8 h ; 6-4 : 150 000 manif. contre l'acquittement de Raoul Villain, l'assassin de Jaurès : 2 †, 10 000 arrestations ; 16-4 mutinerie des *marins de la mer Noire ;* 19-4 1res mutineries des marins français en mer Noire (André Marty, Charles Tillon) ; 28-4 fondation de la SDN ; 28-6 traité de la paix de Versailles ; 14-7 défilé de la Victoire (Paris) ; 10-9 traité de St-Germain-en-Laye : Alliés/Autriche ; 2-11 traité de Neuilly avec Bulgarie ; 16/30-11 victoire du « bloc national », voir à l'Index ; 8-12 1re réunion de la Chambre « bleu horizon ».

■ **1920 (16-1) Paul Deschanel** [(Shaerbeck, Belg., 13-2-1855/Paris, 28-4-1922). Fils d'un enseignant, exilé sous l'Empire pour ses idées rép., et devenu député de la Seine en 1876]. Sous-préfet de Dreux à 22 ans (1877), Brest (1879), Meaux (1881). Dép. d'Eure-et-L. 1885, de Nogent-le-Rotrou 1889 (constamment réélu). Vice-Pt (1896) puis Pt de la Chambre 1898 (battu 1902 ; réélu 1912). Élu à l'Académie fr. 1899]. Élu Pt de la Rép. contre Clemenceau. Sujet à des dépressions nerveuses (le 24-5-20, tombe en pyjama du train présidentiel, près de Montargis). Prend plusieurs semaines de repos, mais, son état s'aggravant, quitte l'Élysée le 21-9-20. Après une cure dans une clinique à Rueil (sept.-déc. 1920), élu sénateur d'E.-et-L. le 9-1-21. Meurt à Paris des suites d'une pleurésie.

1920 9-2 une liste de 330 criminels de g. est remise au gouv. all. (en tête : Guillaume II, Hindenburg, Ludendorff). Refus du gouv. all. Un tribunal internat. se réunit à Leipzig (Pt : le procureur gén. français Matter). Faute d'accusés, il se disperse ; 19-3 *le Sénat américain rejette le tr. de Versailles* [conséquences : la garantie anglo-amér. contre toute attaque all. est refusée : Clemenceau l'avait acceptée en échange d'une renonciation à la rive g. du Rhin. Après le refus amér., les Fr. tenteront de réveiller l'autonomisme des Rhénans (catholiques, antiprussiens, ayant gardé le Code Napoléon jusqu'en 1906) ; ils y renonceront après le massacre de *Pirmasens* du 12-2-1924 (voir ci-contre)]. L'opinion fr. a été insensible au retrait des garanties : pour elle, l'All. n'était plus un danger. 23-4 Caillaux condamné à 3 ans de prison (voir p. 663) ; 1-5 grève des cheminots (20 000 révocations) ; 4-6 *tr. de Trianon* avec Hongrie ; 16-7 *conférence de Spa,* fixe les % des Alliés dans les réparations dues par l'All. ; 21-7 départ mission militaire (Weygand) pour Varsovie ; 10-8 *tr. de Sèvres* avec Turquie.

■ **1920 (23-9) Alexandre Millerand** [(Paris, 10-2-1859/6-4-1943). Taille : 1,77 m. Père drapier. Avocat. Académie des Sc. morales et pol. Franc-maçon. *1885-1920* député Seine. *1925-27* sénateur Seine. *1927-40* sén. Orne. *1899* min. Commerce, Ind. et PTT. *1909* min. PTT. *1912 et 14* min. Guerre. *1920* 20-1/24-9 Pt du Conseil et min. des Aff. étr. *1899* socialiste, accepte d'être min. d'un gouv. « bourgeois » (Waldeck-Rousseau), d'où scission entre socialistes réformistes (Jaurès) et inconditionnels de l'opposition (J. Guesde, Blanqui). *1905* quitte le parti soc. et évolue vers la droite (répression des grèves 1910) par nationalisme]. *1920* 23-9 élu Pt de la Rép.

1920 6-11 début du procès *Landru* (arrêté 12-4-1919) ; 25/31-12 *congrès de Tours,* scission entre communistes et socialistes. **1921** 28-1 inhumation du Soldat inconnu ; 27-2 ouverture *conférence de Londres* sur réparations ; 16-5 rétablissement des relations dipl. avec Vatican ; 25-6 Syrie, attentat manqué contre Gal Gouraud ; 20-7 scission CGT ; 6-10 *accords de Wiesbaden* sur réparations ; 21-10 *tr. d'Ankara* Turquie. Fin occupation Cilicie ; 29-10 ouverture *conférence de Washington.* **1922** 5/12-1 *conf. de Cannes* (sur Réparations). 6-2 *accords de Washington* (sur armements navals). 25-2 *Landru* exécuté ; 10-4 *conf. de Gênes ;* 16-4 *tr. de Rapallo* All./Russie sov. ; 12-7 l'All. demande un moratoire au paiement des réparations ; 18-11 Marcel Proust meurt. **1923** 2-1 ouverture *conf. de Paris* sur réparations ; 7-1 *Croisière noire* arrive à Tombouctou ; 11-1 *occupation de la Ruhr* par Fr. et Belges [cause : la dévaluation all. qui rend les paiements en marks dérisoires (les Fr. croient la dévaluation volontaire)]. Malgré l'opposition angl., les techniciens fr., belges et ital. exploitent les richesses de la Ruhr, dont le produit alimente les réparations (le Gal Degoutte, Cdt militaire fr., expulse 145 000 agitateurs all.) ; 22-1 *Marius Plateau,* royaliste chef des camelots du Roi, assassiné par Germaine Berton (n. 1902-acquittée déc. 1923) ; oct. Millerand tente de créer un régime présidentiel (en participant à la lutte électorale). 25-11 *Philippe Daudet,* fils de Léon, meurt (assassiné ?) ; 27-12 Sud Sicile, corps du commandant du *Dixmude* (dirigeable disparu 22-12) retrouvé. **1924** 14-1 *comité Dawes* pour réparations ; 12-2 *massacre de Pirmasens :* 40 autonomistes rhénans (profrançais) sont exterminés par des nationalistes all. venus de la rive droite du Rhin : les troupes fr. laissent faire ; 11-5 élections, succès du *Cartel des gauches.* 11-6 Millerand, en butte à l'hostilité maçonnique, démissionne.

■ **1924 (13-6) Gaston Doumergue** [(Aigues-Vives, Gard, 1-8-1863/18-6-1937). Fils de viticulteurs protestants. *1885* avocat à Nîmes. *1890* magistrat en Indochine. *1893* juge de paix en Algérie ; élu dép. de Nîmes (rad. soc.). *1902* min. des Colonies. *1906-10* du Commerce, de l'Instruction publ. *1910* sénateur du Gard. *1913* Pt du Conseil. *1915-17* min. des Colonies (organise la conquête du Togo et du Cameroun allemands). *1923* Pt du Sénat]. *1924* 13-6 élu Pt de la Rép. (515 voix contre 309 à Painlevé, du Cartel des gauches). *1931* se retire à Tournefeuille (Hte-Gar.). *1934* Pt du Conseil après les émeutes du 6-2 ; renversé le 7-11.

1924 avr. Poincaré, pour des raisons monétaires (veut l'appui des banques angl. pour le franc), laisse le soin de faire payer les réparations à un comité international d'experts, présidé par l'Américain Charles Dawes (plan adopté le 1-9). 16-7 ouverture *conf. de Londres* sur plan Dawes (accepté 15-8 pour 5 ans) ; 10-9 soulèvement d'*Abd el-Krim* au Maroc ; 29-10 reconnaissance de l'URSS ; 31-10 entrée en application du plan Dawes ; 1-12 1er n° de la *Révolution surréaliste.* **1925** 3-1 loi d'amnistie en faveur de Caillaux ; 22-2 par « manque de crédits », ambassade de Fr. au Vatican fermée ; 29-4 exposition des « Arts déco... » inaugurée ; juillet début soulèvement des Druzes en Syrie ; 23-4 rue Damrémont 4 membres des *Jeunes Patriotes* tués par balle par des opposants

ÉTAT DE LA FRANCE EN 1919

1°) **Prestige international.** Très haut ; fait figure de vainqueur et de protectrice des petits États européens : Pologne, Tchécoslovaquie, Roumanie, Yougoslavie.

2°) **Démographie.** Situation grave, malgré le retour de l'Alsace-Lorraine (1 700 000 h.), la population a diminué (39 millions au lieu de 39 millions ½ en 1914) ; début de l'immigration massive (Polonais, Russes, Italiens, Belges) ; le peuplement des colonies est interrompu.

3°) **Économie.** Le volume de la fortune nat. tombe de 302 à 227 milliards de F du fait de la perte des créances sur Russie, Autriche-Hongrie, États balkaniques, Turquie ; destructions en « zone sinistrée » très importantes, mais le potentiel écon. créé pendant la g. doit permettre une reconstruction rapide ; de nombreuses industries en sortiront modernisées (ex. : houillères du N.).

4°) **Monnaie.** Situation catastrophique : le franc germinal, qui n'avait pas bougé depuis 1801, cesse en 1917 d'avoir une couverture-or. Entre oct. 1917 et avr. 1919, grâce à la « solidarité monétaire » entre Alliés (avances, ouvertures de crédit), il maintient à peu près sa parité, malgré les dépenses de guerre. En avr. 1919, l'Angl. ferme le compte d'avances qui maintenait la stabilité des changes. Le franc commence à plonger. Il ne retrouvera jamais sa stabilité.

5°) **Situation politique.** La droite antirépublicaine a perdu la partie : (a) les nationalistes sont reconnaissants à la République d'avoir « gagné la g. » sans voir qu'elle a épuisé la nation ; b) l'électorat traditionnel de la droite, le paysannat catholique, a été décimé.

6°) **Mœurs politiques.** Anciens combattants, victimes de g. sont frustrés : ils sont mal indemnisés et haïssent les « embusqués », profiteurs de g. Les députés ne sont plus considérés comme des législateurs, mais comme des intermédiaires (décorations, pensions, postes, avancements, indemnisations, mutations) ; leur réélection dépend de leur efficacité. La vie politique se réduit à résoudre des problèmes locaux ou des problèmes personnels (conséquence : inertie).

7°) **Mutations dans la société :** a) *femmes :* elles ont occupé pendant la g. de nombreux emplois réservés jadis aux hommes ; elles sont devenues majoritaires (1 million de veuves de g., plusieurs millions de non-mariées) ; b) *« les Années folles » :* l'euphorie, qui a suivi la fin des hostilités, se traduit par une démoralisation de la bourgeoisie, une plus grande exigence du prolétariat, un renoncement de l'intelligentsia.

Le Cartel des gauches (1924-27)

Programme. *1°) Laïcité renforcée :* fin du concordat en Alsace-Lorraine ; rupture avec le Vatican. *2°) Amnistie* aux grévistes et aux mutins de la mer Noire. *3°) Progrès social :* journée de 8 h, assurances sociales, enseignement secondaire gratuit. *4°) Équilibre financier :* réduction des dépenses (notamment de la politique étrangère : frais d'occupation, aide militaire aux petits Alliés, mandats) ; projet d'impôt sur le capital. *5°) Retour à l'irresponsabilité présidentielle :* Millerand est chassé, remplacé par Doumergue (« président-soliveau »).

Difficultés et échec. *1°) Action des catholiques* contre la politique religieuse (agitation en Alsace). *2°) Fuite des capitaux* menacés par la taxation des grosses fortunes (« faire payer les riches »). *3°) Les petits épargnants cessent de souscrire aux bons du Trésor* [conséquence : le gouvernement fait appel aux avances de la Banque de France : Herriot « crève le plafond » (c'est-à-dire dépasse le chiffre des avances consenties) et il est renversé]. *4°) Panique financière :* la livre monte à 250 F. Doumergue appelle Poincaré ; jusqu'aux élections de 1928, la Chambre (de gauche) soutient un ministère « d'union nationale », orienté vers la droite.

communistes en sortant d'une réunion pol. ; 25-6 *Croisière noire* arrive à Tananarive ; 25-7/1-8 *évacuation de la Ruhr ;* 22-8 Pétain arrive à Casablanca (g. du Rif) ; 24-9 Lyautey, gouverneur général du Maroc, démissionne ; 16-10 pacte de *Locarno* (Fr., Angl., Italie, All.) : l'All., reconnue, entre à la SDN ; 11-11 Georges Valois (Alfred Georges Gressent 1878-† déporté 1945) fonde le *Faisceau* (1er parti se réclamant du fascisme en Fr.). **1926** 25-5 Shalom Schwartzbard tue à Paris *Petlioura* (responsable de la mort d'env. 100 000 juifs en Ukraine en 1919). 26-5 reddition d'*Abd el-Krim ;* 20/23-7 effondrement du franc ; Herriot cède la place à *Poincaré,* qui forme un gouv. d'union comprenant 5 anciens Pts du Conseil (Barthou, Briand, Herriot, Leygues, Painlevé) ; 8-9 All. admise à la SDN ; 17-9 *Thoiry* (frontière franco-suisse) Briand rencontre Stresemann ; 30-9 *cartel de l'acier* entre sidérurgistes français, belges, lux. et all.

1927 8-1 *Action française* mise à l'index par le pape ; mai, agitation autonomiste en Alsace ; 21-5 Charles Lindbergh, sur le *Spirit of Saint Louis,* arrive, voir à l'Index ; 13-6 Léon Daudet, directeur Action française, arrêté ; 10-9 les 4 « mousquetaires » du tennis (Borotra, Lacoste, Cochet et Brugnon) gagnent la coupe Davis. **1928** 22/29-4 élections : succès de la droite, les radicaux rompent l'union nationale, retournant à l'opposition ; 7-6 gouvernement Poincaré ; 24-6 *franc Poincaré :* pour favoriser les exportations et réduire les dettes de l'État, Poincaré rétablit la convertibilité officielle à 20 % du franc germinal, ruinant des millions de petits épargnants. 30-6 *Firminy,* catastrophe minière 51 †. 13-7 *loi Loucheur* (sur les constructions d'immeubles sociaux) ; du 23-7 au 8-8, le franc remonte de 18 %, la livre tombe de 250 à 125 F. 20-8 loi sur la *naturalisation,* très libérale (voir Index). 27-8 *pacte Briand-Kellog* (voir p. 663 a) ; Frank Billings Kellog (1856-1937, secr. d'État amér., prix Nobel de la Paix 1929) met la g. hors la loi. 4-12 *Marthe Hanau* (n. 1886), créatrice de la *Gazette du Franc,* arrêtée (accusée d'avoir détourné plus de 100 millions de F ; condamnée oct. 1930 à 2 ans de prison, et en appel à 3 ans en juill. 1934, s'empoisonne en prison 19-7-1937). Attirés par la stabilité du « franc P. », les capitaux affluent en France, créant une reprise économique (investissements, travail à la chaîne, assurances sociales) ; les records de production seront battus en 1929, la modernisation restant cependant insuffisante (majorité de petites entreprises). **1929** 21-1 train bleu « Calais-Méditerranée-Express » inauguré ; 20-3 Mal Foch meurt ; 6-5 Alain Gerbault achève tour du monde à la voile en solitaire ; 7-6 *plan Young* [remplace plan *Dawes* pour les réparations (voir p. 670 a) ; 12-7 Louis-Lucien *Klotz* (1868-1930), ancien min. des Fin. de Clemenceau, condamné pour chèques sans provision à 2 ans de prison (libéré au bout de 2 mois) ; 26-7 Poincaré démissionne pour être opéré de la prostate ; Tardieu et Laval poursuivront sa politique ; 5/31-8 1re conf. de La Haye sur réparations ; 5-9 à la SDN, Briand propose la constitution des États-Unis d'Europe ; 24-10 USA *« Jeudi noir »,* début de la crise économique ; 23-11 Clemenceau meurt.

1930 3/20-1 2e *conf. de La Haye* sur réparations ; 26-1 disparition à Paris du Gal russe exilé *Koutiepoff* (enlevé par les Russes et embarqué à Villers-sur-Mer sur un canot qui l'a déposé au large sur un cargo soviét.) ; *mars* inondations Garonne ; 10-3 *centenaire de l'Algérie* fr. ; 29-3 plan *Young* ratifié par la Fr. ; 16-4 retraite du combattant créée ; 30-4 loi sur *Assurances sociales* ; 13-5 1re liaison aéropostale Atlantique Sud (voir Index) ; 21-6 service militaire à 12 mois ; 30-6 *fin évacuation Rhénanie ;* 2-9 *Costes et Bellonte :* 1er vol direct entre Paris/New York ; nov. scandale de la banque *Oustric* (9-12 provoque la chute de Tardieu) [Albert Oustric (n. 1887), condamné 19-1-33 à 1 an de prison et 5 000 F d'amende ; acquitté 26-5-33 avec André Benoît (en cour d'assises, pour corruption de fonctionnaire)]. **1931** 3-1 Mal Joffre meurt ; 6-5/15-11 *Exposition coloniale.*

La crise de 1929

Causes (quelques). *Développement incontrôlé du crédit* (ex. : USA et Allemagne) et de la spéculation boursière (aux USA). *Surproduction* et surinvestissement industriels (l'accroissement de la consommation est nettement plus faible que celui de la production), surproduction agricole (les pays « neufs » augmentent fortement leur production alors que l'Europe a rétabli la sienne). *Parités monétaires mal évaluées* (ex. : livre surévaluée) en raison du souci de rétablir le système de l'étalon-or tel qu'il existait jusqu'en 1914, et des politiques commerciales protectionnistes. *« Exportation » de la crise* favorisée par le poids accru de l'Amérique dans l'économie mondiale depuis la fin de la guerre.

Chronologie. USA : *lundi 21-10 :* 6 millions de titres vendus à la Bourse de New York. *Jeudi 24-10 :* effondrement des cours et panique des petits porteurs. *Mardi 29-10 :* plus de 350 banques font faillite. Chute des prix. **Extension. Fin 1929 :** le Canada limite ses règlements en or ; Argentine et Uruguay les suspendent. **1930 :** dévaluation des monnaies [pays amér., Australie et N.-Zélande (9 à 50 %)]. **1931,** *mai :* faillite de l'Osterreichische Kreditanstalt de Vienne (la plus grande banque autr.) ; contrôle des changes en Espagne. Série de faillites en Europe centrale, Allemagne, France (+ 59 % en un an) et G.-B. *Juillet :* fermeture de la Bourse et contrôle des changes en Allem. *21 sept. :* dévaluation de la livre sterling et abandon de l'étalon-or en G.-B. *Jusqu'en déc. :* dévaluations (Suède, Norvège, Finlande, Portugal, Autriche, Japon). Extension du contrôle des changes (Europe centrale...). **Fin 1931 – début 1932 :** hausse des tarifs douaniers en G.-B. De nombreux pays contingentent les importations ; accords régionaux préférentiels (oct. 1932 : « préférence impériale » entre pays du Commonwealth). **1933 :** Conférence écon. mondiale à Londres : échec. *Mars :* embargo sur l'or aux USA. *Avril :* dollar détaché de l'or et dévalué. **1935,** *mars :* dévaluation du F belge. *Mai :* France : sorties d'or : + de 4 milliards en 3 semaines. Déflation du gouv. Laval (10 % de réduction dépenses publiques, hausse des impôts, baisse autoritaire de certains prix, des intérêts, de la rente). *Oct. et nov. :* France : sorties d'or : + de 4,7 milliards.

Principales mesures. *Monétaires :* contrôle des changes, abandon de l'étalon-or, dévaluation [destinée à concurrencer l'étranger sur les marchés extérieurs (la livre flotte à partir de 1931 ; le dollar est dévalué en 1934)], création de zones monétaires (dollar, sterling). *Commerciales :* élévation des droits de douane, contingentement des importations, puis politique de « dumping ». *Production :* limitation de la prod. et destruction des stocks ; puis grands travaux (Allemagne, puis USA avec le « New Deal » de Roosevelt) et armement pour réduire le chômage. *Prix :* fixation de prix plafond, baisses autoritaires (en G.-B. et en Fr.). *Déflation :* notamment en G.-B. et Fr. (réduction des dépenses budgétaires, de certains salaires et revenus, augmentation des impôts). *Reflation :* généralisée à partir de 1936, notamment en France, où le Front populaire cherche à relancer la consommation par des hausses salariales (accords de Matignon) et par des soutiens aux prix agricoles (Office national interprofessionnel du Blé, du Vin, du Bétail). La relance est fragile et incomplète (dans les pays dictatoriaux, elle est forte, car elle s'appuie sur un développement de l'industrie des armements : mais elle conduira à la guerre).

Autres mesures prises en Fr. par le Front populaire : nationalisation des chemins de fer (l'arrêt du trafic provoqué par la faillite des réseaux privés aurait ruiné l'économie). Réforme de la Banque de Fr. (oct. 1936) : elle est chargée de gérer le Fonds de stabilisation des changes, pour régulariser les rapports entre le franc et les monnaies étrangères ; par des avances au Fonds, elle permet des opérations déficitaires à court terme, mais soutenant, à long terme, l'ensemble de l'économie.

Bourse. USA (indice de New York) : *7-9-1929 :* 379, *19-10 :* 348, *2-11 :* 275, *9-11 :* 254, *16-11 :* 221. En 10 semaines, les actions perdent env. 41 % de leur valeur. **G.-B.** (base 100 : *août 1929) 1931 (août) :* 31. **France** (base 100 : *1913*) valeurs fr. : *1929 :* 507, *1931 (sept.)* 269, *1935* 186.

Commerce international. *Indice* (base 1929 : 100). *1932 (1937) :* produits alim. 89 (93,5) ; mat. premières 81,5 (108) ; prod. manuf. 59,5 (87). *Variations en volume (en %) du com. extérieur :* France – 25 import., – 46 export. ; Allem. – 30, – 40 ; autres pays – 16, – 14 ; monde entier – 18, – 18.

Investissements bruts privés. USA : *1929 :* 15,8 milliards de $ (15,4 % du PNB). *1932 :* 0,9 (1,5 %).

Baisses des prix. *Gros* (par rapport à 1929 indice 100). *1932 :* Allemagne 70, USA et France 68, G.-B. 67. *1935 :* France 79, G.-B. 52, USA 48, Japon 29. *Détail entre 1930 et 1935 :* en France, SGF (34 articles) : 29,3 %.

Production industrielle (indices *1929,* base 100) *1932 :* G.-B. 84, France 72, Italie 67, Allem. et USA 53. En *1939,* ni la France ni les USA n'ont retrouvé le niveau de 1929 (G.-B. 2,5 %, All. 33 %).

Hausse du chômage. USA : *1930 (oct.) :* 4 600 000, *1931 (oct.) :* 7 800 000, *1932 (oct.) :* 11 600 000, *1933 :* + de 13 000 000 (27 % de la population active).

■ **1931 (13-6) Paul Doumer** [(Aurillac, 22-3-1857/Paris 6-5-1932). Fils d'un cheminot ; orphelin dès l'enfance. Apprenti graveur à Paris, passe son bac en travaillant seul. *1877* prof. de math. à Mende. *1880* journaliste à Laon. *1887* maire. *1888* dép. (radical) de Laon. *1890* dép. de l'Yonne. *1895* min. des Finances. *1896-1902* gouverneur de l'Indochine. *1902* dép. de Laon. *1905* Pt de la Chambre. *1912* sénateur de Corse. *1914-18* 4 de ses fils morts pour la France. *1921-22* et *25-26* min. des Finances. *1927* Pt du Sénat]. *13-6* élu Pt de la Rép. au 1er tour [442 voix contre 401 à Briand, qui se retire, ulcéré (il y aurait eu un conflit entre 2 tendances maçonniques)]. **1932** 6-5 assassiné par un émigré russe, sans doute fou, Paul Gorguloff (n. 1895, exécuté 14-9-1932).

1931 24-6 naufrage du *St-Philibert* entre Nantes/Noirmoutier : 400 † ; 20-6 *moratoire Hoover :* le Pt amér. suspend pour 1 an le paiement des dettes de g. de l'All. **1932** 7-3 Briand meurt ; 8-5 élections : succès de la gauche.

■ **1932 (10-5) Albert Lebrun** [(Mercy-le-Haut, M.-et-M., 29-8-1871/Paris 6-3-1950). Polytechnicien et ingénieur. *1900* dép. (modéré) de M.-et-M. *1911-14* min. des Colonies. *1917-20* min. du Blocus. *1920* sénateur. *1931* Pt du Sénat. *1939* réélu. *1940* 10-7 laisse le pouvoir au Mal Pétain sans démissionner. *1944-45* déporté en Allemagne].

1932 12-2 arrivée à Pékin de la *Croisière jaune* (voir à l'Index) ; 16-5 incendie à bord du paquebot *Georges-Philippard :* 50 † (dont le journaliste Albert Londres) ; 9-7 *Accords de Lausanne* (fin des réparations). Dette all. ramenée à 3 milliards de marks (en bons à 6 %) ; 29-10 *Normandie* lancé ; 29-11 pacte de non-agression avec URSS. **1933** 7-6 Rome, *pacte à Quatre* (Italie, All., G.-B., Fr.) pour gérer nouvel ordre mondial ; 12-6 *conf. de Londres* économique mondiale ; 14-10 All. quitte conf. (sur désarmement) et SDN ; 7-11 1er tirage de la *Loterie nationale* ; 28-11 Henri de *Bournazel* (n. 21-11-1898) tué au Maroc ; déc. début affaire d'escroquerie d'Alexandre *Stavisky* (Ukraine 20-11-1886/suicidé 8-1-1934) ; Tessier, directeur du Crédit municipal de Bayonne, arrêté ; 23-12 Lagny, accid. chemin de fer, 190 †. **1934** 6-2 *manifestation de droite à Paris :* protestation d'anciens combattants contre les « voleurs » (les députés complices de Stavisky) et contre la révocation du préfet de police favorable à la droite Jean Chiappe (1878-1940) ; l'Action française tente de les entraîner vers le Palais-Bourbon pour mettre en fuite les députés et provoquer une crise de régime, mais les Croix de Feu (Cel de La Rocque) refusent de les appuyer, laissant la victoire à la police, 17 † dont 1 policier, 1 329 blessés dont 664 policiers et soldats ; 7-2 Daladier démissionne ; Eugène Frot (1893-1983) min. de l'Intérieur sera accusé par *l'Action franç.* et *l'Humanité* d'avoir fait tirer sur les manif. (ce qu'a infirmé la commission d'enquête) ; 9/12-2 contre-manif. communistes 11 †, 300 blessés ; 20-2 *Albert Prince (1883-1934),* conseiller à la cour de Paris, trouvé écrasé par le ch. de fer près de Dijon (thèse officielle : suicide) ; 9-10 le roi *Alexandre de Youg.* assassiné à Marseille par un Oustachi, Kerim, qui est abattu sur place (3 complices seront, le 13-2-36, condamnés aux travaux forcés à perpétuité ; et l'ancien député croate Ante Pavelitch et Lyon Kvaternik à mort par contumace) ; Louis Barthou min. des Aff. étr., atteint par des balles de la police, mal soigné, décédera ; 1-12 *Hélène Boucher* (aviatrice, n. 1908) † accident ; déc. *présidence du Conseil* créée, avec ses services administratifs, s'installe à hôtel Matignon. **1935** 7-1 Rome, accords franco-italiens : Mussolini obtient les mains libres en Éthiopie et 300 000 km² (bande d'Aozou) contre l'abandon de ses prétentions en Tunisie ; 13-1 *la Sarre* vote son rattachement à l'All. ; 11-3 formation (par le Gal Goering) de l'aviation militaire all. ; 15-3 service militaire à 2 ans ; 16-3 service mil. all. rétabli (protestations France, Angl., Italie) ; 11/14-4 *accords de Stresa* (France, Angl., Italie) garantissant l'indépendance de l'Autr. ; 15-5 *pacte franco-soviétique* sans clauses militaires (Laval a supprimé l'assistance mutuelle en cas d'agression) ; 29-5 voyage inaugural du *Normandie ;* 31-5 les comm. soutiennent Laval, remplaçant Flandin ; 18-6 *pacte naval anglo-all. :* l'All. peut construire une flotte égale à 35 % de la flotte angl. ; 3-7 André Citroën meurt ; 14-7, 500 000 manif. de gauche à la Bastille ; 16-7 *décrets-lois de Laval :* baisse dépenses et traitements des fonctionnaires (– 10 %) ; 3-10 *début g. d'Éthiopie ;* 18-10, la Fr. vote les sanctions contre l'Italie à la SDN ; 14-12 Laval (d'accord avec Samuel Hoare) propose médiation It. / Négus.

1936 12-1 programme de rassemblement populaire (socialistes et communistes) publié ; 17-1 *Affaire Stavisky :* 11 acquittements et 16 condamnations ; 22-1 opposition violente de la gauche, Laval doit se retirer ; 13-2 obsèques de Jacques Bainville, où Blum est agressé par des militants Action française ; 7-3 entrée des troupes allemandes en Rhénanie (Gal Gamelin renonce à toute riposte) ; 26-4/3-5 victoire du *Front populaire* aux élections (voir ci-dessous) ; 12-5 *début des grèves « sur le tas »* [avec occupation d'usines ; le 1er cas a été fortuit (au Havre) : les ouvriers ont attendu jusqu'au matin le résultat de négociations entre délégués syndicaux et patrons ; le lendemain, les grévistes de Latécoère à Toulouse les imitèrent. *Raison :* crainte du lock-out, permettant de recruter des « jaunes », pris parmi les sans-travail] ; 1-6 grèves s'étendent (usines, hôtels, magasins, imprimeries, transports), spontanées, sans consignes syndicales pour obtenir avantages sociaux promis (au 1-6 : 12 142 grèves touchant 1 830 000 ouvriers) ; 4-6 *ministère Blum* (1er min. français dirigé par un socialiste ; 6 vice-Pts du Conseil, présidant chacun un groupe de travail, 3 femmes sous-secr. d'État, 10 min. (Déf. nat. : Daladier, Éduc. nat. : Jean Zay, Fin. : Vincent Auriol, Intér. : Salengro), 6 sous-secr. socialistes. Exhortation à reprendre le travail : échec. **Accords Matignon** 7/8-6 réunion à l'hôtel Matignon de Blum, des chefs syndicaux et du patronat (discussions pour chaque branche de l'industrie entre délégués syndicalistes et patronaux, sous l'arbitrage d'un min., d'un sous-secr. d'État ou d'un haut fonctionnaire) : accords sur semaine de 40 h, congés payés, conventions collectives, droit syndical. Hausse des salaires de 7 à 15 % ; 18-6 vote des *accords ; 20-6 ligues de droite dissoutes ;* 28-6 Doriot fonde parti populaire français (PPF) ; déb. juillet il reste 100 000 grévistes, occupant 1 000 entreprises ; 2-7 scolarité obligatoire jusqu'à 14 ans ; 14-7 manif. triomphale ; 15-7 : 50 000 grév. dans 350 entr. ; 18-7 début g. civile espagnole ; début août fin des grèves ; 11-8 nationalisation des entreprises travaillant pour la défense nat. (la production chute par endroits de 75 %) ; 16-8 création de l'Office des céréales ; 25-8 service militaire porté de 1 à 2 ans ; 1-10 dévaluation ; 20-8 *Affaire Salengro* [l'hebdo. nationaliste *Gringoire* reprend une révélation (faite en 1923 par le PC et le 14-7-1936 par *Action française*) : le min. de l'Intérieur de Léon Blum, Roger Salengro (n. 1890) a été condamné pour désertion à l'ennemi en 1915. Une commission militaire, présidée par le Gal Gamelin, réexamine les dossiers des conseils de guerre de l'époque : le 7-10-1915, Sal., autorisé à sortir des tranchées pour ramener le corps d'un camarade, n'est pas revenu ; accusé de désertion, jugé par contumace pendant qu'il était prisonnier en All., il est acquitté le 20-1-1916 par 3 voix contre 2 (mais une inscription erronée « condamné au lieu de jugé » a entraîné des témoignages discordants). 13-11, 427 dép. (contre 63) reconnaissent l'inanité de l'accusation ; 17-11 Sal. se suicide au gaz] ; oct. début de l'aide franco-sov. à l'Espagne rép. [politique menée secrètement pour ne pas pousser à la révolte les cadres de l'armée fr. (ils savent que sur 14 000 officiers esp., 5 000 ont été fusillés, et que 260 seulement ont rallié l'Esp. rép.)] ; 11-9 attentats contre les sièges du Patronat français et des industries métall. attribués à la gauche (en fait dus à la Cagoule) ; 16-9 C[dt] Jean Charcot (n. 1867) sombre avec le *Pourquoi pas ? ;* 16-10 1res nationalisations industrie aéronautique ; 1-11 *axe italo-germanique* ; 19-11 accord syndicats-patronat-gouv. sur conciliation et arbitrage obligatoires avant la grève [de janv. à juin 1937, sur 3 496 conflits, 2 929 réglés par conciliation, 567 soumis à arbitrage (275 positifs, 292 grèves)] ; 4-12 communistes retirent leur soutien au gouv. de Front populaire (n'y participent pas) ; 6-12 Jean Mermoz disparaît au-dessus de l'Atlantique ; 18-12 loi sur liberté de la presse, aggravant les peines frappant la diffamation (suite affaire Salengro).

1937 13-2 Blum annonce une « pause sociale » dans les réformes. 11-7 Lisieux, cardinal Pacelli inaugure basilique Ste-Thérèse ; 17-3 *Clichy :* 1 000 communistes et socialistes attaquent le cinéma Olympia où sont réunis (sur invitations des Croix de Feu) 400 femmes et 10 enfants pour une œuvre de bienfaisance avec présentation du film *la Bataille*

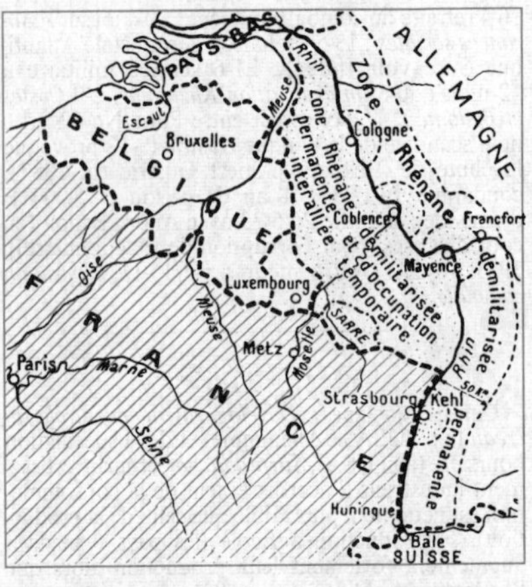

(5 militants de gauche †, 200 bl. dont 107 civils) ; 2 000 coups de feu tirés ; 24-4 *Belgique abandonne l'alliance fr.* ; mars-mai grèves empêchant l'achèvement de l'*Exposition* (inaugurée sans être terminée) ; 24-5 au 25-11 *Exposition intern. de Paris ;* 9-6 Carlo *Rosselli* (n. 1889, Italien libéral) et son frère Nello, antifascistes assassinés par la Cagoule ; 21-6 *Blum démissionne* (le Sénat lui refuse les pleins pouvoirs pour augmentation des impôts, diminution des dépenses, contrôle des changes) ; 30-6 franc flottant ; 21-7 franc dévalué ; 14-8 Shanghai : Jap. bombardent concession fr. ; 31-8 SNCF créée ; 21-9 *Gal Miller*, Russe exilé disparaît : enfermé dans une caisse qui aurait été chargée au Havre sur *Maria Ouliovna* cargo soviét. (le Gal Skobline, impliqué, disparaît ; la chanteuse Plevitskaïa, sa femme, condamnée à 20 ans de travaux forcés, mourra en prison en 1940) ; 15-12 1res arrestations de cagoulards.

1938 19-1 *ministère Chautemps* (radicaux, socialistes et soc. indépendants) ; 9-3 chute de Chautemps ; 12-3 Hitler envahit l'Autr. *(Anschluss)* ; mai début crise des Sudètes ; 13-3/10-4 *2e ministère Blum.* Nouvelle vague de grèves. Blum réclame l'impôt sur le capital et le contrôle des changes ; il est renversé par le Sénat ; 24-9 rappel réservistes ; 29/30-9 accords de *Munich* (All., France, G.-B., Italie) : la Tchéc. doit céder le terr. des *Sudètes* à l'All. ; 1-10 Daladier arrive au Bourget (de l'aérodrome à Paris, il est acclamé) ; 3-10 la Chambre fr. ratifie l'accord de Munich par 535 voix contre 75 [ont voté *non :* 73 communistes et 2 non-com. : Georges Bouhey, socialiste (n. 1898) ; Henri de Kérilis, rép. national (1889-1958)]. 28-10 incendie Nouvelles-Galeries à Marseille : 74 † ; 30-10 fin officielle du Front populaire (Daladier rompt avec les communistes) ; 6-12 Paris, signature tr. de bonne entente France/All.

Le Front populaire (1936-38)

■ **Formation.** **1934** 8-2 création d'un « front commun » antifasciste après les émeutes du 6-2 ; regroupe les militants communistes et socialistes, qui se recrutent en nombre parmi les chômeurs (412 000 chômeurs totaux en nov. 1934, 465 000 en mars 1936 ; 600 000 partiels) ; 12-2 grève générale ; 27-7 pacte d'unité d'action entre PC et SFIO. **1935** 12-5 les radicaux rejoignent le front commun pour les municipales (nombreux gains de mairies, notamment en banlieue parisienne) ; 14-7 serment du Rassemblement populaire à la Bastille (500 000 participants) avec socialistes (Blum), communistes (Thorez), radicaux (Daladier) ; 12-10 Marcel Cachin crée l'expression *Front populaire* (les socialistes parleront de *Rassemblement populaire* jusqu'au 5-6-36). **1936** 26-4/3-5 accord électoral entre les 3 partis qui remportent 358 sièges contre 222.

■ **Programme.** Dissolution des ligues d'extrême droite, défense de l'école laïque et des droits syndicaux ; publication des bilans de la presse quotidienne ; réforme de la Banque de Fr. (nationalisation des actions des *« 200 familles »*). Pas de déflation ni de dévaluation : grands travaux, fonds de chômage, semaine de 40 heures, congés payés.

■ **Bilan entre 1936 et 1938** (d'après Alfred Sauvy). *Production :* revenue au niveau de la crise (la production indus. fr. baisse de 4 à 5 %, celle de l'All. monte de 17 %), consommation maintenue, investissements reculent, prix à la hausse, franc baisse de 57 %, or perte de 1 380 t. *Pouvoir d'achat :* à peu près maintenu pour les ouvriers au travail, en recul pour les fonctionnaires ; maintien pour la masse des salaires, traitements et retraites ; amputation importante des revenus fixes, mobiliers et fonciers. **Loisir :** congés et semaine de travail réduite. *Emploi :* en 1936, la France comptait 20 800 000 actifs et 400 000 demandeurs d'emploi. En réduisant de + de 10 % la durée du travail, le gouvernement escomptait la création de 2 000 000 d'emplois. En fait, le nombre d'actifs tombera à 19 400 000, le nombre de chômeurs atteindra 864 000.

■ **Quelques chiffres.** **Horaires de travail,** *début juin 1936 (établissements d'au moins 100 personnes) (en %) : 48 h et + :* 67,32 ; *40 à 48 h :* 20,16 ; *40 h :* 5,6 ; *– de 40 h et + de 32 h :* 4,46 ; *32 h et – :* 2,46. **Durée moyenne du travail :** *1935 :* 44 h 9/10 ; *1936 :* 46 h (45 h 8/10 en juin) ; *1937 :* 40 h 5/10 (39 h 7/10 en juin) ; *1938 :* 38 h 8/10. **Demandes d'emploi non satisfaites** *juin 1936 :* 459 368 ; *juin 1937 :* 346 916. **Indice d'activité** (effectifs multipliés par la durée du travail) *juin 1936 :* 69,6 ; *juin 1937 :* 64,9.

1938 7-11 Herschel Grynspan (1921-? exécuté), juif polonais réfugié d'All., assassine à Paris un diplomate all., Ernst von Rath (qu'il prend pour l'ambassadeur) [crime utilisé par Hitler pour déclencher la « nuit de Cristal » (antisémite)] ; 13-11 rétablissement de la semaine de 48 h (dont 8 payées au tarif « heures supplémentaires »).

1939 Févr. 900 000 républicains espagnols se réfugient en Fr. ; 15-3 Hitler occupe la *Tchéc.,* Mussolini l'*Albanie ;* 19-3 le gouv. (Daladier) reçoit le droit de gouverner par *décrets-lois ;* 22-3 Hitler annexe *Memel* (la ville de Memel-Klaïpeda, germanophone, avec un territoire de 150 × 20 km, lituanophone) ; *22-5 axe Berlin-Rome (Pacte d'Acier) :* All. et Italie se prêtent mutuellement assistance pour acquérir « l'espace vital » nécessaire à leurs peuples (Europe orient. et centrale pour l'All., régions méditerr. et Afrique orient. pour l'It.) ; 23-8 accord germano-sov. : présenté comme *« pacte de non-intervention »,* il contient des clauses secrètes stipulant un partage de la Pologne ; 2-9 Chambre et Sénat votent à mains levées à l'unanimité, selon le Journal off., un crédit extraordinaire de 69 milliards (cela signifie implicitement que la guerre va être déclarée). Les 74 parlementaires communistes ont voté pour et applaudi Daladier (Staline les préviendra seulement le 27-9 que le pacte du 23-8 était une alliance militaire avec le Reich). 3-9 la Fr. *déclare la g.* à l'All., voir p. 673.

Politique extérieure 1924 à 1939

☞ La France qui avait eu une politique extérieure énergique (occupation de la Ruhr, 1923) s'engage ensuite dans des *concessions unilatérales.*

Vis-à-vis de la G.-B. *1924* retrait inconditionnel des troupes d'occupation de la Ruhr. *1929* acceptation inconditionnelle du plan américain Young (qui a l'appui britannique), privant la Fr. des réparations

Les ligues

Ligue de l'Action française (monarchiste), fondée le 14-1-1905 (voir Index). **Jeunesses patriotes** (d'abord section des jeunes de la **Ligue des Patriotes,** formée en ligue indép. par Pierre Taittinger (1887-1965) en 1924, nommée *Antilibéraux* en 1936). **Croix de Feu** (après 1936 : *Parti social français*) : anciens combattants nationalistes, regroupés en 1927 par Maurice d'Hartoy. En 1930, le colonel François de La Rocque (1885-1946) en devint le vice-Pt et en fit un mouvement de masse (*adhérents : 1930 :* 9 000, *1936 :* 400 000) ; refusant la prise de pouvoir armée, il fit échouer le putsch du 6-2-1934 ; eut 20 élus, 49 apparentés en 1936. **Francistes** (chemises bleues), mouvement fasciste fondé sept. 1933 par Marcel Bucard (1895-1946, fusillé) ; subventionné par Mussolini. Dissous sept. 1936 (Bucard en prison). 1938 se reforme : Parti unitaire français d'action socialiste et nationale. Peu après interdit à nouveau. 1941 recréé : Parti franciste. **Solidarité française,** lancée 1933 par François Coty [(né Spoturno 3-5-1874), parfumeur enrichi (possédait 3 milliards de F en 1930) ; acheta *Le Figaro* en 1922, puis *Le Gaulois,* lança le 1-5-1928 *L'Ami du peuple* (800 000 ex.) mis en liquidation le 8-12-1933 (déficit 450 millions de F) ; meurt 25-7-1934, ruiné (par son divorce et la crise américaine)] ; ses adhérents (300 000) se rallient en majorité aux francistes. **Front paysan** (chemises vertes ; insigne : faux et fourche entrecroisées sur gerbe de blé) regroupant 3 mouvements d'agriculteurs (Bloc professionnel, Bloc agraire, Bloc de défense paysanne), créé 1934 par Henri Dorgères (H. d'Halluin, dit, 1897-1985). **Comités de défense paysanne :** 60 fédérations. **Parti populaire français** fondé 1936 (après dissolution des Ligues) par Jacques Doriot (1898-1945), avec anciens communistes regroupés autour du journal *l'Émancipation nationale* de Doriot à St-Denis ; se disant néo-socialistes se rallieront aux hitlériens en juin 1941.

allem. sans la délivrer des dettes interalliées. *1935* acceptation de l'accord naval anglo-all., qui permet à Hitler de reconstituer une flotte de g. ; répudiation des *accords de Stresa* (qui assuraient un front commun anglo-franco-italien) contre les violations all. du tr. de Versailles. *1936* acceptation du refus anglais d'intervenir contre la remilitarisation de la Rhénanie par Hitler. *1938* appui donné à la politique du 1er min. anglais Chamberlain face à Hitler (concessions unilatérales en Tchéc., entraînant son annexion par l'All.). *1939* docilité en face du retournement anglais vis-à-vis de l'All. (déclaration de g. du 3-9-1939, malgré la capitulation de Munich d'oct. 1938).

Vis-à-vis de l'Allemagne. *1924* abandon des Rhénans francophiles, exterminés par les hitlériens. *1929-32* renonciation aux réparations. *1935* non-participation à la campagne plébiscitaire en Sarre (triomphe nazi). *1936* passivité (imposée par l'Angl.) devant la réoccupation de la Rhénanie par l'All. *1938* passivité devant l'annexion de l'Autriche (mars) et de la Tchéc. (oct.). *1939* devant la liquidation en Esp. du *Frente popular,* due en grande partie à l'aide germano-ital.

Vis-à-vis des USA. Acceptation du refus de la garantie américaine contre les agressions allemandes sans contrepartie (elle devait pourtant compenser la renonciation de la Fr. à un État-tampon sur le Rhin en 1921) ; de la fin des paiements all. (la Fr. ne dénonce pas ses dettes envers l'Am., 1929-32).

Vis-à-vis de la « Petite Entente » européenne. Née avec le traité entre Tchéc. et Youg. contre Hongrie (14-8-20). Complétée par tr. entre Tchéc. et Roum. (avril 1921), tr. entre Roum. et Youg. (juin 1921) et tr. entre Pologne et Roum. (3-3-21). La France conclut une alliance avec Pol. (19-2-21), Tchéc. (25-1-24), Roum. (1926), Youg. (11-11-27. La Fr. leur reconnaît néanmoins le droit de rechercher les alliances qu'elles veulent avec d'autres grandes puissances (Roum. et Youg. rejoindront le camp de l'Axe). La Pol., qui s'était rapprochée de l'All. nazie en 1936-38, réclamera et obtiendra en 1939 (grâce à l'Angl.) l'entrée en g. de la Fr. à ses côtés. Un traité franco-tchéc. est signé. Mais en 1925, dans le cadre des accords de Locarno, Chamberlain (Angl.) refuse de garantir les frontières des pays de l'Est de l'Europe. Il ne donne la garantie britannique qu'à la Fr. pour des frontières que l'All. Streseman a reconnu solennellement. Cependant pour calmer Pol. et Tchéc., Briand leur donne la garantie française, croyant qu'elle ne jouerait que dans le cadre d'une intervention collective des membres de la SDN.

Vis-à-vis de l'Italie fasciste. *1935* abandon à Mussolini de 104 000 km² (bande d'Aozou au Tchad) contre la promesse (non tenue) de s'opposer à l'Anschluss autr. *1937* passivité dans la g. italo-éthiop. (non-application des sanctions ; reconnaissance de « l'Empire italien »). *1939* passivité lors de l'annexion de l'Albanie.

■ **Raisons de l'effondrement diplomatique français.** 1°) **L'horreur de la guerre :** les anciens combattants fr. (de 1914-18) pensent que, comme eux, les anciens comb. allemands ne veulent plus de g. Les Fr. croient, quand Hitler parle de guerre, qu'il bluffe ; sinon, que le peuple allemand le chassera.

2°) **Obsession monétariste :** les dirigeants fr. sont préoccupés par l'effondrement du franc (cours forcé du franc-papier 1917), qui n'avait pas bougé dep. 116 ans, même après des désastres comme Waterloo et Sedan (Poincaré a ainsi renoncé à la politique de force en Ruhr-Rhénanie, dans l'espoir d'avoir l'appui des banques anglo-américaines, pour soutenir le franc). Ils croyaient l'All. dans une situation monétaire encore plus catastrophique, après l'effondrement du mark de 1923, et l'abandon de la référence-or pour définir le mark hitlérien. Ils l'imaginaient incapable de faire la g. Ils admettaient que le plus sûr moyen de maintenir la paix (même au prix de concessions politiques) était de travailler à la prospérité du camp anglo-américain, possédant la plus grande partie des réserves d'or mondiales.

3°) **Servitude pétrolière :** l'état-major fr. sait qu'une g. moderne exigera entre 12 et 30 millions de t de pétrole par an (au lieu de 6 en temps de paix). Or l'Angl. est maîtresse de la production (90 % du pétrole importé en Fr. est britannique) et du transport (la Fr. possède en 1936-38 seulement 40 pétroliers, jaugeant au total 242 000 t). Aucune g. ne peut donc être envisagée sans la permission de l'Angl.

4°) **Le communisme international :** pour la droite, l'ennemi n° 1 est l'URSS [*raisons politiques :* le bolchevisme fait peur aux possédants ; *financières :* un effondrement du régime soviétique amènerait à une renégociation sur les « emprunts russes » (confisqués par les soviets)]. L'espoir de voir Hitler attaquer l'URSS a empêché les Fr. de contrer sérieusement le militarisme allemand. Hitler a d'ailleurs habilement joué cette carte : à Munich, notamment, il a présenté la Tchéc. comme un « porte-avions soviétique » au cœur de l'Europe (Daladier a hésité à jouer la carte militaire sov. contre Hitler).

5°) **Influence de Briand :** même après sa mort (7-3-1932), sa doctrine (pacifisme, arbitrage, désarmement) a continué à être appliquée, notamment par Alexis Léger, secrétaire général du ministère des Aff. étr. ; il ne voulait rien d'irréparable entre France et All., espérant, après une réconciliation, voir naître une union fédérale européenne.

Seconde Guerre mondiale (1939-45)

☞ Appelée *Drôle de guerre* pour la période sept. 1939/mai 1940 par Roland Dorgelès ; *Funny War, Phony War* par les Anglais ; *Sitzkrieg* (guerre « assise ») par les Allemands ; *Phoney War* (guerre bidon) par les Américains.

■ Causes

Situation générale. 1°) *Volonté de l'Allemagne hitlérienne* de prendre sa revanche sur le tr. de Versailles (1919). 2°) *Idéologies conquérantes des nazis allemands,* des fascistes italiens (et des impérialistes japonais). 3°) *Faiblesse des démocraties occidentales,* notamment de la Fr. affaiblie par la g. de 1914-18 ; elle encourage les puissances totalitaires à attaquer. 4°) *Méfiance de l'URSS* (Staline) à l'égard des démocraties occ. ; il craint leur hostilité et préfère les voir éliminées par Hitler.

Affaire tchécoslovaque. Hitler désire annexer le « quadrilatère de Bohême » qui commande l'Eur. centrale et permet, notamment, la conquête de la Pologne (2 armées all. attaqueront la Pol. par le sud en sept. 1939, venant de Bohême et de Slovaquie). Mais il cache son plan : il assure réclamer uniquement la protection des 3 500 000 All. de Tchéc., ayant pour leader un prof. de gymn. nazi, Konrad Henlein, et appelés *Sudètes* (ils sont nombreux dans les monts Sudètes, au sud de la Silésie). *Les accords de Munich* (30-9-1938) lui donnent satisfaction. *Raisons :* 1°) les démocraties reconnaissent un droit des « minorités » à disposer d'elles-mêmes ; 2°) le 1er min. angl., Neville Chamberlain, n'imagine pas qu'après avoir défendu la minorité sudète, Hitler puisse opprimer une minorité tchèque ; 3°) Daladier, transfuge du Front populaire, a besoin des voix de la droite pour gouverner. Or, pour celle-ci, la Tchéc. est une création de la maçonnerie anti-habsbourgeoise et de Clemenceau, l'ennemi de la droite ; 4°) le Gal Gamelin ne croit pas à une possibilité de résistance des Tchèques, depuis que l'All., occupant l'Autr., tient 3 côtés du quadrilatère bohémien.

Affaire polonaise. En partageant la Pol. avec Staline, par le tr. secret du 23-8-1940, Hitler poursuit son plan (il se réserve d'attaquer l'Ukraine, le moment venu). Mais il va déchaîner la g. 1°) Chamberlain, outré par l'occupation de la Bohême le 15-3-1939, sait désormais que Hitler est décidé à conquérir l'Europe ; 2°) l'Angl. donne sa garantie à la Pologne et la confirme le 25-8-1939 ; 3°) la France est poussée par elle à ne plus accorder de concessions.

■ Défenses

Ligne Maginot. *Projetée* 1925 par Paul Painlevé (1863-1933). *Construction* de 1929 à 1936 (approuvée 17-1-1929 ; crédits de 2 900 millions F votés 14-1-1930 ; construction ralentie par manque de crédits 1934) sous l'impulsion d'André Maginot [(1877-1932) amputé de la jambe droite, min. de la guerre 1922-24 et 1929-32]. *Tracé :* 140 km (de Montmédy à Huningue, frontière suisse) 2 tronçons de 70 km sur un front total théorique de 760 km de la Suisse à la mer du Nord. *Pièces maîtresses :* nord de Metz, entre Rhin et Moselle, et contreforts des Vosges (en tout : 49 ouvrages d'art., 44 d'inf.). En 1932, le Conseil sup. de la guerre avait refusé de continuer la ligne jusqu'à la mer. Il considérait, après des aménagements spéciaux, les Ardennes comme infranchissables.

En 1939, la « ligne » avait vieilli : superstructures des forts non protégées contre des parachutistes, tourelles armées de canons de 75 et non d'armes antichars, ou antiaériennes, modernes. De sept. 1939 à mai 1940, Gamelin massa une trop importante partie de ses forces derrière la ligne Maginot. Actuellement, l'armée n'utilise que les casemates d'Hochwald, où est installé le système de surveillance « Strida ». Les autres ouvrages sont vendus dep. 1971. Env. 10 sont ouverts au public.

Ligne Siegfried. Construite de 1937 à 1939 par l'organisation Todt (inachevée en sept.). *Tracé :* d'Aix-la-Chapelle à la Suisse, 15 à 20 ouvrages au km² ; total : 23 000 casemates en profondeur sur 30 km. *But :* freiner l'avance française le temps de permettre à la *Wehrmacht* de battre la Pologne.

> **Quelques questions**
>
> **Pourquoi n'a-t-on pas bombardé la Ruhr au début de la guerre ?** Les Anglais l'auraient voulu, ils possédaient une aviation stratégique dont les Allemands n'avaient pas l'équivalent, et ne redoutaient pas leurs représailles. Mais les Français les craignaient sur le Nord, la Lorraine et Paris (régions industrielles) faute de DCA et de protection aérienne. Les Anglais proposèrent alors, au moins, de poser des mines dans le Rhin, le gouvernement fr. s'y opposa par crainte de représailles aériennes. (Quelques-unes furent cependant lancées et détruisirent des barrages de péniches devant Trèves.)
>
> **La France aurait-elle pu répliquer à l'invasion allemande en Pologne ?** Paul Reynaud a proposé, le 5-10-1939, une attaque par la Belgique, mais cela posait un problème politique. Il aurait donc fallu attaquer entre Rhin et Moselle contre la « ligne Siegfried » (crue redoutable) avec une puissante artillerie (nécessaire contre le béton), mais on tarda à la mettre en place. Il semble que les autorités fr., militaires et civiles, n'aient pas voulu prendre le risque d'une attaque, au début d'une guerre censée être longue et coûteuse. Les All. ont lancé contre la Pologne 58 divisions en 4 j, sans avoir achevé leur mobilisation ; il a fallu aux Fr. une semaine pour faire progresser 10 divisions sur quelques km. Gamelin ne disposait pas des moyens mécaniques nécessaires pour une offensive.
>
> **Sabotages communistes.** Ils auraient été nombreux (notamment aux usines Farman) et auraient causé la mort de plusieurs aviateurs. Des communistes furent condamnés à mort (dont 3 fusillés le 22 juin 1940 à Bordeaux).

■ Mobilisation

Sur le plan technique. *24-8* appel dans un ordre donné selon âge, profession et qualification militaire ; *1-9* mobilisation générale. La SNCF achemine 5 200 trains vers le N.-E. *10-9* tout est en place ; chaque division d'active engendre 3 nouvelles divisions : 1 « d'active » avec 1/3 des officiers de carrière, et 55 % de soldats accomplissant leur service ; 1 de « série A », 23 % d'off. d'act. ; 1 de « série B » avec 3 off. d'act. par régiment, des réservistes âgés, mal entraînés, qui n'avaient fait qu'un an de service.

Sur le plan moral. Quelques condamnations de la « g. juive » par des extrémistes de droite ou de « la g. du capitalisme » par des extr. de gauche ; déserteurs : un millier par les Pyrénées ; 5 millions de mobilisés, communistes compris (bien que des sanctions aient été prises contre le parti), rejoignent sans enthousiasme leur unité.

Sur le plan économique. Presque tous les hommes valides étant mobilisés, usines et ateliers sont privés de main-d'œuvre alors qu'il n'y a pas assez de fusils pour chaque mobilisé ; les effectifs de la métallurgie tombent de 1 000 000 à 550 000, Renault de 30 000 à 8 000 ; la plupart des cadres partent comme officiers de réserve. Les généraux craignant de dégarnir leurs secteurs (tout en se plaignant d'une insuffisante dotation en armes et munitions), on aura du mal à rappeler des armées 500 000, puis 2 000 000 de « spécialistes » mis en affectation spéciale.

■ Opérations 1939-40

1939 1-9 Hitler envahit la *Pologne ;* 3-9 *Fr. et G.-B. déclarent la g.* à All. (G.-B. : 11 h ; Fr. : 17 h) ; 10-9 *Canada* déclare la g. à All. ; 17-9 entrée des Russes en Pol. ; 27-9 Varsovie capitule ; 6-10 reddition des derniers combattants pol. à Koch ; 16-10 les troupes fr. qui avaient pénétré en Sarre (théoriquement pour aider les Pol.) sont ramenées sur la ligne Maginot ; 8-11 attentat manqué contre Hitler à Munich (coupables non identifiés, peut-être une provocation policière) ; 30-11 l'URSS attaque la *Finlande* (v. Finlande) : Fr. et G.-B. se considèrent comme alliés des Finl. [conséquences : leurs états-majors se détournent de la g. contre l'All., pour envisager des actions contre la Russie ; d'abord par le N. (refus des Scandinaves), puis par la Syrie vers le Caucase (réticence des « alliés » turcs)].

1940 **Norvège** 16-2 l'*Altmark,* croiseur auxiliaire all., naviguant dans les eaux norvégiennes, avec des prisonniers angl. à bord, est pris à l'abordage par le destroyer angl. *Cossack* qui délivre les prisonniers ; 12-3 les Alliés décident d'envoyer 13 000 h. à Narvik (Norv.) pour soutenir les Finl. ; 12-3 *capitulation finl.* (tr. de Moscou, signé 12-3, ratifié par la Finl. 16-3) ; mars-avr. massacre des officiers polonais à *Katyn* (URSS, voir Index) ; 9-4 l'All. devance les Alliés qui ont retardé leur débarquement (prévu le 5-4) ; voulant défendre la « route du fer » (minerai suédois transitant vers l'All., par Narvik), puis éventuellement Suède et côtes baltiques, ils occupent *le Danemark, la Norvège* (Oslo, Bergen, Egersund, Kristiansand, Stavanger, Trondheim, Narvik) ; *Narvik :* flottille all. détruite, G[al] all. Dietl est isolé, mais le G[al] angl. Mackesy refuse toute opération terrestre ; 15-4 débarquement anglo-fr. en Norv. ; 1-5 le G[al] fr. Antoine Béthouart (1889-1982) (½ brigade de chasseurs alpins, 1 ½ brig. de légionnaires, 1 brig. polonaise) et le G[al] norvégien Fleisher attaquent à *Foldvik* [13-5 Auchinleck remplace Mackesy, fait front vers le S., pour stopper les All. venus de *Namsos ;* 28-5 ordre d'évacuation, à cause de la défaite en Fr. ; 29-5 au 2-6 la Légion chasse les All. de Narvik et d'Ankenes ; 7-6 rembarquement sans réaction all.].

Ouest 10-5 les All. envahissent *Pays-Bas* à Maastricht, *Belg., Luxemb. ;* 13/15 *percée allem.* entre Namur et Sedan ; 14-5 Rotterdam bombardée, 1 147 † ; 15-5 (9 h 15) *l'armée hollandaise capitule ;* 16-5 archives du Quai d'Orsay brûlées ; 19-5 Weygand remplace Gamelin ; 28-5 *capitulation de la Belg.* [225 000 prisonniers : 145 000 Flamands (libérés aussitôt), 80 000 Wallons (internés : 66 000 captifs fin 1943)] ; 29-5/4-6 rembarquement de **Dunkerque** [*évacués* (26-5/3-6) 342 618 (dont 338 682 sur G.-B. et 3 936 sur Cherbourg et Le Havre) ; par bateaux fr. : 48 474 ; *blessés :* Brit. 58 584 ; Alliés 814 ; *pertes angl. :* disparus, tués, capturés 68 111 ; avions 180, canons 2 472, véhicules 75 000, navires 500 000 t ; *pertes all.* 156 avions] ; 5-6 Gal de Gaulle nommé sous-secr. d'État à la Déf. nationale ; 6-6 fronts de l'Aisne, de la Somme rompus ; raid isolé d'un avion de l'aéronavale fr. sur Berlin ; 9-6 de Gaulle va en Angl. demander le renvoi en Fr. de troupes brit. et d'une partie de la RAF ; 10-6 le gouvernement quitte Paris ; 10-6 *l'Italie déclare la g. à la France* (du 10-6 au 25-6 180 000 Fr. repoussent 500 000 It. *Pertes françaises :* 38 †, 150 disparus, 42 blessés ; *italiennes :* 631 †, 3 400 blessés, 1 140 prisonniers). 11-6 Conseil suprême présidé par Reynaud et Churchill à *Briare ;* 12-6 ne pouvant maintenir un front continu, Weygand ordonne le repli général des armées ; 14-6 *Paris déclarée « ville ouverte »* par le gouvernement. Repli des armées sur la Loire et vers la Bourgogne. Le gouv. envisage une résistance en Bretagne (« *Réduit breton* »), impossible à organiser. Attaques all. sur la Sarre. Offensive *Tiger* de von Witzleben sur la ligne Maginot avec 1 000 canons : échec. De Gaulle quitte Brest pour Plymouth ; 16-6 à Londres demande des moyens de transport pour continuer la lutte en Afrique du N. ; au téléphone fait accepter par Reynaud le projet d'union franco-brit. présenté par Jean Monnet et accepté par Churchill, rentre à Bordeaux à 21 h 30, Reynaud a démissionné. Min. *Pétain* demande l'armistice ; 17-6 discours de Pétain à la radio à 12 h 30 : une phrase, « Il faut cesser le combat », sera interprétée comme un ordre par nombre de combattants ; de Gaulle prend l'avion pour Londres, avec Lieut. Geoffroy de Courcel et G[al] anglais Spears ; sa famille s'embarque à Brest sur un cargo ; les All. sont à Briare sur la Loire ; 18-6 **appel du Gal de Gaulle** sur la BBC à 20 h (ou 22 h), les All. franchissent la Loire ; 18 au 21-6 résistance des 2 000 *cadets de Saumur* (élèves officiers, instructeurs, bataillon de marche des élèves officiers et d'infanterie de St-Maixent) sur front de + de 30 km de Gennes à Montsoreau ; 19-6 les panzers de Rommel atteignent Cherbourg. La Loire ne peut être tenue. Repli vers le S. Les forces de l'Est sont isolées. Bataille autour de Toul. Les All. franchissent le Rhin au N.-E. de Colmar. Une partie des troupes de haute Alsace passe en Suisse après l'arrivée des panzers de Guderian à Pontarlier ; 22-6 **armistice** signé avec All. à Rethondes [par le G[al] fr. Charles Huntziger (1880-1941) et le M[al] Keitel (All.), 25-6 entre en vigueur] ; 24-6 avec Italie à Rome.

Causes de la défaite de la France

■ **On ne peut invoquer une supériorité allemande** *en effectifs* (2 000 000 d'h. contre 2 000 000), *en chars* (2 800 contre 3 000), *sur mer* (unités : Alliés 514, All. 104 ; Angl. : 13 navires de bataille, 50 croiseurs, 6 porte-avions ; Fr. : 7 nav. de ligne, 18 croiseurs, 51 destroyers, 77 sous-marins).

On peut invoquer chez les Allemands : 1°) une supériorité en avions de bombardement (1 562 contre 292) et en avions de chasse (1 016 contre 777, les chasseurs angl. modernes étant restés en Angl.) ; les All. ont la maîtrise du ciel ; **2°) un esprit offensif** (50 % de – de 25 ans contre 35 % dans l'armée fr. : 51 divisions actives contre 33) ; **3°) une meilleure coordination :** aviation, artillerie, blindés se sont entraînés à opérer ensemble (les Fr. ne conçoivent pas la liaison blindés-avions) ; **4°) les grandes unités blindées** (10 divisions panzers + 4 div. motorisées contre 3 div. cuirassées fr. et 3 div. légères mécaniques ; 2 200 chars sont concentrés entre Longuyon et la mer contre 1 520), sur 50 bataillons de chars fr., 20 sont groupés, 30 éparpillés ; **5°) une artillerie bien équipée** en canons antichars (11 200 contre 4 350) et pièces

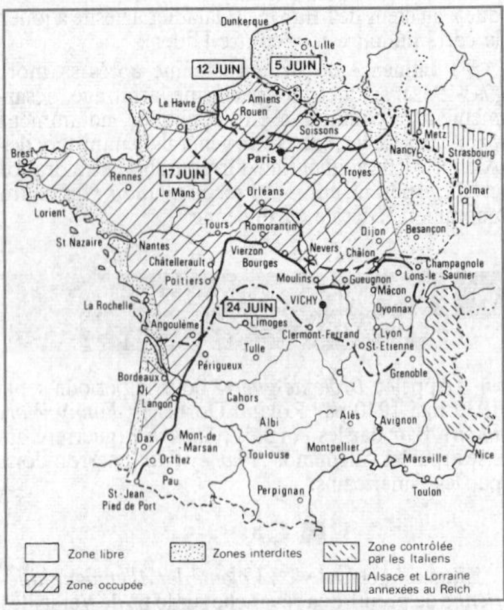

5 juin. Début de la bataille de France, les Allemands passant à l'offensive sur la Somme. *12 juin.* L'ordre de retraite générale est donné aux armées fr. *17 juin.* Demande d'armistice. *24 juin (à 24 h).* Arrêt des hostilités.

de DCA (9 000 contre 1 227) ; **6°) l'erreur de l'état-major fr.** qui a cru que Hitler reprenait le Plan Schlieffen de 1914 et qu'il fallait avant tout bloquer son aile droite ; Gamelin a adopté le système du cordon linéaire, sans masse de manœuvre de réserve, sans points fortifiés en profondeur ; **7°) un commandement uni** face à un manque de concertation (ni état-major commun fr.-angl., ni état-major interarmes français) ; ainsi le plan de contre-attaque de Gamelin et Weygand ne sera pas appliqué en mai, faute d'accord entre Anglais, Belges et Français. Gamelin n'a pas réagi après la percée de Sedan (les blindés aventurés vers Amiens pouvaient être coupés par une contre-attaque N.-S. ou S.-N.) ; **8°) la paralysie des voies de communication** par 11 millions ½ de civils réfugiés (le commandement all. a provoqué exprès cet exode) ; **9°) la faible motorisation des troupes d'intervention fr.** La moitié des forces envoyées en Belg. a été transportée par trains ou en autobus réquisitionnés à la hâte. **10°) l'absence de communications** radio dans l'armée fr.

■ Armistice

■ **Circonstances. 1° – Illusions de Pétain et de Weygand.** *Weygand* espérait qu'un armistice sauverait de la captivité une bonne partie des effectifs. *Pétain* a cru que l'affaire serait aussi bonne que pour l'All. le 11-11-1918. Or Hitler n'avait pas de parole et voulait détruire la Fr. qu'il haïssait. Il a dès le début voulu obtenir plus que ce qu'il était prévu par l'armistice, il a annexé l'Alsace-Lorraine, créé une zone interdite, imposé des frais d'occupation disproportionnés, voulu des facilités en Afr. du Nord.

2° – En juin 1940 Pétain a cru que la défaite anglaise était imminente. Presque tout le monde y croyait alors (ex. : Roosevelt, Staline, Mussolini, Pie XII, des Anglais comme Richard Austin Butler). Il voulait donc s'accommoder le moins mal possible d'une victoire all. sur l'Angleterre.

3° – L'esprit de capitulation était général. 1°) les civils réfugiés (au moins 10 000 000, plus 1 500 000 Belges), mal logés, mal nourris, veulent revenir chez eux ; **2°)** les militaires qui ont eu 130 000 tués en 1 mois (plus qu'en aucun mois de la g. de 1914-18) sont scandalisés d'être envoyés au massacre pour rien ; ils pensent, comme Weygand, que l'armistice leur évitera la captivité ; **3°)** la résistance de Gambetta en 1870-71, qui a coûté des morts et des ruines et qui s'est terminée par une paix encore plus désavantageuse (5 milliards de F d'indemnité au lieu de 2 milliards ; l'Alsace-Lorraine perdue au lieu de l'Alsace seule), est rappelée par la presse.

■ **Controverses. L'armistice a-t-il sauvé l'Angleterre ?** *Pour certains* l'armistice a sauvé l'Angleterre en empêchant les All. de prendre l'Afrique du N. et Dakar (ils seraient passés par l'Espagne). *Pour d'autres,* Franco aurait refusé le passage aux All. et ceux-ci n'auraient pu s'installer en Afrique du N. (empêchés par la flotte anglo-fr. et l'aviation réfugiée en Afr. du N. (700 appareils).

Sans l'armistice, le sort de la France eut-il été plus mauvais ? *Pour les pétainistes* la Fr. a moins souffert de l'occupation all. que les autres pays européens qui n'avaient pas signé d'armistice (nombre relatif des déportés, des exécutés, des calories de rations alimentaires, des tonnages réquisitionnés, etc.). *Pour d'autres,* si la Fr. avait eu un Gauleiter, l'occupation n'aurait pas été plus facile pour l'All. qui aurait dû se passer de l'aide administrative fr.

■ **Clauses militaires.** L'armée fr. dite *d'armistice* est réduite à 95 000 soldats (garde mobile : 180 officiers, 6 000 h. ; autres unités : 3 584 officiers, 84 516 h.). Pas de motorisation, sauf 8 automitrailleuses par régiment de cavalerie, pas d'artillerie sauf des 75 attelés, puis, ultérieurement, des batteries de DCA contre les raids anglais. Pas d'aviation jusqu'à juillet 1941 (ensuite autorisation de fabriquer 600 avions en zone sud, à condition de fabriquer 3 000 avions pour les Allemands en zone nord).

■ **Organisation du territoire. Zone libre** (246 618 km² soit 45 % du territoire) : 34 départements inoccupés, 17 occupés partiellement [13 par les All., 4 par les Italiens (Alpes-Mar., Basses-Alpes, Hautes-Alpes, Savoie)] ; 14 millions d'hab. (33 % de la pop. active), vignes 77 %, fruits 64, ovins 60, pommes de terre 42, bovins 35, terres labourables 33, avoine 19, betteraves 4, pêche 3, blé 2,6.

Zone occupée (304 368 km², soit 55 % du territoire) : 39 dép. totalement occupés (42 avec Alsace-Lorraine) et 17 occ. partiellement ; 26 millions d'hab. (67 % de la population active) ; abrite la majeure partie du potentiel écon. du pays. Les All., violant l'armistice, créent en zone occupée : **1°) Une zone interdite :** *au N. et au N.-O.* où le retour des réfugiés est interdit : une organisation all., l'*Ostland,* y organisera jusqu'au 17-2-1943 l'installation dans les terres restées sans propriétaires de colons venus des pays baltes. *Implantation maximale :* Ardennes (380 communes sur 503) : 2 500 propriétaires expulsés, 110 000 ha confisqués. **2°) Une zone à régime spécial :** *Alsace-Lorraine :* annexée en fait, malgré les protestations de Vichy (l'allemand devient obligatoire le 29-7-1941) : 130 000 Alsaciens-Lorrains, considérés comme citoyens all., serviront dans l'armée all. à partir de 1942.

☞ Hitler imaginait de démembrer la France : l'Alsace-Lorraine reviendrait à l'All., un *État thiois* germanique serait créé dans les provinces de l'ancienne *Lotharingie* créée en 843 : Nord, Pas-de-Calais, Ardennes, Meuse, Meurthe-et-M., Vosges, Hte-Saône, Doubs, Jura.

■ De l'armistice à 1945

■ **1940** 30-6 les derniers éléments de la ligne Maginot cessent le combat ; 3-7 **Mers el-Kébir** (Algérie) : l'amiral angl. Somerville (6/8 h) somme l'amiral fr. Gensoul de faire route vers la Martinique ; croyant à de la mauvaise foi, Gensoul refuse. 16 h 53 Somerville ouvre le feu : *Dunkerque* touché, *Provence* touché, *Bretagne* chaviré, *Strasbourg* s'échappe pour Toulon ; 6-7 nouveau raid anglais, *Dunkerque* touché (regagne Toulon 1942) ; 1 300 marins fr. tués les 3-7 et 6-7 ; 15-7 début de l'opération *Otarie* (plan d'offensive all. en G.-B.) : 1 722 chalands, 1 161 navires à moteurs, 475 remorqueurs, 155 gds transports. 7-8 accords Churchill-de Gaulle ; 26-8 Tchad rallie FFL ; 7-9 Weygand délégué général en AFN ; 23/25-9 tentative anglo-fr. libre de débarquement à *Dakar,* échec (défenseurs tués : milit. 100, civils 84) ; 25/26-9 raids de représailles sur Gibraltar, par l'aviation vichyssoise basée en Alg. ; 28-10 It. attaque *Grèce ;* 12-8 au 31-10. 15-11 raid allemand sur *Coventry.*

Bataille aérienne d'Angleterre. Les All. veulent détruire aérodromes et avions de chasse anglais ; 15-8 *journée record :* 1 786 sorties all. ; pertes all. 73 avions, angl. 34 ; 7-9 les All. commencent à bombarder des grandes villes jour et nuit (7-9 : 300 avions le matin sur Londres, 250 la nuit) ; 17-9 Hitler repousse le débarquement prévu en G.-B. le 20/21, puis le 12-10 il y renonce pour l'année. **Bilan général :** 375 pilotes brit. †, 356 blessés, 14 621 civils †, 20 292 bl. ; 945 av. angl. perdus (1 905 avions neufs construits). 2 375 avions all. détruits (dont 2 265 abattus en Angl.). *Nombre total de sorties aériennes :* All. 27 560 ; Angl. 65 218.

■ **1941** 11-1 raid de Colonna d'Ornano sur Mourzouk, *Fezzan* (où il est tué) ; 21/23-1 les Angl. prennent *Tobrouk* (Libye) ; 1-2 *Benghazi ;* 2-3 les All. occupent *Bulgarie ;* Leclerc prend *Koufra* (sud Libye) et demande à ses off. de jurer de ne déposer les armes que lorsque « nos couleurs flotteront à nouveau sur la cath. de Strasbourg » ; 3-4 Rommel reprend *Benghazi ;* 6-4 *les All. envahissent Yougoslavie et Grèce ;* 8-4 Legentilhomme et Monclar prennent *Massaoua* (Érythrée) ; 5-4 les Angl. prennent *Addis-Abeba ;* 13-4 les All. occupent Belgrade ; 27-4 Athènes et Péloponnèse ; les Angl. réembarquent ; 11-5 *Rudolf Hess* (contrôleur gén. du parti nazi) part pour l'Angleterre (il essaie d'entamer des négociations de paix avec un ami personnel, Lord Hamilton. Est déclaré fou par Hitler) ; 20-5 les All. attaquent *la Crète ;* 24-5 le *Bismarck* (50 000 t, 32 nœuds, 8 canons de 380 mm, 12 de 150, 16 de 105) coule le *Hood* au large de l'Islande (1 416 †) ; 27-5 le *Bismarck* coulé (à 970 km au large de Brest, son épave a été retrouvée en 1989 à 4 600 m de profondeur) ; 28-5 *protocole de Paris*

Affaire de Syrie (juin-juillet 1941). **Raisons :** 1°) le gouv. de Vichy a autorisé les All. à faire transiter des appareils de la Luftwaffe vers l'Irak en révolte contre les Britanniques ; 2°) désir de la Fr. libre de récupérer un nouveau territoire ; et l'armée du G[al] vichyssois Fernand Dentz (30 000 h.) ; 4°) empêcher les pétainistes de livrer les ports libanais et syriens aux All. ; 5°) (pour l'Intelligence Service) liquider la présence fr. au Proche-Orient (37 563 cadres fr. seront expulsés de Syrie-Liban en août 1941)]. **Déroulement :** 17-6 *résistance du Gal de Dentz ;* attaque franco-brit. Pétain et Darlan refusent l'aide des Stukas ; 21-6 Legentilhomme prend Damas ; 14-7 *armistice de St-Jean-d'Acre :* Dentz et 23 000 h peuvent rentrer en Fr. (2 000 h. rejoignent les gaullistes). **Pertes. Vichystes :** *armée* 1 036 † ou disparus (dont 76 officiers, 256 sous-off., 701 h.) ; *aviation :* 65 † ou disp. (dont 20 off.), 58 avions (dont 24 en combat aérien) ; *marine :* 69 † ou disp. sur les bâtiments, 1 contre-torpilleur et 1 sous-marin coulés ; *aéronautique navale :* 25 † ou disp. (dont 7 off.), 14 avions (dont 9 au combat). **FFL :** 187 † ou disp. (dont 12 off.), 409 bl. **Britanniques :** env. 1 500 † ou disp., 27 avions, 3 destroyers gravement avariés.

(voir p. 680 b) ; 31-5 les Angl. (16 500 h.) évacuent la Crète. Mai-nov. *siège de Tobrouk* par les All. et les It.

22-6 All. attaque l'URSS ; 14-8 **charte de l'Atlantique** (signée à bord du *Potomac* dans l'océan Atl. par Roosevelt et Churchill) : ils définissent les 8 principes « sur lesquels ils fondent leurs espoirs en un avenir meilleur pour le monde et qui sont communs à la politique nationale de leurs pays respectifs ». 9-9 début du siège de *Leningrad ;* 27-9 : 25 000 Italiens faits prisonniers à *Gondar* (Éthiopie) ; 7/8-12 (7 h 40) **Pearl Harbor,** Japon attaque (avec 360 avions) flotte amér. (pertes amér., navires atteints : 8 cuirassés, 3 croiseurs, 3 destroyers, 273 avions, 2 000 † ; Jap. : 29 avions, 5 petits sous-marins) ; 11-12 All. et It. déclarent la *guerre aux USA ;* 18-12 retraite allem. devant Moscou ; 20-12 1er engagement entre l'aviation japonaise et les « Tigres volants » [aviateurs américains volontaires en Chine (Gal Claire Lee Chennault, 1890-1958)].

■ **1942** janv. les Japon. prennent les Philippines ; févr. Birmanie ; 27/28-3 **St-Nazaire,** coup de main allié ; 4-5 attaque anglaise contre **Diégo-Suarez** (Madagascar) pour éviter que les Jap. de Birmanie utilisent l'île comme base [7-5 repli fr. ; oct. offensive contre Majunga ; 5-11 capitulation fr. (env. 500 Fr. †, dont l'aviateur Assolant)]. 7/9-5 défaite navale jap. *(mer de Corail) ;* 27-5/11-6 **Bir-Hakeim** (Afr.) Fr. (G[al] Kœnig avec 3 273 h. résistent 14 j face à 3 divisions ennemies) et échappent à l'Afrika Korps all. (Gal Rommel) ; 6-5 les Jap. prennent *Corregidor* (Manille, 11 500 pris. amér.), 15-5 Amér. capitulent à *Mindanao ;* 30-5 1 000 avions angl. bombardent Cologne ; 4-6 défaite navale jap. à *Midway* (4 porte-avions coulés contre 1 aux Amér.) ; 28-7-42/31-1-43 **siège de Stalingrad** (voir encadré p. 676) ; 19-8 **Dieppe** coup de main allié [opération *Jubilee :* sur 6 086 soldats alliés, 4 384 tués ou blessés (2e div. canad. : 836 †, commandos angl. 132 †, Royal Navy 550 †, 1 500 prisonniers), 34 navires coulés, les 28 blindés mis à terre atteints ; 106 avions détruits (contre 170 all.). Hitler récompense Dieppe pour sa sagesse en libérant des prisonniers de la région] ; 12-9 à 100 milles au N.-E d'Ascension, l'U 156 coule le *Laconia* (19 695 t, armé en croiseur auxiliaire) : 3 000 pers. transportées dont 1 800 Italiens prisonniers, 1 111 rescapés. Le sauvetage est interrompu par un avion amér. qui bombarde le sous-marin all. 23-10/3-11 **El-Alamein :** Montgomery bat Rommel [23-10 offensive angl. après préparation d'artillerie (échec) ; 24-10 contre-offensive des chars de Rommel (lourdes pertes) ; 28-10 : 2e offensive angl. sur un autre axe (réserves all. fixées) ; 2-11 percée angl. sur un 3e axe : repli de Rommel, qui continuera jusqu'en Tunisie (250 000 prisonniers en mars 1943)] ; 8-11 **débarquement anglo-américain en Afr. du Nord ;** escadre d'Alger : 25 000 h. ; e. d'Oran : 39 000 h. ; e. de Casablanca : 35 000 h. (pertes fr. 500 †, 2 000 bl., 1 cuirassé (Jean Bart), 1 croiseur, 4 contre-torpilleurs, 12 sous-marins détruits) ; 11-11 *Zone libre occupée* (voir p. 680 c) ; 12-11 les troupes all. arrivent en Tunisie (l'amiral fr. Esteva les laisse s'installer par ordre de Pétain) ; 27-11 sabordage *de Toulon* (60 navires, env. 200 000 t) ; 8-12 en Tunisie les All. internent la garnison de Bizerte et s'emparent de l'escadre Derrien (3 torp., 9 sous-marins, 3 avisos).

■ **1943** 13-1 Hitler reconnaît la défaite de Stalingrad et proclame la g. totale ; 27-1 **conférence de Casablanca** (Roosevelt, Churchill, Giraud, de Gaulle) ; 23-1 arrivée de la Colonne Leclerc à Tripoli (Libye), venant du Tchad ; 8-2 Amér. reprennent *Guadalcanal ;* 31-1 **chute de Stalingrad** (v. Index) ; 19-4 soulèvement du *ghetto de Varsovie.* **Tunisie,** 14-2 les All. arrêtent les Alliés et occupent à la frontière libyo-tun. la ligne *Mareth ;* 26-3 ils l'évacuent ; 12-4 Montgomery prend Sousse ; 8-5 prend Tunis et Bizerte ; 13-5 les All. capitulent (250 000 prisonniers, 100 canons, 250 chars). *Effectifs* de l'armée fr. victorieuse (mai 1943) : 50 000 h., dont 16 000 opérationnels (indigènes 66 %, légionnaires étrangers 16 %, Fr. de souche 18 %). 1-7 *1er bombardement massif de la Ruhr ;* 5/12-7 *Koursk* (Ukraine) : échec des blindés all. Contre-offensive soviét. d'été : batailles d'Orel, Kharkov et Bielgorod : repli all. vers le Dniepr ; 10-7 **débarquement allié en Sicile ;** 25-7 *Mussolini destitué,* maréchal *Badoglio* nommé PM : 31-7/10-8 les All. relèvent les troupes ital. d'occupation dans le Midi ; 8-9 **capitulation de l'Italie ; 12-9 débarquement des Français en Corse ; 13-10 Italie décl. g. à All.** 6-11 les Russes reprennent *Kiev ;* 11-11 le maquis défile à *Oyonnax ;* 28-11/1-12 **conférence de Téhéran** (Churchill, Roosevelt, Staline) ; *Guadalcanal :* contre-offensive américano-austr. en N.-Guinée.

■ **1944** 30-1 **conférence de Brazzaville ;** 1-2 création officielle des FFI ; 18-2 « opération *Jéricho* » [attaque aérienne brit. contre prison d'Amiens (bilan : All. : 20 †, 70 bl. ; prisonniers fr. : 95 †, 87 bl. ; 2 avions brit. détruits ; quelques Fr. condamnés à mort évadés ; 60 agents de la Gestapo démasqués)] ; 25-3 combat des *Glières,* voir p. 678 c ; 31-3 début de la maladie cardiaque de Roosevelt ; 2-4 massacre d'*Ascq* (voir p. 681 a) ; 10-5 prise de *Sébastopol ;* 11-5 victoire du Gal Juin sur le *Garigliano* (lignes all. percées) ; 4-6 *Rome* prise par Alliés et Fr.

Débarquement allié en Normandie. Nom de code : *Overlord* (suzerain) [une opération d'intoxication *(Fortitude)* fut aussi montée pour persuader les All. que le débarquement principal aurait lieu dans le Pas-de-Calais]. **Forces alliées** *Jour J (G6) :* 5 divisions débarquées par mer, 3 aéroportées, 90 000 (Amér., Brit., Canadiens et 177 Fr.). *J. suivants :* 39 divisions (200 000 h.) ; 9 000 navires dont de guerre 138 gros, 221 petits, 1 000 dragueurs, 4 000 péniches ; 3 200 avions (174 escadres). *Fin juin :* 850 000 h., 150 000 véhicules, 600 000 t d'approvisionnement. **Forces allem.** *Jour J :* 50 000 (dont 50 % de volontaires étrangers) entre Seine et Mt-St-Michel ; *j. suivants* 300 000. **Déroulement :** 5-6 à 23 h parachutage près de Ste-Mère-l'Église ; 6-6 à 6 h 30 la 1re unité amér. débarque à Ste-Marie-du-Mont (plage de la Madeleine, rebaptisée Utah Beach). **Pertes totales :** *alliées* 30-40 000, *All.* 150 000 (70 000 prisonniers). *Amér.* 3 400 † et disparus, 3 180 blessés ; *Angl.* env. 3 000, *Canadiennes* 946 (dont 335 †), *All.* 4 000 à 9 000 dont le 6-6.

9-6 *Massacre de Tulle* (voir p. 681 a) ; 10/19-6 combats du *Mt Mouchet,* puis de *la Truyère* (Hte-Loire), voir p. 678 c ; 10-6 *Oradour-sur-Glane* (voir p. 681 a) ; 12-6 offensive soviétique en Biélorussie ; 13-6 *1er V1 sur Londres ;* juillet : combats du *Vercors* (voir p. 678 c) 17/20-6 île d'*Elbe* prise (Ire armée fr.) ; 7-6 au 19-11 ports artificiels installés dont *Arromanches* (Mulberry) : brise-lames, 60 à 70 navires coulés au large dont le *Courbet,* 147 caissons Phoenix de 1 600 à 6 000 t (60 × 17 m ; hauteur 18 m). 20-7 *attentat du C[el] von Stauffenberg contre Hitler* échoue ; répression féroce ; 31-7 *percée d'Avranches ;* 1-8 *insurrection de Varsovie* (voir Index) ; offensive soviét. en *Roumanie ;* effondrement du front germano-roumain.

15-8 **débarquement allié en Provence** 1 261 navires (1 850 000 t), dont 6 % de fr. (notamment l'*Émile-Bertin* à Anthéor) ; 2 100 avions contre 230 avions all. ; 4 h 22, 10 000 parachutistes au Muy ; 8 h, débarquement à Cavalaire, Ste-Maxime ; 8 h 30 et 15 h 34, à St-Raphaël : faible résistance all. ; 16-8 débarquement de la 1re armée fr. 18-8 au 25-8 **Libération de Paris** [18-8 fusillade du Pont des Arts *(début de l'insurrection) ;* 19-8 police parisienne en grève ; 21/22-8 trêve [négociée par l'entremise de Raoul Nordling (1882-1962), consul de Suède], signée entre insurgés et le Gal Dietrich von Choltitz (1894-1966) nommé le 9-8 commandant de la garnison all. à la place du G[al] von Stulpnagel ; 22/25 combats de rue après la rupture de la trêve, décidée par le Comité par. de libération, par le colonel FTP Rol-Tanguy C[dt] les FFI de l'Ile de France ; 22-8 sur l'insistance de De Gaulle, Eisenhower, C[dt] suprême allié, dit à Bradley de pousser la 2e DB (Leclerc) sur Paris ; 25-8 von Choltitz, ne disposant que de 15 000 h. des services, quelques dizaines de chars et une faible artillerie, capitule à 14 h 45 devant Leclerc après avoir refusé d'exécuter l'ordre de Hitler de brûler Paris.

20-8 *St-Genis-Laval* (Rh). 120 brûlés vifs par All. ; 25-8 *Maillé* (I.-et-L.) 126 pers. massacrées par les All. ; *de Gaulle à Paris ;* 26-8 magnificat chanté à N.-D. de Paris en sa présence, des coups de feu sont tirés ; 31-8 *Gouv. provisoire* à Paris ; 2-9 les Alliés libèrent la Belgique ; 3-9 la Ire armée fr. atteint Lyon ; 8-9 : 1re V2 sur l'Angl. (v. Index) ; 11-9 *armistice russo-bulgare ;* 12-9 *armistice russo-roumain ;* 17/25-9 **Arnhem** [Montgomery tente de passer successivement : Meuse, Rhin supérieur à Nimègue, Rhin inf. à Arnhem en jetant sur chaque pont une division parachutée pour ouvrir la voie aux blindés ; seuls les 2 premiers ponts sont enlevés ; la 1re division aéroportée brit. (Gal Urquhart) est encerclée autour du pont d'Arnhem (2 000 survivants sur 10 000 paras)] ; 19-9 *armistice russo-finlandais ;* 19-10 les Amér. débarquent aux *Philippines ;* 22-10 *capitulation de Varsovie,* les All. battent les insurgés ; 22/27-10 *Leyte,* défaite navale jap. (V. Index) ; 28-10 *armistice Alliés-Bulgarie ;* 14-11 offensive de la Ire armée fr. vers Belfort. 23-11 Strasbourg prise. 16/26-12 *contre-attaque all. en Ardennes* (avance de 70 km) : les Amér. résistent à Bastogne, St-Vith et au Luxembourg.

■ **1945** 16-1 le saillant allemand des Ardennes est réduit (bilan : *All. :* 24 000 †, 63 000 blessés, 16 000 prisonniers ; *Alliés :* 8 000 †, 48 000 bl., 21 000 pr.) ; 17-1 les *Russes prennent Varsovie ;* 27-1 libèrent *Auschwitz ; 20-1 armistice avec Hongrie ;* 1-2 *Budapest prise ;* 6-2 *Colmar libérée ;* les Fr. bordent le Rhin du N. de Bâle à Strasbourg ; 13-2 *Dresde bombardée* [800 bombardiers lourds anglais

Dates de libération. 1944 7-6 Bayeux, 27-6 Cherbourg, 4-8 Rennes, 12-8 Alençon, 16-8 Orléans, 18-8 Draguignan, 23-8 Marseille, Grenoble, 25-8 Paris, 26-8 Avignon, 27-8 Toulon, Montélimar, 29-8 Nîmes, 31-8 Montpellier, Béziers, Narbonne, Valence, 1-9 Rouen, Amiens, Reims, 2-9 Nice, Bordeaux, Chambéry, 4-9 Lyon, Maubeuge, 2-9 Lille, St-Étienne, 6-9 Les Sables-d'Olonne, 7-9 Calais, Lons-le-Saunier, 8-9 Beaune, Chalon-sur-Saône, 10-9 Besançon, 11-9 Dijon, 12-9 Le Havre, 15-9 Nancy, 21-9 Boulogne-sur-Mer, Menton, 20-11 Metz, Belfort, Mulhouse, 23-11 Strasbourg. **1945** 8-5 La Rochelle, Lorient.

Mur de l'Atlantique

Origine. *1942*-13-8, Hitler charge l'organisation Todt (génie) de créer une ligne fortifiée des P.-Bas à l'Espagne pour le 1-5-1943. 15 000 blockhaus prévus. 4 zones construites : Norvège (2), Pas-de-Calais, îles anglo-normandes. **Réalisation au 6-6-1944.** *Au large :* mines. *Plages :* mines, obstacles immergés à marée haute avec charge explosive ; « hérissons tchèques » (rails entrecroisés), « grilles belges » (tétraèdres en béton de 2 m de haut), murailles de béton antichars, villas transformées en blockhaus, barbelés, blockhaus sur le front de mer. *A l'intérieur des terres :* mines, inondations, « asperges de Rommel » (poteaux de 3 à 4 m) avec explosifs contre les planeurs. **Bilan.** Batteries mal équipées [2 ont été utilisées le 6-6-1944 : celle de Longues (calibre 152 mm), une de celles de Ste-Adresse (170 mm)]. Pour ne pas dépendre de ports fortifiés (difficiles à prendre), les Alliés avaient créé des ports artificiels. Les All. ont pu se réfugier dans les *« poches » de l'Atlantique* à Royan jusqu'au 15-4-1945 (attaque de la 2e DB française), Lorient, St-Nazaire, La Rochelle, Rochefort, Dunkerque, jusqu'à l'armistice (sans être réellement attaqués).

Mur du Sud (Südwall)

Côtes méditerranéennes. 550 canons entre Marseille et Agay. **Bilan.** Pulvérisés par l'aviation, les roquettes (30 000) et l'artillerie de marine (16 000 obus) le 15-8-1944 entre 3 h 50 et 8 h.

Conférence de Yalta (4/11-2-1945) entre Churchill, Roosevelt (malade), Staline. 1° All. sera divisée en 4 zones administrées par les Alliés : démontage d'usines, réparations (Staline refuse 6 fois d'admettre la Fr. dans la Commission de contrôle ; à la 7e demande formulée par Eden, il cède) ; 2° les positions acquises par l'URSS seront reconnues, les frontières occidentales de la Pologne seront fixées par le traité de paix, la ligne *Curzon* sera sa frontière à l'est ; 3° la Russie interviendra contre le Japon ; 4° projet de Conférence à San Francisco pour créer une Organisation des Nations unies (Churchill et Eden arrivent à faire reconnaître à la Fr. un droit de veto et une place parmi les 5 grands) ; 5° les Soviét. réfugiés dans les territoires occupés par les Anglo-Amér. seront renvoyés en URSS [2 800 000 seront livrés ; 800 000 exécutés sur-le-champ ; env. 1 500 000 déportés en Sibérie (exception : 60 000 Arméniens réfugiés en Californie)].

(bombes de 4 t et 2 t, 650 000 bombes incendiaires), puis 450 forteresses volantes ; 135 000 † (dont 10 000 Français), apparemment inutiles (réfugiés) ; centre historique détruit ; motifs invoqués : 1°) saper le moral des civils all. ; 2°) désorganiser une possible résistance à l'occup. sov.)]. 27-2 Calais bombardée par un aviateur angl. s'entraînant au tir réel (il a confondu Calais avec Dunkerque alors occupée), + de 127 †. *Iwo Jima* (19-2/16-3) et *Okinawa* (1-4/10-6) les Américains battent les Jap. ; 7-3 *Rhin franchi* à Remagen ; 5-4 intervention de Pie XII, pour obtenir un cessez-le-feu séparé entre Occidentaux et All. ; 9-4 *Vienne prise ; 12-4 Roosevelt meurt* ; 25-4/26-6 **Conférence de San Francisco ;** 25-4 *jonction amér.-russe* à Torgau (All., sur l'Elbe) ; 28-4 *Mussolini exécuté ;* 1-5 **Hitler se suicide** [ni cliniquement fou, ni dépendant des drogues, mais atteint de dépression, d'inflammation du côlon, de troubles cardiaques et de la maladie de Parkinson et « bourré » de médicaments] ; 2-5 **Berlin capitule ;** 7-5 2 h 41 **capitulation all.** signée ; au QG d'Einsenhower à Reims dans une école technique, sur une table de ping-pong par Gal Jodl (All.), Bedel Smith (Amér.), Susloparov (Russe), Sevez (Français) ; 8-5 15 h proclamation officielle de la capitulation dans les pays occidentaux ; en vigueur à 23 h 01 ; 9-5 0 h 06 à 0 h 45 capitualtion signée à Berlin au QG soviét. par Gal Keitel (All.), M^al^ Joukov (Sov.), M^al^ Tedder (Brit. représentant Eisenhower) [et à titre de témoins : Gal de Lattre (Fr.), Gal Sperez (Amér.)] ; 26-6 signature du **statut de l'ONU ;** 17-7/2-8 **Conférence de Potsdam** (Churchill puis Attlee, Staline, Truman) organise l'occupation de l'All. ; 6-8 **Hiroshima** (1re bombe atomique) ; 9-8 **Nagasaki** (2e bombe a.) ; 14-8 **capitulation japonaise ;** 2-9 **reddition japonaise** dans la baie de Tōkyō (à bord du *Missouri,* cuirassé de 54 000 t, mis en service juin 1944, désarmé 31-3-1992).

Traités terminant la guerre 1939-45

1) Capitulations. Avec URSS : *1944* Roumanie 12-9 ; Finlande 19-9 ; Bulgarie 28-10 ; *1945* Hongrie 20-1. **Avec URSS et Alliés occidentaux :** *1945* Allemagne (Reims) 7-5, ratifié (Berlin 8-5). **Avec Alliés occidentaux :** *1945* Japon (à bord du *Missouri,* ancré dans la baie de Tōkyō, 2-9).

2) Actes diplomatiques. 1947 10-2 *traité de Paris :* Italie, Roumanie, Bulgarie, Hongrie et Finlande. **1951** 8-9 *tr. de San Francisco* Japon et 48 pays alliés. **1952** 27-4 *tr. de Taipeh,* Chine nationaliste, Japon. **1954** 23-8 *accords de Paris :* constitution de la Rép. fédérale d'All. ; avec rétablissement des responsabilités diplom. (entrée en vigueur 1-1-1955). **1955** 20-9 *tr. de Moscou* l'URSS confère la souveraineté à la Rép. démocratique d'All, 15-5 *tr. de Vienne ou du Belvédère* ou « *Tr. d'État* » avec l'Autriche : URSS, USA, G.-B. et France mettent fin à l'occupation ; confère la souveraineté à l'État autrichien. **1956** 19-10 *tr. de Moscou* URSS, Japon.

Commandants supérieurs 1939-45

Allemagne. *1939-41* Fedor von Bock (1880-1945) ; *1941-43* et *1944* Günther von Kluge (1882-1944) ; *1938-1941* Walter von Brauchitsch (1882-1948) ; *1942-45* Gerd von Rundstedt (1875-1953) ; *1941-42* (Afrique) et *1943-44* Erwin Rommel (1891-1944) ; *1939-45* (état-major) Wilhelm Keitel (1882-1946) ; Karl Doenitz (1891-1980) (1939-juin 1942 sous-marins, 1943-45 Kriegsmarine) ; Albert Kesselring [(1885-1960) 1941-42 Luftwaffe de Méditerranée, 1942-45 Italie, mars-mai 1945 fr. de l'Ouest] ; E. Milch (n. 1892).

France. *1939* Maurice Gamelin (1872-1958) ; *18-5-1940* Maxime Weygand (1867-1965) ; *1943-44* (front d'Italie) Alphonse Juin (1888-1967) ; *1944-45* (Normandie) Philippe de Hauteclocque, dit Leclerc (1902-47) ; Jean de Lattre de Tassigny (1889-1952) (Rhin et Danube).

Grande-Bretagne. *1939-40* Lord John Gort (1886-1946) ; *1940-42* (bat. aérienne d'Angl.) ; Hugh Dowding (1882-1970) ; *1943-45 forces navales :* Bruce Fraser (1888 †) ; *terrestres :* Bernard Law Montgomery (1887-1975). Gort-Wavell (1940-41 Moyen-Orient, 1942-45 Indes). Harold Alexander (1891-1969 C^dt^ en chef allié en Afr. du N., créé 1er Cte de Tunis).

Japon. *1940-45* (état-major) Hideki Tojo (1884-1948) ; *1941-43* (forces navales) Isoroku Yamamoto (1884/17-4-1943, tué en vol par Amér.).

URSS. *1941-45* Simon Timochenko (1895-1974) ; *1942-45* Gueorgui Joukov (1896-1974) ; *1943-45* Ivan Koniev (1897-1973). Boris Chapochnikov (1882-1945) (1941-42 chef d'état-major gén.). Nikolaï Vatoutine (1901-44). Constantin Rokossovski (1896-1968). Andrei Teresnenko (1892-n.c.).

USA. *1941-45 Pacifique :* Douglas MacArthur (1880-1964) ; forces navales : Chester Nimitz (1885-1966) ; *état-major :* George Marshall (1880-1959) ; *1942-45 Europe :* Dwight Eisenhower (1890-1969). Mark Clark (Italie) (1896-1984).

Autres officiers généraux

Allemagne. *Heinz Guderian* (1888-1954), spécialiste des blindés : bat les Fr. (mai 1940) ; est battu devant Moscou (déc. 1941) ; chef d'état-major (juill. 1944-mars 45). *Walter Model* (1891-1945, suicidé), M^al^ ; arrête les Russes sur les Carpathes (août 1944) ; C^dt^ en chef du front de l'Ouest (1944-45). *Erich Lewinski von Manstein* (1887-1973), auteur du plan d'attaque par les Ardennes (mai 1940) ; front sud en Russie (mars 1943) ; destitué mars 1944. *Hermann Goering,* voir index. *Friedrich Paulus* (1890-1957), C^dt^ à Stalingrad (prisonnier). *Wilhelm von Leeb* (1876-1956), C^dt^ chef du gr. d'armées N. (1941-42), échoue devant Leningrad.

France. *Charles Huntziger* (25-6-1880-12-11-1941, † accident d'avion dans le Gard), C^dt^ de la IIe armée devant Sedan (mai 1940) ; G^al^ en chef de l'armée d'armistice (1940-41). *Kœnig, Catroux, Giraud, Larminat* (voir p. 679 et 680). *Jean de Goislard de Monsabert* (1887-1985) C^dt^ d'un des 2 corps d'armée de la Ire armée (1944-45). *Émile Béthouart* (1889-1982) C^dt^ de l'autre corps. *Augustin Guillaume* (1895-1986), C^dt^ des Tabors marocains.

Grande-Bretagne. *Henry Maitland Wilson* (1881-1964), Grèce (1941), Syrie (1941), comm. suprême allié en Méditerranée (1944-45).

Japon. *Tomoyuki Yamashita* (1885-1946, pendu), conquérant de Singapour (15-2-1942 ; surnommé le « Tigre de Malaisie ») ; défenseur des Philippines (1944-45) ; criminel de guerre.

URSS. *Simion Boudienny* (1883-1973), cavalier, battu en Ukraine (juill. 1941), *Kliment Vorochilov* (1881-1969), commande le front du N. (juin-sept. 1941) ; organisateur des réserves en Sibérie.

USA. *George Smith Patton* (1885-1945), C^dt^ de la VIIe armée (Sicile 1943) et la IIIe armée (France-All. 1944-45). *Omar Nelson Bradley* (1893-1982), C^dt^ de la Ire armée (juin 1944), puis du 12e groupe d'armées américaines en All. (1945). *Mathew Ridgway* (1895), C^dt^ des tr. aéroportées (Norm. 1944).

Guerre germano-russe (1941-45)

■ **Causes.** 1°) Hitler voit dans les plaines à blé de l'Est *l'espace vital* idéal pour la race all. ; 2°) il veut détruire le « judéo-bolchevisme » [av. 23-8-1939 le pacte de « non-agression » avec l'URSS lui permettra d'abord de liquider les Occidentaux] ; 3°) la résistance angl. d'oct.-déc. 1940 lui fait reprendre ses projets d'attaque : il suppose que la résistance brit. est motivée par une collusion secrète anglo-soviét. : a) le potentiel écon. de l'URSS lui permettrait de frapper encore plus fort l'Angl. ; b) par le Caucase, il prendrait à revers les Angl. au Proche-Orient ; 4°) il décide d'attaquer sans attendre car il pensait peut-être que Staline se croyait tranquille (tant que les combats dureraient à l'O., l'All. redouterait une g. sur les 2 fronts), à moins qu'il ait été inquiété par des préparatifs de Staline et par les approches de celui-ci vers la Roumanie d'où l'All. tirait son pétrole. Mais la campagne des Balkans retarde son projet de 2 mois.

■ **Déroulement. 1°) Victoires initiales des Allemands** (juin-déc. 1941). Staline, quoique averti par Churchill et par l'espion Richard Sorge (1895-1944), en poste au Japon, a été surpris. Selon Victor Suvorov, il envisageait d'attaquer l'All. le 6-7 et avait réuni des chars rapides (pour les autoroutes all.) et des parachutistes. Son armée destinée à l'offensive n'était pas prête pour la défensive. Les blindés all. encerclent des millions de combattants mais aucun plan d'ensemble n'a été suivi, aucun objectif stratégique n'a été atteint. Le contre-espionnage soviét. trompe les All. sur les pertes soviét. : Hitler croit avoir mis hors de combat 200 divisions soviét. au lieu de 60, toutes les autres ayant été reformées et renforcées. Les partisans résistent sur les arrières all. en raison de la brutalité de l'occupation.

2°) **Défaites de l'automne 1941.** Les blindés all. reçoivent seulement le 30-9 l'ordre d'atteindre Moscou. Mais l'hiver arrive en oct.-nov., la poussière, la boue et le gel vont jouer. Le 5-12, les Sov. contre-attaquent près de Moscou, les All. reculent de 250 km.

3°) **Offensive all. par le Sud** (juillet-déc. 1942). Hitler renonce à attaquer sur l'ensemble du front et décide de percer au S. pour remonter en 1943 par la vallée de la Volga et prendre Moscou à revers. Ses armées s'élancent le 12-7 entre Koursk et la mer d'Azov : leur aile gauche est stoppée à Voronej ; leur aile droite bat les Sov. dans la boucle du Don et atteint la Volga au S. de Stalingrad le 4-9. Hitler lance vers le Caucase la moitié des effectifs de l'aile droite, qui atteignent Ordjonikidzé en oct. L'autre moitié (Gal Paulus) est stoppée à Stalingrad.

4°) **Défaite de Stalingrad.** *18-11-1942,* les Sov. lancent leur contre-offensive sur les arrières all. de Stalingrad (300 000 h. encerclés). Hitler ordonne à Paulus (nommé M^al^) de résister jusqu'à la mort. *1-2-1943,* Paulus capitule ; ses 300 000 h. sont hors de combat. Les Sov. reconquièrent le S.-E. jusqu'à l'Ukraine.

5°) **Dernières offensives all.** (mars 1943). Von Manstein profite d'une avance trop rapide des Russes pour contre-attaquer en Ukraine : il reprend Kharkov le 15-3, Bielgorod le 21-3 et rejette les Russes à l'E. du Donetz le 31-3. Le 5-7, il décide de prendre le saillant de Koursk en tenaille avec toutes ses réserves blindées (opération « Citadelle »). Ses 2 colonnes sont stoppées par les blindés sov. Le 12-7, d'autres blindés sov. percent le front au N. de Koursk et prennent Orel (victoire décisive : les All. n'auront plus jamais l'initiative).

6°) **Offensives russes vers l'Ouest.** *En 1943* les All. perdent Kharkov (23-8), Smolensk (25-9), Kiev (6-11) ; *en 1944,* Odessa (10-4), Sébastopol (9-5), fin avril les Sov. attaquent les frontières roumaine et polonaise.

7°) **Conquête de l'Europe orientale.** Le débarquement en Normandie du 6-6-1944 immobilise de gros effectifs all. Les Sov. attaquent vers Roumanie, États baltes, Pologne (Varsovie atteinte 1-8), Bulgarie (18-9), Youg. (Belgrade prise 19-10), Hongrie (attaque sur Budapest 6-12). L'All. est atteinte le 12-1-1945 (Tcherniakowski conquiert la Prusse orientale) ; la Vistule est franchie le 22-2 (Dantzig capitule le 29-3), l'Oder le 12-3. Berlin est investi en avril, Tchéc. et Autriche sont occupées début mai.

■ **Effectifs. 1941 sur le front de l'Est au 22-6 :** *All. :* 180 divisions dont 20 blindées (300 chars chacune), 3 200 avions + 40 div. alliées (Finlande 14, Roumanie 22, Hongrie 8, Italie 12) ; *Sov. :* 150 div., 50 brigades blindées de 200 chars, 20 div. de cavalerie, 6 000 avions. **1942 mai** (offensive vers la basse Volga) **:** *All.* 240 div. (All. 179, Hongrie 13, Roum. 22, It. 10, Slovaquie 1, Esp. 1, Finl. 14) ; *Sov.* ont (sans doute) reconstitué leurs effectifs de 1941, mais perdent 600 000 h., 4 500 chars, 6 000 canons entre le *28-6* et le *15-8-1942.* **1942 automne, en basse Volga :** 150 div. (avec 5 000 chars). **1943 Bataille de Koursk (12/17-7) :** *All. :* 900 000 h. (38 div. dont 17 blindées), 10 000 canons, 2 700 chars, 2 000 avions ; *Sov. :* 1 300 000 h., 20 000 canons, 3 600 chars, 2 400 avions. **Novembre :** *Sov. :* 380 div. dont 51 blindées [2 à 3 fois supérieures à celles de la Wehrmacht (max. réuni par Manstein à Rostov le 15-11-1943 : 15 000 h., 1 500 chars). Les div. all. de panzers n'ont plus que 100 à 150 chars]. **1944 :** *All. :* 400 « div. » réduites à quelques centaines d'h. ; *Soviét.* (juillet) : 430 div., 70 brig. motorisées, 110 div. blindées, 20 div. de caval. (total : 8 millions d'h.). **1945 (12-1) :** *All. :* 170 « div. », + 20 en Youg. et 35 div. blindées réduites à 100 chars.

☞ + de 2 000 000 de Russes se rangèrent aux côtés des All. En 1943 certaines divisions all. comprenaient jusqu'à 20 % d'auxiliaires russes (les Hiwis). Il y eut 2 div. SS russes et, en avril 1945, 2 div. de l'armée Vlassov. Le 15e SS Kosaken-Kavalerie-Korps [plusieurs milliers de cosaques (du Don, Terek, Kouban, etc.) commandés par le G^al^ SS Helmut von Panwitz].

■ **Aide à l'URSS.** *Total* (1942-45) (USA, G.-B., Canada) : 22 000 avions, 12 000 chars, 345 00 t d'explosifs, 385 000 camions (par mer, 2 600 navires et 17,5 millions de t). Aide amér. : 11 milliards de $.

Traités d'alliance conclus contre l'Allemagne

■ **Clauses.** Durée 20 ans ; alliance contre l'All. et ses alliés, jusqu'au tr. final, sans paix séparée, alliance éventuelle après la g. en cas de nouvelle agression all. ; coopération amicale et assistance technique après la guerre.

■ **Dates. 1942** *26-5* URSS/G.-B. **1943** *12-12* URSS/Tchéc. **1944** *10-12* URSS/France. **1945** *11-4* URSS/Youg. ; *21-4* URSS/Pol.

■ Quelques chiffres

■ **Pays envahis par l'All.** Pologne (1939), Danemark et Norvège (1940), Hollande, Belgique, Luxembourg, France zone occupée, îles Anglo-Normandes (1940), Yougoslavie, Grèce (1941), Crète (1941), Égypte (N.-O. 1942), France (zone sud 1942), URSS (à l'ouest d'une ligne Leningrad-Voronej-Stalingrad-Caucase, 1941-43), Tunisie (1943). **Ont échappé à l'invasion** 5 pays neutres : Espagne, Portugal, Suède, Suisse, Turquie.

Matériel

■ **Guerre aérienne. Avions en ligne. Allemagne :** *1939 :* 2 700, *40 :* 3 200 à 4 500, *44 :* 16 000. **France.** *mai 1940 :* 700 (en 1re ligne et en réserve immédiate sur 1 400 app.). **G.-B.** *1945 :* 20 000. **Pologne** *1939 :* 400. **USA** *1945 :* 135 000.

Production annuelle. Allemagne : *1936 :* 2 880, *37 :* 4 320, *38 :* 6 500, *39 :* n.c., *40 :* 10 800, *41 :* 11 800, *42 :* 15 600, *43 :* 25 500, *44 :* 39 800, *45 :* 8 000. **G.-B. :** *1939 :* 7 000, *40 :* 15 000, *41 :* 20 100, *42 :* 23 671, *43 :* 26 263, *44 :* 29 220. **France :** *1934 :* 80, *35 :* 423, *36 :* 569, *37 :* 423, *38 :* 445, *39 :* 2 125, *40 (1er sem.) :* 1 554. **Italie :** *1940 :* 3 257, *41 :* 3 503, *42 :* 2 813, *43 :* 1 930. **Japon :** *1941-45 :* 65 000. **URSS :** *1942 :* 8 000, *43 :* 18 000, *44 :* 30 000. **USA :** *1940 :* 6 028, *41 :* 19 445, *42 :* 47 675, *43 :* 85 433, *44 :* 95 272. **Total 1940-45 :** *All.* 92 600 ; *G.-B.* 96 500 ; *Japon* 59 000 ; *USA* 296 000.

Bombardements aériens *(en milliers de t).* Sur Allemagne (et territoires occupés), et entre parenthèses, sur Angleterre. *1940 :* 10 (37), *41 :* 30 (22), *42 :* 40 (3), *43 :* 120 (2), *44 :* 650 (9), *45 :* 500 (1).

As de l'aviation. Allemagne : *Est :* Adolf Galland, Éric Hartmann 352 victoires. *Ouest :* Hans Joachim Marseille (1912-42) 158 dont 16 en 1 jour, W. Mölders, W. Nowotny, Hans-Ulrich Rudel (1917-83) 3 nav. de g., 70 péniches de déb., 519 chars. **Finlande :** E. Juutilainen 94. **France :** *Normandie-Niémen* (total collectif) : 273 victoires [dont : Marcel Albert 23 ; Roland de la Poype 16, Jean-Louis Tulasne (1912-43) 14, P. Pouyade 10 ; formé en 1942 d'aviateurs français de la base de Rayak (Syrie), venus en URSS par l'Iran, il comporte 4 escadrilles en 1945 ; 42 pilotes sont morts au combat] ; *Français de la RAF :* 33 ; *Forces aériennes fr. libres :* 675 dont : Pierre Clostermann (n. 1921) 33 ; campagnes de 1939-40 et 1944-45 : Edmond Marin La Meslée (1912-45) 16. **G.-B. :** St-John Pattle 51 (Sud-Afr. †1941), John Johnson (n. 1916) 38, John Braham 29. **Japon :** H. Nishizawa 103, Saburo Sakai 64. **Pologne :** S. Skalski (dans la RAF) 22. **Roumanie :** Pce C. Cantacuzene 60. **URSS :** Ivan Kojedoub 62, Alexandre Pokrychkine (n. 1913) 59. **USA :** Mac Guire († 1945) 138, R. Bong († 1945) 40 ; Francis Gabreski (n. 1919) 31.

Pertes aériennes. Allemagne : *avions déclarés détruits par les Alliés* 113 569 (dont par G.-B. 7 911 ; USA 50 658 ; URSS 55 000). Or la Luftwaffe n'a jamais eu plus de 60 000 appareils. *Pertes pendant la bataille de France :* 1 123 av. (dont 200 pendant la bataille de la Somme). **France :** 610 av. (dont 200 au sol par bombardement). **G.-B. :** 35 500 av. (dont 16 385 au combat, le reste par accident), 79 281 †. **Japon :** env. 50 000 av. **USA :** 53 000 av. (dont 10 000 bomb. et 8 400 chasseurs sur l'Europe).

■ **Guerre navale. Pertes navales. Allemagne** *(1939-févr. 1945) :* env. 1 100 nav. (dont 781 sous-marins), dont 246 par des navires de surface, 247 par des avions basés à terre. Les Angl. s'étaient emparés en 1941, à bord d'un sous-marin all. capturé (U 110), d'un décodeur *Enigma,* dont le mathématicien angl. Alan Turig découvrit le fonctionnement, repérèrent dès lors la position des « U-Boote ». **Alliés :** 23,4 millions de t (dont 14,6 par sous-marins soit 2 775 navires, 2,8 par aviation, 1,4 par mines), dont de *1939 à 1942 :* 17,86 (10,71 construites) ; de *1943 à 1945 :* 5,49 (31,75 construites). **France** *(sept. 1939 à mai 1945) :* 4 cuirassés (*Bretagne* 3-7-40 ; *Provence* 27-11-42 ; *Dunkerque* 27-11-42 ; *Strasbourg* 27-11-42) ; 1 transporteur d'avions ; 4 croiseurs lourds ; 6 légers ; 26 contre-torpilleurs ; 25 torpilleurs ; 7 légers ; 1 croiseur sous-marin (*Surcouf* 18-2-42 heurté par cargo près de Panamá 131 †) ; 31 sous-marins de 1re cl. ; 20 de 2e cl. ; 6 poseurs de mines ; 1 frégate ; 3 corvettes ; 12 avisos de 1re cl. ; 16 de 2e cl. ; 52 autres petits bâtiments de surface ; 7 croiseurs auxiliaires (navires marchands armés) ; 67 petits nav. auxiliaires (caboteurs et chalutiers armés). *Pertes des FNFL :* marine de guerre 11 dont le Surcouf, marchande 26. **Japon :** *marine marchande :* 8,14 millions de t (1941-42 : 1 ; 1943 : 1,8 ; 1944 : 3,84 ; 1945 : 1,5) ; *de guerre :* 550 navires (1,74 million de t sur 1,94).

■ **Guerre terrestre. Chars en ligne. Allemagne :** *1940 :* 2 600 (dont 1 500 ch. français), *1945 :* 3 500. **Anglo-amér. :** *1944 :* 6 000. **France :** *1940 :* 2 300. **URSS :** *1944 :* 12 000.

Production annuelle moyenne. Allemagne : 5 056. **France :** *1934 :* 3, *35 :* 50, *36 :* 467, *37 :* 482, *38 :* 403, *39 :* 1 059, *40 (1er sem.) :* 854. **G.-B. :** 8 611. **Italie :** 1 500. **Japon :** 500. **URSS :** 24 500 (max. 1944, 30 000). **USA :** 20 000 (max. 1943, 29 500).

Pertes humaines civiles et militaires

Total. Env. 38 millions de morts (dont 5,7 de déportés raciaux et 4 à 5 de dép. pol. en All.). **Pertes civiles. Allemagne :** 3 810 000 (dont par bombardements anglais et amér. 635 000). *Civils allemands disparus dans les terr. orientaux :* env. 1 200 000 (depuis, décès enregistrés : 124 000 ; rapatriés des pays de l'Est 520 000 ; rapatriés en instance 240 000 ; civils non encore retrouvés env. 175 000). **Belgique :** 80 000. **Bulgarie :** 10 000. **Finlande :** 8 000. **France :** 330 000 (dont 182 000 déportés). **G.-B. :** (et colonies) 150 000 (dont bombardement en Angl. 51 509 dont : 6 184 par V1 et 2 754 par V2). **Hongrie :** 300 000. **Italie :** 380 000. **Japon :** 600 000. **P.-Bas :** 205 000. **Pologne :** 5 500 000. **Roumanie :** 160 000. **Tchéc. :** 405 000. **URSS :** 10 000 000. **Youg. :** 1 400 000.

Effectifs militaires à leur maximum ; morts au champ de bataille (1939-45)

	Eff. Max.	Morts
Alliés		
Afrique du Sud	140 000	6 840
Australie	680 000	23 365
Belgique	650 000	7 760
Canada	780 000	37 476
Chine	5 000 000	2 200 000
Danemark	25 000	3 006
France	*4 300 000*[1]	*210 671*
Grèce	414 000	73 700
Inde	2 150 000	24 338
Norvège	45 000	1 000
Nouvelle-Zélande	157 000	10 033
Pays-Bas	410 000	6 238
Pologne	1 000 000	320 000
Royaume-Uni	5 120 000	244 723
URSS	12 500 000	7 500 000
USA	12 300 000	291 557[2]
Yougoslavie	500 000	410 000
Axe		
Allem.-Autr.	10 200 000	3 850 000[3]
Bulgarie	450 000	10 000
Finlande	250 000	82 000
France (volontaires)	n.c.	*14 500*
Hongrie	350 000	140 000
Italie	3 750 000	77 494[4]
Japon	6 095 000	1 219 000
Roumanie	600 000	300 000

Nota. – (1) Dont *ralliés aux Fr. Libres* de Londres 80 400 (Terre 62 100 ; marine de guerre 8 800 ; marine de comm. 6 000 ; air 3 500). (2) Dont (en %) Europe 60, Médite r. 20, Pacifique 20. (3) En 1945, sur *le front de l'Est,* 2 250 000 militaires de la Wehrmacht étaient portés manquants (prisonniers libérés depuis 520 000 ; décédés dans des camps 550 000 ; disparus 1 180 000). (4) Dont 17 490 *du côté des Alliés.*

Camps de concentration

Nombre total. 203. **Camps principaux. Allemagne :** *Dachau* (près de Munich, 1936), *Oranienbourg-Sachsenhausen* (près de Berlin, 1936), *Buchenwald* (près de Weimar, Thuringe, 1937), *Flossenburg* (près de Bayreuth, 1939) 73 296 † (dont 4 371 Français), *Neuengamme* (près de Hambourg, 1939), *Ravensbrück* (pour les femmes, *Mecklembourg,* 1939), *Dora* (près de Nordhaugen ; 1942 comme satellite de Buchenwald, autonome en oct. 1944 sous le nom K. L. Mittelbau), *Bergen-Belsen* (près de Hanovre, 1943). **Territoires allemands actuellement polonais :** *Stutthof* (près de Dantzig, 1940), *Gross Rosen* (Silésie, 1940), *Auschwitz* [Silésie, 1940, victimes 1,3 à 1,5 million (et non 4 à 8 comme avancé autrefois, la mention de 5 figurant sur les plaques déposées au pied du monument a été enlevée) dont selon F. Piper, Juifs 1,1, Polonais 0,15, Tsiganes 0,023, prisonniers soviét. 0,015. 223 000 dép. ont survécu]. **Pologne :** *Maidanek* (banlieue de Lublin, 1940), *Treblinka* (à 100 km de Varsovie, 1941 ; insurrection armée des prisonniers 1943), *Sobibor* (près de Lublin, 1942). **Tchécoslovaquie :** *Theresienstadt* (près de Prague, 1940). **Autriche :** *Mauthausen* (près de Vienne, 1938). **France :** *Natzwiller-Schirmeck-le-Struthof* [Bas-Rhin, 1941, seul camp où les chambres à gaz aient été conservées intactes (inscrites à l'Inventaire supplémentaire des Monuments historiques le 20-3-1947, et classées monument historique le 7-8-1951)]. **Pays-Bas :** *Bois-le-Duc* (1942). **Pays Baltes :** *Kaunas, Riga* (1942).

Morts. *Selon certains, il y eut 9 millions de morts* de 23 nations (victimes civiles et déportés morts dans les camps de concentration). Sur 8 295 000 Juifs qui se trouvaient en 1939 dans les pays occupés par les nazis, 6 millions furent tués pour raison raciale entre 1940 et 1945. *Selon d'autres, 6 millions* (dont 3 millions de Juifs). En nov. 1978, l'ancien commissaire aux aff. juives du gouv. de Vichy, Louis Darquier de Pellepoix (1897-1980), réfugié en Espagne, ayant qualifié le chiffre de 6 millions de morts juifs « d'invention pure et simple », a été l'objet de plusieurs plaintes en incitation à la haine raciale. Un décompte des victimes juives de « l'holocauste » est donné à l'article Israël (voir Index).

Poursuites contre les criminels de guerre

Zone d'occupation américaine en Allemagne : plusieurs milliers d'accusés (liste du Gal Taylor, 570 cas retenus, 177 affaires jugées, 14-4-1949). 24 condamnés à mort, 20 détentions perpétuelles, 98 trav. forcés à temps, 35 acquittements. **Anglaise :** 700 000 cas examinés, 973 affaires jugées, 230 condamnés à mort, 24 à la prison perp., 423 à temps, 260 acquittés. **Française :** 2 027 affaires jugées (+ certaines affaires d'Allemands jugés en France). 104 cond. à mort, 44 à la prison perp., 1 475 à temps, 404 acquittements. **Soviétique** (évaluation de J.A. Marting) : 185 000 exécutions.

☞ **Procès de Nuremberg** (voir Index).

■ La guerre et la France

☞ Les statistiques données par les différents auteurs sont souvent imprécises et contradictoires.

■ **Alsaciens-Lorrains. Réfugiés en France :** 520 000 (à partir de 1939). Env. 250 000 sont rentrés en Als.-Lorr. occupée en 1940, dont 40 000 (surtout Lorrains) ont été réexpulsés en 1941.

Incorporés de force à partir du 25-8-1942 : *« Malgré nous ».* Sur 200 000 mobilisables, 40 000 ont « déserté », 135 000 (65 000 Bas-Rhinois, 40 000 Haut-Rhinois et 30 000 Mosellans) sont partis (Russie, Pays baltes, Hongrie, Bohême, Berlin). Une partie a été fait prisonnière (camps soviétiques, par ex. celui de Tambov à 400 km au S.-E. de Moscou), 93 000 sont rentrés (le dernier en avril 1945, d'URSS), 40 000 ont été tués ou sont disparus dont 17 000 † en captivité en URSS (certains après le 8-5-1945). Près de 35 000 ont été blessés ou sont restés invalides.

En 1981, l'Allemagne a accepté le principe d'une indemnisation (250 millions de marks répartis 1984-86). Il restait 80 000 survivants ou leurs ayants droit.

Nota. – 12 000 Luxembourgeois et 8 700 Belges furent aussi incorporés de force.

■ **Budgets militaires** (en milliards de F), **années** (en gras), **crédits votés et** (entre parenthèses) **dépenses réelles. 1933 :** 12,5 (13,4) ; **34 :** 11,3 (11,6) ; **35 :** 12,9 (12,8) ; **36 :** 12,8 (15,1) ; **37 :** 18,8 (21,6) ; **38 :** 22,2 (29,2) ; **39 :** 38,9 (93,7).

■ **Déportés raciaux.** 120 000 (dont 8 000 enfants) dont 3 000 rescapés. *D'après G. Wellers :* 86 000 dép. *D'après S. Klarsfeld :* 75 721 dép. raciaux dont 24 000 Français (27 % des Juifs français), 51 721 étrangers ou apatrides (26 %). Tous les enfants déportés (6 029) sont morts. En dehors des pertes en déportation, il y eut aussi en France des morts par exécution, mauvais traitements et camps de concentration, surtout dans le Roussillon.

■ **Juifs. Nombre total en France :** *1939 (sept.) :* 300 000 [dont 180 000 Français (dont autochtones 110 000, naturalisés fr. 70 000) ; étrangers et apatrides 120 000]. *1940 (sept.) :* 350 000 [dont de Belg., Hollande, Lux. (arrivés en France) 40 000, de Bade et du Palatinat (déportés par les nazis en zone sud) 6 500]. *1941 (juil.) :* 340 000 [dont 287 962 recensés et 52 000 non recensés (dont internés dans des camps fr. + groupes de trav. étrangers 35 000, prisonniers de guerre 12 000, réfractaires du recensement 5 000)] dont 60 % de Juifs fr. (2/5 par filiation et 2/5 par naturalisation) et 40 % d'étrangers et apatrides.

Juifs étrangers en France : 120/150 000 en 1939, dont 90 000 arrivés avant 1933 et 55 000 depuis [soit 0,35 % de la population française (6 % du nombre total des étrangers)]. *Réfugiés politiques et raciaux :* la plupart entrés illégalement, et certains démunis de titres de séjour en règle, furent internés avant le déclenchement de la guerre. *En sept. 1939,* la police arrêta 15 000 ressortissants « ennemis » (en majorité Allemands et Autrichiens), ils furent internés dans les camps de Gurs, du Vernet et de St-Cyprien. Env. 50 % furent libérés dans les 3 mois suivants. *En mai 1940,* les arrestations reprirent ; sur 40 000 civils internés dans les camps du sud de la Fr., il y avait 70 % de Juifs.

Au cours de l'exode, sur 8 000 000 de réfugiés dans la zone sud, il y eut 1 200 000 étrangers venus de Hollande, Belgique et Luxembourg. Les All. refusèrent l'accès des territoires occupés à env. 40 000 réfugiés juifs (Polonais et Allemands ayant fui Belgique et P.-Bas). 30 000 Juifs étrangers, incorporés dans l'armée fr. en tant qu'engagés volontaires, furent démobilisés, internés ou enrôlés d'office dans des groupes de travailleurs étrangers (GTE).

■ **« Évadés de France » par l'Espagne.** Sur 1 000 000 de tentatives, 33 000 ont réussi (dont 18 540 en 1943). Selon la Confédération des évadés de France, 1 860 évadés ont été remis par l'Esp. aux autorités de Vichy avant le 8-11-1942 ; 2 120 ont été capturés par les Allemands et déportés ; 320 sont morts dans les Pyrénées (accidents de montagne ou tués par les All.), 130 sont morts en détention en Esp. *Prisons :* 30 (dont le camp de Miranda). *Engagés :* 23 000 évadés de Fr. *Tués pour la Libération :* 9 500.

■ **Internés résistants.** 110 000 (45 000 sont revenus).

■ **Morts et disparus.** **Militaires** *1939-40 :* 123 079. *Prisonniers* 45 000. *Armée de Libération et FFL* 54 929 [dont : *Forces Fr. Libres* env. 11 700 (terre 8 600 ; mar. de g. 1 500 ; mar. de comm. 1 500 ; air 600) ; - *Armée d'Italie.* 7 251 (off. 389 ; sous-off. 974 ; h. de tr. 5 888)]. **FFI et FFL morts au combat** 19 701. **Alsaciens et Mosellans** 40 000.

Civils 412 000 [dont *victimes de bombardements alliés* 67 078, *d'opérations terrestres* 58 000, *otages fusillés par les All.* 29 660 (selon le procureur fr. Dubost, le 24-1-1946) ; chiffres du PCF (1945) : 200 000, dont 75 000 du parti ; de l'ambassadeur all. Abetz en juill. 1949 : 498 avant le 1-6-42, 254 entre le 1-6-42 et le 25-8-44 ; de Rousseau et Céré dans *Chronologie du conflit mondial :* 1 845 ; du Bureau du PPF à Nancy, le 29-8-44 : 1 811 ; d'Henri Frénay (1905-89 min. des Prisonniers et Déportés 1944-45) : 23 000 massacrés. **Déportés** 222 000 [(83 000 raciaux, 65 000 politiques) chiffres du *JO* du 24-2-62 : *dép. résistants* 16 702 vivants, 9 783 décédés ; *politiques* 13 415 v., 9 325 d. ; *internés résistants* 9 911 v., 5 759 d. ; *polit.* 10 117 v., 2 130 d.]. Sur 75 000 dép. juifs 67 000 passeront par Drancy du 22-6-1942 au 17-8-1944 (- de 2 000 revinrent). **Requis** (travail) 40 000.

Condamnés pour collaboration et exécutés par la Résistance 105 000 selon Saint-Paulien, citant le min. de l'Int. Adrien Tixier (févr. 1945) ; 97 000 selon François Mitterrand (28-5-1948) ; 9 000 à 15 000 selon H. Amouroux (1991).

■ **Organisations policières allemandes.** *Gestapo (Geheimstaatpolizei,* « police d'État en civil ») : s'occupe des ressortissants allem. et n'est pas directement engagée contre la Résistance française. *Polices all. antirésistance :* prévôté mil. *(Feldgendarmerie),* prévôté militaire en civil *(Geheimfeldpolizei),* service de sécurité *(Sicherheitsdienst* ou *SD)* qui dépendait de Heinrich Himmler, min. de la Police.

■ **Pertes économiques dues à l'occupation.** 1 500 milliards de F (valeur 1938) dont par spoliation 452, destructions et autres dommages 670, dommages en Alsace-Lorraine et autres zones particulières 127. Coût du travail en Allemagne 200 (selon A. Piatier, « la France sous l'occupation »). *Indice de la production industrielle : 1939 :* 100 ; *1941 :* 68 ; *1942 :* 62 ; *1943 :* 56 ; *1944 :* 43. En 1941-42 l'Allemagne prélèvera env. 34 % de cette production déjà réduite et en 1943-44 38 %.

Destructions. Ponts 10 000 [dont routiers 6 500, ferroviaires 2 800 (reconstruction 1 000 par an, soit 3 ponts de + de 40 m par j)]. **Camions et remorques** 160 000 sur 430 000 en 1939 (reconstruction 1947 : 450 000). **SNCF** 20 % des actifs de la SNCF : 4 870 km de lignes, 14 000 appareils de voies, 11 620 km de block, 4 000 000 de m² de bâtiments, 2 600 ponts et viaducs, 70 tunnels, 980 km de caténaires, 20 sous-stations de traction électrique, 960 gares, 24 grands triages, 7 000 locomotives (+ 7 000 endommagées), 11 loc. électriques (+ 140 end.), 16 000 voitures à voyageurs (+ 3 000 end.), 315 000 wagons de marchandises (+ 60 000 end.) [*reconstruction* nov. 1946 (achats en Amér.) : 10 350 loco., 275 000 wagons, 13 800 voitures ; 30 000 km de lignes sur 37 200 rouverts. *En 1947 :* toutes les voies, 2 422 viaducs, 3 500 000 m² de bâtiments]. **Navigation :** 8 200 km de canaux (sur 9 000), 220 remorqueurs (sur 500), 7 600 chalands (sur 13 800). *Ports marit. :* destruction quasi totale, 1 096 grosses épaves dans chenaux (Marseille : capacité réduite aux 2/3).

Frais d'occupation. Fixés le 8-8-1940 à 20 millions de marks soit 400 millions de francs par jour (ramenés à 300 en mai 1941 puis 500 après nov. 1942). Au total 620 866 millions de F furent versés. [Ces frais représentaient l'entretien (22 F par j et par h) de 18 millions d'h., alors que 300 000 h. suffisaient à occuper la Fr. En outre le mark étant évalué arbitrairement à 20 F français, les All. achetaient les produits fr. au 1/5 de leur valeur réelle.]

■ **Prisonniers de guerre français.** *Capturés* 1 845 000 [en *1939-40* (au 25-6-1940) : pris au combat : 2 650 000 ; internés : 1 830 000 ; *1941/43 :* 15 000].

A la suite des décès ou disparitions (51 000) des libérations et évasions, ils n'étaient plus que 1 490 000 (fin 1940), 1 216 000 (41), 1 109 000 (42), 983 000 (43), 944 000 (44). Ils ont pu jusqu'en 1944 envoyer de l'argent en Fr. et, à partir de juin 1942, devenir travailleurs libres (voir ci-dessous). Env. 5 000 épousèrent des All. et restèrent en All. après 1945. Env. 80 000 s'évadèrent entre juin 1940 et nov. 1942, la plupart se réfugièrent en zone libre ou, après l'occupation de la zone libre (nov. 1942), ils furent soumis au même régime que les hommes de leur classe d'âge. **Internés en Suisse** 30 000.

Bilan du 17-11-1947 (du Secr. d'État aux Anciens Combattants). *Prisonniers transférés* en All. : 1 580 000. *Évadés :* 70 000. *Rapatriés :* anciens combattants 59 359 [1], pères et soutiens de famille 18 731 [1], service de santé 32 740, malades, blessés 183 381, militaires de carrière libérés pour encadrement 1 422 [1], sauveteurs 232 [1], services rendus 81, spécialistes 14 490 [1], relève 90 747 [1], Alsaciens, Lorrains 7 681, Dieppois 1 580, administration publique 17 751 (dont, semble-t-il, 10 000 libérés en Fr.) [1], veufs 123 [1], cas humanitaires 273, récompense 8, cultivateurs 18 127 [1], cheminots 1 710 [1], ingénieurs agronomes 381 [1], divers et indéterminés 81 076, mission de propagande 4.

Nota. – (1) Rapatriements dus à l'action de Vichy.

■ **Prisonniers allemands en France.** En 1945, 661 000, dont 440 000 livrés par les Amér. (le 1-10-1945, 200 000 inaptes furent récupérés par les Amér.). Forte mortalité en Fr.

■ **Rations alimentaires.** Correspondaient à 1 700 calories par j env. **Adulte** catégorie A (22 à 70 ans, non travailleur de force, ni cultivateur : *oct. 1940* par j : pain 250 g, matières grasses 15 g ; par semaine : viande 180 g, fromage 40 g ; par mois : sucre 500 g ; *avril 1941* par j : pain 240 g, par sem. : viande 250 g, fromage 75 g, par mois : vin 3 l, matières grasses 550 g, sucre 500 g, riz 200 g, pâtes 250 g). **Autres catégories : E** (- de 3 ans), **J1** (3 à 6 a), **J2** (6 à 13 a), **J3** (13 à 21 a), **T** (21 à 70 a, trav. de force), **C** (21 à 70 a, cultivateurs), **V** (+ de 70 a) : les rations étaient calculées différemment (du lait pour E, J et V, du vin pour T, etc.). La sous-alimentation a fait progresser tuberculose, rachitisme et carie dentaire. L'espérance de vie a baissé de 8 ans.

Résistance française

■ **Action psychologique.** Presse clandestine (tracts recopiés à la main, puis ronéotypés). En 1943, la police de Vichy signale 5 000 perquisitions, 1 600 arrestations, 500 000 journaux passés au pilon. Principaux titres : *zone sud :* Combat, Franc-Tireur, Libération ; *nord :* Défense de la France, le Populaire (socialiste), l'Humanité et France d'abord (communistes), Témoignage chrétien (progressiste), l'Université libre (enseignants).

■ **Actions directes. Origine.** Initiatives individuelles, puis regroupements. *Zone Sud.* Mouvement de libération nationale [Henri Frenay (1905-88) août 1940 (devenu 1941 Combat)], Libération Sud [Henri d'Astier de la Vigerie (1900-69) créé nov. 1940], Franc-Tireur (créé 1941) : les 3 fusionnent (Mouvement uni de la Résistance : MUR) et début 1944 se fondent dans le Mouvement de Libération Nationale (MLN). Jean Moulin (voir encadré p. 679 c). *Zone Nord.* Mouvement du Musée de l'Homme (juill. 1940), Organisation civile et militaire (OCM), Libération Nord, Front National, Ceux de la Résistance, Ceux de la Libération, Défense de la France. Pierre Brossolette (1903-arrêté le 3-2-1944 à Plogoff, se suicidera pour ne pas parler sous la torture). *Sur le plan militaire. ORA* (Organisation de résistance de l'armée) mise sur pied par des officiers de l'armée d'armistice en 1941, *l'Armée secrète* [chef Gal de corps d'armée Ch.-Antoine Delestraint (n. 1879, arrêté 10-6-1943, tué Dachau 9-4-1945), puis Gal de Jussieu (Pontcarral)], *Francs Tireurs Partisans Français (FTPF)* d'obédience communiste avec Charles Tillon : les 3 constituent des maquis. En 1944, les FFI (Forces Françaises de l'Intérieur créées le 1-2 ; chef nommé en avril Gal Koenig) absorbent Armée secrète, FTPF, ORA, mais chacun garde une certaine indépendance et Koenig se heurte au Comac [Comité d'Action du CNR qui avait tenu sa 1re réunion le 27-5-1943 à Paris et regroupe des représentants des résistants (Front National, Ceux de la Libération, Ceux de la Résistance, Libération-Nord, Libération-Sud, OCM, Combat, Franc-Tireur), des organisations syndicales, des délégués du parti communiste, socialiste, radical des démocrates populaires et de la droite conservatrice]. *De 1940 à fin 1941 :* surtout le fait d'équipes débarquées sur les côtes, depuis l'Angleterre (BCRA-Bureau central de renseignement et d'action, créé oct.) avec le Cel Passy, Soustelle. *1941 (fin) :* quelques actions individuelles en zone nord (sabotages, attentats en régions urbanisées). **A partir de nov. 1942** Moulin, Brossolette en contact avec Alger. **Effectifs.** *1943 oct. :* 20 000 (la plupart réfractaires au STO), *1944 mars :* 30 000 à 40 000, *juil. :* 200 000. *Autres estimations pour l'automne 1943 :* Guillain de Bénouville 10 000 ; services allemands 130 000 ; Marie Granet et Henri Michel 75 000 (en comptant les affiliés aux réseaux clandestins). **Implantations principales :** Alpes (les mieux équipés : matériel de l'armée).

Principales opérations. Alpes : Les Glières (1 500 m d'altitude, près d'Annecy) : 500 h., venus principalement du 27e bataillon de chasseurs alpins, attaqués par une division all. de montagne et des miliciens (12 000 h.), les 23-3/25-3-44, ils sont anéantis (102 † dont leur chef le capitaine Anjot), 2 à 10 All. tués ; le 1-5, le maquis réoccupera le plateau. **Le Vercors** près de Grenoble : 1 000 m d'alt. *1943* avril, 350 h. ; 13-11, 1er parachutage d'armes. *1944* avril, 1ers accrochages avec la Milice ; mai, 500 h., juin, 4 000 h. ; 13-6, attaqués par 1 500 All., 15-6 par 4 000 All. avec artillerie (St Nizier évacué). 25/28-6, nombreux parachutages (2 160 containers). 19-7, attaqués par 10 000 All. ; 21-7, 40 planeurs atterrissent au centre du dispositif (les maquisards, croyant à des renforts alliés, les laissent atterrir et sont anéantis) ; en tout 500 † en 1943-44 (combats, accidents, maladies). 3-8 **Massif central : Mont Mouchet** [(massif de la Margeride (confins du Cantal, P.-de-D., Hte-Loire, Lozère)] : 10 000 h. [*1944* 5-4, 2 500 h., avec 2 points d'appui proches (Truyère 15 000 h., St-Genès 2 000 h.), parachutages de bazookas, mitrailleuses, fusils-mitrailleurs ; 2-6, attaque all. (15 000 h.), décrochage vers la Truyère. 20-6, 2e attaque (20 000 h.), le maquis se disperse (350 maquisards †, pertes all. + de 3 000 h.)]. **Jura** (Ain) : *1943* des groupes clandestins se forment dans les montagnes entourant Chevillard. 11-11, Oyonnax : défilé militaire avec drapeau. *Nov. 1943 à févr. 1944 :* harcèlement par la milice (miliciens infiltrés) ; *1944* févr. : offensive des troupes de montagne all., camps dispersés (les maquisards de l'Ain ont évité de se concentrer), juin (piste d'Izernore) : début des parachutages massifs. **Bretagne :** *1941* janv., 1res activités. I.-et-V., C.-du-N., Fin., Morb. forment la subdivision M 13 de la région de Résistance M (ouest de la France). Délégué militaire régional : V. Abeille. Chef de l'armée secrète : Gal Audibat. Seront pris par les All. *1944* 5-6, ordre de Londres de commencer les sabotages sur une grande échelle, des cadres arrivent de Londres (Cdt Bourgoin). 2 bases constituées : « Shamwest » (C.-du-N.) et « Dingson » (Morb.). Elles sont détruites par les All., et les maquisards sont repris en main par des « Jedburghs » parachutés. 1-8, après la percée d'Avranches, le Gal Patton leur fixe 2 objectifs : Lorient et Quiberon. Aucun ne fut atteint, mais leur importance avait disparu, la bataille ayant changé de terrain (poche de Falaise). Bloquent les « poches all. de l'Atlantique » en Bretagne (Lorient et St-Nazaire). 13-9, les FFI brestois guident les blindés amér. Au sud de la Loire, les maquisards surveillent les « poches » de La Rochelle et de Royan-Le Verdon.

Histoire intérieure 1939 à 1946

De sept. 1939 à juill. 1940

Histoire intérieure 1939-1940. 6-9 arrestation à Arras du député communiste Quinet pour distribution de tracts contre la g. (déclarée 3 j plus tôt) ; 21-9 arrestation de 2 députés comm. ; 26-9 dissolution du Parti comm. ; 1-10 les dép. comm. écrivent à Herriot (Pt de la Chambre) pour réclamer des négociations de paix (35 arrestations, Thorez mobilisé s'enfuit en Russie) ; 20-10 dissolution du Parti national breton. **1940** 30-1 Marty (comm.) déchu de la nationalité fr. ; 29-2 Marcel Cachin, sénateur comm., déchu ; 22-3 formation du dernier cabinet de la IIIe Rép. (Paul Reynaud) ; 27-3 Reynaud signe avec l'Angl. un tr. interdisant de conclure une paix séparée ; 18-5 le Mal Pétain entre dans le gouv. Reynaud ; 12-6 repli du gouv. sur *Tours* (Paris, ville ouverte, évacuée) ; 16/17-6 Churchill propose la fusion totale des Emp. français et brit. (refus fr.) ; 14-6 repli du gouv. à *Bordeaux ;* 17-6 le Pt Lebrun nomme *Pétain* Pt du Conseil ; armistice voir p. 674 b ; 2-7 transfert du gouv. Pétain à *Vichy ;* 9-7 une résolution tendant à la révision de la Constitution est votée par 592 dép. contre 3 (Roche, Biondi, Margaine) et 229 sén. contre 1 (Mis de Chambrun) ; 10-7 l'Assemblée nat. (députés et sénateurs réunis au casino de Vichy) accorde pouvoirs constituants à Pétain, 80 votent contre [23 sén. (14 gauche démocratique, 7 SFIO, 2 non-inscrits) ;

Quelques personnages (1939-45)

☞ Voir aussi **Daladier, Flandin, Reynaud** p. 663 et 664.

Abetz, Otto (All., 1903-58). Enseignant, marié à une Française (Suzanne de Bruyker), protégé de Baldur von Schirach. *1934* membre de la Hitlerjugend, chargé des questions françaises. *1940* 13-6 représentant officiel de la Wilhelmstrasse (Aff. étr.) à Paris. 3-8 ambassadeur auprès des autorités militaires d'occupation. S'efforce d'obtenir de Pétain l'entrée en g. de la Fr. aux côtés de l'All. (échec). *1944* 25-8 quitte Paris. *1949* condamné à 20 ans de travaux forcés. *1954* libéré. *1958* 5-5 tué dans un accident de voiture.

Bonnard, Abel (1883-1968). Écrivain. *1932* Acad. fr., *1936* se lie avec Abetz et adhère au nazisme. *1940 la Gerbe, Je suis partout, la N.R.F.* *1942* min. de l'Instruction publ. de Vichy, réside à Paris, crée à la Sorbonne une chaire d'« Hist. du judaïsme » et une chaire d'« Études raciales » (antisémites). *1944* replié en All. (Sigmaringen). *1945* part en Espagne dans l'avion de Laval. *1958* revient en Fr., *1960* condamné à 10 ans de prison, gracié (retourne en Esp.).

Brinon, Fernand de (1885-1947). Journaliste financier. *1935* fonde le comité France-All. et devient l'ami d'Abetz. *1940* représentant personnel de Laval auprès d'Abetz à Paris. *1942* nov., secr. général de Laval à Vichy, chargé des relations avec l'occupant. Amasse une grosse fortune, en favorisant les contrats entre industriels français et hommes d'affaires all. *1944* replié en All., fait partie du gouv. de Sigmaringen. *1945* mai arrêté en Bavière. *1947* 15-4 fusillé au fort de Montrouge.

Catroux, Georges (1877-1969). Fils de colonel, élève du prytanée de La Flèche, officier de l'armée col. (Maroc, Levant, Algérie). *1939* gouv. gén. de l'Indochine. *1940* (juin) tente de la rallier à de Gaulle, révoqué par Pétain. *1941-45* C[dt] des forces fr. libres de Syrie et du Liban. *1941*-10-4 condamné à mort par contumace à Gannat. *1945* gouv. gén. de l'Algérie, ambassadeur à Moscou. *1954* Gd chancelier de la Lég. d'h. *1956* (févr.) min. résident en Alg., renonce devant l'hostilité des Pieds-Noirs. *1962* juge à la Cour de justice mil.

Darlan, François (1881-1942). Fils d'un député du L.-et-G. [min. Justice 1897-98 (radical et franc-maçon)]. *1901* École navale. *1914-18* combat comme artilleur. Attaché de cabinet du min. de la Marine, Georges Leygues. *1929*, contre-amiral. *1932* vice-amiral. *1937* 1-1, chef d'é.-m. de la Marine. *1939* 6-6, amiral de la Flotte. *1940* 16-6, min. de la Marine du gouv. Pétain *1940* 7-3, antianglais après Mers-el-Kébir, reste lié avec les « synarchistes » pro-amér. *1941* févr., vice-Pt et min. Aff. étr. *1941* 3-5, négocie avec Abetz et 11-12 avec Hitler. *1942* 18-4, min. du gouv., remplacé par Laval (reste Cdt en chef des forces armées). *1942* nov., étant à Alger lors du débarquement allié, se fait reconnaître Chef de l'Empire fr. d'Afrique. Le 24-12 assassiné (voir p. 681 a).

Darnand, Joseph (1897-1945, fusillé). Apprenti ébéniste. *1915* (18 ans) engagé volontaire, 7 fois cité. *1918* adjudant ; 13-7 les renseignements des prisonniers qu'il capture sont précieux pour la 2e vict. de la Marne. *1921* (sous-lieut.), quitte l'armée. Crée une entreprise de transport à Nice. *1936*, adhère au PPF de Doriot. *1938*, incarcéré comme cagoulard (non-lieu). *1939-40*, chef de corps francs (lieut., off. de la Lég. d'h.), prisonnier évadé. *1940* juill., chargé par Pétain de constituer la Légion fr. des Anciens Combattants. *1941*, crée le *SOL* (Service d'ordre de la Légion) regroupant les légionnaires militants, d'abord à Nice, puis dans la zone non occupée. *1943* 31-3, SOL se transforme en *Milice fr.* (chef nominal Laval). *1943* 13-12, secr. gén. au maintien de l'ordre, commande la milice ; prend part à des opérations contre les maquisards. *1944* mars, min. de l'Intérieur. *1944* août, se réfugie en All., avec les miliciens et leur famille. Fait partie de la commission gouvernementale de Sigmaringen. *1945* août, opérations contre les maquisards en It. du N. *1945* 3-10, arrêté à Milan, 10-10, condamné à mort par la Hte Cour, exécuté.

Déat, Marcel (1894-janv. 1955). *1914*, reçu à Normale. *1914*, mobilisé comme simple soldat. *1918*, finit la g. comme capitaine (5 citations, Légion d'hon.). *1919*, entre à Normale, agrégé de philo. *1920*, militant SFIO. *1926*, député soc. de la Marne, *1928* battu, *1932*, élu à Paris, provoque une scission du parti soc. *1933* (fonde avec Adrien Marquet et Paul-Boncour l'Union soc. et rép.). *1935*, chef de cabinet d'Albert Sarraut (min. de l'Air 1936). *1936*, battu par un comm. *1939* élu à Angoulême, déclenche une campagne contre la g. (« Mourir pour Dantzig ? »). *1940* 10-7, vote les pleins pouvoirs à Pétain, sept. va résider à Paris, Pétain ayant refusé de créer un « parti unique » dont il aurait été le chef. *1940-44*, dirige *l'Œuvre*, journal collaborationniste. *1944* 17-3, min. du Travail à Vichy. 17-8, réfugié en All. 29-8, reçu par Hitler. Crée la Commission gouvernementale fr. de Sigmaringen, transformée (janv. 45) en un Comité fr. de libération. *1945* mai, réfugié en Italie, vit dans un couvent jusqu'à sa mort (tuberculose), sous le nom de Leroux.

Doriot, Jacques (1898-1945). Fils d'un forgeron du Morvan, d'origine ital. *1915*, ouvrier à La Courneuve. *1916* militant des Jeunesses socialistes. *1917-20*, mobilisé, choisit le Parti comm. après la scission de Tours. *1923* secr. gén. des Jeunesses comm. (sous le nom de Guyot). *1924* dép. *1931* maire de St-Denis, populaire, en rivalité avec Thorez. *1934* août, exclu du Parti. *1936* 3-5, dép. 28-6, fonde le Parti populaire fr. *1941* membre du Conseil national, réside à Paris, dirigeant *le Cri du Peuple*, lancé le 19-10-40. *1942* août, s'engage dans la LVF. *1945* fait partie du comité de Sigmaringen. 22-2, sa voiture est mitraillée par un avion non identifié près du lac de Constance (ses ambitions politiques portaient ombrage à la Gestapo).

Gabolde, Maurice (1891-1972). Mutilé de la 1re g. mondiale (jambe amputée). *1939* procureur général à Chambéry. *1940* Pt de la Cour de Justice de Riom. *1941* (janv.) procureur de la Rép. à Paris. *1943* (mars) min. de la Justice, crée le bureau des menées antinationales. *1944-45* à Sigmaringen. *1945* part en Espagne, dans l'avion de Laval. *1946* 13-3 condamné à mort par contumace, vivait à Barcelone comme prof. de français.

Gamelin, Maurice (1872-1958). *1891* St-Cyrien. *1902-11*, officier à l'é.-m. de Joffre, *1914* chef de cabinet, *1916* chef du 3e bureau au GQG. Après la disgrâce de Joffre (1916), commande une brigade puis une division. *1925-27* campagne du Djebel Druze. *1930*, membre du Conseil sup. de la g. *1938* chef d'é.-m. de la Défense nat., *1939-40*, généralissime des armées anglo-fr., laisse ses troupes dans l'inaction et l'impréparation. *1940* début mai, Paul Reynaud décide de le remplacer, mais l'offensive all. du 10-5 se déclenche avant. 18-5, remplacé par Weygand, sept., emprisonné. *1943-45* déporté en All.

De Gaulle, Charles (voir p. 681 c).

Giraud, Henri (1879-1949). *1940* C[dt] de la 7e armée en mai, 18-5 prisonnier. *1942* s'évade de la forteresse de Königstein (Saxe), nov., rejoint l'Afr. du N. dans un sous-marin anglais. Se rallie à Darlan ; 13-11, C[dt] en chef des troupes d'Afr. 24-12 Darlan assassiné, il lui succède comme Ht-Commissaire en Afr. *1943* janv., accepte de rencontrer de Gaulle à Casablanca ; 31-5 l'accueille à Alger ; 3-6 le prend comme co-Pt du CFLN. *1944* 8-4, évincé par lui du comité ; juill., échappe à un attentat, et rentre dans la vie privée.

Juin, Alphonse (1888-1967). Fils d'un gendarme en poste à Mostaganem (Alg.). *1910* St-Cyrien. *1914* combattant dans l'infanterie col., *1915* blessé (perd l'usage du bras droit). *1918* capitaine, aide de camp de Lyautey. *1938* G[al] de brigade. *1940* mai, commande la 15e div. d'inf. motorisée. Prisonnier. *1941* libéré à la demande de Vichy, pour remplacer Weygand en Afr. du N. *1942* 8-11, se rallie aux Américains. *1942-43* commande les troupes fr. de Tunisie. *1943-44* le corps expéditionnaire fr. d'Italie. *1944* mars, perce le front all. sur le Garigliano et prend Rome. Voulait attaquer Vienne depuis l'It., mais le corps fr. est affecté en juillet-août au débarquement de Provence. *1945-47* chef d'é.-m. *1946-51* Cdt en chef en Afr. du N. (en même temps résident général au Maroc 1947-51). *1951* Cdt en chef des forces de l'OTAN (secteur Centre-Europe). *1952* 14-7, maréchal. *1953* élu à l'Académie fr. *1961* avril, hostile à la politique gaulliste de « l'Alg. algérienne », mais refuse de soutenir le putsch.

Koenig, Pierre (Caen 10-10-1898/Neuilly-sur-Seine 2-9-1970). Engagé volontaire à 17 ans. Officier de la Lég. étrangère. *1940* (juin) rejoint de Gaulle. *1942* 3-6 Bir Hakeim, compagnon de la Libération. *1944* délégué du gouv. d'Alger auprès d'Eisenhower (Cdt suprême interallié), Cdt supérieur des forces fr. en G.-B. et Cdt des FFI. *1944* (oct.) gouv. militaire de Paris. *1945* (juillet) Cdt en chef fr. en All., puis inspecteur gén. des forces fr. en Afrique. *1951* député RPF (Bas-Rhin). *1954* (août) min. de la Déf. nat. (gouv. Mendès France), en désaccord avec le projet de la CED démissionne. *1955* min. (gouv. E. Faure), démissionne (hostile au retour de Mohammed V au Maroc). *1956* réélu député du Bas-Rhin. *1958* ne se représente pas. *1970* 2-9 meurt. *1982* 6-6 M[al] de Fr. à titre posthume.

Larminat, René de (1895-1962). *1940* chef d'é.-m. au Levant, se rallie à de Gaulle ; *1940-41* Commissaire gén. de l'Afr. fr. libre. *1941-42* participe aux campagnes de Libye, *1944* d'Italie, de Provence. *1944-45* commande forces fr. devant les poches de l'Atlantique. *1951* chargé des négociations pour la CED. *1962* Pt de la Cour mil. de justice, se suicide le 1-7 (malade, il ne s'estime pas capable de remplir son rôle).

Lattre de Tassigny, Jean de (1889-1952). St-Cyrien. *1914-18* cavalier, puis fantassin (termine la g. Cdt, à 29 ans). *1933-34* état-major du Gal Weygand (soupçonné d'avoir participé à l'émeute du 6-2-1934). *1939* G[al] (le plus jeune g[al] fr. à l'époque). *1940* commande la 14e DI. *1941* Cdt des troupes de Tunisie. *1942* nov. Cdt mil. de Montpellier, refuse de se rendre aux Allemands, arrêté, emprisonné. *1943* 9-1 condamné à 10 ans de prison ; 3-9 s'évade, rejoint l'Algérie. *1944-45* chef de la 1re armée fr. (Rhin et Danube). *1945* chef d'é.-m. gén. de l'armée. *1950* chef des troupes fr. d'Indochine. *1951* son fils Bernard y est tué. *1952* très affecté, il meurt d'un cancer de la hanche. M[al] à titre posthume.

Laval, Pierre (Châteldon, 28-6-1883/15-10-1945). Père boucher-cafetier. Licencié hist. nat., droit. Avocat. *1914-19, 1924-27* dép. de la Seine. *1927-36* sénateur de la Seine, *1936-44*. du P.-de-D. *1925* min. Trav. publics, s.-secr. d'État à la Prés. du Conseil. *1926* min. Justice. *1930* min. Travail. *1931* 27-1 Pt du Conseil. *1932* 20-2 min. Intérieur et Affaires étr. *1932* min. Travail , *1934* Colonies, *1934* Affaires étr. *1935* 7-6/*1936* 24-1 Pt du Conseil et min. des Affaires étr. *1940* 22-6 min. du gouv. Pétain à Bordeaux il prend en main la manœuvre aboutissant à la fin de la IIIe Rép. 12-7 au 13-12 Vice-Pt du Conseil. Renvoyé à Paris du 13-12-40 au 18-4-42. *1941* 27-8 blessé dans un attentat à Versailles. *1944* 18-4 à août, chef du gouv. Partisan de la collaboration. Croyant à la victoire all., veut entraîner la Fr. dans la g. contre Angl. et Russie. *1944* sept. *1945* mai, emmené en All., réfugié en Esp., *1945* 30-7 livré par Franco aux Amér., 9-10, condamné à mort, 15-10 tente de s'empoisonner le matin de son exécution ; ranimé par les médecins, il est fusillé.

Leclerc, Maréchal (1902-47), né Philippe de Hauteclocque (noblesse picarde). *1922* St-Cyrien. Combattant au Maroc. *1940* capitaine, mai, prisonnier à Lille, 25-7 s'évade et rejoint de Gaulle à Londres (prend le pseudonyme de Leclerc). *1940* fin août, nommé Cdt, rallie le Cameroun à la Fr. Libre ; nov. conquiert Gabon ; cdt mil. de l'AEF, prend l'offensive contre Libye. *1943* 24-1, rejoint l'armée brit. à Tripoli ; févr.-mars, prend part à la campagne de Tunisie. *1944* avr., chargé d'entraîner au Maroc la 2e DB (div. blindée), envoyée en G.-B. 1-8, débarquée en Normandie ; 22-8, déborde l'aile gauche all., prend Argentan ; 25-8, Paris (reçoit la capitulation du G[al] von Choltitz). 23-11, affecté à la VIIe armée amér., prend Strasbourg ; *1945* 26-3 franchit le Rhin ; 4-5, prend Berchtesgaden ; août en Indochine. 2-9 Cdt en chef des forces d'Extrême-Orient, signe pour la Fr. sur le cuirassé amér. *Missouri* l'acte de capitulation du Japon. Débarque en Indochine, ne peut empêcher Ho-Chi-Minh de déclencher la g. *1946* 18-3 occupe Hanoï ; rappelé en métropole juill., inspecteur des troupes d'Afr. du N. *1947* 28-11 meurt au Sahara à 60 km de Colomb-Béchar (accident d'avion). *1952* 26-5 M[al] à titre posthume.

Moulin, Jean (Béziers, 1899-1943). *1926* sous-préfet. *1936* chargé d'acheminer vers l'Espagne républicaine du matériel de g. *1940* juin préfet d'E.-et-L. 7-6, refuse de signer une déclaration accusant de crimes de g. les troupes coloniales engagées dans le secteur de Chartres (tente de se suicider avec un rasoir). Juill., révoqué par Vichy comme franc-maçon. *1941* automne, va consulter de Gaulle à Londres. 31-12 délégué gén. du Comité National, parachuté dans les Alpilles. Unifie les 3 réseaux de résistants de la zone sud : Combat, Libération, Franc-Tireur (MUR : Mouvement uni de la Résistance). *1943* janv., crée le Directoire de la Résistance, obtenant le ralliement des communistes (il envoie Fernand Grenier à Londres, comme délégué permanent de leur parti). 27-5, crée le CNR à Paris. 21-6, arrêté par les All. à Caluire (Rhône), emprisonné au fort de Montluc (Lyon), meurt sous la torture lors d'un interrogatoire dirigé par Klaus Barbie, chef de la Gestapo à Lyon (7-2-1983 extradé de Bolivie, 1987 juillet, condamné à perpétuité à Lyon, † 25-9-1991) ; le 8-7 à Metz au cours de son transfert dans un train pour l'All. (selon certains All.). Son corps (supposé) renvoyé le 8-7-43 à Paris où il est incinéré au

Père-Lachaise ; ses cendres ont été transférées au Panthéon le 19-12-64.

Muselier, Émile (1882-1965). *1917-18* membre des cabinets de Painlevé et Clemenceau. *1939*-9-10 vice-amiral. 21-10 mis à la retraite, ingénieur dans une Sté réquisitionnée par la Défense. *1940*-23-6 quitte Marseille et part pour Londres ; commandant des Forces aér. et navales libres. *1941*-2/10-1 emprisonné par les Britanniques (faussement accusé d'avoir renseigné Vichy lors de l'expédition de Dakar).

Pétain, Philippe (voir ci-dessous).

Thierry d'Argenlieu, Georges (1889-1964). Off. de marine, *1920* entre dans l'ordre des Carmes ; *1939* supérieur de la Province des Carmes de Paris. Mobilisé à Cherbourg (cap. de corvette) ; *1940* juin, prisonnier, s'évade et rejoint de Gaulle à Londres ; sept., blessé lors de l'expédition contre Dakar. *1941-43* Ht-commissaire pour le Pacifique. *1943* contre-amiral, Cdt en chef des forces nav. fr. libres. *1945* amiral. *1945* Ht-commissaire et Cdt en chef en Indochine. *1947* rendu responsable des défaites, rappelé à Paris. Jusqu'en *1958* Gd-chancelier de l'ordre de la Libération. *1958-64* au couvent des Carmes d'Avon (père Louis de la Trinité).

Weygand, Maxime (21-1-1867-28-1-1965). Sa naissance à Bruxelles de parents inconnus est un mystère que lui-même n'a pu élucider. On l'a dit fils du roi Léopold II de Belgique et d'une de ses amies, de l'empereur Maximilien du Mexique et de la fille d'un jardinier mexicain, de l'impératrice Charlotte (épouse de Maximilien et sœur de Léopold II) et d'un inconnu (ou du général belge Van der Smissen, attaché à la cour du Mexique), ou du négociant de Marseille, David de Léon Cohen et d'une Belge, Thérèse Denimal. *1885* entré à St-Cyr à titre étranger, naturalisé et nommé officier de l'armée fr. *1914* Chef d'é.-m. de Foch, reste à ses côtés pendant la g. (G[al] 1916). *1920,* bat les armées soviétiques en Pologne. *1931* Académie française. *1935* à la retraite, administrateur de la Cie du canal de Suez. *1939* rappelé au service, Cdt en chef en Syrie. *1940* 19-5, généralissime, remplace Gamelin, après la défaite de Sedan. Il ne peut rétablir la situation, refuse d'obéir à Reynaud qui voulait une capitulation militaire sans armistice. 16-6, ne s'entendant pas avec Pétain (étant l'héritier spirituel de Foch, adversaire de Pétain) il se rapproche cependant de lui, et devient son min. de la Guerre, car il espère sauver de la captivité, grâce à un armistice, les unités dont la retraite vers le sud a été coupée par les All. (mais les All. leur feront déposer les armes en vertu de l'armistice, et les garderont prisonnières). Sept, délégué gén. en Afrique du N., il entreprend d'y renforcer le potentiel militaire ; *1941* 17-7, gouverneur gén. de l'Algérie ; 20-11, rappelé sur intervention des All. ; *1942* déporté en Allemagne ; *1945* mai, libéré, hospitalisé au Val-de-Grâce (au lieu d'être mis en prison préventive), accusé de complot contre la sûreté de l'État, il comparaît 18 fois ; *1948* 6-5 obtient un non-lieu.

57 dép. (29 SFIO, 13 radicaux et radicaux soc., 6 gauche indépendante, 3 ex-communistes, 2 démocrates populaires, 2 alliance des rép. de gauche et radicaux indépendants, 1 rép. d'action sociale, 1 non-inscrit)] (27 abst.) ; (voir p. 698).

Affaire du Massilia. *Déroulement :* 20-6 embarquement au Verdon sur le *Massilia* de 26 députés hostiles à Laval [départ organisé par Édouard Barthe, questeur de la Chambre (1882-1949)]. *Raisons :* accompagner à Casablanca Camille Chautemps, nommé délégué en Afrique du N. Une note de Darlan précisait que ce voyage n'était pas une mission officielle. Devinant un piège, de nombreux députés (dont Éd. Herriot et Louis Marin) refusent de partir. *Parlementaires embarqués :* 1 sénateur (Tony Révillon), 23 députés civils (dont Daladier, Delbos, Mandel, Le Troquer) et 3 dép. mobilisés : Jean Zay, Mendès France, Pierre Viénot. L'équipage refuse 24 h d'appareiller, par hostilité envers Parlement. 24-6 le M. arrive à Casablanca ; les parl. civils sont gardés à vue ; les militaires sont arrêtés et inculpés d'abandon de poste.

ENTRE IIIe ET IVe RÉPUBLIQUE (13-7-1940/27-10-1946)

ÉTAT FRANÇAIS

☞ Le Conseil d'État a déclaré que la zone sud, avant son invasion en 1942, était un « territoire contrôlé par l'ennemi ».

■ **Chef de l'État. Maréchal Philippe Pétain** (Cauchy-à-la-Tour, 24-4-1856/23-7-1951). *Père* agriculteur. *Études :* Coll. jésuites et dominicains. St-Cyr. *1878* s.-lieut., *1914* colonel, 27-8 G[al] de brigade, 14-9 de division, 28-10 de corps d'armée. *1915,* 21-6 d'armée. *1917,* 29-4 chef d'état-major. 15-5 remplace Nivelle (Cdt en chef armées du N. et N.-E.). Vainqueur de Verdun, restaure le moral des troupes. *1918* 19-11 M[al] de France. *1931* Académie fr. *1934* Académie Sc. morales et pol.; min. de la G. 1-au 4-7-*1935* (9-2 au 9-11), min. d'État. *1939* mars, ambassadeur en Esp. *1940* 18-5 min. d'État et vice-Pt du Conseil (cabinet Reynaud) ; 16-6, Pt du Conseil ; 10-7, chef de l'État français. Met en place une politique antijuive ; manœuvré par Laval, accepte la collaboration avec l'All. (espérant protéger la Fr. occupée) ; *1942* refuse (lors de l'occ. de la zone libre par les All.) de rejoindre l'Afr. du N., laisse sous son nom la milice combattre la résistance. *1944* 20-8, emmené de force à Belfort, puis à Sigmaringen (All.), demande à rentrer en Fr. *1945* 26-4, regagne la Fr. par la Suisse. 15-8, condamné à mort (peine commuée en détention à vie). 14-11, transféré Fort de la Pierrelevée à l'île d'Yeu. *1951* 23-7, meurt à Villa Luco (île d'Yeu).

■ **Quelques dates. 1940** 3-7 un conseil national breton se tient à Pontivy ; 4-7 *rupture des relations diplomatiques avec la G.-B.* (en raison de Mers-el-Kébir) ; 24-7 en *Alsace-Lorraine,* les frontières douanières sont reportées aux limites de 1914 (7-8 Robert Wagner est nommé Gauleiter d'Alsace) ; juillet : fondation des *Chantiers de Jeunesse* (G[al] de La Porte du Theil 1884-1976) ; 2-8 *de Gaulle condamné à mort* par contumace ; 3-8 trafic ferrov. reprend entre les 2 zones ; 7-8 Arthur Groussier (1863-1957), Pt du Grand Conseil de l'ordre du *Grand-Orient,* annonce que l'ordre se dissout volontairement ; 13-8 Pétain annonce la *Révolution nationale* ; 14-8 loi interdisant les *sociétés secrètes* (et visant surtout la franc-maçonnerie) [celle-ci prendra part à la Résistance (60 000 membres fichés, 6 000 poursuivis, 989 déportés, 549 fusillés)] ; 29-8 création de la *Légion française des combattants,* pour soutenir l'action de Pétain : divisée en légions départementales autonomes, elle n'aura aucune unité de doctrine (réactionnaire, pétainiste ou maçonnique selon les régions). La légion des Alpes-Mar., dirigée par Joseph Darnand, fournira les cadres du SOL *(Service d'ordre de la Légion),* transformé en Milice française à partir de janv. 1943 ; 30-8 *compromis franco-japonais* à Tokyo, la France accordera au Japon des facilités de transit en Indochine ; sept. rétablissement des relations postales entre les 2 zones : *cartes familiales* avec formules imprimées [(remplacées le 1-8-41 par des cartes de 7 lignes en blanc) ; lettres autorisées en mars 1943] ; 7-9 *Weygand nommé délégué général en Afr. du Nord ;* 8-9 Daladier, Mandel, Reynaud, Gamelin internés ; 16-9 Blum interné ; 22-9 attaque de Langson et entrée des Jap. en *Indochine ;* 23-9 *cartes de pain et de viande* instituées ; 26-9 Auriol, Marx Dormoy, Jules Moch internés ; 27-9 ordonnance allemande : *statut des Juifs* en zone occupée ; 18-10 *1er statut des Juifs ;* 22-10 à Montoire, entrevue Hitler-Laval ; 23-10 entrevue Franco-Hitler à Irun ; 24-10 **Montoire** entrevue Pétain-Hitler : Pétain demande une baisse des frais d'occupation, un assouplissement de la ligne de démarcation. Les All. diffusent la photo de la poignée de main Hitler-Pétain et exigent des concessions unilatérales au nom de la « collaboration » ; 25-10 Pétain confie à Laval les Aff. étrangères ; oct.-déc. Laval relance la négociation (avec le G[al] all. Warlimont) : en échange des concessions refusées à Pétain, offre une offensive fr. contre le Tchad (occupé par les gaullistes) : refus des All. ; 30-10 *1er discours de Pétain en faveur de la collaboration ;* 9-11 *rencontre Laval-Goering,* dissolution des syndicats ouvriers et patronaux ; 11-11 manif. d'étudiants parisiens à l'Arc de Triomphe [3 blessés, env. 100 arrestations (libération rapide, sur intervention de Vichy)] ; 16-11 expulsion de 70 000 Lorrains ; 1-12 *acte constitutionnel n° VI* proclamant la déchéance des parlementaires ; 2-12 loi créant *la corporation paysanne ;* 13-12 *Laval arrêté ; Pierre-Étienne Flandin, vice-Pt du Conseil,* décision inspirée par l'ambassadeur amér. Robert Murphy (1894-1978) ; 15-12 les *cendres de l'Aiglon* sont transférées aux Invalides ; 18-12 *Fernand de Brinon,* délégué du gouvernement auprès des Allemands à Paris ; 25-12 rencontre *Hitler-Darlan.*

1941 19-1 entrevue Pétain-Laval à La Ferté-Hauterive (Allier) ; 10-2 *Darlan* remplace Flandin ; 19-4 création de 15 *préfectures régionales ;* 1-5 exposé de la future **Charte du travail** (sorte de participation ouvrière aux entreprises) ; 9-5 *tr. de Tokyo,* la France cède au Siam des territoires au Laos et Cochinchine, et autorise le Japon à utiliser le port de Haiphong ; 11-5 entretien *Darlan-Hitler* à Berchtesgaden ; 27-5 au 10-6 *grèves des mineurs* du Nord et du Pas-de-Calais, organisées par Auguste Lecœur ; 28-5 *protocole de Paris* signé entre les G[aux] Huntziger (France) et Warlimont (All.) : prévoit la collaboration militaire en Afrique du N., en échange de 83 000 prisonniers (resté lettre morte car rejeté par Vichy) ; 14-6 nouveau **statut des Juifs ;** 22-6 l'attaque all. contre l'URSS déchaîne l'enthousiasme des collabos (Hitler est le défenseur de l'« Europe » contre le stalinisme) ; juillet, *g. de Syrie* voir Index ; 30-6 Vichy rompt relations diplom. avec URSS ; 6-7 *création de la LVF ;* 26-7 Marx Dormoy, ancien min. de l'Intérieur de Blum, assassiné par 4 collabor. ; 15-10 : Blum, Daladier, Reynaud, Gamelin incarcérés (prison préventive, par décision d'un « Conseil de justice pol. », nommé par Pétain) ; seront déportés en All. en 1944 ; les hauts fonctionnaires doivent prêter serment à Pétain ; 15-8 Drancy devient un camp d'internement pour les Juifs ; 21-8, *1er attentat communiste* à Paris [Pierre Georges, dit colonel *Fabien* († 1944), tue l'enseigne de vaisseau Alfons Moser], représailles : 20 détenus fusillés ; 22-8 au 15-9 : 6 All. tués par l'OS (communiste) ; 23-8 (antidaté au 14-8) création des *Sections spéciales* dans les cours d'appel, chargées de juger en flagrant délit les crimes politiques (les services de police compétents sont les *bureaux des menées antinationales) ;* 27-8 *Paul Colette tire et blesse Laval* et *Déat* passant en revue dans la cour de la caserne Borgnis-Desbordes, à Versailles, les volontaires de la LVF ; 29-8 *Honoré d'Estiennes d'Orves* (capitaine de frégate) (né 5-6-01) et chef du 2e bureau de la France libre, arrêté le 22-1-41, est fusillé par les Allemands avec 2 membres de son réseau ; 2-10 attentats à l'explosif contre 7 synagogues parisiennes (représailles d'Eugène Deloncle, chef de la Cagoule) ; 20-10 attentat de *Nantes* (Marcel Bourdarias, Spartaco, Brustheim) : lieut.-col. all. Holz tué. 21-10, 16 otages exécutés à *Nantes ;* 22-10, 27 à *Châteaubriant* [dont Guy Môquet (17 ans, fils du député communiste Prosper M.) ; Charles Michels (dép. de Paris) ; J.-P. Timbaud (dirigeant cégétiste)] ; 5 à *Paris,* 50 à *Bordeaux.* 12-11 Huntziger tué (accident d'avion) ; 18-11 Hitler obtient le *r. de Weygand* (qui commande en Afr.) ; 1-12 entrevue Goering-Pétain à *St-Florentin ;* 7-12 *1er convoi de déportés français vers l'Allemagne ;* 18-12 *suppression de fait de la « zone interdite »* (les All. retirent leurs troupes de la ligne de démarcation, faute d'effectifs).

1942 22-1 Hitler refuse le plan de Darlan [1°) l'All. signe la paix et libère les prisonniers ; 2°) la Fr. l'aide contre l'URSS, mais reste hors de la g. germano-américaine] ; 17-4, Gal *Giraud* s'évade d'All. 18-4 *Pétain rappelle Laval au pouvoir,* malgré les démarches amér. (il lui avait fait croire que les All. exigeaient son retour) ; il forme un ministère de collabor. [dont 2 venus de Paris (Bonnard, Benoist-Méchin) et 4 de Vichy (Bridoux, Bichelonne, Marion, Platon)] ; 11-5 rencontre Goering-Laval à Moulins ; 7-6 les Juifs astreints à porter *l'étoile jaune ;* 17-6 Pétain reconnaît l'échec de sa « révolution nationale » ; 22-6 *accord sur la relève* entre Laval et le Gauleiter Fritz Sauckel (1894-1946, pendu), directeur de la main-d'œuvre du Reich ; pour 3 départs de spécialistes volontaires vers l'All., 1 prisonnier de g. doit être libéré (échec : 12 000 vol. en juin, 23 000 en juill. alors que Sauckel en réclamait 150 000) ; Laval déclare « qu'il souhaite la victoire de l'All. » ; 16/17-7 à Paris, **rafle du Vél' d'hiv** (Palais des sports, démoli 1959 ; plaques commémoratives, 1, rue Nélaton, inaugurées 19-7-1986) pour rassembler les Juifs non naturalisés avant de les déporter en Allemagne (8 160 dont 1 129 hommes, 2 916 femmes et 4 115 enfants). 30 revinrent (pas un seul enfant) ; rafle exécutée par 450 policiers, gendarmes et gardes mobiles ; hommes et femmes seuls furent dirigés sur Drancy. Les familles furent parquées d'abord au Vél' d'hiv. 3 500 enfants seront internés quelques semaines à Pithiviers et Beaune-la-Rolande avant d'être envoyés à Auschwitz ; 16-7 projet de **Légion tricolore** devant remplacer la LVF (uniforme all.) par des combattants en uniforme fr. (échec : dissoute févr. 1943) ; 28-7 FTP tue Gal Schaumburg, bombe lancée sur voiture (groupe de Misrak *Manouchian,* arménien, 23 membres pris fin 1943, fusillés 1944, avaient commis près de 60 attentats faisant 150 †). 15-8 otages fusillés au Mt Valérien. 19-8 après le raid anglo-canadien sur Dieppe, Pétain propose de charger l'armée fr. de la défense des côtes ; 25-8 mobilisation des Alsaciens-Lorrains dans la Wehrmacht ; 4-9 recensement (pour envoi éventuel en All.) : des h. de 18 à 65 ans et des f. célibataires de 21 à 35 ans ; 20/22-9, 116 otages exécutés à Romainville ; 4-11 l'escadre fr. mouille rade des Salins d'Hyères ; 7-11 revient à Toulon ; 8-11 *débarquement anglo-amér. en Afr. du N.* (voir p. 675 a) ; l'empire colonial se rallie aux Anglo-Amér. ; Darlan qui se trouve par hasard à Alger traite avec les Amér. (Pétain le désavoue) ; 11-11 All. et Italiens occupent toute la métropole (zone italienne : Alpes-Mar., Var,

Htes-Alpes, Isère, Drôme, Savoie, Hte-Savoie ; les Juifs s'y réfugient et sont protégés par Mussolini jusqu'au 4-9-1943). L'armée d'armistice est dissoute ; la garde personnelle de Pétain est réduite à 3 000 h. ; l'amiral de Laborde, invité 2 fois par Darlan à rejoindre l'Afrique avec l'escadre de Toulon, refuse ; 19 h Laborde fait mettre bas les feux ; 12-11 la Luftwaffe occupe les aéroports voisins de Toulon ; 18-11 *Laval reçoit les pleins pouvoirs ;* les troupes terrestres qui défendent le camp retranché de Toulon sont retirées sur ordre des All. ; 27-11, 4 h 30 attaque des blindés all. vers le port ; 8 h 30 sabordage de la flotte [225 000 t, 61 unités dont les cuirassés *Strasbourg* et *Dunkerque,* et le contre-torpilleur *Volta* (qui atteignait 43,78 nœuds)], 5 sous-marins s'échappent : il reste alors à la Fr. 240 000 t de navires de g. dont l'escadre d'Alexandrie ; 20-11 *Weygand déporté* en Autriche ; 4-12 le régime de Vichy se maintient dans les colonies grâce à Darlan, qui crée à Alger le *Conseil impérial ;* 24-12 **Darlan assassiné** par Fernand Bonnier de La Chapelle (1922), étudiant monarchiste [de Gaulle, désireux de se débarrasser de Darlan, aurait laissé croire au Cte de Paris (exilé au Maroc esp., mais entré clandestinement en Algérie) qu'il rétablirait la monarchie ; le Cte aurait laissé à un groupe de 5 fidèles le soin d'éliminer Darlan. Bonnier de La Chapelle aurait reçu l'assurance qu'il aurait la vie sauve ; il fut néanmoins fusillé le 26-12 après sentence d'une cour martiale] ; 26-12 Giraud haut-commissaire en AFN ; Marcel Peyrouton (1887-1983), ancien min. de l'Intérieur de Vichy, gouv. gén. de l'Algérie.

1943 13-1, Sauckel demande 250 000 trav. fr. (150 000 spécialistes, 100 000 manœuvres) ; 17-2 le gouv. décide alors de mobiliser les classes 40, 41, 42 pour le STO (*Service du travail obligatoire)* (170 000 effectivement partis) ; 17-2 *suppression de la ligne de démarcation* entre les 2 anciennes « zones » ; 31-11 création de la **Milice** (voir ci-contre) ; 31-12 Laval fait entrer au gouvernement plusieurs ultracollabos : Brinon, Henriot, Darnand, Gabolde.

1944 7-1, la Gestapo exécute *Eugène Deloncle* (n. 20-6-1890), chef de la « Cagoule » [antirépublicain, il avait fondé en 1937 le Comité secret d'action révolutionnaire (CSAR ou **Cagoule**) ; mis en prison par Daladier de 1938 à 40 ; rallié à Darlan, il collabore avec l'amiral all. Canaris, favorable aux Alliés] ; 15-2 la côte méditerr. devient zone interdite (évacuation Marseille, 15-3) ; 30-3 à cause d'un attentat contre un train (n'ayant fait ni morts ni blessés), les SS tuent 86 pers. à *Ascq* (Nord) ; 6-4 44 enfants juifs (de 3 à 13 ans) arrêtés à *Izieu,* Ain (41 † à Auschwitz). 26-4 *Pétain à Paris* (accueil enthousiaste) ; 6-6 **débarquement allié en Normandie** (voir p. 675 b) ; 9-6 *Tulle,* 99 otages pendus (le 5-7-44, le C^dt^ Heinrich Wulff et l'adjudant Hoff, accusés d'y avoir participé, seront condamnés à 10 ans de travaux forcés pour le 1er, et aux travaux forcés à perpétuité pour le 2e, peine réduite le 27-5-52 à 5 ans et 10 ans d'interdiction de séjour ; libérés 1955) ; 10-6 **Oradour-sur-Glane** (Hte-Vienne), massacre de 648 hab. [dont 246 femmes et 207 enfants (dont 6 de – de 6 mois)] par la 3e compagnie du 4e régiment de la 2e division SS *Das Reich* [21 membres de celle-ci (dont 14 Alsaciens) seront jugés et amnistiés en 1953 ; le Gal Lamerding, commandant la division, condamné à mort par contumace, mourra dans son lit en 1971 ; le lieutenant commandant la compagnie, Heinz Barth, sera arrêté en déc. 1981, mais non extradé ; selon Robin Mackness (en 1987) des maquisards auraient la veille pris 600 kg d'or aux All.] ; le village aurait pu être confondu avec un autre Oradour : O.-sur-Vayres (à 26 km S.-O.), O.-Fanais (à 30 km N.-O.) et O.-St-Genest (à 34 km N.) ; 20-6 la milice *exécute Jean Zay* ; 13-6 Darnand, min. de l'Intérieur ; 28-6 des résistants *exécutent Ph. Henriot,* secr. d'État à la Propagande ; 2-7, 2 551 déportés partent en train de Compiègne vers l'All., 1 537 arrivent vivants à Dachau le 5-7 (moins de 200 en reviendront) ; 7-7 la milice exécute *Georges Mandel,* ancien min. de l'Intérieur de Paul Reynaud ; 12/18-8 tentative de constitution d'un régime démocratique (Laval contacte Herriot, qui refuse) ; 17-8 dernier wagon part de Drancy (51 otages) ; 20-8 *fin du régime de Vichy* (Pétain et Laval emmenés à Belfort puis à Sigmaringen le 20-9) ; 1-9 Marion, Déat, Brinon, Darnand, Doriot reçus par Hitler. *Brinon chef du gouv. fr. en exil* (désavoué par Pétain et Laval) ; 8-9, ce gouv. s'installe à Sigmaringen (le véritable chef des coll. en exil est alors Doriot jusqu'au 23-2. Voir encadré p. 679 b). La plupart des Fr. membres d'organisations pro-all. rejoignent la Waffen-SS (lourdes pertes mil. en Poméranie en mars-avril 1945). Darnand et une partie des miliciens combattent en Italie du Nord contre les *maquisards italiens.*

1945 6-1, Comité de la libération française fondé en All.

■ **Division SS Charlemagne.** A regroupé, fin oct. 1944, LVF, SS français, miliciens et doriotistes réfugiés, Kriegsmarine et NSKK. Début 1945 comprend 7 000 Fr. Presque anéantie en mars et avril 1945 en Poméranie. Un groupe (env. 300) échappé participa à la défense de Berlin sous les ordres du G^al^ SS Krukenberg. Du 1er au 8-5-1945, une compagnie participa à la défense de Dantzig.

■ **LVF (Légion des volontaires français).** *Fondée* 4-7-1941. *Chef : 1941 :* C^el^ Labonne, *1943 :* Gal Puaud. *Uniforme :* allemand avec écusson tricolore (le gouv. de Vichy n'ayant pas déclaré la g. à l'URSS). *Effectifs :* juillet 1941 à mai 1943, engagea 6 429 volontaires sur 19 788 candidats. En mai 1943, comptait 2 317 h. (soldats + off.). Dissoute août 44.

■ **Gestapo en France.** Emploie 15 000 Allemands (téléphonistes compris) et 40 000 auxiliaires français (dont nombre d'anciens truands), une brigade nord-africaine (150).

■ **Législation antisémite du gouv. de Vichy.** 11 textes entre 22-7-1940 et 11-12-1942, notamment statut des J. [3-10-40 (art. 1er – Est regardée comme juive toute personne issue de 3 grands-parents de race juive, ou de 2 grands-parents de la même race, si son conjoint lui-même est j.)], décret sur j. étrangers [4-10-40 pourront être internés dans des camps spéciaux, par décision du préfet], abrogation du décret Crémieux de 1870 (7-10-40), création (29-11-41) de l'Union générale des Israélites de France (UGIF) ; un *Commissariat général aux affaires juives* confie 52 025 entreprises j. à 7 423 administrateurs provisoires, obligatoirement non j.

■ **Milice.** *Créée* 30-1-1943 ; corps d'élite, groupant les combattants armés. Secr. gén. : Joseph Darnand (1897-1945, fusillé) ; *organisation :* avant-garde jusqu'à 18 ans ; franc-garde après 18 ans. *Effectifs :* 20 000 h. en automne 1943 (zone libre), 5 000 h. en zone occupée (janv.-mai 1944). *Activités :* combats contre les maquisards, cours martiales, police politique (nombreuses exactions, exécutions de Georges Mandel et Jean Zay). Passe en All. en août 44.

■ **Procès de Riom. Accusés :** Gal Gamelin, Édouard Daladier et Léon Blum (anciens Pts du Conseil), Guy La Chambre (ancien min. de l'Air), Jacomet (contrôleur gén.) estimés responsables de la défaite française. **Juge :** *Cour suprême de Justice* instituée par l'acte constit. n° 5 du 30-7-1940. **Déroulement :** *1942* 19-2 ouverture ; 11-4 loi relative à l'organisation de la Cour suprême suspend les débats qui ne reprendront pas. Hitler était opposé le 15-3 à la continuation du procès (qui devait être pour lui celui des responsables de la déclaration de g., non de la défaite française) ; les accusés sont réincarcérés au fort du Portalet.

■ **Révolution nationale.** Nom donné à l'action de Vichy tendant à créer un nouvel ordre moral : rejet des mensonges, de l'égoïsme individuel, de l'esprit de jouissance, du goût des loisirs, exaltation des vertus traditionnelles et des notions de Travail, Famille, Patrie. Interdiction des grèves (selon une *Charte du travail*) ; création des chantiers de Jeunesse ; promulgation du *statut des Juifs.*

■ **Travailleurs. En Allemagne. Volontaires.** *1°) « désignés » :* partis automne 1940-juin 1942 : 153 000. *2°) autres :* 34 652. Nombreux retours plus ou moins licites avant juin 1942. Il en resta env. 43 000 en Allemagne. **STO (Service du travail obligatoire)** (Lois des 4-9-42 et 16-2-43 notamment) (partis avec la « relève » à partir de juin 1942) : total 70 000 (été 42), 240 000 (déc. 42), 490 000 (mars 43), 670 000 (août 43), 723 000 (juillet 44). *Départs par périodes : 1-6 au 31-12-42 :* 240 386 ; *1-1 au 31-12-43 :* 456 000 ; *1-1 au 30-5-44 :* 34 244.

Conditions stipulées entre Laval et les nazis en juin 1942 : 3 travailleurs volontaires contre le retour de 1 prisonnier de g. (chiffres effectifs : 723 162 travailleurs entrés en All. : 111 000 prisonniers et malades rapatriés ; 197 000 pris. transformés en trav. libres). Les anciens trav. en All. se sont vu refuser le 13-2-78, par la cour d'appel de Paris, le droit de s'appeler *« déportés du travail »,* mais les cours d'appel de Limoges (19-4-90) et de Toulouse (29-11 et 4-12-89) n'ont pas interdit cette dénomination. Leur dénomination officielle est « personnes contraintes au travail en pays ennemi » (ou occupé par l'ennemi). Le 19-11-1980 le groupe communiste a déposé un projet de loi pour faire adopter la formule « victimes de la déportation du travail » rappelant que 60 000 travailleurs forcés moururent en All. (dont 15 000 exécutés pour actes de résistance) ; 50 000 sont revenus tuberculeux. Entre 1945 et 1980, 25 % sont morts, de handicaps divers.

Employés en France par les All. *1940-41 ;* 2 000 ; *6-6-44,* 558 000 [dont *organisation Todt* (créée en 1933 par l'ingénieur Fritz Todt, 8-2-1891-† accident d'avion 1942) 251 000, Wehrmacht 65 000, Luftwaffe 137 000)]. En outre, les accords conclus entre le min. fr. Bichelonne et le min. all. Speer (17-9-1943) avaient prévu que certaines entreprises (les usines « S ») et les mines devaient être assimilées à des entreprises all., ce qui permettait à 1 917 294 trav. fr. d'être maintenus sur leur lieu de travail.

LA FRANCE LIBRE (1940-44)

■ ORGANISATION

■ **Général Charles de Gaulle** [(Lille 22-11-1890/Colombey-les-Deux-Égl. 9-11-1970). Ép. 6-4-1920 Yvonne Vendroux (1900-1979). 3 enf. : Philippe (n. 1921, amiral) ; Élisabeth (n. 1923), ép. 1946 Alain de Boissieu (n. 1914, G^al^ 1962) ; Anne (mongolienne, 1928-48)]. *1911* 1-10, sous.-lieut. *1939* 25-12 colonel. *1940* 25-5 G^al^ de brig. (à titre temporaire). 6-6 sous-secr. d'État à la Guerre ; 17-6 rejoint Londres dans l'avion du G^al^ anglais Spears, avec lieut. Geoffroy de Courcel (11-9-1912/9-12-92), fonde la Fr. libre ; 18-6 lance aux Français un appel à la radio de Londres ; 24-6 ramené au grade de C^ol^ et mis à la retraite par mesure disciplinaire ; 27-6, chef des Français Libres ; 4-7 condamné par le tribunal militaire de Toulouse à 4 ans de prison et 1 000 F d'amende ; 2-8 condamné à mort et à la confiscation de ses biens par un tribunal de Vichy. *1943* 30-5 s'installe à Alger. *1944* 3-6 chef du GPRF. *1945* 13-11 élu Pt du gouv. prov. *1946* 20-1 démission. *1947* 7-4 fonde le RPF. *1958* 1-6 Pt du Conseil ; 21-12 Pt de la Rép. *1969* 28-4 démission.

Œuvres : Le Fil de l'épée (1932), Vers l'armée de métier (1934), la France et son armée (1938), Mémoires de guerre [I l'Appel (1954) ; II l'Unité (1956) ; III le Salut (1959)], Mémoires d'espoir [I le Renouveau (1970) ; II l'Effort (posth. 1971)].

■ **Comité national français** (24-9-1941 au 5-6-1943). *Créé* 24-9-1941 par ordonnance. Composé de commissaires nationaux nommés (par décret) par de Gaulle et responsables devant lui. Les commissaires forment un Conseil des min. et gèrent un département administratif. **Reconnaissance** par G.-B. le 13-7-41 (comme symbole de la résistance française à l'Axe), URSS le 26-9-42, USA : 9-7.

■ **Conseil national de la Résistance** (CNR). *Créé* 15-5-1943 par Jean Moulin. Groupe 8 mouvements de résistants dans les 2 zones. *Chef : 15-5-1943,* Jean Moulin (1899-1943) jusqu'à son arrestation le 21-6, nommé par de Gaulle ; 2° fin juin 1943/25-8-1944 Georges Bidault (1899-1983), élu par les membres du conseil.

■ **Comité français de la Libération nationale** (CFLN) (3-6-1943 au 3-6-1944). *Créé 3-6-1943* par ordonnance à la suite d'un accord entre de Gaulle et Giraud (qui commandait une partie des troupes françaises d'Afr. du N. combattant avec les Alliés). « Pouvoir central fr. unique » devant exercer ses fonctions jusqu'à la Libération. Présidé alternativement par Giraud et de Gaulle. **Reconnaissance** *1943 26-8* par l'URSS comme le représentant de la Rép. fr. *27-8* par G.-B. et USA comme administrant les terr. fr. d'outre-mer qui reconnaissent son autorité. La France libre a un gouvernement, une administration, des territoires, une représentation diplomatique (« Représentants de la Fr. libre »), des forces armées, une flotte de commerce, une monnaie et un institut d'émission, des timbres-poste, etc. Elle délivre les passeports. Elle a ses ressources propres (en particulier l'or du Gabon).

■ **Ralliements de territoires. 1940 : Domaines fr. de Ste-Hélène** (23-6), à la même époque, personnel et installations du canal de **Suez,** puis **Nouvelles-Hébrides** (20-7). **Tchad** *13-8* René Pleven à Lagos (Nigeria), propose au gouverneur du Tchad, Félix Éboué (Guyane 1884-1944), de ravitailler le T. en échange du ralliement à de Gaulle ; *26-8* Éboué et Pleven proclament le ralliement. **Cameroun** *15-8* les gaullistes de Douala se replient à Victoria (Cameroun anglais) ; *23-8* le C^ol^ Leclerc (de Hauteclocque) et le C^dt^ de Boislambert se rendent à Victoria ; *26-8* avec 25 réfugés gaull., ils occupent les bâtiments publics de Douala ; *22-8* ils proclament le ralliement. **Congo français** *16-8* le C^ol^ de Larminat arrive à Léopoldville (Congo belge), contacte les gaull. de Brazzaville (capitaine Delange, médecin-Gal Sicé) ; *27-8* envoie un ultimatum au gouv. gén. Husson ; *28-8* Delange et Sicé avec un bataillon de tirailleurs du Tchad font prisonnier Husson et remettent Brazzaville à Larminat ; *31-8* les gaull. contrôlent Pointe-Noire. **Oubangui-Chari** *sept.* la garnison refuse, mais le *30-9* se rallie sans combat. **Tahiti et dépendances** 2-9 (après plébiscite du 1-9 : 5 564 pour le ralliement, 18 contre). **Établissements fr. de l'Inde** *9-9.* **Nouv.-Calédonie** *20-9.* **Sénégal** (échec). Tentative faite pour éloigner les All. de Dakar, nécessaire pour surveiller l'Atlantique ; assurer un territoire à la France libre, récupérer l'or des banques de Fr., Belgique, Pologne, stocké à Bamako. *14-8* les croiseurs *Georges-Leygues* et *Montcalm* (Vichy) arrivent à Dakar où se trouve le cuirassé *Richelieu. 23-9* une escadre angl. (avec 2 cuirassés et 1 porte-avions) débarque les commandos gaull. de Thierry d'Argenlieu à Rufisque, ils sont repoussés. *24-9* 2e débarquement gaull. repoussé à Rufisque. *24/25-9* l'escadre angl. bombarde Dakar : *morts* : 100 militaires, 84 civils ; *blessés* : 182 militaires, 197 civils ; 2 sous-marins fr. coulés. Un cuirassé angl. torpillé ; retraite angl. *Conséquences* : Churchill rend de Gaulle responsable de l'échec (des indiscrétions gaullistes auraient provoqué l'envoi des croiseurs) et propose à Catroux, qui refuse, de remplacer celui-ci. De Gaulle décide de s'implanter au Gabon. **Gabon** *29-8* ralliement à Larminat ; *30-8* arrivée à Libreville du sous-marin *Sidi Ferruch* (Vichy) qui rétablit le régime de Vichy ; *sept.* offensive de Leclerc dep. le Congo ; *oct.* les pétainistes résistent à Lambaréné ; *8-10* sous-marin *Poncelet* (Vichy) coulé ; *9-10* le *Savorgnan de Brazza* (Fr. libre) coule le *Bougainville* (Vichy) ; *7-11* Leclerc débarque à Mondah ; *10-11* les gaull. prennent Libreville : suicide du gouverneur (Gal Masson) ; *12/14-11* prise de Port-Gentil : la majorité des fonctionnaires refusent le ralliement et sont internés.

1941 : *Syrie et Liban* 10-7. *St-Pierre-et-Miquelon* 24-12. **1942 :** *Wallis-et-Futuna* 19-5. *Réunion* 28-11. *Madagascar et dép.* 14-12. *Côte Fr. des Somalis* 28-12. **1943 :** *Guyane* 11-3. Soit au total 14 millions de citoyens, sujets ou protégés fr., dans un ensemble de territoires 7 fois grands comme la Fr. métropolitaine.

■ Effectifs

■ **Évolution. 1940** *juillet* : env. 3 000 h. dont 2 000 à Londres, 600 en Égypte, 300 en Côte-de-l'Or. **Forces terrestres : 1940** *10-8, 1re brigade libre* : 2 331 h. dont 407 fusiliers marins et env. 1 300 anciens légionnaires de Narvik ; **1943** *31-7,* 55 873 soldats engagés, 7 581 auraient été tués (au 6-5-1945 en tout 10 219 †). **Navales libres : 1940** *3-7* : 400 h., dont 10 off. ; nov. 3 000 h. ; **1941** 3 500 h. dont 270 off. (Afrique 960) ; 1 cuirassé ancien *Courbet,* 2 contre-torpilleurs, 1 torpilleur, 4 sous-marins, 57 petits bâtiments de surface. **Marine marchande :** 57 bateaux (300 000 t) dont 19 perdus, 4 000 h. dont 1 000 ont péri en mer.

■ **BCRA (Bureau central de renseignements et d'action).** Agents secrets, personnel des réseaux homologués par Londres, agents en pays étrangers : 3 600 hommes et femmes dont 800 ont été torturés, fusillés ou sont morts déportés.

■ **Femmes.** Des milliers ; beaucoup à titre civil ; 7 000 furent déportées, 6 furent faites Compagnons de la Libération (voir Index), 2 sont dans la crypte du Mont-Valérien : Bertie Albrecht († juin 1943 à Fresnes), Renée Lévy (fusillée à Cologne avril 1943).

■ **Bilan global. Forces terrestres :** en tout 31 900 soldats français libres ; 5 200 † ou disparus entre le 18-6-1940 et le 31-7-1943, 248 572 prisonniers capturés ; 68 batailles gagnées. **Navales** (FNFL) : 9 800 marins ; 1 000 tués ou disparus ; 80 bâtiments dont 20 perdus. **Aériennes** (FAFL) : 3 500 volontaires ; 563 aviateurs non rentrés ; 316 avions ennemis détruits officiellement.

■ **Parmi les 1ers ralliés à de Gaulle à Londres en 1940 : 18-6 :** *René Cassin* (prof. à la faculté de droit de Paris, futur prix Nobel, 1887-1976) ; *René Pleven* (futur commissaire aux Finances et Pt du Conseil, 1901-93) ; *Jean Marin* (Yves Morvan, n. 1909, journaliste) ; *Jean Oberlé* (journaliste, 1900-61) ; **19-6 :** *Christian Fouchet,* aviateur (futur min., 1911-75) ; **20-6 :** *Pierre-Olivier Lapie* (député, n. 1901) ; **21-6 :** *Maurice Duclos* (Col Saint-Jacques) ; **23-6 :** *amiral Émile Muselier* (1882-1965) ; **28-6 :** *Gilbert Renault,* dit le *colonel Rémy* (1904-84) ; **29-6 :** 3 off. revenus de Narvik : *cap. Pierre Koenig* (futur Gal, 1898-1970, Mal à titre posthume le 6-6-1984), Col *Raoul Magrin-Vernerey* (1892-1964, futur « *Gal* Monclar »), *cap. André Dewavrin* (futur *Col Passy,* chef des Services secrets, n. 1911) ; **30-6 :** *Maurice Schumann* (journaliste, futur min. et acad., 1911) ; **début juillet :** *Gal Paul Legentilhomme,* commandant les troupes de Djibouti (1884-1975), et *Col René de Larminat,* commandant celles de Syrie (1895-suicidé 1962) ; **25-7 :** *cap. Philippe de Hauteclocque* (futur *Mal Leclerc,* 1902-47) ; **sept. :** *Gal Georges Catroux* (ancien gouv. de l'Indochine, 1877-1969) ; **fin 40 :** *Jacques Soustelle* (ethnologue, futur min. et acad., 1912-90).

■ **Membres de la Résistance. 1941-21-10 :** *Jean Moulin* (préfet, 1899-1943) ; **1942 mars :** *Emmanuel d'Astier de La Vigerie* (journaliste, 1900-69) ; *Pierre Brossolette* (journaliste, 1903-22-3-1943 se suicide pour ne pas parler sous la torture) ; *André Philip* (député, futur min., 1902-70) ; **1942 sept. :** *Christian Pineau* (futur ministre, n. 1904) ; **1943 janv. :** *Fernand Grenier* (député, futur min., 9-7-1901/12-7-92). *Gal Charles Delestraint* (1879 – fusillé à Dachau 23-4-1945) chef de l'armée secrète (1942), arrêté 9-6-43, déporté ; *Gal Aubert Frère* (1881 – Struthof 13-6-1944) fin 1942 dirige l'ORA (Organisation de Résistance de l'Armée), juin 1943.

■ Quelques dates

■ **Origine. 1940** *18-6,* de Gaulle, sous-secrétaire d'État à la Guerre dans le ministère Reynaud, en mission à Londres, ne reconnaît pas le ministère Pétain formé le 16-6 pour demander l'armistice, il lance un appel à la BBC. *24 au 26-6 :* 5 bateaux amènent en G.-B. 124 Sénans (habitants de l'île de Sein qui sera occupée le 2-7 par les All.) qui constituent le 1/4 des effectifs de De Gaulle. *27-6,* il prend le titre de « *Chef des Français libres* » et affirme que le ministère Pétain, bien qu'établi dans les formes constitutionnelles, n'est pas un gouvernement régulier, mais une simple autorité de fait, parce que sous la dépendance de l'ennemi. *28-6* reconnu par un communiqué du gouv. brit. comme « *Chef de tous les Français libres,* où qu'ils se trouvent et qui se rallient à lui pour la défense de la cause alliée ». *14-7* 1re manif. officielle : de Gaulle passe en revue 800 soldats. *7-8 accord avec le gouv. britannique,* de Gaulle constitue une force de volontaires et crée un organisme civil avec les services administratifs nécessaires ; la G.-B. assure provisoirement le paiement des dépenses engagées. *27-10, l'ordonnance no 1 de Brazzaville,* « au nom du peuple et de l'Empire fr. », organise l'exercice des pouvoirs publics dans les terr. libérés du contrôle de l'ennemi. Un *Conseil de défense de l'Empire* (consultatif) est créé. Les pouvoirs administratifs appartenant normalement aux ministres seront exercés par des directeurs de services nommés par le Chef des Fr. libres (art. 6). Des *hauts-commissariats* sont créés pour Afr. libre (Ord. du 12-11-1940) et Pacifique (Ord. du 2-8-1941). *Français présents en Angl. ayant exigé d'être rapatriés en France (du 17-6 au 31-12-1940) :* marins militaires 21 000, de commerce 2 000, hommes de troupe 8 000, civils 200. **1941** *6-1* 1er parachutage d'un agent, en zone occupée. *14-1* adoption du V comme signe de ralliement des Résistants antinazis. *23-6* 1er parachutage de matériel sur la France par services anglais. *24-9 Comité national français* créé (voir p. 681 c). *8-12* la Fr. libre déclare la guerre au Japon. **1942** *14-7* le mouvement de la Fr. libre prend le nom de **France combattante.** *22-7* prend acte de l'adhésion des groupements de la Résistance intérieure et symbolise ainsi l'union des efforts de la Fr. libre et de la Fr. captive. **1943** *3-6* CFLN créé (voir p. 681 c). *4-8* Giraud, nommé Gal des forces mil. (dep. 22-6-1943, était Cdt en chef pour l'Afr. du N. et l'Afr. Occ. Fr., de Gaulle commandait les autres terr. de l'Empire), son rôle sera progressivement réduit. *17-9 Assemblée consultative provisoire* créée [membres désignés par les différents groupements de la résistance métropolitaine et extra-métrop., et par les m. du Sénat et de la Chambre des députés se trouvant hors du terr. occupé (en majorité communistes, du fait de la déportation en Algérie des parlementaires communistes)]. *2-10* décret maintenant encore les 2 Pts ; mais, en exerçant effectivement le commandement mil., Giraud cesse d'exercer ses fonctions de Pt. *9-11* de Gaulle seul Pt. *16-12* le CFLN (donc de Gaulle) assure la direction générale de la g. et l'autorité sur l'ensemble des forces terrestres, navales et aériennes. **1944** *janv. conférence de Brazzaville* (voir Index). *1-2* création des FFI. *20-3* exécution de *Pierre Pucheu* (n. 1899), ancien ministre de l'Intérieur de Vichy, rallié au Gal Giraud (motif officiel : il aurait désigné aux All. les otages de Châteaubriant ; autre raison : déconsidérer le Gal Giraud, qui l'avait fait venir en Afrique). *4-4* chef des armées, de Gaulle décide en dernier ressort de la composition, de l'organisation et de l'emploi des forces armées. *8-4* Giraud nommé inspecteur gén. des armées fr., et à ce titre conseiller mil. du Gouv. (refuse, est mis à la retraite). *1-6 Koenig* nommé commandant en chef des FFI.

Épuration

■ Bilan global

■ **Personnes touchées par des mesures d'épuration.** 1 500 000 à 2 000 000 (990 000 arrêtées, ne serait-ce que quelques j ou semaines), et des centaines de milliers victimes de sanctions professionnelles ouvertes (limogeages) ou déguisées (retraites anticipées, retards dans l'avancement).

■ **Affaires instruites. Par les cours de justice et chambres civiques :** 158 000 dont 110 500 viennent en jugement. *Condamnés* (du 1-11-44 au 31-12-45) : *à mort* 7 040 dont 4 397 par contumace (3 784 exécutions) ; *aux travaux forcés à perpétuité* 2 722, *à temps* 10 434 ; *à l'emprisonnement* 26 529 ; *à la dégradation nationale* 57 852. **Par les comités d'épuration professionnels :** 300 000 ; **administratifs :** 120 000 peines prononcées.

■ **Emprisonnés.** *1944 (mai)* : 250 000. *1945 (vers juin)* : 60 000. *1947 (1-1)* : 20 000. *1948 (1-1)* : 15 585 (loi d'amnistie partielle en 1947). *1950 (1-1)* : 4 791. *1951 (janv.)* : 4 000. *1952 (oct.)* : 1 570 (loi d'amnistie en 1951). *1956* : 62 (loi d'amn. en 1953). *1958* : 19. *1964* : 0 (prescription de 20 ans).

■ **Exécutés.** 105 000 de juin 1944 à février 1945, selon Adrien Tixier (socialiste, min. de l'Intérieur). 68 000 selon Jean Pleyber (Écrits de Paris). 50 000 (dans le Midi, de Nice à Toulouse) selon la sécurité militaire amér. 30 000 à 40 000 selon Robert Aron (*Hist. de la Libération).* 11 590 avec ou sans jugement au titre de la collaboration avant ou après la Libération, selon Fr. Mitterrand (alors min. de la Justice). 10 842 (dont 5 675 avant la Lib.) selon les « Mémoires » du Gal de Gaulle. 9 673 (dont 5 234 avant la Lib.) selon une enquête partielle auprès des préfets. 10/15 000 selon Henri Amouroux.

Recours en grâce présentés au Gal de Gaulle. 2 071 (1 303 furent acceptés).

Indignité nationale. *Créée* par une ordonnance du 26-8-1944, modifiée par les ordonnances des 30-9 et 26-12-1944. État constaté chez un individu qui avait accompli certains actes. *Peine attachée à cet état : dégradation nationale* (de 5 ans à la perpétuité). *Sanctionnait* des individus coupables d'actes (qui ne pouvaient se rattacher juridiquement à des infractions prévues par des textes en vigueur en 1940) : avoir été membre d'un cabinet Pétain, avoir rempli une fonction exécutive dans les services de propagande de Vichy ou au commissariat aux questions juives, avoir été membre d'organisations collaborationnistes, avoir aidé à organiser des réunions ou des manifestations en faveur de la collaboration, avoir publié des écrits ou donné des conférences en faveur de l'ennemi, de la collaboration avec l'ennemi, du racisme ou des doctrines totalitaires. *Pouvait être prononcée comme peine accessoire* par la Haute Cour de justice ou les cours de justice compétentes pour des actes de collaboration punis par les textes de droit commun, *ou à titre principal* par les chambres civiques, rattachées aux cours de justice, pour les actes de collaboration non punis par les textes de droit commun. *Pouvait être suspendue* si le condamné s'était réhabilité par des actions de guerre ou de résistance. *Conséquences :* exclusion du droit de vote, inéligibilité, élimination de la fonction publique, perte du rang dans les forces armées et du droit à porter des décorations, exclusion des fonctions de direction dans entreprises, banques, presse et radio, de toutes fonctions dans syndicats et organisations professionnelles, des professions juridiques, de l'enseignement, du journalisme, de l'Institut, interdiction de garder ou porter des armes. Le tribunal pouvait ajouter des interdictions de séjour et la confiscation de tout ou partie des biens. Le versement des retraites était suspendu.

Total de 1944 à 1951 : 49 723 personnes frappées de dégradation nationale (dont 3 578 par les cours de justice et 46 145 par les chambres civiques), 3 184 peines suspendues. 4 évêques démis de leur siège. 96 des 151 députés SFIO exclus.

■ Bilan de l'épuration judiciaire

Condamnés par la Haute Cour de justice

☞ *Créée* par ordonnance du 18-11-1945 (dernier procès : 1960, Abel Bonnard). c. : contumace. c.b. : confiscation des biens. com. : commissaire. d.n. (v.) : dégradation nationale (à vie). i.n. (v.) : indignité nationale (à vie). M : condamné à mort. min. : ministre. p. : prison. p. com. : peine commuée. s.E. : secrétaire d'État. t.f. : travaux forcés.

■ **Bilan.** 108 affaires. 41 non-lieux prononcés par la commission d'instruction (dont 34 après 1945). 8 actions publiques éteintes par décès de l'accusé (Platon, Boisson, L.O. Frossard, Chatel, Bichelonne, Barthélemy, Moysset, Cathala). 1 renvoi pour incompétence. 18 condamnations à mort. 25 à des peines de travaux forcés ou de prison (dont 3 par contumace). 14 à la dégradation nationale uniquement (plusieurs aussitôt relevées pour « faits de résistance »). 1 acquittement (Marcel Peyrouton).

■ **Condamnés à mort. Exécutés :** *Joseph Darnand* (exéc. 10-10-45). *Pierre Laval* (15-10-45). *Fernand de Brinon* (15-4-47). **Non exécutés :** *Raphaël Alibert* (1887-1963, min., secr. d'État à la justice) 7-3-43 M, d.n.v., c.b. (c.). *Jacques Benoist-Méchin* (1901-84, min. s.E. près le gouv.) 6-6-47 M, d.n.v., c.b., p. commuée en t.f. puis à 20 ans, libération conditionnelle en 1954. *Abel Bonnard* (19-12-1883/Madrid 31-5-1968, min. de l'Éduc. nat.) 4-7-45 M, d.n.v., c.b. ; commuée en 10 ans de détention déjà accomplis en 1960. *René Bonnefoy* (secr. gén. à l'Intérieur) 18-7-48 M, d.n.v., c.b. (c.), 15-3-55, 5 ans i.n. *Louis Darquier de Pellepoix* (19-12-1897/29-8-1980, commissaire gén. aux Questions juives) 19-6-47 M, d.n.v., c.b. (c.), non rentré d'exil. *Marcel Déat* (1894-1955, min. du Travail) 19-6-45 M, d.n., c.b. (c.), non rentré d'exil. *Henri-Fernand Dentz* (1881-

1945), Gal M. 20-4-45 pour avoir combattu les forces britanniques et gaullistes au Levant ; † à Fresnes le 13-12-45 alors qu'il venait d'être gracié. *Maurice Gabolde* (1891-1977, min., s.E. à la Justice) 13-3-46 M, d.n.v., c.b. (c.), non rentré d'exil. *Jacques Guérard* (secr. gén. de la prés. du Conseil) 25-3-47 M., d.n.v., c.b. (c.), p. com. *Amiral Jean de Laborde* (1878-1977, Cdt en chef des forces de haute-mer) 28-3-47 M pour avoir laissé saborder la flotte de Toulon qu'il commandait, d.n.v., c.b., gracié 9-6-47. *André Masson* (commissaire gén. aux Prisonniers) 2-7-48 M (c.), non rentré d'exil. *Philippe Pétain* (M[al], chef de l'État) 15-8-45 M, d.n., c.b., non exécuté en raison de son âge. *Charles Rochat* (secr. gén. aux Aff. étr.) 18-7-46 M, d.n.v., 16/17-3-55, 5 ans de d.n., relevé en raison des faits résultant des débats et du dossier.

Condamnés à d'autres peines. *Jean Abrial* (1879-1962, amiral, s.E. à la Marine) 14-8-45, 10 ans de t.f., d.n.v., 2-12-47 liberté conditionnelle. *Armand Annet* (gouv. gén. de Madagascar) 21-3-47 d.n.v. *Gabriel Auphan* (n. 1894, amiral, s.E. à la Marine) 14-8-46 t.f., d.n.v., c.b. (c.), 19/20-7-55, 5 ans de p. avec sursis et 5 de d.n., relevé immédiatement. *Paul Baudouin* (min., s.E. aux Aff. étr.) 3-3-47, 5 ans t.f., d.n.v., c.b. *Jean Berthelot* (s.E. aux Communications) 10-7-46, 2 ans de p., 10 000 F d'amende, 10 ans d'i.n. *Henri Bléhaut* (amiral, s.E. à la Marine et aux Colonies) 1-6-48, 10 ans de p., d.n.v. (c.), 18-3-55 relaxé des fins de la poursuite. *Pierre Boisson* (1894-1948, gouv. gén. de l'Afr. Occid. fr.) 16-12-48 action publique éteinte (décès). *René Bousquet* (secr. gén. à la Police) 23-6-59, 5 ans de d.n., relevé pour faits de résistance ; assassiné 8-6-93 par un déséquilibré. *Yves Bouthillier* (1901-77, s.E. aux Finances) 8-7-48, 3 ans de p., d.n. *Jules Brevie* (1889-1964, G[al], s.E. aux Colonies) 21-3-47, 10 ans de p., d.n. v., c.b. *Eugène Bridoux* (1888-1955, G[al], s.E. à la Guerre) 18-12-48 d.n.v. (c.) non rentré d'exil. *Gaston Bruneton* (com. gén. à la main-d'œuvre en All.) 22-7-48, 4 ans et 6 mois de p., 10 ans de d.n. *Pierre Caziot* (1876-1953, min., s.E. à l'Agr. et au Ravitaillement) 19-3-47 d.n.v., c. moitié des biens. *Paul Charbin* (1877-1956, s.E. au Ravitaillement) 11-7-46, 10 ans de d.n. *François Chasseigne* (1902-77, s.E. au Ravitaillement) 16-7-48, 10 ans de t.f., d.n.v. *Camille Chautemps* (1885-1963, min. d'E. auprès du gouv.) 25-3-47, 5 ans de p., c.b. (c.), d.n.v. *Jacques Chevalier* (1882-1962, s.E. à l'Éduc. nat. et à la Famille) 12-3-46, 20 ans de t.f., i.n.v. *Paul Creyssel* (n. 1895, secr. gén. à la Propagande, min. de l'Information) 24-6-48, 4 ans de p., 10 ans de d.n. *Georges Dayras* (1894-1968, secr. gén. Justice) 15-3-46 d.n.v. *Georges Delmotte* (G[al], secr. gén. Défense terrestre) 3-6-48, 2 ans de p., d.n.v. *Jean-Pierre Étienne* (1880-1951, amiral) t.f., décédera après avoir été remis en liberté. *Pierre-Étienne Flandin* (1889-1958, min. Aff. étr.) 26-7-46, 5 ans d'i.n. mais relevé pour actes de résistance. *Robert Gibrat* (1904-80, s.E. aux Communications) 12-3-46, 10 ans d'i.n. *Georges Hilaire* (1900, secr. gén. à l'Intérieur puis aux Beaux-Arts) 7-3-47, 5 ans de p., d.n.v., c.b. (c.) 25-1-55 relaxé des fins de poursuite. *Jean Jardel* (1900 secr. gén. du chef de l'État) 14-3-47 d.n.v. *Hubert Lagardelle* (1874-1958, s.E. au Travail) 17-7-46 t.f. à perp., i.n.v., c.b. *Auguste Laure* (1881-1957, G[al], secr. gén. du chef de l'État) 1-7-48 renvoi des fins de la poursuite. *Henry Lemery* (1874-1972, min. des Colonies) 22-3-47, 5 ans d'i.n. mais relevé immédiatement pour faits de résistance. *Antoine Lemoine* (1888-1962, s.E. à l'Intérieur) 29-6-48, 5 ans de d.n. puis relevé pour faits de résistance. *Paul Marion* (1899-1954, s.E. à l'Information) 14-12-48, 10 ans de p., d.n.v., gracié 1953. *Adrien Marquet* (1884-1955, min., s.E. à l'Intérieur) 28-1-48, 10 ans d'i.n. *André Marquis* (amiral, préfet maritime de Toulon) 10-8-45, 5 ans de p., d.n.v. *Pierre Mathé* (1882-1956, com. gén. à l'Agr. et Ravitaillement) 27-5-49, 5 ans d'i.n. *Charles Noguès* (1876-1971, G[al], résident gén. au Maroc) 28-11-47, 20 ans de t.f., d.n., c.b. (c.) 22/26-10-56 i.n. et relevé immédiatement. *Félix Olivier-Martin* (secr. gén. à la Jeunesse) 28-6-49 renvoi des fins de la poursuite. *André Parmentier* (dir. gén. de la police, secr. gén. à l'Intérieur) 1-7-49 sans d.n. et relevé pour faits de résistance. *Joseph Pascot* (com. gén. aux Sports) 25-5-48, 5 ans d'i.n., relevé pour faits de résistance. *Marcel Peyrouton* (gouv. gén. de l'Algérie, min. de l'Intérieur) 22-12-48 acquitté. *François Piétri* (1882-1966, min., s.E. aux Communications, ambassadeur à Madrid) 4-6-48, 5 ans d'i.n. (c.). *Georges Robert* (1875-1965, amiral, haut-com. aux Antilles) 14-3-47, 10 ans de t.f., d.n.v., relevé 1957. *Xavier Vallat* (1891-1972, com. gén. aux Questions juives) 10-12-47, 10 ans de p., d.n.v. *Jean Ybarnegaray* (1883-1956, min., s.E. à la Famille et à la Jeunesse) 18-3-46 i.n., relevé pour faits de résistance.

■ **Non-lieu. Charges insuffisantes :** *Jacques Barnaud* (1893-1962, délégué gén. aux Relations éco. franco-all.) 27-1-49. **Incompétence :** *Georges Cayrel* (s.E. aux Réfugiés) 28-11-45. **Faits non établis :** *Félix Michelier* (n. 1885 † ?, amiral, commandant la marine au Maroc) 2-5-47. **Faits de résistance :** *Louis Achard* (1908-53, s.E. au Ravitaillement) 13-6-46. *René Belin* (1898-1977, min. de la Production ind. et du Travail) 27-6-49. *Jean Bergeret* (1895-1956, G[al], s.E. à l'Aviation) 25-11-48. *Max Bonnafous* (1900-75, s.E. à l'Agr. et au Ravitaillement) 20-12-48. *Émile Boyez* (secr. gén. à la Main-d'œuvre et au Travail) 29-1-48. *Jérôme Carcopino* (1881-1970, s.E. à l'Éduc. nat.) 11-7-47. *Louis Colson* (1875-1951, G[al], min. de la Guerre) 28-3-46. *Victor Debeney* (G[al], secr. gén. du chef de l'État) 19-9-45. *Jean Decoux* (1884-1963, amiral, gouv. gén. de l'Indochine) 17-2-49. *Vincent Di Pace* (secr. gén. aux PTT) 22-5-47. *Fatou* (secr. gén. aux Colonies) 4-7-47. *André Février* (1885-1961, min. du Travail et des Communications) 5-9-45. *Charles Frémicourt* (1877-1967, min. de la Justice) 18-2-47. *Maurice Gait* (1909, com. gén. à la Jeunesse) 18-11-47. *Paul Gastin* (G[al], secr. gén. à la Défense aér.) 17-2-49. *Jean Jannekein* (n. 1892, G[al], s.E. à l'Aviation) 27-2-49. *Georges Lamirand* (1899, secr. gén. à la Jeunesse) 25-7-47. *Paul de La Porte du Theil* (1884-1976, G[al], com. gén. aux Chantiers de jeunesse) 18-11-47. *François Lehideux* (1904, s.E. à la Production ind.) 17-2-49. *Amaury de L'Épine* (dir. du Comité d'organisation de l'auto.) 4-7-47. *Jacques Le Roy Ladurie* (1902-88, s.E à l'Agr. et au Ravitaillement) 12-12-45. *Émile Mireaux* (1885-1969, s.E. à l'Éduc. nat.) 23-1-47. *Paul Moniot* (G[al], s.E. à l'Aviation) 17-2-49. *Robert Moreau* (com. gén. aux Prisonniers) 30-1-47. *François Musnier de Pleignes* (secr. gén. aux Anciens Combattants) 8-5-47. *Charles du Paty de Clam* (com. gén. aux Questions juives) 19-6-47. *Maurice Pinot* (com. gén. aux Prisonniers) 5-9-45. *Charles Pomaret* (1897-1984, min. de l'Intérieur puis du Travail) 13-6-46. *Georges Portmann* (1890-?, secr. gén. à l'Information) 19-6-47. *Jean Prouvost* (1885-1978, secr. gén. à l'Information) 11-7-47. *Bertrand Pujo* (1878-1964, G[al], min. de l'Air) 25-11-48. *Louis Rifert* (s.E. à l'Éduc. nat.) 21-5-47. *Albert Rivaud* (s.E. à l'Éduc. nat.) 23-1-47. *Albert Rivière* (1891-1958, min. des Colonies) 5-9-45. *Frédéric Roujou* (secr. gén. au Travail) 29-1-48. *Robert Schuman* (sous-s.E. à la prés. du Conseil) 5-12-45. *Robert Weinmann* (com. gén. à la Main-d'œuvre) 29-1-48. *Maxime Weygand* (G[al], min., s.E. à la Défense nat.) 6-5-48.

Cours de justice locales

☞ *Créées* par ordonnance du 26-6-1944. *Nombre :* 90, puis 30 (janv. 1946), 25 (janv. 1947), la dernière (Paris) fermera en août 1949.

Bilan. Env. 140 000 affaires. 41 000 non-lieux prononcés en cours d'instruction et 41 000 dossiers renvoyés devant les chambres civiques. 57 000 affaires jugées. 6 763 condamnations à mort dont 4 397 par contumace et 779 exécutées. 2 777 peines de travaux forcés à perpétuité. 10 434 à temps. 26 529 peines de prison à temps. 3 678 à la dégradation nationale uniquement (la plupart des autres condamnations en étaient assorties). 6 724 acquittements.

Cas célèbres. Exécutés : *Georges Suarez* (né 15-12-44, fusillé), *Paul Chack* (n. 1876, ancien off. de marine, écrivain, c. à mort 18-12-1944 pour avoir souhaité publiquement la victoire all. et publié des tracts, fusillé 9-1-45), *Robert Brasillach* (né 31-3-1909, écrivain, c. à mort 19-1-45 pour intelligence avec les All., fusillé 6-2-45), *Marcel Bucard* (chef des francistes, né 1895, fusillé 19-3-1946), *Jean Luchaire* (journaliste, c. à mort 23-1-46 pour ses articles contre gaullisme et Résistance ; fusillé 23-2), *Jean Hérold-Paquis* (né 4-2-1912, exécuté 11-10-45), *Paul Ferdonnet* (le Traître de Stuttgart), com. *de Messine, Max Knipping, Georges Radici, Jean Bassompierre* (dernier milicien fusillé 1948). **Graciés :** *Lucien Rebatet* (né 15-11-03, gracié 12-4-47, libéré 16-7-52), *Claude Jeantet* (né 12-7-02, trav. forcés à perp., libéré), *Algarron, Pierre-Antoine Cousteau* (1906-58), *Henri Béraud* (1885-1958, écrivain, c. à mort 29-12-44 pour ses articles au cours de l'Occupation, peine commuée en trav. forcés à perp., libération conditionnelle 1950), *Charles Maurras* (1868-1952, philosophe inspirateur de l'Action française, 26-1-45 réclusion perp. pour avoir mené une campagne contre la Fr.), *Georges Claude* (1870-1960, physicien, 26-6-45 réclusion perp. pour propagande en faveur de l'All., commuée en détention perp., libéré fin 49), *Maurice Pujo* (1872-1955).

Chambres civiques

☞ *Créées* par ordonnances des 26-8 et 26-12-1944.

Bilan. 115 000 affaires jugées (dont 41 000 renvoyées par les Cours de justice). 95 000 condamnations à l'indignité nationale, 50 000 cond. aux tr. forcés ou à la prison, 70 000 déchéances civiques ; 120 000 cond. administratives (42 000 officiers, 28 750 fonctionnaires, 7 039 cheminots, 5 000 agents de l'EDF, 170 commissaires de police, 18 m. du Conseil d'État, 334 magistrats).

Emprisonnés célèbres. *Mary Marquet* (de la Comédie-Fr.), *Alfred Fabre-Luce* (1899-1983), *Sacha Guitry* (1885-1957), *Pierre Taittinger* (1887-1965), *Jean de Castellane, Arletty* (1898-1992), *Georges Ripert* (1880-1958), *Louis Renault* [1877-1944 (mort des sévices subis en prison)], *Ginette Leclerc, Charlotte Lysès* (Comédie-Fr.), *Hervé Pleven* (fr. du ministre ; † en prison), *Abel Hermant* (1862-1950).

Journalistes. Condamnés : des centaines passèrent en Cour de justice, dont : **fusillés :** *Georges Suarez,* dir. d'Aujourd'hui, *Robert Brasillach* (Je suis partout), *Jean Hérold-Paquis* (Radio-Paris), *Jean Luchaire,* dir. des Nouveaux Temps. **Peines commuées :** *Henri Béraud* (Gringoire), *Pierre-Antoine Cousteau* (1906-58, frère aîné du Cdt) (Paris-Soir et Je suis partout) libéré 1954, *Robert de Beauplan* (l'Illustration), *Martin de Briey* (l'Écho de Nancy), *Pierre Brumel* (le Petit Ardennais, contumace), *Delion de Launois* (la Gerbe). **Condamnés à perpétuité :** *Louis Auphan* (l'Action française), *Maurice Pujo* (l'Action française), *Bunau-Varilla* (le Matin), *Alain Laubreaux* (9-10-1899/Madrid 15-7-1968) cond. à m. par contumace 5-5-47 (Je suis partout), *Claude Maubourguet* (Je suis partout et Combats) (n. 18-12-21), travaux forcés à perp., libéré 1950.

Écrivains. Mis à l'index [en sept. et oct. 1945 par le Comité national des écrivains (CNE)] des dizaines dont : DE L'ACADÉMIE FRANÇAISE : Pierre Benoit, Abel Bonnard, Henry Bordeaux, Maurice Donnay, Abel Hermant (cond. à la réclusion à perpétuité, libéré 1948), Edmond Jaloux, Charles Maurras, Jean-Louis Vaudoyer, Gal Weygand. *4 seront exclus :* Pétain et Maurras (remplacés après leur mort) ; Abel Bonnard et Abel Hermant (remplacés). DE L'ACADÉMIE GONCOURT : Jean Ajalbert, René Benjamin, Sacha Guitry, Jean de La Varende. DIVERS : Colonel Alerme, Paul Allard, Marcel Aymé, René Barjavel, Jacques Benoist-Méchin, Henri Béraud (cond. à mort puis gracié), Georges Blond, Robert Brasillach (fusillé), Alexis Carrel, Louis-Ferdinand Céline, Paul Chack (fusillé 9-1-45), Jacques Chardonne, Alphonse de Châteaubriant, André Demaison, Pierre Dominique, Pierre Drieu La Rochelle (n. 1893-suicidé 15-3-45), Alfred Fabre-Luce, Jean de Fabrègues, Bernard Fay, Paul Fort, André Fraigneau, Jean Giono, Bernard Grasset, Marcel Jouhandeau, Jean de La Hire, Henri Massis, Anatole de Monzie, Paul Morand, Lucien Rebatet, Raymond Recouly, Jules Rivet, André Thérive, R. Vallery-Radot, etc.

Artistes. Mis à l'index : le 4-9-1945 par le Front national des arts : Derain, Despiau, Dunoyer de Segonzac, Friesz, Oudot, Vlaminck, etc.

☞ Paul Touvier (1915) : chef de la milice à Lyon, c. à mort par contumace le 10-9-45 et le 4-3-47, évadé, gracié 23-11-71, arrêté 24-5-89, jugé en avril 1992 (accusation de crime contre l'humanité non retenue), appel en cours.

Gouvernement provisoire de la République française

■ **1er Gouvernement provisoire fr. (Chef : Gal de Gaulle) :** Gouv. de fait [à Alger (ancien CFLN)] dont l'autorité s'étend sur l'ensemble du terr. fr. (du **3-6-1944 au 21-11-1945). 1944** *14-6* de Gaulle en Normandie ; *11-7* reconnu de facto par les Alliés ; *26-8* de Gaulle à Paris (y installe le GPRF) ; les USA avaient prévu d'administrer tous les pays d'Europe par l'AMGOT (Allied Military Government of Occupied Territories) dont relèveraient droit de battre monnaie, pouvoir judiciaire, désignation et révocation des fonctionnaires, transports ; de Gaulle s'y refusa ; *5-10 droit de vote des femmes ; 9-10* remise en service du port du Havre ; *11-10* ordonnance élargissant la *composition de l'Assemblée consultative provisoire :* 296 m. (représentants Résistance métrop. 148, Corse et Résistance extra-métrop. 28, anciennes ass. parlementaires 60, terr. d'outre-mer 12) ; *6-11* emprunt de la Libération ; *27-11* Thorez rentre d'URSS ; *10-12* tr. d'alliance franco-sov. (à Moscou) ; *13-12* nationalisation des houillères du N. ; *18-12* de la Marine marchande ; *30-12* ordonnance sur le financement des assur. soc. (maladie, maternité, vieillesse). **1945** *16-1* nationalisation des usines Renault ; *22-2* création des comités d'entreprise ; *5-4* Mendès France, en désaccord avec Pleven sur la politique éc. à suivre démissionne ; *26-4* Pétain se constitue prisonnier à son retour en Fr. ; *29/4-13/5* vict. de la gauche aux élect. mun. ; *8/10-5* émeutes en Algérie (Sétif, Guelma), répression ; *29-5* nationalisation de Gnome et Rhône (devient la SNECMA) ; *30-5* incidents de Damas (émeutes anti-fr.) ; *23-7/15-8 procès Pétain ; 4/6-10 procès Laval* (exécuté 15-10) ; *4/19-10* ordonnance instituant la Séc. soc. ; loi sur le fermage ; *20-11* début du procès de Nuremberg (voir Index).

■ **Assemblée Constituante. 1945** *21-10 élections. 1°)* référendum rejetant la Const. de 1875 et maintenant un gouv. provisoire. *2°)* élection d'une Assemblée qui du fait de ce rejet est Constituante.

2e Gouvernement provisoire (de Gaulle). 1945 *21-11* min. de Gaulle [investi à l'unanimité des 555 dép.] comprend 5 min. communistes : *m. d'État,* Thorez ; *Armement,* Tillon ; *Écon. nat.,* Billoux ; *Pr. ind.,* Marcel Paul ; *Travail,* Croizat ; *2-12 nationalisation* des 5 plus grandes banques (B. de France, Crédit Lyonnais, Sté Générale, BNCI, Comptoir Nat. d'Escompte) ; *5-12* le gouv. fr. refuse la création (préconisée par les USA) d'un gouv. central all. ; *27-12* réorganisation de la *Haute Cour de justice :* Louis Noguères remplace le Pt Mongibeaux.

IVe République (1946-1958)

Gouvernement provisoire

■ **1946 Charles de Gaulle (suite)** 1-1 les soc. demandent une réduction de 20 % du budget militaire : de Gaulle décide de quitter le pouvoir ; 6-1 il prend 6 j de vacances à l'Éden-Roc, près d'Antibes ; 19-1 il démissionne.

■ **1946 (23-1) Félix Gouin** [(4-10-1884/25-10-1977). *1907-53* avocat. *1924-40* député socialiste ; *1940*-10-7 vote contre les pleins pouvoirs à Pétain. *1943* Pt de l'Ass. Consultative d'Alger. *1944* Pt de l'Ass. Consultative de Paris]. Élu Pt du gouv. provisoire ; 29-1 présente un gouv. tripartite, gouv. de coalition communistes-socialistes-MRP. 5-3 Churchill à Fulton (Missouri) : « Un rideau de fer est tombé sur l'Europe » ; 8-3 Leclerc à Haiphong ; nouvelle *constituante ;* 28-3 *nationalisation* du gaz et de l'électricité ; 24-4 création des délégués du personnel ; 25-4 nationalisation des assurances ; 26-4 des bassins houillers (Charbonnages de Fr.), extension de la Séc. soc. à tous les salariés ; 16-6 discours de De Gaulle à *Bayeux.*

■ **1946 (24-6) Georges Bidault** (voir p. 737). Élu Pt du gouv. provisoire par 384 dép. (les communistes se sont abstenus). 13-10 vote par référendum d'un nouveau projet de Constitution ; 28-11 démissionne ; 5-12 chargé de constituer un nouv. gouv., il n'obtient pas la majorité (240 v. seulement).

■ **1946 (18-12) Léon Blum** (9-4-1872/30-3-1950). Voir biographie, p. 663 a. Pt du C. 19-12 début de la *g. d'Indochine.* Voir Index. **1947** 2-1 baisse autoritaire des prix de 5 % ; 3-1 Commissariat au plan.

Présidence de Vincent Auriol

1947 (16-1) Vincent Auriol [(Revel, Hte-Gar. 27-8-1884/Paris 1-1-1966). Fils d'un boulanger. *1905* étudiant en droit, socialiste. *1914* député de Muret. *1920* au Congrès de Tours, choisit le camp soc. *1936* min. des Finances de Blum ; auteur du *franc flottant* (dévaluation). *1940* 10-7 vote contre pleins pouvoirs à Pétain. *1943* oct., rejoint Londres en avion. *1944* à l'Assemblée d'Alger (Pt de la commission des Finances). *1946* Pt des 2 ass. constituantes de la Rép. *1947* 16-1 élu Pt de la Rép. (voir p. 745 c). *1958* membre du Conseil constit. *1960* cesse de siéger pour marquer son opposition au régime].

1947 7-1 1er plan d'équipement ; 10-2 *tr. de Paris* (Italie, Hongrie, Roumanie, Bulgarie, Finlande) voir p. 676 a ; 12-3 le Pt Truman offre à l'Europe occid. un soutien écon. et militaire contre le communisme voir Index ; 30-3 insurrection *malgache ;* 7-4 création du RPF (gaullistes) ; 21-4 accord charbonnier avec USA et G.-B. ; 4-5 les communistes votent sur le gel des salaires, contre le gouv. Ramadier dont ils font partie ; 5-5 *éviction des min. communistes* et fin du tripartisme ; 5-6 annonce du plan Marshall ; 6-5 le Conseil national du parti socialiste entérine cette décision par 2 529 mandats contre 2 125 ; 5/27-6 nombreuses grèves ; 5-6 Harvard : le Gal *Marshall* annonce son plan ; 22/27-9 conférence de Sklarska-Poreba (Pologne) : mise en cause du « crétinisme parlementaire » du PCF par les partis frères et constitution du *Kominform ;* 19/26-10 élect. municipales ; 12-11 manif. violentes du PCF devant la mairie de Marseille (Me Carlini, RPF, a été, le 10, élu maire par 26 voix contre 25 au comm. Cristofol) ; nov.-déc. grèves « insurrectionnelles » ; 29-11 au 3-12 l'Assemblée nat. siège sans désemparer, obstruction communiste contre les mesures prises contre les grèves : les dép. comm. sont expulsés ; 3-12 près d'Agny (Nord), déraillement (sabotage) de la voie par des commandos : 16 † (ce jour-là 15 autres sabotages, 6 déraillements) ; 5-12 rappel jusqu'au 15-2-48 de 30 000 h. de la classe 1946/2 qui avaient été libérés le 26-11 ; 8-12 obsèques du Gal Leclerc ; 10-12 fin des grèves.

1948 25-1 échange obligatoire des billets de 5 000 F ; 20/27-3 él. cantonales : gaullistes : 31 % des voix ; 25-2 coup de Prague ; 31-3 *blocus de Berlin ;* 7-4 création des 8 igames ou super-préfets (Paris, Lille, Rennes, Bordeaux, Toulouse, Marseille, Dijon, Metz) ; 16-4 création à Paris de l'OECE ; juin, grève à Clermont-Ferrand ; 19-6 les comm. s'abstiennent dans le vote d'investiture de Georges Bidault (688 voix pour) ; 1-7 début d'application du *Plan Marshall ;* 4-10/18-11 grèves (mines, métallurgie, chemins de fer) : échec ; intervention de l'armée pour dégager les puits ; 23-10 rappel des classes 1947/2 et 1948/1.

1949 18-1 Comecon créé. 24-1 procès en diffamation intenté par *Victor Kravchenko* (1905-suicidé 1966 à New York, désespéré de l'intervention amér. au Viêt-nam) au journal communiste *les Lettres françaises,* à son dir. Claude Morgan et au journaliste André Wurmser qui soutenaient que son livre *J'ai choisi la liberté* (paru en France en 1947, 503 000 ex.) était un faux. Morgan et Wurmser condamnés chacun à 5 000 F d'amende et 50 000 F de dommages et intérêts (peine que la cour d'appel, tout en confirmant le fond du jugement, ramènera, un an plus tard, au franc symbolique) ; 4-4 signature de l'OTAN *(pacte atlantique) ;* 12-5 fin du blocus de Berlin ; 14-7 1re bombe atomique russe ; 11-8 ouverture à Strasbourg du *Conseil de l'Europe ;* 1-10 Mao proclame la République populaire de Chine.

1950 janv. *affaire des généraux :* un rapport a été communiqué au 1er min., le Gal Revers est limogé ; 2/8-3 loi sur le sabotage (bagarre à la Chambre) ; 18-3 « appel de Stockholm » dénonçant l'arme atomique. 25-6-1950/27-7-53 *g. de Corée ;* 3/8-10 défaite de *Cao Bang* (Indoch.) ; 10-10 serv. mil. porté à 18 mois. **1951** 18-4 CECA instituée ; 9-7 *fin officielle (sans traité) de la g.* entre Allemagne et 39 États alliés, dont la Fr. ; 17-6 él. législatives, les gaull. : 118 sièges sur 625 ; 23-7 Pétain meurt à l'île d'Yeu ; 8-9 *tr. de San Francisco :* paix entre Japon et 48 États alliés, dont la Fr. ; 21-9 *loi Barangé* (allocations scolaires à l'ens. privé) ; 12-12 *plan Schuman* ratifié ; 13-12 découverte du gaz de Lacq. **1952** 18-1 Bourguiba, chef du Néo-Destour, relégué à l'île de Ré ; 6-3 min. *Pinay* vote de confiance par 324 voix, 206 contre et 89 abstentions ; 26-4/3-5 recul gaulliste aux municipales ; 6-5 de Gaulle interdit aux députés gaull. de participer aux activités de l'Assemblée ; 27-5 tr. créant la *Communauté européenne de défense (CED) ;* 28-5 manif. contre Ridgway (1 †, 718 arrestations, dont Jacques Duclos) ; 5-6 découverte des corps de la famille Drummond (affaire *Dominici* voir p. 768 a). **1953** 5-3 Staline meurt ; 21-5/27-6 record de durée d'une crise ministérielle : 40 j (avant l'investiture de Joseph Laniel) ; 14-7 manifestation, défilé de Nord-Afr. (7 †) ; *27-7 fin de la g. de Corée ;* 4/26-8 grève générale des services publics ; 15-8 la Fr. remplace le *sultan du Maroc* Mohammed V (1909-61), exilé à Madagascar, par Ben Arafa. 23-10 *accord de Paris :* tr. provisoire mettant fin à l'état de g. entre All., Fr., G.-B., USA.

Présidence de René Coty

1953 (23-12) René Coty élu Pt de la Rép. [(Le Havre, 20-3-1882/22-11-1962). Père directeur d'établ. d'ens. libre. *1902* avocat au Havre. *1907* conseiller municipal. *1914-18* combattant comme homme de troupe. *1923* député. *1936* sénateur. *1940* 10-7 vote pleins pouvoirs à Pétain. *1944* arrêté par FFI, puis relâché. *1945* relevé d'inéligibilité. *1946* député. *1947* min. de la Reconstruction. *1948* sénateur. *1953* 23-12 élu Pt de la Rép. après 13 tours de scrutin. *1958* se retire. *1962* membre du Conseil const., critique l'élection du Pt au suffrage univ.].

1954 22-1 : 1er tiercé ; 13-3/7-5 *défaite de Diên Biên Phu ;* 18-6 *Gouv. Mendès France* investi par 419 voix contre 17 ; 21-7 *accords de Genève* sur l'Indochine ; 31-7/3-8 Mendès Fr. à Tunis ; 10-8 pouvoirs spéciaux accordés à Mendès Fr. ; 30-8 CED rejetée au Parlement ; 1-11 début de la *g. d'Algérie* (voir Index) ; 20-11 accords franco-tunisiens. 28-11 début du procès Dominici. **1955** févr. début du *poujadisme* (voir Index) ; 14-5 *pacte de Varsovie* (voir Index) ; 15-5 tr. de paix avec l'*Autriche ;* 3-6 autonomie interne de la *Tunisie ;* juill.-août émeutes au *Maroc ;* 23-10 la *Sarre* vote son retour à l'Allemagne (423 000 voix contre 201 000). 6-11 à *La Celle-Saint-Cloud,* accord Pinay-Mohamed V pour son retour au Maroc.

1956 29-1 le Gal *Catroux* (partisan de la décolonisation) min. de l'Algérie dans le gouv. Guy Mollet ; 31-1 Jules Moch préconise une Alg. avec 2 entités nationales (départements fr. et rép. Alg.) sur le même territoire (projet repoussé par Mollet) ; 6-2 Mollet insulté à Alger ; Catroux démissionne ; janv.-mars invalidation de 11 députés poujadistes remplacés (anticonstitutionnellement) par 5 socialistes, 3 radicaux, 1 MRP, 2 modérés ; 3-3 *Maroc indépendant ;* 20-3 *Tunisie indépendante ;* 20-5 *affaire des fuites :* François Mons, accusé d'avoir permis de prendre connaissance des secrets militaires, et André Baranès, accusé d'être un agent communiste, sont acquittés ; René Turpin, accusé d'avoir transmis des secrets concernant la défense nat. est condamné à 6 ans de prison ; Roger Labrusse, inculpé d'avoir répercuté des renseignements sur Baranès est condamné à 4 ans ; 23-6 loi cadre sur les territoires d'outre-mer ; 19-7 Brioni rencontre Nasser, Nehru, Tito ; création du mouvement des non-alignés ; 5/6-11 **Expédition de Suez** (voir Égypte) ; nov. intervention russe en Hongrie ; manif. anticomm. en France (7-11 siège du PC incendié).

1957 16-1 attentat *au bazooka* à Alger contre Gal Salan [son chef d'état-major, le Ct Rodier, est tué. *Assassins :* Philippe Castille et Michel Frechoz ; *instigateur :* René Kovacs, médecin algérois (activistes Algérie fr., voulant remplacer Salan par le Gal Cogny, plus énergique). Kovacs met en cause, sans apporter de preuves, Michel Debré, Pascal Arrighi, Jacques Soustelle, l'enquête n'aboutit pas] ; 25-3 *tr. de Rome* (Marché commun et Euratom). **1958** 15-4 les Anglo-Saxons proposent leurs bons offices en Tunisie : le gouvernement Gaillard est renversé ; 13-5 *émeutes en Algérie* (voir Index) ; 26-5 rencontre de Gaulle-Pflimlin à St-Cloud ; 1-6 *ministère de Gaulle ;* 2-6 l'Assemblée vote les pleins pouvoirs pour 6 mois ; 3-6 rédaction d'une nouvelle Constitution confiée au gouv. ; 17-6 *emprunt Pinay* indexé sur l'or (il rapporte 324 milliards) ; 28-9 *référendum* approuvant Constitution.

Ve République (dep. le 28-9-1958)

Présidence de René Coty

1958 René Coty (reste Pt de la Rép.). 1-10 fondation de l'UNR. 23/30-11 *élections législ.,* succès gaulliste. 21-12 de Gaulle élu Pt de la Rép. par un collège restreint (voir Index), reste chef du gouvernement et ne prend ses fonctions que le 8-1-1959. 27-12 création de l'accord monétaire européen. 28-12 création du *franc lourd.* **1959** 1-1 : 1re réduction (10 %) des droits de douanes du Marché commun.

Présidence du Gal de Gaulle

1959 Charles de Gaulle. 8-1 de Gaulle intronisé Pt de la Rép. (voir p. 683 c) ; 31-1 1er *satellite américain* (Explorer) ; 16-9 de Gaulle se dit favorable à l'*autodétermination de l'Alg.* [les députés nord-afr. conduits par Bidault quittent la majorité (9 démissionnent de l'UNR) et forment le Rassemblement pour l'Algérie fr.] ; 17-10 l'Assemblée nat. approuve la déclaration de De Gaulle par 441 voix contre 23 et 28 abstentions] ; 2-12 rupture du barrage de *Malpasset* (433 †) ; 24-12 *loi Debré* sur l'enseignement privé. **1960** 1-1 mise en circulation du *franc lourd ;* 4-1 *tr. de Stockholm* créant l'AELE ; 19-1 Massu limogé en Alg. ; 24/31-1 *journées des barricades* à Alger [24-1 manif. en faveur de Massu dispersée par les gendarmes (22 †), les émeutiers dressent des barricades ; 29-1 de Gaulle obtient du Parlement des pouvoirs spéciaux : le Gal Challe et le gouverneur Delouvrier quittent Alger pour Reghaia (base de départ de la répression) ; 2-2 reddition de Pierre Lagaillarde, chef des insurgés] ; 13-2 1re *bombe atomique* fr. à Reggane (Sahara) ; 25-4 Soustelle (favorable aux émeutiers d'Alger) exclu de l'UNR ; V. Auriol annonce qu'il ne siégera plus au Conseil constitut., car le régime s'oriente « vers un système de pouvoir personnel et arbitraire » ; 25/29-6 : *entretiens de Melun* avec rebelles algériens.

1961 3-1 référendum pour l'autodétermination en Alg. ; 21/26-4 *putsch en Alg.* [généraux Raoul Salan (1899-1984), Maurice Challe (1905-78), André Zeller (1899-1979), Edmond Jouhaud (n. 2-4-1905)] ; 20-5 début de la *Conférence d'Évian :* 28/31-5 procès, Challe et Zeller condamnés à 15 ans de détention criminelle ; 30-5 Pt John et Jackie Kennedy à Paris ; 13-6 rupture des pourparlers d'Évian (à cause du Sahara) ; 19/22-7 bat. de *Bizerte* (voir Index) ; 12-8 construction du *mur de Berlin ;* 8-9 *attentat contre de Gaulle à Pont-sur-Seine ;* 17-10 : 30 000 *manif. algériens* à Paris : 6 †, 44 bl. Alg. (200 † et 400 disparus selon le FLN), 13 policiers bl., 11 538 Alg. appréhendés. 18-10 : 4 000 manif. algériens. 20-10 manif. de musulmanes accompagnées d'enfants (1 000 appréhendées). **1962** janvier-juin *attentats OAS ;* 8-2 manif. anti-OAS organisées par PC, PSU et 6 syndicats : CET, CFTC, FEN, UNEF, SGEN, SNI (9 † dont 7 du PC, étouffés à l'entrée du métro *Charonne*) ; 7-3 reprise des pourparlers d'Évian (de Gaulle ayant cédé sur le Sahara) ; 18-3 *accords d'Évian ;* 19-3 cessez-le-feu en Alg. ; 25-3 Jouhaud arrêté à Oran ; 8-4 *référendum* sur la ratification des acc. d'Évian ; 11/13-4 procès *Jouhaud ;* 20-4 *Salan arrêté ;* 17/21-6 accords FLN/OAS en Alg. ; 3-7 la Fr. reconnaît l'indép. de l'Alg. ; 22-8 *attentat contre de Gaulle* au *Petit-Clamart ;* 22-10 *blocus de Cuba* par USA ; 28-10 *référendum* pour l'élection du Pt de la Rép. au suffr. universel.

1963 14-1 de Gaulle rejette la candidature angl. au Marché commun ; 22-1 tr. de coopération France-All. Juin *téléphone rouge* installé entre Moscou et Washington. **1964** 27-1 la Fr. reconnaît la Chine communiste ; 1-3 grève des charbonnages ; 4-3 les mineurs sont réquisitionnés ; 16/19-3 de Gaulle au Mexique ; 12-7 *Thorez meurt* à Odessa. **1965** 1-7 la Fr. quitte le Conseil des ministres de la CEE ; 29-10 enlèvement à Paris de **Mehdi Ben Barka** (n. 1920) [leader de l'opposition marocaine, son cadavre n'a jamais été retrouvé. Les débats de la Cour d'assises de Paris, clos le 5-6-67, n'ont pas permis d'établir clairement les responsabilités du Cel Leroy-Finville, chef d'études du SDECE, et du Gal Oufkir, alors min. de l'Intérieur du Maroc (condamné par contumace à la détention perpétuelle), d'Antoine Lopez, inspecteur principal à Air France, travaillant aussi pour le SDECE, condamné à 8 ans (libéré 1971), de Louis Souchon (1916-92), officier de police, chef du groupe des stupéfiants, condamné à 6 ans (libéré 1969). Il est possible que Ben Barka ait succombé à une rupture de vertèbres due au déplacement de l'appareil orthopédique qu'il portait] ; 5/19-12 *de Gaulle réélu* Pt de la Rép. après ballottage. **1966** 9-3 la Fr. dénonce l'OTAN (voir Index) : les USA replieront leurs bases fr. sur Belgique, Esp. et Italie ; 30-8 à *Phnom Penh,* de Gaulle demande aux USA d'évacuer le Viêt-nam. **1967** 30-6 signature à Genève du *Kennedy Round ;* 23/31-7 de Gaulle au Canada (préconise le Québec libre) ; 11-12 création du *Concorde.*

1968 9-3 Gal Charles Ailleret (26-3-1907) tué à la Réunion (accident d'avion). 15-3 après 2 paniques sur l'or (déc. puis mars), le Pool de l'or de Londres suspend ses opérations. **Mai 1968** (voir encadré) ; 10-7 Pompidou, 1er min. démissionne ; 12-7 gouv. Couve de Murville, Edgar Faure min. de l'Éd. nat. ; 21-8 intervention russe en Tchéc. ; 7-11 loi d'orientation de l'enseign. supérieur ; 23-11 de Gaulle refuse de dévaluer le franc ; 25-11 rétablissement du contrôle des changes (supprimé le 4-9).

1969 3-1 *embargo* sur les livraisons d'armes à Israël ; 17-1 Pompidou à Rome, se porte candidat à la présidence ; 4/6-3 *négociations rue de Tilsitt* avec les syndicats (échec) ; avril-mai agitation des commerçants (Nicoud) ; 28-4 *référendum sur la régionalisation,* victoire des *non* (voir Index) : de Gaulle se retire, Alain Poher, Pt du Sénat, assure l'intérim.

Principaux attentats contre le Gal de Gaulle

8-9-1961 à *Pont-sur-Seine* (Aube) : explosion d'une bouteille de gaz remplie de plastic, au passage de la voiture. « Germain » (Bastien-Thiry ?) chef du commando. *Condamnations* (8-9-62) : Henri Manoury 20 ans de réclusion, Martial de Villemandy 15, Bernard Barbance 15, Jean-Marc Rouvière et Armand Belvisi 10. **23-5-1962** *opération Chamois :* de Gaulle devait être abattu sur le perron de l'Élysée par un tireur le visant du 1er étage du 86, rue du Fg-St-Honoré. **25-5-1962** aux *Pouzets,* près d'Argenton-sur-Creuse (explosif non encore déposé, fil électrique découvert avant le passage du train présidentiel). **22-8-1962** au *Petit-Clamart :* voiture criblée de balles ; lieut.-col. Jean-Marie Bastien-Thiry (n.1927) condamné à mort 4-3-63 (exécuté 11-3), Alain Bougrenet de La Tocnaye et Jacques Prévost (peine commuée : réclusion perpétuelle) ; récl. perp. : Gérard Buisine, Pascal Bertin ; et Henri Magade 15 ans, Laslo Varga 10, Constantin 7, Ducasse 3. Tous seront libérés en 1968 et amnistiés par la loi du 31-7. **14-8-1964** au *Mont-Faron,* près de Toulon, bombe dans une potiche, ne saute pas (déclencheur trop faible) [découverte 28-8, quand les terroristes tentent de la détruire (attentat d'abord projeté près de la tombe de Clemenceau, à Mouchamps, Vendée)].

OAS (Organisation armée secrète)

■ **Organisation :** *fondée* février 1961 par Pierre Lagaillarde (n. 15-5-1931), réfugié en Espagne. *1er chef : colonel Yves Godard* (21-12-1911), *2e : général Raoul Salan* (1899-1984) (ancien Cdt en chef en Algérie) avril 1961 au 20-4-62 [*adjoint : gén. Edmond Jouhaud* (n. 2-4-1905), ancien chef d'état-major de l'armée de l'Air], 1962 (avr.) à 63 (mars), *3e : Georges Bidault* (1899-1983) (voir p. 737 c) d'avril 62 à mars 63, *4e : capitaine Pierre Sergent* (30-6-1926/15-9-92), Pt du Conseil nat. de la Rév. **Principaux responsables : OAS-Algérie-Sahara :** Gal Salan ; chef d'état-major : Gal Paul Gardy (11-8-1901), ancien inspecteur Gal de la Légion (adjoint : Col Godard) ; organisation-renseignement-opération (ORO) : Dr Pérez [ancien membre de l'ORAF, mouvement contre-terroriste, impliqué dans l'« affaire du bazooka » (remplacé 1-1-62 par le capitaine Jean-Marie Curutchet, n. 1930)] ; organisation des masses : Col Jean Gardes (n. 4-10-1914) ; action politique et propagande : Jean-Jacques Susini (n. 30-7-1933). L'Algérie-Sahara était divisée en 3 zones : *Oranie :* Gal Jouhaud puis Col Dufour et Gal Gardy (directoire révol. de 5 membres : cap. Sergent, Christian Léger, Denis Baille, René Souètre, Curutchet) ; *Alger :* Col Vaudrey (1912-65) ; *Constantine :* Col Château-Jobert (n. 3-2-1912), lié à Martel, le « chouan de la Mitidja ». **OAS métro :** Gal Vanuxem (dit Verdun) ; chef d'état-major : capitaine Sergent ; France-Mission III : André Canal (dit le Monocle, né 1915). **OAS-Madrid :** Col Argoud, qui deviendra l'adjoint de Georges Bidault.

■ **Attentats : Métropole :** *Total* du 25-4-1961 au 15-6-62 : 751 (6 †, 37 bl.). *Exemples.* A Paris : 17-1, 18 charges de plastic ; 22-1, Quai d'Orsay (1 †, 2 bl.) ; 24-1, 13 charges de plastic ; 7-2, attentat manqué contre André Malraux (Delphine Renard blessée). **Algérie** (voir Index). **Total** 2 500 civils fr., 18 500 musulmans (dont 3 000 immigrés en métropole).

■ **Répression anti-OAS en 1962 :** 635 arrestations (sur 1 200 membres identifiés), 223 jugements (acquittements 117, prison avec sursis 53, prison ferme 38), 4 condamnations à mort suivies d'exécutions (*3 OAS :* Degueldre, Piegts, Dovecar ; *1 non-OAS :* Bastien-Thiry).

Affaires liées aux événements d'Algérie

■ **Procès des barricades.** 2-3-1961. 11 accusés et 1 par contumace acquittés. *Pierre Lagaillarde* condamné à 10 ans de prison. *Marcel Ronda* à 3 ans et *Jean-Jacques Susini* à 2 ans avec sursis.

■ **Coup de force militaire du 22-4-1961.** *Condamnations :* **1961** *31-5* généraux *Maurice Challe* et *André Zeller* 15 ans de détention ; libérés 1966. *5-6 Cdt Hélie de Saint-Marc* 10 ans. *6-6 Gal Pierre Bigot* 15 ans. *19-6 Gal Jean Nicot* 12 ans. *20-6 Gal Gouraud* 7 ans. **1962** *13-4 Gal Jouhaud :* mort (commuée en détention à vie, libéré 23-12-67). *23-5 Gal Salan :* détention à vie (libéré 15-6-68).

Présidence de Georges Pompidou

1969 (15-6) Georges Pompidou [Monboudif, Cantal, 5-7-1911/Paris 2-4-74). Fils d'instituteur. Marié (29-10-35) à Claude Cahour, 1 fils adoptif Alain (n. 1942, biologiste). Normalien, *1935* professeur. *1945* au cabinet de De Gaulle. *1946* maître des requêtes au Conseil d'État. *1946-49* dir. du Commissariat au Tourisme. *1947-54* collabore avec de Gaulle. *1954-58* au groupe Rothschild. *1958* 1-6/*1959* 8-1 dir. du cabinet de De Gaulle (Pt du Conseil). *1959-62* au groupe Rothschild. *1962* 16-4 Premier min. *1968* mai-juin, rôle important lors des émeutes]. *1969* 15-6 élu Pt de la Rép. avec 58,22 % des voix (2e tour).

1969 11/13-7 la SFIO prend le nom de Parti socialiste ; 21-7 cosmonautes américains sur la Lune ; 8-8 dévaluation ; 24-12 5 *vedettes* quittent clandestinement Cherbourg pour Israël (en 1965, Israël avait commandé 2 séries de 6 vedettes rapides aux chantiers Amiot, 5 étaient parties courant 1968, 1 les 30/31-12-1968, 1 les 4/5-1-1969). **1970** manif. de commerçants ; mai-juin procès de Le Dantec et Le Bris (« la Cause du Peuple »), attentats ; 4-6 loi *anticasseurs ;* 20/22-10 Geismar condamné à 18 mois de prison ; 9-11 *de Gaulle meurt* à 19 h. **1971** 5-6 saccages au quartier Latin, passivité de la police ; 11-6 *congrès d'Épinay :* renouveau du PS ; 3-7 scandale de la *Garantie foncière* (Robert Frankel, André Rives-Henrys concernés) ; 25/30-10 Brejnev en Fr. **1972** 22-1 admission dans la CEE de G.-B., Irlande, Danemark ; 26-2 Pierre *Overney,* militant maoïste, tué à la porte de Renault à Billancourt par un vigile, Tramoni (qui sera tué 23-3-77) ; 8-3 Robert *Nogrette* (63 ans, cadre Renault) enlevé par gauchistes, relâché 2 j après ; 10-3/8-5 grève du Joint Français (St-Brieuc) ; 23-4 référendum sur entrée G.-B. dans CEE ; 22-6 accord CEE et AELE ; sept. Gabriel *Aranda* (chargé de mission près d'Albin Chalandon, min. Équipement) dénonce des compromissions. **1973** 11/12-1 Pompidou en URSS ; 17-1 *tr. de Paris* (fin de la g. USA/Viêt-nam) ; mars : manif. lycéennes contre la loi Debré (supprimant les sursis longs) ; 19-10 vote de la *loi Royer* sur le commerce ; 3-12 micros découverts au *Canard enchaîné.* **1974** 2-4 Pompidou meurt à 21 h.

Présidence de Valéry Giscard d'Estaing

1974 (19-5) Valéry Giscard d'Estaing [(2-2-1926, Coblence, All.). Élu 19-5 (voir Index), installé officiellement 27-5. *Père* inspecteur des Finances, membre de l'Institut, né Edmond Giscard (1894-1982) ; autorisé, ainsi que son fr. René, par décret du 17-6-1922, à relever le nom de d'Estaing et à s'appeler légalement Giscard d'Estaing (motifs retenus : 1°) possession du château de Murol, P.-de-D., propriété de la famille d'Estaing ; 2°) liens de parenté avec Lucie-Madeleine d'Estaing, dernière du nom). *Marié* (23-12-1952) à Anne-Aymone Sauvage de Brantes (10-4-1933) 4 enf. : Valérie-Anne (1-11-1953) (ép. Gérard Montassier, div. et rem. à Bernard Fixot), Henri (1956), Louis-Joachim (20-10-1958), Jacinte (1960) (ép. Philippe Guibout, div.). 1946-48 *Polytechnique 1949/51* ENA *1954* Insp. des Finances. Dir. adj. au cab. d'Edgar Faure (Pt du Conseil juin/déc. 54). *1956 député* du P.-de-D., réélu 58-62, 67-69. *1958-74 Conseiller gén.* de Rochefort-Montagne. *1959* 8-1 *Secr. d'État* aux Fin. (gouv. Debré). *1962* (19-1)-11 *min.* des Fin. (gouv. Pompidou), déc. Fin. et Aff. écon. (gouv. Pompidou), *1969-74* Écon. et Fin. (gouv. Chaban-Delmas puis Messmer). *Pt de la Féd. nat. des Rép. Indépendants.* 66. *Pt de la Commission des Fin.* (Ass. nat.) avril 67/mai 68. *Pt du Conseil de l'OCDE* 70. *Maire* 1967-74 puis conseiller municipal de Chamalières 1973. *Pt de la Rép.* élu 19-5-74 (50,8 % des voix), battu 1981, membre du Conseil constitutionnel. *Député* du P.-de-D. 23-9-84. *Pt du Conseil rég. d'Auvergne* dep. 1986, *Pt de l'UDF* (juin 1988). *Distraction :* accordéon. *Sport :* chasse. *Œuvres :* Démocratie française (1976, tirage : 1 185 000 ex.) ; Deux Français sur trois (1984) ; le Pouvoir et la Vie (1988)].

1974 27-5 Chirac PM ; 9-6 J.-J. Servan-Schreiber, min. des Réformes, démissionne (contre essais nucléaires) ; 15-9 Paris, attentat drugstore St-Germain-des-Prés, 2 † ; 9-10 1re réunion du Conseil européen des chefs d'États ; 4-12 Brejnev à Paris. **1975** 13-3 manif. lycéens contre *réforme Haby ;* 10/12-4 Giscard en Algérie ; 25-4 J. Duclos meurt ; 30-5 les communistes prennent *Saïgon* (50 000 réfugiés vietnamiens en Fr.) ; 13-6 Bernard Cabanes (AFP), homonyme du dir. du « Parisien Libéré », tué (attentat) ; 1-7 Lyon, « états généraux » de la prostitution ; 3-7/25-8 *conf. d'Helsinki* voir Index ; 6-7 Comores indépendantes ; 22-8 à *Aléria* (Corse), 2 gendarmes tués : E. Siméoni arrêté ; 28-8 émeutes à Bastia ; 3-10 Guy Mollet meurt ; 14/19-10 Giscard en URSS ; 20-11 *Franco* meurt. **1976** 3/9-3 manif. Hérault (le 4 : 2 † à Montredon) ; 14-3 le F sort du serpent monétaire eur. ; 23-6 loi sur plus-values ; 24-7 Mgr Lefebvre suspendu (voir Index) ; 25-8 démission du gouv. Chirac ; 9-9 *Mao Tsé-toung* meurt ; 22-9 *plan d'austérité* de Raymond Barre ; 24-12 Pce *Jean de Broglie* (1921-76) assassiné ; dettes de 7 460 000 F lors de son décès (M. Poniatowski, min. de l'Intérieur et de la police, mis en cause pour négligence) ; procès (4-11/24-12-81) : 10 ans de prison pour Varga (libéré 17-5-84), Simoné (libéré en mai 83) et Frèche (tueur, libéré depuis), 5 pour Tessèdre. **1977** 7-1 Paris, Abou Daoud (terroriste OLP à Munich 1972), interpellé et relâché ; 13 et 20-3 *él. municipales :* majorité de gauche ; 14-9 : *éclatement de l'Union de la gauche.* **1978** 12 et 19-3 *él. législatives,* gauche battue ; 19-4 libéralisation des prix ; mai : intervention au Zaïre (reprise de *Kolwezi ;* libération des prisonniers eur.). **1979** févr. troupes fr. évacuent du Tchad 3 700 civils ; mars, entrée du franc dans le système monétaire eur. ; 16-3 Jean Monnet meurt ; 26/27-3 *2e choc pétrolier ;* 26/28-4 Giscard en URSS ; 16-6 élections Ass. eur. ; 10-10 début aff. des diamants (le Canard enchaîné évoque une plaquette de diamants donnée en 1973 à Giscard par Bokassa (Pt Centrafrique) ; 29/30-10 *Robert Boulin* (n. 1929), min. du Travail, se suicide après une campagne de presse sur l'achat d'un terrain à Ramatuelle (Var) à Henri Tournet (condamné par contumace le 15-11-80 pour faux en écritures publiques, à 15 ans de prison) ; 2-11 Jacques Mesrine abattu. **1980** 10-1 affrontements à Ajaccio, 3 † ; 31-1 heurts violents à Plogoff ; 1-2 *Joseph Fontanet* assassiné († 2-2) ; 6-3 Marguerite Yourcenar 1re femme élue à l'Académie fr. ; 4-5 Tito meurt ; 30-5/2-6 *Jean-Paul II* à Paris (1re visite d'un pape dep. 1805) ; 15/22-10 Giscard en Chine. **1981** 24-1 Mitterrand annonce sa candidature à la présidence ; 3-2 Chirac annonce la sienne ; 11-2, 3 autonomistes corses condamnés à 4 ans de prison ; 12-2, 46 attentats en Corse ; 2-3 Giscard annonce sa candidature ; 24-4 et 10-5 él. présidentielles. Giscard battu au 2e tour (voir p. 747 et 748).

Présidence de François Mitterrand

1981 (10-5) François Mitterrand [(26-10-16, Jarnac, Charente), mesurant 1,72 m et pesant 80 kg le 20-5-81. *Père :* agent de la Cie des chemins de fer de Paris à Orléans, puis industriel et Pt de la Féd. des syndicats de fabricants de vinaigre. *Frères :* Robert (22-9-1915), polytechnicien, ingénieur ; Jacques, Gal d'aviation (21-5-1918) ; Philippe (1921-92), exploitant agricole, maire de St-Séverin (Charente) et 4 sœurs. *Marié* 1944 à Danielle Gouze (29-10-1924), 2 enf. Off. de la Légion d'honneur. Croix de

Mai 1968

■ **Leaders du mouvement :** *Daniel Cohn-Bendit* (n. 4-4-1945), de nationalité allemande, interdit de séjour en Fr. de 1968 à 1978 ; *Alain Geismar* (n. 1939), secr. gén. du SNE-Sup. ; *Jacques Sauvageot* (n. 1949), Pt de l'UNEF dep. le 21-4-1968.

■ **Chronologie. Janv.** agitation dans les lycées, manif. à l'univ. de Nanterre et de Caen ; **Mars** 22-3 Nanterre, tour administrative occupée par des étudiants révolutionnaires : Nanterre fermée jusqu'au 1-4 ; **Avril :** plusieurs manif. ; **Mai :** -2 *Pompidou part pour l'Iran ;* incidents à Nanterre, cours suspendus ; -3 *la police fait évacuer la Sorbonne ;* barricades au quartier Latin ; -4 cours suspendus à la Sorbonne ; -5, 4 manif. condamnés à 2 mois de prison ferme ; -6 manif. contre les condamnations (20 000 étudiants), bagarres (600 blessés) ; -7 bagarres toute la nuit ; -10/11 *nuit des barricades* (400 blessés, 188 véhicules endommagés ou incendiés, notamment rue Gay-Lussac) ; -11 *Pompidou rentre d'Iran,* fait libérer les manif. arrêtés ; -13 la police évacue la Sorbonne, les ét. l'occupent ; défilé de la place de la Rép. à Denfert-Rochereau (200 000 selon la police) ; -14 *de Gaulle part pour la Roumanie ;* -15 occupation des usines Renault à Cléon, et de l'Odéon ; -18 *de Gaulle rentre de Roumanie ;* -19 de Gaulle : « La réforme oui, la chienlit non » ; -20 la grève s'étend ; -22 bagarres ; *Cohn-Bendit* expulsé ; -23 bagarres ; -24 de Gaulle annonce un référendum ; bagarres (500 blessés) ; -25 ouverture des *négociations de Grenelle* avec les syndicats (conclues par un accord 27-5), commissaire de police tué à Lyon ; -27 meeting au stade *Charlety,* protocole de Grenelle rejeté par les ouvriers de Renault et de Citroën ; -28 *retour clandestin de Cohn-Bendit,* Mitterrand propose un gouv. Mendès France de transition ; démission d'Alain Peyrefitte (min. de l'Éduc. nat.) acceptée ; -29 de Gaulle part secrètement par hélicoptère, voit Massu à *Baden-Baden* et rentre à Colombey ; défilé de la gauche ; -30 de Gaulle parle à 16 h 30 à la radio et *dissout la Chambre ;* une *manif. gaulliste* suit (800 000 personnes) ; -31 la police rouvre les bureaux de poste. **Juin :** -1er l'essence revient ; -5/7 reprise du travail ; -6 les C.R.S. occupent l'usine Renault de Flins ; -10 un lycéen se noie lors des ratissages de la police près de Flins ; -11 un ouvrier tué à Montbéliard ; -11/12 manif. et barricades ; -12 dissolution de mouv. d'extrême gauche ; -14 la police *fait évacuer Odéon,* puis *Sorbonne* le 16 ; -17 Renault vote pour reprise du travail ; -20 reprise chez Citroën, Peugeot, Berliet ; -23/29 *élections :* succès gaulliste.

■ **Conséquences. 1°) Politiques :** *a) renvoi de Pompidou,* rendu responsable par de Gaulle du développement de la révolte (de Gaulle voulait employer la manière forte dès le 11-5) ; *b) affaiblissement de De Gaulle,* qui a renvoyé Pompidou, sans deviner que la compréhension de celui-ci envers les émeutiers l'avait rendu plus populaire que lui ; *c) affaiblissement international de la France :* la Ve République passait depuis 1962 (victoire sur l'OAS) pour un modèle de stabilité ; Mai 68 lui fait perdre sa crédibilité.

2°) Financières : les concessions faites par Pompidou aux syndicats, pour séparer les ouvriers des étudiants, ont provoqué une baisse du franc : la dévaluation, repoussée par de Gaulle en nov. 1968, deviendra inévitable en août 1969.

3°) Sociologiques *a) transformation de l'enseignement :* l'Université napoléonienne, centralisée et uniformisée, visant à former, par sélection, des officiers et des fonctionnaires, est condamnée. Principes de l'Université nouvelle : décentralisation, autonomie, non-sélectivité, et surtout démocratisation (les effectifs triplent dans le secondaire et décuplent dans le supérieur). Bilan après 20 ans : multiplication de diplômés insuffisamment formés ; problèmes budgétaires insolubles ; *b) accélération du processus de déchristianisation :* la hiérarchie catholique, décontenancée par les événements, a souvent pris le parti des révoltés ; *c) la contestation se développe* dans tous les domaines (Administration, entreprises, éducation, information).

■ **Rôle de l'OAS.** D'anciens activistes de l'Algérie fr. ont aussi cherché à déstabiliser le régime et à obtenir de De Gaulle une amnistie pour les putschistes de 1961 encore internés à Tulle. Le 29-5, à Baden-Baden, le Gal Massu obtint de De Gaulle une promesse d'amnistie.

guerre 39-45, Rosette de la Résistance. Licencié en droit. DES droit public. Diplômé de Sciences-Po. Licencié ès lettres. Dir. politique du *Courrier de la Nièvre. Avocat* à Paris dep. 1954. *Fondateur* du Mouvement nat. des prisonniers. *Secr. gén.* aux prisonniers de guerre (gouv. De Gaulle 27-8-44/août-sept. 44). *Député* de la Nièvre 1946-48. *Min. des Anciens Combattants* (gouv. Ramadier et Schuman) 1947-48, *de l'Information* 1948, *de la France d'outre-mer* 1950-5, *d'État* 1953. *Secr. d'État* à la prés. du Conseil (gouv. André Marie, Schuman, Queuille). *Min. de l'Intérieur* (gouv. Mendès France) 1954-55. *Min. d'État, garde des Sceaux* (gouv. Mollet) 1956-57. *Conseiller gén.* de Montsauche dep. 1949. *Pt du Conseil gén.* de la Nièvre dep. 64. *Maire* de Château-Chinon dep. 1959. *Sénateur* 1959-62, *député* de la Nièvre (1962). *Pt de la FGDS* 1965-68. *1er secr.* du Parti socialiste 1971. *Vice-Pt* de l'Internationale soc. 1972. *Cosignataire du Programme commun* de la gauche 1972. *Candidat à la prés. de la Rép.* 1965, 74, 81 (élu 2e tour), 1988 (élu 2e tour). *Œuvres :* Aux frontières de l'Union française (53), la Chine au défi (61), le Coup d'État permanent (64), Tech. économique française (68), Ma part de vérité (69), Un socialisme du possible (71), la Rose au poing (73), la Paille et le Grain (75), Politique (77), l'Abeille et l'Architecte (78). *Sports :* tennis, tennis de table, golf, marche].

☞ Patrimoine **(communiqué officiel de mai 1981).** Résidence principale 22, rue de Bièvre, Paris 5e ; immeuble en copropriété dont M. et Mme Mitterrand possèdent pour leur usage 166 m² ; secondaire à Latché dans les Landes, 10 ha dont 7 plantés de pins, et un étang de 1,3 ha à Planchez-en-Morvan (Nièvre). Compte en banque au Crédit Lyonnais à Paris pour les dépenses courantes, livret A de Caisse d'Épargne, 75 actions de Sicav (Crédit Lyonnais) acquises récemment, d'un montant global de 9 000 F. Mme possède en indivision avec ses frères et sœurs une maison héritée de ses parents en 1971, à Cluny (S.-et-L.). M. a contracté un emprunt pour le financement de sa résidence principale (reste à rembourser 280 000 F). Ses revenus viennent essentiellement de son indemnité parlementaire et de ses droits d'auteur.

1981 13-5 Barre démissionne ; 21-5 **1er gouv. Mauroy** (avec communistes) ; 22-5 Ass. nat. dissoute ; 3-6 SMIC + 10 % à compter du 1-6, minimum vieillesse + 20 % ; 14/21-6 *élections lég. : victoire de la gauche ;* 23-6 **2e gouv. Mauroy** avec 4 min. communistes ; 1-7 handicapés + 20 %, allocations familiales + 25 %, allocations logements + 25 % (et + 25 % le 1-12) ; 20/21-7 sommet des pays industrialisés à Ottawa ; 18-9 Ass. nat. vote *abolition de la peine de mort ;* 22-9 TGV inauguré ; 4-10 *franc dévalué* de 3 % (avec réévaluation du mark et du florin de 5,5 %) ; 8-10 blocage des prix 6 mois ; 22/23-10 sommet de Cancún ; 1/13-12 Mitt. à Alger ; 23-12 *emprunt d'État :* 10 milliards de F à 16,20 %.

1982 14-1 ordonnances sur 39 h et contrats de solidarité ; 18-1 accords fr.-soviétique puis 3-2 fr.-algérien sur le gaz ; 13-2 loi sur *nationalisations* promulguée ; 24-2 : 1er bébé éprouvette français ; 4-3 *René Lucet,* ancien dir. de la Caisse mal. des B.-du-Rh., se tue (2 balles tirées) ; 3/5-3 Mitt. en Israël ; 14/21-3 *él. cantonales :* victoire de l'opposition (64 Pts de conseils gén. contre 36 pour la majorité de gauche) ; 14/18-4 Mitt. au Japon (1re visite d'un chef d'État fr.) ; 15-4 les préfets transmettent leur pouvoir exécutif aux Pts des conseils régionaux ; 28/30-4 Mitt. au Danemark ; 14/26-5 Mitt. en Afrique ; 4/6-6 *sommet des pays industrialisés à Versailles ;* 12-6 2e *dévaluation du franc ;* 13-6 au 1-11 blocage prix et salaires ; 22/24-6 Mitt. en Espagne ; 29-6 remaniement ministériel ; 7/9-7 Mitt. en Hongrie ; 28-7 dissolution du SAC (Service d'action civique) ; 23-8 arrivée à Beyrouth du contingent français ; 1/2-9 Mitt. en Grèce ; 14-9 emprunt d'État de 10 milliards de F ; 15-9 emprunt de 4 milliards de F auprès des banques intern. ; 20-9 envoi d'une 2e force multinationale à *Beyrouth ;* 11-10 Mitt. en Afrique ; 18-10 Mendès France meurt ; 24/30-11 Mitt. en Égypte puis Inde ; 24-11 réintégration dans les cadres de réserve des officiers condamnés (affaires d'Algérie) ; 30-11 *emprunt d'État* de 10 milliards de F ; 8-12 remaniement ministériel.

1983 10-1 N.-Calédonie, 2 gendarmes tués ; 6/13-3 *él. municipales :* remontée de la droite ; 21-3 3e *dévaluation du franc* (dep. 1981) de 2,5 %. 5-4 expulsion de 47 diplomates et ressortissants soviét. accusés d'espionnage ; 22-3 **3e gouv. Mauroy ;** 28/31-5 *sommet de Williamsburg ;* déclaration sur la sécurité et sur un nouveau « Bretton Woods » ; 9/10-6 Conseil atlantique à Paris (1re fois dep. 1966) ; Août, intervention au Tchad renforcée ; 8-8 opération *Manta* (Tchad) ; 14/15-8 *Jean-Paul II* à Lourdes ; 4-10 sommet franco-afr. à Vittel ; 5-10 annulation procédure contre 3 Irlandais présumés terroristes (arrêtés à Vincennes 28-8-1982) ; 23-10, 58 soldats fr., 239 amér. † au *Liban* (attentat). 7/10-11 Chadli Bendjedid, 1er Pt Alg. en voyage officiel en Fr. 17-11 raid de Super-Étendard de l'Aéronavale sur *Balbek* (Liban). 21-12 le « Canard enchaîné » dévoile l'affaire des *avions renifleurs* (d'oct. 1976 à 79, Erap a acheté un prétendu procédé de détection géodésique, présenté par le Cte de Villegas et Aldo Bonussoli ; coût : 740 à 790 millions de F). **1984** 19/20-3 producteurs de porcs dévastent sous-préfecture de Brest ; 21/29-3 Mitt. aux USA ; 31-3 le contingent français quitte Beyrouth ; 17-6 *él. européennes ;* 20/23-6 Mitt. en URSS ; 24-6 *manif. pour l'enseignement libre* à Paris, env. 1 400 000 personnes (voir Enseignement à l'Index). 19-7 **gouv. Fabius ;** 31-8/1-9 Mitt. au Maroc (voyage privé) ; 17-9 accord fr.-libyen sur « l'évacuation totale et concomitante du Tchad » ; 15-11 Crète, Mitt. rencontre Kadhafi ; 5-12 Hienghène (N.-Caléd.), 10 Canaques tués, voir Index ; 7-12 Roland Dumas remplace Claude Cheysson aux Aff. étr. **1985** mars *élec. cantonales ;* 13-3 Mitt. aux obsèques de Tchernenko ; 4-4 Henri Nallet min. Agr. (Rocard démissionne car hostile au scrutin à la proportionnelle) ; 2/4-5 sommet des pays industrialisés à Bonn : Mitt. refuse de participer au projet IDS. Affaire *Greenpeace* (voir Index). **1986** 17/19-2 1er sommet francophone ; 16-3 *él. législ. et région.,* succès de la droite (voir Index) ; 20-3 **gouv. Chirac ;** 6-4 *franc dévalué ;* 27-4/6-5 sommet de Tōkyō ; 7-5 Gaston Defferre meurt ; juillet : affaire du *Carrefour du développement ;* 7-8 loi sur les *privatisations ;* 4/7-10 Jean-Paul II à Lyon ; 23/27-11, 4/5/6-12 manif. étudiants contre *loi Devaquet* [Malik Oussekine tué (affrontement avec police) 5/6], grèves (transports) ; 10-12 Paris, manif. **1987** 23-1 Conseil const. annule 2 textes gouvernementaux : temps de travail, conseil de la concurrence ; 5-2 *TF1 privatisé ;* 21-2 Jean-Marc Rouillan, Nathalie Ménigon, Joëlle Aubron, Georges Cipriani (d'Action directe) arrêtés ; 28-2 Georges Ibrahim Abdallah condamné à la réclusion perpétuelle ; 4-7 Klaus Barbie (ancien chef Gestapo de Lyon) condamné à perpétuité ; 13-9 référendum sur N-Calédonie (voir Index) ; oct. *krach boursier* (– 30 % en quelques jours) ; 9/13-11 Li Xiannian en Fr. (1re visite en Fr. d'un chef d'État chinois) ; 22-11 Max Frérot (Action directe) arrêté ; 22/23-12 Mitt. à Djibouti.

1988 30-3 Edgar Faure meurt ; 24-4/8-5 *élect. présid.,* Mitterrand réélu ; 10-5 Chirac (1er min.) démissionne, **gouv. Michel Rocard ;** 14-5 *Assemblée* dissoute ; 5/12-6 *él. législatives ;* succès de la gauche confirmé, tentative au centre ; 6-11 référendum sur avenir de la N.-Calédonie. **1989** janv. controverse sur délits d'initiés (achat d'actions Triangle) ; 9/10-3 Mitt. en Algérie ; 12 et 19-3 *él. municipales ;* 29-3 *Grand Louvre* inauguré ; 2/4-5 Arafat reçu à Paris ; 4-5 Tjibaou et Yeiwéné tués en N.-Calédonie ; 24-5 Paul Touvier arrêté ; 16-6 affaire *Luchaire,* non-lieu ; 18-6 *él. européennes ;* 14-7 fêtes du *bicentenaire de la Révolution,* défilé devant 32 chefs d'État et inaug. de l'Arche de la Fraternité à La Défense ; 28-8 fin du *certificat d'études primaires* (créé 28-3-1882). **1990** 1-1 *contrôle des changes supprimé ;* nuit 8/9-5 *Carpentras,* profanation du cimetière juif ; 28-7 Anis Naccache et 4 complices [condamnés à vie pour tentative d'assassinat contre Chapour Bakhtiar (18-7-80)] graciés et expulsés. Août participation jusqu'à mars 91 aux opérations dans le Golfe (voir Index). **1991** polémiques sur fausses factures et financement de la campagne présidentielle du Pt Mitt. en 1987-88. Affaire Georges *Boudarel* (n. 1926 professeur passé du côté Vietminh 1951-54, responsable politique dans un camp de prisonniers fr.), dénoncé. 16-5 **gouv. Édith Cresson ;** 6-8 Suresnes, Chapour Bakhtiar (ex-PM Iran) assassiné ; 29-9 Paris 200 000 manif. agric. **1992** 22-3 *él. région ;* 22/29-3 *cantonales,* baisse de la gauche ; 2-4 **gouv. Bérégovoy ;** 20-9 référendum pour tr. de Maastricht ; oct. aff. du sang contaminé (Sida, voir Index) ; 11-9 Mitt. opéré de la prostate ; 24-12 Bernard Tapie redevient min. de la Ville (avait démissionné en mai). **1993** mars, *él. législatives :* succès de la droite. 29-3 **gouv. Balladur.** 1-5 Bérégovoy se suicide.

Attentats politiques récents en France

☞ **Contre de Gaulle** (voir p. 685 a). **Corse** (voir p. 798 a). *Légende.* – bombe : b. (1) Action directe. (2) Assala. (3) Palestiniens.

1975-*13/19-1* Orly contre des avions israéliens (Illich Ramirez Sanchez dit Carlos, sur le point d'être arrêté, tue 3 policiers ; condamné 2-6-92 par contumace à la réclusion crim. à perpétuité). **1976**-*2-11* b. contre immeuble où habite *J.-M. Le Pen ; 24-12* le Pce *Jean de Broglie,* député, ancien négociateur d'Évian (voir Index). **1977**-*23-3 Jean-Antoine Tramoni,* meurtrier d'un militant gauchiste, René-Pierre Overney, le 25-2-72. *-5-6 Pierre Maître,* participant à un piquet de grève CGT (Reims, assassin présumé : Claude Lecomte). *-2-10 Laïd Sebal,* gardien de l'Amicale des Alg. en Europe (Paris), revendiqué par « commando Delta » ; *-19-12* épicerie Fauchon. **1978**-*18-3 François Duprat,* écrivain, membre du Front nat., voiture piégée. *-4-5 Henri Curiel* (n. Le

Caire 13-9-1914) d'une riche famille juive égyptienne, expulsé d'Ég. 1950, entre clandestinement en Fr. 1951 soutien du FLN, statut apatride 1963 (soupçonné d'être agent du KGB) : assassinat revendiqué par groupe Delta ; *2-12* Bazar de l'Hôtel de Ville, 1 †. **1979**-*20-9 Pierre Goldman,* gauchiste, juif, ancien condamné de droit commun. **1980**-*3-10* b. devant *synagogue rue Copernic,* Paris 16e : 4 †, dont 3 non-juifs, 30 bl. [on soupçonne des palestiniens FPLP (Selim Abou Salem)]. De 1975 à 1980 : 100 synagogues, 20 cimetières profanés, en 80 : 235 incidents antijuifs dont 75 graves. **1981** *A Paris : 24-9* coup de force arménien au consulat de Turquie : 1 †, 3 bl., 40 employés pris en otages. *-26-10* 2 b. (toilettes du Fouquet's et drugstore Publicis). *-29-10* b. cinéma Berlitz, 3 bl. *-5-11* b. consigne gare de Lyon. *-12-11* Christian Chapman, chargé d'affaires amér., échappe à un tueur ; Libye accusée. *-16-11* b. consigne gare de l'Est : 3 bl. (groupe arménien Orly). *-20-11* b. restaurant Mc Donald, bd St-Michel, 1 bl. *-20-12* b. siège Botrans, Sté de transports (Charles Martel). *-23-12* 4 b. dont l'une contre le concessionnaire Rolls-Royce [1]. **1982**-*18-1* Charles Ray, lt-col. attaché mil. des USA, tué [3]. *-11/12-2* Corse, 1 légionnaire tué. *-19-3,* 2 CRS tués à St-Étienne-de-Baïgorry (Pays basque). *-29-3* b. dans TEE *le Capitole,* près de Limoges, 5 † dont la sœur de l'ancien min. des Finances, J.-P. Fourcade, 27 bl., non revendiqué. *Paris-1-4* bureaux dépendant de l'amb. israél. mitraillés ; Joëlle Aubron et Mohand Hamami [1] arrêtés quelques j plus tard. *-3-4 Yacov Barsimantov,* 2e secr. de l'amb. d'Israël, tué par jeune femme. *-22-4* voiture piégée, 33, rue Marbeuf, devant locaux du journal libanais pro-irakien, « Al Watan al Arabi », 1 femme †, 63 bl. (2 dipl. syriens expulsés). *-28-5* coups de feu contre Bank of America [1]. *St-Cloud-4-6* contre l'école amér. [1]. *-5-6* contre bureaux du FMI [1]. *-21-6* Salaheddin Bitar, ancien 1er min. syrien, ass. *-21-7* b. à St-Michel (groupe Orly), 15 bl. *-23-7 Fadl Dani,* no 2 de l'OLP, tué, voiture piégée. *-24-7* b. Paris (pub St-Germain) 2 bl. (groupe Orly). *Lyon 5-8* att. arménien consulat de Turquie : 4 bl. *-7 et 8-8,* 2 att. [1] visant des objectifs juifs : dégâts matériels. *Paris -9-8* fusillade restaurant juif Goldenberg *7, rue des Rosiers :* 6 †, 22 bl. *-11-8 rue de La Baume* contre établissements israélites [1] : 1 bl. grave. *-12-8* 1 voiture explose devant amb. d'Irak : dégâts matériels. *-21-8,* 2 policiers † par b. qu'ils désarmaient avenue de La Bourdonnais. *-17-9,* voiture explose rue Cardinet devant lycée Carnot : 51 bl. graves. **1983**-*22-1* b. désamorcée à *Orly* près des bureaux de Turkish Airlines. *-26-2* b. désamorcée avant fête israélite. *Marseille -13-3,* 1 enfant de 11 ans †. *Paris -22-3* agence de voyages spécialisée dans voyages en Turquie 1 †, 4 bl. *-22-4* 15 jeunes propalestiniens occupent musée de la *Légion d'honneur. -31-5* b. mairies des xe et xxe arr. (par Antillais). *-15-7 Orly* 8 †, 60 bl. [2]. *-27-8 Berlin* Maison de Fr. 1 †, 23 bl. [2]. *-30-9 Asala. Marseille :* Palais des Congrès (foire) 1 †, 26 bl. *-19-11 Paris :* Orée du Bois (restaurant) 33 bl. *-23-12* Grand Véfour (restaurant) 12 bl. *-31-12 Marseille :* gare St-Charles 2 †, 34 bl. *TGV Marseille-Paris* 2 †, 20 bl. près de Tain-l'Hermitage (Organisation de la lutte arabe). **1984**-*25-1* SNIAS à *Châtillon :* dégâts matériels. *-8-2 Paris :* Khalifa Ahmed Mubarak, amb. des Émirats arabes, bl. *-19-3 Marseille,* 2 bl. (antiarménien). *-3-5 Alfortville,* 13 bl. (antiarm.). **1985**-*25-1 René Audran,* ingénieur gén., dir. au min. de la Défense nat. tué [1]. *-28-1 Paris* Marks and Spencer, bd Haussmann (déjà plastiqué 76 et 81) par un Tunisien, Habib Maamar, arrêté mai 1986 1 vigile tué. *-29-3* Rivoli Beaubourg (5e festival intern. du cin. juif), 18 bl. *-13-4* Banque Leumi (israél.) ; Office nat. d'immigration [1]. *-11-11* archevêché b. *-7-12* Printemps et Galeries Lafayette 35 bl. (groupe Abou Nidal). *-20-12* Fauchon incendié : Pte de la Sté et sa fille brûlées vives (déjà victime en 1970 d'une razzia gauchiste). **1986**-*3-2 Paris* Claridge galerie commerciale b. 8 bl. (Arabes). Tour Eiffel b. (n'explose pas). *-4-2* Gibert Jeune b. incendie 3 bl. (Arabes). *-5-2* FNAC Forum des Halles (groupe Abou Nidal) 9 bl. *-27-2* librairie d'extrême dr., rue de l'Abbé-Grégoire b. (9e att. dans cette libr. dep. 1978). *-17-3 TGV Paris-Lyon* peu après le départ 10 bl. (Arabes). *-20-3 Paris :* Galerie Point-Show (Champs-Élysées) b. (Arabes) 2 † (dont 1 auteur de l'att.) 28 bl. *-15-4* att. manqué contre Guy Brana, vice-Pt du CNPF [1]. *-26-4 Lyon :* bureaux American Express (Arabes). *-9-7 Paris :* préf. de police 1 †, 22 bl. [1]. *-4-9* att. manqué dans RER. *-8-9* att. Hôtel de Ville 1 †, 18 bl. *-12-9* la Défense-Cafétéria Casino 41 bl. *-14-9* Pub Renault (Champs-Élysées) 1 †, 1 bl. *-15-9* préf. de police 1 †, 5 bl. *-17-9* devant magasin Tati (rue de Rennes) 7 †, 51 bl. [Arabes dont Fouëd Ali Salah (n. 10-5-58 à Paris de parents tunisiens, condamné avril 1992 à perpétuité)]. *-17-11 Georges Besse,* P-DG de Renault, tué [1].

INSTITUTIONS FRANÇAISES

SYMBOLES

EMBLÈMES

■ **Ancien Régime. Fleurs de lys :** les Carolingiens, soucieux d'appuyer leur royauté sur l'enseignement biblique, auraient adopté les fleurs du roi Salomon. Or le *« Lys »,* symbole de sainteté et de pureté, est, d'après la Bible, la fleur du roi Salomon, et d'après la tradition populaire chrétienne celle de la Vierge Marie (au xe s., les villes ayant Marie pour patronne avaient un lys dans leurs armes). Cependant, à cause de la forme du dessin, certains refusent de voir un lys dans la plante représentée. Ils parlent d'iris stylisé choisi par Clovis et par Louis VII, devenu fleur de Luce (Louis) puis de Lys ou fer de l'ancien javelot gaulois. *1re allusion à la fleur de lys comme symbole* de la dignité royale capétienne 1147 (sous Louis VII) ; le vêtement du sacre de Philippe Auguste est semé de fleurs de lys dorées sur fond bleu (pour imiter les étoiles dans l'azur du ciel : le manteau est dit « cosmique »). En 1285, Philippe III réduit leur nombre à 3 sur le sceau royal, et au xive s., on dira que c'est en l'honneur des 3 personnes de la Trinité (mais dès 1228, de nombreux sceaux avaient déjà adopté cette disposition, pour des raisons pratiques). En 1377, une ordonnance de Charles V évoque le chiffre de 3 sur l'écu royal (cet écu sera appelé « France moderne » par opposition au semé ou « France ancien »). L'écu des rois de France demeurera ainsi jusqu'en 1830. Des fleurs de lys de couleurs différentes ont souvent été utilisées par des monarchies étrangères ou par des seigneuries françaises. Par exemple, elles servent d'armes parlantes à Florence (à cause de « fleur ») et à Lille (à cause de *lil,* « lis »). Un arrêt de 1697 interdit aux sujets du roi de France la fleur de lys d'or sur champ d'azur.

Emblèmes personnels des rois. Charles VI : le *lion* et la *cosse de genêt ; – son fils le dauphin* (précédant le futur Charles VII) le *cygne.* **Charles VII** et **Ch. VIII :** *cerfs ailés.* **Louis XII :** *porc-épic,* avec pour devise Cominus et eminus (« De près et de loin »). **François Ier :** *salamandre* (emblème des Orléans-Angoulême dep. 1461). Nutrisco et extinguo (« Je me nourris du feu et je l'éteins »). **Henri II :** *croissant de lune.* **François II :** *Soleil.* **Charles IX :** *colonnes* imitées de celles de Charles Quint, avec Pietate et Iustitia (« Autant par la bonté que par la justice »). **Henri III :** *3 couronnes* (2 royales, 1 de palme). Manet ultima coelo donec totum compleat orbem (« La troisième est au ciel avant de remplir le monde »). **Henri IV :** *2 sceptres et 1 épée.* Duo praetendit unus (« La 3e protège les 2 autres »). **Louis XIV :** *Soleil* (restera sur les étendards de cavalerie jusqu'en 1790). Nec pluribus impar (« Supérieur à tous »).

■ **Révolution. Bonnet phrygien ou bonnet rouge :** d'origine ancienne, il fut confondu par les révolutionnaires épris de l'Antiquité classique avec le bonnet (conique) d'affranchi porté à Rome par les esclaves récemment libérés. Adopté après le décret du 19-6-1790 abolissant noblesse et armoiries familiales, il remplaça les écussons sur les carrosses et passa sur le sceau du Consulat alors que le bonnet de la Liberté ou bonnet rouge (la pointe, molle, retombant sur la nuque), popularisé par les mutins de Châteauvieux, les brigands et les libérés qui vinrent à Paris, avait figuré sur le sceau de la Convention nationale et du Directoire. Les bonnets de laine rouge étaient souvent portés par les gens du peuple à la fin de l'Ancien Régime. Le *1er homme politique qui l'adopta* comme signe de ralliement révolutionnaire fut le Conventionnel girondin Jean-Antoine de Grangeneuve (1751-93) qui, en févr. 1792, le mettait pour se rendre à l'Assemblée. Le mois suivant, on en mit un au buste de Voltaire, dans le vestibule du « Théâtre national » (Comédie-Française, à l'Odéon). Louis XVI en fut coiffé le 20-6-1792 par la populace. Le 15-8-1792, un décret de la Législative l'imposa officiellement comme sceau de l'État (figure de la Liberté, tenant à la main une pique surmontée d'un bonnet de la Liberté). Sur proposition de Billaud-Varenne, le sceau fut étendu à tous les corps administratifs par décret du 26-9-1792. Le 6-11-1793, la Commune en fit la coiffure officielle de ses membres. Il disparut comme coiffure après le 9 thermidor (27-7-1794), mais continua à figurer sur le sceau de l'État, prenant, à partir de 1800, la forme « phrygienne » [la partie supérieure est orientée vers l'avant, mais en restant rigide, pour ressembler au cimier d'un casque (modèle copié sur une mosaïque de S. Apollinare Nuovo de Ravenne)]. *Sous la IIe République,* les insurgés de juin 1848 mirent un bonnet rouge sur le blanc du drapeau tricolore. Sous *la IIIe Rép.,* le bonnet servait essentiellement comme coiffure de « Marianne ».

Cocarde tricolore : *origine du mot :* touffe de plumes de coq que les soldats croates de Louis XIV portaient à leur coiffure. Après l'adoption du tricorne (1701), les régiments adoptèrent la cocarde circulaire en ruban ; signe officiel d'appartenance à l'armée, elle était interdite aux civils. *Le 12-7-1789,* Camille Desmoulins, pour indiquer que le peuple était en armes (mobilisé en permanence), mit une feuille de tilleul ronde à son chapeau. Le lendemain, le 13-7, la milice bourgeoise (48 000 h., qui se crée spontanément à Paris) prit une cocarde bleu et rouge (couleurs du blason de la ville de Paris). Le 16, La Fayette fut mis à la tête de cette milice parisienne. Les gardes-françaises, nombreux dans la milice parisienne, avaient un uniforme bleu, blanc, rouge (livrée du roi) ; ces 3 couleurs étaient d'ailleurs celles du drapeau américain sous lequel avait combattu La Fayette. Le 27-7, la cocarde fut créée pour la Garde nat. de Paris, par le 4e bureau du Comité militaire provisoire de la Ville de Paris. La Fayette fit mettre du blanc à la cocarde bleu et rouge de cette garde. 22-5-1790, Louis XVI supprima les cocardes régimentaires et imposa à tous les soldats celle des milices (devenues entre-temps Garde nationale). Cette cocarde, appelée dès lors « nationale » ou « de la liberté », fut portée par les civils voulant prouver leur patriotisme, mais n'était obligatoire pour eux que lorsqu'ils allaient à l'étranger (décret du 3-7-1792). Le 17-9-1792, un décret interdit sous peine de mort le port de toute cocarde autre que la tricolore. Les armées la portèrent jusqu'en 1814. Supprimée à la Restauration, elle fut rétablie dans l'armée en 1830. Elle figure sur le bonnet phrygien de la République depuis 1871.

■ **Empire. Aigle :** emblème impérial, utilisé par les armées de l'Empire romain et figurant sur le blason des empereurs romains germaniques. Napoléon l'adopta comme emblème de l'Empire français en lui gardant le style romain antique, avec un « foudre » orné d'éclairs en zigzag sous les pieds. Par décret du 21-8-1804, un aigle en bronze ciselé fut placé sur la hampe des drapeaux de régiments (remplaçant la pique des armées républicaines, qui elle-même avait remplacé la fleur de lys royale). En 1815, la fleur de lys fut rétablie. Le pavillon personnel de Napoléon Ier, quand il naviguait, portait les armoiries impériales peintes sur la bande blanche centrale. L'aigle de bronze fut rétabli sur la hampe des drapeaux des armées de 1852 à 1870 (IIe Empire).

Abeilles : insigne de l'Empire napoléonien, remplaçant la fleur de lys comme motif décoratif sur les tentures des bâtiments publics et figurant, à partir de 1812, sur les drapeaux de l'armée, puis en 1814-15 sur le drapeau de l'île d'Elbe. Napoléon les avait choisies comme motif décoratif du manteau impérial pour imiter Childéric Ier dont le tombeau avait été découvert en 1653 [son manteau royal s'était décomposé, mais le tombeau contenait des centaines de cigales d'or qui y avaient été fixées et qui furent prises pour des abeilles (la cigale était un vieux symbole indo-européen, figurant l'immortalité de l'âme et utilisé fréquemment dans le mobilier funéraire)].

Violettes : sous la 1re Restauration (avril 1814/mars 1815), signe de ralliement des bonapartistes, symbolisant l'espoir de voir Napoléon revenir avec le printemps.

■ **République. Coq :** symbole de la vigilance et du peuple français, à cause du jeu de mots latin *galus,* « gaulois », et *gallus,* « coq ». Souvent utilisé par les artistes, notamment à partir de 1659 : Colbert, désireux de créer en architecture un ordre français pour les chapiteaux des colonnes, mit au concours un motif de décoration utilisant des coqs au lieu des acanthes corinthiennes (le vainqueur en fut Le Brun : ses chapiteaux en bronze doré sont encore dans la galerie des Glaces à Versailles). En 1665, une médaille officielle fut frappée pour la délivrance du Quesnoy : le coq français met en fuite le lion espagnol. Dès lors, les adversaires des Français, et notamment les Hollandais, emploient le coq pour symboliser la France, dans leurs caricatures et allégories. Le coq qui figure sur le sceau du Directoire ne devint un emblème officiel que sous Louis-Philippe et la IIe République (1830-52) où il figure sur la hampe des drapeaux de régiments. L'idée de remplacer la fleur de lys par un coq avait été lancée en 1820 par le poète Pierre-Jean Béranger (1780-1857) dans la chanson *le Vieux Drapeau.* Sur *le Départ des armées de la République* (connu sous le nom de *la Marseillaise*) de Rude, décorant l'Arc de triomphe de l'Étoile et datant de 1836, les drapeaux sont surmontés d'un coq qu'ils n'avaient pas à l'époque. Depuis 1848, le coq figure sur le sceau de la République (la Liberté assise tient un gouvernail orné d'un coq) ; il a été utilisé à partir de 1899 comme motif des pièces d'or de 20 F. Il est l'emblème officiel des sportifs français dans les épreuves internationales.

Nota. – Le coq des clochers de France ne symbolise pas le peuple gaulois mais probablement l'attente du Soleil levant, toujours salué par le chant des coqs. La dévotion au Soleil levant, préchrétienne, mais transformée par St Patrick en dévotion au « Soleil de Justice » (c.-à-d. au Christ), était restée vive chez les moines irlandais qui ont rechristianisé la Gaule aux VIe-IXe s. ; ils ont vers cette époque introduit les coqs de clocher sur le continent.

Faisceau de licteurs : symbole remontant à la République romaine (les magistrats faisaient porter devant eux des verges attachées en faisceaux et servant à donner les bastonnades en public). Utilisé sous la Ire République par les artistes, pour symboliser l'union des 83 départements (généralement surmonté de la pique, arme des « Sections » parisiennes, qui est coiffée du bonnet de la Liberté), sur certains timbres officiels (par ex., sur le papier à lettres de Carnot, ministre de la Guerre). En 1848, et de nouveau après 1870, figure sur le sceau et le contre-sceau de la République tenu par une Liberté assise, œuvre de Jacques-Jean Barre (1793-1855), graveur général de la Monnaie.

Niveau triangulaire : avec un fil à plomb en son centre. Symbolise l'égalité (2e des idéaux républicains). La fraternité (symbolisée par des mains enlacées) est moins souvent représentée.

Initiales RF : adoptées le 15-2-1794 pour figurer sur les drapeaux de l'armée révolutionnaire. Remises à l'honneur en 1877 pour décorer les piques ornant les hampes des drapeaux et les écus de la France considérée comme État souverain (notamment vis-à-vis de l'étranger). Plusieurs projets de 1872 à 77 avaient proposé de remplacer les anciens symboles (fleurs de lys, coq, aigle) par des étoiles. Les lettres RF sont peintes en doré sur un fond tricolore ou parfois dorées, mais en relief ou en trompe-l'œil, sur un fond doré.

Buste de Marianne : figure allégorique de la République (femme coiffée d'un bonnet phrygien). Commence à apparaître dans les mairies après 1877, remplace les bustes de Napoléon III. En 1848, le ministère de l'Intérieur a lancé un concours et 2 Marianne ont été retenues : une sage et grave, une combative et victorieuse. La « doyenne » dressée en plein air, serait la Marianne de Marseillan (Hérault) en 1878. Le modèle sera, après 1881, la statue monumentale du Triomphe de la République, place de la Nation à Paris, par Jules Dalou (1838-1902). Il y eut de nombreux types réalisés : ex. par Injalbert (1933), Pierre Poisson, Saupique (sous la IVe), Aslan (1969, Brigitte Bardot ; 1985 14-10, Catherine Deneuve). *Origine :* La 1re mention écrite du nom de Marianne pour désigner la République est apparue en octobre 1792, à Puylaurens (Tarn), dans la chanson en occitan du chansonnier Guillaume Lavabre, « la Garisou de Marianno » (la Guérison de Marianne). En 1797, ayant réprimé le coup d'État du 18 fructidor de l'an V, le Directoire voulut trouver un nom plaisant pour la République. Lors d'une réception chez Mme Reubell (née Marie-Anne Monhat, 2-1-1759, Colmar), Barras s'enquit de son prénom. « Parfait, dit-il, il est simple, il est bref et sied à la République, autant qu'il sied à vous-même. » Dans sa correspondance secrète avec les généraux hostiles à son ennemi Carnot, il désigna toujours son groupe sous le nom conventionnel de Marie-Anne. En 1811, Napoléon accorda à Mme Reubell une pension à vie de 6 000 livres, mais elle mourut le 8-02-1813 à Sigolsheim (Alsace). Ce surnom fut repris par une société secrète républicaine fondée sous la Restauration et réformée sous le IIe Empire.

Croix de Lorraine. *Origine :* souvent appelée « croix d'Anjou » ou « croix d'Anjou-Lorraine », elle figurait dans la symbolique des ducs d'Anjou, devenus ducs de Lorraine à partir de 1473 [René II (1451-1508), fils de Yolande d'Anjou]. Elle représente un reliquaire (contenant une parcelle de la vraie Croix) vénéré par les ducs (apanagés) d'Anjou, depuis Louis Ier (1339-84) qui le fit broder sur sa bannière. Ce reliquaire avait un double croisillon. Le roi René, petit-fils de Louis Ier et duc de Lorraine par mariage, utilisa aussi la croix d'Anjou qui passa au cou des aigles supports des armes ; d'où la croix de Lorraine dans les armoiries (mais pas dans le blason) des ducs de Lorraine et son apparition en France lors de la Ligue (symbole des Guise). **France libre.** L'amiral Thierry d'Argenlieu la fit adopter par la France Libre en 1940. Il écrivit à de Gaulle qu'il fallait aux Français libres une croix, pour lutter contre la croix gammée. Dans son ordre général n° 2 du 3-7-1940, le vice-amiral Émile Muselier (1882-1965), nommé l'avant-veille au commandement des forces navales et aériennes françaises libres, créa, pour les forces fr. ralliées à de Gaulle, un pavillon de beaupré (carré bleu avec, au centre, la croix de Lorraine en rouge par opposition à la Cr. gammée) et pour les avions une cocarde à croix de L. Muselier était d'origine lorraine et les armes du 507e Régiment de chars que commandait le colonel de Gaulle au moment de la g. comportaient une croix de L. Le pavillon fut modifié après 2 ou 3 mois : il était trop sombre. Dans le modèle définitif, il était bleu, blanc, rouge ; le blanc étant en forme de losange et chargé d'une croix de L. rouge (non tréflée). (Ce pavillon restera pour les futurs navires de la Marine nat. auxquels sera donné le nom d'un ancien bâtiment des FNFL.) Le symbole a été adopté ensuite par tous les Français libres et figure sur de nombreux insignes (insigne émaillé porté par de Gaulle), monuments, timbres créés sous les gouvernements du Gal de Gaulle (1940-46, puis 1958-69), notamment l'ordre de la Libération, créé à Brazzaville le 16-11-1940, la médaille de la Résistance, créée à Londres le 9-2-1942, et la méd. commémorative des Services volontaires dans la France libre, créée par décret le 4-4-1946. En 1972, la croix de L. a été choisie comme motif du mémorial Charles-de-Gaulle à Colombey-les-Deux-Églises (Hte-M.). Elle ne figure pas sur les cachets officiels de la Ve Rép. (qui ont conservé le motif de la Liberté assise avec faisceau de licteurs).

☞ **Emblèmes de Vichy : Francisque** (faite d'un fer de hache double découpé dans une cocarde tricolore et d'un manche figurant un bâton de maréchal), emblème du M[al] Pétain, elle figurait sur son fanion de voiture et sur le pavillon à la mer. Devenue un insigne politique officiel porté par ses partisans et créé par un arrêté de Pierre Pucheu (15-11-1941), elle pouvait être portée par tout le monde, mais sur un écu blanc. **Décoration de la Francisque,** créée par l'arrêté du 26-5-1941 et destinée à récompenser des services rendus à l'État français ; elle était accordée par un Conseil de la Francisque de 12 membres, présidé par le grand chancelier de la Légion d'honneur. **Écu (officieux) de l'État français** tricolore avec au lieu de RF les initiales dorées PP (le 1er P tourné vers la gauche) pour Philippe Pétain. Il y eut des projets d'armoiries officielles de l'État français.

Drapeaux

Ancien Régime

Oriflamme de St-Denis. Bannière allongée, en soie légère, rouge uni, terminée par des queues [5, 3 ou 2 selon les exemplaires (car elle a été refaite souvent)]. Son nom est attesté pour la 1re fois dans la *Chanson de Roland* (1080) sous la forme *orie flambe* [du latin *aurea flammula,* « petite flamme » (c.-à-d. bannière) « dorée »]. Il désigne la bannière de Charlemagne. Il semble que l'épithète « dorée » s'applique à la lance sur laquelle était fixée la « flamme » rouge. Mais la soie elle-même n'a jamais eu de motifs décoratifs dorés : elle était frangée de houppes vertes. La bannière rouge de Charlemagne était celle de la ville de Rome, remise au futur empereur par le pape Léon III en 796 (sa couleur est celle de la pourpre impériale romaine). Les rois carolingiens, puis capétiens, l'ont utilisée comme insigne de la dignité souveraine.

A partir de 1124, cette bannière impériale et royale a été remplacée (fortuitement, semble-t-il) par celle de l'*abbaye de St-Denis,* qui était également rouge (à cause du sang des martyrs) : le roi Louis VI, qui avait perdu son étendard à la bataille de Brémule en 1119, alla prendre sur l'autel de l'abbaye le vexillum rouge des avoués de St-Denis (les rois de France portaient ces titres, étant devenus comtes du Vexin sous le règne de Philippe Ier). Dès lors, la tradition s'établit (chaque fois que le roi convoquait sa noblesse pour une expédition militaire) d'aller chercher l'étoffe sur le reliquaire de St-Denis et de la brandir rituellement. On a dénombré 21 « levées d'oriflamme » entre 1124 et 1386 ; et encore plusieurs après la g. de Cent Ans. A Azincourt (1415) l'oriflamme fut perdue et ne reparut jamais sur un champ de bataille bien qu'elle ait été levée une dernière fois sous Louis XI.

Bannière des croisades. Les rois de Fr. utilisaient comme *gonfanon* (étendard de combat, fixé à une pique) l'oriflamme de St-Denis, et comme *fanions de commandement* (indiquant leur présence aux troupes) des pièces d'étoffe portées par des officiers : d'abord bannière de Fr. héraldique, puis *pennon* lui aussi héraldique, puis *cornette blanche.* Dep. 1188, ils levaient la bannière que les Croisés français avaient choisie comme signe de ralliement : une croix rouge sur un fond blanc. A la fin du XIIIe s., les Anglais prirent la croix rouge dite de St-Georges, que les Français abandonnèrent pour la blanche au milieu du XIVe s. ; le parti anti-anglais (Armagnacs) qui soutenait Charles VII adopta la croix blanche qui figura sur les enseignes des régiments d'infanterie jusqu'à la fin de l'Ancien Régime.

Écharpes blanches. Jusqu'à la Révolution, chaque régiment, bataillon ou escadron avait son drapeau, de couleurs, de dessin, de forme et de dimensions différents. La croix blanche de Charles VII et les fleurs de lys figuraient sur la majorité. Depuis la bataille de Fleurus (1690), où les artilleurs français avaient tiré sur des régiments d'infanterie française dont ils n'avaient pas identifié les couleurs, tous les drapeaux reçurent, comme signe distinctif commun, une écharpe blanche nouée au sommet de la hampe : le blanc a été de 1638 à 1790 la couleur du drapeau royal et du pavillon de marine. De 1814 à 1830, il a été aussi la couleur des drapeaux de l'armée royale.

Après la Révolution

Cocardes tricolores. Créées le 26 ou 27-7-1789. L'Assemblée des représentants de la commune adopta la 1re cocarde le 2-8-1789.

Drapeaux tricolores. 1790-*19-10* le député Jacques-François de Menou (1750-1810) propose à l'Assemblée nationale constituante que le pavillon blanc de la marine soit remplacé par le pavillon tricolore. Mirabeau appuie cette proposition. *22-10* un décret de l'Assemblée décide que sur mer le pavillon national serait blanc avec un quartier tricolore, au lieu de l'écu aux armes royales de France. La cravate blanche des drapeaux de l'armée est remplacée par la cravate tricolore. *24-10* ordonnance : *Art. 1 :* le pavillon de beaupré sera composé de *3 bandes égales* et posées verticalement. La plus près du bâton sera rouge, celle du milieu blanche et l'autre bleue. *Art. 2 :* le pavillon de poupe (vaisseaux de guerre et bâtiments de commerce) portera dans son quartier supérieur le pavillon de beaupré ci-dessus décrit. Cette partie du pavillon sera exactement le 1/4 de la totalité et environnée d'une bande étroite dont la moitié sera bleue et l'autre rouge. Le reste du pavillon sera blanc. Pavillon de poupe 2 × 3. Cadre bleu-rouge de 3 unités contre une unité pour le liséré blanc. **1791 à 1794** les régiments d'infanterie conservent des drapeaux carrés à croix blanche. **1792**-*21-9* proclamation de la République ; de nombreux marins sont indignés de voir la livrée du « Tyran » occuper une place sur les pavillons. *22-11* les fleurs de lys sont recouvertes par des losanges tricolores. **1794**-*15-2* (27 pluviôse, an II) Jean Bon Saint-André, rentrant de Brest, rapporte à la Convention « qu'un drapeau qui n'était pas celui de la Révolution flottait encore sur nos vaisseaux ». Le peintre David, consulté, aurait proposé d'étendre les 3 couleurs du canton à l'ensemble du pavillon en les intervertissant. Un décret supprime le pavillon décrété par l'Assemblée nationale constituante. Le *pavillon national* sera formé des 3 couleurs nationales *disposées en 3 bandes égales* posées verticalement (le bleu attaché à la gauche, le blanc au milieu et le rouge flottant dans les airs). *Pavillon de beaupré et pavillon ordinaire de poupe* seront disposés de la même manière en observant proportions et grandeurs établies par l'usage (dont 2 × 3 encore en usage aujourd'hui). *La flamme* sera pareillement formée des 3 couleurs (1/5 bleu, 1/5 blanc et 3/5 rouge : proportions modifiées en 1838). Le pavillon national sera arboré sur tous les vaisseaux le 1er jour de prairial (20-5-1794). Ce pavillon de marine s'imposera progressivement à terre en tant que *drapeau national.* Les demi-brigades qui remplacent les régiments ont des drapeaux avec les couleurs tricolores disposées de façons diverses. *Les croix disparaissent sur les drapeaux militaires.* **1804** Napoléon attribue aux régiments d'infanterie le drapeau au carré central blanc avec les triangles des 4 angles alternativement bleus et rouges. **1812** il leur donne un drapeau carré tricolore (les couleurs sont disposées comme celles du drapeau national (à l'origine pavillon de la marine de 1794). **1814** la Restauration adopte le drapeau blanc découlant du pavillon repris par la marine. Celui-ci restera le signe de ralliement des royalistes jusqu'à 1904. Puis, sous l'influence de l'Action française, ralliée aux Orléans,

Quels sont les personnages inhumés au Panthéon ?

Ancien régime. 1744 Louis XV fait le vœu, s'il guérit, de construire une nouvelle église à Ste Geneviève. **1755** Soufflot commence les travaux. **1764**-*6-9* Louis XV pose la 1re pierre (Soufflot meurt le 5-1-1780). **1789** achevée par Rondelet.

Sous la Révolution. 1791-*2-4* à la mort de Mirabeau, le procureur général-syndic de la Seine, Claude-Emmanuel Pastoret (1756-1840 ; marquis 1817), à la tête d'une délégation, demande à l'Assemblée constituante que le nouvel édifice soit destiné à recevoir les cendres des grands hommes de l'époque de la liberté française ; le décret est aussitôt voté. (*Art. 2,* le corps législatif décidera seul à qui cet honneur sera décerné, *3,* Mirabeau est jugé digne). L'Église est transformée par Quatremère de Quincy, tours-clochers rasées, baies et portails latéraux murés. Le fronton représente la Patrie couronnant la Vertu tandis que la Liberté saisit par leurs crinières 2 lions attachés à un char qui écrase le Despotisme, et qu'un Génie terrasse la Superstition, avec l'inscription : « Aux grands hommes, la Patrie reconnaissante » ; la croix du dôme qui occupe provisoirement la place d'une statue de Ste Geneviève est remplacée par une *Renommée* de Dejoux, de 9 m de haut, embouchant une trompette. **1791**-*4-4* transfert de *Mirabeau* (1715-89), *12-12* de *Voltaire* (1694-1778). **1792**-*12-12* décision de transférer le commandant *Nicolas-Joseph de Beaurepaire,* suicidé 2-9 lors de la reddition de Verdun (transfert non exécuté). **1793** *janvier* transfert du député *Le Pelletier de Saint-Fargeau* (n. 1760), assassiné le 20-1 (pour avoir voté la mort de Louis XVI), il sera plus tard inhumé au château de St-Fargeau (Yonne). *21-9* Marie-Joseph Chénier démontre la collusion de Mirabeau avec la cour et propose le transfert de Marat au Panthéon à la place de Mirabeau. *28-12* la Convention décide le transfert de *Joseph Bara* (1779-93), tué en Vendée. Le transfert solennel prévu pour le 10 thermidor an II (28-7-1794) sera décommandé le 9. **1794**-*21-9* transfert de *Marat* (1743-93). Mirabeau est réinhumé au cimetière de St-Étienne-du-Mont. *9-10* transfert de *Jean-Jacques Rousseau* (1712-78) (restes). **1795**-*8-2* la Convention (avec effet rétroactif) décrète que les honneurs du Panthéon ne peuvent être accordés que 10 ans après la mort d'un citoyen. *14-2* on peut ainsi retirer Marat qui est réinhumé à St-Étienne-du-Mont.

Sous l'Empire. 1806-*20-2* un décret rend le Panthéon au culte sous le nom d'église Ste-Geneviève et la consacre à la sépulture des « citoyens » « ayant rendu d'éminents services à la Patrie », dans « la carrière des armes ou dans celle de l'administration et des lettres ». 39 sont ainsi transférés. **Cercueils.** *Béguinot* (François-Barthélemy, Cte) 1757-1808, général de division, sénateur. *Bévière* (Jean-Baptiste-Pierre) 1723-1807, membre de l'Assemblée constituante, notaire et maire à Paris, sén. *Bougainville* (Louis-Antoine, Cte de) 1729-1811, vice-amiral, membre de l'Institut et du Bureau des longitudes. *Brissac* (Hyacinthe-Hugues-Timoléon de Cossé, Cte de) 1746-1813, ancien maréchal de camp du roi, sénateur, chambellan de Madame, mère de l'Empereur. *Cabanis* (Pierre-Jean-Georges) 1757-1808, sénateur, membre de l'Institut. *Caprara* (Jean-Baptiste) 1733-1810, cardinal archevêque de Milan. *Caulaincourt* (Gabriel-Louis, Cte de) 1740-1808, sénateur. *Champmol* (Emmanuel Cretet, Cte de) 1747-1809, min. de l'Intérieur et min. d'État. *Choiseul-Praslin* (Antoine-César de) 1756-1808, sénateur. *Demeunier* (Jean-Nicolas, Cte) 1751-1814, sénateur de Toulouse. *Erskine* (Charles) 1743-1811, cardinal-diacre de Ste-Marie-dans-le-Portique. *Fleurieu* (Charles-Pierre Claret, Cte de) 1738-1810, sénateur, conseiller d'État, gouverneur des palais des Tuileries et du Louvre, membre de l'Institut. *Ham* (Ignace Jacqueminot, Cte de) 1754-1813, sénateur du Nord. *Laboissière* (Pierre Garnier, Cte de) 1754-1809, gén. de division, sénateur, chambellan de l'Empereur. *Lagrange* (Joseph-Louis, Cte) 1736-1813, sénateur, membre de l'Institut et du Bureau des longitudes. *Legrand* (Claude-Juste-Alexandre, Cte) 1762-1815, pair de France, lieutenant gén. des armées du roi. *Lepaige-Dorsenne* (François) 1753-1812, gén. de division, chambellan de l'Empereur, colonel des grenadiers à pied de la garde impériale. *Mareri* (Hippolyte-Antoine-Vincent) 1738-1811, cardinal-évêque de Sabine. *Massa* (Claude-Ambroise *Régnier,* duc de) 1736-1814. *Montebello* (maréchal *Lannes,* duc de) 1769-1809. *Ordener* (Cte) 1755-1811, sénateur, gouverneur du palais de Compiègne. *Papin* (Jean-Baptiste) 1756-1809, sénateur. *Perrégaux* (Jean-Frédéric, Cte de) 1744-1808, sénateur. *Petiet* (Claude) 1759-1806, min. de la Guerre, sénateur. *Portalis* (Jean-Étienne) 1746-1807, min. des Cultes et membre de l'Institut. *Resnier* (Louis-Pierre-Pantaléon) 1752-1807, sénateur. *Reynier* (Jean-Louis-Ebenezer, Cte) 1771-1814, gén. en chef. *Rousseau* (Jean, Cte) 1738-1813, sénateur. *Saint-Hilaire* (Louis-Joseph-Vincent Leblond de) 1764-1809, gén. de division. *Songis* (Nicolas-Marie) 1761-1810, inspecteur gén. d'artillerie. *Thévenard* (Antoine-Jean-Marie) 1733-1815, vice-amiral, pair de Fr. *Treilhard* (Jean-Baptiste, Cte) 1742-1810, min. d'État, Pt au Conseil d'État. *Tronchet* (François-Denis) 1726-1807, sénateur d'Amiens. *Vien* (Joseph-Marie, Cte) 1716-1809, sénateur, membre de l'Institut, professeur-recteur des écoles spéciales des Beaux-Arts. *Viry* (François-Marie-Joseph-Justin) 1737-1813, sénateur, chambellan de l'Empereur. *Walther* (Frédéric-Henry, Cte) 1761-1814, lieutenant gén., col. des grenadiers à cheval de la garde impériale. *Winter* (S.E. Jean-Guillaume, Cte de) 1761-1812, vice-amiral. **Urnes (avec des cœurs).** *Durazzo* (Jérôme-Louis-François-Joseph, comte) 1739-1809, sénateur. *Hureau de Sénarmont* (Alexandre-Antoine, baron) 1769-1810, gén. de div. *Malher* (Jean-Pierre-Firmin) 1761-1808, gén. de division. *Morand de Galles* (Justin-Bonaventure, Cte) 1741-1809, sénateur. *Sers* (Pierre, Cte) 1746-1809, sénateur.

Sous la Restauration. 1822-*3-1* l'église est inaugurée. Sur le fronton, nouvelle inscription : *DOM sub invocat. S. Genovefae. Lud. XV dicavit. Lud. XVIII restituit* (Louis XV a dédié cette église au seigneur sous l'invocation de Ste Geneviève. L. XVIII l'a restaurée). On relègue sous le péristyle les dépouilles de Voltaire et Rousseau en dehors du périmètre qu'allait bénir l'archevêque de Paris, Mgr de Quélen. Selon une légende (contredite en 1897 par une enquête officielle), des ouvriers, conduits par un gentilhomme de la Chambre, auraient violé, de nuit, leurs tombes, mis leurs restes dans un sac qu'ils auraient vidé à la campagne. **1829** transfert de Soufflot.

Monarchie de Juillet. 1830-*26-8* redevient Panthéon. **1831**-*3-7* David d'Angers refait le fronton : la Patrie distribue des couronnes que lui tend la Liberté tandis que l'Histoire prend note. A gauche, les civils : Malesherbes, Mirabeau, Monge, Fénelon, Manuel, Carnot, Berthollet, Laplace, Louis David, Cuvier, La Fayette, Voltaire, Rousseau et Bichat ; à droite, les militaires : Bonaparte, des soldats de toutes armes, le grenadier Trompe-la-Mort, l'enfant qui battait la charge au pont d'Arcole et des polytechniciens. On remet l'inscription « Aux grands hommes... ».

IIe Empire. 1851-*6-12* redevient église Ste-Geneviève (basilique nationale). On enlève l'inscription « Aux grands hommes », on remet une croix sur le dôme.

IIIe République. 1871-*2-4* la Commune scie la croix. **1873** *juillet* une croix de pierre est remise. **1885**-*28-5* redevient Panthéon. **Transferts : 1885**-*1-6 Victor Hugo* (1802-85) écrivain. **1889**-*4-8 Lazare Carnot* (1753-1823), mathématicien conventionnel surnommé l'« Organisateur de la Victoire ». *Théophile de La Tour d'Auvergne* (1743-1800), « 1er grenadier de France » (cœur aux Invalides). *Jean-Baptiste Baudin* (1811, tué sur les barricades le 3-12-1851). *François Marceau* (1769-96), général (1/3 de son corps, le reste est aux Invalides et à Chartres). **1894**-*29-6 Sadi Carnot* (1837/assassiné 24-6-1894), Pt de la République. **1907**-*25-3 Marcelin Berthelot* (1827-1907), chimiste et ancien min. des Aff. étr., et sa femme (1837-1907) morte le même jour. **1908** *Émile Zola* (1840-1902), romancier. **1920**-*11-11 Gambetta* (cœur, son corps est à Nice). **1924**-*23-11 Jean Jaurès* (1859/assassiné 31-7-1914), fondateur de l'*Humanité.* **1933**-*4-11 Paul Painlevé* (1863-1933), mathématicien, Pt du Conseil (1917 et 1925).

IVe République. 1948-*17-11 Paul Langevin* (1872-1946), savant. *Jean Perrin* (1870-1942), savant. **1949**-*20-5 Félix Éboué* (Cayenne 1884-1944), 1er Noir gouverneur des colonies [Guadeloupe puis Tchad 1938 (1er territoire rallié à la France libre 1940), puis AEF en 1940]. *Victor Schoelcher* (1804-93), antiesclavagiste, sénateur inamovible, et son père *Marc* († 1832) (vœu de Victor de reposer auprès de son père). **1952**-*22-6 Louis Braille* (1809-52).

Ve République. 1964-*18-12 Jean Moulin* (1899-1943), préfet (chef du CNR). **1987**-*5-10 René Cassin* (1887-1976), juriste, prix Nobel de la Paix. **1988**-*9-11 Jean Monnet* (1888-1979), un des « pères » de l'Europe. **1989**-*12-12 abbé Grégoire* (1750-1831). *Gaspard Monge* (1746-1818) Cte de Péluse, mathématicien. *Condorcet* (Marie Jean Antoine Caritat, Mis de) 1743-94, mathématicien, philosophe, économiste, conventionnel ; proscrit sous la Terreur, arrêté à Bourg-la-Reine (alors Bourg-Égalité), s'empoisonne dans sa prison pour échapper à l'échafaud le 29-3-1794 ; le lendemain son corps fut amené au cimetière et jeté dans une fosse commune. Le cimetière a disparu, nul ne sait où Condorcet repose. Dans la crypte, un tombeau vide rappelle sa mémoire.

☞ Il y a 1 seule femme (par hasard : Mme Berthelot, transférée 1907, était morte le même jour que son mari), 1 homme de couleur : Félix Eboué (1949).

---

les monarchistes fr. ont généralement adopté le drapeau tricolore mais les légitimistes, fidèles aux aînés des Bourbons (d'Espagne), ont gardé le drapeau blanc. **1830**-*1-8* ordonnance de Louis-Philippe, lieutenant-général du royaume, reprenant le drapeau tricolore de 1794. **1836** un tableau donne les dimensions et proportions des couleurs des pavillons (encore en vigueur) (marques distinctives et flamme dans la marine). *Pavillon :* bleu 0,30, blanc 0,33, rouge 0,37. *Flamme de guerre :* 0,20, 0,20, 0,60. **1853**-*17-5* cette disposition reprend le règlement publié notamment dans l'album des pavillons du capit. de frégate Le Gras, édité 1858.

France libre (1940-43). *1er pavillon de beaupré* des Forces navales françaises libres (FNFL). Créé par le vice-amiral Muselier et approuvé par de Gaulle. D'après l'ordre général no 2 du 2-7-1940, les bâtiments de guerre et de commerce des FNFL porteront à la poupe le pavillon national français et, à la proue, le pavillon carré bleu orné au centre de la croix de Lorraine en rouge. **1941**-*7-6* ce pavillon, abandonné pour des raisons de visibilité, est remplacé par un 2e modèle utilisé par les bâtiments de guerre des FNFL. Le pavillon de beaupré des navires de commerce a les 4 angles bleus. Dans les territoires d'Afrique et d'Océanie ralliés apparurent des drapeaux tricolores (non officiels) chargés d'une croix de L. dans le blanc. *Flamme nationale des Forces françaises libres :* seul emblème officiel à croix de L. utilisé à terre : tricolore, rectangle allongé (sa longueur est 4 fois sa largeur). Créée par décret du 7-9-1940 du colonel de Larminat assumant depuis le 29-8 à Brazzaville les pouvoirs dans la partie de l'AEF ralliée. La croix de Lorraine en rouge sur le blanc est posée verticalement dans le sens de la plus petite largeur. **1943** les FNFL deviennent les Forces navales en G.-B. (FNGB). *22-10* décret, les bâtiments ayant fait partie des FNFL auront le droit de porter un pavillon de beaupré particulier : celui du 7-6-1941, mais rectangulaire (2 × 3).

■ Règlement actuel

La Constitution du 27-10-1946 (art. 2) déclarait : l'emblème national est le drapeau tricolore bleu, blanc et rouge à 3 bandes verticales d'égales dimensions. Pour les navires français, l'emblème est resté le pavillon de poupe tricolore bleu, blanc, rouge à 3 bandes verticales, la taille variant selon navires et circonstances. La Constitution du 4-10-1958 indique simplement (art. 2) que l'emblème national est le drapeau tricolore bleu, blanc, rouge.

■ **Armée de terre. Drapeau** (0,90 cm de côté) : régiments d'Infanterie, du Génie, des Transmissions et des Écoles. **Étendard** (0,64 cm) : corps de l'arme blindée et cavalerie, de l'artillerie, du train et de l'aviation légère de l'armée de terre, matériel.

L'emblème – réglementaire depuis avant 1880 – est constitué d'un tablier à 3 bandes verticales : bleue, blanche et rouge. Il est fixé à une hampe en bois de 2 m terminée par une pique à 2 cartouches dont l'un porte RF et l'autre l'appellation du régiment. Une *cravate tricolore* à 2 pans est fixée à cette pique. *Inscriptions : à l'avers du tablier* « République française » et le nom du régiment (encadrés par 4 couronnes de feuilles de chêne et de laurier) ; *au revers* « Honneur et Patrie » et, en dessous, une devise. *Ex. :* Polytechnique (« Pour la Patrie, les sciences, la gloire »), St-Cyr (« Ils s'instruisent pour vaincre »), Légion étrangère (« Honneur et fidélité »), Sapeurs-pompiers de Paris (« Dévouement et discipline ») ou des noms de batailles. Le drapeau des Invalides porte l'inscription « Tous les champs de bataille ». Avant août 1880, drapeaux et étendards ne portaient que 4 inscriptions de bataille rappelant les combats où ils s'étaient illustrés depuis la Révolution. En 1914-18, on porta ce nombre à 8, en 1939-45 à 12 avec quelques exceptions (max. : 15 sur le 2e régiment d'infanterie coloniale).

Décorations portables : *Françaises :* les cravates des emblèmes : Légion d'honneur [apparue en 1859 sur les drapeaux des corps qui se sont emparés d'un drapeau ennemi (le 2e régiment de zouaves fut le 1er décoré pour la prise d'un drapeau autrichien, le 4-6-1859, à Magenta)], croix de g. et fourragères de 1914-18, épinglées (sur la cravate de l'emblème des corps qui s'étaient distingués), ordre de la Libération, Méd. militaire (cas du RICM), et Méd. des évadés (2e Dragon : cas unique). *Étrangères :* sur admission jusqu'à la décision ministérielle du 29-12-1953 qui a invalidé cette mesure. Actuellement, les *2 drapeaux les plus décorés* sont ceux du RICM : 17 citations, et du 3e Régiment étranger d'Inf. : 16.

Couleurs des fourragères : celles des rubans de la croix de guerre (pour 2 ou 3 citations à l'ordre de l'armée) ; médaille militaire (pour 4 ou 5 c.) ; Légion d'honneur (pour 6 à 8 c.), Légion d'honneur et croix de guerre (pour 9 à 11 c.) ; Légion d'honneur et Méd. mil. (pour 12 à 14) ; double Légion d'honneur pour 15 et plus (ces fourragères n'ont jamais été attribuées). Il n'existe pas de fourragères aux couleurs du ruban de la croix de g. 1939-45. Seule, celle aux couleurs du ruban de la croix de g. 1914-18 avec une olive aux couleurs de la croix de g. 1939-45, placée au-dessus du ferret, est réglementaire. Les fourr. aux couleurs du ruban de la L. d'honneur et de la Méd. mil. accordées pour la g. de 1939-45 portent une olive semblable. Les unités ayant reçu des fourr. au titre des 2 g. mondiales portent au-dessus du ferret un système d'olives qui permet de différencier l'origine des citations. La fourr. aux couleurs du ruban de la croix de g. des TOE est toujours portée distinctement. Lorsque les citations permettent l'obtention d'une fourr. d'un niveau supérieur (Méd. mil. ou Légion d'hon.), une olive aux couleurs du ruban de la croix de g. des TOE est placée au-dessus du ferret.

■ **Marine nationale. Drapeau :** symbole de la patrie et de la personnalité morale de la formation à laquelle il est attribué. Carré à 3 bandes égales en largeur. La Marine possède 11 drapeaux dont 8 en service, attribués à des unités combattantes ou formations spécialisées à terre d'un niveau équivalent à celui du régiment.

Pavillon : symbole de la patrie et marque de nationalité à bord des bâtiments. A la mer, arboré dans le mât en tout temps. Au mouillage, pavillon de poupe (p. principal) et p. de beaupré sont arborés entre les couleurs du matin et celles du soir. *Modèles :* 16 suivant navires et circonstances. *Longueur* (battant) 0,75 à 13,50 m. *Hauteur* (guindant) égale aux 2/3 du battant. *Proportions des couleurs :* bleu 30/100 du battant, blanc 33/100 et rouge 37/100.

Flamme : en tête de mât en toutes circonstances. *Modèles :* 10 de 1 à 20 m de long, le battant valant 20 fois le guindant pour les plus petites, 133 fois pour les plus grandes. *Proportions des couleurs :* bleu 20/100 du battant, blanc 20/100 et rouge 60/100.

Fanion : on distingue : *f. d'unité* (symbole de la personnalité morale de l'unité à laquelle il est attribué, celle-ci ne pouvant prétendre à un drapeau) et *f. d'autorité* (marque de commandement arborée sur une voiture ou un aéronef au sol).

Marques. De commandement : *officiers généraux de Marine* (amiraux) : pavillons carrés avec étoiles, bleu 30/100 du battant, blanc 33/100 et rouge 37/100. *Officiers supérieurs :* guidons (2 pointes) et triangle (1 pointe), le battant égal à 2 fois le guindant, bleu 23,5/100 du battant, blanc 26,5/100 et rouge 50/100. **Honorifiques :** pavillons carrés avec différents motifs marquant la présence à bord d'une personnalité de la Défense nat. ou d'un officier gén. extérieur à la Marine (armées de Terre et de l'Air).

Cérémonial des couleurs (au mouillage uniquement). On « envoie » (hisse) les couleurs à 8 h chaque matin ; on les rentre le soir au coucher du soleil, ou à 20 h quand le soleil se couche plus tard ; on ne les amène qu'en cas de reddition. Au moment de l'envoi des couleurs (matin et soir), la garde présente les armes, le factionnaire tire un coup de fusil à blanc. Les honneurs sont rendus au clairon (sonnerie « Au drapeau ») ou au sifflet de manœuvre (à roulette). **Salut aux navires :** les navires de commerce saluent les nav. de guerre en rentrant et rehissant leur pavillon de poupe 3 fois de suite. Le nav. de guerre rend le salut en « marquant » son pavillon (en le baissant et en le rehissant du 1/4 de sa hauteur). **Deuil :** mise en « berne » du pavillon.

Code international des signaux flottants : pavillons et guidons alphabétiques, flammes numériques, « substituts » triangulaires et autres signaux flottants sont hissés, marqués et amenés selon un code. **Atteinte au drapeau :** l'article 257 du Code pénal punit d'un emprisonnement de 1 mois à 2 ans et d'une amende de 500 F à 30 000 F toute destruction ou dégradation volontaires d'un « objet destiné à la décoration publique et élevé par l'autorité publique ou avec son autorisation ». Dans le cadre d'une manifestation indépendantiste, elles peuvent être considérées comme une atteinte à la Défense nationale. Commises par un militaire, elles sont réprimées par le Code de justice militaire (6 mois à 5 ans d'emprisonnement et, éventuellement, destitution ou perte du grade).

Hymnes nationaux

■ **Ancien Régime.** Les airs officiels étaient des hymnes religieuses, choisies selon les circonstances. Ainsi, pour le départ de la flotte des Croisés à Aigues-Mortes en 1248, l'hymne chantée a été le *Veni Creator.* Il était coutumier au cours d'une cérémonie publique (qui était toujours religieuse) de chanter le motet *Domine Salvum Fac Regem* à l'arrivée du roi. En 1686, lorsque Louis XIV vint inaugurer la maison d'éducation de Saint-Cyr, Mme de Maintenon fit chanter à ses élèves une adaptation française de ce répons, *Dieu protège le Roi* (musique de Lully). Cette hymne serait devenue, en sept. 1745, le *God Save the King* britannique [introduit par Mme de Maintenon à la cour des Stuart à St-Germain-en-Laye, il aurait été chanté par les partisans de Jacques III Stuart, débarqué en G.-B. en août 1745, et adopté par leurs adversaires hanovriens. Le 19-7-1819, 3 dames de St-Cyr (Mmes Thibault de La Noraye, de Moutiers et de Palagny) ont attesté devant le maire de St-Cyr (qui a légalisé les signatures) que le motet était dans la tradition de St-Cyr (document publié en 1900). Au musée de Versailles, une horloge de la 1re moitié du XVIIIe s. donne en carillon l'air du *God Save the King*].

■ **Ire République.** Le décret de la Convention du 26 messidor an III (14-7-1795) dispose que les airs et chants civiques (dont *la Marseillaise*), qui ont contribué au succès de la Révolution, seront exécutés par les corps de musique des gardes nationales et les troupes de ligne. Le comité militaire est chargé de les faire exécuter chaque jour par la garde montant du Palais national. En conséquence, il y a lieu de se conformer à cette loi dans toutes les circonstances où les musiques militaires sont appelées à jouer un air officiel (voir encadré ci-dessous).

■ **Ier Empire.** Napoléon n'avait pas d'hymne national. Il faisait chanter par son clergé le répons *Domine Salvum Fac Imperatorem.* L'hymne *Veillons au Salut de l'Empire* [utilisant sur une musique de Nicolas Dalayrac (1753-1809) la romance *Vous qui d'amoureuse aventure,* tirée de l'opéra-comique *Renaud d'Ast* (1787)] était souvent joué par ses musiques militaires, mais il n'était jamais chanté, les paroles étant « libertaires » (le mot *Empire,* figurant dans le titre, signifiait « État » et était couramment utilisé pour désigner le royaume de France dep. Louis XVI). L'auteur de ces paroles était le journaliste girondin Joseph-Marie Girey-Dupré (1769-93, guillotiné), qui les composa en prison et les chanta en montant à l'échafaud. Il avait eu comme collaborateur l'adjudant-général Bois-Guyon, guillotiné quelques jours après lui

La Marseillaise

Origine. Claude-Joseph Rouget de Lisle (10-5-1760/26-6-1836), capitaine du génie en garnison à Strasbourg, compose cet air (qui lui avait été demandé chez le maire le soir du 24-4-1792) dans la nuit du 24 au 25. Le 25 à 10 h du matin il le joue au clavecin chez Dietrich, 4, cours de Broglie, devant 10 personnes l'appelant « Hymne de guerre dédié au maréchal de Luckner ». Le 29-4 l'hymne (dont Dietrich a commandé une orchestration très simple) est joué sur la place d'armes de Strasbourg par la Garde nationale. Le chant est imprimé et répandu dans toute la France. Le 22-6, un étudiant de Montpellier, François Mireur († 10-7-1798, général en Égypte), en ayant eu un exemplaire, le chante dans un banquet civique que la ville de Marseille offre à 500 volontaires partant pour Paris. Un musicien enthousiasmé, Vernade, le déclame devant la garde assemblée. Les Marseillais l'adoptent comme chanson de marche. Le 30-7-1792, les fédérés marseillais entrent à Paris aux accents du *Chant de guerre pour l'armée du Rhin,* rebaptisé par les Parisiens *la Marseillaise.*

Contestations. On a dit que la mélodie était d'*Ignaz Pleyel* (1757-1831 ; ami de Rouget de Lisle, compositeur autrichien, 10 ans maître de chapelle à la cathédrale de Strasbourg, il l'aurait composée au château des comtes d'Andlau d'Ittenwiller près de Bar, Bas-Rhin) ou de Jean Frédéric Edelmann (musicien à Strasbourg). En 1886, Arthur Loth l'attribua à *Jean-Baptiste Grisons* (Lens 1746/16-6-1815) chef de la maîtrise de la cathédr. de St-Omer (la marche d'Assuérus de son oratorio *Esther,* composé en 1787, aurait la même mélodie) mais Grisons ne l'a jamais revendiquée. D'autres ont parlé d'*Alexandre Boucher,* surnommé l'Alexandre des violons (il l'aurait écrite en 1792, à la demande d'un colonel qui devait se rendre le lendemain à Marseille et voulait une marche pour la musique de son régiment). Enfin, on a constaté des similitudes avec le concerto pour clavecin et orchestre en *mi* bémol majeur de *Carl Philipp Emanuel Bach* (1714-88), fils de J.-S. Bach, avec un thème du 1er mouvement allegro maestoso du concerto pour piano et orchestre en *fa* majeur de 1786 de *Mozart* (1756-91) ou une musique d'Alayrac accompagnant une comédie de Jacques Boutet de Monvel (jouée 31-10-1789 à Versailles). Le 7e *couplet,* attribué successivement au poète Lebrun (1764-1811), à Louis Dubois (1793-1859), à Marie-Joseph Chénier (1729-1807) et à d'autres, semble être de l'abbé *Antoine-Dorothée Pessonneaux* († 1835) qui l'aurait composé pour la fête organisée à Vienne (Isère) le 14-7-1792 en l'honneur des Marseillais se rendant à Paris.

Évolution. En 1795, Étienne Méhul (1763-1817), chargé d'arranger pour plusieurs voix la musique, introduit des changements qui ont subsisté. En 1887, elle est transformée en marche militaire par une commission musicale nommée par le général Boulanger et présidée par Ambroise Thomas (1811-96). Le 11-11-1974, par ordre du Pt Giscard d'Estaing, elle est réarrangée d'après les partitions anciennes et réharmonisée avec un rythme différent [en particulier, la 2e note *(sol dièse)* de la version Ambroise Thomas est changée en *mi*]. En 1981, on revient au rythme précédent.

Texte

1er couplet

Allons enfants de la patrie,
Le jour de gloire est arrivé !
Contre nous de la tyrannie
L'étendard sanglant est levé ! (bis)
Entendez-vous dans les campagnes,
Mugir ces féroces soldats ?
Ils viennent jusque dans nos bras
Égorger nos fils, nos compagnes !

Refrain

Aux armes, citoyens !
Formez vos bataillons !
Marchons ! Marchons ! [1]
Qu'un sang impur
Abreuve nos sillons !

6e couplet

Amour sacré de la patrie,
Conduis, soutiens nos bras vengeurs !
Liberté, Liberté chérie,
Combats avec tes défenseurs ! (bis)
Sous nos drapeaux, que la victoire
Accoure à tes mâles accents !
Que tes ennemis expirants
Voient ton triomphe et notre gloire !

7e couplet

Nous entrerons dans la carrière
Quand nos aînés n'y seront plus ;
Nous y trouverons leur poussière
Et la trace de leurs vertus. (bis)
Bien moins jaloux de leur survivre
Que de partager leur cercueil,
Nous aurons le sublime orgueil
De les venger ou de les suivre !

Couplets inusités aujourd'hui

2e couplet

Que veut cette horde d'esclaves,
De traîtres, de rois conjurés ?
Pour qui ces ignobles entraves,
Ces fers dès longtemps préparés ? (bis)
Français ! pour nous, ah ! quel outrage !
Quels transports il doit exciter !
C'est nous qu'on ose méditer
De rendre à l'antique esclavage !

3e couplet

Quoi ! ces cohortes étrangères
Feraient la loi dans nos foyers !
Quoi ! ces phalanges mercenaires
Terrasseraient nos fiers guerriers ! (bis)
Grand Dieu ! par des mains enchaînées
Nos fronts sous le joug se ploiraient !
De vils despotes deviendraient
Les maîtres de nos destinées !

4e couplet

Tremblez, tyrans ! et vous, perfides,
L'opprobre de tous les partis,
Tremblez ! vos projets parricides
Vont enfin recevoir leur prix ! (bis)
Tout est soldat pour vous combattre.
S'ils tombent, nos jeunes héros,
La France en produit de nouveaux,
Contre vous tout prêts à se battre !

5e couplet

Français, en guerriers magnanimes,
Portez ou retenez vos coups !
Épargnez ces tristes victimes,
A regret s'armant contre nous. (bis)
Mais ces despotes sanguinaires,
Mais ces complices de Bouillé,
Tous ces tigres qui, sans pitié,
Déchirent le sein de leur mère !...

Couplet supprimé par Servan, min. de la Guerre

Dieu de clémence et de justice
Vois nos tyrans, juge nos cœurs.
Que ta bonté nous soit propice,
Défends-nous de ces oppresseurs...
Tu règnes au ciel et sur terre
Et devant Toi, tout doit fléchir,
De ton bras, viens nous soutenir.
Toi, grand Dieu, maître du tonnerre...

Nota. – (1) Sur l'original : Marchez ! Marchez !

[souvent confondu avec le médecin jacobin Adrien-Simon Boy (1764-95), organisateur de la Terreur à Strasbourg en 1793-94].

■ **Restauration.** 2 airs quasi officiels. **1°) Hors de la présence royale,** *Vive Henri IV* : air populaire du XVIe s., repris en 1774 par Charles Collé (1709-83) dans la comédie *la Partie de chasse d'Henri IV ;* harmonisé en 1826 (op.-comique, même titre) par François-Henri Castil Blaze (1784-1857). On évitait de jouer cet air devant les personnes royales, à cause de son refrain d'un ton trop libre : *J'aimons les filles et j'aimons le bon vin.* **2°) Pour accueillir le roi ou des membres de la famille royale,** quand ils faisaient leur entrée dans une cérémonie publique, *Où peut-on être mieux qu'au sein de sa famille ?* [paroles de Jean-François Marmontel (1723-99), musique d'André Grétry (1741-1813)], tiré de la comédie musicale *Lucile* (1769). L'air fut exécuté pour la dernière fois au cours d'une cérémonie officielle le 15-4-1915 à La Panne (Belgique) lors de l'incorporation dans l'armée belge du prince Léopold, futur Léopold III (Grétry était belge, né à Liège). C'est le seul exemple attesté de l'exécution d'un hymne royaliste devant des autorités républicaines françaises.

■ **Louis-Philippe.** *La Parisienne* (1830), paroles de Casimir Delavigne (1793-1843), musique d'Esprit Auber (1782-1871) (« chant national »).

■ **IIe République.** *Le Chant des Girondins* (1847), extrait du drame *le Chevalier de Maison-Rouge* (1847), d'Alexandre Dumas et Auguste Maquet, musique d'Alphonse Varney (1811-79). Les 2 vers du refrain : *Mourir pour la patrie, C'est le sort le plus beau, le plus digne d'envie...* ont été empruntés à *Roland à Roncevaux,* chant composé à Strasbourg en 1792 par Rouget de Lisle.

■ **IIe Empire.** *Partant pour la Syrie* (chant officiel). Composé en 1809 par la reine Hortense, mère de Napoléon III, paroles du Cte Alexandre de Laborde (1774-1842) (signe de ralliement des bonapartistes dep. 1815).

■ **IIIe République.** *La Marseillaise.* Le 24-2-1879 une circulaire du Gal Gresley, min. de la Guerre, rappelle que le décret-loi du 26 messidor an III (14-7-1795), inséré au Bulletin des lois, n'a jamais été rapporté, or il porte que le morceau de musique intitulé *Hymne des Marseillais* sera exécuté par les musiques militaires. En conséquence, il y a lieu de se conformer à cette loi dans toutes les circonstances où les musiques militaires sont appelées à jouer un air officiel.

■ **État français.** Hymne national : *La Marseillaise,* presque toujours suivie d'un hymne officieux, *Maréchal, nous voilà* [paroles d'André Montagard (1888-1963), musique de Montagard et Courtioux], créé officiellement en 1940, mais les auteurs avaient réutilisé une chanson intitulée *Voilà le Tour qui passe* dont les 2 premiers vers du refrain étaient : « Attention, les voilà ! les coureurs, les géants de la route. »

■ **Gouvernement de la France libre.** Hymne national : *La Marseillaise.* Officieux : *Le Chant des Partisans* [idée d'Emmanuel d'Astier de La Vigerie, auteur d'une *Complainte du Partisan ;* paroles écrites en 1943 à Londres par Joseph Kessel (1898-1979) et son neveu Maurice Druon (n. 1918), musique d'Anna Betoulinsky, dite Anna Marly (reprise d'un chant yougoslave composé en 1914 par Gratchinovitch)].

■ **IVe et Ve République.** *La Marseillaise* (art. 2 de la Constitution du 4-10-1958).

Fête nationale

Le 6-7-1880, sur proposition de Benjamin Raspail, la date du 14 juillet fut adoptée comme fête annuelle nationale pour commémorer la prise de la Bastille (14-7-1789) et la fête de la Fédération (14-7-1790), qui avaient été le 1er anniversaire en étant une manifestation de la réconciliation nationale.

Du 14-7-1880 à 1914, un défilé se déroule à Longchamp. Le 1er défilé du 14-7 sur les Champs-Élysées aura lieu le 14-7-1915 à l'occasion du transfert aux Invalides des cendres de Rouget de Lisle. Le plus long fut celui de la victoire le 14-7-1919 (plus de 6 heures).

Le 14 Juillet avant la IIIe Rép. : 1790 discours du maire de Paris devant la Convention. *1796-99* remplacé par l'anniversaire du 9 thermidor (27-7). *1800* festivités et feu d'artifice sur le pont de la Révolution (Concorde). *1801* festivités (coïncidant avec la conclusion du Concordat, signé le 15). *1831* Eugène Planiol, Pt de la Sté des Amis de l'Égalité, organise des fêtes nationales (avec plantations d'arbres de la Liberté) ; remplacées par l'anniversaire du 27-7 (rév. de 1830). *1848* choisi comme Fête des Travailleurs (banquets à 50 centimes par tête dans tout Paris) ; annulé à cause des émeutes de juin.

Histoire des Institutions avant 1958

☞ Pour en savoir plus, demandez le Quid des Présidents de la République (et des candidats). Chez tous les libraires (éd. Robert Laffont).

Période gauloise

Formation tribale. Héritée des Indo-Européens (env. 2000 av. J.-C.). Une aristocratie militaire (utilisant le cheval de combat) habite un tertre fortifié ; elle fait cultiver les plaines avoisinantes par des serfs [étrangers dont on a conquis le pays, mais que l'on n'a pas exterminés (*servus* = épargné)].

Installation en Gaule. A partir de l'an 1000. **2 types de hauteurs fortifiées.** *1°) Celles qu'avaient occupées les Ligures,* habitants antérieurs de l'Hexagone : *briga,* peut-être enlevées de force et repeuplées, peut-être alliées et assimilées ; nom des habitants devenu prénom : *Brixius,* « Brix » ou « Brice ». *2°) Celles qu'ont construites les Celtes : durum* (c'est-à-dire « porte » ; germanique *thür*) ; nom des habitants devenu patronyme : Duran ou Durand. **2 types de villages serviles.** *1°) Commerçants : dunum* (angl. *town*) ; nom des habitants devenu patronyme : Dunan. *2°) Agricoles : magos ;* nom des habitants devenu patronyme : Magan ou Mayen.

Structure politique des tribus

■ **Roi (rix).** Élu dans certaines familles aristocratiques ; c'est un chef militaire. En cas de conflit, il commande les cavaliers d'une tribu, qui porte un nom totémique : *Eburovici,* les gens de l'if ; *Epomandui,* les guerriers du cheval, etc. Chaque sous-tribu peut avoir son « petit roi », *regulus.* Une tribu a généralement 4 sous-tribus. En temps de guerre, les sous-tribus se regroupent autour de la tribu principale. Ainsi, en 52 av. J.-C., les Arvernes (roi : Vercingétorix) regroupent les Cadurques (Cahors), les Gabales (Gévaudan), les Vellaves (Velay).

■ **Aristocratie.** Les lignées nobles non royales et les branches cadettes des lignées royales habitent des collines fortifiées et s'entourent de « clients » (c.-à-d. de protégés, débiteurs ou anciens serfs), qui leur sont unis par des liens de vassalité personnelle (origine de la féodalité). Les nobles font travailler leurs serfs dans des unités territoriales équivalant au canton actuel. En cas de surpeuplement, on défriche une zone forestière. Village de défricheurs : *iolos* (nom des habitants devenu prénom : Yolande). Les nobles n'obéissent pas au roi en temps de paix et l'institution royale tend à disparaître : au temps de César, il n'y avait qu'un seul statut, un roi tribal chez les Sénons (Sens) et un seul regulus sous-tribal chez les Nitiobriges (Agen).

■ **Druides.** Aristocrates détachés des *durum* et vivant dans les *dunum, magos* et *iolos,* ils sont à la fois prêtres (culte des dieux naturels ; liturgie du gui toujours vert et symbole de l'immortalité de l'âme) ; éducateurs (mainteneurs des poèmes héroïques récités de mémoire) et juges (ils prononcent la peine capitale : les exécutions sont rituelles et varient selon la nature du crime ; par ex., certains criminels voués au dieu Esus sont pendus à un arbre et saignés à mort).

■ **Vie familiale.** La famille comprend tous ceux qui vivent dans la maison du père. Le père a droit de vie et de mort sur ses enfants et sa femme. La femme est respectée, ne serait-ce qu'en raison de la dot (argent, troupeau, meubles) qu'elle apporte.

■ **Conseils tribaux.** Les druides de chaque tribu se rencontraient régulièrement, sans doute aux fêtes religieuses.

Grandes assemblées nationales : les Celtes ont gardé le souvenir de l'« empire celtique » dep. le IVe s. av. J.-C. (ils occupaient presque toute l'Europe et une partie du monde méditerranéen). Chaque année, en dépit de leur morcellement politique, ils se réunissent au « nombril » (en grec *omphalos*) de chacune de leurs grandes unités nationales : Gaule, Espagne, Bretagne, Pannonie, Asie, etc. Pour la Gaule, le nombril était chez les Carnutes [vraisemblablement à Sodobriga (Suèvres, L.-et-Ch.)]. Les réunions étaient plus cultuelles que politiques, les participants étant en majorité des druides. Néanmoins, leur président jouait un rôle politique : il était considéré comme un empereur des Celtes (sans doute un noble de lignée royale, constamment réélu) ; c'était lui qui accréditait les ambassadeurs gaulois envoyés à Rome, en Grèce et dans les royaumes d'Orient. Tite-Live désigne comme « empereur des Celtes » un Biturige nommé Ambicatus.

■ **Ralliement des Gaulois à Rome.** De 56 à 51 av. J.-C., César soumit la Gaule avec des troupes en majorité gauloises (depuis 70 ans, le S.-E. de la Gaule romanisé fournissait des légionnaires romains). Vercingétorix, son adversaire de 52 à 51, échoua dans sa tentative de royaume gaulois centralisé, qui allait trop contre les habitudes ancestrales. César, au contraire, resta dans la tradition gauloise : ses légionnaires permanents, qui avaient la promesse d'un établissement en terre (avec des esclaves), groupés dans une cité à eux, retrouvaient les privilèges de la caste militaire tribale. De plus, l'organisation impériale romaine faisait espérer le regroupement des nations celtiques sous un empereur commun (ce sont les Gaulois continentaux qui ont conduit César en G.-B.).

Période gallo-romaine

■ **La Civitas.** La Gaule devenue romaine a gardé ses structures sociales et politiques : les tribus sont devenues des cités *(civitates),* beaucoup n'ont pas changé de nom : Ambiani : Amiens ; Petrocorii : Périgueux ; Sagii : Sées, etc.

Colonies : cités créées pour les immigrants, elles diffèrent peu des cités gauloises. Beaucoup de vétérans sont Gaulois ; les autres sont des Indo-Européens ayant les mêmes traditions ancestrales : Germains, Daces, Sarmates, Illyriens, etc. Il s'agit parfois d'une bourgade gauloise urbanisée ; parfois d'une ville neuve, entourée de *iolos* nouvellement défrichés, dans la tradition des nombreux *noviodunum.* Il y eut env. 100 000 émigrants en Gaule au cours des 4 siècles d'occupation romaine.

Organisation municipale : calquée sur celle de Rome et très proche de celle des cités gauloises (tradition étrusco-italiote, indo-européenne). Une aristocratie terrienne, propriétaire des exploitations agricoles du territoire, possède des résidences en ville et y compose le *Sénat* (d'où le titre de *senior,* « sénateur », qui donnera *seigneur,* « propriétaire terrien »).

Vie politique : comme à Rome, l'assemblée générale du Sénat devient une cérémonie cultuelle et culturelle : célébration des dieux locaux et impériaux (Rome, empereurs divinisés, Jupiter Capitolin). Réunions de travail réservées aux *décurions* (du mot *decem,* « dix » ; c'est-à-dire 1 sénateur sur 10, en principe) qui désignent des magistrats municipaux, ayant chacun leur spécialité (spectacles, ravitaillement, fisc, constructions, etc.). Les questions politiques sont en majorité d'intérêt local : vie culturelle du centre urbain, commercialisation des produits agricoles. A partir du IVe s., les grandes familles redoutent les coûteuses charges municipales, mais les fonctionnaires romains les leur imposent sous peine de sanctions.

Urbanisation : les villes d'un type uniforme (théâtres, temples, forums, etc.) ne sont plus dans la tradition celtique et indo-européenne. Bâties en pierre, remontent à la civilisation crétoise-minoenne, adoptée par les Grecs, puis copiée par Romains. En 210 apr. J.-C., on ne distingue plus entre colonies et cités.

Relations entre villes : les villes sont réunies par des routes ; les cités sont groupées en provinces dont la capitale porte le nom de *métropole. A partir de 13 av. J.-C.* (Auguste), 4 provinces : Narbonnaise (Narbonne ; gouverneur : un proconsul) ; Lugdunaise (Lyon) ; Aquitaine (Saintes, puis Bordeaux) ; Belgique (Reims). Gouverneurs : des légats. *A partir de 300 env. apr. J.-C.* (Dioclétien), 17 provinces avec des gouverneurs militaires (les *duces*) et civils (les *praesides*) : Narbonnaise 1re (Narbonne), N. Seconde (Aix), Viennoise (Vienne), Alpes-Maritimes (Nice), Alpes Grées (Moutiers), Novempopulanie (Eauze), Aquitaine 1re (Bourges), A. Seconde (Bordeaux), Lugdunaise 1re (Lyon), L. Seconde (Sens), L. 3e (Tours), L. 4e (Rouen), Belgique 1re (Trèves), B. Seconde (Reims), Germanie 1re (Mayence), G. Seconde (Cologne), Séquanaise (Besançon). Dans chaque métropole, la *basilique* est réservée aux cérémonies officielles ; les services administratifs sont à la *curie.*

■ **Christianisme romain.** Après Théodose le Grand (379-95), la hiérarchie administrative disparaît. Les métropoles deviennent politiquement des villes comme les autres : il n'y a plus ni *dux,* ni *praesides.* La Gaule retourne au régime des cités celtiques, quasi indépendantes les unes des autres. Dans ces villes christianisées, les conseils locaux sont des conseils de *prêtres* (*presbyteros,* « prêtre », traduction grecque de *senior*) entourant le magistrat principal, *l'évêque* (qui prend souvent le titre de *Defensor civitatis*). L'évêque (*episcopos,* c'est-à-dire inspecteur) est à la fois chef spirituel du centre urbain et responsable civil du territoire : il nomme dans les villes secondaires des *vicaires forains.* Seule la vie religieuse conserve l'organisation en provinces, avec un gouvernement central ; le pape de Rome nomme dans chaque métropole un *archevêque* qui a autorité sur les évêques des cités et qui les réunit en *conciles provinciaux.*

Période germanique

Francs

Rois francs. Chez les Francs (peuplade germanique « occidentale », c'est-à-dire habitant une zone forestière), le roi est élu par un groupe de *leudes* (guerriers nobles) ; il est le fils aîné du roi défunt. L'expression « hisser sur le pavois », pour décrire la cérémonie d'intronisation d'un roi franc (porté sur un bouclier par 4 leudes), est fautive puisque le *pavois,* bouclier des mercenaires originaires de *Pavie,* date du XVe s.

Noblesse franque. Elle ne monte pas à cheval et ne possède pas de serfs. Elle constitue une armée professionnelle, aux ordres directs du roi. Peu formée à l'agriculture, elle a le goût de la chasse. Les récompenses que le roi lui accorde pour services de guerre consistent surtout en terrains de chasse.

Religion des Francs. A leur arrivée en Gaule romaine (migration pacifique au cours du IVe s., comme auxiliaires des Romains), ils sont païens. Après le baptême de Clovis (486 ou 496 ou 504), ils deviennent catholiques et introduisent dans leur *« loi salique »* des articles protégeant l'Église. Les leudes catholiques fournissent aux chefs religieux des auxiliaires militaires et civils, les comtes et vicomtes.

Nota. – Le *comte* (du latin *comes,* « compagnon ») était primitivement le chef d'escorte d'un évêque (*comita,* « l'escorte ») dans une capitale de cité ; les *vicomtes,* des chefs d'escorte de « vicaires forains » dans des chefs-lieux de *pagus.*

Immunités franques. *Entre 450 et 500 :* les rois francs Childéric Ier et Clovis Ier s'attribuent à titre personnel les domaines appartenant directement à l'ancien Empire romain et appelés « domaines du fisc ». Ces propriétés royales ont le privilège de l'immunité (comtes et vicomtes qui administrent les territoires des cités et des *pagus* ne peuvent y pénétrer). *Après 500 :* les rois francs accordent l'immunité à des seigneurs particuliers qui échappent à leur tour au contrôle des comtes et vicomtes. Sont immunisés : les évêques dans les domaines ecclésiastiques, les abbés dans les dom. monastiques, les plus puissants des leudes francs qui ont acquis des biens privés par mariage avec l'héritière de *villas* gallo-romaines, par usurpation d'un bien foncier gallo-romain, ou par défriche d'une terre nouvelle. A côté des comtes, qui administrent les territoires au nom du roi, se développe une classe d'immunistes qui deviendront les grands « feudataires » ou « seigneurs féodaux » (de l'allemand *feod,* « champ » = domaine ; français *fief*).

Cour des rois. Elle est formée de plusieurs centaines de personnes, chargées des services domestiques du roi ou des services publics. Les *palatins* (« seigneurs résidant au palais ») ou *optimates* [« aristocrates » (ancien titre romain, donné aux généraux et ambassadeurs)] portent une ceinture d'or. Autres officiers : *majordome* [« gérant de la maison (royale) » : sera plus tard « maire du palais » (jouant un rôle politique)], *échanson* [« celui qui verse » (francique *skankjo ;* allem. *schenken*) : primitivement serviteur qui sert à boire, puis officier chargé de l'approvisionnement en vin], *sénéchal* [« doyen des officiers » (du gothique *sinista,* « aîné »)], *maréchal* [« responsable des chevaux » (du francique *marah,* « chevaux »)], *référendaire* [le futur « chancelier », chargé de ce qui doit être rapporté (latin *referre,* « rapporter »)], *camérier* [chargé d'installer le trésor dans les appartements privés (du latin *camera,* « chambre »)]. Le *comte du palais* rendait la justice.

La Cour vivait dans une villa royale (demeure campagnarde construite en bois ; par ex. : Berry-Rivière, à l'ouest de Soissons), de préférence près d'un terrain de chasse. Elle se déplaçait sur des chars à bœufs, quand les provisions étaient épuisées. Mais il y avait toujours une ville capitale, titre peut-être honorifique : Paris (VIIe s.), Soissons, Orléans, Chalon-sur-Saône, Reims, Metz.

Autres peuplades germaniques

Monarchie burgonde. Caractérisée par son désir d'imiter l'Empire romain. Fondée aux Ve-VIe s., en Suisse romande, puis dans le bassin du Rhône, elle deviendra un royaume franc descendant jusqu'à la Durance, que les empereurs germaniques revendiqueront du XIIe au XVIIe s., mais dont les comtes de Provence exerceront les droits régaliens.

Monarchies wisigothique et ostrogothique. Germains orientaux, venus des plaines du S.-E. européen ; cavaliers, divisés en seigneurs et serfs, ayant gardé la structure sociale des Indo-Européens (proches des anciens Celtes). Les rois sont ariens, puis catholiques. La noblesse, puissante et solidement implantée en Espagne et en Septimanie (futur marquisat de Gothie), demeure arienne et se rallie aux musulmans après 720.

Nota. – Francs (Saliques et Ripuaires), Burgondes (sujets du roi Gondebaud, auteur de la loi « Gombette ») et Wisigoths ont eu du VIe au IXe s. un système juridique spécial : ils étaient jugés devant les tribunaux gallo-romains, selon les lois coutumières de leur peuplade.

Période carolingienne

Renaissance impériale. Charlemagne et son fils, Louis le Pieux, qui reçoivent des mains du pape la couronne impériale, tentent de reconstituer l'empire romain d'Occident, sur le modèle de l'empire de Byzance, c'est-à-dire avec une cour, une administration et une alliance étroite avec l'Église. Dans chaque cité, l'évêque et le comte collaborent et se surveillent. Ils sont contrôlés dans les territoires frontières *(marches)* par un *marquis* qui a l'autorité sur les comtes de la province et, sur les autres territoires, par des envoyés, les *missi dominici* (de la *cour* d'Aix-la-Chapelle).

Prévôts du domaine. Les propriétés personnelles de l'empereur sont administrées par des prévôts *(praepositi).* Tous les immunistes ont également leurs prévôts, chargés de faire rentrer les revenus (presque entièrement agricoles).

Naissance des grandes dynasties féodales. Les comtes des plus grandes cités et les marquis de certaines provinces commencent, sous les Carolingiens, à créer des dynasties locales, en principe sujettes de l'empereur (jusqu'à 843) puis du roi (après 843), mais en fait trop puissantes pour leur obéir. Tels sont : les comtes d'Autun (qui dominent la Bourgogne, futur duché), de Flandre, de Vermandois, de Roumois, d'Anjou, de Poitou, de Toulouse, le marquis de Bretagne. *Au traité de Verdun (843),* la France occidentale est séparée du reste de l'Empire carolingien. Soumise en principe à la suzeraineté des empereurs, elle s'affirmera indépendante dès la fin du IXe s. : « Le roi de France est empereur en son royaume. »

Royauté sacramentelle

Sacre et serment. Jusqu'en 1165, on disait le sacrement d'un roi ; l'onction sacramentelle lui était conférée après qu'il avait fait un ou plusieurs serments (en latin *sacramentum*) ; elle faisait du roi une personne consacrée, appartenant à l'Église et jouant un rôle religieux dans les nations catholiques. C'est de cette façon qu'on explique aujourd'hui la « *loi salique* », c.-à-d. l'exclusion des femmes du trône de France : elles ne pouvaient être rois parce qu'elles ne pouvaient être prêtres.

Onction biblique. Les 1ers sacres royaux ont été ceux des rois hébraïques : Saül, David et Salomon, tels qu'ils sont narrés dans la Bible (1er livre de Samuel). Le roi, devenant l'oint du Seigneur, est inviolable et saint. En contrepartie, il est le serviteur de l'Éternel, son Dieu. L'institution du sacre des rois francs du VIIIe s. (Pépin le Bref 751, puis 754) est une copie de l'onction sainte des rois bibliques.

Rois de France sacrés. 12 Carolingiens (de 751 à 979 avec, en 922, un non-Carolingien, Robert, comte de Paris, ancêtre des Capétiens) ; puis 33 rois capétiens (avec en 1804 un non-Capétien, Napoléon Ier Bonaparte). [Le sacre a été aussi donné par l'Église catholique aux empereurs d'Allemagne, aux rois d'Angleterre, d'Espagne, du Portugal, de Pologne, du Danemark ; les emp. de Russie ont réclamé l'onction (du patriarche de Moscou) à partir du XVIIIe s.]

Caractère ecclésiastique de la royauté française. L'onction reçue par les rois (et les empereurs) le jour de leur sacre leur donnait dans la hiérarchie ecclésiastique un rang spécial qui était assimilé tantôt à celui d'un diacre, tantôt à celui d'un sous-diacre, tantôt à celui d'un chanoine. L'empereur d'Allemagne était, dès son sacre, chanoine de la basilique de Latran et de la collégiale d'Aix. Le roi de France était 1er chanoine de Lyon, chanoine d'Embrun, du Mans, de Montpellier, St-Pol-de-Léon, Lodève, etc. Dans toutes ces cathédrales, il participait au chœur en surplis et en camail.

Lors des couronnements impériaux à Rome, l'empereur devait lire l'évangile (fonction de diacre) ; l'épître (fonction de sous-diacre) devait être lue par le roi de Sicile ou, à défaut, par le roi de France.

Symboles religieux du sacre. **Ornements royaux. Grande couronne impériale :** utilisée pour la 1re fois par le pape Léon III pour sacrer Charlemagne (or, rubis, saphir, émeraude). **Épée du sacre** (remise à Louis le Débonnaire par le pape Serge II en 844, mais appelée couramment épée de Charlemagne, et officiellement épée de St-Pierre ou *Joyeuse,* c.-à-d. de fête) : bénie dans son fourreau puis placée nue sur l'autel, le roi la brandit, puis la remet au connétable chargé de la porter ; symbolise la puissance militaire du défenseur de l'Église (le pape se réservant le glaive spirituel). **Sceptre** (bâton d'or de 6 pieds de haut, terminé par une fleur de lys) : emblème de commandement. **Main de justice :** bâton d'or plein d'une coudée de haut, avec une main d'ivoire aux doigts levés ; symbolise la bénédiction, c.-à-d. l'absolution des fautes (correspond au serment de justice miséricordieuse). **Éperons d'or** (dits de Charlemagne) : symbolisent l'autorité sur tout le royaume (le roi se déplace rapidement d'un fief à l'autre) ; c'est un des grands vassaux (le duc de Bourgogne) qui est chargé de les attacher. **Agrafe :** ornée d'une fleur de lys, maintient le manteau royal. **Anneau :** passé à la main gauche, symbolise le mariage du roi et de son royaume (comme pour un évêque et son diocèse).

Vêtements blancs (couleur du baptême et des ordinations), puis le violet (couleur des deuils à la cour) s'impose, la plupart des sacres se faisant pendant le deuil du roi précédent. **Chemise spéciale :** avec des fentes bordées d'or pour permettre de recevoir les onctions. **Tunique, dalmatique et manteau :** symboles des 3 ordres (sous-diacre, diacre, sacerdoce). **Gants de soie :** on les mettait aux mains du roi après l'onction ; ils étaient imprégnés d'huile sainte et brûlés après la cérémonie.

Gestes. **Baiser :** signe d'alliance contractée. **Onction** (geste imité de Samuel versant de l'huile sur la tête de Saül) : faite avec le baume de la **Sainte Ampoule** qui, selon la légende, aurait été apportée du Ciel par une colombe lors du baptême de Clovis (1re attestation : sacre de Charles le Chauve par Hincmar). Solidifié, le baume était extrait de l'ampoule avec une épingle d'or et mélangé au chrême des consécrations épiscopales. C'est cette huile miraculeuse qui servit au sacre des rois de France de 496 à 1825 (exception : Henri IV, sacré à Chartres 27-2-1594 avec l'huile de « l'ampoule de Marmoutiers », qui servait à oindre les ducs d'Aquitaine). Le 16 vendémiaire de l'an II (7-10-1793), le conventionnel montagnard Philippe-Jacques Ruhl (suicidé le 20-5-1795), ancien pasteur luthérien, détruisit l'ampoule à coups de marteau sur les degrés de la statue de Louis XV à Reims. Il prétendit ensuite n'avoir détruit qu'une copie. Le curé de St-Remi de Reims, l'abbé Seraine, recueillit quelques parcelles du baume de l'ampoule détruite. Celles-ci, remélangées à du chrême, servirent au sacre de Charles X le 29-5-1825 et sont depuis conservées dans une nouvelle ampoule ornée de pierreries et conservée à Reims. **Lâcher d'oiseaux :** à l'issue de la cérémonie (une fois que le roi s'est assis sur son trône), des oiseaux sont lâchés du haut du jubé à l'intérieur de la cathédrale ; ils symbolisent la délivrance des prisonniers (amnistie traditionnelle pour les peines dites non irrémissibles).

Lieu du sacre. A *Reims.* La tradition veut que le lieu fût choisi à cause du baptême de Clovis (v. 496). En réalité, il s'agit d'une tradition carolingienne. L'archevêque Hincmar de Reims a joué un rôle prépondérant dans le remplacement des rois mérovingiens par Pépin le Bref (752). La bulle pontificale désignant Reims comme lieu des sacres est de 1509. Sur 64 rois de France, seuls 16 ont été sacrés hors de Reims, notamment à Soissons, Compiègne, Metz (Carolingiens) et à Chartres (Henri IV, Reims étant alors aux mains de la Ligue).

Signification du sacre. Jusqu'en 1430 (sacre de Charles VII à Reims, sous la protection de Jeanne d'Arc), le sacre signifiait que le roi élu (même avec élection symbolique) était agréé par l'Église. Après 1430, la conception a changé : le roi sacré doit être accepté comme roi, en vertu de son sacre même.

Toucher des écrouelles. Il a été admis pendant 8 siècles, du règne de Philippe Ier (1060-1108) à celui de Charles X (1824-30), que le roi, en vertu de l'onction sacramentelle, possédait le pouvoir miraculeux de guérir les « écrouelles », c.-à-d. les tumeurs scrofuleuses (tuberculose des ganglions). Le lendemain de leur sacre, les rois de Fr. se faisaient donc présenter des scrofuleux, et les touchaient du doigt sous la mâchoire en prononçant la prière : « Le roi te touche, Dieu te guérisse ! » Le lendemain de son sacre, Louis XVI a touché 2 400 scrofuleux, Charles X 120 ou 130.

Les *rois d'Angleterre* ont adopté cet usage depuis Henri Ier « Beauclerc » (1100-35) jusqu'à la reine Anne (1702-14). Certains historiens estiment même qu'Henri Ier a été le premier *roi thaumaturge* (il avait de réels dons de guérisseur) et que Philippe Ier, puis Louis VI de France, ont touché les écrouelles par imitation de leur rival anglo-normand. St Louis remplaçait le toucher par une bénédiction en signe de croix, pour montrer que le miracle ne venait pas d'un charisme propre au roi de Fr., mais de la puissance du Christ. L'Église, qui se méfiait de l'exaltation du pouvoir religieux des rois, n'a jamais reconnu officiellement leur don de miracle. En revanche, les apologistes de la Couronne de France, notamment ceux qui soutenaient Philippe le Bel contre Boniface VIII, en ont souvent tiré parti.

Sacre des reines. Les reines ne reçoivent que 2 onctions (sur le chef et sur la poitrine) au lieu de 9. Elles participent à la royauté de leur mari, sans y accéder en personne. Il semble, néanmoins, que le *1er sacre d'une reine de France* (Bertrade, épouse de Pépin le Bref, 754) s'expliquait par la personnalité de la reine : descendante des Mérovingiens, elle recevait et transmettait à son époux, 1er roi carolingien, les droits de sa dynastie. Le sacre de la reine ne se faisait pas en même temps que celui du roi. L'archevêque de Reims lui remettait un anneau, un sceptre et une main de justice plus petite, au cours d'une cérémonie à laquelle le roi assistait d'une tribune.

FÉODALITÉ

Définition. Système de gouvernement et de répartition de la propriété, fondé sur un lien de fidélité personnelle : entre les différents chefs hiérarchiques et entre les différents possesseurs du sol sont créées des obligations (juridiques et morales) qui stabilisent la société. Durée en Europe occidentale : env. 9 siècles (VIIe-XVIe).

Origine. 1°) *comme système de répartition de la propriété* (IVe-Ve s.) : beaucoup de possesseurs des grands domaines gallo-romains *(latifundia)* ont conservé leurs biens familiaux après les invasions. Les guerriers germaniques sont devenus leurs voisins ou leurs gendres ; les dépossessions ont été exceptionnelles. 2°) *comme système de gouvernement : l'immunité* mérovingienne : chaque propriétaire exerce sur sa terre des droits gouvernementaux (justice, impôts, sécurité), quitte à payer certains droits à l'autorité centrale ou à fournir certaines prestations. 3°) *comme système de relation sociale :* le *patronat* romain et la *treu* germanique, issus de vieilles coutumes indo-européennes ; une caste de nobles (cavaliers, possesseurs des chevaux) dispose héréditairement des services d'une caste de travailleurs, non combattants.

Bénéfice. Au Bas-Empire et sous les premiers royaumes germaniques en Gaule, les patrons (appelés *seniores,* car membres des sénats locaux) cessent de payer en argent les services de leurs protégés (la monnaie s'étant raréfiée). Ils leur donnent à la place une terre (champs et maison), non en propriété, mais en *tenure* (VIe s. : 15 ans = tenure « précaire » ; VIIe s. : viagère de fait ; VIIIe s. : viagère de droit et héréditaire de fait ; Xe s. : héréditaire par obligation = les cultivateurs deviennent des *manants,* c.-à-d. des permanents de père en fils : ils sont « attachés à la glèbe »). Un tenant roturier n'a pas normalement à rendre le service militaire ; il doit la taille (redevance) et la corvée (travail non rétribué en dehors de la tenure).

Droit de « cuissage ». Jeu de mots sur *droit de « quitage »,* c.-à-d. *d'affranchissement.* Un serf qui mariait sa fille en dehors du domaine seigneurial devait payer 3 sous au seigneur. *Cérémonial :* le serf remet sa fille au seigneur, qui la tient par la main ; il paye alors les 3 sous, et le seigneur lui rend sa fille, qui est remise au marié. Le terme de *quitage* s'étant perdu, le reste n'a plus été compris. On trouve certains textes révélant peut-être des abus. Mais les allusions à un « droit de cuissage », en vertu duquel un seigneur pouvait déflorer toutes les mariées de son fief, ne remontent qu'au XVIIIe s. (Voltaire et, après lui, Beaumarchais). La légende a dû se former en Espagne, le droit de déflorer les vierges d'une tribu étant reconnu à certains caciques sud-américains.

Diversité des régimes. La base des obligations de chaque sujet envers la société féodale est le contrat individuel. La diversité des institutions locales est extrême ; par ex., les obligations de la corvée varient d'une paroisse à l'autre : en principe, il s'agit d'entretenir pour rien les chemins et les ouvrages d'utilité publique. Mais le nombre d'heures, de journées, d'hommes requis par famille, de distances à parcourir, de fourniture de chevaux, etc., dépend d'un contrat initial débattu d'homme à homme, puis sanctionné par une coutume.

Vassalité. Équivalent du système du bénéfice, mais toujours réservée aux nobles (on l'appelait *recommandation* jusqu'au XIe s.). Le *vassal* doit à son suzerain l'assistance (c.-à-d. surtout ses conseils en affaires), l'aide financière (dans quelques cas), le service militaire (fonction essentielle de la noblesse, « noble » se traduit en latin par *miles,* « soldat »). 3 modalités : *ost* (40 j de campagne par an) ; *chevauchée* (participation à des raids ponctuels exécutés en une journée) ; *garde* (au château seigneurial). Un seigneur important est un chevalier *banneret,* car il a une bannière, autour de laquelle manœuvrent les vassaux de son ost. Un vassal peut avoir des arrière-vassaux, nobles également, les *vavasseurs (vassi vassorum).* La mobilisation des roturiers vivant au service d'un noble s'appelle *l'arrière-ban ;* elle est exceptionnelle. Les serfs furent affranchis à différentes époques selon les domaines (sous Louis VI, Louis VII, Louis X le Hutin 3-7-1315).

Hiérarchie des fiefs nobles. Un fief implique à la fois *bénéfice* et *hommage :* un noble reçoit en « mouvance », des mains d'un seigneur suzerain, une portion de ses terres, avec la seigneurie sur les manants qui la cultivent ; il peut à son tour donner en « arrière-fief » la totalité ou une partie de ce bien. Symboliquement, le suzerain remet au vassal une motte de terre prise dans un des champs. *Fiefs non fonciers :* peuvent consister en redevances, ex. : péage sur un pont, droits banaux sur un four, un moulin, un champ de foire. *Bénéfices ecclésiastiques :* dîmes sur les récoltes des paroissiens (on les appelle de « mainmorte », car ils reviennent toujours au supérieur ecclésiastique à la mort du bénéficiaire).

Fiefs ecclésiastiques. L'Église possédait de nombreuses terres : biens fonciers des évêques et des curés de paroisse ; domaines agricoles des monastères. La plupart étaient laissées en *emphytéose* à leurs tenants (bail pratiquement perpétuel, avec de faibles redevances, mais avec de nombreuses corvées). Les domaines ecclésiastiques pouvaient être « nobles », s'ils avaient appartenu primitivement à des maisons seigneuriales. Les dignitaires ecclésiastiques avaient les mêmes obligations que les seigneurs (comme vassaux et comme suzerains). Ils ne commandaient pourtant pas leurs contingents armés, laissant cette fonction à des *vidames* héréditaires. *Exceptions :* certains évêques étaient comtes, c'est-à-dire chefs militaires ; par ex. à Rodez, Cahors, Laon.

Chevalerie. Forme chrétienne de la féodalité. L'Église s'efforça dep. le Xe s. de moraliser la féodalité, en donnant aux vassaux le sens de la loyauté envers leur seigneur ; aux suzerains, celui de la générosité et de la justice envers leurs vassaux. La *félonie,* rupture du lien personnel, fut considérée comme le pire péché pour un noble. La guerre féodale fut réglementée par des lois ecclésiastiques : *Trêve de Dieu* (1027), interdisant de se battre en Carême et en Avent ; *Paix de Dieu* (Bourgogne 989, généralisée 1027), interdisant de porter les armes contre les roturiers. La cérémonie de *l'armement du chevalier* comportait un serment (acte religieux) de loyauté envers le seigneur et de générosité envers les non-combattants.

MONARCHIE FÉODALE

■ **Domaine royal.** Les rois capétiens sont suzerains de tous les seigneurs du royaume et ils sont par ailleurs eux-mêmes seigneurs du « domaine royal », c'est-à-dire principalement des anciennes terres domaniales romaines acquises personnellement par les rois francs. La suzeraineté sur le royaume les aide à agrandir leur domaine seigneurial ; leur fortune domaniale leur permet de s'imposer comme suzerains aux autres familles.

Inaliénabilité du domaine : une fois acquise par un roi, une terre reste perpétuellement du domaine : quand elle est donnée en gage, pour dettes, les rois gardent un droit imprescriptible de rachat ; quand elle est donnée en *apanage* à un prince capétien, elle revient obligatoirement à la couronne après l'extinction de la famille apanagée. – *Exception :* une terre du domaine peut être *échangée* définitivement contre une autre terre.

Administrateurs du domaine : les *prévôts,* qui existent depuis l'époque carolingienne. Les *baillis* (pas toujours nobles), officiers itinérants jusqu'en 1190, fixés ensuite dans leur « bailliage » ; ils sont chargés de contrôler les prévôts et de centraliser les revenus domaniaux (ils sont en outre juges d'appel et chefs militaires). Les *sénéchaux* (toujours nobles) sont l'équivalent des baillis dans les fiefs qui ont été seigneuriaux avant d'entrer dans le domaine royal : devenant officiers du domaine capétien, ils ont gardé leur titre primitif de « sénéchal ».

Droits seigneuriaux du roi : dans le domaine royal, le roi est un seigneur ; il a des vassaux qui lui rendent hommage en tant que « duc de France » et non en tant que roi ; par ex. : les Montmorency ou les Montfort (M.-l'Amaury). A Paris, il est comte et nomme un vicomte pour gouverner le comté ; à Vincennes, il est seigneur (St Louis y rendait la justice, sous un chêne, aux tenants de ses terres, quand il y allait chasser). En vertu de ses droits seigneuriaux, St Louis a interdit, en 1246, les guerres féodales privées sur les terres du domaine royal.

Apanages (*adpanagium,* formé sur *adpanare,* « fournir du pain ») : fiefs donnés aux puînés, d'abord dans toute famille seigneuriale, puis, à partir de 1031, exclusivement aux cadets royaux (les Capétiens ne partageaient pas le royaume en parts égales, mais le réservaient à l'aîné). A partir de 1367 (Charles V), il est stipulé que tout apanage revient à la Couronne en cas d'absence d'héritier mâle chez l'apanagé. Les princes apanagés ne jouissent pas des droits régaliens (v. ci-dessous) que les grands feudataires ont généralement dans leurs domaines. Le roi se réserve l'autorité sur l'Église, la frappe des monnaies, les anoblissements, etc.

Droits féodaux du roi : comme suzerain de son royaume, dignité qui lui est conférée par le sacre à Reims, le roi doit pouvoir compter sur l'allégeance personnelle des grands feudataires, même possesseurs de domaines plus riches que les siens. *Domaines féodaux plus importants que ceux de la Couronne :* Flandre, Blois-Champagne, Normandie, Anjou-Maine-Touraine, Poitou-Aquitaine, Toulouse et même Barcelone. Les grands fiefs (sauf Flandre et Barcelone) finiront par être absorbés dans les biens de famille capétiens. Les droits féodaux du roi entrent en jeu, notamment quand le roi refuse de consentir à certains mariages, confisque des biens pour félonie, rend des sentences arbitrales en cas de contestation entre héritiers. Le roi use également de son droit féodal pour *l'ost :* ainsi ses vassaux, notamment les villes seigneuriales, ont fourni des contingents à Philippe Auguste à Bouvines (1214). Comme chef suprême des armées féodales, Philippe Auguste avait interdit (v. 1200) d'attaquer les parents d'un seigneur avec qui l'on était en guerre privée, avant un délai de 40 j *(Quarantaine le Roi).*

Droits régaliens : attachés à la fonction souveraine, c'est-à-dire en fait hérités de l'ancien Empire romain, le roi étant « empereur en son royaume » : droit de haute-justice, de battre monnaie, de lever l'impôt, d'agir diplomatiquement. Le roi de Fr. a dû partager ces droits avec les grands feudataires, avec les villes et avec certains seigneurs ecclésiastiques (comme en Allemagne où 340 seigneuries étaient souveraines à côté de l'empereur). Les Capétiens se sont employés à récupérer un à un tous ces droits ; *le dernier seigneur qui ait battu monnaie* a été le prince des Dombes, à Trévoux (jusqu'en 1729) ; son fief était en principe « terre d'Empire ».

Pairie : ensemble des grands vassaux de la Couronne, relevant directement du roi de France à qui ils prêtent hommage, mais exerçant sur leur fief des droits régaliens égaux au sien (*pair* veut dire « égal »). 1re mention : 1023. D'après la tradition, les pairs (12) remontaient aux 12 compagnons d'armes de Charlemagne. XIe-XIIIe s. : 6 pairs ecclésiastiques (1 archevêque-duc : Reims ; 2 évêques-ducs : Laon, Langres ; 3 évêques-comtes : Beauvais, Châlons, Noyon), 6 pairs laïques : Bourgogne, Champagne, Flandre, Guyenne, Normandie, Toulouse. En 1227, ont été créées 3 pairies : Anjou, Artois, Bretagne. De 1314 à 1400 : 31. Le titre devient alors honorifique (il y aura 306 créations de pairies jusqu'à la Révolution). Les pairs conservent néanmoins le droit d'être jugés uniquement par la Cour des pairs (à partir du XIXe s., la grande Chambre du Parlement), d'assister à toutes les séances des parlements avec voix délibératives et de n'être soumis en tant que juges seigneuriaux qu'à l'appel devant le parlement. Plusieurs jugements de la Cour des pairs ont eu une grande importance historique : 28-4-1202 confiscation des fiefs de Jean sans Terre ; 5-5-1293 confiscation de la Guyenne, fief d'Édouard Ier ; 1297 confiscation de la Flandre.

CENTRALISATION MONARCHIQUE

■ **Coutumes (rédaction des).** Jusqu'au XIIIe s., chaque province, et souvent pays, a sa propre justice, avec lois, procédure et juridictions particulières, dont l'*origine* remonte aux « lois personnelles » des envahisseurs germaniques. Ces coutumes seront codifiées entre 1254 (Vermandois) et 1586 (Normandie). Les *états provinciaux,* réunis spécialement en présence de délégués royaux, les ratifient, les *parlements* les enregistrent.

■ **Parlements.** **Paris** (érigé en assemblée permanente, 1318). Origine : la *Curie royale (Curia regis)* regroupant conseillers et secrétaires du roi, prétendant remonter aux *Champs de Mars* (assemblées annuelles des leudes mérovingiens et carolingiens), en réalité date des Capétiens. Du IXe au XIIIe s., ils ont traité toutes les affaires du royaume et du domaine royal. A partir de St Louis, conseillers politiques et financiers s'organisent en corps distincts [Conseil et Cour des comptes ayant chacun sa chancellerie (son secrétariat)]. Les conseillers juridiques forment le parlement qui tient des sessions à dates fixes (séparation de fait entre pouvoirs législatif et judiciaire).

Parlements provinciaux : Toulouse 1443, Grenoble 1456, Bordeaux 1462, Perpignan 1463 (supprimé 1493), Dijon 1490, Aix 1501, Rouen 1515, Lyon 1532-1696 (transféré à Trévoux 1697), Rennes 1551, Metz 1633, Artois 1641, Alsace 1657, Flandre 1668, Besançon 1676, Bastia 1768, Nancy 1775. Ils sont copiés sur le parlement de Paris : rendent la justice en appel et enregistrent les ordonnances royales.

■ **Ordonnances royales.** Réglementations établies par le roi pour l'administration générale du royaume et portant sur des questions politiques, économiques, commerciales et juridiques (droit public jusqu'au XVIIIe s. ; également droit privé à partir de 1731). Émanent du *pouvoir absolu* que détient le roi ; elles ne prennent leur force légale que lorsque le parlement compétent les a enregistrées ; or celui-ci oppose parfois une certaine résistance (*« droit de remontrance »* du parlement de Paris limité à certains édits de 1673 et de 1715).

■ **Lois fondamentales du royaume.** Constitution coutumière réglant la transmission héréditaire de la couronne et des droits seigneuriaux de la famille capétienne sur son domaine. La succession au trône exige traditionnellement 3 conditions : *primogéniture* (le fils aîné, à l'exclusion des cadets) ; *masculinité* (un fils, à l'exclusion des filles ; si le roi n'a que des filles, le 1er des princes du sang, c'est-à-dire le chef de la branche cadette la plus proche de la branche éteinte) ; *légitimité* (un fils légitime, à l'exclusion des bâtards, même légitimés). Elles sont à distinguer des 22 maximes fondamentales du royaume, mises au point en 1665 par le juriste Pierre de L'Hommeau : elles définissent les droits de la Couronne à l'encontre des sujets et des institutions françaises comme à l'encontre des nations étrangères.

■ **Chartes municipales.** Entre le XIe et le XIVe s., presque toutes les grandes villes et de nombreuses bourgades obtinrent des « chartes de franchise » qui les dispensèrent des liens de vassalité envers les seigneurs locaux (souvent un évêque, parfois aussi un feudataire). Comme il s'agissait d'un arrangement entre tenants de fiefs nobles, les chartes devaient obtenir la sanction royale. Il y eut *2 types de chartes : 1°) dans le domaine royal* [86 villes ayant reçu une charte copiée sur celle de Lorris (original perdu ; 1re rédaction conservée : 1155)] : le roi reste le seigneur, représenté par son prévôt, et chaque bourgeois devient individuellement son vassal ; la ville n'est pas personne morale, mais obtient des avantages fiscaux et juridiques (les bourgeois sont jugés par leur corporation) ; *2°) dans les grands fiefs et les seigneuries ecclésiastiques :* la ville prend rang de seigneur ; elle est un vassal du roi de France (personne morale) et a ses armoiries ; les bourgeois, vassaux de leurs villes, sont arrière-vassaux du roi de France (mais ils sont aussi administrateurs du fief urbain, lui fournissant maires, échevins, jurés).

■ **Conseil du roi.** Origine : l'ancienne *Curia regis,* réduite à ses responsables politiques et administratifs. Divisé en : *Conseil d'En-Haut* (3 à 7 membres, ayant à vie le titre de ministres d'État ; le secrétaire d'État aux Affaires extérieures en est membre de droit) : chargé des affaires étrangères ; *Conseil des Dépêches* (les mêmes membres + les 3 autres secr. d'État) : affaires intérieures ; *Conseil des Finances* (le surintendant des Finances en est membre de droit) ; *Conseil des Parties* (le chancelier en est membre de droit) : affaires judiciaires. Les secrétaires d'État (Armée, Marine, Maison du roi et Affaires extérieures), le chancelier (garde des Sceaux) et le surintendant des Finances ne font donc pas équipe ensemble, comme dans les ministères actuels ; mais on les appelle couramment des « ministres » (étymologiquement, des « serviteurs » du roi).

■ **États généraux.** Rassemblement de tous les vassaux du roi (tenus au devoir d'assistance, c'est-à-dire de conseil) quand une grande décision doit être prise, notamment une levée d'impôt. *Dates et lieux de convocation :* 1302 Paris (Philippe le Bel désire être soutenu dans sa lutte contre Boniface VIII) ; 1308 Tours ; 1314 Paris ; 1317 et 1320 Pontoise, transférés à Poitiers ; 1321 Orléans ; 1329, 1333 et 1343 Paris ; 1346 Paris (langue d'oïl) et Toulouse (langue d'oc) ; 1347 Paris ; 1356-57 Paris (langue d'oïl) et Toulouse (langue d'oc) ; 1413 Paris ; 1484 Tours ; 1560 Orléans ; 1561 Pontoise ; 1576-77 et 1588-89 Blois ; 1593, 1614 et 1789 Paris. *Sont membres des états :* les nobles [seigneurs laïcs ou ecclésiastiques (évêques et abbés) et les représentants des villes seigneuriales (appelés tiers état)]. En 1789, on avait oublié que le tiers état agissait comme vassal noble et on l'a considéré comme l'émanation « du peuple ».

■ **États provinciaux.** Assemblées régionales, maintenues dans certains grands fiefs anciens et dans les territoires annexés au domaine royal entre le XIVe s. et le XVIIe s. Elles ont gardé jusqu'à la Révolution, au moins en théorie, certains droits administratifs et fiscaux : impôts consentis et répartis à l'échelon de la province par les représentants des 3 ordres ; droit de remontrance ; droit de nommer des fonctionnaires provinciaux aux côtés des agents du roi.

Pays d'états (en 1789) : Bretagne, Artois, Hainaut, Bourgogne, Provence, Languedoc, Navarre, Bigorre, Béarn, Nébouzan et les Quatre Vallées (en Comminges). Ils s'opposaient aux *pays d'élections* (voir ci-dessous, fonctionnaires royaux) et aux *pays d'impositions* (Roussillon, Franche-Comté, Alsace, Lorraine, Corse), d'acquisition récente, où il n'y avait jamais eu d'élus, et où l'impôt était levé par les subdélégués de l'intendant royal.

■ **Fonctionnaires royaux.** **Élus :** officiers permanents chargés de lever les impôts, ils étaient à l'origine (en 1355) réellement élus pour prendre part aux états généraux, décider des contributions extraordinaires (aides), puis les récolter. En 1360, ils deviennent des fonctionnaires nommés (tout en gardant leur nom) et sont chargés de collecter les impôts dans une circonscription appelée « élection » (*1517 :* 96 élections ; *1575 :* 109 ; *1597 :* 146 ; *1662 :* 178, avec 4 000 agents, élus ou lieutenants des élus). Depuis 1577, elles sont regroupées en bureaux des finances qui deviendront les *intendances* ou *généralités.*

Pays d'élections : les territoires qui ont gardé ce nom jusqu'à la Révolution faisaient partie du domaine royal en 1360 et gardaient, depuis, les « élections » comme unités administratives et fiscales. Chaque élection était également le ressort d'un « tribunal d'élection ». *21 généralités formaient un pays d'élections :* Paris (22 circonscriptions et tribunaux), Amiens (6), Soissons (7), Orléans (12), Bourges (7), Moulins (7), Lyon (5), Riom (6), Grenoble (6), Poitiers (9), La Rochelle (5), Limoges (5), Bordeaux (5), Tours (16), Pau et Auch (6), Montauban (6), Champagne (12), Rouen (14), Caen (9), Alençon (9), Bourgogne et Bresse (4).

Projets d'assemblées régionales : les pays d'élections, contrairement aux pays d'états, n'avaient aucune assemblée à l'échelon régional pour voter leurs impôts et enregistrer les édits royaux (rôles laissés aux parlements dont ils dépendaient). Cette situation semblait injuste et des projets d'assemblées régionales élues pour chaque pays d'élections ont été faits notamment par Fénelon, Turgot, Necker. Louis XVI en a créé plusieurs en 1778 (notamment Berry, Hte-Guyenne) comprenant 12 ecclésiastiques, 12 nobles, 24 propriétaires roturiers. Mais les parlementaires, jaloux de leur pouvoir, ont fait opposition.

Trésoriers généraux : d'abord « élus généraux », chargés d'inspecter le travail d'un groupe d'élus (1389), ils dépendent d'un bureau des finances qu'ils visitent depuis Paris. En 1390, 4 généralités (Paris, Rouen, Tours, Montpellier) remplacent les bureaux des finances, et « l'élu général » s'y installe en permanence. En 1552, ils deviennent *trésoriers du roi* et en 1586 *trésoriers de France,* charge vénale et héréditaire. En 1666, les intendants (voir ci-contre) sont chargés à leur place d'inspecter les services financiers, comme les services administratifs et économiques, à l'intérieur de leurs généralités (qui gardent leur nom). Pour ne pas rembourser leurs charges aux trésoriers de France, le roi les maintient en les réduisant à un rôle d'apparat.

Baillis : anciens inspecteurs des « prévôts » du domaine royal (voir ci-contre), ils sont devenus propriétaires de leur charge et réduits à un rôle d'apparat. Les « bailliages » continuent à exister après la création des « élections » (parfois même chef-lieu, mais circonscriptions différentes et se chevauchant) et sont soumis à l'inspection des intendants. 2 « lieutenants » du bailli y font le travail administratif : **lieutenant de robe longue,** chargé du contentieux et des affaires judiciaires de petite instance ; **lieutenant de robe courte,** chargé de la police (sa robe courte lui permet de monter à cheval).

Intendants : au XVe s., commissaires envoyés en inspection et choisis parmi les membres du conseil royal, ils faisaient des « chevauchées » dans un secteur que le roi leur confiait, vérifiant les comptes des *élus,* contrôlant l'administration des *baillis* et des *municipalités.* Vers 1600, ils prennent le nom d'intendants ; en 1666, se fixent dans les généralités où ils coiffent *trésoriers* ou *élus généraux.* En 1697, ils deviennent *intendants de police, de justice et des finances,* avec un droit d'inspection sur les parlements. Chaque généralité était divisée en *subdélégations ;* le subdélégué de l'intendant, rétribué par l'intendant sur ses propres appointements, avait un territoire administratif distinct des bailliages et des élections, mais résidait toujours dans l'un de leurs chefs-lieux.

Gouverneurs : fonctionnaires militaires, héritiers des *lieutenants généraux du roi,* créés au XIIIe s. pour représenter l'autorité du roi dans certaines provinces troublées, et devenus au XVe s. les *gouverneurs et lieutenants pour le roi.* Au XVIe s., leur autorité n'est pas seulement militaire, mais aussi politique et administrative (ils convoquent et tiennent en main les parlements provinciaux, servent d'intermédiaire entre roi et noblesse). Ce sont toujours de grands seigneurs. Sous Louis XIII, ils font preuve d'insubordination (notamment Montmorency et Épernon) et Richelieu réduit leur rôle à un commandement militaire. A partir de Louis XIV, les gouvernements (militaires) ne sont plus que des sinécures, données à des généraux à titre de récompense, et le plus souvent transmissibles de père en fils.

CIRCONSCRIPTIONS : ne coïncident pas avec celles des généralités ; elles varient jusqu'au XVIIe s., puis se sont fixées : 33 grands gouvernements (aux revenus élevés), 7 petits (ici en italique). **Nord :** Flandre et Hainaut (capitale Lille), *Dunkerque,* Artois (Arras), Picardie (Amiens), *Boulonnais* (Boulogne), Normandie (Rouen), *Le Havre,* Ile-de-France (Soissons), *Paris.* **Nord-Est :** Champagne (Troyes), *Metz et Verdun* (Metz), *Toul,* Lorraine (Nancy), Alsace (Strasbourg). **Est :** Franche-Comté (Besançon), Bourgogne (Dijon). **Sud-Est :** Lyonnais (Lyon), Dauphiné (Grenoble), Provence (Aix), Corse (Bastia). **Sud :** Languedoc (Toulouse), Roussillon (Perpignan), comté de Foix (Foix). **Sud-Ouest :** Guyenne et Gascogne (Bordeaux), Béarn (Pau). **Ouest :** Bretagne (Rennes), Maine (Le Mans), Anjou (Angers), *Saumur,* Poitou (Poitiers), Aunis (La Rochelle), Saintonge et Angoumois (Angoulême). **Centre :** Touraine (Tours), Orléanais (Orléans), Nivernais (Nevers), Berry (Bourges), Bourbonnais (Moulins), Auvergne (Clermont-Ferrand), Limousin (Limoges), Marche (Guéret).

DYNASTIE CAPÉTIENNE

■ **Victoire des Capétiens sur les feudataires.** Entre le XIe et le XVIe s., les rois de France accumulent successivement tous les titres seigneuriaux du royaume (quelques exceptions, notamment comtés de Nevers et de Rethel). Ils acquièrent également des titres impériaux : dauphins du Viennois, comtes et marquis de Provence, etc.

Théoriquement, ils devraient se comporter dans chaque province comme un seigneur féodal à la tête d'un territoire autonome. En fait, la fusion est presque toujours proclamée avec le domaine capétien. Même la Navarre, royaume étranger, est réunie par Henri IV. Néanmoins, le roi continue à se proclamer le « 1er gentilhomme du royaume » ; il affecte d'être au milieu des nobles le « primus inter pares ». François Ier s'intitule dans sa correspondance avec la cour d'Espagne « Roi de France, seigneur de Vanves et de Gonesse ».

■ **Applications de la loi salique.** Les Capétiens ont régné près de 4 siècles (987-1316) sans que leur filiation masculine soit interrompue. Le 1er roi mort sans fils légitime a été Louis X le Hutin (1289-1316), qui laissait une fille, Jeanne, âgée de 4 ans. La coutume n'interdisait pas qu'un fief passe à une fille, mais on avait gardé le souvenir de la royauté franque qui ne passait jamais aux femmes (par ex., en 587, Gontran, roi de Bourgogne, donne son trône à son neveu, non à sa fille). De fait, en 1316, Jeanne aurait été sans doute proclamée reine, si la reine veuve, Clémence de Hongrie, n'avait pas été enceinte de 5 mois. Il fallait attendre pour savoir s'il allait naître un fils ou une fille. Pendant les 4 mois d'attente, le régent Philippe de Poitiers, frère de Louis X, fit triompher le principe de l'exclusion des femmes (2 raisons : 1°) son ambition personnelle ; 2°) le fait que Marguerite de Bourgogne, mère de Jeanne, avait été condamnée pour adultère. Le 3-11-1316, naquit Jean II le Posthume, mais il mourut quelques jours plus tard. Philippe prit le titre de roi et se fit couronner en hâte à Reims (11-1-1317). A sa mort (1322), il ne laissait que des filles et son frère Charles devint roi automatiquement : le principe était déjà admis. A la mort de Charles (1328), la couronne passa à Philippe VI de Valois, cousin germain du roi qui rendit à Jeanne (mariée à Philippe Cte d'Évreux) la couronne de Navarre.

Le principe de masculinité fut invoqué aussi contre Édouard III d'Angleterre, fils d'Isabelle (1298-1358), sœur de Louis X et fille de Philippe le Bel, qui avait épousé en 1308 Édouard II (1284-1327), roi d'Angleterre. Édouard III fit acte de prétendant en 1340 et se proclama roi de France, titre dont firent état les souverains d'Angleterre jusqu'en 1801 (avec des interruptions).

☞ L'expression de *loi salique* a été créée pendant la guerre de Cent Ans (on ne sait ni par qui, ni exactement à quelle date). Elle fut officialisée sous ce nom en 1593 [du nom d'un recueil des coutumes des Francs saliens écrit sous Clovis et comportant un titre qui exclut les femmes de la succession à la terre ancestrale *(terra salica)*].

■ **Régences.** Système existant en droit féodal [le régent (celui qui a la garde ou la tutelle des mineurs nobles), nommé le plus souvent garde ou baillistre, avait l'administration et la jouissance d'un fief pendant la minorité de l'héritier]. Le royaume de France a été confié à des régents ou régentes non seulement en cas de minorité, mais en cas d'absence du roi : croisades de St Louis (1248-52 et 1269-70), captivités de Jean Ier (1356-60) et de François Ier (1525-26). La mère du roi recevait généralement la régence, même quand le roi était majeur (ex. : Louise de Savoie, mère de François Ier, en 1525-26).

Les cas de régence exercée par d'autres que la mère du roi sont fréquents. Baudouin V de Flandre à la place d'Anne de Kiev, mère de Philippe Ier, en 1060 ; les oncles de Charles VI, réunis en un conseil de régence (1380-85 ; et de nouveau pendant les crises de folie du roi) ; la sœur de Charles VIII, Anne de Beaujeu (1483-85) ; et enfin le *Régent,* premier prince du sang, pendant la minorité de Louis XV (1715-22). Au XIXe s., Napoléon Ier (1812, 1814), Louis-Philippe (1848), Napoléon III (1870) ont confié la régence à la mère de l'héritier mineur. La tutelle du prince mineur et l'administration du royaume sont traditionnellement confondues. Seul Louis XIV a essayé de les dissocier par testament en 1715. Le Parlement a cassé sa décision.

■ **Princes capétiens. Enfants de France :** enfants et petits-enfants des rois de Fr., frères et sœurs du roi régnant, et les enfants des frères jouissaient aussi de ce titre. Leurs petits-enfants avaient seulement droit au titre de *princes de sang.* Le 1er fils du roi portait le titre de *dauphin* depuis 1349 ; les princes nés après lui, outre le titre d'enfants de France, prenaient chacun celui de la principale terre de leur apanage (voir ci-dessus). Le 1er *frère du roi* a été appelé *Monsieur* depuis le XVIe s., mais le titre n'a été officialisé qu'à partir de Gaston d'Orléans, frère de Louis XIII. De sa naissance à la mort de son oncle Gaston (1640-60), Philippe, frère de Louis XIV, a été appelé le *Petit Monsieur.* Les filles de France étaient appelées *dames,* même lorsqu'elles n'étaient pas mariées. Les filles, les sœurs du roi, la fille aînée du dauphin avaient le titre de *Madame.* La fille aînée du roi, ou à défaut du prince le plus rapproché du trône, n'ajoutait pas son nom de baptême après Madame (la femme du 1er frère du roi en faisant autant). Les filles du 1er frère du roi étaient dites *Mademoiselle.* La fille du 1er lit de Gaston d'Orléans, frère de Louis XIII, prit le titre de *Grande Mademoiselle,* car elle était fille du *Grand Monsieur* et nièce de Louis XIII, pour se distinguer des 3 *Mesdemoiselles,* filles de l'ancien *Petit Monsieur,* Philippe d'Orléans, et nièces de Louis XIV.

Princes du sang : le titre commence à être porté sous Louis XI. Louis XIV fixa en 1711 leurs prérogatives : dès 15 ans, notamment, ils avaient voix délibérative au Parlement et aux Conseils.

Fin de l'Ancien Régime

■ **Pouvoir royal.** Il est *en principe* absolu : le roi nomme et révoque les ministres (pouvoir exécutif) ; il fait la loi en la promulguant par *lits de justice* quand le Parlement ne veut pas l'enregistrer (« C'est légal parce que je le veux » dira Louis XVI) ; il peut interner les sujets sans jugement (pouvoir judiciaire). En fait, il est limité par l'influence de la Cour et par la survivance des privilèges féodaux. Les courtisans font et défont les ministères, malgré les désirs du roi (Louis XV doit renvoyer Choiseul ; Louis XVI doit renvoyer successivement Turgot, Necker, Calonne, Brienne). Ils usent d'intrigues de couloirs, bons mots, pamphlets anonymes, chansons. Un ministre critiqué par la Cour se retire quasi automatiquement.

Principaux groupes de pression à la Cour sous Louis XVI : 1°) parti orléaniste (duc d'Orléans, chef de la Franc-Maçonnerie) ; 2°) parti de la reine (Marie-Antoinette soutient une politique pro-autrichienne) ; 3°) parti du comte de Provence (futur Louis XVIII) ; 4°) parti du comte d'Artois (futur Charles X).

■ **Privilèges des gens de robe.** Parlementaires (parisiens et provinciaux) : membres des états provinciaux, magistrats des bailliages, élections, prévôtés, sénéchaussées ; juges seigneuriaux et ecclésiastiques.

Inamovibilité : ils sont propriétaires de leur charge et le roi ne peut les en priver. De fait, les charges sont rarement revendues mais laissées en héritage aux fils des magistrats. D'où l'abaissement des limites d'âge : on pouvait succéder à son père dans une charge dès la mort de celui-ci, même avec des études incomplètes. Une décision administrative prise par les services royaux de Versailles ou par un intendant de province, si elle est portée devant un de ces magistrats, est pratiquement annulée (lenteur des procédures, chevauchement des juridictions). Les ordonnances royales sont pour la plupart enregistrées à prix d'argent : des agents royaux, appartenant à un parlement, proposent à leurs confrères des bénéfices en échange d'un vote favorable. Les charges sont ainsi très lucratives, et leur cote ne cesse de croître (une présidence vaut de 500 000 à 800 000 livres).

■ **Fermiers généraux.** Existent depuis 1681 : adjudicataires des rentrées d'impôts indirects sur les boissons (ou *aides*), le tabac, le sel (ou *gabelle*), les douanes [ou *traites* (réparties en 5 grandes fermes et 18 petites, couvrant tout le royaume, sauf les duchés de Lorraine et de Bar, qui formaient une ferme spéciale, et 5 provinces d'acquisition récente, *« réputées étrangères »* du point de vue de la fiscalité indirecte : Artois, Roussillon, Franche-Comté, Alsace, Corse)]. Groupés en une compagnie de 40 (60 à partir de 1775), les fermiers généraux s'engagent chaque année à verser au Trésor une certaine somme ; ils se remboursent ensuite sur les recettes des taxes (ils ne versent pas effectivement la somme mais l'inscrivent à un compte courant en doit et avoir, effectuant ensuite tous les paiements du Trésor).

Montant des adjudications (en millions de livres) : *1681 :* 56 ; *1738 :* 91 ; *1761 :* 121 ; *1774 :* 162 ; *1786 :* 242. Le bénéfice moyen de chacun des 40 fermiers est de 300 000 livres par an.

■ **Privilèges de la noblesse.** Les nobles détiennent la puissance financière : possession d'une grande partie du sol (exemptée d'impôts), exclusivité pour les charges pensionnées : militaires (tous les grades élevés sont donnés aux nobles) ou civiles (charges fictives à la Cour ou en province, notamment les « gouvernements », richement dotées).

■ **Privilèges seigneuriaux de l'Église.** L'Église possède environ 1/3 du sol national, exempté d'impôt. Ses revenus considérables sont versés à des bénéficiaires (évêques ou abbés) inamovibles. Les évêques sont tous nobles ; les abbés sont souvent des intellectuels ayant reçu le « petit collet », leur seule obligation est de demeurer célibataires.

Le roi peut demander à l'Église de France de lui faire des « dons », mais ceux-ci doivent être votés par les assemblées du clergé.

■ **État des finances. Ressources directes :** *Des pays d'élections* (voir p. 694 b) : elles sont absorbées par le paiement des pensions et le coût des charges inamovibles ; les domaines nobles et ecclésiastiques sont dispensés de l'impôt. Depuis 1778, les impôts exceptionnels sont consentis par les assemblées régionales élues (voir p. 694 b). A Grenoble où il n'y avait pas d'assemblée régionale (car il y avait un parlement), les « Nationaux » en convoquent une de leur propre chef. Louis XVI accepte d'en revenir au vieux système des états du Dauphiné (qui rejetteront la demande d'impôts). *Des pays d'états* (voir p. 694 b) : les impôts doivent être *consentis* par les états provinciaux : ils sont maintenus à des chiffres traditionnels, ne correspondant plus aux besoins. **Spéculation boursière :** largement pratiquée par les ministres de Versailles : dévaluations, banqueroutes partielles, agiotage. Permettra au régime de survivre jusqu'en 1789. **Recettes indirectes de la Ferme générale :** dépensées, à partir de 1786, avec 3 années d'avance. La Ferme n'assure plus les débits du Trésor.

■ **États généraux de 1789.** Leur convocation aurait été décidée le 5-7-1788 pour instituer la *« subvention territoriale » :* impôt direct que payaient au roi toutes les terres, même nobles, ecclésiastiques ou privilégiées. La tradition exigeait un consentement spécial de tous les « vassaux du roi » pour un tel changement. Le 20-12-1788, le clergé et la noblesse de l'assemblée des Notables (2e session) ayant renoncé à leurs privilèges fiscaux (renonciation entérinée en janv. 1789 par les différents États provinciaux), cette convocation des États généraux devint superflue, cependant Louis XVI et Marie-Antoinette, pour punir les ordres privilégiés de leur fronde, décidèrent le 27-12-1788 de les convoquer quand même mais avec un Tiers doublé (comme pour les assemblées régionales de 1778).

Les représentants du Tiers ne sont plus ceux des « villes nobles » (notion perdue), mais comme pour les assemblées régionales de 1778 dans les pays d'élections, ceux des propriétaires non nobles, pour moitié urbains, pour moitié ruraux. Des nobles et des ecclésiastiques peuvent d'ailleurs être représentants du Tiers. *Nombre de députés :* 1 139 [Tiers 578, Noblesse 270 (dont 90 libéraux), Clergé 291 (dont 205 curés)]. Après la réunion des 3 ordres (27-6-1789), droite conservatrice : 290 ; centre monarchiste modéré : 300 ; gauche : 550.

■ **Fin de l'armée royale.** La tendance maçonnique l'emporta dans le corps des officiers après la guerre d'Amérique (1778-83), sous l'influence de La Fayette, franc-maçon et partisan du duc d'Orléans. Revendication principale : accès aux grades supérieurs des officiers de petite noblesse ; accès aux charges d'officiers pour les roturiers (les Gardes-françaises, à qui incombait la protection du roi, se rallièrent au Tiers État en juin 1789 ; ils prennent la Bastille, devenant la Garde nationale, soldée).

■ **Abolition de la féodalité.** La nuit du 4 août 1789, la noblesse effrayée par la « jacquerie » du 14 au 31 juillet 1789, appelée la *« Grande Peur »,* accepte la suppression des droits féodaux pour sauver ses droits de propriété. Mais le maintien de l'ordre devenant impossible par suite de la défection de l'armée, ce sacrifice n'a pas été suffisant. Les propriétés seigneuriales sont passées en grande partie en d'autres mains. Le 20-6-1790, l'Assemblée nationale décrète la suppression de la noblesse héréditaire et l'abolition de tous les titres. Beaucoup de nobles émigrent (1789-92), espérant pouvoir reconquérir plus tard leurs privilèges avec l'aide étrangère.

Droits abolis. Sans indemnités : *les droits de féodalité dominante,* c.-à-d. exercés par tout seigneur sur ses terres, en vertu de coutumes féodales : *servage* (impôts levés sur les serfs uniquement : chevage ou taxe par tête, et formariage, quand on épouse), *mainmorte* (ecclésiastique : les terres d'un fief eccl. devant obligatoirement retourner à la seigneurie en cas de décès du tenant, les héritiers doivent payer pour conserver la tenure), *droits de chasse* (seul le seigneur peut chasser sur les terres du fief), *de colombier* (seul le seigneur a le droit d'élever des pigeons), *de déshérence* (tout bien possédé sur le fief revient au seigneur en cas de décès sans héritiers du possesseur), *de bâtardise et d'aubaine* (dans certaines provinces, les aubaines, c.-à-d. les gens venus d'ailleurs, et les bâtards étaient assimilés à des serfs ; ils payaient donc le chevage et le formariage), *d'épave* (toute épave localisée sur le fief appartient au seigneur), *la corvée* (obligation de fournir un certain nombre d'heures de travail sur le domaine, c.-à-d. le château et les terres en dépendant immédiatement) et *la taille* (pratiquement disparue à l'échelon seigneurial : la taille royale, c.-à-d. l'impôt sur les personnes, s'était généralisée dans tout le royaume), *les banalités* (obligation d'utiliser, exclusivement et moyennant redevance, certains moyens de production appartenant au seigneur : four à chaux, pressoirs, forges, carrières, animaux reproducteurs, abattoirs, lavoirs, etc.), *les péages* (sur les ponts et sur certains tronçons de route). **Avec indemnités :** *les droits de « féodalité contractante »,* c.-à-d. résultant d'accords particuliers passés entre les seigneurs et leurs tenants [*cens* et *rentes, lods* et *ventes, mutations* et certaines banalités (*fours à pain, moulins*)].

■ **Fin des parlements.** Les parlements sont tous supprimés par un décret de l'Assemblée nationale du 3-11-1789. Les parlementaires parisiens (très populaires en mai 1788 pour leur opposition à Louis XVI) se dispersent dans l'indifférence.

■ **Vote d'une Constitution.** Les députés du Tiers État se sont proclamés unilatéralement « *Assemblée nationale* » le 17-06-1789. Ils sont rejoints par la majorité du clergé le 24-06, par 47 nobles (dont le duc d'Orléans) le 25-06, par tous les délégués nobles (ordre du roi) le 27-06. Ils prennent, le 9-07, le nom d'*Assemblée nationale constituante* et entreprennent de rédiger une Constitution limitant le pouvoir du roi. En juillet, l'Assemblée s'empare du pouvoir exécutif en créant, à l'initiative de Volney, un *comité des rapports* qui supervise les décisions des ministres et du roi, et un *comité des recherches* assurant à ses côtés la police générale du royaume. Parallèlement, la *commune de Paris* exerce plusieurs des pouvoirs souverains en province et dans la capitale. A partir du 10-08-1791, l'Ass. prend des décrets « au nom du Roi », ayant déjà la même force juridique que les textes promulgués par la future Constitution qui sera achevée le 14-09-1791 (le roi, arrêté le 22-06-1791 à Varennes, suspendu provisoirement par l'Assemblée le 23-06, restait, en principe, « absolu »).

Monarchie constitutionnelle

Constitution du 3 septembre 1791

☞ 1re constitution française écrite. **Adoption :** *17-6-1789* les députés du Tiers État se proclament Assemblée nat. constituante. *Début juill.* elle élit un comité chargé d'élaborer la constitution. Elle comprend en tête la Déclaration des droits de l'homme et du citoyen adoptée le 26-8-1789 ; 17 articles précédés d'un préambule (art. 1 : égalité des droits, art. 17 : la propriété est consacrée en tant que droit inviolable et sacré). *Août 1791* texte discuté. *3-9-1791* vote définitif. **Contenu :** 20 articles.

■ **Le roi** (titré roi des Français). Héréditaire, inviolable, irresponsable devant l'Assemblée, ne règne que par la loi ; il doit prêter serment de fidélité à la nation et à la loi. Jusqu'à 18 ans, il est mineur. Chargé de **l'exécutif,** il choisit les ministres en dehors de l'Assemblée (ils ne sont pas responsables devant elle), est le chef suprême des armées, nomme les ecclésiastiques. Il a un *veto* suspensif (il peut refuser de sanctionner des décrets, en déclarant qu'il les examinera, mais si les 2 législatures suivantes reprennent ces décrets dans les mêmes termes, la sanction royale est réputée donnée). Il peut annuler les actes des administrations des départements et des districts (qui sont élus). Il dispose d'une liste civile de 25 millions de livres. **Le pouvoir judiciaire** est aux mains de juges élus.

■ **Assemblée nationale législative.** Indissoluble. **Élection :** élue pour 2 ans au suffrage indirect et restreint. **Électeurs** (décret du 22-12-1789) : les citoyens actifs, nés ou devenus français [25 ans au min., inscrits au rôle des gardes nationales, ayant prêté le serment civique, n'étant pas en état de domesticité, payant une contribution égale au prix de 3 j de travail, portée à 10 j en août 1791 (applicable dans les 2 ans)]. Ils constituaient les *assemblées primaires* qui élisaient des *électeurs du 2e degré* [propriétaires et usufruitiers d'un bien évalué à un revenu de 100 j de travail (villes de – 6 000 h.), ou 150 j (campagne), ou 200 j (villes de + de 6 000 h.), ou locataires d'une habitation au revenu évalué à 50 j (villes de – de 6 000 h.), ou 100 j de travail (villes de + de 6 000 h.), ou fermiers et métayers de biens évalués à 400 j de travail], chargés d'élire eux-mêmes les députés, juges et administrateurs de district et de département.

Sur 26 millions supposés d'habitants, le décret du 28-5-1791 dénombre 4 298 360 citoyens actifs.

Députés : d'après la loi de déc. 1789, ils ne pouvaient être choisis que parmi les propriétaires fonciers payant une contribution égale à la valeur d'un *marc d'argent* (soit 244 gr.). En août 1791, on supprima le marc d'argent. *Nombre :* 247 attachés au territoire à raison de 3 par département, sauf Paris, 249 attachés à la pop. active (chaque départ. nommant autant de députés que de parts de 17 262 citoyens actifs), 249 attachés à la contribution directe.

Pouvoirs : l'Ass. a seule le droit de proposer et de décréter les lois, de fixer les dépenses publiques, de statuer sur l'organisation de l'armée, de déclarer la guerre (sur la proposition du roi et sous réserve de sa sanction). **Fonctionnement :** l'Ass. lég. siégea du 1-10-1791 au 27-9-1792. Elle fut gênée par le *droit de pétition,* introduit dans le projet de Const. en mai 1791, qui permettait de pouvoir adresser aux autorités constituées des pétitions signées individuellement. [Robespierre (n'étant pas député) l'utilise à son profit]. Très vite, le roi entra en conflit avec l'Assemblée (par ex., elle s'assit le 14-9-1791, quand le roi prononça le serment constitutionnel ; irrité, le roi s'assit à son tour). Le 10-8-1792, le roi fut suspendu et enfermé au Temple. Les ministres furent élus par l'Ass. lég. pour exercer provisoirement l'exécutif.

Ire République

■ **Convention nationale.** Chargée de réorganiser les pouvoirs après la déposition du roi, elle fut élue au suffrage universel en août-sept. 1792. Le 11-8, un décret avait supprimé les conditions de cens. Les électeurs du 1er degré devaient avoir 21 ans, ceux du 2e degré 25 ans. Ils ne devaient pas être en état de domesticité. Les colonies eurent leurs députés [St-Domingue 18, Guadeloupe 4, Martinique 3, île de France (Maurice) 2, Inde française 2, Ste-Lucie, Tobago, Guyane, île Bourbon (la Réunion) 1].

La *Convention* siégea du 20-9-1792 au 26-10-1795 (4 brumaire an IV). Elle abolit la royauté par décret le 21-9-1792, organisa le gouvernement révolutionnaire (loi du 14 frimaire an II) et prépara la Constitution du 24-6-1793, puis la Const. du 22-8-1795.

■ **Constitution du 24 juin 1793** (124 art. ; ratifiée par plébiscite le 9-8-1793 ; jamais appliquée car la Convention proclame le 10-10-1793 que le Gouv. sera « révolutionnaire jusqu'à la paix »). **Électeurs :** tout Français de 21 ans est citoyen. Les citoyens domiciliés dep. 6 mois dans le canton se réunissent en *ass. primaires* (200 à 600 m.), votent les lois et élisent les députés du Corps législatif à la majorité absolue (tous les ans le 1er mai). Ils élisent aussi des électeurs qui, réunis en *ass. électorales,* nomment des administrateurs, des arbitres publics et des juges. L'art. 32 précise : « Le droit de présenter des pétitions aux dépositaires de l'autorité publique ne peut en aucun cas être interdit, suspendu, ni limité. »

Assemblées. Conseil exécutif : 24 m. choisis par le Corps législatif sur une liste présentée par les ass. électorales de département (1 candidat par dép.) ; renouvelé par moitié tous les ans. **Corps législatif :** composé de 1 député pour 40 000 individus. Propose les lois et rend les décrets. Les lois proposées sont réputées ratifiées par le peuple si, dans la moitié plus un des dép., 1/10 des assemblées primaires de chacun d'eux ne réclame pas avant l'expiration d'un délai de 40 j. S'il y a réclamation, les ass. primaires sont convoquées pour être consultées.

■ **Constitution du 5 fructidor an III dite Thermidorienne ou du Directoire (22 août 1795).** Adoptée par référendum. **Électeurs :** est *citoyen* tout Français ou naturalisé de 25 a., inscrit sur le registre civique de son canton (il faut savoir lire et écrire, et exercer une profession), domicilié dep. 1 an et payant une contribution directe, foncière ou personnelle ; pas de conditions pour les Français ayant fait campagne pour la République. Les *assemblées primaires* se réunissent le 1er germinal de chaque année pour nommer les *membres de l'ass. électorale* (1 pour 200 inscrits), le juge de paix et ses assesseurs, le Pt de l'ass. municipale du canton et les officiers municipaux des communes de plus de 5 000 h. L'*assemblée électorale* comprend l'ensemble des électeurs (élus par les ass. primaires) de chaque département ; elle se réunit le 20 germinal de chaque année ; nomme les m. du Corps législatif (d'abord ceux du Conseil des Anciens et ensuite ceux des Cinq-Cents) ; choisit les m. du Tribunal de cassation, les hauts jurés, les administrateurs du département, le président, l'accusateur public et le greffier du tribunal criminel, les juges des tribunaux civils.

Directoire (5 membres d'au moins 40 ans, désignés pour 5 ans) : nommé par les Anciens d'après 1 liste de 50 noms préparée par les « 500 ». Chaque directeur préside 3 mois et assure les signatures et la garde des sceaux ; 3 membres présents pour une délibération valable. Les **ministres** (de 6 à 8, minim. 30 ans) ne forment pas un conseil et sont responsables de l'exécution des lois et des arrêtés du Directoire.

Corps législatif : élu pour 3 ans (et renouvelé par tiers). Comprend *Conseil des Cinq-Cents* (min. 25 ans) ayant l'initiative des lois et *Conseil des Anciens* (250 m., min. 40 ans, mariés ou veufs) votant les lois.

Nota. – Traitement annuel des m. du Directoire : équivalent de 500 t de froment (env. 125 000 F-or) ; des *m. du Corps législatif :* équivalent de 30 t.

☞ Cette Constitution fonctionna 4 ans jusqu'au 9-11-1799 (coup d'État du 18 brumaire an VIII), mais les coups d'État en avaient faussé l'application. La Constitution était précédée d'une Déclaration des droits (art. 1er à 22), complétée (pour la 1re fois d'une Déclaration des devoirs (art. 1er à 9) de l'homme et du citoyen. C'est la plus longue de toutes les constitutions françaises : 377 art. *Article 1er :* la déclaration des droits contient les obligations des législateurs, le maintien de la société demande que ceux qui la composent connaissent et remplissent également leurs devoirs. *Art. II :* tous les devoirs de l'homme et du citoyen dérivent de ces deux principes, gravés par la nature dans tous les cœurs : « Ne faites pas à autrui ce que vous ne voudriez pas qu'on vous fît. Faites constamment aux autres le bien que vous voudriez en recevoir ». *Art. III :* les obligations de chacun envers la société consistent à la défendre, à la servir, à vivre soumis aux lois et à respecter ceux qui en sont les organes. *Art. IV :* nul n'est bon citoyen s'il n'est bon fils, bon père, bon frère, bon ami, bon époux. *Art. V :* nul n'est homme de bien s'il n'est franchement et religieusement observateur des lois. *Art. VI :* celui qui viole ouvertement les lois se déclare en état de guerre contre la société. *Art. VII :* celui qui, sans enfreindre ouvertement les lois, les élude par ruse ou par adresse, blesse les intérêts de tous, se rend indigne de leur bienveillance et de leur estime. *Art. VIII :* c'est sur le maintien des propriétés que reposent la culture des terres, toutes les productions, tout moyen de travail et tout l'ordre social. *Art. IX :* tout citoyen doit ses services à la patrie et au maintien de la liberté, de l'égalité et de la propriété toutes les fois que la loi l'appelle à les défendre.

■ **Constitution du 22 frimaire an VIII (13 déc. 1799) Consulat et Ier Empire.** L'acte du 19 brumaire an VIII (10-12-1799) nomma une *Commission consulaire* et chargea le Conseil des Anciens et le Conseil des Cinq-Cents de préparer cette nouvelle Constitution (95 art.) qui fut ratifiée et promulguée le 3 nivôse an VIII (24-12-1799) par le plébiscite du 18 pluviôse an VIII (7-2-1800). **Électeurs :** le suffr. univ. est rétabli, mais les électeurs ne peuvent que dresser des *listes de confiance communales* (1 désigné pour 10 électeurs). Les désignés par ces listes établissent des *listes de confiance départementales* (1 pour 10), qui à leur tour élisent une *liste nationale* (1 pour 10) dans laquelle sont choisis les membres des assemblées.

Gouvernement : composé de 3 **consuls** élus pour 10 ans (et rééligibles). Le *1er consul* propose seul les lois, les promulgue, fait des règlements, il nomme et révoque les membres du Conseil d'État, ministres, ambassadeurs et agents diplomatiques, officiers de l'armée de terre et de mer, membres des administrations locales et du ministère public ; nomme, sans pouvoir les révoquer, les juges de paix et juges de cassation. *Le 2e et le 3e consul* n'ont qu'une voix consultative.

Assemblées. Conseil d'État : nommé par le 1er consul, prépare les lois. **Tribunat** (100 m., 25 a. au moins) : nommé par le Sénat, renouvelé par 1/5 tous les ans, discute les lois. **Corps législatif** (300 m., 30 a. au moins) : nommé par le Sénat, renouvelé par 1/5 tous les ans, vote les lois sans les discuter. **Sénat conservateur** (80 m. inamovibles, 40 a. au moins) : se recrutant par cooptation, gardien de la Constitution.

■ **Constitution du 18 floréal an X (8 mai 1802). Consulat bidécennal.** Par un sénatus-consulte (86 art.), le Sénat « réélit le citoyen Napoléon Bonaparte consul de la République française pour les dix années qui suivront immédiatement les dix ans pour lesquels il a été nommé ». Le sénateur Augustin Lespinasse (1736-1816) avait proposé le consulat à vie.

■ **Constitution des 14 et 16 thermidor an X (2 et 4 août 1802). Consulat à vie** (dure 2 ans) : Bonaparte ayant été proclamé consul à vie par le plébiscite du 10-5-1802, le Sénat consacre ce résultat (sénatus-consulte du 2-8). Bonaparte rédige un nouvel acte constitutionnel modifiant la Constitution du 22 frimaire an VIII (86 art.). Le Sénat en est saisi, le vote sans débat et publie le sénatus-consulte le 4-8-1802. **Électeurs :** le min. des Finances dresse des listes en fonction des revenus des contribuables. Les collèges électoraux sont nommés à vie. **1er consul :** pouvoirs renforcés (il a notamment le droit de grâce). **2e et 3e consuls** nommés à vie par le Sénat sur la présentation du 1er consul ; celui-ci peut présenter un citoyen qui lui succéderait après sa mort et qui, après ratification du choix par le Sénat, prête serment ; si le 1er et le 2e candidats présentés ne sont pas acceptés, le 3e l'est nécessairement. **Tribunat :** réduit (50 m.). **Sénat :** pouvoirs renforcés. **Conseil d'État** (au max. 50 m.) : les ministres y ont voix délibérative (seulement s'ils sont sénateurs), sinon consultative. **Conseil privé :** composé de 2 conseillers d'État, de 2 grands officiers de la Légion d'honneur désignés pour chaque séance, et des consuls ; discute les projets de sénatus-consultes admis par le Sénat et donne son avis avant la ratification d'un traité ou d'une alliance.

Premier Empire

■ Constitution du 28 floréal an XII (18 mai 1804)

Le 3-5-1804, le Tribunat admet que le Premier consul devienne empereur. Le 18-5-1804, le Sénat prend le sénatus-consulte organique (de 142 art.). Un plébiscite est organisé.

■ **Empereur.** Le Gouvernement de la République est confié à un empereur qui prend le titre d'Empereur des Français. La justice se rend, au nom de l'empereur, par les officiers qu'il institue. Napoléon Bonaparte, 1er consul de la République, devient Empereur des Français.

La **dignité impériale** est héréditaire dans sa famille, de mâle en mâle, par ordre de primogéniture, et à l'exclusion des femmes et de leur descendance. À défaut d'héritiers ou d'enfants adoptifs, sa succession doit être recueillie par son frère Joseph et sa descendance, et à son défaut, par son frère Louis et sa descendance ; à leur défaut, l'empereur doit être nommé par un sénatus-consulte. Les **membres de la famille impériale,** dans l'ordre d'hérédité, portent le titre de *princes français,* et le fils aîné de l'empereur celui de *prince impérial.* Ils entrent au Sénat à 18 ans et ne peuvent se marier sans l'autorisation de l'empereur, sous peine de perdre leurs droits. En cas de minorité de son successeur (majeur à 18 ans), l'empereur désigne un *régent* d'au moins 25 ans ; si aucune désignation n'est faite, le régent est le prince le plus proche en degré par ordre d'hérédité ; si aucun des princes français n'est âgé de 25 ans, le Sénat choisit le régent parmi les titulaires des grandes dignités de l'Empire qui forment le conseil de régence.

■ **Grands dignitaires de l'Empire.** Nommés à vie par l'empereur, ils ont les mêmes privilèges que les princes français et ont rang après eux. Ils forment le **Grand Conseil de l'Empereur,** sont membres du Conseil privé, et composent le Grand Conseil de la Légion d'honneur. **Grand électeur :** fait fonction de chancelier pour les convocations du Corps législatif et des collèges électoraux et pour la promulgation des sénatus-consultes de dissolution. **Archichancelier de l'Empire :** fait fonction de chancelier pour la promulgation des sénatus-consultes organiques et des lois, et de chancelier du palais impérial. Il préside la haute cour impériale, et, dans certains cas, les sections réunies du Conseil d'État et du Tribunat. **Archichancelier d'État :** a les mêmes fonctions vis-à-vis des membres de la diplomatie française, mais il n'a ni sceau, ni signature, ni charge de présider. **Architrésorier :** assiste au compte rendu annuel des ministres des Finances et du Trésor public, et vise les comptes des recettes et dépenses annuelles présentés à l'empereur. **Connétable :** assiste au compte rendu annuel des ministres de la Guerre et du directeur de l'administration militaire. **Grand amiral.**

■ **Assemblées. Sénat :** a la prééminence. **Tribunat :** divisé en 3 sections, ne peut plus se réunir que par sections et sera supprimé le 19-8-1807. **Corps législatif** (300 m.) : peut discuter les lois, mais sera très rarement convoqué.

☞ Napoléon fut déclaré déchu le 3-4-1814 par le Sénat et le Corps législatif et abdiqua par 2 déclarations (6 et 11-4-1814).

RESTAURATION

■ CONSTITUTION DES 6 ET 7 AVRIL 1814

Le tsar Alexandre charge le Sénat de nommer un gouvernement provisoire et de rédiger une constitution. Une commission de 5 sénateurs la rédige et elle est adoptée le 6-4. Elle comprend 29 art. Elle a pour base la souveraineté nationale (le peuple appelle librement au trône Louis-Stanislas-Xavier de France). **Le roi** a des pouvoirs étendus ; il a également l'initiative des lois. **Assemblées. Sénat** (de 150 à 200 m.) : nommés à titre héréditaire par le roi ; l'art. 6 prévoit que les sénateurs actuels seraient maintenus et que la dotation actuelle du Sénat et des Sénatoreries leur appartiendrait (ce qui déclencha des critiques ironiques des Royalistes : on parla de constitution de rentes). **Corps législatif** (300 m.) : choisis par les collèges électoraux pour 5 ans. Les membres actuels du Sénat et du Corps législatif demeurent membres de droit de leur assemblée. Le dernier article (29) prévoit que « la Constitution sera soumise à l'acceptation du peuple français » et que « Louis-Stanislas-Xavier sera proclamé roi des Français aussitôt qu'il aura juré et signé la Constitution ».

Le 2-5-1814 (Déclaration de St-Ouen), Louis XVIII fera des réserves sur un certain nombre « d'articles rédigés trop vite » et cette constitution sénatoriale ne sera jamais appliquée.

■ CHARTE DU 4 JUIN 1814

☞ Œuvre d'une Commission composée de 9 sénateurs (dont Boissy d'Anglas), 9 députés, et l'abbé Xavier de Montesquiou-Fezensac (1756-1832), Jacques Beugnot (1761-1835) directeur de la Police, Cte Antoine Ferrand (1751-1825) écrivain (Académie fr. 1816). *Octroyée* par le roi Louis XVIII (dura 16 ans moins *les Cent-Jours*), et appliquée du 4-6-1814 au 20-3-1815 (rentrée de Napoléon à Paris) et du 8-7-1815 (réinstallation de Louis XVIII aux Tuileries) au 2-8-1830 (abdication de Charles X).

■ **Le roi.** Il propose, sanctionne, promulgue la loi, nomme les ministres et peut dissoudre la Chambre des députés.

■ **Chambre des pairs.** Nombre : non limité. 150 (traitement annuel 36 000 F) choisis en grande partie parmi les membres du Sénat de l'Empire (53 exclus). Les membres de la famille royale et les princes du sang étaient pairs de droit. Les pairs héréditaires avaient accès à la Ch. à 25 ans et aux délibérations à 30 ans. La Ch. des pairs siégea du 4-6-1814 au 20-3-1815. *Après les Cent-Jours,* Louis XVIII la garda, mais le 24-7-1814 élimina 29 m. qui avaient siégé pendant les Cent-Jours. Le nombre des pairs passa de 214 (sept. 1815) à 263 (1819) et 341 (1828). Le 19-8-1815, le roi décida que la pairie serait héréditaire. Sauf les pairs ecclésiastiques, les pairs durent constituer des majorats devant produire un revenu minimal de 30 000 F pour les ducs, 20 000 F marquis et comtes, 10 000 F vicomtes et barons.

■ **Chambre des députés. Élections :** l'*ordonnance royale du 13-7-1815* réorganise les *collèges électoraux* [il faut, pour faire partie des collèges d'arrondissement ou de département, avoir 25 ans, mais les membres des c. de dép. doivent être choisis sur la liste des plus imposés. Les c. d'arr. se réunissent d'abord et nomment un nombre de candidats égal à celui des députés à nommer dans le dép. ; les c. de dép. choisissent sur cette liste la moitié des députés (la moitié plus un si le nombre des sièges est impair)] et abaisse l'âge minimal des députés à 25 ans. La *loi du 5-4-1817 sur les élections* institue un seul collège électoral, le coll. de dép., dont font partie les citoyens de 30 ans, domiciliés dans le dép. et payant une contribution directe de 300 F. La *loi du 9-6-1824* modifie le système (chambre renouvelable intégralement). Des dégrèvements d'impôts permettent de réduire les électeurs de 99 000 en 1824 à 81 200. Les ordonnances de 1830 les auraient réduits à 25 000 propr. fonciers. **Députés :** 300 m. élus pour 7 ans et renouvelables par tiers (intégralement après la loi du 9-6-1824). Pour être éligible, il faut avoir au min. 40 ans et payer au min. 1 000 F d'impôts directs ; s'il n'y a pas 50 éligibles réunissant ces 2 conditions dans le dép., ce nombre doit être complété par les plus imposés payant au-dessous de 1 000 F. Une moitié de députés peut être choisie parmi les éligibles n'ayant pas leur domicile politique dans le département. La fonction de député est gratuite.

Fonctionnement : *du 4-6-1814 au 20-3-1815,* la Chambre est composée des membres du Corps législatif de l'Empire (237 m. ; il n'est pas pourvu aux vacances). *Après les Cent-Jours,* on procède à des élections. *La Ire Ch.* (comprenant 395 dép. et dite *Ch. introuvable,* car composée d'une majorité royaliste importante) siège du 7-10-1815 à sa dissolution le 5-9-1816. Elle est alors renouvelée entièrement puis par 1/5 à la fin de chaque année jusqu'en 1823. *Après la dissolution du 5-9-1816,* on fixe le nombre des dép. à 262 et l'âge de l'éligibilité passe de 25 à 40 ans. La *loi du 5-2-1817* supprime le suffr. à 2 degrés. La *loi du 29-6-1817* rétablit les collèges de dép. (qui nomment 172 dép.) et d'arrond. (qui nomment 258 dép.). *24-12-1823* la Ch. est dissoute. *23-3-1824* une nouvelle Ch. est élue pour 7 ans, mais elle est dissoute le 5-11-1827. La Ch. élue le 17-11-1827 est dissoute le 16-5-1830. Une nouvelle Ch. élue le 23-6 appelle le 3-7 le duc d'Orléans et vote le 7-7-1830 la déchéance des Bourbons par 219 voix contre 32.

CENT-JOURS

■ ACTE ADDITIONNEL AUX CONSTITUTIONS DE L'EMPIRE DU 22 AVRIL 1815

Napoléon arrive à Paris le 20-3-1815. Ne pouvant faire désigner une Constituante, il appelle Benjamin Constant (1767-1830), longtemps son opposant (libéral), mais spécialiste des questions constitutionnelles ; celui-ci rédige le texte qui est approuvé par Nap., puis soumis au Conseil d'État. Cet acte additionnel (67 art., dit parfois la Benjamine ou la Constantine), promulgué le 22-4-1815, est soumis au peuple par plébiscite le 1er juin.

■ **L'empereur** est rétabli.

■ **Chambres. Chambre des pairs :** héréditaires nommés par l'empereur, en nombre illimité. Les pairs prennent part aux séances à 21 ans, mais n'ont voix délibérative qu'à 25 ans. Les membres de la famille impériale sont pairs de droit. La chambre siégea du 3-6 au 7-7-1815.

Chambre des représentants : 629 membres de 25 ans au min. [606 nommés par les collèges électoraux (d'arrondissement 238, de département 368), 23 par le coll. de dép. sur une liste d'éligibles dressée par la Ch. de commerce et la Ch. consultative]. Elle siégea du 3-6 au 7-7-1815. *Après Waterloo,* elle contraignit Napoléon Ier à abdiquer en faveur de son fils (22-6-1815) qu'elle reconnut sous le nom de Napoléon II (23-6). Elle constitua une *commission exécutive* de 5 députés présidée par Fouché, manifesta son hostilité aux Bourbons le 30-6, mais dut se retirer, ses membres ayant trouvé porte close le 8-7.

☞ L'acte additionnel disparut en fait le 22-6 (abdication de l'Empereur) et en droit le 8-7, quand Louis XVIII fut réinstallé aux Tuileries. L'ordonnance royale du 12-7, qui dissolvait la Chambre des représentants, rétablit d'une façon effective la Charte suspendue par les Cent-Jours.

MONARCHIE DE JUILLET

■ CHARTE DU 14 AOÛT 1830

Les libéraux demandent une nouvelle Constitution. Cette commission propose de modifier la Charte et présente ses travaux le 6-8 devant la Chambre des députés et des pairs. Après discussion, la Charte révisée est adoptée et, le 9-8-1830, Louis-Philippe prête serment à la Charte (70 art.) et est proclamé « roi des Français ». Le préambule de 1814 a disparu et ce *n'est plus une charte octroyée.* La notion de *souveraineté nationale* est rétablie. La religion catholique cesse d'être la religion de l'État, mais est celle de la majorité des Français.

■ **Le roi.** Il partage avec les Chambres l'initiative des lois ; nomme les ministres qui seront responsables : si la confiance fait défaut, le ministère se retire. En cas de conflit politique, le roi peut dissoudre la Chambre des députés.

■ **Chambre des pairs.** La Charte, amendée le 14-8-1830, et la loi du 29-12-1831 modifient son recrutement : le roi ne peut plus choisir les pairs que parmi des notabilités aux fonctions précisées, l'hérédité est supprimée (29-12-1831), les majorats sont abolis en 1835, aucun traitement, pension ou dotation n'est plus attaché à cette dignité. *Nombre de pairs* illimité : *1830 :* 192 (94 nommés par Charles X) ; *1840 :* 301 ; *1844 :* 285 ; *1847 :* 322 ; *1848 :* 312.

■ **Chambre des députés** [300 m. (min. 30 ans) puis 549 (loi du 19-4-1831)]. Élus pour 5 ans. **Électeurs :** la *loi du 19-4-1831* abaissa le cens, abolit le double vote. Contribuables de 25 a. au moins, payant au moins 200 F d'impôts directs ; en 1832 : 172 000 él. ; en 1845 : 248 000. **Dissolution :** la ch. élue avant la révolution de 1830 fut dissoute le 31-5-1831 et une nouvelle Ch. fut élue 5-7 ; 25-5-1834, 3-10-1837, 2-2-1839, 12-6-1842, 6-7-1846, 24-2-1848.

☞ Le 24-2-1848, Louis-Philippe abdiqua en faveur de son petit-fils le comte de Paris, mais la Rép. fut proclamée par le décret du gouv. provisoire du 26-2 et confirmée par l'acte du 4-5 rendu par l'Assemblée nationale élue au suffrage universel.

IIe RÉPUBLIQUE

L'Assemblée constituante élue les 23/24-4-1848 confie l'exercice du gouvernement le 9-5-1848 à une *commission exécutive* de 5 membres, chargée de nommer les ministres. Le 28-6-1848, le pouvoir exécutif est délégué au *général Cavaignac* qui prend le titre de *Pt du Conseil* des ministres et est chargé de nommer le ministère. Le gouvernement provisoire organise l'élection d'une Assemblée constituante qui a lieu le 23-4-1848 au suffrage universel direct. La Constituante désigne le 17-5 un Comité de constitution présidé par Cormenin (Louis, Vte de 1778-1868). La Constitution définitive est promulguée par le Pt de l'Assemblée nationale. Elle affirme dans le préambule : Liberté, Égalité, Fraternité.

■ CONSTITUTION DU 4 NOVEMBRE 1848

■ **Pt de la République.** *Âge :* min. 30 ans ; doit avoir toujours été Français. *Élection :* tous les 4 ans au suffrage universel (hommes), à la majorité absolue et non immédiatement rééligible. L'Assemblée nationale vérifie l'élection ; si le candidat élu n'est pas éligible, ou si personne n'a obtenu la majorité absolue des suffrages exprimés et plus de 2 millions de voix, elle élit le Pt au scrutin secret et à la majorité absolue parmi les 5 candidats éligibles qui ont réuni le plus grand nombre de suffrages. *Pouvoirs :* le Pt peut faire présenter par ses ministres des projets à l'Assemblée nat. ; il promulgue les lois et veille à leur exécution. Il dispose de la force armée, mais ne la commande jamais en personne. Il ne peut ni céder un territoire, ni proroger, ni dissoudre l'Ass. nat., ni suspendre l'exécution des lois ou de la Constitution. Il nomme et révoque les ministres. Logé aux frais de l'État, il reçoit un traitement de 600 000 F. **Vice-Pt de la République.** Nommé par l'Ass. nat. dans le mois suivant l'élection présidentielle, est choisi sur une liste de 3 membres que le Pt présente.

■ **Assemblée nationale législative.** 750 membres (min. 25 ans, élus pour 3 ans au suffr. univ., 9 000 000 él.). La *loi du 31-5-1850* modifia celle du 15-3-1849 (les listes électorales, dressées dans chaque commune par le maire assisté de 2 délégués nommés par le juge de paix, comprennent les citoyens ayant depuis 3 ans leur domicile dans la commune ou dans le canton ; les fonctionnaires publics, les représentants du peuple dans la ville où siège l'Ass., et les ministres des cultes ne sont soumis à aucune condition de domicile ; pour être élu au 1er tour, il faut obtenir ¼ des voix des électeurs du dép.).

☞ L'Assemblée siégea du 28-5-1849 jusqu'à sa dissolution le 2-12-1851. Les 20/21-12-1851, un *plébiscite* délégua les pouvoirs constituants à Louis-Napoléon Bonaparte.

■ CONSTITUTION DU 14 JANVIER 1852

☞ Rédigée (en quelques heures) par Rouher entre le 25-12-1851 et le 1-1-1852.

■ **Prince-président.** Élu pour 10 ans. Chef de l'État, il est responsable devant le peuple, auquel il peut toujours faire appel ; il commande les forces militaires, déclare la guerre, fait les traités, nomme aux emplois, a le droit de grâce. Il fait les règlements, décrets d'exécution des lois, dont il a seul l'initiative et qu'il sanctionne et promulgue. Il peut proclamer l'état de siège. Il a le droit de présenter un citoyen pour lui succéder. Les ministres sont responsables devant lui seul.

■ **Assemblées. Conseil d'État :** 40 à 50 m. nommés par le Pt, prépare les lois et les soutient devant les Ch. **Corps législatif :** 261 m. élus (1 dép. pour 35 600 électeurs), sanctionne les lois. **Sénat :** nommé à vie par le Pt sans limitation de nombre, gardien de la Constit. Les fonctions des sénateurs sont gratuites, mais ils peuvent recevoir des dotations d'au plus 30 000 F par an.

Second Empire

■ **Empire autoritaire. Constitution appliquée :** celle du 14-1-1852 : plusieurs fois modifiée par des sénatus-consultes.

Sénatus-consulte du 7-11-1852 (confirmé par le plébiscite des 21/22-11-1852 dont les résultats sont solennellement proclamés par le préfet Berger sur la place de l'Hôtel de Ville) : rétablit l'Empire. Le Pt de la Rép. devient l'empereur Nap. III. Il peut adopter les enfants et descendants légitimes des frères de Nap. Ier dans la ligne masculine, et ces enfants adoptifs ne peuvent prétendre au trône que s'il n'a pas d'enfants mâles ; ses successeurs n'ont pas ce droit d'adoption. Il a le droit de régler sa succession par un décret s'il n'a pas d'enfants (ni d'adoptés). A défaut de ceux-ci et de successeurs en ligne collatérale, l'empereur est nommé par un sénatus-consulte, proposé par les ministres et les Pts du Sénat, du Corps législatif et du Conseil d'État, et ratifié par un plébiscite. Les *membres de la famille impériale* ne peuvent se marier sans l'autorisation de l'empereur (sinon, ils perdent leurs droits au trône, mais ils peuvent les recouvrer si leur femme meurt sans enfants).

Décret organique du 18-12-1852 : règle les droits des collatéraux à la succession au trône en choisissant la famille de Jérôme Bonaparte. **Sénatus-consulte du 25-12-1852 :** le *Sénat* ne peut avoir plus de 50 membres (nommés par l'empereur, ils ont une dotation annuelle de 30 000 F). Les *députés* reçoivent pour chaque mois de session une indemnité de 2 000 F. **Décret du 2-2-1861 :** publication des débats de l'Ass. **Décret du 31-12-1861 :** vote du budget par sections. **Sénatus-consulte du 18-7-1866 :** rappelle que la *révision* de la Constitution ne peut être discutée qu'au Sénat. La *session du Corps législatif* n'est plus limitée à 3 mois, et les *députés* reçoivent pour les sessions ordinaires une indemnité de 12 500 F. **Décret du 19-1-1867 :** donne au Sénat et au Corps législatif *le droit d'interpellation.* **Sénatus-consulte du 14-3-1867 :** donne au *Sénat* le droit de demander au Corps législatif, par une résolution motivée, de délibérer de nouveau sur une loi. **Sénatus-consulte du 8-9-1869 :** accroît les pouvoirs du Corps législatif qui reçoit l'initiative des lois.

■ **Empire libéral. Sénatus-consulte du 20-4-1870 :** le projet de sénatus-consulte est déposé devant le Sénat le 28-3 et voté par lui le 20-4. Un plébiscite est organisé le 8-5. Le peuple ratifie le sénatus-consulte du 20-4-1870, qui est promulgué le 21-5-1870. **L'empereur** garde le droit de renvoyer les min. responsables. Il ne préside plus le Sénat ni le Conseil d'État. Il ne peut nommer plus de 20 sénateurs en un an et le nombre des sénateurs ne peut excéder les 2/3 de celui des membres du Corps législatif. Le **Sénat** n'a qu'une attribution, celle de discuter et de voter les projets de loi, concurremment avec le Corps législatif. Le **Corps législatif** est nommé pour au moins 6 ans. Le *droit de pétition* s'exerce auprès du Corps législatif et du Sénat. Le *droit d'amendement* n'est plus soumis au contrôle du Conseil d'État.

IIIe République

De 1870 à 1875

■ **Loi du 31-8-1871 :** donne à Thiers le titre de *Pt de la République.* Celui-ci, responsable devant l'Ass. et résidant dans la même ville qu'elle, promulgue les lois, assure et surveille leur exécution ; il peut être entendu par l'Ass. après en avoir informé le président ; il nomme et révoque les ministres ; ses actes doivent être contresignés par un ministre. Le *Conseil des ministres* est responsable devant l'Ass. Un *décret du 2-9-1871* crée un *Vice-Pt* chargé de convoquer et de présider le Conseil des ministres en cas d'absence ou d'empêchement du Président de la République.

■ **Loi du 15-2-1872** [dite **loi Tréveneuc ;** proposée par le Cte Henri de Tréveneuc (1834-93)] : vise à empêcher un coup de force du pouvoir exécutif contre le pouvoir législatif. Si l'Assemblée est dissoute illégalement ou si on l'empêche de se réunir, les *conseils généraux* sont convoqués de plein droit et chacun d'eux se réunit pour nommer 2 délégués. Les délégués doivent se réunir là où sont le gouvernement légal et les députés ayant échappé à la violence ; les délégués réunis de la moitié plus un des départements forment une *Assemblée nationale provisoire* à laquelle s'adjoignent les députés restés libres. Cette ass. provisoire doit pourvoir à l'administration du pays jusqu'à ce que l'Ass. soit reconstituée par la réunion de la majorité de ses membres sur un point quelconque du territoire ; si cette reconstitution est impossible, les électeurs doivent être convoqués dans le mois qui suit les événements. Les fonctionnaires doivent, sous peine de forfaiture, obéir à l'Ass. provisoire ; en attendant que l'ordre soit rétabli, les conseils généraux exercent, chacun dans leur département, les fonctions administratives et politiques.

☞ **La République** est proclamée le *4-9-1870.* **Gouvernement provisoire :** 12 membres, députés de Paris ; fonctionne sans l'assistance du pouvoir législatif et rend des décrets ayant force de lois (d'abord revêtus de 7 signatures, puis de 6).

Assemblée nationale : élue au scrutin de liste le 8-2-1871, elle gouvernera jusqu'en 1875 (siégeant à Bordeaux jusqu'au 10-3-1871, puis à Versailles). Se déclarant dépositaire de l'autorité souveraine, elle nomme, le 17-2-1871, Thiers *chef du pouvoir exécutif de la Rép. française ;* celui-ci exerce ses fonctions sous l'autorité de l'Ass., avec des ministres qu'il choisit et qu'il préside. Le 1-3-1871, l'Ass. nationale prononce la déchéance de Napoléon III et de sa dynastie.

■ **Loi du 24-5-1872 :** réorganise le *Conseil d'État,* dont les membres sont élus par l'Assemblée, et rétablit le *Tribunal des conflits.*

■ **Loi du 13-3-1873 (ou Constitution de Broglie ou Loi des Trente) :** crée des règles plus précises. Le *Pt de la Rép.* doit communiquer avec l'Assemblée par des messages. S'il désire prendre la parole dans la discussion d'une loi, il doit en informer l'Assemblée par un message ; la séance est alors suspendue, et, à moins d'un vote spécial, il ne doit être entendu que le lendemain. Le Pt de la Rép. doit promulguer les lois déclarées urgentes dans les 3 j, à moins que dans ce délai il demande à l'Ass., par un message motivé, une autre délibération.

■ **Loi du 20-11-1873 :** fixe les pouvoirs du maréchal de Mac-Mahon désigné comme successeur de Thiers (qui a démissionné le 24-5-1873).

Constitution de 1875

■ **Formulation. Lois du 24-2-1875 :** *sur l'organisation du Sénat* (le parti républicain était unanime contre l'institution d'une seconde chambre ; mais Gambetta fit accepter le Sénat, en le qualifiant de « Grand Conseil des communes françaises ») ; du **25-2-1875 :** *sur l'organisation des pouvoirs publics* ; du **16-7-1875 :** *sur les rapports des pouvoirs publics.* **Modifications. Lois** du **19-6-1879 :** datée du 21-6, abrogeant l'art. 9 de la loi du 25-2 qui fixait à Versailles *le siège du pouvoir exécutif et des 2 chambres* (ceux-ci seront ramenés à Paris par la loi du 22-7-1879), du **13/14-8-1884 :** supprimant l'*inamovibilité des sénateurs* et spécifiant que la forme républicaine du Gouv. ne peut faire l'objet d'une proposition de révision et empêchant les membres des familles ayant régné sur la France d'accéder à la présidence de la Rép., et du **10-8-1926 :** créant la *Caisse d'amortissement et de gestion des bons de la défense nationale.*

■ **Président de la République.** Élu pour 7 ans par les Chambres réunies en Congrès. A l'initiative des lois, concurremment avec la Ch. des députés, et les promulgue. Nomme les ministres (le Conseil des min. n'est mentionné qu'incidemment). Peut dissoudre la Chambre des députés après avis conforme du Sénat. Est irresponsable ; mais pour tout acte de sa fonction (présider une cérémonie, prononcer un discours, recevoir un ambassadeur), il y a un ou plusieurs ministres qui en portent la responsabilité. En *cas de vacance,* et jusqu'à l'élection du Pt, le Conseil des ministres exerce le pouvoir exécutif. Le Sénat se réunit de plein droit.

■ **Chambre des députés. Députés :** 25 ans au min., élus pour 4 a. au suffr. univ. direct. *Nombre : 1876 :* 533, *81 :* 554, *85 :* 584, *1910 :* 597, *28 :* 612, *32 :* 615, *36 :* 617.

■ **Sénat. Sénateurs :** 40 ans au min., élus pour 9 a. au suffr. univ. indirect (au scrutin de liste départemental, par un collège d'environ 75 000 m. comprenant députés, conseillers généraux, conseillers d'arrondissements et délégués sénatoriaux élus par les conseils municipaux). *Nombre :* 300 (314 à partir de 1919, 75 étaient inamovibles avant la loi du 13/14-8-1884 ; le dernier inamovible, Émile-Louis-Gustave des Hayes de Marcère, né en 1828, min. de l'Intérieur en 1876, inamovible en 1883, mourut le 26-4-1918). **Pouvoirs :** ne peut être dissous. Peut être constitué en *Haute Cour de Justice, soit* sur accusation de la Ch. des députés pour juger le Pt de la Rép. ou les ministres pour crimes commis dans l'exercice de leurs fonctions, *soit* sur convocation du gouv. pour juger les attentats contre la sûreté de l'État.

■ **Président du Conseil.** Les textes constitutionnels ne le mentionnent pas. Jusqu'au 9-3-1876, les premiers ministres Dufaure, de Broglie, Cissey, Buffet portèrent officiellement le titre de *Vice-Pt du Conseil.* Le 10-3-1876, Dufaure prit le titre de Pt du Conseil, qui fut dès lors adopté (la Pce du Conseil fut légalisée et installée à *Matignon* par Flandin en déc. 1934 et déc. 1935). Auparavant le Pt du Conseil, également ministre, s'installait dans le ministère dont il était le titulaire.

■ **Révision de la Constitution.** Par les deux Chambres réunies en Assemblée nationale dont le bureau est tenu par celui du Sénat (procédure utilisée pour la 1re fois le 21-6-1879).

■ **Défauts de la Constitution.** Le pouvoir exécutif est donné non au Pt de la Rép. (échec de la tentative de Millerand, 1920-24, pour accroître son rôle) mais au *Conseil des ministres.* Or celui-ci est à la merci de la Chambre des députés (et des groupes officialisés, à partir de 1910, qui la composent), car la Chambre des députés est pratiquement indissoluble (sa dissolution devant être décidée à la fois par le Pt de la Rép. et le Sénat). Tout vote impliquant un défaut de confiance (même implicite) fait tomber le Gouv., quels que soient l'occasion, le moment, la majorité, le nombre de présents (beaucoup de ministères furent renversés par surprise).

Par crainte d'être renversé, le Pt du Conseil se soumet aux volontés de la Chambre des députés et l'on a ainsi un gouvernement d'assemblées. Il n'y a pas d'arbitre en cas de conflit entre les 2 Chambres qui sont égales (mais toute loi de finances est d'abord discutée et votée à la Ch. des dép., et le Sénat a souvent peu de temps pour en discuter) : la *« navette »* entre députés et sénateurs peut retarder indéfiniment l'adoption des lois.

La *salle du Congrès* fut construite dans l'aile sud du château de Versailles, après la proclamation de la Rép. en 1875, pour abriter l'Assemblée nat. : les députés y siégèrent de 1876 à 1879. La loi du 22-7-1879 ayant refait de Paris la capitale politique de la France, la salle devint le lieu de réunion des 2 chambres du Parlement pour les élections du Pt de la Rép. et les révisions constitutionnelles.

État français (1940-44)

■ **Vote des pleins pouvoirs.** Chambre des députés et Sénat, réunis en Assemblée nationale à Vichy le 10-7-1940, votent une loi constitutionnelle donnant pleins pouvoirs au maréchal Pétain (seul celui-ci peut les exercer). Effectif légal de l'Ass. nat. 850. Présents 666. Résultats du scrutin : pour 569, contre 80, abstentions 17. A la Libération (1944), la délégation à autrui du pouvoir constituant que la Constitution avait conféré à l'Assemblée nationale a été jugée comme abusive et irrégulière et toutes les décisions ultérieures prises en fonction de cette délégation furent donc entachées d'irrégularité.

■ **Actes constitutionnels.** Il y en eut 13 (en fait 17, car l'Acte no 4 eut 5 rédactions) promulgués par le Mal Pétain entre le 11-7-1940 et le 26-11-1942. La plupart des documents officiels substituèrent l'expression *« État français »* à « République française », mais la France restait en principe une république. **No 1 :** abroge l'art. 2 de la loi constitutionnelle du 25-2-1875 concernant la nomination du Pt de la Rép. **No 2 :** fixe les pouvoirs du chef de l'État français et abroge les articles des lois constitutionnelles de la IIIe Rép. incompatibles avec le nouveau régime qui concentre les pouvoirs exécutif et législatif entre les mains du chef de l'État. **No 3 :** proroge et ajourne les chambres et abroge l'article 1er de la loi constitutionnelle du 16-7-1875 sur les sessions parlementaires. **No 4** (12-7-1940) : relatif à la suppléance et à la succession du chef de l'État. Pierre Laval est cité nommément. **No 5** (30-7-1940) : supprime l'institution du Sénat en Haute Cour de justice et institue une Cour suprême de justice. **No 4 bis** (24-9-1940) modifie la majorité nécessaire, au Conseil des ministres, pour nommer le remplaçant éventuel de Laval. **No 6** (1-12-1940) sur la déchéance des sénateurs et députés. **No 4 ter** (13-12-1940) : prévoit la suppléance de Pétain, Laval n'est plus cité. **No 7** (27-1-1941) : oblige les secrétaires d'État, hauts dignitaires de l'État, à prêter serment devant le chef de l'État. **No 4 quater** (10-2-1941) : modifie la succession du maréchal Pétain pour Darlan. **Nos 8 et 9** (14-8-1941) : prestation de serment au chef de l'État dans armée et magistrature. **No 10** (4-10-1941) : prestation de serment pour tous les fonctionnaires. **N° 11** (18-4-1942) : relatif au chef du gouvernement, nommé par le chef de l'État et responsable devant lui. **N° 12** (17-11-1942) : permet au chef du gouvernement de promulguer lois et décrets. **N° 4 *quinquies*** (17-11-1942) : redonne à Laval la succession du chef de l'État. **N° 12 *bis*** (26-11-1942) : complète les fonctions du chef du gouv. **N° 4 *sexies*** (12-11-1943, non publié) : prévoit, en cas de décès du chef de l'État, que le pouvoir constituant appartiendra au Sénat et à la Chambre des députés dont l'abrogation sera levée.

■ Projet (nov. 1943). *Chef de l'État,* ou Pt de la Rép. : est élu pour 10 ans par le Congrès national (Assemblée nationale et conseillers provinciaux). *Sénat :* membres désignés par le chef de l'État, élus au suffrage universel indirect. *Chambres des députés :* 500 membres élus au suffrage universel direct, à la majorité, à 1 tour. Vote familial : « le père ou, éventuellement la mère, chef de famille de 3 enfants et plus, a droit à un double suffrage ». *Cour suprême de justice. Conseillers municipaux* élus pour 6 ans. *Maires des grandes villes* non élus par le conseil municipal. *Conseil provincial* représentant les professions. *Conseil d'Empire.*

La Constitution de 1875 n'avait pas été abrogée par la loi de révision du 10-7-1940, ni par les actes constitutionnels : ceux-ci avaient procédé à des abrogations partielles et le gouvernement de Vichy considérait que, pour le reste, la Constitution continuait d'exister.

■ Gouvernement provisoire (1944-45)

L'*ordonnance* de De Gaulle du 9-8-1944, en constatant la nullité de l'acte dit « loi constitutionnelle » du 10-7-1940 et de tous les actes dits « actes constitutionnels », affirme que rien, juridiquement, n'a pu mettre fin à la Constitution de 1875. Mais, pour la remettre en application, il aurait fallu reconstituer le Sénat et que le Pt Lebrun reprenne ses fonctions (écarté en 1940, il n'avait pas démissionné, et son mandat était toujours en cours). Le *référendum du 21-10-1945* résolut la question : en décidant que l'Assemblée qu'il élisait serait constituante, le peuple, exerçant son pouvoir constituant, abrogea la Constitution de 1875, et, en acceptant le projet (devenu la loi constitutionnelle du 2-11-1945 sur l'organisation des pouvoirs publics), il y substitua une Constitution provisoire. La Const. de 1875 a ainsi pris fin le 2-11-1945.

IVe République

■ Loi constitutionnelle du 2 novembre 1945 portant organisation provisoire des pouvoirs publics

L'Assemblée nationale constituante prépare une nouvelle Constitution ; le gouvernement provisoire promulgue le 2-11-1945 une pré-Constitution (8 art.). **Art. 1er :** prévoit l'élection du Pt du gouvernement provisoire. **Art. 2 et 3 :** la future Constitution est élaborée par l'Assemblée élue et soumise ensuite au peuple par la voie du référendum. **Art. 4 et 5 :** organisent les pouvoirs législatifs et budgétaires de l'Assemblée. **Art. 6 :** dissolution automatique de l'Assemblée (à la mise en application de la nouvelle Constitution ou 7 mois après sa 1re réunion). **Art. 7 :** organise les cas où une nouvelle Assemblée constituante doit être élue (rejet du projet constitutionnel ou délai de 7 mois écoulés). **Art. 8 :** constitutionnalise les articles précédents.

■ Gouvernement. Le chef est nommé par l'Ass. Il gouverne et promulgue aussi les lois.

■ Assemblée nationale constituante. *1re Ass., élue le 21-10-1945* (586 m.), siège du 6-11-1945 au 26-4-1946. Élabore un projet de Constitution qui est repoussé par le référendum du 5-5-1946. *2e Ass. élue,* siège du 11-6 au 5-10-1946. Élabore un projet de Const. [voté à l'Ass. le 29-9 par 440 v. (comm., soc., MRP) contre 106 (UDSR, rad.-soc., paysans ind., PRL)] ; il est accepté par référendum le 13-10-1946.

■ Constitution du 27 octobre 1946

■ Préambule. Il réaffirme les libertés de la Déclaration des droits de 1789 (définies sous les auspices de l'Être suprême) et proclame des principes sociaux et économiques (égalité de la femme, garantie d'une aide par la Nation à tous ceux qui ne peuvent vivre décemment, devoir de travailler, droit au travail, à l'action syndicale, droit de grève, nationalisation d'entrepr. ayant le caractère d'un service public).

■ Exécutif. **Président de la République :** élu pour 7 ans (rééligible une seule fois) par les 2 Chambres réunies en Congrès à Versailles (bureau de l'Ass. nat.). Irresponsable politiquement, il ne peut être renversé ni destitué par l'Ass. nat. (mais il est responsable en cas de haute trahison et peut être mis en accusation par l'Ass. nat.). *Pouvoirs :* signe et ratifie les traités, dispose de la force armée, préside le Conseil des ministres, promulgue les lois, adresse des messages à l'Ass. nat. Tous ses actes doivent être cosignés par le Pt du Conseil et par un ministre (sauf pour sa démission et la désignation du Pt du Conseil). – En raison de l'instabilité gouvernementale et de la multiplicité des tendances à l'Ass. nat., les deux Pts, Vincent Auriol et René Coty, jouèrent un certain rôle, notamment au moment des crises ministérielles lorsqu'ils devaient choisir un nouveau Pt du Conseil ; ils donnèrent également leur avis sur de nombreuses questions importantes.

Gouvernement : le *Pt du Conseil,* chef du Gouv., est investi par un vote de confiance de l'Ass. nat. au scrutin public et à la majorité absolue des députés [investi le 21-1-1947, Paul Ramadier accepta le 28 la discussion des interpellations sur la composition du gouv. constitué le 22. V. Auriol lui téléphona pour l'en dissuader. Ramadier évoqua la souveraineté de l'Ass. Ainsi naquit la pratique de la « double investiture » qui entraîna la chute de Robert Schuman, investi le 31-8-1948 et renversé le 7-9 sur l'attribution des Finances à un socialiste, puis de Queuille dans les mêmes conditions en juillet 1950. Seul, Pierre Mendès France annonça dans son discours d'investiture qu'il refuserait de négocier avec les partis la formation du gouv. (il ne fut pas imité). La *révision du 7-12-1954* revint à la formule de la IIIe : le Pt du Conseil se présente avec son gouv. devant l'Ass. qui vote la confiance à la majorité simple]. Il pose la question de confiance (responsabilité collective des ministres devant l'Ass. nat.) après délibération du Cons. des ministres. Le Cons. des ministres peut décider la dissolution de l'Ass. nat. (décret du Pt de la Rép.) si 2 crises ministérielles surviennent (après les 18 premiers mois de la législature) en 18 mois (par refus de la confiance ou motion de censure). Il y eut 1 dissolution (1-12-1955, Edgar Faure).

■ Législatif. **Parlement :** composé de 2 ass. **Assemblée nationale :** élue au suffr. univ. direct pour 5 ans (âge min. 23 a.) ; 619 m. (dont dép. métropolitains : 544). *Pouvoirs :* vote seule la loi, a l'initiative des dépenses, élit le Pt du Conseil et peut renverser le Gouv. à la majorité absolue (vote de défiance quand le Pt du Conseil pose la question de confiance, motion de censure), peut élire jusqu'au 1/6 des m. du Conseil de la Rép. En fait, le gouv. sera affaibli par le rôle accru des commissions (contrôle, débat sur les projets de loi amendés par elles...).

Conseil de la République : *élu* au suffr. univ. indirect à 2 degrés (collectivités territoriales métropolitaines et d'Algérie, Conseils et assemblées d'outre-mer, Ass. nat.) pour 6 ans, renouvelable par moitié tous les 3 ans (âge min. 35 a.) ; membres : 250 à 320. *La loi du 23-9-1948 :* – rétablit l'ancien régime électoral du Sénat (surreprésentation des communes rurales). Les conseillers reprennent le nom de sénateurs. *Pouvoirs (limités) :* participe à l'élection du Pt de la Rép., élit 3 membres du Conseil constitutionnel, n'intervient pas dans la formation du Gouv. qui n'est pas responsable devant lui : simple droit d'information et d'enquête ; peut inviter le Gouv. à prendre certaines décisions ; ne participe pas au pouvoir législatif. Son droit d'initiative se limite en fait à présenter des amendements aux textes transmis par l'Ass. nat. (celle-ci n'est pas tenue de donner suite aux propositions qu'il lui transmet), il donne son avis sur les textes votés par l'Ass. nat., dans un délai max. de 2 mois, et l'Ass. nat. statue définitivement en 2e lecture.

■ Assemblées consultatives. **Conseil national économique :** 169 m. (184 à l'origine) désignés pour 3 a. par les organisations profess., synd. et corporatives (+ quelques m. nommés par le Gouv.). **Assemblée de l'Union française :** 260 m. (voir Index). **Conseil constitutionnel :** 13 m., peut être saisi par le Conseil de la Rép. sur demande du Pt de la Rép. et du Pt du Conseil pour contrôler la constitutionnalité *d'une loi.*

■ Révision. Décision sur l'initiative de l'Ass. nat. (majorité absolue), soumise au Conseil de la Rép. (2e lecture à l'Ass. nat. dans les 3 mois) ; puis projet de loi de l'Ass. nat. voté comme une loi par le Parlement, et soumis à référendum (sauf s'il est voté en 2e lecture de l'Ass. nat. à la majorité des 2/3, ou adopté par les 2 ass. à la majorité des 3/5).

Révision par voie parlementaire du 7-12-1954 : limitation des sessions parlementaires, suppression de la majorité absolue pour l'investiture du Pt du Conseil, rétablissement de la navette entre les 2 ass. [Cette *navette* augmentait les pouvoirs du Cons. de la Rép. : les textes sont discutés tant qu'il n'y a pas d'accord entre les 2 ass., mais dans une limite de 100 j (1 mois pour le budget, 15 j si urgence) après l'adoption en 2e lecture à l'Ass. nat.] En outre, le Cons. de la Rép. peut discuter en 1re lecture ses propres propositions de loi et les projets que le Gouv. peut lui soumettre directement.

Projet de révision de 1958 : modifications du vote de défiance (quand le Pt du Conseil pose la question de confiance sur un texte, celui-ci est adopté sans vote s'il n'y a pas de motion de défiance), la dissolution (automatique, après les 18 premiers mois de la législature, si le Gouv. est renversé après une motion de censure ou de défiance, dans les 2 a. qui suivent l'investiture du Pt du Conseil, mais le Pt de la Rép. peut s'y opposer dans des cas graves ; la dernière année, le Pt de la Rép. peut dissoudre l'Ass. nat. sur la demande du Pt du Cons. et du Cons. des min.).

■ Reproches faits à la Constitution. *Le Pt du Conseil,* dont le rôle est reconnu officiellement, est désigné par le Pt de la Rép., mais dépend ensuite exclusivement de l'Assemblée nationale, qui pratique sans entraves le « gouvernement d'assemblée ». La *dissolution* a pour effet de transformer en crises électorales les crises ministérielles.

Le *Pt de la Rép.,* théoriquement sans pouvoir exécutif direct, devient grâce à sa stabilité le chef moral de l'exécutif, ce qui facilitera le passage du régime parlementaire au présidentiel.

■ Statistiques. **Ministères :** *Nombre :* 25 en 12 ans. *Record de durée des crises :* 38 j, mai-juin 1953.

Formations à l'Ass. nat. : 14 en 1947 (députés indépendants : 5), 18 listes électorales nationales en 1956 (candidats dans 30 départements) ; il y a souvent des groupements de circonstance, et généralement plus de groupes que de partis, bien que certains groupes réunissent des m. de plusieurs partis.

Présidences : 2, dont 1 interrompue : René Coty abandonne ses fonctions au Gal de Gaulle le 8-1-1959, après la mise en place de la Ve Rép.

☞ Pour en savoir plus, demandez le Quid des Présidents de la République (et des candidats). 720 pages de faits, de dates, de chiffres et d'anecdotes. Chez tous les libraires.

Ve République

■ Constitution de 1958

■ Origine. À la suite des événements de mai 1958 en Algérie, le Gal de Gaulle forme un gouvernement qui reçoit la confiance de l'Assemblée nationale le 1er juin. En vertu de la loi du 3-6-1958 qui modifie la procédure de révision constitutionnelle, le gouvernement de Gaulle élabore un projet de constitution qui, après avoir été soumis au Comité consultatif constitutionnel et au Conseil d'État, est soumis au peuple français qui l'approuve par le référendum du 28-9-1958 à une très forte majorité (voir p. 757). Promulguée le 4-10, la Constitution est entrée en vigueur immédiatement. Comprend 94 art. regroupés, après le préambule et l'art. 1er, en 16 titres.

■ Révisions. **4-6-1960 :** loi constitutionnelle modifiant les articles 85 et 86 : désormais la révision des dispositions relatives à la Communauté peut intervenir par accord entre tous les États membres. **28-10-1962 :** le peuple français approuve par référendum (62,25 % des suffrages exprimés, 46,65 % des inscrits) le projet de loi présenté par le Pt de la Rép., prévoyant son élection au suffrage univ. Il était antérieurement élu par un collège électoral restreint d'environ 80 000 « grands électeurs » (parlementaires, conseillers généraux, maires et représentants des conseils généraux). D'après la plupart des juristes et le Conseil d'État (avis sur le projet de loi), le référendum est fait en violation de la Constitution : la décision de référendum du Pt de la Rép. a précédé la proposition du 1er min. ; le Pt de la Rép. a maintenu en fonction le Gouv. alors que l'Assemblée nat. l'avait censuré (de Gaulle refuse le 6-10 la démission du gouv. Pompidou et l'Ass. nat. est dissoute le même jour) ; l'art. 11 (référendum) n'aurait pas dû être utilisé pour une modification de la Constitution à la place de l'art. 89 qui impose une intervention du Parlement. **30-12-1963 :** voté le 20-12 par le Congrès (Sénat et Assemblée nat., réunis en Congrès à Versailles) par 557 voix contre 7, abstentions 167, modifie la date des sessions parlementaires (2-4 et 2-10). **27-4-1969,** projet créant des régions et modifiant le statut du Sénat rejeté par le référendum (voir p. 757). **29-10-1974 :** voté le 21-10 par le Congrès (votants 764 ; suffr. exprimés 761 ; pour 488, contre 273, abstentions volontaires 3, non-votants 4), remplace le 2e alinéa de l'art. 61 de la Constit. par : « Aux mêmes fins, les lois peuvent être déférées au Conseil constit., avant leur promulgation, par le Pt de la Rép., le 1er ministre, le Pt de l'Assemblée nationale, le Pt du Sénat ou 60 députés ou 60 sénateurs. » **18-6-1976 :** voté le 14-6 par le Congrès (par 490 voix contre 258 et 1 abstention), révise l'art. 7 de la Constitution précisant la procédure d'élection du Pt de la Rép. en cas de décès ou d'empêchement d'un candidat. **25-6-1992** (loi constitutionnelle no 92 554) votée le 23-6 par le Congrès 886 présents : 566 dép., 322 sén. par 592 v. contre 73 et 14 abstentions dont députés pour : 261 PS sur 271, 5 RPR sur 125, 79 UDF sur 89, 39 UDC sur 40, 14 non-inscrits sur 25 ; sénateurs pour : 20 Rassemblement dém. et européen sur 23, 64 PS sur 66, 65 Union centriste sur 67, 43 Union des rép. et des indép. sur 51, 2 non-inscrits sur 6., ajoute à la Constitution un titre « Des Communautés européennes et de l'Union européenne ». **L'art. 2** ajoute : la langue de la Rép. est le français et l'hymne national est la Marseillaise. **Les art. 88-1** et **88-2** rendent le tr. de Maastricht conforme à la Constitution.

☞ *2 projets de révision, votés par les Assemblées, n'ont pas été soumis au Congrès, car ils ne purent recueillir les 3/5 des suffr. exigés :* 1°) quinquennat (au lieu du septennat), en 1973 voir encadré ci-contre ; 2°) modification du statut des parlementaires suppléants d'un ministre en oct. 1974. *2 projets votés par l'Assemblée nat., tendant à permettre le recours au référendum en matière de libertés publiques, ont été rejetés par le Sénat* en 1984.

■ **Interprétation de la Constitution.** D'après François Luchaire, prof. à la Fac. de Droit (n. 1-1-1919), 3 présidents ont eu une façon personnelle d'interpréter la constitution. *1°) De Gaulle :* prééminence du dialogue entre le chef de l'État et le peuple sur celui du Gouvernement et du Parlement (utilisations de l'art. 16 en cas de crise ; responsabilités séparées du Gouv. et du Parlement ; institution de l'élection directe du Pt non prévue initialement ; démission du Pt en cas de référendum négatif ; Pt conçu comme arbitre et comme 1er responsable national ; non-concordance possible entre majorités présidentielle et législative, recours fréquents au référendum) ; *2°) V. Giscard d'Estaing :* priorité à la sauvegarde des équilibres institutionnels ; pratiques prudentes des révisions (notamment : abandon du projet du quinquennat) ; prise en considération de la majorité législative dans la politique présidentielle [ce qui implique l'abandon du présidentialisme, cependant V. Giscard d'Estaing n'a pas réellement tenu compte du scrutin de mars 1978 : bien que le RPR (148 sièges) ait eu plus de députés que les giscardiens (141 s.). La politique présidentielle aurait dû faire du RPR l'élément le plus important de la majorité (réponse : les gaullistes ne peuvent se plaindre d'une attitude qui est précisément « gaullienne »)] ; le Pt conçu comme protecteur des libertés ; *3°) F. Mitterrand :* a tenu compte, en mars 1986, du changement de majorité législative.

Le 30-11-1992, dans une lettre adressée aux Pts de l'Assemblée nat. et du Sénat et aux m. du Conseil constitutionnel, le Pt plaide pour un mandat présidentiel de 6 ans min., le renforcement des pouvoirs du Parlement (réduction de l'art. 49.3 de la Constitution), l'indépendance des magistrats (modification de la composition du Conseil supérieur de la magistrature), la réforme de la Hte Cour de justice (compétence réduite aux crimes de haute trahison commis par Pt et les crimes contre la sûreté publique commis par les ministres, les autres délits relevant du droit commun), le référendum étendu aux « garanties fondamentales des libertés publiques ».

LE PRÉSIDENT DE LA RÉPUBLIQUE

GÉNÉRALITÉS

☞ Le chef de l'État (souvent qualifié de détenteur du pouvoir suprême) personnifie et représente l'État. Les Chartes de 1814 (art. 14) et de 1830 (art. 13), les Constitutions du 14-1-1852 (art. 6) et du 21-5-1870 (art. 14), l'Acte constitutionnel no 1 du 11-7-1940 (art. 4) l'ont officialisé. Les constitutions de 1875, 1946, 1958 n'en parlent pas. La loi sur la liberté de la presse du 25-7-1881 réprime les offenses « envers les chefs de l'État étrangers » (art. 36) en les distinguant des offenses au Pt de la République (art. 26).

■ ÉLECTION

■ **Mode.** Élu pour 7 ans au suffrage universel, à la majorité absolue (depuis le référendum du 28-10-1962) : si celle-ci n'est pas atteinte au 1er tour, il y a un 2e tour 15 j après. Seuls peuvent s'y présenter les 2 candidats qui (le cas échéant, après retrait des candidats plus favorisés) se trouvent avoir recueilli le plus grand nombre de suffrages au 1er tour. L'élection du nouveau président a lieu 20 j au moins et 35 j au plus avant l'expiration des pouvoirs du Pt en exercice.

Chaque candidature doit être présentée par 500 élus, membres du Parlement, des conseils généraux, du Conseil de Paris, des assemblées territoriales des territoires d'outre-mer, ou maires (dont des élus d'au moins 30 départements ou territoires d'outre-mer, sans que plus d'un dixième d'entre eux puissent être les élus d'un même départ. ou territ. d'outre-mer).

Pour pouvoir être candidat : être Français ; avoir au moins 23 ans ; avoir satisfait aux obligations du service nat. : il suffit d'avoir répondu à l'appel sous les drapeaux (il n'est pas nécessaire d'avoir définitivement satisfait aux obligations du service actif – cf. décision du Conseil constit. du 17-5-1969 vis-à-vis d'Alain Krivine, à l'époque sous les drapeaux) ; n'être sous le coup d'aucune incapacité ou inéligibilité prévue par la loi : certaines condamnations (toutes les c. pour crimes, certaines c. pour délit : par ex. fraude électorale...), contumaces, faillis non réhabilités, majeurs en tutelle, citoyens pourvus d'un conseil judiciaire, débiteurs admis au règlement judiciaire. *Chaque candidat doit verser* au trésorier-payeur général du lieu de son domicile, agissant en qualité de préposé de la Caisse des dépôts et consignations, un cautionnement de 10 000 F, avant l'expiration du 17e j précédant le 1er tour.

■ **Campagne.** Ouverte le j de la publication au *Journal officiel* (au moins 15 j avant le 1er tour) de la liste des candidats. Prend fin le vendredi précédant le scrutin à minuit. *Durée :* 15 j pour le 1er tour, 8 pour le 2e. *Déroulement :* surveillé par une Commission nationale de contrôle de 5 membres (vice-Pt du Conseil d'État, 1er Pt de la Cour de cassation et de la Cour des comptes, 2 m. cooptés).

Télévision/Radio : chaque candidat dispose, au 1er tour, de 2 h d'émission télévisée et de 2 h d'émission radiodiffusée. Compte tenu du nombre de candidats, la durée de ces émissions peut être réduite par la Commission nat. de contrôle qui tire au sort l'ordre d'attribution des temps de parole. Au 2e tour chaque candidat dispose de 2 h d'émission radiodiffusée et de 2 h d'émission télévisée. Ni le Gouv. ni aucune organisation publique ou privée ne peut utiliser indirectement la radio ou la télévision en faveur d'un des candidats. *Affichage :* chaque candidat ne peut faire apposer, sur des emplacements spéciaux, qu'une affiche énonçant ses déclarations et une autre annonçant ses réunions électorales et, s'il le désire, l'heure des émissions de télév. Chacun ne peut faire envoyer aux électeurs, avant chaque tour, qu'un texte de ses déclarations.

Sont pris directement en charge par l'État : le coût du papier, l'impression et la mise en place des bulletins de vote et des textes des déclarations ; le coût du papier, l'impression et les frais d'apposition des affiches, les dépenses occasionnées par les commissions. Outre ces facilités, l'État contribue aux frais de campagne des candidats en remboursant une somme forfaitaire de 100 000 F à chaque candidat ayant obtenu au moins 5 % des suffrages exprimés.

Candidats n'ayant pas obtenu 5 % : *1965 :* 2 sur 6 ; *69 :* 3 sur 7 ; *74 :* 9 sur 12 ; *81 :* 5 sur 10 ; *88 :* 4 sur 9.

SEPTENNAT

Origine. Loi du 20-11-1873 adoptée par 378 voix contre 310 par laquelle Mac-Mahon fut porté pour 7 ans à la présidence de la République. Pour les républicains, les royalistes et les bonapartistes, il s'agissait d'un compromis. C'était le laps de temps raisonnable pour que le comte de Chambord cédât la place à un prétendant plus souple (en fait, il ne mourut pas avant 1883) ; le temps qu'il fallait pour que le prince impérial (fils de Napoléon III) atteignît sa majorité (mais il fut tué au Zoulouland en 1879 à 23 ans).

Sous la Ve République. *Le Gal de Gaulle* pense que le septennat doit permettre au Pt de mener à bien les grands desseins de la Nation, d'assurer la continuité des pouvoirs publics et de le placer à l'écart des luttes des partis. Le *Programme commun de la gauche (1972)* prévoyait de ramener à 5 ans la durée du mandat. Le *Pt Pompidou* propose cette modification dans un message adressé au Parlement le 3-4-1973 mais le Parlement la repousse en oct. 1973 (Ass. nat. : 270 dép. pour, 211 contre. Sénat : 162 sén. pour, 112 contre).

Le *Pt Giscard d'Estaing* propose en 1981 un mandat de 6 ans renouvelable une fois ; préconise en 1992 le double quinquennat.

La principale critique faite au septennat est qu'il crée un risque de confrontation entre un Pt de la Rép. et un Parlement (tous deux élus par la nation) de tendances politiques opposées.

Le *Pt Mitterrand* a confié le 2-12-1992 à un comité consultatif constitutionnel [Pt : Georges Vedel (n. 5-7-1910) + 15 membres] le soin de réfléchir à une éventuelle modification de la durée du mandat présidentiel.

En 1992 se sont dits pour *le quinquennat* Jospin, Rocard, S. Veil ; *septennat* J. Delors (non renouvelable), E. Dailly, vice-Pt du Sénat (non renouvelable immédiatement).

Record de présence à l'Élysée. Le *Pt Mitterrand* (siégeant dep. le 21-5-1981) a battu le 9-9-1991 le record de De Gaulle (3 764 j du 8-1-1959 au 28-4-1969).

DURÉE DE MANDAT PRÉSIDENTIEL

À vie. *Haïti* (Pt Duvallier), renversé en 1986, *Tunisie* (Habib Bourguiba) 19-3-1975, déposé le 7-11-1987.

8 ans. *Chili* (avant 1990).

7 ans. *Élection par le Parlement ou un collège électoral :* Afrique du Sud, Italie, Portugal, Syrie, Tchad, Turquie. *Au suffrage universel :* France, Gabon, Guinée, Irlande, Madagascar, Zaïre, Allemagne de Weimar.

6 ans. *Élection par l'Assemblée :* Liban. *Au suffrage universel :* Autriche, Égypte, Finlande (indirect), Mexique (non rééligible).

5 ans. *Élection par l'Assemblée :* Cameroun, Congo (élection par le Congrès du parti unique), Israël, Tchécoslovaquie. *Au suffrage universel :* Chypre, Côte-d'Ivoire, Mauritanie, Niger, Sénégal, Tunisie, Venezuela.

4 ans. *Élection au suffrage universel :* Argentine, Chili (dep. 1990), Colombie, Costa Rica, Islande, Rwanda, États-Unis (indirect).

1 an. Suisse : le Parlement désigne le président par rotation tous les ans.

☞ Le mandat des « grands électeurs » américains est pratiquement impératif, alors qu'en Finlande il ne l'est pas.

Dans la plupart des pays communistes, la présidence de la Rép. était assumée collectivement par le bureau (présidium) de l'Assemblée (URSS, le président du Présidium du Soviet suprême).

■ INSTALLATION

■ **Date.** Jusqu'en 1981, le j de l'expiration du mandat du prédécesseur. Sous la IIIe Rép., les assassinats de Carnot (1894) et de Doumer (1932) entraînent une vacance (2 et 4 j). Sous la IVe, Coty succéda, le 16-1-1954, à Auriol qui avait été installé le j de son élection (16-1-1947) ; de Gaulle, installé pour la 1re fois le 8-1-1959, se succéda à lui-même le 8-1-1966. À sa démission, Pompidou proclamé élu le 19-6-1969 par le Conseil constit., fut installé le 20. À la mort de Pompidou en 1974, Giscard d'Estaing proclamé élu le 24-5, fut installé le 27-5. En 1981, le Conseil constit. annonça les résultats de l'élection le 15-5, estimant que Mitterrand serait Pt à compter de la cessation des fonctions de Giscard d'Estaing (qui, en vertu de l'article 6 de la Constitution, devait avoir lieu, au plus tard le 24-5-81 à 0 h), faisant ainsi prévaloir, pour point de départ du septennat, la date de la proclamation de Giscard d'Estaing, le 24-5-74 sur celle de son installation (le 27-5). En fait, le septennat de Mitterrand commença le 21-5-81, date fixée par accord avec Giscard d'Estaing.

■ **Cérémonie.** Le Pt, à son arrivée à l'Élysée, reçoit (dans un petit salon) du grand chancelier de la Légion d'honneur les insignes de Grand-Croix, puis dans une autre pièce, le grand chancelier lui présente le collier de la Légion d'h. « M. le Pt de la Rép., nous vous reconnaissons comme Grand Maître de l'ordre national de la Légion d'honneur », 21 coups de canon annoncent l'événement. En 1981, le grand chancelier, le Gal de Boissieu (gendre de De Gaulle), ayant préféré démissionner plutôt que de participer à cette cérémonie, fut remplacé par le doyen des grands-croix, membre du Conseil national de l'ordre : le Gal Biard. En 1959, Coty resta aux côtés du Gal de Gaulle, jusqu'à la cérémonie de la flamme à l'Arc de Triomphe. En 1969 avant la cérémonie, Poher quitta l'Élysée et Pompidou. En 1974, il accompagna Giscard d'Estaing à l'Arc de Triomphe et revint à l'Élysée pour déjeuner avec lui. En 1981, Giscard quitta l'Élysée aussitôt après y avoir accueilli Mitterrand et avoir eu avec lui un entretien en tête à tête (transmission des pouvoirs confidentiels, notamment en matière d'utilisation de la force de dissuasion). L'installation officielle commence par la lecture des résultats (en 1959, par le Pt de la Commission constitutionnelle provisoire, depuis, par le Pt du Conseil constitutionnel). En 1966 et 1981, il s'agit d'une 1re proclamation (même si l'annonce des résul-

Palais nationaux et résidences présidentielles

■ **Palais de l'Élysée.** *1718* Louis XV donne le terrain à Henri de La Tour d'Auvergne, Cte d'Évreux, qui charge Claude Millet de bâtir un hôtel. *1753* à la mort du Cte d'Évreux, la M[ise] de Pompadour achète l'hôtel, l'aménage avec Pierre Lassurance. *1764 (15-4)* à sa mort le lègue à Louis XV qui s'en sert comme garde-meuble. *1773* Louis XV le vend au financier Beaujon. *1776* Beaujon le vend à Louis XVI qui donne l'hôtel à Louise-Marie-Thérèse d'Orléans (1750-1822), D[esse] de Bourbon (arrière-petite-fille du Régent et mère du duc d'Enghien). La Convention met l'hôtel sous séquestre, puis à la disposition de l'Imprimerie nat. Il sert ensuite de salle de ventes. *1797* rendu à la D[esse] qui le loue à Nicolas Hovyn qui en fait un établissement de plaisirs (danse et jeux, ouvert le 21-6-1797). *1798 (19-3)* Hovyn l'achète au Directoire (qui avait déclaré l'Élysée bien national), puis le cède à Ribié Montreux de Marimeto qui le cède au glacier Velloni. *1801* Ribié utilise le rez-de-ch. et loue le 1er en appartements (l'un fut loué au père d'Alfred de Vigny). *1805* vendu à Murat qui, devenu roi de Naples, le cède à Napoléon (1808). Joséphine s'y installe. Nap. y séjourne (le palais s'appelle l'Élysée-Napoléon). *1809* après son divorce, le donne à Joséphine qui le garde 2 ans. *1812* Nap. y séjourne souvent. *1814* l'empereur de Russie s'y installe. Louis XVIII le restitue à la D[esse] de Bourbon puis le lui échange contre l'hôtel de Valentinois. *Cent-Jours* Nap. s'y installe (y signe le 22-6-1815 sa 2e abdication), L. XVIII le donne au duc de Berry. *1820 (14-2)* le duc est assassiné, la D[esse] abandonne l'Él. *1820 à 1848* inhabité. Après la Révolution de 1848, appelé Élysée national, lieu de plaisirs, puis Louis-Napoléon élu Pt s'y installe jusqu'au 1-1-1852 (il ira aux Tuileries). *IIe Empire :* gros travaux, résidence officielle des souverains en visite. *1870 (22-12)* Élysée national. *1872* Thiers y séjourne quelques mois. *1873 (sept.)* Mac-Mahon s'y fixe. *1876* affecté au Pt de la Rép. Y ont habité tous les Pts de la IIIe et de la IVe. *V[e]*, de Gaulle y habite et se rend parfois à des week-ends à « la Boisserie ». Pompidou, Giscard et Mitterrand ont gardé leur appartement où ils résident la plupart du temps ainsi que leur maison de campagne (Pompidou : Cajarc et Orvilliers, Giscard : Chanonat et Authon, Mitterrand : Latché).

■ **Locaux administratifs. Hôtel de Persigny** (14, rue de l'Élysée) : État-major particulier depuis 1958, et dep. 1977 une partie du service du courrier. **2 et 4, rue de l'Élysée :** secrétariat général pour la Communauté jusqu'en juin 1974, divers collaborateurs, restaurant. **11, quai Branly, au palais de l'Alma** (anciennes écuries de Napoléon III ; abritait les équipages présidentiels dep. la IIIe Rép., le Conseil sup. de la magistrature dep. la IVe, service du courrier).

■ **Hôtel Marigny** (23, av. de Marigny). Ancien hôtel Rothschild construit par Alfred Aldrophe de 1873 à 1876, acquis en 1972 par la Présidence pour accueillir les personnalités étrangères plus commodément qu'au Grand Trianon (qui n'est pas une résidence présidentielle, bien que l'aile de Trianon-sous-Bois soit affectée à l'usage personnel du Pt et que certains appartements soient réservés aux hôtes étrangers), sert aussi aux conférences de presse du porte-parole du gouvernement.

■ **Pavillon de Marly-le-Roi.** Bâti par J. Hardouin-Mansart ; aménagé sous Jules Grévy (5 pièces). Sert surtout pour les chasses présidentielles.

■ **Château de Rambouillet.** Du XIVe s. ; remanié, résidence d'été dep. Felix Faure (1896). Abrite souvent des rencontres internationales, parfois des réunions gouvernementales.

■ **Fort de Brégançon** (Var). Résidence officielle de vacances ou de repos dep. 13-1-1968.

☞ Le château de *Vizille* (Isère), acheté par le ministre des Beaux-Arts en 1924 et transformé en résidence présidentielle, a été cédé au département de l'Isère en 1960.

tats a déjà eu lieu, mais avec effet différé). Le 20-5-1969, Palewski précisa que les pouvoirs de Pompidou avaient pris naissance la veille (date de la proclamation). Le 27-7-1974, Frey, pour Giscard, précisa qu'il ne s'agissait que d'un rappel, la proclamation ayant eu lieu – en même temps que l'annonce – le 24-5 précédent.

Le nouveau Pt rend hommage au drapeau des troupes présentes à l'Élysée, *aux morts pour la patrie* [(à l'Arc de Triomphe) ; en 1981, Mitterrand est également allé au Panthéon rendre hommage à Victor Schoelcher, Jean Jaurès et Jean Moulin ; en 1947, Auriol est allé au mont Valérien pour un hommage aux morts de la Résistance], *au prédécesseur, au peuple de Paris* (visite à l'Hôtel de Ville).

■ Amnistie

Sous la Ve Rép. après une élection présidentielle, le Gouvernement prend l'initiative de proposer au Parlement le vote d'une loi (après l'élection).

De Gaulle. *Loi du 19-12-1965* (promulguée le 18-6-1966), s'appliquait aux infractions commises avant le 8-2-1966, soit jusqu'à 50 j après l'élection elle-même. Le montant des amendes signifiées cesse d'être dû (mais pas les frais de justice).

Pompidou. *Loi du 30-6-1969* pour les infractions commises avant le 20-6, soit jusqu'à 5 j après le 2e tour ; pour les contraventions : « Les effets de l'amnistie s'étendent aux frais de poursuites et d'instance non encore recouvrés. »

Giscard d'Estaing. *Loi du 10-7-1974* (promulguée le 10-7) pour : les contraventions infligées avant le 27-5-1974 ; les délits pour lesquels seule une peine d'amende a été encourue ; les délits commis à l'occasion de conflits sociaux ou inférieurs à certains seuils suivant la nature ; à titre individuel dans certaines conditions.

Mitterrand (1981). *Loi du 4-8-1981.* 1°) *Amnistie de plein droit en raison de la nature de l'infraction :* contraventions de police ; délits pour lesquels seule une peine d'amende est prévue ; d. rattachés à des incidents sociaux (conflits scolaires, professionnels, agricoles, commerciaux, syndicaux) ou à des manif. politiques ; d. de communication [d. de presse (sauf d. racistes), atteintes au monopole de la radio-télé et des télécom., actes de réception et d'émission de radio d'appareils non autorisés (Citizen-Band)] ; d. en matière de police des étrangers ; d. d'interruption volontaire de grossesse commis par la femme elle-même ou par toute personne n'appartenant pas aux professions médicales ou para-méd., par les personnels médicaux sous réserve que l'intervention pratiquée n'ait pas donné lieu à perception d'honoraires supérieurs à ceux prévus par la réglementation en vigueur ; nombreux d. relevant du Code de justice mil. (insoumission, désertion, refus d'obéissance...) ; atteintes à la sûreté intérieure de l'État qui n'ont pas entraîné la mort ou des blessures graves et qui ne sont pas constituées par des coups et blessures volontaires ou des tentatives d'homicide vol. par arme à feu sur des agents de la force publique. 2°) *Automatique en raison de la nature de la peine :* peines d'emprisonnement fermes, inf. ou égales à 6 mois ; d'empr. inf. ou égales à 6 mois avec application du sursis avec mise à l'épreuve ; d'empr. à 15 mois avec application du sursis simple, p. de substitution (interdiction d'activité prof. ou sociale, confiscation, retrait du permis de chasse...) ; infractions qui ont donné lieu à une dispense de peine. En cas de condamnation à une amende sup. à 5 000 F, l'amnistie au quantum n'est acquise qu'après paiement de l'amende. 3°) *Individuelle par décret du Pt de la Rép. :* personnes qui se sont distinguées (domaines humanitaire, culturel ou scientif.), moins de 21 ans lors de l'infraction, titulaires d'une pension de g. ou blessés au cours des guerres de 14-18, 39-45. 4°) *A. des fautes disciplinaires ou professionnelles et de certaines mesures administratives :* fautes commises dans le cadre de rapports de droit public ; faits retenus comme motifs de sanction disciplinaire prononcée par l'employeur sous réserve notamment qu'ils ne constituent pas des manquements à la probité, aux bonnes mœurs ou à l'honneur. Pour la 1re fois, la loi autorise la réintégration, sous certaines conditions, des salariés licenciés pour des faits en relation avec leurs fonctions de délégués synd. ou de représentants du personnel. 5°) *Exclusions :* infractions en matière douanière et fiscale, de change, de législation et de réglementation du travail sauf les infr. les moins graves ayant donné lieu à une condamnation de – de 5 ans ; infr. les plus graves en matière de proxénétisme, de mauvais traitement à enfants, de circulation routière (homicide ou blessures commis en état d'ivresse ou de délit de fuite) ; infr. à la législation sur les armes ; abandon de famille ; délits de banqueroute frauduleuse ; certaines infr. en matière de pollution ; plusieurs délits en matière raciale, d. de violation de sépulture... **Effets :** la condamnation pénale et ses conséquences secondaires disparaissent (incapacité, déchéance), mais l'indemnisation des victimes reste due. **Statistiques :** 6 233 libérations dont grâces : 4 775 le 14-7-1981 ; amnisties : 1 437 le 4-8 ; grâces : 21 le 15-8. Du 1-7 au 1-9-1981, le nombre de détenus est passé de 39 852 à 30 850 (– 22,6 %).

Mitterrand (1988). *Loi du 8-7.* Pour les infractions commises avant le 22-5-1988. Sont amnistiés. *1°) De droit, en raison de la nature de l'infraction :* contraventions de police, délits punis d'une peine d'amende, délits commis à l'occasion de conflits du travail ou d'activités syndicales et revendicatives de salariés et d'agents publics (y compris dans les lieux publics), délits commis à l'occasion de conflits de caractère industriel, agricole, rural, artisanal ou commercial ou relatifs aux problèmes de l'enseignement, divers délits en matière d'élection (sauf fraude ou corruption), de presse, d'avortement, de service national. *En raison du quantum des peines :* les peines de prison ferme ou avec sursis probatoire de 4 mois au plus, les peines d'amende (sous réserve du paiement si elles excèdent 5 000 F). *En raison de la nature de la peine :* diverses sanctions prononcées à titre principal à la place de l'amende ou de l'emprisonnement (ex. : suspension du permis de conduire, infractions ayant donné lieu à une dispense de peine ou à une admonestation). *2°) Sanctions disciplinaires et professionnelles :* l'amnistie est subordonnée à celle de l'infraction s'il y a eu condamnation pénale ; les fautes constituant des manquements à la probité, aux bonnes mœurs ou à l'honneur ne peuvent être amnistiées que par mesure individuelle du Pt de la Rép. Tout salarié licencié depuis le 22-5-1981 pour une faute (autre qu'une faute lourde) commise à l'occasion de l'exercice de sa fonction de représentant élu du personnel (DP et CE), de représentant syndical au CE ou de délégué syndical peut invoquer cette qualité pour obtenir, sauf cas de force majeure, sa réintégration dans son emploi (ou emploi équivalent). Le Conseil constitutionnel a annulé un membre de phrase qui permettait d'amnistier, pour cette catégorie de salariés, certaines fautes lourdes, c'est-à-dire toutes les fautes lourdes autres que celles ayant consisté en des coups et blessures entrant dans la catégorie des délits non amnistiés. *3°) Par mesure individuelle :* par décret du Pt de la Rép., pour les jeunes de - de 21 ans, les anciens combattants, les déportés, les personnes s'étant distinguées dans les domaines humanitaire, scientifique, culturel ou économique. **Exclusions :** différentes infractions, notamment : actions terroristes, conduite en état alcoolique, trafic de stupéfiants, proxénétisme ; infractions pénales en douane, change, fiscalité, concurrence, fraude, pollution. *Infractions à la législation et à la réglementation du travail :* certains délits relatifs au marchandage, au travail clandestin, aux trafics de main-d'œuvre étrangère ; les infractions sanctionnées d'une peine de prison avec ou sans sursis ; les contraventions jusqu'à 1 300 F d'amende sont seules amnistiées, les autres infractions punies seulement d'une amende le seront après paiement de l'amende. **Effets :** remise, sauf exception, de toutes les peines principales, accessoires et complémentaires et des incapacités et déchéances ; l'amnistie n'entraîne pas de droit la réintégration dans les fonctions, emplois, professions, grades, offices publics ou ministériels ; elle ne donne pas lieu à reconstitution de carrière mais entraîne la réintégration dans les divers droits à pension. **Statistiques :** *au 22-7 :* 5 171 détenus condamnés auraient été libérés depuis juin : 2 863 auraient bénéficié de la grâce présidentielle et 2 308 de la loi d'amnistie entrée en vigueur le 21-7, 600 étrangers auraient été libérés.

■ Journée de congé

Pour les enfants des écoles, le j de l'installation (décision du min. de l'Éducation nat.), mesure traditionnelle sous IIIe et IVe Rép., abandonnée par de Gaulle et Pompidou, reprise 1974, 1981, 1988.

■ Vacance ou empêchement, suppléance

Peut intervenir pendant l'exercice du mandat présidentiel ou lors des élections présidentielles. Il y a eu 2 vacances depuis 1958 : 1969, au départ du Gal de Gaulle ; 1974, à la mort de Pompidou.

Pendant les élections. Si, dans les 7 j précédant la date limite du dépôt des présentations de candidatures, une des personnes ayant, moins de 30 j avant cette date, annoncé publiquement sa décision d'être candidate, décède ou se trouve empêchée, le Conseil constitutionnel peut décider de reporter l'élection ; si, avant le 1er tour, 1 des candidats décède ou se trouve empêché, le Conseil prononce le report de l'élection ; en cas de décès ou d'empêchement de l'un des 2 candidats les plus favorisés au 1er tour avant les retraits éventuels, le Conseil déclare qu'il doit être procédé de nouveau à l'ensemble des opérations électorales ; il en est de même en cas de décès ou d'empêchement de l'un des 2 candidats restés en présence en vue du 2e tour.

Le Pt de la Rép., le Premier ministre, le Pt d'une des 2 assemblées, 60 députés ou sénateurs, ou 500 personnes qualifiées pour présenter un candidat, peuvent saisir le Conseil constitutionnel.

Si, par suite du report de l'élection, le mandat de 7 ans du président de la République est expiré, celui-ci continue à exercer ses fonctions jusqu'à la proclamation de l'élection de son successeur. Dans ce cas, ce n'est pas le Pt du Sénat qui devient (pour un temps assez court) Pt par intérim.

Effets. Après constatation par le Conseil constitutionnel saisi par le Gouvernement, le Pt du Sénat exerce provisoirement les pouvoirs du Pt de la Rép., mais il ne peut user du référendum ni dissoudre l'Assemblée nationale. La Constitution ne peut être révisée, le Gouvernement ne peut être renversé, ni être tenu de démissionner.

Si le Pt du Sénat est à son tour empêché, les fonctions de Pt sont exercées par le Gouvernement. La Constitution ne précise pas si la candidature du Pt du Sénat à la présidence de la Rép. est un empêchement. En 1969, Alain Poher a exercé l'intérim (53 j) tout en étant candidat ; il n'a pu de ce fait prendre d'initiatives politiques et s'est trouvé face à un gouvernement qui soutenait Pompidou, son rival. En 1974, il a exercé l'intérim 56 j ; n'étant pas candidat, il a pu exercer pleinement ses prérogatives constitutionnelles et a pris ainsi des initiatives diplomatiques.

Suppléance (et non intérim) si le Pt de la Rép. est malade ou absent (à l'étranger). *Cas de suppléances par le PM :* Pompidou 22-4-1964 (de Gaulle opéré 17-4) et 30-9-1964 (de Gaulle en Amérique latine) ; Messmer 14-2-1973 (Pompidou malade) ; P. Bérégovoy 16-9-1992 (F. Mitterrand opéré 11-9).

Responsabilité

Le Pt n'est pas responsable des actes accomplis dans l'exercice de ses fonctions, sauf cas de haute trahison (il est alors jugé par la Haute Cour). Aucun texte ne définit la haute trahison, procédure qui n'a jamais été engagée (ni sous la IIIe, ni sous la IVe Rép.). Elle correspond à des manquements graves aux obligations de la charge présidentielle. Si de Gaulle avait été accusé de haute trahison lors de la révision de la Constitution d'oct. 1962 pour violation de la Constitution (voir page 699), la saisine de la Haute Cour aurait été techniquement impossible avant le référendum et après l'adoption de celui-ci au suffrage universel. Elle serait apparue comme une atteinte inadmissible à la souveraineté du peuple.

En fait, le Pt peut engager sa responsabilité devant le peuple, soit en se démettant et en sollicitant aussitôt un nouveau mandat, soit en liant son maintien en fonction au succès d'un référendum (démission de De Gaulle après l'échec du référendum du 27-4-1969). Ses actes doivent être soumis au contreseing du Premier ministre et des ministres responsables (A 19) sauf certains actes (dissolution de l'Ass. nat., nomination du Premier ministre, décision de soumettre un texte au référendum, recours à l'article 16).

Convoqué, l'été 1984, par la commission d'enquête de l'Ass. nat. sur l'affaire des *« avions renifleurs »*, Giscard d'Estaing a interrogé le Pt Mitterrand (arbitre du fonctionnement régulier des pouvoirs publics) qui a répondu que la responsabilité du Pt ne peut être mise en cause devant le Parlement au-delà du terme de son mandat pour les faits qui se sont produits pendant qu'il l'exerçait. La convocation fut annulée.

Rôle au sein de la Communauté franco-africaine. Il en est le président et est représenté dans chaque État de la Communauté.

Survivances historiques et honorifiques. *Ordres :* le Pt nomme par décret les membres des 2 ordres nationaux (Légion d'honneur et Mérite), signe les promotions aux divers grades et peut autoriser le port de décorations étrangères. En fait, il suit les propositions des divers ministères à l'intérieur des « contingents » attribués. Il n'exerce de choix véritable qu'à l'intérieur du contingent qu'il s'est réservé lors de la répartition qu'il effectue tous les 3 ans. *Académie française :* le Pt est « protecteur ». Il se prononce sur l'élection de nouveaux membres (approbation résultant implicitement de l'audience qu'il accorde au nouvel élu).

Titres de chanoines laïcs (ad honores) portés par les chefs de l'État français. *Chanoines de St-Jean-de-Latran* en vertu d'une fondation de Louis XI (1482), renouvelée par Henri IV, le 22-9-1604, qui donne à St-Jean-de-Latran l'abbaye de Clairac (diocèse d'Agen) (confisquée en 1791) ; restaurée sous forme de bourse par Napoléon III qui rétribue (1863) un remplaçant au chœur (supprimé en 1871).

En outre, ayant fondé ou doté des églises en France, ils s'inscrivent sur la liste des chapitres, par ex. : *Tours, Poitiers, Le Mans* (St-Julien, titre remis en honneur pour Armand Fallières), *Auch, Lyon, Angers, Châlons, St-Quentin.* Comme successeurs des ducs de Lorraine, chanoines de *Nancy* (titre remis en honneur pour Napoléon III). Comme successeurs des ducs de Savoie, chanoines de *St-Jean-de-Maurienne* (idem).

Nota. – Le Pt est aussi coprince d'Andorre (voir Index).

Le Pt de la République peut-il exercer d'autres fonctions politiques ?

La Constitution de 1958 (comme celles de 1848 et 1875) ne le précise pas (celle de 1946 disait qu'il y avait incompatibilité), mais dans la pratique l'incompatibilité est la règle depuis 1848 (exception : Thiers resté député).

Sous la Ve Rép., Pompidou et Mitterrand ont renoncé à leur mandat de député, Giscard d'Estaing et Mitterrand à leur mandat de maire, Mitterrand à son mandat de conseiller gén. et de Pt du Conseil gén., mais Giscard d'Estaing est resté conseiller municipal jusqu'en 1977 et Mitterrand jusqu'en 1983.

Protocole en cours de mandat

Coups de canon protocolaires. Lors de l'investiture du Pt, quand le grand chancelier de la Légion d'honneur lui passe au cou le grand collier de la Légion d'honneur, on tire 21 coups de canon. Lors de la réception officielle du Pt dans une ville de garnison (cérémonie militaire), on tire 101 coups de canon.

Déplacement en France. Le Pt de la Rép. reçoit les *honneurs civils* (accueil par le préfet à la limite du département, par le sous-préfet à la limite de l'arrondissement, par le maire au « lieu d'arrivée » dans la ville ; sonnerie de cloches à la volée) et les *honneurs militaires* (dans la ville de garnison : haies de troupes, batteries de tambour et sonneries de clairon, hymne national, 101 coups de canon).

Honneurs funèbres. Civils et militaires ; participation des personnes et des corps figurant sur la liste des préséances, drapeaux en berne, honneurs militaires rendus par toute la garnison. Le déroulement peut varier dans les détails. Une décision gouvernementale prise en Conseil des ministres détermine la nature des funérailles dont les frais sont à la charge de l'État. Les *funérailles nationales* sont réglées dans le détail par des décisions du Gouvernement.

Offense au Président. *Délit de presse* (art. 26 de la loi du 29-7-1881), concerne la personne et non les fonctions du chef de l'État.

Outrage : définition plus large que l'offense : il peut être non public ou perpétré autrement que par écrit ou parole (gestes ou envoi d'objets).

Pouvoirs

☞ *Légende.* – A : Article. PM : Premier ministre.

a) Il nomme certaines personnalités. Emplois auxquels il pourvoit **seul :** *Premier ministre* (et met fin à ses fonctions sur présentation par celui-ci de la démission du Gouvernement) (A 8). *1/3 des membres du Conseil constitutionnel, 1/3 des membres du Conseil supérieur de l'audiovisuel.* **Contresigné** par le PM et, le cas échéant, les ministres responsables : les *autres membres du Gouv.* (le Pt met fin à leurs fonctions sur proposition du PM) ; *emplois civils et militaires de l'État* (A 13) ; *3 membres du Conseil constitutionnel et son président* (A 56) ; les *9 membres du Conseil supérieur de la magistrature.*

b) Il préside certains organismes. Le Conseil des ministres (A 9) ; les Conseils et Comités supérieurs de la défense nationale, étant chef des armées (A 15) ; le Conseil supérieur de la magistrature.

c) Il dirige la diplomatie. Négocie et ratifie les traités et est tenu informé des négociations internat. tendant à la conclusion d'un accord non soumis à ratification (A 52) ; accrédite les ambassadeurs ; les amb. étrangers sont accrédités auprès de lui.

d) Il signe certains textes. Promulgue les lois dans les 15 jours suivant leur adoption (A 10) ; signe les ordonnances et les décrets délibérés en Conseil des ministres (A 13).

e) Il est un organe d'arbitrage entre les pouvoirs publics. Peut demander au Parlement une nouvelle délibération d'une loi ou de certains articles [(A 10) ; faculté exploitée pour la 1re fois par Mitterrand (2 fois de 1981 à avril 86)] ; peut soumettre au Conseil constitutionnel une loi ou un traité estimé inconstitutionnel (A 54 et 61), ainsi le traité de Maastricht sur l'union européenne a été soumis le 11-3-1992 ; peut, sur proposition du Gouvernement ou des Assemblées, soumettre au *référendum* tout projet de loi portant sur l'organisation des pouvoirs publics ou comportant l'approbation d'un accord de Communauté ou tendant à autoriser la ratification d'un traité (A 11) (en fait, le Pt a souvent décidé un référendum sans proposition du Premier ministre, celle-ci intervenant comme simple régularisation postérieure ; aucun référendum n'a été demandé par le Parlement) ; peut prononcer la dissolution de l'Ass. nat. après consultation des Pts des Assemblées et du PM (A 12) ; peut adresser aux Ass. des messages qu'il fait lire et qui ne donnent lieu à aucun débat hors session, le Parlement est réuni spécialement à cet effet (A 18).

Tous les Pts ont adressé un message lors de leur prise de fonction, ou pour saluer les membres de l'Ass. nat. nouvellement élue (sauf en 67, 68, 78, 88), dans de grandes occasions (de Gaulle 23-4-61 util. de l'art. 16, 20-3-62 accords d'Évian, 2-10-62 référendum du 28-10, Pompidou 5-4-72 référendum sur élargissement de la CEE, Mitterrand 25-6-86 100e anniversaire de Robert Schuman, 26-10-88 référendum sur la N.-Calédonie, 27-8-1990 et 16-1-1991 situation au Moyen-Orient) ; *nombre total :* de Gaulle 5, Pompidou 3, Giscard 1, Mitterrand 6.

f) Pouvoirs judiciaires. Il a le *droit de grâce* (A 17) ; il est garant de l'*indépendance judiciaire* (A 64). Appel des décisions du *Conseil des prises* (qui exerce son activité à l'occasion d'opérations de guerre) : le Conseil d'État qui se prononce en assemblée gén. admin. et prépare un projet motivé de décret soumis à la signature du chef de l'État.

Mariage : il peut dispenser des empêchements dus à la parenté et à l'alliance, autoriser des mariages posthumes ; jusqu'à la loi du 23-12-1970 il accorda des centaines de dispenses d'âge en vertu de l'article 145 du Code civil, mais cette prérogative fut alors transférée au procureur de la Rép. du lieu de célébration du mariage.

g) Pouvoirs constituants (voir **Révisions constitutionnelles,** p. 699 c).

h) Pouvoirs spéciaux dans les circonstances exceptionnelles (A 16) : « Lorsque les institutions de la Rép., l'indépendance de la nation, l'intégrité de son territoire ou l'exécution de ses engagements internationaux sont menacées d'une manière grave et immédiate et que le fonctionnement régulier des pouvoirs publics constitutionnels est interrompu, le Pt de la Rép. prend les mesures exigées par ces circonstances après consultation officielle du PM, des Pts des Assemblées ainsi que du Conseil constitutionnel. Il en informe la nation par un message. Ces mesures doivent être inspirées par la volonté d'assurer aux pouvoirs publics constitutionnels, dans les moindres délais, les moyens d'accomplir leur mission. Le Parlement se réunit de plein droit. L'Ass. nat. ne peut être dissoute pendant l'exercice des pouvoirs exceptionnels. » Les pouvoirs de l'A 16 ont été utilisés une fois (23-4/30-9-1961) ; le Pt de la Rép. dénia au Parlement le droit de débattre de problèmes étrangers à l'application des pouvoirs exceptionnels, et le Pt de l'Ass. nat. décida qu'une motion de censure était irrecevable en cas de crise.

Services de la Présidence

■ **Effectifs de la Présidence** (au 30-11-92). 778 (dont 334 militaires) dont maison du Président : 196 (dont 34 mil.), services : 582 (dont 300 mil.).

■ **Collaborateurs personnels du président. IIIe et IVe Rép.** D'abord un militaire, dédoublé à partir d'*Émile Loubet (1899-1906)*, avec la création d'un poste militaire et d'un poste civil. Le *Secr. gén.* et peu de collaborateurs : 5 en 1958 (directeur du Cabinet, dir. du Secr. gén., chef du Service financier, adjoint au dir. de Cabinet, chef du service de l'Information). **Ve Rép.** en 1958, le titre de Secr. gén. militaire disparaît ; un secr. gén. adjoint est créé sous Pompidou (1969-74) ; le Pt est entouré de 10 à 20 conseillers techniques et chargés de mission.

Secrétaires généraux de l'Élysée. *1947 (20-1)* Jean Forgeot (10-10-05). *1954 (18-1)* Charles Merveilleux du Vignaux (22-8-08). *1959 (8-1)* Geoffroy de Courcel (11-9-12/14-12-92) ; *1962 (14-2)* Étienne Burin des Roziers (11-8-13) ; *1967 (30-6)* Bernard Tricot (17-6-20) ; *1969 (28-4)* Bernard Beck (9-1-14) (intérim d'Alain Poher) ; *1969 (20-6)* Michel Jobert (11-9-21) ; *1973 (5-4)* Édouard Balladur (2-5-29) ; *1974 (3-4)* Bernard Beck (intérim d'Alain Poher) ; *1974 (27-5)* Claude Pierre-Brossolette (5-3-28) ; *1976 (27-7)* Jean François-Poncet (8-12-28) ; *1978 (29-11)* Jacques Wahl (18-1-32) ; *1981 (21-5)* Pierre Bérégovoy (23-12-25) ; *1982 (1-7)* Jean-Louis Bianco (12-1-43) ; *1991 (17-5)* Hubert Védrine (31-7-47).

■ **Autres collaborateurs (au 31-12-92) :** *Chef de l'état-major particulier* général de division Christian Quesnot (24-5-38). *Dir. du Cabinet* Pierre Chassigneux (25-12-41). *Porte-parole* Jean Musitelli (18-7-46). *Secrétaire général adjoint* Anne Lauvergeon (2-8-59). *Chargés de mission auprès du Pt de la Rép.* Pierre

Dreyfus (18-11-07, Jean Kahn (25-6-22), général d'armée aérienne Philippe Vougny (7-7-34), Thierry de Beaucé (14-2-43), Yves Dauge (26-1-53). *Attachée de presse de la présidence* Muriel de Pierrebourg (20-10-50). *Conseiller à la présidence* (aff. africaines et malgaches) Bruno Delaye (8-5-52). *Chef de Cabinet* Béatrice Marre. *Conseillers diplomatique* Jean Vidal (4-8-38) ; *industriel* Patrick Buffet (19-10-53) ; *social* Jean Lavergne (29-6-38) ; *économique* Guillaume Hannezo ; *techniques* 10. *Chargés de mission* 19. *Secrétariat particulier du Pt* 2 assistantes. *État-major particulier :* 6 membres. *Commandant militaire du Palais :* colonel Jacky Chapel (9-1-43).

■ **Courrier du Président.** *1982-92 :* en moyenne 450 000 lettres et cartes de pétition par an (dont env. 240 000 lettres hors pétition). *1982 :* 600 000. *1984 :* 690 000. *1991 :* 860 000. En période exceptionnelle, le courrier augmente : de Gaulle reçut 210 000 lettres la semaine des « barricades » (janv. 1960), Giscard d'Estaing 250 000 la semaine qui suivit son élection (mai 1974) et Mitterrand 84 000 concernant la guerre du Golfe (début janvier 1991).

Nota. – En 1975, V. Giscard d'Estaing a reçu 8 640 invitations à dîner : 2 067 de la région parisienne, 6 413 de la province et 160 de l'étranger.

■ **Budget de la Présidence** (voir Salaires à l'Index).

■ **Parc automobile de la Présidence de la République** (mai 1990). *Citroën :* 2 SM (achetées en 1972), 1 XM V6 « Ambiance », 6 XM 21 « Séduction », 2 utilitaires diesel : 1 C 25, 1 C 35. *Peugeot :* 7 605 SL, 1 505 ST. *Renault :* 6 R25 V6, 4 R25 GTS, 2 R25 GTX, 2 R5 GTR, 3 Espace, 1 Express, 3 Safrane 2 litres, 1 Safrane V6, 1 minicar 17 places. Le Pt utilise surtout 2 Renault 25 (1 limousine et 1 V6) et Mme Mitterrand 1 Renault 25 GTX. En province, ils peuvent être transportés dans d'autres voitures du parc (R25 V6 ou CX « Prestige » si la mise en place simultanée de plusieurs cortèges l'exige). Ces véhicules sont vendus après 4 ou 5 ans, avec un kilométrage d'env. 90 000 km.

Le Gouvernement

Premier ministre

« Le gouvernement détermine et conduit la politique de la nation. Il dispose de l'administration et de la force armée » (art. 20). Le Premier ministre « est responsable de la Défense nationale » (art. 21).

■ Nomination

Nommé par le Pt (A 8, alinéa 1). Il propose ensuite des ministres au Pt qui les nomme (A 8, alinéa 2). Le 18-3-1986, J. Chirac a été appelé pour procéder à un tour d'horizon au sujet de la formation du gouvernement, formule permettant au Pt de subordonner la nomination effective de Chirac au caractère acceptable du Gouv. qu'il proposerait.

■ Pouvoirs

Il dirige l'action du Gouv. ; il est responsable de la défense nat. ; il assure l'exécution des lois ; il exerce le pouvoir réglementaire et nomme aux emplois civils et militaires (sous réserve des pouvoirs attribués au Pt de la Rép.) [A 21]. Il peut proposer au Pt de la Rép. une révision de la Constitution (A 89). Il est consulté par le Pt de la Rép. en cas de dissolution de l'Assemblée (A 12) ou d'utilisation de l'article 16 de la Constitution. Il est, avec le Gouvernement, responsable devant le Parlement (A 20).

Ordonnances (art. 38). Le Gouvernement peut, pour l'exécution de son programme, demander au Parlement l'autorisation de prendre par ord., pendant un délai limité, des mesures qui sont normalement du domaine de la loi. Les ord. sont prises en Conseil des ministres après avis du Conseil d'État. Elles entrent en vigueur dès leur publication mais deviennent caduques si le projet de loi de ratification n'est pas déposé devant le Parlement avant la date fixée par la loi d'habilitation. À l'expiration du délai mentionné au premier alinéa du présent article, les ord. ne peuvent plus être modifiées que par la loi dans les matières qui sont du domaine législatif.

Ordonnances délibérées en Conseil des ministres non signées par le Pt de la République. Privatisation de 65 groupes industriels et financiers (16-7-1986), délimitation des circonscriptions électorales (24-9-1986), aménagement du temps de travail (10-12-1986).

Art. 49-3. Lorsque le gouvernement, après délibération du Conseil des ministres, décide d'engager sa responsabilité sur le vote d'un texte, celui-ci est considéré comme adopté, sans même que l'Assemblée ait eu besoin de l'approuver (sauf si une motion de censure est déposée dans les 24 h et votée par la majorité absolue des députés). **De 1958 à oct. 1986,** les gouvernements ont engagé 36 fois leur responsabilité sur le vote de 22 projets de loi (du fait des navettes parlementaires, il est fréquent qu'on utilise plusieurs fois le *49-3* sur un même texte). **1958-62,** *Debré :* 4 fois sur la loi de programmation militaire et la loi de Finances. **1962,** *Pompidou :* collectif budgétaire concernant l'usine de Pierrelatte. **1962-67,** aucun *49-3.* **1967-68,** 1 seul (triple) sur les pouvoirs spéciaux (ordonnances sur la Sécurité sociale). **1968-76,** aucun *49-3.* **Août 1976-mai 1981,** *Barre :* 8 fois sur 4 textes (notamment la loi de Finances pour 1980). **Mai 1981-juillet 1984,** *Mauroy :* 7 fois sur 5 textes (notamment pour faire passer en 1re lecture le projet de loi sur l'enseignement privé, abandonné par le Pt de la Rép.). **Juillet 1984-mars 1986,** *Fabius :* 4 fois sur 2 textes. **Mars 1986-mai 1988,** *Chirac :* 8 fois sur 7 textes. **Mai 1988-mai 1991,** *Rocard :* 28 fois sur 12 textes. **Juin-Décembre 1991,** *Édith Cresson :* 8 fois sur 4 textes.

■ Résidences du Premier ministre

Hôtel Matignon. Œuvre de Jean Courtonne (1671-1739) ; commencé pour le Mal de Montmorency, achevé pour le Cte Jacques de Matignon (1689-1751) devenu prince de Monaco. Habité par Talleyrand en 1810, puis par les princes de Bourbon-Espagne, ducs de Galliéra. Ambassade d'Autriche de 1888 à 1914. Confisqué pendant la guerre et transformé en 1920 en tribunal d'arbitrage pour le traité de Versailles. En janv. 1935, remanié sous la direction de Paul Bigot (1870-1942) et mis à la disposition du Pt du Conseil (1er occupant : Léon Blum, 4-6-1936). Décoration style rocaille. Le jardin est le plus grand espace vert de Paris.

Château de Champs-sur-Marne (S.-et-M.) Construit de 1703 à 1707 par Jean-Baptiste Bullet (1662-1737) pour le financier Charles Renouard, dit La Touane († 1704), puis pour le financier Paul Poisson de Bourvalais (v. 1660-1719) embastillé 1716 ; passe alors au duc de La Vallière, qui, à partir de 1757, le loue à Mme de Pompadour. Acheté en 1905 par le banquier Cahen d'Anvers dont le fils lègue le château à l'État pour servir de résidence d'été aux Pts du Conseil. Depuis 1945, utilisé de préférence pour loger les hôtes étrangers du Gouvernement.

☞ **La Lanterne** (Yvelines) maison XVIIIe à la limite du Parc de Versailles.

■ Collaborateurs

Secrétariat général du Gouvernement. *Créé* en 1935. *1943 :* Louis Joxe secr. gén. du Comité de libération nationale. *1946 (15-9) :* André Ségalat (10-8-10). *1958 (23-1) :* Roger Belin (21-3-16). *1964 (14-3) :* Jean Donnedieu de Vabres (9-3-18). *1974-75 :* intérim Jacques Larché (4-2-20), Marceau Long (22-4-26). *1982 (10-7) :* Jacques Fournier (5-5-29). *1986 (26-3) :* Renaud Denoix de Saint-Marc (24-9-38).

Services généraux du Premier ministre. *1980 :* 1 389 (737 titulaires, 652 contractuels) ; *1985 :* 1 880 (1 190 t., 690 c.) ; *1988 :* 1 496 (1 110 t., 386 c.).

Le Gouvernement

☞ Voir nombre, durée des ministères et liste chronologique des ministres à l'Index.

■ Nomination

Ses membres (qui ont tous droit à l'appellation de « ministre » même s'ils sont secrétaires d'Etat) sont nommés par le Pt de la République sur proposition du Premier ministre (A 8).

■ Différentes formations

■ **Conseil des ministres.** *Composition :* membres du gouvernement (Premier ministre, min. d'Etat, ministres) réunis sous la présidence du Pt de la Rép. Les secrétaires d'État n'y participent pas de plein droit. Habituellement exclus depuis 1969. *Présidence :* exceptionnellement, le Premier ministre peut le présider (il faut une délégation expresse et un ordre du jour déterminé) ; il ne l'a fait que 4 fois (voir p. 702 a) ; aucune des délégations accordées au PM lors des voyages présidentiels à l'étranger pour réunir éventuellement le Conseil des min. n'a été utilisée. *Séances :* généralement le mercredi matin à l'Elysée (il a siégé à Lyon le 11-9-1974, Evry le 26-2-1975, Marly-le-Roi le 17-12-1975, le 14-12-1977, le 13-12-1978, et à Lille le 1-12-1976). *Durée moy. :* 3 h (record dep. 1945, en 1958, sous Félix Gaillard : 10 h). Un communiqué officiel est publié. *Rôle :* conseille le Pt qui peut s'opposer à ses avis et peut inscrire à l'ordre du jour les décrets qu'il réserve à sa signature ; il coordonne l'action du Gouv. En général le *Conseil* entérine sans discussion textes et décisions des *conseils restreints* ou *interministériels.*

■ **Conseil de cabinet.** Présidé par le Premier ministre, il n'est réuni qu'exceptionnellement : ainsi, après la mort du Pt Pompidou (3-4-1974).

■ **Comités. Interministériels :** réunions présidées par le PM comprenant les min. et les secr. d'État intéressés par une question. **Restreints** (sans existence légale) : réunis à la demande du Pt de la Rép. ou avec son autorisation pour préparer certaines affaires qui viendront devant un conseil restreint ou en Conseil des min. ; fréquents au début de la Ve Rép., moins nombreux dep. 1971.

Pouvoirs. Il détermine et conduit la politique de la nation. Il dispose de l'Administration et de la Force armée (A 20). Il peut proposer au Pt de la Rép. de soumettre un texte au référendum (A 11).

Responsabilité. 1°) **politique** (A 49 et 50) : il est responsable devant l'Assemblée nationale. Il peut lui demander l'approbation de son programme ou d'une déclaration de politique générale. Il peut engager sa responsabilité sur un texte : le texte est considéré comme adopté si une *motion de censure* n'est pas votée. L'Ass. peut voter une motion de censure (signée par 1/10 au moins de ses membres). Si le vote obtient la majorité absolue des voix, le Gouvernement est renversé. Voir p. 711. 2°) **pénale :** les ministres sont pénalement responsables des crimes et délits commis dans l'exercice de leurs fonctions ; ils sont jugés par la Haute Cour (A 68).

État de siège. Décrété en Conseil des ministres ; au-delà de 12 j ne peut être prorogé qu'avec l'accord du Parlement (Article 36). Implique l'attribution de pouvoirs de police exceptionnels aux autorités militaires en cas d'un péril national grave (politique ou militaire) ; peut être déclaré sur tout ou partie du territoire national.

État d'urgence. Créé par une loi du 3-4-1955 (modifiée par ordonnance du 15-4-1960). Décrété en Conseil des ministres, il doit préciser l'aire géographique concernée ; seule une loi peut autoriser sa prorogation au-delà de 12 j. Il est plus rigoureux que l'état de siège ; des pouvoirs de police exceptionnels sont accordés aux autorités civiles. Sous la Ve Rép., appliqué en 1960 (en Algérie), du 23-4-1961 au 15-7-1962 (territoire national – Article 16 également).

Nota. – Chaque membre du Gouvernement peut démissionner (il reçoit alors sa rémunération pendant 6 mois). Il peut être « démissionné » par le Pt de la Rép. sur proposition du Premier ministre : ainsi J.-J. Servan-Schreiber, nommé min. de la Réforme le 28-5-1974 et écarté le 9-6-1974.

■ Les ministres

■ **Ministres.** Un même ministère peut être confié à un ministre d'État, ministre délégué, un ministre, un secrétaire d'État (ex. : Défense, Construction, Information, Intérieur, Justice, Transports...).

Ministres d'État. Sous les IIIe et IVe Rép. : on nommait min. d'État de grands esprits pour participer au Gouvernement sans avoir la charge d'un ministère. La fonction acquit ainsi du prestige. Févr. 1956, Guy Mollet donna le titre de « ministre d'État » à 2 ministres détenant un portefeuille : René Billières (Éduc. nat.) et François Mitterrand (Justice), créant un degré supplémentaire dans la hiérarchie ministérielle. En 1957, le député ivoirien Houphouët-Boigny fut nommé min. d'État dans le gouv. Bourgès-Maunoury. Nommé simple ministre dans les gouv. suivants, il refusa de prendre ses fonctions, jugées inférieures, bien que la primauté hiérarchique des min. d'État ne figurât dans aucun texte. Les min. d'État sans portefeuille constituèrent alors une sorte de caution des partis coalisés au sein du Gouvernement ; ainsi en 1958, dans le dernier gouv. (de Gaulle) de la IVe Rép., les 4 min. d'État représentaient la SFIO (Guy Mollet), le MRP (P. Pflimlin), les Indépendants (L. Jacquinot) et l'UDSR (F. Houphouët-Boigny). **Sous la Ve Rép. :** le titre est surtout devenu honorifique (préséance protocolaire, avec une rémunération légèrement supérieure) ; toutefois, dans le gouv. Barre du 27-8-1976, il y avait 3 min. d'État représentant les 3 tendances de la majorité présidentielle : O. Guichard (UDR), M. Poniatowski (RI) et J. Lecanuet (CDS).

Ministres délégués. Titre créé en 1956 par Guy Mollet (Houphouët-Boigny, « min. délégué à la Présidence du Conseil »). Il permettait de donner la qualité de min. à une personnalité, sans la nommer « min. d'État », ce qui la mettait au-dessus des autres min. Correspond actuellement à un échelon intermédiaire entre ministre et secrétaire d'État.

■ **Cabinet ministériel.** Comprend 1 directeur de cabinet (fonctions administratives), 1 chef de cabinet (fonctions politiques), 2 chefs adjoints de cabinet, 3 attachés de cabinet, 1 chef du secrétariat particulier, 2 ou 3 chargés de mission ou conseillers techniques et beaucoup de collaborateurs « officieux ».

Membres des cabinets. Nombre : *avant 1981 :* env. 300 ; *depuis 1981 :* sous Mauroy 500, Fabius 530 ; Chirac (1986) 424 (dont 164 énarques), (1987) 580 ; Rocard (1988) 700 (160 én.) (moyenne 12,6 par cabinet) ; Cresson (1991) 654 (150 én.) ; Bérégovoy (1992) 587 (144 én.).

■ Composition du gouvernement

Mai 1981 à avril 1993

■ **Mauroy I. 21-5/22-6-1981** (PM nommé 21-5, min. nommés 23-5, **modification** 24-5). 43 membres dont 6 femmes : 5 ministres d'État, 25 min. et min. délégués et 12 secrétaires d'État. 39 membres du PS, 3 du Mouvement des radicaux de gauche et 1 du Mouv. des démocrates. 3 ministères créés : Solidarité nationale, Temps libre, Mer.

■ **Mauroy II. 22-6-1981** (PM nommé, min. 24-6)**/22-3-1983,** (Mauroy ayant démissionné après les élections lég. de juin) : 44 membres ; 5 min. d'État, 29 min. et min. délégués, 9 secr. d'État. 32 socialistes, 4 communistes, 2 radicaux de gauche et 1 représentant du Mouv. des démocrates. **Modifications** 30-6, 18-8 et 9-12-1982.

■ **Mauroy III. 22-3-1983** (PM nommé 23 et 25-3 min. nommés)**/17-7-1984** (modifications). Mauroy ayant démissionné est reconduit le soir même dans ses fonctions et annonce un « ministère de combat » : 43 membres, 14 min., 8 min. délégués, 20 secr. d'État. *24-3-83* nomination de min. délégués et de 19 secr. d'État. **Modifications** 5-10, 8 et 20-12-1983, 19-6-1984.

■ **Fabius. 17-7-1984** (PM nommé, 20 et 24-7 min. nommés) **/20-3-86.** À l'Économie, Bérégovoy remplace Delors qui, le 7-1-85, devient Pt de la Commission des Communautés eur., P. Joxe remplace à l'Intérieur Defferre nommé min. d'État chargé du Plan et de l'Aménagement du territoire. Chevènement remplace A. Savary à l'Éducation nationale. **Modifications** 8-12-1984, 5-4 et 22-5-1985.

■ **Chirac (RPR) II. 20-3-1986** (PM nommé, 21 et 26-3 min. nommés) **/10-5-1988. Membres :** 35 dont 25 participent régulièrement au Conseil des min. : le PM, 14 min. (dont 1 d'État), 10 min. dél. et 16 secrétaires d'État (le 26-3). **Âge :** *5 de 60 à 70 ans, 11 de 50 à 40, 22 de – de 50* [avant, *2 de + de 70 ans, 5 de 60 à 70, 14 de 50 à 60, 22 de – de 50*]. **Partis :** RPR 20, UDF 18 (8 PR, 7 CDS, 2 Rad., 1 PSD), 3 sans parti. **Modifications** 20-8 et 8-12-1986, 21-1 et 29-9-1987.

■ **Rocard I. 10-5-1988** (PM nommé, 13-5 min. nommés)**/23-6-1988. Membres** 27 (y compris le PM) dont 10 PS, 2 UDF [Michel Durafour (Fonction publique), Jacques Pelletier (Coopération)], 2 MRG [Maurice Faure (Équipement), François Doubin (délégué auprès du min. de l'Ind.)], 4 sans parti [Pierre Arpaillange (Justice), Roger Fauroux (Industrie), Jacques Chérèque (dél. auprès du min. de la Culture)] ; *15 secr. d'État* dont 8 PS, 1 UDF [Lionel Stoléru (Plan)], 6 sans parti [Brice Lalonde (Environnement), Roger Bambuck (Sports), Philippe Essig (Logement), Émile Biasini (Grands Travaux), Thierry de Beaucé (Relations cult.), Bernard Kouchner (Insertion)]. 6 femmes (4 min., 2 secr.). Le 14-6-88 démission après les élec. législatives, mais le Pt lui demande de poursuivre jusqu'à l'installation de l'Ass. nat. (démission effective 23-6 à 0 h). **Modification :** aucune.

■ **Rocard II. 23-6-1988** (PM nommé, 29-6 min. nommés)**/15-5-1991. Membres** 49 (3 min. d'État, 17 min., 10 min. délégués, 17 secr. d'État). 25 PS, 3 MRG, 5 UDF dont 2 barristes (J.-P. Soisson, J.-M. Rausch), 12 « techniciens » peu engagés dont Léon Schwarzenberg, Alain Decaux, Brice Lalonde et Bernard Kouchner [pour la 1re fois dep. 1958, la formation d'origine du PM (ici le PS) ne représente que la moitié du gouvernement]. 5 min. non repris : G. Dufoix, C. Trautmann, députés sortants battus, L. Mermaz devenu Pt du groupe socialiste à l'Ass. nat. 7 *sénateurs* (dont 6 min., 1 secr.), *6 femmes* (dont 3 min., 3 secr.). **Remaniement :** *2-10-1990. M. d'État :* Michel Delebarre [2] PS (Ville). *Ministres :* Henri Nallet [2] PS (Justice), Louis Mermaz [1] PS (Agric. et Forêt), Claude Evin [2] PS (Aff. sociales et Solidarité), Louis Besson [2] PS (Équipement, Log., Transp. et Mer). *M. délégués :* Brice Lalonde [3] Génération écologie (Environnement, Prévention des risques techn. et naturels majeurs), Elisabeth Guigou [1] PS (Aff. europ.), Georges Kiejman [1] (Justice), Bruno Durieux [1] CDS (Santé). *Secr. d'État :* Hélène Dorlhac de Borne [2] France unie (Aff. soc. et Solidarité chargé de la Famille et des Personnes âgées). **Modifications** 9-7-1988, 15 et 22-2, 30-3-1989, 6 et 18-7, 3-10, 22-12-1990, 30-1-1991.

Nota. – (1) Nouveau membre du gouv. (2) M. de l'ancien gouv. ayant changé d'attribution. (3) M. de l'ancien gouv. ayant changé de titre sans changer d'attribution.

■ **Cresson. 15-5-1991** (PM nommé, 17 et 18-5 min. nommés) **/2-4-92. Membres** 46 (1 PM, 5 min. d'État, 14 min., 10 min. délégués, 16 secr. d'État), 34 PS (dont 22 min., 12 secr. d'État), 1 MRG, 3 France unie, 1 Génération écologie (Lalonde), 7 divers. **Modification** 29-3-1992.

■ **Gouvernement Bérégovoy. 2-4-1992** (PM nommé, 3 et 5-4 min. nommés). **Membres** 42 [1 PM (PS), 3 min. d'État (PS), 13 min. (10 PS), 10 min. dél. (5 PS), 15 secr. d'État (12 PS)]. **Modifications** 24-5, 4-6, 3-10-1992.

■ Balladur 29-3-1993

(24e gouvernement dep. 1958)

PM : Édouard Balladur (2-5-29, Smyrne, Turquie).

Ministres d'État : Affaires sociales, Santé, Ville : Simone Veil (13-7-27, Nice). **Intérieur et Aménagement du territoire :** Charles Pasqua (18-4-27, Grasse). **Garde des sceaux, min. de la Justice :** Pierre Méhaignerie (4-5-39, Balazé, Ille-et-Vilaine). **Défense :** François Léotard (26-3-42, Cannes).

Ministres : Affaires étrangères : Alain Juppé (15-8-45, Mont-de-Marsan). **Éducation nationale :** François Bayrou (25-5-51, Bordières, B.-Pyr.). **Économie :** Edmond Alphandéry (2-9-43, Avignon). **Industrie, Postes et Télécom. et Commerce extérieur :** Gérard Longuet (24-2-46, Neuilly-sur-Seine). **Équipement, Transport et Tourisme :** Bernard Bosson (25-2-48, Annecy). **Entreprises et Développement écon., chargé des PME, du commerce et de l'artisanat :** Alain Madelin (26-3-46, Paris). **Travail, Emploi et Formation professionnelle :** Michel Giraud (1-10-46, Boulogne-Billancourt). **Culture et Francophonie :** Jacques Toubon (29-6-41, Nice). **Budget, porte-parole du gouv. :** Nicolas Sarkozy (28-1-55, Paris). **Agriculture et Pêche :** Jean Puech (22-2-42, Viviez, Aveyron). **Enseignement sup. et Recherche :** François Fillon (4-3-54, le Mans). **Environnement :** Michel Barnier (9-1-51, La Tronche, Isère). **Fonction publique :** André Rossinot (22-5-39, Briey, M.-et-Moselle). **Logement :** Hervé de Charette (30-7-38, Paris). **Coopération :** Michel Roussin (3-5-39, Rabat, Maroc). **DOM-TOM :** Dominique Perben (11-8-45, Lyon). **Jeunesse et Sports :** Michèle Alliot-Marie (10-9-46, Villeneuve-le-Roi, S.-et-Marne). **Communication :** Alain Carignon (23-2-49, Vizille, Isère). **Anciens Combattants et Victimes de guerre :** Philippe Mestre (23-8-27, Talmont, Vendée).

Ministres délégués : auprès du PM : Relations avec l'Assemblée nat. : Pascal Clément (12-5-45, Boulogne-Billancourt) ; **Relations avec le Sénat et Rapatriés :** Roger Romani (25-8-34, Tunis, Tunisie). **Auprès du min. des Affaires sociales, de la Santé et de la Ville : Santé :** Philippe Douste-Balzy (1-1-53, Lourdes). **Auprès du min. de l'Intérieur et de l'Aménagement du territoire : Aménagement du territoire et Collectivités locales :** Daniel Hoeffel (23-1-29, Strasbourg). **Auprès du min. des Affaires étrangères : Action humanitaire et Droits de l'homme :** Lucette Michaux-Chevry (5-3-29, St-Claude, Guadeloupe) ; **Affaires européennes :** Alain Lamassoure (10-2-44, Pau).

■ Statistiques

■ **Durée moyenne des gouvernements. IVe Rép. :** inférieure à 7 mois. **1 seul Pt du Conseil est parti sans crise :** Henri Queuille (le 10-7-51 après les él. législ., conformément à l'art. 45 de la Const.). De Gaulle a quitté Matignon pour l'Élysée le 8-1-59 après son élection à la présidence de la Rép. **6 ont été renversés dans les formes constitutionnelles** *après que la confiance leur eut été refusée à la majorité absolue :* Bidault (24-6-50) sur l'application de la *loi des maxima* limitant l'initiative des dépenses des députés ; Queuille II (4-7-50) sur la composition du ministère qu'il venait de former après avoir été investi le 30-6 ; Pleven II (17-1-52) posa 8 questions de confiance sur la loi de fin. et fut renversé au 1er vote ; Mayer (21-5-53) sur sa politique financière ; Mendès France (4-2-55) sur sa politique en Afrique du Nord ; Faure II (29-11-1955) sur l'ordre du jour de l'Ass. alors décidé par celle-ci. **6 ont démissionné** *sans vote parlementaire :* Ramadier (19-11-47) à la suite des intrigues de Guy Mollet, secr. gén. de la SFIO (son propre parti) ; Marie (28-8-48) en raison de divergences sur la politique économique et financière ; Queuille I (6-10-49) après la démission du min. du Travail, Daniel Mayer ; Pleven I (28-2-51) en raison des divisions de sa majorité sur la réforme élect. ; Pinay (22-12-52) en apprenant que le MRP votera contre le budget à cause des alloc. familiales ; Pflimlin (28-5-58) pour laisser la place à de Gaulle. **7 autres se sont retirés après un vote négatif,** *sans être constitutionnellement obligés de démissionner,* soit qu'ils n'aient pas posé la question de confiance, soit que la majorité absolue n'ait pas été atteinte : Schuman I (19-7-48) ; Schuman II (7-9-49) ; Faure I (29-2-52) ; Laniel (12-6-54) ; Mollet (21-5-57) ; Bourgès-Maunoury (30-9-57) ; Gaillard (15-4-58).

Ve Rép. Longévité des PM de la Ve République (en jours) : Pompidou 2 278 (du 14-4-1962 au 10-7-1968), Barre 1 730 (du 25-8-1976 au 21-5-1981), Debré 1 193 (du 8-1-1959 au 14-4-1962), Mauroy 1 152 (du 21-5-1981 au 17-7-1984), Chaban-Delmas 1 110 (du 20-6-1969 au 5-7-1972), Rocard 1 098 (du 10-5-1988 au 13-5-1991), Chirac 820 (du 27-5-1974 au 25-8-1976) + 781 (du 20-3-1986 au 10-5-1988), Messmer 691 (du 5-7-1972 au 27-5-1974), Fabius 613 (17-7-1984 au 20-3-1986), Couve de Murville 345 (du 10-7-1968 au 20-6-1969). Édith Cresson 323 (du 15-5-1991 au 2-4-1992). Pierre Bérégovoy 363 (du 2-4-1992 au 31-3-1993).

■ **Démissions. De 1958 à 1981 :** *1 sur motion de censure* de l'Ass. nat. (Pompidou, le 6-10-62). *12 à la demande du chef de l'État* (de Gaulle exigeait de ses PM, dès leur nomination, leur démission en blanc) *ou du PM ou pour d'autres raisons* (après des élec. législatives ou présidentielles) ; 1972, Chaban-Delmas, malgré le vote de confiance de l'Ass. nat. du 23-5-72 (368 v. contre 96), dut démissionner le 5-7 ; Chirac prit, le 26-7-76, l'initiative de sa démission rendue publique le 25-8. **De 1981 à 1993 :** Mauroy a démissionné 2 fois (dont 1 après les élec. lég. de juin 81), Fabius 1 fois (après les élec. lég. du 16-3-86). Chirac 1 fois (9-5-88) après la réélection de Mitterrand, Rocard 2 fois (23-6-88) et après le 2e tour des législat. (mai 1991). Cresson 1 fois (1992). Bérégovoy (après les élec. lég. de mars 93).

■ **Nombre de membres. Gouvernement le plus nombreux IIIe Rép. :** *Léon Blum* en 1936 (21 min., 13 sous-secr. d'État). Pour la 1re fois le min. comprenait des femmes : 3 sous-secrétaires d'État (éducation, recherche scientifique, protection de l'enfance). 3 min. d'État représentant les 3 familles politiques du Front populaire. Il y avait un sous-secr. d'État à l'organisation des loisirs (et aux sports) confié à Léo Lagrange. **IVe Rép. :** *De Gaulle* (1958-1-6) 16 (15 min., 1 secr. d'État) *7-6* 21 min. ; *8-7* 24 min. **Ve Rép. :** *Debré* (8-1-1959) 26 (21 min., 5 secr.). *Pompidou* (1966) 27 (17 min., 10 secr.) ; (8-4-1967) 28 (21 min., 7 secr.) ; (31-5-1968) 28 (22 min., 6 secr.). *Couve de Murville* (13-7-1968) 30 (18 min., 12 secr.). *Chaban-Delmas* (22-6-1969) 39 (19 min., 20 secr.) ; (mai 1972) 40 (20 min., 20 secr.). *Messmer* (juill. 1972) 29 (19 min., 10 secr.) ; (avril 1973) 37 (21 min., 16 secr.) ; (1-3-1974) 28 (15 min., 13 secr.). *Chirac* (28-5-1974) 38 (16 min., 22 secr.) ; (12-1-1976) 41 (14 min., 27 secr.). *Barre* (27-8-1976) 35 (17 min., 18 secr.) ; (mars 1977) 39 (14 min., 25 secr.). *Mauroy* (22-5-1981) 42 (30 min., 12 secr.) ; (23-6-1981) 43 (34 min., 9 secr.) ; (1-6-1982) 43 (34 min., 9 secr.). *Fabius* (juill. 1984) 40 (20 min., 20 secr.). *Chirac* (21/23-3-1986) 40 (24 min., 16 secr.). *Rocard* (10-5-1988) 41 (26 min., 15 secr.) ; (26-6-1988) 48 (31 min., 17 secr.). *Cresson* (16/18-5-1991) 46 (30 min., 16 secr.). *Bérégovoy* (avril 1992) 42 puis 44 (26 min. puis 29, 15 secr.). *Balladur* (avril 1993) 30 min. (1 PM, 4 min. d'État, 19 min., 6 min. dél.).

■ **Membres du Gouv. non parlementaires (en %).** *De Gaulle* (1958) 39. *Debré* (1959) 36. *Pompidou I* (1962) 31, *II* (1962) 35, *III* (1966) 25, *IV* (1967) 20,5. *Couve de Murville* (1968) 3,2. *Chaban-Delmas* (1969) 0. *Messmer I* (1972) 0, *II* (1973) 5,2, *III* (1974) 3,5. *Chirac* (1974) 24. *Barre I* (1976) 30,5, *II* (1977) 25,5, *III* (1978) 20. *Mauroy I* (1981) 30, *II* (1981) 23, *III* (1983) 18,5. *Fabius* (1984) 23. *Chirac* (1987) 24.

■ **Passages rapides au gouvernement.** *Léon Schwartzenberg,* 10 jours min. délégué auprès du min. de la Solidarité, de la santé et des affaires sociales, chargé de la santé du 28-6 au 7-7-1988 (doit démissionner). *J.-J. Servan-Schreiber,* min. des Réformes, 13 j. (mai-juin) en 1974. *André Postel-Vinay,* secr. d'État chargé des travailleurs immigrés du 8-6 au 22-7-74 (démissionnaire pour cause de réduction budgétaire). *Bernard Tapie,* 52 j, du 2-4 au 23-5-1992, démissionne afin d'assurer sa défense dans un procès auquel il était partie, en tant que personne privée, revient du 24-12-92 au 30-3-93.

■ **Question de confiance.** Sous la IVe Rép., 164 fois dont 1re législature (1946-51) 45, 2e (1951-56) 73, dernière (1956-58) 46. *Records :* Edgar Faure : 23

en un peu plus d'un mois (début 1952) ; Guy Mollet : 34 en presque 16 mois (1956-57).

■ **Frais de Cabinet d'un ministre et, entre parenthèses, d'un secrétaire d'État** (en milliers de F, 1982). Dépenses de personnel 1 600 (1 465) ; Indemnités de cabinet 97 (38) ; Frais de déplacement 100 (50) ; matériel 200 (150) ; parc automobile 50 (30) ; remboursements à diverses administrations 70 (40) ; total 2 117 (1 773). [En 1980 : 1 448 (1 273).]

En % : Debré 37,5. Pompidou 27,4. Couve de Murville 3,2. Chaban-Delmas 2,2. Messmer 6,1. Chirac 33,3. Barre 29,2. Mauroy 23. Fabius 31,1.

Président du Conseil l'ayant été le plus longtemps pendant leur carrière. IIIe Rép. : *Poincaré* 5 a. 6 m. 6 j en 5 fois. *Briand* 5 a. 3 m. 6 j en 11 fois. *Clemenceau* 4 a. 11 m. 5 j en 2 fois. **IVe Rép. :** *Queuille* 1 a. 7 m. 18 j en 3 fois. **Ve Rép. :** *Pompidou* (1er min.) 6 a. 2 m. 25 j.

MINISTRES DEPUIS 1944

☞ Voir Présidents du Conseil puis Premiers ministres, p. 619. *Biographie* (voir à l'Index).

AFFAIRES CULTURELLES

1959 (24-7) André Malraux (1901-76) [1].
1969 (22-6) Edmond Michelet (1899-1970) [1].
1970 (1-10) André Bettencourt (21-4-1919) (intérim).
1971 (7-1) Jacques Duhamel (1924-77).
1973 (4-4) Maurice Druon (23-4-1918).
1974 (18-5) Michel Guy (1927-90) [2].

Culture

1976 (27-8) Françoise Giroud (21-9-1916) [2].
1977 (30-3) Michel d'Ornano (1924-91) [3].
1978 (11-9) Jean-Philippe Lecat (29-7-1935) [4].
1981 (22-5) Jack Lang (2-9-1939).
1986 (20-3) François Léotard (26-3-1942) [4].
1988 (12-5) Jack Lang (2-9-1939) [5].
1993 (29-3) Jacques Toubon (29-6-1941).

Nota. – (1) Ministre d'État. (2) Secrétaire d'État. (3) Ministre de la Culture et de l'Environnement. (4) Ministre de la Culture et de la Communication. (5) Cumul avec l'Éducation nationale le 2-4-1992.

AFFAIRES ÉTRANGÈRES

1944 (10-9) Georges Bidault (1899-1983).
1946 (16-12) Léon Blum (1872-1950).
1947 (22-1) Georges Bidault (1899-1983).
1948 (26-7) Robert Schuman (1886-1963).
1953 (8-1) Georges Bidault (1899-1983).
1954 (19-6) Pierre Mendès France (1907-82).
1955 (20-1) Edgar Faure (1908-88).
1955 (23-2) Antoine Pinay (30-12-1891).
1956 (1-2) Christian Pineau (14-10-1904).
1958 (14-5) René Pleven (1901-93).
1958 (1-6) Maurice Couve de Murville (24-1-1907).
1968 (31-5) Michel Debré (15-1-1912).
1969 (22-6) Maurice Schumann (10-4-1911).
1971 (15-3) André Bettencourt (21-4-1919).
1973 (4-4) Michel Jobert (11-9-1921).
1974 (28-5) Jean Sauvagnargues (2-4-1915).
1976 (27-8) Louis de Guiringaud (1910-82).
1978 (29-11) Jean François-Poncet (8-12-1928).

Relations extérieures

1981 (22-5) Claude Cheysson (13-4-1920).
1984 (7-12) Roland Dumas (23-8-1922).

Affaires étrangères

1986 (20-3) Jean-Bernard Raimond (6-2-1926).
1988 (12-5) Roland Dumas (23-8-1922).
1993 (29-3) Alain Juppé (15-8-1945).

AGRICULTURE

1944 (10-9) Fr. Tanguy-Prigent (1909-70).
1947 (22-10) Marcel Roclore (1897-1966).
1947 (24-11) Pierre Pflimlin (5-2-1907).
1949 (2-12) Gabriel Valay (1905-78).
1950 (3-7) Pierre Pflimlin (5-2-1907).
1951 (11-8) Paul Antier (20-5-1905).
1951 (21-11) Camille Laurens (1906-79).
1953 (28-6) Roger Houdet (1899-1987).
1955 (23-2) Jean Sourbet (1900-62).
1956 (1-2) André Dulin (Secr.) (1896-1973).
1957 (17-6) Pierre de Félice (Secr.) (1896-1978).
1957 (6-11) Rol. Boscary-Monsservin (1904-89).
1958 (9-6) Roger Houdet (1899-1987).
1959 (27-5) Henri Rochereau (25-3-1908).
1961 (24-8) Edgard Pisani (9-10-1918).
1966 (6-1) Edgar Faure (1908-88).
1968 (10-7) Robert Boulin (1920-79).
1969 (16-6) Jacques Duhamel (1924-77).
1971 (8-1) Michel Cointat (13-4-1921).
1972 (7-7) Jacques Chirac (29-11-1932).
1974 (2-3) Raymond Marcellin (19-8-1914).
1974 (28-5) Christian Bonnet (14-6-1921).
1977 (30-3) Pierre Mehaignerie (4-5-1939).
1981 (22-5) Édith Cresson (27-1-1934).
1983 (22-3) Michel Rocard (23-8-1930).
1985 (4-4) Henri Nallet (6-1-1939).
1986 (20-3) François Guillaume (19-10-1932).
1988 (12-5) Henri Nallet (6-1-1939).
1990 (2-10) Louis Mermaz (20-8-1931).
1993 (29-3) Jean Puech (5-2-1939).

DÉFENSE NATIONALE

1944 (10-9) André Diéthelm [1] (1896-1954).
1945 (21-11) Edmond Michelet [2] (1899-1970).
1946 (24-6) Félix Gouin [3] (1884-1977). Edmond Michelet [4] (1899-1970).
1946 (16-12) André Le Troquer [3] (1884-1963).
1947 (22-1) Paul Coste-Floret (Guerre) (1911-79). Louis Jacquinot (Marine) (16-9-1898). André Maroselli (Air) (1893-1970).
1947 (22-10) Pierre-Henri Teitgen [3] (29-5-1908).
1948 (26-7) René Mayer [3] (1895-1972).
1948 (11-9) Paul Ramadier [3] (1888-1961).
1949 (28/29-10) René Pleven [3] (1901-93).
1950 (12-7) Jules Moch [3] (1893-1985).
1951 (11-8) Georges Bidault [3] (1899-1983). Maurice Bourgès-Maunoury (adjoint) (1914-93).
1952 (20-1) Georges Bidault [3] (1899-1983).
1952 (8-3) René Pleven [3,7] (1901-93).
1954 (19-6) Pierre Koenig [6] (1898-1970). Pierre Billotte (1906-92) adjoint le 23-2-55.
1956 (1-2) Maurice Bourgès-Maunoury (1914-93).
1957 (13-6) André Morice [6] (1900-90).
1957 (6-11) Jacques Chaban-Delmas [6] (7-3-1915).
1958 (14-5) Pierre de Chevigné [5] (16-6-1909).
1958 (1-6) Pierre Guillaumat [8] (1909-91).
1960 (5-2) Pierre Messmer [8] (20-3-1916).
1969 (22-6) Michel Debré [3] (15-1-1912).
1973 (4-4) Robert Galley (11-1-1921).
1974 (28-5) Jacques Soufflet (1912-90).
1975 (1-2) Yvon Bourges (29-6-1921).
1980 (2-10) Joël Le Theule (1930-80). Robert Galley (11-1-1921).
1981 (22-5) Charles Hernu (1923-90).
1985 (20-9) Paul Quilès (27-1-1942).
1986 (20-3) André Giraud (3-4-1925).
1988 (12-5) Jean-Pierre Chevènement (9-3-1939).
1991 (29-1) Pierre Joxe (28-11-1934).
1993 (29-3) François Léotard (26-3-1942).

Nota. – (1) Guerre. (2) Des Armées (Terre, Air, Mer). (3) Déf. nat. (4) Armée. (5) Forces armées. (6) Déf. nat. et Forces armées. (7) À partir du 8-1-53, Déf. nat. et Forces armées. (8) Des Armées.

ÉDUCATION NATIONALE

1944 (6-9) René Capitant (1901-70).
1945 (21-11) Paul Giacobbi (1896-1951).
1946 (26-1) Marcel Naegelen (1892-1978).
1948 (12-2) Édouard Depreux (1898-1981).
1948 (26-7) Yvon Delbos (1885-1956).
1948 (5-9) Tony Revillon (Michel Marie) (1891-1957).
1948 (11-9) Yvon Delbos (1885-1956).
1950 (2-7) André Morice (1900-90).
1950 (12-7) Pierre-Olivier Lapie (2-4-1901).
1952 (11-8) André Marie (1897-1974).
1954 (9-16) Jean-Marie Berthoin (1895-1979).
1956 (1-2) René Billères (29-8-1910).
1958 (14-5) Jacques Bordeneuve (1908-81).
1958 (1-6) Jean-Marie Berthoin (1895-1979).
1959 (8-1) André Boulloche (1915-78).
1959 (23-12) Michel Debré (p. intér.) (15-1-1912).
1960 (15-1) Louis Joxe (1901-91).
1960 (23-11) Pierre Guillaumat (1909-91).
1961 (20-2) Lucien Paye (1907-72).
1962 (15-4) Pierre Sudreau (13-5-1919).
1962 (15-10) Louis Joxe (1901-91).
1962 (7-12) Christian Fouchet (1911-74).
1967 (8-4) Alain Peyrefitte (26-8-1925).
1968 (31-5) François-Xavier Ortoli (16-2-1925).
1968 (13-7) Edgar Faure (1908-88).
1969 (23-6) Olivier Guichard (27-7-1920).
1972 (7-7) Joseph Fontanet (1921-80).
1974 (28-5) René Haby (9-10-1919).
1978 (5-4) Christian Beullac (1923-86).
1981 (22-5) Alain Savary (1918-88).
1984 (19-7) Jean-Pierre Chevènement (9-3-1939).
1986 (20-3) René Monory (6-6-1923).
1988 (12-5) Lionel Jospin (12-7-1937).
1992 (2-4) Jack Lang (2-9-1939).
1993 (29-3) François Bayrou (25-5-1951).

ENVIRONNEMENT

1971 (7-1) Robert Poujade (6-5-1928) [1, 2].
1974 (27-5) Gabriel Peronnet (1919-91).
1976 (12-1) Paul Granet (20-3-1931) [3].
1978 (3-4) Michel d'Ornano (1924-91) [4].
1981 (21-5) Michel Crépeau (30-10-1930) [2].
1983 (22-3) Huguette Bouchardeau (1-6-1935) [5].
1986 (20-3) Alain Carignon (23-2-1949) [1].
1988 (12-5) Brice Lalonde (10-2-1946) [3].
1992 (2-4) Ségolène Royal (22-9-1953).
1993 (29-3) Michel Barnier (9-1-1951).

Nota. – (1) Ministre délégué. (2) Ministre. (3) Secrétaire d'État. (4) Min. de la Culture et de l'Environnement. (5) Secrétaire d'État puis ministre.

FEMMES

1974 (16-7) Françoise Giroud (21-9-1916)., secr. d'État auprès du PM (Condition féminine).
1978 (11-9) Monique Pelletier (25-7-1926), min. déléguée chargée de la Condition féminine.
1981 (4-3) Alice Saunier-Seité (26-4-1925), min. de la Famille et de la Condition féminine.
1981 (21-5) Yvette Roudy (10-4-1929), min. déléguée chargée des Droits de la femme.
1988 (12-5) Georgina Dufoix (16-2-1943), min. déléguée auprès du min. des Affaires sociales et de l'Emploi, chargée de la Famille, des Droits de la femme, de la Solidarité et des Rapatriés.
1988 (28-6) Michèle André (6-2-1947), secr. d'État chargée des Droits de la femme.
1990 (17-5) Véronique Neiertz (6-11-1942), secr. d'État aux Droits des femmes.

FINANCES

1944 (10-9) Aimé Lepercq (1889-1944).
1944 (14-11) René Pleven (1901-93).
1946 (26-1) André Philip (1902-70).
1946 (24-6) Robert Schuman (1886-1963).
1946 (18-12) André Philip (1902-70).
1947 (22-1) Robert Schuman (1886-1963).
1947 (24-11) René Mayer (1895-1972).
1948 (26-7) Paul Reynaud (1878-1966).
1948 (5-9) Christian Pineau (14-10-1904).
1948 (11-9) Henri Queuille (1884-1970).
1949 (12-1) Maurice Petsche (1893-1951).
1951 (11-8) René Mayer (1895-1972).
1952 (20-1) Edgar Faure (1908-88).
1952 (8-3) Antoine Pinay (30-12-1891).
1953 (8-1) Maur. Bourgès-Maunoury (1914-93).
1953 (28-6) Edgar Faure (1908-88).
1955 (20-1) Robert Buron (1910-73).
1955 (23-2) Pierre Pflimlin (5-2-1907).
1956 (1-2) *Affaires économiques :* Robert Lacoste (1898-1989).
1956 (14-2) Paul Ramadier (1888-1961).
1957 (13-6) Félix Gaillard (1919-70).
1957 (6-11) Pierre Pflimlin (5-2-1907).
1958 (14-5) Edgar Faure (1908-88).
1958 (1-6) Antoine Pinay (30-12-1891).
1960 (13-1) Wilfrid Baumgartner (1902-78).
1962 (19-1) Valéry Giscard d'Estaing (2-2-1926).
1966 (8-1) Michel Debré (15-1-1912).
1968 (31-5) M. Couve de Murville (24-1-1907).
1968 (13-7) François-Xavier Ortoli (16-2-1925).
1969 (16-6) Valéry Giscard d'Estaing (2-2-1926).
1974 (28-5) Jean-Pierre Fourcade (18-8-1929).
1976 (27-8) Raymond Barre (12-4-1924) ; min. délégué Michel Durafour (11-4-1920), remplacé le 30-3-1977 par Robert Boulin (1920-79).
1978 (5-4) *Économie :* René Monory (6-6-1923) ; *Budget :* Maurice Papon (3-9-1910).
1981 (22-5) *Économie :* Jacques Delors (20-7-1925) ; *Budget :* Laurent Fabius (20-8-1946).
1983 (22-3) *Économie, Finances, Budget :* Jacques Delors (20-7-1925).
1984 (19-7) *Id. :* Pierre Bérégovoy (1925-93).
1986 (20-3) *Économie, Finances, Privatisation :* Édouard Balladur (2-5-1929).
1988 (12-5) Pierre Bérégovoy (23-12-1925-1-5-1993).
1992 (2-4) Michel Sapin (9-4-1952).
1993 (29-3) *Économie :* Edmond Alphandéry (2-9-1943) ; *Budget :* Nicolas Sarkozy (28-1-1955).

INTÉRIEUR

1944 (10-9) Adrien Tixier (1893-1946).
1946 (26-1) André Le Troquer (1884-1963).
1946 (24-6) Édouard Depreux (1898-1981).
1947 (24-11) Jules Moch (1893-1985).
1950 (7-2) Henri Queuille (1884-1970).
1951 (11-8) Charles Brune (1891-1956).
1953 (28-6) Léon Martinaud-Deplat (1899-1969).
1954 (19-6) François Mitterrand (26-10-1916).
1955 (23-2) M. Bourgès-Maunoury (1914-93).
1956 (1-2) Gilbert Gilbert-Jules (1903-84).
1957 (6-11) M. Bourgès-Maunoury (1914-93).
1958 (14-5) Maurice Faure (2-1-1922).
1958 (17-5) Jules Moch (1893-1985).
1958 (1-6) Émile Pelletier (1898-1975).
1959 (8-1) Jean-Marie Berthoin (1895-1979).
1959 (30-5) Pierre Chatenet (6-3-1917).
1961 (6-5) Roger Frey (11-6-1913).
1967 (4-4) Christian Fouchet (1911-74).
1968 (31-5) Raymond Marcellin (19-8-1914).
1974 (2-3) Jacques Chirac (29-11-1932).
1974 (28-5) Pce Michel Poniatowski (16-5-1922).

1977 (30-3) Christian Bonnet (14-6-1921).
1981 (22-5) Gaston Defferre (1910-86).
1984 (19-7) Pierre Joxe (28-11-1934).
1986 (20-3) Charles Pasqua (18-4-1927).
1988 (12-5) Pierre Joxe (28-11-1934).
1991 (29-1) Philippe Marchand (1-9-1939).
1992 (2-4) Paul Quilès (27-1-1942).
1993 (29-3) Charles Pasqua (18-4-1927).

Justice

1944 (5-9) François de Menthon (1900-84).
1946 (26-1) Pierre-Henri Teitgen (29-5-1908).
1946 (18-12) Paul Ramadier (1888-1961).
1947 (22-1) André Marie (1897-1977).
1948 (26-7) Robert Lecourt (19-9-1908).
1948 (11-9) André Marie (1897-1977).
1949 (13-2) Robert Lecourt (19-9-1908).
1949 (28-10) René Mayer (1895-1972).
1951 (11-8) Edgar Faure (1908-88).
1952 (20-1) Léon Martinaud-Deplat (1899-1969).
1953 (28-6) Paul Ribeyre (1906-88).
1954 (19-6) Émile Hugues (1901-66).
1954 (3-9) Jean-Michel Guérin de Beaumont (1896-1955).
1955 (20-1) Emmanuel Temple (1895-1988).
1955 (23-2) Robert Schuman (1886-1963).
1956 (1-2) François Mitterrand (26-10-1916).
1957 (13-6) Édouard Corniglion-Molinier (1899-1960).
1957 (6-11) Robert Lecourt (19-9-1908).
1958 (1-6) Michel Debré (15-1-1912).
1959 (8-1) Edmond Michelet (1899-1970).
1961 (24-8) Bernard Chenot (20-5-1909).
1962 (15-4) Jean Foyer (27-4-1921).
1967 (7-4) Louis Joxe (1901-91).
1968 (31-5) René Capitant (1901-70).
1969 (29-4) Jean-Marc Jeanneney (13-11-1910) (intérim).
1969 (22-6) René Pleven (1901-93).
1973 (16-3) Pierre Messmer (20-3-1916) (intérim).
1973 (6-4) Jean Taittinger (25-1-1923).
1974 (28-5) Jean Lecanuet (1920-93).
1976 (27-8) Olivier Guichard (27-7-1920).
1977 (30-3) Alain Peyrefitte (26-8-1925).
1981 (22-5) Maurice Faure (2-1-1922).
1981 (23-6) Robert Badinter (30-3-1928).
1986 (19-2) Michel Crépeau (30-10-1930).
1986 (20-3) Albin Chalandon (11-6-1920).
1988 (12-5) Pierre Arpaillange (13-3-1924).
1990 (2-10) Henri Nallet (6-1-1939).
1992 (2-4) Michel Vauzelle (15-8-1944).
1993 (29-3) Pierre Méhaignerie (4-5-1939).

Travail

1959 (8-1) Paul Bacon (1-11-1907).
1962 (16-5) Gilbert Grandval (1904-1981).
1967 (7-4) Joseph Fontanet (1921-1980).
1973 (2-4) Georges Gorse (15-2-1915).
1974 (27-5) Michel Durafour (11-4-1920).
1976 (25-8) Christian Beullac (1923-86).
1978 (3-4) Robert Boulin (1920-79).
1981 (21-5) Jean Auroux (19-9-1942).
1983 (22-3) Jack Ralite (14-5-1928).
1984 (17-7) Michel Delebarre (27-4-1946).
1986 (20-3) Philippe Seguin (21-4-1943).
1988 (12-5) Michel Delebarre (27-4-1946).
1988 (22-6) Jean-Pierre Soisson (9-11-1934).
1991 (17-5) Martine Aubry (8-8-1950).
1993 (29-3) Michel Giraud (14-7-1929).

Ministres communistes depuis 1945

France

Arthaud, René (20-9-1915), Santé publique (juin à déc. 46). **Billoux,** François (1903-78), comm. aux Régions libérées dans le Gouv. prov. d'Alger ; Santé publique (sept. 44-oct. 45) ; Économie nat. (nov. 45-janv. 46) ; Reconstruction et Urbanisme (janv.-déc. 46) ; Défense nat. (janv.-mai 47). **Casanova,** Laurent (1906-72), Anciens Combattants et victimes de guerre (janv.-déc. 46). **Croizat,** Ambroise (1901-51), Travail et Séc. soc. (nov. 45-mai 47). **Fiterman,** Charles (28-12-1933), Transports (1981-84). **Gosnat,** Georges (20-12-1914), sous-secr. d'État à l'Armement (août-déc. 46). **Grenier,** Fernand (9-7-1901-12-8-1992), comm. à l'Air dans le Gouv. prov. d'Alger. **Lecœur,** Auguste (4-9-1911-26-7-1992), sous-secr. d'État à la Prod. ind. (janv.-déc. 46). **Le Pors,** Anicet (28-4-1931), Fonction publique et Réformes admin. (1981-84). **Marrane,** Georges (1888-1976), Santé publique (janv.-mai 47). **Patinaud,** Marius (11-12-1910), sous-secr. d'État au Travail et Séc. soc. (janv.-nov. 46). **Paul,** Marcel (1900-82), Prod. ind. (nov. 45-déc. 46). **Ralite,** Jack (14-5-1928), Santé (81-83) ; Emploi (mars 83). **Rigout,** Marcel (10-5-1928), Formation professionnelle (1981-84). **Thorez,** Maurice (avril 1900-juill. 64), min. d'État chargé de la Réforme admin. (nov. 45-janv. 46), vice-Pt du Conseil (janv.-déc. 46), min. d'État (janv.-mai 47). **Tillon,** Charles (3-4-1897/13-1-1993), Air (sept. 44-oct. 45), Armement (nov. 45-déc. 46), Reconstruction et Urbanisme (janv.-mai 47).

Autres pays européens

Allemagne féd. : les C. participent aux gouv. jusqu'en 1948. **Autriche :** 1945 : 1 (Intérieur). 1945-47 : 1 (Énergie). **Belgique :** 1945-46 : 2. 1946-47 : 4 (Ravitaillement, Santé publique, Reconstr., Travaux publics). **Danemark :** 1945 : 1. **Islande :** participent aux gouv. 1971 à 1974 et dep. 1978. **Italie :** participent à création répub. (1945-47) ; Justice (1945) ; participent activ. aux gouv. de régions dep. 1970. **Luxembourg :** 1945 à 47 : 1. **Norvège :** mai à sept. 1945 : 1. **Pays-Bas :** ont participé à 7 gouv. En 1981 : 2 (Éducation et Emploi). **Portugal :** ont participé aux gouv. prov. entre mai 1974 et juill. 76. **St-Marin :** soutiennent l'exécutif dep. 1978.

Le Parlement

☞ Voir **Élections** p. 750 et **Liste des députés** p. 712.

Assemblée nationale

Composition

■ **Élection.** Élue pour 5 ans [durée appelée *législature.* S'achève à l'ouverture de la session ordinaire d'avril de la 5e année suivant l'élection précédente (écart de 5 ans 3 mois à 4 ans 3 mois)]. *1958 à 1986* au suffrage univ. direct ; *en mars 1986,* au scrutin de liste à la représentation proportionnelle avec le département comme circonscription. *En juin 1988,* au suffrage univ. direct. (la loi n° 86-825 du 11-7-1986 ayant rétabli le scrutin majoritaire uninominal de circonscription à 2 tours). Le mandat peut être écourté en cas de *dissolution* prononcée par le Pt de la Rép. dans les conditions prévues à l'art. 12 de la Constit. Les élections ont alors lieu 20 j au moins et 40 j au plus après la dissolution. L'Ass. nat. se réunit de plein droit le 2e jeudi suivant l'él. Il ne peut y avoir de nouvelle dissolution dans l'année qui suit.

Au début de chaque législature, un recueil dit le *Barodet* [du nom de Désiré Barodet (1823-1906) député d'extrême gauche en 1873, puis sénateur en 1896] consigne les professions de foi et programmes des nouveaux élus.

■ **Dissolution des Chambres dep. 1789** (faisant objet d'un décret ou d'une ordonnance). **Chambre des représentants :** 8-7-1815. **Ch. des députés :** 5-9-1816, 5-11-1827, 16-5-1830, 25-7-1830. **Assemblée constituante :** 26-6-1848. **Ass. législative :** 2-12-1851. **Chambre des députés :** 16-5-1877. **Assemblée nationale :** *IVe Rép. :* 30-11-1955 ; *Ve Rép. :* 10-10-1962 (après le vote de la motion de censure du 5-10 contre Pompidou, à propos de l'organisation d'un référendum pour réviser le mode d'élection du Pt de la Rép.), 30-5-1968 (pour dénouer la crise de mai). 22-5-1981 [après l'élection d'un Pt socialiste (Mitterrand)], 14-5-1988 (après réélection de Mitterrand).

■ **Députés. Nombre.** *1934 :* 618 ; *IVe :* 625 ; *Ve :* 255 puis 491 ; *1986 :* 577 ; *1993 :* 577 ; [dont *métropole* 555 ; *départements d'O.-M.* 15 (Guadeloupe 4, Guyane 2, Martinique 4, Réunion 5) ; *TOM :* 5 (Wallis-et-Futuna 1, N.-Calédonie 2, Polynésie 2) ; *collectivités territoriales de la Rép. fr.* 2 (Mayotte 1, St-Pierre-et-Miquelon 1]. Tout département métropolitain a droit à 2 dép. au minimum. *En 1993 :* sur 577 députés, 236 sont élus pour la 1re fois, taux de renouvellement de 41 % (38 en 1981). **Femmes.** *En 1993 :* 35 sur 577 dont 3 PS, 16 RPR, 12 UDF, 2 PC et 2 République et Liberté.

Moyenne d'âge. *1973 :* 53 ans et 1 mois, *1981 :* 49 et 10 mois, *1988 :* 51 ans (*PS* 49 ans, *UDC* 51 a. 1 m., *RPR* 53 a. 2 m., *UDF* 53 a. 4 m., *PC* 53 a. 10 m., *non-inscrits* 48 a. 4 m.). *1993 :* 52 ans et 2 mois (*RPR* 51 a. 8 m., *RL* 52 a. 11 m., *UDF* 52 a. 6 m., *PS* 51 a. 6 m.).

Répartition (29-3-1993). **Métier d'origine** (sur 577 députés) : professeurs et fonctionnaires 221 (298 en 1988, dont grands corps de l'État 51), médecins, dentistes et vétérinaires 49, avocats 29, retraités 36, industriels et chefs d'entreprise 30, permanents pol. 15, cadres sup. du privé 41, ingénieurs 23, administrateurs de Stés 14, ouvriers 9. **Professions principales des députés de la majorité : RPR :** fonctionnaires des grands corps de l'État 23, médecins 17, prof. secondaire technique 17, avocats 14, industriels et chefs d'entreprise 14 ; **UDF :** médecins 19, avocats 15, fonctionnaires des grands corps de l'État 14, industr. et chefs d'entreprise 14, permanents pol. 13. **% de députés et,** entre parenthèses, **% de la profession dans la pop. :** agriculteurs 3,6 (3,6), industriels et chefs d'entreprise 5,5 (0,9), ouvriers 0,5 (28,2), professeurs 13,5 (1,7) [1981 : 34, *86 :* 26, *88 :* 28], retraités 5,7 (20,9).

☞ **En 1924 :** exploitants agricoles 70, patrons de l'industrie et du commerce 85, professions médicales 37, avocats 143, ecclésiastiques 6, ouvriers 29, publicistes et journalistes 37, enseignants 42.

☞ Jacques Ducreux (n. 20-11-1912/1-2-1952, acc. voiture), député des Vosges, se nommait en réalité Tacnet ; il avait été journaliste à Vichy en 1942, puis s'était engagé dans les FFL.

■ **Groupes politiques. Effectifs minimum pour qu'un parti puisse être représenté par un groupe :** *1958 :* 28 ; *1959 :* 40 ; *1988* (1-7) *:* 20 (seuil abaissé pour permettre au PC n'ayant plus que 24 élus de continuer à être représenté). **Situation au 5-5-1993** (apparentés entre parenthèses). *RPR :* 245 m. (12) *Pt :* Bernard Pons ; *UDFC :* 213 (2) *Pt :* Charles Millon ; *PS :* 52 (5) *Pt :* Martin Malvy ; *PC :* 22 (1) *Pt :* Alain Bocquet. *Non-inscrits :* 25 dont Jean-Louis Borloo, Michel Noir, Jean Royer, Jean-Pierre Soisson, Bernard Tapie. Les m. du gouv. sont comptabilisés dans les effectifs des groupes pendant 1 mois, mais ils ne votent pas. Les radicaux de gauche sont apparentés socialistes ou non-inscrits.

☞ Au 23-6-1988 (ouverture de la 9e législature), 3 députés avaient siégé sans interruption durant la Ve Rép. ; 1 RPR : Grussenmeyer (Bas-Rhin), 1 apparenté socialiste : Aimé Césaire (Martinique) et 1 non-inscrit : Jean Royer (I.-et-L.). 1 seul avait débuté sous la IIIe Rép., Édouard Frédéric-Dupont (10-7-1902), élu député de Paris en 1936 et doyen de l'Assemblée. 7 avaient été députés sous la IVe Rép. et l'étaient restés dans la Chambre de 1958 : Césaire (élu 1945), Chaban-Delmas (1946), Frédéric-Dupont (1946), Bénouville (1951) et 3 élus le 2-1-1956 (Giscard d'Estaing qui a démissionné de son mandat de député le 3-11-89, Marcellin, Seitlinger). Césaire détenait le record de longévité parlementaire, + de 40 ans de mandat continu. Sans avoir été député de façon continue dep. 1946 (interruption du 20-7-1969 au 5-7-1972 pour être PM, puis jusqu'au 2-4-1973), Chaban-Delmas a été élu à toutes les élections générales dep. le début de la IVe Rép.

■ **Nombre de Chambres.** En 1970-71, sur 126 États dotés de Chambres parlementaires, il y en avait 53 bicaméristes (2 Chambres), 73 monocaméristes (1 Chambre).

1 Chambre : *Danemark* (2e Ch. supprimée en 1953), *Finlande* (dep. 1906), *Grèce, Israël, Lux.* (mais le Conseil d'État a un rôle consultatif étendu), *N.-Zél.* (2e supprimée en 1950), *Turquie.*

2 Chambres : Bicaméralisme (ou Bicamérisme). *Types. Technique* (ex. France) : la 2e Chambre (ou Chambre haute), le Sénat a un rôle de réflexion. *Fédéral* (USA, ex-URSS, All.) : la 2e Ch. (Sénat, Soviet des Nationalités, Bundesrat) représente les intérêts politiques fondamentaux des États membres de la Fédération et dispose des mêmes pouvoirs que la chambre qui représente les citoyens. *Ancien :* la 2e Ch. représente les intérêts politiques et économiques d'une aristocratie ou d'une classe sociale en voie de disparition (Chambre des lords en G.-B.). *Économique et social :* la 2e Ch. représente certains intérêts professionnels, écon., sociaux ou corporatifs (Ch. des faisceaux, Italie fasciste ; projet français du 27-4-1969). **L'Assemblée élue se divise en 2** (pour former la 2e, les élus désignent une partie d'entre eux : 1/3 en *Islande,* 1/4 en *Norvège*).

Pouvoirs de la 2e Ass. Pratiquement nuls : *Canada* (nommée à vie), *G.-B.* (nommée à vie ; héréditaire) ; **Inférieurs :** *All. féd.* [1] (ass. fédérale), *Autriche* [1] (ass. féd.) *France* [1], *Irlande* (nommée et désignée), *Pays-Bas* [1], *Suède* [1] ; **Égaux :** *Australie* [2] (ass. féd.), *Belgique* [2], *USA* [2] (ass. féd.), *Italie* [2], *Suisse* [2] (ass. féd.).

Nota. – (1) Élection indirecte. (2) Él. directe.

■ **Vote.** *Allemagne féd. :* vote au Bundestag personnel ou obligatoire. Amende : 75 marks (env. 250 F) par absence. Interdiction du cumul des mandats. *USA :* procurations interdites dans les séances plénières de la Chambre des représentants et du Sénat. 2 systèmes : vote à main levée et vote avec carte magnétique. *G.-B. :* pour voter, les députés doivent franchir l'une des 2 portes qui encadrent le siège du Pt : celle des « yes » et celle des « no ». *Italie :* vote secret. Aucun texte de loi, théoriquement, ne peut être approuvé s'il n'y a pas au moins 316 députés en séance (chiffre rarement atteint).

■ **Durée des législatures.** En général 4 à 5 ans (*Australie* et *N.-Zélande* 3, *USA* 2).

En juin 1988, 109 anciens ministres ont été élus. 162 enseignants (153 en 1981), 30 chefs d'entreprise (36 en 86), 5 champions : Alain Calmat (apparenté Soc.), Guy Drut (RPR), Jacques Chaban-Delmas (RPR), Christian Estrosi (RPR), Pierre Mazeaud (1er Français au sommet de l'Everest). Il y aurait eu 112 *francs-maçons,* soit 1 député sur 5, la plupart à gauche. 4 étaient en juin 88 entrés en famille : les Debré (Bernard et Jean-Louis, RPR) ; Jean-François Deniau (UDF) et son frère aîné Xavier (RPR) ; Gilbert Mitterrand étant le fils du Pt de la Rép.

■ Organisation

■ **Président de l'Assemblée nationale.** Élu pour une législature, il dirige les débats en séance publique et certains organes importants (Bureau de l'Assemblée, Conférence des Présidents...), veille à la sûreté de l'Ass. et, à cet effet, peut requérir la force armée. Il est chargé, par la Constitution, de nommer 3 des 9 membres du Conseil constitutionnel et de le saisir dans certains cas. Il doit être consulté par le Pt de la Rép. préalablement à la dissolution de l'Assemblée ou à la mise en vigueur de pouvoirs exceptionnels.

Fauteuil présidentiel. Celui de Lucien Bonaparte aux Cinq-Cents (1799), placé sur une tribune surélevée, dominant celle des orateurs, qui domine elle-même le bureau des sténographes et est ornée d'un bas-relief de marbre blanc représentant *l'Histoire,* ses tablettes à la main, notant les paroles du législateur et *la Renommée* embouchant une trompette pour les diffuser. L'ensemble d'environ 4 m de haut est appelé depuis la IIIe Rép. le *perchoir.*

Présidents depuis 1871. IIIe Rép. 1871 (16-2) : *Jules Grévy*[1] (1807/91) ; **1873** (4-4) *Louis Buffet* (1818/98) ; **1875** (15-3) *Duc d'Audiffret-Pasquier* (1823/1905) ; **1876** (13-3) *Jules Grévy* ; **1879** (31-1) *Léon Gambetta* (1838/82) ; **1881** (3-11) *Henri Brisson*[3] (1835/1912) ; **1885** (8-4) *Charles Floquet* (1828/96) ; **1888** (4-4) *Jules Méline* (1838/1925) ; **1889** (16-11) *Charles Floquet* ; **1893** (16-1) *Jean Casimir-Perier* (1847/1907) ; **1893** (5-12) *Charles Dupuy*[3] (1851/1923) ; **1894** (2-6) *Casimir-Perier*[2] ; **1894** (5-7) *Auguste Burdeau*[4] (1851/94) ; **1894** (18-12) *Henri Brisson* ; **1898** (9-6) *Paul Deschanel* (1856/1922) ; **1902** (10-6) *Léon Bourgeois* (1851/1925) ; **1905** (10-1) *Paul Doumer* (1857/1932) ; **1906** (8-6) *Henri Brisson* ; **1912** (23-5) *Paul Deschanel* ; **1920** (12-2) *Raoul Péret* (1870-1942) ; **1924** (9-6) *Paul Painlevé*[3] (1863/1933) ; **1925** (22-4) *Édouard Herriot*[3] (1872-1957) ; **1926** (22-7) *Raoul Péret* ; **1927** (11-1) *Fernand Bouisson* (1874/1959) ; **1936** (4-6) *Édouard Herriot.* **IVe Rép. 1946** (3-12) (2e Ass. constituante ; Ass. nationale) : *Vincent Auriol*[2] (1884-1966) ; **1947** (21-1) *Édouard Herriot*[1] (puis « Pt d'honneur ») ; **1954** (12-1) *André Le Troquer* (1884-1963) ; **1955** (11-1) *Pierre Schneiter* (1905-79) ; **1956** (24-1) *André Le Troquer.* **Ve Rép. 1958** (9-12) *Jacques Chaban-Delmas* (7-3-1915) ; **1969** (25-6) *Achille Peretti* (1911-83) ; **1973** (2-4) *Edgar Faure* (1908-88) ; **1978** (3-4) *Jacques Chaban-Delmas* ; **1981** (2-7) *Louis Mermaz* (20-8-1931) ; **1986** (2-4) *Jacques Chaban-Delmas* [élu *1er tour :* 271 v. ; *André Labarrère* (PS) : 207 ; *Yann Piat* (FN) : 36 ; *Guy Ducoloné* (PC) : 33. *2e tour :* 282 sur 554 exprimées, dépassant de 5 voix la majorité absolue] ; **1988** (23-6) *Laurent Fabius* (20-8-1946), 41 ans, le + jeune Pt dep. Gambetta ; *1er tour : Fabius* (PS) 276, *Chaban-Delmas* (RPR) 263, *Hage* (PC) 25, *Yann Piat* (FN) 4 ; *2e tour : Fabius* 301, *Chaban-Delmas* 268 ; **1992** (22-1) *Henri Emmanuelli* (31-5-1945) 534 suffrages exprimés sur 541 votants : *1er tour : Emmanuelli* PS 256 v., *Chaban-Delmas* RPR 207, *Huguette Bouchardeau* app. PS 44, *Georges Hage* PC 27. *2e tour : Emmanuelli* 289, *Chaban-Delmas* 225, *Bouchardeau* 32 ; **1993** (2-4) *Philippe Séguin* (21-4-1943) RPR, *1er tour :* Séguin 266, André Labarrère (PS) 62, Georges Hache (PC) 24, Dominique Baudis (Centriste) 180, blancs ou nuls 13, *2e tour :* Seguin 389, Labarrère 59, Hache 26, divers 5, blancs ou nuls 54 (44 dép., dont 25 suppléants, n'ont pas pris part au vote).

Nota. – (1) Démissionne. (2) Élu Pt de la République. (3) Devient Pt du Conseil. (4) Décédé.

■ **Vice-Pts (au 4-5-1993).** Loïc Bouvard (20-1-29) (UDF), Jacques Brunhes (7-10-34) (PC), Nicole Catala (2-2-36) (RPR), Éric Raoult (19-6-55) (RPR), Gilles de Robien (10-4-41) (UDF), Pierre-André Wiltzer (31-10-34) (PC).

■ **Bureau.** Pt élu pour une législature, 6 vice-Pts (remplacent le Pt pour la direction des séances publiques et participent aux travaux de divers organes collectifs), 3 questeurs (sous l'autorité du Bureau, assument collégialement la gestion administrative et financière), 12 secrétaires, élu pour 1 an (assurent le contrôle des scrutins et certifient l'exactitude des procès-verbaux de séance).

■ **Séances (statistiques). Jours :** *1985 :* 118 ; *86 :* 129 ; *87 :* 114 ; *88 :* 70 ; *89 :* 117 ; *90 :* 111 ; *91 :* 123. **Nombre :** *1985 :* 239 ; *86 :* 277 ; *87 :* 273 ; *88 :* 147 ; *89 :* 246 ; *90 :* 234 ; *91 :* 273. **Heures :** *85 :* 792 h 55 ; *86 :* 933 h 40 ; *87 :* 925 h 55 ; *88 :* 484 h ; *89 :* 834 h 55 ; *90 :* 849 h 10 ; *91 :* 953 h 20 (dont débats législatifs 602 h, budgétaires 201 h, politiques 57 h, questions 94 h). **Durée :** certaines séances dépassent 24 h (la 1re fois ce fut en 1903, du 30 mars à 9 h 30 au 31 à 12 h 30, soit 27 h). *Sous la IVe Rép. :* 29-11-1947 : Robert Schuman dépose sur le bureau de l'Ass. une série de textes dits de « défense publique ». Les communistes font obstruction 4 jours et 4 nuits (déposant amendements, contre-propositions, demandes de renvoi, exigeant à chaque instant des scrutins publics à la tribune). Le 1-12 à 19 h 30 le député Raoul Calas (Hérault) évoque à la tribune le « glorieux régiment du 17e qui a refusé de tirer sur le peuple à Béziers en 1907 ». Le groupe communiste se lève et entonne l'hymne de Montehus *Salut braves soldats du dix-septième !* Raoul Calas refuse de quitter la tribune. La séance est suspendue. A 6 h 15 Calas est évacué manu militari. *Record sous la Ve Rép. :* 20 h 45 de séance (17-11-1978 : discussion d'un budget de la loi de finances pour 1979).

■ **Bilan 9e législature (du 23-6-1988 au 31-12-1992). Textes déposés** 357 projets, 940 propositions. **Textes adoptés** 305 projets, 54 propositions (dont plusieurs jointes à un projet de loi ou entre elles). **Amendements enregistrés** 26 122, adoptés 9 352. **Engagements de responsabilité sur le vote d'un texte** (art. 49, al. 3) 39. **Déclaration du gouvernement** (art. 132 R.) 21. **Motions de censure** 18. **Questions orales** sans débat 536, réponses 479. **Questions au gouvernement** 1 172, réponses 1 173. **Questions écrites** 52 272, réponses 33 795. **Questions à un ministre** 515.

■ **Budget du Parlement** (en millions de F, 1991). *Ordinaire :* 3 469 dont Ass. nat. 2 189 et Sénat 1 280. *Extraordinaire :* 71 dont Ass. nat. 16 et Sénat 55. *1992 :* 2 250. *1993 :* 3 739 dont Ass. nat. 2 356 et Sénat 1 384 (1 338 ordinaires, 45 extraordinaires).

■ Siège de l'Assemblée

■ **Paris. Palais-Bourbon :** construit XVIIIe s. par Louise-Françoise duchesse de Bourbon (1673-1743), Mlle de Nantes, fille légitimée de Louis XIV et de Mme de Montespan. **1722** début des travaux, confiés à l'Italien Giardini († 1722) et approuvés par Hardouin-Mansart, puis Lassurance († 1724). **1724,** repris par Jean Aubert et Jacques Gabriel. **1765** agrandi et transformé par le prince de Condé (1736-1818), petit-fils de la duchesse de Bourbon (Soufflot modifia dans le sens de l'austérité les conceptions d'origine de Mansart et de Gabriel). Le marquis de Lassay (Armand de Madaillan de Lesparre, † 1738), son beau-frère (il avait épousé la sœur du duc de Bourbon) et son ami, à qui la duchesse avait fait appel pour la construction du Palais-Bourbon, fit construire sur son ordre un hôtel à proximité du palais (1724-30). **1791,** séquestre (le duc ayant émigré), devient palais de la Révolution ; sert d'écurie, de remise, abrite l'École centrale des travaux publics. **1795** affecté au futur conseil des Cinq-Cents qui fit construire une salle des séances, la 1re conçue en France pour servir durablement à une assemblée de législateurs. Il y tint séance à partir de 1798. Cette salle fut occupée sous le Consulat et l'Empire par le Corps législatif. A cette époque, Fontanes, Pt du Corps législatif, fit édifier l'actuelle façade nord du Palais dans le style de l'église de la Madeleine. **1816,** l'État loue pour la Chambre des députés au prince de Condé, rentré 1814 d'émigration, une grande partie du Palais. **1827** achète une grande partie du Palais-Bourbon à son fils 5 250 000 F. **1829-32,** nouvelle salle (encore en usage, dite hémicycle) ; pendant les travaux, salle de « bois » (provisoire). **1843,** l'État achète le reste du Palais au duc d'Aumale, héritier du dernier des Condé. Devient le lieu de réunion des élus du peuple. **1843, l'hôtel de Lassay** racheté par le duc d'Aumale devient la résidence du Pt de la Chambre. **1848** Palais-Bourbon et hôtel de Lassay, séparés à l'origine, sont reliés par une 1re galerie. Les constituants, en raison de leur nombre, occupent une salle provisoire édifiée dans la cour d'honneur. **1860** par une 2e. **1898** par une 3e.

Tribunes. Plusieurs ouvertes au *public :* le jour des séances publiques, les 10 premières personnes se présentant à l'entrée ont droit à une place. Sinon demander une invitation à son député. *Des inspecteurs de police. De la presse* (dernier étage accueille parfois + de 200 journalistes). *Des anciens députés. Des invités, des questeurs* (3 députés à l'Assemblée). *Des préfets. Des invités du Pt de la République :* lui-même n'a pas le droit de venir à l'Assemblée car il représente tous les Français. *Des ambassadeurs.*

Superficies. Palais-Bourbon : 46 500 m² ; **façade** sur la Seine (fronton dû à Cortot, représente « La France tenant des tablettes entre la Force et la Justice appelant à elles toutes les illustrations pour concourir à la confection des lois » ; **dépendances :** *101, rue de l'Université* (construit 1974), 24 000 m² (2 restaurants, 200 bureaux), *233 bd St-Germain* (acquis 1983) 11 500 m² (archives, services administratifs), relié au Palais par une galerie souterraine, **hôtel Sofitel Bourbon,** *32 rue St-Dominique* (112 ch., acheté, le 1-3-1990, 450 millions de F, soit 4 millions de F la chambre). Chaque député occupe un bureau personnel. **Total** (Palais et dépendances) : 30 salles de réunion, 11 673 bureaux.

■ **Population.** 3 000 personnes dont 577 députés, 1 250 fonctionnaires dont 150 administrateurs de l'Ass. nat. (+ 74 adjoints), recrutés par un concours tous les 2 ans du niveau de celui de l'ENA, chargés des différents services ou affectés aux 6 grandes commissions. 600 agents et huissiers, informaticiens, secrétaires, sténos, secrétaires des débats et membres de divers corps de métier. Depuis 1976, chaque élu peut disposer de 2 « collaborateurs » choisis par lui mais payés par l'Assemblée.

■ **Visiteurs.** *1980 :* 32 400 ; *1991 :* 100 000.

■ Sénat

■ **Nombre de membres.** *1977 :* 295 ; *1980 :* 304 ; *1983 :* 317 ; *1986 :* 319 ; *1989 :* 321 (322 sièges) dont métropole 296, DOM 8, TOM 3, Mayotte 1, St-Pierre-et-Miquelon 1. Français établis hors de France 12 (en comptant le siège du territoire des Afars et des Issas devenu indépendant en 1977 et non pourvu dep. la démission d'Amadou Barkat Gourat). **Liste** (voir p. 712).

■ **Groupes politiques** (au 10-5-93). Effectifs (322 sièges, 320 élus). *Communiste* [Pte Hélène Luc (V.-de-M.)] 15 (dont 1 apparenté considéré comme membre du PC pour que le groupe ne disparaisse pas), *Rassemblement démocratique et européen* [Pt Ernest Cartigny (S. -St-Denis)] (successeur de la gauche démocratique créée avril 1892 qui eut + de 150 membres entre 1918 et 1939) 24 (dont 2 ratt.) ; *Union centriste* [Pt Maurice Blin (Ardennes)] 64 (dont 7 ratt.) ; *Républicains et Indépendants* [Pt Marcel Lucotte (S.-et-L.)] 46 (dont 1 ratt.) ; *RPR* [Pt Josselin de Rohan (Morbihan)] 90 (dont 5 app.) ; *Socialiste* [Pt Claude Estier (Paris)] 71 (dont 1 app. et 7 ratt.). *D'aucun groupe* 10 (Philippe Adnot, Raymond Cayrel, François Delga, Hubert Durand-Chastel, Alfred Foy, Jean Grandon, Jacques Habert (délégué), André Maman, Charles Ornano, Alex Türk). *Sièges non pourvus* 2 (ancien territ. des Afars et des Issas, Paris).

Répartition (au 1-3-92). Total général : 321, dont *professions agricoles* 46 ; *commerciales et industrielles* 42 (dont chefs d'entreprise 27, négociants 5, commerçants 5, artisans 3, retraités 2) ; *salariés* 50 (dont cadres divers 29, ingénieurs 10, employés 4, ouvriers 4, retraités 3) ; *médicales* 53 (dont médecins 26, pharmaciens 7, vétérinaires 9, professeurs 5, dentistes 2, chirurgiens 2, retraité 1, autres 1) ; *judiciaires et libérales* 38 (dont avocats 12, autres prof. libérales 11, journalistes 7, officiers ministériels 5, publicistes 2, retraité 1) ; *enseignants* 44 (dont secondaire 23, sup. 7, primaire 8, autres cat. 2, retraités 4) ; *fonctionnaires et agents du service public* 37 (dont hauts fonct. 24, retraités 13). Sans prof. déclarée 11. **Doyen :** Tony Larue (PS, Seine-Mar.) (n. 18-8-1904).

Catégories représentées en %	IIIe R. (1930)	IVe R. (1949)	Ve R. (1987)	Ve R. (1988)	Ve R. (1992)
Prof. libérales et méd.	36	33,8	29	14	30
Agriculture	13,5	13,7	16	17	14
Prof. ind. et comm.	12,3	12,9	15	14	13
Cadres sup. et hauts fonct.	15,7	13,7	n.c.	n.c.	10,5
Enseignement	6,45	11,4	12	12	13
Employés, cadres moy.	–	5,9	n.c.	n.c.	10
Ouvriers	–	3,5	n.c.	n.c.	15
Retraités	–	–	–	–	8

■ **Élection.** Élu pour 9 ans au suffrage univ. indirect, dans le cadre de chaque département, par un collège électoral composé des députés, conseillers régionaux (dep. leur élection au suffr. universel le 16-3-1986), conseillers généraux et délégués des conseils municipaux ou leurs suppléants, désignés en nombre variable selon l'importance de la population [les plus nombreux dans les collèges électoraux : *communes de* – de 9 000 h. : 1 délégué pour les conseils municipaux de 9 à 11 membres (communes qui ont jusqu'à 499 h.), 3 p. 15 m. (c. de 500 à 1 499 h.), 5 p. 19 m. (c. de 1 500 à 2 499 h.), 7 p. 23 m. (c. de 2 500 à 3 499 h.), 15 p. 27 et 29 m. (c. de 3 500 à 8 999 h.) ; *c. de 9 000 h. et + :* tous les conseillers sont dél. de droit ; *c. de + de 30 000 h. :* les conseillers mun. élisent en outre des délégués supplémentaires à raison d'1 pour 1 000 h. au-dessus de 30 000 h.].

Renouvellement tous les 3 ans. Les sénateurs sont répartis en 3 séries non égales A, B, C, déterminées par la liste alphabétique des départements. Une seule série est renouvelée tous les 3 ans. En métropole, l'élection a lieu au scrutin uninominal ou plurinominal majoritaire à 2 tours dans les dép. qui ont droit à 4 sièges de sén. ou moins (pour être élu au 1er tour, il faut avoir la majorité absolue des suffrages exprimés et un nombre de voix égal au ¼ des électeurs inscrits ; maj. relative au 2e t. ; à égalité des voix, le plus âgé est élu) ; à la représentation proportionnelle avec répartition des sièges selon la plus forte moyenne (sans panachage ni vote préférentiel) dans ceux qui ont droit à 5 sièges de sén. ou plus (Art. L 294 et L 295 du Code électoral), ainsi que dans le Val-d'Oise où le nombre de sièges est de 4 (loi du 12-7-1966). Les sénateurs des DOM sont soumis au même régime que les sénateurs métropolitains. Des dispositions spéciales concernent les autres sénateurs. Les représentants des Français établis hors de France sont élus par le Conseil supérieur des Français de l'étranger (CSFE), à la représentation proportionnelle à la plus forte moyenne, sans panachage, ni vote préférentiel.

Répartition des sièges de sénateurs entre les séries. *Série A :* 102 (Ain à Indre 95, Guyane 1, Polynésie française 1, Wallis-et-Futuna 1, Français établis hors de France 4). *Série B:* 102 (Indre-et-L. à P.-Orientales 94, Réunion 3, N.-Cal. 1, Français hors de France 4). *Série C:* 117 (B.-Rhin à Yonne 62 ; Essonne à Yvelines 45 ; Guadeloupe 2, Martinique 2, Mayotte 1, St-Pierre-et-Miquelon 1 ; Français hors de France 4).

☞ **Élections du 27-9-1992.** Série B [102 s. + celui de Marcel Rudloff (Bas-R.) nommé au Conseil constitutionnel et dont le suppléant était décédé]. La représentation proportionnelle s'applique dans 4 départements élisant 5 sénateurs ou plus et aux représentants des Français de l'étranger soit 32 s. Sur 102 sortants, 26 ne se représentaient pas, 16 battus, 60 réélus. Collège électoral 50 313 dont métropole 48 071 (45 786 délégués des conseils municipaux, 1 319 conseillers généraux, 637 conseillers régionaux, 179 députés). Conseil supérieur des Français de l'étranger 150.

■ **Représentativité.** La France rurale pèse au Sénat plus lourd que dans la vie réelle, bien que de moins en moins. *Raison juridique :* l'Ass. nat. représente directement les électeurs ; le Sénat, au contraire, représente les collectivités territoriales (art. 24). Les pays à système fédéral, où la 2e Chambre représente les États, offrent une surreprésentation analogue des collectivités de petite taille (All., USA, Suisse). *Raison politique :* rôle modérateur de la 2e Chambre (comme en 1875 et 1946). La surreprésentation rurale est moins critiquée depuis que le souci écologiste et le besoin de sécurité donnent plus d'attrait aux petites et moyennes communes.

En 1958, les communes de moins de 1 500 h. (33 % de la population) désignaient 53 % des délégués des conseils municipaux (qui constituent env. 95 % du collège électoral du Sénat). Une commune de 510 h. dispose de 3 « grands électeurs », une de 510 000 h. de 517 (elle est donc près de 6 fois moins représentée). La loi du 16-7-1976, en voulant tenir compte de l'augmentation de la pop. urbaine, a augmenté le nombre de sénateurs de 283 à 315. La loi du 18-5-1983 a porté de 6 à 12 le nombre des sénateurs représentant les Français établis à l'étranger.

■ **Président.** Réélu tous les 3 ans (après chaque renouvellement), nomme aussi 3 membres du Conseil constitutionnel. En cas de vacance ou d'empêchement, il assure provisoirement les pouvoirs du Pt de la République (voir p. 702 a).

Présidents depuis 1876. 1876 (13-3) *duc Edme d'Audiffret-Pasquier* (1823-1905), orléaniste rallié à la République. **1879** (15-1) *Louis Martel* (1813-92), droite. **1880** (25-5) *Léon Say* (1826-96), centre gauche. **1882** (2-2) *Élie Le Royer* (1816-97), gauche rép. **1893** (24-2) *Jules Ferry* (1832-93), gauche rép., décédé en fonctions 17-3. (27-3) *Paul-Armand Challemel-Lacour* (1827-96), union rép. **1896** (16-1) *Émile Loubet* (1838-1929), gauche rép., élu Pt de la Rép. 18-2-1899. **1899** (3-3) *Armand Fallières* (1841-1931), gauche dém., élu Pt de la Rép. 17-1-1906. **1906** (16-2) *Antonin Dubost* (1844-1921), gauche rép., non réélu. **1920** (14-1) *Léon Bourgeois* (1851-1925), gauche dém. et radicale soc., démissionnaire pour raison de santé. **1923** (22-2) *Gaston Doumergue* (1863-1937), gauche dém. et radicale soc., élu Pt de la Rép. 13-6-1924. **1924** (19-6) *Justin de Selves* (1848-1934), union rép., non réélu, sénateur 9-1-1927. **1927** (14-1) *Paul Doumer* (1857-1932), gauche dém., élu Pt de la Rép. 13-5-1931. **1931** (11-6) *Albert Lebrun* (1871-1950), union rép., élu Pt de la Rép. 10-5-1932. **1932** (3-6) *Jules Jeanneney* (1864-1957), gauche dém. **1947** (14-1) *Auguste Champetier de Ribes* (1882/6-3-1947), proclamé élu comme le plus âgé au 3e tour (lui et Marrane avaient obtenu chacun 129 voix), non inscrit, décédé en fonctions. (18-3) *Gaston Monnerville* (Cayenne, Guyane, 1897-1991), rassemblement des gauches rép. et gauche dém. **1968** (3-10, à 3 h du matin) *Alain Poher* (Ablon, V.-de-M., 17-4-09) UC, élu au 3e tour sans avoir été candidat aux 2 premiers. *1er tour* (273 votants et 268 suffrages exprimés) : Pierre Garet (indépendant) 64 voix, André Colin (centriste) 58, André Méric (PS) 53, Étienne Dailly (radical) 37, Georges Cogniot (PC) 18 ; *non-candidats :* Jean Berthoin (gauche dém.) 16, Raymond Bonnefous (gauche dém.) 10. *2e tour* (268 votants) : Dailly et Cogniot se retirent ; Pierre Garet 110, André Méric 83, André Colin 62, divers 11. *3e tour* (265 votants) : Poher 135, Garet 107, Cogniot 22. Poher sera réélu après chaque renouvellement triennal (toujours au 1er tour). **1971** 2-10 (265 votants) : 199 voix contre Cogniot (PC) 26. **1974** 2-10 (268 vot.) : 193 v. contre Pierre Giraud (PS) 70, 2 divers. **1977** 3-10 (287 vot.) : 192 v. contre Marcel Brégégère (PS) 45, Fernand Lefort (PC) 23, 1 divers. **1980** 2-10 (296 vot.) : 193 v. contre Edgar Taihades (PS) 75, Hélène Luc (PC) 24, 1 divers. **1983** 3-10 (311 vot.) : 210 v. contre Edgar Taihades 96. **1986** 2-10 (313 vot.) : 230 v. contre Tony Larue (PS) 62, Charles Lederman (PC) 16, 1 divers. **1989** 2-10 : réélu grâce au soutien du groupe RPR. *1er t.* (2-10) : votants 319, blancs ou nuls 3, exprimés 316. Poher (UC) 115, Claude Estier (PS) 66, Philippe de Bourgoing (UREI) 50, Jean Arthuis (UC) 40, Jean François-Poncet (RDE) 21, Charles Lederman (PC) 16 ; non candidats : Christian Poncelet (RPR) 2, Charles Pasqua (RPR) 2, Geoffroy de Montalembert (RPR) 1, Maurice Schumann (RPR) 1. *2e t.* (22 h 30) : votants 320, blancs ou nuls 1, exprimés 319, Poher 108, Estier 85, Pierre-Christian Taittinger (UREI) 66, René Monory (UC) 57 ; non-candidats : G. de Montalembert, Philippe de Bourgoing, C. Poncelet 1. *3e t.* (2 h 35) : votants 320, blancs ou nuls 3, suffrages exprimés 317, Poher 127, Taittinger 111, Estier 79. **1992** (2-10) : *René Monory* [*1er tour :* 315 voix dont Monory (UDF-CDS) 125, Charles Pasqua (RPR) 102, Claude Estier (PS) 72, Robert Vizet (PC) 15 et Christian Poncelet (RPR, non-candidat) 1 (n'avait pas fait acte de candidature). *2e t. :* 292 dont Monory 200, Estier 76, Vizet 16]. Le 1-10 les sénateurs appartenant aux 3 groupes de l'UDF avaient désigné Monory (Union centriste) comme candidat unique [*1er t. :* 47 voix sur 128 (Daniel Hoeffel 27, Pierre-Christian Taittinger 22, Jacques Larcher 16, J.-Pierre Fourcade 9, Marcel Lucotte 4 et 3 bulletins nuls. *2e t. :* Hoeffel, Larcher et Fourcade se retirent ; Monory 66, Taittinger (Républicains et Indépendants) 60].

☞ *Pts de la République des IIIe et IVe Républiques qui n'ont pas été Pts du Sénat :* Poincaré, Coty.

■ **Bureau.** Élu pour 3 ans ; assiste le Pt dans l'organisation du travail parlementaire, la présidence des débats et l'administration de l'Assemblée. *Bureau* (élu 4-10-89) : *Pt* Alain Poher. *Vice-Pts :* Pierre-Christian Taittinger, Étienne Dailly, Jean Chamant, Michel Dreyfus-Schmidt. *Questeurs :* Lucien Neuwirth, Jacques Bialski, Jacques Mossion. *Secrétaires:* Guy Allouche, Jean Favre (en rempl. Marcel Daunay, 2-10-90), Roger Husson, Gérard Larcher, Serge Mathieu, Claude Prouvayeur, Henri de Raincourt, Robert Viget.

■ **Siège du Sénat. 1613-31,** Palais du Luxembourg construit par Salomon de Brosse, puis Lemercier, en 1626, pour Marie de Médicis, près de l'hôtel de Luxembourg (aujourd'hui Petit-L. qu'elle avait occupé en 1612). **1627** donne à Richelieu le Petit-Luxembourg, *(résidence actuelle du Pt.)* **1642,** à Gaston d'Orléans (1608-60) (sa fille, la « Grande Mademoiselle », y habitera). **1693,** au Roi. *1715,* au Régent, qui le laisse à sa fille la duchesse de Berry († 1719 à 24 ans). **1778,** au Cte de Provence (futur Louis XVIII). **1793,** prison. **1795,** siège du Directoire. **1799,** 18 brumaire, attribué aux consuls, puis au Sénat [l'escalier d'honneur (de Chalgrin) remplace la Grande Galerie]. **1814,** sous L. XVIII, agrandi, Chambre des Pairs. **1848,** siège du gouvernement. **1852,** Sénat. **1870,** sert d'hôpital. **1871,** préfecture de la Seine. **1879** (22-7), Sénat. **1884,** le musée de l'aile Est est transféré à l'Orangerie Férou, puis, en 1937, au musée nal d'Art moderne, quai de Tōkyō. **1940-44,** état-major de la Luftwaffe-Ouest. **1944,** Assemblée consultative provisoire. **1946** (juillet-oct.), conférence de la paix ; (déc.), Conseil de la Rép. **1958,** Sénat.

■ **Statistiques (1992).** 169 séances publiques : discussions législatives 431 h 30, débats budgétaires 26 h 50, questions orales avec ou sans débat 26 h, questions au Gouvernement 13 h 15, travaux d'ordre interne 12 h 05, déclarations 21 h. 35. 95 textes de loi ont été discutés et adoptés par le Parlement : 91 venant de projets gouvernementaux (dont 44 déposés en 1re lecture sur le bureau du Sénat), 4 venant de propositions de loi. 5 232 amendements ont été examinés par le Sénat, 3 316 ont été adoptés.

Statut des membres du Parlement

■ **Éligibilité.** Satisfaire aux conditions générales d'éligibilité, avoir 23 ans minimum pour l'Assemblée nationale et 35 ans pour le Sénat. Le candidat doit : 1°) faire une demande de candidature au préfet du département (en cas de difficulté, le préfet peut saisir, dans les 24 h, le tribunal administratif qui statue dans les 3 j) ; 2°) la déposer à la préfecture en double exemplaire, au plus tard 21 j avant l'ouverture du scrutin à l'Ass. nat. (8 j au Sénat) ; 3°) verser une caution de 1 000 F à l'Ass. nat., 200 F au Sénat (remboursée s'il obtient 5 % au moins des suffrages exprimés) [*au Sénat :* 5 % des suffrages exprimés en cas de représentation proportionnelle, 10 % en cas de scrutin majoritaire]. Il ne peut se présenter que dans une seule circonscription (il ne lui est pas nécessaire d'avoir son domicile ou sa profession ou un lien quelconque avec la circonscription choisie).

Nul ne peut être candidat au 2e tour s'il ne s'est pas présenté au 1er tour et s'il a obtenu moins de 12,5 % des voix des électeurs inscrits ; si ce taux n'a été atteint par personne, celui qui a le plus grand nombre de voix peut se présenter. Les cand. du 1er tour peuvent se désister en faveur des cand. qui restent au 2e tour, ou se retirer simplement.

Au Sénat, les déclarations de candidature pour le 2e tour, en cas d'élection au scrutin majoritaire, doivent être déposées à la Préfecture avant l'heure fixée pour l'ouverture du scrutin.

■ **Suppléants.** Élus (en même temps que députés et sénateurs) au scrutin majoritaire (colistier venant après le dernier candidat élu si représentation proportionnelle). Ils les remplacent en cas de décès, d'acceptation de fonctions gouvernementales ou de nomination au Conseil const. ou d'une mission de + de 6 mois confiée par le Gouv. Ils ne peuvent figurer que sur une seule liste de candidature ; s'ils ont remplacé un parlementaire nommé m. du Gouv., ils ne peuvent, l'élec. suivante, faire acte de candidature contre lui. *De 1980 au 10-3-1992 :* 78 remplaçants sont devenus sénateurs (16 après nomination à des fonctions ministérielles, 38 après décès du titulaire, 10 après démission du tit., 12 après élection du sénateur à l'Assemblée nat., 2 après nomination du sénateur au Conseil constitutionnel) ; il y a eu 17 élections partielles (6 après démission du tit. dont 1 après nomination à des fonctions ministérielles, le remplaçant étant décédé, 9 après élection du sénateur à l'Assemblée nat. et 2 après décès du tit.).

■ **Inéligibilité** (principaux cas). Personnes ne souscrivant pas aux conditions générales pour être élu (voir p. 745 b), personnes dépendant d'un conseil judiciaire, le médiateur, inspecteurs généraux en mission extraordinaire, préfets dans toute circonscription où ils exercent leurs fonctions ou les ont exercé depuis moins de 3 ans (sous-préfets et secrétaires généraux de préfecture depuis moins d'1 an) ; ne peuvent être élus dans toute circonscription où ils exercent leurs fonctions (ou les ont exercées depuis moins de 6 mois) : ingénieurs des ponts et chaussées, des eaux et forêts, du génie rural et de l'agriculture, contrôleurs généraux des services vétérinaires, magistrats des cours d'appel et des tribunaux, membres des tribunaux administratifs, officiers des armées de terre, de mer, de l'air, exerçant un commandement territorial, fonctionnaires ayant une responsabilité au niveau départemental ou régional (ex. : directeur dép. de la police, commissaire de police, dir. rég. de la SS, dir. des impôts...).

Candidatures multiples. Système utilisé sous la IIe Rép., le IIe Empire et la IIIe Rép. (jusqu'à la loi du 17-7-1889). *Furent ainsi élus dans plusieurs circonscriptions :* 1848 Lamartine (10 dép.), L.-N. Bonaparte (5) ; 1871 Thiers (26), Trochu (10), Gambetta (8) ; 1888 Boulanger (3).

Actuellement, nul ne peut simultanément être candidat dans plusieurs circonscriptions aux élections législatives (art. L 156 du code électoral, art. L 174), mais un député peut se présenter à la faveur d'une élection partielle, dans une autre circonscription que celle dont il est l'élu. De même, un député peut, avant la date normale d'expiration de son mandat, se faire élire en qualité de sénateur ou vice versa.

■ **Incompatibilités.** N'empêchent pas le candidat de se présenter, mais l'obligent, une fois élu, à faire un choix. Certaines entraînent le remplacement par le suppléant élu en même temps et dans les mêmes conditions pour les députés et les sénateurs élus au scrutin majoritaire, ou par appel au suivant de liste dans les départements où l'élection sénatoriale a lieu à la représentation proportionnelle. Pour tous les parlementaires élus au scrutin majoritaire, le remplacement se fait dans les seuls cas où l'élu décède, est nommé ministre, membre du Conseil constitutionnel ou reçoit une mission temporaire prolongée au-delà de 6 mois. Le 27-1-1983, M. Guidoni (député soc. de l'Aude) a été nommé « parlementaire en mission » et ambassadeur ; 1er cas, sous la Ve Rép. d'un parlementaire nommé ambassadeur et ne renonçant pas à son mandat (s'il y avait renoncé, une élection partielle aurait eu lieu). Au bout de 6 mois, sa mission étant prolongée, l'incompatibilité a joué, et son suppléant l'a remplacé le 28-7-1983.

Principaux cas d'incompatibilité : sénateurs (pour les députés), députés (pour les sénateurs), membres du Conseil écon. et social, du Conseil constit., du Conseil du gouvernement d'un TOM, représentant au Parlement européen, conseiller régional, c. général, c. de Paris, maire d'une commune de 20 000 h. ou +, adjoint au maire d'une commune de 100 000 h. ou +, membre d'une assemblée territoriale d'un TOM, personnes exerçant des fonctions conférées par un État étranger ou une organisation internationale, présidents, membres de conseil d'administration, directeur général (ou adjoint) dans les entreprises nationales et établissements publics nat. La loi organique du 24-1-1972 a étendu le régime des incompatibilités entre l'exercice d'un mandat parlementaire et certaines activités professionnelles à caractère économique : PDG ou directeurs généraux de Stés ou entreprises jouissant d'avantages financiers assurés par la puissance publique, Stés ayant un objet financier ou faisant appel à l'épargne, Stés travaillant pour le compte de l'État, Stés à but lucratif dont l'objet est l'achat ou la vente de terrains à bâtir, Stés de promotion immobilière, etc.

■ **Déclaration des comptes de campagne et du patrimoine.** Le candidat proclamé député doit présenter ses comptes de campagne, sinon il peut être déclaré démissionnaire d'office par le Conseil constit., saisi par la commission nationale des comptes de campagne (loi org. du 10-5-1990). Dans les 15 jours qui suivent son entrée en fonctions, il doit déposer sur le bureau de l'Ass. nat. une déclaration certifiée sur l'honneur indiquant tous ses biens (dep. élections lég. de juin 1988 – Loi organique du 11-3-1988). Mêmes formalités à l'expiration de son mandat.

■ **Cumul des mandats.** Le cumul des mandats de député et de sénateur est interdit (de même une personne remplaçante d'un sénateur ou d'un député perd immédiatement ce titre dès qu'elle est élue). Il est interdit aux parlementaires de faire ou de laisser figurer leur nom suivi de leur qualité de parlementaire sur une publicité (commerciale, industrielle ou financière). La loi organique du 30-12-1985 interdit le cumul du mandat parlementaire avec l'exercice de plus d'un des mandats ou fonctions suivants : représentant à l'Assemblée des Communautés européennes, conseiller régional, cons. général, cons. de Paris, membre de l'Ass. territoriale de Polynésie fr. ou du territoire des îles Wallis-et-Futuna, m. du Congrès du territoire de N.-Calédonie, maire d'une commune de 20 000 hab. ou +, adjoint au maire d'une com. de 100 000 hab. ou + (des dispositions transitoires ont été prévues par cette loi).

Nombre détenu (1993). Députés européens (81) 1 (32), 2 (34), 3 (15). Députés (577) 1 (35), 2 (277), 3 (265). Sénateurs (321) 1 (44), 2 (127), 3 (150). Pts de conseils régionaux (26) 1 (3), 2 (12), 3 (11). Pts de conseils généraux (99) 1 (6), 2 (42), 3 (51). Conseillers généraux métropolitains (1681) 3 (380). 94 % des députés et des Pts de conseil général, 90 % des Pts de conseil régional et 60 % des députés européens détiennent au moins 2 mandats. + de 50 % des Pts d'ass. départementale, 47 % des sénateurs, 46 % des députés et 42 % des Pts d'assemblée régionale en détiennent 3. 35 % des députés sous la IIIe Rép., 42 % sous la IVe. 19 députés dont 3 levées : Lagaillarde (7-12-1960), Lauriol (21-6-1961), Bidault (5-6-1962).

Demandes de suspension de poursuites ou de suspension de détentions présentées (jusqu'au 31-12-1991). 9 concernant 16 députés dont 2 rejetées : Lagaillarde (détention 1-6 et 15-11-1960).

■ **Indemnité.** Montant fixé par l'ordonnance nº 58-1210 du 13-12-1958. Voir index. Destinée à permettre au député ou au sénateur de couvrir les charges et les frais entraînés par l'exercice de son mandat.

L'indemnité est exclusive de toute rémunération publique (*cf.* incompatibilités). Exception pour les professeurs précédemment titulaires de chaires ou chargés de dir. de recherches, et les min. des cultes du Ht-Rhin, du Bas-Rhin et de la Moselle (dép. concordataires). Peuvent aussi être cumulées avec l'indemnité : pensions civiles et militaires, de la Légion d'honneur, de la médaille militaire, indemnités de fonction des maires, adjoints et des membres du Conseil de Paris (pour celles-ci, ½ du montant).

■ **Contentieux des élections.** Jugé par le Conseil constitut. Jusqu'en 1958, le contrôle de l'élection était assuré par l'assemblée concernée ; cette pratique permit d'éliminer des parlementaires régulièrement élus mais politiquement contestés (en 1956, 11 députés poujadistes furent ainsi invalidés). *Él. législatives : 1967* (record) 141 décisions pour 149 requêtes, *1986* 34 requêtes, *1988* 96 requêtes.

■ **Nature du mandat.** Les parlementaires sont investis d'un mandat national : bien que chacun d'entre eux soit l'élu d'une seule circonscription, il représente l'ensemble du pays ; ainsi les élus alsaciens-lorrains restèrent juridiquement des élus de la Nation française malgré l'annexion de ces provinces par l'All. ; par contre, l'ordonnance du 3-7-1962 mit fin au mandat des élus de l'Algérie, pour respecter la souveraineté du nouvel État. Les élus peuvent exercer leur mandat comme ils l'entendent sans se plier aux ordres de qui que ce soit (art. 27 de la Const. : « tout mandat impératif est nul »). Le mandat est irrévocable (démission en blanc interdite). *Cessation :* la *déchéance* du mandat peut être prononcée, notamment lorsque le parlementaire vient à être frappé d'une inéligibilité en cours de mandat. S'il refuse d'abandonner certaines fonctions ou activités incompatibles avec son mandat, il peut être déclaré démissionnaire d'office par le Conseil constitutionnel. Dans ces deux cas, il est procédé à une nouvelle élection (él. partielle). *En cas de décès* ou lorsque le parlementaire devient ministre ou secrétaire d'État, il est remplacé par son suppléant, élu en même temps que lui (un secr. d'État, Jean-Michel Bailly, qui avait successivement renoncé à ses mandats de député, puis de sénateur, fut représenté par un suppléant dans chaque Chambre le 2-11-1971).

S'il quitte le Gouvernement, il ne recouvre pas son siège, sauf si son départ a lieu dans le mois qui suit sa nomination (cas des ministres MRP en 1962).

■ **Immunités.** Le parlementaire est protégé pendant son mandat par 2 immunités : *l'irresponsabilité* lui permet d'échapper à toute poursuite ou action en responsabilité pour les opinions ou votes qu'il a pu exprimer dans l'exercice de son mandat (notamment au cours de ses interventions devant l'Assemblée) ; *l'inviolabilité* lui permet de n'être poursuivi ou arrêté en matière criminelle ou correctionnelle, pendant les sessions, qu'avec l'autorisation de l'Assemblée dont il est membre (sauf flagrant délit). Hors session, il ne peut l'être qu'avec l'autorisation du bureau de l'Assemblée dont il est membre.

Demandes de levées de l'immunité sous la Ve République (jusqu'au 1-11-1992). Parlementaires ayant fait l'objet d'une demande d'autorisation de poursuites, date du dépôt de la résolution [*nota :* (a) accordée, (nd) non discutée, (r) rejetée, (c) caducité] : Députés : *1960* (6-12) Lagaillarde [a], *1961* (17-05) Lauriol [a], *1962* (19-06) Bidault [a], *1963* (15-03) Schmittlein [nd], *1964* (19-06) Fievez[nd], *1967* (20-06) Guidet [nd], (24-11), *1972* (24-12) Bonhomme [nd], *1981* (11-12) Bladt [r], *1982* (26-04) Berson [r], (20-10) Pinard [r], *1985* (28-06), (9-07) Juventin [c], (28-06), (2-07) A. Vivien [c], *1986* (7-07) Freulet [c], (8-07) Laignel [c], (4-08) Bouvet [c], *1990* (28-11) Jean-Michel Boucheron (Charentes) [c], *1992* (8 et 10-01) Farran [c]. Sénateurs : *1959* (29-10) Mitterrand [a], *1961* (7-12) Dumont [a], *1968* (25-11) Duclos [r], *1982* (13-07) Bénard [r], *1984* (22-08) Abadie [r], *1986* (28-11) Courrière [r].

■ **Insigne.** Assemblée nationale : les députés jouissent de « la liberté du costume » légalisée le 15-10-1789. 1er insigne créé 12-7-1792 mais, par crainte qu'il fût considéré comme une « décoration personnelle », son usage fut limité à l'enceinte de l'Assemblée le 22-8-1792 : tables de la loi, en émail blanc et lettres dorées (Droits de l'Homme-Constitution), posées sur une étoile rayonnante en cuivre doré de 75 mm de diamètre. En attendant la création d'un costume particulier pour les Conseils des Anciens et des Cinq-Cents (25-10-1795), les députés siégèrent jusqu'au Directoire en tenue de ville ou dans le costume des représentants du peuple en mission aux armées : ceinture tricolore et chapeau à 3 plumes (bleue, blanche, rouge) avec galon en or couvrant une partie de la cocarde.

■ **Décoration.** Ils ne peuvent pas en recevoir, sauf pour fait de guerre.

Parlementaires et service national. En temps de paix, un parlementaire ne peut accomplir son service militaire pendant les sessions, sauf s'il le demande ; s'il fait son service militaire, il ne peut participer aux sessions, mais peut voter par délégation. En cas de mobilisation, de guerre ou tension extérieure, les parlementaires appartenant à la disponibilité ou à la 1re réserve sont soumis aux obligations de droit commun, ceux qui demeurent en fonction peuvent demander à être mobilisés sans démissionner.

Âge moyen des sénateurs et, entre parenthèses, **des députés.** *1973 :* 59 (53) ; *89 :* 62 (51).

Composition socio-professionnelle du Sénat en 1989 et de l'Assemblée, entre parenthèses, **en 1988** (en %). Agriculteurs 14 (2,4), commerce et industrie 13 (12,4), salariés 16 (dont ouvriers et employés 2,5) (18) (dont ouvriers et employés 4,9), prof. médicales 16 (10,1), juristes 13 (11,1), enseignants 14 (28,2), fonctionnaires 11 (17), divers et sans profession 3 (0,8).

Organisation intérieure du Parlement

■ **Groupes politiques.** Partis et groupes politiques sont reconnus par la Const. (art. 4), mais le règlement de l'Ass. nat. précise qu'ils doivent comprendre au moins 20 m. pour profiter des facilités administratives (ils disposent d'un certain nombre de bureaux dans l'enceinte de l'Ass. nat.) et politiques consenties aux groupes (au Sénat, 15 m.). Ils élisent leur Pt, interviennent dans la présentation des candidatures aux organes collectifs de l'assemblée, ainsi que dans la désignation des orateurs pour les débats organisés ou les questions au Gouvernement, prennent position sur les textes soumis ou à soumettre à l'ass., suivent la politique gouvernementale et décident de l'attitude politique qu'ils adoptent dans les commissions ou en séance publique.

■ **Conférences des Présidents.** Dans chacune des 2 assemblées, comprennent : Pt de l'ass., vice-Pts, Pts des commissions et des groupes, le Rapporteur général de la commission des finances et un représentant du Gouv. *Rôle important :* elles décident l'ordre du jour des travaux des assemblées.

■ **Commissions parlementaires. Permanentes** : *Assemblée nat. :* Aff. culturelles, familiales et sociales (145 membres) ; Aff. étrang. (73 m.) ; Défense et Forces armées (73 m.) ; Finances, économie générale et plan (73 m.) ; Lois constitutionnelles, législation et admin. générale de la Rép. (73 m.) ; Production et échanges (142 m.). *Sénat :* Aff. culturelles (52 m.) ; Aff. économiques et Plan (78 m.) ; Aff. étrang., Défense et Forces armées (52 m.) ; Aff. sociales (52 m.) ; Finances, contrôle budgétaire et comptes écon. de la nation (43 m.) ; Lois constitutionnelles, législation, suffr. universel, règlement et admin. générale (44 m.).

Nommées normalement à la représentation proportionnelle des groupes pol., les commissions désignent elles-mêmes leur Bureau composé d'un Pt, de vice-Pts et de secr. Chaque député ou sénateur ne peut appartenir qu'à une seule d'entre elles. Le Pt du Sénat ne fait partie d'aucune commission.

Spéciales : constituées sur l'initiative du Gouv. ou des ass. parlementaires pour examiner un texte législatif (31 m. au max. à l'Assemblée nat., 37 au Sénat).

Délégations : chargées d'informer les Assemblées sur un domaine particulier. *Dél. (de l'Ass. nat.) pour les Communautés européennes* (loi du 6-7-1979, modifiée par celle du 10-5-1990) : 36 députés ; *pour la planification* (loi du 29-7-1982) : 15 députés. *Dél. (au Sénat) pour les Communautés européennes et la planification. Dél. (parlementaire) pour les problèmes démographiques* (loi du 31-12-1979 relative à l'IVG) : 15 députés, 10 sénateurs. *Office parlementaire d'évaluation des choix scientifiques et technologiques* (loi du 8-7-1983) : 8 dép., 8 sén. (+ 16 suppléants) ; assisté d'un conseil scientifique de 15 membres.

■ **Séances.** *Publiques :* tribunes réservées au public (places en nombre limité). Les débats sont publiés au *Journal officiel.*

■ **Sessions. Ordinaires :** le Parlement se réunit de plein droit en 2 sessions par an ; la 1re de 80 j s'ouvre le 2 octobre, la 2e de 90 j max. le 2 avril (Art. 28). Précédemment, la durée était plus longue : au moins 5 mois sous la IIIe Rép., 8 mois à partir de 1946 et 7 mois à partir de 1954 sous la IVe Rép. (au-delà de ces délais, le Gouv. pouvait clore la session, mais il pouvait être renversé si la majorité des parlementaires était hostile à cette clôture) ; cette pratique de session quasi permanente fut considérée comme une des causes de l'instabilité gouvernementale.

Extraordinaires : possibles à la demande du PM, ou de la majorité des membres de l'Ass. nat. sur un ordre du jour déterminé, décrétées par le Pt de la Rép. En cas de session extraordinaire sur la demande de l'Ass., la session ne peut dépasser 12 j.

■ **Budget de l'Assemblée nationale** (en millions de F., 1993). **Fonctionnement :** *charges* 2 282,6 dont *personnel* 726,1 (charges de rémunération 514,9 ; sociales et diverses 211,1), parlementaires 1 294,1 (indemnités parlementaires 285,7 ; charges sociales 389,8 ; secrétariat parlementaire 540,6 ; autres charges 77,9), exceptionnelles et imprévues 32,1. *Produits divers* 36,9. Charges nettes de fonctionnement 2 245,7. **Investissement** 109,9. **Total** 2 355,6.

Du Sénat (en millions de F, 1993). 1 383,8 dont *budget ordinaire* 1 338,3 : dépenses parlementaires 498,6 ; personnel 330,5 ; pensions et charges sociales 301,6 ; dépenses de matériel 59,3 ; bâtiment 62,5 ; jardin du Luxembourg 51,4 ; divers 34,3. *Extraordinaire* 45,5.

Pouvoirs législatifs du Parlement

A. Domaine de l'activité législative

■ **Loi ordinaire. Matières devant être réglées par la loi (art. 34) :** notamment : droits civiques et libertés publiques ; sujétions imposées par la défense nationale ; droit privé (capacité, régimes matrimoniaux, etc.) ; détermination des crimes et délits et des peines applicables ; amnistie ; procédure pénale ; statut de la magistrature ; fiscalité ; régime électoral ; création de catégories d'établissements publics ; garanties fondamentales des fonctionnaires ; nationalisations ; lois de finances (budget).

■ **Matières dont la loi fixe les principes essentiels.** Organisation de la défense nat. ; compétences et ressources des collectivités locales ; enseignement ; régime de la propriété et des obligations civiles et commerciales ; droit du travail, droit syndical et Sécurité sociale ; objectifs de l'action économique et sociale de l'État (lois programmes). Ce qui ne relève pas de la loi relève du *domaine réglementaire.* Les textes législatifs déjà intervenus en cette matière peuvent être modifiés par décret (art. 37).

■ **Ordonnances.** *Origine :* nom des décrets sous la Restauration et la Monarchie de Juillet ; terme repris par le Gouv. de la France libre et, en 1958, lorsque de Gaulle devint Pt du Conseil. *Constitution de 1958 :* d'après l'art. 38, le Parlement peut autoriser le Gouv. à prendre par ordonnances des mesures relevant normalement du domaine de la loi. La loi de délégation fixe leur délai d'application et la date limite de dépôt du projet de loi de ratification. Les ordonnances entrent en vigueur dès leur publication, mais deviennent caduques si le projet de loi de ratification n'est pas déposé devant le Parlement dans les délais fixés. L'effet des ordonnances est celui des lois, mais elles sont assimilées à des règlements (donc soumises au contrôle du juge administratif) tant qu'elles n'ont pas été ratifiées par le Parlement. Le régime des ordonnances est comparable à celui des *décrets-lois* des IIIe et IVe Républiques.

Statistiques. *Jusqu'en mai 1981 :* 15 recours à l'art. 38, notamment loi soumise à référendum du 8-4-1962 (fin de la g. d'Algérie), loi du 31-10-67 (mesures écon. et soc., dont réforme de la SS). *Depuis mai 1981 :* 51 (*81 :* 3 ; *82 :* 25 ; *83 :* 3 ; *84 :* 2 ; *85 :* 8 ; *86 :* 8 ; *90 :* 2 ; *91 :* 1 ; *92 :* 0). PS et PC avaient pourtant condamné le principe des ordonnances lorsqu'ils étaient dans l'opposition, mais le gouv. Mauroy a utilisé 2 fois l'art. 38 : le 23-12-1981 (orientation soc.) et le 6-4-1982 (plan d'austérité).

■ **Ratification des traités internationaux.** Le Parlement intervient dans le domaine de la politique extérieure, en discutant et en votant les projets de loi de ratification des traités internationaux (de paix, de commerce, qui concernent l'organisation internationale, les finances de l'État). Ces traités ne prennent effet qu'après ratification du Parlement.

■ **Révision de la Constitution.** L'initiative appartient concurremment au Pt de la Rép., sur proposition du PM, et au Parlement. Le projet ou la proposition de révision doit être voté par les 2 ass. en termes identiques. La révision est définitive après avoir été approuvée par référendum. Toutefois, le projet de révision n'est pas présenté à référ. lorsque le Pt de la Rép. décide de le soumettre au Parlement convoqué en Congrès ; pour être approuvé, le projet doit alors réunir la majorité des 3/5 des suffr. exprimés. **Déclaration de guerre.** Elle est autorisée par le Parlement (art. 35). **État de siège.** Décrété en Conseil des ministres, sa prorogation au-delà de 12 j ne peut être autorisée que par le Parlement (art. 36).

■ B. Procédure législative

Initiative de la loi. Elle appartient aussi bien au 1er min. qu'aux parlementaires (art. 39). Les *initiatives* du Gouvernement s'appellent : *projets de lois :* celles du Parlement : *propositions.* Le Parlement vote la loi, le Pt de la Rép. la promulgue.

Projets de lois. De 2 ordres : concernent soit la mise en œuvre de la politique du Gouvernement (projets de lois de finances, grandes orientations du Gouvernement), soit l'adaptation de la législation existante sur des points particuliers. Les 1ers projets sont mis au point lors de réunions interministérielles. Les autres sont laissés en principe à l'initiative des administrations ; en cas de désaccord, l'arbitrage du 1er min. est sollicité. Pour tous les projets, le 1er min. est seul habilité à mettre en œuvre la procédure, ce qui implique son accord sur leur contenu. Tous les projets doivent être soumis à l'avis du Conseil d'État (voir p. 714), et au Conseil économique et social pour le Plan ou les projets de lois de programme à caractère économique ou social (art. 70). Après ces consultations, le Conseil des min. peut délibérer sur le projet et en arrêter le texte définitif ; celui-ci est déposé sur le bureau de l'une ou l'autre des assemblées, au choix du Gouv. (sauf pour les lois de fin., qui doivent être soumises en premier lieu à l'Ass. nat.).

Propositions de lois. Ne sont soumises à aucune règle de forme particulière. Sont irrecevables : celles qui ont pour conséquence d'augmenter les dépenses ou de diminuer les ressources des finances publiques, et celles qui ne relèvent pas du domaine de la loi, défini par l'art. 34 (art. 40 et 41). Si le bureau de l'Assemblée saisie juge la proposition irrecevable, il refuse son dépôt. Sinon le Gouv., ou tout député ou sénateur, peut soulever par la suite l'irrecevabilité au cours de la procédure (le Conseil constitut. a déclaré, le 20-7-1977, que l'irrecevabilité ne pouvait être invoquée directement pour la 1re fois devant lui).

Examen et adoption des textes. Délais. *Lois organiques :* le projet ou la proposition de loi ne peut être soumis à la délibération et au vote qu'à l'expiration d'un délai de 15 j après son dépôt. *Lois de finances :* l'Ass. nat. doit se prononcer dans les 40 j après le dépôt du projet. Le Sénat doit ensuite statuer dans les 20 j. Les 10 derniers j sont consacrés aux procédures de commission mixte paritaire et de navette. C'est donc dans les 70 j après le dépôt du projet que le Parlement doit statuer.

Examen en commission. Les textes sont examinés par la commission permanente compétente de l'assemblée saisie ou par une commission spéciale. La commission saisie désigne un rapporteur qui soumet ses conclusions à ses collègues. Le rapport conclut soit à l'adoption, soit au rejet du texte [le plus souvent à l'adoption avec modifications (amendements)]. Les commissions reflétant l'importance des différents groupes parlementaires, le Gouvernement ou les parlementaires renoncent parfois à leur texte (si la commission a fait des réserves sérieuses, il y a de fortes chances pour que celles-ci soient reprises en séance plénière et que le projet soit repoussé).

Inscription à l'ordre du jour. Elle dépend essentiellement du Gouvernement, qui peut faire inscrire les textes de son choix par priorité et dans l'ordre qu'il fixe (voir ci-contre). La conférence des présidents de chaque assemblée, à qui il incombe d'établir chaque semaine l'ordre du jour de ses travaux, est informée des affaires inscrites par le Gouvernement ; elle ne peut faire des propositions qu'en complément de l'ordre du jour prioritaire, sous la forme d'un ordre du jour complémentaire et de questions orales avec ou sans débat. Mais, même dans ce cas, elle peut difficilement faire inscrire un texte contre la volonté du Gouvernement.

Examen en séance publique. La discussion s'engage, pour les projets, sur le texte proposé par le Gouvernement ; pour les propositions, sur le texte proposé par la commission.

La discussion générale d'un projet de loi s'ouvre par l'intervention d'un représentant du Gouv. (au Sénat) ou par celle d'un rapporteur de la commission (principe de l'Ass. nat.). Se succèdent ensuite le rapporteur de la commission (s'il n'a pas ouvert le débat), le cas échéant, le(s) rapporteur(s) pour avis des commissions intéressées et les orateurs inscrits dans la discussion générale.

La Conférence des Pts peut organiser la discussion générale et fixer sa durée globale. Le Gouvernement peut intervenir à tout moment.

La discussion par articles, qui suit, traite d'abord des amendements de suppression, puis des amendements de modification. Le Gouv. peut demander cependant un vote global de tout ou d'une partie du projet. *En cas d'opposition de l'Assemblée à un projet de loi,* le Gouvernement peut faire prévaloir son point de vue de 2 façons : par la procédure du vote bloqué ou en engageant sa responsabilité (à l'Assemblée nationale uniquement, voir ci-contre).

Après son adoption en 1re lecture par l'assemblée saisie en premier, le texte est examiné par l'autre assemblée. En général, on procède ensuite à des navettes entre les 2 assemblées jusqu'à l'adoption par celles-ci d'un texte identique. Mais le Gouvernement peut, pour mettre un terme aux navettes, en cas de désaccord entre les 2 assemblées, recourir à la procédure de conciliation (art. 45) : le PM peut décider, après 2 lectures par chaque ass., ou quand l'urgence a été déclarée, après une seule lecture, la réunion d'une *commission mixte paritaire* (CMP). Il notifie sa décision aux Pts des 2 ass., qui constituent alors la commission mixte. Si la CMP parvient à élaborer un texte, celui-ci peut être soumis par le PM à l'approbation des 2 ass. ; si le texte est voté dans les mêmes termes par celles-ci, la loi est définitivement adoptée. Parfois, le Gouvernement assortit d'amendements le texte élaboré par la commission mixte paritaire. Si celle-ci ne parvient pas à élaborer un texte, ou si le texte qu'elle élabore n'est pas adopté dans les mêmes termes par les 2 ass., le PM peut demander à l'Ass. nat. une nouvelle lecture du texte. Quand le texte est adopté par l'Ass. nat., le Gouv. le transmet au Sénat. Si celui-ci l'adopte, la procédure est terminée. Sinon, le PM peut demander à l'Ass. nat. une dernière lecture afin de statuer définitivement. Le Conseil constitutionnel peut alors être saisi.

Dep. le début de la Ve République jusqu'au 1-3-1992 : 3 168 lois ont été adoptées définitivement par le Parlement, dont 2 484 (soit 78,4 %) dans un texte identique par les 2 Ass. à la suite d'une procédure normale de navette. Il y a eu 679 commissions mixtes paritaires et, dans 412 cas, les 2 Ass. ont ensuite adopté un texte identique.

Utilisation de la procédure du « vote bloqué ». Assemblée nationale et entre parenthèses Sénat : *1981 :* 0 (4), *82 :* 0 (0), *83 :* 1 (2), *84 :* 1 (0), *85 :* 1 (0), *86 :* 14 (80) dont 69 à propos du projet de loi relatif à la liberté de communication, *87 :* 22 (3), *88 :* 7 (4), *89 :* 9 (2), *90 :* 23 (10), *91 :* 33 (7), *92 :* (1).

Vote. Il est personnel. Les votes s'effectuent normalement à *main levée* et, en cas de doute, par *assis et levé.* A la demande des présidents de groupes, de la commission, du Gouvernement, ou sur décision du Président, on recourt au *scrutin public ordinaire.* A l'Ass. nat., le vote a lieu par procédé électronique, chaque député a devant lui un clavier de 3 touches actionné avec des clés : P (pour), C (contre), A (abstention). Le résultat apparaît en quelques instants sur des tableaux lumineux.

Les clés restent pratiquement toujours dans leur serrure et des députés courent d'un siège à l'autre et votent à la place de leurs collègues absents. Des incidents peuvent se produire. Ex. : la *nuit du 19 au 20-6-1987,* l'Ass. nat. n'a pas adopté le projet de loi du gouvernement sur le financement de la Séc. soc. [(*pour* 283 (RPR, UDF) ; *contre* 284 (PC, PS, et FN)]. Il y a eu 4 pupitres oubliés et 2 erreurs de manipulation. *9-10-1987 :* passé minuit, les élus du Front nat. tournent les clés des absents, détournant 130 votes en leur faveur.

Pour certains textes importants, la date du scrutin publié sur l'ensemble est fixée à l'avance à un jour et à une heure favorables, ce qui permet à un plus grand nombre de députés de participer à ce scrutin qui est caractérisé par une application stricte des règles sur le vote personnel.

Pour les motions de censure ou en cas d'engagement de la responsabilité du Gouvernement, il est procédé par *scrutin public à la tribune* par appel nominal. Pour les nominations personnelles (élection du Bureau, etc.), les scrutins sont *secrets.*

Le détail de chaque scrutin public est annexé au compte rendu du débat de la séance publié au *Journal officiel* (éd. des Débats de l'Ass. nat. et éd. des Débats du Sénat).

Les députés ont un délai de 7 j pour faire part de leurs rectifications de vote, mais celles-ci ne changent pas le résultat du scrutin.

Dépôt des projets de loi devant le Parlement. *1959 :* 103 (dont Ass. nat. 81/Sénat 22), *62 :* 50 (39/11), *63 :* 129 (121/8), *81 :* 83 (51/32), *82 :* 125 (86/42), *83 :* 111 (65/46), *84 :* 111 (74/37), *85 :* 110 (90/20), *86 :* 75 (41/34), *87 :* 90 (58/32), *88 :* 64 (37/27), *89 :* 103 (52/51), *90 :* 96 (58/38), *91 :* 101 (58/43), *92 :* 92 (56/36).

Propositions de loi déposées par les membres du Parlement. Députés et, entre parenthèses, sénateurs : *maximum :* 580 dép. (1973), 153 sén. (1978 et 1986). *Minimum :* 63 dép. (1962), 13 sén. (1969). *1981 :* 412 (136), *82 :* 164 (107), *83 :* 83 (76), *84 :* 99 (76), *85 :* 142 (89), *86 :* 357 (153), *87 :* 272 (108), *88 :* 366 (126), *89 :* 197 (83), *90 :* 202 (84), *91 :* 176 (97), *92 :* 194 (57).

Amendements déposés à l'Assemblée nationale. *Minimum :* 711 (1962). *1984 :* par le Gouvernement 780, la commission saisie au fond 2 640, autres 6 661 ; total 10 081 dont 409 retirés ou sans objet, 349 irrecevabilités financières (5 714 rejetés, 3 609 adoptés). *1991 :* 8 503 (4 097 rejetés, 3 694 adoptés). *1992 :* 7 969 (363 irrecevabilités financières, 223 retirés avant la discussion, 3 921 adoptés). **Au Sénat.** *Minimum :* 727 (1973). *Maximum :* 8 553 (1986) dont par le Gouvernement 223, la commission saisie au fond 575, autres 7 755 ; 4 691 retirés ou sans objet, 11 irre-

Promulgation et publication des lois

Promulgation. Une fois adoptée, la loi est transmise au Gouvernement. Le Pt de la Rép. promulgue les lois dans les 15 j qui suivent cette transmission. Toutefois, avant l'expiration de ce délai, il peut demander au Parlement une nouvelle délibération. La loi peut être soumise au Conseil constitutionnel par le Pt de la Rép., le 1er ministre, les Pts des 2 assemblées, ou 60 députés, ou 60 sénateurs ; le Conseil doit statuer dans un délai d'un mois (8 j si urgence, à la demande du Gouv.).

La promulgation donne valeur obligatoire à un texte législatif, mais elle ne garantit pas son application si, par exemple, le Gouv. ne prend pas les règles qui rendent le texte pratiquement exécutoire (ex. : loi Neuwirth sur la contraception promulguée en 1967 : certains des décrets d'application n'ont été publiés qu'en 1972 et 1973).

Publication au Journal officiel. Indispensable pour rendre un texte opposable (lui donner une valeur juridique obligatoire) ; cette opposabilité n'intervient qu'un jour franc après réception du *JO* (ou du document où l'acte est inséré) au chef-lieu d'arrondissement.

Statistiques. Textes publiés au JO de 1989 à 1992 : 94 985 dont lois votées 411, décrets 15 266, arrêtés du 1er ministre 2 061, circulaires du 1er min. (30). Nombre de pages publiées (1992) : 19 012.

cevabilités financières, 351 autres irrecevabilités ; 2 595 rejetés, 905 adoptés. *1992 :* 5 232 (dont 462 par le Gouvernement, 2 828 la commission saisie au fond, 212 la commission saisie pour avis, 1 730 les sénateurs) dont 1 199 retirés ou sans objet, 47 irrecevabilités financières, 670 rejetés, 3 316 adoptés (1 732 retenus par l'Ass. nat.).

Rapports entre Gouvernement et Parlement

Moyens d'action du Parlement sur le Gouvernement

■ **Questions orales.** La réponse (du min. compétent) peut en être demandée avec ou sans débat. La Conférence des présidents décide leur inscription à l'ordre du jour ; le Pt de l'ass. organise le débat qui ne peut donner lieu à aucun vote. **Avec débat :** exposées en 10-20 min à l'Ass. nat., 20 au Sénat (25 quest. en 1991 dont 3 portant sur un sujet européen selon une nouvelle procédure propre au Sénat) ; les orateurs inscrits ont 10 min au Sénat, un temps fixé par le Pt à l'Ass. nat. ; l'auteur de la question réplique en priorité au Gouv. (aucune question orale avec débat n'a été inscrite à l'ordre du jour dep. 1978 à l'Ass. nat.). L'*interpellation* (question orale avec débat suivie d'un vote mettant en jeu la responsabilité du Gouv.) est interdite dans sa forme traditionnelle : le député désirant interpeller le Gouv. doit en informer le Pt de l'Ass., en séance publique, et joindre à sa demande une motion de censure. **Sans débat :** exposées en 2 min à l'Ass. nat. ; l'auteur peut intervenir 5 min après le ministre qui peut répliquer. **Questions orales posées et discutées à l'Assemblée nationale :** *sans débat :* min. 56 (1988), max. 364 (1973) dont 72 réponses (taux de réponse : 20 %), 1991 : 177 dont 159 réponses (90 %). *Avec débat :* min. 0 (1984-85, 1987-91), max. 367 (1967) dont 72 réponses (20 %). **Au Sénat :** *sans débat :* min. 53 (1988) dont 28 rép. (53 %), max. 292 (1980) dont 219 rép. (75 %). *Avec débat :* min. 35 (1988) dont 10 rép. (28 %), max. 176 (1978) dont 111 rép. (63 %).

■ **Questions écrites** aux ministres sur les points importants de la politique du Gouvernement. Les réponses sont publiées au *JO. Questions écrites dep. 1959 : Ass. nat. :* min. 3 506 (1959), max. 19 139 (1984), 1991 : 14 481 dont 12 896 réponses (taux de réponse : 89 %). *Sénat :* min. 761 (1964), max. 6 420 (1984), 1991 : 6 168 dont 4 919 réponses (79,7 %).

■ **Questions d'actualité** (appelées questions au Gouvernement dep. 1974). Le début de la séance du mercredi après-midi leur est réservé à l'Ass. nat., et un jeudi après-midi par mois au Sénat ; cette séance est télévisée en direct par FR3. Chaque groupe intervient à tour de rôle jusqu'à épuisement du temps imparti, compte tenu de son effectif, par la Conférence des Pts. Ce temps comprend à la fois questions des députés et réponses du Gouv. A tour de rôle, chaque groupe est appelé en début de séance, une alternance étant instituée entre groupes de la majorité et groupes de l'opposition. En 1991, au Sénat, 87 questions posées en 5 séances (la séance du 16 mai a été annulée en raison de la démission, la veille, du gouvernement de Michel Rocard). A l'Ass. nat. : 208.

■ **Questions à un ministre.** (Parfois appelées « questions cribles ».) Nouvelle procédure, propre à l'Ass. nat., de questions posées en séance publique, mise en œuvre en avril 1989. Chaque jeudi, au cours de la session de printemps, un ministre ou un secrétaire d'État est interrogé durant 1 h par les membres des divers groupes, sur les problèmes relevant de la compétence de son département. De 1989 à mars 1991, 515 questions de ce type ont été posées.

■ **Commissions. Commissions permanentes** peuvent contrôler l'action du Gouvernement soit en procédant à l'*audition des ministres,* soit en constituant des *missions d'information commune (ou d'évaluation)* pour recueillir l'information nécessaire ou contrôler la pertinence d'une législation. Dep. 1989, à l'Ass. nat., 3 missions : intégration des immigrés (constituée 5-12-1989) ; législation sur logement et urbanisme (16-5-1990) ; bioéthique (16-10-1990). Au 31-12-1990, seule la 1re avait déposé son rapport. L'Ass. nat. et le Sénat peuvent constituer des *commissions d'enquête* pour recueillir des éléments d'information sur des faits déterminés, à condition que ces faits ne donnent lieu à aucune poursuite judiciaire, ou pour examiner la gestion des services publics ou des entreprises nationales. Ces com. d'enquête sont temporaires. Dep. la loi du 20-7-1991, leurs auditions sont publiques (sauf si décision d'appliquer le secret), et les personnes convoquées peuvent être condamnées de 3 000 à 50 000 F d'amende en cas de non-comparution. Lors de l'enquête sur les écoutes téléphoniques, Messmer (PM) avait invoqué le secret de la défense nat. et aucun min. ni haut fonctionnaire n'avait témoigné.

La loi du 20-7-1991 a supprimé la distinction terminologique entre l'enquête et le contrôle parlementaires. Les investigations sont désormais menées par des commissions d'enquête pouvant porter soit sur des faits déterminés, soit sur la gestion des services publics et/ou des entreprises nationales.

Quelques commissions et enquêtes du Sénat : ORTF (1968), scandale des abattoirs de la Villette (déc. 1970-avril 71), écoutes téléphoniques (été 73), naufrage de l'*Amoco-Cadiz* (été 78), gestion financière des sociétés de télévision (1er semestre 79), industrie textile (1er semestre 81), sécurité publique (mai-oct. 82), dette extérieure (1er semestre 84), fonctionnement du service des postes (1er semestre 85), événements étudiants de nov. et déc. 1986 (1er semestre 87), opérations financières portant sur le capital des stés privatisées (1er semestre 89), gestion d'Air France (1er sem. 1991), services de maintien de l'ordre et de la sécurité des personnes et des biens du min. de l'Intérieur (1er sem. 91), 2e cycle de l'enseignement public du 2e degré (1er sem. 91), services de l'autorité judiciaire (1er sem. 91), convention d'application de l'accord de Schengen (2e sem. 91), système transfusionnel français (créé 18-12-91), quotas laitiers (créés 20-11-91), juridictions administratives (créées 18-12-91). **Mission d'information :** a été utilisée pour l'incendie du CES Édouard-Pailleron (1977), une instruction judiciaire ayant interdit la formation d'une c. d'enquête ; le Sénat a dû respecter la règle du secret (comme pour les commissions) ; est utilisée par le Sénat dep. 1983 pour faire le bilan de la décentralisation. Autres ex. : mission d'information sur les personnels soignants non-médecins des hôpitaux publics (1989), sur l'avenir du service public de la Poste et des Télécommunications dans le nouveau contexte international (1990), sur les problèmes posés par l'immigration en France (1990), sur l'avenir de l'espace rural (constituée le 20-6-1989) (1990-91), sur le déroulement et la mise en œuvre de la politique de décentralisation (1990-91), sur la mise en place et le fonctionnement de l'accord de Schengen (créé le 20-12-91), sur la mise en place et le fonctionnement des instituts universitaires de formation des maîtres (créé 20-12-91).

Commissions d'enquêtes et de contrôle à l'Ass. nat. : *1958-62 :* 1, *1962-67 :* 0, *1967-68 :* 0, *1968-73 :* 2, *1973-77 :* 9, *1978-81 :* 7, *1981-86 :* 3, *1986-88 :* 1, *1988-91 :* 5 commissions d'enquête sur privatisations effectuées dep. le 6-8-1986 [1] ; pollution de l'eau, politique nat. d'aménagement des ressources hydrauliques [1] ; viande bovine et ovine ; financement des partis politiques ; industrie automobile ; 2 de contrôle de la gestion du Fonds d'action sociale [1] ; 1ers cycles universitaires.

Nota – (1) Elles ont déposé leur rapport.

■ **Discussion et vote du budget.** La discussion budgétaire est préparée par la com. des finances et par les autres com. saisies pour avis. Les rapporteurs (général et spéciaux) disposent de pouvoirs permanents d'investigation et de communication des documents portant sur l'exécution des budgets votés et la gestion des entreprises nationales. Le débat est l'occasion donnée aux parlementaires d'interroger publiquement tous les ministres sur la politique générale gouvernementale.

■ **Engagement de la responsabilité du Gouvernement.** Lorsque le 1er ministre engage devant l'Ass. nat. la responsabilité du Gouvernement sur son programme ou sur une déclaration de politique générale (après délibération du Conseil des ministres), un débat est organisé, sanctionné par un vote portant sur l'approbation du programme ou de la déclaration. Le Gouvernement doit démissionner en cas de désapprobation. Dans la pratique, le Gouvernement engage peu souvent sa responsabilité aussitôt après sa nomination, car c'est par le Pt de la Rép. qu'il est investi.

■ **Déclaration de politique générale du Gouvernement.** A l'Ass. nat., il y a eu 21 déclarations de politique générale en application de l'art. 49, alinéa 1er de la Constitution sous la Ve Rép. (du 8-1-1959 au 1-3-92), dont 4 dep. avril 1986. Le 1er min. peut demander au Sénat l'approbation d'une déclaration de politique générale (art. 49, alinéa 4 de la Constitution) ; dep. 1958 : 11-6-1975 (G. Chirac), 5-5-77 et 11-5-78 (G. Barre) ; 15-4-86, 15-4-87 et 9-12-87 (G. Chirac) ; 29-6-88 (G. Rocard) ; 3 en 1989 (G. Rocard), suivies d'un vote positif : 1-6-89 (sur l'audiovisuel), 30-6-89 (sur l'industrie textile), 20-11-89 (sur la France et l'évolution de l'Europe de l'Est). Si le vote du Sénat est négatif, le Gouvernement n'est pas obligé de démissionner.

■ **Motion de censure.** L'Ass. nat. met en cause la responsabilité du Gouv. par le vote d'une *motion de censure,* qui doit être signée par un dixième des députés au moins. Seuls les votes favorables à la motion de censure sont recensés. Si elle est adoptée par la maj. des membres composant l'Ass., le 1er min. doit remettre au Pt de la Rép. la démission du Gouvernement. Si elle est rejetée, les signataires de la motion ne peuvent en proposer une nouvelle au cours de la même session, sauf en cas d'engagement de la responsabilité du Gouv.

Nombre de motions de censure sous la Ve République. En application de l'art. 49, alinéa 2 : 38 (du 5-5-1960 au 1-1-1992) dont 7 dep. le début de la 9e législature (23-6-1988) : *1988-9-12 :* majorité requise 286 (pour 259) ; *1989-16-5 :* 289 (192) ; *6-6 :* 289 (264) ; *1990-9-5 :* 289 (262) ; *21-12 :* 288 (218) ; *1991-17-6 :* 289 (265) ; *24-10 :* 289 (264) ; **alinéa 3 :** 42 (du 27-11-1959 au 1-1-1992) dont 7 dep. le début de la 9e législature : *1989-9-10 :* majorité requise 288 (159) ; *23-10 :* 288 (240) ; *20-11 :* 288 (254) ; *21-12 :* 289 (265) ; *19-11 :* 289 (284). *1991-17-6 :* 289 (265) ; *18-11 :* 289 (264).

Seule la motion du 2-10-1962, motivée par le projet concernant l'élection du Pt de la Rép. au suffrage universel, avait permis à l'opposition de renverser le Gouv. (Pompidou) par 280 voix contre 241.

Déclarations du Gouvernement suivies d'un débat : dep. le début de la 9e législature : 15 (au 21-12-1990).

■ **Pouvoir électif.** Le Parlement désigne ses représentants aux assemblées parlementaires européennes (Ass. parlementaire du Conseil de l'Europe et Ass. de l'Union de l'Europe occidentale).

■ **Pouvoir juridictionnel.** Les 2 ass., statuant par un vote identique à la majorité absolue des membres les composant, peuvent, en cas de haute trahison, mettre en accusation le Pt de la Rép. devant la Haute Cour. Elles peuvent aussi mettre en accusation les membres du Gouv. (art. 68) en cas de crimes ou de délits commis dans l'exercice de leurs fonctions ou de complot contre l'État. En 1987, les 2 assemblées ont voté une proposition de résolution présentée par Pierre Messmer, portant mise en accusation de Christian Nucci, ancien ministre délégué chargé de la Coopération, devant la Hte Cour de justice.

☞ **Sonorisation des débats.** Microphones pour le Pt, les orateurs, les membres du Gouv. et les rapporteurs des commissions. D'autres se trouvent dans les travées, à portée des députés. Ils sont reliés à des haut-parleurs dans l'hémicycle et à des diffuseurs dans le Palais-Bourbon (idem au Sénat).

Moyens d'action du Gouvernement sur le Parlement

■ **Moyens indirects.** *Les membres du Gouv. ont accès aux ass. et sont entendus quand ils le demandent* (art. 31). *Le Gouv. inscrit d'office à l'ordre du jour des ass.,* dans l'ordre et aux dates qu'il a fixés, les affaires dont il demande la discussion (art. 48).

Le Gouv. peut demander un vote bloqué, c'est-à-dire que l'Assemblée se prononce par un seul et unique vote sur l'ensemble du projet ou de la proposition de loi ou sur un groupe d'articles en ne retenant que les amendements proposés ou acceptés par le Gouv. ; pour le Pt de la Rép. Giscard d'Estaing, le vote bloqué devait être utilisé modérément, surtout pour les textes essentiels engageant l'avenir.

Selon le Programme commun de la gauche de 1972, le vote bloqué ne pouvait être utilisé en 1re lecture pour certains textes : projets de lois de finances, plan, projets de lois de programme, accords internat., projets de lois concernant les libertés publ.

Le Gouv. peut convoquer le Parlement en session extraordinaire (art. 29).

A l'Ass. nat., le Gouv. peut faire adopter un texte en engageant sa responsabilité sur le vote de ce texte *(question de confiance) ;* celui-ci est considéré comme adopté si une motion de censure n'est pas déposée dans les 24 h qui suivent l'engagement de responsabilité du Gouv. (art. 49, 3e alinéa) et votée à la majorité des membres composant l'Assemblée. Cette procédure a été utilisée *plusieurs fois* au cours de la discussion de la loi budgétaire de 1980 à l'Assemblée nationale (hiver 1979-80) ; d'après certains, cette utilisation *répétée* est contraire à l'esprit de la Constitution : elle aboutirait à faire adopter des dispositions budgétaires sans discussions ni vote, et à attribuer indirectement au Gouvernement des pouvoirs législatifs. Le principal bénéficiaire d'une telle manœuvre serait le Sénat (n'ayant pas le droit de renverser le Gouvernement, il est tenu de discuter et de voter chaque article de la loi budgétaire, ce qui lui confère une autorité morale supérieure à celle de l'Assemblée). L'art. 49-3 avait déjà été utilisé en 1977 à propos de l'élection des députés à l'Ass. européenne, mais il s'agissait d'un recours unique et exceptionnel à cette disposition constitutionnelle.

Depuis 1958, aucun Gouv. n'a remis sa démission à la suite du dépôt d'une « question de confiance » (sous la IVe Rép., l'abus des « questions de confiance » avait favorisé l'instabilité gouvernementale et conduit à un contrôle, jugé excessif, du Gouv. par l'Ass. nat.).

■ **Moyens directs.** Soumission de certains projets de lois à référendum (art. 11) ; dissolution de l'Assemblée nationale (art. 12) ; application de l'article 16 (pouvoirs spéciaux) ; le Parlement se réunit alors de plein droit.

LISTE DES DÉPUTÉS (D) ET DES SÉNATEURS (S)

☞ *Légende :* **Députés : D ; Groupes :** (1) Socialiste. (2) RPR. (3) UDF.-UDC. (4) Communiste. (5) Non-inscrit. (6) République et Liberté. **Sénateurs : S ; Groupes :** (a) RPR. (b) Socialiste. (c) Communiste. (d) Union des républicains et des indépendants. (e) Union centriste. (f) Rassemblement démocratique et européen. (g) Non inscrit gr.

Ain. D Jacques Boyon [2] (30-9-34) ; Lucien Guichon [2] (9-2-32) ; Charles Millon [3] (Pt) (12-11-45) ; Michel Voisin [3] (6-10-44). S Jean-Paul Émin [d] (17-6-39) ; Jean Pépin [d] (23-11-39).

Aisne. D Jean-Pierre Balligand [1] (30-5-50) ; Charles Baur [3] (20-12-29) ; Emmanuelle Bouquillon [3] (2-7-61) ; Jean-Claude Lamant [3] (25-12-42) ; André Rossi [3] (16-5-21). S Jacques Braconnier [a] (13-7-24) ; Paul Girod [f] (27-6-31) ; François Lesein [f] (11-12-29).

Allier. D Bernard Coulon [3] (9-3-46) ; Jean Gravier [3] (21-3-53) ; Claude Malhuret [3] (8-3-50) ; Pierre-André Périssol [2] (30-4-47). S Bernard Barraux [e] (5-2-35) ; Jean Cluzel [e] (18-11-23).

Alpes-de-Haute-Provence. D Pierre Delmar [2] (13-12-38) ; Pierre Rinaldi [2] (17-4-34). S Fernand Tardy [b] (14-6-19).

Alpes-Maritimes. D Emmanuel Aubert [2] (23-4-16) ; Pierre Bachelet [2] (19-5-26) ; Charles Ehrmann [3] (7-10-11) ; Christian Estrosi [2] (1-7-55) ; Gaston Franco [2] (4-2-44) ; Pierre Merli [3] (6-2-20) ; Louise Moreau [3] (29-1-21) ; Rudy Salles [3] (30-7-54) ; Suzanne Sauvaigo [2] (15-7-30). S Honoré Bailet [a] (27-2-20) ; José Balarello [d] (25-12-26) ; Charles Ginesy [a] (12-5-22) ; Pierre Laffitte [f] (1-1-25).

Ardèche. D Henri-Jean Arnaud [2] (27-11-28) ; Amédée Imbert [3] (15-5-26) ; Jean-Marie Roux [2] (6-1-37). S Bernard Hugo [a] (4-5-25) ; Henri Torre [d] (12-4-33).

Ardennes. D Philippe Mathot [3] (30-11-52) ; Claude Vissac [3] (app.) (13-6-43) ; Michel Vuibert [3] (12-6-34). S Maurice Blin [e] (28-8-22) ; Jacques Sourdille [a] (19-6-22).

Ariège. D Augustin Bonrepaux [1] (11-8-36) ; André Trigano [3] (app.) (13-9-25). S Germain Authié [b] (4-7-27).

Aube. D François Baroin [2] (21-6-65) ; Robert Galley [2] (11-1-21) ; Pierre Micaux [3] (26-10-30). S Philippe Adnot [g] (25-8-45) ; Bernard Laurent [e] (19-1-21).

Aude. D Daniel Arata [2] (18-8-49) ; Gérard Larrat [3] (13-11-41) ; Alain Madalle [6] (25-2-37). S Raymond Courrière [b] (23-8-32) ; Roland Courteau [b] (24-2-43).

Aveyron. D Jean Briane [3] (20-10-30) ; Jacques Godfrain [2] (4-6-43) ; Serge Roques [3] (11-6-47). S Raymond Cayrel [d] (29-7-21) ; Bernard Seillier [d] (12-7-41).

Bas-Rhin. D André Durr [2] (7-11-26) ; Alain Ferry [6] (3-2-52) ; Germain Gengenwin [3] (8-5-36) ; Harry Lapp [3] (29-7-47) ; François Loos [3] (24-12-53) ; Alfred Muller [6] (23-12-40) ; Marc Reymann [3] (7-6-37) ; Bernard Schreiner [2] (30-8-37) ; Adrien Zeller [3] (2-4-40). S Jean-Paul Hammann [a] (13-10-25) ; Louis Jung [e] (18-2-17) ; Joseph Ostermann [a] (26-11-37) ; Philippe Richert [e] (22-5-53).

Bouches-du-Rhône. D Thérèse Aillaud [6] (5-11-31) ; Henri d'Attilio [1] (4-2-27) ; Roland Blum [3] (12-7-45) ; Olivier Darrason [3] (12-7-54) ; Guy Hermier [4] (22-2-40) ; Christian Kert [3] (25-7-46) ; Bernard Leccia [2] (1-11-33) ; Marius Masse [1] (15-4-41) ; J.-François Mattei [3] (14-1-43) ; Renaud Muselier [2] (6-5-59) ; Jean-Bernard Raimond [2] (6-2-26) ; Jean Roatta [3] (13-12-41) ; Bernard Tapie [6] (26-1-43) ; Jean Tardito [4] (19-12-33) ; Guy Teissier [3] (4-4-45) ; Léon Vachet [2] (29-12-32). S Jean-Pierre Camoin [a] (9-5-42) ; Jean-Claude Gaudin [d] (8-10-39) ; Louis Minetti [c] (1-9-25) ; Louis Philibert [b] (12-7-12) ; Jacques Rocca Serra [b] (ratt.) (20-1-43) ; André Vallet [b] (ratt.) (29-1-35) ; Robert-Paul Vigouroux [b] (ratt.) (21-3-23).

Calvados. D Nicole Ameline [3] (4-7-52) ; André Fanton [2] (31-3-28) ; René Garrec [3] (24-12-34) ; François d'Harcourt [3] (10-12-28) ; Louis Mexandeau [1] (6-7-31) ; Francis Saint-Ellier [3] (11-3-51). S Philippe de Bourgoing [d] (25-7-21) ; Ambroise Dupont [d] (11-5-37) ; Jean-Marie Girault [d] (9-2-26).

Cantal. D Yves Coussain [3] (15-5-44) ; Alain Marleix [2] (2-1-46). S Roger Besse [a] (18-8-29) ; Roger Rigaudière [a] (22-7-32).

Charente. D Jean-Claude Beauchaud [1] (21-9-36) ; Georges Chavanes [3] (6-1-25) ; Pierre-Rémy Houssin [2] (4-10-31) ; Henri de Richemont [2] (6-12-46). S Michel Alloncle [a] (7-10-28) ; Pierre Lacour [e] (20-2-23).

Charente-Maritime. D Jean-Guy Branger [3] (15-4-35) ; Dominique Bussereau [3] (13-7-52) ; Jean-Louis Leonard [2] (25-7-50) ; Jean de Lipkowski [2] (25-12-20) ; Xavier de Roux [3] (4-12-40). S Claude Belot [e] (ratt.) (11-7-36) ; François Blaizot [e] (21-9-23) ; Michel Doublet [a] (26-9-39).

Cher. D Jean-François Deniau [3] (31-10-28) ; Serge Lepeltier [2] (12-10-53) ; Franck Thomas-Richard [3] (19-6-50). S Jacques Genton [e] (22-9-18) ; Serge Vinçon [a] (17-6-49).

Corrèze. D Raymond-Max Aubert [2] (15-3-47) ; Jacques Chirac [2] (29-11-32) ; Bernard Murat [2] (19-2-46). S Henri Belcour [a] (11-9-26) ; Georges Mouly [f] (21-2-31).

Corse-du-Sud. D J.-P. de Rocca Serra [2] (11-10-11) ; José Rossi [3] (18-6-44). S Charles Ornano [g] (5-5-19).

Côte-d'Or. D Lucien Brenot [2] (app.) (29-3-48) ; Louis de Broissia [2] (1-6-43) ; Robert Poujade [2] (6-5-28) ; François Sauvadet [3] (20-4-53) ; Alain Suguenot [2] (17-9-51). S Bernard Barbier [d] (30-6-24) ; Maurice Lombard [a] (4-2-22) ; Henri Revol [d] (14-2-36).

Côtes-d'Armor. D Yvon Bonnot [3] (22-8-37) ; Christian Daniel [2] (29-7-48) ; Charles Josselin [1] (31-3-38) ; Marc Le Fur [2] (28-11-56) ; Daniel Pennec [2] (app.) (17-1-56). S Félix Leyzour [c] (22-7-32) ; René Régnault [b] (23-8-36) ; Claude Saunier [b] (26-2-43).

Creuse. D Jean Auclair [2] (app.) (3-5-46) ; Bernard de Froment [2] (5-5-52). S William Chervy [b] (3-6-37) ; Michel Moreigne [b] (6-5-34).

Deux-Sèvres. D Jacques Brossard [3] (28-12-41) ; Jean-Marie Morisset [3] (18-8-47) ; Dominique Paillé [3] (28-5-56) ; Ségolène Royal [1] (22-9-53). S Jean Dumont [d] (27-11-30) ; Georges Treille [e] (ratt.) (2-9-21).

Dordogne. D Daniel Garrigue [2] (4-4-48) ; Jean-Jacques de Peretti [2] (21-9-46) ; François Roussel [2] (4-8-47) ; Frédéric de Saint-Sernin [2] (14-2-58). S Yves Guéna [a] (6-7-22) ; Michel Manet [b] (24-3-24).

Doubs. D Jean Geney [2] (26-9-39) ; Paul Girard [2] (5-8-52) ; Michel Jacquemin [3] (14-5-39) ; Monique Rousseau [2] (10-5-37) ; Roland Vuillaume [2] (12-4-35). S Georges Gruillot [a] (14-8-31) ; Jean Pourchet [e] (09-12-25) ; Louis Souvet [a] (19-10-31).

Drôme. D Thierry Cornillet [3] (23-7-51) ; Georges Durand [3] (2-3-43) ; Patrick Labaune [2] (13-6-51) ; Hervé Mariton [3] (5-11-58). S Jean Besson [b] (1-7-48) ; Gérard Gaud [b] (2-6-25).

Essonne. D Michel Berson [1] (21-4-45) ; Jean de Boishue [2] (12-9-43) ; Julien Dray [1] (5-3-55) ; Xavier Dugoin [2] (27-3-47) ; Jacques Guyard [1] (19-11-37) ; Jean Marsaudon [2] (3-5-46) ; Odile Moirin [2] (12-12-43) ; Michel Pelchat [3] (8-7-35) ; Georges Tron [2] (1-8-57) ; Pierre-André Wiltzer [3] (31-10-40). S Paul Loridant [b] (ratt.) (22-4-48) ; Jean-Luc Mélenchon [b] (19-8-51) ; Jean-Jacques Robert [a] (24-4-24) ; Jean Simonin [a] (26-5-16) ; Robert Vizet [c] (30-1-24).

Eure. D Jean-Claude Asphe [2] (15-7-37) ; Jean-Louis Debré [2] (30-9-44) ; Bernard Leroy [3] (24-2-51) ; Catherine Nicolas [2] (20-1-54) ; Ladislas Poniatowski [3] (10-11-46). S Joël Bourdin [d] (25-1-38) ; Henri Collard [f] (11-4-28) ; Alain Pluchet [a] (1-5-30).

Eure-et-Loir. D Gérard Cornu [2] (6-2-52) ; Maurice Dousset [3] (26-2-30) ; Géard Hamel [2] (20-2-45) ; Patrick Hoguet [3] (23-5-40). S Jean Grandon [g] (25-2-26) ; Martial Taugourdeau [a] (14-12-26).

Finistère. D André Angot [2] (28-4-47) ; Arnaud Cazin d'Honincthun [3] (26-1-49) ; Bertrand Cousin [2] (12-1-41) ; Jean-Yves Cozan [3] (16-5-39) ; Jean-Louis Goasduff [2] (2-5-27) ; Ambroise Guellec [3] (26-3-41) ; Louis Le Pensec [1] (8-1-37) ; Charles Miossec [2] (25-12-38). S Alphonse Arzel [e] (20-9-27) ; Alain Gérard [a] (2-12-37) ; Édouard Le Jeune [e] (20-2-21) ; Jacques de Menou [a] (30-10-32).

Gard. D Jean-Marie André [3] (app.) (22-5-37) ; Gilbert Baumet [6] (5-2-43) ; Jean Bousquet [3] (30-3-32) ; Alain Danilet [2] (3-6-47) ; Max Roustan [3] (29-9-44). S Francis Cavalier-Benezet [b] (22-1-22) ; Claude Pradille [b] (29-7-42) ; André Rouvière [b] (29-4-36).

Gers. D Aymeri de Montesquiou [3] (7-7-42) ; Yves Rispat [2] (app.) (17-9-31). S Robert Castaing [b] (6-9-30) ; Aubert Garcia [b] (7-9-31).

Gironde. D Jean-Claude Bireau [2] (27-8-37) ; Gérard Castagnéra [2] (23-9-43) ; Robert Cazalet [3] (19-10-24) ; J. Chaban-Delmas [2] (7-3-15) ; Philippe Dubourg [2] (9-7-38) ; Pierre Ducout [1] (12-12-42) ; Pierre Favre [3] (5-4-40) ; Pierre Garmendia [1] (9-6-24) ; Daniel Picotin [3] (16-2-57) ; Xavier Pintat [3] (15-3-54) ; Jean Valleix [2] (23-4-28). S Marc Bœuf [b] (8-1-34) ; Gérard César [a] (app.) (19-12-34) ; Bernard Dussaut [b] (14-11-41) ; Philippe Madrelle [b] (21-4-37) ; Jacques Valade [a] (4-5-30).

Haut-Rhin. D Jean-Paul Fuchs [3] (6-12-25) ; Michel Habig [2] (16-2-47) ; Joseph Klifa [3] (26-7-31) ; Gilbert Meyer [2] (26-12-41) ; Jean-Luc Reitzer [2] (29-12-51) ; Jean Ueberschlag [2] (29-5-35) ; Jean-Jacques Weber [3] (20-4-40). S Henri Gœtschy [e] (4-9-26) ; Hubert Haenel [a] (20-5-42) ; Pierre Schiélé [e] (5-7-25).

Haute-Corse. D Pierre Pasquini [2] (16-2-21) ; Émile Zuccarelli [6] (4-8-40). S François Giacobbi [f] (19-7-19).

Haute-Garonne. D Jean-Pierre Bastiani [3] (6-6-50) ; Dominique Baudis [3] (14-4-47) ; Grégoire Carneiro [2] (8-11-48) ; Serge Didier [3] (24-10-51) ; Jean Diebold [2] (22-4-39) ; Robert Huguenard [2] (27-12-43) ; Jean-Louis Idiart [1] (3-5-50) ; Françoise de Veyrinas [3] (4-9-43). S Maryse Bergé-Lavigne [b] (29-1-41) ; Claude Cornac [b] (1-10-39) ; Jean Peyrafitte [b] (15-6-22) ; Gérard Roujas [b] (8-9-43).

Haute-Loire. D Jacques Barrot [3] (3-2-37) ; Jean Proriol [3] (25-11-34). S Jean-Paul Chambriard [d] (12-7-29) ; Adrien Gouteyron [a] (13-5-33).

Haute-Marne. D François Cornut-Gentille [2] (22-5-58) ; Charles Fèvre [3] (2-2-33). S Georges Berchet [f] (13-6-26) ; Jacques Delong [a] (14-8-21).

Haute-Saône. D Christian Bergelin [2] (15-4-45) ; Philippe Legras [2] (6-6-48) ; Jean-Pierre Michel [1] (5-8-38). S Pierre Louvot [d] (29-6-22) ; Michel Miroudot [d] (30-1-15).

Haute-Savoie. D Bernard Accoyer [2] (12-8-45) ; Claude Birraux [3] (19-1-46) ; Pierre Hérisson [3] (12-6-45) ; Pierre Mazeaud [2] (24-8-29) ; Michel Meylan [3] (27-1-39). S Raymond Bouvier [e] (30-3-28) ; Jacques Golliet [e] (14-12-31) ; Bernard Pellarin [e] (ratt.) (18-9-28).

Haute-Vienne. D Jacques-Michel Faure [2] (24-5-43) ; Evelyne Guilhem [2] (21-1-55) ; Alain Marsaud [2] (8-3-49) ; Alain Rodet [1] (4-6-44). S Jean-Pierre Demerliat [b] (8-5-43) ; Robert Laucournet [b] (22-7-21).

Hautes-Alpes. D Henriette Martinez [2] (10-7-49) ; Patrick Ollier [2] (17-12-44). S Marcel Lesbros [e] (9-9-21).

Hautes-Pyrénées. D Jean-François Calvo [2] (9-7-49) ; Jean Glavany [1] (14-5-49) ; Gérard Trémège [3] (4-9-44). S François Abadie [f] (19-6-30) ; Josette Durrieu [b] (20-3-37).

Hauts-de-Seine. D Patrick Balkany [2] (16-8-48) ; Jacques Baumel [2] (6-3-18) ; Jacques Brunhes [4] (7-10-34) ; Charles Ceccaldi-Raynaud [2] (22-6-25) ; Patrick Devedjian [2] (26-8-44) ; Christian Dupuy [2] (24-10-50) ; Jean-Pierre Foucher [3] (13-8-43) ; Georges Gorse [2] (15-2-15) ; Jean-Jacques Guillet [2] (16-10-46) ; Jean-Yves Haby [3] (5-1-55) ; Janine Jambu [4] (18-11-42) ; André Santini [3] (20-10-40) ; Frantz Taittinger [2] (app.) (9-6-61). S André Fosset [e] (13-11-18) ; J.-Pierre Fourcade [d] (18-10-29) ; Jacqueline Fraysse-Cazalis [c] (25-2-47) ; Paul Graziani [a] (14-2-25) ; Michel Maurice-Bokanowski [a] (6-11-12) ; Jean-Pierre Schosteck [a] (16-3-42) : Françoise Seligmann [b] (9-6-19).

Hérault. D Raymond Couderc [3] (16-9-42) ; René Couveinhes [2] (16-6-25) ; Willy Diméglio [3] (3-5-34) ; Yves Marchand [3] (22-2-46) ; Marcel Roques [3] (18-9-48) ; Gérard Saumade [1] (3-5-26) ; Bernard Serrou [2] (14-10-38). S Gérard Delfau [b] (21-10-37) ; André Vezinhet [b] (7-9-39) ; Marcel Vidal [b] (7-3-40).

Ille-et-Vilaine. D Jean-Gilles Berthommier [3] (22-2-48) ; Marie-Thérèse Boisseau [3] (app.) (25-8-40) ; Jean-Michel Boucheron [1] (6-3-48) ; René Couanau [3] (10-7-36) ; Danièle Dufeu [3] (13-2-41) ; Yves Fréville [3] (1-12-34) ; Yvon Jacob [2] (app.) (12-6-42). S Yvon Bourges [a] (29-6-21) ; Marcel Daunay [e] (ratt.) (20-3-30) ; André Egu [e] (12-7-29) ; Jean Madelain [e] (9-1-24).

Indre. D Michel Blondeau [3] (4-4-42) ; René Chabot [2] (8-3-36) ; Nicolas Forissier [3] (17-2-61). S Daniel Bernardet [e] (7-6-27) ; François Gerbaud [a] (10-4-27).

Indre-et-Loire. D Philippe Briand [2] (26-10-60) ; Bernard Debré [2] (30-9-44) ; Jean-Jacques Descamps [3] (20-3-35) ; Hervé Novelli [3] (6-3-49) ; Jean Royer [6] (Pt) (31-10-20). S James Bordas [d] (20-8-29) ; Jean Delaneau [d] (29-8-33) ; Dominique Leclerc [a] (17-3-44).

Isère. D Gilbert Biessy [4] (20-7-34) ; Richard Cazenave [2] (17-3-48) ; Georges Colombier [3] (8-3-40) ; Michel Destot [1] (2-9-46) ; Michel Hannoun [2] (7-3-49) ; Philippe Langenieux-Villard [2] (20-5-55) ; Didier Migaud [1] (6-6-52) ; Alain Moyne-Bressand [3] (30-7-45) ; Bernard Saugey [3] (3-3-43). S Jean Boyer [d] (1-8-23) ; Guy Cabanel [f] (ratt.) (7-4-27) ; Charles Descours [a] (31-12-37) ; Jean Faure [e] (14-1-37).

Jura. D Gilbert Barbier [3] (3-3-40) ; Jean Charroppin [2] (30-5-38) ; Jacques Pélissard [2] (20-3-46). S Pierre Jeambrun [f] (4-6-21) ; André Jourdain [a] (13-6-35).

Landes. D Henri Emmanuelli [1] (31-5-45) ; Henri Lalanne [3] (26-5-32) ; Louis Lauga [2] (16-2-40). S Jean-Louis Carrère [b] (4-12-44) ; Philippe Labeyrie [b] (29-4-38).

Loire. D Christian Cabal [2] (27-9-43) ; Jean-François Chossy [3] (4-5-47) ; Jacques Cyprès [3] (6-3-33) ; Daniel Mandon [3] (3-6-39) ; Yves Nicolin [3] (5-3-63) ; Jean-Pierre Philibert [3] (30-3-48) ; François Rochebloine [3] (31-10-45). S François Mathieu [e] (1-6-34) ; Louis Mercier [e] (10-5-20) ; Lucien Neuwirth [a] (18-5-24) ; Guy Poirieux [a] (9-3-36).

Loire-Atlantique. D Jean-Marc Ayrault [1] (25-1-50) ; Jacques Floch [1] (28-2-38) ; Étienne Garnier [2] (13-3-35) ; Olivier Guichard [2] (27-7-20) ; Pierre Hériaud [3] (23-8-36) ; Élisabeth Hubert [2] (26-5-56) ; Michel Hunault [2] (14-2-60) ; Edouard Landrain [3]

(1-7-30) ; Monique Papon [3] (5-10-34) ; Serge Poignant [2] (1-11-47). S François Autain [b] (16-6-35) ; Ch.-H. de Cossé-Brissac [d] (16-3-36) ; Luc Dejoie [a] (6-2-31) ; Marie-Madeleine Dieulangard [b] (19-7-36) ; Guy Lemaire [a] (6-6-38).

Loiret. D Jean-Louis Bernard [3] (31-3-38) ; Antoine Carré [3] (4-3-43) ; Jean-Paul Charié [2] (25-4-52) ; Xavier Deniau [2] (24-9-23) ; Éric Doligé [2] (25-5-43). S Louis Boyer [d] (13-11-21) ; Kléber Malécot [e] (12-2-15) ; Paul Masson [a] (21-7-20).

Loir-et-Cher. D Jean Desanlis [3] (5-9-25) ; Jack Lang [1] (2-9-39) ; Patrice Martin-Lalande [2] (2-12-47). S Jacques Bimbenet [f] (2-7-28) ; Pierre Fauchon [e] (13-7-29).

Lot. D Bernard Charles [6] (16-4-48) ; Martin Malvy [1] (Pt) (24-2-36). S André Boyer [f] (14-5-31) ; Gérard Miquel [b] (17-6-46).

Lot-et-Garonne. D Paul Chollet [3] (10-4-28) ; Georges Richard [2] (26-11-28) ; Daniel Soulage [3] (14-2-42). S Jean François-Poncet [f] (8-12-28) ; Raymond Soucaret [f] (27-7-23).

Lozère. D Jacques Blanc [3] (21-10-39) ; Jean-Jacques Delmas [3] (4-10-38). S Joseph Caupert [d] (4-7-23).

Maine-et-Loire. D Roselyne Bachelot-Narquin [2] (24-12-46) ; Jean Bégault [3] (22-3-21) ; Hubert Grimault [3] (7-5-29) ; Marc Laffineur [3] (10-8-45) ; Alain Levoyer [3] (20-9-40) ; Maurice Ligot [3] (9-12-27) ; Christian Martin [3] (7-4-31). S Jean Huchon [e] (4-9-28) ; Jean-Paul Hugot [a] (2-4-48) ; Charles Jolibois [d] (4-10-28).

Manche. D René André [2] (3-7-42) ; Yves Bonnet [3] (20-11-35) ; Alain Cousin [2] (8-4-47) ; Claude Gatignol [3] (20-11-38) ; Jean-Claude Lemoine [2] (28-4-31). S Anne Heinis [d] (16-11-33) ; Jean-François Le Grand [a] (8-6-42) ; Jean-Pierre Tizon [d] (26-10-20).

Marne. D Bruno Bourg-Broc [2] (25-2-45) ; Charles de Courson [3] (2-4-52) ; Jean-Claude Étienne [2] (6-8-41) ; Jean Falala [2] (2-3-29) ; Philippe Martin [6] (28-4-49) ; Jean-Claude Thomas [2] (16-3-50). S Jean Bernard [a] (17-10-24) ; Jacques Machet [e] (16-12-23) ; Albert Vecten [e] (16-2-26).

Mayenne. D François d'Aubert [3] (31-10-43) ; Henri de Gastines [2] (6-7-29) ; Roger Lestas [3] (12-5-32). S Jean Arthuis [e] (7-10-44) ; René Ballayer [e] (2-3-15).

Meurthe-et-Moselle. D Jean-Paul Durieux [1] (7-11-29) ; Claude Gaillard [3] (15-8-44) ; Aloys Geoffroy [3] (10-4-44) ; François Guillaume [2] (19-10-32) ; Jean-Yves Le Déaut [1] (1-2-45) ; Gérard Léonard [2] (1-7-45) ; Jean-Marie Schléret [3] (11-8-41). S Jacques Baudot [e] (9-3-36) ; Jean Bernadaux [e] (23-2-35) ; Claude Huriet [e] (24-5-30) ; Philippe Nachbar [d] (26-9-50).

Meuse. D André Droitcourt [3] (7-12-32) ; Arsène Lux [2] (app.) (30-7-35). S Rémi Herment [e] (23-6-32) ; Michel Rufin [a] (12-8-20).

Morbihan. D. Loïc Bouvard [3] (20-1-29) ; Jean-Charles Cavaillé [2] (17-12-30) ; Michel Godard [3] (8-11-33) ; Aimé Kerguéris [3] (3-6-40) ; Jacques Le Nay [6] (19-11-49) ; Raymond Marcellin [3] (19-8-14). S Christian Bonnet [d] (14-6-21) ; Henri Le Breton [e] (10-9-28) ; Josselin de Rohan [a] (5-6-38).

Moselle. D André Berthol [2] (10-11-39) ; Alphonse Bourgasser [3] (app.) (26-10-32) ; Jean-Marie Demange [2] (23-7-43) ; François Grosdidier [2] (25-2-61) ; Denis Jacquat [3] (29-5-44) ; Jean Kiffer [2] (30-6-36) ; Pierre Lang [3] (13-6-47) ; Jean-Louis Masson [2] (25-3-47) ; Jean Seitlinger [3] (16-11-24) ; Aloyse Warhouver [5] (26-2-30). S André Bohl [e] (26-1-36) ; Roger Husson [a] (12-6-24) ; Jean-Pierre Masseret [b] (23-8-44) ; Charles Metzinger [b] (13-8-29) ; Jean-Marie Rausch [f] (ratt.) (24-9-29).

Nièvre. D Didier Béguin [3] (24-5-42) ; Didier Boulaud [5] (n. c.) ; Simone Rignault [2] (5-5-43). S Marcel Charmant [b] (26-7-44) ; René-Pierre Signé [b] (16-9-30).

Nord. D Christian Bataille [1] (13-5-46) ; Alain Bocquet [4] (6-5-46) ; Jean-Louis Borloo [6] (7-4-51) ; René Carpentier [4] (2-8-28) ; Serge Charles [2] (17-11-27) ; Colette Codaccioni [2] (11-6-42) ; Marc-Philippe Daubresse [3] (1-8-53) ; Bernard Davoine [1] (15-1-41) ; Gabriel Deblock [2] (app.) (14-1-35) ; Jean-Claude Decagny [3] (10-6-39) ; Bernard Derosier [1] (10-11-39) ; Emmanuel Dewees [2] (18-2-48) ; Claude Dhinnin [2] (11-9-34) ; Régis Fauchoit [6] (25-7-46) ; Michel Ghysel (26-9-26) ; Marie-Fanny Gournay [2] (6-3-26) ; Georges Hage [4] (11-9-21) ; Françoise Hostalier [3] (19-8-53) ; Thierry Lazaro [2] (27-9-60) ; Alain Poyart [2] (18-11-47) ; Claude Pingalle [2] (2-7-31) ; Christian Vanneste [2] (14-7-47) ; Jacques Vernier [2] (3-7-44) ; Gérard Vignoble [3] (29-10-45). S Guy Allouche [b] (27-10-39) ; Jacques Bialski [b] (3-10-29) ; Michelle Demessine [c] (18-6-47) ; André Diligent [e] (10-5-19) ; Alfred Foy [g] (11-1-34) ; Jacques Legendre [a] (2-12-41) ; Pierre Mauroy [b] (5-7-28) ; Paul Raoult [b] (26-11-44) ; Ivan Renar [c] (26-4-37) ; Maurice Schumann [a] (10-4-11) ; Alex Türk [g] (25-1-50).

Oise. D Jean-Pierre Braine [1] (14-11-38) ; Ernest Chénière [2] (26-4-45) ; Olivier Dassault [2] (1-6-51) ; Lucien Degauchy [2] (11-6-37) ; Arthur Dehaine [2] (20-6-32) ; François-Michel Gonnot [3] (15-4-49) ; Jean-François Mancel [2] (1-3-48). S Philippe Marini [a] (28-1-50) ; Michel Souplet [e] (3-4-29) ; Alain Vasselle [a] (27-6-47).

Orne. D Hubert Bassot [3] (17-5-32) ; Yves Deniaud [2] (1-9-46) ; Jean-Claude Lenoir [6] (27-12-44). S Daniel Goulet [a] (28-10-28) ; Alain Lambert [e] (ratt.) (20-7-46).

Paris. D Martine Aurillac [2] (28-4-39) ; Didier Bariani [3] (16-10-43) ; Nicole Catala [2] (2-2-36) ; Anne-Marie Couderc [2] (13-2-50) ; Alain Devaquet [2] (4-10-42) ; Laurent Dominati [3] (5-8-60) ; Jacques Féron [2] (app.) (11-1-12) ; René Galy-Dejean [3] (16-3-32) ; Gilbert Gantier [3] (28-11-24) ; Jean de Gaulle [2] (13-6-53) ; Claude Goasguen [3] (12-3-45) ; Philippe Goujon [2] (30-4-54) ; Gabriel Kaspereit [2] (21-6-19) ; Claude-Gérard Marcus [2] (24-8-33) ; Georges Mesmin [3] (15-11-26) ; Françoise de Panafieu [2] (12-12-48) ; Jean-Pierre Pierre-Bloch [3] (29-1-39) ; Bernard Pons [2] (18-7-26) ; Georges Sarre [1] (26-11-35) ; Jean Tiberi [2] (30-1-35) ; Yves Verwaerde [3] (16-5-47). S Camille Cabana [a] (11-12-30) ; Michel Caldaguès [a] (28-9-26) ; Jean Chérioux [a] (16-2-28) ; Roger Chinaud [d] (6-9-34) ; Maurice Couve de Murville [a] (24-1-07) ; Claude Estier [b] (Pt) (8-6-25) ; Philippe de Gaulle [a] (28-12-21) ; Bernard Guyomard [e] (2-6-26) ; Christian de La Malène [a] (5-12-20) ; Pierre-Christian Taittinger [d] (5-2-26) ; Maurice Ulrich [a] (6-1-25).

Pas-de-Calais. D Rémy Auchedé [4] (6-4-43) ; Jean-Claude Bois [1] (16-3-34) ; Jean-Pierre Defontaine [1] (app.) (4-2-37) ; Jean-Jacques Delvaux [2] (12-8-42) ; Claude Demassieux [2] (4-7-46) ; Léonce Deprez [3] (18-7-27) ; Dominique Dupilet [1] (12-10-44) ; Charles Gheerbrant [3] (13-9-24) ; Serge Janquin [1] (5-8-43) ; J.-P. Kucheida [1] (24-2-43) ; Jacques Mellick [1] (22-7-41) ; Jean-Pierre Pont [3] (9-5-50) ; Jean Urbaniak [6] (15-2-49) ; Philippe Vasseur [3] (31-8-43). S Jean-Luc Bécart [c] (23-8-47) ; Désiré Debavelaere [a] (app.) (18-2-24) ; Jean-Paul Delevoye [a] (22-1-47) ; Léon Fatous [b] (11-2-26) ; Roland Huguet [b] (17-10-33) ; Daniel Percheron [b] (31-8-42) ; Michel Sergent [b] (27-12-43).

Puy-de-Dôme. D Gérard Boche [3] (28-3-30) ; Michel Cartaud [3] (24-9-47) ; Jean-Marc Chartoire [3] (17-4-48) ; Michel Fanget [3] (3-5-50) ; Valéry Giscard d'Estaing [3] (2-2-26) ; Pierre Pascallon [2] (12-11-41). S Marcel Bony [b] (6-7-26) ; Michel Charasse [b] (ratt.) (8-7-41) ; Roger Quilliot [b] (ratt.) (19-6-25).

Pyrénées-Atlantiques. D Jean Gougy [2] (11-12-39) ; Jean Grenet [2] (app.) (12-7-39) ; Michel Inchauspé [2] (5-11-25) ; André Labarrère [1] (12-1-28) ; Pierre Laguilhon-Pémoulié [2] (29-4-28) ; Daniel Poulou [3] (28-7-43). S Louis Althape [a] (6-11-47) ; Didier Borotra [e] (30-8-37) ; Auguste Cazalet [a] (7-9-38).

Pyrénées-Orientales. D Claude Barate [2] (13-12-43) ; André Bascou [2] (9-4-44) ; François Calvet [3] (1-4-53) ; Henri Sicre [1] (26-6-35). S Paul Blanc [a] (29-1-37) ; René Marques [e] (17-1-23).

Rhône. D Jean-Claude Bahu [2] (23-1-41) ; Raymond Barre [3] (app.) (12-4-24) ; Jean Besson [2] (15-8-38) ; Jean-Pierre Calvel [3] (5-8-46) ; Martine David [1] (19-12-52) ; Jean-Michel Dubernard [5] (17-5-41) ; Marc Fraysse [2] (22-1-49) ; André Gérin [4] (19-1-46) ; Bernadette Isaac-Sibille [3] (30-3-30) ; Michel Mercier [1] (7-3-47) ; Michel Noir [5] (19-5-44) ; Francisque Perrut [3] (5-12-20) ; Jean Rigaud [3] (15-11-25) ; Michel Terrot [2] (18-12-48). S Roland Bernard [b] (11-10-44) ; Francisque Collomb [e] (ratt.) (19-12-10) ; Emmanuel Hamel [a] (9-1-22) ; Serge Mathieu [d] (10-2-36) ; Franck Serusclat [b] (7-7-21) ; René Tregouët [a] (15-10-40) ; Pierre Vallon [e] (10-11-27).

Saône-et-Loire. D Jean-Paul Anciaux [2] (17-7-46) ; René Beaumont [3] (29-2-40) ; Jean-Paul Emorine [3] (20-3-44) ; Didier Mathus [1] (25-5-52) ; Jean-Marc Nesme [3] (23-3-43) ; Gérad Voisin [3] (18-8-45). S André Jarrot [a] (13-12-09) ; Marcel Lucotte [d] (Pt) (16-1-22) ; André Pourny [d] (ratt.) (30-11-28).

Sarthe. D Pierre Gascher [6] (8-4-33) ; Jean-Marie Geveaux [2] (8-5-47) ; Pierre Hellier [3] (14-1-42) ; Antoine Joly [2] (16-7-55) ; Pierre Lefèbvre [2] (4-3-38). S Michel d'Aillières [d] (17-12-23) ; Jacques Chaumont [a] (17-11-34) ; Roland du Luart [d] (12-3-40).

Savoie. D Michel Bouvard [2] (17-3-55) ; Gratien Ferrari [3] (27-3-35) ; Hervé Gaymard [2] (31-5-60). S Jean-Pierre Blanc [e] (11-9-20) ; Pierre Dumas [a] (15-11-24).

Seine-et-Marne. D Jean-Pierre Cognat [2] (28-3-36) ; Charles Cova [2] (9-12-31) ; Guy Drut [2] (6-12-50) ; Jean-Jacques Hyest [4] (2-3-43) ; Gérard Jeffray [3] (20-1-43) ; Didier Julia [2] (18-2-34) ; Jean-Claude Mignon [2] (2-2-50) ; Alain Peyrefitte [2] (26-8-25) ; Pierre Quillet [2] (8-10-30). S Étienne Dailly [f] (4-1-18) ; Philippe François [a] (16-8-27) ; Jacques Larché [d] (4-2-20) ; Robert Piat [e] (3-9-14).

Seine-Maritime. D Pierre Albertini [3] (22-11-44) ; Jean-Claude Bateux [1] (26-5-39) ; Jeanine Bonvoisin [3] (28-4-26) ; Daniel Colliard [4] (14-8-30) ; Laurent Fabius [1] (20-8-46) ; Michel Grandpierre [4] (15-5-33) ; Édouard Leveau [2] (22-9-33) ; Alain Le Vern [1] (8-5-48) ; Denis Merville [2] (16-3-47) ; Charles Revet [3] (9-11-37) ; Antoine Rufenacht [2] (11-5-39) ; Alfred Trassy-Paillogues [2] (15-7-50). S André Bettencourt [d] (21-4-19) ; Paul Caron [e] (13-7-21) ; Roger Fosse [a] (app.) (23-9-20) ; Tony Larue [b] (18-8-04) ; André Martin [f] (1-2-26) ; Robert Pagès [c] (29-6-33).

Seine-Saint-Denis. D Jean-Claude Abrioux [2] (1-12-31) ; François Asensi [4] (1-6-45) ; Claude Bartolone [1] (29-7-51) ; Éric Béteille [2] (1-1-24) ; Patrick Braouezec [4] (11-12-50) ; Jean-Pierre Brard [4] (7-2-48) ; Christian Demuynck [2] (24-7-47) ; Jean-Claude Gayssot [4] (6-9-44) ; Muguette Jacquaint [4] (12-5-42) ; Véronique Neiertz [1] (6-11-42) ; Robert Pandraud [2] (16-10-28) ; Louis Pierna [4] (16-1-33) ; Éric Raoult [2] (19-6-55). S Danielle Bidard-Reydet [c] (8-12-39) ; Robert Calmejane [a] (19-5-29) ; Ernest Cartigny [f] (Pt) (18-7-23) ; Paulette Fost [c] (18-9-37) ; Claude Fuzier [b] (2-6-24) ; Jean Garcia [c] (5-6-25).

Somme. D Gautier Audinot [2] (6-10-57) ; Jérôme Bignon [2] (1-1-49) ; Alain Gest [3] (27-12-50) ; Maxime Gremetz [4] (3-9-40) ; Joël Hart [2] (13-7-45) ; Gilles de Robien [3] (10-4-41). S Max Lejeune [f] (19-2-09) ; Charles-Edmond Lenglet [f] (20-12-17) ; Jacques Mossion [e] (25-12-27).

Tarn. D Philippe Bonnecarrère [2] (12-7-55) ; Bernard Carayon [2] (1-10-57) ; Jacques Limouzy [2] (29-8-26) ; Paul Quilès [1] (27-1-42). S Louis Brives [f] (24-7-12) ; François Delga [g] (14-5-19).

Tarn-et-Garonne. D Jacques Briat [3] (18-1-48) ; Jean-Pierre Cave [3] (20-2-52). S Yvon Collin [f] (10-4-44) ; Jean Roger [f] (30-9-23).

Territoire de Belfort. D Jean-Pierre Chevènement [1] (9-3-39) ; Jean Rosselot [2] (7-12-45). S Michel Dreyfus-Schmidt [b] (17-6-32).

Val-de-Marne. D Jean-Louis Beaumont [3] (1-11-25) ; Gilles Carrez [2] (29-8-48) ; Laurent Cathala [1] (21-9-45) ; Richard Dell'Agnola [2] (6-2-49) ; Alain Griotteray [3] (15-10-22) ; Jean-Jacques Jegou [3] (24-3-45) ; Jean-Claude Lefort [4] (15-12-44) ; Georges Marchais [4] (7-6-20) ; Paul Mercieca [4] (17-11-32) ; Roland Nungesser [2] (9-10-25) ; Roger-Gérard Schwartzenberg [1] (app.) (17-4-43) ; Robert-André Vivien [2] (24-2-23). S Jacques Carat [b] (21-9-19) ; Jean Clouet [d] (7-5-21) ; Lucien Lanier [a] (app.) (16-10-19) ; Charles Lederman [c] (27-1-13) ; Hélène Luc [c] (Pt) (13-3-32) ; Alain Poher [e] (17-4-09).

Val-d'Oise. D Jean Bardet [2] (22-6-41) ; Jean-Pierre Delalande [2] (21-7-45) ; Francis Delattre [3] (11-9-46) ; Christian Gourmelen [3] (1-8-40) ; Philippe Houillon [3] (15-12-51) ; Raymond Lamontagne [2] (15-6-23) ; Pierre Lellouche [2] (3-5-51) ; Georges Mothron [2] (5-4-48) ; Marcel Porcher [2] (4-8-47). S Marie-Claude Beaudeau [c] (30-10-37) ; Hélène Missoffe [a] (15-6-27) ; Louis Perrein [b] (18-1-17) ; Michel Poniatowski [d] (16-5-22).

Var. D. Jean-Marie Bertrand [2] (23-12-37) ; Daniel Colin [3] (30-9-33) ; Louis Colombani [3] (5-5-31) ; Jean-Michel Couve [2] (3-1-40) ; Hubert Falco [3] (15-5-47) ; Arthur Paecht [3] (18-5-30) ; Yann Piat [3] (12-6-49). S Maurice Arreckx [d] (13-12-17) ; René-Georges Laurin [a] (2-5-21) ; François Trucy [d] (9-6-31).

Vaucluse. D J.M. Ferrand [2] (31-8-42) ; Thierry Mariani [2] (8-8-58) ; Marie-José Roig [2] (12-5-38) ; Yves Rousset-Rouard [3] (1-4-40). S Jacques Bérard [a] (7-6-29) ; Alain Dufaut [a] (2-1-44).

Vendée. D Léon Aimé [3] (9-2-24) ; Louis Guédon [2] (28-11-35) ; Jean-Luc Préel [3] (30-10-40) ; Joël Sarlot [3] (5-7-46) ; Philippe de Villiers [3] (25-3-49). S Michel Crucis [d] (4-1-22) ; Louis Moinard [e] (31-10-30) ; Jacques Oudin [a] (7-10-39).

Vienne. D Jean-Pierre Abelin [3] (3-9-50) ; Jean-Yves Chamard [2] (14-12-42) ; Éric Duboc [3] (30-10-60) ; Arnaud Lepercq [2] (9-3-37). S René Monory [e] (6-6-23) ; Guy Robert [e] (17-9-21).

Vosges. D Gérard Cherpion [2] (app.) (15-3-48) ; Philippe Séguin [2] (21-4-43) ; Jean-Pierre Thomas [3] (27-3-57) ; François Vannson [2] (app.) (20-10-62). S Christian Poncelet [a] (27-3-28) ; Albert Voilquin [d] (17-2-15).

Yonne. D Philippe Auberger [2] (15-12-41) ; Jean-Pierre Soisson [6] (9-11-34) ; Yves Van Haecke [2] (14-4-44). S Jean Chamant [a] (23-11-13) ; Henri de Raincourt [d] (17-11-48).

Yvelines. D Pierre Bédier [2] (30-9-57) ; Franck Borotra [2] (30-8-37) ; Christine Boutin [3] (6-2-44) ; Pierre Cardo [3] (28-8-49) ; Henri Cuq [2] (12-3-42) ; Jean-Michel Fourgous [2] (30-9-53) ; Pierre Lequiller [3] (4-12-49) ; Jacques Masdeu-Arus [2] (7-8-42) ; Jacques Myard [2] (14-8-47) ; Michel Péricard [2] (15-9-29) ; Étienne Pinte [2] (19-3-39) ; Paul-Louis Tenaillon [3] (14-2-21). S Jacques Bellanger [b] (25-6-31) ; Louis de Catuelan [e] (20-3-24) ; Gérard Larcher [a] (14-9-49) ; Marc Lauriol [a] (18-8-16) ; Nelly Rodi [a] (16-2-18).

■ OUTRE-MER

Guadeloupe. D Édouard Chammougon [6] (10-1-37) ; Philippe Chaulet [2] (28-7-42) ; Frédéric Jalton [1] (21-2-24) ; Ernest Moutoussamy [4] (app.) (7-11-41).

S Henri Bangou[c] (app.) (15-7-22) ; François Louisy[b] (12-12-21).

Guyane. D Léon Bertrand[5] (11-5-51) ; Christiane Taubira-Delannon [6] (2-2-52). S Georges Othily[f] (7-1-44).

Martinique. D Camille Darsières [1] (app.) (19-5-32) ; André Lesueur [2] (26-10-47) ; Pierre Petit [2] (22-1-30) ; Anicet Turinay[2] (app.) (18-4-45). S Rodolphe Désiré [b] (app.) (9-2-37) ; Roger Lise [e] (26-7-27).

Mayotte. D Scrutin majoritaire. Henry Jean-Baptiste [3] (3-1-33). S Marcel Henry [e] (30-10-26).

Nouvelle-Calédonie. D Jacques Lafleur [2] (20-11-32) ; Maurice Nénou-Pwataho [2] (25-2-39). S Simon Loueckhote [a] (7-5-57).

Polynésie française. D Gaston Flosse [2] (24-6-31) ; Jean Juventin[2] (9-3-28). S Daniel Millaud[e] (26-8-28).

La Réunion. D Gilbert Annette[1] (app.) (10-3-46) ; André Maurice Pihouée [2] (11-3-33) ; André Thien Ah Koon [6] (16-5-40) ; Paul Vergès [6] (5-3-25) ; Jean-Paul Virapoullé [3] (15-3-44). S Éric Boyer [a] (app.) (23-6-39) ; Pierre Lagourgue [e] (3-1-21) ; Paul Moreau [a] (2-7-29).

Saint-Pierre-et-Miquelon. D Gérard Grignon [3] (16-4-43). S Albert Pen [b] (ratt.) (1-3-31).

Iles Wallis-et-Futuna. D Kamilo Gata [1] (app.) (12-12-49). S Sosefo Makapé Papilio [a] (27-2-28).

Français à l'étranger

■ **Sénateurs représentant les Français établis hors de France.** Monique Ben Guiga[b] (20-6-42) ; Pierre Biarnès[b] (17-1-32) ; Paulette Brisepierre[a] (21-4-17) ; Jean-Pierre Cantegrit[e] (ratt.) (2-7-33) ; Pierre Croze[d] (14-5-21) ; Charles de Cuttoli [a] (15-8-15) ; Hubert Durand-Chastel[g] (8-8-18) ; Jacques Habert[g] (26-9-19) ; André Maman[g] (9-6-27) ; Paul d'Ornano[a] (1-8-22) ; Guy Penne[b] (9-6-25) ; Xavier de Villepin[e] (14-3-26).

Autres organismes

Conseil constitutionnel

■ Siège. Palais-Royal, 2, rue de Montpensier, 75001 Paris.

■ Composition. **Membres :** 9 nommés pour 9 ans (3 par le Pt de la Rép. ; 3 par le Pt du Sénat ; 3 par le Pt de l'Ass. nat.) dont le mandat n'est pas renouvelable. Le Pt de la Rép. nomme le Pt. *Ne peuvent être membres :* les membres du Gouv., du Parlement ou du Conseil écon. et social. **Membres de droit :** les anciens Pts de la Rép. *René Coty* a siégé régulièrement au Conseil jusqu'à sa mort (22-11-1962). *Vincent Auriol* s'est abstenu à partir du 25-5-1960 pour protester contre l'interprétation restrictive des compétences du Conseil, mais revint, en 1962, pour statuer sur le recours formé par Gaston Monnerville (alors Pt du Sénat) contre la loi référendaire modifiant le mode d'élection du Pt de la Rép. *De Gaulle* n'y vint jamais. *Giscard d'Estaing* s'est abstenu (il a été élu député à l'Ass. nat. le 23-9-84, réélu les 16-3-86 et 5-6-88, élu au Parl. européen en 89 et à l'Ass. nat. en 93). État (au 15-4-1992). **Nommés par le Pt de la Rép.** *F. Mitterrand :* Robert Badinter (30-3-28), Pt dep. 19-2-86 (prise de fonction 5-3). Maurice Faure (2-1-22) 22-2-89. Georges Abadie (21-11-24) 25-2-92. **Par le Pt de l'Ass. nat.** *Louis Mermaz :* Robert Fabre (21-12-15) 19-2-86. *Laurent Fabius :* Jacques Robert (29-9-28) 22-2-89. *H. Emmanuelli :* Noëlle Lenoir (27-4-48) 25-2-92. **Par le Pt du Sénat** *A. Poher :* Jacques Latscha (25-9-27) 29-8-88. Jean Cabannes (2-3-25) 22-2-89. Marcel Rudloff (15-3-23) 25-2-92.

Statut des membres. **M. nommés :** devant le Pt de la Rép. ils prêtent serment de bien et fidèlement remplir leurs fonctions, de les exercer en toute impartialité dans le respect de la Constitution, de garder le secret des délibérations et des votes, et de ne prendre aucune position publique, de ne donner aucune consultation sur les questions relevant de la compétence du Conseil. S'ils ne respectent pas ces obligations, la majorité des membres du Conseil peut les déclarer démissionnaires d'office. Ils doivent avertir le Pt du Conseil des changements dans leurs activités extérieures au Conseil. Pendant la durée de leurs fonctions : ils ne peuvent être nommés à aucun emploi public ni, s'ils sont fonctionnaires publics, recevoir une promotion au choix ; ils ne peuvent pas occuper, au sein d'un parti ou d'un groupement politique, un poste de responsabilité ou de direction et, de façon générale, y exercer une activité inconciliable avec l'indépendance et la dignité de leurs fonctions. La fin du mandat ne dépend d'aucune autorité extérieure. **M. de droit :** sont dispensés de serment.

■ Rôle. **Élections :** il veille à la régularité des élections présidentielles et des opérations de référendum : il en proclame les résultats. Il statue, en cas de contestation, sur la régularité de l'élection des députés (703 décisions rendues) et des sénateurs (74 décisions). Il prononce la déchéance ou la démission d'office des parlementaires dans les cas d'incompatibilité ou d'inéligibilité (11 décisions).

Lois et règlements : il contrôle, avant leur promulgation ou leur mise en application, la conformité à la Constitution des lois organiques (65 décisions) et des règlements des assemblées parlementaires (50 décisions). Les lois ordinaires peuvent lui être déférées par le Pt de la Rép., le Premier ministre, le Pt de l'Assemblée nationale, le Pt du Sénat ou, depuis la réforme d'oct. 1974 (voir p. 702 b), par 60 députés ou 60 sénateurs (193 décisions). Il doit alors statuer dans le délai d'un mois, délai qui peut, à la demande du Gouvernement, être ramené à 8 j. Il peut aussi être saisi par le Pt de la Rép., le Premier ministre, le Pt de l'Ass. nat. ou du Sénat et, dep. la réforme de la Constitution (25-6-1992), par 60 députés ou 60 sénateurs de la conformité à la Constitution des engagements internationaux (5 décisions). Il statue, à la demande du Premier ministre, sur la nature législative ou réglementaire des textes de forme législative intervenus depuis l'entrée en vigueur de la Constitution (173 décisions). De même si, au cours de la procédure législative, le Gouvernement et le président de l'une des assemblées parlementaires sont en désaccord sur la nature législative ou réglementaire d'une proposition ou d'un amendement, il lui revient de statuer (11 décisions).

Article 16 : il est consulté par le Pt de la Rép. sur la réunion des conditions exigées pour l'application de l'article 16 de la Constitution (pouvoirs exceptionnels) et émet un avis sur chacune des mesures prises en vertu de cet article. Il constate, à la demande du Gouvernement, l'empêchement du Pt de la Rép. d'exercer ses fonctions.

☞ **1962,** consulté, avant le référendum prévu par le Gal de Gaulle sur l'élection du Pt de la Rép. au suffrage universel direct, le Conseil émet un avis négatif (secret) ; 5 j après le référendum, le Pt du Sénat, Gaston Monnerville, le saisit pour qu'il déclare la loi adoptée contraire à la Constitution. Le Conseil déclare qu'il « n'a pas compétence pour se prononcer ». Il ajoute qu'il « n'est qu'un organe régulateur de l'activité des pouvoirs publics ». **1971,** Raymond Marcellin, ministre de l'Intérieur, fait interdire le journal « La Cause du peuple ». Simone de Beauvoir prend la tête de l'Association des amis de « La Cause du peuple ». L'Intérieur veille à ce que la préfecture refuse de délivrer le récépissé à cette association. Les gauchistes saisissent le Tribunal administratif de Paris, qui leur donne raison. L'Intérieur convainc l'Assemblée nationale de changer de loi pour que l'on puisse refuser une déclaration d'association ; mais Alain Poher, Pt du Sénat, saisit le Conseil constit., il s'appuie sur le préambule de 1958, se référant à la Déclaration des droits de l'homme et du citoyen ainsi qu'au préambule de la Const. de 1946, lequel se réfère aux « principes fondamentaux reconnus par les lois de la République ». Or la loi de 1901 proclame la liberté d'association. La *loi Marcellin* est donc inconstitutionnelle, car elle viole le principe constit. en vertu duquel toute association est libre de se créer. Si la justice peut, le cas échéant, la réprimer *a posteriori,* la police ne saurait l'empêcher *a priori.* Le *16-7,* le Conseil décide en ce sens : « Vu la Constitution, et notamment son préambule... » **1973**-*28-11,* le Conseil décide contre la jurisprudence du Conseil d'État et de la Cour de cassation : seule la loi peut assortir les contraventions de peines de prison. *27-12,* il annule un article de la loi de finances privant les gros contribuables d'un moyen de preuve contre la taxation d'office : la discrimination est contraire au principe d'égalité devant la loi, reconnu par la Déclaration des droits de l'homme. **1974** *oct.,* il suffit de 60 députés ou de 60 sénateurs pour déférer une loi au Conseil. Cette proposition de Giscard contestée par la gauche bouleverse le contrôle de constitutionnalité : jusque-là, seuls les 4 principaux personnages de l'État disposaient du droit de saisine. Il avait abouti à 9 décisions en 15 ans. Dep. 1974, 10 à 15 par an en moyenne. **1982**-*16-1,* nationalisations : la droite les estime incompatibles avec l'art. 17 de la Déclaration de 1789 : « La propriété privée étant un droit inviolable et sacré, nul ne peut en être privé, si ce n'est quand la nécessité publique, légalement constatée, l'exige évidemment... » Insistant sur l'absence de nécessité publique, le Conseil réplique qu'il appartient au législateur et non au juge constitutionnel de définir la nécessité publique. Il ajoute « sauf erreur manifeste d'appréciation ». **1992**-*9-4,* non-conformité du traité de Maastricht à la Constitution sur 3 questions ; la Const. est revue avant la ratification par le référendum du 20-9, dont le Conseil proclame les résultats le 23-9.

☞ **Censures de 1974 à 1988** (voir Quid 1990, p. 695 b).

Période	Nombre de décisions	Sens de la décision			
		Conformité à la Constitution		Non-Conformité	Incompétence Irrecevabilité
		Totale	Partielle		
Avant 1974	9	1	7	–	1
1974-1978	21	13	4	2	2
1978-1981	26	17	7	2	–
1981-1986	66	32	31	3	–
Mars 1986/déc. 1988	28	11	16	1	–
Total	*150*	*74*	*65*	*8*	*3*

Décisions rendues en 1992 : article 37 de la Constitution : 6, art. 54 : 2, art. 59 : 10, art. 60 (référendum) : 4, art. 61 (lois organiques) : 3, (règlements des assemblées) : 3, (lois ordinaires) : 5.

Conseil économique et social

■ Siège. 1, avenue d'Iéna, 75775 Paris Cedex 16. Origine. *1925 :* Conseil national économique, modifié en 1936. *Const. de 1946 :* Conseil économique. *Const. de 1958 :* Conseil économique et social.

■ Composition. 231 *membres* (désignés pour 5 ans, d'au moins 25 ans, et appartenant depuis au moins 2 ans à la catégorie qu'ils représentent) : 69 représentants des salariés désignés comme suit : 17 CFDT, 6 CFTC, 17 CGT, 17 CGT-FO, 7 Confédération fr. de l'encadrement CGC, 4 FEN et 1 salarié de l'agriculture et des organismes agr. et agro-alimentaires ; 27 repr. des entreprises privées non agr. désignés par accord entre CNPF, CGPME et ACFCI dont 1 sur proposition des jeunes dirigeants d'entreprise ; 10 repr. des artisans ; 10 des entreprises publiques désignés par décret ; 25 des exploitants agr. ; 3 des prof. libérales désignés par l'UNAPL ; 10 de la mutualité, de la coopération et du crédit agr. ; 5 des coopératives non agr. dont 2 des coop. ouvrières de production, 2 des coop. de consommateurs et 1 des Stés coop. de HLM ; 4 de la mutualité non agr. désignés par la FNMF ; 17 des activités sociales telles qu'associations familiales, logement, épargne et 5 désignés sur proposition du Conseil national de la vie associative ; 9 des activités écon. et sociales des départements, territoires et collectivités territoriales à statut particulier d'outre-mer ; 2 des Français établis hors de Fr. et 40 personnalités qualifiées dans le domaine écon., social, scientifique ou culturel désignés par décret. 68 membres sont nommés par le Gouvernement.

Bureau de 19 membres (dont 1 Pt et 4 vice-Pts). *9 sections :* Affaires sociales, Travail, Économies régionales et aménagement du territoire, Cadre de vie, Finances, Relations ext., Activités productives, recherche et technologie, Agriculture et alimentation, Problèmes écon. généraux et conjoncture, auxquelles s'ajoute la commission spéciale du Plan. *Les membres de section (72)* sont des personnalités nommées par décret pour 2 ans et appelées en raison de leur compétence à participer aux travaux des sections.

Présidents : *26-3-1947/28-4-54* Léon Jouhaux (1-7-1879/28-4-1954). *11-5-54/31-8-74* Émile Roche (24-09-1893/25-10-1990). *1-9-74/27-4-87* Gabriel Ventejol (16-2-1919/17-7-1987). *Dep. 28-7-87,* Jean Matteoli (n. 20-12-22).

■ Rôle. Donne son avis sur projets ou propositions de lois, projets d'ordonnances ou décrets qui lui sont soumis par le Gouv. et sur tout problème de caractère écon. et soc. dont il se saisit lui-même ou sur lequel le Gouv. décide de le consulter. Est obligatoirement saisi par le Gouv. des projets de lois de programme ou de plans à caractère écon. et soc. à l'exception des lois de fin. Avis et études sont publiés au *JO.*

Conseil d'État

■ Siège. Palais-Royal, 75001 Paris. Origine. Créé par la Constitution de l'an VIII.

■ Composition. 12 *auditeurs* de 2e classe et 14 de 1re classe ; 130 *maîtres des requêtes* (dont le secr. général) ; 120 *conseillers d'État* en service ordinaire ; 6 *présidents de section ;* 1 *vice-président (Marceau Long),* qui assure en réalité la présidence et la direction effectives, 12 *conseillers* en service extraordinaire, choisis parmi « les personnalités qualifiées dans les différents domaines de l'activité nationale » (ils sont nommés pour 4 ans et ne peuvent exercer leurs fonctions que dans les sections administratives). L'Ass. générale peut être présidée par le Premier ministre dont relève le Conseil d'État et, en son absence, par le garde des Sceaux. *6 sections. 5 administratives* (Finances, Intérieur, Travaux publics, Sociale et *1* du Rapport et des Études), *1 du contentieux.* **Recrutement :** *auditeurs :* exclusivement par le concours de l'École nationale d'adm. *Maîtres des requêtes :* 3/4 parmi les auditeurs, 1/4 parmi les fonctionnaires ayant au moins 10 ans de service public. *Conseillers :* 2/3 parmi les maîtres des requêtes, 1/3 à la discrétion du Gouvernement. Le statut des membres, les usages du corps, l'autonomie de gestion qui lui est reconnue sous l'autorité du vice-président assurent au Conseil d'État son indépendance.

■ **Fonctions. De conseil :** *il est consulté obligatoirement* par le Gouv. sur ses projets de lois (art. 39 de la Const.), d'ordonnances (art. 38, prises sur autorisation du Parlement, pour exécution du programme du Gouv.) ; les projets de décrets dits « en Conseil d'État » (réglementaires ou individuels, et portant sur les matières qui ne sont pas du domaine de la loi) ; les projets de décrets (art. 37) tendant à modifier une loi votée avant 1958 dans une matière relevant actuellement du domaine réglementaire ; les projets de décrets individuels relatifs à l'état des personnes ; les projets de décrets reconnaissant d'utilité publique les fondations et associations, certaines expropriations et alignements, etc. *Il peut être consulté* sur tous les autres projets de décrets du Gouv. et sur des demandes d'avis.

Juge administratif (Contentieux) : il est : **1°)** JUGE EN 1er ET DERNIER RESSORT pour : *a) les recours en annulation* contre les décrets, les actes réglementaires des ministres et les actes administratifs des min. pris obligatoirement après avis du Conseil d'État ; *b) les litiges relatifs à la situation individuelle des fonctionnaires* nommés par décret du Pt de la Rép. (art. 13 de la Const. et ordonnance du 28-11-1958) ; *c) les recours dirigés contre les actes adm.* dont l'application s'étend au-delà du ressort d'un seul trib. adm. ; *d) les litiges d'ordre adm.* nés dans les territoires non soumis à la juridiction des trib. adm. et des conseils du contentieux adm. ; *e) les recours pour excès de pouvoir* dirigés contre les décisions adm. prises par les organismes collégiaux à compétence nat. ; *f) les recours en interprétation et en appréciation de légalité des actes* dont le contentieux relève du Conseil d'État. **2°)** JUGE D'APPEL : notamment à l'égard des jugements en matière d'excès de pouvoir des trib. adm., juges de droit commun, en 1er ressort. L'appel contre les jugements en matière d'excès de pouvoir non réglementaire (c-à-d. concernant des décisions individuelles) est progressivement transféré vers les cours adm. d'appel ; c'est le cas en urbanisme dep. le 1-9-1992. 3°) JUGE DE CASSATION de toutes les décisions des juridictions adm. statuant en dernier ressort, notamment les cours adm. d'appel.

Autres attributions. Depuis le 1-1-1990, le Conseil d'État gère trib. adm. (TA) et cours adm. d'appel (CAA). Le vice-Pt du Conseil d'État est ordonnateur principal du budget de ces juridictions et préside le Conseil sup. des TA et des CAA, organe chargé de suivre la carrière des membres des TA et des CAA et de proposer mutations et avancements au Pt de la Rép. Exerce un contrôle sur le fonctionnement des TA par « la mission permanente d'inspection des juridictions adm. ». S'adresser au Pt de la section du Rapport et des Études en cas de difficulté rencontrée par un requérant dans l'exécution d'une décision de la juridiction adm. rendue en sa faveur.

Les décisions rendues par le Conseil d'État ne sont pas susceptibles de recours, sauf cas exceptionnels : recours en rectification d'erreur matérielle, en opposition, en tierce opposition, en révision.

■ **Statistiques** (1992). Recours enregistrés : 11 106 ; décisions rendues : 9 832 ; aff. en instance à la fin de l'année judiciaire : 23 121.

CONSEIL SUPÉRIEUR DE LA MAGISTRATURE

■ **Siège.** 15, quai Branly, 75007 Paris. Bureaux à la Présidence de la République.

■ **Composition.** 9 *membres* désignés pour 4 ans par le Pt de la Rép. : 6 magistrats qu'il choisit sur une liste de 18 noms établie par le bureau de la Cour de cassation, 1 conseiller d'État qu'il choisit sur une liste de 3 noms établie par l'assemblée générale du Conseil d'État, 2 personnalités directement choisies par ses soins « en raison de leur compétence » ; Bernard Bacou (21-10-38), François Bernard (21-12-33), Marie-Christine Degrandi, Christian Graeff (12-11-25), Léopold Lambotte, Jean-Claude Lecante, Paul Legatte (26-8-16), Jacques Souppe, Guy Vernette ; *secr. :* Paule Dayan (17-1-44). Le Pt de la Rép. préside le Conseil, mais le min. de la Justice, vice-Pt de droit, peut le suppléer.

■ **Rôle.** Soumet au Pt de la Rép. les propositions de nomination de certains hauts magistrats du siège et donne son avis sur les propositions de nomination faites par le ministre de la Justice pour les autres magistrats du siège. Statue comme conseil de discipline des magistrats du siège (sous la présidence du Premier Pt de la Cour de cassation).

HAUTE COUR DE JUSTICE

■ **Composition.** Constitution de 1958. 24 *juges titulaires* et 12 *j. suppléants élus* au scrutin secret et à la majorité absolue, en leur sein et en nombre égal par l'Assemblée nat. et par le Sénat, après chaque renouvellement général ou partiel de ces assemblées. L'élection doit, d'après la loi organique du 2-1-1959, avoir lieu à l'Ass. nat. dans le 1er mois de chaque législature, et au Sénat dans le mois qui suit chaque renouvellement triennal. Les candidats doivent obtenir la majorité absolue des voix dans chaque chambre. Une condition qui n'est pratiquement jamais remplie à l'Ass. nat. dont le règlement intérieur n'autorise pas dans ce cas la délégation de vote (qui est permise au Sénat). Entre 1958 et 78, la Haute Cour n'a jamais pu être constituée, la majorité absolue des voix n'ayant jamais été atteinte par les candidats. Depuis, le Sénat avait élu le 26-10-1989 12 juges (2 PS, 4 UDC, 1 RDE, 3 RPR, 1 UREI, 1 PC), mais l'Ass. nat. n'a pas élu les siens (le 19-4-1989, le PS avait présenté 12 candidats cherchant, selon « Le Figaro », à bloquer le système pour éviter la comparution de Christian Nucci, celui-ci sera amnistié en avril 1990).

Après chaque renouvellement de la moitié de ses membres, la Haute Cour élit son Pt et 2 vice-Pts, en scrutin secret et à la majorité absolue. Le ministère public est exercé par le procureur général près la Cour de cassation, assisté du 1er avocat général et de 2 av. gén. désignés par lui. L'instruction est confiée à une commission de 5 magistrats titulaires (et 2 suppléants) désignés chaque année, parmi les mag. du siège de la Cour de cassation, par son Bureau. Le greffier en chef de la Cour de cassation est, de droit, greffier de la Haute Cour de justice. *Composition* (au 1-3-1993) : élus par le Sénat (27-10-92) : 12 titulaires (3 RPR, 3 S, 2 UREI, 2 UC, 1 RDE, 1 PC) + 6 suppléants. Ass. nat. (18-11-92) : 12 titulaires (5 PS, 3 RPR, 2 UDF, 1 UDC, 1 PC) + 6 suppléants. *Pt* Louis Brives (n. 24-7-1912) (RDE). *Vice-Pts* Pierre Mazeaud (n. 24-8-1929) (RPR), Michel Dreyfus-Schmidt (n. 17-1-1932) (PS).

■ **Rôle.** Elle juge le Pt de la Rép. en cas de haute trahison, les ministres pour crimes ou délits commis dans l'exercice de leurs fonctions, ainsi que leurs complices dans les cas de complots contre la sûreté de l'État. La Hte Cour n'est saisie qu'après mise en accusation votée à la majorité absolue des membres par chaque assemblée. La résolution de saisie doit être signée du dixième des membres de l'Assemblée, examinée par le bureau de celle-ci, soumise à une commission spéciale de 15 membres désignés à la proportionnelle des groupes politiques, qui décidera de la recevabilité, et enfin transmise à la Haute Cour, qui se réunit alors pour juger. Les débats sont publics et les arrêts de la Haute Cour ne sont susceptibles ni d'appel ni de pourvoi en cassation.

PROCÈS EN HAUTE COUR

Constitution du 3-9-1791 : prévoit que le Corps législatif a le droit de poursuivre devant une Haute Cour nat. les min. et principaux agents du pouvoir exécutif. Pour éviter la pression populaire, elle doit siéger à 30 000 toises de Paris. Elle comprend un haut jury de 24 m., 4 grands juges et 4 grands procurateurs. Installée à Orléans le 4-2-1792. *6-8-1792 : Delattre* (professeur à la faculté de droit de Paris, accusé d'avoir envoyé son fils rejoindre Calonne à Coblence) acquitté. *28-8-1792 : Dulery* (capitaine gén. des fermes, accusé d'intelligence avec l'armée ennemie) condamné à mort (500 à 600 patriotes étaient venus de Paris). **Convention :** supprime la Haute Cour. Le procès de Louis XVI (11-12-1792/20-1-1793) se déroule devant elle bien qu'aucune loi ne lui en donne le droit. **Constitution de l'An III (1795) :** crée une Haute Cour de justice qui comprend des magistrats et hauts jurés. Elle juge « les accusations admises par le Corps législatif, soit contre ses propres m., soit contre ceux du Directoire exécutif » et doit siéger à plus de 120 km de Paris. *20-2-1797 :* juge, à Vendôme, *Gracchus Babeuf* et ses complices dont Drouet (avait fait arrêter Louis XVI le 21-6-1791 à Varennes), 26-5 Babeuf et Darthé condamnés à mort, sont exécutés le 27, Drouet s'est évadé. **Constitution impériale de 1804 :** institue une Haute Cour comprenant des princes, des grands dignitaires et grands officiers de l'Empire, le min. de la Justice, 60 sénateurs, 20 conseillers d'État, 20 m. de la Cour de cassation appelés par ordre d'ancienneté. *Pt :* Cambacérès (archichancellier de l'Empire). Elle juge en particulier les délits commis par les min. Ne s'est jamais réunie. **Chartes de 1814 et de 1830 :** transfèrent les attributions à la Chambre des pairs saisie par la Chambre des députés. *1815 : M[al] Ney* (aurait dû passer en Conseil de guerre, mais a invoqué sa qualité de pair de France) condamné à mort par 139 voix pour, 5 abstentions et 16 v. pour la déportation. *15-12-1830 : Polignac, Chantelauze, Peyronnet, Guernon-Ranville* (min. de Charles X, accusés d'avoir signé les ordonnances) condamnés à la détention perpétuelle avec la mort civile pour Polignac, amnistiés en 1836. *1841 : P[ce] Louis-Napoléon Bonaparte* (accusé d'avoir tenté de soulever la garnison de Boulogne) condamné à la prison à vie. Procès pour prévarication du *Gal Despans-Cubières* (anciens min. de la Guerre) condamné à la dégradation civique et 10 000 F d'amende, réhabilité par Napoléon III. *Jean-Baptiste Teste* (min. des Travaux publics) condamné à 3 ans de prison, dégradation civique et 94 000 F d'amende, manque son suicide en prison.

Second Empire : Hte Cour comprenant des magistrats de la Cour de cassation et des jurés tirés au sort parmi les conseillers gén. *Mars 1870 : P[ce] Pierre Bonaparte* (cousin de l'Empereur, accusé d'avoir tué le journaliste Victor Noir) acquitté le 27-3, doit verser 25 000 F de dommages-intérêts à la famille.

IIIe Rép. : *L'art. 12 de la loi du 16-7-1875* permet au Sénat de se constituer en Haute Cour pour juger les min. ayant « commis des crimes dans l'exercice de leurs fonctions ». Procédure nécessitant le vote de la Chambre des députés. *Gal Boulanger* (traduit par défaut, il s'était réfugié en Belgique avec sa maîtresse, Mme de Bonnemain) condamné à la déportation en 1889. *Paul Déroulède* (dirigeant de la Ligue des patriotes, condamné pour « avoir concerté et arrêté en 1898 et 1899, avec une ou plusieurs personnes, un complot ayant pour but de détruire ou changer la forme du gouvernement »). *Joseph Caillaux* (ministre, on lui reprochait d'avoir mené des tractations secrètes avec l'Allemagne) condamné, févr. 1920, à 3 ans de prison, 10 ans de privation de droits civiques et 5 ans d'interdiction de séjour ; 1924 ou 26, après amnistie, il redevient min. des Finances. *Jean-Louis Malvy* accusé d'avoir mené des actions favorables à l'Allemagne [condamné le 6-8-1918 à 5 ans de bannissement pour avoir méconnu les devoirs de sa charge (min. de l'Intérieur pendant la guerre de 1914-18, il avait été impliqué dans l'affaire du « Bonnet rouge », hebdomadaire antimilitariste) ; à son retour d'Espagne, il fut réélu député, Pt de la commission des Finances et du 13-3 au 8-4-1928 min. de l'Intérieur]. *Raoul Péret* (garde des Sceaux, accusé d'être avocat d'Oustric et de l'avoir aidé du temps où il était min. des Finances) 25-3-1931, traduit devant la Cour par un vote, apparemment unanime, de la Chambre des députés ; finalement acquitté faute de preuves.

État français : *l'acte constitutionnel n° 5 du 30-7-1940* crée une Cour suprême de justice qui juge les personnes ayant commis des crimes ou délits ou trahi les devoirs de leurs fonctions dans les actes ayant entraîné le conflit avec l'All. *Pt :* Pt de la Chambre criminelle de la Cour de cassation. *Vice-Pt :* choisi parmi les m. ou anciens m. de la Cour de cassation. 5 conseillers dont 1 amiral et 1 avoué au tribunal de la Seine et 1 prof. de droit m. de l'Institut. En fait, créée pour juger *Léon Blum, Édouard Daladier, Gal Gamelin, Guy La Chambre, Jacomet* et *Pierre Cot :* oct. 1941 instruction terminée ; *19-2-1942* début du procès à Riom ; 11-4 ajourné.

IVe République : Haute Cour créée par l'*ordonnance du 18-11-1944.* Elle est compétente pour juger min. et fonctionnaires du régime de Vichy. Comprend le 1er Pt et le Pt de la Chambre criminelle de la Cour de cassation, le 1er Pt de la cour d'appel de Paris, 24 jurés tirés au sort sur 2 listes établies par l'Ass. consultative provisoire (une de 50 parlementaires en cours de mandat au 1-9-1940 et une de 50 autres personnes en général issues de la Résistance). Juge 5 affaires : *M[al] Pétain, amiral Esteva, Gal Dentz, Joseph Darnand et Pierre Laval :* 4 condamnations à mort dont 2 exécutions (Darnand et Laval), 1 détention à perpétuité (Esteva). La loi du 27-12-1945 modifia sa composition : 1 Pt et 2 vice-Pts élus par l'Ass. et 24 jurés tirés au sort parmi les députés. Siège au Sénat la dernière fois le 1-7-1949 : *André Parmentier* (préfet de Rouen) dégradé pour 5 ans. Sinon la Haute Cour ne fut pas réunie. Les députés rejetèrent les demandes formulées : 1°) par les députés communistes contre *Félix Gouin, Christian Pineau, Jules Moch* (« Scandale du vin » : des collaborateurs de ministres de la SFIO étaient accusés d'avoir profité de la pénurie des lendemains de la Libération) ; 2°) le 29-3-1950 contre *Henri Queuille* (Pt du Conseil) et *Paul Ramadier* (min. de la Défense) ; 3°) le 5-5 et le 24-11-1950 contre *Jules Moch* (min. de l'Intérieur), dans l'affaire dite des « généraux » (le rapport secret du *Gal Revers* était parvenu au Viêt-minh).

Ve République : Haute Cour présidée par Jean de Broglie, 2 vice-Pts, 13 jurés dont 7 députés et 6 sénateurs. *23-3-1960 :* de Vichy, Abel Bonnard (ancien min. de l'Éducation nat., réfugié en Espagne, 4-6-1945 condamné à mort par contumace) condamné à 10 ans de bannissement commençant à son départ en Espagne, sort donc libre. La Haute Cour n'a pas encore siégé. *Le 20-1-1981,* la commission de l'Ass. nat. refusa la demande formulée par socialistes et communistes contre *Michel Poniatowski* après la publication de documents tendant à prouver que l'ancien min. de l'Intérieur avait pu être informé de la menace visant Jean de Broglie, assassiné le 24-12-1976. *En juin 1983 :* le bureau de l'Assemblée jugea irrecevable la demande du RPR contre *Charles Fiterman* et *Jack Ralite* pour leurs déclarations sur les jugements des tribunaux administratifs annulant les élections municipales dans plusieurs communes administrées par le PC. *En 1986 :* le bureau de l'Assemblée jugea irrecevables les demandes contre *Charles Pasqua* et *Robert Pandraud* (affaire du « vrai faux » passeport). *En 1987 :* l'Ass. nat. et le Sénat ont voté la mise en accusation de *Christian Nucci* (ancien min. de la Coopération) qui fut inculpé mais la Commission d'instruction de la Haute Cour de justice rendit un arrêt de non-lieu (4-4-1990) constatant les effets de la loi d'amnistie du 15-1-1990. Le *20-12-1992 :* une résolution de l'Ass. nat. et du Sénat a renvoyé devant la Commission d'instruction de la Haute Cour de justice *Laurent Fabius,* ancien Premier min., *Georgina Dufoix,* ancien min. des Affaires sociales et de la Solidarité nat., et *Edmond Hervé,* ancien secr. d'État chargé de la Santé (affaire dite « du sang contaminé »).

Médiateur de la République

■ **Siège.** 53, av. d'Iéna, 75116 Paris. *Minitel* 3615 Vos droits. **Origine.** Institution *créée* par la loi du 3-1-1973, *complétée* par les lois du 24-12-76 et du 13-1-89, et *modifiée* par la loi du 6-2-1992. **Médiateur** (nommé pour 6 ans par décret en Conseil des ministres). *1973* (1-2) Antoine Pinay (30-11-1891). *1974* (21-6) Aimé Paquet (10-5-1913). *1980* (20-9) Robert Fabre (21-12-1915). *1986* (26-2) Paul Legatte (26-8-1916). *1992* (7-3) Jacques Pelletier (1-8-1929). **Délégué gén.** René Vial (17-4-1936). **Secr. gén.** Claude Desjean (21-9-1948).

■ **Personnel** (au 1-1-93). 70 dont 14 *chargés de mission ;* 19 *consultants.* Des *délégués départementaux* ont pour mission : information, conseil, orientation du public, instruction d'affaires à la demande du médiateur, recherche d'un règlement amiable par intervention auprès des services publics locaux et départementaux. Siègent à la Préfecture.

■ **Rôle.** Intervient lorsqu'il y a litige entre une personne physique ou morale et une administration de l'État, une collectivité territoriale, un établissement public ou tout autre organisme investi d'une mission de service public. S'efforce de régler les situations individuelles nées du fonctionnement défectueux d'un service public ou les difficultés résultant des conséquences inéquitables d'une décision administrative. L'organisme mis en cause doit être français. Le médiateur ne peut remettre en cause le bien-fondé d'une décision juridictionnelle mais il peut, parallèlement à la saisie de la Justice, trouver une solution amiable au litige. Mais il est incompétent si l'affaire a fait l'objet d'un jugement, si le litige intéresse les relations des administrations avec leurs agents, si des démarches préalables n'ont pas été entreprises par le réclamant auprès de l'administration ou du service public mis en cause. Lorsqu'une juridiction est saisie ou s'est prononcée, le médiateur peut néanmoins faire des *recommandations* à l'organisme en cause. En cas d'inexécution de justice, il peut adresser une *injonction.* Agit par *recommandation* lorsqu'il s'agit de satisfaire un cas particulier et par *proposition de réforme* lorsqu'il s'agit d'améliorer le fonctionnement d'un organisme. Peut interroger les agents des services en cause et se faire communiquer tout document ou dossier relatif à l'enquête, engager une procédure disciplinaire ou saisir la juridiction répressive contre le responsable.

☞ On peut rattacher la fonction de médiateur à celle des *« Ombudsman »* (d'origine suédoise) à l'étranger. Leur désignation (de l'élection par le Parlement à la nomination par le chef d'État) ainsi que leurs pouvoirs et leur nombre varient selon les pays (il existe dans certains pays des médiateurs spécialisés).

■ **Saisine.** Une réclamation doit obligatoirement être transmise au médiateur par l'intermédiaire d'un parlementaire (député ou sénateur). Elle doit formellement demander l'intervention du médiateur et être signée de son auteur. Le médiateur peut être saisi au nom d'une personne morale, à condition que la personne physique qui le saisit ait elle-même un intérêt direct à agir. Des démarches préalables doivent avoir été entreprises par le réclamant auprès de l'administration ou du service public mis en cause. Le recours au médiateur est gratuit.

■ **Quelques chiffres. Budget** (en milliers de F) : *1980 :* 4 651 ; *85 :* 7 574 ; *90 :* 16 700 ; *93 :* 24 100. **Dossiers reçus** (en milliers) : *1986 :* 13,9 ; *90 :* 23 ; *92 :* 35. **Propositions de réforme présentées :** *1985 :* 33 ; *91 :* 28 ; *92 :* 18.

Conseil supérieur des Français de l'étranger

■ **Siège.** 23, rue La Pérouse, 75775 Paris Cedex 16. **Institué** en 1948. Assemblée consultative, présidée par le min. des Affaires étrangères. Assemblée plénière 1 fois par an. Bureau permanent réuni 3 fois par an.

■ **Composition.** Dep. 1990, 150 membres élus pour 6 ans, et renouvelables par moitié tous les trois ans, au suffr. direct et universel, 21 personnalités désignées par le min. et choisies pour leur compétence et 12 sénateurs représentant les Fr. établis hors de France. Les membres élus forment le collège électoral pour cette élection directe (le Sénat n'ayant plus à en approuver le résultat). Au 14-12-1992 : Hubert Durand Chastel (8-8-18), Guy Penne (9-6-25), Xavier de Villepin (14-3-26), Charles de Cuttoli (15-8-15), Jacques Habert (26-9-19), Pierre Croze (14-5-21), Paul d'Ornano (1-8-22), Jean-Pierre Cantegrit (2-7-33), Monique Ben Guiga (20-6-42), André Maman (9-6-27), Paulette Brisepierre (21-4-17) et Pierre Biarnès (17-1-32).

■ **Commissions permanentes en 1993.** 4 : aff. sociales ; aff. économiques, fiscales et fin. ; enseignement, culture et information ; représentation et droits des Fr. de l'étr. *1 temporaire :* anciens combattants.

Grands corps de l'État

Cour des comptes

■ **Siège.** 13, rue Cambon, 75100 Paris RP. **Origine.** Loi du 16-9-1807 et loi n° 67-483 du 22-6-1967, et décret n° 85-199 du 11-2-1985.

■ **Composition** (au 1-4-93). 1 *premier Pt* [Pierre Joxe (28-11-1934)], 1 *procureur général,* 7 *Pts de chambre,* 95 *conseillers maîtres,* 1 *secrétaire général,* 2 *secr. gén. adj.* (le secrétariat gén. assiste le 1er Pt dans l'organisation du travail, l'administration et les relations extérieures de la Cour), 112 *conseillers référendaires,* 1 *premier av. gén.,* 2 *av. gén.,* 46 *auditeurs* de 1re et 2e cl., 10 *conseillers maîtres* en service extraordinaire, 25 *conseillers maîtres ou référendaires* affectés en qualité de Pts des Chambres régionales et territoriales des comptes. **Recrutement :** *auditeurs :* parmi les anciens élèves de l'ENA. *Conseillers référendaires :* pour 4 nommés, 3 choisis parmi les auditeurs et 1 nommé au « tour extérieur » (choix du Gouv.). *Conseillers maîtres :* pour 3 nommés, 2 choisis parmi les conseillers réf., et 1 au « tour extérieur ». *Pt de chambre :* parmi les conseillers maîtres.

■ **Rôle.** *Contrôle général a posteriori des finances publiques* (juridictionnel et de gestion), la Cour est la juridiction financière de droit commun. **Chambres régionales et territoriales des comptes :** *créées* par la loi du 2-3-1982 (organisation précisée par la loi du 10-7-1982, modifiée par la loi du 5-1-1988) ; *contrôle depuis 1983 communes, départements, régions et établ. publics relevant de ces collectivités ;* leurs jugements sont susceptibles d'appel devant la Cour des comptes. Les comptes des communes ou groupements de communes d'un max. de 3 500 hab., et dont le montant des recettes ordinaires figurant au dernier compte administratif est inférieur à 2 millions de F, font l'objet d'un apurement administratif par les trésoriers-payeurs généraux ou les receveurs particuliers des finances.

La Cour contrôle la gestion financière des administrations et dénonce les errements préjudiciables aux finances publiques. Elle s'assure notamment du bon emploi des crédits, fonds et valeurs gérés par les services de l'État et par les autres personnes morales de droit public. *Elle contrôle également la Sécurité sociale, les comptes et la gestion des entreprises publiques et de leurs filiales ;* et, sous certaines conditions, des *organisations de droit privé bénéficiant de concours financiers publics et des organismes faisant appel à la générosité publique.*

Rapport public. Remis chaque année par le Pt au Pt de la Rép. et au Parlement avec les réponses des ministres intéressés. Il informe les autorités administratives en leur laissant la responsabilité des sanctions à prendre ou des réformes à accomplir (publié au *JO*). La publicité qui lui est donnée par la presse incite les administrations à corriger les erreurs reprochées. Depuis 1991, la Cour publie des rapports sur des enquêtes spécifiques plusieurs fois par an. Les administrateurs ayant commis des irrégularités budgétaires peuvent, sous certaines conditions, être déférés devant la Cour de discipline budgétaire.

Exécution des lois de finances. La Cour assiste le Parlement dans sa mission de contrôle de l'exécution des lois de fin. en établissant, chaque année, *un rapport* en vue du règlement du budget de l'État pour l'exercice écoulé. Elle répond également aux demandes d'enquêtes qui lui sont présentées par les Commissions des fin. de l'Ass. nat. et du Sénat.

■ **Organismes siégeant à la Cour des comptes (et présidés par le 1er Pt de la Cour). Cour de discipline budgétaire et financière :** peut infliger une amende à tout auteur de fautes de gestion commises à l'égard de l'État et des collectivités publiques dans les conditions définies par la loi du 25-9-1948 modifiée par les lois du 31-7-1963 et du 13-7-1971. **Comité central d'enquête sur le coût et le rendement des services publics :** *créé* 9-8-1946. **Conseil des impôts :** *créé* 22-2-1971. *Mission :* constater la répartition de la charge fiscale et mesurer son évolution, compte tenu notamment des caractéristiques économiques et sociales des catégories de redevables concernés.

Inspection générale des Finances

■ **Siège.** Min. de l'Économie et des Finances. **Origine.** Inspection générale du Trésor créée 6-9-1801 ; nom actuel dep. 1816 (fusion avec l'Insp. gén. des Contributions directes et du Cadastre). **Composition** (décret n° 73-276 du 14-3-1973 modifié par le décret n° 85-219 du 15-2-1985). *2 grades :* inspecteur général (au nombre de 32), inspecteur [4 classes : 1re cl. (19), 2e (25), 3e ou adjoints (34)]. **Recrutement :** à la sortie de l'ENA, 1/3 des inspecteurs de 2e classe et 1/4 des inspecteurs généraux sont nommés au « tour extérieur ».

■ **Rôle.** *Vérification :* sur place de la gestion des services extérieurs du ministère de l'Ec. et des Fin., de tous les comptables publics et de la comptabilité administrative des ordonnateurs secondaires ; des organismes soumis à son contrôle d'après les textes qui les régissent, de tous les établissements publics, organismes semi-publics et entreprises soumis au contrôle économique et financier de l'État. *Audit :* de structures ou de procédures pour le compte d'organismes qui font appel à elle. *Évaluation :* de politiques publiques (décret publié au *JO* du 24-1-1990). *Enquête :* sur des problèmes économiques et financiers d'actualité.

Nota. – Les inspecteurs des Fin. sont très souvent détachés dans les administrations publiques, les entreprises financières, industrielles ou commerciales du secteur public, ou les organismes internationaux.

Inspection générale de l'Administration

■ **Siège.** 15, rue Cambacérès, 75008 Paris. **Origine.** Remonte à 1781 (créée par Necker). **Composition.** 25 *inspecteurs généraux,* 13 *inspecteurs,* 13 *inspecteurs adjoints.* **Recrutement :** insp. adjoint : parmi les anciens élèves de l'ENA.

■ **Rôle.** Contrôle supérieur sur tous personnels, collectivités publiques, services, établissements ou institutions relevant du min. de l'Intérieur ou sur lesquels les préfets exercent leur contrôle, même s'ils sont soumis aux vérifications d'un autre corps d'inspection ou de contrôle spécialisé.

Ses membres peuvent recevoir des lettres de mission signées du Premier ministre, du ou des ministres intéressés et du ministre de l'Intérieur, étendant leurs attributions à des personnels, collectivités publiques, services, établissements ou institutions relevant d'autres départements que celui de l'Intérieur.

Effectue en outre des missions permanentes de contrôle (préfectures) et apporte une assistance technique, à leur demande, aux collectivités locales et organismes en relevant.

Contrôle général des armées

■ **Siège.** 14, rue St-Dominique, 75007 Paris. **Composition.** 144 contrôleurs généraux et contrôleurs. **Recrutement** par concours parmi les officiers et les membres des corps recrutés par la voie de l'ÉNA ou de Polytechnique.

■ **Rôle.** Assiste le ministre chargé des armées pour la direction de la gestion de son ministère en vérifiant, dans tous les organismes soumis à son autorité ou à sa tutelle, l'observation des lois, règlements et instructions ministérielles ainsi que l'opportunité des décisions et l'efficacité des résultats au regard des objectifs fixés et du bon emploi des deniers publics...

Diplomatie

Généralités

☞ **Langue diplomatique** (voir Index).

■ **Origine du mot.** Dérivé lointain du grec *diploma,* « feuille pliée en deux », c'est-à-dire les parchemins et, par suite, les actes officiels ou juridiques passés sur parchemin (le sens de « brevet universitaire » ne date que de 1829). Dep. le XVIIe s., on appelle

« diplomatique » l'étude des documents historiques [en latin moderne, *res diplomatica* (Mabillon 1681)]. En 1726, le terme s'applique à l'étude des traités internationaux (traditionnellement rédigés sur parchemin) puis, à partir de Vergennes (1774), à l'art de les négocier. En 1791, par analogie avec *aristocratie,* on forge le terme « diplomatie » (légèrement méprisant), et en 1792 le terme « diplomate » (analogique d'*aristocrate*). Le mot *diplomatique* reprend le sens que lui donnait Mabillon.

■ **Organisation.** Dans le passé, les rapports personnels entre les souverains avaient une grande influence sur les relations internationales (en 1900, il n'y avait que 3 Républiques en Europe : France, Suisse et St-Marin). A côté de la politique officielle de leur gouvernement, ils entretenaient intrigues et manœuvres. Les responsables des Aff. étrangères étaient peu nombreux et le secret était le plus souvent de règle. Les missions dipl. menaient les négociations. Les ambassadeurs recevaient des instructions générales leur permettant de manœuvrer au mieux des circonstances. Les Premiers ministres ou les ministres des Aff. étrangères se déplaçaient rarement et, s'ils le faisaient, leurs voyages, préparés longtemps à l'avance, consacraient seulement des résultats acquis avant leur départ.

■ **Diplomates et personnel.** Les missions extraordinaires revenant très cher, aux XVe et XVIe s. on envoyait des missions permanentes d'un rang inférieur. En 1815-18, les agents diplomatiques furent divisés en 4 classes.

Corps diplomatique : ensemble des chefs de mission accrédités auprès du même chef d'État. A sa tête se trouve le *doyen* (intermédiaire entre le Corps diplomatique, dont il défend les intérêts, et le gouvernement du pays). En principe, le doyen est le chef de mission de la catégorie la plus élevée qui a remis ses lettres de créance à la date la plus ancienne ; mais, dans certains pays catholiques (dont la France), c'est traditionnellement le *nonce.*

Missions diplomatiques : comprennent chef de mission, conseillers, secrétaires, attachés d'ambassade, courriers, attachés de Défense, attachés commerciaux, financiers, culturels, de presse, agricoles, etc.

On distingue : *les membres du personnel de la mission* (personnels diplomatique, administratif et technique, de service) ; *les membres du personnel diplomatique* (ayant la qualité de diplomate) ; *les agents diplomatiques* (chef de la mission et m. du personnel diplomatique) ; *les membres de la famille d'un diplomate.*

■ **Ambassadeurs.** Avant 1945, seules les personnalités nommées à la tête d'une ambassade avaient la qualité d'*ambassadeur de France,* les titulaires de légation portaient le titre d'*envoyé extraordinaire* et *ministre plénipotentiaire.* Après 1945, la France éleva par réciprocité certaines de ses légations au rang d'ambassades. Les missions dipl. sont maintenant dirigées par des *ambassadeurs extraordinaires et plénipotentiaires* qui n'ont droit à ce titre que pendant la durée de leur mission. La dignité *d'ambassadeur de France* est conférée dans quelques cas (nombre fixé chaque année par la loi de finances) et seuls peuvent continuer à porter le titre d'amb. lorsqu'ils n'assument plus de fonctions dipl., ceux qui l'ont reçue.

Consul : leur usage ne s'est généralisé qu'aux XVIe et XVIIe s. (surtout sous Louis XIV). En France, les consulats dépendent du min. des Aff. étr. dep. la Révolution (auparavant, dépendaient du min. de la Marine) ; lorsque, en 1799, les chefs de la Rép. fr. prirent le titre de consuls, les consuls commerciaux devinrent des « agents pour les relations commerciales ». Agent officiel d'un État, le consul exerce dans un territoire étranger déterminé l'autorité que l'État conserve sur ses ressortissants qui y sont établis. Il les assiste, assure leur protection générale et veille au respect des divers traités. C'est un administrateur et un observateur qui, notamment, délivre passeports et visas, exerce les fonctions d'officier d'état civil et de notaire, intervient en matière de succession et pour la protection des incapables, fait représenter les ressortissants nationaux devant les tribunaux et transmet les actes judiciaires, contrôle et assiste les bâtiments de commerce nationaux et exerce la police à bord. En outre, il s'informe sur l'évolution de la vie économique, favorise le développement des relations entre les 2 pays. Ses pouvoirs sont limités par l'État qui l'envoie et par l'État de résidence.

4 classes : *consulats généraux, consulats, vice-consulats* (terme technique français : « chancellerie détachée ») , *agences consulaires* (tenues par des délégués des consuls généraux ou des consuls dans certaines villes où la communauté française le justifie).

Attaché : l'usage de détacher dans les missions des officiers chargés d'étudier les questions militaires, d'assister aux manœuvres de l'armée apparaît sous l'Empire ; l'institution se régularisa et s'étendit surtout à partir de 1860 (exemple : attaché naval en 1885, attaché de l'Air en 1932).

☞ **Ambassades d'obédience.** Exigées autrefois des souverains catholiques par les papes. **Amb. d'excuses.** Ex. : envoi par Gênes à Louis XIV (1685) ; par la G.-B. à Moscou (1709).

■ **Introducteur des ambassadeurs.** Charge fixe dep. 1585. Depuis déc. 1988 : André Gadaud (20-5-37).

■ **Secrétaire général du Quai d'Orsay.** *1988* François Scheer (13-3-34) démissionne à la suite de l'affaire Habache (voir index). *1992* (févr.) Serge Boidevaix (15-8-28).

Privilèges et pièces diplomatiques

■ **Lettres de créance.** Lettres officielles dont est muni le nouveau chef de mission par son gouvernement ; elles sont placées sous une enveloppe scellée à la cire, en principe ouverte par le chef de l'État lors de sa présentation (y est jointe une copie pour le min. des Affaires étrangères).

Les chargés d'affaires avec lettres reçoivent des *lettres de cabinet* adressées par le min. des Aff. étrangères à son collègue. Le consul est muni d'une *lettre de provision* (appelée aussi *patente* ou *commission consulaire*). L'État de résidence lui confère, par l'*exequatur,* le libre exercice des pouvoirs prévus et la jouissance des privilèges et immunités attachés à sa qualité. Il peut, à tout moment et sans avoir à motiver sa décision, déclarer le chef ou tout autre membre du personnel diplomatique de la mission *persona non grata,* ou également décider que tout autre membre du personnel de la mission n'est pas acceptable.

■ **Immunités diplomatiques.** Ont existé de tous temps. La convention de Vienne du 18-4-1961 les a codifiées et complétées. Souvent désignées sous le terme d'*exterritorialité,* elles impliquent :

1°) *L'inviolabilité personnelle :* qui interdit toute mesure d'arrestation ou de détention et qui couvre tout le personnel officiel ou non officiel de la mission (y compris sa famille et ses domestiques). 2°) *L'inviolabilité de la correspondance dipl. :* les *valises* dipl., qui ne peuvent contenir que des documents dipl. et des objets à usage officiel, ne doivent être ni ouvertes ni retenues. Elles sont accompagnées par un « courrier de cabinet ». 3°) *L'inviolabilité de l'hôtel* (demeure du chef de mission dipl.). 4°) *L'inviolabilité des archives dipl. :* en cas de rupture dipl., les archives antérieures à la rupture sont inviolables (incertitude pour les archives postérieures).

☞ **Droit d'asile :** l'inviolabilité de l'hôtel (résidence de l'ambassadeur) a parfois permis de pratiquer le droit d'asile qui a donné lieu à des contestations (la convention de Vienne sur les relations dipl. du 18-4-1961 ne le mentionne pas). De nombreux pays européens (Albanie, Allemagne, Biélorussie, France, Hongrie, Italie, Russie, Ukraine, Yougoslavie) et certains pays d'Amérique latine (tels Cuba, Guatemala, Haïti) garantissent l'asile à toute personne persécutée pour des raisons d'ordre politique. Ces États (env. 120) sont ceux qui ont signé et ratifié la convention de Genève relative au statut des réfugiés du 28-7-1951, qui mentionne dans son préambule le droit d'asile. Les missions dipl. françaises ont fréquemment hébergé des réfugiés politiques (ex. Chili, à partir de sept. 1973 ; Albanie en 1990).

Passeports diplomatiques : les fonctionnaires des carrières dipl. et consulaires sont titulaires d'un passeport particulier qui, lors de missions à l'étranger, leur permet de justifier de leur qualité et de bénéficier des privilèges et immunités qui y sont attachés. Des *pass. de service* peuvent être donnés aux agents en mission qui n'ont pas droit au pass. dipl.

Préséance officielle : en France, dans une réunion officielle, le Corps dipl. est placé immédiatement après le chef de l'État, le PM et les présidents des Assemblées élues. S'il s'agit des ambassadeurs pris individuellement dans une réunion officielle ou privée, ils doivent précéder toutes les autorités nationales, sauf le chef de l'État, le PM et le ministre des Affaires étrangères.

Statistiques

■ **Effectifs des fonctionnaires du ministère des Affaires étrangères** (2-2-1993). Catégorie A 1 695, B 1 219, C 4 310. Enseignants et coopérants dans le secteur culturel et de coopération 2 900, dans le réseau de l'AEFE (Agence pour l'enseignement français à l'étranger) 5 000.

Nombre de postes. 1816 : *9 ambassades :* St-Siège, Espagne, Deux-Siciles, Angleterre, Autriche, Portugal, Russie, Sardaigne et Turquie. *14 autres ministres plénipotentiaires* (Bade, Bavière, Danemark, États-Unis, Hambourg, Hanovre, Hesse-Darmstadt, Provinces-Unies, Prusse, Suède et Norvège, Suisse, Toscane, Wurtemberg, Confédération germanique). **1914 :** *10 amb. ; 49 min. plén.* dont 28 dirigent des légations ; *36 consulats généraux ; 77 consulats.* **1918 à 1940 :** 5 légations transformées en amb. (Bruxelles 1919, Rio de Janeiro 1919, Varsovie 1924, Buenos Aires 1927, Bucarest 1939). **1959 :** *15 amb. ; 38 légations ; 27 consulats gén. ; 128 cons.* **1961 :** *94 amb.* et *hautes représentations ; 5 légations ; 70 cons. gén.* (Communauté) (58 + 12) ; *110 cons.* (Communauté) (82 + 28). **1993 :** 147 ambassades, 16 représentations permanentes, 4 délégations, 124 postes consulaires.

Recrutement. Jusqu'en 1945, la majorité était recrutée par le *grand concours* [pour les attachés d'ambassade (8-10 par an) et, selon le rang, dans la proportion de 1/5 env., les consuls suppléants] ou le *petit concours* [pour les attachés de consulat (12-15 par an, carrière consulaire), avec accession individuelle possible à la carrière diplomatique]. Depuis 1945, les 2 concours ont été supprimés. L'accession à la Carrière a lieu notamment par l'École nationale d'administration (ENA) et par les concours de secrétaires d'Orient et de secrétaires adjoints des Affaires étrangères.

Personnel diplomatique des ambassades les plus nombreuses (1993). **Ambassades de France à l'étranger :** Maroc 111 ; USA 172 ; G.-B. 86 ; Allemagne 139 ; Russie 72. **Ambassades étrangères en France :** USA 132 ; Chine 79 ; Russie 64 ; Allemagne 58 ; Égypte 57 ; Japon 53 ; Canada 49 ; G.-B. 44.

■ **Visites** (1992). **Étrangers en France :** 6 d'État, 11 officielles et 70 non qualifiées de chefs d'État ; 7 de travail et 28 non qualifiées de PM ; 6 du secrétaire général de l'ONU. **Français à l'étranger :** Pt de la Rép. : 3 officielles, 6 d'État, 8 manifestations internationales ou sommets européens (Conseil de l'Europe, Sommet de l'environnement à Rio, Organisation des Nation Unies à New York, Sommet des pays industrialisés à Munich) et 4 non qualifiées ; PM : 4 et 5 non qual. ; min. des Aff. étr. : 19 visites de travail. **Participation de la France** dans le cadre de la CEE : 16 réunions, de l'UEO : 3, sommets ou conférences internationales 5, conférences intergouvernementales 3.

■ **Attaques contre des diplomates français.** *1974,* (16-9) Jacques Sénard, ambassadeur à La Haye, séquestré 5 j par un commando japonais. *1975* (23-3) Jean Gueury, amb. à Mogadiscio (Somalie), séq. 5 j par des indépendantistes djiboutiens. *1976* (4-5) Michel Dondenne, amb. à San Salvador (El Salvador), séq. 28 j par des révolutionnaires. *1980* (4-2) l'ambassade de Tripoli et le consulat de Fr. de Benghazi (Libye) mis à sac par des militants islamiques (le personnel n'est pas molesté). *1981* (4-9) Louis Delamare, amb. au Liban, assassiné. *1993* (28-1) Philippe Bernard, amb. au Zaïre, victime d'un tir sur l'ambassade lors des troubles à Kinshasa.

Administration locale

☞ **Collectivités territoriales** (rec. 1990). **Communes** 36 763 [dont métropole 36 551 (36 560 au 1-1-1992), Dom 113, Tom 80, statut particulier 19]. **Départements** 100 (métr. 96, Dom 4). **Régions** 26 (métr. 22, Dom 4). **Territoires d'outre-mer** 4. **Collectivité de statuts particuliers** 2. **Catégories** selon *l'origine constitutionnelle* (art. 72 de la Const. du 4-10-1958) : communes, départements, territoires d'outre-mer. *Législative :* Paris (loi du 31-12-1975), Mayotte (loi du 24-12-1976), régions (loi du 2-3-1982), St-Pierre-et-Miquelon (loi du 11-6-1985), provinces de Nouvelle-Calédonie (loi du 9-11-1988).

Régions

■ Histoire de l'idée régionale

Sous la Révolution. Les *Girondins,* hostiles à la prédominance de Paris sur la province, s'opposent aux *Montagnards* qui s'appuient sur une partie de la population parisienne. *1793,* une partie de la province se révolte (de la Normandie à Lyon, en passant par la Bretagne, Bordeaux, Marseille). Le 13-6, sur l'initiative de Buzot, Guadet et Barbaroux, une assemblée des départements réunis est convoquée à Rouen ; mais elle échoue en raison des dissensions entre républicains fédéralistes et royalistes. Les *Montagnards* triomphent et lèguent à leurs successeurs un régime très centralisé.

XIXe et XXe s. Les *libéraux* réagissent les premiers contre le centralisme napoléonien, notamment : *Benjamin Constant* (1767-1830), *Alexis de Tocqueville* (1805-59) (« l'Ancien Régime et la Révolution »), et *Félicité Robert de Lamennais* (1782-1854) qui écrit dans *l'Avenir.* Pour eux, la décentralisation doit être obtenue en assumant le respect des libertés locales, dans le cadre communal puis dans celui de la province ou région. Les institutions décentralisées permettront aux citoyens de prendre conscience de leurs intérêts communs, de former des administrateurs locaux capables ensuite de se vouer aux tâches d'intérêt national. Elles tempéreront l'individualisme de l'homme exacerbé par l'égalité qui nivelle, et freineront les tendances totalitaires du pouvoir central. *Pierre-Joseph Proudhon* (1809-65), dans « le Principe fédératif », défend le fédéralisme : un contrat lierait les circonscriptions territoriales au pouvoir central auquel elles abandonneraient certaines fonctions mineures. La nation serait répartie en provinces autonomes (12 ou 20). Le pouvoir central aurait un rôle moteur politique, les provinces un rôle administratif. *Auguste Comte* (1798-1857), avec le « Système de politique positiviste », prône une déconcentration plus qu'une décentralisation ; il y aurait 17 intendances (de 5 dép. chacune), érigées en Républiques positivistes, dont les chefs seraient nommés et révoqués par le pouvoir central.

Pour la droite, représentée par *Charles Maurras* (1868-1952), seule la décentralisation peut desserrer le « corset » napoléonien et contribuer au renouvellement des cultures locales, et seule la monarchie peut la réaliser parce que l'absence de tout principe électif lui permet de régionaliser sans être menacée ; au contraire, dans un régime républicain, la décentralisation serait mortelle car la centralisation est la condition de la réélection de l'équipe au pouvoir (elle lui donne une emprise sur la vie locale). Selon *Maurice Barrès,* l'enracinement régional est indispensable à l'épanouissement de l'individu ; la nation est fondée sur la région et le nationalisme est fondé sur le régionalisme et sur la tradition.

Le *catholicisme social,* avec *Henri Lacordaire* (1802-61), *Charles de Montalembert* (1810-70) et *René de La Tour du Pin* (1834-1924), soutient que les institutions locales (de même que la famille et les organisations professionnelles) forment des corps intermédiaires protégeant l'individu face à l'État.

Les *socialistes,* avec *Louis Blanc* (1811-82), *Jules Guesde* (1845-1922) et *Jean Allemane* (1843-1935), soulignent l'importance des libertés locales et la nécessité de la décentralisation, prônant un mutualisme régional et un syndicalisme régional (courants syndicalistes). Dans les années 60, *Pierre Mendès France* (1907-82), *Gaston Defferre* (1911-86) et le club Jean-Moulin sont favorables à la région.

DE QUAND DATE LE MOT « RÉGIONALISME » ?

Selon Eugène Nolent, il fut inventé en 1899 par Maurice Barrès, et selon Charles Brun, en 1874, par M. de Berluc-Parussis, poète provençal, animateur du Félibrige. Il apparaît vers 1892, année de la déclaration des félibres fédéralistes. Jusqu'à la création de la Fédération régionaliste française (1900-01), il restera un mot érudit.

■ **Organisations régionalistes. Programme de Nancy de 1865** (adopté par diverses tendances de l'opposition) : « Fortifier la commune, vivifier le canton, supprimer l'arrondissement, élargir le département. »

Fédération régionale française : créée en mars 1900 par *Charles Brun* (1870-1946), publie un manifeste en 1901 et lance le 1er numéro de *l'Action régionaliste* en février 1902 (dernier numéro en déc. 1961 ; servit de tribune libre sous la IIIe Rép.) ; s'oppose au jacobinisme de droite et de gauche et est favorable à la Rép. face au maurrassisme monarchiste : la monarchie n'a pas de contrôle, la diversité de la Rép. favorise le régionalisme qui fournit à la base un soutien réel au pouvoir tant que celui-ci n'empiète pas sur les pouvoirs des collectivités locales ; prévoit 20 régions, chacune ayant une capitale et une assemblée (élue en partie au suffrage universel et par les organes professionnels), un préfet représentant de l'État (tutelle de l'adm. régionale et contrôle des services publics nationaux), un conseil consultatif et juridictionnel ; les départements seraient supprimés ; les arrondissements (rectifiés) et les communes auraient seuls des organes représentatifs (libertés plus grandes, exécutif collégial).

■ **Réalisations au XXe s. 1919** (5-4) création de *17 groupements économiques régionaux* fondés sur les chambres de commerce, pour développer le commerce et l'industrie (« régions *Clémentel* »), administrés par un comité rég. (2 délégués par chambre de commerce) ; préfets et sous-préfets siègent au comité avec voix consultative ; rôle restreint : pas de personnalité civile, base juridique insuffisante, peu de moyens financiers. **1922** création de 19 régions écon. douées de la personnalité morale et pourvues de larges attributions dans le domaine industriel et commercial. **1926** caractère interdépartemental donné aux conseils de préfecture. Des *syndicats de départements* sont créés ; échec 4 ans plus tard : hostilité des régionalistes (qui trouvent la mesure insuffisante) et des parlementaires (qui craignent la renaissance des anciennes provinces et sont favorables au cadre départemental pour des raisons électorales). **1930** (loi du 9-1) les départements peuvent constituer des groupements dotés de la personnalité civile, comportant un objet précis (dirigés par un conseil d'administration). **1938** (décret-loi du 14-6) regroupement des chambres de commerce dans le cadre des régions écon. **1941** (loi du 19-4) crée *18 préfets régionaux* (12 en zone occupée et 6 en zone non occupée) qui restent à la tête d'un dép. ; pouvoirs écon., de police et vis-à-vis de la fonction publique ; ils sont assistés par 2 intendants (police et affaires écon.) ; « préfets délégués » à la tête des autres dép. **1944** (ordonnances des 10-1 et 3-6) créent des commissaires rég. de la Rép. avec des pouvoirs importants, pour permettre à la vie administrative, économique et sociale des régions de se poursuivre malgré l'isolement éventuel du siège des pouvoirs publics. **1948** (loi du 21-3) création des *Igame (Inspecteurs généraux de l'Administration en mission extraordinaire)* pour maintenir l'ordre à la suite des grèves de déc. 1947 (dep. 1962, préfets de zone de défense).

Origine de l'organisation actuelle. 1955 *30-6* : un décret regroupe les départements dans les régions de programme qui serviront de cadre aux plans rég. de développement écon. et social et d'aménagement du territoire. **1960** *2-6* (décret no 60-516 mod.) : 21 circonscriptions d'action régionale, non compris la Région parisienne. **1964** *4-3* (décret no 64-251) : création d'une administration rég. ; le préfet de région est secondé par une mission écon. et assisté par la *Conférence administrative rég.* et la *Commission de développement écon. rég.* (Coder). **1969** *27-4 :* référendum sur la régionalisation repoussé par 53,17 % de non. **1970** *9-1 :* la Corse est séparée de la « région » Provence-Alpes-Côte d'Azur. **1972** *5-7* (loi) : la région devient un établissement public ; création des conseils rég., assistés d'un comité écon. et soc. **1982** *2-3* et *28-7 :* statut particulier pour la Corse. **1982** *2-3* et **1983** *7-1 :* lois sur la régionalisation et la décentralisation (voir p. 720). **1982** *2-3:* DOM transformés en régions (loi, voir p. 843 b).

■ STATISTIQUES

Nombre. 26 (dont 4 DOM). Le découpage est contesté par Basse- et Haute-Normandie, Provence-Côte d'Azur, Rhône-Alpes, Bretagne, Pays de la Loire, Centre, Picardie, Champagne-Ardenne. **Population** (1990) : *moyenne* 2 468 092 h, *max.* 10 600 660 (rég. d'Ile-de-France), *min.* 249 737 (Corse). **Densité** (1990), *moyenne* 101,6 h. au km², *max.* 887 (Ile-de-France), *min.* 29 (Corse).

Superficie. *Moy.* 24 725,7 km². *Max.* 45 347,9 (Midi-Pyrénées). *Min.* 8 280,2 (Alsace).

Taille moyenne des régions dans 5 pays de la CEE (sup. en km² et, entre par., pop. moy. en millions d'h.) : Esp. 29 694 (2,3), *France 24 959 (2,5).* Ex-All. féd. 23 508 (5,5), Italie 15 059 (2,9), Belg. 10 174 (3,2).

■ STATUT DE LA RÉGION

Collectivités territoriales de plein exercice (depuis l'élection des conseillers rég. au suffrage universel direct le 16-3-1986) ; avant (régime transitoire) : établissements publics (voir loi du 2-3-1982, p. 720).

Compétence. Définie par la *loi du 5-7-1972,* complétée par la *loi du 2-3-1982,* notamment études sur le développement régional, participation au financement d'équipements collectifs, interventions dans le domaine économique, coordination des investissements... ; *lois des 7-1-1983 et 22-7-1983* fixant la nouvelle répartition de compétences entre État et collect. loc. : formation profess. continue et apprentissage, enseign. public (lycées), aides à la pêche côtière et aux entreprises de culture marine et ports fluviaux ; *lois spécifiques,* notamment *loi du 15-7-1982* d'orientation et de programmation pour recherche et dévelop. technologique de la France et *loi du 2-7-1982* portant réforme de la planification, ainsi que toute autre loi reconnaissant une compétence aux régions. Pour promouvoir son développement économique, social, sanitaire, culturel et scientifique, et l'aménagement de son territoire, la région peut engager des actions complémentaires de celles de l'État, des autres collectivités territoriales et des établissements publics situés dans la région. 3 ou plusieurs régions peuvent, pour l'exercice de leurs compétences, conclure des conventions ou créer des institutions d'utilité commune. Le conseil rég. concourt à l'élaboration du plan national. Il élabore et approuve le plan rég., en respectant orientations du plan nat. et prescriptions de la loi.

Ressources des régions. *Ress. antérieures des établissements publics rég.* (taxe additionnelle sur permis de conduire et droits de mutation, taxe régionale sur impôts directs locaux). *Ress. de compensation des transferts de compétences* (carte grise, dotations spécifiques de compensation en matière de formation profess. et d'enseignement public, dotation générale de décentralisation). A partir du 1-1-1987, les ress. fiscales que peuvent percevoir les régions ont cessé d'être limitées par un plafond fixé par la loi.

PRÉFET DE RÉGION

Nomination. Par décret en Cons. des min. **Attributions.** Placé sous l'autorité du Premier ministre, il met en œuvre la politique du Gouvernement concernant le développement économique et social, et l'aménagement du territoire. Lui seul s'exprime au nom de l'État devant le conseil rég. Il a la charge des intérêts nationaux, du respect des lois, du contrôle administratif. Sauf dispositions contraires, il exerce les compétences précédentes du préfet de rég. en tant que délégué du Gouv. dans la rég. Il est entendu par le cons. rég. par accord avec le Pt du cons. rég. Il dirige, sous l'autorité des ministres compétents, les services extérieurs des administrations civiles de l'État dans la région. Il est unique ordonnateur secondaire des services extérieurs des administrations civiles de l'État dans la région. Il préside de droit toutes les *commissions administratives* qui intéressent les services extérieurs de l'État dans la région, sauf celles dont la présidence est confiée statutairement à un magistrat de l'ordre judiciaire ou à un membre d'une juridiction administrative. Il préside la **Conférence administrative régionale** réunissant les préfets des départements de la région, le secr. gén. placé auprès du préfet du dép. où est situé le chef-lieu de région, le trésorier-payeur général. La conférence peut faire appel aux chefs des services extérieurs de l'État dans la région.

Pour la défense, il est plus particulièrement chargé des problèmes de défense économique. Il assure la préparation des différentes mesures relatives à la réunion et à la mise en œuvre des ressources et à l'utilisation de l'infrastructure. A cet effet, il dirige l'action des préfets de sa région. Il peut bénéficier de délégations ou subdélégations des pouvoirs du préfet de zone de défense.

Il met en œuvre les politiques nationale et communautaire concernant le développement économique et social et l'aménagement du territoire. Il anime et coordonne dans la région les politiques de l'État en matière culturelle, d'environnement, ainsi que celles relatives à la ville et à l'espace rural (loi du 6-2-1992).

Préfet de région siégeant au département-chef-lieu des 9 zones de défense (décret 91 664 du 14-7-1991) reçoit le titre et les attributions (sauf pour la zone de déf. de Paris) de *préfet de zone de défense.*

Entourage. *1 secr. gén.* pour les affaires rég. et des chargés de mission placés auprès de lui, choisis parmi des fonctionnaires administratifs ou techniques de catégorie A ; *des chefs ou responsables* des services de l'État dans la région.

☞ **Trésorier-payeur général de la région.** A la tête de chaque groupement interdépartemental des trésoreries générales, il a succédé au *tr.-p. coordonnateur* institué en 1961. Consulté obligatoirement par le préfet dans 3 domaines : plan nat. de développement écon. et social, investissements publics, aide à la décentralisation économique.

■ ASSEMBLÉES RÉGIONALES

Origine. Loi du 5-7-1972 [composée des parlementaires de la région, des maires des grandes villes, des élus des autres maires et des représentants des conseils généraux pour 5 ans : avait un rôle consultatif sur les questions concernant le développement économique et social de la région].

CONSEIL RÉGIONAL

■ **Conseillers régionaux. Élection :** loi no 85-692 du 10-7-1985 et décret no 85-1236 du 22-11-1985. Élus en mars (pour 6 ans au suffrage universel direct ; rééligibles). *Circonscription :* le département. *Candidature :* déclaration obligatoire. Dans les dép. ayant 5 sièges ou moins à pourvoir, la liste doit comprendre 2 cand. supplémentaires pour pourvoir aux éventuelles vacances sans recourir à des élections partielles. Au dépôt de liste, versement d'un cautionnement de 500 F par siège à pourvoir. *Mode de scrutin :* scrutin de liste à la représentation proportionnelle à la plus forte moyenne, sans panachage ni vote préférentiel. Sièges attribués aux candidats d'après l'ordre de présentation sur chaque liste. Les listes qui n'ont pas obtenu 5 % des suffr. exprimés ne sont pas admises à la répartition des sièges. *Conditions d'éligibilité :* être âgé de 21 ans ; en règle avec les obligations du service national ; domicilié dans la région ou, à défaut, y être inscrit au rôle de l'une des contributions directes au 1er janv. de l'année de l'élection ou devoir y être inscrit à cette date. Le préfet du dép. exerce un contrôle *a priori* de l'éligibilité. Le candidat tête de liste ou son mandataire dispose de 48 h pour contester le refus d'enregistrement devant le tribunal adm. **Inéligibilités :** les mêmes que pour les élections cantonales. Sont en outre inéligibles les fonctionnaires placés auprès du représentant de l'État dans la région et affectés au Secrétariat général pour les affaires rég. en qualité de secr. général ou de chargé de mission. Nul ne peut être candidat dans plus d'une circonscription électorale ni sur plus d'une liste. **Campagne, vote et résultats :** la propagande électorale est organisée comme pour les autres élections politiques. Les listes ayant obtenu + de 5 % sont remboursées du cautionnement et de leurs dépenses officielles de propagande. **Mandat incompatible :** avec les fonctions de préfet, sous-préfet, secr. général et secr. en chef de sous-préf. et de membre des corps actifs de police (les titulaires de ces fonctions sont inéligibles lorsque ces dernières s'exercent dans tout ou partie du territoire de la région), fonctions d'agent salarié de la région, d'entrepreneur des services rég. et d'agent salarié des établ. publics et agences créées par la région, de membre du Comité économique et social. **Cumul** (loi organique nº 85-1405 du 30-12-1985 et loi nº 85-1406 du 30-12-1985 tendent à le limiter) : possible : député, sénateur, représentant au Parlement europ., cons. général, cons. de Paris, maire d'une commune de 20 000 h. ou + autre que Paris, adjoint au maire d'une commune de 100 000 h. ou + autre que Paris. Dispositions transitoires pour élus détenant au 31-12-1985 plus de 2 mandats électoraux ou fonctions électives incompatibles. **Remplacement des conseillers :** les suivants de liste non élus sont appelés à remplacer les cons. rég. élus sur la même liste dont le siège devient vacant pour quelque cause que ce soit. Si ces dispositions ne peuvent être appliquées, le siège demeure vacant jusqu'aux prochaines élections. Si le tiers des sièges de cons. rég. élus dans un département vient à être vacant par suite du décès de leurs titulaires, on refait des élections générales dans ce dép. dans les 3 mois suivant la dernière vacance pour cause de décès. **Effectifs des conseils régionaux** (loi 31-12-91) : 1 829 dont 158 outre-mer. *Nombre de conseillers par région :* le double de celui des parlementaires de la région (sauf Ile-de-France, Corse et Outre-Mer, Limousin). Chaque département bénéficie d'une attribution d'office de 1 siège, les autres s. étant répartis proportionnellement à la population et au plus fort reste. Les conseils rég. d'Outre-Mer ont été élus pour la 1re fois au suffrage universel le 16-2-1983 et renouvelés le 16-3-1986, ainsi que les conseils rég. de droit commun, afin d'éviter les chevauchements de mandats et d'affirmer l'unité de la République.

■ **Organisation.** Le *conseil rég.* élit un Pt, des vice-Pts et éventuellement les autres m. de son bureau après chaque renouvellement général ou partiel des assemblées dont sont issus les conseillers rég. Il établit son règlement intérieur, se réunit, à l'initiative de son Pt, au moins 1 fois par trimestre, ainsi qu'à la demande du bureau, ou du 1/3 de ses m., sur un ordre du j. déterminé. En cas de circonstances exceptionnelles, il peut être réuni par décret. Le *cons. rég.* peut déléguer une partie de ses attributions à son bureau.

Élection des bureaux : aussitôt après l'élection du Pt, et sous sa présidence, le Conseil décide de la composition de son bureau. Chaque membre du bureau est ensuite élu au scrutin uninominal, dans les mêmes conditions que le Pt et pour la même durée.

■ **Conseils régionaux élus le 22-3-1992.** *Légende : app.* apparenté, *div.* divers, *diss.* dissident, *ext.* extrême, *maj. p.* majorité présidentielle ; *D* droite, *G* gauche, *ADD* Association des démocrates, *ADS* Alternative démocratie socialisme (ex-PC), *AREV* Alternative rouge et verte (PSU + Nouvelle Gauche, extrême gauche), *CNI* Centre national des indépendants, *CPNT* Chasse, pêche, nature et traditions, *FN* Front National, *FU* France unie, *GE* Génération Écologie, *MRG* Mouvement des radicaux de gauche, *PC* Parti communiste, *PS* Parti socialiste, *RPR* Rassemblement pour la République, *UDF* Union pour la démocratie française, *UDF-CDS* Centre des démocrates sociaux, *UDF-P et R* Clubs Perspectives et Réalités, *UDF PR* Parti républicain, *UDF-PSD* Parti social-démocrate, *UDF-rad.* Parti radical, *UPF* Union pour la France.

Alsace. *47 membres,* D 20 (UDF-CDS 7, UDF-CDS diss. 3, UDF 1, RPR 8, div. 1), FN 9, ext. d. 2, G 7 (PS 6, div. 1), GE 3, Verts 6. *Bas-Rhin* UPF 10, FN 5, Verts 3, div. d. 3, PS 3, GE 2, ext. d. 1. *Haut-Rhin* UPF 7, FN 4, PS 3, ext. d. 1, GE 1, div. 1. **Aquitaine.** *85,* D 29 (UDF-rad. 5, UDF-CDS 4, UDF-PR 3, UDF 3, RPR 12, app. RPR 2), G 25 (PC 6, PS 19), CNI 3, FN 8, FU-ADD 1, GE 6, Verts 3, CPNT 10. *Dordogne* UPF 5, PS-MRG 3, PC 1, CPNT 1, FN 1, GE 1. *Gironde* UPF 12, PS 7, CPNT 5, FN 4, GE 4, PC 2, Verts 2. *Landes* PS 4, UPF 3, CPNT 1, FN 1, PC 1. *Lot-et-Gar.* UPF 4, PS 2, FN 1, CPNT 1, PC 1, GE 1. *Pyrénées-Atl.* UPF 7, PS 4, CPNT 2, FN 1, GE 1, CNI 1, PC 1. **Auvergne.** *47,* D 24 (UDF-rad. 1, UDF-CDS 2, UDF-PR 4, UDF-P et R 1, UDF 3, RPR 10, div. 3), FN 4, G 13 (PC 4, PS 9), GE 2, Verts 3, CPNT 1. *Allier* UPF 5, PC 3, PS-MRG 2, FN 1, Verts 1, GE 1. *Cantal* UPF 4, PS 1, CPNT 1. *Haute-Loire* UPF 5, FN 1, PS diss. 1, Verts 1. *Puy-de-Dôme* UPF 10, PS-MRG 5, FN 2, Verts 1, PC 1, GE 1. **Bourgogne.** *57,* D 24 (UDF-PR 10, UDF 1, RPR 12, div. d. 1), FN 8, G 15 (PC 3, PS 8, PS diss. 2, MRG 2), FU 2, GE 2, Verts 5, CPNT 1. *Côte-d'Or* UPF 8, FN 3, PS diss. 2, PS 1, GE 1, Verts 1, FU 1. *Nièvre* UPF 3, PS 3, PC 1, FN 1, Verts 1. *Saône-et-L.* UPF 9, PS-MRG 4, FN 2, Verts 2, PC 1, CPNT 1. *Yonne* UPF 4, FU 2, FN 2, PS 1, PC 1, Verts 1, GE 1. **Bretagne.** *83,* D 41 (UDF-CDS 11, UDF-PR 5, UDF-P et R 2, RPR 17, div. 6), FN 7, G. 22 (PC 3, PS 19), GE 6, Verts 6, div. 1. *Côte-d'Armor* UPF 6, PS 4, PC 2, GE 1, FN 1, Verts 1, div. 1. *Finistère* UPF 12, PS 7, FN 2, GE 2, Verts 2. *Ille-et-V.* UPF 13, PS 5, GE 2, FN 2, Verts 2. *Morbihan* UPF 8, PS 3, div. d. 2, FN 2, GE 1, Verts 1, PC 1. **Centre.** *77,* D 32 (UDF-rad. 1, UDF-CDS 5, UDF-PR 9, UDF 2, RPR 11, div. 4), FN 11, G 26 (PC 8, PS 17, MRG 1), GE 5, Verts 3. *Cher* UPF 5, PC 3, PS-MRG 1, FN 1, GE 1. *Eure-et-L.* UPF 5, FN 3, PS 2, MRG-GE 1, Verts 1, PC 1. *Indre* UPF 3, PS 3, FN 1, PC 1. *Indre-et-L.* UPF 7, PS 4, FN 2, GE 2, Verts 1, PC 1. *Loir-et-Cher* UPF 5, PS 4, FN 1. *Loiret* UPF 7, PS 3, FN 3, GE 2, PC 2, Verts 1. **Champagne-Ardenne.** *49,* D 23 (UDF-rad. 2, UDF-CDS 6, UDF-PR 2, RPR 10, div. 3), FN 8, G 12 (PC 3, PS 9), Verts 2, Écol. 2, CPNT 2. *Ardennes* UPF 4, PS 3, FN 2, PC 1, CPNT 1. *Aube* UPF 4, FN 2, PS 2, RPR diss. 1, CPNT 1, PC 1. *Marne* UPF 8, PS 3, FN 3, GE 2, PC 1, Verts 1, div. 1. *Hte-Marne* UPF 4, PS 1, FN 1, Verts 1, div. 1. **Corse.** *51,* D (RPR-div. d. 16, UDF-div. d. 8, div. 5), G (MRG 5, PC 4), FN 9, MPA 4. **Franche-Comté.** *43,* D 21 (UDF-rad. 1, UDF-CDS 2, UDF-PR 6, UDF 1, RPR 8, app. RPR 1, div. 2), FN 5, ext. d. 1, G 11 (ADS 1, PS 8, app. PS 1, PS-diss. 1) GE 2, Verts 3. *Doubs* UPF 8, PS 3, FN 2, GE 1, ADS-AREV 1, Verts 1, div. d. 1, ext. d. 1. *Jura* UPF 4, FN 1, PS-MRG 1, Écol. 1, Verts 1, PS diss. 1, div. d. 1. *Hte-Saône* UPF 5, Maj. p. 3, FN 1. *Belfort* UPF 2, PS 2, FN 1, Verts-GE 1. **Ile-de-France.** *209,* D 85 (UDF-rad. 3, UDF-CDS 9, UDF-P et R 1, UDF-PR 13, UDF 4, RPR 50, app. RPR 3, div. 2), FN 37, G 50 (PC 16, app. PC 1, PS 32, FU-MRG 1), GE 22, Verts 15. *Paris* UPF 21, PS-MRG 8, FN 6, GE 5, Verts 2. *Essonne* UPF 8, FN 4, PS 3, GE 2, PC 2, Verts 2. *Hauts-de-Seine* UPF 12, FN 4, PS 4, GE 3, PC 2, Verts 2. *Seine-et-M.* UPF 9, FN 4, PS 3, GE 2, Verts 2, PC 1. *Seine-St-Denis* UPF 7, FN 6, PC 5, PS 4, GE 3, Verts 2. *Val-de-M.* UPF 9, PS 4, PC 4, FN 4, GE 2, Verts 1. *Val-d'Oise* UPF 7, FN 4, PS 3, GE 2, Verts 2, PC 2, CNI 1. *Yvelines* UPF 11, FN 5, GE 4, PS-MRG 3, Verts 2, PC 1. **Languedoc-Roussillon.** *67,* D 24 (UPF 22, div. 2), FN 13, G 22 (PC 8, PS 14), GE 4, Verts 3, CPNT 1. *Aude* UPF 4, PS 3, PC 1, FN 1, Verts 1. *Gard* UPF 5, Maj. p. 4, FN 4, PC 3, GE 1, Verts 1. *Hérault* UPF 6, FN 5, PS-MRG 5, PC 2, GE 2, RPR 2, Verts 1, CPNT 1. *Lozère* UPF 3 *Pyrénées-Or.* UPF 4, FN 3, PS 2, PC 2, GE 1. **Limousin.** *43,* D 18 (UDF-PSD 1, UDF-CDS 1, UDF-PR 3, UDF 1, RPR 12), FN 1, G 20 (PC 4, ADS 3, PS 13), GE 1, Verts 2, CPNT 1. *Corrèze* UPF 7, PS-MRG 3, PC 2, CPNT 1, Verts 1. *Creuse* UPF 4, PS 3, PC 1. *Hte-Vienne* UPF 7, PS-MRG 7, ADS 3, FN 1, GE 1, Verts 1, PC 1. **Lorraine.** *73,* D 32 (UDF-rad. 3, UDF-CDS 1, UDF-PR 6, UDF 1, RPR 13, div. 8), FN 10, G 20 (PC 3, PS 10, Maj. p. 7), GE 6, Verts 5. *Meurthe-et-M.* UPF 8, PS 4, FN 3, Verts 2, GE 2, PC 2, Maj. p. 1. *Meuse* UPF 5, PS 1, FN 1. *Moselle* UPF 8, FN 5, Maj. p. 5, div. d. 5, PS 3, GE 3, Verts 2. *Vosges* UPF 6, PS-MRG 2, FN 1, div. 1, Verts 1, GE 1, PC 1. **Midi-Pyrénées.** *91,* D 43 (UPF 38, div. 5), FN 6, G 9 (PC 5, PS-MRG 4), GE 4, Verts 3, CPNT 3. *Ariège* PS-MRG 3, UPF 2, PC 1. *Aveyron* UPF 6, Maj. p. 3, div. d. 1. *Hte-Garonne* UPF 14, PS-MRG 8, FN 3, Verts 3, PC 2, CPNT 2. *Gers* UPF 4, PS-MRG 2, Verts 1. *Lot* UPF 3, PS-MRG 3. *Htes-Pyrénées* UPF 4, PS-MRG 3, PC 1, FN 1. *Tarn* UPF 5, PS-MRG 3, FN 2, div. d. 1, PC 1, Verts 1. *Tarn-et-G.* UDF 2, PS-MRG 2, RPR 1, FN 1, CPNT 1, Verts 1. **Nord-Pas-de-Calais.** *113,* D 27 (UDF-rad. 1, UDF-CDS 4, UDF-PR 6, UDF-PR diss. 2, RPR 13, app. RPR 1), FN 15, G 42 (PC 15, PS 25, FU-MRG 2), GE 6, Verts 8, CPNT 2, div. 10. *Nord* UPF 17, PS-MRG 16, FN 11, div. 10, PC 9, Verts 5, GE 4. *Pas-de-C.* PS-MRG 11, UPF 10, PC 6, FN 4, div. 3, Verts 3, CPNT 2, GE 2. **Basse-Normandie.** *47,* D 24 (UDF-CDS 2, UDF-PR 7, UDF-PR diss. 1, RPR 8, RPR diss. 2, div. 4), FN 5, G 10 (PC 1, PS 8, MRG 1), GE 4, Verts 3, Verts diss. 1. *Calvados* UPF 8, PS-MRG 5, FN 2, GE 2, PC 1, Écol. 1, Verts 1, div. d. 1. *Manche* UPF 7, PS-MRG 3, FN 2, Verts 1, GE 1, div. 1, div. d. 1. *Orne* UPF 4, div. d. 2, PS-MRG 1, FN 1, Verts 1, GE 1. **Haute-Normandie.** *55,* D 19 (UDF-PSD 1, UDF 1, UDF-CDS 4, UDF-PR 3, RPR 9, div. 1), FN 8, G 19 (PC 5, PS 14), GE 4, Verts 4, CPNT 1. *Eure* UPF 6, PS 4, FN 3, Verts 1, PC 1, GE 1, CPNT 1. *Seine-Mar.* UPF 13, PS-MRG 10, FN 5, PC 4, Verts 3, GE 3. **Pays-de-la-Loire.** *93,* D 48 (UDF-rad. 1, UDF-CDS 5, UDF-PR 7, UDF 8, RPR 20, div. 7), FN 8, G 23 (ex-PC 3, PS 16, MRG 1, FU 1, div. 2), GE 6, Verts 6, Écol. 1, CPNT 1. *Loire-Atl.* UPF 15, PS 7, FN 3, Écol. 3, Verts 2, CPNT 1. *Maine-et-L.* UPF 9, Maj. p. 6, FN 2, GE 2, Verts 1, Écol. 1. *Mayenne* UPF 5, PS 2, Verts 1, FN 1. *Sarthe* UPF 9, ex-PC 3, PS 1, FN 1, GE 1, Verts 1. *Vendée* UPF 10, PS 3, FN 1, GE 1, Verts 1. **Picardie.** *57,* D 22 (UDF-PSD 2, UDF-CDS 3, UDF-PR 2, UDF 3, RPR 10, app. RPR 1, div. 1), FN 8, G 15 (PC 6, PS 9), GE 4, Verts 5, CPNT 3. *Aisne* UPF 6, PS 3, FN 2, PC 2, Verts 2, GE 1, CPNT 1. *Oise* UPF 9, FN 4, PS 4, GE 2, PC 2, Verts 2. *Somme* UPF 7, PS-MRG 2, CPNT 2, FN 2, PC 2, Verts 1, GE 1. **Poitou-Charentes.** *55,* D 15 (UDF-rad. 2, UDF-CDS 3, UDF-PR 5, UDF 3, RPR 11, div. 1), FN 5, G 26 (PC 13, PS 13), GE 3, Verts 4, CPNT 2. *Charente* UPF 6, PS 2, FN 1, PC 1, Verts 1, GE 1. *Charente-Mar.* UPF 7, PS-MRG 4, FN 2, CPNT 2, GE 1, Verts 1, PC 1. *Deux-Sèvres* UPF 5, PS 4, div. 1, Verts-GE 1, FN 1. *Vienne* UPF 6, PS-MRG 3, FN 1, PC 1, GE 1, Verts 1. **Provence-Alpes-Côte d'Azur.** *123,* D 42 (UDF-PSD 1, UDF-rad. 2, UDF-CDS 3, UDF-PR 15, UDF 3, RPR 17, div. 2), FN 34, G 40 (PC 10, PS 19, PS diss. 1, Maj. p. 10), GE 3, Verts 3. *Alpes-de-Hte-Provence* UPF 2, PS 2, FN 1. *Htes-Alpes* PC 3, Verts 1. *Alpes-Mar.* UPF 10, FN 9, Maj. p. 5, Verts-GE 2, PC 2. *Bouches-du-Rh.* Maj. p. 15, UPF 15, FN 13, PC 6. *Var* UPF 9, FN 7, Maj. p. 4, PC 1, GE 1, Verts 1. *Vaucluse* UPF 4, FN 4, Maj. p. 3, PC 1, GE 1, Verts 1. **Rhône-Alpes.** *157,* D 65 (UDF-Rad. 2, UDF-CDS 9, UDF-PR 14, UDF 4, RPR 26), FN 29, G 39 (PC 11, ex-PC 1, PS 23, div. 4), GE 10, Verts 11, CPNT 1, MRG 1, FU-ADD 1. *Ain* UPF 6, FN 3, Maj. p. 2, div. g. 1, Verts 1, GE 1. *Ardèche* UPF 4, PS-MRG 2, FN 1, PC 1, Écol. 1. *Drôme* UPF 5, PS 2, FN 2, GE 1, div. g. 1, PC 1. *Isère* UPF 9, PS 6, FN 5, PC 3, GE 4, Verts 2. *Loire* UPF 9, FN 4, PS-MRG 3, GE 2, PC 2, Verts 1, div. g. 1. *Rhône* UPF 17, FN 10, PS-MRG 6, Verts 4, GE 3, PC 3. *Savoie* UPF 5, Maj. p. 3, FN 1, Verts 1. *Hte-Savoie* UPF 7, FN 3, div. g. 2, PS 1, GE 1, Verts 1, div. d. 1, CNPT 1.

■ **Président du conseil régional.** Organe exécutif de la rég., il peut déléguer (par arrêté) l'exercice d'une partie de ses fonctions aux vice-Pts ou, en cas d'empêchement, à d'autres m. du cons. rég. Il prépare et exécute les délibérations du cons. rég. Il est l'ordonnateur des dépenses de la rég. et prescrit l'exécution des recettes rég. Il gère le patrimoine de la rég., est le chef des services que la rég. crée pour l'exercice de ses compétences. Il a autorité sur les services de la mission rég. nécessaires à la préparation et à l'exécution des délibérations du cons. rég. et à l'exercice des pouvoirs et responsabilités de l'exécutif de la région. Provisoirement, il peut disposer de services extérieurs de l'État. Agents d'État et départ. affectés à l'exécution de tâches rég. sont mis à sa disposition et placés sous son autorité pour l'exercice de leurs fonctions. La coordination entre services rég. et s. de l'État dans la région est assurée par le Pt du cons. rég. et le repr. de l'État.

Présidents du Conseil régional au 1-5-1992. Alsace : Marcel Rudloff [2] (15-3-23). **Aquitaine :** Jacques Valade [7] (4-5-30). **Auvergne :** Valéry Giscard d'Estaing [3] (2-2-26). **Bourgogne :** Jean-François Bazin [7] (26-7-42) dep. 13-4-93, avant, Jean-Pierre Soisson [8] (9-11-34). **Bretagne :** Yvon Bourges [7] (29-6-21), exécutif. **Centre :** Maurice Dousset [3] (26-2-30). **Champagne-Ardenne :** Jean Kaltenbach [7] (5-4-27). **Franche-Comté :** Pierre Chantelat [4] (20-9-23). **Île-de-France :** Michel Giraud [7] (14-7-29). **Languedoc-Roussillon :** Jacques Blanc [3] (21-11-39). **Limousin :** Robert Savy [6] (28-11-31). **Lorraine :** Gérard Longuet (24-2-46), élu 4-4-92 après démission de Jean-Marie Rausch [2] (24-9-29), Pt sortant auquel on reprochait d'avoir été réélu avec l'appui des voix du Front national. **Midi-Pyrénées :** Marc Censi [3] (24-1-36). **Nord-Pas-de-Calais :** Marie-Christine Blandin [9] (22-9-52). **Basse-Normandie :** René Garrec [3] (24-12-34). **Haute-Normandie :** Antoine Rufenacht [7] (11-5-39). **Pays de la Loire :** Olivier Guichard [7] (27-7-20). **Picardie :** Charles Baur [5] (20-12-29). **Poitou-Charentes :** Jean-Pierre Raffarin [3] (3-8-48). **Provence-Alpes-Côte d'Azur :** Jean-Claude Gaudin [3] (8-11-39). **Rhône-Alpes :** Charles Millon [3] (12-11-45). **Guadeloupe :** Lucette Michaux-Chevry [7] (5-3-29). **Guyane :** Antoine Karam [10] (21-2-50). **Martinique :** Émile Capgras [11] (5-6-26). **Réunion :** Camille Sudre [12] (25-3-48). **Wallis-et-Futuna :** Soane Mani Uhila.

☞ **Corse.** Pt de l'assemblée : Jean-Pierre de Rocca Serra (9-10-11).

Nota. – (1) UDF. (2) UDF-CDS. (3) UDF-PR. (4) UDF-Rad. (5) UDF-PSD. (6) PS. (7) RPR. (8) Maj. prés. (9) Écol. (10) PSG. (11) PCM. (12) SE.

☞ Total (métropole) 22 présidents dont UDF 12 (avant 11), RPR 7 (5), PS 2 (6), div. G 1. 14 présidents sortants ont été réélus.

Comité économique et social régional (CESR)

■ **Statut :** lois des 5-7-1972 (créant les régions), 2-3-1982 (décentralisation), 6-1-1986 (fonctionnement des régions). Assemblées consultatives placées auprès des Conseils régionaux. **Nombre** : 26 dont 4 Outre-Mer. **Composition** : 40 à 110 membres selon les régions dont au moins 35 % de représentants des entreprises et activités prof. non salariées et 35 % de repr. des organisations syndicales de salariés représentatives au niveau national, et de la féd. de l'Éducation nat ; au moins 25 % de repr. des organismes qui participent à la vie collective de la région ; au plus 5 % de personnalités concourant au développement de la région. **Désignation** : par les organisations et organismes représentatifs, et constatée par les préfets de Région. **Mandat** : 6 ans (Pt et bureau élus pour 3 ans). **Attributions** : 1°) obligatoirement saisis pour avis par le Pt du Conseil régional sur : le plan national et régional, orientations du budget régional, schémas directeurs régionaux, orientations générales dans les domaines de compétence de la région ; 2°) peuvent être saisis à l'initiative du Conseil régional sur tout sujet à caractère économique, social ou culturel ; 3°) peuvent émettre leurs propres avis sur toute question entrant dans les compétences de la région.

■ **Fonctionnement.** Organisés en sections qui émettent des avis. Préparation des rapports et avis en commissions spécialisées avec l'aide d'un rapporteur choisi en leur sein, discussion et vote en séances plénières ouvertes au public. Les avis sont adoptés à la majorité des suffrages exprimés. **Moyens :** fixés par le Pt du Conseil régional. Les services régionaux sont à sa disposition à titre permanent ou temporaire ; le personnel dont il dispose constitue le cabinet du Comité (dirigé par un directeur de cabinet, ou un chef de cabinet, ou un secrétaire gén.) comprenant un ou plusieurs chargés de mission. **Finances :** crédits figurant au budget des régions.

DÉPARTEMENTS

■ HISTOIRE DU DÉPARTEMENT

■ **Origine.** **1765** d'Argenson demande la division du royaume en départements [le mot signifiait *répartition fiscale* et aussi *division du gouvernement* (chaque min. avait son « département ») ; il avait le sens de *circonscription territoriale* dans l'administration des Ponts et Chaussées (chaque sous-ingénieur avait son « département »)]. **1787** les ass. régionales de la généralité d'Île-de-France (très vaste) sont convoquées dans plusieurs « départements » différents. **1788** les cahiers de doléances des États généraux souhaitent la formation de circonscriptions uniformes et commodes avec un chef-lieu facilement accessible (le cahier du Puy, art. 42, parle de départements). **1789** *août,* avant d'élaborer la Constitution, la Constituante entreprend la réforme de l'administration locale : les troubles de juillet-août 1789 (la Grande Peur) ont, en effet, désorganisé le système généralité-subdélégation-seigneuries ; *7-9* Sieyès demande la constitution d'un comité (6 membres) chargé de présenter un plan ; *29-9* Thouret, au nom du comité, présente un 1er rapport. Projets en présence : remplacer la généralité par une circonscription commune à tous les services et dont la taille permette, de n'importe quel point, d'aller au chef-lieu et d'en revenir dans les 48 h à cheval, soit un rayon de 30 à 40 km ; remplacer la subdélégation par une circonscription de 15 km de rayon permettant un

DROITS ET LIBERTÉS ET RÉPARTITION DES COMPÉTENCES DES COMMUNES, DES DÉPARTEMENTS ET DES RÉGIONS (LOIS DU 2-3-1982 ET DU 7-1-1983)

La loi du 2-3-1982, modifiée et complétée par la loi n° 82-623 du 22-7-1982, a transféré l'exécutif départemental et régional du préfet du département ou de la région aux présidents des assemblées élues, et élargi les possibilités d'intervention des collectivités locales en matière écon., prévoyant la suppression des tutelles administrative et financière, et de tout contrôle *a priori* sur les actes des autorités communales, départ. et rég.

■ DROITS ET LIBERTÉS DES COMMUNES

Suppression de la tutelle administrative. Les actes pris par les autorités communales sont exécutoires de plein droit dès qu'ils ont été publiés ou notifiés aux intéressés, transmis au représentant de l'État dans le département ou à son délégué dans l'arrondissement. *Actes qui doivent être transmis :* délibérations du conseil municipal ou décisions prises par le maire par délégation du conseil mun. en application de l'art. L 122.20 du Code des communes ; décisions réglementaires et individuelles prises par le maire dans l'exercice de son pouvoir de police ; actes à caractère réglementaire pris par les autorités communales dans les autres domaines relevant de leur compétence en application de la loi, certaines conventions (marchés, emprunts, concession ou affermage de services publics locaux à caractère ind. ou commercial), certaines décisions individuelles en matière de personnel communal (nomination, avancement de grade, sanctions soumises à l'avis du conseil de discipline, licenciement).

Quand un de ces actes adm. peut compromettre l'exercice d'une liberté publique ou individuelle, le Pt du trib. administratif prononce le sursis dans les 48 h (appel possible devant le Conseil d'État dans les 15 j). Le Gouv. soumet chaque année (avant le 1-6) au Parlement un rapport sur le contrôle *a posteriori* des délibérations, arrêtés, actes et conventions des communes par les représentants de l'État dans les départements.

La commune peut intervenir en matière écon. et soc. et maintenir des services en milieu rural pour favoriser le développement écon. (ex. : aides directes et indirectes aux entreprises). Sauf autorisation prévue par décret en Conseil d'État, elle ne peut prendre de participations dans le capital d'une Sté commerciale ou d'un organisme à but lucratif n'ayant pas pour objet d'exploiter les services communaux ou des activités d'intérêt général. Elle ne peut accorder à une personne de droit privé sa garantie, ou son cautionnement à un emprunt, que sous certaines conditions.

Suppression de la tutelle financière. *Si le budget de la commune n'est pas adopté avant le 1-1 de l'exercice,* le maire peut, jusqu'à son adoption, mettre en recouvrement les recettes et engager les dépenses de fonctionnement dans la limite de celles inscrites au budget précédent. *Si le budget n'est pas adopté avant le 31-3,* le repr. de l'État dans le département saisit la chambre régionale des comptes qui, dans le mois, formule des propositions pour le règlement du budget. Le repr. de l'État règle le budget, le rend exécutoire (s'il s'écarte des propositions de la ch. rég. des comptes, il motive sa décision). *Si une nouvelle commune est créée,* le conseil mun. adopte le budget dans les 3 mois. À défaut, il est réglé et rendu exécutoire par le repr. de l'État, sur avis public de la ch. rég. des comptes.

Si le budget n'est pas voté en équilibre réel, la chambre régionale des comptes, saisie (dans les 30 j) par le repr. de l'État, le constate et propose à la commune (dans les 30 j à compter de sa saisine) les mesures adéquates. La délibération du conseil mun., rectifiant le budget initial, doit intervenir dans le mois. Si le cons. mun. n'a pas délibéré dans ce délai ou s'il n'a pas effectué un redressement jugé suffisant par la chambre rég. des comptes (qui se prononce dans les 15 j), le budget est réglé et rendu exécutoire par le repr. de l'État dans le dép. (s'il s'écarte des propositions de la ch., il motive sa décision). Si la commune fait défaut pour une dépense obligatoire (voir ci-dessous), le repr. de l'État y procède d'office.

Le comptable de la commune est un comptable direct du Trésor, nommé par le ministre du Budget.

Arrêté des comptes. Constitué par le vote du conseil mun. sur le compte administratif présenté par le maire. Si le déficit dépasse un certain % des recettes de fonctionnement, la chambre régionale des comptes est également saisie par le représentant de l'État et propose à la commune des mesures nécessaires au rétablissement de l'équilibre budgétaire. Le budget primitif de l'exercice suivant est transmis par le repr. de l'État à la chambre rég. des communes. Si celle-ci constate que la commune n'a pas pris de mesures suffisantes pour résorber ce déficit, elle propose des mesures de redressement au repr. de l'État qui est chargé de le régler et de le rendre exécutoire. S'il s'écarte des propositions de la chambre régionale des comptes, il doit motiver sa décision.

Dépense obligatoire. Les communes ne sont tenues qu'aux dépenses nécessaires, au paiement des dettes exigibles et aux dépenses prévues par la loi. S'il y a eu défaut d'inscription au budget d'une dépense obligatoire ou si la somme est insuffisante, il peut y avoir saisine de la chambre rég. des comptes par le repr. de l'État, le comptable public concerné, ou par toute personne y ayant intérêt. La chambre adresse une mise en demeure à la commune si, passé 1 mois, elle n'a pas pris les mesures nécessaires ; la chambre demande au repr. de l'État d'inscrire la dépense au budget de la commune et propose, s'il y a lieu, la création de ressources ou la diminution de dépenses facultatives pour couvrir la dépense obligatoire. Le budget rectifié est réglé et rendu exécutoire par le repr. de l'État. Si le *mandatement* d'une dépense obligatoire n'a pas été effectué, le *repr. de l'État,* après une mise en demeure, y *procède d'office.*

■ DROITS ET LIBERTÉS DU DÉPARTEMENT

Suppression des tutelles administratives et financières.

Contrôle de légalité des actes et contrôle budgétaire. Similaires à ceux exercés sur les actes des autorités communales, obligation de transmission, publication ou notification, liste des actes transmis, interventions économiques (sous réserve de la possibilité supplémentaire d'intervention en faveur des entreprises en difficulté), rôle des ch. rég. des comptes. Le préfet a la charge des intérêts nat., du respect des lois, de l'ordre public et du contrôle adm. Sauf disposition contraire de la loi, il exerce les compétences précédentes du préfet en tant que délégué du Gouv. dans le dép.

Nota. – Ces dispositions sont applicables aux établissements publics départementaux et interdép. et aux établ. publics communs aux communes et aux dép., mais non aux établ. et services publics sanitaires et sociaux.

■ DROITS ET LIBERTÉS DE LA RÉGION

Suppression des tutelles administratives. Voir ci-dessus département et commune. Le préfet représente chacun des min. et dirige les services rég. de l'État (sauf exceptions énumérées par un décret en Cons. d'État).

Suppression de la tutelle financière. Les règles applicables au contrôle budgétaire des départements s'appliquent aux régions ; intervention du repr. de l'État et de la ch. rég. des comptes dans les seuls cas prévus par la loi.

CHAMBRE RÉGIONALE DES COMPTES

Nombre 26. Effectifs totaux : 1 200 dont 343 magistrats et 300 assistants inamovibles (soit env. 8 000).

Rôle. Intervient dans le cadre de la procédure du contrôle budgétaire lors de l'élaboration et de l'exécution du budget. Conseille le représentant de l'État et organise une procédure de conciliation préalable.

Mission juridictionnelle visant les comptables de droit ou de fait. Depuis 1984, elle juge en 1er ressort tous les comptes des collectivités locales et de leurs établissements publics, tels qu'ils lui sont soumis par leurs comptables respectifs. Appel possible devant la Cour des comptes.

Procédures. L'ordonnateur (en pratique, l'élu) ordonne les dépenses au comptable public (en pratique, le receveur) qui les paie. **Vérifications.** Le 1-11, chaque chambre établit son « programme annuel de vérif. (ex. : en Bretagne, 1 000 dossiers pour 14 magistrats). Avant l'instruction, elle informe l'élu par lettre. L'examen des comptes prend de 1 à 40 semaines (grandes villes). Si la chambre n'a pas relevé d'infraction, elle donne quitus des comptes. Si elle a relevé l'infraction d'un comptable public (ou d'un comptable de fait), elle enjoint celui-ci de produire la pièce manquante ou de rembourser (condamnation au « debet » éventuellement assortie d'une amende). Si après un 1er délibéré, la chambre conclut à l'erreur de gestion d'un élu, elle lui envoie une lettre « d'observation provisoire ». L'élu peut se faire assister d'un avocat. Si ses explications restent insuffisantes, au terme d'un 2e délibéré, la chambre lui adresse une lettre « d'observation définitive ». Lue à la séance publique qui suit sa réception (loi du 15-1-1990), elle alerte l'opinion. *La Cour des comptes* statue en appel. Les préfets peuvent aussi saisir la chambre régionale quand le budget d'une collectivité est en déséquilibre, ou après la plainte d'un créancier. La chambre émet alors un avis et propose des solutions.

aller-retour dans la journée. Duport prévoit 70 dép. d'étendue égale ; Lally-Tollendal propose un partage égalitaire d'après la population. Chaque dép. doit être divisé en 9 circonscriptions dénommées « communes », de 6 lieues de côté. Ces « communes » doivent être dotées d'un « corps de municipalité » héritant des anciens pouvoirs seigneuriaux. *Fin sept.*, un 2e comité de constitution élabore une carte en partant d'un quadrillage (la France divisée en 9 grands carrés, eux-mêmes subdivisés en 9) dont l'initiateur paraît avoir été le géographe Robert de Hesseln, en 1780. Mirabeau s'élève contre ce découpage géométrique et propose la constitution de 120 dép. *11-11* après une intervention de Target, l'Assemblée adopte l'ensemble du projet du 2e comité de Constitution ou projet *Thouret-Sieyès,* mais, en rejetant la conception des grandes communes, on reviendra à l'échelon local traditionnel (municipalité de ville ou de village). On pose ainsi le principe d'un découpage en départements dont le nombre devra se situer entre 75 et 85 et qui devront former autant que possible des carrés de 18 lieues de côté. Le département sera lui-même subdivisé en circonscriptions dont la définition géographique est voisine de celle de la grande commune qu'envisageait le comité. Ces circonscriptions, de 6 à 9 par dép., porteront le nom de districts. Le district est divisé en cantons. *12-11* il est déclaré que : « Il y aura une municipalité dans chaque ville ou paroisse », et une procédure officielle de découpage est instituée. Les découpages seront faits « autant que possible » en carrés égaux (de 300 lieues carrées). On partira des diverses « régions » (en fait les anciennes provinces, parfois regroupées). Des « conférences » regroupant les députés de chaque région délimitent ces dép. En cas de difficultés, on en référera au comité de constitution devenu « comité de division ». Un appel peut être porté devant l'Assemblée. **1790** *15-1,* on est fixé sur le chiffre de 83 départements. *26-2,* l'Ass., synthétisant les décrets particuliers qu'elle avait antérieurement rendus sur la formation des divers dép. et de leurs divisions internes, vote le texte « relatif à la division de la Fr. » (sanctionné et promulgué le 4-3).

■ **Nom.** Les 83 dép. reçoivent du comité leur nom (on hésite : nom du chef-lieu, référence au nom de l'ancienne province, numérotage, etc.). Des compétitions opposent souvent plusieurs villes pour le chef-lieu, par ex. entre Avranches et Coutances (on choisit St-Lô), entre Aire et Dax (on choisit Mont-de-Marsan). Les trafics d'influence vont leur cours. L'Assemblée, reconnaissant son impuissance, renvoie parfois aux électeurs de la circonscription le soin de prendre la décision pour la fixation du chef-lieu.

☞ 13 départements eurent des noms de montagnes, 4 des noms de situations géographiques, 60 des noms de rivières.

Changements de nom : *Mayenne-et-Loire :* Maine-et-Loire (12-12-1791). *Charente-Inférieure :* Ch.-Maritime (4-9-1941). *Seine-Inférieure :* S.-Maritime (18-1-1955). *Loire-Inférieure :* L.-Atlantique (9-3-1957). *Basses-Pyrénées :* P.-Atlantiques (10-10-1969). *Basses-Alpes :* A.-de-Haute-Provence (13-4-1970). *Côtes du Nord :* Côtes-d'Armor (27-2-1990).

☞ En déc. 1789, on avait estimé que certains chefs-lieux pourraient n'avoir qu'une partie des administrations, tel ou tel établissement (un siège de justice notamment) pouvant être abandonné à une autre localité. Quand les prétentions de 2 villes sont comparables et leurs pressions aussi vigoureuses, un alternat est prévu : le chef-lieu du dép. (ou du district) est établi pour un temps (6 mois ou 1 an) dans une ville, puis pour le même temps dans la ville concurrente.

■ **Alternance des chefs-lieux.** Dans la moitié environ des départements, devant les prétentions de diverses localités, on pratiqua l'alternance pour le lieu de réunion des assemblées départementales. Notamment, pour : *Ariège :* Foix, Pamiers, St-Girons. *Ardèche :* Privas, Tournon, Annonay, Aubenas. *Cantal :* St-Flour et Aurillac. *Creuse :* Guéret et Aubusson. *Dordogne :* Périgueux, Bergerac, Sarlat. *Gard :* Nîmes, Alès, Uzès. *Hérault :* Montpellier, Béziers, Lodève, Saint-Pons. *Jura :* Dole, Lons-le-Saunier, Poligny, Salins. *Maine-et-Loire :* Angers et Saumur. *Haute-Marne :* Chaumont et Langres. *Meuse :* Bar-le-Duc et Saint-Mihiel. *Haute-Saône :* Vesoul et Gray. *Tarn :* Castres et Albi. Cet usage dura 1 an. Il subsista jusqu'en 1794 en Ariège, Cantal, Gard, Jura et Haute-Saône.

■ **Découpage.** Il respecta à peu près les données naturelles et historiques. Bretagne et Normandie sont découpées en 5 circonscriptions, Provence et Franche-Comté en 3 ; le Périgord se retrouve en grande partie dans la Dordogne, le Quercy dans le Lot, le Velay dans la Haute-Loire, la Touraine dans l'Indre-et-Loire, le Gévaudan dans la Lozère, le comté de Foix dans l'Ariège, le Bourbonnais dans l'Allier... Par contre, certains dép. sont composites : ex. : Aisne, Oise (enchevêtrant Île-de-France et Picardie), Charente-Maritime (Aunis et Saintonge), Haute-Vienne (Limousin, Marche, Guyenne et Poitou), Basses-Pyrénées (Pays basque, Béarn et Gascogne), Yonne (Orléanais, Bourgogne et Champagne).

Départements nouveaux sous la Révolution et l'Empire (voir p. 656).

Changements de limites : 1791 *14-9* le comtat Venaissin et Avignon sont annexés et répartis entre Drôme et B.-du-Rh. **1793** formation du Vaucluse, Corse divisée en 2 dép. (Golo et Liamone), Montbéliard annexé et réuni au Doubs ; Rhône-et-Loire scindé en Rhône et Loire. **1798** Mulhouse annexé, réuni au Haut-Rhin. **1808** *4-11* Tarn-et-Garonne créé au détriment des circonscr. limitrophes : Hte-Garonne, Lot, Aveyron, Gers et Lot-et-Garonne. **1811** *19-4* en Corse le Golo (préfecture : Bastia) et le Liamone (préf. : Ajaccio) sont réunis en un seul (Corse ; Ajaccio chef-lieu). **1815** les rectifications de frontières modifient 6 dép. : Nord, Ardennes, Moselle, Bas-Rhin, Ht-Rhin, Ain. **1824** *21-07* réunion à la Mayenne de l'enclave de Madré, et à l'Orne de l'enclave de St-Denis-de-Villenette. **1831** *30-03* loi complétée par ordonnance royale du **1832** *5-10,* règle définitivement le problème. **1860** *15-6* une fraction du Var est annexée aux Alpes-Mar. **1871** les territoires non annexés de la Meurthe et de la Moselle forment la Meurthe-et-Moselle ; le territoire non annexé du Haut-Rhin forme le Territoire de Belfort, le Bas-Rhin est entièrement annexé. **1919** après le retour de l'Alsace-Lorraine, les anciens dép. ne sont pas reconstitués ; Bas-Rhin, Haut-Rhin et « Moselle » étant restés des territoires concordataires (le nom de Moselle est donné à un dép. différent de celui de 1870). **1947** Tende et La Brigue, détachés de l'Italie, sont rattachés aux Alpes-Marit. **1964** Seine et Seine-et-Oise sont découpés en 7 nouveaux dép. : Paris, Hts-de-Seine, Val-de-Marne, Seine-St-Denis, Val-d'Oise, Yvelines, Essonne. **1967** 23 communes de l'Isère et 6 communes de l'Ain sont rattachées au Rhône. **1975** *15-5* la Corse est redécoupée en 2 : Haute-Corse et Corse-du-Sud.

Changements de préfecture : *Pau* substitué à Navarrenx (fin 1790) [la Constituante avait laissé aux « électeurs » du département le choix du chef-lieu. Les députés des Basques avaient proposé Saint-Palais ; ceux du Béarn et de la Navarre, Navarrenx. Le 17-2-1790, le Comité de la Constitution avait décidé que l'assemblée des électeurs se tiendrait à Navarrenx plus central que Saint-Palais]. *Grasse* à Toulon (1793, Var). *Brignoles* à Grusse (1795, Var). *Montbrison* à Feurs (1795, Loire). *Draguignan* à Brignoles (1800, Var). *Marseille* à Aix (1800, B.-du-Rh.). *Albi* à Castres (1800, Tarn). *Vesoul* à Gray (1801, Hte-Saône). *Coutances* à St-Lô (1975, Manche). *Lille* à Douai (22-7-1803, Nord). *La Roche-sur-Yon* à Fontenay (26-5-1804, Vendée). *Mézières* à Charleville (1808, Ardennes). *La Rochelle* à Saintes (19-5-1810, Ch.-Inf.). *St-Étienne* à Montbrison (1855, Loire). *Toulon* à Draguignan (1974, Var).

■ Statistiques

■ **Nombre. Départements métropolitains : 1790** 83. **1793** 88. **1801** 100. **1810** 130. **1814** 87. **1815** 86 (suppression du Mt-Blanc). **1860** 89 (création de 3 dép. : Savoie, Hte-Savoie, Alpes-Mar.). **1871** 87 [perte du B.-Rhin, du Ht-Rhin (moins Belfort), d'une partie de la Meuse et de la Moselle ; création du dép. de Meurthe-et-Moselle et du Territoire de Belfort)]. **1919** 90 [(récupération de l'Alsace-Lorraine : B.-Rhin, Ht-Rhin, Moselle)]. **1968** 95 (loi du 10-7-1964 entrée en vigueur le 1-1-1968, 5 dép. nouveaux dans la rég. paris. : Essonne, Hauts-de-Seine, Seine-St-Denis, Val-de-Marne, Val-d'Oise). **1975** 96 [(loi du 15-5-1975 : Corse divisée en Hte-Corse et Corse-du-Sud)]. **Départements d'outre-mer :** Martinique, Guadeloupe, Guyane, Réunion (dep. 19-3-1946).

Collectivités territoriales à statut particulier : Mayotte, St-Pierre-et-Miquelon (19-7-1976).

Nota. – L'Algérie avait été divisée en 3, puis 4, puis 15 dép. (13 + 2 dép. du Sahara) avant 1962.

■ **Population** (métropole, au 1-1-1991). **Moyenne :** 565 604 h. *12 départ. dépassent 1 000 000* (dont 2 de + de 2 000 000 : Nord, Paris). *1 a* – de 100 000 h (Lozère). **Plus peuplés :** Nord 2 531 855. Paris 2 154 678. B.-du-Rh. 1 759 078. Rhône 1 508 967. P.-de-Calais 1 433 203. Hts-de-Seine 1 391 314. Seine-St-Denis 1 381 169. Yvelines 1 307 145. S.-Marit. 1 223 429. V.-de-M. 1 215 538. Gironde 1 213 482. Moselle 1 011 261. **Moins peuplés :** Lozère 72 814. Htes-Alpes 113 272. Corse-du-Sud 118 174.

Densité (métropole, 1990) [1]. **Moyenne :** 101,6 h au km². **Plus fortes :** Paris 20 770 h, Hts-de-Seine 7 923, Seine-St-Denis 5 847, V.-de-M. 4 961, V.-d'O. 842 (7 autres départements ont de 210 à 512 h ; 29 dép. ont moins de 50 h). **Plus faibles :** Lozère 14, Alpes-de-Hte-Provence 19 (voir aussi p. 723).

■ **Superficie métropole** [1]. **Moyenne** 5 666,3 km². **Plus fortes :** Gironde 10 000,14, Landes 9 243. Dordogne 9 060, Côte-d'Or 8 763, Aveyron 8 735, Saône-et-Loire 8 575, Marne 8 162. **Plus faibles :** Paris 105, Hauts-de-Seine 176, Seine-St-Denis 236, Val-de-Marne 245, Belfort 609.

☞ *Le plus vaste département hors métropole :* la Guyane : 83 533,90 km².

■ Préfet

☞ Voir **loi du 2-3-1982** p. 720.

■ **Histoire. 1800** *17-2* préfets créés par la loi du 28 pluviôse an VIII. *11-3* charte de l'administration préfectorale (circulaire de Beugnot). **1808** *À partir du 1-3,* Napoléon crée comtes ou barons préfets et sous-préfets qu'il veut honorer spécialement. **À partir de 1813** il anoblit tous les préfets et sous-préfets. **1814** nombreuses mutations, mais 32 préfets restent (219 sous-préfets sur 340 sont conservés). **1830** *août* Guizot change 83 % des préfets et sous-préfets. **1848** mouvement analogue. **1848** *25-2* préfets et sous-préfets deviennent commissaires de la Rép. **1873** (à partir du 24-5), mise en place de préfets et sous-préf. bien-pensants (orléanistes et cléricaux). **1877** *mai,*

Préfectures moins peuplées qu'une de leurs sous-préfectures. *Aisne :* Laon 26 490 h (Saint-Quentin 60 641 h, Soissons 29 829 h). *Allier :* Moulins 22 799 (Montluçon 44 248, Vichy 27 714). *Ariège :* Foix 9 960 (Pamiers 12 961). *Aude :* Carcassonne 43 470 h (Narbonne 45 849). *Corrèze :* Tulle 17 164 (Brive-la-Gaillarde 49 714). *Finistère :* Quimper 59 420 (Brest 147 956). *Hauts-de-Seine :* Nanterre 84 565 (Boulogne-Billancourt 101 743). *Jura :* Lons-le-Saunier 19 144 (Dole 26 577). *Manche :* Saint-Lô 21 546 (Cherbourg 27 121). *Marne :* Châlons-sur-M. 48 269 (Reims 180 620). *Marne (Hte-) :* Chaumont 27 041 (Saint-Dizier 33 552). *Meuse :* Bar-le-Duc 17 545 (Verdun 20 753). *Morbihan :* Vannes 45 576 (Lorient 59 271). *Pas-de-Calais :* Arras 38 983 (Calais 75 309). *Rhin (Ht-) :* Colmar 63 498 (Mulhouse 108 357). *Saône-et-Loire :* Mâcon 37 275 (Chalon-sur-S. 54 575). *Seine-Mar. :* Rouen 102 723 (Le Havre 195 854). *S.-et-Marne :* Melun 35 319 (Meaux 48 305). *Val-d'Oise :* Pontoise 27 150 (Argenteuil 93 096).

Préfectures moins peuplées qu'une autre commune du département. *Alpes-de-Hte-Prov. :* Digne 16 087 (Manosque 19 107). *Ardèche :* Privas 10 080 (Annonay 18 525, Aubenas 11 105). *S.-St-Denis :* Bobigny 44 659 (Aubervilliers 67 557, Aulnay-sous-Bois 82 314, Le Blanc-Mesnil 46 956, Bondy 46 666, Drancy 60 707, Épinay-sur-Seine 48 714, Montreuil 94 754, St-Denis 89 988). *Val-de-M. :* Créteil 82 088 (Vitry-sur-Seine 82 400).

Préfectures de moins de 50 000 h. Annecy, *Haute-Savoie* 49 644. Blois, *L.-et-C.* 49 314. Évreux, *Eure* 49 103. Châlons-sur-M., *Marne* 48 269. Tarbes, *Htes-Pyr.* 47 566. Albi, *Tarn* 46 579. Vannes, *Morbihan* 45 576. Évry, *Essonne* 45 531. La Roche-sur-Yon, *Vendée* 45 219. Saint-Brieuc, *C.-d'A.* 44 762. Bobigny, *S.-St-Denis* 44 659. Carcassonne, *Aude* 43 470. Angoulême, *Charente* 42 875. Nevers, *Nièvre* 41 968. Bourg-en-Bresse, *Ain* 40 972. Chartres, *Eure-et-Loir* 39 595. Arras, *P.-de-Calais* 38 983. Auxerre, *Yonne* 38 919. Bastia, *Hte-Corse* 37 845. Mâcon, *S.-et-L.* 37 275. Épinal, *Vosges* 36 718. Melun, *S.-et-M.* 35 319. Gap, *Htes-Alpes* 33 438. Aurillac, *Cantal* 30 773. Agen, *L.-et-G.* 30 553. Périgueux, *Dordogne* 30 280. Alençon, *Orne* 29 988. Mt-de-Marsan, *Landes* 28 328. Pontoise, *V.-d'Oise* 27 150. Chaumont, *Hte-Marne* 27 041. Laon, *Aisne* 26 490. Rodez, *Aveyron* 24 701. Auch, *Gers* 23 136. Moulins, *Allier* 22 799. Le Puy, *Hte-L.* 21 743. Saint-Lô, *Manche* 21 546. Cahors, *Lot* 19 735. Lons-le-Saunier, *Jura* 19 144. Vesoul, *Hte-S.* 17 614. Bar-le-Duc, *Meuse* 17 545. Tulle, *Corrèze* 17 164. Digne, *Alpes-de-Hte-Pr.* 16 087. Guéret, *Creuse* 14 706. Mende, *Lozère* 11 286. Privas, *Ardèche* 10 080. Foix, *Ariège* 9 960.

Sous-préfectures de + de 50 000 h. *Le Havre* (S.-M.) 195 854. *Reims* (Marne) 180 620. *Brest* (Finistère) 147 956. *Aix-en-Pr.* (B.-du-Rh.) 123 601. *Mulhouse* (Ht-Rhin) 108 357. *Boulogne-Billancourt* (Hts-de-S.) 101 743. *Argenteuil* (Val-d'O.) 93 096. *Calais* (P.-de-C.) 75 309. *Béziers* (Hérault) 70 996. *Dunkerque* (Nord) 70 331. *St-Nazaire* (L.-Atl.) 64 812. *St-Quentin* (Aisne) 60 641. *Lorient* (Morbihan) 59 271. *Cholet* (M.-et-L.) 55 524. *Chalon-sur-Saône* (S.-et-L.) 54 575. *Antony* (Hts-de-S.) 57 771. *Arles* (B.-du-Rh.) 52 126.

Source : recensement de 1990. Données métropolitaines.

62 préfets et presque tous les sous-préf. sont remplacés. **1941** *4-4* le gouvernement de Vichy renforce les pouvoirs préfectoraux. **1944** (Libération) des commissaires de la Rép. sont nommés dans certains dép. avec des pouvoirs exceptionnels. **1982** *2-3* préfets et sous-préf. deviennent commissaires de la Rép. (lois sur la décentralisation). **1988** *24-2* décret rétablissant l'appellation préfet et sous-préf.

Nota. – Des **préfets de police** furent nommés le 8-3-1800 à Paris, Lyon, Marseille et Bordeaux ; seule la préf. de police de Paris fut ensuite maintenue (commissaire général de police ailleurs). Il existe actuellement 5 **préfets, adjoints pour la sécurité,** auprès des préfets : Marseille, Lyon, Lille, Bordeaux, Corse.

■ **Statut et carrière. Nomination** par décret du Pt de la République, pris en Conseil des ministres, sur proposition du Premier ministre et du ministre de l'Intérieur. Les 4/5 des postes territoriaux sont réservés à des sous-préfets ou administrateurs civils. Seuls peuvent être choisis ceux qui ont atteint la position hors classe de leur grade. **Avancement** régi par le décret du 29-7-1964 ; classe unique avec 7 échelons de traitement, plus une hors-classe (sous-préfet : 3 classes et plusieurs échelons) ; choix et ancienneté combinés pour l'avancement d'échelon ; hors-classe : liée en général à la nomination dans des préf. importantes figurant sur une liste dressée par décret. **Âge de retraite** 65 ans. **Mutations :** *1945 (juillet)-46 :* 106 ; *1958 (juillet)-59 (juin) :* 50 ; *1974 (juillet)-76 :* 88 ; *81 :* 79 ; *82 :* 74 ; *83 :* 49 ; *84 :* 34 ; *85 :* 93 ; *86 :* 64 ; *87 :* 50 ; *88 :* 29 ; *89 :* 56 ; *90 :* 38 ; *91 :* 41 ; *92 :* 46.

Préfets les plus jeunes : *IIe République :* Émile Ollivier, commissaire de la République à 22 ans à Marseille, préfet des Bouches-du-Rhône à 22 ans et 11 mois en 1848. *IIIe, IVe* et *Ve Rép. :* il n'y eut, de 1870 à 1944, que 3 préfets de moins de 30 ans dont Paul Deschanel (1855-1922), qui avait été sous-préfet de Dreux en 1877 à 22 ans.

Records de longévité (dans un même poste) : *38 ans :* Claude-Laurent Bourgeois, vicomte de Jessaint (n. 1764-1853), préfet de la Marne (1800-38). *22 ans :* Lefebvre du Grosriez, en Savoie (1883-1905) ; Leroy de Boisaumarie, Seine-Inférieure (1848-70). *21 ans :* Tiburce Foy, Ardennes (1849-70). *20 ans :* d'Arros, Meuse (1828-48).

Femmes préfets : 1re : *Yvette Chassagne* (28-3-1922), Loir-et-Cher (10-7-81/27-1-83). **1993** : 4 : *Hélène Blanc* (19-1-29), Cantal 13-2-84, Orne 15-2-86, Sarthe 8-2-89, Ht-Rhin 19-8-91 ; *Bernadette Malgorn* (19-6-51), Tarn 17-5-91 ; *Colette Horel* (1-2-49), Meuse 19-8-91 ; *Marie-Françoise Haye-Guillaud* (29-4-51), Cantal 12-10-92.

■ **Attributions.** Avant 1982, il était le représentant de l'État et du département (voir Quid 1982), depuis il est seulement le représentant de l'État, du gouv. et de chacun des ministres. Il a plus fréquemment des contacts avec le min. de l'Intérieur qui est le conseiller des collectivités locales et assure la gestion du personnel du corps préfectoral. Il veille à l'exécution des lois et des règlements et à l'application des décisions du gouv.

Dans le domaine administratif, ses attributions sont variées ; dans les domaines économique et de l'aménagement du territoire, son rôle s'accroît. Il préside de droit toutes les commissions adm. qui intéressent les services de l'État dans le département, à l'exception de celles dont la présidence est confiée statutairement à un magistrat de l'ordre judiciaire ou à un membre d'une juridiction administrative. Il est ordonnateur secondaire unique des services extérieurs des administrations civiles de l'État dans le département.

■ **Uniforme.** *1800 :* veste bleue et pantalon blanc, ceinture rouge, broderies (feuilles de chêne et d'olivier) en argent. *Restauration :* motif principal des broderies : fleur de lys. *16-4-1878 :* apparition du képi à bandeau brodé. *1-10-1963 :* l'uniforme de drap noir avec broderies et bandes de pantalon or devient bleu nuit avec bandes noires ; la tenue de soirée facultative : habit avec pattes d'épaules brodées (métropole) et spencer blanc à pattes amovibles, ceinture en soie noire et pantalon bleu nuit à bandes brochées or (en outre-mer). *1974 :* 1re femme sous-préfet : tailleur bleu nuit, tricorne de feutre et cape. *1985 :* 1re femme préfet : même uniforme avec broderie.

■ Conseil général

■ **Histoire. 1790** création dans chaque dép. d'une assemblée élue par tous les citoyens versant une contribution au moins égale à 10 j de travail ; mandat de 2 ans pour les élus (renouvellement par moitié). **1800** *17-2* devient le Conseil général du « département » avec la loi du 28 pluviôse an VIII, par opposition au « Conseil de préfecture » (voir Justice) ; entre 16 et 24 conseillers par dép., nommés par le Gouv. pour 3 ans ; le Conseil ne siège que 15 j par an, peut saisir le min. de l'Intérieur des besoins du dép. et a essentiellement des pouvoirs fiscaux (répartit l'impôt entre arrondissements, fixe le montant des centimes additionnels à l'intérieur des limites légales). **1833** chaque canton élit son conseiller. **1838** (loi du 10-5) pouvoirs un peu étendus. **1866** (loi du 18-7) extension des pouvoirs. **1870** (loi du 23-7) élection du bureau. **1871** *10-8* large autonomie et création d'une *commission départementale* (élue par le Conseil en son sein, elle se réunit chaque mois) ; conseillers élus pour 6 ans. **1926** la délibération exécutoire est la règle et l'approbation expresse de l'autorité de tutelle, l'exception. **1942** (loi du 7-8) Conseil général remplacé par le Conseil départemental (membres et bureau nommés par le min. de l'Intérieur). **1944** (ordonnance du 21-4) Conseil général rétabli. **1946** la Constitution (art. 87) confie l'exécution des décisions du Conseil gén. à son président ; mais cet article ne sera pas appliqué et ne sera pas repris par la Constitution de 1958. **1959** (ordonnance du 5-1) la plupart des décisions du Conseil sont dispensées de l'approbation de l'autorité de tutelle. **1970** (décret du 13-1) le Conseil participe à titre consultatif à l'élaboration des programmes d'équipement rég. **1982** (loi du 2-3) érige les départements en collectivités locales à part entière, ayant un exécutif élu, le Pt du Conseil général, et remplace la *Commission départementale* (Voir Quid 1983 p. 770) par le bureau du Conseil général. **1983** lois du 7-1 et du 22-7 transfèrent des compétences d'État aux dép., en matière d'agriculture (aide à l'équipement rural), de ports maritimes de commerce et de pêche, de transports scolaires, d'action sociale et de santé, d'environnement et d'action culturelle.

■ **Élection.** Élu par tous les électeurs du canton pour 6 ans au scrutin uninominal majoritaire à 2 tours (1 conseiller par canton). La loi no 90-1103 du 11-12-1990, organisant la concomitance des renouvellements des Conseils généraux et des Conseils régionaux, a supprimé le renouvellement triennal par moitié qui datait de 1833. Le mandat des conseillers élus en 1985 a été prolongé de 1 an afin que les élections cantonales coïncident avec les él. régionales. À partir de 1998, les C. généraux se renouvelleront intégralement.

■ **Organisation.** Le Conseil élit son Pt et les autres membres de son bureau (le Pt, 4 à 10 vice-Pts et 1 ou plusieurs autres membres). Il siège à l'hôtel du dép., se réunit à l'initiative de son Pt, au moins 1 fois par trimestre. Le préfet est entendu par accord avec le Pt du Conseil gén. et sur demande du 1er min. Le Conseil se réunit aussi à la demande du bureau ou du 1/3 des m. du Conseil sur un ordre du j. déterminé. En cas de circonstances exceptionnelles, il peut être réuni par décret. Il établit son règlement intérieur. Les séances sont publiques sauf s'il en décide autrement. Il ne peut délibérer en l'absence de la majorité absolue de ses m. en exercice. Ses délibérations sont prises à la majorité des suffrages exprimés. *Dissolution :* si le fonctionnement d'un Conseil, est impossible, le Gouv. peut le dissoudre par décret motivé en conseil des min. ; il en informe aussitôt le Parlement. En cas de dissolution du Conseil, de démissions de tous ses m. en exercice ou d'annulation de leur élect., le Pt se charge des affaires courantes. Ses décisions ne sont exécutoires qu'avec l'accord du préfet. La réélection du Conseil a lieu dans les 2 mois. Un seul Conseil a été dissous sous la Ve Rép. (Bouches-du-Rhône en 1974).

Compétence : délibère et statue sur toutes les affaires d'intérêt départemental. *Fonctions administratives :* administre le personnel et les biens du département (domaine immobilier notamment), entretient la voirie départementale, gère des services départementaux comme les offices d'HLM, les transports ou la répartition des crédits d'allocation scolaire, etc. *Économiques et sociales :* apporte son soutien financier aux communes pour leur équipement, établit le programme de création d'infrastructures au sein de la « commission départ. de l'équipement » : routes, électricité, logements, transports, act. sportives ou culturelles ; est associé à la préparation des programmes d'équipements collectifs prévus par le Plan. Ne peut émettre de « vœux politiques ».

■ **Nombre de conseillers généraux** (1992). 4 030 dont Métropole 3 840, Dom 154, Mayotte 17, St-Pierre-et-Miquelon 19.

Répartition des conseillers généraux (oct. 1988) : sur les 3 808 conseillers généraux il y a 566 enseignants, 521 pensionnés et retraités civils et 59 membres des professions rattachées à l'enseignement, 345 agriculteurs, 335 médecins, 25 chirurgiens, 25 dentistes, 111 vétérinaires, 74 pharmaciens, 2 sages-femmes, 2 ministres du culte, 19 ménagères.

Âge moyen : *les + jeunes :* Belfort 49,2 ans, Pyr.-Atl. 51,4 ; *les + vieux :* Lot-et-Gar. 60,4, Orne 59,5.

Président de Conseil général : il est l'organe exécutif du dép. Il prépare et exécute les délibérations du Conseil, est l'ordonnateur des dépenses du dép. et prescrit l'exécution des recettes dép. (sous réserve des dispositions du Code gén. des impôts). Il est le chef des services du dép. Il gère le domaine du dép. et, à ce titre, il exerce les pouvoirs de police afférents (ex. police de la circulation). Les services de la préfecture nécessaires à la préparation et à l'exécution des délibérations du Conseil et à l'exercice des pouvoirs et responsabilités de l'exécutif du département sont mis à sa disposition. Il a autorité sur les services de la préfecture nécessaires à la préparation et à l'exécution des délibérations du Conseil et à l'exercice des pouvoirs et responsabilités de l'exécutif du dép. Il est seul chargé de l'administration, mais peut déléguer une partie de ses fonctions aux vice-Pts ou à d'autres membres du Conseil. En cas de vacance, ses fonctions sont exercées par un vice-Pt, à défaut, par un Conseiller gén. désigné par le Conseil. Le bureau est renouvelé dans le mois (après d'éventuelles élect. pour compléter le Conseil).

Arrondissements

■ Généralités

■ **Histoire. 1800** *(17-2)* créés par la loi du 28 pluviôse an VIII remplacent les districts (créés 22-12-1789, supprimés par la Constit. de l'an III). **1833** *22-6 Conseil d'arrondissement* créé ; **1940** supprimé. **1982** *2-3* le sous-préfet devient commissaire de la Rép. adjoint. **1988** *24-2* (décret) redevient ss-préfet.

■ **Statut.** Il n'est pas une personne morale comme le dép. et la commune, et ne peut donc ni acquérir ni posséder. Le sous-préfet est chargé de son administration. Les « arrondissements » qui divisent les grandes villes (Paris, Lyon, Marseille) ne constituent pas des arr. au sens de cette définition. Les arr. de Paris sont des cantons.

■ **Statistiques. Nombre** (au 1-1-1990) : 335 (y compris département d'O.-M.) soit par *département :* 2 ou le plus souvent 3 ou 4 (*max. :* Moselle 9, Bas-Rhin et Pas-de-Calais 7, Nord et Haut-Rhin 6 ; *min. :* Paris et Belfort 1). **Nombre de communes par arrondissement :** *maximum :* Arras 397, Vesoul 351, Dieppe 350, Lons-le-Saunier 343, Amiens 314 ; *minimum :* Paris, Metz-ville, Strasbourg-ville 1 ; Argenteuil 7 ; Boulogne-Billancourt 9 ; *moyenne :* 112.

Population (1990). **Moyenne :** 167 586 h. *Répartition en 1975 des 324 arr. :* – de 10 000 h : 2. De 10 000 à 19 999 h : 3. De 20 000 à 49 999 h : 49. De 50 000 à 99 999 h : 106. De 100 000 à 149 999 h : 60. De 150 000 à 199 999 h : 29. De 200 000 à 299 999 h : 35. De 300 000 à 499 999 h : 28. 500 000 h et plus : 12. **Les plus peuplés :** Paris 2 152 333, Lyon 1 346 038, Lille 1 152 883, Marseille 965 318, Bobigny 883 877. **Les moins peuplés :** Castellane 7 970 et Barcelonnette 7 248 (A.-de-Hte-Pr.).

Changements de chefs-lieux d'arrondissement (« sous-préfecture ») : 1803 *22-7 Dunkerque* substitué à Bergues (Nord) ; **1804** *24-12 Bressuire* à Thouars (Deux-Sèvres) ; **1806** *10-2 Sélestat* à Barr (B.-Rhin) ; **1815** *Grasse* à Monaco, *Montbéliard* à St-Hippolyte (Doubs) ; **1817** *Arles* à Tarascon (B.-du-Rh.) ; **1857** *Cholet* à Beaupréau (M.-et-L.) ; **1857** *Cassel* à Hazebrouck (Nord), *Mulhouse* à Altkirch (Ht-Rhin) ; **1868** *St-Nazaire* à Savenay (Loire-Inf.) ; **1941** *24-8 Vichy* à Lapalisse (Allier).

Sont devenues sous-préfectures : 1801 *St-Pol* (P.-de-C.) ; **1803** *Valenciennes* (Nord) ; **1811** *Cherbourg* (Manche) ; **1812** *Fontenay* (Vendée, remplacée comme préfecture par La Roche-sur-Yon) substituée à Montaigu (1811) ; *Rambouillet* (S.-et-O.) ; **1815** *Gex* (Ain) ; **1824** *Valenciennes* (Nord) ; **1860** *Grasse* détachée du Var, décrétée s.-p. des Alpes-Maritimes ; **1926** *Langon* substitué à Bazas (Gironde), *Montbard, Châtillon-sur-Seine* (C.-d'Or) et *Cavaillon* substitué à Apt (Vaucluse) ; **1933** *Apt* substitué à Cavaillon (Vaucluse).

Sous-préfectures supprimées : 1880 (2-4) *St-Denis* et *Sceaux*, suppression partielle (les arr. sont administrés directement par le préfet de la Seine, il n'y a pas de sous-préfets). **1926** Par décret-loi du 10-9 (106 sous prétexte d'économie, en réalité pour faciliter un redécoupage électoral) : *Ambert, Ancenis, Arcis-sur-Aube, Argelès-Gazost, Barbezieux, Bar-sur-Seine, Baugé, Baume-les-Dames, Bazas, Bourganeuf, Boussac, Bressuire, Brignolles, Calvi, Castellane, Castelnaudary, Château-Gontier, Château-Thierry, Châtillon-sur-Seine, Civray, Clermont, Cosne, Coulommiers, Domfront, Doullens, Embrun, Espalion, Étampes, Falaise, Fontainebleau, Gaillac, Gannat, Gex, Gien, Gray, Hazebrouck, Issoudun, Joigny, Lavaur, Lectoure, Lesparre, Loches, Lodève, Lombez, Loudéac, Loudun, Louhans, Louviers, Mantes, Marennes, Marvejols, Mauléon, Melle, Mirecourt, Moissac, Montélimar, Montfort, Montmédy, Mortagne, Mortain, Moutiers, Murat, Muret, Nérac, Neufchâtel, Nogent-le-Ro-*

trou, Orange, Orthez, Paimbœuf, Pamiers, Pithiviers, Ploërmel, Poligny, Pont-Audemer, Pont-l'Évêque, Puget-Théniers, Quimperlé, Remiremont, Ribérac, Rocroi, Romorantin, Ruffec, St-Affrique, St-Calais, Ste-Menehould, St-Jean-d'Angély, St-Julien, St-Marcellin, St-Pol, St-Pons, St-Sever, St-Yrieix, Sancerre, Sedan, Sisteron, Tonnerre, Toul, Trévoux, Ussel, Uzès, Valognes, Villefranche-de-Lauragais, Vitré, Wassy, Yssingeaux, Yvetot. **1934** *Colmar-ville, Metz-ville.* **1962** *Corbeil-Essonnes, St-Denis, Sceaux.* **1974** *Erstein.*

Sous-préfectures supprimées en 1926 et réinstaurées : 1933 (27-7) *Gex, St-Julien-en-Genevois.* **1940** (14-11) *Ste-Menehould.* **1942** (1-6) *Ambert, Argelès-Gazost, Bressuire, Castellane, Château-Gontier, Château-Thierry, Clermont, Issoudun, Lesparre, Lodève, Louhans, Mortagne, Muret, Nérac, Pamiers, Pithiviers, Sedan, Yssingeaux.* **1943** (26-11 et 6-12) *Ancenis, Calvi, Cosne, Loches, Nantes, Nogent-le-Rotrou, Romorantin, St-Jean-d'Angély, Toul, Ussel.* **1966** (2-6) *Étampes.* **1974** (4-12) *Brignoles.* **1988** (26-4) *Fontainebleau.*

Créations d'arrondissements. Sous-préfectures : 1962 (10-1) *Calais, Lens ;* (7-11) *Le Raincy, Montmorency, Palaiseau, St-Germain-en-Laye.* **1966** (2-6) *Argenteuil, Étampes ;* (30-12) *Antony, Nogent-sur-Marne.* **1972** (27-12) *Boulogne-Billancourt, L'Haÿ-les-Roses.* **1981** (23-10, modifié 14-4-82) *Istres.* **1984** (6-4) *Vierzon.* **Arrondissements chefs-lieux :** *Bobigny, Créteil, Nanterre.* **1966** (2-6) *Évry, Pontoise, Versailles.*

Substitution d'un arrondissement chef-lieu à un arrondissement : 1974 (4-12) *Toulon* (arrondissement chef-lieu), à *Draguignan* (arrondissement).

Suppression d'arrondissement : 1966 (2-6) *Corbeil-Essonnes.* **1974** (24-5) *Erstein.*

Sous-préfets

Nomination. Par décret parmi les administrateurs civils affectés au ministère de l'Intérieur, ou parmi les fonctionnaires des autres corps recrutés par la voie de l'Éna, recrutés au « tour extérieur » dans les corps des personnels de préfecture, parmi les officiers ou par la voie du détachement (ingénieurs, commissaires de police, administrateurs territoriaux...).

Rôle. *Sous-préfet d'arrondissement :* sous l'autorité du préfet, représente l'État dans cette circonscription ; coordonne les services extérieurs de l'État. Indépendamment des pouvoirs qui lui sont délégués par le préfet pour remplir les missions spécifiques ou générales, il *possède* des *attributions propres :* contrôle de légalité sur les actes administratifs des communes et leurs groupements ; responsable, sous l'autorité du préfet, du maintien de l'ordre ; renseigne le préfet sur les affaires de l'arrondissement, informe les administrés ; met en œuvre la politique du Gouv. en matière économique, de création d'emplois et d'insertion ; rôle de conciliation, de conseil et d'assistance auprès des élus locaux.

Nombre (1-1-1993). 453.

Cantons

■ **Statut.** Il est essentiellement une circonscription électorale dans le cadre de laquelle est élu un conseiller général (voir p. 722) et souvent le siège de certains services de l'État : gendarmerie, ponts et chaussées, services fiscaux...

Canton enclavé : *Valréas* (Vaucluse) enclavé dans la Drôme ; 12 491 hectares, 4 communes (Valréas, Visan, Richerenches, Grillon), ancienne enclave pontificale dans le Dauphiné avant le rattachement du comtat Venaissin à la France (14-9-1791). Il n'était pas enclavé lors de la création du Vaucluse (25-6-1793), mais le canton voisin de St-Paul-Trois-Châteaux voulut rester drômois alors que Valréas tenait à être vauclusien.

■ **Statistiques. Nombre** (au 1-1-1990) : **total :** 3 808 (non compris les 163 conseillers de Paris) ; **par département :** 3 dép. de 13 à 23 cantons [Belfort, Ariège, Corse-du-Sud] ; 30 de 24 à 34 c. ; 40 de 35 à 46 c. ; 16 de 47 à 58 c. ; 6 de 59 à 76.

Nombre de communes par canton (en 1975) : *moyenne* 10. 2 cantons ont + de 40 communes (Braine, Aisne 41 c. ; St-Pol-sur-Ternoise, P.-de-C. 42). 8 en ont de 35 à 39 ; 36 de 30 à 34 ; 347 de 20 à 29 ; 1 385 de 10 à 19 ; 1 350 de 2 à 9 ; 73 ont une seule c. (entière) ; 306 n'ont qu'une fraction de commune (ex. les 20 c. de Paris, les 6 de Rouen, les 20 de Marseille, les 13 de Lyon, 7 des 15 c. de Toulouse).

Les communes importantes s'étendent généralement sur plusieurs cantons. 164 cantons ne comprennent qu'une portion de commune ainsi découpée (exemple les 20 cantons de Paris, les 6 de Rouen, 11 des 20 cantons de Marseille). Dans d'autres cas, chaque canton comprend, outre une portion de la commune découpée, 1 ou plusieurs autres communes entières de la périphérie.

Population (rec. 1982). *Moyenne* 14 630 h. (en comptant Paris). *Max.* 231 000 (Paris 15e) ; sans compter Paris : *Douai-Ouest* (Nord) 65 742. *Min.* 202 (Senez, Alpes-de-Hte-Pr., 3 communes : Senez-le-Poil 134 h., Bileux 54 h., Majastres 14 h. *Senez,* anc. siège d'un évêché, possède encore une cathédrale ; le canton est coupé par une montagne).

Répartition des cantons par nombre d'habitants avec Paris et, entre parenthèses, **sans compter Paris** (en 1975). Total 3 509 (3 489) dont : 27 cantons avaient – de 1 000 h ; 248 c. de 1 000 à 2 999 h ; 488 c. de 3 000 à 4 999 h ; 1 025 c. de 5 000 à 9 999 h ; 884 c. de 10 000 à 19 999 h ; 409 c. de 20 000 à 29 999 h (407) ; 201 c. de 30 000 à 39 999 h (201) ; 114 c. de 40 000 à 49 999 h (112) ; 77 c. de 50 000 à 69 999 h (74) ; 36 c. de 70 000 h et plus (23).

Communes

Généralités

Statuts

Toutes sont soumises au Code des communes. Toutefois, certaines dispositions de ce Code ne sont pas applicables en Bas-Rhin, Haut-Rhin et Moselle, qui restent assujettis à la législation locale et notamment à certaines dispositions de la loi du 6-6-1895. Paris, Lyon et Marseille sont divisés en arrondissements à la tête desquels sont placés des adjoints. Voir loi du 2-3-1982, p. 720.

Statistiques

■ **Nombre de communes. Métropole :** *1921 :* 37 963 ; *1962 :* 37 962 ; *1992 (1-1) :* 36 560, soit proportionnellement à la pop. : 3 fois + que dans les autres pays de la CEE (All. féd. 8 514, Espagne 8 027, Italie 8 070, G.-B. 522). **Outre-mer** (1993) : Dom 113, Tom 80, statut particulier 19. **Par département :** *minimum* 1 (Paris), *maximum* 898 (Pas-de-Calais), *moyenne* 383.

■ **Population** (légale en 1982). Moyenne 1 522 [Italie 7 130, All. (Ouest) 7 165, Danemark, Pays-Bas 18 000, G.-B. 104 220]. **Max.** Paris 2 188 918, Marseille 878 689, Lyon 418 476. **Min.** 0. *Ornes (Meuse) :* 1 hab. recensé. *Claudies-de-Conflent (Pyr.-Or.) :* 2.

Densité. Moyenne 100 h au km². **Région parisienne** *(pour les comm. de + de 50 000 h) : Max.* Levallois-Perret 22 199 ; Paris 20 647 ; Neuilly-s.-S. 17 204 ; Boulogne 16 626 ; Asnières 14 746 ; Courbevoie 14 348 ; Aubervilliers 11 757 ; Épinay-s.-S. 11 010 ; Montreuil 10 467 ; Colombes 10 087. *Min.* Versailles 3 495. **Province :** *pour les villes de + de 100 000 h :* Grenoble 8 640 ; Lyon 8 630 ; Villeurbanne 7 986 ; Lille 6 636 ; Mulhouse 5 057 ; Rouen 4 753 ; Nice 4 687 ; Caen 4 438 ; Le Havre 4 262 ; Bordeaux 4 217 ; Toulon 4 188 ; Rennes 3 863 ; Tours 3 848 ; Reims 3 779 ; Orléans 3 738 ; Nantes 3 690 ; Marseille 3 634 ; Dijon 3 488 ; Montpellier 3 467 ; Clermont-Fd 3 454 ; Angers 3 186 ; Strasbourg 3 178 ; Brest 3 152 ; Toulouse 2 942 ; Le Mans 2 797 ; Metz 2 724 ; Amiens 2 655 ; St-Étienne 2 564 ; Limoges 1 813 ; Besançon 1 741 ; Perpignan 1 641 ; Nîmes 768 ; Aix-en-Pr. 652. *Villes de 50 000 à 100 000 h :* Tourcoing 6 380 ; Troyes 4 817 ; Vénissieux 4 227 ; Chalon-s.-S. 3 692 ; Cannes 3 683 ; Annecy 3 660. *Min. :* Arles 67 ; Montauban 375 ; Cholet 635 ; Ajaccio 659.

■ **Superficie. Moyenne** 14,89 km². **Maximale** 770 (*Arles,* B.-du-Rh.). **Minimale** 0,0376 [moins que la place Charles-de-Gaulle-Étoile à Paris (0,454)] : *Castelmoron-d'Albret,* Gironde, 200 m × 180 m, 79 hab. ; son territoire étendu jadis sur 650 ha fut réduit à la Révolution (lorsqu'on érigea toutes les paroisses en communes) aux 3,76 ha que délimitaient ses remparts. On enterre les morts dans le village voisin.

■ **Noms. Le plus court** 1 seule lettre (*Y,* Somme) ; **le plus long** 45 caractères (*Saint-Rémy-en-Bouzemont-Saint-Genest-et-Isson,* Marne). **Communes homonymes** dans un même dép. (chacune appartenant à un canton différent). Charente : 2 *Bors ;* 2 *St-Médard.* Pyrénées-Atl. : 2 *Castillon.* **Commençant par Saint ou Sainte** 4 376 (12 % du total des com., soit 1 sur 8). *Record :* Dordogne 152. *% par rapport au nombre total de leurs communes, max. :* Ardèche et Loire (29) ; Creuse et Haute-Vienne (28) ; *min. :* Bas-Rhin (1) ; Ht-Rhin, Belfort, Doubs (2). **Saints les plus fréquents** 242 Martin ; 180 Jean ; 163 Pierre ; 130 Germain ; 103 Laurent ; 99 Julien ; 85 Hilaire ; 84 Georges ; 74 Étienne ; 71 André ; 69 Michel ; 65 Maurice ; 61 Paul ; 49 Marie.

☞ **Changement de nom.** Décidé par décret pris sur le rapport du min. de l'Intérieur, sur la demande du conseil municipal, le conseil général consulté et le Conseil d'État entendu. *Ex :* Tremblay-sans-Culottes devenu Tremblay-lès-Gonesse en 1886 puis Tremblay-en-France dep. 19-8-1989.

À la Révolution, env. 3 100 communes changèrent de nom. EXEMPLES : *Bordeaux :* Commune-Franklin. *Boulogne-sur-Mer :* Port-de-l'Union. *Bourg-la-Reine :* Bourg-Égalité. *Bourg-St-Maurice :* Nargue-Sarde. *Chantilly :* Champ-Libre, Égalité-sur-Nonette. *Château-Salins :* Salins-Libre. *Château-Thierry :* Château-Égalité. *Compiègne :* Marat-sur-Oise. *Condé-sur-Escaut :* Nord-Libre. *Dunkerque :* Dunes-Libres. *Grenoble :* Grelibre. *Île de Ré :* Île Républicaine. *Île d'Oléron :* Île-de-la-Liberté. *Île d'Yeu :* Île-de-la-Réunion. *Lyon :* Commune-Affranchie. *Marly-le-Roi :* Marly-la-Machine. *Marseille :* Ville-sans-nom. *Montargis :* Mont-Coulounies. *Mont-de-Marsan :* Mont-Marat. *Montmartre :* Mont-Marat. *Montmorency :* Mont-Émile. *Mont-St-Michel :* Mont-Michel, Mont-Libre. *Quimper :* Montagne-sur-Odet. *Ris-Orangis :* Brutus. *St-Amand-Montrond :* Libreval. *St-Cloud :* Pont-la-Montagne, La Montagne-Chérie. *St-Denis :* Franciade. *St-Étienne :* Libre-Ville, Armes-Ville, Commune d'Armes. *St-Germain-en-Laye :* Montagne-du-Bon-Air. *St-Lô :* Rocher-de-la-Liberté. *St-Mandé :* La Révolution. *St-Tropez :* Héraclée. *Ste-Maxime :* Cassius. *Toulon :* Port-la-Montagne. *Versailles :* Berceau-de-la-Liberté.

■ **Villes coupées en 2 départements.** *Seyssel* [Hte-Savoie et Ain, 2 communes ; en tout 2 500 h. ; avant le rattachement de la Savoie (1860), la frontière passait par le Rhône qui les sépare]. *Le Pont-de-Beauvoisin* et *St-Pierre-d'Entremont* [Savoie et Isère ; la frontière de Savoie passait par le Guiers qui les sépare]. *Avricourt* (Moselle et Meurthe-et-M.). *Pontgivard,* 51 h., coupé en 3 communes [Auménancourt (Marne), Orainville (Ardennes) et Pignicourt (Aisne)] a été rattaché à la Marne en 1986. **En 2 pays.** Plusieurs communes du Bas-Rhin : ex. : *Mothern, Scheibenhard* (séparées par la Lauter, une partie française 390 ha, une rhéno-palatine 750 ha) qui, avant le congrès de Vienne (1815), ne faisaient qu'une seule commune. *Rhinau,* propriétaire de 996 ha en All. féd. et 739 ha en France. *St-Gingolph* (Suisse et France) : 1 seule paroisse.

■ **Communes enclavées.** Il en existe dans : Pyrénées-Atlantiques, Pas-de-Calais, Nord, Meuse, Saône-et-Loire, et entre Nièvre et Saône-et-Loire.

Villes jumelées

Principe. Décret du 24-1-1956, modifié par le décret du 23-6-1956. En principe elles doivent être de population équivalente, de vocation similaire ou complémentaire (style ou niveau de vie, affinités), et ne pas être trop éloignées.

Nombre. Env. 2 200 communes françaises jumelées en 1992.

Organismes. Le maire peut signer une charte de jumelage directement, ou par l'intermédiaire d'une association [ex. : le *Conseil des communes et régions d'Europe* (CCRE) créé 1951, 3 000 adhérents en France ; la *Fédération mondiale des villes jumelées* (FMVJ), créée 1957, 300 villes en France].

Autres unités

Unité urbaine (U.U.). Ensemble d'habitations présentant entre elles une continuité et comportant au moins 2 000 hab., peut se situer sur une ou plusieurs communes. Une commune est dite « urbaine » lorsqu'elle appartient à une u.u. Les communes rurales ne font pas partie d'une u.u.

Zones de peuplement industriel ou urbain (ZPIU). Couvrent toutes les u.u. et englobent certaines comm. rurales répondant à diverses conditions, constituant ainsi des zones intermédiaires entre les u.u. et les zones purement rurales. *Nombre :* au total 18 956 comm. (4 888 urbaines et 14 068 rurales) (pop. 48 626 595 h., soit 90 % de la pop. totale).

Communes urbaines. Communes dont la population atteint, selon les cas, 2 000 ou 5 000 h ; 4 communes, Ergué-Gaberic (Finistère), Haucourt-Moulaine (M.-et-M.), Savigny-le-Temple (S.-et-M.) et Beynes (Yvelines) dont la pop. agglomérée au chef-lieu est inférieure à 2 000 h, sont pourtant considérées comme urbaines.

Conseil municipal

☞ Voir loi de 1982, p. 720.

■ **Élections.** Élu pour 6 ans par tous les électeurs de la commune. *Âge minimal :* conseiller municipal : 18 ans ; maire : 21 ans.

Modes de scrutin. 1°) **Communes de moins de 3 500 h :** *scrutin majoritaire,* panachage possible (on peut rayer, ajouter des noms ou modifier l'ordre des candidats). Plurinominal à 2 tours, les voix de chaque candidat sont décomptées individuellement : sur chaque liste sont élus ceux qui ont obtenu la majorité des suffrages exprimés (absolue au 1er tour, relative au 2e). Pour être élu au 1er tour, il faut un nombre de suffrages égal au 1/4 des électeurs inscrits.

2°) **Comm. de 3 500 h et + :** *scrutin de liste à 2 tours,* avec dépôt de listes comportant autant de candidats que de sièges à pourvoir. Pas de panachage possible (ni adjonction ni suppression de noms, ni modification de l'ordre de présentation). *Scrutin majoritaire* dans les communes associées de – de 2 000 h. et dans les sections électorales de – de 1 000 électeurs. *Au 1er tour*, la liste qui a la majorité absolue des suffrages exprimés obtient la moitié des sièges à pourvoir, les autres sont répartis à la représentation proportionnelle suivant la règle de la plus forte moyenne entre les listes qui ont obtenu au moins 5 % des suffrages exprimés. Si aucune liste n'a obtenu la majorité absolue, il y a *un 2e tour.* La liste qui a recueilli le plus de voix obtient la moitié des sièges à pourvoir. En cas d'égalité de suffrages entre les listes arrivées en tête, la moitié des sièges est attribuée à celle dont les candidats ont la moyenne d'âge la plus élevée. Les autres sièges sont répartis à la représentation proportionnelle suivant la règle de la plus forte moyenne entre les listes ayant au moins 5 % des suffrages exprimés.

Régime électoral. 1°) **Communes de moins de 2 500 h :** aucune déclaration de candidature n'est requise. Candidatures isolées permises. Frais d'impression et d'affichage non remboursés aux candidats. 2°) **De 2 500 à 3 499 h :** déclaration de candidature facultative, mais nécessaire si les listes veulent bénéficier du concours de la commission de propagande, candidatures isolées interdites, les bulletins des listes doivent comporter autant de noms que de sièges à pourvoir. 3°) **De 3 500 h et + :** déclaration de candidature obligatoire pour chaque tour de scrutin. *Cas de Paris, Lyon, Marseille.* Les conseillers municipaux élisent les maires de chacune de ces communes. Des conseils d'arrondissement sont créés à Paris, Lyon, Marseille. Les conseillers d'arr. sont élus en même temps que les conseillers mun. (à Paris : conseiller de Paris) et sur les mêmes listes. Le nombre des conseillers d'arr. dans chaque secteur est le double des conseillers mun. sans pouvoir être inférieur à 10 ni supérieur à 40. Pour être complète, une liste doit comprendre autant de candidats qu'il y a à pourvoir de sièges de conseillers mun. Une fois effectuée l'attribution des sièges de membres du conseil mun. les sièges des conseillers d'arrondissements sont répartis dans les mêmes conditions entre les listes (ordre de présentation à partir du 1er des candidats non élu membre du conseil).

Le remplacement d'un conseiller mun. dont le siège devient vacant est assuré par le conseiller d'arr. venant immédiatement après le dernier candidat de la même liste élu. Ce conseiller d'arrondissement est remplacé par le candidat de la même liste venant après le dernier élu conseiller d'arrondissement.

■ **Compétence.** Générale, sauf pour ce qui fait l'objet des pouvoirs propres du maire. **Sessions.** Au moins 1 par trimestre.

■ **Délibérations.** Exécutoires sans approbation du préfet dès qu'elles *ont été transmises* et *publiées* ou notifiées mais, délibérations et *actes* du maire sont soumis à un contrôle de *légalité* par le juge administratif, déclenché par le préfet qui peut demander *le sursis à exécution* (celui-ci peut être accéléré en cas d'atteinte aux libertés publiques).

■ **Conseil municipal. Adjoints au maire :** *nombre :* au max. 30 % de l'effectif du conseil. Ils peuvent recevoir *délégation* du maire.

Conseillers municipaux. Nombre total 496 691 (dont 86 % dans des communes de – de 3 500 h.). **Nombre selon l'importance de la pop. en 1989 :** *Communes de –* de 100 hab. : 9. *100 à 499* : 11. *500 à 1 499* : 15. *1 500 à 2 499* : 19. *2 500 à 3 499* : 23. *3 500 à 4 999* : 27. *5 000 à 9 999* : 29. *10 000 à 19 999* : 33. *20 000 à 29 999* : 35. *30 000 à 39 999* : 39. *40 000 à 49 999* : 43. *50 000 à 59 999* : 45. *60 000 à 79 999* : 49. *80 000 à 99 999* : 53. *100 000 à 149 999* : 55. *150 000 à 199 999* : 59. *200 000 à 249 999* : 61. *250 000 à 299 999* : 65. *300 000 et +* : 69. **Paris** 163 dont par secteurs (correspondant aux arrondissements) *1er* : 3. *2e* : 3. *3e* : 3. *4e* : 3. *5e* : 4. *6e* : 3. *7e* : 5. *8e* : 3. *9e* : 4. *10e* : 6. *11e* : 11. *12e* : 10. *13e* : 13. *14e* : 10. *15e* : 17. *16e* : 13. *17e* : 13. *18e* : 14. *19e* : 12. *20e* : 13. *Total* : 163. **Lyon** 73 (dont par secteurs) *1er* : 4. *2e* : 5. *3e* : 12. *4e* : 5. *5e* : 8. *6e* : 9. *7e* : 9. *8e* : 12. *9e* : 9. **Marseille** 101 (dont par secteurs) : *1er* 11, *2e* 8, *3e* 11, *4e* 15, *5e* 15, *6e* 13, *7e* 16, *8e* 12.

☞ **Dissolution de conseils municipaux.** Dep. 1977 : 137 dont 65 dans communes de – de 500 h et 41 entre 500 et 1 500 h. **Suspensions** de maires et d'adjoints : 7. **Révocations :** 7.

☞ En 1990, 12 conseillers étrangers ont été élus (Essonne : *Longjumeau, Les Ulis ;* M.-et-M. : Vandœuvre).

■ **Conseils municipaux d'enfants.** *1er* à Schiltigheim (Bas-Rhin) en 1979. *Nombre* (1992) : + de 700 structures de participation. Élus par des jeunes de leur âge dans écoles, maisons de quartier ou mairies des petites communes, ils élisent leur propre maire, se réunissent régulièrement et participent à des réunions avec le « vrai » maire.

■ MAIRE

GÉNÉRALITÉS

☞ Voir **loi du 2-3-1982** p. 720.

■ **Écharpe.** *Arrêté du 17 floréal an VIII :* ceinture rouge à franges tricolores (maires), blanches (adjoints). *1849 :* le mot écharpe remplace celui de ceinture. *2e Rép. :* tricolore à frange d'or (maires) et d'argent (adjoints). Port réglementé notamment par un arrêté du 18-9-1830 et 2 circulaires du 26-2-1849 et du 20-3-1852, lorsque furent définies les modalités du costume officiel des maires dont l'usage est aujourd'hui tombé en désuétude. Avant 1830, elle se portait à la ceinture ; depuis, le port de l'épaule droite au côté gauche a été autorisé. L'ordre des couleurs ne fait pas l'objet de textes spécifiques, mais la définition du drapeau : « bleu, blanc, rouge, à partir de la hampe », fait qu'il est logique de porter l'écharpe avec le bleu dirigé vers le haut. Le maire doit la ceindre pour effectuer un acte public bien que son défaut n'entraîne pas la nullité de l'acte ; il est tenu de porter l'écharpe pour faire appel à la force publique (disperser un rassemblement, par ex.). Sans écharpe, il ne peut faire encourir aucune sanction, sauf s'il est prouvé que le récalcitrant connaissait ses fonctions... **Insigne.** Créé par décret du 22-11-1951 à usage facultatif.

■ **Élection.** Le maire est élu par le conseil municipal lors de sa première réunion.

■ **Responsabilité.** En général, la commune est déclarée financièrement responsable des actes dommageables commis par le maire dans l'exercice de ses fonctions. Le maire peut néanmoins être reconnu pécuniairement responsable s'il a agi avec malveillance ou commis une faute extrêmement grave, sa responsabilité pénale peut également être reconnue [en cas d'homicide par imprudence, négligence ou inobservation des règlements, art. 319 du Code pénal ; en cas d'*ingérence* (prise d'intérêt dans des affaires relevant de son administration ou de sa surveillance), art. 175 du Code pénal].

Association des maires de France. Regroupe près de 33 000 maires. Réélue pour la 3e fois en nov. 89 par env. 60 % des 1 815 maires inscrits. *Congrès annuel* dep. 1907. *Pt* (élu pour 3 ans) J.-P. Delevoye. *Mensuel :* « Départements et communes ».

Association des maires de grandes villes de France. *Créée* 1974. Ouverte aux maires, pdts de communautés, districts, syndicats d'aggl. nouv. de + de 100 000 h. *But :* échanges d'informations, études, propositions aux pouvoirs publics. *Pt :* Jean-Marie Rausch (24-9-29) maire de Metz.

☞ **Banquets de maires : 1889** *18-8 :* Palais de l'Industrie plus de 18 000 maires (sur 36 000). **1900** *2-9 :* jardins des Tuileries 22 295 convives (dont plus de 21 000 maires ou conseillers). **1987** *28-10 :* 15 000 convives (dont 9 000 maires) à l'occasion du 70e congrès des maires de France sur les pelouses de Reuilly.

Maires des communes de plus de 95 000 h. *Aix-en-Provence :* Jean-François Picheral (26-2-34) [1]. *Amiens :* Gilles de Robien (10-4-41) [5]. *Angers :* Jean Monnier (3-5-30) [1]. *Besançon :* Robert Schwint (11-1-28) [1]. *Bordeaux :* Jacques Chaban-Delmas (7-3-15) [3]. *Boulogne-Billancourt :* Paul Graziani (14-2-25) [3]. *Brest :* Pierre Maille (14-6-47) [1]. *Caen :* Jean-Marie Girault (9-2-26) [4]. *Clermont-Ferrand :* Roger Quilliot (19-6-25) [1]. *Dijon :* Robert Poujade (6-5-28) [3]. *Grenoble :* Alain Carignon (23-2-49) [3]. *Le Havre :* André Duroméa (5-9-17) [2]. *Le Mans :* Robert Jarry (29-12-24) [2]. *Lille :* Pierre Mauroy (5-7-28) [1]. *Limoges :* Alain Rodet (4-6-44) [1]. *Lyon :* Michel Noir (19-5-44) [3]. *Marseille :* Robert Vigouroux (21-3-23) [1]. *Metz :* Jean-Marie Rausch (24-9-29) [7]. *Montpellier :* Georges Frêche (9-7-38) [1]. *Mulhouse :* Jean-Marie Bockel (22-6-1950) [1]. *Nancy :* André Rossinot (22-5-39) [8]. *Nantes :* Jean-Marc Ayrault (25-1-50) [1]. *Nice :* Honoré Bailet (27-2-20) [3]. *Nîmes :* Jean Bousquet (30-3-32) [7]. *Orléans :* Jean-Pierre Sueur (28-2-47) [1]. *Paris :* Jacques Chirac (29-11-32) [3]. *Perpignan :* Paul Alduy (4-10-14) [5]. *Reims :* Jean Falala (2-3-29) [3]. *Rennes :* Edmond Hervé (3-12-42) [1]. *Roubaix :* André Diligent (10-5-19) [5]. *Rouen :* François Gautier (23-4-40) [6]. *St-Étienne :* François Dubanchet (5-5-23) [6]. *Strasbourg :* Catherine Trautmann (15-1-51) [1]. *Toulon :* François Trucy (9-6-31) [5]. *Toulouse :* Dominique Baudis (14-4-47) [7]. *Tours :* Jean Royer (31-10-20) [7]. *Villeurbanne :* Gilbert Chabroux (21-12-33) [1].

Nota. – (1) PS. (2) PC. (3) RPR. (4) Rép. ind. (5) UDF. (6) CDS. (7) non affilié. (8) Radical.

STATISTIQUES

Nombre de maires. *1989 :* 36 553.

Répartition par âge : *21 à 30 a. :* 230 ; *31 à 40 a. :* 3 705 ; *41 à 50 a. :* 9 329 ; *51 à 60 a. :* 11 518 ; *61 à 70 a. :* 10 431 ; *71 à 80 a. :* 1 181 ; *81 a. et + :* 159. **Femmes.** *1987 avril :* 1 018 maires (*1947 :* 250 ; *50 :* 300 ; *59 :* 381 ; *65 :* 421 ; *71 :* 677 ; *75 :* 717), *83 mars :* 1 496.

Professions. Sur 36 487 élus en 1989 : agriculteurs 10 395, chefs d'entreprise, artisans, commerçants 3 579, prof. libérales 1 901, enseignants 3 253, fonctionnaires (hors ens.) 1 417, salariés privés 5 346, publics 612, retraités 8 632, divers 1 352 (dont les moins représentés : sages-femmes 6, greffiers 6, avoués 4, étudiants 4, ministres du culte 4).

ATTRIBUTIONS

■ 1°) **Représentant de la commune.** Il prépare les séances du conseil municipal et exécute les décisions prises par délibérations. Il gère le domaine public et privé de la commune. Il effectue les actes d'administration et de dispositions décidés par le conseil municipal : signatures de contrats, ventes, partages, échanges, achats, souscriptions de marchés de fournitures, adjudications de travaux publics municipaux. Il assure la représentation de la commune devant les tribunaux.

a) **Personnel communal :** il en est le chef hiérarchique. Dans le cadre prévu par le conseil municipal, il est seul compétent pour nommer aux emplois existants quand la loi ou le règlement n'a pas prévu un mode particulier de nomination. Il est seul investi du pouvoir disciplinaire (avancement, sanctions, révocations), sous réserve de respecter les garanties accordées par le statut des fonctionnaires territoriaux.

b) **Établissements publics :** il est le plus souvent président de droit de la commission administrative ou du conseil d'administration des établissements communaux (hôpitaux et hospices communaux, centres communaux d'action sociale, caisses des écoles, régies dotées de la personnalité civile).

c) **Polices municipale et rurale :** il est chargé d'assurer bon ordre, sécurité, tranquillité et salubrité publics et de prendre pour cela des arrêtés. La police municipale comprend notamment tout ce qui a trait à la circulation sur les voies publiques.

Agents de police et *gardes champêtres* nommés par le maire doivent être agréés par le procureur de la Rép. Ils peuvent être révoqués par le maire.

Dans les communes de plus de 10 000 h et celles faisant partie d'agglomérations urbaines, la *police* est, en principe, étatisée. Le préfet y exerce les pouvoirs nécessaires au maintien de la tranquillité et du bon ordre publics, le maire restant toutefois compétent pour le maintien du bon ordre dans les marchés, foires, spectacles, etc.

d) **Mesures conservatoires :** le maire peut effectuer des actes conservatoires nécessaires à la sauvegarde du patrimoine ou d'un droit de la commune.

e) **Délégation :** le conseil mun. peut déléguer certains de ses pouvoirs de décision au maire (affectation des propriétés comm., tarifs de droits prévus au profit de la comm., emprunts, etc.). Le maire peut déléguer certaines de ses fonctions à des adjoints.

■ 2°) **Agent de l'État. a) Officier de l'état civil :** il célèbre les mariages, reçoit les déclarations de naissance, de décès, de reconnaissance d'enfants naturels, tient les registres de l'état civil dont un exemplaire est conservé à la mairie et l'autre au Tribunal de grande instance. Il délivre des extraits des actes de naissance, de mariage et de décès.

Il peut déléguer à un ou plusieurs agents communaux titularisés dans un emploi permanent, les fonctions qu'il exerce en tant qu'officier d'état civil pour la réception des déclarations citées ci-dessus, pour la transcription, la mention en marge de tous actes et jugements sur les registres de l'état civil, de même que pour dresser tous actes relatifs auxdites déclarations. L'état civil sera chaque année archivé au chef-lieu du dép. (dans les Dom-Tom les registres sont en 3 ex. dont l'un est envoyé en métropole).

b) **Officier de police judiciaire :** il est (comme ses adjoints) off. de police jud., ayant à constater les infractions à la loi pénale, à en rassembler les preuves et à rechercher les auteurs tant que la justice n'est pas saisie. Il reçoit plaintes et dénonciations et procède à des enquêtes préliminaires sous la surveillance du procureur de la Rép. auquel il est tenu d'en référer. Il enquête en cas de crime et de flagrant délit.

c) **Ministère public près le tribunal de police :** à titre exceptionnel, et en cas de nécessité absolue pour la tenue de l'audience, le juge du tribunal d'instance

Divisions administratives françaises

Voir la carte (page de garde) au début de l'ouvrage

Départements	Académies	Régions militaires (Zones de défense) et divisions mil.	Régions	Régions Sécurité sociale
01 Ain	Lyon	V 51 Lyon	Rhône-Alpes	Lyon
02 Aisne	Amiens	II 22 Lille	Picardie	Lille
03 Allier	Clermont-F.	V 52 Lyon	Auvergne	Clermont-F.
04 Alp.-H.-Pr.	Aix-en-Pr.	V 53 Lyon	Prov.-C.-d'A.	Marseille
05 Alpes (H.-)	Aix-en-Pr.	V 53 Lyon	Prov.-C.-d'A.	Marseille
06 Alpes-Mar.	Nice	V 53 Lyon	Prov.-C.-d'A.	Marseille
07 Ardèche ..	Grenoble	V Lyon	Rhône-Alpes	Lyon
08 Ardennes	Reims	VI 63 Metz	Champagne	Nancy
09 Ariège ...	Toulouse	IV 44 Bordeaux	Midi-Pyr.	Toulouse
10 Aube	Reims	VI 63 Metz	Champagne	Nancy
11 Aude	Montpellier	V 54 Lyon	Languedoc	Montpellier
12 Aveyron ..	Toulouse	IV 44 Bordeaux	Midi-Pyr.	Toulouse
13 B.-du-Rh.	Aix-en-Prov.	V 53 Lyon	Prov.-C.-d'A.	Marseille
14 Calvados .	Caen	III 32 Rennes	Basse-Norm.	Rouen
15 Cantal	Clermont-F.	V 52 Lyon	Auvergne	Clermont-F.
16 Charente	Poitiers	IV 42 Bordeaux	Poitou-Char.	Limoges
17 Ch.-Mar.	Poitiers	IV 42 Bordeaux	Poitou-Char.	Limoges
18 Cher	Orléans	X 13 Paris	Centre	Orléans
19 Corrèze ..	Limoges	IV 43 Bordeaux	Limousin	Limoges
20A Corse-du-S.	Corte	V 55 Lyon	Corse	Marseille
20B H.-Corse	Corte	V 55 Lyon	Corse	Marseille
21 C.-d'Or ...	Dijon	VI 64 Metz	Bourgogne	Dijon
22 C.-d'Armor	Rennes	III 31 Rennes	Bretagne	Rennes
23 Creuse ...	Limoges	IV 43 Bordeaux	Limousin	Limoges
24 Dordogne	Bordeaux	IV 41 Bordeaux	Aquitaine	Bordeaux
25 Doubs ...	Besançon	VI 65 Metz	Franche-Comté	Dijon
26 Drôme ...	Grenoble	V 51 Lyon	Rhône-Alpes	Lyon
27 Eure	Rouen	II 23 Lille	Hte-Norm.	Rouen
28 E.-et-Loir	Orléans	I Paris	Centre	Orléans
29 Finistère ..	Rennes	III 31 Rennes	Bretagne	Rennes
30 Gard.....	Montpellier	V 54 Lyon	Languedoc	Montpellier
31 Gar. (H.-)	Toulouse	IV 44 Bordeaux	Midi-Pyr.	Toulouse
32 Gers	Toulouse	IV 44 Bordeaux	Midi-Pyr.	Toulouse
33 Gironde ..	Bordeaux	IV 41 Bordeaux	Aquitaine	Bordeaux
34 Hérault ...	Montpellier	V 54 Lyon	Languedoc	Montpellier
35 I.-et-Vil. ..	Rennes	III 31 Rennes	Bretagne	Rennes
36 Indre	Orléans	I 13 Paris	Centre	Orléans
37 I.-et-Loire	Orléans	I 13 Paris	Centre	Orléans
38 Isère	Grenoble	V 51 Lyon	Rhône-Alpes	Lyon
39 Jura	Besançon	VI 65 Metz	Franche-Comté	Dijon
40 Landes ...	Bordeaux	IV 41 Bordeaux	Aquitaine	Bordeaux
41 L.-et-Cher	Orléans	I 13 Paris	Centre	Orléans
42 Loire	Lyon	V 51 Lyon	Rhône-Alpes	Lyon
43 Loire (H.-)	Clermont-F.	V 52 Lyon	Auvergne	Clermont-F.
44 L.-Atlant.	Nantes	III 33 Rennes	P. Loire	Nantes
45 Loiret	Orléans	I 13 Paris	Centre	Orléans
46 Lot	Toulouse	IV 44 Bordeaux	Midi-Pyr.	Toulouse
47 Lot-et-Gar.	Bordeaux	IV 41 Bordeaux	Aquitaine	Bordeaux
48 Lozère ...	Montpellier	V 54 Lyon	Languedoc	Montpellier
49 Maine-et-L.	Nantes	III 33 Rennes	P. Loire	Nantes
50 Manche ..	Caen	III 32 Rennes	Basse-Norm.	Rouen

Départements	Académies	Régions militaires (Zones de défense) et divisions mil.	Régions	Régions Sécurité sociale
51 Marne ...	Reims	VI 63 Metz	Champagne	Nancy
52 Marne (H.-)	Reims	VI 63 Metz	Champagne	Nancy
53 Mayenne	Nantes	III 33 Rennes	P. Loire	Nantes
54 M.-et-Mos.	Nancy	VI 61 Metz	Lorraine	Nancy
55 Meuse ...	Nancy	VI 61 Metz	Lorraine	Nancy
56 Morbihan	Rennes	III 31 Rennes	Bretagne	Rennes
57 Moselle ..	Nancy	VI 61 Metz	Lorraine	Strasbourg
58 Nièvre ...	Dijon	VI 64 Metz	Bourgogne	Dijon
59 Nord	Lille	II 21 Lille	Nord	Lille
60 Oise	Amiens	II 22 Lille	Picardie	Lille
61 Orne	Caen	III 32 Rennes	Basse-Norm.	Rouen
62 Pas-de-C.	Lille	II 21 Lille	Nord	Lille
63 Puy-de-D.	Clermont-F.	V 52 Lyon	Auvergne	Clermont-F.
64 Pyr.-Atl.	Bordeaux	IV 41 Bordeaux	Aquitaine	Bordeaux
65 Pyr. (H.-)	Toulouse	IV 44 Bordeaux	Midi-Pyrénées	Toulouse
66 Pyr.-Or. ..	Montpellier	V 54 Lyon	Languedoc	Montpellier
67 Rhin (B.-)	Strasbourg	VI 62 Metz	Alsace	Strasbourg
68 Rhin (H.-)	Strasbourg	VI 62 Metz	Alsace	Strasbourg
69 Rhône ...	Lyon	V 51 Lyon	Rhône-Alpes	Lyon
70 Saône (H.-)	Besançon	VI 65 Metz	Franche-Comté	Dijon
71 S.-et-Loire	Dijon	VI 64 Metz	Bourgogne	Dijon
72 Sarthe	Nantes	III 33 Rennes	P. Loire	Nantes
73 Savoie ...	Grenoble	V 51 Lyon	Rhône-Alpes	Lyon
74 Savoie (H.-)	Grenoble	V 51 Lyon	Rhône-Alpes	Lyon
75 Paris	Paris	I Paris	Île-de-France	Paris
76 S.-Marit. .	Rouen	II 23 Lille	Haute-Norm.	Rouen
77 S.-et-Marne	Créteil	I 12 Paris	Île-de-France	Paris
78 Yvelines ..	Versailles	I Paris	Île-de-France	Paris
79 Sèvres (D.)	Poitiers	IV 42 Bordeaux	Poitou-Char.	Limoges
80 Somme ...	Amiens	II 22 Lille	Picardie	Lille
81 Tarn	Toulouse	IV 44 Bordeaux	Midi-Pyr.	Toulouse
82 T.-et-Gar.	Toulouse	IV 44 Bordeaux	Midi-Pyr.	Toulouse
83 Var	Nice	V 53 Lyon	Prov.-C.-d'A.	Marseille
84 Vaucluse ..	Aix-en-Pr.	V 53 Lyon	Prov.-C.-d'A.	Marseille
85 Vendée ...	Nantes	III 33 Rennes	P. Loire	Nantes
86 Vienne ...	Poitiers	IV 42 Bordeaux	Poitou-Char.	Limoges
87 Vienne (H.-)	Limoges	IV 43 Bordeaux	Limousin	Limoges
88 Vosges ...	Nancy	VI 61 Metz	Lorraine	Nancy
89 Yonne ...	Dijon	VI 64 Metz	Bourgogne	Dijon
90 T. Belfort	Besançon	VI 65 Metz	Franche-Comté	Dijon
91 Essonne ..	Versailles	I 13 Paris	Île-de-France	Paris
92 H.-de-Seine	Versailles	I Paris	Île-de-France	Paris
93 Seine-St-D.	Créteil	I Paris	Île-de-France	Paris
94 Val-de-M.	Créteil	I Paris	Île-de-France	Paris
95 Val-d'Oise	Versailles	I Paris	Île-de-France	Paris
971 Guadel.	Antilles-Guy.	Antilles-Guyane	Guadeloupe	Fort-de-Fr.
972 Martiniq.	Antilles-Guy.	Antilles-Guyane	Martinique	Fort-de-Fr.
973 Guyane .	Antilles-Guy.	Antilles-Guyane	Guyane	Fort-de-Fr.
974 Réunion .	Réunion		Réunion	St-Denis
975 St-Pierre-et-Miquelon				

Académies. – Aix-en-Provence, Amiens, Besançon, Bordeaux, Caen, Clermont-Ferrand, Créteil, Dijon, Grenoble, Lille, Limoges, Lyon, Montpellier, Nancy-Metz, Nantes, Nice, Orléans-Tours, Paris, Poitiers, Reims, Rennes, Rouen, Strasbourg, Toulouse, Versailles, Antilles-Guyane, Réunion.

Chambres régionales de commerce et d'industrie *(appelées Régions économiques avant le décret du 4-12-1964) (sièges).* – Amiens, Besançon, Bordeaux, Bourges, Caen, Clermont-Ferrand, Dijon, Grenoble, Lille, Limoges, Lyon, Marseille, Montpellier, Nancy, Nantes, Paris, Rennes, Rouen, Strasbourg, Toulouse, Versailles.

Cours d'appel. – *Agen :* Gers, Lot, Lot-et-G. *Aix :* A.-de-Hte-Pr., Alpes-M., Bouches-du-Rh., Var. *Amiens :* Aisne, Oise, Somme. *Angers :* Maine-et-Loire, Mayenne, Sarthe. *Bastia :* Corse-du-Sud, Hte-Corse. *Besançon :* Doubs, Jura, Hte-Saône, Terr. de Belfort. *Bordeaux :* Charente, Dordogne, Gironde. *Bourges :* Cher, Indre, Nièvre. *Caen :* Calvados, Manche, Orne. *Chambéry :* Savoie, Hte-Savoie. *Colmar :* Ht-Rhin, Bas-Rhin. *Dijon :* Côte-d'Or, Hte-Marne, Saône-et-Loire. *Douai :* Nord, Pas-de-Calais. *Grenoble :* Htes-Alpes, Drôme, Isère. *Limoges :* Corrèze, Creuse, Hte-Vienne. *Lyon :* Ain, Loire, Rhône. *Metz :* Moselle. *Montpellier :* Aude, Aveyron, Hérault, Pyrénées-Or. *Nancy :* Meurthe-et-Moselle, Meuse, Vosges. *Nîmes :* Ardèche, Gard, Lozère, Vaucluse. *Orléans :* Indre-et-Loire, Loir-et-Cher, Loiret. *Paris :* Paris, Seine-St-Denis, Val-de-M., Seine-et-M., Essonne, Yonne. *Pau :* Landes, Pyrénées-Atlantiques, Htes-Pyrénées. *Poitiers :* Charente-Maritime, Deux-Sèvres, Vendée, Vienne. *Reims :* Ardennes, Aube, Marne. *Rennes :* Côtes-d'Armor, Finistère, Ille-et-Vilaine, Loire-Atlantique, Morbihan. *Riom :* Allier, Cantal, Hte-Loire, Puy-de-Dôme. *Rouen :* Eure, Seine-Maritime. *Toulouse :* Ariège, Hte-Garonne, Tarn, Tarn-et-Garonne. *Versailles :* Eure-et-Loir, Hts-de-Seine, Val-d'Oise, Yvelines. *Basse-Terre :* Guadeloupe. *Fort-de-France :* Martinique, Guyane. *St-Denis :* Réunion.

Régions (sièges). – *Alsace* (Strasbourg). *Aquitaine* (Bordeaux). *Auvergne* (Clermont-Ferrand). *Basse-Normandie* (Caen). *Haute-Normandie* (Rouen). *Bourgogne* (Dijon). *Bretagne* (Rennes). *Centre* (Orléans). *Champagne-Ardenne* (Châlons-sur-Marne). *Corse* (Ajaccio). *Franche-Comté* (Besançon). *Île-de-France* (Paris). *Languedoc-Roussillon* (Montpellier). *Limousin* (Limoges). *Lorraine* (Metz). *Midi-Pyrénées* (Toulouse). *Nord* (Lille). *Pays de la Loire* (Nantes). *Picardie* (Amiens). *Poitou-Charentes* (Poitiers). *Provence-Côte d'Azur* (Marseille). *Rhône-Alpes* (Lyon). *Guadeloupe* (Basse-Terre). *Guyane* (Cayenne). *Martinique* (Fort-de-France). *Réunion* (St-Denis).

Régions militaires et zones de défense (sièges). – Bordeaux, Lille, Lyon, Metz, Paris, Rennes, Fort-de-France, St-Denis.

Régions de Sécurité sociale (sièges). – Bordeaux, Clermont-Ferrand, Dijon, Lille, Limoges, Lyon, Marseille, Montpellier, Nancy, Nantes, Orléans, Paris, Rennes, Rouen, Strasbourg, Toulouse, Fort-de-France.

peut appeler, pour exercer les fonctions du ministère public, le maire du lieu où siège le tribunal de police ou un de ses adjoints. Le maire exerce alors l'action publique et requiert l'application de la loi contre les contrevenants.

d) **Divers :** le maire peut être appelé à concourir aux saisies exécutoires.

e) **Autorité administrative subordonnée :** il est chargé de la publication et de l'exécution des lois et règlements. Il joue un rôle actif dans l'organisation électorale (listes établies et révisées sous son autorité). Il préside les bureaux de vote ; veille à la bonne application des lois scolaires ; peut participer aux réunions des conseils des écoles primaires ou établissements secondaires. Il dresse les tableaux de recensement en vue de l'accomplissement du service national. Il participe à l'instruction des demandes d'aide sociale qui sont déposées auprès du bureau d'aide sociale de la commune par les intéressés et qui sont ensuite soumises aux commissions d'admission intercantonales par l'intermédiaire de la préfecture. Parfois, il peut être chargé des réquisitions civiles ou mil. et de leur répartition.

Autres attributions. Il contribue à l'internement des aliénés. Il transmet des informations au pouvoir central et lui adresse périodiquement des statistiques. Il délivre des certificats : attestations de résidence, d'indigence... Il légalise les signatures, accorde ou refuse les permis de construire et les autres autorisations d'occupation du sol (permis de lotir), mais il agit en tant que représentant de la commune lorsque celle-ci est dotée d'un plan d'occupation des sols et en tant que représentant de l'État dans le cas contraire, exécute les arrêtés ministériels de classement d'immeubles comme monuments historiques.

Budget des communes

■ **Recettes. Dotation globale de fonctionnement** (DGF) : créée par la loi du 3-1-1979, elle remplaçait le VRTS (versement représentatif de la taxe sur les salaires), les vers. représ. de l'impôt sur les spectacles et la participation de l'État aux dépenses d'intérêt général des collectivités locales.

Dotation globale de décentralisation (DGD) : versée en compensation des transferts de compétences opérés au profit des communes par les lois de décentralisation (concerne essentiellement les dépenses relatives à l'établissement des documents d'urbanisme).

Fonds de compensation de la TVA : remboursement par l'État de la part de TVA acquittée sur les dépenses d'investissement.

Produit de la taxe foncière *sur propriétés bâties et non bâties, de la t. d'habitation et de la t. professionnelle.* Dep. le 1-1-1974, le système des *« centimes additionnels »* a été remplacé par le vote d'un *« produit fiscal global »* réparti entre les 4 taxes. Dep. la loi du 10-1-1980, les communes ont pu, à compter de 1981, fixer directement les taux des 4 taxes directes et répartir elles-mêmes la charge fiscale globale entre les catégories de contribuables ; la taxe professionnelle a été aménagée et une cotisation minimale instituée ; le régime de la taxe d'habitation a été modifié dans le sens d'une plus grande justice.

Autres impôts directs : redevance des mines ; taxe d'enlèvement des ordures ménagères ; de balayage.

Impôts indirects : impôt sur les spectacles ; droits de licence des débits de boissons ; surtaxes sur les eaux minérales ; taxes sur les jeux de boules et les jeux de quilles.

Droits d'enregistrement, *publicité foncière et timbre : 1°) Droits de timbre* sur affiches, sur portatifs spéciaux. *2°) Taxe locale d'équipement (TLE).* Conçue pour faire participer les constructeurs immobiliers aux charges des équipements collectifs rendus nécessaires par les implantations de logements. S'applique de plein droit dans les communes de + de 10 000 h. et dans certaines communes de la région parisienne. Dans les autres, le conseil municipal peut décider de l'instituer. Taux 1 % à 5 % de la valeur de l'ensemble immobilier. *3°) Versement lié au dépassement du plafond légal de densité,* créé (par la loi du 31-12-1975) notamment pour inciter les constructeurs à limiter la hauteur des nouveaux immeubles. *4°) Taxe additionnelle aux droits d'enregistrement* perçus par l'État (mutations à titre onéreux d'immeubles, de fonds de commerce...).

Taxes diverses : t. sur la publicité, t. de séjour, t. sur l'énergie électrique, droits de portes, de voirie, t. de trottoirs, funéraires...

Subventions de l'État : depuis la loi du 2-3-1982 les subv. d'équipement font l'objet d'une dotation globale d'équipement sans affectation préalable. Les subv. spécifiques ont été maintenues pour les communes de – de 2 000 hab.

Revenus du domaine : vente de biens, dons, legs.

■ Regroupements de communes

Depuis 1890 les communes ont utilisé la faculté de se regrouper.

Fusion. Principes : permet de maintenir le nombre d'hab. nécessaire à l'administration d'une vie collective et de réaliser des équipements que les communes n'auraient pu entreprendre isolément. La loi du 16-7-1971 a prévu des incitations : majoration de 50 % des subventions d'équipement accordées par l'État, aide financière de l'État dans le cas d'intégration fiscale progressive. *a) Fusion simple :* seule usitée jusqu'au 16-7-1971. *b) Fusion comportant création d'une ou plusieurs communes :* institue une collectivité territoriale nouvelle, mais permet aux anciennes communes, sauf à la comm. chef-lieu de la nouvelle entité, de devenir comm. associées sur simple demande de leur conseil municipal, exprimée au moment de la fusion. La comm. associée n'a pas la personnalité morale et, de ce fait, n'a ni budget, ni patrimoine, ni personnels propres, mais elle possède des institutions particulières : de droit, un maire délégué, une mairie annexe, une section de bureau d'aide sociale lorsqu'il en existait un dans l'ancienne commune, et, si la convention passée au moment de la fusion l'a prévue, une commission consultative ; enfin, elle constitue de droit une section électorale si la nouvelle commune a, au plus, 30 000 h.

Nombre : *fusions* dep. la loi du 16-7-1971 au 1-6-1992, 857 ; *défusions* 44.

■ Association de communes : coopération intercommunale

Depuis 1890, les communes ont utilisé la faculté de s'associer pour créer des équipements ou gérer des services. Diverses formules ayant le statut d'établissement public existent :

■ **1°) Syndicat de communes. Statut :** permet aux communes de mettre en commun certains crédits pour réaliser des équipements collectifs comme : voirie, adduction d'eau, enlèvement des ordures ménagères, etc. Il n'a pas de compétence obligatoire, il ne peut lever une fiscalité propre. Il peut être spécialisé à une vocation unique (ex. : syndicat intercommunal d'adduction d'eau ou d'électrification) ou à vocation multiple (Sivom ; dep. l'ordonnance du 5-1-1959). **Nombre** (au 1-6-1992) : Sivom 2 478 ; et s. intercommunaux spécialisés Sivu 4 449.

■ **2°) District. Statut :** institué par une ordonnance du 5-1-1959 sous le nom de *district urbain* (la loi du 31-12-1970 a supprimé le qualificatif urbain : des districts peuvent être créés en milieu rural). Il dispose d'une fiscalité additionnelle. Il exerce de plein droit, à la place des communes de l'agglomération, la gestion des services du logement, des centres de secours contre l'incendie, et des services assurés antérieurement par les syndicats de communes associant, à l'exclusion de toute autre, les mêmes communes que le district. Il peut recevoir d'autres compétences par décision institutive. **Nombre** (au 1-6-1992) : 250.

■ **3°) Communauté urbaine.** Regroupe plusieurs communes d'une agglomération de + 20 000 hab. **Statut :** établissement public à vocation multiple, administré par un *conseil de communauté* (50 à 90 membres selon le nombre des communes et l'importance de la population), composé des délégués des communes désignés par les conseils municipaux dans ou hors de leur sein. **Compétences transférées à la communauté :** *obligatoirement :* compétences concernant plan de modernisation et d'équipement, plan d'urbanisme, création et équipement de diverses zones (industrielles, habitations, etc.), développement économique, construction de locaux scolaires (lycées et collèges notamment), HLM, lutte contre l'incendie, transports urbains, assainissement, cimetières, abattoirs, voirie et signalisation, parcs de stationnement. Ses attributions peuvent aussi être étendues (par délibération du conseil de communauté, avec l'accord des conseils municipaux des communes intéressées de la communauté) suivant les règles de majorité qualifiées spécifiques à d'autres domaines de compétences. Des conventions peuvent être passées entre communauté et communes membres. **Principales recettes :** vote, comme les communes, d'un produit fiscal global ; attribution de la Dotation globale de fonctionnement (DGF) ; produit de taxes pour services rendus ; redevances et taxes diverses ; revenus du domaine ; subventions de l'État et majoration de ces subventions (33 % pour les opérations d'équipement). **Nombre :** 9 : *Bordeaux* (loi du 31-12-66) (27 communes : 633 823 h.), *Brest* (décret du 24-5-73) (8 c. : 213 838 h.), *Cherbourg* (déc. du 2-10-70) (6 c. : 95 574 h.), *Le Creusot-Montceau-les-Mines* (déc. du 13-1-70) (16 c. : 101 496 h.), *Dunkerque* (déc. du 21-10-68) (18 c. : 210 396 h.), *Lille* (loi du 31-12-66) (86 c. : 1 079 493 h.), *Lyon* (loi du 31-12-66) (55 c. : 1 152 297 h.), *Le Mans* (déc. du 19-11-71) (8 c. : 185 506 h.), *Strasbourg* (loi du 31-12-66) (27 c. : 429 928 h.).

■ **4°) Communauté de communes. Statut :** établissement public de coopération institué par la loi du 6-2-1991. **Compétences :** relevant obligatoirement du domaine de l'aménagement de l'espace et du développement économique. Un groupe de compétences supplémentaire est à choisir parmi l'environnement, le logement et le cadre de vie, la voirie, les équipements éducatifs, culturels et sportifs. Une grande souplesse est laissée quant aux modalités de définition des compétences exercées dans chacun de ces groupes. **Recettes :** dispose d'une fiscalité additionnelle et d'une DGF propre. Elle peut en option se substituer aux communes membres pour la perception de la taxe professionnelle acquittée par les entreprises sur des zones d'activité identifiées. **Nombre** (au 31-12-1992) : 80.

■ **5°) Communauté de villes. Statut :** établissement public de coopération institué par la loi du 6-2-1992 en vue d'associer plusieurs communes au sein d'une agglomération de + 20 000 h. **Compétences :** obligatoirement centrées sur l'aménagement de l'espace et le développement économique avec le choix d'un groupe de compétences supplémentaire, à déterminer parmi 4 groupes identiques à ceux proposés pour les communautés de communes (mais au contenu très précis défini dans la loi) ; le champs d'intervention est plus complet en communauté de villes. **Recettes :** taxe professionnelle (qui devient un impôt intercommunal), DGF propre avec taux unique pour toutes les communes membres. **Nombre** (au 31-12-1992) : 3 : La Rochelle, Cambrai, Aubagne.

■ **6°) Syndicats d'agglomérations nouvelles (SAN). Statut :** structures de coopération intercommunales propres aux villes nouvelles. **Compétences :** programmes d'investissements et équipements, gèrent services qualifiés d'intérêt commun. **Recettes :** taxe professionnelle, unifiée sur tout le périmètre du SAN. **Nombre** (au 31-12-1992) : 9.

■ Association de différents niveaux de collectivités

■ **Syndicat mixte. Statut :** comprend des ententes ou des institutions interdépartementales, des régions, des départements, des communautés urbaines, des communautés de communes, des communautés de villes, des districts, des syndicats de communes, des communes, des chambres de commerce, d'agriculture, de métiers et autres établissements publics pour réaliser des œuvres ou services présentant une unité pour chacune des personnes morales en cause. **Nombre** (au 1-1-1991) : 975.

☞ A Maincourt-sur-Yvette (Yvelines), mairie et église sont sous le même toit (pour entrer dans l'église, on est obligé de passer par la mairie).

Principaux partis, clubs politiques et mouvements

☞ **Comparaisons internationales** (vers 1980). *PC :* Italie 1 700 000 adh. (France 700 000) ; *PS :* Allemagne (SPD) 1 000 000 (France 200 000) ; *Conservateurs :* G.-B. 2 800 000 ; Italie (Dém.-Chrétien) 1 700 000 ; Allemagne (Dém.-Chrétien) 800 000 ; *RPR :* 700 000 ; *UDF :* 300 000.

■ Partis, clubs et mouvements actuels

■ **Agir au centre.** 43, rue de l'Échiquier, 75010 Paris. *Créé* 1981. *Pt :* Pierre-André Périssol (n. 30-4-47).

■ **Alliance des républicains pour l'avenir.** 137, bd de Sébastopol, 75002 Paris. Association de l'opposition sans distinction de parti. *Pt :* Jacques Dominati (n. 11-3-27). *Secr. gén. :* Xavier de La Fournière (9-1-27-† en prison 3-1-93).

■ **Alliance sociale-démocrate.** 95, rue des Morillons, 75015 Paris. *Fondée* 31-5-1975 sous le nom de *Fédération des socialistes réformistes* (devenue, en sept. 1975, *Féd. des soc. dém.* puis *Parti socialiste démocrate*) par Éric Hintermann (n. 12-12-36). *Secr. gén. :* Renée Canonge. *Membres :* 3 000. *Presse :* la Lettre sociale-démocrate.

Résultats électoraux : 1958-1993 (1er tour ou tour unique)

	L. 1958	L. 1962	P. 1965	L. 1967	L. 1968	L. 1973	P. 1974	L. 1978	E. 1979	P. 1981	L. 1981	E. 1984	L. 1986	P. 1988	L. 1988	E. 1989	R. 1992	L. 1993
Extrême gauche	1,2	2,1		2,2	4	3,2	2,7	3,3	3,1	3,4	1,2	3,8	1,5	4,4	0,4	2,4	1,2	1,66
Parti communiste	18,9	21,9		22,5	20	21,4		20,6	20,6	15,5	16,1	11,2	9,7	6,8	11,3	7,7	8	9,18
Socialistes/Radicaux	25,1	19,8	32,2	18,9	16,5	21,2	**43,4**	**26,3**	23,7	**28,3**	**38,3**	24,1	32,8	**34,1**	**37,5**	23,6	20,4 (1)	19,20 (7)
Écologistes							1,3	2,3	4,5	3,9	1,1	3,4	1,2	3,8	0,4	10,6	13,9 (2)	10,7 (6)
Gaullistes	20,6	**33,7**	**43,7**	**33**	**38**	**26**	14,5	22,8	16,1	21,1	21,2			19,9	19,2			
Rép. Indép./CDP		2,3		5,5	8,4	11		} 23,9	} **30,7**	} 27,8	} 21,7	**46**	**44,6**			**38,5**	**37,2** (3)	39,69 (8)
Centristes/modérés	**31,1**	19,4	15,9	16	12,4	16,7	36,8							16,6	21,4			
Droite nationale	2,6	0,7	5,2	0,6	0,1	0,5	0,8	0,7	1,3		0,3	11,1	9,9	14,4	9,8	11,7	14,1 (4)	12,6 (5)
Divers	0,5	0,1	2,9		0,6		0,5				0,1	0,4	0,3			5,5	4,3	6,9
Total Gauche	45,2	43,8	32,2	43,6	40,5	45,8	46,1	**50,2**	47,4	47,2	**55,6**	39,1	44	45,3	49,2	33,7	29,6	31
Total Droite	**54,3**	**56,1**	**64,9**	**56,4**	**58,9**	**54,2**	**52,1**	47,4	**48,1**	**48,9**	43,2	**57,1**	**54,5**	**50,9**	**50,4**	**50,2**	**51,3**	**56,9**

Nota. – **L.** : législative ; **P** : présidentielle ; **E** : européenne ; **R.** : régionale.
(1) Dont PS = 18,3 %. (2) Dont Verts = 6,8 % et Génération Écologie = 7,1 %. (3) Dont UPF = 33 %. (4) Dont FN = 13,9 %. (5) Dont FN = 12,4 %.
(6) Dont Verts = 4,02 %, Génération Écologie = 3,61 %, Nouveaux Écolo. = 2,50 %. (7) Dont PS = 17,39 %. (8) Dont RPR = 19,81 %, UDF = 18,61 %.

■ **Alternative Rouge et Verte (Arev).** 40, rue de Malte, 75011 Paris. *Fondée* 26-11-1989 à partir de la fusion de la Nouvelle Gauche (issue des comités mis en place lors de la campagne présidentielle de Pierre Juquin en 1988) et du PSU. *Objectif :* milite pour une synthèse entre les acquis du mouvement ouvrier traditionnel (lutte contre les inégalités, changement des rapports sociaux) et l'apport des mouvements sociaux en particulier le féminisme et l'écologie. *Organisation :* coordination générale regroupant des délégués des 70 fédérations. Exécutif de 15 personnes. *Adhérents (1991)* 5 000 dont 300 élus locaux. *Presse :* Rouge et Vert (hebdo., 10 000 ex.).

■ **Association des démocrates.** *Fondée* sept. 1988 par Michel Durafour (n. 11-4-20). *Membres :* Lionel Stoléru (n. 22-11-37), Jean-Marie Rausch (n. 24-9-29), Thierry de Beaucé (n. 14-2-43), Hélène Dorlhac (n. 4-10-35), Jacques Pelletier (n. 1-8-29), Roger Fauroux (n. 21-11-26), Bernard Kouchner (n. 1-11-39).

■ **Association démocratique des Français à l'étranger.** 42, rue La Boétie, 75008 Paris. *Pte :* Edwige Avice (n. 13-4-45). *Publication :* Français du monde (bimestriel).

■ **Association européenne des citoyens (Helsinki Citizen Assembly).** 31, rue de Reuilly, 75012 Paris. *Fondée* sous le patronage de Václav Havel. 1re assemblée générale à Prague en 1990, 2e à Bratislava en 1992. *Objet :* veuiller à l'application des accords d'Helsinki par les États signataires. *Publication :* Réseaux de citoyens (bimensuel).

■ **Association nationale d'action pour la fidélité au général de Gaulle.** BP 221-07 75007 Paris. *Pt :* Pierre Lefranc (23-1-1922).

■ **Association nationale des élus de la gauche radicale et républicaine.** 3, rue La Boétie, 75008 Paris. *Fondée* 1974. Regroupe 12 parlementaires, 60 conseillers régionaux, 1 000 maires, plus de 2 000 élus municipaux. *Pt :* Alain Dutoya. *Publ. :* Mairies et Régions de Fr. (trim.).

■ **Autonomes.** Mouvements sans structure ni hiérarchie, *issus* de l'OCL et de différents groupes. S'opposent à l'extrême gauche. Utilisent la violence.

Organisations dissoutes sous la Ve République

Le gouvernement peut dissoudre les organisations jugées subversives pour l'ordre public (loi du 10-1-1936 complétée par loi du 1-7-1972). **1958** *27-1* Union générale des étudiants musulmans algériens, *15-5* Front d'action nationale, Mouvement jeune nation, Phalange française, Parti patriote révolutionnaire ; *23-8* Amicale générale des travailleurs algériens résidant en France. **1959** *13-2* Parti nationaliste. **1960** *17-12* Front de l'Algérie française, *23-12* Front national pour l'Alg. fr. **1961** *28-4* Front nat. combattant, *1-7* Comité d'entente pour l'Alg. fr., *22-7* Front commun antillo-guyanais, *26-7* Mouvement national révolut., *27-11* Comité de Vincennes. **1962** *20-3* Le Regroupement national. **1963** *5-11* Rassemblement démocratique des populations tahitiennes, Pupu Tiama Maohi. **1967** *13-7* Parti du mouvement populaire de la Côte fr. des Somalis. **1968** *12-6* Féd. de la jeunesse révolut., Mouv. du 22-Mars, Union des jeunesses comm. marxistes-léninistes, Parti comm. marxiste-léniniste de Fr., Parti comm. internationaliste, Jeunesse comm. révolut., Voix ouvrière, Révoltes, Organisation comm. internationaliste, Féd. des étudiants révolut., Comité de liaison des étudiants révolut. *31-10* Occident. **1970** *27-5* Gauche prolétarienne, *4-7* le Conseil d'État annule le décret de dissolution de 3 organisations : Révoltes, Organisation comm. internationaliste, Féd. des étudiants révolut. **1973** *28-6* Ordre Nouveau, Ligue communiste. **1974** *30-1* Embata (Pays basque), Front de libération de la Bretagne (dite Armée rép. bret.), Front de libération de la Bretagne pour la libération nat. et le socialisme, Front paysan corse de libér. **1975** *27-8* Action pour la reconnaissance de la Corse. **1980** *3-9* Féd. d'action nat. et europ. (Fane). **1982** *28-7* Service d'action civique (SAC), *18-8* Action directe. **1983** *5-1* Front de libération nat. corse (FLNC), *27-9* Consulte des comités nationalistes corses. **1984** *3-5* Alliance révolut. caraïbe pour les Antilles et la Guyane (ARC), *31-10* le Conseil d'État annule le décret de dissolution de la Fane pour vice de forme. **1985** *23-1* Fane (2e dissolution). **1987** *21-1* Mouvement corse pour l'autodétermination (MCA), *4-6* Association nationaliste corse « A Riscossa » (Le Renfort), *16-6* le Conseil d'État annule le décret de dissolution de la Fane, *24-6* Association islamique Ahl El Beit, *15-7* Organisation basque indépendantiste Iparetarrak. *16-9* Fane (3e dissolution).

■ **Avenir et Liberté.** 18, av. de la Marne, 92600 Asnières. *Fondés* 1972. *But :* combattre collectivisme, lutte des classes, nivellement des individus, emprise de l'État et totalitarisme ; *clubs* (1981) 100, (93) 75. *Pt :* Yves Paris. *Vice-Pt :* Y. Lefebvre. *Publication :* L'Essentiel 10 000 ex. *Adhérents :* 8 000.

■ **Carrefour du gaullisme.** 6, rue du Boccador, 75008 Paris. *Créé* 17-5-1979 par Roland Nungesser (Pt). Groupe 43 personnalités.

■ **Carrefour social-démocrate (CSD).** 18, rue Cardinet, 75017 Paris. *Fondé* 7-7-1977. *Pt :* René Lenoir (n. 21-1-27). A cessé de fonctionner depuis 1981.

■ **Centre catholique des intellectuels français.** 61, rue Madame, 75006 Paris. *Animateur :* René Rémond (30-9-1918).

■ **Centre des démocrates sociaux (CDS).** 133 *bis*, rue de l'Université, 75007 Paris. *Fondé* 23-5-1976 à Rennes par la fusion du *Centre démocrate* [créé 1966, par Jean Lecanuet (1920-93) et Pierre Abelin (1909-77)] et du *Centre Démocratie et Progrès* (CDP) [créé 1969 par Jacques Duhamel (1924-77) et Joseph Fontanet (9-2-21, tué dans la rue 2-2-80)]. Incarne le courant démocrate-chrétien qu'exprimait le MRP en 1945 et situe, au plan européen, son action dans le cadre du Parti populaire européen (PPE). Composante de l'UDF. Constitue en 1988 le groupe de l'Union du centre (UDC) à l'Ass. nat. *Pt :* Pierre Méhaignerie (4-5-39). *Pt-exécutif :* Dominique Baudis (14-4-47). *Secr. gén. :* Bernard Bosson (25-2-48). *1ers vice-Pts :* René Monory (6-6-23), Bernard Stasi (4-7-30). *Vice-Pts :* E. Alphandéry (2-9-43) ; François Bayrou (25-5-51) ; Nicole Fontaine (16-1-42) ; Monique Papon (5-10-34) ; Jean-Charles de Vincenti (4-7-42) ; Adrien Zeller (2-4-40). *Secr. gén. adjoint :* Jean-Jack Salles. *Trésorier :* Jean-Jacques Hyest (2-3-43). *Organisation :* bureau politique (70 m.), conseil politique (600 m.), congrès tous les 2 ans. *Adhérents :* 51 150 (1992). *Représentation :* 45 dép. à l'Ass. nat., 66 sénateurs, 6 dép. à l'Ass. eur., 300 conseillers généraux, 18 Pts de c. gén., 1 Pt de c. régional, 105 c. régionaux, 17 maires de villes de plus de 30 000 hab. **Club associé :** *France-Forum.* **Mouvements rattachés :** *Jeunes Démocrates sociaux* (JDS, *Pt :* Jean-Luc Moudenc, 19 200 adh. en 92), *Femmes démocrates* **Pte :** Claire Trouve. Équipes rurales. Équipes syndicales. **Publications :** Démocratie moderne (hebd., 55 000 ex.), France-Forum, Communes modernes.

■ **Centre d'études et de recherches constitutionnelles (Cercle).** 8, place du Palais-Bourbon, 75007 Paris. *Pts :* Charles Millon (12-11-45), Philippe Seguin (21-4-43). *Secr. gén. :* Fr. Froment-Meurice (8-5-49).

■ **Centre d'études et de recherches « Égalités et Libertés » (Cerel).** 24, av. Perrichont, 75016 Paris. *Fondé* 18-6-1974 par le Dr Claude Peyret (1925-76). *But :* œuvrer pour l'instauration de la « Nouvelle Société » voulue par Jacques Chaban-Delmas. *Principes :* tolérance, solidarité, humanisme. *Pt :* Jean R. Guion (4-9-50).

■ **Centre indépendant et républicain.** 27, rue du Javelot, 75645 Paris Cedex 13. Issu des comités d'*Union pour la majorité présidentielle* qui, aux législatives de 1973, ont présenté 75 candidats. En 1989 dans la majorité présidentielle. *Bureau exécutif : Pt :* N. Fétiveau (20-1-10) ; *secr. gén. :* G. de Sansac (21-12-22). *Adhérents :* 6 500. *Élus locaux :* 1 500 surtout Nord, région par. et S.-O. *Publication :* la Lettre du Centre indépendant et républicain (bimestriel, 30 000 ex.).

■ **Centre national des indépendants et paysans (CNI).** 170, rue de l'Université, 75007 Paris. *Fondé* 6-1-1949 par Roger Duchet (1904-81), sénateur-maire de Beaune, et René Coty (1882-1962). *1951 :* le Parti paysan de Paul Antier (1905) et Camille Laurens (1906-79) rejoint le CNI qui devient le CNIP. *IVe Rép. :* illustré par le Pt de la Rép. René Coty (de 1954 à 58), et 2 Pts du Conseil [Antoine Pinay (1952, n. 1891) et Joseph Laniel (1953-54, 1889, † 1975)]. *Ve Rép., 1958 :* 2e parti de Fr. avec 120 députés (groupe le plus important au Sénat). Pinay, ministre des Fin. dans le 1er gouv. de Gaulle. *1962 :* Pinay passe dans l'opposition, il est pour l'Algérie française, contre l'élection du Pt de la Rép. au suffrage universel. *1963 :* Giscard d'Estaing fonde les Rép. indépendants, accentuant le recul électoral du CNIP aux législatives. *1965 :* soutient Jean Lecanuet aux présidentielles. *1966-68 :* coexistence difficile avec le MRP au sein du Centre démocrate. *1968 :* reprend son indépendance. *1969 :* rallié à Pompidou. *1974-81 :* participe aux gouvernements Barre [avec Maurice Ligot (1927), puis Jacques Fouchier (1913)], mais refuse d'admettre l'emprise grandissante de l'État et de l'administration. *1981 : présidentielle 1er tour :* soutient Chirac. *2e tour :* Giscard d'Estaing. *1988 : présidentielle,* soutient Chirac. Gal Jeannou Lacaze (n. 11-2-24, ancien chef d'État-major des armées) qui avait adhéré en 1989 le quitte pour fonder l'UDI. *Pts : 1973 :* François Schleiter (1911-90), *75 :* Bertrand Motte (1914-80), *80 :* Philippe Malaud (2-10-25), *87 :* Jacques Féron (11-1-12), *90 :* Yvon Briant (1-5-1954/13-8-92, accident d'avion), *92 :* Jean-Antoine Giansily (8-2-47). *Publications :* France réelle (mens.), En lignes (bimestriel). *Rassemble* plusieurs milliers d'élus municipaux, environ 300 conseillers gén., 20 parlementaires *1991* (juin).

■ **Centre des républicains libres (CRL)** (voir Quid 1983, p. 778 c.)

■ **Centre républicain.** 13, bd Raspail, 75007 Paris, et 4, av. Franklin-Roosevelt, 75008 Paris. *Fondé* par Bernard Lafay (1905-77). *Pt :* André Morice (1900-90). *Secr. gén. :* J.-J. Carpentier.

■ **Cercle Jacques Bainville.** 10, rue Croix-des-Petits-Champs, 75001 Paris. *Créé* 1984. *But :* promouvoir une université autonome et corporative et faire connaître l'idée royaliste aux étudiants. *Secr. gén. :* Nicolas Portier. *Publication :* Le Feu Follet (bimestriel, 15 000 ex.).

■ **Cercle Renaissance.** 138, rue de Tocqueville, 75017 Paris. *Fondé* 1970. *Secr. gén. :* Yves Almès (28-5-17). *Co-Pts du comité de parrainage :* Philippe Malaud (2-10-25) et Me Jean Moore (31-12-24). *Pt-Fondateur :* Michel de Rostolan (8-3-46). *Pt national délégué :* J.-J. Boucher (30-10-45). *Objectif :* promouvoir une renaissance des valeurs culturelles, civiques, morales et spirituelles. *Activités :* conf., dîners-débats, actions humanitaires, 3 Prix annuels : Lettres, Arts, Économie. *Publication :* Renaissance des Hommes et des Idées (mensuel, 7 000 ex.).

■ **Cercle républicain.** 5, av. de l'Opéra, 75001 Paris. *Fondé* 1907 par Alfred Mascuraud, sénateur. *Pt :* Marcel Martin (19-11-16) ; *secr. gén. :* Robert Parenti (13-8-21).

■ **Charte européenne – Ligue contre les nationalismes.** 31, rue de Reuilly, 75012 Paris. *Créée* 1992. *Pt :* Jean-Robert Ragache (12-1-39). *Vce-Pt :* Jean Elleinstein (6-8-27). *Publication :* la Charte européenne (mensuel).

■ **Chasse, Pêche, Nature et Traditions (CPNT).** *Pt : André Goustat. But :* défense du monde rural, de son aménagement. *Élus :* 30 dont Aquitaine 10. *Adhérents :* 30 000.

■ **Cidunati.** (Comité interprofessionnel d'information et de défense de l'Union nationale des travailleurs indépendants). ZA St-Clair-de-la-Tour, BP 715, 38358 La Tour-du-Pin Cedex. *Déc. 1968,* des commerçants et des artisans se regroupèrent sous des sigles différents. Dans l'Isère, le *Mouvement de La Tour-du-Pin,* fondé par Gérard Nicoud (né 5-3-47, en déc. 91 adhère au CNI) à La Batie-Montgascon, fédère ceux-ci dans le CID (Comité d'information et de défense) devenu Cidunati. *Composition :* 2 confédérations (assoc. loi 1901 + Conféd. intersyndicale 1884 dep. juin 1973). *Pt :* Jack Le Clainche (n. 8-2-47). *Adhérents :* 80 000. *Publication :* Libre entreprise (mens.).

■ **Club Aries** (Association de recherches internationales écon. et sociales). 16, av. Pierre-Ier-de-Serbie, 75016 Paris. *Fondé* 1981. *Objectif :* réflexion sur le libéralisme social. *Pt :* Lionel Stoléru (22-11-37).

■ **Club Droit et Démocratie.** 22, rue de Villiers, 92300 Levallois. *Fondé* 1966 par le bâtonnier René William Thorp. *Objet :* études et colloques sur les libertés publiques et la défense des droits des citoyens, dans l'esprit républicain. *Pt :* Jacques Ribs (1-8-25). *Pt d'honneur :* Gaston Maurice (11-1-07). *Secr. gén. :* F. Terquem. *Leaders :* Louis Pettiti (14-1-16), Roger Chipot (24-6-22), Pr J. Robert (29-9-28), M.Blum, Robert Bouchery, Frédéric Thiriez, Jean Kahn (25-6-22), André Braunschweig ; en congé : Robert Badinter (30-3-28) et Yves Jouffa (28-1-20).

■ **Club Échange et Projets.** 250, bd Raspail, 75014 Paris. *Fondé* 1973 par Jacques Delors (20-7-25). *Pts : 1973* Jacques Delors, *79,* Maurice Grimaud (11-11-13), *81,* José Bidegain (16-5-25), *86,* Pierre Vanlerenberghe (25-6-42). *Membres :* 300. *Publication :* Revue Échange et projets (trim., 1 500 ex.).

■ **Club Femmes 2000.** 162, bd du Montparnasse, 75006 Paris. *Déléguée gén. :* Yvette Roudy (10-4-29).

■ **Clubs Forum.** 103, rue de l'Hôtel-de-Ville 75004 Paris. *Créés* 1985. Rocardiens.

■ **Club de l'Horloge.** 4, rue de Stockholm, 75008 Paris. *Fondé* 1974 par des anciens de l'ENA. *But :* réflexion fondée sur les valeurs libérales et nationales, rejet des principes socialistes. *Dirigeants : Pt :* Henry de Lesquen (1-1-49) ; *secr. gén. :* Michel Leroy. *Adhérents :* 450. *Presse :* Lettre (trim., 5 000 ex.). **Prix Lyssenko.** *Créé* 1990 par le Club de l'Horloge. *Décerné* à un auteur qui, « par ses écrits ou actes, a apporté une contribution exemplaire à la désinformation en matière scientifique ou historique, avec des méthodes et des arguments idéologiques ». *Lauréat 1992 :* Robert Badinter, pour sa contribution théorique et pratique à la lutte contre le crime.

■ **Club des Jacobins.** 5, av. de l'Opéra, 75002 Paris. *Fondé* 12-12-1951. « En sommeil » depuis plusieurs années. *But :* militer pour l'unification de la gauche. *Pts :* Charles Hernu (1923-89), Marc Paillet (15-10-18), Roger Charny, Gaston Maurice, Guy Penne (9-6-25), Alain Gourdon (16-10-28).

■ **Club Nouvelle Citoyenneté.** Nouvelle Action royaliste, 17, rue des Petits-Champs, 75001 Paris. *Fondé* 1982. *Publication :* Cité (trim.).

■ **Club Nouvelle Frontière.** 9, rue de Solférino, 75007 Paris. *Fondé* 1-3-1968. *Leaders :* Jean Charbonnel (22-4-27), Bernard Chenot (20-05-09), Paul-Marie de La Gorce (10-11-28), Rose de Laval, Gilles Le Beguec (1-5-43), Jean-Louis Bourlanges (13-7-46), Paul Benyamine (8-4-33).

■ **Clubs Perspectives et Réalités.** 250, bd St-Germain, 75007 Paris. *Fondés* mai 1965. *Membres :* 25 000. *Clubs :* 180. *Pt-Fondateur :* V. Giscard d'Estaing (2-2-26). *Dél. gén. :* Hervé de Charette (30-7-38). *Public. :* Forum (trim., 60 000 ex.).

■ **Club 89.** 45, avenue Montaigne, 75008 Paris. *Fondé* 1981 par Michel Aurillac (11-7-28), Nicole Catala (2-2-36), Alain Juppé (15-8-45). *Membres :* 6 000. *Clubs :* 163. *Pt :* Michel Aurillac ; *vice-Pte déléguée :* Nicole Catala ; *secr. gén. :* Maurice Robert. *Publications :* les Nouveaux Cahiers de 89 (mensuel, 3 000 ex.). Bulletin intérieur (mens.).

■ **Clubs République et Démocratie.** 21, rue du Rocher, 75008 Paris. *Fondés* 1978 par J.-Pierre Prouteau, ancien Gd Maître du Grand Orient. *Pt :* Paul Estienne (2-5-41), ancien Pt nat. de la Jeune Chambre écon., sustent R. Barre. *Membres :* 4 000 (12 000 sympathisants). *Clubs :* 80. *Publications :* Lettre républic. et Lettre d'infor. (mens., 5 000 ex.).

■ **Club Témoin.** *Créé* 3/4-10-1992 par Jacques Delors à Lorient ; réseaux deloristes regroupés avant autour du Club Échange et Projets, Club Clystène, Démocratie 2000. *Pt :* François Hollande. *Secr. gén. :* Jean-Pierre Mignard.

■ **Club des Vrais Libéraux.** 22, rue Diderot, 91560 Crosne. *Fondé* 1982. *Pt :* Jacques-Edmond Grangé. *Vice-Pt :* Jean-Paul David (14-12-12). *Publication :* Le Réveil libéral (mensuel, 15 000 ex.).

■ **Collège pour une société de participation (CSP).** 15, rue Léon-Delhomme, 75015 Paris. *Fondé* février 1975 par Daniel Richard. Aile gauche du RPR. *Pt :* Daniel Richard (8-5-48). *Adhérents :* 4 500. *Publication :* la Lettre du CSP (trimestr.).

■ **Combat pour les valeurs.** *Créé* 18-5-1992 par Philippe de Villiers (25-3-49), député UDF de Vendée.

■ **Comités d'action républicaine (CAR).** 103, rue Réaumur, 75002 Paris. *Fondés* janv. 1982. *Pt :* Jean-Claude Bardet. *But :* combattre le cosmopolitisme, renouveau des valeurs de la droite de conviction.

■ **Comités communistes pour l'autogestion (CCA).** BP 162, 75463 Paris Cedex 10. *Fondés* 1977. *Publications :* Commune (mensuel), Mise à jour (revue).

■ **Comité d'études pour un Nouveau Contrat social.** 17, bd Raspail, 75007 Paris. *Fondé* 1969 par Edgar Faure (1908-88). *Pt :* André Rossinot (22-5-39). *Adhérents :* 300.

■ **Comité français contre le neutralisme et pour la paix.** 138, rue de Tocqueville, 75017 Paris. *Fondé* oct. 1981. *Pt :* Philippe Malaud (2-10-25). *Membres fondateurs :* Gal M. Bigeard (14-2-16) ; Pierre Chaunu (17-8-23) ; Achille Dauphin-Meunier (28-7-06) ; Alfred Fabre-Luce (1899-1983) ; Jean Grandmougin (25-12-13) ; Pierre Jonquères d'Oriola (1-2-20) ; Michel Jazy (13-6-36) ; Raymond Marcellin (19-8-14) ; Thierry Maulnier (1909-89) ; Louis Pauwels (2-8-20) ; Jean Pouget ; Jean-Marc Varaut (18-2-33) ; Louise Weiss (1893-1983).

■ **Comité des intellectuels pour l'Europe des libertés.** 35, av. Mac-Mahon, 75017 Paris. *Pt :* Eugène Ionesco (26-11-12). *Fondateur, secr. gén. :* Alain Ravennes. *Publication :* la Lettre du Ciel (trim.).

■ **Comité républicain du commerce, de l'industrie, de l'agriculture.** 21, rue du Rocher, 75008 Paris. *Fondé* 1899 par Waldeck-Rousseau. *Pt :* Paul Estienne (2-5-41). *Membres :* 1 000.

■ **Confrontations.** 61, rue Madame, 75006 Paris. *Animateur :* Renaud Sainsaulieu. *Publications :* Cahiers Recherches et débats, Bull. de Confrontations.

■ **Convention pour la Ve République.** *Créée* 24 mars 1990 par Jean Charbonnel (22-4-27), maire de Brive, après avoir démissionné du groupe RPR de l'Assemblée nat. pour devenir député non inscrit de la Corrèze. Regroupe une dizaine de personnalités qui s'étaient déjà rapprochées de Mitterrand ou du gouv. *André Bord* (30-11-22) ; *Jacques Trorial* (8-2-32) qui anime « l'Action pour le renouveau du gaullisme » ; *Yves Lancien* (18-1-24) qui avait créé le comité pour le « oui » gaulliste au référendum sur la N.-Calédonie ; *Henri Bouvet* (7-8-39), ancien dép. UDF-radical de Haute-Vienne, fondateur de « Cadres et citoyens » ; *Jean-Louis Delecourt* (27-7-49) animateur du « Mouv. gaul. populaire » ; *Jacques Raphaël-Leygues* (18-12-13) ; *Pierre Pascal,* fondateur des Nouveaux Démocrates.

■ **Démocratie chrétienne française.** 50, rue de Berri, 75008 Paris. *Fondée* 1978 par Alfred Coste-Floret (1911-90). *Pt :* Cte Gabriel Rubio de La Perrotière (16-11-44). *Secr. gén. :* Patrick Simon. *Publication :* l'Avenir français (15 000 ex.).

■ **Faisceaux Nationalistes Européens (FNE).** *Créés* juill. 1980 par Mark Friedriksen. Pt de la Féd. d'Action Nat. et Europ. (Fane, dissoute sept. 80). 1987, FNE rejoint le Mouvement National et Social Ethniste (MNSE) dirigé par Christian Coutard.

■ **Fédération (La).** Mouvement fédéraliste fr., 244, rue de Rivoli, 75001 Paris. *Fondée* 1944 par André Voisin (28-3-18), Jacques Bassot (13-9-07), Max Richard (1911-93). *Pt :* Laurent Grégoire (2-3-55). *Secr. gén. :* Joël Broquet (30-1-45). *Comité directeur :* Pierre Bordeaux-Groult (21-3-16), Jean-Marie Daillet (24-11-29), Nicole Fontaine (16-1-42), Étienne Kling, François Mitterrand (jusqu'en 1956), Pierre-André Simon, Jacques Tessier (23-5-14). *Doctrine :* promouvoir un État décentralisé dans une France fédérale et une Europe des nations sans compromission avec les partis politiciens discrédités. *Publications :* le XXe Siècle fédéraliste (fondé 1944), les Enjeux de l'Europe (trilingue, 10 000 ex.), Agence de presse « Acip », les Cahiers fédéralistes, Fédération (fondé 1992).

■ **Fédération anarchiste.** 145, rue Amelot, 75011 Paris. *Évolution : 1881* (22-5) 1er congrès an. *1885,* fond. du « Libertaire ». *XXe s.,* 3 mouvements essentiels : Féd. communiste libertaire, Union an. et Féd. an. (née 1936 d'une scission de l'Union an.). *1939-45,* éprouvés par la guerre. *1945,* la Féd. reformée, crée le *Mouvement libertaire,* ses militants sont aussi à l'origine de la Confédération nationale du Travail. *1953,* la Féd. an. subsiste seule en tant qu'organisation représentative. *1964,* participe à la rencontre intern. en Allemagne et aux congrès an. intern. : Turin (1964) ; Carrare (1968), où le combat antimarxiste est défini comme principe fondamental. *1973,* création de l'*Organisation révolutionnaire an.* (ORA). *1981,* congrès, à Neuilly-sur-M., réaffirmant que la gauche au pouvoir ne résoudra rien dans le cadre du système inégalitaire actuel et dénonçant le maintien de la répression de l'État socialiste, notamment envers les antimilitaristes. *Doctrine :* l'éthique libertaire (entraide, solidarité) prône action directe et grève gestionnaire expropriatrice pour parvenir à une société fédérative, antiétatique. *Composée* de groupes autonomes et fédérés. Au niveau national, coordination des activités par des secrétariats. *Revues :* la Rue [animateur : Maurice Joyeux (1910-91)], la Mémoire sociale, Volonté anarchiste, la Revue de la presse anarchiste internationale. *Éditions :* du Monde libertaire, de l'Entraide, le Monde nouveau, la Collection anarchiste. *Journal national :* le Monde libertaire (15 000 ex.) ; *locaux :* la Feuille, la Commune libertaire, l'Anarchie, l'Agitateur, l'Éveil social... *Radio libertaire :* créée 1-9-1981, saisie 28-8-83, autorisée 5-11-83 : regroupée avec Radio Pays 30-9-84 ; définitivement légalisée sur 89,4 MHz le 11-1-85 ; auditeurs : 120 000.

■ **Fédération des clubs Solférino.** *Fondée* 20-7-1991. Issue des mouvements gaullistes sociaux de Ph. Dechartre. *Siège :* 19, bd de Sébastopol, 75001 Paris. 17 clubs Paris et province. *Pt :* Jean Fraleux. *Publication :* Lettre des clubs Solférino (7 000 ex., mens.).

■ **Fédération des gaullistes de progrès.** *Secr. gén.* Jacques Blache (7-11-44). *Adhérents :* 1 000.

■ **Fédération nationale des clubs Convaincre.** 266, bd St-Germain, 75007 Paris. *Créée* 1985 par Bernard Poignant (19-9-45). *Pt :* Jacques Chérèque (7-9-28). *Vces-Pts :* Roger Fauroux (21-11-26), Roger Bambuck (22-11-45), Robert Chapuis (7-5-33). *Secr. gén. :* José Garcia. *Clubs :* 160 soutenant Michel Rocard.

■ **Fédération nationale des élus socialistes et républicains.** 12, cité Malesherbes, 75009 Paris. *Créée* 1922, reconstituée 1945. *Pt d'honneur :* Pierre Mauroy (5-7-28). *Pt :* Jean-Marc Ayrault (25-1-50).

■ **Forum.** BP 268 04 Paris Cedex 04. Clubs *créés* 1985. Proches de Michel Rocard. *Pt :* Christophe Clergeau dep. 1991. *Clubs :* 70. *Adhérents :* 2 000.

■ **France demain (ex-Club Horizon 86).** 85, rue de Sèvres, 75006 Paris. *Fondé* 1981 par Me Frédéric Chartier (3-5-27). *Membres :* 100 (1983).

■ **Front national.** 8, rue Général-Clergerie, 75116 Paris. **1972** *5-10* fondé par Jean-Marie Le Pen (v. p. 739). Droite nationaliste et anti-gaulliste (Le Pen), nationalistes européens (Ordre nouveau avec Alain Robert, François Brigneau (30-4-19 ; milicien juin 1944, 45 acquitté) et le journal « Minute », l'ex-Waffen-SS Pierre Bousquet (1919-91) et la revue « Militant »). **1973** François Duprat, collaborateur à « Défense de l'Occident », animateur des « Cahiers européens », fondateur de France-Palestine (assoc. antisémite et antisioniste), rejoint le Front [en oct. 1974 Friedriksen dirigeant de la Fane (Féd. d'action nationale européenne) nationale-socialiste devient le dir. des « Cahiers »]. *4-3* législatives : 1,32 % (Le Pen 5,21 % Paris XIVe). **1974** *5-5* 1er tour présidentielle, Le Pen 0,74 % (appuyé par « Rivarol » et certains proches des « Cahiers européens » de F. Duprat ; « Minute » et « Ordre nouveau » rallient Giscard ; « L'Œuvre française », Jean Royer). *11-11* Ordre Nouveau dissous, François Brigneau et Roland Gaucher fondent le *Parti des Forces nouvelles* (PFN). **1976** *2-11* appartement de Le Pen dynamité. **1977** *mars* municipales : le FN s'allie localement avec la majorité (1 élue à Toulouse, 1 maire en Hte-Garonne, Le Pen 1,87 % Paris XIVe), le PFN participe aux listes RPR ; *déc.* L'UNION SOLIDARITÉ (J.-P. Stirbois, M. Collinot) rejoint le FN. **1978** fusion des Groupes Nationalistes Révolutionnaires (GNR) avec la Fane néo-nazie qui rompra avec le FN (79). Départ de Pierre Bousquet, hostile au libéralisme économico-populiste du FN. *Mars* législatives : FN présent dans 16 circonscriptions (0,33 % des voix), PFN 1,06 % (Le Pen 3,91 % à Paris 5e circ.). *18-3* F. Duprat tué dans une voiture piégée. **1979** *européennes : 28-4* PFN et FN annoncent une liste commune conduite par Michel de Saint-Pierre ; *25-5* ils renoncent pour problèmes financiers ; *27-5* le PFN dépose une nouvelle liste conduite par Jean-Louis Tixier-Vignancour ; le FN, exclu, demande l'abstention ; le PFN obtient 1,31 %. **1980-81** rapprochement avec Intégristes catholiques et Club de l'Horloge. **1981** *mai : présidentielle,* FN (Le Pen) et PFN (Gauchon) n'ont pas obtenu les 500 signatures nécessaires pour présenter un candidat. *Juin : législatives* 0,18 %. (Le Pen 4,38 %) ; Pascal Gauchon (porte-parole du PFN) 3,26 %. De nombreux responsables abandonnent ou se rallient au CNIP. Nombreux incidents pendant la campagne du PFN (à Toulouse, 2 bombes détruisent la salle). *Fin 81* un anc. militant quitte le FN et crée début 82 le Regroupement nationaliste avec le MNR (Malliarakis) et l'Œuvre française (Sidos). **1983** *mars, municipales :* Le Pen 11, 3 % Paris XXe. *11-2* él. partielle de Dreux : Stirbois, maire adjoint 16,7 %. *4-9* él. partielle du Morbihan : Le Pen 13 %. **1984** *17-6 européennes :* FN 10,95 %, 10 députés. Rapprochement avec des notables (François Bachelot, Jean-Claude Martinez) et des transfuges du RPR (Yvan Blot, Bruno Mégret). **1985** *10 et 17-3, cantonales :* 1 521 candidats (pour 2 044 cantons) 8,84 % 1 élu (J. Roussel, Marseille). **1986** *16-3 législatives* 9,65 %. [*Région par. :* Seine-St-D. 15,04 ; Val-d'O. 12,24 ; S.-et-M. 12,01 ; H.-de-S. 11,14 ; Paris 10,94 ; Yvel. 10,4. *Province :* B.-du-Rh. 22,53 (Marseille 24,37) ; Alp.-Mar. 20,88 ; Vaucluse 19,49 ; Pyr.-Or. 19,08 (Perpignan 25,09) ; Var 17,77 ; Hérault 15,55 ; Rhône 13,24 (Lyon 13,41) ; Pas-de-Calais 11,35 ; Paris 10,94 ; Yonne 10,36 ; Doubs 10,35 ; Ain 10,13 ; Nord 7,83 ; Creuse 3,95 ; Hte-Vienne 4,23 ; Cantal 3,7]. 35 députés ; *régionales :* 9,56 %, 137 conseillers rég. **1987** *13-9* au Grand Jury RTL-Le Monde, Le Pen qualifie de « détail » l'existence des chambres à gaz. **1988** *25-4 présidentielle* (1er tour) Le Pen 14,38 % (4 367 269 v.). *8-5* 2e tour 100 lepénistes votent, 78 votent Chirac, 22 Mitterrand. *5/12-6 législatives* 1er tour FN 9,65 %. 1 député (Yann Piat, Var, 1er t. 23,6 %, 2e t. 53,71, sera exclue du FN en oct. pour indiscipline). *Cantonales* 5,24 % (sur les cantons où il était présent). *2-9* lors d'une réunion publique, Le Pen surnomme le ministre de la Fonction Publique « Durafour-crématoire ». Des modérés (Pascal Arrighi, François Bachelot) quittent le FN. *1-10* Bruno Mégret délégué général. *5-11* Jean-Pierre Stirbois (ligne dure) se tue en voiture, remplacé par Carl Lang. **1989** *12-3 municipales :* 2,17 %, 804 conseillers élus. *Voix* (%) : *Alpes-Mar. :* Nice 19,74 (2e tour), Cagnes 35,74 (2e t.) ; *B.-du-Rh. :* Marseille 14,32 (2e t.) ; *C.-d'Or :* Beaune 12,70 ; *Eure :* Vernon 12,5 ; *E.-et-L. :* Dreux 22,29 (2e t.) ; *Gard :* St-Gilles 39,05 (2e t.) Charles de Chambrun élu ; *Nord :* Tourcoing 16,04, *Roubaix* 17,89 (2e t.) ; *Pyr.-Or. :* Perpignan 29,25 (2e t.) ; *B.-Rhin :* Strasbourg 14,49 ; *Ht-Rhin :* Mulhouse 21,08 ; *Rhône :* Lyon 9,57 ; *Paris :* XXe 15,58 ; *Var :* Toulon 24 (2e t.), St-Raphaël 27,16 (2e t.) ; *Yonne :* Sens 15,57 ; *Hts-de-S.* 16,94 (2e t.) ; *S.-St-Denis :* St-Denis 19,8, Sevran 24,09 (2e t.). *18-6 européennes* 11,73 % (2 129 668 v.) 10 députés. *3-12 législative* partielle Dreux (2e t.) 61,3 % Marie-France Stirbois élue ; *cantonale partielle* de Salon-de-Prov. 51 % Philippe Adam élu. *8-9* Claude Autant-Lara, dép. europ. FN qui avait donné une interview « révisionniste », démissionne. *11-12* l'Ass. eur. lève l'immunité de Le Pen [inculpé 22-3 pour outrage envers Durafour min. de la Fonction publique]. **1990** *14-1 législatives* Chamalières 11,9 % ; *28-1 municipales* Cannes 20,6 % ; *18-3 municipales* Clichy 25,1 % ; *11-6 cantonales* Villeurbanne 27,3 % ; *26-11 cantonales* Salon-de-Provence 23,2 % ; *législatives* Marseille 33,1 %. *Août* Le Pen s'oppose à l'intervention armée au Koweït. *22-11* ramène d'Irak

55 otages européens. *31-3/1-4* 8e Congrès FN à Nice. *22-9 cantonales* Marseille 51 % des v. **1992** *22-3 cantonales* 12,18 %, 1 élu. *Législatives* 13,90 %, 239 élus. **1993** *30-1* Le Pen à l'Heure de vérité : 29 % des téléspectateurs (3 millions), record devant Kouchner (23,6 %). *22-3 législatives* 12,25 % des v.

Membres du bureau politique : 31 dont : *Pt :* Jean-Marie Le Pen (20-6-28), Pt du groupe des Droites européennes au Parlement de Strasbourg. *Vice-Pt :* Dominique Chaboche (12-5-37). *Secr. gén. :* Carl Lang (20-9-57) dep. 9-11-88 [avant Jean-Pierre Stirbois (30-1-45) se tue en voit. 5-11-88]. *Délégué gén. :* Bruno Mégret (4-4-49, ancien polytechnicien, ancien RPR animateur des Comités d'action Rép., FN dep. 1985). *Trésorier :* Christian Baeckeroot. *Autres :* Bernard Antony (dit Romain Marie, n. 28-11-44), Jean-Claude Bardet, Michel Bayvet, Yvan Blot (n. 26-6-48, énarque, ancien membre du Comité central du RPR), Martial Bild, Jacques Bompard, Charles de Chambrun (16-6-30), Michel Collinot (2-11-46), André Dufraisse (8-8-18), Pierre Durand (26-7-33), Roland Gaucher (R. Goguillot dit, n. 13-4-19, ancien responsable du Rassemblement national populaire de Marcel Déat qu'il rejoignit à Sigmaringen en 1944, conseiller régional de Franche-Comté, directeur de National Hebdo), Jean-Pierre Gendron, Bruno Gollnisch (28-1-50, prof. d'université), Roger Holeindre (21-3-29), Jean-François Jalkh (23-5-57), Alain Jamet, Jean-Marie Le Chevallier (22-11-36), Jean-Yves Le Gallou (4-10-48, énarque, ancien PR), Martine Lehideux (27-5-33, ép. André Dufraisse), Jean-Claude Martinez (30-7-45, prof. d'université), Jean-Pierre Reveau (27-7-32), Jean-Pierre Schenardi (27-4-37), Marie-France Stirbois (11-11-44), Jacques Tauran (7-5-30), Frank Timmermans, Georges-Paul Wagner (26-2-21, avocat). *Exclus :* Olivier d'Ormesson (5-8-18, démissionne 26-10-87), Pascal Arrighi (16-6-21, magistrat, démissionne 6-9-88), François Bachelot (19-4-40, exclu 6-9-88), Yann Piat (12-6-49). *Adhérents :* + de 100 000. *Publications :* La Lettre de Jean-Marie Le Pen (bimens., 70 000 ex.), Europe & Patries (mensuel), Le Front (Minitel, 36-15 code Le Pen). *Publications apparentées :* Identités (revue d'idées du FN, bimestriel) ; Bulletin du Cercle national des femmes d'Europe (P-D G fondatrice : Martine Lehideux, député europ.). *Cotisation :* 260 F/an. **Élus.** Conseils régionaux : 1 maire FN d'une commune de + de 10 000 h. (St-Gilles, Charles de Chambrun démissionne 18-4-1992).

Programme. 1°) Immigration : départ des immigrés du tiers monde, préférence nationale et européenne : logement, emploi, aide sociale ; expulsion immédiate de tous les immigrés en situation irrégulière, contrôle très sévère de la filière des réfugiés politiques, réduction de la durée du permis de séjour à 1 an et départ des immigrés extra-européens à l'expiration du délai, suppression de toute acquisition automatique de la nationalité française et réforme du code de la nationalité selon le « droit du sang » [pour le FN l'immigration coûte annuellement à la collectivité 210 milliards de F (soit le produit de l'IRPP) et prive d'emploi 1 million de Français]. **2°) Sécurité :** moyens renforcés pour police et protection des frontières, démantèlement des bandes éthniques responsables d'exactions, rétablissement de la peine de mort pour assassins, terroristes et grands trafiquants de drogue. **3°) Justice :** budget accru, augmentation des effectifs judiciaires, dissociation grade/fonction, élaboration rapide des décisions de justice civile et pénale. **4°) Chômage :** priorité aux Français, d'emplois et prêts à la création d'entreprises, libération des contraintes qui empêchent petites et moyennes entreprises d'embaucher, allègement des charges pesant sur entreprises. **5°) Social :** baisse des prélèvements et des impôts sur salaires, réévaluation des bas salaires, lutte contre utilisation de la main-œuvre immigrée à bas prix et travail clandestin, rémunération des professions en fonction du niveau de formation et de l'importance de l'activité pour la nation, suppression du monopole des syndicats dits représentatifs, attribution du RMI aux seuls Français. **6°) Famille :** revenu maternel équivalent au Smic pour toute mère de famille nombreuse française, prestations familiales aux seuls Français, vote familial au prorata du nombre d'enfants mineurs, suppression de la législation actuelle sur l'avortement, réhabilitation du rôle de la famille dans la nation, procédure favorisant l'adoption des jeunes Français orphelins. **7°) Logement :** accès prioritaire des familles françaises aux logements sociaux, possibilité pour les locataires français de HLM de devenir propriétaires de leur logement, renégociation des prêts contractés pendant la période de surinflation (1978/1984), affectation au logement des familles françaises de la taxe de 0,1 % payée par les entreprises au bénéfice des immigrés. **8°) Santé :** élections démocratiques et économies de gestion pour la Séc. Soc., séparation des caisses entre Français (ou européens) et étrangers, Sida : dépistage systématique et création de services spécialisés. **9°) Éducation :** respect du principe de neutralité dans l'ens. public (interdiction du tchador), libre choix, de l'école, défense de l'école libre, suppression de la carte scolaire, création du chèque éducation, rétablissement des notations chiffrées et de la récompense au mérite, dès l'école primaire ; meilleur enseignement : histoire, héritage culturel, orthographe et grammaire, fondements d'une éducation vraiment nationale. **10°) Économie :** réduction des charges fiscales et sociales pour faciliter l'embauche et préserver la compétitivité, réduction du train de vie de l'Etat, distribution aux familles françaises des actions des Stés à désétatiser, suppression des discriminations fiscales à l'encontre des couples mariés. **11°) Agriculture :** remise en cause de l'agriculture et de l'élevage industriels, promotion de l'agr. naturelle, défense de l'exploitation familiale, protection de la vie rurale et lutte contre la désertification, suppression des quotas, défense des produits face aux importations sauvages. **12°) Écologie :** défense du patrimoine naturel, architectural et culturel français. **13°) Institutions :** extension du référendum et création du référendum d'initiative populaire pour permettre aux Français d'exprimer directement ce qu'ils pensent sur immigration, réforme du code de la nationalité, priorité d'emploi aux Français, peine de mort, école. **14°) Libertés :** défense des libertés fondamentales d'enseignement, recherche, entreprise, travail, information, abrogation des lois liberticides (loi de 1972), moralisation du débat public, lutte contre la fraude électorale et le financement occulte des partis politiques, comme des syndicats. **15°) Europe :** renforcement des frontières européennes contre l'immigration du tiers monde, politique commune contre importations sauvages menaçant notre industrie et agriculture, coopération technique avec les parties de l'Europe de l'Est afin de les libérer totalement du communisme et de l'hégémonie soviétique. **16°) Défense :** déf. autonome de l'Europe, liée au Pacte atlantique, actualisation des forces nucléaires stratégiques, appel d'engagés volontaires pour forces nucléaires stratégiques, forces de manœuvre et force d'action rapide, affectation des appelés formés par un service militaire de 6 mois dans les unités de la défense opérationnelle du territoire, renforcement des moyens logistiques et opérationnels d'intervention Outre-Mer.

☞ L'Événement (du 12 au 18-3-1992) a relevé des organismes « satellites » du FN : FNJ, Renouveau étudiant, Cercle national des étudiants de Paris (CNEP), Renouveau lycéen, Mouvement de la jeunesse d'Europe (MJE, *Pt :* Carl Lang), Cercle nat. des combattants (CNC, fondé par Roger Holeindre), Cercle nat. des officiers et sous-officiers de réserve (CNOSOR), Drapo (association d'anciens déportés), Cercle nat. des rapatriés, Cercle nat. des gens d'armes (édite *le Glaive*), Fédération professionnelle indépendante de la police (FPIP), Association nat. pour le rétablissement et l'application de la peine de mort (Amarap), L'Enfant et la vie, Entreprise moderne et libertés (EML, *leader :* André Dufraisse, ancien LVF ; *secr. gén. :* Jean-Michel Dubois), Cercle réagir, Cercle nat. des chemins de fer, Cercle nat. des mers et des ports, CDCA (Comité de défense des artisans et commerçants), Résistance fiscale (scission de la Ligue des contribuables), Cercle des citoyens contribuables (*Pt :* Jean-Claude Martinez), Cercle nat. des corps de santé (Dr Jacques Lafay), Cercle Droit et Liberté, CNAF (Cercle nat. des agriculteurs de France), Cercle nat. des élus ruraux, Cercle nat. des femmes d'Europe (Martine Lehideux), Fraternité française, Front anti-chômage, SOS Solidarité-chômage, l'Union nat. d'aide aux Français défavorisés, Cercle nat. des Français résidant à l'étranger (CNFRE, créé par Michel de Camaret), Cercle Renaissance (Michel de Rostolan), Cercle des juifs de France (Robert Hemmerdinger), Comités chrétienté-solidarité (CCS) Bernard Antony, Alliance générale contre le racisme et pour le respect de l'identité française chrétienne (Agrif).

Financement : ne dirigeant aucune municipalité d'envergure, le FN ne peut utiliser les réseaux occultes classiques (bureaux d'études, fausses factures). *Contributions des sympathisants :* entrées aux réunions publiques (30 à 50 F), collectes pour élections (3 millions de F pour présidentielle de 88 selon le FN). *Participations des élus :* en théorie la moitié de leurs indemnités. En 88, le groupe des Droites eur. au Parlement eur. aurait avancé 5 millions de F (remboursés ensuite). *Milieux sociaux-économiques :* dons de chefs d'entreprise à titre personnel. *Sources occultes :* la secte Moon aurait (selon le Monde, 8-2-92) financé, en partie, législatives et régionales de 86, par des stés-écrans appartenant à des moonistes. *Fortune personnelle :* Le Pen a reçu plusieurs héritages laissés par des sympathisants. *1976,* succession d'Hubert Lambert (42 ans, † 25-9), héritier des Ciments Lambert (+ de 30 millions de F.). *1985,* succession Pierre Briffaut : château de la Fouilleuse, St-Brévin-les-Pins, 900 000 F. Le Pen aurait cependant perdu 10 millions de F, fin 80, dans des spéculations malheureuses sur les matières premières.

■ **Front révolutionnaire des travailleurs.** *Créé* 1987. *Publication :* « Initiative », 7 800 ex.

■ **Génération Écologie.** 57, bd de la Villette, 75010 Paris. *Créé* printemps 90 par Brice Lalonde n. 10-2-46, ex-min. de l'Environnement. *Adhérents :* 2 500.

■ **Grèce (Groupement de recherche et d'études pour la civilisation européenne).** BP 300, 75265 Paris Cedex 06. *Fondé* 1968. Mouvance de la Nouvelle Droite. *Président :* Jean-Claude Jacquard ; *Secr. gén. :* Xavier Marchand. *Publications apparentées* (41, rue Barrault, 75013 Paris) : Nouvelle École [trim., responsable : Alain de Benoist (11-12-43)], Éléments pour la Civilisation eur. (bimestr.), Études et recherches (trim.), Point de vue.

■ **Groupes d'action municipale (Gam).** 16, rue Anatole-France, 92800 Puteaux. *Apparaissent* entre 1967 et 68. 1re rencontre nationale en 1968. Charte nat. actualisée 1975 et 1991 (devenue manifeste nat.). Mouv. indépendant de militants désirant prendre en charge les problèmes de leur vie quotidienne (travail, habitat, environnement, éducation, transports, consommation, loisirs, etc.). *Secr. nat. :* Claudie Boaziz. *Presse :* bulletin « GAM Info ».

■ **Gud (Groupe Union Défense).** 92, rue d'Assas, 75006 Paris. *Créé* 1968 ; mouvement étudiant d'extrême droite utilisant la violence. *1974* rallié au PFN. *1984* au MNR. *1986* à 3e Voie. *1988* autonome. *Adhérents :* plusieurs centaines. Essentiellement implanté à Paris II Assas : Union de défense des étudiants d'Assas (Udea), Union et déf. des lycées français (Udlf ou « Gud-Lycée »), Gud-Travailleurs (anciens d'Assas).

■ **Institut international de géopolitique.** 31, quai Anatole-France, 75007 Paris. *Fondé* 1982. *Pt :* Marie-France Garaud (6-3-34). *Presse :* Géopolitique (trimestriel).

■ **Institut de recherches marxistes.** 64, bd Auguste-Blanqui, 75013 Paris. *Dir. :* Francette Lazard (7-1-37). *Publications :* la Pensée, les Cahiers d'histoire de l'IRM, Société française, Recherches internationales, Issues, Avis de recherches.

■ **Jeune République.** 9, bd Jean-Mermoz, 92200 Neuilly-sur-S. *Fondée* 1912 par Marc Sangnier (1873-1950) (issue du « Sillon »). *Buts :* socialisme personnaliste (socialisation et gestion démocratique des grands moyens de production et d'échange ; défense et développement des droits de la personne, y compris dans ses dimensions affectives et culturelles ; promotion d'un nouvel ordre économique international respectueux de l'indép. des nations). *Pt :* Louis Perrin (29-5-20). *Publication :* la Jeune Rép.

■ **Jeunes Démocrates sociaux.** 133 bis, rue de l'Université, 75007 Paris. *Créé* 1-5-1976 par François Bordry, réunion des Jeunes Démocrates (présidés par Dominique Baudis) et des jeunes du CDP courant démocrate-chrétien [origine : Encyclique « Rerum novarum » (1981), Marc Sangnier (1873-1950), Emmanuel Mounier (1905-1950)]. *Pt :* Jean-Luc Moudenc (1959) dep. août 1991. *Secr. gén. :* Cyrille Moreau (1966). *Adhérents :* 6 000. *Publication :* la lettre des JDS (mens., 10 000 ex.).

SUFFRAGES D'EXTRÊME DROITE

Vote FN		suff. exprimés	% des suff. exprimés
1973 [1]	Légis. [2]	122 000	0,5
1974	Présid. [2]	190 921	0,74
1978	Légis. [2]	82 743	0,3
1981	Légis. [2]	90 422	0,35
1984	Europ.	2 204 961	11
1986	Légis.	2 705 336	9,65
1986	Région.	2 658 500	9,56
1988	Présid. [2]	4 375 894	14,39
1988	Légis. [2]	2 359 528	9,65
1988	Canton.	476 735	5,24
1989	Europ.	2 129 668	11,73
1989	Mun.	258 401	2,17
1992	Région.	3 396 141	13,90
	Canton. [2]	1 530 094	12,18
1993	Légis. [2]	3 158 843	12,52

Nota. – (1) Extrême droite, tous courants confondus. (2) 1er tour.

Vote d'extrême droite (en %, 1988). Sondage 24-4-1988 auprès d'un échantillon de 5 424 électeurs. Ensemble électorat 15 %. **Sexe :** homme 19, femme 11. **Age :** 18-24 a. 17, 25-34 a. 15, 35-49 a. 18, 50-64 a. 14, 65 a. et + 11. **Profession :** patrons ind. et com. 27, ouvriers 20, agriculteurs 20, cadres moyens 15, s.p. 15, employés 14, prof. lib., cadres sup. 11. **Religion :** cath. non prat. 19, prat. irrégul. 13, prat. régul. 12, autres rel. 10, sans rel. 10. **Secteur d'activité :** indépendants 25, chômeurs 17, salariés du privé 16, public 12.

Le Programme commun de la gauche (1972-80)

Signé par le PS, le PC et le Mouvement des radicaux de gauche (26-6-1972), fondant ainsi l'Union de la gauche. Contrat pour gouverner ensemble, il prévoyait :

1°) *Amélioration immédiate des conditions de vie et de travail :* sem. de 40 h avec maintien intégral du salaire ; aucune retraite inférieure à 80 % du Smic ; améliorations des cadences et des horaires ; pouvoirs accrus des comités d'entreprise et délégués du personnel.

2°) *Sécurité de l'emploi :* lutte contre le *chômage* par une nouvelle politique des prix et des marchés ; progression du *revenu* des agriculteurs, artisans, commerçants ; abrogation des ordonnances de 1967 et généralisation de la *Séc. soc.*

3°) *Promotion des travailleurs : 9 nationalisations* de secteurs clés (Dassault, Roussel-Uclaf, Rhône-Poulenc, ITT, Honeywell-Bull, Thomson-Brandt, Péchiney-Ugine-Kuhlmann, Saint-Gobain-Pont-à-Mousson, CGE). Prises de *participation majoritaire* dans 5 S[tés] (Usinor-Vallourec, Wendel-Sidelor, Schneider, CFP, CFR-Total). Intervention dans le secteur bancaire. Droits syndicaux et de grève développés et garantis. Création d'*offices ruraux* représentant les agriculteurs. *Indemnisation des actionnaires :* le PS penchait pour l'attribution aux anciens actionnaires de titres nouveaux non amortissables, participatifs, à revenu indexé, librement échangés à la bourse qui en fixera le cours. Le PC optait pour des obligations remboursables sur 20 ans par annuités constantes sur la base du cours des 3 dernières années et produisant un intérêt égal à celui des emprunts obligataires.

4°) *Libération du citoyen* par une décentralisation réelle : suppression de la tutelle préfectorale ; élection au suffrage universel direct d'assemblées chargées d'administrer les *collectivités locales et régionales ;* attribution de moyens nécessaires aux *communes* en matière d'urbanisme, de contrôle des sols, de fiscalité locale.

5°) *Épanouissement de l'individu :* organisation rationnelle et démocratique de la *santé ;* refonte de *l'Éducation nationale* (réduction des inégalités et du cloisonnement social) : regroupement des activités d'éducation dans un service public unique, décentralisé, laïque ; démocratisation en matière de *logement, transports, loisirs ;* promotion de la *femme* et égalité avec l'homme.

6°) *Respect des libertés acquises et reconquête des libertés perdues :* totale *liberté d'expression ;* protection de la vie privée contre certains développements de l'informatique ; abrogation de la *loi « anticasseurs » ;* suppression de la *Cour de sûreté de l'État* et des *tribunaux militaires* en temps de paix ; institution de l'*« habeas corpus »* (liberté individuelle garantie) ; disparition de la *garde à vue*, de la procédure de *flagrant délit ;* refonte du Conseil supérieur de la magistrature et création d'une Cour suprême chargée d'assurer l'application des règles constitutionnelles.

7°) *Instauration d'un « contrat de législature »* liant le Gouv. et la majorité parlementaire pour l'application de la politique du Programme commun.

8°) *Politique de paix :* dissolution de l'Otan et du pacte de Varsovie ; traité européen réorganisant la sécurité collective ; abandon de la *force de frappe nucléaire* stratégique et signature de traités internationaux d'interdiction des explosions et de non-dissémination des armements nucléaires ; *service militaire* de 6 mois.

9°) *Politique culturelle :* attribution de tous les moyens nécessaires.

■ **Jeunes Européens fédéralistes.** 35, rue des Francs-Bourgeois, 75004 Paris. *Pt :* Stéphane Martayan. *Publication :* « The New Federalist ».

■ **Jeunes rassemblés à gauche.** 16, av. de l'Opéra, 75001 Paris. *Fondé* janv. 1988. Proches de Jean Poperen. *Collectif national* (structure collégiale) : 20 membres. *Adhérents :* env. 500. *Publication :* Jeunesses et socialisme (bimensuel, 5 000 ex.).

■ **Jeunesses communistes révolutionnaires.** BP 8450, 95807 Cergy Pontoise. *Créées* 1979, solidaires de la IVe Internationale. *Porte-parole :* Florence Capron. *Membres :* env. 200. *Publications :* l'Égalité (3 000 ex.), Cahiers d'études marxistes (sem.), Révolution socialiste arabe.

■ **Justice et Liberté.** 24, av. Perrichont, 75016 Paris. *Constitution :* issue du Cerel (fondé 18-6-1974). *Créée* 23-9-1981 *Pt :* Jacques Chaban-Delmas (7-3-15). *Principes :* maintien de la souveraineté nationale dans le domaine économique et la Défense nationale ; pour une Europe confédérale ; une politique humaniste et solidaire avec le tiers monde ; contre la bipolarisation de la vie pol. fr. *Pt :* Jean R. Guion (4-9-50). *Secr. gén. :* Joël Girault (2-2-56). *Adhérents* (au 1-1-1992) : env. 2 700. *Publications :* le Courrier du conseil intern., les Cahiers des Nouveaux Démocrates, Synergie Just. et Lib.

■ **Ligue communiste révolutionnaire (LCR).** 2, rue Richard-Lenoir, 93108 Montreuil-sous-Bois ; Féd. de Paris : 9, rue de Tunis, 75011 Paris. *Fondée* 1938 (section française de la IVe Internationale), par Léon Trotski. Souvent frappée par la répression, s'est appelée PCI, puis LC après 1968, FCR et LCR depuis 1974. *Comité central,* élu par le congrès, et *bureau politique* élu par le comité central. *Porte-parole :* Alain Krivine (n. 10-4-41). *Membres :* env. 2 500 (en % : salariés d'entreprise 60, enseignants 20, jeunes 15) + 2 000 sympathisants organisés dans les groupes d'entreprise, les comités rouges et dans les Jeunesses communistes révol. (JCR). 85 % des militants sont syndiqués dont CGT 30 %, CFDT 22 %, FEN (tendance « École émancipée ») 22 %. *But :* « prise du pouvoir par les travailleurs dans le monde entier, afin d'établir la dictature du prolétariat sur les classes exploiteuses et une authentique démocratie socialiste, conditions nécessaires à la construction d'une Sté sans classes, délivrée de toute exploitation et de toute oppression. » Lutte contre toute forme d'oppression et d'exploitation, de classe, de sexe, nationale, raciale. *Législatives* et *municipales* 0,50 % à 6 % dep. 1969 (a des élus dans plusieurs conseils municipaux). *Présidentielle :* a présenté Alain Krivine en 1969 (1,05 % des voix) et 1974 (0,35 %) et soutenu Pierre Juquin en 1988 (2,10 %). *Publications :* Rouge [hebdo., créé sept. 1968 (quotidien de mars 1976 à janv. 79), 10 000 ex.], Critique communiste (bimestriel, créé 1975), les Cahiers du féminisme (trim.), Inprecor (tous les 15 j., éd. par la IVe Intern.).

■ **Lutte ouvrière.** BP 233, 75865 Paris Cedex 18. *Créée* 1968, succédait à Voix ouvrière (Union communiste internationaliste), créée 1956 et dissoute juin 1968 par le gouv. ; se réclame du trotskisme, « c.-à-d. du communisme révolutionnaire et internationaliste, un communisme qui ne pourra être que démocratique, et qui, en conséquence, n'a rien à voir avec les régimes existant actuellement en URSS, en Chine ou dans les pays de l'Est, qui n'en sont qu'une sinistre caricature ». « Milite pour le pouvoir des travailleurs, l'expropriation des trusts capitalistes, la socialisation des moyens de production et d'échange sous le contrôle de la pop. laborieuse. » Estime que l'on ne peut atteindre cet objectif qu'en organisant les travailleurs conscients de cette nécessité au sein d'un parti ouvrier révol. Milite en même temps pour la reconstruction de la IVe Internationale. Consacre l'essentiel de son activité à l'intervention dans les grandes entreprises. *Leaders :* François Duburg, Arlette Laguiller (18-3-40), Jacques Morand. *Militants :* salariés 87 %, lycéens, étudiants 13 % ; il y a 40 % de femmes. **Élections :** *Présidentielles 1969 :* (1er tour) soutien Krivine 1,06 %. *1974 :* Arlette Laguiller 2,33 %. *1981 :* 2,26 %. *1988 :* 1,99 % ; *Législatives 1973* 171 candidats (194 889 v. et 2,3 % dans les circonscriptions en question) ; *1978,* 470 cand. (1 dans chaque circonscription) (474 378 v. 1,70 %) ; *1981,* 159 cand. (99 185 v. 1,11 %) ; *1986,* listes dans 33 départements (173 686 v. et 1,21 %) ; *Régionales 1986 :* 226 126 v. 1,59 %, *1992 :* 215 162 v., 1,84 % ; *Européennes 1979,* liste commune avec la LCR (A. Laguiller tête de liste, Krivine 2e), 3,09 % ; *1984,* A. Laguiller, tête de liste « Lutte Ouvrière » 414 218 v., 2,07 % ; *1989,* A. Laguiller, *id.* 258 663 v., 1,44 %. *Publications :* Lutte ouvrière (hebdo.), Lutte de classe (mensuel trilingue, français-anglais-espagnol, édité avec d'autres groupes trotskistes africains et américains), env. 400 journaux d'entreprise touchant env. 500 000 travailleurs.

■ **Maison de l'Europe de Paris.** Centre de rencontres internationales, Hôtel de Coulanges-Sévigné, 35-37, rue des Francs-Bourgeois, 75004 Paris. *Créée* 1956 par André François-Poncet. *Pt :* Michel Junot (n. 29-9-16) ; *Dir. :* Philippe Bertrand, (n. 1941). *Adhérents et sympathisants :* 2 000. *Publication :* Lettre européenne (trim., 5 000 ex.). Organisation non partisane.

■ **Mémoire courte.** *Créé* 1984. *But :* actions locales en coordination avec les élus pour lutter contre l'abstentionnisme et le Front national. *Adhérents : 1985 :* 12 000, *91 :* 6 000.

■ **Mouvement Action Égalité.** *Créé* 3/4-10-1992. *Pt :* Harlem Désir (25-11-59). Issu de SOS-Racisme (Harlem Désir, Francis Terquem, Malek Boutih), isolés ou ex-militants du PS, PC et extrême gauche. *Comités locaux :* 50 à 100.

■ **Mouvement d'action et de réseaux pour le socialisme (Mars).** 18, r. de Varenne, 75007 Paris. *Créé* 1973, entendait constituer une tendance de gauche au sein du Parti radical valoisien. *1974* rompt avec lui, él. présidentielles soutient Mitterrand. Crée le Comité de coordination du centre gauche. Après les présidentielles, la majorité des membres s'inscrit au MRG, la minorité au PS, quelques-uns demeurent non inscrits. *1981* présidentielles : soutient Mitterrand au 2e tour. *Pt :* Th. Jeantet.

■ **Mouvement chrétien Ve République.** 11 rue Vaudrezanne, 75013 Paris. *Créé* 1991. *Pt :* Michel Grimard, *Pt* du club Gaullisme et Progrès.

■ **Mouvement des citoyens.** *Créé* 29/30-8-1992 par Jean-Pierre Chevènement (9-3-39), député PS.

■ **Mouvement conservateur français.** 23, bd de Verdun, 76200 Dieppe. *Créé* 1989. *Pt :* Patrice Charoulet. *Publication :* la Lettre conservatrice.

■ **Mouvement démocrate français (MDF).** 6, rue Pierre-Degeyter, 45400 Fleury-les-Aubrais. *Fondé* juillet 1978. *Secr. gén. :* Henry Fouquereau.

■ **Mouvement des démocrates.** 71, rue Ampère, 75017 Paris. *Créé* 11-6-1974. *Pt-fondateur :* Michel Jobert (11-9-21). *Conseil national* 22 m. *Comités lo-*

■ **Mouvement dit « des révisionnistes ».** Affirme que « les chambres à gaz homicides n'ont pas existé dans les camps de concentration de l'époque hitlérienne », juge « extravagant le nombre de 6 millions de victimes juives et réclame la possibilité de poursuivre ses recherches dans les centres d'archives qui lui sont actuellement interdits ». Se réclame de Paul Rassinier (1906-89), membre du PC 1922 (exclu 1932), de la SFIO 1934, munichois 1938, opposé à la guerre 1939, résistant et déporté 1943 à Buchenwald et Dora, député SFIO de Belfort 1946, auteur de plusieurs ouvrages dont *le Mensonge d'Ulysse* (1950). **1978** les thèses révisionnistes sont vulgarisées par Robert Faurisson (21-1-1929), professeur agrégé de lettres classiques à l'Université de Lyon II, et publiées avec le concours de Pierre Guillaume (ultra-gauche), dir. des éditions « La Vieille Taupe », Jean-Gabriel Cohn-Bendit (n. 14-4-36, frère de Daniel) et Serge Thion, sociologue au CNRS (R. Faurisson parle « des prétendues chambres à gaz hitlériennes et du prétendu génocide des Juifs » qui « sont un seul et même mensonge historique » et constituent « une gigantesque escroquerie politico-financière »). **1985** 15-6 présentation à Nantes de la thèse de doctorat de Henri Roques (n. 10-11-1920) qui a pour objectif de démontrer qu'un témoignage jugé capital (le rapport de l'officier SS Gerstein) n'a aucune valeur scientifique, thèse acceptée avec mention très bien ; soutenance annulée 3-7-1986 sous pression du min. de la Recherche et de l'Ens. sup. (A. Devaquet) pour irrégularités administratives, annulation confirmée par le trib. administratif (janv. 1988) et par le Conseil d'État (fév. 1992) ajoutant l'annulation de la thèse à celle de la soutenance, alléguant des irrégularités administratives imputables à l'Univ. de Nantes. Ces thèses sont relayées par des mouvements d'extrême-droite en France et à l'étranger : *révisionnistes étrangers : Allemagne :* Wilhelm Stäglich ; *Espagne :* Enrique Aynat ; *France :* Michel de Bouard (membre du PCF de 1942 à 60) ; *G.-B. :* David Irving ; *Italie :* Carlo Wattogno, *USA :* Arthur Butz, Mark Weber. **1990** 13-7 loi Fabius-Gayssot empêche de propager la contestation des crimes contre l'humanité.

☞ Les révisionnistes relèvent des divergences dans les chiffres, ainsi sur le nombre de morts à Auschwitz : doc. officiel de la Rép. française (Office de Recherches des crimes de guerre) : 8 000 000 ; *le Monde* (du 20-4-1978) : 5 000 000 ; le monument d'Auschwitz-Birkenau : 4 000 000 ; « confessions » de Höss (ancien C[dt] du camp d'Auschwitz) ; 3 000 000 ; Yehuda Bauer (dir. de l'Institute of Contempory Jewry, Université hébraïque de Jérusalem) : 1 600 000 ; *le Monde* (du 1-9-1989) : 1 433 000 ; Raul Hilberg (auteur de *La Destruction des juifs d'Europe,* 1988) : 1 250 000 ; Gerald Reitlinger (auteur de *The Final Solution,* 1953) : 850 000, archives soviét. : 74 000.

■ **Skinheads** (de 2 mots anglais *skin* peau, et *head* tête, allusion à leur crâne rasé). Généralement peu organisés et constitués en bandes dans plusieurs villes (Lille, Brest, Rouen, Reims, Nice, Paris, Lyon), ils prônent la violence et s'en prennent aux homosexuels, aux «dealers» de drogue, aux immigrés. 1re apparition en France en 1985, au Parc des Princes. Ont été accueillis momentanément par le PNFE (1988), Troisième Voie, Parti Nationaliste Français (oct. 90-mars 91) ; ont constitué en 1990 les Jeunesses nationales révolutionnaires.

Élections législatives de nov. 1919 :
% d'électeurs socialistes
(par rapport aux suffrages exprimés)
au 1er tour de scrutin.

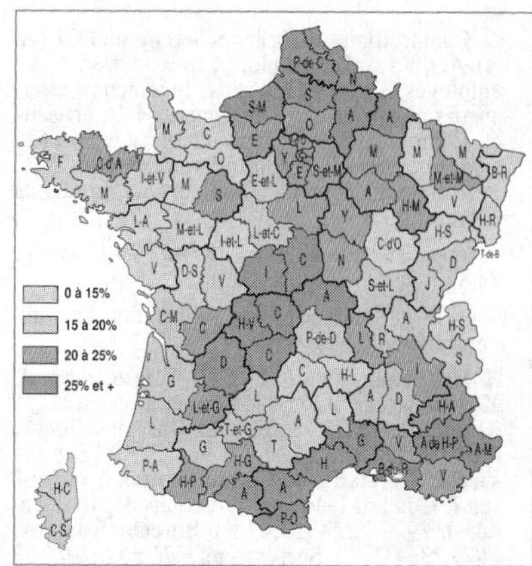

Élections législatives de mars 1978 :
% d'électeurs communistes
(par rapport aux suffrages exprimés)
au 1er tour de scrutin.

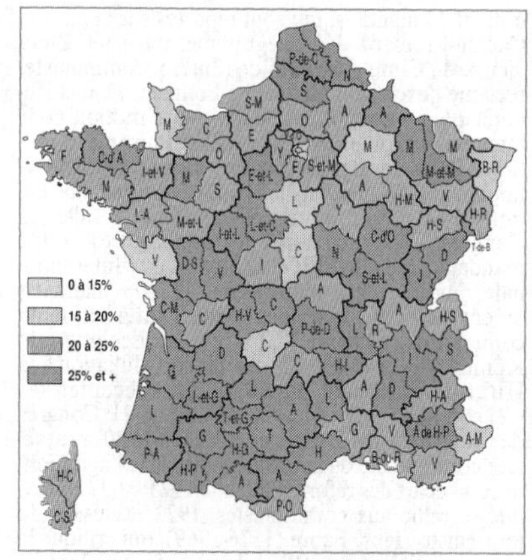

Élections législatives de mars 1978 :
% d'électeurs socialistes
(par rapport aux suffrages exprimés)
au 1er tour de scrutin.

caux 90. *Bureau exécutif.* 5 m. (J.-L. Bianquis, A. Delbecq, G. Fontaine, A. Grielen, B. Millet). *Adhérents :* 1 417. *Publications :* Petit Livre bleu (Les idées simples de la vie) (1975, 52 000 ex.) ; Parler aux Français (1977) ; Il faut qu'on se parle (mensuel, 2 000 ex.).

■ **Mouvement fédéraliste européen.** 17, rue du Fg-Montmartre, 75009 Paris. *Créé* 1952 par H. Frenay. Branche française de l'Union des fédéralistes européens (présente dans 18 pays). *Pt :* Pascal Hureau (21-9-58). *Secr. gén. :* Rudolf Hammerl. *Adhérents :* Europe 25 000 dont France 200. *Publication :* Défi pour l'Europe (bimens., 500 ex.). *Minitel :* 3614 CHEZ*MFE.

■ **Mouvement gaulliste populaire.** 11, passage Landrieu, 75007 Paris. *Fondé* 13-6-1982 : fusion de la Féd. des républicains de progrès et de l'Union démocratique du Travail (UDT), favorable à la gauche. 1986 rejoint par la Féd. des gaullistes de progrès (en sommeil). *Pt d'honneur :* Pierre Dabezies (9-2-25). *Pt :* Jacques Debu-Bridel (22-8-02). *Secr. gén. :* Jean-Louis Delecourt (27-7-49). *Adhérents :* 2 700. *Élus locaux :* 350. *Publication :* Le Républicain (mens.).

■ **Mouvement Initiative et Liberté (MIL).** 4, rue Frédéric-Mistral, 75015 Paris. *Créé* 17-11-1981. *Pt :* André Decocq (14-3-32). *Publications :* Vigilance et Action (mens., 60 000 ex.), Mil Vigilance (mens., 18 000 ex.), Bulletin inter-délégués. *Adhérents :* 25 000.

■ **Mouvement de la Jeunesse communiste de France (MJCF).** 19, rue Victor-Hugo, 93170 Bagnolet Cedex. *Fondé* 31-10-1920. Jacques Doriot (voir p. 733) fut à ses débuts un de ses membres les plus notables (en 1928, il se détacha du PC et fut exclu en 1934). *1939* 27-8, le gouv. Daladier interdit son journal, Avant-Garde ; 26-9, il dissout la fédération. *1941* la JC crée les Bataillons de la Jeunesse. 21-8, Pierre-Félix Georges (futur colonel Fabien), dirigeant de la JC, abat au métro Barbès un officier all. *1944* devient Jeunesse Rép. de Fr. ; luttera contre le colonialisme en Indochine puis en Algérie, participera au mouvement de mai-juin 68, et organisera la solidarité avec le Viêt-nam. *Orientation* fondée sur la ligne politique du PCF. *Organisations :* l'Union de la Jeunesse C. et l'Union des Étudiants C. *Congrès national :* tous les 3 ans. *Conseil national :* 140 m. *Secr. gén. :* Sylvie Vassalle. *Adhérents :* 74 800. *Publications :* Avant-Garde, Clarté (mensuels).

■ **Mouvement des jeunes pour la démocratie française.** 12, rue François-Ier, 75008 Paris. *Créé* 1-9-1988 (auparavant M. des Jeunes giscardiens, *créé* 1966). *Pt :* Frédéric Roux (n. 26-11-64). *Secr. gén. :* Stéphane Blot. *Adhérents :* 16 000, *sympathisants :* 85 000. *Comités :* 250. *Publication :* Flash Info (mensuel).

■ **Mouvement des jeunes radicaux de gauche.** 3, rue La Boétie, 75008 Paris. *Pt :* Raoul Briolin. *Adhérents :* 2 500. *Publications :* Critique radicale (trim.), Jeune et Radical (bimestr.).

■ **Mouvement des radicaux de gauche (MRG).** 3, rue La Boétie, 75008 Paris. *Fondé* 4-10-1972 (scission du Parti radical) à partir du Groupe d'études et d'action rad.-socialistes (appelé d'abord M. de la gauche rad.-soc., nom actuel dep. 2-12-73.) A signé le Programme commun de la gauche en juillet 1972 et soutenu Mitterrand aux présidentielles de 1981 et 88, en fév. 1993 accepte l'adhésion de Bernard Tapie et de ses amis d'Énergie Sud. *Bureau national :* élu tous les 3 ans. *Pts d'honneur :* Michel Crépeau (30-10-30), René Billères (29-8-10), Maurice Faure (2-1-22), Roger-Gérard Schwartzenberg (17-4-43), Jean-Michel Baylet (17-11-46), François Doubin (23-4-33). *Pt :* Jean-François Hory (15-5-49) dep. 14-6-92 (avant Émile Zuccarelli (n. 4-8-40) devenu min. des PTT). *Pt dél., porte-parole :* Yvon Collin (10-4-44). *Vce-Pts :* Jean-Pierre Defontaine (4-2-37), Michel Dary (20-9-45), Dominique Saint Pierre (10-11-40), Michel Scarbonchi (24-7-50), Claudette Brunet-Lechenault (30-3-49), François Huwart (20-6-47), Henri de Lassus (2-4-38). *Délégués nationaux :* Bertrand Leperre (20-8-36), Thierry Braillard (24-1-64). *Adhérents :* 25 000. *Députés :* 6 ; *dép. eur. :* 1. *Sénateurs :* 5. *Élus locaux :* 10 000. *Publications :* Radical (mensuel), Radical (hebdo).

■ **Mouvement des réformateurs.** *Créé* 10-10-1992 par Jean-Pierre Soisson (9-11-34) (France Unie) et l'Association des démocrates de Jacques Pelletier (1-8-29).

■ **Mouvement royaliste français.** *Fondé* 21-10-1979 [fusion : Féd. des unions royalistes de France (FURF) et des Féd. roy. rattachées au Comité provisoire pour la coordination des opérations roy. (Copcor)]. *Dissous* 1984.

■ **Mouvement-Solidarité-Participation (MSP).** 11, rue de Solférino, 75007 Paris. *Fondé* 14-11-1971, après fusion des mouvements gauche gaullistes (UG5e, Démocratie et Travail, Front travailliste). A fait campagne pour Chirac en 1981, au 1er tour des prés. et pour Mitterrand au 2e t. *Pt. :* Bernard Bertry (21-12-29) dep. déc. 1988 [avant : Philippe Dechartre (14-2-19), ancien min. du Travail de De Gaulle]. *Secr. gén. :* Jean-Jacques Andrieux (11-8-45). *Adhérents :* 28 500 [hauts fonctionnaires, cadres, fonctionnaires 21 %, employés (surtout f. publique) 22 %, ouvriers 27 %, prof. libérales 12 %, chefs d'entreprise 10 %, commerçants 7 %]. *Publications :* Nouveau Siècle (semestriel), Lettre du MSP (mens.).

■ **Mouvement des sociaux libéraux.** 17, bd Raspail, 75007 Paris. *Secr. gén. :* Olivier Stirn (24-2-36).

■ **Mouvement pour l'Indépendance de l'Europe (MIE).** 30, rue St-Dominique, 75007 Paris. *Pt :* Olivier Guichard (8-11-21). *Publication :* la Revue de l'Europe (trim.).

■ **Mouvement pour une alternative non violente (MAN).** 20, rue du Dévidet, 45200 Montargis. *Fondé* nov. 1974. *Adhérents :* 500.

■ **Mouvement républicain populaire (MRP).** *Fondé* 25/26-11-1945 par des chrétiens résistants. Héritier des formations démocrates chrétiennes comme le parti démocrate populaire (créé 1924) et la Jeune République lancée 1912 par Marc Sangnier (1873-1950). *Leaders : 1944 :* Maurice Schumann (10-4-1911), *1949-52 :* Georges Bidault (1899-1983), Robert Lecourt, François de Menthon, Pierre Pflimlin, Robert Schuman, Pierre-Henri Teitgen. *Secrétaires généraux :* André Colin (n. 1910, prof. de droit, actif résistant au Liban dès 1940), puis Joseph Fontanet. *Adhérents : 1946* 126 000 puis 30 000. *Élections :* 1945 : 3,9 % (150 élus). 1946 : 22 % (parti le plus proche du Gal de Gaulle). *2-6* él. à la 2e Ass. constituante (1er parti devant le PC 25,9), *10-11* él. Ass. nat. 25,9 (173 élus) (PC 28,2, 182 élus). La référence chrétienne rassurait les conservateurs dont un certain nombre avaient été vichystes (les adversaires du MRP parlaient de machine à ramasser les Pétainistes). *1946 :* rompt avec de Gaulle quand il dénonce la constitution. *1947-51 :* élément du Tripartisme puis de la 3e force (assume 4 fois la présidence du Conseil). *1951-62 :* déclin. *1951* concurrence avec le RPF. *1952* succès d'Antoine Pinay, hostilité à l'égard de Mendès France, jugé pas assez partisan de la CED. Réussit la réintégration des catholiques dans la République. *1958 mai* 1 seul Pt du Conseil : Pflimlin. Ne participe ni au ministère Mendès France ni au ministère Mollet et se brouille avec gauche et droite. Favorable au retour de De Gaulle puis hostile. *1962-67* se désagrège et se fond dans une formation nouvelle (congrès de 1963), le Centre démocrate lancé 1965 par Jean Lecanuet. Furent MRP : Alain Poher, Louis Terrenoire, Edmond Michelet, Robert Buron, Bernard Lambert qui évolua vers le trotskisme. *Années 1970* MRP disparaît.

■ **Nouveau Monde 92 (Le).** 16, av. de l'Opéra, 75001 Paris. Association *créée* 25-3-1992 par Jean Poperen (n. 9-1-25). *Publications :* Vu de Gauche (trim.).

■ **Nouvelle Action royaliste (NAR).** 17, rue des Petits-Champs, 75001 Paris. *Issue* dep. oct. 1978 de la Nouv. Action française (fondée avril 1971). *But :* favoriser la restauration d'une monarchie pop. incarnée par le Cte de Paris. *Militants :* 1 500. *1982 :* fonde les *Clubs Nouvelle Citoyenneté* ouverts à des personnalités d'origines politiques diverses. *1986 (16-3) :* présente 1 liste (M.-et-L.) qui obtient 2 230 voix (0,67 %). *1981* et *1988* soutient Mitterrand aux présidentielles. *Leaders :* Bertrand Renouvin [(15-6-43), candidat aux présidentielles en 1974 (0,7 % des voix), membre du Conseil écon. et social dep. août 84] ; Gérard Leclerc (14-6-42), Yves Lemaignen (19-8-15), Yvan Aumont (19-5-38), Michel Henra. *Publications :* Royaliste (bim.), Cité (trim.), le Lys rouge (trim.).

■ **Nouvelle Droite française (NDF).** 23, rue Jean-Giraudoux, 75016 Paris. *Créée* 1973 (Féd. nat. des anarchistes de droite). *Leader :* Michel-Georges Micberth (12-8-45).

■ **Nouvelle Gauche pour le socialisme, l'écologie, l'autogestion.** *Créée* 3-12-1988, entraînerait la disparition du PSU et de la FGA (Fédération de la gauche alternative).

■ **Œuvre française.** 4 bis, rue Caillaux, 75013 Paris. *Fondée* 1968. après la dissolution d'Occident. Nationaliste et antisémite. *Animateur :* Pierre Sidos (6-1-27), qui avait fondé, avec son frère, Jeune Nation (1954-58). *Bulletin :* le Soleil.

■ **Organisation combat communiste (OCC).** *Créée* déc. 1974 par des exclus de Lutte ouvrière. Léniniste. *Publication :* Combat communiste.

■ **Organisation communiste de France** (marxiste-léniniste) [(OCF) (m.-l.)]. *Militants :* 500. *Publication :* Drapeau rouge.

■ **Organisation communiste libertaire (OCL).** Egregore, BP 1213, 51058 Reims Cedex. *Fondée* avril 1976 par la majorité de l'Organisation révolutionnaire anarchiste (ORA). *But :* participer à tout mouvement social en rupture avec le système capitaliste, oppresseur à l'Est et à l'Ouest. *Publications :* Courant alternatif (mens.).

■ **Organisation française de la gauche européenne.** 288, bd St-Germain, 75007 Paris. *Issue* du Mouvement socialiste pour les États-Unis d'Europe *créée* par André Philip. *Pt :* Henri Saby (8-8-33).

■ **Parti communiste français (PCF).** 2, place du Colonel-Fabien, 75019 Paris, architecte Oscar Niemeyer (Brésilien).

Quelques dates : 1920 *25/31-12* au congrès du P. socialiste, à Tours, lutte sur 2 motions principales : 1) Cachin-Frossard, pour l'adhésion à la IIIe Internationale ; 2) Longuet-Paul Faure pour la reconstruction de la IIe Internationale. La 1re recueille 3 208 mandats ; la 2e 1 022. Un amendement Leroy-Heine obtient 44 mandats, qui sont reportés sur la motion Cachin-Frossard. Un télégramme, dit « tél. Zinoviev », du Comité exécutif de l'Intern. communiste, réclame l'exclusion du groupe Longuet. Daniel Renoult pour sauver l'unité dépose une motion pour atténuer la rigueur du télégramme. Puis une 2e motion Mistral est déposée. Vote : motion Daniel Renoult : 3 247 mandats ; Mistral : 1 398 ; abstentions 143. Les minoritaires quittent la salle du Congrès. *29-12* scission : les minoritaires (1 022 mandats) créent la SFIO (Section fr. de l'Internationale ouvrière), les majoritaires (3 208 mandats) créent la SFIC [Section fr. de l'Internationale communiste, devenue PCF après la dissolution du Komintern (1943)]. Pour obtenir son affiliation à la IIIe Internationale, la SFIC doit accepter les « 21 conditions » d'admission définies au 21e Congrès de l'Internationale (Moscou 19-7/7-8-1920) : caractère communiste de la propagande et de l'agitation, mise à l'écart des réformistes, etc. **1921** *21-1 l'Humanité* se rallie aux communistes. **1922** exclusion du journaliste Henri Fabre (1876-1969), qui critique la terreur policière en URSS [le parti fr. est alors influencé par 2 communistes d'origine russe, naturalisés fr. : Boris Souvarine (1894-1984 ; exclu 1924), et Charles Rappoport (1865-1941, démissionnaire 1938)]. **1922** crée l'Union Intercoloniale. **1923** *1-1* les francs-maçons sont tenus de choisir entre la F.-M. ou le parti : le secr. gén. Ludovic-Oscar Frossard (1889-1946) quitte le parti, André Marty (1886-1956) et Marcel Cachin (1869-1958) rompent avec les Loges (exception : Zéphirin Camelinat, détenteur des actions de *l'Humanité*, resté comm. et maçon jusqu'à sa mort). Simon Sabiani [(1888-1956) futur dirigeant doriotiste] exclu. **1924** Albert Treint (1889-1971), tendance trotskiste, remplace le secr. gén. Louis Sellier (1885-1978, exclu 1929). **1925** Jacques Doriot (1898-1945), député de St-Denis (dep. 1924), secr. gén. des Jeunesses comm. (1923), joue un rôle important dans le sabotage de la guerre du Rif. **1926** Pierre Sémard (1887-1942, fusillé par All.) secr. gén. remplace Treint (exclu). Accusé de passivité, il est remplacé par : Henri Barbé (1902-66) et Pierre Celor (1902-57) [exclus 1929 (futurs dirigeants doriotistes)], Benoît Frachon (1893-1975), Maurice Thorez (1900-64, le principal rival de Doriot). Section de la main-d'œuvre immigrée (MDI) créée. **1927** *déc.*, Fédér. nat. des pionniers ouvriers et paysans de Fr. créée, connue sous le nom de « Pionniers rouges », mouvement communiste à ne pas confondre avec les « Faucons rouges », organisation enfantine du parti socialiste SFIO, créée par Henri Barbusse, Raymond Mittey et Grandjouan. « Ceinture rouge » à peu près ininterrompue sur toute la périphérie de Seine, Seine-et-Oise, et Seine-et-Marne). **1929** Paul Marion (1899-1954), secr. de la section propagande (futur dirigeant doriotiste), exclu.

1930 Thorez nommé (à Moscou) dirigeant unique du parti. **1934** *février* Doriot partisan de l'action directe contre l'agitation fasciste veut s'entendre avec la SFIO ; *27-6*, exclu, il entraîne de nombreux membres [dont Marcel Marshall (n. 1901) et Pierre Dutilleul (1901-74)] et fonde avec eux le 28-6-1936 le PPF (P. populaire fr., qui se ralliera au nazisme) ; *27-7* pacte d'unité d'action PC et SFIO. **1935** *él. munic.* 27 communes (718 745 habitants) (9 avant) en banlieue.

Financement du PC. OFFICIEL. *Recettes* (1990) : 98 379 208 F dont 20 millions de F de cotisations versées par 585 661 adhérents, indemnités des élus, soutien des élect. et militants. *Dépenses :* 95 073 040 F dont salaires et dépenses des permanents, hors cotisations soc., env. 16 millions de F. OCCULTE. La loi interdit le financement d'un parti pol. par des capitaux étrangers. Cependant, les archives saisies au siège du comité central du PCUS à Moscou, après la chute du régime communiste, révéleraient que PCF et d'autres « partis frères » bénéficiaient d'une aide annuelle du « Fonds de soutien aux organisations de travailleurs de la gauche » créé par Staline en 1940. Le PCF aurait reçu, pendant 10 ans, 2 millions de $ par an + 1 million de $ en 1987 (financement de l'élect. présid. de 1988 ?). Selon le procureur gén. adjoint de Russie (déclaration 10-2-92), le PCF aurait reçu en 10 ans 24 millions de $ en liquide, par l'intermédiaire d'agents du KGB. Des quittances du PCF figureraient dans les archives du PCUS, dont certaines signées par Gaston Plissonnier ou Maxime Gremetz). Une autre partie de cet argent, venant du compte no 1 de Vnechekonombank, transitait par la Banque du Commerce ext. à Paris. Les dirigeants du PCF ont formellement démenti ces allégations.

Nota. – Sur son indemnité parlementaire, le député ne touche env. que le quart et verse le reste à la trésorerie du parti qui prend à sa charge les frais professionnels du parlementaire.

■ **Composition sociale des adhérents du PCF (en %).** Actifs ayant un emploi 54 dont ouvriers 43,1 ; employés 33,3 ; techniciens, ingénieurs, chercheurs et cadres 8,7 ; enseignants 7,1 ; artisans et commerçants 3,5 ; agriculteurs 2,6 ; professions libérales 1,7. Retraités et préretraités 24,6. Personnes au foyer 14. Chômeurs 5,5. Étudiants et lycéens 1,9.

Âges. – *de 35 ans :* 29,7. *35-45 :* 24,1. *45-60 :* 24,8. *+ de 60 :* 21,4.

(*Source :* sondage réalisé auprès d'un échantillon de 49 000 adhérents).

■ **Les femmes dans le PC. Comité central.** *XXe Congrès :* 16 sur 118 membres, *XXIIe :* 23 sur 121, *XXIIIe :* 31 sur 145. **Bureau politique.** *XXe :* 2 sur 20. *XXIIe :* 2 sur 21. *XXIIIe :* 4 sur 21. **Secrétariat du Comité central.** *XXIIIe :* 1 sur 7. **Comités fédéraux (directions départementales).** *1979* 1 224 (23,47 %). **Bureaux fédéraux.** *1979* 286 (18 %). **Secrétariats fédéraux.** *1979* 62 (13 %).

■ **Comparaison PC et, entre parenthèses, Front national** (en % exprimés, en métropole). *Législatives 1978 :* 20,6 (0,8). *Présidentielles 1981 :* 15,5. *Lég. 1981* 16,1 (0,3). *Européennes 1984 :* 11,2 (11,1). *Lég. 1986 :* 9,7 (9,9). *Prés. 1988 :* 6,9 (14,6). *Lég. 1988 :* 11,2 (9,9). *Eur. 1989 :* 7,8 (11,8).

Voix du PS et du PC (en %)

En métropole au 1er tour (s'il y a eu 2 tours)

	PS	PC		PS	PC
24 [2]	20,1	9,5	74 [1]	43,24 [8]	–
28 [2]	18	11,3	76 [3]	26,5	22,8
32 [2]	20,5	8,4	77 [4]	9,9	5,2
36 [2,5]	20,8	15,4	78 [2]	22,58	20,7
45 [2]	23,4	26,2	79 [16]	26,96	20,5
46 [2,6]	21,1	25,7	81 [1]	25,85 [12]	15,34 [13]
46 [2,7]	17,9	28,6	81 [2]	37,51 [14]	16,17
51 [2]	14,6	26,9	82 [3]	29,89	15,87
56 [2]	15,2	25,9	83 [4]	L.c. [15]	L.c. [15]
58 [2,7]	15,5	19,2	84 [16]	20,75	11,28
62 [2]	12,5	21,8	85 [3]	25,01	12,67
65 [1]	31,72 [8]	–	86 [2]	31,61	9,87
65 [4]	8,6	3,5	88 [1]	34,10	6,78
67 [2]	18,79	22,46	88 [17]	34,76	11,32
68 [2]	16,5	20	89 [16]	23,61	7,71
69 [1]	5,01 [9]	21,5 [10]	92 [3]	24,7	6,9
71 [4]	9	4,3	92 [18]	18,3	8,6
73 [2]	20,65 [11]	21,34	93 [17]	17,39	9,18
73 [3]	21,6	22,6			

Nota. – (1) Présidentielles. (2) Législatives. (3) Cantonales. (4) Municipales (1er et 2e tours, en % des cons. municipaux). (5) Oct. (6) Juin. (7) Nov. (8) Mitterrand, pas de candidat du PC. (9) G. Defferre. (10) J. Duclos. (11) UGSD. (12) F. Mitterrand. (13) G. Marchais. (14) PS = MRG. (15) Listes en parties communes. (16) Européennes. (17) Législatives, 1er tour. (18) Régionales.

1936 *él. lég. :* 1 494 337 voix, 10 membres dans l'ancienne Chambre, 72 dans la nouvelle. Les communistes dissidents (socialistes-communistes, pupistes et Unité ouvrière) comptent 10 députés au lieu de 11, mais ont doublé leurs voix : 184 763 contre 78 472 (1932). Thorez crée, avec SFIO et Radicaux, le *Front populaire*, qui remporte les élect. de mai 1936, mais ne permettra pas aux comm. d'entrer dans le gouv. ; *juin* grèves : occupations d'usines ; *13-8* envoi de volontaires en Espagne du côté des Rép. ; André Marty (commissaire gén. des brigades intern.), André Malraux (parti de son propre gré), Charles Tillon (1897-1993 ; exclu 1970), Pierre-Félix Georges [futur combattant de la Résistance, sous les pseudonymes de Frédo, puis de colonel Fabien (1919-44 ; tué accidentellement, en manipulant des grenades en Alsace)]. **1938** Raphaël Rappaport rompt avec le parti ; oct., les comm. s'opposent à l'accord de Munich.

1939 *23-8* à l'occasion du pacte germano-soviétique, nombreuses démissions, notamment Marcel Capron (n. 1896), Jean-Marie Clamamus (1879-1973) et l'écrivain Paul Nizan (1905-40, tué à l'ennemi) ; *31-8* vote crédits spéciaux pour la mobilisation gén. ; *26-9* le parti est dissous : 35 députés sur 72 (leader : Arthur Ramette, n. 1897) fondent le *Groupe ouvrier et paysan* (seront déférés pour reconstitution de ligue dissoute devant la justice militaire) ; les 37 autres quittent le parti ; *1-10* le Groupe demande à Herriot, Pt de la Chambre, que la proposition de paix qui va arriver soit examinée ; *4-10* Thorez [mobilisé dep. le 3-9, comme sapeur du 3e génie à Chauny (Aisne)] quitte son régiment ; *5-10* conduit en Belgique en voiture par Ramette avec sa femme (Jeannette Vermeersch) et une militante, Marthe Desrumeaux ; *7-10* déclaré déserteur ; *28-11* condamné à 6 ans de prison par contumace pour « désertion à l'intérieur » en temps de guerre [le tribunal n'ayant pas retenu le passage en Belgique (qui aurait entraîné la peine de mort)] ; *déc.* Marthe Desrumeaux est arrêtée par la police belge (incarcérée en Fr.) ; Thorez, J. Vermeersch et Ramette se réfugient à l'ambassade soviét. à Paris, puis en Suisse. Mars 1940, ils demandent au consulat allemand de Zurich un passeport pour l'URSS [2 versions : 1°) il fut accordé et ils ont traversé l'Allemagne pour rejoindre Moscou ; 2°) pris en main par l'appareil clandestin soviét., ils ont gagné la Russie par Bruxelles (mai 1940) et Stockholm ; ces 2 versions sont démenties par le PC].

1940 *4-4* procès « des 44 ». 35 députés et 9 sénateurs du « Groupe ouvrier et paysan » condamnés de 2 à 5 ans de prison [9 contumaces : Thorez (dont la peine s'ajoute aux 6 ans du 28-11-39), Duclos, Péri, Ramette, Tillon, Monmousseau, Catelas, Rigal, Dutilleul] ; les 38 autres, transférés dans le Sud algérien, seront en 1943 le noyau du groupe comm. de l'Assemblée consultative provisoire. *20-6* Denise Ginolin et Maurice Tréand obtiennent des All. le droit de faire reparaître à Paris *l'Humanité* (interdite dep. 26-9-39) ; ils sont arrêtés le soir même par la police fr., sur un ordre venu de Bordeaux (libérés quelques j après) ; *l'Humanité* devient clandestine et reparaît le 1-7, prenant parti contre Pétain et de Gaulle ; *10-7* appel (diffusé en août) de Thorez (d'URSS) et Duclos (en Fr.) pour « la constitution du Front de la Liberté, de l'Indépendance et de la Renaissance » ; automne : création des 1ers groupes OS [(Organisation spéciale) ; principaux responsables : Marcel Paul (1900-82) (Bretagne, puis Paris) ; Auguste Lecœur (1911-92) (Nord) ; Jean-Joseph Catelas (m. de la direction clandestine, arrêté 16-5-41, guillotiné 24-9-41)]. **1941** *avril* Georges Maranne contacte Léo Hamon (chef de *Ceux de la Résistance)* pour constituer un *Front national ; 21-8* 1er attentat contre armée all. : Frédo (le comm. Pierre Georges, futur colonel Fabien) abat l'aspirant de marine Moser au métro Barbès-Rochechouart. **1941-44** les FTP comm. (chef : Charles Tillon) participent à la Résistance. Ils auront des milliers de tués, notamment Jean Catelas (guillotiné), Danielle Casanova († en déportation), Guy Môquet et Gabriel Péri (1902-41) (fusillés) [en 1944, le PC revendiquera « 75 000 fusillés » (le chiffre total des fusillés fr. étant alors évalué à 200 000) ; actuellement, le chiffre admis pour le total des fusillés est d'env. 9 000 (H. Amouroux) ; en conservant cette proportion de 3/8, on arrive à env. 3 500 fusillés comm., auxquels il faut ajouter les victimes des massacres, les tués dans la Résistance, les morts en déportation, en nombre indéterminé]. **1943** *janv.* Fernand Grenier (1901-92 ; évadé du camp de Châteaubriant en juin 1941) rejoint à Londres le comité de la France libre, comme délégué du PC. *3-6,* ordonnance du comité fr. d'Alger amnistiant les parlementaires comm. condamnés le 4-4-40 (ils pourront faire partie de l'Ass. consultative).

1944 *4-4* Grenier (venu de Londres) et François Billoux (1903-78, incarcéré en Algérie) entrent au GPRF à Alger ; *31-8* le comité central du PCF, sorti de la clandestinité le 25-8, et réuni à Paris, se divise en 2 tendances : 1°) Lecœur-Tillon (prise de pouvoir armée immédiate ; le PC dispose des FTP et des milices patriotiques créées mars 1944) ; 2°) Duclos-Frachon, ayant l'approbation de Thorez à Moscou (acceptation de l'autorité de De Gaulle), laquelle l'emporte. Sept.-oct., les comm. de métropole participent activement à l'épuration, éliminant de nombreux adversaires politiques ; *4-9* Grenier et Billoux font partie du 2e gouv. provisoire de De Gaulle, à Paris ; *10-9 1er ministère de Gaulle :* 2 min. comm. sur 23 : Tillon (Air), Billoux (Santé publique) ; *28-10* ordonnance de De Gaulle étendant l'amnistie du 3-6-43 (Alger) à d'autres condamnations militaires (applicable à Thorez) ; le Gouv. demande la dissolution des milices patr. (le PC proteste mais accepte après le retour de Thorez) ; *6-11* décret amnistiant 5 anciens déserteurs, dont Thorez qui rentre d'URSS en déc. 1944, et est nommé membre de l'Ass. consultative. Thorez convaincu par Staline (qui veut vaincre l'All. au + tôt et redoute l'influence amér. en Europe) empêche toute tentative révolutionnaire en France qui aurait risqué de détourner une partie des forces alliées, et obligé de Gaulle (malgré ses réticences envers eux) à faire appel aux Amér. **1945** *22/28-1* congrès du MLN (Mouvement de libération nation.) qui rejette (par 250 voix contre 110) la fusion avec le Front national trop proche du PC [*la minorité du MLN* constitue avec le Front nat. le Mouvement unifié de la renaissance française (MURF) ; *la majorité du MLN* s'associe avec d'autres mouvements de résistance : Organisation civile et militaire (OCM), Libération-Nord, Ceux de la Résistance, pour constituer l'Union démocratique et socialiste de la Résistance (UDSR), associant une fraction de gauche à une fraction gaulliste] ; *21-11 2e ministère de Gaulle ;* 5 min. comm. sur 22 : Thorez (min. d'État), Ambroise Croizat [1901-51 (Travail)], Billoux (Économie nat.), Marcel Paul [1901-82 (Prod. ind.)], Tillon (Armement).

1946 *janv.* les comm., bien que participant au gouv., s'opposent violemment à sa politique indochinoise (opérations militaires contre Ho-Chi-Minh, secr. gén. du PC indochinois, qui a proclamé l'indépendance du Viêt-nam en sept. 1945). Leur attitude provoque, entre autres, le départ de De Gaulle le 20-1-46. Thorez choisit alors le *tripartisme* (alliance avec SFIO et MRP). Opposition de Tillon (partisan dep. 31-8-44 d'une prise de pouvoir insurrectionnelle). *Participation comm. aux tripartites :* MINISTÈRES : *26-1 Gouin :* 6 min. comm. sur 22 : Thorez (vice-Pt du Conseil), Tillon (Armement), Croizat (Travail), Marcel Paul (Prod. ind.), Billoux (Reconstruction), Laurent Casanova [n. 1906, mari de Danielle (Anciens Comb.)] ; 2 sous-secr. d'État sur 5 : Marius Patinaud (Travail), Auguste Lecœur [n. 1911 (Prod. ind.)] ; *24-6 Bidault :* 7 min. comm. sur 24 : Thorez (vice-Pt du Conseil), Tillon (Armement), Marcel Paul (Prod. ind.), Croizat (Travail), Billoux (Reconstr.), René Arthaud (Santé pub.), Casanova (Anciens Comb.) ; 3 sous-secr. d'État sur 9 : Lecœur (Prod. ind.), Patinaud (Travail), Georges Gosnat (Armement). **1947** *22-1 Ramadier :* 5 min. comm. sur 27 : Thorez (vice-Pt du Conseil), Billoux (Défense nat.), Tillon (Reconstr.), Croizat (Travail), Georges Maranne [1888-1976 (Santé)] ; *du 11 au 18-3* l'Ass. nat. discute sur la g. d'Indochine, les comm. votent contre le Gouv., malgré la participation de min. comm. En avril, le parti se prononce contre le plan Marshall, adopté par Ramadier ; *4-5* celui-ci exclut de son gouv. les 5 min. comm. Le PC redevient un parti d'opposition. *20-10,* il déclenche une grève nationale (qui, le 10-11, entraîne l'arrêt de la circulation ferroviaire, bloquant le ravitaillement de Paris) ; *19-12 scission de la CGT :* les comm. (majoritaires) suivent Benoît Frachon, abandonnant Léon Jouhaux, qui fonde le syndicat Force ouvrière (FO). **1948** *6-10 grève insurrectionnelle,* visant, a-t-on cru, à la prise de pouvoir armée (tendance Tillon), brisée par le min. de l'Intérieur socialiste Jules Moch, à l'aide de troupes rappelées d'Allemagne. *14-11* situation redevenant normale.

1952 *28-5* Jacques Duclos (1896-1975), Pt du groupe parlementaire comm. et 2e personnage du parti, est arrêté en « flagrant délit » pour « complot contre la sûreté de l'État » (il avait organisé de violentes manif. contre le Gal américain Ridgway, commandant les forces de l'Otan et ancien vainqueur de la g. de Corée : 1 †, 230 blessés à Paris, 518 arrestations). Il est relâché quelques semaines après, ayant pu prouver (après autopsie au Muséum d'hist. naturel) que 2 pigeons qu'il transportait dans le coffre de sa voiture lors de son arrestation n'étaient pas des pigeons voyageurs destinés à assurer la liaison avec les manif. comme l'avait affirmé Charles Brune, min. de l'Intérieur et ancien vétérinaire ; nov., Léon Mauvais (1902-80), secr. à l'organisation du parti, présente un rapport contre Tillon et Marty, leur reprochant « des activités fractionnelles et policières ». **1953** *janv.* Marty exclu ; Tillon déchu de ses responsabilités (réhabilité févr. 1957, puis définitivement exclu 3-7-70, ainsi que sa femme Raymonde, ancienne déportée). **1954** *30-11* Lecœur exclu (rallié 1958 au PS). **1956** *oct.-nov.* intervention soviét. en Hongrie : de nombreux intellectuels quittent le PC ; Jean-Paul Sartre (1905-80), sympathisant, prend position contre le PC. Thorez feint de ne pas croire au rapport Khrouchtchev (XXe congrès du PCUS) dénonçant les crimes du stalinisme.

1961 *24-2* sanctions contre Laurent Casanova (1906-72) et Marcel Servin [n. 1922 (remplaçant de Lecœur comme secr. de l'organisation du parti)] ; ils restent néanmoins membres du PC jusqu'à leur mort. **1962** le PC se prononce pour un *programme* commun de la gauche. **1964** *11-7* mort de Thorez [remplacé par Waldeck Rochet (1905-83), secr. gén. dep. mai 64 (Thorez ayant été nommé « président »)]. **1968** *mai-juin* le PC évite de se mêler au mouvement insurrectionnel avant le 21-5, date d'une conférence de presse de Georges Séguy (parlant au nom de la CGT, et prenant une attitude conciliante : elle fera en sorte que les payes soient assurées malgré les grèves) ; *22-5* les comm. votent la motion de censure contre le gouv. (repoussée par 244 voix contre 233) ; *23-5* le PC appelle la gauche à l'élaboration d'un programme commun ; *27-5* la CGT, ayant obtenu à Grenelle de grosses concessions sociales du gouv., décide la reprise du travail ; la base ne suit pas (6 000 travailleurs de Renault-Billancourt rejettent le protocole de Grenelle). Les étudiants de l'Unef ayant organisé à 17 h 30 une manif. au stade Charléty (avec Mendès France et Rocard), PC et CGT refusent d'y participer. La CGT organise 12 contre-manif., notamment place Charles-Michels ; *28-5* Mitterrand s'étant déclaré à 11 h prêt à prendre le pouvoir, Waldeck Rochet déclare à 16 h se ranger à ses côtés ; *30-5* le PC accepte la décision de De Gaulle de recourir à des élections anticipées (dissolution de la Chambre) ; *1-6* il conclut avec la FGDS (Féd. de la gauche démocratique et socialiste) un accord en vue des élections. *23-6* échec électoral du PC et de ses alliés ; déc., *manifeste de Champigny* (actualise les conditions du passage au socialisme en France par la voie pacifique et démocratique).

1970 Roger Garaudy (17-7-1913), philosophe et dir. du Centre d'études marxistes exclu. **1972** *juin* alliance avec partis socialiste et radical ; Waldeck Rochet (malade), nommé *Pt d'honneur.* Georges Marchais, secr. gén. (secr. gén. adjoint dep. 1970). **1976** *janv.* 22e Congrès, le PC *renonce à la « dictature du prolétariat ».* **1977** *rupture de l'Union de la gauche ;* le PC propose au PS de reprendre la négociation, puis les divergences s'accentuent. Le PC s'est prononcé pour une force de dissuasion française indépendante et pour une Europe démocratique respectant souveraineté et indépendance nationales. **1978** échec électoral. **1980** démissions d'intellectuels.

1981 *juin* perd 42 s. à l'Ass. nat. ; 4 membres au *Gouv. Mauroy* [Charles Fiterman (Transports), Jack Ralite (Santé), Marcel Rigout (Formation profes.), Anicet Le Pors (Fonct. publique)]. Octobre, Henri Fiszbin et 29 autres fondateurs de *Rencontres communistes-Hebdo* mis « hors du parti ». **1982** *févr.* 24e Congrès. **1984** *17-6* recul aux élec. europ. *19-7* ne participe plus au gouv. **1986** *mars* recul aux élec. lég. **1987** 26e Congrès, *24-6* Pierre Juquin démissionne du comité central après la désignation officielle d'André Lajoinie comme candidat aux présid. **1988** *24-4* Lajoinie obtient 6,76 % au 1er tour des présidentielles.

Adhérents : *à l'origine :* 110 000 sur 150 000 à la SFIO avant la scission. **1922** 80 000. **23** 65 000. **24** 57 000. **25** (après le succès du Cartel) 70 000. **26** 55 000. **28** 25 000. **30** 38 000. **33** - de 30 000. **36** (25-5) 163 000 dont 38 000 jeunesses comm. (14-10) 371 027 (dont 96 492 jeun.). **38** 320 000. **44** (déc.) 384 228. **45** 785 292. **46** 814 285. **47** 474 629, (907 785 [1]). **50** 482 700. **52** 330 000. **54** 358 400. **61** 300 000. **69** 380 000. **70** 491 000. **78** 520 000. **84** 380 000. **85** 352 000. **86** 340 000. **87** 330 000. **88** (702 864 dont actifs ayant un emploi 54 %).

Nota. – (1) Cartes délivrées.

☞ *Départ du PC :* **1949** Marguerite Duras, Jean Duvignaud ; **51** Edgar Morin ; **53** Pierre Seghers ; **56** Alain Besançon, Alphonse Boudard, Aimé Césaire, Jean-Pierre Chabrol, Charles Denner, Jacques Derogy, Dominique Desanti, François Furet, Max Gallo, Pierre Hervé, Lucien Israël, Annie Kriegel, Emmanuel Le Roy Ladurie, François Maspéro, André Salomon, Tim ; **57** André Glucksmann, Louis Mexandeau, Claude Morgan (1898-1980), Claude Roy, Roger Vailland ; **58** Jean Poperen, Maxime Rodinson ; **60** Maurice Agulhon, Pierre Georges ; **64** Michel-Antoine Burnier, Serge July, Roger Pannequin, Jorge Semprun ; **65** Claude Angéli, Roland Castro, Régis Debray, Bernard Kouchner, Alain Krivine, Henri Weber ; **67** Jean-François Kahn ; **68** Paul Thorez (fils de Maurice), Jean Chesneaux, Philippe Robrieux ; **69** René Dazy, Roger Garaudy, Madeleine Rebérioux ; **70** Victor Leduc, Charles Tillon (ancien chef des FTP, ancien ministre), Jean-Pierre Vernant ; **74** Pierre Daix ; **78** Jacques Frémontier, Guy Konopnicki, Robert Merle, Antoine Spire, René Zazzo ; **79** Pierre Li ; **80** Louis Althusser (1918-90, sans démissionner), Michel Cardoze (*l'Humanité*), Jean Elleinstein (6-8-27, sans démissionner), François Hincker (*la Révolution*), Jean Kéhayan, Gérard Molina, Hélène Parmelin, Édouard Pignon, Jean Rony (*la France nouvelle*), Antoine Vitez ; **81** Michel Barak, Marcel Bluwal, Catherine Clément ; **82** Georges Labica, Jean-Louis Moynot ; **86** Michel Naudy. **91** *12-11* Claude Poperen.

Organisation : *Comité central* (126 m.) ; *Conseil nat. :* Bureau politique (21 m.) ; *Secrétariat* (7 m). *Fin 1985 :* 27 000 cellules (entreprises 9 000, locales env. 12 000, rurales + de 6 000). *Congrès :* réunit tous les 3 ans les délégués des fédérations (1 par département) dirigées par un comité fédéral élu par conférence fédérale, pour fixer les orientations du Parti, élit le comité central (qui élit en son sein bureau politique, secrétariat, secrétaire gén.) et une commission constante de contrôle financier. *Comités régionaux, comités de parti :* dans certaines entreprises ou ensemble d'habitations dans lesquels rayonnent plusieurs cellules.

Objectifs : « ... Le Parti communiste français est le parti de la classe ouvrière de France. Il rassemble les ouvriers, les paysans, les intellectuels, tous ceux qui entendent agir pour le triomphe de la cause du socialisme, du communisme ». Il œuvre pour « ... la transformation de la société capitaliste en une société fraternelle, sans exploiteurs ni exploités... ». Cette transformation « exige la conquête du pouvoir politique par la classe ouvrière en alliance étroite avec la paysannerie laborieuse et l'ensemble des masses populaires. » (Cf. Statuts.)

Presse : *Agence :* Union française d'information. *Quotidiens :* l'Humanité (organe central, fondé 1904 par Jean Jaurès), la Marseillaise, Liberté, l'Écho du Centre. *Hebdomadaires :* l'Humanité-Dimanche, la Terre, Révolution. *Mensuels :* les Cahiers du communisme, Économie et Politique, l'École et la Nation, Action (Jeunesse comm.), l'Avant-Garde (MJC), Clarté (organe de l'UEC). **Éditions.** CDLP (Centre de diffusion du livre et de la presse), les Éditions sociales, Messidor, les Éditeurs français réunis et le Livre-Club Diderot. *Imprimeries :* une dizaine dont Paris-Province-Impression.

Leaders : *Secrétaire général :* Georges Marchais (7-6-20), dep. le XXe Congrès (déc. 1972). *Bureau politique :* réélu 1990 à l'unanimité par le Comité central (– l'abstention d'Anicet Le Pors), Claude Billard, Pierre Blotin, Alain Bocquet (6-5-46), Antoine Casanova, François Duteil, Charles Fiterman (28-12-33), Jean-Claude Gayssot (6-9-44), Maxime Gremetz (3-9-40), Guy Hermier (22-2-40), Philippe Herzog (12-4-41), Robert Hue, Henri Krasucki (2-9-24), André Lajoinie (26-12-29), Francette Lazard (7-1-37), René Le Guen (1921), Roland Leroy (4-5-26), Jean-Paul Magnon, Georges Marchais (7-6-20), Gisèle Moreau (30-6-41), Louis Viannet (4-3-33), François Wurtz (3-1-48), Pierre Zarka (16-9-48).

☞ *Ont quitté le bureau en mai 1979 :* Guy Besse (25-11-18), Jacques Chambaz (12-12-23), Étienne Fajon (11-9-06 – 4-12-91), André Vieuguet (11-3-17) ; *en février 1982 :* Georges Séguy (16-3-27) ; *en déc. 1990 :* René Piquet (23-10-32), Gaston Plissonnier (11-7-13), Claude Poperen (22-1-31), Madeleine Vincent (4-5-20).

Contestation : REFONDATEURS : *1989* veulent transformer le PC de l'intérieur, siègent dans toutes les instances. Marcellin Berthelot (9-10-27), Jean-Pierre Brard (7-2-48), Charles Fiterman (28-12-33), Guy Hermier (22-2-40), Anicet Le Pors (28-4-31), Roger Martelli, Robert Montdargent (7-6-34), Jack Ralite (14-5-28), Lucien Sève (9-12-26), Marcel Trigon. RECONSTRUCTEURS : toujours membres du PC mais ne siègent plus dans les instances. *Janvier 1987* Claude Poperen démissionne du bureau politique. *Fin 1987* Marcel Rigout se retire du comité central dont Félix Damette est écarté. *Structures :* collectif Arias, journal, mouvement d'élus, animé notamment par Gaston Viens (maire d'Orly). RÉNOVATEURS : *fin 1987* exclusion de Pierre Juquin après l'annonce de sa candidature à l'élection présidentielle. Son échec a entraîné l'éclatement des « comités Juquin ». Claude Labrès, fondateur du Mouvement des rénovateurs communistes (MRC), s'est depuis rapproché du PS en créant le Forum progressiste. Le MRC, maintenu par Gilbert Wasserman et Louis Aminot, entretient des relations avec les « Reconstructeurs ».

Élus. Députés *nov. 1946 :* 166 ; *mars 1978 :* 86 ; *juin 1981 :* 44 ; *mars 1986 :* 35 ; *juin 1988 :* 26 ; *mars 1993 :* 23 (dont enseignants 9, techniciens 4, ouvriers 4, employés 5, politique permanent 1). *Meilleur % en 1993 :* Réunion 25,95 (*86 :* 29,37 ; *88 :* 37,19 ; *92 :* 17,94) ; Allier 24,68. *% en région paris. :* Seine-St-Denis 9,98, V.-de-M. 15,99, H.-de-S. 10,32, Val-d'O. 10,14, Essonne 9,52, Seine-et-M. 7,75, Yvelines 6,13, Paris 5,30. **Députés au Parlement européen** 7 (élus 18-6-1989). **Sénateurs** 16. **Conseillers** *régionaux* 153, *généraux* 290, *municipaux* 21 350. **Pts de cons.-gén.** 2 (Seine-St-Denis, V.-de-M.). **Maires** *1978 :* 1 481 ; *83 :* 1 464 ; *89 :* 1 120 [dont 46 villes de + de 30 000 h. Le Havre (198 875 h.), la plus peuplée].

■ **Parti communiste internationaliste (PCI).** 87, rue du Fg-St-Denis, 75010 Paris. Section française créée févr.-mars 1944 par des militants et des groupes trotskistes dispersés pendant la g. (de la IVe Internationale créée 1938 par Trotski). *9/10-5-1992* (XXXVIe Congrès) : devient un courant du **Parti des travailleurs** (v. p 735 b). *Principal dirigeant :* Pierre Lambert (P. Boussel). Aux présidentielles de mai 1981, a prôné une candidature unique PS-PCF dès le 1er tour, puis a appelé à voter pour Mitterrand dès le 1er tour. Aux municipales de mars 1983, a présenté 200 « listes ouvrières d'unité ». Aux présidentielles de mai-juin 1988, Lambert a obtenu 0,38 % des voix au 1er tour et prône l'abstention au 2e. *Adhérents :* 8 000. *Publication :* Informations ouvrières (heb. 30 000 ex.).

■ **Parti pour une alternative communiste (PAC).** BP 90 – 75961 Paris Cedex 20. Issu du PCMLF (fondé 31-12-1967 par des exclus du PCF dont Jacques Jurquet, rejoint dans les années 70 par de nombreux groupes, actifs en mai 68). N'existe plus depuis janvier 1989.

■ **Parti communiste révolutionnaire marxiste-léniniste (PCR).** *Fondé* 1974. Maoïste, longtemps hostile au PCMLF clandestin dont il était partiellement issu. *Secr. gén. :* Max Cluzot. *Organisation de jeunesse :* Union communiste de la jeunesse révol. *Militants :* env. 2 500. *Publications :* Quotidien du Peuple (env. 10 000 ex.), Front Rouge (n'existe plus).

■ **Parti démocrate français (PDF).** 117, rue de Reuilly, 75012 Paris. *Fondé* juin 1982 par Guy Gennesseaux, ancien secr. nat. du MRG, et par des membres venus du MRG et de formations sociales-démocrates. A signé le 17-6-1985 avec le Parti libéral un accord pour créer le Rassemblement libéral et démocrate, co-présidé par Guy Gennesseaux et Serge Dassault. A signé la plate-forme de gouvernement RPR-UDF le 16-2-1986. Dep. mai 1989 le PDF est membre de l'opposition républicaine *Pt :* Guy Gennesseaux. *Adhérents :* 8 000 dont 700 élus municipaux. *Publication :* le Journal des démocrates (mensuel, 8 000 ex.).

■ **Parti fédéraliste européen.** 1, résidence Bel-Air, 91140 Villebon-sur-Yvette. Section francophone de l'Internationale fédéraliste. *Devise :* voir clair et loin. *Pt d'honneur :* Guy Héraud, ancien candidat aux présidentielles. *Pt :* Guy Le Maignan (31-1-25), juriste. *1er Secr. :* Fabien Régnier. *Secr. gén. :* Marcel Massiou. *Publications :* Horizons Européens et PFE-infos.

■ **Parti des forces nouvelles.** BP 139, 83404 Hyères Cedex. *Fondé* 11-11-1974. Après l'échec d'**Ordre nouveau** (dissous 27-6-1973 par le gouvernement) et du Front national de Le Pen aux présidentielles de 1974 (0,74 % des voix). Parmi les fondateurs, Pascal Gauchon (24-3-50) (normalien), et Alain Robert (9-10-45) (ancien secr. gén. d'Ordre nouveau et du Front national). *Programme :* élections à la proportionnelle, protection des cultures régionales dans une Europe politique, cogestion, contrôle et arrêt de l'immigration. En avril 1978 avec le MSI (Italie : 35 dép. en 1976, 31 dép. et 3 sén. en juin 1979) et Fuerza Nueva (Esp.), fonde l'**Eurodroite,** en vue notamment des élections eur. de 1979 où il obtient 1,31 % des voix. Le Rassemblement national grec (5 dép. en 1977) et les Forces nouvelles belges y adhèrent en nov. 1978. *Adhérents : 1974-76 :* 3 000 ; *75-76 :* 5 000 ; *77-78 :* 11 000 ; *78-79 :* 23 000 ; *79 :* 25 000. *1987 :* 400 (beaucoup ont rejoint le mouvement nationaliste révolutionnaire pour donner corps au mouvement Troisième Voix). *Publication :* la Lettre du PFN.

■ **Parti libéral européen.** 30, av. de la République, 91560 Crosne. *Pt :* Jean-Paul David (14-12-1912). *Vice-Pt :* Marie-Thérèse Lançon. *Secr. gén. :* Jacques Grangé. *Publ. :* Le Réveil libéral (mens.) du « Club des Vrais Libéraux », 22, rue Diderot, 91560 Crosne.

■ **Parti Nationaliste Français et Européen (PNFE).** Mouvement nationaliste d'extrême droite. *Créé* 4-4-1987 par Claude Cornilleau (Pt). Entretient des relations avec des mouvements néo-nazis étrangers. Mis en cause en 1989 pour des attentats contre des foyers Sonacotra en 1988 (non-lieu pour les dirigeants et 3 membres condamnés de 8 à 18 ans de réclusion criminelle).

■ **Parti Nationaliste Français (PNF).** *Créé* déc. 1983 (officiellement mai 1984) par Pierre Bousquet (1919-91, ancien Waffen SS) et Pierre Pauty, militants néo-nazis issus du FN. D'oct. 1990 à mars 1991, a accueilli les JNR Skinhead (voir p 730 c) *Publication :* Militant (bimensuel).

■ **Parti républicain.** 105, rue de l'Université, 75007 Paris. *Fondé* 15-9-1977 lors de la fusion de la Féd. nat. des Rép. indépendants (FNRI), de Génération sociale et libérale et des Comités de soutien à Valéry Giscard d'Estaing.

Leaders : *Pt :* Gérard Longuet (24-2-46). *Pts d'honneur :* François Léotard (26-3-42), Michel Poniatowski (16-5-22). *Secr. gén. à l'organisation :* Hervé Novelli. *Comité de direction :* Gérard Longuet, Pascal Clément (12-5-45), Willy Dimeglio (3-5-34), Jean-Claude Gaudin (8-10-39), Hervé Novelli, Ladislas Poniatowski (10-11-46), Gilles de Robien (10-4-41), Philippe Vasseur (31-8-43), Yves Verwaerde (16-5-47). *Bureau politique, membres de droit :* Valéry Giscard d'Estaing (2-2-26), Jacques Blanc (21-2-39), André Bettencourt (21-4-19), Christian Bonnet (4-6-21), Hervé de Charette (31-7-38), Roger Chinaud (6-9-34), Jean-François Deniau (31-10-28), Jean-Jacques Descamps (20-3-35), Jacques Dominati (11-3-27), Jacques Douffiagues (21-1-41), André Giraud (3-4-25), François Léotard (26-3-42), Gérard Longuet (24-2-46), Marcel Lucotte (16-1-22), Alain Madelin (26-3-48), Claude Malhuret (8-3-50), Raymond Marcellin (19-8-14), Charles Millon (12-11-45), Michel Poniatowski (16-5-22), Alice Saunier-Séité (26-4-25), Pierre-Christian Taittinger (5-2-26), Philippe de Villiers (25-3-49). *Membres élus :* François d'Aubert (31-10-43), Bernadette Bertrix, Philippe de Bourgoing (25-7-21), Janine Cayet, Christine Chauvet (19-9-49), Pascal Clément (12-5-45), Francis Delattre (11-9-46), Hugues Dewavrin, Willy Dimeglio (3-5-34), Renaud Donnedieu de Vabres (13-3-54), Maurice Dousset (26-2-30), Laurence Douvin (5-3-46), Brigitte de Gastines (22-3-44), Jean-Claude Gaudin (8-10-39), Alain Griotteray (5-10-22), Bernard Lehideux (24-9-44), Gérard Longuet (24-2-46), Simone Martin (14-3-43), Anne Méaux (7-7-54), Michel Mouillot, Hervé Novelli, Arthur Paecht (18-5-30), Bernard Plasait, Ladislas Poniatowski (10-11-46), Jean Puech (22-2-42), Jean-Pierre Raffarin (3-8-48), Henri de Raincourt (17-11-48), Gérard Rebreyend, Jean Roatta (13-12-41), Gilles de Robien (10-4-41), José Rossi (18-6-44), André Soulier (18-10-33), Jean-Pierre Thomas (27-3-57), Philippe Vasseur (31-8-43), Yves Verwaerde (16-5-47). *Adhérents :* 80 000. *Publications :* le Journal des Républicains, Ligne de fond, Points de repère, Courrier républicain. **Députés** *1981 :* 30. *1986 :* 60. *1988 :* 61, *93 :* 109. **Sénateurs :** 43. **Mouvement des Jeunes Républicains. Clubs Perspectives et Réalités** (voir p. 728 a).

■ **Parti républicain radical et radical-socialiste,** dit **Parti radical-socialiste.** 1, place de Valois, 75001 Paris. **Fondé** 21/23-6-1901 (le plus ancien parti de France). **Avant 1940** parti de notables, rôle prépondérant (avec Combes, Clemenceau, Joseph Caillaux, Édouard Herriot, Édouard Daladier, Camille Pelletan, Camille Chautemps, les frères Sarraut, Georges Bonnet, Yvon Delbos, Jules Jeanneney). **Pendant la guerre,** beaucoup de ses dirigeants participent à la Résistance et sont déportés ou assassinés, tels Jean Zay et Jean Moulin. **Après 1944,** bien qu'affaibli, il est associé aux différents gouv. et fournit de nombreux P[ts] du Conseil (André Marie, Henri Queuille, Edgar Faure, René Mayer, Maurice Bourgès-Maunoury, Pierre Mendès France, Félix Gaillard). **Ve République** longtemps écarté des responsabilités ministér. **1970** *févr.* au congrès de Wagram, J.-J. Servan-Schreiber, appelé 3 mois plus tôt au poste de secr. gén., suscite l'intérêt avec le « Manifeste radical » ; *déc.* il approfondit son programme avec le « Pouvoir régional » (Manifeste municipal). **1971** *oct.* congrès de Suresnes, il est élu Pt du Parti rad. avec 69 % des voix. *3-11 Accords de St-Germain-en-Laye* avec Centre démocrate, Centre républicain et Parti social-démocrate ; participe au *Mouvement réformateur.* **1972** *26-6* une minorité, avec Robert Fabre, signe un accord électoral avec le PS ; suspendue, elle forme un « Groupe d'études et d'action rad.-soc. » qui devient le « Mouvement de la gauche rad.-soc. » (janv. 1973 « Mouv. des Rad. de gauche ») ; *déc.* J.-J. S.-S. propose avec les réformateurs un programme de gouv. inspiré du Manifeste radical. **1973** *mars* législatives, le P. rad. investit ou soutient un réformateur dans toutes les circonscriptions ; *nov.* congrès de Wagram, J.-J. S.-S. réélu Pt du parti. **1974** présidentielles, le P. rad. soutient Giscard d'Estaing et obtient 2 postes de ministres dans le gouv. Chirac (Gabriel Péronnet, secr. d'État à l'Environnement puis à la Fonction publique et J.-J. S.-S., min. des Réformes, démis 9-6-74 pour avoir manqué à la solidarité gouvernementale à propos du problème nucléaire). **1975** *janv.* congrès de Bagnolet : Françoise Giroud, secr. d'État à la Condition féminine, adhère ; *juin,* les rad. prennent part à la *Féd. des réformateurs ; juill.,* J.-J. S.-S. abandonne la présidence (intérim de Péronnet). Michel Durafour, min. du Travail et André Rossi, porte-parole du Gouv., adhèrent ; *nov.,* congrès de Lyon, Péronnet élu Pt. ; *août* entrée de certains membres au Gouv. **1977** *juin* Centre rép. (créé 1955) et *juillet* Mouv. des sociaux-libéraux (créé par Olivier Stirn) rejoignent le parti. **1978** *1-2* s'associe au Parti rép. et au CDS au sein de l'UDF ; *nov.* congrès de Versailles. **1979** *oct.,* congrès de Paris [Didier Bariani (16-10-43) devient Pt]. **1980** *oct.* élabore *« 7 priorités pour un septennat différent ».* **1981** *juin* législatives, recul. ; *nov.,* Bariani réélu Pt. **1983** *mars* municipales, participation aux listes d'Union de l'opposition ; *nov.* André Rossinot élu Pt. 3 élus. **1985** *oct.* Rossinot réélu Pt. **1986** *mars,* au sein de l'UDF, regagne des sièges législatifs et participe au gouv. Chirac (Rossinot, min. chargé des Relations avec le Parlement, Bariani, secr. d'État auprès du min. des Aff. étr., *août* Galland, min. délégué chargé des Collectivités locales). **1988** *11-11* Galland élu Pt. **1989** municipales et européennes ; participation aux États d'union de l'opposition républicaine. **1990** *2-12* Galland réélu.

Organisation : *Bureau national (1991). Pt :* Yves Galland (8-3-41) dep. déc. 88 [avant, André Rossinot (29-5-39)]. *Secr. gén. :* Aymeri de Montesquiou (7-7-42). *1er Vice-Pt :* Étienne Dailly (4-1-18). *Vice-Pts* André Rossi (16-5-21), Jean-Pierre Cantegrit (2-7-33), Paul Granet (20-3-31), Robert Bataillу (2-3-34), Thierry Cornillet (23-7-51). *Vice-Pt délégué :* Jean-Thomas Nordmann (16-2-46). *Vice-Pt trésorier :* Alain Bloch (14-3-51). *Presse :* Gwenola du Couëdic (10-2-54). BIRS (Bulletin d'information rad.-soc.) ; AIRS (Agence d'inf. rad.-soc.). *Effectifs :* 15 000. **Élus :** Sénateurs : 13. Députés *en 1981 :* 2, *86 :* 6, *88 :* 3. Députés européens : 3.

■ **Parti social-démocrate (PSD).** 191, rue de l'Université, 75007 Paris. Composante de l'UDF. Continue le Mouvement démocrate socialiste créé 9-12-1973 par Max Lejeune qui présente Émile Muller à l'élect. présidentielle de 1974. Fédère Mouv. soc. libéral, Soc. dém., Soc. pour les libertés et la démocratie et, dep. 1986, le Mouvement des Jeunes sociaux libéraux (Pt : Patrick Tremege). Né du refus du Programme commun et de l'alliance exclusive avec le PC. *Pt :* Max Lejeune (19-2-09). *Pt délégué :* Georges Donnez (20-2-22). *Secr. gén. :* André Santini (20-10-40). *Secr. gén. adjoints :* Patrick Tremege (14-5-54), Hervé Marseille (25-8-54). *1er vice-Pt :* Charles Baur (20-12-29). *Vice-Pts :* Paul Alduy (4-10-14), Daniel Bernardet (7-6-27), Joseph Klifa (26-7-31), Kléber Loustau (5-2-15), Jean Maran (8-5-20), Georges Mouly (21-2-31), Jean-Pierre Pierre-Bloch (29-1-39), Léonce Deprez (10-1-27). *Adhérents :* 7 000.

■ **Parti socialiste.** 10, rue de Solférino, 75333 Paris Cedex 07.

Histoire : 1879 *20/29-10* Fédération du parti des travailleurs socialistes de France créé. **1900** 6 fractions socialistes. *1) Parti ouvrier français* [marxistes : Jules Guesde (Mathieu Bazile, 1845-1922), Paul Lafargue (1842-1911, gendre de Karl Marx)]. *2) Parti soc. révolutionnaire* [blanquistes : Édouard Vaillant (1840-1915), Marcel Sembat (1862-1922)]. *3) Fédér. des travailleurs soc.* [possibilistes : Paul Brousse (1844-1912)]. *4) Parti ouvrier soc. révolutionnaire* [ouvriéristes : Jean Allemane (1843-1935) ancien communard]. *5) Alliance communiste* (Arthur Groussin, Dejeante). *6) Indépendants* [Jean Jaurès (1859-1914), René Viviani (1863-1925), Alexandre Millerand (1859-1943), Aristide Briand (1862-1932)]. **1901** fusion des fractions. 2 partis : *Parti soc. français* (indépendants, allemanistes, possibilistes ; chef Jean Jaurès) ; *Parti soc. de France* (marxistes, blanquistes, Alliance communiste ; chef : Jules Guesde). **1905** *23/25-4* SFIO (Section française de l'Internationale ouvrière) créée. **1914** *31-7* Jean Jaurès (n. 3-9-1859) assassiné (voir p. 664 a). **1914-18** 3 courants : *majoritaires :* partisans de l'Union sacrée (avec Guesde) ; *minoritaires* (avec Longuet) votent les crédits de guerre avec les majoritaires, mais veulent renouer avec la minorité pacifiste de la soc.-dém. all. et plaident l'étude des possibilités de paix sans annexions ; *zimmerwaldiens* (avec Blanc, Brozon et Raffin-Dugens) votent contre les crédits de g. à partir d'avril 1916 (confér. de Kienthal), condamnant la « g. impérialiste » et la « collaboration de classe », mais sans prôner le défaitisme révolutionnaire (comme les bolcheviks). **A partir de 1917** rassemblement centriste autour du longuettisme : répudiation de l'Union sacrée (la SFIO ne participe plus au gouv. dep. sept. 1917, mais les députés votent toujours les crédits de g.) et défense d'une politique de rechange fondée sur la constitution d'une force internationale de paix et d'arbitrage dont l'ossature serait soc. (accueil enthousiaste des « 14 points » de Wilson). **1920** *déc. (congrès de Tours),* scission : la majorité (env. 3/4 des membres) fonde le Parti communiste. **1924** la SFIO, reconstruite par Paul Faure et Léon Blum, s'allie aux radicaux sur le plan électoral et redevient un grand parti parlementaire. **1933** *5-11* scission au congrès national : départ d'Adrien Marquet et de Renaudel, création du Parti soc. de France. **1936** alliée aux communistes et aux radicaux, la SFIO devient le 2e plus grand parti de Fr. (250 000 m.). *6-6* 1er gouvernement à direction socialiste (dirigé par Léon Blum). **1938** *juin* scission de la Gauche révolutionnaire. **1939** *mai* Nantes, congrès : rupture L. Blum/P. Faure sur Munich et la guerre (vers la scission). **1940-44** participe à la Résistance. **1941** *30-3* Comité d'action socialiste regroupant socialistes résistants. **1943** représentée dans le CNR ; *mars* reconstitution de la SFIO. **1946** *29-8/1-9* XXXVIIIe congrès de la SFIO : défaite Léon Blum ; Guy Mollet secrétaire général. **1956-57** Guy Mollet, secr. gén. de la SFIO, devient Pt du Conseil (5-2-56) après succès du Front républic. aux législ. de janv. Il rappelle le contingent et déclenche l'opération de Suez. **1957** André Philip exclu (a publié en 1956 le « Socialisme trahi »). **1958** *11/14-9* Issy-les-Moulineaux, congrès : approuve projet de constitution de la Ve Rép. (scission du PSA). Guy Mollet se rallie à la candidature de De Gaulle et entre bientôt dans son gouvernement. Législatives : la SFIO maintient son % en voix, mais à cause du nouveau mode de scrutin n'a plus que 44 députés au lieu de 95. Peu après, les ministres quittent le Gouv. Les soc. entrent dans l'opposition pour 22 ans. **1965** *juin, congrès de Clichy,* Guy Mollet et Gaston Defferre s'opposent, le projet de création d'une *Féd. démocrate soc.* ouverte notamment vers les radicaux et le MRP, échoue ; *10-9* Fédération de la gauche démocrate et socialiste (FGDS) regroupe SFIO, p. radical et clubs. **1968** *7-11* Mitterrand, Pt de la FGDS, démissionne (elle disparaît). **1969** *4-5 congrès d'Alfortville :* création du PS. Gaston Defferre candidat socialiste aux élections présidentielles ; *1-6* Defferre battu aux présid. (5,01 %) en dépit d'une campagne menée avec Mendès France. *11/13-7, congrès d'Issy-les-Moulineaux,* le PS succède à la SFIO : Alain Savary 1er secrétaire. **1971** *11/13-6 congrès d'Épinay,* victoire de Mitterrand (43 926 mandats) allié au Ceres (Chevènement), à la Féd. du Nord (Mauroy) et à celle des B.-du-Rh. (Defferre). Alain Savary (41 527 mandats), 1er secrétaire sortant, allié à Guy Mollet et à Jean Poperen ; nouvelle structure, rassemblant adhérents du PS, de la Convention des institutions républ. (Mitterrand) et 3 813 nouveaux adhérents ; *16-6* Mitterrand, seul candidat, élu 1er secr. par 43 voix (36 votes blancs), Mauroy 2e secr. (42 voix contre 35 à Poperen). **1972** *11-3* convention nationale de Suresnes : Programme Changer la vie du PS ; *27-6* signature du *Programme commun* de gouvernement avec le PCF ; *9-7* approuvé à l'unanimité moins 2 voix. **1973** *22 au 24-6 congrès de Grenoble.* La coalition Mitterrand-Mauroy-Defferre (rejointe par Savary, qui rompt son alliance avec Mollet) passe de 44 à 65 %, le Ceres de 8,5 % à 21 % ; Poperen de 12 à 5,5 % et Mollet de 33 à 8 %. Avant la synthèse, Poperen se rallie : Mitterrand 92 %, Mollet 8 % ; *27-6* Mitterrand réélu 1er secr. à l'unanimité (– 7 abstentions). **1974** *mai :* présidentielles, Mitterrand battu : 1er t. : 43,24 % des voix ; 2e t. : 49,19 ; *12-10* Assises du socialisme. Une partie du PSU, avec Rocard, se rallie. Adhésions individuelles (ex. : J. Delors). **1975** *31-1/2-2 congrès de Pau.* Motion Mitterrand-Mauroy (propose de rendre au PS une certaine autonomie dans l'union de la gauche) 68 %, Ceres 25,4 %, il n'y eut pas de synthèse, le Ceres devient la minorité. **1977** *17 au 19-6 congrès de Nantes.* Mitterrand 75,8 % des mandats, Chevènement 24,21 %, pas de synthèse ; *22-9* rupture avec PC sur la renégociation du Programme commun. **1978** *19-3* législatives, la droite reste majoritaire. **1979** *6 au 8-4 congrès de Metz* avec A (Mitterrand 47 %), B (Mauroy 17 %), C (Rocard 21 %) et E (Chevènement 15 %). A et E forment une nouvelle majorité autour de la ligne « Regarder devant soi et tenir bon ». **1980** *13-1 convention nationale d'Alfortville :* adoption du projet socialiste. **1981** *janv. congrès extraordinaire de Créteil,* Mitterrand désigné comme candidat à la Présidence de la Rép., Lionel Jospin confirmé 1er secr. ; *mai* Mitterrand élu Pt de la Rép. au 2e tour (51,76 % des v.) ; *23 au 25-10 congrès de Valence.* Les rocardiens ne présentent pas de motion, se rallient à celles des 3 autres courants (mitterrandiste, Mauroy, Chevènement) et acceptent une baisse arbitraire de leur influence de 15 % au sein du parti. Paul Quilès ne veut pas que le gouv. se contente d'annoncer que « des têtes vont tomber » dans l'Administration et les entreprises nationalisables, mais demande qu'il dise « lesquelles et rapidement ». Jospin réélu 1er secr. à l'unanimité. **1983** *mars* recul du PS aux municipales ; *28 au 30-10 congrès de Bourg-en-Bresse* et synthèse (à 9 h du matin, après 11 h de discussions) entre 3 courants : Jospin-Mauroy-Rocard 78 % des mandats, Ceres (Chevènement) - de 18 %, Lienemann-Richard - de 5 %, Jospin réélu 1er secr. à l'unanimité. **1985** *11 au 13-10 congrès de Toulouse ;* motion 1 : Jospin-Mauroy-Chevènement 71,49 % des mandats ; 2 : Rocard 28,51. Pas de synthèse, Jospin réélu 1er secr. par acclamation. **1986** *16-3* législatives, vict. de la droite, Chirac PM. **1987** *3 au 5-4 congrès de Lille,* motion unique adoptée par 98,43 %, abstentions 1,29 %, contre 0,07 %. Synthèse avant congrès. Jospin reproche à Poperen de lui faire concurrence, il veut rénover la direction du parti ; Poperen disparaît au secrétariat national, Rocard refuse d'y entrer, le PS sera dirigé par 2 anciens PM (Mauroy et Fabius) et 7 anciens min., Jospin réélu. **1988** *8-5* Mitterrand réélu Pt de la Rép. (54,02 % au 2e tour) ; *16-5* Mauroy élu 1er secr. ; *24-5/5-6* législatives : succès de la gauche mais le PS n'a plus la majorité absolue à l'Assemblée nat. **1990** *16 au 21-3 congrès de Rennes,* courant Mauroy-Mermaz-Jospin 34 % des mandats, Fabius 30 %, Rocard 26 %, Socialisme et République 7 %, Poperen 3 % ; accord sur un texte commun le 21-3 après 12 h de discussions (rassembler à gauche) ; *21-3* Mauroy réélu 1er secr. à l'unanimité. **1991** *13/15-12 congrès de La Défense :* abandon de la vieille doctrine (81 %), amendement Chevènement (12 %), amend. J. Dray (6 %). - de 50 % des adhérents ont voté. **1992** *7-1* Mauroy démissionne. Fabius 1er secr. *10-7 Congrès de Bordeaux,* après la défaite aux élect. régionales et cantonales, Bérégovoy remplace Cresson comme PM ; Rocard candidat « naturel » aux élect. présidentielles. **1993** *17-2* discours de Montlouis-sur-Loire, Rocard demande un *« big-bang »* politique à gauche et la constitution d'un mouvement allant jusqu'aux centristes, écologistes et communistes critiques. *28-3* PS perd le pouvoir au profit du RPR et de l'UDF. *6-4* Rocard Pt provisoire. *1-5* Bérégovoy se suicide. *Juill.* états généraux prévus.

Doctrine : le capitalisme est installé dans l'État, en contrôle l'administration, et c'est là qu'il doit être attaqué. La conquête du pouvoir politique doit ouvrir la possibilité de changements afin d'engager le pays, par des moyens démocratiques et par étapes, dans la voie de la démocratie socialiste.

Organisation (au 21-3-1990) (chiffre entre parenthèses : motion soutenue au congrès de Rennes). **Secrétariat national** *1er secr.* P. Mauroy (1) (5-7-28). *13 secr. dont les 5 premiers forment le comité de coordination. 2e secr. chargé de la coord. :* Marcel Debarge (5) (16-9-29). *Budget, adm., trésorerie :* Henri Emmanuelli (1) (31-5-45). *Formation :* Gérard Lindeperg (3) [1] (n.c.). *Relations intern. :* Pierre Guidoni (7) (3-10-41). *Entreprises, problèmes de société :* Michel Debout (2) [1] (n.c.). *Féd. :* Daniel Vaillant (1) (19-7-49). *Relations extér. :* Claude Bartolone (5) (29-7-51). *Élections :* Jean-Claude Petitdemange (3) [1] (n.c.). *Information, comm. :* Bernard Roman (1) (15-7-52). *Droits des femmes :* Yvette Roudy (5) (10-4-29). *Aff. sociales, insertion :* Jean-Claude Boulard (3) (28-3-43). *Urbanisme, écologie, coll. loc. :* Christian Pierret (5) [1] (12-3-46). *Études :* Pierre Moscovici (1) [1] (n.c.). + *13 secr. nat. adjoints. Porte-parole :* Jean-Jack Queyranne (1) (2-11-45). **Bureau exécutif. Titulaires (1) :** Pierre Mauroy, Louis Mermaz (20-8-31), Henri Emmanuelli, Claire Dufour [1], Daniel Vaillant, Daniel Roman, Gisèle Stivenard (11-12-50), Claude Allègre [1] (31-3-37). **(2) :** Jean-Marc Ayrault (25-1-50), Michel Debout. **(3) :** Gérard Lindeperg, Jean-Claude Boulard, Pierre Brana (28-5-33), Colette Deforeit (n.c.), Gérard Fuchs (18-5-40), Alain Richard (29-8-45), Daniel Frachon (23-1-32). **(5) :** Claude Bartolone, André Billardon [1] (22-10-40), Marcel Debarge, Laurent Fabius (20-10-46), Daniel Percheron (31-8-42), Christian Pierret [1], Yvette Roudy, Françoise Seligmann (19-6-19). **(7) :** Michel Charzat (25-12-42), Pierre Guidoni. **Suppléants (1) :** Pierre Moscovici [1], Georges Paulangevin [1], Gérard Collomb (20-6-47), Jean Germain [1], Geneviève Doménach-Chich, Gérard Le Gall. **(2) :** Jean-Louis Cottigny [1]. **(3) :** Sylvie François [1], Jean-Pierre Joseph, Michel Sapin [1], Jean-Claude Petitdemange [1], Jacqueline Alquier [1]. **(5) :** Jean Auroux, François Bernardini [1], Jean-Marcel Bichat [1], Frédérique Bredin [1] (2-11-56), Catherine Mabrut-Lisonde [1], Thierry Mandon [1]. **(7) :** Marie-Arlette Carlotti.

Nota. – (1) Nouveaux membres.

Adhérents (en milliers) : **1914 :** 72. **37 :** 280. **44 :** 100. **45 :** 335,7. **46 :** 354,8. **50 :** 140,2. **54 :** 105,2. **58 :** 115. **68 :** 81. **70 :** 70,3. **71 :** congrès d'Épinay (11/13-6) 74, (dont 60,8 socialistes, 9,9 conventionnels, 3,8 nouveaux adhérents). **74 :** 137,3. **80 :** 189,5. **81 :** 205,1. **82 :** 213. **85 :** 170. **86 :** 187. **Élus :** Députés : *81 :* 269 + 3 app. *86 :* 206 + 9. *88 :* 258 + 17. *93 :* 67. Sénateurs : 67, conseillers gén. en 1981 : 1 050. Assemblée européenne en 1984 : 21.

Vote en faveur du PS aux législatives de 1986 et, entre parenthèses, **93** (en %) : agriculteurs 15 (10), commerçants, artisans, chefs d'entreprise 22 (12), cadres, prof. intellectuelles sup. 29 (18), prof. intermédiaires 45 (26), employés 32 (23), ouvriers 36 (25), inactifs 29 (17).

Publications internes : *PS-Info, Vendredi, Communes de France* (hebd.) ; *Socialisme et Entreprise, Terre et Travail* (mensuels) ; *Le Poing et la Rose* (au moment des congrès) ; *NRS, École et Socialisme* (revues).

Organismes intégrés au PS : *MJS* Mouvement de la Jeunesse Socialiste), *Étudiants socialistes.* **Associés :** *ISER* (Institut Socialiste Études et Recherches), *Solidarités Internationales.* **Proches :** *FNESR* (Féd. nat. des Élus Soc. et Rép.), *Ours* (Office Universitaire de Recherches Soc.), *Fédération Nationale Léo Lagrange.* **Clubs de réflexion proches du PS :** *Solidarités Modernes* (Fabius), *République Moderne* (Chevènement), *Renouveau Socialiste* (bulletin d'André Laignel), *Synthèse Flash* (bulletin de J. Poperen), *Convaincre* (lettre de Michel Rocard), *Maintenant et Demain* (bulletin de Georges Sarre), *Économie et Liberté* (lettre de Bérégovoy), *Post-Scriptum* (lettre économique de D. Strauss-Kahn), *La Lettre du Germes* (Groupement d'Études et de Réflexions Militaires et Stratégiques, fondateur : Charles Hernu), *Français du Monde, GPL* (Gais pour les Libertés, pour la défense des libertés des homosexuels).

■ **Parti socialiste unifié (PSU). Fondé** 3-4-1960 (regroupait le *Parti socialiste autonome* séparé de la SFIO en 1958, avec Édouard Depreux, Daniel Mayer, Robert Verdier, Michel Rocard ; l'*Union de la gauche socialiste* de Claude Bourdet et Gilles Martinet, f. 1957 à partir principalement de la *Jeune République,* de la *Nouvelle Gauche* et du *Mouvement de libération du peuple* représentant le courant progressiste chrétien ; et la tendance *Tribune du communisme* regroupant un groupuscule minoritaire du PC recruté, pour l'essentiel, à la cellule « Sorbonne Lettres ». **1961-68** Mendès France adhère. **1969** *1-6 présidentielles,* Rocard a 3,61 % des voix. Conseil national d'Orléans, majorité contre l'intégration au PS ; Rocard démissionne et rejoint le PS. **1981** *présidentielles* Huguette Bouchardeau a 1,11 % des voix. **1983** *mars* H. Bouchardeau, secr. d'État chargée de l'Environnement (puis min. en juil. 84). **1984** 15e congrès (Bourges), attitude plus critique. H. Bouchardeau et Serge Depaquit démissionnent. **1986** 16e congrès (Bourg-en-Bresse) se prononce pour son « dépassement » dans le cadre d'un large « mouvement pour une alternative socialiste, autogestionnaire et écologiste ». **1988** *déc.* décide de participer en 1989 (notamment avec la Nouvelle Gauche) à la création d'une nouvelle force « Rouge et Verte » pour le socialisme, l'écologie et l'autogestion. **1989** *24-11* 18e et dernier congrès. *26-11* PSU et Nouvelle Gauche fusionnent pour fonder *l'Alternative rouge et verte* (Arev), 71,6 % des voix pour la fusion, 16,1 % pour constituer un forum. **1990** *7-4* dissolution administrative décidée par 91 % des voix. **Objectifs :** transformation fondamentale de la société fondée sur l'autogestion, établissement de rapports plus égalitaires avec les pays du tiers monde. **Secr. nationaux :** *1960* Édouard Depreux (1908-81) ; *1967* Michel Rocard (23-8-30) ; *1973 (26-11):* Robert Chapuis (7-5-33) ; *1974 (14-12):* André Barjonet (9-1-21), Pascal Gollet, Victor Leduc, Michel Mousel (11-3-40) et Charles Piaget. *1979:* Huguette Bouchardeau (1-6-35). *1983 :* Serge Depaquit ; *1984 (16-12) :* Jean-Claude Le Scornet (12-2-43). **Adhérents :** *1981 :* 8 000 (voir Quid 1990 p. 715 b) ; *84 :* 2 500 ; *89 :* 530. **Élus locaux :** *1985 :* 250.

■ **Parti des Travailleurs (PT).** 87, rue du Faubourg St-Denis, 75010 Paris. *Créé* 11-11-1991. Issu du Mouv. pour un Parti des Travailleurs (MPPT), lui-même issu du Parti communiste intern. (voir p. 733 b). Dénonce la propriété privée des grands moyens de production. *Adhérents :* 6 462 (1992). *Publication :* Informations ouvrières (hebdo., 20 000 ex.).

■ **Performance et partage.** Quitte le Mouvement des réformateurs fév. 1993. *Pt :* René Ricol.

■ **Rassemblement pour la République (RPR).** 123, rue de Lille, 75007 Paris. **Origine : Union gaulliste pour la IVe République :** *créée* 1946 par René Capitant ; **Rassemblement du peuple français (RPF) :** *créé* 8-4-1947 par de Gaulle. *Secr. gén. : 1947* Jacques Soustelle (1912-90), *1951-54* Louis Terrenoire (10-11-1908-92). *Principaux thèmes :* l'anticommunisme (les comm. sont qualifiés de séparatistes) ; association capital-travail ; allocation-éducation attribuée à chaque famille. **Adhérents :** *1947* (oct.) : 1 500 000, *1953* 100 000. **Élections :** *1947* 1 912 510 municipales (env. 40 % des voix). *1951 juin* lég. 4 000 000 de v. (16,5 % des inscrits) et 121 députés, qui, ne pouvant dominer l'Assemblée et ne voulant pas s'intégrer au système, font de l'opposition systématique. *1952-6-3* 27 députés RPF votent l'investiture pour Pinay. *1953-6-5* de Gaulle leur rend leur liberté et leur demande de ne plus utiliser l'étiquette RPF dans leur campagne électorale. Le groupe parlementaire devient l'*Union des républicains d'action sociale (Uras),* présidée par Jacques Chaban-Delmas. *1955-14-9* de Gaulle met le RPF en sommeil sans le dissoudre.

Union pour la Nouvelle République (UNR) : *créée* 1-10-1958 regroupe le *Centre national des républicains sociaux,* l'*Union pour le renouveau français* et la *Convention républicaine. Secr. gén. : 4-10-58 :* Roger Frey (11-6-13) ; *5-11-59 :* Albin Chalandon (11-6-20) ; *15-11-59 :* Jacques Richard (23-3-18) ; *3-4-61 :* Roger Dusseaux (18-7-13) ; *9-5-62 :* Louis Terrenoire (1908-92). **1960**-*25-4,* exclusion de Soustelle.

UNR-UDT : *créée* déc. 1962 par fusion avec *l'UDT* [*Union démocratique du Travail,* créée avril 1959 ; secr. gén. : Louis Vallon (31-8-28)]. *Secr. gén. : 4-12-62 :* Jacques Baumel (6-3-18). Puis *direction collégiale* [Jean Charbonnel (22-4-27), André Fanton (31-3-28), Robert Poujade (6-5-28), Jean Taittinger (25-1-23), René Tomasini (14-4-19)]. *Adhérents :* env. 50 000. **Union des démocrates pour la Ve Rép. (UD-Ve Rép.).** *Créée* 27-11-1967 après des ralliements d'éléments venus, notamment, du MRP : Maurice Schumann (10-4-11), Marie-Madeleine Dienesch (3-4-14), Charles de Chambrun (16-6-30). *Secr. général :* Robert Poujade (6-5-28) dep. 19-1-68.

Union pour la défense de la République (UDR) : *créée* 4-6-1968 après les événements de mai et avant les législatives du 23-6. *Secr. gén.* 19-1-68 : Robert Poujade (6-5-28). **Union des démocrates pour la Rép. (UDR) :** nom adopté en 1971. *Secr. gén. : 14-1-71 :* René Tomasini (14-4-19) ; *5-9-72 :* Alain Peyrefitte (26-8-25) ; *6-10-73 :* Alexandre Sanguinetti (1913-80) qui démissionne le 13-12-74 ; *14-12-74 :* Jacques Chirac (29-11-32) élu par 57 voix contre 27 à Jacques Legendre et 4 abstentions ; l'après-midi Chirac et Sanguinetti sont accueillis par des injures « traître, salaud, tartufe », au conseil national de l'UDR (convoqué de longue date et qui les attendait depuis le début de la matinée, porte Maillot à Paris). Mais seul Chaban-Delmas refusera publiquement de voter la motion finale du conseil national soutenant Chirac. *15-4-75 :* André Bord (31-12-14) ; *28-6-75 :* Yves Guéna (6-7-22). **1974** *27-5* présidentielles, Chaban-Delmas battu, Giscard d'Estaing élu Pt de la Rép. avec le soutien de Chirac qui devient PM. *14-12* le comité central réuni à l'Hôtel Intercontinental par

Pasqua (Sanguinetti ayant démissionné) élit Chirac secr. gén. par 57 voix.

Rassemblement pour la République (RPR) : *créé* 5-12-1976 lors des assises extraordinaires réunies au Parc des expositions, Porte de Versailles. **Évolution. 1981** *juin* dans l'opposition. **1983** *23-1* congrès extraordinaire ; projet politique et plan de redressement économique et social fondés sur l'extension des libertés et des responsabilités du citoyen. **1985** adopte plate-forme commune avec UDF pour les législatives de 86. **1986** *législatives :* obtient avec l'UDF 42,03 % des voix et a 148 élus (l'UDF 129). Chirac devient PM. **1988** *présidentielles :* 1er tour, Chirac 19,85 %, 2e t. 45,98 (battu) ; *législatives :* 1er t. 19,8 % 39 élus, 2e t. 88 élus. **1990** *11-1* Pasqua et Seguin rendent publique une motion : un rassemblement pour la France. *22-1* ils rejettent la synthèse avec le texte préparé par Alain Juppé. *31-1* réunion du groupe de l'Ass. nat., 40 dép. présents (sur 132) votent un texte de soutien à Chirac et Juppé. *11-2* assises nat. au Bourget ; textes présentés par Juppé (68,32 % des mandats) et par Pasqua et Seguin (31,68 %) donnent 70 % à Chirac qui est réélu Pt à l'unanimité. *8-12* Michel Noir (n. 19-5-44, maire de Lyon), Michèle Barzach (n. 11-7-1943, min. de la Santé en 1986), Alain Carignon (n. 23-2-49) démissionnent.

Organisation : *Pt :* Jacques Chirac (29-11-32). *Secr. gén. : 5-12-76 :* Jérôme Monod (7-9-30) ; *20-3-78 :* Alain Devaquet (4-10-42) ; *2-10-79 :* Bernard Pons (18-7-26) ; *18-11-84 :* Jacques Toubon (29-6-41) ; *22-6-88 :* Alain Juppé (15-8-45).

Bureau politique : 9 m. de droit : *Pt* J. Chirac, *secr. gén.* Alain Juppé (15-8-45), Michel Debré (15-1-12), Maurice Couve de Murville (24-1-07), Jacques Chaban-Delmas (7-3-15), Pierre Mesmer (20-3-16), Charles Pasqua (18-4-27), Bernard Pons (18-7-26), Christian de La Malène (5-12-20). **30 m. élus :** *ligne Chirac-Juppé :* Michel Aurillac (11-7-28), Édouard Balladur (2-5-29), Jean Besson (15-8-38), Alain Devaquet (4-10-42), Robert Galley (11-1-21), Michel Giraud (17-11-19), Yves Guéna (6-7-22), Olivier Guichard (27-7-20), Gabriel Kaspereit (21-6-19), Lucette Michaux-Chevry (5-3-29), Jacques Oudin (7-10-39), Christiane Papon (3-9-24), Robert Poujade (6-5-28), Josselin de Rohan (5-6-38), Roger Pomani (25-8-34), Jacques Toubon (29-6-41), Alex Turk (n.c.) ; *ligne Pasqua-Seguin :* Patrick Balkany (18-8-48), Michel Barnier (9-1-51), Frank Borotra (30-8-37), Xavier Dugoin (27-3-47), François Fillon (4-3-54), Elisabeth Hubert (26-5-56), Jacques Kosciusko-Morizet (20-6-43), Étienne Pinte (19-3-39), Philippe Séguin (21-4-43) ; *courant « Vie » :* Richard Cazenave (17-3-48), Philippe Dechartre (14-2-19), Maurice Schumann (10-4-11). *Dir. de* « la Lettre de la Nation » : Camille Cabana (11-12-30).

Adhérents : *1981 :* 670 000. *86 :* 885 000 (35 % de femmes). *16 à 29 ans* 28 %, *30 à 39* 25, *40 à 49* 23, *+ de 50* 24. **Élus 93 :** 242 *députés,* 91 *sénateurs,* 12 *députés eur.,* 179 *maires de communes* de + de 9 000 h., 24 *Pts Conseil gén.,* 8 *Pts Conseil rég.* **Ministres gaullistes :** (1968 à 1978) *3-5-68,* 15 (sur 23 du gouv. Pompidou) ; *5-4-78,* 6 (sur 19 du gouv. Barre) et secrét. d'État 4 (sur 6) à 4 (sur 18).

☞ **% des voix gaullistes aux législatives :** *L :* législative, *P :* présidentielle. *L 1958 :* 20,3 ; *L 62 :* 35,5 ; *P 65 :* 44,64 ; *L 67 :* 37,73 ; *L 68 :* 43,65 ; *P 69 :* 44,46 ; *L 73 :* 23,86 ; *P 74 :* 15,10 ; *L 78 :* 22,62 ; *P 81 :* 18,02 ; *L 81 :* 20,8. *L 86 :* 42,03 (avec l'UDF) ; *P 88* (1er tour) : 19,95 ; *L 88* (1er tour) : 19,8.

■ **Refondations.** 3 rue Faubourg-Montmartre, 75009 Paris. *Créé* avril 1991 par le « groupe des trente » signataires d'un appel à « refonder » la gauche. *Membres :* Claude Cheysson, Charles Fiterman, Max Gallo, Gisèle Halimi, Georges Montaron, Robert Montdargent, Claude Quim, Lucien Sève. 80 collectifs installés dans une quarantaine de départements et regroupant des « déçus » de la gauche (PS et PCF). *Publication :* Refondations (trim.).

■ **Rencontres communistes.** 19, rue Béranger, 75003 Paris. *Fondé* mai 1981. *Pt :* Henri Fiszbin (1930-90). *Publication :* RCH (hebdo).

■ **République et démocratie.** 21, rue du Rocher, 75008 Paris. *Créé* oct. 1978 par J.-P. Prouteau. Soutient Raymond Barre. *Pt :* Paul Estienne (2-5-41). *Clubs :* 80. *Adhérents :* 4 500.

■ **Restauration nationale (l'Action française).** 33, Galerie Véro-Dodat, 75001 Paris. **Histoire. 1899** *(mars)* Comité d'Action fr., créé par Maurice Pujo (1872-1955) et Henri Vaugeois (1864-1916), groupant des antidreyfusards et nationalistes, la plupart républicains, qui se rallient au monarchisme sous l'influence de Charles Maurras (1868-1952). *(15-7),* 1er numéro de la revue d'« Action française » (bimensuelle). **1900** *(2-3),* article de Maurras sur le nationalisme intégral (« Gazette de Fr. ») ; *(fin juillet), l'Enquête sur la monarchie* de Maurras commence à paraître dans la « Gazette de France ». **1905** la Ligue et l'Institut d'Action fr. sont créés. **1907** Léon Daudet (1867-1942) les rejoint et en devient le principal animateur. **1908** la revue de l'Action fr. devient quotidien grâce à un legs aux Daudet de 100 000 F de la Ctesse de Loynes († 1906). Les *Camelots du roi* se constituent (diffusion du journal et agitation). La doctrine maurrassienne est un nationalisme autoritaire et contre-révolutionnaire, d'où découlent le royalisme (le « nationalisme intégral »), la défense du catholicisme (Maurras lui-même est agnostique à l'époque), l'antisémitisme d'État, la critique de la démocratie, l'acceptation de l'action illégale. **1926** apogée. La Congrégation du St-Office à Rome décrète, sans préciser les motifs, la mise à l'index (interdiction de lecture) du quotidien et de certains ouvrages de Maurras. **1936** la Ligue est dissoute et l'AF n'est plus représentée que par son journal. **1939** *(10-7),* Pie XII lève des sanctions prises contre l'AF. **1940** l'AF soutient Pétain, mais reste hostile à l'Allemagne. **1944** *24-8* dernier numéro de l'AF. Est interdite à la Libération. Maurras condamné à la détention à vie et à la dégradation nationale. **1945** parution semi-clandestine de Documents nationaux. **1952** *mars,* Maurras gracié ; *nov.* il meurt. **1958-62** participe aux luttes pour l'Algérie française. **1968** riposte aux menées gauchistes. **1974-75** interventions pour que Mayotte reste française. **1989** opposition aux cérémonies du Bicentenaire de la Révolution. **1992** *23-1 l'Action française hebdo* prend la suite d'*Aspects de la France.* **But :** restauration de la monarchie, organe central fort (armée, police, aff. étrang., coordination de l'économie) et une certaine décentralisation des problèmes régionaux, communaux, universitaires et professionnels. Ne présente pas de candidats aux élections. *Fondateur :* Pierre Juhel (1910-80). *Pt-Secr. gén. :* Bernard Bonnaves. *Dir. :* Pierre Pujo (n. 1929), fils de Maurice, Pt du Comité directeur de l'Action fr. *Militants :* 2 500. *Sympathisants :* 18 000. *Publications :* l'Action francaise (hebdo., 30 000 ex.), Insurrection (mensuel lycéen, 5 000 ex.), Réaction (trim., 5 000 ex.).

■ **Révolution prolétarienne.** Revue *fondée* 1925 par Pierre Monatte (1881-1960). Estime que le syndicalisme devrait être le cadre unitaire pour les revendications ouvrières, y compris politiques.

■ **Service d'action civique (SAC).** *Fondé* 1959. Service d'ordre gaulliste. *Secr. gén. :* Pierre Debizet (20-12-22). *Membres* 10 000 env. *Dissous* 1982.

■ **Socialisme et République.** 52, rue de Bourgogne, 75007 Paris. Remplace, depuis avril 1986, le Ceres, *fondé* 1965. A l'origine, club de pensée animé par d'anciens de l'ENA. Anime l'aile gauche du PS dont il représente 15 % env. *Dirigeants :* Jean-Pierre Chevènement (9-3-39), Georges Sarre (26-11-35), Didier Motchane (6-9-31), Pierre Guidoni (3-10-41). *Presse :* Socialisme et République (mens., 10 000 ex.).

■ **Solidarités - Nouvelle Gauche. Espace Nouvelle Gauche.** *Créé* 1987 par un conseiller général de l'Isère exclu du PC, change de nom mars 1992. Regroupe 6 élus locaux en rupture de parti (PC, PS), dont Haroun Tazieff (n. 11-5-14).

■ **SOS-Racisme.** 64, rue de la Folie-Méricourt, 75011 Paris. *Créé* 1984. A lancé l'opération (et le badge) « Touche pas à mon Pote ». *Leaders :* Harlem Jean-Philippe Désir (Paris 25-11-59), démissionne 5-9-1992. *1992* (6-9) Fodé Sylla (n. Sénégal, 29 a.), venu en France à 11 ans, a fondé fin 1990 l'Obu (Organisation des banlieues unies), ex-PS. *Adhérents :* 17 000.

■ **Autres organisations antiraciales.** Fédération des associations de solidarité avec les travailleurs immigrés (Fasti). Ligue internationale contre le racisme et l'antisémitisme (Licra). Mouvement contre le racisme et pour l'amitié entre les peuples (MRAP). Conseil des associations d'immigrés de France (CAIF).

■ **Troisième Voie.** BP 227, 75264 Paris Cedex 06. *Créé* nov. 1985 par la fusion du Mouvement Nationaliste Révolutionnaire (MNR) de Jean-Gilles Malliarakis, du Mouvement Jeune Garde et du Groupe Union Défense (Gud). *But :* édification d'une Europe puissante, indépendante des USA et de l'URSS. Se déclare antisioniste, antiaméricain et anticommuniste et se proclame nationaliste révolutionnaire. *Publication :* Jeune Nation Solidariste. A éclaté en juillet 1991 (le secr. général créant « Nouvelle Résistance »).

■ **Union de défense des commerçants et artisans (mouvement Poujade) (UDCA).** La Vallée Heureuse, 12200 Labastide-l'Évêque. **1953** *fondée* à St-Céré (Lot) par des commerçants et artisans. **1955** lance des Unions parallèles pour toutes les couches sociales et réclame les états généraux. **1956** *janv.* législatives, sous le titre UFF *(Union et fraternité française),* 2 600 000 suffrages et 53 députés dont Jean-Marie Le Pen (Ve arr. de Paris). **1964** a 5 000 postes d'élus consulaires et sociaux. **1975** Pierre Poujade fonde une centrale d'achat à Herblay (« Confiance ») pour les travailleurs indép. **1978** lance l'*Union de défense des libertés (UDL)* dont il est le secr. gén. **1979** tête de la liste d'*Union des socioprofess.* et de l'*Action civique pour les élections au Parlement eur.*, et fonde l'*Association nat. pour l'utilisation des ressources énergétiques françaises (Anuref)* dont il est Pt. **1980** lance *Énergie française* (bimens.), 100 000 ex. (directeur), fonde le Synd. des prod. de topinambours de l'Aveyron (Pt) ; élu Pt de la Féd. nat. des synd. de prod. de top., réclame un carburant national « essence-alcool ». **1984** membre du Conseil écon. et social (renouvelé 1989). **1985** chargé de mission par le gouv. pour les Caraïbes françaises. **1990** pour les Pays de l'Est. **1991** adhère au Cedi (Conféd. europ. des indépendants). *Presse :* Fraternité-Europe (bimens.), 50 000 ex. *Adhérents :* 160 000 chefs d'entreprise (1972). *Leader :* Pierre Poujade (1-12-20).

■ **Union pour la démocratie française (UDF).** 12, rue François-Ier, 75008 Paris. Fédère 1-2-1978 *Parti républicain, Centre des démocrates sociaux, Parti radical fév. 1979, Parti social-démocrate* et adhérents directs, *Clubs Perspectives et Réalités. Création :* **1978** législatives (avec Lecanuet). *Mars* 6 millions de voix, 119 députés, 108 sénateurs, *1re force parlementaire française.* **1979** *fév. :* 1er congrès, Paris, *mars* succès aux cantonales, *juin* (européennes) liste Simone Veil 28 % des voix. **1980** *fév.* 2e congrès, Orléans, *juin* 1re fête de la Liberté (200 000 participants). **1981** soutient Giscard d'Estaing aux *présidentielles ; législatives :* 62 députés. **1982** *mars : cantonales* en tête par le nombre de conseillers généraux élus ; *nov. :* 3e congrès, Pontoise. **1983** *mars : municipales* gère + d'¼ des villes de + de 30 000 h. **1984** *juin : européennes* liste Simone Veil 43 % des v. **1986** *mars : législ.* 129 dép., 20 min. et secr. d'État participent au gouv. **1987** *janv.* convention nat. au Zénith. **1988** *avril : présid.* soutient Barre (16,5 %) ; *5 et 12-6 législatives* présente avec RPR des candidats d'union (Union du rassemblement et du centre) : 134 députés, *30-6* Giscard d'Estaing élu Pt. **1989** *18-6 européennes* liste Union UDF/RPR conduite par Giscard d'Estaing 28,3 % des v., 26 dép. **1990** *26-6* s'associe au RPR pour créer l'Union pour la France (UPF). **1991** *juin* nouveaux statuts ; *nov.* conseil national à l'Arche de La Défense (1 600 participants).

Élus. Députés : *1978 :* 119, *81 :* 62, *86 :* 129, *88 :* 132 (dont 42 UDC), *93 :* 215. **Sénateurs** 129. **Parlementaires européens** 19. **Pts de conseils régionaux** 13 ; **conseils gén.** 45. **Conseillers gén.** 1 121. **Maires de villes** *+ de 100 000 hab. :* 9, *+ de 30 000 hab. :* 39.

Résultats électoraux [1]		Voix	% des suff. exprimés
1978	Législatives	5 836 157	20,8
1979	Européennes	5 466 405	27,4
1981	Présidentielles	7 930 820	27,8
1981	Législatives	4 732 862	19,1
1986 [2]	Législatives	4 424 725	16,1
1988	Présidentielles	4 914 404	16,5
1988 [2]	Législatives	4 502 712	18,8
1992 [2]	Cantonales	–	17,9
1993	Législatives	4 731 013	18,6

Nota. – (1) 1ers tours ou tours uniques. (2) Listes à direction UDF ou candidats UDF présentés ou non en union avec le RPR.

Organisation du bureau politique : *Pt :* V. Giscard d'Estaing (2-2-26). *Secr. gén. :* François Bayrou (25-5-51). *Pt du Sénat :* René Monory (6-6-23). *Pts des groupes parlementaires nationaux :* Charles Millon (12-11-45), Jacques Barrot (secr. gén. du CDS, 3-2-37), Marcel Lucotte (16-1-22), Maurice Blin (19-10-14), Ernest Cartigny. *Représentants de composantes de l'UDF :* Gérard Longuet (vice-pt, 24-2-46), Alain Madelin (vice-pt, 26-3-46), Pierre Méhaignerie (vice-pt, 4-5-39), Bernard Bosson (25-2-48), Aimery de Montesquiou (7-7-42), Didier Bariani (16-10-43), Max Lejeune (19-2-09), André Santini (20-10-40), Hervé de Charette (vice-pt, 30-7-38), René Garrec, Pierre-André Wiltzer (vice-pt, 30-10-40), Philippe Mestre (23-8-27). *Représentants des groupes au Parlement europ. :* Yves Galland (vice-président, 8-3-41), Nicole Fontaine (16-1-42). *Membres élus par le Conseil national :* 12 dont Gilles de Robien (10-4-41), Dominique Baudis (14-4-47), Jean-Claude Gaudin (9-10-39), Jean François-Poncet, Charles Baur (vice-pt, 20-12-29), Bernard Stasi (4-7-30), Bernard Lehideux (23-9-44), Willy Diméglio (3-5-34), Jacques Dominati (11-3-27), Jean-Claude Casanova (11-6-34), André Rossinot (22-5-39), Jean-Pierre Cantegrit (2-7-33). Membre coopté par le bureau politique : Alain Lamassoure (10-2-44). *Trésorier national :* Georges de la Loyère (13-6-48). *Composition du Conseil national* (nov. 91 : *1er collège :* élus nationaux et européens, pts de conseil régional et de conseil général, pts et délégués départementaux (704). *2e collège :* 577 élus par les adhérents dans les départements et 23 représentants les Français de l'étranger. *3e collège :* 600 désignés par les formations composantes (100 par formation).

■ **Union de la Gauche.** *Créée* juin 1972 par PC, PS et radicaux de gauche, auteurs de la signature du *Programme commun de gouvernement* (voir p. 730).

■ **Union des Indépendants (UDI).** *Créé* février 1991 par le Gal Jeannou Lacaze (11-2-24), ancien chef d'état-major des armées, après sa démission du CNI. *But :* promouvoir la doctrine d'Antoine Pinay.

■ **Union des Démocrates pour le Progrès (UDP).** 8, rue des Prouvaires, 75001 Paris. « Mouvement des gaullistes sociaux et des gaullistes de progrès. » *Créée* 13-6-1985 par d'anciens responsables de l'UJP. *Secr. gén. :* Paul Aurell. *Publications :* La Lettre du Gaullisme, Notre République.

■ **Union des jeunes pour le progrès, Mouvement national des jeunes gaullistes. (UJP).** 5, rue de la Boule-Rouge, 75009 Paris. *Fondée* 13-6-1965 par Robert Grossmann. Réunion des « jeunes de l'UNR-UDT », de l'« Action étudiante gaulliste » et de jeunes issus du MRP et de la Démocratie chrétienne. *Pt nat. :* Dr Philippe Juvin. *Admission :* 15 à 35 ans. *Adhérents :* 13 264 (1993). *Publications :* Horizons (bimestr.), Clin d'œil (mens.). Co-organisateur avec les jeunes du RPR du « Carrefour républicain 1995 ».

■ **Union des libéraux indépendants (ULI).** *Créée* 1981 par Serge Dassault (4-4-25). Dissoute 1986.

■ **Union pour l'initiative et la responsabilité (UNIR).** *Fondée* 1982 par Jean-Maxime Lévêque (9-9-23), ancien PDG du CCF. *1986, janv.,* se rallie au RPR.

■ **Union travailliste.** *Fondée* oct. 1971 par fusion du *Front du progrès* (Jacques Dauer, 20-1-26), *Union popul. progressiste* (J. Debu-Bridel, 2-8-02) fondée 18-6-69, *Union gaulliste popul.* (Philippe Luc-Verbon) et *Front des jeunes progressistes* fondé 1959 (Dominique Gallet : exclu mars 1972). *Animateur :* Gilbert Grandval (1904-81) (Jacques Dauer démissionne 15-5-73). *Adhérents :* 4 000 (1976).

■ **Union des travailleurs communistes libertaires (UTCL).** *Créée* mars 78, après la scission de l'ORA.

■ **Verts (les).** *Confédération écologiste-Parti Écologiste.* 50, rue Benoît Malon, 94250 Gentilly. **Fondés** janv. 1984 : fusion Verts Parti Écolo. (créé nov. 82) et Verts Conféd. Écolo. (créée 83). *Porte-parole :* Andrée Buchmann (11-2-56), Yves Cochet (15-2-46), Antoine Waechter (11-2-49), Dominique Voynet (4-11-58) (élus en déc. 92, pour un an). *Secr. nat. :* Alain Fousseret, Marie-Françoise Mendez, Jean-Louis Vidal. *Adhérents :* 5 000. *Publications :* Verts Europe (bimens., 8 000 ex.), Vert-Contact (hebdo., 5 500 ex.). **Quelques dates : 1965** *Association fédérative régionale pour la protection de la nature (AFRPN)* fondée ; secr. gén. : Antoine Waechter. **1970** Pierre Samuel crée avec des scientifiques [dont Alexandre Grothendieck (mathématicien) et Serge Moscovici (psychosociologue)] le groupe *Survivre et vivre.* Alain Hervé crée avec Brice Lalonde les *Amis de la Terre* (branche fr. de *Friends of the Earth*). **1971** juill. *Combat non violent* créé. **1972** avril, 1re manif. à vélo dans Paris organisée par « Amis de la Terre » : env. 10 000 personnes. *Agence de presse de réhabilitation écologique* créée. Nov. *La Gueule ouverte,* hebdo. créée par Pierre Fournier, pacifiste, journaliste à « Hara-Kiri », avec soutien de Cavanna et Choron (1ers nos vendus à + de 70 000 ex. ; 1977, fusionne avec « Combat non violent »). **1973** *Le Sauvage,* mensuel créé par Alain Hervé et Brice Lalonde (financé par le groupe Perdriel). **1974** 5-5 *présidentielles :* 1re candidature écolo [René Dumont, 336 016 voix (1,3 %)]. **1975** *Écologie* lancé par Jean-Luc Burgunder (mensuel puis hebdo.). **1977** *municipales :* des centaines d'écolo. se présentent, parfois + de 10 % des suffrages (Paris, Alsace, Manche, Alpes), 30 élus. **1978** *législatives :* « Écologie 78 » présente des candidats dans 168 circonscriptions sur 490, et a 4,4 % (2,2 % sur l'ensemble de la Fr.). Pas d'élus. Après la rupture de l'Union de la Gauche, certains penchent vers une nouvelle gauche. D'autres se démarquent de l'engagement pol. **1979** *européennes :* « Europe Écologie » 890 722 v. [4,5 % des suffrages ; n'ayant pas les 5 % min. ne peut être représentée ni se faire rembourser les frais de campagne (ruine du mouv.)]. 21-11 Dijon, les candidats d'Europe Écologie créent le *Mouvement d'écologie politique (MEP).* **1980** *-17-2,* env. 500 personnes élaborent des bases statutaires. 2-5 Lyon, congrès commun MEP, Amis de la Terre et Diversitaires (« 3e Collège »). Brice Lalonde tente de s'imposer candidat aux présidentielles. **1981** *1er t. présidentielles :* Lalonde 1 118 232 v. (3,85 %). *Législatives :* 180 candidats écolo. (40 du MEP). **1982** *cantonales :* 120 candidats, les 30 du MEP ont 6 % des v. *-1-11* le MEP devient un parti. **1983** une centaine de listes dans des communes de + de 3 500 h., dont 40 ont 5,4 % des v., 300 élus. *-27-3* coordination des partis verts européens, adoption d'un préambule commun décidées à Bruxelles. **1984** *-29-1* Clichy, *Les Verts* fondé, réunissant « Confédération » et « Parti écolo. ». 17-6 *européennes :* 3,37 % des v. **1985** -10-3 *cantonales* + de 5 % des v. dans + de 100 cantons, + de 10 % dans une dizaine. **1986** 16-3 *législatives* (1 405 candidats dont 431 femmes) 1,22 % des v. (2,44 % dans les 28 dép. où présentent une liste). *Régionales :* 2,35 % (3,38 % dans les 49 dép.) : élus : Andrée Buchmann et Waechter (Alsace), Didier Anger (B.-Normandie). **1987** campagne sur l'an 2000 sans nucléaire en Fr. et sur l'immigration. **1988** -24-4 *présidentielles :* 1er t. : Waechter 1 146 000 v. (3,78 %). *Législatives :* 42 candidats (dont 14 Verts). -25-9 *cantonales :* 340 cand. Verts (6,8 % des v., + de 20 % dans 5 cantons et + de 10 % dans 48), pas d'élus. Brice Lalonde min. dél. à l'Environnement. **1989** -12/19-3 *municipales :* 175 listes, 1er t. : 9 %, 2e t. : 15,1 % (St-Pol-sur-Mer 35 %, Comar et Lognes 24 %) : 600 élus (15 maires, 40 adjoints). 18-6 *européennes :* Waechter 10,6 % et 9 élus. **1990** -15/16-12 assises nat. de Génération Écolo. (lancée 1989 par Lalonde). **1992** -12-11 *congrès de Chambéry.* **1993** *législatives :* 4,1 % des v. **Sondage du 23 au 30-11-90 :** *Dirigeants politiques se préoccupant vraiment des problèmes écolo.* Lalonde 86 % des v. Waechter 68. Mitterrand 36. Giscard 25. *Meilleur porte-parole :* Lalonde 40 %. Waechter 22. **Vote écologiste** (% des voix) : *1981 (lég. 1er t.)* 1,08 ; *1984 (Eur.)* 3,36 ; *1986 (lég.)* 2,4 ; *1988 (lég. 1er t.)* 0,35 ; *1989 (Eur.)* 10,59 ; *1992 (rég.)* 14,7, *(cant.)* 14,7 % dont Gén. Éco. (Lalonde) 7,1 %, Verts (Waechter) 6,8 %. 1 Pt de région (Nord-Pas-de-C.) : Marie-Christine Blandin.

■ **Publications aux USA : 1968** *Like a Conquered Province* de Paul Goodman (1911-72) : dénonce la société du vide, face cachée de la société d'abondance. **1969** *Quelle terre laisserons-nous à nos enfants ?* de Barry Commoner (n. 1917) ; *Libérer l'avenir* de Ivan Illich (n. 1926) cofondateur du Centre Cidoc (pour une doc. interculturelle) à Cuernavaca (Mexique). *The Ecologist* (revue) : Edward Goldsmith (dit Teddy, n. 1928). **1972** *Changer ou disparaître* d'E. Goldsmith.

Quelques personnalités

Attali, Jacques (1-11-43, Alger). *Père* parfumeur. *Marié* 1981 à Élisabeth Allain (amér.) 2 enfants. Frère jumeau de Bernard [Pt d'UTA (1990)]. *Polytechnicien,* ingénieur des Mines. *Diplômé* des Sciences po., ENA (1968-70). *Auditeur* au Conseil d'État (1970). Maître de conférences à Polytechnique (dep. 1968). Dir. de séminaire à l'ENA (1974). *Conseiller spécial* du Pt de la Rép. *Conseiller d'État* (1989). Pt de la BERD (1990-démissionne le 25-6-93). *Œuvres :* Analyse économique de la vie politique (1973), Modèles politiques (73), l'Anti-Économique (74), la Parole et l'Outil (75), Bruits (77), la Nouvelle Économie française (78), l'Ordre cannibale (79), les Trois Mondes (81), Un homme d'influence : Sir Sigmund G. Warburg, Histoires du Temps (82), la Figure de Fraser (84), la Vie éternelle, roman (89) Lignes d'horizon (90), le Premier Jour après moi (90), 1492 (91), Verbatim (93).

Auroux, Jean (19-9-42, Thizy). *Marié* à Lucienne Sabadie, 2 enfants. Professeur, *Conseiller gén.* de Roanne (1976-88). *Maire* de Roanne (dep. 1977). *Vice-Pt* du cons. rég. Rhône-Alpes (dep. 1977). *Dép.* PS de la Loire (1978-81). Délégué nat. du PS pour le logement (1978-81). *Min.* Travail (1981-82), délégué aux aff. sociales, chargé du travail (1982-83). *Secr. d'État,* chargé de l'Énergie (1983-84), des Transports (1984-85), *min.* Urbanisme (1985-86). *Pt* de la Fédération des villes moyennes (dep. 1988). *Œuvre :* Géographie économique à usage scolaire.

Badinter, Robert (30-3-28, Paris). *Père* pelletier. *Marié 1°)* 1957 à Anne Vernon. 2°) 1966 à Élisabeth Bleustein-Blanchet, 3 enf. *Licencié* ès lettres, Master of Arts, *agrégé* de droit. *Avocat* à la cour d'appel de Paris (dep. 1951). *Min.* Justice (1981-86). *Pt* du Conseil constitutionnel (19-2-1986). *Œuvres :* l'Exécution (1973) ; Liberté, libertés (76), Condorcet (88), Libres et égaux (89), la Prison républicaine (92). *Bilan : 1981-4-8* suppression de la Cour de sûreté de l'État. *9-10* abolition de la peine de mort. *23-12* abrogation de la loi Sécurité et Liberté. *1982-11-6* suppression des quartiers de haute sécurité. *27-7* suppression des tribunaux permanents des forces armées. *4-8* abrogation du délit d'homosexualité. *1983-26-1* suppression de la médecine pénitentiaire. *8-6* création d'un conseil national et de conseils départementaux de prévention de la délinquance. *10-6* élargissement du droit d'action des associations pour la poursuite des crimes contre l'humanité et des infractions racistes *(1985-3-1). 18-6* création des peines non privatives de liberté comme les jours-amendes, immobilisation de véhicules et travaux d'intérêt général. *1985 avril* enregistrement filmé des procès historiques. *2-10* réforme de l'instruction. *1983-8-7/1985-5-7* création d'aides spécifiques destinées aux victimes. *1985 nov.* télévision dans les cellules.

Édouard Balladur, Premier ministre

Balladur, Édouard (2-5-29, Smyrne, Turquie). *Origine :* 1737, chrétiens du Nakhicevan, réfugiés en Turquie. *Père* à la Banque ottomane. S'établit en Fr. en 1935. *Marié* 1957 à Marie-Josèphe Delacour, 4 enfants, ENA (1952-57), entre au *Cons. d'État. Membre du Conseil administratif de l'ORTF* (1967-68). *Conseiller tech.* du 1er min. Pompidou (1966-68). *Secr. gén. de l'Élysée* (1973-74). *P-DG* de Sté [1977-84, groupe CGE (1977)]. *Dép.* de Paris (1988). *Conseiller d'État* (1984). *Min.* Fin. (1986-88). *1er min.* (1993). *Œuvre :* l'Arbre de mai (79), Je crois en l'homme plus qu'en l'État (87), Passion et longueur de temps (89), Des modes et des convictions (92), Dictionnaire de la réforme (92).

Barre, Raymond (12-4-24, St-Denis-de-la-Réunion). *Père* négociant. *Marié* 19-11-1954 à Eva Hegedüs (orig. hongroise, mariée 8-10-1943 à Michel Tutot avec qui elle arrive en Fr. en 1945, divorcée 26-10-53), 2 enf. *Diplômé* des Sciences po., *agrégé* de droit. *Dir. de cabinet* de J.-M. Jeanneney (min. de l'Ind. et du Commerce 1959, min. de l'Ind. 1959-62). *Député* du Rhône (1978, 1981, 1986, 1988). *Vice-Pt* français de la Commission unique des communautés eur. (1967-72). *Min.* du Com. ext. (31-1-75). *1er min.* (25-8-76/13-5-81). *Prof.* à Paris I (Sc. éco.) et Sciences po. *Candidat à la prés. de la Rép.* (1988 : 1er t. 16,54 % des voix). *Œuvres :* ouvrages d'éc. politique, Une politique pour l'avenir (82), Réflexions pour demain (84), Question de confiance (87), Au tournant du siècle (88).

Bérégovoy, Pierre (23-12-25, Déville-lès-Rouen-1-5-93). *Père* commerçant (n. 26-8-1893 en Russie, officier arrivé en Fr. en 1922, ouvrier, patron de café-bar). *Marié* 1948 à Gilberte Bonnet. 3 enf. *Dipl.* de l'École d'org. scient. du travail. Ajusteur-fraiseur (1941-42), cheminot (1942-50), carrière à la SDIG (Sté pour le dév. de l'ind. du gaz en France). Chargé de mission de Gaz de France (1978). *Membre du Cons. éco. et soc.* (1979), fondateur du PSA 1958, du comité directeur et du bureau exécutif du PS (1969). *Maire* de Nevers (dep. 1983). *Cons. gén.* (1985-93). *Dép.* Nièvre (1986, 1988). *Secr. gén. de l'Élysée* (5-1981). *Min.* Aff. soc. (1982-84), Écon. et Fin. (1984-86, 1988-92), *1er min.* (2-4-1992/31-3-1993). 1-5-1993 : se suicide avec le revolver de son chauffeur.

Bettencourt, André (21-4-19, St-Maurice-d'Ételan S.-Mar.). *Père :* avocat. *Marié* 1950 à Liliane Schueller (fille du fondateur de L'Oréal), 1 fille. *Maire* de St-Maurice-d'Ételan (dep. 1965). *Conseiller régional* (1974-92) et *Pt du conseil rég.* de Hte-Norm. (1974-81). *Conseil gén.* de Lillebonne (1946, 55, 61, 67, 73). *Député* Seine-Mar. indépendant (1951-58, 1958-66) ; RI (1967, 68, 1973-77). *Sénateur* PR S.-M. (dep. 1977). *Secr. d'État* chargé de la coordination de l'inform. (1954-55), transports (1966-67), Aff. étr. (1967-68). *Min.* PTT (1968), Industrie (1968-69), délégué du Plan et de l'Aménagement du territ. (1969-72), auprès du min. des Aff. étr. Élu *Ac. des Beaux-Arts* (1988).

Bidault, Georges (5-10-1899/26-1-1983, Moulins, Allier). *Père* directeur d'assurances. *Marié* 1955 à Suzanne Borel, sans enfants. *Agrégé* d'histoire. *Pt du Conseil national de la Résistance* (1943 ; remplaçant Jean Moulin). *Dép.* Loire 1945, 46, 51, 56, 30-11-1958. *Min.* Aff. étr. (1944-48). *Pt du MRP* (mai 1949). *Pt du Conseil* (oct. 1949-juin 1950). *Vice-Pt* (1951-52), *Min. Déf. nat.* (1951-52), Aff. étr. (1953-54). Fondateur du *Mouvement démocratie chrétienne* (juin 1958). Pt du bureau provisoire du *Rassemblement pour l'Algérie française* (oct. 1959). Immunité parlementaire levée juill. 1962. Poursuivi pour complot contre la sécurité de l'État juill. 1962. Réfugié au Brésil mars 1963-juillet 67, puis en Belgique 1967-68. Rentré en France juin 1968. Fondateur du *Mouv. pour la justice et la liberté* 1968.

Bouchardeau, Huguette (1-6-1935, St-Étienne). *Père* Marius Briaut, psychologue, employé. *Mariée* 1955 à Marc Bouchardeau, 3 enf. (dont François membre de Longo-mai, communauté près de Forcalquier) *Agrégée* de philo., *doctorat* ès sciences de l'éducation. *Membre* PSU (1960). *Secr. nat. PSU*

(1979). *Député* Doubs (1986,88). *Secr. d'État* (1983), *Min.* Environnement (1984-86). *Candidate à la prés. de la Rép.* (1981 : 1er tour 1,10 % des v.). En 1990 rejoint France Unie de J.-P. Soisson. *Œuvres :* Pas d'histoire, les Femmes (77), Hélène Brion, la Voie féministe (78), Un coin dans leur monde (80), le Ministère du possible (86), Choses dites de profil (88), George Sand, la Lune et les sabots (90), Rex Noël (90), la Grande Verrière (91).

Boulin, Robert (20-7-1920, Villandraut, Gironde/ 29-10-1979). *Père* fonctionnaire des tabacs. *Marié,* 2 enfants. *Avocat* Libourne. *Député-maire* de Libourne (1959). Membre du comité central UNR (1959). *Secr. d'État* Rapatriés (1961-62) ; Budget (1962-66) ; Écon. et Fin. (1967-68). *Min.* Fonction publ. (mai-juill. 1968) ; Agr. (1968-69) ; Santé publ. (1969-72). *Min. délégué* chargé des rel. avec Parlement (1972-73 et 1976-77), Écon. et Fin. (mars 1977-mars 1978). *Min.* Travail (1978-79). *1979 (été),* fait l'objet d'une campagne de presse à propos d'une aff. immobilière (lotissement de Ramatuelle, Var). Se suicide dans la forêt de Rambouillet (thèse contestée par sa famille).

Chaban-Delmas, Jacques (7-3-1915, Paris) (Chaban était son nom de résistant). *Père* admin. de Stés. *Marié 1°)* à Mlle Odette Hamelin (3 enf.), div., *2°)* Mme Françoise Geoffray (1 enf.), veuf, *3°)* 1971 à Mme Micheline Chavelet. *Diplômé* Sciences po. *Licencié* droit. *DES* écon. pol. et droit public. Journaliste à *l'Information* (1933). *Délégué militaire du Gouv. provisoire* Alger (1943). *Gal de brigade* (1944). Compagnon de la Libération. *Inspecteur des Finances* (1945). *Maire* de Bordeaux (dep. 1947). *Pt du Conseil régional* Aquitaine (1974-79 ; 85). *Député* Gironde (1946/56), UNR (dep. 1958) ; RPR (1978, 81, 86, 88). *Min. IVe Rép.:* Travaux publics (1945/55), Défense nat. (1957/58). *Pt de l'Ass. nat.* (1958-69, 79-81, 86-88). *1er min.* (1969/72). *Candidat à la prés. de la Rép.* (mai 1974 : 15,10 % des voix). *Sports :* tennis (finaliste double messieurs champ. de Fr. 1965, a remporté le double messieurs vétérans internat. de Fr. 1970), rugby (ancien internat.), golf. *Œuvres :* l'Ardeur (1975), Charles de Gaulle (80), la Libération (84), les Compagnons (86), la Dame d'Aquitaine (87).

Chevènement, Jean-Pierre (9-3-1939, Belfort). *Père* instituteur. *Marié* 1970 à Nisa Grünberg, 2 enfants. *Diplômé* Sciences po. *Licencié* droit et sc. éco. *Diplômé* allemand (Vienne). ENA (1963-65). Fonde le Cérès. *Attaché commercial au min. des Finances* (1965-68). *Cons. comm.* à Djakarta (1969). *Dir. des études à la Sté Eres* (1969-71). *Secr. gén. du Cérès* (1965-71). *Maire* de Belfort (dep. 1983), *Pt Conseil gén.* (1981-82), membre du Conseil rég. de Franche-Comté (86-88). *Député* socialiste Belfort (1973, 78, 81, 86, 88, 91). *Min. d'État* Recherche (1981-82) ; Recherche et Industrie (82-83), Éduc. nat. (84-86), Déf. nat. (1988, démissionne 30-1-91 : désapprouve l'intervention militaire dans le Golfe et le tr. de Maastricht). Avril 93 quitte le PS. *Œuvres :* l'Énarchie ou les Mandarins de la société bourgeoise (1967), Socialisme ou Social-médiocratie (69), Clefs pour le socialisme (73, en collabor. sous le nom de Jacques Mandrin), le Vieux, la Crise, le Neuf (75), le Cérès, un combat pour le socialisme [en coll. (75)], le Service militaire (77), Être socialiste aujourd'hui (79), Apprendre pour entreprendre (85), le Pari sur l'intelligence (85), Une certaine idée de la République m'amène à... (92).

Cheysson, Claude (13-4-1920, Paris). *Père* inspecteur des Finances. *Marié* à Danièle Schwartz (3es noces), 6 enfants (1res n. : 1, 2es n. : 2, 3es n. : 3). ENA *Secr.* Aff. étrangères (1948). *Cons. du Pt du gouv. du Viêt-nam* (1952). *Chef de cabinet* de Pierre Mendès France (Pt du Conseil) (1954-55). *Secr. gén.* de la Commission de coop. tech. en Afr. (1957-62). *Min.* plénipotentiaire (1965). *Ambassadeur* Indonésie (1966-69). *Pt du directoire et PDG de la Cie des Potasses du Congo* (1970-73). *Membre de la Commission des communautés europ.* (1973-81, 1985-88). *Min.* Relations extérieures (1981-84). *Député* europ. (1989).

Chirac, Jacques (29-11-32, Paris). *Père* admin. de Stés. *Marié* 16-3-1956 à Bernadette Chodron de Courcel (Conseiller municipal et c. gén. de Corrèze dep. 1978), 2 filles [dont Claude ép. (sept. 92) Philippe Habert (1958-93)]. *Diplômé* Sciences po. et de la Summer School Harvard. ENA (1957-59). *Conseiller référendaire à la Cour des comptes* (dep. 1965). *Maire de Paris* élu 25-3-77. *Pt du Conseil gén.* (dep. 1970) Corrèze. *Député* Corrèze (1967, dep. toujours réélu) ; UDR puis RPR. *Conseiller gén.* (dep. 1968). *Secr. d'État* Emploi (1967-68) ; Éco. et Fin. (1968-71). *Min.* Relations avec Parlement (1971-72) ; Agriculture (1972-74) ; Intérieur (mars, mai 1974). *1er min.* (27-5-1974, démissionne 25-8-76). *1er min.* (20-3-86/9-5-88). *Secr. gén. de l'UDR* (déc. 74). *Fonde RPR* 5-12-76 (ex-UDR), en devient le Pt. *Candidat à la prés. de la Rép. :* (1er t. *1981 :* 17,99 % des v. ; *88 :* 19,96 %). *Œuvres :* Discours pour la France à l'heure du choix (1978) ; la Lueur de l'espérance (78).

Crépeau, Michel (30-10-1930, Fontenay-le-Comte). *Père* inspecteur de l'ens. primaire. *Marié* 1°) à Pierrette Perès (2 enf.), div. 2°) 1986 à Annie Meunier. *DES* droit privé et hist. du droit. *Avocat* (dep. 1955). *Maire* de La Rochelle (dep. 1971). *Conseiller gén.* Char.-Mar. (1967). *Député* Char.-Mar. (1973-81). *Vice-Pt nat.* (1976-78) puis *Pt MRG* (1978-81). *Min.* Environnement (1981-83), Commerce et Artisanat (1983-86), Justice (19-2/16-3-86). *Candidat à la prés. de la Rép.* (1981 : 1er t. 2,21 % des v.). *Œuvre :* l'Avenir en face (80).

Cresson, Édith (27-1-1934, Boulogne-sur-S.). *Père* Gabriel Campion, inspecteur des Fin. *Mariée* 26-12-59 à Jacques Cresson (a travaillé chez Peugeot), 2 filles mariées. *Dipl.* HEC-JF *Maire de* Thuré (1977), Châtellerault (dep. 1983). *Conseiller gén.* Vienne (dep. 82). *Député* Vienne (1986-88). *Min.* Agr. (1981-83), Commerce extér. et tourisme (1983-84), Redéploiement ind. et Commerce extér. (1984-86), Aff. europ. (1988-90). *1er min.* (15-5-91/2-4-92). *Dép. europ.* (1979-81). *Pt* de Schneider Ind. service international. (1979-81). *Œuvre :* Avec le soleil (1976).

Debré, Michel (15-1-1912, Paris). *Père* Robert (1882-1978) médecin, *grand-père* rabbin, *Frère* d'Olivier (n.15-4-1920). *Marié* 19-12-1936 à Anne-Marie Lemaresquier, 4 fils [dont Bernard 30-9-44 député RPR I.-et-L. (dep. 1985), Jean-Louis (jumeau) dép. RPR Eure (1986)]. *Docteur* en droit, *diplômé* Sciences po. Auditeur 1935 puis *maître des requêtes au Conseil d'État* 1942. *Commissaire rég. de la Rép.* (Angers 1944/45). *Secr. gén.* aux Affaires allem. et autrich. (1947). *Maire* d'Amboise (1966-89). *Sénateur* Indre-et-L. (1948/58). *Dép.* Réunion (1963-88). *Min.* Justice (1958/59). *1er min.* (1959/62), *min.* Éco. et Finances (1966/67-67/68), Aff. étr. (1968/69), Déf. nat. (1969/73). Fondateur de *l'Écho de la Touraine* (1949). Fondateur (1957) et dir. (nov. 1957-mai 58) du *Courrier de la colère. Conseiller gén.* Amboise (1951/70 et 1976-78) démissionne 1992. *Délégué* à l'Ass. parlementaire eur. et à l'Ass. consultative du Conseil de l'Eur. *Dép. europ.* (1979-80) honoraire au Conseil d'État (1974). *Candidat à la prés. de la Rép. (1er t. 1981 :* 1,66 % des v.). *Œuvres :* plusieurs dont : la Mort de l'État républicain (47), Ces princes qui nous gouvernent (57), Une certaine idée de la France (72), Une politique pour la Réunion (75), le Pouvoir politique (77), le Gaullisme (78), Français, choisissons l'espoir (79), Lettre ouverte aux Français sur la reconquête de la France (80), Peut-on lutter contre le chômage ? (82), Trois Républ. pour une France [t. 1 Combattre (84), t. 2 Agir (88], Gouverner (88). *Dist. :* docteur honoris causa de l'univ. de Sherbrooke (Québec). *Académie française* (1988).

Defferre, Gaston (14-9-1910, Marsillargues, Hérault/7-5-1986). *Père* avocat. *Marié* 1°) à Andrée Aboulker, 2°) 1946 à Marie-Antoinette Swaters de Barbarin, div., 3°) 1973 à Edmonde Charles-Roux (voir p. 296 c). Sans enfant. *Licencié* droit. *DES* éco. pol. *Avocat* Marseille (1931/51). *Membre du comité exécutif du PS* sous l'occupation. *Chef du réseau* Brutus (1942/44). *Maire* de Marseille (1944/45 puis 1953-86). *Dir.* du « Provençal » (dep. 1951). *Pt du Conseil de la région* Provence-Côte d'Azur (1974-81). *Député* aux 2 Ass. nat. constituantes (1945/46), socialiste B.-du-Rh. (1946/58 et 1962-81). *Sénateur* B.-du-Rh. (1959/62). *Secr. d'État* à la prés. du Conseil (Cabinet Gouin 1946). *Sous-secr. d'État* France d'outre-mer (Blum 1946-47). *Min.* Marine marchande (Pleven 1950/51, Queuille 1951) ; France d'outre-mer (Mollet 1956/57) ; *min. d'État* Intérieur et Décentralisation (1981-84), Plan et Aménagement du territ. (1984-86). *Candidat à la prés. de la Rép.* (1964 désigné par SFIO, renonce 1965) (1er t. *1969* : 5,01 % des v.). *Sport :* yachting. *Œuvres :* Un nouvel horizon ; Si demain la gauche... (77). Il se battit en duel : 1947 pistolet avec Paul Bastide (dir. de *l'Aurore*), 1967 épée avec Ribière (dép. gaulliste).

Delors, Jacques (20-7-1925, Paris). *Père* employé de banque. *Marié* 26-4-48 à Marie Lephaille, 2 enfants (dont Martine ép. Xavier Aubry). *Licencié* sciences éco. *Diplômé* Centre d'études sup. de banque. *Chef de service à la Banque de Fr.* (1945-62) ; adhère au MRP en 1945, militant CFTC-Banque de Fr. puis CFDT), *des aff. sociales du Commissariat gén. au plan* (1962-69). *Conseiller de Chaban-Delmas* (PM) pour aff. soc. et cult. (1969). chargé de mission auprès du même (1971-72). *Membre du Cons. gén. de la Banque de Fr.* (1973-79). *Fondateur* du club Échanges et projets (1974), du club Témoin (1992). *Délégué nat. du PS* pour relations écon. intern. (1976). *Maire* de Clichy 1983-84. *Min.* Éco. et Fin. (1981-84). *Dép. europ.* (1979). *Pt de Commission des Com. europ.* dep. 1985. *Docteur* honoris causa de l'Université d'Édimbourg. *Œuvres :* les Indicateurs sociaux (71) ; Changer (75) ; En sortir ou pas (85), la France par l'Europe (88), le Nouveau Concert européen (92).

Fabius, Laurent (20-8-1946, Paris). *Père* André († 29-11-84) antiquaire. *Marié* 17-4-81 à Françoise Castro, 2 fils. *Diplômé* Sciences Po. Normale Sup. (entré 52e) *Agrégé* lettres. ENA (entré 12e, sorti 2e). Auditeur 1973. Rejoint le PS en 1974, maître des requêtes au Conseil d'État. *Pt de cons. gén.* Hte-Normandie (1981-82). *Député* soc. S.-Marit. (1978-81, dep. 86). *Secr. nat. du P.S.,* chargé de la presse (1979). *Min.* dél. Budget (1981-83) ; Ind. et Recherche (1983-84). *1er min.* (19-7-84/3-86). *Pt de l'Ass. nat.* (1988-92). *Dép. europ.* (6-89/4-92). *1er secr.* PS (janv. 1992-3-4-93). *Œuvres :* la France inégale (75), le Cœur du futur (85), C'est en allant vers la mer (90).

Fabre, Robert (21-12-1915, Villefranche-de-Rouergue, Aveyron). *Père* pharmacien. *Marié* 1942 à Christiane Dutilh, 4 filles. *Pharmacien* dep. 1940. *Maire* de Villefranche-de-R. (1953-83). *Conseiller gén.* Aveyron (1955-80). *Vice-Pt du Conseil région* Midi-Pyrénées dep. 1974. *Député* Aveyron (1962-80). Cosignataire du Programme commun (juill. 1972). *Pt du MRG* (1972-78). *Chargé de mission* (1978) par le Pt de la Rép. (emploi). *Médiateur* (1980-86). *Membre du Cons. constitutionnel* (dep. 1986). *Œuvres :* Quelques baies de genièvre (76), Toute vérité est bonne à dire (78), Quatre Graines d'ellébore (90).

Faure, Edgar (18-8-1908, Béziers, Hérault/30-3-1988). *Père* médecin. *Marié* 1°) 12-10-31 à Lucie Meyer (voir p. 298 a, fondatrice de la revue *la Nef),* 2 enf. 2°) 5-12-80 à Marie-Jeanne Vuez. *Agrégé* droit romain et hist. du dr. 1962. *Diplômé* Langues orient. *Avocat* (1929). *Procureur gén. adj. français au tribunal de Nuremberg* (1945). *Maire* de Port-Lesney (1947-70, 83-88), Pontarlier (1971/77). *Cons. gén.* Jura (1949-67), Doubs (1967). *Pt du Conseil région.* Franche-Comté (1974-88). *Sénateur* Jura (1959/66). *Député* rad.-soc. Jura (1946/58) ; Doubs (1967-80), RPR (dep. 1978). *Min. IVe Rép. :* Budget (1949/51), Justice (1951), Finances (févr. 52, 1953/54, 14/31-5-58), Aff. Étrangères (20-1/5-2-1955) ; *Ve Rép. :* Agriculture (1966/68), Éducation nat. (1968/69), Aff. sociales (1972/73). *Pt du Conseil* (20-1/21-2-1952, 1955/56). *Pt de l'Ass. nat.* (1973/78). *Dép. europ.* (1979-84). *Œuvres :* plusieurs dont : la Disgrâce de Turgot (1961) ; l'Ame du combat ; Pour un nouveau contrat social (73) ; la Banqueroute de Law (77) ; Avoir toujours raison c'est un grand tort (82) ; Si tel est mon destin ce soir (84) ; 1 roman : M. Langois n'est pas toujours égal à lui-même ; et des romans policiers sous le pseudonyme d'Edgar Sanday. *Académie française* 1978.

Fiterman, Charles (Chilek, dit) (28-12-1933, St-Étienne). *Père* commerçant, immigré polonais, déporté. *Marié* 23-5-53 à Jeanine Poinas. *Dipl. :* CAP *Secr. départ.* Jeunesse communiste (1952), Dir. École centrale du PCF (1963-65), au comité central (1972), au bureau pol. et *secr. du comité central* (1976). *Maire* de Tavernes (1989). *Député* Val-de-M. (1978-81), Rhône (1986-88). *Cons. gén.* Val-de-M. (1973). *Cons. rég.* Rhône-Alpes (1986-92). *Min.* Transports (1981-84).

Fontanet, Joseph (9-2-1921, Frontenex, Savoie/31-1-1980). *Père* industriel. *Marié,* 5 enfants. *Docteur* droit, *Dir. de cabinet ministériel* (Jules Catoire 1950-51). *Conseiller gén.* Moutiers, Savoie (1951-76). *Pt du Cons. gén.* (1964-76). *Dép.* Savoie (MRP) (1956-58). *Secr. d'État* Industrie (1959), Commerce (1959-61). *Min.* Santé publ. (1961-62) ; Travail (1969-72) ; Éduc. nat. (1972-73 et 1975-76). *Dir.* du quotidien *J'informe* (1977). *Gérant de Stés* (dep. 1978). Assassiné à Paris par des inconnus.

Galley, Robert (11-1-1921, Paris). *Père* médecin. *Marié* 1960 à Jeanne de Hauteclocque (fille du Mal Leclerc) 2 fils. *Ingénieur* École centrale. *Officier* division Leclerc 1944-45 ; compagnon de la Libération. *Chef du dép. de constr. des usines du CEA* (Marcoule 1955-58, Pierrelatte 1958-66). *Pt de la Commission électronique au commissariat au Plan* (1966). *Maire* de Troyes (dep. 1972). *Dép.* Aube (UDR, 1968-78, RPR dep. 1981). *Sénateur* Aube (1980). *Min.* Équip. (mai-juill. 1968) ; *délégué à la Recherche scient.* (juill. 1968-juin 69) ; PTT (1969-72) ; Transports (1972-73) ; Armées (1973-74) ; Équip. (1974-76) ; Coopér. (1976-78) cumulé avec ministère des Armées [en remplacement de Joël Le Theule († 1980)] jusqu'en 1981 (Record de longévité ministérielle sans interruption : 13 ans.) *Trésorier* RPR (1984).

Garaud, Marie-Françoise (6-3-1934, Poitiers). *Père* Marcel Quintard, avoué. *Mariée* 28-12-59 à Louis Garaud (n. 16-2-29, avocat au Conseil d'État dep. 1963), 2 fils. *DES* droit public, privé et d'hist. du droit. *Avocate* (1954). *Attachée juridique au min. de la Marine* (1957-60). *Att. parlementaire* (1961-62). *Chargée de mission* au cab. de Jean Foyer (1962-67), auprès de G. Pompidou (1967-68). *Cons. tech. au secr. de la présid. de la Rép.* (1969-74). *Cons. référendaire à la Cour des comptes* (4-5-1974). *Cons. officieuse auprès de J. Chirac* (PM), le suit lorsqu'il démissionne le 25-8-76. Participe à la création du RPR, à la campagne des él. lég. de 1978 et europ. de 1979, puis quitte le RPR. *Candidate à la prés. de la Rép.* (1er t. *1981* : 1,33 % des v.). Préside une liste aux él. lég. de 1986, à Paris, non élue. *Pte* Institut intern. de géopolitique (dep. 1982). Réintègre la

Cour des Comptes (1985). *Œuvres :* De l'Europe en général et de la France en particulier (92), Maastricht pourquoi non (92).

Gaudin, Jean-Claude (8-10-1939, Marseille). *Père* artisan maçon. *Prof.* d'hist.-géo. *Conseiller gén.* des B.-du-Rh. (dep. 1982). *Maire* de Marseille (4e secteur, 1983-89). *Pt du conseil rég.* Prov.-C. d'Azur (1986). *Député* UDF-RPR B.-du-Rh. (1978-89). *Sénateur* B.-du-R. (1989). *Pt* du *groupe UDF* à l'Ass. nat. *Œuvres :* Ils défont la France (83), Une passion nommée Marseille (83), la Gauche à l'imparfait (85). *Sport :* ski de fond.

Giroud, Françoise (21-9-1916, Genève, Suisse). *Père* Salih Gourdji, (dir. de l'agence télégr. ottomane). 2 enfants (1 garçon décédé, 1 fille). *Bachelière.* Script-girl (1932). Assistante-metteur en scène (1937). Dir. de la rédaction de *Elle* (1945/53). Cofondatrice de *l'Express* avec J.-J. Servan-Schreiber (1953), dir. de la rédaction puis de la publication (1971/74), Pte d'Express-Union (1970/74). Membre du surveillance du Groupe Express (1971/74). *Secr. d'État* Condition féminine (16-7-1974/25-8-76), Culture (27-8-1976/30-3-77), *Vice-Pte de l'UDF* (1978). *Œuvres* (voir p. 299 a).

Giscard d'Estaing, Valéry (voir p. 685 b).

Guichard, baron Olivier (27-7-20, Néac, Gironde). *Père* officier de marine. *Marié* 1°) à Suzanne Vincent (†), 3 filles. 2°) 27-7-90 à Daisy de Galard. *Licencié* ès lettres et en droit. *Diplômé* Sciences po. *Chargé de mission* RPF (1945/51). *Chef du cab.* du Gal de Gaulle (1951/58). *Chef du service de presse au commissariat* Énergie atomique (1955-58), *dir. adjoint de cabinet* du Gal de Gaulle (2-6-1958). *Préfet* de 3e classe hors cadre (1958). *Conseiller* au secr. gén. de la prés. de la Rép. (1959/60). *Délégué gén. de l'Organisation commune des régions sahariennes* (1960-62). *Chargé de mission* auprès de G. Pompidou (PM, 1962-67). *Délégué* Aménagement du terr. et Action rég. (1963-67). *Maire de* Néac, Gironde (1962-71), La Baule (dep. 1971). *Pt du conseil rég.* Pays de la Loire (1974). *Conseiller d'Etat* (1978-87). *Député Ve Rép.* (1967-68) Loire-Atl., réélu dep. 1973, 74-76 (1978 RPR). *Min.* Industrie (1967-68), *dél.* Plan et Aménagement du terr. (1968/69), Éduc. nat. (1972), Aménagement du terr., Logement, Tourisme (1972/74), Équipement et Transports (1974), d'État, Justice (1976/77). *Œuvres :* Aménager la France (65) ; l'Éducation nouvelle (70) ; Un chemin tranquille (75) ; Mon Général (80).

Hernu, Charles (3-7-1923, Quimper, Finistère, crise cardiaque 17-1-1990). *Père* gendarme. *Marié* 5 fois. *Dir.* du journal *Le Jacobin* (1954). *Maire* de Villeurbanne (1977). *Dép.* radical-soc. Seine (1951-58) ; Rhône (1978, 81, 86, 88). *Vice-Pt de la FGDS. Délégué gén. du PS* aux élus. *Min.* Défense [22-5-81, démissionne le 20-9-85 (affaire du Rainbow Warrior saboté 10-7-85, voir Index)].

Jobert, Michel (11-9-1921, Meknès, Maroc). *Père* ing. agronome. *Marié* à Muriel Frances Green, 1 fils. *Diplômé* Sciences po. ENA, Conseiller à la Cour des comptes (1953). *Membre de cab. ministériels. Dir. cab.* G. Pompidou (1966/68). *Pt du conseil d'admin.* de l'Office nat. des forêts (1966/73). *Secr. gén. de la prés. de la Rép.* (1969/73). *Fondateur du Mouv. des démocrates* (1974). *Min.* Aff. étrangères (5-4-73/27-5-74). *d'État* du Commerce extérieur (22-5-1981/démissionne 17-3-1983). *Avocat* (Paris 1990). *Œuvres :* Mémoires d'avenir (1974), les Idées simples de la vie (75), Lettre ouverte aux femmes politiques (76), l'Autre Regard (76), la Vie de Hella Shuster, Parler aux Français (77), Maroc (78), la Rivière aux grenades (roman), Chroniques du Midi libre (82), Vive l'Europe libre (83), Par 36 chemins (84), Maghreb, à l'ombre de ses mains (85), les Américains (87), Journal immédiat... et pour une petite éternité (87), Vandales ! (90), Journal du Golfe (91), Ni Dieu, ni diable (93).

Jospin, Lionel (12-7-1937, Meudon, Hts-de-S.). *Père* instituteur, (militant SFIO). *Marié* 1973 à Élisabeth Dannermüller, 2 enfants *Diplômé* Sciences po. (1959). ENA. PSU (1960). *Secr.* Aff. étrangères (1965-70). *Prof.* économie IUT Paris-Sceaux (1970-81). *Conseiller* Paris XVIIIe (1977-86). *1er secr. du PS* (1981-87). *Député* Paris XVIIIe (1981-86), Hte-Gar. (1986-88). *Min.* Éduc. nat. (5-88/4-92). *Député europ.* (1984-88). *Œuvre :* L'Invention du possible (91). *Sport :* basket.

Joxe, Pierre (28-11-1934, Paris). Fils de Louis Joxe (16-1-1901/6-4-1991, min. de De Gaulle et négociateur d'Évian). *Marié* 3es noces 17-10-81 à Valérie Cayeux (2 filles du 1er mar., 2 fils du 3e). *Licencié* droit. ENA. Cons. à la Cour des comptes. *Chargé de mission* auprès du min. des Aff. étrang. (1967-70), *au bureau nat. du PS* (1971). *Pt du cons. rég.* Bourgogne (1979-82). *Dép.* Saône-et-L. (1973-84, 86-88). *Min.* Industrie (mai-juin 1981), Intérieur et Décentralisation (1984-86), Intérieur (1988-91), Défense (1991-93). *Dép. europ.* (1977-79). *Pt du groupe parlementaire socialiste* (1981-84). Pt de la Cour des comptes (mars 1993). *Œuvres :* Parti socialiste (1973) ; Atlas du socialisme (73).

Juppé, Alain (15-8-1945, Campagne-de-Marsan). *Père* propriétaire agricole. *Marié* 30-6-65 à Christine Leblond, 2 enf. *Diplômé* Sciences po., Normalien, agrégé lettres. ENA. *Inspecteur des Fin.* (1972). *Conseiller de Paris* RPR (1983). *Maire* adjoint de Paris. *Député* RPR de Paris (1986, 88). *Min. délégué* Budget (1986-88) des Aff. étr. (4-93). *Porte-parole* du gouv. (1986). *Dép. europ.* (1984, 89). *Secr. gén.* RPR (juin 88).

Kouchner, Bernard (1-11-1939, Avignon). *Unions* avec Évelyne Pisier (3 enf.) et Christine Ockrent (1 fils). *Médecin* gastro-entérologue. *Cofondateur* de « Médecins sans frontières » (1971). Fondateur de « Médecins du monde » (1980), Pt (1980-84), Pt d'honneur (1984-88). *Secr. d'État* auprès du min. des Affaires sociales et de l'Emploi (mai-juin 1988), du 1er min. chargé de l'action humanitaire (1988-91), à l'Action humanitaire auprès du min. des Aff. étrangères (1991-92). *Min.* de la Santé et de l'Action humanitaire (1992-93). *Œuvres :* la France sauvage, les Voraces, l'Île de lumière (79), Charité business, le Devoir d'ingérence (en coll., 88), les Nouvelles Solidarités (89), le Malheur des autres (91), Dieu et les hommes [écrit avec l'abbé Pierre (93)].

Krivine, Alain (10-7-1941, Paris). *Père* médecin. *Marié* 6-12-62 à Michèle Martinet, 2 filles. *Licencié* histoire. Militant au PC (1959). Exclu 1966, crée la Jeunesse comm. révolutionnaire, dissoute ; crée la Ligue comm., dissoute et fonde 12-4-1974 Front comm. révolutionnaire remplacé par Ligue comm. révolutionnaire. 3 emprisonnements pour raisons politiques. *Candidat à la prés. de la Rép.* (1er t. *1969 :* 1,05 % des v. ; *1974 :* 0,36 %). *Œuvres :* Questions sur la révolution (73), les Chemins de la révolution (coll. 77), Mai si ! (88).

Laguiller, Arlette (Paris, 18-3-1940). *Père* ouvrier. *Célibataire.* Employée au Crédit Lyonnais. *Syndicaliste* FO. Membre de la dir. politique de Lutte ouvrière (trotskiste). *Candidate aux législ.* (1973), *à la prés. de la Rép.* (1er t. *1974 :* 2,33 % des v. ; *1981 :* 2,30 % ; *1988 :* 1,99 %). *Œuvres :* Moi, une militante (1973), Une travailleuse révolutionnaire dans la campagne présidentielle (74), Il faut changer le monde (88).

Lajoinie, André (26-12-1929, Chasteaux, Corrèze). *Père* agriculteur. *Marié* 10-8-60 à Paulette Rouffiange, 1 enf. : Laurent. *Carrière au PC :* membre (1948). Secr. gén. de l'UJRF (1956). Blessé (30-7-1958) au cours d'une manif. à Brive, soigné en Tchécoslovaquie (trépané ?). Suit des cours à Moscou ? (1966-67). Membre du Comité central (1972). Secr. de la Comm. paysanne (1973). Membre du Bureau politique, responsable de la section agricole (1976). *Dir.* de *La Terre* (hebdo.) (1977). *Conseiller rég.* (1978). *Député* (19-3-1978) Gannat (Allier, 52,05 % des voix). Réélu (21-6-1981, Pt du Groupe comm. à l'Ass. nat.). Réélu (16-3-1986/12-6-88). *Candidat à la prés. de la Rép.* (1er t. *1988 :* 6,75 % des voix). *Œuvres :* A cœur ouvert (87), l'Enjeu agricole et alimentaire (88).

Lalonde, Brice (Olivier, Brice, dit) (10-2-1946, à Neuilly-s-S.). *Mère :* née Forbes (ascendance écossaise, naturalisée française). *Père :* Alain-Gauthier Lévy ; ont changé leur nom en Lalonde après la 2e g. mondiale (décret du 16-2-1950, puis jugement du tribunal de la Seine du 2-2-1955). *1988-21-3 : créé avec Simone Veil et Jacques Chaban-Delmas, l'« Entente européenne pour l'écologie » (EEE). Marié* 27-10-1986 à Patricia Raynaud 2 enf. (Émilie et Marie). *Licences* de lettres et de droit. Journaliste. Pt de l'Unef Sorbonne (1966-68). Adhère au PSU. *Pt* l'association des « Amis de la Terre » (1971). Journaliste à la revue *Le Sauvage* (pseudonyme : Olivier Forbes) (1971-77). Exclu du PSU pour s'être présenté contre un PSU à l'él. lég. partielle (14-11-1976). *Candidat à la prés. de la Rép.* (1er t. *1981 :* 3,87 % des v.). *Secr. d'État* Environnement (mai 1988). *Min.* Environnement (mai 1991-avr. 92). *Pt* de « Génération Écologie ». *Œuvres :* Quand vous voudrez (78), Pourquoi les écologistes font de la politique ? (78), Sur la vague verte (81).

Lang, Jack (2-9-1939, Mirecourt, Vosges). *Père* dir. commercial. *Marié* 13-3-1961 à Monique Buczynski, 2 filles. *Diplômé* Sciences-Po. *Agrégé* droit public. *Créateur et dir. du Festival mondial du théâtre universitaire* à Nancy (1963-72), du Th. du palais de Chaillot (ex-TNP) (1972-74). *Prof.* de droit international (1976) ; *dir.* d'UER à Nancy (1977). *Conseiller* Paris (1977-89). *Conseiller gén. et maire de* Blois (dep. 1989). *Dép.* PS Loir-et-Cher (1986-88). *Min.* Culture (1981-86 et 1988-92), Éduc. nat. et Culture (4-92/3-93).

Laurent, Paul (1-5-1925, Génélard, S.-et-L./8-7-1990) *Père* ajusteur. *Marié* 17-6-1950 à Raymonde Rougies. *Brevet* élémentaire. Agent technique des Trav. publics. *Secr. gén.* Jeunesse communiste (1954-62). Membre bureau pol. du PC (1961). *Secr. Comité central* du PC (1973). *Député* Paris (1967-81). *Conseiller* Paris (dep. 1983).

Lecanuet, Jean (4-3-20 Rouen ; 21/22-2-93). *Père* représentant. *Marié* 2es noces à Jacqueline Pannier ; (1er mariage : 3 enf.). *DES. Agrégé* philo. *Prof.* Douai 1942. *Inspecteur gén. au min. de l'Information* 1944. *Dir. de plusieurs cab. ministériels* (Information, Marine marchande, Écon. nat., Intérieur, Finances). *Maire* de Rouen (1968-93). *Pt du conseil rég.* Hte-Normandie (1974). *Député* S.-Mar. (1951/55). *Maître des requêtes* au Conseil d'État (1956). *Sénateur* S.-Mar. (avr. 59/mars 73, sept. 77/86). *Secr. d'État à la présidence du Conseil* (1955-56). *Min.* Justice (1974-76). Plan et Aménagement du territoire (1976-77). *Dép. européen* (1979-88). *Pt UDF* (1983-88) et (1978-88). *Pt MRP* (1963/65). *Candidat à la prés. de la Rép.* (1er t. *1965 :* 15,57 % des v.). *Pt du Centre démocrate* (1966). *Cofondateur* avec J.-J. Servan-Schreiber du Mouv. réformateur (1972). *Œuvre :* le Projet réformateur (73) (en coll. avec Jean-Jacques Servan-Schreiber).

Léotard, François (26-3-1942, Cannes). *Père* conseiller à la Cour des comptes. *Novice* pendant 1 an (1963-64) à l'abbaye bénédictine de Pierre-qui-Vire. Service nat. comme instituteur au Liban. ENA par voie interne (4 ans d'ancienneté dans l'administration). A animé la section CFDT de l'ENA. *Maire* de Fréjus (1959-71). *Marié* 2es noces 22-12-1976 à France Reynier (3 enfants de son 1er mariage) 1992 Isabelle Duret (36 ans, chef de cabinet et attachée de presse de la mairie de Fréjus). IEP Paris, ENA *Sous-préfet, dir. de cab.* du préfet de Dordogne (1974), hors cadre au cab. du min. de l'Intérieur (1975-77). *Conseiller gén.* Var (1979-88-92). *Député* UDF-PR Var (78-86). *Secr. gén.* PR (1982) puis *Pt* (1988-90). *Vice-Pt* UDF 1983-84. *Min.* Culture (1986-88), Défense nat. (4-93). *Dép. europ.* (1989), cède son siège. Juillet 1992 démissionne car inculpé de trafic d'influence. *Œuvres :* A mots découverts (87), les Chemins de printemps (88), la Ville aimée, Pendant la crise le spectacle continue (89), Adresse au Président des Républiques françaises (91). *Sport :* jogging.

Le Pen, Jean-Marie (20-6-1928, La Trinité-sur-Mer, Morbihan). *Père* patron pêcheur († août 1942, son chalutier saute sur une mine anglaise). Exempté comme pupille de la nation, il s'engage en 1954. *Marié* 1°) juin 1959 Pierrette Lalanne (3 filles), div. 2°) 31-5-91 Jeanne-Marie Paschos. *Licencié* droit. *Diplômé* Sciences-Po. *Pt de la Corporation des étudiants* en droit de Paris (1949/51). EOR (149e sur 378 à St-Maixent. Sous-lieut., para en Indochine (1954-3-7/nov. 1955). *Député* 1er secteur : Seine, rive gauche (2-1-1956, à 27 ans, le + jeune de Fr.) [sept. se met en congé et s'engage 6 mois (1er REP), participe à l'expédition de Suez puis rejoint Alger (officier de Renseignement)] réélu (1958/62-1986). 1958-28-3 blessé à l'œil droit (bagarre lors d'une réunion électorale). *Secr. gén. du Front nat. combattant* (dep. 1956). *Pro-Algérie française* (1964-67). *Dir.* de SERP [Sté d'Études et de Relations Publiques (avec Pierre Durand et Léon Gauthier) qui publie disques (histoire ou littér.)] (dep. 1963). Soutient campagne Tixier-Vignancourt (1965). *Pt* du Front nat. (dep. 1972). *Candidat à la prés. de la Rép.* (1er t. *1974 :* 0,74 % des v. ; *1988 :* 14,38 %). *Conseiller municipal du XXe arr.* (Paris) (mars 1983). *Dép.* Paris (1986-88). *Dép. europ.* (dep. 84). Le 25-9-1976, Hubert Lambert (n. 1934) mourut en faisant de Le Pen son héritier (un cousin, Philippe Lambert, a contesté le testament en raison de l'état de santé du déposant ; 1977 transaction avec Le Pen). *Œuvres :* les Français d'abord (84), la France est de retour (85).

Leroy, Roland (4-5-1926, St-Aubin-lès-Elbeuf). *Père* cheminot. *Marié* 3 fois, 2 enf. du 1er mar. 3es noces 1983 avec Danièle Gayraud. *CEP. Employé à la SNCF* (1942-45/47). *Secr. fédéral* PCF (1948/60), bureau polit. (dep. 1964). *Député* Seine-Mar. (56-58, 67-81, 86-88). *Dir.* de « l'Humanité » (dep. 1974). *Conseiller municipal* St-Étienne-du-Rouvray. *Œuvres :* essais politiques et littéraires.

Madelin, Alain (26-3-1946, Paris). 3 enfants. *Père* ouvrier (communiste, exclu par Trotski). *Avocat. Ancien militant* d'Occident. *Délégué national* du PR (dep. 1977). *Vice-Pt du conseil rég.* de Bretagne (dep. 1992). *Député* I.-et-V. (1978-86, 88). *Min.* de l'Ind. (1986-88), Entreprises et dével. écon. (4-1993). *Œuvres :* Pour libérer l'école, l'enseignement à la carte.

Marchais, Georges (7-6-1920, La Hoguette, Calvados). *Père* mineur. *Marié* 1°) à Paulette Noetinger, 3 filles, 2°) 1977 à Liliane Grelot, 1 enf. *Mécanicien* ajusteur 1940. *Travailleur volontaire* en Allemagne (1942-43, contrat signé 12-12-1942). *Secr. du syndicat des métaux* d'Issy-les-Moulineaux 1946. *Membre* du PCF (dep. 1947) ; du comité central et du bureau politique (1959). *Secr. gén. adj.* (1970), puis *secr. gén.* (dep. 1972). Cosignataire du Programme commun (1972). *Député* Val-de-M. (dep. 1973). *Candidat à la prés. de la Rép.* (1er tour *1981 :* 15,34 % des voix). *Dép. europ.* (1979-89). *Œuvres :* les Communistes et les Paysans (72) ; le Défi démocratique (73) ; la Politique du PCF (74) ; Communistes et/ou chrétiens (77) ; Parlons franchement, Réponses (77) ; l'Espoir au présent (80) ; Démocratie (90). *Sport :* marche, cyclisme.

Mauroy, Pierre (5-7-1928, Cartignies, Nord). *Père* instituteur. *Marié* 12-5-51 à Gilberte Deboudt, 1 fils. *Prof.* de l'ens. technique 1952. *Secr. nat. des Jeunesses socialistes* (1950/58). À la SFIO du Nord, *secr. gén.* (dep. 1963), bureau politique (1963), *secr. gén. adj.* (1966), comité exécutif de la FGDS (1965/68). *Maire* de Lille (dep. 1973). *Conseiller gén.* du Cateau (1967/73). *Pt du conseil rég.* du Nord-Pas-de-C. (1974-81). *Dép.* Nord (1973-81). *1er min.* (1981-84). *Dép. europ.* (1979-80). *1er Secr.* du P.S. (1988-92). *Pt* Communauté urbaine de Lille (dep. 1989). *Sport :* aviation. *Œuvres :* Héritiers de l'avenir (77) ; C'est ici le chemin (82) ; A gauche (85).

Mayer, René (1895-1972). Homme d'affaires, cousin des Rothschild. Membre du cab. de Pierre Laval (1925). Administration des chemins de fer du Nord et de la banque Rothschild Frères (1928-40). Protégé par Laval, demeure en Fr. (1940-42). Rejoint le Gal Giraud en Algérie (commissaire aux communications) (1942). *Dép.* radical de Constantine (1946-56), 4 fois *min. Pt du Conseil* (1953). *Pt de la Haute Autorité* à Bruxelles (1955-57).

Mendès France, Pierre (11-1-1907-82). *Origine du 2e patronyme :* francisation de Franco (Franco de Mendez), nom judéo-esp. donné par les Turcs aux réfugiés hispano-portugais parlant une « lingua franca ». *Père* confectionneur. *Marié* 1°) 26-12-33 à Lily Cicurel, 2 fils ; 2°) 2-1-71 Marie-Claire Servan-Schreiber (div. du Cte Jacques Claret de Fleurieu). Avocat (1926 le + jeune de Fr.). *Doct. en droit* (1928 id.). *Député* rad. de l'Eure, Louviers (1932 id.). l'Eure (1946-58) Grenoble (1967). *Sous-secr. d'État* au Trésor (1938 id.). *Min.* de l'Économie nat., (sept. 1944), démissionne (av. 1945 motif : pour tarir l'inflation, il voulait l'échange des billets de banque et le blocage des comptes bancaires. De Gaulle refuse). *Pt du Conseil* [(18-6-1954) pour la 1re fois de la IVe Rép. les Communistes votent l'investiture, mais par avance Mendès a dit qu'il refuserait le décompte de leurs voix pour sa majorité]. *Min. d'État* sans portefeuille (1-2-1956 démissionne 23-5). Aviateur en Syrie (1939-40), embarqué à Bordeaux sur le Massilia (juin 1940). Arrêté pour désertion (31-8-1940). Condamné à 6 ans de prison au procès de Riom (mai 1941), s'évade en juin. Rejoint Londres (1-3-1942), off. d'aviation. *Commissaire aux Finances* (1943-44) de De Gaulle à Alger, puis Paris. *Gouverneur* FMI (1947-58). Investiture refusée pour la présidence du Conseil (3/4-6-1953). Signe tr. de Genève (paix en Indochine) (20-7-1954). Carthage (Tunisie), annonce l'autonomie interne de la T. (31-7-1954) ; fait échouer la CED le 30-8. Renversé par 319 v. contre 273 (prend la parole après la fin de son mandat, ce qui paraît scandaleux). Opposant au régime gaulliste (1958-69). Rejoint PSU (1961). Cautionne par sa présence la manifestation gauchiste de Charléty (2-5-1968), se dit prêt à assurer le pouvoir ; juin battu aux législatives. Soutient Gaston Defferre (1969), candidat à la prés., se présentant comme son futur 1er min. (échec). Atteint d'un cancer (1971). Honoré par Mitterrand (1981) après la victoire de la gauche aux présidentielles (accolade à l'Élysée).

Mermaz, Louis (20-8-1931, Paris). *Agrégé* d'histoire. *Assistant d'histoire* à la faculté de Clermont-Ferrand. *Maire* Vienne (dep. 1971). *Pt du cons. gén.* Isère (dep. 1976). *Conseil régional* Rhône-Alpes (1992). *Député* Isère (1967-68 puis dep. 1973). *Min.* Équipement et Transports (5/6-1981), Transports (mai 88), Agriculture (1990). *Pt de l'Ass. nationale* (1981-86). *Pt du groupe socialiste* à l'Ass. nat. (5-88). *Œuvres :* Mme Sabatier, les Hohenzollern, l'Autre Volonté (84), Madame de Maintenon (85).

Messmer, Pierre (20-3-1916, Vincennes). *Père* industriel. *Veuf* de Gilberte Duprez († 15-5-91). *Docteur* droit. *Diplômé* Langues orientales. Élève administrateur des colonies (1938). Rejoint FFL (1940). Prisonnier du Viêt-minh (1945). *Secr. gén. du comité interministériel de l'Indochine* (1946). *Admin. en chef de la France d'outre-mer. Gouverneur* de la Mauritanie (1952). Côte-d'Ivoire (1954/56). *Dir. du cabinet* de G. Defferre (min. de la France d'outre-mer, janv.-avr. 1956). *Ht commissaire de la Rép.* au Cameroun (1956/58). En AEF (1958). En AOF (juill. 1958/déc. 1959). *Maire* Sarrebourg (1971-89). *Conseiller gén. (dep. 1970). Pt du cons. rég.* Lorraine (dep. 1978). Député de Moselle (dep. 1968), UDR, RPR (1978), non réélu 1988. *Min. des Armées* (1960/69). *Chargé des TOM* (1971/72). *1er Min.* (1972/74). *Dép. européens* (1979-80). *Pt du groupe parlementaire RPR* (1986-88). *Ac. des sciences morales et politiques* (1988). *Sports :* tennis, voile.

Mestre, Philippe (23-8-1927, Talmont, Vendée). *Père* médecin. *Marié* 1951 à Janine Joseph, 3 enf. École nat. de la Fr. d'O.M. *Adm.* de la Fr. d'O.M. (1951). *Cons. tech.* au cabinet Messmer (1964-69), Chaban-Delmas (1969-72). *Préfet* (dep. 1970). *Dir. du cabinet* du 1er min. R. Barre (1978-81), *Dép.* Vendée (1981-84, 86, 88). *Min.* Anciens Combattants (1993). *Œuvres :* Quand flamboie le bocage (70), Demain rue Saint-Nicaise (91).

Moch, Jules (15-3-1893/1-8-1985). *Père* officier. *Marié* 1°) Germaine Picard, 2 fils (veuf), 2°) Éliane Bickert. *Polytechnique. Ing. de la marine. Dir.* des services de restitution ind. et agr. en All. (1918-20). *Ingénieur* (1920-27). *Député* Drôme (1928-36), Hérault (1937-40, 1946-58, 1962-67). *Secr. gén.* de la Présidence du Cons. (Blum 1936). *Sous-secr. d'État* (1937). *Min.* Travaux publics (1938). Rejoint *Forces navales fr.* (1943). *Membre* de l'Ass. consultative d'Alger. *Min.* Tr. publics et Transports, Écon. et Reconstruction (1947). *Vice-Pt* du Conseil et *min.* Intérieur (1947-50), Défense (1950-51). *Représentant permanent de la Fr.* à la commission du désarmement de l'ONU (1951-61). *Min.* Intérieur (14-5/31-5-1958). Démission du PS (1974). *P-DG* de la Sté d'études du pont sur la Manche (1960). *Œuvres :* plusieurs dont : Rencontres avec Darlan et Eisenhower, Destin de la paix (69), le Front populaire, grande espérance (71), Rencontres avec de Gaulle (71), Une si longue vie (76), le Communisme, jamais ! (78).

Monory, René (6-6-23, Loudun). *Père* garagiste. *Marié* 9-6-1945 à Suzanne Cottet, 1 fille. *Études :* école primaire supérieure. *Commerçant* en automobiles et machines agricoles. *Pt* de Sté de machines agricoles et de pétrole (1952). *Maire* de Loudun (dep. 1959). *Conseiller gén.* Loudun (dep. 1961). *Pt du cons. gén.* Vienne (1978) ; *du conseil rég.* Poitou-Charente (1985-86). *Sénateur,* Union centriste des démocrates de progrès, Vienne (1968-77, 1981-86, dep. 1988). *Min.* Industrie, Commerce et Artis. (1977-78), Écon. (1978 ; crée les Sicav-Monory), Éduc. nat. (1986-88). *1er Vice-Pt du CDS* (1984-91). *Fondateur et Pt du Futuroscope* (dep. 1987). *Pt du Sénat* (1992). *Sport :* champion du monde de pêche à l'espadon (84), chasse. *Œuvre :* Combat pour le bon sens (83).

Ornano, Cte Michel d' (12-7-1924, Paris-accident 8-3-91). *Père* industriel. *Marié* 17-9-1960 à Anne de Contades, 2 enf. *Cofondateur* de la Sté Jean d'Albret-Orlane. *Conseiller* du commerce extérieur (1957-73). *Maire* de Deauville (dep. 77). *Pt du cons. rég.* Basse-Normandie (1974, 83/86). *Pt du conseil gén.* Calvados (dep. 1991). *Député* Calvados (1967, 68, 73-74, 78, 81, 86, 88). *Min.* Industrie et Recherche (1974-77), Culture et Environnement (30-3-1977), Environnement et Cadre de vie (1978-81). *Vice-Pt de la Féd. nat. des Rép. indép.* (1975). *Vice-Pt* Groupe Hersant (1988).

Pasqua, Charles (18-4-1927, Grasse). *Père* fonctionnaire. *Marié* 1947 à Jeanne Joly, 1 fils. *Études* 2 certificats de licence de droit. *Commerçant* (1947). *Représentant* (1952) puis *dir.* Ste Ricard. *PDG* Ste Euralim. *Membre du Conseil écon. et social* (6-6-1965). *Pt* du Centre national de la libre entreprise. *Député* UDR des Hts-de-S. (Clichy, Levallois-Perret) (1968-73). *Pt du Conseil gén.* des Hts-de-S. (1970, 76, 88). *Secr. nat.* puis *Secr. gén. adjoint* de l'UDR (74-76). *Sénateur* RPR des Hts-de-S. (1977-86 puis 1988-93). *Min.* de l'intérieur (1986-88). *Œuvres :* la Libre Entreprise, Un état d'esprit (64), l'Ardeur nouvelle (85), Que demande le peuple ? (92).

Peyrefitte, Alain (26-8-1925, Najac, Aveyron). *Père* enseignant. *Marié* 4-12-1948 à Monique Luton (écrivain : Claude Orcival), 5 enf. *Normalien, licencié* Lettres et Droit, ENA. *Secr.* Aff. étr. (1947). *Secr. d'ambassade* Bonn (1949-52). *Consul* Cracovie (1954-56). *Conseiller* des Aff. étr. (1958). *Min. plénipotentiaire* (1975). *Maire* de Provins (dep. 1965). *Député* UNR S.-et-M. [1958-81 et dep. 17-1-1982 (après annulation de l'élec. du 21-6-81 où il avait été battu)]. *Délégué* Ass. gén. ONU (1959-61 et 69-71). *Secr. d'État* Information (août-sept. 1962). *Min.* Rapatriés (sept.-déc. 1962), Information (1962-66), Recherche scient. (1966-67), Éduc. nat. (1967-68), Réformes adminis. et Plan (1973-74), Aff. culturelles et Environnement (1974), Justice (1977-81). *Conseiller gén.* Bray-sur-Seine (1964-88). *Député europ.* (1959-62). *Académie fr.* (1977), *Ac. des Sciences morales et pol.* (1987). *Pt* du comité éditorial du *Figaro* (dep. 1983). Le 15-12-1986 échappe à un attentat (voiture piégée, 1 †). *Œuvres* (voir p. 301 b).

Pflimlin, Pierre (5-2-1907, Roubaix). *Père* directeur de filature. *Marié et veuf* de Marie-Odile Heinrich, 3 enf. *Docteur en droit. Avocat* 1933 (démissionnaire 1964). *Maire* de Strasbourg (1959-83). *Conseiller gén.* Haguenau (1951-70), Strasbourg (1971-76). *Pt du conseil gén.* Bas-Rhin (1951-60). *Membre* des 2 Ass. constituantes (1945-46). *Député* Bas-Rhin (1946-71, réélu 58-67). *Représentant de la France à l'Ass. du Conseil de l'Europe et au Parlement europ.* (1959-67). *Pt de l'Assemblée consultative du Conseil de l'Europe* (1963-66). *Pt national MRP* (1956-59). *Sous-secr. d'État* Santé publique (1946), Éco. nation. (1946). *Min.* Agriculture (1948-51), Commerce (1951-52), d'État chargé du Conseil de l'Europe (1952), France d'O.-M. (1952-53), Finances (1955-56), Finances, Aff. écon. et Plan (1957-58), d'État (1958-59), d'État chargé de la Coopération (1962). *Pt du Conseil* (14/31-5-1958). *Pt du port autonome de Strasbourg* (1970-77). *Conseil rég.* Alsace (1973-83). *Député europ.* (1959-67, 1979, 84) (Union pour la F. en Europe). *Pt* du groupe de presse *l'Alsace*. *Vice-Pt* Ass. europ. (1979-84) puis *Pt* (1984-87). *Œuvre :* Naissance d'un Européen (91).

Philip, André (1902-70). Famille protestante (huguenots exilés en Écosse), militant SFIO (1920). *Agrégé* droit (1926). *Prof.* économie politique à Lyon. *Député* SFIO (Rhône 1936), antimunichois (1938). *Résistant, dir.* du journal clandestin *Libération* (1940) ; rejoint de Gaulle à Londres (1942). *Commissaire* à l'Intérieur du Gouv. d'Alger, organise l'épuration (1943). *Commissaire* du GPRF chargé des rapports avec le Parlement (1944). *Député* UDSR (avec Mitterrand, 1945). *Min.* Économie (1946-47), Finances (13-2-47), Économie (1948). Exclu SFIO (1958), participe à la création du Parti soc. autonome, futur PSU, qu'il quitte en 1962.

Pinay, Antoine (30-12-1891, St-Symphorien-sur-Coise, Rhône). *Père* fabricant de chapeaux. *Marié* à Marguerite Fouletier (veuf), 3 enf. *Dir.* tanneries Fouletier (1919-48). *Maire* de St-Chamond (1928-77). *Conseiller gén.* St-Chamond (dep. 1934). *Pt du conseil gén.* Loire (1949-79). *Député* Loire (1936-38, 46-58) ; 1958 laisse son siège à son suppléant E. Hemain. *Sénateur* Loire (1938-40). *Membre* 2e Ass. constituante (1946). *Pt* d'honneur du CNIP à l'Ass. nat. (1956-58). *Pt* du Mouvement nat. des élus locaux. *Secr. d'État* Aff. écon. (1948). *Min.* Travaux publics (1950-52). *Pt du conseil, min.* Finances (6-3/23-12-1952). *Min.* Aff. étr. (1955-56), Finances et Aff. écon. (juin 1958/13-1-60). *Médiateur* (1973-74, démission).

Pisani, Edgard (9-10-1918, Tunis). *Marié* 4es noces 2-6-1984 Carmen Berndt (5 enf.). *Sous-préfet,* puis *préfet* (Hte-Loire 1946, Hte-Marne 1947). *Maire* de Montreuil-Bellay (M.-et-L.). (1965-75). *Dép.* du M.-et-L. (Ve Rép. ; mars 1967, démissionne 27-5-68). *Sénateur* Hte-Marne (Gauche démocr. 1954-61 ; socialiste 1974-81). *Min.* Agriculture (1961-66), Équipement (1966, démissionne 28-4-67). *Membre de la commission des Com. Europ.* (1981). *Délégué du gouv.* Nlle-Calédonie (1-12-84). *Min.* chargé de la Nlle-Calédonie (1985). *Chargé de mission auprès du Pt de la Rép.* (1986-92). *Pt de l'Institut du monde arabe* (1988). *Œuvres :* la Région, pour quoi faire ? (69) ; le Général indivis (74) ; l'Utopie foncière (77) ; Socialiste de raison (78) ; Défi du monde, campagne d'Europe (79), la Main et l'Outil (84), Pour l'Afrique (88), Persiste et Signe (92).

Pleven, René (15-4-1901, Rennes/13-1-1993). *Père* officier. *Marié* à Anne Bompard (veuf), 2 filles. *Docteur en droit. Diplômé* des Sciences po. *Dir. gén.* pour l'Europe de l'Automatic Telephone Cie (1929-39). Rejoint de Gaulle (1940). *Secr. gén.* de l'AEF (juill. 1940). *Commissaire* aux Finances et à l'Écon., aux Colonies, aux Aff. étr. *Pt de la conférence africaine de Brazzaville* (févr. 1944). *Pt du conseil région.* Bretagne (1974-76). *Pt du conseil gén.* des C.-du-N. (1948-76). *Député* C.-du-N. (1945-58) 1958-69, Progrès et démocratie moderne. *Cofondateur et Pt* du Celib (1951-72). *Min.* Finances (1945), Économie nationale (1945). Défense (oct. 1949, 1952-54). *Délégué à l'Ass. europ.* (1958-69), Aff. étr. (14/31-5-1958), Justice (1969-73). *Pt du conseil* (12-5-50/28-2-51 et 11-8-51/7-1-52), désigné 23-4-58, renonce 8-5-58. *Dir.* politique du journal *Le Petit Bleu* des C.-du-N. (dep. 1945). *Œuvre :* Avenir de la Bretagne.

Poher, Alain (17-4-1909, Ablon-sur-Seine). *Père* ingénieur. *Marié* 19-8-1938 à Henriette Tugler, 1 fille. *Ingénieur* civil des mines. *Licencié* droit. *Diplômé* Sciences po. *Administrateur civil* 1re classe (1946). *Chef de cabinet* min. des Finances (1946). *Maire* d'Ablon-sur-S. (1945, 77–83). *Sénateur* S.-et-O. (1946/48-1952/68), Val-de-M. (dep. 1968). Union centriste. *Secr. d'État* Finances (sept. 1948), Budget (nov. 1948), marine (1957-58). *Pt de la Commission du Marché commun* (1955/57). *Député europ.* (dep. 1958). *Pt de l'Ass. parlementaire europ.* (1966/69). *Pt du Sénat* (1968-92). *Candidat à la prés. de la Rép.* (1er t., *1969 :* 23,3 % des voix, 2e t. : 41,78 %). *Intérim de la prés. de la Rép.* (28-4/19-6-69 lors du départ de de Gaulle et 2-4/27-5-74 lors de la mort de Pompidou). *Pt de l'Association des maires de France* (1974-83). *Sports :* aviation, tennis.

Poniatowski, Pce Michel (16-5-1922, Paris). *Origine :* en 1650, Joseph Torelli (famille ital. émigrée au XVIe s. d'Ital.), épouse la fille du Cte Poniatov, prend le nom de Poniatowski ; la famille a donné à la France 1 maréchal (Joseph, 1763-1813) et à la Pologne son dernier roi (Stanislas II, 1732-98, roi de 1764 à 1795). *Marié* 28-2-46 à Gilberte de Chavagnac, 4 enf. (dont Ladislas n. 10-11-46, député PR Eure en 1986). *Licencié* droit. Higher certificate Cambridge, ENA. *Chef de cab.* du dir. des Finances du Maroc (1949/52). *Attaché financier* Washington (1956). *Sous-dir.* min. des Finances (1962). *Dir. de* *cab.* de Giscard d'Estaing (1959/62). *Maire* de L'Isle-Adam (dep. 1971). *Député* RI Val-d'O. (1967-73). *Sénateur* Val-d'O. dep. 1989. *Secr. gén.* puis *Pt* des RI (1967/77). *Min.* Santé publique et Séc. soc. (1973/74) ; *d'État,* Intérieur (1974/77). *Ambassadeur*, représentant person. Pt de la Rép. (1977-81). *Député europ.* (1979-89). *Œuvres :* histoire ou réflexion polit. sur Talleyrand, Louis-Philippe, l'Alaska. *Sports :* ski, natation, chasse.

Queuille, Henri (1884-1970). Médecin. *Maire* Ussel dep. 1912. *Député* Corrèze 1914-35. *Sénateur* Corrèze 1935-40 et 1946-58, radical-socialiste. Rejoignit de Gaulle à Londre en 1943. 12 fois *min.* ou *Pt du Conseil* sous la IVe Rép., écarté de l'Élysée en 1954 à cause de sa mauvaise santé.

Ramadier, Paul (1888-1961). *Avocat*, militant socialiste dep. 1904, franc-maçon dep. 1913. *Maire* de Decazeville (1919). *Député* SFIO Aveyron (1928-40, 1946-51, 1956-58). Quitte SFIO (1933). Avec Marcel Déat fonde l'Union socialiste et rép. Redevient SFIO (1945). *Sous-secr. d'État* Travaux publics (1936-37). *Min.* Travail (1938, 1940), Ravitaillement (1945), Justice (1946), Défense (1948-49), Aff. Écon. (1956-57). *Pt du Conseil* (janv.-nov. 1947), rompt avec communistes (qu'il chasse de son gouv.). *Pt* du BIT (1952-55, à Genève).

Rocard, Michel (23-8-1930, Courbevoie). *Père* Yves R. (22-5-1903/16-3-92, prof., chercheur. *Marié* 1°) Geneviève Pujol [Chef de troupe éclaireurs protestants (totem : hamster érudit)] 2 enf. ; 2°) Michèle Legendre (n. 1941) 2 enf. *Licencié* ès lettres. *Diplômé* IEP Paris. ENA. Inspecteur des finances (1958). *Secr. gén. de la Commission des comptes et des budgets écon. de la nation* (1965). *Secr. nat. PSU* (1967/73). *Candidat à la prés. de la Rép.* (1er t. *1969 :* 3,61 % des voix). *Député* Yvelines (1969 battant Couve de Murville/73 battu par Marc Lauriol, 78-81, 86-88). Quitte PSU et s'inscrit au PS, déc. 1974 (bureau exécutif févr. 1975). *Maire* de Conflans-Ste-Honorine (1977-93). *Min. d'État* Plan et Aménagement du terr. (22-5-81), Agr. (14-3-83, démissionne 4-4-85 car opposé à l'adoption de la proportionnelle aux législatives), *1er min.* (12-5-88/15-5-91), *1er secr.* PS dep. 6-4-1993. *Sports :* ski, yachting. *Œuvres :* le PSU et l'Avenir socialiste de la France (69) ; Des militants du PSU (71) ; Questions à l'État socialiste (72) ; Un député, pour quoi faire ? (73) ; le Marché Commun contre l'Europe (73) ; l'Inflation au cœur (75) ; Parler vrai (79) ; A l'épreuve des faits (86) ; le Cœur à l'ouvrage (87), Un pays comme le nôtre (89).

Royer, Jean (31-10-1920, Nevers). *Père* employé de banque. *Marié* 1944 à Lucienne Leux, 4 enf. *2 certificats de licence* ès lettres. *Instituteur* 1945/54. *Prof.* cours complémentaire 1954/58. *Délégué* RPF (1947/58). *Maire* de Tours (dep. 1959). *Conseiller gén.* (dep. 1961). *Député* Indre-et-L. (1958-73, dep. 76). *Min.* Commerce et Artisanat (1973/74), PTT (1-3 au 11-4-1974, démissionne). *Candidat à la prés. de la Rép.* (1er t. *1974 :* 3,17 % des v.).

Savary, Alain (25-4-18/17-2-88). *Père* ingénieur des chemins de fer. *Marié* à Hélène Borgeaud. *Dipl.* Sciences-Po. *Licencié* droit. *Gouverneur* de St-Pierre-et-Miquelon (1941-43), Compagnon de la Libération. *Commissaire de la Rép.* Angers (1945-46). *Secr. gén. adjoint* SFIO (1959). Au bureau nat. du PSU (1960). *1er secr. du PS* (1969-71). *Député* St-Pierre-et-Miquelon 1951-59. *Pt du conseil rég.* Midi-Pyrénées (1974-81). *Député* Hte-Garonne (1973-81). *Secr. d'État* Aff. étr. (1956). *Min.* Éduc. nat. (1981-84).

Séguin, Philippe (21-4-1943, Tunis, Tunisie). *Marié* 1res noces (3 enf.) ; 2e à Béatrice Bernascon (1 fille). *Licence* ès lettres, *DES* d'histoire, IEP d'Aix-en-Prov. ENA (1969-70). *Cour des comptes* (1970). *Adjoint au dir. de l'éd. physique et des sports* (1974-75). *Dir. de cabinet* du secr. d'État ; *chargé des relations* avec Parlement (avr.-sept. 1977). *Chargé de mission* au cabinet de R. Barre, PM (1977-78). *Député* des Vosges (1978-86, 1988). *Maire* d'Épinal (dep. 1983). *Membre* (1979-86), puis *vice-Pt du Conseil rég.* Lorraine (1979-83). *Vice-Pt de l'Ass. nat.* (1981-86). *Secr. nat.* du RPR (1984-86). *Min.* Affaires soc. et Emploi (1986-88). *Pt de l'Ass. nat.* (1993). *Œuvres :* Réussir l'alternance (85), la Force de convaincre (90), Louis Napoléon le Grand (90), De l'Europe en général et de la France en particulier (coll., 92), Discours pour la France (92).

Séguy Georges (16-3-1927, Toulouse, Hte-G.). *Père* cheminot. *Marié* 1949 à Cécile Sédeillon, 3 enf. *CEP. Ouvrier* imprimeur (1942-44). *Responsable FTP. Déporté* Mauthausen (1944). *Ouvrier* électricien SNCF (1946/70). *Membre* PCF (dep. 1942), du comité central (dep. 54), du bureau pol. (56-82). *Secr. gén.* Féd. des cheminots CGT (1961-65), CGT (1967-82). *Membre du bureau exécutif de la Féd. syndicale mondiale* (1970/78). *Œuvres :* le Mai de la CGT (72) ; Lutter, 1er Mai les 100 printemps.

Servan-Schreiber, Jean-Jacques (13-2-1924, Paris). *Père* Émile (1888-1967 journaliste). *Frère* de Brigitte Gros (1925-85), Christiane Collange (29-10-30, ép. en 2es noces de Jean Ferniot), Jean-Louis (31-10-37). *Cousin* de Jean-Claude (11-4-18, fils de Robert, fondateur des *Échos*). *Marié* 1res noces Madeleine Chapsal (1-9-25), div., 2e Sabine Becq de Fouquières (4 fils). *Polytechnique. Rédacteur* politique au *Monde* (1948-53). *Fondateur* de l'*Express* (avec F. Giroud) (1953). *Soutient M. X.* (Gaston Defferre) aux él. prés. de 1965, *Secr. gén. du Parti radical-socialiste* (1969). *Pt. Pt du conseil rég.* Lorraine (1976-78). *Député* Meurthe-et-M. (28-6-1970, él. partielle : 55 % des voix) ; se présente à Bordeaux contre Chaban-Delmas, est battu. Réélu M.-et-M. (11-3-1973 et 19-3-78, invalidé 28-6 et non réélu 24-9). *Fondateur* avec J. Lecanuet du Mouvement réformateur (1972). *Min.* des Réformes (28-5/9-6-1974). *Chargé de mission* par le Pt de la Rép. (févr. 1977, démissionne 28-4-77). *Pt du Centre mondial pour l'informatique* (1982-85). *Œuvres* (voir p. 303 a).

Soisson, Jean-Pierre (9-11-1934, Auxerre, Yonne). *Père* industriel. *Marié* 1961 à Catherine Lacaisse, 2 fils. *Licencié* droit. *Diplômé* Sciences-Po. ENA (1959-61). *Maire* Auxerre (dep. 1971). *Cons. régional* (1983). *Pt Conseil rég.* de Bourgogne (1992). *Cour des comptes* (1961). *Conseiller technique* aux cab. de Jean Morin (1964-65), d'Yvon Bourges (1966-67), d'Edgar Faure (1967-68). *Député* RI Yonne (1968, 78, 81, 86, 88). *Secr. d'État* Universités (8-6-1974/11-1-1976), Formation prof. (12-1/25-8-1976), Jeunesse et Sports (1976-77). *Min.* Jeunesse, Sports (1978-81), Travail (1988-91). *Min. d'État.* Fonction publ. (5-91/3-92). *Vice-Pt de la Féd. nat. des Rép. indép.* (1975). *Secr. gén. du PR* (1977-78). *Secr. gén.* France unie (dep. 1991). *Vice-Pt* UDF (1978). *Sports :* tennis, ski. *Œuvres :* le Piège (73) ; la Victoire sur l'hiver (78) ; l'Enjeu de la formation professionnelle (86) ; Mémoires d'ouverture (90).

Soustelle, Jacques (3-2-1912, Montpellier, Hérault, 7-8-90). *Père* ouvrier. *Marié* à Georgette Fagot, sans enf. *Normalien, agrégé* philo. *Anthropologue* en Amér. centrale (1932-39). *Rejoint* de Gaulle à Londres (1940), *Commissaire nat.* à l'information de la France libre (1942). *Dir. des services spéciaux* à Alger (1943-44). *Commissaire de la Rép.* Bordeaux (1944). *Député* Mayenne (1945-46). Rhône (Réformateur) (1973-78). *Secr. gén. du RPF* (1947-51). *Député* RPF puis rép. social Rhône (1951-58). *Gouv. gén.* de l'Algérie (1955-56). *Min.* Information (1943), Colonies (1945). *Min.* Information (1958-59, échappe à un attentat FLN en 59). Réélu dép., mais laisse son siège pour être *min. délégué gén.* de l'Organisation commune des régions sahariennes (1959-60). Rompt avec de Gaulle lors du putsch des G^aux (avr. 1961). Mandat d'arrêt lancé contre lui (8-12-1962), en exil à l'étranger (1961-68), rentre après l'amnistie générale et un non-lieu (oct. 1968). Fonde le mouvement Progrès et Liberté (1970). *Académie française* (1983). *Œuvres :* plusieurs ouvrages d'ethnographie ; Envers et contre tout ; Aimée et Souffrante Algérie ; l'Espérance trahie (62) ; Lettre ouverte aux victimes de la colonisation (73).

Tapie, Bernard (26-1-1943, Paris). *Père* frigoriste. *Marié :* 1er) *divorcé ;* 2e) *Dominique Mialet-Damianos.* (23-5-1987). *Études* Certificat d'ét. primaires ; École d'électricité industrielle de Paris (1958-60). *Représentant* Volkswagen, Téléconfiance. Fréquente les Jeunesses comm. Service militaire (sort sous-officier). *Prospecteur* Panhard (1963-65), Sep (filiale de Sema) (1970-72). Enregistre 3 disques yéyé (1966-67) sous le nom B. Tapy [1er : a composé les 4 titres ; 2e : paroles de Louis Amades (10 000 ex. vendus) ; 3e : Tu l'oublieras]. Lance avec Marcel Loichot centrale d'achat (1969). Le Grand Dépôt (faillite nov. 1971), vend des logements en multipropriété. Lance Cœur Assistance (1975 dépôt de bilan juin) ; rachète des entreprises en difficulté. Crée holding Groupe Bernard Tapie (1979) : la Vie claire (1980-92), Terraillon, l'Herbier de Provence, Toshiba France, Soleillou (1982), Testut Aequitas, Trayvou, Look (1983), Wrangler, Wonder, Amap, Leonard, Soubitez (1984), Saft-Mazda, Karo, Ferme Saint-André (1985), Vivalp (1986-89) et Tournus (1986), Grès Production Parfums, BT Communication (1987). Rachète Manufrance (1980), le revend. Essaie de reprendre parti radical (1981). Soutient équipe cycliste Bernard Hinault-Greg Lemond (1985-86). Defferre lui fait reprendre l'OM en 1986 (équipe de football olympique de Marseille). Crée Bernard Tapie Finances (1987) (en Bourse 2e marché) ; *Pt* comité stratégique de TF1. Législatives (12-6-1988) : Marseille échec (contre Greg Tessier), scrutin annulé. Entre à TF1 (1989). Élu (29-1-1989) ; non inscrit, vote avec PS. Contrôle Adidas (17-7-1990). Régionales (22-3-1992) : tête de liste socialiste, bat avec 26,49 % J.-C. Gaudin (UPF 26,16), et Bruno Mégret (FN 22,6). *Min. de la Ville* (mai 1990), obligé de démissionner (23-5-1990) (menacé d'inculpation), règle à l'amiable un différend avec J. Tranchant (2-4-1992). *Min. de la Ville* (1993), adhère au MRG. *Œuvre :* Gagner (1986).

Tixier-Vignancour, Jean-Louis (12-10-1907/29-9-89). *Père* médecin. *Marié* à Janine Auriol, 1 fils. *Docteur* droit. *Avocat* 1927. *Député* Basses-Pyr. (1936/42) puis (1956/58). *Secr. gén. adj.* Information (1940). *Pt du Rassemblement nat.* (1954). *Candidat à la prés. de la Rép.* (1er t. *1965* : 5,19 % des v.). *Pt de l'Alliance rép. pour les libertés et le progrès* (1966).

Toubon, Jacques (29-6-1941, Nice). *Père* employé d'administration. *Frère* du journaliste Robert Toubon. *Marié* 1°) à Béatrice Bernarscon (div. remariée Philippe Seguin), 2°) 23-12-1982 à Lise Weiler. *Licencié* droit. *Diplômé* IEP Lyon, ENA. Administrateur civil au min. de l'Intérieur (1965). *Dir. de cabinet* du préfet des Basses-Pyr. (1965-68), *chef de cabinet* du secr. d'État aux DOM-TOM (1968-69), du min. de l'Agriculture (1972-74), de l'Intérieur (1974). *Conseiller technique* Rel. avec le Parlement (1969-72), auprès du 1er min. *Dir. de la Fondation Claude-Pompidou* (1970-77). *Secr. gén. adjoint du* RPR (1977-81) puis *secr. gén.* (1984-88). *Maire* du XIIIe arrond. et *adjoint au maire* de Paris (dep. 1983). *Député* RPR Paris (1981, 88). *Min.* Culture (29-3-93). *Œuvre :* Pour en finir avec la peur (84).

Veil, Simone (née Jacob, 13-7-1927, Nice, A.-M.). *Père* architecte. *Mariée* 26-10-1946 à Antoine Veil [n. 28-8-1926, ENA (1953-54), inspecteur des Fin., dir. gén. de l'UTA (1971-80), P-DG de Manurhin (1982-85), administrateur délégué des Wagons-lits (1985-89), Pt conseil de surveillance de la Banque internationale de placement (Bip) (dep. 1990). PDG d'Orlyval, conseiller de Paris (1971-89)]. 3 fils. Arrêtée 30-3-44, déportée 13-4-44 (Auschwitz, Bergen, Belsen), libérée 15-4-45. *Licenciée* droit, *diplômée* Sciences-Po. *Attachée* au min. de la Justice (1957/59). *Substitut* détaché au min. de la Justice (1959/70). *Conseiller technique* de René Pleven (garde des Sceaux) (1969). *Secr. gén. du Conseil sup. de la magistrature* (1970). *Membre du conseil d'admin. de l'ORTF* (1972). *Min.* Santé (1974-79, a laissé son nom à la loi sur l'avortement). *Min. d'État,* des Aff. sociales, Santé, Ville (29-3-93). *Député europ.* 1979, 84, 89. *Pte de l'Ass. eur.* (1979-82). *Pte de la Commission juridique de l'Ass. europ.* (1982-84). *Pte du groupe Libéral et Démocrate du Parlement europ.* (1984-89). *Œuvre :* l'Adoption (69).

Waechter, Antoine (11-2-1949, Mulhouse). *Père* boucher-charcutier. *Marié* 28-7-1990 à Martine Charbonnel, 1 fille. *Docteur* en psychophysiologie-écologie (1974). *Pt du Mouv. des Jeunes pour la nature* (Mulhouse 1965-68). *Cofondateur du mouvement Écologie et survie* (1973). *Pt du Mouvement écologique* (1977-78). *Vice-Pt Comité écon. et social* d'Alsace (1983-86). *Cons. régional* d'Alsace. (1986-89). *Dép. europ.* (18-6-89, liste Verts Europe-Écologie, démissionne févr. 91). *Cons. munic.* Mulhouse. *Candidat à la présid. de la Rép. (1er t. 1988* : 3,8 % des voix). *Œuvres :* Vosges vivantes (72), Écologie de la fouine (74), Animaux d'Alsace (74), Dessine-moi une planète (90).

ÉLECTIONS

DROIT DE VOTE

■ **Que faut-il pour voter ?** *Être Français* (les femmes ont le droit de vote dep. le 21-4-1944) (Voir à l'Index). *Avoir 18 ans* (dep. la loi du 5-7-1974). Depuis la loi du 9-7-1970, les 21 ans n'étaient plus exigés pour les jeunes gens ayant accompli le service national actif. L'âge minimal était de 18 ans pour les titulaires de la Légion d'honneur, de la médaille militaire et de la croix de guerre à titre personnel. *Ne pas être majeur en tutelle. Ne pas avoir été :* déclaré en faillite par un tribunal ; condamné pour crimes ou pour délits à certaines peines (dans les cas graves, l'incapacité électorale sera permanente ; dans les autres, temporaire). Dans chaque cas, les personnes ayant été amnistiées ou réhabilitées retrouvent le droit de vote sur leur demande dès la 1re révision des listes qui suit la date de cessation de leur incapacité (article R-2 du code électoral). *Être inscrit sur une liste électorale* (article L. 9 du Code électoral). On doit s'inscrire dans les mairies avant le 31-12 de l'année qui précède celle du 18e anniversaire, si l'on est né en janvier ou février ; au 31-12 de l'année du 18e anniv., si l'on est né dans les 10 mois suivants. Toutefois, les jeunes qui atteindraient 18 ans entre le 1er mars et la date d'une élection peuvent obtenir leur inscription sur décision du juge d'instance, mais leur demande n'est recevable que jusqu'au 10e j précédant celui du scrutin (doit être déposée à la mairie).

Nota. – Les *militaires* peuvent voter (ordonnance du 17-8-1945). Les *Français à l'étranger* immatriculés au consulat de Fr. peuvent être inscrits sur les listes de certaines communes (voir plus loin). Les *étrangers naturalisés* peuvent voter (avant la loi du 9-1-1973, ils ne pouvaient le faire que 5 ans après leur naturalisation).

■ **Inscription.** **Conditions :** être domicilié dans la commune ou y résider depuis 6 mois ; ou figurer pour la 5e fois sans interruption au rôle d'une des contributions directes communales ; ou être assujetti à résidence obligatoire (fonctionnaire public). Art. L. 11 du Code électoral : « Tout électeur ou électrice peut être inscrit sur la même liste que son conjoint si celui-ci est inscrit en qualité de contribuable ».

Demandes d'inscriptions : reçues toute l'année jusqu'au dernier jour ouvrable de décembre inclus. Pour être inscrit sur la liste électorale, il faut en faire la demande : en se présentant, en adressant sa demande par correspondance (en recommandé de préférence), ou en la faisant présenter par un tiers dûment mandaté. *Délai de réclamation* devant le juge d'instance, du 11 au 20 janv. Les décisions du tribunal d'instance sont notifiées au requérant, au préfet du département, au maire et, s'il y a lieu, à l'électeur intéressé (art. R. 15 du code électoral). Le délai pendant lequel un pourvoi en cassation est possible est de 10 jours suivant la notification.

Fournir : pour prouver 1°) l'identité : l'une des pièces suivantes : livret militaire ou carte du service national, livret de famille ou fiche d'état civil, carte nat. d'identité même périmée, passeport même périmé délivré ou renouvelé après le 1-10-1944 ; décret de naturalisation ; carte de naturalisation ; carte d'immatriculation et d'affiliation à la Séc. soc. ; carte du combattant, avec photographie ; permis de conduire ; titre de réduction à la SNCF, non périmé ; carte d'identité de fonctionnaire avec photo, délivrée après le 1-10-1944 ; carte d'identité ou carte de circulation délivrée par les autorités militaires ; titres de pension ou permis de chasser avec photographie ; *2°) l'attache avec la circonscription du bureau de vote :* domicile (par tous moyens) ; résidence : quittances de loyer, enveloppes postales, etc. ; qualité de contribuable : certificat du percepteur ou de l'inspecteur des impôts ; résidence obligatoire : carte professionnelle ou attestation de l'administration.

Une personne qui possède depuis 6 mois une résidence dans une commune dans laquelle elle n'est pas domiciliée ne peut être inscrite sur la liste électorale de la commune si elle ne peut justifier qu'elle y habite d'une façon continue depuis 6 mois au moins au dernier jour de février.

Pour les Français à l'étranger, des centres de vote peuvent être organisés dans les ambassades ou consulats, mais l'inscription sur les listes de ces centres ne permet d'y voter que pour les présidentielles, les référendums et les élections européennes. Pour les autres élections politiques, ils doivent être inscrits sur la liste électorale d'une commune de France, précisée à l'art. L 12 du Code électoral.

■ **Statistiques.** **Taux d'inscription sur les listes électorales en mars 1986** (âge, hommes et, entre parenthèses, femmes). *19-21 ans :* 71,9 (73). *22-23 :* 85,3 (84,9). *24-28 :* 87 (87,3). *29-33 :* 88,1 (88,9). *34-38 :* 91,1 (91,9). *39-43 :* 93,8 (93,1). *44-48 :* 93,8 (94,1). *49-53 :* 93,3 (94,2). *54-58 :* 94,6 (95,3). *59-63 :* 92,5 (93,4). *64-68 :* 96,1 (95,4). *69-73 :* 95,7 (96,7). *74-78 :* 96,7 (96,4). *79-83 :* 96,1 (95,7). *84 et + :* 96,9 (93,8). *Total* 90,5 ; (91,4).

Nota. – Les *non-inscrits* représentent de 3 % (12-3-1978) à 10 % (31-3-1955) des électeurs potentiels.

Nombre total des électeurs inscrits en métropole (au 17-12-1992) : 37 238 299 dont hommes 17 462 468, femmes 19 775 831. **Dom-Tom et collectivités territoriales** (au 28-2-1991) : 209 027 dont h. 104 854, f. 104 173.

☞ Fichier central géré par l'Insee. La radiation de ceux qui ont déménagé et se réinscrivent ailleurs, de ceux condamnés par un tribunal et des électeurs décédés est prévue. Les listes électorales, du fait de cette procédure, sont souvent décalées par rapport à la réalité. La révision des listes avant mars 1992 a réduit de 25 % le corps électoral en Corse.

■ **Vote par procuration.** **Mandant :** il doit justifier son appartenance à une catégorie bénéficiaire de la procuration. Il peut toujours résilier sa procuration devant l'autorité qui la lui a délivrée. Il peut voter personnellement s'il se présente au bureau de vote avant le mandataire. **Mandataire :** il doit jouir de ses droits électoraux et être inscrit dans la même commune que son mandant. Il ne peut disposer de plus de 2 procurations dont une seule établie en France.

Procurations. *En France :* établies devant un magistrat ou un officier de police judiciaire (l'électeur qui ne peut manifestement pas se déplacer, en raison de son état de santé, peut obtenir l'établissement de la procuration à domicile) ; *à l'étranger :* dans les consulats. *Validité :* au choix du mandant, limitée à un seul scrutin ou fixée à 1 an ; pour les Français hors de Fr., peut aussi être établie pour la durée de l'immatriculation au consulat avec une validité maximale de 3 ans.

Bénéficiaires. **Électeurs éloignés de leur commune :** *marins du commerce* (inscrits maritimes, agents du service général et pêcheurs), *militaires, fonctionnaires, cheminots* et *agents des services publics appelés en déplacement* par leur service, *navigants de l'aéronautique civile. Français se trouvant hors de France, mariniers,* artisans ou salariés, et les membres de leur famille habitant à bord, *femmes en couches, malades, infirmes ou incurables en traitement ou en pension* dans les établissements publics de soins ou d'assistance, ou privés de même nature (liste fixée par arrêté min. de la Santé), *journalistes* professionnels en déplacement pour leur service, *voyageurs et représentants* exerçant leur activité dans les conditions prévues par les articles L 751-1 et suivants du Code du travail, *agents commerciaux, commerçants et industriels ambulants et forains* et le personnel qu'ils emploient, travailleurs employés à des travaux *saisonniers agricoles, industriels ou commerciaux* en dehors du département de leur domicile, *personnels de l'industrie utilisés sur des chantiers éloignés* du lieu normal de leur travail, *entrepreneurs de transport public routier* de voyageurs ou de marchandises et les membres de leur personnel roulant appelés en déplacement par leur service, *personnes suivant, sur prescription médicale, une cure* dans une station thermale ou climatique, *personnes qui, pour leurs études ou leur formation professionnelle,* sont régulièrement inscrites hors de leur domicile d'origine dans les universités, écoles, instituts et autres établissements d'enseignement ou de formation publics ou privés, *artistes en déplacement* pour l'exercice de leur profession dans un théâtre national ou dans un théâtre municipal en régie directe ou dans une entreprise dirigée par un responsable titulaire de la licence d'entrepreneur des spectacles, *auteurs, techniciens et artistes portés sur la liste contenue dans le dossier de l'autorisation de tournage de films* délivrée par le Centre national de la cinématographie, *membres des assoc. et fédér. sport. en déplacement* pour des manif. sport., *ministres des cultes en déplacement* pour leur ministère ecclésiastique, *personnes qui ont quitté leur résidence habituelle du fait des événements de guerre* et ne l'ont pas regagnée à la date du scrutin, *citoyens qui établissent que des raisons professionnelles ou familiales* les empêchent d'être présents le jour du scrutin, *citoyens qui ont quitté leur résidence habituelle pour prendre leurs congés de vacances.*

Électeurs se trouvant ou non dans leur commune le jour du scrutin : *fonctionnaires* de l'État exerçant leur profession *dans les phares, titulaires d'une pension militaire d'invalidité ou de victime civile de guerre* dont le taux est égal ou supérieur à 85 %, *titulaires d'une pension d'invalidité* [1] notamment assurés sociaux du régime général de Séc. soc. placés dans le 3e groupe, *de vieillesse, victimes d'accidents du travail* bénéficiant d'une rente correspondant à un taux égal ou supérieur à 85 %, *personnes âgées et infirmes* bénéficiant d'une prise en charge pour aide d'une tierce personne, *personnes qui assistent les invalides, vieillards ou infirmes* visés ci-dessus, *malades, femmes en couches, infirmes ou incurables* qui, en raison de leur état de santé ou de leur condition physique, ne pourront se déplacer le jour du scrutin, *personnes placées en détention provisoire et détenus* purgeant une peine n'entraînant pas une incapacité électorale ; jusqu'au 1-3-1990 : *électeurs qui ont leur résidence et exercent leur activité professionnelle hors du département* où se trouve leur commune d'inscription, ainsi que leur conjoint, disposition abrogée à compter du 1-3-1990 (loi du 30-12-1988, art. 13).

Nota. – (1) Allouée au titre d'une législation de Sécurité sociale bénéficiant de la majoration pour assistance d'une tierce personne.

■ **Droit de vote des étrangers en France.** *Selon la Constitution du 24-6-1793,* art. 4, tout étranger âgé de 21 ans accomplis, domicilié en France depuis 1 an, qui y vit de son travail, ou acquiert une propriété, ou épouse une Française, ou adopte un enfant, ou nourrit un vieillard, tout étranger enfin qui sera jugé par le corps législatif avoir bien mérité de l'humanité, est admis à l'exercice des droits de citoyen français. *Mons-en-Barœul (19-5-1985)* 3 élus par les étrangers siègent sans droit de vote au conseil municipal. *Amiens (19-12-1988)* 4 représentants associés au conseil mun., élus par des étrangers. *Mulhouse* (Ht-Rhin) *(mai 1990)* 6 arrondissements ont été créés où sont élus des conseillers d'arr. Les immigrés peuvent voter (instances consultatives). **Dans les autres pays de la CEE** droit de vote et éligibilité des étrangers aux élections locales : Danemark, P.-Bas, Irlande, G.-B. (pour les seuls ressortissants du Commonwealth).

Vote par correspondance. Admis temporairement en 1919 pour les réfugiés des régions envahies n'ayant pas regagné leur commune, et en 1924 pour les agents civils en service en Allemagne occupée. Institué en 1946, il fut supprimé par une loi du 31-12-1975, en raison d'abus et de fraudes.

Centre d'information civique (CIC). 242 bis, bd St-Germain, 75007 Paris. *Tél :* 45.44.14.17. *Créé* le 3-10-1960. *Pt :* J.-C. Barbé (25-12-1920). *Minitel :* 36.15 – CICINFO.

CIRCONSCRIPTION ÉLECTORALE

Définition. Division électorale dans laquelle se déroulent les élections pour un nombre déterminé de sièges. Ce peut être : la *nation,* tous les électeurs votant ensemble pour tous les députés (système difficile dans un grand État) ; le *département* (ex. : 1817, 1848, IIe Empire, IVe Rép. ; sauf pour les dép. les plus peuplés, divisés en plusieurs circons.) ; l'*arrondissement* (1830, sous la IIIe Rép. les arr. trop grands sont découpés par une loi) ; ou des *circonscriptions souvent découpées* d'une autre façon (Ve Rép.).

Découpage des circonscriptions. On appelle *gerrymandering* la pratique des découpages abusifs, du nom d'Elbridge Gerry (1744-1814), gouverneur de l'État du Massachusetts (USA), qui avantagea en 1814 son parti grâce à un découpage tendancieux pour les élections au Sénat. En France, sous le IIe Empire, où chaque dép. était divisé en autant de circonscriptions qu'il y avait de députés, le Gouv. remaniait à son gré tous les 5 ans ces circonscriptions.

En 1958, on a pris soin, en dehors des métropoles, d'avoir le moins possible de circonscriptions purement urbaines ; on a donc souvent accouplé les quartiers d'une ville découpée en étoile à des cantons ou à des arrondissements ruraux limitrophes, espérant que les ruraux tempéreraient les ouvriers. *De 1958 à 1981,* malgré d'importants mouvements de population, la carte électorale a été peu modifiée.

Le *16-3-1986* les élections législatives se déroulant au scrutin de liste proportionnel selon la loi électorale 85-690 du 10-7-1885, la circonscription se confondait avec le département. La majorité (de droite) élue rétablit le *scrutin uninominal majoritaire à 2 tours* (loi 86-825 du 11-7-1986). L'art. 7 créait une Commission des « sages » (comprenant 7 magistrats) chargée de donner son avis sur le découpage. Selon celle-ci, le *25-8-1986 :* « Aucune circonscription ne présentait d'écart, par rapport à la moyenne démographique départementale, supérieur à 20 %. » Des réserves étaient faites pour 62 dép. et la Polynésie. Le ministère de l'Intérieur suivit les avis concernant 47 dép. Les avis concernant 24 circonscriptions ne furent pas suivis en raison d'inconvénients géographiques sérieux. Le *18-9* le Conseil d'État examina le projet. Le *24-9* il fut adopté par le Conseil des ministres. Le *2-10* le Pt Mitterrand refusa de signer l'ordonnance. Le *15-10* le gouvernement engagea sa responsabilité devant l'Ass. nat. Une motion de censure déposée par les socialistes fut rejetée (288 voix contre 281). Le *22-10* 2e lecture, le gouv. engagea sa responsabilité, les socialistes ne déposèrent pas de motion de censure. Le texte fut alors adopté selon l'art. 49-3. Le *27-10* 60 députés socialistes s'adressèrent au Conseil constitutionnel pour 47 départements (325 circonscriptions). Le *18-11* le Conseil const. déclara le texte de loi conforme à la Constitution. La loi n° 86-1197 du *24-11-1986* a établi le tableau des circonscriptions.

CAMPAGNE ÉLECTORALE

Affichage. Seule est admise en principe la propagande officielle. Le candidat doit formuler la *demande d'attribution* d'emplacements le mardi précédant le 1er scrutin au plus tard, et le mercredi précédant le 2e tour s'il y en a un. S'il n'utilise pas l'emplacement qu'il a réservé, il doit rembourser les frais d'établissement à la commune. *Nombre max. d'emplacements réservés* (en dehors de ceux établis à côté des bureaux de vote) : 5 par candidat dans les communes de 500 électeurs et – ; 10 dans les autres, + 1 par 3 000 él. ou fraction sup. à 2 000 dans les communes de plus de 5 000 él. Les affiches bleu, blanc, rouge sont interdites. Seules les affiches annonçant exclusivement la tenue de réunions électorales peuvent être apposées après le jeudi (1er tour) et le vendredi (2e tour). Chaque candidat dispose de 4 affiches par tour de scrutin : 2 de grand format (594 × 841 mm) pour exposer le programme ; 2 de petit format (297 × 420 mm) pour annoncer les réunions électorales. L'attribution des panneaux se fait dans l'ordre d'enregistrement des candidatures.

Panneaux électoraux. Apposés à côté des bureaux de vote + 5 max. par candidat dans les communes de 500 électeurs ou moins, 10 dans les autres, 1 supplémentaire par tranche de 3 000 él. *Attribution :* dans l'ordre d'enregistrement des candidatures.

Circulaires. Chaque candidat ne peut envoyer aux électeurs avant chaque scrutin que 1 circulaire, format maximal 21 × 29,7 cm.

Coût des élections pour l'État

■ **Principe.** L'État supporte la charge de la propagande officielle. Pour les élections législatives, il prend en charge les dépenses de fonctionnement des commissions de propagande (chargées de l'envoi à domicile des bulletins de vote et des circulaires des candidats), et rembourse aux candidats ayant obtenu au moins 5 % des suffrages exprimés le coût du papier, de l'impression des bulletins de vote et des circulaires adressées aux électeurs, ainsi que leurs affiches et les frais d'affichage aux emplacements officiels.

Partis et groupements politiques peuvent utiliser gratuitement les antennes de la radiodiffusion-télévision française dans les conditions fixées par l'article L 167-1 du Code électoral.

■ **Coût** (millions de F). **Cantonales.** *8 et 15-3-1970 :* 24,85 ; *23 et 30-9-73 :* 38,81 ; *7 et 14-3-76 :* 52 ; *18 et 25-3-79 :* 77 ; *14 et 21-3-82 :* 153 ; *88 :* 209 ; *92 (est.) :* 244. **Européennes.** *10-6-1979 :* 110,26 ; *17-6-84 :* 196,06 ; *89 :* 359. **Législatives.** *23 et 30-6-1968 :* 42,25 ; *4 et 11-3-73 :* 70,04 ; *12 et 19-3-78 :* 140 ; *14 et 21-6-81 :* 216,30. *Législatives et régionales du 16-3-1986 :* 517 (dont remboursement de frais de propagande aux listes ayant obtenu au moins 5 % des voix et 2/3 versés aux communes). Coût supplémentaire pour les 4 grandes formations (RPR, UDF, PS, PC) 600 (pour chacune en moyenne 150 dont 50 au niveau national) *88 :* 578. (Voir p. 750). **Municipales.** *14 et 21-3-1971 :* 36,79 ; *13 et 20-3-77 :* 72 ; *6 et 13-3-83 :* 190 ; *89 :* 263. **Présidentielles.** *1 et 15-6-1969 :* 58 ; *1 et 15-6-74 :* 121,67 ; *26-4 et 10-5-81 :* 312,30 ; *88 :* 774. Voir p. 745. **Référendums.** *27-4-1969 :* 22,8 ; *23-4-72 :* 24,91 ; *8-11-88 :* 209. **Régionales.** *1992 (est.) :* 244. **Sénatoriales.** *1992 (est.) :* 11,5.

☞ **Coût du matériel.** *Urne* (1 par bureau de vote et pas plus de 1 500 inscrits par bureau) simple acier 400 F, transparente avec compteur et sonnette 1 500 F. *Case d'isoloir* (1 pour 300 électeurs) 700 à 1 000 F (*isoloirs et urnes* en carton renforcé et ignifugé 335 F et 140 F). *Panneau d'affichage* 500 à 800 F.

Bulletins. Nombre pour chaque candidat : ne peut être supérieur de plus de 20 % à 2 fois le nombre d'électeurs inscrits dans la circonscription. Format réglementé selon le nombre de noms inscrits sur 1 bulletin. Chaque candidat peut faire imprimer un emblème sur ses bulletins de vote.

Commissions de propagande (dans la plupart des circonscriptions électorales). Composées de magistrats et fonctionnaires, elles sont chargées : *1°)* de dresser la liste des imprimeurs agréés pour imprimer les documents électoraux ; *2°)* d'adresser, au plus tard le mercredi précédant le 1er tour de scrutin, et éventuellement le jeudi précédant le 2e tour, à tous les électeurs de la cir., dans une enveloppe fermée envoyée en franchise, la circulaire et le bulletin de vote de chaque candidat ou liste ; *3°)* d'envoyer dans chaque mairie et dans les mêmes délais les bulletins de vote (nombre au moins égal à celui des électeurs inscrits).

Nota. – La diffusion électorale de la propagande officielle n'existe pas lors des élections municipales dans les communes de – de 9 000 hab.

Interdictions. Distribution par tout agent de l'autorité publique ou municipale de bulletins de vote, professions de foi et circulaires des candidats ; utilisation, à des fins de propagande électorale, de tout procédé de publicité commerciale par la voie de la presse ; distribution, le jour du scrutin, de bulletins, circulaires et autres documents.

Modalités du vote

Bureau de vote. À chaque bureau de vote est affecté un périmètre géographique. **Salle :** table de vote où siègent les membres du bureau. Sont installées dessus, l'urne (transparente dep. le 1-1-1991) avec 2 serrures ou cadenas dissemblables, la liste d'émargement (copie certifiée par le maire, de la liste électorale du bureau de vote) ; diverses pièces permettant l'information du bureau et des électeurs ; les cartes électorales qui n'ont pu être remises à leurs titulaires ; tables de décharge à l'entrée du bureau pour les bulletins de vote fournis par les candidats et les enveloppes électorales (couleur obligatoirement différente de celle du vote précédent). Isoloirs : au moins 1 isoloir pour 300 électeurs inscrits.

Constitution. *Pt :* maire, adjoint, conseil municipal dans l'ordre du tableau (rang attribué par l'élection municipale) ou Pt désigné par le maire parmi les électeurs de la commune ; 4 *assesseurs* et 1 *secrétaire* avec voix consultative. Durant les opérations électorales, au min. 3 membres du bureau doivent être présents en permanence : le Pt (ou son suppléant, ou le plus âgé des assesseurs) et 2 assesseurs titulaires. Le Pt peut désigner parmi les conseillers municipaux ou les électeurs de la commune 1 suppléant qui, en cas d'absence, le remplacera. Chaque candidat ou chaque liste en présence peut désigner 1 seul assesseur pris parmi les électeurs du département. Il peut aussi désigner 1 suppléant commun à plusieurs assesseurs. Désignations notifiées au maire par pli recommandé au plus tard le vendredi précédant le scrutin à 18 h. S'il y a moins de 4 assesseurs, on recourt aux conseillers municipaux dans l'ordre du tableau puis aux électeurs présents sachant lire et écrire, en prenant le plus âgé puis le plus jeune. Le secrétaire est désigné par le Pt et les assesseurs parmi les électeurs de la commune.

Délégués des candidats. Chaque candidat ou chaque liste peut exiger la présence dans chaque bureau de vote de 1 délégué désigné par ses soins parmi les électeurs du département, habilité à contrôler le déroulement des opérations électorales. Il peut exiger l'inscription au procès-verbal avant ou après la proclamation du résultat, de toutes observations, contestations...

Machines à voter. Autorisées par la loi du 10-5-1969 dans les communes de + de 30 000 hab., mais l'expérience réalisée dep. les législatives de 1973 est peu concluante (défaillance, coût élevé de maintenance). En déc. 1988 ne subsistaient qu'à Ajaccio et Bastia (où il y eut cependant des fraudes en mars 1986 qui ont conduit à l'annulation des législatives et régionales de Haute-Corse). Peuvent maintenant être utilisées dans les communes de + de 3 500 hab. (1 liste fut fixée par décret en Conseil d'État), permettant plusieurs élections de type différent le même j (à compter du 1-1-1991).

Carte d'électeur (demande, voir p. 741 c). Établie par le maire. Elle est distribuée au domicile de l'électeur au plus tard 3 j avant le scrutin. Les cartes non distribuées sont gardées à la mairie ou au bureau de vote de l'électeur. Pas indispensable pour voter.

Jour du vote. Toujours un dimanche (obligatoire dep. le 5-10-1946) ; entre 8 h et 18 h (jusqu'à 19 h dans certaines grandes villes, 20 h à Paris et dans certains départements limitrophes). De 8 h à 18 h, les préfets peuvent, par arrêté, avancer l'heure d'ouverture dans certaines communes ou la retarder dans toutes les communes d'une même circonscription électorale (commune, canton, département...). *S'il y a 2 tours :* 2 semaines d'intervalle entre les 2 tours (élect. présidentielles), 1 semaine (autres élect.).

Taux d'abstention depuis 1945

	1er tour	2e tour
Présidentielles		
1965 (déc.) ..	15,2	15,7
1969 (juin) ..	22,4	31,1
1974 (mai) ...	15,8	12,7
1981 (av./mai)	18,9	14,1
1988 (av./mai)	18,6	15,9
Législatives		
1945 (oct.) ...	20,1 [1]	
1946 (juin) ..	18,1 [1]	
1946 (nov.) ..	21,9 [1]	
1951 (juin) ..	19,8 [1]	
1956 (janv.) ..	17,2 [1]	
1958 (nov.) ..	22,8	25,2
1962 (nov.) ..	31,3	27,9
1967 (mars) ..	18,9	20,3
1968 (juin) ..	20	22,2
1973 (mars) ..	18,7	18,2
1978 (mars) ..	16,8	15,1
1981 (juin) ..	29,1	24,9
1986 (mars) ..	21,9 [1]	
1988 (juin) ..	34,3	30,1
1993 (mars) ..	31,1	32,5
Référendums		
1945 (oct.) ...	20,1	
1946 (mai) ...	19,3	
1946 (oct.) ...	31,2	
1958 (sept.) ..	15,1	
1961 (janv.) ..	23,5	
1962 (avril) ..	24,4	
1962 (oct.) ...	22,8	
1969 (avril) ..	19,4	
1972 (avril) ..	39,5	
1988 (nov.) ..	63	
1992 (sept.) ..	28,9	

	1er tour	2e tour
Cantonales		
1945	30	
1949	40	
1951	40,3	
1955	40,4	
1958	32,6	37,9
1961	43,5	46
1964	43,3	41,7
1967	42,7	42,6
1970	38,2	39
1973	46,6	45,8
1976	34,7	32,3
1979	34,6	34,6
1982	31,6	29,7
1985	33,3	33,8
1988	50,9	53
1992	29,3	42,4
Municipales		
1947	23,2	
1953	20,4	
1959	25,2	26,1
1965	21,8	29,2
1971	24,8	26,4
1977	21,1	22,4
1983	21,6	20,3
1989	27,2	26,9
Régionales		
1986	22,1	
1992	31,3	
Européennes		
1979	39,3	
1984	43,3	
1989	51,1	

Nota. – (1) Scrutin de liste à la représentation proportionnelle à 1 tour dans le cadre départemental pour les législatives. La loi du 11-7-1986 a rétabli le scrutin uninominal majoritaire à 2 tours.

☞ **Nombre de partielles et moyenne des abstentions en %.** *1958-62 :* 6 (40,4) ; *62-67 :* 8 (38,1) ; *67-68 :* 5 (30,3) ; *68-73 :* 15 (40,1) ; *73-78 :* 18 (34,9) ; *78-81 :* 13 (39,4) ; *81-86 :* 8 (37,8) ; *88-91 :* 16 (56,4).

Opérations de vote. En cas de difficultés, le bureau tranche à la majorité par des décisions motivées. La minorité peut faire inscrire ses observations au procès-verbal. Le Pt du bureau a seul la police de l'assemblée. Il fait expulser les perturbateurs mais ne peut empêcher les candidats ou délégués d'exercer leur pouvoir de contrôle. Si l'expulsion d'un délégué est justifiée, son suppléant le remplace.

Ouverture du scrutin. Le Pt constate l'heure d'ouverture du scrutin (mentionnée au procès-verbal) et que l'urne est vide ; puis il la ferme, garde une clef et donne l'autre à un assesseur tiré au sort parmi les assesseurs. *Réception des votes :* prennent part au vote les électeurs : inscrits sur la liste électorale ; porteurs d'une décision de justice leur reconnaissant le droit d'y figurer ; porteurs d'un mandat de procuration régulièrement établi ; qui ont donné procuration mais qui se présentent au bureau de vote avant leur mandataire. Au 2e tour : les électeurs inscrits sur la liste électorale qui a servi au 1er tour et certains électeurs dont l'inscription a été ordonnée entre les 2 tours par voix judiciaire (art. L 34). *Vote :* après avoir fait constater son inscription, l'électeur retire à la table de décharge l'enveloppe et les bulletins de vote, se rend obligatoirement dans l'isoloir (sous peine de nullité) pour y mettre son bulletin dans l'enveloppe. Ceux dont l'état physique justifie l'assistance d'une tierce personne pour voter (personne ne pouvant introduire seule son bulletin dans l'enveloppe et la glisser dans l'urne) peuvent se faire accompagner dans l'isoloir par un électeur de leur choix. Le Pt vérifie l'identité de l'électeur. La production d'une pièce d'identité n'est obligatoire que dans les communes de + de 5 000 hab., mais l'absence de contrôle d'identité, même dans les communes de + de 5 000 hab. n'entraîne l'annulation des suffrages ainsi émis que s'il est établi que les personnes ont

Fraude électorale
(principaux cas)

■ **Inscriptions.** *Inscriptions irrégulières* de gens qui n'habitent pas la commune, ou *radiation d'office* d'électeurs dont on connaît les opinions.

■ **Campagne.** *Propagande irrégulière, affichage sauvage :* condamnations très rares. *Utilisation d'un fichier informatisé :* les candidats peuvent être autorisés par le maire à prendre copie des supports informatisés de la liste électorale, à condition que ces facilités soient accordées à tous, et que nul ne soit dispensé de payer le prix de ces prestations (arrêt du Conseil d'État du 3-1-1975, élect. municipales de Nice).

■ **Jour du vote. Avant l'ouverture du scrutin :** 1) Il manque des pages au cahier d'émargement. 2) Le cahier d'émargement comporte déjà des signataires. 3) L'urne n'est pas conforme (1 seul cadenas ou 2 cadenas identiques, double fond, etc.). 4) Des bulletins de vote comportent des signes distinctifs rajoutés, pouvant les rendre nuls. 5) Le nombre d'enveloppes n'est pas conforme à celui des inscrits. 6) Un paquet d'enveloppes est jeté dans l'urne au moment de sa fermeture. **Pendant le vote :** 7) Un assesseur émarge sans justification. 8) Une identité n'est pas contrôlée (villes de + de 5 000 hab.). 9) Un électeur non inscrit vote. 10) Un électeur glisse plusieurs bulletins dans l'urne ou le Pt du bureau glisse des bulletins dans une urne truquée munie de 2 fentes. 11) Le Pt prétend expulser un assesseur ou un délégué. 12) Il manque des bulletins de vote et/ou des enveloppes dans le bureau de vote. **Après la clôture du scrutin :** 13) L'urne est ouverte avant la fin du décompte du cahier d'émargement. 14) L'ouverture de l'urne donne lieu à une bousculade. 15) Le nombre des enveloppes ne correspond pas au nombre d'émargements. 16) Les paquets de bulletins comptés sont placés sur les bords des tables (risque de substitution). 17) Les scrutateurs ont tous été désignés par le Pt. 18) Certains bulletins sont abusivement considérés comme nuls. 19) Le procès-verbal comporte des ratures non signalées. Les résultats sont inscrits au crayon. 20) Le fraudeur falsifie les résultats (fraude relevant de la Cour d'assises). 21) Une urne est substituée à une autre.

☞ Des commissions de contrôle des opérations de vote sont instituées dans les communes de + de 20 000 hab. Entre 1976 et 1980, les cantonales ont été annulées 3 fois à Fontenay-sous-Bois. En 1988, 700 à 800 procurations sur les 1 200 établies dans le 9e arrondissement de Marseille l'ont été par des personnes qui n'avaient pas qualité pour le faire.

voté sous de fausses identités. L'électeur fait ensuite constater qu'il ne détient qu'une enveloppe (que le Pt ne doit pas toucher), puis la met dans l'urne. Le vote est mentionné, en face du nom de l'électeur, sur la liste d'émargement par la signature ou le paraphe de l'assesseur chargé de cette tâche, inscrit à l'encre (stylo à bille admis). Chaque électeur signe à l'encre en face de son nom sur la liste d'émargement (loi du 30-12-1988). Un timbre à date est apposé sur la carte électorale ou l'attestation d'inscription détenue par l'électeur (art. R 61).

Clôture du scrutin. Tous les assesseurs titulaires doivent être présents. Le Pt constate publiquement l'heure de clôture qui est portée au procès-verbal. Seuls peuvent être recueillis les votes des électeurs ayant pénétré dans la salle avant la clôture.

Scrutin (durée). Très longue sous la Révolution (ex. : 37 j à Paris en sept.-oct. 1791) car il fallait vérifier les titres des électeurs ; appel nominatif sous le Directoire ; loi du 15-3-1849 et décret de 1852 : 2 j ; dep. 1875 : 1 j.

Secret. Autrefois le vote était public [ainsi en 1793 pour l'adoption de la Constitution : à haute voix ; sous le Consulat : 2 registres (oui et non)]. Il est implicitement secret dep. 1817 et explicitement dep. 1875, mais les garanties de ce secret sont restées insuffisantes jusqu'à l'adoption de l'enveloppe officielle uniforme, de l'isoloir et de l'urne en 1913-14.

■ Dépouillement

Principe. Effectué en public, en présence des délégués des candidats et des électeurs. **Scrutateurs** (au moins 4 par table, le nombre de tables ne pouvant être supérieur au nombre d'isoloirs) : doivent savoir lire et écrire. Présents, au moins 1 h avant la clôture du scrutin, ils sont normalement désignés par chacun des candidats ou mandataires de liste en présence ou par chacun des délégués parmi les électeurs de la commune. En aucun cas, 2 scrutateurs d'un même candidat ne doivent être à la même table.

En cas d'insuffisance, des scrutateurs sont nommés par le bureau parmi les électeurs présents de la commune. À défaut, les membres du bureau peuvent participer au dépouillement.

Dénombrement. Le bureau détermine le nombre des votants en totalisant les paraphes portés sur la liste d'émargement. Puis l'urne est ouverte et le nombre d'enveloppes et de bulletins sans enveloppe est décompté. En cas de différence entre le nombre de votants figurant sur la liste d'émargement et celui des enveloppes trouvées dans l'urne, un nouveau décompte est effectué. Si une différence subsiste, elle est mentionnée au procès-verbal.

En cas de contentieux, le juge administratif retient toujours comme valable le plus faible des 2 nombres. Les enveloppes sont regroupées par paquets de 100 dans des enveloppes spéciales aussitôt cachetées. Le Pt du bureau de vote y appose sa signature ainsi que 2 assesseurs au moins représentant (sauf liste ou candidat unique) des listes ou des candidats différents.

Ouverture des enveloppes. Le Pt les répartit entre les tables. À chaque table, un scrutateur extrait le bulletin et le passe déplié à un autre scrutateur qui le lit à haute voix. Les noms portés sur le bulletin sont relevés, par 2 scrutateurs au moins, sur les feuilles de pointage prévues. Si l'enveloppe contient 2 ou plusieurs bulletins identiques, 1 seul est pris en compte ; si les bulletins portent des listes et des noms différents, le vote est nul.

■ **Bulletins blancs ou nuls** (n'entrent pas en compte, dans les suffrages exprimés). b. *blancs* ; trouvés dans l'urne *sans enveloppe ;* b. ne contenant pas une *désignation suffisante ;* b. et enveloppes, *sur lesquels les votants se sont fait connaître ;* b. trouvés dans des enveloppes *non réglementaires ;* b. écrits sur papier *de couleur ;* b. portant des *signes intérieurs ou extérieurs de reconnaissance (*b. déchirés aux 4 angles ; nom des candidats entouré d'un trait d'encre ou de crayon ; b. portant des numéros ; b. accompagnés d'autres documents tels que billets de train, tickets de métro...) ; b. contenus dans des *enveloppes portant des signes ;* b. portant des *mentions injurieuses* pour les candidats ou pour des tiers, et b. contenus dans des *enveloppes portant ces mentions ;* enveloppes *sans bulletin.* **Ne doivent pas être annulés,** s'ils ne constituent pas des signes de reconnaissance : b. portant des taches accidentelles : encre, graisse, rouge à lèvres... ; b. accompagnés de la profession de foi du candidat ; professions de foi mises à la place des b. eux-mêmes.

Certains partis préconisent l'emploi de bulletins blancs ou nuls lors de certaines élections (par ex. : référendum s'il faut donner une seule réponse à des questions différentes).

Le bureau statue sur la validité des bulletins et enveloppes. Puis il arrête le nombre des suffrages obtenus en fonction des feuilles de pointage et des rectifications qu'il a éventuellement opérées.

Procès-verbal. Le secrétaire le rédige (sur un formulaire fourni par l'État) dans la salle de vote, en présence des électeurs. Il est établi en 2 ex. signés de tous les membres du bureau. Les délégués des candidats ou des listes en présence sont invités à le contresigner. 1 ex. est déposé en mairie, l'autre transmis au bureau centralisateur le cas échéant, puis à la sous-préfecture (élections munic. et cantonale) ou la préfecture (autres élect.). Sont aussi transmis à l'autorité préfectorale : bulletins et enveloppes déclarés nuls ou blancs, ceux contestés ou litigieux, paraphés par les m. du bureau avec mention de la cause d'annulation et de la décision prise ; les listes d'émargement.

■ Contestation des élections

Recours. Doit : avoir un objet, contester l'élection elle-même, en demandant l'annulation de l'élection du candidat proclamé élu, ou la proclamation d'un autre candidat.

La contestation d'une irrégularité n'est sanctionnée que si elle est de nature à jeter un doute sur le résultat du scrutin. Il faut alors que l'écart de voix entre les candidats soit faible, et que l'élu ait commis (ou bénéficié), même involontairement, de la ou des irrégularités constatées. Parfois, le juge relève des irrégularités ou annule les résultats d'un bureau de vote entier sans prononcer l'annulation du scrutin. Fréquemment le dossier est transmis au procureur de la Rép. qui peut engager des poursuites pénales envers les auteurs des irrégularités.

■ **Contentieux des élections.** De la compétence des juridictions administratives ou du Conseil constitutionnel. Les tribunaux administratifs doivent statuer dans les 3 mois de leur saisine. Le Conseil d'État se prononce presque toujours l'année suivant le scrutin. Le Conseil constitutionnel juge en 2 mois env. *Délai pour saisir les tribunaux :* quelques jours. *Délai d'appel :* 1 mois ; l'appel est toujours suspensif. Les actes pris entre l'élection et son annulation restent valables (sauf s'ils sont illégaux pour d'autres raisons que l'élection elle-même).

Conséquences : l'annulation du 2e tour oblige à refaire l'ensemble des opérations électorales, 1er tour inclus. En cas d'annulation d'une élection cantonale ou municipale pour manœuvres dans l'établissement de la liste électorale ou irrégularité dans le déroulement du scrutin, le tribunal administratif peut décider, nonobstant appel, la suspension du mandat de celui ou de ceux dont l'élection a été annulée. En ce cas, le Conseil d'État décide dans les 3 mois. À défaut de décision définitive au bout de ce délai, la suspension est interrompue.

■ **Contentieux des élections à l'Assemblée nationale** (date des élections : nombre de requêtes, entre parenthèses nombre de sièges concernés et nombre de décisions d'annulation) : *1958 (23/30-11) :* 154 (113) *5 ; 1962 (18/25-11) :* 94 (76) *7 ; 1967 (5/12-3) :* 149 (141) *5 ; 1968 (23/30-6) :* 60 (47) *1 ; 1973 (4/11-3) :* 235 [dont 117 pour Guadeloupe] (49) *2 ; 1978 (12/19-3) :* 60 (56) *5 ; 1981 (14/21-6) :* 63 (54) *4 ; 1986 (16-3) :* 34 (26) [à la proportionnelle nombre des départements concernés] *2* [10 sièges au total compte tenu du mode de scrutin] ; *1988 (5/12-6) :* 96 (74) *7 ; 1993 (21/28-3) :* 219. **Au Sénat** : *1959 (26-4) :* 21 [+ 2 requêtes : rejetées irrecevables pour désignation des délégués sénatoriaux] (58) *1 ; 1962 (23-9) :* 7 [+ 1 requête : idem] (9) *0 ; 1965 (26-9) :* 5 (8) *0 ; 1968 (22-9) :* 2 (6) *0 ; 1971 (26-9) :* 9 (10) *0 ; 1974 (22-9) :* 6 (5) *0 ; 1977 (25-9) :* 2 (12) *0 ; 1980 (28-9) :* 4 (3) *0 ; 1983 (23-9) :* 20 (11) *0 ; 1986 (28-9) :* 4 (27) *0 ; 1989 (24-9) :* 7 (15) *0 ; 1992 (27-9) :* 13 (32) *0.*

■ Modes de scrutin

Définitions

■ **Majorité. Relative** (ou simple) : majorité du candidat (ou de la liste) réunissant plus de voix qu'aucun autre concurrent. **Absolue :** majorité réunissant plus de voix que la moitié des suffrages exprimés.

■ **Scrutin uninominal.** Vote par bulletins comportant un seul nom. Utilisé quand 1 seul siège est offert par circonscription. *Peut être à 1 tour :* le candidat arrivant en tête étant élu (système utilisé en G.-B.) ; *à 2 tours :* si le candidat n'a pas obtenu la majorité absolue au 1er, on procède à un 2e tour où la majorité relative suffit (système utilisé en France pour les cantonales, les législatives, une partie des sénatoriales, les présidentielles) ; *à 3 tours* (en France pour les Pts de l'Assemblée nationale et du Sénat).

■ **Scrutin de liste.** Utilisé quand plusieurs sièges sont offerts par circonscription (ex. : IVe République). *Listes bloquées :* l'électeur ne peut modifier la liste choisie. *Panachage :* l'électeur peut le modifier en prenant des noms sur une ou plusieurs autres listes, ou en ajoutant le nom de personnes qui n'ont pas fait acte de candidature. *Vote préférentiel :* l'électeur peut changer l'ordre des candidats d'une même liste.

Effets des modes de scrutin

Amplification des mouvements d'opinion. Scrutin à la majorité relative : *à 1 tour :* amplifie les mouvements d'opinion : les élections législatives de 1979, en G.-B., ont donné aux Conservateurs 53,4 % des sièges avec 43,9 % des voix ; *à 2 tours :* l'amplification est moins forte étant donné que les sièges sont attribués lors des 2 tours. **Scrutin de liste proportionnel :** peut amplifier si les circonscriptions sont petites (4-5 députés par circonscription). Ex. : en 1986, en France, l'Union de la droite (RPR-UDF-Divers droite) a obtenu 50,3 % des sièges pour 44,9 % des voix.

Effet sur l'électorat. Scrutin à la majorité relative : *à 1 tour* présente des cas de quasi-bipartisme (États-Unis, G.-B). *A 2 tours* donne des multipartismes variés pouvant aller jusqu'au bipartisme mais tend, dans tous les cas, à des bipolarisations électorales (France, IVe et Ve Rép.). **Scrutin de liste proportionnel :** effets divers : multipartisme (Finlande), bipartisme (Autriche), partis dominant largement les autres (Suède, Norvège).

■ Différents systèmes de scrutin de liste

■ **Scrutin de liste majoritaire. À 1 tour :** la liste arrivant en tête est élue. **À 2 tours :** au 1er, seuls les candidats ou la liste ayant obtenu la maj. absolue sont élus ; dans le cas contraire, il y a *ballottage* jusqu'au 2e tour ; au 2e, la majorité relative suffit (élections municipales).

■ **Scrutin de liste à la représentation proportionnelle. Intégrale :** on divise le nombre de suffrages exprimés par le nombre de sièges à pourvoir. Le *quotient électoral* ainsi obtenu correspond au nombre de voix nécessaires pour obtenir un siège. Les listes obtiendront autant de sièges que le nombre de voix recueillies contiendra de fois le quotient électoral. Les voix qui restent seront rassemblées par partis

Pouvoirs ou organes élus	Révis. Inscript. sur listes	Mandat en années	Renouvellement	Dernières élections	Prochaines élections
Assemblée nationale (él. législatives)	–	5	général	mars 1993	mars 1998
Caisse Mutuelle soc. agricole	avant les élect.	6	par 1/2 [2]	mars 1989	mars 1995
Caisse de SS et d'Alloc. fam.	avant les élect.	4	général	déc. 1990	déc. 1994
Chambre d'agriculture	28 févr./15 mars	6	par 1/2 [4]	mai 1991	mai 1994
Chambre de commerce et d'industrie	31 mars	6	par 1/2 [5]	nov. 1991	nov. 1994
Chambre de métiers	1er/20 avril	6	par 1/2 [2]	nov. 1992	nov. 1995
Comité d'entreprise	selon convention	2	général	variable	variable
Conseil général (él. cantonales)	–	6	(6)	mars 1988	mars 1994
Conseil municipal	1er septembre [1]	6	général	mars 1989	mars 1995
Conseil régional		6	général	mars 1992	mars 1998
Délégués consulaires	1er janv./1er avr.	3	général	nov. 1991	nov. 1994
Délégués du personnel	collective	1	général	variable	variable
Pt de la République	1er septembre [1]	7	général	mai 1988	mai 1995
Prud'hommes	non déterminé	5	par 1/2 [2]	nov. 1988	nov. 1993
Sénat	collège électoral	9	par 1/3 [2]	sept. 1992	sept. 1995
Tribunal paritaire	10/20 sept.	5	général	nov. 1988	nov. 1993
Union d'Ass. familiale	avant les élect.	3	par 1/3 [4]	variable	variable

Nota. – (1) Au dernier jour ouvrable et décembre inclus. (2) Tous les 3 ans. (3) Dans le collège des chefs d'exploitation : élections au niveau de l'arrondissement, renouvellement par moitié tous les 3 ans ; autres collèges : élections au niveau départemental, renouvellement général tous les 6 ans. (4) Tous les ans. (5) Tous les 3 ans ; général si modification de la structure de la chambre. (6) Par 1/2 en 1994 puis intégralement en 1998.

Modes de scrutin en France

Légende : cand. : candidat ; *maj. :* majorité, majoritaire ; *plurinom. :* plurinominal ; *prop. :* proportionnelle ; *scr. :* scrutin ; *suf. :* suffrage ; *t. :* tour ; *uninom. :* uninominal ; *univ. :* universel.

1791-1817 : 2 degrés, scr. de liste à 1 t. ; **1817 :** suppression des 2 degrés ; **1820 :** 2 listes (département et arrondissement) ; **1831 :** d'arrondissement ; **1848 :** suf. univ., scr. plurinom. maj. à 1 t. (dans le cadre du département) ; **1852 :** uninom. maj. à 2 t. (cadre des circonscriptions).

1871 : selon la convention d'armistice le gouv. prov., qui a 3 semaines pour élire une Ass. nationale, décide de revenir à la loi électorale de 1848 : plurinom. maj. à 1 t. (département) ; sont élus les candidats ayant eu le + grand nombre de voix, à condition qu'ils aient obtenu les suf. de + du 1/8 des élect. inscrits ; candidatures multiples autorisées. **1873** *(18-2) :* devant le succès des républicains à de nombreuses partielles, la maj. monarchiste de l'Ass. institue l'obligation d'une maj. absolue pour être élu au 1er t. et crée le mécanisme du 2e t. (qui permet de refaire l'alliance des légitimistes et des orléanistes). **1875** *(30-11),* puis **1876** *(20-2),* **1877, 1881 :** maj. uninom. à 2 tours (arrondissement administratif). **1885** *(16-6) :* scr. maj. plurinom. (département) ; appliqué dès le *5-10-1885.* **1889** *(13-1) :* à cause de la menace boulangiste, on revient au scr. maj. d'arrondissement ; *(17-7) :* on interdit d'être candidat dans plusieurs circonscriptions à la fois ; appliqué *1889 (22-9* et *6-10), 1893, 1898, 1902, 1906, 1910, 1914.* **1900** (début des années) : les petits partis socialistes et catholiques modérés réclament la prop. **1909 :** tentative échoue à la Chambre. **1913 :** au Sénat. **1914 :** vote secret instauré. **1919** *(7-7) :* scr. mixte à 1 t. dans le cadre des départements (si ceux-ci ont droit à + de 6 sièges, ils sont divisés) ; sont élus les cand. recueillant la maj. absolue des suf. exprimés, sinon les sièges sont pourvus à la prop. entre les listes, l'ordre sur celles-ci étant déterminé par le nombre des voix obtenues par chacun des membres. *16-11 :* Chambre « bleu horizon ». **1924** *11-5 :* victoire du « Cartel des gauches ». **1927** *21-7 :* scr. maj. à 2 t. (arrondissement) ; appliqué *1928 (22* et *29-4) :* succès de la droite ; *1932* et *1936 :* succès de la gauche. **1945 :** de Gaulle ne veut pas d'un scr. maj. qui avantagerait les communistes. *17-8 :* ordonnance institue la prop. départementale ; les départements devant élire + de 9 députés sont divisés ; *(21-10) :* appliquée pour l'él. à la 1re Assemblée constituante, à la 2e *(2-6-1946)* et à l'Ass. nationale *(10-11-1946).* **1951 :** MRP (démocrates-chrétiens) et SFIO (socialistes) craignent que PC et RPF constituent une maj. négative rendant le régime ingérable. *9-5 :* système mixte (prop. à 1 t. dans le cadre du département, les plus grands étant divisés ; si les listes qui ont déclaré être « apparentées » remportent ensemble la maj. des suf. exprimés, elles se partagent seules tous les sièges, qui sont répartis entre elles à la prop. ; sinon les autres listes sont associées au partage des sièges de la prop. Panachage et vote préférentiel sont autorisés ; appliqué *17-6-1951* et *2-1-1956.* **1958 :** Debré et les principaux dirigeants gaullistes sont pour un scr. de liste maj. départemental. Guy Mollet (SFIO) et F. Mitterrand pour le scr. d'arrondissement. *13-10 :* ordonnance instituant scr. uninom. maj. à 2 t., dans le cadre de circonscriptions découpées pour l'occasion. Contrairement à ce qui se passait sous la IIIe Rép., on ne peut plus être candidat au 2e t. si on ne l'a pas été au 1er. *Application : 23-11-1958, 1962, 1967, 1968, 1973, 1978, 1981.* Dep. la loi du *29-12-1966,* il faut, pour se présenter au 2e t. avoir obtenu au 1er 10 % des inscrits (avant c'était 5 % des suf. exprimés), porté à 12,5 % le *19-7-1976.* **1985** *10-7 :* le gouvernement Fabius institue la prop. départementale à 1 t., sans panachage ni vote préférentiel, et sans division des départements les plus grands, pour empêcher la droite d'obtenir la maj. absolue des sièges ; *appliquée : 16-3-1986 ;* RPR et UDF disposent de 2 députés de + que la maj. absolue. **1986** *(11-7) :* la droite rétablit le scr. uninom. maj. de circonscription. Le Parlement autorise le gouvernement à découper de nouvelles circonscriptions par ordonnance. Mitterrand refusant de signer celle-ci, le découpage préparé par Charles Pasqua, min. de l'Intérieur, est adopté sans vote, Jacques Chirac engageant sa responsabilité devant l'Assemblée. *Application : 1988 (5 et 12-6).*

Positions diverses

De Gaulle, en 1958, est tenté par la proportionnelle mais Pompidou, directeur de son cabinet le convainc de retenir le scrutin d'arrondissement ; Guy Mollet joue un rôle important dans ce choix et dans le découpage des circonscriptions. **Giscard d'Estaing,** en 1957, député du P.-de-D., défend un système mixte où « la moitié des députés à l'Assemblée nationale est élue au scrutin uninominal majoritaire à 2 tours. L'autre moitié est élue au scrutin proportionnel à 1 tour sur le plan national ». En 1977, il songe encore à une réforme. En 1984, dans *Deux Français sur trois,* il propose de « transposer pour l'Assemblée nat. le mode d'élect. pratiqué pour le Sénat » : dans les départements où la population est inférieure à un certain chiffre ; scrutin d'arrondissement. Dans ceux dont la pop. est supérieure, où les électeurs se sentent moins proches de leurs élus : scrutin proportionnel départemental. En fixant la limite à 1 million d'hab., 2/3 des députés seraient élus au scrutin majoritaire et 1/3 au scrutin proportionnel. Tous resteraient élus à un « scrutin local ». **Mitterrand,** en 1958, réclame le retour au scrutin d'arrondissement et préside l'association parlementaire qui défend cette idée. Le système électoral Weill-Raynal est inscrit dans le programme socialiste dep. 1972 (jusqu'en 1980) sous le terme de *« représentation proportionnelle intégrale »* (en fait, il s'agit d'un système mixte proche de celui de l'All. féd.). En 1981, la représentation proportionnelle (sans autre précision) figure parmi les 110 propositions de Mitterrand, alors candidat socialiste à l'élect. présidentielle. En 1984, après la rupture de l'union de la gauche (juillet), le PS, voulant limiter ses pertes prévisibles si l'on maintenait le scrutin majoritaire et se libérer de l'obligation de négocier avec le PC des accords de désistements pour le 2e tour, propose la proportionnelle à l'Assemblée. Ce choix provoque le départ de Michel Rocard du gouvernement. **Centristes et radicaux** réclament un scrutin proportionnel pour les législ. de 1978. En 1986, ils préfèrent le scrutin majoritaire. Le **Parti communiste** a toujours été pour la proportionnelle.

☞ En 1985, **Maurice Duverger** a prôné une proportionnelle à 2 tours : le 1er aurait révélé la force respective de tous les partis, sans donner lieu à une répartition des sièges. Au 2e tour, seules les 4 listes en tête au 1er tour dans le département se seraient affrontées, telles quelles, sans apparentement ni modification, les citoyens décidant des regroupements de voix.

à l'échelon national, et il leur sera attribué proportionnellement les sièges non pourvus (système utilisé en Italie).

Approchée : les restes sont attribués entre les listes au sein même de la circonscription d'après : 1°) soit *le plus fort reste :* les listes ayant le plus fort reste recevront dans l'ordre les sièges non pourvus ; 2°) soit *la plus forte moyenne* [utilisé en Belgique, P.-Bas, Scandinavie ; en France pour partie aux sénatoriales et aux municipales (loi du 19-11-1982), et pour législatives et régionales (16-3-1986)] : différents modes possibles, dont celui qui consiste à attribuer fictivement les sièges restant à chaque liste, puis à calculer combien chaque siège représente alors de voix. La liste offrant la plus forte moyenne pour chaque siège se voit attribuer le siège restant ; s'il y a plus d'un siège en cause, on recommence l'opération.

Le système de la représentation proportionnelle a été appliqué pour les municipales dans les villes de 3 500 h et + pour l'attribution de la moitié des sièges. La liste qui a obtenu 50 % des voix au 1er tour et celle arrivée en tête au 2e tour, qu'elle ait obtenu ou non la majorité absolue, recueillent la moitié des sièges. L'autre moitié des sièges est répartie à la proportionnelle selon « la plus forte moyenne ».

Exemple : 5 sièges à pourvoir, 20 000 suffrages exprimés, 4 listes en présence : *A :* 8 600 voix (43 %), *B :* 5 600 v. (28 %), *C :* 3 800 v. (19 %), *D :* 2 000 v. (10 %).

Calcul du quotient électoral. On divise le nombre des suffrages exprimés (20 000) par le nombre de sièges (5). Ce qui donne un quotient de 4 000. On divise ensuite le nombre de voix obtenues pour chaque liste par le quotient (4 000) et on attribue à chacune autant de sièges qu'elle a atteint de fois le quotient. *Liste A :* (8 600 divisé par 4 000) 2 sièges. *B :* (5 600) 1. *C :* (3 800) 0. *D :* (2 000) 0. 3 sièges sont donc attribués. Pour les 2 restants, on ajoute fictivement à chaque liste un siège à ceux dont elle bénéficie déjà, et on divise le nombre de voix que la liste a recueilli par le nombre ainsi obtenu. Le parti qui a la plus forte moyenne obtient le siège. On recommence la même opération pour l'attribution du dernier siège. Soit ici pour le 4e siège : *Liste A :* 8 000 voix divisé par 3 (2 sièges déjà attribués plus 1 s. fictif). Soit 2 866. *B :* 5 600 div. par 2 (1 + 1) 2 800. *C :* 3 800 div. par 1 (0 + 1) 3 800. *D :* 2 000 div. par 1 (0 + 1) 2 000. *C* qui a la plus forte moyenne reçoit 1 siège. Pour le 5e et dernier siège, on recommence : *A :* 8 600 div. par 3 : 2 866. *B :* 5 600 div. par 2 : 2 800. *C :* 3 800 div. par 2 (1 s. attribué par le calcul précédent + 1 fictif) : 1 900. *D :* 2 000 div. par 1 : 2 000. *A,* qui a la plus forte moyenne, reçoit un 3e siège. *Répartition définitive. A :* 3 sièges. *B :* 1 s. *C :* 1 s. *D :* 0 s.

■ **Systèmes mixtes.** Combinant représentation proportionnelle et scrutin majoritaire. Ex. : les *apparentements* en France en 1951 et 1956 (plusieurs listes peuvent se grouper pour le décompte des voix, afin de gagner des sièges au détriment des adversaires communs), le *double vote* en Allemagne, *l'élection des conseillers à l'Assemblée de Corse* prévue par la loi du 13-5-1991 (combinaison du scrutin majoritaire et de la représentation proportionnelle au sein d'un scrutin de liste à 2 tours). Le système mixte à 2 tours a été instauré par la loi du 19-11-1982 pour les municipales dans les villes de + de 3 500 h. Ce système privilégie cependant le scrutin majoritaire.

Que faut-il faire pour se présenter ?

■ Conditions générales d'éligibilité

Être Français ou Française. Avoir satisfait aux obligations imposées par le Code du service national ; n'être sous le coup d'aucune cause d'inéligibilité prévue par la loi (mêmes conditions que l'inscription sur les listes électorales, voir p. 741 c). Art. 80 du Code de la nationalité française (loi du 8-12-1983) : la personne qui a acquis la nat. fr. jouit de tous les droits et est tenue à toutes les obligations attachées à la qualité de Français à dater du j de cette acquisition. Pendant leur période d'activité, les militaires de carrière ou assimilés doivent, s'ils sont élus, choisir entre leur fonction et leur mandat.

■ Conditions particulières

Présidence de la République (voir p. 700).

Assemblée nationale. Avoir la qualité d'électeur ; 23 ans accomplis ; définitivement satisfait aux prescriptions légales concernant le service militaire actif [mais on peut ne pas être encore libéré de ses obligations militaires (ce fut le cas pour A. Krivine qui se présenta en 1969, quoique encore sous les drapeaux)]. En outre, la loi prévoit divers cas d'inéligibilité. Avoir versé un cautionnement de 1 000 F (remboursé aux candidats ayant obtenu 5 % au moins des suffrages exprimés).

Avant la loi du 10-7-1985 instaurant la représentation proportionnelle, les députés étaient élus au scrutin majoritaire uninominal à 2 tours (rétabli par les lois du 11-07-86 et du 24-11-86), en vertu de l'ordonnance du 13-10-1958 (le département forme une circonscription électorale). *Pour pouvoir se présenter au 2e tour,* il fallait avoir recueilli au 1er tour un nombre de suffrages au moins égal à 12,5 % du nombre des inscrits. Si un seul candidat remplissait cette condition, le candidat ayant obtenu après lui le plus de suffrages au 1er tour pouvait se maintenir au 2e ; si aucun candidat ne remplissait cette même condition, les 2 candidats ayant obtenu le plus de suffrages au 1er tour pouvaient se maintenir au 2e.

Sénat. Avoir 35 ans au moins. Sinon mêmes conditions d'éligibilité et inéligibilité que pour l'Ass. nat.

Conseil général. Être inscrit sur une liste électorale ou justifier que l'on devait y être inscrit avant l'élection ; avoir 21 ans révolus ; être domicilié dans le département ou y être inscrit au rôle des contributions directes au 1er janvier de l'année de l'élection, ou justifier devoir y être inscrit à cette date, ou avoir hérité dans le département d'une propriété foncière depuis le 1er janvier de l'année de l'élection. En outre, la loi prévoit divers cas d'inéligibilité.

Pour pouvoir se présenter au 2e tour, il faut avoir recueilli au 1er tour un nombre de suffrages au moins égal à 10 % du nombre des inscrits. Si un seul candidat remplit ces conditions, le candidat ayant obtenu après lui le plus de suffrages au 1er tour peut se maintenir au 2e. Si aucun candidat ne remplit ces conditions, les 2 candidats ayant obtenu le plus de suffrages au 1er tour peuvent se maintenir au 2e.

Conseiller régional. Avoir au moins 21 ans, être domicilié dans la région ou y être inscrit au rôle des contributions directes au 1-1 de l'année de l'élection. L'élection a lieu au scrutin de liste (nul ne peut être candidat sur plus d'une liste), à la représentation proportionnelle, à la plus forte moyenne, sans panachage ni vote préférentiel.

Conseiller municipal. Avoir au moins 18 ans. Être électeur de la commune ou inscrit dans la commune au rôle des contributions directes au 1er janvier de l'année des élections, ou justifier devoir y être inscrit à cette date (art. L 228 du Code élect.). Les jeunes bénéficiant d'un sursis d'incorporation sont éligibles (Conseil d'État, 13-7-1967). En outre, la loi prévoit divers cas d'inéligibilité. Dans les communes de 3 500 h et plus, seuls peuvent se présenter au 2e tour les candidats des listes qui ont obtenu au 1er t. un nombre de suffrages au moins égal à 10 % du total des suffrages exprimés (loi du 19-11-82, art. 4). *Le 18-11-1982,* le Conseil constitutionnel a déclaré inconstitutionnelle la disposition prévoyant un minimum de 25 % de femmes pour les listes électorales.

☞ Pour en savoir plus, demandez le **Quid des Présidents de la République... et des candidats.** Un ouvrage indispensable pour comprendre les bouleversements politiques de notre époque. En vente chez tous les libraires.

ÉLECTIONS PRÉSIDENTIELLES

■ **IIe République. Au suffrage universel : Louis-Napoléon Bonaparte** (10-12-1848). Inscrits 9 977 452, abstentions 24,9 %. 5 434 226 voix ; contre Cavaignac 1 448 107, Ledru-Rollin 370 119, Raspail 36 920, Lamartine 17 910, Changarnier 4 790.

■ **IIIe République. Par l'Assemblée nationale : Thiers** (*17-2-1871* élu) par acclamations au Grand Théâtre de Bordeaux. Chef du pouvoir exécutif nommé Pt de la Rép. par décret du 31-8-1971 (art. 1 voté par 533 voix contre 38). **Mac-Mahon** *24-5-1873* à Versailles ; 391 voix (1 à Jules Grévy, 300 abstentions). **Par le Congrès** (Chambre et Sénat réunis à Versailles) : **Grévy** *30-1-1879 ;* 1er tour à 563 (Chanzy 99, Gambetta 5, Gal de Ladmirault 1, Duc d'Aumale 1, Gal de Galliffet 1). *28-12-1885 ;* 1er tour. 457 (Brisson 68, Freycinet 14, A. de La Forge 10). **Sadi Carnot** *3-12-1887 ;* 2e tour. 616 (Gal Saussier 188, J. Ferry 11, Freycinet 5). **Casimir-Perier** *27-6-1894 ;* 1er tour. 451 (Brisson 195, Dupuy 97, Gal Février 53, Arago 27). **Faure** *17-1-1895 ;* 2e tour. 430 (Brisson 361). **Loubet** *18-2-1899 ;* 1er tour. 483 (Méline 279, Cavaignac 23, Deschanel 10). **Fallières** *18-1-1906 ;* 1er t. 449 (Doumer 371). **Poincaré** *17-1-1913 ;* 2e t. 383 (Pams 296, Vaillant 64). **Deschanel** *17-1-1920 ;* 1er t. 734 (Jonnart 66, Clemenceau 56, L. Bourgeois 6, Mal Foch 2). **Millerand** *23-9-1920 ;* 1er t. 695 (Delory 69, bulletins blancs 106). **Doumergue** *13-6-1924 ;* 1er t. 515 (Painlevé 309, Camélinat 22). **Doumer** *13-5-1931 ;* 2e t. 504 (Marraud 334). **Lebrun** *10-5-1932 ;* 1er t. 633 (Faure 114, Painlevé 12, Cachin 8). *5-4-1939 ;* 1er t. 506 (Bedouce 151, Cachin 74, Herriot 53, Godart 50, Bouisson 16, Piétri 10).

■ **IVe République. Par le Congrès : Auriol** *16-1-1947 ;* 1er tour. 452 (Champetier de Ribes 242, Gasser 122, Michel Clemenceau 60, divers 7). **Coty** *17 au 23-12-1953 ; 1er t.* (votants : 932) Naegelen 160, Laniel 155, Bidault 131, Delbos 129, Kalb 114, Cachin 113, J. Fourcade 62, J. Médecin 54, divers 10. *11e t.* Naegelen 372, Jacquinot 338, Coty (non candidat) 71. *12e t.* Coty 431, Naegelen 333, Jacquinot (non cand.) 26. *13e t.* (votants : 884, suffr. expr. : 871, majorité : 436 voix) Coty 477, Naegelen 329, Jacquinot (non cand.) 21, divers 44. **Par des électeurs présidentiels :** De Gaulle *21-12-1958.* 62 394 voix sur 81 290 votants (81 764 inscrits) Georges Marrane (PC) 10 355 ; Albert Chatelet (Union des forces dém.) 6 721.

■ **Ve République. Au suffrage universel : De Gaulle** *19-12-1965* 2e t. **Pompidou** *15-6-1969* 2e t. **Giscard d'Estaing** *19-5-1974* 2e t. **Mitterrand** *10-5-1981* 2e t. *8-5-1988* 2e t. (voir tableau p. 746).

Élections présidentielles	Total			Métropole			Outre-Mer		
	Nombre	% 1	% 2	Nombre	% 1	% 2	Nombre	% 1	% 2
5-12-1965 (1er tour)									
Inscrits	*28 913 422*	*100*		*28 233 167*	*100*		*680 255*	*100*	
Votants	24 502 957	84,8		24 001 961	85,01		500 996	73,65	
Abstentions	4 410 465	15,25		4 231 206	14,98		179 259	26,35	
Bulletins blancs et nuls	248 403	0,85		244 992	0,86		4 111	0,60	
Suffrages exprimés	*24 254 554*	*83,88*	*100*	*23 757 669*	*84,2*	*100*	*496 885*	*373,05*	*100*
Charles de Gaulle	10 828 523	37,45	44,64	10 386 734	36,78	43,73	441 789	64,94	88,91
François Mitterrand	7 694 003	26,61	31,72	7 658 792	27,12	32,23	35 211	5,17	7,08
Jean Lecanuet	3 777 119	13,06	15,57	3 767 404	13,34	15,86	9 715	1,42	1,95
J.-L. Tixier-Vignancour	1 260 208	4,35	5,19	1 253 958	4,44	5,27	6 250	0,91	1,25
Pierre Marcilhacy	415 018	1,43	1,71	413 129	1,46	1,73	1,889	0,27	0,38
Marcel Barbu	279 683	0,96	1,15	277 652	0,98	1,16	2 031	0,29	0,40
19-12-1965 (2e tour)									
Inscrits	*28 902 704*	*100*		*28 223 198*	*100*		*679 506*	*100*	
Votants	24 371 647	84,4		23 862 653	84,6		508 994	74,9	
Abstentions	4 531 057	15,6		4 360 545	15,4		170 512	25	
Bulletins blancs et nuls	688 213	2,3		665 141	2,3		3 072	0,4	
Suffrages exprimés	*23 703 434*	*82,1*	*100*	*23 197 512*	*82,19*	*100*	*505 922*	*374,5*	*100*
Charles de Gaulle	13 083 699	45,2	55,1	12 643 527	44,79	54,50	440 172	64,77	87
François Mitterrand	10 619 735	36,7	44,8	10 553 985	37,39	45,49	65 750	9,67	12,99
1-6-1969 (1er tour)									
Inscrits	*29 513 361*	*100*		*28 774 041*	*100*		*739 320*	*100*	
Votants	22 899 034	77,58		22 492 059	78,16		406 975	55	
Abstentions	6 614 327	22,41		6 281 982	21,83		332 345	44,9	
Blancs ou nuls	295 036	0,99		287 372	0,99		7 664	1,03	
Suffrages exprimés	*22 603 998*	*76,58*	*100*	*22 204 687*	*77,16*	*100*	*399 311*	*54*	*100*
Georges Pompidou	10 051 816	34,05	44,46	9 761 267	33,92	43,96	290 519	39,2	72,75
Alain Poher	5 268 561	17,85	23,30	5 201 133	18,07	23,42	67 428	9,12	16,88
Jacques Duclos	4 808 285	16,29	21,27	4 779 539	16,61	21,52	28 746	3,88	7,19
Gaston Defferre	1 133 222	3,83	5,01	1 127 733	3,91	5,07	5 489	0,74	1,37
Michel Rocard	816 471	2,76	3,61	814 051	2,82	3,66	2 420	0,32	0,60
Louis Ducatel	286 447	0,97	1,26	284 697	0,98	1,28	1 750	0,23	0,43
Alain Krivine	239 106	0,81	1,05	236 237	0,82	1,06	2 869	0,38	0,71
15-6-1969 (2e tour)									
Inscrits	*29 500 334*	*100*		*28 761 494*	*100*		*738 840*	*100*	
Votants	20 311 287	68,8		10 854 087	69		457 200	61,8	
Abstentions	9 189 047	31,14		8 907 407	30,96		281 640	38,11	
Blancs ou nuls	1 303 798	4,41		1 295 216	4,50		8 582	1,16	
Suffrages exprimés	*19 907 489*	*64,43*	*100*	*19 458 871*	*64,52*	*100*	*448 618*	*60,71*	*100*
Georges Pompidou	11 064 371	37,50	58,21	10 668 183	37,16	54,9	376 188	50,91	83,85
Alain Poher	7 943 118	26,92	41,78	7 870 688	27,36	40,44	72 430	9,80	16,14
5-5-1974 (1er tour) 2									
Inscrits	*30 602 953*	*100*		*29 778 550*	*100*		*824 403*	*100*	
Votants	25 775 743	84,22		25 285 835	84,91		489 908	59,42	
Abstentions	4 827 210	15,77		4 492 715	15,08		334 495	40,57	
Blancs ou nuls	237 107	0,77		228 264	0,76		8 843	1,07	
Suffrages exprimés	*25 538 636*	*83,46*	*100*	*25 057 571*	*84,14*	*100*	*481 065*	*58,35*	*100*
François Mitterrand	11 044 373	36,08	43,24	10 863 402	35,48	43,35	180 971	21,95	37,61
V. Giscard d'Estaing	8 326 774	27,20	32,60	8 253 856	27,71	32,93	72 918	8,84	15,15
J. Chaban-Delmas	3 857 728	12,60	15,10	3 646 209	12,24	14,55	211 519	25,65	43,96
Jean Royer	810 540	2,64	3,17	808 825	2,71	3,22	1 655	0,20	0,34
Arlette Laguiller	595 247	1,94	2,33	591 339	1,98	2,35	3 908	0,47	0,81
René Dumont	337 800	1,10	1,32	336 016	1,12	1,34	1 784	0,21	0,37
Jean-Marie Le Pen	190 921	0,62	0,74	189 304	0,63	0,75	1 617	0,19	0,33
Émile Muller	176 279	0,57	0,69	175 142	0,58	0,69	1 137	0,13	0,23
Alain Krivine	93 990	0,30	0,36	92 701	0,31	0,36	1 289	0,15	0,26
Bertrand Renouvin	43 722	0,14	0,17	42 719	0,14	0,17	1 003	0,12	0,20
Jean-Claude Sebag	42 007	0,13	0,16	39 658	0,13	0,15	2 349	0,28	0,48
Guy Héraud	19 255	0,06	0,07	18 340	0,06	0,07	915	0,11	0,19
19-5-1974 (2e tour)									
Inscrits	*30 600 775*	*100*		*29 774 211*	*100*		*826 564*	*100*	
Votants	26 724 595	87,33		26 168 242	87,88		556 353	67,30	
Abstentions	3 876 180	12,66		3 605 969	12,11		270 211	32,69	
Blancs ou nuls	356 788	1,17		348 629	1,17		8 159	0,98	
Suffrages exprimés	*26 367 807*	*86,17*	*100*	*25 819 613*	*86,71*	*100*	*548 194*	*66,32*	*100*
V. Giscard d'Estaing	13 396 203	43,77	50,81	13 082 006	43,93	50,66	314 197	38,01	57,31
François Mitterrand	12 971 604	42,38	49,19	12 737 607	42,78	49,33	233 997	28,30	42,68

Nota. – (1) Par rapport aux inscrits. (2) Par rapport aux suffrages exprimés.

ÉLECTIONS DE 1981

■ **Parrainages.** Le Conseil constitutionnel a reçu 16 443 présentations de candidats. 175 n'ont pas été retenues, en raison d'irrégularités substantielles, sans entraîner l'élimination d'une candidature. 64 personnes avaient fait connaître leur souhait d'être candidats. Voir Quid 1983, p. 805.

■ **Électeurs.** Sur 38 470 507 *Français de 18 ans et + :* au 1-1-1981, 7 % n'étaient pas inscrits (au 1-3-1980 : 9,93 ; au 1-3-1977 : 6,51). Sur 1 300 000 à 1 500 000 *Français résidant à l'étranger,* 900 000 se sont faits immatriculer dans les consulats, dont 870 000 électeurs potentiels. La loi du 19-7-1977 (votée à main levée par tous les partis politiques sauf par le PC) leur permettant de choisir leur circonscription électorale parmi n'importe quelle ville de + de 30 000 hab.

INTENTIONS DE VOTE AU 1er TOUR

sondages Figaro-Sofres	déc. 80	janv. 81	fév.	11-3	25-3	16-4	26-4
G. Marchais	17	16	17	16	16,5	18,5	12,81
A. Laguiller	2	2	1	1	1	2	1,86
A. Krivine	0,5	0,5	1	0,5	1	–	–
H. Bouchardeau	0,5	0,5	0,5	0,5	1	1,5	0,89
R. Garaudy	1	1	1	1	1	–	–
F. Mitterrand	19	23	25	25	24	22	20,91
M. Crépeau	1,5	2	1,5	2	1	1,5	1,79
B. Lalonde	3	3	3,5	3,5	3,5	3,5	3,14
V. G. d'Estaing	35	31	28	29	29	27,5	22,30
J. Chirac	11	11	13	15	16	19,5	14,45
M. Debré	6	5,5	4	3,5	3	2	1,31
M.-F. Garaud	2,5	2,5	3	2	2	2	1,07
M. Jobert	0,5	1	1	0,5	0,5	–	–
J.-M. Le Pen	0,5	0,5	0,5	0,5	0,5	–	–
P. Gauchon	–	0,5	–	–	–	–	–
Sur 100 suffr. exprimés	100	100	100	100	100	100	100

ÉVOLUTION DES INTENTIONS DE VOTE AU 2e TOUR (1981)

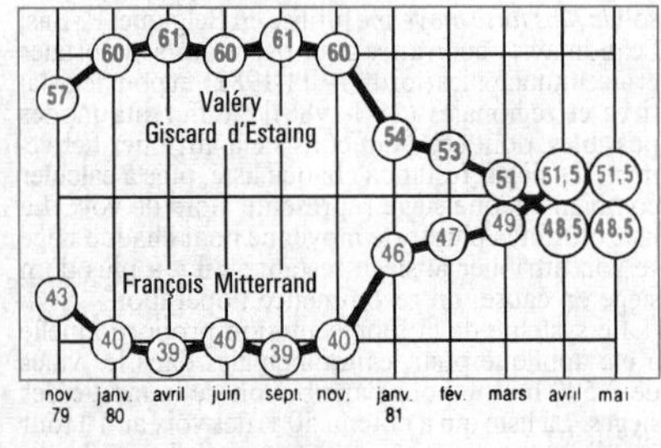

(selon les différents sondages Ifop-Le Point)

ÉLECTIONS PRÉSIDENTIELLES DES 26 AVRIL ET 10 MAI 1981
% DES VOIX PAR DÉPARTEMENTS

DÉPARTEMENTS	10 mai 1981		26 avril 1981					Abstentions	
	Mitterrand	Giscard d'Estaing	Mitterrand	Giscard d'Estaing	Chirac	Marchais	Lalonde	26-4	10-5
Ain	47,77	52,22	25,34	31,66	17,89	11,34	4,23	20,89	13,32
Aisne	56,68	43,31	25,34	25,49	16,28	21,69	3,25	15,32	11,38
Allier	56,04	43,95	23,81	25,36	17,97	22,83	3,11	16,63	12,78
Alpes-de-Haute-Provence	53,53	46,46	25,09	27,16	15,65	19,25	4,36	19,08	12,60
Hautes-Alpes	51,22	48,77	24,32	29,83	16,31	15,39	5,05	21,08	13,31
Alpes-Maritimes	45,62	54,37	21,16	32,18	20,29	16,24	3,73	20,74	15,72
Ardèche	50,61	49,38	25,21	31,54	15,74	15,80	3,96	18,99	12,90
Ardennes	55,97	44,02	26,79	25,53	16,36	19,63	3,34	17,23	11,81
Ariège	63,22	36,77	32,41	20,79	15,45	20,46	3,21	19,51	13,09
Aube	50,06	49,93	24,65	30,06	17,26	15,62	3,75	18,06	13,64
Aude	63,66	36,33	34,40	25,52	16,20	20,39	3,17	16,51	11,40
Aveyron	48,11	51,88	25,86	30,26	21,94	9,63	3,83	17,03	11,31
Bouches-du-Rhône	56,10	43,89	23,84	19,13	14,82	25,55	3,64	21,60	17,37
Calvados	50,40	49,59	26,84	29,32	19,27	11,46	4,24	17,31	13,11
Cantal	43,06	56,93	22,10	25,91	33,44	10,59	2,14	18,82	13,84
Charente	56,11	43,88	27,84	24,22	18,55	15,99	2,88	17,98	12,29
Charente-Maritime	53,52	46,47	24,42	26,35	16,36	12,86	2,93	20,20	14,48
Cher	52,81	47,18	22,82	27,66	17,51	20,25	3,26	16,94	12,40
Corrèze	59,73	40,26	20,52	9,17	41,43	21,85	1,95	13,39	11,06
Corse-du-Sud	45,88	54,11	23,01	28,89	27,37	15,45	1,69	32,95	25,11
Haute-Corse	49,48	50,51	17,69	24,11	27,26	16,78	1,71	36,50	27,67
Côte-d'Or	52,53	47,46	30,62	26,82	18,95	10,10	4,07	19,45	13,50
Côtes-du-Nord	55,53	44,46	27,97	27,23	17,05	16,20	3,83	15,37	10,07
Creuse	56,35	43,64	23,17	19,38	28,17	20,32	2,13	20,09	14,87
Dordogne	57,89	42,10	26,08	20,86	21,64	20,44	2,87	15,27	10,88
Doubs	52,39	47,60	28,94	25,86	19,86	11,29	4,54	18,40	12,93
Drôme	54,10	45,89	28,25	27,20	15,48	15,02	4,79	19,79	13,70
Eure	51,01	48,98	26,64	28,68	18,78	13,53	3,54	16,26	11,88
Eure-et-Loir	49,20	50,79	26,02	30,60	17,48	11,98	3,82	16,37	12,00
Finistère	49,06	50,93	27,20	30,64	19,54	9,98	4,27	17,47	12,77
Gard	57,46	42,53	24,18	25,36	13,93	25,13	3,87	18,74	14,04
Haute-Garonne	60,78	39,21	33,75	22,03	16,02	15,35	4,14	19,41	13,96
Gers	59,02	40,97	34,13	22,94	17,44	13,62	3,44	17,61	11,64
Gironde	57,72	42,27	33,23	23,35	16,66	14,06	3,32	18,91	26,55
Hérault	56,35	43,64	26,38	25,30	16,61	20,92	3,76	19,39	13,91
Ille-et-Vilaine	45,81	54,18	25,74	32,97	20,20	7,37	4,48	17,38	12,03
Indre	53,29	46,70	23,50	26,66	19,23	19,28	2,75	17,11	12,25
Indre-et-Loire	52,58	47,41	28,59	27,67	15,29	11,97	3,69	18,62	13,73
Isère	55,88	44,11	28,47	25,86	15,11	16,54	4,88	20,73	13,80
Jura	52,45	47,54	26,55	28,12	16,62	13,69	4,57	18,67	11,61
Landes	56,16	43,83	34,02	25,66	16,78	14,24	2,58	15,16	10,92
Loir-et-Cher	50,53	49,46	25,53	31,25	15,16	14,51	3,40	16,31	11,51
Loire	51,89	48,90	24,71	29,28	17,26	15,84	4,09	18,86	15,21
Haute-Loire	43,97	56,02	25,15	36,90	18,05	8,68	3,65	18,85	12,36
Loire-Atlantique	40,90	50,09	28,47	29,80	17,91	9,33	4,40	18,56	15,13
Loiret	47,81	52,18	24,13	30,63	18,26	12,61	4,30	16,56	11,98
Lot	59,57	40,42	30,96	18,71	23,30	13,67	3,65	15,47	9,89
Lot-et-Garonne	56,62	43,37	27,37	24,59	17,52	18,08	3,76	16,44	11,49
Lozère	40,57	59,42	22,21	39	19,37	8,48	3,41	19,38	13,08
Maine-et-Loire	42,35	57,64	23,90	35,25	20,02	7,01	4,35	16,65	12,82
Manche	40,86	59,13	22,33	36,39	21,80	7,07	4,78	17,49	13,08
Marne	49,60	50,39	24,20	29,87	18,15	15,51	3,97	18,61	13,86
Haute-Marne	51,97	48,02	27,97	28,69	17,53	13,35	3,51	18,62	13,07
Mayenne	39,93	60,06	22,85	36,28	23,70	5,27	3,79	14,84	11,56
Meurthe-et-Moselle	54,18	45,81	26,64	29,50	13,78	17,74	3,60	19,44	14,52
Meuse	48,83	51,16	27,06	33,15	15,73	12,19	3,50	16,86	11,83
Morbihan	46,02	53,97	25,16	34,35	19,15	9,62	4,00	16,68	12,77
Moselle	48,9	51,05	26,25	34	16,22	11,79	3,77	18,60	13,90
Nièvre	62,91	37,08	39,32	22,61	13,63	15,13	2,68	18,52	12,83
Nord	55,35	44,64	25,91	27,36	14,62	21,44	3,47	14,78	11,75
Oise	54,60	45,39	25,54	26	17,39	18,15	3,79	16,99	11,56
Orne	45,02	54,97	23,55	30,67	24,94	8,64	3,75	16,55	12,36
Pas-de-Calais	58,20	41,79	27,71	26,14	13,78	23,15	2,65	13,60	10,78
Puy-de-Dôme	51,92	48,07	27,99	31,84	14,54	13,70	3,76	17,04	12,08
Pyrénées-Atlantiques	49,57	50,42	28,56	28,74	20,78	10,55	3,70	18,07	12,59
Hautes-Pyrénées	60,05	39,94	30,97	23,20	15,67	19,02	3,09	20,52	14,31
Pyrénées-Orientales	56,30	43,69	25,58	26,52	15,37	20,87	3,72	22,27	15,43
Bas-Rhin	34,88	65,11	22,04	45,84	15,14	4,55	4,71	19,44	14,53
Haut-Rhin	40,28	59,71	23,16	38,83	18,02	5,84	5,25	19,95	14,73
Rhône	50,70	49,29	26,15	28,79	17,58	13,28	4,73	21,95	15,66
Haute-Saône	52,66	47,33	29,26	28,31	18,23	11,94	3,26	17,88	10,64
Saône-et-Loire	53,15	46,84	28,19	28,96	16,25	15,13	3,44	20,31	14,78
Sarthe	50,69	49,30	25,61	30,84	17,32	14,17	3,47	16,47	12,60
Savoie	50,44	49,55	25,25	27,98	19,11	13,85	4,93	21,80	14,99
Haute-Savoie	44,21	55,78	23,32	31,44	20,56	9,24	5,29	22,17	15,16
Seine-Maritime	55,46	44,53	26,57	28,08	14,19	19,14	3,73	16,39	12,58
Deux-Sèvres	47,56	52,43	27,02	33,24	16,98	8,15	3,32	15,94	11,59
Somme	55,08	44,91	23,61	26,48	16,48	22,38	3,23	13,30	9,70
Tarn	55,12	44,87	29,52	25,12	18,50	14,39	3,82	14,69	10,13
Tarn-et-Garonne	55,96	44,03	27,71	22,96	19,79	13,62	3,90	15,86	10,82
Var	48,30	51,69	22,90	31,38	17,35	17,97	3,68	19,25	13,74
Vaucluse	54,25	45,74	25,86	26,79	16,25	19,03	4,19	17,66	13,22
Vendée	39,61	60,38	21,61	36,95	20,85	6,71	3,54	14,24	10,69
Vienne	52,98	47,01	26,79	27,57	18,83	13,33	3,44	16,90	12,28
Haute-Vienne	62,18	37,81	25,88	17,26	23,20	24,26	2,69	14,90	11,54
Vosges	49,83	50,16	27,11	29,92	18,30	11,50	3,74	17,59	12,20
Yonne	50,09	49,90	25,15	30,23	17,72	13,98	3,86	18,26	12,96
Territoire de Belfort	56,42	43,57	33,40	24,81	16,33	11,87	4,03	18,53	12,24
Paris	46,43	53,56	24,58	25,96	26,96	9,18	4,06	22,43	17,30
Seine-et-Marne	52,63	47,36	25,29	25,91	19,18	15,36	4,72	18,57	13,85
Yvelines	48,90	51,09	24,36	26,93	20,68	12,50	5,02	18,02	13,50
Essonne	56,51	43,48	26,66	22,89	18,11	16,80	5,35	17,91	13,55
Hauts-de-Seine	51,18	48,81	23,52	24,94	20,61	16,14	4,82	19,77	15,31
Seine-Saint-Denis	62,97	37,02	24,47	19,47	15,48	27,29	4,46	20,76	17,02
Val-de-Marne	56,72	43,77	24,64	21,81	18,14	21,38	4,72	19,01	15,91
Val-d'Oise	56,83	43,16	25,78	23,29	17,29	18,80	5,08	17,79	14,03
Guadeloupe	21,51	78,48	9,78	71,02	9,99	6,55	0,48	60,31	51,11
Guyane	33,64	66,35	21,15	42,74	28,04	1,47	1,87	55,95	47,12
Martinique	19,43	80,56	12,16	72,12	10,10	2,46	0,62	51,65	44,88
Mayotte	10,06	89,93	2,30	73,27	16,68	0,50	0,36	43,46	31,01
Nouvelle-Calédonie	34,94	65,06	23,33	48,82	17,63	3,42	1,80	33,94	27,86
Polynésie française	23,28	76,71	8,32	51,41	35,90	0,53	0,73	33,73	36,53
Réunion	36,82	63,17	9,90	46,19	10,53	21,99	0,95	35,04	28,28
St-Pierre-et-Miquelon	30,52	69,47	18,28	57,84	7,23	2,80	4,17	25,43	12,72
Wallis-et-Futuna	2,31	97,68	0,53	60,21	38,64	0,12	0,008	25,53	36,53

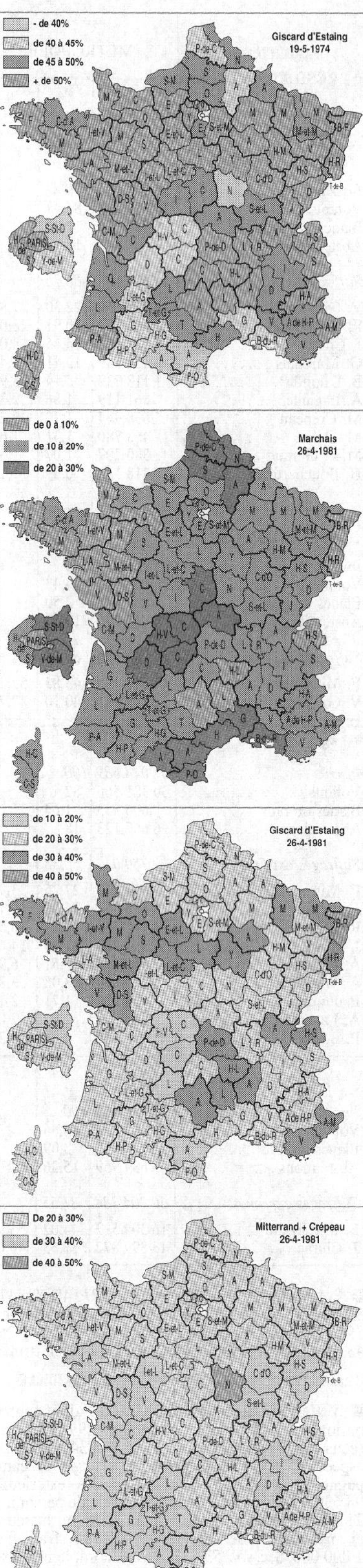

■ ÉLECTIONS DES 24-4 ET 8-5-1988

■ **Sondages. Avant le 1er tour :** *Boussel* 0 [1]. *Laguiller* 0,5 [1] à 2 [2]. *Juquin* 2 [2, 3] à 3 [4]. *Lajoinie* 5 [5, 6] à 7,5 [7]. *Mitterrand* 34 [7] à 40 [2]. *Waechter* 2 [1, 2, 4, 5] à 2,5 [3, 7, 8]. *Barre* 16 [2, 7] à 19 [1]. *Chirac* 21 [2, 5, 7] à 24,5 [5, 7]. *Le Pen* 9,5 [6] à 12 [7]. **Avant le 2e tour :** *Mitterrand* 53 [9] (25-4) à 57 [10]. *Chirac* 43 [10] à 47 [9].

Nota. – (1) Ifop 16-4. (2) Louis Harris 15-4. (3) Sofres 15-4. (4) Ipsos 14-4. (5) Ipsos 11-4. (6) Ipsos 16-4. (7) BVA 14-4. (8) CSA 11-4. (9) Ipsos 25-4. (10) BVA 28-4.

ÉLECTIONS PRÉSIDENTIELLES 1981 et 1988	MÉTROPOLE			DÉPARTEMENTS D'OUTRE-MER			TERRITOIRES D'OUTRE-MER			FRANÇAIS DE L'ÉTRANGER			TOTAL		
	Voix obtenues	% inscr.	% expr.	Voix obtenues	% inscr.	% expr.	Voix obtenues	% inscr.	% expr.	Voix obtenues	% inscr.	% expr.	Voix obtenues	% inscr.	% expr.
26-4-1981 (1er tour)															
Inscrits	*35 558 985*	*100*		*525 274*	*100*		*182 541*	*100*		*132 059*	*100*		*36 398 859*	*100*	
Votants	28 972 099	81,47		324 868	61,84		119 621	65,53		99 494	75,34		29 516 082	81,09	
Blancs ou nuls	467 464	1,31		8 256	1,57		1 506	0,82		739	0,56		478 046	1,31	
Abstentions	6 586 886	18,52		200 406	38,15		62 920	34,46		32 565	24,66		6 882 777	18,91	
Suffrages exprimés	*28 504 635*	*80,16*		*316 612*	*60,27*		*118 115*	*64,70*		*98 755*	*74,78*		*29 038 036*	*79,77*	
V. Giscard d'Estaing	7 929 850	22,30	27,82	185 079	35,23	58,45	62 577	34,28	52,98	44 926	34,02	45,49	8 222 432	22,59	28,31
F. Mitterrand	7 437 282	20,91	26,09	34 302	6,53	10,83	16 264	8,91	13,77	18 112	13,71	18,34	7 505 960	20,62	25,85
J. Chirac	5 138 571	14,45	18,02	34 490	6,56	10,89	30 999	16,98	26,24	21 788	16,50	22,06	5 225 846	14,35	17,99
G. Marchais	4 412 949	12,41	15,48	40 231	7,66	12,70	2 062	1,13	1,74	1 680	1,27	1,70	4 456 922	12,24	15,34
B. Lalonde	1 118 232	3,14	3,92	2 512	0,48	0,79	1 407	0,77	1,19	4 103	3,10	4,15	1 116 254	3,09	3,87
A. Laguiller	661 119	1,86	2,32	4 471	0,85	1,41	1 575	0,86	1,33	892	0,67	0,90	668 057	1,83	2,30
M. Crépeau	638 944	1,79	2,24	1 513	0,28	0,47	856	0,46	0,72	1 534	1,16	1,55	642 777	1,76	2,21
M. Debré	468 780	1,31	1,64	10 745	2,04	3,39	843	0,46	0,71	1 453	1,10	1,47	481 821	1,32	1,66
M.-F. Garaud	380 797	1,07	1,33	2 184	0,41	0,69	1 169	0,64	0,99	2 473	1,87	2,50	386 623	1,06	1,33
H. Bouchardeau	318 113	0,89	1,11	1 083	0,20	0,34	363	0,19	0,30	1 794	1,35	1,81	321 344	0,88	1,10
10-5-1981 (2e tour)															
Inscrits	*35 459 328*	*100*		*624 996*	*100*		*182 297*	*100*		*132 141*	*100*		*36 398 762*	*100*	
Votants	30 648 932	84,43		372 008	59,52		124 500	68,30		104 112	78,79		31 249 552	85,85	
Blancs ou nuls	887 976	2,50		7 428	1,19		1 675	0,92		1 905	1,44		898 984	2,47	
Abstentions	4 810 396	13,57		252 988	40,48		57 797	31,70		28 029	21,21		5 149 210	14,15	
Suffrages exprimés	*29 760 956*	*83,93*		*364 580*	*58,33*		*122 825*	*67,38*		*102 207*	*77,35*		*30 350 568*	*88,38*	
F. Mitterrand	15 541 905	43,83	52,22	103 564	16,57	28,41	31 810	17,45	25,90	30 983	23,45	30,31	15 708 262	43,15	51,76
V. Giscard d'Estaing	14 219 051	40,10	47,78	261 016	41,76	71,59	91 015	49,93	74,10	71 224	53,96	69,69	14 642 306	40,23	48,24
24-4-1988 (1er tour)															
Inscrits	*37 048 689*	*100*		*735 930*	*100*		*231 203*	*100*		*163 296*	*100*		*38 179 118*	*100*	
Votants	30 381 566	82		439 459	59,71		135 759	58,72		102 516	62,78		31 059 308	81,35	
Blancs ou nuls	606 555	1,64		18 201	2,47		2 188	0,94		612	0,37		622 564	2	
Abstentions	6 667 123	18		296 471	40,28		95 444	41,28		60 780	37,22		7 119 818	18,65	
Suffrages exprimés	*29 780 011*	*80,38*		*421 258*	*57,24*		*133 571*	*57,77*		*101 904*	*62,40*		*30 436 744*	*79,72*	
F. Mitterrand	10 094 408	27,25	33,90	227 600	30,93	54,03	30 320	13,11	22,70	29 004	17,76	28,46	10 381 332	27,20	34,11
J. Chirac	5 883 857	15,88	19,76	84 528	11,49	20,07	71 125	30,76	53,25	35 650	21,83	34,98	6 075 160	15,91	19,96
R. Barre	4 914 548	13,27	16,50	80 474	10,93	19,10	20 135	8,70	15,07	19 987	12,24	19,61	5 035 144	13,19	16,54
J.-M. Le Pen	4 351 465	11,75	14,61	7 168	0,98	1,70	8 364	3,62	6,26	9 745	5,97	9,56	4 376 742	11,46	14,38
A. Lajoinie	2 042 473	5,51	6,94	11 991	1,63	2,85	892	0,39	0,67	905	0,55	0,89	2 056 261	5,39	6,75
A. Waechter	1 141 893	3,08	3,83	2 980	0,40	0,71	1 091	0,47	0,82	3 933	2,41	3,86	1 149 897	3,01	3,77
P. Juquin	634 913	1,71	2,13	2 071	0,28	0,49	509	0,22	0,38	1 640	1,00	1,61	639 133	1,67	2,10
A. Laguiller	601 098	1,62	2,02	3 402	0,46	0,81	836	0,36	0,62	865	0,53	0,85	606 201	1,59	1,99
P. Boussel	115 356	0,31	0,39	1 044	0,14	0,25	299	0,13	0,22	175	0,1	0,17	116 874	0,31	0,38
8-5-1988 (2e tour)															
Inscrits	*37 039 196*	*100*		*735 992*	*100*		*231 185*	*100*		*162 496*	*100*		*38 168 869*	*100*	
Votants	31 349 237	84,64		489 831	66,55		140 522	60,78		105 481	64,91		32 085 071	84,06	
Blancs ou nuls	1 144 853	3,09		14 072	1,91		140	0,06		1 494	0,92		1 161 822	3,04	
Abstentions	5 689 959	15,36		246 161	33,44		90 663	39,21		57 015	35,08		6 083 798	15,93	
Suffrages exprimés	*30 204 384*	*81,55*		*475 759*	*64,64*		*139 119*	*60,17*		*103 987*	*63,99*		*30 923 249*	*81*	
F. Mitterrand	16 304 512	44,02	53,98	309 425	42,04	65,04	48 861	21,13	35,12	41 481	25,53	39,90	16 704 279	43,76	54,02
J. Chirac	13 899 872	37,53	46,02	166 334	22,60	34,96	90 258	39,04	64.88	62 506	38,46	60,10	14 218 970	37,25	45,98

■ **Popularité (en %). Mitterrand :** *1981 :* 48, *82 :* 47, *83 :* 37, *84 :* 32, *85 :* 33, *86 :* 51, *87 :* 52, *88 :* 56. **Chirac :** *1986 2e trim. :* 54, *3e :* 47, *4e :* 53. *1987 1er :* 44, *2e :* 43, *3e :* 42, *4e :* 42. *1988 1er :* 46 (Sofres, moyenne trim.).

COÛT DE LA CAMPAGNE PRÉSIDENTIELLE

■ **Mitterrand. Recettes** : 64 900 485 F dont contribution partis et groupements pol. 37 299 000, dons reçus par chèques (avec reçu) 16 143 347, dons en espèces 11 458 138. **Dépenses et charges de campagne** : 99 842 170 F dont services extérieurs 98 630 009, frais financiers 1 000 441, de personnel 211 720. **Dettes** : 42 001 870 F dont fournisseurs et prestataires de services 40 927 197, frais fin. 1 000 000, Séc. soc. 53 532, retraite complémentaire 11 225, GARP (Assedic) 9 916. Parmi ces dettes, 9 800 000 F (provisions) dont fournisseurs et prestataires 8 800 000, frais fin. 1 000 000.

■ **Chirac. Ressources** : 95 984 005 F dont dons des partis et groupements politiques 40 307 359, dons reçus par l'assoc. pour l'él. de Chirac 20 676 646, contribution à recevoir de l'État 35 000 000. **Dépenses** : 95 984 005 F dont : *publicité* : presse 19 548 593, affiches 17 745 693, *campagne* : réunions publ. 27 576 508, frais de déplac. 4 164 986, *matériel de campagne* : film, vidéo, imprimés 15 895 524, *dépenses état-major* : loyers, électricité, PTT, journaux, etc. 5 661 181, *sondages* : 2 265 734, *routage* : 2 723 915, *agios bancaires* : 401 871.

■ **Barre. Recettes** : 64 145 185,29 F dont emprunts bancaires au 31 mai 1988 : 16 636 154,49, contribution groupement politique RÉEL 13 900 000, prêts et avances des fournisseurs au 31 mai 1988 : 13 408 184,58, dons en espèces 11 251 790, par chèques 8 949 056,22. **Dépenses** (article R.39) : 19 027 702,23 F ; hors article R.39 : 64 145 185,29 F dont services extérieurs 63 085 239,52, achats 725 648,17, frais de personnel 334 297,60.

■ **Le Pen. Recettes** : 37 886 119,25 F dont prêts et avances des fournisseurs et prestataires 28 671 601,52, avance parti politique 6 257 850,03, dons par chèques (sans reçu) 2 956 667,70. **Dépenses** (hors article R.39) : 36 506 312,74 F dont services extérieurs 35 777 161,18, achats 729 151,56.

■ **Lajoinie. Recettes** : 33 345 146 F dont avance PCF 17 797 959, dettes aux fournisseurs 15 080 645, dons par chèques (avec reçu) 466 542. **Dépenses** : 33 345 146 F dont services extérieurs 28 356 792, achats 3 903 327, frais de personnel 1 040 337, frais financiers 47, charges diverses 44 643. **Dettes** : 32 878 604 F.

■ **Boussel. Recettes** : 3 996 295 F dont dons reçus par chèques (avec reçu) 0, contribution parti politique 0, emprunts contractés par le candidat 0, avance parti politique 2 150 851, prêts et avances des fournisseurs et prestataires de services 1 845 444. **Dépenses** (article R.39) : 12 667 218 F ; hors article R.39 : 3 996 295 F dont frais de propagande 045 141, réunions publiques 1 366 916, frais de gestion 309 219, services extérieurs 132 000, fournisseurs 131 361, frais divers 11 658.

■ **Waechter. Recettes** : 6 898 709 F dont emprunts contractés par le candidat 3 501 643, prêts et avances des fournisseurs et prestataires 2 570 902, avance

Vote socialiste	1981 Mitterrand Crépeau	1988 Mitterrand	Écart
Ensemble	28	34	+ 6
Homme	31	33	+ 2
Femme	26	35	+ 9
Age			
18-24 ans	24	36	+ 12
25-34 ans	29	41	+ 12
35-49 ans	29	33	+ 4
50-64 ans	29	33	+ 4
65 et plus	29	30	+ 1
Catégorie socio-profess.			
Agriculteur, salarié agricole	25	30	+ 5
Petit commerçant, artisan	17	23	+ 6
Cadre sup. prof. lib., industriel, gros commerçant	21	28	+ 7
Cadre moyen, employé	33	37	+ 4
Ouvrier	34	40	+ 6
Inactif, retraité	27	34	+ 7

Sources. 1981 : sondage Sofres 15/20-5. *1988 :* CSA 24-4.

Élections présidentielles des 24 avril et 8 mai 1988
% des voix par départements

Départements	24 avril 1988								8 mai 1988		Abstentions	
	Barre	Chirac	Juquin	Lajoinie	Le Pen	Mitterrand	Waechter	Chirac + Barre + Le Pen	Chirac	Mitterrand	24 avril 1988	8 mai 1988
Ain	21,21	19,12	1,81	4,43	16,08	31,40	4,05	56,42	50,71	49,28	18,95	15,67
Aisne	13,32	17,17	1,39	8,96	13,41	39,53	3,26	43,89	38,37	61,62	16,20	13,59
Allier	14,99	19,45	2,13	18,11	10,14	30,27	2,99	44,59	42,08	57,91	17,28	15,06
Alpes-de-Haute-Provence	15,68	18,34	3,07	9,18	16,71	30,36	4,51	50,75	46,91	53,08	17,77	13,99
Hautes-Alpes	19,81	20,61	2,85	6,45	13,69	29,06	5,32	54,13	50,32	49,67	18,46	13,50
Alpes-Maritimes	14,96	24,29	1,49	6,19	24,23	24,38	3,02	63,50	59,02	40,97	19,91	15,93
Ardèche	19,03	19,99	2,88	8,03	12,89	30,64	4,13	51,92	47,69	52,30	17,32	13,66
Ardennes	14,22	17,32	1,66	8,20	15,06	37,19	3,56	46,62	40,46	59,53	18,42	15,09
Ariège	10,41	18,18	3,17	10,53	10,29	41,39	3,52	38,88	36,06	63,93	18,29	13,40
Aube	17,79	20,50	1,32	6,49	14,41	33,67	3,50	52,68	47,75	52,24	18,77	16,11
Aude	10,33	17,64	2,58	10,30	13,71	40,12	3,15	41,69	38,77	61,22	15,24	12,33
Aveyron	18,49	25,76	2,31	4,47	8,86	33,57	3,93	53,13	49,48	50,51	16,49	11,60
Bouches-du-Rhône	13,89	14,77	2,26	11,19	26,39	26,96	2,93	55,06	49,51	50,48	20,01	18,11
Calvados	18,20	19,89	2,04	4,55	11,05	37,40	4,09	49,14	44,18	55,81	18,01	15,42
Cantal	11,52	37,44	1,81	5,67	7,10	31,78	2,44	56,07	54,29	45,70	17,30	12,83
Charente	15,29	19,56	2,02	7,02	8,89	41,39	3,22	43,74	40,16	59,83	17,34	14,13
Charente-Maritime	18,07	20,18	1,95	5,97	11,16	36,43	3,66	49,42	45,59	54,40	19,48	16,10
Cher	16,57	18,72	2,10	11,78	11,56	33,28	3,24	46,86	42,93	57,06	17,75	15,09
Corrèze	4,84	39,17	3,17	13,66	5,92	28,92	2,41	49,95	49,10	50,89	12,47	9,50
Corse-du-Sud	14,19	31,73	1,78	8,49	14,81	25,83	2,38	60,73	57,41	42,58	31,65	23,12
Haute-Corse	12,04	30,38	3,08	7,85	12,01	31,17	2,63	54,44	51,76	48,23	33,19	23,68
Côte-d'Or	16,01	22,04	1,84	3,94	13,91	35,75	4,09	51,98	47,40	52,59	18,49	14,79
Côtes-du-Nord	17,22	18,91	2,79	7,61	8,23	38,26	4,11	44,37	40,63	59,36	14,44	11,41
Creuse	9,95	28,20	2,80	11,18	7,78	34,81	2,52	45,95	44,09	55,90	19,77	15,50
Dordogne	12,09	23,76	2,77	11,34	9,81	34,84	3,21	45,67	43,38	56,61	14,61	11,41
Doubs	15,62	21,51	2,16	3,44	14,41	34,95	4,89	51,56	46,54	53,45	16,65	13,24
Drôme	17,10	18,34	2,95	6,38	16,69	31,60	4,57	52,14	47,52	52,47	17,90	14,82
Eure	16,35	19,67	1,63	5,72	14,04	36,51	3,44	50,06	44,42	55,57	15,65	14,59
Eure-et-Loir	17,61	19,30	1,57	4,54	15,39	35,73	3,37	52,31	46,21	53,78	16,62	14,30
Finistère	19,56	20,92	2,77	4,33	9,91	35,70	4,26	50,40	45,58	54,41	16,75	13,86
Gard	14,56	15,35	2,94	12,08	20,58	29,04	3,29	50,51	45,65	54,34	17,39	14,89
Haute-Garonne	14,73	16,78	3,02	5,90	13,15	40,34	3,70	44,67	40,32	59,67	18,48	15,21
Gers	14,45	20,29	2,41	5,94	10,68	40,15	3,77	45,43	42,47	57,52	17,57	13,38
Gironde	15,59	19,35	2,18	6,29	12,29	38,85	3,02	47,24	43,04	56,95	17,50	15,06
Hérault	13,64	17,32	3,53	9,03	19,91	31,11	3,34	50,88	46,68	53,31	18,22	14,81
Ille-et-Vilaine	20,40	20,94	2,14	2,83	8,63	37,61	4,41	49,98	45,78	54,21	17,02	13,89
Indre	14,65	19,87	2,12	8,40	11,34	37,64	2,90	45,86	41,47	58,52	16,24	13,14
Indre-et-Loire	18,74	18,29	2,03	4,96	12,22	37,53	3,45	49,27	43,97	56,02	18,55	15,92
Isère	16,92	16,60	2,83	6,84	16,09	33,90	4,59	49,62	44,39	55,60	18,07	15,08
Jura	17,42	18,76	1,99	5,57	14,52	33,42	5,35	50,72	45,60	54,39	17,40	13,31
Landes	14,96	20,99	1,96	6,94	8,96	42,07	2,32	44,92	42,34	57,65	14,63	11,97
Loir-et-Cher	18,22	19,35	1,93	6,40	12,78	35,54	3,12	50,36	45,04	54,95	15,44	12,97
Loire	18,50	17,92	2,25	6,98	17,36	30,41	4,05	53,80	48,07	51,92	20,25	17,33
Haute-Loire	21,42	20,99	2,30	4,44	14,08	29,97	3,99	56,50	51,24	48,75	17,62	13,63
Loire-Atlantique	19,89	19,76	2,37	3,97	10,03	36,79	4,26	49,68	45,22	54,77	18,55	16,06
Loiret	18,28	21,02	1.78	5,96	14,92	31,82	3,73	54,22	48,93	51,06	16,26	13,72
Lot	12,11	23,82	2,99	7,07	8,33	38,77	4,40	44,27	42,03	57,96	14,78	10,78
Lot-et-Garonne	16,03	18,53	2,33	8,49	15,41	33,62	3,47	49,97	45,98	54,01	15,58	12,92
Lozère	21,59	26,93	2,58	4,87	11,63	26,83	3,42	60,15	56,94	43,05	17,65	10,98
Maine-et-Loire	24,27	22,05	1,59	2,74	9,52	32,63	4,14	55,86	51,01	48,98	15,87	14,07
Manche	20,88	23,25	1,52	2,82	10,77	33,78	4,31	54,92	50,69	49,30	17,45	14,67
Marne	17,21	20,49	1,41	5,84	14,02	34,60	3,95	51,73	46,12	53,87	19,30	16,34
Haute-Marne	15,62	19,60	1,42	5,37	15,63	35,25	4,20	50,83	45,29	54,70	19,08	15,91
Mayenne	23,44	24,10	1,60	2,17	8,19	33,61	4,05	55,74	51,78	48,21	14,82	12,73
Meurthe-et-Moselle	17,97	15,63	2,35	6,80	14,84	35,08	4,20	48,45	41,71	58,28	19,94	16,67
Meuse	18,41	18,06	1,36	4,53	14,99	35,11	4,47	51,48	46,27	53,72	16,68	13,87
Morbihan	19,67	19,91	1,74	4,35	12,98	34,98	3,90	52,57	47	52,99	16,02	13,98
Moselle	16,66	16,25	1,40	4,08	19,90	33,34	4,82	52,83	44,34	55,65	17,81	16,14
Nièvre	12,45	17,02	1,76	9,59	9,72	44,52	2,80	39,19	36,03	63,96	18,11	14,18
Nord	15,58	15,02	1,53	10,34	15,15	36,74	2,92	45,77	39,47	60,52	16,78	15,13
Oise	14,05	17,74	1,57	7,31	16,72	36,50	3,33	48,52	41,87	58,12	15,53	13,57
Orne	19,32	23,39	1,66	2,98	11,79	34,12	4,00	54,51	49,26	50,73	16,24	13,17
Pas-de-Calais	13,95	14,50	1,43	11,58	11,39	41,22	2,75	39,86	35,33	64,66	14,66	13,45
Puy-de-Dôme	17,46	19,60	3,18	7,11	11,57	34,20	4,03	48,64	45,12	54,87	17,56	13,95
Pyrénées-Atlantiques	18,10	24,46	2,32	4,94	10,68	33,82	3,40	53,25	49,88	50,11	17,38	14,24
Hautes-Pyrénées	15,61	18,34	3,11	9,75	9,93	37,85	3,19	43,89	40,68	59,31	19,16	15,39
Pyrénées-Orientales	13,39	17,81	2,42	9,38	20,52	31,40	3,18	51,72	47,38	52,61	20,67	15,85
Bas-Rhin	18,60	17,59	0,87	1,30	21,93	28,19	9,37	58,13	51,60	48,39	18,42	17,05
Haut-Rhin	17,97	16,97	0,74	1,50	22,15	29,43	9,24	56,85	49,84	50,15	17,84	16,91
Rhône	21,98	17,36	2,17	5,45	18,03	29,32	3,80	57,37	51,57	48,42	19,74	17,54
Haute-Saône	15,48	20,12	1,64	4,62	13,85	37,42	4,10	49,46	44,86	55,13	15,98	11,77
Saône-et-Loire	17,17	20,56	1,62	6,45	11,11	37,56	3,26	48,85	44,63	55,36	20,09	16,64
Sarthe	18,14	19,32	2,15	6,16	9,34	38,09	3,64	46,81	42,06	57,93	17,86	15,25
Savoie	18,04	20,95	2,22	5,89	15,20	30,36	5,00	54,20	49,81	50,18	20,06	16,33
Haute-Savoie	22,81	22,52	1,62	3,21	15,47	27,15	5,38	60,81	56,30	43,69	19,75	16,34
Paris	13,59	31,57	2,75	3,65	13,38	29,47	3,64	58,55	54,67	45,32	23,06	19,72
Seine-Maritime	16,04	16,75	2,06	8,66	11,22	39,04	3,35	44,06	39,33	60,66	17,74	15,70
Seine-et-Marne	15,11	19,85	1,89	6,29	17,75	33,00	3,81	52,72	46,94	53,05	18,48	16,15
Yvelines	18,48	24,48	2,02	4,68	15,05	29,38	3,95	58,02	53,73	46,26	17,92	15,69
Deux-Sèvres	21,14	21,20	1,79	3,18	7,49	37,47	4,46	49,83	46,33	53,66	15,81	13,44
Somme	14,85	16,89	1,81	10,07	13,79	36,68	2,86	45,54	39,95	60,04	14,28	11,88
Tarn	14,74	19,15	2,30	6,17	14,77	36,53	3,87	48,66	44,62	55,37	14,72	11,41
Tarn-et-Garonne	13,70	20,40	2,11	5,94	15,18	36,37	3,93	49,30	45,02	54,97	16,06	12,25
Var	16,17	19,91	1,92	7,12	25,08	25,45	2,84	61,16	56,33	43,66	18,89	15,99
Vaucluse	15,20	16,75	2,02	7,84	23,15	29,46	3,70	55,03	49,65	50,34	16,12	14,02
Vendée	24,01	24,51	1,36	2,71	8,69	32,18	3,91	57,22	53,92	46,07	13,90	12,33
Vienne	16,38	21,77	2,25	5,84	9,30	37,86	3,83	47,46	43,79	56,20	16,40	14,05
Haute-Vienne	10,98	22,13	4,05	11,36	7,83	37,85	3,08	40,95	37,99	62	15,57	12,70
Vosges	17,36	19,18	1,44	3,92	14,88	35,37	4,81	51,43	45,22	54,77	17,26	14,22
Yonne	17,23	19,96	1,69	6,30	15,72	33,15	3,62	52,92	47,86	52,13	17,78	14,07
Territoire de Belfort	13,89	17,29	2,07	4,48	16,76	36,78	5,28	47,96	42,46	57,53	18,10	14,54
Essonne	15,84	19,33	3,42	6,86	14,98	32,94	4,33	50,16	45,04	54,95	18,22	15,82
Hauts-de-Seine	16,51	24,72	2,41	6,86	14,77	29,10	3,67	56	51,43	48,56	19,09	15,96
Seine-Saint-Denis	11,09	14,61	2,55	13,50	19,81	32,91	3,26	45,51	39,09	60,90	22,23	20,76
Val-de-Marne	13,99	19,32	2,69	11,03	15,62	31,46	3,80	49,04	44,57	55,42	19,91	18,15
Val-d'Oise	14,53	18,00	2,23	7,89	18,07	33,19	3,80	50,61	44,46	55,53	19,07	17,13
Guadeloupe	10,56	25,31	0,41	5,46	1,68	55,01	0,58	37,55	30,59	69,40	58,12	47,88
Guyane	9,15	30,55	0,64	0,68	4,71	51,93	1,16	44,41	39,61	60,38	43,99	36,43
Martinique	16,35	19,86	0,29	1,98	1,16	58,87	0,58	37,37	29,10	70,89	42,37	37,67
La Réunion	24,50	17,45	0,61	2,54	1,77	51,14	0,78	43,72	39,73	60,26	26,36	20,56
Nouvelle-Calédonie	6,14	74,62	0,18	0,33	12,39	4,98	0,60	93,15	90,29	9,70	41,84	38,30
Polynésie française	10,09	39,91	0,51	0,86	2,91	43,87	0,93	52,91	45,68	54,31	43,89	41,23
Wallis-et-Futuna	39,31	52,27	0,06	0,03	0,61	7,21	0,19	92,19	73,47	26,52	27,60	22,88
Mayotte	54,86	36,88	0,58	1,24	1,28	4	0,24	93,02	49,66	50,33	30,95	43,62
St-Pierre-et-Miquelon	14,13	34,97	0,93	0,93	4,93	32,23	8,41	54,03	56,21	43,78	43,96	28,29

parti politique 606 603, dons reçus par chèques (sans reçu) 64 784, produits d'activités annexes 154 777. **Dépenses** : 6 898 709 F dont services extérieurs 6 628 810, frais financiers 195 779, charges diverses 54 144, frais de personnel 19 976.

■ **Laguiller. Recettes** : 6 926 930,70 F dont *contributions :* dons reçus par chèque (sans reçu) 429 140,70 ; *dettes de la candidate :* avance parti politique 6 480 000, avance des prestataires 17 790. **Dépenses** : 6 869 690,46 F dont services extérieurs 5 855 858,84, achats (papier, encre, etc.) 1 003 781,81, frais financiers 49,81, charges diverses (caution électorale) 10 000.

■ **Juquin. Recettes :** 7 831 541,73 F dont emprunts contractés par le candidat 6 854 500, dons reçus par chèques (sans reçu) 374 259,33, (avec reçu) 25 000, en espèces 25 078,40, prêts et avances des fournisseurs et prestataires 622 704, avance parti politique PSU 200 000. **Dépenses** (hors article R.39) : 6 844 952,96 F dont services extérieurs 6 520 683,44, frais financiers 281 709,55, achats 26 534,09, charges diverses 16 025,88.

Nota. – Source : J.O. du 16-7-1988. La loi obligeant les candidats à déclarer le montant des sommes engagées n'étant entrée en vigueur que le 11-3-1988, la campagne étant déjà ouverte, de nombreuses dépenses déjà engagées n'apparaissent pas ici. La campagne d'affichage « Continuons ensemble », lancée par J. Chirac, alors Premier ministre, avait été financée par le Service d'information et de diffusion (SID) dépendant de Matignon.

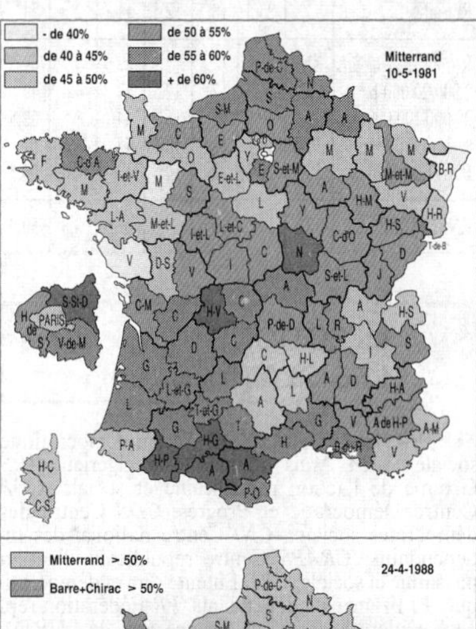

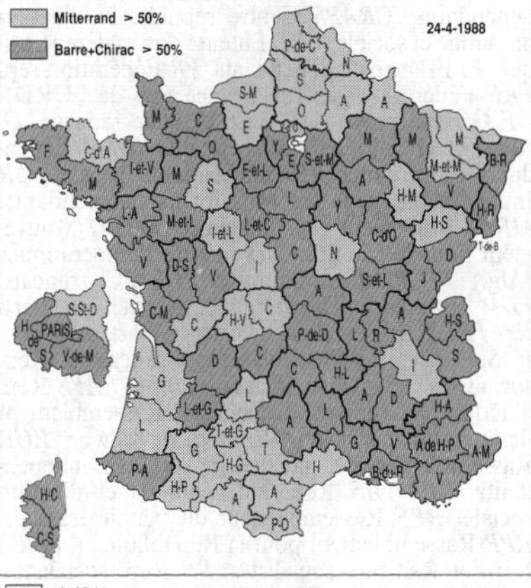

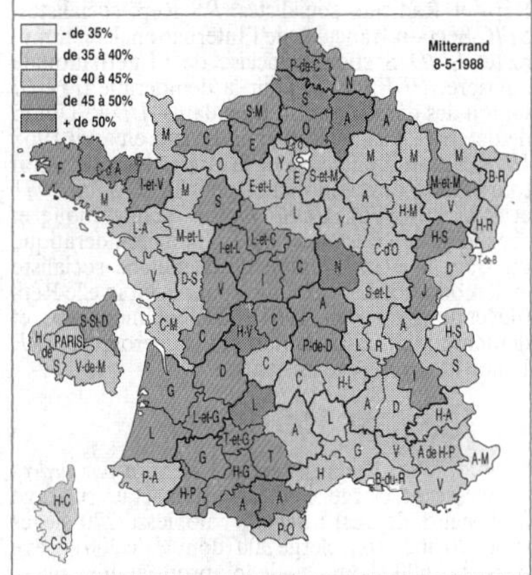

Vote au 1er tour (24 avril 1988)

Légende. B. : Barre. Ch. : Chirac. Dr. : droite. G. : gauche. LP. : Le Pen. M. : Mitterrand. W. : Waechter. *Source :* Ifres, sortie des bureaux de vote, 4 109 votants interrogés.

Catégories	M.	Ch.	B.	LP.	Total G.	Total W.	Total Dr.
Hommes	33	19,5	15	16	46	3,5	50,5
Femmes	25	20	18	13	45	4	51
18-24 ans	33	18	16	17	42	7	51
25-34 ans	38	12	15,5	14	53	6	41
35-49 ans	35	18	16	16	47	3	50
50-64 ans	32	24	16,5	15,5	42	2	56
65 ans et + ...	30	26,5	19,5	11	40,5	2,5	57
Prof. libér.	8,5	43	30	7,5	10,5	9	80,5
Artisans, comm. ..	23	29,5	17	22	29,5	2	68,5
Agriculteurs	27	36,5	20,5	5,5	34,5	3	62,5
Cadres sup.	29	24,5	22	10,5	37	6	57
C. moyens	32,5	18	18,5	14,5	44,5	4,5	51
Employés	38,5	13	17	14,5	51,5	4	44,5
Ouvriers	41,5	9,5	9	19,5	58,5	3,5	38
Femmes au foyer .	32	22	16	17	40,5	4,5	55
(F. actives)	(35,5)	(18,0)	(16,5)	(13,5)	(47,5)	(4,5)	(48)
Étudiants	34	23,5	17	9,5	43	7	50
Retraités	33	23,5	18	12,5	44	2	54
Ruraux	37,5	20	17,5	12	47,5	3	49,5
2 000-20 000 h. ...	36	19,5	17	12,5	47	4	49
20 000-100 000 h. .	31	19,5	18	15	44	3,5	52,5
+ de 100 000 h. ..	33,5	17,5	15,5	18	45	4	51
Paris-Rég. par. ...	28,5	25	12	14,5	42	4,5	53,5
ENSEMBLE	33,9	19,8	16,5	14,6	45,3	3,8	50,9

Élections législatives

☞ **Principaux sigles :** *ADS.* Action démocratique sociale. *AMA* Amis du manifeste algérien. *ARS* Groupe de l'action républicaine et sociale. *CDP* Centre Démocratie et Progrès. *CDS* Centre des démocrates sociaux. *CNI* Centre national des indépendants. *CRAPS* Centre républicain d'action paysanne et sociale. *ERD* Entente rép. et démocratique. *FI* Français indépendants. *FR* Fédération rép. *FRF* Fédération rép. de France (gr. de l'URD). *GP* Groupe paysan. *G. Rad.* Gauche radicale. *G. Rép.* Gauche rép. *Ind.* Indépendants. *IOM* Indépendants d'outre-mer. *IP* Indépendants paysans. *IR* Indépendants rép. *MI* Musulmans indépendants. *MRP* Mouvement rép. populaire. *MTLD* Mouvement pour le triomphe des libertés démocratiques (Alg.). *PC* Parti communiste. *PCF* PC. français. *PDM* Progrès et Démocratie moderne. *PR* Parti rép. *PRL* Parti rép. de la Liberté. *PS* Parti socialiste. *P. Soc. F et RS* Parti socialiste français et Rép. socialistes. *PSU* Parti socialiste unifié. *RAPS* Rép. d'action paysanne et sociale. *RDA* Rassemblement démocratique africain. *RG* Rép. de gauche. *RGR* Rassemblement des gauches rép. *RI* Rép. indépendants. *RI et AS* Rép. indépendants et d'action sociale. *RPF* Rassemblement du peuple français. *RPR* Rassemblement pour la République. *R et R-S* Rép. et Radicaux-socialistes. *RS* Rép. socialistes. *SFIC* Section française de l'Internationale communiste. *SFIO* Section française de l'Internationale ouvrière. *UDF* Union pour la démocratie fr. *UDI* Union des démocrates indépendants. *UD Ve* Union de défense de la Ve Rép., qui devient en avril 1968 *UDR* Union de défense de la Rép. (devenue à son tour Union des démocrates pour la Rép. en 1971 et *RPR* en 1976). *UDSR* Union démocratique et sociale de la Résistance. *UDT* Union démocratique du travail. *UGSD* Union de la gauche socialiste et démocratique. *UNR* Union pour la Nouvelle Rép. (devenue *UDVe* en 1967). *URD* Union rép. et démocratique. *URP* Union rép. du progrès. *URR* Union des rép. et résistants.

■ Monarchie

■ **Mai 1789. États généraux :** *élection par ordres* (noblesse et clergé électeurs, tiers état, suffrage à plusieurs degrés) : *députés :* noblesse 270 sièges (dont 90 libéraux), clergé 300 (dont + de 200 curés), tiers état 600 (hommes de loi, propriétaires, négociants..., 3 ecclésiastiques, 11 nobles). Les états généraux se transformèrent, le 17-6-1789, en *Ass. nationale constituante,* qui siégea jusqu'au 30-9-1791.

■ **Août-sept. 1791. Assemblée législative :** *suffr. censitaire* (il faut justifier d'un minimun de 3 jours de travail pour être électeur) et indirect (4 300 000 citoyens actifs désignent 40 000 électeurs). *Députés :* 745 indépendants (Marais) 345, monarchistes constitutionnels (inscrits au club des Feuillants créé en juillet 1791) 264, gauche (Jacobins modérés et Cordeliers extrémistes) 136.

■ Ire République

■ **Août-sept. 1792. Convention nationale :** *suffr. universel* (env. 700 000 votants) : abstentions 90 % ; 760 députés : 400 Marais ou Plaine, 200 Montagnards, 160 Girondins.

■ **Oct. 1795. Conseil des Cinq-Cents et Conseil des Anciens :** pour 1/3 des membres. *Suffr. censitaire* (revenu égal au moins à 150 j de travail) : 6 000 000 de cit. actifs désignent 30 000 électeurs. Députés : républicains 305, modérés 266, royalistes 158.

■ **Mars-avril 1797. Conseil des Cinq-Cents et Conseil des Anciens :** pour 1/3. *Suffr. censitaire :* élus. *Aux Cinq-Cents :* monarchistes ou modérés 182, indépendants 44, républ. 34 (sur 216 conventionnels sortants, 16 réélus). Après le coup d'État du 18 fructidor an V (4-9-1797), 167 dép. furent invalidés (60 furent condamnés à la déportation).

■ **Avril-mai 1798. Conseil des Cinq-Cents et Conseil des Anciens :** pour 1/3, et remplacement des députés éliminés lors du coup d'État du 18 fructidor. *Suffr. censitaire.* Gain des jacobins [cependant le Directoire remplaça 106 opposants (qu'il invalida le 11-5-1798) par des hommes à lui].

■ **Printemps 1799. Conseil des Cinq-Cents et Conseil des Anciens :** pour 1/3. *Suffr. censitaire.* Aux Cinq-Cents : montagnards 240, « directoriaux » 150, droite 80, extrême gauche 30.

■ Cent-Jours

■ **Mai 1815. Chambre des représentants :** *suffr. censitaire. Inscrits :* collèges départementaux 19 500 (abstentions 60,9 %), c. d'arrondissement 27 000 (46,9 %). 629 dép. (libéraux, 80 bonapartistes convaincus, jacobins). Dispersée le 8-7-1815.

■ Restauration

Chambre des députés

■ **14 et 28 août 1815.** Les collèges d'arrondissement élisaient un nombre de candidats égal au nombre de députés du département. Les collèges de départements devaient choisir la 1/2 des députés parmi ces candidats ; pour l'autre 1/2, liberté de choix. *Abstentions :* + de 30 %, *électeurs :* 70 000 (+ 4 000 à 5 000 suppl. choisis par les préfets), *votants :* 40 000, *députés :* 400 [ultras 350 (appelée **chambre introuvable,** cette assemblée sera dissoute le 5-9-1816)].

■ **25 sept. et 4 oct. 1816.** *Suffr. censitaire. Députés :* royalistes modérés 136, ultras 92, républicains ou bonapartistes 20, libéraux 10.

■ **20 sept. 1817.** Portant sur 1/5 des sièges. *Suffr. censitaire* (revenu min. à 300 F, âge min. 30 ans). *Électeurs :* 100 000, *députés :* min. 40 ans, payant + de 1 000 F de contributions directes, env. 15 000 éligibles) : modérés 150, ultras 80, indép. 20 à 25.

■ **20 et 26 oct. 1818.** Portant sur 1/5 des sièges ; 54 s. à pourvoir. *Suffr. censitaire.* Ultras 4, libéraux gagnent 25, constitutionnels perdent 12.

■ **4 et 13 nov. 1820.** Portant sur 223 sièges. *Suffr. censitaire* et double vote favorisant les grands propriétaires terriens (loi du double vote du 12-6-1820 : l'ensemble des élect. élisait les 3/5 des députés soit 258 dép., puis le quart des élect. les + imposés votaient une 2e fois pour élire les 2/5 restants, soit 172 députés : en dégrevant d'impôt 14 000 contribuables « suspects », le gouv. éliminait une partie des électeurs républicains). *Députés :* 220 (droite 187, gauche libérale 33). L'opposition (80 dép.) sera réduite par les élections partielles de 1821 (60 ultras élus en 1822 et 198 en 1823).

■ **25 févr. et 6 mars 1824.** *Suffr. censitaire* et double vote. *Députés :* 431 [droite 411, libéraux 17 (appelée **chambre retrouvée** ; le 9-6-1824, la durée de la législature était portée à 7 ans mais la Ch. fut dissoute le 6-11-1827)].

■ **17 et 24 novembre 1827.** *Suffr. censitaire* et double vote. *Députés :* 430 [gauche 170, ministériels ou gouvernementaux (en majorité ultras) 125, droite 75]. *Dissoute* 16-5-1830.

■ **23 juin, 13 et 19 juillet 1830.** *Suffr. censitaire* et double vote. *Électeurs :* 94 000, *députés :* 430 (gauche 274, gouvernementaux 143).

■ Monarchie de Juillet

Chambre des députés

■ **5 juillet 1831.** *Suffr. censitaire* (contribution 200 F). *Inscrits :* 166 583, *votants :* 125 090, *députés :* 459 (libéraux 282, légitimistes 104, rép. et gauche dynastique 73).

■ **21 juin 1834.** *Suffr. censitaire.* 171 015 inscrits, 129 211 votants. Conservateurs, centre droit (Guizot), tiers parti (Dupin), centre gauche (Thiers). Selon le Moniteur : majorité 320, opposition 90 (dont 15 légitimistes), tiers parti 50.

■ **4 nov. 1837.** *Suffr. censitaire.* 198 836 inscrits, 151 720 votants. 450 députés. Dissoute 2-2-1839.

■ **2 et 6 mars 1839.** *Suffr. censitaire.* 201 271 inscrits, 164 852 votants. 459 députés : coalition tiers parti et républicains (Guizot, Dupin, Thiers, Barrot) 240, légitimistes 20.

■ **9 juillet 1842.** *Suffr. censitaire.* Succès mitigé du gouv. : 266 sièges (gain : 15 ; républicains 5 ; à Paris : gouv. 2, opposition 10 dont rép. 3).

■ **1er août 1846.** *Suff. censitaire.* Conservateurs ministériels 290, opposition 168 (– 55).

■ IIe République

■ **23 et 24 avril 1848. Assemblée nationale constituante :** *suffr. universel.* Scrutin de liste départemental à 1 tour. 9 395 035 inscrits (sur 33 500 000 hab.), 7 835 327 votants. Abst. 16 %. 880 députés : modérés 600, légitimistes et cathol. 200, socialistes 80.

■ **13 mai 1849. Assemblée nationale législative :** *suffr. universel.* Abstentions 40 %. 750 sièges (713 pourvus en raison d'él. multiples) : parti de l'ordre (légitimistes, orléanistes, cathol., conservateurs) 450, démocrates ou montagnards 180, rép. modérés 75. Dissoute par le coup d'État du 2-12-1851.

■ **29 février et 14 mars 1852. Corps législatif :** *suffr. univ.* Scrutin uninominal. Candidatures officielles, circonscr. arbitraires. *Inscrits :* 9 836 043 [durée minimale du domicile dans la commune : 6 mois (décret du 2-2-1852), au lieu de 3 ans (loi du 31-5-1850)]. *Votants :* 6 222 983. *Députés :* 261 (bonapartistes 253, royalistes 5, républicains 3). *Voix* bonapartistes 5 218 602, opposition 810 962.

■ IIe Empire

■ **21 juin et 5 juill. 1857. Corps législatif :** *suffr. univ.* Abstentions 25 %. *Voix : cand.* officiel. 5 471 000, opposition 665 000 (7 élus dont 5 à Paris).

■ **31 mai et 14 juin 1863. Corps législatif :** *suffr. univ. Députés :* 283. *Voix :* cand. off. 5 308 000 v. (251 sièges), union libérale (légitimistes, orléanistes, cathol., républicains) 1 954 000 v. (républicains 17 s., royalistes-catholiques 15).

■ **23 mai et 6 juin 1869. Corps législatif :** *idem.* Au 1er tour, candidatures officielles 4 438 000 v., opposition 3 355 000 v. 295 députés : bonapartistes libéraux 120 (tiers parti), bonap. autoritaires 92, légitimistes 41, républicains 30.

■ IIIe République

Nota. – (1) Suffrage universel, scrutin uninominal par arrondissement à 2 tours. (2) Scrutin de liste à 2 tours. (3) Scrutin de liste départemental à 2 tours (représentation proportionnelle). (4) Scrutin de liste départ. à 1 tour (représentation proportionnelle).

Assemblée nationale

■ **8 février 1871.** [43 départements étaient occupés (réunions interdites), pas de campagne électorale sauf à Paris] : *suffr. univ., scrutin de liste* départemental à 1 tour. Sur 768 sièges prévus par le décret du 29-1-1871 (dont 753 pour la métropole), 675 furent pourvus en métropole (dont 30 en Alsace-Lorraine) par suite de la pluralité d'élections de certains candidats (Thiers élu dans 86 départements, Trochu 10, Gambetta 8, Favre 5...) ; Républicains env. 150 (Modérés 112 ; Radicaux, moins de 40) ; Conservateurs monarchistes, env. 400 (214 Orléanistes, 182 Légitimistes) ; Libéraux centre gauche 78, Bonapartistes 20. *Composition sociale :* 250 ruraux (hobereaux, propriétaires terriens) ; 200 avocats, juristes, magistrats ; 100 anciens officiers ; 90 de prof. industrielle ou commerciale.

■ **2 juillet 1871.** 114 députés à remplacer dans 46 départements (élections multiples, décès, démissions) : Républicains 99 (35 Radicaux, 38 Modérés, 26 Ralliés), 12 Monarchistes (dont 3 Légitimistes), 3 Bonapartistes. 40 % d'abstentions. Échecs de Victor Hugo, Clemenceau, Floquet. **Élections partielles de**

1871 à 1875 (184 s. à pourvoir en métropole et 11 en Algérie) : Extr. gauche 64, Gauche 62, Centre gauche 37, Centre droit 12, Bonapartistes 11, Droite 6, Extr. droite 3. En fait, il n'y eut que 182 élus en raison des élections multiples ou successives. *Composition (févr. 1875) :* 727 députés (10 sièges vacants ; les 30 sièges des départements alsaciens et lorrains et 2 de Meurthe-et-Moselle étaient laissés volontairement vacants) : Centre droit 165, Gauche 153, Centre gauche 132, Droite 122, Extr. gauche 71, Extr. droite 52, Bonapartistes 32. L'*Ass. nat.* se sépare le 31-12-1875.

CHAMBRE DES DÉPUTÉS

■ **20 février et 5 mars 1876** [1]. *Inscrits* 9 733 734 (militaires exclus du vote). *Votants* 7 388 234. *Abstentions* + de 25 %. *Sièges* 533. *Républicains* 4 028 153 voix : 393 s. (Union rép. 98, Gauche rép. 193, Centre gauche 48, Centre droit 54 dont 17 Rép. modérés, 15 indéterminés, 22 Constitutionnels) ; *Conservateurs* 3 202 335 v. : Bonapartistes 76 s., Légitimistes 24, Orléanistes 40. *Élus célèbres :* Gambetta (4 fois), Félix Faure, Loubet, Fallières, Sadi Carnot, Casimir-Perier.

Chambre dissoute le 25-6-1877 par Mac-Mahon : elle avait refusé, par 363 voix contre 143, la confiance au nouveau ministère du duc de Broglie (à la suite du renvoi de Jules Simon).

■ **14 et 28 octobre 1877** [1]. *Inscrits* 9 948 449. *Votants* 8 087 323. *Abstentions* 20 %. Presque tous les sièges furent attribués dès le 1er tour : il y avait en général 2 candidats par circonscription (1 Rép. et 1 Monarchiste). 10 députés furent élus au 2e tour. *Républicains* 4 307 202 v. (313 s.) ; *Conservateurs* 3 577 282 v. : Bonapartistes 104 s., Légitimistes 44, Orléanistes 11, divers 49.

■ **21 août et 4 sept. 1881** [1]. *Inscrits* 10 179 345. *Votants* 7 181 443. *Abst.* 29,45 %. Rivalité entre Gambetta (programme opportuniste) et Clemenceau avec les « Radicaux » reprenant le programme de Belleville. *Sièges* 545. *Républicains* (5 128 142 v.) : Extrême gauche 46 s. [dont le *1er élu socialiste* Clovis Hugues (député de Marseille)], Union rép. (Gambetta) 204, Gauche rép. (Ferry) 168, Centre gauche 39 ; *Conservateurs* (1 789 767 v.) : Bonapartistes 46 s., Royalistes 42. Effondrement de la droite conservatrice et monarchiste.

■ **14 et 18 oct. 1885** [1]. *Inscrits* 10 278 979. *Votants* 7 929 503. *Abst.* 29,6 %. *Sièges* 584. *Républicains* (4 327 162 v.) : Radicaux-socialistes 60 s., Radicaux 40, Opportunistes 200, Républicains modérés 83 ; *Union des droites* (3 541 384 v.) : Conservateurs 63 s., Bonapartistes 65, Monarchistes 73. L'extrême gauche se renforce (100 sièges) surtout dans le Midi, le nord du Massif central et la Région parisienne.

■ **22 sept. et 6 oct. 1889** [1]. *Inscrits* 10 387 330. *Votants* 7 953 382. *Abst.* 23,4 %. *Sièges* 576. *Républicains* (4 350 000 v.) : Rép. socialistes et Radicaux-soc. 12 s., Radicaux 100, Rép. 216, Centre gauche 38 ; *Droite* [3 600 000 v. (dont 700 000 Boulangistes)] : Royalistes 86 s., Bonapartistes 52, Boulangistes 72.

■ **20 août et 3 septembre 1893** [1]. *Inscrits* 10 443 378. *Votants* 7 425 354. *Abst.* 28,8 %. *Sièges* 581. *Républicains :* Socialistes 49 s. (dont Radicaux-soc. 16, Soc. indépendants 15, Soc. 18), Radicaux 122, Rép. modérés 317 (Opportunistes et Progressistes 3 181 670 v.) ; *Droite :* Ralliés 35 (458 416 v.), Monarchistes 58 (1 000 381 v.). A la suite du scandale de Panamá, 50 % des députés sont nouveaux.

■ **8 et 22 mai 1898** [1]. *Inscrits* 10 779 123. *Votants* 8 106 123. *Abst.* 24 %. *Sièges* 585. *Gauche :* Socialistes 57 s. (791 148 v.), Rad.-soc. 74 (629 572 v.), Radicaux 104 (1 293 507 v.), Progressistes 254 (3 262 725 v.) ; *Droite :* Ralliés 32, Nationalistes 6 (250 101 v.), Révisionnistes 4, Monarchistes 44 (887 759 v.), divers 10. Jules Guesde et Jean Jaurès battus.

■ **27 avril et 11 mai 1902** [1]. *Inscrits* 11 058 702 (métropole, Réunion et 3 circonscrip. des Antilles). *Votants* 8 412 727. *Abst.* 25 %. *Sièges* 589. *Gauche :* Socialistes 43 (875 532 v.), Rad.-soc. 104 (853 140 v.), Radicaux 129 (1 413 931 v.), Rép. de gauche 62 (2 501 429 v.), Rép. progressistes (modérés) 127 ; *Droite :* Libéraux 35 (885 615 v.), Conservateurs 89 (2 383 080 v.). Les Radicaux avec 233 s. étaient au centre de la majorité qui pouvait s'appuyer sur Socialistes ou Rép. de gauche. Jaurès et Briand élus. *Le Bloc des gauches* (ou Bloc de défense républicaine), formé juin 1899 contre Ligues et Conservateurs, se dissocia 1906 (les Soc. l'avaient quitté en 1906 après le Congrès d'Amsterdam).

■ **6 et 20 mai 1906** [1]. *Inscrits* 11 341 062 (métropole et Algérie). *Votants* 8 812 493. *Abst.* 21 %. *Sièges* 585. *Gauche :* Socialistes 54 (877 221 v.), Soc. ind. 20 (205 081 v.), Rad.-soc. 132 (2 514 508 v.), Rad. ind. 115 (692 029), Rép. de gauche 90 (703 912 v.) ; *Droite :* Libéraux 66 (1 238 048 v.), Conservateurs 78 (2 571 765 v.), Nationalistes 30.

■ **24 avril et 8 mai 1910** [1]. *Inscrits* 11 326 828 (métropole et Algérie). *Votants* 8 396 820. *Abst.* 22 %. *Sièges* 590. *Gauche :* Socialistes 75 (1 110 561 v.), Soc. ind. 32 (345 202 v.), Rad.-soc. (1 727 064 v.) et Indép. (966 407 v.) 149, Rép. de gauche 113 (1 018 704 v.), Union rép. 72 (1 472 442 v.) ; *Droite :* Libéraux 20 (153 231 v.), Conservateurs 129 (1 602 209 v.).

■ **26 avril et 10 mai 1914** [1]. *Inscrits* 11 305 986. *Votants* 8 431 056. *Abst.* 22 %. *Sièges* 601. *Gauche :* Socialistes 102 (1 413 044 v.), Rép.-soc. 24 (326 927 v.), Rad.-soc. (1 530 188 v.) et Indépendants (1 399 830 v.) 195, Rép. de gauche 66 (819 184 v.), Union rép. 88 (1 588 075 v.) ; *Droite :* Conservateurs (1 297 722 v.) 120 s. (dont Fédération rép. 37, Action liberté 23, divers droite 15, non-inscrits 45). La gauche obtenait presque la majorité absolue.

■ **16 et 30 novembre 1919** [4]. *Inscrits* 11 604 322 (métropole et Algérie). *Votants* 8 148 090. *Abst.* 28 %. *Sièges* 613. *Bloc national* (433 s. ; présentait des listes uniques des partis de droite et du centre, sous l'impulsion de l'Alliance démocratique) : Indépendants 50 (1 139 794 v.), Union rép. et démocratique 183 (1 819 691 v.), Gauche rép. et dém. 93, Rép. de gauche 61 (889 177 v.), Groupe d'action rép. et sociale 46 ; *Gauche* (180 s.) : Républicains et Rad.-soc. 86 (1 420 381 v.), Rép.-soc. 26 (283 001 v.), SFIO 68 (1 728 663 v.). On l'appelle Chambre *bleu horizon,* (couleur de l'uniforme de beaucoup d'anciens combattants). Il est difficile de compter le % des suffrages du Bloc national : dans certains départements, les listes du Bloc présentaient des Radicaux. Son succès s'explique par le mécontentement contre les députés en place (rendus responsables de la préparation insuffisante de la guerre), la peur du « péril bolchevique » et la popularité de Clemenceau qui bénéficia aux partis du centre ; le Bloc bénéficia ainsi de la division de la gauche.

■ **11 et 25 mai 1924** [4]. *Inscrits* 11 187 745 (métropole et Algérie). *Votants* 9 000 091. *Abst.* 16 %. *Sièges* 581. *Droite et Centre :* Indépendants 29 (375 806 v.), Union rép. et dém. 104 (3 190 831 v.), Démocrates populaires 14, Gauche rép. et dém. 43, Rép. de gauche 38, Gauche rép. 40 (Rép. gauche et Gauche rép. 1 058 293 v.) ; *Gauche* [*Cartel* (287) dont : Rad.-soc. 139 (1 612 581 v.), Rép.-soc. et Soc. français (non SFIO) 44, SFIO 104 (1 814 000 v.)] ; *SFIC* (Parti communiste) : 26 (885 993 v.).

■ **22 et 29 avril 1928** [1]. *Inscrits* 11 557 764 (métropole et Algérie). *Votants* 9 469 861. *Abst.* 16 %. *Sièges* 606. *Droite et Centre :* Indép. et Conservateurs 37 (215 169 v.), Union rép. et dém. 102 (2 082 041 v.), Action dém. et sociale 29, Dém. populaire 19, Rép. de gauche 64, Gauche unioniste et sociale 18, Gauche radicale 54, Indép. de gauche 15 (RG et GR 2 196 243 v.) ; *Gauche :* Rép.-rad. et Rad.-soc. 125 (1 682 543 v.), Rép.-soc. et Soc. français 31 (R.-S. 432 045 v.), SFIO 100 (1 708 972 v.), SFIC 12 (1 066 099).

■ **1er et 8 mai 1932** [1]. *Inscrits* 11 740 893 (métropole et Algérie). *Votants* 9 579 482. *Abst.* 16 %. *Sièges* 614. *Droite et Centre :* Isolés 3, Rép. du centre 6, Indép. d'action éco. sociale et paysanne 7, Indép. 16, Groupe rép. et social 18 (582 095 v.), Féd. rép. du centre 41, Démocrates pop. 17 (309 336 v.), Centre rép. et Rép. de gauche 76 (1 299 936 v.), Gauche radicale et Indép. de gauche 74 (955 990 v.) ; *Gauche :* Gauche indép. 15, Rép.-rad. et Rad.-soc. 160 (1 836 991 v.), Parti social français et Rép.-soc. 29 (515 176 v.), SFIO 132 (1 964 384 v.), Unité ouvrière 9, SFIC 11 (796 630 v.). La majorité revient au cartel des Gauches avec 345 v., renforcé à l'extrême gauche par les voix de l'Unité ouvrière (détachée de la SFIC depuis l'élimination de Trotski par Staline). Les communistes obtiennent 8 % des suffr. exprimés (c. 12 % en 1928). Le recul de la droite est important dans le Sud.

■ **26 avril et 3 mai 1936** [1]. *Inscrits* 11 971 923 (métropole et Algérie). *Votants* 9 847 266. *Abst.* 15 %. *Sièges* 612. *Front populaire* (386 s.) : SFIO 149 (1 955 306 v.), 1er parti de la coalition ; les Rad.-soc. perdent le contrôle de la gauche pour la 1re fois, mais conservent un rôle d'arbitrage. Rép.-radicaux et Rad.-soc. 111 (1 422 611 v.), SFIC 72 (1 502 404 v.), divers gauche 28 (748 600 v.), Union soc. rép. (néo-socialistes) 29. *Opposition :* Centre et Centre droit 95 (2 536 294 v.), Droite 128 (dont Féd. rép. de France 59) (1 666 004 v.).

☞ Les 2/3 des députés de la IIIe République n'ont siégé qu'une ou 2 législatures. 2 271 députés sur 4 892 (soit 46 %) furent élus une seule fois et 1 032 députés (21 %) 2 fois. La plupart se représentèrent à l'expiration de leur mandat et échouèrent.

■ IVe RÉPUBLIQUE

ASSEMBLÉE NATIONALE CONSTITUANTE

■ **21 octobre 1945. Élections à la 1re Ass. Scrutin :** représentation proportionnelle suivant la plus forte moyenne dans le département, sans panachage ni vote préférentiel. Femmes et militaires ont le droit de vote. Siégea du 6-11-1945 au 26-4-1946. **Résultats** (métropole) : *inscrits* 24 622 862. *Votants* 19 657 603. *Abst.* 4 965 259 (20,1 %). *Suffrages exprimés* 19 152 716. **Voix** (% des suffr. expr.) : PC et apparentés 5 024 174 (26,2 %), SFIO 4 491 152 (23,4 %), Radicalisme et UDSR 2 018 665 (10,5 %), MRP 4 580 222 (23,9 %), Modérés 3 001 063 (15,6 %), divers 37 440 (0,7 %).

Effectif des groupes parlementaires [1] **:** P. Communiste et apparentés (groupe des Républicains et Résistants) 159, Socialiste et appar. (gr. musulman algérien) 146, Radical et Rad.-socialiste et appar. 29, UDSR et appar. (dont Gr. paysan) 42, MRP 150, Républicains indépendants 14, Unité républicaine et appar. 39, non-inscrits 7.

■ **2 juin 1946. Élections à la 2e**, le projet de Constitution de la 1re Const. ayant été rejeté. **Scrutin :** idem. **Résultats** (métropole) : *inscrits* 24 696 949. *Votants* 20 215 200. *Abst.* 4 481 749 (18,1 %). *Suffr. expr.* 19 805 330. **Voix :** PC et appar. 5 145 325 (25,9 %), SFIO 4 187 747 (21,1 %), RGR (regroupe, dep. 1946, Radicalisme et UDSR) 2 299 963 (11,6 %), MRP 5 589 213 (28,2 %), Modérés 2 538 167 (12,8), div. 44 915 (0,1).

Effectif des groupes parlementaires [1] **:** PC et appar. (Union rép. et résistante) 153, Socialiste et appar. 128, Radical et Rad.-soc. 32, UDSR 20, MRP et appar. 166, Rép. indépendants et appar. 32, PRL 35, UDMA 11, non-inscrits 9.

ASSEMBLÉE NATIONALE

■ **10 novembre 1946** (le projet de la 2e Constituante ayant été adopté par référendum le 13-10 et promulgué le 27-10). **Scrutin :** idem, mais vote préférentiel admis. **Résultats** (métropole) : *inscrits* 25 083 039. *Votants* 19 578 126. *Abst.* 5 504 913 (21,9 %). *Suffr. expr.* 19 216 375. **Voix :** PC et apparentés 5 430 593 (28,3 %), SFIO 3 433 901 (17,8 %), RGR 2 136 152 (11,1 %), MRP 4 988 609 (25,9 %), Union gaulliste 585 430 (3 %), Modérés 2 487 313 (12,9 %), divers 154 377 (0,8 %).

Effectif des groupes parlementaires [1] **:** PC et apparentés 182, Socialiste 102, Rép. radical et Rad.-soc. 43, UDSR 26, MRP et apparentés 173, Rép. indép. et appar. 29, PRL et appar. 38, MTLD 5, Groupe musulman indép. pour la déf. du fédéralisme alg. 8, non-inscrits 21.

■ **17 juin 1951.** *Référendum* (l'Ass. élue en 1946, dissoute le 11-5-1951, a fixé la fin de la législature au 4-7-1951). **Scrutin** (loi du 9-5-1951) : de liste dans le cadre départ. ; les listes sont autorisées à conclure entre elles des accords préalables *(apparentements).* Si aucun n'est conclu ou si des listes apparentées n'obtiennent pas la majorité absolue des suffr. exprimés, la répartition des sièges a lieu à la représentation proportionnelle, mais si des listes appar. obtiennent la majorité absolue, elles se voient attribuer tous les sièges qui sont répartis entre elles à la repré. prop. But : permettre aux partis centristes de s'unir pour tenir en échec les extrémistes. **Résultats** (métropole) : *inscrits* 24 530 523. *Votants* 19 670 655. *Abst.* 4 859 869. *Suffr. expr.* 19 129 424. **Voix** [2] **:** PC et apparentés 5 056 605 (26,9 %), SFIO 2 744 842 (14,6 %), RGR 1 887 583 (10 %), MRP 2 369 778 (12,6 %), RPF 4 058 336 (21,6 %), Modérés 2 656 995 (14,1 %).

Effectif des groupes parlementaires [1] **:** P. Communiste et Rép. progressistes 103, Socialiste et apparentés 107, Rép. radical et Rad.-soc. et appar. 74, UDSR et appar. 16, MRP et Indép. d'O.-M. 95, RPF et appar. 121, CRAPS et Démocrates ind. et appar. 43, Rép. ind. et appar. 53, RDA 3, non-inscrits 10, sièges non pourvus (TOM) 2.

Scissions du RPF entre 1951 et 1955 : formation de l'ARS (1952) et, après que de Gaulle lui eut retiré son patronage, de l'URAS et des Rép. sociaux (1954).

■ **2 janvier 1956.** Remplacement de l'Ass. élue en juin 1951, dissoute le 1-12-1955. **Scrutin. Résultats** (métropole) : *inscrits* 26 774 899. *Votants* 22 171 957. *Abst.* 4 602 942 (17,20 %). *Suffr. expr.* 21 500 790. **Voix** [2] **:** PC et apparentés 5 514 403 (25,9 %), SFIO 3 247 431 (15,2 %), Radicaux et UDSR (Front rép. qui regroupait également la SFIO) 2 389 163 (11,3 %), Rép. sociaux (ex-RPF) 585 764 (2,7 %), MRP 2 366 321 (11,1 %), Modérés 3 259 782 (15,3 %), Poujadistes 2 483 813 (11,6 %), Extr. droite (P. rép. paysan, Rass. nat., Réforme de l'État) 260 749 (1,2 %), div. 98 600 (0,4 %).

Effectif des groupes parlementaires [1] : P. Communiste et appar. (dont Rép. progressistes) 150, Socialiste 94, Rép.-radical et Rad.-soc. et appar. 58, UDSR et RDA 19, MRP et Ind. d'O.-M. 83, Rép. sociaux 21, Rassemblement des gauches rép. et du Centre rép. et appar. 14, Indépendants et Paysans d'action sociale et appar. 95, Union et Fraternité franç. 52, non-inscrits 7, non-autorisés à siéger 2, sièges non pourvus (Algérie) 32.

Nota. – (1) Y compris les députés d'outre-mer. Les effectifs retenus sont ceux établis immédiatement après les élections. (2) % du total des moyennes des listes : les bulletins incomplets étaient valables, le total des moyennes des listes était donc inférieur à celui des suffrages exprimés.

En juin 1958. Communistes 138, Progressistes 6, Socialistes 91, Radic. valoisiens 42, Radic. moriciens 13, UDSR 9, RGR 13, MRP 71, Indépend. et Paysans 97, Paysans 10, Rép. sociaux 13, Poujadistes 30, non-inscrits 7. *Total 540.*

☞ Sur 1 112 députés élus sous la IVe Rép. en métropole, 446, soit 40 %, furent élus une seule fois, et 190 (17 %), 2 fois.

■ Ve République

Assemblée nationale

Élections des 23 et 30 novembre 1958

Résultats Métropole	1er tour [1]		2e tour	
	Voix	%	Voix	%
	27 236 491	*100*	*27 013 390*	*100*
Votants	20 999 797	77,1	19 108 791	70,7
Abstentions	6 241 694	22,9	7 904 599	29,3
Blancs ou nuls	652 889	2,3	468 017	1,7
Suffrages exprimés	*20 341 908*	*74,8*	*18 640 774*	*69*
Communistes	3 882 204	18,9	3 833 418	20,6
Divers gauche	347 298	1,7	146 016	0,7
SFIO	3 167 354	15,5	2 574 606	13,8
Radicaux	983 201	4,8	619 784	3,3
RGR	716 869	3,5	439 517	2,3
UNR	3 603 958	17,6	5 249 746	28,2
MRP	1 858 380	9,1	1 370 246	7,4
Dém.-chrétiens	520 408	2,5	343 292	1,8
Centre républicain	647 919	3,2	451 810	2,4
CNI	2 815 176	13,7	2 869 173	15,4
Modérés	1 277 424	6,2	570 775	3,1
Extrême droite	669 518	3,3	1 723 610	0,9

Nota. – (1) Résultats publiés par le min. de l'Intérieur. *Résultats calculés à la Fondation des Sciences politiques* (d'après les résultats par circonscription communiqués par le min. de l'Intérieur) : Communistes 3 907 763 (19,2 %), Union des forces démocratiques 261 738 (1,2 %), SFIO 3 193 786 (15,7 %), Radicaux 1 503 787 (7,3 %), MRP 2 273 281 (11,1 %), Gaullistes (UNR, CRR et divers) 4 165 453 (20,4 %), Modérés 4 502 449 (22,1 %), Extrême droite 533 651 (2,6 %).

■ **Circonstances :** à la suite de la nouvelle Constitution promulguée 4-10-1958.

■ **Scrutin :** uninominal majoritaire à 2 tours en métropole (465 circonscriptions découpées exprès) et dans les DOM (10 s.). Seuls les candidats inscrits au 1er t. et ayant obtenu au moins 5 % des suffr. expr. peuvent se présenter au 2e t. En Algérie (30 nov. ; 67 s. : 21 pour les citoyens de statut civil de droit commun et 46 pour ceux de statut civil local), au Sahara (30 nov. ; 4 s.) : scrutin de liste majoritaire à 1 tour. Dans les TOM : avril-mai 1959 ; 5 s. Chaque député est assisté d'un suppléant de son choix appelé à lui succéder dans certains cas, notamment s'il entre au gouvernement.

■ **Sièges :** après les élections, l'Assemblée comptait en fait 546 députés et 33 représentants des TOM siégeant au Parlement (dont 28 représentant des territoires devenus États membres de la Communauté, et leurs mandats prenaient fin le 16-7-1959). Après le 16-7-1959 il y eut donc 5 repr. des TOM + 1 repr. des Comores.

Répartitions des 546 sièges au 30-11-1958 (métropole) : Communistes 10, Divers gauche 2, SFIO 40, Radicaux et autres gauche 35, UNR et Rép. indépendants 189, Indép. 132, MRP 57. **Des 552 sièges au 27-7-1959** (y compris ceux d'outre-mer) : PC 10, SFIO 44, Entente dém. (rassemblement des élus de tendance radicale) 33, Centre rép. 4, MRP 56, IP 118, UNR 212, Unité de la Rép. (Algérie) 48, isolés 27.

☞ Pour en savoir plus, demandez le **Quid des présidents de la République... et des candidats.** 717 pages de faits, de dates, de chiffres et d'anecdotes sur la vie des présidents, l'histoire des régimes, des élections. En vente chez tous les libraires (éditions Robert Laffont, 1987).

Élections des 18 et 25 novembre 1962

Résultats Métropole	1er tour		2e tour	
	Voix	%	Voix	%
Inscrits	*27 526 358*	*100*	*21 957 468*	*100*
Votants	18 918 159	68,72	15 824 990	72
Abstentions	8 608 199	31,28	6 132 478	27,9
Blancs ou nuls	584 368	2,1	616 889	2,74
Suffrages exprimés	*18 333 791*	*65,6*	*15 208 101*	*69,26*
PC	4 003 553	21,84	3 195 763	20,94
Extr. gauche et PSU	427 467	2,33	138 131	0,90
SFIO	2 298 729	12,54	2 264 011	14,83
Rad. et Centr. gauche	1 429 649	7,79	1 172 711	7,68
UNR-UDT gaullistes	5 855 744	31,94	6 169 890	40,36
MRP	1 665 695	9,08	821 635	5,45
Indépendants	1 089 348	5,94	1 444 666	9,46
Modérés (CNI)	1 404 177	7,66		
Extrême droite	159 429	0,87	52 245	0,34

Sièges (25-11-62)	Sortants	Total	1er t	2e t	Solde
UNR-UDT	165	229	46	183	+ 64
SFIO	41	65	1	64	+ 24
Rad. et Centr. gauche	41	42	8	34	+ 1
Communistes	10	41	9	32	+ 31
MRP	56	36	14	22	– 20
Indépendants (CNI)	106	28	6	22	– 78
Rép. indépendants	28	20	12	8	– 2
PSU	–	2	0	2	+ 2
Centre républicain	3	1	0	1	– 2
Extrême droite	12	0	0	0	– 18
Sans étiquette	–	1	0	1	+ 1
Total	*462* [1]	*96*	*369*	*465*	

Nota. – (1) Métropole : 3 sièges vacants au moment de la dissolution de l'Assemblée.

■ **Circonstances :** remplacement de l'Assemblée dissoute par le Pt de la Rép. après l'adoption, le 5-10-1962, de la motion de censure contre le gouvernement Pompidou.

■ **Scrutin :** uninominal majoritaire à 2 tours (voir Élect. 1958).

■ **Effectif des groupes parlementaires** (y compris députés apparentés, au 10-12-1962) : total, dont entre parenthèses DOM et TOM : UNR-UDT *233* (13). Socialiste 64 (2), *66.* Centre démocratique 51 (4), *55.* Communiste 41, *41.* Rassemblement dém. 38 (1), *39.* Rép. ind. 33 (2), *35.* Non-inscrits 9 (4), *13. Total :* 465 (dont 8 femmes : 2 UNR, 2 Centre dém., 3 Comm., 1 Rass. dém.) (10,7), *482.*

Élections des 5 et 12 mars 1967

Résultats Métropole	1er tour		2e tour	
	Voix	%	Voix	%
Inscrits	*28 300 936*	*100*	*27 526 358*	*100*
Votants	22 902 224	80,92	18 918 159	68,72
Abstentions	5 398 712	19,08	8 608 199	31,27
Blancs ou nuls	494 834	2,16	584 368	3,09
Suffr. exprimés	*22 389 514*	*78,68*	*18 333 791*	*66,60*
PC	5 039 032	22,51	3 998 790	21,37
Extr. gauche (dt PSU)	495 412	2,21	173 466	0,93
FGDS	4 244 110	18,96	4 505 329	24,08
Ve République	8 448 982	37,73	7 972 908	42,60
Centre démocrate	2 829 998	12,64	1 328 777	7,10
Divers modérés	1 140 748	5,10	702 352	3,73
Alliance républicaine	191 232	0,85	28 347	0,15
Extrême droite	–	–	–	–

■ **Scrutin :** comme en 1958, mais il faut avoir obtenu un minimum de suffrages correspondant à 10 % des inscriptions pour se présenter au 2e tour.

■ **Effectif des groupes parlementaires** (y compris DOM) : Union démocratique pour la Ve Rép. 180 et apparentés 20. Féd. de la gauche démocrate et socialiste 116 et apparentés 5. PC 71 et app. 2. Rép. indép. 39 et app. 3. Progrès et Démocratie moderne 38 et app. 3. Non-inscrits 9.

Élections des 23 et 30 juin 1968

Résultats Métropole	1er tour		2e tour	
	Voix	%	Voix	%
Inscrits	*28 181 848*	*100*	*19 266 974*	*100*
Votants	22 532 407	79,95	14 994 174	77,8
Abstentions	5 649 441	20,04		22,17
Blancs ou nuls	385 192	1,4	416 762	2,2
Suffr. exprimés	*22 147 215*	*78,58*	*14 577 412*	*75,6*
Communistes	4 434 832	20,02	2 935 775	20,14
Extrême gauche	873 581	3,95	83 777	0,57
FGDS	3 660 250	16,53	3 097 338	21,25
Divers gauche	163 482	0,74	60 584	0,42
UDR	9 667 532	43,65	6 762 170	46,39
Progrès et dém. mod.	2 289 849	10,34	1 141 305	7,83
Divers droite	917 758	4,14	496 463	3,41
Mouv. pour la réforme	33 835	0,15		
Technique et démocratie	77 360	0,35		
Extrême droite	28 736	0,13		

Sièges (30-6-1968)	Sortants	Élus		Total	Gains ou pertes
		1er tour	2e tour		
PCF	73	6	28	34	– 39
PSU	3	–	–	–	– 3
Fédération	118	–	57	57	– 61
UD-Ve Rép.	197	124	170	294	+ 97
Rép. indép.	43	28	36	64	+ 21
Centre PDM	42	5	22	27	– 15
Divers	9	3	6	9	-
Total	*485*	*166*	*319*	*485*	

■ **Scrutin :** uninominal majoritaire à 2 tours (voir Élect. 1958).

■ **Effectif des groupes parlementaires** (y compris dép. d'outre-mer) : PC et apparentés 73. FGDS et appar. 121. Progrès et Démocratie moderne 41. UD-Ve et appar. 200. Rép. ind. 44. Non-inscrits 8.

Élections des 4 et 11 mars 1973

Résultats Métropole	1er tour		2e tour	
	Voix	%	Voix	%
Inscrits	*29 901 822*	*100*	*29 666 161*	*100*
Votants	24 289 285	81,23	24 294 033	81,89
Abstentions	5 612 537	18,76	5 372 128	18,11
Blancs ou nuls	541 877	1,81	804 390	2,71
Suffrages exprimés	*23 751 213*	*79,43*	*23 489 643*	*79,18*
Communistes	5 085 108	21,41	4 893 876	20,83
PSU et Extr. gauche	778 195	3,28	114 540	0,47
Socialistes	4 559 241	19,20	5 564 610	23,68
Divers gauche	668 100	2,81	191 441	0,81
Réformateurs	2 979 781	12,55	1 631 978	6,94
URP	8 242 661	34,74	10 701 135	45,54
Divers majorité	784 735	3,30	337 399	1,43
Divers droite	671 505	2,83	21 053	0,08

Sièges (11-3-1973)	Sortants	Élus		Total	Gains ou pertes
		1er tour	2e tour		
PCF	34	8	65	73	+ 39
PSU et Extr. g.	1	–	3	3	+ 2
UGSD-PS	41	1	88	89	+ 48
UGSD-Rad. g.	8	–	12	12	+ 4
Réformateurs	15	–	31	31	+ 16
URP-UDR	273	26	158	184	– 89
URP-Rép. ind.	61	13	41	54	– 7
URP-CDP	26	6	17	23	– 3
Divers	24	6	13	19 (4)	– 5
Total	*483*	*60*	*428*	*488*	

■ **Scrutin :** uninominal majoritaire à 2 tours (voir Élect. 1958).

■ **Sièges à pourvoir :** 491 dont *métropole* 474 [dont 1 siège supplémentaire en Corse (4 au lieu de 3)]. *DOM* 11 au lieu de 10 (dont 1 pour St-Pierre-et-Miquelon devenu DOM). *TOM* 6 s. au lieu de 5 [2 au lieu de 1 en N.-Calédonie et en Polynésie Fr. ; 3 supprimés : Comores 2 et Afars et Issas 1 (devenus indépendants) ; 1 créé : Mayotte, pourvu une 1re fois le 13-3-77] ; 1 s. pour Wallis-et-Futuna.

Élections des 12 et 19 mars 1978

Résultats Métropole	1er tour		2e tour	
	Voix	%	Voix	%
Inscrits	*35 204 152*	*100*	*30 956 076*	*100*
Votants	29 141 979	82,77	26 206 710	84,60
Abstentions	6 062 173	17,22	4 749 366	15,34
Blancs ou nuls	–	–	–	–
Suffrages exprimés	*28 560 243*	*81,12*	*25 475 802*	*82,20*
Extrême gauche	953 088	3,33	–	–
Communistes	5 870 402	20,55	4 744 868	18,62
Socialistes	6 451 151	22,58	7 212 916	28,31
MRG	603 932	2,11	595 478	2,36
RPR	6 462 462	22,62	6 651 756	26,11
UDF	6 128 849	21,45	5 907 603	23,18
Majorité présidentielle	684 985	2,39	305 763	1,20
Écologistes	621 100	2,14	–	–
Divers	793 274	2,77	57 418	0,22

Sièges (19-3-1978)	Sortants	Élus		Total	Gains ou pertes
		1er tour	2e tour		
PCF	74	4	82	86	+ 12
Parti socialiste	95	1	103	104	+ 9
Radic. de gauche	13	–	10	10	– 3
Divers opposition	2	–	1	1	– 1
RPR	173	31	119	150	– 23
PR	61	16	55	71	+ 10
CDS	28	6	29	35	+ 7
Majorité prés.	17	6	10	16	– 1
Radicaux	7	3	4	7	– 1
MDSF	6	1	8	9	+ 2
CNIP	8	–	1	1	– 5
PSD	4	–	1	–	– 3
Divers	3	–	–	–	– 3
Total	*491*	*68*	*423*	*490*	

■ Scrutin : uninominal majoritaire à 2 tours. Pour se maintenir au 2e t., il faut avoir obtenu au 1er t. 12,5 % des inscrits. Cependant, si un seul candidat atteint les 12,5 %, le 2e qui le suit peut se présenter au 2e t. Si aucun candidat n'atteint 12,5 %, les 2 arrivés en tête peuvent se présenter. Si sur 2 candidats restant en lice au 2e t., un seul a obtenu 12,5 % et si celui qui le suit avec – de 12,5 % se désiste en sa faveur, un 3e candidat ne peut se présenter (décision jugée par le Conseil constitutionnel en 1978). Il n'y a donc qu'un candidat pour le 2e t.

■ Bilan. **1er tour :** *gauche :* succès global moindre que celui prévu par sondages. PS et MRG progressent par rapport à l'UGSD de 1973 sauf dans 18 dép., mais reculent à Paris et dans la Région par. (sauf dans la 9e circ. de la Seine-St-Denis). L'extrême gauche, divisée (1 000 candidats), progresse légèrement (3,33 % des suffrages contre 3,29 % en 1973). Le *Front autogestionnaire* (1,22 % des suffrages, 348 527 voix) et les organisations groupées dans les listes *« Pour le socialisme, le pouvoir aux travailleurs »* perdent env. 25 % des voix PSU de 1973. *Lutte ouvrière* (470 candidats, 1,7 %, 500 000 v.) recule par rapport aux présidentielles de 1974 (Arlette Laguiller avait 2,33 % des v.). *LCR, OCT et CCA* (250 cand.) obtiennent 0,33 % sur les cand. de gauche. Par contre *l'UOPDP (Union ouvrière et paysanne pour la démocratie prolétarienne,* 28 000 v. dans 115 circ.), qui regroupe des formations maoïstes, le PCRML (Parti comm. révol. marxiste-léniniste) et le PCMLF (Parti comm. marxiste-lén. de France) donne des consignes d'abstention. *Écologistes* 1er tour : 2,14 % de voix (Hts-de-S. 5,80, Yvelines 5,90, Val-d'O. 6,15).

2e tour : *la baisse des abstentions* a profité à la majorité. *Les reports de voix* socialistes sur des communistes se sont mal effectués (dans 7 cas sur 8). Ceux de voix comm. sur les socialistes ou radic de gauche ont été meilleurs (dans 19 cas sur 30). 57 députés ont été élus avec une marge *inférieure* à 1 % : 15 RPR (dont Ch. de La Malène, A. Jarrot, Y. Guéna, X. Deniau, R. Boulin), 13 UDF (dont J.-J. Servan-Schreiber 50,01) ; 11 PS (dont L. Mexandeau), 1 MRG, 17 PC.

■ Bilan général. *Le Pt de la Rép. Valéry Giscard d'Estaing est vainqueur.* Il avait refusé en 1976 de dissoudre l'Ass. nat. [comme on le lui demandait alors à droite (Chirac) et à gauche]. L'UDF a repris une place importante en face du RPR. *La gauche est battue.* Cependant le PC gagne 12 s. (86 s. au lieu de 74), obtient tous ceux de 3 dép. (Gard, Seine-St-Denis, Hte-Vienne) ; le PS, 9 (104 s. au lieu de 95) ; le MRG en perd 3 (10 au lieu de 13). *La majorité gagne* mais perd 10 s. (290 au lieu de 300). Le RPR représente le 1er parti de France malgré les pertes gaullistes de 23 s. (150 au lieu de 173). Il n'a plus que 51 % des élus de la majorité au lieu de 57 %, mais il est en tête de la majorité devant le PR qui a 71 s. (+ 10 s.), et devant l'ensemble UDF (138 s. en regroupant PR, CDS, majorité présid., radicaux, MDSF, CNIP).

Élections des 14 et 21 juin 1981

Sièges (21-6-1981)	Sortants	Élus		Total	Gains ou pertes
		1er tour	2e tour		
PCF	86	7	37	44	– 42
PS et appar.	107	47	222	269 (1)	+ 162
Radic. de gauche	10	1	13	14	+ 4
Divers gauche	1	1	5	6 (2)	+ 5
RPR	153	50	33	85	– 70
UDF-PR	65	23	9	32	– 33
UDF-CDS	36	13	6	19	– 17
UDF-rad.	8	2	–	2	– 6
UDF-MDS	2	–	–	–	– 2
UDF	5	5	3	9	+ 3
CNIP (3)	9	5	–	5	– 4
Divers droite	9	2	4	6	– 3
Total (4)	*491*	*156*	*332*	*491*	–

Nota. – (1) Aux 266 socialistes sont ajoutés Césaire, apparenté PS, réélu, Dabezies, FRP, et Mme Halimi, Choisir, présentés par le PS. (2) Pidjot, réélu, Giovannelli et Patriat non investis par le PS, et Pen, Castor et Hory. (3) *9 sortants :* 4 (Ginoux, d'Harcourt, Pineau et Ligot) UDF, 3 (Delprat, Florence d'Harcourt et Malaud) non-inscrits et 2 (Féron et Frédéric-Dupont) apparentés RPR. 5 sont élus ou réélus : Fouchier, d'Harcourt et Ligot UDF, Florence d'Harcourt et Frédéric-Dupont. (4) Restent à pourvoir 3 sièges (Polynésie fr. 2, Wallis-et-Futuna 1).

■ Scrutin : uninominal majoritaire à 2 tours (voir Élect. 1978).

■ Candidats. Sur 2 719, 1 584 parrainés par des formations politiques. *L'UNM (Union pour la nouvelle majorité,* créée le 15-5) a investi 385 candidats uniques (158 en mars 1978 pour les RPR/UDF) et organisé 88 primaires. A gauche, le *PC* étant demandeur, le PS n'a accepté qu'un simple accord électoral. **Femmes candidates :** 128 dont PC 64, PS 37, ancienne majorité 15 ; (en %) PC 13,5, PS 8, MRG 6,7, UDF

Élections des 14 et 21 juin 1981

	Métropole			Outre-mer			Total		
	Candidats	Voix	%	Candidats	Voix	%	Candidats	Voix	%
1er tour : 14 juin [1]									
Inscrits		35 536 041	100		721 392	100		36 257 433	100
Votants		25 182 262	70,86		326 538	45,26		25 508 800	70,35
Abstentions		10 353 779	29,13		394 854	54,73		10 748 633	29,65
Blancs ou nuls		359 197	1		8 413	1		367 610	1
Suffrages exprimés		*24 823 065*	*69,85*		*318 125*	*44,10*		*25 141 190*	*69,34*
Extrême gauche	498	330 344	1,33	5	4 330	1,36	503	334 674	1,33
PC	474	4 003 025	16,12	9	62 515	19,65	483	4 065 540	16,17
PS + MRG	522	9 876 853	37,77	10	55 509	17,44	532	9 432 362	37,51
Divers gauche	116	141 638	0,57	14	41 372	13	130	183 010	0,72
Écologistes	172	270 792	1,09	2	896	0,28	174	271 688	1,08
RPR	289	5 192 894	20,91	10	38 375	12,06	299	5 231 269	20,80
UDF	273	4 756 503	19,16	7	70 934	22,29	280	4 827 437	19,20
Divers droite	135	660 990	2,66	13	43 798	13,76	148	704 788	2,80
Extrême droite	169	90 026	0,36	1	396	0,12	170	90 422	0,35
TOTAL	2 648			71			2 719		
2e tour : 21 juin [2]									
Inscrits		25 104 080	100		653 294	100		25 757 374	100
Votants		18 835 681	75,03		342 025	52,35		19 177 706	74,46
Abstentions		6 268 399	24,96		311 269	47,63		6 579 668	25,54
Blancs ou nuls		602 410	2,4		10 278	1,6		512 678	2
Suffrages exprimés		*18 233 271*	*72,63*		*331 757*	*50,78*		*18 665 028*	*72,46*
Extrême gauche	0	0	0	1	3 517	1,06	1	3 517	0,01
PC	37	1 228 218	6,69	4	75 369	22,71	41	1 303 587	6,98
PS + MRG	281	9 140 526	49,85	5	57 806	17,42	286	9 198 332	49,28
Divers gauche	2	54 436	0,29	4	42 630	12,84	6	97 066	0,52
Écologistes	0	0	0	0	0	0	0	0	0
RPR	161	4 115 356	22,44	4	58 946	17,76	165	4 174 302	22,46
UDF	136	3 434 872	18,73	4	44 491	13,41	140	3 489 363	18,64
Divers droite	14	359 863	1,96	3	48 998	14,76	17	408 861	2,19
Extrême droite	0	0	0	0	0	0	0	0	0
TOTAL	631			25			656		

Nota. – (1) Résultats communiqués le 15 juin, par le ministère de l'Intérieur, portant sur les 488 circonscriptions où le scrutin était organisé le 14 juin. Dans les 3 autres (2 en Polynésie française et 1 à Wallis-et-Futuna), le 1er tour était fixé au 21 juin. (2) 322 circonscriptions (dont 12 outre-mer) étaient concernées.

3,2, RPR 2 ; *élues :* PC 3, PS 5,9 ; *suppléants :* PC 23,8. **Age :** RPR 49 ans et 2 m., UDF 47 a. et 3 m., PC 46 a. et 3 m., PS 44 a. et 7 m., MRG 44 a. et 5 m. *Candidats de moins de 30 ans* (en %) : CDS 3,4, RPR 3,1, PS 3 ; *de plus de 65 ans :* Rad. de gauche 11,6, RPR 8,4, PC 4,4. Les candidats du PR au sein de l'UDF avaient plus de 30 a., 1 sur 5 avait plus de 60 a. **Origine sociale :** couches aisées (cadres sup., chefs d'entr., hauts fonct., prof. libérales en %), RPR 64,4 (dont cadres sup. et chefs d'entr. 33,3), MRG 62,1, UDF 59, PS 30,5, PC 5,1.

■ Bilan. **1er tour :** Abstentions 29,65 % (souvent dans le camp de la majorité sortante probablement en raison du nombre des candidatures uniques). 156 élus sur 491. 10 députés en ballottage restés en liste peuvent se considérer comme élus.

Entre les 2 tours, l'UNM fait campagne sur le thème de l'excès de puissance dont disposerait le pouvoir avec un parti dominant à l'Ass. nat.

2e tour : *à droite,* les reports de voix RPR/UDF s'effectuent correctement. 255 des 305 candidats uniques de l'UNM obtiennent un % de voix supérieur à celui totalisé au 1er tour par l'ensemble des candidats de la majorité sortante. *A gauche,* la poussée socialiste s'effectue aux dépens des formations et des bastions traditionnels de la droite (2 élus en Alsace, 13 en Lorraine au lieu de 3, 7 en Champagne-Ardenne, dont 2 aux dépens du PC, 6 au lieu de 2 dans le Finistère, etc.). *Taux de participation* plus élevé démentant la thèse selon laquelle les abstentions se situent plutôt à droite.

■ Bilan général. La *gauche* a + de 67 % des s. ; (avait *61,71 %* aux élections du Front populaire des 26-4 et 3-5-1936 et *60,15 %* le 21-10-1945, élection de l'Ass. constituante), *39,84 %* les 5 et 12-3-1967, *40,94 %* les 12 et 19-3-1978. *Le PS* détient tous les sièges dans 21 départ. *La nouvelle opposition n'a que 12 nouveaux élus :* 7 UDF et 5 RPR. Tous [sauf Jacques Toubon (RPR) à Paris, et Marcel Esdras (UDF) en Guadeloupe] ont été élus dans des circonscriptions où le sortant ne se représentait pas.

Raisons du succès socialiste. 1°) *L'évolution sociologique* (urbanisation, développement du salariat, chômage, travail des femmes). 2°) *Le fait présidentiel :* pour la 1re fois, des él. législatives ont eu lieu immédiatement après une él. présidentielle. 3°) *Le fait majoritaire :* la majorité va à la majorité, le scrutin apparaissant comme la confirmation de l'él. présidentielle. 4°) *Le fait sociologique :* le 1er tour des législatives est une 2e défaite pour Valéry Giscard d'Estaing ; après le rejet de l'homme, il confirme le rejet d'une politique et le désir de changement.

■ Élus. **Femmes élues :** 26 soit 5 de plus qu'en 1978 (5,3 % de l'Assemblée). **ENA (anciens élèves) :** PS 13 (1978 : 8), UDF 7 (78 : 15), RPR 3 (78 : 10). **Maires :** 246 dont PS 141, PC 25, RPR 43, UDF 31, non-inscrits 6. **Conseillers généraux :** 249 dont PS 156, PC 16, RPR 39, UDF 31, non-inscrits 7. **Conseillers de Paris :** 19 dont PS 6, RPR 10, UDF 3.

☞ Il y a 1 écrivain, 1 magistrat, 1 professeur de l'enseignement privé, 1 notaire rural, 1 sous-chef de gare, 1 employé de la Sécurité sociale, 2 douaniers, 4 employés des PTT.

■ Élections partielles du 17-1-1982. Suite à l'annulation de l'élection de 4 départements par le Conseil constitutionnel le 3-12-81, RPR et UDF-PR gagnent les 4 s. (contre 1 s. en juin 81) : J. Dominati (UDF-PR), Paris 2e circonscription. A. Peyrefitte (RPR), S.-et-M. 4e circ. P. de Bénouville (RPR), Paris 12e circ. B. Bourg-Broc (RPR), Marne 3e circ.

Élections du 16 mars 1986

■ Scrutin : *de liste à la proportionnelle* dans 102 circonscriptions (100 départements et 2 TOM ; 826 listes, 6 965 candidats, 574 sièges). *Scrutin majoritaire uninominal à 2 tours* dans 3 circonscriptions n'ayant qu'un s. à pourvoir (Mayotte, St-Pierre-et-Miquelon, Wallis-et-Futuna ; 13 candidats).

■ Sondages. 25/30-1-86. *Droite :* 57 % des voix, 339 s. (310 RPR-UDF, 27 FN, 2 divers). *Gauche :* 41 %, 216 s. (169 PS-MRG, 45 PC, 2 Écol.). **BVA-Paris Match,** févr. 86. *Droite :* 56 %, 333 s. (317 RPR-UDF, 16 FN). *Gauche :* 41,5 %, 222 s. (178 PS-MRG, 41 PC, 3 Écol.)

■ Candidats. **France + DOM-TOM :** 6 978 pour 577 sièges (majorité absolue 289). **Métropole :** 6 944 pour 555 sièges, dont 1 740 femmes (Extrême gauche 490, Divers droite 302, PC 203, PS 134, UDF 76, RPR 74) ; dont 1 184 enseignants, 249 médecins (dont 2/3 sur des listes de droite), dont 37 ministres [tout le gouv. sauf 4 : Hubert Curien (Recherche), Georges Fillioud (Communication), Haroun Tazieff (Risques naturels), Raymond Courrière (Rapatriés)] ; 13 sénateurs, 33 Pts de Conseil général, 379 députés sortants. **Moyenne d'âge :** 44 ans (Extrême gauche 36 a., UDF 49 a.).

Listes : *répertoriées* 807 dont 164 Extrême gauche, 117 Divers droite, 96 PCF, 95 FN, 94 PS, 62 d'union RPR-UDF, 34 Écologistes, 34 RPR, 32 Divers gauche, 31 Extrême droite [dont 1 royaliste (Bertrand Renouvin, en M.-et-L.)], 30 UDF, 12 MRG, 6 régionalistes.

Dans l'opposition, l'union a prévalu dans 2 départements sur 3. *A Paris :* 16 listes, 368 candidats pour 21 sièges.

■ Bilan général. Succès limité de la droite. *Sur 100 électeurs ayant voté à gauche en 1981 au 1er tour des*

16 mars 1986	Métropole		DOM		TOM		Total		
	Voix	%	Voix	%	Voix	%	Voix	%	Élus
Inscrits	36 585 861		699 296		227 016		37 562 173		
Votants	28 718 372	78,5	434 132	62,1	147 348	64,9	29 299 852	78	
Abstentions							7 878 658	21,5	
Blancs ou nuls	1 244 627	3,4	28 561	4,1	2 496	1,1	1 275 684	3,4	
Exprimés	27 473 745	75,1	405 571	58	144 852	63,8	28 024 168	74,6	
Extrême gauche	421 411	1,5	3 298	0,8	5 643	3,9	430 352	1,5	
PC	2 662 238	9,7	77 687	19,1	–		2 739 925	9,8	35
UNG [1]			56 044	13,8	1 526	1,1	56 044	0,2	
PS	8 642 632	31,5	49 781	12,3	163	0,1	8 693 939	31	206
Radicaux de gauche	107 606	0,4	–				107 769	0,4	2
Divers gauche	267 921	1	10 685	2,6	22 457	15,5	301 063	1,1	5
Écologistes	339 876	1,2	233	0,1	–		340 109	1,2	
Régionalistes	22 552	0,1	–		5 827	4	28 379	0,1	
RPR	3 059 124	11,1	5 332	1,3	78 768	54,4	3 143 224	11,2	76
UDF	2 316 719	8,4	2 723	0,7	10 725	7,4	2 330 167	8,3	53
Union RPR-UDF	5 859 848	21,3	148 764	36,7	–		6 008 612	21,4	147
Divers droite	1 018 240	3,7	46 883	11,6	18 588	12,8	1 083 711	3,9	14
FN	2 699 301	9,8	4 141	1	–		2 703 442	9,7	35
Extrême droite	56 277	0,2	–		1 155	0,8	57 432	0,2	

Nota. – (1) Liste conduite par Aimé Césaire (Martinique).

présidentielles : 82 ont revoté à gauche, 17 à droite, 1 écol. *Sur 100 jeunes de 18 à 20 ans :* 82 ont voté à gauche, 16 à droite, 1 écol.

■ **Élus. Femmes :** 33 sur 577 députés (1981 : 26). *Socialistes* 20 dont Yvette Roudy, Édith Cresson, Georgina Dufoix, Catherine Lalumière ; *Divers gauche* Huguette Bouchardeau (ancien ministre) ; *PC* 3 ; *RPR* 4 ; *UDF* 3 ; *Barriste* 1 ; *Front nat.* 1. **Nouveaux :** 281 dont nouveaux élus : 190 ; revenants (battus en 1981) 91. **Le plus jeune :** *Jérôme Lambert* (n. 7-6-1957), PS Charente. Il avait créé la Fédération des motards en colère (responsable de 1976 à 82), puis animé le mouvement Motard. **Les plus âgés :** *Marcel Dassault* (1892-1986) né Bloch, sorti de Sup-Aéro, constr. d'avions dep. 1918 ; admin. et réd. en chef de Jours de France, député RPF, puis rép. social (A.-M., 1951-55), sénateur rép. soc. (Oise, 1957-58), député UNR puis RPR (Oise dep. 1958, Gd-Croix de la Légion d'h.). A sa mort, le 17-4-86, *Édouard Frédéric-Dupont* (n. 10-7-1902) est devenu le doyen. **Membres du gouvernement :** sur 41, 35 élus, 2 battus (Jean-Michel Baylet, MRG, Jean Gatel, PS), 4 n'étaient pas candidats (Hubert Curien, Georges Fillioud, Raymond Courrière, Haroun Tazieff). **Sénateurs élus députés :** 4 (Marc Becam, ex-RPR, Maurice Janetti, PS, Jean Lecanuet, UDF-CDS, Roger Quilliot, PS).

ÉLECTIONS DES 5 ET 12 JUIN 1988

■ **Scrutin :** majoritaire uninominal à 2 tours (voir Élections 1978 et 81).

■ **Candidats :** 2 880 (métropole 2 789, dép. d'outre-mer 62, territoires d'outre-mer 29) dont PC 565, Front nat. 552, PS 540, RPR 312, UDF 295, divers droite 243, extrême droite 105, extrême gauche 100, divers majorité présidentielle 71, écologistes 51, MRG 23, régionalistes 23. L'Union du Rass. et du Centre (URC) regroupant RPR et UDF a été créée le 17-5-1988.

■ **Bilan. 1er tour :** sur 575 circonscriptions [la Polynésie (2 circ.) votant les 12 et 26-6], 122 sièges attribués au 1er tour. 19 députés (10 PC, 9 PS) en ballottage, restés seuls en lice, pouvaient se considérer comme élus (1 voix leur suffisait).

2e tour. Ballottages. Candidats : 894 pour 453 sièges ; 20 candidats uniques (11 PC, 9 PS), 425 duels gauche-droite (mais dans 9 circonscriptions des B.-du-Rh. et du Var la droite est absente au profit du Front national ; dans 2 en Moselle et Hte-Savoie duel entre candidats de droite), 8 triangulaires (4 dues au maintien du FN, 2 de divers droite, 1 d'un PS et 1 d'un PC). La *gauche* est majoritaire dans 215 circonscriptions, la *droite* dans 31 c. L'*extrême droite* arbitrera dans 209.

■ **Élus. Doyen :** Édouard Frédéric-Dupont (n. 10-7-02) (URC VIIe) 85 ans et 11 mois, élu pour la 1re fois en 1936. **Benjamin :** Thierry Mandon (n. 30-12-1957, PS Essonne), 30 ans 6 mois. **Meilleurs scores :** *France métropolitaine :* Gilbert Gantier (Paris 16e, URC-UDF-PR) : 75,64 % ; Philippe de Villiers (Mortagne-sur-Sèvre, Vendée, URC-UDF) : 74,56 %. *DOM-TOM :* Gérard Grignon (St-Pierre-et-Miquelon, URC-UDF) : 90,32 % ; Maurice Nenou-Pwataho (N.-Cal., URC-UDF) : 86,17 %.

Membres non élus des anciens gouvernements Chirac : Claude Malhuret, Camille Cabana, Georges Fontès, Michel Aurillac, Jacques Douffiagues, François Guillaume, Didier Bariani. **Rocard :** Georgina Dufoix, Catherine Trautmann, Brice Lalonde, Thierry de Beaucé, Roger Bambuck.

■ **Élections partielles** (le Conseil constitutionnel a annulé 7 élections). En %. **1988** *18-9 : Oise (Beauvais Nord)* Olivier Dassault RPR 2e tour 51,64. *Beauvais Sud* Jean-François Mancel RPR 2e t. 54,37. *11-12 : Meurthe-et-M. (2e circ.)* Gérard Léonard RPR 2e t. 50,92. *19-12 : Isère* (1re circ.) Richard Cazenave RPR 2e t. 64,94. *Seine-St-Denis (9e circ.)* Roger Gouhier PC 2e t. 100. **1989** *29-1 : Seine-St-Denis (11e circ.)* François Asensi PC 2e t. 100 %. *B.-du-R. (6e circ.)* Bernard Tapie (maj. prés.-PS) 50,86 bat Guy Teissier (UDF-PR) 49,14 (1er t. Tapie 41,75, Teissier 39,12, Perdomo FN 9,14, Boët PC 7,92). **1991** *3-2 : Lyon (2e circ.)* Michel Noir ex-RPR 74,46 bat Bruno Gollnisch FN 25,53. Au 1er t. Noir 43,6, Gollnisch 16, Raveaud PS 12,1, Fabre-Aubrespy RPR 11,2, Brunat Verts 6,1. En 1988 au 2e t. Michel Noir RPR 58,8, Lareal PS 41,1. *Lyon (3e circ.) :* Jean-Michel Dubernard ex-RPR 71,20 bat Alain Breuil FN 28,30. Au 1er t. Dubernard 40,1, Breuil 18,6, Deschamps PS 14,1, Botton RPR 11,6, Chevalier PC 6,2. *Paris (13e circ., partie du XVe arr.) :* René Galy-Dejean RPR 100. Au 1er t. Galy-Dejean 40,1, Barzach ex-RPR 26,56, Hubert PS 10,25, Martinez FN 9,02. *22-9 : St-Nazaire :* Claude Evin PS 50,7 bat Étienne Garnier RPR 49,3. Au 1er t. Evin 29,8, Garnier 25,2, Le Corre PC 16, Gicquiaud Éco 9,3, Bouin FN 8,5, Demaure Éco. 6,5, Belin extr. g. 4,3. En 1988 au 2e t. Evin 67,2, Garnier 32,7.

	1er tour (5-6-1988)			2e tour (12-6-1988)		Total sièges attribués		
	Voix	%	Sièges attribués	Voix	%	Sortants	Élus	Balance
Inscrits	37 945 582	100		30 045 772	100			
Votants	24 944 792	65,74		20 998 081	69,88			
Abstentions	13 000 790	34,26		9 047 691	30,11			
Exprimés	24 432 095	64,38		20 303 575	67,57			
Extrême gauche	89 065	0,36	0	0	0,00	0	0	0
PCF	2 765 761	11,32	1	695 569	3,42	35	27	– 8
PS	8 493 702	34,76	37	9 198 778	45,30	202	260	+ 58
Maj. présidentielle	403 690	1,65	1	421 587	2,07	6	7	+ 1
MRG	272 316	1,11	2	260 104	1,28	7	9	+ 2
Écologistes	86 312	0,35	0	0	0,00	0	0	0
Régionalistes	18 498	0,07	0	0	0,00	0	0	0
UDF	4 519 459	18,49	38	4 299 370	21,17	131	129	– 2
RPR	4 687 047	19,18	38	4 688 493	23,09	151	126	– 25
Divers droite	697 272	2,85	3	522 970	2,57	12	16	+ 4
FN [1]	2 359 528	9,65	0	216 704	1,06	31	1	– 30
Extrême droite	32 445	0,13	0	0	0,00	0	0	0
Gauche + Maj	12 031 534	49,24	41	10 576 038	52,08	250	303	+ 53
Autres	104 810	0,42	0	0	0,00	0	0	0
Droite	12 295 751	50,32	79	9 727 537	47,91	325	272 [1]	– 53

Nota. – (1) Y compris FRN. *Source :* Ministère de l'Intérieur.

Candidats. *1981 :* 2 715, *86 :* 6 804, *88 :* 2 788 dont : *professions agricoles : 1981 :* 2, *86 :* 4, *88 :* 3,1 ; *industrielles et commerciales : 81 :* 6, *86 :* 9,3, *88 :* 9,2 ; *secteur privé : 81 :* 29,4, *86 :* 30, *88 :* 23,4 ; *prof. libérales : 81 :* 14,7, *86 :* 11,9, *88 :* 15,7 ; *enseignement* (activité ou retraite) : *81 :* 24,8, *86 :* 18,1, *88 :* 21,2 ; *autres fonctionnaires : 81 :* 8,6, *86 :* 8,6, *88 :* 8,1 ; *secteur public : 81 :* 3,5, *86 :* 3,8, *88 :* 2,7 ; *divers : 81 :* 11, *86 :* 14,3, *88 :* 16,6.

ÉLECTIONS DES 21 ET 28-3-1993

■ **Scrutin :** majoritaire, uninominal à 2 tours (voir Élect. 1978, 81 et 88).

■ **Candidats :** 5 319 pour 577 sièges (soit 9,2 par circonscription).

■ **Financement de la campagne :** lois du 11-3-1988 et du 15-1-1990 : *droit de tirage pour les dépenses électorales* max. 400 000 F pour circonscription de – de 80 000 hab., 500 000 F pour + de 80 000 hab. Le candidat doit faire établir par un expert-comptable un compte de campagne détaillant les recettes perçues en vue de l'élect. pendant l'année la précédant. Document à déposer à la préfecture, avec pièces justificatives des dépenses et recettes, dans les 2 mois qui suivent l'élection. Recettes privées plafonnées à 30 000 F pour les dons de personnes physiques et à 10 % du plafond des dépenses élect. (dans la plupart des circons. à 500 000 F) pour les personnes morales. Sont exclues : personnes morales régies par le droit public (collectivités territoriales et établissements publics), casinos et cercles de maisons de jeu,

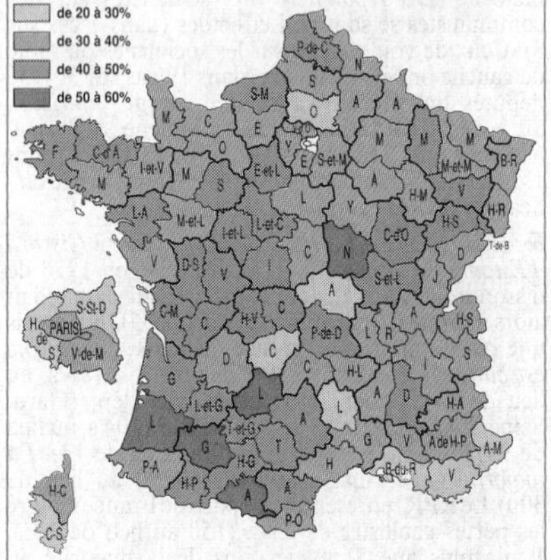

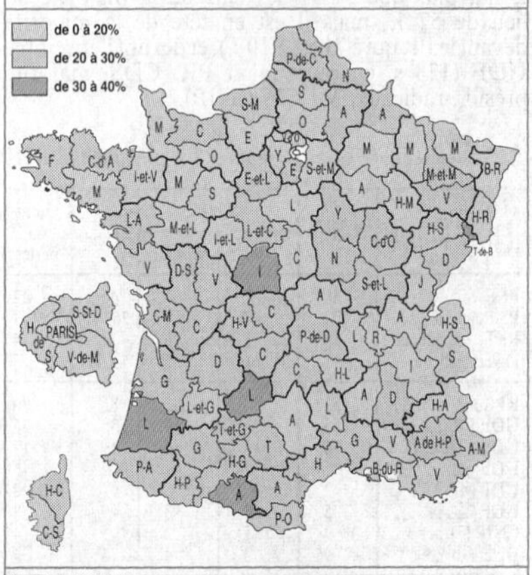

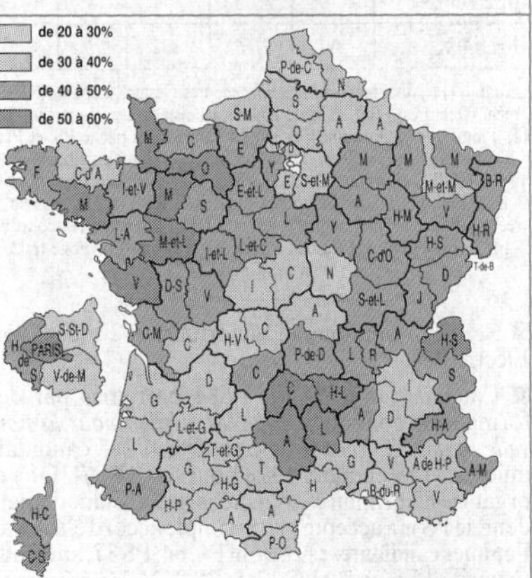

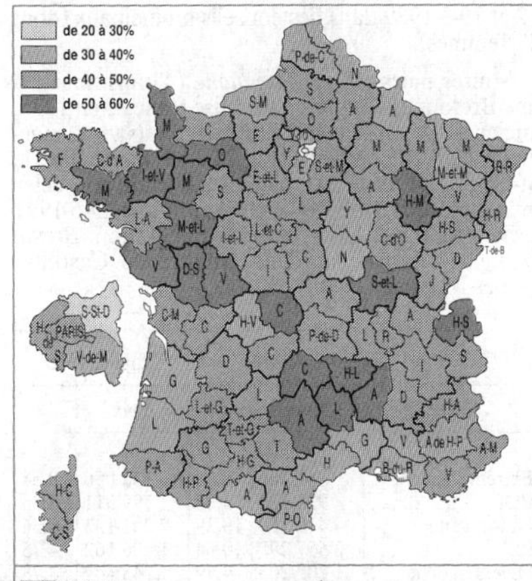

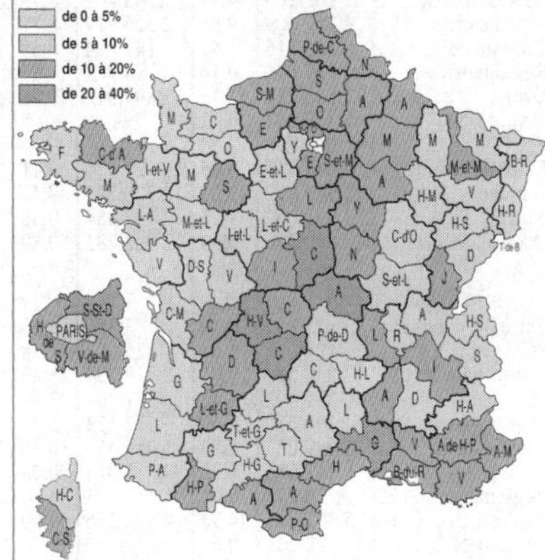

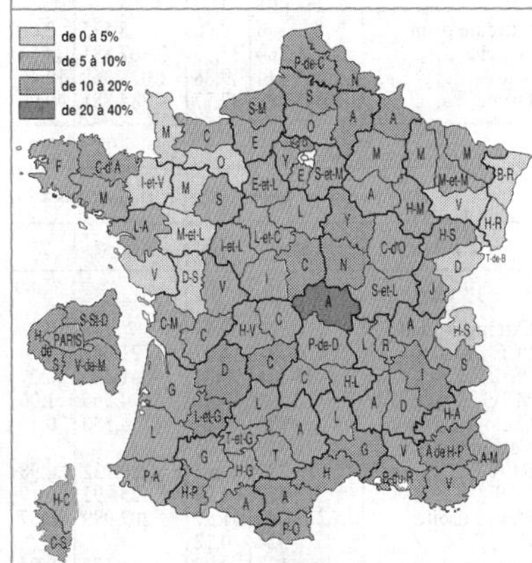

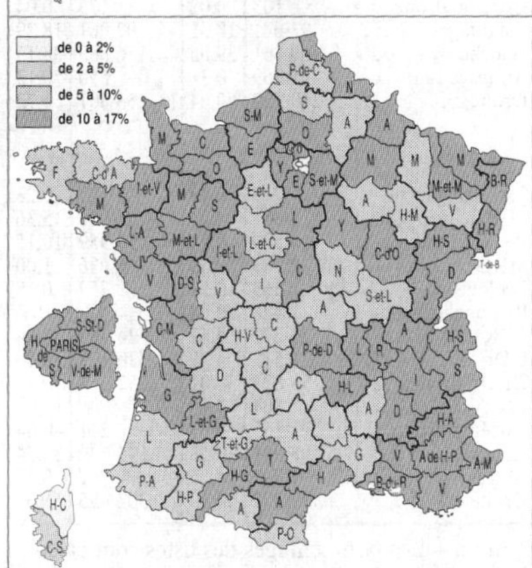

personnes morales et États étrangers. Tout don de + de 1 000 F doit être fait par chèque avec reçu.

☞ L'État rembourse, à tout candidat ayant franchi la barre des 5 % au 1er tour, toute la propagande officielle (affichage, envoi de circulaires) + une fraction des autres dépenses, plafonnée à 10 % du total (soit 40 000 ou 50 000 F).

■ **Sondages** (entre 10 et 12-3-1993) Ifop et, entre parenthèses, CSA : *Intentions de vote* (en %) : UPF + divers droite 42 (41,5), PS + divers gauche : 22 (20,5), écologistes : 14,5 (16), FN : 10,5 (11,5), PC : 9,5 (8,5), extr. g. : 1 (1). *Évolution des % d'intention de vote de* (nov. 92 à mars 93) : PS et divers g. : érosion continue (23-21). UPF : stabilité (42-42,5). Écologistes : érosion croissante (16-12). FN : stabilité (10,5-11). PC : maintien de son influence (8-9).

	1er tour (21 mars 93)			2e tour (28 mars 93)		Total sièges attribués		
	Voix	%	Sièges attribués	Voix	%	Sortants	Élus	Balance
Inscrits	38 881 564	100	-	33 714 568	100			
Votants	26 796 142	68,91	-	22 775 879	67,55			
Abstentions	12 085 422	31,08	-	10 938 689	32,44			
Blancs et nuls	1 417 984	3,65	-	2 159 346	6,4			
Exprimés	25 378 158	65,27	-	20 616 533	61,15			
Extrême gauche	423 282	1,08	0	0	0,00	0	0	0
PCF	2 331 399	5,99	0	951 213	2,82	27	24	− 3
PS	4 415 495	11,36	0	6 143 179	18,22	258	53	− 205
Maj. présidentielle	459 483	1,18	0	316 544	0,94	14	8	− 6
MRG						10	6	− 4
Écologistes	2 716 313	6,98	0	374 91	0,11	0	0	0
dont Verts	1 022 196	2,62	0					
GE	917 228	2,35	0					
Nouveaux Écolo.	635 244	1,63	0					
Divers gauche	234 462	0,60	0	0	0	0	0	0
Régionalistes	16 747	0,04	0	0	0	0	0	0
UPF	10 074 796	25,91		11 347 846	33,65			
dont RPR	5 032 496	12,94	42	5 741 623	17,03	127	242	+ 115
UDF	4 731 013	12,16	38	5 178 039	15,35	129	207	+ 78
Divers droite	1 118 032	2,87	0	588 455	1,74	11	36	+ 25
FN	3 152 543	8,10	0	1 168 160	3,46	1	0	− 1
Extrême droite	35 411	0,09	0	0	0	0	0	0
Nationalistes	70 920	0,18	0	36 971	0,11	0	0	0
Divers	329 275	0,84	0	26 674	0,08	0	1	+ 1
Gauche	7 864 121	30,99	0	7 410 936	35,95	309	91	− 218
Autres	3 133 255	12,35	0	101 136	0,49	0	1	+ 1
Droite	14 380 782	56,66	80	13 104 461	63,56	268	485	+ 217

■ **Bilan. 1er tour :** 80 députés élus, (RPR 42, UDF 36, divers droite 2). 31 dép. sortants éliminés (24 PS, 5 div. g., 2 UDF) ; 497 circonscriptions en ballottage. **2e tour :** 993 candidats dont 16 candidats uniques (7 RPR, 6 UDF, 3 PS). Sur 15 « triangulaires », 12 opposent le FN, la gauche et la droite ; 2 l'extr. droite à 2 droite ; 1 candidat de g. à 2 droite. Il y a 81 duels droite-extr. droite. Le RPR accroît son avance sur l'UDF en voix et en sièges. Les écologistes (2 cand.) sont éliminés. Le FN (présent dans 100 circons.) perd son unique siège (Marie-France Stirbois). Les écologistes escomptaient 80 sièges au min., en fait, leurs électeurs ont été désorientés par les candidatures multiples se réclamant de l'écologie, et par l'absence d'un programme cohérent. **Votes blancs et nuls :** plus nombreux que dans les précédentes consultations populaires. **Au 2e tour :** dans 133 circons. sur 497 : entre 10 et 40 % des votants (dans 27 circons. : 20 à 40 %). **Abstentions :** 32,44 % (+ qu'au 1er tour) en raison du nombre des candidatures uniques, des duels à l'intérieur de la droite et de l'effondrement du PS dès le 1er tour.

■ **Bilan global. Effondrement de la gauche :** *Voix de gauche aux législatives : 1946 :* 58,24 ; *56 :* 56,01 ; *58 :* 43,74 ; *68 :* 41,24 ; *81 :* 55,7 ; *86 :* 44,1 ; *88 :* 49,2 ; *93 :* 30,76. De 1988 à 93, le PS et ses alliés (radicaux de gauche et divers gauche) ont perdu 4 millions de voix. *Principales raisons :* usure du pouvoir, chômage, décomposition politique et morale, écart grandissant entre pouvoir politique et société civile, effacement des clivages de classe, disparition des traditions électorales régionales (Sud-Ouest). Le transfert des voix socialistes vers les écologistes n'a pas eu lieu. L'annonce, entre les 2 tours, du désistement des socialistes en faveur des écologistes mieux placés aurait même contribué à démobiliser les électeurs du PS.

Députés sortants : 144 battus au 2e tour (9 PC, 129 PS, 1 div. g., 1 MRG, 2 maj. p., 3 RPR, 6 UDF-CDS, 1 FN). 8 sortants s'étaient retirés entre les 2 tours (5 PS, 2 UDF-CDS, 1 RPR).

■ **Élus. Doyen :** Charles Ehrmann (82 a.), UDF. Député pour la 1re fois en 1976 (suppléant de Jacques Médecin), élu 1978. **Benjamin :** François Baroin (n. 21-6-1965), RPR. **Benjamine :** Emmanuelle Bouquillon (31 a.), UDF. **Femmes :** 35 (dont 33 dans précédente Assemblée) : 16 RPR, 2 UDF, 5 UDF-CDS, 2 app. CDS, 1 UDF-PSD, 3 UDF-PR, 1 div. g., 3 PS, 2 PC. **Professionnels de la presse :** une vingtaine de députés dont 9 du groupe Hersant. **Meilleur score :** Gilbert Gantier (UDF-PR), 15e circons. Paris (partie 16e arrond.) 71,67 %.

■ **Battus. Membres du gouvernement :** Jean-Michel Baylet, André Billardon, Frédérique Bredin, Michel Delebarre, Roland Dumas, Jean-Noël Jeanneney, André Laignel, Marie-Noëlle Lienemann, François Loncle, Louis Mermaz, Dominique Strauss-Kahn, Pierre Sueur, Michel Vauzelle, Kofi Yamgnane. **Éliminé au 1er tour :** Michel Sapin. **Ne se présentaient pas :** Martine Aubry, Jean-Louis Bianco, Émile Biasini, Hubert Curien, Marcel Debarge, Bruno Durieux, Michel Gillibert, Élisabeth Guigou, Georges Kiejman, Bernard Kouchner, Catherine Tasca, René Teulade.

■ **Contestations.** 213 requêtes portant sur 142 circons. (chiffre record) ont été déposées auprès du Conseil constitutionnel (en 1988 : 99 sur 77). Avec + des 3/4 des sièges (484 sur 577), la droite dispose de la plus forte majorité à l'Assemblée dep. 1958. On évoque les chambres « introuvables » de 1815, « retrouvées » (1824), « bleu horizon » (1919).

Élections de mars 1993	Voix en %	Sièges
UPF (coalition RPR/UDF)	39,47	460 = 80 %
RPR	20,39	247 = 43 %
UDF	19,08	213 = 37 %
Divers droite	4,71	24 = 4 %
Toutes droites parlementaires	44,18 [2]	484 = 84 %
Extrême droite	12,68	0 = 0 %
PC	9,18	23 = 3,9 %
Extrême gauche	1,77	0 = 0 %
PS et alliés	18,67	67 = 11,6 %
Divers gauche	1,60	3 = 0,5 %
Divers écologie	11,84	0 = 0%
Toutes oppositions	55,74	93 = 16 %
Écolos, divers centre, gauche indépendante, FBN, votes blancs	33,80	3 = 0,5 %
Toutes gauches	40,00	93 = 16 %

Nota. – (1) % par rapport aux suffrages exprimés au 1er tour. (2) Par rapport aux inscrits (droite 28,85 %, UPF 26, RPR 14). (3) Total obtenu aux 2 tours.

Partis et mouvements	Nov. 1958	Nov. 1962	Mars 1967	Juin 1968	Mars 1973	Mars 1978	Juin 1981	Mars 1986	Juin 1988	Mars 1993
PC	10	41	73	34	73	86	44	35	27	24
Socialistes et rad. de gauche	8	106	121	57	102	115	283	216	275	67
Centre et droite [1]	182 [1]	91 [1]	85 [1]	94 [1]	119 [1]	123	61	131	131	207
Gaullistes [2]	207	233	200	293	183	154	83	155	130	242
FN	–	–	–	–	–	–	–	35	1	–
Divers droite	–	–	–	–	–	–	–	–	–	37

Nota. – (1) *1958 :* Indépendants et paysans d'action sociale + Rép. populaires et Centre démocratique. *1962 :* Rép. pop. + Centre démocratique + R. indépendants. *1967 et 1968 :* Progrès et démocratie moderne + Rép. ind. *1973 :* Réformateurs + Union centriste + Rép. ind. *Dep. 1978 :* UDF. (2) Union pour la Nouvelle République (UNR), de 1958 à 1967 (*Sources :* Le Monde).

Composition socioprofessionnelle de l'Assemblée nationale

Nombre de députés	1981 (491)	1986 (577)	1988 (575)	1993 (577)
Salariés du secteur privé	*103*	*114*	*107*	*149*
ouvriers, employés	22	20	15	14
cadres sup.	48	54	52	72
autres	33	40	40	63
Patrons et travailleurs indépendants	*117*	*190*	*163*	*182*
prof. médicales	44	67	58	64
patrons de l'ind. et du commerce	12	36	30	39
autres	61	87	75	79
Salariés du secteur public	*264*	*265*	*298*	*221*
enseignants	167	150	162	78
hauts fonctionnaires	28	41	44	42
autres	69	74	92	101
Sans profession déclarée	*7*	*8*	*7*	*26*

■ Élections sénatoriales depuis 1980

28-9-1980. *Série A :* 100 sièges dont *métropole* 95 [Ain à Indre, 38 dép.] : PS 30, UCDP 18, UREI 16, RPR 13, GD 10, GD-SRG 5, PC 1, non-inscrits 2. *DOM-TOM* 3 [Guyane 1 s. ; Polynésie fr., Wallis-et-Futuna 2 s.]. App. PS 1, UCDP 1, RPR 1. *Français de l'étranger* (2 s.) dont UREI 1, non-inscrit 1.

25-9-1983. *Série B :* 98 sièges [dont 11 s. nouveaux (loi du 16-7-1976) assurant l'adaptation du nombre de sénateurs à la croissance de la population, et 2 s. vacants (1 dans le Morbihan, 1 dans les Pyr.-Atl.)] : *métropole* 94 ; *DOM-TOM* 4 dont : RPR 23, CDS 17, PS 16, PR 13, Rad. 8, UDF 6, PC 4, CNIP 4, Divers droite 4, MRG 3 ; *Français de l'étranger* 4. *Total* 102 dont 53 nouveaux.

6-10-1986. *Série C :* 119 sièges dont *métropole* 110 ; *DOM-TOM* 6 ; *Français de l'étranger* 4 dont : RPR 34, UC 29, UERI 20, PS 19, PC 10, GD 6, NI 1. *Total* 119 dont 51 nouveaux.

27-9-1992. *Série B :* 102 sièges (dont *métropole* 94 ; *DOM-TOM* 4 ; *Français à l'étranger* 4) + 1 élection partielle (Bas-Rhin) [PC 3, PS 22, Divers gauche 3, UDF 6, UDF-CDS 17, UDF-rad. 5, UDF-PR 12, UDF-PSD 0, RPR et app. 27, Div. dr. 8].

Élections locales

Élections régionales

Élections du 16 mars 1986

France entière	Voix	%	Élus
Extrême gauche	315 446	1,13	–
PC	2 873 234	10,35	178
PS	8 095 315	29,13	552
Union de la gauche	50 372	0,18	21
MRG	162 947	0,58	17
Divers gauche	430 142	1,54	42
Écologistes	667 581	2,40	4
Régionalistes	88 434	0,31	6
RPR	2 803 929	10,09	182
UDF	2 451 432	8,82	157
Union UDF-RPR	5 672 449	20,41	451
Divers droite	1 495 166	5,38	93
Front national	2 658 500	9,56	137
Extrême droite	24 154	0,08	–

Élections du 22 mars 1992

France entière [1]	Voix	%	Élus
Extrême gauche	310 725	1,2	
PC	2 017 590	8,1	140
PS	4 520 897	18,2	327
Maj. présidentielle	613 465	2,5	362
Génération écologie	1 744 350	7	104
Verts	1 666 161	6,7	105
Autres écologistes	184 916	0,7	1
Autonomistes-Régionalistes .	143 508	0,6	22
Listes déf. d'intérêts cat. .	1 016 739	4,1	
Listes UDF/RPR	8 193 436	32,9	
UDF seul	798	–	321
RPR seul	6 956	–	328
Divers droites	1 042 148	4,2	85
Front national	3 399 596	13,6	239
Extrême droite	48 879	0,2	3
Divers	–	–	124

Nota. – (1) Métropole + Dom-Tom.

Élections municipales

Nombre de communes	Conseillers municipaux : Par commune	Conseillers municipaux : Total
4 104 de – de 100 h	9	36 936
18 209 de 100 à 499 h	11	200 299
8 090 de 500 à 1 499 h	15	136 635
2 049 de 1 500 à 2 499 h	19	38 931
935 de 2 500 à 3 499 h	23	21 505
660 de 3 500 à 4 999 h	27	17 820
799 de 5 000 à 9 999 h	29	23 171
388 de 10 000 à 19 999 h	33	10 476
162 de 20 000 à 29 999 h	35	5 670
68 de 30 000 à 39 999 h	39	2 652
51 de 40 000 à 49 999 h	43	2 193
29 de 50 000 à 59 999 h	45	1 305
24 de 60 000 à 79 999 h	49	1 176
11 de 80 000 à 99 999 h	53	583
19 de 100 000 à 149 999 h	55	1 045
8 de 150 000 à 199 999 h	59	472
4 de 200 000 à 249 999 h	61	244
0 de 250 000 à 299 000 h	65	–
2 300 000 h et +	69	138
Lyon (418 476 h)	73	73
Marseille (878 689 h)	101	101
Paris (2 188 918 h)	163	163

☞ Voir résultats détaillés des élections de 1965 (14 et 21-5), 1971 (14 et 21-3), 1977 (13 et 20-3), 1983 (6 et 13-3) dans Quid 1990 p. 737.

Élections des 12 et 19 mars 1989

■ **Communes (métropole).** 36 433 dont 34 147 de – de 3 500 habitants (dont 4 104 de – de 100 h.) et 2 286 de + de 3 500 h. (dont 36 de + de 100 000 h. et 3 de + de 400 000 h. : Paris, Lyon, Marseille).

■ **Statistiques du ministère de l'Intérieur, France métropolitaine. 1er tour :** inscrits 35 373 549, votants 27 214 831, exprimés 26 186 678, abstentions 27,18 %. **2e tour :** inscrits 16 741 619, votants 12 236 708, expr. 11 859 830, abst. 26,90 %.

☞ **Annulation.** Le Conseil d'État a annulé 609 listes sur les 806 de Paris dont Pierre Joxe, min. de l'Intérieur, demandait l'annulation. Sur les tableaux ne figuraient pas toujours les signatures des 3 membres de la commission administrative chargée de la révision des listes électorales (comprenant pour chaque bureau de vote un représentant du préfet de Paris, un représ. du tribunal de grande instance et un représ. du maire de Paris). La mairie de Paris a convoqué les 579 membres des commissions administratives qui ont régularisé 70 cas sur 1 200 000 inscrits à Paris.

■ **Métropole. Villes de + de 30 000 h.** Sur 219 : PS, MRG, divers gauche et majorité présidentielle : 84 (+ 27 et – 7). PCF : 46 (+ 1 et – 8). RPR : 43 (+ 4 et – 10). UDF : 44 (+ 11 et – 14). Divers droite : 10 (+ 2 et – 5). **Villes de + de 9 000 h.** Sur 896 : 203 ont changé de majorité.

☞ Le PC détenait 82 villes de + de 20 000 h. dont 47 en Ile-de-France. Il n'en a plus que 68 dont 41 en Ile-de-Fr. A Paris avec 35 000 suffrages (il obtient 3 sièges contre 6 en 1983). A Marseille il obtient 8 sièges (dont 6 « reconstructeurs pro-Vigouroux ») contre 17 s. en 1983.

■ **DOM-TOM (113 communes). Total.** *Gauche* 59 (+ 5). *PS + div. gauche + maj. prés. :* 43 (+ 7). *PC autonomes :* 14 (– 1). La gauche dirigera 7 des 11 villes de + de 30 000 h. **Guadeloupe :** *gauche :* 20 (7 PCG, 7 PS, 6 maj. prés.). Droite : 13 (7 div. droite, 5 RPR, 1 UDF). **Guyane :** Gauche 13 (11 PSG, 2 maj. prés.). Droite : 7 (4 RPR, 2 div. droite, 1 UDF). **Martinique :** Gauche 16 (8 maj. prés., 4 PS, 2 PCM, 2 extr. g.). Droite : 18 (11 RPR, 5 div. droite, 2 UDF). **Mayotte :** MPM 11. RPR 5, div. droite 1. **Nouv.-Caléd. :** Union caléd. (J.-M. Tjibaou) 13, RPCR et div. droite 11. **Réunion :** Gauche 10 (5 PCR, 4 PS, 1 maj. prés.). Droite : 14 (11 div. droite, 2 RPR, 1 UDF).

■ **Cas particuliers. Communes sans habitants.** *Exemple :* **Commune de la Meuse** détruite en 1914-18, le maire est nommé par le préfet. **Lemesnil-Mitry** (près de Nancy), Henri de Mitry est maire dep. 1977 (il y a 3 électeurs : lui, sa femme, son fils).

Plus petite mairie. *St-Germain* (chapelle construite en 1952) 3 × 2,7 m. Les élections ont lieu à la salle des fêtes.

☞ **Candidats d'origine maghrébine :** *500* parrainés par l'association France-Plus, auraient été élus les 12 et 19-3-1989 dans des conseils municipaux (dont 42 femmes).

Maires noirs : *Kofi Yamgnane* (43 ans, marié à une Bretonne, Togolais naturalisé français en 1975, ancien élève de l'école des Mines de Nancy, ingénieur de l'équipement) élu 25-3-89 maire PS de St-Coulitz (Finistère) 354 hab. Il était conseiller municipal dep. 1983 et a été nommé le 17-5-1991 secr. d'État aux Aff. sociales et intégration. *Berton Demea* (d'origine antillaise) maire de Castillon (Alpes-M.).

Partis	1989 Voix	1989 %	Rappel 1983 Voix	Rappel 1983 %
1er tour				
Extrême gauche .	82 766	0,34	138 056	0,54
PCF	925 324	3,85	599 511	2,36
Union gauche ...	4 419 750	18,39	7 201 133	28,36
PS	2 557 298	10,64	1 206 162	4,75
Divers gauche ...	1 202 205	4,99	948 442	3,73
Gauche-centr. ...	2 357 609	9,81	2 226 919	8,77
Écologistes	353 416	1,47	147 884	0,58
Régionalistes	37 646	0,16		
Droite	11 328 216	47,13	12 894 312	50,78
Droite-FN	150 941	0,63		
FN	608 796	2,53		
Extrême droite ..	11 417	0,05	27 970	0,11
Gauche	11 544 952	48,02	12 320 223	48,51
Autres	391 062	1,63	147 884	0,58
Droite	12 099 370	50,34	12 922 282	50,89
2e tour				
Extrême gauche .	11 945	0,10	3 336	0,03
PCF	191 973	1,61	125 907	1,28
Union gauche ...	2 257 532	19,03	2 779 334	28,43
PS	965 402	8,14	381 891	3,90
Divers gauche ...	794 512	6,69	577 113	5,90
Gauche-centr. ...	1 049 073	8,84	1 015 455	10,38
Écologistes	112 684	0,95	7 913	0,08
Régionalistes	10 077	0,08		
Droite	5 332 764	44,96	4 878 356	49,90
Droite-FN	73 561	0,62		
FN	258 401	2,17		
Extrême droite ..	1 106	0,00	6 525	0,06
Gauche	4 221 364	35,59	3 867 581	39,54
Autres	1 171 834	9,88	1 023 368	10,46
Droite	5 665 832	47,77	4 884 881	49,96

Partis	1989 Sièges	1989 %	Rappel 1983 Sièges	Rappel 1983 %
1er tour				
Extrême gauche .	705	0,17	888	0,21
PCF	16 791	4,07	21 647	5,26
PS	37 323	9,04	41 441	10,07
MRG	2 591	0,62	4 365	1,06
Écologistes	926	0,22	550	0,13
Régionalistes	343	0,08		
RPR	18 274	4,43	20 132	4,98
UDF	17 577	4,26	25 495	6,19
Divers droite	213 242	31,77	207 999	50,57
FN	526	0,12		
Extrême droite ..	103	0,02	175	0,04
Ballottages	93 671	18,52	92 061	18,29
Gauche	160 861	39,05	156 885	38,15
Autres	1 269	0,3	550	0,13
Droite	249 722	60,64	253 801	61,72
2e tour				
Extrême gauche .	929	0,18	1 177	0,23
PCF	21 351	4,24	26 906	5,36
PS	46 520	9,24	50 959	10,15
MRG	2 983	0,59	5 036	1,00
Écologistes	1 369	0,27	757	0,15
Régionalistes	428	0,08		
RPR	23 272	4,62	24 787	4,94
UDF	21 512	4,27	30 128	6,00
Divers droite	256 625	51,01	252 369	50,31
FN	804	0,15		
Extrême droite ..	159	0,03	211	0,04
Gauche	198 901	39,53	193 339	38,54
Autres	1 797	0,35	757	0,15
Droite	302 372	60,10	307 495	61,30

Nota. – Les pourcentages des listes sont calculés sur la somme des voix des listes qui n'est pas égale au nombre des suffrages exprimés en raison du mode de scrutin dans les communes de – de 3 500 h, qui autorise le panachage.

☞ Pour en savoir plus, demandez le **Quid des présidents de la République... et des candidats.** Un ouvrage indispensable pour comprendre les bouleversements politiques de notre époque.
En vente chez tous les libraires (éditions Robert Laffont, 1987).

Élections cantonales

Mode d'élection aux conseils généraux. Scrutin uninominal majoritaire à 2 tours : nul n'est élu membre du conseil général au 1er tour de scrutin s'il n'a réuni : 1°) la majorité absolue des suffrages exprimés ; 2°) un nombre de suffrages égal au quart de celui des électeurs inscrits. Voir résultats détaillés des élections de 1976 (8 et 15-3) ; 1982 (14 et 21-3) ; 1985 (10 et 17-3) dans Quid 1989, p. 733.

Partis ou courants	% des suffrages exprimés										Nombre d'élus (France entière)		
	1985 (France entière)		1988 (France entière)		1992								
					22-3			29-3					
	10-3	17-3	25-9	2-10	Métrop.	Outre-Mer	Total	Métrop.	Outre-Mer	Total	1985	1988	1992
Extrême gauche	0,6	0,06	0,47	0,25	0,9	0,9	0,9	0,4	0,5	0,4	1	6	9
PCF	12,63	11,31	13,39	9,82	9,5	15,8	9,6	6,9	15,5	7,1	149	175	101
PS et apparentés	24,58	31,21	29,98	37,23	19	10,7	18,8	24,7	8,7	24,5	424	592	309
MRG et apparentés	1,48	1,79	1,42	1,52	0,9	0,3	0,9	1	–	1	57	44	33
Divers gauche	2,06	1,78	2,6	2,35	4,1	24,2	4,5	4,4	24,3	4,6	59	68	95
Total gauche	*41,35*		*47,87*	*51,20*	*34,4*	*51,9*	*34,7*	*37,4*	*49*	*37,6*	*690*	*885*	*547*
UDF et apparentés	17,89	17,77	16,92	18,12	14,8	3,1	14,6	19,1	3,9	18,9	525	441	497
RPR et apparentés	16,56	21,15	15,92	18,61	14,6	5,5	14,4	20	8,4	19,8	400	365	467
Divers droite	14,64	13,04	12,08	11,50	13,5	33,3	13,8	14,8	35	15,1	425	328	430
Extrême droite (dont FN)	8,68	1,82	5,40	0,42	12,4 (12,3)	0,3 (0,2)	12,3 (12,1)	6,4 (6,4)		6,3 (6,3)	2	2	1
Total droite	*57,77*		*50,33*	*48,67*	*55,3*	*42,2*	*55,1*	*60,3*	*47,3*	*60,1*	*1 352*	*1 136*	*1 395*
Écologistes	0,78	0,03	1,60	0,11	10	0,2	9,8	2,2	–	2,2	2	1	3
Régionalistes-Autonomistes					0,3	5,7	0,4	0,1	3,7	0,1			

Nota. – (1) Divers droite = modérés + CNIP en 1982.

Plébiscites et référendums

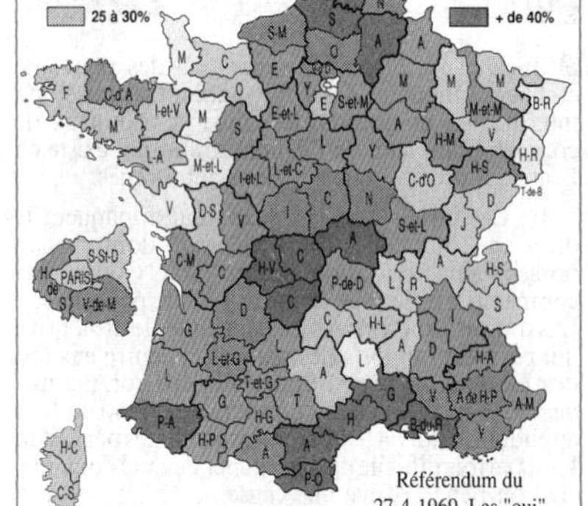

Référendum du 27-4-1969. Les "oui"

Objet (en italique référendums particuliers)	date	Résultats en France (métropole seule)				Résultats hors de France (dans les DOM et TOM) [18]			
		oui	non	bulletins nuls	abstentions	oui	non	bulletins nuls	abstentions
Annexion Avignon et Comtat	juillet 1791	102 000	17 000		≈ 31 000				
Constitution de l'an I [1].	juillet 1793	1 801 918	11 610		≈ 4 000 000				
Constit. de l'an III. Directoire.	sept. 1795	1 057 380	49 957	2 206	≈ 5 000 000				
Décret des deux tiers [2].	sept. 1795	167 758	95 373						
Constit. de l'an VIII. Consulat [3].	janvier 1800	3 011 007	1 562		≈ 3 500 000				
Constitution de l'an X.	10-5-1802	3 568 885	8 374		≈ 3 500 000				
Constit. de l'an XII. 1er Emp. [4]	nov. 1804	3 572 329	2 579		≈ 4 000 000				
Acte additionnel de l'Empire [8]	avril 1815	1 305 206	4 206		≈ 4 500 000				
Pouvoirs à L.N. Bonaparte [5]	21-12-1851	7 436 216	646 737	36 880	≈ 1 500 000				
Sénatus-consulte du 07-11-1852	21-11-1852	7 824 189	253 145	63 326	≈ 2 000 000				
Rattachement de Nice à la France [6]	1860 (15-4)	25 743	160	30	4 773				
Rattach. de la Savoie	(22-4)	130 533	235	71	4 610				
Sénatus-consulte du 20-4-1870 [7]	8-5-1870	7 350 142	1 538 825	112 975	≈ 2 000 000				
Paris pour le gouv. provisoire [8]	3-11-1870	557 996	62 638						
Nouv. Constit. [19] (1re question) [9]	21-10-1945	17 957 868	670 672	1 025 744	4 968 578	626 878	28 464	44 359	422 429
– – (2e question)	–	12 317 882	6 271 512	1 064 890	4 968 578	477 061	177 694	44 946	422 429
Projet de Constit. de 1946 [19]	5-5-1946	9 109 771	10 272 586	513 054	4 761 717	344 263	311 773	15 931	500 330
Constitution de la IVe Rép. [19]	13-10-1946	9 039 032	7 830 369	323 390	7 880 119	258 438	335 090	5 689	639 516
Rattach. de Tende à la France [10]	12-10-1947	2 603	218	24	137				
Constit. de la Ve Rép. [11,20]	28-9-1958	17 668 790	4 624 511	303 549	4 006 614	13 454 693	1 931 562	114 749	5 144 674
Autodéterm. en Algérie [19,20]	8-1-1961	15 200 073	4 996 474	594 699	6 393 162	2 247 596	821 301	126 770	2 140 158
Accords d'Évian [13,21]	8-4-1962	17 508 607	1 795 061	1 098 238	6 589 837	357 816	14 013	5 568	212 932
Loi constitut. du 6-11-1962 [14]	28-10-1962	12 809 363	7 932 695	559 758	6 280 297	341 153	41 843	9 751	210 618
Projet de loi constitution. [15]	27-4-1969	10 512 469	11 945 149	635 678	5 562 396	389 284	61 953	8 078	277 383
Élargissement de la CEE [16]	23-4-1972	10 502 756	5 008 469	2 070 615	11 489 230	344 798	22 465	15 504	366 627
Statut de la N.-Calédonie [17,22]	6-11-1988	9 714 487	2 428 273	1 653 191	22 900 425	181 811	46 470	18 902	1 096 176
Tr. de Maastricht [23]	20-9-1992	12 957 324	12 542 635	880 783	10 706 332	205 668	80 947	28 594	903 251

Nota. – (1) Juillet à décembre. Résultat global annoncé dès le 10-8-1793. Les 2/3 du territoire sont en rébellion armée. (2) Pour décider que les 2/3 des députés des Assemblées du Directoire seront d'anciens conventionnels. (3) Résultats proclamés le 7-2-1800 ; env. 700 000 électeurs (y compris départements annexés dep. 1975). (4) Pour ratifier le sénatus-consulte du 28 floréal an XII (18-5-1804) et rétablir l'Empire. (5) Accorde à Louis-Napoléon le pouvoir constituant et la présidence pour 10 ans. (6) Dont pour la ville de Nice : 6 810 oui, 11 non et 27 nuls. Plus tard s'ajoutèrent aux résultats officiels proclamés les voix des militaires niçois en Italie (1 912 inscrits, 1 851 votants, 1 648 oui). (7) Empire libéral (ratification des réformes de la Constitution second Empire). (8) Référendum parisien pour le maintien du gouvernement provisoire et des pouvoirs délégués, après la chute du second Empire. (9) Pour déterminer si les Français désirent une nouvelle Constitution après 1945. (10) Après le traité de Paris du 10-2-1947, organisé dans les communes de Tende et de La Brigue, dans les hameaux de Libre, Piène (c. de Breil-sur-Roya), Molières (c. de Valdebore) pour demander aux habitants s'ils acceptent le rattachement à la Fr. Les habitants de Realdo, commune voisine, ne purent malgré leur demande participer à ce référendum, ils n'étaient pas sur les territoires visés par le traité. (11) Algérie 3 357 763 oui et 118 631 non. Tous les États de la Communauté votèrent oui (ce qui impliquait leur rattachement), sauf la Guinée (56 981 oui et 1 136 324 non). (12) Pour l'institution d'un État indépendant algérien (en Algérie et au Sahara : 1 198 532 oui, 786 516 non). (13) Pour l'acceptation des accords terminant la guerre d'Algérie. L'Alg. ne vote pas. (14) Pour l'élection du Pt de la rép. au suffrage universel direct. (15) Pour la création des régions et la rénovation du Sénat. (16) Entrée de G.-B., Irlande, Danemark. (17) Pour l'adoption de la loi qui fixe un statut à la Nouvelle-Calédonie (N.-Cal. 29 284 oui, 22 065 non, 4 559 bulletins nuls et 493 abstentions). (18) A ajouter à ceux de la métropole. (19) En Algérie seuls votent les citoyens français. (20) En Algérie les musulmans votent aussi. (21) L'Alg. ne vote plus. (22) Résultat officiel global : inscrits 38 025 823, votants 14 028 705, suffrages exprimés 12 371 046, oui 9 896 498, non 2 474 548. (23) Résultat officiel global : inscrits 38 305 534, votants 26 695 951, abstentions 30,30 %, blancs et nuls 2,37 %, suffrages exprimés 25 786 574, oui 13 162 992 (51,04 % des suffrages exprimés), non 12 623 582 (48,95 %). Les partis représentés au sein d'un groupe à l'Ass. ou au Sénat étaient habilités à participer à la campagne ainsi que ceux dont les candidats avaient obtenu au min. 5 % des suffrages à l'élect. des conseillers régionaux et au 1er tour de l'élect. de l'Ass. de Corse le 22-3-1992. L'arrêté du PM du 26-8-1992, pris en application, après avis du Conseil constitutionnel, avait fixé la liste des 11 partis et groupements habilités au titre de la 1re catégorie et au titre de la 2e Génération Écologie, Les Verts et le FN. Les 2 h d'antenne avaient été réparties entre les groupes parlementaires par arrêté du 10-8-1992.

☞ **Référendums particuliers.** Togo 5-5-1956. Wallis-et-Futuna 27-12-1959. Algérie 1-7-1962. Côte française des Somalis 19-3-1967. Comores 22-12-1974. Mayotte 8 et 11-4-1976. Territoire des Afars et des Issas 8-5-1977. Nouvelle-Calédonie 13-9-1987.

Répartition de l'aide publique attribuée aux partis politiques (1993, en millions de F). PS 127, RPR 87,4, PR 33,8, Union centriste 26,1, CDS 16,9, PC 16, UDF 11,9, P. Radical 4,1, MRG 2, FN 0,4, Verts 0, GE 0.

Aide aux partis politiques. (1993, en millions de F). 580 dont 362,5 attribués au prorata du nombre de parlementaires à l'Ass. et au Sénat au début de la session d'automne 1992 [dont, (entre parenthèses, nombre de parlementaires) : PS 127,02 (308), RPR 87,43 (212), PR 33,81 (82), Union centriste 25,15 (61), CDS 16,91 (41), PC 16,1 (39), Ass. de gestion des adhérents directs de l'UDF 11,96 (29), Clubs Perspectives et réalités 5,77 (14), P. radical 4,12 (10), Ass. des députés radicaux de gauche 3,71 (9), Union des sénateurs non inscrits 3,71 (9), Mouv. des citoyens 2,47 (6), CNIP 2,1 (5), Convention dém. avenir 2,1 (5), Radicaux de gauche 2,1 (5), P. social dém. 1,65 (4), P. progressiste martiniquais 1,24 (3), France unie 0,82 (2), Mouv. des réformateurs 0,82 (2), Nouvelle dém. 0,82 (2), P. progressiste dém. guadeloupéen 0,82 (2), Union pour la dém. française 0,82 (2), Groupes avec 1 parlementaire (25 dép./2 sén.) 11,13 (27)] et 217,5 attribués après les él. de mars 1993 selon le nombre de voix obtenu au 1er tour des él. législ. par les partis ayant présenté des candidats dans au moins 75 circonscriptions (RPR 43, UDF 40, PS 38, FN 27, PC 20, Verts 8,7, GE 7,8, Nouveaux Écologistes 5, P. de la loi naturelle 0,2).

☞ Application de *la loi du 11-3-1988* relative à la transparence financière de la vie politique.

JUSTICE

ORGANISATION

■ **Juridiction.** Depuis la séparation des pouvoirs, établie au moment de la Révolution française, qui interdit aux magistrats des cours et tribunaux de connaître des actes de l'Administration, il existe en France 2 ordres de juridictions autonomes.

1°) **Les juridictions judiciaires** qui appliquent le droit en 2 domaines : *civil* et *pénal*, dont chacun possède une législation propre (voir Code), une compétence différente et une procédure particulière. LES JURIDICTIONS CIVILES font appliquer le droit privé qui règle les rapports des particuliers entre eux (ou des particuliers avec l'État considéré comme une personne privée). LES JURIDICTIONS PÉNALES font appliquer les lois et textes répressifs édictés par l'État. Il est parfois difficile de déterminer de quel domaine, civil ou pénal, relève une cause.

2°) **Les juridictions administratives** chargées de trancher les litiges nés à l'occasion du fonctionnement des services publics, ainsi que la plupart de ceux opposant les citoyens à l'Administration.

■ **Magistrature.** Comprend *les magistrats amovibles* du parquet (*magistrature dite debout :* ils requièrent debout) et *les magistrats du siège inamovibles (dite assise :* ils rendent leurs jugements assis).

Statistiques (en 1993). Budget de la justice : 20 milliards de F dont administration centrale 2,9, services judiciaires 8,8, Conseil d'État + CA + TA 0,5, admin. pénitentiaire 5,9, protection judiciaire de la jeunesse 2, divers 1,5.

Effectifs budgétaires. Magistrats : *Juridiction judiciaire.* 6 098 dont tribunaux de grande instance 4 555, cours d'appel 1 205, Cour de cassation 169, administration centrale 150, Inspection 11, Cons. sup. de la mag. 6, École des Greffes 2. *Recrutement : diplômes de l'ENM : 1990 :* 219, *91 :* 191. *Intégration directe : 1990 :* 41, *91 :* 60. *Concours exceptionnel : 1991 :* 95 postes offerts. **Autres personnels :** 18 589 dont *services judiciaires :* greffiers en chef 1 555, greffiers 5 717, personnels de bureau 9 594, de services 1 723. **Juridiction administrative** *(au 1-1-93) :* conseillers 86, Pts 12, Pts hors classe 11, Maîtres des requêtes 80, auditeurs 34 ; agents 286.

■ **Comparaison. Nombre d'habitants par juriste :** USA 500 (675 000 lawyers), G.-B. 1 000 (48 000 solicitors et 5 500 barristers), Allemagne 1 200 (50 000 avocats), France (1992) 1 607 (35 604 dont avocats 18 000, notaires 7 538, conseillers juridiques 6 500, huissiers 3 115, avoués 363, av. au Cons. d'État et à la Cour de cassation 88).

JURIDICTIONS JUDICIAIRES

■ JUSTICE CIVILE

A) TRIBUNAUX DE DROIT COMMUN

■ **Juridictions du 1er degré. Tribunaux d'instance. Composition :** juge unique. Ont en 1958 remplacé les 2 918 *justices de paix.* **Compétence :** toutes actions personnelles ou mobilières, en dernier ressort jusqu'à 13 000 F, et à charge d'appel jusqu'à 30 000 F depuis le 30-4-85 (art. R. 321 et suiv. du Code de l'organisation judiciaire), en matière de baux à loyer d'habitation professionnel. 3 (Paris, Lyon et Marseille) ont une compétence exclusive pénale concernant l'étendue de leur compétence. **Statistiques :** *tribunaux* 473. 5 de 1re instance dans les TOM. **Activité** (1991) : 523 398 affaires civiles.

Tribunaux de grande instance. Compétence exclusive : les affaires civiles non attribuées à d'autres juridictions (jusqu'à 13 000 F), appel à partir de 13 001 F. En principe toutes les aff. mettant en jeu des sommes de + de 20 000 F (pour des affaires déterminées : art. L-311-10 à L-311-12 Code de l'organisation judiciaire), ou qui ne sont pas attribuées à une autre juridiction. **Composition :** collégiale (3 magistrats), sauf exception. **Statistiques :** *tribunaux* 181 ; au moins 1 par département (1 au chef-lieu, + 1 dans les arrondissements importants). Exceptions [Manche 3 : Cherbourg, Coutance et Avranches (sous-préf.)]. **Activités** (1991) : affaires (civiles, commerciales, sociales et pensions) nouvelles 486 492, jugées 458 972, à juger 412 811.

■ **Juridictions d'appel. Cours d'appel. Compétence :** décisions rendues par trib. d'instance et de grande instance, de commerce, paritaires des baux ruraux, conseils de prud'hommes (24 % des appels), commissions de 1re instance de la Séc. sociale (art. R. 211-1 Code de l'org. judiciaire). **Statistiques :** *cours* 35 : Agen, Aix, Amiens, Angers, Basse-Terre (Guadeloupe), Bastia, Besançon, Bordeaux, Bourges, Caen, Chambéry, Colmar, Dijon, Douai, Fort-de-France (Martinique), Grenoble, Limoges, Lyon, Metz, Montpellier, Nancy, Nîmes, Nouméa (N.-Cal.), Orléans, Papeete (Polynésie), Paris, Pau, Poitiers, Reims, Rennes, Riom, Rouen, St-Denis (Réunion), Toulouse, Versailles. Tribunal supérieur d'appel à Mamoutzou (Mayotte) et St-Pierre-et-Miquelon. **Activités (1991) :** affaires nouvelles 168 565, jugées 165 915, à juger 198 516.

■ **Cour de cassation. Origine :** *créée 1790* (27-11/1-12), loi créant le tribunal de c. *1804* devient Cour. **Composition :** 1er Pt, 6 Pts de chambre, 84 conseillers et 37 conseillers référendaires siégeant avec voix consultative. Le ministère public est représenté par le *procureur général,* 1 premier *avocat gén.,* 19 *avocats généraux (18 auditeurs :* n'appartenant pas au parquet, composent le service de documentation et d'études de la Cour). *Chambres :* 3 civiles : 1 commerciale, 1 sociale, 1 criminelle. Chacune siège isolément et ne peut rendre son arrêt que si 5 membres au moins ayant voix délibérative sont présents.

Compétence : n'est pas juge du fait, mais, en dernier ressort, de la légalité des décisions qui lui sont déférées par pourvoi. Elle peut rejeter le pourvoi, casser la décision rendue sans renvoi, ou renvoyer éventuellement l'affaire devant une juridiction de même degré (loi du 3-1-1979). Si celle-ci ne s'incline pas et s'il y a nouveau pourvoi, la Cour statue alors en assemblée plénière (25 membres, y compris le 1er Pt), sans renvoi, ou en renvoyant devant une juridiction qui doit se conformer à la décision de droit de l'assemblée plénière. Si une affaire pose une question de principe ou si sa solution risque de causer une contrariété de décision, une chambre mixte composée de magistrats appartenant à 3 chambres au moins de la Cour peut en être saisie. Enfin, la Cour statue sur les demandes de renvoi d'un tribunal à un autre pour cause de suspicion légitime (art. 356 et suiv. du Code de procédure civile) et pour cause de récusation contre plusieurs juges (art. 364). **Statistiques :** *1800 :* 200 pourvois pour 53 magistrats, *1989 :* 27 184, *90 :* 18 613, *91 :* 18 427 arrêts rendus.

B) JURIDICTIONS SPÉCIALISÉES

■ **Tribunaux de commerce. Origine : 1563** (édit de) du chancelier Michel de l'Hôpital (1506-73) créant des juges-consuls à Paris, **1673** création en province, **1790** *(27-5)* l'Assemblée constituante les organise en trib. de commerce, **1807** Code de commerce. **Compétence :** pour toutes les contestations relatives aux actes et à l'exercice du commerce, en dernier ressort (sans possibilité d'appel) jusqu'à 13 000 F (au-delà, la cour d'appel est juridiction d'appel) et pour les procédures de redressement et liquidation judiciaires des entreprises commerciales et artisanales (loi 85-98 du 25-1-1985 et décret 85-1388 du 27-12-1985). Dans les DOM (Guadeloupe, Guyane, Martinique, Réunion), des trib. mixtes de com. peuvent être créés (Pt : celui du trib. de grande instance assisté de 2 assesseurs, élus comme les juges consulaires). En Alsace-Lorraine (Colmar, Metz, Mulhouse, Sarreguemines, Saverne, Strasbourg, Thionville), il y a dans les trib. de grande instance des chambres commerciales (Pt 1 magistrat, 2 assesseurs élus comme les juges consulaires). Lorsqu'il n'y a pas de trib. de comm., le trib. de grande instance en tient lieu. **Référés.** Le Pt du trib. de comm. ou le juge qui le remplace peut statuer en référé, pour ordonner des mesures urgentes (par ex., la conservation de marchandises, une expertise en cas d'avaries de celles-ci, ou accorder une provision).

Composition (loi du 16-7-1987) : 1 président élu pour 4 ans après 6 ans au moins de judicature, rééligible, et un nombre variable de juges élus pour 2 ans lors de la 1re élection et pour 4 ans (max. 14 ans, à nouveau éligibles après 1 an d'interruption) lors des él. suivantes par un collège électoral restreint composé de : *délégués consulaires* (élus pour 3 ans par les commerçants, chefs d'entreprise, cadres de dir. et membres et anciens membres des trib. de commerce et des ch. de com. et d'ind.) ; *membres en exercice* des ch. de com. et des trib. de com. ; *anciens membres* des trib. de com. et des ch. de com. qui ont demandé à être inscrits sur la liste électorale ; 1 greffier. Les juges-commissaires doivent avoir exercé des fonctions + de 2 ans. **Élections** (au scrutin plurinominal majoritaire à 2 tours) : tous les ans dans les trib. de commerce dans la 1re quinzaine du mois d'oct., pour renouveler les mandats arrivés à échéance ou devenus vacants. *Sont éligibles* les électeurs de + de 30 ans, inscrits sur la liste électorale de la circonscription du trib. de com. justifiant de 5 ans consécutifs d'activité commerciale. Le Pt du trib., choisi parmi les juges du trib., est élu par l'assemblée générale du trib. entre le 20-10 et le 10-11. Pour l'assister et le suppléer éventuellement dans ses fonctions, le Pt désigne un vice-Pt ayant au moins 3 ans d'ancienneté, nommé avec les autres juges délégués dans la quinzaine suivant l'audience de rentrée (janvier). **Statistiques :** *tribunaux* 230 ; *effectifs* 3 358 dont 159 f. ; *par catégories :* 35 % Pts et dir. gén. de SA, 35 % commerçants en nom et patrons d'entreprise, 15 % gérants de SARL, 15 % cadres sup. **Activité** (1991) : 313 333 décisions dont 61 221 redressements judiciaires et 54 367 référés.

☞ **Tribunal de commerce de Paris. Activité** (1991) : affaires introduites 55 314, affaires restant à juger au 1-1 : 13 285. Procédures de redressement judiciaire 4 177, plans de redressement (cession ou continuation) 197. *1992 :* affaires introduites 53 700, procédures de redressement 5 500.

■ **Conseils de prud'hommes. Compétence :** pour les instances introduites, à compter du 1-1-1993, taux de compétence en dernier ressort à 18 900 F. **Statistiques :** *conseils* 289 ; *conseillers* 14 872 (décret du 17-8-1987). **Activités** (1991) : affaires nouvelles 156 327, jugées 147 985, en cours 124 275, référés 42 906.

■ **Tribunaux paritaires des baux ruraux.** *Nombre :* 437 ; *créés* au siège de chaque trib. d'instance (sauf région paris.). **Composés** en nombre égal (2 pour chaque catégorie) de propriétaires et de fermiers ou métayers. Présidés par le juge d'instance. **Compétence :** contestations entre fermiers, métayers et bailleurs, relatives au statut du fermage.

■ **Commissions techniques de Sécurité sociale. Compétence :** litiges d'ordre médical concernant le degré d'invalidité ou d'incapacité (région dans laquelle est domicilié l'affilié). *Délai pour la saisine :* 2 mois à partir de la notification par lettre recommandée avec accusé de réception. *Appel :* 1 mois devant la Commission nationale. *Recours possible :* pourvoi en cassation. **Nombre :** *commissions* 110 ; *décisions rendues* env. 110 000 par an.

■ **Tribunaux des affaires de Sécurité sociale. Composition :** Pt magistrat du TGI ou mag. honoraire, 2 assesseurs (1 pour travailleurs salariés, 1 pour les employeurs). **Compétence :** contentieux général de la Séc. soc. *Appel* devant la cour d'appel. *Recours possible :* pourvoi en cassation. **Nombre :** *tribunaux* 110, *affaires* 100 000 par an.

■ **Juge des loyers commerciaux.** Pt du trib. de grande instance ou un juge délégué par lui. **Compétence :** contestations de prix des baux commerciaux, ind. ou artisanaux, renouvelés ou révisés.

■ **Juge des référés.** Pt du trib. de grande instance ou un juge délégué par lui. **Compétence :** ordonne des mesures d'urgence qui ne préjugent pas du fond d'un litige (mesures conservatoires). En matière d'accident de la circulation, il peut accorder à la victime une indemnité provisionnelle lorsque l'auteur de l'acc. ne conteste pas sa responsabilité.

■ **Juge aux affaires familiales.** Instauré par la loi du 8-1-1993 applicable au 10-2-1994. Magistrat du trib. de grande instance. **Compétence :** celle autrefois dévolue aux juges aux affaires matrimoniales, des tutelles, des enfants... Veille à la sauvegarde des intérêts du mineur, peut prononcer seul les divorces, régler les questions de pension alimentaire, garde des enfants, exercice de l'autorité parentale, confier la tutelle d'un mineur à un tiers, intervenir dans les relations enfant-grands-parents, connaître des actions liées à l'obligation alimentaire, des modifications du nom... S'il le juge nécessaire ou si une partie le demande, il peut renvoyer l'affaire à une audience collégiale.

■ **Juge de l'exécution.** Institué par loi du 9-7-1991 et décret du 31-7-1992. Nommé par le Pt du trib. de grande instance : **compétence :** connaît de toutes les questions relatives à l'exécution forcée des obligations d'un débiteur (Pt du trib. de commerce pour les commerçants). Seul à pouvoir autoriser un créancier à prendre des mesures conservatoires. Peut faire cesser toute mesure de saisie illicite, inutile ou abusive. Se prononce sur les actions en responsabilité contre le créancier qui a commis des abus ou débiteur qui a organisé son insolvabilité ou contre tiers faisant obstacle aux mesures d'exécution. Peut alléger la dette du débiteur ou lui accorder des délais sans léser le créancier.

■ **Juge de l'expropriation.** Juge du trib. de grande instance. **Compétence :** chargé de rendre l'ordonnance d'expropriation et de fixer le montant des indemnités en réparation du préjudice causé.

■ Justice pénale

A) Tribunaux de droit commun

■ **Juridictions du 1er degré. Tribunaux de police. Composition :** juge du trib. d'instance ; ministère public peut être représenté par le commissaire de police ou exceptionnellement le maire. *Avant 1958* appelés trib. de simple police. **Compétence :** jugent les contraventions (infractions sanctionnées par peine maximale de 2 mois d'emprisonnement ou par 10 000 F d'amende). **Statistiques :** *tribunaux* 453. **Activités** (en 1991) : 10 945 326 décisions rendues dont amendes forfaitaires majorées 9 222 685, ordonnances pénales 1 203 062.

Tribunaux correctionnels. Composition : trib. de grande instance dans sa formation pénale. **Compétence :** juge les délits (infractions punies d'une peine de plus de 2 mois d'emprisonnement ou amende). **Activités** (1991) : 458 767 décisions rendues.

■ **Juridictions d'appel. Cours d'appel. Composition en formation pénale :** une *juridiction d'instruction* (la chambre d'accusation, qui est la chambre d'appel des ordonnances du juge d'instr.) et une *juridiction de jugement* (la chambre des appels correctionnels). **Compétence :** *sur le seul appel du prévenu,* elle ne peut aggraver le sort de celui-ci ; *sur l'appel du min. public,* elle peut modifier le jugement du trib. correctionnel dans un sens plus favorable ou défavorable au prévenu (art. 515 du Code de procédure pénale). C'est pourquoi, en général, sur l'appel du prévenu, le min. public fait également appel de son côté, pour demander éventuellement une augmentation de la peine. **Statistiques :** *cours (ch. des appels correctionnels) :* 33. *Décisions rendues (1991) :* 43 434.

■ **Cour de cassation** (chambre criminelle). **Compétence :** juge tous les pourvois en matière pénale (contraventions, délits ou crimes). **Activités** (1991) : *affaires nouvelles* reçues dans l'année : 7 884, *jugées* 7 717.

■ **Cours d'assises. Composition :** 3 magistrats (Pt, 2 assesseurs) et 9 jurés. **Nombre :** 102 (1 par département et par TOM). **Compétence (départementale) :** jugent les crimes, peuvent aussi condamner à l'interdiction de séjour et à la confiscation des biens. *Elles ne sont saisies qu'après une instruction préalable à 2 degrés :* le juge d'instruction et la chambre d'accusation. *Recours :* pourvoi en cassation. **Activités** (1991) : 2 078 condamnations.

B) Juridictions spécialisées

■ **Juridictions pour enfants. Juge des enfants. Compétences :** pénales et civiles. Il est à la fois juridiction d'instruction et de jugement. Il statue dans son cabinet sur le cas des moins de 18 ans, auteurs d'infractions pour lesquelles il n'envisage pas une mesure les séparant de leur famille autrement qu'à titre provisoire. Il peut, en audience de cabinet, ordonner des mesures d'assistance éducative à l'égard des mineurs non émancipés dont la santé, la sécurité ou la moralité sont en danger ou dont les conditions d'éducation sont compromises. Il doit s'efforcer de recueillir l'adhésion de la famille à la mesure envisagée, et maintenir le mineur dans son milieu familial avec, le cas échéant, un soutien éducatif. Il peut, en cabinet, ordonner une mesure de protection judiciaire à l'égard des 18 à 21 ans, éprouvant des difficultés d'insertion sociale lorsqu'ils en font la demande.

Tribunaux pour enfants. Nombre : 135. **Composition :** présidés par le *juge des enfants,* assisté de *2 assesseurs* nommés pour 4 ans, de + de 30 ans et choisis pour leur compétence parmi les personnes s'intéressant à l'enfance. **Compétence :** peuvent prendre une mesure éducative, de placement, ou prononcer une sanction pénale à l'encontre des mineurs de 18 ans ayant commis un délit.

Crimes contre la sûreté de l'État. Sont jugés par une cour d'assises sans jurés composée d'un président et de 6 assesseurs, tous magistrats professionnels (dep. la loi du 21-7-1982). La peine prononcée est une peine de détention criminelle.

Crimes et délits commis au cours d'actes de « terrorisme », c'est-à-dire infractions « en relation avec une entreprise individuelle ou collective ayant pour but de troubler gravement l'ordre public par l'intimidation ou la terreur » (Loi du 9-9-1986). Juge de même. *La Cour de sûreté de l'État* a été supprimée par la loi du 4-8-1981.

Cours d'assises des mineurs. Composition : Pt, 2 assesseurs (juges des enfants), 9 jurés. **Compétence :** juge les mineurs 16-18 ans qui ont commis un crime.

☞ Tribunaux pour enfants et cours d'assises des mineurs (1 par dép.) ne peuvent prononcer des peines qu'à l'égard des mineurs de + de 13 ans. Ils peuvent ordonner des mesures de rééducation qui peuvent durer jusqu'à la majorité. Ils peuvent, à l'égard des mineurs de + de 16 ans, prononcer la *mise sous protection judiciaire* pour au max. 5 ans (un placement décidé ne se poursuivra au-delà de la majorité de l'intéressé qu'à la demande de celui-ci).

Appels. Chambre spéciale des mineurs (de la cour d'appel) : un magistrat, président ou conseiller, « délégué à la protection de l'enfance », doit obligatoirement y siéger. Les affaires sont jugées suivant des règles de publicité restreinte.

■ **Juge de l'application des peines.** Un ou plusieurs dans chaque trib. de grande instance, chargé notamment auprès des établissements pénitentiaires de suivre l'exécution des peines des condamnés et du contrôle des condamnés sursitaires avec mise à l'épreuve (chargé notamment de statuer sur les obligations imposées aux probationnaires).

Nota. – Tribunaux militaires aux armées, haut trib. permanent des forces armées, trib. maritimes commerciaux : supprimés 1982, voir Quid 1982.

■ Juridictions administratives

■ Conseil d'État

☞ Voir **Institutions françaises** p. 714.

Affaires (en 1991) : reçues 10 500, traitées 11 600, en instance 20 000.

■ Tribunaux administratifs

Origine : les *conseils de préfecture,* créés dans chaque département par la loi du 28 pluviôse, an VIII, ont été transformés en conseils de préfecture interdépartementaux en 1926. Le décret du 30-9-1953 leur a donné le titre de tribunaux administratifs, et la qualité de juge de droit commun du contentieux adm., qui appartenait jusqu'alors au Conseil d'État (inamovibilité partiellement consacrée). **Recrutement :** par l'École nationale d'adm. et « au tour extérieur ». **Compétences :** *juridictionnelles :* ils sont, sous réserve de la compétence en 1er et dernier ressort du Conseil d'État, juges de droit commun sur tous les litiges administratifs (sauf si un texte spécial en a attribué connaissance à une autre juridiction) ; *appel :* possible devant le Cons. d'État ; *administratives :* ils peuvent être appelés à donner des avis sur des questions soumises par les préfets des départements de leur ressort. **Statistiques :** *tribunaux* 33. *Effectifs :* 395 fonctionnaires au 1-1-1992. **Affaires** (en 1991) : reçues 77 000, traitées 65 500, en instance (fin 1991) : 20 000.

■ Cours administratives d'appel

Origine : loi du 31-12-1987 et décret du 15-2-1988. **Sièges** avec tribunaux adm. de leur ressort. *Paris*[1] (Paris, Versailles, Basse-Terre, Cayenne, Fort-de-France, Nouméa, Papeete, St-Denis-de-la-Réunion, St-Pierre-et-Miquelon) ; *Lyon*[1] (Lyon, Bastia, Clermont-Ferrand, Grenoble, Marseille, Nice) ; *Bordeaux*[1] (Bordeaux, Limoges, Montpellier, Pau, Poitiers, Toulouse) ; *Nancy*[2] (Nancy, Amiens, Châlons-sur-M., Dijon, Lille, Strasbourg) ; *Nantes*[2] (Nantes, Caen, Rennes, Rouen). **Compétences :** présidées par un conseiller d'État. Statuent sur les appels formés contre les jugements des trib. adm. à l'exception des recours en appréciation de légalité, des litiges relatifs aux élections locales et des recours pour excès de pouvoir contre des actes réglementaires. **Affaires** (en 1991) : reçues 5 000, traitées 5 500, en instance (fin 1991) : 7 000.

Nota. – (1) 3 chambres. (2) 2 chambres.

■ Tribunal des conflits

Origine : loi du 24-5-1872, décret du 25-7-1960. **Composition :** un Pt [le ministre de la Justice ; il ne préside qu'en cas de partage des voix (dernier cas le 8-12-1969)] ; 10 membres (8 titulaires, dont 1 vice-Pt et 2 suppléants) élus pour 3 ans et rééligibles, comprenant, en nombre égal, des conseillers à la Cour de cassation et des conseillers d'État ; 4 commissaires du Gouv. (2 titulaires et 2 suppléants pour chaque corps) choisis parmi les avocats généraux à la Cour de cassation, et les commissaires du Gouvernement auprès de la Section du contentieux du Conseil d'État. **Rôle : 1°)** *régulateur des compétences* entre les juridictions de l'ordre judiciaire et celles de l'ordre administratif : il doit résoudre les conflits découlant des difficultés que présente l'application de certaines règles de répartition des compétences. **2°)** *Juge sur le fond :* quand les juridictions administrative et judiciaire ont rendu dans la même affaire entre les mêmes parties des jugements présentant contrariété conduisant à un déni de justice (loi du 20-4-1932). **Activités** (1990) : 35 affaires enregistrées, 44 jugées.

■ Quelques définitions

■ **Action en justice.** Droit pour une personne de s'adresser aux trib. pour faire juger le bien-fondé de son droit ou de ses intérêts. Dite *réelle,* si elle relève d'un droit immobilier ; *personnelle,* s'il est demandé la reconnaissance d'un droit personnel quelle qu'en soit la source (une convention, un droit de créance) ; *mixte,* si elle relève des deux (par ex. la reconnaissance d'un droit réel et l'exécution d'une obligation) ; *pétitoire,* si elle met en cause l'existence d'un droit réel immobilier ; *possessoire,* si elle garantit une possession paisible.

■ **Administrateurs judiciaires et mandataires judiciaires à la liquidation :** professions distinctes et incompatibles entre elles (ainsi qu'avec toute autre profession) (loi du 25-1-1985) ; ont succédé à la profession unique de syndic et accessoirement d'administrateur judiciaire. *Admin. judiciaires :* 150, administrent biens d'autrui ou surveillent gestion. *Mandataires liquidateurs :* 330, représentent créanciers et procèdent à la liquidation d'entreprises.

■ **Affaires traitées en justice. Durée moyenne** (1991, en mois) : *affaires civiles :* prud'hommes 9,4, tribunaux d'instance 4,4, trib. de gde instance 9,4, cours d'appel 14. *Aff. pénales :* crimes 13,9, délits 11,2. *Juridiction administrative :* Conseil d'État : *1991 :* 31, *92 :* 27.

Décisions rendues par les tribunaux : *1972 :* 10 500 000. *87 :* 14 000 000. *91 :* 13 252 822.

■ **Amnistie.** Décidée par une loi. Efface les conséquences pénales d'une infraction, mais ne remet pas en cause les réparations civiles envers la victime.

■ **Arrêts.** Décisions des cours d'appel, d'assises, de la Cour de cassation et du Conseil d'État.

■ **Avocat. Définition :** *auxiliaire de justice,* l'av. jouit d'un certain monopole (devant les tribunaux de grande instance). *Nul ne peut, s'il n'est avocat, assister* ou représenter les parties ; *postuler,* c'est-à-dire procéder à l'ensemble des actes nécessaires pour introduire et préparer l'instance judiciaire (ce qui était l'ancien monopole des avoués) et *plaider* devant les juridictions et les organismes juridictionnels ou disciplinaires. La loi du 31-12-1990 et le décret du 27-11-1991 ont fusionné la profession d'avocat avec les conseils juridiques.

Effectifs (au 1-1-92) : *avocats :* 18 000 (dont 3 000 stagiaires) dont + de 7 000 à Paris. *Avocats honoraires :* env. 2 400. *Conseils juridiques :* 6 500 (dont 4 000 salariés, 2 500 indépendants) +1 600 stagiaires.

Accès à la profession : 1°) *admission* (par examen organisé par les universités) *à un centre régional de formation professionnelle* (auprès de chaque cour d'appel), stage en cours de scolarité puis épreuves du Capa [certificat d'aptitude à la profession d'avocat (sauf dispense prévue par la loi, le décret ou par arrêté)]. Après un échec, l'élève peut accomplir une 2e année de formation. Après 2 échecs, il ne peut plus se présenter à l'examen, sauf dérogation exceptionnelle. Puis stage obligatoire d'au moins 1 an. En qualité de collaborateur ou de salarié d'un avocat, d'un avocat au Conseil d'État et à la Cour de cassation, ou d'un avoué. Pendant le reste de la durée du stage (soit 2 ans), l'avocat inscrit sur la liste du stage peut l'effectuer dans l'étude d'un notaire, auprès d'un avocat inscrit à un barreau étranger, dans un cabinet d'expert-comptable, au Parquet de la cour d'appel ou d'un TGI, auprès d'une administration publique ou dans les services juridiques ou fiscaux d'une entreprise employant au moins 3 juristes ou auprès d'une organisation internationale. **2°)** *En fonction des activités précédemment exercées :* inscrits de plein droit (dispensés de la formation professionnelle théorique et pratique et du Capa). Magistrats et anciens magistrats, membres et anciens membres du Conseil d'État, prof. de droit, avocats aux conseils, avoués et anciens conseils juridiques et avocats. Doivent être inscrits sur la liste du stage pendant 1 an et suivre les enseignements de la formation permanente : notaires, huissiers, administrateurs judiciaires, mandataires liquidateurs, conseils en propriété industrielle, anciens conseils en brevets d'inventions s'ils ont exercé au moins 5 ans ; maîtres de conférence, maîtres assistants et chargés de cours titulaires d'un doctorat en droit, sciences écon. ou gestion, justifiant d'un enseignement en droit d'au moins 5 ans ; juristes d'entreprise ayant exercé pendant au moins 8 ans ; fonctionnaires de catégorie A ayant exercé 8 ans des activités juridiques en cette qualité ; juristes de syndicat ayant exercé le droit pendant 8 ans en cette qualité.

Rémunération : *actes de procédure* sont tarifés, les *honoraires de consultation et de plaidoirie* sont fixés librement avec le client. Si, le procès achevé, le client refuse de régler, le bâtonnier de l'ordre examine le litige et rend une sentence, et le premier Pt de la cour d'appel est saisi comme juridiction d'appel. Un av. ne peut pas fixer à l'avance ses honoraires uniquement en fonction du résultat à intervenir. Le montant varie suivant juridictions, difficultés rencontrées, spécialité et renommée de l'avocat.

Incompatibilités : énumérées dans le décret du 27-11-1991, activités commerciales, mandat électif (député, sénateur, dép. européen) et conseiller régional, général, municipal.

Secret professionnel : l'avocat y est tenu. Ce secret couvre la correspondance entre l'avocat et son client (elle ne peut être ni saisie, ni consultée par des tiers). Même si elles sont devenues la propriété d'un héritier, ces lettres ne peuvent être produites sans l'accord de l'avocat. Le personnel de l'avocat, les collaborateurs non avocats, secrétaires ou dactylos sont tenus à une obligation civile de discrétion n'entrant pas dans le cadre de 378 CP. *Perquisitions et saisies* ne sont pas interdites chez un avocat, mais la police et le parquet ne peuvent y rechercher que ce qui peut constituer le corps même de l'acte coupable. Le juge d'instruction qui envisage d'opérer une perquisition chez un avocat prévient le procureur général et le bâtonnier de l'Ordre. Ce dernier ou son représentant assiste à la perquisition qui doit être faite par un magistrat, mais pas obligatoirement un juge d'instruction. Le juge examine les dossiers de l'avocat, pour rechercher s'il découvre le corps du délit et, le cas échéant, procède à la saisie qui doit être opérée selon les dispositions du Code de procédure pénale art. 56-1. Le bâtonnier ou son représentant est saisi de toutes réclamations de l'avocat soulevant le secret professionnel. Il doit s'opposer aux investigations qui compromettraient ses droits, et éventuellement faire noter au procès-verbal sa protestation pour permettre à la juridiction compétente de déterminer si la pièce saisie était ou non couverte par le secret professionnel. En cas d'une saisie irrégulière, l'instruction sera nulle.

Organisation d'avocats. Barreaux : *origine :* espace isolé de l'audience par une barre et réservé aux avocats dans le prétoire. *Composition :* ensemble des avocats établis près de chaque tribunal de grande instance. Chaque barreau est administré par un conseil de l'ordre [de 3 à 36 membres (Paris), élus pour 3 ans par l'Assemblée gén. de l'ordre]. Le Pt est appelé *bâtonnier* [élu pour 2 ans au scrutin secret par l'Ass. gén. de l'ordre ; n'est pas immédiatement rééligible (sauf dans les barreaux de - de 30 membres) ; autrefois élu pour 1 an, il avait chez lui le bâton de la conférence de St-Nicolas]. *Nombre :* 180 indépendants. **Conférence des bâtonniers :** regroupe l'ensemble des bâtonniers de France (à l'exception de celui de Paris). *Pt :* François Vignancour (13-9-39, Clermont-Ferrand), dep. 1-2-92.

Association des avocats conseils d'entreprise (ACE) 23-25, av. Mac-Mahon, 75017 Paris. **Association professionnelle des avocats** 17, rue St-Vincent-de-Paul, 75010 Paris. **Confédération nationale des avocats** 34, rue de Condé, 75006 Paris. *Créée* 1921 (ANA) ; 1978 fusion de l'ANA, du RNAF et de l'ANASED 6 000 adhérents ; **Fédération nat. des unions de jeunes av. (FNUJA)** Palais de justice de Paris, bd du Palais, 75001 Paris. *Créée* 1946. Limite d'âge 40 ans, env. 5 000 m. ; **Syndicat des av. de France** 21 bis, rue Victor-Massé, 75009 Paris. *Créé* 1973, 2 000 adhérents. **Union des jeunes avocats de Paris** Palais de justice 4, bd du Palais, 75001 Paris. **Union nationale des avocats** 76, av. Paul-Doumer, 75116 Paris. **Conseil national des barreaux :** *créé* le 27-11-1991, installé le 15-4-1992. 60 membres élus pour 3 ans par des délégués des barreaux (2 collèges bâtonniers et membres du conseil de l'ordre ; avocats disposant du droit de vote). *Pt :* Guy Danet (25-6-33, Paris dep. 14-4-92). **Rôle :** représente la profession auprès des pouvoirs publics. Veille à l'harmonisation des règles et usages professionnels. Rôle majeur en matière de formation des avocats, de son financement et des spécialisations. Instruit les demandes d'admission dans les barreaux français par des avocats étrangers. **Statut :** établissement public doté de la personnalité morale, vote son budget. **Ressources :** cotisations des avocats.

1re Sté d'avocats : Fidal (ex-KMG) ; Ch. d'aff. (1992) : 991 millions de F ; salariés et associés : 1 147.

Aide juridique

Aide juridictionnelle : *but :* permettre à tous les justiciables ne disposant pas de ressources suffisantes de bénéficier d'une aide financière totale ou partielle. *Bénéficiaires :* Français ou ressortissants de la CEE ; étrangers résidant habituellement et régulièrement en France ou sans condition de résidence s'il s'agit de mineurs, témoins assistés, inculpés, prévenus, accusés, condamnés ou parties civiles ; ceux qui comparaissent devant la Commission des recours des réfugiés, résidant habituellement et entrés régulièrement en France ou détenant un titre de séjour d'une durée de validité au moins égale à 1 an ; personnes morales à but non lucratif (associations loi 1901) ayant leur siège en Fr.

Conditions : ressources mensuelles inférieures pour l'aide juridictionnelle à 4 523 F, et pour l'aide partielle à 6 785 F. Plafonds majorés de 500 F par personne à charge. Au-dessus, aide à titre exceptionnel si la situation apparaît particulièrement digne d'intérêt au regard de l'objet du litige ou des charges prévisibles du procès. Certaines ressources ne sont jamais prises en compte [ex. : prestations familiales, certaines prest. sociales à objet spécialisé (comme les bourses d'étude)]. *Actions :* l'action engagée ne doit pas être manifestement irrecevable (en particulier, parce qu'elle est prescrite) ou dénuée de fondement (engagée dans l'intention de nuire, par ex.). Cette condition ne s'applique pas au défendeur à l'action, au témoin assisté, à la personne civilement responsable, à l'inculpé, au prévenu, à l'accusé ou au condamné. Devant la Cour de cassation, il faut qu'un moyen sérieux de cassation puisse être relevé. Si pour ces raisons, l'aide est refusée, mais si, cependant, le juge fait droit à la demande, on peut être remboursé des frais, dépenses et honoraires jusqu'à concurrence de l'aide juridictionnelle à laquelle on pouvait prétendre. En cas d'appel, on est dispensé du renouvellement de la demande.

L'aide juridictionnelle est accordée en matière gracieuse (requête pour la désignation d'un huissier de justice en vue d'un constat, par exemple) ou contentieuse devant toutes les juridictions (civiles et commerciales, pénales, administratives). Le demandeur (celui qui engage le procès) comme le défendeur (celui contre qui il est intenté) en bénéficient pour tout ou partie du procès ou pour l'exécution d'une décision de justice (frais d'huissier...) ou de tout titre exécutoire (une transaction rendue exécutoire ou acte notarié, par exemple).

Demande d'aide juridictionnelle : s'adresser au bureau d'aide juridictionnelle établi auprès du tribunal de grande instance du domicile (pour les demandes relatives à un procès devant la Cour de cassation, Conseil d'État ou Commission de recours des réfugiés : s'adresser auprès des bureaux spécialisés, attachés à ces différentes juridictions).

Aide à l'accès au droit (consultation) : loi du 10-7-1991 permet d'obtenir des informations sur l'étendue de ses droits et obligations, en matière de droits fondamentaux et des conditions essentielles de vie (libertés individuelles, logement, assistance des victimes et des personnes démunies, emploi...) ; des conseils sur les moyens de faire valoir ses droits ; une assistance en vue de l'établissement d'un acte juridique (reconnaissance de dette, contrat de travail, prêt, rédaction d'un bail). Le conseil départemental de l'aide juridique détermine les conditions dans lesquelles s'exerce l'aide à la consultation. Il peut conclure des conventions avec les membres des professions judiciaires ou juridiques réglementées.

Assistance au cours de procédures non juridictionnelles : on peut être assisté devant les commissions à caractère non juridictionnel et devant les administrations en vue d'obtenir une décision ou d'exercer un recours préalable obligatoire. Il peut s'agir d'un recours amiable devant la commission des Assedic, la commission des loyers ou d'un recours auprès de l'Administration fiscale.

☞ Le conseil de l'ordre des avocats de Paris autorise la publicité personnelle des avocats si elle procure au public une nécessaire information et si elle est mise en œuvre « avec dignité, délicatesse, probité et discrétion ». Sont prohibées les comparaisons entre cabinets, mentions qualitatives, indications sur l'identité de la clientèle, démarchage et sollicitation.

☞ Juan Antonio Cremades (Espagnol) et Richard Moore (Américain) ont été élus par la base à l'Ordre des avocats de Paris.

■ **Avocats près le Conseil d'État et la Cour de cassation.** Dits avocats aux Conseils (titre donné sous la monarchie). *Nombre (au 1-1-1993) :* 60 charges (nombre limité dep. 1817) avec possibilité d'associations limitées à 3 associés, 88 avocats. **Nomination :** par arrêté sur présentation du prédécesseur. Il faut avoir 25 ans révolus, être avocat, inscrit depuis 1 an ; avoir suivi un stage de 2 ans auprès de l'ordre et être titulaire de l'examen d'aptitude aux fonctions d'avocat au Conseil d'État et à la Cour de cassation (décret du 28-10-1991). **Statut :** *avocats et officiers ministériels :* ils sont constitués en Ordre et titulaires d'une charge pour laquelle ils doivent verser (comme tout office ministériel) un « droit de présentation » à leur prédécesseur. Ils peuvent être nommés avocats honoraires après 20 ans d'inscription au tableau sur présentation de leur démission. **Compétence :** ils ont le monopole devant la Cour de cassation et le Conseil d'État et peuvent aussi plaider devant les tribunaux administratifs. *A la Cour de cassation :* le ministère est obligatoire pour un pourvoi, sauf en matière pénale pour les prévenus, prud'homale et pour les matières concernant les mineurs. *Au Conseil d'État,* leur ministère est obligatoire pour le recours en cassation et facultatif pour un recours pour excès de pouvoir (demande d'annulation d'une décision administrative). Ils ont le libre choix des moyens (de cassation s'ils sont chargés de former un pourvoi, de défense pour répondre à un pourvoi), mais doivent avertir leur client des raisons pour lesquelles ils estiment ne pas devoir soulever un des moyens proposés. Ils présentent des observations essentiellement écrites. **Honoraires :** fixés librement (le recouvrement forcé est interdit).

■ **Avoués. Près les tribunaux de grande instance :** Dep. le 15-9-1972, ils ont fusionné avec les avocats (voir **Avocats** p. 759 c) et ont été indemnisés par l'État du prix de leurs charges (*coût total :* 950 millions de F).

Près les cours d'appel : *Nombre :* 363. *Recrutement :* officiers ministériels nommés par arrêté du min. de la Justice (exercent souvent dans le cadre de Stés civiles prof.). *Compétence :* ils ont le monopole de la représentation des parties devant les juridictions civiles du 2e degré. Mandataires de leurs clients, ils ont exclusivement le droit de postuler et de prendre des conclusions au nom de leurs clients qu'ils représentent devant la cour auprès de laquelle ils sont établis.

■ **Casier judiciaire.** *Créé* 6-11-1850. Regroupé à Nantes et informatisé en 1981 (loi n° 80-2 du 4-1-1980). Il reçoit notamment les fiches des condamnations et décisions énoncées par le Code de procédure pénale (art. 768, 769, R.69, R.88). Il communique ces informations sous forme d'extraits appelés « bulletins ». *Bulletin N° 1 :* contient toutes condamnations, délivré aux seules autorités jud. qui ont besoin de connaître le passé judiciaire des personnes qui leur sont déférées ; *N° 2 :* contient la plupart des condamn. criminelles ou correctionnelles à une peine ferme d'emprisonnement ou d'amende (ou avec sursis tant qu'elle n'est pas considérée comme non avenue), fourni sur leur demande aux administrations publ. et à diverses personnes morales déterminées par décret ; *N° 3 :* contient notamment les condamn. à des peines privatives de liberté (supérieures à 2 ans de prison) non assorties du sursis (ou sursis révoqué) ; barré transversalement lorsque la personne concernée n'a subi aucune de ces condamn. ; doit permettre aux condamnés à des peines légères de se reclasser. Il n'est remis qu'à l'intéressé qui peut le demander en s'adressant au *Casier judiciaire national, 44 079 Nantes Cedex 01.* Pour favoriser la réinsertion des jeunes délinquants, la loi du 7-7-1970 permet au trib. pour enfants (mineurs) et aux trib. correctionnels (pers. de 18 à 21 ans) de faire supprimer une fiche de casier jud. sous certaines conditions. Le trib. peut décider de ne pas inscrire la condamnation des condamnés au bulletin N° 2 et au N° 3.

On peut consulter le contenu intégral de son propre casier judiciaire sur demande adressée au procureur de la Rép. de son domicile, mais aucune copie n'en est délivrée ; en cas de contestation d'une mention du casier, il faut saisir le même procureur.

■ **Codes.** Recueils de lois, de règlements et d'arrêtés réunis d'une manière cohérente et logique, concernant une branche déterminée du droit. On trouve notamment : *C. civil* ou *C. Napoléon* (1804) ; *C. de* procédure civile (1806) ; *C. de commerce* (1807) ; *C. pénal* (1810 ; réformé loi 22-7-1992) ; *C. d'instruction criminelle* (1811) devenu le *C. de procédure pénale* (1959) modifié par les lois des 25-6-1824, 28-4-1832, 13-5-1863, les ordonnances des 23-12-1958, 4-6-1960, révisé loi 16-12-1992 (entrée en vigueur prévue 1-3-1994) ; *C. forestier* (1791-1827) ; *C. rural* (1791-1864) ; *C. de justice militaire* pour l'armée de terre (1857) ; et pour l'armée de mer (1858) ; *C. du travail et de la prévoyance sociale* (1901-1924) ; *C. du travail maritime* (1926) ; *C. disciplinaire et pénal de la marine marchande* (1926) ; *C. du travail d'outre-mer* (1932) ; *C. général des impôts* (1949 ; pas achevé).

■ **Commission rogatoire** (appelée souvent, à tort, *mandat de perquisition*). Délégation par laquelle un juge demande à un officier de police judiciaire ou à un autre magistrat de procéder à sa place à tel ou tel acte d'instruction. Doit : être datée et signée par le juge et revêtue de son sceau ou de son cachet, mentionner la nature de l'infraction motivant les poursuites et indiquer avec précision l'opération ou la série d'opérations auxquelles il y a lieu de procéder.

■ **Conciliateur.** *Créé* par décret du 20-3-1978, modifié par décret n° 81-583 du 18-5-1981. *Chargé* de faciliter le règlement amiable des différends ; saisi sans conditions de forme. *Nommé* à titre bénévole parmi d'anciens magistrats, membres des prof. libérales, du secteur privé ou de l'enseignement, pour 1 an (éventuellement reconduit pour 2 ans non renouvelables). *Nombre : 1981* 1 200, *1986* 400, *1989* (objectif fixé par A. Chalandon) 3 800 (1 par canton).

■ **Conseil juridique ou fiscal** (voir **Avocat** p. 759 c).

■ **Contrôle judiciaire.** Institué par la loi du 17-7-1970 (art. 138 et suiv. du Code de procédure pénale) pour permettre la limitation des cas de détention. L'inculpé doit se présenter périodiquement au parquet, à la mairie, à la police ou à la gendarmerie. Il doit répondre aux convocations de toute autorité ou de toute personne désignée par le juge d'instruction, et se soumettre à un contrôle de son travail ou de ses études. On peut lui demander de remettre à la police ses papiers d'identité, notamment passeport et permis de conduire (il recevra un récépissé), de se soumettre à des examens médicaux ou des traitements dans un hôpital, et exiger de lui un cautionnement fixé par le juge d'instruction. On peut lui interdire de se déplacer en dehors d'un certain périmètre, de s'absenter de chez lui, de se rendre dans certains lieux, de rencontrer certaines personnes, de conduire certains véhicules, d'exercer certaines professions. Le contrôle peut être transformé à tout moment en mandat de dépôt ou mandat d'arrêt.

■ **Crimes et délits.** *Infraction* (avec indication de l'article du nouveau *Code pénal*) et *peine encourue.*

CRIMES. 1°) **Contre la chose publique :** *crimes contre la sûreté de l'État :* trahison (art. 411-1) [1], espionnage (art. 411-1) [1], attentat en vue de détruire ou de changer le régime constitutionnel (art. 412-1) [1 ou 4], complot (art. 412-2) [3 ou 7], participation à un mouvement insurrectionnel (art. 412-3 à 6) [1 ou 2] contre la paix publique, fausse monnaie (art. 442-1 à 14) [1 ou 4], faux en écriture publique ou authentique par un fonctionnaire ou officier public dans l'exercice de ses fonctions (art. 441-4) [2]. 2°) **Contre les personnes :** meurtre (art. 221-1) [1 ou 4] ou [2], assassinat (meurtre commis avec préméditation ou guet-apens) (art. 221-3) [1], violences volontaires avec mutilation, amputation ou privation de l'usage d'un membre ou, s'il a occasionné la mort sans intention de la donner (art. 222-7) [2 ou 4], viol (art. 222-23) [1 ou 2 ou 3], agression sexuelle consommée ou tentée avec violence (art. 222-27 à 30) [6 ou 7], agression sexuelle sans violence sur mineurs de 15 ans (art. 222-29) [6], harcèlement sexuel (222-33) [5]. 3°) **Contre les biens :** vol par porteur d'une arme apparente ou cachée (art. 311-8) [3], autres vols aggravés par la réunion de certaines circonstances (art. 311-7, 311-9 à 11) [1 ou 3 ou 4], destruction volontaire de la chose d'autrui (art. 322-6).

Nota. – (1) Réclusion criminelle à perpétuité ou détention criminelle à perpétuité s'agissant des crimes contre la sûreté de l'État. (2) R. c. 15 ans. (3) 20 a. (4) 30 a. (5) Emprisonnement 1 a. (6) Emp. 7 a. (7) Emp. 10 a.

DÉLITS. 1°) **Contre la chose publique :** participation à un attroupement sans abandon après la 1re sommation (art. 431-3 et suiv.) ; fraudes électorales (art. s. 111 du Code électoral et 113 du Code pénal) : 1 m. à 2 a., interdiction des droits de citoyen et de toute fonction publique de 5 à 10 a. ; rébellion, résistance avec violence et voies de fait envers les officiers ministériels et les agents de l'autorité par moins de 3 personnes (art. 433-6 et suiv. jusqu'à 6 a) ; bris de scellés volontaire (art. 434-22) : 2 a. ; outrage à magistrat dans l'exercice de ses fonctions (art. 434-24) : 1 a . ou 2 a. ; violences sur la personne d'un officier ministériel ou d'un fonctionnaire (art. 222-3) : 5 a. ; faux en écriture privée ou de commerce (art. 441-1) : 3 a. ; faux certificat délivré par un médecin (art. 441-7) : 1 a. ou 3 a. ; usurpation de titre ou de fonction (art. 433-12 et suiv.) : 6 m. ou 1 a. ou 3 a. ; destruction ou dégradation de monument public (art. 322-2) : 3 a. ou 5 a. 2°) **Contre les personnes :** violences volontaires avec incapacité de travail personnel de plus de 8 j (art. 222-11) : 3 a. ; violences involontaires, homicide involontaire (accidents de la circulation, du travail), blessure par imprudence avec incapacité de travail de + de 3 m. (art. 222-19 et 20) : 1 a. ou 2 a. ou 3 a. ; abstention de porter secours (art. 223-7) : 2 a. ; abandon de famille (art. 227-3) : 2 a. ; enlèvement ou détournement de mineur de 15 à 18 ans, sans fraude ni violence (art. 227-8) : 5 a. ; non-représentation d'un mineur dont la garde a fait l'objet d'une décision de justice (art. 227-5) : 1 a. ; menaces (art. 222-17 et 222-18) : 6 m. ou 3 a. ou 5 a. ; exhibition sexuelle à la vue d'autrui (art. 222-32) : 1 a. 3°) **Contre les biens :** vol sans violence (vol simple, larcins, filouteries, art. 311-3 et 311-4) : 3 a. ou 5 a. ; escroquerie (art. 313-1 et 313-2) : 5 a. ou 7 a. ; abus de confiance (art. 314-1 à 314-4) : 3 a. ou 7 a. ou 10 a. ; chantage (art. 312-10 et 312-11) : 5 a. ou 7 a. ; filouterie (art. 313-5) : 6 m. ; entraves à la liberté du travail (art. 225-13 et suiv.) : 2 a. ou 5 a. ; organisation frauduleuse de l'insolvabilité (art. 314-7) : 3 a.

■ **Crimes de droit international.** Définis par l'Assemblée générale des Nations unies en 1945.

Crimes de guerre (prescriptibles) : violations des lois et coutumes de la guerre (pillage, assassinat, déportation des civils et prisonniers de guerre, exécution des otages). Répression organisée par les conventions de La Haye (1907), Genève (1949) et le statut du Tribunal intern. de Nuremberg du 8-8-1945 (ordon. du 28-8-1944 et du 15-9-1948).

Crimes contre l'humanité (imprescriptibles, loi du 26-12-1964) : définis dans un arrêt de la Cour de Cassation du 20-12-1985 comme « les actes inhumains et les persécutions qui, au nom d'un État pratiquant une politique d'hégémonie idéologique, ont été commis de façon systématique, non seulement contre des personnes en raison de leur appartenance à une collectivité raciale ou religieuse, mais aussi contre les adversaires de cette politique, quelle que soit la forme de leur opposition ». *Klaus Barbie,* ancien chef de la Gestapo de Lyon et tortionnaire de Jean Moulin, a pu être ainsi condamné pour la déportation d'une cinquantaine d'enfants israélites. Le 13-4-1992 l'accusation de crimes contre l'humanité n'a pas été retenue par la cour d'appel de Paris contre *Paul Touvier,* mais le 26-11-92 la Cour de cassation a cassé partiellement l'arrêt de la cour de Paris, renvoyé l'affaire devant la cour de Versailles pour « complicité de crime contre l'humanité » (exécution de 7 otages juifs à Rilleux-la-Pape, le 28-6-44) et confirmé le non-lieu pour les autres affaires impliquant Touvier. Le 2-6-93 la cour de Versailles renvoie Touvier devant les Assises.

Crimes contre la paix : violation des règles établissant la paix (agressions) : ex. en 1919 et 1945 l'All. a été accusée d'avoir porté atteinte « à la morale internat. et à l'autorité sacrée des traités de paix ».

■ **Demande de mise en liberté.** La personne, directement ou par l'intermédiaire de son avocat, peut la demander à tout moment. Lorsqu'elle est détenue, la demande peut être faite auprès du dir. de l'établissement pénitentiaire (art. 148-7 Code procédure pénale). Le juge d'instruction doit statuer dans les 5 j. Son refus est susceptible d'appel dans les 10 j (de la part de l'inculpé ou de la partie civile) ; la chambre d'accusation statue alors. Une personne libérée doit s'engager à répondre à toutes les convocations qui lui seraient adressées et à tenir informé le juge d'instruction de tous ses déplacements (voir également art. 148, 148-1, 148-7 CPP).

■ **Démence.** Selon les art. 122-1 et 122-2 du C. pénal, n'est pas pénalement responsable la personne atteinte, au moment des faits, d'un trouble psychique ou neuropsychique ayant aboli son discernement ou le contrôle de ses actes ou ayant agi sous l'emprise d'une force ou d'une contrainte à laquelle elle n'a pu résister. (Voir Médecine à l'Index). Il s'agit d'une maladie mentale au sens large du terme, et à laquelle on assimile, sous certaines conditions, des états voisins (somnambulisme, ivresse).

■ **Détention provisoire.** (Art. 144 et suivants du Code de procédure pénale.) Le nouveau Code de procédure pénale (loi 4-1-1993) réforme la détention provisoire : du 1-3-1993 au 1-1-1994, elle sera prescrite ou prolongée par un juge délégué par le Pt du tribunal. Ensuite, il sera assisté de 2 assesseurs choisis sur une liste établie annuellement par l'ass. gén. du tribunal. Le juge d'instruction conserve un pouvoir d'incarcération provisoire ne pouvant dépasser 4 j ouvrables et celui de rejeter les demandes de mise en liberté ; il peut placer sous contrôle judiciaire. Possible en matière correctionnelle si la peine encourue est de 2 ans de prison ou +, ou de 1 an ou + en cas de délit flagrant, si les obligations du contrôle judiciaire sont insuffisantes pour les autorités judiciaires, ou si la personne a été appréhendée au cours d'une enquête dans les conditions prévues par les art. 53 et 73 (seuls outrages à agents, blessures par imprudence, vagabondage ou mendicité et certains délits de presse n'autorisent pas la dét. prov.). *Durée maximale :* 4 mois, mais le juge d'instruction peut prolonger ce délai par une ordonnance motivée considérée souvent comme nécessaire pour préserver l'ordre public dans certains crimes et délits (sa durée est alors indéterminée) ; *délai max. de la prolongation :* 2 mois pour les délinquants primaires (1 seule prolongation), *pas de délai max. pour récidivistes* (renouvellement par périodes de 4 mois). Lorsque la personne encourt une peine de + de 5 a., la prolongation de dét. est possible (sans tenir compte de la limite de 2 mois).

Le *détenu provisoire* peut conserver ses habits personnels, recevoir des visites plus nombreuses que les autres détenus et écrire davantage de lettres, communiquer librement avec ses avocats, sans témoin, dans une cellule du parloir, et leur écrire sans que les lettres soient ouvertes ni au départ ni à l'arrivée. Le reste du courrier est soumis à la censure. Le juge d'instruction peut, dans certains cas, interdire visites et courrier, pendant 10 j, renouvelables une fois. Le *détenu* n'est pas astreint au travail (obligatoire pour les condamnés, dans la mesure où il y a du travail à leur donner). S'il demande à travailler, il est mieux rémunéré qu'un condamné. Les policiers ne peuvent procéder à son interrogatoire, ni aux confrontations.

Détentions suivies d'un non-lieu, d'un acquittement ou d'une relaxe (équivalent de l'acquittement devant les tribunaux correctionnels) ; peuvent donner droit à une indemnisation (une détention de 2 ans suivie d'une condamnation à 3 mois de prison avec sursis ou d'une simple amende ne permet aucun recours). Une commission d'indemnisation (composée de 3 magistrats de la Cour de cassation) étudie la demande de dommages et intérêts si la détention a causé un préjudice « manifestement anormal et d'une particulière gravité ». [Jean-Marie Deveaux, accusé du meurtre d'une fillette et qui, après une 1re condamnation, fut acquitté en sept. 1969, a obtenu 125 000 F pour 8 années de prison subies à tort. Guy Mauvillain 400 000 F (18-1-1987).]

■ **Taux de détention provisoire pour 100 000 hab.** (en 1989) : *France 78,* G.-B. 96, USA 400.

■ **Diffamation.** Affirmation publique (tract, journal, livre, affiche, réunion publ.) concernant une personne ou un corps constitué d'un *fait précis* qui porte atteinte à son honneur ou à sa considération, même sous forme interrogative ou dubitative. La reproduction publique d'une diffamation, même en citant la source, est une diffamation. Le diffamateur est condamnable même s'il a dit la vérité, lorsque les faits concernent la vie privée, s'ils remontent à plus de 10 ans ou s'ils ont été effacés par amnistie ou prescription. **Injure.** Expression outrageante ou terme de mépris, ou invective qui n'attribue *aucun fait précis* à l'injurié. Injure et diffamation sont des délits. La victime doit porter plainte dans les 3 mois.

■ **Droits de l'homme** (voir à l'Index). **Ligue des droits de l'homme** 27, rue Jean-Dolent 75014 Paris. *Créée* juin 1898 pour défendre les victimes de l'arbitraire, de l'injustice ou de discrimination et pour promouvoir l'application des principes affirmés dans les Déclarations révolutionnaires de 1789 et 1793. A fondé la Fédération internationale des droits de l'homme en 1921. René Cassin, membre du Comité central, fut l'un des principaux auteurs de la déclaration universelle de 1948. *Pts : 1898* Ludovic Trarieux ; *1903* Francis de Pressensé ; *1914* Ferdinand Buisson ; *1926* Victor Basch ; *1944* Paul Langevin ; *1946* Dr Sicard de Plauzoles ; *1953* Émile Kahn ; *1958* Daniel Mayer ; *1975* Henri Noguères ; *1984* Yves Jouffa ; *1991* Madeleine Rébérioux. *Revues :* Hommes et Libertés, Après-demain. *Adhérents* 10 000.

■ **Ester en justice.** Intenter une action en justice ou y défendre.

■ **Experts.** Auxiliaires de justice qui peuvent être désignés par toute juridiction pour l'éclairer sur les questions techniques. Organisation établie par la loi du 29-6-1971 et le décret du 31-12-1974. **Nombre :** Cour d'appel de Paris (1989) : 2 095 en activité ; 6 520 expertises civiles traitées.

■ **Flagrant délit. Définition :** infraction qui est en train de se commettre ou qui vient de se commettre. L'auteur peut être « quelqu'un poursuivi par la clameur publique ou trouvé porteur d'indices ». Sont assimilés : crimes, délits et infractions commis à l'intérieur d'une maison. **Procédure de flagrant délit** ou *procédure de comparution immédiate :* peut être appliquée dans tous les cas sauf pour délits de presse, délits politiques, délits non punissables de prison et délits commis par des mineurs (art. 71 à 71-3 du Code de procédure pénale abrogés par la loi nº 81-82 du 2-2-1981). Elle autorise la police à arrêter un particulier dans la rue ou un lieu public (gare, métro, café), à perquisitionner chez un particulier « paraissant avoir participé à l'infraction ou détenir des pièces et objets relatifs aux faits incriminés », et à fouiller une voiture. La police conduit la personne devant le procureur de la Rép. Celui-ci peut décider qu'un juge d'instruction sera chargé de l'affaire ou le présenter immédiatement devant le tribunal ou un magistrat délégué par le président. *A l'audience :* le président du tribunal doit, sous peine de nullité du jugement, avertir l'accusé qu'il a le droit de demander un délai d'au moins 5 j, pour préparer sa défense et se faire assister éventuellement par un avocat. Une convocation de police *(citation à témoin)* dans le cadre d'une enquête de police est obligatoire.

Flagrant délit de vol : selon l'art. 73 du Code de procédure pénale, toute personne peut appréhender l'auteur d'un crime ou d'un flagrant délit punissable d'une peine d'emprisonnement et le conduire devant l'officier de police judiciaire le plus proche. Un commerçant peut donc se saisir d'une personne surprise en train de voler (« Tout citoyen est sergent de flagrance »). Un client a le droit de refuser de se soumettre à un contrôle par le commerçant (par ex. : présenter le contenu de son sac) et d'intenter une action en dommages et intérêts contre le commerçant s'il a appelé la police sans raison.

■ **Fouilles** (voir **Perquisition** p. 765 a).

■ **Garde à vue. Durée :** 24 h (48 h si le procureur de la Rép. l'autorise par écrit, ou + de 48 h pour les affaires de trafic de drogue ou d'atteinte à la sûreté de l'État ou de terrorisme). Le *délai* part (en cas d'arrestation ou de flagrant délit) de l'heure d'arrivée au commissariat ou à la gendarmerie, ou, s'il y a eu convocation, du début de l'interrogatoire. Ne peut être prolongée que par un officier de police judiciaire, ou par le juge d'instruction, le procureur de la Rép. **Conditions :** ni libre, ni détenue, la personne arrêtée est à la disposition de la police. Elle peut faire prévenir par téléphone un membre de sa famille et solliciter un examen médical à sa demande ou à celle d'un membre de sa famille. Jusqu'au 1-1-1994, elle ne pourra demander à s'entretenir avec un avocat que lorsque 20 h (en matière de trafic de stupéfiants et de terrorisme 48 h) se seront écoulées depuis le début de la mesure et dans le cas où une prolongation est envisagée. A partir du 1-1-1994, dès le début de la mesure, elle pourra avoir un entretien confidentiel (d'au max. 30 minutes) avec un avocat. Toutefois, en matière de stupéfiants et de terrorisme, le régime entrant en vigueur le 1-3-1993 demeurera inchangé (loi du 4-1-1993). Après 24 h, elle doit être obligatoirement conduite au procureur qui peut accorder une autorisation écrite prolongeant la garde à vue. Elle peut faire l'objet d'une *fouille corporelle* (f. « de sûreté ») pour lui retirer les objets utiles à la manifestation de la vérité ou dangereux pour elle-même ou pour autrui. La *fouille-perquisition,* ayant pour but la saisie d'objets et de documents, ne peut être effectuée qu'en flagrant délit ou en application d'une commission rogatoire avec accord de l'intéressé. La durée des interrogatoires et des repos doit être portée sur le registre des gardes à vue et des procès-verbaux d'interrogatoire.

Garde à vue des mineurs : doit être réduite au strict minimum et entourée des précautions destinées à éviter toute promiscuité.

■ **Statistiques** (en 1990). 347 107 personnes ont été placées en garde à vue 24 h, pour 61 322 d'entre elles la garde à vue a été prolongée. **Locaux de garde à vue** (en 1993) : Police 1 623 salles, 1 239 chambres de sûreté dans 836 immeubles. Gendarmerie 7 682 locaux.

☞ Dep. le 1-3-1993 les personnes placées en garde à vue reçoivent un formulaire traduit en 8 langues (all., anglais, arabe, esp., italien, néerl., portugais, russe) recensant leurs droits et décrivant le déroulement de la procédure.

■ **Génocide.** Loi du 23-7-1992. Constitue un génocide le fait, en exécution d'un plan concerté tendant à la destruction totale ou partielle d'un groupe national, ethnique, racial ou religieux, ou d'un groupe déterminé à partir de tout autre critère arbitraire, de commettre ou de faire commettre, à l'encontre de membres de ce groupe : une atteinte volontaire à la vie ; une atteinte grave à l'intégrité physique ou psychique ; une soumission à des conditions d'existence de nature à entraîner la destruction totale ou partielle du groupe ; des mesures visant à entraver les naissances ; le transfert forcé d'enfants. Le génocide est puni de la réclusion criminelle à perpétuité.

Autres crimes contre l'humanité. La déportation, la réduction en esclavage ou la pratique massive et systématique d'exécutions sommaires, d'enlèvements de personnes suivis de leur disparition, de la torture ou d'actes inhumains, inspirées par des motifs politiques, philosophiques, raciaux ou religieux et organisées en exécution d'un plan concerté à l'encontre d'un groupe de population civile sont punies de la réclusion criminelle à perpétuité. Lorsqu'ils sont commis en temps de guerre en exécution d'un plan concerté contre ceux qui combattent le système idéologique au nom duquel sont perpétrés des crimes contre l'humanité, les actes visés à l'article 212-1 sont punis de la réclusion criminelle à perpétuité. La participation à un groupement formé ou à une entente établie en vue de la préparation, caractérisée par un ou plusieurs faits matériels, de l'un des crimes définis précédemment est punie de la réclusion criminelle à perpétuité.

■ **Grâce (droit de).** Survivance de l'Ancien Régime. Appartient au Pt de la Rép. (de 1946 à 58, le Pt l'exerçait en Conseil supérieur de la magistrature). Remise de tout ou partie de la peine prononcée contre un individu par un tribunal répressif. Le PM et le garde des Sceaux donnent leur contreseing. Peut être collective ou individuelle. *Grâce collective à l'occasion du 14 Juillet.* Auriol : *1949, 51, 53.* Giscard d'Estaing : *1980.* Mitterrand : *1981* (4 775 libérés), *85* (2 763), *88* (4 230), *89 (bicentenaire :* 3 091). *1989* (408 sur 55 779 présentées). **Grâce amnistiante :** mesure intermédiaire entre grâce et amnistie. La loi définit les catégories de condamnés susceptibles d'être amnistiés ; le Pt de la Rép. individualise ensuite les bénéficiaires par décret.

■ **Greffier.** Assiste les magistrats à l'audience, dresse les actes du greffe, délivre des expéditions des jugements ou des arrêts. Il est le dépositaire des minutes et des archives. Dep. 1965, les greffiers titulaires de charges sont devenus fonctionnaires (avant ils achetaient leur charge). Il existe désormais un secrétariat-greffe, dirigé par un greffier en chef, assisté de greffiers. **Effectifs** (voir p. 758 a). *Au trib. de commerce :* le greffier, officier ministériel, titulaire d'une charge, a été maintenu.

■ **Habeas corpus** (en latin « que tu aies ton corps », sous-entendu *ad subjiciendum,* « pour le produire devant le tribunal »). Nom d'un des textes adoptés par le Parlement anglais en 1679. Sur une demande qui leur est faite, les juges doivent délivrer un *writ of habeas corpus,* acte délivré par la juridiction compétente enjoignant au greffier de faire paraître le détenu devant la Cour, qui statuera alors sur la validité de l'arrestation.

■ **Huissier de justice. Statut :** officier ministériel nommé par le garde des Sceaux, chargé de signifier aux intéressés les actes et exploits, de procéder à l'exécution des décisions de justice ainsi que des actes ou titres en forme exécutoire. Il exerce, sauf exception, dans le ressort du tribunal d'instance de sa résidence, chargé souvent de faire des constats à la demande des particuliers ou magistrats. *Huissiers-audienciers* choisis parmi les huissiers : ils assistent les juges pendant les audiences des tribunaux. *En dehors de son monopole,* l'huissier peut procéder au recouvrement amiable des créances, à des ventes publiques de meubles et d'effets mobiliers (sauf dans la commune où est installé un commissaire-priseur), à des constats matériels. Il peut être administrateur d'immeubles, agent d'assurances, correspondant de Caisse d'épargne, secrétaire de coopérative agricole, en dehors de ses prérogatives d'officier ministériel. **Recrutement :** sur titre (licence en droit, stage de 2 ans et examen organisé par la Ch. nationale). Un clerc doit avoir exercé 10 ans et avoir un diplôme (capacité en droit, Deug ou Enp).

Constat : peut être demandé par un particulier ou ordonné par un tribunal, il n'implique aucune conséquence juridique mais atteste un fait matériel. En cas de chèque sans provision, l'huissier délivre un titre exécutoire 20 j après la signification demeurée infructueuse du certificat de non-paiement de la banque (11-7-1985). **Saisie mobilière :** l'huissier est choisi en fonction de son ressort territorial, il est muni du « titre exécutoire ». S'il n'y a rien à saisir, il établit un procès-verbal de carence ; s'il y a des biens à saisir, il dresse un procès-verbal de saisie pour procéder ensuite à la vente. *Nombre* (en 1992) : 3 115 répartis en 2 054 études, assistés de 12 000 clercs et employés. 300 stagiaires et 150 huissiers nouveaux par an. **Chiffre d'affaires global** (1992) : 5 milliards de F (montant des encaissements confirmés 40).

Honoraires : selon le montant de la créance, le temps passé lors d'un constat et les conditions de travail. *Ex. :* recouvrement d'une créance de 5 000 F : sommation 211 F, assignation 141 F, signification 178 F, commandement 324 F, procès-verbal de saisie 240 F (TVA 18,6 % incluse). État des lieux 900 à 1 200 F, constat d'adultère 2 500 à 3 000 F, constat d'audience 1 500 à 2 000 F.

■ **Identité (pièces)** (voir le chapitre **Formalités**).

■ **Incompétence d'un tribunal.** Défaut d'aptitude d'une juridiction à connaître d'une demande ; peut être relative, absolue, d'ordre public. *Motifs : ratione materiae,* si le tribunal n'est pas habilité à juger cette matière (ex. : le tribunal de commerce pour une affaire civile portée à tort devant lui) ; *ratione loci,* si le trib. n'est pas territorialement compétent (ex. : il n'est pas celui du lieu du domicile du défendeur, ou du lieu de commission d'une infraction) ; *ratione quantitatis,* si le litige dépasse un certain montant (voir **Tribunal d'instance** p. 758 a).

■ **Inculpé d'une infraction, poursuivi devant une juridiction répressive.** Ses déclarations sont consignées par écrit : le juge d'instruction en dicte un résumé à son greffier. L'inculpé a intérêt à le relire soigneusement avant de le signer, il peut faire ajouter ou retrancher certains éléments (voir Détention provisoire).

■ **Injonction (ou obligation) de faire.** Concerne les litiges d'un montant inférieur à 300 000 F. Procédure gratuite qui permet à tout bénéficiaire d'une obligation de faire non exécutée d'obtenir du tribunal d'instance, sur simple requête, une ordonnance enjoignant son débiteur de respecter ses engagements (appareils ménagers ou meubles non livrés à la date prévue, travaux commencés et non terminés dans le délai convenu, etc.). Le litige doit être signifié au greffe du tribunal d'instance. Au vu des documents produits (contrats, bons de commande, devis, photos de travaux en cours, mise en demeure envoyée au propriétaire...), le juge peut, si la requête lui paraît fondée, demander au professionnel de s'exécuter dans des délais donnés et assortir ou non son ordonnance d'une astreinte (amende à payer par jour de retard). Si l'exécution n'a pas eu lieu ou n'a pas été appliquée, le tribunal d'instance juge la demande du plaignant comme dans une audience ordinaire. Le recours à un avocat n'est jamais obligatoire devant le tribunal d'instance, mais le plaignant peut se faire représenter. A compter de la date du jugement, le « gagnant » a 6 mois pour signifier le jugement à la partie adverse.

■ **Instruction. 1º) Enquête préliminaire :** *en cas de contravention, crime ou délit,* le procureur (parquet) ordonne une enquête préliminaire qu'il confie à la police judiciaire ; celle-ci agit parfois d'elle-même, si elle n'est pas encore requise par le parquet (voir ci-dessous). **2º) Au reçu de l'enquête :** le procureur peut *la classer sans suite,* ou saisir le *tribunal de police* ou renvoyer les auteurs devant le *tribunal correctionnel* en cas de délit dont les preuves lui paraissent suffisamment établies. S'il s'agit d'un crime ou d'un délit sur lequel la lumière n'a pas encore été faite, il requiert le juge d'instruction. L'instruction est obligatoire pour les contraventions de 5e classe commises par un mineur. **3º) Le juge d'instruction** (juge du tribunal de grande instance délégué dans ces fonctions par décret) : procure à la juridiction de jugement les éléments nécessaires pour statuer. Délivre mandat de dépôt de l'inculpé à la maison d'arrêt si la détention préventive lui semble nécessaire à la manifestation de la vérité. Dep. le 8-12-1897, l'avocat de l'inculpé peut avoir accès au dossier ; dep. le 17-7-1970, le juge doit (sauf en matière criminelle spécialement art. 144 CPP) motiver la mise en détention provisoire (délai limité à 6 mois dep. 6-8-1975 pour certains inculpés). Dep. le 9-7-1984, un débat contradictoire a lieu à cette occasion (art. 148). **4º) La personne mise en examen :** peut demander d'être mise en liberté provisoire. Le parquet doit donner son avis, disant ne pas s'y opposer. Cet avis ne lie pas le juge d'instruction qui peut, par ordonnance, accepter la demande ou la rejeter. Si la personne mise en examen ou la partie civile ou le *ministère public* (le procureur) font appel de l'ordonnance du juge, la chambre d'accusation en connaît. (Section de la cour d'appel : elle comprend 3 magistrats et 1 membre du parquet général pour le ministère public.) **5º) Pendant l'instruction :** le *procureur* peut exercer un contrôle sur la procédure. Il peut demander le dossier et réclamer au juge certains actes d'instruction (ex. : perquisitions, auditions de témoins, inculpations nouvelles). Le juge peut toujours refuser de donner suite à ces demandes et prendre par ordonnance une décision contraire. **6º) Le juge clôt l'instruction :** s'il estime l'inculpation non fondée, il rend une *ordonnance de non-lieu* ou, au contraire, une *ordonnance de transmission au parquet général* (s'il s'agit d'un crime) qui saisira la *chambre d'accusation.* La chambre complète éventuellement le travail du juge instructeur avant de renvoyer l'accusé devant la cour d'assises. Si le juge d'instruction estime que les charges retenues contre l'inculpé sont suffisantes, il rend une ordonnance de renvoi devant le *tribunal de police* en cas de simple contravention (ex. : coups et blessures légers) ; ou le *trib. correctionnel,* en cas de délit (ex. : violences à agents ou détention d'explosifs) ou *la cour d'assises,* en cas de crime (ex. :

homicide ou vol qualifié) ou le *trib. pour enfants* si l'inculpé a moins de 18 ans.

■ **Statistiques.** *En 1990 :* 73 649 personnes ont été inculpées et 7 763 ont bénéficié d'un non-lieu. *Au 1-12-1992 :* sur 51 121 détenus dans les prisons, 22 345 étaient en attente de jugement définitif.

En 1991 : les juges d'instruction ont décerné 28 273 mandats de dépôt dans 2 078 affaires déférées devant les Assises et 458 767 devant les trib. correctionnels soit un taux de détention provisoire de 6 %.

☞ Le nouveau Code de procédure pénale (loi 4-1-1993) réforme la procédure de l'instruction. **Mise en examen :** lorsqu'à l'encontre d'une personne apparaissent des indices graves et concordants laissant présumer qu'elle a participé aux faits dont le juge d'instruction est saisi, elle doit être informée par le procureur de la Rép. de la procédure mise en œuvre contre elle et de son droit à l'assistance d'un avocat. Cette mise en examen peut intervenir en début ou en cours d'instruction. L'avocat a un droit d'accès permanent au dossier à compter des 4 j précédant la 1re comparution à laquelle il peut assister. Au cours de l'instruction, toute partie peut faire des demandes d'investigation auxquelles le juge est tenu de répondre dans un délai de 1 mois par ordonnance motivée susceptible d'appel devant la chambre d'accusation. Toute personne mise en examen et non entendue dep. 3 mois peut demander à être interrogée par le juge qui doit le faire dans les 15 jours. Au bout de 1 an, les parties peuvent demander au juge de rendre une ordonnance de non-lieu ou de renvoyer l'affaire. Le juge doit alors répondre dans un délai de 1 mois, par ordonnance motivée, sinon les parties peuvent saisir la chambre d'accusation. **Mise en cause :** à la fin de l'instruction, le juge donne connaissance à la personne mise en examen, en présence de son avocat, des présomptions de charges réunies contre elle et recueille les observations de l'intéressé. Il rend ensuite une *ordonnance de présomptions de charges constitutives d'infraction pénale.*

Si une personne est présentée dans la presse comme coupable des faits faisant l'objet d'une enquête ou d'une instruction, elle peut obtenir réparation pécuniaire et insertion d'une rectification ou diffusion d'un communiqué pour faire cesser ces bruits.

■ **Internement psychiatrique.** Le préfet de police à Paris et les préfets dans les dép. prononcent par arrêté, au vu d'un certificat médical circonstancié, l'hospitalisation d'office des personnes dont les troubles mentaux compromettent l'ordre public ou la sûreté des personnes (art. L. 342 du Code de la santé publique). Dans les 24 h suivant l'admission, un certificat médical établi par un psychiatre de l'établissement est transmis au préfet par le directeur de l'établ. En cas de danger imminent pour la sûreté des personnes, attesté par un avis médical ou, à défaut, par la notoriété publique, le maire et, à Paris, les commissaires de police arrêtent les mesures provisoires nécessaires, à charge d'en référer dans les 24 h au préfet qui statue sans délai et prononce, s'il y a lieu, un arrêté d'hospitalisation d'office (L. 343). Dans les 15 j, puis 1 mois après hospitalisation et ensuite au moins tous les mois, un certificat médical est transmis au préfet (L. 344). Le maintien de l'hospitalisation d'office peut être prononcé par le préfet, après avis motivé d'un psychiatre, dans les 3 j précédant l'expiration du 1er mois d'hospitalisation, pour une nouvelle durée de 3 mois ; au-delà, l'hosp. peut être maintenue pour des périodes de 6 mois maximum, renouvelables selon les mêmes modalités (L. 345).

Protection et droits des internés : dans les 24 h, le procureur de la Rép., le maire et la famille sont avisés par le préfet de toute hospitalisation d'office, de tout renouvellement et de toute sortie (L. 349). *Commission départementale des hosp. psychiatriques :* visite les établ., reçoit les réclamations et peut proposer au Pt du tribunal la sortie immédiate de toute personne hospitalisée sans son consentement. La *personne hospitalisée ou sa famille peut se pourvoir,* sur simple requête, devant le Pt du trib. de grande instance (L. 351). Le *Pt du trib. de grande instance* peut également se saisir d'office à tout moment (L. 351). Un *hospitalisé d'office* peut prendre conseil auprès d'un médecin ou d'un avocat de son choix, écrire ou recevoir du courrier, consulter le règlement intérieur de l'établ., se livrer aux activités religieuses ou philosophiques de son choix (L. 326-3).

■ **Interpellation.** On peut demander à toute personne qui vous interpelle de présenter sa carte officielle de police et refuser de lui montrer ses papiers s'il refuse. On peut ne pas répondre à une *convocation* du commissariat sans donner d'explication, sauf en cas de procédure de flagrant délit. Dans ce cas, le procureur de la Rép. peut contraindre par la force les personnes convoquées à comparaître et à déposer. Selon l'art. 109 du Code de procédure pénale, toute personne citée pour être entendue comme témoin est tenue de comparaître, de prêter serment et de déposer, sinon le juge d'instruction peut, sur les réquisitions du procureur de la Rép., l'y contraindre par la force publique et la condamner à une amende de 2 500 à 5 000 F. *Si l'on se rend au commissariat,* on peut refuser de répondre, et se contenter de donner son identité en ajoutant : « Je n'ai rien à déclarer. » On peut ne pas signer le procès-verbal. *Un policier ou un gendarme ne peut pénétrer dans un domicile* s'il n'est porteur d'une autorisation du juge d'instruction ou sans accord exprès de l'occupant. L'officier de pol. judiciaire peut pénétrer d'initiative au domicile d'une personne dans le cadre d'une enquête en flagrant délit. Les officiers et les agents de police judiciaire qui les secondent peuvent relever les empreintes digitales ou prendre des photos, soit, d'initiative, au cours d'une enquête judiciaire dans le cadre de la garde à vue ; soit, hors de ce cadre, avec l'autorisation de la personne concernée en vue de la réunion d'éléments de preuves d'un crime ou d'un délit ; soit avec l'accord de l'autorité judiciaire, en vue d'établir l'identité d'une personne.

Quelques dates

1791 (loi des 16/29-9) jury populaire institué (12 jurés statuent sur les faits, c.-à-d. sur la seule culpabilité). **1832** les jurés peuvent reconnaître des circonstances atténuantes. **1853** (loi du 4-6) impose des conditions d'âge, de moralité et crée des commissions de sélection établissant des listes pour le tirage au sort. **1878** (loi du 28-7) rétablit le système initial du tirage au sort à partir des listes électorales (appliqué dep. le 1-1-1980). **1932** (loi du 5-3) conserve aux seuls jurés la reconnaissance de la culpabilité mais les réunit aux magistrats pour déterminer la peine. **1941** (loi du 25-11) associe magistrats (3) et jurés (6) dans la détermination de la culpabilité et de la peine. **1945** (loi du 20-4) 7 jurés, majorité de 6 voix peut être obtenue par 3 voix de magistrats et 3 voix de jurés. **1958** (loi du 23-12) 9 jurés, majorité de 8 voix pour les votes sur la culpabilité (art. 359 CPP).

■ **Juge** (voir **Magistrat**).

■ **Jugement** (voir encadré p. 764).

■ **Juré. Recrutement :** tout citoyen français inscrit sur les listes électorales, âgé de plus de 23 ans, sachant lire et écrire en français, peut être juré (*1791 :* 25 a. ; *1793 :* 23 a. ; *1799 :* 30 a. ; *1972 :* 23 a.). **Cas d'incapacité et d'incompatibilité :** personnes ayant fait l'objet d'une peine criminelle ou d'une condamnation à 1 mois d'emprisonnement pour crime ou délit ; officiers ministériels destitués de leur fonction ; fonctionnaires et agents de l'État, des départements et communes révoqués ; interdits (majeurs en tutelle, en curatelle) ; personnes placées dans des établissements psychiatriques ou occupant certaines hautes fonctions politiques, administratives ou de police. **Sont dispensés :** septuagénaires et +, et ceux qui ont été jurés pendant l'année courante ou l'année précédant l'inscription, ou jurés dans le dép. depuis + de 5 ans. **Liste annuelle :** en avril, un arrêté préfectoral de répartition indique pour chaque commune le nombre de jurés éventuels à inscrire et demande au maire une liste préparatoire comportant 3 fois plus de noms. Cette liste est établie sur tirage au sort public à partir de la liste électorale. Le maire doit avertir les personnes tirées au sort. A partir de ces listes, une liste annuelle est établie par une commission comprenant le 1er Pt de la cour d'appel, ou le Pt du trib. de grande instance où siège la cour d'assises, 3 magistrats du siège désignés chaque année par l'assemblée générale de la juridiction, le procureur général ou le proc. de la Rép., le bâtonnier de l'Ordre des avocats, 5 conseillers généraux désignés chaque année par le Conseil général (à Paris, par le Conseil de Paris). *La liste annuelle* est établie par tirage au sort (nombre de jurés : Paris 1 800, ailleurs 1 juré pour 1 300 hab. ; minimum 400 par département), ainsi qu'une *liste de jurés suppléants* (Paris 600, Bouches-du-Rh. 200, autres dép. 100). **Liste de session :** 30 j au moins avant l'ouverture des assises. Le 1er Pt de la cour d'appel ou le Pt du trib. de grande instance du siège de la cour d'assises tire au sort, en audience publique, sur la liste annuelle, les noms de 35 jurés (+ 10 jurés suppléants sur la liste spéciale). Le préfet avertit les jurés désignés 15 j avant l'ouverture de la session. Pour chaque affaire criminelle, le *jury* (9 jurés) est tiré au sort sur cette liste de session. La défense peut récuser 5 jurés, le représentant de l'accusation 4.

Obligation : *tout juré qui, sans motif légitime, ne se présente pas à la session d'assises peut être condamné* à une amende de 100 F la 1re fois, 200 F la 2e, 500 F la 3e. *Le juré est tenu par le secret* (le 31-3-1989, un juré a été condamné à 1 mois de prison avec sursis et 10 000 F d'amende pour avoir violé le secret des délibérations).

■ **Légitime défense.** Droit de riposter par la violence à une infraction actuelle, injuste et non provoquée, dirigée contre soi-même ou autrui : coups ou violences graves envers des personnes ; escalade ou effraction, de jour ou de nuit, des clôtures, murs ou entrée d'une maison ou d'un appartement ; de nuit, défense contre les auteurs de vols ou de pillages exécutés avec violence. La riposte doit être immédiate et proportionnée à l'agression ; les actes sont alors « excusables ». L'agressé doit faire la preuve de la légitime défense (art. 328-329 Code pénal).

■ **Libération conditionnelle.** Réservée aux condamnés ayant accompli la moitié de leur peine (3 mois si la peine est inf. à 6 m.), ou 2/3 en cas de récidive (6 m. si peine de – de 9 m.). *Réclusion criminelle à perpétuité :* ils doivent avoir accompli 15 ans. Un condamné à perpétuité bénéficie au bout de 10 ans de détention d'un décret de grâce commuant sa peine en 20 ans de prison. Il fera donc au max. 30 ans de prison. Après 15 ans, il pourra espérer la lib. cond. *Modalités* fixées dans la décision : nature et durée des mesures d'assistance et de contrôle (visa régulier du carnet du libéré par la gendarmerie, assignation à domicile, visites au juge de l'application des peines, traitements anti-alcooliques, remboursement de la victime de l'infraction). En cas d'inobservation, la libération peut être révoquée. *Décision :* condamnés à – de 3 ans de prison, par le juge de l'application des peines après avis d'une commission ; c. à + de 3 ans, par le min. de la Justice sur proposition établie par une commission locale dont fait partie le Jap (juge de l'application des peines). *En 1990,* le Jap a accordé 5 756 mesures de lib. cond. et le min. de la Justice 605.

■ **Loi anticasseurs** (8-6-1970). Abrogée, voir Quid 1982. **Loi sécurité et liberté** (2-2-1981) : abrogée ou révisée par la loi 83-446 du 10-6-1983.

■ **Magistrats. Effectif** budgétaire (au 1-1-1993) 6 062. **Administration centrale :** 161. **Cour de cassation :** 169 (dont siège 148, parquet 21). **Cours d'appel :** *métropole :* 1 140 (s. 812, p. 237), *DOM-TOM :* 50 (s. 36, p. 14). **Trib. supérieurs d'appel :** *St-Pierre-et-Miquelon, Mayotte :* s. 2, p. 2. **Trib. de grande instance :** *métropole :* 4 374 (s. 3 279, p. 1 003), *DOM :* 114 (s. 82, p. 25), *TOM :* 54 (s. 29, p. 10).

Juges d'instruction : *métropole :* 555, *DOM :* 13, *TOM :* 5. **Juges des enfants :** *métropole :* 262, *DOM :* 7, *TOM :* 2. **Magistrats détachés :** 145.

Effectifs à la sortie de l'École nationale de la magistrature (ENM) : *1983 :* 235. *84 :* 320. *85 :* 246. *86 :* 231. *87 :* 221. *88 :* 246. *89 :* 242. *90 :* 225. *91 :* 196. *92 :* 172. **Recrutement :** *1993 :* 100 par concours dont 80 étudiants et 20 fonctionnaires.

Fonctionnaires (métropole et DOM). **Effectifs budgétaires** (en 1990) : 23 920 dont *cours et tribunaux* 18 133 [dont personnel de bureau, de service et ouvriers de catégories C et D 11 206, greffiers divisionnaires, 1ers greffiers et greffiers 4 046, greffiers en chef 1 142], *conseils de prud'hommes* 1 797 (dont pers. de bureau 1 061, greffiers div., 1ers greffiers et greffiers 473, greffiers en chef 269).

Syndicats : il en existe plusieurs dont : l'*Union syndicale des magistrats* (USM, 53 % aux élections professionnelles du 25-6-92), le *Synd. de la mag.* (SM, 31 %), l'*Association prof. des mag.* (APM) (14 %).

■ **Majorité (pénale et civile).** 18 ans. *Cas de mineurs* de 16 à 18 a. : ils relèvent du tribunal pour enfants ou de la cour d'assises des mineurs. Au-dessous de 16 a. (à l'époque de l'infraction) : ils relèvent du trib. pour enf., même s'ils ont commis un crime. Avant 13 a. : aucune condamnation ne peut être prononcée ; le mineur bénéficie d'une irresponsabilité légale absolue. Le Pt de la cour d'assises doit obligatoirement demander aux jurés s'il y a lieu d'appliquer à l'accusé une condamnation pénale et de l'exclure de l'excuse atténuante de minorité.

■ **Mandats.** Délivrés par un juge d'instr. Une copie du mandat doit être remise à la personne qui en est l'objet. Ils ne peuvent jamais être collectifs, et doivent préciser l'identité exacte, la nature des faits et les articles de loi applicables. **De comparution :** ordre adressé à une personne de se rendre au cabinet du juge d'instruction à un jour et une heure déterminés. La personne se présente librement. Si elle fait défaut, le juge peut lancer contre elle un mandat d'amener. **D'amener :** ordre donné à la force publique, par le juge d'instruction, de conduire immédiatement une personne devant lui, mais non de la détenir de façon prolongée. La police ou la gendarmerie est chargée de notifier et d'exécuter ce mandat. **De dépôt :** ordre donné par le juge au directeur ou au surveillant-chef d'une maison d'arrêt de mettre un inculpé en état de détention. **D'arrêt :** permet de rechercher et d'arrêter une personne en fuite et de la détenir d'une façon prolongée. Ne peut être lancé que si le délit est punissable d'une peine de prison de 2 ans ou plus. – *Mandats d'arrêt et d'amener* autorisent la police à pénétrer de force dans le domicile d'une personne (entre 6 et 21 h). Une fois incarcérée, la personne doit être interrogée dans les 48 h par le juge d'instruction, sinon elle est considérée comme arbitrairement détenue.

Si la personne recherchée se trouve à l'étranger, on lance un *mandat d'arrêt international* ou on entame une *procédure d'extradition.* En général, crimes et délits de caractère politique ne peuvent donner lieu à extradition. Pour un *étranger* réfugié en France, la chambre d'accusation de la cour d'appel se prononcera sur le bien-fondé de la demande d'extradition formulée par le gouvernement étranger.

■ **Marque au fer rouge.** Antérieure au XVe s. (supprimée dans le Code pénal de 1791 jusqu'à 1802, maintenue pour les forçats dans le Code pénal de 1810, puis abolie par la loi de 1932). *Lettres apposées* sur les joues, le front ou l'épaule (au XVIIIe s.) : *V* et *W* vol et vol en récidive, *M* mendiant, *G* (gabelle) faux-sauniers, *P* déserteur, *E* double engagement simultané, *D* responsable du complot de désertion, *F* faussaire et faux-monnayeur, *S* menaces d'incendie, *R* récidiviste, *GAL* condamnation aux galères, *T* travaux forcés à perpétuité. Les nobles et certains miséreux étaient exemptés (exemptions individuelles ou oublis fréquents).

■ **Parquet** (ou **ministère public**). Terme de *parquet,* conservé en souvenir de l'époque où le représentant du roi ne prenait pas place, comme aujourd'hui, sur l'estrade. Désigne aujourd'hui la partie du palais de justice où se trouvent bureaux et services du ministère public : ensemble des magistrats chargés de requérir l'application de la loi et de veiller aux intérêts généraux de la société. Ils sont amovibles et placés sous les ordres du min. de la Justice ; ils reçoivent des instructions écrites auxquelles ils sont obligés de se conformer (« La plume est serve »), mais peuvent parler selon leur conscience à l'audience (« La parole est libre »). **Composition** (suivant les tribunaux) : *Cour de cassation :* 1 procureur général, 1 premier avocat gén. et des avocats gén. *Cour d'appel :* 1 procureur général, des avocats gén. et des substituts gén. *Trib. de grande instance :* le procureur de la Rép., parfois un proc. adjoint et 1 ou plusieurs substituts et premiers substituts.

■ **Peines.** CRIMINELLES : **réclusion** : *à perpétuité* assortie éventuellement d'une période de sûreté (max. 30 ans) pendant laquelle le condamné ne peut bénéficier d'aucune mesure telle que la permission de sortir, la semi-liberté ou la libération conditionnelle. *A temps limité.* La peine de mort et les travaux forcés ont été abolis le 9-10-1981 et le 4-6-1960. Conformément à la loi du 31-12-1985, la France a ratifié le protocole no 6 additionnel à la Convention européenne des droits de l'homme relatif à l'abolition de la peine de mort ; selon l'art. 65 de la Convention, ce protocole ne peut être dénoncé dans un délai de 5 ans à compter de sa ratification. CORRECTIONNELLES : emprisonnement de plus de 6 mois à 10 ans (pour des affaires de drogue et de proxénétisme) ; amende. DE SIMPLE POLICE : amende ou privation de certains droits (art. 131-12 et suivants du C. pénal). ACCESSOIRES : dégradation civique, interdiction légale, interdiction de séjour, suppression de certains droits civils, suspension du permis de conduire ou de chasser.

Un condamné est généralement obligé de payer les frais de justice (assez élevés quand l'instruction a été longue et a donné lieu à des expertises) et, s'il y a eu constitution de partie civile, les dommages et intérêts.

Dispense : le trib. peut dispenser de peine ou ajourner le prononcé de peine lorsque le reclassement du prévenu est (ou en voie d'être) acquis, que le dommage causé est (ou en voie d'être) réparé et que le trouble résultant de l'infraction a cessé (ou *va cesser*). **Sursis** (origine : loi de pardon dite loi Bérenger du 26-3-1891) : le juge peut le prononcer pour tous les prévenus sauf ceux condamnés depuis 5 ans. Le sursis peut être assorti du régime de la **mise à l'épreuve** (mesures de surveillance, d'assistance, d'obligations particulières). La soumission à ces mesures et leur exécution sont une condition supplémentaire de la dispense d'exécution de la peine. Le bénéficiaire d'un *sursis* n'effectue sa condamnation que si, dans les 5 ans qui suivent, il encourt une nouvelle peine.

Mesures de remplacement pour l'emprisonnement (15 j à 6 mois) : prises à la discrétion du juge et liées à la nature de l'infraction (suspension du permis de conduire pour une durée déterminée, interdiction pendant 5 ans de détenir ou porter une arme, retrait du permis de chasse...), travail d'intérêt général (TIG), jour-amende.

Remise de peine : décision administrative accordée généralement pour bonne conduite et dispensant d'une partie de la peine.

■ Procès en 1re instance

■ **Tribunaux compétents. Procès civil :** se juge devant une juridiction civile : soit le *tribunal d'instance,* soit une *chambre civile du tribunal de grande instance.* Il permet d'obtenir d'éventuels dommages et intérêts, mais pas de condamnation pénale de son adversaire (amende ou emprisonnement). **Procès pénal :** se juge devant une juridiction pénale. Si l'on engage un procès civil, on ne peut plus ensuite porter cette même action devant une juridiction pénale. S'il s'agit d'une contravention, s'adresser au *tribunal de police ;* d'un délit, *tribunal correctionnel* (chambre pénale du tribunal de grande instance) ; d'un crime, à la *cour d'assises.* Le procès pénal *est plus rapide ; moins coûteux ; plus efficace* car il peut permettre, grâce aux moyens d'investigation du juge d'instruction, d'apporter plus facilement la preuve des faits reprochés à un adversaire, aussi la menace d'une sanction pénale peut contribuer au règlement anticipé du préjudice par l'auteur de l'infraction ; *plus intéressant :* le tribunal peut attribuer des dommages et intérêts aux victimes (ex. : même lorsque l'auteur d'un accident de la circulation est relaxé). On peut aussi obtenir, dans certains cas, le règlement par l'État de tout ou partie du préjudice. Cependant, si l'adversaire bénéficie d'un non-lieu ou est acquitté, il peut demander au tribunal de vous condamner à des dommages et intérêts pour action abusive ou même à une peine de prison pour dénonciation calomnieuse. Si l'on a engagé un procès pénal, on peut toujours y renoncer et continuer son procès devant une juridiction civile. Si le procès pénal n'a pas abouti à une condamnation, on peut, dans certains cas, obtenir réparation du préjudice. *L'assistance d'un avocat n'est pas obligatoire :* au tribunal de police, d'instance, dans toute procédure en référé (quel que soit le tribunal).

■ **Début de la procédure. En matière civile :** en principe devant le tribunal de grande instance. *Demande en justice :* formée par assignation (huissier de justice) avec, sauf exception, constitution obligatoire d'avocat. Le demandeur doit *constituer avocat* dans 15 j à compter de l'assignation. *Le tribunal est saisi* par la remise au secrétariat-greffe d'une copie de l'assignation. *Les conclusions sont notifiées* et les pièces communiquées par l'avocat de chacune des parties à celui de l'autre partie. *Le déroulement de la procédure* est surveillé par le juge de la mise en état qui a des pouvoirs très étendus.

En matière pénale : la *citation* est délivrée par huissier à la requête du ministère public (art. 550 et suivants du Code de procédure pénale) avant l'audience ; elle énonce les faits reprochés et vise le texte qui les réprime. La procédure de *saisine directe* a été substituée à celle de flagrant délit.

■ **Audiences. En matière civile :** *non publiques* pour certains litiges (divorce, désaveu de paternité, reconnaissance d'enfants naturels...). L'emploi de magnétophones, d'appareils photo ou de caméras est interdit.

En matière pénale : *publiques :* l'accusé qui trouble l'ordre peut être expulsé : les débats se poursuivent sans lui. Il reviendra pour entendre le jugement. S'il résiste lors de son expulsion ou injurie le tribunal, il peut être condamné immédiatement. Les portes doivent être laissées ouvertes. Le tribunal ordonne le *huis clos* s'il estime que la publicité des débats est dangereuse pour l'ordre public et les bonnes mœurs, ou si l'accusé a – de 18 ans. Le Pt peut interdire la salle aux mineurs ou à certains d'entre eux. Il assure la police de l'audience. Il peut : faire expulser tout spectateur qui troublerait les débats (si celui-ci résiste ou cause du tumulte, il peut être sur-le-champ arrêté, jugé et condamné), faire évacuer la salle en cas de troubles graves ou de manifestations favorables ou défavorables à l'accusé.

■ **Débats. En matière civile :** le président donne la parole successivement aux avocats des parties. Il est assez rare qu'il admette la réplique d'un avocat après une plaidoirie. S'il l'estime nécessaire, le plus souvent dans l'intérêt de la loi, le représentant du ministère public peut demander à être entendu, à une audience ultérieure, dans le développement de ses conclusions.

En matière pénale : le président dirige les débats. Il s'assure de l'identité exacte des prévenus et des accusés. Il fait procéder à l'appel des témoins de l'accusation et de la défense, qui passent ensuite dans une pièce qui leur est réservée. Il rappelle les faits reprochés et interroge l'accusé. Le ministère public, la partie civile (s'il y en a une) et l'avocat de la défense peuvent aussi interroger l'accusé, mais par l'intermédiaire du président (un étranger peut demander un interprète). Après l'interrogatoire, le président passe à l'audition des témoins. Il peut leur poser des questions. Le procureur et les avocats de la partie civile et de la défense peuvent le faire aussi par son intermédiaire. La parole est ensuite donnée à l'avocat de la partie civile (s'il y en a une), qui précise la nature et le montant de la réparation que la victime réclame. Puis le ministère public prononce son réquisitoire, réclame les peines ou « l'application de la loi ». L'avocat de la défense et l'accusé lui-même ont ensuite la parole (le ministère public et la partie civile peuvent leur répondre mais l'accusé et son avocat doivent toujours avoir la parole en dernier). Les débats sont alors clos.

■ **Jugement.** FORMALITÉS. **En matière civile :** les jugements sont presque toujours rendus à une date ultérieure, après les plaidoiries des avocats. **En matière pénale :** *pour des affaires simples,* le président se tourne vers ses assesseurs et prononce aussitôt le jugement. *Pour des affaires plus compliquées,* le tribunal se retire dans une pièce attenante. Souvent, le président annonce que le jugement sera rendu lors d'une audience ultérieure dont il fixe la date (l'affaire est *mise en délibéré*). *En cour d'assises,* le jury de 9 citoyens assistés du président et de ses 2 assesseurs doit, immédiatement et sans interruption, délibérer et répondre, dans la salle réservée à cet effet, aux questions écrites de l'arrêt de renvoi posées par le président. DÉCISION. **En matière pénale :** le tribunal peut décider soit une *condamnation,* soit l'*acquittement* (devant la cour d'assises) ou la *relaxe.* Dans ce cas, les poursuites intentées sont considérées comme mal fondées et l'accusé n'a ni peine, ni amende ; les frais de justice sont à la charge de l'État ou de la partie civile. RÉDACTION. Les *motifs* répondent point par point aux conclusions sous forme d'*attendus* et le *dispositif* contient la décision. Le greffier transcrit le texte de la décision sur les *minutes.* EXÉCUTION. Le jugement ne peut être *mis à exécution* que sur présentation d'une *expédition* revêtue de la formule exécutoire, sauf si la loi en décide autrement (art. 502 du Code de procédure). La remise du jugement à l'huissier de justice vaut pouvoir pour toute exécution pour laquelle il n'est pas exigé de pouvoir spécial (art. 507). Le jugement est alors signifié par un huissier. Le juge peut déclarer *les décisions du jugement exécutoires par provision nonobstant appel.* **En matière civile :** le tribunal peut rendre des *jugements « avant dire droit »* ne préjugeant pas du fond. Provisoires, ils permettent d'ordonner des mesures urgentes (ex. : mise sous séquestre) ou d'instruction (enquête, expertise, etc.).

■ Appel

■ **Objet.** Un plaideur mécontent d'une décision rendue en 1er ressort peut soumettre l'affaire à la *juridiction du 2e degré* (cour d'appel).

■ **Délais. En matière civile :** 1 mois à compter de la signification de la décision rendue en 1re instance ; pour certaines matières 15 j : ordonnance de référé, jugement prononçant le règlement judiciaire ou la liquidation de biens.

En matière pénale : 10 j à compter du prononcé du jugement (mais ce délai ne court qu'à partir de la signification du jugement pour le prévenu qui ne s'est pas présenté bien que cité régulièrement), 2 mois pour le procureur général à compter du prononcé du jugement.

■ **Jugement.** L'affaire est plaidée à nouveau devant la cour d'appel.

■ Pourvoi en cassation

■ **Objet.** Les parties au procès (y compris le ministère public) peuvent pour des motifs énumérés par la loi (erreur de droit, incompétence de la juridiction...) se pourvoir en cassation. La Cour de cassation n'est pas un 3e degré de juridiction, elle juge le droit et non les faits.

■ **Délais. En matière civile :** 2 mois. **En matière pénale :** 5 jours francs.

■ **Décision.** La Cour peut rejeter le pourvoi (la décision rendue par les juges du fond acquiert la force de la chose jugée) ou casser la décision attaquée, elle renvoie alors devant une autre juridiction.

☞ La loi du 22-7-1992 introduit la notion de responsabilité pénale des personnes morales désormais accessibles aux sanctions pénales.

■ **Perquisitions. Cas possibles : 1°) Crime ou délit flagrant** : l'OPJ (officier de police judiciaire) peut perquisitionner au domicile de toutes les personnes « qui paraissent avoir participé au crime ou détenir des pièces ou objets relatifs aux faits incriminés » (art. 56, al. 1, CPP). *L'enquête de flagrance* peut se prolonger après la constatation des faits, avant l'ouverture d'une information, le temps nécessaire à des investigations complètes et ininterrompues (notion de continuité et d'enchaînement des procès-verbaux) ; la loi fixe le départ de l'enquête, mais pas sa durée. L'accord de la personne chez qui l'on perquisitionne n'est pas nécessaire. 2°) **Enquête préliminaire :** menée par OPJ et agents de police judiciaire, sur les instructions du procureur de la Rép. ou d'office. Le responsable de l'enquête doit obtenir préalablement une autorisation écrite et signée de la personne chez laquelle a lieu la perquisition (art. 75 et 76 CPP). Dans le domaine de la lutte antiterroriste, par dérogation à l'art. 76, les perquisitions peuvent être effectuées en enquête préliminaire sans l'assentiment de la personne chez laquelle elles ont lieu (art. 706-24 CPP loi du 9-9-1986). 3°) **Enquête en vertu d'une commission rogatoire :** délivrée par un juge d'instruction à un OPJ, cette pièce n'est pas un « mandat » (elle ne mentionne généralement personne nommément et se contente d'autoriser « tous actes utiles à la manifestation de la vérité, y compris perquisitions, saisies ou autres actes prévus par le CPP »). Dans certains cas particuliers (pour complément d'enquête), elle pourra être plus précise. S'il y a une commission rogatoire et si l'on s'oppose à la perquisition avec violences et voies de fait, on commet un délit de rébellion (art. 209 C. pénal). A l'issue de la perquisition, seul l'OPJ peut procéder à la saisie des pièces à conviction (art. 97 CPP).

Cas spéciaux : *perquisitions dans un cabinet d'avocat* (voir p. 763 a) ; *de médecin :* si la question du secret prof. se pose, le magistrat effectuera lui-même la perquisition. *Dans un local universitaire :* l'OPJ peut perquisitionner sans l'autorisation écrite du procureur gén. ou de l'un de ses substituts ou du procureur de la Rép. après avoir requis le chef d'établissement. *Dans une ambassade :* l'OPJ ne peut perquisitionner sans la réquisition de l'ambassadeur. *Fouille-perquisition :* voir à l'Index.

Perquisitions nocturnes : interdites entre 21 h et 6 h (mais une perquisition commencée avant 21 h peut se poursuivre au-delà). *Cas d'exception :* réclamation venant de l'intérieur d'une maison, incendie, inondation, péril certain, consentement écrit et donné librement par l'intéressé, maisons d'accouchement et de jeux, lieux publics (cafés, hôtels, théâtres, salles de réunions), lieux ouverts au public ou utilisés par le public lorsqu'il a été constaté que des pers. se livrant à la prostitution y sont reçues habituellement, lieux livrés notoirement à la débauche, établissements industriels, commerciaux ou agricoles où l'on travaille la nuit (il s'agit alors de visites et non de perquisitions), lieux où l'on use de stupéfiants.

En cas d'état de siège, l'autorité militaire peut perquisitionner de jour et de nuit ; *d'état d'urgence,* les autorités administratives (min. de l'Intérieur et préfet) peuvent être autorisées à perquisitionner de jour et de nuit.

Perquisitions et saisies : doivent se dérouler *en présence de celui chez qui elles ont lieu.* S'il est : détenu, il peut être conduit sur les lieux (perquisitions) ; absent, il peut se faire représenter. Sinon, l'OPJ désigne 2 témoins pris en dehors des policiers ou du personnel judiciaire. Les *saisies* sont inventoriées dans un procès-verbal et placées sous scellés, qui seront ensuite ouverts, et, s'il s'agit de documents, dépouillés dans le cabinet du juge d'instruction, en présence de l'intéressé, assisté éventuellement d'un avocat. L'intéressé peut par l'intermédiaire de son avocat : obtenir la photocopie des documents dont la saisie est maintenue ; réclamer la restitution des objets saisis, sauf si la confiscation en a été ordonnée.

■ **Prescription.** Écoulement d'un délai pendant lequel un droit reste en vigueur, pendant lequel (en matière pénale) les infractions peuvent être poursuivies et sanctionnées ou des actions exercées.

Acquisitive : peut être invoquée par tout possesseur d'un bien immobilier (sans qu'on puisse exiger de lui la production d'un titre quelconque, ou lui opposer sa mauvaise foi), si sa possession a duré 30 ans au moins de façon continue, paisible (sans aucune réclamation), publique, non équivoque et à titre de propriétaire. La durée de la possession exigée, s'il y a bonne foi et juste titre, est *abrégée (usucapion),* réduite à 10 ans, si le véritable propriétaire habite dans le ressort de la cour d'appel de l'immeuble ; à 20 ans s'il est domicilié dans un autre ressort. Elle est *interrompue* par la perte de la possession plus d'un an [plus, en cas d'un certain nombre d'actes *du créancier :* citation en justice, assignation ; demandes (incidentes, reconventionnelles, en intervention ou garantie, formées par acte d'avocat à avocat, ou par simples conclusions) ; commandement (un huissier met le débiteur en demeure de s'exécuter) ou saisie (peut se faire sur salaire, meubles ou bien mobilier du déb.) ; *du débiteur :* s'il a reconnu le fait]. Ne pas confondre *interruption* [arts 2242 et suiv. (civ.)] et *suspension* (mineurs et majeurs en tutelle, art. 2252).

Extinctive : éteint une dette, ou facilite au débiteur la preuve de sa libération. Les prescriptions de 6 mois à 2 ans, fondées sur une présomption de paiement, ne constituent pas un moyen de libération pour le débiteur s'il résulte de ses déclarations ou de son système de défense qu'il n'a pas payé ce qu'on lui réclame. S'il n'avoue pas sa dette, le créancier peut lui déférer le serment, c.-à-d. l'obliger à affirmer si la chose a réellement été payée.

Prescriptions les plus courantes. 30 ans (trentenaire) : s'applique à : *tous les droits* (sauf le droit de propriété imm. qui ne se perd pas par le non-usage) ; actions dérivant d'un *contrat d'assurances* (prescriptions ne jouant que dans les rapports entre l'assuré et l'assureur). **20 ans :** peines prononcées par une cour d'assises. **10 ans (décennale)** (action) : crimes, responsabilité extracontractuelle contre *architectes* et *entrepreneurs ;* en *nullité d'un contrat ;* entre copropriétaires ou entre copropriétaires et syndics ne visant pas à contester une décision d'assemblée générale ; contre les banques (elles doivent conserver leurs archives 10 ans). **5 ans (quinquennale) :** action du *mineur* contre son tuteur légal, les organes de tutelle ou l'État (le délai court à compter de la majorité) (art. 475 C. civ.) ; salaires et heures supplémentaires, indemnités de préavis ; *créances payables à terme périodique,* notamment arrérages des *rentes perpétuelles et viagères et des pensions alimentaires, loyers* des immeubles bâtis ou non bâtis et *fermages, intérêts* des sommes prêtées, et généralement, tout ce qui est payable par année ou à terme plus court, peines correctionnelles. **4 ans :** pensions publiques, allocations chômage, d'aide publique, impôts non payés par le contribuable (toutes créances sur l'État, les départements, les communes, les établ. publics). **3 ans :** validité d'un chèque bancaire ; action en responsabilité contre les gérants de SARL ; action en nullité ou en remboursement de sommes perçues malgré des interdictions prévues par la loi de 1948 ; action en appel de garantie du fond de garantie auto, après un accident mettant en cause un automobiliste non assuré, délits. **2 ans :** action des *médecins, chirurgiens, chirurgiens-dentistes, sages-femmes* et *pharmaciens* pour leurs visites, opérations et médicaments, accidents du travail, prestations des caisses d'all. fam. et vieillesse, all. chômage Assedic ; *mandats postaux* (si le paiement ou remboursement n'a pas été réclamé dans les 2 ans à partir du versement des fonds, ils sont définitivement acquis à l'Administration) ; *réclamation d'un commerçant* pour les marchandises vendues à des particuliers (et réciproquement), notamment dans le domaine de la facturation ; *actions entre les Stés d'assurances* et leurs assurés ; *réclamations concernant une facture EDF ou GDF ; action des assurés sociaux* pour le paiement de prestations dues par la Séc. soc. ; actions se rapportant aux *baux commerciaux ; contraventions* prononcées par le tribunal de police. **1 an :** actions des *huissiers* pour le salaire des actes qu'ils signifient et des commissions qu'ils exécutent ; des *maîtres de pension,* pour le prix de pension de leurs élèves, et des autres maîtres pour le prix de l'apprentissage ; *contrat de transport* de marchandises par terre ; *du porteur d'une lettre de change* à l'encontre du tireur ou de l'endosseur, contraventions. **6 mois :** action des *maîtres* et *instituteurs* pour des leçons qu'ils donnent au mois ; des *hôteliers* et *restaurateurs* pour le logement et la nourriture qu'ils fournissent. **2 mois :** *reçu pour solde de tout compte* signé par un salarié à son employeur ; *chèque postal ;* décision prise en assemblée générale *de copropriétaires.*

Nota. – Sauf pour les courtes prescriptions (2 ans et moins), la p. ne court pas à l'encontre : des *mineurs non émancipés* et des *majeurs* en tutelle, des *mineurs émancipés jusqu'à leur majorité* pour les actions relatives à la tutelle ou à l'adm. légale dirigées contre le tuteur, l'adm. légale, les organes tutélaires de l'État, ni *entre les époux. La suspension* ne joue pas au profit de *la femme mariée* à l'égard des tiers ; ceux-ci peuvent par la suite prescrire utilement contre elle, pendant le mariage, pour les biens dont elle conserve l'administration et pour ceux administrés par le mari. La *prescription* ne court pas *contre l'héritier* qui a accepté une succession sous bénéfice d'inventaire, à l'égard des créances qu'il a contre la succession.

■ **Procureur** (voir **Parquet** p. 764 a).

■ **Racisme ou discrimination raciale.** *Injures et diffamations* en matière raciale constituent un délit. *Refus de vente* à des personnes d'une nation, d'une ethnie, d'une race, d'une religion déterminées, puni de 2 mois à 2 ans de prison et (ou) de 3 000 à 40 000 F d'amende. *Refus d'embauche ou licenciement,* passible de la correctionnelle. *Refus, par un représentant de l'autorité publique, d'un droit* auquel une personne peut prétendre, amende de 3 000 à 40 000 F et/ou 2 mois à 2 ans de prison. *1992 :* 28 actions racistes, 24 antisémites commises en France.

■ **Référé.** Procédure sommaire permettant de prendre des mesures conservatoires. Ex. Expertise.

■ **Réhabilitation.** *En matière pénale,* réhabilitation de droit pour certaines peines (art. 784 et suiv. du Code de procédure pénale), et réhab. judiciaire accordée par la chambre d'accusation ; la demande ne peut être formulée qu'après 5 ans (proc. criminelle), 3 ans (proc. correctionnelle). Permet de relever un failli des déchéances prononcées contre lui. Le procès, après décision de la Cour de cassation, peut être rouvert et aboutir à une décision de réhabilitation du condamné.

■ **Révision.** Voie de recours extraordinaire tendant à faire redresser une erreur judiciaire par la Cour de cassation.

■ **Saisie. Saisie appréhension :** pour les biens que le débiteur doit restituer (ex. voiture en location longue durée). **Saisie-attribution :** moyen pour le créancier de rendre disponibles, entre les mains d'un tiers qui les détient, des sommes d'argent appartenant à son débiteur (voir Salaires à l'Index). **Saisie conservatoire :** procédure par laquelle les biens d'un débiteur sont mis sous la main de la justice, afin d'empêcher ce débiteur d'en disposer au détriment d'un créancier tant que la créance n'a pas été définitivement établie par le tribunal. **Saisie-véhicule :** effectuée par déclaration du créancier aux services de la Préfecture du lieu d'immatriculation du véhicule du débiteur. Un certificat attestant l'absence de saisie sur le véhicule vendu doit être fourni par le vendeur. Validité 2 mois. **Saisie des valeurs mobilières :** actions, titres détenus par les banques. *Saisie-vente :* remplace la saisie-exécution. Mesure ultime après épuisement de toutes les autres. Recours exceptionnel pour créances de faible montant. Si la créance est inférieure à 3 500 F elle ne peut être pratiquée (sauf autorisation du juge de l'exécution) que s'il est impossible de faire une saisie bancaire ou sur salaire. Limitation exclue dans le cas de pension alimentaire. Le débiteur peut vendre ses meubles à l'amiable et dispose d'un mois après visite de l'huissier pour dresser la liste de tous les objets saisis ou vendus.

Gagerie : saisie conservatoire, pratiquée par le bailleur sur les meubles garnissant les lieux loués. *Immobilière :* pratiquée par un créancier sur un immeuble de son débiteur. **Séquestre :** saisie conservatoire. Nécessite l'autorisation du juge. Le débiteur doit payer les frais de garde des objets saisis (art. 1961 du Code civil).

Position du saisi : il ne peut légalement s'opposer à l'action de l'huissier sauf le dimanche, les jours de fête et entre 21 h et 6 h. En cas d'absence, l'huissier peut requérir un serrurier en présence d'un commissaire de police ou du maire. La valeur des objets saisis ne doit pas dépasser le montant de la dette augmenté des frais. Entre la saisie et la vente des objets saisis, 8 j au moins doivent s'écouler. Pendant ce délai, il est interdit de faire disparaître les objets saisis, ce serait un délit passible de 2 mois à 2 ans de prison et 3 600 à 2 500 000 F d'amende en cas de détournement ou de destruction d'objets saisis.

Ne peuvent être saisis : biens mobiliers nécessaires à la vie et au travail du saisi et de sa famille (si ce n'est pour paiement de leur prix), biens de l'employeur, biens loués, pensions alim., biens insaisissables (par testateur ou donateur) par les créanciers postérieurs à l'acte de donation ou à l'ouverture de legs (sauf permission du juge).

■ **Témoins.** Un juge d'instruction n'a pas le droit d'entendre comme témoin une personne qui apparaît être auteur ou complice de l'infraction qui a nécessité l'ouverture d'une information. Il doit l'inculper et l'interroger en lui accordant les garanties de la défense, et notamment l'assistance d'un avocat. **Témoin assisté :** selon l'art. 104 nouveau du Code de procédure pénale, toute personne nommément visée par une plainte assortie d'une constitution de partie civile a droit, sur sa demande, lorsqu'elle est entendue comme témoin, au bénéfice de l'assistance de son conseil. Le juge d'instruction l'en avertit lors de sa 1re audition après lui avoir donné connaissance de la plainte, mention de cet avertissement est faite au procès-verbal. La loi du 30-12-1987, n° 87-1062, parle de « témoin assisté ». A mi-chemin entre l'inculpé et le simple témoin, il peut accéder à son dossier sans être inculpé. Cette innovation évite ainsi l'inculpation aux seules fins d'accession au dossier.

Peines encourues par un témoin : une personne qui a été témoin d'un crime ou d'un délit est « tenue de comparaître, de prêter serment et de déposer ». Si le témoin ne comparaît pas, « le juge d'instruction peut l'y contraindre par la force publique » et le condamner à une amende de 3 000 à 6 000 F (même amende infligeable à celui qui refuse de déposer). *Faux témoignage :* en cas de délit : peine de 2 à 5 ans d'emprisonnement, éventuellement assortie d'une amende ; *crime : le faux témoignage* est lui-même un crime « commis contre l'accusé ou en sa faveur » (art. 361 du CP) passible de 5 à 10 ans de réclusion criminelle. Selon une jurisprudence ancienne, les déclarations mensongères faites devant un juge d'instruction ne seraient pas concernées par cet article. *Menaces exercées sur un témoin* pour l'empêcher de déposer ou l'obliger à mentir : 6 mois à 3 ans d'emprisonnement et amende de 1 500 à 20 000 F.

■ **Torture.** Interdite par l'art. 5 de la Déclaration universelle des droits de l'homme, et, en Europe, par la Convention de sauvegarde des droits de l'homme ratifiée par la France en 1974. Encore pratiquée dans un grand nombre de pays.

ACAT (Association des chrétiens pour l'abolition de la torture) : *créée* 1974. 252, rue St-Jacques, 75005 Paris.

■ **Victimes. Avad (Association d'aide aux victimes d'actes de délinquance)** et **Inavem (Institut national d'aide aux victimes et de médiation) :** *siège social* 7, rue du Jura, 75013 Paris.

Comment porter plainte

Toute personne qui se prétend lésée par un crime ou un délit peut, en portant plainte, *se constituer partie civile* devant le juge d'instruction compétent. On peut porter plainte :

■ **Par lettre au procureur de la République.** La plainte doit être rédigée sur papier libre, signée et datée avec nom, prénom, date et lieu de naissance du plaignant. Elle doit exposer les faits et leur donner une qualification pénale (ex. : coups et blessures, arrestation illégale, voies de fait). Elle peut être acheminée par un avocat ou adressée directement au procureur qui peut la classer immédiatement ou la transmettre au commissariat de police de la localité du plaignant. Parfois, la police judiciaire sera chargée de l'enquête. Si les policiers sont en cause, ce sera l'Inspection générale des services (voir Police). L'ensemble des procès-verbaux résultant de l'enquête est retourné au procureur qui peut décider de : classer le dossier sans suite ; faire procéder à un supplément d'enquête ; renvoyer l'affaire devant le trib. correctionnel (de police, etc.) ; transmettre le dossier à un juge d'instruction. *Si le dossier est classé sans suite,* le plaignant peut se constituer *partie civile.*

■ **Par lettre adressée au doyen des juges d'instruction en se « constituant partie civile ».** Consignation à prévoir.

■ **Par citation directe, par exploit d'huissier, devant le tribunal de police ou correctionnel.** Il faut payer aussi une consignation au greffe. La citation directe rend les poursuites obligatoires. Si une plainte ou une citation ont été engagées avec légèreté ou de mauvaise foi, le plaignant s'expose à une condamnation, à des dommages et intérêts.

☞ Si l'on n'a pas de preuves suffisantes pour faire condamner quelqu'un de précis, il faut *porter plainte contre X.*

Nota. – Si l'on est avisé par lettre recommandée d'un huissier, qu'un *exploit* a été « déposé en mairie » à son nom, il faut rapidement, muni de pièces d'identité, se faire remettre le pli, les délais de procédure (assez courts dans certains cas) courant à partir du j où le pli a été « déposé en mairie ».

Peine de mort

Dans le monde

■ **Pays abolitionnistes de droit pour tous les crimes.** Dates d'abolition pour tous les crimes, pour les crimes de droit commun entre parenthèses, dernière exécution (d). 44 États dont Allemagne, RFA 1949 d 1949, RDA 1987, Andorre 1990 d 1943, Australie 1985 (1984) d 1967, Autriche 1968 (1950) d 1950. Cambodge 1989, Cap-Vert 1981 d 1835, Colombie 1910 d 1909, Costa Rica 1877, Danemark 1978 (1933) d 1950, Équateur 1906, Finlande 1972 (1949) d 1944, France 1981 d 1977, Haïti 1987, d 1972 [1], Honduras 1956, d 1940. Hongrie 1990 d 1988, Islande 1928 d 1830, Irlande 1990 d 1954, Kiribati, Liechtenstein 1987 d 1785, Luxembourg 1979 d 1949, Marshall (I.) [2], Micronésie [2], Monaco 1962 d 1847, Mozambique 1990 d 1986, Namibie 1990 d 1988 [1], Nicaragua 1979 d 1930, Norvège 1979 (1905) d 1948, Nouvelle-Zélande 1989 (1961) d 1957, Panama d 1903 [1], Pays-Bas 1982 (1870) d 1952, Philippines 1987 d 1976, Portugal 1976 (1867) d 1849 [1], Rép. Dominicaine 1966, Roumanie 1989 d 1989, St-Marin 1865 (1848) d 1468 [1], Salomon (I.) (1966) [2], São Tomé et Principe 1990, Suède 1972 (1921) d 1910, Tchécoslovaquie 1990 d 1988, Tuvalu [2], Uruguay 1907, Vanuatu [2], Vatican 1969, Venezuela 1863. **Pour les crimes de droit commun.** Date d'abolition et dernière exécution (d). 16 États dont Argentine 1984, Brésil 1979 d 1855, Canada 1976 d 1962, Chypre 1983 d 1962, Espagne 1978 d 1975, Fidji 1979 d 1964, Israël 1954 d 1962, Italie 1947 d 1947, Malte 1971 d 1943, Mexique d 1937, Népal 1990 d 1979, Pérou 1979 d 1979, Royaume-Uni 1973 d 1964, Salvador 1983 d 1973 [1], Seychelles [2], Suisse 1942 d 1944. **Pays abolitionnistes en pratique** (date de la dernière exécution). 21 (aucune exécution depuis au moins 10 ans) dont Bahrein 1977, Belgique 1950, Bermudes 1977, Bhoutan 1964 [1], Bolivie 1974, Brunei 1957, Comores [2], Côte-d'Ivoire, Djibouti [2], Grèce 1972, Hong-Kong 1966, Madagascar 1958 [1], Maldives 1952 [1], Nauru [2], Niger 1976 [1], Papouasie-Nlle Guinée 1950, Paraguay 1928, Samoa occid. [2], Sénégal 1967, Sri-Lanka 1976, Togo. **Non abolitionnistes** 106.

Nota. – (1) Dernière exécution connue. (2) Pas d'exécution depuis l'indépendance.

Statistiques (en 1990). *Exécutions légales :* 2 029 dont Iran 757, Chine 730, URSS 190, Nigeria 121.

En France

■ **Quelques dates. Jusqu'au milieu du XVIIIe s.** le noble est décapité, le voleur de grand chemin roué en place publique, le régicide et le criminel d'État écartelés, le faux-monnayeur bouilli vif dans un chaudron, l'hérétique brûlé, le domestique voleur pendu, etc. **1789**-*28-11* les docteurs Joseph Guillotin (Saintes, 1738/26-3-1814) et Antoine Louis (Metz, 1723-92) proposent un mode d'exécution uniforme et rapide par une machine, afin d'abréger les souffrances. **1791**-*30-5* Maximilien de Robespierre propose l'abolition de la peine de mort. – *19-9* (loi) : les condamnés à mort pour assassinat ou poison sont conduits au lieu d'exécution en chemise rouge (en fait morceau de serge jeté sur les épaules). Parricides auront tête et visage voilés d'un étoffe noire. -*6-10* loi rappelant que la *torture* qui précède un procès reste interdite et dictant que « tout condamné à mort aura la tête tranchée ». La Législative charge l'Académie de médecine d'étudier la question. **1792**-*7-3* rapport de l'Ac., signé du secrétaire perpétuel (le docteur Antoine Louis), proposant l'usage de la mannaja italienne modifiée [la machine était aussi connue en Allemagne au XVIe s., en Écosse (maiden ; employée 1632 pour exécuter le duc de Montmorency à Toulouse)]. Un Allemand, Tobias Schmidt, assisté de l'exécuteur Sanson, la met au point sous la direction du docteur Louis. -*25-3* Louis XVI signe la loi faisant adopter la machine à trancher la tête des condamnés (elle sera d'abord appelée, malgré la protestation de Guillotin, Louisette ou Louison, puis guillotine, surnommée aussi la « Veuve » par la pègre ou la « bécane » par les exécuteurs). -*17-4* elle est essayée sur des moutons et sur 3 cadavres à Bicêtre. Le couperet (en forme d'un croissant) est modifié par le docteur Louis, qui lui donne la forme d'un trapèze au tranchant oblique. -*23-4 1er guillotiné,* Nicolas Pelletier, voleur (place de Grève à Paris). -*21-8* 1re exécution d'un condamné politique : Collenot d'Angremont. **1793-94** terreur (env. 50 guillotines fonctionnent en France, dont à Paris parfois 6 h par jour en juin-juillet 1794) : en tout 19 639 guillotinés. **1795**-*26-10* **Convention** supprime la peine capitale « à dater du jour de la publication de la paix générale » (loi du 4 brumaire an IV). **Consulat** proroge temporairement cette mesure (loi du 4 nivôse an X). **Empire** oublie l'abolition (Code des délits et des peines, 12-2-1810). **1939**-*29-6* le public n'a plus le droit d'assister aux exécutions. **1951**-*11-2* la presse ne peut plus commenter les exécutions et doit s'en tenir aux procès-verbaux. **1977**-*10-9* utilisée pour la dernière fois aux Baumettes Marseille. **1981**-*9-10* loi d'abolition nº 81-908 (vote à l'Assemblée nationale : 369 pour l'abolition, 113 contre, 5 abstentions, 3 dép. n'ayant pas pris part au vote, 1 député excusé). **1985** conformément à la loi du 31-12, la France a ratifié le protocole nº 6 additionnel à la Convention européenne des droits de l'homme relatif à l'abolition de la peine de mort. Selon l'art. 65 de la Convention, ce protocole ne peut être dénoncé dans un délai de 5 ans à compter de sa ratification. **1988**-*26-11,* le Front national organise à Paris une manif. pour la peine de mort (env. 30 000 manif.).

■ **Crimes qui étaient passibles de la peine de mort** (voir Quid 1982, p. 1649).

■ **Statistiques. Du 1-1-1968 au 31-12-1978 :** *personnes ayant comparu sous l'accusation d'un crime punissable de la peine de mort* 9 231, d'assassinat, empoisonnement ou parricide 524 ; *peines capitales requises* par le ministère public 163 ; *condamnations* à la peine de mort prononcées 38 (dont 4 l'ont été par une 2e cour d'assises après cassation d'une 1re condamnation à mort) ; *pourvois* en cassation 37, rejetés 22 ; *cassations* prononcées 15 ; *peines capitales prononcées* ayant un caractère définitif 23 ; *exécutées* 7. **Moyenne par année :** 850 peines encourues, 15 requises, 3 ou 4 prononcées et 1 exécutée tous les 2 ans. Rapport (‰) : incriminations-condamnations définitives 2,5 ; incriminations-exécutions 0,7.

La Cour de cassation a cassé en moyenne 5 fois plus les arrêts de condamnation à mort que les autres arrêts criminels.

Moyenne annuelle des condamnations et, entre parenthèses, exécutions : *1803-07 :* 419 c. *1826-30 :* 111 c. (72 e.). *1851-55 :* 56 c. (31 e.). *1876-80 :* 25 c. (6 e.). *1901-05 :* 15,6 c. (2 e.). *1926-30 :* 24,8 c. (9,6 e.). *1951-55 :* 15,6 c. (5,4 e.). *1976-80 :* 1 c.

Taux d'exécution pour 1 million d'habitants : *1826-30 :* 2,25. *1851-55 :* 0,86. *1876-80 :* 0,16. *1901-05 :* 0,05. *1926-30 :* 0,23. *1951-55 :* 0,13. *1976-80 :* 0.

Dernières femmes exécutées : *1887-24-1 :* Mme Thomas (avec son mari tue sa belle-mère). *1941-8-1 :* veuve Ducourneau. *1942 :* 1 femme. *1943 :* 3 [dont le *30-7* 1 avorteuse, Marie-Louise Giraud (n. 17-11-1903)]. *1947 :* 2. *1948 :* 1. *1949-21-4 :* Germaine Godefroy (assassinat de son mari à coups de hache). *Condamnées à mort par les cours de justice pour intelligence avec l'ennemi et trahison :* 9 f. exécutées depuis 1944 : *1944 :* 3, *46 :* 1, *47 :* 1, *48 :* 3, *49 :* 1. *De 1949 à l'abolition (1981),* toutes les condamnées à mort ont été graciées [la dernière condamnée (26-6-1973) : Marie-Claire Emma (assassinat de son amant à coups de marteau)].

Exécutions sous la Ve République : *de 1958 à 81 :* 19 (dont 5 d'étrangers). Dont *sous de Gaulle* (1959-69) 11 droit commun (19 graciés dont 2 femmes) ; *Pompidou* (1969-74) 3 (12 gr.) ; *Giscard d'Estaing* (1974-81) 3 (4 gr.), Jérôme Carrein (le 23-6-1977) et Hamida Djandoubi (le10-9-1977) furent les derniers exécutés ; *Mitterrand :* aucune exéc. entre sa prise de fonction (mai 81) et l'abolition (oct. 81). Le 21-5,

Amnesty International

Siège *international* à Londres. **Créée** 1961 à la suite de l'appel de l'avocat britannique Peter Benenson en faveur des « prisonniers d'opinion oubliés » et sous l'impulsion de Sean MacBride (prix Nobel de la paix, prix Lénine, anc. min. des Aff. étr. d'Irlande, ancien secr. gén. adj. de l'ONU, † le 15-1-1988 à 83 ans). **Statut** consultatif auprès des Nations unies, de l'Unesco et du Conseil de l'Europe, coopère avec la Commission inter-américaine des droits de l'homme de l'OEA ; statut d'observateur auprès de l'OUA.

But : mouvement mondial de défense des droits de l'homme, indépendant de tout gouvernement, groupe politique, intérêt économique ou confession religieuse. Agit pour la libération de toute personne emprisonnée, du fait de ses opinions, de son origine ethnique, de sa couleur, de sa langue, ou de son sexe, et qui n'a pas eu recours à la violence ni préconisé son usage. S'oppose à la peine de mort et à la torture en toute circonstance. Demande que tous les prisonniers d'opinion soient jugés dans un délai raisonnable et bénéficient d'un procès équitable. S'oppose également aux exactions commises par des groupes d'opposition : prise d'otages/torture et meurtre de prisonniers, et autres homicides arbitraires. **Financement :** contributions privées. **Budget :** *1961 :* 700 000 F, *92 :* 130 000 000 de F.

Membres + de 1 100 000 adhérents et donateurs dans + de 150 pays et territoires, et + de 6 000 groupes de bénévoles dans 74 pays. Sections dans 48 pays dont 27 en Amér. latine, Afrique, Asie et Moyen-Orient. **Section française :** 4, rue de la Pierre-Levée, 75011 Paris (*fondée* 1971, 22 000 membres et 415 groupes).

Nota. – Fin 1991 : Amnesty I. a travaillé sur + de 2 400 dossiers concernant + de 3 300 personnes. *En 1992 :* 975 nouveaux dossiers, portant sur + de 1 100 personnes, ont été ouverts et 1 338 prisonniers d'opinion avérés ou probables libérés.

André Pauletto, accusé du viol et du meurtre de sa fille de 10 ans avait été condamné à mort. 1er gracié par Mitterrand, le 25-5-1981 : Philippe Maurice.

■ **Exécuteurs des hautes œuvres.** Il y eut la dynastie des *Sanson* [6 générations : Charles dit Charles Ier (1635-1707), Charles II (1681-1726), Charles-Jean-Baptiste (1719-78), Charles-Henri dit le Grand (1739-1806) qui exécuta Louis XVI et céda sa place à son fils en 1793, Henri (1767-1840), Henri-Clément (1799-1889)], puis celle des *Deibler.* En 1871, un décret supprima les exécuteurs de province et n'en garda qu'un seul « national » : Deibler no 3, Louis (12-2-1823) † en 1904, à 81 ans, après avoir exécuté plus de 1 000 condamnés. Exécuteur en chef le 15-5-1879 touche 16 000 F par an dont 10 000 d'abonnement forfaitaire pour couvrir les frais d'entretien et d'installation des bois de justice. Son fils Anatole, qui l'avait remplacé en 1899, mourut le 2-2-1939 à 75 ans, encore en activité. Son beau-frère, Henri Desfourneaux, lui succéda (23-11-1863). Son neveu, André Obrecht († le 30-7-1985), lui succéda en 1951, puis le 1-10-1976, le mari de la nièce de ce dernier, Marcel Chevalier qui, après le vote de la loi abolissant la peine de mort, reçut 30 000 F pour solde de tout compte. **Guillotine.** *Poids* 580 kg dont l'ensemble mouton-couperet 40 kg (dont couperet 7 kg, poids mort 30 kg, 3 boulons de 1 kg). *Hauteur* des montants 2,25 m.

☞ D'après un sondage de la Sofres, effectué pour le Figaro-Magazine le 7-11-1991, auprès de 800 personnes de 18 ans et + : 59 % des Français étaient partisans du rétablissement de la peine de mort (52 % des sympathisants gauche, 71 % des sympathisants droite), 37 % y étaient opposés (47 % des s. g., 27 % des s. d.), 4 % étaient sans opinion.

Survie après la décollation. Des expériences ont eu lieu. Selon Villiers de l'Isle-Adam (Contes cruels), le docteur Velpeau aurait demandé au docteur Couty de la Pommerais (exécuté 9-6-1864 à Paris) d'ouvrir les yeux quand il l'appellerait une fois sa tête coupée. Pour le professeur Piédelièvre, médecin légiste, le cerveau non irrigué de sang perd en quelques secondes ses facultés de pensée. Par contre, chaque élément vital survit des minutes, parfois des heures. Le corps peut donner de véritables ruades, les bras tirer sur les cordes.

Quelques causes

☞ *Le procès le plus long de l'histoire de France* opposa la corporation des tailleurs de Paris à celle des fripiers (pour fixer la démarcation entre le vieil habit et l'habit tout fait) ; commencé en 1530, terminé en 1776 quand Turgot supprima les corporations.

Assassinats non politiques

Fualdès (Joseph-Bernardin). Né 1761. Accusateur public, juge du tribunal criminel de l'Aveyron, procureur impérial en 1811. Assassiné la nuit du 19/20-3-1817 dans le bouge des époux Bancal à Rodez. L'agent de change Jausion, Bastide-Grament, beau-frère et filleul de la victime, Collard, locataire des Bancal, le contrebandier Boch et la femme Bancal sont condamnés à mort. Les 3 premiers furent exécutés en 1818, les 2 autres eurent leur peine commuée en travaux forcés à perpétuité.

Lacenaire (Pierre-François). Né 1800. Clerc d'avoué ou de notaire, employé de banque, déserte lors de l'expédition de Morée (1829). Inculpé de l'assassinat de la veuve Chardon et de son fils Jean-François, ainsi que de faux. Condamné à mort en 1835 avec Victor Avril et François Martin, et exécuté avec Victor Avril le 9-1-1836. François Martin eut sa peine commuée en travaux forcés à perpétuité.

Mgr Sibour. Assassiné 3-1-1857 dans St-Étienne-du-Mont par Jean Verger (né 20-1-1826), prêtre qu'il avait interdit. Verger sera exécuté le 30-1.

Troppmann (Jean-Baptiste). Né 1849. Inculpé de l'assassinat du ménage Kinck et de leurs 6 enfants. Condamné le 30-12-1869, exécuté le 19-1-1870.

Pranzini (Henri-Jacques-Ernest). Né 1856. Employé des Postes égyptiennes, puis sans profession ni domicile fixe. Inculpé de l'assassinat de la courtisane Claudine-Marie Regnault, dite Régine de Montille. Condamné le 13-7-1887, exécuté le 31-8.

Gouffé. Huissier de justice dont le cadavre en putréfaction est découvert le 13-8-1889 à Millery (Rhône). Attiré sous un prétexte galant dans l'appartement de Gabrielle Bompart (née 1868), il est étranglé par l'amant de celle-ci, Michel Eyraud (né 1842), qui lui dérobe 250 F, une montre et une chaîne en or, 1 bague ornée de 2 diamants. Eyraud, condamné le 20-12-1890, est exécuté le 3-1-1891. Gabrielle Bompart, condamnée à 20 ans de travaux forcés, est libérée en 1903.

Landru (Henri-Désiré). Né 12-4-1869. Inculpé de l'assassinat de 10 femmes et d'un jeune garçon qu'il avait étranglés et dont il avait brûlé les corps dans la cuisinière de sa villa de Gambais (Yvelines). Condamné le 30-11-1921, exécuté le 22-2-1922.

Bougrat (docteur Pierre). Né 1890. Exerce à Marseille depuis 1920. Inculpé d'avoir assassiné dans son cabinet Jacques Rumèbe, commis aux écritures d'une usine de céramique, pour lui dérober la paye des ouvriers. Condamné le 27-3-1927 aux travaux forcés à perpétuité, il s'évade de Cayenne le 23-8-1928. S'établit médecin au Venezuela où il se marie et a 2 filles. Meurt en 1961. Me Stefani-Martin ne cessera de proclamer son innocence.

Manda (Joseph Pleigneur dit). Guillotiné en 1904 à Paris. En 1933, mourut, à Paris, Amélie Hélie, dite **Casque d'Or,** maîtresse qu'il partageait avec son complice **Leca,** une prostituée accusée de l'avoir poussé au crime.

Nozière (Violette). Née 1915. Inculpée d'avoir assassiné ses parents en leur faisant avaler des barbituriques (sa mère sera sauvée). Condamnée à mort le 24-12-1934, peine commuée en travaux forcés à perpétuité. Une succession de grâces amène sa libération. Mariée, elle meurt en 1966.

Weidmann (Charles). Né 1908. Accusé avec ses complices (Roger Million et sa maîtresse Colette Tricot, Jean Blanc) de l'assassinat d'un chauffeur routier et d'une jeune Américaine, prof. de danse. Condamné à mort, exécuté le 16-6-1939 (dernière exécution publique, à la suite de la « kermesse » qu'elle occasionna, toute la nuit, à Versailles, au pied de la guillotine). Million : travaux forcés à perpétuité ; Blanc : 20 ans, C. Tricot : acquittée.

Petiot (docteur Marcel). Né 1893, ancien maire et conseiller général de Villeneuve-sur-Yonne. Durant l'Occupation, il promettait aux personnes menacées d'arrestation de les faire passer en Amérique du Sud. Il demandait à ses victimes de se rendre dans son hôtel de la rue Lesueur à Paris en n'emportant qu'une valise contenant ce qu'elles avaient de plus précieux. Les parties des corps ayant échappé à l'action de la chaux vive étaient brûlées dans un calorifère. 27 cadavres purent être identifiés. Condamné à mort, il fut exécuté le 25-5-1946.

Bernardy de Sigoyer (Alain). Né 1905. Déjà condamné 7 fois quand il est accusé d'avoir étranglé sa femme, aidé par Irène Lebeau, sa maîtresse. Bien qu'interné 2 fois, il est reconnu pleinement responsable. Condamné à mort et exécuté le 11-6-1947.

Fesch (Jacques). Accusé d'avoir assommé un changeur de la rue Vivienne pour lui dérober 300 000 F et d'avoir tué un gardien de la paix. Condamné puis exécuté le 1-10-1957.

Jaccoud (Pierre). Né 24-11-1905, avocat, ancien bâtonnier du barreau de Genève, accusé d'assassinat et du délit manqué d'assassinat, condamné le 4-2-1960 par la cour d'assises de Genève à 7 ans de réclusion et à 10 ans de privation des droits civiques.

Rapin (Georges) dit « M. Bill ». Condamné à mort, refusa la grâce présidentielle, exécuté 1962.

Buffet (Claude) – Bontemps (Roger). Purgeaient à Clairvaux une peine de réclusion à perpétuité (Buffet) et une peine de 20 ans (Bontemps). Le 21-9-1971, ils s'enferment dans l'infirmerie avec 2 otages (infirmière et gardien) et exigent de pouvoir quitter la prison. Les autorités refusent et donnent l'assaut. Ils assassinent les 2 otages. Condamnés à mort, ils sont exécutés le 28-11-1972.

Henry (Patrick). Né 1954. Condamné le 21-2-1977 par la cour d'assises de l'Aube, à Troyes, à la réclusion perpétuelle pour l'enlèvement et l'assassinat le 30-6-1976 du jeune Philippe Bertrand.

Barbeault (Marcel). Accusé d'avoir tué 5 femmes entre 1973 et 76. Condamné à la réclusion à perpétuité en 1983.

Paulin (Thierry, Martiniquais, 24 ans, † du sida en prison le 16-4-1989), **Mathurin (Jean-Thierry,** Guyanais, 22 ans ; condamné 20-12-1991 à perpétuité). Arrêtés le 1-12-1987 ; inculpés pour le meurtre de 21 vieilles dames d'oct. 84 à nov. 87.

Affaires passionnelles

Rainouard (Henriette). Née 1874, elle épouse en secondes noces Joseph Caillaux. Assassine le 16-3-1914 Gaston Calmette, directeur du Figaro. Acquittée le 29-7-1914, elle décède en 1943.

Dubuisson (Pauline). Née 1927. Assassine Félix Bailly (étudiant en médecine dont elle avait été la maîtresse), qui allait se marier. Condamnée aux travaux forcés à perpétuité le 20-11-1953, libérée en 1959, se suicide en 1962.

Desnoyers (Guy). Né 1920. Ordonné prêtre en 1946, curé d'Uruffe (M.-et-M.) depuis 1950. Accusé d'avoir tué d'une balle de revolver dans la nuque sa maîtresse de 16 ans. Il l'éventre pour en retirer l'enfant presque à terme qu'elle portait. Il baptise l'enfant en lui traçant une croix sur le front, le taillade pour le défigurer et l'achève d'un coup de couteau. Condamné aux travaux forcés à perpétuité 26-1-58. Libéré août 1978.

Russier (Gabrielle). Née 1937. Professeur au lycée mixte de Marseille. Devient, lors des événements de 1968, la maîtresse d'un de ses élèves de 16 ans. Inculpée de détournement de mineur, condamnée, le 10-7-1969, à 1 an de prison avec sursis et 500 F d'amende. Le Parquet fait appel a minima. G. Russier se suicide le 1-9 pour ne pas comparaître devant la cour d'appel d'Aix.

Affaires mal élucidées

Auberge de Peyrebeille (Ardèche). Accusés par la rumeur publique de l'assassinat de 53 voyageurs, les époux Martin et leur domestique Rochette furent condamnés à mort et guillotinés le 2-10-1833, pour le meurtre d'un seul, sur la foi d'un unique témoignage. Inspira le film « L'Auberge rouge » (Cl. Autant-Lara).

La Roncière (Lt de) (1804-74). Accusé de tentative de viol sur Marie, fille du Gal baron de Morel. Condamné à 10 ans de réclusion le 5-7-1835. Libéré en 1843. Le docteur Récamier, témoin, avait déclaré que la victime avait des crises d'hystérie régulièrement chaque mois.

Choiseul-Praslin (duc de). Né 29-6-1805, mort 24-8-1847 de l'ingestion d'une préparation à base d'arsenic à la prison du Luxembourg. Il devait comparaître devant la cour des Pairs pour l'assassinat de sa femme. Une légende veut que l'on ait substitué un cadavre pour permettre au coupable de disparaître (La Varende en a fait le sujet de son roman « L'Homme aux gants de toile »).

Bonafous (Louis) (1812-50). Frère Léotade pour l'Institut des frères de la doctrine chrétienne. Reconnu coupable de tentative de viol et de meurtre avec circonstances atténuantes sur Cécile Combette. Condamné aux travaux forcés à perpétuité le 4-4-1848, décédera au bagne de Toulon en 1850. L'attitude maladroite de sa communauté (rétractations, subornation de témoins) laisse supposer que le coupable était connu (fr. Ludolphe Aspe, cuisinier).

Japy (Marguerite, épouse du peintre Steinheil). Née 1869, égérie de Félix Faure (Pt de la Rép.), accusée d'avoir assassiné sa mère et son mari, dans son hôtel, impasse Roncin, acquittée le 13-11-1909, épouse lord Alinger et meurt en 1954.

Vinikova (Nadejda, dite la Plevitskaïa). Née 1883 en Ukraine. Chanteuse. Condamnée à 20 ans de réclusion le 14-12-1938, par la Cour d'assises de la Seine, pour avoir participé avec son mari (le général Skobline), en fuite, à l'enlèvement du gén. de Miller, Pt de l'Union des anciens combattants russes à l'étranger. Morte 1940 à la prison de Rennes.

Crime de Bruay-en-Artois. Le 5-4-1972, Brigitte Dewevre (16 ans) est retrouvée morte, à moitié dévêtue. Le juge Henri Pascal (1920-89) inculpe le notaire Me Leroy (non-lieu 30-10-1974). Le 18-1-1973 Jean-Pierre F... (17 ans) avoue le crime, revient sur ses aveux et sera relaxé au bénéfice du doute le 15-7-1975. La commission d'indemnisation des justiciables détenus à tort a alloué, le 21-10-1977, 280 000 F à Me Leroy pour 600 j de détention, et 120 000 F à sa fiancée pour 19 j.

Juge François Renaud. Tué à Lyon le 3-7-1975.

Gérard Lebovici. Tué le 7-3-1984 dans le parking de l'av. Foch à Paris.

Jacques Perrot. Mari de Darie Boutboul, jockey, tué en déc. 1985.

Disparus de Mourmelon. 6 appelés ont disparu de 1980 à 87. Un adjudant-chef (arrêté en août 1988) est soupçonné.

Médecins de Poitiers. Nicole Berneron est morte le 30-10-1984 en cours d'opération (2 tuyaux du respirateur amenant oxygène et protoxyde d'azote inversés). Le 3-3-1988 : 3 docteurs acquittés (Denis Archambault, Bakari Diallo, prof. Pierre Mériel).

Villemin (Grégory). Retrouvé mort dans la Vologne, à Lépanges (Vosges), le 16-10-1984. Bernard Laroche, cousin germain du père, accusé par sa belle-sœur (qui se rétractera), sera tué le 29-3-1985 par Jean-Marie Villemin, le père (détenu puis libéré en déc. 1987). Le 5-7-1985 Christine Villemin, la mère, est inculpée par le juge Lambert. Le 3-2-1993, la chambre d'accusation de la cour d'appel de Dijon a rendu, suivant les réquisitions du procureur général, un arrêt de non-lieu en faveur de Christine Villemin.

Saint-Aubin (Jean-Claude). (23 ans) tué avec sa passagère Dominique Kaydash (16 ans) à la suite d'un accident provoqué par un camion militaire le 5-7-1966. Après 24 décisions de justice ses parents ont obtenu en sept. 90, sur recommandation du Médiateur, 800 000 F en compensation des conséquences inéquitables provoquées par le mauvais fonctionnement des services de la justice.

☞ François Girard et Francis Checchi, assassins du juge Pierre Michel (tué le 21-10-1981 à Marseille), ont été condamnés en 1988 à la réclusion criminelle à perpétuité.

Erreurs judiciaires possibles ou établies

Lesurques (Joseph). Né 1763. Accusé du meurtre du postillon et de l'employé de poste du courrier de Lyon, aux environs de Lieusaint (S.-et-M.), pour leur voler le numéraire et les lettres de change contenus dans la malle. Condamné le 5-8-1796 avec ses complices David Bernard et Couriol. Exécutés le 30-9. Malgré le rejet par la Cour de cassation le 17-12-1868 du pourvoi en révision des familles, la participation de J. Lesurques reste à démontrer.

Peytel (Sébastien-Benoît). Né 1805. Accusé du meurtre de son couple de domestiques. Condamné le 30-8-1839, exécuté le 28-10. Balzac et l'illustrateur Gavarni soutiendront son innocence.

Bruneau (abbé). Condamné à mort et exécuté le 30-8-1894 pour avoir tué, le 2-1-1894, l'abbé Fricot, curé d'Entrammes (Mayenne). Plus tard, la bonne du curé aurait avoué l'avoir accusé pour couvrir son neveu, le véritable assassin.

Dreyfus (Alfred) (1859-1936). Voir p. 665.

Seznec (Guillaume). Né 1878. Accusé d'avoir assassiné le marchand de bois Pierre Quémeneur, conseiller gén. du Finistère, disparu dans la nuit du 25 au 26-5-1923 durant un voyage effectué avec le prévenu. Condamné 4-11-1924 aux travaux forcés à perpétuité. Gracié en 1947, meurt le 13-2-1954, il n'a cessé de clamer son innocence. La commission de révision des condamnations pénales a entamé le réexamen du dossier en 1989.

Deshays (Jean). Docker accusé d'avoir assassiné un fermier et tenté d'assassiner sa femme. Condamné à 20 ans de travaux forcés le 9-12-1949. La décision est cassée : acquitté le 1-2-1955, il reçoit 1 233 414 AF de dommages et intérêts.

Dominici (Gaston) (1877-1965). Accusé de l'assassinat (le 5-8-1952 à Lurs) de M. et Mme Drummond et de leur fille (campeurs anglais). Condamné à mort le 29-11-1954, sera gracié en raison de son âge, puis libéré le 14-7-1960. Sa culpabilité n'a jamais été formellement établie. On a parlé de crime crapuleux, de crime de mœurs, de vengeance (Drummond aurait été agent de l'Intelligence Service).

Devaux (Jean-Marie). Né 1942. Garçon boucher, accusé d'avoir assassiné la fille de ses employeurs âgée de 7 ans. Condamné le 7-2-63 à 20 ans de réclusion. Jugement cassé le 30-4-69. Acquitté le 27-9-69. Obtient 125 000 F de dommages et intérêts.

Agret (Roland). Condamné en 1973 pour assassinat d'un garagiste à 15 ans de réclusion criminelle (il passe 6 ans en prison). Acquitté le 26-4-1985.

Meauvillain (Guy). Condamné le 25-11-1975 à 18 ans de réclusion pour le meurtre d'une vieille femme. Peine suspendue en 1981. Rejugé et acquitté par la c. d'assises de Gironde le 29-6-1985. Obtient (18-1-87) 400 000 F de dommages et intérêts.

Ranucci (Christian). Condamné à mort 10-3-1976 pour l'assassinat d'une fillette de 8 ans par la cour d'assises des B.-du-Rh. Exécuté 28-7-1976.

Sirven (Pierre-Paul). Né 1709. Feudiste (archiviste et notaire). Accusé de la mort de sa fille cadette, malade et fantasque. Condamné à mort le 29-3-1764. Reconnu innocent le 16-11-1769.

Empoisonnements

Cappelle (Marie, ép. Charles Lafarge). Née 1816. Accusée d'avoir empoisonné son mari. Condamnée 19-9-1840 aux travaux forcés à perpétuité. Libérée 1852, décédera le 6-9. L'enquête pour l'émission télévisée « De mémoire d'homme » du 9-2-1978 laisse à penser qu'il serait mort de la typhoïde.

Couty de La Pommerais (Edmond). Né 1830. Accusé d'avoir emp. sa belle-mère et sa maîtresse. Condamné à mort 16-5-1864, exécuté 8-6.

Marty (Marguerite). Née en 1925. Accusée d'avoir empoisonné sa cousine Jeanne Candela, épouse de son amant. Acquittée le 21-1-1955.

Davaillaud (Marie, ép. de Léon Besnard) (1896-1980), dite l'Empoisonneuse de Loudun. Accusée de 11 empoisonnements, sera, après un long procès, acquittée le 12-12-1961.

☞ Voir Affaire des Poisons, Brinvilliers à l'Index.

Hérésies, procès de sorcellerie ou religieux

Grandier (Hubert-Urbain). Né 1590. Curé à Loudun. Reconnu coupable de magie, maléfices et possession, condamné 18-8-1634 à être brûlé vif.

☞ Voir Chevalier de La Barre, Jeanne d'Arc, Gilles de Rais, Templiers à l'Index.

Affaires politiques

☞ Voir index : Abetz (Otto), Abrial, Algérie, assassinats, attentats, Babeuf, barricades (procès des), Bazaine, Benoît-Méchin, Béraud, Bolo, Bonnot, Boulanger, Boulin (Robert), Brasillach, Brinon, Broglie (Jean de), Cadoudal, Caillaux, Cartouche (Louis-Dominique), Caserio, Chack, Cinq-Mars, Claude (Georges), Cœur (Jacques), collaboration, collier (affaire du), Corday (Charlotte), coup de force militaire du 22-4-1961, Darnand, Dentz, Duroy de Chaumareys, Enghien (duc d'), Esteva, Fieschi, Flandin, Fouquet (Nicolas), Freeman, fuites (affaires des), de Gaulle, Girondins, Gorguloff, Hanau (Marthe), Hoff, Humbert (Thérèse), Laborde (Jean de), Lally-Tollendal, Laval (Pierre), Louis XVI, Louvel, Luchaire (Jean), Malvy, Mandrin, Marie-Antoinette, Marquis (André), Mata-Hari, Maurras, Naundorff, Ney (Michel), Oustachis, Oustric, Panamá, Pétain, Pucheu, Ravachol, Ravaillac, Riom (procès), Rochelle (sergents de La), Rochette (Henri), Stavisky, Talleyrand de Chalais, Vaillant, Weygand, Wulff (Heinrich).

Affaires de trafic d'influence

Teste (Jean-Baptiste) (1780-1852), ancien ministre des TP. **Despans de Cubières (Amédée-Louis)** (1786-1853), ancien ministre. Condamnés respectivement à 3 ans de prison, à la dégradation civique et à 10 000 F d'amende pour concussion lors d'une concession d'une mine de sel gemme.

Péret (Raoul) (1870-1942) ancien Garde des Sceaux. **Besnard (René)** (1879-1952), ancien ambassadeur. Accusés d'avoir fait admettre des actions de la Sté italienne « La Snia Viscosa » à la Bourse de Paris, acquittés 21-6-1931.

☞ Plusieurs affaires en cours en 1991-93.

Procès de presse

Le 11-6-1851, **Victor Hugo** défend son fils, Charles, qui a fondé le journal *L'Événement,* inculpé d'outrage à la loi, parce qu'il s'est élevé contre la peine de mort après une exécution capitale (condamné à 6 mois de prison et 500 F d'amende).

Plusieurs journalistes furent poursuivis pour avoir, en 1868, à Paris, voulu troubler la paix publique, dont **Delescluze,** journaliste du *Réveil,* condamné à 6 mois de prison et d'interdiction de droits civiques et 2 000 F d'amende.

Procès en diffamation intenté le 26-10-1925 par le chauffeur de taxi Bajot à **Léon Daudet** qui l'avait accusé de complicité dans l'assassinat de son fils Philippe Daudet. L. Daudet condamné à 5 ans de prison et 1 500 F d'amende ; s'évadera après 15 j de détention (juin 1927).

Crimes de guerre jugés par les tribunaux militaires

9 Allemands, accusés d'avoir fusillé 46 personnes en représailles d'un attentat contre un train militaire, sont jugés. 8 condamnés à mort et 1 à 15 ans de travaux forcés le 6-8-1944.

Commandant Heinrich Wulff et **adjudant Otto Hoff,** accusés d'avoir participé le 9-6-1944 à la pendaison de 99 hommes et jeunes gens à Tulle. Le 5-7-49, Wulff condamné à 10 ans de travaux forcés et Hoff aux travaux forcés à perpétuité. Peine réduite le 27-5-1952 à 5 ans et 10 ans d'interdiction de séjour. Libérés en 1955.

25 Allemands (dont des Alsaciens enrôlés d'office) accusés le 12-1-1953 pour leur participation, le 10-6-1944, à l'incendie d'*Oradour-sur-Glane* et au massacre de la population. 13-2, plusieurs cond. à mort, travaux forcés et peines de prison.

Abetz (Otto) (1903-58). Condamné le 22-7-1949 à 20 ans de travaux forcés et à 20 ans d'interdiction de séjour pour déportation d'israélites, arrestation d'otages et complicité dans actes de pillage, séquestrations, tortures et assassinats. Libéré en 1955.

Statistiques de la justice

Crimes et délits

■ **Total constaté et taux de criminalité** (entre parenthèses pour 1 000 hab.). *1963 :* 581 618 (13,58). *73 :* 1 763 372 (33,68). *80 :* 2 627 508 (49,03). *81 :* 2 890 020 (53,67). *82 :* 3 413 682 (62,83). *83 :* 3 563 975 (65,58). *84 :* 3 681 653 (67,14). *85 :* 3 579 194 (65). *86 :* 3 292 189. *87 :* 3 170 970 (57). *88 :* 3 132 694 (56,19). *89 :* 3 266 442 (58,31). *90 :* 3 492 712 (61,69). *91 :* 3 744 112 (65,81). *92 :* 3 812 000 (66,62).

Faits de grande criminalité. Nombre en 1991 : homicides crapuleux 428, règlements de comptes 124, affaires de racket 1 338 (1988), vols à main armée, hold-up 9 393, enlèvements et séquestrations de personnes 1 224, vols avec d'autres violences que les armes à feu 56 926, proxénétisme 823, trafic de stupéfiants 8 026.

■ **Infractions dans les régions** (en 1991). Alsace 109 376. Aquitaine 162 002. Auvergne 48 799. Bourgogne 71 455. Bretagne 102 814. Centre 110 884. Champagne-Ardennes 68 267. Corse 22 407. Franche-Comté 49 976. Ile-de-France 968 807. Languedoc-Roussillon 203 760. Limousin 25 704. Lorraine 102 608. Midi-Pyrénées 130 295. Nord-Pas-de-Calais 273 590. Basse-Normandie 60 660. Haute-Normandie 106 410. Pays-de-la-Loire 137 542. Picardie 95 874. Poitou-Charentes 68 129. Provence-Alpes-Côte d'Azur 447 173. Rhône-Alpes 374 236.

Taux partiels d'élucidation des délits (1988 et, entre parenthèses, 1991) : vols à la roulotte 8 (7,4), vols d'automobiles 13 (10,3), cambriolages 16 (14), destructions et dégradations de biens 16 (13,7), vols violents avec ou sans arme 25 (15,3), vols à main armée 45 (39,7), coups et blessures volontaires 76 (73,6), viols 86 (83,3).

■ Comparaisons internationales

Taux de criminalité pour 1 000 h. dans la CEE (1990)

Pays	Crim. glob.	Homic.	Viols	Stupéf.	Cambr.
All. féd.	71,08	0,03	0,08	1,50	17,50
Angl. + Galles [1] ..	77,53	0,02	0,06	0,18	16,5
Belgique ...	33,38	0,02	0,05	0,6	6,43
Danemark ..	102,70	0,05	0,95	2,71	23,8
Espagne ...	26,3	0,02	0,04	0,5	12,1
France [2] ...	*65,81*	*0,05*	*0,09*	*0,9*	*7,3*
Grèce	33,07	0,02	0,02	0,2	2,56
Irlande	24,51	0,006	0,02	0,01	8,4
Italie	43,58	0,06	n.c.	0,5	n.c.
Luxembourg	66,28	0,12	0,07	2	10,5
Pays-Bas ...	76,14	n.c.	0,09	0,4	28
Portugal ...	8,05	0,03	0,01	0,15	0,35

Nota. – (1) 1989. (2) 1991.

Villes. Stockholm 233,13 [3], Copenhague 220,94 [6], Hambourg 172,90 [6], *Paris 135,6* [7], Los Angeles 103,28 [5], New York 97,03 [3], Londres 89,39 [2], Munich 73,99 [6], Chicago 60,42 [5], Jérusalem 52,46 [5], Bruxelles 36,28 [5], Tōkyō 21,39 [5].

Nota. – (1) 1978. (2) 1981. (3) 1983. (4) 1982. (5) 1984. (6) 1987. (7) 1989.

ÉVOLUTION ANNUELLE (EN %)

Année	Total des crimes et délits	Total sans les chèques sans provision	Ensemble des vols
1977	+ 15,02	+ 10,96	+ 9,74
1978	+ 2,38	+ 1,89	+ 1,14
1979	+ 8,51	+ 8,42	+ 8,93
1980	+ 12,74	+ 10,97	+ 10,37
1981	+ 9,99	+ 9,63	+ 9,02
1982	+ 18,12	+ 19,10	+ 17,52
1983	+ 4,40	+ 4,57	+ 3,94
1984	+ 3,30	+ 5,14	+ 5,28
1985	– 2,78	– 1,03	+ 1,10
1986	– 8,02	– 6,42	– 7,87
1987	– 3,68	– 3,19	– 4,38
1988	– 1,21	– 6,57	– 0,58
1989	+ 4,27	– 2,99	+ 5,46
1990	+ 6,93	+ 7,8	+ 8,40
1991	+ 7,2	+ 7,83	+ 6,56

■ Faits élucidés (1991). 1 375 870. **% des faits élucidés par rapport aux faits constatés [1] :** délits de police générale 104,34, infanticides 91,66, crimes non crapuleux 70,51, infractions astucieuses 105,70, délits contre l'enfant et la famille 84,29, vols à l'étalage 93,11, viols 83,3, attentats à la pudeur 74,79, crimes crapuleux 61,68, vols à main armée 39,69, règlements de comptes 27,41, vols violents 19,09, destructions et dégradations de biens privés 13,7, attentats par explosifs 21,8, cambriolages 14, vols d'autos et 2 roues 8,49, vols à la roulotte 7,4.

Nota. – (1) Les faits élucidés peuvent porter sur des faits constatés les années antérieures.

■ Butin emporté. Total, entre parenthèses moy. par vol à main armée (en millions de F). *1975 :* 72,2 (0,02). *80 :* 164,4 (0,03). *85 :* 451 (0,05). *86 :* 560,8 (0,07). *87 :* 470,8 (0,07). *88 :* 312,2 (0,05). *89 :* 483,5 (0,07). *90 :* 593 (0,07). *91 :* 353 (0,027).

JUSTICE PÉNALE

■ INFRACTIONS CONSTATÉES

Nombre d'infractions en métropole par la gendarmerie nationale et la police nationale en 1991 et, entre parenthèses, chiffres 1977.

■ Total. 3 829 497 (en 1992) et 2 097 919 (en 1977).

■ Contre les personnes. 141 716 (48 902), dont infractions contre la famille 29 131 (29 387), atteintes aux mœurs 23 732 (14 590), dont viols 5 068 (1 531) et proxénétisme 823 (1 275), enlèvements et séquestrations de personnes 1 256 (282), coups et mauvais traitements à enfants 3 790 (1 596), homicides non crapuleux 1 212 (1 485), homicides crapuleux 428 (195), infanticides 51 (62).

■ Contre les biens. 2 857 410 (1 802 462) dont vols à la roulotte 733 860 (282 973), automobiles 338 665 (199 691), chèques sans provision 141 572 (177 550), escroqueries 87 513 (24 631), recels 32 213 (8 671), abus de confiance 23 679 (18 643), filouteries 17 469 (13 251), incendies 11 409 (3 528).

■ Contre la réglementation et la chose publique. 578 958 (65 893) dont toxicomanie 62 021 (4 318), délits à la police des étrangers 46 356 (8 983), outrages et violences à dépositaires de l'autorité 23 886 (15 064), port et détention d'armes prohibés 15 787 (7 964), trafic de stupéfiants 8 026 (437), faux documents d'identité 13 298 (4 135), faux documents de circulation de véhicules 6 497 (3 118), délits des débits de boissons 1 639 (1 869), autres infractions à la police générale 1 772 (8 531), incendies de biens publics 1 886 (535), attentats par explosifs contre biens pub. 133 (162), autres destructions et autres dégradations contre biens pub. 20 924 (10 534), atteintes à la sûreté de l'État et à la Défense nat. 7 289.

■ Économiques et financières. Faux en écritures publique et privée 24 797 (5 171), fausse monnaie et faux moyens de paiement 195 289 (5 332), fraudes ind. et com. et contrefaçons 4 284 (3 630), contrefaçons litt. et art. 4 073 (299), délits de sociétés 4 756 (975), banqueroutes 2 084 (5 027), fraudes fiscales 2 985 (50), infractions à l'exercice d'une profession réglementée 2 738 (1 278).

■ Infractions aux règles de la circulation routière (en milliers, en 1990 et, entre parenthèses en 1977). 14 438 (12 100) dont conduite 11 531 (9 891) [dont stationnement 9 152 (8 117), excès de vitesse 1 206 (942), conduite en état d'ivresse 79 (55)], état ou équipement des véhicules 1 274 (737), règles administratives 889 (385) [dont défaut de permis de conduire 42 (35)], autres infractions 744 (1 085) [dont défaut d'assurance 27 (69), de vignette fiscale 186 (152), délit de fuite 56 (23)].

■ Personnes mises en cause (délinquants). **Total** 770 370 dont hommes 641 857, femmes 128 513, majeurs 668 739, mineurs 101 631, Français 631 355, étrangers 139 015.

Criminalité de profit 444 742 dont en % hommes 79,42, femmes 20,57 ; *de comportement* 325 628 dont hommes 88,62, femmes 11,38.

■ Participation féminine. *Moyenne :* 16,68 %. *Forte :* délits relatifs au droit de garde des mineurs 62,03, vols à l'étalage 36,08, infanticides 73,81, chèques sans provision 38,32, délits contre l'enfant et la famille 32,40, trafic de la prostitution 28,9, utilisations de chèques volés 31,06, trafic de la fausse monnaie et des faux moyens de paiement 29,92.

■ Participation des étrangers (%). *Moyenne :* 18,05. *Forte :* délits à la police des étrangers 96,49, faux documents d'identité 72,73, vols à la tire 43,58, trafic de stupéfiants 35,02, interdiction de séjour et de paraître 25,98, délits de courses et de jeu 42,64, vols à l'étalage 20,13, fausse monnaie 17,38, vols avec violences 20,77, délits de police générale (mendicité, vagabondage) 22,03, contrefaçons littéraire et artistique 16,96, tentatives d'homicide 15,28, viols 18,86, règlements de comptes 13,48, trafic de la prostitution 18,65, coups et blessures volontaires 16,56, port et détention d'armes prohibés 15,89.

Départements à participation la plus forte : Pyr.-Orientales 53,07, Paris 41,93, Alpes-Maritimes 35,45, Seine-St-Denis 34,43, Hts-de-S. 32,41, Val-d'Oise 32,35, Val-de-M. 29,09, Bouches-du-Rhône 27,81.

■ DÉCISIONS DES JURIDICTIONS

En 1990 et, entre parenthèses, en 1977.

■ Parquet (en milliers). **Procès-verbaux orientés dans l'année** 4 942 [dont renvoyés devant le tribunal de police 158, classés sans suite 3 748 (3 292), portés aux tribunaux correctionnels par le ministère public 447 (527), communiqués aux juges d'instruction 54 (67), aux juges des enfants 45 (53)].

■ Juridiction d'instruction. **Affaires à étudier** 103 639 (114 836) [dont nouvelles 53 352 (66 817), anciennes 59 685[4] (48 019)].

Affaires terminées 50 277 (66 506) [dont ordonnance de renvoi 32 531 (49 174) (dont : devant le tribunal correctionnel 29 583 (43 674), trib. pour enfants 1 044 (3 168), chambre d'accusation 1 809 (1 535), ordonnance de non-lieu 11 988 (13 589), jonctions, dessaisissements, incompétence 5 758 (3 663)].

■ Cour de cassation. *Affaires nouvelles :* 7 884 (3 917). *Aff. jugées dans l'année :* 7 338 (3 728). *Arrêts rendus dans l'année :* 7 752 (3 868) dont irrecevabilité ou déchéance 1 055 (569), non-lieu à statuer 408 (11), rejet 4 126 (2 114), cassation 591 (468), désistement 691 (374), action publique éteinte 57 (11).

■ Cours d'assises. **Condamnés** 2 735 [1] (1 867) dont 2 582 majeurs et 153 mineurs. Selon l'infraction. **Atteintes à la personne :** *homicides volontaires* [1] 625 (dont meurtres 373, assassinats 212, infanticides 15, autres 25). *Coups et violences volontaires* [1] 281 (dont mort non intentionnelle 199, infirmité permanente 35, envers mineurs 31, autres 25). *Viols* [1] 735 (dont commis par plusieurs personnes 101, avec circonstances aggravantes 201, sur mineurs de – de 15 ans 235, viols simples et autres 198). **Aux biens [1] :** 932 (dont vols avec port d'arme 800, autres vols qualifiés 88, recel qualifié 36, destructions et dégradations 8). **A la sûreté publique [1] :** 35 (dont faux monnayage 9, autres 14). **Autres crimes :** 26. Selon la nature de la peine. *Réclusion et détention criminelle* à perpétuité 104 (53), à temps 1 837 (1 034). *Emprisonnement* 770 (778). *Amende* seulement 6 (0). *Total* 2 498 [1] dont peines fermes ou avec sursis partiel 2 587 [1] (1 649), total 124 (155), probatoire 42 (63).

Nota. – (1) Provisoire.

■ Tribunaux correctionnels. **Condamnés** 472 081 [1] (405 372). Selon la nature de l'infraction. **Contre les personnes :** 59 477 [1] (63 392) dont [*homicides involontaires* (circulation) et autres h. 3 061 [1] (3 456), *coups et blessures volontaires* 23 562 (22 026), *blessures involontaires* (circulation) et autres bl. 13 523 (14 319), *coups et mauvais traitements à enfants* 557 (1 022, avortement 1 (33), autres 17 (56)]. *Attentats aux mœurs :* 6 344 [1] (4 469) [outrage public et attentat à la pudeur 5 296 (2 891), proxénétisme 820 (1 338), autres 228 (146)]. *Infractions contre la famille :* 9 826, non-représentation d'enfant 1 204 (949), abandon de famille 8 458 (9 285), abandon de foyer 154, autres 6. *Autres infractions :* 3 161 [1] (2 326) [violation de domicile 1 529 (1 187), refus de porter secours 331 (152), arrestation illégale et séquestration de personne 139 (24), autres 1 162 (963)]. **Contre les biens :** 168 094 [1] (155 605) dont *vol* 140 037 [1] (87 128), *escroquerie* 6 135 (3 947), *abus de confiance* 4 812 (5 657), *chantage* 645, *filouterie* 2 559 (2 887), *recel* 17 339 (7 133), *émission de chèques* sans provision ou en violation de l'interdiction d'émettre 54 518 (38 713), *infractions violentes* contre les animaux 190 (184). Selon la nature de la peine : *emprisonnement* [2] 116 791 [1] dont : – de 3 mois 45 398, de 3 m. à – de 1 an 51 064, de 1 an à – de 3 a. 16 802, de 3 a. à – de 5 a. 2 590, 5 a. et plus 937. *Amende seulement* [2] 95 285 [1]. *Peine de substitution* [2] 33 485 [1]. *Total* 450 357 [1] (dont peines fermes [2] 262 524 [1], avec sursis simple total 150 983, probatoire total 25 952 [1], dispense de peine 10 898 [1]).

■ Tribunaux de police. Condamnés 11 041 615. *Contrav. 5e cl.* 100 428 [1] [dont blessures inv. 23 629, violences et voies de fait 15 332, outrages envers citoyen chargé d'un ministère public 1 751, défaut de carte de séjour d'un étranger 51, police des chemins de fer 2, infractions contre la législation du travail 2 131, de la Sécu 1 113, circulation routière et coordination des transports 50 942, législation de chasse, pêche, forêts 6 955. *Peines :* fermes 1 442 [1], amende seulement 85 306, p. avec sursis simple total 4 074, emprisonnement 5 516, dispenses de peine 1 183, p. de substitution 2 550]. *Amendes forfaitaires majorées* 9 452 733. *Ordonnances pénales* 1 124 645.

☞ Environ 17 millions de procès-verbaux sont distribués en France chaque année dont 45,5 % ne sont jamais payés. Le min. des Finances abandonne le recouvrement dans 5 % des cas et le parquet en classe 3 % sans suite.

■ Tribunaux maritimes commerciaux. **Condamnés** 251 dont infractions aux règles de circulation 243.

■ Juridictions de la jeunesse. **Jeunes ayant fait l'objet d'une décision** 159 650 dont *mineurs délinquants* 62 000 (dont filles 7 235) selon l'infraction : crimes, attentats aux mœurs 61, coups et blessures 31, contre les biens 27, divers 5 ; délits : contre les biens 55 991, coups et blessures 6 014, attentats aux mœurs 874, contre santé publique 859, divers 6 311 ; contraventions 2 991. Selon la décision : *mesures éducatives* 41 424 [dont admonestation 29 289, remise aux parents, tuteur, gardien ou personne digne de confiance 11 462, à un établ. d'éducation, de rééducation ou de soins 470, protection judiciaire 156, remise à l'aide sociale à l'enfance 47] ; *acquittement ou relaxe* 3 960 ; *peines* 27 780 dont emprisonnement 19 997 (dont avec sursis 13 639, sans 6 358, – de 4 mois : 5 497, de 4 mois à – d'1 an : 687, 1 an et + : 174), amende 6 775 (avec sursis 1 198, sans 5 577), autres 1 008. Mesures complémentaires [(mineurs mis en liberté surveillée) 3 328]. Selon l'âge : *de 6 à – de 13 ans :* 3 056, *13 à – de 16 a. :* 23 287, *16 à – de 18 a. :* 45 148. **Mineurs protégés** 82 299 dont mesure prise : remise aux parents, tuteur, gardien ou personne digne de confiance 38 019, aucune mesure 25 391, remise à l'aide sociale à l'enfance 11 525, remise à un établ. d'éducation, de rééducation ou de soins 7 364. **Majeurs protégés** 4 122.

Juridiction saisie : *sur 159 585 jeunes :* juges pour enfants 125 545, tribunal pour enfants 33 971, cour d'assises des mineurs 69.

Établissements et services : *secteur public* 196 [3]. *Associatif habilité* 957 dont établ. 634, services 323.

Personnel : *secteur public* 5 881, *associatif habilité* 25 029 [3].

Prise en charge (en 1989) : nouvelles 212 676. *Secteur public* 52 760, *associatif habilité* 74 559.

Jeunes suivis (au 31-12-1984) : *total* 142 488 (dont secteur public 32 787, associatif 109 701) dont garçons 82 942, filles 59 546. **Selon l'âge** (en 1984) : *– de 10 ans :* 40 701, *10 à – de 16 :* 60 790, *16 à – de 18 :* 33 229, *18 et + :* 7 768.

Nota. – (1) Chiffres provisoires. (2) Peines comportant au moins une partie ferme. (3) 1984. (4) 1986. (5) 1987.

QUELQUES CRIMES ET DÉLITS

☞ Attentats voir Index et voir également **Terrorisme** p. 770.

■ Automobiles (1991). Vols et tentatives 339 293 soit 1,18 % du parc auto français (*1990 :* 294 194 dont retrouvées 184 197, *91 :* 210 225). Deux-roues à moteur (1991). Vols et tentatives 136 615 (*1990 :* 139 300).

Vols dans les véhicules (1991) 815 242 dont accessoires 78 682.

■ Établissements de crédit. **Attaques à main armée :** *1985 :* 1 927 hold-up. *1986 :* 2 174. *1987 :* 1 456. *1988 :* 1 101. *1989 :* 1 657. *1990 :* 1 917. *1991 :* 2 147.

Caisses d'épargne (hold-up) : *1981 :* 140 ; *82 :* 146 ; *83 :* 216 ; *84 :* 266.

Coffres cambriolés (butins en millions de F) : **quelques cas : 1971**-*30-6* poste de Strasbourg 12. **1972**-*28-10* p. de Mulhouse 11,7. **1974**-*13-8* Banque Rothschild (av. de Suffren, Paris) 10. **1976**-*10-1* B. Hervet Paris (tunnel creusé de 5 m) 0,06. -*15-6* Sté Gén. (île St-Louis, Paris ; tunnel de 6 m) plusieurs dizaines de MF. -*17/18-7* Sté Gén. (Nice ; 339 coffres et 2 armoires blindées) 47, arrivée des cambrioleurs par les égouts ; Albert Spaggiari, le « cerveau », arrêté, s'évade en sautant par la fenêtre du cabinet du juge d'instruction. **1979**-*15-8* Sté Gén. (rue St-Louis-en-l'Ile, Paris) butin non communiqué. -*28-8* Sté Gén. (6, rue de Sèvres, Paris ; tunnel de 20 m creusé en plusieurs mois, 8 voleurs arrêtés). -*28-8* Condé-sur-l'Escaut (Nord), paie des retraites des mineurs 16,3 (anarchistes arrêtés, procès avr. 1989). **1980**-*3/4-11* C. d'ép. (pl. de Mexico, Paris), un cambrioleur se laisse enfermer salle des coffres le vendredi soir et ouvre à des complices (250 c.) 50. **1981**-*17-5* Crédit Agricole (Marseille) 232 c. -*12-7* Monte Carlo Beach Hôtel : bijoux 6,2, devises 0,15. -*15-8* Mas d'Artigny (St-Paul-de-Vence) 46 c. -*30-9* B. Populaire (rue de Crimée, Paris, 70 c.) 0,1. -*7-10* Ritz (Paris ; bijoux) 20. **1982**-*12-4* Crédit Lyonnais (Bastia) 40. -*9-7* C. d'épargne (H.-de-S.) 250 c. **1983**-*16-3* C. Lyonnais (Neuilly) 118 c. -*17-11* Crédit du Nord (Paris) 120 c. **1984**-*25-5* C. d'ép. (Chatou) 350 c. -*25-6* C. d'ép. (Berre, 250 c.) 25 à 30. -*27-11* B. Hervet (Suresnes) 66 c. -*20-12* C. Lyonnais (Bordeaux) 43 c. (voleurs arrêtés). **1985**-*1-2* Crédit Agricole (Paris) 120 c. -*25-2* Bonnasse (Marseille) 200. -*23-4* C. d'ép. (Mortagne) 80 c. -*19-12* Sté Gén. (St-Cloud) 125 c. **1986**-*3-2* C. d'ép. (Salon-de-Provence ; 620 sur 699 c.) 50 (?). -*17-2* Établiss. de crédit (Paris) 16 (gang arrêté). -*4-3* B. de France (Niort) 29. -*3-7* B. de France (St-Nazaire) 88. **1987**-*9-2* C. d'ép. (Marseille, 303 sur 2 800 c.) 30 à 50 [après avoir pris des otages pendant 11 h, les voleurs se sont enfuis par les égouts (la plupart seront arrêtés en 1988)]. **1992**-*16-12* B. de France (Toulon) 160 (record) 18 pers. arrêtées le 16-2-1993 dont 1 employé de banque (10 millions de F récupérés).

■ **Banqueroutes** (agissements frauduleux d'un commerçant en état de cessation de paiement). *1975* : 2 862 ; *80* : 4 455 ; *85* : 4 252 ; *86* : 2 666 ; *87* : 2 325 ; *88* : 2 449 ; *89* : 2 216 ; *90* : 2 528 ; *91* : 2 084.

■ **Bijouteries. Attaques à main armée :** *1980* : 216 ; *81* : 220 ; *82* : 174 ; *83* : 237 ; *84* : 274 ; *85* : 268 ; *86* : 164 ; *87* : 193 ; *88* : 164 ; *89* : 154 ; *90* : 168 (dont *4-8* Chaumet, Paris 10 MF) ; *91* : 166. Chaque jour, en France, sur 8 700 bijoutiers, 1 bijoutier est victime d'une agression. *Depuis 1980* : 2 bijoutiers sur 3 ont été attaqués au moins 1 fois, 3 sur 7 au moins 2 fois, et 4 sur 10, 3 fois ou plus. *Entre 1981 et 1985* : 20 bijoutiers ont été pris en otages, dont 9 à leur domicile. *De 1981 à 1986* : 53 bijoutiers ont été tués, 600 ont été blessés dont 180 très grièvement.

■ **Bureaux de poste. Attaques à main armée :** *1980* : 288 ; *81* : 385 ; *82* : 254 ; *83* : 284 ; *84* : 370 ; *87* : 222 ; *88* : 186 ; *89* : 227 ; *90* : 308 ; *91* : 298.

■ **Chauffeurs de taxis agressés. Nombre :** *1971* : 33 ; *80* : 153 ; *81* : 96 ; *82* : 123 ; *83* : 147 ; *84* : 161 ; *87* : 289 ; *88* : 316 ; *89* : 275 ; *90* : 362 ; *91* : 457.

■ **Chèques (usage frauduleux).** *1975* : 60 655 ; *80* : 101 024 ; *84* : 197 053 ; *85* : 172 980 ; *86* : 167 439 ; *87* : 154 035 ; *88* : 141 539 ; *89* : 142 508.

■ **Transporteurs de fonds. Attaques à main armée :** *1983* : 29 ; *86* : 21 ; *87* : 24 ; *88* : 27 ; *89* : 33 ; *90* : 25 ; *91* : 47.

Butin (en millions de F). **1977**-*28-7 Paris* : 17,5 camion contenant 17,7 t de pièces de 10 F destinées à la Banque de France (les malfaiteurs seront arrêtés et une partie récupérée). **1979**-*2-1 Nantes* : 4,3. **1980**-*2-5 Creutzwald* (Moselle) : 4 (directeur de la Sté et 3 employés démasqués quelques mois plus tard). -*24-7 Cannes* : 10 (bande démantelée 1 mois plus tard). **1983**-*24-5 Massy* : 20 (par 3 faux policiers). **1984**-*12-3 Marseille* 14. -*15-6 Nice* 4. **1985**-*21-1 Vitrolles* (B.-du-R.) 20. -*31-5 Paris* 40 (1 convoyeur, 2 pol. tués). -*2-12 Colombes* (Hts-de-S.) dépôt Brink's 73. **1986**-*25-11* à *Tokyo* « gang d'Aubervilliers » 14,4 millions de F dans fourgon de la B. Mitsubishi, voleurs arrêtés. **1988**-*8-4 Pontes* Brink's 20 à 30 (plusieurs arrestations). -*27-4 Toulouse* dépôt Brink's 12 (en sept., 8 arrêtés). **1989**-*29-1 Firminy* (Loire), 2 convoyeurs tués. -*1-2 Marseille* Brink's 20. **1990**-*1-3 Mulhouse* 40. -*13-3 Marseille* (5 convoyeurs tués). -*1-6 Marseille*. -*27-7 Écully* 1 conv. tué. -*17-9 Choisy-le-Roi* 0,45, 2 conv. tués. -*9-10 Lentilly* (Rhône). **1991**-*19-9 Marseille* Brink's 15.

■ **Train postal. 1985**-*29-5 Bordeaux-Vintimille,* entre St-Chamas et Rognac (B.-du-Rh.) ; 40 sacs postaux dont plusieurs contenant des valeurs déclarées. -*2-12 près de Marseille* 750 000 F en pièces. **1986** *20/21-8 près d'Arles,* 20 sacs avec des valeurs déclarées. Voleurs repérés, s'enfuient sans leur butin. **1990**-*12-7 Vintimille-Bordeaux* 50 sacs.

■ **Enlèvements pour rançon. Nombre :** *1975* : 13 ; *76* : 13 ; *77* : 8 ; *78* : 3 ; *79* : 2 ; *80* : 8 ; *81* : 3 ; *82* : 2 ; *83* : 1 (manqué) ; *84* : 1 (manqué) ; *86* : 1 ; *87* : 5 ; *88* : 4 dont 1 réussi ; *89* : 2 ; *90* : 4.

Quelques cas. En France (MF = millions de F) : **1960**-*12-4 Éric Peugeot* (4 ans) golf de St-Cloud, relâché 3 j après paiement de 0,5 MF, en 1961. 2 complices arrêtés en 1961. **1963**-*1-5 Thierry Destarches* (12 ans), rançon versée, squelette retrouvé 10 mois plus tard. **1964**-*22-5 Mme Marcel Dassault.* 24-5 retrouvée, kidnappeurs arrêtés. **1974**-*3-5 Angel Balthazar Suarez* (dir. de la banque de Bilbao à Paris) par « groupes d'action révolutionnaires internationalistes », libéré 22-5 contre 3 MF qui seront récupérés. La plupart des responsables appréhendés. **1975**-*24-5 Jean Bitan,* 83 ans, négociant en tapis. Arrêté, Jean-Pierre Herbet révèle l'avoir tué au cours d'une altercation et que la rançon n'a été demandée qu'ensuite ; condamné 8-3-78 à 11 a. de réclusion criminelle. -*19-6 Maxime Cathalan* (20 mois), fille du P-DG des laboratoires Roussel, libérée contre 1,5 MF. -*30-9 Valérie Ruppert,* 12 ans, libérée contre 2 MF (récupérés, ravisseurs arrêtés). -*9-12 Christophe Mérieux,* 9 ans, libéré contre 20 MF (en partie récupérés, ravisseurs arrêtés). -*31-12 Louis Hazan* (P-DG de Phonogram) libéré 7-6-1976 contre 15 MF (récupérés ; 6 inculpés). **1976**-*30-1 Philippe Bertrand* (7 ans) ; rançon demandée 1 MF ; étranglé par son ravisseur, Patrick Henri, arrêté 18 j après. -*4-2 Guy Thodorof* (dir.-adjoint de Saab-France) libéré après 34 j contre 10 MF, 12 inculpés. -*11-5 Philippe Chareyre* (dir. gén. de la SA de gestion immobilière) retrouvé 1/2 h plus tard dans une camionnette. -*25-9 François Périel* (banquier) enlevé dans la villa du compositeur Francis Lopez, relâché 4-10 ; rançon de 0,8 MF jamais versée (affaire non éclaircie). -*2-12 Henri Hottinguer* (banquier) la tentative échoue en raison de sa résistance. **1977**-*11-1 Richard Frojo* (bijoutier à Marseille) libéré 4 j plus tard, rançon 3 MF jamais versée. -*13-4 Lucchino Revelli-Beaumont* (P-DG de Fiat-France) libéré après 89 j contre 10 MF (récupérés en partie après l'arrestation des ravisseurs, tous argentins). -*6-7 Roland Simon* (dir. de régie immobilière) libéré 9-7 sans rançon. -*9-8 Bernard Mallet* (banquier) libéré par la police quelques h plus tard. **1978**-*23-1 Baron Édouard-Jean Empain* (Pt du groupe Empain-Schneider) libéré 26-3 (après 63 j) après l'arrestation des ravisseurs (qui lui ont coupé un doigt), rançon de 100 MF non versée. **1979**-*21-6 Henri Lelièvre* († 1985) (homme d'aff. de 82 ans de la Sarthe) enlevé par Jacques Mesrine, libéré 25-7 contre 6 MF. **1980**-*25-1 Paloma Donzeau,* délivrée le j même contre 30 lingots d'or (2,5 MF). -*29-1 Guy Bitoun,* 41 a., (administrateur de la Sté Global à Antibes), libéré 13-2, contre 6 MF (récupérés), 5 ravisseurs arrêtés, 1 policier tué par méprise par un collègue. -*26-3 Olivier Bréaut,* fils d'un notable de Tahiti, tué, rançon 11 MF non versée, ravisseurs condamnés. -*28-6 Michel Maury-Laribière* (60 ans, P-DG des Tuileries et Briqueteries françaises et vice-Pt du CNPF) libéré après 11 j, rançon demandée 3 MF non payée ; ravisseurs arrêtés (dont Jacques Hyver qui s'évadera 10-11-87). -*22-9 Bernard Galle* (34 ans, clerc de notaire chez son beau-père, maître Chaîne, à Lyon) rançon de 5 MF payée ; non libéré, déclaré décédé. **1981**-*18-4 Huguette Kluger* (43 ans), libérée 3 j après, rançon de 8 MF non versée, 2 ravisseurs antillais condamnés à 10 et 11 ans. **1982**-*25-4 Jean-Edern Hallier* retrouvé. -*26-5 Bruno Bouvet,* 12 a., retrouvé 29-5 ; rançon de 0,7 MF récupérée. **1983**-*23-3 Joséphine Dard* (12 ans) [fille de Frédéric Dard, auteur de San Antonio] en Suisse, rançon de 2 MF suisses (récupérés), ravisseurs arrêtés. **1988**-*20-3 Hervé Tondu,* 19 ans, tué après paiement de 0,35 MF. Assassin présumé arrêté, condamné à perpétuité. *Déc.* employée de maison enlevée par erreur (prise pour l'épouse de Louis Réginald De Poortere), relâchée sans paiement des 30 MF prévus. **1990**-*29-10 Monique Pelège* (51 ans) rançon demandée 12 MF, retrouvée 30-10, 2 ravisseurs arrêtés (étudiants en droit à Toulouse ; ils ont dit avoir consulté Quid à la rubrique enlèvements pour fixer le montant).

Étranger : 1973 *juillet Paul Getty III* (USA) (2,8 millions de $) 10 MF, ses ravisseurs expédient à un journal italien une de ses oreilles. **1974**-*29-4 Victor Sammuelsson,* directeur d'Esso à Buenos Aires, 4,2 millions de $ (75 MF). **1975**-*14-4 Gianni Bulgari,* bijoutier romain, 17 millions de $ (85 MF). -*21-6 Jorge Born,* industr. argentin, 60 millions de $ (300 MF). **1976**-*1-1 Carla Ovazza,* belle-mère de la fille de Giovanni Agnelli, P-DG de Fiat, 10 milliards de lires (60 MF, on ignore le montant versé). -*14-12 Richard Detker,* fils d'un milliardaire all., 21 millions de marks (42 MF). **1977**-*28-10 Maup Caransa* libéré contre 20 MF. **1982**-*22-11 Antonia Van der Valk* (P.-Bas) libérée 17-12, 12 millions de florins (32 MF). **1983**-*1-11 Freddy Heineken* (P.-Bas) 95 MF récupérés en partie. **1985** *oct. Gijs Van Dam* (P.-Bas) 9 millions de florins (24,3 MF). **1986**-*8-4 Jennifer Guinness* (Irl.) 2,5 millions de £ irl. (20 MF). **1987**-*9-9 Gerrit Jan Heyn,* 8,4 millions de florins (21 MF) demandés et payés en partie, tué le jour du rapt par un architecte au chômage. -*9-11 Mélodie Nakachian* (5 ans), rançon demandée 5 millions de $ (30 MF), délivrée 20-11, 7 inculpés arrêtés. **1988** *Van den Boynants* (ancien PM belge). **1992**-*4-2 Anthony De Clerck* (11 ans) en Belgique (+ de 40 MF), ravisseurs arrêtés.

■ **Fugueurs mineurs.** *1978* : 26 673 ; *79* : 30 555 ; *81* : 32 437 ; *83* : env. 30 000 (2 300 cas non résolus).

■ **Grands magasins. Vols** (montant total en millions de F) : *1977* : 75 ; *80* : 400 ; *82* : 169 ; *85* : 1 100 (env. 2,5 % du CA).

■ **Homicides volontaires** (en 1989). *Répartition en % (sondage sur échantillon de 1 190 cas).* **Mobiles :** ignoré 10,3, différends divers et vengeance 42,3, crapuleux 19,3, passionnel 10,4, alcoolisme 5,4, démence 3,2, crimes sexuels 3,7, règlements de comptes non liés au banditisme 5, autodéfense 0,4, mobile racial ou politique non connu. **Moyens** (en %) : arme à feu 46,6, arme blanche 26,4, divers (coups, mains nues, noyades, strangulation, objets divers) 27.

■ **Magistrats attaqués. 1972**-*10-4* : *Robert Magnan* (j. d'instruction à Paris) pris en otage par 2 détenus, Christian Jubin et Georges Segard, qui le relâchent, et sont repris 32 h après leur évasion du Palais de Justice. **1973**-*6-6* : *M. Guérin* (Pt du tribunal de Compiègne) pris en ot. au cours d'une audience par Jacques Mesrine qui le relâche. **1974**-*3-5* : *Maurice Balauge* (1er J. d'instruction à Paris) attaqué dans son cabinet par André Bodet, voleur de voitures. -*29-5* : *Gérard Nedelec* (substitut du procureur de la Rép.), enlevé à son domicile, échappe peu après à ses ravisseurs. **1975**-*3-7* : *François Renaud* (j. d'instruction) assassiné à Lyon (ses meurtriers n'ont pas été arrêtés). -*8-7* : *André Cozette* (vice-Pt du tribunal de Paris) et *Antoine Michel* (substitut) pris en ot. par Jean-Charles et Martine Willoquet qui les relâchent 1 h 1/2 plus tard. Repris après quelques mois. **1977**-*5-12* : *épouse de Jacques Blanc-Jouvan* (substitut du procureur gén. à la cour d'appel de Lyon) *et une femme de ménage* brutalisées à leur domicile. **1978**-*6-2* : *Noël Daix* (1er J. d'instruction à Lyon), enlevé, retrouvé 48 h plus tard, attaché à un arbre. -*10-11* : *épouse, fille et gendre de Charles Petit* (Pt de la C. d'assises de Paris) séquestrés par Jacques Mesrine (qui disparaît) et Jean-Luc Coupé (arrêté en tentant de fuir). **1979**-*31-1* : *Michel Berger* (substitut) *et son épouse* (substitut à Bourges), *François Billy* (conseiller à la C. de cassation) agressés chez M. Berger à Paris par 3 hommes armés se réclamant d'un « groupe autonome » protestant contre la politique répressive envers les contestataires. Ils partent après avoir saccagé et volé l'appartement. **1981**-*21-10* juge *Pierre Michel* tué à Marseille. François Girard et Francis Cecchi condamnés à la réclusion criminelle à perpétuité en 1988. Charles Altieri (arrêté à Chypre 1-2-1993) condamné à la même peine par contumace le 19-4-1991. **1985**-*19/20-12* : 32 personnes dont *Dominique Bailhache* (Pt de la C. d'assises de Nantes) prises en ot. par Georges Courtois, Patrick Thiolet et Abdelkarim Khalki qui se rendent après 34 h de négociations.

■ **Morts suspectes** (en 1984). 15 858 (dont suicides 53,30 %, morts naturelles 28,14, accidentelles 15,63, non élucidées 2,93).

■ **Œuvres d'art. Vols en France** (en 1991) : 1 596 traités par l'Office central de répression des vols d'œuvres et d'objets d'art, dans maisons individuelles et appartements 895, lieux de culte 50, châteaux 536, musées 34, antiquaires et salles de vente 53, galeries 28.

■ **Pharmacies. Agressions :** *1971* : 48 ; *82* : 302 ; *87* : 432 ; *88* : 385 ; *89* : 395 ; *90* : 666 ; *91* : 600. *Cambriolages pour drogue : 1980* : 822 ; *81* : 795 ; *82* : 926 ; *83* : 740 ; *84* : 700 ; *86* : 436 ; *87* : 297 ; *88* : 205 ; *89* : 207 ; *90* : 135.

■ **Piraterie aérienne.** On découvre chaque année + de 3 200 armes à feu et + de 14 000 armes blanches lors des contrôles effectués à l'embarquement dans les avions.

■ **Pompistes. Agressions :** *1971* : 70 ; *81* : 536 ; *82* : 414 ; *83* : 577 ; *84* : 615 ; *87* : 447 ; *88* : 439 ; *89* : 490 ; *90* : 639 ; *91* : 828.

■ **Recels.** *1982* : 15 148 délits enregistrés ; *85* : 26 209 ; *87* : 35 983 ; *88* : 26 963 ; *89* : 29 180 ; *90* : 30 872 ; *91* : 32 213.

■ **Recherches dans l'intérêt des familles.** *1976* : 22 599 ; *81* : 13 790 ; *86* : 11 220 ; *87* : 10 326 dont 4 071 retrouvés et 2 369 adresses communiquées.

■ **Terrorisme** (voir également **Attentat** à l'Index). **De 1974 à 1985 :** 6 023 (dont de 1981 à 1985 : 3 246) [*à l'explosif* : 5 601 (dont terrorisme d'origine nationale 5 367, internationale 234) ; *par armes à feu* : 422 (or. nat. 378, intern. 44)]. *Tués* : 201 (dont de 1981 à 85 : 144), or. nat. 124, intern. 77. *Blessés* : 993 (dont de 1981 à 85 : 716) or. nat. 441, intern. 492. **Actions violentes** (y compris Dom/Tom). Attentats par explosifs, armes à feu, incendies volontaires : *1987* : 581 (465, 53, 63) ; *88* : 403 (279, 38, 86) ; *89* : 305 (190, 44, 71).

Mobiles (à caractère politique ; vengeance, racket, extorsions ; ignoré) : *1985* : 678 (359, 14, 305) ; *89* : 305 (86, 8, 211).

Terrorisme national : mouvements extrémistes (*1989* : 27, *90* : 36) dont extrême gauche (*1988* : 13, *89* : 25), attentats par explosifs (*1988* : 5, *89* : 20) ; séparatistes Corse : total des actions *1990* : 352 (*88* : 274, *89* : 227) attentats par explosif (*1988* : 220, *89* : 148, *90* : 208), armes à feu (*1989* : 35), incendies volontaires (*1989* : 43). Pays basque (*1989* : 21, *90* : 15), ETA militaire, 69 membres ou sympathisants interpellés, 26 écroués. Bretagne (*1988* : 13, *89* : 5 dont 4 attentats par explosif), interpellations de 2 membres de l'« Armée révolutionnaire bretonne » (ARB). *1990* : 1 seul attentat, par expl. (20-6). **International** (dans le monde) : *1985* année record : 782 affaires, + de 800 † et 1 200 blessés dont terror. proche-oriental 441 affaires (230 † et 820 bl.).

■ **Tueries.** **1964** *Austin* (Texas), un étudiant tire d'une tour, 16 †, 31 bl. **1969**-*8-8*, 5 † (dont l'actrice Sharon Tate) par Charles Manson (n. 12-11-34), des femmes et 1 homme de sa « secte », condamnés à la détention à vie en 1972. **1973**-*31-3 Bar du Tanagra* (Marseille) 4 † (affrontement entre truands). **1978**-*3-10 Bar du Téléphone* (Marseille). 4 hommes tuent 10 consommateurs. **1981**-*19-7 Auriol* (B.-du-R.), 6 † (1 inspecteur de police Jacques Massié, ancien du SAC et 5 membres de sa famille) [3 tueurs condamnés à perpétuité]. **1983**-*5-8 Hôtel Sofitel* (Avignon) 7 † au cours d'un hold-up. **1984**-*21-7 San Ysidro* (Californie, USA), 21 † et 19 bl. par un forcené (il est tué à son tour). **1989** *avr. Texas* découverte de 13 corps au Texas (secte anthropophage). *-12-7 Luxiol* (Doubs) 15 † et 7 bl. par un tireur fou (jugé irresponsable). *-31-8 Ris-Orangis* (Essonne) 2 inspecteurs † et 2 bl. par un forcené. *-7-12 Montréal* (Québec) 14 étudiantes † et 13 bl. à l'université par un tireur fou qui se suicide. **1981**-*17-8 Sydney* (Australie) 8 † et 7 bl. dans centre commercial par un chauffeur de taxi qui se suicide.

■ **Viols.** *1972* : 1 417 ; *82* : 2 459 ; *88* : 3 776 ; *89* : 4 342 ; *90* : 4 582 ; *91* : 5 068. En 1984, un soldat et un ouvrier condamnés à 14 ans de réclusion en Grèce pour le viol d'une femme de 105 ans.

■ **Vols** (répartition en %, en 1991). Sans violence 96,81, avec violence 3,19.

Vols à main armée : *1980* : 4 841 ; *81* : 5 408 ; *82* : 5 535 ; *83* : 6 139 ; *84* : 7 661 ; *87* : 6 422 ; *88* : 6 024 (dont Paris 951), occasionnant 15 meurtres, 88 prises d'otage. *89* : 6 364[1] ; *90* : 7 388 ; *91* : 7 846 [1] dont établ. de crédit 1 513, voie publique 1 193, stations services 828, particuliers à domicile 509, pharmacies 600, taxis ou véhicules 457, magasins à grande surface 248, bureaux de poste 298, bijouteries 166, casinos et jeux 63, établ. ind. et commerciaux 75, transport de fonds inorganisés 61, transport de fonds 47, prof. libérales 27, préposés des postes 26, trésor public 14. Autres commerces 1 577 ; autres établ. publics 38 ; divers 106.

Nota. – (1) Chiffres OCRB.

Autres vols avec violence : *1980* : 30 404 ; *85* : 50 233 ; *86* : 42 739 ; *87* : 41 750 ; *88* : 43 609 ; *89* : 45 469 ; *90* : 51 520 ; *91* : 59 926.

Cambriolages (vol avec effraction) : *1972* : 147 495 ; *78* : 200 811 ; *80* : 267 860 ; *84* : 436 435 ; *86* : 401 970 ; *87* : 367 004 ; *88* : 361 396 ; *89* : 370 606 ; *90* : 389 676 ; *91* : 416 414. *Taux pour 10 000 h.* : 70 (Paris 130, Montpellier 120, Nice 105, Toulouse 105, Marseille 85) [P.-Bas 240, All. féd. 192, G.-B. 160].

RÉSIDENCES PRINCIPALES : *1980* : 135 098 ; *84* : 236 631 ; *88* : 178 810 ; *89* : 187 427 ; *90* : 188 948 ; *91* : 197 687 dont : Paris 28 061, Nord 12 270, B.-du-Rh. 11 798, Rhône 8 211, Val-de-M. 8 136, Alpes-M. 7 818, S.-St-Denis 7 063, Hts-de-S. 6 571, Val-d'O. 6 529, Yvelines 5 528. *Affaires élucidées (90)* : 9,86%.

RÉSIDENCES SECONDAIRES : *1980* : 14 409 ; *84* : 20 841 ; *89* : 20 217 ; *90* : 22 887 ; *91* : 25 024 dont : Var 1 952, Alpes-Mar. 1 114, Hérault 973, Gironde 577, S.-et-M. 570, Hte-Savoie 523, Calvados 522, B.-du-R. 520, Gard 520, Pyr.-Or. 502.

LOCAUX INDUSTRIELS ET COMMERCIAUX : *1985* : 96 679 ; *88* : 87 717 ; *89* : 91 702 ; *90* : 100 947 ; *91* : 107 183.

Quelques records (MF : millions de F). **France :** *1980-24-7* : *bijoux* : 80 MF dans la chambre du P[ce] Abdel Aziz Ben Ahmed Althani du Qatar près de Cannes. *1986-3-7* : *Banque de France St-Nazaire* : 12 MF récupérés (10 personnes mêlées à l'affaire arrêtées). **G.-B. :** *1963-8-8* : train postal Glasgow-Londres intercepté par une bande qui prend 120 sacs contenant 30 MF (4 seront retrouvés) ; le cerveau (Ronald Briggs) condamné à 30 ans, évadé 1964, vit au Brésil. *1975* : Bank of America à Londres 96 MF. *1983-26-11* : 6 hommes prennent 317 MF [3 t d'or (6 800 barres de 440 g), quelques barres de platine, plusieurs diamants, des travellers chèques] dans le dépôt de la S[té] Brinks à Heathrow. Les Cies d'assurances ont offert une récompense de 24 MF pour des renseignements. *1990-3-5* : 2 700 MF, titres au porteur numérotés, jeu négociable. **Irlande :** *1974-26-4* : 19 tableaux valant 94 MF (dont 1 Vermeer de + de 30 MF) chez sir Alfred et lady Beit à Blessington (tableaux retrouvés, coupable arrêtée). **Liban (Beyrouth) :** *1976-22-1* : 100 à 250 MF de la Banque britannique du Moyen-Orient. **Suisse (Genève) :** siège UBS. *1990-25-3* : 125 MF (prévenus arrêtés, avaient bénéficié de complicité). **USA :** *1978* : coffre de la Lufthansa à l'aéroport Kennedy : bijoux 30 MF. *1982-12-12* : S[té] de convoyage de fonds : 37 MF.

Prisons (en France)

Établissements pénitentiaires

☞ **Budget de l'administration pénitentiaire** (en milliards de F). *1981* : 1,75 ; *89* : 2,97 ; *90* : 5,57 ; *91* : 5,42 ; *92* : 5,3 ; *93* : 5,88 dont (en %) personnel 59,01, fonctionnement 35,54, équipement 5,44.

■ Catégories

1°) **Maisons d'arrêt.** Reçoivent prévenus et condamnés dont le reliquat de peine est inférieur à 2 ans. **Nombre :** normalement 1 maison d'arrêt auprès de chaque tribunal de grande instance. **Au 1-1-1993 :** 138. 2°) **Établissements pour peines** (affectés à l'exécution des peines sup. à 2 ans) dont **maisons centrales** (possédant un régime de sécurité) 15 soit 2 582 places (dont Clairvaux, Aube), et **centres de détention** (orientés vers le reclassement) 47 soit 12 443 places. **Centres pénitentiaires.** Établissements mixtes qui comportent un quartier maison d'arrêt et un quartier maison centrale ou centre de détention. Nombre : 21. **Centres de semi-liberté.** Peines inférieures à 6 mois. 9 centres autonomes + 122 maisons d'arrêt disposant de quartiers particuliers réservés à l'exécution des peines sous le régime de la semi-liberté (ex. Fresnes, hôpital de 255 lits). Il existe aussi des établissements et quartiers spécialisés pour mineurs et malades.

Taux d'occupation (en %, au 1-1-1992). Nice 213, Bois-d'Arcy 230, Lyon 248, Bordeaux-Gradignan 175, Paris-La Santé 154. Au 1-1-1993 : 108 au niveau national.

Bagne. *Métropolitains* : Brest, Lorient, Toulon, fermés 1852. *Coloniaux* : Nouv.-Caléd. (1867-96 ; accueille de 1872 à 78 env. 4 200 communards), Guyane [Cayenne (1852-1936) ; dit guillotine sèche, env. 4 000 résidents, mortalité 5 à 10 % par an]. *Jusqu'en 1939* : 500 personnes par an étaient déportées en Guyane.

Construction (1988-91). *Programme* : Chalandon : 4,05 milliards de F (15 000 places revenant à 270 000 F la place ; 1 surveillant pour 4 détenus). *Programme revu par Pierre Arpaillange* : 13 000 places sur 25 sites (coût : 335 000 F la place).

☞ *De juin 1986 au 1-1-1993* : 13 842 places ont été créées.

Nombre de surveillants pour 100 détenus (en 1990). *France 36*, Suède 94,6, P.-Bas 61,5, Italie 53,3, Belg. 51,1, All. féd. 37,8.

■ Personnel de l'administration pénitentiaire

Nombre total. *1975* : 11 352 ; *80* : 14 115 ; *85* : 16 044 ; *89* : 18 779 ; *92* : 21 771 ; *93* : 23 071 (dont 308 directeurs et sous-directeurs, 18 470 agents de surveillance, 1 958 agents administratifs, 564 techniques, 1 485 socio-éducatifs (assistantes sociales incluses) et 166 infirmières (+ 13 000 employés par groupement privés).

■ Vie pénitentiaire

■ **Coût moyen journalier d'un détenu** (en 1991). 252,53 F, dont frais de personnel 162,62 F, alimentation 16,90, habillement et couchage 1,85 [1], frais médicaux 10,23, cotisations de Séc. soc. 1,54 [1], dépenses de fonctionnement (entretien des bâtiments) 21,61 [1] (selon l'Inspection des Finances, coût moyen : 62,18).

Le détenu participe aux frais de son entretien (300 F par mois). Les prélèvements ne peuvent excéder 30 % du salaire.

Nota. – (1) 1986.

■ **Études.** *Enseignement* primaire assuré dans tous les établissements. Tout détenu peut demander à poursuivre des études par correspondance et passer des examens. 1 détenu sur 5 suit un enseignement. 1 602 ont obtenu un diplôme d'enseignement général en 1991. *Formation professionnelle* permet à env. 600 détenus par an d'obtenir un diplôme professionnel, à 1 000 de s'initier à la pratique d'un métier. En 1991, 8 493 ont suivi un module de formation. *Rémunération des stagiaires* (1993) : 54 % du SMIC ; des employés au service général : entre 19,50 F et 51,50 F par jour.

■ **Grève de la faim.** Le Code pénal autorise « l'alimentation forcée d'un détenu sur décision et sous surveillance médicales lorsque ses jours sont mis en danger » (art. D. 390). Le code de déontologie médicale indique que « la volonté du malade doit toujours être respectée ». La déclaration de 1975 de la 2e Assemblée mondiale de la médecine pénitentiaire autorise le médecin à ne pas alimenter artificiellement un prisonnier lorsque « celui-ci est en état de formuler un jugement conscient et rationnel quant aux conséquences qu'entraînerait son refus de se nourrir ».

■ **Lettres.** *Les détenus* peuvent écrire tous les jours et sans limitation à toute personne de leur choix et recevoir des lettres de toute personne, mais pour certains prévenus, le magistrat chargé du dossier de l'information peut interdire ou suspendre certaines correspondances et demander la communication des lettres aux fins de contrôle. *Pour les condamnés* : l'établissement peut contrôler leurs correspondances à l'arrivée et au départ. Le chef d'établissement peut interdire tout échange de lettres avec des personnes autres que le conjoint et les membres de la famille lorsque cela peut nuire à la réadaptation sociale du détenu ou à la sécurité et au bon ordre de l'établissement, ou contient des menaces précises contre les personnes. Les détenus peuvent écrire sous pli fermé à leur défenseur, aux autorités administratives et judiciaires françaises dont la liste est fixée par le ministère de la Justice, à l'aumônier et aux travailleurs sociaux de leur lieu de détention.

■ **Mères de jeunes enfants (détention).** Les détenues enceintes et celles auxquelles est laissé leur enfant peuvent être transférées dans un établissement disposant d'un quartier spécialement aménagé. Les enfants sont laissés en principe auprès de leur mère jusqu'à 18 mois (ou +, après décision du Garde des Sceaux, après avis d'une commission consultative et renouvelable tous les 2 ans). *En 1992* : 60 détenues ont accouché en France.

■ **Période de sûreté.** Les condamnés pour faits particulièrement graves ne peuvent bénéficier de mesures individualisées comme permissions de sortie ou libération conditionnelle (loi du 2-2-1981 modifiée le 10-6-83) qu'après avoir accompli au moins la moitié de leur peine (sur décision de la juridiction, délai portable aux 2/3 et jusqu'à 30 ans dans certains cas de réclusion criminelle à perpétuité).

■ **Permissions de sortie.** Permettent à un détenu, condamné définitif, de s'absenter de la prison pendant une courte période. Peuvent être accordées par le juge d'application des peines après avis de la commission de l'application des peines aux détenus ayant déjà purgé une partie de leur condamnation (fixée par la loi selon la gravité de l'infraction et la nature de l'établissement pénitentiaire). La décision est prise en tenant compte de la personnalité du détenu, de sa conduite en détention et de l'objet de la permission. *Catégories de permissions* : en vue du maintien des liens familiaux ou de la préparation à la réinsertion sociale, au max. 3 j (sauf pour les condamnés incarcérés dans les centres de détention) ; en cas de circonstances familiales graves (décès, maladie d'un proche), max. 3 j ; permettant d'accomplir une obligation (examen scolaire, médical ou psychologique, présentation à une autorité judiciaire ou administrative), max. 1 j. – L'État est responsable, même sans faute, des dommages causés aux tiers par des détenus bénéficiant d'une permission de sortie.

■ **Punition de cellule.** Infligée pour indiscipline grave jusqu'à 45 j de suite dans une cellule spéciale (seuls meubles : un tabouret et un matelas), privation de visite (sauf avocat), restriction de correspondance. Elle n'entraîne pas de restriction alimentaire et ne supprime pas la faculté de lecture, ni de tabac.

■ **Réductions de peine.** **Pour bonne conduite :** 3 mois max. par an, accordée par le juge de l'application des peines après avis de la commission d'application des peines. *En cas de mauvaise conduite*, elle peut être retirée en totalité ou partiellement. **Exceptionnelle** *pour réussite à un examen ; pour effort sérieux de réadaptation* (en passant des examens) : après 1 an de détention : 1 mois par an et 2 j par mois si le condamné est en état de récidive légale. 2 mois par an ou 4 j par mois s'il ne l'est pas. **Normes :**

un condamné à perpétuité accomplit, en général, 18 ans de prison avant de pouvoir être libéré ; un cond. à 20 ans fait les 2/3 de la peine. En Italie, un cond. à perpétuité fait 28 ans, en Scandinavie, All., G.-B. env. 10. **Lois d'amnistie** : grâces diverses (ex. du 14 juillet) pouvant libérer par anticipation des milliers de condamnés.

■ Télévision. Dep. le 15-12-1985, moyennant env. 100 F par mois de frais de location, les prisonniers peuvent avoir la TV.

■ Travail pénitentiaire. Dep. la loi du 22-6-1987, les condamnés ne sont plus obligés de travailler. *Détenus au travail (1991)* : 20 555 dont entreprises concessionnaires 8 626, service général 6 602, RIEP (Régie ind. des établ. pénitentiaires) 1 564 [CA (1991) : 142,3 millions de F (HT) ; déficit : 3,3 millions de F], formation prof. rémunérée 2 625. *Rémunération brute moyenne mensuelle (1991)* : RIEP 1 958 F, concession 1 456 F. *Taux d'emploi (1991)* : 43,6 %. *Chantiers extérieurs 1986 (août)* : mise en place. *1987 (30-6)* : 8 965 journées de travail effectuées. *Détenus 1988* : 2 183 ; *89* : 2 701 ; *90* : 1 988 ; *91* : 2 642.

Sécurité sociale (maladie-maternité) : allouée à la famille du prisonnier travailleur. Le travail effectué en prison est pris en compte pour les droits à la retraite ; à sa sortie, le détenu peut bénéficier des allocations de chômage. Dep. le 1-1-1981, le détenu travailleur bénéficie de l'assurance veuvage.

■ Visites. Jours, heures, durée et fréquence des visites sont déterminés par le règlement intérieur de l'établissement soumis à l'approbation de l'administration centrale. Celle-ci veille notamment à ce que les prévenus soient visités au moins 3 fois par semaine et les condamnés au moins 1 fois. Les visites ont lieu en principe dans un local sans dispositif de séparation, quel que soit le type d'établissement. Le responsable de la prison peut décider que la visite aura lieu dans un parloir avec séparation dans 3 cas limitatifs : s'il existe des raisons graves de redouter un incident ; en cas d'incident en cours de visite ; à la demande du visiteur ou du visité. Sauf autorisation spéciale, le détenu et ses visiteurs doivent s'exprimer en français. Excepté lors des entrevues avocats-détenus, un surveillant est présent au parloir. Il doit pouvoir entendre la conversation et veiller au bon déroulement de l'entretien. Tout incident survenu à l'occasion d'un parloir doit être signalé à l'autorité qui a délivré le permis afin que celle-ci apprécie si l'autorisation accordée doit être supprimée ou suspendue. L'octroi éventuel de parloirs intimes est toujours à l'étude en France.

Pour visiter un prévenu : déposer une demande de permis de visite auprès du juge d'instruction (avec carte d'identité et 2 photos) ; *un condamné* : permis délivré par le directeur de la prison, sauf cas d'hospitalisation ou d'internement à l'extérieur (préfet de police).

■ Associations

Associations de réinsertion. (Paris) *Acep* 247, rue St-Honoré, 75008. *Alcooliques anonymes* 31, rue de la Procession, 75015. *Farapej* 44, bd des Batignolles 75017. *Armée du Salut* 76, rue de Rome, 75008. *Association Faire* 91, rue d'Alésia, 75014. *Auxilia* (enseignement par correspondance) 102, rue d'Aguesseau, 92100 Boulogne. *Centre nat. de défense contre l'alcoolisme* 20, rue St-Fiacre, 75002. *Courrier de Bovet*, BP 117, 75763 Cedex 16. *Croix-Rouge française* 1, place Henry-Dunant, 75008. *Genepi* (étudiants) et *Club informatique pénitentiaire (Clip 2000)* 4-14, rue Ferrus, 75014. *Icra* (connaissance langue arabe) 21, rue de Provence ou 9, rue Cadet, 75009. *Le Verlan* (foyer d'hébergement) 48, rue de la Santé, 75014. *MRS* 14, rue Ferrus, 75014. *Secours catholique* 106, rue du Bac, 75007.

Association de visites. *ANVP* (Association nationale de visiteurs de prison) 5, rue du Pré-aux-Clercs, 75007 Paris. *Fondée* 1932. Reconnue d'utilité publique en 1951. *Membres* : 1 200.

■ Population pénale

☞ **Nombre de prisonniers pour 100 000 hab. au 1-9-1991** : USA 291,7 [1], Canada 107,8 [2], All. féd. 78,8, Autriche 87,5, Belgique 60,5, Chypre 38, Danemark 63, Esp. 91,8, Finlande 62,6, Grèce 49,5, Irlande 60,4, Islande 38,9, Italie 56, Lux. 90,3, Norvège 59, Pays-Bas 44,4, Portugal 82, G.-B. 92,1, Suède 55, Suisse 84,9, Turquie 44.

Nota. – (1) 1985. (2) 1986.

■ Population pénale totale

■ Population pénale. **Métropole + Dom-Tom** (au 1-1) : *1975* : 63 217 ; *81* : 113 722 ; *82* : 77 332 ; *83* : 91 260 ; *84* : 104 491 ; *88* : 147 018 ; *89* : 117 056 ; *90* : 137 757 ; *91* : 156 820.

■ Population pénale en milieu fermé

■ Total. **Métropole** (au 1-1) : *1852* : 51 300 ; *70* : 40 000 ; *1906* : 60 000 ; *14* : 25 000 ; *45* : 60 051 ; *46* : 60 000 (46 % pour collaboration) ; *73* : 31 512 ; *75* : 27 032 ; *81* : 38 957 ; *82* : 30 340 ; *85* : 42 937 ; *88* : 49 328 ; *89* : 44 981 ; *90* : 43 913 ; *91* : 49 083 ; *92* : 48 113 (pour 41 617 places disponibles) dont 28 563 condamnés, 19 550 prévenus, 2 100 femmes. **Métropole et Dom** (au 1-3-92) : 53 678 (dont 21 421 prévenus). **Détenus en isolement** (au 1-6-88) : 309 (dont 285 en métropole). Évolution. – **de 18 ans** : *1986* : 965 ; *87* : 989 ; *88* : 816 ; *89* : 493 ; *90* : 524 ; *91* : 396 ; *92* : 474. **60 ans et +** : *86* : 390 ; *87* : 448 ; *88* : 515 ; *89* : 516 ; *90* : 429 ; *91* : 447 ; *92* : 519.

■ Personnes écrouées. *1989* : 75 940 (dont 51 530 étrangers) ; *90* : 78 444 (dont 53 801 étr.) ; *91* : 87 787. **Sorties.** *1989* : 77 008 ; *90* : 75 196 ; *91* : 86 834.

■ Durée moyenne de détention. *1980* : 4,6 mois ; *85* : 6,2 ; *89* : 7 ; *90* : 7 ; *91* : 6,5.

■ Lieux de détention (1-12-92). Maisons d'arrêt + centres de semi-liberté 38 807, centres de détention 10 024, maisons centrales 1 894, établiss. spécialisés 365. **Nombre de détenus** (1-1-92) : Fleury-Mérogis 4 655, Fresnes 2 814, les Baumettes 1 915, Lannemezan (inaugurée 1987) 183.

■ Détenus. **Age** (au 1-1-92) sur 48 113 détenus (dont femmes 2 100) : – *de 18* : 474 (11), *18 à 25* : 14 005 (518), *25 à 40* : 25 034 (1 117), *40 à 60* : 8 081 (420), *60 et + : 519 (34).*

Étrangers (au 1-10-92) : 30,8 % d'étrangers (44,87 % dans la direction régionale de Paris) alors qu'ils ne représentent que 7,7 % de la population. Mais les immigrés se trouvent le plus souvent dans la tranche d'âge des actifs où la criminalité est la plus forte. Le chiffre obtenu pour les Français intègre des populations à l'âge de la retraite, où la criminalité est plus faible.

Femmes détenues (% par rapport au total des détenus) : *1855-60* : 20 ; *1912* : 12 ; *58* : 5 ; *85* : 3,3 ; *90* : 4,5 ; *91* : 4,1 ; *92* : 4,4.

Hospitalisation (en 1991) : 2 358 détenus hospitalisés (62 845 journées). *Coût* (en 1989) : 721 F/jour à Fresnes, 2 500 F à l'extérieur.

Sidéens déclarés (taux en 1991) : 7,7 %. En 1992 (un jour donné sur pop. volontaire) : 1 849 (dont séropositifs).

Toxicomanes (en 1988) : 13 % (Fleury-Mérogis 50).

■ Condamnés (au 1-1-92). 28 563 dont 954 femmes. **Selon les infractions** (en % dont, entre parenthèses % commis par des femmes) : crimes de sang 10,2 % (10,1 %). Coups et blessures volontaires, coups à enfant 4,9 (5,1). Viols, attentats aux mœurs 10,1 (4,1). Proxénétisme 1,1 (0,1). Homicide, blessures volontaires 1,5 (3,2). Vol qualifié 8,6 (3,4). Escroquerie, abus de confiance, recel, faux et usage 6,2 (8,3). Vol simple 24 (21,6). Infraction à la législation sur les stupéfiants 18,6 (21,8). Autres 14,8 (9,7). **Selon les peines** (en %, hommes, entre parenthèses femmes) : Contrainte par corps : 0,8 (2,3), – de 3 mois : 20,1 (16,1), 3 à – de 6 mois : 37,4 (41,3), 6 mois à –, 1 an : 42,3 (42,5), 1 à 3 ans : 22,1 (18,9), 3 à 5 ans : 11,4 (13,1), peines correctionnelles de 5 ans et + : 25,5 (30,6), réclusion criminelle 5 ans à – de 10 ans : 31,7 (32,2), 10 ans à – de 20 ans : 38,1 (33,8), à perpétuité 4,7 (3,5). **Selon le niveau d'instruction** (hommes, au 1-1-92) : primaire 30 032, secondaire ou supérieur 12 215. Illettrés 5 866. **Selon la situation professionnelle** (au 1-1-85, en métropole, en %) : 45,6 sans profession, 33,8 ouvriers, 4,1 employés, 5,7 patrons, 3,3 personnel de service, 1,8 cadres moyens, 1,1 cadres supérieurs ou profession libérale, 1,5 agriculteurs et salariés agric. **Selon l'activité professionnelle des parents** (hommes, au 1-1-88) : 30 % des pères étaient ouvriers, 15 % employés, 10 % patrons. 53 % des mères étaient inactives, 31 % femmes de ménage, concierges, gardiennes.

Étrangers : *1975* : 4 645 ; *80* : 7 070 ; *86* : 13 152 ; *87 (1-4)* : 13 834 ; *88* : 13 191 ; *89* : 12 642 ; *90* : 12 937 ; *91* : 14 259 ; *92* : 15 181 [dont 14 617 hommes, 564 femmes (dont 7 331 h. et 141 f. maghrébins)].

■ Mesures individuelles accordées (au 1-1 de chaque année). **Libérations conditionnelles** : *accordées par le garde des Sceaux* : *1980* : 534 ; *81* : 559 ; *82* : 719 ; *83* : 668 ; *84* : 591 ; *85* : 712 ; *87* : 520 ; *88* : 97 ; *89* : 124 ; *90* : 138 ; *91* : 163 ; *92* : 142 ; *par le juge de l'application des peines* : *1980* : 5 327 ; *81* : 4 124 ; *82* : 3 876 ; *83* : 4 044 ; *84* : 4 243 ; *85* : 5 206 ; *87* : 8 357 ; *88* : 2 159 ; *89* : 1 377 ; *90* : 1 120 ; *91* : 1 472 ; *92* : 1 219.

Réductions de peine : *1980* : 50 132 ; *81* : 50 038 ; *82* : 43 626 ; *83* : 46 900 ; *84* : 52 145 ; *85* : 56 056 ; *86* : 54 823 ; *87* : 65 317 ; *88* : 65 510 ; *89* : 64 598 ; *90* : 60 952 ; *91* : 49 246. **Suspensions de peine** : *1980* : 592 ; *81* : 405 ; *82* : 361 ; *83* : 349 ; *84* : 613 ; *85* : 517 ; *86* : 485 ; *87* : 597 ; *88* : 539 ; *89* : 539 ; *90* : 352 ; *91* : 390. **Permissions de sortie** : *1980* : 39 576 ; *81* : 29 802 ; *82* : 26 653 ; *83* : 32 139 ; *84* : 35 530 ; *85* : 41 789 ; *86* : 20 961 ; *87* : 41 570 ; *88* : 25 130 ; *89* : 29 066 ; *90* : 29 371 ; *91* : 32 562.

■ Population suivie en milieu ouvert

Condamnés (au 1-1). *1981* : 73 448 ; *1983* : 55 453 ; *1986* : 79 130 ; *1990* : 92 337 ; *1991* : 105 814 ; *1992* : 107 376 dont : *probationnaires* 98 066, *libérés conditionnels* 5 147. *Travail d'intérêt général (TIG)* : *1989* : 3 684 ; *90* : 7 707 ; *91* : 10 507 ; *92* : 11 289.

Protection judiciaire de la jeunesse

■ Populations concernées. **Jeunes délinquants** : contrôle judiciaire ; condamnation assortie du sursis avec mise à l'épreuve ; mesure éducative en application de l'ordonnance du 2-2-1945 relative à l'enfance délinquante ; mise sous protection judiciaire conformément à l'art. 16 *bis* de l'ordonnance précitée. « Si la prévention (au sens pénal) est établie à l'égard d'un mineur âgé de 16 ans, le tribunal pour enfants et la cour d'assises des mineurs pourront aussi prononcer, à titre principal et par décision motivée, la mise sous protection judiciaire pour au max. 5 ans. Les mesures de protection, d'assistance, de surveillance et d'éducation seront déterminées par un décret en Conseil d'État. Le juge des enfants pourra, à tout moment jusqu'à l'expiration du délai de mise sous protection judiciaire, prescrire une ou plusieurs mesures mentionnées. Il pourra en outre, dans les mêmes conditions, soit supprimer une ou plusieurs mesures auxquelles le mineur aura été soumis, soit mettre fin à la mise sous protection judiciaire. A sa majorité, l'intéressé continuera d'être placé s'il en fait la demande (loi du 11-7-1975) ». **Mineurs en danger** (au sens de l'article 375 du Code civil) : « Si la santé, la sécurité ou la moralité d'un mineur non émancipé sont en danger ou si les conditions de son éducation sont gravement compromises, des mesures d'assistance éducative peuvent être ordonnées par justice, à la requête des père et mère, conjointement ou de l'un d'eux, du gardien ou du tuteur, du mineur lui-même ou du ministère public. Le juge peut être saisi d'office à titre exceptionnel. » **Jeunes majeurs** : décret nº 75-96 du 18-2-1975 : « Jusqu'à 21 ans, toute personne majeure ou mineure émancipée éprouvant de graves difficultés d'insertion sociale peut demander au juge des enfants la prolongation ou l'organisation d'une action de protection judiciaire. Le juge des enfants peut alors prescrire, avec l'accord de l'intéressé, la poursuite ou la mise en œuvre, à son égard, d'une ou de plusieurs des mesures suivantes : observation par un service de consultation ou de milieu ouvert ; action éducative en milieu ouvert ; maintien ou admission dans un établissement spécialisé assurant des fonctions d'accueil, d'orientation, d'éducation ou de formation professionnelle. Il peut modifier les modalités d'application de la mesure. »

■ Jeunes jugés (en 1989). En danger 92 500, délinquants 62 000, jeunes majeurs 5 150.

■ Jeunes pris en charge par les établissements et services de la Protection judiciaire de la jeunesse (en 1990). Total 140 916. **Répartition** (en %) : *secteur public* : garçons 66, filles 34 ; *associatif* 100 732 (g. 52,7). *Total* 241 648.

Durée de prises en charge (en 1990, secteur associatif et, entre parenthèses, public) : – *de 1 mois* : 3,8 (6,7), *1 à 5* : 15,1 (23,3), *6 à 12* : 22,6 (31,5), *1 à 2 ans* : 25,3 (24,6), *2 et +* : 33,3 (13,9).

Tranches d'âge (au 31-12-90, en %) : – *de 10 ans* : 37,6, *10 à 13* : 15,1, *13 à 16* : 20,5, *16 à 18* : 21,4, *+ de 18* : 5,4.

Modalités de prise en charge (au 31-12-90, en %, secteur public et, entre parenthèses, privé) : internat 2,1 (15,7), demi-pension 1,7 (0,4) [1], placement familial 1,2 [1] (5,2), hébergement externe 0,8 (1,6) [1], externat ou milieu ouvert 96,1 (79).

Nota. – (1) 1989.

Services secteur public (au 1-1-1992) : 354 établissements dont 135 services éducatifs auprès des tribunaux de grande instance pourvus d'un tribunal pour enfants (SEAT) ; 136 centres d'orientation et d'action éducative (COAE) [regroupent les anciens foyers d'action éducative (FAE) et les consultations d'orientation éducative (COE)] ; 83 institutions spéciales d'éducation surveillée (ISES) ; 92 directions départementales ; 11 directions.

Secteur associatif : prend en charge les jeunes après décision des juridictions de l'enfance (mineurs délinquants, mineurs en danger et jeunes majeurs), des jeunes confiés par les services de l'aide sociale et, dans certains cas, par la Sécurité sociale, les tribunaux civils ou la famille. *Associations :* 430 gérant 900 établissements et services. *Établissements :* 1 017 dont 59 services d'investigations et d'orientations éducatives (SIOE) [regroupent les anciens centres d'observation en milieu ouvert (OMO) et d'orientation et d'action éducative (OAE)] ; 155 d'action éducative en milieu ouvert (AEMO) ; 55 de placements familiaux (SPF) ; 665 établ. d'hébergement ; 83 d'enquêtes sociales (ES).

Effectifs de la Protection judiciaire de la jeunesse (1-1-91) : 5 601 agents publics dont 3 082 éducateurs.

Incidents

Agressions graves commises par les détenus sur le personnel. *1980 :* 35 ; *85 :* 73 ; *86 :* 118 ; *88 :* 98 ; *89:*90 ; *90:*95. **Autoagressions diverses.** *1980:* 1 588 ; *85 :* 3 548 ; *86 :* 2 677 ; *87 :* 3 552 ; *88 :* 1 729 ; *89 :* 1 645 ; *90 :* 1 723.

Évasions. *1976 :* 31 ; *80 :* 6 ; *81 :* 6 (sur 56 centres) dont 2 de Fleury-Mérogis le 27-2-81 par hélicoptère : Daniel Beaumont et Gérard Dupré, repris mars et juillet 81 ; *82 :* 11 ; *83 :* 21 ; *84 :* 18 ; *85 :* 26 ; *86 :* 27 dont 1 de la Santé le 26-5 : Michel Vaujour [(condamné le 8-3-85 à 18 ans de réclusion criminelle) s'évade par hélicop. (piloté par sa femme Nadine), repris 27-9-86]. *87-19-7* Philippe Truc, de St-Roch (Nice) par hélicop. (repris 20-7) ; *88:* 35 (61 détenus) ; *89 :* 27 (52) ; *90 :* 31 (68) dont *5-11 :* 4 évadés en hélicop. de Lannemezan (3 repris en Esp., 1 en Alg.) ; *91 :* 21 (39) ; *92 :* 24 (41) dont *5-2* les Baumettes (Marseille), échec de tentative par hélicop. pour 5 prisonniers. *11-9* 8 armés (1 dét. et 1 surveillant tués). *4-10* Bois d'Arcy (Yvel.) 3 par hélicop. (1 repris 29-1-93).

Fugues en milieu ouvert (détenus et, entre parenthèses, incidents). *1985 :* 39 (31) ; *86 :* 43 (32) ; *87 :* n.c ; *88 :* 1 (1) ; *89 :* 2 (2) ; *90 :* 3 (2).

Grève de surveillants du 17-8 au 27-9-1992.

Incidents collectifs. *1974 :* 152 ; *78 :* 38 ; *80 :* 25 ; *81 :* 30 ; *82 :* 26 ; *83 :* 67 ; *84 :* 50 ; *85 :* 113 ; *86 :* 36 ; *87 :* 86 ; *88 :* 108 ; *89 :* 123 ; *90 :* 198.

Mutineries. **1971**-*8-2* à *Aix-en-Pr.* 2 détenus blessent 1 gardien et prennent 1 infirmière et 1 assistante sociale en otages, sont tués au moment où ils s'apprêtent à quitter la prison. *-21/22-9 Clairvaux*, Claude Buffet et Roger Bontemps prennent en otages 1 infirmière, Nicole Comte et 1 surveillant, Guy Girardot que l'on retrouvera égorgés, seront exécutés le 28-11-1972. *-14-10 Les Baumettes*, 1 détenu tente de s'évader après avoir pris 1 infirmière en otage, tué par surveillant. *-5/13-12 Toul.* **1972**-*15-1 Charles-III de Nancy.* **1973**-*8-5 St-Paul de Lyon.* **1974** *(19-7 au 5-8)* 6 personnes †, 11 prisons dévastées (dégâts 200 millions de F, voir Quid 1982, p. 1653 b). **1978**-*28-1 Clairvaux* 1 sous-dir. et 2 gardiens pris en otages par 2 détenus qui sont tués par des tireurs d'élite. *-16/17-7 et -13-8 Les Baumettes.* **1985**-*5/19-5* dans 40 prisons, dégâts importants à *Fleury-Mérogis* et *Montpellier* (coût 18 millions de F). **1987**-*12/13-11 St-Maur* (Indre) 6 blessés (dégâts plusieurs dizaines de millions de F). *-4/5-12 Besançon.* **1988**-*16/17-4 Ensisheim* (Ht-Rhin) prise d'otages, incendie des bâtiments, 10 blessés, des millions de F de dégâts. **1990** *juillet* dans env. 20 prisons (dégâts à *St-Paul de Lyon, Oermingen*).

Récidives. 34 % des détenus (sur un temps d'observation de 4 ans) condamnés à des peines de prison importantes (3 ans et +) récidivent après leur libération et sont à nouveau condamnés à une peine de prison ferme pour crime ou délit.

Refus d'aliments (grève de la faim de 1 j à plusieurs semaines). *1966 :* 352 ; *77 :* 1 209 ; *80 :* 1 054 ; *84 :* 1 713 ; *87 :* 3 552 ; *88 :* 1 243.

Suicides. *De 1962 à 72 :* 20 par an en moyenne ; *73 à 79 :* 39 ; *80 :* 39 ; *81 :* 41 ; *82 :* 54 ; *83 :* 57 ; *84 :* 58 ; *85 :* 63 ; *86 :* 63 ; *87 :* 60 ; *88 :* 77 ; *89 :* 62 ; *90 :* 59. **Tentatives :** *1982 :* 221 ; *83 :* 430 ; *84 :* 235 ; *85 :* 269 ; *86 :* 458 ; *87 :* 361 ; *88 :* 365 ; *89 :* 313 ; *90 :* 336 (pendaisons 199, automutilations graves 40, produits toxiques 59, autostrangulations 17, feu et divers 21).

Forces de police

☞ Selon le tribunal correctionnel de Nancy (18-9-87), traiter les policiers de « guignols », de « mannequins » ou de « flics » ne constitue pas un outrage à agents de la force publique.

Police nationale

☞ **Conseil supérieur de l'activité de la police nationale (CSAPN).** *Créé* décret 17-2-1993. *Supprimé* en mai 1993.

Historique

580 le *guet* chargé de la surveillance nocturne. **1306** *commissaires enquêteurs* créés par Philippe le Bel. **1570** création du *secrétariat de la Maison du Roi.* **1667** de la *Lieutenance Générale de Police* de Paris (chevalier Nicolas de La Reynie 1625-1709). **1791** décret du 27-4 et loi du 25-5 instituent le *ministère de l'Intérieur ;* commissaires de police élus. **1796** création du *ministère de la Police générale.* **An VIII (1800)** arrêté consulaire du 12 messidor et loi du 28 pluviôse créent *Préfecture de Police* de Paris ; *commissaires de police* dans villes de + 5 000 h. **1837** Direction de la Pol. générale. **1851** police de Lyon étatisée. **1907** *brigades mobiles* (précurseur de la direction centrale de la police judiciaire) par Clemenceau, min. de l'Intérieur. **1908** police de *Marseille* étatisée. **1934** (avril) *Sûreté nationale* créée. **1941** (loi du 23-4) police des communes de + de 10 000 h. étatisée et transfert des compétences des maires aux préfets. **1944** création des *Compagnies républicaines de sécurité (CRS)* et *Direction de la surveillance du territoire (DST).* **1951** définition des missions dévolues aux *Renseignements généraux.* **1961** Service de coopération technique internationale de la police (SCTIP) créé. **1966** (loi du 9-7) Police nationale créée. **1969** (29-9) Direction gén. de la pol. nat. créée dont dépendent désormais tous les services. **1985** (8-3) Sous-direction de la pol. technique et scientifique créée ; (15-11) nouvel uniforme créé par P. Balmain pour la Pol. nationale (corps urbain) : casquette plate et blouson remplacent képi et vareuse. **1987** affectation des 1ers appelés du contingent comme auxiliaires. **1990** (1-5) 1re expérience de départementalisation de la Pol. nat. dans 5 départements pilotes. **1992** (20-2) Direction centrale de la police territoriale (DCPT) regroupe Pol. urbaines, RG, et Pol. de l'air et des frontières au sein d'une seule entité dans chaque département (généralisation à l'ensemble du territoire fin 1992).

■ **Nombre d'habitants par policier.** Espagne 205, Italie 215, Grèce 257, *France 271,* Belg. 303, Lux. 330, P.-Bas 340, Dan. 365, G.-B. 380, Suède 400, Canada 470.

☞ En France (au 1-1-1992) il y avait 115 302 policiers et 93 683 gendarmes.

Organisation

Direction générale. *Dir. gén. :* Edouard Lacroix (2-6-1936) dep. 1993.

Directions d'administration centrale

I) Dir. du personnel et de la formation de la police.

II) Dir. de la logistique. Autonome depuis 1985, assure la réalisation du plan de modernisation adopté 7-8-1985 et gère les équipements matériels.

Directions et services actifs spécialisés

■ **I) Inspection générale de la police nationale (IGPN).** *Créée* oct. 1986 par intégration de l'IGS (police des polices), de la Préf. de Police de Paris en tant que sous-direction déconcentrée ayant compétence sur Paris et la petite couronne, et des délégations de Lyon et Marseille. *Missions :* assure le contrôle et la discipline, réalise des études pour optimiser l'emploi des personnels et des matériels. *Effectifs :* 1 directeur, 9 hauts fonctionnaires, 19 commissaires, 13 inspecteurs, 4 commandants ou officiers, 2 gradés ou gardiens, 11 administratifs.

Faits dénoncés (dossiers réglés en 1989) : 1 443. **Atteintes aux personnes :** 419 dont blessures volontaires 1, violences, coups et blessures volontaires 314, homicides involontaires 1, viols 2, attentats-outrages à la pudeur 20, proxénétisme 1, menaces 11 ; **aux biens :** 298 dont vol et recel 222, faux et usage de faux 9, escroqueries 19, chèques sans provision 5, corruption, trafic d'influence 25, dégradation volontaire 23. **Fautes d'ordre professionnel :** 515 dont incorrection et insulte 34, usage irrégulier de l'arme administr. 13, abus d'autorité 20, arrestation et détention arbitraire 14, armes personnelles, détention, usage irrégulier 14, discriminations 6. **Incidents de vie privée** (95)[1] 118 dont différends, violences avec conjoint 20[1] ; fréquentations scandaleuses 4[1] ; ivresse publique, alcoolisme hors service 7[1] ; dettes impayées 11[1]. **Autres :** 93 dont conduite en état d'ivresse 29, délit de fuite 2[1], défaut d'assurance auto 2[1], infraction à la législ. sur les armes 10. Sur 1 306 dossiers réglés en 1987 la justice est intervenue 58 fois. En 1987, 54 fonctionnaires de police ont quitté l'Administration (radiés, licenciés ou révoqués). Sur 30 720 personnels du SGAP de Paris, tous corps confondus, 3,3 % ont été sanctionnés en 1987. Pour l'ensemble de la police nationale 2,6 % (sur 121 102). Sur l'ensemble des dossiers traités en 1989, 1 126 l'ont été par l'IGS (SGAP de Paris : 75, 92, 93, 94).

Nota. – (1) 1987.

■ **II) Direction centrale de la police judiciaire.** 4 sous-directions. *Affaires criminelles :* composée de 5 offices centraux de répression (banditisme, traite des êtres humains, vols d'œuvres et objets d'art, trafic illicite des stupéfiants, trafic des armes, munitions, produits nucléaires biologiques et chimiques). *Affaires économiques et financières :* 2 offices centraux de répression (faux monnayage, contrefaçons des sceaux de l'État, grande délinquance financière). *Police technique et scientifique :* fichiers des personnes recherchées, des véhicules volés ; laboratoires interrégionaux de police scientifique (5). Mission : sous le contrôle de l'autorité judiciaire, contrôle et assure la lutte contre le crime organisé. *Ressources et Liaisons :* (BCN-Interpol, relations internationales ; statistiques de la criminalité et de la délinquance, conception des programmes PJ 2000).

■ **III) Direction centrale de la police territoriale.** *Créée* 20-2-1992 (départementalisation dans 5 départements pilotes). *Effectifs prévus :* 75 000 fonctionnaires. *A) Sous-direction de l'organisation et des moyens :* gère et contrôle personnels et matériels affectés. *B) Services centraux.* 1°) **Renseignements généraux. 3 sous-directions :** *a) Analyse et synthèse :* rassemble les informations d'ordre politique, économique et social utiles au Gouvernement. *b) Recherche :* recueille les renseignements nécessaires à la prévention des atteintes à l'ordre et à la sécurité publics. *c) Courses et jeux :* police des champs de courses et des établissements de jeux. **Effectifs** (au 1-5-1993) : 2 995 dont 1 directeur, 3 hauts fonctionnaires, 203 commissaires, 1 699 inspecteurs, 364 enquêteurs, 23 gradés et gardiens, 688 administratifs répartis dans 23 directions régionales et 103 services intégrés des directions départementales. 800 fonctionnaires affectés à la direction des RG de la Préf. de Police de Paris.

2°) **Polices urbaines. 2 sous-directions :** *a) Sécurité urbaine :* action préventive, protection sociale, lutte contre la délinquance et la toxicomanie. *b) Police administrative :* suit les tâches liées à l'ordre public, aux activités réglementaires et à la circulation routière. Implantée dans 1 600 communes, elle assure la sécurité de 29 millions de personnes dans 477 circonscriptions de Police urbaine, constate à elle seule 55 % des délits enregistrés sur le territoire (Paris exclu). **Effectifs** (au 1-4-1993) : 1 dir., 6 hauts fonctionnaires, 655 commissaires, 5 928 inspecteurs, 1 506 enquêteurs, 628 commandants et officiers, 51 136 gradés et gardiens, 3 022 policiers auxiliaires, 4 536 administratifs. **Activités** (1989). *Judiciaire :* crimes et délits constatés 1 896 402 (21,43 % élucidés), personnes placées en garde à vue 160 080, 2 851 îlots surveillés par 3 804 îlotiers, 685 fonctionnaires spécialisés (maîtres-chiens, moniteurs, dresseurs), 133 véhicules, 338 chiens formant 76 unités. 1 508 policiers de 170 brigades de surveillance nocturne ont appréhendé 36 759 personnes en flagrant délit et découvert 5 481 véhicules volés. 1 715 194 opérations de police secours hors accidents enregistrées. *Circulation routière :* 4 252 631 infractions constatées, 289 847 véhicules contrôlés (64 090 en infraction). Les 1 574 policiers des unités motocyclistes avec 996 motos ont parcouru 10 870 379 km.

3°) **Police de l'air et des frontières. 2 sous-directions :** *a) Circulation transfrontières :* veille au respect de la réglementation du franchissement des frontières, met en œuvre les mesures de sûreté du transport aérien et assure la police aéronautique. *b) Maîtrise des flux migratoires :* recueille, centralise et

Armes utilisées dans la police. Armes de poing : *pistolets 7,65 mm* (Unique, Herstal FN 10 et FN 22) ; *9 mm parabellum* (MAC 50, Walther P 38, CZ 75, Beretta) ; *11,43 mm* (COLT 45 mod. 1911). *Revolvers 9 mm,* 38 spécial, 357 magnum (Manurhin RMR 73) ; *38 sp. 357 mag.* (Smith and Weston) ; *38 sp. et 357 mag.* (Ruger, Manurhin, Spécial police). **Armes d'épaule :** *pistolets mitrailleurs* (MAT 49 et 49/54 9 mm) ; *fusils mitrailleurs* (arsenaux d'État, Tulle, Châtellerault, St-Étienne) (mod. 24/29 7,5 mm) ; *fusils lance-grenades* (MAS 36/51 7,5 mm, MAS 49/56 7,5 mm, HK 33 5,56 mm) ; *mousquetons* (MAS 92/16 8 mm, Ruger AMD 5,56 mm, MAS 92/16 transformé 22 LR) ; *carabines* (Steyr 7,62 mm, Herstal BAR cal. 7,62 mm, Unique cal. 22 L.R.)

diffuse les informations de nature à lui permettre de lutter contre les filières d'immigration, l'usage de faux documents de voyage et le travail clandestin. **Effectifs :** 1 directeur, 2 hauts fonctionnaires, 78 commissaires, 697 inspecteurs, 191 enquêteurs, 76 commandants et officiers, 4 261 gradés et gardiens, 358 auxiliaires. **Activité** (1989) : surveillance des frontières (3 035 maritime, 2 875 terrestre), contrôle permanent de 51 aéroports ouverts au trafic international. 264 021 319 passagers internationaux contrôlés.

■ IV) Direction de la surveillance du territoire (DST). **Mission :** a la charge exclusive, sur les territoires relevant de la souveraineté française, de lutter contre les activités inspirées, engagées ou soutenues par des puissances étrangères de nature à menacer la sécurité du pays. **Effectifs :** 1 préfet directeur, 4 hauts fonctionnaires, 84 commissaires, 461 inspecteurs, 92 enquêteurs, 2 commandants et officiers, 84 gradés et gardiens.

■ V) Compagnies républicaines de sécurité (CRS). **Historique : 1936** expérience en S.-et-O. des GMR. **1941** généralisation à l'ensemble de la Fr. **1944**-*8-12* dissolution des GMR et création des CRS placées sous les ordres des secrétariats généraux pour la Police, 70 Cies dans les 20 régions (personnels d'exécution recrutés localement). **1947** grèves et troubles insurrectionnels, le gouv. Schuman et son min. de l'Int., Jules Moch, font voter le 27-12 une loi réduisant le nombre de Cies à 60. **1948**-*26-3* décret, fait des CRS les réserves gén. de la Police d'État. **1954** rébellion algérienne, 19 Cies créées en Algérie, dirigées par un groupement central installé à Alger. **1962** ces Cies rentrent en France et reçoivent une affectation métropol. **1963** effectifs 15 000, 10 groupements (Paris-Ile-de-Fr., Lille, Rennes, Bordeaux, Toulouse, Metz, Dijon, Lyon, Marseille, Tours), 60 Cies (actuellement 63) + Guadeloupe (dep. 1948) et Réunion (1949). **1977** (décr. 28-12) création du service central des CRS.

Moyens (en 1993) : 49 commissaires, 486 commandants et officiers, 13 069 gradés et gardiens. Chaque Cie (230 h.) comprend : 1 section de commandement et des services (30 h.), 4 sections de service général (45 h. chacune, organisées en 4 brigades par section), 1 section motocycliste (1 à 3 pelotons). Des Cies ont 1 à 2 sections de montagne. 1 Cie implantée à Vélizy, à la disposition du Service des voyages officiels, comprend 1 section moto chargée des escortes officielles ; la musique de la Police nationale (130 musiciens) lui est rattachée.

Missions : unités mobiles, participant au maintien de l'ordre, à la police générale et des autoroutes, surveillance des plages, sauvetage en montagne.

Activités (en 1992) : *police de la route :* autoroutes surveillées 1 570 km, accidents corporels constatés 3 506 (261 †, 5 290 bl.) ; *plages :* réanimations 91, interventions baigneurs 1 977, opérations sauvetage 1 826, postes de secours 370[1], maîtres nageurs sauveteurs 692 ; *montagne :* interventions 698 (52 †, 447 bl., 179 assistés). *Renfort PAF :* 6 Cies. *Service des voyages officiels :* 1 Cie en renfort. Préf. de Police de Paris (secr. gén.) 12 ; 7 Cies.

Nota. – (1) 1987.

■ VI) Service central des voyages officiels et de la sécurité des hautes personnalités. 319 fonctionnaires de tous grades au 1-4-1993.

■ VII) Service de coopération technique internationale de police (SCTIP). Formation professionnelle des policiers étrangers à la demande des États. 41 représentations dans le monde, relations avec 61 autres États. 151 fonctionnaires de tous grades au 1-4-1993.

OIPC-Interpol (Organisation internationale de police criminelle). *Créée* 1923 à Vienne, contrôlée par les Nazis de 1938 à 1945. *Pays membres :* 150. *Pt :* Ivan Barbot (n. 5-1-1937), élu 23-11-88 pour 4 ans, *siège* 50, quai Achille-Lignon, 69006 Lyon. *Mission :* sous le contrôle de l'autorité judiciaire met en application l'article 14 du CPP. *Effectifs au 1-1-88 :* 1 directeur central, 3 contrôleurs généraux, 219 commissaires, 2 010 inspecteurs, 412 enquêteurs, 12 gradés et gardiens, effectifs PJ de la Préf. de Police de Paris et 371 fonct.

Services rattachés au cabinet du Directeur général

Uclat (Unité de lutte antiterroriste). *Créée* 8-10-1984 sous l'autorité du Directeur général de la Police nationale. Emploie une section spécialisée de l'Unité de recherche, d'assistance, d'intervention et de dissuasion (Raid). Gère les antennes en France des services allemands, britanniques, espagnols et italiens chargés de la lutte antiterroriste et les détachements de policiers français dans les pays visés par des accords bilatéraux de coopération dans le domaine du terrorisme (Allemagne, Espagne, G.-B., Italie...). Coordination assurée par le Conseil national de sécurité présidé par le Premier ministre et le Comité interministériel de lutte antiterroriste (Cilat) présidé par le min. de l'Intérieur.

Raid. *Créé* 1985. *Effectifs :* 85 personnes (28 civils, 57 en tenue).

Préfecture de Police de Paris

Intégrée au sein de la Police nat. dep. 1969, placée sous l'autorité d'un préfet sous le contrôle du ministre de l'Intérieur. **Missions :** autorité sur tous les services de police dans le ressort de Paris, y exerce les pouvoirs de police municipale conférés en régime de droit commun aux maires (circulation, hygiène, sécurité) et de police gén. conférés aux préfets : préfet de la zone de défense de Paris (régions de Paris et centre). **Moyens** (au 1-1-1992), *Paris intra-muros :* 20 696 fonct. (dont : 22 directeurs et contrôleurs généraux, 263 commissaires, 2 910 inspecteurs, 949 enquêteurs, 293 C^dts^ et off. de paix, 14 494 gradés et gardiens) répartis sur 20 commissariats d'arrondissement, 54 c. spéciaux de gare, le parquet du Tribunal de Police, 6 divisions de police judiciaire, les brigades criminelles, des mineurs, des stupéfiants et du proxénétisme (BSP), de répression du banditisme (BRB), de recherche et d'intervention (BRI), 1 unité cynophile de 55 personnes, 30 chiens (15 affectés aux patrouilles et au pistage, 9 spécialisés dans recherche d'explosifs, 6 de stupéfiants), les 10 cabinets de délégation judiciaire, les Renseignements généraux de la Préf. de Police, l'Inspection gén. des services (IGS) et l'École nat. de Police de Paris.

☞ Bordeaux, Lille, Lyon, Marseille, Nice, Corse, Pyr.-Atlantiques. Préfets délégués n'exerçant pas les pouvoirs étendus alloués au préfet de police de Paris.

■ Effectifs

■ Total. **Effectifs budgétaires** (1993). *Personnels actifs* 129 112 (*1968 :* 84 684 ; *73 :* 97 876 ; *75 :* 101 581 ; *82 :* 108 316 ; *83 :* 110 153 ; *85 :* 110 182 ; *92 :* 125 553) ; *agents administratifs :* 10 870.

■ Personnel en civil. **Effectifs** (au 1-4-1993). Total : 21 416 dont *hauts fonctionnaires :* 74, *commissaires :* 2 112. *Inspecteurs :* 15 535. *Enquêteurs :* 3 769. **Recrutement sur concours :** enquêteurs (BEPC), inspecteurs (bac), commissaires (licenciés). **Rôle :** commissaires, inspecteurs principaux et divisionnaires, inspecteurs titulaires depuis + de 2 ans sont *officiers de police judiciaire (OPJ).* Ils peuvent, par exemple, procéder à des auditions, perquisitions et saisies, garder à vue un citoyen 24 ou 48 h, ordonner le feu après sommations en cas d'émeute, etc. Les autres fonctionnaires sont tous *agents de police judiciaire (APJ).* Ils assistent les OPJ, leur rendent compte, constatent les infractions par procès-verbal. Les *inspecteurs* peuvent effectuer des enquêtes préliminaires et recueillir les déclarations par procès-verbal.

■ Personnel en tenue. **Effectifs** (au 1-4-1993, gradés et gardiens) : 89 219 dont *commandants et officiers* 1854. Tous sont affectés : dans les corps urbains de province (env. 47 000) ; à la préfecture de Police (env. 16 000) ; dans les compagnies républicaines de sécurité (CRS).

Nota. – Des agents de formation ou d'instruction (ou spécialistes) sont détachés dans divers pays dans le cadre du SCTIP (voir ci-dessus). Du personnel (PJ) est délégué à *Interpol.*

■ Recrutement. **1971 :** 62 000 candidats, 20 000 stagiaires admis. **75 :** 26 223 c., 8 722 ad. **81 :** 31 061 c., 4 849 ad. **82 :** 43 711 c., 7 002 ad. **83 :** 78 978 c., 4 841 ad. **84 :** 88 575 dont : 565 c. commissaires (taux de sélection 1/92), 4 786 c. inspecteurs (1/23), 854 officiers de police (1/13), 55 000 gardiens (1/17), 27 370 personnel administratif (1/32).

Taux de sélection au concours de gardiens de la paix : **1975 :** 1/3 ; **81 :** 1/6.

■ Effectifs féminins (1-2-1993). 15 373 dont commissaires 184, chefs inspecteurs divisionnaires 4, inspecteurs div. 78, principaux 272, inspecteurs 1 022, enquêteurs 390, gardiens de la paix 5 086, personnel adm. 8 157.

■ Effectifs des policiers par villes (1-10-1985). Paris 16 249, Marseille 3 224, Lyon 2 836, Bordeaux 1 489, Lille 1 353, Strasbourg 788.

■ Policiers suspendus. *1989 :* 151 dont 130 gardiens de la paix, 13 insp. et 1 commissaire. *1990 :* 144 dont 117 gardiens, 19 insp., 1 commissaire, 1 officier de paix et 6 enquêteurs.

■ Policiers tués en service. *1985 :* 18 ; *86 :* 12 ; *87 :* 8 ; *89 :* 10 ; *90 :* 14 ; *91 :* 2 femmes.

■ Violences mortelles infligées par des policiers ayant utilisé leur arme de service. *1988 :* 11 ; *89 :* 4 ; *90 :* 4 ; *91 :* 8 ; *92 :* 8. Dans 2 cas sur 3 les policiers étaient en état de légitime défense.

■ Service national dans la Police. Dep. oct. 1986, possible comme gardiens de la paix auxiliaires. Formation spécifique à l'École nat. de Police de Fos-sur-Mer, puis affectation en Police urbaine dans les grandes villes, au Service central de la Police de l'air et des frontières, dans les Cies autoroutières de CRS. **Effectifs** (en 1993) : 4 141.

■ Syndicats (principaux). **FASP** (Féd. autonome des syndicats de pol. [dont le SNPT (Synd. national de la police en tenue)]. Proche du PS. *Secr. gén. :* Daniel Lavaux. **FNAP** (Féd. autonome de la Police), *créée* oct. 1990. **FPIP** (Féd. interprof. indépendante de la pol.). **SCHFP** (Synd. des commissaires et des hauts fonctionnaires de la police nationale), adhère à la FNAP. **SCO** (Synd. des C^dts^ et officiers). *Pt :* Pascal Benitez. **SNAPC** (Synd. nat. autonome des pol. en civil). *Secr. gén. :* Alain Brillet. **SNAT** (Synd. nat. autonome de la tenue) *créé* 1992. **SNEP** (Synd. nat. des enquêteurs de police). *Secr. gén. :* Claude Thomas. **SPPT** (Synd. parisien des policiers en tenue) *créé* 1992. **USCP** (Union des synd. catégoriels de pol.). *Secr. gén. :* Rémy Halbwax.

Résultats des élections (en %). Gardiens et gradés FASP *1978 :* 66,97 ; *82 :* 57 ; *85 :* 53. USCP *78 :* 19,28 ; *82 :* 21,93 ; *85 :* 6,93. FPIP *78 :* 0,82 ; *82 :* 2,83 ; *85 :* 5,2. CFTC *78 :* 2,34 ; *82 :* 3,27 ; *85 :* 2,19. CFDT *78 :* 1,26 ; *82 :* 3,61 ; *85 :* 1,07. CGT *78 :* 4,48 ; *82 :* 5,02 ; *85 :* 1,41. **Inspecteurs** SNAPC *78 :* 74,52 ; *82 :* 68,20 ; *85 :* 59. FO *78 :* 10,51 ; *82 :* 14,54 ; *85 :* 16. CGC *82 :* 2,27 ; *85 :* 9,8. CFTC *78 :* 6,22 ; *82 :* 8,79 ; *85 :* 7,5. FPIP *85 :* 4,69. CFDT *78 :* 8,32 ; *82 :* 4,48 ; *85 :* 2,11. CGT *82 :* 1,72 ; *85 :* 0,47. **Enquêteurs** SNAPC *80 :* 62,63 ; *84 :* 45,14. **Commandants et officiers** SCO *84 :* 49,64. **Personnels administratifs et techniques** SNIPAT *84 :* 67,12 ; *85 :* 28,91. FO *78 :* 6,48 ; *82 :* 6,17.

■ Budget

Police nationale (1991). Crédits de paiement (en millions de F) 24 483 (*85 :* 17 075), dont personnel 23 476,7 (*85 :* 15 756), équipement 1 006,3 (*85 :* 1 319). *Créations d'emplois : 1982 :* 5 617 ; *83 :* 2 687 ; *90 :* 1 325.

Contribution aux dépenses de fonctionnement de la police. Montant : Voir Quid 1983 p. 1625.

La loi du 2-3-1982 a supprimé, à compter du 1-1-1982, la contribution communale aux dépenses de police dans les communes où a été instituée une police d'État (en 1982, 680 communes de + de 10 000 hab. sur 767, + nombreuses communes urbaines périphériques plus petites). Le régime de police d'État est de droit si le cons. mun. le demande, dans les communes dotées d'un corps de pol. mun. qui réunissent les conditions prévues (effectifs et qualifications professionnelles ou seuil dém.).

■ Police municipale

Statut. **Statistiques. Communes** (métropole) 36 394 dont *étatisées* 1 765 [dont, disposant d'une police municipale 591 (policiers municipaux 2 186)] ; *non étatisées* 25 disposant d'un corps de police municipale dirigée par des policiers d'État (62 policiers d'État y sont détachés). **Effectifs de la police municipale (au 8-10-1984) :** 14 413 (avec Dom-Tom) personnes dont 5 217 gardiens de police (dont 558 g. principaux), 1 322 gradés (dont brigad.-chefs principaux 220, brigad.-chefs 244, brigadiers 858), 7 874 gardes champêtres à temps complet ou partiel (en 1977, 9 362 dont 7 881 dans les communes de moins de 2 000 h.). Au 1-1-1988, 708 communes dépendant de 345 des 477 circonscriptions de police urbaine employaient + de 5 000 agents. *Villes aux plus*

Groupes d'autodéfense. Les lois du 1-7-1901 et du 10-1-1936 les interdisent et prévoient des sanctions pénales. En 1969 à St-Priest (Rhône) et en 1972 à St-Georges-d'Orques (Hérault), des milices communales avaient été créées par arrêté municipal. Dans les 2 cas, l'arrêté a été annulé par l'autorité préfectorale et la milice dissoute.

Polices privées. Elles ne sont régies par aucun texte législatif ou réglementaire et n'ont pas juridiquement qualité pour se comporter comme un agent des pouvoirs publics. Un policier privé ne peut, par ex., exiger la présentation de papiers d'identité, procéder à une fouille ou interroger un suspect. S'il est armé, il ne peut utiliser son arme qu'en cas de légitime défense, sous peine de s'exposer à des poursuites pénales pour coups et blessures ou homicide volontaire.

gros effectifs : Nice 193, Marseille 109, Cannes 91, Lyon 84.

Dans certains cas, un agent d'entretien de la voie publique assure les fonctions de garde champêtre.

Gendarmerie nationale

Généralités

■ Historique. *Maréchaussée* (dépendait des maréchaux de France) : **1536** police militaire, joue le rôle des prévôtés modernes. Chargée également de la protection des civils dans les zones des armées. **1720** étendue à tout le territoire (une maréchaussée par généralité). **1791** appelée *gendarmerie*.

■ Missions. Force de police à statut militaire relevant du ministère de la Défense, instituée pour veiller à la sûreté publique (elle garantit la protection des personnes et des biens, renseigne, alerte et porte secours) et pour assurer le maintien de l'ordre et l'exécution des lois. Par ailleurs, elle participe à la défense militaire de la nation. Son action s'exerce sur l'ensemble du territoire national (métropole et outre-mer) ainsi qu'aux armées, au profit de tous les départements ministériels et plus spécialement de ceux de la Défense, de l'Intérieur et de la Justice.

■ Organisation (1992). *Gendarmerie départementale : unités territoriales* (3 644 brigades, 163 pelotons de surveillance et d'intervention, en principe, 1 compagnie par arrondissement et 1 groupement par département) et *spécialisées :* pelotons motocyclistes, unités d'autoroute, unités de montagne et de haute montagne, unités d'hélicoptères, sections et brigades de recherches. *Gendarmerie mobile* articulée en escadrons. *Garde républicaine* (services d'honneur et de sécurité à Paris). *Groupement de sécurité et d'intervention de la Gend. nat.* [comprend le Groupe d'intervention, l'Escadron parachutiste d'intervention de la Gend. nat. et le Groupe de sécurité de la présidence de la République (GSPR)].

Toutes les unités de gendarmerie d'une circonscription de défense sont placées sous l'autorité d'un général.

■ Statistiques. **Effectifs** (1993) : 96 714 dont 2 748 officiers, 79 813 sous-officiers, 12 565 gendarmes auxiliaires dont 143 officiers de réserve, 605 pers. mil. de la spécialité « EAEM », 983 civils.

Gendarmes tués en service : *1981 :* 22 ; *82 :* 18 ; *83 :* 17 ; *84 :* 25 ; *85 :* 25 ; *86 :* 23 ; *87 :* 17 ; *88 :* 19 ; *89 :* 23 ; *90 :* 10 ; *91 :* 8 ; *92 :* 16. **Blessés :** *1981 :* 1 277 ; *82 :* 1 325 ; *83 :* 1 481 ; *84 :* 1 615 ; *85 :* 1 448 ; *86 :* 1 387 ; *87 :* 1 299 ; *88 :* 1 316 ; *89 :* 913 ; *90 :* 775 ; *91 :* 853 ; *92 :* 884.

Candidats à l'engagement : *sous-officiers : 1980 :* 13 180 ; *84 :* 20 539 ; *85 :* 17 923 ; *86 :* 19 822 ; *87 :* 19 478 ; *88 :* 14 598 ; *89 :* 17 181 ; *90 :* 14 737 ; *91 :* 15 509 ; *92 :* 22 955. *Candidatures féminines* (dep. 1983) : *1983 :* 1 790 ; *84 :* 2 806 ; *85 :* 3 247 ; *86 :* 4 007 ; *87 :* 3 718 ; *88 :* 1 012 ; *89 :* 3 814 ; *90 :* 2 750 ; *91 :* 2 462 ; *92 :* 4 858. *Gend. auxiliaires : 1980 :* 3 461 ; *83 :* 20 743 ; *84 :* 18 761 ; *85 :* 18 479 ; *86 :* 17 048 ; *87 :* 16 102 ; *88 :* 15 180 ; *89 :* 14 530 ; *90 :* 14 397 ; *91 :* 18 004 ; *92 :* 26 569.

Retraités de la gendarmerie (au 31-12-1992) : 64 414 et 33 306 veuves de gend.

Casernes : 4 220 (offrant 66 892 logements).

Écoles

■ École des officiers. A Melun dep. 1945. *Officiers de gendarmerie recrutés en 1992 :* 146 au total. Grandes éc. mil. : 15 (ESM : 12, éc. de l'Air : 2, éc. navale : 1) ; officiers de réserve sur titre : 4 ; capitaines des 3 armées : 21 ; éc. de form. des off. de gend. : 106 (off. de réserve : 20, s.-off. bacheliers : 42, s.-off. + 10 ans de service : 44).

■ Écoles de sous-off. de gendarmerie. A Chaumont, Châtellerault, Montluçon et Le Mans. *Recrutement :* au long de l'année. *Engagements* à partir de 18 ans et avant 36 ans. 3 000 emplois pour un niveau BEPC ou plus. Dossiers à déposer à la brigade de gendarmerie du domicile. *Hiérarchie des sous-off. :* gendarme, maréchal des logis-chef, adjudant, adjudant-chef, major. Les sous-off. les plus brillants peuvent devenir off. *Limite d'âge des s.-off. de la gend. :* 55 ans (sauf major : 56 ans).

■ Centres d'instruction de gendarmes auxiliaires. A Auxerre, Melun, St-Astier-Bergerac, Tulle. Centre national d'instruction du ski et de l'alpinisme (Chamonix), Centre d'instruction nautique (plongeurs Antibes), Centre de formation des maîtres de chien (Gramat), Centre de perfectionnement de la police judiciaire (Fontainebleau).

Rôle

■ Police judiciaire. Exercée, dans chaque ressort de trib. de grande instance, sous la direction du procureur de la République. Relève du min. de la Justice. Constate les atteintes à la loi pénale (crimes, délits et contraventions), rassemble les preuves, recherche les auteurs (flagrant délit et hors flagrant délit). Exécute les délégations des juges d'instruction (commissions rogatoires) et les réquisitions des magistrats. **Effectifs.** 18 000 officiers, gradés et gendarmes sont officiers de police judiciaire, ils exécutent des enquêtes de flagrant délit ou sur commission rogatoire. Les autres gendarmes sont **agents de police judiciaire** et effectuent des enquêtes préliminaires. **Organisation.** *Brigades de recherches* (222) et *sections de recherches* (30) se consacrent exclusivement à la police judiciaire. Dans chaque département équipe de techniciens en identification criminelle. *Service technique de recherches judiciaires et de documentation* et *institut de recherche criminelle* fonctionnent à l'échelon central (information, analyses et examens scientifiques). *Centre de perfectionnement de police judiciaire* forme et recycle les spécialistes. **Statistiques (1992). Crimes et délits constatés :** 1 063 141.

■ Police administrative. Maintien de l'ordre et de la tranquillité publique. Caractère essentiellement préventif. Relève du min. de l'Intérieur.

■ Police militaire. Surveillance des installations militaires et des mil. isolés, police de la circulation mil., police judiciaire mil. (pour les infractions au Code de justice mil.). Missions de défense : participe à l'administration des réserves et à la préparation de la mobilisation des armées, concourt à la sécurité des moyens de la force nucléaire stratégique, participe aux opérations militaires en cas de mise en œuvre de la défense opérationnelle du territoire (notamment garde des points sensibles civils importants et intervention immédiate).

■ Police de la route. *Actions préventives :* sécurité routière, éducation routière scolaire, information des usagers, surveillance du trafic. *Actions répressives :* relevé des infractions graves génératrices d'accidents (alcool, vitesse, priorités...), infractions au temps de conduite (PL), non-port des équipements de sécurité... *Interventions urgentes :* aide et assistance aux automobilistes, constatation des accidents corporels de la circulation. *Divers :* service d'ordre, escortes (convois, courses cyclistes...). *Effectifs :* 57 240 militaires dont 6 927 gendarmes auxiliaires. *Gendarmerie départementale :* 93 pelotons motorisés (4 064 militaires dont 3 464 motocyclistes), 27 escadrons de gendarmerie d'autoroute (3 423 militaires dont 1 300 motocyclistes). *Gendarmerie mobile :* 14 brigades motorisées créées 1990 (210 militaires motocyclistes).

■ Concours aux administrations de l'État. Pour l'application de la réglementation, l'exécution d'enquêtes, la recherche et la diffusion de renseignements divers. S'intègre dans les plans d'assistance et de secours (ex. plan Orsec, voir Index), en liaison avec le service nat. de la sécurité.

■ Gendarmerie de l'air. **Créée** à Alger le 15-9-1943. **Effectifs :** active 794 ; 342 gendarmes auxiliaires, en 5 groupements et 62 brigades.

■ Gendarmerie maritime. **Créée** 1791 comme g. des ports et arsenaux, remonte à une compagnie « d'archers de la Marine » dont l'existence est attestée depuis 1337. **Missions.** Police propre aux 100 000 personnes (civils et militaires) fréquentant arsenaux et établissements de la Marine nationale. **Spécialisations.** Brigades des grands ports, service d'ordre des arsenaux, brigades de recherches, brigades d'affaires mar., postes d'outre-mer, services saisonniers à bord des vedettes de sauvetage, opérations ponctuelles à bord d'unités de la Marine nationale, services semi-permanents en zones de pêche. **Effectifs** (1993) : active 930 ; 276 gendarmes auxiliaires.

■ Garde républicaine. **Créée** 1813 avec des vétérans des unités de gendarmes rapatriés d'Espagne, transformée 1816 en « Gendarmerie royale de Paris » (elle se rattache aux anciens « archers du guet » qui faisaient la police à Paris depuis 1254, mais elle a été séparée des « sergents de ville », c'est-à-dire des policiers, en 1830). **Missions :** services d'honneur ; sécurité des établissements publics (Élysée, Palais-Bourbon, etc.) ; escortes et service d'ordre ; missions de police de la route (motocyclistes), prestige (concerts, démonstrations). **Organisation :** commandée par un général : 1 rég. de cavalerie (3 escadrons à cheval) ; 2 rég. d'infanterie ; 1 escadron motocycliste ; des formations spéciales (musique, batterie-fanfare, fanfare de cavalerie, chœur de l'armée française). **Effectifs** (1993) : active 2 919 ; 240 gend. auxiliaires.

> **Ministère de l'Intérieur**
>
> **Effectifs réels** (1991). *Personnels :* 165 907. *Police nationale :* 128 400 dont 41 905 fonctionnaires, 113 150 personnels actifs, 4 141 appelés du contingent, 9 588 personnels administratifs. *Administration territoriale :* 26 190 dont 594 membres du corps préfectoral, 23 511 agents du cadre national des préfectures. *Personnels techniques et spécialisés :* 6 500. *Administration centrale :* 3 021. *Sécurité civile :* 232 181 dont 20 884 sapeurs-pompiers professionnels militaires (BSPP et marins-pompiers de Marseille), 202 847 volontaires (gérés par départements et communes, à la disposition de l'État pour la mise en œuvre des moyens opérationnels). **Total 562 242.**
>
> **Moyens matériels** (au 1-7-1991). *Police nationale :* 2 200 sites couvrant 2,3 millions de m², 156 hôtels de police, 1 284 commissariats et postes de police, 22 écoles et centres de formation. *Administration territoriale :* 600 sites, 1,5 million de m², 100 préfectures, 236 sous-préfectures d'arrondissement. *Administration centrale :* 10 localisations, 140 000 m² à Paris et petite couronne. *Moyens aériens de la Sécurité civile :* 28 avions, 35 hélicoptères, 19 bases. *Transmissions et informatique :* 16 000 terminaux.
>
> **Budget** (en milliards de F, 1993). 69,9 dont collectivités locales 26,1, police nationale 25,3, administration centrale 11,4, adm. territoriale 5,2, services communs 1,3, sécurité civile 1,2.

■ Gendarmerie des transports aériens. **Créée** 1946 pour la « surveillance des aérodromes ressortissant de la Direction générale de l'aviation civile ». **Effectifs** (1993) : active 640 ; 449 gend. auxiliaires.

■ Gendarmerie de l'armement. **Créée** 1973, 1 état-major et 3 Cies. **Effectifs** (1993) : active 278 ; 121 gend. auxiliaires.

■ Gendarmerie des forces françaises en Allemagne. **Effectifs** (1993) : active 239 ; 18 gend. auxiliaires.

■ Gendarmerie outre-mer. **Effectifs** (1993) : active 2 837 ; 299 gend. auxiliaires.

☞ L'art. 174 du décret du 20-5-1903, toujours en vigueur, fixe l'ouverture du feu par les gendarmes dans 3 circonstances : 1°) lorsque des violences ou des voies de fait sont exercées contre eux ; 2°) quand les lieux ou les personnes confiés à leur garde ne peuvent être défendus autrement que par l'usage des armes ; 3°) si la résistance opposée par autrui est telle qu'elle ne puisse être vaincue que par la force des armes.

> Bagne. De *bagna,* nom donné par les Italiens à la prison de Constantinople dont dépendaient des bains. **Origine. Avant 1748** les condamnés aux travaux forcés servent comme rameurs sur des galères. *Galériens à temps* (3, 5, 6 ou 9 ans) et à *perpétuité.* A bord, les condamnés étaient enchaînés à leur banc, contrairement aux engagés volontaires *(bonne vogue),* l'ensemble formant la *chiourme,* commandée par un *comite.* **1748** les galères sont réunies à la marine royale et les forçats internés dans des prisons côtières improvisées, ou sur des bâtiments hors service. *-27-8* 1er bagne à Toulon. **1750** Brest. **1767** Rochefort. Puis Nice, Lorient (fermé 1830) et le Havre (fermé 1789). **1810** les forçats traîneront un boulet et seront attachés 2 à 2 avec une chaîne de 9 maillons ; poids avec la manille env. 2 600 g (condamnés à perpétuité) ; désaccouplés après 4 ou 5 ans de bonne conduite, mis en chaîne brisée (manille + 3 maillons de chaîne pour être attachés la nuit). **1828** les condamnés à 10 ans de travaux forcés ou moins sont envoyés à Toulon ; au-delà, à Brest et Rochefort. **1837** suppression de la chaîne. Transport en voitures cellulaires. Transportation. *Décret du 27-3-1852 et loi de 1854* remplacent le bagne par les colonies (sauf Algérie). Seront vidés dans l'ordre : Rochefort, Brest, Toulon. *Destination :* Guyane : pour condamnés d'origine arabe ; Obock : originaires d'Afrique et Inde ; Gabon : Annamites et Chinois ; N.-Calédonie : Européens. **1867** transportation arrêtée en raison de la mortalité, sauf pour les condamnés issus des colonies (Antilles, Algérie). **1868** transportation en N.-Calédonie. **1872-78** 2 navires débarquent 4 400 « politiques » (communards). **1938** suppression de la transportation : dep. 1850, 100 000 condamnés auront été envoyés outre-mer [75 % † en Guyane (« guillotine sèche »)].

RÉGIONS FRANÇAISES

POPULATION (RECENSEMENT 1990)

SOURCE : INSEE

Régions	1851	1901	1936	1968	1990
Alsace	1 045 069	1 154 641	1 219 381	1 412 385	1 624 372
Bas-Rhin	608 325	659 432	711 830	827 367	953 053
Haut-Rhin	436 744	495 209	507 551	585 018	671 319
Aquitaine	2 210 714	2 270 755	2 155 138	2 460 170	2 795 757
Dordogne	505 789	452 951	386 963	374 073	386 354
Gironde	614 387	821 131	850 567	1 009 390	1 213 482
Landes	302 196	291 586	251 438	277 381	311 458
Lot-et-Garonne	341 345	278 740	252 761	290 592	305 988
Pyrénées-Atlantiques	446 997	426 347	413 409	508 734	578 475
Auvergne	1 491 599	1 510 787	1 291 067	1 311 943	1 321 214
Allier	336 758	422 024	368 778	386 533	357 710
Cantal	253 329	230 511	190 888	169 330	158 723
Haute-Loire	304 615	314 058	245 271	208 337	206 568
Puy-de-Dôme	596 897	544 194	486 130	547 743	598 213
Bourgogne	1 683 311	1 626 831	1 381 420	1 502 904	1 609 654
Côte-d'Or	400 297	361 626	334 386	421 192	493 867
Nièvre	327 161	323 783	249 673	247 702	233 278
Saône-et-Loire	574 720	620 360	525 676	550 364	559 413
Yonne	381 133	321 062	271 685	283 376	323 096
Bretagne	2 294 113	2 559 398	2 396 647	2 468 227	2 795 554
Côtes-d'Armor	632 613	609 349	531 840	506 102	538 423
Finistère	617 710	773 014	756 793	768 929	838 662
Ille-et-Vilaine	574 618	613 567	565 766	652 722	798 715
Morbihan	478 172	563 468	542 248	540 474	619 754
Centre	1 791 423	1 887 264	1 714 893	1 990 238	2 371 036
Cher	306 261	345 543	288 695	304 601	321 548
Eure-et-Loir	294 662	275 214	252 527	302 064	396 064
Indre	271 938	288 768	245 622	247 178	237 505
Indre-et-Loire	315 641	335 541	343 276	437 870	529 328
Loir-et-Cher	261 892	275 538	240 908	267 896	305 925
Loiret	341 029	366 660	343 865	430 629	580 601
Champagne-Ardenne	1 237 798	1 220 848	1 126 718	1 279 271	1 348 042
Aube	265 247	246 163	239 563	270 325	289 145
Ardennes	331 296	315 589	288 632	309 380	296 333
Marne	373 047	432 729	410 094	485 226	558 309
Haute-Marne	268 208	226 367	188 429	214 340	204 255
Corse	236 251	295 589	322 854	273 958	249 737
Corse-du-Sud	84 743	125 193	144 824	121 608	118 174
Haute-Corse	151 508	170 396	178 030	152 350	131 563
Franche-Comté	1 015 350	919 447	838 170	992 745	1 097 185
Doubs	296 759	298 953	304 892	426 458	484 770
Jura	313 199	261 179	220 704	233 441	248 759
Haute-Saône	347 989	267 011	213 077	214 396	229 659
Territoire-de-Belfort	57 403	92 304	99 497	118 450	134 097
Ile-de-France	2 239 925	4 735 819	6 785 913	9 248 631	10 660 600
Ville de Paris	1 277 064	2 714 068	2 829 753	2 590 771	2 152 333
Yvelines		270 228	428 166	854 382	1 307 145
Essonne		164 617	286 896	673 325	1 084 827
Hauts-de-Seine		467 391	1 019 627	1 461 619	1 391 314
Seine-Saint-Denis	617 785	307 329	776 378	1 249 606	1 381 169
Val-de-Marne		288 879	685 295	1 121 319	1 215 538
Val-d'Oise		164 982	350 487	693 269	1 049 598
Seine-et-Marne	345 076	358 325	409 311	604 340	1 078 145
Languedoc-Roussillon	1 413 856	1 564 775	1 504 284	1 707 498	2 114 971
Aude	289 747	313 531	285 115	278 323	298 712
Gard	408 163	420 836	385 299	478 544	585 049
Hérault	389 286	489 421	502 043	591 397	794 603
Lozère	144 705	128 866	98 480	77 258	72 814
Pyrénées-Orientales	181 955	212 121	233 347	281 976	363 793

Régions	1851	1901	1936	1968	1990
Limousin	927 318	978 006	798 176	736 323	722 791
Corrèze	320 864	318 422	262 743	237 858	237 859
Creuse	287 075	277 831	201 844	156 876	131 346
Haute-Vienne	319 379	381 753	333 589	341 589	353 586
Lorraine	1 645 282	1 754 135	1 866 147	2 274 441	2 305 791
Meurthe-et-Moselle	384 514	484 722	576 041	705 413	711 952
Meuse	328 657	283 480	216 934	209 513	196 344
Moselle	525 593	564 829	696 246	971 314	1 011 261
Vosges	406 518	421 104	376 926	388 201	386 234
Midi-Pyrénées	2 598 491	2 249 558	1 934 590	2 184 846	2 430 589
Ariège	267 435	210 527	155 134	138 478	136 483
Aveyron	394 183	382 074	314 682	281 568	270 054
Haute-Garonne	481 610	448 481	458 647	690 712	925 958
Gers	307 479	238 448	192 451	181 577	174 566
Lot	296 224	226 720	162 572	151 198	224 754
Hautes-Pyrénées	250 934	215 546	188 604	225 730	155 813
Tarn	363 073	332 093	297 871	332 011	342 741
Tarn-et-Garonne	237 553	195 669	164 629	183 570	200 220
Nord-Pas-de-Calais	1 853 179	2 823 874	3 202 632	3 815 946	3 965 058
Nord	1 158 885	1 867 408	2 022 436	2 418 165	2 531 855
Pas-de-Calais	694 294	956 466	1 180 196	1 397 781	1 433 203
Basse-Normandie	1 531 976	1 228 502	1 112 771	1 260 158	1 391 281
Calvados	491 225	410 193	404 916	519 716	618 468
Manche	600 882	491 372	438 539	451 939	479 630
Orne	439 869	326 937	269 316	288 503	293 183
Haute-Normandie	1 177 816	1 188 664	1 219 457	1 497 362	1 737 247
Eure	415 777	334 781	303 829	383 385	513 818
Seine-Maritime	762 039	953 883	915 628	1 113 977	1 223 429
Pays-de-la-Loire	2 283 332	2 357 515	2 166 910	2 582 866	3 058 901
Loire-Atlantique	535 664	664 971	659 428	861 452	1 052 109
Maine-et-Loire	516 197	515 431	478 404	585 563	705 869
Mayenne	374 566	313 103	251 348	252 762	278 016
Sarthe	473 071	422 699	388 519	461 839	513 614
Vendée	383 734	441 311	389 211	421 250	509 293
Picardie	1 531 532	1 479 695	1 353 648	1 578 508	1 810 622
Aisne	558 334	535 114	484 329	526 029	537 222
Oise	403 857	407 808	402 569	540 988	725 575
Somme	569 341	536 773	466 750	511 491	547 825
Poitou-Charente	1 493 079	1 480 498	1 343 247	1 480 502	1 595 871
Charente	382 912	350 305	309 279	331 016	342 268
Charente-Maritime	469 992	452 149	419 021	483 622	527 142
Deux-Sèvres	322 870	341 701	308 127	325 608	346 280
Vienne	317 305	336 343	306 820	340 256	380 181
Provence-Alpes-Côte-d'Azur	1 459 991	1 815 424	2 560 355	3 298 836	4 256 822
Alpes-de-Hte-Provence	152 070	115 021	85 090	104 813	130 883
Hautes-Alpes	132 038	109 510	88 210	91 790	113 272
Alpes-Maritimes	192 062	293 213	518 083	722 070	971 763
Bouches-du-Rhône	428 989	734 347	1 224 802	1 470 271	1 759 098
Var	290 214	326 384	398 662	555 926	814 731
Vaucluse	264 618	236 949	245 508	353 966	467 075
Rhône-Alpes	3 282 146	3 579 390	3 607 112	4 423 055	5 350 717
Ain	365 939	343 048	306 718	339 262	471 016
Ardèche	386 559	353 564	272 698	256 927	277 579
Drôme	326 846	297 321	267 281	342 891	414 072
Isère	578 297	544 223	540 881	767 678	1 016 227
Loire	472 588	647 633	650 226	722 443	746 288
Rhône	606 945	875 017	1 070 232	1 326 383	1 508 967
Savoie	275 459	254 781	239 115	288 921	348 312
Haute-Savoie	269 513	263 803	259 961	378 550	568 256
France métropolitaine	36 452 451	40 681 415	41 911 530	49 780 543	56 363 644

Emplois (en milliers, en février 1989)

	Total	Agric.	Industr.	BGCA [1]	Com. [2]	Services	Étud. [3]	Chômage [4] %
Alsace	635,6	22,0	188,8	43,8	82,8	298,1	39,3	6,7
Aquitaine	1 024,4	107,8	186,1	77,9	131,3	520,3	58,0	11,6
Auvergne	494,8	56,6	118,3	34,8	50,6	234,4	20,9	9,7
Bourgogne	612,2	54,9	150,8	43,1	73,6	289,6	20,7	10,2
Bretagne	1 023,5	129,1	196,8	76,4	121,7	499,4	50,0	10,2
Centre	912,2	76,8	238,7	70,7	105,1	427,9	29,6	10
Champ.-Ardenne	507,2	50,1	137,5	33,3	54,7	231,6	18,9	11
Corse	84,7	7,9	6,7	10,5	11,7	47,7	2,1	10,9
Franche-Comté	406,2	26,2	133,0	24,0	41,4	181,6	17,0	8,7
Ile-de-France	4 907,4	23,5	941,0	310,4	607,9	3 025,0	306,9	9,5
Languedoc-Rouss.	677,8	62,3	91,1	59,5	93,2	371,7	46,7	14,6
Limousin	274,0	39,4	55,5	18,8	30,0	130,2	11,0	8,7
Lorraine	789,9	31,7	221,3	53,7	86,6	396,5	42,6	9,5
Midi-Pyrénées	902,5	105,2	166,5	68,5	110,1	452,1	59,2	10,1
Nord-Pas-de-Calais	1 269,1	52,2	335,2	84,4	170,1	797,3	64,4	13,4
Basse-Normandie	536,9	70,4	120,8	39,0	62,8	243,8	20,9	10
Hte-Normandie	653,9	32,3	182,3	48,7	74,4	316,1	20,9	12,2
Pays de la Loire	1 160,5	126,3	284,8	88,7	129,7	531,0	42,0	11,3
Picardie	622,4	48,0	180,9	38,8	70,0	284,6	16,8	11
Poitou-Charentes	585,3	75,2	118,3	44,6	71,3	275,9	20,9	11,5
Prov.-C.-d'Azur	1 489,4	59,1	204,2	124,5	210,0	891,5	85,4	13,6
Rhône-Alpes	2 110,0	90,8	568,9	166,2	248,7	1 035,3	109,7	10,4

Nota. – (1) Bâtiment, génie civil et agricole. (2) Commerce. (3) Étudiants. (4) mars 1993.

Commerce extérieur (en 1992)

	Milliards de francs			Couverture en %			Dépenses		Dette
	Exp.	Imp.	Solde	Total	Prod. ind.	Prod. agr.	Milliards de F	% PIB	F/hab.
Alsace	84,1	76,4	+ 7,6	110	112,2	213,2	180,9	2,9	770,8
Aquitaine	45,1	29,4	+ 15,7	153,3	126,9	780,3	268,2	4,4	346,8
Auvergne	18,1	11,7	+ 6,3	154	139	392,6	115,7	1,9	706,2
Bourgogne	33,5	22,2	+ 11,4	151,2	126,6	751,2	154,4	2,5	467,9
Bretagne	33,9	27,2	+ 6,8	125	116,7	89,2	243,2	4,0	224,1
Centre	44,1	41	+ 3,1	107,5	101,5	409,8	235,2	3,8	76,3
Champagne-Ardenne	29,2	20,1	+ 9,1	145,4	90,5	826,5	139,0	2,3	363,6
Corse	0,2	0,4	– 2,7	36,7	11,2	675,3	18,8	0,3	1 292,9
Franche-Comté	38,6	19,1	+ 19,4	201,6	208,5	185,2	108,1	1,8	426,3
Ile-de-France	238,9	389,7	– 150,9	61,3	64,2	27,6	1 761,3	28,7	372,2
Languedoc-Roussillon	23,9	27,1	– 3,2	88,1	98,7	74,6	177,2	2,9	521,8
Limousin	4,9	4,3	+ 0,6	113,5	97,5	694,3	60,4	1,0	552,9
Lorraine	56,3	56,5	– 0,2	99,6	101,9	456,6	212,5	3,5	508,4
Midi-Pyrénées	701,4	403	+ 298,5	174,1	168,7	439,3	211,5	3,4	192,7
Nord-Pas-de-Calais	111,4	121,3	– 9,8	91,9	104,8	60,1	346,1	5,6	581,9
Basse-Normandie	17,9	16,8	+ 1,1	106,5	94,9	145,8	125,2	2,0	456,7
Haute-Normandie	74,9	72,6	+ 2,3	103,2	153	212,8	186,0	3,0	441,2
Pays de la Loire	45,5	48,4	– 2,9	94	101,7	248,9	286,7	4,7	280
Picardie	45,7	47	– 1,3	97,3	84,3	276,6	164,6	2,7	319,8
Poitou-Charentes	26,7	13,7	+ 13	195	102,2	634,3	138,4	2,3	467,6
Provence-C.-d'Azur	55,9	68,9	– 13	81,1	128,3	95,7	422,6	7,0	424,1
Rhône-Alpes	128,4	109,6	+ 18,8	117,2	117,2	223,2	573,6	9,3	761,5

Production agricole (en 1989)

	Blé		Orge		Maïs		Total prairies		Maïs fourrage	
	Prod. [1]	Rdt/ha [2]	Prod. [1]	Rdt/ha [2]	Prod. [1]	Rdt/ha [2]	Prod. [1]	Rdt/ha [2]	Prod. [1]	Rdt/ha [2]
Alsace	3 515	64,3	823	48,4	8 571	95,0	5 415	55,6	11 879	618,7
Aquitaine	3 920	50,1	1 549	42,3	30 928	72,8	19 519	28,0	13 490	267,1
Auvergne	6 173	60,0	1 858	41,4	1 836	78,5	36 051	28,2	6 680	245,6
Bourgogne	21 380	61,3	8 518	51,9	4 783	68,3	42 131	42,8	11 540	277,4
Bretagne	12 054	53,0	4 403	37,2	3 375	48,2	38 881	48,4	97 830	268,8
Centre	50 271	62,6	10 280	56,2	14 698	68,1	20 832	37,9	18 481	335,4
Champagne-Ardenne	31 527	76,4	11 758	62,7	5 078	75,2	29 042	62,6	12 784	354,1
Corse	7	24,6	18	15,0	44	79,2	1 173	3,6	4	65,5
Franche-Comté	2 583	62,3	2 242	50,2	1 581	71,7	22 727	38,5	7 821	374,4
Ile-de-France	19 144	75,5	2 977	59,7	5 849	72,0	1 167	47,3	1 152	716,1
Languedoc-Roussillon	446	31,2	547	32,6	299	55,9	5 970	11,3	512	259,6
Limousin	1 216	43,8	520	30,8	425	43,4	22 322	29,5	7 232	241,1
Lorraine	11 365	62,4	8 049	51,2	1 105	70,6	30 401	47,8	21 970	335,4
Midi-Pyrénées	10 795	47,3	6 682	43,6	15 814	62,9	35 639	26,2	14 100	227,4
Nord-Pas-de-Calais	19 940	77,3	8 821	66,8	280	74,7	15 250	61,3	25 740	429,0
Basse-Normandie	10 812	66,9	2 224	55,9	807	60,7	42 772	46,2	60 115	361,9
Haute-Normandie	16 838	74,5	4 833	69,5	712	63,6	21 333	63,4	18 050	380,0
Pays de la Loire	17 863	56,4	2 053	47,7	7 762	52,7	60 781	51,3	93 647	236,3
Picardie	38 640	80,5	10 335	68,5	3 238	69,6	13 916	61,4	17 245	352,2
Poitou-Charentes	18 482	55,2	6 026	48,8	13 199	73,1	25 891	42,2	21 170	209,6
Provence-C.-d'Azur	885	34,2	740	32,6	782	70,2	6 890	12,0	274	377,7
Rhône-Alpes	6 985	51,5	2 661	46,6	6 996	58,5	38 148	31,7	19 217	310,0
Ensemble	*304 839*	*64,7*	*97 918*	*53,5*	*128 162*	*68,1*	*536 251*	*37,2*	*480 931*	*290,0*

Nota. – (1) Production en milliers de q. (2) Rendement : q/ha.

Population totale par sexe, nationalité, région de résidence (source : INSEE RP/90 sondage 1/4)

Recensement 1990		Français		Étrangers	
		Nés	Par acquis.	Total	% [1]
Alsace	1 624	1 450	44	128	7,9
Aquitaine	2 798	2 601	81	114	4,1
Auvergne	1 323	1 243	26	53	4,1
Bourgogne	1 611	1 488	39	83	5,2
Bretagne	2 797	2 757	12	27	1
Centre	2 373	2 213	43	116	4,9
Champ.-Ardenne	1 350	1 251	33	64	4,8
Corse	2 500	218	7	24	9,9
Franche-Comté	1 099	1 004	25	68	6,2
Ile-de-France	10 660	8 792	489	1 377	12,9
Languedoc-Rouss.	2 116	1 871	111	132	6,3
Limousin	723	692	10	20	2,8
Lorraine	2 308	2 053	99	154	6,7
Midi-Pyrénées	2 433	2 221	106	105	4,3
Nord-Pas-de-Calais	3 968	3 698	102	166	4,2
Basse-Normandie	1 394	1 361	11	22	1,6
Haute-Normandie	1 739	1 660	22	56	3,2
Pays de la Loire	3 060	2 995	19	45	1,5
Picardie	1 814	1 685	38	76	4,2
Poitou-Charentes	1 597	1 556	15	25	1,6
Prov.-C.-d'Azur	4 259	3 720	237	300	7,1
Rhône-Alpes	5 355	4 723	200	430	8
France	56 652	51 275	1 780	3 596	6,3

Légende. Chef-lieu du département (préfecture) : en majuscules. **Chef-lieu d'arrondissement (sous-préfecture) :** signalé par un astérisque. **Population :** pop. municipale du recensement de 1990 sans les doubles comptes (on ne compte qu'une fois les personnes ayant des résidences dans plusieurs communes), entre parenthèses : pop. de l'agglomération (dans et hors du département ; pour les villes frontalières il s'agit de la partie française). *Pop. active :* pop. ayant un emploi et demandeurs d'emploi. **Taux de chômage :** rapport entre le nombre des demandeurs d'emploi et la pop. active. **Superficie :** comprend toutes les surfaces du domaine public et privé, cadastrées ou non cadastrées, à l'exception des lacs, étangs et glaciers de + de 1 km², ainsi que des estuaires. **Agriculture : 1°)** chiffres provisoires ; **2°) terres : superficie des territoires non agricoles :** ne comprend pas les surfaces boisées, peupleraies, étangs et autres eaux intérieures. **Céréales, oléagineux et pommes de terre :** comprend les semences. **Légumes :** comprend pommes de terre, légumes frais et secs. **Cultures fruitières :** y compris châtaigniers, oliviers et noyers. **Jardins :** comprend jardins familiaux des exploitants et des non-expl. *SAU:* Surface agricole utile. **3°) Production :** prod. récoltée. **Céréales :** ne comprend pas le riz. **Maïs :** uniquement maïs-grain.

Alsace

Généralités

■ **Superficie** 8 280 km² (la + petite région française ; 200 × 30 à 40 km de large). **Population** (1990) 1 624 533 (dont Fr. par acquis. 44 883, étrangers 128 689 dont Turcs 26 438, Maroc. 19 024, Alg. 16 452). D 196.

■ **Nom.** Celui des Alsaciens *(Alesaciones)* apparaît en 610 apr. J.-C. ; du nom de la rivière Ill, d'origine préceltique (signifiant peut-être « forêt »). Il semble que le nom du *pagus* où l'Ill prend sa source, l'Ajoie (germ. : *Elsgau*), ait donné son nom à la province ; le nom d'Altkirch serait en réalité Alskirch. **Sainte patronne :** Odile († 720).

■ **Costume des femmes.** Porté surtout entre 1871 et 1919 en signe de résistance : coiffe avec grand nœud noir, jupe rouge bordée de velours noir et boléro de velours noir à paillettes sur la blouse blanche. Dans les campagnes et en semaine : jupe et blouse noires. VARIANTES : *protestantes :* nœuds noirs à pans plus longs par-derrière ; *familles aisées :* nœuds blancs. *A Geispolsheim :* nœud rouge ; *Bitschhoffen :* écossais ; ailleurs : couleurs claires, imprimé de fleurs. Le grand nœud noir se portait aussi outre-Rhin (Bade) avec des variantes. *Dans le Sundgau :* bonnet avec paillettes et dentelles.

■ **Climat.** Semi-continental : hivers assez froids (60 à 70 j de gelée par an), étés chauds et secs. Précipitations 600 à 700 mm par an. A l'abri des vents humides de l'ouest grâce aux Vosges ; ensoleillement plus important qu'en Lorraine.

■ **Divisions.** *Vosges, versant oriental :* massif cristallin (Grand Ballon ou ballon de Guebwiller 1 424 m, Hohneck 1 361 m, d'Alsace 1 247 m) ; vallées profondes (Doller, Thur, Fecht, Weiss, Liepvrette). *Collines « sous-vosgiennes » :* env. 500 m d'alt. ; vignoble renommé et cultures fruitières. *Vosges gréseuses :* tables massives au nord de la Bruche ; forêts. *Plaine :* terre de lœss (blé, betterave à sucre, plantes fourragères, vergers, houblonnières, tabac). *« Rieds » :* basses plaines humides derrière la levée alluviale du Rhin ; 30 000 ha entrecoupés de bosquets, étangs et rivières. Nombreuses forêts sur les sols les moins fertiles (Hardt, Haguenau). *Propriétaires :* communes 53,4 %, État 21,5 %, privés 25,1 %. La plus belle région de chasse de France avec la Sologne.

■ **Langue.** Dialecte germanique, que les Allemands appellent *Elsaesserdeutsch* (all. d'Alsace) ; fait partie des parlers alémaniques. Sa pratique recule dans les villes et chez les jeunes ; l'all. tend à ne plus être que la 2e langue dans les collèges derrière l'anglais ; le tirage de l'édition bilingue des quotidiens baisse. En 1979, 75 % des + de 15 ans résidant en Alsace déclaraient parler ou savoir parler l'alsacien [(en 1962, 87 %) ; il ne s'agissait ni d'une langue usuelle ni d'une pratique courante]. En 1982, 81,7 % des ménages de + de 75 ans utilisaient l'alsacien comme langue principale à la maison (34,5 % des mén. de – de 25 a.). *Dialecte roman* dans la *vallée de Kaysersberg,* le *val de Lièpvre,* le *val de Villé* et la *haute vallée de la Bruche ;* origine : zones de montagne ayant échappé à la germanisation depuis le Ve s.

■ **Principales dispositions administratives.** Les lois antérieures à 1870 (abrogées en France entre 1870 et 1918) sont en vig. en A. comme faisant partie du droit local. 1°) *Régime foncier :* terres et constructions immatriculées dans un livre foncier avec mention de tout ce qui les concerne (propriétaire, usufruit, hypothèque, etc.) et indications cadastrales. 2°) *Régime des tutelles :* l'époux survivant reste seul tuteur légal sous la surveillance du juge des tutelles ; en cas de décès des 2 époux, le juge des t. nomme un tuteur (généralement du côté paternel). Pas de subrogé tuteur ni d'obligation de vendre le patrimoine pour le convertir en placements de l'État. 3°) *Assurances sociales.* Remboursements plus élevés, régimes de retraites plus avantageux que dans le reste de la France. Depuis 1889, assurance obligatoire pour les accidents agricoles : reposent sur les salaires payés en agriculture par une cotisation additionnelle (taux 5 %) ; employés forestiers : reposent sur la valeur cadastrale forestière par commune, cotisation prélevée sur le produit annuel de la location chasse, complément perçu par un % sur le salaire (taux 11 %) ; pour les gardes-chasses : taux 6,6 % du salaire brut. 4°) *Maintien du bilinguisme.* 5°) *Régime particulier des associations.* 6°) *Loi de chasse locale.* 7°) *Concordat religieux :* écoles primaires confessionnelles ; un crucifix figure toujours dans la cour d'assises ; le clergé des 3 principales religions est payé par l'État ; direction des cultes à Strasbourg ; lendemain de Noël et vendredi saint chômés. 8°) *Droit commercial :* plusieurs dispositions particulières. 9°) *Notaires :* assermentés et nommés par le ministre de l'Intérieur ; il leur est interdit de conserver dans leurs coffres liquidités et titres de leurs clients (ils doivent être versés dans un établissement bancaire). 10°) *Circulation à droite des trains* sauf sur la ligne de Paris au départ de Mulhouse ; près de l'ancienne frontière franco-allemande, un « saut-de-mouton » permet le passage des trains de gauche à droite pour leur entrée en Alsace. 11°) *« Indemnité de difficultés administratives »* pour les personnels civils de l'État [montant non modifié depuis le décret (17-9-1946)].

■ **Histoire. Av. J.-C. XIIe s.** occupation celte. **Période gauloise :** Médiomatriques et Séquanes. **65** occupation par les Suèves d'Arioviste [une des tribus suèves, les Triboques (en réalité *Tri-broques,* « tribu du blaireau »), germano-celtique, s'installe dans la région de Brumath (*Broco-Magus,* « village du blaireau ») et y demeure après la fuite d'Arioviste]. **58** Arioviste chassé d'Alsace par César. **Après J.-C.** Domination romaine jusqu'au début du IVe s. Invasions des Alamans qui l'occupent malgré la victoire de Julien remportée devant Argentoratum (Strasbourg) en 357. **VIIe s.** rechristianisation. Duché sous les Mérovingiens. **843** attribuée à Lothaire Ier. **870** au roi de Germanie (tr. de *Meersen*). Intégrée au duché de Souabe.

XIIe et XIIIe s. grande prospérité, Haguenau, résidence du Grand Bailli impérial ; Strasbourg, cité importante de l'Empire ; commerce avec Suisse et Allemagne moyenne. **1262** bataille de *Hausbergen.* Strasbourg se libère de la tutelle de son évêque, qui va résider à Saverne. Mosaïque territoriale surtout en Basse-Alsace, morcelée entre le domaine des évêques de Strasbourg, une dizaine de princes (notamment le Cte de Hanau-Lichtenberg, bailli à Bouxwiller, et le Cte de Deux-Ponts, b. à Bischwiller), 6 villes libres et quelques dizaines de chevaliers, alors que la Hte-Alsace, qui sur le plan ecclésiastique relève de l'évêque de Bâle, comporte 3 grands fiefs : principauté abbatiale de Murbach, Sundgau habsbourgeois (bailli à Ensisheim), bailliage wurtembergeois de Horbourg-Riquewihr. **1268** le duc Conrad V partage son fief en 2 : au N., landgraviat (comté souverain) de Nordgau ou Basse-Alsace (aux év. de Str. après 1365) ; au S., comté de Sundgau (aux Habsbourg). **XIVe s.** grâce à la navigation du Rhin, exportation vers Lorraine, P.-Bas, Angleterre et la Hanse, de vins, draps, céréales, semences d'oignon. Morcellement politique du fait de l'effacement du pouvoir impérial et de l'enrichissement de la bourgeoisie urbaine. **1354** *Ligue des 10 villes marchandes* les plus importantes ou *Décapole,* sous la protection impériale [Mulhouse, Colmar, Munster, Turckheim, Kaysersberg, Sélestat, Obernai, Rosheim, Haguenau, Wissembourg (1511, Landau y remplace Mulhouse, qui s'allie en 1515 à la Ligue suisse)]. **1439** Gutenberg invente l'imprimerie à Strasbourg.

XVIe s. 1530 foyer de l'humanisme et de la Réforme. Bucer rédige la Confession tétrapolitaine pour Strasbourg et 3 autres villes de l'Allemagne du Sud (Memmingen, Constance, Lindau) ; Calvin nommé pasteur de l'Église française de Strasbourg. **1549** après sa victoire sur la ligue de Smalkalde (dont Strasbourg faisait partie), Charles Quint impose le maintien dans la ville de 3 paroisses catholiques. Strasbourg est réputée pour la qualité de son artillerie (dépôt impérial). Son magistrat, Jacques Sturm († 1553), est un des mentors de la politique européenne. **1580** l'évêque Jean de Manderscheidt appelle les Jésuites en Alsace [collèges à Molsheim (devenu université 1617), Haguenau et Sélestat ; puis Rouffach et Ensisheim (dioc. de Bâle)]. **1630** champ de bataille de la g. de Trente Ans (notamment suédois) ; grosses destructions. **1634** le comté de Hanau, puis certaines des villes de la Décapole se mettent sous le protectorat fr. **1638-39** Louis XIII reconnaît son général mercenaire Bernard de Saxe-Weimar comme landgrave d'A. ; mais celui-ci meurt. **1639-43** tout le pays, sauf Strasbourg et Mulhouse, est occupé. Louis XIII revendique pour lui-même le titre de Landgrave. **1648** *tr. de Westphalie* transfère au roi de Fr. « les droits de l'empereur sur l'A. », c.-à-d., en possession directe, les terres habsbourgeoises (compren. la plus grande partie de la Hte-Alsace) et une autorité de tutelle (appelée préfecture) sur la *Décapole.* Repeuplement par une immigration importante, surtout suisse. De 1673 à 1681, Louis XIV assure sa suzeraineté sur le reste du pays, et en dernier lieu à Strasbourg. Mulhouse, alliée aux cantons suisses dep. 1515, reste indépendante. **1697** le *tr. de Ryswick* reconnaît la complète suzeraineté du roi de Fr. (les seigneuries locales dureront jusqu'à la Révolution). **XVIIIe s.** construction le long du Rhin d'un réseau de forteresses par Vauban. Exportation de bois de marine. Assèchement de marais et reconstruction du réseau routier. Politique religieuse favorisant le catholicisme. Prospérité : commerce de transit, industries (Mulhouse). Rayonnement de l'université de Strasbourg en Europe protestante (étudiants : Metternich, Cobenzl, Gœthe, nombreux Russes). Essor de l'orfèvrerie strasb. et des faïences de Hannong. **1793** *2-3* rattachement de la principauté de Salm-Salm à la France. **1798** *28-1* incorporation volontaire de la république de Mulhouse.

1815 nord, avec Landau, annexé à la Bavière rhénane. **1839-41** voies ferrées Mulhouse-Thann et Strasbourg-Bâle par Nicolas Koechlin. **1870** g. franco-all., siège de Strasbourg 31 j, 220 000 projectiles. **1871** annexée sans plébiscite à l'Empire all. avec la Lorraine thioise, mais sans la région de Belfort ; devient territoire d'Empire. **1872** 128 000 Alsaciens-Lorrains (8,5 % de la pop. dont env. 50 000 jeunes gens de 17 à 20 ans) optent pour la Fr. ; 70 000 s'installeront en Algérie. [Sur 1 800 000 h. en Alsace-Lorraine, en 40 ans, 260 000 émigrés vers la Fr. (rég. industrialisées), 330 000 vers l'Amér., 400 000 immigrés all.] **1877-1914** élaboration, dans le cadre de l'Empire, de plusieurs lois particulières : chasse (1881), caisses de maladie obligatoires (1883), ass. accidents obl. (1884), ass. invalidité-vieillesse obl. (1889), loi municipale (1895), ch. de commerce (1897), code professionnel (1900), loi sur l'aide sociale et le domicile de secours (1908), code des ass. soc. (1911), réglementation du travail des mineurs et du repos dominical, organisation de la justice. **1911** Constitution. Le Landtag (avec 2 ch.) s'installe à Strasbourg. **1914-18** dictature militaire. 250 000 Als. et Lorrains mobilisés dans l'armée all., généralement sur le front russe ; env. 30 000 †.

1918 *nov.* retour à la France. *14-12* arrêté min. créant 4 cat. de pop. : *carte A* personnes dont tous les parents ou grands-parents sont nés en Fr., Alsace ou Lorraine ; *B* dont un parent ou grand-parent est originaire d'All. ; *C* ressortissant des pays alliés à la France ou neutres, *D* des ex-pays ennemis. **1918** *nov.* à **1920** *sept.* env. 110 000 h. d'origine ou partiellement d'or. allemande expulsés. **1926** réagissant à la politique d'assimilation et aux maladresses de l'administration française, une centaine d'Als.-Lorrains constituent le *Heimatbund* (Ligue de la patrie), réclamant l'autonomie dans le cadre fr. et le bilinguisme franco-all. **1927** perquisitions et arrestations dans les milieux autonomistes. Plusieurs journaux interdits. **1928** procès à Colmar de 22 autonomistes (quelques semaines plus tôt 2 avaient été élus aux législatives) : 4 condamnations ; agitation autonomiste.

1939 374 000 Alsaciens évacués dans le S.-O. et le Centre, notamment 80 000 Strasbourgeois en Dordogne (11 000 à Périgueux). **1940** *7-2* Karl Roos (un des chefs autonomistes) exécuté à Nancy pour espionnage ; *mai à juin* plusieurs autonomistes als.-lorr. internés St-Dié et à Arches. Après l'armistice, l'Als. est rattachée au pays de Bade et placée sous l'autorité d'un *gauleiter* (gouverneur). Les Als.sont considérés comme « Volksdeutsche », faisant partie de la nation all. (citoyens all. à part entière) ; *20-6* Robert Wagner *gauleiter* de la « province de Bade-Alsace » ; *21-6* il destitue le préfet du Ht-Rhin ; *1-7* l'Als.-Lor. passe officiellement sous administration all. (Joseph Burkel *gauleiter* de la « province Lorraine-Palatinat »). **1941** implantation du parti nazi, de la DAF (Front all. du travail) et de la Hitlerjugend (Jeunesse hitlérienne). **1942** *20-1* les Als. peuvent obtenir le passeport all. ; Jeunesse hitlérienne obligatoire pour jeunes de 10 à 18 ans. *24-8* service militaire obligatoire pour les hommes nés de 1922 à 1924 et ayant accompli le service du travail. 130 000 Als. et Lorr. incorporés dans la Wehrmacht, les « malgré nous », appelés à rejoindre les fronts orientaux (40 000 tués) ; échec de la campagne en faveur de l'engagement volontaire dans l'armée. **1943-44** incorporation des classes nées de 1908 à 1927. **1944** *janvier* appel des Als. officiers de réserve de l'armée fr., exclus jusque-là du service armé. **1944-45** libération de Strasbourg (23-11), Mulhouse (19-11), Colmar (2-2), Wissembourg et Lauterbourg (18-3). **1945** 45 000 Als. internés dans les camps de Schirmeck et Struthof ; l'enseignement de l'all. est supprimé à l'école primaire. **1951** l'autonomiste Joseph Rossé, condamné pour collaboration, meurt en détention. **1953** procès de Bordeaux, l'Als. obtient que le cas des 17 Als. et Mosellans soit disjoint de celui des 7 militaires all. de la division SS das Reich impliqués dans le massacre d'Oradour-sur-Glane.

☞ Depuis une vingtaine d'années, le régionalisme connaît un regain (défense de la langue) : *Cercle Schickelé,* nouvelle génération d'écrivains et de chanteurs (R. Siffer). *Circulaire de juin 1982* sur la langue et la culture régionale dans l'éducation, financement du programme « langue et culture », par les collectivités territoriales, enseignement de l'allemand dans les classes de cours moyen 1 et 2, puis dès le CE2 ; mouvement *« Initiative alsacienne »* fondé par le député Zeller ; *mouv. écologique* important (atteintes au paysage dans les Vosges, multiplication des gravières, disparition progressive des rieds et des forêts rhénanes, pollution du Rhin).

Cas de Wissembourg. 1815 tr. de Paris : la Fr. cède à la Bavière 400 km² de terr. als. entre la Lauter, la Queich et Landau, notamment toute la partie de la commune au N. de la Lauter (qui reste sous administration communale). **1871** W. est remembrée sous régime allemand. **1919** de nouveau scindée. **1946** forêt de l'Obermundat (650 ha) annexée à la Fr. (permettant d'approvisionner en eau toute la région) ; biens allemands mis sous séquestre. **1962** convention : la Fr. libérera les terres all. sous séquestre ; en contrepartie, la forêt de l'Obermundat sera définitivement rattachée à la Fr. **1963** ratifiée par Fr. mais non par All. (la Constitution interdit toute amputation du territoire national).

■ ÉCONOMIE

■ Population active totale (1-1-91) 738 900 dont primaire 25 568, secondaire 216 958 (BTP 50 405), tertiaire 437 569 ; *salariée* 639 509.

■ Frontaliers. *1962 :* 7 800. *68 :* 12 400. *72 :* 24 010. *74 :* 30 180. *77 :* 24 960. *80 :* 30 680. *86 :* 34 254. *92 :* (2ᵉ trim.) vers Suisse 33 561, All. 27 964. *Causes :* salaires plus élevés, concentration industrielle autour de Karlsruhe (All.) et Bâle (Suisse), les régions voisines étant peu industrialisées.

■ Échanges (en milliards de F, 1991). **Imp. :** 81,8 dont (en %) biens d'équip. profess. 21,4, prod. chim. et 1/2 prod. divers 18,3, biens de consomm. courante 17,1, métaux et prod. du trav. des métaux 9,9, pièces détachées et matér. utilit. de transp. terr. 9,3, équip. autom. des ménages 7,6, ind. agro-alim. 6,3, énergie 4,8, électroménager, électron. grand public 2,7, prod. de l'agric., sylvicult. et pêche 2,2, mat. 1res minérales 0,2, divers 0,4. **Exp. :** 87,5 dont (en %) prod. chim. et 1/2 prod. div. 16,3, biens d'équip. profess. 17,6, équip. autom. des ménages 19,6, biens de consomm. courante 13,9, métaux et prod. du trav. des métaux 8,2, ind. agro-alim. 6,2, prod. de l'agric., sylvicult., pêche 4,2, pièces détachées et matér. utilit. de transp. terr. 7,2, électroménager, électron. grand public 4,5, énergie 2, mat. 1res minérales 0,1, divers 0,3.

■ Agriculture. **Terres** (en milliers d'ha, 1-1-91) : 833,2 dont *SAU* 331 [t. arables 232,2 (dont blé 54,7, orge 17, maïs-grain 90,2, avoine 2,1, bett. ind. 5,2, tabac 1,7, houblon 0,4), herbe 82,7, vignes 14,6] ; *bois* 307,6 ; *t. agr. non cult.* 15,1 ; *autres t. non agr.* 177,3. **Prod. végétale** *récoltée* (milliers de t, 1991) blé 339,9, orge et escourgeon 64,9, maïs-grain 928,8, avoine 7,5, seigle 2,6, pommes de t. 45, bett. ind. 295,4, bett. fourr. 87,2, tabac 4,9, houblon 0,7, choux à choucroute 50,2, pommes de table 8,7, prunes 2,1. Vignes AOC (1991) 1 146 229 hl. **Animale** (en milliers de tête, au 1-1-91) bovins 211,3, porcins 87,8, ovins 59,2, caprins 3. *Prod. de viande* (en t, 1991) gros bovins 21 863, porcins 10 586, ovins 1 019, volailles 4 642. *Œufs de poules* 253 920 000. *Lait* (1-1-91) 3 395 000 hl. **Exploitations :** *1955 :* 64 614, *1970 :* 35 306, *1980 :* 27 166, *1985 :* 23 000, *1991 :* 19 504. **Forêts** 305 910 (36,7 % du territoire). Boisement (1988) : 41 %.

■ Industrie. **Salariés** (1990, prov., y compris tucistes) : 581 004 dont biens d'équip. 69 441, biens intermédiaires 50 509, biens de consomm. 38 835, BTP 37 289, ind. agro-alim. 22 348, énergie 5 289, agriculture 5 297. **Potasse** (1987) : extraction nette (milliers de t) 10 716. Rendement fond : 27,75 t/homme. **Électricité** (1987, millions de kWh) : 20 206,7 (dont nucléaire 11 180,6). Consomm. régionale 9 453. **Coton** (1987, entre parenthèses % de la prod. fr.) : filature 16 000 t (8,1), tissage 16 800 t (12,3) ; 2 842 ouvriers. **Papiers, cartons** (1986, en milliers de t) : 345,3 (6,1 % de la prod. fr.). **Bière** (1987, milliers d'hl) : 10 750 (50,3 % de la prod. fr.).

■ DÉPARTEMENTS

Voir légende p. 777.

■ Bas-Rhin (67) 4 755 km² (110 × 10 à 90 km). *Alt. max.* Champ-du-Feu 1 100 m ; *min.* 110 m (sortie du Rhin dans le Palatinat). Partie nord de l'Alsace ; ancienne Basse-Alsace + vallée supérieure de la Bruche (cantons de Saales et de Schirmeck qui faisaient partie avant 1870 du département des Vosges) et Alsace bossue (cantons de Drulingen et de Sarre-Union, géographiquement rattachés au plateau lorrain). Dep. 1974, 6 sous-préfectures : Haguenau, Molsheim, Saverne, Sélestat-Erstein, Strasbourg-Campagne, Wissembourg. *Pop. 1821 :* 521 400 ; *1841 :* 581 200 ; *1866 :* 610 000 ; *1871 :* 600 400 ; *1875 :* 598 200 ; *1910 :* 700 900 ; *1921 :* 652 000 ; *1936 :* 711 800 ; *1946 :* 673 300 ; *1962 :* 770 200 ; *1975 :* 882 121 ; *1982 :* 915 676 ; *1990 :* 953 053 (dont Fr. par acquis. 22 468, étrangers 68 199 dont Turcs 17 145, Maroc. 11 336, Port. 7 148, Alg. 5 680). D 200,4.

Villes. STRASBOURG-VILLE 78,26 km², *1444 :* 18 000 h ; *1684 :* 22 000 ; *1789 :* 49 943 ; *1851 :* 75 565 ; *1871 :* 85 654 ; *1900 :* 151 041 (dont 3 470 de l. française, 1 128 bilingues) ; *1910 :* 178 891 ; *1921 :* 166 767 ; *1936 :* 193 119 ; *1946 :* 175 515 ; *1954 :* 200 921 ; *1962 :* 233 549 ; *1975 :* 253 384 ; *1982 :* 248 712 ; *1990 :* 252 338 [171 km², ag. 388 483 dont *Bischheim* 16 308 ; meubles, confiserie, jouets, manufacture de cigares. *Eckbolsheim* 5 253. *Hoenheim* 10 566. *Illkirch-Graffenstaden* 22 307. *Lingolsheim* 16 480. *Ostwald* 10 197. *Reichstett* 4 640. *Schiltigheim* 29 155 ; brass. *Souffelweyersheim* 5 591] ; alt. max. 148,7 m, min. 136,7 m. Tempér. max. moyenne 24° C, précipitations 955,7 mm/an, insolation 1 611,8 h/an. Const. méc., élect., siège de l'Ass. parlementaire du Conseil de l'Europe (des 23) ; lieu de réunion du Parlement européen (des 12) ; Port autonome : 3ᵉ port rhénan, 2ᵉ port fluvial français, longueur 10 km, 1 286 ha, rives 37 km ; trafic (1991 en millions de t) : marchandises 26,2 (canaux 0,06, ferroviaire 1,25, rhénan 9,8, route 12,1) ; mouvements de bateaux 19 252, passagers vedettes touristiques 580 004, en croisière sur le Rhin 54 209. 1re ville de Fr. pour son réseau cyclable : 105 km de pistes, 215 ha d'espaces dans 10 parcs et nombreux squares, 45 000 arbres en ville, 1 345 ha de forêts péri-urbaines d'origine alluviale ; aéroport de Strasbourg-Entzheim (1992) : 1 561 309 passagers, fret 4 371 t, 22 252 vols annuels ; cathédrale (XIᵉ-XVᵉ s., grès rose, terminée 1439, flèche 142 m, 408 040 visit.) ; musées : alsacien [fondé 1907, 68 709 visit. (91)], de l'Œuvre N.-D., archéologique [f. 1860, 36 000 visit. (91)], arts mod. [117 225 visit. (91)], B.-Arts [67 966 visit. (91)], arts déco., historique, du palais des Rohan (1730-42, R. de Cotte) ; (avec Kehl 380,97 km², 454 975 h.) ch. de commerce (1582-85), hôtel de ville (1730-36), parc de l'Orangerie 25,25 ha. *Communauté urbaine* 306 km² (28 × 16), 27 communes, 423 712 h. D 1384, 3 univ., polytechnicum (créé 1990 ; 9 éc. sup. et instituts). Hôtellerie : 5 729 chambres, dont 3 hôtels 4 ét. (360 ch.), 735 cafés-restaurants. Palais des congrès : 50 000 m², 114 933 congressistes (90), 76 congrès internat., 57 nat., 142 rég. Auditorium Érasme 1 984 places, aud. Albert Schweitzer 850 à 1 100 pl., scène 300 m², surface d'expo. 8 000 m². Palais de l'Europe, 563 pl., tribune 400 pl. Parc des expos. du Wacken, 135 000 m², dont 51 000 m² de locaux couverts. Festivals : film (mars), théâtre (mai), Saxofolies (juin), musique (juin), jazz (juillet), Musica (sept-oct.) jazz d'or (nov.), européen du clip (déc.).

– *Barr* 4 839 h. (ag. 6 343). *Benfeld* 4 330 h. (ag. 6 329) Jacquemart. *Bischwiller* 10 969 h. (ag. 13 899) ; text., métall. *Brumath* 8 182 h. *Drusenheim* 4 363 h. *Erstein* 8 600 h. ; sucreries, text. *Eschau* 3 828 h. [ag. 9 553, dont *Fegersheim* 3 953]. *Geispolsheim* 5 546 h. Choux à choucroute. *Haguenau** 27 675 h. [ag. 33 724, dont *Schweighouse-sur-Moder* 4 354] ; constr. méc. et élec., papiers, forêt de 13 900 ha (une des communes de Fr. les plus étendues, 18 265 ha), incendiée 2 fois en 1677 ; égl. XIIᵉ-XIIIᵉ s., m. historique et d'Art pop. alsacien. *Ingwiller* 3 753 h. (ag. 4 259). *La Broque* 2 628 h. (ag. 11 858). *Le Hohwald* 360 h. ; station climatique à 580 m. *Marckolsheim* 3 306 h. ; usine hydroélec. ; mémorial de la ligne Maginot. *Marmoutier* 2 235 h. ; abb. bénédictine (plus ancien couvent d'Alsace). *Molsheim** 7 973 h. (ag. 10 101) ; constr. méc. ; ancienne usine Bugatti. *Mutzig* 4 552 h. (ag. 7 008). *Natzwiller* 634 h. ; ancien camp de déportation de Struthof. *Niederbronn-les-Bains* 4 372 h. [ag. 12 841, dont *Reichshoffen* 5 092] ; app. de chauf., mat. fer., de génie civil ; station thermale. *Obernai* 9 610 h. (ag. 10 666). *Pfaffenhoffen* 2 285 h. (ag. 4 912) ; m. de l'imagerie. *Sarre-Union* 3 159 h. (ag. 4 146). *Saverne** 10 278 h. (ag. 14 969) ; constr. méc., horlogerie ; châteaux des Rohan, de Haut-Barr, m. Claude Chappe ; roseraie. *Sélestat** 15 538 h. ; métall., text., maroquinerie, brosserie (Le Celluloïd), bibliothèque humaniste, égl. XIIᵉ-XIVᵉ s. *Soufflenheim* 4 369 h. ; poteries. *Vendenheim* 5 193 h. *Wasselonne* 4 916 h. *Wissembourg** 7 443 h. ; méc. et chim. ; ensemble architectural.

Régions naturelles. *Plaine du Rhin* 1 472 km² (houblon, betterave sucrière, asperges, tabac, choux à choucroute, petits fruits, cultures maraîchères, élevage, forêt, maïs, céréales). *Région sous-vosgienne* 1 113 km². *Montagne vosgienne* 1 169 km². *Ried* 596 km². *Plateau lorrain* 40 km².

Divers. Agriculture : 1er prod. de houblon et de choux à choucroute de Fr. **Géographie :** *Lauterbourg :* comm. la plus orientale de Fr. **Industrie :** *Reichstett :* raffineries de pétrole. **Parc naturel** régional des Vosges du Nord : *La Petite Pierre.* **Château :** *Haut-Kœnigsbourg :* château fort (alt. 755 m), restauré 1900-08, cité 774, forteresse de 1147 à 1250, incendié 1618. **Mont** *Ste-Odile* (alt. 762 m) : anc. monastère.

■ Haut-Rhin (68) 3 525 km² (100 × 50 km). *Alt. max.* 1 424 m (ballon de Guebwiller ou Grand Ballon) ; *min.* 195 m (sortie du Rhin). *Pop. 1851 :* 436 744 ; *1901 :* 495 209 ; *1911 :* 517 865 ; *1921 :* 468 943 ; *1936 :* 507 551 ; *1946 :* 471 705 ; *1982 :* 650 372 ; *1990 :* 671 319 (dont Fr. par acquis. 22 415, étrangers 60 490 dont Alg. 10 772, Italiens 10 620, Turcs 9 293, Maroc. 7 688). D 190,4 (90). *Pop. comm. urbaines* (90) : 497 590 (1870 : 2 sous-préfectures : Altkirch, Belfort qui deviendra en 1917 préf. du Terr. de Belfort).

Villes. COLMAR alt. 197 m. 63 498 h. [ag. 83 816, dont *Horbourg-Wihr* 4 518 ; fouilles romaines, cimetière mérovingien. *Ingersheim* 4 063. *Wintzenheim* 6 554] ; égl. des Dominicains ; ind. text., alim., constr. méc. ; musées Bartholdi, d'histoire naturelle, Unterlinden (peintures gothiques, retable d'Issenheim de Mathias Grünewald 1511-16).

– *Altkirch** 5 090 h. (ag. 7 376) ; textiles. *Bollwiller* 3 194 h. (ag. 4 029). *Eguisheim* 1 530 h., ville fortifiée ; vestiges préhistoriques, vignoble. *Ensisheim* 6 164 h. (ag. 7 621). *Guebwiller** 16 806 h. [ag. 26 020, dont *Soultz-Ht-Rhin* 5 867 h. ; filatures, constr. méc.] ; égl. XIᵉ s., musée du Florival, vignoble. *Kaysersberg* 2 755 h. (ag. 6 488). *Landser* 1 941 h. (ag. 4 000). *Mulhouse**, alt. 233 à 338 m, sup. 2 245 ha [*1699 :* 3 302 h. ; *1798 :* 6 018 ; *1844 :* 20 547 ; *1871 :* 52 892 ; *1910 :* 95 041 ; *1975 :* 117 013 ; *1982 :* 112 157 ; *1990 :* 108 357] [ag. 223 856, dont *Brunstatt* 5 160. *Illzach* 15 485 ; thermes romains. *Kingersheim* 11 258. *Lutterbach* 5 325. *Pfastatt* 8 061. *Riedisheim* 11 868. *Rixheim* 11 669. *Sausheim* 4 748. *Wittelsheim* 10 452. *Wittenheim* 14 324] ; potasse, coton, ind. chim., polygraphique, méc., électro-méc. et auto. ; artisanat ; musées (visiteurs 91) : du Chemin de fer (f. 1969, 155 417), du Sapeur-pompier, de l'Auto. (357 646), historique, des Beaux-Arts, de l'Impression sur étoffes (30 140), du Papier peint (13 230), de l'énergie électrique, Temple St-Étienne ; parc zool. (25 ha) 338 694. *Munster* 4 657 h. (ag. 11 123) ; textile. *Neuf-Brisach* 2 092 h. [ag. 4 787] fortifiée par Vauban ; zone ind. *Ottmarsheim* 1 897 h. *Ribeauvillé** 4 774 H. ; vins ; textile, usine Sony ; châteaux (XIIᵉ et XIIIᵉ s.), égl. octogonale. *Riquewihr* 1 076 h. ; vins ; musées postal, archéologique. *Rouffach* 4 303 h. ; vins ; fresques romaines, égl. XIIIᵉ s., Commanderie des Chevaliers Teutoniques. *St-Amarin* 2 400 h. (ag. 9 888). *St-Louis* 19 547 h. [ag. *Bâle (CH)-St-Louis (p. fr.)* 33 509, dont *Huningue* 6 252 ; zone ind. avec *Ottmarsheim*]. *Ste-Marie-aux-Mines* 5 767 h. ; mines d'argent du XIVᵉ s. *Thann*-Cernay* [ag. 28 885 dont *Cernay* 10 313 ; ind. méc., text., chim., monument du Vieil-Armand, l'Ochsenfeld (champ de bataille), où César battit Arioviste. *Thann* 7 751 ; collégiale St-Thiébaut, coll. Gothique]. *Ungersheim* 1 280 h. ; écomusée d'Alsace.

Régions naturelles. *Montagne vosgienne* 888 km² (Grand Ballon 1 424 m) : forêts, élevage, fabrication du fromage de munster. *Région sous-vosgienne* 456 km² : vignes, fruits. *Plaine du Rhin* 673 km² : céréales, maïs, légumes, *forêt de la Hardt. Ried* 45 km² ; tabac, choux à choucroute, prairies. *Sundgau* 833 km² : polyculture, arboriculture, bovins, tabac. *Jura alsacien* 167 km². *Hardt* 409 km². *Ochsenfeld* 55 km².

Divers. Bassin potassique seul de Fr. (épuisé dans env. 30 ans). **Grand canal d'Alsace** larg. 180 m, accessible aux automoteurs rhénans de 1 350 t et aux convois poussés de 4 000 t. **Nécropoles militaires :** Sigolsheim, Wettstein-Linge, site du Vieil-Armand ou Hartmannswillerkopf. **Tourisme.** *La Petite Camargue* (réserve naturelle 104 ha), Parc des Ballons des Vosges, lacs vosgiens. *Site néolithique* Oberlarg (– 100 000 a.) : fouilles 1876, 1970. *Route du vin :* 120 km de Thann (Ht-Rh.) à Cleebourg (B.-Rh.).

AQUITAINE

■ GÉNÉRALITÉS

■ Superficie 41 309 km². Population (1990) 2 798 192 h. (dont Fr. par acquisition 81 911, étr. 114 950 dont Port. 29 829, Maroc. 24 611, Esp. 20 428). Urbaine 64,2 %, rurale 35,8 %. D 68. **Dépeuplement** considérable v. 1850 et 1950 malgré l'immigration d'ouvriers italiens et espagnols. Installation d'env. 45 000 agriculteurs rapatriés d'Afr. du N.

■ Nom. Du latin *Aquitania,* dérivé de 2 racines préceltiques (liturgiques ou ibériques), signifiant « proche de la mer », et désignant le quart sud-ouest de la Gaule. A partir du XIIIᵉ s., le nom de *Guyenne,* mot de langue d'oïl dérivé de Aquitania, devient d'usage courant pour désigner le duché, bien moins étendu que l'ancienne province.

■ Situation. Comprise dans : Bassin sédimentaire s'étendant entre Massif armoricain et Massif central au N. et à l'E., et les Pyrénées au S. 80 000 km² (1/7 de la France environ). Région actuelle : 41 408 km² (soit 8 % de la superficie fr.). Le *seuil du Poitou* la relie au Bassin parisien et le *seuil de Naurouze,* au S.-E., au Languedoc méditerranéen. Drainé par la Garonne et ses affluents ; rivières pyrénéennes, de régime nivo-pluvial, aux débits relativement faibles, et 3 grandes rivières issues du Massif central, aux débits très élevés. **Divisions :** *Terrains secondaires* très relevés au S., adossés au Massif central au N.-E. (plateaux calcaires, causses du Quercy) ; *jurassiques et crétacés* au N. (Charentes, Poitou). *Terrains tertiaires* très étendus (souvent collines). **Climat.** Hu-

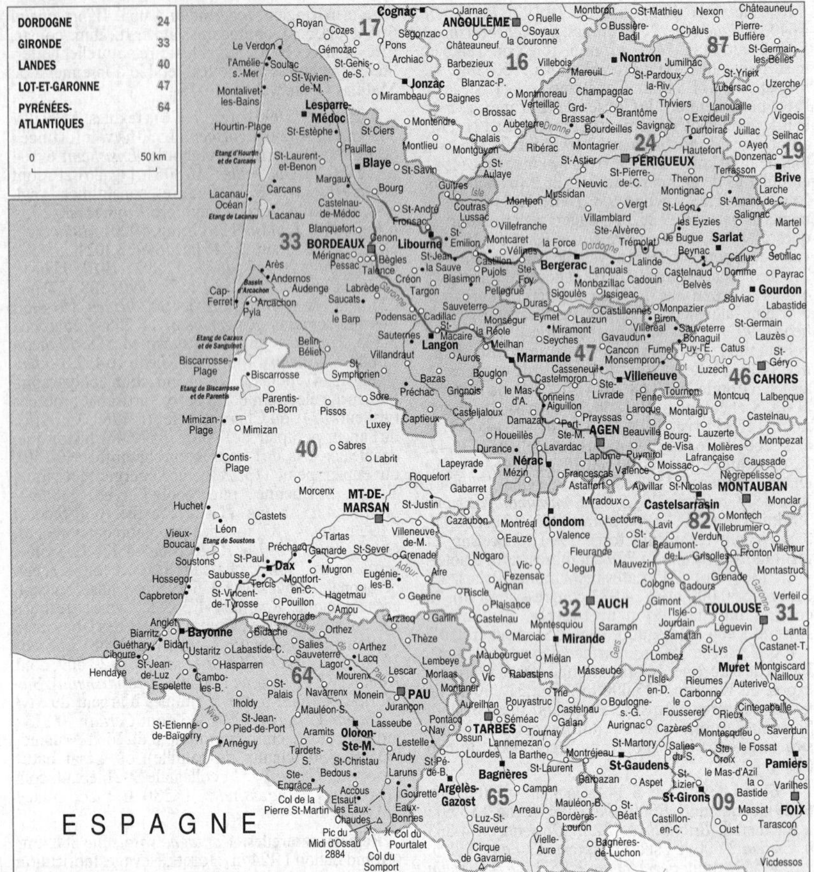

mide, surtout sur la zone littorale et sur les bordures, aux hivers frais (longues gelées parfois) ; inégalité des pluies (printemps et hiver) selon les années.

Guyenne

■ **Histoire. Du VI**e **s. à 56 av. J.-C.** les Aquitains, appelés parfois les Proto-Basques, de race et de langue ibériques, occupent la rive gauche de la Garonne, jusqu'à l'Espagne. **56** le lieutenant de César, Crassus, fait un raid sur leur territoire, sans le conquérir. **52** les Aquitains ne participent pas à la révolte gauloise. **38** soumis par Agrippa. **27** forment une des 3 provinces de la *Gallia Nova* (des Pyrénées et de l'Atlantique à la Loire). Au Bas-Empire, devenue Provincia Aquitania, est incorporée au diocèse de Vienne, et partagée en 3 : *Novempopulanie* (cap. Eauze), *Aquitaine Seconde* (Bordeaux), *Aquitaine Première* (Bourges). **Fin III**e **s.** les Romains évacuent les Pyrénées. **IV**e **s.** ils établissent un *limes* sur l'Adour et les Gaves (forteresse principale : Bayonne ou *Lapurdum*). **Début V**e **s.** possession des Wisigoths, rattachée au royaume wisigothique d'Esp. **507** intégrée au « Regnum Francorum » après la victoire de Clovis à *Vouillé.* Pratiquement indépendant pendant la décadence mérovingienne, elle est dominée par une série de ducs « nationaux » vascons, venus du sud des Pyr. ; elle s'appelle alors Vasconia (Gascogne). **Au VIII**e **s.** le duc Waifre ou Gaifier tente d'assurer son autonomie. **760-68** campagnes de Pépin le Bref assurant son autorité (organisation de l'Aquitaine franque par le capitulaire de Saintes). **778** Charlemagne crée un royaume d'Aq. au profit de son fils Louis (futur Louis le Pieux). Pépin II, Charles l'Enfant, Louis le Bègue lui succèdent. **877** après l'avènement de L. le Bègue au trône franc, constitution d'un « Ducatus Aquitaniae » comprenant Berry, Poitou, Auvergne, Toulousain, mais contrôlant mal le pays gascon. **IX**e **et X**e **s.** appartient successivement aux *comtes de Poitiers* (Rannoux II), à la *maison d'Auvergne* (Guillaume le Pieux), à celle de *Toulouse* (Raimond III Pons), de nouveau aux *Poitevins* (Guillaume Tête d'Étoupe, Guillaume Fierebrace reconnu par les Capétiens après 987). *Guillaume IX de Poitiers,* troubadour, protecteur des arts et des lettres, règne 41 ans. **1137** mort de Guillaume X ; sa fille *Éléonore* ép. *Louis VII,* roi de Fr. (dont le domaine est ainsi quadruplé). **1152** Louis VII la répudie, Éléonore se remarie avec *Henri II Plantagenêt,* héritier des territoires anglo-normands et angevins (auquel elle apporte tous ses territoires). Henri II réorganise ses acquisitions aquitaines sur le modèle normand : sénéchaux superposés aux prévôts (6 sénéchaussées). Philippe Auguste conquiert des fragments de l'héritage d'Éléonore ; il est reconquis progressivement au XIIe et XIIIe s. par les rois de Fr. **1259** le *duché de Guyenne* (déformation du mot Aquitaine) est érigé au profit du roi d'Angl., vassal du roi de Fr. : il comprend Gascogne (au sud), Bordelais, Bazadais, Limousin, Périgord, la moitié du Quercy et la suzeraineté sur l'Agenois (paix de Paris). **XIV**e **et XV**e **s.** Guyenne et Gasgogne sont âprement disputées. **1453** reconquis par Charles VII. **1469** duché de Guyenne amputé du Limousin et donné en apanage par Louis XI à son frère Charles. **1472** revient définitivement à la Couronne à la mort de Charles. **1651** révolte de l'Ormée à Bordeaux. **A la fin de l'Ancien Régime,** Guyenne et Gascogne sont réparties entre les généralités de Bordeaux, Auch et Montauban. *Divisées par la Révolution* en 6 départements (Gironde, Gers, Lot-et-Garonne, Dordogne, Lot, Aveyron), plus quelques éléments des départements des Landes et du Tarn-et-Garonne.

Agenais ou Agenois

■ **Situation.** Rive droite de la Garonne couvrant une partie des départements du Lot-et-Garonne et du Tarn-et-Garonne.

■ **Histoire.** Peuplé dès le paléolithique ; occupé par des Ligures jusqu'au VIe s. av. J.-C., par des Ibères au Ve s., puis par les Celtes Nitiobriges qui fondent l'oppidum d'Aginnum. Intégré à l'Aquitaine Seconde à l'époque romaine. Réuni aux duchés de Gascogne (Xe s. à 1052) puis d'Aquitaine (1052-1196). **1196** donné en dot à Jeanne d'Angl. qui épouse Raymond VI de Toulouse. **1259** donné à Alphonse de Poitiers par la paix de Paris sous la suzeraineté du duc (anglais) de Guyenne. **1271** réuni à la Couronne avec le domaine d'Alphonse de Poitiers. **1271-1444** disputé entre l'Angl. suzeraine et la France (restitué de 1279 à 1303, de 1360 à 1444 à l'Angl.). **XVI**e **s.** rattaché au gouv. et à la généralité de Guyenne. Comprend dans ses fiefs la baronnie de Lauzun, érigée en duché en 1692 pour l'époux de la Grande Mademoiselle.

■ **Ressources.** Agriculture : vignes, arbres fruitiers, prunier introduit XVIe s., tabac XVIIe s. (région de Clairac), céréales, légumes, élevage (« Blonde d'Aquitaine »).

Béarn

■ **Situation.** Entre Chalosse, Pyrénées et P. basque.

■ **Histoire.** Nom d'origine ibérique : *Beneharnum* qui contient la racine basque *harri,* pierre. Il désigne le bourg de Lescar, et apparaît au Ve s. comme nom de cité aquitano-romaine (démembrement de la cité des Tarbelli, qui fait partie de la Novempopulanie). Après les invasions wisigothiques, vasconnes et peut-être musulmanes, constitution d'une vicomté au IXe s., qui s'étend par des conquêtes. **1256** un arbitrage du Cte de Foix déboute Gaston VII le Grand de ses prétentions sur la Bigorre. Après sa mort (il ne laissait que des filles), union de la vicomté au comté de Foix sous *Gaston Ier de Foix,* son gendre. **XIV**e **s.** querelle, à propos de cette succession, entre les maisons de *Foix-Béarn* et d'*Armagnac.* **1398** Béarn et comté de Foix passent dans la maison de *Grailly,* à laquelle succède, à partir de 1485, celle d'*Albret* (souveraine de Navarre). **1512** les Albret-Béarn perdent la Hte-Navarre ; la Basse-Navarre, qui leur reste, devient une annexe du Béarn, leur fief principal : nécropole dynastique à Lescar (Béarn). **1555** les *Bourbons-Vendôme* leur succèdent. **XVI**e **s.** *Henri IV,* dernier Cte de Béarn. **1620** *20-10* réuni à la Couronne.

■ **Institutions.** Dès le XIe s., *« fors »* ou chartes de coutumes reconnaissent aux sujets du vicomte beaucoup de libertés. Les *états « de Béarn »,* qui résultent de la fusion entre la « Cour Majour » et la « Cour des Communautés » et sont composés de clercs, de nobles et de représentants des villes et des communautés, jouent un rôle capital dans le gouvernement. Parlement constitué à Pau en 1620. Le Béarn garde ses états jusqu'en 1789, il perd alors ses 2 évêchés de Lescar et d'Oloron (dont les titulaires avaient joué un grand rôle au Moyen Âge). **Capitales :** Lescar (Beneharnum) (jusque vers 850), Morlaas (850-1242), Orthez (1242-1460) et Pau (1460-1830).

■ **Langue.** Dialecte gascon, considéré longtemps comme un parler particulier, mais classé de nouveau actuellement dans le sous-groupe gascon pyrénéen. *Différences avec le g. de la plaine : 1°) phonétique :* le *t* final, venant du *ll* latin, se prononce *tch* et non *t* (betch, « beau » ; vedetch, « veau ») ; *2°) articles définis :* masculin, etch « le » ; féminin, era « la » (venant du lat. *ille, illa*) ; *3°) conjugaisons :* existence de conditionnels marquant l'éventualité et l'irréalité de façon plus nuancée. Emploi d'un « futur du passé » distinct des conditionnels.

Pays basque français

■ **Situation.** Entre Pyrénées et Atlantique, sur la rive gauche du gave d'Oloron, des gaves réunis et de l'Adour. *3 provinces :* la *Soule* au S.-E. ; la *Basse Navarre* au centre ; le *Labourd* au N.-O. Avec les 4 provinces basques espagnoles *(Navarre, Guipuzcoa, Biscaye, Alava)* constituent le Pays basque ou *Euzkadi.* Les nationalistes basques n'emploient jamais les expressions *Pays basque français* ou *espagnol.* Jusqu'en 1970 env., ils disaient *Pays basque continental* ou *péninsulaire ;* depuis, ils préfèrent : *Euzkadi nord* et *Euzkadi sud.*

■ **Ethnologie.** Ethnie attestée en Navarre v. 8000 av. J.-C. (complexe azilien). Dans l'ensemble, les B. se différencient des autres Européens par la fréquence des groupes sanguins O rhésus nég., groupe B pratiquement nul et par leur morphologie (taille moyenne entre 1,60 m et 1,70 m, épaules larges, thorax allongé, hanches étroites, face triangulaire). Du point de vue physique, ils seraient proches des Géorgiens mais il s'agirait d'une coïncidence. On conclut actuellement à l'origine navarraise des B., qui ont su préserver pendant 100 siècles leur double particularisme : caractéristiques corporelles, langage.

■ **Langue. Basque** ou *euskarien :* viendrait d'une langue parlée en Navarre fin du quaternaire, et répandue en Euzkadi à l'âge du Bronze. **Souletin :** diffère notamment par ses accents toniques. **Bas-navarrais :** groupe commun avec le *labourdin. Langue littéraire navarro-labourdine :* élaborée v. 1940, remplacée dep. 1960-70 par le *basque unifié (eskuara batua),* tenant compte des dialectes péninsulaires (70 % des écrivains basques). **Bascophones :** Espagne 600 000 à 750 000, France 40 000 (20 % à 33 % des Basques français).

■ **Drapeau.** Rouge avec croix verte et croix blanche en sautoir passant sur elle ; arboré dans les 7 prov. b., conçu par Sabino de Arana-Goiri (Biscayen, fondateur du nationalisme), apparu publiquement la 1re fois le 14-7-1894 à Bilbao.

■ **Histoire. Vicomté de Soule** ou **Zuberoa** (capitale Mauléon), quasi indépendante jusqu'au XIIIe s. par un jeu de bascule entre Béarn, Navarre et Guyenne (anglaise), entre ensuite dans l'orbite des rois de Fr. devenus Ctes de Toulouse ; 1306 confisquée par Philippe le Bel, occupée par les Anglais qui tiennent garnison à Mauléon de 1330 à 1437. **Basse-Navarre :** partie du roy. de Navarre, cap. Pampelune, au S. des Pyrénées ; passée par mariage en 1485 dans la famille française d'*Albret ;* 1512 les rois catholiques (espagnols) conquièrent tout le roy., mais Charles Quint évacue la B.-Nav., qui se constitue en roy.

indépendant [siège du Parlement : alternance entre St-Palais et St-Jean-Pied-de-Port (en fait, la B.-Nav. est rattachée au comté de Béarn, fief principal des Albret, et administrée depuis Pau)]. 1555 la couronne de Nav. passe par mariage dans la famille de *Bourbon*. 1589 Henri III de Nav., devenu le roi de Fr. Henri IV, la réunit à la France. Le parlement de St-Palais fusionne avec celui de Pau. **Labourd :** ville épiscopale de Bayonne et de sa campagne, et localités autour d'Ustaritz, capitale forale (nombreux différends entre les 2 cités) ; associé au sort de la Guyenne anglaise jusqu'à la fin de la g. de Cent Ans (1451). Relève ensuite du gouvernement de Bordeaux.

☞ *De 1800 à 1970 :* 100 000 à 200 000 départs vers l'Amérique.

■ **Mouvements politiques. Enbata,** 3, rue des Cordeliers, 64100 Bayonne. Parti politique dep. 15-4-1963, adopte la charte d'Itxassou revendiquant le droit pour la nation b. de s'autogouverner. D'abord influencé par les idées démocrates-chrétiennes et socialistes, se radicalise avec la venue des membres du mouvement ETA, qu'il assiste. *But :* 1°) association des élus b. ; 2°) création d'un département Pays-Basque ; 3°) d'une région économique de l'Europe ; 4°) de l'Europe fédérée des peuples (des ethnies) qui comprendra un État d'Euskadi, formé des 7 provinces b. réunifiées. 4,61 % des voix aux élect. lég. en Pays b. en 1967, déclin après mai 1968. Organise à Pâques de grands rassemblements (l'*« Aberri Eguna » :* jour de la Patrie). Dissous par le gouvernement 1974, l'hebdomadaire a reparu 1975, avec supplément mensuel « Aburu » dep. oct. 1981. **Ehas (Euskal Heirriko Alderdi Sozialista,** P. socialiste du Pays basque). *Fondé* 1964, dissous 1981. Pour un nationalisme de gauche 3,90 % des voix en Pays b. aux législ. de 1978. *Mensuel :* « Euskaldunak ». **Ema (Ezkerreko Mugimendu Aberztale :** Mouvement patriotique de gauche). Regroupe la gauche « abertzale » dont **Herri Talde** (féd. de groupes locaux). **Goiz-Argi,** *fondé* 1985 par André Luberriaga, maire d'Ascain. 200 élus. Nationaliste modéré. **Euskal Batasuna (Unité basque),** *fondé* 1986. Partisan de l'autogouvernement. **Euskal Alkartasona (Solidarité basque),** *fondé* 1986. Section française de l'EA (Pays basque autonome espagnol). 3 membres siègent au Comité central (1re fois dans l'histoire politique des 2 pays). **Ipar Buru Batrar (Conseil directeur du Nord),** *fondé* 1990. Section fr. du PNV (Partido nacionalista vasco, le plus ancien parti basque, fondé 1895).

Élections législatives *(juin) et* **cantonales** *(sept. 1988),* **Ema, Euskal Batasuna** et **Euskal Alkartasona** listes communes + de 5 % des voix (juin), 7 % (sept.). **Municipales** (mars 1989), « Coalition abertzale » env. 10 % des voix.

■ **Mouvements « terroristes ». Hordago,** quelques plasticages en 1978-80, puis disparaît. **Iparretarrak** (ceux du Nord), *1973 :* plasticages, attentats. *1982 :* 2 CRS †. *1983 :* 2 gendarmes †, *13-12-86 :* fait évader 2 détenus de la prison de Pau. *1987 :* 1 gendarme et 1 militante †. *20-2-88 :* Philippe Bidart (n. 1953), fondateur d'Iparretarrak, et 3 autres militants arrêtés. *29/30-6-89 :* attentat manqué contre le train « Puerta del Sol ».

■ **Mouvements administratifs. Association pour la création d'un nouveau département.** *Fondée* en 1976. *Pt :* Albert Viala. **Association des élus pour un département Pays-Basque.** Mairie de Helette (64640). *Fondée* 1980. *Pt :* Jean Aniotzbehere, maire de Sare. 50 maires et 200 conseillers municipaux y adhèrent.

■ **Mouvements économiques. Hemen,** 50, allées Marines, 64100 Bayonne. **Herrikoa,** Le Forum, zone industrielle des Poutots, 64100 Bayonne.

■ **Mouvements culturels. Euskalzaindia,** 37, rue Benneceau, 64100 Bayonne. Section du Pays basque nord de l'Académie basque (siège à Bilbao). **Ikas,** 37, rue Benneceau, 64100 Bayonne. **Seaska,** 8, rue Thiers, 64100 Bayonne. Fédération des *ikastolas* (écoles maternelles) du Pays basque nord ; 800 enfants scolarisés (primaire et secondaire). **Euskal Dantzarien Biltzarra,** MJC du Polo-Beyris, 64100 Bayonne. Féder. des groupes de danse du Pays basque nord. **Orai-Bat,** 18, rue Benoît-Sourigues, 64100 Bayonne. **Oldarra,** rue Duler, 64200 Biarritz, groupe folklorique. **Institut culturel du Pays Basque,** Château Lota, 64480 Ustaritz. *Dir. :* Txomin Héguy. *Pt :* Ramuntxo Camblong. Financé par État, dép. des Pyr.-Atl., ville de Bayonne. Animé par *Pizkundea* (Féd. d'assoc. culturelles b.).

Nota. – En Espagne (voir Index). Les B. espagnols des « commandos autonomes anticapitalistes » auraient eu leur PC fr. à Ciboure jusqu'au 13-2-1981 (17 arrestations) : base des raids contre les antiautonomistes d'Esp. ; racket des commerçants b. fr.

Béret basque. *Origine* Béarn. *XVe s.* fabriqué par les bergers, tricoté, puis moulé autour du genou, lavé et martelé dans l'eau pour le feutrer. *XIXe s.* 1res fabriques à Nay et Oloron, adopté par les chasseurs alpins, puis les aviateurs, conducteurs de chars et troupes coloniales. *1936* 32 fabriques. *1992* 3 fabriques (Oloron 2, Nay 1). Chiffre d'aff. env. 50 millions de F.

Périgord

■ **Situation.** Continue vers l'E. les pays charentais. Sous-sol généralement très perméable (puits naturels, gouffres, pertes de rivières, résurgences). Très boisé (châtaigniers, chênes, chênes verts, pins). *Périgord noir* au S.-E., *blanc* au centre, *pourpre* (Bergeracois) au S.-O., *vert* au N (zone forestière, nontronnais, riberacois).

■ **Ressources. Ancienne métallurgie** (forêt et minerai de fer local), Écomusée aux forges de Savignac Ledrier. **Agriculture :** blé, maïs, tabac, chênes truffiers, cultures fruitières (vallées de la Dordogne, Vézère, Isle), vignes (Bergeracois), fraises, noix ; élevage (moutons, bœufs, veaux de boucherie, volailles grasses), lait de vache et chèvre.

■ **Histoire.** Occupé par les Petrocorii aux époques gauloise et romaine. Comté sous les Mérovingiens. Dépendant du duché d'Aquitaine, uni au xe s. à l'Angoumois, puis à la Marche. Sa dynastie propre descend de *Boson Ier, Cte de la Marche* (968) ; ses comtes ne possèdent que quelques châteaux et ne parviennent pas à affermir leur autorité entre le roi d'Angleterre, devenu duc d'Aquitaine en 1152, et le roi de Fr. qui intervient constamment. Pays frontière, ravagé pendant toutes les guerres jusqu'en 1453. Les derniers comtes de la dynastie locale, Archambaud V et VI, sont dépossédés par Charles VI (1398-99). Passe successivement aux maisons d'*Orléans* (1400), de *Penthièvre* (1437), d'*Albret* (1481). *Henri IV* réunit le comté au domaine royal.

■ Économie

■ **Population active** (ayant un emploi, 1992) 1 062 448 ; chômeurs 149 249. **Salariés** (1-1-90) 848 165 dont agriculture 31 312, ind. agro-alim. 26 716, prod. et distr. d'énergie 15 380, ind. des biens intermédiaires 37 976, d'équipement 45 480, des biens de consommation 48 864, BTP 60 312.

Principales usines : Aérospatiale (Toulouse) 8 160 pers., Turboméca [Labinal (Bordes 64) 2 457, SEP (SNECMA, St-Médard-en-Jalles 33] 1 700, Aérospatiale (St-Médard-en-J. 33) 1 657, Dassault (Mérignac 33) 1 531.

■ **Échanges** (en milliards de F, 91). **Imp. :** 32,5 dont autom. 3,5, prod. pétr.-gaz nat. 3,3, prod. chim. de base 2,9, matér. électron. 2, équip. ind. 1,6, prod. de l'agri. 1,3, papier-carton 1,1, métaux et prod. non ferreux 1,1, prod. constr. aéron. 1, mat. textiles prépar. fils 1, prod. alim. divers 0,9, boissons-alcools 0,8, prod. travail des métaux 0,8, prod. trav. méca. du bois 0,7, prod. ind. divers 0,6, prod. transf. mat. plast. 0,6, conserves 0,6, mat. constr. et céramique 0,5, machines-outils 0,5, autres 7,6 ; *de :* All. 5,5, Espagne 4,6, Italie 3,7, G.-B. 3,1, USA 2,7, Belg.-Lux. 1,8, P.-Bas 1,5, Portugal 0,9, Japon 0,8, Brésil 0,6, URSS 0,6, Suède 0,5, France métrop. 0,5, Maroc 0,4, Canada 0,4, Finlande 0,3, Irlande 0,3, Norvège 0,3, Suisse 0,2, Chine 0,2. **Exp. :** 47,5 dont prod. de l'agri. 12,1, autom. 5,6, mach. de bureau, inform. 5,1, prod. chim. de base 4, prod. constr. aéron. 3,6, papier-carton 2,5, mat. électron. 1,6, équip. ind. 1,1, prod. trav. mécan. bois 0,9, prod. pharm. 0,8, mat. de manutention 0,7, récupération 0,7, boissons-alcools 0,7, viandes, cons. de viandes 0,7, prod. métaux 0,7, lait, prod. lait. 0,6, prod. trav. grain 0,6, prod. alim. divers 0,5, mat. élect. 0,5, prod. parachimie 0,5, autres 4,3. *Vers :* All. 7, Espagne 6,6, USA 6,1, G.-B. 5,5, Italie 3,7, Belg.-Lux. 3,6, P.-Bas 3,3, Portugal 1,5, Suisse 1,1, Suède 0,8, Japon 0,7, Danemark 0,6, Canada 0,5, Rép. d'Afr. du Sud 0,3, Algérie 0,3, Maroc 0,3, Qatar 0,3, Martinique 0,3, Guadeloupe 0,3, Brésil 0,2, autres 4,6.

■ **Agriculture. Terres** (en milliers d'ha, 1991). 4 183,4 dont *SAU* 1 646,4 [t. arables : 923,1 (dont céréales 551,5, oléagineux 88,8, fourrages annuels 52,5, p.-de-t. et légumes frais et secs 35,5, jachères 41,7), herbe 556,7, vignes 140,2, cult. fruitières 25,1] ; *bois* 1 839,7. *Exploitations* (1988) : 77 590.

Produits (récolte en milliers de t, 1991). *Céréales :* maïs-grain 3 212,3, blé tendre 458,5, orge 228,9. *Oléagineux :* tournesol 184,4, soja 27,9. *Légumes :* tomates 63,9, laitues 140,5. *Truffes* (1992) : 3 t. *Fruits :* pommes 57,9, fraises 45, poires 9,1, pêches, nectarines 4.

Vignoble (raisins de cuve + r. de table, en milliers d'ha, 1991). 140 (dont Gironde 110, Dordogne 16, Lot-et-G. 8,5, Landes 3,2, Pyr.-Atl. 2). *Production (en milliers d'hl) :* 3 241 d'AOC, 47,7 pour eau-de-vie, 9,8 de VDQS, 352,3 vins de pays et autres vins. *1855* classification des grands crus.

■ **Élevage** (milliers, 1-12-91). *Bovins* 890 ; *ovins* 979,5 ; *porcins* 531,2 ; *caprins* 36,7 ; *équidés* 23,2 ; *volailles* (production de viande, en t, 1991) canards gras 40 485, à rôtir 2 755, dindes 6 335, pintades 3 015, oies grasses 3 606, cailles 1 580, lapins 3 421.

■ **Pêche** (1991, milliers de t et, entre parenthèses, millions de F). Bayonne (est.) 9,1 (183,4), Arcachon (est.) 1,5 (57,4), Bordeaux 0,2 (9,9). *Ostréiculture* (1989, prov.) : 11,2 (92,5).

■ **Forêts-bois** (en milliers d'ha, 1990). 1 834,7 dont Landes 630, Gironde 485, Dordogne 396, Pyr.-Atl. 200, Lot-et-G. 123,7.

■ **Énergie** (1988). *Production en Aquit.* (milliers de t) : pétrole brut 994, lignite 589, (millions de m³) gaz naturel brut 4 514, gaz épuré commercialisable 3 096 ; (millions de kWh, 1987) énergie électrique nucléaire 21 994, thermique 809, hydraulique 1 900. *Consommation par l'ind. en Aquit.* électricité (1987) 5 927 millions de kWh ; fuel (1988) 165 000 t ; gaz naturel (1988) 810 000 000 m³. *Ventes de prod. pétr.* (en milliers de m³) *1991 :* carburant 1 356 (dont essence 32, super 1 324), gasoil 1 364 ; (milliers de t) fuel domestique 847, fuel lourd ind. 175, fuel lourd hors EDF 198.

■ **Secondaire. Industrie agro-alim.** 1re ind. de la région. Boulangerie-pâtisserie, ind. de la viande, boissons et alcools, trav. du grain, conserveries, prod. aliment. divers, transf. du tabac.

■ **Tertiaire. Commerce intérieur** (1-1-92). *Établ. de gros :* alimentaire 3 192, non alim. 7 388. *De détail :* alim. 7 671, non alim. 17 505. Supermarchés 372, hypermarchés 57. *Entreprises artisanales :* 48 960.

Tourisme (1-1-92). Hôtels homologués 1 448 (36 602 chambres) ; gîtes ruraux et communaux (1986) 2 909 ; chambres d'hôtes (1986) 331 ; camping 670 (813 803 places). *Fréquentation* (milliers de nuitées, mai à sept. 92) campings 15 067, hôtels 7 258. *Permis de chasse* (1990-91) 191 390 ; *de pêche* (1990) 121 777. *9 stations thermales* (Dax, 2e station fr. après Aix-les-Bains). *6 stations de ski (s. de piste 3, de fond 3)* Gourette près d'Eaux-Bonnes (Pyr.-Atl.), alt. 1 400-2 600 m, 26 km de pistes.

Aménagement de la côte aquitaine (620 000 ha, 300 km de plages, 64 communes) : schéma adopté en 1972 (1973 pour les Pyr.-Atlant.). Voir Quid 1986, p. 672a.

■ **Transports-communications. Aéroport :** Bordeaux-Mérignac (1990) 2 572 100 passagers (arrivées, départs, transits). **Ports** (1991) : Bordeaux 8 805 000 t, Bayonne-Boucau 3 200 000 t.

■ Départements

Voir légende p. 777.

■ **Dordogne** (24) 9 060 km² (136 × 117 km), 3e dép. pour la superficie. *Alt. max.* forêt de Vieillecour 478 m ; *min.* 16 m vallée de la Dordogne ; *moy.* 200 m. *Pop. 1801 :* 409 475 ; *1851 :* 505 789 ; *1901 :* 425 951 ; *1936 :* 386 963 ; *1968 :* 376 073 ; *1975 :* 373 179 ; *1982 :* 377 356 ; *1990 :* 386 365 (dont Fr. par acquis. 6 932 ; étrangers 11 081 dont Port. 3 184, Maroc. 2 180, Ital. 572, Esp. 520). D 43.

Villes. PÉRIGUEUX 30 280 h. [*1811 :* 6 862 ; *1830 :* 8 452 ; *1876 :* 24 169 ; *1921 :* 33 144 ; *1982 :* 32 916] [ag. 59 842, dont dans le dép. *Coulounieix-Chamiers* 8 403. *Trélissac* 6 660] ; alt. 98 m ; matér. ferr. ; ind. alim., truffes, foie gras ; confect., chaussure ; imprimerie timbres-poste ; électronique. Secteur sauvegardé 20,3 ha, Cath. St-Front, XIIe s. (partiellement reconstruite au XIXe s.), ensemble arch. Renaissance, vestiges gallo-romains : Tour de Vésone (27 m de haut. ; 20,70 m de diam.), arènes, musée du Périgord (lapidaire), abb. de Chancelade ; festival internat. du mime « Mimos » (août) ; trophée Radio France de la chanson francophone (La Truffe, août).

– *Bergerac** 26 899 h. [*1811 :* 8 665 ; *1876 :* 13 120 ; *1921 :* 17 156 ; *1982 :* 30 902] (ag. 31 794) ; vins, conserves ; poudrerie, métall. ; man. de tabac ; ind. du bois, des papiers et cartons ; ind. chim. ; musée du tabac. *Boulazac* 5 996 h. *Brantôme* 2 080 h. ; abbaye médiévale ; gastronomie ; ind. textile ; festival danse (juillet-août). *Montcaret* 1 099 h. ; musée (gallo-romain). *Montignac* 2 938 h. ; festival folklore (juillet) ; musée Eugène Le Roy. *Montpon-Ménestérol* 5 481 h. ; briqueteries, menuiseries, scieries. *Mussidan* 2 985 h. *Nontron** 3 558 h. [*1811 :* 2 990] (ag. 4 413) ; articles chaussants, ind. du bois et alim. *Ribérac* 4 118 h. (ag. 4 426) ; text. ; festival musique. *St-Astier* 4 416 h. ; chaussure. *Sarlat-la-Canéda** 9 909 h. [*1811 :* 5 263 ; *1921 :* 6 541 ; *1975 :* 9 765 ; *1982 :* 9 670] ; centre comm., conserves ; ind. chim., élect., méc. gén., plast. ; festival théâtre, centre culturel occitan ; lanternes des Morts, musée, ensemble architectural du MA. *Sorges* 1 074 h. ; écomusée de la truffe. *Terrasson-la-Villedieu* 6 004 h. (ag. 10 628) ; caoutchouc et plast., métall., papet., ind. alim. *Thi-*

viers 3 590 h. ; papet., bois, conserverie, marché au gras ; musée du foie gras.

Régions naturelles. *Périgord blanc* (Périgueux et sa région) : tourisme, fraisiculture (Vergt), bovins, caprins, oies et canards gras, noyers, tabac, vignobles. *P. noir* (Sarlat et sa région) : tourisme, préhistoire, élevage (ovins, porcins, oies et canards gras), forêt de Villefranche, noix, truffes. *P. pourpre* ou *Bergeracois* (fruits, légumes, tabac, vins fins, bovins, grande culture, tourisme). *P. vert, Ribéracois* (grande culture, forêt, élevage, bovins, oies et canards gras, tourisme) et *Nontronnais* (élevage, bovins, porcins, ovins, caprins, oies et canards. gras, noix, tourisme). *Double* (forêt, étangs, pisciculture, bovins). *Landais* (vignoble, culture, élevage, forêts). *Causse* (tourisme, élevage, céréales, truffes, noix, forêts). **Forêts** (ha). Forêt de la Bessède 4 500, de Barade 3 100, de Lagudal 2 200, de Monclar 2 100 [80 % appartiennent à des personnes possédant – de 50 ha)].

Divers. Agriculture : 1er dép. producteur de fraises (21 800 t en 91), 2e de noix en coques et cerneaux (1 540 t en 91), 1er de tabac (1 688 ha en 91), articles chaussants, truffes (3 t en 92), foie gras (en 91 : 245 000 oies grasses, 550 000 canards gras), bois de noyer. **Tourisme** (1992) : 270 hôtels homologués, 800 gîtes ruraux et communaux. *Grottes préhistoriques :* Montignac-Lascaux (v. – 17000 av. J.-C. ; + de 600 peintures, + de 1 500 gravures ; découverte 12-9-1940 par 4 adolescents, ouverte du 14-7-48 à 63 ; fac-similé ouvert 18-7-83) ; Les Eyzies : Font-de-Gaume, du Grand-Roc, la Mouthe (déc. 1895), les Combarelles (déc. 8-9-1901), abri du Cap-Blanc, gisements des Laugeries, de la Micoque, de Cro-Magnon (musées), abri Pataud (musée de site) ; La Roque St Christophe, forteresse et cité troglodytique ; Rouffignac, grotte aux 100 mammouths de la Madeleine à Tursac (déc. 1863-64) (connue 1575, authentifiée 1956) ; la Tour-Blanche (déc. 1983). *Châteaux :* 1er département pour la densité de châteaux et manoirs (1001) : Beynac, Biron (XIe-XVIIIe s.), les Bories (XVIe s.), Bourdeilles (XIIIe-XVIe s.), Castelnaud, Eymet (musée), Eyrignac (jardins), Fénelon, Hautefort (par Nicolas Rambourg 1640-80, incendie 30/31–8–1968, restauré 1969–84), Jumilhac le Grand, Lanquais (XIVe-XVIIe s.), Mareuil, Monbazillac (XVIe s.), Montaigne, Montfort, Puyguilhem (XVIe s.), Puymartin (XVe-XVIe s.), etc. *Bastides* (Monpazier (400 × 220 m), Beaumont, Domme. *Églises romanes* du Ribéracois et du Nontronnais. *Abbaye et cloître :* Cadouin. *Gisement de bentonite* (rég. de Beaumont).

■ **Gironde** (33) 10 000 km², dép. français le plus étendu (166 × 120 km). *Côtes* 175 km. *Alt. max.* colline de Samazeuil 163 m. *Pop. 1801 :* 502 723 ; *1851 :* 614 387 ; *1901 :* 823 131 ; *1936 :* 850 567 ; *1975 :* 1 061 474 ; *1982 :* 1 127 546 ; *1990 :* 1 213 499 (dont Fr. par acquis. 31 637, étrangers 53 417 dont Port. 12 944, Maroc. 9 942, Esp. 9 104, Alg. 4 992). D 121.

Villes. BORDEAUX alt. moy. 20,25 m, max. 23,5 m. Sup. 4 454 ha, 210 336 h. [*1876 :* 215 140 ; *1911 :* 261 678 ; *1936 :* 258 348 ; *1946 :* 253 751 ; *1962 :* 278 403 ; *1968 :* 266 662 ; *1975 :* 223 131 ; *1982 :* 208 159]. Port, imprim., presse, édition, matér. élec., aéronaut. *Espaces verts :* 4 millions de m² dont (en ha) bois de Bordeaux 110, golf public 100, Parc bordelais 30, jardin public 10, parc de Monséjour 5, esplanade Charles-de-Gaulle/Mériadeck 4, bois de Rivière 4 ; cath., théâtre (1780), quartier des chartrons (de Chartreux), place des Quinconces, musée des Bx-Arts (f. 1801, vis. 91 : 56 907), d'Aquitaine (f. 1987, vis. 91 : 110 000), pont d'Aquitaine (1967), [ag. 685 456, dont *Ambarès-et-Lagrave* 10 195 ; ind. pharm. *Artigues-près-Bordeaux* 5 530. *Bassens* 6 472, chim. de base. *Bègles* 22 604. *Biganos* Cellulose du pin : 730 employés. *Blanquefort* 12 843 h. *Bruges* 8 753. *Carbon-Blanc* 5 842. *Castillon-la-Bataille* 3 207 (ag. 4 738). *Cenon* 21 363. *Cestas* 16 768 ; électron, informatique, équip. ind., travail du grain. *Eysines* 16 391. *Floirac* 16 834. *Gradignan* 21 727. *Le Bouscat* 21 538. *Léognan* 8 008. *Le Taillan-Médoc* 6 815. *Lormont* 21 591. *Mérignac* 57 273 ; aéroport, constr. aéro., 1er centre fr. pour constr. de missiles balistiques, propulsion et avionique ; constr. élec., verre, textile, cuir ; ind. pharm. vins rouges du Médoc. *Pessac* 51 055 ; grands vins, ind. électro, cité ouvrière (Le Corbusier). *St-Loubès* 6 207. *St-Médard-en-Jalle* 22 064 ; poudrerie. *Talence* 34 485. *Villenave-d'Ornon* 25 609]. V. 1960, réhabilitation des 25 ha du quartier Meriadeck, 1991 : 7 000 h., 2 400 logements, 500 entreprises ind. et commerciales. Assainissement de 1 000 ha hors de la ville pour le quartier du Lac et y transférer foires, salons, administrations et logements (15 000 logements prévus aux Aubiers, 1 000 construits). *Enseignement :* université de Bordeaux (f. 1441, 50 000 étudiants), Ensam, Enscpb, Enserb, Istab, Enita, 2 IUT.

– *Andernos-les-Bains* 7 150 h. *Arcachon* 11 770 h. [ag. 39 931, dont *Gujan-Mestras* 11 433. *La Teste* 20 331 ; ostréiculture, conserv., constr. nav., stat. baln.]. *Arès* 3 911 h. [ag. 9 475, dont *Lège-Cap-Ferret* 5 564]. *Bazas* 4 704 h. *Biganos* 5 908 h. (ag. 8 889) ; ind. papier, carton. *Blaignac* 203 h. ; égl. St-Jean. *Blaye* *4 286 h. (ag. 5 084) ; port pétr., machines agr., vins ; forteresse. *Cadillac* 2 582 h. (ag. 4 482) ; château (1588-1600). *Coutras* 6 689 h. *La Brède* 2 846 h., château où naquit Montesquieu en 1689. *Langoiran* 2 024 h. (ag. 4 250). *Langon** 5 842 h. (ag. 8 480) ; vignobles du Sauternais. *La Réole* 4 273 h. (ag. 5 364). *Lesparre-Médoc** 4 217 h. (ag. 5 699) ; vins. *Libourne** 21 012 h. [ag. 26 597, dont *St-Denis-de-Pile* 3 909. *Pomerol* 867] ; vignobles de St-Emilion (env. 1 978 ha), métall. *Martignas-sur-Jalle* 5 732 h. *Parempuyre* 5 481 h. *Pauillac* 5 670 h. ; vign. de Mouton-Rothschild ; raff. de pétrole ; port de plaisance en cours. *Plan-Médoc* 5 078 h. *Portets* 2 008 h. (ag. 5 160). *St-André-de-Cubzac* 6 341 h., église, pont métallique de 552 m (1882) par Gustave Eiffel. *Ste-Foy-la-Grande* 2 745 h. (ag. 6 646) ; bonneterie.

Régions naturelles. *Plaines des Landes* (cultures maraîchères, maïs, tabac ; zone de Lacq : gaz nat., électrométall., prod. chim.). *Bordelais* Entre-Deux-Mers. **Forêt** (pins) : 479 500 ha (46,4 % du dép.), papeteries à Facture et Bègles.

Divers. Agriculture : 1re prod. de vins AOC 6 077 000 hl (en 1990). **Tourisme** (1–1–91) : 363 hôtels homologués, 161 campings. Plages, 240 km de pistes cyclables, parc nat. régional des Landes de Gascogne, base dép. de sports et de loisirs de Bombannes. *Lacs :* Carcans-Hourtin (3 625 ha, prof. 10 m) et Lacanau (1 973 ha, 7 m). *Phare :* Cordouan (le + ancien de France).

■ **Landes** (40) 9 243 km² (144 × 116 km). *Alt. max.* colline de Lauret 227 m ; *min.* 20 m. *Pop. 1801 :* 224 272 ; *1851 :* 302 196 ; *1901 :* 291 586 ; *1936 :* 251 438 ; *1946 :* 248 397 ; *1975 :* 288 800 ; *1982 :* 297 424 ; *1990 :* 311 461 (dont Fr. par acquis. 6 257, étrangers 8 592 dont Port. 3 616, Esp. 1 576, Maroc. 1 024, Indoch. 596). D 34

Villes. MONT-DE-MARSAN 28 328 h. [*1862 :* 4 082 ; *1939 :* 13 009 ; *1954 :* 17 120 ; *1962 :* 23 254 ; *1982 :* 27 326] [ag. 35 403, dont *St-Pierre-du-Mont* 7 075] ; constr. méc., ind. du bois, plast. ; musées Despiau-Wlérick, Dubalen (Hist. nat.), parc Jean-Rameau, arènes.

– *Aire-sur-l'Adour* 6 205, alt. 85 m ; constr. aéro. ; centre de lancement de ballons du Centre d'études spatiales ; cath. St-J.-Baptiste, hôtel de ville. *Biscarrosse* 9 054 h. ; centre d'essais d'engins balistiques, c. nat. de parachutisme sportif. *Capbreton* 5 089 h. (ag. 8 404). *Dax** 19 309 h. ; musée de Borda [ag. 35 701, dont *St-Paul-les-Dax* 9 452] ; stat. thermale. *Hagetmau* 4 449 h ; ind. alim., meubles. *Mimizan* 6 710 h. ; papeterie ; pétrole. *Morcenx* 4 332 h. *Parentis-en-Born* 4 056 h. ; pétrole. *St-Sever* 4 536 h ; agro. alim. *St-Vincent-de-Tyrosse* 5 075 h. ; cuir. *Solférino* 403 h. ; musée Napoléon III. *Soustons* 5 283 h. ; plast. *Tarnos* 9 099 h. ; ind. méc., aéro., chim., engrais ; lignite (extraction 1990) 573 023 t.

Régions naturelles. *Lande forestière :* 645 000 ha (2/3 du dép.). Grandes Landes, Petites Landes de Roquefort, pays de Born, Marensin, Maremne. 250 000 ha fin XVIIIe s., 1780-1857 travaux de fixation des dunes, assainissement et ensemencement des terres, aujourd'hui env. 1 000 000 ha sur Landes, Gironde, L.-et-G., considérée comme la 1re forêt d'Europe occid. *Sols dunaires* récents (15 km de large) ; 70-75 % de sable mi-grossier et 15-20 % de sable fin, et sols très sableux (podzoliques à podzols évolués à alios). Sylviculture, maïs, asperges. *Bassin de l'Adour : Chalosse* et *bas Adour :* maïs (60 % de la SAU), fourrages (28), vigne (2), céréales, élevage (bovins, porcins, canards et oies, poulets jaunes, pintades, dindes), plumes et duvets. *Tursan :* maïs (58), fourrages (30), vigne (3), vins d'appellation. *Marsan :* maïs (65), fourrages (24). *Bas Armagnac :* maïs (55), fourrages (26), vigne (11).

Divers. Agriculture : 1er prod. de foie gras de canard (3 150 t en 92), de maïs-grain (13,1 millions de q en 92), de kiwis (550 ha plantés), de truites (5 000 t en 92), d'asperges (900 ha en 92), un des premiers prod. poulet jaune sous label, vieil armagnac d'autrefois. **Pâte à papier :** 1er centre européen pour la prod. de pâte « fluff » (118 386 t en 90) à Tartas ; pâte à papier (127 965 t en 91) et papier (131 041 t en 91) à Mimizan. **Pétrole** 365 110 t en 90. **Sel** gemme (St-Pandelon, 42 380 t 90). **Tourisme** (1–1–93) 267 hôtels homologués, 134 campings, 1 124 gîtes ruraux, 8 campings à la ferme. Hossegor, Cap-Breton, Biscarrosse, Mimizan, Seignosse, Contis, Vieux-Boucau, Côte d'Argent ; *écomusée* de la Grande Lande à Sabres (hameau XIXe s. reconstitué grandeur réelle en forêt ; *lacs* intérieurs [(en ha) Cazaux-Sanguinet 5 608, prof. 22 m (Gironde et Landes), Biscarosse-Parentis 3 450, prof. 20 m, Mimizan-Aureilhan 660, prof. 6 m, Soustons 650, prof. 4 m, Léon 600. Hossegor (eau de mer) + de 100, Port-d'Albret (lac marin artificiel) 25 (1980), puis 55] ; *Grottes,* Hasparres.

■ **Lot-et-Garonne** (47) 5 361 km² (105 × 87 km). *Alt. max.* coteau de Bel-Air 273 m ; *min.* 5 m. *Pop. 1801 :* 298 940 ; *1891 :* 341 345 ; *1901 :* 278 740 ; *1921 :* 239 972 ; *1936 :* 252 761 ; *1975 :* 292 696 ; *1982 :* 298 522 ; *1990 :* 305 989 (dont Fr. par acquis. 17 141, étrangers 16 597 dont Maroc. 7 093, Ital. 2 796, Port. 1 860, Esp. 1 428). D 57 (1990).

Villes. AGEN 30 553 h. [ag. 60 684, dont *Le Passage* 8 875], alt. 48 m ; aérodrome dép. ; MIN, station de condit., séchage de prunes, entrepôts frig., centre d'exp. de fruits et lég., vins, ind. alim., pharm., entreprises de transp., chaussure, text., machines agr. ; agropole ; m. des Beaux-Arts ; théâtre.

– *Aiguillon* 4 169 h. ; tuiles et tuyaux ciment ; château. *Bon-Encontre* 5 362 h. *Casteljaloux* 5 048 h. ; vins des côtes de Buzet, ind. méc. et fonderie, verrerie, ind. du bois (contre-plaqués et agglo.). *Clairac* 2 338 ha ; musée, abbaye des 250 automates. *Duras* 1 200 h. ; vins des coteaux ; château, musée. *Fumel* 5 882 h. [ag. 13 689, dont *Montayral* 3 094] ; sid., fonderie, ind. chim. et laitière ; château de Bonaguil (350 m de tour, murailles 4 à 5 m, 13 tours, donjon 35 m, 1480 à 1520, jamais attaqué). *Gavaudun* 287 h. ; musée. *Grange-sur-Lot* 527 h. ; musée de la prune et du pruneau. *Marmande** 17 568 h. (ag. 23 439) ; prod. fruits et légumes, vins, tabac, ameublement, ind. alim., électroméc., mat. médico-chirur., de constr. ; musée Albert-Marzelles. *Mezin* 1 455 h. ; musée. *Miramont-de-Guyenne* 3 450 h. (ag. 4 798) ; chaussure, fermetures ind. ; musée du parchemin et de l'enluminure. *Monflanquin* 2 431 h. ; maison de la vie rurale. *Nérac** 7 015 h. ; céréales, melons, armagnac, vins des côtes de Buzet ; ind. alim., semences, mach. agr., chaudronnerie, verrerie (Vianne) ; château (Henri IV y loge de 1527 à 1588) ; musée. *Penne-d'Agenais* 2 394 h. ; musée. *Prayssas 784 h. ; musée. Roquefort* 980 h. ; parc d'attractions Walibi. *Ste-Bazeille* 2 629 h. ; musée. *Ste-Livrade* 5 938 h. (ag. 9 762). *St-Maurin* 456 h. ; musée. *Tonneins* 9 334 h. ; man. des tabacs, constr. préfabr., chaussure, mach. agr. *Villeneuve-sur-Lot** 22 782 h. [ag. 29 422, dont *Pujols* 3 608] ; MIN, fruits et lég., condit. et séchage de prunes, musée Gaston-Rapin.

Régions naturelles. *Plateaux et coteaux marneux, mollassiques ou calcaires* 330 000 ha ; polyculture, maïs, pruniers d'ente, vins, armagnac, raisins de table, élevage. *Vallées de la Garonne, du Lot et affluents (Lémance, Gers, Baïse, Avance),* 110 000 ha, tapissées d'alluvions : fruits, maraîchage, primeurs, serres, tabac. *Zone sableuse des Landes* 80 000 ha siliceux : forêts de pins. **Régions agricoles.** *Plaines de la Garonne et du Lot ; pays des Serres et Causses* (entre L. et G.) ; *coteaux Nord du L.-et-G. et Bergeracois ; coteaux Sud Garonne* (Néracais) ; *grandes landes ; Périgord noir ; Duras.* **Forêts** 127 000 ha dont massif landais 50 000, forêt Campet 1 685, forêt du Mas-d'Agenais 1 600.

Divers. Agriculture : 1er prod : pruneaux, semence de bett. ind., fraises, noisettes, tomates. 2e prod. tabac et maïs doux. 3e prod. kiwi. Berceau de la race bovine blonde d'Aquitaine. **Tourisme** (20–12–92) : 105 hôtels homologués, 64 campings. 500 *églises et cloîtres* romans et gothiques, 42 *bastides* médiévales (Villeneuve-sur-Lot, Beauville, Vianne, Lauzun). *Cassignas :* le plus bel orme de Fr. (1 000 ans), 15 m de circonférence. *Lacs :* 30 (214 ha) Ganet (Galapian 26 ha), Beauville (20 ha), Clarens (Casteljaloux (16 ha), Paravis (Feugarolles 8,5 ha), St-Louis (Lamontjoie 13 ha), Saut-du-Loup (Miramont 10 ha), Riconne (Penne-d'Agenais 16 ha), St-Sardos (17 ha).

■ **Pyrénées-Atlantiques** (64) [anc. Basses-Pyrénées] 7 645 km² (110 × 75 km). *Côtes* 32 km. *Alt. max.* pic Pallas 2 974 m. *Pop. 1801 :* 355 573 ; *1851 :* 446 997 ; *1901 :* 426 347 ; *1921 :* 420 981 ; *1954 :* 420 017 ; *1975 :* 524 748 ; *1982 :* 555 696 ; *1990 :* 578 516 (dont Fr. par acquis. 19 944, étrangers 25 263 dont Port. 8 225, Esp. 7 800, Maroc. 4 372, Alg. 712). D 76. Env. 70 000 basquisants d'origine (dont 45/50 000 bascophones) sur les 240 000 h. de l'ouest du dép. (P. basque).

Villes. PAU alt. 172 à 239 m, 82 157 h. [*1801 :* 8 585 ; *1901 :* 24 268 ; *1982 :* 83 790] [ag. 134 625, dont *Billère* 12 570. *Bizanos* 4 298. *Jurançon* 7 538. *Lescar* 5 793, ancien évêché (titre porté par l'év. de Bayonne), cathédrale N.-D. (XIIe s.) avec les tombes des rois de Navarre (surnommée « le St-Denis du Béarn »). *Lons* 9 254] : pétrole, gaz naturel (Elf), SNEAP, méc., métall., ind. lait., chaussure ; château (berceau d'Henri IV), Tour Gaston Phœbus, musées des Beaux-Arts, béarnais, Bernadotte, du Château, université.

– *Arudy* (vallée d'Ossau), 2 537 h. (ag. 4 049) ; métall., bois, marbreries. *Bayonne** alt. 11 m., 40 051 h. [*1718 :* 16 000 ; *1886 :* 17 289 ; *1926 :*

31 436 ; *1952:* 41 149 ; *1975:* 42 938 ; *1982:* 41 381] [ag. 124 135, dont dans le dép. *Anglet* 33 041 h. ; port, constr. aéron., électron, métall., prod. chim. ; musées basque (arts et traditions pop.) et Léon-Bonnat (peint. XVe au XIXe s.), cath. N.-D. (XIIIe-XVIe s., cloître gothique et tombeaux). *Boucau* 6 814 h]. *Biarritz* 28 742 h. ; stat. baln. et hydrominérale, musée de la Mer. *Bidart* 4 123. *Bordes* 1 652 h. (ag. 3 858) ; constr. aéro. (Turbomeca). *Cambo-les-Bains* 4 128 h. ; stat. therm., musée Edmond-Rostand (villa Arnaga). *Hasparren* 5 399 h., chaussure, méc., électrothermie. *Hendaye* 11 578 h. *Lacq* 657 h. ; gaz, chimie, soufre (SNEA). *Mauléon-Licharre* 3 533 h. (ag. 6 155) ; caoutchouc, chaussure, espadr. *Mourenx* 7 460 h. [ag. 11 102, dont *Artix* 3 038] ; text., méc., cosmétique (Stendhal). *Nay-Bourdettes* 3 591 h. [ag. 7 753, dont *Coarraze* 2 047 ; ind. bois et ameubl., text.]. *Morlaàs* 3 094 h. ; égl. Ste Foy. *Navarrenx* 1 036 h. ; remparts. *Oloron-Ste-Marie** 11 067 h. (ag. 15 842) ; constr. aéro. (Messier), bois, cuir, confiserie ; église romane de Ste-Croix (XI-XIIe s.), cath. Ste-Marie. *Orthez* 10 159 h. ; text., papet., chaussure ; tour Moncade, maison de Jeanne d'Albret, Pont-Vieux. *Pardies* 1 029 h. ; chimie. *St-Jean-de-Luz* 13 031 h. [ag. 24 978, dont *Ciboure* 5 849] ; port thonier, conserv., stat. baln. ; maison de l'Infante (XVIIe s.), égl. St-Jean-Baptiste (XIV-XVe s., buffet d'orgue, retable du XVIIe s.). *St-Jean-Pied-de-Port* 1 432 h. (ag. 3 058) ; remparts, citadelle XVIIe s. *St-Palais* 2 055 h. *St-Pierre-d'Irube* 3 676. *Salies-de-Béarn* 4 974 h. ; sel gemme, chaussure, ind. de l'ameubl., stat. therm., château de Bellocq (XIVe s.). *Sauveterre-de-Béarn* 1 366 h. ; salaisonnerie (ch. de Laas). *Urrugne* 6 098 h. *Ustaritz* 4 263 h.

Régions naturelles. *Coteaux du Pays basque* 149 805 ha, *montagnes du Béarn* 123 263 ha, *coteaux du Béarn* 101 454 ha, *montagne basque* 102 437 ha, *coteaux entre les gaves* 73 695 ha, *vallée du gave de Pau* 64 657 ha, *d'Oloron* 54 014 ha, *v. de l'Adour* 22 657 ha, *côte basque* 22 460 ha, *Vic Bilh* 18 400 ha, *Baigorry* (Ibai Gorri, rivière rouge), *Gabardan.*

Divers. Agriculture : Un des 1ers prod. de maïs. 2e de lait de brebis (fromage Ossau-Iraty). *Vignobles AOC :* Jurançon (blanc moelleux ; sec), Irouleguy (rouge, rosé, blanc), Béarn (rouge, rosé, blanc), Madiran (rouge), Pacherenc (blanc). **Industrie :** 1er prod. de gaz naturel (Lacq). **Tourisme** (1-1-92) : 488 hôtels homologués, 157 campings. **Parc nat.** *des Pyrénées occ.* (Pyr.-Atl. et Htes-Pyr.). **Ski :** *Gourette-les-Eaux-Bonnes* (pistes : 30 km, 1 400 à 2 400 m, face aux pics de Ger 2 613 m et de Pene Méda 2 560 m), *Artouste* (24 km, village de Fabrèges, lac à 1 250 m d'alt.), *La Pierre-St-Martin* (23 km, 1 650 m, face au pic d'Anie 2 504 m), *Le Somport* (1 600 m piste fond 30 km), *Iraty (1 200 à 1 500 m, au pied du pic d'Orhy, 2 017 m), Issarbe* (piste fond 23 km), *Arette* (26 km). **Stations thermales :** *Cambo-les-Bains, Eaux-Bonnes, Eaux-Chaudes, Lurbe-Christau, Salies-de-Béarn ;* **balnéaires :** *Anglet, Biarritz, Bidart, Guéthary, Hendaye, St-Jean-de-Luz.* **Thalassothérapie :** *Anglet, Biarritz, Hendaye, St-Jean-de-Luz.* **Port d'Ibañeta** (ou Roncevaux), 1 057 m d'alt., bataille en 778 dans le vallon voisin. **Châteaux :** *Morlane, Laas, Pau, Montaner.* **Commanderie** *Lacommande.* **Forts** *Socoa, Le Pourtalet.* **Tunnel** du Somport (projet, vallée de l'Aspe).

AUVERGNE

☞ Voir **Occitanisme** p. 812.

GÉNÉRALITÉS

■ **Superficie** 25 988 km². **Population** (1990) 1 321 214 (dont Fr. par acquis. 26 280, étrangers 53 703 dont Port. 22 710, Maroc. 7 537, Turcs 5 100). D 51. *Pop. urbaine* (1990) 58,6 %, rurale 41,4 %.

☞ Le Massif central comprend : Allier, Aveyron, Cantal, Corrèze, Creuse, Loire, Haute-Loire, Lot, Lozère, Puy-de-Dôme, Haute-Vienne ; les cantons de Caylus et St-Antonin-Noble-Val (Tarn-et-Garonne) ; les communes classées en zone de montagne de l'Ardèche, Aude, Gard, Hérault, Rhône, Saône-et-L. et Tarn. *Comité de massif* Pt : préfet de la région Auvergne.

AUVERGNE

■ **Situation.** Comprend 3/5 montagnes, 2/5 vallées et gorges. 4 ensembles géographiques naturels : **plateaux cristallins** formant transition avec le Limousin (500 à 1 000 m environ du N. au S.), découpés par la Sioule (Combraille) et ses affluents (qui rejoignent le Bourbonnais) d'une part, et par la Dordogne (Châtaigneraie) d'autre part. Céréaliculture améliorée par chaulage, et élevage bovin. **Grands massifs volcaniques** (vers l'E.) : « chaîne des *puys* » (80 volcans, env. 1 200 m ; puy de Dôme : 1 465 m, avec observatoire et relais télévision, du sommet vue à 300 km sur 75 000 km²), massif des *monts Dore* (puy de Sancy : 1 886 m), massif du *Cantal* (puy Mary : 1 785 m ; plomb du Cantal : 1 858 m) séparé des monts Dore par les plateaux du *Cézallier ;* foyer d'émigration aux XVIIIe et XIXe s. ; élevage bovin (transhumance saisonnière), stations thermales, tourisme. **Limagne** : chapelet de plaines réunies par l'Allier ; agriculture relativement riche : céréales, oléagineux, betteraves ind., vigne. *« Varennes »* de l'Allier : bois et prairies ; Clermont-Ferrand. **Plateaux** *cristallins élevés* (extrémité or.), boisés, découpés par la Dore, qui draine le bassin du *Livradois.* Monts du Livradois à l'O. (1 210 m), du *Forez* à l'E. (1 610 m à Pierre-sur-Haute).

■ **Histoire.** Peuplée dès le paléolithique (vestiges d'un habitat estimé le plus ancien d'Europe, à Chilhac). Menhirs et dolmens du néolithique. **Av. J.-C. : Ve s.** Installation de Celtes : les *Arvernes* (une des plus brillantes civilisations gauloises : métallurgie du fer, du bronze, de l'or et de l'argent ; mise en valeur agricole de la Limagne, frappe de statères de type hellénistique) dirigent à 2 époques la lutte contre les Romains. **121** *Bituit* vaincu par Fabius Maximus. **52** *Vercingétorix* bat les Romains à Gergovie, avant d'être vaincu et pris à *Alésia.* **Après J.-C.** *Civitas Arvernorum* prospère à l'époque gallo-romaine, partie de la province d'Aquitaine jusqu'à Dioclétien, puis de l'Aq. Première (chef-lieu : Bourges), au Bas-Empire. La capitale devient *Augustonemetum* (futur Clermont). Sources thermales et centres religieux (temple de Mercure arverne du puy de Dôme) réputés. Production, durant les 2 premiers siècles, de céramiques répandues dans tout l'Occident (Lezoux). **Ve s.** un des derniers bastions de la romanité sous l'égide d'une dynastie militaire épiscopale ; Avitus (un moment empereur), son fils Ecdicius (maître des milices) et surtout son gendre Sidoine Apollinaire (préfet de Rome, puis évêque de Clermont) maintiennent l'autonomie de l'Auvergne face aux Wisigoths. L'empereur Julius Nepos la cède à Euric en **475** *Rattachée au royaume de Clovis en 507,* après Vouillé. **Du VIe au VIIe s.** dépendant successivement de divers Mérovingiens : ravagée par Thierry, fils de Clovis, disputée entre souverains francs et ducs d'Aquitaine. **761** Pépin le Bref l'enlève au duc d'Aq. Waifre (ou Gaifier) en s'emparant de Clermont. Incluse dans le royaume d'Aq. organisé 781 pour le fils de Charlemagne, le futur empereur Louis le Pieux. Disputée entre Pépin II et Charles le Chauve, forme un comté divisé en 4 *pagi* (Clermont, Tallende, Turluron, Brioude). **IXe s.** Bernard Plantevelue, Cte d'Auvergne en 872, et son fils Guillaume le Pieux, duc d'Aq., contrôlent tout le quart S.-O. de la Fr. A la mort de Guillaume (918) et de ses 2 neveux (sans postérité), morcellement. Dépend tour à tour d'Eble de Poitiers, de Raymond Pons de Toulouse, de Guillaume Tête d'Etoupes, Cte de Poitiers. Ensuite, confiée par les Ctes de Poitiers à des vicomtes ; l'un d'eux, Gui Ier, vers 980, commence à se qualifier « Comte d'Auv. ». Plusieurs morcellements. **1167** Guillaume VIII dépouille son neveu Guill. VII, héritier légitime, mais une seigneurie est cédée à celui-ci (au centre du comté, avec Montferrand et une partie de Clermont) ; les descendants de Guill. le Jeune conservent le titre de dauphin [en souvenir de leur grand-père maternel Guigues VIII, dauphin de Viennois (voir Dauphiné), d'où le nom de « dauphiné d'Auvergne » donné à leur seigneurie]. **1209** Philippe Auguste confisque les biens du Cte Gui II (qui a des démêlés avec son frère Robert, évêque de Clermont), ne lui laissant en 1230 qu'un petit territoire au S.-E. de Clermont. L'Auv. forme alors 4 seigneuries :

Comté d'Auvergne. 1501 à la mort du Cte Jean III, revient à ses 2 fils, **1536** à sa petite-fille Cath. de Médicis, **1589** elle le lègue à Charles de Valois, bâtard de Charles IX ; **1608** arrêt du Parlement le donnant à la fille de Catherine, Marguerite de Fr., qui le donne au dauphin (futur Louis XIII). **1651** Louis XIV l'échange contre principauté de Sedan avec Frédéric-Maurice de La Tour d'Auvergne, duc de Bouillon ; conservé par cette maison jusqu'à la Révolution (mais plus en tant qu'apanage, le comté étant soumis au sort commun des territoires de la généralité d'Auv.).

Dauphiné d'Auvergne (les dauphins prenaient également le titre de Cte de Clermont). Comprend les fiefs de Roanne et Thiers. **1371** la dernière héritière, Anne, fille de Béraud, épouse le « Bon Duc », Louis de Bourbon. **1503** leur descendant, Charles III, connétable de Bourbon, le réunit au duché d'Auv., hérité de son oncle et beau-père Pierre de Beaujeu. A la suite de sa trahison, ses biens sont confisqués. **1560** dauphiné avec comté de Montpensier rendu à Louis, fils de sa sœur Louise. Dernière héritière, Anne-Marie-Louise d'Orléans, la Grande Mademoiselle, laisse ces domaines à la Couronne.

« Terre » (ou duché) d'Auvergne. 1209 partie du comté conquise par Philippe Auguste sur Gui II, réunie à la Couronne et administrée par le connétable Gui de Dampierre, sire de Bourbon (capitale : Riom). **1226** donnée en apanage par le testament de Louis VIII à son 4e fils, Alphonse de Poitiers. **1271** revient à la Couronne. **1360** Jean II le Bon en fait de nouveau un apanage pour son 3e fils, Jean, duc de Berry. **1425** 9 ans après la mort du duc de Berry, Charles VII, par une entorse à la loi sur les apanages, remet le duché à Jean Ier, duc de Bourbon, gendre du duc de Berry. **1503** passe à Charles, *connétable de Bourbon,* séquestré 1521. **1527** uni au domaine royal.

Seigneurie épiscopale de Clermont. Comprenant notamment la ville et à l'est, la viguerie de Billom. Catherine de Médicis, devenue Ctesse d'Auv., obtient du Parlement, en 1551, la ville de Clermont. Sur le plan spirituel, l'évêque de Clermont avait déjà perdu autorité sur une partie de la Hte-Auv. (diocèse de St-Flour créé 1317).

■ **Institutions.** Après 1360, lors de la création du 2e apanage, le bailli royal est remplacé par un sénéchal ducal ; du fait de l'incurie du duc de Berry, les états de Basse et de Hte-Auvergne acquièrent une influence politique, financière et militaire. L'autorité royale est alors déléguée pour l'Auv. au bailli de St-Pierre-le-Moûtier, assisté de lieutenants généraux et de lieutenants particuliers. En 1510, sous l'influence du chancelier Antoine Duprat (originaire d'Issoire), Louis XII fait rédiger la coutume d'Auv., qui unifie la province sur le plan juridique.

XVIIe s. La féodalité auv. s'insurge lors de la Fronde : pour limiter son pouvoir, Louis XIV réunit en 1665-66 les *Grands Jours d'Auv.,* dernier exemple d'une juridiction d'exception, remontant au XIIIe s. ; 16 conseillers du parlement de Paris envoyés en mission à Clermont examinent la conduite des nobles pendant la g. civile, et prononcent sans appel des sentences (amendes, confiscation, emprisonnement). **A la Révolution** divisée en : Puy-de-Dôme et Cantal, plusieurs paroisses du S.-E. étant jointes au Velay qui va former la Hte-Loire.

BOURBONNAIS

■ **Situation.** Au N. du Massif central. S'étend sur le département de l'Allier, de la Loire au Cher. **Ressources agricoles.** Élevage bovin (charolais) et ovin (agneau du Bourbonnais), aviculture.

■ **Histoire.** Partagé entre 3 cités gauloises et gallo-romaines (Bituriges, Éduens, Arvernes), puis entre 3 diocèses (Bourges, Autun, Clermont). *Sires de Bourbon :* le premier aurait été un Aimard ou Adhémar, fidèle de Charles le Simple et fondateur (début Xe s.) du prieuré de Souvigny. Peu après, acquisition du château de B., auquel les *Archambault,* descendants d'Aimard, donnèrent leur nom (Bourbon-l'Archambault). Forteresse imprenable, elle permet aux sires de B., vassaux des Ctes de Bourges, de s'affranchir de leur vassalité et de s'imposer comme suzerains aux seigneuries voisines. **XIe s.** extension vers l'Ouest sur les rives du Cher. Gui de Dampierre, époux de l'héritière Mahaut de B., agissant en Auv. pour le compte de Philippe Auguste, recueille Montluçon et d'autres terres qui donnent à la province ses limites à peu près définitives. **XIIIe s.** fief important du royaume avec son sénéchal, son « maréchal de Bourbonnais », puis son « bailli de Bourbonnais », qui tient en main la justice. **V. 1276** il échoit à Robert de Clermont (fils de St Louis) quand il épouse Béatrice de Bourbonnais. **1310** son fils, Louis Ier, est sire de B., puis duc de B. 1327 et pair 1328. **1357-1410** Louis II (petit-fils de L. Ier), surnommé le Bon Duc, épouse Anne « dauphine » d'Auv., recueille Forez et dauphiné d'Auv., auxquels il ajoute le Beaujolais en 1400. Un grand conseil ducal coiffe les conseils « exécutifs » du Forez et du Beaujolais, prééminence de la chambre des comptes de Moulins (créée 1374) sur celles de Montbrison (Forez), de Villefranche (Beaujolais), puis de Riom (Auvergne ducale) (« Grands Jours de Bourbonnais »). **XVe s.** le duché dispose de diverses seigneuries, directement ou par apanages aux branches cadettes (dont le Cté de Montpensier). Le duc Charles Ier, époux d'une fille de Jean sans Peur, duc de Bourgogne, dirige la *Praguerie* contre Charles VII. **1440** il doit signer la paix à Cusset. Son fils cadet, le duc Pierre II dit de *Beaujeu,* ép. Anne de Fr. (fille de L. XI), régents pendant la minorité de Charles VIII, puis pendant ses campagnes d'Italie, gouvernent la Fr. Leur fille Suzanne transmet leurs biens à son cousin et mari Charles III, le *connétable,* qui s'opposera à François Ier et perdra ses domaines († au siège de Rome 1527). Le B. est rattaché à la Couronne. **1531** le titre de B. est transmis à la branche cadette de La Marche-Vendôme d'où est sorti le roi Henri IV. **1661** Louis XIV cède le duché de B. à L. II, Pce de Condé, en échange de divers domaines. Brillante cour de Moulins.

VELAY

■ **Situation.** Ancien diocèse du Puy, 2/3 de la Hte-Loire. A l'O., coulée de laves de la chaîne du Devès

(1 423 m), bordée par les gorges de l'Allier. Au centre, bassin du Puy (600 m). À l'E., ensemble volcanique : Mézenc (1 753 m), Gerbier-de-Jonc (1 551 m). **Ressources.** Élevage bovin et ovin, légumes secs (lentilles). fabr. certaines dentelles dep. XVIe s., dont les blondes (écrues) aux fuseaux (lin, laine, soie, lamés or et argent).

■ **Histoire.** Peuplé dès le paléolithique. **IIIe s. av. J.-C.** les Vellaves, clients des Arvernes, fondent l'oppidum de Ruessio (St-Paulien) et donnent leur nom à la région. Leur cité est rattachée à l'Aquitaine romaine (Aq. Première après Dioclétien). **475** invasion du Nord (Wisigoths), puis échec d'une attaque burgonde, du Sud (Arabes). La capitale devient alors Le Puy (siège d'un comté). **VIe s.** rattaché à l'Austrasie. **613-877** réuni au domaine royal, Mérovingiens et Carolingiens nomment des comtes bénéficiaires ; le sanctuaire marial est déjà célèbre (sa « pierre des fièvres » aurait été fréquentée à cette époque notamment par les Musulmans d'Espagne). **Xe s.** évêque du Puy assure les charges du Cte. **994** le concile du Puy proclame la « Paix de Dieu ». **1162** le roi accorde officiellement le titre comtal à l'évêque. Le fief le plus puissant est celui des Polignac, qui disputent à l'év. le droit de monnayage. **XIIe s.** les C^tes^ de Toulouse sont suzerains du comté, mais en 1209, l'évêque-comte du Puy prend part à la croisade contre Albigeois toulousains. **1271** le Velay passe avec le Languedoc sous l'administration royale, mais reste autonome de fait ; rattaché à la généralité et au gouv. du Languedoc, il est le siège d'une lieutenance et d'une sénéchaussée et conserve ses états particuliers jusqu'en 1789.

■ ÉCONOMIE

■ **Population active** (1991) 543 827 dont *ayant un emploi* (au 1-1-91, prov.) agric. 52 684, ind. 117 429, BGCA 33 880, tertiaire 287 382. *Chômeurs* 52 452.

■ **Échanges** (en milliards de F, 1991). **Imp. :** 11,9 (888 321 t) dont (en %) prod. chim. et 1/2 prod. div. 38,3, biens de consomm. courante 19, métaux et prod. du trav. des mét. 15,1, biens d'équipement prof. 14,1, ind. agroalim. 6,2, agric., sylvicult., pêche 3,2 ; *de* (en %). All. 18,7, Italie 15,9, G.-B. 9,6, P.-Bas 9,2, Espagne 7,6, USA 6,8, Belg.-Lux. 6,4, Japon 3, Suisse 3, Chine 1,7, Autriche 1,4, Cameroun 1,2, Irlande 1,2, Taiwan 1,1, Suède 0,8. **Exp. :** 18 (1 212 663 t) dont (en %) prod. chim. et 1/2 prod. div. 36,1, biens de consomm. courante 17,1, métaux et prod. du trav. des mét. 14,7, biens d'équip. prof. 10,6, ind. agroalim. 10, agric., sylvicult., pêche 7,3 ; *vers* (en %). Italie 21, All. 17,9, P.-Bas 8,3, G.-B. 7,5, Espagne 7,4, USA 5,7, Belg.-Lux. 5,5, Suisse 3,6, Japon 2,3, Canada 1,3, Corée du S. 1,1, Suède 1,1, Portugal 1,1, Australie 0,8, Autriche 0,8.

■ **Agriculture. Terres** (en milliers d'ha, au 1-1-91) 2 617 dont *SAU* 1 594,1 [t. lab. 501,5 (dont jardins 8), herbe 1 087,8, vignes 3,3, cult. fruit. 0,9] ; *bois* 715,2 ; *t. agr. non cult.* 130,6 ; *t. non agr.* 169,4. **Prod. végétale** (en milliers de t, 1991) : blé 569,4, orge 164,4, bett. ind. 198,8, maïs-grain 164,4, p. de t. 41,6, colza 32,7. **Animale** (en milliers, 1991) bovins 1 446,1, ovins et caprins 758,1, porcins 287,8. *Lait* (vache, au 1-1-91) 10 690 900 hl. **Exploitations agr.** (1991) : 39 418.

■ **Industrie** (salariés au 1-1-90) : 111 320 dont ind. agro-alim. 12 860, prod. et distr. d'énergie 3 880, biens intermédiaires 52 950, d'équipement 19 130, de consomm. 22 500. *Houillères* (au 31-12-1984) 472 salariés (224 à l'Aumance, 203 à Messeix, 45 aux serv. centraux), dont 280 au fond. 653 entr. ont + de 50 salariés.

■ **Tourisme** (1989). **Nuitées** *dans l'hôtellerie homologuée* (en milliers) 3 217 dont Puy-de-Dôme 1 677, Allier 1 057, Cantal 1 549, Hte-Loire 149. **Campings** 344 (23 232 emplacements), 2 330 000 nuitées. **Résidences secondaires** 398 045. **Thermalisme :** *Bourbon-l'Archambault, Néris-les-Bains, Vichy* (Allier) ; *Châtelguyon, La Bourboule, Le Mont-Dore, St-Nectaire, Royat, Châteauneuf-les-Bains* (P.-de-D.) ; *Chaudes-Aigues (Cantal) ; 115 685 curistes (1986) dans les 10 stations.* **Sports d'hiver :** stations classées 3 *(Le Mt-Dore, Super-Besse, Super-Lioran) ;* centres de ski (desc.) 10 ; foyers de ski de fond 68 ; zones nordiques 5. **Parcs naturels régionaux :** des *Volcans d'Auvergne* (345 816 ha) ; du *Livradois-Forez* (300 000 ha). **Châteaux et églises romanes.**

■ DÉPARTEMENTS

Voir légende p. 777.

■ **Allier** (03) 7 340,11 km² (131 × 90 km). *Alt. max.* Puy de Montoncel 1 292 m ; *min.* vallée du Cher 160 m. *Pop. 1801 :* 248 854 ; *1851 :* 336 758 ; *1886 :* 424 582 ; *1901 :* 422 029 ; *1926 :* 370 562 ; *1936 :* 368 778 ; *1954 :* 372 689 ; *1962 :* 379 024 ; *1968 :* 386 533 ; *1975 :* 378 500 ; *1982 :* 369 580 ; *1990 :* 358 326 (dont Fr. par acquis. 6 940, étrangers 10 969 dont Port. 4 148, Maroc. 1 632, Alg. 1 152, Turcs 732). D 49.

Villes. MOULINS (220 m), 22 799 h. [*1806 :* 14 015 ; *1936 :* 22 369 ; *1982 :* 25 159] [ag. 41 715, dont *Avermes* 3 892. *Yzeure* 13 461 h.] ; aérodrome de Montbeugny (affaires) ; constr. méc., élec., électron., chaussure, instrum. de mus., alim. du bétail, serrurerie, constr.-bât. (Potain) ; cathédrale (N.-Dame, XVe-XVIe-XIXe s., triptyque du « Maître de Moulins » XVIe s., vitraux), mausolée de Henri de Montmorency (lycée Banville), restes du ch. des ducs « Mal Coiffée » (donjon XVIe s.), musée (f. 1910, visiteurs 91 : 11 011), (pavillon d'Anne de Beaujeu), Jacquemart (beffroi), musée folkl. – *Bourbon-l'Archambault* (260 m) 2 630 h., stat. thermale ; transf. des viandes, inst. chirurgicaux ; restes du ch. des ducs de Bourbon, tour « Quiqu'en grogne », Logis du Roi : faïences de Nevers. *Châtel-Montagne* (526 m) 400 h., église. *Commentry* (385 m) 8 021 h. (ag. 8 843), boulonnerie, sid., text., chim., prod. pharm., confection ; ancien bassin houiller. *Couleuvre* 716 h., porcelaines. *Dompierre-sur-Besbre* (234 m) 3 807 h., fonderies, alim., mat. bât. *Gannat* (337 m) 5 919 h., élect.-métall., prod. pharmac. ; égl. romane Ste-Croix. *Huriel* 2 606 h. *Lapalisse* (299 m) 3 603 h. (ag. 4 443) ; alim., maroquinerie ; château. *Lurcy-Lévis* 2 080 h. *Montluçon** (230 m) 44 248 h. [*1801 :* 5 194 ; *1861 :* 16 121 ; *1891 :* 28 078 ; *1954 :* 48 743 ; *1982 :* 49 912] [ag. 63 018, dont *Désertines* 4 961 h., *Domérat* 8 875 h.], prod. chim., pneum., constr. méc., élec., électro., confection, transf. des viandes, meubles ; musée de la Vielle, château des ducs de Bourbon, égl. St-Pierre. *Montmarault* 1 597 h. ; nœud routier, transp., fonderie, constr. métall. *Néris-les-Bains* (354 m) 2 831 h., stat. thermale, cité gallo-rom. *St-Bonnet-Tronçais* (230 m) 913 h., ébénisterie ind. *St-Germain-des-Fossés* 3 727 h. (ag. 4 734) ; abattoir ind. volailles, plasturgie ; centre ferr. *St-Pourçain-sur-Sioule* (237 m) 5 159 h., vignoble, élec., maroquinerie, constr. mécan. ; musée de la Vigne. *St-Yorre* 3 003 h ; ind. du verre ; commune hydrominérale, une des plus riches grâce à une redevance de 2,3 centimes par litre mis en bouteille et 4 centimes par magnum. *Souvigny* 2 024 h. ; abb., tombeaux de Charles Ier et d'Agnès de Bourgogne, égl. prieurale St-Pierre, musée lapidaire ou m. St-Marc (colonne zodiacale ou « calendrier de Souvigny »). *Varennes-sur-Allier* (248 m) 4 413 h., ébénisterie ind., plastique. *Vichy** (sous-préfecture substituée à La Palisse en 1941 ; siège du gouvernement du M^al^ Pétain du 1-7-1940 au 20-8-1944) ; 27 714 h. [*1801 :* 976 ; *1861 :* 3 740 ; *1891 :* 10 870 ; *1921 :* 17 501 ; *1982 :* 30 527] (ag. 61 566, dont *Abrest* 2 544. *Bellerive-sur-Allier* 8 543. *Cusset* (258 m) 13 567, métall., mécan., meubles, confection, musée de la Tour prisonnière) ; aéroport internat. Vichy-Charmeil ; station thermale, centre sportif ; confiserie, prod. de beauté ; lait, viandes en gros, salaisons ; maroquinerie, constr. élec. et électro., plastique ; plan d'eau, 100 ha, 2,8 km de long ; musée municipal/centre cult. Valery Larbaud. *Ville-franche d'Allier* 1 360 h. ; abattoir ind., constr. métall.

Régions naturelles et agricoles. *Combrailles bourbonnaise* (plateau) 84 453 ha (SAU 61 728) : petites cultures (familiales), bovins, ovins, volailles, lait, porc. *Bocage b.* 272 341 ha (SAU 194 941) : bovins, ovins, céréales, lait, porc. *Sologne b.* 153 971 ha (SAU 111 707) (landes, étangs, bois) : bovins, ovins, céréales, lait, porc, volailles. *Val d'Allier* 132 655 ha (SAU 93 617) (vals de l'Allier et de la Sioule) : céréales, bovins, bett. ind., oléagineux, vigne, lait, porc, volailles. *Montagne bourbonnaise* alt. 1 165 m, 90 581 ha (SAU 55 658) : bovins, lait, porc, volailles, forêt, tourisme.

Divers. Parcs zoologiques : château de *St-Augustin* à Château-sur-Allier, *Le Pal* à St-Pourçain-sur-Besbre, *Les Gouttes* à Thionne. **Arboretum** de *Balaine.* **Plans d'eau :** *Ébreuil* 3,2 ha ; *de Sault* 25 ha, prof. 16 m (digue 5 m) ; *Vichy* 100 ha ; *Goule* 128 ha ; *Rochebut* 172 ha. **Rouzat :** 1er viaduc ferroviaire d'Eiffel. **Ski :** *La Loge-des-Gardes,* alt. 1 000/1 165 m ; *La Font-Blanche.* **Forêt :** *Tronçais* (du vieux français : tronce, grosses futaies), la plus belle chênaie de France (10 520 ha, 20 × 5 à 6 km) et étangs de St-Bonnet et Pirot ; *les Colettes* 1 225 ha.

■ **Cantal** (15) 5 726 km² (110 × 95 km). *Alt. max.* Plomb du Cantal 1 855 m ; *min.* 210 m (sortie du Lot). *Pop. 1801 :* 220 304 ; *1836 :* 262 117 ; *1851 :* 253 329 ; *1901 :* 230 511 ; *1936 :* 190 888 ; *1975 :* 166 549 ; *1982 :* 162 838 ; *1990 :* 158 723 (dont Fr. par acquis. 1 228, étrangers 1 836 dont Maroc. 632, Port. 456, Esp. 192, Alg. 128). D 28.

Villes. AURILLAC (631 m), 30 773 h. [*1831 :* 9 576 ; *1891 :* 15 824 ; *1954 :* 22 224 ; *1975 :* 30 863 ; *1982 :* 30 963] [ag. 36 069, dont *Arpajon-sur-Cère* 5 296] ; aéroport ; centre comm. (bestiaux), ind. lait, fromage, viande ; parapluies ; prod. pharm., ameublement, plastique, textile ; église St-Géraud, chap. d'Aurinques ; Maison des Volcans ; château de St-Étienne ; musée d'art et d'archéologie ; historial de la Hte-Auvergne ; parc Hélitas 113 589 m². – *Chaudes-Aigues* 1 110 h. ; m. géothermie et thermalisme. *Lanobre* 1 473 h. ; m. radio et phonographe. *Mauriac** (722 m) 4 224 h. [*1831 :* 3 604] (ag. 5 081), ind. agro-alim. (lait, from., viandes), ind. bois ameubl., caoutchouc ; basilique N.-D. des Miracles ; monastère St-Pierre. *Maurs* 2 350 h., musée Pierre Miquel. *Murat* (917 m) 2 409 h., site bordé par 3 dykes : Bonnevie (rocher surmonté par une Vierge), Chastel (chap. St-Antoine, romane XIIe s.), Bredons (égl. prieurale du XIe s.). *Pleaux* 2 146 h. *Riom-ès-Montagnes* (850 m) 3 225 h., alim. (maison de la gentiane). *Saint-Flour** (854/881 m) 7 417 h. [*1831 :* 6 640], ind. lait-fromages, viandes, méc. de précision, minoterie, jouet ; vieille ville ; musées de Hte-Auvergne, A. Douet, de la Poste, cath. goth. XIVe s. *Salers* (950 m) 439 h, égl. St-Mathieu (mise au tombeau) ; ville forte. *Vic-sur-Cère* (681 m.) 1 968 h., source ferrugineuse, bois, ameublement.

Régions naturelles. *Massif du Cantal* et partie de l'*Aubrac* et *Cézallier* (volcaniques, basaltiques). *Margeride, Châtaigneraie, Artense* (cristallins).

Divers. 1er dép. prod. de fromages (cantal, salers, St-Nect., bleu d'Auvergne, fourme d'Ambert) ; *Loubaresse :* écomusée de la Margeride. **Barrages :** hydroélect. sur *Truyère* et *Dordogne.* **Plans d'eau :** *Amauriac* (10 ha) ; lacs de *Bort-les-Orgues* (1 100 ha, prof. max. 83,5 m) ; *Garabit-Grandval* (1 100 ha, prof. max. 80 m) ; *Sarrans* (1 000 ha) ; *L'Aigle* (800 ha) ; *Chastang* (706 ha) ; *St-Étienne-Cantalès* (560 ha, prof. max; 70 m) ; *Enchanet* (410 ha) ; *Lanau* (200 ha) ; *Marèges* (200 ha) ; *Lastioulles* (126 ha). **Ski :** *Super-Lioran* 1 500 ha, gare à 1 160 m., *St-Urcize* (1 250 m), *Le Falgoux* (930 m), *Le Claux, Col de Legal* (1 231 m), *Pailherols, Thiezac, Malbo.* **Thermalisme :** *Chaudes-Aigues,* alt. 750 m, sources les plus chaudes d'Europe (82 °C à la source du Par). **Parc régional** *des volcans d'Auv.,* Maison des volcans. **Viaduc** *Garabit* (plans de Boyer, construit 1880-84 par Eiffel, long. 564 m, tablier 448 m, haut. 122 m sur la Truyère). **Châteaux :** *Anjony* (à Tournemire, XVe s., église du XIIIe s.), *Alleuze, Auzers* (XIVe-XVe s.), *La Boyle* (XIIIe s.), *La Trémolière, La Vigne, Le Chasson* (à Feverolles, XIVe-XVIIIe s.), *Conros* (à Arpajon-sur-Cère, XIIe-XVe s.), *Entraygues* (XVIe-XIXe s.), *Maison de Bargues* (XVe s.), *Messilhac* (XVe-XVIe s.), *Pesteils, St-Chamant* (XVe-XVIIe s.), *Val* (XVe s.), *Vieillevie* (XVIe s.). **Autoroute A75** « La Méridienne », jusqu'à St-Flour sud [la plus haute de Fr. au col de La Fageole (1 100 m)] jusqu'à Lagarde (1993).

■ **Haute-Loire** (43) 5 002 km² (75 × 110 km). *Alt. max.* Mezenc 1 753 m ; *min.* 400 m (sortie de l'Allier). *Pop. 1801 :* 229 773 ; *1836 :* 295 384 ; *1851 :* 304 615 ; *1886 :* 320 063 ; *1901 :* 314 058 ; *1921 :* 268 910 ; *1936 :* 245 271 ; *1968 :* 208 337 ; *1975 :* 205 491 ; *1982 :* 205 895 ; *1990 :* 206 568 (dont Fr. par acquis. 1 876, étrangers 6 068 dont Port. 1 928, Maroc. 1 168, Turcs 1 012, Alg. 348). D 42.

Villes. LE PUY EN VELAY (630 m) 21 743 h. [*1806 :* 12 318 ; *1891 :* 20 308 ; *1921 :* 18 488 ; *1982 :* 24 064] (ag. 40 937 dont *Brives-Charensac* 4 399, *Chadrac* 3 075, *Espaly-St-Marcel* 3 516, *Vals-près-le-Puy* 3 426) ; aéroport Le Puy-Loudes ; marché agr., ind. agro-alim., text., dentelles, tanneries, chaussures, vanneries, scieries, meubles, ind. chim., plast., caout., minéraux, trav. des métaux, méc., élec., électron., imprim., cartons, distilleries, liqueurs du Velay ; secteur sauvegardé (35 ha) : cathédrale, Vierge noire, cloître, statue N.-D. de Fr. sur le rocher Corneille, neck volcanique (chap. St-Michel-d'Aiguilhe, Xe s.), égl. St-Laurent, m. Crozatier (atelier nat. de la dentelle), donjon de Polignac.

– *Aiguilhe* (650 m) 1 452 h. ; chapelle St-Michel. *Allègre* (1 050 m) 1 176 h. ; égl. (XVe s.). – *Aurec-sur-Loire* (432 m) 4 510 h. ; trav. du grain, lentilles, pneu., élec., électron., exp. d'armes blanches, méc. *Bas-en-Basset* (450 m) 2 955 h. *Blesle* (499 m) 703 h. ; m. de La Coiffe. *Brioude** (434 m) 7 285 h. ; centre agr., constr. méc., ind. chim., du bois, bijouterie, briqueteries, trav. des métaux, élec., électron., imprim. ; hôtel de la Dentelle ; pêche au saumon, basilique St-Julien (XIIe s., nef 75 m,) ; musées. *Chavignac-Lafayette* (714 m) 317 h. ; château. *Chilhac* (570 m) 181 h. ; m. paléontologique. *Coubon* (630 m) 2 562 h ; château XV-XVIIe s. *Craponne-sur-Arzon* (927 m) 3 008 h. ; ind., viande, bois, bonneterie. *Dunières* (765 m) 3 009 h. *Frugières-le-Pin* 131 h. ; m. Joseph Lhomenède. *Langeac* (505 m) 4 195 h., ind., viande, plast., trav. bois, métaux ; égl. collégiale (XVe s.), m. du Jacquemart. *Lavaudieu* 238 h. ; m. Arts et Traditions. *Le Chambon-sur-Lignon* (940 m) 2 854 h. *Monistrol-sur-Loire* (603 m) 6 180 h. ; text., meubles, visserie, boulonnerie, cycles. *Pradelles* (1 150 m) 584 h. *Retournac* (590 m) 2 270 h. *Saugues* (960 m) 2 089 h. ; m. de la Forêt. *St-Arcons-d'Allier* 187 h. ; égl. romane et gothique (XVIe-XVIIIe s.), m. de la Ferblanterie. *St-Didier-en-Velay* (835 m) 2 723 h. (ag. 3 797) ; m. pop. de la Hte-Loire. *Ste-Florine* 3 021 h. *St-Just-Malmont* 3 668 h. *Ste-Sigolène* 5 236 h. ; ind., viande, meubles, équip. auto., mach.-outils, text., plast. *Tence* (851 m) 2 788 h. *Yssingeaux** (840 m) 6 118 h. [*1861* : 7 971 ; *1954* : 5 653 ; *1975* : 5 878 ; *1982* : 6 228] ; marché agr., ind. du bois, text., métall. et méc., chimie, mat. plast., salaisons ; m. de l'Hôpital.

Régions naturelles. Monts du Forez (177 511 ha) : ondulé (800-1 000 m), traversé par la Loire. Pluies 700 à 900 mm. Sol granitique, acide. Lait, veaux de boucherie, porcs, moutons. **Margeride** (63 902 ha) : varié (900-1 300 m). Climat rigoureux, pluies 900 à 1 000 mm. Sol granitique, acide. Ovins. **Velay basaltique** (76 272 ha) : plateau (900-1 000 m), peu boisé, venté. Climat rigoureux, pluies 700 à 900 mm. Sol basaltique, riche (orge, blé, lentilles). **Bassin du Puy** (40 925 ha) : mouvementé (600-800 m). Pluies 600 à 700 mm. Sols volc., sédimentaire, d'alluvions. Lait, veaux de boucherie, céréales. **Mézenc-Meygal** (44 012 ha) : *Mézenc* : haut plateau (1 000-1 400 m) ; pluies 1 000 mm. *Meygal* : 850 m ; sol volc. ; climat rude ; herbages, élevage. **Brivadois** (61 760 ha) : transition à pentes assez fortes (700-900 m) ; climat froid et sec, pluies 500 à 700 mm ; sol granitique, acide ; polyculture, céréales, veaux de boucherie, ovins, porcins. **Limagne** (12 367 ha) : plaine (450-600 m) ; climat sec, pluies 450 à 600 mm ; sol d'alluvions et sédiments ; polyculture (céréales). **Cézallier** (à la limite du dép., 2 communes) (2 549 ha) : 800-1000 m. **Régions forestières** (en milliers d'ha) : *Mézenc-Meygal* 16,4, *Devès* et *Velay* 12,6 dont f. du *lac du Bouchet* 0,6, *Margeride-Cézallier* 32,8, *Velay* granitique 42,9, plateau de *La Chaise-Dieu* 28,5, *Brivadois* 25,1. **Lacs :** de *St-Front* (30 ha, prof. 10 m), du *Bouchet* (45 ha, prof. 28 m, cratère 3 km de circonférence, alt. 1 208 m.), de *Lavalette* (barrage sur le Lignon, 200 ha, prof. 50 m), plans d'eau de *Malaguet* (22 ha), de *Saugues* (28 ha), d'*Alleyras* (25 ha), de *St-Prejet-d'Allier* (43 ha). **Ski :** *Allegre* (pistes 30 km) 1 000-1 150 m. *Cayres* (pistes 40 km) 1 150-1 400 m. *La Chaise-Dieu* (pistes 30 km) 1 080 m. *Chastenuel* (pistes 30 km) 900-1 150 m. *Les Estables* 1 346-1 753 m. *Landos* 950-1 250 m. *Pradelles-St-Paul-De-Tartas* (pistes 30 km) 1 150-1 360 m. *Le Vernet* (pistes 30 km) 1 100-1 300 m. **Divers :** *Mazet-Saint-Voy* [comm. la plus protestante de Fr. (95 % des h.) 1/3 sont darbystes et ravinistes]. *La Chaise-Dieu* [abb. St-Robert, alt. 1 082 m, de *casa dei* (maison de Dieu) reconstruite XIVe s. par Clément VI, desservie par congrégation St-Jean, peinture murale (*la Danse macabre*, haut. 2 m, long. 26 m), 144 stalles du XVe s., tapisseries],; festival de mus. classique. *Lavaudieu* (cloître XIe-XIIe s.). *Chavaniac La Fayette* (chât. du Gal Mis de La Fayette XIVe-XVIIe s., Mémorial franco-amér.). *Le Mont-Mouchet* (1 465 m, m. de la Résistance). *Lavoute-Polignac* (donjon, XVe-XVIIe s.).

■ **Puy-de-Dôme** (63) 7 954 km² (140 × 82 à 100 km). *Alt. max.* Puy de Sancy 1 886 m ; *min.* 268 m (sortie de l'Allier). *Pop. 1801* : 509 128 ; *1851* : 696 897 ; *1901* : 544 194 ; *1921* : 490 560 ; *1938* : 486 130 ; *1946* : 478 903 ; *1954* : 481 380 ; *1962* : 506 541 ; *1968* : 544 568 ; *1975* : 577 347 ; *1982* : 594 365 ; *1990* : 598 213 (dont Fr. par acquis 16 236, étrangers 34 830 dont Port. 16 178, Maroc. 4 105, Alg. 3 385, Turcs 3 312). D. 75 (90).

Villes. CLERMONT-FERRAND (385 m) 136 181 h. [*1801* : 30 379 ; *1891* : 50 119 ; *1921* : 82 577 ; *1954* : 113 391 ; *1975* : 156 900], ateliers ind. de l'Armée de l'air (AIA) ; imprimerie de la Banque de France ; centre univ. (26 000 étudiants en 92) : école des impôts, institut de mécanique avancée, Cust, Enita, Chimie, Escae ; appui technologique du Pôle Casimir, centre de recherches de l'Inra ; pneum. Michelin, ind. caoutchouc-tuyaux CPM, atelier de Constr. du Centre (ACC) (ferroviaire), atelier de Mécanique du Centre (AMC), ind. métall., biophys. méd., ind. pharmaceutique, constr. méc., électro., élec., agro-alim., cycles, confection, matér. de transp., de mesure, tourisme ; égl. N.-D. du Port (XIe-XIIe s.), cath. XIIIe s. en lave, fontaine d'Amboise (1515), fontaine pétrifiante ; m. des Beaux-Arts, Bargoin, du Ranquet (quartiers sauvegardés), Lecoq (zool., bot.) ; Cité de Montferrand ; train Fell du Puy-de-Dôme (1907-26) [ag. 254 416, 17 communes dont : *Aubière* 9 106 h., alt. 348 m. *Aulnat* 4 944 h., alt. 320 m, aéroport. *Beaumont* 9 465 h., alt. 427 m. *Blanzat* 3 522 h. *Cébazat* 7 562 h., alt. 354 m. *Ceyrat* 5 283 h. *Chamalières* 17 301 h., alt. 420 m. *Cournon d'Auvergne* 19 156 h., alt. 352 m. *Gerzat* 9 229 h.. *Le Cendre* 5 013 h. *Lempdes* 8 591 h., alt. 320 m. *Romagnat* 8 268 h., alt. 468 m. *Royat* 3 950 h., alt. 450 m, st. thermale (cœur, artérite oblitérante)], Siac.

– *Ambert** (535 m) 7 420 h., ind. plast., petite méc., papeterie tradit., text., métall., bijout., art relig., auto ; moulin à papier Richard de Bas XIVe s. (papier fait main) ; musée de la machine agricole et à vapeur, m. de la Fourme et des trad. *Arlanc* 2 085 h. ; musée de la Dentelle. *Billom* 3 968 h. ; centre agric. (aulx et dérivés), équipement auto. *Besse-en-Chandesse* 1 799 h. ; cité médiévale. *Brassac-les-Mines* 3 446 h. ; musée de la Mine. *Chappes* 987 h. ; limagrain, semencier ; biotechnologie. *Châteauneuf-les-Bains* 840 h. ; ther. *Châtelguyon* (430 m) 4 743 h., st. therm. (appareil digestif). *Courpière* (325 m) 4 674 h., cartonnages, orfèvrerie inox (Jean Gouzon). *Effiat* 730 h. ; château (1627). *Égliseneuve-d'Entraigues* 694 h. ; maison des fromages d'Auv. *Gergovie* plateau (700-720 m) à 14 km de Cl.-Ferr., vestiges de l'oppidum gaulois, bâti 53 av. J.-C. (4 km de long, 75 ha, abritait 80 000 soldats). *Issoire** 13 559 h. [*1921* : 5 660 ; *1954* : 8 541], alt. 386 m ; métall. (aluminium : Interforge, Péchiney, Rhénalu), constr. méc., aéro., élec. ; égl. XIIe s, musée de l'Historia. *La Bourboule* (850 m) 2 113 h., stat. therm., eau riche en arsenic. *La Monnerie-Le Montel* 2 594 h. (ag. 4 634) ; orfèvrerie, cartonnages. *Le Mont-Dore* (1 000 m) 1 975 h., st. therm. (voies respir.) ; ind. eau de source du Mont-Dore. *Lezoux* 4 819 h. ; cité de la poterie, musée archéologique. *Murol* (830 m) 606 h. ; château. *Pont-du-Château* (340 m) 8 562 h., méc. ; musée de la Batellerie. *Puy-Guillaume* 2 634 h. ; verrerie ind., imprimerie. *Riom** (340 m) 18 793 h. [*1801* : 13 295 ; *1921* : 10 435 ; *1975* : 17 071] [ag. 25 110, dont *Mozac* 3 496], tabac, ind. pharm., méc., métall., élec., alim. ; capitale de l'Auv. au Moyen Âge, églises, fontaines, musées d'Auv. et Mandet. *St-Alyre-ès-Montagne* 203 h. ; maison des Tourbières. *St-Éloy-les-Mines* (500 m) 4 721 h. (ag. 7 071), fonderie, méc., mat. constr., plastique, mat. isolants, cartonnages. *St-Georges-de-Mons* 2 451 h. [ag. 4 361, dont *Les Ancizes-Comps* 1 910 ; aciérie]. *St-Nectaire* (700 m) 664 h., égl. XIIIe s., st. therm. (affections rénales, métabolisme), fontaine pétrifiante. *Thiers** (350 à 470 m) 14 832 h. [*1801* : 10 627] (ag. 16 688), coutellerie (75 % de la prod. nat., Widrard), forges, ind. méc., plast., vêtements, décolletage (Dapta-Mallingoud), estampage, plâtrerie, orfèvrerie ; Maison des couteliers (musée). *Vertolaye* 609 h. capitale du soufflet, ind. chim. (Roussel-Uclaf). *Vic-le-Comte* 4 155 h. ; fabrique papier-monnaie. *Volvic* (491 m) 3 930 h., eaux min., carrière, ind. de la lave ; musée de la Pierre et m. des Beaux-Arts Marcel Sahut.

Régions naturelles. Limagne (250 km², alt. moy. 400 m) : céréales, semences de maïs, oléagineux, bett. ind., ail. **Parc naturel du Livradois/Forez,** chaîne des Puys (sommet du Puy de Dôme 1 465 m) et monts Dore ; **des Volcans :** bovins pour l'embouche et fromages AOC. **Combrailles,** plateaux granitiques de l'Ouest : élevage. **Parc zoologique** *du Bouy* (50 ha) ; **animalier** *du Cézallier* (25 ha) ; **p. des Dômes** (2 ha). **Lacs** (alt.) : *Aydat* (825 m) ; *Chambon* (877 m) ; *Chauvet* 52 ha, 63 m ; *Aubusson-Courpière* 28 ha ; *Godivelle* (1 225 m) 14 ha, 43 m de prof. ; *Guéry* (1 260 m) 37 ha, 11 m ; *Montcineyre* 38 ha, 18 m ; *Pavin* (1 197 m) ; *La Cassière* (13 ha) ; *St-Rémy-sur-Durolle* (14 ha) ; plan d'eau des *Fades-Besserve* 38 ha, 18 m ; *Servière* (1 200 m) 15 ha, 26 m ; *Tazenat* (600 m) 33 ha, 66 m. **Ski :** *Le Mont-Dore* (1 050-1 846 m), *Super-Besse* (1 350-1 850 m), *Chambon-des-Neiges* (1 250 m), *Chastreix* (1 350-1 700 m), *St-Antheme-Praboure* (940-1 400 m), *La Tour-Sancy* (1 000 m-1 300 m). **Divers.** Au XIXe s. : 3e département prod. de vin (vignoble détruit par le phylloxéra). *Viaduc des Fades* (1901-09) le plus haut de France (132 m). **Industrie :** 1er prod. de pneus (Michelin) et de coutellerie. **Thermalisme :** établissements servant sur place l'eau minérale (45). **Art roman :** *églises* (Orcival, St-Nectaire, Issoire, N.-D.-du-Port à Clermont-Fd, St-Saturnin), *châteaux :* Aulteribe, La Bâtisse, Busséol, Château-Dauphin, Chazeron, Cordes, Davayat, Effiat, La Roche, Lembron, Les Martinanches, Montmorin, Murol, Opme, Randan (famille Montpensier, brûlé le 25-7-1925), Ravel, St-Quintin, St-Saturnin, Tournoël, Villeneuve, Vollore. **Grottes** de Jonas (St-Diéry) (P.-de-D.). **Minéralogie :** agates et diamants noirs de Charbonnières-lès-Varennes, zircons et grenats, calcédoines de la Mine des Roys et lussatite de Lussat, spath-fluor de Lastic, tourmalines de Berset, domite et hématite, améthystes de St-Germain-l'Herm, topazes, béryls, bombes volcaniques (renfermant parfois de l'olivine).

BOURGOGNE

■ GÉNÉRALITÉS

■ **Superficie** 31 591 km². **Population** (1990) 1 609 654 h (dont Fr. par acquis. 39 795, étrangers 83 401 dont Port. 22 006, Maroc. 19 776, Alg. 9 355). D 51.

☞ La région « Bourgogne », créée en 1960, comprend l'ancien duché de B. avec des parties des anciennes provinces de Champagne, d'Ile-de-France, d'Orléanais et le Nivernais.

BOURGOGNE

■ **Situation.** Appartient à des ensembles géographiques très différents : **Au N., basse B. :** moyennes vallées de l'*Yonne* et de l'*Armançon*, en amont d'Auxerre et de Tonnerre ; entre ces vallées (prairies, cultures maraîchères), bas plateaux calcaires et dénudés, avec quelques reliefs de côte (cultures de céréales). *Au centre,* partie du massif boisé du Morvan et plaines argileuses qui le ceinturent : *Bazois, Terre plaine, Auxois,* plaine d'*Autun* (élevage). **Haute B.,** entre la région des sources de la Seine et le plateau de Langres : hauts plateaux calcaires, boisés et dépeuplés, climat rude (la « Montagne », qui s'abaisse par paliers au-dessus des plaines de la Saône). *Côte d'Or,* dernier escarpement (sur ses premières pentes, vignobles). *Pays bas,* plaines alluviales entourant la Saône (polyculture ; forêts, dans le val de Saône, cultures maraîchères). **Au sud-est et au sud :** *Bresse* et bordure est du Massif central (massif cristallin de l'*Autunois,* et dépression de Montceau-les-Mines et du Creusot) ; *Charolais* calcaire à l'ouest, cristallin à l'est, grande région d'élevage ; *Mâconnais,* polyculture et élevage. **A l'ouest :** *Nivernais,* élevage, forêts, coteaux à vignes au bord de la Loire (Pouilly).

☞ Vignoble du sud de Dijon au Beaujolais (côtes de Nuits, de Beaune, chalonnaise, mâconnaise).

■ **Histoire. Av. J.-C. Depuis le VIIe s.,** la future B. participe aux systèmes d'échanges lointains ainsi qu'en témoigne le trésor de Vix (près du Mt Lassois) : mobilier funéraire, fin VIe s. av. J.-C. composé de pièces d'origine grecque (dont un grand cratère), scythe, étrusque et celtique. **121** les Éduens, qui en occupent une grande partie (Nièvre, S.-et-L. et C.-d'Or actuelles), sont alliés de Rome. **61** battus par les Germains d'Arioviste, ils appellent les Romains à leur aide. **58-52** alliés de César dans la g. des Gaules. **52** juil. ils se rallient à Vercingétorix qui, proclamé chef de la révolte à Bibracte, doit capituler à *Alésia.* **13** rattachée à la Lyonnaise par la réforme administrative d'Auguste. **Apr. J.-C. 21** révolte de Sacrovir ; Autun devient un des principaux centres intellectuels de l'Empire. **IIIe s.** sac d'Autun par Tetricus (269), ravages des Alamans (276), puis pays partagé entre Ire et IVe Lyonnaise (Sénonaise) dans le diocèse des Gaules. **IVe et Ve s.** régression de l'autorité romaine ; expansion du christianisme (St Germain, évêque d'Auxerre en 418). Multiples invasions, notamment celles des Burgondes fuyant devant les Huns, après celles de 355 et de 406 ; occupation du nord-est de la région par les Alamans. **443** le nom de *Burgondia* apparaît. Il désigna des entités différentes. **443-75** la B. est la Suisse romande actuelle, où les Burgondes, envahisseurs germaniques, ont été établis comme colons. **475-534** la B. est le roy. de Gondebaud qui a refoulé les Alamans, pris Dijon en 479, puis a étendu son domaine jusqu'à la Saône, au Rhône et à la Provence intérieure. Gondebaud promulgue une « Lex burgundionum » *(loi « Gombette »)* et, pour les « Romains », une « Lex romana burgundionum », mais perd Auxerrois et Champagne en luttant contre Clovis. Son fils Sigismond (vénéré comme un saint) se convertit au cathol., les Burgondes étant ariens.

534-843 conquête du pays par les Francs : fils et petits-fils de Clovis : Clotaire, Childebert, Thierry. Le nom de B. n'est plus qu'une appellation géographique sans limite administrative précise. Sous les Mérovingiens, puis les Carolingiens, le royaume bourguignon est à peu près le quart S.-E. de l'Hexagone, sur le même plan que l'Aquitaine, la Neustrie et l'Austrasie. Roi le plus notable : Gontran (mérovingien 525-93) ; maire du Palais le plus notable : St Léger, év. d'Autun (616-78). **843-1032** le mot a simultanément plusieurs sens différents : le duché de B. est la partie occidentale de l'ancienne Burgondie, à l'O. de la Saône, demeurée dans le royaume de Fr. après le partage de Verdun (843). La Saône devient la frontière entre B. royale à l'O. et B. impériale à l'E. [Jusqu'au XIXe s., les bateliers parlent de la rive du Riaume (droite) et de la rive d'Empi (gauche).] 1er duc : Richard le Justicier, Cte d'Autun, beau-frère de Charles le Chauve (v. ci-dessous). A l'E. de la Saône et au S.-E. du Rhône, on continue à nommer B. certaines terres, partie du lot de l'empereur Lothaire, notamment le comté palatin de B. (v. Franche-Comté) ; la B. transjurane (Suisse romande actuelle), devenue royaume en 888 ; et le royaume d'Arles (cap. Arles ou Vienne), appelé souvent roy. de Provence-Bourgogne, parce qu'il a été conquis en 933 par le roi de B. transjurane, Rodolphe II. A partir de 1032, le titre de « roi des Burgondes » passe à l'empereur germanique Henri III neveu et héritier de Rodolphe III, roi de B. transjurane. Cela implique la souveraineté directe sur la Suisse, et la suzeraineté sur la Franche-Comté et le royaume d'Arles, mais aucun droit sur la B. capétienne.

Duché de Bourgogne. IXe s. 843 séparé des autres terres bourg. ; disputé par les Carolingiens de *Francia occidentalis* et les rois possédant le reste de la B. **Fin IX[e]s.** la B. franque devient duché avec le frère de Boson, Richard le Justicier (qui profite des invasions scandinaves pour prendre le titre de duc). À sa mort, il possède les comtés d'Autun, d'Auxerre et de Sens, et contrôle, avec ses comtes, presque toute la B. au sens actuel, de Langres à Dijon, de Troyes à Chalon, de Tonnerre à Brienne. **956-1002** aux mains des Robertiens (ancêtres des Capétiens). **1002-16** occupé par Robert le Pieux, roi de Fr., qui empêche Otto Guillaume de s'en emparer. **1031** à sa mort, inféodé par son fils, le roi Henri Ier, à son frère Robert Ier de B. (tige de la maison capétienne de B. s'éteint 1361) ; parmi les branches cadettes, celles du *Viennois* (issue du duc Hugues III) et de *Portugal* (issue de Henri, Cte de Lusitanie, frère des ducs Hugues Ier et Eudes Ier). **Du IXe au XIe s.** indépendant de fait, mais empiètements des nombreux seigneurs laïcs et ecclésiastiques. **XIIe s.** le duc Hugues III (1162-92) se heurte à Philippe Auguste, et meurt isolé en Terre sainte, puis les ducs, fidèles vassaux du roi de Fr., assurent leur domination sur tout le duché et accroissent leur domaine propre.

XIIIe-XIVe s. interventions de plus en plus nettes de la monarchie fr. **1315** une ligue arrache la *« charte aux Bourguignons » :* le roi Jean le Bon reconnaît les coutumes locales de B. et s'engage à ne pas modifier la fiscalité sans accord avec les états. *Philippe de Rouvres ;* création d'une Chambre des comptes de type parisien, tenue des *Grands Jours* (session temporaire d'une cour de justice d'appel dans le ressort du Parlement de Paris, puis tribunal permanent). **1352** réunion des premiers états de B. **1361** Philippe meurt de la peste à 17 ans (Charles le Mauvais, héritier le plus direct, est écarté). Jean le Bon, époux en 2e noces de sa mère, prend possession du duché ; le duché est complété d'enclaves royales, rattaché à la Couronne, et doté d'un gouverneur. **1364-1477** prospérité sous les ducs de Valois grâce à des mariages et de nombreuses guerres.

Philippe le Hardi (n. 1336-1404, 4e fils de Jean le Bon, frère du roi Charles V), gouverneur en 1363 reçoit le duché en apanage le 2-6-1364. **1369** il épouse Marguerite de Flandre, veuve de Philippe de Rouvres. **1384** recueille à la mort de *Louis de Mâle,* les comtés de Flandre, Bourgogne, Artois, Nevers, les seigneuries de Salins, Malines et Anvers. **1392** Louis duc d'Orléans, et le duc de Berry corégents lorsque le roi Charles VI son neveu devient fou. **1404 Jean sans Peur** (1371-1419), son fils, duc de B., fait tuer son cousin germain Louis (corégent et duc d'Orléans, chef des Armagnacs) le 23-11-1407 à Paris. **1408** maître de Paris soutenu par l'université et les bouchers. **1413** chassé de Paris. **1418** y rentre. **1419** va se rapprocher du Dauphin, entrevue ménagée avec lui à Montereau sur le pont mais Tanguy du Châtel le tue d'un coup de hache ; la g. civile entre Armagnacs et Bourguignons rebondit.

1419 Philippe le Bon (1396-1469) son fils passe dans le camp anglais (1420-35). **1435** *tr. d'Arras,* se réconcilie avec le roi, est dispensé à titre personnel de prêter hommage (le roi Ch. VII était tenu pour responsable de l'assassinat de Jean sans Peur). Il accroît ses domaines par achats, mariage et héritages ; comtés de Namur (1421), Hainaut, Hollande, Frise et Zélande (1428), duchés de Limbourg, Lothier, Brabant (1430), Luxembourg (1431). **1459** promulgue les « Coutumes générales du pays et duché de B. ».

1469 Charles le Téméraire (1438-77), son fils, reçoit le pouvoir temporel dans la princ. ecclésiastique de Liège. Il ne peut relier les « Pays-Bas » et les B. ducale et comtale en s'emparant de la Champagne et de la Lorraine (il meurt devant Nancy le 5-1-1477). L'État bourg. est démembré ; ruinée par les guerres du Téméraire, la B. ducale est envahie par les troupes royales et conquise après la mort du duc par Louis XI, et, au *tr. d'Arras,* l'empereur Maximilien renonce aux droits de sa femme, Marie de B., fille du Téméraire, sur le duché. L'échec du projet de mariage entre Charles VIII et Marguerite d'Autriche fait perdre à la Fr., en 1493, la dot prévue en 1482 (Comté et Charolais). **1559** *tr. du Cateau-Cambrésis :* contestations entre Fr. et Habsbourg à propos du duché prennent fin.

Le duché de B., à partir de Louis XI, ne sortira plus du domaine royal ; le *titre honorifique de duc de B.* ne sera plus porté que par Louis (1682-1712), petit-fils de Louis XIV, fils du Gd Dauphin, et par le frère aîné de Louis XVI (1751-61).

■ **Institutions.** Chacun des États avait ses traditions et ses institutions, mais les ducs menèrent une politique inlassable d'unification : territoires découpés en *bailliages* à la fin du règne de Philippe le Bon (5 dans le duché, 3 en Comté...) ; 3 *Chambres des comptes* (Dijon, Lille, Bruxelles) ; justice répartie entre les *Jours généraux* de Beaune et de Dole, le *conseil* des Flandres de Gand, la *cour* de Brabant et la *cour* de Hollande ; réunions d'*états* en B. ducale, en Comté et en Flandres ; coutumes de plusieurs pays collationnées et promulguées ; abolition, par Charles le Téméraire, de plusieurs organes locaux au profit des *conseils de Malines* (Parlement souverain créé en 1473 par Charles le T. pour les Pays-Bas pour supprimer l'appel au Parlement de Paris) ; structuration du pouvoir central, qui se déplace de Dijon à Bruges, Gand, Hesdin ou Lille : duc assisté d'un *grand conseil* présidé par le chancelier (*Nicolas Rolin* fut le plus célèbre), entouré de grands officiers ; gestion des finances dirigée par un « receveur de toutes finances », contrôlé par un trésorier-gouverneur et supervisant 2 receveurs généraux qui nomment des receveurs particuliers ; armée régulière de 32 compagnies d'ordonnances organisée par Philippe le Bon (s'y ajoutent contingents féodaux et levées de mercenaires) ; à partir de 1429, l'ordre de chevalerie de la *Toison d'or* symbolise la puissance et le rayonnement du « grand duc d'Occident ».

Après Louis XI, XVI-XVIIe s. le parlement de Dijon (définitivement établi 1480) et la Chambre des comptes subsistent ; un gouverneur remplace le gouverneur ducal ; les États de B. continuent à se réunir (l'hostilité des B. fait rapporter, en 1631, un édit de 1629 transformant la province en pays d'élection). Généralité de B., avec un bureau des finances, est une installation de « commissaires départis », bientôt « intendants de justice, police et finances ». **Extension de la province : 1561** annexions des 3 élections, anciennes enclaves royales, **1601** de Bugey, Valromey et pays de Gex (Ain actuel). De nouveau ruinée par la guerre de Trente Ans ; à partir de 1678, protégée par le bastion de la Franche-Comté. **1639** du Cte d'Auxonne, **1671** de l'élection d'Auxerre, **1721** de Bar-sur-Seine, **1751** du Cte de Charolais (récupéré sur Habsbourg en 1684) ; seul le Mâconnais conserve son élection et ses États jusqu'à la Révolution. Le ressort du parlement de Dijon a des limites différentes (ne contrôle pas Auxerre, Bar et Mâcon, mais englobe successivement Bresse, Bugey, pays de Gex et Valromey, puis principauté des Dombes). Ébranlée par les guerres de Religion en 1562, 67, 89 et 95, la B. voit la défaite des Esp. et des ligueurs par Henri IV (Fontaine-Française, 1595). **XVIIIe s.** prospérité. Création d'une faculté de droit en 1722, d'une académie en 1740, à Dijon. *A la Révolution,* divisée en départements : Saône-et-L., Côte-d'Or, Ain, une partie de l'Yonne.

Chalonnais

Comté héréditaire dep. 968. *1237 :* le Cte Jean le Sage l'échange avec le duc de B., Hugues IV, contre la seigneurie de Salins ; ses descendants gardent le titre de Cte de Chalon, devenu en 1393 P[ce] d'Orange.

Charolais

■ **Situation.** S.-O. de la S.-et-L. Forêts, élevage bovin d'embouche pour régions voisines, poterie, forges.

■ **Histoire. IIIe s.** occupé par les Aulerques Brannovices de la confédération des Éduens. Suit le sort de la cité d'Autun, de la conquête romaine à l'époque franque. **Haut Moyen Age :** fait partie du Brionnais (*pagus Brionnensis,* dont la cap. était la commune de Briant). **xe s.** fondation de riches monastères, et naissance des bourgs de Charolles, Paray-le-Monial et Marcigny. **973** le Ch. appartient à Lambert, Cte de Chalon, fondateur de Paray-le-Monial. **1005** fondation du prieuré clunisien de Charolles. **1237** le comté de Chalon est cédé à Hugues IV de Bourgogne qui en 1272 crée une baronnie du Ch. pour sa petite-fille Béatrix de B. **1316** érigé en comté avec états particuliers pour Béatrix de Ch. qui épouse Jean d'Armagnac. **1390** vendu par Bernard d'Arm. à Philippe le Hardi. **1477** conquis par Louis XI, qui y établit un bailliage royal. **1493** cédé par Charles VIII (tr. de Senlis) qui conserve sa suzeraineté, à Philippe, archiduc d'Autriche. Fief personnel des Habsbourg d'Autriche, puis d'Espagne (1558). Plusieurs fois saisi par le roi, au cours des g. contre les Habsbourg, notamment en 1674 (restitué en 1679, par le tr. de Nimègue). **1684** enlevé au roi d'Esp. et donné au P[ce] de Condé. **1751** échangé avec Louis XV, par Melle de Sens, contre la terre de Palaiseau ; les États particuliers sont alors réunis aux États de Bourgogne.

Nivernais

■ **Situation.** *Est Morvan* (du celtique, « mont Noir », à cause de la forêt qui le recouvre), granitique, humide et forest. (100 000 ha, hêtre et chêne), élevage ; bordé par le *Bazois,* plaine bocagère ondulée, sols gras et humides (marnes), herbages (région d'embouche). **Centre,** du Bazois à la Loire, plateaux de calcaires jurassiques hachés de failles (dalles rocheuses, alt. moy. 400 à 500 m) ; forêt. **Nord.**, *Puisaye* (sol argileux imperméable) prairies d'élevage. **Est,** *Val de Loire nivernais* entre La Machine et Decize ; herbages. La majeure partie forme la Nièvre.

■ **Histoire.** Partie du territoire des Éduens. César vient à Decize (Decetia) pour une entrevue avec leurs chefs. Nevers est considéré généralement comme l'ancien Noviodunum gaulois (cité des Éduens), point d'appui des légions de César, pris d'assaut par les Éduens, lors de la révolte de 52 av. J.-C. **Période gallo-romaine** partie de la cité d'Auxerre. **V. 490** Auxerre étant cédé aux Francs par Gondebaut (avec la moitié nord de sa cité), Nevers devient évêché (burgonde) pour la moitié sud [suffragant de Sens (1re mention : concile d'Epaone 517)] ; **xe s.** comté, **XIe s.** fief puissant, qui passe à Pierre II de Courtenay grâce à son mariage avec Agnès de Nevers en 1184. Échoit ensuite aux maisons de Flandre, de Bourgogne (Philippe le Hardi), de Clèves (1504). **1538.** Duché-pairie. **1565.** Transmis à la famille de Gonzague. **1659** Vendu à Mazarin, qui le donne aux Mancini. **1798** mort du dernier duc.

■ Économie

■ **Population active** (1-1-90) 689 651 dont primaire 50 933, secondaire 200 610, tertiaire 364 624. *Salariés* 418 725. *Chômeurs* (1992) : 78 500.

■ **Échanges** (en milliards de F, 1991). **Imp. :** 23 dont prod. chim. et demi-prod. div. 5,4, biens d'équip. prof. 3,9, métaux et prod. du travail des métaux 4,5, biens de consom. 5, auto. et transp. terrestre 1,4, ind. agro-alim. 1,5, prod. agric. 0,8, électroménager, électron. grand public 0,2. **Exp. :** 34,9 dont biens d'équip. prof. 6,6, prod. agric. 5,7 (dont vins 3,1), métaux et prod. du travail des métaux 6,7, biens de consom. 6,1, ind. agro-alim. 2,8, prod. chim. et demi-prod. div. 3, auto. et transp. terrestre 2,8, électroménager, électron. grand public 1,1.

■ **Agriculture. Terres** (en milliers d'ha, 1992) 3 175,2 dont *SAU* 1 915,5 [t. lab. 1 012,3 (dont jardins 19,8), herbe 855,9, vignes 27,6]. **Exploitations** 37 925 (SAU moyenne 51,5 ha). Bois 983,4 ; peupleraies 12,8 ; étangs 4,8 ; t. agric. non cult. 52,9 ; t. non agric. 205,8. **Prod. végétale** (en milliers de t, 1992) : blé tendre 2 164, orge et escourgeon 910, betterave ind. 436, maïs 454, oléagineux 432 (dont colza 246, tournesol 171). **Animale** (milliers au 1-1-91) : bovins 1 333, ovins 455,7, caprins 49,6, porcins 191,3, équidés 10. **Lait** (en milliers d'hl, prod. totale vaches lait. et nourrices, estim. au 1-1-91) : 4 203,1. **Vins** (en milliers d'hl, 1991) 1 263 (dont d'AOC autres que vins doux naturels 1 210).

■ **Industrie.** *Salariés* (1-4-91) : 145 088 dont ind. agro-alim. 15 887, énergie 3 469, biens intermed. 48 100, biens d'équip. 43 350, biens de consom. 34 282. BTP 34 452, papier, carton 2 322.

■ Départements

Voir légende p. 777.

■ **Côte-d'Or** (21) 8 763 km² (125 × 108 km). *Alt. max.* 720 m (Menessaire) ; *min.* 174 m (Chivres). *Pop. 1801:* 340 500 ; *1851:* 400 297 ; *1901:* 361 626 ; *1921 :* 321 088 ; *1936 :* 334 386 ; *1954 :* 356 839 ; *1975:* 456 070 ; *1982:* 473 548 ; *1990:* 493 867 (dont Fr. par acquis. 11 563, étrangers 27 594 dont Maroc. 8 128, Port. 6 185, Alg. 3 426, Italiens 2 036). D 56.

Villes. DIJON. 146 703 h. [*Moyen Age :* 10 000 ; *XVIe s. :* 15 000 ; *1789:* 22 000 ; *1801:* 20 000 ; *1870:* 40 000 ; *1914 :* 75 000 ; *1936 :* 95 000 ; *1954 :* 110 000 ; *1975:* 151 705] [ag. 226 025 dont *Chenôve* 17 721. *Chevigny-St-Sauveur* 8 223. *Daix* 862. *Fontaine-lès-Dijon* 7 856. *Longvic* 8 273. *Marsannay-la-Côte* 5 216. *Neuilly-lès-Dijon* 1926. *Ouges* 965. *Perrigny* 1 381. *Plombières* 2 123. *Quétigny* 9 230. *St-Apollinaire* 5 577. *Sennecy-lès-Dijon* 1535. *Talant* 12 860 ; village classé du XIIIe s., alt. 245 à 390 m, 4 151 ha ; ind. pharm. alim. (moutarde, liqueurs, pain d'épices, chocolat, meunerie, conserves), tabac, plast., caout., constr. méc. et élec., ind. électro., équip. mén., fonderies, matér. de précision, optique, cuir, centre ferrov., autom., imprim., carton. ; ville d'art [hôtel ducal, palais des États, cath. St-Bénigne, églises, chartreuse de Champmol (puits de Moïse de Claus Sluter), musées (des Beaux-Arts, f. 1787, visiteurs 91 : 175 525), de la moutarde, Rude, de la Vie Bourguignonne, Perrin de Puycousin, vieux hôtels particuliers XVe-XVIIIe s.]. Lac Kir 37 ha, 1 520 × 250 m, prof. 3,50 m. Le chanoine Félix Kir (1876-1968), maire de 1945 à 68 et député 1946-67, a donné son nom à l'apéritif 1/3 cassis – 2/3 vin blanc aligoté. – *Alise Ste Reine* 668 h. ; site d'Alésia (52 av. J.-C., César y battit Vercingétorix), statue de Vercingétorix 7 m (Aimé Millet 1865). *Arnay-le-Duc* 2 040 h. ; meubles de bureau ; maison rég. des Arts de la table ; rempart. *Auxonne* 6 781 h. ; marché de lég., ind. alim., matér. élec. mén. et profess., électro., métall. ; château fort, musée Bonaparte, arsenal, casernes. – *Beaune* * 3 129 ha, 21 289 h., alt. 224 m ; vin (vente annuelle des Hospices, 3e dim. de nov.), matériel vitic., imprim. et carton., ind. électro., mat. plast., bijouterie ; carrières de Comblanchien ; Hôtel-Dieu (fondé 1443) et musée du Vin ; collégiale XIIe et XVe s., hôtels part., archéodrome (reconstitution maison néolithique, siège d'Alésia, etc.) ; parcs : du ch. de Vignolles (21 ha), de la Bouzaize (4 ha) ; plan d'eau de Gigny (créé 1978, 10 ha). *Buffon* 190 h. ; domaine des Forges. *Bussy-le-Grand* 246 h. ; château (XV-XVIe s.). *Brazey-en-Plaine* 2 500 h. ; text., malterie. *Chambolle-Mussigny* 355 h. ; égl. (XVIe s.). *Châteauneuf-en-Auxois* 63 h. ; château, village médiéval. *Châtillon-sur-Seine* 6 862 h. ; fonderie mécanique, ind. du bois, métall. ; musée [vase de Vix (haut. 1,64 m, 208 kg : ve s. av. J.-C.]. *Collonges-lès-Bèvy* 70 h. ; château (1660-1720). *Commarin* 147 h. ; château (XVIIIe s.). *Courtivron* 143 h. ; château (XIIe s.). *Époisses* 794 h. ; château (XIV-XVIIe s.). *Fixin* 826 h. ; m. Noisot. *Flavigny-sur-Ozerain* 411 h. village médiéval ; fabrique d'anis ; égl. *Fontaine-Française* 798 h. ; château (1754), commémore la victoire de Henri IV (5-6-1595). *Genlis* 5 241 h. ; outillage, électro., chimie. *Gevrey-Chambertin* 2 825 h. ; château-forteresse ; vins, ind. alim. ; ind. électrique. *Grancey-le-Château* 278 h. ; château (XVIIIe s.). *Is-sur-Tille* 4 050 h. (ag. 5 453) ; articles de mén. et div. en plast. *Menessaire* 96 h. ; point culminant 740 m. *Meursault* 1 538 h. ; égl. St-Nicolas (XIVe s., flèche 57 m), hôtel de ville. *Molesmes* 224 h. ; monastères (XIe s.), vestiges (XIII-XVIIe s.). *Montbard* * 7 108 h. (ag. 7 456) ; métall. *Nolay* 1 551 h. ; halles XVe s. ; égl. (XVe s., reconstruite XVIIe s.), maison natale de Lazare Carnot. *Nuits-Saint-Georges* 5 569 h. ; vins, jus de fruits, liqueurs, imprim. et carton., cuivre et alliages ; égl. St-Symphorien (XIIIe s.), beffroi (1630). *Rochefort* 65 h. ; château. *Rochepot* 241 h. ; égl. (XIIe s.), château (XV-XIXe s.). *St-Germain* 35 h. ; Seine jaillit à 471 m d'alt. ; propriété de la ville de Paris. *St-Jean-de-Losne* 1 342 h. ; très petite commune (36 ha de terres) ; égl. (XVIe s.). *Saulieu* 2 917 h. ; hôtellerie-restauration, basil. (XIIe s.), m. François Pompon, égl. St-Saturnin (XVe s.), St-Andoche, musée, capitale gastronomique. *Selongey* 2 386 h. ; électromén. ; chap. Ste-Gertrude. *Semur-en-Auxois* 4 545 h. ; alim., cuir, orgues électron. ; égl. XIe, monuments XIIIe au XVe s. *Seurre* 2 728 h. (ag. 3 164) ; électron ; écomusée de la Saône. *Venarey-les-Laumes* 3 544 h. ; métall., ind. de la viande. *Vitteaux* 1 064 h. ; halles (XVe s.) égl. St-Germai (XIII-XVIe s.). *Vougeot* 176 h. ; ch. du Clos, pressoir XIIIe s.

Régions naturelles. *Châtillonnais* (céréales, oléagineux, forêts), plateau de *Langres,* 271 819 ha (céréales), *Auxois,* 193 798 ha (élevage, bovins, viande), partie du *Morvan,* 47 790 ha (élevage, forêts), *Val de Saône,* 57 268 ha (cult. maraîch., céréales, oléagineux, bovins, lait), *Côte,* 73 118 ha (vignobles, voir Index, céréales, élevage bovin), *Vingeanne,* 24 364 ha, *La Plaine,* 14 797 ha (céréales, oléagineux, betteraves), *La Vallée,* 40 880 ha (élevage laitier).

Divers. *Comblanchien* carrières. *St-Germain-Source-Seine :* une partie de la commune, les Sources de la Seine (achetées par la Ville de Paris au XIXe s.). *Santenay :* le plus gros platane de France (haut. 39 m, circonf. au sol 13,77 m, à 1 m du sol 8,22 m) ; planté sous Henri IV (1599). **Abbayes :** *Cîteaux* (1098) *Flavigny* et *Fontenay* (fondée 1118 par St Bernard, classée patrimoine mondial). **Château :** *Beaumont-sur-Vingeanne(*XVIIIe s.). **Lacs :** *Chazilly, Grosbois, Kir, Marcenay, Marcilly, Panthier, Pont.*

■ Nièvre (58) 6 816,71 km² (125 × 100 km). *Alt. max.* 855 m (Mt Préneley) ; *min.* 135 m (sortie de la Loire). *Climat :* Val de Loire et centre : océanique. Morvan : semi-continental. *Pop. 1801 :* 232 990 ; *1841 :* 305 406 ; *1881 :* 347 576 ; *1901 :* 323 783 ; *1936 :* 249 673 ; *1954 :* 240 078 ; *1975 :* 245 212 ; *1982 :* 239 635 ; *1990 :* 233 278 (dont Fr. par acquis. 3 981, étrangers 6 269 dont Port. 1 896, Maroc. 1 432, Turcs 664, Esp. 321). D 34.

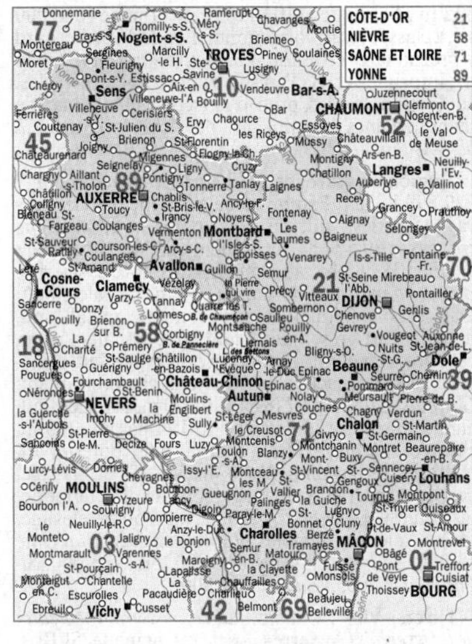

Villes. NEVERS 41 968 h. [*1801 :* 11 200 ; *1841 :* 13 995 ; *1866 :* 20 700 ; *1911 :* 27 706 ; *1936 :* 33 699 ; *1962 :* 41 103 ; *1975 :* 45 480] [ag. 58 915, dont *Coulanges-lès-Nevers* 3 544. *Varennes-Vauzelles* 10 602] ; chaudronn., matér. pour ind. laitière et alim., constr. électr., équip. mén., fabr. d'antivols, fixations skis, faïencerie, caoutchouc, ateliers SNCF, outillage, mobilier de bureau, luminaires, antenne universitaire de Bourgogne (droit, école d'ingénieurs) ; aérodrome ; siège social du Herd-Book (reproducteurs charolais) ; égl. St-Étienne (XIe s.), cath., palais ducal Renaissance, m. de la Porte du Croux, châsse de Ste Bernadette au couvent St-Gildard, musée, faïences (bleu intense dit « au grand secret » introduit par les Gonzague).

– *Château-Chinon* * 2 502 h., alt. 610 m ; plast. et thermoplast., ind. text., musées (costumes fr. du XVIe au XIXe s., mobilier du Morvan, m. du septennat de F. Mitterrand). *Cercy-la-Tour* 2 258 h. ; cycles. *Clamecy* * 5 284 h. (ag. 5 528) ; ind. chim., mat. élec. pour cycles et cyclomoteurs, agro-alim. ; Collégiale St-Martin, musée (peint. et faïences, donation Romain Rolland). *Corbigny* 1 802 h. ; constr. méc., ind. bois. *Corvol-l'Orgueilleux* 776 h. ; scierie, constr. méc. et caoutchouc. *Cosne-Cours-sur-Loire* * 12 123 h. (ag. 13 184) ; quincaillerie, mat. de forage pétrolier, mat. de garage, câblerie, mach. agr., ind. polygraphique, liasses mécanogr. ; musée de la Batellerie de la Loire. *Decize* 6 876 h. (ag. 9 057) ; métall., caoutchouc, céramiques, stade nautique. *Donzy* 1 719 h. ; chalumeaux en plastique, traitement des plumes. *Fourchambault* 5 037 h. [ag. 8 976, dont *Garchizy* 3 939] ; constr. méc., élec., électro., pièces pour camions. *Gimoville* 506 h. ; château (XIV-XVIe s.), égl. romane. *Guérigny* 2 414 h. (ag. 4 147) ; expo. sur la métall. (en été). *Imphy* 4 478 h. (ag. 6 069) ; aciers sp. (invar cryogénique). *La Charité-sur-Loire* 5 686 h. (6 931) ; vins, antiquités, bois, constr. méc., literie, bonneterie ; prieuré clunisien (XI-XIIe s.), musée (ethnographie, arts déco.). *La Machine* 4 191 h. ; mécanique, ind. du bois ; avant houille ; anciens gisements de fer exploités à fleur de terre, de l'Antiquité au XIXe s., musée de la Mine, site des Glénons. *Luzy* 2 422 h., alt. 273 m ; ind. text., méc. de précision. *Magny-Cours* 1 483 h. ; circuit de F1 (4,2 km) technopole axée sur compétition auto et industries de pointe (Ligier, Snobeck, Sodemo-Octane) ; circuit, école de pilotage de course, musée africain. *Marzy* 3 032 h. ; musée d'hist. locale et d'ornithologie. *Moulins-Engilbert* 1 711 h., alt. 225 m. *Pougues-les-Eaux* 2 358 h., alt. 190 m, thermes ; parc, casino. *Pouilly-sur-Loire* 1 708 h. ; vignobles : « P.-sur-L. » et « P. fumé ». *Prémery* 2 377 h. ; ind. chim., abbatiale. *St-Amand-en-Puisaye* 1 361 h. ; poterie, grès, parqueterie ; château (XVIe s.). *St-Brisson* 258 h. ; musée de la Résistance. *St-Honoré-les-Bains* 754 h., alt. 320 m ; station thermale. *St-Pierre-le-Moûtier* 2 091 h. ; confection, carrières kaoliniques. *Sauvigny-les-Bois* 1 591 h. ; égl. (XIe s.). *Varzy* 1 455 h. ; mobilier de bureau, musée de peint., faïences et verreries.

Régions agricoles (en ha). *Nivernais* central, 260 023 (élevages de charolais, forêts), *Morvan,* 179 908 (alt. max. 852 m, min. 400 m), *Bourgogne niv.,* 150 087 (cultures), *Entre-Loire* et *Allier,* 70 850, *Puisaye,* 14 413, *Sologne nivernaise* 6 389, vignoble, 1 200 ha (9 000 fin XIXe) dont 587 AOC Pouilly et 60 VDQS.

Divers. Canal du *Nivernais.* **Lacs :** *Pannessière* (540 ha, digue de 304 m de long et 53 m de haut), *Les Settons* (360 ha, digue de 267 m de long et 19 m de haut). *Baye et Vaux* (200 ha). *Crescent* (165 ha). *St-Agnan* (140 ha). *Chaumeçon.* **Mont Beuvray** alt. 821 m, ancienne *Bibracte,* oppidum des Éduens (5 km de long, 136 ha). **Forêt :** *Les Bertrangles* (7 600 ha).

■ Saône-et-Loire (71) 8 575 km² (100 × 140 km). *Alt. max.* 902 m (Bois du Roy, du Haut-Folin). *Temp.* 1° à 24 °C. *Pop. 1801 :* 452 673 ; *1881 :* 625 589 ; *1901 :* 620 360 ; *1936 :* 525 676 ; *1946 :* 506 749 ; *1962 :* 535 772 ; *1968 :* 550 362 ; *1975 :* 569 810 ; *1982 :* 571 852 ; *1990 :* 559 413 (dont Fr. par acquis. 15 486, étrangers 31 926 dont Port. 8 784, Alg. 4 637, Maroc. 4 292, Ital. 4 016). D 65.

Villes. MACON 26,78 km², 37 275 h. [*1801 :* 11 520 ; *1866 :* 19 175 ; *1946 :* 22 198 ; *1962 :* 30 671 ; *1975 :* 39 344 ; *1982 :* 38 404] [ag. 45 004, dont *Charnay-lès-Mâcon* 6 102] ; alt. 182 m ; imprimerie, parachimie, constr. méc. et élec., matér. profess., confection, ind. alim. et bois, marché vinicole, foire nat. des vins de Fr. ; port fluvial, bassin d'aviron (1 des plus grands bassins naturels d'Eur.) ; musée Lamartine, maison de bois ; espaces verts 500 ha. – *Autun* * alt. 335 m (fusionné 1973 avec *St-Pantaléon* et *St-Forgeot,* défusionné avec St-Forgeot 1985), 17 906 h. ; métall., text., hab., équip. mén., matér. élec., constr. méc., ameubl. ; cath. St-Lazare, vestiges gallo-romains, musées Lapidaire, hist. nat., m. Rolin, de Marzy, de la Résistance ; foire du meuble. Talleyrand évêque d'A. de janv. 1784 à janv. 1791, y résida 1 mois du 12-3 au 12-4-1784. *Bourbon-Lancy* 6 178 h., alt. 240 m ; autom. (moteurs camions), thermalisme, musée, plan d'eau, base de loisirs. *Chagny* 5 346 h. ; radiateurs, minoterie, tuilerie. – *Chalon-sur-Saône* * 54 575 h. [ag. 77 498, dont *Châtenoy-le-Royal* 5 689, *St-Marcel* 4 118, *St-Rémy* 5 627]. Plasturgie, mécanique, élec., chimie, textile, transport, logistique nucléaire, tertiaire, port fluvial, canal du centre, aérodrome. Théâtre municipal. Musées Niepce (photo.), Denon (peinture holl.) Championnats du monde de motonautisme, coupe des nations de pêche au coup. *Charolles* * 3 048 h. ; foire aux bovins. *Chauffailles* 4 485 h. ; musée tissage. *Cluny* 4 430 h. ; fabrique de fenêtres (Oxxo), haras, hippodrome, abbaye, égl. romane, musée Ochier (art et archéologie). *Digoin* 10 032 h. (ag. 13 114) ; sanitaires (Allia), grès et poteries, faïenceries, musée céramique, pont-canal, port de plaisance. *Givry* 3 340 h. ; vignoble, scieries, hôtel de ville (1771), halle ronde (1830). *Gueugnon* 9 697 h. ; sidérurgie (acier inox.), Ugine SA ; musée archéol. *Imphy* aciéries. *La Clayette* 2 307 h. ; musée auto. *Le Creusot*[1] 28 909 h. (1793 : 1300) [ag. 40 903, dont *Le Breuil* 3 741. *Torcy* 4 059] ; charbon exploité XVI-XXe s., usine Schneider 1836-1969. Usinor CLI (sidér.), Framatone (mécan.), Snecma (turbines, moteurs d'avions), tech. (laser), élec., textile, bois, meubles, écomusée (château de la Verrerie). *Louhans* * 6 140 h. (ag. 9 926) ; marché agr., volaille de Bresse, équip. auto., textile, bonneterie ; Hôtel-Dieu, Apothicairerie ; musées de l'imprimerie, municipal ; arcades. *Montceau-lès-Mines*[1] 22 999 h. [ag. 47 283, dont *Blanzy* 7 642 ; musée de la Mine. *St-Vallier* 9 977 ; matér. profess., caout., bassin houiller, élect., text., bonneterie. *Sanvignes-les-Mines* 4 918] ; télématique, bonneterie, élec., plastique, caout. (Michelin), textile, musées de la mine, des fossiles. *Montchanin* 5 960 h. (ag. 7 942) constr. pylônes EDF, décharge de 1 200 000 t de déchets toxiques ; tourisme fluvial ; canal du Centre. *Paray-le-Monial* 9 859 h. ; Céragen (carrelages), Eternit (fibrociment), Fauchon-Baudot (prod. réfractaires), tourisme fluvial ; musée de la faïence de Charolles, basilique romane, pèlerinage. *Pierre-de-Bresse* 1 081 h. ; château. *Romanèche-Thorins* 1 710 h. ; musée Guillon (chefs-d'œuvre des Compagnons du Tour de Fr.), moulin à vent. *St-Point* 285 h. ; château et tombeau de Lamartine. *Taizé* 118 h. ; centre œcuménique. *Tournus,* alt. 193 m, 6 568 h. ; plast., app. mén., constr. élec., parachimie ; abbaye romane St-Philibert ; musées Bourguignon, Greuze, Perrin de Puycousin ; Hôtel-Dieu.

Nota. – (1) Communauté urbaine : *Le Creusot-Montceau-les-Mines* 16 communes, 389,47 km².

Régions naturelles. *N. de la Bresse* (bovins, volailles, polyculture). *Vallée de la Saône,* 36 750 ha dont bois 24,3 %, et *Brionnais* 44 900 ha dont bois 16,9 % (céréales, betteraves, cult. maraîchères, prairies). *N.-E. du Massif cenral : côte Chalonnaise* et monts du *Mâconnais,* alt. 500 à 761 m (signal de Mère-Boîtier), 50 000 ha (vignoble, polyculture). *Charolais* (élevage pour embouche). *Autunois* et *Morvan,* 36 800 ha dont bois 47,6 %, alt. max. 902 m, très arrosé (1 100-1 200 mm de pluie par an).

Régions agricoles (en ha, forêts entre parenthèses). *Morvan* 50 288 (20 592), *Autunois* 139 120 (27 455), *Charolais* 128 399 (24 262), *Bresse louhannaise* 107 518 (18 960), *Sologne bourbonnaise* 105 733 (14 686), *Mâconnais* 66 893 (15 870), *B. chalonnaise* 60 002 (10 958), *Chalonnais* 52 111 (11 991), *Clunysois* 49 632 (11 130), *côte Chalonnaise* 49 634 (9 485), *Brionnais* 39 532 (4 402).

Sites touristiques. *Solutré,* traces d'occupation à l'âge du renne (1 300 000 visiteurs en 1987), (musée de la Préhistoire) *Bibracte,* capitale des Gaules. **Grottes préhistoriques :** *Aze,* Blanot. **Art roman :** *abbaye* Cluny, Tournus, *basilique* Paray-le-Monial, *cath.* St-Lazare Autun, *églises* + de 250 dont *Anzy-le-Duc, Montceaux-l'Étoile, Chapaize* (clocher pyramidal de 35 m), *Semur-en-Brionnais, Berzé-la-Ville.* **Châteaux :** 189 dont *Brancion, Cormatin, Couches, Pierreclos, St-Point, Sully.* **Musées :** 54 dont 2 écomusées. **Plans d'eau** *(Vallon Autun, Breuil Bourbon-Lancy).* **Lacs** *(Plessis Montceau-les-Mines, Montaubry St-Julien-sur-Dheune, St-Point, Le Rousset, Laives...).* **Parc rég.** du *Morvan.* **Réserve nat.** de la *Truchère* (flore et faune).

■ **Yonne** (89) 7 424 km² (135 × 115 km). *Alt. max.* 609 m (bois du Roi) ; *min.* 33 m (Cuy). *Temp.* moyennes 9 à 12 ° C, *pluies* 600 à 1 100 mm. *Pop. 1801 :* 320 596 ; *1851 :* 381 133 ; *1901 :* 321 062 ; *1936 :* 271 685 ; *1946 :* 266 014 ; *1975 :* 299 851 ; *1982 :* 311 019 ; *1990 :* 323 096 (dont Fr. par acquis. 8 765, étrangers 17 612 dont Maroc. 5 924, Port. 5 141, Turcs 1 608, Alg. 912). D 44.

Villes. AUXERRE 38 919 h. [*1851 :* 14 166 ; *1936 :* 24 282 ; *1954 :* 26 583 ; *1975 :* 38 342 ; *1992 :* 38 767] [ag. 42 005, dont *St-Georges-sur-Baulches* 3 186], alt. 102 m ; ind. du bois, transf. des métaux, méc. gén., mach.-outils, mach. agr., TP, constr. élect., panneaux de particules, mat. de transp., ind. du livre, ind. alim., accum., pompes, mat. de précision, électro., cartonnage, impr., pav. industrialisés, prod. pharm. ; cath. (XIIIe s.), abb. St-Germain (crypte : fresques IXe s.), musée du Coche d'Eau ; cimetière : tombeau de Paul Bert (1833-86) par Bartholdi ; parc de l'Arbre-Sec (3 ha) ; parc Paul Bert ; port de plaisance et location de bateaux ; conservatoire de la nature, cons. sup. de musique, école Beaux-Arts.

– *Appoigny* 2 755 h. ; abattage volailles, hôtel., restauration, conserveries condiments. *Avallon** 8 617 h [*1906 :* 5 848 ; *1975 :* 8 814] ; roulements à billes, bonneterie, vulcanisation, pneum., mat. plast., cartonnages, verrerie-cristal., cravates « Cardin », BTP, prod. lait. surgelés, épicerie en gros, prod. pétr., mat. agric. *Brienon-sur-Armançon* 3 088 h. : scierie, sucrerie, raffinerie, lustrerie, BTP, isolation. *Chablis* 2 569 h. ; viticulture, imprimerie (dep. 1478), cartonnage, biscuiterie, gadgets de cuisine, bâtiment. *Chailley* 551 h. ; volailles. *Dicy* 300 h. ; musée La Fabuloserie. *Fontenoy-en-Puisaye* 301 h. (bataille 841). *Joigny* 9 697 h. [*1906 :* 6 057 ; *1975 :* 10 972] ; constr. méc., tôlerie, matér. de transp., de garage, emballages plast., mat. de manut., bâtim., papet. scol., gaines de stylo, imprim., bois, accessoires auto. et naut. ; site ; maison natale de Ste Madeleine-Sophie Barat (1779-1865, canonisée 1925), fondatrice de la congrég. du Sacré Cœur. Laduz 204 h. ; m. des Arts et Trad. popul. *Migennes* 8 235 h. [*1906 :* 2 473 ; *1975 :* 8 315] [ag. 13 321, dont *Charmoy* 1 192, *Cheny* 2 521, *Laroche-St-Cydroine* 1 373] ; chaudronn., tôlerie et béton ind., méc. gén., signalisation élec. et tél., mat. médic. de sauvetage, emballages plast., meubles, BTP, abattoirs, ind. alim. (traitement saumon et foie gras), bouteilles métall., tringles à rideaux ; centre ferr. *Lezinnes* 746 h., cimenteries. *Monéteau* 4 239 h. ; ind. laitière, méc. gén., équip. frigor., matér. de magasins, scierie, cartonnages. *Montréal* 173 h. ; cité médiévale. *Noyers-sur-Serein* 757 h. ; m. des Arts naïfs, cité médiévale. *Pontigny* 737 h. ; tuileries-briq. ; abbatiale (XIIe s.). *Pont-sur-Yonne* 3 212 h. ; verrerie médic., cartonnage, bâtim., brosses ind., expl. forest. *Saints* 549 h. ; ferme et moulin Vanneau. *St-Fargeau* 1 884 h. ; confect., charpentes, bât. métall., mat. de manut., instal. électr., génie climat., galvanisation à chaud, embal. métal., mat. frig., mat. plastiques ; château de la Grande Mademoiselle (spectacle histor. estival). *St-Florentin* 6 433 h. ; transp. des métaux, tôlerie ind., extincteurs, BTP, confiserie, garniture de freins, caout., amiante, confect., bois, bracelets-montres. *St-Julien-du-Sault* 2 161 h. ; rouleaux télétypes, panneaux isolants, remorques, agrafes, boucles métall., rasoirs et lames, agroalim., volailles en gros. *St-Sauveur* 1 005 h., céramique, poterie, musée Colette, église (XIe-XIIe s.). *Sens** 2 191 ha, 27 082 h. [*1906 :* 15 007 ; *1946 :* 17 329 ; *1962 :* 20 351 ; *1975 :* 26 463 ; *1982 :* 26 602] [ag. 33 621 dont *Paron* 4 537 et *St-Clément* 2 776] ; constr. élec., méc. gén., fonderie, chaudronnerie, matériaux préfabriqués, TP, charpentes métall., mat. de transp., minoterie, vêtements, revêtements de sol, mat. de camping, imprim., laiterie ind., brosserie, mobilier, mat. plast., prod. pharm., peint., battage d'or, galvanoplastie sur mét. et plast. ; cath. St-Étienne et trésor (XIIe s.), musée. – *Tonnerre* 6 008 h. ; tubes acier, matér. élec., constr. électro., bonneterie, BTP, méc. gén., literie, informatique, logiciels agri., injection, plast., plumes et duvets, agroalim., vignobles, port de plaisance ; hôtel-dieu Marguerite de Bourgogne (XIIIe s.), musée hospitalier, fosse Dionne. *Toucy* 2 590 h. ; mat. plast., matér. élec., prod. phytosanitaires, jeux électron., bois, menuiserie, BTP, méc. gén., couvre-pieds. *Vézelay* 571 h., alt. 302 m ; basilique (1104-1205), pèlerinage (600 000 vis.), classée patrimoine mondial, en 1146 St-Bernard y prêcha la 2e croisade. *Villeneuve-sur-Yonne* 5 054 h. ; imprimeries, BTP, distillerie, méc. gén., échelles, confection, diables, prod. d'entretien, chim., mat. de manut., gaines de ventil., art. puéricult., engrais. *Villiers-St-Benoît* 430 h. ; musée rég.

Régions naturelles. *Plateaux de Bourgogne :* 229 599 ha, alt. 250 m, céréales, vigne, cerises, élevage, scieries, ind. du bois, poterie. *Champagne crayeuse :* 30 577 ha, alt. 150 m, céréales, bois. *Pays d'Othe :* 38 587 ha, alt. 250 m, fruits, forêts, scieries. *Basse Yonne :* 50 943 ha, alt. 50 m, céréales, bett. à sucre, bois, chim., minoterie, fonderie, métall., ind. du cuir, carrières. *Vallées :* 142 070 ha, alt. 150 m, céréales, vigne, cult. maraîchères, élevage, lait, minoterie, mécan., mach. à bois, carrières chaux et ciment. *Gâtinais pauvre :* 84 778 ha, alt. 150 m, céréales, ind. alim., apiculture. *Puisaye :* 115 194 ha, alt. 200 m, élevage, mécan., scieries, ind. du bois, poterie, briqueterie. *Terre plaine :* 26 767 ha, alt. 250 m, élevage, carrières, scieries, rechapage, roul. à billes, tannerie, biscuiterie. *Morvan :* 24 210 ha, alt. 450 m, élevage, forêts, scieries, meubles. **Forêts** (en ha). F. *d'Othe* 13 000, de *Vézelay-Asnières* 6 000, *Frétoy* 3 000, *St-Fargeau* 2 700, *Vauluisant* 2 000.

Divers. Vins : *Chablis, vallée du Serein, coteaux de l'Auxerrois* (Auxerre-Clos de la Chaînette, St-Bris, Irancy, Chitry, Coulanges-la-Vineuse) ; *Tonnerois* (Epineuil, Molosmes, Tonnerre) ; *Joigny* (Côte St-Jacques) ; *côtes du Vézelien.* **Cerisaies :** Champs, Coulanges-la-Vineuse, Jussy, Vaux, Irancy, Escolives-Ste-Camille. **Plans d'eau :** *Armeau, Auxerre, Crescent* (165 ha, 2 × 1 km), *Étigny, Joigny, Merry-sur-Y., Moutiers* (50 ha, 1,2 × 0,4 km), *Sens, Vaux, Véron, Villeneuve-sur-Yvonne ; réservoirs* du *Bourdon* (220 ha, 4 × 1,5 km), de *Malassis* (2 ha), *rivières* de l'*Armançon,* du Serein, de la Cure, du Cousin ; *canal* de Bourgogne, du Nivernais. **Parc** rég. du *Morvan.* **Rochers** du *Saussois* à Merry-sur-Y. (60 m). **Grottes préhistoriques :** *Arcy-sur-Cure* (art magdalénien, 18 000 ans, 200 m de galeries). **Fouilles gallo-rom. :** *Fontaines salées* à St-Père-sous-Vézelay, *Escolives.* **Cités médiévales :** *Montréal, Noyers-sur-Serein.* **Châteaux :** *Ancy-le-Franc* (1546-90, par Serlio), *Druyes-les-Belles-Fontaines* (XIIe s., chât. des Courtenay), *Fleurigny/Oreuse* (XVIe s.), *Meaulnes* (pentagonal), *Ratilly* (centre d'art), *St-Fargeau* (Moyen Âge et XVIIe s.), *Tanlay* (1610-42, Le Muet), *Tremblay* (c. d'art), *Vallery* (détruit XVe s., reconstruit XVIe s., famille de Condé). **Monastère** *de la Pierre-qui-vire* (forêt de St-Léger-Vauban). **Prieuré** de *Vausse* (XIIIe s., cistercien).

BRETAGNE

GÉNÉRALITÉS

■ **Cadre géographique.** Comprend Finistère, Côtes-d'Armor (ex C.-du-Nord), Ille-et-Vilaine, Morbihan. [BRETAGNE HISTORIQUE comprend en outre la Loire-Atlantique dep. l'an 851 (comté de Nantes, voir Pays de la Loire)]. **Massif armoricain** (de *ar :* contre, en face de, et *mor :* mer) (alt. moy. 104 m) ; plateaux du *Léon, Trégorrois, Penthièvre, monts d'Arrée* [Roc'h Ruz (387 m), Menez-Kador (Signal de Toussaines) Roc'h Trevezel (384 m)] à l'O. ; de *Cornouaille* au N. ; landes de *Lanvaux* (150 m) et *Montagne Noire* (326 m) au S. encastrent le bassin de *Châteaulin* (240 à 280 m), plateaux, collines douces et gorges des rivières. **Centre** *plateau de Rohan* (200 à 250 m) ; zone déprimée : marais de *Dol* (N.), *bassin de Rennes* (25 m), *Grande Brière* (S.) (env. 150 km² ; 18-20 km N.-S. ; 14-15 km O.-E.). **Côtes** au N., élevées, découpées par des rias profondes et étroites ; au S., plus basses, tracé plus accidenté : presqu'îles *(Quiberon) ;* golfes étendus *(golfe du Morbihan) ;* baies formées par des abers s'élargissant à l'intérieur. *Rade de Brest* et *baie de Douarnenez* (Finistère ; Menez Hom : 330 m).

Superficie 27 506 km² (dont 1 116 km² lacs, étangs de + de 100 ha, estuaires des fleuves). **Côtes :** 1 100 km (3 500 si l'on compte rias et îles). *Plages de sable :* 1 080 km². **Iles principales :** *Côtes-d'Armor :* Bréhat. *Finistère :* Batz, Glénan, Molène, Ouessant, Sein. *Morbihan :* Groix, Belle-Ile, Hœdic, Houat.

■ **Population** *1990 :* 2 797 488 (dont Fr. par acquis. 12 469, étrangers 27 155 dont Maroc. 4 873, Port. 3 988, Turcs 2 960, Algér. 2 192) ; *1992 :* 2 813 324 h. *2000 :* 2 885 514. D 103. Naissances (1991) : 33 745 ; décès : 28 876 ; **Taux** (1991) : natalité 12 ‰ ; mortalité 10,3 ; croissance naturelle 1,7 %. **Émigration** (solde moyen par an) : *1850-1960 :* – 8 700, *46-54 :* – 18 000, *75-82 :* + 8 600, *82-90 :* + 4 900.

Bretons d'origine en région parisienne : *1975 :* 324 260 (3 % des hab. de la région). En *1954 :* 29 % des Bretonnes étaient employées de maison ou femmes de ménage ; en *1975 :* 5,9 %.

■ **Climat. Températures :** Ouest : océanique (amplitudes faibles 9-10 °C, gel rare). *Intérieur et E. :* amplitudes augmentent (12-13 °C) ; minima plus faibles (0,6 °C à Merdrignac dans le Méné), maxima forts (24 °C à Rennes). **Pluies :** 1 453 mm à Brennilis (monts d'Arrée), 600 mm sur le littoral. **Vent :** plus de 60 % de temps « perturbé » en hiver, 40 à 50 % en été. *Suroît* (S.-O.) : automne et hiver : pluies fines ; parfois violent, souvent tenace et continu. *Noroît :* tempête, averses froides. La Bretagne peut être atteinte toute l'année par les perturbations qui circulent sur le front polaire séparant les masses d'air polaire et tropical.

■ **Découpage administratif.** Le découpage actuel des circonscriptions d'action régionale date du 30-6-1941 (décret du gouv. de Vichy et repris par la Ve Rép.) Il sépare Nantes et la Loire-Atlantique de la Bretagne, allant à l'encontre de l'histoire, de l'économie et de la géographie. Le 9-11-1984, le Conseil d'État a considéré que l'Assemblée constituante ayant, en août 1789, fait table rase des privilèges des anciennes provinces, on ne pouvait se prévaloir de l'édit de 1532 fixant les contours historiques de la Bretagne.

■ **Langue bretonne.** Celtique, issue du brittonique (parlé autrefois en G.-B. dont dérivent aussi gallois et cornique). Proche du celtique continental ou gaulois (voir langues, à l'Index). **Dialectes principaux :** trégorrois, léonard, cornouaillais, vannetais. **La Bretagne « bretonnante »** (actuellement à l'ouest d'une ligne Plouha-Corlay-Elven-Muzillac) atteignait au IXe s. une ligne Mt-St-Michel-St-Nazaire. *Statistiques* (Bretonnants parlant le br.) : *1886 :* 1 200 000, *1952 :* 1 100 000, *90 :* 655 000 comprenant le breton, 250 000 le parlant sur 1 500 000 h. (basse Bretagne à l'Ouest d'une ligne Paimpol-Vannes).

☞ BZH : abréviation de Breizh [après l'unification de l'orthographe bretonne : Breiz en KLT (Cornouaille, Léon, Trégor) et Breih (Vannetais)], signifiant Bretagne.

Principaux toponymes : *Beg :* pointe, cap. *Coat, coet, goat :* bois. *Gwic, gui, guic :* bourg au centre de la paroisse. *Ilis ou iliz :* église. *Kastell :* forteresse. *Ker :* forteresse, puis ville, village, groupe de maisons. *Lan :* terre consacrée, ermitage. *Lann :* lande, ajoncs. *Loc :* ermitage. *Menez :* montagne. *Penn :* tête, bout. *Plou :* paroisse (formes dérivées *plo, ple, plu, ploe, pleu, poul*). *Tre :* trève (subdivision de paroisse). *Ty :* maison. **Epithètes :** *Bihan :* petit. *Braz :* grand. *Hen :* ancien. *Meur :* vaste. *Nevez :* nouveau.

■ **Drapeau** (nommé *Gwen-ha-Du :* noir et blanc). *Traditionnel :* blanc avec croix noire. *Récent* (dessiné par Morvan Marchal) : 9 bandes horizontales, 5 noires (5 évêchés de Hte-Bret.), 4 blanches (évêchés de Basse-Bret.) et un canton aux armes du duché (blanc avec queues d'hermine). Généralement 11 queues (4, 3, 4) ; *drapeau arboré avant 1937* (Exposition universelle) : dont bandes bretonnantes Bro Leon (St-Pol), Bro Dreger (Tréguier), Bro Gerne (Quimper), Bro Gwened (Vannes) ; gallaises : Bro Sant Brieg B/G (St-Brieuc), Bro Sant Malo (St-Malo), Bro Roazhon (Rennes), Bro Naoned (Nantes), Bro Zol (Dol).

Nota. – Depuis le XVe s. les pavillons maritimes de la Bretagne étaient blancs avec des croix noires.

■ **Hymne.** *Bro Gozh ma zadou* écrit par Taldir et inspiré de l'hymne national gallois *Hen Wlad fy Nhadau* dont il partage la mélodie.

■ **Dicton.** « Qui voit Ouessant voit son sang, qui voit Sein voit sa fin. Qui voit Groix voit sa joie. Qui voit Molène voit sa peine. »

HISTOIRE

Entre 3500 et 1700 av. J.-C. civilisation « armoricaine » : mégalithes (dolmens et tumulus, allées couvertes, menhirs). **2e millénaire av. J.-C.** civ. du bronze (contact par mer avec les Campaniformes fondeurs de cuivre). **V. 850 av. J.-C.** établissement des Celtes. **350 av. J.-C.** industrie de l'argent, grande prospérité (monnaies). A l'arrivée des Romains, plusieurs peuples : Namnètes, Redons, Coriosolites, Osismes et Vénètes (prédominants dans le Morbihan, d'où ils contrôlent mines d'étain et trafic atlantique des « Cassitérides » ; trafic maritime intense avec l'archipel britannique). **57 av. J.-C.** Crassus bat les Vénètes ; ceux-ci se révoltent, mais Brutus, en présence de César, détruit leur flotte au nord de l'ancienne île de Batz (actuellement marais salants). Sous l'Empire romain, l'Armorique est incluse dans la Lyonnaise, puis au Bas-Empire, dans la IIIe Lyonnaise du diocèse des Gaules. **Ve s. apr. J.-C.** l'Armorique (chrétienne et latinophone), peu touchée par les invasions, devient progressivement le refuge de nombreux Bretons d'outre-Manche qui fuient Angles et Saxons et la receltisent, d'où son nouveau nom de Bretagne (« Britannia Minor »). **Ve au IXe s.** les parlers celtiques atteignent une ligne St-Nazaire-Mont-St-

Michel. Bien qu'incluse nominalement dans la Gaule mérovingienne, la Br. est indépendante. 2e évangélisation et défrichement du pays ; de cette époque date la toponymie celtique et religieuse. *A l'époque carolingienne,* création d'une « Marche de Br. », confiée un moment à Roland ; nombreuses révoltes rendant le contrôle du pays difficile. Le chef *Nominoë* († 851) profite des conflits entre les fils de Louis pour affermir son indépendance, la Br. est reconnue comme royaume. Sa politique est poursuivie par son fils *Erispoë* et son neveu *Salomon.* **Xe s.** anarchie. *Alain Ier le Grand* et son petit-fils *Alain II Barbetorte* sont les seuls à tenir tête aux envahisseurs normands, mais ils doivent s'allier aux Francs ; recul de la langue celtique, la Br. n'est plus reconnue que comme duché. **Fin du Xe s.** le Cte de Rennes, *Conan Ier le Tors,* rétablit son autorité nominale sur l'ensemble du duché, alors que celui-ci est disputé entre les *Foulques d'Anjou* et les *ducs de Normandie.* **XIe s.** succession d'*Alain III* († 1040). **1113** *« traité » de Gisors :* la Br., définie comme un « comté », devient fief vassal de la Normandie (arrière-fief de la couronne de Fr.). **1166** passe dans la maison des Plantagenêt, par mariage de Geoffroi, 4e fils de Henri II, avec *Constance,* fille et héritière de Conan IV. **1186** conflit entre Henri II Plantagenêt et Geoffroi (Geoffroi promulgue la 1re loi br., affirmant le droit d'aînesse et le non-partage dans les fiefs bretons : « Assise du Cte Geoffroi ») : institution de grands officiers, constitution d'un hôtel, apparition d'embryons de chambres des comptes et de « parlement » (au XIIIe s.), division du pays en 8 « baillies » (régies par un sénéchal). **1203** le fils posthume de Geoffroi, Arthur Plantagenêt, est assassiné par son oncle Jean sans Terre. Philippe Auguste confisque la Br. et y installe la famille de *Dreux,* de souche royale, en la personne de *Pierre Ier Mauclerc,* beau-fr. d'Arthur (1213-37) ; redevient fief direct de la couronne de Fr. **1297** érigée en duché. La dynastie de Dreux renforce l'organisation anglo-norm. **1341** mort du duc *Jean III ;* 2 prétendants : sa nièce *Jeanne de Penthièvre* (fille de son frère puîné Gui), mariée à *Charles de Blois,* et son frère cadet *Jean de Montfort ;* la Coutume de Br. puis la cour des pairs adjuge le duché à Jeanne, mais Jean de Montfort ne s'incline pas, et la g. éclate ; Jean de M. (soutenu par Édouard III d'Angl.) s'appuie sur la Br. bretonnante, et Jeanne (soutenue par Philippe VI de Fr.) sur la Br. fr., avec Rennes et Nantes, et presque toute la noblesse ; alors que des victoires semblent assurer le succès de Charles de Blois, il est tué à la bataille d'Auray [29-9-1364 (Du Guesclin prisonnier)] ; *tr. de Guérande* (12-4-1365) reconnaît Jean IV de Montfort comme duc de Br., et celui-ci prête l'hommage direct simple au roi de Fr. *Jean V de Montfort* (1399-1442), son fils (surnommé le « Conquéreur »), acquiert une quasi-indépendance (maintenue jusqu'au XVe s.). **1388** Jean de Penthièvre, fils de Jeanne épouse Marguerite de Clisson, fille du connétable. **1407-10** les Penthièvre refusent l'intervention des officiers ducaux sur leurs fiefs (g. contre le duc Jean V, la seigneurie de Montcontour leur est confisquée). **1420** les Penthièvre font enlever Jean V, libéré au bout de 5 mois, après avoir signé un tr. leur reconnaissant une quasi-souveraineté (condamnés à mort par contumace pour crime de lèse-majesté, leurs biens sont confisqués). **1448** *tr. de Nantes.* Les Penthièvre renoncent à la succession de Bretagne et récupèrent leurs biens. **1460** Nantes, création de l'université. **1465** *g. du Bien Public* entre Louis XI et les Pces du royaume ; les Penthièvre rallient le camp du roi ; leurs biens sont confisqués. **1480** Nicole de Brosse, dernière héritière des Penthièvre, vend à L. XI les « droits » à la couronne de Br. **1487-91** g. d'indépendance de Bretagne. **1488** *28-7* duc battu à St-Aubin-du-Cormier. *19-8* s'engage à ne pas marier sa fille sans le consentement du roi. **1490** mort de *François II* (1458-88), allié contre les rois Valois avec les Anglais et le Téméraire, puis avec l'empereur Maximilien et les Grands de la « Guerre folle ». *19 déc.* Anne, sa fille (14 ans) est unie à Maximilien par procuration. **1491** *6 déc.* Anne doit rompre et épouser Charles VIII qui renonce à sa fiancée Marguerite d'Autr. fille de Maximilien. **1499** Ch. VIII étant mort, elle épouse Louis XII qui, pour l'épouser, a fait annuler son 1er mariage avec Jeanne de Fr. **1514** Anne meurt ; sa fille Claude qu'elle a eu de Louis XII hérite du duché et épouse François d'Angoulême qui, en 1515, devient le roi François Ier. **1524** Claude meurt léguant la Br. au dauphin François. **1532** François Ier unit indissolublement la Br. à la France par l'*Acte d'Union à la Couronne de Fr.* (« aucune imposition ne pourra être faite en Br. qu'elle n'ait été préalablement demandée aux états et par eux consentie » ; justice maintenue « en la forme et manière accoutumée » ; nominations aux charges ecclésiastiques attribuées aux seuls Bretons). Les autres privilèges « dont ils ont les chartes anciennes et jouissance immémorable jusques à présent » sont confirmés. Les Bretons conservent donc leurs états, leur parlement, leur autonomie administrative, bien que le dauphin François en reste duc et prince propriétaire. **1536** François meurt ; son

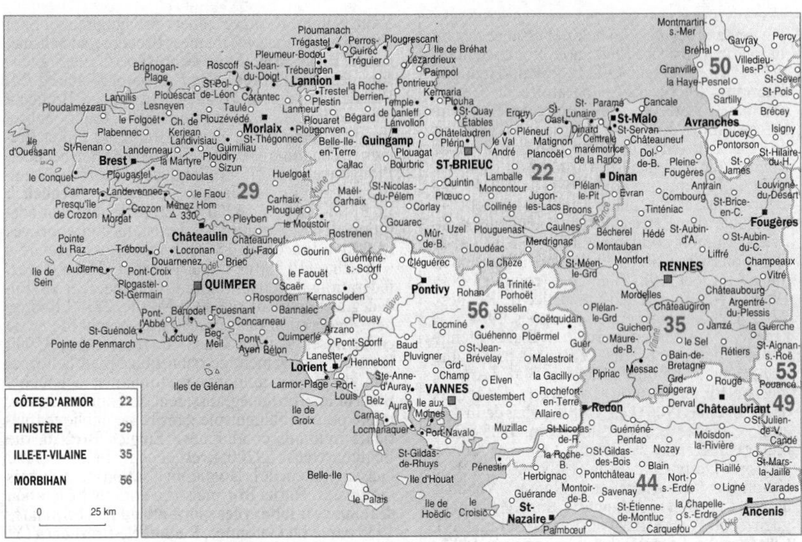

frère Henri (en 1547 le roi Henri II) devient dauphin et est couronné duc de Br. (ce sera le dernier à être couronné). **1539** il reçoit l'usufruit du duché, dont il fait hommage. **A partir de 1554,** installation d'un véritable parlement, siégeant d'abord, partie à Nantes, partie à Rennes, puis à Rennes seulement ; Nantes conserve sa chambre des comptes. Les États siègent chaque année à Vannes ou à Rennes et consentent l'impôt. Un gouverneur représente le roi (au XVIIIe s., les « Cdts en chef » résident sur place). **1559** Henri II meurt. **1589-98** troubles de la Ligue ; le duc de Mercœur, gouverneur de la Br. vaincu par Henri IV, doit se soumettre. Restaurée et enrichie par Richelieu, qui en fut gouverneur, la Br. échappe à la Fronde. Dès le XVIe s. les marins malouins pêchent en Islande et à Terre-Neuve, ceux de St-Pol atteignent le Brésil, Jacques Cartier (1491-v. 1554) reconnaît le St-Laurent. **1675** révoltes des « Bonedoù Ruz (Bonnets rouges) » des paysans de Hte et Basse Cornouaille, et révolte du « papier timbré » dirigée contre les abus des impôts indirects ; répression. **XVIIe s.** l'intendant de Br. s'installe à Rennes, d'abord en missions temporaires (à partir de Richelieu), puis à demeure (à partir de 1689). Les Nantais vont en Guinée et aux Antilles, les Malouins au Pérou et en Chine. Duguay-Trouin (1673-1736) s'empare de Rio de Janeiro en 1711. Lorient, fondé par Colbert en 1666, devient le grand port des Indes orientales.

Début du XVIIIe s. Lutte de Montesquiou contre les états (commandant en chef pour le gouverneur 1717-18). **1718** *déc. conspiration de Pontcallec,* appelée aussi conspiration de *Cellamare.* Formée par le prince de Cellamare, ambassadeur d'Espagne, pour détrôner le Régent au profit du roi d'Esp. Le duc du Maine et la noblesse bretonne s'y associent. Les Bretons voulaient retrouver l'autonomie de leur province [4 conjurés (Mis Armand de Pontcallec ; Ctes de Talhouët, du Couëdic, de Montlouis) exécutés en 1721]. **De 1715 à 1735** l'intendance renforce son autorité, mais les états obtiennent en 1733 la création de la « Commission intermédiaire » qui les représente pendant les intersessions et dont les correspondants contrecarrent l'action des subdélégués. **1753-89** opposition parlementaire à la monarchie ; lutte de *La Chalotais,* procureur général, contre le *duc d'Aiguillon* (gouverneur de 1753 à 1768), qui utilise les services de l'intendance pour son propre compte. **1768** d'Aiguillon devient min. à Versailles. **1771-74** l'intendance de Br. retrouve son autorité grâce aux réformes du Triumvirat (Maupeou, Terray et d'Aiguillon min. de Louis XV). **1774** avènement de Louis XVI, abandon de ces réformes ; l'opposition des états aux impôts renaît. La nomination de *Bertrand de Molleville* à l'intendance et la reconstitution de la subdélégation générale au profit de Petret n'empêchent pas l'effritement du pouvoir royal. **1785** La Chalotais et le parlement br. (85 voix contre 12) protestent contre la mauvaise foi française et démissionnent. **1788** l'agitation suscitée par la réforme de Lamoignon contraint l'intendant à s'enfuir. **1789** fin de l'autonomie de la Br. **1790** division en 5 départements (actuellement : Finistère, Côtes-d'Armor, Ille-et-Vilaine, Loire-Atlantique et Morbihan). Le duché de Br. disparaît officiellement sans entraîner l'abolition du traité d'Union. Sous la Révolution, foyer de la chouannerie (Cadoudal) qui naît dans le Léon en 1793 et ne disparaît qu'avec le Concordat. **1791-93** conjuration bretonne de *La Rouërie* (il meurt de maladie ; on décapitera son cadavre. **XVIIIe s.** *Mahé de La Bourdonnais* (1699-1753) parcourt l'océan Indien ; la marine française est commandée par Luc-Urbain *du Bouëxic, Cte de Guichen* (1712-80), Louis-Charles *du Chaffault de Besné* (1708-93), le chevalier *du Couëdic* (1739-80), Toussaint de *La Motte-Picquet* (1726-91). Robert *Surcouf* (1773-1827) s'illustre sous la Révolution et l'Empire. Essor des villes adm. (dont Rennes) et de 5 ports [Nantes : commerce « triangulaire » (ses navires transportent les Noirs d'Afrique aux Antilles d'où ils rapportent du sucre, du rhum, du tabac)] ; St-Malo et Morlaix (pêche lointaine et campagnes des corsaires) ; Brest (doté d'un arsenal par Richelieu) ; Lorient [siège de la Compagnie des Indes (vendue en 1770 à la Couronne par les Rohan)].

■ Mouvements régionalistes et « nationalistes » bretons

■ **Histoire. XIXe s. : 1805** *Académie celtique* fondée par Le Gonidec, Cambry et Le Brigant. **1843 :** fondation de l'Association br. pour améliorer l'économie de la Br. **Après 1898** mouvements politiques et régionalistes, notamment : à la suite d'un « appel au peuple breton », fondation de l'*Union régionaliste bret.,* à Morlaix, par le Mis de L'Estourbeillon ; demandant une « région distincte ».

XXe s. : 1900 *Féd. socialiste de Br.* fondée à Nantes par Charles Brunellière et les socialistes br. **1911** *Féd. régionaliste br.* et *Parti nationaliste br.* fondés par Le Mercier d'Erm, Le Rumeur, Gueguen pour l'indépendance politique. **1918** *Unvaniez Yaouankiz Breiz* (Union de la jeunesse br., UJB) fondée par Job de Roincé (militant de l'Action française), H. Prado, M. Marchal. **1925** revue « *Gwalarn* » (vent de N.-O.), porte-parole de la littérature br. (Roparz Hemon, J. Riou, Y. Drezen, Abeozen). **1927,** août : transformation de l'UJB en *Parti autonomiste br.* (PAB). **1930** démission de fédéralistes et de gauchisants : fondation de la *Ligue fédéraliste de Br.* (M. Duhamel). **1931** éclatement du PAB au congrès de Rennes (février). **1932** *Parti national br. (PNB)* fondé par Fanch Debauvais et Olier Mordrel, chef du mouvement *Breiz atao* (Bretagne toujours) ; attentat de la sté secrète Gwenn-ha-Du contre le monument commémorant à Rennes l'Union de la Br. à la France (en août) et contre la voie ferrée Paris-Nantes lors de la venue d'Édouard Herriot (en nov.). **1939,** oct. : PNB dissous après le départ des leaders pour l'Allemagne. **1940,** mai : Mordrel et Debauvais condamnés à mort. Juill. : le PNB clandestin crée le *Conseil national br.* et publie une déclaration pour la création d'un État br. autonome. S'appuie d'abord sur les Allemands contre Vichy, puis à partir de déc. Delaporte demande à Pétain un statut autonome. **1942-43** le Parti se divise. Le *Comité consultatif de Br.* (fondé oct. 1942) regroupe la plupart des « modérés » (Yann Fouéré, Joseph Martray...), obtient des concessions dans le domaine culturel. Le *Bezen Perrot* regroupe les plus durs, fondé 1943, sous le nom de Lu Brezhon, la milice br. (avec Célestin Lainé et Ange Péresse, n. 1910), rattachée au Sicherheitsdienst (SD), police politique all., prend le nom de Bezen Perrot en 1943 en mémoire de l'abbé Perrot (fondateur 1905 du Bleun-Brug, assassiné 12-12-1943 par des résistants). Comprend 50 h. portant faux noms, organisés en 2 sections de 4 groupes chacune, basés à la caserne Colombier de Rennes. **1944,** août, Péresse se réfugie en All. (il obtint la nationalité all.) et Lainé en Irlande. 20 nationalistes condamnés à mort (8 exécutés). **1946** reprise du mouvement culturel. **1950** Celib fondé. **1957** *Mouvement pour l'organisation de la Br.* fondé. **1964** échec du Celib (refus de la loi-programme br.) ; *Bretagne-Action* fondée (devenu *Jeune Bretagne* en

Attentats. 1966 : *17-6* bidon d'essence devant mairie de St-Brieuc. **1968 :** nombreux attentats. **1974 :** *févr.* émetteur ORTF de Roc-Trédudon détérioré. **1977 :** *12-6* laboratoire du Centre commun d'études de télévision et de télécomm. à Cesson-Sévigné ; *22-10* destruction d'un relais de TDF à Pré-en-Pail. **1978 :** *15-6* préfecture de Rennes ; *26-6* Versailles (10 salles du château). **1979 :** *24-2* tentative contre bât. de l'EDF ; *6-3* camp d'instruction mil. à Lannion ; *6-3* et *29-5* immeuble des Renseignements généraux à St-Brieuc (auteurs condamnés à 5 a., 6 a. et 7 a. de réclusion criminelle) ; *30-5* camp d'instruction mil. à Aucaleuc. **1981 :** *juin* trêve (rompue 1983). **1983 :** *11-10* futur Palais de justice de Rennes ; *22-12* Trésorerie générale de Rennes. **1984 :** *1-5* agence de trav. temporaire de St-Brieuc ; tentative Dir. départ. du Trav. de Rennes ; *1-8* Radio Bret. Ouest à Quimper ; *5-8* relais EDF à Arzon ; *nov.* ANPE de Lannion et de Brest ; *déc.* locaux de la Cogema. **1985 :** *juin* ANPE, palais de Justice et permanence P.S. de Guingamp. **1988 :** *21-1* rectorat de Rennes et Urssaf de Quimper ; *20/21-12* usine Doux Châteaulin. **1989 :** *7-5* hôtel de région des Pays de la Loire (Nantes). **Victimes des att. de l'ARB :** 3 militants, Yann-Kel Kernaleguen (sept. 76), Patrick Gardin (blessé, août 84), Christian Le Bihan (tué par sa bombe). **1992 :** *19-1* att. du FLNC (Corse) : maison des examens et centre rég. de documentation pédagogique de Rennes endommagés pour dénoncer la politique de l'État à propos de la langue corse.

1971) ; UDB fondé. **1969** fondation du *Galv.* (Comité d'action progressiste pour la langue br. à Brest, sur l'initiative d'Ar Falz, de l'UDB et de la Jeunesse étudiante br.).

■ **Organisations actuelles. Comité d'étude et de liaisons des intérêts bretons (Celib) :** *fondé* 1950, composé surtout de notables régionalistes. **Organisation des Bretons émigrés (OBE). Bretagne-Europe :** B.P. 95, 22404 Lamballe, *créé* 1979, vise à la reconnaissance de la Br. au sein d'une Europe des peuples. **Comité pour l'unité administrative de la Bretagne (Cuab) :** 12, rue des Renards, 44300 Nantes. *Créé* avril 1976. Partisan du retour de la Loire-Atlantique dans la région Bretagne.

Mouvements politiques actuels. Union démocratique bretonne (UDB) : BP 215, 44007 Nantes Cedex. *Fondé* 1964. Parti fédéraliste de gauche. Fédérations : 7. Militants et sympathisants : 1 000. Pour la promotion de la langue bretonne et la réunification administrative de la Bretagne. Élus municipaux : env. 100 dont une vingtaine de maires et maires-adjoints. *Congrès* tous les 2 ans. *Membre* dep. 1985, de l'alliance Libre Européenne (Bruxelles), qui regroupe 26 partis défendant les minorités nationales d'Europe et participe au groupe « Arc-en-ciel » au parlement européen. *Options :* régionalisme institutionnel, écologie, désarmement, aménagement du territoire, démocratie politique par la décentralisation. *Revue* mensuelle bilingue : le Peuple breton/Poblvreizh (BP 301, 22304 Lannion-Cedex), 6 000 ex. *Maison d'édition* « Presses populaires de Bretagne », *Minitel* 3614 UDB. **Parti socialiste unifié (PSU) Bretagne :** 34, rue de Gouët, B.P. 329, 22006 St-Brieuc remplacé par l'AREV. *La revue :* « Vivre au pays » (mens.) continue. **Emgann (Bataille) :** nationaliste révolutionnaire. *Créé* 1982. **Peuple (POBL) :** BP 103, 22001 St-Brieuc Cedex. *Créé* juin 1982. *But :* autonomiste ; soutient le Cuab. *Revue :* « l'Avenir de la Bretagne ». **B5 :** 10, rue de l'Atlantique, 44700 Orvault. Pour le rattachement de la Loire-Atl. **Bureau régional d'étude et d'information socialiste (BREIS) :** regroupe les fédérations dép. du PS. **Comité régional d'action et de concertation. MIB-Nac'h Sentin :** indépendantiste, prônant l'insoumission au serv. milit. **Mouvement des Radicaux de gauche :** pour le rattach. de la Loire-Atl. **KAD (Kuzul an distaoleg) :** *créé* 1978, pour l'amnistie des prisonniers politiques bretons.

Organisations clandestines. Front de libération de la Bretagne (FLB) : *créé* 1964. Devient le *FLB-ARB (Armée républicaine br.)* en 1968, 1res arrestations couvertes par l'amnistie de juin 1969. **1971** l'ARB devient l'Armée révolutionnaire br. **1972** 1er procès en Cour de sûreté de l'État, apparition d'un *FLB-LNS (Libération nationale et Socialisme)* et de sa branche militaire, l'Armée de libération de la Br. **1974,** 30-1 : dissous par Conseil des ministres ainsi que le FLB-ARB, 4 membres arrêtés (procès en Cour de sûreté de l'État). 1972, 1975, 1977, 1979, peines allant jusqu'à 15 ans de réclusion pour Lionel Chenevière et Patrick Montauzier, coresponsables de l'attentat contre le château de Versailles.

■ **Mouvements culturels. Ar Falz (La Faucille)** 20, rue de Kerscoff, 29600 Morlaix. Mouvement des Instit. et prof. laïques br. (IPLB) *fondé* 1933 par Yann Sohier. *Revues :* cahiers pédagogiques « Skol Vreizh » « Ar Falz ». 3 thèmes : Bretagne, socialisme, laïcité. **Bleun-Brug (Fleur de bruyère)** 5, rue Francis-Jammes, 29200 Brest. *Fondé* 1905 par l'abbé J.-M. Perrot, catholique, à gauche. *Revue :* « Bretagne aujourd'hui » : 2 branches : gauchiste, traditionaliste (revue « Bleun-Brug, Feiz ha Breitz » : Foi et Bretagne), chanoine Mévellec, 30, route de Bertheaume, Plougonvelin, 29217 Le Conquet (Cahiers du Bleun-Brug, 5 rue Francis-Jammes, 29 Brest) ; **Kendalc'h** Le Pradi-Trédion, 56250 An Elven, Elven : confédération des Stés culturelles, artistiques et sportives (8 000 adhérents, 180 associations). *Revue :* « Breizh », (10 000 ex.). **War'l-Leur et Al Leur Nevez,** fédérations de cercles celtiques (danseurs). **BAS (Bodadeg ar Sonerion)** rue de la Marne, 22100 Rostrenen. Fédération des sonneurs de bombarde et de cornemuse. **Skol an Emsav** 8, rue Hoche, 35000 Rennes ; mouvement de renaissance pour la formation de jeunes militants bretonnants, à gauche. **Stourm ar Brezhoneg,** dissident de Skol an Emsav, milite pour le bilinguisme dans la vie publique (plusieurs militants condamnés). **Emgleo Breiz** 6, rue Beaumarchais, 29200 Brest. *Fondé* 1953. Défend l'enseignement de la langue, civilisation br. et libertés régionales. **Tud ha Bro,** maison d'édition. **Fédération des amis de la lutte et des sports athlétiques br.,** *fondée* 1930 par le Dr Cotonnec. **Radio-Télé-Brezhoneg** (Y. Gwernig). **Diwan** (Germe) : Diwan Treglonou, 29214 Lannilis. *Créé* 1977, fait fonctionner des écoles maternelles, primaires et un collège (Brest) en br. *Revue :* « An Had ». **Kuzul ar Brezhoneg** 28, rue des Trois-Frères-Le-Goff, 22000 St-Brieuc ; regroupement d'associations utilisant le breton unifié. **Unvaniezh ar Gelennerien Brezhoneg** (Union des enseignants de breton) 20, rue des Tribunaux, 56 000 Vannes. Fondée 1982, pour un statut de droit du breton dans l'enseignement.

■ **Principales revues en breton.** *Al Liamm, Al Lanv, An Had, Breman, Brud Nevez, Evit ar Brezhoneg* (mensuel bilingue, 200 à 2 000 ex.), *Imbourc'h, Hor Yezh, Planedenn, Skol, Skrid, Moutig, Ere* (bimestr., littér. et pol., dep. 1981). Env. 60 à 80 livres par an paraissent en breton (500 à 4 000 ex.).

■ Économie

■ **Population active** (au 31-12-91) 1 037 373 dont agric.-pêche 111 809, ind. 197 685, BTP 73 695, commerces 120 054, services 534 130. *Salariés :* 831 843. *Chomeurs* (1992) 126 874 (9,9 %).

■ **Échanges** (en milliards de F, 1991). **Imp. :** 28,16 (6 725 t) dont prod. agricole et alimentaire 9,5 (dont agr.-forêts-pêche 2,9, prod. laitière et viande 1,9, autres 4,7), constr. auto. et mat. de transp. 3,5, constr. élec. et électron. 2,6, constr. méc. 2,1, chimie de base 1,4, bois et ameubl. 1,2, pétrole et gaz 1,1 ; *de :* CEE 17,2 dont Esp. 3,8, R.-U. 2,7, All. 2,6, Italie 2, UEBL 2,1, P.-Bas 2,3 ; reste de l'Eur. 2,3, Amér. centr. et du Sud 2, Amér. du Nord 1,6 (USA 1,4), Afrique 1,1, Pr. et Moy.-Or. 0,08, reste de l'Asie 2,7. **Exp. :** 32,9 (2 550 000 t) dont agr. et agroalim. 13,44 (dont agr.-forêts-pêche 2,5, prod. laitière et viande 8,3, autres 2,6), constr. auto. et mat. de transp. 8,4, constr. élec. et électron. 4,9, constr. méc. 1 ; *vers :* CEE 22,2, dont Esp. 5,7, It. 4,7, All. 3,8, UEBL 3,2, P.-Bas 2,5, R.-U. 2,6, Pr. et Moy.-Or. 1,4, reste de l'Asie 1,2, Afr. du Nord 1, Amér. du Sud 0,9.

■ **Agriculture.** 12 % de la prod. fr. (1er rang) dont (en %) porc 54, volaille 30, lait 19. **Terres** (en milliers d'ha, 1991) : 2 750,7 dont SAU 1 844 (6 % de la SAU fr.) [t. lab. 1 543, herbe 296] ; *bois* 325,5, *t. agr. non cult.* 241, *t. non agr.* 340. **Prod. végétale** (en milliers de t, 1991) : fourrages 4 491, céréales 2 946, p. de t. 524, choux-fleurs 428, haricots verts 80,8, artichauts 66,9, carottes 66,2, petits pois 59,4, tomates 45,9. **Animale** (en milliers de têtes, au 1-12-91) : porcins 6 510, bovins 2 547 (dont veaux 745,4), ovins 173,8, équidés 16,8. *Lait* (y compris v. nourrices) 47 590 000 hl ; *volaille* 695 000 t.

■ **Forêt.** Paimpont (avant : Brocéliande) (8 000 ha sur Morbihan et I.-et-V.) ; forêt au N. de Rennes (7 000 ha). *Futaies rares :* 80 % de taillis avec des révolutions courtes de 15 à 20 ans (chêne, hêtre, châtaignier). Résineux dep. XVIIe s. (pin sylvestre) et récemment (pin Douglas, sapin de Vancouver).

■ **Pêche** (1991). Tonnage en milliers (valeur en milliers de F) % de la prod. fr. : poisson frais 119,4 (1 815) 41 % ; crustacés 14,6 (453) 71 % ; coq. St-Jacques 2,7 (48) 27 %.

■ **Industrie.** *Effectifs salariés* (31-12-91) : 186 527 dont ind. agroalim. 56 828, constr. élec. et électron. 19 123, auto. et autres matér. de transp. terr. 15 335, constr. navale et aéro., armement 13 904, bois, meubles, div. 12 768, fonderie et trav. des métaux 10 345, constr. méc. 10 017, imprimerie-presse-édition 7 116.

■ **Trafic maritime** (1991). *Marchandises débarquées et,* entre parenthèses, *embarquées* (en milliers de t, non compris prod. de la pêche) : Lorient 3 539 (87), Brest 1 475 (250), Saint-Malo 1 367 (235), St-Brieuc 209 (72). *Passagers* (navigation côtière, total entrées, sorties) : Lorient 366 717, St-Malo 76 172, Brest 16 701 ; (moyenne navig.) St-Malo 934 999. *Transmanche* (1991) : St-Malo 481 510 ; Roscoff 608 810.

■ **Tourisme** (au 1-1-91). Hôtels homologués 1 147 (27 109 chambres), campings hom. 849 (90 407 places). En 1991 : auberges de jeunesse 2 162 lits, gîtes ruraux et communaux 13 520 lits, ch. d'hôtes 762. *Résidences secondaires* (1990) 186 437. *Fréquentation touristique* (1991-92) : 9,8 millions de touristes fr. (65 millions de nuitées) + 30 % de tourisme étranger. *Bateaux de plaisance immatriculés* (1990) : 154 859 (20 % de la Fr.) *Thalassothérapie :* 9 centres (3 000 curistes/jour).

■ **Projets.** *Eau :* pour remédier à la sécheresse et à la pollution, 400 millions de F seront consacrés à l'information des agriculteurs, 875 à l'assainissement du littoral (eaux usées), 700 env. à l'interconnexion des réseaux de distribution d'eau (Bretagne et Loire-Atl.). *Transports :* métro VAL à Rennes (coût : 2 milliards de F).

■ Départements

Voir légende p. 777.

■ **Côtes-d'Armor** (22) 6 996 km² (80 × 130 km). [Dep. 1990, avant : Côtes-du-Nord]. *Alt. max.* Mt Bel Air 348 m. *Côtes* 347 km. *Climat* 900 à 1 000 mm de pluie par an, temp. moy. ann. à Bréhat 11,3 °C. *Pop. : 1801 :* 504 303 ; *1831 :* 598 872 ; *1866 :* 641 210 ; *1901 :* 609 349 ; *1921 :* 557 824 ; *1954 :* 503 178 ; *1962 :* 501 923 ; *1975 :* 525 556 ; *1982 :* 539 660 ; *1990 :* 538 395 (dont Fr. par acquis. 1 925, étrangers 3 728 dont Maroc. 652, Port. 488, Alg. 320, Turcs 236). D 78.

Villes. SAINT-BRIEUC 44 752 h. [ag. 83 861, dont *Langueux* 5 938 ; *Plérin* 12 108 ; *Ploufragan* 10 583 ; *Trégueux* 6 970 ; *Yffiniac* 3 510], alt. max. 60 m ; port du Légué, métall., mécanique, joints en caout., agroalim. ; 2e centre mondial du pinceau et de la brosserie après Nuremberg ; bois ; cath. St-Étienne (fin XIIe, déb. XVIIIe s.), hôtels des Ducs de Bret. (1572), de Bellescize (fin XVIIe s.), maison de la Barrière (16, rue du Gouët, XVIe s.), fontaine N.-D. (fin XVe s.).

– *Bégard* 4 906 h. ; menhir de Kerguézennec, égl. St-Meen de Lanneven (XVIe s.). *Binic* 2 798 h. [ag. 7 937, dont *St-Quay-Portrieux* 3 018 ; port de pêche], base de loisirs nautiques. *Callac* 2 592 h. ; ruines de l'égl. de Botmel (XVIe-XVIIe s.). *Corseul* 1 987 h. ; cap. de la tribu gauloise des Curiosolites. *Dinan* * 11 591 h. [ag. 23 799, dont *Lanvallay* 3 310, *Léhon* 3 219, *Quévert* 3 007], alt. 20 à 120 m ; ind. méc., confect., textile, électron. ; chât. de la Desse Anne (1380), tour de l'Horloge (XVe s.), collège des Cordeliers (1241), remparts XIIIe s. *Erquy* 3 568 h. ; port coquillier, chât. de Bienassis (XVe-XVIIe s.). *Guingamp* * 7 905 h. [ag. 17 725, dont *Ploumagoar* 4 567], alt. 60 à 120 m ; marché agr., agroalim. ; basilique N.-D.-de-Bon-Secours (XVe-XVIe s.), fontaine dite de Plomée (1626), restes du chât. (1440) et des remparts, abbaye de Ste-Croix. *Hillion* 3 591 h. *Lamballe* 9 894 h. ; agroalim. ; haras, égl. N.-D. (XIIe et XIVe s.), maison dite « du Bourreau ». *Langueux* 5 938 h. *Lanleff* 101 h., égl. circulaire (XIe s.). *Lannion* * 16 958 h. [ag. 19 667 dont Ploubezré 2 709], alt. max. 60 m. ; télécomm. matér. électron., BTP ; égl. de la Trinité de Brélévenez (XVe s.), couvent des Ursulines (1667-90). *Loudéac* (sous-préf. jusqu'en 1926) 9 820 h., alt. 120 à 240 m ; ind. alim., carrières de granit et ardoisières. *Merdrignac* 2 791 h. *Paimpol* 7 856 h. ; port de plaisance, ruines de l'abbaye de Beauport, musée de la Mer. *Perros-Guirec* 7 497 h. [ag. 13 268] ; réserve ornithologique des 7 Iles. *Plaintel* 3 557 h. *Plédran* 5 395 h. *Pléneuf-Val-André* 3 600 h. ; port de Dahouet. *Plestin-les-Grèves* 3 237 h. *Pleubian* 2 963 h. ; sillon du Talbert. *Pleumeur-Bodou* 3 677 h. ; Centre nat. d'études des télécomm. [antenne cornet (haut. 29 m, long. 54 m, diam. d'ouverture 20 m) fonctionne à l'abri d'un radôme (haut. 50 m, diam. 64 m, poids 57 t, résiste à des vents de 160 km/h bien que sans armature)] voir Index ; planétarium ; musée des Télécomm. *Ploeuc-sur-Lié* 2 932 h. *Plouha* 4 197 h. *Ploubazlanec* 3 725 h. ; « Croix des Veuves » et « Mur des Disparus ». *Plouguernével* 3 255 h. *Pontrieux* 1 050 h. *Pordic* 4 635 h. *Quintin* 2 602 h. ; chât. (1640), vestiges de remparts. *Rostrenen* 3 664 h., alt. 120 à 240 m ; égl. XIII-XVIIIe s. *St-Cast-le-Guildo* 3 093 h. *St-Quay-Portrieux* 3 018 h. *Trébeurden* 3 094 h. *Tréguier* 2 799 h. [ag. 5 878] ; cath. St-Tugdual (XIVe-XVe s.), ville natale de St Yves (pardon le 19-5) et d'Ernest Renan (maison natale transformée en musée). *Le Vieux-Marché* 1 187 h., chapelle des Sept-Saints (pardon islamo-chrétien en l'honneur des Sept Dormants d'Éphèse).

Régions naturelles. Est des *monts d'Arrée, Landes du Méné, Côte à rias (Trégor),* baie de *St-Brieuc. Ile de Bréhat :* 309 ha, 32 îlots, périmètre 18 km, à 2,5 km de la côte (10 min de traversée), alt. max. 30 m, 461 h. *Ile Grande* (commune de Pleumeur-Bodou), presqu'île, 150 ha, 790 h. **Bois** (1991) 78 700 ha [dont (en 1911) forêts de *Loudéac* 2 500, *Lorge* 2 000, *Boquen* 1 000].

Ressources. Cultures (milliers de t) : blé 510, orge 157, maïs 136. **Élevage** (milliers) : porcs 2 231, bovins 637, ovins 50, caprins 4,3. *Lait* 14 millions hl (3e rang). Œufs 2,516 milliards (1er rang). **Pêche :** *ports avec criée :* Erquy, Le Légué, St-Quay-Portrieux, Pors-Even, Loguivy. **Carrières** (granit, kaolin, ardoises). **Industrie :** Chauffe-eau (50 % de la prod. fr.), électron., métall., méc., scieries, meubles, text., chimie.

Sites touristiques. Abbaye *de Boquen* (XIIe s.). **Châteaufort** *Fort-la-Latte* (XIIIe, XIVe s.). **Littoral** (flore méditerranéenne) : *côte de granit rose* (Perros-Guirec) 110 km ; *d'Emeraude* (St-Cast) 130 km ; *du Goëlo* (Bréhat) ; *vallée de la Rance ;* île Bréhat. **Lacs :** *Guerlédan* (400 ha, prof. 50 m), *Bosméléac* (60 ha), *Jugon-les-Lacs* (100 ha), *Glomel* (90 ha). **Retenues d'eau :** *Gouët, Arguenon* et *Kerné-Uhel.* **Réserves** *ornithologiques* des *Sept Iles* et du *cap Fréhel.* **Sites naturels :** rivières, rias, « montagnes », chemins creux, etc. **Calvaires et mégalithes. Iles :** 90 dont *Bréhat, Costaeres* (habitée par Sienkiewicz, auteur de « Quo Vadis »), *Daval* (refuge du roi Arthur et de ses chevaliers), *Sept-Iles, Renote, Millau, Iliec* (un moment propriété de Charles Lindbergh). **Malouinières.** *La Villebague* (à St-Coulomb, construite 1715 par les Magon), *Limoelon* (à Paramé, maison de Jacques Cartier), *Bonaban* (à La Guesnière), *Launay-Quinart, Montmartin, Le Bos, Le Lupin, Launay-Ravilly* (près de Châteauneuf).

■ **Finistère** (29) (du latin *Finis terrae,* extrémité de la terre ; en breton « Penn-ar-Bed », tête de la terre) 6 733 km² (102 × 93 km). *Côtes* 795 km. *Alt. max.* Roc 'h Ruz 387 m. *Pluies* (mm, 1984) Brennilis 1 578, Coray 1 452, Guipavas 1 224, Quimper 1 126. *Pop. 1801 :* 439 046 ; *1901 :* 773 016 ; *1946 :* 724 735 ; *1982 :* 828 364 ; *1990 :* 838 687 (dont Fr. par acquis. 3 464, étrangers 7 634 dont Port. 2 004, Maroc 1 237, Turcs 756, Alg. 684). D 125.

Villes. QUIMPER 59 437 h. [*1801 :* 9 915 ; *1861 :* 16 637 ; *1911 :* 28 610 ; *1946 :* 40 345 ; *1975 :* 55 977] ; port, centre de distribution, services, ind. agroalim., faïences, électron., presse, édition ; cath. gothique XIIIe et XIVe s., égl. romane XIIe s., m. dép. breton, des B.-Arts, océanogr. – *Audierne* 2 746 h. [ag. 9 181, dont *Plouhinec* 4 524] ; port, conserverie. *Bannalec* 4 840 h. *Bénodet* 2 436 h. *Brest** 147 956 h. [*1801 :* 30 937 ; *1831 :* 41 590 ; *1861 :* 84 332 ; *1911 :* 125 909 ; *1926 :* 100 365 ; *1936 :* 118 700 ; *1946 :* 74 991 ; *1954 :* 110 713 ; *1968 :* 159 857 ; *1975 :* 166 826 ; *1982 :* 156 060] [ag. 201 480 dont *Bohars* 3 043, *Guipavas* 11 956, *Gouesnou* 5 417, *Le Relecq-Kerhuon* 10 569 (*1911 :* 4 376 ; *1946 :* 6 021 ; *1975 :* 8 499 ; *1982 :* 9 286), *Plougastel-Daoulas* 11 139 (*1954 :* 6 709 ; *1975 :* 8 138 ; *1982 :* 9 581) ; pardon célèbre. *Plouzané* 11 400] ; superficie 4 951 ha, alt. 50 à 100 m ; rade de 15 000 ha [goulet : larg. 3 km, forme de radoub pour les 35 000 tpl, 250 000 tpl et 500 000 tpl (dep. 1980)], 1er port militaire fr. [effectif DCN (Dir. des Constr. nav./arsenal), 6 800 pers. + sous-traitance] ; métall. arsenal, réparat. nav., ind. alim., text., électro. (Thomson), presse, édition, centre océanographique, Ifremer, université, gdes écoles (ENST, ENIB, ENSIETA, Éc. navale, gr. ESC Bretagne) ; château (origine : camp fortifié romain du IVe s.) ; détruite aux 2/3 en 1944. *Briec* 4 546 h. *Carhaix-Plouguer* 8 198 h. [*1801 :* 1 734 ; *1861 :* 2 197 ; *1911 :* 3 493 ; *1975 :* 8 210 ; *1982 :* 8 591] ; ind. agroalim., ardoisière. *Châteauneuf-du-Faou* 3 777 h. *Châteaulin** 4 965 h. [*1801 :* 3 172 ; *1861 :* 2 892 ; *1911 :* 4 271 ; *1975 :* 4 711 ; *1982 :* 5 357] ; comm., ind. viande. *Concarneau* 18 630 h. [*1801 :* 1 561 ; *1861 :* 2 767 ; *1911 :* 7 263 ; *1962 :* 16 271 ; *1975 :* 18 759 ; *1982 :* 17 984] [ag. 24 760, dont *Trégunc* 6 130] ; pêche (3e port fr.), conserv., constr. naut., stat. baln. ; « Ville-close », remparts. *Crozon* 7 705 h. [*1801 :* 6 592 ; *1861 :* 8 651 ; *1911 :* 8 323 ; *1975 :* 7 297 ; *1982 :* 7 525] ; conserv. *Douarnenez* (de *« douar an enez »,* la terre de l'île) 16 457 h. [*1801 :* 5 434 ; *1861 :* 4 870 ; *1901 :* 12 800 ; *1946* (après fusion avec Ploaré, Pouldavid et Tréboul en 1945) : 20 564 ; *1975 :* 19 096] ; pêche, conserves de poissons et de légumes, boîtes métall., électron. ; égl. de Ploaré XVIe s. *Ergué-Gabéric* 6 517 h. ; mat. plast. *Fouesnant* 6 524 h. *Guilers* 6 785 h. *Guilvinec* 3 365 h. [ag. 5 698, dont *Treffiagat* 2 333]. 1er port de pêche fr. (CA). *Landerneau* (sous-préf. jusqu'en 1926) 14 269 h. [*1801 :* 3 669 ; *1861 :* 6 959 ; *1911 :* 8 252 ; *1962 :* 12 952 ; *1975 :* 14 541] ; ind. agroalim., ind. méc. *Landivisiau* 8 254 h. [*1801 :* 2 124 ; *1861 :* 3 317 ; *1911 :* 4 713 ; *1975 :* 7 605] ; marché aux bestiaux aux enchères, ind. agroalim. ; base aéronavale. *Lannilis* 4 272 h. *Lesneven* 6 250 h. [ag. 9 344, dont *Le Folgoet* 3 094]. *Moëlan-sur-Mer* 6 596 h. *Morlaix** 16 701 h. [*1801 :* 9 351 ; *1861 :* 14 008 ; *1911 :* 15 262 ; *1962 :* 20 248 ; *1975 :* 19 237] [ag. 25 810, dont *Plourin-lès-Morlaix* 4 176. *St-Martin-des-Champs* 4 933] ; port, man. des tabacs, ind. agroalim., électron., presse, édition ; viaduc de 58 m de haut (1864), maisons XVIe s. *Penmarch* (Tête de cheval) 6 272 h. [*1801 :* 1 166 ; *1861 :* 2 029 ; *1911 :* 5 051 ; *1975 :* 6 921] ; pêche, conserv. ; musée Préhistorique. *Plabennec* 6 600 h. *Plonéour-Lanvern* 4 619 h. *Ploudalnézeau* 4 874 h. *Plouescat* 3 689 h. *Plouguerneau* 5 255 h. *Pont-Aven* 3 031 h. ; musée Gauguin. *Pont-l'Abbé* 7 374 h. [*1801 :* 1 884 ; *1861 :* 4 286 ; *1911 :* 6 652 ; *1975 :* 7 325] ; conserv., confect. ; château des Barons du Pont (XIVe s., remanié XVIIIe s.), musée Bigouden. *Quimperlé* 10 748 h. (sous-préf. jusqu'en 1926) ; papeterie, ind. alim., conserv., BTP. *Riec-sur-Belon* 4 014 h. *Roscoff* 3 711 h. ; institut biol., port. *Rosporden* 6 485 h. ; conserves viande. *St-Pol-de-Léon* 7 261 h. [*1954 :* 8 585 ; *1975 :* 8 044] ; marché au cadran, légumes. *St-Renan* 6 576 h. ; granit. *Scaër* 5 555 h. ; papeterie, mat. plast.

Iles. *Batz :* en face de Roscoff, 305 ha, long. 4 km, larg. max. 1,5 km ; 746 h. *Béniguet* (commune du Conquet), 80 ha, inhabitée. *Glénans (Les)* (9 îles : St-Nicolas, Le Loch, Penfret, Banannec, Drennec, Fort-Cigogne, Guiautec, Guirinec, Les Moutons-du-Loch, réparties sur 10 km de long et 6 km de large sur la commune de Fouesnant). *Ile-Tudy* (presqu'île) 126 ha, long. max. 1,2 km, larg. max. 0,8 ; 518 h. *Molène* 75 ha, long. 1,2 km, larg. max. 0,8 km, 30 min de traversée ; 277 h. *Ouessant* 1 062 (1 450 en 1975) ha, long. 8 km, larg. max. 4 km, alt. 65 m, 1 h 30 de traversée ; 1 062 h en 1960, 60 h. en 93. *Sein* 5,6 ha, long. 2 km, larg. max. 0,8 km ; 348 h. ; Compagnon de la Libération (voir Index).

Régions naturelles. *Littoral breton Nord :* 48 489 ha dont (en %) : cult. fourr. 21,7, céréales 12, surface toujours en herbe 13,5, divers 52,8. *Pénéplaine bretonne Nord :* 135 358 ha dont (en %) : cult. fourr. 45,9, céréales 19,5, surf. touj. en herbe 14,1, div. 20,5. *Monts d'Arrée :* 16 321 ha dont (en %) : cult. fourr. 38,9, céréales 10,7, surf. touj. en herbe 28,2, div. 22,2. *Bassin de Châteaulin et presqu'île de Crozon :* 105 698 ha dont (en %) : cult. fourr. 46,5, céréales 24,5, surf. touj. en herbe 12,3, div. 16,7. *Zone légumière et pénéplaine bretonne Sud :* 145 917 ha dont (en %) : cult. fourr. 44,2, céréales 25,8, surf. touj. en herbe 10,5, div. 19,5. **Bois** (1990) 69 000 ha [dont (en 84) forêt domaniale de Clohars-Carnoet 800, du Cranou 600, de St-Ambroise 600, du Fréau 700, d'Huelgoat 600, de Landevennec 500.

Ressources (en 1991) : 3e dep. pour la prod. agricole. 1er pour artichauts (63 % de la prod. fr.), choux-fl. (43 %), échalote (66 %), 3e pour haricots verts (9,3 %) et petits pois (10,5 %) ; 4e pour le lait (12 millions de hl) ; 6e pour carottes (4,1 %). 1er pour crustacés (58,9 %), poissons (24,8 %) et algues (85 %). *Cassitérite* près de St-Renan, épuisée. *Kaolin* près d'Huelgoat-Berrien. *Ostréiculture :* abers, rivière du Belon.

Sites touristiques. Parc naturel régional d'Armorique (créé 1969) regroupe 39 communes rurales, 110 000 ha. **Presqu'île du cap Sizun** terminée par la pointe du Raz (réserve ornithologique de Goulien). **Réservoir de St-Michel-Brennilis** 800 ha. **Parc de Trevarez** 80 ha (pépinières, château). **Côtes** (500 km) : *« Ceinture dorée »* de la pointe de Locquirec à Plouescat ; *« Circuit des Légendes »* de Goulven à Guisseny-sur-Mer, *« C. des Abers »* de l'Aber-Wrac'h (8 km dans les terres) à la pointe de St-Mathieu [*abers,* estuaires de fleuves côtiers, remontés par la marée : Dossen, Aber-Wrac'h, Aber-Ildut, Aber-Benoît, Elorn, Aulne, Goyen, Odet qui traverse Quimper, Aven et Laïta, confluent de l'Isole et de l'Ellé] ; *« C. Sud-Finistère et de Cornouaille »,* de la pointe de St-Mathieu à Port-Manech. Brennilis : *lac* (500 ha). *Dolmens,* dont Tigar Boudiked (long. 15 m). Camaret : 143 menhirs. **Enclos paroissiaux :** *Guimiliau* (1533-1680) [calvaire (1581-88) représentant l'enfance de Jésus (200 personnages)], *La Martyre* (1423-1699), *Plougonven* (1507-1746), *Sizun* (1588-1735), *St-Thégonnec* (1587-1610), *Pleyben* (1555-1725), *Tronoën* (1450-1470) le plus ancien des grands calvaires. **Château :** *Kerjean.* **Allée couverte :** *Mongau Biau.*

Tourisme (au 1-1-93). Hôtels homologués 331 (8 015 chambres), campings homol. 316 (34 913 pl.). (87). Hôtels non homol. 218 (2 494 ch.), places de camp. 34 950, gîtes ruraux 935, villages de vacances 16, meublés de tourisme 2 176, ch. d'hôtes 223.

■ **Ille-et-Vilaine** (35) 6 775 km² (130 × 80 km). *Côtes* 72 km. *Alt. max.* Forêt de Paimpont 258 m. *Pop. : 1801 :* 488 846 ; *1891 :* 626 875 ; *1911 :* 608 021 ; *1921 :* 558 574 ; *1975 :* 702 199 ; *1982 :* 748 272 ; *1990 :* 798 718 (dont Fr. par acquis. 4 392, étrangers 11 152 dont Maroc. 2 492, Port. 1 128, Turcs 912, Indoch. 868). D 118.

Villes. RENNES 197 536 h. [*1833 :* 29 408 ; *1866 :* 49 231 ; *1901 :* 74 673 ; *1946 :* 113 731 ; *1975 :* 198 305 ; *1982 :* 200 390] [ag. 245 065, dont *Bruz* 8 114. *Cesson-Sévigné* 12 708. *Chantepie* 5 898. *Chartres-de-Bretagne* 5 543. *St-Grégoire* 5 809. *St-Jacques-de-la-Lande* 6 189], alt. 25 à 54 m, sup. 5 039 ha (1975) ; constr. méc., autom. (PSA), imprim., papeterie, électron., informatique télécom, presse, aéroport, Technopole Atalante ; projet de métro VAL (Matra) pour 1998, coût 2,6 milliards de F, subvention d'État 500 MF ; m. des B.-Arts (f. 1799), vis. 50 000 ; m. de Bretagne (f. 1960) vis. 47 311. Hôtel de ville XVIIIe s.

– *Acigné* 4 361 h. *Argentré-du-Plessis* 3 329 h. *Bain-de-Bretagne* 5 257 h. *Betton* 7 013 h. *Cancale* 4 910 h. ; ostréiculture (1 250 t/an). *Châteaubourg* 4 056 h ; électronique, mach. agricoles. *Châteaugiron* 4 166 h. *Combourg* 4 843 h. ; château de Chateaubriand. *Dinard* 9 918 h. [*1936 :* 7 721 ; *1975 :* 9 234] [ag. 23 715, dont dans le dép. *La Richardais* 1 801 (usine marémotrice). *St-Briac-sur-Mer* 1 825. *St-Lunaire* 2 163. *Pleurtuit* 4 428 h. aéroport internat.] ; stat. baln. *Dol-de-Bretagne* 4 629 h. *Fougères** 22 239 h. [*1936 :* 20 432 ; *1975 :* 26 610] [ag. 27 389, dont *Lécousse* 2 827] ; chaussures, confect., électron., agroalimentaire, méc. de précision, optique, verrerie ; marché aux bestiaux (3 400 têtes de bétail par semaine) ; château. *La Guerche-de-Bretagne* 4 123 h. ; chaussures. *Guichen* 5 891 h. ; site du Boël. *Janzé* 4 500 h., imprimerie. *Langon* 1 267 h. ; site de Corbinières. *Le Grand Fougeray* 2 003 h. ; tour Duguesclin. *Le Rheu* 5 027 h. *Liffré* 5 659 h. ; ind. viande, mach. de bureau, chaussures. *Louvigné-du-Désert* 4 260 h. *Martigné-Ferchaud* 2 920 h. ; ind. lait. *Melesse* 4 675 h. *Montauban* 3 883 h. ; ind. lait. *Montfort* 4 675 h, viande, confection. *Mordelles* 5 362 h. *Noyal-sur-Vilaine* 4 089 h. *Pacé* 5 556 h. *Pleugueneuc* 1 132. Château et zoo de La Bourbansais. *Redon ** 9 260 h. [*1936 :* 6 565 ; *1975 :* 9 649 ; *1982 :* 9 170] ; métall., fonderie ; électron., briquets. *Retiers* 3 306 h, ind. laitière. *St-Malo** (de Malo ou Maclou, moine gallois qui aurait évangélisé la région au VIIe s.) 48 057 h. [*1936 :* 13 836 ; *1962 :* 17 107 ; *1975 :* 45 030 ; *1982 :* 46 347] ; pont de com., 2 ports de plaisance, stat. baln., pêche fraîche ; ind. lait., constr. nav. ; chimie de base, prod. d'engrais ; écoles nat. de la marine march. et de l'administr. des aff. marit. ; musée de la Ville, internat. du Long-Cours caphornier, tour Solidor (1382), tour Quic-en-groigne. *St-Just* 1 012 h. ; site mégalithique « Lande de Cojou ». *St-Méen-le-Grand* 3 729 h. ; ind. de la viande. *Thorigné-Fouillard* 5 257 h. *Tinténiac* 2 453 h. *Vern-sur-Seiche* 5 602 h. *Vitré* 14 486 h. [*1936 :* 8 506 ; *1975 :* 12 318 ; *1982 :* 13 042] (s.-préf. jusqu'en 1926) ; ind. de la viande, cuir, caoutchouc, plastique, confect., ameubl., château.

Régions naturelles. *Bassin de Rennes :* blé, plantes fourragères, bovins, légumes, produits laitiers. *Pays de Redon :* bovins, porcins, lait, polyculture. *Région côtière :* légumières. *Marais de Dol et Polders :* polyculture et élevage (moutons de prés-salés). *Région de Fougères :* plantes fourragères, élevage, lait, carrière. *Région de Combourg :* polyculture, élevage, lait. **Bois** (1990) 61 600 ha [dont (en 81) *Gaël-Paimpont* 7 670 (14 étangs), *Rennes* 2 938, *Fougères* 1 500, *Liffré* 900, *Villecartier* 900, *St-Aubin-du-Cormier* 800, *Le Mesnil* 500, *Montauban* 500].

Ressources. Agriculture (principaux prod. en milliers de t, en 1991) : cultures fourragères 1 822 (maïs 1 090, colza 40, betterave 148, choux 544), blé tendre 477, maïs-grain 182, orge et escourgeon 88, choux-fleurs 78, p. de t. primeurs 60, carottes 24. **Élevage** (en milliers, au 1-12-91) : porcs 1 045 dont truies mères 69,5, bovins 789 (laitières 282), ovins 62,7, volailles 6 087 (pondeuses 890), équidés 5,5. Viande 236 750 t, lait 15,3 millions d'hl (1er dép.). **Industrie extractive** (1991) : minerai de fer 33 695 t, kaolin 315 413 (85,2 % de la prod. nat.). **Industries agroaliment.**

Sites touristiques. Château : *Caradeuc* (XVIIIe s.). **Forêts :** *Paimpont (Brocéliande)* et *Rennes.* **Étangs :** *Paimpont, Pas-du-Houx* (80 ha). **Côte** *d'Emeraude.* **Allée couverte :** *Essé* (42 blocs).

■ **Morbihan** (56) (du breton *Mor-Bihan,* petite mer, par rapport à *Mor-Bras,* grande mer ou océan) 6 823 km² (138 × 84 km). *Côtes* 513 km : 288 km le long du continent, 89 km pour le contour des îles, 136 km pour celui des estuaires. *Temp. moy. mens.* 6 °C (janv.) à 17,3 °C (juil.). *Pluie* 900 mm. *Insolation* 2 040 h. *Alt.* max. mont St-Joseph 297 m. *Pop. : 1801 :* 401 215 ; *1891 :* 544 470 ; *1921 :* 456 047 ; *1946 :* 506 884 ; *1954 :* 520 978 ; *1975 :* 563 388 ; *1982 :* 590 889 ; *1990 :* 619 838 (dont Fr. par acquis. 2 688, étrangers 4 641 dont Turcs 1 056, Maroc. 492, Indoch. 440, Alg. 376). D 91.

Villes. VANNES 45 644 h. [*1840 :* 11 623 ; *1901 :* 23 375 ; *1954 :* 28 403 ; *1975 :* 40 359] ; remparts, aéroport, tréfileries, ind. alim. et nautique, plast.

(Michelin) ; m. de la Cohue (arts, mer) ; m. de préhistoire ; port plaisancier, Ch.-Gaillard.

– *Auray* 10 323 h. [ag. 14 313, dont *Brech* 3 990] ; bois, plastique ; champ des Martyrs. *Baud* 4 658 h. *Belz* 3 372 h. *Carnac* 4 243 h. ; alignements ; thalassothérapie ; musée. *Caudan* 6 674 h. ; fonderie. *Elven* 3 312 h. *Etel* 2 318 h. (ag. 4 670). *Gourin* 4 734 h. ; conserves. *Grand-Champ* 3 897 h. *Guer* 5 794 h. (ag. 6 184). *Guidel* 8 241 h. ; base aéronavale de Lann-Bihoué. *Hennebont* 13 624 h. [*1936 :* 8 690 [1] ; *1962 :* 11 960 ; *1968 :* 12 011] [ag. 19 165, dont *Inzinzac-Lochrist* 5 541]. *Josselin* 2 338 h. ; ind. alim. ; château. *Le Faouët* 2 869 h. halles, chapelles. *Locminé* 3 346 h. ; ind. de la viande. *Locmiquélic* 4 094 h [ag. 12 774, dont *Port-Louis* 2 986 ; musée de la Cie des Indes. *Riantec* 4 846]. *Lorient** 59 271 [créé en 1666, l'Orient, nom d'un grand bateau construit par la Cie des Indes sur les chantiers ; 1790 : l'Orient devient Lorient ; 1940 : base de sous-marins allemands ; 1943 : destruction presque totale ; 1945 : libérée] (*1709 :* 6 000 ; *1733 :* 20 000 ; *1946 :* 19 066 ; *1954 :* 47 095 ; *1975 :* 69 769) [ag. 115 488, dont *Lanester* 22 102. *Larmor-Plage* 8 078. *Ploëmeur* 17 637. *Quéven* 8 400 h.], alt. 20 à 40 m, sup. 1 748 ha ; 2e port de pêche français (38 000 t en 92), arsenaux, aéroport, aéronavale, constr. navale, port de com. (3,5 millions t), méc., élect., électron., conserv. Festival interceltique. *Muzillac* 3 471 h. *Ploërmel* 6 996 h. (s.-préf. supprimée 1926) ; ind. alim., parachimie. *Plouay* 4 834 h. *Pluvigner* 4 872 h. *Pontivy** 13 140 h. [*1936 :* 9 300 ; *1975 :* 12 578] ; ind. alim., bois ; château. *Questembert* 5 076 h. *Quiberon* 4 623 h. ; thalassothérapie. *Roscanvel* 653 h. ; musée sc. nat. *St-Avé* 6 929 h. *St-Marcel* 845 h. ; musée de la résistance. *Sarzeau* 4 972 h. *Séné* 6 180 h. *Theix* 4 435 h.

Nota. – (1) Pop. totale (avec doubles comptes).

Régions naturelles. *Golfe du Morbihan* (42 îles). *Plateaux et collines. Landes de Lanvaux.* **Iles.** *Groix* à 45 min de Lorient, 7,7 km × 2 km, 1 482 ha, côtes 18 km, alt. max. 46 m, 2 472 h. *Ile aux Moines,* 320 ha, 617 h. *Arz,* 330 ha, 256 h. *Belle-Ile* à 15 km au S. de Quiberon (17 × 5 km), 8 563 ha, côtes 50 km, alt. max. 57 m, 4 489 h. *Houat* à 10 km, long. 4 500 m, larg. 500 à 1 200 m, haut. max. 30 m, 291 ha, 390 h. *Hoëdic* à 16 km, long. 1 200 m, larg. 2 000 m, haut. max. 25 m, 208 ha, 140 h. **Bois** (1990) : 110 000 ha.

Ressources. *Agricoles* (1991) : 18 808 exploitations céréales, cult. fourragères dont maïs, p. de terre, primeurs. (1991) : lait 10 885 000 hl (6e dép.) ; 1 125 000 porcins (3e rang nat.), 507 000 bovins, 38 000 ovins, 5 000 caprins ; volailles : 1er prod. dindes (120 300 t), poulets de chair (145 500 t, 2e rang). Zone maraîchère de Lorient à Auray. *Ostréiculture. Pêche. Kaolin* à Ploemeur (1er en Fr.).

Sites touristiques. Golfe *du Morbihan*. **Ports de plaisance :** *Le Crouesty, Port-Haliguen* (Quiberon), *La Trinité-sur-Mer.* **Châteaux et manoirs :** *Lehelec* (Beganne), *Kerguehennec* (Bignan), *Crévy* (La Chappelle Caro), *Largoët* (Elven), *des Rohan* (Josselin), *forteresse des Rohan* (Pontivy), *Rochefort-en-Terre, Kerlevenan et Suscinio* (Sarzeau), *Le Plessis-Josso* (Theix), *Vannes.* **Abbayes :** *Timadeuc* à Brehan, *Langonnet, Kergonan* à Plouharnel, **Calvaire** de *Guehenno,* **Tumulus d'***Arzon.* **Thalassothérapie :** *Arzon-Le Crouesty, Belle-Ile* (Bangor), *Carnac, Quiberon.*

CENTRE

■ GÉNÉRALITÉS

■ **Superficie** 39 151 km². **Population** (1990) 2 371 100 (dont Fr. par acquis. 43 129, étrangers 116 586 dont Port. 36 262, Maroc. 26 749, Turcs 10 668). D 60.

BERRY

■ **Situation.** S'étend sur la plus grande partie du Cher et de l'Indre ; quelques parcelles en Loiret, Indre-et-Loire et Creuse. **Centre :** *Champagne berrichonne,* plaine de calcaire jurassique (moutons, céréales). **S. et S.-E. :** *Boischaut* et vallée de *Germigny* autour de la Champagne berr. terres argileuses ou calcaires (lias) vallonnées ; zone bocagère, prairies. **Est :** *Val de Loire berrichon :* terres alluviales (limon et surtout sable) : bois, landes et parfois prairies et cultures. **N.-E. :** *collines du Sancerrois* (431 m), les marnes couronnées de calcaire y affluent, vignes. **Nord :** *partie de la Sologne* (ancien territoire des Bituriges Segalauns, qui habitaient aussi Drôme et Ardèche), sol de sable et d'argile, bois et étangs. **S.-O. :** *Brenne* (sup. : 1 000 km²) occupe une partie déprimée : sols d'argile et de sable, nombreux étangs et tertres ; landes et halliers. **Ouest :** *Pays de Valençay,* suite de la *Champagne de Châteauroux.*

■ **Ressources.** *Cher et Indre :* blé, orge et escourgeon, maïs, blé, avoine, colza, tournesol, bett. ind., légumes secs, vigne, vergers, tabac. Bovins, ovins, porcins, caprins, équidés, volailles.

■ **Histoire.** A l'époque gauloise, *Avaricum* (Bourges) capitale des Bituriges Cubi, métropole du Massif central ; assiégée par Jules César, elle résista énergiquement en 52 av. J.-C. **Période gallo-romaine,** Bourges capitale de l'Aquitaine, puis de l'Aqu. Seconde (après Dioclétien). **VIe s.** La *civitas* de Bourges est amputée d'une partie de son territoire solognot, en faveur de la *civitas* (nouvelle) d'Orléans. **469 à 507** fait partie du royaume wisigothique (bat. de *Vouillé*). **Jusqu'au XIIe s.,** le Berry reste avant tout le domaine des archevêques de Bourges, métropolites d'Aquitaine ; ils en laissent l'administration à des comtes et vicomtes, souvent des seigneurs voisins (notamment Gérard de Roussillon, Guillaume d'Auvergne). **1102** partant pour la croisade, Eudes Harpin vend sa vicomté de Bourges au roi Philippe Ier ; le reste du Berry est lentement acquis par les rois. **1137** Louis VII se fait couronner duc d'Aquitaine à Bourges par le métropolite. **1152** Henri II Plantagenêt, 2e époux d'Eléonore, revendique Bourges comme capitale religieuse du duché. **1170** Louis VII repousse une attaque d'Henri II et garde le Berry dans la mouvance capétienne. **1360** Jean II le Bon l'érige en duché et le donne en apanage à son 3e fils, Jean (1340-1416), qui y crée une riche principauté (Ste-Chapelle de Bourges, château de Mehun-sur-Yèvre). **1418** à son neveu Charles, futur Charles VII, centre de la résistance des Valois contre les Anglais au cours de la g. de Cent Ans (alors appelé le « roi de Bourges »). Plusieurs princes portèrent le titre de « duc de Berry », notamment le frère de Louis XI, la sœur de Henri II, le 2e fils de Charles X.

BLÉSOIS

■ **Situation.** Des 2 côtés de la Loire (moitié N.-O. du Loir-et-Cher).

■ **Histoire.** Marche non déboisée entre la cité des Carnutes (Chartres-Orléans) et celle des Turons. Peut-être centre de la religion druidique à Suèvres *(Sodobriga).* **Période gallo-romaine** partie de la cité d'Autricum (Chartres). **Jusqu'en 940** la forteresse de Blois, construite au VIe s., appartient aux Ctes de Paris, seigneurs du Chartrain (futurs rois capétiens). **940** Thibaut le Tricheur : comtés en fief héréditaire. **1023** son petit-f., Eudes Ier, devenu Cte de Champagne, fonde la maison de Blois-Champagne. **1334-97** fief distinct, dans la maison de Châtillon. **1397** Louis d'Orléans (fr. de Charles VI), son fils, l'achète. **1440** Charles d'Orléans, le poète, établit sa cour à Blois. **1498-1588** Louis II d'Orléans (né à Blois), devenu le roi L. XII, puis ses successeurs font de Blois la principale résidence de la cour jusqu'à l'assassinat du duc de Guise. **1697** siège d'un évêché, détaché de Chartres.

CHARTRAIN, DROUAIS, DUNOIS

■ **Situation.** Constituent à eux 3 (avec une partie du Perche, le Thymerais) l'Eure-et-Loir. Plateaux de la Beauce, plats, calcaires, sablonneux ; alt. 130 à 150 m ; cultures céréalières, gagnées sur la forêt, défrichée au Moyen Age.

■ **Histoire.** Territoire des Celtes *Carnutes* (fidèles du dieu Cernunos, aux cornes de taureau) qui ont donné leur nom à Chartres vers le IIIe s. apr. J.-C. [nom primitif : l'adjectif *aturicum,* tiré du nom de l'Eure *(Atura)* et déformé ensuite en *Autricum*]. Une sous-tribu des Carnutes, les *Durocasses,* a donné son nom à Dreux [étymologie : *cassi :* les combattants *durum :* de la colline fortifiée. *Dunum,* la « ville artisanale » sur le Loir, a été protégée (au Moyen Age) par une forteresse, devenant Châteaudun *(Castellum Duni).* **Période gallo-romaine,** la cité de Chartres réduite à la moitié nord du territoire des Carnutes (amputée de l'Orléanais autour de *Genabum*) fait partie de la Lyonnaise Quatrième (métropole : Sens) ; évangélisée au IVe s. par 3 missionnaires senons : Potentien, Altin et Santin. **Sous les Mérovingiens,** division en 3 *pagi :* Chartrain, Drouais, Dunois. **Sous les Capétiens,** *Le Chartrain,* terre en grande partie épiscopale, reste sous l'autorité des ducs capétiens puis passe à la fin du Xe s., avec Blésois et vicomté de Châteaudun, dans la famille de Thibaut le Tricheur qui deviendra celle des Blois-Champagne. Fief direct de la couronne en 1234, il est annexé au domaine royal en 1280 à l'extinction des Châtillon. Des vidames de Chartres (ducs de Saint-Simon) continueront jusqu'à la Révolution à administrer les terres épiscopales de la région. *Le Drouais* est vendu au roi de Fr., Robert le Pieux, vers 1020 et servira plusieurs fois d'apanage à des princes capétiens. *Le Dunois,* les Vtes de Châteaudun (ou de *Dunois*) : ont été plusieurs fois en même temps Ctes du Perche et vassaux des Blois-Champagne puis des rois de France à partir de 1234. Réuni en 1391 à l'apanage du duc d'Orléans ; passe en 1407 à son fils naturel, le Bâtard d'Orléans, tige des Ctes de Dunois, Pces de Longueville (éteints 1696).

ORLÉANAIS

■ **Situation.** S'étend sur Loiret, Loir-et-Cher, Eure-et-Loir, quelques parties de l'ancienne Seine-et-Oise, Yonne, Nièvre et Cher. La « généralité d'Orléans », moins étendue au N. (elle ne possédait rien de l'ancienne S.-et-O.), était plus vaste au S. (elle atteignait l'Yonne et dépassait le Cher). **Est :** *Gâtinais* (de part et d'autre du Loing), petite culture (céréales, pommes de terre, plantes fourragères), élevage (gros bétail et volailles), apiculture. **Centre et Ouest :** *Beauce,* vaste plaine calcaire découverte avec gros villages et riches cultures (blé, orge, maïs, betterave à sucre, graines de semence, plantes fourragères) ; se prolonge au S.-O., vers Vendôme et Blois, par la *Petite Beauce,* plus ondulée et moins riche. **Plus à l'O. :** *partie or. du Perche,* bocage, herbages gras (cheval) et habitat dispersé. **N. de la Loire :** *forêt d'Orléans* entre la Beauce et le Gâtinais. **S. de la Loire :** *Sologne* (sol imperméable), mise en valeur au XIXe s. [En 1980, 440 000 ha dont environ 50 % appartenait à des non-résidents (15 % à des Parisiens des 7e, 8e, 16e et 17e arr.) et 10 % à l'État. Il y avait env. 1 000 grands domaines de chasse (moy. : 220 ha)]. *Val de Loire :* partie la plus riche (alluvions et climat) blé, betteraves, plantes fourragères, vigne, arbres fruitiers, cult. sous serres, pépinières, roseraies. Le long de la Loire, petits marchés ou gros centres (souvent anciennes étapes de batellerie) : Gien, Châteauneuf-sur-Loire, Orléans, Blois.

■ **Histoire.** *Genabum* (Orléans) est avec *Autricum* (Chartres) une des 2 capitales des Carnutes, dont le territoire va de Sully-sur-Loire à Mantes. **IVe s.** Genabum, rebaptisée *Aurelianum,* devient une cité épiscopale dépendant de Sens ; son territoire est augmenté, au S., d'une partie de la Sologne biturige (rive dr. de la Sauldre). **54** capitale du royaume de Clodomir, fils de Clovis. **573** le roy. d'Orl. est annexé à la Neustrie. Partie du domaine royal dès Hugues Capet, détachée 4 fois à titre d'apanage : Philippe, frère de Jean le Bon (1311-75) ; Louis (1372-1407), fr. de Charles VI, son fils Charles (le poète), son petit-fils Louis XII (1392-1498) ; Gaston (1608-60), fr. de Louis XIII ; Philippe (1640-1701), duc d'Orléans, fr. de Louis XIV, tige des princes d'O. (dont le roi Louis-Philippe Ier) encore représentés (Philippe VIII, fils du Cte de Paris, porte le titre de duc d'Orléans (voir Index).

TOURAINE

■ **Situation.** Plateau (craie, recouverte d'une carapace argilo-siliceuse) avec bois et landes (landes du Ruchard) coupés de clairières cultivées (*Gâtine tourangelle,* entre Loire et Loir ; plateau d'*Amboise* et de *Pontlevoy,* entre Loire et Cher ; *Champeigne,* entre Cher et Indre ; plateau de *Sainte-Maure,* entre Indre et Vienne). *Vallées : Val de Loire* et vallées fertiles du *Cher,* de l'*Indre,* de la *Vienne* (alluvions épaisses ou « varennes » et climat doux et ensoleillé). Cultures maraîchères, arbres fruitiers. Vins de Bourgueil, Vouvray, Chinon. Habitations troglodytes.

■ **Histoire.** Pays des Turones ou Turons (VIe s. av. J.-C.) intégré par les Romains à la IIIe Lyonnaise. Tours *(Caesarodunum).* **V. 300** évêché, puis centre religieux de l'Ouest. **397** (8-11) St Martin meurt (né Hongrie 316, év. de Tours, 317 fondation de l'abb. de Marmoutier à 3 km de Tours) ; sa tombe devient lieu de pèlerinage. **VIe-VIIe s.** base militaire des Francs dans l'Ouest [**507** Clovis y a son camp (île St-Jean en face d'Amboise, il y reçoit Alaric, avant de le battre à Vouillé)]. **732** Charles Martel devance les Arabes, qui veulent attaquer Tours (il les écrase à Poitiers). **Xe s.** Louis le Débonnaire fait de Tours la capitale adm. de l'Ouest *(missaticum Turonicum)* et un archevêché. Administration confiée à un comte. **940** le Cte Thibaut le Tricheur transforme en fiefs héréditaires ses comtés de Chartres, Blois, Touraine ; cédé en fief au Cte d'Anjou, Geoffroi Ier Martel (1044), tige de la famille des Plantagenêts. **1206** Philippe Auguste s'empare des domaines Plantagenêts au N. de la Loire, plus Loches et Chinon. **1259** Henri III d'Angl. en reconnaît la possession au roi de Fr. (tr. de Paris). **1332** apanage confié à Jean II le Bon. Érigée en duché-pairie, passe à ses fils Phil. le Hardi (1360-63), futur duc de Bourgogne, et Louis (1370-84), duc d'Anjou, puis à son petit-fils Louis (1386-92) qui devient le duc d'Orléans (1392). **1416-18 ; 1419** le futur Charles VII en est investi. **1422** après son avènement, il confie le duché (qui fait partie du roy. de Bourges) à sa femme Marie d'Anjou, puis au Cte écossais Douglas, et ensuite au duc Louis III d'Anjou (1425). De Charles VII à Henri IV, les rois de Fr. résident dans leurs châteaux de la Loire. **1542** centre de la généralité de Tours-Poitiers-Bourges. **XVIIe-XVIIIe s.** abandonnée au profit de Paris et de Versailles, la Touraine devient une simple province (dernier duc : François d'Alençon, 1576-84).

■ ÉCONOMIE

■ **Population** 2 371 100 h. (1990) *1982 :* 2 264 000. *Pop. active occupée* (31-12-90, semi-définitifs) *au lieu de travail :* 924 000 (dont salariée 784 000) dont agric. 73 200, ind. 238 200, BTP 70 900, tertiaire 541 700 ; *au lieu de résidence :* 959 800 (sur 1 044 500 actifs disponibles). *Étrangers* (au 31-12-91) : 52 850.

■ **Échanges** (en milliards de F, 1991). **Imp. :** 38,6 dont biens d'équip. profess. 10,8, prod. chim. et 1/2 prod. div. 9,4, biens de consomm. courante 8,8, métaux et prod. du trav. des métaux 4,3, ind. agro-alim. 1,9, pièces détachées et matér. de transp. terr. 1,4, électromén., électron. grand public 0,8, prod. agric. 0,7, équip. auto. des mén. 0,2, mat. 1res min. 0,1, énergie 0,08, divers 0,03, *de :* CEE 27 dont All. 8,5, Italie 5,7, UEBL 3,4, R.-U. 2,6, P.-Bas 2,6, Port.-Esp. 2,6 ; OCDE (hors CEE) 8,1 dont Eur. occ. 4,3, USA 2,6. **Exp. :** 38,4 dont biens d'équip. prof. 10,6, de consomm. courante 8,2, prod. chim. et 1/2 prod. div. 5,8, prod. agric. 2,9, ind. agroalim. 2,5, pièces détachées et matér. de transp. terr. 2,5, électromén., électron. grand public 2,3, équip. auto. des mén. 2,1, métaux et prod. du trav. des métaux 1,3, mat. 1res min. 0,04, énergie 0,004, div. 0,1 ; *vers :* CEE 28,1 dont All. 8,5, Italie 4,9, UEBL 4,3, R.-U. 4,2, Esp. 2,8, P.-Bas 2,1 ; OCDE (hors CEE) 5,4 dont Eur. occ. 3, USA 1,6.

■ **Agriculture** (estim. au 1-1-91). Terres (en milliers d'ha) 3 953,6 dont *SAU* 2 500,1 (t. lab. 2 104,8, herbe 360,7, vignes 24,7) ; *t. non agr.* 333,4 ; *t. agr. non cult.* 143,7 ; *bois* 897,3. **Prod. végétale** (en milliers de t) : céréales 8 868,1 dont blé tendre 4 925,4, maïs (graines et semences) 1 225,4, bett. ind. 2 049,7 ; *vins* 460 400 hl. **Animale** (en milliers de têtes) : bovins 671,9, ovins 396,1, porcins 285,2. *Lait* 5 048 800 hl (prod. totale v. laitières).

■ **Énergie nucléaire** (1990). 27,3 % (53 776 GWh) de l'énergie nucl. franç. Centrales en service : Belleville-sur-Loire, Chinon-Avoine, Dampierre-en-Burly, St-Laurent-des-Eaux. **Autres sources d'énergie.** *Héliogéothermie* à Blois (associe captage de l'énergie solaire et stockage des calories des nappes d'eau souterraines). *Biomasse* (sous-produits des cultures, de l'élevage et de la forêt) pour l'agriculture.

■ DÉPARTEMENTS

Voir légende p. 777.

■ **Cher** (18) 7 310 km² (175 × 100 km). *Alt.* max. 504 m (Mont de St-Marun) ; *min.* 89 m (sortie du Cher). *Pop. 1891 :* 359 276 ; *1911 :* 337 810 ; *1954 :* 284 376 ; *1962 :* 293 514 ; *1975 :* 316 350 ; *1982 :* 320 174 ; *1990 :* 321 559 (dont Fr. par acquis. 6 901, étrangers 15 237 dont Port. 4 964, Maroc. 2 392, Alg. 1 924, Indoch. 1 732). D 44.

Villes. BOURGES 75 609 h. [*1800 :* 16 000 ; *1866 :* 30 119 ; *1911 :* 45 735 ; *1962 :* 62 239 ; *1975 :* 77 300] [ag. 92 719 dont *St-Doulchard* 9 149. *St-Germain-du-Puy* 5 085. *Trouy* 2 877], alt. 153 m ; fonderie, constr. méc. et aéro., caoutchouc, pneumat., établissement milit., armes, munitions, Aérospatiale (SNIAS), imprimerie, édition ; palais Jacques-Cœur (XVe s.), cath. St-Étienne XIIIe s. (patrimoine mondial), hôtels Lallemant (XVe s.), Cujas (XVIe s.), musée du Berry, m. Estève, m. d'Hist. nat. ; festivals de mus.

– *Argent-sur-Sauldre* 2 525 h., château, m. Ivanoff, m. des Métiers et Traditions de France. *Aubigny-sur-Nère* 5 803 h. ; mécan., bijouterie, confection, constr. élec. et mécan. de précision ; égl. St-Martin (en partie XIIe s.), château des Stuart (XVIe s.), hôtel de ville, vieilles maisons. *Avord* 2 079 h. *Châteaumeillant* 2 081 h. ; musée. *Dun-sur-Auron* 4 261 h. [*1851 :* 4 948 ; *1975 :* 4 154] ; text., bâtiment, habillement ; égl. romane. *La Chapelle-St-Ursin* 2 890 h. *La Guerche-sur-l'Aubois* 3 219 h. ; métaux, imprimerie, papier-carton, bois, habill., bâtiment ; égl. romane St-Étienne-du-Gravier. *Les Aix-d'Angillon* 2 160 h. *Mehun-sur-Yèvre* 7 227 h. ; porcelaine, céramique, métaux, bâtiment, text., habill., imprimerie ; château de Charles VII (ruines), égl. XIe s. *Nançay* 784 h. ; radiotélescopes. *St-Amand-Montrond* * 11 937 h. [*1851 :* 8 232 ; *1926 :* 8 858 ; *1975 :* 12 278] [ag. 13 961, dont *Orval* 2 024] ; métall., bonneterie, bijouterie, cartonnages, imprimerie, édition, bâtiment, habill., cuirs et peaux, bois, ind. alim., céramique, mat. de constr. ; égl., musée St-Vic. *St-Florent-sur-Cher* 7 358 h. [*1926 :* 3 852 ; *1975 :* 6 535] [ag. 9 025, dont *Lunery* 1 665] ; métall., plastiques ; château (XVe-XVIe s.). *St-Germain-du-Puy* 5 085 h. *Sancerre* 2 059 h. [*1851 :* 3 703 ; *1926 :* 2 337 ; *1975 :* 2 460] ; vigne, mécanique, ind. alim., bâtiment, artisanat ; tour des fiefs (XIVe s.), vestiges du château féodal, porte César, place de la Halle (tourelles XVe-XVIe s.). *Sancoins* 3 634 h. *Vierzon* * 32 235 h. [*1851 :*

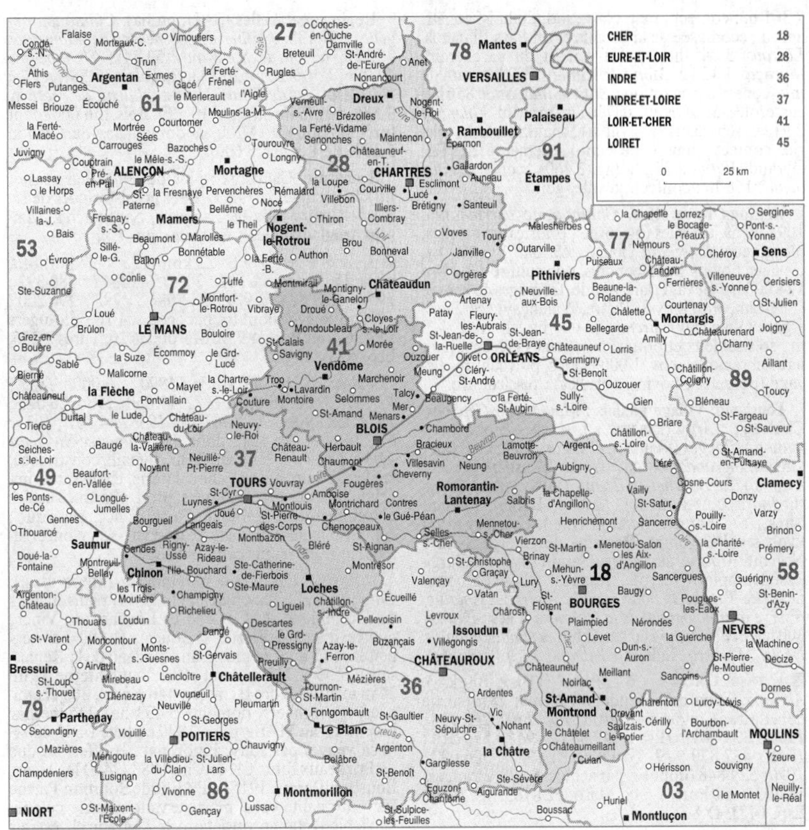

11 553 ; *1901 :* 22 937 ; *1926 :* 25 778 ; *1975 :* 35 699] (ag. 35 049) ; métall., habill., porcelaine, bâtiment, chimie, céramique, text., bois, cuirs et peaux, mat. de constr., imprimerie, ind. alim., papier, carton ; église (partie XVe s.), ch. de la Noue (XVe s.).

Régions naturelles. *Champagne berrichonne* 299 300 ha, céréales, oléagineux. *Sologne* 113 200 ha, polyculture, élevage. *Pays-Fort, Sancerrois* 97 100 ha, élevage, vigne, fruits. *Boischaut* 75 800 ha, polyculture, élevage, tabac. *Marche* 34 000 ha, polyculture, élevage, vigne, tabac. *Vallée de Germigny* 85 900 ha, élevage. *Val de Loire* 25 300 ha, fruits, tabac. **Bois** 163 000 ha (22,3 % du dép.) dont (1981) f. de Vierzon 5 281, d'Allogny 2 300, Vouzeron 2 166, St-Palais 1 902. **Agriculture** (en milliers de t, 1991). *Céréales :* 1 270,8 dont blé tendre 779,6, maïs (graines et semences) 172,8. *Vins* 127 000 hl (sancerre, menetou-salon, quincy, châteaumeillant). *Élevage* (milliers de têtes, 1991) : bovins 180,5, ovins 97,5, caprins 45,5, porcs 38. 12e prod. de colza, et 6e lait de chèvre (crottin de Chavignol), 3e tournesol. **Industrie.** Ciments à *Beffes.*

Tourisme : châteaux (itinéraire touristique : route Jacques-Cœur) : *Châteauneuf-sur-Cher* (XIe-XVIe s., parc animalier), *Menetou-Salon* (XIXe s.), *Boucard* (XIVe-XVIe s.), *Culan* (Xe-XVe s.), *Jussy-Champagne* (XVIIe s.), *Maupas* (XIVe s.), *Blancafort* (XVe-XVIIe s.), *La Chapelle-d'Angillon* (XIe-XVe, XVIIe s.), *La Verrerie* (XVe-XVIe s., appartient aux Vogüé), *Ainay-le-Vieil* (XIIIe-XVe s.), *Apremont-sur-Allier* (XIIIe-XIXe s.), *Maupas* (XIVe-XVIIe s.), *Meillant* (XVe-XVIe s.). **Abbaye** *cistercienne : Noirlac* (XIIe-XIIIe-XIVe s.). **Étangs** (en ha) : de *Goule* 135, du *Puits* 180 (dont 15 dans le Cher), *plan d'eau* du *Val d'Auron* 82, *retenue* du barrage de *Sidiailles* 90, de *Mareuil-sur-Arnon* 33.

■ **Eure-et-Loir** (28) 5 929 km² (110 × 93 km). *Alt. max.* 287 m (butte de Rougemont près de Vichères) ; *min.* 48 m (sortie de l'Eure). Peu arrosé, 447 mm (Chartres), 520 mm (Châteaudun) de pluie par an (1960/79). *Pop. 1801 :* 257 793 ; *1851 :* 294 862 ; *1921 :* 251 255 ; *1975 :* 335 151 ; *1982 :* 362 813 ; *1990 :* 396 064 (dont Fr. par acquis. 6 068, étrangers 23 485 dont Maroc. 7 772, Port. 5 341, Turcs 2 444, Afr. noire 1 144). D 67.

Villes. CHARTRES 39 595 h. [*1851 :* 18 234 ; *1901 :* 23 431 ; *1936 :* 32 255 ; *1954 :* 38 341 ; *1975 :* 38 928] [ag. 84 627, dont *Lèves* 3 920. *Lucé* 18 796, aluminium ; *Luisant* 6 411 ; *Mainvilliers* 9 956], alt. 158 m ; constr. méc., électron., cosmétiques ; cath. (XIIe-XIIIe s.), m. des Beaux-Arts, m. de la Préhistoire, maison Picassiette (1929). *Anet* château (XVIe-XVIIe s.) ; partie de l'ag. d'Ézy-sur-Eure (voir Eure p. 828 c). – *Auneau* 3 098 h. *Bonneval* 4 420 h. ; chaudronnerie, app. ménagers. *Brou* 3 803 h (ag. 5 283). *Châteaudun* * 14 511 h. [*1851 :* 6 745 ; *1954 :* 9 687 ; *1975 :* 15 338] moitié N.-E. incendiée par Prussiens 18-10-1870 ; constr. méc., élec. et électro., château (XIIe et XVIe s.), musée, grottes du Foulon. *Dreux* * 35 230 h. [*1851 :* 6 764 ; *1901 :* 9 697 ; *1954 :* 16 818 ; *1975 :* 33 102] [ag. 48 191 dont *Vernouillet* 11 680] ; électron., méc., prod. pharm., chimie ; beffroi, musée, chapelle royale. *Épernon* 5 097 h. (ag. 6 785). *Gallardon* 2 576 h. (ag. 4 089). *Illiers-Combray* 3 329 h. ; constr. métal., mach. agr., chaudronnerie, souvenir de Marcel Proust (maison de sa tante). *La Loupe* 3 819 h. *Maintenon* 4 161 h. (ag. 6 559) ; château (XIIIe-XVIIe s.). *Montigny-le-Gannelon* (château, XVIe-XIXe s.). *Nogent-le-Roi* 3 832 h. (ag. 5 638). *Nogent-le-Rotrou* * 11 591 h. [*1851 :* 6 983 ; *1854 :* 8 765 ; *1975 :* 12 806] (ag. 12 745) ; mécanique, prod. pharm., donjon, château et musée St-Jean. *St-Lubin-des-Joncherets* 4 403 h. *St-Rémy-sur-Avre* 3 568 h. *Senonches* 3 171 h. ; château.

Régions naturelles. *Thymerais* et *Drouais* 98 807 ha, env. 300 m d'alt., 245 m près de Senonches, plateau 150 000 ha, *collines du Perche* 110 000 ha (bovins). *Beauce* 320 000 ha, alt. moy. 130-200 m (blé, bett. à sucre, maïs, orge). **Bois** (en milliers d'ha, 91). 72,3 dont (en ha) forêt de *Senonches* 4 301,96, de *La Ferté-Vidame* 3 198,7, *Champrond* 1 500, domaniales de *Châteauneuf-en-Thymerais* 1 751,6, *Dreux* 3 308,65, *Montecot* 639,56. **Divers.** 1er prod. de blé (237 500 ha en 1990) et de protéagineux (47 080 ha en 1990).

■ **Indre** (36) 6 790 km² (100 × 100 km). *Alt. max.* colline du Fragne 459 m ; *min.* 65 m (sortie de l'Anglin et de la Creuse). *Pop. 1801 :* 205 628 ; *1886 :* 296 147 ; *1936 :* 245 623 ; *1952 :* 252 075 ; *1975 :* 248 523 ; *1982 :* 243 191 ; *1990 :* 237 687 (dont Fr. par acquis. 2 920, étrangers 4 908 dont Maroc. 1 016, Port. 900, Indoch. 732, Alg. 432). D 34,3.

Villes. CHATEAUROUX alt. 154 m, 50 969 h. (ag. 67 090, dont *Déols* 7 875. *Le Poinçonnet* 4 600 h. ; trav. routiers, confect. *St-Maur* 3 646 h.) ; tabac, constr. méc., produits chim., text. (confection), céramique, biscuiterie ; musées (Bertrand, des Arts et Traditions pop.).

– *Ardentes* 3 511 h. *Argenton-sur-Creuse* 5 193 h. (ag. 8 767) ; ind. aéron., confection, poterie ; site gallo-romain et musée Argentomagus à St Marcel ; musée de la Chemiserie et de l'Élégance masculine. *Buzançais* 4 749 h. ; constr. méc., confect. *Châtillon-sur-Indre* 3 262 h. ; caoutchouc, confect. ; donjon. *Diors* 617 h. (fonderie, tr. routiers). *Éguzon* * 1 384 h. ; musée Arts et Trad. pop. *Issoudun* * 13 859 h. ; métall., mégisseries, imprimerie ; musée St-Roch, tour Blanche. *La Châtre* * 4 622 h. (ag. 7 143) ; marché agr., ind. pharm., du bois, text., informatique ; musées George-Sand et de la Vallée-Noire ; circuit auto. (éc. de pilotage). *Le Blanc* *

7 361 h. ; confect., mat. plast., ind. du bois, constr. aéron., écomusée de la Brenne et du Pays Blancois. *Levroux* 3 045 h. ; m. du cuir et du parchemin. *Martizay* 1 124 h. *Montierchaume* 1 752 h. ; pain de mie, constr. aéronautique. *St-Benoît-du-Sault* 856 h. ; casseroles. *St-Marcel* 1 687 h. ; m. archéol. *Valençay* 2 912 h. ; château (XVe-XVIIIe s.) ; chaudronnerie, tôlerie, confect., musée de l'auto., demeure de Talleyrand. *Vatan* 2 022 h. (ag. 2 460) ; confect. *Villedieu* 2 158 h. ; confect., textile, golf.

Régions naturelles. *Champagne berrichonne* 109 000 ha, céréales (blé, orge), prairies artificielles, oléagineux. *Boischaut,* bocage ; *B. Sud* 173 000 ha, élevage, bovins, viande, porcs, polyculture ; *B. Nord* 124 000 ha, élevage, lait, viande, fromages de chèvre (Levroux, Pouligny-St-Pierre, Valençay), céréales, vignes (Valencay). *Brenne* 89 000 ha, alt. max. 110 m ; sols sableux et boisés, monticules gréseux, parc naturel régional, env. 1 000 étangs, polyculture, élevage (porcelets, bovins, volailles) ; pisciculture.

Tourisme. Village gaulois : *Moulins-sur-Céphons.* **Châteaux :** *Argy* (XVe-XIXe s.), *Azay-le-Ferron* (XVe-XVIIIe s.), *Bouges* (XVIIIe s.), *Château-Guillaume* (XIIe-XIIIe s.), *Ingrandes* (XIe-XIVe s.), *La Moustière* (à Vicq, XVIIIe s.), *Le Bouchet-en-Brenne* (XIIIe-XVIIe s.), *Mers-sur-Indre* (XIIe-XVIIIe s.), *Naillac* (Blanc), *Palluau* (XIe s.), *St-Chartrier, Sarzay* (XVe s.), *Valençay* (XVIe-XVIIIe s.), *Villegongis.* **Domaine** de George Sand à Nohant. *Maison* de George Sand et *égl.* de Gargilesse-Dampierre (crypte, fresques). **Sites :** parc zoo. de la *Hte-Touche, la Boucle du Pin, réserve de Chérine, réserve ornithologique de la Gabrière.* **Lacs :** *Éguzon* 300 ha, *Bellebouche* 100 ha. **Abbayes :** *Fontgombault, Déols, Méobecq.* **Églises :** *Palluau, Vicq* (fresques).

■ **Indre-et-Loire** (37) 6 127 km² (110 × 100 km). *Alt. max.* Signal de la Ronde 188 m ; *min.* 28 m (sortie de la Loire à Candes-St-Martin). *Pop. 1801 :* 268 924 ; *1901 :* 335 541 ; *1946 :* 349 685 ; *1962 :* 395 210 ; *1968 :* 437 870 ; *1975 :* 478 601 ; *1982 :* 506 097 ; *1990 :* 529 848 (dont Fr. par acquis. 8 578, étrangers 18 493 dont Port. 7 648, Maroc. 2 876, Alg. 2 156, Esp. 672). D 86.

Villes. TOURS alt. 55 m, 129 509 h. [*1801 :* 21 413 ; *1851 :* 33 530 ; *1901 :* 69 044 ; *1954 :* 95 903 ; *1975 :* 140 686] [ag. 270 019, dont *Ballan-Miré* 5 937. *Chambray-lès-Tours* 8 190. *Fondettes* 7 325. *Joué-lès-Tours* 36 798 ; caoutchouc, métall. *La Membrolle-sur-Choisille* 2 644. *La Riche* 8 838 (ch. de Plessis-lès-Tours, XVe s., prieuré St-Cosme, tombe de Ronsard). *La Ville-aux-Dames* 4 193. *Luynes* 4 128 ; château XIIIe s. *Montbazon* 3 354 ; château d'Artigny. *Rochecorbon* 2 685. *St-Avertin* 12 187. *St-Cyr-sur-Loire* 15 161 ; méc. de précision ; *St-Pierre-des-Corps* 17 947 ; centre ferr. *Veigné* 4 520. *Vouvray* 2 933] ; desserte ferr. ; constr. méc., aéro. ; prod. pharm. (institut du médicament dep. 1980), métall., électro., ind. méc. et chim., ameublement ; rillettes, vins ; université ; cathé., château XIIe s., cloître, basil. St-Martin (1885-1925), musées des Beaux-Arts, du Compagnonnage, Grévin, des Vins de Touraine, du Gemmail, St-Martin, des Équipages militaires, du Costume, aquarium, hôtel Goüin ; tourisme.

– *Amboise* 4 065 ha, 10 982 h. [*1813 :* 4 613 ; *1954 :* 6 736 ; *1975 :* 10 680] [ag. 14 529, dont *Nazelles-Négron* 3 547] ; ind. div. ; château XIVe-XVIe s. (Charles VIII y heurta et y mourut, Abd el-Kader y fut interné 1848-52), Clos-Lucé (XVe s.), m. de la Poste, parc forestier de la Moutonnerie (120 ha), Chanteloup : pagode (1775-78). *Azay-le-Rideau* 3 053 h. ; château XVIe s. *Beaumont-en-Véron* 2 569 h. (ag. 4 233). *Bléré* 4 388 h. (ag. 6 186). *Bourgueil* 4 001 h. ; m. de la Cave. *Cère-la-Ronde* 435 h., ch. de Montpoupon (XIVe s.), m. de la Vénerie. *Château-Renault* 5 787 h. [*1851 :* 3 270 ; *1975 :* 6 043] (ag. 7 029) ; métall., cuir, prod. chim. ; m. du Cuir et de la Tannerie. *Chenonceaux* 313 h. ; château (XVIe s.). *Chinon* * 3 902 ha, 8 627 h. [*XVe s. :* env. 5 000 ; *1851 :* 6 774 ; *1975 :* 8 014) ; centrale nucléaire (à Avoine), château (XVe s.), musée de cires, vins. *Cinq-Mars-la-Pile* 2 370 h. ; château (XIIIe-XVe s.). *Descartes* 4 120 h. [*1851 :* 1 663 ; *1975 :* 4 446] ; charpentes métall. ; papeteries ; musée ; patrie de Descartes. *Esvres* 4 234 h. *La Guerche* 237 h. ; château (XVe s.). *Langeais* 3 960 h. ; château (XVe s.), musée de cires, de l'Artisanat. *Le Grand-Pressigny* 1 120 h. ; château (XVIe s.), m. de la Préhistoire. *Ligueil* 2 201 h. *Loches* * 6 544 h. [*1851 :* 5 191 ; *1975 :* 6 738] (ag. 8 408) ; château (donjon et logis royal, XIe au XVIe s.) ; m. Lansyer. *Montlouis-sur-Loire* 8 309 h. ; viticulture ; château (XIVe-XVIe s.). *Montrésor* 362 h. ; château (XIe-XVIe s.). *Monts* 6 221 h. ; centre d'études atomiques. *Parcay-Meslay* 1 757 h. ; grange XIIIe s. *Richelieu* 2 223 h. (ville géométrique du XVIIe s.). *Saché* 868 h. ; château (XVIe-XVIIIe s.), m. Balzac. *Ste-Maure-de-Touraine* 3 969 h. *St-Paterne-Racan* 1 448 h. ; Centre techn. du champignon. *Savigny-sur-Lathan* 1 033 h. ; musée. *Seuilly-la-Devinière* 366 h. ; maison de Rabelais. *Villaines-les-Rochers* 930 h. ; vannerie. *Villandry* 776 h. ; château (XVe s.), jardins fr.

Régions naturelles (SAU, en ha). *Gâtine tourangelle :* 77 133, *Gâtine de Loches et de Montrésor* 78 160, *région de Ste-Maure* 53 547, *Champeigne* 49 026, *Val de Loire* 26 833, *Richelais* 36 587, *région viticole à l'est de Tours* 11 042, *plateau de Mettray* 9 585, *bassin de Savigné* 10 129. **Bois** 156 000 [dont forêt d'Amboise 4 200, f. domaniales de Chinon 5 200, de Loches 5 600].

Tourisme. Châteaux : plus de 300. **Chartreuse :** *Le Liget* (ruine, XIIe s.). **Grottes préhistoriques** de *La Roche-Cotard* près de Langeais, *Savonnières.* **Maisons troglodytiques :** *Rochecorbon, Vouvray.*

■ **Loir-et-Cher** (41) 6 422 km² (125 × 97 km). *Alt.* max. 256 m. *Pop. 1801 :* 209 957 ; *1891 :* 280 392 ; *1954 :* 239 824 ; *1975 :* 283 686 ; *1982 :* 296 220 ; *1990 :* 306 478 (dont Fr. par acquis. 4 160, étrangers 12 426 dont Port. 4 932, Maroc. 2 320, Turcs 2 236, Esp. 624). D 48.

Villes. BLOIS 49 318 h. [*1800 :* 10 000 ; *1851 :* 17 749 ; *1861 :* 20 331 ; *1872 :* 19 860 ; *1936 :* 26 025 ; *1954 :* 28 190 ; *1962 :* 36 426 ; *1968 :* 44 762 ; *1975 :* 49 778] [ag. 65 131, dont *La Chaussée-St-Victor* 4 036. *Vineuil* 6 254], alt. 73 m ; métall., constr. méc. et élec., équip. aéron., chocolaterie, chaussures, imprim., tapisserie, céramiques, prod. pharm., 3 écoles d'architecture : gothique, Renaissance, classique ; égl. St-Nicolas, château (XIIIe-XVIIe s.), cloître St-Saturnin, museum, cath., musées.

– *Arville* 122 h. ; commanderie (XIIe-XVIIe s.). *Chambord* 200 h. ; château (1519-44) plans italiens de Dominique de Cortone et Léonard de Vinci ; maître d'œuvre Pierre Trinqueau (1 800 ouvriers pendant 15 ans), le plus grand château de la Renaissance (156 × 117 m, haut 56 m dont lanterne 32 m, 24 m au niveau des terrasses, 440 pièces, 365 cheminées, 63 escaliers, domaine 5 433 ha). Donné par Napoléon au Mal Berthier, 1820 racheté 1 542 000 F (à sa veuve) par souscription nat., et offert au duc de Bordeaux futur Cte de Ch., 1883 (24-8) légué aux Bourbon-Parme. 1915, le Pce Élie de Bourbon-Parme (de nationalité esp., mais servant comme colonel autrichien) étant propriétaire, le 22-4, son ch. est mis sous séquestre. 1932 préempté par l'État 11 millions de F. *Chaumont* 876 h. ; château (1465-1510) gothique. *Chémery* 875 h. ; château (XIIIe-XVIe s.) ; le plus grand stockage souterrain de gaz nat. au monde. *Cheverny* 900 h. ; château (1634). *Contres* 2 979 h. *Fougères-sur-Bièvre* 648 h. ; château (XIe s., Renaissance). *Lamotte-Beuvron* 4 247 h. ; app. d'éclairage et de protection. *Ménars* 551 h., château (XVIIIe s.). *Mer* 5 950 h. ; mat. agr., literie, fonderie. *Montoire-sur-le-Loir* 4 065 h. (ag. 4 367). *Montrichard* 3 786 h. (ag. 7 536) ; mat. d'isolation et de plein air ; donjon carré (XIIe s.), musée. *Onzain* 3 080 h. (ag. 3 956). *Pontlevoy* 1 423 h. ; abbaye. *Romorantin-Lanthenay* *, alt. 87 m, 4 452 ha, 17 865 h. ; ind. text., imprimerie, bâtiment, ind. de précision, constr. auto. (Matra) ; m. de Sologne, m. auto. *St-Aignan* 3 672 h. (ag. 7 311) ; trav. publ., textile ; 300. *St-Laurent-Nouan* 3 399 h. *Salbris* 6 083 h. ; constr. méc., électron. *Selles-sur-Cher* 4 751 h. ; céramique ; château (XIe-XVIIe s.). *Talcy* 240 h. ; château (XVe-XVIe s.) célèbre pour les amours de Ronsard et Cassandre Salviati, mobilier, pigeonnier. *Vendôme* * 17 525 h. (ag. 22 338) ; imprimerie, ganterie, ind. méc., élec., équip. aéron., métall. et alim. ; égl. de la Trinité, château (XIIe s.), musée.

Régions naturelles (SAU, en ha). *Perche* (62 894) : région bocagère de polyculture. *Beauce* (99 970) : céréales (blé, orge, maïs). *Sologne* (57 101) : bois, polyculture et élevage, chasse, pêche. *Sologne viticole* (23 965) (à l'O. : vignes, légumes), asperges (1er prod. de Fr.), fraises. *Vallées et coteaux du Loir* (38 048) : petites exploitations de polyculture, vignobles, champignonnières. *Gâtine tourangelle* (27 326). *Champagne berrichonne* (4 821). *Plateaux bocagers de la Touraine méridionale* (26 915).

Tourisme. Centrale nucléaire de *St-Laurent-des-Eaux.* **Réservoir** souterrain de gaz de Lacq à *Chémery.*

■ **Loiret** (45) 6 813 km² (120 × 80 km). *Alt. max.* 273 m ; *min.* 66 m. *Pop. 1801 :* 286 050 ; *1901 :* 366 660 ; *1926 :* 337 224 ; *1975 :* 490 189 ; *1982 :* 536 000 ; *1990 :* 580 601 (dont Fr. par acquis. 14 502, étrangers 42 037 dont Port. 12 477, Maroc. 10 373, Turcs 4 456, Alg. 2 708). D 86.

☞ Le Loiret (12 km) : résurgence de la Loire, apparaît à La Source dans le parc floral d'Orléans.

Villes. ORLÉANS 105 111 h. [*XVIe s. :* env. 20 000 ; *1762 :* env. 36 000 ; *1800 :* 41 579 ; *1900 :* 66 699 ; *1920 :* 72 096 ; *1954 :* 76 439 ; *1975 :* 106 246] [ag. 243 148, dont *Boigny-sur-Bionne* 1 619. *Chécy* 7 177 ; tonnellerie ; assurances. *Combleux* 383. *Fleury-les-Aubrais* 20 672 ; nœud ferr. *Ingré* 5 880 ; mat. de télécom. *La Chapelle-St-Mesmin* 8 207. *Mardié* 2 069. *Olivet* 17 572. *Ormes* 2 291. *St-Cyr-en-Val* 2 883. *St-Denis-en-Val* 6 596. *St-Hilaire-St-Mesmin* 2 024. *St-Jean-de-Braye* 16 387. *St-Jean-de-la-Ruelle* 16 335. *St-Jean-le-Blanc* 6 806. *St-Pryvé-St-Mesmin* 5 463. *Saran* 13 436. *Semoy* 2 237], alt. 92,9 à 124,9 m, sup. 2 823,17 ha ; vinaigre, conserves, chocolat, équip. aéron., ind. méc., pharm. et cosmétique, text., auto., ménager, bâtiment, métall., matér. agr., élec., chimie, IBM, ateliers Mailfert Amos (ébénisterie), fonderie de cloches Bollée ; cath. Ste-Croix, m. des Beaux-Arts (f. 1823, visiteurs 91 : 30 810), historique (f. 1855, vis. 91 : 7 714), Jeanne-d'Arc, Sciences nat., hôtels Cabu (XVIe s.), Groslot (1550, hôtel de ville dep. 1790, décoration de Delton 1850) ; université (140 000 ét.), parc floral.

– *Artenay* 2 008 h., ind. alim., moulin de pierre (1848), musée archéol., *Beaugency* 6 917 h. (ag. 8 022) ; matelasserie, méc., ind. électron. ; m. des Arts et Traditions de l'Orléanais, château (XVe s.). *Beaune-la-Rolande* 1 877 h. optique. *Bellegarde* 1 442 h. ; château (XIVe s.) ; circuits imprimés, tréfilerie. *Briare* 6 070 h. ; pont-canal (voir Index), émaux [manuf. fondée 1845 par Jean-Félix Bapterosses (1813-85)], ind. pharm., port de plaisance. *Bois-commun* 923 h. ; *N.-D.* (XIIIe-XIVe s.). *Boynes* 978 h. ; musée du Safran (f. 1988). *Chaingy* 2 641 h. (ag. 5 620, dont *St-Ay* 2 979). *Châteauneuf-sur-Loire* 6 558 h. ; château (XVIIIe s.), m. de la Marine de Loire, ponts suspendus, usine fondée par Ferdinand Arnodin (1845-1929), expl. forestière, ind. alim., text., bâtiment. *Châteaurenard* 2 302 h. *Châtillon-Coligny* 1 903 h. (ag. 2 855), ind. auto. ; château, musée, orangerie (long. 112 m, donjon). *Châtillon-sur-Loire* 2 822 h. *Chevilly* 2 485 h., château. *Cléry* 2 506 h. ; N.-D. (tombe de Louis XI). *Cortrat* 78 h. ; égl. *Courtenay* 3 289 h. ; mat. élec. *Ferrières-en-Gâtinais* 2 895 h., abbaye. *Germigny-des-Prés* 457 h. ; égl. (la plus vieille de Fr.). *Gien* 16 477 h. (ag. 18 758) ; faïencerie (dep. 1822), bandes magnét., ind. cosmétique, alim., pharma., papier, méc. ; château (XVe s.), égl., m. de la Chasse. *Jargeau* 3 561 h. (ag. 7 777) ; cycles ; maison de la Loire ; m. Oscar-Roty. *La Bussière* 715 h. ; m. de la Pêche. *La Ferté-St-Aubin* 6 414 h. ; usine Thomson ; château (XVIIe s.). *Lorris* 2 620 h., ind. alim. ; musée de la Résistance et de la Déportation. *Malesherbes* 5 778 h. ; reliure ind. et imprimerie ; château (XVIIIe s.), maison de Chateaubriand (1776), pigeonnier (1 800 cases). *Meung-sur-Loire* 5 993 h. (ag. 7 450) ; fonte, constr. élec. métall. ; chapelle, église, statue de Jean de Meung, château (XIIe-XVIIIe s.). *Montargis* * 15 020 h. [*1851 :* 7 527 ; *1936 :* 13 887 ; *1975 :* 18 380], ag. 52 518 [dont *Amilly* 11 029 h. ; constr. méc., élec. et électron., pharm. *Châlette-sur-Loing* 14 591 h. ; mat. plast., imprimerie, caoutchouc (1853 Hutchinson). *Villemandeur* 5 131] ; m. des Arts et Traditions, Girodet, des Tanneurs. *Montbouy* 629 h., arènes romaines. *Nibelle* 697 h. ; m. St-Sauveur. *Neuville-aux-Bois* 3 870 h., ind. alim. *Nogent-sur-Vernisson* 2 357 h. ; arboretum des Barres [créé 1866, 35 ha, 7 000 arbres, 2 700 espèces (3 500 en 1962)] ; ind. auto. *Outarville* 1 305 ha. *Ouzouer-sur-Loire* 2 309 h. *Patay* 1 932 h. *Pithiviers* * 9 325 h. ; ind. pharm., prod. alim., pâté d'alouette, gâteaux « pithiviers (aux amandes) » ; train touristique à vapeur, m. des Transports, (f. 1896). *Puiseaux* 2 915 h. ; condensateurs, électron. *St-Benoît-sur-Loire* 1 880 h. ; abbaye de Fleury (tour porche XIe s.). *St-Brisson* 1 021 h. ; château (XIIe s.). *St-Denis-de-l'Hôtel* 2 522 h. ; maison Genevoix. *Sully-sur-Loire* 5 806 h. ; fest. de la musique, auto., verre, château (XIVe s.).

Régions naturelles. *Beauce* (petite : 42 400 ha et grande : 89 300 ha) plateau calcaire, alt. 120-135 m, recouvert de sols limono-argileux fertiles (céréales, oléoprotéagineux, betterave ind.) ; porcs, volailles. *Orléanais* (111 300 ha) (forêt d'Orléans) : sols sableux et argileux recouverts de forêt, alt. 182 m, polyculture, ovins, porcs, volailles. *Gâtinais* (est : 122 400 ha et ouest : 54 800 ha) : relief vallonné, sols limono-argileux sur calcaire à l'ouest, limoneux sur argile à silex à l'est ; polyculture, bovins, ovins, volailles. *Puisaye* (63 000 ha) terres humides, polyculture, bovins, ovins, porcs, volailles. *Val de Loire* (62 400 ha) alluvions, alt. 110-250 m, sables, vergers, maraîchage, pépinières, vignes, cult. florales. *Sologne* (107 200 ha) longtemps stérile et marécageuse (SAU 33 300 ha), polyculture, élevage, bois, landes, terres incultes, étangs, chasse. *Berry* (28 500 ha) plateau limoneux, souvent dénudé, bois au S. et vallées pentues, polyculture, bovins, caprins. **Bois** 174 500 ha dont (1991) forêt domaniale d'Orléans (la plus grande de Fr.) 34 600 [3 massifs : Lorris 14 400, Ingrannes 13 600 (centre), Orléans 6 600 (ouest)], de Montargis 4 110, Sologne 32 000.

CHAMPAGNE-ARDENNE

■ GÉNÉRALITÉS

■ **Superficie** 25 605 km². **Population** (1990) 1 348 042 (dont Fr. par acquis. 33 263, étrangers

64 741 dont Port. 13 184, Alg. 13 021, Maroc. 12 494). D 53.

■ **Situation. Ouest :** *côte de l'Ile-de-Fr.* (frontière avec la Brie) s'élevant du S. (75 m à Montereau) au N. (montagne de Reims, 280 m), percée au N. par l'Aisne, la Vesle et la Marne ; domine la Seine au S. ; boisée ; vignobles. *Champagne crayeuse* (dite aussi *pouilleuse)* au pied de la côte de l'Ile-de-Fr. ; plaine de craie limitée à l'E. par la côte de Champagne ; pays nu et sec à l'origine, reboisé avec des pins (arrachés maintenant à plus de 60 %), amendé (céréales, betteraves à sucre, fourrages artificiels) ; vallées humides de la Suippe, de l'Aube, de la Seine (Troyes). **Est :** *Champagne humide* (15 à 20 km de large au pied de la côte de Champagne) : prairies (vaches laitières, bétail de boucherie). **Sud :** *côte des Bars,* vignoble. **Nord :** massif forestier de l'Argonne.

■ **Histoire.** Limites fixées tardivement. **Après la conquête romaine,** dépend de la Gaule Belgique (Remi : Reims ; Catalauni : Châlons ; Meldi : Meaux), ou de la Gaule Celtique (Senones : Sens ; Tricasses : Troyes ; Lingons : Langres). **Empire,** Tricasses et Senones relèvent de la Lyonnaise, Lingons de la Germanie supérieure. **Bas-Empire** cités belges du N. incluses dans la Belgique Seconde, dont Reims (Durocorterum) est la métropole. Tricasses et Senones dans la Senonia, Lingons dans la 1re Lyonnaise. Prospérité des villes, nœuds de communication importants (monuments de Reims, Langres, Sens). Ravagée par Alamans, Vandales (qui auraient fait périr saint Didier vers 411) et Huns. **451** Huns battus *Champs catalauniques.* Époque mérovingienne région morcelée (en général, séparation entre « Belgique » et « Celtique »). **496** baptême de Clovis à Reims. Reims prend son essor, l'archevêque doté de privilèges régaliens (droit de battre monnaie, d'exercer toute justice, de lever des impôts et une armée, etc.) ne verse aucun impôt, ne relève pas de la justice du souverain. Le *Cte de Troyes, Robert,* lègue le comté à *Herbert de Vermandois* († 943), son gendre, qui réunit le Cté de Meaux à celui de Troyes (la « Ch. » sera essentiellement ce double comté). **949** son fils Hugues, également archevêque (à 5 ans) et Cte de Reims en 940, perd ces titres : le Rémois échappera toujours à la Ch. seigneuriale. Séparés après la mort d'Herbert, les 2 comtés sont de nouveau réunis par son fils cadet. **1023** le Cte de Blois-Ch. possède Chartres, Sancerre et Châteaudun.

XIIe s. Les Ctes de Ch. sont parmi les grands feudataires (ayant un grand nombre de fiefs aux suzerains différents, ils ne dépendent vraiment d'aucun). Fortune fondée sur les foires de Champagne nées spontanément au haut Moyen Age (Reims, Châlons, Troyes, Provins, villes drapantes), qui permettent les échanges entre pays méditerranéens et flamand. La Ch. un grand centre religieux avec les abbayes cisterciennes de Morimond, Pontigny et surtout Clairvaux (fondée 1115 par saint Bernard), est aussi le berceau de l'ordre des Templiers (fondé 1125 par un petit seigneur, Hugues de Payns, consacré au concile de Troyes 1128). **1234** le Cte de Ch. renonce à ses droits sur les Ctés de Blois, Chartres et Sancerre et la Vté de Châteaudun, unis dep. 1023 aux Ctés de Troyes et de Meaux. La cour de Ch. est un des premiers centres intellectuels de l'Europe médiévale [poésie : Chrétien de Troyes, familier de la Ctesse Marie de France, fille d'Éléonore ; le Cte Thibauld IV surnommé le roi-chansonnier ; histoire : Villehardouin (maréchal de Ch.) et Joinville (sénéchal de Ch.), chroniques des Croisades]. Accédant au trône de Navarre, la famille de Blois-Ch. néglige troyes et Provins pour Pampelune ; les interventions royales se font plus fréquentes. **1285** Jeanne de Navarre ép. Philippe le Bel et lui apporte la Ch. **XIVe s.** déclin (concurrence de la route maritime Italie-mer du N., guerre de Cent Ans. **XVIe s.** apogée du gouvernement de Ch. et de Brie, quand, au milieu des g. de Religion, les Guise gouvernent. **1542** les élections champenoises forment la généralité de Châlons (sauf 10 allant à celle de Paris). **XVIIe et XVIIIe s.** intendants installés à Châlons, à partir de Colbert, essor de la métallurgie, du textile ; **fin XVIIe s.** naissance du « champagne ».

Rethélois et **Porcien 974** Ctés qui par le jeu de l'« avouerie », démembrés des possessions de l'abbaye St-Remi de Reims, passèrent de la famille de Bourgogne, au Moyen Age, à Charles de Gonzague puis à Mazarin au XVIIe s., avant d'être réunis à la Couronne.

Principauté de Sedan (appelée jusqu'en 1520 **« comté de Mouzon »**). **843** attribuée à la Lotharingie par le tr. de Verdun, mais dépendant de l'arch. de Reims (royaume de Fr.). **843-1195** g. incessantes entre arch. de Reims et évêques de Liège (impériaux), qui prétendent rattacher ce fief impérial à leur diocèse. **1195** le card. Guillaume de Ch., arch. de Reims, obtient la création d'un évêché de Mouzon, séparé de Liège. **1202** il meurt avant d'avoir réalisé cette séparation. **1260** comté indivis entre Reims et Liège. **1379** l'arch. Richard Pigue cède ses droits au roi de Fr. qui, pour ne pas être vassal de l'empereur, nomme son fils le dauphin (seigneur impérial) gouverneur de Mouzon (titre conservé par les dauphins jusqu'en 1490). **1520** François Ier (qui n'avait pas été dauphin) érige le Cté en Pté souveraine (dite « Pté de Sedan ») en faveur des comtes de La Marck, ducs de Bouillon (seigneurs de la ville de Sedan dep. 1424). **1591** passe par mariage à Henri de La Tour d'Auvergne, chef huguenot, qui en fait un bastion protestant. **1642** revient au royaume de France.

■ ÉCONOMIE

■ **Population active.** (1990) actifs 522 000 (ind. BTP 166 000, services marchands 125 000, non-marchands 94 000, commerce 47 000, agr. 13 000).

■ **Échanges** (en milliards de F, 91). **Imp. :** 19,9 *dont* prod. finis sidérurgiques 1,39, aciers bruts 0,95, mat. plastiques 0,78, pièces et équip. spéc. autom. 0,36 autres mét. non ferreux 0,78, prod. phytosanitaires 0,54, filés de coton 0,32, ouvrages en caoutchouc 0,28, demi-prod. en alu. et autres métaux légers 0,30, papiers et cartons 0,26. *De* All. 4,6, UELB 3,9, Italie 2,6, G.-B. 1,2, P.-Bas 1, Espagne 0,6, USA 0,5, Suède 0,3, Japon 0,3, Suisse 0,3, **Exp. :** 30,1 *dont* champagne 6,20, pièces et équip. spéc. autom. 2,45, sucre 1,29, blé tendre 1, pneumatiques et chambres à air 0,56, malt 0,70, prod. finis sidérurg. 0,52, demi-prod. en cuivre 0,64, mat. de travaux publics 0,46, oléagineux autres que tropicaux 0,54 *vers* All. 7,1, UELB 4,6, Italie 4,2, G.-B. 2,4, P.-Bas 1,5, USA 1,7, Espagne 1,3, Suisse 1, Suède 0,3, Algérie 0,3.

■ **Agriculture** (au 1-1-92). Terres (en milliers d'ha) 2 572 dont *SAU* 1 579 [t. arables 1 201 (dont jardins 5,8), herbe 350,7, vignes 27,3] ; *bois* 676,1 (26,3 % de la région) ; *peupleraies* 29,6 ; *étangs* 3,9 ; *t. agr. non cult.* 54,9 ; *t. non agr.* 228,7. **Prod. végétale** (en milliers de t, 1991) : céréales 5 103 (dont maïs 386,1) ; bett. ind. 6 128,7 ; luzerne 1 021,5 ; *vins* (en milliers d'hl) 1 928,7 ; expédition de champagne en bouteilles 214,4 millions de bout. dont France 138,8, export 75,6. **Animale** (en milliers de têtes, au 1-12-91) : bovins 659,6, ovins 181,5, porcins 119,4, équidés 8,5 ; *lait* (prod. totale v. laitières, en milliers d'hl, 1991) 7 111,9 (dont livraison à l'ind. 6 864,6).

■ **Industrie.** *Salariés* (1-1-89) : 426 778 dont : agroalim. 18 341, biens intermédiaires 45 722, biens de consom. 35 394, BTP 27 197. **Tourisme** (1993) : 390 hôtels homologués, 6 auberges de Jeunesse, 156 terrains de camping-caravaning, 322 [1] gîtes ruraux.

Nota. - (1) 1990.

■ DÉPARTEMENTS

Voir légende p. 777.

■ **Ardennes** (08) 5 246 km^2 (105 × 102 km). *Alt. max.* La Croix Scaille 501 m ; *min.* 37 m (sortie de l'Aisne). *Pop. 1801 :* 246 925 ; *1881 :* 333 675 ; *1921 :* 277 811 ; *1936 :* 288 632 ; *1946 :* 245 335 ; *1968 :* 309 380 ; *1975 :* 309 306 ; *1982 :* 302 338 ; *1990 :* 296 863 (dont Fr. par acquis. 8 856, étrangers 16 591 dont Alg. 5 452, Maroc. 3 096, Ital. 1 752, Port. 1 584). D 57.

Villes. CHARLEVILLE-MÉZIÈRES 1 957 008 h. [*Charleville : 1806 :* 8 430 ; *1911 :* 22 634 ; *1962 :* 25 915. *Mézières : 1806 :* 3 380 ; *1911 :* 10 403 ; *1962 :* 12 015 ; *1968 :* 58 874 ; *1975 :* 60 176 ; *1990 :* 59 439] [ag. 69 786, dont *Les Ayvelles* 819. *La Francheville* 1 381. *Montcy-Notre-Dame* 1 528. *Prix-les-Mézières* 1 479. *Villers-Semeuse* 3 608. *Warcq* 1 532], alt. 140 à 210 m ; préfecture créée an VIII à Mézières. Transf. des métaux, fonderies, ind. méc., BTP, ind. alim., confection-bonneterie ; place Ducale (1608, Clément Métezeau, proche de la place des Vosges à Paris) ; festival de marionnettes tous les 3 a. ; musées : municipaux, de l'Ardenne, Rimbaud ; remparts, tours Milard (XIVe s.), du Roy (XVIe s.), basil. N.-D. (vitraux modernes : + de 1 000 m^2 sur 66 verrières par Dürbach).

– *Bogny-sur-Meuse* 6 002 h. (musées : minéraux et fossiles, métallurgie) [ag. 8 909, dont *Monthermé* 2 907 ; site des boucles de la Meuse, égl. St-Léger (1453 : fresques, baptistère, monolithique) ; égl. St-Remi-de-Laval-Dieu (1128 : boiseries XVIIe s.) ; monument des 4 Fils du duc Aymon de Dordonne ou d'Ardenne : Renaut, Alart, Guichart, Richart qui, avec le cheval Bayart furent vaincus par Charlemagne, par traîtrise] ; métall., BTP. *Carignan* 3 370 h. (ag. 4 741) ; métall., appareils élec. et électro., coffres-forts et armoires réfractaires. *Donchery* 2 362 h. ; métall., verre, prod. chim., appareillages élec., BTP. *Fumay* 5 405 h. (ag. 7 434) ; fils et câbles pour élec., BTP, fonderie, musée de l'Ardoise. *Givet* 7 932 h. (ag. 10 017) ; métall., fabrique de prod. autoadhésifs, de fils cellulosiques et fibres synthét. ; silos à blé (860 000 q) ; fort de Charlemont. *Mouzon* 2 637 h. ; laminage, fabrication de feutre (musée du Feutre), revêtement sols et murs et insonorisants pour autos ; égl. abbatiale N.-D. (XIIIe s.). *Nouvion-sur-Meuse* 2 256 h. (ag. 4 421). *Nouzonville* 7 004 h. (ag. 8 174) ; métall., transf. des métaux. *Rethel* * alt. 80 à 130 m, 8 639 h. [*1831 :* 6 595 ; *1962 :* 8 059 ; *1975 :* 8 361] (ag. 10 462) ; papeterie, cartonnerie, BTP, ind. agroalim., ind. méc., confection ; égl. St-Nicolas (XIIIe et XIVe s.). *Revin* alt. 130 à 180 m, 9 523 h. [*1826 :* 2 133 ; *1921 :* 5 513 ; *1962 :* 11 260 ; *1975 :* 11 607] ; électromén. ; centrale hydroélec. souterraine, 1re station de transfert d'énergie par pompage, transform. des métaux, céramique sanitaire. *Rocroi* alt. 370 à 385 m, frontière belge à 2,5 km, 2 565 h. [*1806 :* 2 558 ; *1962 :* 2 284 ; *1975 :* 2 911] (ag. 3 080) ; fonderie, BTP, transf. du bois ; remparts (un des plus anciens bastions introduits en Fr. par les Italiens), ville fortifiée en étoile par Vauban ; musée de la bataille. *Sedan* * alt. 155 à 200 m, 22 407 h. [*1806 :* 11 290 ; *1936 :* 18 559 ; *1946 :* 13 279 ; *1962 :* 22 284 ; *1975 :* 23 995] (ag. 28 992, dont *Bazeilles* 1 650 ; château ; musée de la dernière cartouche) ; text., métall., ind. méc., fonderie, métaux ; château fort (XIVe et XVe s.) le plus étendu d'Europe (35 000 m^2), égl. St-Charles (1695) ; Dijonval, manufacture du XVIIIe. *Vireux-Molhain* 1 923 h. *Vireux-Wallerand* 2 020 h. (ag. 3 943). *Vouziers* * alt. 95 à 130 m, 5 081 h. [*1806 :* 1 951 ; *1962 :* 4 880 ; *1975 :* 5 069] ; ind. méc., marché agr. ; église St-Maurille. *Vrigne-aux-Bois* 3 769 h. (ag. 7 259, dont *Vivier-au-Court* 3 519) ; métall.

Régions naturelles. *Plateau ardennais ou Ardenne* (au N.), 107 143 ha (dont SAU 22 812) : accidenté et boisé, vallées de la Meuse et de la Semoy, forêts, élevage, agric. d'appoint. *Crêtes préardennaises,* 208 243 ha (dont SAU 131 665) : terrains vallonnés, herbages. *Champagne* (au S.) 135 001 ha (dont SAU 119 516) : céréales, betteraves, luzerne. *Thiérache,* 25 188 ha (SAU 15 602). *Argonne,* 49 025 ha (dont SAU 26 837). **Bois** (1991) 147 363 ha soit env. 28 % du dép. dont *forêts domaniales* 30 900 [Château-Regnault 5 500, Sedan 4 200, Signy-l'Abbaye 3 500, La Croix-aux-Bois (Argonne) 3 200, Pothées 1 300, Hargnies-Laurier 1 300, Mont-Dieu (crêtes préardennaises) 1 100, Francbois 1 000, Élan 800], *f. communales* 40 000, *f. privées* 79 100.

Divers. La plus grande usine de déshydratation de luzerne d'Europe. *Chooz :* 1re centrale nucléaire fermée, 2e en construction (2 × 1450 MW). *Belval-Bois-des-Dames :* parc de vision (élans, bisons, ours, mouflons, sangliers, etc.). *Montcornet :* château médiéval. *Signy-l'Abbaye* (rivière souterraine) : fosse Bleue, trou de Gibergeon.

■ **Aube** (10) 6 027 km^2 (115 × 50 km). *Alt. max. 369 m à Champignol-lez-Mondeville ; min.* 60 m à La Motte-Tilly. *Pop. 1801 :* 231 455 ; *1851 :* 265 247 ; *1901 :* 246 163 ; *1921 :* 227 839 ; *1936 :* 239 563 ; *1954 :* 240 797 ; *1975 :* 284 823 ; *1982 :* 289 300 ; *1990 :* 289 207 (dont Fr. par acquis. 7 529, étrangers 16 490 dont Port. 3 992, Maroc. 3586, Indoch. 2 228, Alg. 1 484). D 48.

Villes. TROYES 59 255 h. [*1482 :* 15 309 et + de 3 000 mendiants ; *1504 :* 23 083 ; *1551 :* 37 000 ; *1764 :* 12 560 ; *1790 :* 23 391 ; *1851 :* 25 656 ; *1901 :* 53 146 ; *1936 :* 57 961 ; *1968 :* 77 009 ; *1975 :* 72 167 ;

1982 : 63 579] [ag. 122 725 h., dont *La Chapelle-St-Luc* 15 815 ; *Les Noë-près-Troyes* 3 398 ; *Pont-Ste-Marie* 4 848 ; *St-André-les-Vergers* 11 329 ; *St-Julien-les-Villas* 6 027 ; *St-Parres-aux-Tertres* 2 410 ; *Ste-Savine* 9 491], alt. moy. 109 m ; Bonneterie, constr. méc., pneumatiques, élec., quincaillerie ; 8 musées dont : Beaux-Arts et Archéol. (f. 1790, 16 028 vis. en 91), bonneterie, Art moderne (donation Lévy, f. 1982, 40 000 vis.), Histoire (f. 1934, 14 538 vis. en 91), Pharmacie (f. 1976, 6 557 vis. en 91), maison de l'Outil et de la Pensée ouvrière ; jubé de Ste-Madeleine (XVIe s.) ; St-Pantaléon ; cath. ; maisons à pans de bois.

– *Aix-en-Othe* 2 260 h. *Arcis-sur-Aube* 2 854 h. (ag. 3 268) ; bonneterie, agroalim. (1 sucrerie, 1 malterie, usine de déshydratation, 1 coop. agr.) ; pays natal de Danton. *Arsonval* 365 h. ; musée. *Bar-sur-Aube* * 6 705 h. [*1860* : 17 552 ; *1946* : 12 835 ; *1975* : 7 265] (ag. 6 984), alt. 166 m ; meubles, métall., vignoble. *Bar-sur-Seine* 3 630 h. *Bayel* 960 h. ; cristallerie royale de Champagne. *Chaource* 1 031 h. ; « Mise au tombeau » XVIe s. *Dolancourt* 169 h. ; parc d'attractions Nigoland. *Essoyes* 685 h. ; maison de Renoir. *Brienne-le-Château* 3 752 h. (ag. 4 199), choucrouteries ; musée Napoléon-Ier, château (XVIIIe s.). *Estissac* 1 611 h. ; champs catalauniques. *Lentilles* 143 h. ; égl. *Mailly-le-Camp* 1 310 h. ; camp mil. 12 000 ha dont 1/3 dans la Marne. *Nogent-sur-Seine* * 5 500 h. [*1860* : 10 535 ; *1946* : 8 038 ; *1975* : 4 671] ; minoteries, port céréalier ; centrale nucléaire ; pavillon Henri IV. *Romilly-sur-Seine* 15 555 h. (ag. 17 789) ; ind. méc., ateliers SNCF, bonneterie, ind. du bois. *St-Lyé* 2 496 h. *Vendeuvre-sur-Barse* 2 793 h. *Villenauxe-la-Grande* 2 135 h. ; céramiques ; prison.

Régions naturelles. *Vignoble du Barrois* 134 638 ha ; SAU 69 535 ha, vignoble, céréales. *Vallée de la Champagne crayeuse* 59 449 ha (SAU 44 981), céréales, betteraves, peupleraies. *Plaine de Brienne* 21 634 ha (SAU 13 102), céréales, prairies. *Plaine de Troyes* 26 247 ha (SAU 19 822), céréales, bett., maraîchage. *Vallée du Nogentais* 9 288 ha (SAU 5 163), céréales, bett., peupleraies. *Vallée de la Champagne humide* 5 140 ha (SAU 2 314) céréales, prairies. *Champagne crayeuse* 152 606 ha (SAU 120), céréales, bett., luzerne ; moutons. *Champagne humide* 115 517 ha : argilo-sableuse, alt. 92 m, vestiges de la forêt de Der, étangs ; lacs de la forêt d'Orient (maison du parc), d'Amance (500 ha) et du Temple (2 300 ha), port de Dienville ; SAU 52 675 ha, prairies, céréales. *Pays d'Othe* 57 787 ha : massif crayeux, argile, limons, forêts, prairies, alt. max. 303 m ; SAU 32 445 ha, céréales, prairies. *Nogentais* 18 110 ha, plaine, alt. 100 à 200 m ; SAU 14 730 ha, céréales, bett. **Bois** 139 000 ha dont forêts domaniales 14 000, communales 28 000.

Divers. Abbaye *Clairvaux* reconstruite XVIIIe s., maison centrale de détention. **Châteaux :** *Arcis-sur-Aube* (XVIIIe s.), *Chacenay* (Moyen-Age), *Dampierre, La Motte-Tilly* (XVIIIe s.), *Pouy-sur-Vanne* (XVIIe s.), *Rumilly-les-Vaudes* (XVe s.), *St-Benoist-sur-Vanne* (XVIe s.). **Parc naturel** *rég. de la forêt d'Orient* (70 000 ha). **Réservoir** *de Seine* ou *lac de la Forêt d'Orient* (2 900 ha), *Bassins Auzon, Amance* (2 500 ha). **Lac** *d'Aube* (2 500 ha). **Bercenay-en-Othe :** centre télécom. par satellite. **Fromage :** chaource.

■ Haute-Marne (52) 6 210 km². *Alt. max.* Le Haut-de-Baissey 523 m ; *min.* 117 m (Puellemontier). *Pop. 1851* : 268 208 ; *1891* : 243 322 : *1901* : 226 367 ; *1946* : 181 792 ; *1968* : 214 340 ; *1975* : 212 304 ; *1982* : 210 670 ; *1990* : 204 067 (dont Fr. par acquis. 3 844, étrangers 7 644 dont Alg. 1 804, Turcs 1 200, Port. 1 148, Maroc. 1 120). D 33.

Villes. CHAUMONT 27 041 h. [*1881* : 12 713 ; *1936* : 19 126 ; *1954* : 20 930 ; *1975* : 27 226] (ag. 27 988) ; centre commercial, sacherie, transformat. du bois, profilés pour autom., BTP ; basilique St-Jean (XIIIe s., XVIe s.), viaduc 1855-56, long. 600 m, haut 52 m, 50 arches ; musée. *Arc-en-Barrois* 874 h. ; égl. *Châteauvillain* 1 760 h. – *Bourbonne-les-Bains* 270 m, 2 764 h. ; thermalisme (14 443 curistes en 1991), fonderies, BTP. *Chalindrey* 2 818 h. (ag. 4 056). *Joinville* 4 754 h. ; château du Gd-Jardin (1533-60). *Fayl-la-Forêt* (anc. Fayl-Billot) 1 511 h. ; vannerie. *Froncles* 2 026 h. ; sid. *Langres* * 9 987 h. [*1881* : 12 195 ; *1936* : 8 180 ; *1954* : 8 739 ; *1975* : 11 437] (ag. 10 399) ; constr. méc., mat. plast., joints, résines extrudées, plus importante cave d'affinage d'emmenthal de Fr. ; remparts (4 km de chemin de ronde, 12 tours, 7 portes), cath. St-Mammès (XIVe s.-XVIIIe s.) ; musée du Breuil-St-Germain. *Montier-en-Der* 2 023 h. (ag. 2 631) ; haras nat. dep. 1810 ; égl. *Nogent* 4 754 h. ; coutellerie, ciselerie, instruments de chirurgie. *St-Dizier* * 33 552 h. [*1881* : 13 171 ; *1954* : 25 811 ; *1975* : 37 266] (ag. 35 838) ; ind. métall., matériel agr., crèmes glacées, bonneterie, émaux, industrie du froid ; musée. *Wassy* 3 291 h. (ag. 4 214) ; égl., grange du massacre.

Régions naturelles (en ha). *Polyculture, élevage* : Barrois 277 500 (dont SAU 128 840), vallée de l'Yonne à la Marne 37 500 (S. 19 586), Vallage 20 600 (S. 9 482), Perthois 19 400 (S. 6 550), Montagne 88 100 (S. 42 218) ; *élevage laitier dominant* : Champagne humide ou Der 20 000 (S. 11 358), Bassigny 83 100 (S. 56 680), Apance 14 400 (S. 6 234), Amance 25 600 (S. 11 356), Vingeanne 38 800 (S. 20 979). **Forêts** (milliers d'ha). 247 dont soumises 130 (domaniales 31,2, communales 9,9) et privées 1,5, soit 39,7 % du dép. (feuillus, hêtres et chênes) dont (en 81) *f. domaniales* d'Arc-en-Barrois 11 (gros gibier), d'Auberive 5,4 (parc à sangliers), du Der 3,1 ; *privées* du Val 3,5, de Cirey 2,5, d'Écot 2,3 ; *communales* de Bettaincourt et Roches 2,25, de Doulaincourt 2,15.

Divers. Grotte de Sabinus et Éponine, résistants gaulois. **Lac** *du Der-Chantecoq* (Marne et Hte-M.) créé 1974 pour écrêter les crues du bassin de la Seine et comme réserve d'eau pour la région parisienne durant l'étiage. Le plus grand lac artificiel d'Europe (4 800 ha, 350 millions de m³ d'eau à la cote max. ; 77 km de berges, dont 16 endiguées) ; voile, ski nautique, plages. **Colombey-les-Deux-Églises,** mémorial du Gén. de Gaulle, croix de Lorraine en granit rose (haut. 43,50 m sur colline de 397,50 m), château de la Boisserie du XIXe s. (musée ; 85 614 visiteurs en 1991). **Sites historiques :** *Andilly* (fouilles romaines), *Bourmont, Choiseul, Faverolles* (mausolée gallo-romain), Langres. **Églises romanes :** *Clefmont Luzy, Montier-en-Der, Vignory.* **Châteaux :** *Cirey-sur-Blaise* (souvenirs de Voltaire), *Dinteville, Joinville* (Renaissance), *Le Pailly* (1563-73), *Prangey* (XVe-XVIIIe s.). **Abbayes :** *Auberive, La Crête, Montier-en-Der, Mormant* (Leffonds), *Morimond.*

■ Marne (51) 8 196 km². *Alt. max.* Montagne de Verzy 340 m ; *min.* 50 m (au N. de Cormicy). *Pop. 1801* : 304 396 ; *1896* : 439 386 ; *1921* : 366 592 ; *1936* : 410 094 ; *1946* : 386 766 ; *1975* : 530 399 ; *1982* : 543 627 ; *1990* : 558 217 (dont Fr. par acquis. 13 034, étrangers 24 016 dont Port. 6 460, Maroc. 4 692, Alg. 4 281, Afr. noire 1 462). D. 68. 619 communes.

Villes. CHÂLONS-SUR-MARNE 2 229 ha, 48 423 h. [*1788* : 6 000 ; *1836* : 12 952 ; *1911* : 31 358 ; *1975* : 52 275] [ag. 61 298, dont *Fagnières* 4 949. *St-Memmie* 6 070], alt. 83 m ; ind. alim., méc. auto., ind. agr., text., papiers peints ; cloître et basilique N.-D.-en-Vaux, cath. St-Étienne (XIIIe et XVIIe s., vitraux). – *Ay* 4 318 h. (ag. 5 595) ; vin (champagne). *Courtisols* 2 400 h. (ag. 3 031) (le plus long de Fr. : 7,2 km) ; égl. *Dormans* 3 125 h. *Épernay* * 26 682 h. [*1836* : 5 457 ; *1911* : 21 811 ; *1975* : 29 677] [ag. 34 062, dont *Magenta* 1 876] ; vin (champ.), musée du vin de Champagne, caves Moët-et-Chandon (143 383 m²). *Fère-Champenoise* 2 362 h. *Fismes* 5 286 h. ; métall. *Mourmelon-le-Grand* 4 240 h. ; camp militaire (1 200 ha). *Montmirail* 3 812 h. ; château XVIe et XVIIe s. *Pargny-sur-Saulx* 2 333 h. – *Reims* * alt. max. 86 m, 180 620 h. [*1600* : 12 000 ; *1680* : 33 000 ; *1790* : 30 000 ; *1881* : 94 508 ; *1911* : 116 085 ; *1921* : 76 785 ; *1936* : 117 229 ; *1954* : 121 753 ; *1975* : 178 381] [ag. 206 363, dont *Bétheny* 6 487, *Cormontreuil* 5 745. *St-Brice-Courcelles* 3 356. *Tinqueux* 10 154] ; métaux, équip. auto., méc. ; app. mén., pharm., préparation du champagne, ind. alim. ; aviation ; verrerie, imprimeries, cartonneries, emballages ; cath. (XIIIe s.), basilique St-Remi, porte de Mars (haut. 13,50 m, long. 33 m), m. St-Remi, palais du Tau (musée f. 1972), m. des Beaux-Arts (24 800 vis. en 91), hôtel Le Vergeur, m. de l'Auto. (avant à St-Dizier), université, École sup. de commerce. – *Bazancourt* 1 877 h. ; ind. alim., métall., text. ; patrie de la filature méc. (1806) ; clocher du XIIe s. *Orbais* 602 h. ; abbatiale XIIIe s. *Ste-Menehould* * 5 177 h. ; méc. de précision ; hôtel de v. *Sézanne* 5 829 h. ; optique, prod. réfractaires, bonneterie ; égl. (tour 1582, 42 m). *St-Amand-sur-Fion* 762 h. ; égl. XIIIe s. *Suippes* 3 106 h. ; camp milit. *Vertus* 2 495 h. ; vin (champagne) ; égl. *Vitry-le-François* * 17 033 h. [*1836* : 6 822 ; *1911* : 8 511 ; *1975* : 19 372] [ag. 19 920] ; faïences, ind. du bois, métall. *Witry-lès-Reims* 4 572 h.

Régions naturelles. *Vallée de la Marne* 55 840 ha (dont SAU 44 807). *Vignoble* 51 233 ha (S. 29 000). *Pays rémois* 42 507 ha (S. 32 857). *Argonne* 31 167 ha (S. 10 726) : élevage laitier. *Champagne humide* 75 257 ha (S. 43 653) : polyculture, élevage. *Perthois* 41 604 ha (S. 22 370). *Brie champenoise* 99 579 ha (S. 59 686). *Tardenois* 55 644 ha (S. 32 011) : polyculture, vignes. *Champagne crayeuse* 363 337 ha (S. 283 642) : céréales, bett. sucrières, luzerne désydratée, p. de terre, oléoprotéagineux. **Bois** 140 000 ha dont f. domaniales 16 800, f. communales 11 000, f. privées 260. Peupleraies : 18 300 ha dans les vallées.

Divers. Grottes *préhistoriques* (Coizard-Joches). **Églises** basilique de *l'Épine* (XVe et XVIe s.), *Orbais* (1180-1210), à pans de bois (*Arrigny, Outines, Drosnay, Nuisement-au-Lac).* **Châteaux :** *Étoges* (XVIIe s.), *Montmort* (XVIe s.), *Réveillon* (XVIIe s.). **Sites militaires :** *Argonne, Champaubert, Fort de la Pompelle, Marais de St-Gond, Mondement* (mon. ciment rouge de la bat. de la Marne 1914 ; 32 m). **Commune qui a le nom le plus long :** St-Remy-en-Bouzemont-St-Genest-et-Isson. **Parc régional** de la *Montagne de Reims.* **Caves** de champagne. **Lac du Der** voir Hte-Marne.

CORSE

GÉNÉRALITÉS

■ Situation. 8 681 km² (long. N.-S. 183 km, larg. 50 à 83 km). *Alt.* max. Monte Cinto 2 710 m [8 sommets dépassent 2 500 m ; 50, 2 000 m]. **Distances** (km) : France (cap Menton) 160, Italie 82, Sardaigne 14, Ajaccio-Marseille 320, Toulon 260, Nice 240 ; Bastia-Gênes 190, Livourne 115.

■ Massif corse. Entre la Méditerranée à l'O. et la plaine d'Aléria à l'E. **a) Crêtes « alpines » du N.-E. :** du Golo au Bravone, chaîne de l'E. (long. 30 km, larg. 10 km env., alt. max. : Mt Olmelli 1 285 m) ; du cap Corse au Tavignano, chaîne principale [long. 80 km, larg. 20 km, points culminants, dans le cap Corse (moitié nord), Mt Stello 1 305 m ; dans la Castagniccia ou « Pays des Châtaigniers » (moitié sud), Mt San Pietro 1 767 m]. Terrains sédimentaires relevés lors du plissement alpin (le 1/4 du massif corse). **b) « Dépression médiane » :** couloir (long. 70 km, larg. 5 à 13 km) dirigé N.-O./S.-E. de l'Ile-Rousse à la Solenzara. **c) « Monts » ou le « Château d'eau » :** longtemps appelés « épine dorsale » ou « arête centrale », 7 massifs indépendants et parallèles, orientés S.-O./N.-E. et venant buter contre la « dépression médiane » qui leur est perpendiculaire. Ligne de séparation des eaux entre versants méditerranéen et tyrrhénien. Du N. au S. : Monte Cinto (2 710 m), prolongé jusqu'au Capo a Cavallo (30 km) ; massif du Niolo (Paglia Orbo, 2 527 m), prolongé jusqu'à la Punta Palazzo (40 km) ; Monte Rotondo (2 625 m), point d'aboutissement de plusieurs chaînes secondaires, dont l'une est reliée au cap Rosso (60 km) ; Monte d'Oro (2 301 m), prolongé jusqu'à la Punta della Parata (70 km) ; plateau d'Ese, au sud du Monte Renoso (2 357 m), prolongé jusqu'au cap de Muro (80 km) ; l'Incudine (2 130 m) et la pointe de l'Anercitella (1 486 m), prolongés par la péninsule de Sartène (40 km) ; la montagne de la Cagna (1 215 m), prolongée par la pointe de Figari (20 km). En outre, 2 petites chaînes parallèles tout à fait au sud de l'île vont du cap de Feno (rive ouest) à la pointe de la Chiappa (rive est) : 35 km, et du cap Pertusato (rive ouest) à la pointe de Capiciola (rive est) : 10 km. d) Contreforts du S.-O. : longtemps appelés chaînes transversales : prolongement vers la mer des 7 massifs du « Château d'eau » ; forment 7 caps s'avançant parallèlement dans la Méditerranée (et séparant 8 bassins fluviaux communiquant mal entre eux par voie de terre). **Cols** voir p. 56.

■ Côtes. 1 000 km dont 300 de plages. Côte occidentale (250 km en arc de cercle, avec 40 km N.-S. au cap Corse), 7 massifs montagneux anciens (cristallins) tombant perpendiculairement dans la mer : série de promontoires escarpés, séparés par des golfes (golfes de Porto, Sagone, Ajaccio, Valinco) ; péninsule d'Ajaccio avec îles Sanguinaires, cap Senetosa. **Du cap Corse au cap Pertusato** (180 km N.-S.). *Du cap Corse à l'étang de Biguglia* (38 km N.-S.). Côte orientale du cap Corse : falaises calcaires, presque rectilignes. *De l'étang de Biguglia au golfe de Porto-Vecchio* (100 km N.-S.) : côte alluviale, marécageuse, avec des étangs le long de la plaine d'Aléria. *Au sud de Porto-Vecchio* (40 km N.-S.) : 2 chaînes cristallines tombant à pic dans la mer : rochers escarpés et découpés ; échancrures : golfes de Sta-Giulia et de Sta-Manza ; promontoires : pointe de Capiciolo ; péninsule de Porto-Vecchio avec les îles Cerbicales.

■ Climat (Ajaccio). *Temp. moy.* (1992) : janvier 9 °C, juillet 22,5 °C. *Eau de mer* (1979) : janv. 13,1 °C, févr. 13 °C, mars 13,9 °C, avr. 15 °C, mai 17,6 °C, juin 22,8 °C, juill. 24,8 °C, août 24,5 °C, sept. 21,8 °C, oct. 20,2 °C, nov. 17,1 °C, déc. 14 °C. **Pluviosité** moy. 1975-86 : 694 ; *1991* : Ajaccio 525, Bastia 928. **Insolation :** *1991* : Ajaccio 2 739 h., Bastia 2 661 h.

Parc naturel régional. *Créé* 1971. 300 000 ha (138 communes). **Réserves naturelles** *Scandola* (Caleria), *îles Cerbicales* (mars 1981, Porto-Vecchio), Iles *Lavezzi* (Bonifacio, en cours de création). **Parc internat.** entre Corse et Sardaigne 150 km² (avec Lavezzi et archipel sarde de la Maddalena) passage des pétroliers interdit. **Le Conservatoire du littoral** créé 10-7-1975 possède 9 606 ha en Corse.

■ **Langue.** Corse. Dérivée du latin, mais 40 % du vocabulaire est non latin. Phonétique souvent proche des langues pyrénéennes. 2 dialectes principaux : Nord-Est (influencé par le toscan) et Sud-Ouest (plus de traits préromans).

■ **Population.** *1793 :* 150 000. *1881 :* 273 000. *1962 :* 176 000. *1975 :* 227 425. *1982 :* 240 178. *1990 :* 249 737 (dont Fr. par acquis. 7 029, étrangers 24 847 dont Maroc. 12 958, Ital. 3 116, Port. 3 109). Recensements souvent imprécis [en 1982 gonflé de plus de 50 % pour 78 communes (parfois 300 ou 400 %)]. **Densité** 29 (Sicile 180, Baléares 120), – de 5 sur la dorsale Monte Cinto-Coscione ; beaucoup de villages élevés ont perdu 60 à 80 % de leur pop. v. 1900 ; 129 sur 348 ont – de 200 h, certains en ont – de 10 en hiver. **Résidents en Corse** (1982) : *lieu de naissance* Corse 147 840, Fr. continentale 48 888, étranger 43 234 ; *nationalité* Fr. de naissance 208 160, étrangers 25 880, Fr. par acquis. 5 972. **Émigration. XVIIe et XVIIIe s. :** très forte. **XIXe s. :** baisse. **Après 1918 :** augmente surtout vers colonies (Algérie 100 000, Tunisie 25 000 ; les C. fournissent 40 à 50 % des cadres subalternes). *Principales régions d'émigration :* Castagniccia, cap Corse, Balagne. **1939 :** 300 000 (+ région paris. 12 000, marseillaise 100 000). **1968-75 :** 23 280 dont 44 % d'actifs et 29 % de 20-30 ans. 8 905 nés sur place partis en Fr., 7 345 venus de Fr. (solde : – 1 560). **1975 :** 94 660 nés en C. vivent en métropole [Marseille est la plus grande ville (*1851 :* 10 120 C. *1931 :* 122 500. *1981 :* 207 250)]. **1990 :** 400 000. **Immigration. A partir de 1773 :** échecs de tentatives d'installation de Lorrains (au S. de Bastia), d'Alsaciens (près d'Ajaccio et de Bonifacio) v. 1838. **1954-65 :** perte de l'Afr. du N., 17 000 C. rentrent en C. (140 000 regagnent la métropole). *Actifs étrangers* (1990) : 9 780 sur 24 847.

Nota. – FONCTIONNAIRES C. (sans militaires, au 1-1-91) : 18 148. *Ministères :* 12 211 (dont organismes publics 5 937, Éduc. nat. 24 %, PTT 15 %, hôpitaux 15 %, Équipement-Logement-Transport-Mer 1307, Écon. et Finances 1 021, Intérieur 815. *Collectivités territ. :* 5 696 (dont communes, départ., régions, serv. incendie 1 405). *Éts publics de soins* 2 995. A fourni beaucoup de hauts fonctionnaires, parlementaires, ministres, hommes d'État, cadres de l'armée, police et douanes (50 % du personnel).

■ **Histoire.** Non peuplée au Paléolithique. **V. 3000 av. J.-C.** civilisation néolithique (notamment Bologne et Sartène). **V. 2000** civ. mégalithique (notamment Filitosa). **V. 1200** peuplement d'Ibères et de Celto-Ligures, venus du continent. **900** arrivée des Étrusques qui fondent Corte, dont le nom rappelle celui des Quirites (Romains). Appelée *Kyrnos* (ou Cyrnos) : abordée par Phéniciens, Phocéens (fondent 564 Alalia, près du Tavignano), Carthaginois ; tous n'occupent que les rivages. **260 à 162** après résistance acharnée, conquise par Romains. **VIe et VIIe s.** domination byzantine. Influence pontificale (création de basiliques et d'évêchés par St Grégoire le Grand). **IXe au XIe s.** Sarrasins pillent et s'installent dans les régions les plus accessibles. **1078** expulsés ; le St-Siège confie l'administration de la C. à l'archevêque de Pise. Reconstruction entreprise par les Pisans : églises de Nebbio, Murato (XIIe-XIVe s.). **A partir de 1132** les Génois se substitueront aux Pisans malgré les efforts de Sinucello della Rocca (Giudice de Cinarca) en faveur de l'unité et de l'indépendance.

A partir de 1347 administrée par Gênes, mais résistance constante sans unité. **1359** sur l'initiative de Sambucuccio d'Alando, le N.-E. de l'île (qui devient la Terra del comune : Terre du commun) conclut un accord avec Gênes qui, aidée d'un conseil de 6 Corses, assure sécurité et justice contre un tribut annuel ; le S. conserve une organisation féodale. Puis Gênes confie l'adm. de la C. à une société privée, la *Maona,* qui reçoit le monopole du commerce avec le continent. Gênes se heurte à des difficultés. **1396-1409** intervention fr. (maréchal Boucicaut). **Début XVe s.** intervention des rois d'Aragon soutenus par Vincentello d'Istria, Cte de Cinarca, qui fait édifier la citadelle de Corte. **1434** l'Aragon abandonne. **1453** Gênes confie l'admin. à la Banque de St-Georges qui laisse la C. à l'abandon. **1463** souveraineté milanaise. **1478** la Banque de St-Georges lutte contre féodaux du S. Des Corses émigrent en France. **1553** Sampiero conquiert la C. sur Génois, alliés de Ch. Quint. **1559** *tr. du Cateau-Cambrésis,* la C. leur est rendue. Sampiero reprend la lutte, appelé Sampiero Corso. **1562** Gênes reprend l'admin. à la Banque de St-Georges, ruinée par la négligence de ses représentants sur place et les pillages barbaresques. **1567** Sampiero meurt. **1571** « Statuti civili e criminali » règlent les rapports entre C. et Gênes. **1646-1729** épidémie de peste.

1731-32 révolte, Gênes recherche l'aide de l'Empire germanique. **1736** royauté éphémère de *Théodore de Neuhof* (1694-1756). **1738-40** et **1743-52** Gênes recherche l'aide de la Fr. qui cherche à rallier les Corses. **1739** création du Royal-Corse pour désamorcer la résistance organisée méthodiquement par *Pascal Paoli* [(1725-Londres 1807) élu gén. en chef en 1755]. **1764** *15-5 convention de Compiègne* et **1768** *15-5 tr. de Versailles :* Gênes confie à la Fr. sa souveraineté sur la C. jusqu'à ce qu'elle puisse rembourser le prix de l'aide fr. Les dépenses faites pour l'administration de la Corse par la Fr. venaient alourdir la dette génoise. Mais les recettes étaient déduites de cette dette, ce qui incitait la Fr. à gérer la Corse de manière déficitaire. Corte reste capitale administrative. **1769** *8-5 Paoli,* battu à Pontenuovo, quitte la C. Création d'états provinciaux et d'une cour souveraine de justice. **1780-85** *Marbeuf* (Louis Charles René Cte de ; 1712-86) commandant en chef. **1789** *30-11* à la demande de députés corses à la Constituante, l'île est décrétée « partie intégrante de l'Empire ». **1790** lois des *3-2* et *4-3* forme un département (chef-lieu Bastia). **1793** 2 dép., Golo (94 779 h.) et Liamone (55 879 h.). **1793-96** tentative de sécession menée par Paoli (amnistié 1789, il était retourné en C. en 1790), soutenue par Angl. **1794** *19-6 Georges III d'Angl.* proclamé souverain du « roy. anglo-corse » (vice-roi : Gilbert Elliot). **1796** *19-10* Bonaparte contraint les Angl. à quitter la C. **1797** Miot de Melito rétablit l'administration républicaine. Une centaine d'arrêtés mis en application en 1801-02 octroient à la C. un statut particulier, en principe provisoire, dans les domaines administratif, judiciaire, fiscal et douanier. Administrateur général, il « coiffe » préfets d'Ajaccio et de Bastia.

XIX-XXe s. crise économique ; émigration vers la métropole ou territoires d'outre-mer. **1811** département unique (chef-lieu Ajaccio). *Maintien de l'ordre :* confié à l'armée ; régime fiscal et douanier privilégié instauré. **1818** Louis XVIII confirme ces dispositions. **1870** *4-3* Clemenceau, alors député radical, dépose, sous forme de pétition émanant du Club positiviste, une demande de séparation de la C. et de la Fr. **1896** 1er journal en langue c. : *A Tramuntana* de Santu Casanova. **1912** loi met fin au régime douanier particulier prévoyant le rattrapage économique de l'île grâce à une subvention annuelle de 500 000 F-or, à verser pendant 50 ans (elle sera payée jusqu'en 1941). **1920-***15-1* 1er numéro de *A Muvra (dir. :* Petru Rocca). **1922** l'Italie revendique la C. en tentant d'exploiter le particularisme. **1923** création du « Partitu Corsu d'Azione ». Dissous 1926, devient le « Partitu Corsu Autonomista ». **1931** expédition contre le banditisme. **1942** *11-11* occupation italienne. Résistance (10 000 h.). **1943** *9-9* soulèvement de Bastia ; les Allemands, chassés, reviennent le *13* (bombardements) ; *10-9* soulèvement d'Ajaccio ; 20 % des troupes ital. (l'Ital. a capitulé le 8-9) se joignent aux résistants contre Allemands ; *13-9* débarquement (décidé par gén. Giraud contre l'avis des Alliés) de 100 h du sous-marin *Casabianca ; 14-9 :* 500 h. débarqués ; *4-10* Bastia reprise, fin des combats ; *5-10* arrivée du gén. de Gaulle. *Pertes françaises :* 75 †, 239 blessés, 12 disparus. *Résistance Corse :* 21 fusillés ou tués avant l'insurrection, 69 tués pendant les combats, nombreux blessés. *P. italiennes :* 245 †, 557 bl. *P. allemandes :* 200 †, 500 bl., 351 prisonniers ; *p. aériennes :* 60 appareils, env. 270 h. ; *p. maritimes :* 13 bateaux et embarcations. *Destructions :* voie ferrée, 113 ponts routiers, partie de Bastia. **1946** *sept.-oct.* procès des autonomistes accusés d'irrédentisme. **1949** 1er plan de mise en valeur (échec). **1960** *juillet* « l'Union C. » créée (paraîtra jusqu'en 1968). **1961** *janv.* « l'Association des Étudiants C. » créée (*Pt :* Dominique Alfonsi). **1962** *8-4* référendum : seul départ. à voter contre les accords d'Évian ; *juillet* à Vivario : naissance de « l'Union nat. des Étudiants C. » (Unec). **1964** *avril* « Comité d'Étude et de Défense des Intérêts de la C. » (Cedic). Problèmes de l'arrivée des Pieds-Noirs, des modalités de mise en valeur, des transports. Union C. et Ass. des Étudiants C. deviennent « l'Union C.-l'Avenir ». **1965** élection présidentielle : consignes abstentionnistes. 1ers attentats contre le Somivac, à Ghisonaccia. **1966-***31-7* le Front Rég. C. (FRC) regroupe l'Union Corse-l'Avenir (Charles Santoni), le Cedic (Paul-Marc Seta, Edmond et Max Simeoni) et l'Unec. *Déc.* parutions de « la C.-hebdomadaire », « Arritti ». **1967** *législatives* Max Simeoni a 2,3 % des voix. *3-9* les frères Simeoni créent « l'Action Régionaliste C. » (ARC). **1969-***27-4* référendum sur réforme rég., 54 % pour. **1970** l'ARC lutte contre vignette auto, défend ch. de fer. Détachée de la Provence-Côte d'Azur, C. constitue une région. **1973** *avril* FRC devient « Partitu Di U Populu Corso (PPC). *Août* ARC devient « l'Azzione Per A Rinascita Corsa » pour l'autonomie interne. *Déc.* après déversement des « boues rouges » de la Montedison italienne dans le canal de C., attaque de la sous-préfecture de Bastia. **1974-***22-3* attentat contre caravelle d'Air-Inter à Bastia. *27-10* création du « Partitu Corsu Per l'Autonomia » (PPCA) : fusion du PPC et du Parti C. pour le progrès. **1975-***21/22-8 Aléria,* des militants ARC occupent Sté vinicole de la C. (2 gendarmes †) [Edmond Simeoni condamné 24-6-75 à 5 ans de prison dont 2 avec sursis ; libéré conditionnellement 14-1-77, se constitue prisonnier 27-9 à la suite d'attentats (remis en lib. prov. 17-12)]. *27-8* Conseil des min. dissout l'ARC ; *28-8* Bastia, fusillade (1 CRS † ; Serge Cacciari, condamné 10-7-76 à 10 a. de réclusion criminelle). **1976** *1-1* C. divisée en 2 départements. Jean Riolacci, préfet d'Ajaccio (1er préfet corse dep. 150 a.). Charte de développement. Nombreux groupes nouveaux (Francia : Front d'Action Nouvelle Contre l'Indép. et l'Auton.). *4-5* l'ARC renaît sous le sigle APC (Associu di Patrioti Corsi). *5-5 FNLC (Front nationaliste de Libération de la C.)* fondé. *7-7* destruction à Ajaccio d'un Boeing 707 [avant arrivée de P. Messmer, PM]. *22-8* cave d'Aghione dynamitée. **1977-***17-7* APC devient « l'Unione di u Populu Corsu » (UPC). *17- 8* relais TV dynamité. **1978-***13-1* destruction radars Solenzara ; *4-7* dynamitage château de Fornali ; *10-8* att. à Ajaccio. **1979-***20-7* locaux EDF incendiés à Bastia ; *8-9* 9 transfo. EDF détruits (4 leaders FLNC arrêtés dont Jeannick Leonelli et Yves Stella condamnés à 15 a. de réclusion criminelle en 1978, amnistiés après 37 mois). *2/4-12* 3 att. à Paris. *20-12* att., organisations de voyage à Marseille. **1980-***16-1* att. ministère Éd. nat. Paris. *11-2* 40 att. *13-2 :* 3 att. Paris (office de tourisme ital., gare de Lyon, Orly). *2-3* att. village de vacances PTT (87 % détruits). *8/9-3* att. Montpellier. **1981-***16-4* att. Ajaccio (j d'arrivée du Pt Giscard) 1 †. **1982-***11-2* 1 légionnaire tué à Sorbo par FLNC. *16-2 :* 17 att. Paris et banlieue contre banques et gouv. militaire. *2-3 loi sur organisation admin. de la C. ; 2-4* att. à Ajaccio, annulation visite Pt Mitterrand ; *30-7* vote sur *compétences de la C. ; 22-8 assemblée rég. élue ; 19-8* 100 att. Commissaire Robert Broussard nommé Préfet, délégué pour la police, FLNC dissous. **1983** *9-2* Schoch (commerçant à Ajaccio) tué par racketteurs (arrêtés mars). *13/14-6* Pt Mitterrand en C. *17-6* disparition du militant *Guy Orsoni. 24-7 et 2-9* événements de Cargèse. *12-9* Rosso et Pierre Massimi, secr. gén. de Hte-C., abattus par FLNC (suite aff. Orsoni). *27-9* Consulte des Comités nationalistes dissoute. *2-10 Ass. pour la C. française et républ. (CFR)* créée. **1984** *8-2 Mouvement C. pour la Démocratie (MCD)* créé. *31-3* 19 att. *17/18-4* 9 att. à Ajaccio. *25-4* Noël Luciani arrêté. *7-6* Marc Leccia et Salvatore Contini, ravisseurs présumés de Guy Orsini, assassinés dans la prison d'Ajaccio. *30-6* 20 000 manif. pour CFR contre violence. *10/11-7* 30 att. *12-8 élections rég. 25/26-8* 8 att. **1985-***31-1* Jean Dupuis, hôtelier à Sagone tué. *6-2* Georges Bastelica remplace Broussard. *29-3 et 7-4* att. à Solaro, *15-4* att. préfecture Bastia. *2-6* att. à Lava contre village de vac. **1986-***23-3* att. au S. d'Ajaccio centre de vac. *23-4* att. près Bastia camping. *15-5* att. Cargèse, 2 †. **1987-***2-1* Marc Garguy, commerçant réfractaire tué. *21-1* Mouvement corse pour l'autodétermination (MCA) dissous. *4-3* att. hôtel des impôts Bastia. *Mars* att. centre touristique. *21-5* 20 poseurs de bombes FLNC arrêtés. *23-5* 11 nationalistes inculpés. *17-6* Dr Jean-Paul Lafay, vétérinaire, Pt de l'Association d'aide aux victimes du terrorisme en Corse, tué par FLNC. *12-7* att. contre gendarmerie de Boulogne-Billancourt. *25-7* villa du Pr Paul Aboulker détruite. *4-8* att. Bastia, 1 gendarme †, 3 bl. **1988-***24-1* 10 villas plastiquées. *27-2* 4 responsables FLNC arrêtés dont Jean-André Orsini. *8-3* att. à Ajaccio, 1 gendarme †. *22-10* Félix Tomasi et Charles Pieri acquittés des poursuites criminelles. *31-12* att. contre confiserie de Soveria (Hte-C.). **1989** *avril* grèves de fonctionnaires, troubles. **1990-***26-5* Jules Gaffory, maraîcher, assassiné. *6-6* Jean-Pierre Maisetti, horticulteur, ass. *9/10/11-9* villas détruites dont celle de Jean-Marc Vernes. *26-9* att. FLNC à Aubagne contre filiale de la Sté nat. Corse-Méditerranée. *19-12* Lucien Tirroloni, Pt de la Chambre d'Agric., ass. *21-12* 2 tués à Propriano. *31-12* Paul Mariani, attaché au cabinet de François Doubin min. du Commerce et maire de Soveria (Hte-C.) ass. **1991-***2/3-17* att. FLNC. *11-3* hôtel détruit à Calcatoggio. *13-5* loi sur le nouveau statut publiée JO. *29-5* Bastia, att. contre bâtiment Conseil gén. *Juillet* plusieurs att. *6-7* Paris att. devant immeuble Éduc. nat. (2 blessés). *15/16-9* att. Versailles et Créteil contre 2 rectorats. *29-12* Querciolo, att. (30 bungalows détruits). **1992-***26-7* le groupe Resistenza monte une opération héliportée à Cavallo. *Début sept.* 15 000 ha brûlés. *20-9* 1 gendarme mobile tué à Zanza. *2-12* att. contre direction dép. des impôts à Nice. *3/4-12* att. Nice, Paris, Corse. *12/13-12* 16 att. Porticcio et Ajaccio. **1993-***1-1* entrée en vigueur de la taxe de 30 F à l'entrée et à la sortie de Corse. *11-2* att. sur le continent (dt 3 à Nice) par Farc.

■ **Vie politique.** Dominée par des clans plus que des partis politiques. **XIXe** opposition du clan Pozzo di Borgo (légitimiste) aux sébastianistes (monarchie de Juillet). **IIIe Rép.** des piétristes (droite) aux landristes (gauche modérée). Les élections les plus passionnées sont les municipales et les cantonales (les cantons actuels correspondant aux *pièves*

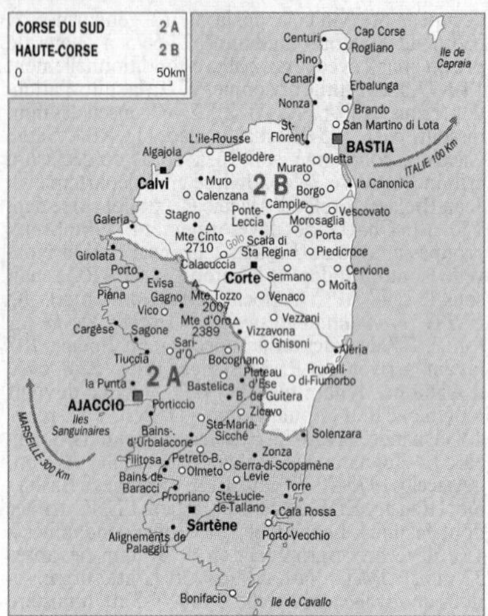

génoises, dont les administrateurs étaient élus et jouissaient d'un pouvoir presque sans contrôle). 40 % des C. continentaux restent inscrits sur les listes élect. de leur commune et y reviennent voter. Le contrôle exceptionnel mené en 1981 a opéré 5 520 radiations (élect. décédés, incapacité) et 8 500 autres interdictions (élect. inscrits sur le continent et votant en C.). **Front national de la Corse (FLNC).** Fusion de 2 mouv. clandestins : Ghiustizia paolina et Front paysan pour la C. libre. *1976* 1re manif. *1983-5-1* dissous. *1988-1-6* décrète une trêve. *1990-26-11* scission en *canal habituel* (militants à l'origine de la trêve, majoritaires pour la loi Joxe) et *canal historique* (pour la lutte armée ; 400 h. en armes réunis près de Bastia). **Front armé révolutionnaire Corse (Farc).**

■ **Vendettas.** Considérées longtemps comme des « affaires d'honneur », de famille à famille, on les rattache maintenant à la tradition judiciaire des temps anciens, notamment à l'occupation génoise. L'île étant sous-administrée, il était devenu inutile de recourir en justice, les sentences n'étant pas appliquées. La justice privée a donc remplacé la justice publique [*vendetta* signifie « revendication en justice » (latin *vindicta*)]. Les Corses contemporains sont revenus à la notion de procès réguliers.

■ **Bandits.** Appelés traditionnellement « bandits d'honneur », car ils prenaient en principe le maquis pour des affaires de vendettas où était impliqué souvent l'honneur familial. En fait, les malfaiteurs de droit commun étaient la majorité, mais on mettait un « point d'honneur » à ne pas les dénoncer, surtout quand on faisait partie du même clan. Les dénonciateurs étaient généralement dénoncés à leur tour aux *bandits,* qui les exécutaient. **Principaux « bandits »** *des XIXe et XXe s. :* les frères Bellacoscia (de Bocognano), Jean-Camille Nicolaï (Carbini), François Bocognano (Cuttoli-Corticchiato), Matteo Poli (Balogna), François-Marie Castelli (Carcheto), Romanetti (Calcatoggio), Joseph Bartoli (Palneca), François Caviglioli (Guagno), André Spada (Lopigna) et Feliciolo Micaelli (Isolaccio-di-Fiumorbo). *En nov. 1931,* la gendarmerie mobile détruit des groupes de bandits dans les montagnes. Le nom de « maquis » a servi pendant la g. de 1939-45 à désigner les réfractaires armés.

■ **Actions violentes.** *De 1964 à 70 :* 100 env. *71 :* 9. *72 :* 18. *73 :* 42. *74 :* 111. *75 :* 226. *76 :* 298 dont 246 attentats (223 réussis). *77 :* 230. *78 :* 379. *79 :* 329 (dont 1ers plasticages revendiqués par les anti-autonomistes). *80 :* 463 (env. 50 % attribués au FLNC). *81 :* 236. *82 :* 806 (*août :* 150 dont 107 à Bastia ; *19-8 :* + de 70 attentats). *83 :* 591. *84 :* 468. *85 :* 371. *86 :* 542 (dont *oct. :* 116). *87 :* 449 (dont FLNC 405). *88 :* 224. *89 :* 222. *90 :* 216. *92 :* 400. **Hold-up :** *1988 :* 235, *89 :* 180, *90 :* 188. *92 :* 250. **Assassinats :** morts violentes *début XVIIIe :* 900 par an (soit 1 % pour 100 000 h.), *1840 :* 100, *v. 80 :* 40, *v. 1938 :* 4. *88 :* 20 et 33 tentatives, *89 :* 14 et 20 t. *90 :* 28 (dont 3 hommes publics et 10 règlements de comptes) et 13 t. *92 :* 40 et 27 t.

■ **Police.** Au 2-1-1991 : 2 423 personnes [soit 1 pour 103 hab. (1 pour 290 ailleurs en France)] dont 1 660 permanents (790 policiers et 763 gendarmes, plus 763 CRS). **SRPJ** 120 fonctionnaires.

■ Loi 82-214 du 2-3-1982 sur l'organisation administrative

La région est une collectivité territoriale s'administrant librement. Elle est assistée par des établ. publics, par ex. les agences, qu'elle crée ; elle peut, en outre, participer à des institutions spécialisées.

■ **Assemblée. Membres :** 61 conseillers élus pour 6 ans au suffrage universel direct (rep. proportionnelle, règle de la plus forte moyenne) : âge min. 21 ans. **Bureau :** *Pt et autre élus* pour 3 ans (mandat renouvelable) : Pt, 4 à 10 vice-pts et éventuellement d'autres membres. **Fonctionnement :** se réunit de plein droit au moins 1 fois par trimestre sur l'initiative de son Pt et à la demande de son bureau ou du 1/3 des m. de l'ass. sur un ordre du jour déterminé, pour une durée max. de 2 j. En cas de circonstances exceptionnelles, peut être réunie par décret. *Séances* publiques, sauf décision contraire à la majorité absolue des m. **Dissolution :** si le fonctionnement normal est impossible, le gouv. peut la dissoudre par décret motivé en Cons. des min. ; il en informe le Parlement. Une autre Ass. est élue dans les 2 mois. Ses pouvoirs prennent fin à la date prévue pour ceux de l'Ass. dissoute. **Attributions :** règle les affaires de la région. Vote budget et arrête compte administratif. Peut proposer au PM (Premier ministre) des modifications ou adaptations des lois ou règlements en vigueur ou en cours d'élaboration sur les compétences, l'organisation et le fonctionnement de l'ensemble des collectivités terr. de C., et des mesures relatives au dével. écon., social et culturel de la C. Peut faire au PM remarques ou suggestions sur le fonctionnement des services publics de l'État en C. (le PM accuse réception dans les 15 j et fixe le délai dans lequel il apportera une réponse au fond).

■ **Exécutif.** Exercé par le Pt de l'Ass. Il peut déléguer une partie de ses fonctions aux vice-pts ou à d'autres m. de l'ass. Il prépare et exécute ses délibérations ; ordonne des dépenses, prescrit l'exécution des recettes de la C. Il gère le patrimoine de la C., est le chef des services qu'elle crée pour l'exercice de ses compétences, et des services relevant avant de l'établ. public régional de C. Chaque année, il rend compte à l'ass. Le rapport est soumis pour avis au Cons. écon. et soc. et au Cons. de la culture, de l'éducation et du cadre de vie, avant son examen par l'assemblée. En cas de dissolution de l'Ass., de démission de tous ses m. en exercice, ou d'annulation des opérations électorales, le Pt se charge des affaires courantes. Ses décisions ne sont exécutoires qu'avec l'accord du repr. de l'État.

■ **Conseils consultatifs. Économique et social :** obligatoirement consulté par l'Ass. lors de la préparation du plan de dév. et d'équipement ou de toute étude d'aménagement et d'urbanisme, sur la préparation du plan national en C. et sur les orientations gén. du projet de budget. Peut être saisi de demandes d'avis et d'études sur tout projet écon. ou soc. Peut émettre des avis sur toute question de la compétence de la C. en matière écon. et soc. et des agences ou institutions spécialisées. **De la culture, de l'éducation et du cadre de vie :** obligatoirement consulté par l'ass. lors de la préparation du plan de dév. et d'équipement et de toute étude d'aménagement et d'urbanisme, sur les orientations gén. du projet de budget pour l'action culturelle et éducative.

■ **Représentant de l'État (préfet).** Nommé par décret en cons. des min., il représente chacun des min. et dirige les services de l'État. Lui seul s'exprime au nom de l'État devant les organes de la C. À la charge des intérêts nationaux, du respect des lois et du contrôle administratif. Veille à l'exercice régulier de leurs compétences par les autorités de la C. ; entendu par l'Ass. par accord avec le Pt de l'Ass. et sur demande du PM ; fait un rapport annuel à l'Ass. sur l'activité des services de l'État en C. *La chambre rég. des comptes* de C. participe au contrôle des actes budgétaires de la C. (1-1-83).

■ Loi no 82-659 du 30-7-1982 sur les compétences

■ **Identité culturelle. Éducation et formation :** sur proposition du repr. de l'État (après consultation des collectivités territoriales et des conseils concernés), l'Ass. fixe la carte des établ. d'enseign. Sur proposition de son Pt (après consultations), l'Ass. fixe les activités éducatives complémentaires facultatives (par ex. l'ens. de la langue et de la culture). Elle se prononce aussi sur les propositions de l'université de C. relatives aux formations sup. et à la recherche univ. dont la carte est arrêtée par l'État. La région finance, construit, équipe et entretient collèges, lycées, établ. d'ens. prof., d'éd. spécialisée et les centres d'information et d'orientation. L'État leur assure les moyens fin. liés à leurs activités pédagogiques. **Communication, culture et environnement :** *comité rég. de la communication audiovisuelle :* présente à l'Ass. un rapport annuel sur les programmes de radio-télé après avis du Conseil de la culture. L'Ass. définit les actions culturelles à mener (après consultation des départ. et au vu des propositions des communes). Dotation annuelle de l'État : la région définit les actions pour la protection de l'envir. de la même façon.

■ **Développement. Comité de coordination pour le dév. industriel de la C.** (regroupant entreprises publ. et Stés nat. concernées) : créé auprès du PM (repr. des min. de ces Stés, de l'Ass. de C.) ; responsable des actions de Stés nat. en C. pour les projets d'intérêt rég. intégrés dans le plan national. **Aménagement du territoire et urbanisme :** la région adopte un schéma qui prend en compte les programmes de l'État et harmonise ceux des coll. loc. et de leurs établ. et services publ. Adopté après avis, par l'Ass. des cons. rég., et présentation au public (2 mois). Approuvé par décret en Cons. d'État. La région procède aux modifications demandées par le repr. de l'État pour conformité aux règles. **Agriculture :** *Office du dév. agric. et rural de C.* anime et contrôle la pol. foncière agr. et la modernisation des exploitations. Coordonne les actions de dév. de l'agr. et y participe. Consulté par le repr. de l'État et par le repr. de l'Ass. Soumet à l'Ass. son projet de budget. *Office d'équip. hydraulique de C.* (gestion). **Logement :** la région définit ses priorités après consultation des collectivités loc. Elle répartit les aides de l'État (bonific. d'intérêts ou subventions).

■ **Transports.** L'Ass. établit un schéma rég. après consultation des collectivités et organismes intéressés (convention avec les dép.). Peut organiser les liaisons non urbaines routières de voyageurs. Se substitue à l'État pour l'exploitation des tr. ferroviaires (reçoit un concours budgétaire). État et région définissent (tous les 5 ans) l'organisation des tr. mar. et aériens entre l'île et le continent ; dotation de l'État. Création d'un *Office des transports.*

■ **Emploi.** Programme préparé par une commission mixte (repr. État et région). Convention annuelle entre État et région pour mise en œuvre.

■ **Énergie.** La région élabore et met en œuvre le programme de prospection, d'exploit. et de valorisation des ressources locales. Avec les établ. publ. nat., élabore et met en œuvre le plan tendant à couvrir les besoins et à diversifier les ressources.

■ **Ressources.** Celles dont dispose l'établ. publ. rég. (l. no 72-619 du 5-7-1972). La région reçoit de l'État des ressources d'un montant égal aux dépenses effectuées par l'État au titre des compétences transférées : par ex. transfert d'impôts d'État (sur les véhicules à moteur immatriculés en C.) et divers concours, produit du droit de consommation (l. du 21-12-1967) à concurrence de 3/4 de son montant. Les établ. publ. créés par la loi reçoivent aussi de l'État des ressources. La région finance les agences qu'elle crée. Le régime fiscal applicable en C. est maintenu (adaptation ultérieure). Les services de l'État qui participent à l'exercice des compétences transférées, des biens meubles et immeubles utilisés par l'État pour l'exercice de ces compétences.

■ Nouveau statut (loi Joxe)

Loi du 13-5-1991 adoptée à l'Ass. nat. en 1re lecture les 23/24-11-1990 (275 v. pour, 265 contre) et en 2e lecture le 4-4-1991 (274 v. pour, 262 contre), puis au Sénat le 22-3-1991 (229 v. pour, 86 contre ; suppression de l'article 1er, reconnaissant l'existence du « peuple c. composante du peuple fr. », notion déclarée non conforme à la Constitution par une décision du Conseil constitutionnel du 9-5 et du conseil exécutif, le pouvoir appartenant au Pt de l'Ass.). Remplaçant celui de 1982 a pris effet en 1992. La Corse reste une collectivité territoriale, les 2 départements demeurent.

Selon un sondage Louis Harris (22 au 24-1-1991 sur 808 résidents corses), 66 % des C. étaient favorables au projet. 51 étaient pour et 37 contre la formule « peuple corse ».

Assemblée corse : 51 membres élus au scrutin proportionnel à 2 tours, dans une circonscription unique. Pt élu au scrutin majoritaire. *Sessions :* 2 ordinaires au min. par an. Responsable de la politique écon. et culturelle. Peut censurer le conseil. **Conseil exécutif :** 7 membres dont 1 Pt désignés par l'ass. en son sein (ils sont alors remplacés par le suivant de liste). **Conseil économique social et culturel** consultatif. **Comité de coordination pour le développement industriel** composé pour moitié de représentants des ministères économiques et des entreprises nationales. **Préfet :** contrôle l'application du statut.

Élections

■ **Assemblée régionale. 1982 (8-8) :** Inscrits 200 855, votants 137 642 suffrages exprimés 136 063 ; abstentions : 31,47 % ; 3 037 cand., 17 listes, 61 s. *Rass. pour la Corse dans l'Unité nat.* (RPR, UDF, bonapartistes) (J.-P. de Rocca-Serra, RPR) 19 sièges (28,12 % des suffr. exprimés) ; *Action pour une Corse nouvelle* (PCF) (D. Bucchini, PCF) 7 (10,89) ; *Union di u populu corsu* (UPC, autonomiste, soutien du PSU) (E. Simeoni, UPC) 7 (10,61) ;

Mouvement des radicaux de gauche pour une région démocratique (MRG, Hte-Corse) (P. Alfonsi) 7 (10,35) ; *Union rég. pour le progrès* (UDF dissidents) (J. Rossi, PR) 6 (9,34) ; *Unité et démocratie* (MRG Corse-du-S.) (N. Alfonsi) 4 (6,69) ; *PS* (A. Pantaloni) 3 (5,39) ; *Défense des intérêts de la C.* (div. droite) (J. Colonna, RPR) 2 (3,11) ; *Renouveau de la région* (div. droite, gaulliste) (J.-L. Albertini, ex-RPR) 1 (2,66) ; *Rass. démocr. pour l'avenir de la C.* (div. droite) (D. de Rocca-Serra) 1 (2,43) ; *Liste soc. et dém.* (ex-PS) (C. Santini, ex. PS) 1 (2,41) ; *Partitu populare corsu* (PPC nat.) (D. Alfonsi) 1 (2,12) ; *Renaissance corse* (sans étiq.) (P. Ceccaldi) 1 (2,11) ; *Union rép. de défense et de promotion de la C.* (MRG dissidents) (Dom P. Semidel) 1 (1,68) ; *Union pour la défense de l'écon. C.* (sans étiq.) (S. Cruciani) 0 (0,98) ; *Gestion et justice pour tous* (ex-PCF) (C. Simonpieri) 0 (0,70) ; *Corse voix nouvelle* (sans étiq.) (J.-G. Susini) 0 (0,33).

1984 (12-8) : Inscrits 203 609, votants 139 356, suffr. exprimés 137 048, abstentions 31,43 %. *Union de l'opposition* 19 sièges (29,15 % des suffr. exprimés) (Union de l'opp., RPR, UDF, bonapartistes et indépendants : J.-P. de Rocca-Serra, RPR) ; *MRG* 9 (14,15) (de Hte-C. : F. Giacobbi, sénateur) ; MRG-PS 9 (13,79) (de C.-du-S. et P.S. : N. Alfonsi, député) ; *PCF* 9 (13,79) (D. Bucchini, maire de Sartène) ; *FN* 6 (9,21) (P. Arrighi) ; *CNIP* 5 (7,86) (et dissidents RPR : J. Chiarelli) ; *MCA* (Mouv. corse pour l'autodétermination) 3 (5,22) : P. Poggioli ; *UPC* (Union pour le peuple c.) 3 (5,21) : M. Siméoni ; *Divers* (2,67) (Rass démocr. pour l'avenir de la C.D. de Rocca-Serra) ; *MCS-PPC* (0,96) (Parti du peuple c. : C. Santoni).

1986 (14-3) : Inscrits 114 683, votants 87 847, abstentions 23,4 %. *RPR* (Colonna) : 8 sièges (19,2 % des suffr. exprimés). *MRG* (Giacobbi) : 8 (19,1). *UDF* (Arrighi) : 4 (10,4). *CNI* (Chiarelli) : 3 (9,1). *PS* (Motroni) : 3 (8,8). *Nationalistes* (Simeoni) : 3 (8,4). *PCF* (Stefani) : 2 (6,9). *Divers G.* (Padovani) 2 (5,2). *FN* (Calendin) : 0 (4,8). *Div. G.* (Colonna) : 0 (3,6). *Dv. G.* (Orsatelli) : 0 (2,6). *Div. D.* (Bartoli) : 0 (1,9).

1987 (12-3) : A la suite de l'annulation pour fraude des élections du 14-3-86 en Corse-du-S. Inscrits 114 142, votants 66 579, abstentions 41,67 %. *RPR-CNI* (Colonna) : 10 sièges (28,52 % des suffr. exprimés). *MRG* (Giacobbi) : 8 (24,20). *UDF* (Baggioni) : 4 (13,75). *PS* (Motroni) : 3 (9,14). *PCF* (Stefani) : 3 (8,55). *Nationalistes* (Max Simeoni) : 3 (8,45). *FN* (J.-Bapt. Biaggi) : 2 (7,39).

1992 (22 et 29-3) : 2e tour et, entre parenthèses 1er tour. En italique, nombre d'élus. *Inscrits* 157 805 (157 906). *Abstentions* 15,7 % (17,18 %). *Suffr. exprimés* 129 803 (127 588). RPR-div. d. 24,14 %, (18,81 %) *16* ; Nat. 16,85 (13,66) *9* ; UDF-div. d. 15,87 (12,43) *8* ; MRG 10,33 (9,21) *5* ; PC 8,68 (3,24) *4* ; MPA 7,98 (7,42) *4* ; Div. d. ³ 7,15 (6,41) *3* ; Div. d. ² 5,35 (5,22) *2* ; FN 3,61 (5,10) ; PC diss. (5,43) ; GE (4,98) ; PS (4,47) ; Div. d. ¹ (3,62).

Nota. – (1) Henri Antona (RPR diss.), liste fusionnée au 2e tour avec UDF-div. d. (2) Philippe Ceccaldi. (3) Paul Natali (RPR diss.).

■ **Présidents.** *1982* Prosper Alfonsi (1921-91), MRG. *1984* (24-8) Jean-Paul de Rocca-Serra (11-10-11), RPR.

■ **Législatives. 1986 (mars) : C.-du-Sud :** abst. 23,28 % ; RPR-UDF 52,4 % (1 élu) ; PS-MRG 27,94 (1) ; .P.C 9,67 ; UPC-MCA 7,62 ; FN-dissid. 2,39. **Hte-Corse :** abst. 23,76 % ; RPR 28,17 (1 élu) ; MRG 24,03 (1) ; UDF 17,83 (1) ; PS 9,73 ; PC 8,16 ; UPC-MCA 6,5 ; FN 5,55. **1988 (juin) : Corse-du-Sud :** Ajaccio, abst. 32,12 %, José Rossi (URC-UDF, 58,60 %) ; Ajaccio-Sartène, abst. 39,36 % ; J.-P. de Rocca-Serra (URC-UDF, 60,38 %). **Hte-Corse :** Bastia, abst. 29,13 %, Émile Zuccarelli (maj. prés.-MRG, 51,94 %) ; Corte-Calvi, abst. 32,14 %, Pierre Pasquini (URC-UDF, 51,28 %).

■ **Européennes. 1989 :** Inscrits 206 764, votants 79 632, suffr. exprimés 78 732, abst. 61,48 %. *Résultats* : Giscard (RPR-UDF) 28 750 (37 %), Fabius (PS-MRG) 15 329 (19 %), Waechter (Verts) 12 197 (15 %), Le Pen (FN) 8 597 (11 %), Herzog (PCF) 8 517 (11 %), Veil (Centre) 2 181 (3 %), Goustat (Chasse-Pêche) 1 047 (1 %), Labres 782, Alessandri 699, Laguiller 254, Gauquelin 122, Biancheri 88, Touati 75, Joyeux 58, Cheminade 32.

■ Économie

■ **Population active** (au 1-1-89). 82 264 dont agric. 8 154, industrie 6 411, BTP 9 965, tertiaire 57 734. *Salariée :* 65 843 dont agric. 4 127, industrie 5 403, BTP 8 149, tertiaire 48 164. *Chômeurs insulaires :* (1989) : 10 612 (taux : 10,4 %).

■ **Échanges marchandises** (1991, en milliers de t) : ENTRÉES de Fr. continentale + Étranger : 1 285,6 + 28,8 dont prod. alim. et agric. (y compris text., bois, fleurs) 286,5 + 3,2, prod. pétroliers 445,9, min., matér. de constr. 249,2 + 19,1, prod. chim., 11, articles manufacturés div. 249,8 + 5, engrais 15,8. SORTIES : vers Fr. continentale + étranger : 141,9 + 38 dont prod., alim. et agric. (y c. bois, text., fleurs) 38,8 + 27,9 (dont vin 24,4 + 0,9, agrumes 13,3 + 2,6), prod. pétroliers 21,5 + 1,4, ferrailles 2,8 + 4,9, pierres de taille 3,7, divers 49,4 + 0,7.

■ **Terres** (en milliers d'ha, au 1-1-90). 871,7 dont *SAU* 359,3 [t. lab. 15, herbe 326,4, vignes 11,9, cult. fruit. 8,2] ; *bois* 231,3 ; *t. agr. non cult.* 169,7 ; *t. non agr.* 105,9. Châtaigniers *1897 :* 25, *1967 :* 31, *prod. 83 :* 2,2 (ils ont perdu leur rôle écon. dep. 1920) ; oliviers 12 ; olives (*prod. 83*) 1,3 ; vignes (*1867 :* 18 ; *1913 :* 11 ; *29 :* 3,1 ; *60 :* 5,5 ; *83 :* 20,1 ; *89 :* 9,6). **T. cultivées** (en % du sol) : *Fin XVIIIe s. :* 30,3 ; *1913 :* 36,5 ; *29 :* 7,4 ; *46 :* 7,6 ; *57 :* 6,8 ; *67 :* 5,3. **Matériel** (1988) : 2 563 tracteurs, 1 391 motoculteurs, 684 pulvérisateurs tractés et automoteurs, 88 machines à vendanger. **Exploitations** (1985) : 33,1 % ont – de 5 ha, 3,2 + de 100. **Prod. végétale** (en milliers de t, en 1989) : agrumes 33, pêches, nectarines 57,8, châtaignes 9,4, pommes de t. 31,5, céréales 81,5, olives 1, kiwis (87) 560. *Vins* (en milliers d'hl) 467,9. **Animale** (en milliers de têtes, au 1-1-89) bovins 60,5, porcins 55,5, ovins 129,5, caprins 47,5. *Lait* (au 1-1-90) 55 000 hl.

■ **Pêche** (1988). 1 949 t dont poissons 807 t, langoustes 83 t (89) ; 266 embarcations, 439 marins (89).

■ **Énergie** (1988). *Production :* électricité d'origine hydraulique (Gwh) : 255,5 ; prod. nette : 787,2.

■ **Industrie.** *Évolution :* concessions accordées de 1850 à 1920 : fer et sulfure d'antimoine (cap Corse), plomb argentifère (l'Argentella, 1874), cuivre (Ponte-Leccia, 1881, et Tox), anthracite (Osani, 1889) ; 21 gisements exploités puis abandonnés (en dernier la mine d'amiante de Canari, ouverte 1949, la seule en France). Disparition des usines d'extraits tannants (châtaigniers) ; dernière (Ponte-Leccia) en 1963. *Établissements* (1-1-90) : 4 179 dont 1 401 à caractère industriel (dont ind. agroalim. 492, des biens de consom. 498, des biens intermédiaires 222), 2 778 du BTP

■ **Tertiaire** (1-1-90). *Établissements :* 15 796, dont services marchands 8 205, commerce 4 579, transp.-télécom. 779.

■ **Tourisme.** *Clubs de vacances : 1948 :* c. olympique (Calvi), *1957 :* c. Méditerranée (S. de Porto-Vecchio). *Touristes* (milliers) : 1970 : 500 ; *80 :* 1 200 ; *82 :* 1 739 ; *84 :* 1 571 ; *85 :* 988 ; *88* (mai à sept.) 1 222 ; *89* (mai à sept.) : 1 240 ; *90* (mai à sept.) : 1 310. *Équipement (1-10-89) :* 455 hôtels (12 077 ch.), 182 campings (59 639 pl.) ; 89 villages de vac. (32 250 pl.) ; 445 gites ruraux (2 203 pl.). **Flotte de plaisance** (1986) 3 620 bateaux de + de 2 tonneaux immatriculés en C. 47 700 passages de bat. dans les ports c.

■ **Transports** (1991). **Capacités :** *Maritimes :* voyageurs 3 168 466, voitures 1 106 340, marchandises (mètres de rolls utilisables sur Marseille-Corse 1 924 460 ; *aériens :* voyageurs 2 191 105 places. **Trafic** (entrées + sorties de passagers, en milliers, 1991) : *maritimes :* 2 492,9 dont Bastia 1 441, Ajaccio 510,7, Bonifacio 227,3, L'Ile-Rousse 138,2, Calvi 80,8, Propriano 87,5, Porto-Vecchio 7,3. *Aériens :* 1 883,4 dont Ajaccio 798,9, Bastia 668,7, Calvi 228,3, Figari 187,3. *Ferroviaires :* passagers 227 000, marchandises 2 853 t. **Réseau routier** (1991) : 7 371 km dont routes nat. 555, ch. départ. 4 416, communaux 2 400.

■ **Logement.** *Parc* (1987) : 151 500 (communes urbaines, 58 700, rurales 92 800) dont 87 000 résidences principales ; *confort* (%) : eau courante à l'intérieur 99,1, baignoire ou douche 91,5, W.-C. intérieur 87,7, ch. central 43,1, tout confort 40,2.

■ **PIB** (1990). 75 400 F (155 700 en Ile-de-France).

■ **Budget de l'État** (en millions de F, budget primitif 1989). *Recettes réelles totales* 481 (dont en %) : recettes fiscales 37,8 transferts reçus 48,8, emprunts 13,3. *Dépenses totales* 485 dont : de fonctionnement 185,2 (dont en % transferts versés 72,1, frais de personnel 8,9, intérêts versés 8,3, gestion 7,1), d'investissement 300,7 (dont en %) subventions versées 54,2, équip. brut 37,4, remboursement dettes 2,9.

■ **Aide** (en millions de F, 1990). État 700, État-région 800, CÉE 2 000 (1989-93).

☞ **Fiscalité. 1801** arrêté Miot diminuant de moitié les droits de succession sur les immeubles (base contribution foncière et non valeur locative). **1811** droits indirects remplacés par une majoration de la contribution mobilière. **Actuellement** TVA plus faible, ex. produits alim. 2,5 % (au lieu de 5,5 %), travaux immobiliers 8 (18,6), produits pétroliers 13 (18,6).

■ Départements

Voir légende p. 777.

■ **Corse-du-Sud** (20 A). 4 014,22 km². Long. 137 km, larg. 83 km. *Alt. max.* 2 357 m. *Pop. 1841 :* 78 260 ; *61 :* 93 573 ; *81 :* 110 366 ; *1962 :* 125 337 ; *75 :* 128 634 ; *82 :* 108 604 ; *1990 :* 118 174 (dont Fr. par acquis. 3 761, étrangers 12 383 dont Maroc. 5 822, Port. 1 865, Ital. 1 832, Tunis. 1 460). D 29.

Villes (1990). AJACCIO 59 318 h. (4 000 en 1793) ; musées : Fesch (primitifs et XVIIe s. italiens), Napoléon, maison Bonaparte (f. 1927, 77 586 vis. en 91) ; cath. N.-D. de la Miséricorde (1554-1593), château de la Punta, chapelle impériale (XIXe s.) ; bibl. admin., tourisme, commerce, BTP – *Bonifacio* 2 701 h. ; port de pêche. *Cargèse* 919 h. ; peuplé 1675 par des hab. de Vitylo (Péloponnèse), fuyant la tyrannie turque. Quelques vieillards utilisent encore le grec. *Porto-Vecchio* 9 391 h. ; chênes-liège. *Propriano* 3 238 h. ; port pêche, commerce, plaisance. *Sartène* * 3 649 h. ; centre com. ; m. Préhistoire.

Terres (en milliers d'ha, 1988) : 401,4 dont *SAU* 52,4 [t. lab. 2,6 (dont jardins 0,1), herbe 47,1, vignes 1,5] ; *bois* 4,8 dont (1981) f. d'Aïtone 1,67, f. du Libbio 1,6 ; *t. agr. non cult.* 84,1 ; *t. non agr.* 0,09. **Ressources :** vins, agrumes, bois, cultures maraîchères, légumières et florales. Bovins, ovins, caprins, porcins. 2 017 exploitations. **Pêche** (1987) : 322 t.

Sites touristiques. *Réserve* de Scandola, plateau du Coscione, aiguilles de Bavella. *Forêts :* Aïtone, Libbio. *Calanques :* Piana. *Golfes :* Porto, Girolata. *Stations préhistoriques :* Cucuruzzu Filitosa, Cauria. *Alignements :* région de Sartène. *Castello :* Arragio. *Falaises calcaires :* Bonifacio.

■ **Haute-Corse** (20 B). 4 665,57 km². *Alt. max.* Monte Cinto 2 710 m. *Pop. 1841 :* 143 203 ; *61 :* 159 316 ; *81 :* 162 273 ; *1962 :* 150 128 ; *75 :* 161 208 ; *82 :* 131 574 ; *1990 :* 131 563 (dont Fr. par acquis. 3 268, étrangers 12 464 dont Maroc. 7 136, Ital. 1 284, Port. 1 244, Tunis. 824). D 28.

Villes. BASTIA 38 728 h. (8 000 en 1793) [ag. 45 087, dont *Santa-Maria-di-Lota* 1 858. *San-Martino-di-Lota* 2 467. *Ville-di-Pietrabugno* 2 953] ; centre commercial, manuf. de tabac, apéritifs ; m. d'ethnographie corse. – *Aléria* 2 038 h. ; vestiges gréco-romains, m. archéologique. *Calvi* * 4 920 h. ; port pêche et voyageurs. *Corte* * 6 065 h. ; université 1981 ; marché agr. *Ghisonaccia* 3 292 h. *L'Ile-Rousse* 2 350 h., laiteries. *St-Florent* 1 365 h.

Terres (en milliers d'ha, 1992). 468,8 dont SAU 218,04, *terr. agr. non cult.* 85,5, autre terr. ; non agr. 65,28. **Production :** *végétale* (en milliers de t.) : agrumes 28,74, céréales 9,58 ; *animale* (en milliers de têtes) : ovins 78,4, bovins 43,15, caprins 30,5, porcins 16,3, équins 2 ; *Lait de brebis* 63 976 hl (88).

Sites touristiques. *St-Florent, cap Corse, îles Rousses,* étang de *Diane* (600 ha), vallée de *la Restonica* (près de Corte), *Calvi,* forêts de *Vizzavona, Ghisoni,* vallée d'*Asco,* défilé de la *Scala di Santa Regina,* désert des *Agriates,* sources d'*Orezza.* **Église :** *La Canonica.* **Ski :** *Ghisoni.*

Franche-Comté

■ Généralités

■ **Cadre géographique. Superficie** 16 202 km² (3 % du terr. nat.). Correspond en gros à l'ancien comté de Bourgogne (le terr. de Belfort, rattaché à la région, est devenu un dép. depuis 1922). **Montagne jurassienne** (alt. 500 à 1 700 m), forêt, lait. Chaînes les plus importantes (du N. au S.) : Lomont (840 m), Crêt Monniot (1 142 m), Mont Chateleu (1 277 m), Larmont (1 323 m), Risoux (1 419 m), Mont d'Or (1 423 m), Crêt Pela (1 495 m), Crêt d'eau (1 621 m), Colomby de Gex (1 689 m), Reculet (1 717 m), Crêt de la Neige (1 723 m). **Plateaux et plaines** alt. 250-450 m (du N. au S.) : Sundgau, plateaux de Haute-Saône, plaines du Doubs, de l'Ognon et de la Saône, le vignoble et la Bresse. Polyculture, élevage bovin, lait et vignes. **Montagne vosgienne et Vôge** (bordure des Vosges), alt. 700 à 1 100 m. **Forêt** 698 860 ha (env. 42 % de la rég.), dont résineux (sapin et épicéa) : 171 000 ha (24,9 %) dont f. de La Joux 2 650 ha (la plus importante f. de sapins de France), de Chaux 20 000 ha dont forêt domaniale 13 000 ha. ; feuillus (chêne, hêtre, charme, frêne) à basse alt. : 445 000 ha (64,8 %).

■ **Climat.** Humide et froid (montagne) ou tempéré (plaines). *Pluviosité :* 700 à 1 700 mm (an.). *Temp. :* janv. à juin – 2 à + 12 °C, juillet + 15 à + 19 °C. *Records :* – 34 °C en janv. 1963 à Mouthe (alt. 935 m), + 38,8 °C en juil. 1983 à Besançon.

■ **Population** *1990 :* 1 096 600 (dont Fr. par acquis. 25 908, étrangers 68 177 dont Maroc. 16 507, Alg. 12 476, Turcs 10 172). D 67.

Histoire

Comté palatin de Bourgogne ou Franche-Comté [1]. Après la conquête romaine, le territoire des *Séquanes* devient une *civitas* (qui donnera naissance à l'archevêché de Besançon) : ce sont déjà les limites du comté. **475-80** occupation des Burgondes, venus de la Suisse romande actuelle. **843** partie des pays situés entre Rhin, Seine et Saône, qui reviennent à Lothaire ; sous le nom de Cté d'Outre-Saône, elle devient 2 fois vassale du duché : **936-52** (duc : Hugues le Noir) et **982-1002** (duc : Henri Ier). **1002** Henri Ier désigne son vassal et beau-fils Otte-Guillaume (Otton Ier), Cte d'Outre-Saône, comme héritier du duché. Mais Otte-Guillaume est battu par le Capétien Robert le Pieux : Cté et duché demeurent définitivement séparés. **1043** par privilège de l'emp. Henri III le Noir (mari d'Agnès de Poitiers, p.-fille d'Otte-Guillaume), les archev. de Besançon deviennent princes d'Empire (3e rang à la Diète d'All.) ; *métropole religieuse :* Besançon ; *cap. civile :* Dole. **1057** Guillaume Ier le Grand reçoit le Cté de Mâcon [sa famille prend le nom de Mâcon (1re branche cadette : Étienne, tige de la maison de Chalon ; 2e : Raymond, tige de la maison d'Amous, et père du roi de Castille Alphonse VIII)]. **1156** Frédéric Barberousse reçoit par mariage le Cté qui passe à son 3e fils, Otton (II) de Franconie, Cte palatin de B. en 1169. **1208** Béatrice (II) de Franconie ép. un Pce bavarois, Otton (III) de Méranie. **1226** Jean de Mâcon-Chalon, dit le Sage, refuse l'hommage à Otton III (g. féodale, 1227). **1248** il proclame Cte de B. son fils aîné, Hugues, marié à l'héritière Alix de Méranie (Hugues Ier) ; il reçoit la régence du Cté. **1257** il devient seigneur de Salins et prête l'hommage à son fils Hugues (son fils cadet, Jean dit Brichemail, est la tige des Chalon-Arlay, devenus Pces d'Orange en 1418). **1316** réunion provisoire du Cté à la France par le mariage (1307) de Jeanne de B., fille d'Otton de Chalon (Otton IV), avec Philippe, Cte de Poitiers, qui devient Philippe V de Fr. en 1316. Veuve, la reine laisse le Comté à sa fille, Jeanne, qui épouse Eudes IV, duc de Bourgogne. **1361** le Cté entre dans les domaines de Marguerite de Flandre, dont le suzerain est l'empereur germanique. **1366** apparition du nom de « Franche-Comté ». **1384** réunification du Duché et du Cté par le mariage de Marguerite, Ctesse de Flandre, et de Philippe le Hardi, duc de Bourgogne. **1477** mort de Charles le Téméraire ; le Cté entre dans les domaines des Habsbourg (mariage de Marie, sa fille, et de Maximilien d'Autriche). **1500** partie du Cercle de Bourgogne, division administr. du St Empire. **1556** à la branche espagnole des Habsbourg. Prospérité (foires de Besançon) et grande autonomie. Plusieurs invasions fr. sous Henri IV et pendant la g. de Trente Ans ; pour l'Esp., c'est un 3e front contre la Fr. (avec Pyrénées et Pays-Bas) et une plaque tournante pour acheminer des renforts entre Pays-Bas et Italie. **1665** Louis XIV réclame la Fr.-Comté à la mort de Philippe IV, roi d'Esp., au nom de Marie-Thérèse. **1668** occupée par Condé, rendue à l'Esp. par *le traité d'Aix-la-Chapelle.* **1678** *(tr. de Nimègue)* annexée définitivement par la Fr. Dole, qui a résisté aux troupes fr., est remplacée par Besançon comme capitale civile.

Nota. – (1) *Comté* a été tantôt masculin (latin : *comitatus*), tantôt féminin (latin : *comitas*). Le féminin, qui s'est imposé au XIVe s., pouvait être une allusion à l'alliance du comté avec les Suisses *(comitas* signifie également « alliance »).

Principauté de Montbéliard

■ **Situation.** N.-E. de la Franche-Comté (cantons de Montbéliard, Audincourt, Blamont et Pont-de-Roide) : 469 km².

■ **Histoire. Époque celtique :** sous-tribu des Epomandui (« les dompteurs de chevaux ») faisant partie des Éduens [cap. : Mandeure (Epomanduodurum)]. **Époque romaine :** station sur la voie r. de Besançon au Rhin ; important centre urbain sous les Antonins. **VIe s.** pagus d'Elsgau [*latin :* Alsegaudia ; *fr. :* Ajoie (le nom venu des sources de l'Ill a été rapproché du germ. *elz* « alose » ou « barbeau », et les armes de M. ont 2 poissons)]. **750** 1re mention de M. qui deviendra capitale au XIe s., après la destruction de Mandeure par les Hongrois. **IXe-Xe s.** subdivision de la Lotharingie. **1024** mention du 1er comte, Louis de Mousson. **1162** un Montfaucon, baron de « Bourgogne » (c.-à-d. de Franche-Comté), acquiert par mariage le Cté qu'il agrandit de ses 4 seigneuries de mouvance « bourguignonne » (comtoises) : Blamont, Clémont, Héricourt, Châtelot. **1273** Thierry III est reconnu vassal direct de l'Empire (affranchi de la suzeraineté comtoise, sauf pour les 4 seigneuries). **1283** passe par mariage à la Maison de Chalon et en **1407** à celle de Wurtemberg. **1473** Charles le Téméraire tente de réunir le Cté à ses États mais est défait. **1525** gagné par le Luthéranisme (favorisé par Ulrich de Wurtemberg), sert de refuge aux protest. des pays voisins. **1534-35** vendu 8 mois par Ulrich à François Ier qui devient Cte de M., puis est forcé par Charles-Quint de revendre le comté. **1587-88** le duc de Guise attaque la ville sans succès. **1597** l'emp. Rodolphe érige le Cté en principauté. **1607** Albert d'Autriche en réclame la souveraineté. **1676** Louis XIV occupe la principauté (M. pris et démantelé par Mal de Luxembourg). **1679** *tr. de Nimègue :* 4 seigneuries reconnues vassales de L. XIV, devenu souverain de Fr.-Comté ; il doit rendre la Pté au Wurtemberg, mais n'en fait rien. **1697** *tr. de Ryswick :* Pté rendue à Georges II, qui se reconnaît vassal de L. XIV pour les 4 seigneuries (où le catholicisme est réimplanté). **1793**-*10-10* réuni à la Fr. (reconnu par Wurtemberg 1796), intégré à Hte-Saône, puis au Mont-Terrible (1794), Ht-Rhin (1800), Doubs (1814).

Économie

■ **Population active.** Ayant un emploi (estim. 1989) : 406 244 dont primaire 26 207, secondaire 157 099, tertiaire 222 938. *Salariée* (1991) : 265 860 dont ind. 130 421, services 74 343, commerce 41 694, BTP 19 374. Taux de chômage (sept. 91) : 7,9 %.

■ **Échanges** (en milliards de F, 91). **Imp. :** 18,5 dont équip. prof. 4,9, auto. 2,6, prod. chim. et 1/2 prod. divers 2,6, ind. agroalim. 1,1, métaux et prod. du trav. des métaux 2,7, biens de consomm. courante 2,3, pièces détachées et mat. transp. 1,3, divers 0,16 ; *de* CEE 12,3 dont All. 4,3, R.-U. 3,2, Italie 1,8, Belg.-Lux. 1,4, P.-Bas 0,6, Esp. 0,5, autres pays CEE 0,2, ; Suisse 1,6, Amér. du N. 0,7, Japon 0,6, pays du Maghreb 0,1, Chine 0,2, reste du monde 2,6. **Exp. :** 34,7 dont autom. 12, équip. prof. 8,8, prod. chim. et 1/2 prod. divers 2, ind. agroalim. 1, métaux et prod. du trav. des métaux 2,2, biens de consomm. courante 2,4 pièces détachées et mat. transp. 5,1, divers 0,2 ; *vers* CEE 19,5 dont Italie 4,5, All. 3,3, R.-U. 3,2, Esp. 2,5, Belg.-Lux. 2,5, P.-Bas 2, autres pays CEE 1,2 ; Suisse 2,6, Amér. du N. 1, pays du Maghreb 0,7, Chine 1,2, Japon 0,3, reste du monde 9,1.

■ **Agriculture. Terres** (en milliers d'ha, estim. au 1-1-92) 1 630,8 dont *SAU* 678,5 (t. lab. 256,5, herbe 499,7, vignes 2,2) ; *bois* 702,2 ; *étangs* 3,9 ; *t. agr. non cult.* 39,8 ; *t. non agr. et eaux intérieures* 121,8. **Prod. végétale** (en milliers de t, 1992) blé tendre 299, orge 244,1, maïs 153,4, avoine 36. *Bois* (en milliers de m³, 1992) : Grumes feuillus 503, G. résineux 986, bois d'ind. et de chauffage 408. *Vins* (1992) : 22 240 hl. **Animale** (milliers de têtes, au 1-1-92) bovins 669 dont vaches 282, veaux 162, ovins-caprins 96, équidés 13, porcins 120, coqs et poules 766 ; lapins 396. *Abattage* (1992) : 38 767 t. *Lait de vache* (prod. tot., au 1-1-92) : 11 081 335 hl. *Comté* (prod. tot., au 1-1-91) : 33 359 t. **Exploit. agric.** (nombre) : 17 560.

■ **Industrie.** *Effectifs* (salariés, 1-1-91) : 130 421 dont auto-cycle 36 698, constr. méc. 18 436, fonderie-trav. des métaux 18 696, constr. élec. et électron. 12 824, ind. agroalim. 8 554, bois-ameublement 6 875, caout.-mat. plastiques 5 518, text.-habillement-cuir-chaussures 4 618, chimie 4 029, mat. de construction 3 027, 1re transformation de l'acier 1 845, autres 9 301.

Départements

Voir légende p. 777.

■ **Doubs** (25) 5 258,9 km² (130 × 100 km). *Frontière* avec la Suisse 170 km. *Alt. max.* Mt d'Or 1 463 m ; *min.* 200 (sortie de l'Ognon). *Pop. : 1810 :* 216 226 ; *1861 :* 296 280 ; *1886 :* 310 963 ; *1911 :* 299 935 ; *1936 :* 304 812 ; *1946 :* 298 255 ; *1968 :* 426 458 ; *1975 :* 471 082 ; *1982 :* 477 163 ; *1990 :* 484 331 (dont Fr. par acquis. 13 364, étrangers 34 264 dont Maroc. 7 461, Alg. 6 725, Port. 4 304, Turcs 4 280). D 93.

Villes. BESANÇON 113 835 h. [*1810 :* 28 436 ; *1861 :* 46 786 ; *1921 :* 55 652 ; *1954 :* 73 445 ; *1975 :* 120 315] [ag. 122 623, dont *Thise* 2 856], alt. 242 à 619 m ; ind. micromécan. et horl. (Fralsen, Yema, France Ébauches) ; festival de musique en sept. ; citadelle de Vauban (1674-1711), m. des Beaux-Arts (f. 1694, 1re collection accessible au public en Fr., 52 781 vis. en 91), palais Granvelle (1534-40, par Van Oyen), palais de justice (1582–85 par Hugues Sambin) théâtre (1778-84), vestiges d'arènes romaines, Porte Noire (arc de triomphe, IIe s. apr. J.-C.), cath. St-Jean, maisons natales de Victor Hugo, des fr. Auguste et Louis Lumière. – *Baume-les-Dames* (sous-préf. jusqu'en 1926), alt. 280 m, 5 237 h. ; méc. *Beaucourt* (ag. 2 928). *Charquemont* 2 205 h. *Fesches-le-Chatel* 2 118. *Hérimoncourt* 3 923 h. *L'Isle-sur-le-Doubs* 3 203 h. (ag. 3 560) ; horl. *Maîche* alt. 800 m, 4 168 h. *Montbéliard* * alt. max. 395 m, moy. 316,9, sup. 1 500,56 ha, 29 005 h. [*1598 :* 2 355 ; *1712 :* 2 644 ; *1801 :* 3 558 ; *1861 :* 6 353 ; *1921 :* 10 063 ; *1954 :* 17 023] [ag. 117 510, dont *Audincourt* 16 361. *Bavans* 4 144. *Béthoncourt* 7 448. *Étupes* 3 603. *Exincourt* 3 445. *Grand-Charmont* 5 605. *Hérimoncourt* 3 923. *Mandeure* 5 402. *Seloncourt* 5 613. *Sochaux* 4 419 ; autom. *Valentigney* 13 141 ; château. *Vieux-Charmont* 2 571. *Voujeaucourt* 3 176] ; métall., auto, cycles, outill. – *Morteau* alt. 750 m, 6 458 h. (ag. 8 899) ; horl. *Ornans* alt. 340 m, 4 016 h. ; constr. élec. ; maison natale et m. Courbet. *Pontarlier* * alt. 820 m, 18 110 h. [*1801 :* 3 771 ; *1921 :* 10 203] (ag. 19 781) ; ind. alim., constr. méc., élec., *Pont-de-Roide* alt. 340 m, 4 983 h. (ag. 6 348) ; métall. méc. *Pouilley-les-Vignes* 1 707 h. *Saint-Vit* 3 774 h. *Valdahon* alt. 670 m, 3 534 h. ; horl., bois, camp milit. *Villers-le-Lac* alt. 740 m, 4 203 h. ; horl., méc. de précision.

Régions naturelles (en ha). *Montagne jurassienne* (alt. 1 100-1 460 m), 35 058 ha. *Plateaux supérieurs* (750-1 100 m), 148 767 ha. *Moyens* (400-750 m), 171 882 ha. (bovins pour fromages de comté et emmenthal, Mont d'Or, forêts, tourisme). *Zone de plaines et basses vallées* (200-400 m), 167 657 ha. (polyculture, bovins pour lait et viande). **Bois** (en milliers d'ha). 221 [dont (en 1981) feuillus 126,95, résineux 80,5, forêt de protection 6,6 (f. domaniale de Levier 2,7 : sapins)].

Tourisme. Sports d'hiver : massif du Mont d'Or 1 000-1 463 m, *Métabief-Jougne,* ski de descente, de fond (éc. nat.) : *Chapelle-des-Bois* 1 077 m, *Mouthe* 935 m, *les Fourgs* 1 108 m. **Voile :** *lac St-Point* (398 ha, prof. max. 45 m). **Spéléologie :** *Osselle, Poudrey.* **Sites :** *saut du Doubs* (cascade de 27 m), *sources de la Loue* et du *Lison* (résurgences). **Salines royales** *d'Arc-et-Senans.* **Abbaye** *Montbenoît* **Cirque** de *Consolation.* **Théâtre romain** *Mandeure.* **Château :** *Moncley.*

☞ **République du Saugeais.** *Origine :* XIIe s. franchise et privilèges de l'abbaye de Montbenoît. *Composition :* 12 communes de la vallée du haut Doubs (dont Gilley), 1 950 h. *1947 :* dotée d'une présidence (tourisme, sports, culture). *Drapeau :* noir, rouge et or.

■ **Jura** (39) 5 048,82 km² (115 × 66 km). *Alt. max.* Crêt Pela 1 495 m [*moy.* 400 à 900 m]. *Pop. :* 1801 : 288 051 ; *1861 :* 297 953 ; *1911 :* 252 609 ; *1936 :* 220 704 ; *1946 :* 216 286 ; *1968 :* 233 441 ; *1975 :* 238 856 ; *1982 :* 242 925 ; *1990 :* 248 584 (dont Fr. par acquis. 4 600, étrangers 13 850 dont Maroc. 3 477, Turcs 3 108, Port. 2 932, Alg. 1 593). D 50.

Villes. LONS-LE-SAUNIER alt. 255 m, 20 140 h. [*1800 :* 6 070 ; *1890 :* 12 610 ; *1954 :* 15 030 ; *1975 :* 20 942] [ag. 25 189, dont *Montmorot* 257 m, 3 177 h.] ; lunetterie, ind. alim. et méc. ; station thermale ; égl. St-Désiré (crypte du XIe s. et restes des XIe-XIIe, XVIIIe et XIXe s.), égl. des Cordeliers (XVIe-XVIIe s.), hôpital (Hôtel-Dieu du XVIIIe s.), maisons à arcades (XVIIIe s.) de la rue du Commerce, statue de Rouget-de-Lisle (1882 Bartholdi). – *Arbois* alt. 297 m, 3 900 h. (ag. 4 389) ; vignoble ; Institut des vins ; égl. St-Just, maison de Pasteur, vieilles maisons, musée. *Baume-les-Messieurs :* reculée (vallée en cul-de-sac) et grottes ; égl. abb. (XIIe et XIIIe s.) avec m. de la Forge et de la Tonnellerie. *Champagnole* alt. 545 m, 9 250 h. [*1800 :* 1 548 ; *1891 :* 3 588] (ag. 10 208) ; métall., mobilier, jouets, cimenteries, arts graphiques. *Château-Chalon :* égl. (XIe-XIIe s.), vieilles maisons. *Dole* * alt. 245 m, 26 577 h. [*1800 :* 8 235 ; *1891 :* 14 253] (ag. 31 904, dont *Fouchérans* 1 710) ; chim., métall., électro., ciments, ind. alim., aéroport. *Moirans-en-Montagne* 2 018 h. lycée des Arts du bois, maison du jouet, antenne du labo. nat. d'Essais (LNE). *Morez* alt. 700 m, 6 957 h. [*1800 :* 1 218 ;

1891 : 5 124] (ag. 8 921) ; horl., lunetterie, éc. nat. d'optique, plast. *Mouchard* 997 h. ; lycée du bois. *Poligny* (sous-préf. jusqu'en 1926) alt. 327 m, 4 714 h. [*1831 :* 6 005] ; fromage (comté), éc. nat. de l'ind. laitière, lycée hôtelier ; collégiale St-Hippolyte, vieilles maisons, hôtels anciens. *St-Amour* 2 200 h. *St-Claude* * alt. 418 m, 12 704 h. [*1800 :* 3 579 ; *1891 :* 9 782] (ag. 13 292) ; évêché ; travail du bois, fabrique de pipes, mat. plast., horl., lunetterie, taille du diamant ; cath. St-Pierre, m. de la pipe. *Salins-les-Bains* alt. 354 m, 3 629 h. [*1800 :* 8 125 ; *1891 :* 6 068] ; anciennes salines, station thermale, faïencerie, casino ; égl. St-Anatoile. *Tavaux* alt. 202 m, 4 387 h. [ag. 7 091, dont *Damparis* 2 704] ; ind. chim.

Régions naturelles. *Plaine* (région doloise, 57 430 ha, et Bresse, 56 429 ha) : à l'O., fraction de la Bresse louhannaise, dépression lacustre comblée d'alluvions ; terrasses de 170 à 250 m d'alt. en montant vers Dole. Blé, maïs, bovins, porcins, volaille, 850 ha d'étangs dans la Bresse. *Côte (Revermont)* (59 341 ha) : bord du 1er plateau jurassien (vignoble : Arbois, Château-Chalon, l'Étoile, Poligny) de St-Amour à Salins-les-Bains, termine les plateaux au centre et E., gradins séparés par des vallées (Combe d'Ain) ; fromageries, ind. du bois, cartonneries, tissage, ind. méc. *La Montagne : 1er plateau* (alt. 550 à 650 m ; 65 134 ha) [le Jura plissé du Sud ou « petite montagne », climat sec ; au N. plus riche : céréales et élevage (comté)] ; *2e plateau* (séparé du 1er par les vallées de l'Ain et de l'Angillon ; 700 à 1 000 m ; 99 576 ha) : lacs, résineux (La Fresse, La Joux), pâturages ; *Haut-Jura* près de la Suisse (p. culmin. au Crêt Pela, alt. 1 495 m, 54 611 ha) : forêts, pâturages, ind. de précision (taille de diamant, horlogerie, lunetterie) et diverses (pipes, boîtes en épicéa). *Val d'Amour et Forêt de Chaux* (25 765 ha). *Finage* (18 583 ha). *Combe d'Ain* (19 863 ha). *Plateaux inférieurs du Jura* (43 188 ha). P. culmin. de tout le massif : Crêt de la Neige (alt. 1 723 m). **Bois** (milliers d'ha). 230 (taux de boisement 45,5 %) dont (1988) feuillus 2/3, résineux 1/3 [*forêt de Chaux :* 20 dont 13 de forêt domaniale ; *f. de la Joux :* 2,65 (arbres souvent de + de 50 m de haut.)], *f. privées* (1988) 46 %.

Ressources. *Céréales* (plaine du Doubs). *Bois :* résineux (Ht-Jura). *Ind. laitière :* comté, morbier, bleu. *Vignobles* réputés du Revermont (Arbois, Château-Chalon, Côtes du Jura l'Étoile).

Tourisme. Lacs : *Chalain*, 232 ha, prof. 34 m, alt. 526 m ; *Clairvaux-les-Lacs*, alt. 540 m, 63 ha ; *Les Rousses.* **Plans d'eau :** *Vouglans* : 1 600 ha, *Coiselet.* **Ski :** *Les Rousses, Lamoura* (piste et fond, alt. 1 100 à 1 200 m), *vallée des Rennes* à Prémanon (fond, alt. 120 m). **Châteaux :** *Arlay, Le Pin* (XIIIe, XIVe et XVIIe s.). **Orgelet :** égl. fortifiée. **Grottes :** *les Moidons, Beaume, les Messieurs, Les Planches* (près d'Arbois).

■ **Haute-Saône** (70) 5 390,17 km² (116 × 100 km). *Alt. max.* Mont Belfahy 1 216 m ; *min.* 185 m (confluence Saône/Ognon). *Pop. : 1801 :* 291 579 ; *1861 :* 317 183 ; *1886 :* 290 954 ; *1911 :* 257 606 ; *1936 :* 212 829 ; *1946 :* 202 573 ; *1968 :* 214 296 ; *1975 :* 222 254 ; *1982 :* 231 962 ; *1990 :* 229 474 (dont Fr. par acquis. 3 964, étrangers 10 003 dont Maroc. 3 701, Port. 1 916, Turcs 1 224, Alg. 1 070). D 43.

Villes. VESOUL alt. 220 m, 907 ha, 17 612 h. [*1876 :* 9 206 ; *1911 :* 10 539 ; *1954 :* 12 038 ; *1975 :* 18 173] [ag. 28 732, dont *Échenoz-la-Méline* 2 445] ; métall., auto. ; hôtel XVI, XVIIe s., musée Georges Garret. *Champagney* 3 283 h., maison de la Négritude. *Champlitte* 1 906 h., église des XVe–XIVe s., château (XVIIIe s.), musée hist., folklore, techniques Albert Demard. *Cirey-les-Bellevaux* 224 h. [Bellevaux (abbaye XVIIe–XVIIe s.,)]. *Fougerolles* 4 168 h., écomusée de la distillerie, m. rural de plein air, parc animalier. *Gray* (sous-préf. jusqu'en 1926), 6 925 h. [ag. 12 030, dont *Arc-les-Gray* 3 124] ; métall., électro., coton ; musées Baron-Martin, musée nat. de l'Espéranto, m. Baron Martin, hôtel de v. et basilique XVIe s. *Haut-du-Them* 465 h., musée de la Montagne. *Héricourt* 9 743 h. ; constr. métall. ; musée de la Mine. *Jonvelle* 139 h. ; musée agricole et vestiges gallo-romains. *Lure* * 8 846 h. (ag. 11 065) ; constr. méc., équip. auto., ind. du bois ; musée du boomerang. *Luxeuil-les-Bains* 8 789 h. (ag. 12 850), alt. 295 m ; métall., text., ind. du bois ; station thermale ; maison carrée, tour du Bailly, abbaye St-Colomban, musée archéol. *Mélisey* 1 805 h.(ag. 3 158) ; mécanique. *Passavant-la-Rochère* 874 h. ; verrerie. *Pesmes* 1 006 h., fortific., hôtel de Châteaurouillard, maison royale. *Plancher-les-Mines* 1 178 h. (ag. 2 820). *Port-sur-Saône* 2 521 h. *Ray-sur-Saône* 201 h., château XVIe s. *Ronchamp* 3 092 h., chapelle (Le Corbusier, 1955). *St-Loup-sur-Semouse* 4 672 h. (ag. 5 117) ; ind. du bois.

Régions naturelles. *Plaine grayloise :* 55 712 ha, alt. 200 à 250 m, boisée, céréales, grandes cultures, bovins (lait, viande). *Plateaux :* 273 692 ha, alt. moy. 250 à 300 m, 2/3 du dép. ; céréales, grandes cultures, bovins lait, moutons. *Basse vallée du Doubs et de l'Ognon :* 28 522 ha, v. bovins, lait. *Trouée de Belfort,* 19 310 ha et *région sous-vosgienne,* 79 646 ha : 300 à 350 m, pâturages. *Rég. vosgienne :* 36 114 ha, 400 à 800 m, forêts et étangs. *Hautes-Vosges :* 24 351 ha, 500 à 1 200 m, forêts, prairies. *La Vôge :* 18 661 ha, 400 à 500 m, pauvre souvent humide, bovins, lait. Cerises (kirsch, Fougerolles). **Bois** (milliers d'ha). 225 dont (%, 1988) feuillus 88, résineux 12, taux de boisement 41,8 %, forêts de protection 2,87 [f. domaniale de Luxeuil (hêtres) 1,25].

Ressources (1991). *Agriculture :* Grandes cultures (18 %) : céréales 64 600 ha (blé, orge, maïs) oléagineux 17 102 ha (colza, soja, tournesol). **Prod. animale :** bovins (23 %) : gros bovins (17,4 %) 14 426 t, veaux 2 047 t, *lait* 37 % de la prod. agric. 2 816 900 hl, beurre 24 654 t, emmental 13 993 t, pâtes molles 5 303 t.

Tourisme. Ski : *La Planche des Belles-Filles* (1 148 m), *Belfahy* (950 m). **Lacs :** *Vesoul* et *Champagney, région des mille étangs* au pied des Vosges. **Tourisme fluvial. Sites :** *La Roche-Morey, Servance* (saut de l'Ognon), *Sabot de Frotey* (réserve nat.). **Châteaux :** *Sorans-les-Beurey* (maison forte), *Filain* (maison forte et château XVe-XVIe s.), *Fondremand* (donjon XIe s., château XVIIIe s., village), *Gy* (château XVe-XVIIe s.), *Malans, Villefrancon, Villersexel* (château de Gramont, musée). **Prieuré :** *Grandcourt* (XIIe s.). **Ermitage :** *St-Valbert* (VIIe s., parc animalier).

■ **Territoire de Belfort** (90) 610,6 km² (3,8 % de la sup. de la région) (45 × 22 km). *Alt. max.* Ballon d'Alsace 1 248 m ; *min.* 325 m (confluent Allaine/Bourbeuse). *Pop. : 1801 :* 31 439 ; *1861 :* 56 248 ; *1886 :* 79 758 ; *1911 :* 101 386 ; *1936 :* 99 497 ; *1946 :* 86 648 ; *1968 :* 118 450 ; *1975 :* 128 125 ; *1982 :* 131 999 ; *1990 :* 134 211 (dont Fr. par acquis. 3 980, étrangers 10 060 dont Alg. 3 088, Maroc. 1 868, Turcs 1 560, Ital. 848). D 220 (1990). 1 seul arrondissement. *Cantons :* 15. *Communes :* 101. Seule partie du Haut-Rhin restée fr. en 1871 (traité de Francfort) après le siège de Belfort où la garnison de 30 000 h. commandée par le Cel Denfert-Rochereau résista 103 j aux Allem. ; Belfort avait déjà été assiégée en 1813-14 et 1815.

Villes. BELFORT alt. 359 m, 50 125 h. [ag. 77 858, dont dans le dép. *Bavilliers* 4 408. *Danjoutin* 3 103. *Offemont* 4 213. *Valdoie* 4 314] ; constr. élec., motrices ferrov., turbines à gaz (GEC Alsthom, construction TGV et transmanche, EGT), text. ; château et fortif. de Vauban, musée, Lion de Belfort (par Bartholdi : long. 22 m, haut. 11 m). *Beaucourt* 5 569 h. ; constr. électr., méc. *Chatenois-les-Forges* 2 517 h. (ag. 3 625). *Delle* 6 992 h. [ag. 11 166, dont *Grandvillars* 2 874] ; constr. méc., art. métall. *Giromagny* 3 226 h. (ag. 5 787). *St-Dizier-l'Évêque* 346 h., tombeaux VIIe s.

Régions naturelles. 61 060 ha dont *Sundgau* 21 979 ha. *Montagne et zone sous-vosgienne* 17 980 ha. *Trouée de Belfort* 15 835 ha, altitude moyenne 440 m, largeur 30 km. *Plateaux moyens du Jura* 5 266 ha. **Bois.** 25 271 ha dont (en 1985) feuillus 19 000, résineux 4 240, forêts de protection 740.

Divers. Ballon d'Alsace (ski, randonnées pédestres). **Plans d'eau :** *Malsaucy, des Forges.* **Terrain de Chaux** (vol à voile, aviation).

ILE-DE-FRANCE

■ GÉNÉRALITÉS

■ **Nom.** Apparaît en 1387 dans le chronique de Froissart. Remplace le nom ancien du *pays de France* (21 villages autour de St-Denis, par ex. Roissy-en-France), lorsque *pays* a pris le sens de *nation,* et *Fr.* le sens de *royaume français. Île de* signifierait *presqu'île de* et désignerait la langue de terre délimitée par Oise, Seine et Marne-Ourcq. A partir de 1419, les « gouverneurs de l'île-de-Fr. » ont autorité sur l'ancien *pays de France* (Paris, Argenteuil, St-Denis), sur les 6 pays faisant encore partie de la région parisienne (V. ci-dessous) et sur 5 pays picards : Laonnais, Noyonnais, Soissonnais, Valois et Beauvaisis (V. Picardie). La « généralité d'Ile-de-Fr. » (ou de Paris), organisée en 1542, était plus vaste.

■ **Paris et sa banlieue. Situation.** Sur la Seine, en aval du confluent avec la Marne (centre de navigation fluviale). Le petit bras de la Seine (au S. de la « *Cité* ») est l'ancien cours de la *Bièvre.* **Époque celtique** fraction du territoire des Parisii, sous-tribu des Sénons [cap. *Lucotetia* ou *Lutèce,* du grec « ville des blancheurs » (**leukos,** « blanc ») ou « v. des loups » (**lukos,** « loup ») ou « v. du dieu Lug » (douteux : Lug est un dieu irlandais)]. Les Parisii (déformation de Kwarisii) tireraient leur nom des carrières de Montmartre (à rapprocher de l'angl. quarr). **53 av. J.-C.** les Sénons sont battus par César dans la plaine du Champ de Mars et se replient dans les collines boisées de Meudon. **Période romaine** Lutèce fait partie de la Lugdunaise Quatrième (cap. Sens). **Période franque 508** Clovis établit sa capitale à Paris, après la victoire de Vouillé. **Sous les Carolingiens** remplacée par Laon comme capitale. **861** échoit à Robert, « duc de France », fondateur des Capétiens. **Après 888** centre du domaine royal capétien. Les ducs, puis rois « de France », étaient en même temps seigneurs des deux autres fractions de l'ancien territoire gaulois des Parisii : la *Goële* (N.E.) et le *Parisis* (S.).

■ **Brie. Situation.** Plateau de 150 à180 m d'alt. à l'est de la Seine, en arc de cercle (125 km sur 60) et séparant bassin de Paris (calcaires) et Champagne (craie) : céréales et élevage, buttes et tertres boisés (sables de Fontainebleau). Dép. de Seine-et-Marne débordant sur Aisne et sur Marne. **Histoire.** Ancienne marche non déboisée *(Brigius Saltus),* servant de limites entre les tribus et les sous-tribus celtiques des Sénons, Parisii, Meldi, Tricassi et Suessiones. Cap. *Briga* (« forteresse ») devenue au moyen âge Brie-Comte-Robert qui a donné son nom au fief : la Brie signifie la *(Comté) Brie,* c.-à-d. *de Brie.* Les 2 villes principales portent le nom des *Meldi :* Meaux *(Meldi),* évêché, et Melun *(Meldodunum).* Acquis par Herbert de Vermandois en 998, le Cté devient l'un des 2 éléments de la Champagne (Ctés de Brie et de Troyes). 1336 entre dans le domaine royal. 1693. disputée entre gouvernements de Champagne et d'Ile-de-France, coupée en 2 : région de Meaux, champenoise, de Melun. 1791 réunies dans le dép. de Seine-et-Marne, les Meldois ne voulant pas dépendre de Château-Thierry.

☞ On appelait **Multien** (Meldianus) la partie N.-O. pays des Meldi, non rattachée à la Brie et appartenant aux ducs de France dep. le IXe s. Les hauteurs boisées, séparant Multien et pays de France (canton de Dammartin), formaient le « petit pays » de **Goële** (cap. ancienne : Montjé) ; nom voisin du celtique *coat* ou *goat,* forêt.

■ **Étampois.** *Étampes* est un doublet de Étapes. Ville mentionnée depuis 604 ; siège d'un palais royal depuis 1005, séparé du domaine royal et érigé en comté au XIIIe s., puis en duché pour Anne de Pisseleu, favorite de François Ier.

■ **Gâtinais français.** Nord d'un plateau de 5 600 km², entre l'Essonne et l'Yonne ; du sud de la Loire à la Sologne. Dép. de l'Essonne et de la Seine-et-Marne (débordant sur Loiret et Yonne). **Histoire.** L'ancien *pagus Vastinensis* avait pour cap. Vatan (Indre). IXe s. marche non déboisée entre Carnutes et Sénons, il appartient aux comtes de Blois-Chartres (famille de Thibaut le Tricheur) qui fixent sa cap. à Château-Landon. 1090 acquis par le domaine royal par Philippe Ier, 1453 coupé en 2 : Gâtinais français (cap. Nemours) en Ile-de-Fr. ; orléanais (cap. Montargis) en Orléanais.

■ **Hurepoix.** Série de collines boisées formant le bassin de l'Orge (Orobia), de Rambouillet à la forêt de Fontainebleau. L'expression *pagus Orobiensis* (déformée en *Huripensis*) a désigné depuis le XIIe s. un ensemble plus vaste, englobant Gâtinais français jusqu'à Montargis et Étampois. **Histoire.** Marches non déboisées entre Sénons et Carnutes. VIIIe-IXe s. défriché et peuplé de petits seigneurs turbulents (Montfort-l'Amaury, Rochefort-en-Yvelines, Montlhéry, etc.), vassaux des ducs-rois de France, et soumis seulement vers le XIIe s. après de nombreuses guerres féodales.

■ **Mantois.** Rive gauche de la Seine, Yvelines ; formé essentiellement du bassin de la Mauldre et du Pinceray, autour de Poissy (déborde sur l'Eure-et-Loir). **Histoire.** *Pagus* celtique de Medunta, transformé en « marche » (région militaire) lors des invasions normandes, sous l'autorité d'un comte de Mantes. Dans le domaine capétien dès le IXe s.

■ **Vexin français.** Au N. de la Seine, entre l'Oise et l'Epte : extrémité ouest du Val-d'Oise, mais débordant sur l'Oise (Picardie). **Histoire.** Ancienne cité celtique des *Veliocassi,* devenue sous Charles le Chauve (v. 850) domaine de l'abbaye de St-Denis. En 911 : rive droite de l'Epte au duc Rollon (Vexin normand), rive g. au roi de France (Vexin François). Gardant le titre d'« avoué de St-Denis », le roi adopte comme emblème l'oriflamme rouge et or des abbés.

☞ **Iles** 123 : dans Seine 54 [dont Ile de la cité 17 ha (450 × 185 m), St Louis (long. 540 m), île Seguin 9 ha], Marne 60, Oise 9.

■ ORGANISATION

■ **Histoire. 1961-*2-8*** loi créant le district de la *Région parisienne.* **1964-*10-7*** loi faisant 8 départements des 3 (Seine, Seine-et-Oise, Seine-et-Marne), la *Seine* éclatant en 4 (Paris, Hauts-de-Seine, Val-de-Marne, Seine-St-Denis), la *Seine-et-Oise,* un peu amputée,

Population		
Années	Paris	Région parisienne [1]
59 av. J.-C.	25 000	–
510	30 000	–
1200	70 000	–
1328	250 000	–
1475	300 000	–
1684	425 000	–
1791	630 974	–
1801	547 766	1 353 000
1817	713 966	–
1831	861 436	1 722 000
1841	1 059 825	–
1851	1 277 064	2 240 000
1861	1 696 141 [2]	–
1866	1 825 274	3 039 000
1872	1 851 792	–
1881	2 269 023	3 726 000
1891	2 447 957	–
1901	2 714 068	–
1911	2 888 110	5 336 000
1921	2 906 472	5 683 000
1931	2 891 020	–
1936	2 829 753	6 785 000
1946	2 725 374	6 597 000
1954	2 850 189	–
1962	2 790 000	8 469 600
1968	2 590 771	9 250 400
1975	2 299 830	9 878 631
1982	2 176 243	10 073 059
1990	2 152 423	10 660 554

Nota. – (1) Seine dont Paris, Seine-et-Oise et Seine-et-Marne jusqu'en 1964. Ultérieurement Paris + 7 départements (voir p. 801 c). (2) Après annexion des banlieues (348 000 h).

éclatant en 3 (Val-d'Oise, Yvelines, Essonne), la *Seine-et-Marne* restant inchangée. **1976**-*6-5* loi substituant la Région d'Ile-de-France au district. **1982**-*2-3* région devient collectivité territoriale. **1986** *mars* élection au suffrage universel des Conseillers régionaux (mandat de 6 ans).

■ **Organes. Conseil régional :** 209 membres. Paris 42, Hts-de-Seine 27, Seine-St-Denis 27, V.-de-Marne 24, Yvelines 26, Essonne 21, Seine-et-Marne 21, Val-d'Oise 21. *Commission permanente :* 30 membres. *Pt :* Michel Giraud (14-7-1929) dep. 1992. *Budget 1991 :* 10,6 milliards de F. *Répartition :* PS 32, RPR 52, UDF 33, PC 17, FN 37, NI 2, Génération Écologie 23, Verts 13. **Comité économique et social :** 110 membres dont 39 représentants des entreprises et activités non salariées de la région, 39 repr. des syndicats de salariés, 28 repr. d'organisations participant à la collectivité de la région, 4 personnalités qualifiées. *Pt :* Roger Courbey (1-8-1911) depuis déc. 1982.

■ Statistiques de l'Ile-de-France

☞ *Place de l'Ile-de-France (en %) :* superficie 2,2 de la Fr., population 19 (active 22), cadres et intellectuels 41, effectifs universitaires 28, PIB 28,7, revenu imposable 26, étrangers 36.

■ **Superficie.** 12 012,3 km².

■ **Population.** [*1962 :* 8 469 863 ; *68 :* 9 248 631 ; *75 :* 9 878 000 ; *82 :* 10 074 100 ; *90 :* 10 660 075 ; *prév. an 2000 :* 11 600 000] ; 18 % de la population fr. **Densité** (1990) : 887 h/km². **Solde des naissances** *sur les décès :* + 90 971 (87-90). **Rythme de croissance** (1982-1990) : + 0,71 % dont migratoire 0,77 et naturel – 0,06 (moy. nat. 0,5 %). **Soldes migratoires avec la province :** *1954-62 :* + 41 878 ; *62-68 :* + 6 329 ; *68-75 :* – 23 971 ; *75-82 :* – 63 833 ; *82-90 :* – 38 358. **Étrangers** *(1990) :* 1 377 416 (12,9 %) dont (1990) Portugais 304 811, Algériens 238 955, Marocains 155 674, Afrique noire fr. 113 599, Tunisiens 75 965, Espagnols 59 572, Italiens 51 001, Asiat. 52 850, Turcs 40 795, autres 491 438. **Pop. des ménages** [catégories socioprofessionnelles (1990)] : Agr. exploitants 23 236 ; artisans, com., chefs d'entreprise 701 872 ; cadres, prof. intell. sup. 2 072 288 ; prof. intermédiaires 1 779 588, employés 1 363 584, ouvriers 2 443 052. Non actifs 2 054 056 (dont retraités 1 628 164). *Total 10 427 676.*

Répartition par âge (en %) : *0 à 19 ans :* 26,1 ; *20 à 39 a. :* 33,4 ; *40 à 59 a. :* 24,8 ; *60 à 74 a. :* 10 ; *75 a. ou + :* 5,7.

■ **Population active** (au 31-12-90). 4 432 612. Agriculture 9 784 (salariés 656). Industrie : 892 450 (dont salariés constr. élec. et électron. 179 771, imprimerie, presse, édition 100 565, autom. 80 053, constr. méc. 76 758, parachimie, pharm. 75 396, fonderie et trav. des métaux 65 022, prod. alim. autres que viande et lait 54 440, text., habill. 52 025, constr. navale et aéron. 50 370). Bât. génie civil et agric. 269 480. Commerce 498 497. Transports et télécom. 368 364. Services marchands 1 186 258, services financiers 256 950. Services non marchands 950 829. Actifs étrangers : 730 000.

Personnel de l'État et des services publics affecté dans la région (au *31-12-87*) : *Personnels de l'État rémunérés par les trésoreries générales de la Région* (tous services confondus, 1986) 444 984. *Principaux serv. publ. :* 329 839 dont P. et T. 126 133, Assistance publ. 62 118, SNCF 52 171, EDF-GDF 42 371, RATP 39 438, Banque de France 7 608.

■ **Produit intérieur brut** (1990). 1 863 957 millions de F (28,7 % du PIB national), soit 174 334 F/hab. (*1982 :* 986 590 MF).

Échanges (en milliards de F, 91) : Importations 402,2 (31 % des imp. nat.) dont (en %) matér. de traitement de l'information 8,46, autom. 8,1 pièces et équip. autom. 2,7, matér. audiovisuel 2,7, systèmes de propulsion aéronefs 2,64, cellules d'aéronefs 2,15 ; *de* (en %) All. 15,7, USA 14,4, Italie 9,4, G.-B. 9,1, Japon 8,05, UEBL 6,1, Esp. 5,8, P.-Bas 4,8. Exportations 235,3 (19,6 % des exp. nat.) dont (en %) autom. 10,8, pièces et équip. autom. 5,7, propulseurs aéronefs 5,6, matér. de traitement de l'information 3,5, parfumerie 3,2, pharm. 2,6, friperie 2,2, optique 1,8, tube électron. et semi-conducteurs 1,7, édition-impr. 1,6, chimie 1,5 ; *vers* (en %) All. 11,6, USA 10,2, G.-B. 9,5, Italie 8,2, UEBL 7,6, Esp. 4,7, Suisse 4,2, P.-Bas 3,6, Japon 2,9.

■ **Budget** (1993). 12,3 milliards de F dont transports et circulation 29,5 %, formation 41,3, dépenses de fonctionnement 4. *Recettes :* impôts régionaux (directs et indirects) 48,9 %, contribution de l'État 22,3 %.

■ **Fiscalité locale.** Dès 1991, 500 millions de F devront être prélevés sur les 56 communes les plus riches d'Ile-de-France, en application de la réforme Rocard (prélèvement direct sur les recettes fiscales des communes riches).

Villes qui paieront plus de 1 million de F

Commune	Prélèvement total [1]	DGF [2] 1990	Budget 1990	Produit 4 taxes 1989
75 Paris	373,2 (8 %)	4 015,6	18 016,3	5 933
78 Aubergenville	2,3 (8 %)	8,1	75,2	44
78 Buc	1,8 (9 %)	3,9	36,2	19
78 Coignières	1,3 (9 %)	3,6	34,4	18,9
78 Porcheville	1,2 (10 %)	1,2	24,9	17,5
78 Vélizy-Villacoublay	7,9 (9 %)	19,8	158,9	95
91 Morangis	1,6 (8 %)	7,5	38,5	19,7
91 Paray-Vieille-Poste	2,7 (10 %)	13,8	53,6	25,5
91 Villebon-sur-Yvette	1,6 (8 %)	6,7	73,2	37,4
91 Wissous	1,5 (9 %)	7,2	32,1	11,6
92 Boulogne-Billancourt	19,4 (8 %)	100,8	581	250,7
92 Courbevoie	19,8 (10 %)	50,4	395,8	201,7
92 Levallois-Perret	9,2 (8 %)	52,5	358,1	171,8
92 Neuilly	12,9 (9 %)	60,7	259,3	81,7
92 Puteaux	22,0 (10 %)	42,2	440,7	219,5
92 Saint-Cloud	5,9 (8 %)	33,6	135,5	53
94 Chevilly-Larue	2,7 (8 %)	15,7	104,5	54,1
94 Rungis	3,8 (10 %)	2,9	75,4	46,4
95 Roissy-en-France	1,5 (10 %)	1,6	30,5	21,6

Nota. – (1) Entre parenthèses, taux de l'écrêtement. (2) Dotation globale de fonctionnement.

■ **Agriculture. Terres** (en milliers d'ha, 1991). 1 196,5 dont *SAU* 593,8 [t. arables 572,4, herbe 17,9, jardins familiaux 7,4 ; + de 6 000 ha (8,54 m² par h.) ouverts au public ou en cours d'aménagement ; acquisitions prévues : 3,5 ha au N. de Paris entre la forêt de Bondy et celle de Montmorency (espaces existants 0,6)], cult. fruitières 2,4, lég. frais et secs 78 ; *bois* 255,5 (80 ouverts au public soit 74 m² par hab., 156 millions de promeneurs en 1980) ; *t. agr. non cult.* 14,6 ; *t. non agric.* 318,5. **Prod. végétale** (milliers de t) blé tendre 2 184, better. ind. 2 838, maïs-grain 407, orge et escourgeon 371, oléagineux 148. **Animale** (milliers, en 1991) bovins 41,4, ovins 24,8, porcins 16,9, équins 5,3, caprins 2,4. *Lait* 516 510 hl.

■ **Tourisme** (au 31-12-92). Hôtels classés 2 424 (126 788 ch.). Campings-caravanings 136 dont 121 classés (15 654 empl.). Auberges et Logis de France 50 (707 ch.). Gîtes 295 (1 922 pl.). Hébergements pour jeunes (1991) : UCRIF 16 centres (1 095 ch., 3 385 lits) ; auberges de jeunesse 6 (775 lits). *Part fréquentation hôtelière (en nuitées) en Ile-de-Fr. par rapport à la France entière (en %) :* 1 étoile 15, 2 ét. 30, 3 ét. 38, 4 ét. et luxe 47.

■ **Transports. Lignes de ceinture :** *1852-67* Petite Ceinture ouverte par le Syndicat de Ceinture de Paris et la Cie de l'Ouest ; *1875* Grande Ceinture décidée ; *1983-1-1* gestion commune par le Syndicat d'exploitation des 2 Ceintures. Ouverture des tronçons de Grande Ceinture (120,7 km) : *1877* Noisy-le-Sec, Villeneuve-St-Georges, Juvisy ; *1882* Noisy-le-Sec, Le Bourget, Achères ; *1883* Juvisy, Versailles, Achères. **Réseau :** *SNCF* (en km, au 1-1-1992) : 1 282 avec gares, 935 pour ag. parisienne ; lignes dont RER 289 (soit totalité ligne C : 169, partie Ouest ligne A : 35,5, partie Nord ligne B : 54, totalité ligne D : 30), 382 gares. *RER RATP* (1990) : 103 km. *Autobus* (1990) : 2 650 km dont banlieue 2 129, Paris 521. *Métro* (1990) : 199. **Trafic** (en millions de bus-km ou de rame-km) : Autobus 141,3 dont banlieue 100 ; métro 195,4 ; RER A et B 72 ; réseau SNCF 46. *Taxis :* 14 500 voitures. **Voyageurs** (en millions, 91) : Métro 1 300, Bus (1990) 824 (dont Paris 328), RER 345, SNCF banlieue 545 (banlieue/Fr. entière 65,1 %, 61,6 % en 1987) ; (estim. 1991) : 544. Interconnexion TGV sud-est nord et atl. (1996). **RATP :** *Météor* (métro) ligne Tolbiac Madeleine (1997, 5,5 milliards de F) prolongée ensuite vers Cité universitaire et Gennevilliers. *TRAM* Issy-Plaine La Défense (1995). **Projets SNCF** : prolongement ligne A à Cergy-le-Haut (1994). Prolongement ligne B pour desserte TGV et aérogares 2 et 3 de Roissy (1994). Ligne La Verrière à La Défense (1994). Tunnel entre Châtelet et Gare de Lyon pour prolonger ligne D sur les lignes du S.-E. (1995). Ligne EOLE (ligne RER E) desserte améliorée des banlieues Nord et Est reliées à 2 gares nouvelles N.-E. et St-Lazare-Condorcet (1998). **Déplacements** (en millions, en 1990, dont entre parenthèses, cartes oranges) : Bus : 817 (535) ; métro 1 221 (684) ; RER 362 (227) ; SNCF grandes lignes : 101. **Mode de déplacement** (en % en 1990) : voie ferrée 49 ; voiture 34 ; bus 10 ; autre 7. **Orbitale :** pour des systèmes automatiques comme le Val, rocade ferroviaire qui permettrait d'aller d'une banlieue à l'autre sans passer par Paris (170 km, 170 stations dont 60 en correspondance avec métro, RER et SNCF banlieue). 2 lignes en cercle autour de Paris : 1re desservant Montreuil, Aubervilliers, Clichy, La Défense, St-Cloud et Issy-les-Moulineaux, Vincennes, Vitry et Villejuif à l'est et le *Trans Val* de Marne vers Antony à l'ouest et Champigny à l'est. 2e prolongeant le tram St-Denis-Bobigny vers Gennevilliers, Nanterre, Boulogne et Antony à l'ouest et Montreuil. **Autoroute** : achèvement A 86 vers l'ouest (1998, 4,9 milliards de F). Création d'autoroutes à péage à l'ouest et au sud-est pour décongestionner Paris ; la *Francilienne* reliera les 5 villes nouvelles et les autoroutes *A 1, A 4, A 6, A 10* à 30 km de Paris (1998) A 14 Orgeval Mery-sur-Oise (1995, 2,2 millions de F). **Projets : Icare** (infrastructures concédées d'autoroutes régionales enterrées) : construction en sous-sol de 150 km d'autoroutes à péage autour de Paris, réservés aux voitures et camionnettes. **Orbicare :** tunnel de 12 m de diamètre à 3 niveaux, 2 pour voitures (1 pour chaque sens de circulation) et 1 pour futurs systèmes de transport collectif. État et Région envisagent d'investir en Ile-de-Fr. 210 milliards de F sur 25 ans (dont transports en commun 2/3, t. routiers 1/3). **Bateaux-bus :** ligne régulière de 25 km entre Alfortville et Suresnes. **Aéroports de Paris** (voir Index). **Port autonome de Paris** *créé* 1970, voies d'eau 500 km, espace portuaire 800 ha, entrepôts 230 000 m², CA (1991) 238 millions de F. **Trafic** (millions de t, 1990) : 3,7 dont chargement 0,7 [trafic de la Seine : > 10 millions de t/an (2e voie d'Europe après le Rhin)].

■ **Logements. Parc** (1990) : Région 4 745 780. **Paris** 1 304 331. *Petite-Couronne* 1 718 000 dont Hauts-de-Seine 656 851, Seine-St-Denis 551 686, Val-de-Marne 510 728. *Grande-Couronne* 1 721 000 dont Yvelines 502 892, Essonne 412 687, Seine-et-Marne 420 412, Val-d'Oise 386 193. **Type de résidence :** principale

4 232 691 ; secondaire 86 805 ; occasionnelle 114 789 ; vacante 311 494. **Logement :** individuel 1 125 375 ; collectif 2 953 624 ; foyers (vieux) 26 583 ; fermes 7 711 ; autres 119 398. **Statut d'occupation :** propriétaire 1 816 261 ; locataire 2 171 754 (dont HLM 871 608, meublé et hôtel 78 498, autres 1 221 648) ; logement gratuit 244 676. **Confort :** sans 156 406, sans bain avec WC 115 688, avec bain sans WC 116 967, bain et WC sans chauffage 317 865, tout 3 525 765. **Taille :** *1 pièce :* 511 461 ; *2 p. :* 884 556 ; *3 p. :* 1 171 567 ; *4 p. :* 934 792 ; *5p. :* 472 584 ; *6p. et + :* 257 731. **Logements mis en chantier** (en milliers) : *1982 :* 43 (individuels 15, collectifs 28), *85 :* 45, *89 :* 59 (i. 21, c. 38), *90 :* 52, *91 :* 51, *92 :* 43.

■ **Ceinture verte.** 118 700 ha (entre 10 et 30 km du centre de Paris) dont : espaces verts publics ou privés d'usage public 57 880, esp. ouverts d'usage privé dont la protection est à renforcer 52 820, esp. d'accompagnement 8 000.

■ **Déchets** (1992). 7,4 millions de t dont ménagers 5 [dont Paris 1,35 (620 kg/hab.), Petite Couronne 1,87 (460), Grande Couronne 1,78 (400)], industriels 2,4. *Élimination* (en %) : décharges contrôlées 62 (16 sites), incinération 34 (13 usines), compostage 4 (10 usines).

■ **Inondations.** Zones à risques. 249 communes surtout le long de la Marne ou de la Seine.

■ Départements

Voir légende p. 777.

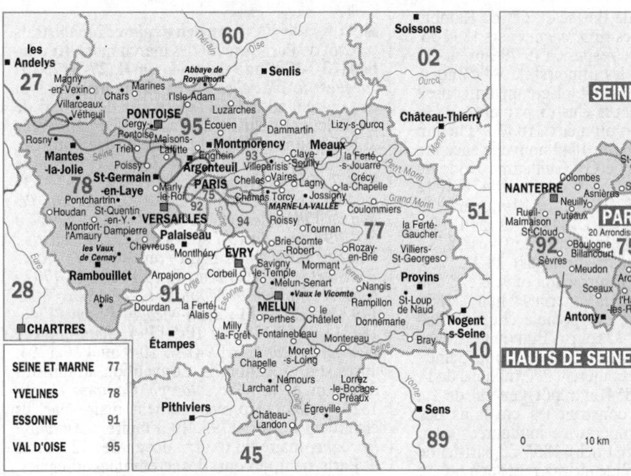

■ Paris (75)

> **Place de Paris dans la vie nationale (en %).** Terr. national 0,022 : population 4 ; sièges sociaux des banques 96 ; s. des Stés d'assurance 70 ; s. d'autres entreprises 45 ; prof. libérales 39 ; emplois tertiaires 25 ; recettes fiscales 45.

Description

■ **Situation.** A 372 km en amont de l'embouchure de la Seine. *Lat.* N. 48°50'*11''*, *long.* 0° [long. françaises : à partir du méridien passant à l'Observatoire de Paris (2°20'14'' E. du méridien de Greenwich)]. *Alt.* (m), Télégraphe 129, Montmartre 128, Ménilmontant 118, Belleville 115, Buttes-Chaumont 101, Montsouris 78, Charonne 65, Butte-aux-Cailles 60, Montagne-Ste-Geneviève 60, Maison-Blanche 53, Grenelle 26 (min.). *Périmètre :* 36 km, *long.* (est-ouest) : 12 km, *larg.* (nord-sud) : 9 km. **Pluie** (en 1990) : Buttes-Chaumont 568 mm, stade Léo-Lagrange 430 mm.

■ **Superficie** (en ha). **1re** *enceinte : (sous Jules César, 43 av. J.-C.)* 45,28 ; **2e** (375 apr. J.-C.) 38,78 ; **3e** *(Philippe Auguste, 1211)* 252,85 ; **4e** *(1385)* 439,20 ; **5e** *(1581)* 483,60 ; **6e** *(1634)* 567,80 ; **7e** *(1686)* 1 103,70 ; **8e** *(Fermiers généraux, 1788) :* 3 370,45 ; **9e** (1840) 3 450 [12 arrondissements, 48 quartiers]. *1898 :* 7 802 ha (dont zone annexée 4 352) ; *1925 :* 8 622 ; *1947 :* 10 516 ; *1982 :* 10 539,7 (dont Paris 8 692,8, bois de Vincennes 994,7, de Boulogne 845,9, Seine 6,3) dont *habitations* 3 949 ha.

■ **Arrondissements** (superficie en ha et, entre parenthèses, population), en 1990 : 1er 182,6 ha (18 360) ; 2e 99,2 (20 738) ; 3e 117,1 (35 102) ; 4e 160,1 (32 226) ; 5e 254,1 (61 222) ; 6e 215,4 (47 891) ; 7e 408,8 (62 939) ; 8e 388,1 (40 814) ; 9e 217,9 (58 019) ; 10e 289,2 (90 083) ; 11e 366,6 (154 165) ; 12e 637,7 (130 257) ; 13e 714,6 (171 098) ; 14e 562,1 (136 574) ; 15e 850,2 (223 940) ; 16e 784,6 (169 863) ; 17e 567 (161 936) ; 18e 600,5 (187 657) ; 19e 678,6 (165 062) ; 20e 598,4 (184 478).

■ **Population.** 2 152 400 (voir aussi p. 802 a). **Densité :** *1975 :* 21 820 ; *82 :* 20 647 ; *89 :* 20 770 ; *90 :* 20 421. **Répartition par âge** (en %, en 1990) : *0 à 4 ans :* 4,7 ; *5 à 14 a. :* 9 ; *15 à 24 a. :* 13,6 ; *25 à 34 a. :* 19,6 ; *35 à 64 a :* 37,8 ; *65 a. et + :* 16,1. **Par sexe** (en %, en 1990) : h. 46,5, f. 53,5. **Par arrondissement** (en milliers, en 1990) : 2 152,3 (dont *1er* 18,3. *2e* 20,7. *3e* 35,1. *4e* 32,2. *5e* 61,3. *6e* 47,9. *7e* 63. *8e* 40,8. *9e* 57,6. *10e* 90,1. *11e* 153,6. *12e* 130,3. *13e* 171,3. *14e* 136,6. *15e* 224,2. *16e* 169,9. *17e* 161,9. *18e* 187,7. *19e* 165,1. *20e* 184,4. **Étrangers :** 422 034 dont : *Afrique du Nord* 127 920 (dont Algérie 58 959, Maroc 35 535, Tunisie 33 356) ; *CEE* 122 791 (dont Portugal 53 825, Esp. 28 277, Italie 13 491, G.-B. 8 798, All. 6 772, Belgique 3 789, Grèce 3 040, P.-Bas 2 054, Irlande 1 403, Danemark 1 064, Lux. 276) ; *Afrique noire* 52 963 (dont Mali 9 662, Sénégal 9 094, Zaïre 5 884, C.-d'Ivoire 4 904, Maurice 4 686, Cameroun 2 885, Madagascar 1 276) ; *Europe sauf CEE* 32 267 (dont Youg. 17 503, Pologne 6 566, Suisse 1 883) ; *Moyen-Orient* 25 226 (dont Liban 10 136, Turquie 10 065, Égypte 3 150, Israël 1 635, Iran 240) ; *Asie-Extrême-Orient* 18 612 (dont Chine 6 395, Japon 5 532, Pakistan 2 863, Inde 2 035, Cambodge 1 260, Viêt-nam 1 196) ; *Amér. latine* 11 939 (dont Brésil 2 522, Haïti 2 490, Colombie 1 831, Argentine 1 247) ; *Amér. du Nord* 11 057 (dont USA 9 526) ; *Océanie* 483 ; *à déterminer* 2 388.

Familles : *nombre :* 1 097 452. *En % :* cadres et prof. intellectuelles supérieures 23,2, retraités 17,6, ouvriers 17,2, employés y compris personnel des particuliers 14,1, prof. intermédiaires, anciennement cadres moyens, plus contremaîtres 13,7, artisans, commerçants et chefs d'entreprises 8,3.

■ **Population active** (1990). 1 129 771 dont ayant un emploi 1 023 087 (salariés 905 131, non salariés 117 956), chômeurs 106 684. **Catégorie prof.** (en % 1990) : artisans 7,1 ; cadres sup. ou intellectuels 30,6 ; intermédiaires 21,3 ; employés 26,2 ; ouvriers 14,7. **Salariés :** agriculture 69, industrie 212 853, BTP 54 515, commerce 213 071, services 855 547, transports-télécom. 44 802.

■ **Échanges des principaux produits** (en %, en 1990). **Imp. :** matériel de traitement pour l'information 6,04. Produits de la bijouterie, joaillerie 5,25. Objets d'art, de collection 4,4. Ouvrages tissés industr. de la soierie 3,4. Voitures particulières 2,7. Chandails, pull-overs, polos en bonneterie 2,58. Métaux précieux 2,55. Produits de l'imprimerie et de l'édition 2,49. Appareils d'enregistrement son image 2,44. Pantalons, salopettes autres que travail 2,37. **Exp. :** objets d'art, de collection 7,89. Articles de friperie 7. Produits de la bijouterie, joaillerie 6,04. Produits de la parfumerie 4,99. Costumes ensembles pour femmes et fillettes 3,9. Articles de maroquinerie, voyage, chasse 3,83. Voitures particulières 3,43. Produits de l'imprimerie et de l'édition 3,41. Produits de la presse 3,06. Spécialités pharmaceutiques 2,91.

Personnel de l'État et des services publics affecté à Paris (au 31-12-86) : 373 410 dont *rémunérés par les trésoreries générales de la région :* 193 793 (tous services). *Services publics :* 179 899 dont P. et T. 66 392, Assistance publ. 37 837, SNCF 30 601, RATP 23 758, EDF-GDF 15 101, Banque de Fr. 6 210.

Quelques dates

Avant J.-C. V. 4500. chasseurs et pêcheurs à Bercy (pirogues découvertes en 1991). **52-51** les Romains conquièrent le village des Parisii et l'appellent *Lutèce* (appelée Paris au IIIe ou IVe s. ap. J.-C.). **Après J.-C. V. 280** après l'invasion germanique, 1re enceinte (île de la Cité). **355** l'empereur Julien, nommé César des Gaules, réside à P. (357-358). **375** 2e enceinte. **451** Ste Geneviève détourne Attila de Paris. **V. 508** Clovis à P. Fondation de l'église des Saints-Apôtres (Ste-Geneviève). **VIIIe s.** les Carolingiens délaissent P. **IXe s.** invasions normandes. **888** Eudes, Cte de P., élu roi de France. **957** 1re foire du Trône. **987** Hugues Capet, Cte de P., élu roi de Fr. **1163** début de la construction de N.-D. **1183** 1er pavage des rues [*Croisée de Paris :* 4 voies se croisant à partir du Châtelet ; dalles de grès ou de pierre, carrées (1,50 m de côté et 0,35 à 0,40 m d'épaisseur)] ; construction des Halles. **1180-1210** enceinte de « Philippe Auguste ». **1254** St Louis fonde l'hôpital des Quinze-Vingts. **1257** Sorbonne créée. **V. 1260** prévôts et jurés de l'Association des marchands de l'eau deviennent les prévôts des marchands et échevins. **1268** les marchands de l'eau adoptent la *devise « Fluctuat, nec mergitur »* (il flotte et ne coule pas), devenue celle de P. **1348-49** grande Peste (+ de 500 † par j). **1356-57** captivité de Jean le Bon. États généraux dirigés par Étienne Marcel, prévôt des marchands de P. É. Marcel installe la municipalité dans la Maison aux Piliers, place de Grève. **1367-83** enceinte de Charles V (rive droite). **1420-36** les Anglais à P. **1436** P. se rend à Charles VII, qui s'installe en 1437 dans les dépendances de l'hôtel St-Pol. **V. 1470** Louis XI quitte P. et s'installe à Plessis-lez-Tours. **1489** parution du *1er indicateur des rues.* **1533** le prévôt des marchands Pierre Viole pose la 1re pierre du nouvel Hôtel de Ville à l'emplacement de la Maison aux Piliers. **1546** début des travaux du *Louvre.* **1581** enceinte de Henri II. **1594**-*22-3* Henri IV rentre à P. **1605** il fait construire la place Royale, future pl. des Vosges. **1610** H. IV assassiné. **1622** l'évêché de P. devient archevêché et cesse de dépendre de Sens. **1634** L. XIII extension de l'enceinte v. l'ouest. **1670** construction des Invalides. **1680** L. XIV abandonne P. pour Versailles. **1686** nouvelle enceinte ; ouverture du Procope (café). **1717** extension de l'enceinte. **1728** au coin de chaque rue, *plaques de fer-blanc* avec son nom. **1753** aménagement de la place L. XV, future pl. de la Concorde. **1764** L. XV pose la 1re pierre du Panthéon. **1782** 1ers *trottoirs* (rue de l'Odéon). **1784-91** enceinte des *Fermiers Généraux* avec pavillons d'octroi de Ledoux. **1786** destruction des maisons qui subsistaient sur 4 ponts. **1787-97** construction du *mur d'octroi des Fermiers Généraux.* **1788** pont de la Concorde commencé (achevé avec les pierres de la Bastille). **1789**-*25-6* constitution de la *Commune de P.,* les électeurs parisiens occupent l'H. de Ville et remplacent l'ancienne municipalité (1 prévôt des m., 4 échevins, 36 conseillers, 16 quarteniers) par une assemblée générale comprenant, en outre, 12 électeurs des 3 ordres ; *13-7* 1re réunion de cette ass. ; elle prend comme force armée les gardes-françaises ; *14-7* celles-ci s'emparent de la Bastille (voir index) ; *15-7* Jean-Sylvain Bailly 1er maire de P. ; *6-10* la famille royale ramenée à P. s'installe aux Tuileries. **1792**-*9-8* Danton chasse le Comité de 1789 et le remplace par une *commune révolutionnaire,* dont les troupes renverseront la monarchie le lendemain. **1793**-*21-1* exécution de L. XVI (pl. de la Révolution, plus tard Concorde) ; *2-6* la Commune de Paris (*maire :* Pache) renverse les Girondins pour le compte des Montagnards ; *23-11* elle se rallie aux « Enragés » (Hébertistes). **1794**-*10-5* Robespierre met fin à son pouvoir politique (Pache remplacé par Fleuriot-Lescot) ; *28-7* celui-ci est guillotiné avec Robespierre ; *31-8* explosion de la poudrerie du château de Grenelle (1 000 †). **1795**-*22-8* constitution de l'An III divise Paris en 12 municipalités indép.

1800 début de la suppression des *ruisseaux* au milieu des rues ; *17-2* la Loi du 28 pluviôse an VIII crée dans chacun des 12 arr. un maire et 2 adjoints nommés par le gouvernement. Le préfet de la Seine réside à l'hôtel de ville ; le conseil général de la Seine (Paris, Sceaux, St-Denis) y siège : pas de conseil municipal. **1804**-*2-12* sacre de Napoléon Ier à N.-D. **1805** érection de la colonne Vendôme. *Numérotage* régulier des maisons (pair à droite et impair à gauche, en partant de la Seine ou en suivant son cours). **1808**-*2-12* inauguration du bassin de la Villette, à l'intersection des 3 canaux : Ourcq, St-Martin, St-Denis ; réservoir d'eau potable, il alimente habitations et fontaines publiques parisiennes. **1810** 1re *carte géologique* des environs de Paris (par Cuvilier et Brongniart). **1814**-*31-3* capitulation, entrée des Coalisés ; *3-5* entrée de Louis XVIII. **1815**-*20-3* retour de Nap. Ier ; *7-7* occupation par les Coalisés après Waterloo ; *8-7* retour de L. XVIII. **1825** *1er essai d'éclairage au gaz* par la Cie du Gaz (place Vendôme). **1827** arrivée de Marseille, à pied, de la girafe donnée par Méhémet-Ali pacha d'Égypte. **1830**-*27/28/29-7* révolution. **1832** *choléra* (18 602 morts) ; combat de la rue du Cloître-St-Merry. **1833** sondage de Grenelle à l'angle des rues Haüy et Bouchot (1er s. profond du Bassin parisien) : atteint 548 m en 1841. **1834** colonnes-urinoirs [*« rambuteaux »,* du nom du préfet qui les implanta, Claude Berthelot, Cte de Rambuteau (1833-46) ; appelées *vespasiennes* vers 1834-55, du nom de l'empereur Vespasien (9-79 apr. J.-C.) qui créa un impôt sur les urinoirs] ; *15-4* combats de la rue *Transnonain ; 20-4* loi créant un conseil municipal de 36 membres élus (3 par arr.). **1836** érection de l'obélisque (voir index). **1837** 1er chemin de fer p. : P. à St-Germain. **1840** nouvelle enceinte militaire construite par le Gal Guillaume Dode de La Brunerie (1775-1851, Mal de Fr. 1847). **1842** essais de *pavage en bois* (1881 : rue Montmartre et bd Poissonnière sur 3 000 m²). **1844** 1ers essais d'*éclairage électrique,* place de la Concorde (puis 1878 : av. de l'Opéra, pl. du Théâtre-Français). **1848**-*23/24-2* révolution ; *23/26-6 :* insurrection ouvrière. 8 000 becs de gaz (remplacent les lanternes à huile). **1850** installation des égouts ; eau potable (Eugène Belgrand 1809-78). **1851**-*2-12* coup d'État du Pce Louis-Napoléon. **1852** Haussmann, préfet de la Seine ; travaux (3 tranches qui coûtèrent 272 millions de F, 410 m. et 300 m.). **1854** entrepôt général de La Villette créé, Baltard construit les pavillons des Halles ; avenue de l'Impératrice inaugurée (long. 1 200 m, larg. 140 m, auj. Foch). **1855** Cie parisienne d'éclairage et de chauffage au gaz regroupe 6 Cies. **1859** *annexion de 11 communes* à P. ; nombre d'arrondissements porté à 20 (526 000 h., 7 800 ha). **1860** *travaux d'Haussmann :* voies rayonnantes de la place de l'Etoile ; achèvement Louvre-Opéra ; aménagement de bois et de jardins ; construction de 10 nouveaux ponts ; fontaines, 14 bassins et 1 500 km de conduites d'eau potable alimentées par les pompes de l'usine hydraulique de St-Maur et par 2 grands aqueducs qui amènent de l'eau de 131 km dans le réservoir de Ménilmontant et de 140 km dans le réservoir de Montsouris ; grand collecteur d'égouts. **1868** 150 colonnes commandées à *Morris,* imprimeur des affiches théâtrales (en 1986 concession renouvelée pour 224 col.). **1870**-*4-9* proclamation de la République. *Sept.* siège et bombardement par les All. (émeutes). **1871**-*janv./mars/mai* fin du siège, insurrection de la Commune, incendie (Tuileries, Hôtel de Ville). **1874-82** H. de Ville reconstruit, coût 25,5 millions de F. **1876** la Ville devient propriétaire des canaux. **1878** exposition universelle ; palais du Trocadéro. **1884** obligation de déposer les ordures dans des récipients [appelés plus tard *« poubelles »,* du nom du préfet Eugène Poubelle (1831-1907) qui en prit l'initiative]. **1889** exposition univ. ; Tour Eiffel. **1900** *1re ligne du métro :* « Porte Maillot-Porte de Vincennes » ; exposition univ. ; Grand Palais, Petit Palais, pont Alexandre-III. **1910** *inondations.* **1920-21** enceinte de Louis-Philippe démolie. **1937** exposition univ. **1940-44** occupation allemande. **1944**-*25-8* libération ; *26-8* de Gaulle défile sur les Champs-Élysées. **1964**-*10-7* Seine découpée en 4 départ. dont Paris (effet au 1-1-1968). **1968**-*mai* insurrection des étudiants. **1975**-*31-12* réforme du régime administratif. **1977** *mars* élection du 1er maire de Paris (J. Chirac) dep. la Commune. **1983** nouveau statut de Paris.

Statuts anciens

■ 1°) Loi du 5-4-1884. *Exécutif :* préfet de Paris (distinct du prés. du Conseil de Paris) ; préfet de Police. *Conseil de Paris* (élu pour 6 ans au scrutin de liste majoritaire à 2 tours) : compétences limitées prévues par la loi ; son Pt (élu tous les ans avec les autres membres du bureau) dirige les débats et représente la ville dans les cérémonies officielles. Le *budget d'investissement* doit être approuvé par arrêté du min. de l'Intérieur et du min. de l'Écon. et des Finances.

2°) Loi du 31-12-1975. Le territoire de Paris recouvre 2 collectivités distinctes, de limites identiques. a) Commune de Paris (20 arr., 80 quartiers), soumise dep. le 20-3-1977, à l'exception des pouvoirs de police, au code des communes. **Conseil municipal :** 109 m., fait son règlement intérieur, peut être dissous par décret motivé en Conseil des min., ne peut être suspendu. **Maire :** élu par scrutin de listes bloquées majoritaires à 2 tours, 18 *secteurs électoraux* comprenant de 1 à 2 arrond., et de 4 à 11 sièges. **Adjoints :** 18 réglementaires, 9 supplémentaires max. **Commission d'arrondissement** (composée à part égale de conseillers élus dans la circonscr. élect., d'officiers municipaux nommés par le maire, de membres élus par le Conseil de P.) : se réunit à la mairie d'arr. qui prend le nom de *mairie annexe.* Donne son avis sur les affaires soumises par le Conseil de P. ou le maire, assiste maire et Conseil pour animer la vie locale. **Préfet de police** (voir plus loin). b) Département de Paris. **Conseil de Paris :** exerce les attributions dévolues aux conseils généraux. **Préfet de la Région Ile-de-France aussi Préfet de Paris :** exécutif du dép. à côté du maire, Pt du Conseil de P. et exécutif de la ville.

Statut actuel

■ Texte. Loi du 31-12-1982 appliquée dep. mars 1983. Le 4-10-1982 le conseil municipal de Paris avait marqué son opposition (par 71 voix contre 36), et

■ Maires de Paris. **Ancien Régime :** 2 magistrats (prévôt de Paris, prévôt des marchands). **Révolution [13-7-1789 au 9 thermidor an II (27-7-1794)] :** *Jacques de Flesselles* (1721-89) nommé prévôt des marchands 21-4-1789 (après démission de Le Peletier) : élu Pt de l'assemblée gén. créée le 26-6 (municipalité + 12 électeurs des 3 ordres), fonction équivalente à celle de maire, massacré le 14-7 ; *Jean-Sylvain Bailly* (n. 1736) [1] : 15-7-1789 au 18-11-1791, exécuté 12-11-1793 ; *Jérôme Pétion de Villeneneuve* (1756-94) [1] : 18-11-1791 au 6-7-1792, puis du 13-7 au 15-10-1792, se suicida ; *Philibert Borie :* intérim du 7 au 13-7-1792 ; *René Boucher* († 1811) : intérim du 15-10 au 2-12-1792 ; *Nicolas Chambon de Montaux* (1748-1826) : 8-12-1792 au 2-2-1793 ; *Jean-Nicolas Pache* (1746-1823) [1] : 14-2-1793 au 10-5-1794 ; *Jean-Baptiste Fleuriot-Lescot* (1761-94) [2] : 10-5 au 17-7-1794, après son exécution, la Convention administra directement la Ville ; *Joseph Cambon* (1750-1820) [1] nommé provisoirement maire par les émeutiers le 20-3-1795. **Ier Empire :** *Athanase Bricogne,* maire du 6e arr., doyen des 12 maires de Paris, tient, au cours des cérémonies officielles, un rôle d'apparat. **IIe République :** *Louis-Antoine Garnier-Pagès* (1803-78) : 24-2 au 5-3-1848 ; *Armand Marrast* (1801-52) [29-3] au 19-7-1848. **Gouvernement de la Défense nationale :** *Étienne Arago* (1802-92) [2] 4-9 au 15-11-1870 ; *Jules Ferry* (1832-93) [2] « Délégué à la préfecture de la Seine » du 15-11-1870 au 5-6-1871. **IIIe et IVe Républiques :** Pas de maire, mais 1 Pt du Conseil municipal (élu pour 1 an). **Ve République :** *Jacques Chirac* (n. 29-11-32), élu 25-3-1977, réélu 3-83 et 19-3-89.

Nota. – (1) Élu. (2) Nommé.

■ Préfets de la Seine (depuis 1944). **1944** (19-8) Marcel Flouret (1892-1971), **1946** (30-8) Roger Verlomme (1890-1950), **1950** (10-7) Georges Hutin (1899-1978) (intérim), (22-8) Paul Haag (1891-1976), **1955** (2-9) Émile Pelletier (1898-1975), **1958** (1-6) Richard Pouzet (1904-71) (intérim), (1-10) Jean Benedetti (1902-1979), **1963** (12-9) Raymond Haas-Picard (1906-71).

■ Préfets de Paris. **1964** Raymond Haas-Picard (1906-71), **1966** (10-8) Maurice Doublet (n. 8-4-14), **1969** (21-2) Marcel Diebolt (n. 7-2-12), **1971** (29-11) Jean Verdier (1915-74), **1974** (27-11) Jean Taulelle (n. 15-4-14), **1977** (25-3) Lucien Lanier (n. 16-10-19), **1981** (8-8) Lucien Vochel (n. 19-7-19), **1984** (14-9) Olivier Philip (n. 31-8-25), **1991** (1-1) Christian Sautter (n. 9-4-40).

■ Préfets de la région Ile-de-France. **1977** (16-3) Lucien Lanier, **1981** (8-8) Lucien Vochel, **1984** (23-8) Olivier Philip, **1991** (1-1) Christian Sautter.

■ Préfets de police (depuis 1944). **1944** (19-8) Charles Luizet (1903-47), **1947** (20-3) Armand Ziwès (1887-1962) (intérim), (9-7) Roger Léonard (1898-1988), **1951** (12-4) Jean Baylot (1897-1976), **1954** (13-7) André-Louis Dubois (n. 8-3-03), **1955** (12-11) Roger Génébrier (n. 16-5-01), **déc. 1957** André Lahillonne (n. 17-9-02), **1958** (15-3) Maurice Papon (n. 3-9-10), **1966** (27-12) Maurice Grimaud (n. 11-11-13), **1971** (13-4) Jacques Lenoir (n. 13-8-18), **1973** (2-7) Jean Paolini (n. 3-3-21), **1976** (3-5) Pierre Somveille (n. 12-11-21), **1981** (8-8) Jean Périer (n. 28-5-25), **1983** (9-6) Guy Fougier (13-3-32), **1986** (17-7) Jean Paolini (3-3-21), **1988** (16-8) Pierre Verbrugghe (n. 8-4-29), **1993** (21-4) Philippe Massoni (13-1-36).

le Conseil d'État avait donné un avis défavorable, mais le texte, adopté le 23-10-1982 à l'Ass. nat. par 322 voix contre 159, a été déclaré conforme à la const. par le Conseil constitutionnel (saisi par l'opposition) le 28-12-1982.

■ Conseil de Paris. **Siégeant en formation de conseil municipal :** élit un maire. Vote le budget. Seul habilité à lever l'impôt, décide des grands équipements, des transports. Le maire de Paris réunit à sa demande les conseillers d'arrondissements. **Siégeant en formation de conseil général :** attributions dévolues aux conseils généraux ; son Pt (le maire de Paris) est l'exécutif du département. **Membres** (1992) : 163. RPP 90, Paris-Liberté 48, PS 19, PC 2, Vert 1, non inscrits 3.

Listes à Paris en 1977 : 149 (875 candidats pour 109 sièges) ; *en mars 83 :* 131 (3 422 cand. pour 163 s. de conseillers de Paris et 354 s. de conseillers d'arrondissement) ; *en 1989 :* 123 (3 257 candidats).

■ Conseils d'arrondissements. **Membres :** *total* 354 conseillers pour 20 arrondissements. **Statut :** ne peut demander l'inscription à l'ordre du jour du conseil mun., de propositions de délibérations intéressant les affaires de l'arr., mais peut poser au conseil mun. des questions orales avec débat et adresser des questions écrites au maire de la commune sur les affaires intéressant l'arr. (si pas de réponse dans les 3 mois, questions inscrites de droit à l'ordre du jour de la 1re séance du conseil mun.). Peut émettre des vœux sur tout ce qui concerne l'arr. Avant examen par le conseil mun., est saisi pour avis des rapports de présentation et projets de délibération concernant les affaires dont l'exécution est prévue dans l'arr. Est consulté par le maire de la commune avant délibérations du conseil mun. sur les plans d'occupation des sols et les projets de zones d'habitation, de rénovation, réhabilitation, de zones ind. et artisanales concernant l'arr. Délibère sur l'implantation et le programme d'aménagement de divers équipements publics : crèches, maisons de jeunes et de la culture, gymnases, bains-douches, petits espaces verts (moins d'un hectare). Il en fixe les conditions de gestion. Possède des attributions dans le domaine social pour les logements répartis pour moitié par le maire de la commune et pour moitié par le maire d'arr. **Pouvoirs :** le représentant de l'État maintient certains équipements dans la compétence du conseil mun. ; les dépenses de fonctionnement des équipements transférés sont supportées par le conseil d'arr.

Maire d'arrondissement. **Élection :** dans chaque arr. par les conseillers d'arr. (8 j après l'élection du maire de Paris). **Pouvoirs :** il est membre du conseil mun. de P. Prépare et exécute les délibérations du conseil d'arr. Il est officier d'état civil mais n'exerce pas les attributions d'officier de police judiciaire. Il donne son avis « sur toute autorisation d'occupation ou d'utilisation du domaine public dans l'arr. délivrée par le maire de la commune sauf si la commune exerce son droit de préemption ». Adjoint territorial au maire de P. Inéligible au Conseil de Paris pendant 1 an, après avoir cessé ses fonctions.

Adjoints. **Élection :** par le conseil d'arr. **Nombre max. :** 30 % du nombre des membres du conseil d'arr.

Personnel. Agents de la com. mis à disposition des conseils d'arr. et affectés auprès du maire d'arr.

Budget : le conseil d'arr. ne peut lever l'impôt (voir Conseil municipal). Pour assurer son financement, il adopte chaque année un budget annexé au budget de la commune. Le conseil mun. arrête le montant total des dotations des arr. Les modalités de calcul de la dotation de chaque arr. sont fixées par accord entre le conseil mun. et les conseils d'arr. ; sinon, la dotation est fixée selon des règles définies par décret en Conseil d'État, en fonction de l'importance démographique de l'arr., de ses caractéristiques socio-professionnelles, de ses équipements. Le maire de l'arr. engage les dépenses inscrites à l'état spécial quand celui-ci est devenu exécutoire ; à défaut de mandatement obligatoire, le maire de la commune y procède d'office (après mise en demeure).

Associations : le Conseil mun. doit consulter le conseil d'arr. sur le montant des subventions que le conseil mun. attribue aux associations exerçant dans le seul arr. ou au profit des seuls habitants de l'arrondissement. Un comité d'initiative et de consultation d'arr. réunit les représentants des associations locales ou membres de féd., ou conféd. nationales qui en font la demande et qui exercent leur activité dans l'arr., au cours d'une séance par trimestre au moins. Les représentants de ces associations participent, s'ils le sollicitent, aux débats du conseil d'arr. avec voix consultative.

Vacance : le renouvellement intégral du conseil d'arr. est obligatoire dès qu'il existe 1/3 de vacances qui ne peuvent plus être pourvues par suite de l'épuisement des listes de candidats. La dissolution du Conseil de Paris entraîne celle des conseils d'arr.

Élections des conseillers d'arr. et conseillers municipaux. *Élus en même temps sur une liste unique, au suffr. univ. direct et à la représentation proportionnelle.* **Scrutin** majoritaire et proportionnel. Si une liste obtient + de 50 % des suffrages exprimés au 1er tour, elle reçoit 50 % des sièges ; le reste est réparti à la proportionnelle entre toutes les listes (y compris la majoritaire). Si un 2e tour est nécessaire, la liste arrivant en tête obtient 50 % des s., le reste étant réparti à la proportionnelle entre toutes les listes qui ont obtenu plus de 5 % des voix. Chaque arr. a obligatoirement 3 sièges, les 103 autres sièges étant répartis proportionnellement au nombre d'habitants de chaque arr. dépassant 39 813 h. (chaque conseiller représentant 13 271 h.). **Répartition des sièges par secteurs** (coïncidant avec les arr., entre parenthèses nº des secteurs) : 3 s. (1er, 2e, 3e, 4e, 6e, 8e), 4 s. (5e, 9e), 5 s. (7e), 6 s. (10e), 10 s. (12e, 14e), 11 s. (11e), 12 s. (19e), 13 s. (13e, 16e, 17e, 20e), 14 s. (18e), 17 s. (15e). Les membres du conseil mun. élus dans l'arr. sont membres de droit du conseil d'arr.

■ Préfet de Paris. Est également préfet de la Région Ile-de-France.

■ Préfet de police. Institué par une loi du 28 pluviôse an VIII (17-2-1800). Détient les pouvoirs de police générale et de police municipale. Veille à la sûreté de l'État dans Paris, assure ordre, tranquillité et salu-

Forces politiques

	Députés					Conseillers généraux (conseillers de Paris pour Paris)								
	DIV	PC	PS	RPR	UDF	PC	PS	RPR	UDF	UDF apparentés [7]	MRG	CNI	div. d.	Vert
Paris	1 [1]	0	1	14 [5]	5	2	19	90		48		3		1
Val-de-Marne	2 [2]	3 [6]	1	4	2	20	9	9	2	5		2	2	
Seine-St-Denis	1 [3]	5	3	4	0	21	7	9	3					
Hauts-de-Seine	1 [4]	2	0	7	3	10	3	1	4	9		1		
Yvelines [4]	0	0	0	8	4	1	5	13	5	10			5	
Val-d'Oise [4]	0	0	0	6	3	9	5	4	2	11	1		7	
Essonne [4]	0	0	3	5	2	7	6 [5]	16	2	4		2	5	
Seine-et-Marne [4]	0	0	0	7	2	2	10	13 [6]	2	4	1		7	
Total Ile-de-France	5	10	8	55	21	73	63	139	25	91	2	12	35	1

Nota. – (1) Jacques Féron UPF. (2) Jean-Louis Beaumont UPF, Roger-Gérard Schwartzenberg MRG. (3) Raoul Béteille UPF. (4) Frantz Taittinger Div. Droite. (5) dont Édouard Balladur. (6) dont Georges Marchais. (8) En 1992. *Conseillers de Paris* : PC 2, PS 19, RPP 90, Paris-Liberté 48, non inscrits 3, Vert 1. *Députés* : PS 5, RPR 13, UDF 3. *Sénateurs* : PS 1, RPR 8, UDF 3. *Conseillers régionaux élus dans le département de Paris* : PS 15, RPR 12, UDF 5, div. d 7, FN 3.

brité publiques. **Compétence territoriale :** limitée d'abord à P., puis à toute la Seine (avec certaines restrictions), puis aux 3 départ. créés le 10-7-1964 (Hts-de-Seine, Seine-St-Denis, Val-de-M.) ; puis limitée à nouveau à P. les 31-7-1970 et 20-7-1971 (police), mais conservée [gestion administrative des personnels de la police, incendie (la brigade de sapeurs-pompiers étant à la disposition du préfet de police) et protection civile]. *Exerce aussi les pouvoirs de préfet de zone de défense* dans les 14 dép. de la 1re région militaire (Paris, H.-de-Seine, S.-St-Denis, Val-de-M., Essonne, Yvelines, Val-d'O., Seine-et-M., Eure-et-L., Loiret, Loir-et-Cher, Indre-et-L., Indre, Cher).

■ **Personnel de la Ville de Paris** (31-12-91). *Total* : 35 270 dont Cabinet du maire 358, Secrétariat gén. du Conseil 569, Direction gén. de l'Information et de la Communication 89, de l'Inspection générale 44 ; Administration gén. 2 672. Mairies 1 036. Direction des Finances et Affaires éco. 351, de l'Action sociale, enfance et santé 4 742, des Aff. culturelles 1 913, des Aff. scolaires 4 651, de l'Aménagement urbain 142, de la Protection de l'Environnement 8 679, secrétariat gén. 62, de l'Informatique et télécomm. 334, délégation gén. à la prévention et à la protection 32, de la Construction et logement 749, de la Jeunesse et des Sports 2 033, des Parcs, jardins et espaces verts 4 060, de la Voirie 1 294, de l'Architecture 1 383, des Relations intern. 21 ; 5 250 cadres dont 750 adm., 1 150 techniques. En 1990, 1 051 postes pourvus par 72 concours externes ou internes. *Salaires mensuels* : 5 000/7 500 F : + de 50 %, 7 500/10 000 F : 30 %.

Budget 1993 de la Ville de Paris

■ **Budget de fonctionnement. Recettes :** 19 333 millions de F. *Répartition* (en %) : impôts directs : produits des rôles 39,3, dotation de compensation 6,7 % ; dotation globale de fonctionnement versée par l'État 20,8 ; recettes perçues pour services rendus (ordures ménagères, balayage) 7,1 ; impôts et taxes indirects 6,3 ; revenus des domaines 5,8 ; divers 14. **Prélèvements** opérés par l'État sur le budget de la ville : 1 300 millions de F.

Dépenses : 19 333 millions de F. *Répartition* (en %) : fonctionnement des services 23,8 ; personnel 34,5 ; département de Paris 10,3 ; police 5,3 ; bureau d'aide sociale 5,7 ; autofinancement 11 ; charge de la dette 5,6 ; divers 3,8.

■ **Budget d'investissement. Recettes :** 3 986 millions de F. Autofinancement des investissements 3 206 ; compensation de TVA 689 ; amendes de police 91.

Dépenses principales : urbanisme, construction, logement : 989, voirie, propreté, espaces verts : 1 490, équipements sociaux, scolaires, sportifs, culturels : 834.

Secteurs prioritaires : + 21,7 % (en % par rapport au budget 1992). Aménagement urbain + 106 %, construction et logement + 88 %, protection de l'environnement + 54 %, affaires culturelles + 25 %.

■ **Fiscalité** (croissance en %). *1978* : 17,6 , *1979* : 20 , *1980* : 13, *1981* : 13, *1982* : 13, *1983* : 13,2, *de 1983 à 1991* : + 17 (prix : + 45, dépenses de fonctionnement + 42, investissements + 101) ; *1992* : + 7. *Sur 100 F d'impôts locaux, la Ville de Paris perçoit (en 1992)* : taxe professionnelle 58,10, taxe d'habitation 24,10, taxe foncière 17,80. *Taxe professionnelle* (en %, 1992) : taux communal 9,37, régional 0,76. *Taxe d'enlèvement des ordures* (1992) : 3,54 % sur la même base que la taxe foncière.

Sur 100 F payés par un contribuable parisien % consacré à la Ville de Paris (en 1992) : action scolaire, culturelle et sportive 21,30 F ; environnement (eau, propreté, espaces verts) 19,20 ; moyens administratifs des services et divers 16,30 ; voirie, urbanisme et logement 15,60 ; action sociale 12,70 ; transports 7,60 ; sécurité des Parisiens 7,30.

Assainissement et propreté

Voies publiques : 1 576 km, caniveaux 2 200 km. Trottoirs 8,4 km², chaussées à nettoyer 15,5 km². **Ordures :** 1,2 million de t par an dont (en %) papier 27, fines 15, fermentescibles 14, cartons 12, plastiques 10, verre 8, divers 6, métaux 4, spéciales < 1. **Élimination** par le *Syctom* (Syndicat mixte central du traitement des ordures ménagères) regroupant 80 communes. *3 déchetteries* (Porte de la Chapelle, Quai d'Issy, Poterne des Peupliers) gérées par le *Tiru* (Traitement industriel des résidus urbains) et fournissant 43 % du chauffage vapeur municipal (voir CPCU p. 808 a). **Feuilles mortes :** *ramassage* : 12 000 m³ par an. **Chiens :** 200 000, 10 t de déjections par j. dont 4 sur la voie publique (PV 600 à 1 300 F), distance moyenne entre 2 déjections 40 à 50 m. **Pigeons :** 35 000, pigeons déplacés 20 703, graines contraceptives distribuées 15 t. **Verre perdu :** 86 000 t par an ; récupéré : 18 000 t, cartons collectés 1 250 t, journaux, magazines 1 250 t, bois 800 t (déchetterie), métaux 1 000 t (déchetterie). **Matériel utilisé** (au 31-12-1990) : *engins* : 498 ; de nettoiement spécialisé : balayeuses-ramasseuses de caniveaux 26 ; arroseuses-laveuses de chaussées 105 ; aspiratrices de chaussée 24 ; balayeuses de trottoir 182 ; caninettes 100 ; nettoiement des voûtes de passages souterrains 5 ; aspire-feuilles 5 ; nacelles de désaffichage 1 ; fourgonnettes de désaffichage 2. *Lutte contre la neige* : saleuses 34 (dont 30 portées), lames pour camions 20, pour engins de trottoir 23, crabes (déblaiement des marchés en plein air) 1, fraise 1, roues à déblayer 5. *Collecte de déchets* : bennes à ordures ménagères 516, à plaques pour collecte des objets encombrants 14, pour collecte corbeilles à papiers 49, camions grues déchargeurs pour collecte du verre 10 (800 conteneurs), triporteurs 182. **Affichage sauvage** (1988) : surfaces désaffichées 389 402 m². **Surfaces dégradées** *(graffitis, tags, en m²)* : *1985* : 33 000, *1988* : 173 200 (+ 202 500 candélabres nettoyés), *1991* : 200 000 (*coût de nettoiement* : 20 millions de F). **Agents de la propreté :** 6 100 (dont 4 500 balayeurs-éboueurs).

Brigade fluviale

Siège : Quai St-Bernard 75005 Paris 65 fonctionnaires dont 47 plongeurs. **Embarcations :** 6 vedettes, 1 remorqueur-pousseur, 3 embarcations pneumatiques. **Sorties** (1991) : 2 406. **Repêchages** (1990) : personnes vivantes (accidents et suicides) 26, cadavres humains 18, véhicules auto. 12, 2-roues 3.

Surveillance des voies d'eau (en km) : *Seine* d'Ablon à Bougival 67 ; *Marne* de l'écluse St-Maurice au barrage de Joinville 15,3, de la passerelle d'Alfortville à Gournay : 11, *canal St-Martin* 4,554, *St-Denis* 6,647, *Ourcq* de Pantin à Sevran : 13,5, Pantin à Villeparisis 19,5. **Plans d'eau :** 98 ha (bois de Boulogne et Vincennes 50 ha, lacs de Créteil et Choisy-le-Roi 48 ha).

Cimetières

Nombre. 20 cimetières (420 ha), représentant 684 713 concessions. **Intra-muros** (en ha, 1982) : *20e* : cim. de l'Est parisien dit du Père-Lachaise (1804) 43,20 ha ; Colombarium (1990) 3 129 incinérations, env. 25 145 cases ; 1 300 inhumations par an (928 341 du 21-5-1804 au 31-12-1972) ; env. 5 400 arbres, 150 à 200 chats ; Charonne (avant 1791) 0,42. *19e* : Belleville (1808) 1,65 ; La Villette (1828) 1,13. *18e* : Montmartre (1825) 10,48 ; St-Vincent (1831) 0,59 ; Calvaire (av. 1791) 0,06. *17e* : Batignolles (1833) 10,42. *16e* : Auteuil (1800) 0,72 ; Passy (1820) 1,70. *15e* : Grenelle (1835) 0,64 ; Vaugirard (1798) 1,59. *14e* : Montparnasse (1824) 18,72. *12e* : Bercy (1816) 0,61. **Extra-muros :** *Val-de-M.* : Thiais (1929) 103,36 ; Ivry (1874) 28,39. *Seine-St-Denis* : Pantin (1886) 107,6 ; St-Ouen (1872) 27,08 ; La Chapelle (1850) 2,10. *Hts-de-S.* : Bagneux (1886) 61,52. **Inhumations.** 20 000 décès par an dont 5 000 seulement à domicile. *Incinération (en %)* Paris 10 (Londres 90), Fr. 2. **Histoire.** *1612* : découverte du plus ancien cimetière parisien connu (an 68) près de la rue de la Verrerie. *IIIe s.* : 4 cimetières à Paris. *512* : Ste Geneviève enterrée à St-Étienne-du-Mont (+ ancienne sépulture non déplacée de Paris). *VIe s.* : habitude d'enterrer les Grands dans les églises, les autres dans les fosses communes : causes d'épidémies (charnier des Innocents). *1780* : inquiétude après l'éboulement d'un charnier dans la cave d'une maison. *1785* : arrêté fermant les fosses communes. *1786* : création des *Catacombes* à Montrouge (voir p. 808 a). *13-3-1801* : arrêté créant 3 nécropoles [barrière de Montparnasse, Montlouis (appelée Père-Lachaise, inaugurée le 21-5-1804, agrandissement de Montmartre]. *1850* : ouverture de La Chapelle. *1872* : St-Ouen. *1874* : Ivry. *1886* : Pantin et Bagneux. *1929* : Thiais.

Circulation et voies publiques

■ **Quelques dates. 1806** numérotage pair impair. **1893** plaques minéralogiques. **1896** bâton blanc. **1900** sifflet. **1910** sens unique. **1923** feu rouge (carrefour Strasbourg-St-Denis) : le feu vert puis le feu orange sont ajoutés plus tard. **1954-55** interdiction de l'utilisation des avertisseurs.

Cité des Sciences et de l'Industrie

Superficie : Cité 150 000 m² dont 30 000 d'exposition permanente au nord du parc de La Villette 30 ha (conçu par Bernard Tschumi). **Bâtiment :** au sol 3 ha, long. 270 m, larg. 110 m, haut. 47 m (hall haut. 40 m) aménagé par Adrien Fainsilber. **Géode :** un pilier central en béton de 6 000 t, avec des encorbellements et une enveloppe sphérique ext. de 2 couches de résille géodésique métallique habillée de 6 433 triangles galbés en acier inox. Diam. 36 m. 386 places, écran hémisphérique de 1 000 m² (diam. 26 m), film 70 mm (il y a environ 80 salles Imax-Omnimax dans le monde). **Employés :** env. 1 000, permanents et temporaires ; env. 60 métiers.

Budget de fonctionnement. *1986* : 625 millions de F ; *87* : 700 ; *88* : 800 ; *93* : 728 (fonct. 629, invest. 99) dont État 579 et recettes 149.

Quelques dates. 1955 projet de rénovation des abattoirs, 1er devis : 120 MF. **1958** projet d'abattoirs modernes, 2e devis : 600 MF. **1959** création d'un marché d'intérêt nat. de la viande. **1962** débuts des tx. **1974** dépenses engagées 1 100 MF, fermeture le 15-3. **1977** le Pt Giscard d'Estaing fait étudier par Roger Taillibert, architecte, la reconversion des bâtiments existants, puis charge Maurice Lévy de créer un musée des sciences, des techniques et des industries. **1979** établissement public créé (Pt Paul Delouvrier), déc., Taillibert et M. Lévy sont « remerciés ». **1980** André Lebeau nommé directeur de la Mission du Musée et Adrien Fainsilber arch. **1983** comité d'orientation (J.-Cl. Pecker, Pt, renvoyé 7-7), *nov.* M. Lévy nommé dir. du musée. **1985** coût total 4 450 MF dont contenant 2 890, contenu 1 560, *6-5* Pt Mitterrand inaugure la Géode, *21-5* M. Lévy nommé Pt de la Cité. **1986** *13-3* : Pt Mitterrand inaugure la cité. **1987** *nov.* : Christian Marbach Pt. **1988** *déc.* Roger Lesgards Pt.

Visiteurs (en millions). *1985* : 3,5 ; *86* : 0,89 ; *87* : 2,7 ; *88* : 3,7 ; *89* : 2,98 ; *90* : 5 ; *92* : 5,3.

Cité financière

3 projets. *Tolbiac* : 130 ha dont 50 de bureaux ; 900 000 m² de planchers. *La Défense* : 160 ha (+ 27 hors Défense-Ouest), 2 200 000 m² (+ 600 000 m² Défense-Ouest et 500 000 m² Zac-Danton et Valmy). *Intra-muros* (bd des Capucines, Bonne-Nouvelle, Sentier) : 150 000 m² disponibles.

■ **Autobus.** *Lignes* 59 (réseau 538,4 km). *Voyages* sur lignes régulières : 332,7 millions. *Parcours (nombre moyen par jour ouvrable) :* en période de plein trafic 1,2 million. *Voyageurs/par km effectué :* 737 millions. **Couloirs réservés** (créés 24-2-1964). 401 sur 124 km dont 11,5 à contresens ; sites proposés 25 rues, 5,1 km.

■ **Axes rouges.** *1990* (mise en service en sept.) 27, *1991* 37 (programme sur 10 ans, 100 km). Il est interdit d'y stationner et même parfois de s'y arrêter. Coût de l'opération 32 millions de F (22 000 panneaux de signalisation, peinture sur chaussée). Sur l'axe nord-sud, la vitesse moyenne est passée de 13 km/h à 16 km/h.

■ **Cars.** *Accueillis chaque jour* 383 (pointe 1 300), *places réservées* 500. *Projets :* Gd-Louvre (en souterrain) 80, Bercy 70, tour Eiffel 50.

■ **Circulation. Entrées et sorties dans Paris** (en 1989, de 6 à 21 h) 2 761 182 dont 1 400 886 entrées, et 1 360 296 sorties (*1963 :* 664 294 e. et 652 314 s.).

Débit sur les axes principaux (véhic. par j ouvrable, et, entre parenthèses dimanche et fêtes, en milliers) : Champs-Élysées (Rond-point) 79 ; av. du Gal-Leclerc (Victor-Basch) 46 ; voie Georges-Pompidou (pont Royal au pont du Carrousel) 61 (50) ; rue de Rivoli (1er) 52 (39) ; bd St-Germain (7e) 45 ; voie sur berge rive gauche (7e) 42 (31) ; bd de Sébastopol 38,8 (33) ; [périphérique : 7 000 000 par km/j]. **Nombre de voitures par jour en 1884** (en milliers) : rue de Rivoli 33,3 ; av. de l'Opéra 29,5 ; place de la Bastille 22,7 ; rue du Pont-Neuf 20,7 ; bd des Italiens 20,1 ; place de la Bastille (côté ouest) 19,4 ; place de l'Étoile 18,3 ; bd de la Madeleine 17,5 ; quai des Tuileries 16,8.

■ **Déplacements** (nombre par jour ayant une extrémité dans Paris) 7 200 000 entre Paris et sa banlieue (voitures part. 34 %, transports en commun 60 %, 2-roues 2 %, taxis 4 %). Les 1 400 km de voirie ne peuvent accueillir que 120 000 voitures à la fois. *Seuil de paralysie :* à partir de 2 voitures sur 20 en Ile-de-Fr., circulant au même moment.

■ **Embouteillages.** + 100 % en 10 ans. 100 millions d'heures gaspillées dans les embouteillages en 1990 (perte de 5 milliards de F).

■ **Infractions** (1991). *Contraventions :* 7 304 546 dont 6 868 320 aux règles du stationnement. *Couloirs d'autobus :* 38 088 procès-verbaux pour stationnement, 6 873 pour circulation. *Vitesse :* 133 063 contraventions. *Alcootests :* 25 708. *Retraits de permis :* 5 367.

■ **Signalisation.** Mobilier urbain pour l'inform. (Mupi) 1 650. Panneaux de signalisation (40 000) dont 200 à messages variables. Plans d'arrondissement 478, touristiques 78. Panneaux de sign. réglementaires 41 000 ; feux tricolores 11 000. Carrefours équipés en sign. tricolore 1 500 dont 500 raccordés au poste central de régulation du trafic ; 1 000 autres à raccorder (coût 70 MF) d'ici 1994. Modernisation : signalisation lumineuse du périphérique (36 MF). Caissons indicatifs bicolores pour piétons 10 600. Éclairage : 88 000 supports (candélabres et appliques murales) + 55 000 lampes en souterrains et 7 500 projecteurs pour monuments. Niveau d'éclairement (lux) : *1940 :* 1 ; *1980 :* 13 ; *1988 :* 15-16 ; *1992 :* 15-16.

■ **Stationnement. Quelques dates : 1930** stationnement à durée limitée dans certaines voies ; interdit dans les voies étroites où un véhic. à l'arrêt ne permet pas le libre passage d'une file de voitures dans les voies à sens unique et de 2 files dans les autres voies. **1937** trottoirs utilisés pour le stationnement à l'occasion de l'Exposition. **1939** st. sur les trottoirs des Champs-Élysées. **1948** st. des véhic. autorisé d'un côté de la chaussée au cas où le st. des 2 côtés ne pourrait laisser passage à 2 files de voitures : du côté des n^{os} pairs les jours pairs, des n^{os} impairs les jours impairs. **1949** st. *en épis* autorisé sur certaines voies ; interdit sur les voies larges où le trafic ne permet pas le libre passage de 1 ou 2 files de voitures. **1957** *(4-11)* création de la *zone bleue* (hachurée de bleu sur les plans) après des expériences avec des papillons de couleur collés sur les pneus. Adoptée dans de nombreuses villes en France et à l'étranger. **1971** *(15-9)* 1er stationnement payant à Paris. **1981** *(24-7)* suppression de la zone bleue. **1992** stationnement payant étendu à tout Paris.

Capacité de stationnement (1992) : 800 000 places dont : *sur la voie publique* 220 000 ; *dans les parcs publics de la ville* 55 000 ; *les garages commerciaux* 70 000 (non compris parcs SNCF).

Stationnement payant : rapporte env. 400 millions de F par an. *Nombre de places* (1992) : 120 000. **Horloge horodatrice :** *coût* 30 000 F (pose comprise). *Nombre* (1991) : 70 000. **Tarif** (Paris) *par heure :* zone centrale : 8 à 10 F, autres : 5 F. Abonnement résidents : 12 à 15 F par j pour 10 à 24 h consécutives (1 ticket par j) ; VRP 700 F.

Lieux de stationnement : Parisiens (en %) *la nuit :* Voie publique 48 dont situation licite 28, illicite 24,2, zone payante 9 ; hors voirie 52 dont emplac. privé loué 30, acheté 10, parc public ou commercial 7.

Nombre de véhicules en stationnement : env. 700 000 à l'h de pointe. *Sur la voie publique :* stat. autorisé 215 000 à 225 000 ; interdit 45 000 à 70 000.

Infractions (1991) : 145 563 véhicules emmenés en pré-fourrière pour stationnement gênant. Env. 800 voitures chaque jour emmenées à la fourrière (coût pour l'automobiliste 701 F, amende 230, enlèvement et garde 471). Env. 68 000 voitures stationnent chaque jour en infr., 425 sont emmenées à la fourrière.

Agents de surveillance (dites contractuelles, « aubergines » puis « pervenches »). *Créées* 1971 (nouvel uniforme à partir du 3-3-1978). *Nombre :* 1 500 pour 120 000 places payantes.

■ **Véhicules. Parc automobile :** 876 508 véhicules immatriculés « 75 » (1991).

■ **Voies. Longueur :** *v. publiques.* 1 587 km (*1817 :* 220 km ; *1892 :* 823 km), *v. privées* ouvertes à la circulation 41,1 km ; *v. piétonnières* 18 km (créées 28-5-1964), *3 secteurs :* Halles (18 v.), Beaubourg (13 v.), St-Séverin (7 v.), 29 voies-marchés, 20 v. touristiques à titre temporaire. **Bd périphérique** 35,15 km (débit 1 000 000 véh./j), *vitesse moyenne :* 51 km/h, – de 30 km/h aux heures de pointe. *Projet :* rocade souterraine périphérique porte de Bagnolet – porte d'Auteuil [tunnel à env. 30 m sous terre (long. + de 5 km)], **Bd des Maréchaux** 33,7 km. **V. express** *r. droite* 13 km (débit max. 94 573 véh./j) dont v. sur berges 5,03 km, v. sur quai haut 5,1 km, passage et v. en souterrain 2,87 km (7 sout.) ; *r. gauche* 3,4 km dont sur berges 2,206 km, passage et v. en sout. 247 m (3 sout.). Pont-au-Change 1re constr. 1304 (dernière reconstr. 1860) ; St-Michel 1387 (rec. 1857) ; Notre-Dame 1413 (rec. 1912). **Carrefours** 6 600. **Feux tricolores** 8 020. **Intersections** 8 016.

■ **Passages souterrains** 83 dont pour *bd périphérique* 42, *bd des Maréchaux* 17 (11 construits avant *1939 :* portes Dauphine, Maillot (2 passages), Champerret, de Clichy, Clignancourt, la Chapelle, la Villette et Italie ; pont du Carrousel, quai de New-York) *v. express r. droite* 10, *gauche* 3, *autres voies* 4.

■ **Places** 250 dont *Concorde* 360 × 210 m ; *Vendôme* 313 × 22 et 124 (du nom d'un hôtel du lieu). 20 000 m^2. Parking souterrain 1 550 places. *Histoire :* Place Louis le Grand. *1789,* pl. des Piques, pl. Internationale. *1803 :* colonne érigée par Napoléon. *1815 :* le ministère de la Justice s'y installe. *1871 :* colonne détruite puis reconstruite aux frais de Courbet artisan de sa démolition. *Napoléon III* y place la statue de Napoléon Ier. *1862 :* Crédit Foncier achète l'hôtel d'Évreux. *1893 :* le joailler Boucheron s'installe ; *Charles-de-Gaulle* (Étoile) diam. 240 m.

■ **Ponts.** 35 (5 km mis bout à bout) dont 30 routiers (37 traversées de Seine), 3 passerelles (piétons, cyclistes), 3 ponts ferroviaires (métro, SNCF). **Les plus anciens :** Petit Pont (non daté, reconstruit 1852), P. Neuf 1578-1604 (long. 238 m, larg. 20 m, consolidé 1887-90), au Change 1304 (reconstruit 1860), St-Michel 1387 (rec. 1857), Notre-Dame 1413 (rec. 1912). **Le plus récent :** Charles de Gaulle 1991. **Le plus large :** de l'Alma [(1970-74) larg. 42 m]. **Ponts métalliques :** viaduc d'Austerlitz (RATP), ponts Sully, Saint-Louis, au Double, d'Arcole, Notre-Dame, de Solférino (État), Alexandre III, de l'Alma, Debilly, de Bir-Hakeim, Rouelle (SNCF), de Grenelle, Mirabeau, du Garigliano, passerelle des Arts (1802-04), Delliby. *Projet :* pont Charles-de-Gaulle (6 voies prolongeant rue Van-Gogh, constr. de sept. 1992 à avr. 95. Coût : 220 millions de F).

■ **Rues. Nombre :** *sous Louis XIV* 653 ; *1898 :* 2 545 rues, 82 bds, 31 ponts ; *1967 :* 5 300 rues ; *1990 :* 6 400 (dont 110 bds) ; *1992 :* 5 667 (dont 110 bds). **Les plus longues :** *Vaugirard* 4 360 m (389 n^{os}), *Pyrénées* 3 515 (403 n^{os}), *St-Germain* (bd) 3 150 (288 n^{os}), *Rivoli* 3 070 (236 n^{os}), *Daumesnil* (av.) 2 930 (279 n^{os}), *La Fayette* 2 830 (228 n^{os}), *Voltaire* (bd) 2 850 (294 n^{os}), *Malesherbes* (bd) 2 600, *Pereire* (bd) 2 540 (279 n^{os}), *Raspail* (bd) 2 370 (285 n^{os}), *St-Honoré* 2 120, *Flandre* 2 000, *Champs-Élysées* 1 910, *St-Dominique* 1 800 (131 n^{os}), *St-Jacques* 1 530. **La plus courte :** *des Degrés* 5,75 m. **Les plus larges :** *Foch* (av.) 120 m, *de Vincennes* (cours) 83. **La plus étroite :** *rue du Chat-qui-Pêche* (2,50 à 7 m). **Passage le plus étroit :** de la Duée (0,60 m).

Superficies : chaussées : 1 412 ha ; trottoirs : 902 ha.

Noms. Attribués (une dizaine par an) par une Commission municipale chargée d'examiner les centaines de propositions faites chaque année. La désignation d'une desserte déjà existante n'est jamais changée (1 exception, la place de l'Étoile devenue Charles-de-Gaulle en 1970). Le nom d'une personnalité décédée depuis – de 5 ans n'est jamais attribué. On cherche souvent à donner une unité thématique à un quartier (ex. : noms de musiciens pour les rues proches de la Cité de la Musique dans le 19e.) *Attributions récentes :* Nijinsky (4e), Gaby-Silvia (11e), Max-Ernst (20e).

Plaques de noms de rues : 70 000 (dont 1 300 éclairées). **Commémoratives :** env. 1 630 dont 1 215 répertoriées. 76 consacrées à une femme (dont résistantes 23, femmes de lettres 13). 610 retracent les actions de la g. 1939-45 (max. dans le XVe ; min. dans les IIe et IXe), 266 rappellent hommes ou femmes de lettres.

Mises en valeur (budget 93 en millions de F). Voies piétonnes de Montorgueil 45,8 ; Champs-Élysées 105 ; bd Richard-Lenoir 36 ; bd St-Martin 20 ; place des Fêtes 50.

■ **Funiculaire de Montmartre** *1873 24-7 :* construction de la basilique décidée. *1891 5-6 :* ouverte au public. *1900 13-7 :* inauguration du fun. (long. 108 m, pente 352 % : écartement 8,44 m, dénivelé 36 m, usagers 1 million/an.) *1931 1-11 :* arrêt pour rénovation : fun. à eau abandonné pour une traction électrique de 50 CV (trajet en 70 s. à 2 m/s.). *1935 2-2* service repris ; exploitation confiée à STCRP puis RATP. *1962 :* 1 600 000 passagers transportés. *1990 :* 2e modernisation : 60 places, 3,5 m/s., 2 000 passagers à l'heure, coût 43,1 MF. *1991 :* cabines à mouvements indépendants.

Concessions

■ **Grandes concessions (12).** *Tour Eiffel* (voir Index). *Parc des expos.* de la porte de Versailles ouvert 1923, 360 000 m^2 (halls 220 000 m^2 dont 1 de 50 000 m^2, terrasses aménageables 42 000 m^2). *Hippodromes* (3 : Auteuil, Longchamp, Vincennes), *Jardin d'acclimatation, Parc zoologique* du bois de Vincennes, *Palais des sports* (porte de Versailles), *Centre international* de Paris. *Théâtres* (3 : Espace Cardin, Marigny, Th. du Rond-Point). **Autres.** *Musées* des Arts et Traditions populaires, des Colonies, *Jardin* Agronomie tropicale, *Résidence de Windsor, Résidence Boutros. Hôtel Sofitel. Institut bouddhique. Bourse des valeurs, Champ de Mars. École de chiens* guides d'aveugles, *Grand Palais, Pavillon de l'Ass. française d'Astronomie. Jardinets [Pavillon Gabriel, Pavillon des Ambassadeurs (Espace Pierre Cardin)]. Station météo* du parc Montsouris, *Centre de l'Enfance* du château de Longchamp, *Poney Club* du Domaine de Beauregard, *Terrain de camping* du bois de Boulogne et *Terrain* du Grand Palais, *Musée des Arts africains et océaniens.*

■ **Concessions diverses.** *27 restaurants et cafés :* dans les jardins des Champs-Élysées 5, bois de Boulogne 11, de Vincennes 5, Buttes-Chaumont 3, Esplanade des Invalides 1, Montsouris 1, Arsenal 1. *350 kiosques* à journaux ou à fleurs. *125 postes de journaux* du soir. 245 *bouquinistes. Terrasses* de cafés et restaurants, 16 500 permissions d'étalages. *La Bourse du Travail* un établissement public municipal.

■ **Trottoirs** (prix du m^2). 5 000 rues de Paris réparties en 6 catégories tarifaires. Prix pour le 1er tiers du trottoir par jour et par m^2 : pour une terrasse ouverte 13 à 90 centimes ; pour un étalage de 10 à 53. *Revenu total* (en millions de F, par an) : pour 16 500 terrasses et étalages 66,9, objets en saillie 100 (balcon, av. Foch : 663 F à sa construction et 86 F par m^2 chaque année ; enseigne perpendiculaire lumineuse : 1,04 à 4,15 F le m^2).

Consommation (annuelle)

■ **Alimentaire.** Fruits et légumes 1 540 956 t, prod. de la mer et d'eau douce 104 813 t, prod. carnés 482 854 t, prod. laitiers et avicoles 224 418 t, eau potable 869,38 m^3/j, non potable 389,34 m^3/j.

■ **Énergie** (1988) : *électricité* (en millions de kWh) haute tension 4 787 (dont secteur tertiaire 4 676, secondaire 105,6, primaire 5,34), basse tension 5 843 ; *gaz* 6 574. *Produits pétroliers* fioul domestique 400 738 t (dont domestique 326 255), essence 738 947 m^3 (dont super 706 725), gas-oil 286 432 m^3.

■ **Eau. Réseau :** *eau potable :* 1 788 km, *non potable :* 1 601 km. **Ressource d'eau :** sources 55 %, rivières 45 %. **Volume d'eau mis en distribution** (1990) *potable* 301 000 000 m^3 ; *non potable* 142 000 000 m^3 ; **usée épurée** par jour (1992) : 2 100 000 m^3 station d'Achères. Station d'épuration prévue à Colombes (400 000 m^3/j). **Capacité de stockage de l'eau potable :** 1 200 000 m^3 en 9 *réservoirs* (dont St-Cloud 426 000, L'Haÿ-les-Roses 200 000, des Lilas 208 000, Montsouris 202 000, Ménilmontant 92 000, Belleville 6 800, Montmartre 6 300) alimentés par aqueducs, ou usines de filtrations. Montsouris (alt. 78 m) alimente les quartiers bas du centre, reçoit eaux des sources du S. et du S.-E., par aqueducs de la Vanne, du Loing et de la Voulzie. Autres réservoirs (alt. + de 100 m) alimentés par aqueduc de l'Avre (sources de l'O.), une partie des sources du S. et par stations de traitement d'Ivry, Orly et St-Maur. **Barrages réser-**

voirs : *retenue totale* 844 millions de m³ dont : b. de Pannessière-Chaumart (béton 1950, haute vallée de Yonne), retenue 82,5 ; b. de Seine près de Troyes ou lac de la forêt d'Orient (digues de terre, 1966) ; 205, b. Marne (lac du Der-Chantecop près de St-Dizier) 305 ; Bar-sur-Aube (1990) 175. **Consommation d'eau** (1987, en millions de m³) : 238,5 dont domestique 158,5, industrie 69,5, municipalité 10,5.

Églises ; lieux de culte

Nombre. Env. 150 dont 90 (dont 4 temples, 2 synagogues), mosquées, lieux du culte musulman, lieux du culte protestant, construits avant la loi de 1905 sur la séparation de l'Église et de l'État, appartiennent à la ville. Env. 50 protégés au titre des Monuments Historiques. **Restaurations** (en millions de F). *1991 :* 80 pour St-Gervais, St-Germain-l'Auxerrois, St-Jacques-du-Haut-Pas, St-Thomas-d'Aquin, St-Roch et fin des travaux à la Trinité et St-Augustin). *92 :* 76,4. En 10 ans, Paris a consacré près d'1 milliard de F à leur restauration.

Notre-Dame. Monument le plus visité de Paris : 10 millions par an (1 200 000 cierges), moyenne 40 000 par j. (Pentecôte 56 000) dégageant 700 l d'eau.

Espaces verts

■ **Total** (1991) : 2 643 ha dont bois de Vincennes et de Boulogne, jardins publics municipaux 342, de l'État 140 ha, privés 212,5 ha ; 389 espaces verts des établissements sportifs scolaires et de garde d'enfants (39 ha). 20 cimetières (422 ha) dont 14 à Paris (92 ha) ; talus paysagés (58,5 ha). **Création** de 1977 à 1992 : 126 jardins et espaces verts (103 ha). **Nombre de m² par hab. :** Paris 12 (Rome 9, Londres 9, Berlin 13, Vienne 25).

■ **Principaux parcs et jardins publics municipaux intra-muros** (en ha). Buttes-Chaumont 24,7 ; Champ-de-Mars 24,3 ; Montsouris 15,5 ; Champs-Élysées 13,8 ; Parc Citroën 13,8 ; Parc Omnisport Suzanne-Lenglen 12,4 ; Trocadéro 9,4 ; Monceau 8,3 ; Georges-Brassens 7,7 ; av. Foch 6,6 ; Ranelagh 6 ; Parc Kellermann Chapeau Rouge 4,7 ; Square de Choisy 4,3 ; j. des Halles 4 ; Belleville 3,6 ; St-Cloud 3,4 ; Invalides 3,3 ; J. du Port St-Bernard 3,2 ; Gare de Charonne 1,5 ha. ; jardins de Reuilly (1942) 1,5 ; promenade quai de Grenelle (1988) 1,4. **Espaces verts publics appartenant au domaine de l'État** (en ha). Tuileries 30 et Louvre-Palais Royal 2,09 (min. de la Culture) ; j. des Plantes 23,5 (Muséum d'Hist. nat.) ; du Luxembourg 22,5 (Sénat) ; de l'Hôtel des Invalides, de l'Observatoire, de la Cité internat. univ., Parc de la Villette 30.

Projets : *en cours :* parc de Passy 1,6 ha, jardin Atlantique (dalle TGV gare Montparnasse) 3,4 ha, ouvert en 1993 ; extension parc Georges-Brassens 0,7 ha ; square Émile Borel 0,7 ha ; j. Tage-Kellermann 1,3 ; impasse des Jardiniers 0,5 ; N.-D. de Fatima 0,54. *A moyen terme :* Candie St Bernard (11ᵉ) 0,6 ; j. Gandon-Masséna (13ᵉ) 0,8 ; sq. Pré aux Chevaux (20ᵉ) 0,5 ; extension parc de Belleville 0,7 ; j. rue de la Réunion (20ᵉ) 0,6.

■ **Arbres. Nombre total :** 485 000 dont alignements 85 000, bois 300 000, parcs et jardins 35 000, cimetières (intra et extra-muros) 35 000, boulevard périphérique et divers (cours d'écoles) 30 000. **Plantations d'alignement par essence** (en %, 1990) : platanes 34 235 (40 %), marronniers 13 533 (15,8), sophoras 7 953 (9,3), tilleuls 7 764 (9,06), érables 5 356 (6,3), robiniers 2 361 (2,75), frênes 2 340 (2,73), cédrelas 2 124 (2,48), peupliers 1 442 (1,68), ormes 1 339 (1,56), paulownias 1 103 (1,3), autres 6 118 (7,15). 1 arbre sur 5 a + de 70 ans. 17 000 sont susceptibles de dépérir dans les 10 ans (1 700 à remplacer chaque année). 16 700 pins sur 35 000 sont atteints par un champignon (2 400 à abattre). **Arbres les plus vieux :** robiniers ou faux acacias, j. des Plantes et square Viviani (plantés en 1601) ; if 211 a., bois de Boulogne ; chêne 199 a. Vincennes. **Le plus haut :** platane hybride 42 m, av. Foch. **Le plus gros :** platane d'Orient (circonférence 7,05 m à 1 m du sol) parc Monceau.

■ **Bois de Boulogne. Histoire :** *1852 :* la Ville de Paris acquiert le bois (partie de l'ancienne forêt de Rouvray) ; Alphand (Dir. du service des promenades de Napoléon III) chargé par Haussmann d'aménager le bois. *Travaux :* 14 ans. 420 000 arbres plantés, 17 lacs créés reliés par des rivières, 95 km d'allées et sentiers etc. **Surface** 845,9 ha (massif boisé 341,3 ha, parties jardinées 88 ha ; massif de rosiers 1,4 ha ; pelouses rustiques 93 ha, voirie 103 ha, plan d'eau 27,7 ha, plaines de jeux 27 ha. Concessions 166 ha). **Routes** 57,10 km (dont fermées à la circulation autom. 19,4 km). **Allées** cavalières 31,38 km. **Pistes cyclables** 13,9 km. **Rivières** 10,125 km. **Sentiers** de randonnées 22 km.

Bagatelle : 24 ha ; rosiers 10 000 dont 900 variétés, roseraie 1 ha ; 1 400 000 bulbes lors de l'exposition de printemps, jardin d'iris et collection de clématites, nymphéas et pivoines ; 1,5 km de buis taillés, 5 000 m² de plans d'eau ; *visiteurs :* env. 470 000 par an. **Jardin du Pré Catelan :** 8,1 ha ; comprend le jardin Shakespeare.

Animaux : cygnes, canards, écureuils, paons à Bagatelle, quelques lapins, taupes, hérissons, mulots, rats, souris, oiseaux, etc. (dernière biche capturée 1936.) **Arbres :** *massifs boisés* 341,3 ha (14 400 arbres). Chênes 54 à 58 %, érables 10 à 11 %, pins 6 %, marronniers 5 %, robiniers 4 %. *Le plus haut :* platane de 141 ans, 39 m de haut, 4,46 m de circonférence (Bagatelle). *Le plus gros :* chêne rouvre, 202 ans, 26 m de haut., 6,60 m de circonférence (Pré Catelan).

Concessions : 166 ha. *2 hippodromes :* Longchamp 58 ha, Auteuil 36 ha. *Jardin d'acclimatation* 19 ha ; *musée des Arts et Traditions populaires* 5,7 ha ; *13 restaurants, 6 buvettes. 9 concessions sportives* 34 ha dont *Racing* 6,65 ha ; *Tir aux Pigeons* 8,1 ha ; *Centre international de l'Enfance* (château de Longchamp) ; *Polo* de Paris 8,7 ha ; *Étrier* 1,64 ha ; *stade Roland-Garros* 4 ha ; *camping* 3,5 ha ; *cercle hippique* du bois de Boulogne 2 ha ; *tir à l'arc* 1,6 ha ; *tennis-club-house Jean-Bouin* 0,4 ha ; *2 jeux de boules* 5,3 ha.

Entretien (1990) : 336 personnes dont 82 cantonniers (voirie), 125 jardiniers, 19 bûcherons, 35 agents de surveillance, 4 fontainiers, 14 forestiers (Eaux et Forêts dont 4 détachés de l'ONF), 13 personnels administratifs et techniques (dont 3 ingénieurs), 43 personnels d'architecture.

Prostitution (lutte contre) : 3 km d'allées aux alentours des lacs Inférieur et Supérieur (fermés en 1992, entre 20 h et 6 h).

■ **Bois de Vincennes. Histoire :** *1858-66* aménagé par Jean-Charles Alphand. *1860* cédé à la Ville de Paris ; création du lac Daumesnil. *1931* exposition coloniale. *1934* inauguration du zoo. Dep. *1954* démolition de bâtiments militaires Napoléon III et IIIᵉ Rép., création de l'allée Royale prévue dans les plans du XVIIIᵉ s. *1982* chênaie reconstituée. **Surface** 995 ha [massifs forestiers 353 ha, pelouses rustiques 157 ha, plaines de jeux 43 ha, voirie 135 ha, lacs et pièces d'eau (n.c. îles) 24 ha. Enclos de reboisement fermés 70 ha. **Routes** 73 km (dont fermées à la circulation autom. 29,6 km). **Allées cavalières** 19 km. **Pistes cyclables** 9,12 km. **École d'horticulture du Breuil** 22,5 ha (Arboretum 13 ha).

Zoo. *Animaux :* cygnes, canards, écureuils, quelques lapins, taupes, mulots, rats, souris, hérissons, oiseaux. *Rénovation :* 200 millions de F dont 50 en 1993. **Arbres :** *Massifs boisés* 467 ha. En % : chênes 40, érables, robiniers, hêtres, pins et marronniers 60. *Total* 150 000 arbres dont 36 700 plantés de 1983 à 85. *Le plus haut :* cyprès chauve de la Louisiane de 131 ans, 35 m de haut., 3,85 m de circonf. *Le plus gros :* platane Orientalis 129 ans, 29 m de haut., 4,46 m de circonf. **Parc Floral :** 30,8 ha dont 21 jardinés, 5 833 arbres ; vallée de fleurs (0,9 ha, 100 000 plantes) ; jardins du dahlia (0,5 ha), de plantes de terre de bruyère (3,2 ha) : rhododendrons, azalées, hydrangéas... ; de plantes vivaces (jardin des 4 saisons, j. de senteurs, j. de plantes médicinales) ; massifs d'arbustes et arbres (11 ha), floraux (2,2 ha), pelouses (7 ha), bassins et fontaines (0,8 ha). *Visiteurs :* 1 548 000 en 1990.

Concessions : 72,60 ha : 4 *Jeux de boules* (2,66 ha) ; *15 restaurants et buvettes, 9 équipements sportifs ; tir à l'arc* (0,18 ha) ; *Tennis Club de Joinville* (0,40 ha) ; *Institut bouddhique* (0,82 ha) ; *INSEP* (29,4 ha) ; *Club équestre* Bayard-UCPA (2,84 ha) ; *hippodrome* (50 ha) ; *stade de Joinville* (5,5 ha) ; *carrière hippique* (0,9 ha) ; *chiens guides d'aveugles* 0,28 ha ; *Cartoucherie* 5,94 ha.

Entretien (1991) : 346 personnes dont 96 cantonniers, 143 jardiniers, 34 bûcherons ; 33 gardes (surveillance), 6 cultivateurs, 3 fontainiers, 4 détachés de l'ONF, 3 ingénieurs.

■ **Ceinture verte.** Au début du XXᵉ s. on envisagea d'aménager 780 ha sur la zone des fortifications et sur un espace de 250 m en avant des murs. Mais, dès la destruction des murs, en 1919, on commença par construire des HBM (Habitations à Bon Marché) au lieu de planter. En 1939, il ne restait plus que 270 ha pour cette ceinture. En 1953, la *loi « Bernard Lafay »* autorisa les constructions à condition d'aménager des espaces verts équivalents à l'intérieur de la cité. 50,7 ha ont été construits dont 38,6 ha pour des équipements publics, 44 ha d'espaces verts ont été réalisés dans Paris au titre de la compensation, 90,8 ha sont en cours de réalisation ou en projet, soit 134,85 ha d'esp. verts. Entre les HBM et le bd périphérique, la Ceinture verte se présente comme une chaîne fragmentée de squares et jardins (parc Kellermann, square de la Butte du Chapeau Rouge), de stades, groupes scolaires, hôpitaux et cimetières.

Grands travaux

Bilan (en millions de F., crédits de paiement cumulés à fin 1992 et, entre parenthèses, crédits non budgétaires). Musée d'Orsay ¹ 1 359,5. *Cité des sciences et de l'industrie* ¹ 5 414. *Institut du monde arabe* ¹ 254 (contribution des pays arabes 170). *Arche de la Défense* ¹ 215 (3 535). *Ministère des finances* ¹ (immeuble de Bercy) 3 920. *Grand Louvre* ² (AP 5 677). *Opéra de la Bastille* ² 2 806,7 (vente des murs pour l'immeuble Tour d'Argent 20). *Parc de la Villette* ² (AP 1 334) 1 080,3. *Cité de la musique* ² 858,1 (ventes foncières, concession de parkings, recettes, 106). **Projets :** *Bibliothèque de France* (AP 4 671, estim. rapport Cahard-Mélot 1988 : 5 500, 1990 : 7 200) 1 165. *Grande galerie du muséum* 400. *Musée nat. des techniques* 200. *Centre de conférences internationales :* projet retenu : 3 pavillons de verre de Francis Soler (47 × 94 m, haut. 28 m, ramenée à 25,6 après procédure contre l'État) 140 000 m² avec parkings et locaux techniques, auditorium 1 600 pl ; fin des travaux : 1ᵉʳ sem. 1995 ; (2,75 milliards de F) ; après espace vert initial (7 500 m²) restitué (109 arbres avaient été abattus). *Aménagement de la Porte Maillot* (28-9-92) : (90 000 m² de bureaux, 65 000 de logements, capacité d'accueil du Palais des Congrès accrue, 1 hôtel de luxe). *SDAU* (voir à Abréviations) de Paris : abandonné en 1993 (objectifs atteints ou précisés par des documents plus récents).

Nota. – AP : autorisation de paiement. (1) Soldé. (2) En cours.

Logement

Immeubles d'habitation. 77 000 dont appartenant à des particuliers 44 100, Stés commerciales diverses 12 000, Ville de Paris 5 000, SCI 6 000, Cies d'assurances 2 000, Office public des HLM 1 766, EDF-GDF 964, État 798, SNCF 782, banques 600, Assistance publique 458, Institutions religieuses 400, RATP 195, Banque de Fr. 100. Tous les 10 ans, 10 % des immeubles sont achetés par des Stés commerciales diverses. 55 % des immeubles sont acquis en simple propriété, 45 % par des copropr. *Source :* Annuaire des propriétaires par rue.

Hôtels (1-1-91). 1 445 hôtels classés tourisme (69 401 ch.) dont 1 étoile : 284 (8 735 ch.), 2 ét. : 636 (25 561 ch.), 3 ét. : 449 (25 874 ch.), 4 ét. 64 (7 683 ch.), luxe : 3 (446 ch.).

Logements. Structure du parc en 1990, dont, entre parenthèses **part en % :** Ensemble des log. 1 304 331 dont résidences principales : 1 095 108 ; rés. secondaires : 23 004 (1,8, *1975 :* 3) ; log. vacants : 118 296 (9,1, *1975 :* 7,1) ; log. occasionnels : 67 923 (5,2). *Selon la date d'achèvement en 1981 (en %) : avant 1949 :* 70,3, *de 1949 à 74 :* 19,5, *de 75 à 81 :* 8, *depuis 82 :* 2,1. *Selon le nombre de pièces en 1988 (en %) : 1 p. :* 22,6 ; *2 :* 32 ; *3 et 4 :* 33,7 ; *5 et + :* 11,7. **Confort** (résidences principales en 1988) : WC dans logement (87,3 %), baignoire ou douche (86,9 %).

Statut des occupants (en %, 1990). *Propriétaires* 28,3 (dont en 1988 : propr. non accédants 17,3 ; accédants à la propr. 10,4). *Locataires* 59,3 (dont HLM 12,3 ; non HLM 47). *Sous-locataires et locataires de meublés* 3,8. *Logés gratuitement* 8,7. Effort de logement social en 1992 : 1 707 millions de F consacrés aux acquisitions foncières.

Maisons. La plus vieille : 51, rue de Montmorency, construite en 1407 par Nicolas Flamel. (Le 3, rue Volta est un pastiche du XIVᵉ s. construit au XVIIᵉ s.). **La plus petite :** (m. du Grand Pignon) 39, rue du Château-d'Eau (Xᵉ arr.) 1,10 m de façade, 5 m de haut, 1 rez-de-ch. et 1 étage.

Sécurité publique

Délinquance. *Crimes et délits : 1981 :* 309 972 ; *85 :* 350 480 ; *86 :* 316 946 ; *87 :* 286 820 ; *88 :* 274 567 ; *89 :* 295 196 ; *90 :* 298 297 ; *91 :* 307 563 ; *92* (est) : 319 650. *Procès-verbaux* (1992) : 435 000. *Vols* (1991) : 152 184 dont à la roulotte 46 719, cambriolages 41 638 (env. 115 par j.), à la tire 34 491, de voiture 20 243, avec violence 7 921, à main armée 1 172. *Toxicomanes :* 150 000 à 400 000. **Lutte contre la délinquance** (1991) : *Anticambriolage :* 206 048 immeubles, caves, parkings, escaliers visités. *Contre la drogue :* 8 310 mises à disposition de la PJ dont 628 mineurs. *Contre l'alcoolisme :* 3 306 prélèvements sanguins enregistrés. *Sécurité métro :* 230 889 rames contrôlées, 233 770 stations visitées, 14 462 mises à disposition de la PJ, 30 787 conduites au poste. *Total des conduites au poste* 147 621 dont 68 610 mises à la disposition de la PJ

Police judiciaire (1991). 302 162 faits délictueux constatés, 23 744 individus déférés au parquet.

Rondes et patrouilles (1991). 87 024 sorties de véhicules, 1 298 310 km parcourus.

SEINE

Longueur (traversée de Paris) 13 km. Superficie 140 ha. Niveau env. 26,39 m.

Crues. **Cotes retenues :** le pont de la Tournelle (dep. 1732) ou le pont de l'Alma ; [le Zouave (œuvre de Georges Diébolt), en compagnie d'un grenadier, d'un chasseur à pied et d'un artilleur, ornait le 1er pont de l'Alma, construit en pierre de 1854 à 56 ; lorsqu'un pont plus large a été construit, en acier, de 1970 à 74, le Zouave a été réinstallé au pied d'une des piles, le plus près possible de son niveau d'origine]. Crues extraordinaires. **Cote du pont de la Tournelle (en m) :** *1649* (févr.) : 7,66. *1651* (25-1) : 7,83. *1658* (27-2) : 8,81 (pont Marie emporté : 22 maisons s'écroulent, 50 †). *1690* : 7,55. *1711* (mars) : 7,62. *1740* (25-12) : 7,90. *1764* (19-2) : 7,33. *1802* (3-1) : 7,45. *1807* (2-3) : 6,70. *1910* : 8,62 (8,03 : rails noyés en gare d'Austerlitz). *1924* : 7,52. *1955* : 7,12. *1945* : 6,85. *1972* : 6,16 (5,95 : gare des Invalides fermée). *1978* : 5,73. *1988* (15-2) : 5,37. Voie express fermée rive gauche à 3,70 m, r. droite 4,10 m.

Berges classées au Patrimoine mondial par l'Unesco : plaque posée le 10-9-1992 square du Vert-Galant. Projet de voie express rive gauche abandonné.

Pêche. *1900* : 15 000 pêcheurs à la ligne en 350 associations ; au concours international entre l'île des Cygnes et la rive gauche, 57 concurrents prirent en 2 h 1/2 881 poissons (878 ablettes, 1 gardonneau, 2 chevesnes).

SOUS-SOL

Égouts : 2 100 km de galeries dont 1 600 km d'égouts, 500 km d'ouvrages secondaires, 26 000 regards d'accès, 18 000 bouches (*visite publique*, circuit de 200 m, entrée pont de l'Alma : *visiteurs* (1990) 95 000). Conduites : *air comprimé* 784 km, dont 757 en égouts, 26,448 en terre (au 31-12-88) ; *câbles électr.* 11 980 km (basse tension 3 372, moy. 6 772, haute 138) ; *eau potable* 1 800 km transit et distribution, réseau réalisé par l'ingénieur Eugène Belgrand et ses successeurs, essentiellement après 1850, rénovation prévue (20 ans ; coût 4 à 5 milliards de F financés par une augmentation du coût du m³ d'eau *1990* : 6,70 F, *91* : 7,03 F, *92* : 9,45 F) ; *gaz* 2 255 km (à moy. pression 266, à haute pression 20). Réseau CPCU (Cie parisienne de chauffage urbain) : créée 1928, 335 km, 5 000 immeubles chauffés 600 000 logements, 9 millions de t de vapeur (7 milliards de kWh) distribués en 1991, soit 25 % des besoins de chaleur de Paris. Catacombes : ossuaire 11 000 m², 1,5 km, haut env. 2,30 m (sur 300 km de galeries d'anciennes carrières de pierres à bâtir occupant 835 ha). *Squelettes déposés* : 5 à 6 millions, dont Madame Élisabeth, Danton et Robespierre. *Temp. moy.* : 11 °C. *Accès* : escalier en colimaçon de 91 marches, prof. 19 m. *Origine* : fin XVIIIe s. Sous la plaine de Montsouris, au lieu-dit de la Tombe-Issoire (ou Issouard) on déposa des ossements du grand charnier des Innocents (dans le 1er arr., contenant les corps de 20 générations des 20 paroisses de la ville ; fin 1779, des caves voisines s'étaient effondrées sous le poids des corps).

TOURISME

Visiteurs (1990). 20 millions dont 13 en hôtellerie homologuée. **Rentrées** 9 milliards de F. **Dépense moyenne d'un touriste** (1990) 600 F par j. et par personne. **Chambres** 128 621 dont dans hôtels classés 70 917. **Hôtels de tourisme classés** (1990) : *nombre d'hôtels* et, entre parenthèses *de chambres* : 1 étoile 268 (8 791), 2 ét. 647 (27 295), 3 ét. 449 (26 151), 4 ét. 60 (7 402), 4 ét. luxe 6 (1 278). Hôtels rattachés tourisme 11 (311). Résidences de tourisme : classées ou en instance 17, non classées (studios ou appartements) 17 (2 367).

Fréquentation des hôtels par les étrangers (1990, en milliards de F) 5 486 dont USA 1 158, G.-B., Irlande 1 020, Italie 973, Japon 949, Allemagne 861, Espagne 386, P.-Bas 309, Suisse 304, Belgique-Luxembourg 214, Canada 168, Algérie, Tunisie, Maroc 131, Turquie 127, Brésil 98, Danemark 82, Australie 76, Mexique 38, Argen. 31. *Nuitées* : 31 166 200. **Durée moyenne de séjour :** 2,5 j.

Foires et salons. **Nombre de visiteurs** (1990) : *Paris* : 6 359 300 (dont Porte de Versailles 5 114 000, Palais des congrès, Espace Champerret, Grand Palais, Parc floral 1 245 300). *Hors Paris* : 1 437 000 (dont Villepinte 1 237 400, CNIT, Le Bourget 199 600).

Congrès tenus à Paris (1990). **Nombre :** 1 150 (dont internationaux 470, associatifs 361). *Participants* (estim.) : *nombre* : 575 000, nuitées 1 725 000, dépenses moyennes/j. 1 950.

Séminaires. **Nombre** : 4 500.

VIE CULTURELLE

Monuments historiques 1 500, parcs et jardins 394, musées 76 dont municipaux 13, bibliothèques municipales 56, cirques 4, théâtres : 124 lieux de spectacle (dont 7 th. nationaux, 7 th. municipaux, 16 cafés-théâtres, 2 th. de chansonniers), cabarets-dancings 47, music-halls 27, orchestres 10, salles de concert 84, discothèques 32, salles de cinéma 349, galeries env. 320, maisons et clubs de jeunes 32, ateliers d'art et d'expression culturelle 430 (175 disciplines enseignées ; 250 000 utilisateurs).

Nota. – Sur 1 800 chansons à succès, 30 ont Paris dans leur titre *(Sous les ponts de Paris, Un gamin de Paris,* etc.).

CHIFFRES DIVERS

Banques (guichets) 1 495. *Bases nautiques* 2. *Chats de gouttière* 80 000. *Cliniques et hôpitaux* 108. *Colonnes-affiches* (440, + 4 murales). *Commerces* (1989) 52 878 dont : hypermarchés 4, supermarchés 174, grands magasins 21, magasins populaires 52, marchés [1990 : découverts 3 276, couverts 330, spéciaux 230 (dont du Temple 77, aux timbres 61, friperie 43, aux fleurs 37, aux oiseaux 12)], commerces de gros 19 218, petits commerces alimentaires (1990) 8 366 (dont petites surfaces indépendantes 2 078), habillement (1990) 7 433 (dont par arrondissement 6 603). *Crèches collectives* municipales 190, privées 42, familiales municipales 26. *Débits de boissons* 12 737. *Fontaines Wallace* [de Lebourg ; offertes 1872, par Sir Richard Wallace (1818-90) philanthrope et collectionneur] grands modèles 60, petits 28. *Gymnases* 118 + 64 salles spécialisées. *Haltes garderies* municipales 38, privées 84, jardins d'enfants municipaux 28, privés 14. *Hôpitaux publics* 50. *Kiosques à journaux ou à fleurs* 352. *Monuments et fontaines illuminés* 176. *Piscines* 33 dont 26 municipales [dont piscine Molitor (arch. Lucien Pollet) depuis nov. 1989 à l'ISMH, doit être rénovée], 7 concédées. *PTT.* 163 bureaux ; 1 900 boîtes ; 5,9 millions d'objets distribués par jour, 5,3 déposés ; publiphones 6 995 (à carte 4 856). *Restaurants, cafés, boîtes de nuit* env. 15 000. *Salons de coiffure* 5 150. *Stades 38 + 39 établissements sportifs concédés dont P. des Princes, Bercy, Roland-Garros. Tennis* 170 courts.

☞ On dénombre 29 227 *fonctionnaires de police,* 14 528 *médecins,* 3 809 *chirurgiens-dentistes,* 25 000 *infirmiers,* 3 417 *masseurs kinésithérapeutes,* 788 *pédicures,* 640 *orthophonistes,* 1 335 *pharmaciens dont env. 1 215 officines, 1 mutualiste, 120 hospitalières.*

■ ESSONNE (91)

Superficie. 1 819,5 km² (50 × 40 km). *Alt. max.* 170 m (bois de Verrières) ; *moy.* 105 m (vallée de la Seine à Vigneux). *Pop. 1876* : 135 911 ; *1911* : 177 385 ; *1936* : 286 896 ; *1954* : 350 987 ; *1962* : 478 521 ; *1968* : 673 325 ; *1975* : 923 061 ; *1982* : 987 988 ; *1990* : 1 084 827 (dont Fr. par acquis. 39 480, étrangers 96 678 dont Port. 34 328, Alg. 14 658, Maroc. 9 246, Afr. noire 7 107). D 601. *Répartition par âge (90) : 0-19 ans* : 310 640 (28,6 %) ; *20-59 a.* : 633 709 (58,4 %) ; *60 a. et +* : 140759 (13 %).

Emploi. Actifs 547 665 dont 506 176 ayant un emploi dont salariés 335 449 (dont industrie 73 380, BTP 28 662, tertiaire 231 344), non-salariés (1989) 34 287.

Villes. ÉVRY (ville nouvelle), 4 communes, 75 000 h. (*1975* : 22 500 ; *82* : 47 000 ; *89* : 70 000), 2 000 ha dont env. 30 ha d'espaces verts, commune d'Évry 45 531 h. [*1831* : 518 ; *1921* : 1 146 ; *1954* : 1 879 ; *1975* : 17 803 ; *1982* : 29 471] ; aéro. ; lac et parc urbain (13 à 30 ha). – *Angerville* 3 012 h. *Arpajon* 8 713 h. *Athis-Mons* 29 123 h. ; métall. *Ballancourt-sur-Essonne* 6 174 h. [ag. 15 191, dont *Itteville* 4 685, *St-Vrain* 2 307]. *Bièvres* 4 209 h. ; musée. *Bondoufle* 7 719 h. *Boussy-St-Antoine* 5 924 h. ; musée. *Brétigny-sur-Orge* 19 671 h. *Breuillet* 7 321 h. ; CNES. *Brunoy* 24 468 h. ; musée. *Bures-sur-Yvette* 9 246 h. [1]. *Chilly-Mazarin* 16 939 h. *Corbeil-Essonnes* 40 345 h. [fusion en 1951 ; Corbeil *1831* : 3 708 ; *1891* : 8 184 ; *1946* : 10 966 ; Essonnes *1831* : 2 717 ; *1946* : 10 032 ; Corbeil-Essonnes *1954* : 22 891] ; minoteries, électro. métall. et prod. chim. constr. aéro. *Courcouronnes* 13 262 h. *Crosne* 7 966 h. *Dourdan* 9 043 h. ; musée. *Draveil* 27 867 h. *Égly* 4 774 h. *Épinay-sous-Sénart* 13 374 h. *Épinay-sur-Orge* 9 688 h. *Étampes* * 21 457 h. [ag. 25 981 dont *Morigny-Champigny* 3 656 (*1831* : 1 809 ; *1954* : 11 890)] ; musée. *Étréchy* 5 950 h. (ag. 7 843). *Fleury-Mérogis* 9 677 h. *Gif-sur-Yvette* 19 754 h., énergie atom. (CEA). *Grigny* 24 920 h. *Igny* 9 428 h. *Juvisy-sur-Orge* 11 816 h. (5 299 h/km², la plus forte dens. du dép.). *La Ferté-Alais* 3 211 h. [ag. 9 117, dont *Cerny* 2 774]. *Lardy* 3 658 h. (ag. 7 078). *La Ville-du-Bois* 5 404 h. *Le Plessis-Paté* 2 798 h. *Les Ulis* 27 164 h. *Limours* 6 324 h. *Linas* 4 767 h. *Lisses* 6 860 h. *Longjumeau* 19 864 h. *Long-pont-sur-Orge* 4 807 h. *Marcoussis* 5 680 h. *Marolles-en-Hurepoix* 4 126 h. *Massy* 38 574 h. [*1831* : 1 080 ; *1921* : 2 566 ; *1954* : 11 890] ; matér. informat ; gare interconnexion des TGV. *Mennecy* 11 048 h. *Méréville* 2 844 h. *Milly-la-Forêt* 4 307 h. (ag. 5 006). *Montgeron* 21 677 h. *Montlhéry* 5 195 h (autodrome). *Morangis* 10 043 h. *Morsang-sur-Orge* 19 401 h. *Nozay* 2 636 h. *Ollainville* 3 555 h. *Orsay* 14 863 h. [1]. *Palaiseau* * 28 395 h. *Paray-Vieille-Poste* 7 214 h. *Quincy-sous-Sénart* 7 079 h. *Ris-Orangis* 24 677 h. *Saclay* 2 894 h. ; Centre d'études nucléaires, 60 % des grandes écoles (CEA, CNRS, Centrale, HEC, Orsay, Polytechnique), 43 % des labo. de recherche ; plateau (5 000 ha). *St-Chéron* 4 082 h. *St-Germain-lès-Arpajon* 7 607 h. *St-Germain-lès-Corbeil* 6 141 h. *St-Michel-sur-Orge* 20 771 h. *Ste-Geneviève-des-Bois* 31 286 h. *Saintry-sur-Seine* 4 929 h. *Saulx-les-Chartreux* 4 141 h. *Savigny-sur-Orge* 33 295 h. *Soisy-sur-Seine* 7 145 h. *Verrières-le-Buisson* 15 710 h. *Vigneux-sur-Seine* 25 203 h. *Villabé* 2 995 h. *Villebon-sur-Yvette* 9 080 h. *Villemoisson-sur-Orge* 6 404 h. *Villiers-sur-Orge* 3 704 h. *Viry-Châtillon* 30 580 h. *Wissous* 4 888 h. *Yerres* 27 136 h.

Nota. – (1) Amputées depuis la création de la commune des Ulis en 1977.

Régions naturelles. *Hurepoix* 44 554 ha (cult. fruitières et maraîchères). *Beauce* 54 290 ha (céréales). *Gâtinais* 32 439 ha. *Ceinture de Paris* 25 704 ha. *Brie* 20 630 ha. **Bois** (au 1-1-90) 39 500 ha dont forêts de Dourdan, Milly, Sénart, Verrières. **Territoires non agricoles** 47 600 ha.

Ressources. Blé, maïs, cresson (1er prod. de France). **Enseignement, recherche :** Laboratoires, centres d'essais et grandes écoles, CEA, CNRS, faculté des sciences d'Orsay. *Sur le plateau de Saclay* : Polytechnique, Éc. sup. d'Électricité, Éc. centrale des Arts et Manuf., Éc. nat. sup. des Ind. agroalim., Institut d'Optométrie, Éc. sup. des Géomètres et Topographes, Inst. des Htes Ét. scient., Centre techn. des Ind. aéron. et thermiques, Instit. nat. de Rech. chim. appliquée. **Zones industrielles :** Évry, Massy, Morangis, Ste-Geneviève-des-Bois, Étampes. *Centres industriels* : SNECMA, IBM, Hewlett Packard France, Cie générale de Géophysique, CEGELEC, CIT Alcatel, Bull MTS, Digital.

Tourisme. **Églises :** Étrechy (XIIe-XIIIe s.), St-Sulpice de Favières (XIIIe-XVe s.), St-Vrain (XIIIe s.), Villeconin (XVe-XVIe s.). **Châteaux :** Ballancourt (ch. du Saussaye), Chamarande, Courances (construit 1550 remanié sous L XIII), Courson, Dourdan, Jeurre (parc), Le Marais, Montlhéry (féodal), Villeconin.

■ HAUTS-DE-SEINE (92)

Histoire. Formé (loi du 10-7-1964) de 36 communes (27 issues de l'ancien département de la Seine, 9 de l'ancien dép. de la S.-et-O.). Le 1er préfet portait le titre de préfet délégué. *1965 (25-2)* Nanterre chef-lieu. *1966* arrondissement d'Antony créé. *1967 (20-7)* 40 cantons créés. *Septembre* 1res élections. *1970* délégation de la préf. des Hauts-de-S. à Boulogne. *1972* arrondissement de Boulogne créé.

Superficie. 175,6 km² (35 × 6 à 12 km) (le plus petit dép. français après celui de Paris). *Alt. max.* Vaucresson 182 m ; *min.* 25 m. *Pop. 1876* : 208 482 ; *1901* : 467 391 ; *1911* : 614 862 ; *1936* : 1 019 627 ; *1946* : 992 859 ; *1968* : 1 461 619 ; *1975* : 1 438 930 ; *1982* : 1 387 039 ; *1990* : 1 391 658 (dont Fr. par acquis. 61 664, étrangers 180 750 dont Alg. 35 137, Port. 34 185, Maroc. 31 284, Afr. noire 11 066). D 7 925.

Villes. NANTERRE 84 565 h. [*1900* : 14 110 ; *1936* : 45 065 ; *1962* : 83 416 ; *1968* : 90 332 ; *1975* : 95 032 ; *1982* : 88 578] ; ind. méc., élec., agroalim., constr. élect (Alcatel), BTP (Dumez, Lyonnaise des eaux, GTM, CEGELEC), université (Paris X, 32 000 étudiants), école du ballet de l'Opéra (Christian de Portzamparc, 1987), école d'architecture de la Défense. – *Antony* * 57 771 h. [*1962* : 46 483 ; *1968* : 56 638] ; chimie, cité universitaire. *Asnières-sur-Seine* 71 850 h. [*1968* : 80 113] ; alim. (Astra), construction aéro. (Lucas Air Equipement), auto. (Citroën). *Bagneux* 36 364 h. ; électro. (Thomson CSF). *Bois-Colombes* 24 415 h. [*1962* : 29 938] ; aéro. (Hispano-Suiza). *Boulogne-Billancourt* * 101 743 h. [*1968* : 109 008] ; auto (Renault), élec., électro. TV (TF1) ; maison de la nature, parc Rothschild, jardins Albert-Kahn. *Bourg-la-Reine* 18 499 h. *Châtenay-Malabry* 29 197 h. [*1962* : 24 756] ; École centrale, Creps, maison de Chateaubriand. *Châtillon* 26 411 h. ; aéro. (SNIAS), recherche (ONERA). *Chaville* 17 784 h. *Clamart* 47 227 h. ; alim., hôpital, recherche. *Clichy* 48 030 h. [*1962* : 56 316] ; BTP, parachimie (L'Oréal), hôpital Beaujon. *Colombes* 78 513 h. ; électro. (SINTRA) ; parc de l'Ile-Marante. *Courbevoie* 65 389 h. [*1962* : 59 491] ; nombreux sièges sociaux : Cies pétrolières (ELF, BP, Mobil), assurances (GAN, UAP), agroalim., chim., parachim., pharma., constr. méc., mat. informat. (IBM), étude, conseil et assistance. *Fontenay-aux-Roses* 23 322 h ; recherche (centre d'études nucléaires) ; École normale sup. *Garches* 17 957 h. ; pharm., hôpital. *Gennevilliers* 44 818 h. ; métal., auto. (Chausson, Gal Motors), aéro. (Snecma), électro. (Thomson), parachimie, transports ; port de 380 ha. (2,4 millions de t en 1987). *Issy-les-Moulineaux* 46 127 h. ; édition, publicité, recherche (CNET), héliport (surveillance des routes) ; parc de l'île St-Germain. *La Garenne-Colombes* 21 754 h. ; auto. (études PSA). *Le Plessis-Robinson* 21 289 h. ; électron. (Thomson) ; parc. *Levallois-Perret* 47 548 h. [*1962* : 61 804] ; BTP (CEGELEC), org. financiers, auto. ; parc de la Planchette. *Malakoff* 30 959 h. ; électro (Thomson), Dir. G[ale] Insee, Ensae, fort de Vanves. *Marnes-la-Coquette* 1 594 h. ; Institut Pasteur ; haras de Jardy (84 ha). *Meudon* 45 339 h. ; auto (Citroën), électro. (Thomson), aéro. ; observatoire astronomique, musée de l'Air, m. Rodin. *Montrouge* 38 106 h. [*1962* : 45 260] ; siège Citroën, chimie, médias, ministère de l'Environnement. *Neuilly-sur-Seine* 61 768 h. [*1962* : 72 773] ; pharm., parachim., Sté de services (Havas), auto. (Citroën) presse-édition ; musées (de la Femme, automates). *Puteaux* 42 756 h. [*1962* : 39 640] ; sièges sociaux (Préservatrice, Coface, Sté Générale, Worms, Crédit lyonnais, Bull, chimie), transport, conseil, électron. (Thomson), Total, ministère. *Rueil-Malmaison* 66 401 h. [*1962* : 54 786] ; élec., méc., auto. (Renault), parachimie, pharm., BTP, pétrole (Ifp, Shell, Esso). *Saint-Cloud* 28 597 h. [*1962* : 26 472] ; électron. et aéro. (Dassault) ; Éc. normale sup., Conseil (Syseca). *Sceaux* 18 052 h. ; parc avec pavillons de Hanovre et de l'Aurore, musée de l'Ile-de-Fr., Villa Trapenard (Mallet-Stevens, 1932) ; festival, fac. de droit, Iut, Polytechnique féminine. *Sèvres* 21 990 h. ; porcelaine, musée nat. de Céramique ; Centre intern. d'ét. pédagog. *Suresnes* 35 998 h. [*1968* 40 616] ; Cnefi, hôpital Foch, aéro., électro. ; parc des Landes et terrasse du Feucheray. *Vanves* 25 967 h. [*1962* : 25 585] ; parc Falret. *Vaucresson* 8 118 h. [*1962* : 6 690] ; siège Dassault-Aviation. *Ville-d'Avray* 11 616 h. [*1961* : 5 802] ; étangs. *Villeneuve-la-Garenne* 23 824 h. [*1962* : 13 780] ; constr. navales.

Nota – Sur 36 communes, 8 ont + de 50 000 habitants. 17 côtoient la Seine sur 40 km.

Répartition du territoire. *Voies urbaines* 410 km de long (1988, réseau transp. en commun 142 km). *Forêts, parcs et espaces verts urbains* 2 500 ha : forêts de *Meudon* (1 100 ha dont 776 dans Hts-de-S.), *Fausses-Reposes* (627 ha dont 380 dans les Hts-de-S.) ; bois de *Verrières* (587 ha dont 116 ha dans les Hts-de-S.) ; parcs de *St-Cloud* (415 ha), de *Sceaux* (158 ha), des *Chanteraines* (66 ha) à *Villeneuve-la-Garenne* et *Gennevilliers,* de la *Malmaison* et de *Bois-Préau* (32 ha) à *Rueil.*

Parcs départementaux. 421 ha (492 à terme). dont *Chanteraines* : 36 ha (66 prévus). *Pierre-Lagravère* (île Marante, Colombes) : 25 ha, sur un bras de la Seine comblé. *André-Malraux* (Nanterre) : 24 ha. *Mont Valérien* : 3,5 ha, altitude 125 m ; ouvert 1979 sur des terrains achetés à l'Armée. *Haras de Jardy* (Vaucresson, Marnes-la-C.) : 76 ha dans l'ancien domaine de Marcel Boussac. *Pré Saint-Jean* (ouest de St-Cloud) : 8 ha. Parc de sports. *Albert-Kahn* (Boulogne-Billancourt) : 4 ha, fondé 1913 par A. Kahn (1860-1940). *Ile St-Germain* (Issy-les-Moulineaux) : 10 ha + 10 prévus, créée 1980. *Tour aux figures de Jean Dubuffet* : 24 m, fondations à 35 m ; (1988). Étangs *Colbert* 3,5 ha et *Henri-Sellier* (Le Plessis-Robinson) : 27 ha. *La Vallée-aux-Loups* (Châtenay-Malabry) : 52 ha + 31 en projet. *Sceaux* : 152 ha. *Exploitations agricoles* (1988) : 36. Surface : 56 ha dont : légumes 23, pépinières 20, fleurs 9, vergers 4. Vigne à Suresnes (1 ha).

Aménagements. La Défense. Dates : *1640* : plantation des Tuileries par Lenôtre ; *restauration* : pont de Neuilly dans le prolongement des Champs-Élysées ; *1846* : nom définitif « avenue de la Grande-Armée » ; *Napoléon III* inaugure une statue de Nap. Ier sur le rond-point de Chantecoq rebaptisé place Impériale ; *1883* : statue remplace le monument commémorant la défense de Paris en 1870-71 par la Commune ; *1931* : concours pour l'aménagement de la Défense *1968-73* : destruction de 8 000 logements ; *1970* : inauguration du RER Étoile-Défense ; *1972* : Giscard pour protéger la perspective historique ; *1978* : relance Barre ; *1982* : projet Mitterrand ; *1989* : Grande Arche inaugurée (voir p. 362 a). **Surface :** 80 ha répartis sur Puteaux et Courbevoie (quartier d'affaires). 600 ha sur Nanterre (quartier du Parc). **CNIT (Centre des nouvelles industries et techniques)** [(8-5-1956/sept. 1958, Camelot, de Mailly, Zehrfuss) : voûte d'arête inscrite dans un triangle équilatéral de 818 m de côté, hauteur au centre 46,30 m, repose sur 3 points d'appui au sol qui supportent une couverture de 7 500 m² développés, 6 800 m² en plan ; record mondial des plus grandes portées pour une structure voûtée en coque mince (206 m de façade, 238 m sur l'arête de voûte), 22 000 m²]. **Préfecture des Hauts-de-Seine** (1967, Wogenscky). **Immeubles de bureaux** (1989) : *quartier d'affaires* : 55 construits dont tour Esso (63 m), Aquitaine et Nobel (66), Roussel (67), Europe (69), Aurore et Atlantique (70), Franklin et Septentrion (72), Crédit Lyonnais (73), Winterthur, GAN et Fiat (74), Neptune, Générale et Manhattan (75), Technip (78), Pascal (83), PFA (84), Elf Aquitaine et Total (85), Descartes (87), soit 1 987 000 m² en service sur 2 102 600 m² prévus. *En projet* : Japan Tower (50 000 m² utilisables ; coût 1,5 milliard de F) ; siège de la Ste Générale ; tour Sans Fin (Jean Nouvel). *Quartier du Parc* : 22 construits (258 750 m² sur 343 850 prévus). **Tour la plus haute :** ELF (180 m). **Logements** (1992) *Quartier d'affaires* : 8 256 construits. *Q. du Parc* : 5 156 construits, 5 504 prévus. **Centre commercial des 4 Temps :** 105 000 m² de magasins et grandes surfaces, 9 cinémas, 1 discothèque, 1 studio de danse. **Grande Arche :** voir p. 362 a.

Projets. La Défense 2 : *Cité de l'automobile* (20 000 m²). *Musée d'Art forain. Axe Louvre-Étoile-Grande Arche* : prolongement de 3 300 m vers l'ouest par une avenue de + de 120 m de large, doublement de la superficie urbanisée (de 80 ha à 160-180 ha), construction de 600 000 m² supplémentaires de bureaux et de 1 200 000 m² de logements (env. 12 000 dont 60 à 80 % de logements sociaux ou de catégorie intermédiaire). *Université Paris X-Nanterre* : extension sur 300 000 m², recevra la nouvelle école d'architecture, et les centres de formation EDF et SNCF. *Autoroute A 14* : enterrement sur 2 km. *RN 314* : déplacement. *Gare TGV.* **Muse** (maille urbaine souterraine express) : réseau souterrain de 48 km (sur 3 niveaux), coût 40 milliards de F, mise en service novembre 1999, péage à 3 F le km, capacité du tunnel 9 500 véhicules par heure dans chaque sens. *20-7* 45 % des dockers ont accepté de quitter leur profession. Chantier confié à Bouygues. *Université privée* : *Coût* : 1 milliard de F, ouverture 1994. **Cité Bleue** (île Seguin, Boulogne, Meudon) : 1 million de m² de logements et bureaux, 10 ans de chantier, début 1994.

Tourisme. Monuments historiques, 38 édifices classés, 95 à l'Inventaire supplémentaire. **Châteaux :** Asnières, la Malmaison, Gennevilliers, Vanves, Ville-d'Avray. **Maison** d'Armande Béjart à Meudon. **Églises :** Boulogne (N.-D.), Bagneux (St-Hermeland), Puteaux (N.-D.-de-la-Pitié), Clichy (St-Vincent-de-Paul), Rueil (St-Pierre-St-Paul).

■ Seine-et-Marne (77)

Superficie. 5 915,29 km² (env. 100 × 60 km). *Alt. max.* Butte St-Georges 215 m. ; *min.* Seine-Port 32 m. *Pop. 1801* : 299 160 ; *1851* : 345 076 ; *1901* : 358 325 ; *1936* : 409 311 ; *1954* : 524 486 ; *1968* : 604 340 ; *1975* : 755 762 ; *1982* : 887 112 ; *1990* : 1 078 145 (dont Fr. par acquis. 38 875, étrangers 91 842 dont Port. 32 348, Alg. 12 256, Maroc. 7 088, Indoch. 6 424). D 182.

Villes. MELUN alt. 54 m 803,9 ha, 35 319 h. [*1789* : 5 158 ; *1901* : 13 059 ; *1936* : 17 499 ; *1954* : 20 129 ; *1975* : 37 705 ; *1982* : 35 005] [ag. 107 705, dont *Dammarie-les-Lys* 21 148. *Le Mée-sur-Seine* 20 933. *Vaux-le-Pénil* 8 143 ; constr. méc. et aéro. (Snecma-Villaroche), ind. chim. et alim.] – *Bois-le-Roi* 4 744 h. (ag. 7 634). *Bourron-Marlotte* 2 424 h. (ag. 4 977). *Brie-Comte-Robert* 11 501 h. *Brou-sur-Chantereine* 4 469 h. *Champagne-sur-Seine* 6 092 h. [ag. 22 536, dont *Moret-sur-Loing* 4 174 *Veneux-les-Sablons* 4 298.] ; constr. électr. *Champs-sur-Marne* 22 913 h. *Chelles* 45 365 h. [*1936* : 14 658] ; pâtes alim. *Claye-Souilly* 9 740 h. *Combs-la-Ville* 19 974 h. [*1936* : 2 386 ; *1954* : 2 833]. *Coulommiers* (sous-préf. jusqu'en 1926) 13 087 h. [*1936* : 7 510] ; (ag. 21 289) ; ind. alim., mét., élec., édition. *Courtry* 5 503 h. *Crécy-la-Chapelle* 3 222 h. (ag. 6 191). *Dammartin-en-Goële* 6 620 h. (ag. 10 668). *Émerainville* 6 766 h. *Esbly* 4 488 h. [ag. 19 290, dont *Quincy-Voisins* 3 969]. *Fontainebleau* (sous-préf. jusqu'en 1926 et dep. le 26-4-88) 77 m, 15 714 h. [*1936* : 17 724 ; *1962* : 20 583] [ag. 35 706, dont *Avon* 13 873 h.] ; château, forêt. *Fontenay-Trésigny* 4 518 h. *Gretz-Armainvilliers* 7 246 h. [ag. 12 774, dont *Tournan-en-Brie* 5 528]. *La Ferté-Gaucher* 3 924 h. (ag. 5 730) ; céram. (Villeroy et Boch). *La Ferté-sous-Jouarre* 8 236 h. [*1936* : 4 726] [ag. 12 018, dont *Jouarre* 3 274]. *Lagny-sur-Marne* 18 643 h. [*1936* : 8 310 ; *1954* : 8 982] [ag. 46 147, dont *St-Thibault-des-Vignes* 4 207 ; conserv. *Thorigny-sur-Marne* 8 326] ; ind. diverses. *Le Châtelet-en-Brie* 3 980 h. *Lesigny* 7 865 h. *Lieusaint* 5 200 h. *Lognes* 12 973 h. *Meaux* * 48 305 h., 1 477 ha [*1911* : 13 600 ; *1936* : 14 429 ; *1954* : 16 767 ; *1962* : 23 305 ; *1968* : 31 967] [ag. 63 006, dont *Nanteuil-lès-Meaux* 4 339 ; édition (« Messageries du Livre »). *Trilport* 3 825 ; ind. chim. *Villenoy* 2 719 ; sucrerie] ; ind. text. et méc. ind. et comm. agr. et alim. (brie, moutarde, pavé) ; cathédrale. *Mitry-Mory* 15 205 h. [*1936* : 7 148 ; *1954* : 8 697] ; ind. alim. *Moissy-Cramayel* 12 263 h. *Montereau-Faut-Yonne* 18 657 h. [*1936* : 9 322] (ag. 26 037) ; ind. méc., élec. et diverses. *Nandy* 5 429 h. *Nangis* 7 013 h. *Nemours* 12 072 h. [*1936* : 5 154] [ag. 18 962, dont *St-Pierre-lès-Nemours* 5 374] ; verre. *Noisiel* * *(sous-préfecture depuis déc. 1992)* 16 525 h ; ancienne chocolaterie Menier (1867), château d'eau (Christian de Portzamparc 1971). *Othis* 5 591 h. *Ozoir-la-Ferrière* 19 031 h. [*1936* : 4 124 ; *1954* : 4 552]. *Pontault-Combault* 26 804 h. [*1936* : 1 544 ; *1954* : 2 050]. *Provins* * 11 608 h. [*1936* : 9 226] (ag. 12 771) ; constr., optique ; remparts, donjon ; fête médiévale (juin). *Roissy* 18 688 h. *St-Fargeau-Ponthierry* 10 560 h. [*1936* : 2 833 ; *1954* : 3 088] (ag. 15 939). *St-Pathus* 4 515 h. (ag. 5 980). *Savigny-le-Temple* 18 520 h. *Souppes-sur-Loing* 4 851 h. *Thorigny* 8 326 h. (ag. 23 949). *Torcy* 18 681 h. *Vaires-sur-Marne* 11 194 h. *Verneuil-l'Étang* 2 577 h. ; meunerie. *Vert-St-Denis* 7 368 h. [ag. 15 242, dont *Cesson* 7 874]. *Villeparisis* 18 790 h. [*1936* : 14 658 ; *1954* : 19 539].

Villes nouvelles. *Sénart* (syndicat d'aggl. nouvelle formé par 10 communes dont 8 en S.-et-M., 2 dans l'Essonne) 83 687 h. (*1975* : 28 500 ; *82* : 49 200 ; *89* : 80 000), stade (achèvement prévu 1998, 80 000 pl., coût 1,5 à 3 milliards de F.). *Marne-la-Vallée* [26 communes en 4 secteurs (*I* : 3 com. en Seine-St-Denis et V.-de-M. ; *II Val-Maubuée* : 6 com. ; *III sect. de Bussy-St-Georges* : 12 com. ; *IV Portes de la Brie* : 5 com.)] (*1975* : 108 000 ; *82* : 152 650 ; *90* : 210 000).

Régions naturelles. *Brie* 8 800 ha ; plateaux creusés de nombreuses vallées (blé, maïs, betteraves à sucre, fromages ; forêts). *Plateaux de Goële et Multien* env. 50 000 ha (céréales). *Gâtinais* 80 000 ha (betteraves, maïs, cult. légum., élevage). *Forêt de Fontainebleau et pays de Bière* 35 000 ha (forêts, sables). *Vallée du Grand et du Petit Morin.* **Bois** (en milliers d'ha, au 1-1-90, estim.) 119 dont forêts domaniales 25, forêt de Fontainebleau 20 (1 800 km de routes et chemins), de Villerfermoy 2,3, de Jouy 1,4, d'Armainvilliers 1,26, des Trois-Pignons 1,02. **Territoires agricoles non cultivés** (au 1-1-92, estim.) 4,5 ; **non agr.** 113.

Ressources. Un des 5 premiers départements prod. de blé (1 302 000 t en 1991). *Fromages* de Brie (meaux, melun et coulommiers).

Tourisme. Châteaux : Champs (1703-07, arch. Bullet de Chambain), Fontainebleau, Guermantes, Vaux-le-Vicomte (1656-60, Le Vau ; ch. de Fouquet). **Collégiales :** Champeaux, Dammartin-en-Goële. **Église :** Rampillon XIIIe s. **Eurodisneyland** (voir Index).

■ Seine-Saint-Denis (93)

Superficie. 236,2 km² (21,5 × 22 km). *Alt. max.* Montfermeil 130 m ; *min.* 25 m. *Pop. 1876* : 138 099 ; *1911* : 411 443 ; *1936* : 776 378 ; *1946* : 730 361 ; *1954* : 845 231 ; *1968* : 1 249 606 ; *1975* : 1 322 127 ; *1982* : 1 324 301 ; *1990* : 1 381 197 (dont Fr. par acquis. 72 389, étrangers 260 998 dont Alg. 64 152, Port. 43 793, Maroc. 29 475, Afr. noire 28 069). D 5 847.

Villes. BOBIGNY 44 659 h. (90) [*1954* : 18 521, *82* : 42 723] ; access. auto (Valéo), maroquinerie (Delsey), centre comm., maison de la cult. – *Aubervilliers* 67 557 h. [*1954* : 58 740] ; ind. pharmaceutique, centre de recherches (St-Gobain, Rhône-Poulenc) ; théâtre de la Commune, égl. N.-D.-des-Vertus (XV-XVIe s.). *Aulnay-sous-Bois* 82 314 h. [*1954* : 38 534] ; auto. (Citroën), prod. chim. (L'Oréal) ; méd. de contraste (Guerbet), centre d'aff. Paris-Nord, stockage marchandises (Garonor). *Bagnolet* 32 600 h. [*1954* : 26 779] équip. ind., app. ménag. (Moulinex), informatique (Bull). *Bondy* 46 676 h. [*1954* : 22 411], comm. électroménager (Darty). *Clichy-sous-Bois* 28 180 h. [*1954* : 5 105]. *Coubron* 4 784 h. *Drancy* 60 707 h. (camp de rassemblement des déportés 1940-44) ; pièces auto (Bendix), app. mén. (ELM Leblanc). *Dugny* 8 361 h. *Épinay-sur-Seine* 48 762 h. [*1954* : 18 349] ; labo photo (Éclair). *Gagny* 36 059 h. [*1954* : 12 255]. *Gournay-sur-Marne* 5 486 h. *La Courneuve* 34 139 h. [*1954* : 18 349] ; parachimie, chaudronnerie, fonderie (Babcok), aéro. (Eurocopter), constr. élec. (GEC, Alsthom), primistères, fabric. d'alcool (Cusenier) ; parc départ. (260 ha). *Le Blanc-Mesnil* 46 956 h. [*1954* : 25 363] ; *Le Bourget* 11 699 h. ; aéroport, musée de l'Air (160 aéronefs) ; aviation (Dassault Falcon Service, Euralair, Transair-France). *L'Ile-St-Denis* 7 413 h. *Le Pré-St-Gervais* 15 373 h. *Le Raincy* * 13 478 h ; égl. N.-D. (1923). *Les Lilas* 20 118 h. *Les Pavillons-sous-Bois* 17 375 h. *Livry-Gargan* 35 387 h ; plomberie (Zell). *Montfermeil* 25 556 h. [*1954* : 8 271]. *Montreuil* 94 754 h. ; recher. tech. (Sofresid), URSSAF. *Neuilly-Plaisance* 18 195 h. *Neuilly-sur-Marne* 31 461 h. ; prod. d'eau automatisée (capacité max. 1 200 000 m³/j). *Noisy-le-Grand* 54 032 h. [*1954* : 10 398] ; bureautique (OCE Fr) mat. de traitement de l'info. (IBM) Éts financiers (Diac), Cité scientifique Descartes. *Noisy-le-Sec*

36 309 h. [*1954 :* 22 337]. *Pantin* 47 303 h. ; Grands Moulins, cosmétiques (Bourjois), cuir (Hermès). *Pierrefitte-sur-Seine* 23 822 h. [*1954 :* 12 867]. *Romainville* 23 563 h. ; chimie (Roussel-Uclaf), accu. (Saft), fort (lieu de détention et d'exécution 1940-44). *Rosny-sous-Bois* 37 489 h. [*1954:* 16 491] ; 90 000 m² de centre comm. ; aménagement terres et voieries (SADF). *St-Denis* 89 988 h. [*1954:* 80 705] ; électron. (Thomson CSF, Panasonic France) ; élec. et électron. (Siemens), orfèvrerie (Christofle) ; tour Pleyel ; basilique (25 rois et 17 reines inhumés, 70 tombeaux et gisants ; projet de restaurer la flèche de 90 m (achevée 1152, détruite par foudre en 1219 et 1837, rasée par Viollet-le-Duc en 1847) coût 68 MF], nécropoles mérovingiennes ; musée d'Art et d'Hist. ; université Paris VIII ; théâtre Gérard-Philipe. *St-Ouen* 42 343 h. [*1954 :* 48 112] ; constr. élec. (Alsthom), ISMCM, mat. électr. et électron. (Sony France, Rank Xerox), inform. (Bull). *Sevran* 48 478 h. [*1954 :* 12 956] ; constr. méc. (Westinghouse), chim. (Kodak) ; parc nat. forestier (116 ha), ouvert 1981. *Stains* 34 879 h. *Tremblay-en-France* 31 385 h. *Vaujours* 5 214 h. *Villemomble* 26 863 h. *Villepinte* 30 303 h. [*1954:* 5 503] ; institut de soudure ; parc des Expositions (ouvert 2-12-1982) de 164 000 m², informatique (Hewlett Packard). *Villetaneuse* 11 177 h. ; univ. Paris XIII ; quincaillerie (Castorama), assainissement (SARP).

Aménagement. **Projet :** *Plaine-St-Denis :* 600 ha sur St-Denis et Aubervilliers, 20 000 logements, 30 000 emplois.

Espaces verts. *1993 :* env. 1 000 ha ouverts au public, avec 13 parcs dont (en ha) : La Courneuve 400, parc du Sausset 200, la forêt de Bondy 136, Le Blanc-Mesnil 30, Aulnay-sous-Bois 29, parc national forestier de Sevran 116, Tussion-Sablons 22, Villetaneuse 14, Romainville 8, Clichy-sous-Bois 10, Bagnolet 7,5, promenade de la Dhuys 6,9, île St-Denis 10.

■ Val-de-Marne (94)

Superficie. 245,03 km² (21 × 14,5 km). *Alt. max.* Villejuif 120 m ; *min.* Charenton 25 m. *Pop. 1876 :* 136 600 ; *1911 :* 386 073 ; *1936 :* 685 299 ; *1954 :* 767 529 ; *1968 :* 1 121 319 ; *1975 :* 1 215 674 ; *1982 :* 1 193 655 ; *1990 :* 1 215 538 (dont Fr. par acquis. 59 188, étrangers 155 186 dont Port. 47 079, Alg. 29 902, Afr. noire 12 147, Maroc. 11 423. D 4 961.

Villes. CRÉTEIL 82 088 h. [*1936 :* 11 755 ; *1962 :* 30 031 ; *1979 :* 65 447 ; *1982 :* 71 693] ; ind. div., centre commercial régional Créteil-Soleil (100 000 m², ouvert 1974, le plus grand d'Europe). – *Ablon-sur-S.* 4 938 h. *Alforville* 36 119 h. ; centrale gazière (50 % des besoins de la région paris.). *Chinagora ;* village chinois ; architecte Liang Kun Hao inspiré de la place Tien An Men. Inauguré 15-10-92 : 50 000 m² dont 2 000 d'exposition, 1 500 de bureaux ; 1 hôtel 3 ét. de 200 ch. *Arcueil* 20 334 h. ; télécom. et électron. (Alcatel). *Boissy-St-Léger* 15 120 h. ; capitale de l'orchidée ; entraînement des chevaux de trot (château de Grosbois, établissement RATP). *Bonneuil-sur-Marne* 13 626 h. ; port (2e d'Ile-de-Fr.). *Bry-sur-Marne* 13 826 h. ; audiovisuel (Studios SFP, INA). *Cachan* 24 266 h. *Champigny-sur-Marne* 79 486 h. [*1936 :* 28 866] ; métall. *Charenton-le-Pont* 21 872 h. *Chennevières-sur-Marne* 17 857 h. *Chevilly-Larue* 16 223 h. [*1936 :* 3 332]. *Choisy-le-Roi* 34 068 h. [*1936 :* 28 476] ; usine de traitement des eaux (plus de 600 000 m³/j) ; Renault. *Fontenay-sous-Bois* 51 868 h. [*1936 :* 31 596] ; siège de Bull. *Fresnes* 26 959 h. *Gentilly* 17 093 h. [*1936 :* 18 172]. *Ivry-sur-Seine* 53 619 h. [*1936 :* 44 859] ; Tiru : traitement ind. des résidus urbains (la plus grande usine d'incinération d'ordures ménagères du monde). Schneider, pétrole ; orangerie XVIIIe s. *Joinville-le-Pont* 16 657 h. *La Queue-en-Brie* 9 897 h. *L'Haÿ-les-Roses* * 29 746 h. *Le Kremlin-Bicêtre* 19 348 h. *Le Perreux-sur-Marne* 28 477 h. *Le Plessis-Trévise* 14 583 h. *Limeil-Brévannes* 16 070 h. *Maisons-Alfort* 53 375 h. ; école vétérin. *Mandres-les-Roses* 3 703 h. *Marolles-en-Brie* 4 606 h. *Nogent-sur-Marne* * 25 248 h. ; pavillon Baltard (des Halles de Paris) remonté, classé monument historique le 21-10-1982. *Noiseau* 2 831 h. *Orly* 21 646 h. [*1936 :* 6 132] ; aéroport. *Ormesson-sur-Marne* 10 038 h. *Périgny* 1 681 h ; centre des métiers d'art, domaine agrotouristique. *Rungis* 2 939 h. [*1936 :* 518] ; marché de prod. alim. en gros (le plus imp. du monde), 220 ha, 17 000 emplois, 500 000 m² de locaux. *St-Mandé* 18 684 h. *St-Maur-des-Fossés* 77 206 h. [*1936 :* 56 740] ; tr. publics (RATP), Quillery. *St-Maurice* 11 157 h. ; Tréfimétaux. *Santeny* 2 810 h. *Sucy-en-Brie* 25 839 h. *Thiais* 27 515 h. ; centre commercial « Belle Épine ». *Valenton* 11 110 h. *Villecresnes* 7 921 h. *Villejuif* 48 405 h. [*1936 :* 27 590]. *Villeneuve-le-Roi* 20 325 h. *Villeneuve-St-Georges* 26 952 h. ; gare de triage (la plus moderne d'Europe). *Villiers-sur-Marne* 22 740 h. *Vincennes* 42 267 h. [*1936 :* 48 967] ; produits pharm. ; château, hippodrome. *Vitry-sur-Seine* 82 400 [*1936 :* 46 945] ; métall., bâtiment, chimie (Rhône-Poulenc), prod. chim. et pharm.

☞ Voir Musées à l'Index.

Régions naturelles. *Ceinture de Paris, Vallées de la Seine, de la Marne, Plat. de Brie. Massifs forestiers* 2 550 ha dont 1 700 ha ouverts au public (bois Notre-Dame, bois de la Grange).

Ressources. *Tertiaire* (79 % des établissements) : commerce, transports (Orly, gares de triage, dépôts RATP), services, recherche. *Industries* agroalim. surtout à la périphérie de Paris et le long de la Seine. Une dizaine d'entreprises ont + de 500 salariés. *Cultures spécialisées : horticulture :* fleurs coupées, plantes en pots et à massifs : 70 ha répartis entre 150 horticulteurs, 39 ha de serres dont 24 ha de roses (Mandres-les-Roses, Santeny, Périgny, Villecresnes (3e rang après Alpes-Mar. et Var) ; orchidées à Boissy-St-Léger : 1er centre mondial pour la création de variétés exotiques (500 plants/an) ; *maraîchage et cult. légumières de plein champ :* 160 ha (surtout Périgny et Mandres-les-Roses) ; *arboriculture :* 13 ha (La Queue-en-Brie) ; *pépinières :* 63 ha (Plateau de Vitry, Mandres-les-Roses, Périgny/Yerres).

■ Val-d'Oise (95)

Superficie. 1 245,9 km² (70 × 30 km). *Alt. max.* Forêt de Carnelle 210 m ; *min.* vallée de l'Epte 50 m. *Pop. 1876 :* 129 655 ; *1911 :* 196 599 ; *1936 :* 350 487 ; *1954 :* 412 658 ; *1968 :* 693 269 ; *1975 :* 840 885 ; *1982 :* 920 598 ; *1990 :* 1 049 598 (dont Fr. par acquis. 49 334, étrangers 115 877 dont Port. 27 432, Alg. 21 965, Maroc 14 164, Afr. noire 10 745). D 842.

Villes. PONTOISE 27 150 h. [*1982 :* 28 220] ; m. Tavet Delacour ; foire de St-Martin (dep. 798 ans). – *Argenteuil* * 93 096 h. ; cult. maraîchères, métall., chimie ; musée Vieil Argenteuil, basil., remparts, village. *Arnouville-lès-Gonesse* 12 223 h. *Auvers-sur-Oise* 6 129 h. *Beauchamp* 8 934 h. *Beaumont-sur-Oise* 8 151 h. [ag. 30 622, dont dans le dép. *Persan* 10 659. *Bessancourt* 6 429 h. *Bezons* 25 680 h. ; métall., ind. chim. *Bouffemont* 5 700 h. *Cergy* 48 226 h. *Cergy-Pontoise* (ville nouvelle) 11 communes, 161 204 h. (*1975 :* 71 195 ; *82 :* 104 350 ; *89 :* 150 000), 7 767 ha (dont 11,8 % d'espaces verts ; 65 ha de plans d'eau) ; amphithéâtre vert (Ricardo Bofill), 710 000 m² de construction de logements (+ 50 000 en 2015) ; sièges de Spie-Batignolles, 3M, Unisys, Siemens, Nixdorf, Volvo, BP France. *Cormeilles-en-Parisis* 17 417 h. *Deuil-la-Barre* 19 062 h. *Domont* 13 226 h. *Eaubonne* 22 153 h. *Écouen* 4 846 h. ; château (1532-67 par Ch. Billard puis J. Bullant), musée nat. de la Renaissance. *Enghien-les-Bains* 10 077 h. *Éragny* 16 941 h. *Ermont* 27 947 h. *Ézanville* 9 153 h. *Fosses* 9 620 h. [ag. 18 409, dont *Marly-la-Ville* 5 128]. *Franconville* 33 802 h. *Garges-lès-Gonesse* 42 144 h. ; verrerie. *Gonesse* 23 152 h. ; ind. diverses. *Goussainville* 24 812 h. (ag. 28 324). *Groslay* 5 910 h. *Herblay* 22 135 h. *Jouy-le-Moutier* 16 910 h. *Le Plessis-Bouchard* 6 138 h. *L'Isle-Adam* 9 979 h. *Louvres* 7 508 h. (ag. 10 629). *Luzarches* 3 371 h. (ag. 6 304) ; village. *Magny-en-Vexin* 5 050 h. (ag. 5 753), église Renaissance. *Ménucourt* 4 592 h. *Méry-sur-Oise* 6 179 h. *Montigny-lès-Cormeilles* 17 012 h. *Montmagny* 11 505 h. *Montmorency* * 20 920 h. ; arboricult., musée J.-J. Rousseau. *Montsoult* 3 523 h. (ag. 6 100). *Osny* 12 195 h. *Parmain* 5 155 h. *Persan* 10 659 h. *Pierrelaye* 6 251 h. *Roissy* aéroport. *St-Brice-sous-Forêt* 11 662 h. *St-Gratien* 19 338 h. *St-Leu-la-Forêt* 14 489 h. *St-Ouen-l'Aumône* 18 673 h. *St-Prix* 5 623 h. *Sannois* 25 229 h. *Sarcelles* 56 833 h. *Soisy-sous-Montmorency* 16 597 h. *Taverny* 25 151 h. *Vauréal* 11 717 h. *Viarmes* 4 315 h. (ag. 7 398). *Villiers-le-Bel* 26 110 h.

Régions naturelles. *Vexin français* (l'Epte forme dep. 911 la limite entre V. français et V. normand) : plateau limoneux, 55 % de la surf. agr. du dép. (blé, céréales, bett., p. de t., élevage associé ; horticulture et champignons). *Vieille France ou plaine de France* (ancien domaine de la famille Montmorency) : limons profonds, meilleurs sols de la Fr. ; 25 % de la surf. agr. du dép. ; mêmes cult. que dans le V. français. *Parisis* (ceinture Nord de Paris) ancien domaine des Parisii (20 % de la surf. agr.) : v. de Montmorency, plaine alluviale de la Seine d'Argenteuil à Bezons ; v. de l'Oise, buttes boisées de Cormeilles-en-Parisis, Montmorency et L'Isle-Adam ; au N., polyculture et élevage ; au S., cult. maraîchères et arboriculture ; en pleine urbanisation.

Tourisme. **Forêts** (en milliers d'ha, est. au 1-1-90) 20,43 ha dont forêts de Montmorency 3,5, L'Isle-Adam 1,6, Chantilly 1,3, Carnelle 1 ; *t. non agr.* 35,5. *Espaces verts ouverts au public :* Beauchamps, Bessancourt, Boissy, Cormeilles, Écouen, Taverny. **Parc. Jardin** *Désert de Retz.* Pavillons exotiques 40 ha. Conçu 1774-89 par le chevalier François de Monville, restauré 1986. **Lac** *Enghien :* 14 ha (long. 800 m, larg. 6,30 m au milieu du lac et 300 m au bout, prof. max. 3 m, min. 0,70 m). **Étangs** de Cergy-Pontoise (400 ha) : plan d'eau 60 ha (voile, aviron), bassin (10 ha, pêche), aire de baignade (5 ha) ; jardin d'aventure pour enfants (19 ha). **Abbayes :** *Maubuisson* (fondée 1236), *Royaumont* (XIIIe s.). **Église** *Vétheuil* (renaissance). **Châteaux :** *Écouen, Vigny, Villarceaux.* **Monuments mégalithiques :** Menhirs de Cergy, Ennery, Bellefontaine, la Pierre Turquaise (forêt de Carnelle). **Fouilles gallo-romaines :** Épiais-Rhus, Genainville, Taverny, Sarcelles. **Site archéologique** de Guiry-en-Vexin.

■ Yvelines (78)

Nom. Tiré de l'ancien massif forestier qui allait du confluent de l'Oise et de la Seine à la forêt de Fontainebleau.

Superficie. 2 284,43 km² (depuis le rattachement, par décret du 21-11-1969, de Châteaufort et Toussus-le-Noble appartenant avant à l'Essonne) (45 × 40 km). *Alt. max.* Lainville 200 m ; *min.* Port-Villez 10 m, *moy.* 150 m. *Pop. 1876 :* 235 511 ; *1911 :* 297 562 ; *1936 :* 428 166 ; *1954 :* 519 176 ; *1968 :* 854 382 ; *1982 :* 1 196 111 ; *1990 :* 1 307 567 (dont Fr. par acquis. 42 881, étrangers 135 595 dont Port. 40 829, Maroc. 26 436, Alg. 17 724, Afr. noire 10 233. D 572.

Villes. VERSAILLES 87 789 h. [*1790 :* 51 085 ; *1901 :* 54 982 ; *1926 :* 68 574 ; *1954 :* 84 650] ; ville résidentielle, centre admin. et culturel ; imprimerie ; pépinières ; château, Trianons, voir Index ; musées : château Lambinet ; ind. électro., électroméc., aéro., informatique, labor. et bureaux d'études. – *Achères* 15 039 h. ; gare de triage. *Andrésy* 12 548 h. *Aubergenville* 11 776 h. [ag. 13 906, dont *Flins-sur-Seine* 2 130 ; usines Renault] ; autom. *Beynes* 7 445 h. *Bois-d'Arcy* 12 693 h. *Bonnières-sur-Seine* 3 437 h. [ag. 11 417, dont *Freneuse* 3 694]. *Bougival* 8 552 h. *Buc* 5 434 h. *Carrières-sous-Poissy* 11 353 h. *Carrières-sur-Seine* 11 469 h. *Chambourcy* 5 163 h. *Chanteloup-les-Vignes* 10 175 h. *Chatou* 29 977 h. *Chevreuse* 5 027 h. *Conflans-Ste-Honorine* 31 467 h. ; batellerie (musée ouvert 1967 dans le château Gévelot). *Croissy-sur-Seine* 9 098 h. *Élancourt* 22 584 h. ; parc « France miniature » (provinces fr.). *Épone* 6 706 h. (ag. 9 432). *Fontenay-le-Fleury* 13 196 h. *Gambais* 1 730 h. ; ch. de Neuville. *Guyancourt* 18 307 h. *Houilles* 29 650 h. ; ind. div. *Jouy-en-Josas* 7 687 h. ; musée (toile de Jouy). *La-Celle-Saint-Cloud* 22 834 h. *La Verrière* 6 187 h. *L'Étang-la-Ville* 4 567 h. *Le Chesnay* 29 542 h. *Le Mesnil-le-Roi* 6 206 h. *Le Mesnil-Saint-Denis* 6 528 h. *Le Pecq* 17 006 h. *Le Perray-en-Yvelines* 4 645 h. *Le Vésinet* 15 945 h. *Les Clayes-sous-Bois* 16 819 h. ; informatique. *Les Essarts-le-Roi* 5 565 h. (ag. 7 158). *Louveciennes* 7 446 h. *Magny-les-Hameaux* 7 800 h. *Maisons-Laffitte* 22 173 h. ; château (1642-50 Mansart) ; hippodrome. *Mantes-la-Jolie* * 45 087 h. ; collégiale (XII-XIIIes s.), abbaye de Port-Royal, [ag. 189 103, coop. céréalière, cimenterie, Dunlopillo ; foire-expo. dont *Gargenville* 6 202. *Les Mureaux* 33 089 ; constr. aéron. (Snias). *Limay* 12 660. *Magnanville* 6 265. *Mantes-la-Ville* 19 081. *Meulan* 8 101. *Triel-sur-Seine* 9 615 ; gare de triage, autom. *Verneuil-sur-Seine* 12 499. *Vernouillet* 8 676] ; *Marly-le-Roy* 16 741 h. ; résidence présidentielle (château 1679, arch. Mansart) ; forêt. *Maule* 5 751 h. (ag. 9 583). *Maurepas* 19 718 h. *Médan* 1 387 h. ; musée Zola. *Montesson* 12 365 h. ; cult. maraîchères. *Montigny-le-Bretonneux* 31 687 h. *Noisy-le-Roi* 8 095 h. [ag. 17 311, dont *Bailly* 4 145]. *Orgeval* 4 509 h. *Plaisir* 25 877 h. *Poissy* 36 745 h. ; autom. ; villa Savoye (Le Corbusier et P. Jeanneret, 1928-30) ; collégiale XIIe-XIIIe s. *Port-Marly* 4 181 h. *Rambouillet* * 24 443 h. ; château : une des résidences off. du Pt de la Rép. ; la Laiterie (Mique) ; forêt, parc animalier des Yvelines. *Rocquencourt* 3 871 h. *Rosny-sur-Seine* 4 606 h. (ag. 16 023). *St-Arnoult-en-Yvelines* 5 811 h. *St-Cyr-l'École* 14 829 h. *St-Germain-en-Laye* * 39 926 h. [*1790 :* 12 838 ; *1901 :* 17 297 ; *1926 :* 22 180 ; *1954 :* 29 429] ; château (1539-1610, P. Chambige arch. Ph. Delorme, le Primatice, Androuet Du Cerceau, Métezeau) ; musées des Antiquités nat., du Prieuré ; cult. maraîchères et fruit. ; forêt. *St-Quentin-en-Yvelines* ville nouvelle 130 000 h. (*1975 :* 49 700 ; *82 : 93 920 ; 89 :* 123 500) (1988). 7 communes. 7 500 ha dont 40 d'espaces verts ; plan d'eau (120 ha). *St-Rémy-lès-Chevreuse* 5 589 h. *Sartrouville* 50 329 h. *Trappes* 30 878 h. *Vélizy-Villacoublay* 20 725 h. ; zone ind. *Verneuil-sur-Seine* 12 499 h. *Villepreux* 8 776 h. *Viroflay* 14 689 h. *Voisins-le-Bretonneux* 11 220 h.

Régions naturelles (% de la sup. du dép. entre parenthèses). *Beauce* 10 996 ha (4,8) : plate et sèche, grandes cultures céréalières. *Hurepoix* 1 925 ha (0,8) ; petite agriculture, forêts (2 communes). *Yvelines* 72 645 ha (31,5) : rég. de forêts (f. de Rambouillet 13 300 ha). *Plaine de Versailles* 53 533 ha (23,2) : vallées (cult. fruitières, maraîchères et céréal.), ind. div., forêts de Marly et des Alluets. *Drouais* 25 429 ha

POISSY

Carrefour de la vallée de la Seine à 22 km à l'ouest de Paris (A 13, RN 13, gare SNCF-RER, future A 14).
Chef-lieu de canton des Yvelines.
36 738 habitants.
1 320 ha.
Ville natale de Saint Louis.
Maire : Jacques MASDEU-ARUS, Député des Yvelines.
Ville jumelée avec PIRMASENS (Allemagne) depuis 1965.

SITES ET MONUMENTS

Collégiale Notre-Dame, XIIe et XIIIe siècles ; pont ancien, XIe siècle ; porterie de l'abbaye, XVe siècle ; octroi, XIXe siècle ; villa Savoye de LE CORBUSIER, 1929 ; musée d'art et d'histoire, musée du jouet ; parc Meissonnier, 10 ha ; parc de la Charmille, 16 ha.

VIE SCOLAIRE

- 12 000 élèves pour 32 établissements.
- 12 écoles maternelles.
- 9 écoles élémentaires.
- 3 collèges.
- 3 lycées dont un lycée technologique et scientifique (BTS).
- 4 écoles privées.
- Centre de préparateurs en pharmacie des Yvelines.

VIE CULTURELLE ET SPORTIVE

- Un théâtre de 1 200 places.
- En 1994, cinq salles de cinéma (écran géant de 18 m)
- Des clubs de quartiers.
- Bibliothèque.
- Un conservatoire municipal de musique et de danse.
- Plus de 80 associations culturelles et sportives.
- 2 piscines dont une dans un parc paysagé de 4 ha sur une île et agrémentée de 2 toboggans géants.
- Stades et terrains de sport dont un complexe polyvalent disposant d'une salle omnisports de 648 m².
- Centre omnisports Marcel CERDAN conçu pour la pratique du sport de haut niveau et qui permet l'organisation de compétitions internationales.
- Un golf privé de 18 trous aménagé dans le parc de 63 ha du domaine du château de Bèthemont.

VIE ÉCONOMIQUE

Une zone agricole principalement occupée par des vergers et des champs de graminées (775 ha).
Un bassin d'emploi réputé de l'industrie automobile PEUGEOT-TALBOT (11 000 emplois).
D'importants équipementiers automobiles GLAENZER-SPICER – FLOQUET MONOPOLE.
Des entreprises prestigieuses : Parfums ROCHAS (500 emplois) - Environnement SA, leader dans le domaine du contrôle atmosphérique.
Plus de 200 PME.
Un Technoparc qui sur 27 ha paysagés accueille une quarantaine d'entreprises jouant la carte de la diversification et du tertiaire de haut niveau (2 000 emplois) ainsi qu'une pépinière d'entreprise et un hôtel d'activités « L'Espace Cristal ».

(Information)

(11) : à l'O. du dép., rég. cloisonnée, céréales, petites forêts. *Vallée de la Seine* 33 902 ha (14) : zone d'habitat. ; métallurgie (auto. : Flins, Poissy) ; produits chim. ; matériaux de constr. ; raffinerie de pétr. : Elf-Érap à Gargenville ; centrale thermoélectr. : Porcheville ; carrières, cult. céréal. et maraîchères. *Vexin* 4 517 ha (2) : cultures et forêts. *Ceinture de Paris* 27 746 ha (12,1) : cult. fruit. et maraîchères. **Forêts** (en milliers d'ha, estim. au 1-1-90) : 72,1 (31,7 % du terr.) dont ouverts au public 40 % de la surf. boisée ; *f. domaniales : Rambouillet* 14 470 ha, *St-Germain-en-Laye* 3 533 ha, *Marly-le-Roi* 1 975 ha, *Versailles* 1 056 ha, *Beynes* 435 ha, *L'Hautil* 379 ha, *Bois-d'Arcy* 342 ha, *Meudon* 327 ha, *La Houssaye* (Bonnières) 96 ha, *Claireau* 86 ha, *Flins-les-Mureaux* 58 ha, *Les Alluets* 54 ha, **Terres. agr.** *non cult.* (en milliers d'ha) : 5,3 ; non agr. 54,3.

Tourisme. Forêts. Parcs : Thoiry (zoologique), St-Quentin-en-Yvelines (loisirs), Marly-le-Roi. **Architecture :** 365 mon. classés ou inscrits, 130 sites classés ou inscrits (vallée Chevreuse...). **Abbayes.** *Port-Royal-des-Champs* (démolie 1710, musée, ch. des Granges), *Les Vaux-de-Cernay.* **Châteaux.** *Dampierre, Maisons-Laffitte, Rambouillet, St-Germain-en-Laye.* **Église :** *Mantes.*

LANGUEDOC-ROUSSILLON

GÉNÉRALITÉS

Superficie 27 447 km². **Population** (1990) 2 114 985 (dont Fr. par acquis. 11 263, étrangers 132 854 dont Maroc. 40 547, Esp. 33 549, Alg. 17 686). D 77.

CÉVENNES

Situation. Ouest du Gard et sud de la Lozère.

Histoire. Noms : « principauté des Cévennes » ou « principauté, marquisat, franc-alleu d'Anduze ». **534** Théodebert Ier, roi d'Austrasie, petit-fils de Clovis, conquiert sur les Goths une partie des C., correspondant à peu près à l'arrondissement du Vigan ; il y nomme un évêque résidant sans doute au Vigan et un comte. Le territoire est appelé cité d'Arisitum [actuellement Arphy, anciennement Arfy (*Arsy,* « Arisitum » : le s hasté ayant été lu comme un f)]. **654** Pépin le Bref, maître de la Septimanie, réunit la cité épiscopale d'Arisitum à celle de Nîmes ; le Cté est maintenu. **V. 900** il échoit à Foucault II, seigneur d'Anduze (883-915), chef d'une branche cadette de la maison souveraine de St-Gilles. Les « Ctes d'Anduze » refusent l'hommage à la branche aînée, se comportant en seigneurs souverains et battant monnaie, les « sous d'A. » **1220** Pierre-Bermond VII (dernier Pce souverain) vaincu par Amaury de Montfort (fief confisqué). **1226** prête l'hommage direct à Louis VIII (fief récupéré). **1242** s'allie au roi d'Angl. contre St Louis (fief confisqué définitivement après la bat. de Taillebourg, et rattaché à la sénéchaussée de Beaucaire). **1622** Louis XIII reconnaît aux Mis de Roquefeuil, descendants directs des Pces d'Anduze, « le titre immémorial des Mis, nûment immédiat de la couronne ».

GÉVAUDAN

Situation. Ancien diocèse de Mende ; département de la Lozère, cantons de Saugues (Hte-Loire), Chaudes-Aigues et Ruynes (Cantal) ; au nord des Cévennes, échancrure de hauts plateaux *(Aubrac, Margeride, Causses).* Cisaillé de profondes vallées.

Ressources. Élevage bovin (fourme fabriquée déjà par les Gabales), caprin et ovin (transhumance dès le néolithique). Sériciculture au XVIe s., châtaigniers, céréales pauvres. Mines dans l'Antiquité (argent, or), distillation des résineux, textiles (serges).

Histoire. Densément peuplé dès le paléolithique. Nombreux mégalithes du néolithique. Occupé par les *Gabales* (Celtes), clients des Arvernes, en relation avec la Méditerranée et fortement hellénisés. **52 av. J.-C.** César les soumet : leur capitale Anderitum, Oppidum Gabalorum (d'où Javols), et la Civitas Gabalitana (Gévaudan) sont incorporées à l'Aquitaine. **408** les Vandales tuent l'évêque St Privat au pied du mont Mimat (tombeau devient centre pèlerinage à Mende). **472** les Wisigoths, **507** les Francs conquièrent le pays. **561** les Mérovingiens nomment un Cte de Gévaudan. **732** les Sarrasins détruisent Javols, capitale militaire transférée à Grèzes où siègent des Ctes nommés par les Carolingiens tandis que l'autorité administrative reste aux évêques, qui résident à Mende dep. 998 (892-XIIe s.). **1112** les titres vicomtaux de Grezes et de Millau (Rouergue) passent aux Ctes de Barcelone et rois d'Aragon qui s'intitulent dès lors « Ctes de Gévaudan ». Autorité effective des évêques de Mende, dont les rois d'Aragon se déclarent vassaux. **1161** l'évêque rend hommage à Louis VII. A la suite de la g. des Albigeois, la vicomté est enlevée aux rois d'Aragon et remise à Louis IX qui se trouve le vassal de son vassal. **1306** Philippe le Bel met fin à la division du Gévaudan (Ouest « comté » royal, capitale Grèzes, Est comté épiscopal), en reconnaissant le titre comtal de l'évêque et en l'associant à tous les droits régaliens ; l'évêque touche la moitié des revenus, mais le sénéchal royal de Beaucaire a toute la juridiction d'appel. Le titre comtal des évêques subsiste jusqu'en 1789, mais le pouvoir est diminué au XVIe s. par le rattachement du Cté au gouv. du Languedoc, en 1632 à la lieutenance des Cévennes, au XVIIe s. à la généralité de Montpellier. Le comté possède depuis 1360 ses états particuliers. A l'édit de Nantes, les protestants du pays, nombreux dans l'ex-vicomté, obtiennent la place forte de Marvejols. A sa révocation, nombreuses émigrations et formation des assemblées du *« Désert »*. **1702-04** g. des *« Camisards »* (chefs : Pierre Laporte dit Roland et Jean Cavalier, armés par les escadres anglaises contre les armées royales de Montrevel, puis de Villars). **1710** lutte terminée ; Antoine Court organise l'*Eglise du Désert* qui se maintient malgré les persécutions (107 pasteurs exécutés). **1765-68** bête du Gévaudan (voir Index).

LANGUEDOC

Situation. Limité à l'est par vallée du Rhône, au nord par Massif central, sud par la plaine du Roussillon : *côte* basse et sablonneuse jusqu'aux Albères, avec bassins et étangs ; *basses plaines côtières ; plaines intérieures* bas plateaux cuirassés de cailloutis (les *Costières*) ou de collines de molasse (les *Soubergues*) ; *plates-formes calcaires* des garrigues et *basses montagnes ;* dominé par Pyrénées et Massif central. *Climat* méditerranéen (été : sécheresse ; automne : pluies abondantes) : érosions, inondations.

Histoire. Origine du nom au sens large : les provinces où l'on parlait la langue d'oc au XIIIe s., y compris le Cté de Toulouse. Au sens restreint : la moitié occidentale de ces provinces, qui, contrairement au Cté de Toulouse, ont été incorporées au domaine royal, formant 2 sénéchaussées : Beaucaire et Carcassonne. Les fonctionnaires royaux y étaient tenus de savoir l'occitan : sénéchaussées de langue d'oc, d'où par ellipse : Languedoc.

Période préromaine habitées par des Ligures jusqu'au VIe s. av. J.-C., les plaines sont conquises par des Ibères venus d'Espagne, qui fusionnent avec la population primitive et forment le peuple *élysique* ou *élyséen* (pasteurs, bûcherons, menuisiers), qui a donné son nom aux champs Élysées des Grecs (terre des bienheureux) ; oppidum principal : *Enserune,* près de Nissan (Hérault). Les colons grecs sont nombreux sur les côtes, où ils fondent notamment Agde (Agathè Tukhè ou Bonne Fortune). **350 av. J.-C.** Belges ou Bolges ou Volques Tectosages, ayant traversé le Massif central, s'installent dans le pays, qui devient celtophone. **IIe s. av. J.-C.** Volques s'allient aux Carthaginois, fournissent des contingents à Hannibal. **Province romaine : avant J.-C. 121** Romains (Domitius Ahenobarbus) s'emparent de la Gaule méditerranéenne, de Toulouse aux Alpes ; y ouvrent la voie *Domitia,* d'Italie en Esp., et y organisent une Province, la *Gallia transalpina* ou *Gallia braccata* (pays des Gaulois à pantalons, sans toge romaine) ; pays fortement romanisé. **118** Narbonne, Narbo Martius, remplace Enserune comme capitale (colonie de vétérans). **56** Gaulois romanisés de la Province fournissent à César la majeure partie de ses troupes pour conquérir le reste de la Gaule (56-52). **46** les vétérans de César s'installent en masse. **27** la Province est supprimée : Narbonne devient la capitale de la Narbonnaise, une des entités de la Gaule romaine. **Après Dioclétien,** Narbonne capitale de la *Narbonnaise Ire* (le Languedoc actuel, du Rhône aux Pyrénées), que l'on appelle couramment la Septimanie, car elle est colonisée par les vétérans de la 7e Légion. **Période wisigothique :** pénétrant en Gaule en **412**, les *Wisigoths* (roi : Ataulfe) de religion arienne y fondent en 419 (roi : Wallia) un roy. Chassés du S.-O. en 507 (défaite de Vouillé), ils se maintiennent contre les Mérovingiens en Septimanie, où ils tiennent pendant 3 siècles Narbonne, Béziers, Nîmes, Agde, Maguelonne, Elne et Carcassonne. Leurs ducs sont les premiers lieutenants des rois wisigothiques d'Espagne. **673** le duc Paul se proclame roi, mais il est battu par Wanba. **Période musulmane : 719** les mus., maîtres de l'Esp., pénètrent en Septimanie. **725** *Ambiza* occupe le pays jusqu'au Rhône ; il a l'appui de la noblesse « gothique », demeurée secrètement arienne. **752** le seigneur goth *Ansemond* (Cte de Nîmes et gouverneur d'Agde, Béziers, Maguelonne, Uzès) s'allie à Pépin le Bref et chasse les musulmans. Chargé d'enlever Narbonne en 753, il y est tué. Ses descendants, gouverneurs de Septimanie et futurs « Mis de Gothie », obtiennent l'autonomie politique et (peut-être aussi) religieuse.

L'OCCITANISME

■ **Définition.** Mouvement de défense de la langue et de la culture d'oc, se manifestant en Aquitaine, Languedoc-Roussillon, Limousin, Midi-Pyrénées, Provence-Côte d'Azur et (partiellement) en Auvergne et Rhône-Alpes.

■ **Origine.** Au XIIIe s., les officiers de la couronne donnent au Languedoc récemment annexé au domaine royal le nom d'*Occitania.* Le terme, équivalent, dans les textes rédigés en « latin de chartes », de *Languedoc,* a été repris au XIXe s. ; on en a tiré l'adjectif *occitan* qui désigne les parlers méridionaux appelés au XIIIe s. *limousin* ou *provençal,* au XIVe s. *roman,* au XVIe s. *gascon.* L'adjectif « provençal » a été réutilisé souvent au XIXe s.

L'occitanisme est, depuis 1962, un mouvement d'inspiration aussi idéologique et politique que culturelle. Il envisage parfois, en passant par l'étape intermédiaire de l'autonomie des provinces, une structure fédérative de la France. Certains extrémistes appellent au séparatisme et proclament leur solidarité avec les Catalans.

■ **Culture.** Sur 13 millions de « Méridionaux », 2 millions pratiquent réellement la langue d'oc en France ainsi que dans le val d'Aran espagnol et dans les vallées « vaudoises » d'Italie. **Principaux dialectes :** *1°) occitan méridional : gascon,* à l'ouest (avec le *béarnais,* variante du gascon mais ayant affirmé longtemps son autonomie), *languedocien* (Centre), *provençal* (est du Rhône et majeure partie du Gard) ; quant au *roussillonnais,* il est à rattacher au catalan ; *2°) nord-occitan : limousin, auvergnat, dauphinois* (frange nord). Une tendance unificatrice s'est révélée, s'appuyant en gros sur les parlers du Quercy, de l'Albigeois et du Rouergue (*occitan central* considéré comme « référentiel ») et préconisant une graphie « typisante » traditionnelle dep. le Moyen Age, respectant les traits fondamentaux des principaux dialectes mais adoptant partout les mêmes principes graphiques. Ainsi, le *a* final atone, à l'instar de la tradition occitane et romane, a été repris pour noter d'un signe unique les réalisations phonétiques diverses de la langue parlée (*a, o,* ou *oe*) : ex. *lenga* « langue » (pron. *lenga, lengo, lengoe*). *L'occitan moderne* a pu être présenté au bac comme langue facultative jusqu'en 1983 (*Nice, Aix, Clermont :* langues rég.). Dep. 1984, on peut choisir comme langue vivante (2e ou 3e selon les sections) une variété rég. de la langue d'oc. Fin 1991, création d'un Capes de langue d'oc.

■ **Histoire linguistique. XIe-XIIIe s.** les troubadours du Midi créent une poésie lyrique et amoureuse (codifiée XIVe s. par les Leys d'Amor), modèle de poésie courtoise en Europe. Les parlers d'oc sont en outre une langue véhiculaire (éloquence, commerce, diplomatie) dans le Bassin méditerranéen (on parle catalan en Grèce). **XIIIe-XVIe s.** recul comme langue littéraire. La production des lyriques provençaux cesse en territoire français, mais se maintient en Espagne. **Fin XVIe s.** renaissance de la poésie dialectale, notamment avec l'Aixois Louis Bellaud de La Bellaudière (1532-88) ou le Toulousain Pierre Goudouli (1580-1649), mais les parlers méridionaux cessent d'être utilisés dans les actes juridiques privés ou publics depuis 1539 [édit de Villers-Cotterêts]. Certains parlements provinciaux gardent néanmoins leurs parlers plus longtemps : Navarre jusqu'en 1660 env. (Roussillon jusqu'en 1738). **1790** 90 % du Midi les utilisent encore ; les Constituants doivent traduire en dialectes les Constitution et les Droits de l'Homme.

XIXe s. renaissance de la littérature d'oc, notamment avec l'Agenais Jasmin (1798-1864) et le Nîmois Jean Reboul (1796-1864). **1847** dictionnaire provençal-français d'Honnorat (65 000 mots). **1854** fondation en Provence par Frédéric Mistral (1830-1914) et 6 compagnons du Félibrige [organisme académique devenu une fédération de Stés culturelles, d'abord en Provence, puis dans tout le Midi : création d'un « provençal littéraire » avec un système orthographique d'un phonétisme « modéré » (les mots féminins se terminent par un *o* inaccentué)]. **1878** *Tresor dóu Felibrige,* de Mistral (somme des parlers d'oc : dictionnaire de 80 000 mots). **1899** le chanoine limousin Roux crée la graphie néoromane, remplaçant le o par un a.

1919 « Schisme occitan » : les instituteurs Antonin Perbosc et Prosper Estieu créent *l'Escola occitana,* qui rompt avec les Provençaux « mistralistes » ou « félibréens » pour 2 raisons : *1°) politique :* hommes de gauche, s'opposant au conservatisme des f. ; *2°) linguistique :* ils créent le système Perbosc-Estieu, base de l' « occitan » moderne. **1923** création à Toulouse de l'IEO (Institut d'études occitanes). **1931-39** autonomie de la Catalogne, qui soutient l'occitanisme. **1935** Louis Alibert publie à Barcelone la *Gramatica occitana segon los parlars lengadocians,* perfectionnant le système précédent. **1949** IEO reconnu d'utilité publique. **1951** Robert Laffont applique au dialecte provençal la graphie des occitanistes toulousains, en publiant *Phonétique et graphie du provençal* (essai d'adaptation de la réforme linguistique occitane aux parlers de Provence). **1952** Louis Alibert, Pierre Bec et Jean Bouzet lancent le principe d'une application de cette même réforme au gascon. **1983** *12-7* à côté du terme « occitan », employé d'abord exclusivement dans les textes ministériels [rapport Giordan (1981)], on emploie désormais le terme « langue d'oc ».

■ **Organisations occitanistes. 1959** *PNO (Parti nationaliste occitan)* créé par François Fontan ; il reproche aux intellectuels de l'IEO leur fidélité tactique à la France. **1960** *GREC (Grup Rossellonès d'Estudis Catalans) :* association culturelle ; plusieurs centaines de membres. **1962** *COEA (Comité occitan d'études et d'action)* fondé, remplacé 1971 par Lutte occitane ; programme : séparer le politique du culturel et soutenir notamment les viticulteurs (s'oppose apparemment à l'IEO). **1964** Yves Rouquette (membre du COEA) lance le thème de la reconquête occit. (revanche contre la suppression entre 1223 et 1271 du C[té] toulousain). **1968** *IREC (Institut Rossellonès d'Estudis Catalans)* : scission d'avec le GREC ; extrême droite. Pierre Maclouf lance la revue *Lu Lugar* (nationaliste-révolutionnaire), défendant l'ethnie occitane. **1974** crée *Volem viure al païs.* **1975** *Parlaren* créé à l'est du Rhône, conservant la graphie de Mistral, soutient parfois des revendications proches de celles des occitanistes. **1980** *(nov.)* Pierre Bec démissionne de la présidence (l'IEO se met en veilleuse). **1981** *(mai)* Toulouse ; 1re manif. de masse dans les rues *(mai 82 :* Marseille, *mai 83 :* Montpellier, *mai 84 :* Toulouse). **1984** Montpellier, « *Mouvement du 11 avril* » créé, lié à l'expansionnisme catalan.

Quelques adresses : IEO : Espace St-Cyprien, 1, rue J.-Darré, 31300 Toulouse. *Pt :* Robert Marti. **IEO-Paris :** 6, rue René-Villermé, 75011. *Centre de documentation provençale Parlaren :* Mairie, 84500 Bollène. *CIDO (Centre internat. de doc. occit.) :* BP 4 202, 34325 Béziers. *Volem viure al païs :* BP 69, 83502 La Seyne. *Association internat. des études occit. :* Liège (Belgique), fondée 1981, *Pt :* Peter Ricketts (G.-B.). *Parlaren :* Les Bas Vaux, 83149 Bras, *Pt :* M. Audibert, publie « Prouvènço d'aro », seul mensuel entièrement écrit en langue d'oc. *L'Astrado prouvençalo :* 7, les Fauvettes, 13130 Berre-l'Étang, *fondé* 1965 par Louis Bayle. *Pam-de-Nas* (librairie occit.) : 30, rue des Grands-Augustins, 75006 Paris. *CEROC (Centre d'ens. et de recherche d'Oc ;* 18, rue de la Sorbonne, 75006 Paris.

■ **Enseignement universitaire.** *Centres universitaires d'enseignement :* Avignon, Aix, Montpellier et Toulouse.

■ **Organisations indépendantes. Bizà Neirà,** éditions en auvergnat ; *Pt fondateur :* Pierre Bonnaud (1, rue des Allées, Ceyrat, 63110 Beaumont). **La France latine,** *fondée* 1954 ; *dir. litt. :* S. Thiolier-Méjean (16, rue de la Sorbonne, 75005 Paris). **Le Félibrige,** f. 1854 [*Capoulier :* Pierre Fabre dep. 1992 (Parc Jourdan, 8 *bis,* av. Jules-Ferry, 13100 Aix-en-Provence)]. **Sté des Félibres de Paris,** Pt J. Fourié (58, quai Pompadour, 94600 Choisy-le-Roi). **Lou Prouvençau à l'Escolo,** 5, impasse du Jardin-des-Plantes, 13004 Marseille ; *fondé* par Ch. Mauron et C. Dourguin. **La Pervenquiero** (98, av. Ledru-Rollin, 75005 Paris) ; *capoulier :* A. Costantini. **Centre de Recherches et d'Études méridionales** (Claude Mauron, chemin de Roussan et Cornud, 13210 St-Rémy).

Période carolingienne : 801 le *marquisat de Gothie* s'agrandit de la Gotholonia ou Catalogne, au sud des Pyrénées. **865** la *marche de Catalogne,* ou *C[té] de Barcelone,* en est détachée, isolant la *Septimanie* du monde musulman. **Xe s.** exposé à la piraterie sarrasine et peu touché par le mouvement de renaissance culturelle. **Période féodale :** le titre de Mis de Gothie est porté de 865 à 918 par les C[tes] d'Auvergne, puis par la famille de St-Gilles, C[tes] de Toulouse (ou de Rouergue, branche cadette). **XIe s.** Raymond de St-Gilles s'intitule duc de Narbonne ; le titre de Gothie disparaît. **Fin XIIe s.** une branche cadette des St-Gilles, les C[tes] d'Albi, possède en fief le duché de Narbonne et la vicomté de Béziers, d'où le nom de *« g. des Albigeois »* donné à la croisade lancée 1208 contre les cathares languedociens. Les coutumes sont influencées par le droit romain. De bonne heure, usage écrit des dialectes (en raison de l'oubli du latin classique), assez proches du latin pour les documents juridiques (mi-Xe s.) et la littérature (début XIe s.). Organisation rurale fondée sur l'assolement biennal. Vie urbaine ranimée dep. le XIe s. ; autonomie (consulats à partir de 1130 env.) acquise généralement de façon pacifique. L'aristocratie, mêlée à cette vie urbaine, fournit le public des troubadours. Développement d'hérésies, héritières de l'ancien arianisme (celle des *cathares* notamment). **1209-***22-7* sac de Béziers par Croisés.

Période royale (de 1229 à 1523) : 1229 *tr. de Paris* rattache au domaine royal les territoires formant les sénéchaussées de Beaucaire et Carcassonne. **1255** chute du dernier château cathare. **1271** les territoires laissés au Cte de Toulouse *Raymond VII,* et passés ensuite à son gendre *Alphonse de Poitiers,* frère de Louis IX, reviennent à la Couronne. A la base, *sénéchaussées* organisées au XIIIe s. (à partir de St Louis, contrôlées par des enquêteurs) ; à partir de Philippe le Bel, réunions par les rois d'assemblées de nobles, de prélats et de délégués des communautés pour les consulter et leur demander des subsides ; XIVe s., apparition des *états du Languedoc ;* le *lieutenant du roi* (ou « capitaine » ou « gouverneur ») détient l'autorité royale (1296), puis il sera réduit à un rôle militaire. La royauté lutte contre l'hérésie, mais respecte langue, coutumes et privilèges ; le français reste une langue étrangère ; les privilèges urbains, bien que sévèrement contrôlés, se maintiennent (multiplication des consulats) ; nombreuses rédactions de coutumes. Prospérité jusqu'au milieu du XIVe s. : fondation de plusieurs centaines de villages *(bastides),* développement des foires, surtout drapières. **Guerre de Cent Ans :** pillages des compagnies de routiers ; le L., après 1420, fournit à Charles VII son premier soutien. **1433** le L. ressort au parlement de Toulouse (l'ancien C[té] de Toulouse formant le *Ht-L.,* l'ancienne Septimanie formant le *Bas-L.*). **1478** *Cour des aides* à Montpellier à partir de 1478. **1523** *Chambre 19 des comptes* à Montpellier. **Guerres de religion :** les protestants l'emportent en Bas-L. Nîmes, Montpellier, Alès sont « protestantisés ». **1632** la monarchie a. s'impose avec l'échec de la révolte dirigée par Henri de Montmorency, gouverneur du L. (exécuté 1632) ; dès lors, les gouverneurs ne résident plus dans la province ; le pouvoir passe à l'intendant qui s'établit à Montpellier. **1789-94** avec la Révol., les institutions propres au L. disparaissent. **1875-90** crise du phylloxera. **1907** manif. viticoles (voir Index).

ROUSSILLON

Situation. Correspond à peu près au département des Pyrénées-Or. (qui englobe en plus les cantons de Sournia, Latour-de-France et St-Paul au N., c.-à-d. l'ensemble du Fenouillèdes languedocien). Situé entre le col de Puymorens et la mer. Comprend : *à l'O. et au S.-O. :* derniers grands sommets pyrénéens (Carlitte 2 921 m, Canigou 2 785 m), leur prolongement des *Albères* (pic Neulos 1 256 m), les bassins effondrés en contrebas des grands massifs *(Capcir, Cerdagne française)* et les profondes vallées de la *Têt* et du *Tech (Conflent, Vallespir) ; à l'E. :* plaine du *Roussillon,* limitée au N.-O. par la chaîne montagneuse de Saint-Antoine.

Histoire. *Nom* venant de Ruscino (Châtel-Roussillon, à 5 km de Perpignan), antique capitale. **VIe s. av. J.-C.** Phéniciens fondent Port-Vendres. **350-218** arrière-pays occupé par 2 sous-tribus des Volques Tectosages, Céretans (Cerdagne) et Sordons, qui se rallient à Hannibal. **121 av. J.-C.** les Romains s'installent (via Domitia). **406** traversé par Vandales, Alains et Quades. **414** englobé dans le roy. des Wisigoths. **719** occupé par Arabes, ensuite chassés par Carolingiens qui organisent la marche d'Espagne (Charlemagne). Refuge pour Wisigoths d'Esp. fuyant les Sarrasins. Administré par des C[tes] (de Cerdagne et de R.), devenus héréditaires dep. 915 (Gaucelin) ; le dernier Cte de R., Guinard II, lègue le fief, en 1172, à Alphonse II d'Aragon. Le dernier Cte de Cerdagne, Bernard-Guillaume, l'imite en 1177. L'hommage au roi de France devient formel. **1250** *tr. de Corbeil,* Louis IX abandonne ses droits souverains sur le R. Sous la domination aragonaise, essor des villes (notamment Perpignan), développement écon. (commerce et industrie des étoffes). **1285** échec de l'expédition de Philippe III le Hardi, appelée « croisade », parce que son adversaire, Pierre III d'Aragon, était excommunié. **1262-1374** Perpignan devient capitale des rois de Majorque, cadets des Aragonais. **1463** occupation et annexion par Louis XI. **1493** *tr. de Barcelone,* Charles VIII remet le R. aux Rois Catholiques, qui en font une province esp., administrée directement (les rois d'Aragon, au contraire, y avaient appliqué le droit public catalan, où le pouvoir royal était partagé avec une assemblée de Cortes).

1640 Révolution et guerre « dels Segadors ». Alliance des Catalans et de la France contre l'Esp. **1642**-*9-9* l'armée de Louis XIII prend Perpignan. **1659** *tr. des Pyrénées*, rattachement définitif à la France. **1663-73** Révolte des Angelets. **1681** Vauban construit Mont-Louis, capitale stratégique du R. **1792** dép. du Roussillon créé.

■ Économie

Population active (au 1-1-91) 866 123 dont (en %) agric. 8,6, industrie 13,3, BTP 8,7, tertiaire 69,4. *Salariés :* 576 834 dont (en %) agric. 3,1, industrie 14,3, BTP 7,9, tertiaire 74,7. *Saisonniers* (1988) : 33 368 dont 31 351 Espagnols.

Agriculture (estim. au 1-1-90). **Terres** (en milliers d'ha) 2 776,1 dont *SAU* 1 019,5, 37,2 % de la superficie rég. [t. arab. 276,4 (dont céréales 115,5, oléagineux 30,7 légumes 25,2, fruits 34,3, herbe 478,2)] ; *bois* 796,3 ; *t. agr. non cult.* 525,8 ; *étangs et autres eaux intérieures* 47,1 ; *autres t. non agr.* 265,8. *Nombre d'exploitations* (1990) : 68 819. **Prod. végétale :** *vin* (en millions d'hl, 1991) : 20,4 dont AOC 15,2, VQPRD 3,4, vins de pays 18,7 ; *fruits* (milliers de t) : pêches nectarines 185,6, pommes 126,3, abricots 40,4, raisins de table 33,5, poires 15, kiwis 8,1 ; *légumes* (en milliers de t) : tomates 181,6, p. de t. 63,5 (90), salades 121,3, asperges 14,5, melons 50,2, oignons 17. **Animale** (en milliers de têtes, 1-1-92) bovins 15,8, porcins 88, ovins 286,7, caprins 36,1, équidés 1,08. *Lait* (prod. finale, au 1-1-92) : 1 239 421 hl (dont vache 976 235).

☞ *Achats de terres par les étrangers* (1991, *Source* SAFER) : 2 075 ha dont Aude 1 005, Gard 448, Hérault 340, Pyr.-Or. 282.

Pêche. Tonnage débarqué (Sète et Port-Vendres) (en milliers de t et, entre parenthèses, en millions de F, 1991) : 24,7 (401) dont sardines 5,3 (18,9), maquereaux 0,62 (5,7), anchois 4,2 (46), anguilles 0,5 (13,2). *Conchyliculture :* huîtres creuses et plates 14,36 (127), moules 14,8 (89,3), mollusques (1988) 11,6 (11,7).

Industrie. *95 952 actifs* dont salariés : 85 460 dont (en %) agroalim. 18,8, biens intermédiaires 27,5, b. d'équip. 19,7, b. de cons. 26,5, énergie 7,5. **BTP.** *Salariés :* 41 833.

Échanges (en milliards de F, 1991). **Imp. :** 33,5 dont (en %) prod. agric. 18,7, hydrocarbures 11,6, électronique 10,3, métaux et prod. non ferreux 9,3 ; *de* (90) Espagne 22,7, All. 14,9. **Exp.** : 23,3 dont (en %) mat. traitement inform. 34,9, prod. agric. 20,9, boissons et alcools 4,7 ; *vers* (90) Italie 21,4, All. 17.

Tourisme (au 1-1-92). *Gîtes ruraux* 2 870 (16 765 pl.). *Hôtels* homologués 1 160 dont 14 % de 3 et 4 ét. (29 334 ch.), non homologués 844. *Campings* 853 (109 704 pl.). *Hébergements familiaux* 191. *Stations thermales* 12 (82 601 en 1990). *Centres de thalassothérapie* 4. *Ports de plaisance* 22 (20 000 mouillages). *Parcs naturels* 2. – 14 384 personnes travaillaient dans l'hébergement et la restauration au 31-12-1988.

■ Départements

Voir légende p. 777.

■ **Aude** (11) 6 343 km² (100 × 50 km). *Côtes* 48 km. *Alt. max.* Pic du Madrès 2 469 m. *Pop. 1801 :* 225 228 ; *1851 :* 289 747 ; *1886 :* 332 080 ; *1901 :* 313 531 ; *1936 :* 285 115 ; *1946 :* 268 889 ; *1954 :* 268 254 ; *1968 :* 278 323 ; *1975 :* 272 366 ; *1982 :* 280 686 ; *1990 :* 298 712 dont Fr. par acquis. 18 497, étrangers 17 321 dont Esp. 4 428, Maroc. 3 880, Alg. 2 104, Turcs 1 692). D 49.

Villes. CARCASSONNE (basilique Sts-Nazaire-et-Celse : vitraux XIVe-XVe s., orgue XVIe s., carillon 36 cloches ; église St-Vincent : orgue XIXe s., carillon 47 cl.), alt. 111 m, 6 508 ha, 43 470 h. [*1806 :* 12 494 ; *1881 :* 27 512 ; *1911 :* 30 689 ; *1931 :* 34 921 ; *1946 :* 38 139 ; *1954 :* 37 035 ; *1968 :* 46 329 ; *1975 :* 42 154] ; ind. chim. (caout.), agroalim., marchés (vins, primeurs) ; cité [2 enceintes, intérieure 1 287 m, extérieure 1 672 m, (époque romaine et XIIIe s.) 31 tours (enceinte intérieure) et 17 tours (enceinte extérieure), château Comtal 80 × 40 m], cath. (trésor), musée des Beaux-Arts et dépôt lapidaire, hôtels particuliers (XVIe-XVIIIe s.).

– *Bram* 2 899 h. *Castelnaudary* [collégiale St-Michel : XIIIe, XIVe s. ; orgue, carillon (36 cloches), présidial (XVIe s.), chapelle N.-D.-de-la-Pitié (XVIe-XVIIIe s.)] 10 970. [*1881 :* 10 059 ; *1921 :* 7 921 ; *1954 :* 8 765 ; *1968 :* 10 844 ; *1975 :* 10 118 ; *1982 :* 10 970] (ag. 12 023) ; tuileries, briqueteries, coop. agric., foires, marchés ; « cassoulet », céréales. *Couiza* 1 287 h., château. *Coursan* 5 137 h. *Cuxac-d'Aude* 3 998 h. *Espéraza* 2 250 h. [ag. 4 043, petits centres ind. ; usines hydroélect. ; stations thermales : *Alet-les-Bains* (ruines cath., abbaye, égl. paroissiale St-André, XIVe-XVe s.), *Rennes-les-Bains*]. *Fanjeaux* 775 h. ; église XIIIe-XIVe s., couvent, maison de St-Dominique, monastère N.-D.-de-Pronilhe. *Fleury* 2 264 h. (ag. 3 537). *Lézignan-Corbières* 7 881 h, Centre viticole, hydrocarbures. *Limoux* * alt. 172 m, 9 665 h. ; centre comm., ind. (tuilerie, bât. préfabriqués, chaussures) ; basilique ; musée Petiet. *Narbonne* * (cath. Sts-Just-et-Pasteur, carillon 36 cloches ; basilique St-Paul-St-Serge, XIe-XIVe s.) alt. 6 m, sup. 17 554 ha, 45 849 h. [*1806 :* 9 464 ; *1881 :* 28 134 ; *1921 :* 28 956 ; *1968 :* 40 035] ; centre viticole et marché de départ ; ind. chim., répar. de mat. ferr., mach. agric., engrais, emballages, distilleries ; blanquette ; miel ; ancien palais des archev., Horreum (Ier s. av. J.-C.), musées Lapidaire, d'Art, d'Histoire et d'Archéol. ; traitement uranium. *Port-la-Nouvelle* 4 822 h., port (hydrocarbures, céréales, engrais, pêche) ; conchyliculture sur étangs de *Sigean* et *Gruissan*. *Puivert* 552 h. ; musée Quercob. *Quillan* 3 818 h. (ag. 4 175) ; château (XIVe s.) ; plastiques, chaussures, chapellerie, distilleries, bois de charpente [haute vallée de l'Aude]. *Rennes-le-Château* 88 h. ; église ; presbytère ; légende du trésor découvert par l'abbé Saunière (1852-1917). *Rieux-Minervois* 1 868 h. (ag. 2 921), égl. romane Ste Marie. *Sallèles-d'Aude* 1 653 h. ; musée des Potiers. *Salsigne* 372 h. ; dernière mine d'or et d'arsenic d'Europe. *Sigean* 3 373 h. ; musée d'Archéol. ; réserve africaine. *Trèbes* 5 575 h. ; ind. du bois.

Régions naturelles. *Montagne Noire* 27 656 ha (alt. max. Pic de Nore 1 210 m). *Razès* 98 721 ha, *pays de Sault* 107 854 ha, *seuil du Lauragais* 55 825 ha *et vallée de l'Aude. Plaine littorale narbonnaise* 46 913 ha. *Corbières* 22 981 ha [1], *Minervois* 6 677 ha [1], *Fitou* 1 377 ha [1], *Clape* 805 ha [1] (viticulture). *Petites Pyrénées* (plateaux de 800 m : *Sault, les Fanges* 1 185 ha ; chaîne de *St-Antoine-de-Galamus*).

Nota. – (1) Surfaces plantées en vigne. 2e dép. pour vin (Corbières, Minervois, Fitou, Clape).

Tourisme. Abbayes : *Fontfroide, St-Papoul, St-Hilaire, Lagrasse, Caunes-Minervois, St-Polycarpe* (XIIIe et XIVe s.), *Alet, Villelongue.* **Châteaux du pays cathare :** *Arques, Lastours, Peyrepertuse, Puivert, Puilaurens, Quéribus, Termes, Villerouge-Termenes.* **Grottes** *Limousis, Laguzou, Cabrespine* (gouffre géant) **Gorges** *Galamus* (entre A. et P.-O., vallée de l'Agly) *et de l'Aude.* **Défilé** *de la Pierre Lys.* **Stations balnéaires :** *Leucate, Gruissan, Narbonne-Plage, St-Pierre-la-Mer, Port-la-Nouvelle, Fleury d'Aude.* **Ski :** *Camurac* (1 200 m d'alt.). **Étangs :** *Bages* et *Sigean* (4 500 ha, prof. 2 m), l'*Ayrolle* et *Campignol* (1 600 ha), *Gruissan* (2 500 ha). **Réserve africaine :** *Sigean.*

■ **Gard** (30) 5 835 km² (25 × 130 km). *Côtes* 20 km. *Alt. max.* Mt Aigoual 1 567 m. *Pop. 1801 :* 300 144 ; *1886 :* 417 099 ; *1911 :* 413 458 ; *1936 :* 395 299 ; *1946 :* 380 337 ; *1968 :* 478 544 ; *1975 :* 494 575 ; *1982 :* 530 478 ; *1990 :* 585 049 (dont Fr. par acquis. 25 128, étrangers 37 312 dont Maroc. 14 256, Alg. 6 361, Esp. 5 433, Port. 1 984). D 100.

Villes. NÎMES alt. 46 à 116 m, 128 471 h. [*1596 :* 11 000 ; *1783 :* 39 650 ; *1846 :* 44 657 ; *1911 :* 80 437 ; *1954 :* 89 121 ; *1962 :* 105 199 ; *1975 :* 127 933] [ag. 138 527, dont *Milhaud* 4 855] ; agroalim., bonneterie, confect., chaussures, constr. méc. ; Maison carrée (an 4 apr. J.-C. ; long. 26,3 m, larg. 13,55 m, haut. 17 m), arènes (68-70 apr. J.-C. ; 131 × 104 m, 365 m de tour ext., haut. 21 m, 25 000 pl.), temple de Diane, tour Magne, musées des Beaux-Arts, du Vieux-Nîmes, d'Archéol. ; Médiathèque et centre d'art contemporain. *Projet :* stade des Costières conçu par Gregotti (25 000 pl., coût 100 millions).

– *Aigues-Mortes* 4 999 h. ; salines ; remparts (XIIIe s.), Tour de Constance, chapelle des Pénitents ; vin des sables. *Aimargues* 2 988 h. *Alès** alt. 141 m, 41 037 h. [*1806 :* 9 387 ; *1881 :* 22 255 ; *1946 :* 34 731 ; *1975 :* 42 450] ; [ag. 71 585, dont *St-Christol-lès-Alès* 4 973] ; École des Mines : mines, métal., chim., électroméc., méc. de précision ; musée de la Mine, m. du Colombier, M. minéralogique, Pierre-André Benoit (art moderne). *St-Hilaire-de-Brethmas* 3 470. *St-Martin-de-Valgalgues* 4 487. *St-Privat-des-Vieux* 3 892. *Salindres* 3 213 ; houille, métall., méc. (Alsthom), électro. (Crouzet), chim. *Anduze* 2 913 h. (ag. 4 461) ; musée de la Musique. *Aramon* 3 344 h. *Bagnols-sur-Cèze* alt. 51 m, 17 872 h. ; ind. atom., centre de retraitement *(Marcoule)*, chim., ferrochromes ; musée de peinture, m. d'Archéol. *Beaucaire* 13 400 h. ; port fluvial, ciment, chim. et ind. des boissons ; musée de la Foire, ; château. *Bellegarde* 4 508 h. *Bessèges* 3 635 h. ; métal. (ag. 5 146). *Bouillargues* 4 336 h. *Caissargues* 3 292 h. *Cendras* 2 022 h. *Garons* 3 648 h ; aéroport. *Genolhac* alt. 470 m, 827 h. *Goudargues* 788 h. ; musée de l'Olive. *La Grand-Combe* 7 107 h. (ag. 11 991). *Laudun* 4 408 h. ; sidérurgie ; port fluvial de l'Ardoise ; verre ; château de Lascours. *Le Grau-du-Roi* 5 253 h. ; port pêche et plaisance, seaquarium, musée de la Mer, stat. tourist. *Le Vigan* * alt. 231 m, 4 523 h. [*1881 :* 5 268 ; *1936 :* 3 704 ; *1975 :* 4 293] (ag. 6 193) ; bonneterie, filatures de soie, confection ; musée Cévenol. *Les Angles* [1] 6 838 h. ; parc Découverte de l'Univers. *Manduel* 5 579 h. (ag. 7 812). *Marguerittes* 7 548 h. *Mialet* 511 h. ; musée du Désert ; *Molières-sur-Cèze* 2 151 h. (ag. 3 011). *Pont-St-Esprit* 9 277 h., collégiale, musée de Pharmacie et Art religieux ; *Remoulins* 1 771 h. Pont du Gard (le + haut du monde romain, 48,77 m ; voir Index). *Roquemaure* 4 647 h. *Sauve* 1 606 h. *St-Ambroix* 3 517 h. (ag. 4 129). *St-Florent-sur-Auzonnet* 1 363 h. (ag. 2 879). *St-Gilles* 11 304 h. ; abbatiale. *St-Hippolyte-du-Fort* 3 515 h ; musée de la Soie ; chauss. *St-Jean-du-Gard* 2 441 h. *St-Quentin-la-Poterie* 2 290 h. ; poteries. *Sommières* 3 250 h. (ag. 4 280) ; terre employée comme détachant ; pont romain, basilique St-Gilles, château de Villevieille. *Sumène* 1 417 h., informatique. *Uzès* 7 649 h. ; confiserie, château ; duché, tour Fenestrelle ; haras nat. *Vallabrègues* 1 016 h. *Valleraugue* alt. 438 m, 1 091 h. *Vauvert* 10 296 h. *Vergèze* 3 135 h. (ag. 4 895) ; source Perrier. *Villeneuve-lès-Avignon* [1] 10 730 h. ; chartreuse, fort St-André, collégiale, musée, tour Philippe le Bel.

Nota. – (1) Communes faisant partie de l'unité urbaine d'Avignon (Vaucluse).

Régions naturelles. *Causses :* moutons ; brebis : lait pour le roquefort. *Montagnes des Cévennes :* forêt, châtaignes, pommiers, moutons ; élevage du ver à soie ; tourisme. *Collines calcaires des Garrigues :* vigne, élevages avicoles. *Vallées et coteaux du Rhône :* vigne (Tavel, Lirac), fruitiers. *Costières* et *plaine méridionale :* viticulture (costières de Nîmes, etc.) ; rizières. *Petite Camargue* (2 000 ha) : rizière, vignes, salins. – 2e dép. riz, 3e fruits, asperges, vins.

Tourisme. Station thermale *des Fumades.* **Grottes :** *la Cocalière* près de St-Ambroix, *Trabuc* près d'Anduze. **Bambouseraie** *de Prafrance* près d'Anduze. **Parc national** *des Cévennes*, (créé 1970, 84 200 ha sur 39 communes de Lozère et 13 du Gard ; voir Index). **Train à vapeur** des Cévennes. **Châteaux :** *Castellas* (St-Bonnet-de-Salendringue), *Portes, Ribaute, Rousson, Villevieille.* **Parc ornithologique** *St-Julien-de-Cassagnas.* **Abîme** *Bramabiau.* **Observatoire** météo. (*Aigoual*). **Cascades** du *Sautadet.* **Abbaye** troglodytique *St-Roman* (Beaucaire). **Ski :** *l'Aigoual, le Mas de la Barque.*

■ **Hérault** (34) 6 224 km² (130 × 65 km). *Côtes* 87 km. *Alt. max.* Mt de l'Espinouse 1 126 m. *Pop. 1801 :* 275 449 ; *1851 :* 384 286 ; *1901 :* 489 421 ; *1946 :* 461 100 ; *1967 :* 591 397 ; *1975 :* 648 202 ; *1982 :* 706 499 ; *1990 :* 794 603 (dont Fr. par acquis. 39 960, étrangers 49 399 dont Maroc. 18 425, Esp. 11 148, Alg. 5 353, Port. 1 584). D 130.

Villes. MONTPELLIER alt. 37 à 59 m, 207 996 h. [*1806 :* 33 090 ; *1846 :* 45 828 ; *1906 :* 77 114 ; *1946 :* 93 102 ; *1962 :* 118 864 ; *1968 :* 161 910 ; *1975 :* 191 354 ; *1982 :* 197 231] [ag. 236 788, dont *Castelnau-le-Lez* 11 043. *Juvignac* 4 221. *Le Crès* 6 601] ; constr. méc. et électr., électron., ind. text. et alim. ; fac. de médecine la plus ancienne (1021, statuts 1220, musée), ensembles du Polygone et d'Antigone (habitations) ; place de la Canourgue ; musées Fabre (François-Xavier 1766-1837 peintre, f. 1825, 75 000 vis.), Atger ; promenade du Peyrou (réaménagée par l'architecte Jean-Antoine Giral), jardin des Plantes [créé 1593 par Henri IV (1er d'Europe)].

– *Agde* 17 583 h. ; commerce de vins ; cath. St-Étienne (XIIe s. musée). *Assignan* 145 h. ; aqueduc romain, long. 170 m. *Baillargues* 4 375 h. (ag. 6 333). *Bédarieux* 5 997 h. *Bessan* 3 356 h. *Béziers** alt. 5 à 68 m, 70 996 h. [*1806 :* 15 000 ; *1861 :* 24 270 ; *1906 :* 52 268 ; *1946 :* 64 561] (ag. 76 304) ; marché de vins, ind. méc., alim. ; musées municipal, hist. nat. *Capestang* 2 903 h. *Castries* 3 992 h. *Cazouls-lès-Béziers* 3 251 h. *Clapiers* 3 478 h. *Clermont-l'Hérault* 6 041 h. *Cournonterral* 4 095 h. *Fabrègues* 4 089 h. *Florensac* 3 583 h. *Ganges* 3 343 h. (ag. 5 375). *Gignac* 3 652 h. *Grabels* 3 130 h. *Jacou* 3 795 h. *La Grande-Motte* 5 016 h. *Lattes* 10 203 h. *Le Bousquet-d'Orb* 1 702 h. (ag. 2 741). *Lodève* * 7 602 h. (arrondissement rétabli sept. 1943) [*1846 :* 10 178 ; *1946 :* 6 242] ; bonneterie, text. *Lunel* 18 404 h. (ag. 20 705) ; vins, tonnellerie, confiturerie. *Marseillan* 4 950 h. *Marsillargues* 4 386 h. *Mauguio* 11 487 h. *Mèze* 6 502 h. *Montagnac* 2 953 h. *Palavas-les-Flots* 4 748 h. *Pérols* 6 595 h. *Pézenas* 7 613 h. ; musée Vulliod. *Pignan* 4 097 h. *Poussan* 3 505 h. *Prades-le-Lez* 3 604 h. *St-André-de-Sangonis* 3 472 h. *St-Chinian* 1 705 h, vins. *St-Clément-la-Rivière* 4 242 h. *St-Gély-du-Fesc* 5 936 h. *St-Georges d'Orques* 3 567 h. *St-Jean-de-Védas* 5 390 h. *St-Pons-de-Thomières* (sous-préf. jusqu'en 1926) 2 566 h. ; cath. (XIIIe-XVIIIe s.), f. domaniale (env. 1 000 ha). *Sauvian* 3 178 h. *Sérignan* 5 173 h. *Servian* 3 056 h. *Sète* alt. 182 m, 41 510 h. [*1806 :* 8 506 ; *1851 :* 18 064 ; *1881 :* 35 571 ; *1921 :* 36 503 ; *1954 :* 33 454] [ag. 62 768 dont *Balaruc-les-Bains* 5 013. *Frontignan* 16 245 ; vins, muscats, raffineries de pétr., ind. chim., salines] ; port : 10e de Fr., 1er à vins ; pêche, ind. chim., habill., pétr., vins ;

musée Paul-Valéry (tombe au cimetière Marin), espace Brassens. *Teyran* 3 469 h. *Valras-Plage* 3 043 h. *Vias* 3 517 h. *Villeneuve-les-Maguelonne* 5 081 h.

Régions naturelles (en ha.). *Plaine viticole* 188 747 : vignobles, cult. fruit. et légum. *Minervois* (Corbières, Minervois 68 341. *Soubergues* 211 510. *Garrigues* 79 765. *Plateau du Sommail et l'Espinouse* (1 206 m) *et Mts de Lacaune* (peu dans le dép.) 65 423. *Caroux. Escandorgue. Lodevois. Serane. Le plus grand vignoble du monde :* 8 550 000 hl (1-10-92, est.). *Appellations d'origine contrôlée :* coteaux-du-languedoc, faugères, minervois, s^t^-chinian. *Muscats* de Frontignan, Lunel, Mireval, St-Jean-de-Minervois. *Clairette* du Languedoc.

Tourisme. Étangs : *Thau* 7 600 ha, 20 × 5 à 8 km, prof. 30 m, 2e étang de Fr., 2e prod. de coquillages fr. ; *Mauguio (étang d'Or)* 3 000 ha, prof. 2 m ; *Vic* 1 320 ha. **Lacs :** *La Raviège* 403 ha, prof. max. 33 m ; *d'Avène ; retenue de Salagou* 750 ha, prof. max. 55. **Grottes :** des *Demoiselles,* de la *Clamouse,* de la *Devèze.* **Villages :** *Minerve, St-Guilhem-le-Désert.* **Oppida :** *Ensérune, Ambrussum* (Lunel). **Cirques :** *Mourèze, Navacelles.* **Parc** *naturel régional du Ht-Languedoc.* **Stations thermales :** *Avène, Balaruc-les-Bains, Lamalou-les-Bains* (1709). **Aménagement du littoral :** *La Grande-Motte* (constr. dep. 1965), *Carnon, Palavas, Sète, Marseillan, Cap d'Agde* (1er centre naturiste d'Europe constr. dep. 1965 sur 600 ha : 30 000), *Valras, Frontignan.* **Abbayes :** *St-Félix-de-Montceau, Maguelone, Valmagne, Grandmont* (prieuré), *St-Guilhem-le-Désert.* **Églises :** *Capestang, Florensac* (XIIe s.), *Loupian, Quarante, St-Martin-de-Londres.* **Châteaux :** *Assas, Castries, Flaugergues, La Mogère, La Mosson, L'Engerran. Montlaur,* des seigneurs de *Mirepoix* (1400), d'*O* (Montpellier), *Marsillargues.*

■ **Lozère** (48) 5 180 km² (115 × 68 km). *Alt. max.* Mont Lozère 1 702 m. *Pop. 1801 :* 126 503 ; *1851 :* 144 705 ; *1901 :* 128 866 ; *1936 :* 98 480 ; *1954 :* 82 391 ; *1968 :* 77 258 ; *1975 :* 74 825 ; *1982 :* 74 294 ; *1990 :* 72 825 (dont Fr. par acquis. 916, étrangers 2 720 dont Port. 940, Maroc. 788, Turcs 268, Esp. 144). D 14.

Villes. MENDE sup. 350 ha, alt. 731 à 900 m, 11 286 h. [*1806 :* 5 752 ; *1826 :* 5 445 ; *1886 :* 8 033 ; *1926 :* 6 056 ; *1975 :* 10 451] ; cath. ; musée. – *Florac* * 2 065 h. *Langogne* 3 380 h. ; ind. du bois. *Marvejols* 5 476 h. *St-Chély-d'Apcher* 4 570 h. ; ferroalliages.

Régions naturelles. *Margeride* 227 932 ha (granit). *Aubrac* 32 758 ha (basalte, granit) : bovins, fourme. *Cévennes* 93 625 ha (schistes) : caprins, fromage Pélardon. *Causses-Vallées* 126 373 (calcaire), alt. moy. 1 000 m : Sauveterre. *Méjean :* ovins (lait : roquefort) ; *v. du Lot :* bovins (from. bleu des Causses).

Tourisme. Parc national des Cévennes [Loups du Gévaudan, moutons fauves, bisons d'Europe (parc de Ste-Eulalie), cheval de Przewalski]. **Ski** randonnée et fond. **Gorges** du Tarn et de la Jonte. **Aven :** *Armand.* **Grotte** *Dargilan.* **Lacs :** *Naussac, Villefort.* **Église :** *Ste-Lucie* (Marvejols). **Châteaux :** *La Baume, Castanet.* **Village fortifié** *La Garde-Guérin.* **Écomusée** *Mont-Lozère.* **Station thermale** *Bagnols-les-Bains.*

■ **Pyrénées-Orientales** (66) 4 116 km² (120 × 56 km). *Alt. max.* Carlitte 2 921 m, Puigmal 2 909 m, Canigou 2 785 m ; *min.* plages du littoral. *Rivières :* la Têt (130 km), le Tech (82), l'Agly (80). *Temp.* moy. juillet 24,1 °C, moy. févr. 7,6 °C. *Pluies* (haut. moy. 15 ans) 615,5 mm. *Côtes :* sablonneuse (40 km), rocheuse « C. vermeille » [rocheuse, composée de schistes, 20 km (fin des Albères)]. *Pop. 1801 :* 110 732 ; *1851 :* 181 955 ; *1901 :* 212 121 ; *1931 :* 238 647 ; *1946 :* 228 776 ; *1968 :* 281 976 ; *1975 :* 299 506 ; *1982 :* 334 557 ; *1990 :* 363 558 (dont Fr. par acquis. 26 752, étrangers 26 102 dont Esp. 12 396, Alg. 3 784, Maroc. 3 198, Port. 2 168). D 88 (1990).

Villes. PERPIGNAN alt. 20 m, 105 983 h. [*1800 :* 11 500 ; *1851 :* 21 783 ; *1911 :* 39 510 ; *1931 :* 73 962 ; *1954 :* 70 051 ; *1968 :* 104 095 ; *1975 :* 106 426] (ag. 137 915, dont *Bompas* 6 323. *Cabestany* 7 513. *Pia* 4 105. *St-Estève* 9 856 (*1946 :* 1 370 ; *1968 :* 2 589). *Toulouges* 4 955] ; marché de vins, fruits et légumes ; jouets, bonneterie ; église St-Jacques, la Loge de mer, Oppidum à Ruscino, palais des Rois de Majorque (XIIIe–XIVe s.), palais des Corts, maison de la Main de fer (1509), le Castillet (Casa Pairal), musées Catalan des Arts et Traditions popul., H.-Rigaud (f. 1830, 25 000 vis. en 91), Campo Santo (cloître et cimetière), de Numismatique (f. 1974, 1 800 vis. en 91), Histoire nat., Aviation (f. 1976), cath. St-Jean (long. 80 m., haut. 22, larg. 18), buffet d'orgues (1504), université, hôtel Pams.

– *Amélie-les-Bains-Palalda* 3 239 h., musée de la Poste ; fort (XVIIe s.) ; therm. (240 m). *Argelès-sur-Mer* 7 188 h. *Arles-sur-Tech* 2 837 h. ; monuments (égl. et cloître, sarcophage miraculeux qui s'emplit inexplicablement d'eau), abbaye, musée des Tissages catalans. *Banyuls-sur-Mer* 4 662 h. ; vin doux naturel ; métairie Maillol. *Canet-en-Roussillon-St-Nazaire* 7 575 h. ; musée du Jouet, m. du Petit Bateau, m. de l'Autom. ; tourisme. *Canohes* 3 568 h. *Castelnou* 277 h. ; enceinte fortifiée (XIIIe s.), château médiéval XIe s. *Cerbère* 1 461 h. *Céret* * alt. 170 m, 7 285 h. [*1936 :* 5 118 ; *1962 :* 5 527] ; cerises ; musée d'Art mod. *Corbère* château (XIIe s.) *Elne* 6 262 h. ; cult. maraîchères, lég., ind. div. (cons. alim., embal., constr. métall., BTP) ; cath.-forteresse (f. 1069), Ste-Eulalie cloître de marbre roman (XIe-XIIe s.). *Espira-de-l'Agly* 2 196 h. ; *Estagel* 2 038 h. *Eus* 361 ha ; commune la plus ensoleillée (2 644 h/an). *Font-Romeu* alt. 1 800 m, 1 857 h. ; pèlerinage ; sports d'hiver. *Ille-sur-Têt* 5 095 h. ; cult. maraich., lég. ; église St-Étienne (1736, façade baroque 1771), centre d'Art sacré, centre de la cult. du Pêcheur ; site des Orgues. *Lamanère* 37 h ; commune la plus méridionale de la France continentale. *Le Barcarès* 2 422 h. *Le Boulou* 4 436 h. ; therm. (78 m). *Le Perthus* 634 h. ; fort de Bellegarde (XVIIe s.). *Le Soler* 5 147 h. *Les Culses* 165 h. ; vestiges du fort romain, citadelle wisigothe dite château des Maures. *Maury* 916 h. ; château médiéval (Queribus, dernier refuge des Cathares dans la région des Corbières). *Millas* 3 091 h. *Molitg-les-Bains* 185 h. ; therm. (450 m). *Port-Vendres* 5 370 h. [*1881 :* 3 311 ; *1954 :* 4 180] [ag. 8 096, dont *Collioure* 2 726 ; château des Templiers, fort S^t^–Elme (1654), fort Miradou (XVIIe s.)] ; port (vins ; pêche). *Prades* * alt. 348 m, 6 609 h. [*1936 :* 4 946 ; *1962 :* 5 899] (ag. 7 355) ; pêches, nectarines ; musée Pablo-Casals. *Prats-de-Mollo-la-Preste* 1 102 h ; remparts, citadelle, clocher (XIIIe s.), therm. (1 130 m) ; musée Vauban. *Rivesaltes* 7 107 h. [*1881 :* 6 980] ; vin doux naturel. *St-André* 2 123 h. *St-Cyprien* 6 892 h ; golf inter. *St-Génis-des-Fontaines* 1 744 ha ; plus ancien linteau roman daté (1020). *St-Laurent-de-la-Salanque* 7 186 h. (ag. 8 961). *St-Martin* 52 h. ; abbatiale (XI-XIIe s.) *St-Paul-de-Fenouillet* 2 214 h., défilé des Gorges de Galamus ; musée Arts et Traditions. *Salses* 2 422 h. ; château fort (XVe-XVIe s.). *Tautavel* 738 h. ; centre européen de la Préhistoire, caune de l'Arago ; grotte naturelle ; fouilles depuis 1964 (Henri De Lumley) : 22-7-1971 crâne d'homo erectus. *Targassonne* 133 h. ; « chaos », centrale solaire Thémis. *Thuir* 6 638 h. ; caves Byrrh, cuve la plus grande du monde (1 000 000 l). *Vernet-les-Bains* 1 489 h ; therm. (660 m). *Villefranche-de-Conflent* 261 h. ville fortifiée (enceinte des XIe-XVIIe s.) ; égl. (XIe–XIIIe s.) ; massif du Canigou.

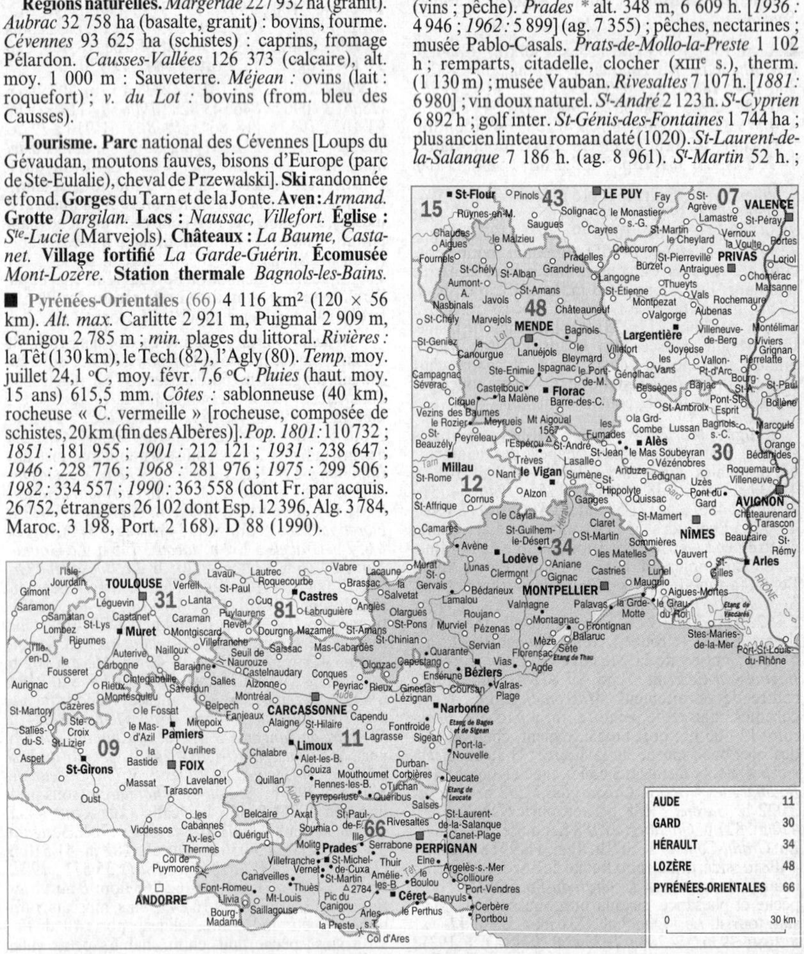

AUDE	11
GARD	30
HÉRAULT	34
LOZÈRE	48
PYRÉNÉES-ORIENTALES	66

Régions naturelles. Plaine du Roussillon : collines et terrasses d'alluvions anciennes entre la Têt et le Tech notamment ; bordée au centre et à l'est près de la mer par la Salanque (anciens marais troués d'étangs), vignoble derrière un maigre cordon littoral ; au nord par le Fenouillèdes et les derniers contreforts des Corbières ; au sud par les Aspres et les Albères (vignobles, vin doux naturel : Banyuls, Rivesaltes) ; prolongée au nord par côte sablonneuse et au sud par côte Vermeille (étangs nord). **Zone montagneuse** (contreforts Pyrénées) : comprenant Cerdagne (plateau alt. 1 000 à 1 800 m encastré entre Andorre, massif du Carlitte, Puigmal, Capcir). **4 vallées** (d'ouest en est) : *Vallespir, Tech* (climatisme), *le Conflent* (lit de la Têt), *vallée de l'Agly* (cult. fruitières et légumières), vin. **Bois** (en milliers d'ha, 1989) 89,8 [dont (1981) forêts domaniales : *Camporeills* 4,1, *Canigou* 8,3, *Conflent* 2,2, *Ht-Vallespir* 10,5, *Boucheville* 1,2, *Albères* 2,1, *Barres* 2,2, *Font-Romeu* 1,8, *Osséja* 1,2, *La Massane* 0,3 (réserve naturelle)]. **Essences** (en ha) : *résineux :* pin à crochets 25 500, chêne vert (alsina) 13 200, chêne pubescent 8 900, châtaignier 8 900, autres 3 750 ; *feuillus :* hêtre 9 900, feuillus 7 650, pin sylvestre 5 250, chêne-liège 5 000, sapin 1 700.

Langues. Parlées par 200 000 h. des Pyr.-Or. **Catalan** (évolution locale du bas latin, langue officielle dep. 1977 de la Catalogne, en Espagne) ; se distingue de la langue d'oc par la prononciation « ou » du u ; la réduction de la diphtongue « au » à o ; l'absence des diphtongues « ue » et « ie » (réduites à u et i) et de la diphtongue « ei » (remplacée par eu). Surtout, l'accent tonique se maintient parfois sur l'antépénultième, notamment dans les formes verbales. **Roussillonnais parlé** se distingue du catalan officiel : terminaison i du présent de l'indicatif et de la 1re personne de l'imparfait *(parlavi) ;* le « ó » accentué final est prononcé « ou » *(Canigou) ;* le pluriel des mots en « àn » est en « às » au lieu de « ans » (hortolàs, màs).

Tourisme. Hôtels 296 (18 000 lits), meublés et résidences 130 000 lits, campings 300 (110 000 pers.), gîtes 600 (2 400 lits), villages de vac. 10 000 lits. **Lacs et plans d'eau :** *de* MONTAGNE : *la Carança* 2 400 m, *le Lannoux* 160 ha (le plus grand des Pyrénées fr.), des *Bouillouses* 142 ha, 2 017 m. Barrages de *Matemale* 1 500 m, de *Puyvalador* 1 500 m, étangs des *Camporeills* 2 062 m, *étangs de Nohèdes* 2 010 m. Villeneuve-de-la-Raho 234 ha, *Vinca-les-Escoumes* 177 ha (voile). LITTORAL : étangs de *Salses-Leucate* 110 km² (prof. 12 m), *St-Nazaire* et *Canet* 900 ha (prof. 30 à 80 cm). **Fours solaires :** *Mont-Louis* (1953), *Font-Romeu-Odeillo Via* (le + puissant du monde, 3 800°, après celui de Phoenix en Arizona). **Grottes :** *Canalettes, Fontrabiouse, Grandes Canalettes.* **Stations de sports d'hiver :** *Les Angles* 1 650/2 450 m, *Bolquère-Pyrénées 2000* (1 750/2 400 m), *Eyne* (1 600/2 400 m), *Font-Romeu* (1 800/2 400 m), *Formiguères* (1 500/2 050 m), *La Llagonne* (1 600/2 000 m), *Matemale* (1 470 m), *Porté-Puymorens* (1 600/2 450 m), *Le Puigmal* (1 800/2 500 m ; stade de neige), *Puyvalador* (1 500/2 400 m), *St-Pierre-dels-Forcats* (1 600/2 400 m). **St. balnéaires** (7 ports de plaisance) : CÔTE SABLONNEUSE : *Le Barcarès* 332 mouillages, *Torreilles, Ste-Marie-la-Mer, Canet-en-Roussillon* 1 100 m., *St-Cyprien-Plage* 2 200 m. prévus, *Argelès-sur-Mer* 900 m. prévus. ROCHEUSE : *Collioure* 80 m., *Port-Vendres* 243 m., *Banyuls-sur-Mer* 300 m., *Cerbère.* **Réserves naturelles :** *Embouchure du Tech* (Argelès-sur-Mer), *La Massane* (Argelès-sur-Mer), *Py-Mantet* (Conflent 3 930 ha, 1 000-2 463 m alt.), *Nohèdes-Conat-Jujols* (Conflent), *Prats-de-Mollo* (Ht Vallespir), marine de *Banyuls-sur-Mer.* **Art roman** (+ de 100 églises). **Abbayes :** *Elne* (cloître), *Serrabonne* (prieuré XIe-XIIe s.), *St-Martin-du-Canigou, St-Michel-de-Cuxa* (église X^e^-XIe s., cloître XIIe s.). **Fouilles :** crâne de l'homme de Tautavel (450 000 ans). **Chemin de fer** *touristique :* 63 km (Villefranche, Conflent, Latour-de-Carol). *Gare de Bolquère-Eyne :* la + haute d'Europe ouverte au trafic commercial.

LIMOUSIN

■ GÉNÉRALITÉS

Superficie 16 931 km². **Population** (1990) 7 227 911 h (dont Fr. par acquis. 10 426, étrangers

20 076 dont Port. 6 808, Maroc. 3 256, Turcs 2 393). D 42,6.

Situation. Partie N.-O. du Massif central. 160 km (N.-S.) sur 150 km (O.-E.).

Reliefs. Plateaux granitiques ou schisteux s'abaissant d'E. en O. et étagés en gradins semi-concentriques : *Montagne limousine* (200 000 ha, entre 800 et près de 1 000 m) ; *plateaux de Millevaches* (alt. max. Mt Bessou, 978 m) et *des Monédières* (alt. max. Puy des M., 911 m) ; haute terre vallonnée couverte de landes et de tourbières ; aménagement forestier et touristique ; élevage du bétail, notamment du mouton. *Au N., O. et S.,* plateau découpé par les rivières en gorges sauvages. Entre 600 et 400 m (Mts d'Ambazac, de Blond, de la Marche), prairies et forêts (châtaigniers) ; bovins (limousins), ovins, chevaux (anglo-arabe du Limousin). Villes dans les vallées (Limoges, Tulle, Uzerche...). *Pays bordiers :* bassins et dépressions périphériques : région industrielle de Montluçon et de Commentry ; Boischaut au N. ; bassin de Brive au S.

Climat. Ensemble frais. Altitude et vents atlantiques (moy. 8/12 °C), étés chauds, parfois très secs. En altitude : quelquefois plus de 100 j de gel, neige. *Pluviosité :* 750 mm (1 200 à 1 500 en montagne, - de 700 dans vallées de la Marche). *Ilot méridional :* bassin de Brive.

Histoire. Avant J.-C. homme de La Chapelle-aux-Saints, de type néandertalien. Plusieurs migrations néolithiques (dolmens et menhirs). **Protohistoire** des Ligures (avec, au VIIe s., un passage de Celtes de Halstatt se rendant en Espagne), Ibères, Aquitains venus du sud au VIe s., puis, après 350, des Celtes de La Tène. Habité par les *Lémovices* (Gaulois), conquis par les Romains (prise d'Uxellodunum 51 av. J.-C.). **IIIe s.** pacifié puis christianisé par St Martial (1er év. de Limoges) ; sous Dioclétien, cité gallo-romaine de Limoges (Augustoritum), partie de l'Aquitaine Première. **Invasions barbares.** Relèvement sous Clotaire II et Dagobert ; St Éloi (Limousin d'origine) fonde le monastère de Solignac. Isolement du Cté à l'époque carolingienne. **Vers le Xe s.** divisé en vicomtés (Limoges, Aubusson, Bridiers, Comborn, Rochechouart, Turenne). La seigneurie de Chambon, acquise par les Ctes d'Auvergne, devient la baronnie de Combrailles ; le Cté de la Marche (arr. actuels de Bellac, Guéret, Aubusson) est gouverné par les seigneurs de Charroux au Xe s., ceux de Montgomery au XIe s., et les Lusignan au XIIIe s. Puis les fiefs se regroupent ; seuls subsistent les Ctés de la Marche, Combrailles, Limoges et Turenne ; la vicomté de Ventadour est créée dans la montagne limousine, autour d'Ussel. Le L. relevant d'Éléonore d'Aquitaine, après le 2e mariage de celle-ci avec Henri II Plantagenêt, reste pendant 3 siècles dans le roy. anglo-angevin, mais est occupé par les Capétiens de 1204 à 1259, puis de 1286 à 1360 ; au N. de la Dronne, des monts de Blond et de Guéret, la langue d'oïl remplace la langue d'oc ; droit écrit et droit coutumier se partagent la région. **XIIe s.** rayonnement de l'abbaye St-Martial-de-Limoges. Enlumineurs et copistes renommés. Émaux champlevés. **XIVe s.** fournit plusieurs centaines de prélats et 3 papes : Clément VI, Innocent VI, Grégoire XI. **1360** abandonné aux Anglais (tr. de Brétigny). **1370-74** reconquis par l'armée de Charles V. **1477** Louis XI confisque la Marche (pour félonie) au Cte de Nemours et la donne à son gendre, Pierre de Beaujeu. **1523** François Ier la confisque (pour félonie) au connétable de Bourbon, héritier des Beaujeu. **1527** passe à Charles de Bourbon-Vendôme, gd-père d'Henri IV. **1598** réunie au domaine royal. **1607** Henri IV s'assure la vicomté de Limoges. Seules la vicomté de Turenne (qui réunit ses états jusqu'en 1738) et la seigneurie de Ventadour conservent leurs privilèges jusqu'au XVIIIe s. **1761-74** Turgot (intendant) transforme économiquement la région. **Révolution** 3 départements (Creuse, Hte-Vienne, Corrèze), le *Confolentais* est donné à la Charente, et le *Nontronnais* à la Dordogne.

■ Économie

Population active (ayant un emploi, au 1-1-90) : 274 674 dont (au 1-1-89) primaire 41 253, secondaire 74 127 (BTP 19 163), tertiaire 159 953. *Salariés :* 216 579. [Au 1-1-1988 : total 275 748. Agr., sylvicult. et pêche 42 637, ind. agroalim. 7 635, prod. distr. énergie 2 216, biens intermédiaires 16 978, biens d'équip. 13 502, biens de consomm. 14 956, bâtiment, génie civil et agr. 19 253, commerce 30 147, transports et télécomm. 17 807 ; services marchands 51 928, financiers 6 138 (dont banques 4 015, assurances 1 408), non marchands 52 551 (dont TUC 3 345)].

Échanges (en millions de F, 1992). **Imp. :** 4 329 dont demi-prod. non métalliques 12 267, biens d'équip. profess. 1 047, biens de consomm. 791, métaux et prod. du trav. des métaux 489, prod. des IAA 476, prod. agr. 111, mat. de transp. 68, équip. auto des mén. 62, biens d'équip. mén. 6, mat. 1res min. 5, énergie 3, divers 39. **Exp. :** 4 915 dont 1/2 prod. non métalliques 1 420, biens d'équip. prof. 1 274, biens de consomm. 615, prod agr. 772, prod. des IAA 491, métaux et prod. du trav. des métaux 195, mat. de transp. 75, mat. 1res minérales 11, biens d'équip. mén. 8, équip. auto des mén. 5, énergie 1, divers 42.

Agriculture (au 1-1-91). **Terres** (en milliers d'ha) 1 705,8 dont *SAU* 904 [t. lab. 285,9, herbe 613,8, cult. fruit. 3,4] ; *bois* 568 (dont 267 en Corrèze) ; *t. agr. non cult.* 110 ; *étangs et eaux intérieures* 15,4 ; *autre t. non agr.* 113,6. **Prod. végétale** (en milliers de t) céréales 341,7 dont blé tendre 115,5, orge et escourgeon 56,4, maïs-grain 24,4, avoine 31,3. **Animale** (milliers, 1990) bovins 1 004,7, porcins 164,1, ovins 1 099,1. *Lait* (vache, estim. 1-1-1991) : 1 887 600 hl.

Production. *Uranium :* réserves économiquement exploitables 2 500 t (1992). Product. de Cogema/Division minière de la Crouzille (Hte-Vienne) 650 t (1992). *Porcelaine* (1991, en m³) : *de table* 48 000, *fantaisie* 8 000. *Pâte à papier* 110 000 t (1982) ; *papier d'emballage* 143 700 t (1982) ; *carton et carton ondulé* 128 400 t (1982).

Tourisme (nombre d'établissements et, entre parenthèses, capacité, au 1-1-1992). *Hôtels* 764 (9 185) dont *homologués* 342 (6 149) [dont *classés* 321 (5 800)]. *Campings-caravanages* 212 (13 775 pl.). *Gîtes ruraux* 1 882 (1 006), *villages de vac.* 27 (6 908), *chambres d'hôtes* 137 (549).

Projets *EDF :* 4 barrages en escaliers dans les gorges de la Vézère, en Corrèze ; hauteur : - de 20 m chacun ; production globale : 79 millions de kWh par an.

☞ Voir **Occitanisme** p. 812.

■ Départements

Voir légende p. 777.

■ **Corrèze** (19) 5 857 km². *Alt. max.* Mt Bessou 976 m ; *min.* 80 m (sortie Vézère). *Pop. : 1801 :* 243 654 ; *1851 :* 320 866 ; *1872 :* 302 746 ; *1891 :* 328 151 ; *1936 :* 262 743 ; *1954 :* 242 798 ; *1968 :* 237 858 ; *1975 :* 240 363 ; *1982 :* 241 448 ; *1990 :* 237 459 (dont Fr. par acquis. 4 569, étrangers 8 792 dont Port. 3 844, Maroc. 1 500, Turcs 1 288, Esp. 420). D 41.

Villes. TULLE alt. 212 à 347 m, 17 164 h. [*1846 :* 11 646 ; *1906 :* 17 245 ; *1975 :* 21 634] (ag. 18 631) ; ind. agroalim., manuf. nat. d'armes, méc. gén., fabrication d'accordéons ; cathédrale, cloître.

– *Argentat* alt. 188 m, 3 189 h. *Bort-les-Orgues* alt. 430 m, 4 208 h. ; confect., maroquinerie, barrage (ht 120 m). *Brive-la-Gaillarde* * alt. 142 m, 49 714 h. [*1846 :* 8 829 ; *1906 :* 20 636 ; *1954 :* 36 088 ; *1975 :* 54 730] [ag. 63 760 dont dans le dép. *Malemort-sur-Corrèze* 6 484. *St-Pantaléon-de-Larche* 3 478] ; métall., électron., mobilier, marché agr., ind. alim. *Égletons* alt. 650 m, 4 487 h. ; écoles ; salaisons, ind. de la viande. *Objat* 3 163 h. ; ind. agroalim. et méc. ; meubles en rotin. *Pompadour :* haras créé par Colbert ; matér. élec., ind. méc. *Reygades* 172 h. ; son et lumière. *St-Geniez-ô-Merle* 136 h. ; son et lumière (Tours de Merle). *Ussel* * alt. 631 m, 11 448 h. [*1846 :* 4 544 ; *1906 :* 4 942 ; *1936 :* 6 392 ; *1954 :* 7 202 ; *1968 :* 8 985 ; *1975 :* 11 391] ; fonderie d'alum., menuis., bonneterie, panneaux, salaisons. *Uzerche* alt. 334 m, 2 813 h. ; cartonnerie, papeterie.

Régions naturelles. *Bassin de Brive* 88 999 ha, alt. 90 à 300 m : tabac, cult. légum. et fruit., élev. intensif (bovins, ovins, porcins, équidés, caprins). *Plateau corrézien* 308 861 ha, alt. 300 à 650 m : vergers, élev. extensif (bovins, ovins, porcins). *Montagne corrézienne* 188 174 ha, alt. 650 à 1 000 m : élev. extensif (bovins, ovins), résineux. *Hydrographie :* vallées profondes formant des gorges (Corrèze, Vézère, Dordogne, Triouzoune).

Régions agricoles. *Bas pays de Brive* (78 220 ha), *Causse* (7 208 ha), *Périgord Blanc* (3 945 ha), alt. - de 300 m (jusqu'à 90 m), climat doux et peu humide (900 à 1 000 mm). *Haut Limousin : plateaux du S.-O.* (142 724 ha), alt. 300 à 650 m, climat humide (pluies 1 m et +), polycult., élevage ; *plateaux du S.-E.* (119 145 ha). *Cantal* (6 940 ha), idem aux plateaux du S.-O., mais landes + étendues (1/3 de la surface). *Xaintrie* (40 052 ha), relief + accentué, bois. *Montagne ou plateau de Millevaches ;* du celtique « mille batz » : mille sources (186 782 ha dont 67 480 consacrés à la culture et l'élevage), alt. 850 à 984 m, climat rude et humide (1,20 à 1,80 m), bois, landes (bruyères, genêts), seigle, avoine, bovins, ovins. *Artense* (1 510 ha), alt. 650 m.

Tourisme. Aménagement hydroélectrique (en ha) *Dordogne* [Bort-les-Orgues (1073), L'Aigle (750), Chastang (706), Argentat (106)], *Vézère* [Monceaux-la-Virolle (183), Vaud (101)]. **Lacs** (en ha) : *les Bariousses* (Treignac) 99, *Bugeat* (Viam) 189, *Bort-les-Orgues* (Val) 1 400, *Chasteaux-Lissac* (Causse) 82, *Marcillac-la-Croisille* 230, *Neuvic-Liginiac* 410, *Peyrelevade* (le chamet) 100. **Sites :** *Argentat, Aubazines* (abbaye), *Beaulieu, Cars* (ruines gallo-romaines), *Collonges-la-Rouge, Curemonte* (Plas et St-Hilaire), *Gimel* (cascades), *Meymac, Pauliac* (puy), *Ségur-le-Château, St-Robert, Rochers-Noirs* (viaduc), *Treignac, Turenne, Uzerche, la Vézère* (au Jaillant), *Orgues basaltiques* (Bort-les-Orgues), *étang de Malene* (St-Privat). **Églises :** *Arnac, Meymac, Naves* (retable), *St-Angel, St-Pantaléon-de-Lapleau, Vigeois.* **Châteaux :** *Comborn, Merle* (ruines), *Pompadour, Sedières, Turenne, Ventadour.*

■ **Creuse** (23) 5 601 km² (110 × 80 km). *Alt. max.* Forêt de Châteauvert 978 m ; *min.* 175 m (sortie de la Creuse). *Pop. : 1801 :* 218 041 ; *1851 :* 287 075 ; *1872 :* 274 663 ; *1891 :* 284 860 ; *1936 :* 201 844 ; *1954 :* 172 702 ; *1968 :* 156 876 ; *1975 :* 146 214 ; *1982 :* 139 968 ; *1990 :* 131 349 (dont Fr. par acquis. 1 536, étrangers 1 992 dont Port. 564, Turcs 468, Maroc. 268, Ital. 128). D 24.

Villes. GUÉRET alt. 450 m, 14 706 h. [*1846 :* 5 404 ; *1906 :* 8 058 ; *1936 :* 8 789 ; *1954 :* 10 131 ; *1968 :* 14 080 ; *1982 :* 15 720] ; meubles, bijoux, quincaillerie, bâtiment ; puériculture ; musée, hôtel des Moneyroux (XVe-XVIe s.)

– *Aubusson* * alt. 430 m, 5 097 h. [*1846 :* 5 436 ; *1906 :* 7 015 ; *1936 :* 5 830 ; *1954 :* 5 595 ; *1968 :* 6 761 ; *1975 :* 6 824] ; fonderie, machines agroalim., codeurs optiques, tapisserie, bâtiment, voilerie, mat. bureaux ; école Tapisserie : musée de la Tapisserie, maison du Vieux-Tapissier. *Auzances* 1 586 h. ; laiterie ; parc animalier (64 ha). *Bénévent-l'Abbaye* 837 h. ; église (XIe-XIIe s.). *Bonnat* 1 387 h. ; égl. (XIIIe s.). *Bourganeuf* (ancienne sous-préf.) alt. 449 m, 3 385 h. ; scierie, tôlerie, literie ; château, tour Zizim. *Boussac* (ancienne sous-préf.) alt. 390 m, 1 652 h. ; chambres froides, constr. métall, confection ; château (XIIe-XVe s.) *Chambon-sur-Voueize* 1 105 h. ; chaudronnerie ; abbatiale Ste-Valérie. *Crocq* 674 h. ; château fort (XIIe s.). *Évaux-les-Bains* 1 716 h. ; église ; thermes. *Felletin* alt. 587 m, 1 985 h. ; tapisserie, chaudronnerie ; École du bâtiment. *Jarnages* 449 h. ; musée archéol., ruines oppidum. *Lavaufranche* 231 h. ; commanderie (XIIe-XVe s.). *La Souterraine* alt. 366 m, 5 459 h. ; méc., confect., tôlerie, découpage, emboutissage, pétrole ; église (XIe-XIIIe s.). *Magnat-l'Étrange* 245 h. ; église (XIe-XVIe s., 2 clochers). *Moutier-d'Ahun* 195 h. ; boiseries, égl. *Ste-Feyre* 2 250 h. ; Puy de Gaudy (651 m), oppidum. *St-Vaury* 2 069 h. ; site du Puy des 3 Cornes (635 m).

Régions agricoles (en ha). 560 115 ha dont *haut Limousin* 31 500 (élevage), *Marche-Nord* 144 850, *M.-Sud* 118 850, *Plateau de Millevaches* 80 506 (élevage), *bas Berry* (élevage, céréales), *Combraille bourbonnaise* 78 200 (élevage). **Bois** (milliers d'ha, estimation au 1-1-90) : 108 forêts appartenant à des sections de communes 3,216 ; 12 forêts communales (forêts de *Feniers* 0,13, *Royère* 0,031, *St-Quentin-la-Chabanne* 0,031, *Gentioux* 0,057, des *Hospices* de Dun-le-Palestel 0,112, de *St-Pardoux-Morterolles* 0,058), f. domaniale de *Chabrière* 0,144.

Tourisme. Lacs *Vassivière* (1 100 ha) ; de retenue : *Lavaud-Gelade* (275 ha), *Chammet* (60 ha). Eaux les plus radioactives de France (86,58 becquerels), de 15 à 48 °C. **Circuit** du Mas du Clos. **Pierres Jaumâtres** (mégalithes de plusieurs centaines de t). **Châteaux :** *Boussac, Crozant* (ruines), *Le Théret* (XVe-XVIe s.), *St-Germain-Beaupré* (XIIIe-XIVe s.), *St-Maixant* (XIVe s.), *Villemonteix* (Chénerailles).

■ **Haute-Vienne** (87) 5 520,13 km² (120 × 36 à 110 km). *Alt. max.* Puy-de-Crozat 777 m ; *min.* vallée de la Vienne en aval de Saillat 155 m. *Pop. : 1801 :* 245 150 ; *1851 :* 319 379 ; *1872 :* 322 447 ; *1891 :* 372 878 ; *1936 :* 333 589 ; *1954 :* 324 429 ; *1968 :* 341 589 ; *1975 :* 352 149 ; *1982 :* 355 737 ; *1990 :* 353 586 (dont Fr. par acquis. 4 321, étrangers 9 292 dont Port. 2 400, Maroc. 1 488, Indoch. 860, Turcs 637). D 64.

Villes. LIMOGES alt. moy. 300 m, max. 428 m, superficie 7 747,70 ha, 133 463 h. [*1698 :* 10 500 ; *1789 :* 32 856 ; *1801 :* 20 550 ; *1851 :* 41 630 ; *1901 :* 84 721 ; *1936 :* 95 217 ; *1954 :* 106 805 ; *1968 :* 135 945 ; *1975 :* 147 442] [ag. 170 064, dont *Condat-sur-Vienne* 4 090. *Couzeix* 6 151. *Feytiat* 4 430. *Isle* 7 292. *Le Palais-sur-Vienne* 6 085 ; 1re usine de Fr. de raffinage électrolytique du cuivre. *Panazol* 8 553] ; porcelaines et émaux, chaussures, métaux, BTP, constr. méc. et élec., habillement, mobilier ; imprimerie, ind. autom. et poids lourds ; musées Adrien-Dubouché (f. 1845, 25 000 v.), de l'Évêché, de la Porcelaine ; cath. St-Étienne (XIIIe-XVe-XIXe s). Institut de gestion des énergies. H. de ville (1883, campanile de 42,40 m), gare des Bénédictins (1929, campanile 60 m).

– *Aixe-sur-Vienne* 5 566 h. *Ambazac* 4 889 h. *Bellac* *alt. 250 m, 4 924 h. [*1846 :* 3 724 ; *1911 :* 4 875 ; *1982 :* 5 079] (ag. 6 061) ; tanneries, ind. métall. *Bessines-sur-Gartempe* 2 988 h. ; traitement de l'uranium. *Châteauponsac* 2 409 h. ; musée d'Art et Tradition. *Le Dorat* 2 203 h. ; égl. romane. *Mortemart* 152 h. ; classé plus beau village de France. *Razès* 919 h. ; mine d'uranium. *Rochechouart** 3 985 h. [*1846 :* 4 415 ; *1975 :* 4 200] ; chaussures, cartonnerie ; château, musée d'Art contemporain. *Saillat-sur-Vienne* 962 h. ; pâte à papier, prod. chim. *St-Junien* alt. 160 m, 10 604 h. [*1968 :* 11 674] ; ganterie, mégisserie, prod. chim. et cellulosiques, papeteries ; collégiale romane. *St-Léonard-de-Noblat* alt. 350 m, 5 024 h. [*1846 :* 6 117] ; chaussures, porcelaine, papeteries ; cité médiévale et collégiale romane. *St-Yrieix-la-Perche* alt. 369 m, 7 558 h. [*1846 :* 7 515 ; *1901 :* 8 363] ; porcelaine, imprimerie ; égl. romane. *Solignac* 1 345 h. ; abbaye.

Régions agricoles (en ha). *Haut-Limousin* 376 185, *Marche* 139 004, *Plateau de Millevaches* 36 054.

Divers. *Magnac-Laval :* 9 lieues, procession la plus longue de France (lundi de Pentecôte, 54 km, dure 17 h). **Lacs** (ha) : *Bujaleuf* 60, *St-Laurent-les-Églises* 135, *St-Pardoux* 330, *Vassivière* 1 100. **Oradour-sur-Glane** : ruines (voir Index).

LORRAINE

GÉNÉRALITÉS

Superficie 23 547 km². **Population** (1990) 2 305 726 (dont Fr. par acquis. 99 436, étrangers 154 910 dont Ital. 34 605, Alg. 29 197, Maroc. 22 001). D 98. **Situation.** Bordée par *Vosges* à l'*E.* et au *S.-E., Massif schisteux rhénan* au *N.* Au *S.,* cloisonnement en buttes et collines (certaines à plus de 500 m). Au centre, côtes en arc et buttes isolées le long des talus. Plus au *N.,* dislocations moins nombreuses mais beaucoup plus marquées : *Warndt, côtes de Moselle* et de *Meuse.* **Climat.** Océanique atténué, amplitude annuelle supérieure à 18 °C, diurne de 15 à 20 °C ; nombreux climats locaux dus aux expositions variées (vignoble le long des côtes de Moselle). Moyenne des temp. : 10,5 °C (1988).

Activités. Sud et Ouest : plaines surtout consacrées à l'élevage et séparées par des forêts (plus importantes à l'E.). *Industries :* verreries, cristalleries (Gironcourt, Baccarat, Vannes, Le Châtel), eaux minérales (Vittel, Contrexéville). Nombreuses usines dans les vallées (Moselle, Meurthe, Moselotte, Vologne, Rabodeau) : papeterie, filature, tissage, bonneterie, imprimerie, matières plastiques, automobile, métaux, électron., chaudronnerie, etc. Meuse : vallée de l'Ornain (métall., textile, optique-lunetterie, meubles) et de la Meuse (chaux, fromageries, industrie du bois, papeterie). Transition avec la L. du N. : salines et soudières, mines de fer, pneu., cristalleries, élec., chaudronnerie, imprimerie, brasserie, laiterie, bonneterie. **L. Nord :** ind. *Bassin houiller* (gaz, coke, électricité et carbochimie). *Pétrochimie* (Carling). *Fer :* minerai sur 1 150 km², sur 10 à 40 m d'épaisseur, de Longwy (N.) à Dieulouard (S.), avec interruption de Pont-à-Mousson ; réserves 2 milliards de t (env. 40 ans). Aciéries modernes : Sollac et Sacilor. Chimie, pneu., métaux, constr. auto, plastiques, agroalim., mécan., élec.

Langues. Dialectes germaniques (apparentés au luxembourgeois, sarrois, alsacien), langues familiales d'une très petite minorité.

HISTOIRE

LORRAINE DUCALE

Époque celtique peuplement dense à l'époque de Hallstatt ; nombreuses collines fortifiées à l'époque de la Tène ; 2 peuples : *Leuques* au S., *Médiomatriques* au N. ; industrie du fer autour de la forêt de Haye, du sel entre Marsal et Vic (briquetages de la Seille). **Paix romaine** fait partie, après Dioclétien, de la Belgique 1re, cap. Trèves [1er évêque : St Euchaire (v. 250)]. Défrichements, urbanisation : Divodurum (Metz), Scarpone (Dieulouard), Tullum (Toul), Verodunum (Verdun). Prospérité croissante autour de la vallée de la Moselle (axe de communication Cologne-Lyon). **406** chute de Trèves et invasions ; introduction des dialectes alémaniques au N.-E. d'une ligne Thionville-Dieuze-Le Donon. **VIIe s.** fondation d'abbayes ; la Mosellane devient le noyau du royaume d'*Austrasie.* Arnoul, fondateur des Carolingiens, y possède des domaines considérables ; Pépin le Bref puis Charlemagne y résident volontiers, favorisant la formation d'une aristocratie. Multiplication des abbayes (Remiremont, St-Dié, St-Mihiel, Gorze...). Verdun et Metz sont les centres de la renaissance culturelle. **843** *tr. de Verdun,* création du roy. de *Lotharingie* d'où vient le nom de Lorraine, partagé à *Meersen* (870) entre Charles le Chauve et Louis le Germanique, abandonné au roi de Germanie en 880. Arnoul de Carinthie fait *duc de Lorraine* (Gde Lorraine, compr. L. actuelle, Wallonie, Rhénanie) son bâtard *Zwentibold ;* après l'assassinat de celui-ci (900), duché disputé entre France et Germanie, qui l'emportera (925). **958** après une période d'anarchie, Brunon, archev. de Cologne, duc de Lotharingie et frère de l'emp. Othon Ier, divise son duché en *Basse* et *Haute-L.* (forme le duché de L., appelé aussi « Mosellane » et donné à Frédéric d'Ardennes, leur neveu commun). **1048** Gérard d'Alsace (duc de Hte-L.). Fonctionnaires investis par le souverain, les ducs profitent de son éloignement pour s'émanciper. Luttes avec leurs propres vassaux, dont certains se rendent indépendants (*Barrois,* voir ci-contre), et contre les évêques de *Metz.* Foires importantes à Metz, Toul, Verdun. La *querelle des Investitures* (1076-1122) met fin à la prépondérance spirituelle des évêques de Metz ; les ducs se fortifient à Nancy et Prény ; les foires sont détournées vers la Champagne ; malgré la fondation d'abbayes cisterciennes, décadence des écoles de Metz et de Toul. La bourgeoisie de Metz acquiert des libertés communales et fait de la cité un centre économique comparable aux villes de Flandre et d'Italie ; en 1234 elle obtient le gouvernement de la cité.

De 1220 à 1303 les ducs Mathieu II et Ferry III profitent de l'affaiblissement des empereurs germaniques pour regrouper les terres ducales ; Ferry III fixe sa capitale à Nancy. **XIVe s.** la décadence des foires de Champagne attire les marchands en L. où St-Nicolas-de-Port devient le marché le plus important. **1431** gendre et successeur du duc Charles II, René d'Anjou, fait prisonnier à Bulgnéville (par le Cte de Vaudémont, branche cadette, appuyée sur les ducs de Bourgogne), doit donner en gage aux Bourguignons des localités sur la Meuse, ce qui occasionne une expédition de Charles VII. **1473** les *Vaudémont* acquièrent le duché, et le duc René II s'oppose à Charles le Téméraire qui meurt devant Nancy en 1477. Metz et certains seigneurs de la L. allemande sont favorables à la *Réforme,* mais le duc Antoine favorise la Contre-Réforme et écrase les *« Rustauds »* à Saverne. **1552** il obtient de Charles Quint la reconnaissance de son duché comme « État libre et non incorporable ». Henri II s'assure de la neutralité de la L. pour s'emparer des *3 Évêchés* (Metz, Toul et Verdun) qui seront intégrés au roy. en 1648. **1560-98** pendant les g. de Religion, le duc Charles III pose sa candidature au trône de Fr. (1584), puis essaie vainement de s'emparer des 3 Évêchés. Demeurée à l'écart des conflits internationaux, la L. connaît un siècle de prospérité ; accession à la propriété rurale des marchands enrichis, floraison artistique. Les relations entre le duc Charles IV et Gaston d'Orléans déclenchent l'intervention fr. qui livre le duché aux dévastations ; guerre et peste déciment la population. Charles IV recouvre une partie de ses États aux *tr. des Pyrénées* (1659) et de *Vincennes* (1661) : comme il refuse en 1670 le protectorat de Louis XIV, le duché sera occupé par les troupes fr. **1697** *tr. de Ryswick* rend la L. au duc Léopold, qui doit céder à la Fr. 2 territoires (annexés aux 3 Évêchés) : Longwy et Dillingen (ville universitaire, près de laquelle Vauban construit, de 1681 à 1687, la place-forte de Sarrelouis) ; Léopold épouse une nièce de L. XIV et transporte sa capitale à Lunéville. **1729** son fils, François III, lui succède. **1736** il épouse Marie-Thérèse, fille de l'empereur ; en échange de la couronne impériale et du duché de Toscane, il cède son duché à Stanislas Leczinski, beau-père de L. XV et ex-roi de Pologne (28-8 ratification au tr. de Vienne, 1738). 30-9 Stanislas cède à son gendre l'administration de la L. **1766**-23-2 à sa mort, la L. devient une *intendance française.* 3 seigneuries appartenant à des familles all. constituent des enclaves étrangères : abbaye de *Senones* (aux Pces de Salm), *Dalo* (aux Ctes de Leiningen), *Druligen* (aux Ctes de Nassau-Sarrebruck). Au XVIIIe s. colonisation agricole des terres abandonnées ; sidérurgie à Hayange, cristalleries, faïenceries. La L. reste une province « réputée étrangère » (séparée du roy. par une barrière douanière).

1790 division en 4 dép. : Moselle, Meurthe, Meuse et Vosges. **1793** enclaves étrangères annexées. **1815** perte de Sarrelouis et de Sarrebruck. **1848** essor industriel. **1871** *tr. de Francfort :* l'Allemagne annexe presque toute la Moselle et une grande partie de la Meurthe. Exploitation de la minette du bassin de Briey et du sel autour de St-Nicolas-de-Port. **1914-18** la g. dévaste les régions agricoles de Verdun et Pont-à-Mousson, mais épargne les industries. **1918** redevient fr. **1940-44** Moselle annexée de fait à l'Allemagne, les francophones sont expulsés. **1963** ralentissement de la prod. minière. **1966** *1er « plan acier » :* 15 000 suppressions d'emplois annoncées. **1968** *plan Bettencourt :* réduction de la prod. charbonnière, fermetures de sites. **1970** Wendel-Sidélor annonce 10 800 suppr. d'emplois. **1977** *2e « plan acier » :* 10 200 suppr. d'emplois annoncées. **1978** *février « plan Vosges » :* aides aux activités traditionnelles, à l'investissement et au désenclavement. *Août* groupe Boussac (env. 5 000 salariés dans les Vosges) mis en règlement judiciaire. Agache-Willot le reprend. *Décembre 3e « plan acier » :* Sacilor-Sollac annonce 8 500 suppr. d'emplois et Usinor 12 500. *-19-12* opération « Longwy ville morte », tensions sociales. **1979**-*12-1* Metz : 50 000 manif. pour « défendre la L. ». *-17-3* la CGT lance, à Longwy, Radio Lorraine Cœur d'acier. *-23-3* marche sur Paris. **1982** *4e « plan acier » :* 7 700 suppr. d'emplois annoncées. *Juin* les ouvriers de « Pompey » montent à Paris défendre leurs emplois. *Déc.* Mauroy en Lorraine, manif. **1984** *plan de modernisation :* 2 pôles de conversion créés. *-18-3* grève des sidérurgistes. *-31-3* 8 500 suppr. d'emplois. *Avril* Fabius annonce les mesures d'accompagnement. 3 députés PS démissionnent de leur groupe parlementaire. *-4-4* grève générale et manif. à Metz, Nancy. *-13-4* grève gén. et marche sur Paris.

☞ Le dernier Pce de Lorr. des branches françaises fut Charles IV, Eugène de Lorr., Pce de Lambesc, † sans postérité 21-11-1825.

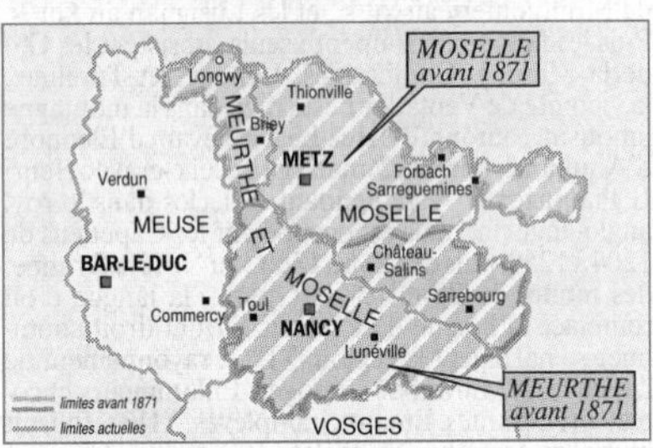

BARROIS

958 Cté héréditaire de Bar érigé, donné au nouveau duc de Hte-Lorraine, Frédéric d'Ardennes. **1034** Sophie, héritière du Barrois, apporte le Cté en dot à Louis de Montbéliard, seigneur de Pont-à-Mousson. **1301** Henri III de Bar (1297-1302), gendre d'Édouard Ier d'Angl., battu par Philippe le Bel, doit lui rendre hommage pour ses terres de l'O. de la Meuse (« Barrois mouvant »). **1354** érigé en duché (accord entre Jean le Bon, roi de Fr., et Charles IV, roi de Luxembourg, emp. d'All.), en faveur de Robert (1352-1411), gendre de Jean le Bon. **1415** Édouard III de Bar est tué à Azincourt, sans héritier. **1419** René de Guise, fils cadet de Louis II d'Anjou-Provence (roi titulaire de Naples), désigné comme héritier du duché de B. **1420** il épouse Isabelle de L., héritière du duché de L. **1431** les 2 duchés sont réunis. **1575** en épousant Louise de Vaudémont, nièce du duc de Bar-L., Henri III de Fr. renonce à l'hommage du « Barrois mouvant ».

ÉCONOMIE

Population active totale (au 1-1-90) : 789 940 dont primaire 31 760, secondaire 275 020, tertiaire 483 160. *Étrangers* résid. 151 580. *Salariés* 702 730 dont primaire 5 460, secondaire 260 360, tertiaire 436 910. *Chômage* (en 1992) : 9,4 %.

Échanges (en milliards de F, 1991). **Imp. :** 57,4 dont auto. et autres mat. de transports 7,5, pétrole, gaz 8,4, sidérurgie 4,6, prod. chim. de base 3, équip. ind. 3,7, papier-carton 2,4, prod. du trav. des métaux 1,8, text. 1,3, pneum. et caout. 1, mat. électron. 2, machines-outils 1,1, électricité 1, comb. min. solides 1, prod. de la transf. mat. plast. 1,2 *de*

All. 20,4, Benelux 8, ex-URSS 7,7, It. 3,6, G.-B. 2, P.-Bas 1,9, USA 1,5. **Exp. :** 51,4 dont prod. sid. 7,4, prod. chim. de base 5, prod. agr. (hors viande et lait) 3,6, auto. et autres mat. de transp. 5,3, élec. 4,5, prod. 1re transf. acier 2,3, papier-carton 2,5, équip. ind. 3, lait et prod. lait. 1,9, prod. trav. métaux 1,9, pneum. et caout. 1,5, text. 1,3, prod. fonderie 1,3, mat. élec. 1,5 *vers* All. 21,6, Benelux 7, It. 5,9, P.-Bas, 3,8, Suisse 3,3, G.-B. 2,9, Espagne 2.

Agriculture (1-1-91). **Terres** (en milliers d'ha) 2 529 dont *SAU* 1 113,1 [t. lab 604,5 (dont céréales 353,3, fourr. annuels 75,9, oléagineux 119, jardins 12,3), herbe 567,2] ; *bois* 849,2 ; *t. agr. non cult.* 71,8 ; *étangs et autres eaux intérieures* 23,3 ; *autre t. non agr.* 238,1. **Prod. végétale** (en milliers de t, 1991) céréales 2 166 dont orge 854,5, blé tendre 1 207,8, colza 412,4, maïs-grain 22,1, avoine 27,5, maïs fourrages 602,1. **Animale** (en milliers) bovins 1 022,5 dont vaches laitières 281,1, ovins 284,6, porcins 89,2. *Prod. de viande* (en milliers de t ; abattages contrôlés 1991) bœuf 60,1, porc 12,2, veau 2,9, mouton-agneau 1,4 *Lait* (vache) 12 766 000 hl.

Tourisme (31-12-1991). *Hôtels* classés 543 (13 360 ch.). *Campings-caravanages* agréés 146 (40 728 pl.). *Gîtes ruraux* 688. **Thermalisme :** *nombre de curistes :* 27 319 dont Amnéville 12 740, Vittel 4 492, Plombières-les-Bains 6 259, Contrexéville 1 494, Bains-les-Bains 2 341. **Ski :** *nombres de journées/skieurs* (1991/92) : alpin 722 610 dont à La Bresse 432 610 et à Gérardmer 170 000 ; fond 86 200 dont à La Bresse 38 000, à Gérardmer 17 000.

■ Départements

Voir légende p. 777.

■ **Meurthe-et-Moselle** (54) 5 240 km² (135 × 8 à 103 km). 593 communes. *Alt. max.* Roc de Taurupt 730 m ; *min.* Arnaville 171 m. *Pop. : 1800 :* 338 115 ; *1836 :* 423 366 ; *1856 :* 364 623 ; *1872 :* 365 137 ; *1911 :* 564 730 ; *1921 :* 503 810 ; *1931 :* 592 632 ; *1946 :* 528 805 ; *1954 :* 607 022 ; *1962 :* 678 078 ; *1968 :* 705 413 ; *1975 :* 722 588 ; *1982 :* 716 846 ; *1990:* 711 822 (dont Fr. par acquis. 28 194, étrangers 42 762 dont Alg. 8 664, Ital. 8 460, Maroc. 7 072, Port. 5 736). D 136.

Villes. NANCY 99 357 h. [*1836 :* 31 445 ; *1872 :* 52 978 ; *1901 :* 102 559 ; *1936 :* 121 301 ; *1962 :* 130 893 ; *1975:* 107 902 ; *1982:* 96 317] [ag. 329 447, dont *Bouxières-aux-Dames* 4 392. *Champigneulles* 7 541 ; bières. *Dombasle-sur-Meurthe* 9 133. *Esseylès-Nancy* 7 378. *Frouard* 7 274. *Heillecourt* 6 393. *Jarville-la-Malgrange* 9 992, métall., constr. méc. ; musée du Fer. *Laneuville-devant-Nancy* 4 912 ; château. *Laxou* 15 490 ; centre psychothér. *Liverdun* 6 435 ; égl. St-Pierre XVIIe s. *Ludres* 6 236. *Malzéville* 8 090. *Maxéville* 8 667, Ferme St-Jacques Asa SA, semi-cond. électron. *Nancy-Essey*. *Pompey* 5 144. *St-Max* 11 075. *St-Nicolas-de-Port* 7 706 ; text. ; musée de la Bière ; basil. (appelée la Grande Église), pèlerinages, 1481-1550, nef haut. 82 m, piliers 28 m les + hauts de Fr., tours 85 et 87 m). *Saulxures-lès-Nancy* 4 124. *Seichamps* 5 780 ; bonneterie. *Tomblaine* 7 956. *Vandœuvre-lès-Nancy* 34 105 ; complexe hosp. d'activité tertiaire de Brabois. *Varangéville* 4 001 ; seule mine de sel gemme en activité, 272 600 t (1976) ; église St-Gorgon. *Villers-lès-Nancy* 16 515 ; jardin botanique] ; ancienne capitale des ducs de Lorraine ; place Stanislas (architectes Boffrand et Héré, *1752-60,* ancienne place Royale et de l'Hémicycle) 124 × 106 m, palais ducal (1502-44), égl. des Cordeliers ; musées : historique lorrain (89 950 vis.), de l'École de Nancy (45 185 vis. mobilier), des Beaux-Arts (f. 1801, 63 854 vis. en 91), de l'auto. (Velaine-en-Haye) ; zoo et aquarium (64 750 vis.), jardin botanique ; centre comm., Bourse ; constr. méc. text., cristallerie, chaussures, ind. alim. ; la plus longue façade de Fr. : 400 m (immeuble du Haut-du-Lièvre) ; technopôle de Brabois ; salle « Zénith » : scène réversible et amphithéâtre de plein air (25 000 pl.).

– *Auboué* 3 192 h. *Baccarat* 5 015 h. [ag. 5 524] ; cristallerie (musée, 40 530 vis.). *Blainville-sur-l'Eau* 3 653 h. [ag. 6 532, dont *Damelevières* 2 879]. *Briey* * 4 506 h. ; sous-traitance auto., constr. méc., égl. (XVIIIe s.). *Dieulouard* 4 902 h. *Haucourt-Moulaine* 3 328 h. *Homécourt* 7 101 h. ; *Jarny* 8 401 h. ; ind. diverses. *Jœuf* 7 874 h. ; sid., métall. *Longuyon* 6 064 h. *Longwy* 15 428 h. [ag. 41 300, dont *Herserange* 4 246. *Mont-St-Martin* 8 661 ; égl. (XIIe s.). *Rehon* 3 168] : métall. ; forts de Vauban. *Lunéville* * 23 655 h. [*1836 :* 12 798 ; *1901 :* 23 269 ; *1931 :* 24 668] (ag. 23 626) ; château (1702-06), m. du château (19 050 vis.), égl. St-Jacques (XVIIIe s.), synagogue (XVIIIe s.), électron., ind. méc. *Mars-la-Tour* 824 h. ; m. de la Guerre 1870-71. *Neuves-Maisons* 6 432 h. (ag. 15 462). *Pagny-sur-Moselle* 4 227 h. *Piennes* 2 388 h. (ag. 4 439). *Pont-à-Mousson* 14 647 h. [*1836 :* 7 261 ; *1936 :* 11 347] [ag. 23 677, dont *Blénod-lès-Pont-à-Mousson* 4 768 ; plus petite centrale thermique de Fr. (1 million de kWh)] ; fonderies ; abbaye des Prémontrés (XVIIIe s., 21 015 vis., centre culturel), égl. St-Martin et St-Laurent, place Duroc. *Toul* * 17 311 h. [*1836 :* 7 333 ; *1901 :* 12 287 ; *1982 :* 17 406] [ag. 22 639, dont *Écrouves* 3 689 ; égl. (XIIe-XIIIe s.)] ; pneum. ; cath. St-Étienne (XIIIe-XVe s.), égl. St-Gengoult, cloître, remparts ; imprimeries, fonderie. *St-Clément* 876 h. ; faïencerie. *Tucquegnieux* 3 031. *Vannes-le-Châtel* 520 h. ; cristallerie de Sèvres. *Villerupt* 10 054 h. *Vroncourt* 138 h. ; m. de la machine agr.

Régions naturelles. *Pays-Haut* 55 489 ha : plateau, céréales. *Plaine de Woëvre* 23 387 ha (alt. moy. 250 m) : céréales, vergers, élevage. *Côtes de Meuse* (alt. moy. 400 m, max. 434 m) 8 579 ha et *plateau de Haye* 31 765 ha (alt. moy. 300 m, max. 491 m) : céréales, vergers, vignes. *Plateau lorrain* (Saulnois, Xaintois, Vermois, région de la Seille) 147 625 ha : élevage, céréales, fourrage, vergers. *Montagne vosgienne* 4 150 ha : forêt (300 à 732 m). *Bassins ind. : Nancy* (sidér., métall., ind. chim., alim.) ; *Longwy* (sidér., métall.) ; *Briey* (plateau alt. moy. 270 m, max. 390 m) : mine de fer (à Mairy-Mainville), sidér.

Tourisme. Parc *naturel régional de Lorraine* (40 000 ha en M.-et-M.), *de la forêt de Haye.* **Forêt** des Basses-Vosges. **Châteaux :** *Cons-la-Grandville* (XVIIIe s.), *Haroué* (1720, Boffrand), *Fléville* (v. 1320, donjon de 30 m), *Jaulny* (XIIe s., restauré XVe et XVIIIe s.), *Lunéville, Preny* (ruines XIIIe), *Rosières-aux-Salines* (beffroi 1720), *Thorey-Lyautey.* **Plans d'eau :** *Madine* (1 100 ha dont 800 navigables), *Messein* (30 ha), *Parroy-Bures* (100 ha), *Pierre-Percée* (2 lacs, 270 ha, activités sur lac de la Plaine, 33 ha), *Villey-le-Sec* 8 ha. *Meuse* boucles à *Aingeray, St-Jean-Les-Longuyon* (vallée de l'Othain 35 ha), *Villey-le-Sec.* **Cimetières :** *Andilly* all. (1940-44), *Thiaucourt* amér. et all. (1914-18, 5 000 tombes). **Ligne Maginot** à Fermont.

■ **Meuse** (55) 6 216 km² (133 × 75 km). 499 communes dont 5 inhabitées (« Zone rouge »). *Alt. max.* 442 m ; *min.* 115 m (sortie de la Saulx). *Pop. : 1801 :* 269 522 ; *1851 :* 328 657 ; *1911 :* 277 955 ; *1946 :* 188 786 ; *1968 :* 209 513 ; *1975 :* 203 904 ; *1982 :* 200 101 ; *1990 :* 196 344 (dont Fr. par acquis. 5 080, étrangers 6 600 dont Turcs 1 184, Ital. 972, Port. 940, Maroc. 892). D 32.

Villes. BAR-LE-DUC 2 361,8 ha, 18 577 h. (est. 1992) [*1891 :* 18 761 ; *1901 :* 17 693 ; *1946 :* 15 460 ; *1975 :* 19 288 ; *1982 :* 18 471], (ag. 21 388), alt. 189 à 239 m ; text., habill., laine, méc., imprimeries, placage de bois, confit. de groseilles ; centre expérimental de découpe par jets d'eau ; égl. St-Étienne, égl. St-Antoine (XIVe s.), château, pressoir (XVe s.), maison de Bernanos, ville haute Renaissance, tour de l'horloge, musée du Barrois. – *Ancerville* 2 869 h. ; constr. méc. *Avioth* 122 h. ; basil. gothique, statue de la Vierge XIIe s. *Beaulieu-en-Argonne* 42 h. ; abbaye, pressoir (XIIIe s.). *Bouchon-sur-Sault,* musée. *Bouligny* 2 951 h. (ag. 3 656). *Bourlémont,* château. *Clermont-en-Argonne* 1 793 h. ; chapelle Ste-Anne (XVIe s.). *Commercy** 6 404 h. ; tréfileries, métall., fonderie (1er prod. de fer à cheval) ; 1er prod. de madeleines ; château Stanislas ; la plus ancienne maréchalerie de Fr. (1847) ; bois. *Cousances-les-Forges* 1 828 h. *Dieue-sur-Meuse* 1 471 h. ; fromageries. *Damvilliers* 627 h. ; égl. St-Maurice (XIIe-XVIe s.). *Douaumont* 7 h. ; fort, ossuaire, musée, tranchée des baïonnettes ; mémorial (178 170 vis.). *Étain* 3 577 h. (ag. 3 884) ; mat. plast., métall. *Fains-Véel* 2 447 h. *Gondrecourt-le-Château* 1 622 h. ; meubles de style, musée du Cheval. *Hannonville-sous-les-Côtes* 504 h. ; musée des Arts et Traditions pop. *Lachalade* 57 h., abbaye (XIIe s.). *Ligny-en-Barrois* 5 342 h. ; optique (45 % de la prod. fr., Essilor), instruments de mesure, meubles, constr. d'autobus ; tour Valéran de Luxembourg, porte Dauphine. *Louppy-sur-Loison* 113 h. ; château d'Imécourt (XVIIe s.). *Marville* 518 h. ; électron. ; musée lapidaire. *Mont-devant-Sassey* 118 h. ; égl. (XI-XIIe s.). *Montfaucon* 318 h. ; colonne dorique (haut. 57 m). *Montmédy* 1 943 h. ; chapelle (XIIe s.) ; citadelle de Charles Quint, remaniée par Vauban (XVIe-XVIIe s.) ; musées : Bastien-Lepage, de la Fortification. *Nubécourt* 275 h. ; égl. (XVIe s., gisants) ; sépulture du Pt Poincaré. *Rarécourt* 201 h. ; musée de l'Art et de la Faïencerie. *Revigny-sur-Ornain* 3 528 h. ; 1re usine fr. d'étirage d'acier, laminage et galvanisation ; ameublement, textile. *Romagne-sous-Montfaucon* 193 h. ; cimetière amér. (50 ha). *St-Mihiel* 5 367 h. (ag. 6 181) ; Essilor, luminaire, méc., meubles, chim. ; palais de justice (L. XIV), hôtel de v. (L. XVI), abbatiale St-Michel et égl. St-Étienne, abbaye, maison et musée de Ligier-Richier. *St-Pierrevillers* 117 h. ; égl. fortifiée St-Rémi (XIIIe s.). *Sampigny* 800 h. ; musée Poincaré. *Sorcy-St-Martin* 994 h. ; fromageries ; pierre à chaux. *Souilly* 316 h. ; musée de la Voie Sacrée. *Stenay* 3 202 h. (ag. 3 641) ; papeteries, fabrication de fonte graphite sphéroïdale ; musée de la Bière (23 315 vis.). *Thillombois* 36 h. ; château (XVIe s.). *Trémont-sur-Saulx* 608 h. ; égl. *Tronville-en-Barrois* 2 111 h. (ag. 2 556) ; textile synth., câbles méc., transports frigo., ind. alim. *Varennes-en-Argonne* 679 h. ; musée de l'Argonne, mémorial amér. (soldats de Pennsylvanie) ; tour de l'horloge. *Vaucouleurs* 2 401 h. ; méc., chemiseries, sous-vêtements ; musée johannique (Jeanne d'Arc), vestige château de Baudricourt, château de Gombervaux (XIVe s.), citadelle (XIe s.). *Velaines* 1 140 h. *Verdun** 3 103 ha, 20 753 h. [*v. 950 :* 13 000 ; *1803 :* 9 221 ; *1936 :* 19 460 ; *1968 :* 22 013 ; *1982 :* 21 516] [ag. 26 711 dont *Belleville-sur-Meuse* 3 163, *Thierville-sur-Meuse* 2 795] ; méc., chaux, chim., imprimeries ; fromageries, dragées, lactosérums, télécom. électron. ; hôtel de v. (1623), forts (XIXe s.), monument de la Victoire (1914-18), m. de la Guerre, palais épiscopal (XIe s. et XVIe s.), porte en bronze (Rodin), Centre mondial de la Paix, des Libertés et des Droits de l'Homme, cath. (crypte XIIe s., cloître XVIe s.), musée de la Princerie (hôtel XVIe s., 11 000 vis.), tour Chaussée ; citadelle (80 000 vis.). *Vigneulles-lès-Hattonchâtel* 1 355 h., laiteries et fromageries ; égl., château.

Régions naturelles (entre parenthèses SAU en ha). *Barrois* 348 724 ha (179 372) : céréales et forêts. *Vallée de la Meuse :* bovins. *Woëvre et Côtes de Meuse* 127 169 ha (72 963), alt. max. 412 m, élevage, forêts, céréales, fruits (mirabelles). *Argonne* 83 514 ha (47 187), alt. max. 483 m, forêts, élevage. *Pays de Montmédy* 43 992 ha (27 144).

Tourisme. Parc *naturel régional* de Lorraine (67 600 ha dans la Meuse). **Lac** *La Madine* à Heudicourt-sous-les-Côtes (1 100 ha).

Bataille de Verdun (21-2/15-12-1916) : 9 villages ont disparu ; *ossuaire de Douaumont* [restes anonymes, cimetières amér. (Romagne, 20 000 tombes), allemands (55 000), français (80 000)] ; champs de bataille : *forts de Vaux* et *Douaumont, tranchée des Baïonnettes, cote 304, Montfaucon* (mon. commémoratif amér., tour 58 m), butte de *Vauquois,* circuit des *Éparges, Montsec,* bois des *Caures, Mort-Homme, voie Sacrée ;* mémorial de *Fleury-devant-Douaumont ;* galeries souterraines de la citadelle (6 km) ; crypte du Monument de la Victoire.

Divers. 1er département prod. de brie de Meaux (65 % de la prod. nat.).

■ **Moselle** (57) 6 216 km² (169 × 66 km). 720 communes. *Alt. max.* 986 m (au Gross Mann, montagne vosgienne) ; *min.* 140 m (à Sierck-les-Bains,

Pour en savoir plus sur Nancy

Avec 334 766 habitants, l'agglomération nancéienne est la plus importante de Lorraine.

Économie. Le tertiaire est le secteur économique dominant. Chaque année, près de 50 % des entreprises nouvelles sont créées dans les services. Nancy compte également 460 directions régionales et interrégionales. L'industrie est le deuxième secteur d'activité de l'agglomération. Principales entreprises exportatrices : Pont à Mousson S.A. (leader mondial des canalisations en fonte ductile) ; GEC Alsthom Moteurs, moteurs électriques ; VDO Instruments, équipement automobile ; Pneumatiques Kléber, fabrication de pneumatiques.

Université. L'agglomération nancéienne, avec 43 000 étudiants, est une place universitaire de premier rang. Sa vocation de « Pôle universitaire européen » s'appuie sur deux universités et l'Institut National Polytechnique de Lorraine : 11 écoles supérieures d'ingénieurs sont implantées à Nancy.

L'agglomération-technopôle. Créé en 1978, le technopôle de Brabois s'étend sur 500 hectares et accueille plus de 130 entreprises. Une quinzaine de sites d'activités, dans l'agglomération, bénéficient de ses acquis en matière d'implantation d'entreprises et de transferts de technologie (intelligence artificielle avec l'INRIA, nouveaux matériaux, agro-bio-industries, biotechnologies).

Sources : Agence de Développement et d'Urbanisme de l'Agglomération Nancéienne (ADUAN).

(Information)

vallée de la Moselle). *Pop. : 1801 :* 397 217 ; *1851 :* 525 593 ; *1876 :* 480 250 ; *1911 :* 655 211 ; *1921 :* 589 120 ; *1936 :* 696 246 ; *1946 :* 622 145 ; *1954 :* 769 388 ; *1962 :* 919 412 ; *1968 :* 971 314 ; *1975 :* 1 006 373 ; *1982 :* 1 007 189 ; *1990 :* 1 011 302 (dont Fr. par acquis. 60 738, étrangers 87 799 dont Ital. 24 153, Alg. 18 445, Maroc. 10 809, Turcs 10 680). D 163.

☞ En 1870, la Moselle avait 3 sous-préfectures : Briey, Thionville, Sarreguemines.

Villes. METZ 4 122 ha, alt. 175 m, 119 594 h. [*1552 :* env. 60 000 ; *1696 :* 22 000 ; *1813 :* 14 102 ; *1866 :* 57 738 ; *1910 :* 179 138 ; *1921 :* 62 311 ; *1936 :* 83 119 ; *1946 :* 70 105 ; *1954 :* 85 701 ; *1975 :* 111 869] [ag. 193 117, dont *Longeville-lès-Metz* 4 134, *Marly* 9 511, *Montigny-lès-Metz* 21 983, *Moulins-lès-Metz* 4 827, *Woippy* 14 325] ; cath. St-Étienne (1224-1490, 2 tours de 70 m, 22 055 vis.), égl. St-Pierre-aux-Nonnains (IVe s.), l'Arsenal (salle conçue par Boffil) ; Porte de Metz (1700), hôtel de v. (ancien palais épiscopal) ; musées : d'Archéol. (collections gallo-rom.), d'Art et d'Histoire (f. 1839, 54 702 vis. en 91) ; métall., auto. Citroën, malterie, port céréalier 1 446 901 t (en 91, 1er port fluvial de Fr.) ; Institut europ. d'écologie.

– *Ars-sur-Moselle* 5 084 h. (ag. 7 916). *Arzviller* 508 h. ; plan incliné (179 185 vis.). *Audun-le-Tiche* 5 959 h. *Bitche* 5 517 h. ; musées de la citadelle (62 265 vis.) (fortif. de Vauban, citadelle). *Boulay-Moselle* 4 422 h. ; orgues. *Bouzonville* 4 148 h. (ag. 4 678). *Château-Salins* 2 437 h. *Creutzwald* 15 169 h. (ag. 18 849) ; houille, ind. transf. *Dieuze* 3 566 h. *Farebersviller* 6 835 h. (ag. 8 894). *Faulquemont* 5 432 h. (ag. 10 028). *Fénétrange* 807 h. ; musée. *Forbach* * 27 076 h. [*1802 :* 1 769 ; *1936 :* 12 167 ; *1982 :* 27 187] [ag. 98 758, dont *Behren-lès-Forbach* 10 291. *Freyming-Merlebach* 15 224 ; musée. *Hombourg-Haut* 9 580. *Petite-Rosselle* 6 944. *Stiring-Wendel* 13 743 ; houille]. *Gravelotte* 530 h. ; musée de 1870. *Guénange* 8 694 h. *Hagondange-Briey* [ag. 87 356, dont dans le dép. *Amnéville* 8 926. *Hagondange* 8 222 (*1910 :* 548 ; *1931 :* 6 424), alt. 146 à 202 m, sup. 550 ha. *Lemberg* 1 596 h. ; cristallerie. *Maizières-lès-Metz* 8 901 h. *Marange-Silvange* 5 674. *Mondelange* 5 808. *Moyeuvre-Grande* 9 203. *Rombas* 10 844. *Talange* 7 755]. *Hettange-Grande* 5 734 h. *L'Hôpital* 6 385 h. (ag. 10 094, dont *Carling* 3 709]. *Longeville-lès-St-Avold* 3 690 h. *Marsal* 284 h. ; sel, musée du Sel (12 865 vis.). *Meisenthal* 793 h. ; maison du verre et du cristal (23 070 vis.). *Metz-Campagne* (administré par un sous-préfet à Metz). *Metz-Ville* *. *Morhange* 4 460 h. (ag. 5 030). *Phalsbourg* 4 189 h. ; musée Erckmann-Chatrian. *Sarrebourg* 13 311 h. [*1 800 :* 1503 ; *1 900 :* 5 058 ; *1936 :* 9 561 ; *1982 :* 12 699] (ag.16 464) ; verrerie, chaussures, musée archéol., chapelle des Cordeliers (15 045 vis.). *Sarreguemines* 23 117 h. [*1801 :* 2 529 ; *1920 :* 14 680 ; *1982 :* 24 719] [ag. 27 306] ; faïences, pneum. ; musée d'Archéol. (11 605 vis.). *St-Avold* 16 533 h. ; basil. N.-D., abbaye [ag. 26 962, dont *Folschviller* 4 581]. *St-Louis-lès-Bitche* cristallerie. *Sarralbe* 4 487 h. *Sérémange-Erzange* 4 143 h. *Thionville* 4 986 ha, 39 712 h. [*1901 :* 5 438 ; *1920 :* 10 062 ; *1936 :* 18 934 ; *1954 :* 23 054 ; *1982 :* 40 573] [ag. 132 413, dont *Algrange* 6 325. *Fameck* 13 895. *Florange* 11 304. *Hayange* 15 638. *Nilvange* 5 583. *Uckange* 9 189. *Yutz* 13 920] ; sid., ind. chim., brasserie, Sollac (aimant permanent le plus puissant de la sid. : 4,5 t, soulève jusqu'à 20 t) ; musée de la Tour-aux-Puces (ou aux-Puits) (archéol. et céram.).

Régions naturelles. *Montagne Vosgienne* 12 489 ha (3,6 % de la SAU) : alt. 500 à 980 m, flancs et sommets boisés, collines sous-vosgiennes (polyculture, élevage). *Plateau Lorrain Sud* 151 007 ha (44,4 %) : 200 à 400 m, élevage, céréales, sel gemme (Saulnois). *Nord* 141 019 ha (42,1 %) : 200 à 400 m, céréales, élevage, pays de Bitche (parfois + de 400 m, bois). *Pays Haut* 18 554 ha (5,5 %) : 300 à 400 m, céréales, mines de fer, sidérurgie. *Warndt* 4 190 ha (1,2 %) : polyculture, élevage, charbon. *Vallée de la Moselle* 10 517 ha (3,2 %) : céréales, légumes, fruits, sidérurgie (Thionville).

Ressources. *Agriculture :* blé, orge, avoine, maïs, seigle, p. de t. *Élevage :* bovins, porcins, ovins, chevaux, poules, lapins, lait. *Ind. :* houille (43,55 % de la prod. fr.), fer (50,9), acier (27,1), fonte (23,7).

Tourisme. Parcs : *naturel régional de Lorraine :* 180 000 ha [Meuse, Meurthe-et-M., Moselle (43 000 ha)] ; triangle Vic-sur-Seille, côte St-Jean, massif forestier de Bride et Koecking, forêt de Rechicourt, *des Vosges du N. :* 120 000 ha (Moselle 47 000, Bas-Rhin 77 000) ; 50 % en forêts aux essences variées. **Étangs :** 130 dont la *Mutche* à Morhange 96 ha (prof. 7 m), *Gondrexange* 672 ha (5,5 m), *Lindre* 6,7 km² (3,5 m), *le Bischwald* à Bistroff 222 ha (3,50 à 4 m), *le Stock* 750 ha (3 m), *Rechicourt* 40 ha (3 m, à l'origine 161 ha, asséchés). **Plans d'eau** de la ligne *Maginot* ou de *Puttelange-aux-Lacs* (Diffembach, Welschoff, Marais, Hirbach, Hoste-Haut, Hoste-Bas), au total 290 ha (3,50 à 9,50 m) ; *d'Olgy* et du *Saulcy sur la Moselle* près de Metz. **Ligne Maginot. Châteaux :** *Falkenstein, Grange* à Manom (mobilier ancien), *Sierck-les-Bains, Vic-sur-Seille* (hôtel de la Monnaie). **Arzviller :** plan incliné, ascenseur à péniches remplaçant 17 écluses. **Autoroute urbaine** la plus longue de Fr. (Thionville-Metz-Nancy 84 km sans péage).

■ **Vosges** (88) 5 874 km² (40 × 132 km). 516 communes. *Alt. max.* Le Hohneck (1 362 m) ; *min.* 233 (sortie de la Saône). *Pop. : 1801 :* 308 920 ; *1851 :* 406 518 ; *1911 :* 433 914 ; *1936 :* 376 926 ; *1946 :* 342 315 ; *1975 :* 397 957 ; *1982 :* 395 769 ; *1990 :* 386 258 (dont Fr. par acquis. 5 424, étrangers 17 749 dont Port. 4 972, Turcs 3 428, Maroc. 3 228, Alg. 1 400). D 66.

Villes. ÉPINAL alt. 325 à 450 m, 36 732 h. [ag. 62 140, dont *Golbey* 7 892 ; coton] ; coton, bonneterie, confect., métall., pâte à papier, imagerie fondée par Jean-Claude Pellerin (1756-1836), diffusion par colporteurs « les Chamagnons », la plupart originaires de Chamagne (21 900 vis.) (musée) ; basil. St-Maurice (XIe-XVe s.).

– *Anould* 2 960 h. (ag. 7 420). *Arches* 1 737 h. (ag. 2 775) ; papeteries. *Autigny-la-Tour* 436 h. ; château (XVIIIe s.) ; *Bains-les-Bains* 1 466 h. ; châteaux ; thermalisme. *Basse-sur-le-Rupt* 808 h., alt. 600 à 1 060 m. *Bruyères* 3 368 h. (ag. 4 518). *Chamagne* 441 h. [maison de Claude Gellée (XVIIe s.) ; vestiges gallo-romains à Grand (amphithéâtre signalé dès 1764, fouilles en 1821, restauré à partir de 1963, 17 000 places et mosaïques dégagées en 1883, 224 m²)]. *Charmes* 4 721 h. (ag. 5 515). *Châtel-sur-Moselle* 1 838 h. ; forteresse (XIe-XVe s.). *Châtillon-sur-Saône* 176 h. ; hôtels (XVIe-XVIIe s.). *Cheniménil* 1 131 h. [ag. 2 155, dont *Docelles* 1 024 ; confection, lingerie]. *Contrexéville* 3 945 h. ; thermalisme. *Darney* 1 534 h. ; musée franco-tchéc., château (XVIIIe s.). *Domrémy* 182 h. (lieu de naissance de Jeanne d'Arc), maison natale de J. d'Arc (68 785 vis.). *Éloyes* 3 152 h ; agroalim., photocopieuses. *Fraize* 3 049 h. (ag. 4 997) ; maisons préfabriquées, plastiques. *Gérardmer* 8 951 h. (ag. 10 366), alt. 670 ; bois, text., tourisme, musée de la Forêt. *Gironcourt-sur-Vraine* 970 h. ; châteaux de Lavaux (XVIe s.), de Peschard (vestiges, XVIIIe s.). *Grand* 540 h. ; amphithéâtre (35 175 vis.) (80 après J.-C., 149,5 m, 17 000 pl.), mosaïque (33 300 vis.) (224 m²), musée. *Granges-sur-Vologne* 2 485 h. (ag. 2 921). *La Bresse* 5 188 h. [ag. 13 087, dont *Cornimont* 4 042] ; ski alpin (4 centres), de fond. *Le Syndicat* 1 780 h. *Le Thillot* 4 246 h. (ag. 13 875) ; tannerie, tissage. *Le Val-d'Ajol* 4 877 h. *Liffol-le-Grand* 2 812 h. ; meubles de style. *Mirecourt* 6 900 h. (ag. 9 322) ; dentelle, lutherie, musée. *Morizecourt* 150 h. ; château Pothier (XVIIIe s.). *Moyenmoutier* 3 304 h. [ag. 6 294, dont *Étival-Clairefontaine* 2 328 ; papeteries]. *Neufchâteau* * 7 803 h. ; meubles ; égl. St-Christophe, voûte à 12 clefs pendantes. *Nomexy* 2 242 h. (ag. 4 624). *Plombières-les-Bains* 2 084 h. ; thermalisme, sources chaudes. *Rambervillers* 5 919 h. (ag. 6 219) ; papeterie, text. *Raon-l'Étape* 6 780 h. (ag. 7 357) ; bois, text. *Remiremont* 9 068 h. (ag. 21 873) ; text., métall. ; anc. maison des Chanoinesses (les Dames de Rem., chapitre de St-Goëry), monastère du St-Mont (VIIe s.). *Rochesson* (545 m) 627 h. *Rupt-sur-Moselle* 3 464 h. *St-Dié* * 22 635 h. (ag. 27 806) ; text., métall., électro-méc. ; cloître (XIIe-XIVe s.), cath. *St-Nabord* 3 805 h. *Senones* 3 157 h. (ag. 4 427) ; confection ; abbaye et palais des Pces de Salm (XVIIIe s.). *Thaon-les-Vosges* 7 504 h. (ag. 11 231) ; text. *Thuillières* 155 h. ; château de Boffrand (XVIIIe s.). *Tollaincourt* 129 h. ; château (XVIIIe s.). *Vagney* 5 805 h. (ag. 8 239), alt. 400 à 800 m. *Vittel* 6 296 h. ; 1903 source reconnue par l'Académie de médecine, thermalisme. *Xertigny* 2 971 h.

Régions naturelles. Ligne de partage des eaux entre mer du Nord (bassin de la Moselle) et Méditerranée (b. de la Saône). **Ouest,** *plateau lorrain* (53 % de la sup.) : calcaire et marnes irisées, élevage, polyculture, céréales. **Sud,** *Vôge* (11 %) : plateau forestier, gréseux, sommet à 450 m, fonds de vallée à 350 m. **Est,** *Vosges* (36 %) : gréseuses (basses Vo.) et granitiques (hautes Vo.), élevage, forêts. **Parc naturel** *des Ballons des Vosges* (3 000 km², sur 4 départements).

Tourisme. Lacs : *Blanc :* 28,7 ha, prof. max. 72 m, alt. 1 055 m ; *Blanchemer* 10 ha ; *Bouzey-Sanchey :* réserve de 136 ha ; *Celles-sur-Plaine* 39 ha ; *Corbeaux :* 9 ha, prof. 23 m, alt. 900 m ; *Gérardmer :* 115,5 ha, 2 200 × 750 m (alt. 660 m, prof. en moy. 13 m, pointe 38,4 m, 19 510 000 m³; origine glaciaire) ; *La Maix* 2 ha ; *Lispach* 8 ha ; *Longemer :* 76 ha, prof. 33,5 m, alt. 737 m. ; *Noir :* 14 ha, prof. 45 m, alt. 955 m ; *Retournemer :* 18 ha, prof. 11,5 m, alt. 780 m ; *Vert :* 7,2 ha, prof. 17 m, alt. 1 044 m ; « Vieux Pré » (barrage en constr.), plan d'eau 269 ha, retenue 50 000 000 de m³ d'eau. **Sports d'hiver :** stations les plus proches de Paris ; *Bussang* 620-1 200 m, *La Bresse* 630-1 366 m, *Le Valtin, Mauselaine* et *Gérardmer* 666 m, *Schlucht* 1 139 m, *St-Maurice-sur-Moselle* (le Rouge Gazon) 550-1 252 m, *Ventron* 630-1 200 m, *Girmont-Val d'Ajol* 650-800 m. **Jardin d'altitude du Haut-Chitelet** (1 228 m, 10 ha, 27 500 plantes de montagne). A St-Maurice-sur-Moselle, le Roi Soleil arbre 47 m et les Trois Mousquetaires, 4 arbres sur le même tronc d'une circonférence d'env. 7 m. **Châteaux :** *Adompt* (maison forte), *Autigny-la-Tour* (XVIIIe s.), *Bourlemont* (XIIe-XVIIIe s.), *Chamagne* (maison natale du peintre Le Lorrain), *Dommartin-sur-Vraine* (XVIe s.), *Harchechamp-le-Châtelet* (XVIe s.), *Isches* (ch. d'Harcourt), *Jeuxey* (château de Faillou, XVIIIe s.), *Lamarche* (ch. de la Trinité, XVIIIe s.), *Les Petits-Thons* (XVIIIe s.), *Lichecourt* (ch. d'Anne de Grandmont), *Moussey* (XIXe s.), *Rothrey* (XIIIe-XVIe s.), *St-Blasmont* (forteresse XIVe s.), *Sandaucourt* (XVIe s.), *Saulxures-les-Bulgnéville* (XIVe-XVe s.), *Ubexy* (forteresse XIIIe-XVIIIe s.), *Ville-sur-Illon* (maison Renaissance), *Valfroicourt* (ch. Maugiron, XIVe-XVIIIe s.).

MIDI-PYRÉNÉES

■ GÉNÉRALITÉS

Superficie. 45 347 km². **Population** (1990) 2 430 700 (dont Fr. par acquis. 106 891, étrangers 105 326 dont Port. 19 260, Maroc. 18 092, Esp. 17 084). D 53,6.

BIGORRE

Situation. Htes-Pyr., des Pyr. à l'Armagnac. *Plaine* (Tarbes) ; *Montagne* (Argelès) ; *Rivière-Basse* (Vic) ; *Rustan* ou *Rivière-Haute* (St-Sever).

Histoire. VIe s. av. J.-C. occupé par des « *Aquitains* » (Ibères), les *Bigerri* (*cap. :* Cieutat). **56** soumis par Crassus, lieutenant de César. **27** révoltés contre Auguste, écrasés par le proconsul Messala, au pied du col d'Aspin (camp Batalhé). **420 apr. J.-C.** christianisation (St Justin). **466** occupation vandale. **507** franque. **819** Loup Donat, duc de Gasgogne, reçoit la B. comme fief héréditaire. **945** Raymond Ier, Cte héréditaire. **1080** Béatrix Ire apporte le fief en dot à Centulle, Cte de Béarn. **1097** rédaction des Coutumes (« For de B. » ou « Charte de Bernard II ») : 1re mention des États de B., autorité législative du comté. **1142** fondation de l'abbaye cistercienne d'Escaledieu, d'où est sorti l'ordre militaire espagnol de Calatrava. **1256-83** g. de « la succession de B. » entre les héritiers de la Ctesse Pétronille, mariée 5 fois. **1292** confisquée par Philippe le Bel. **1361** livrée aux Angl. (tr. de Brétigny). **1407** conquise par Jean de Foix, héritier du Béarn. **1429** réunie au Béarn. **1611** l'év. de Tarbes remplace le sénéchal de B. comme Pt des États. **1631-1716** intendance spéciale avec le Béarn. **1716** rattachée à Auch. **1784** à Bayonne.

COMMINGES

Situation. Massif pyrénéen de la hte Garonne et de l'Ariège (2 755 km²), centré sur la haute vallée de la Garonne (arr. actuel de St-Gaudens).

Histoire. VIe s. av. J.-C. habité par des *Ibères* (de la fédération des Garumni), de nom inconnu. **IIIe s.** soumis, les *Volques Tectosages,* dont ils forment une sous-tribu. *Cap. :* Lugdunum (St-Bertrand-de-C.). **115** annexé à la *Provincia Romana.* **72** détaché par Pompée de la *cité* des Tectosages (révoltés et vaincus) et constitué en *cité* indépendante ; Lugdunum repeuplée de colons (anciens soldats de Sertorius) et appelée L. Convenarum [« Lyon des Nouveaux Venus » (étymologiquement, le nom correspond mieux à *Conventia,* « installation amicale »)]. **17** Auguste le rattache à la *Novempopulanie* et crée 2 centres urbains : Lugdunum et Calagorris (Martres). **347 apr.**

J.-C. 1er diocèse chrétien (évêque : Patroclus). **406** Lugdunum détruit par Vandales. **418** conquis par Wisigoths (ariens). **585** annexé par Francs. **Xe s.** les Ctes de Comminges conquièrent de nombreux fiefs en dehors de l'évêché de Lugdunum (leurs terres sont réparties en 7 diocèses). **V. 1110** l'évêque St Bertrand reconstruit Lugdunum et lui donne son nom (désormais ville épiscopale). **1213** Bernard V, Cte de C., allié des Toulousains, battu à Muret. **1226** son fils Bernard VI rend hommage au roi de Fr., mais sa maison restera souveraine jusqu'en 1453 [branches cadettes les plus connues : les Montespan, les Couserans (voir ci-dessous)]. **1317** la partie du comté dépendant du diocèse de Toulouse (bas-pays) est érigée en diocèse autonome : Lombez. **1453** réunion temporaire à la couronne de Fr. (le fief sera attribué 3 fois à des seigneurs particuliers aux XVe et XVIe s.). **1540** annexion définitive. **1603** forme une « élection » (parlement de Bordeaux, intendance de Montauban). **1642** l'évêque transféré à St-Gaudens ; rattaché à la généralité de Montauban (puis à celle d'Auch).

Langue. *Commingeois* forme avec *couseranais* (voir ci-dessous) un groupe particulier des langues d'oc (considéré longtemps comme du gascon montagnard ou du languedocien).

Couserans

Situation. Massif pyrénéen (haut et moyen bassin du Salat) ; arr. actuel de St-Girons (Ariège), moins le canton de Ste-Croix.

Histoire. Les *Consoranni* se distinguent peu des Convenae (dans le Comminges) jusqu'à la christianisation (vers la fin du IVe s.). **506** ont un évêque indépendant à St-Lizier. Le fief fait partie de celui de Comminges. **Fin XIIe s.** Bernard III, Cte de Comminges, le coupe : il conserve le Castillonnais et érige le reste (St-Girons, Massat, Oust) en comté indépendant, qui dure jusqu'en 1789. L'évêché de St-Lizier conserve sa juridiction sur l'ancien fief.

Comté de Foix

Situation. Forme, avec le Couserans et une partie du Languedoc, le département de l'Ariège.

Histoire. Peuplé d'Ibères. **350 av. J.-C.** colonisé par les Tectosages. **121 avant J.-C.** intégré à la Provincia Romana. Partie de la *Civitas tolosatium* qui dépend, après Dioclétien, de la Narbonnaise 1re. Ensuite aux Wisigoths qui s'y maintiennent 3 siècles. **Carolingiens** fondent l'abbaye de St-Vulpien (sur l'emplacement futur de Foix) qu'ils confient à l'évêque d'Agde. **940** le Cte Arnaud de Couserans et Comminges devient Cte de Carcassonne et se taille un fief important, englobant la région de St-Vulpien ; il est un vassal théorique de Toulouse. **1002** Foix est mentionné pour la 1re fois : donné par Roger le Vieux, Cte de Carcassonne, à Bernard-Roger, son 2e fils, 1er Pce de la « Maison de Foix », qui comptera 17 souverains. **1209-23** Cte Raymond-Roger, chef de la résistance cathare. **1244** *mars* Montségur, symbole de la résistance des Ctes méridionaux, tombe. Refusant d'abjurer leur foi, 225 « Parfaits »sont brûlés au pied du Pog (rocher sur lequel est bâti le château). **V. 1250** Roger IV échappe à la suzeraineté toulousaine et devient vassal direct du roi de Fr. **1290** réunion Cté de Foix, Vté de Béarn et Bigorre à la mort de Gaston VII de Moncade, dont Roger-Bernard III avait épousé (1252) la fille, Marguerite. **1391** *Gaston Phébus* meurt sans héritier direct : le Cté passe à son cousin Mathieu de Castelbon, **1399** passe au beau-frère de Mathieu, Archambaud de Grailli, captal de Buch. **1458** érigé en Cté-pairie par Charles VII au profit de Gaston IV. **1479** Gaston IV ép. Éléonore de Navarre (1434), héritière de Nav. **1484** acquis par la maison d'Albret (ép. Catherine de Foix avec Jean III d'Albret). **1548** passe à la maison de Bourbon (Jeanne d'Albret ép. Antoine de Vendôme). **1607** réuni à la Couronne par le roi Henri IV, fils de Jeanne.

Gascogne

Situation. A cheval entre les régions d'Aquitaine et de Midi-Pyr. Le mot « Gascogne » ne s'applique qu'à l'aire des parlers gascons : de la Garonne aux vallées pyrén. (Pays basque et Béarn exceptés) et de l'Atlantique au méridien de Toulouse (Gers, Landes, Htes-Pyr., sud du Lot-et-G., du Tarn-et-G., de la Hte-Gar., de l'Ariège). En Aquitaine : Landes, sud de la Gironde et du Tarn-et-G. Collines (160 à 400 m), faites de dépôts descendus des Pyrénées, où les eaux ont creusé un réseau de vallées en éventail aboutissant au sillon de la Garonne.

Histoire. **Jusqu'au VIe s. av. J.-C.** peuplée par les *Ligures,* puis colonisée par les *Ibères,* venus d'Espagne, qui couvrent le pays de villages enclos et d'oppidums, commandant les routes de transhumance vers le sud des Pyrénées. **350** résistent à l'invasion gauloise et maintiennent leur parler et leur civilisation ibériques. Partie de l'Aquitaine à partir de la conquête romaine. Lors du morcellement de

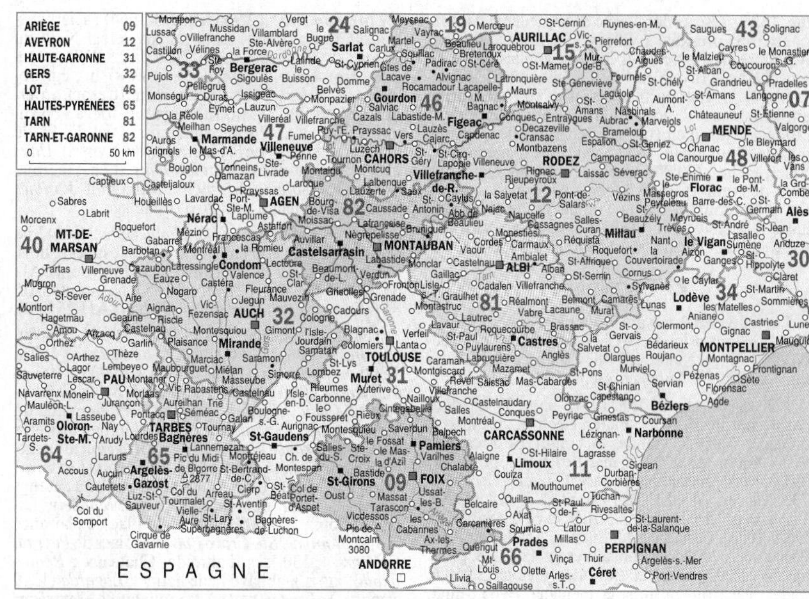

l'Aquitaine, forme la *Novempopulanie* [métropole : Éluza, l'actuelle Eauze dans le Gers, région aquitano-romaine (opposée aux 2 « Aquitaine » gallo-romaines, latinisées et christianisées au IVe s.)]. **Ve s.** conquise par Wisigoths, puis Clovis, occupée en grande partie par Vascons ou Basques, Ibères non latinisés venus du S. (d'où le nom de *Vasconia* et celui de duché de Gascogne en 602). **660-70** duché de G., vassal de Dagobert depuis 635, reprend son indépendance. **720** détruit par les musulmans. **735** renaît, comme duché vassal des Francs. **745-68** vaine tentative de retrouver l'indépendance (par le duc Gaïfre ou Waïfre). **926** morcelée entre *Béarn, Astarac* et *Fezensac* (lui-même subdivisé en *Armagnac* et *Pardiac*). **1036** les fiefs gascons deviennent vassaux du duché d'Aq. (la fille du duc épousant le duc Eudes d'Aq.). **1154 possession anglaise** (Éléonore épousant Henri II d'Angl.) : exportation de vins vers îles Britan. **1450** redevient française, entre les mains des Armagnac, Albret, Béarn. **1473** Armagnac confisqué par Louis XI pour félonie des derniers Ctes (Jean V, tué à Lectoure ; son fr. Charles, mort en prison) ; annexé au domaine royal. **1589** Henri IV (héritier des Albret et des Foix-Béarn) roi de Fr. ; réunie à d'autres fiefs (Landes, Chalosse, Armagnac, Labourd, Bigorre, Comminges et Couserans), dépend de la généralité de Pau. **1716** création de la généralité d'Auch, qui s'identifie à la G. jusqu'en 1789.

Haut Languedoc ou Toulousain

Situation. Bassin moyen de la Garonne, et basses vallées : Ariège, Agout, Tarn, Aveyron. *Départements :* Hte-Garonne, Tarn-et-G., Tarn.

Histoire. Peuplement ligurique, puis peut-être ibérique. **V. 350 av. J.-C.,** colonisé par les « Volques » *Tectosages* (capitale : Tolosa, vieille ville-étape sur la route de l'étain). **121 av. J.-C.** cité des Tolosates, intégrée à la *Province Romaine,* puis à la Narbonnaise (Narbonnaise 1re apr. Dioclétien). **260** St Sernin fonde le diocèse de Toulouse (le plus grand de Gaule), suffragant de Narbonne. **419-508** capitale du roy. wisigothique au N. des Pyrénées. **778** organisation d'un comté du Toulousain, dont le chef (avec le titre de duc) est chargé de contenir Vascons et musulmans. **888** les Ctes deviennent héréditaires (famille des Raymond, appelés aussi les Saint-Gilles). **XIIe s.** Raymond V puissant seigneur est suzerain du Bas-Languedoc et marquis de Provence ; feudataire direct du roi de Fr. **1206-15** Raymond VI battu par Simon de Montfort, à l'occasion de la « guerre des Albigeois ». **1222-29** comté reconstitué, mais réduit à la région de Toulouse. **1229** *tr. de Meaux :* Raymond VII prend pour héritier un Capétien, son gendre, Alphonse de Poitiers. **1271** mort d'Alphonse, le roi Philippe III hérite du Cté ; les capitouls toulousains prêtent serment au sénéchal de Carcassonne. **1317** Toulouse, découpé en 7 nouveaux diocèses, devient archevêché, détaché de Narbonne. **1443** création du Parlement de Toul. **Début XVIe s.** Toulouse exporte du pastel, via Bordeaux vers Bilbao, Londres, Anvers, Hambourg. **1561-89** Toul., catholique, reconquiert une grande partie du Cté gagné au protestantisme. **1632** Montmorency, « gouverneur du Lang. » et chef des révoltés du Midi, est décapité à l'hôtel de ville de Toul. **1635** généralité de Montauban créée, avec plus d'1/3 de l'ancien Cté de Toul. **1930** inondations.

Quercy

Nom. De *Cadurci,* désigne les pop. celtes.

Situation. Département du Lot, moitié N. du Tarn-et-Garonne et N.-O. de l'Aveyron. Ancien diocèse de Cahors. Vastes plateaux calcaires des Causses entaillés des vallées fertiles du Lot et de la Dordogne. A la périphérie, dépression bocagère du Limargue.

Histoire. Peuplé dès le mésolithique. **IIIe s. av. J.-C.** occupé par les *Cadurques* (d'où Cahors et Quercy), qui édifient l'oppidum d'Uxellodunum (puy d'Issolu ?). **118 av. J.-C.** une partie des *Cadurques* fait partie de la *Provincia.* **56 av. J.-C.** résist. à la conquête (siège d'Uxellodunum). **Période romaine** rattaché à l'Aquitaine 1re, Divona Cadurcum fondée (Cahors). Ravagé par Vandales et Quades, puis Wisigoths. **VIe-VIIIe s.** attribué à divers roy. mérovingiens qui y installent des comtes. **714** partie du duché d'Aquitaine. **Xe s.** les Ctes de Toulouse s'arrogent des droits, les seigneurs du Cté leur prêtent hommage au lieu de reconnaître la suzeraineté du duc de Guyenne. De puissantes abbayes (Figeac, Souillac, Moissac, Rocamadour) s'érigent sur la route de Compostelle. **1223** l'évêque-comte de Cahors prête hommage au roi de Fr. Fondation de nombreuses bastides. Disputé entre rois de Fr. et d'Angl. **1259** *tr. de Paris :* exclu du duché (anglais) de Guyenne. **1360** *tr. de Brétigny :* donné à l'Angl. Mais les Quercinois refusent cette domination. **1368** les habitants de Montauban et de Cahors livrent leur ville aux Français. **1382** les charges imposées par Bernard d'Armagnac provoquent la révolte des *Tuchins.* **1440** les derniers soldats anglais sont chassés. **Guerres de religion,** Montauban est un foyer réformé important (siège 1562 par Monluc, combats jusqu'à l'édit d'Alais 1629, émeutes 1659). **1551** Cahors, siège de présidial. Des états particuliers siègent jusqu'au XVIIe s. Rattaché au gouv. et à la généralité de Guyenne, en 1635 à celle de Montauban. **1624** *et* **1637** misère paysanne : révolte des *Croquants.* **1790** dép. du Lot créé. **1808** divisé en Lot et Tarn-et-G.

Rouergue

Situation. Aveyron et N.-E. du Tarn-et-Garonne. Comprend Comté (Rodez), la Hte-Marche (Millau), Basse-Marche (Villefranche). Au N. : massif volcanique de l'Aubrac ; Centre et S. : plateaux calcaires des Causses et schisteux du Ségala.

Histoire. Peuplé dès le mésolithique (grottes de la vallée du Lot). **V. 350 av. J.-C.** occupé par les *Ruthènes* (d'où Rodez et Rouergue) qui fondent les oppidums de Condatomagus (Millau) et Legodunum (Rodez). **118 av. J.-C.** repoussent une attaque des Romains, maîtres de la *Provincia.* **58-51** tentent de ravager la Provence pour paralyser la conquête romaine. Intégré à l'Aquitaine (Aq. 1re après Dioclétien). **506 apr. J.-C.** réuni au roy. de Clovis. **VIIe s.** disputé entre Neustrie, Austrasie et Burgondie. Les Carolingiens nomment le 1er Cte, Gilbert, dont les descendants deviennent Ctes de Toulouse. **918-1066** à une branche cadette. **1066** héritage recueilli par Raymond de St-Gilles. **1096** vendu au Cte de Millau. **1209** Raymond VII de Toulouse le rachète à Gui II d'Auvergne, héritier du Cté. **1214** racheté à Simon de Montfort par la famille de Millau. **1302** passe par mariage à Bernard VI d'Armagnac. **1481** Louis XI s'en empare, après la trahison de Jean V. **1484** restitué. **1525** passe à Marguerite d'Angoulême par mariage. **1551** présidial à Villefranche (créé XIIIe s. par Alphonse de Poitiers sur le front anglais, siège de sénéchaussée royale en 1250). **1589** réuni à la Couronne ; a des états particuliers jusqu'en 1651 ; forme une lieutenance de gouv. de la Guyenne et 2 élections rattachées jusqu'en 1635 à la généralité de Guyenne puis de Montauban. **1643** révolte des Croquants du Villefranchois (10 000 paysans contre les augmentations de l'impôt). **1645** donné à Henri de Lorraine, Cte d'Harcourt, dont la famille garde les droits jusqu'à la Révolution. **1800** *8-1* un enfant sauvage, « être phénoméneux », est capturé à St-Sernin.

■ Économie

Population active ayant un emploi (1-1-92, estim.) : 939 291 dont primaire 90 379, secondaire 171 158, BTP 70 271, tertiaire 607 483 ; *salariée* (1-1-92, estim.) : 759 059. *Chômage* (sept. 1992) : 10,3.

Échanges (millions de F, 1991). **Imp. :** 38 720 dont constr. aéron. 20 247,9, matér. électron., profess. et ménager 2 656,7, viandes et conserves de viande 973,3, équip. ind. 1 540,3, mat. text. 935,3, prod. agr. 991,3, prod. chimiques de base 977, mat. électrique 733 ; *de* (en %) CEE 56,14 dont R.-U. 18,02, All. 17,66, Esp. 7,15, Italie 7,02, UEBL 2,61, P.-Bas 2,14 ; USA 28,06, Canada 2,40, Suède 1,15, Japon 0,99. **Exp. :** 66 767,69 dont constr. aéron. 43 331,8, prod. agr. 4 218,9, prod. du trav. des métaux 2 960,6, matér. électron. profess. et ménager 1 965,8 mat. text. 1 495,1, prod. chim. de base 1 422,1, lait et prod. lait. 1 172,5, cuirs et art. en cuir 971,3 ; *vers* (en %) CEE 37,39 dont All. 11,15, Esp. 8,78, Italie 5,68, R.-U. 3,82, USA 11,71, Canada 5,85, Japon 5,46, Égypte 5,06, Guyane fr. 3,77, Corée du S. 3,07.

Agriculture. **Terres** (en milliers d'ha, au 1-1-90) 4 559,7 dont *SAU* 2 644,7 (t. labourables 1 589,45, surface toujours en herbe 981,9, vignes 51), bois 1 179,8, t. agr. non cultivées 276, autres t. non agr. 442,2. **Prod. végétale** (1991, en milliers de t) blé tendre 1 157,9, maïs grain 1 575,8, orge 748,1, sorgho 240, colza 106, tournesol 400,5. (1990, en milliers de t) tabac 4,25. *Fruits :* pommes 230,73, pêches 38,3, poires 24,9. *Vins* (en milliers d'hl) : 3 264,3 dont : AOC 720,6, VDQS 51,2. Armagnac 470. **Animale** (en milliers, au 1-12-1990) bovins 1 320,6, ovins 2 503,7, porcins 58,4. *Foie gras* (en t) : canard 1 139, oie 284. *Lait* (en milliers d'hl, au 1-12-90) : vache 9 712,4, chèvre 204,7, brebis 1 303,3. **Agricole finale** (1990) 18,094 milliards de F.

Industrie. *Effectifs* (1-1-1991, estim.) : constr. aéron. 21 856, agroalim. 20 330, constr. électr. et électron. 17 066, fonderie-trav. métaux 11 205, bois-ameubl. 10 487, mat. de constr. 8 793, chimie, parachim., pharm. 8 765, text. 8 663, habill. 6 377, cuir-chauss. 4 744. **Énergie :** *pétrole* (recherches) (plateau de Lannemezan) et *gaz* (géothermie), *hydroélectr. ; centrale nucléaire* de Golfech (4 tranches 1 300 MW, 1re couplée au réseau 1990 ; 2e avril 1993 ; coût total 13,7 milliards de F). **Communications :** *canal Latéral* et *c. du Midi* (modification du gabarit des écluses) ; pente d'eau pour péniches à Montech.

Tourisme (1992). Hôtels 1 574 (45 057 ch.), campings-caravanages 650 (117 186 pl.), meublés touristiques 16 304 (81 716 pl.), gîtes ruraux 3 927 (20 403 pl.), villages de vacances 163 (24 082 pl.), auberges de jeunesse 20, gîtes d'étapes 146, chambres d'hôtes 944, campings à la ferme 196.

☞ Voir **Occitanisme** p. 812.

■ Départements

Voir légende p. 777.

■ Ariège (09) 4 890 km² (150 × 130 km). *Alt. max.* Pic d'Estats 3 115 m. *Pop. 1801 :* 196 454 ; *1851 :* 267 435 ; *1901 :* 210 527 ; *1936 :* 155 134 ; *1962 :* 137 192 ; *1968 :* 138 478 ; *1975 :* 137 857 ; *1982 :* 135 725 ; *1990 :* 136 700 (dont Fr. par acquis. 7 532, étrangers 7 456 dont Port. 2 072, Esp. 1 588, Maroc. 1 540, Alg. 492). D 27,9.

Villes. FOIX 9 964 h. (ag. 10 664), alt. 400 m ; tourisme, château fort des comtes de Foix (XIe-XVe s.) avec donjon de Gaston Phébus 42 m et musée de l'Ariège. – *Aulus-les-Bains* 210 h. ; thermalisme (alt. 810 m). *Auzat* 760 h. ; usine électro., chim. *Axiat* 42 h. ; égl. romane. *Ax-les-Thermes* 1 488 h., alt. 720 m ; géothermie (chauffage de l'hôpital) ; thermalisme (alt. 720 m) ; ski. *La Bastide-sur-l'Hers* 733 h. ; peignes en corne. *Laroque-d'Olmes* 3 106 h. *Lavelanet* 7 740 h. (ag. 8 606) ; textiles. *Le Mas-d'Azil* 1 307 h. ; meubles, grotte préhistorique (4 étages de galeries). *Le Peyrat* 401 h. ; peignes en corne. *Le Vernet* 508 h. ; camp et cimetière intern. 1939-44. *Luzenac* 690 h., alt. 610 m ; talc (mine à ciel ouvert de Trimouns, à 1 800 m, la plus importante du monde). *Mazères* 2 519 h. *Mirepoix* 2 993 h. ; cath. fondée 1298, nef ogivale la plus large de France (22 m). *Pamiers* * 12 965 h. (ag. 17 064) ; aciers spéciaux (Creusot-Loire) ; cath. XIIe-XIVe s., égl. N.-D. du Camp (XIIe s.). *St-Girons* * 6 596 h. (ag. 9 877) ; papeterie, fromages. *St-Jean-de-Verges* 787 h. ; égl. romane. *St-Lizier* 1 646 h. ; égl. romane (trésor). *Saverdun* 3 568 h., alt. 235 m. *Tarascon-sur-Ariège* 3 533 h. (ag. 3 920), alt. 474 m ; aluminium ; égl. N.-D. de Sabart (IXe s.), égl. de la Daurade (XVIe-XVIIe s.). *Unac* 118 h. ; égl. XIe-XIIe s. *Ussat-les-Bains* 317 h. ; thermalisme (alt. 480 m). *Vals* 59 h. ; cath. goth. *Varilhes* 2 327 h. ; ancienne activité d'orpaillage.

Régions naturelles. *Zone pyrénéenne* 240 247 ha (dont SAU 100 000 ha, y compris les estives) ; bois, forêts. *Zone sous-pyrénéenne* 128 131 ha (dont SAU 49 000) : élevage. *Coteaux* 97 887 ha (dont SAU 56 000) : céréales. *Plaine* 29 700 ha (SAU 25 000).

Tourisme. Ski alpin : *Guzet-Neige* 1 000 à 2 040 m, *Mijanes* 1 500 à 2 000 m, *Ax-Bonascre* 1 400 à 2 300 m, *les monts d'Olmes* 1 400 à 2 000 m, *Ascou-Pailhères* 1 500 à 2 000 m. **Ski de fond :** *Beille, Chioula-Pays d'Aillou, Mijanès, étang de Lers,* domaine du *Castillonnais, le haut Salat, Tour Laffont.* **Rivières** 12 500 km : *canoë kayak :* l'*Hers,* l'*Ariège* et affluents (*Oriège* et *Vicdessos*), le *Salat* et 4 affluents (*Lez, Arac, Garbet, Alet*), et l'*Arize.* **Lacs et plans d'eau :** étangs *Lhers* (2,32 ha), *Bethmale* (9,86 ha), *Mondely, Labarre* (Foix), *Montbel* (500 ha dont lac de plaisance 70 ha), *Bompas, Ste-Croix-Volvestre ;* lacs de *Peyrau, St-Yvars* + 130 lacs d'altitude. **Châteaux :** *Roquefixade* (XIIe s.), abbaye bénédictine ; *Lagarde* (1229 et XVIIe s.) ; *Lordat* (XIIIe s.). **Pog ou Puy de Montségur** (du latin *podium* et du celtique *puich, puech, pech :* montagne d'alt. moy. plus ou moins attaquée par l'érosion) 1 207 m ; donjon (20 m × 9 m) ; haut lieu de la résistance cathare ; Foix (XIe et XVe s.). **Grottes préhistoriques :** *Le Mas-d'Azil, Niaux* [dessins (10 000 à 14 000 a. av. J.-C.)], *Le Portel, Bedeilhac, Les Trois-Frères, Lombrives* (long. 5 km, la plus grande d'Europe), la *Vache-Alliat* (gisement magdalénien), *Fontanet* (12 000 av. J.-C.). **Spéléologie. Rivière souterraine** de *Labouiche* 4,5 km (la plus longue et navigable du monde), *nombreuses grottes.*

■ Aveyron (12) 8 771 km² (135 × 108 km). *Alt. max.* Truques d'Aubrac 1 442 m ; *min.* 144 m à Salvagnac-Cajarc (vallée du Lot). *Pluies :* 720 mm par an (v. du Tarn), 1 500 (au Clapier). *Temp. moy. :* Est 8 °C, vallée du Lot 12 °C. *Pop. 1801 :* 318 340 ; *1851 :* 394 183 ; *1886 :* 415 826 ; *1936 :* 314 682 ; *1975 :* 278 306 ; *1982 :* 278 654 ; *1990 :* 270 100 (dont Fr. par acquis. 5 624, étrangers 7 359 dont Port. 2 224, Maroc. 1 637, Esp. 1 088, Alg. 449). D 30,7.

Villes. RODEZ 24 705 h. [*1936 :* 18 450 ; *1962 :* 20 924 ; *1975 :* 25 500] (ag. 39 011), alt. 632 m ; équip. auto. ; cath. ; musée des Beaux-Arts, Denys-Puech. – *Capdenac-Gare* 4 825 h. *Conques* 362 h. ; abbatiale du XIIe s., trésor, égl. romane Ste-Foy. *Cransac* 2 180 h. ; étuves (rhumatismes). *Decazeville* 7 754 h. (*1936 :* 12 365) [ag. 19 170, dont *Aubin* 4 846. *Firmi* 2 728] ; charbon, métall., ind. chim. ; musée Géologique et de la Mine. *Espalion* 4 614 h. ; musées : d'Arts et Traditions pop., du Scaphandre. *Laguiole* 1 264 h. ; fromage, coutellerie (créée 1829 par Pierre-Jean Calmels). *Millau* * 21 788 h. [*1936 :* 16 437] (ag. 23 189), alt. 379 m ; ganterie, mégisserie, imprimerie ; musées : du Gant, d'Archéol. [fouilles de la Graufesenque (céramique antique)] ; compétitions sportives nat. et internat. *Montrozier* 1 210 h. ; musée. *Naucelle* 1 929 h. *Onet-le-Château* 9 708 h. *Réquista* 2 243 h. *Rieupeyroux* 2 348 h. *Roquefort* 789 h. ; fromage. *Salmiech* 671 h. ; musée. *St-Affrique* (de St-Fric ou Affrique, évêque de St-Bertrand-de-Comminges) 7 798 h. *St-Geniez-d'Olt* 1 994 h. *Salles-la-Source* 1 594 h. ; musée du Rouergue ; cascade. *Séverac-le-Château* 2 479 h. *Villefranche-de-Rouergue* * 12 301 h. [*1936 :* 8 479] (ag. 12 959) ; conserves, habillement.

Régions naturelles. *Aubrac* (alt. max. 1 442 m, sup. 50 556 ha), terrains basaltiques : prairies nat., pâturages d'estive à + de 900 m (bovins). Forêts domaniales (Aubrac et Laguiole). *Viadène et Barrez* (54 918 ha) : plateau granitique et basaltique ; alt. 750 m ; pâturages. *Vallée du Lot et Rougier de Marcillac* (88 995 ha) : grès et schistes ; vignobles (AOC de Marcillac), élevage caprin, primeurs. *Bassin houiller d'Aubin-Decazeville* (17 918 ha) : exploitations à ciel ouvert (« Découverte »), prod. 462 500 t de brut (1987), métallurgie. *Bas Rouergue* (sols argilo-calcaires, alt. moyenne 300 à 400 m, 48 842 ha ; climat tempéré ; diversité de cultures). *Ségala* (sup. 195 381 ha) : plateaux granitiques dans le N., plus schisteux au S. de la vallée de l'Aveyron. *Lévezou* (62 896 ha) : hauts plateaux 800 m, gneiss ou schistes des Palanges, du Lagast et du Lévezou : élevage, forêt des Palanges (4 000 ha), du Lagast (86 ha) ; plans d'eau. *Grands Causses* (242 522 ha) *au S.-E. :* Noir, du Larzac ; creusés par cours d'eau (Tarn, Dourbie, Jonte), *au centre :* causses Comtal, de Séverac de Ste-Radegonde. Sols secs (calcaires et marnes) : ovins. Fertiles vallées de la *Sorgue* et du *Dourdou,* rougier de Camarès. *Monts de Lacaune* (121 875 ha) : vallées productives.

Tourisme. Vallées : *Lot :* St-Geniez-d'Olt, Espalion, Calmont, Estaing, Entraygues, Peyrusse-le-Roc ; *Tarn et Dourbie :* gorges, châteaux, églises romanes, sites de St-Véran et de Cantobre, Brousse-le-Château, Le Truel : usine hydroélectr. du Pouget ; *Aveyron :* Séverac-le-Château, Rodez, Belcastel, Villefranche-de-Rouergue (chartreuse, cloître du XVe s.) ; site de Najac. **Lacs :** *Pareloup* 1 259 ha, *Pont-de-Salars* 190 ha, *Villefranche-de-Panat* 178 ha, *Castelnau-Lassouts* 218 ha, *Sarrans* 1 000 ha. **Site naturel :** *Montpellier-le-Vieux.* **Bastides :** *Najac, Sauveterre, Villefranche-de-Rouergue, Villeneuve.* **Villages fortifiés :** *Flaujac, La Cavalerie, La Couvertoirade, Ste-Eulalie-de-Cernon, St-Jean-d'Alcas.* **Abbayes :** *Bonnecombe, Bonneval, Conques, Loc-Dieu, Sylvanès.* **Grottes :** *Foissac* (découv. 1959). **Mégalithes. Ski** *alpin et de fond : Aubrac, Brameloup, Laguiole.*

■ Haute-Garonne (31) 6 309 km² (160 × 6 km). *Alt. max.* Pic de Perdighero 3 220 m ; *min.* 75 m (sortie du Tarn). *Pop. 1801 :* 339 574 ; *1851 :* 481 610 ; *1861 :* 484 081 ; *1901 :* 448 481 ; *1911 :* 432 126 ; *1936 :* 458 647 ; *1975 :* 777 431 ; *1982 :* 824 501 ; *1990 :* 926 000 (dont Fr. par acquis. 49 156, étrangers 47 465 dont Alg. 8 457, Esp. 6 872, Maroc. 6 911, Port. 5 832). D 146,7.

Villes. TOULOUSE alt. 146 m, sup. 11 843 ha, 358 688 h. [*1800 :* 50 171 ; *1831 :* 59 630 ; *1851 :* 95 277 ; *1872 :* 126 936 ; *1911 :* 149 000 ; *1936 :* 213 220 ; *1946 :* 264 411 ; *1962 :* 330 570 (+ de 30 000 rapatriés) ; *1968 :* 380 340 ; *1975 :* 373 796] [ag. 608 427, dont *Balma* 9 506. *Blagnac* 17 209 ; aéroport, constr. aéron. (Rockwell-Collins) ; capteurs solaires (logements) ; géothermie dep. 1975. *Beauzelle* 5 405. *Boussens* 797 ; raffin. de pétrole, chim. *Castanet-Tolosan* 7 697. *Castelginest* 6 757. *Colomiers* 26 979 ; constr. aéron., briqueterie, mat. plast., électron., cartonnages, habillement. *Cugnaux* 11 301. *Fenouillet* 3 426. *Frouzins* 3 941. *Launaguet* 3 768. *L'Union* 11 751. *Martres-Tolosane* 1 929 ; cim., fabrique de faïences d'art. *Pibrac* 5 876. *Plaisance-du-Touch* 10 075. *Portet-sur-Garonne* 8 030. *Ramonville-St-Agne* 11 834. *St-Jean* 7 168. *St-Orens-de-Gameville* 9 703. *Seysses* 5 074. *Tournefeuille* 16 669. *Villeneuve-Tolosane* 7 759], aéron., complexe aérospatial (CNES, CERT, CESR), chimie, engrais, agroalim., électron. (Logabax, Motorola), bonneterie, confection, briqueterie, pharmacie, parfumerie, etc. ; université (2e centre fr. de recherche, 90 000 étudiants), 7 écoles nat. (aéron. et espace, chimie, informatique, hydraulique, agro., agriculture, vétérinaire, laboratoires) ; cath. St-Etienne, basil. St-Sernin, ensemble des Jacobins (a reçu en 1974 les restes de St Thomas d'Aquin, m. d'Art moderne), le Capitole (hôtel de v., musée), cloîtres, musées : des Augustins (f. 1973, 90 164 vis. en 91), des Arts décoratifs (75 697 vis. en 91), St-Raymond, Paul-Dupuy, Georges-Labit, muséum d'Hist. nat., Centre municipal de l'affiche, vieux Toulouse (hôtel Dumay, XVIe s.), Résistance et Déportation Jean-Philippe ; hôtels d'Assézat (1555-60, Académie des Jeux floraux, m. de la Médecine) et Felzins (1556), une cinquantaine d'hôtels particuliers (XVIe et XVIIe s.). Espaces verts : parc public et jardin japonais, Pech-David 275 ha, La Ramée 230 ha (lac 38 ha), Les Argoulets 75 ha, Sesquière 83 ha (lac 13 ha), jardin royal et Grand-Rond, berges de la Garonne. Jardin des plantes 7,6 ha.

– *Aurignac* 1 128 h. ; égl. gothique. *Aussonne* 3 646 h. *Auterive* 5 436 h. *Bagnères-de-Luchon* 3 602 h. (ag. 4 350), alt. 630 m ; thermalisme (ORL), ski. *Boulogne-sur-Gesse* 1 684 h. ; égl. gothique. *Bruguières* 2 980 h. *Carbonne* 3 795 h. (ag. 4 567). *Cazères* 3 155 h. (ag. 4 117). *Escalquens* 3 815 h. *Fonsorbes* 4 252 h. *Grenade* 4 784 h. *L'Isle-en-Dodon* 2 039 h. ; égl. gothique. *Montréjeau* 3 233 h. (ag. 4 506). *Muret* 16 192 h., alt. 166 m ; seringues hypodermiques, text., salaisons, pâtes alim., eaux minérales Montégut (Perrier), briqueteries, constr. méc. *Revel* 7 704 h., alt. 213 m ; meubles, marqueterie, distilleries, agroalim. *Roquettes* 2 801 h. *St-Bertrand-de-Comminges* 228 h. ; cath. (XIe s.-XIVe s.) ; site archéo. *St-Félix-de-Lauragais* 1 177 h. ; égl. gothique. *St-Gaudens* 12 225 h. (ag. 13 604), alt. 405 m ; cellulose, centre agr., marché de bétail ; site roman, égl. de la vallée de Larboust. *St-Lys* 4 565 h. *St-Plancard* 452 h. ; site roman. *Valcabrère* 120 h. ; site roman, basilique. *Vernerque* 1 907 h. (ag. 4 173). *Villefranche-de-Lauragais* 3 316 h. *Villemur-sur-Tarn* 4 456 h. ; constr. méc., élec., agroalim.

Régions naturelles. *Région pyrénéenne et Piémont pyrénéen* (Luchonnais, Comminges) (19 % de la sup.) : forêts (ovins, bovins). *Région des coteaux* (Lauragais, Volvestre, Frontonnais, Pays Toulousain) (30 %) : céréales (blé, maïs), polyculture, viticulture, cult. fruitières, bovins, vaches laitières, porcins, oies, etc. *Vallées* (Gascogne, Gers, Tarn, Rivière) (42 %) : céréales (blé, maïs), polyculture, maraîchage, cult. fruit., horticulture.

Tourisme. Vestiges *préhistoriques :* région de St-Gaudens et Aurignac ; *gallo-romains :* Montmaurin (villa), St-Bertrand-de-Comminges (vestiges ville antique). **Ski :** *Superbagnères* 1 440-2 260 m, *Peyragudes* 1 600-2 400 m, *Le Mourtis* 1 420-1 860 m, *Bourg d'Oueil* 1 400 m. **Lacs, plans d'eau :** *Carbonne* (80 ha), *Cazères-sur-Garonne* (80 ha), *Lac d'Oô* (38 ha, alt. 1 504 m), *Peyssies* (22 ha), *St-Ferréol* (90 ha).

■ **Gers** (32) 6 257 km² (85 × 145 km). *Alt. max.* 400 m (limite des Htes-Pyr.) ; *min.* 60 m (sortie du Gers et de la Baïse). *Pop. 1801 :* 257 604 ; *1851 :* 307 479 ; *1901 :* 238 448 ; *1936 :* 192 451 ; *1962 :* 179 520 ; *1968 :* 181 577 ; *1975 :* 175 366 ; *1982 :* 174 200 ; *1990 :* 174 600 (dont Fr. par acquis. 8 545, étrangers 6 188 dont Ital. 1 788, Port. 900, Esp. 872, Maroc. 788). D 27,9.

Villes. AUCH alt. 136 m, 23 136 h. [*1886 :* 14 782 ; *1921 :* 11 825 ; *1936 :* 13 313 ; *1954 :* 16 382 ; *1975 :* 23 185] ; imprimeries, BTP, agroalim., papier-carton, menuiseries ind., informatique, connectique, centre de recherche et d'innovation en agroalim. (CRITT) ; cath. XVe-XVIIe s. (plus beau chœur du XVIe s. en bois sculpté de Fr.). Tour d'Armagnac XIVe s. (escalier, « pousterles », m. ethnographique).

– *Condom* * alt. 81 m, 7 717 h. ; BTP, menuiserie ind., coop. agr., meunerie, volailles ; cath. (XVIe s.), cloître gothique, hôtels (XVIIe-XVIIIe s.), musée de l'Armagnac. *Eauze* 4 137 h. ; menuiserie ind. BTP, coop. viticole (Armagnac) ; cath. (XVe s) ; festival. *Fleurance* alt. 98 m, 6 368 h. ; charpentes métall., mat. de constr., BTP, coop. agr., laiterie, conserverie, prod. diététiques ; égl. (XVe s). *Gimont* 2 819 h. ; conserv. foie gras, plats cuisinés, charcuterie. *Lectoure* 4 034 h. ; sanitaires, taille de la pierre, primeurs (melons), sous-traitance électron. ; cath. (XVe, XVIe s.), h. de ville XVIIe s., musée lapidaire. *L'Isle-Jourdain* 5 029 h. ; chaudronnerie, mat. de constr., entreprise d'élec., confection, minoterie, chaussures ; tour XIIe s. *Mirande* * alt. 240 m, 3 565 h. ; biscuiterie, agroalim. (volailles), BTP ; égl. fortif., musée des Beaux-Arts. *Nogaro* 1 999 h. ; méc. auto-compétition ; égl. (XIe s). *Plaisance* 1 657 h. ; vins Madiran St-Mont, maïs (semence) ; facteur d'orgues. *Vic-Fezensac* 3 683 h. ; plastiques, coop. agr., mat. de constr. ; égl. (XVe s.) ; tauromachie.

Régions naturelles. *Haut Armagnac* (137 478 ha) : céréales, fourr., vignes, bovins, oléagineux. *Ténarèze* (96 915 ha) : céréales, vignes, eaux-de-vie, bovins. *Astarac* (95 528 ha) : céréales, fourr., porcins, ovins. *Lomagne* (41 463 ha) : céréales, oléagineux, melon, ail. *Coteaux du Gers* (76 981 ha) : céréales, oléagineux, bovins. *Bas Armagnac* (68 850 ha) : céréales, vignes, eaux-de-vie. *La Rivière Basse* (54 500 ha) : céréales (maïs), vignes, porcins.

Tourisme. Vestiges romains : Séviac à Montréal ; tauroboles à Lectoure. **Églises** *romanes et gothiques, bastides, châteaux, abbayes* (Flaran, Boulaur), *collégiale* de La Romieu. **Villages fortifiés :** Larressingle, Fourcès. **Stations thermales :** *Aurensan, Barbotan-les-Thermes* [20 † le 28-6-1991 par asphyxie (émanations de gaz toxiques), *1990 :* 22 862 curistes, *92 :* env. 20 000], *Castéra-Verduzan* (base de loisirs, 7 ha). **Plans d'eau et lacs :** *3 vallées* (5 ha, prof. 6 m, à Lectoure), *Astarac* (retenue 180 ha), *L'Isle-Jourdain* (4 ha et 24 ha), *Marciac* (25 ha), *Uby* (70 ha, 6 m, à Cazaubon), *Miélan* (77 ha, 8 m), *Samatan* (lac, 9 ha), *Thoux-Saint-Cricq* (70 ha, 8 m). **Jazz :** festival de Marciac. **Circuit auto. :** Nogaro.

■ **Lot** (46) 5 217 km² (90 × 85 km). *Alt.* max. Signal de la Bastide-du-Haut-Mont 787 m, min. 65 m (sortie du Lot, Le Roc). *Pop. 1801 :* 261 207 ; *1851 :* 296 224 ; *1901 :* 226 720 ; *1936 :* 162 572 ; *1954 :* 147 754 ; *1968 :* 151 198 ; *1975 :* 150 778 ; *1982 :* 154 533 ; *1990 :* 155 800 (dont Fr. par acquis. 4 132, étrangers 5 000 dont Port. 1 736, Maroc. 748, Esp. 648, Alg. 224). D 29,8.

Villes. CAHORS alt. 170 m, 19 751 h. (1991) [*1800 :* 11 728 ; *1926 :* 11 775 ; *1975 :* 20 226] ; constr. méc. et élec. auto, coop. agr., truffes ; cloître de la cath., ruines romaines, musée, pont Valentré (XIVe s.), maison Henri IV ; musée Henri-Martin. – *Biars-sur-Cère* 2 023 h. (ag. 3 234) ; agroalim. *Cabrerets* 191 h. ; musée de la Préhistoire. *Capdenac-le-Haut* 932 h. ; musée. *Cardaillac* 475 h. ; musée. *Figeac* 9 554 h. (1991) ; équip. aéronaut., conserves ; hôtel de la Monnaie XIIIe s. (soleilhos et maisons médiévales) ; musées : Champollion, du Vieux-Figeac. *Gourdon* 4 876 h. (1991) ; centre comm. ; vieux quartiers ; musée Henri-Giron. *Gramat* 3 526 h. ; agr., tourisme. *Labastide-Murat* 610 h. ; maison natale de Murat. *Les Arques* 160 h. ; musée Zadkine. *Luzech* 1 543 h. ; musées : Armand Viré, d'Archéol. *Martel* 1 462 h. ; musée de la Raymondie. *Pradines* 2 941 h. *Prayssac* 2 233 h. ; agr., comm. *Puy-L'Évêque* 2 209 h. *Rocamadour* 627 h. ; pèlerinage ; remparts, musées : d'Art sacré, de Cires. *Sauliac-sur-Célé* 85 h. ; musée de plein air du Quercy (à Cuzals). *St-Céré* 3 760 h. ; prod. alim., méc., centre comm. et cult. ; musée de l'Auto. *St-Cirq-Lapopie* 187 h. ; musée Rignault. *St-Laurent-les-Tours* 831 h. (1991) ; atelier-musée Jean Lurçat. *Souillac* 3 468 h. (1991) ; agr., trav. des métaux, tourisme, vignoble ; égl. romane ; musée de l'Automate.

Régions naturelles. *Causses* (rocher calcaire, genèvriers et petits chênes, pacages à moutons) *du Quercy* (Ht-Quercy) (2 156 km²), divisés en *C. de Martel, C. de Limogne, C. de Gramat* (agneaux de Causse, chèvres et cabécous). *Limargue* (576 km², bande de terre verdoyante) : élevage laitier, céréales, vergers. *Vallées de la Dordogne* (156 km²) *et du Lot* (504 km²) : céréales, tabac, vignes, vin de Cahors, AOC, fruits, élevage, tourisme. *Quercy Blanc* (576 km²), le S.-O. (collines cultivées) forme le *bas Quercy* (fruits, truffes, foie gras). *Bouriane* (560 km²) : sablonneuse (chênes pubescents sur les hauteurs ; seigle, châtaigniers, noyers, bois dans les creux). *Ségala* (697 km², alt. max. 780 m) ou *Châtaignal* (hautes terres : châtaigniers, blé, bois, élevage). **Terres** (voir Index).

Tourisme. Parcs : *Figeac, Limogne-en-Quercy, Payrac, Souillac, Vayrac-Bétaille.* **Grottes et gouffres :** *Bellevue* (à Marcilhac-sur-Célé), *Cougnac* (à Gourdon), *Lacave* (12 salles dont une de 2 000 m), *Merveilles de L'Hospitalet* (à Rocamadour, plus de 20 000 ans), *Padirac* (560 m de rivière à 110 m sous terre, salle du grand dôme 947), *Pech-Merle* (à Cabrerets, 7 salles sur 1 200 m), *Presque* (à St-Céré), *Roland* (à Montcuq, 400 m de galerie). **Villages et sites :** *Autoire, Carennac, Martel, Puy-l'Évêque, Rocamadour, St-Cirq-Lapopie.* **Vallées :** *Alzou, Célé, Dordogne, Lot* (navigable de St-Cirq-Lapopie à Luzech (65 km), *Vers ; saut de la Mounine.* **Châteaux :** *Assier* (1526-35), *Bonaguil, Castelnau-Bretenoux* (XIe-XIIIe s.), *Cénevières* (XIIe-XVe s.), *Cieurac* (XVe s.), *Grézels* (XIIIe s.-XVIe s.), *Guérêts, Laroque-Toirac* (XIVe s.-XVIe s.), *La Treyne, Montal* (1523-34) restauré par Maurice Fenaille, donné à l'État en 1913, *Roussillon* (XIIe s.), *St-Laurent-les-Tours* (XIVe s.).

■ **Hautes-Pyrénées** (65) 4 534 km² (100 × 60 km). *Alt. max.* Vignemale 3 298 m ; *min.* 12 m (à la sortie de l'Adour). *Pop. 1801 :* 174 741 ; *1851 :* 250 934 ; *1901 :* 215 546 ; *1921 :* 185 760 ; *1936 :* 188 504 ; *1975 :* 227 222 ; *1982 :* 227 922 ; *1990 :* 224 800 (dont Fr. par acquis. 9 705, étrangers 7 764 dont Esp. 2 816, Port. 1 964, Maroc. 1 132, Ital. 456). D. 50.

Villes. TARBES alt. 320 m, 50 228 h. [*1821 :* 8 035 ; *1891 :* 25 087 ; *1954 :* 40 242 ; *1975 :* 54 897] [ag. 74 639 dont *Aureilhan* 7 644. *Barbazan-Debat* 3 552. *Bordères-sur-l'Échez* 4 023. *Séméac* 4 428] ; constr. méc., élec., aéron., école nat. d'ing. et IUT, arsenal ; musées : Massey, du M^{al} Foch. – *Argelès-Gazost* * alt. 460 m, 3 419 h. [*1821 :* 878 ; *1954 :* 2 556] (ag. 4 448) ; station therm. *Bagnères-de-Bigorre* *, alt. 530 m, 9 093 h. [*1821 :* 6 834 ; *1954 :* 11 044] (ag. 11 805) ; constr. méc., bonneterie, therm. *Barèges* 260 h. ; station therm. *Beaucens* 309 h. ; station therm. *Capvern* 1 054 h. ; station therm. *Cauterets* 1 204 h. ; station therm. *Ibos* 2 440 h. *Juillan* 3 507 h. *Lannemezan* 6 897 h. ; usine d'alum., ind. chim. *Lourdes* alt. 420 m, 16 581 h. [*1821 :* 3 393 ; *1891 :* 6 976 ; *1921 :* 8 736 ; *1954 :* 15 829] ; pèlerinages (5 300 000 vis. en 1991, voir Index) ; 2e ville hôtelière de Fr. après Paris (320 hôtels) ; basilique (1876) et nouvelle basilique souterraine St-Pie-X, la plus grande église de Fr. (12 000 m² ; 1958 par Vago, Le Donne, Pinsart) ; musée du Gemmail ; appareils élec. *Luz-St-Sauveur* 1 181 h. ; station therm. ; église « porte des cagots », tenue à l'écart de la chrétienté établie (gitans, lépreux, « patarins »). *Maubourguet* 2 483 h. *Ossun* 2 092 h. (aéroport intern.). *Pierrefitte-Nestalas* 1 322 h. (ag. 1 899) ; métall. des ferro-alliages. *Rabastens-de-Bigorre* 1 299 h. *St-Lary* 1 118 h ; station therm. *St-Pé-de-Bigorre* 1 768 h. *Sarrancolin* 686 h. ; abrasifs. *Soues* 3 197 h. *Trie-sur-Baïse* 1 015 h. (1er marché de porcelets de Fr.). *Vic-en-Bigorre* 5 361 h.

Régions naturelles. *Pyrénées centrales* (2 500 km²), *au S. :* élevage, tourisme. 2/3 des 45 807 ha du *parc national des Pyrénées* dont la Rés. nat. du Néouvielle. *Cirques :* Gavarnie (40 sommets à plus de 3 000 m), Troumouse. *Plateau de Lannemezan* (389 à 679 m, landes) et *collines au N.* (678 km², polyculture, céréales, volailles, foie gras, porcelets). *Vallée de l'Adour à l'O.* (1 356 km², céréales, vergers, prairies), dont la *Rivière-Basse* (45 787 ha ; cap. Castelnau) : vins de Madiran. **Bois** (en milliers d'ha, au 1-1-91) 126,6 dont (1982) forêt de l'ONF 68, privées 65,7 (en 1981, chênes 33, résineux 25, hêtres 4, divers 42) (en 1981, f. de *Payolle* 2,5, *la Barousse* 4,1, *Néouvielle* 2, *Lesponne* 3, *Aragnouet* 1,5, *du Marmajou* 0,5, *Ibos* 0,7).

Tourisme. Ski (alt. des stations et entre parenthèses des pistes, en m) : *Aragnouet-Piau* 1900 (1 450 à 2 500), *Bagnères-La Mongie* (1 800 à 2 500), *Barèges* 1 250 (1 250 à 2 350), *Campan-Payolle* (ski de fond) 1 120 à 1 450, *Cauterets* 932 (1 850 à 2 500), *Gavarnie-Gèdre* (1 850 à 2 400), *Hautacam* (1 500 à 1 800), *Luz-Ardiden* (1 700 à 2 450), *Nistos Cap-Nestès* (1 600 à 1 800), *Peyragudes* (1 500 à 2 500), *St-Lary-Soulan* (830 à 2 450), *Val d'Azun* (1 453 à 1 600), *Val-Louron* (1 450 à 2 150). **Observatoire** *du pic du Midi* (1878) : télévision la plus haute de Fr. (2 865 m). **Grotte** *de Gargas* (240 mains gauches 24 860 (± 460 av. J.-C.).

Enclaves dans les Pyrénées-Atlantiques. *Escaunets* (6,24 km², 100 h.) et *Villenave-près-Béarn* (3,09 km², 59 h.), rattachées au canton de Vic-en-Bigorre ; *Gardères* (15,23 km², 397 h.), *Seron* (9,29 km², 241 h.) et *Luquet* (8,17 km², 298 h.) au canton d'Ossun.

■ **Tarn** (81) 5 758 km² (90 × 105 km). *Alt. max.* Pic de Montalet 1 266 m ; *min.* 88 m (sortie du Tarn). *Pop. 1801 :* 270 908 ; *1851 :* 363 073 ; *1901 :* 332 093 ; *1921 :* 295 588 ; *1936 :* 164 629 ; *1968 :* 183 572 ; *1975 :* 338 024 ; *1982 :* 339 345 ; *1990 :* 342 700 (dont Fr. par acquis. 12 733, étrangers 14 414 dont Port. 3 260, Alg. 3 068, Maroc. 2 432, Esp. 2 008). D 59,5.

Villes. ALBI alt. 174 m, 46 579 h. [*1800 :* 9 649 ; *1901 :* 22 571 ; *1954 :* 31 943 ; *1975 :* 46 162] (ag. 62 182, dont *St-Juéry* 6 730) ; marché agric., autrefois houille, métall., équip. industr., text. artif., centrale thermique (250 MW), verrerie ouvrière, matériaux de constr., chimie/plastique, électronique, informatique, Eternit ; cath. Ste-Cécile (XIIe s.), orgues, voûtes peintes bleu et or début XVIe s. par des Italiens ; musée Toulouse-Lautrec (anc. palais épiscopal ou de la Berbie, f. 1876, 139 541 vis. en 91), patrie de La Pérouse ; musée de cire ; égl. St-Salvy (cloître), vieux ponts, vieilles maisons, parc Rochegude.

– *Ambialet* 386 h. (1 méandre du Tarn sur 3 km presque complètement fermé (haute vallée : « vallée de l'Amitié ») ; musée missionnaire. *Andillac* 103 h. ; musée Eugénie-et-Maurice-de-Guérin. *Carmaux* 10 957 h. [ag. 17 307, dont *Blayes-les Mines* 3 227 ; mines (houille) à ciel ouvert, carrelage, agroalim., méc., guirlandes, béton armé, céramique, ind. chim., confection, mat. plast., meubles ; sélection génétique bovine. *St-Benoît-de-Carmaux* 2 431] ; circuit ind. du pays minier. *Castelnau-de-Lévis* 1 308 h. (tour carrée). *Castres* * alt. 172 m, 44 834 h. [*1800 :* 15 171 ; *1901 :* 27 308 ; *1954 :* 31 903] (ag. 46 481), chef-lieu de 1790 à 1797 ; constr. méc. et élec., mach.-outils, granit, ind. text., habillement, ameublement, prod. pharm., draperie, peaux, fourrures, chimie, tricotage, sélection génétique bovine ; vieilles maisons sur l'Agoût ; la plus grande toile peinte par Goya, « la Junte des Philippines » (musée Goya, f. 1840, 25 209 vis.) ; centre nat. Jaurès (ville natale, musée f. 1954, 13 581 vis. en 91), ancien évêché Mansart, jardins Le Nôtre, tour St-Benoît, hôtels (XVIe-XVIIe s.). *Cordes* 932 h. ; ville médiévale (maison du Grand-Fauconnier, XIVe s.) ; musées : d'Y.-Brayer, de Charles-Portal, de la Broderie, du Sucre. *Dourgne* 1 211 h. ; abbayes bénédictines d'En Calcat et de Ste-Scholastique. *Durfort* 300 h. ; cuivre, salaisons. *Ferrières* 180 h. ; musée du Protestantisme. *Gaillac* 10 378 h. (ag. 11 742) ; mat. plast., vins AOC (Blancs 45 %, Rouges 45 %), de pays, primeur, coop. viticoles ; meubles, ind. plast., ind. des plantes (pharmacie), méc. de précision ; égl. St-Pierre (XIIe s.), maison Pierre de Brens (XVe s.), parc de Foucaud (XVIIe s.), fontaine du Griffon. *Graulhet* 13 537 h. ; 1er centre fr. en mégisserie, 2e en maroquinerie, bonneterie, apprêts, colles et gélatines. *Labastide-Rouairoux* 2 027 h. ; archéologie ind. et d'artisanat. *Labruguière* 5 486 h. ; ind. bois (Isorel). *Lacaune* 3 117 h. ; salaison, conserves., eaux du Mont-Roucous, station climatique, casino. *Lacrouzette* 1 854 h. (alt. 480 m), zone nat. protégée du Sidobre ; granit. *Lautrec* 1 527 h. ; prod. d'ail rose ; village médiéval, musée. *Lavaur* 8 147 h. (ag. 9 210) ; confection, haut lieu du catharisme, jacquemart, cath. St-Alain (XIIe-XVIe s.) ; musée du Pays-Vaurais. *Lescure* 3 248 h. ; église (XIIe s.). *Lisle-sur-Tarn* 3 588 h. ; ancienne bastide (XIIIe s.), place à arcades. *Marsal* 217 h. ; musée d'icônes Raymond-Lafage. *Mazamet* 11 481 h. [ag. 25 484, dont *Aussillon* 7 673] ; délainage (60 % des peaux commercialisées dans le monde dont 83 % d'Austr.), filature et tissage de laine importée d'Austr. et d'ex-URSS, mégisserie, méc. de précision, ind. du bois, jouets, prod. chim., ind. auto., cuir, constr. méc., équip. dentaire, musée de la Terre. *Monestiés* 1 361 h. ; « Mise au tombeau » du XVe s. *Murat-sur-Vèbre* (alt. 850 m), 889 h. *Pont-de-Larn* 2 525 h. ; équip. auto. *Puycelsi* 453 h. (remparts XIIIe et XIVe s.). *Puylaurens* 2 708 h. ; marché agr. ; ancienne université protestante ; vieil oppidum. *Rabastens* 3 825 h. (ag. 5 812) ; château de St-Géry. *Réalmont* 2 631 h. ; chaînes acier (6 en Fr.). *St-Salvy-de-la-Balme* (alt. 650 m) 590 h. (mines zinc et plomb fermées) ; nombreux chaos granitiques. *St-Sulpice* 4 384 h. ; trav. des mét., confect. *Sorèze* 1 954 h. ; ancienne école royale militaire (tombeau de Lacordaire). *Viane* (505 m), 624 h. *Vindrac* 161 h. ; musée de l'Outil.

Régions naturelles. *Ségala tarnais* 78 332 ha : polyculture, bovins, ovins, porcins. *Lauragais tarnais :* grandes cultures. *Mts de Lacaune* 55 109 ha : sylviculture. *Montagne Noire* (culmine au pic de Nore, 1 210 m) *et v. du Thoré* 25 819 ha : forêts, bovins, lait. *Gaillacois* 50 653 ha : arboriculture, viticulture, prod. végétale. *Coteaux molassiques* 9 693 ha : polyculture et élevage. *Plaine de l'Albigeois-Castrais* 103 050 ha : prod. végétale, bovins, ail, tabac, maraîchage, aviculture. *Causses du Quercy* 14 325 ha : élevage extensif. *SAU :* 327 290 ha ; *Surf. agr. non cult. :* 17 361 ha. **Bois** (en milliers d'ha, au 1-1-90) : 160 (feuillus 120, résineux 40) dont (1984) forêt de la *Montagne-Noire* 18, de *la Grésigne* 3,6, de *Nore* 1,6, de *Labruguière* 1,4 ; forêt privée 134, domaniale 13, collectivités 13.

Tourisme. Villages fortifiés : *Castelnau-de-Montmiral, Cordes, Magnin, Penne.* **Bastides :** *Cahuzac/Vère, Castelnau-de-Montmiral, Cordes, Larroque, Noailles, Penne, Puycelsi* (verger conservatoire), *Salvagnac, Vaour.* **Barrages et lacs :** *Aiguelèze, La Baucalié, Les Montagnès, La Raviège, Monts de Lacaune* (pic de Montalet, point culminant du Tarn), *Rassisse, Vère Grésigne, St-Ferréol* 80 ha (lac de barrage), *Sts-Pierre.* **Châteaux :** *Ferrières* (XIe-XVIe s., alt. 550 m), *Mauriac* (XVe s.), *Montredon* (alt. 550 m), *St-Géry* (XIVe-XVIIe s.). **Plateau du Sidobre :** 100 km², 650 m d'altitude, lac du Merle, rochers granitiques sculptés par l'érosion. Peyro Clabado (780 tonnes en équilibre, roc de l'Oie, etc.). **Gorges :** *de l'Aveyron* (Penne-du-Tarn), du *Viaur* (viaduc haut. 120 m).

■ **Tarn-et-Garonne** (82) 3 730 km². *Alt. max.* 498 m ; *min.* 50 m (sortie de la Garonne). *Pop. 1801 :* 228 000 ; *1851 :* 237 553 ; *1901 :* 165 669 ; *1921 :* 159 559 ; *1936 :* 164 629 ; *1968 :* 183 572 ; *1975 :* 183 314 ; *1982 :* 190 485, *1990 :* 200 200 (dont Fr. par acquis. 9 464, étrangers 9 680 dont Maroc. 3 404, Ital. 1 360, Port. 1 272, Esp. 1 192). D. 53,6. Formé 1808 avec des territoires détachés du Lot, Aveyron, Lot-et-G., Hte-Garonne (2 arrond. : Montauban, Castelsarrasin). 1930 (3-3) inondations 360 †, 1 750 maisons détruites.

Villes. MONTAUBAN alt. 104 m, 51 224 h. (+ 59 % de 1911 à 1975) [*1975 :* 48 028] ; expéditeur primeurs, fruits ; volailles, meubles, luminaires, électroacoustique, chaussures, ind. alim. ; cath. N.-D. (*le vœu de Louis XIII* d'Ingres). Pont-Vieux XIVe s., place Nationale, ancien collège des jésuites ; musée Ingres (f. 1867, 27 098 vis. en 1991, œuvres d'Ingres et Bourdelle). – *Beaumont-de-Lomagne* 3 488 h. *Castelsarrasin* * alt. 83 m, 11 317 h. ; fonderie. *Caussade* 6 009 h. ; chapeaux, conserveries, truffes et foies gras. *Moissac* 11 971 h. ; chasselas, caoutchouc moulé ; abbatiale XIIe s. et cloître roman, chemin de fer de 1856 a sacrifié le réfectoire des moines. *Montech* 3 091 h. *Nègrepelisse* 3 326 h. *Valence d'Agen* 4 901 h. *Verdun-sur-Garonne* 2 872 h.

Régions naturelles. *Bas Quercy de Monclar* 10 238 ha : polyculture, élevage ; *de Montpezat* 84 127 ha : polyculture, élevage. *Lomagne* 43 936 ha : blé, maïs, oies grasses, ail. *Coteaux du Gers* 6 154 ha. *Vallées et terrasses* 77 000 ha : peupleraies, blé, maïs, prunes, chasselas, poires, nectarines, cerises, pêches, kiwis, noisettes, pommes, melons, oignons, artichauts... , prairies. *Lauragais* 16 734 ha. *Causses du Quercy* 33 435 ha. *Rouergue* 10 807 ha. *Coteaux du Néracois* 1 841 ha. *Pays de Serres* 20 817 ha. *Quercy Blanc* 6 693 ha.

Tourisme. Abbayes : *Beaulieu* (centre d'art contemporain), *Moissac.* **Vallée :** *Aveyron.* **Plan d'eau :** St-Nicolas (Tarn et Garonne). **Villages médiévaux, châteaux et bastides :** *Auvillar, Beaumont-de-Lomagne, Bioule, Brassac* (XIII-XVe s.), *Bruniquel, Caylus, Gramont* (XI-XVIe s.), *Larrazet* (XVIe s.), *Lauzerte, Montpezat-de-Quercy, Montricoux* (XIIIe s.), *Reynies* (XVIIe s.), *St-Antonin-Noble-Val.*

Nord-Pas-de-Calais

■ Généralités

Superficie 12 377 km². **Population** (1990) : 3 965 058 (dont Fr. par acquis. 102 977, étrangers 166 543 dont Maroc. 45 381, Alg. 40 029, Port. 17 685) ; urbaine 86 %. D 317.

Situation. *Flandre, Hainaut* et *Cambrésis* constituent à peu près le département du Nord. *Artois, Boulonnais* et *Ternois* à peu près celui du Pas-de-Calais.

Artois

Situation. Pas d'unité géographique. Seuil entre Picardie au S., et plaine flamande au N. sur laquelle il s'étend en partie (extrémité occidentale du bassin houiller). **Sud :** collines s'abaissant d'O. (+ de 200 m) en E. (150 m dans le *Cambrésis*), souvent crayeuses, avec plaques de limon (céréales, betteraves à sucre, plantes fourragères) ; vers le *Boulonnais,* argile à silex : herbages (bêtes à cornes). **Nord :** collines dominant la plaine flamande (100 à 150 m) ; *« pays noir »* sur la rive droite de la Lys ; à l'E., plaines au milieu des collines sableuses : *Gohelle* (région de Lens), plaine agricole d'Arras (limon).

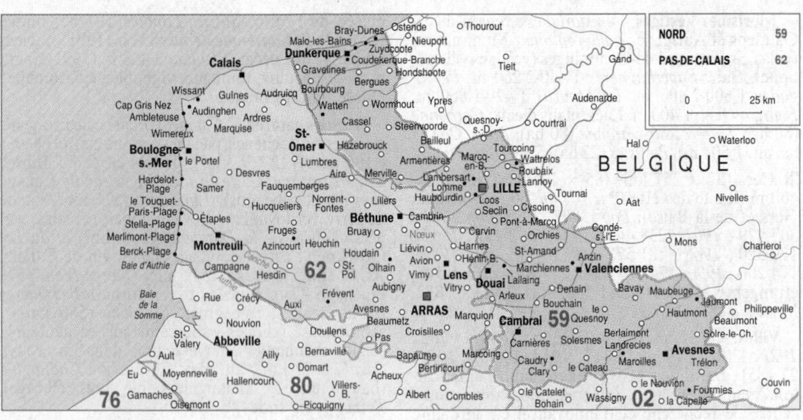

Histoire. D'abord partie intégrante de la Flandre (Pagus Atrebatensis) sous la maison comtale issue de Baudouin Ier, gendre de Charles le Chauve. **1180** donné en dot par le Cte de Flandre Philippe d'Alsace à sa nièce, Isabelle de Flandre et de Hainaut qui épouse Philippe Auguste. **1223** incorporé au domaine royal (en même temps que Boulonnais et Ternois) par Louis VIII, à son avènement (il en avait hérité de sa mère Isabelle de Flandre-Hainaut, morte le 15-3-1190). **1237** Saint Louis le donne en apanage à son frère puîné Robert Ier. **1309 et 1318** la cour des Pairs reconnaît à 2 reprises les droits de Mahaut, déboutant son neveu Robert III. Par mariage, passe successivement dans la maison comtoise de Bourgogne, dans celle de Dampierre-Flandre et dans la 2e maison capétienne de Bourgogne. **1477** mort de Charles le Téméraire ; incorporé avec la Flandre aux biens des Habsbourg (mariage de sa fille avec Maximilien d'Autr.). **1482** *tr. d'Arras :* cédé à Louis XI. **1493** *tr. de Senlis :* rendu par Charles VIII à la maison d'Autr., tout en continuant à relever de la couronne de Fr. **1526** *tr. de Madrid.* **1529** *tr. de Cambrai :* la Fr. perd la suzeraineté. Appartient alors aux Habsbourg d'Esp. **1640** conquis sur Espagnols après un siège (les Esp. avaient placardé aux portes : « Quand les Français prendront Arras, les souris mangeront les chats. »). **1659** *tr. des Pyrénées :* revient à la Fr. sauf Aire et St-Omer qui constituent l'« Artois Retenu » (cap. St-Omer), conquis en 1677 et réuni au *tr. de Nimègue* (1679). **1757** Louis XV donne le titre de Cte d'Artois à son petit-fils Charles-Philippe, futur Charles X. Siège de nombreux combats pendant les 2 g. mondiales.

Boulonnais

Situation. *Bas Boulonnais :* bande littorale du Pas-de-Calais, de Guines à Étaples. *Haut B. :* demi-boutonnière argileuse, fermée par un demi-cercle de crêts calcaires.

Histoire. Occupé dès le mésolithique. **Néolithique** 1re relation avec la G.-B. **VIe s. av. J.-C.** Celtes hallstattiens. **IIIe s.** fixation belge, les *Morins* (pêcheurs et commerçants). **58** César prend leur port (Portus Itius), mais ils ne sont vaincus qu'en 30 av. J.-C. *Bononia,* l'oppidum celtique, est doublé par le port romain de Gesoriacum où résident fonctionnaires, commerçants et industriels (chantiers navals, briqueterie). **V. 300 apr. J.-C.** cité des Morins dédoublée entre Thérouanne et Boulogne qui deviendront tous 2 des évêchés. **IVe s.** Francs établis comme alliés dans le B. **Ve s.** invasions saxonnes. **VIe s.** partie de la Neustrie, **843** de la Francie occidentale. **882** Hennequin, neveu de Baudouin de Flandre, reçoit le B. en fief, vassal du C^{té} de Fl. ; confirmé au milieu du Xe s. **988** c^{té} *de Guines* s'en détache puis en 1065 celui de Hesdin. C^{té} de Boulonnais passe par mariage aux familles de Blois (1150), Dammartin (1186) et par héritage à Robert d'Auvergne (1260). **1196** passe avec l'Artois au futur Louis VIII, fils mineur de Philippe Auguste et d'Élisabeth de Hainaut ; administré par le roi, il cesse de relever des C^{tes} de Fl. **1419** enlevé à Bertrand d'Auvergne par Philippe le Bon ; confirmé par la paix d'Arras (1435). **1482** annexé en même temps que l'Artois par Louis XI qui désintéresse Bertrand II d'Auvergne en lui donnant le Lauragais. **1493** détaché définitivement de l'Artois qui devient espagnol. **1544-50** conquis par Henri VIII d'Angl. qui le restitue contre 400 000 écus. **1551** Henri II confirme les privilèges du Boulon. (exemption d'impôts, états particuliers) et crée une sénéchaussée relevant de Paris. Dépend de l'intendance d'Amiens et du gouvernement de Picardie. **XVIIIe s.** forme un gouvernement particulier. **1762** soulèvement des *Lustucrus* contre la violation des privilèges. **1766** obtient une assemblée provinciale particulière.

Cambrésis

Situation. S. du département du Nord, S.-E. du Pas-de-Calais, N.-O. de l'Aisne. Vallonné et fertile (de 60 à 150 m d'alt.).

Histoire. Peuplé dès le paléolithique inférieur. **VIe s. av. J.-C.** Celtes hallstattiens. **IIIe s.** Belges dont la tribu des *Nerviens* occupe la région. **Époque romaine** l'oppidum de *Camaracum* devient une ville, forêt défrichée en partie ; la cité libre des Nerviens est rattachée à la province de Belgique. **IIe au Ve s.** ravagé par invasions germaniques. **Ve s.** création de l'évêché de Cambrai. **511-660** partie du roy. de Soissons. **IXe s.** raids des Normands. **843** *tr. de Verdun :* fait partie de la Lotharingie (intégrée à l'Empire germ. 923). **1007** l'évêque reçoit les droits comtaux sur le C., et la dignité de P^{ce} d'Empire (souverain). **XIe s. au XIIIe s.** important mouvement communal (en 1284, l'emp. Rodolphe Ier confirme la charte des libertés). **1476** Louis XI prend Cambrai. **1479** repris par Bourguignons. **1510** Charles Quint érige la ville épiscopale en duché et y établit une citadelle. **1543** fin de la souveraineté : annexé aux Pays-Bas esp. **1565** l'év. de Cambrai devient arch. et métropolitain de tous les P.-Bas. **1580** il cesse de frapper monnaie. **1677** Louis XIV conquiert la ville. **1678** *tr. de Nimègue* l'accorde à la France. **1686** pape reconnaît au roi de Fr. le droit de nommer les archev. de Cambrai (qui demeurent P^{ces} d'Empire, ducs de Cambrai, comtes du C.). Rattaché au gouv. de Flandre et à la généralité de Lille (subdélégué à Cambrai), puis à la généralité de Hainaut, conserve ses états jusqu'en 1789 (Pt-né : l'archevêque).

Flandre

Situation. *Marge méridionale* du delta de l'Escaut, de la Meuse et du Rhin ; petits fleuves orientés sud-ouest-nord-est. Plusieurs sous-régions du nord-ouest au sud-est. *Flandre maritime* de Calais à la frontière belge : plaine sablonneuse d'alluvions quaternaires, très basse. *Flandre intérieure :* région agricole (alt. env. 40 m), avec monts des Flandres (130 à 175 m) : séparée de la région lilloise, sur larg. de 15 km, par bassin de la Lys ou Weppes. *Région lilloise :* plaine basse et marécageuse de la Deûle, urbanisée, et comprenant les pays du Ferrain (au N.), du Mélantois et du Pévèle (au S.).

Histoire. La Fl. française est la partie sud de l'ancien comté de Fl. (1/5 env.). Territoire celtique des *Menapii* et des *Morins* (Belgique Seconde), germanisé par les Francs saliens à partir de 430. **VIe et VIIe s.** christianisé. **Période mérovingienne** luttes contre Frisons venus du Nord. **843** malgré son caractère germanique, fait partie du roy. de Fr. au tr. de Verdun. **883** Baudouin II (fils de Baudouin Ier Bras-de-Fer, gendre de Charles le Chauve nommé Cte de la « marche de Fl. » 879) se rend maître de la région et devient le 1er Cte de Fl., au sud de l'embouchure de l'Yser. **1056** Baudouin V acquiert vers le N.-E. de nombreux territoires situés dans l'empire et devient à la fois Cte français et Cte impérial (quasi autonome). Liens étroits entre comtés de Fl. et de Hainaut. **1076** soulèvement de *Cambrai* contre son évêque (tentative de constitution d'une commune française). **1214** *Bouvines* Philippe Auguste bat Ferrand, Cte de Flandre et de Hainaut, et ses alliés : triomphe de l'influence fr. **1297** la Fl. wallonne (Lille, Douai, Orchies) est rattachée au domaine de la Couronne après la défaite du Cte de Fl. devant Philippe le Bel ; perdue 1302, recouvrée en 1304 (bataille de *Mons-en-Pévèle).* **1369** Louis le Mâle, Cte de Fl., obtient de Charles V la réunion de son c^{té} et de la Fl. wallonne. **XIIe et XIIIe s.** essor économique fondé sur l'achat des laines anglaises ; Dunkerque port ; Douai, ville drapière, une des résidences favorites du Cte, foire connue à partir de 1127 ; tissage à Bailleul et Orchies. **16-6-1369** Philippe II le Hardi, duc de Bourgogne, ép. Marguerite III, Ctesse de Fl. et d'Artois ; rattachement de tous les « P.-Bas » à la maison de Bourg. **1477** Marie de Bourg., fille unique de Charles le Téméraire, dernier duc de Bourg., ép. le futur empereur Maximilien d'Autriche ; la Fl. passe sous domination impériale (cause de conflit entre Fr. et Autr.). **1519** Charles Quint confie le gouvernement des P.-Bas à Marguerite d'Autr. **1526** *tr. de Madrid :* la Fl., affranchie de tout lien de vassalité vis-à-vis de la Fr., cesse d'être « terre de Royaume ». **1555** Philippe II d'Espagne règne en Fl. ; tentative de remplacer les laines angl. par les esp. Insurrection calviniste et lutte contre Esp. **1559** *tr. du Cateau-Cambrésis* fait des P.-Bas esp. un fief autonome (gouverné par les archiducs Albert et Isabelle d'Autr.) ; pape Paul IV crée à Douai une université. **1658** *14-6* Turenne bat Espagnols aux *Dunes ;* Dunkerque capitule. **1659** *tr. des Pyrénées :* l'Esp. abandonne partie de l'Artois, du Hainaut et villes de Fl. **1662** achat de Dunkerque. **1667-68** *g. des Flandres ou de Dévolution. Tr. d'Aix-la-Chapelle* laisse à Louis XIV les territoires flamands conquis. **1678** *tr. de Nimègue :* fin de la g. de Hollande ; la Fr. acquiert Gravelines, Bailleul, Armentières. **1700** *g. de la Succession d'Espagne ;* Lille, Douai et Bouchain momentanément perdues. **1712** Villars bat Impériaux et Hollandais à *Denain ; tr. d'Utrecht :* la Fr. récupère ses conquêtes flamandes, sauf Furnes, Ypres, Menin ; la frontière de l'époque correspond à peu près à l'actuelle. **XVIIIe s.** divisée en 2 intendances : Flandre maritime (Dunkerque), jusqu'à la Lys ; Flandre wallonne (Lille).

Hainaut

Situation. S.-E. du Nord, limité au N. par la province belge de Hainaut. Nombreuses forêts ; alt. s'élevant vers l'est (283 m au sud de Trélon).

Histoire. Même peuplement que le Cambrésis sauf à l'E. (tribu belge des Éburons). **Ier s. av. J.-C.** émigration partielle en G.-B. devant la menace germanique. Résistance aux Romains (César engage 7 légions contre eux) jusque sous Tibère qui fonde Bavay qui devient le 1er nœud routier de la province de Belgique. **IIe au Ve s. apr. J.-C.** invasions germaniques. **VIe s.** partie de la Lotharingie. **843** attribué à l'Empire germ. **IXe s.** 1er Cte de Hainaut (en germ., Hennegau : pays de la Haine, affl. de l'Escaut) : Régnier au Long Col, petit-fils de Lothaire. Alliances réunissent Hainaut et Flandre de 1067 à 1071 et de 1191 à 1279. **XIIe-XIVe s.** mouv. communal. **1214** Fernand de Portugal, Cte de H. par mariage, vaincu à Bouvines, le pays passe dans l'orbite française. **1299** passe par mariage dans la maison de Hollande et Zélande. **1345** dans la maison de Bavière. **G. de Cent Ans** soutient Angl. et Flandre contre Fr. Relève de l'Empire jusqu'en 1418 (les états prov. le proclament libre de tout lien vassalique). **XIIIe-XIVe s.** apogée des draperies. **1433** Jacqueline de Bavière dépouillée de son héritage qui passe à la maison de Bourgogne, puis aux Habsbourg. Sous la domination bourguignonne, gouverné par un régent et des conseils nobles et bourgeois, envoie des délégués aux états gén. de Bruxelles. **XVIe s.** Réforme se répand dans l'Ostrevant ; Contre-Réforme menée de Douai (université créée 1559). **1585** toutes les places calvinistes reprises. **1659** *tr. des Pyrénées,* cède Le Quesnoy, Avesnes, Landrecies à la Fr. **1678** *tr. de Nimègue* cède l'Ostrevant. **1668** création du conseil souverain de Tournai (érigé en parlement en 1686, transféré à Cambrai 1705 et Douai 1714). Rattaché au gouv. de Flandre (lieutenant à Valenciennes). **1676** création de la généralité de H. (chef-l. : Mons, puis Maubeuge, 1713 Valenciennes). **1733** découverte du gisement d'Anzin.

■ Économie

Population active *ayant un emploi* (1-1-1990) 1 269 075 dont primaire 52 202, secondaire (avec BTP) 419 584, tertiaire 797 289 ; *salariée* (1-1-1990) : 1 123 345.

Échanges (en milliards de F, 1992). **Imp. :** 121,3 dont biens de consomm. courante 26,4, 1/2 prod. non métal. 22,1, énergie 16,1, prod. des ind. agroalim. 13, biens d'équip. profess. 12,9, métaux et prod. du trav. des métaux 10,9, prod. de l'agr. 7,1 ; *de* (en %) CÉE 62,8, (dont UEBL 23,1, All. 11,5, P.-Bas 9,3, G.-B. 6,6, Italie 6,4, Espagne 2,4), OCDE hors CÉE 17,6 dont USA 4,3, pays hors OCDE 17. **Exp. :** 111,4 dont demi-prod. non métalliques 22,2, biens de consom. courante 20,5, métaux et prod. du travail des métaux 16,2, prod. des ind. agroalim. 12,3, biens d'équip. profess. 12,2, équip. autom. des ménages 11,3 ; *vers* (en %) CÉE 73,4 (dont UEBL 19,2, All. 18,8, G.-B. 13,7, Italie 13,7, P.-Bas 7,8, Espagne 3,3), OCDE hors CÉE 10,1 dont USA 2,8, pays hors OCDE 14.

Agriculture. Terres (en milliers d'ha, 1-1-1991) 1 245 dont *SAU* 922,9 [t. arab. 689,9 (dont céréales 402,8, légumes 93,2, bett. ind. 68,7, fourr. ann. 69, plantes text. 13,8, jardins 10,6), herbe 232] ; *bois* 101,2 ; *t. agr. non cult.* 4,2 ; *étangs et autres eaux intérieures* 6,9 ; *autres t. non agr.* 216,4. **Exploitations** (1990) 38 000 (SAU moy. 28 ha). **Prod. végétale** (en milliers de t, en 1991) bett. ind. 4 403,4, p. de t. 1 626, blé tendre 1 975,5, orge et escourgeon 785,6. **Animale** (en milliers, au 1-1-91) bovins 772,8, porcins 613. *Viande finie* (en milliers de t, 1991) 137,2 ; volailles 16,7. *Lait* (prod. totale vaches laitières + nourrices, au 1-1-91) 13 638 218 hl. **% de la prod. nat.** (1989) chicorée 92,1, endives et chicons 54,6, p. de t. 31,6, petits pois 25,1, lin text. 20,9, bett. ind. 15,3, houblon 12,6, lait 5,4, céréales 5,1.

Pêche. 2e région après la Bretagne [1/4 de la pêche fr., 2/3 de la prod. de surgelé et 3/4 du salage et saurissage (250 000 t de poissons transformés à Boulogne)]. **Ports :** *Boulogne, Calais, Dunkerque.*

Industrie. *Effectifs* (au 1-1-90, prov.) : ind. de transformation 335 200, biens intermédiaires 101 000, b. de consomm. 93 500, b. d'équip. 79 700, agroalim. 42 000, énergie 18 900. BTP 84 400. *Diminution 1975-90 :* agr. 28 500, ind. de transform. 223 400, b. intermédiaires 74 300, b. de consomm. 77 500, b. d'équip. 24 900, énergie 39 200, agroalim. 7 600), BTP 19 000. *Augmentation (tertiaire) 1968-73 :* 73 000 ; *1975-90 :* 165 000. **Production** (en % de la prod. nationale). *Ind. agroalim.* (1988) : chicorée-café 100, amylacés 67, sauces et mayonnaises 63, malt 38, plats cuis. surgelés 32, légumes surg. 30, huiles et margarines 28, conserves de légumes 21, bière 19. *Métallurgie* (1989) : acier 25, fonte 15. *Textile* (1989) : filatures de lin 95, coton 42, laines peignées 85, filterie 83, tissage de laine 40, tapis-moquette 30, teintures et apprêts 31, maille et bonneterie 15. *Énergie :* charbon (1987) 8,6, (1991) toute extraction a cessé avec la fermeture de la fosse 9 à Oignies (21-12-90), électricité (1989) 9. *Terrils :* 65 dont env. 100 exploités (schistes rouges, prod. charbonneux), les autres transférés aux collectivités seront plantés.

Vente par correspondance (1989) : 17 000 salariés. Concentration dans le Nord-Pas-de-Calais (La Redoute, Trois Suisses, Damart, Textiles de la Blanche Porte, Quelle, Vert Baudet, Willems-France) : 75 % du CA nat. de la branche.

Tourisme (1989). *Hôtels* 1 754 (29 350 lits) dont homologués (1990) 404 (12 455 chambres). *Campings-caravanages* 478 (125 650 pl.) dont homologués (1990) 400. *Accueil jeunes* 110 (5 600 lits). *Auberges de jeunesse* (1990) 7. *Maisons familiales de vacances, villages de vac.* 11 (1 900 lits) ; *gîtes ruraux* 282 (973 pl.), *de groupes* 14 (488 pl.).

■ Départements

Voir légende p. 777.

■ **Nord** (59) 5 742 km² (184 × 6 à 87 km, dép. le + long). *Côtes* 35 km. *Alt. max.* Bois St-Hubert 266 m ; *min.* – 5 m. ; Mt Cassel 176 m, Mt des Cats 164 m ; *Pop. 1801 :* 765 001 ; *1851 :* 1 158 885 ; *1901 :* 1 867 408 ; *1911 :* 1 962 115 ; *1921 :* 1 788 193 ; *1936 :* 2 022 436 ; *1946 :* 1 917 694 ; *1954 :* 2 098 805 ; *1975 :* 2 511 478 ; *1982 :* 2 520 900 ; *1990 :* 2 532 589 (dont Fr. par acquis. 68 500, étrangers 135 946 dont Maroc. 35 765, Alg. 34 657, Port. 16 365, Ital. 12 196). D 438,6. **Enclaves du Nord en Pas-de-Calais :** avant la Révolution, *Boursies* (en partie), *Doignies* et *Mœuvres* relevaient du Cambrésis ; *Graincourt-les-Havrincourt,* qui les sépare du Nord, et *Boursies* (en partie) dépendaient de l'Artois, subdélégation de Bapaume, et du bailliage de Bapaume.

Villes. LILLE (chef-lieu dep. 1804, avant : Douai ; a absorbé Wazemmes, Esquermes, Fives et Moulin-Lille ; fusion en 1977 avec Hellemmes-Lille) ; alt. moy. 23 m, max. 40,76 m, sup. 2 521 ha, 172 149 h. (dont Hellemmes-Lille 16 356) [*1455 :* 15 000 ; *1653 :* 40 000 ; *1700 :* 53 000 ; *1800 :* 52 234 ; *1841 :* 72 537 ; *1936 :* 200 619 [1] ; *1954 :* 194 628 [1] ; *1962 :* 193 096 ; *1968 :* 190 170 ; *1975 :* 189 942]. Admin., univ., aéroport (Lesquin), ind. élec., auto., équip. auto., cigarettes, alim., text., presse ; palais Rihour, hospice C, musée des Beaux-Arts [f. 1793 ; 28 961 vis. (1991), fermé jusqu'à fin 1994], citadelle Vauban, Vieille Bourse (1652, Julien Destré), Nouvelle Bourse. Espaces verts (1975) 292 ha (13,40 % de la sup. totale) dont bois de Boulogne et de la Deûle, promenades de la Citadelle 52, jardin des Plantes 11, parc des expos. 2,2, jardin du loisir des Dondaines 13. *Rue la plus longue :* r. du Fbg-d'Arras (1 940 m) ; *la plus courte :* r. de l'Entente-Cordiale (7) ; *places les plus importantes* (en m²) : Rihour 19 360, de la Rép. 18 900, de la Nouvelle-Aventure 18 700, du Mal-Leclerc 15 990, Philippe-le-Bon 12 650, Sébastopol 11 280. [ag. 950 265, dont *Bondues* 10 281. *Croix* 20 231 ; mat. agr., vente par corresp. *Faches-Thumesnil* 15 774. *Halluin* 17 629 ; text., transform. du papier. *Haubourdin* 14 321 ; savonnerie, prod. amylacés. *Hem* 20 200. *La Madeleine* 21 601 ; ind. chim. lin. *Lambersart* 28 275. *Leers* 9 627. *Lomme* 26 549 ; coton. *Loos* 20 657 ; filterie. *Lys-Lez-Lannoy* 12 300. *Marcq-en-Barœul* 36 601 ; bât., ind. élec., inform., alim. *Mons-en-Barœul* 23 578 ; brasserie. *Mouvaux* 13 566. *Neuville-en-Ferrain* 9 895. *Ronchin* 17 937. *Roncq* 12 035. *Roubaix* 97 746 ; brasseries, text., presses hydraul., caout., vente par corresp., santé. *St-André* 10 098. *Seclin* 12 281 ; méc. *Tourcoing* 93 765 ; ind. text., carton, vente par corresp., imprim. *Villeneuve-d'Ascq* 65 320 ; ville nouvelle née 1970 de la fusion d'Ascq, Flers et Annappes (*1801 :* 3 718 ; *1921 :* 10 680 ; *1962 :* 19 612 ; *1968 :* 26 288 ; *1975 :* 36 769), sup. 2 746 ha ; alim., cartonnerie, université, musée d'Art moderne du Nord [fondation J. et G. Masurel, f. 1983 ; 102 000 vis. (1991)]). *Wambrechies* 8 250. *Wasquehal* 17 986 ; bâtiment. *Wattignies* 14 533. *Wattrelos* 43 675 ; text.].

– *Anhiers* 954 h. ; 1re égl. solaire de Fr. (1980). *Annœullin* 8 787 h. (ag. 11 560). *Armentières* 25 219 h. (ag. 57 738) ; ind. méc., coton, lin, brasserie, hôp. psych. *Aulnoye-Aymeries* 9 882 h. (ag. 20 802) ; transf. acier. *Avesnes-sur-Helpe* 5 108 h. (ag. 8 448). *Bailleul* 13 847 h. (ag. 17 198) ; alim., text. *Bavay* 3 751 h. (ag. 4 874) ; vestiges gallo-romains. *Bergues* 4 163 h. (ag. 11 113). *Cambrai* alt. 53 m, sup. 1 812 ha, 33 092 h., absorbe 1971 Morenchies [*1801 :* 15 010 ; *1841 :* 20 141 ; *1861 :* 22 557 ; *1921 :* 26 023 ; *1936 :* 29 655 ; *1946 :* 26 129 ; *1962 :* 35 373 ; *1968 :* 39 974] (ag. 47 719) 3 clochers : St Géry, cath., beffroi ; h. de ville (Jacquemart) ; machines-outils, text., bât., bêtises. *Caudry* 13 579 h. (ag. 14 273) ; cosmétique et dent. – *Douai* *42 175 [*1720 :* 13 048 ; *1801 :* 17 433 ; *1841 :* 25 203 ; *1861 :* 24 486 ; *1921 :* 34 131 ; *1936 :* 42 021 ; *1946 :* 37 258 ; *1962 :* 50 104 ; *1968 :* 51 657] [ag. 160 343 dans le dép. dont *Auby* 8 442. *Cuincy* 7 204 ; Renault. *Flers-en-Escrebieux* 5 344 ; imprimerie nat. *Lallaing* 8 001. *Sin-le-Noble* 16 472 ; métall. *Waziers* 8 824 ; ind. chim.] ; houillères, métall., ind. chim., mat. ferrov., alim. ; cour d'appel. – *Dunkerque* * alt. 4 m, sup. 2 863 ha, 70 331 h. (*1981 :* 74 794, retranchement d'un quartier de Petite-Synthe) [*1600 :* 51 004 ; *1770 :* 15 900 ; *1801 :* 22 270 ; *1841 :* 27 047 ; *1861 :* 32 113 ; *1921 :* 34 748 ; *1936 :* 31 017 [1] ; *1954 :* 21 136 [1] ; *1962 :* 27 616], fusionne 1970 avec Malo-les-Bains, 1972 avec Petite-Synthe et Rosendaël et en 1980 avec Mardyck ; 3e port fr. en 1990 [ag. 190 879 dans le dép. dont *Capelle-la-Grande* 8 908. *Coudekerque-Branche* 23 644 ; huilerie. *Grande-Synthe* 24 362 ; centre comm., sid., ind. méc. *Gravelines* 12 336 ; centr. nucléaire. *St-Pol-sur-Mer* 23 832] ; raffin., chimie, alim., m. d'Art contemporain – *Estaires* 5 434 h. (ag. 13 639) ; text. *Fourmies* 14 505 h. (ag. 18 049) ; métall., text. *Hazebrouck* 20 567 h. ; bonneterie. *La Bassée* 6 017 h. *Le Cateau-Cambrésis* 7 703 h. (ag. 8 027) ; céram. musée Matisse. *Maubeuge* sup. 1 885 ha, 34 989 h. [*1801 :* 4 784 ; *1841 :* 7 431 ; *1861 :* 10 557 ; *1921 :* 21 173 ; *1946 :* 20 859 ; *1962 :* 27 287 ; *1968 :* 32 172] [ag. 102 772, dont *Feignies* 7 269. *Ferrière-la-Grande* 5 746 ; équip. ind. *Hautmont* 17 475 ; transf. de l'acier. *Jeumont* 11 048 ; ind. élec. *Louvroil* 7 349 ; sid.] ; métall., céram., mach.-outils, auto. – *St-Amand-les-Eaux* 16 776 h. (ag. 19 979) ; céram., équip., ind. – *Valenciennes* sup. 1 384 ha, 38 441 h. [*1801 :* 9 118 ; *1921 :* 13 394 ; *1936 :* 42 564 ; *1968 :* 46 290 ; *1982 :* 40 275] [ag. 336 481, dont *Aniche* 9 672 ; verre. *Anzin* 14 064. *Aulnoy-lès-Valenciennes* 8 029 ; bât. univ. *Beuvrages* 8 042. *Bruay-sur-l'Escaut* 11 771. *Crespin* 4 553 ; mat. ferrov. *Denain* 19 544. *Douchy-les-Mines* 10 931. *Escaudain* 9 330. *Fenain* 5 639. *Fresne-sur-Escaut* 8 107. *Haulchin* 2 651. *Marly* 12 081 ; mat. ferrov. *Onnaing* 9 173. *Prouvy* 2 474 ; céram. *Quiévrechain* 6 456. *Raismes* 14 099 ; mat. ferrov. *St-Saulve* 11 122 ; tubes acier. *Saultain* 2 037 ; peint. *Somain* 11 971. *Trith-St-Léger* 6 208. *Vieux-Condé* 10 859. *Wallers* 5 862] ; métall. de transform., prod. résines, tôlerie, textile, peint ; musée des B.-Arts [f. 1795, 31 821 vis. (1991)].

Nota. – (1) Pop. totale (avec doubles comptes).

Régions naturelles. *Flandre maritime* (céréales, betteraves, pommes de t., lin, chicorée). *Flandre intérieure et plaine de la Lys* (céréales, pommes de t., porc, vaches lait.). *Région de Lille et Pévèle* (céréales, légumes dont endives, pommes de t.). *Plaine de la Scarpe, Hainaut, Thiérache* (vaches lait. et élevage bovin pour la viande). *Cambrésis* (céréales, betteraves, endives).

Économie. Énergie : *Houillères* fermées, diversification (mat. de constr., plastiques). *Pétrole* (raffinage). *Gaz de cokerie :* Waziers ; (imp. de Groningue). *Électricité thermique :* Pont-sur-Sambre, Dunkerque, Bouchain ; *nucléaire :* Gravelines ; *mat. électro. :* Jeunot Schneider. **Textile :** Lille, Roubaix, Tourcoing, Armentières, Avesnes-Fourmies. *Laine. Lin. Tapis. Rubanerie :* Comines. *Coton, jute, tissage, fils à coudre, teinture, apprêt, bonneterie. Broderies, dentelles :* Cambrésis (Caudry, Villers-Outreau).

Confection et habill. : ag. lilloise, Armentières, Hazebrouck, Cambrésis, Aulnoy-lès-Valenciennes, Poix-du-Nord (Bidermann), Valenciennes. **Sidérurgie :** littoral (Usinor et Creusot-Loire à Dunkerque), bassin de la Sambre. *Métall. et mécanique :* fonderie, chaudronnerie, tubes d'acier (Vallourec), matériel roulant (Marly-lès-Valenciennes, Crespin, Douai), mach.-outils (vallée de la Sambre), grands ensembles ind. (Fives-Lille). **Auto. :** Maubeuge (MCA Renault), Douai (Renault), Vieux-Condé (Valmex), Trith-St-Léger (Peugeot), Lille (Peugeot). **Chimie :** *produits de base, engrais, pharm.* (Lille : Ugine-Kuhlmann, Unilever), *de beauté* (L'Oréal à Caudry et Revlon à Seclin), *peintures et vernis* (PPG Industrie France à Valenciennes et Saultain). **Agroalim. :** *sucreries, distilleries, meuneries, brasseries, conserveries, raffineries de chicorée, huileries* (Dunkerque), *produits laitiers* (Steenvoorde, Bailleul, Avesnois), *fromage* (Maroilles). **Carton, verre** (Masnières et Boussois). **Mat. de construction :** *tuiles, briques, ciment, céramique* (Desvres). **Bâtiment** et TP. **Vente par corresp.** (8 000 sal.) : 2/3 du CA français.

Tourisme. Stations balnéaires. Parc naturel régional de St-Amand (6 000 ha), de l'Avesnois (125 000 ha). **Plan d'eau** val Joly. **Forêts :** Mormal (10 000 ha), Nieppe. **Monts** de Flandre et Cassel.

■ Pas-de-Calais (62) 6 672 km² (140 × 82 km). *Côtes* 105 km (C. d'Opale, de la couleur du ciel et de l'eau). *Alt. max.* 212 m (Mt Hulen). *Pop. 1801 :* 505 615 ; *1851 :* 694 294 ; *1906 :* 1 013 492 ; *1921 :* 900 704 ; *1926 :* 1 172 723 ; *1946 :* 1 169 196 ; *1954 :* 1 227 467 ; *1975 :* 1 402 295 ; *1982 :* 1 412 413 ; *1990 :* 1 433 203 (dont Fr. par acquis. 34 477, étrangers 30 597 dont Maroc. 9 616, Alg. 5 372, Ital. 2 740, Port. 1 302). D 215

Villes. ARRAS, sup. 1 163 ha, alt. max. 72 m, 38 983 h., [*1801 :* 19 958 ; *1851 :* 25 271 ; *1936 :* 31 488 ; *1946 :* 33 345 ; *1958 :* 53 574 ; *1975 :* 46 483] [ag. 79 607, dont *Achicourt* 7 959. *Dainville* 5 693. *St-Laurent-Blangy* 5 358. *St-Nicolas* 6 121] ; équip. ind., chaudron., ciments, ind. alim., text., chim., BTP ; palais St-Vaast (musée des Beaux-Arts, fondé 1794, visiteurs 1991 : 27 679), hôtel de ville (beffroi), grand-place (XIIe au XVIIIe s.), place des Héros (XVIIe s.), musée de la Résistance et Déportation. – *Aire-sur-la-Lys* 9 529 h. (ag. 10 571). – *Ardres* 3 936 h. (ag. 5 200). *Audruicq* 4 586 h. *Bapaume* 3 509 h. *Berck* 14 162 h. ; musée. [ag. 19 693]. – *Béthune* * sup. 943 ha, alt. moy. 25 m, max. 35, 24 556 h. [*1698 :* 3 748 ; *1801 :* 13 228 ; *1836 :* 20 856 ; *1866 :* 40 251 ; *1926 :* 52 839 ; *1946 :* 34 885 ; *1968 :* 28 379 ; *1975 :* 26 982] [ag. 244 719 dans le dép. dont *Annezin* 5 859. *Auchel* 11 813. *Barlin* 7 948. *Beuvry* 8 744. *Bruay-la-Buissière* (av. 1987 -*en-Artois ; 1856 :* 700 h.) 24 927 ; text. *Calonne-Ricouart* 6 586. *Divion* 7 644. *Douvrin* 5 442. *Hersin-Coupigny* 6 679. *Houdain* 7 930. *Lillers* 9 666. *Marles-les-Mines* 6 790. *Nœux-les-Mines* 12 351 ; mat. plast. *Sains-en-Gohelle* 6 031. *Wingles* 8 742 ; autom.] ; musée des Arts et Traditions pop. ; chim. – *Biache-Saint-Vaast* 3 981 h. – *Boulogne-sur-Mer* * sup. 842 ha, alt. 6 à 66 m, 43 678 h. [*1801 :* 10 685 ; *1851 :* 30 784 ; *1901 :* 49 949 ; *1936 :* 52 371 ; *1946 :* 34 885 ; 1954 : 43 936 ; *1968 :* 50 150 ; *1975 :* 48 440] [ag. 95 930, dont *Le Portel* 10 615. *Outreau* 15 279, métall. fond. *St-Martin-Boulogne* 11 054] ; port de pêche [1er p. français (1er centre européen du traitement du poisson)], commerce et voy. (2e p. de voyageurs), ind. métall., conserves et surgelés (70 000 t/an), faïencerie d'art ; château d'Aumont ; musée, porte des Degrés, égl. N.-D. ; espaces verts 23 ha. – *Calais* * sup. 3 350 ha, alt. moy. 5 m, max. 18 m, 75 309 h. [*1801 :* 9 667 ; *1851 :* 22 517 ; *1901 :* 59 793 ; *1921 :* 73 001 ; *1936 :* 67 568 ; *1946 :* 50 048 ; *1954 :* 60 340 ; *1968 :* 74 908 ; *1975 :* 78 820] [ag. 101 768, dont *Coulogne* 5 809. *Marck* 9 069] ; port de commerce (1 228 304 t en 1992), port voyageurs [1er de Fr. (13 862 584 pass. en 1992), 3e du monde, 1er hoverport du monde par les dimensions et l'importance des installations], transmanche (2 230 986 véhicules en 1992), port (16 863 025 t en 1992) ; chim., mach.-outils, mat. élec., dentelles, confection, jouets ; égl. N.-D., tour du Guet, musée. *Clairmarais* 687 h. – *Desvres* 5 318 h. (ag. 6 536). *Étaples* 11 305 h. [ag. 23 412, dont *Le Touquet-Paris-Plage* 5 596] ; accessoires autom., pêche ; maison de la Faïence. *Frévent* 4 121 h. *Hesdin* 2 713 h. (ag. 7 674). *Isbergues* 5 145 h. (ag. 12 726). *Leforest* 7 882 h. *Lens* * sup. 1 283 ha, alt. 21 à 66 m, 35 017 h. [*1801 :* 2 365 ; *1851 :* 2 796 ; *1901 :* 24 370 ; *1921 :* 14 259 ; *1936 :* 32 730 ; *1946 :* 34 342 ; *1968 :* 42 019 ; *1975 :* 40 199], [ag. 323 174, dont *Avion* 18 534. *Billy-Montigny* 8 126. *Bully-lès-Mines* 12 577. *Carvin* 17 059. *Courcelles-lès-Lens* 6 343. *Courrières* 11 376. *Fouquières-lès-Lens* 7 038. *Grenay* 6 213. *Harnes* 14 309. ; chim., confection, ind. alim. *Hénin-Beaumont* 26 257 ; génie thermique et solaire, métall., accessoires autom., confection, fabrication de bagages. *Liévin* 33 623 ; agroalim., méc., textile ; stade couvert régional 2 700 places. *Loison-sous-Lens* 5 688 ; transform. de l'acier. *Loos-en-Gohelle* 6 561. *Mazingarbe* 7 829 ; chim. *Méricourt* 12 330. *Montigny-en-Gohelle* 10 629. *Noyelles-Godault* 5 655 ; métaux non ferreux. *Noyelles-sous-Lens* 7 687. *Rixent* 2 860 ; m. du Marbre. *Rouvroy* 9 208. *Sallaumines* 11 036. *Vendin-le-Vieil* 6 938 ; chim.] ; houilles. *Lumbres* 3 944 h. (ag. 7 989). *Marquise* 4 453 h. (ag. 12 678). *Libercourt* 10 093 h. *Montreuil* * 2 450 h. (4 312). *Oignies* 10 546 h. *Oye-Plage* 5 678. *St-Omer* * sup. 1 641 ha, alt. max. 26 m, 14 434 h. ; hôtel Sandelin, musée Henri-Dupuis, bibliothèque (350 000 volumes), [ag. 53 062, dont *Arques* 9 014 ; cristallerie, cartonnerie. *Blendecques* 5 210 ; cartonnerie. *Longuenesse* 12 604. ; ind. téléphonique. ; confection ; marais Audomarois (3 400 ha)]. *St-Pol-sur-Ternoise* 5 215 h. (ag. 8 400). *St-Venant* 3 887 h. *Vitry-en-Artois* 4 732 h. *Wimereux* 7 109 h.

Régions naturelles. *Pays d'Aire* 34 795 ha ; céréales. *Collines guînoises* 19 303 ha : céréales, lin, bett. *Boulonnais* 64 670 ha : vallons, élevage. *Ht pays d'Artois* 95 055 ha : céréales, herbages. *Béthunois* 29 087 ha : céréales, cult. légumières. *Ternois* 130 519 ha : céréales, herbages. *Pays de Montreuil* 58 114 ha : céréales, herbages. *Bas champs picards* 19 494 ha : herbages, céréales. *Plaine de la Lys* (Flandre intérieure) 16 754 ha : céréales, bett., p. de terre. *Wateringues* (canaux) 37 033 ha : horticult., cult. maraîch. *Artois* (collines) 138 447 ha, alt. max. N.-D.-de-Lorette 170 m : céréales, betteraves.

Économie. Agriculture : 2,5 % de la prod. fr. pour 1,73 % de la SA nat. N. et O. : cult. fourr., prod. anim. (Boulonnais, Marquenterre). S. et E. (col. de l'Artois, Flandre mérid.) : céréales, plantes sarclées, cult. légumières, prod. lait. (2e rang national) ; légumes frais (6,66 % de la prod. nat. dont 1/4 d'endives) ; p. de terre (10 % de la prod. nat.) ; betteraves fourragères (1er, av. C.-du-N.), industrielles (10 % de la prod. nat.) ; chicorée à café (93 % des surfaces nat., 1er rang) ; blé (3,1 %) ; orge + escourgeon (1er rang) ; lin (Ardrésis, vallée de la Ternoise) ; tabac (7e, 3 régions : Hesdin-Montreuil, pays d'Aire, Béthunois) ; endives (secteur de Marquion). Bovins, chevaux (du Boulonnais), porcs. **Pêche :** 20% de la prod. française (60 314 t en 1992) en harengs, lieus noirs, merlans, maquereaux.

Énergie. Charbon : dernier puits fermé 21-12-1990 (Oignies, fosse 10). **Gaz** *venant du charbon gras :* 1 cokerie (Drocourt), *naturel :* (Groningue ; P.-Bas). **Électricité :** centrale therm. (Violaines).

Industrie. Chimie (carbo-chimie) : *Calais, Mazingarbe* (engrais azotés et complexes, production de PVC), *Drocourt* (trait. des benzols, résines polyesters), *Douvrin* (engrais) et *Wingles* (plastiques et polystyrènes), *Vendin* (résines et trait. des goudrons de houille, chimie organique fine), *Harnes* [alcools oxo, plastifiants (Noroxo)], *Chocques* (engrais, synthèse organique, acide sulfurique), *Isbergues* (air liquide, hydrogène), *Calais, Nœux-les-Mines* et *Feuchy* (engrais), *Billy-Berclau* (explosifs), *Ruitz* [peinture (Ripolin)]. **Sidérurgie** : *Boulogne-sur-M.* (aciéries et fonderies, ferro-manganèse) et *Isbergues* (aciérie électr.), *Biache-St-Vaast* (laminage à froid), *Noyelles-Godault* [plomb et zinc (Metaleurop., 1er prod. européen)], *Marquise* (fonderie), *Béthune* (chaudronnerie et mécanique). **Métallurgie :** *Lens* (câblerie). **Chantiers navals :** *Étaples, Boulogne, Calais.* **Constr. élec. et électron. :** *Calais* (câbles tél. et énergie sous-marine, fibres optiques), *Longuenesse, Boulogne, Le Portel, St-Omer, Nœux-les-Mines.* **Auto** : *Douvrin* (moteurs Renault-Peugeot), *Ruitz* (boîtes de vitesses), *Harnes* (intérieurs), *Calais* (chaînes de transmission), *Calais, Étaples* (équip. électr.), *Hénin-Beaumont* (bennes en alliage léger, équip. auto.), *Sallaumines* (carrosseries spéciales). **Pneus :** *Béthune.* **Papeteries-cartonneries :** *vallée de l'Aa, Corbehem, Maresquel.* **Textiles :** *Nœux-les-Mines, Bruay-Ruitz, St-Omer, Calais* (dentelles) ; synthétiques : *Arras, Calais ;* bonneterie et confection : *St-Omer, Boulogne* et *Calais* (axe St-Omer-Arras, Hénin-Beaumont, Harnes, Lens). **Verrerie-cristallerie :** *Arques, Wingles* (BSN). **Chaux, ciments :** *Dannes, Lumbres, Pont-à-Vendin, Marquise.* **Marbre :** région de *Rinxent* (574 m³/an). **Céramiques** et faïenceries : *Desvres.* **Agroalim. :** *Arras, St-Pol-sur-Ternoise, Vieil-Moutier, Verton* (laitiers), *Boulogne* (conserveries, surgélation), *Corbehem, Lillers, Marconnelle, Attin, Pont-d'Ardres* (sucreries), *Calais* (biscuiterie), *Lestrem* (amidon de maïs et blé), *Béthune-Harnes* (frites surgelées), *Béthune, Violaines, Liévin* (lég. surgelés), *Hesdin* (distilleries), *Vaulx-Vraucourt, Duisans* (conserves légumes), *St-Omer* (brasserie), *Tilloy-les-Mofflaines* (glaces).

Tourisme. Stations balnéaires : *Le Touquet-Paris-Plage* (aéroport), *Berck, Stella-Plage, Hardelot, Le Portel, Wimereux.* **Forêts :** *Boulogne, Hardelot, Clairmarais, Éperlecques, Tournehem-sur-la-Hem.* **Parcs régionaux :** *Boulonnais, Audomarois.* **Sites des caps :** *Blanc-Nez* et *Gris-Nez.* **Art roman :** *collégiale de Lillers.* **Gothique :** hôtels de v. et beffrois *(Arras, Béthune, cath. de St-Omer), collégiale St-Pierre (Aire-sur-la-Lys).* **Gothique anglais :** *Calais, St-Omer.* **Villes historiques :** *Arras, Boulogne, Hesdin, Montreuil, St-Omer, Vilmy* (mémorial canadien 1914-18). **Ports de plaisance :** *Boulogne, Calais, Étaples.* **Sport :** circuit auto. de Croix-en-Ternois. **Aéroports :** *Le Touquet, Calais.*

(BASSE-) NORMANDIE

■ GÉNÉRALITÉS

Superficie 17 589 km². **Population** (1990) 1 391 961 (dont Fr. par acquis. 11 012, étrangers 22 152 dont Turcs 3 884, Maroc. 3 480, Port. 3 077). D 79.

ALENÇON

Situation. « Campagne d'Alençon » : campagne signifie « labours » (en fait, semi-bocage ; mais sol calcaire, favorable à la céréaliculture). Partie S. du dép. de l'Orne.

Histoire. Avant la conquête romaine : zone frontière (non déboisée) entre les Aulerques Sagii (cap. Sées : *Sagiensis civitas*, et Saosne : *Sagono*) et les Aulerques Cennomans. **57 av. J.-C.** vaincus par Crassus et Titurius Sabinus, lieutenants de César. Fait partie successivement des deux Lyonnaises Secondes (cap. Rouen). **Sous les Carolingiens** subdivision du pays d'Exmes. **920-24** conquis sur Bretons et Normands païens par Rollon, duc de Normandie dep. 911. **943** attribué par Rollon au seigneur du Saosnois qui prend vers 1000 le titre comtal. **1023-1199** suzeraineté disputée entre Ctes du Perche, du Maine et le duc de Normandie. **1219** cédé à Philippe Auguste à la mort du dernier Cte héréditaire Robert IV. **1269** apanage de Pierre, fils de Louis IX. **1293** apanage de Charles Ier de Valois. **1367** érigé en pairie. **1414** en duché, usurpé par le Cte de Bedford. **1449** reconquis par Jean II d'Al. **1549** rattaché à la couronne à la mort de la veuve du 4e duc, Charles IV de Valois. Remis en douaire ou en apanage jusqu'en 1696 (Catherine de Médicis, duc de Wurtemberg, Gaston d'Orléans). **1710-14** titre honorifique pour le duc de Berry, **1785** pour le Cte de Provence.

Ressources. Manufactures de drap fermées à la révocation de l'édit de Nantes. **XVIIIe s.** manufactures royales de dentelles et métallurgie. Polyculture (céréales, herbages), élevage laitier.

BASSE-NORMANDIE

Situation. Baignée par la Manche, entre l'embouchure de la Risle (estuaire de la Seine) et celle du Couesnon (baie du Mt-St-Michel). *Départements :* Calvados, Manche, Orne. Partie occidentale de l'ancienne province de Normandie. *Basse* signifiait plus éloignée de la capitale, Rouen, que la haute Norm. *Pays d'Ouche :* plus argileux et humide. *Pays d'Auge :* prairies (fromages : Livarot, camembert...).

Plus à l'ouest : campagne de Caen : table de calcaire très perméable ; céréales et plantes fourragères. *Bessin :* collines argileuses ; élevage laitier (beurre d'Isigny). Petites plaines calcaires et découvertes de *Falaise* et *d'Argentan. A l'ouest du Bessin : péninsule du Cotentin :* 191 m au N. (massif granitique, falaises de La Hague et du Nez de Jobourg) ; au S., collines s'abaissant, paysage bocager, bovins, petites fermes dispersées. *Bocage normand :* 417 m à la forêt d'Écouves. Au S. de la Seine : mines de fer.

Histoire (haute et basse Normandie). Pays peuplé faiblement, jusqu'au **IVe s. av. J.-C.**, de *Ligures* et peut-être d'*Ibères.* **IVe-Ier s.** colonisation par les *Celtes* (de La Tène). Tribus gauloises : *Calètes* (Caux) et *Véliocasses* (Vexin), faisant partie des Belges ; *Lexovii* (Lisieux), *Baïocasses* (Bayeux et Bessin), *Viducasses* (Vieux), *Abrincates* (Avranches), *Aulerques Eburovices* (Évreux), *Unelli* (presqu'île du Cotentin), *Sagii* (Sées), *Esuviens* et une partie des *Diablinthes* (Jublains) dans l'Orne faisant partie des *Celtes « chevelus ».* **56 av. J.-C.** *conquis* par un lieutenant de César, Titurius Sabinus, **52** participe à la révolte. **Époque gallo-romaine** 7 cités (Rouen, Évreux, Lisieux, Sées, Coutances, Bayeux, Avranches) avec Rouen pour métropole (Lyonnaise Seconde). **IVe-VIe s.** fait partie de l'État de Syagrius, puis des territoires de Childebert (capitale Paris). **VIe s.** chaque cité se fractionne en 2 ou plusieurs *pagi.* L'ensemble (archevêché de Rouen) constitue la Neustrie occidentale. Principales abbayes : St-Wandrille, 649, Jumièges, v. 650, Fécamp, v. 660, Mont-St-Michel, 709. **IXe s.** dévasté par invasions normandes. **911** *tr. de St-Clair-sur-Epte* constituant une « marche de Normandie » (cap. Rouen) en faveur de Rollon († 927) : chef militaire d'une partie des envahisseurs fixés dans le pays. **Xe-XIe s.** ses successeurs, devenus « ducs », conquièrent la basse N. sur Bretons, Normands païens (princes quasi indépendants, prêtant un hommage purement formel aux rois de France) et les autochtones. Essor économique et religieux : *Guillaume Longue-Épée* (v. 907-assass. 942), *Richard Ier* (v. 920-96), après avoir défait Louis IV à Varaville

(945) et s'être fait remettre le duché, se déclare « roi en N. ». *Robert le Magnifique* (duc de 1027 à 1035) obtient momentanément la suzeraineté sur Bretagne, Vexin français, Pontoise (1031). *Guillaume le Conquérant* (v. 1027-1087), fils de Robert le Magnifique et de son « épouse secondaire » Arlette, duc dès 1035, devient plus puissant que le roi de Fr. quand il s'empare de la couronne d'Angleterre en 1066. **XIe-XIIe s.** luttes incessantes entre les Anglo-Normands et leur suzerain capétien. **1077** Guillaume perd le Vexin français. **1078** *Philippe Ier* soutient Robert Courteheuse, 2e fils du Conquérant, héritier de la N., qui veut s'affranchir de la couronne anglaise. Mais Robert est battu à *Tinchebray* en 1106, et Henri Beauclerc, son frère, réunit les 2 couronnes ducale et royale. **1120** naufrage de la Blanche Nef, décès des héritiers d'Henri I Beauclerc. **1132** *Mathilde,* fille d'Henri, épouse *Geoffroi Plantagenêt,* Cte d'Anjou, du Maine et de la Touraine, fondant « l'empire Plantegenêt » dont la N. ne sera qu'un élément (voir Grande-Bretagne à l'Index). **1196** *tr. de Gaillon* entre Richard Cœur-de-Lion et Philippe Auguste attribue au Roi de F. le Vexin normand, les châtellenies de Neufmarché, Gaillon, Vernon, Pacy, Ivry et Nonancourt. **1200** *tr. du Goulet* entre Jean sans Peur et Philippe Auguste fait perdre à la N. Aumale, Gournay, l'Évrecin et le C^{té} du Perche. **1202-04** Philippe Auguste confisque la N. à Jean sans Terre, puis l'annexe, amenant la ruine des seigneurs laïcs et ecclésiastiques normands dont la fortune était de type « colonial » (vastes domaines « outre-mer », c.-à-d. en G.-B.). De nombreux serfs saxons restent fixés sur les terres normandes (sauf lieux saxons ou sainsaulieux). **1219** C^{té} d'Alençon réuni à la couronne de Fr. à la mort du Cte *Robert IV.* **1259** *tr. de Paris* réunit définitivement la N. au domaine royal. **1266** St Louis reconnaît les anciennes coutumes anglonorm. et angevines sous le nom de *Grand Coutumier.* **1283-86** révoltes contre Philippe le Bel ; contraindront Louis X à concéder la Charte aux Normands (1315, confirmée 1339) qui fixe les libertés provinciales (consentement aux impôts), et sera renouvelée à chaque règne jusqu'au XVIIe s. La g. de Cent Ans met fin à la prospérité. **1346** le roi d'Angl. Édouard III décide de débarquer en Normandie où il a un partisan, Godefroy d'Harcourt (riche seigneur du Cotentin, rebelle au roi de Fr., et espérant recevoir du roi d'Angl. le duché de Normandie) ; *13-2 :* Éd. III débarque à St-Vaast ; *fin juillet* conquiert Cotentin avec l'aide de God. d'Harcourt ; *Charles le Mauvais,* Cte d'Évreux (et roi de Navarre), se rallie à lui ; la N. est déchirée entre Navarrais, Anglais, Français, aidés des milices communales, dévastée par les grandes compagnies. **1359** *accords de Londres,* sous obédience anglaise. **1360** *tr. de Brétigny* revient sur l'accord précédent. Progressivement reconquise par *Du Guesclin* sur les Navarrais battus à *Cocherel* (16-5-1364), par *Jean de Vienne* sur les Anglais (prise de *St-Sauveur-le-Vicomte,* 1375). **1382** paix rétablie après répression *révolte de la Harelle,* à Rouen. **1394** Cherbourg rachetée aux Anglais. **1417** Henri V débarque à l'embouchure de la Touques, prend Rouen en 1419 et soumet toute la N., sauf le Mont-St-Michel, en 1420. H. V, puis le régent Bedford essaient de la détacher de la Fr., en respectant les « libertés » et en ménageant les susceptibilités ; ils rétablissent l'Échiquier à Caen (1436) et fondent une université (1432, droit canon et droit civil ; 1437, théologie ; 1438, médecine). **1431** *Jeanne d'Arc* jugée et brûlée à Rouen. **1450** *18-4 Formigny :* dernière bat. normande de la g. de Cent Ans. Charles VII reprend possession de la province, confirmant les libertés. **XVe s.** développement ind. **1517** *fondation du Havre.* g. de Religion. Réforme accueillie très tôt (bûcher d'E. Lecourt en 1533, exécutions de 1555 et 1559) ; les réformés prennent la plupart des grandes villes (1562). **1598** *13-6 édit de Nantes* (paix). **XVIIe s.** prospérité. Particularisme réduit. **1651** division en 3 généralités, Rouen, Caen et Alençon. **1666** suppression des états provinciaux. Sous Colbert, développement du textile (Rouen, Elbeuf, Cotentin), des faïenceries (Rouen), des forges... **1685** forte émigration (révocation de l'édit de Nantes). **XVIIIe s.** développement d'une bourgeoisie d'affaires (Feray au Havre, Houël à Caen). **1793** anticentralisatrice ; *13-6* insurrection « girondine », sous la direction de Roland ; *30-6* réunion à Caen d'une assemblée antijacobine de 9 départements ; *28-7* les administrateurs du Calvados se soumettent à la Montagne, après la défaite du chef militaire girondin, le royaliste La Puisaye.

PERCHE

Situation. Confins Maine, Normandie, Orléanais ; S.-E. de l'Orne (haut Perche), S. de l'Eure, O. de l'Eure-et-Loir (faux Perche), N.-O. du Cher (Perche vendômois), E. de la Sarthe (Perche-Gouet). Hauteurs humides et boisées (Mts d'Amain 321 m).

Histoire. Occupé dès le néolithique, marche boisée entre les territoires des tribus gauloises des *Carnutes, Éburovices* et *Aulerques Cenomans.* Échappe à

l'implantation romaine. Défriché sous les Mérovingiens et rattaché à l'Hiémois (pays d'Exmes). **Xe s.** le Cte du Corbonnois, hostile au duc de Normandie Rollon, fortifie Mortagne et prend le titre de Cte de Mortagne. **XIe s.** Rotrou, Cte de Mortagne, construit la citadelle de Nogent et y prend le titre de « Cte du Perche ». **1113** 2 autres « comtés du P. » sont créés dans les zones nouvellement déboisées : Montmirail (ou bas Perche ou Perche-Gouet) et Bellême. **V. 1200** les 3 comtés sont réunis en 1 seul (cap. Nogent-le-Rotrou) et entrent dans la dot de *Blanche de Castille* (tr. du Goulet), qui épouse *Louis,* fils de Philippe Auguste. **1257** Louis IX rachète les droits des héritiers et cède le comté à son fils Pierre. **1293** apanage de Charles Ier de Valois. **1525** mort du dernier Valois-Alençon et retour à la Couronne. Attribué plusieurs fois à titre honorifique. **1610** rattaché au gouv. du Maine. **XVIIIe s.** élection de la généralité d'Alençon (*Perche-Gouet :* gouv. d'Orléans ; *Thimerais :* Ile-de-France ; *Haut Perche :* gouv. du Maine).

Ressources. Forêt, agriculture, pommiers. Élevage de chevaux à partir du XVIIIe s. remplacé par l'élevage de bovins au XXe s. (veaux pour Paris).

■ ÉCONOMIE

Population active *ayant un emploi* (au 1-1-1992) : 544 924 dont primaire 61 436, secondaire 160 542 (dont BTP, génie civil et agric. 39 433), tertiaire 271 028 (dont services 204 660) ; *salariée* 423 441.

Échanges (en milliards de F, 1991). **Imp. :** 15,8, dont (en %) mat. électron., profess. et mén. 10,3, machines de bureau, traitement de l'information 9,9, auto. et autres transp. terr. 7,6, prod. chim. de base 6,8, équip. ind. 4,8, ind. papier, carton 4,6, ind. lait. 4,2, prod. de l'agr. 3,3, fab. instr.-mat. de précision 3,3, équip. ménager 2,7, métaux 1/2 prod. non ferreux 2,5 ; *de* (en %) CEE 59,8 (All. 36,7, Italie 14,3, Belg.-Lux. 13,7, R.-U. 13,1, P.-Bas 7,8, Espagne 6,8, Irlande 3,9, Portugal 1,9, Danemark 1,4, Grèce 0,2) ; hors CEE 40,2. **Exp. :** 17,4, dont (en %) équip. mén. 18,6, auto. et autres mat. de transp. terr. 15,6, ind. lait. 10,6, mat. électron. ménager-profess. 8,2, mat. élec. 4,5, équip. ind. 4, prod. de l'agr. 3,8, métaux, 1/2 prod. non ferreux 3,5, prod. sid. 3, viandes, conserves de viandes 3, prod. du trav. du grain 2,4, mat. divers 2,3 ; *vers* (en %) CEE 71,4 (All. 29,9, Italie 18,5, Belg.-Lux. 12,3, Espagne 11,9, R.-U. 11, P.-Bas 7,9, Portugal 3,8, Danemark 1,8, Irlande 1,6) ; hors CEE 28,6.

Agriculture (au 1-1-91). **Terres** (en milliers d'ha). 1 774 dont *SAU* 1 416,2 [t. lab. 599, herbe 814,3] ; *bois* (y c. peupleraies) 192,2 ; *t. agr. non cult.* 35 ; *étangs et autres eaux intér.* 8,2 ; *t. non agr.* 130,5. **Prod. végétale** (estim. en milliers de t, 1992) : blé tendre 1 148,1, orge 263,8, betteraves ind. 585,6, pois protéagineux 214, maïs grain 134,9, colza 28,5. **Animale** (en milliers, au 31-12-91) : bovins 1 871 (dont vaches lait. 610,5), porcins 454,6, ovins 173,8, équidés 43,8. *Lait* (1991) : 25 290 000 hl. **Bois** (en 1991) : 651 488 m³. **Pêche** (en t, 1991) 58 844 dont Manche 36 959, Calvados 21 885.

Industrie. *Salariés* (31-12-91) : 116 748 dont ind. agroalim. 20 664, ind. des biens intermédiaires 25 546, des biens d'équip. 45 846, des biens de consom. 20 897. *Production* (1991) : acier 556 096 t ; fonte, affinage et moulage 577 518 t ; véhicules RVI (92) 19 308. **Artisanat** (1991) : 21 314 entreprises, 40 871 salariés. **BTP** *salariés* (au 1-12-91) : 39 500.

Trafic maritime (en milliers de t, 1991). *Marchandises :* Caen-Ouistreham 3 886,5, Cherbourg 3 316,5, Granville 111,8, Honfleur 179 (1983 : 530,7). *Passagers* (en milliers, 1991) : Cherbourg 1 504,6, Caen-Ouistreham 941,3, Granville 162.

Tourisme. *Parc régional* Normandie-Maine (253 000 ha). *Parc naturel* des marais du Cotentin (120 000 ha). *Résidences secondaires :* 103 799. *Campings* 307. *Gîtes ruraux* 1 340. *Hôtels* 642.

■ DÉPARTEMENTS

Voir légende p. 777.

■ **Calvados** (14) 5 547,92 km² (128 × 90 km). *Côtes* 120 km. *Alt. max. :* Mt Pinçon 365 m. *Pop. 1801 :* 451 851 ; *1851 :* 491 225 ; *1901 :* 410 193 ; *1921 :* 384 745 ; *1936 :* 404 916 ; *1968 :* 519 716 ; *1975 ;* 560 967 ; *1982 :* 599 066 ; *1990 :* 618 729 (dont Fr. par acquis. 6 476, étrangers 11 222 dont Alg. 1 576, Port. 1 548, Maroc. 1 096, Indoch. 964). D 111.

Nom. Appelé d'abord Orne-Inférieure puis Calvados, du nom d'une ligne de rochers d'env. 25 km de long à 2 km de la côte entre l'Orne et la Vire ; dite roches du Calvados (de *caballi dorsum* « dos de cheval » : forme savante de Quevaudos ou de l'espagnol passage caillouteux), dont les roches de Lion, l'île des Essarts vers Langrune, îles de Bernières, rocher Germain, roches de Ver. Selon une légende le navire amiral *San-Salvador* de l'Invincible Armada y aurait échoué en 1588.

Villes. CAEN 112 846 h. [*1789 :* 31 902 ; *1901 :* 44 794 ; *1939 :* 62 000 ; *1945 :* 40 000 ; *1960 :* 89 000 ; *1975 :* 119 640], alt. 4,40 à 71,50 m ; métall., activités port., constr. élec. et électron., ind. méc., auto ; univ., grand accélérateur national à ions lourds (Ganil), Service d'étude des Postes et Télécom., centre hosp. univ. ; musées : de Normandie (f. 1946, 74 193 vis. en 1991), des Beaux-Arts (f. 1801, 75 000 vis. en 1991), Mémorial pour la paix (inauguré 6-6-1988), enceinte médiévale, églises et abbayes St-Étienne et de la Trinité [ag. 188 799, dont *Bretteville-sur-Odon* 3 623. *Colombelles* 5 695. *Cormelles-le-Royal* 4 604 ; constr. électr., électro., auto. *Fleury-sur-Orne* 3 861. *Giberville* 4 574. *Hérouville St-Clair* 24 795. *Ifs* 6 974. *Mondeville* 9 488 ; sidér., chim.]. – *Argences* 3 048 h. (ag. 3 967). *Aunay-sur-Odon* 2 878 h. *Balleroy* 613 h. ; (1625-30, architecte Mansart), musée des Ballons, rassemblement de mongolfières en juin. *Bayeux** 14 704 h. (ag. 17 223) ; activ. bancaire ; cathédrale, musées : Baron-Gérard, du Gal de Gaulle, de la Bataille de Normandie, atelier dentelle, porcelaine, tapisserie, mémorial 2e G. mondiale. *Benouville* 1 258 h. ; château (1769, constr. par Ledoux). *Blainville-sur-Orne* 4 341 h. *Bonneville-sur-Touques,* 354 h. ; château (XIe s., 18-6-1066 Guillaume le Conquérant y réunit un conseil), donjon (XIIIe s.). *Bretteville-sur-Laize* 1 341 h. ; cimetière, Canadiens 2 959 tombes. *Canapville,* 185 h. ; manoir des évêques. *Clécy* 1 182 h. ; musée Hardy. *Colombières* 218 h. ; château. *Condé-sur-Noireau* 6 309 h. ; amiante. *Courseulles-sur-Mer* 3 182 h. ; maison de la Mer. *Creully* 1 396 h. ; château. *Crèvecœur* 554 h. ; château (XI-XVIe s.). *Dives-sur-Mer* 5 344 h. [ag. 11 179, dont *Cabourg* 3 355 ; station baln.] ; port. *Etouvy* 227 h. ; foire millénaire (dernière sem. d'oct.). *Falaise* (détruite à 90 % en 1944) 8 119 h. ; app. mén. ; château féodal. *Fontaine-Étoupefour* 1 627 h. ; château. *Fontaine-Henry* 448 h. ; château Renaissance. *Grandcamp-Maisy* 1 881 h. ; musée des Rangers, inauguré 6-6-1990. *Honfleur* 8 272 h. (ag. 9 856) ; port, musées : Boudin, Municipal (f. 1868), du Vieux Honfleur (f. 1899), égl. Ste-Catherine. *Isigny-sur-Mer* 3 018 h. ; beurre. *La Cambe* 588 h. ; cimetière, All.

(21 160 tombes). *Juaye-Mondaye* 616 h. ; abbaye. *Le Molay-Littry* 2 584 h. ; musée de la Mine (en activité 1744-1880) ; moulin de Marcy. *Lisieux* * (bombardée en août 1944) 23 703 h. (ag. 28 028) ; ind. auto., élec., du bois, méc. ; pèlerinage (Ste Thérèse) ; basilique, musée du Vieux-Lisieux (f. 1968). *Livarot* 2 469 h. ; fromage, cidre, ind. du bois. *Luc-sur-Mer* 2 902 h. (ag. 11 513). *Merville-Franceville* 1 317 h. ; batterie. *Mézidon-Canon* 5 622 h. (ag. 4 845) ; centre ferr., biscuiterie. *Orbec* 2 642 h. (ag. 3 525) ; fromage ; musée Municipal (f. 1873). *Ouistreham* 6 709 h. (ag. 12 834) ; car-ferry, stat. balnéaire de Riva-Bella, musées du Débarquement et du Mur de l'Atlantique. *Pontécoulant* 105 h. ; château XVIe-XVIIIe s.). *Pont-l'Évêque* 3 843 h. ; fromage, distil. de calvados, musées de l'Auto. et du Calvados. *Port-en-Bessin* 2 308 h. ; épaves du débarquement. *St-Gabriel-Brécy* 240 h. ; château, Prieuré. *St-Germain-de-Livet* 598 h. ; château. *St-Laurent-sur-Mer* 163 h. ; cimetière amér. (9 000 tombes). *St-Martin-des-Besaces* 986 h. ; musée de la Percée du bocage. *St-Pierre-sur-Dives* 3 993 h. ; ind. du bois ; église abbatiale, m. du Fromage. *Soumont-St-Quentin* 530 h. ; m. de la Vie rurale. *Surrain* 123 h. ; m. de la Libération. *Tilly-sur-Seulles* 1 252 h. ; m. de la bataille de Tilly. *Thury-Harcourt* 1 586 h. ; château (1635, incendié en 1944, reste la cour d'honneur, 2 pavillons d'entrée, façade et ruines du vestibule). *Trouville-sur-Mer* 5 607 h. [ag. 18 963, dont *Deauville* 4 261 (*1860* : 100 ; *1876* : 1 514 ; *1911* : 3 546 ; *1975* : 5 664) ; 357 ha ; stat. balnéaire (1860), casino, courses, marché intern. du yearling] ; casino, cures marines ; m. municipal (f. 1936), aquarium. *Vendeuvre* 1 359 h. ; château (1750-52), m. du Mobilier miniature. *Vierville-sur-Mer* 256 h. ; m. Omaha Beach. *Villers-Bocage* 2 845 h. ; ind. de la viande. *Vire* * 12 896 h. (ag. 15 924) ; marché agr., confect., auto., ind. méc., lait ; musée municipal.

Régions naturelles. *Bessin* : 80 400 ha ; alt. – de 100 m ; herbages, v. bovine. *Plaine de Caen et de Falaise* : 137 000 ha ; alt. + de 200 m au sud, – de 100 m au nord ; céréales et bett. *Pays d'Auge* : 186 700 ha ; alt. 200 à 100 m du S. au N. ; herbages, lait, cidre, fromages. *Bocage* et *Suisse normande* : 156 400 ha ; alt. + de 200 m (365 m au mont Pinçon) ; herbages, lait. **Bois** (milliers d'ha, 1-1-90, estim.) 49,9 [dont forêts de St-Sever 1,5, de Balleroy 2,1].

Ressources. *Agricoles* (1991) : viande gros bovins 42 600 t, veaux 4 000 t. *Lait* (1991) : 6 915 000 hl. *Pêche* : 25 972,8 t débarquées (289 466 056 F). *Mines* : fer (Soumont-St-Quentin, fermées), calcaires (rég. de Caen) ; granit (rég. de Vire).

Tourisme. Côte fleurie (Deauville-Trouville à Cabourg). **Côte de Grâce** (Honfleur à Trouville). **Côte du Bessin (musées du Débarquement)** : Arromanches, pointe du Hoc. **Pays d'Auge** : manoirs à colombages du XVIe s. (St-Germain-du-Livet, Canapville) ; halles médiévales (Dives-sur-Mer, St-Pierre-sur-Dives). **Bocage Virois** : Souleuvre (saut à l'élastique). **Routes touristiques** : *du Cidre* (Pays d'Auge), *des Douets* (ruisseaux affluents de la Touque), *de la Suisse normande* (Clécy-Thury-Harcourt, pont d'Ouilly, Condé-sur-Noireau), *du Granit* (forêt de St-Sever, env. 1 500 ha et plan d'eau de la Dathée 40 ha). **Forêt** : *Balleroy-Cerisy* (2 165 ha, hêtres 80 %, chênes 18 %). **Réserves** : *St-Pierre-au-Mont* (oiseaux de mer), *Merville-Franceville* (oiseaux), *Jurques* (zoo de 10 ha), *Herminal-les-Vaux* (zoo de 5 ha). **Parcs de loisirs** : *Caen-Carpiquet* (Festyland), *Clécy, Cordebugle* (étang 2,5 ha), *Isigny* (étang 4 ha), *Livry* (étangs du Val d'Aure), *Pont-L'Évêque* (étang 56 ha), *Thury-Harcourt* (étang du Traspy, 2 ha), *Vire-St-Germain-de-Tallevende* (étang 43 ha).

■ **Manche** (50) 5 938 km² (140 × 54 km). *Côtes* 330 km. *Alt. max.* : St-Martin-de-Chaulieu 368 m. *Pop. 1801* : 530 631 ; *1851* : 600 882 ; *1901* : 491 372 ; *21* : 415 512 ; *36* : 431 367 ; *68* : 451 939 ; *75* : 451 662 ; *82* : 465 948 ; *90* : 479 636 (dont Fr. par acquis. 2 272, étrangers 3 920 dont Turcs 1 152, Maroc. 912, Port. 372, Alg. 316). D 81.

Villes. SAINT-LÔ 2 320 ha, 21 546 h. [*1803* : 6 987 ; *1901* : 11 604 ; *1946* : 6 010 ; *1954* : 11 804 ; *1962* : 16 072 ; *1968* : 18 348 ; *1975* : 23 221 ; *1982* : 23 212] [ag. 26 567, dont *Agneaux* 4 163] ; marché agr., haras, créé 1806, 118 étalons, musée (tapisserie de 32 m « les Amours de Gombault et Macé »), confect., imprimerie, prod. de beauté, électromén., carr., auto. – *Avranches* * 8 638 h. [*1851* : 8 932 ; *1921* : 6 597 ; *1975* : 10 136 ; *1982* : 9 468] (ag. 14 575) ; marché agr., carr. auto, confect., ind. agroalim., galvanoplastie, poterie, orn. religieux, musée (manuscrits du Mont-St-Michel). *Bricquebec* 4 363 h ; marché agr. *Carentan* 6 300 h. (ag. 7 519) ; ind. agroalim., constr. naut. et élec., verreries, marché agr. *Cerisy-la-Forêt* 784 h. ; abbaye. *Cherbourg* * (située dans le Val-de-Saire) 27 121 h. [*1851* : 28 012 ; *1901* : 42 938 ; *1975* : 32 536 ; *1982* : 28 442] ; arsenal, constr. naut., méc., électron., mat. télécom. et cinéma, confect., usine atom. de retrait. des déchets (La Hague à 15 km), ; préfecture maritime, port (milit., de pêche, commerce et voy.), 2e port de plaisance de Fr. (après Cannes) ; musée de la Guerre ; [ag. 92 045, dont *Équeurdreville-Hainneville* 18 256, *La Glacerie* 5 576, *Octeville* 18 120, *Querqueville* 5 456, *Tourlaville* 17 516, château ; parc Emmanuel Liais]. *Condé-sur-Vire* 3 000 h. ; ind. lait. *Coutances* * 9 715 h. [*1851* : 8 064 ; *1921* : 6 248 ; *1975* : 9 869 ; *1982* : 9 930] ; marché agr., constr. méc., confect., prod. pharm., impr. et papet. ; cath. N.-D. (XIIIe s.), égl. St-Pierre (XVe s.). *Crosville-sur-Douve* 297 h. ; château. *Graignes* 534 h. ; hippodrome, école de jockeys. *Granville* 12 413 h. [*1851* : 11 035 ; *1921* : 9 489 ; *1975* : 13 330 ; *1982* : 13 546] [ag. 16 860, dont *Donville-les-Bains* 3 199] ; port (pêche, plaisance, voyageurs et commerce) ; stat. climatique et baln. ; fonderie ; prod. chim., constr. naut. et méc., ind. alim., confection ; église N.-D. XVIe s. et XVIIe s., remparts. *Gratot* 581 h. ; château. *Hambye* 1 218 h. ; abbaye, musée du Folklore. *La Lucerne-d'Outremer* 621 h. ; abbaye. *Lessay* 1 719 h. ; abbaye. *Mortain* 2 416 h. ; abbaye. *Pirou* 1 224 h. ; château. *Pontorson* 4 376 h. *Quineville* 306 h. ; musée. *St-Germain-des-Vaux* 489 h. (le plus petit port homologué : le port Racine, 45 m de long, 20 m de large, avec une entrée de 8 m). *St-Hilaire-du-Harcouët* 4 489 h. ; foires. *St-Sauveur-le-Vicomte* 2 257 h. ; musée Barbey d'Aurevilly. *Ste-Marie-du-Mont* 779 h. ; musée. *Ste-Mère-Église* 1 556 h. ; musée. *St-Vaast-la-Hougue* 2 134 h. ; port (500 pl.). *Torigni-sur-Vire* 2 659 h. (ag. 4 464). *Valognes* 7 412 h. ; ville ancienne, musée du Cidre ; château Matignon. *Vauville* 372 h. (microclimat ; ensoleillement important, végétation spécifique). *Villedieu-les-Poêles* 4 356 h. ; cuivre (musée), fonderie (cloches), confection.

Régions naturelles. Fait partie du *Massif armoricain. La Hague* : 20 500 ha ; alt. 180 m. *Bocage de Valognes* : 77 700 ha ; alt. 100 m. *Val-de-Saire* : 25 500 ha ; alt. 80 m. *Cotentin* : 64 900 ha ; alt. 30 m. *Bocage de Coutances-St-Lô* : 234 000 ha ; alt. 120 m. *Avranchin* : 96 500 ha ; alt. 100 m. *Mortainais* : 80 700 ha ; alt. 250 m. *Iles Chausey* : 75 ha (5 000 ha à marée basse ; marées amplitude 14,5 m), à 15,8 km de la Pointe du Roc. 300 îles dont une habitée ; grande île : long. 2 km, larg. 0,2 à 0,7 ; château Renault (1558 remanié 1736 et 1923 par Louis Renault). **Bois** (milliers d'ha, estim. au 1-1-90). 44,6 [dont (1981) forêts de *Cerisy* et *Balleroy* 2,1, de la *Lande-Pourrie* ou f. de *Mortain* 1].

Ressources. *Agricoles* (1990) : viande gros bovins 43 261 t, porcins 32 684 t, veaux 8 775 t. Pommiers, cult. légumières (1er prod. fr. de carottes). *Lait* (1991) : 14 135 000 hl. Produits alim. à base de lait. *Pêche* : 47 293 t débarquées. *Exploitants* agr. (1990) 24 950. *Chevaux* 19 025 (département le + important). *Industrielles* : métall., méc., prod. chimiques, textiles.

Tourisme. Baie du Mt-St-Michel 30 000 ha de vasières marécageuses avec marais intercotidal (passages de limicoles, hivernage d'anatidés). **Mont-St-Michel** 72 h. (1990) [*1800* : env. 340, *1975* : 114] ; îlot : haut. 170 m, env. 3 ha, bois 86,7 ares, circonférence 900 m, amplitude des marées 14 m [record en France, les bancs de sable se découvrant en vive eau jusqu'à 15 km du rivage ; ensablement irréversible à partir de 1991 si travaux non entrepris ; en projet : remplacer la digue par une passerelle (coût 250/500 milliards de F) ; abbaye (cloître du XIIIe s.). **Falaises** parmi *les plus hautes d'Europe* dont le Nez de Jobourg (125 m). **Lacs** : *Vézins* 110 ha, prof. 19 m, *La Roche* 40 ha, prof. 8 à 10 m. **Étang** : *Torigni-sur-Vire* 7 ha (prof. 10 m). **Cascades** : *Mortain*. **Parc** *naturel régional des Marais du Cotentin et du Bessin* : 25 000 ha protégés, maison des Marais à Marchésieux. **Ile de Tatihou** (face à St-Vaast-la-Hougue), musée maritime.

■ **Orne** (61) 6 143 km² (100 × 140 km). *Alt. max.* : Signal d'Écouves (f. d'Écouves) 417 m. *Pop. 1801* : 395 723 ; *1851* : 439 869 ; *1901* : 326 937 ; *1936* : 269 316 ; *1954* : 274 848 ; *1975* : 293 523 ; *1982* : 295 472 ; *1990* : 293 336 (dont Fr. par acquis. 2 264, étrangers 7 010 dont Turcs 1 876, Maroc. 1 472, Port. 1 157, Indoch. 465). D 48.

Villes. ALENÇON 29 988 h. [*1861* : 16 110 ; *1901* : 17 240 ; *1954* : 21 893 ; *1975* : 33 680] [ag. dans le dép. 39 176, dont *Damigni* 2 495. *St-Germain-du-Corbéis* 4 176] ; app. mén., électron. ; chaudronnerie ind. alim., imprimerie, plasturgie ; égl. N.-D. (porche du XVIe s.), musées des Beaux-Arts et de la Dentelle, d'Ozé, maison natale de Ste Thérèse. – *Argentan* * 16 421 h. [*1861* : 5 638 ; *1901* : 6 291 ; 1954 : 8 339 ; *1975* : 16 774] ; ind. alim., fonderies, électroménager, app. de levage, carburateurs. *Athis-de-l'Orne* 2 393 h. ; usines méc. *Bagnoles-de-l'Orne* 875 h. [*1921* : 371 ; *1960* : 727 ; *1975* : 651], thermalisme (50 000 l d'eau à l'h à 25°8 C). *Bellême* 1 788 h. [*1861* : 3 153 ; *1901* : 2 627 ; *1975* : 1 843] (ag. 2 829) ; plasturgie. *Carrouges* 760 h. ; château. *Chambois* 497 h. ; château. *Chênedouit* 190 h. ; château. *Corbon* 108 h. ; manoir. *Couterne* 1 038 h. ; château. *Domfront* 4 409 h. ; agroalim. [*1861* : 2 909 ; *1961* : 4 801 ; *1975* : 4 354]. *Dompierre* 374 h. ; musée du Fil et du Fer. *Flers* 17 888 h. [*1861* : 10 054 ; *1901* : 13 680 ; *1975* : 20 486] (ag. 24 357) ; confect., équip. auto., abattage, mat. plast., fonderies, méc. ; château, musées. *Gacé* 2 247 h. *Gaprée* 141 h. ; manoir. *La Ferté-Macé* 6 913 h. [*1861* : 7 011 ; *1901* : 6 467 ; *1975* : 6 899] ; prod. pharm., confect., chaussures, plasturgie. *L'Aigle* 9 466 h. [*1861* : 5 676 ; *1901* : 5 205 ; *1975* : 9 619] (ag. 12 663) ; prod. pharm. ; musée « Juin-44 ». *Le Mêle-sur-Sarthe* 710 h. ; plan d'eau. *Le Theil-sur-Huisne* 1 836 h. ; équip. auto., ouate de cellulose. *Médavy* 159 h. ; château. *Messei* 1 966 h. ; sous-traitance auto. *Mortagne-au-Perche* * 4 584 h. [*1861* : 4 887 ; *1901* : 3 967 ; *1975* : 4 877] (ag. 5 472) ; équarrissage, climatisation, prod. pharm. *Mortrée* 1 022 h. ; château. *Randonnai* 935 h. *Roiville* 132 h. ; manoir. *St-Cyr-la-Rosière* 210 h. ; musée des Traditions pop. *St-Christophe-le-Jajolet* 253 h. ; château. *Ste-Honorine-la-Chardonne* 639 h. ; château. *Sées* 4 547 h. [*1861* : 5 045 ; *1901* : 4 165 ; *1975* : 4 706] ; cath. XIIIe et XVe s. ; palais d'Argentré, musée départ. d'Art rel. *Soligny-la-Trappe* 624 h. ; abbaye cistercienne (XIIe s.). *Tinchebray* 2 955 h. [*1861* : 4 365 ; *1901* : 4 421 ; *1975* : 3 202] ; chocolaterie, quincaillerie ; musée. *Tourouvre* 1 633 h. ; musée de l'Émigration percheronne au Canada. *Vimoutiers* 4 732 h. [*1861* : 3 698 ; *1901* : 3 546 ; *1975* : 5 019] ; agroalim. ; musée du Camembert.

Régions naturelles. Ouest : *bocage* 221 800 ha, herbages, vergers (climat pluvieux : 512 mm de pluie en 1991). *Suisse normande* vallonnée. **Centre** : *plaines d'Argentan et d'Alençon* 84 800 ha, polyculture. **Nord-Est** : *Pays d'Auge* 35 600 ha, pommiers et herbages ; *P. d'Ouche* 68 800 ha, polyculture ; *Le Merlerault* 14 750 ha, chevaux, bovins (embouche) ; *Le Perche* 188 600 ha, chevaux, prairies artificielles. **Bois** (milliers d'ha, estim. au 1-7-92). 1 600 [dont forêts d'Écouves 15, d'Andaine 8, Gouffern 3,4, Le Perche et La Trappe 4,7, Bellême 2,5, Longny 2,3, St-Évroult 3, Réno-Valdieu 1,6, Moulins-Bonsmoulins 1,5, Bourse 2].

Ressources. *Agriculture* : axée à 77 % sur la prod. animale (viande 40 %, lait 36 %). Chevaux réputés (haras du Pin), camembert, cidre, calvados, agroalim. *Ind.* : électroménager, équip. auto., lait., plasturgie, fond. et trav. des métaux.

Tourisme. Parc naturel régional Normandie-Maine. *O* (à Mortrée). **Haras** du Pin. **Plans d'eau** : *La Ferté-Macé, Le-Mêle-sur-Sarthe, Rabodanges, Soligny-la-Trappe, Vimoutiers.*

(HAUTE)-NORMANDIE

■ GÉNÉRALITÉS

Superficie 12 258 km². **Population** (1990) 1 737 247 (dont Fr. par acquis. 22 293, étrangers 56 010 dont Alg. 10 601, Maroc. 10 241, Port. 9 060). D 141,7.

Situation. Baignée par la Manche, entre l'embouchure de la Bresle et celle de la Risle (estuaire de la Seine). **Nord de la Seine** : *Confins picards : pays de Bray. Pays de Caux et Vexin normand, vallée de la Seine.* **Sud** : *Roumois : le marais Vernier. Lieuvin. Campagnes du Neubourg et de St-André.* **Histoire** (voir p. 824 c).

■ ÉCONOMIE

Population active *ayant un emploi* (estim. au 1-1-1992) : 660 417 dont primaire 29 399, secondaire 183 496, BTP, génie civil et agric. 50 371, tertiaire 403 151. *Salariés* : 583 367.

Échanges (en milliards de F, 1991). **Imp.** : 75,5 dont prod. énergét. 31,1, chim. et ½ prod. divers 13,1, biens d'équip. profess. 8,6, biens de consom. 5,8, prod. de l'agr., sylvicult., pêche 3,5, équip. auto. des ménages 3,5, ind. agroalim. 3,4, métaux et prod. du trav. des métaux 3,1, ; *de* (en %) CEE 30,7, OCDE hors CEE 16,8 (dont Eur. occ. 8, Amér. du N. 6,5), pays hors OCDE 28,1 (dont Moy-Or. 12,3). **Exp.** : 70,5 dont chim. et ½ prod. divers 17,9, biens d'équip. profess. 11,1, pièces détachées et matér. utilitaire de transp. terr. 9,5, biens de consom. 6,8, équip. auto. des ménages 6,7, prod. de l'agr., sylvicult. et pêche 6,5, ind. agroalim. 4,6, prod. énergét. 4,5, métaux et prod. du trav. des métaux 2,5 ; *vers* (en %) CEE 42,9, OCDE hors CEE 9,5 (dont Eur. occ. 5,2, Amér. du N. 3,4), pays hors OCDE 18,1 (dont Moy.-Or. 1,6).

Agriculture (camp. agr. 1990-91). **Terres** (en milliers d'ha). 1 233 dont *SAU* 856 (t. arabl. 554, herbe 300, cult. fruit. 2) ; *bois* 224 ; *étangs et non agr.* 138. **Prod. végétale** (en milliers de t, 1991) : céréales 2 317,7 (dont blé tendre 1 708,4, orge et escourgeon 531,8, maïs-grain 43,8) ; bett. fourr.

534,4, maïs-fourr. (en vert) 638,9 ; cult. ind. 2 066,8 dont bett. 1 926,8, lin text. 140 ; p. de t. 259,8, pois secs et protéagineux 272. **Animale** (en milliers de têtes, au 31-12-90) : bovins 798 (dont vaches lait. 196), ovins 141, porcins 146. *Lait* (prod. finale, 1991) 8 766 000 hl dont 8 110 000 hl livrés à l'ind.

Pêche (1987). 19 633 t débarquées (189 021 000 F) dont (en t) poissons frais 13 485, grande pêche 5 528, coquillages et mollusques 454, crustacés 166.

Industrie. *Salariés* (estim. au 1-1-91) : 176 865 dont ind. agroalim. 14 552, énergie 11 116, biens d'équip. 68 035, intermédiaires 54 965, de consomm. 28 197. BTP 41 480. *Production :* électr., prod. de raffinage, engrais, mécanique, composants électron. **Tertiaire.** *Salariés* (estim. au 1-1-91) : services non marchands 119 790, marchands 108 398, commerce 58 251, transports et télécomm. 50 875.

Trafic portuaire (1991). *Maritime* (millions de t) : Le Havre 24,7, Rouen 29,7, Dieppe 1,8 ; *voyageurs* (milliers) : Le Havre 957,7, Dieppe 715,6. *Fluvial* (millions de t) : Rouen 2,6, Le Havre 2,1.

Tourisme (31-12-90). 675 hôtels de préfecture (6 348 ch. en 1989), 335 h. classés (7 646 ch.), 21 h. de tourisme (276 ch.), 399 gîtes ruraux (2 177 l.), 153 campings-caravanages (34 317 l.), 386 ch. d'hôtes (866 l.), 17 campings à la ferme, 15 aires naturelles de camping, 5 maisons familiales de vac. (1989) (332 l.), 5 villages de vac. (1989) (980 l.), 7 auberges de jeunesse (1989) (360 l.), 19 gîtes d'enfants (208 l.), 20 gîtes d'étape (359 l.), 11 fermes-auberges, 19 centres de vac. (1989) (1 580 l.), 44 352 résidences secondaires (221 760 l.).

■ Départements

Voir légende p. 777.

■ **Eure** (27) 6 037 km² (115 × 110 km). *Alt. max.* St-Antonin de Sommaire 257 m. *Côtes* 3,5 km. *Pop. 1801 :* 402 796 ; *1851 :* 415 777 ; *1901 :* 384 781 ; *1921 :* 303 159 ; *1954 :* 332 514 ; *1962 :* 361 943 ; *1975 :* 422 952 ; *1982 :* 462 254 ; *1990 :* 513 818 (dont Fr. par acquis. 7 789, étrangers 18 145 dont Maroc. 3 316, Port. 3 296, Alg. 2 224). D 85.

Villes. ÉVREUX 49 103 h. [ag. 54 654 dont *Gravigny* 3 113, *St-Sébastien-de-Morsent* 4 181] (détruite à 60 % par les bombardements 1940 et 1944), alt. 65 m ; constr. élec. et méc., prod. pharm., caout., plast., imprimerie, fonderie ; tour de l'Horloge, cath., couvent des Capucins, ruines gallo-rom.

– *Andelys* (Les)* 8 455 h. (ag. 8 262) ; verre, électro., confect., art. de pêche, Château-Gaillard (XIIe s., alt. 100 m), musée Nicolas-Poussin. *Beaumont-le-Roger* 2 694 h. *Bec-Hellouin* 434 h. ; abb. N.-D. *Bernay** 10 582 h. (ag. 11 873) ; confect., prod. de beauté, marché agr., constr. méc. (ag. 3 474). *Beuzeville* 2 702 h. *Bourgtheroulde-Infreville* 2 742 h. *Breteuil* 3 351 h. *Brionne* 4 408 h. *Conches-en-Ouche* 4 009 h. *Étrépagny* 3 671 h. *Fleury-la-Forêt* 215 h. ; château (XVIIe s.). *Francheville* 347 h. ; musée de la Ferronnerie. *Gaillon* 6 303 h. [ag. 9 826, dont *Aubevoye* 3 879]. *Gasny* 2 957 h. *Gisors* (1158-61, présence des Templiers) 9 481 h. (ag. 10 359) ; donjon. *Giverny* 348 h. ; maison de Claude Monet. *Heudicourt* 519 h. ; château (XVIIe s.). *La Forêt-du-Parc* 457 h. ; vénerie de 1 300 à 1 805. *Le Bosc-Roger-en-Roumois* 2 895 h. (ag. 7 823). *Le Neubourg* 3 639 h. (ag. 3 884). *Le Val-de-Reuil* 11 373 h. *Le Vaudreuil* 3 079 h (ex. ens. urbain 4 524 ; ag. 8 914). *Louviers* 18 658 h. (ag. 20 705) ; ind. élect., textiles, filature, laine, confect., constr. méc., disques ; musée des Décors de théâtre, opéra et cinéma. *Nonancourt* 2 184 h. (ag. 9 989). *Pacy-sur-Eure* 4 295 h. (ag. 5 342). *Pont-Audemer* 8 975 h. (ag. 12 913) ; surnommée « la Venise normande » ; papier, tannerie. *Radepont* 737 h. ; abbaye de Fontaine-Guérard (XIIIe s.). *Romilly-sur-Andelle* 2 658 h. (ag. 3 908). *Rozay-sur-Lieure* 424 h. ; exposition d'animaux naturalisés. *Rugles* 2 416 h. (ag. 3 640). *St-André-de-l'Eure* 3 110 h. *Verneuil-sur-Avre* 6 446 h. ; mach.-outils, emboutissage, moulage de plast., alim. ; égl., tour Renaissance (XVe s.). *Vernon* 23 659 h. [ag. 28 416, dont *St-Marcel* 4 398] ; recherche aérospatiale, constr. élec., méc. et industrie ; musée Alphonse-Georges-Poulain.

Régions naturelles. *Pays d'Auge* (partie : 130 km²), herbages, élevage, lait. *Lieuvin* (637 km²), élevage, petite culture, céréales, lin, colza. *Marais Vernier* (70 km²) [dép. début XVIIe s. assèchement (digue des Hollandais), repris 1950], élevage. *Roumois* (478 km²), herbages, élevage, lait, petite culture. *Pays d'Ouche* (864 km²), petite et moy. cult. ; bovins et porcins, le minerai de fer (faible teneur) n'est plus exploité. *Plateau d'Évreux-St-André* (1 267 km²), céréales (blé, escourgeon, maïs). *Plateau du Neubourg* (709 km²) et *Vexin normand* (531 km²), *bossu* (191 km²) : grande cult. céréalière et ind. ; élevage en régression. *Pays de Lyons* (264 km²), futaies, céréales. *Plateau de Madrie* (265 km²), céréales. **Bois** (en milliers d'ha, 1-1-1990). 127,2 [dont f. de Lyons (hêtres) 10,7, Conches et Breteuil (chênes) 15]. **Sept villes de Bleu :** Mainneville, Hébécourt, Tierceville, St-Denis-le-Ferment, Saucourt, Heudicourt et Amécourt qui jouissaient de droits sur l'ancienne forêt de Bleu.

Tourisme. *Parc naturel régional de Brotonne* (en S.-M. également). **Abbayes :** *Bec-Hellouin* (fondée 1034, entrée XVe s., cloître XVIIe s., bâtiments conventuels XVIIe s., tour St-Nicolas XVe s.) ; *Bernay* (abbatiale XIe s.) ; *Bonport* (fondée 1190 par R. Cœur de Lion) ; *Évreux* (St-Taurin, XIIe s., incendiée 1119, reconstr. 1137) ; *Mortemer* (XIIIe s.). **Châteaux :** *Guichainville* (XVIIe s.), *Harcourt* (XIIe s.), *Champ de Bataille* (1696-1702), *Gisors* (XIe et XIIe s.), *Vascœuil* (XIVe-XVIe s.), *Château-Gaillard* (Andelys) (1197), *Bizy* (Vernon) (1741), *Beaumesnil* (1633-1640), musée de la Reliure. **Divers :** *Thierville :* seul village français à n'avoir jamais eu de morts à la guerre, ni en 1870, ni en 1914, ni en 1939. *La Couture-Boussey :* dernière lutherie de France.

■ **Seine-Maritime** (76) 6 295 km² (125 × 80 km). *Côtes* 130 km dont *côte d'Albâtre* (de « craie blanche ») du Havre au Tréport. *Alt. max.* Conteville 246 m. *Pop. 1801 :* 609 843 ; *1851 :* 762 039 ; *1901 :* 853 883 ; *1936 :* 915 628 ; *1946 :* 846 131 ; *1975 :* 1 172 743 ; *1982 :* 1 193 108 ; *1990 :* 1 223 882 (dont Fr. par acquis. 14 504, étrangers 37 865 dont Alg. 8 377, Maroc. 6 925, Afr. noire 6 209, Port. 5 764). D 194,3.

Villes. ROUEN (841, attaquée par les Vikings ; ville carolingienne ; 911 capitale de Rollon) 102 723 h. [*1806 :* 80 775 ; *1911 :* 124 987 ; *1936 :* 122 832 ; *1946 :* 107 739 ; *1962 :* 120 831 ; *1975 :* 114 834] ; musées des Beaux-Arts [f. 1801 ; 98 832 vis. (1991)], de la Céramique [f. 1984 ; 30 000 vis. (1991)], de la Seine-M., des Antiquités et Le Secq des Tournelles (ferronnerie) ; cath. (XIIe s.), aître St-Maclou (ancien charnier XVIe et XVIIe s.), Gros-Horloge (XVIe s.), palais de Justice (XVe s.), vieux quartiers ; métall., raff. de pétr., constr. nav. (en déclin), élec., électron., méc., papeterie, text., chim. et alim. ; port (trafic de bois, papier, fruits trop., vins, hydroc., prod. chim. ; 1er port céréalier d'Europe, 5e du monde ; 1er du monde pour l'exp. du blé, des farines et phosphates). [ag. 379 879, dont *Bihorel* 9 358. *Bois-Guillaume* 10 159. *Bonsecours* 6 898. *Canteleu* 16 090. *Darnétal* 9 779. *Déville-lès-Rouen* 10 521. *Grand-Couronne* 9 792. *Le Grand-Quevilly* 27 658 ; papeterie, ind. chim., métall. *Le Petit-Couronne* 8 122 ; raff. pétrole. *Le Petit-Quevilly* 22 600 ; métall., ind. text., chim. *Maromme* 12 744. *Mont-Saint-Aignan* 19 961. *N.-D.-de-Bondeville* 7 584. *Oissel* 11 444. *St-Étienne-du-Rouvray* 30 731 ; text., métall., papeterie. *Sotteville-lès-Rouen* 29 544 ; métall.]

– *Aumale* 2 690 h. (ag. 3 253). *Barentin* 12 721 h. (ag. 19 499). *Blangy-sur-Bresle* 3 447 h. (ag. 4 384). *Dieppe** 35 894 h. (ag. 41 812) ; port (pêche, voyag., comm.), métall., ind. alim., constr. nav. – *Elbeuf* 16 604 h. [ag. 51 083, dont *Caudebec-lès-Elbeuf* 9 902 ; ind. méca. et élec. *St-Aubin-lès-Elbeuf* 8 671. *St-Pierre-lès-Elbeuf* 8 411. *Cléon* 5 870] ; ind. text., élec., mat. plast., auto. Renault (Cléon), prod. chim. *Étretat* 1 565 h. [*1876 :* 2 033 ; *1975 :* 1 525]. – *Eu* 8 344 h. [ag. 20 506, dont dans le dép. *Le Tréport* 6 227 ; verrerie, port, tourisme]. – *Fécamp* 20 808 h. (ag. 23 096) ; pêche hauturière et artisanale (criée) ; ind. agroalim. (Bénédictine), imp. du bois de Scandinavie, aciers, sel, musée des Terre-Neuvas. – *Forges-les-Eaux* 3 376 h. (ag. 4 375) ; thermalisme ; casino. *Gournay-en-Bray* 6 147 h. (ag. 7 921). – *Le Havre** alt. 4 à 103 m, 195 854 h. [ag. 254 627, dont *Gonfreville-l'Orcher* 10 202 (raff. de pétr. et pétrochimie), *Harfleur* 9 180, *Montivilliers* 17 067, *Ste-Adresse* 8 047] ; métall., port de voyageurs et de comm. (2e de Fr., écluse la plus importante d'Europe), imp. de pétrole (Antifer), de prod. tropic., raff., constr. méc., auto., ind. chim., alim., ciments ; musée des Beaux-Arts, André Malraux [25 090 vis. (1991)] ; pendant la g. de 1939-45 : 132 bombardements, 12 500 immeubles et 18 km de quais détruits (5 126 †), maison de la Culture (Oscar Niemeyer, 1972 à 1983). *Le Trait* 5 485 h. ; chantiers navals (fermés). *Lillebonne* 9 310 h. ; ind. chim. et pétrochim ; amphithéâtre (long. 110 m, diam. 80 m, 10 000 pl.). *Neufchâtel-en-Bray* 5 322 h. (ag. 5 872) ; fromages. *Notre-Dame-de-Gravenchon* 8 901 h. *St-Nicolas d'Aliermont* 4 055 h. (ag. 4 935). *St-Valery-en-Caux* 4 595 h. *Villequier* 822 h. ; maison de Victor Hugo. *Yvetot* 10 807 h. [ag. 13 972].

Régions naturelles. Plateau de craie (alt. moy. 100 à 239 m à l'E.) : *Pays de Caux* (287 539 ha) (majeure partie du dép.), limon épais ; polyculture intensive (blé, fourrages, bett. à sucre, lin), élevage (porc, veau, volaille et surtout bœuf). *Pays de Bray* (116 207 ha) (dépression argileuse en boutonnière, imperméable et humide), herbages clos (vaches laitières), céréales, fourrages. Entre *Bray* et *Picardie* (55 991 ha). *Vallée de la Seine* (67 600 ha) (failles, terres sablonneuses et caillouteuses), arbres fruitiers, cult. maraîchères, prairies, forêts. *Petit Caux* (47 286 ha) (au N.-E. de Dieppe), polyculture intensive. Entre *Caux* et *Vexin* (50 786 ha), plateau moins fertile que le p. de Caux. *Côte* (130 km) : falaises (dont Étretat, percées d'arches naturelles) de craie blanche (hauteur 80 à 120 m), coupées par des « valleuses ». **Bois** (en milliers d'ha, au 1-1-90). 95 [dont (1981) forêt de *Lyons* 10,6, *Eu* 9,3, *Brotonne* 6,7, *Eawy* 6,5, *Roumare* 4].

Tourisme. Abbayes : *Jumièges, St-Martin de Boscherville, St-Wandrille, Valmont* (chapelle Renaissance). **Châteaux :** *Angerville-Bailleul, Arques-la-Bataille, Auberville-la-Manuel, Bec, Cany, Dieppe* (coll. d'ivoires), *Eu* (1578, construit pour Henri de Guise, restauré 1661 et 1821, incendié 1902, restauré, appartint à Louis-Phil. puis aux Orléans), *Martainville-Épreville, Mesnières-en-Bray, Miromesnil* (où est né Maupassant), de *Robert le Diable.* **Manoirs :** de Pierre Corneille à *Petit-Couronne,* d'Agnès Sorel près de *Jumièges.* **Stations balnéaires :** *Berneval, Criel-Plage, Dieppe, Étretat, Fécamp, Pourville, Quiberville, St-Aubin, St-Valery-en-Caux, Veules-les-Roses* (la *Veules,* le plus petit fleuve de Fr. y a sa source et son embouchure), *Veulettes, Yport.* **Beautés naturelles :** *aiguille marine de Belval* et *valleuse du Curé* à Bénouville ; *porte* d'Amont, d'Aval (avec l'Aiguille), Manne porte et pointe de Courline à Étretat ; falaise du Heurt à *Fécamp ;* cap d'*Ailly* (phare) à Ste-Marguerite. **Parc zoologique :** *Clères.* **Ouvrages d'art :** pont de *Tancarville* (voir p. 357 c), chantier de *Normandie,* de *Brotonne* (long 1 278 m, haut 125 m).

■ Pays de la Loire

■ Généralités

Superficie 32 081 km². **Population** (1990) 3 059 200 (dont Fr. par acquis. 19 334, étrangers 45 286 dont Maroc. 10 212, Port. 7 856, Alg. 4 748). D 95.

Anjou

Situation. Département du Maine-et-Loire, arrondissements de Château-Gontier (Mayenne) et de La Flèche (Sarthe), 5 cantons d'Indre-et-Loire. Appartient au Massif armoricain *(Anjou noir)* et au Bassin parisien *(Anjou blanc).* Comprend : *Segréen* au N.-O. : sol schisteux, plateau bocager ; grandes propriétés ; élevage ; minerai de fer (exploité). *Mauges* au S.-O. : sous-sol schisteux, paysage vallonné ; grosses propriétés ; élevage ; vieilles industries : filatures de tissage de lin et de coton (Cholet). *Baugeois* au N.-E : région la plus pauvre ; forêts ou landes sur le sable (plaques) du plateau : élevage et exploitation du bois. *Vallées* (Loir, Sarthe, Mayenne) : gros pâturages. *Saumurois* au S.-E. : forêts et landes (massif de Gennes, forêt de Fontevrault) sur sables, marnes et grès ; plaines calcaires au S. de Saumur (petites propriétés et riches cultures) ; coteaux de la Loire, du Layon, de l'Aubance et du Thouet (beaux vignobles). *Vallée* ou *val d'Anjou :* de Candes aux Ponts-de-Cé : climat doux ; petites propriétés ; riches prairies et grandes cult. maraîchères, fruit. et florales.

Histoire. Peuplé au néolithique, puis peuplement *ligure* à partir du *VIe s. av. J.-C.* **V. 350** colonisation gauloise (tribu des *Andegavi*). **57** conquis par Crassus lieutenant de César. **52** soulevé. **51** reconquis par César (défaite de Doué-la-Fontaine). Création de *Juliomagus* (future Angers). Partie de la prov. celtique ou lyonnaise sous le Ht-Empire, puis de la IIIe Lyonnaise, cap. Tours, après Dioclétien. **Ve s.** *Saumurois* rattaché au roy. wisigoth du S.-O. **Période mérovingienne** relève de la Neustrie et en partie de la Bretagne (Mauges). **V. 800** érigé en « marche de Bret. » et confié au Cte Roland. **2e moitié du IXe s.** création du *Cté d'Angers* défendu par Robert le Fort

contre les Normands. Son fils Robert, roi de Fr., y installe un vicomte, Enjeuger, fondateur de la 1re dynastie angevine, comtale dès son successeur. **987** le Cté devient l'un des fiefs directs de la Couronne, *Foulques Nerra* ou le *Noir* (972-1040) prend la couronne comtale et, avec son fils Geoffroi Martel, étend le Cté aux Mauges, au Saumurois, à une partie de la Touraine, à Vendôme et au Maine. Anarchie féodale sous *Foulques IV* en lutte avec son frère Geoffroi le Barbu. *Foulques V* et *Geoffroi Plantagenêt* [qui épousera *Mathilde* (1068-1135), fille d'Henri Ier d'Angl., héritière de Normandie et d'Angleterre] réorganisent le Cté. Ayant leur propre cour, ils exercent droit de justice et sont assistés d'un connétable et du sénéchal d'Anjou, grand personnage qui acquiert au XIIe s. pouvoir de justice. **Sous Henri II Plantagenêt,** roi d'Angl., fait partie d'un vaste ensemble (Angl., Normandie, Bret., Aquit., Gascogne). Après 1175, le sénéchal, dont la fonction devient héréditaire, est investi d'une véritable délégation permanente. Quand Philippe Auguste s'empare de l'Anjou en 1205 (voir Grande-Bretagne à l'Index), il maintient en place le sénéchal d'Arthur de Bretagne, Guillaume Desroches. **1246** apanage (avec le Maine et cités et châtellenies dépendantes) pour son frère cadet, *Charles d'Anjou* (1re Maison d'A.). *Charles II,* son fils, abandonne Anjou et Maine en dot à sa fille Marguerite qui les donne à son époux *Charles de Valois.* **1328** *réuni à la Couronne* avec l'accession au trône de Philippe VI de Valois. **1356** à nouveau séparé, comme duché, par Jean le Bon, au profit de son fils cadet *Louis Ier d'Anjou* (2e Maison d'A.), reste l'apanage de cette dynastie jusqu'à la mort du roi *René* (1409-80) et de *Charles du Maine* (1481) qui le lègue à Louis XI (définitivement rattaché à la Couronne). La fille de René, *Marguerite d'Anjou* (1424-82), mariée 1444 à *Henri VI de Lancastre,* roi d'Angl. (assassiné 1471), emprisonnée à Londres, délivrée 1475 contre rançon de 50 000 écus d'or par Louis XI, dut abandonner ses droits. **XVe** et **XVIe** s. apogée d'Angers. **1560-98** dévasté durant les g. de Religion. **1652** relèvement compromis lors de la Fronde. **Fin XVII-XVIIIe s.** prospérité (dépend de la généralité de Tours). **1793** théâtre des principaux combats de la guerre de Vendée.

Maine

Situation. *Bas Maine* et *comté de Laval* correspondent à la Mayenne [moins l'arr. de Château-Gontier (Anjou)], et le *Haut Maine* à la Sarthe [moins l'arr. de La Flèche (Anjou)].

Comté de Laval : baronnie dépendant du Cté du Maine, érigée en comté-pairie par Charles VII en 1429, et demeurée fief distinct jusqu'à la Révolution (famille de La Trémoille). Le Cté de Laval appartenait historiquement à la Bretagne. La famille de Laval, détachée de la lignée des Montmorency, était bretonne et siégeait aux états de Bretagne.

Bas Maine : partie du Massif armoricain. *Au N.-E.,* crêtes gréseuses [forêts de *Multonne* (m. des Avaloirs 417 m), de *Pail,* des *Coëvrons* (332 m)] traversées par des rivières encaissées. *N.-O.* très accidenté mais moins élevé (forêt de Mayenne, 215 m), le relief s'abaisse vers le S. (bassin de Laval). *Bocage :* élevage des jeunes animaux et cult. de blé et d'orge. *Villes* princ. sur la Mayenne : Mayenne, Laval ; Château-Gontier est une ville angevine.

Haut Maine : séparé de la Normandie, au N., par la forêt de *Perseigne* (340 m). Au S., terrains sédimentaires du Bassin parisien. Argile de décomposition ou « graie » dans les régions de *Mamers* et *Conlie :* bocage, élevage et céréales. Chanvre sur argiles imperméables au S. des grès de Mamers et dans la « boutonnière » du *Belinois. Pays manceau :* sableux, pins ; cultures maraîchères près du Mans. *A l'est et au sud* du pays manceau, entre l'Huisne et le Loir, plateau : landes et forêts (argile et silex), sauf dans parties recouvertes de limon. *Extrémité sud :* limons de la vallée du Loir (céréales).

Histoire. Peuplé dès le *paléolithique.* **Époque gauloise** cités des *Aulerques* (Aulerci) divisées en plusieurs peuples : *Diablintes, Cénomani, Ambarres.* **Époque romaine** *Vindinum* (Le Mans) et *Noviodunum* (Jublains) sont les villes principales. Christianisé du *IVe au VIe s.* **Haut Moyen Âge** *Pagus Cenomanensis.* **IXe s** incursions bretonnes et normandes. **955** héréditaire au profit de Hugues Ier. Ctes d'Anjou et ducs de Normandie s'en disputent la suzeraineté. **1126** rattaché par mariage à l'Anjou. Devient anglais quand le Cte d'Anjou Henri Plantagenêt devient roi d'Angl. **1203** pris par Philippe Auguste à Jean sans Terre. **1228** administration royale. Destructions pendant la g. de Cent Ans ; théâtre des luttes entre le duc d'Alençon et Louis d'Anjou. **1481** à la mort de Charles V d'Anjou (Charles du Maine), rattaché au domaine royal. **XVIe et XVIIe s.** sert d'apanage à des Pces du sang, au XVIIIe s., avec le titre ducal (le dernier duc du Maine est un Pce légitimé, fils de L. XIV).

Nantais

Situation. Partie du Massif armoricain ; plaines alluviales (marécageuses) dans les dépressions.

Histoire. **Époque celtique** occupé par *Namnètes* et en partie par *Vénètes* au N. de la Loire, par *Pictons* au S., tribus de Gaulois navigateurs et commerçants dont le port principal est *Corbilo* (près de Guérande), 3e ville de Gaule par la population. Autres villes importantes : *Portus Namnetum* (Nantes), *Ratiatum* (Rezé, au pays de Retz), *Gronnona* (Guérande). Principal produit exporté : l'étain. **56 av. J.-C.** Brutus (futur assassin de César) détruit la flotte gauloise au N. de Batz (marais salants actuels) ; la population est exterminée. **Période gallo-romaine** la côte de Nantes fait partie de la Lugdunaise IIIe (cap. Tours). Christianisée au IIIe s. (St Rogatien), mais repaganisée par des Saxons débarqués au IVe s. **Ve s.** conquise par les Bretons (Bubic). **818** Louis le Débonnaire installe à Nantes un Cte breton qui se rend rapidement indépendant et prend le titre de roi de Bretagne. Nantes est dès lors partie intégrante du royaume ou du duché breton (voir Bretagne).

Bocage vendéen

Situation. Constitue avec le Marais poitevin et les îles d'Yeu et de Noirmoutier le dép. de Vendée. Le Marais breton est un ancien golfe (au N.-O.) comblé par les alluvions de la Loire. **Histoire.** Noirmoutier est attesté en *680,* Fontenay-le-Comte en *841.* Relèvent du comté de Poitiers (voir Poitou-Charentes).

■ Économie

Population active *ayant un emploi salarié* (au 1-1-91) : 965 730 dont primaire 22 677, secondaire 344 085 (industrie 275 119, BTP 68 966), tertiaire 598 968.

Échanges (milliards de F, 1991). **Imp. :** 48,4 dont prod. énergét. 11,1, biens d'équip. profess. et mén. 11,4, b. intermédiaires 9,6, de consomm. 7,8, ind. agroalim. 5,4, prod. agr. 1,8. **Exp. :** 42,8 dont biens d'équip. profess. et mén. 17,6, ind. agroalim. 8, b. intermédiaires 6,7, de consomm. 5,3, prod. agr. 3,2, prod. énergét. 1,5.

Agriculture (au 1-1-91). **Terres** (en milliers d'ha) 3 240,4 dont *SAU* 2 384,7 [t. arab. 1547,3, vignes 41,8, cult. fruit. 11,9, herbe 786,1)] ; *bois* 313,5 ; *t. agr. non cult.* 54,4 ; *étangs et autres eaux intér.* 56 ; *autre t. non agr.* 451,7. **Prod. végétale** (en milliers de t, au 1-1-91) céréales 3 344 (dont blé tendre 2 017, maïs 793, orge 244), p. de t. 79. *Vins* (en milliers d'hl) : 1 683 dont AOC 626. **Animale** (en milliers au 1-1-91) volailles 224 000, lapins 14 860, bovins 3 004, porcins 1 165, ovins 258, équidés 35. *Lait* (prod. finale, au 1-1-91) : 36 044 000 hl. *Œufs* (1991) : 875 120 000.

Pêche (en milliers de t, 1990). 65,1 débarquées dont poissons frais 29,4, mollusques 3,8 (huîtres 17,7, moules 6,7), crustacés 3,1, coquillages de pêche 2,6, de culture 26,2. *Navires immatriculés* (au 31-12-1991) : 2 421 (dont 2 217 jusqu'à 24 tonneaux). *Marins-pêcheurs* (au 31-12-91) : 3 140 (dont petite pêche 1 566).

Industrie. *Effectifs salariés* (au 1-1-91) : agroalim. 42 812, constr. méc. 24 620, fonderie et trav. des métaux 25 245, bois, meubles, ind. diverses 24 042, text., habill. 22 966, matér. électr. et électron. 20 912, caout. et mat. plast. 17 968, autom., autres matér. transp. terr. 16 645, cuir, chauss. 15 115, constr. navale, aéron., armement 13 232, équip. ménager 10 663, énergie 9 146, imprimerie, presse, édition 8 513, matér. de constr., minerais, verre 6 224, chim. de base, fibres artif. et synth., parachim., pharmacie 6 293, papier, carton 6 175, minerais, métaux ferreux et non ferreux 3 576.

Trafic portuaire. (Port autonome de Nantes-Saint-Nazaire, en millions de t, 1991.) *Entrées* 20,98 (prod. pétroliers 14,1, charbon 3,38, agroalim. 2,61) ; *de* Afr. du N. 5,28 ; reste Afr. 2,55, CEE 2,38, reste Europe 1,9, Amér. 4,24, France 0,8, Moy.-Or. 3,65). *Sorties* 4,17 (prod. pétroliers 2,57, agroalim. 0,57) ; *vers* France 1,34, CEE 2,91, reste Eur. 0,1, Amér. 0,5).

Tourisme. Hôtels classés 812 (40 210 pl. au 1-1-1991), campings cl. 649 (235 895 pl. au 30-10-1991). *Au 1-1-1991 :* hôtels de préfecture 1 140 (8 577 ch.), camping à la ferme 28 (560 pl.), gîtes ruraux 1 371 (6 855 pl.), chambres d'hôtes 550 (1 100 pl.), centres familles vacances 59 (11 100 pl.), d'accueil 17 (1 597 pl.), autres c. de vac. 498 (44 205 pl.).

■ Départements

Voir légende p. 777.

■ **Loire-Atlantique** (44) 6 956 km² (107 × 123 km). *Côtes* 133 km dont 85 au nord de la Loire, 48 au sud ; *c. d'Amour* (nom d'un bois de sapins près de La Baule), *de Jade* (couleur de l'eau). *Alt. max.* colline de La Bretèche 115 m. *Pop. 1801 :* 369 305 ; *1851 :* 535 664 ; *1901 :* 664 971 ; *1921 :* 649 691 ; *1936 :* 659 428 ; *1962 :* 803 372 ; *1975 :* 934 499 ; *1982 :* 995 448 ; *1990:* 1 052 109 (dont Fr. par acquis. 7 479, étrangers 18 261 dont Alg. 2 888, Port. 2 880, Maroc. 2 812, Turcs 1 652). D 154.

Villes. NANTES, alt. 45 à 50 m, sup. 6 523 ha. 244 995 h. [*1700 :* 42 309 ; *1800 :* 70 000 ; *1860 :* 108 530 ; *1931 :* 187 343 ; *1946 :* 200 265 ; *1968 :* 265 009 ; *1982 :* 240 539], port avec St-Nazaire, 4e de Fr. ; 1er pour imp. de bois ; port autonome 3 980 ha ; constr. nav. (Chantiers de l'Atl.) et aéron. (Airbus), arsenal, armement, chimie, caoutchouc, sid., métall., chaudronnerie, méc. (Alsthom), équip. ménager (Saunier-Duval), électron. (téléphones Alcatel, Matra-Harris), ind. alim. (biscuiteries, conserveries, raff. de sucre, brasseries), INRA, vêtements ; 7 musées dont le 2e de Fr. pour la peinture après le Louvre (2 000 toiles) le m. des B.-Arts (f. 1801, visiteurs 1991 : 119 290), m. Dobrée (f. 1860, vis. 1991 : 34 090) ; le plus haut et le plus vaste des sanctuaires fr., verrière ; château des Ducs de Bretagne (f. 1924-28, visiteurs 1991 : 200 000), forteresse, cour Renaissance ; île Feydeau. *Parcs* (env. 182 ha) ; Petit Port 72 ha, Grand Blottereau 45 ha, Beaujoire 19 ha ; squares et jardins 42 ha (env.). Rues les plus longues : quai de la Fosse (2 045 m), route de St-Joseph de Porterie (5 542 m) ; la plus courte : rue Travers (12 m). [ag. 492 212, dont *Basse-Goulaine* 5 910 ; château (XVIe-XVIIe s.). *Bouguenais* 15 099. *Carquefou* 12 877 ; agroalim. *Couëron* 16 319. *Indre* 3 262. *La Chapelle-sur-Erdre* 14 830. *La Montagne* 5 555. *Les Sorinières* 5 174. *Orvault* 23 115. *Rezé* 33 262 ; confection. *St-Herblain* 42 774. *St-Jean-de-Boisseau* 4 120. *St-Sébastien-sur-Loire* 22 202. *Ste-Luce-sur-Loire* 9 648. *Sautron* 6 026. *Thouare-sur-Loire* 5 140. *Vertou* 18 235. *Doulon et Chantenay* rattachées en 1908]. – *Ancenis* * 6 896 h. (ag. 9 258) ; élec., motocult. et mach. agr., mat. de TP (engins de levage), ind. papier et cartons, coop. agr., vignoble ; château XVe-XVIIe s. *Blain* 7 434 h. *Bouaye* 4 815 h. *Châteaubriant* * 12 782 h. ; fonderie, mach. agr., vêtements. *Clisson* 5 495 h. (ag. 11 010) ; ruines fort. médiévale. *La Turballe* 3 587 h. (ag. 5 029). *Le Loroux-Botteraux* 4 353 h. *Machecoul* 5 072 h. *Nort-sur-Erdre* 5 362 h. *Paimbœuf* 2 842 h. *Pontchâteau* 7 549 h. *Pont-St-Martin* 3 835 h. (ag. 6 868). *Pornic* 9 815 h. *St-Brévin-les-Pins* 8 664 h. *St-Étienne-de-Montluc* 5 759 h. *St-Joachim* 3 994 h. *St-Julien-de-Concelles* 5 418 h. *St-Michel-Chef-Chef* 2 663 h. (ag. 5 624). *St-Nazaire* * alt. 12 m. 64 812 h. [*1791 :* 904 ; *1856 :* 5 424 ;

1944: 15 000 ; *1955:* 41 750 ; *1962:* 59 181]. *1940-43,* 50 bombardements (479 †, 576 blessés) (28-2-43 détruite à 60 %, chantiers à 80 %) ; la poche de St-Nazaire résista jusqu'en mai 1945 ; port, chantiers nav., méc. (SIDES), outillage lourd et chaudronnerie (Alsthom-Atl.), constr. aéronaut. (Aérospatiale). [ag. 131 511, dont *Batz-sur-Mer* 2 734. *Donges* 6 377 ; raffineries (Elf-France). *Guérande* 11 665 ; cité médiévale. *La Baule-Escoublac* 14 845 ; stat. baln. *Le Croisic* 4 428. *Le Pouliguen* 4 912. *Montoir-de-Bretagne* 6 585. *Pornichet* 8 133. *Trignac* 7 020]. *Savenay* 5 314 h. (ag. 7 563). *Vallet* 6 116 h.

Régions naturelles. *Plateaux* au N. de la Loire 3 600 km² (50 à 115 m). *Régions de l'estuaire,* dont zone de Nantes et *Sillon de Bretagne* 860 km² : collines 60 à 91 m. *Presqu'île guérandaise* 670 km² dont la *Grande Brière* 150 km² (marécages, tourbières), *marais salants* 2 000 ha ; plan d'eau 250 km (1948 : 700). *Pays de Retz* 1 125 km², dont le *lac de Grand Lieu* (67 km², prof. 1 712 : 3 à 6 m, 1990 : 0,70 à 1,20 m) : plaine et plateaux. *Pays de Sèvre et Maine* 685 km². *Parc national régional* de Brière

Divers. 1er dép. pour : construction navale (50 %), encres d'héliogravure (50 %), tapioca (70 %), plomb tétraéthyle, conserves de thon, chauffe-eau, petits-beurres. **Langue :** le parler « gallo » atteignait la ligne Donges-Blain-Rennes (limite E. des parlers bretons).

■ **Maine-et-Loire** (49) 7 165 km² (125 × 110 km). *Alt. max.* Bois de la Gaubretière (comm. de St-Paul-du-Bois) 214 m ; *min.* La Varenne 3 m *Pop. 1801 :* 376 289 ; *1851 :* 516 197 ; *1886 :* 528 445 ; *1911 :* 508 868 ; *1921 :* 475 485 ; *1936 :* 478 404 ; *1975 :* 629 849 ; *1982 :* 675 321 ; *1990 :* 705 882 (dont Fr. par acquis. 5 094, étrangers 13 773 dont Maroc. 3 840, Port. 2 516, Indoch. 1 684, Turcs 1 516). D 99.

Villes. ANGERS 13,59 à 48,67 m, sup. 4 306 ha, 141 404 h. [*1790:* 31 500 ; *1861:* 51 797 ; *1901:* 82 398 ; *1936:* 87 948 ; *1954:* 102 141 ; *1975:* 137 591 ; *1982:* 136 038] ; centre comm., confection (Yves St Laurent, G. Rech), métall., méc. autom. (freins Bendix Fr., camions Scania, alternateurs Valeo EEM, Valeo vision), ordinateurs Bull, élec. Motorola, électron., télév. Thomson, laboratoire pharmaceutique Jouveinal, distillerie (Cointreau) ; écoles : nat. des ingénieurs des techniques de l'horticulture et du paysage (créée 1971), nat. sup. des arts et métiers (créée 1814), sup. d'agriculture d'Angers (créée 1898), sup. d'électronique de l'Ouest (créé 1956), sup. des sciences comm. d'Angers (créée 1909) ; château du roi René (XIIIe s.) ; cath., XIIe s. [flèches 70 et 77 m, intérieur long. 90 m, haut. 25 m, nef (larg. 16,38 m)] ; muséum d'hist. nat. ; musées Galerie David d'Angers, des tapisseries de Lurçat (Le Chant du Monde) dans l'hôpital St-Jean (XIIe s.), des tapiss. de l'Apocalypse (XIVe s., plus important ensemble mondial), des Bx-Arts (visiteurs 91 : 18 436), Turpin de Crissé (f. 1889, vis. 91 : 14 238), égl. St-Serge (nef XVe s.) ; hôtels des Pénitentes, Pincé (1532) ; maison d'Adam (XVe). [ag. 208 282, dont *Avrillé* 12 878 ; festival du théâtre masqué. *Beaucouzé* 3 867. *Bouchemaine* 5 799. *Écouflant* 3 361. *Juigné-sur-Loire* 2 006. *Les-Ponts-de-Cé* 11 032 ; musée des Coiffes d'Anjou. *Murs Érigné* 4 224. *St-Barthélemy-d'Anjou* 9 369 ; méc. autom. (Bendix Fr.), ascenseurs Soretex. *Ste-Gemmes-sur-Loire* 3 803. *Trélazé* 10 539, ardoisières].

– *Baugé* (ancienne sous-préf.) 3 748 h. (ag. 4 920) ; musée de la pharmacie XVIIe s. *Beaufort-en-Vallée* 5 364 h. ; cons. de champignons (Champi-Jandou), musée Joseph-Denais. *Beaupréau* (ancienne sous-préf.) 5 937 h. ; confection, chaussures. *Brain-sur-l'Authion* 2 622 h. (ag. 4 707). *Candé* 2 542 h. *Chalonnes-sur-L.* 5 354 h. *Châteauneuf-sur-Sarthe* 2 370 h. *Chemillé* 6 016 h. ; textile, confection, alim. méc. *Cholet* * 8 472 ha, alt. 125 m, 55 132 h. [*1791:* 8 444 ; *1796 :* 2 162 ; *1846:* 10 102 ; *1901:* 19 352 ; *1946:* 26 086] ; marché agr., text. (le mouchoir rouge, emblème de la ville, date de la chanson interprétée la 1re fois par Théodore Botrel), confection (New Man), électron. de commun. (Thomson-CSF), chaussures, constr. méc., pneus Michelin, plast. pour bât., ind. alim. ; espaces verts urbains 636 000 m² ; plans d'eau : lac de Verdon 280 ha (réservoir créé 1974), Ribou 80 ha, étang des Noues 30 ha ; musées d'Art et d'Histoire, du Textile, planétarium. *Doué-la-Fontaine* 7 260 h. ; musée des Vieux Commerces. *Durtal* 3 195 h. ; rosiéristes ; château (XIVe-XVIIe s.). *Ferrière-de-Flée* 1 616 h. ; musée Lilliput. *Jallais* 3 207 h. ; chaussure, meubles. *La Ménitré* 1 780 h. ; musée Mal Leclerc. *La Pommeraye* 3 564 h. : ind. chaussure, meubles. *La Séguinière* 3 482 h. ; ind. confection, alim., bois, matériaux. *Le Breuil-de Foin* 289 h. château (XIVe-XVIIIe s.). *Le Lion d'Angers* 3 095 h. ; haras national. *Le May-sur-Èvre* 3 914 h. chaussure, confection, équip. ind., traitement des surfaces, plast. *Les Rosiers* 2 204 h. (ag. 4 071, dont *Gennes* 1 867). *Linières* 3 095 h. ; château (XVe-XVIIe s.). *Liré* 2 140 h. ; maison de du Bellay. *Longué-Jumelles* 6 781 h. *Marigné* 514 h. château (XIIIe-XVe s.), souterrains. *Montreuil-Bellay* 4 041 h. ; château (XIIe-XVe s.). *Montreuil-Juigné* 6 451 h. ; aluminium (Péchiney-Rhenalu). *Pouancé* 3 279 h. ; plast. (Manducher) ; château fort (XIIIe-XVe s.). *St-Florent-le-Viel* 2 511 h. ; musée hist. locale. *St-Germain-sur-Moine* 2 505 h. ; chaussure. *St-Macaire-en-Mauges* 5 543 h. ; mode enfantine (Catimini). *St-Pierre-Montlimart* 3 137 h. (ag. 5 724) ; chaussures (Eram). *Saumur* * 6 597 ha, 30 131 h. [*1801 :* 9 585 ; *1911 :* 16 198] (ag. 31 612), alt. 30 m ; vins blancs mousseux (1 500 emplois), conserves champignons, constr. méc. de précision et électron., médailles et bijouterie (500 emplois), lyophilisation ; 500 000 visiteurs/an ; château, égl. N.-D.-de-Nantilly, musée des Blindés, maison de la Reine de Sicile ; école nat. d'équitation (Cadre noir, fondé 1814), éc. d'application de l'Arme blindée et cavalerie ; musées : Arts décoratifs (f. 1919) et du Cheval (f. 1911, vis. 145 000), de la Figurine-jouet, des Blindés, du Moteur, du Champignon, du Masque. *Segré* * 6 434 h. (ag. 7 705) ; ind. alim. (Teisseire), joints auto. (Paulstra). *Trémentines* 3 034 h. ; ind. horlogère (Bodet). *Vihiers* 4 131 h.

Régions naturelles. *Baugeois :* 4 143 ha, alt. 56 m, élevage, blé, maïs, forêts. *Choletais :* 7 319 ha, alt. 125 m, élevage (bovins), polyculture. *Layon :* vignobles (côteaux du Layon). *Saumurois :* 6 727 ha, alt. 76 m, polyculture, céréales, vignobles, vergers, forêts. *Segréen :* 6 430 ha, alt. 29 m, élevage (bovins), polyculture. *Vallée de la Loire :* 4 725 ha, alt. 40 m, vergers, prairies, vignes, plantes fourragères (trèfle incarnat), semences (Vilmorin, horticulture). **Bois** (en milliers d'ha, estim. au 1-1-90) 80,5. [dont forêts (1973) de Vezins 1,8, Chandelais 1, Ombrée 1, Chambier 1, Beaulieu 0,9] ; (estim. au 1-1-90) *étangs* 6,3 ; *t. agr. non cult.* 8 ; *t. non agr.* 73,9.

Tourisme. Châteaux : *Angers, Baugé, Boumois* (XVe-XVIIe s.), *Brissac* [XIIe (cave), XVe (voûte), 1606-21, par Corbineau d'Angluze], *Brézé, Doué-la-Fontaine, Haute-Guerche* (XIIe-XVe s.), Le Plessis-Bourré (XVe), *Le Plessis-Macé* (XIVe), *Montgeoffroy* (XVIIIe), *Montreuil-Bellay* [XIIIe-XVe (vue sur le Thouet)], *Montsoreau* (XVe), *Pignerolle, Saumur, Serrant* (XVIe-XVIIIe). **Abbayes :** *Fontevrault* (XIIe), *Asnières* (partie détruite). **Village fortifié :** *Le Coudray-Macouard.* **Musées :** *Louresse-Rochemenier* et site de *la Grande Vignole (troglodytes), Avrillé, St-Barthélemy.* **Moulin :** *la Herpinière.* **Dolmen :** plus grand de Fr. à *Bagneux.* **Églises :** *Champtoceaux, Cunault, Denée, La Roche-de-Murs, St-Florent-le-Vieil.*

Divers. 1er dép. producteur d'*ardoises* (40 000 t 1991) ; champignons de couche, semences potagères, florales. *Choletais :* 1ers centres d'Europe pour articles chaussants et pour mode enfantine. **Festivals** d'Anjou, de musique de St-Florent-le-Vieil, Heures musicales du Haut-Anjou.

■ **Mayenne** (53) 5 175,2 km² (82 × 62 km). *Alt. max.* Mt des Avaloirs 417 m ; *min.* 20 m (sortie de la Sarthe). *Pop. 1801 :* 305 654 ; *1851 :* 374 566 ; *1866 :* 367 855 ; *1901 :* 313 103 ; *1936 :* 251 348 ; *1962 :* 250 030 ; *1975 :* 261 789 ; *1982 :* 271 784] ; *1990 :* 278 037 (dont Fr. par acquis. 1 216, étrangers 2 301 dont Maroc. 548, Port. 440, Alg. 392, Tunis. 224). D 53,7.

Villes. LAVAL sup. 335 ha, alt. 70 m, 50 473 h. [*1801 :* 14 199 ; *1886 :* 30 627 ; *1931 :* 27 792 ; *1962 :* 39 283 ; *1975 :* 51 544 ; *1982 :* 50 360] (ag. 56 855) ; mat. téléphon., électron. (téléviseurs, équip. tél.), constr. méc. (engins milit.), auto. et cycles, confection, textiles, imprimerie ; quartiers médiévaux ; vieux château, donjon (XIIe s.), égl. d'Avesnières (romane), St-Vénerand, chapelle de Pritz, musées archéol., d'art naïf du douanier Rousseau ; jardins publics de la Perrine (5,2 ha).

– *Ambrières-les-Vallées* 2 841 h, musée des Tisserands. *Bonchamp-lès-Laval* 3 832 h. *Change* 4 323 h. *Château-Gontier* * 11 085 h. [*1801 :* 4 770 ; *1886 :* 7 334 ; *1926:* 6 280] [ag. 13 755, dont *Bazouges* 2 670] ; ind. métall. et électron. ; laiterie, fromagerie, le plus important marché de veaux d'Europe ; égl. St-Jean (XIe s.), musée, quartiers XVe. *Cossé-le-Vivien* 2 806 h. ; musée Robert-Tatin. *Craon* 4 767 h. ; abattoir, volailles, laiterie ; courses hippiques ; château (XIIIe s.). *Ernée* 6 052 h. ; chaussures ; allée couverte long. 8 m. *Évron* 6 904 h. ; abattoir, fromagerie, confection ; basilique N.-D., abbatiale bénédictine, tour-donjon et nef XIe-XIVe s. *Fougerolles-du-Plessis* 1 745 h. ; confection. *Gorron* 2 837 h. *Lassay-les-Châteaux* 2 459 h. ; château (XVe s.), fresques (XIVe s.), musée de l'Ardoise, maisons anc. *Mayenne* * alt. 124 m, 13 549 h. [*1801:* 7 679 ; *1881:* 11 188 ; *1931:* 8 238] ; imprimerie, textiles, constr. méc., prod. pharm. ; château (XIIIe s.), hôtels (XVIe, XVIIe, XVIIIe s.). *Pontmain* 935 h. ; pèlerinage. *Pré-en-Pail* 2 422 h. *Renazé* 2 860 h. ; musée de l'Ardoise. *St-Berthevin* 6 382 h. *St-Denis-d'Anjou* 1 278 h.. *Ste-Suzanne* 935 h. ; château (XVIIe s.), citée fortifiée. *Saulges* 333 h. ; grottes préhistoriques. *Villaines-la-Juhel* 3 171 h.

Régions naturelles. *Zone d'élevage* (au N.) 243 950 ha : vallonnée et morcelée, prod. laitière. *Embouche de l'Erve* (centre et S.-E.) 81 123 ha : terres humides et riches, élev. bovin extensif, embouche. *Zone de polyculture de Laval* (centre-O.) 62 795 ha : céréales, etc., herbages sur terres difficiles. *Bocage angevin* (au S.) 129 653 ha : plus chaud et sec, élevage. **Bois** (en milliers d'ha, au 1-1-91) 36 dont forêts de *Mayenne* 3,3, *Pail* 2,6, *Grande Charnie* 1,6, *Bourgat* 1,2, *Hermet* 1,2, *Vallons* 1,1.

Tourisme. *Vallée de la Mayenne :* tourisme fluvial. *Jublains :* fortifications gallo-romaines, castellum (IIIe s.). **Châteaux :** *Le Rocher-Mézangers, Mortiercrolles :* château (fin XVe s.). **Abbayes :** *N.-D. de Clermont* (cistercienne, v. 1150), *Port-Salut* (à Entrammes, trappe cistercienne, fromage). *Corniche de Pail.*

Divers. *Chevaux de course :* élevage important de trotteurs. *Festival :* nuits de la May. (théâtre, chorégraphie).

■ **Sarthe** (72) 6 210 km² (95 × 80 km). *Alt. max.* 340 m ; *min.* 20 m. *Pop. 1801 :* 388 143 ; *1851 :* 473 071 ; *1901 :* 422 699 ; *1931 :* 348 619 ; *1936 :* 388 519 ; *1962 :* 443 019 ; *1968 :* 461 839 ; *1975 :* 490 385 ; *1982 :* 504 768 ; *1990 :* 513 614 (dont Fr. par acquis. 3 088, étrangers 7 973 dont Maroc. 2 772, Port. 1 424, Tunis. 864, Alg. 584). D 83.

Villes. LE MANS, alt. 50 à 110 m, 5 281 ha. 145 502 h. [*1328:* 5 200 ; *1806:* 18 506 ; *1891:* 57 412 ; *1920 :* 71 783 ; *1954 :* 111 988] [ag. 189 070, dont *Allonnes* 13 561. *Arnage* 5 600 ; plan d'eau (14 ha). *Changé* 4 428, *Coulaines* 7 370. *Sargé-lès-Le Mans* 2 870. *Yvré-l'Évêque* 3 682] ; autom., tracteurs (Renault), pièces et équip. autom. (Glaenzer-Spicer), aéron., mat. agr., électron., télév., répondeurs téléphon. (Radiotechnique) ; confection, man. des tabacs ; agro-alim. ; Union des coop. lait ; assurances ; remparts (reste 400 m avec 8 tours) ; cath. St-Julien, égl. N.-D.-de-la-Couture (XIIIe s.), prieuré St-Martin ; musées de la reine Bérangère (f. 1925, vis. 91 : 32 884), Tessé (f. 1795, vis. 91 : 21 585) (émail Plantagenêt : 0,63 × 0,34 m, 63 kg) et de l'Autom., collégiale St-Pierre-la-Cour (vis. 91 : 14 640) ; course des « 24 h », auto. et moto.

– *Ardenay* 369 h. ; château. *Auvours* camp mil., monum. vol de Wright. *Ballon* 1 269 h. ; château. *Bazouges* 1 088 h. ; château. *Beaumont-sur-Sarthe* 1 874 h. (ag. 3 231). *Bessé-sur-Braye* 2 814 h. ; filature, tissage, papier, carton ; château Courtanvaux. *Breil-sur-Merize* 1 079 h. ; château Pescheray. *Brûlon* 1 296 h. ; m. Claude-Chappe. *Bonnétable* 3 899 h. ; agroalim., électron., bois, méc., ameubl. ; château. *Champagne* 3 307 h. *Château-du-Loir* 5 473 h. (ag. 7 156) ; méc. électron., viticulture, fruits (pommes). *Clermont-Créans* 930 h. ; château Oyre. *Conlie* 1 642 h. *Connerré* 2 545 h. ; rillettes, conserves. *Dehault* 230 h. ; château. *Écommoy* 4 235 h. ; transf. du bois ; Maison des outils et objets d'autrefois. *Fresnay-sur-Sarthe* 2 452 h. (ag. 3 844) ; électroménager (Moulinex) ; musée des Coiffes, château. *Jupilles* 560 h. ; musée. *La Ferté-Bernard* 9 355 h. (ag. 11 269) ; métall., électron. ; agroalim. (Socopa) ; musée sarthois, portes fortifiées, égl. *La Flèche* * 14 953 h. [*1806:* 5 473 ; *1891:* 10 249 ; *1954:* 11 275] ; constr. élec., édition, emballages, alum. ; prytanée milit. (collège Jésuite 1604, éc. militaire 1 762, Pères de la doctrine chrétienne 1776, Éc. Centrale 1793, prytanée 1808, 900 élèves dont 150 filles) ; base de loisirs de la Monnerie (plan d'eau 25 ha) ; zoo. *La Suze-sur-Sarthe* 3 614 h. ; mat. plast. *Lavardin* 587 h. ; m. de la Guerre. *Le Grand-Lucé* 1 961 h. *Le Lude* 4 424 h. ; bois, ameub. ; château (1520), son et lumière animé par 350 pers. *Lhomme* 842 h. ; m. de la Vigne. *Malicorne* 1 659 h. ; château. *Mamers* * 6 071 h. [*1806 :* 5 461 ; *1891 :* 6 016] (ag. 6 578) ; électroménager, mat. de camping ; halles ; m. du Chanvre, m. Joseph-Caillaux. *Mayet* 2 877 h. *Montmirail* 447 h. ; château. *Mulsanne* 5 058 h. *Parigné-l'Évêque* 4 324 h. *Poncé* 436 h. ; centre artisanal, m. des Arts et Trad. pop. ; château. *Sablé-sur-Sarthe* 12 178 h. ; métall., agroalim., électron. ; château. *St-Aignan* 218 h. ; château. *St-Calais* 4 063 h. ; électron. méc. ; musée. *Sillé-le-Guillaume* 2 583 h. ; électron., château, plan d'eau 45 ha. *Vivoin* 771 h. ; prieuré. *Solesmes* 1 277 h. ; abbaye (XIe s.), chant grégorien, égl. actuelle XVe s., bibliothèque (300 000 vol.). *Vibraye* 2 609 h.

Régions naturelles. *Vallée de la Sarthe, région mancelle :* 143 803 ha, élevage au N., pins et cult. au S. (sableux). *Champagne mancelle :* 45 022 ha, collines, élevage, cult. *Belinois :* 8 357 ha, plaine, bovins, plantes sarclées (p. de t.), légumes, maïs, grain. *Plateau calaisien :* 60 422 ha, forêt de Bercé à l'O., céréales. *Bocage des Alpes mancelles :* 27 690 ha, vallonné, forêt de Sillé-le-Guillaume, cult., élevage. *Saôsnois :* 17 813 ha, plaine, forêts, peupleraies, cult. (maïs, grain). *Bocage sabolien :* 33 219 ha, élevage, cult. *Vallée du Loir :* 51 347 ha, cult., vergers, vignes. *Perche :* 74 958 ha, vallonné, forêts de Perseigne, Bonnétable, Vibraye, élevage, polyculture. **Bois** (en milliers d'ha, 1-1-91) 105 ; (1985) 104 [dont forêts de Perseigne 5,8, Bercé 5,6, Sillé 3,8, Vibraye 3,1]. **Plan d'eau** 1 500 ha [dont (1991) Sillé 45, Marçon

50, Mansigné 28, La Ferté-Bernard 16, Tuffé 18, St-Calais 8, Les Sablons 7].

Tourisme. *Belvédère* de Perseigne. *St-Aignan.* **Village :** *Asnières-sur-Vègre.* **Site :** Cherré. **Parc régional** Normandie-Maine (22 communes de la Sarthe). **Parcs** zoologique de la Flèche 7 ha, des oiseaux à Spay. **Pèlerinage :** chapelle du Chêne. **Site** de *St-Léonard-des-Bois.* **Prieurés :** *St-Martin, Vivoin.*

■ **Vendée** (85) 6 720 km² (115 × 90 km). *Côtes* 200 de l'océan. *Pop. 1801 :* 243 426 ; *1851 :* 383 734 ; *1896 :* 441 735 ; *1906 :* 442 777 ; *1936 :* 389 211 ; *1962 :* 408 928 ; *1968 :* 421 250 ; *1975 :* 450 641 ; *1982 :* 483 027 ; *1990 :* 509 293 (dont Fr. par acquis. 2 457, étrangers 2 978 dont Indoch. 690, Port. 596, Maroc. 240, Alg. 208). D 76.

Villes. LA ROCHE-SUR-YON [noms successifs : La Roche-s-Yon *1804* Napoléon ; *1814* (15 j) La Roche-s-Yon ; *avril 1814-15* Bourbon Vendée ; *1815 avril-juin* Napoléon ; *juin 1815-1848* Bourbon Vendée ; *1852* Napoléon Vendée ; *1870 (27-9)* La Roches-Yon] alt. 74 m, 48 518 h. [*1851 :* 7 498 ; *1936 :* 16 073 ; *1975 :* 44 713 ; *1982 :* 45 098] ; appareils ménagers, confection, abattoirs, ind. chim., pneus ; musée, haras nat.

– *Aizenay* 5 344 h. ; confection, bois, élec.-ménager. *Aubigny* 2 245 h. ; musée des Records. *Beauvoir-sur-Mer* 3 279 h. *Belleville-sur-Vie* 2 532 h. ; souvenir de Charette (quartier général), arrêté près du château de la Chabotterie le 23-3-1796. *Brem-sur-Mer* 1 709 h. ; musée du Vin. *Brétignolles-sur-Mer* 2 163 h. *Cezais* 287 h. ; logis de la Cressonnière (XVIe s.). *Challans* 14 204 h. ; aviculture, bateaux de plaisance ; m. ornithologique ; plan d'eau (9 ha). *Chantonnay* 7 455 h. ; mach. agr ; m. de la Nature. *Fontenay-le-Comte* *, alt. 23 m, 14 466 h. [*1936 :* 9 836 ; *1975 :* 15 275] (ag. 16 246) ; roulements, contreplaqués, ind. méc. ; château de Terre-Neuve (XVIe s.), cath. N.-D., musée Vendéen, usine Georges Mathieu (1973). *Ile d'Yeu* 4 955 h. ; château, musée ; port (plaisance, pêche). *La Barre-de-Monts* 1 730 h. ; musée. *La Châtaigneraie* 2 904 h. *La Flocelière* 1 958 h. ; château, égl. *La Mothe-Achard* 1 918 h. ; m. de la Roue. *La Verrie* 3 497 h. *Les Épesses* 2 107 h. ; m. du Chemin de fer. *Les Essarts* 3 906 h. *Les Herbiers* 13 413 h. ; text., confection, chaussures, bateaux plaisance, voiturettes ; château de Boitissandeau. *Les-Lucs-sur-Boulogne* 2 629 h. ; (28-2-1794 : les colonnes infernales de Turreau et Cordebus massacrent 564 pers. dont 110 enfants), chapelle N.-D.

– *Les Sables-d'Olonne* *, alt. 3 m, 15 833 h. [*1936 :* 14 536 ; *1975 :* 17 463] [ag. 35 352, dont *Château-d'Olonne* 10 976. *Olonne-sur-Mer* 8 546 ; m. de la Guerre ; réserve ornithologique] ; port de pêche, de comm., de plaisance, constr. nav., conserverie ; musée de l'abbaye Ste-Croix. – *Luçon* 9 064 h. ; laiterie coop., conf., mat. de constr. ; cath., flèche 85 m, parc 4 ha, orgue Cavaillé Coll 1857 (54 jeux, 3 478 tuyaux). Ch. d'eau (1912, Art nouveau, classé). *Mervent* 1 023 h. ; musée des Amis de la forêt. *Monsireigne* 688 h. ; musée de la France protestante. *Montaigu* 4 327 h. ; confection, chaussures, ameubl. ; musée. *Mortagne-sur-Sèvre* 5 724 h. ; château (XIVe-XVe s.). *Mouchamps* 2 398 h. ; tombe de Clemenceau. *Mouilleron-en-Pareds* 1 184 h. ; maison natale de De Lattre, musée des Deux-Victoires. *Mouilleron-le-Captif* 3 240 h. *Noirmoutier-en-l'Ile* 4 846 h. ; château, musée de la Construction navale. *Pouzauges* 5 473 h. ; conserverie de viande, charcuterie ind. (Fleury-Michon), chaussures ; égl., donjon. *St-Fulgent* 2 932 h. *St-Cyr-en-Talmondais* 274 h. ; château de la Cour d'Aron, parc floral. *St-Gilles-Croix-de-Vie* 6 306 h. [ag. 16 614, dont *St-Hilaire-de-Riez* 7 416] ; chantiers nautiques ; port (plaisance, pêche). *Ste-Hermine* 2 285 h. *St-Jean-de-Monts* 5 898 h. *St-Juire* 436 h. ; manoir (XIXe s.). *St-Laurent-sur-Sèvre* 3 247 h. *St-Michel-en-l'Herm* 1 999 h. *St-Michel-Mont-Mercure* 1 798 h., alt. 285 m ; égl. statue de St Michel (copie de celle de Fourvière à Lyon). *St-Philbert-de-Bouaine* 2 105 h. ; électron. (Tronico), équip. mén. *St-Vincent-sur-Jard* 658 h. ; maison de Clemenceau. *Sallertaine* 2 245 h. ; Musée maraîchin. *Soullans* 3 051 h. ; musée. *Talmont-St-Hilaire* 4 409 h. ; musée de l'Autom. *Venansault* 3 163 h. ; château (XVIe-XVIIIe s.). *Vouvant* 829 h. ; fortifié XIe, tour Mélusine 45 m.

Régions naturelles. Bocage vendéen : 450 422 ha, élevage. **Plaine :** 52 887 ha. **Entre plaine et bocage :** 30 871 ha. **Marais :** *breton* (nord) 48 077 ha ; *poitevin* (sud) 77 236 ha (desséché 60 330, mouillé 16 906, il a perdu 28 000 ha de zone humide en 20 ans). **Côte** *« de Lumière »* (à cause de l'ensoleillement). Insolation : 2 065 h/an. 140 km, pêche. **Ile d'Yeu** (2 332 ha, long. 9,5 km, larg. 4 km, alt. max. 35 m, distance de la côte 20 km, 4 766 h., les Ogiens) : tombe du Mal Pétain. **Ile de Noirmoutier** (4 883 ha, long. 18 km, larg. max. 12 km, min. 1 km, alt. max. 2 à 3 m, périmètre 50 km, 4 070 h.), communes Barbâtre, La Guérinière, l'Épine, Noirmoutier-en-l'Ile ; reliée au continent par le *Gois* (forme ancienne de gué, goiser : « passer en se mouillant les pieds »), la plus longue chaussée submersible d'Europe (4 km) et par un pont de 583 m (ouvert le 7-7-1971) entre La Fosse (sur l'île) et Fromentine (sur le continent). **Bois** (en milliers d'ha, 1-1-91) 46,14 [dont forêts de la côte 5 (*Noirmoutier* 0,401, *côte de Monts* 2,3, *Olonne* 1, *Longeville* 1,2), f. du bocage 0,8, f. de *Mervent-Vouvant* 2,3] ; peupleraies (1991) 2,25 ; (1-1-91) *étangs* 11 ; *t. agr. non cultivées* 21 ; *t. non agr.* 81.

Ressources. *Agriculture :* polyculture. *Élevage :* bovins, porcins, volailles, lait. *Ostréiculture. Mytiliculture. Industrie :* agroalim. (charcuterie, salaison, volaille), confection, meubles, nautisme (1er dép. pour bat. de plais.), métallurgie, électroménager.

Tourisme. Côte : grandes digues, polders, plages. **Iles :** *Yeu* et *Noirmoutier.* **Baie :** *Bourgneuf-en-Retz* (hibernation de 5 000 bernaches chaque année). **Forêts côtières :** *Monts, Olonne-sur-Mer* et *Longeville.* **Bassin forestier :** *Mervent-Vouvant.* **Venise verte** (partie N.-E. du Marais poitevin autour de Coulon). **Lacs** (artificiels) : *Albert* (104 ha, 9,5 m), *Angle Guignard* (Chantonnay, 55 ha, 8 m), *Apremont* (167 ha, 5 m), *Jaunay* (112 ha, 8 m), *Marillet* (160 ha, prof. 20 m), *Mervent* (128 ha, 24 m), *Moulin-Papon* (La Roche-sur-Yon, 108 ha, 10 m), *Pierre Brune* (62 ha, 11 m), *Rochereau* (127 ha), *St-Vincent-sur Graon* (68 ha, 18 m), *Sorin* (13,79 ha, 12 m). **Site :** *Les Lucs-sur-Boulogne.* **Menhirs :** *Avrillé.* **Abbayes :** *Chassay-Grammont* (à St-Prouant, prieuré de l'ordre de Grandmont 1 195), *La Grainetière* (XIIe s.), *Lieu-Dieu* (Jard-sur-Mer), *Maillezais* (XIe, XIIIe, XVe s.), *Nieul-sur-l'Autize* (cloître), *St-Michel-en-l'Herm, St-Jean-d'Orbestier.* **Abbatiale :** *Fontenelles* (XIIIe s.), *Maillezais, Nieul.* **Églises :** *Benet, Fousais-Payre, La Chaize-le-Vicomte, Mareuil-sur-Lay-Dissais, Mesnard-la-Barotière, Pouzauges, Vouvant.* **Châteaux :** *Apremont* (XVIe s.), *La Chabotterie* (mémorial de la Vendée, musée Scénographie), *La-Chaize-le-Vicomte* (St-Mars), *Fontenay-le-Comte* (Terre Neuve), *Olonne-sur-Mer* (Pierre-Levée XVIIIe s.) *Les Essarts* (XIe-XVIe s.), *Montaigu* (XVe s.), *Yeu* (XIIe et XIIIe s.), *Noirmoutier* (XIIe s.), *Pouzauges* (XIIIe s.), *Puy-du-Fou* aux Épesses (cinéscénie sur 30 ha), *Sigournais* (XVe s.), *St-Mesmin* (XIVe s.), *Talmont-St-Hilaire* (XIIe s.), *Tiffauges* (XIIe s.). **Réserves ornithologiques :** *St-Denis-du-Payre Michel Brosselin, Île d'Olonne* (Chanteloup), *Pagnolle* (à St-Michel-le-Cloucq), *Parc de Californie, Les Boucheries* (aux Landes Génussons, 30 ha d'étangs).

PICARDIE

■ GÉNÉRALITÉS

Superficie 19 399 km². **Population** (1990) 1 810 700 (dont Fr. par acquis. 38 684, étrangers 76 793 dont Maroc. 18 834, Port. 18 276, Alg. 8 805). D 93.

Nom. Ni géographique ni historique. Apparaît en 1248, dérivé du mot *picard,* c.-à-d. « piocheur ». Les Parisiens appelaient « piocheurs » tous les agriculteurs vivant au N. des zones forestières du Senlisis et du Valois (où les paysans étaient bûcherons), et dans le Nord on appelait « Picards » tous ceux qui ne parlaient pas flamand : Arras, Boulogne, Calais, Tournai étaient des villes « picardes » ; leurs étudiants formaient à Paris et à Orléans la « Nation picarde ».

Dialecte picard (différent du « francien » de l'Ile-de-Fr. qui s'imposa comme langue nationale). Apogée au XIIIe s. : parlé alors dans toute la P. actuelle (sauf au S. de l'Oise et de l'Aisne), dans les dép. actuels du P.-de-Calais, du Nord (sauf Dunkerque), une partie du Hainaut belge (rég. de Mons et Tournai). Au déb. du XIXe s., le p. n'était plus parlé dans les rég. du S. de Beauvais, Noyon, Vervins et devint un patois campagnard.

■ **Amiénois.** Région de la Somme moyenne, entre Péronne et Abbeville ; limité N. : Authie, S. : Bresle (dép. de la Somme). **Histoire.** Territoire de la tribu celtique (belge) des Ambiani, dont le nom signifie « des 2 côtés » (de la Somme). Cap. : Samarobriva ou *Pont-sur-Somme,* actuellement Amiens. Rattachée à la IIe Belgique sous les Romains. **Haut Moyen Age :** féodalité puissante, surtout ecclésiastique (abbayes de St-Riquier, St-Valery, Corbie...). Immigration de nombreuses colonies de Flamands qui introduisent, dans la vallée de la Somme notamment, l'industrie drapière, origine d'une bourgeoisie riche et remuante qui fait la prospérité des communes fondées au XIIe s. (Noyon, St-Quentin, Amiens, Ham, Corbie, Abbeville). Sous Philippe Auguste, bailliage d'Amiens. Réunion progressive au domaine royal du **XIIe au XIVe s.** Pendant la g. de Cent Ans, disputée par les rois d'Angl. et ducs de Bourgogne, Ctes de Flandre et d'Artois, qui obtiennent en **1435** *(1er tr. d'Arras)* les « villes de la Somme » (St-Quentin, Amiens, Doullens, Montreuil, Rue, St-Valery, Le Crotoy, Crèvecœur-en-Cambrésis, Mortagne), avec faculté de rachat. **1464** Louis XI rachète ces 10 villes

pour 400 000 écus. **1465** cédées sans conditions *(tr. de St-Maur)* à Charles le Téméraire. **1482** récupérées sur Maximilien d'Autriche *(2e tr. d'Arras).* **V. 1500** gouvernement militaire d'Amiens dont les Condé furent longtemps titulaires. Région frontière jusqu'en 1659 ; nombreuses invasions, notamment esp. (1577, 1595, 1636...). **1558** Henri II constitue le régiment de Picardie. **1597** création de la généralité d'Amiens avec 6 élections : Abbeville, Amiens, Doullens, Montdidier, Péronne, St-Quentin.

■ **Ponthieu.** Région côtière de la Manche (embouchure de la Somme), de la Bresle à la Canche. Cap. Abbeville (dép. de la Somme). **Histoire.** *Pontivus pagus,* tirant son nom de Pont-Rémy où la route de Beauvais franchit la Somme. Cté héréditaire au Xe s., passe par mariage : en **1251** dans la famille royale de Castille et, en **1279,** dans celle d'Angleterre (dot d'Éléonore de Castille, épouse d'Édouard Ier). **1369** conquis par Charles V ; **1417** de nouveau aux Anglais. **1430** Jeanne d'Arc est gardée prisonnière au Crotoy. **1435** cédé au duc de Bourgogne, Cte d'Artois, qui le récupère sur les Anglais. **1482** annexé par Louis XI *(2e tr. d'Arras).*

■ **Vermandois.** Plateau (36 × 24 km). Alt. 80 m, aux sources : Escaut, Somme, Sambre ; rive droite de l'Oise. Dép. de l'Aisne, arr. de St-Quentin. **Histoire.** Cité celtique des *Veromandui* (Belges), cap. Vermand, à 11 km de St-Quentin. Cté carolingien, devenu héréditaire au XIe s. dans la famille d'Herbert, petits-fils du roi Bernard d'Italie. **1186** cédé à Philippe Auguste et incorporé au domaine de la Couronne (prévôté de St-Quentin, dépendant du grand bailliage de Laon). **1693** réuni à la généralité d'Amiens (chef-lieu d'élection).

■ **Laonnois.** Région de collines au nord du bassin de l'Aisne. Dép. de l'Aisne. **Histoire.** Sous-tribu des Rémois, les *Alauduni,* dont le symbole était l'alouette, Laon est l'ancienne citadelle de *Bibrax* assiégée par les *Suessions* en **57 av. J.-C.** et délivrée par César, car les *Rémois* (Reims) étaient alliés des Romains. Sous les Mérovingiens, Laon devient évêché, résidence royale des souverains austrasiens (Louis IV y est sacré en *940*). **988** conquis par Capétiens, demeure dans le domaine royal, mais son évêque est un des grands feudataires du roy. avec rang ducal.

■ **Noyonnais.** Angle N.-E. du dép. de l'Oise. **Histoire.** *Noviomagus* (Noyon) est la cap. d'une soustribu des *Veromandui.* **VIe s.** résidence de l'év. de Vermand dont la cathédrale avait été détruite par les Francs. Palais royal sous Carolingiens **768** Charlemagne y est sacré. Après **987,** les évêques sont Ctes du Noyonnais (le châtelain royal représente dans la ville épiscopale le pouvoir capétien).

■ **Soissonnais.** Bassin inférieur de l'Aisne, entre son confluent avec l'Oise (Compiègne) et les sources de la Vesle (pte sud de l'Aisne). Plateaux calcaires et sablonneux (nummulitiques), faisant partie du Bassin parisien. **Histoire. Périodes : celtique :** 3 cités : *Suessions,* autour de la cap. *Noviodunum* qui deviendra Soissons ; *Silvanectes,* autour de Senlis (v. ci-dessous) ; *Meldi* en Brie (v. Ile-de-France). **Romaine :** Noviodunum, devenu *Augusta Suessionum,* est un centre routier important (bifurcation des routes Reims-Amiens et Reims-Thérouanne) ; fait partie de la Belgique seconde (cap. Reims). **Franque :** divisé en 4 *pagi :* Soissons, Valois (v. ci-dessous), Tardenois et Omois. Les Ctes de Soissons deviennent héréditaires au **Xe s.** ; le titre passe successivement aux familles de Bar, Nesles, Châtillon, Coucy, Luxembourg, St-Pol, puis, en **1487,** aux Bourbons-Vendôme, en **1530** aux Condé, en **1625** aux Savoie-Carignan.

■ **Valois.** Région forestière et vallonnée, à cheval entre l'Oise et l'Aisne (fraction en S.-et-M.). Capitale primitive *Vadum* (Vez) qui lui a donné son nom *(pagus Vadensis)* ; actuelle : Crépy-en-Valois. **Histoire.** Fraction de la cité des *Suessions,* avec 4 bourgades : Crépy, Villers-Cotterêts, La Ferté-Milon, Nanteuil-le-Haudouin. Donné en fief par les Ctes de

Vermandois à une branche cadette. **1214** entre dans le domaine royal par donation de la Ctesse Éléonore. **1285** apanage du P[ce] Charles, 2e fils de Philippe le Hardi. **1328** réintégré au domaine royal à l'avènement de Philippe VI « de Valois ». **1392** redevenu apanage. **1630** donné aux Orléans qui le conservent jusqu'à la Révolution.

■ **Senlisis.** Région forestière (64 communes) au S.-O. du Valois (dép. de l'Oise) ; bassin des rivières Nonette et Aunette. **Histoire.** Territoire des Gaulois *Silvanectes* (Belges), sous-tribu des *Suessions* ou peut-être des *Bellovaques* (v. ci-dessous). Leur capitale, Senlis, s'est appelée *Augustomagus* sous les Antonins ; devenue évêché au IVe s. Après **406,** peuplé de Lètes. **987** partie du domaine royal. Les Capétiens y résident fréquemment et Philippe Auguste y crée un grand bailliage. A partir de **1576,** érigé plusieurs fois en apanage royal, notamment 1622 pour Gabrielle de Verneuil, légitimée de Henri IV et duchesse d'Épernon.

■ **Beauvaisis.** Moitié ouest du dép. de l'Oise (rive droite de l'Oise) à plaine crétacée monotone, drainée par le Thérain. Cap. Beauvais. **Histoire.** Les *Bellovaques,* belliqueux, avaient pour oppidum *Bratuspantium* (Gratepanche, Somme) ; leur chef Correus, vaincu et tué en 51 av. J.-C., a été un des principaux adversaires de César. **Période romaine :** capitale à Beauvais (Caesaromagus Bellovacorum), devenu évêché au IVe s. (Belgique Seconde, cap. Reims). **IXe-Xe s.** siège d'un C[té], chargé de la lutte contre Normands. **1015** titre comtal conféré à l'évêque, vassal des Capétiens ducs de France. **XIIIe s.** les coutumes, rédigées par Philippe de Beaumanoir, servent de modèle au droit coutumier français. **1452** intégré au gouvernement de l'Ile-de-France.

■ **Côte d'Opale.** De la Belgique à la Normandie (180 km de Bray-Dunes au Tréport ; régions : Nord et Picardie ; dép. : Nord, P.-de-Calais, Somme).

■ **Comté de Clermont.** Centre du dép. de l'Oise : bassin de la Brèche (affl. de l'Oise). Arr[t] de Clermont. **Histoire.** Fief détaché du Beauvaisis sous Hugues Capet. **1218** vendu à Philippe Auguste par le dernier héritier, Raoul d'Ailly. **1223** érigé en pairie. **1269** donné en apanage à Robert, 6e fils de St Louis, tige de la maison royale de Bourbon. **1488** à la mort du dernier Cte de Clermont-Bourbon (Jean II), le C[té]-pairie passe aux Bourbon-Montpensier. **1524** confisqué au connétable de Bourbon (condamné pour félonie). **1539** nouvelle rédaction des « Coutumes du Clermontois » approuvée par référendum. **1562** fief donné en dot à Catherine de Médicis. **1610** cédé à Charles de Bourbon, Cte de Soissons, et confisqué une 2e fois pour félonie (Soissons ayant pris le parti du duc de Savoie). **1702-15** vendu à la P[cesse] d'Harcourt. **1719** acheté par les Condé, qui le gardent jusqu'à la Révolution.

■ ÉCONOMIE

Population active totale (1-1-90) : 696 097, taux de chômage (1991) : 10,1 %. *Salariés* (31-12-90) : 607 855 (dont en 1988) primaire 18 208, secondaire 202 645 (dont ind. 172 490, BTP 30 155), tertiaire 307 926.

Échanges (en milliards de F, 1991). **Imp. :** 45,7 dont (en %) auto. et autre mat. de transp. terr. 21,1, chim. de base 14,3, métaux et ½ prod. non ferreux 10,9, parachim. 6,9, équip. ind. 4,8, papier-carton 3,6, pneum. et autres prod. en caout. 3,1, text. 2,7, sid. 2,5 ; *de* (en %) All. 34,2, UEBL 15,7, G.-B. 8,8, Italie 8,3, P.-Bas, 6,4, Europe hors CEE 5,9, Amér. du N. 4,2. **Exp. :** 44,5 dont (en %) parachim. 12,4, chimie de base 10,9, auto. et autre mat. de transp. terr. 8,4, alim. divers 6,3, métaux et ½ prod. non ferreux 5,7, équip. ind. 5,2, sid. 3,8, prod. agric. 5,8, pneum. et autres prod. en caout. 3,7 ; *vers* (en %) All. 20,5, UEBL 15,8, Italie 10,3, G.-B. 9,4, Europe hors CEE 9,1, P.-Bas 6,7, Espagne 5,6, Amér. du N. 4,2, Afr. du N. 3,2.

Agriculture. **Terres** (en milliers d'ha, 1991) : 1 951,8 dont *SAU* 1 376,8 [t. arab. 1 169,5 (dont céréales 672,6, bett. ind. 166,1, légumes 116,1, jardins 10,7, vignes 2,4, cult. fruit. 2,1, herbe 201,7] ; *bois* 288,6 ; *terr. agr. non cult.* 30,9 ; *étangs et autres eaux intér.* 17,3 ; *autre terr. non agr.* 220,6. **Prod. végétale** (milliers de t) : blé tendre 3 859,7, orge 1 077,9, bett. ind. 10 510,4, p. de t. 1 570,5, endives et épinards 108,5, petits pois (grain) 64, haricots verts (y compris beurre) 46,1. **Animale** (en milliers de têtes, au 1-1-91) : bovins 647,6, porcins 168,6, ovins 136,4. *Lait* (prod. finale, 1-1-91) : 9 193 500 hl. 1er producteur de p. de t., betteraves, petits pois, 2e de blé.

Industrie. *Effectifs salariés* (au 1-1-90) : 193 115 dont agroalim. 17 506, biens intermédiaires 48 930, biens d'équip. 34 867, biens de consom. 27 225.

Tourisme (au 1-1-92, nombre et, entre parenthèses, nombre de places) : hôtels homologués 252 (6 119), campings 226 (19 247), gîtes ruraux 281 (561 ch.), auberges rurales et logis de France 46 (741), gîtes d'étape 25, villages de vac. 3 (447), chambres d'hôtes 202, auberges de jeunesse 2 (110), gîtes d'enfants 28, maisons familiales de vac. 2 (90).

■ DÉPARTEMENTS

Voir légende p. 777.

■ **Aisne** (02) 7 369 km² (140 × 85 km). *Alt. max.* bois de Watigny 284 m ; *min.* 37 m (sortie de l'Oise). *Pop. 1801* : 425 326 ; *1851* : 558 334 ; *1866* : 564 370 ; *1901* : 535 114 ; *1936* : 484 329 ; *1975* : 533 862 ; *1982* : 533 970 ; *1990* : 537 259 (dont Fr. par acquis. 12 084, étrangers 18 703 dont Maroc. 4 834, Port. 4 788, Esp. 980, Turcs 944). D 73.

Villes. LAON, alt. 180 m, 4 423 ha, 26 490 h. [*1851* : 10 098 ; *1931* : 19 125] (ag. 27 431) ; constr. élec., métall., confection ; cath. gothique (1155-1230) ; anc. cap. de la France du VIIIe au Xe s., cité royale des derniers Carolingiens ; abbayes, couvents ; métro aérien (Poma).

– *Bohain-en-Vermandois* 6 955 h. *Braine* 2 090 h. ; abbatiale gothique. *Charly* 2 475 h. (ag. 4 731). *Château-Thierry* * 15 312 h. [*1851* : 5 269 ; *1931* : 8 154] [ag. 22 696, dont *Essômes-sur-Marne* 2 479] ; ind. métall., méc., champagne, biscuits ; BTP ; maison de Jean de La Fontaine. *Chauny* 12 926 h. (ag. 20 078, dont *Sinceny* 2 078] ; métall., fonderie, méc., chimie, plastique, textile, habillement, verrerie, BTP. *Coucy-le-Château-Auffrique* 1 058 h. *Étreux* 1 754 h. (ag. 3 294, dont *Boué* 1 369). *Fère-en-Tardenois* 3 168 h. ; métall. ; château féodal, église (XVIe s.). *Fresnoy-le-Grand* 3 581 h. ; complexes textiles, métall., fonderie. *Guignicourt* 2 008 h. ; sucrerie. *Guise* 5 976 h. ; fonderies, meubles, métall., ind. méc., textile, habillement, carton, constr. élec., BTP, familistère Godin-Lemaire fondé 1859 ; château féodal (1er château construit en 950, donjon XIe s.). *Hirson* 10 173 h. (ag. 12 205) ; métall., textiles, BTP. *La Capelle* 2 149 h. ; brosserie, text. ; foire aux fromages en sept. ; champ de course (1 609 m). *La Ferté-Milon* 2 208 h. ; menuiserie, jouets polyester, confect. ; château XVe s. *Le Nouvion-en-Thiérache* 2 905 h. ; laiterie. *Liesse-Notre-Dame* 1 359 h. *Marle* 2 669 h. ; sucrerie, produits chim. *Montcornet* 1 755 h. (ag. 2 569). *Montescourt-Lizerolles* 1 460 h. (ag. 2 679). *Neuilly-St-Front* 1 993 h. *Origny-Ste-Benoîte* 1 822 h. (ag. 3 600) ; sucrerie, cimenterie. *Pinon* 1 773 h. (ag. 3 867) ; métallurgie. *Ribemont* 2 227 h. ; ville natale de Condorcet. *St-Gobain* 2 321 h. ; verrerie. *St-Michel* 3 783 h. ; domaine abbatial.

– *St-Quentin* * 60 641 h. [*1851* : 24 953 ; *1931* : 49 448 ; *1964* : 62 000] [ag. 71 887, dont *Gauchy* 5 736] ; textiles, constr. méc. et élec., sid., ind. chim., confection, bois, ind. alim., métall., BTP ; enseign. sup. scient. ; collégiale (XIIe-XIIIe s.), hôtel de v. flamand (XIVe-XVIe s.) ; musée Antoine-Lécuyer (pastels de La Tour), d'Entomologie. – *Sissonne* 2 315 h. ; camp militaire ; ind. élec. *Soissons* * 29 829 h. [*1851* : 9 477 ; *1931* : 18 705] [ag. 47 305, dont *Belleu* 4 083. *Courmelles* 1 915. *Crouy* 2 819. *Villeneuve-St-Germain* 2 580] ; constr. méc., pneu., marché agr., verre, cartons, ind. alim., bois ; cath. gothique, abbayes St-Léger, St-Jean-des-Vignes et St-Médard. – *Tergnier* 14 880 h. [ag. 25 056, dont *Beautor* 3 114 ; *La Fère* 2 930 ; *Quessy* 3 212], gare de triage. *Vailly-sur-Aisne* 1 980 h. *Vénizel* 1 522 h. (ag. 2 799) ; sidérurgie. *Vervins* * 2 663 h. (ag. 3 543) ; biscottes, pain grillé ; parfumerie ; musée de la Thiérache, château Neuf. *Vic-sur-Aisne* 1 775 h. *Villeneuve-sur-Fère* 239 h. ; musée (maison natale de Paul Claudel). *Villers-Cotterêts* 8 867 h. ; auto. ; maison natale d'Alexandre Dumas.

Régions agricoles (en ha). *St-Quentinois et Laonnois* 235 300 : céréales, bett. sucrières. *Soissonnais* 171 500 : cér., bett. sucrières. *Thiérache* 123 500 : prod. laitière. *Tardenois* et *Brie* 109 100 : élevage, vignes 2 500. *Champagne crayeuse* 54 500 : cér., élevage. *Valois* 43 100 : cér. **Forêts domaniales** (en ha) de *Retz* 13 325, *St-Gobain* 5 986, *St-Michel* 2 253, *Coucy-Basse* 2 469, *Andigny* 1 418, *Samoussy* 1 327, *Vauclair* 1 039.

Divers. 1er dép. prod. de bett. sucrières. 1er peupliers. 2e voies navigables (310 km), *Monuments inscrits* 273. *Commune enclavée* du Catelet dans celle de Gouy. *Chemin des Dames.* **Églises :** fortifiées (Thiérache), romanes et gothiques (Laonnois). **Parcs nautiques :** l'Ailette, Fère, la Frette.

■ **Oise** (60) 5 860 km² (120 × 50 à 70 km). *Alt. max.* 235 m (dans le Thelle) ; *min.* 20 m (sortie de l'Oise). *Pop. 1801* : 350 854 ; *1851* : 403 857 ; *1901* : 407 808 ; *1921* : 387 760 ; *1936* : 402 669 ; *1946* : 396 724 ; *1982* : 661 781 ; *1990* : 725 690 (dont Fr. par acquis. 18 260, étrangers 45 036 dont Port. 11 152, Maroc. 10 776, Alg. 5 757, Afr. noire 2 921). D 124.

Villes. BEAUVAIS, alt. 60 m, 3 345 ha, 54 182 h. [*1699* : 2 460 ; *1790* : 3 241 ; *1831* : 12 867 ; *1936* : 27 127 ; *1962* : 34 055] (ag. 55 817) ; tapis, ind. chim., méc., tracteurs, brosserie, ind. alim. ; enseignement sup. agr., antenne universitaire ; cath. [chœur gothique le + haut du monde (1225-1324)], horloge monumentale (XIXe) ; m. de la Tapisserie.

– *Béthisy-St-Pierre* 3 140 h. (ag. 3 880). *Bornel* 2 988 h. (ag. 3 074). *Bresles* 3 653 h. *Breteuil* 3 879 h. ; m. archéol. *Chambly* 7 140 h. *Chantilly* 11 337 h. [*1906* : 5 083 ; *1954* : 7 065] [ag. 28 128, dont *Gouvieux* 9 758. *Lamorlaye* 7 709] ; château (m. Condé), hippodrome et élevage du cheval. *Cires-lès-Mello* 3 458 h. *Clermont* * 8 938 h. (ag. 17 447) ; ind. alim. et chim. ; hôtel de ville. – *Compiègne* * 41 889 h. [*1936* : 18 885 ; *1962* : 24 427] [ag. 62 778, dont *Margny-lès-Compiègne* 5 625. *Thourotte* 5 256] ; ind. méc. et chim., verre, caout. ; univ. de technologie ; clairière de l'Armistice (à *Rethondes*), château (1751-88, Gabriel, néoclassique), musées de la Figurine hist., Vivenel. – *Coye-la-Forêt* 3 199 h. *Creil* 31 926 h. [*1962* : 19 235] [ag. 82 505, dont *Montataire* 12 368 ; sid., m. Gallé-Juillet. *Nogent-sur-Oise* 19 537 (*1962* : 8 808). *Verneuil-en-Halatte* 3 614 ; m. des Graffiti. *Villers-St-Paul* 5 384 ; ind. chim.] ; sid., ind. métall., méc., chim. *Crépy-en-Valois* 13 234 h. ; méc. ; m. de l'Archerie. *Estrées-St-Denis* 3 497 h. *Grandvilliers* 2 761 h. (ag. 3 301). *Hermes* 1 964 h. (ag. 3 538). *Lacroix-St-Ouen* 3 754 h. *Le Plessis-Belleville* 2 580 h. (ag. 3 435). *Liancourt* 6 177 h. (ag. 10 638). *Maignelay-Montigny* 2 273 h. *Méru* 11 928 h. ; mat. plastiques, méc. *Mouy* 5 034 h. (ag. 8 493) ; pièces auto. *Noyon* 14 422 h. [*1936* : 6 335 ; *1962* : 9 317] (ag. 15 660) ; métall., méc. ; cath. gothique (tours 62 m), musées du Noyonnais, Calvin. *Orry-la-Ville* 3 159 h. (ag. 4 362). *Plailly* 1 636 h. ; parc Astérix. *Pont-Ste-Maxence* 10 934 h. (ag. 12 718) ; céramique. *Précy-sur-Oise* 3 137 h. (ag. 3 583). *Ribécourt-Dreslincourt* 3 706 h. (ag. 5 339). *St-Just-en-Chaussée* 4 928 h. *St-Leu-d'Esserent* 4 288 h. (ag. 6 316). *Senlis* * 14 439 h. [*1936* : 7 549 ; *1962* : 9 371] ; ind. méc. ; cath. gothique (XIIe s., flèche 78 m), musées de la Vénerie, du Haubergier, d'Art et d'Archéol. ; fondation Cziffra. *Trosly-Breuil* 2 034 h. [ag. 5 313, dont *Cuise-la-Motte* 2 381].

Régions naturelles (en ha). *Plateau picard* : 198 900 (bett. sucrières, cér.). *Noyonnais* : 72 200 (culture, élevage). *Valois* et *Multien* : 112 300 (cér.). *Vexin français* : 29 400 (cér.). *Clermontois* : 47 300 (cér.). *Pays de Thelle* : 47 900 (élevage, cér.). *Pays de Bray* : 41 500 (prod. laitière). *Soissonnais* : 36 400 (cér., bett. sucrières). **Forêts domaniales** (en ha) de *Compiègne* 14 400, *Halatte* 4 200, *Laigue* 3 800, *Ermenonville* 3 200, *Hez-Froidmont* 2 700, *Ourscamp-Carlepont* 1 500, f. com. de *Chantilly* 6 200.

Tourisme. Châteaux : *Chantilly, Compiègne, Pierrefonds* (XIVe s.) ; vestiges gallo-romains à *Champlieu.* **Cathédrales gothiques :** *Beauvais, Noyon, Senlis.* **Abbatiale :** Ourscamp (ruine) **Village :** *Gerberoy.* **Champ de courses :** *Chantilly.* **Parcs :** *Astérix, Hérouval, Sacy-le-Grand, St-Paul.*

■ **Somme** (80) 6 170 km² (116 × 74 km). *Côtes* 60 km. *Alt. max.* 212 m à Arguel et Gauville. *Pop. 1801* : 458 153 ; *1851* : 569 341 ; *1861* : 571 346 ; *1911* : 518 961 ; *1921* : 451 887 ; *1936* : 466 750 ; *1946* : 440 717 ; *1975* : 538 462 ; *1982* : 544 570 ; *1990* : 547 930 (dont Fr. par acquis. 8 340, étrangers 13 054 dont Maroc. 3 224, Port. 2 336, Alg. 1 300, Afri. noire 1 172). D 89.

Villes. AMIENS, alt. 27 à 102 m, sup. 50,1 km², 131 872 h. [*1851* : 52 149 ; *1901* : 90 758 ; *1936* : 106 177 ; *1946* : 94 988 ; *1962* : 105 433 ; *1968* : 177 888 ; *1976* : 131 476] [ag. 156 120, dont *Camon* 3 920. *Longueau* 4 940. *Rivery* 3 366. *Salouël* 3 679] ; ind. text. (soie, velours des ét. Cosserat, Lee Cooper), métall., sous-traitance auto. (Jaegez, Véglia, Valéo), chim. (Procter et Gamble), alim. (Yoplait, Eurolysine), pneu (Good Year, Dunlop), constr. méc. et élec. (Whirlpool, Philips), équip. mén. ; cath. gothique N.-D. (1220-1280), beffroi, égl. St-Leu-et-St-Germain, St-Acheul (1752), le Logis du Roy (XVe s.) et maison du Sagittaire (XVIe s.), quartier St-Leu ; site des hortillonnages et promenade de la Hotoie ; univ. Jules-Verne, musées de Picardie (f. 1867, 46 870 vis. en 1991), d'Art local ; zoo, tour Perret, hôpital. Détruite à 50 % en 1940, reconstruite par P. Dufau et A. Perret ; lieu du partage du manteau de St Martin.

– *Abbeville* * 23 787 h. [*1911* : 20 373 ; *1946* : 16 780 ; *1975* : 25 398] (ag. 25 286) ; ind. sucrière, text., métall. ; château de Bagatelle (XVIIIe s.), beffroi, égl. St-Vulfran XVIe s. ; musées Boucher-de-Perthes, d'histoire « France 1940 ». *Ailly-sur-Noye* 2 647 h. *Ailly-sur-Somme* 3 505 h. (ag. 5 496) ; abattoir. *Airaines* 2 175 h. ; ind. laitière, fermetures à glissière ; prieuré, égl. N.-Dame (XIIe s.), château (XIIe s.). *Albert* 10 010 h. ; aéronautique (Aérospatiale), mach.-outils, constr. méc., vérins et élévateurs ; basilique N.-D.-de-Brebières (tour 70 m, « Vierge penchée »). *Bray-sur-Somme* 1 320 h. ; vallée de la haute Somme. *Beauchamps* 1 011 h. ; ind. sucrière. *Beaumont-Hamel* 214 h. ; mémorial. *Beauval* 2 286 h. *Béthencourt-sur-Mer* 1 024 h. (ag. 2 702). *Boves* 2 964 h. *Cayeux-sur-Mer* 2 856 h. *Chaulnes* 1 785 h. ; logistique, future gare TGV Nord. *Corbie* 6 152 h. (ag. 7 779) ; abb. St-Pierre fondée VIIe s., lieu natal de Ste Colette. *Crécy-en-Ponthieu* 1 491 h. ; bataille 1346. *Doullens* (sous-préf. jusqu'en 1926) 6 615 h. ; ind. lait., text., carton, chim. ; citadelle, beffroi, hôtel de v. ; musée Lombart. *Estrées-Mons* 596 h. ; conserverie (Bonduelle). *Flixecourt* 2 931 h. (ag. 3 788) ; textile, emballage. *Fressenneville* 2 422 h. [ag. 4 986, dont *Feuquières-en-Vimeux* 2 428] ; app. chauff., quincaillerie. *Friville-Escarbotin* 4 737 h. (ag. 7 184) ; robinetterie, serrurerie, trav. des métaux. *Gamaches* 3 099 h. (ag. 3 941). *Hallencourt* 1 374 h. ; fonderie. *Ham* 5 532 h. [ag. 8 404, dont *Eppeville* 2 127 ; ind. sucrière] ; métall., sucrerie, robinetterie, chimie, mat. plast. *Hornoy-le-Bourg* 1 448 h. *Longueval* 237 h. ; mémorial sud-africain. *Longpré-les-Corps-Saints* 1 519 h. (ag. 2 317). *Mers-les-Bains* 3 540 h. ; verrerie. *Montdidier* * 6 262 h. ; maroquinerie, élec. ; égl. St-Pierre, lieu natal de Parmentier. *Moreuil* 4 156 h. (ag. 454), bonneterie, peinture, papiers peints. *Nesle* 2 642 h. ; chimie. *Péronne* * 8 497 h. (ag. 10 988) ; text., métall., ind. alim. ; château (XIIIe s.), Historial de la Gde Guerre ; musée Danicourt. *Picquigny* 1 397 h. ; collégiale St-Martin, vestiges château Vidames. *Rancourt* 141 h. ; mémorial. *Rosières-en-Santerre* 3 107 h. (ag. 3 513) ; agroalim. *Roye* 6 333 h. ; sucrerie, constr. métall., cartonnerie, text, gastronomie. *Rue* 2 942 h. ; chap. du St-Esprit, beffroi. *St-Léger-lès-Domart* 1 716 h. [ag. 6 597, dont *St-Ouen* 2 186]. *St-Valery-sur-Somme* 2 769 h. ; port de pêche ; remparts (XIIe s.), portes (XIVe s.). *Thiepval* 116 h. ; mémorial britannique. *Vignacourt* 2 294 h. *Villers-Bretonneux* 3 686 h. ; mémorial australien. *Villers-Faucon* 662 h. ; ind. sucrière.

Régions naturelles. *Santerre* 148 000 ha : limons fertiles (pouvant atteindre 6 à 8 m d'épaisseur), bett. à sucre, pommes de t., blé, petits pois, bonneterie. *Vermandois :* plus vallonné, limons (moins épais), bett. à sucre, blé. *Amiénois* (centre du dép.) : plateau, nombreuses vallées sèches. *Vimeu* 83 000 ha : serrurerie, robinetterie, fonderie, élevage. *Ponthieu* 95 500 ha : au N. du Vimeu. *Marquenterre et Bas-Champs* 16 000 ha : protégés par digues et dunes de la baie de Somme. **Forêt domaniale :** Crécy 4 300 ha.

Tourisme. Abbayes : de *Valloires* (Argoules) (XVIIIe s.), *St-Riquier* (XIIIe et XVIe s.). **Châteaux :** *Bagatelle* (à Abbeville), *Long et Bertangles, Rambures* (XVe s.). **Littoral picard :** *Le Hable d'Ault,* pointe de *Hourdel, Marquenterre* (parc ornithologique 2 300 ha), Aquaclub, maison de l'Oiseau, jardin de Valloires. **Baies** de *Somme* et d'*Authie*. **Plages :** *sable* à Cayeux-sur-Mer, St-Valery-sur-Somme, Le Crotoy, Quend-Plage, Fort Mahon-Plage ; *falaises* à Ault et Mers-les-Bains. **Grottes :** *Naours.* **Parc** *archéologique et botanique : Samara* à La Chaussée-Tirancourt ; anc. site fortifié gaulois.

POITOU-CHARENTES

■ GÉNÉRALITÉS

Superficie 25 808 km². **Population** (1990) 1 595 871 (dont Fr. par acquis. 15 698, étrangers 25 314 dont Port. 8 628, Maroc. 9 798, Alg. 2 040). D 63.

ANGOUMOIS

Situation. Au N. et au S. d'Angoulême et de Cognac. *Angoumois du N. :* élevage (prod. laitiers, beurre) ; *du S. :* plus pauvre, sols maigres ; boisements clairs et pâturages à moutons.

Histoire. Fin IVe s. création d'Angoulême (raisons militaires), soumise aux Wisigoths au Ve s., occupée par Clovis après 507 et érigée en pays *(Pagus Engolismensium),* détachée de la cité des Santons. **541** 1re mention d'un évêque d'Angoulême, Aptome. **839** 1re mention d'un Cte d'A., Turpion, nommé par Louis le Pieux. **866** Walgrin *(Bougrin),* nommé Cte par Charles le Chauve, devient tige des Ctes héréditaires, les Taillefer (surnom de Guillaume Ier, adversaire des Normands, 916-62). Dans la mouvance des Ctes de Poitiers, ducs d'Aquitaine, à l'époque capétienne. Expansion sous les Ctes *Guillaume III Taillefer* (988-1028) et *Guillaume VI* (1087-1120), puis indépendance menacée par les Plantagenêts (quelques annexions). **1220** passe aux Lusignan jusqu'en 1302. **1308** isolé entre les domaines capétien et angevin, démembré, puis incorporé par Philippe le Bel au royaume de Fr. (mai-juin 1308). **1360** cédé à l'Angl. *(tr. de Brétigny).* **1373** *reconquis* par Charles V, concédé à une branche cadette des Valois-Orléans. **1515** *réuni définitivement à la Couronne,* érigé en duché-pairie d'Angoulême en faveur de Louise de Savoie, mère de François Ier. Rattaché à la généralité de Bordeaux, puis de Limoges (1558).

AUNIS

Situation. Entre Poitou et Saintonge. Plaine sur plate-forme calcaire dont les abrupts dominent le Marais poitevin au N., le Marais charentais au S. Musoir (extrémité d'une digue ou d'une jetée) de La Pallice. Falaises entre le *Pertuis breton* (détroit entre Ré et la côte) et le *Pertuis d'Antioche* (entre Ré et Oléron). Cultures et prairies (élevage laitier). Pêche et stations balnéaires sur la côte.

Histoire. Un des deux anciens « pagi » de la cité de Saintes (son nom vient de Châtelaillon, longtemps son principal centre : *Castrum Alionis,* devenu *Pagus Alienensis*). Partie de l'Aquitaine romaine, puis de l'Aquit. Seconde au Bas-Empire. **Ve s.** aux Wisigoths. **507** incorporé au Regnum Francorum. **Xe s.** séparé de la Saintonge dépendant du Poitou jusqu'en 1360 (un sénéchal distinct de celui du Poitou apparaît). **XIe et XIIe s.,** rôle principal joué par les sires de Châtelaillon. **1144** possession de la maison de Mauléon. **1205** obtient la charge de sénéchal du Poitou. **1224** revenu à l'allégeance des rois de Fr., reste un temps aux Lusignan. **1242** récupéré par Alphonse de Poitiers. **1271** réuni au domaine royal à sa mort. **1360** cédé aux Anglais *(tr. de Brétigny) ;* sénéchal de La Rochelle, propre à l'Aunis. **1373** Du Guesclin entre à La Rochelle, Charles V reprend le territoire, le gouvernement de La Rochelle va former la province d'Aunis. Sur le plan judiciaire, dépend du parlement de Paris (sauf sous Louis XI, dépend quelque temps de Bordeaux). **1551-52** établissement d'un présidial, révolte de La Rochelle contre François Ier lors de l'extension des gabelles. Ravagé par guerres de Religion. La R., place de sûreté (édit de Nantes 1598), fait figure de capitale des protestants. **1620** reprise des luttes à la suite de l'assemblée gén. des prot. à La R. après le rétablissement en Navarre du culte cath. **1627-28** siège et prise de La R. par Richelieu. La R. devient le siège d'une généralité englobant Aunis et Saintonge.

POITOU

Situation. Sur Vienne ; Deux-Sèvres ; quelques communes rattachées à la Hte-Vienne, Charente et Charente-Marit. La Vendée, partie O. de l'ancien Bas-Poitou, fait partie des pays de Loire. Comprend : *Seuil du Poitou :* plaine secondaire reliant Bassin parisien et Aquitaine, et séparant Massif armoricain du Massif central. Céréales entre vignobles de Touraine et des pays charentais. *Brandes* sur quelques revêtements tertiaires : élevage. *Vallées de la Vienne et du Clain :* humides et verdoyantes.

Histoire. Tire son nom des *Pictons,* sans doute marins et commerçants (il y a des Pictes dans les îles Britanniques 56 av. J.-C.), leur chef Duratius, soumis aux Romains, leur reste fidèle pendant l'insurrection de *52,* malgré l'attitude hostile de son peuple. **IIIe s.** apparition du christianisme. Affermi par St Hilaire († v. 367), évêque de Poitiers, et par St Martin, fondateur de Ligugé. **Ve s.** occupé par Wisigoths. **507** possession des Francs après Vouillé. Partagé entre successeurs de Clovis, retrouve son unité dans le 1er duché d'Aquitaine (fin IIIe s.-768). **Sous les Carolingiens,** administré par Cte de Poitiers, qui profite des incursions normandes pour en devenir le seigneur. *Rannoux Ier* (839-66) fonde une dynastie consolidée au Xe s. *Rannoux II* († 890) est le 1er de la lignée à se dire duc d'Aquitaine (v. Aquitaine). **989** trêve de Dieu instituée à *Charroux.* **Xe-XIe s.** les Ctes de Poitiers, rivaux des Ctes d'Auvergne et de Toulouse, s'efforcent de faire reconnaître leur suzeraineté jusqu'aux Pyrénées ; mais ils ne peuvent empêcher les empiètements des Ctes d'Anjou, ni se faire obéir des dynasties féodales qui se forment dans le comté (vicomtés de Thouars, de Châtellerault ; seigneuries de Parthenay, de Talmont, de Mauléon). **1152** mariage d'Éléonore d'Aq., héritière de Guillaume X, avec Henri II Plantagenêt (après avoir été répudiée par le roi de Fr.). Maîtresse en droit du comté, Éléonore, brouillée avec son mari, s'établit à Poitiers et le gouverne au nom de son fils Richard (1169-73), puis en son nom jusqu'à sa mort (1204) et le transmet à Jean sans Terre. Conquis par Philippe Auguste. **1224** Louis VIII l'annexe. **1225** le donne en apanage à son 5e fils, Alphonse (1220-71). **1241** révolte de la noblesse locale, menée par les Lusignan, avec l'appui de Henri III d'Angl. qui, battu par Louis IX à *Taillebourg* (1242), renonce au P. en 1259. **1271** mort d'Alphonse de Poitiers ; réuni au domaine royal, forme la sénéchaussée de Poitiers. **1311-16** aliéné en faveur du futur Philippe V le Long. **1316** retourne à la Couronne. **1357** ravagé au début de la g. de Cent Ans, en apanage à Jean, 3e fils de Jean le Bon. **1360** *tr. de Brétigny,* cédé à l'Angl. **1369-73** restitué en apanage à Jean, duc de Berry (v. 1370-73 à 1416). **1417** le futur Charles VII devient dauphin et Cte de P. **1422** installe capitale et parlement à P. jusqu'à la libération de Paris (1436). **1542** intendance, siège à Poitiers. Les limites de la généralité ne coïncident plus avec celles du Poitou traditionnel. **1773** on tente de fixer des Acadiens rapatriés du Canada en Poitou. Le marquis de Pérusse des Cars leur offre des terres à défricher dans les Brandes : l'expérience échoue ; il en reste des maisons, dites acadiennes (communes d'Archigny, La Puye, St-Pierre-de-Maillé).

SAINTONGE

Situation. S'étend essentiellement sur la Charente-Maritime (les 2/3 sud). **Au N. :** bas plateaux calcaires, arides et boisés. **Plus au S. :** prairies artificielles (marnes). Sur la *rive gauche de l'embouchure de la Charente,* anciens marécages couverts d'herbages sur le littoral ; ostréiculture (Marennes). *Vallée de la Charente* bordée de coteaux calcaires : prairies d'élevage (lait et beurre). **Au S. de la rivière :** coteaux recouverts de terres de « champagne » (blé et vigne : cognac) ; sur les « chausses », à genévriers (terrains secs), pâturages à moutons. **Au S.** (*Double saintongeaise) :* pins, landes et marécages sur sol sableux.

Histoire. Pays des *Santons,* dont Saintes *(Mediolanum Santonum)* était la capitale. Cité de l'Aquitaine Seconde (cap. Bordeaux). Pillée par Alains et Vandales. **419** occupée par Wisigoths. **507** par Clovis. Partie du duché d'Aqu., morcelée en nombreux fiefs. **1152** possession anglaise (mariage d'Aliénor d'Aqu.). **1204-10** rive droite de la Charente reconquise sur Jean sans Terre. **1258** partie du « duché de Guyenne », laissé à Henri III d'Angl. par St Louis. **1371** reconquise par Du Guesclin. **1375** réunie à la Couronne par Charles V.

■ ÉCONOMIE

Population active *ayant un emploi* (au 1-1-91, y compris TUC) 588 891 dont primaire 73 079, secondaire 160 490 (dont ind. 116 914, BTP 43 576), tertiaire 355 322 ; *salariée :* 462 931.

Échanges (en milliards de F, 1990). **Imp. :** 12,4 dont (en %) chim. et ½ prod. divers 21,7, biens de consomm. 16,2, biens d'équip. 16,2, prod. énerg. 17,4, ind. agroalim. 9,1, métaux 7,9, prod. agric. 5,8, autom. et autres matér. de transp. terr. 4,1, divers 1,5. **Exp. :** 24,4 dont (en %) ind. agroalim. 47,2, prod. agric. 16,6, chim. et ½ prod. divers 10,4, biens d'équip. 12,3, biens de consomm. 8,5, autom. et autre mat. de transp. terr. 3, divers 2.

Agriculture. Terres (milliers d'ha, 1991). 2 594,6 dont *SAU* 1 802,8 (*t. arab.* 1 366 dont céréales 671,4, oléagineux 259,9, fourrages annuels 129,8, prairies temp. 242,9, herbe 339,7, vignes 93,5 ; *étangs et autres eaux intérieures* 20,3 ; *bois* 437,9 ; *peupleraies* 14,4 ; *t. agr. non cult.* 73,9 ; *t. non agr.* 260,2). **Prod. végétale** (milliers de t, 1990) : céréales 3 599,8, dont blé tendre 1 864,6, maïs-grain 906,6, orge 612,3, avoine 47,6 ; oléagineux 554,5 dont tournesol 513,5, colza 39,9, tabac 1,9, fourr. annuels 882,5. *Vins* (en milliers d'hl, 1991) : 4 044,9. Prod. de cognac (1990-91) 799 000 hl, de pineau des Charentes 106 191 hl. **Animale** (en milliers, au 1-12-91) : bovins 872 (dont vaches lait. 152, nourrices 216), ovins 1 276 (dont brebis mères 827), porcins 308, caprins 417 (dont chèvres 276), équins 11, lapines mères 200, poules et poulets 6 612. *Lait* (livré à l'ind. en 1991, en milliers d'hl) : vache 7 305,6, chèvre 1 599,9. *Viande* (en milliers de t, 1991) : bovins 78,2 (dont veaux 9,4), volailles 71,3, porcins 41,2, ovins 23,4, lapins 10, caprins 3,3, équins 0,3. *Œufs* (de consommation) : 387 060 000.

Pêche (en t, 1990). 13 639 dont La Rochelle 8735, La Cotinière 3 864, Royan 1 040).

Industrie. *Salariés* (au 1-1-1991) : 109 870 dont agroalim. 18 093, bois et ameubl., diverses 13 034, constr. électr. et électron. 10 568, méc. 8 846, autom. et mat. transp. 8 159, text., habill. 7 159, fonderie et trav. des métaux 7 976.

Tourisme (en 1992). Résidences secondaires 92 451 (415 170 pl.). Hôtels 1 051 (37 252 pl.), dont de préfecture 465 (6 215 pl.). Campings-carava-

480 (161 730 pl.). Meublés tourist. 64 804 pl., colonies de vac. 18 845 pl., villages de vac. 42 (12 086 pl.), campings à la ferme et aires nat. de camping 1 629 pl., gîtes ruraux et ch. d'hôtes 8 642 pl., maisons familiales 1 206 pl., auberges de jeunesse 5 (495 pl.). *Thermalisme* (1991) : 23 000 curistes.

Départements

Voir légende p. 777.

■ **Charente** (16) 5 956 km² (119 × 85 km). *Alt. max.* 345 m (« L'Arbre, Montrollet ») ; *min.* 8 m (à Merpins, sortie de la Charente). *Pop. 1801 :* 299 020 ; *1851 :* 382 912 ; *1911 :* 347 061 ; *1921 :* 316 279 ; *1936 :* 309 279 ; *1975 :* 337 064 ; *1982 :* 340 770 ; *1990 :* 341 993 (dont Fr. par acquis. 3 634, étrangers 6 844 dont Port. 2 256, Maroc. 1 336, Esp. 560, Alg. 540). D 57.

Villes. ANGOULÊME, alt. 100 m, sup. (73) 2 144 ha, 42 875 h. [*1801 :* 14 600 ; *1881 :* 32 567 ; *1921 :* 34 895 ; *1962 :* 48 190] ; [ag. 101 107, dont *Champniers* 4 358. *Fléac* 2 704. *La Couronne* 6 295 ; fabr. d'enveloppes, égl. romane. *Le Gond-Pontouvre* 6 019. *L'Isle-d'Espagnac* 4 795. *Magnac-sur-Touvre* 2 843. *Ruelle* 7 203 (*1876 :* 2 039 ; *1962 :* 5 855). *Soyaux* 10 353 (*1876 :* 793 ; *1962 :* 6 588). *St-Michel* 3 125. *St-Yriex-sur-Charente* 6 436] ; papeteries, constr. élec., électron. et méc. (moteurs, piles et accumulateurs), mat. de constr., parachimie, chimie, équip. ind., papier, carton, feutre, bijoux, chaussures, constr. et armes navales, déficit budgétaire (millions de F) : *1989 :* 164, *90 :* 142, *91 :* 79, *92 (est.) :* 51, *93 (est.) :* 29 ; cath. St-Pierre, h. de ville, maison St-Simon, remparts ; Salon de la bande dessinée dep. 1974, festival de musique métisse, circuit des remparts (voitures de course anciennes).

– *Aubeterre-sur-Dronne* 388 h. ; grande égl. monolithe. *Barbezieux-St-Hilaire* 4 774 h. ; papier emballage, vêtements de scène. *Chassenon* 964 h. ; ruines gallo-romaines. *Châteauneuf-sur-Charente* 3 522 h. ; égl. romane. *Cognac* * 19 534 h. [*1876 :* 14 900 ; *1962 :* 20 798] [ag. 27 474, dont *Châteaubernard* 3 769] ; cognac, verrerie, cartonnerie, tonnellerie, imprim., mat. élec., auto. ; château François Iᵉʳ (XIIIᵉ-XVIᵉ s.), musée du Cognac ; festival du film policier. *Confolens* * 2 904 h. [*1876 :* 2 827 ; *1962 :* 2 736 ; *1975 :* 2 865 ; *1982 :* 3 009] ; marché, tuiles, briques, ind. élec. ; festival de folklore en août ; château (XVIᵉ s.). *Jarnac* 4 786 h. *La Rochefoucauld* 3 448 h. ; feutres pour draperies, text., chaussures, plast. pour articles chaussants ; château. *Roumazières-Loubert* 3 002 h. ; briqueteries. *Ruffec* 3 893 h. ; robinetterie ; égl. St-André. *Sers* 633 h. ; gisements préhistoriques, La Quina (déc. 1872).

Régions naturelles. *Confolentais* ou *« Charente limousine »* au N.-E. : 151 148 ha, terrain granitique (élevage bovin, prod. viande et lait). *Angoumois-Ruffécois* au N. et au C. : 164 624 ha, plateau calcaire, région du Karst (terres de groie : sol argileux et fertile né de la décomposition du calcaire) (élevage, prod. lait., céréales : blé, maïs, tournesol ; vignobles). *Cognaçais* à l'O. : 148 651 ha. *Montmorélien* au S. (se rattachait au Périgord) : 131 270 ha, vallonné (« terres de landes » et « t. à châtaigniers », polyculture, élevage laitier). **Bois** (en milliers d'ha, 1-1-90, estim.) 129,5, (1981) 145,6 dont forêts domaniales 5,6 (*La Braconne* 4, *La Rochebaucourt* 1,1, *Bois-Blanc* 0,7, *La Mothe* et *Le Clédou* 0,9), f. communales 1.

Divers. Égl. romanes : *Bassac, Bourg-Charente, Callefrouin, Chalais, Châtres, Condéon, Courcôme, Lesterps, Lichères, Montmoreau, Mouthiers-sur-Boëme, Plassac, Puypéroux, Ste-Colombe, St-Michel-d'Entraigues.*

■ **Charente-Maritime** (17) 6 864 km² (170 × 80 km). *Côtes* 463 km dont les îles 230 km. *Alt. max.* 167 m. *Pop. 1801 :* 399 162 ; *1851 :* 469 992 ; *1861 :* 481 060 ; *1911 :* 451 044 ; *1931 :* 415 249 ; *1936 :* 419 021 ; *1946 :* 416 187 ; *1968 :* 483 622 ; *1975 :* 497 859 ; *1982 :* 513 220 ; *1990 :* 527 146 (dont Fr. par acquis. 5 496, étrangers 7 238 dont Port. 2 236, Maroc. 1 254, Alg. 516, Esp. 388). D 77.

Villes. LA ROCHELLE, alt. 9,9, sup. 2 727 ha, 71 117 h. [*fin XVIᵉ s.* env. 20 000 ; *1628 :* 5 400 ; *1810 :* 14 000 ; *1872 :* 20 637 ; *1921 :* 39 770 ; *1962 :* 66 590 ; *1968 :* 73 347 ; *1975 :* 75 367] [ag. 100 264, dont *Aytré* 7 786. *Châtelaillon-Plage* 4 993. *Lagord* 5 287. *Périgny* 4 129. *Puilboreau* 4 067] ; port de commerce, pêche, plaisance, constr. méc., élec., mat. ferroviaire (Gecalsthom), équip. aéron., chimie ; tour des Quatre-Sergents, tours du Vieux Port, Grosse Horloge, maisons à arcades, hôtel de ville (1544-1607) ; Fest. intern. du film, les Francofolies, le Grand Pavois, musées du Nouveau Monde, de la Voile et de la Régate, Grévin, muséum d'hist. nat., aquarium géant, centre des Congrès.

– *Aigrefeuille-d'Aunis* 2 944 h. *Brouage* 498 h. ; ancien port (1555) ensablé, remparts. *Clérac* 961 h. ; mat. de constr. *Fouras* 3 238 h. ; station balnéaire. *Jonzac* * 3 998 h. (ag. 5 164) ; vins mousseux, eaux-de-vie ; thermalisme. *La Tremblade* 4 623 h. [ag. 8 770, dont *Arvert* 2 734]. *Le Château-d'Oléron* 3 544 h. *Loulay* 786 h. ; panneaux agglo. *Marans* 4 170 h. ; activité portuaire, élevage. *Marennes* 4 634 h. [ag. 7 485, dont *Bourcefranc-le-Chapus* 2 851] ; ostréiculture ; égl. goth., château XVIIIᵉ s. *Montendre* 3 185 h. ; mat. élec. pour TGV. *Nieul-sur-Mer* 4 957 h. *Pons* 4 412 h. ; donjon Xᵉ s. – *Rochefort* * 2 195 ha, 26 949 h. [*1669 :* 2 725 ; *1685 :* 10 775 ; *1821 :* 12 389 ; *1872 :* 28 299 ; *1962 :* 28 648] [ag. 35 047, dont *Échillais* 2 672. *Tonnay-Charente* 6 814] ; port de comm. [avant port de guerre (1666)], école milit., garnison, bois et déroulés, aérospatiale (Airbus), bateaux (Zodiac), fonte en coquilles, métaux ; Centre intern. de la mer ; marais ; corderie royale (XVIIᵉ s.), maison de Pierre Loti, m. naval (XVIIᵉ s.), palais des Congrès ; thermes. – *Royan* 16 837 h. [*1821 :* 2 339 ; *1921 :* 10 242] [ag. 29 194, dont *St-Georges-de-Didonne* 4 705, *St-Palais-sur-Mer* 2 736. *Vaux-sur-Mer* 3 054] ; fest. de mus. contemp. – *Saintes* * 27 546 h. [*1821 :* 10 274 ; *1921 :* 19 152] (ag. 27 003) ; mat. tél. (CIT-Alcatel) ; coopérative ; arènes, arc de triomphe ; château (XVIIᵉ s.), grotte préhistorique ; fest. de mus. ; chef-lieu jusqu'au 19-5-1810. *St-Aigulin* 2 040 h. *St-Jean-d'Angély* * 8 060 h. ; centre comm., eau-de-vie, biscuiterie ; forteresse XIVᵉ s. *St-Martin-de-Ré* 2 512 h. ; pénitencier, lieu de rassemblement des prisonniers vers la N.-Calédonie jusqu'en 1897, puis vers la Guyane jusqu'en 1938, Dreyfus y fut emprisonné du 18-1 au 21-2-1895. *St-Pierre-d'Oléron* 5 365 h. *St-Xandre* 3 279 h. ; monastère. *Saujon* 4 891 h. *Surgères* 6 049 h. ; ind. laitière, parachimie, constr. méc., moteurs ; école nat. d'ind. laitière ; château (XVIᵉ s.).

Régions naturelles. Nord de la Charente et de la Boutonne : *Aunis* et *île de Ré* 73 992 ha (plaine calcaire et marais) : céréales, oléagineux, vignes et cult. maraîchères, prod. de sel (Ré) ; **Sud :** *Saintonge agricole :* vallonnée, 128 694 ha : céréales, lait, vignes ; *viticole* (avec île d'Oléron) 181 976 ha : viticulture, céréales, lait ; *Double Saintongeaise* 18 843 ha : sablonneuse ; polyculture et élevage, landes, forêts résineux surtout. *Littoral :* marais et prairies entre Charente et Seudre, élevage bovin extensif et céréales ; *Marais poitevin* desséché 24 358 ha (herbages, lég.) et *m. de Rochefort-Marennes* 30 535 ha (agr., ostréiculture, mytiliculture) ; au S. de la Seudre, massif forestier de la Coubre.

Iles. Aix : 129 ha ; périmètre 8 km, long. 3 km, larg. max. 800 m, 200 h., à 3,5 km de Fouras-la-Fumée, alt. max. 9 m, se sépare de Châtelaillon et Fouras, vers le VIᵉ s. mais on pouvait encore aller à pied de Châtelaillon à Aix au XVᵉ s. Napoléon y passa ses derniers jours en France du 12 au 15-7-1815. **Belloc** 832 h. **Madame** (appelée Citoyenne sous la Révolution) : 78 ha, larg. 750 m, long. 1,5 km, 10 h., dist. 500 m de la côte, reliée au continent par la Passe aux Bœufs (submersible, long. 1 km, larg. 6 m) : cimetière des prêtres déportés en 1791, « Croix des Galets ». **Oléron :** 17 439 ha ; 32 × 2 à 11 km ; 16 360 h. Séparée du continent par le coureau : larg. 1 200 m à marée basse et le Pertuis de Maumusson (larg. 600 m). Reliée au continent dep. 1966 par un viaduc de 2 862 m ; 45 piles en mer ; larg. hors-tout 10,9, utile 10,6, (chaussée 9, 2 trottoirs 0,8) ; 8 communes libérées 30-4/1-5-1945 (All. 300 †, Français 18 †). **Ré** (appelée Républicaine sous la Révolution) : 8 532 ha ; 32 km × 0,07 (au Martray) à 5 km ; alt. min. 5 m (max. 19 m, peu des Aumonts) ; 12 communes, à 4 km de La Pallice ; 10 274 h. ; *pont* [coût 538 millions de F (devis 385)], long. 2,9 km, haut. max. 32 m, 28 piles, ouvert 1-7-1988, capacité 1 250 à 2 300 voitures/h [bacs env. 260 à 500 v./h], 1 714 000 passages en 1991 (680 000 par le bac en 1987) ; phare des Baleines (1854) 57,10 m, portée 29 milles.

Divers. 1ᵉʳ dép. prod. d'huîtres : 60 % de la prod. fr. 1ᵉʳ prod. de moules. 1ᵉʳ pour le nombre de ses églises romanes et 3ᵉ pour le nombre de monuments historiques classés.

■ **Deux-Sèvres** (79) 6 054 km² (125 × 68 km). *Alt. max.* 272 m (Terrier de St-Martin-du-Fouilloux) ; *min.* 3 m (sortie de la Sèvre Niortaise). *Pop. 1801 :* 241 916 ; *1851 :* 323 615 ; *1891 :* 354 282 ; *1911 :* 337 627 ; *1936 :* 308 841 ; *1962 :* 320 321 ; *1975 :* 335 829 ; *1982 :* 342 812 ; *1990 :* 346 173 (dont Fr. par acquis. 2 780, étrangers 4 800 dont Port. 2 932, Maroc. 340, Indoch. 228, Turcs 136). D 57.

Villes. NIORT, alt. 28 m, 57 012 h. [*1901 :* 29 491 ; *1921 :* 29 112 ; *1946 :* 40 406 ; *1968 :* 55 984 ; *1975 :* 62 267] [ag. 61 131, dont *Aiffres* 4 119] ; agroalim., équip. ind., contreplaqués, panneaux de particules, mat. élec., électron., chamoiserie, ganterie, constr. métall., distrib. pharm. ; siège nat. des mutuelles d'assurances ; m. du Pilori (numismatique, préhistoire, coll. lapidaires). – *Airvault* 3 230 h. ; ciment, abattoirs ; m. de l'Abbaye. *Bressuire* * 17 827 h. ; abattoirs, ind. de la viande, fabric. meubles, carrosserie, confection. *Cerizay* 4 787 h. ; constr. métall., confection. *Chauray* 4 661 h. ; pharm., équip. équestres. *La Crèche* 4 467 h. ; emballages bois. *Les Aubiers* 2 924 h. [ag. 5 080, dont *Nueil-sur-Argent* 2 156] ; cuir, agroalim. *Mauléon* 8 779 h. ; menuiserie, chauss. *Melle* 4 003 h. (ag. 5 694) ; ind. chim. ; mines d'argent ; ancien centre de fabr. des monnaies franques. *Moncoutant* 3 163 h. ; confection. *Parthenay* * 10 809 h. [ag. 17 214, dont *Châtillon-sur-Thouêt* 2 769] ; marché de bestiaux, abattoirs, mat. médical et paramédical, confection ; expo. de faïences. *St-Maixent-l'École* 6 893 h. (ag. 9 315) ; école mil., carosserie ind. chaussures. *Ste-Blandine* 492 h. ; env. 2 200 cimetières familiaux. *Secondigny-en-Gâtine* 1 907 h. ; pommes. *Thouars* 10 905 h. (ag. 15 921) ; mach. agr., ind. alim., pharm., confection ; m. de la Céramique.

Régions naturelles. *Thouarsais :* 53 691 ha : semences fleurs, légumes, céréales, prairies artificielles, vignoble. *Bocage :* 127 412 ha, fourr., viande. *Gâtine :* 122 409 ha, élevage (marché de Parthenay), pommes. *Plaines du S., de Niort-Brioux :* 103 512 ha, *plaine de Lezay :* 37 699 ha, céréales, lait, fourr. artificiels. *Plateau Mellois :* céréales, lait. *Marais poitevin* (la « Venise verte ») : 12 194 ha, lait, cult. maraîchères, pêche anguilles ; tourisme. **Bois** (milliers d'ha, estim. au 1-1-1990) 67,9 dont (1984) forêt de Chizé 5, l'Hermitain 0,52.

Sites touristiques. Marais poitevin. **Vallées** de la Sèvre (en partant de Niort), Argenton (roches de Grifférus). **Rochers** de l'Absie (près de Secondigny). **Lac artificiel** d'Hautibus 8 ha (Argenton-Château). **Cascade** des Pommiers. **Cirque** de Missé (près de Thouars). **Cumulus** de Bougon. **Château** Oiron. **Égl. romanes** d'Airvault, Melle, Parthenay, St-Jouin-de-Marnes. **Abbayes** de Celles-sur-Belle et St-Maixent. **Commanderie** St-Marc-la-Larde et jardins médiévaux.

■ **Vienne** (86) 6 990 km² (130 × 95 km). *Alt. max.* 233 m (Signal de Prun) ; *min.* 35 m (confluent Vienne et Creuse). *Pop. 1801 :* 240 990 ; *1851 :* 317 305 ; *1891 :* 344 355 ; *1906 :* 333 621 ; *1931 :* 303 072 ; *1946 :* 313 932 ; *1975 :* 357 366 ; *1982 :* 371 428 ; *1990 :* 380 005 (dont Fr. par acquis. 3 788, étrangers 6 432 dont Port. 1 204, Maroc. 868, Alg. 848, Afr. noire 844). D 54.

Villes. POITIERS 78 894 h. [ag. 105 269, dont *Buxerolles* 6 337. *Jaunay-Clan* 4 928. *Migné-Auxances* 5 000. *St-Benoît* 5 843] ; univ. ancienne, école d'ingénieurs, métall.-constr. méc., élec., aéron., compteurs pneu., parachim.-électron. ; N.-D.-la-Grande, cath. St-Pierre, égl. Ste-Radegonde (femme de Clotaire II, † 787), palais de justice [XIIᵉ s. englobant grande salle et donjon de l'ancien palais ducal], musée Municipal (f. 1794, 36 982 vis. en 1991), futuroscope [1987, haut. 27 m, sphère : diam. 17 m, verrière 1 200 m², salle de cinéma (haut. 35 m), 250 t, miroir 4 250 m², CA 1992 : env. 195 millions de F]. *Amberre* 370 h. ; faluns. *Angles-sur-Anglin* 424 h. ; l'un des plus beaux villages de Fr., château (ruines XIIᵉ s.) ; *Antigny* 607 h. ; musée Archéol. *Blanzay* 804 h. ; château de la Maillolière. *Bonnes* 1 290 h. ; château de Touffou. *Bournand* 645 hj. ; commanderie. *Brux* 693 h. ; château. *Charroux* 1 428 h. ; abb., tour romane (XIᵉ s.). *Château-Larcher* 820 h. ; anterne des morts. *Châtellerault* * 34 678 h. [*1821 :* 9 524 ; *1891 :* 22 868 ; *1946 :* 23 162 ; *1968 :* 35 793 ; *1975 :* 37 080] ; constr. méc. et élec., électron., aéron., fonderie, papier, chauss., conserveries. ; pont Henri-IV ; m. Archéol., de l'Auto., des Coiffes et de la Coutellerie, de l'Abeille. *Chauvigny* 6 665 h. ; faïencerie, confect. ; cité médiévale regroupant les ruines de 5 châteaux forts. *Civaux* 682 h. ; nécropole mérovingienne (16 000 sarcophages). *Civray* 2 814 h. ; façade de St-Nicolas (XIIᵉ s.), maisons XVᵉ s. ; m. de la Préhistoire. *Coulonges* 313 h. ; foire des Hérolles (agneaux d'herbe). *Courlay* 2 561 h. *Curzay-sur-Vonne* 460 h. ; m. du Vitrail. *Dangé-St-Romain* 3 150 h. *Gençay* 1 580 h. ; château de la Roche (XIIᵉ s., musée de l'Ordre de Malte). *La Chaussée* 193 h. ; château de la Bonnetière (XVᵉ s.), m. de l'Acadie. *Dissay* 2 498 h. ; château (XV-XVIIIᵉ s.). *La Roche-Posay* 1 444 h., pharm. ; stat. thermale. *La Roche-Rigault* 557 h. ; chât. de la Chapelle Bellorn (XIIᵉ s.). *Ligugé* 2 771 h. ; abb. [ag. 4 860, dont *Smarves* 2 089 ; parc animalier]. *Loudun* 7 854 h. ; mach. agr. ; porte du Martray ; m. Théophraste-Renaudot. *Lusignan* 2 749 h. ; confection ; ville historique (origine Mélusine, pers. de légende médiévale). *Lussac-les-Châteaux* 2 297 h. (ag. 2 994) ; meubles ; m. de la Préhistoire. *Magné* 510 h. ; château de la Roche. *Mirebeau* 2 299 h. *Montmorillon* * 6 667 h. ; meubles, art. de ménage, bonneterie ; égl. N.-D. (XIIᵉ s., fresques XIIIᵉ) ; écomusée. *Naintré* 4 718 h. *Neuville-du-Poitou* 3 840 h. ; vins du haut Poitou. *Nouaillé-Maupertuis* 2 142 h. ; abb. *Pindray* 255 h. ; château de Pruniers. *Princay* 218 h. ; château de la Roche du Maine (Ren.). *Ranton* 195 h. ; Musée paysan. *St-Georges-les-Baillargeaux* 2 858 h. ; château de Vayres. *St-Pierre-d'Exideuil* 766 h. ; château de Leray. *St-Martin* 417 h. ; abb. de la Réau. *St-Maurice-la-Clouère* 952 h. ; égl. romane. *St-Sauvant*

1 315 h. ; chênaie (800 ha). *St-Sauveur* 1 428 h. ; abb. *St-Savin* 1 089 h. ; égl. XIe et XIIe s. (fresques XIIe s.). *Sanxay* 630 h. ; site gallo-romain. *Surin* 151 h. ; château de Cibioux. *Ternay* 183 h. ; château (XII-XV-XVIIIe s.). *Vivonne* 2 955 h. ; égl. XIIe et XIVe s. *Vouillé-St-Hilaire* 2 574 h. ; forêt (1 500 ha) ; bataille (507).

Régions naturelles. *Plaine du haut Poitou :* Nord Poitou, pluies de 700 à 800 mm [bovins, ovins et porcs sur les brandes du S.-E. ; céréales, fourrages, vigne à l'ouest du Clain ; forêts (117 000 ha) et clairières avec cultures maraîchères et fruitières au N.].

Sites touristiques. *Angles-sur-l'Anglin* (ch. XIe, XIIe et XVe s.), *La Roche-Posay.*

PROVENCE-ALPES-CÔTE-D'AZUR

GÉNÉRALITÉS

Superficie 31 436 km². **Population** (1990) 4 256 822 (dont Fr. par acquis. 237 091, étrangers 300 690 dont Alg. 67 110, Maroc. 49 717, Tunis. 48 046.) D 136. **1790** *(26-2/4-3)* division en 3 départements ; des *Bouches-du-Rhône* 7 districts : (Aix, Arles, Marseille, Tarascon, Apt, Salon et Orange) ; du *Var* 9 : Toulon, Hyères, St-Maximin, Brignoles, Barjols, Fréjus, Draguignan, Grasse et St-Paul-de-Vence) ; des *Basses-Alpes* 5 : (Forcalqier, Sisteron, Digne, Castellane et Barcelonnette). **1793** *26-6* formation du *Vaucluse,* comprenant Avignon et Comtat, le district d'Apt et d'Orange. **1860** formation des *Alpes-Maritimes* avec les districts empruntés au Var de Grasse et St-Paul, le C^té^ de Nice réuni à la France au traité de Turin.

PROVENCE

Situation. *Haute Provence :* massifs préalpins du S. des Baronnies aux Alpes mar. *Basse Prov. :* intérieure : plaines du Rhône inférieur (en aval du défilé de Donzère) jusqu'en Camargue (maraîchères du Vaucluse, rizières de Camargue ou « déserts humains » : Crau, S. de la Camargue) ; collines, chaînons calcaires et bassins ; massifs hercyniens des Maures et de l'Esterel. *Prov. maritime :* littoral varié, du delta du Rhône à la fr. italienne ; régions ind. de Toulon, Marseille-Fos et de l'étang de Berre. *Côte d'Azur* 115,5 km ; nom lancé par Stephen Liégeard (*la Côte d'Azur,* paru 1888). **Climat** Étés secs, hivers humides.

Ressources. *Agriculture :* traditionnelle, culture discontinue blé et olivier, associée à l'élevage du petit bétail ; fleurs, plantes à parfum, serres, fruits, légumes. Fin du XIXe s., exode des régions pauvres vers plaines, jusqu'alors insalubres, et régions côtières. Vins : côtes-du-rhône, bandol, cassis, côtes-de-provence, ventoux...

Histoire. Occupation à l'E. du Rhône par les *Ligures.* **VIe s. av. J.-C.** les *Phocéens* (de Grèce) fondent *Massilia* (Marseille) qui diffuse leur agriculture (vigne et olivier) et leur industrie (poterie). Par elle, l'influence grecque et méditerr. rayonne sur la Gaule. **IVe-IIIe s. av. J.-C.** les Celtes, venus du N., se mêlent aux Ligures et forment la confédération des *Salyens.* **181 et 154 av. J.-C.** leurs rapports se tendant avec les Celto-Ligures, les Massaliotes appellent leurs alliés romains. **125-121** une coalition gauloise décide les Romains à occuper militairement le pays (destruction d'*Entremont,* forteresse salyenne). **122** *fondation d'Aix* pour s'assurer le passage vers l'Esp. (construct. de la via Domitia) : fond. de la 1re prov. transalpine *(Provincia Romana),* qui laissera son nom à sa moitié orientale (Provence), mais sera appelée *Narbonnaise* (fond. de Narbonne en 118) ; afflux de marchands et de chevaliers après la défaite des Teutons (Aix, 102). **90-93** achèvement de la pacification. César installe ses vétérans à Arles, Béziers, Fréjus. **27-22** Auguste fonde d'autres colonies (Orange, Vienne, Avignon...) et fixe le statut de la province : partie alpestre (Alpes-Mar.) placée sous l'autorité directe de l'empereur ; reste du pays, déjà latinophone, érigé en province sénatoriale et administré par un gouverneur et par une assemblée (qui siègent à Narbonne) ; toutes les colonies ont un régime municipal de droit romain ou latin. **V. 250 apr. J.-C.** après les premières inv. barbares, Narbonnaise scindée en 2. **293-305** l'E. du Rhône devient la « Viennoise ». **381** la Viennoise est démembrée : création de la *Narbonnaise Seconde,* de Fréjus à Gap (cap. Aix) ; le christianisme s'est implanté très tôt (légende du débarquement, aux Stes-Maries-de-la-Mer : St Lazare, Ste Marie-Madeleine, Ste Marie-Jacobé, Ste Marie-Salomé, Ste Marthe chassés de Judée). **IVe et Ve s.** vie monastique (couvent de St-Victor à Marseille, monastère des îles de Lérins). **419-78** Wisigoths assiègent plusieurs fois Arles, et l'enlèvent, occupant le S. de la Durance (les Burgondes s'installent au N. **507** battus à Vouillé, remplacés par Ostrogoths. **536** conquise par fils de Clovis sur Ibba, Ostrogoth ; partagée entre Bourgogne et Austrasie, administrée par des patrices austrasiens, conserve une certaine indépendance. **591** peste à Marseille. **736-39** *invasion arabe,* Charles Martel soumet les Provençaux, qui ont pris leur parti. Déclin sous *Carolingiens.* **843** *traité de Verdun,* donnée à Lothaire. Son fils Charles en hérite avec Lyon, Maurienne et Viennois. **855-63** *1er royaume de Provence.* **879** *Boson,* beau-frère de Charles le Chauve, élu roi de Bourg. et de Prov. après 15 ans de lutte entre héritiers ; son fils, *Louis l'Aveugle (890-928),* élu après la mort de l'emp. Charles le Gros (roi de Prov. 884). **905,** régence confiée à Hugues d'Arles, qui cède le territoire au roi de Bourg. **934-35** *Rodolphe II.* **947** formation d'un roy. de Bourgogne-Prov. à la mort d'*Hugues ; Conrad,* son souverain, établit de nouveaux C^tés^ (bientôt secondés par des vicomtés) à Arles (Boson), Apt et Avignon. **973** *Guillaume Ier,* fils de Boson, expulse les Sarrasins de Fraxinetum (La Garde-Freinet ?). **1032** *Rodolphe II* lègue le roy. de « Bourg. transjurane » à l'emp. *Conrad le Salique,* qui revendiquera le titre de roi de Bourg.-Prov. ; mais l'autorité reste à la descendance de Guillaume, qui exerce les droits régaliens et s'allie à plusieurs familles comtales. **1125** *Raimond-Bérenger III, Cte de Barcelone* et époux d'une des héritières (Douce de Gévaudan, 1112), et *Alphonse-Jourdain, Cte de Toulouse* (époux d'une autre héritière, Étiennette), se partagent la Prov. ; le 1er reçoit les terres entre Rhône, Durance, Alpes et la mer (C^té^), le 2e les terres au nord de la Durance (marquisat), Avignon et quelques villes restant indivises. Les C^tes^ catalans de Prov. sont aux prises avec les seigneurs des Baux *(guerres « baussenques », 1142-62),* les C^tes^ de Forcalquier et les C^tes^ de Toulouse ; vainqueurs, ils s'unissent par mariage aux C^tes^ de Forcalquier, dont ils héritent (1196). Lutte contre Arabes d'Esp. aux Baléares ; participation aux croisades. Le commerce du Levant enrichit la bourgeoisie. **1150,** apparition de consulats à Marseille, Arles, Tarascon, Avignon...

XIIIe s. *Raimond-Bérenger V (1209-45),* aidé de conseillers remarquables (dont Romée de Villeneuve, « baile de Prov. »), assisté en matière judiciaire par le « juge de Prov. », divise la Prov. en plusieurs « baillies ». Marseille, qui échappe à l'autorité du Cte, doit reconnaître sa suzeraineté 1243. **1246-85** *Charles Ier d'Anjou,* gendre de Raimond-B., lui succède, crée un gouv. central ; conquête du royaume de Naples (1266), ce qui fait revivre l'expression « rois de Pr. ». **1285-1309** *Charles II* 1ers états de Prov. réunis. **1348** droits indivis sur Avignon cédés au pape (V. Comtat Venaissin). **1380** *Louis Ier d'Anjou,* adopté par Jeanne. **1383-84** prend possession de la Prov. Après sa mort, sa veuve cède Nice à la Savoie (V. comté de Nice). **1384-1417** *Louis II* et **1417-34** *Louis III* épuisent les finances en tentant de reconquérir leur roy. **1434-80** *René* perd Naples définitivement 1442 et réside en Prov. à partir de 1471. A sa mort, lutte entre son petit-fils et son neveu Charles III du Maine au profit duquel il l'a déshérité (1474). **1481** *11-12* Charles meurt lépreux, lègue la Prov. à Louis XI qui est reconnu Cte de Provence (15-1-1482). **1486** *(août)* édit de Charles VIII confirme l'union de la Prov. avec la F. (juxtaposition des deux royaumes). **1489** un gouverneur royal à côté du sénéchal (cumule les 2 charges en 1493), le *parlement d'Aix* en 1501. **1524** invasion des Impériaux (dirigés par le connétable de Bourbon, par Charles Quint en 1536) chassés par soulèvement populaire. Luttes religieuses contre Vaudois et protestants. Fronde. **1545** 3 000 Vaudois du Luberon massacrés ou envoyés aux galères. **1641-60** rébellion générale, animée par le parl. d'Aix (fronde parlementaire). **1660** *mars* Marseille se rend. **1707** invasion autr. repoussée. **1720** *peste ;* Mgr de Belsunce (1670-1755) organise la lutte contre l'épidémie. **1746** invasion autr. repoussée. **1771** parlement d'Aix supprimé par Maupeou ; **1775** restauré, ne joue plus qu'un rôle effacé sur le plan politique. **1793** on appelle Marseille « ville sans nom » pour avoir animé la révolte fédéraliste (voir Index).

COMTAT VENAISSIN

Nom. Vient de Venasque. **Situation.** Plaines fertiles du Vaucluse (basse Durance, Ouvèze, Sorgue), sur la rive g. du Rhône, au N. de la Durance. Cultures maraîchères et fruitières grâce à l'irrigation.

Histoire. Territoire des *Cavares* (Cavaillon), *Tricastins* (St-Paul-Trois-Châteaux), *Voconces* (Vaison). Partie de la *Provincia Romana,* puis de la *Viennoise.* Capitale : Carpentras (évêché), mais Avignon (Avenio Cavarum) est le grand centre régional. **1125** marquisat de Prov. au profit des Saint-Gilles, C^tes^ de Toulouse (Avignon reste indivise entre marquis et C^tes^ de Prov.). **1126** Avignon est pour Raymond VII dans l'affaire albigeoise ; assiégée puis prise par Louis VIII. **1237** marquisat de Prov. donné avec le Cté de Toulouse à Alphonse de Poitiers, le roi de Fr. devient coseigneur d'Avignon. **1271** rattaché au domaine royal. **1274** Philippe III le Hardi cède Comtat Venaissin et droits français sur Avignon au pape Grégoire X. **1309-76** 7 papes résident à Avignon. **1348** la reine Jeanne Ire d'Anjou-Naples (pour obtenir une dispense lui permettant d'épouser Louis de Tarente) accepte de vendre aux papes les droits des C^tes^ de Prov. sur la ville, et l'empereur renonce à sa suzeraineté ; Avignon devient, de fait, capitale du Comtat (en droit : République libre enclavée dans le Comtat). **1433-1593** Comtat administré par des légats envoyés de Rome et ayant, en outre, l'autorité spirituelle sur les diocèses du Midi (les rois de Fr. cherchent à faire diminuer leurs pouvoirs). **1593** les légats, toujours italiens, sont remplacés par des vice-légats. **1768-74** annexion provisoire à la France par Louis XV. **1790** *12-6* ses habitants demandent à être rattachés à la Fr. **1791** *été* référendum 102 000 voix pour l'« Empire français » (17 000 contre). *14-9* décret l'intégrant au territoire national, en même temps qu'Avignon : le dernier vice-légat quitte Avignon. **1793** *25-6* forme le département du Vaucluse avec C^té^ de Sault et région d'Apt et de Pertuis. **1794** *9-2* le pape accepte l'annexion. **1815** il essaye en vain de récupérer ses droits, lors du Congrès de Vienne.

COMTÉ D'ORANGE

Situation. Sur la rive g. du Rhône, à 30 km au N. d'Avignon.

Histoire. Ancienne ville celto-ligure d'Arausio, dans la cité des *Cavares.* Suit le sort de la Provence. **720** invasion musulmane, qui en fait une place forte sur la rive g. du Rhône. **793** reconquise par Guillaume-au-Courb-Nez (appelé plus tard « au-Court-Nez »), érigée semble-t-il en fief direct de la couronne royale. **1125** ne fait partie ni du marquisat, ni du C^té^ de Prov. **1181** Bertrand Ier reçoit de l'empereur Frédéric Ier le titre de P^ce^ d'Empire ; refuse l'hommage au Mis de Prov., Raymond V de Toulouse, qui le fait assassiner. **1237** rejet définitif de la suzeraineté toulousaine, sous Alphonse de Poitiers (Jean II porte depuis 1214 le titre de roi d'Arles). **1389** Jean de Chalon-Arlay, devenu par mariage prince d'Orange, se reconnaît vassal des ducs de Bourgogne. **1422** Louis Ier refuse l'hommage à Henri V d'Angleterre et reste fidèle au dauphin. **1475** Guillaume VII rend hommage au dauphin de Fr., et aux rois de Fr. comme dauphins, mais garde le titre de *P^ce^ souverain* (battant monnaie). **1544** passe par héritage dans la maison de Nassau, qui régnera en Hollande à partir de 1647. **1713** tr. d'*Utrecht,* annexé à la Fr.

COMTÉ DE NICE

Situation. Entre le Var et la ligne de faîte des Alpes. Montagneux (alt. max. le Mercantour 3 167 m), collines préalpines ensoleillées.

Histoire. Prépaléolithique : grotte du Vallonnet, à Roquebrune ; **Paléol. inf. :** site de Terra Amata à Nice (traces de présence humaine : 300 000 avant J.-C.) ; **Chalcolithique :** peuplement ligure jusqu'au IIe apr. J.-C., notamment Cimiez (Cemenetum, cap. des Vedianti, à 2 km au N. de Nice). Colonies grecques sur les côtes, notamment Antibes (Antipolis) et Nice (Nikaia). **154-125 av. J.-C.** conquis par Romains, alliés aux Grecs de Marseille. **13 av. J.-C.** Nice fait partie de la préfecture d'Italie, Antibes de la Narbonnaise, Vence et Cimiez (évêchés aux Ve-VIe s.) des Alpes-Maritimes. **Fin Xe s.** les seigneurs locaux reconnaissent la suzeraineté du Cte de Prov. Guillaume, fils de Boson II (notamment les C^tes^ de Nice, les seigneurs de Monaco, les évêques de Vence). **1388** pendant la minorité de Louis II de Prov. (1376-1417), sa mère, Marie de Bretagne, régente, donne (acte de dédition) C^té^ de Nice et seigneurie de Barcelonnette au Cte de Savoie, Amédée le Rouge. Les seigneurs de Monaco demeurent indépendants. **1406** La *Brigue* est rattachée au C^té^. **XVe-XVIIIe s.** tentatives des rois de Fr., devenus C^tes^ de Prov., pour récupérer les territoires aliénés. **1713** *tr. d'Utrecht.* Barcelonnette redevient française. **1793** annexion à la Fr. **1815** au roy. sardo-savoyard. **1848** Victor-Emmanuel II annexe au Cté de Nice les fiefs monégasques de Menton et Roquebrune, (22 km²). **1860** Nice cédée à la Fr. par Emmanuel II après plébiscite (sur 30 706 votants 25 933 pour) ; partie du Var annexée aux Alpes-M. **1862** Roquebrune et Menton rachetés au P^ce^ de Monaco, resté indépendant.

COMTÉ DE TENDE

Situation. Angle N.-E. des Alpes-Mar. ; hautes vallées de la Roya et de la Tinée (env. 1 000 km²), au S. du col de Tende.

Histoire. XIIIe s. *Chalcolithique :* vallée des Merveilles tracée par les diaclases (Mt Bego), env. 100 000 gravures. S'étend sur les 2 versants des Alpes, comprenant les villes de Limone et de Vernante. **1259** Guillaume-Pierre de Vintimille ép. Eudoxie, fille de l'empereur d'Occident. **1265** *12-10* rend hommage au Cte de Prov. **1285** autorisé à

ajouter le nom de Lascaris à celui de sa famille. **1418** Béatrice de Tende (B. Lascaris), épouse du duc de Milan Philippe-Marie Visconti, est exécutée, sans doute injustement, pour adultère. **1486** vassal du roi de Fr. **1500** René de Savoie, fils naturel du duc Philippe II, épouse Anne Lascaris, héritière des 2 fiefs, et devient Cte de Tende et de Vintimille. **XVIe-XVIIe s.** C^tes^ de Tende servent les rois de Fr. contre la Savoie, notamment Honorat, M^al^ de France en 1570 (1509-80). **1579** *21-10* Charles-Emmanuel Ier, duc de Savoie rachète le C^té^ qui est rattaché au C^té^ de Nice. **1691** extinction des C^tes^ de Tende. Tende et Vintimille sont annexés au C^té^ de Nice (savoyard). Les Fr. occupent le C^té^ de Nice. Louis XVI devient Cte de Nice et seigneur de Saorge. **1794** Tende, La Brigue, Breil et Saorge intégrés au dép. des Alpes-Mar. **1814** rendus au roy. de Sardaigne à la 1re abdication de Napoléon. **1861** *15-4* plébiscite, Tende et La Brigue votent à l'unanimité pour la France. Mais Napoléon III laisse à Victor-Emmanuel II la jouissance de ses territoires de chasse dans le Mercantour. Les hautes vallées (Roya, Vésubie et Tinée) restent ainsi sous la domination italienne. **1947** *16-9* Sud du C^té^ (Tende et La Brigue) après référendum (2 603 oui contre 248 non) rendu à la Fr. (annexé aux Alpes-Maritimes).

■ Économie

Population (estim. 1992) 4 342 000 h. [*1982 :* 3 965 209]. D. 135,8. 3e région fr. (7,6 % de la pop. nat.). *Active* ayant un emploi (au 1-1-91) : 1 525 200 dont primaire 56 200, secondaire 328 000 (BTP 123 600), tertiaire 1 118 500. *Chômeurs* (au 30-11-92) : 268 120.

Échanges (en milliards de F, 1991). **Imp. :** 76,6 dont (en %) : énergie 40,5, biens de consomm. 13,2, métaux 4,9, 1/2 prod. non métal. 10,2, biens équip. 13,2, ind. agroalim. 8,7 prod. de l'agr. 6,7, *de* (en %) pays du Maghreb 16, Moy.-Or. 14,8, reste de l'Afr. 6,3 CEE 39,2, reste de l'Eur. 7,7, reste de l'Asie 6,3, Amér. centr. et du Sud 2,9, Amér. du N. 5,9, Australie, Océanie 0,7. **Exp. :** 56,4 dont (en %) 1/2 prod. non métal. 25,8, métaux 13,3, biens d'équip. profess. 17,8, biens de consomm. 10,8, énergie 9,5 ind. agro-alim. 10,1, prod. de l'agr. 9,9 ; *vers* (en %) pays du Maghreb 4,8, Moy.-Or. 2,3, reste de l'Afr. 3,4 ; CEE 59,7, reste de l'Eur. 13,2, Amér. du N., reste de l'Asie 6,6, Amér. centr. et du Sud 2, Australie, Océanie 0,3.

Agriculture (au 1-1-91). **Terres** (en milliers d'ha) 3 180,4 dont SAU 661,5 [t. lab. 253, légumes 24,2, cult. fruit. 52,3, vignes 112,8, herbe 528,4] ; *bois* 1 211,4 ; *t. agr. non cult.* 302,2 ; *t. non agr.* 720,3. *Nombre d'exploitations agr. :* 38 361. **Prod. végétale** (en milliers de t) : céréales 478,1, légumes frais 545 (dont p. de terre 71,7, tomates 271,1), melons 93,6 ; fruits frais 740,2 dont p. de table 487,5, poires 115,8, raisin 49,7, olives 7,8 ; lavandin 536,6 t. *Bois :* 562 100 m³. *Vins :* 4 298 240 hl. **Prod. animale** (têtes) : ovins, caprins 761 800, porcins 140 300, bovins 17 500. *Lait* (hl, en 1991) : vache 422 700, chèvre 63 500. *Œufs :* 250 millions. *Volailles (y c. lapins) :* 8 600 t. *Sel marin (1991) :* 866 000 t.

Pêche (en milliers de t, 1991). 19,4 dont Martigues 13,8, Marseille 4,2, Toulon 1, Nice 0,3.

Actifs (en milliers, au 1-1-91). **Industrie** 328,3 dont agroalim. 31,2, énergie 18,8, min., métaux ferreux et non ferreux, 1re transform. acier 9,6, matér. de constr. et min. divers 11,3, verre 1, chim., parachim., caout. 22,8, fonderie, trav. des métaux 11,9, constr. méc. 15,7, électr. et électron. 20,2, autom. et transp. terr. 2,2, nav. et aéron., armement 21,1, text., habill. 6,7, ind. du cuir et de la chauss. 1,3, du bois et de l'ameubl., ind. div. 16,2, papier, carton 3,1, imprim., presse, édition 11,6, **BTP** 123,6.

Production. **Part dans la prod. française** (en %, 1991) : *Agroalim. :* huile d'olive 70,3 (2 898 t), olives à huile 70 (15 194 t), concentré de tomates 63,7 (26 110 t), semoules 48 (228 725 t), pâtes 46,1 (140 145 t), olives de table 30,1 (830 t), confiserie 17 (30 272 t). *Énergie :* prod. finis sortis 30,4 (22 912 000 t), pétrole brut traité 29,2, élec. hydraulique 17,5, thermique 1,2.

Tourisme (au 1-9-92). Hôtels homologués : 2 616, campings-caravanages 828 (308 067 pl.), auberges de jeunesse (1 990 pl.), gîtes ruraux 3 462, maisons familiales de vac. (1 589 pl.), villages de vac. 49 295 pl. *Plaisance* (au 1-9-91) : 119 ports aménagés ou concédés, 54 223 postes de mouillage et autres, 320 386 bateaux. *Sports d'hiver* (1992) : 39 stations dont 17 classées.

■ Départements

Voir légende p. 777.

■ **Alpes-de-Hte-Provence** (04) (de 1790 au 13-4-1970 : Basses-Alpes). 6 925 km² (144 × 90 km). *Alt. max.* Aiguilles de Chambeyron 3 400 m ; *min.* 250 m (sortie de la Durance). *Pop. 1801 :* 133 966 ; *1836 :* 159 045 ; *1851 :* 152 070 ; *1901 :* 115 021 ; *1946 :* 83 354 ; *1975 :* 112 178 ; *1982 :* 119 068 ; *1990 :* 130 833 (dont Fr. par acquis. 6 342, étrangers 6 036 dont Alg. 1 204, Ital. 1 160, Maroc. 1 096, Esp. 612. D 19 ; 22 communes de - de 50 h. (80).

Villes. DIGNE, alt. 600 m, 16 087 h. ; centre comm. de lavande ; cath., musée ; thermalisme, réserve géologique. – *Barcelonnette* * alt. 1 135 m, 2 976 h. *Castellane* * alt. 723 m, 1 349 h. *Château-Arnoux* alt. 440 m, 5 109 h. [ag. 6 878, dont *Volonne* 1 387] ; ind. chim. (Atochem). *Forcalquier* * alt. 550 m, 3 993 h. *Gréoux-les-Bains* 1 718 h. ; stat. thermale. *Manosque* alt. 370 m, 19 107 h. ; Géostock, le plus grand dépôt pétrolier souterrain du monde (6,6 millions de m³). *La Palud* 243 h. ; 915 m. *Les Mées* alt. 410 m (rochers des Pénitents), 2 601 h. *Oraison* alt. 380 m, 3 509 h. ; c. postales, dépliants publicit. *Riez* alt. 528 m, 1 707 h. ; colonnes romaines, baptistère mérovingien. *Ste-Tulle* 2 855 h. *Seyne-les-Alpes* alt. 1 200 m, 1 222 h. *Sisteron* alt. 485 m, 5 025 ha, 6 594 h. ; ind. chim., citadelle. *Valensole* alt. 569 m, 2 202 h. ; lavande. *Volx* 2 516 h.

Régions naturelles. *Val de Durance et basses v. confluentes* (58 500 ha) : polyculture (céréales, légumes, fruits avec irrigation, pommiers). *Plateau de Valensole* (81 400 ha) : cult. du lavandin, céréales (blé dur) [amandiers et élevage ovin disparaissent], truffes. *Plateau de Forcalquier* (92 800 ha) : polyculture (céréales, fourrages), ovins, lait, lavande et lavandin (au pied de la montagne de Lure). *Sisteronnais* (61 400 ha) : céréales, fourr., ovins, cult. fruitière avec irrigation (pommiers, poiriers : Motte du Caire, Sisteron, Mison). *Montagne de Hte-Provence :* Préalpes de Digne et Barrême (108 500 ha) : garrigue, pâturages à moutons ; reboisements, lavande fine (Barrême) ; bassin de Seyne et hautes vallées de l'Ubaye et du Verdon (210 000 ha) : massifs montagneux (f. d'épicéas, sapins, mélèzes ; alpages pour transhumants) ; Seyne-les-Alpes (bovins et ovins). *Région de Castellane-Entrevaux* (82 000 ha) : lavande fine et ovins (Castellane), fruit. et lég. avec irrigation (Entrevaux). **Prod. agricoles spécifiques :** lavandin (crise due aux importations d'Europe de l'Est et aux essences synthétiques) et lavande, sauge et menthe ; miel de lavande ; fromage de chèvre de Banon ; truffes de Riez et de Banon ; viande d'agneau de Sisteron.

Sites touristiques. Gorges du *Verdon* (20 km de long ; à-pic de 300 à 700 m) ; *cañon de l'Oppedette* (2 km de parois rocheuses hautes de 120 m). **Montagnes :** de l'*Ubaye*, de *Lure*. **Lacs de barrage** (pêche et sports nautiques) : *sur le Verdon,* Ste-Croix-du-Verdon (22 km²), 780 millions de m³, 2e barr. de Fr.), Chaudanne, Gréoux-les-Bains, Quinson ; *sur la Durance :* l'Escale (2 km²), Sisteron. Castillon (6 km², alt. 850 m), Gréoux (3 km², alt. 360 m), La Laye (3 km², alt. 525 m), Allos (0,7 km², alt. 2 237 m). **Parc** *naturel régional* du *Luberon* (1 200 km², créé 31-1-77). **Prieuré** *Ganagobie* (XIIe s.). **Citadelle** *d'Entrevaux.* **Vieux villages :** *Simiane, Dauphin, Banon, Moustiers-Ste-Marie* (faïence d'art), *Lurs, Annot, St-Martin-de-Brômes, Colmars-les-Alpes, Villars-Colmars, Senez* 224 h. (canton le moins peuplé de Fr.). **Ski :** *vallée de l'Ubaye :* Larche (1 697 m), Sauze inférieur (1 350 m), supérieur (1 690 m), Pra-Loup (1 635 m), La Condamine Ste-Anne (1 655 m) ; *du haut Verdon :* La Foux d'Allos (1 800 m), Le Seignus d'Allos (1 500 m), vallée de la Blanche (Chabanon 1 600 m), col de St-Jean (1 330 m), Le Grand Puy (1 250 m, Le Petit Puy) ; *divers :* La Colle St-Michel (1 431 m), La Montagne de Lure (1 500 m). **Observatoire** de Hte-Provence *St-Michel* (près Forcalquier).

■ **Hautes-Alpes** (05) [faisaient partie du Dauphiné ; la « *Barre des Écrins* » (4 103 m) était le point culminant de la France avant l'annexion de la Savoie]. 5 549 km² (137 × 100 km) dép. le plus élevé de Fr. *Alt. min.* 470 m (rivière de Buech) [alt. moy. des communes 1 050 m (*St-Véran :* la plus haute d'Europe 2 042 m, clocher à 2 071 m, territoire 1 800 à 3 151 m)]. *Pop. 1801 :* 112 510 ; *1851 :* 132 038 ; *1901 :* 115 021 ; *1946 :* 83 354 ; *1975 :* 97 358 ; *1982 :* 105 070 ; *1990 :* 118 065 (dont Fr. par acquis. 3 224, étrangers 4 185 dont Ital. 936, Alg. 680, Port. 604, Maroc. 572). D 20. 177 communes ; 8 ont moins de 30 h. (80).

Villes. GAP, alt. 783 m, 33 438 h. [*1846 :* 8 724 ; *1877 :* 8 927 ; *1936 :* 13 600 ; *1962 :* 20 478 ; *1968 :* 23 994] ; prod. alim., text., imprim. de labeur. – *Briançon* * 11 038 h. [*1846 :* 4 309 ; *1871 :* 4 169 ; *1936 :* 7 543 ; *1968 :* 8 215] ; ville la plus haute d'Europe, 1 326 m ; remparts, la collégiale. *Embrun* alt. 812 m, 5 793 h. (ag. 6 149) ; stat. tourist. ; cath. N.-D.-du-Réal (XIIe-XIVe s.) ; La Tour Brune, cité fortifiée. *L'Argentière-la-Bessée* alt. 976 m, 2 191 h. *Laragne-Montéglin* 3 371 h. *St-Bonnet* 1 371 h. *Serres* 1 106 h. *Veynes* 3 148 h.

Régions naturelles. *Préalpes* au S.-O., de 2 709 m ; *Grandes Alpes* au N.-E. + de 2 000 m. **Climat.** *vents :* la « bise », apportant le beau temps ; « traverse » (du S.-E. ou du S.-O.) apportant la pluie (3 fois moins fréquents) ; la « lombarde » souffle surtout dans Briançonnais et Queyras. *Neige* (hauteur moy. cumulée en cm) : Laragne 30, Gap 60, Dévoluy 200, Vallouise, Névache, Le Monétier 300, St-Véran 400. **Régions agricoles** : *Briançonnais* (109 389 ha, alt. moy. 1 424 m), *Queyras* (63 281 ha, alt. moy. 1 572 m ; région pilote de l'élevage de hte montagne), *Champsaur-Valgaudemar* (74 849 ha, alt. moy. 1 100 m), *Embrunais* (alt. moy. 1 119 m), *Ht-Embrunais* (42 018 ha, moy. 1 045 m), *Dévoluy* (18 258 ha, alt. moy. 1 200 m), *Gapençais* (59 154 ha, alt. moy. 849 m), *Bochaîne* (18 227 ha, moy. 908 m), *Serrois-Rosanais* (73 427 ha, moy. 776 m), *Laragnais* (33 162 ha, moy. 679 m, Préalpes du S.).

Ressources. Élevage : bovins, ovins. **Cultures :** fruitières. **Bois** (en milliers d'ha, au 1-1-90) : 162,3. dont (1981) : forêts du Pelvoux. 5,7, Chaillol 5,2, Le Drac 4,3, Les Sauvas 3,5, Val-Gaudemar 3,1. Prod. : 114 342 m³. **Industries** *alim., text., bois* (114 342 m³ par an ; 40 % en bois de charpente,

23 % pâte à papier et panneaux, 22 % b. pour caisserie, emballages, palettes). **Hydroélectricité :** 35 micro-centrales et centrales. Puissance installée 994 110 KW. *Barrage de Serre-Ponçon* digue (1948-60), haut 115 m, long. (crête) 600 m, épaisseur : base 650 m, crête 55 m ; lac 780 m d'alt., 3 000 ha (plein), larg. moy. 2 km, long. 20 km, 100 km de rives ; puissance moyenne installée 370 000 kW/h. **Solaire :** 3 500 m² de capteurs en 1989.

Sites touristiques. Massifs : *Pelvoux, Meije, Champsaur, Dévoluy* [+ de 700 grottes et « chourums » (gouffres)]. **Parc** *national des Écrins* (91 800 ha, zone périphérique 178 600, alt. 800 à 4 000 m ; appelé aussi m. du Pelvoux ou « Oisans » créé 27-3-73) ; *régional du Queyras* (60 000 ha, créé 31-7-77). **Réserves naturelles** (créées 15-5-74) : Htes vallées de la *Séveraisse* (155 ha), de *St-Pierre* (20 ha), cirque du grand lac des *Estaris* (145 ha), versant nord des pics du *Combeynot* (285 ha). **Rivières** (canoë-kayak) : *Durance, Drac, Buëch, Guil, Séveraisse, Cerveyrette.* **Lac** *Serre-Ponçon* (3 000 ha). **Ski :** *Briançon-Prorel* 1 200 à 2 800 m, *Serre-Chevalier* 1 350 à 2 800 m, *Vars-Risoul* 1 650 à 2 750 m, *Orcières-Merlette* 1 850 à 2 650 m, *Ceüze* 1 550 à 2 020 m, *Montgenèvre* 1 850 à 2 700 m, *Super-Dévoluy* 1 500 à 2 510 m, *Puy-St-Vincent* 1 160 à 2 700 m, *Les Orres* 1 550 à 2 770 m, *La Grave* (la Meije), *Réallon, La Joue du Loup,* les stations du Queyras et du Champsaur. **Ski de fond :** *Cervières* 1 650-2 050 m, *Gap-Bayard* 1 050-1 400 m, *Le Valgaudemar* 1 050-1 180 m. **Stations villages :** *Abriès* 1 550-2 450 m, *Aiguilles* 1 450-2 590 m, *Ancelle* 1 340-1 950 m, *Arvieux* 1 700-2 280 m, *Ceillac* 1 650-2 600 m, *Château Ville-Vieille* 1 400-1 600 m, *Crévoux* 1 575-2 200 m, *Gap Ceüze 2000* 1 550-2 020 m, *La Grave-Villar d'Arène* 1 500-3 550 m, *Laye* 1 300-1 950 m, *Molines* 1 750-2 450 m, *Pelvoux-Vallouise* 1 160-2 700 m, *Réallon* 1 560-2 135 m, *Ristolas* 1 550-2 450 m, *St-Leger-les-Mélèzes* 1 260-2 000 m, *St-Michel-de-Chaillol* 1 450-2 060 m, *St-Véran* 1 750-2 580 m. **Châteaux** *Tallard, Queyras, Montmaur.* **Cité fortifiée** *Montdauphin.* **Abbaye** *Boscodon* (XIIe s.). **Prieuré** *St-André de Rosans.*

■ **Alpes-Maritimes** (06) 4 299 km² (100 × 70 km). *Alt. max.* Le Gelas 3 143 m (Le Clapier 3 045 m, Mt Bego 2 873 m, Mt Mounier 2 817 m, col de la Bonette 2 802 m, pointe Marguareis 2 650 m, col de la Cayolle 2 327 m, dôme de Barrot 2 144 m, l'Authion 2 074 m). *Côtes* 115 km (plus longue distance de la c. 95 km, plus courte 40 km). *Pop. 1821 :* 161 886 ; *1851 :* 192 062 ; *1901 :* 293 213 ; *1911 :* 356 338 ; *1936 :* 518 083 ; *1946 :* 453 073 ; *1968 :* 722 070 ; *1982 :* 881 198 ; *1990 :* 972 482 (dont Fr. par acquis. 62 053, étrangers 88 786 dont Tunis. 19 971, Ital. 17 154, Alg. 10 040, Maroc. 8 038). D 226.

Villes. NICE 342 391 h. [*1600 :* 13 000 ; *1734 :* 15 000 ; *1822 :* 26 000 ; *1860 :* 50 000 ; *1911 :* 143 000 ; *1921 :* 156 000 ; *1931 :* 220 000 ; *1954 :* 244 000 ; *1975 :* 344 481 ; *1982 :* 337 085] alt. 11 à 222 m (collines environnantes : Cimiez 100/120 m, Mt Boron 178 m, Mt Alban 222 m, Mt Gros 374 m), sup. 7 192 ha. *Climat : temp. moy. :* janv./mars + 11 °C, avr./mai 14, juin 19, juil./août 24, sept. 23, oct. 18, nov./déc. + 12 ; *eau de mer :* janv./mars + 16 °C, avr./mai 19, juin 22, juil./août 26, sept. 24, oct. 21, nov./déc. 18 ; ensoleillement 2 500 à 2 800 h par an (290 à 320 j sereins ou sans pluie ; gelée 5 j, brouillard 5 j). Constr. méc., élec., électron., BTP ; Seita, mat. plast. (Deltachimie) ; text., habill. ; impression et édition de journaux ; aéroport [2e de Fr., (passagers) 1er de province, 200 ha sur la mer] ; centre de congrès ; théâtre 1 400 pl. ; opéra (inauguré 1885) ; recherche : observatoire astronomique [coupole : 24 m de diamètre, la plus grande d'Europe (1885, Eiffel)], Cerbom (biologie et océanographie médicale) ; tourisme [vieux Nice : cath. de Ste-Réparate (1650), palais Lascaris (XVIIe), château (XIe-XVIe s.) Colline 92 m ; arènes (Ier-IIIe s.), thermes (IIIe s.), cloître et jardins de Cimiez ; promenade des Anglais (1824 ; 7 km) ; égl. russe ; musées (17 m. municipaux : 600 000 vis. en 1991) : Masséna, Beaux-Arts (Chéret), Vieux Logis, Art naïf, Matisse, Archéologie, Terra Amata, de paléontologie, Hist. nat., Malacologie, Naval ; sites : villa Arson, Cimiez, Mt Boron, Mt Chauve (ancien fort) ; carnaval (dep. 1294 puis 1879 ; 1 200 000 spectateurs en 1992). Le 16-10-1979, une partie du futur port et les remblaiements sous-marins se sont effondrés : 10 †. [Ag. 516 740, dont *Beaulieu-sur-Mer* 4 013, villa Kerylos (1902-08). *Cagnes-sur-Mer* 40 902, alt. 20 à 160 m ; stat. baln. ; chât. XIVe et XVe s., maison de Renoir. *Contes* 5 867. *Drap* 4 267. *La Colle-sur-Loup* 6 025. *La Trinité* 10 197. *St-André* 4 151. *St-Jean-Cap-Ferrat* 2 248, Villa Ile-de-France construite 1912, léguée à l'Institut par Béatrice de Rothschild (1859-1934), ép. du Bon Ephrussi ; parc 7 ha ; reprod. du Temple de l'Amour du Trianon de Versailles ; jardin botanique. *St-Laurent-du-Var* 24 426. *St-Paul* 2 903. *Tourrette-Levens* 3 412. *Villefranche-sur-Mer* 8 080, alt. 30 à 577 m ; centre d'océanographie ; basse corniche ; rade : fonds entre 70 et 700 m ; citadelle St-Elme (XVIe s.). *Villeneuve-Loubet* 11 539 ; électron. (Texas Instruments Fr.), équip. auto. *Aiglun* 91 h. ; 625 m. *Belvédère* 519 h. ; 837 m.

– *Breil-sur-Roya* 2 058 h. ; élec., chauss. ; architect. romane, fortifications. *Carros* 10 747 h. ; insecticides, meubles. *Coaraze* 540 h. ; 692 m ; village médiéval. – *Grasse-Cannes-Antibes* [ag. 335 647 (90), dont *Antibes* 69 991 (*1800 :* 5 270 ; *1901 :* 10 945 ; *1936 :* 25 014), alt. 147 à 282 m ; port ; musée Picasso (château Grimaldi) ; équip. auto. ; stat. baln. et hivern. ; cult. fruits et fleurs, parfumerie ; aqueduc romain, fortif. de Vauban, château, m. Archéol. d'Antipolis. *Biot* 5 575 ; verreries (plateau de Caussols, Cerga, rech. géodynamiques et astron.) ; m. nat. Fernand-Léger. *Cannes* 68 676 (*1982 :* 72 259), alt. 2 à 255 m, réparation de mat. ferrov. ; musée-château ; stat. baln. et hivern. ; m. de la Castre. Palais des festivals (1982 ; coût 700 millions de F) ; la Croisette (1868, nom venant d'une petite croix dressée à l'extrémité de la baie, palmiers plantés 1871, 1er mimosa 1880). *Grasse* *41 388 (*1841 :* 11 381 ; *1901 :* 15 429) ; alt. 350 à 400 m ; 4 015 ha ; cult., fleurs, essences pour parfum, huiles... ; m. Fragonard, m. d'Art et d'Histoire de Provence. – *Juan-les-Pins-Le Cannet* 41 842. *Mandelieu-La Napoule* 16 493. *Mouans-Sartoux* 7 989 ; parc de l'argile (32 ha). *Mougins* 13 014 ; musée Auto. *Peymeinade* 6 293. *Valbonne* 9 514 ; ind. élec., électron. ; technopole de Sophia-Antipolis (2 400 ha + 2 200 prévus) : informatique, électron. *Vallauris* 24 325 ; m. Picasso, château, ancienne cath. de la Nativité-de-N.-D., poteries]. *Gilette* 1 024 h. ; ruines château des Ctes d'Aragon. *Gorbio* 990 h. ; 360 m. *Guillaumes* 533 h. ; 819 m, château de la reine Jeanne. – *La Colle-sur-Loup* 6 025 h. *La Gaude* 4 951 h. ; électron., informatique (IBM) ; biopole. *La Tour-sur-Tinée* 286 h. *La Turbie* 2 609 h. ; trophée d'Auguste (m. Tuck), 6 av. J.-C. ; haut. 50 m, aujourd'hui 35 m ; larg. 34 m. *Levens* 2 686 h. ; bourg médiéval. *Luceram* 1 026 h. ; retables de l'école niçoise. *La Brigue* 618 h. – *Menton-Monaco* [ag. 66 269 h., dont *Beausoleil* 12 326. *Cap-d'Ail.* 4 859. *Èze* (2 400 m) 2 446. *Menton* 29 141 (*1755 :* 2 431 ; *1901 :* 9 944 ; *1921 :* 18 645), alt. 600 m, 1 386 ha ; m. du Palais Carnolès, Jean-Cocteau. *Peille* 1 836 h. ; 630 m ; palais des Lascaris (XVIIe s.). *Peillon* 1 139 h. ; 376 m ; ensemble médiéval. *Roquebrune-Cap-Martin* 12 376 (maison E 1027, par Eileen Gray)]. – *Puget-Théniers* 1 703 h. *Ste-Agnès* 944 h. ; + haut village. *St-Cézaire-sur-Siagne* 2 182 h. ; grottes. *St-Dalmas-le-Selvage* 114 h. ; 1 450 m. *St-Étienne-de-Tinée* 1 783 h. (des confréries de pénitents blancs et noirs y subsistent) ; foire aux bovins. *St-Jeannet* 3 188 h. ; le Baou haut lieu d'esclavage. *St-Martin-du-Var* 1 869 h. *St-Martin-Vésubie* 1 041 h. *St-Paul-de-Vence* 962 ha., 2 903 h. ; enceinte bastionnée, égl. gothique, fondation Maeght (f. 1964, 215 000 vis. en 1991). *Saorge* 362 h. ; chapelles, égl. *Sospel* 2 592 h. ; pont (XIe s.) ; place médiévale. *Tende* 2 089 h. ; + vaste commune (17 747 ha) ; dernier accroissement territ. fr. *Théoule-sur-Mer* 1 216 h. ; station balnéaire ; forêt de l'Esterel ; rochers pourpres. *Utelle* 456 h. ; 800 m, Madone. *Vence* alt. 320 m, 15 330 h. (ag. 18 779).

Régions naturelles. *Préalpes du S. :* de Grasse et de Nice, avec vallées du *Var* 2 820 km², de la *Tinée* 720 km², de la *Vésubie* 400 km², de l'*Esteron* 460 km², de la *Siagne* 530 km², du *Loup* 300 km², de la *Cagne,* la *Brague,* la *Roya,* la *Bévéra,* du *Magnan,* des *Paillons* 250 km², *massif du Mercantour* 53 000 ha. *Côte d'Azur.* **Iles** *de Lérins* (monastère) : *Ste-Marguerite,* long. 3 240 m, larg. 920 m, sup. 210 ha, périmètre 7 km, alt. max. 28 m, 1 km de la côte, 28 h. (fort du XVIIe s.) ; *St-Honorat,* long. 1 500 m, larg. 430 m, sup. 60 ha, périmètre 3,3 km, 5,1 km de la côte par bateau, à 700 m de Ste-Marguerite, 1,54 km à vol d'oiseau, 57 h.

Bois (en milliers d'ha, au 1-1-91). 195,1 dont forêts de Breil-sur-Roya 4, Lucéram 3,1, St-Auban 3,5, St-Etienne-de-Tinée 3,4, St-Martin-Vésubie 3,5, Saorge 2, La Brigue 5,5, Tende 5,5. *Production* (91) : 42 079 m³. **Horticulture :** 1er département exportateur de fleurs coupées (50 % des exportations). **Industrie hôtelière** la plus importante de Fr.

Tourisme. Côte (route N 564 : Nice-Monaco). **Baies :** des *Anges,* de *Cannes.* **Route** de la *Bonette :* 2 826 m d'alt. (la plus haute de Fr.). **Vallées :** *des Merveilles* (+ de 100 000 gravures préhistoriques à ciel ouvert) ; *de la Roya.* **Parc** *national du Mercantour* (690 km² créé 18-8-1979). **Ski :** *Auron* 1 600 à 2 450 m, *Beuil-les-Launes* 1 450 à 2 010 m, *Esteng d'Entraunes* 1 800 à 2 100 m, *Gréolières-les-Neiges* 1 400 à 1 800 m, *Isola 2 000* 1 800 à 2 160 m, *L'Audibergue* 1 400 à 1 800 m, *La Colmiane-les-Neiges* 1 400 à 1 800 m, *La Gordolasque Belvédère* 1 520 à 1 650 m, *Le Boréon-St-Martin-Vésubie* 1 650 à 1 800 m, *Peira-Cava* 1 500 à 1 600 m, *Roubion-les-Buisses* 1 410 à 1 912 m, *St-Aubin* 1 150 m, *St-Dalmas-le-Velvage* 1 400 à 2 100 m, *Thorenc* 1 250 m, *Turini-Camp-d'argent* 1 600 à 1 920 m, *Valberg 1 650 à 2 025 m, Val-Pelens-St-Martin d'Entraunes* 1 600 à 1 750 m. **Villages fortifiés :** *Èze, Luceram, St-Jeannet, St-Paul, Vence.* **Châteaux :** *Gourdon* (XIIe s.), *Saorge* (vestiges), *Villeneuve* (XIIIe-XVIIe s.).

■ **Bouches-du-Rhône** (13) 5 087 km² (132 × 58 km) (étang de *Berre* inclus : 16,3 km²). *Alt. max.* Pic de Bertagne 1 043 m. *Côtes* 190 km. *Pop. 1801 :* 285 012 ; *1851 :* 428 989 ; *1901 :* 734 347 ; *1936 :* 1 224 802 ; *1946 :* 971 935 ; *1982 :* 1 724 199 ; *1990 :* 1 759 098 (dont Fr. par acquis. 105 127, étrangers 113 639 dont Alg. 41 293, Maroc. 14 825, Turcs 13 833, Ital. 8 821). D 345,8.

Villes. MARSEILLE 800 550 h. [*v. 250 av. J.-C.* 50 000 ; *1801 :* 111 100 ; *1851 :* 195 350 ; *1881 :* 360 100 ; *1911 :* 550 600 ; *1931 :* 606 000 ; *1946 :* 636 300 ; *1954 :* 661 500]. D 3 327 [sup. totale de la commune 24 000 ha dont (en 1992) surf. agricole utilisée 421 ha (herbe 91, vignes 18), forêts 3 700 ha ; 261 expl.] ; prod. alim. (Ricard), matér. de constr. (Lafarge) ; prod. chim., parachimie, caout., mat. plast. ; méc., chaudronnerie, diesel, matér. méc. de précision ; réparation ferrov. et navale (80 % de l'activité nat.) ; BTP ; élec., électron. ; biotechnologies, offshore (Comex) ; text., habill., bijoux, luminaires ; imprim., journaux, papeterie ; 1er port de la Méditerranée (bassins de Marseille, Lavéra, Caronte, Fos, Pt-St-Louis). Vieux port (Lacydon : ancien comptoir phocéen du VIIe s. av. J.-C., 1/19-2-1943 les All. en font sauter une partie) ; observatoire (1863) ; Canebière (champ de chanvre) avenue célèbre ; grotte Cosquer (déc. par Henri Cosquer oct. 1985, remarque peintures et sculptures 9-7-1991, déclare sa découv. 3-9-1991), entrée à 38 m de profondeur, 2 parties : 1re : 60 m de diamètre, 2e : 70, gravures, animaux 16 000 à 17 000 av. J.-C., mains négatives et tracés digitaux. Château du Pharo (1858-60), palais Longchamp (Espérandieu, 1869) : Muséum et m. des Beaux-Arts (f. 1869 : 24 277 vis. en 1991) ; m. de la Marine ; cath. Ste-Marie Majeure [1852-93, arch. Léon Vaudoyer († 1872), Henri Espérandieu († 1874), Henri Revoil (1822-1902) ; long. 142 m ; larg. : nef 25 m ; transept 54 m ; coupole : diamètre 17,7 m, haut 70 m, intérieur 444 ; colonnes de marbre, surface utile 2 714 m²] ; château d'If (1524-28), abbaye de St-Victor (église XIIIe s., abside fortifiée 1365), basilique N.-D. de la Garde [nom dû à la vigie qui se tenait sur la colline, 1855-64, alt. 162 m, clocher 60 m, campanile 12,5 m, statue dorée 9,7 m, 4,5 t, de Lequesnes 1870, long. 47 m, larg. 16, nef 5,2, funiculaire fonctionne 1892/11-9-1967 (18 h 30), démoli 1974, statue du maître-autel de Jean-Baptiste Chanuel, modèle J.-P. Cortot (env. 2 m, 50 kg en argent), bourdon Marie-Joséphine, fondu 1845 (2,5 m, 8 234 kg, battant 387 kg)] ; égl. St-Vincent-de-Paul (de réformés) haut 70 m, chapelle de la Vieille Charité (XVIIe s.) ; centre universitaire et grandes écoles ; centre commercial (foire intern.) ; Cité radieuse (1946-52) Le Corbusier (337 appartements de 28 types différents) ; Le Prado (avenue de 3,5 km) ; opéra (1924) ; tourisme d'affaires ; aménagement Zac St-André (300 000 m², 105 ha), centre commercial du Grand Littoral (140 000 m²), parc animalier (22 ha) [ag. 1 087 276 h., dont *Allauch* 16 092. *Aubagne* 41 100 ; poteries, colorants, maraîchage, charcuterie et salaisons, santons. *Auriol* 6 788. *Bouc-Bel-Air* 11 512, jardins d'Albertas. *Cabriès* 7 720. *Gardanne* 17 864 ; prod. combustibles, minéraux (Houillères de Bassin du Centre et du Midi), aluminium (Péchiney). *Gémenos* 5 025 ; ch. du XVIIIe s. *La Penne-sur-Huveaune* 5 879. *Les Pennes-Mirabeau* 18 499. *Marignane* 32 325 ; aéroport (3e de Fr.), constr. aéron. *Plan de Cuques* 9 847. *Rognac* 11 099 ; mat. plast. pour bâtiment. *Roquevaire* 7 061. *St-Victoret* 6 047. *Septèmes-les-Vallons* 10 415. *Vitrolles* 33 397 ; mat. hydraulique].

– *Aix-en-Provence* * alt. moy. 180 m, sup. 18 608 ha, 123 601 h. [*1765 :* 25 464 ; *1821 :* 22 414 ; *1901 :* 28 460 ; *1936 :* 42 615 ; *1954 :* 54 217 ; *1962 :* 72 696 ; *1968 :* 93 671] [ag. 130 647, dont *Venelles* 7 046] ; ind. agro-alim. ; briqueteries, tuileries ; constr. élec. et électron. ; université ; cath. St-Sauveur XIe-XIIe s. (baptistère Ve s.), hôtels particuliers XVIIe s. et XVIIIe s. (Place et Hôtel d'Albertas), fontaines, cours Mirabeau ; fest. de mus. ; station thermale ; musée Granet (visiteurs 1991 : 180 000). – *Arles* * 52 126 h. ; centre rizicole, papier, carton ; musée Réattu ; ruines romaines : thermes, palais Constantin (98 × 45 m, IVe s. apr. J.-C.), arènes (186 × 107 m, 21 000 pl., 80 à 90 apr. J.-C.), théâtre (103,8 m diam., 1 600 pl.), cryptoportiques (1er s. av. J.-C., long + 100 m, larg. 70 m.) ; commune la plus étendue de Fr. (758 km², 40 × 30 km, 1 200 km de chemins communaux). – *Barbentane* 3 273 h. ; château. *Berre-l'Étang* 12 672 h. ; étang salé 160 km², prof. 10 m ; raff. de pétrole et chimie de synthèse (Shell), équip. ind., méc. *Carnoux-en-Provence* 6 363 h. *Carry-le-Rouet* 5 224 h. [ag. 10 765]. *Cassis* 7 967 h. ; port de pêche. *Châteauneuf-les-Martigues* 10 911 h. ; raff. de pétrole. *Château-Renard* 11 790 h. ; marché d'intérêt nat. *Eguilles* 5 950 h. *Eyguières* 4 491 h. *Fontvieille* 3 642 h., moulin d'A. Daudet (il y soufflerait 32 vents différents). *Fos-sur-Mer* 11 605 h. ; zone ind. pétrole, minerais, sid. (Sollac, Ugifos) ; mat. ferrov. *Istres* 35 163 h. ;

constr. aéron., ind. chim. *La Ciotat* 40 657 h. ; port, stat. baln. *La Fare-les-Oliviers* 6 095 h. *La Roque-d'Anthéron* 3 923 h. *Lambesc* 6 698 h. *Lançon-Provence* 6 224 h. *Mallemort* 4 366 h. *Martigues* 42 678 h. [ag. 72 375, dont *Port-de-Bouc* 18 786 ; chimie (Atochem), pêche, fortif. de Vauban] ; port pétrolier, cons. de poisson, raff. pétrole, chim. de synthèse (Naphtachimie), métall. ; hôtel de ville XVIIe s. *Maillane* 1 664 h. ; souvenirs de Frédéric Mistral (prix Nobel 1904). *Miramas* 21 602 h. [ag. 26 998, dont *St-Chamas* 5 396, gare de triage 900 000 wagons par an et centre de réparation ferrov.] ; métall. *Port-St-Louis-du-Rhône* 8 624 h. ; pêche, fabr. de goudron, act. commerciales liées au port. *Sausset-les-Pins* 5 541 h. *Stes-Maries-de-la-Mer* 2 232 h. *St-Martin-de-Crau* 11 040 h. *St-Mitre-les-Remparts* 5 139 h. *St-Rémy-de-Prov.* 9 340 h. ; légumes, fruits, graines ; vestiges romains [arc 1er s. av. J.-C. long 12,40 m, épaisseur 5,60 m, haut. sous voûte 7,50 m ; mausolée des Jules (30 av. J.-C., haut 19,30 m)], m. archéologique. *Salin de Giraud* sel : 725 000 t (1990). *Salon-de-Prov.* 6 979 ha, 34 054 h. [*1765 :* 4 928 ; *1911 :* 14 019 ; *1954 :* 21 321] [ag. 41 395, dont *Pélissane* 7 341] ; centrale hydr. ; École militaire de l'air ; château de l'Emperi (Xe-XIIIe s.), résidence des archevêques d'Arles. *Sénas* 5 113 h. *Tarascon* 10 826 h. ; ind. de la cellulose ; château ; maison de Tartarin. *Trets* 7 900 h. (ag. 10 375). *Velaux* 7 265 h.

Régions naturelles. Plaines : *Crau* (ancien delta de la Durance ; cult. fruitières et maraîchères, élevage ovins, « foin de Crau ») ; *Camargue* (nom d'Annius Camars sénateur d'Arles, 75 000 ha dont 29 000 de marais, lagunes, étangs, rizières ; vignes ; élevage de taureaux et chevaux). **Chaînes calcaires :** à l'É. de Marseille : massifs de *Carpiagne* (550 m d'alt.), *Marseilleveyre* (alt. 365 m), collines de *Cassis, La Ciotat, Ceyreste* (alt. 472 m) ; en parallèle, S.-O./N.-E. : chaînes de *la Nerthe* (alt. 264 m), *l'Étoile* (alt. 710 m), *la Ste-Baume* (alt. 1 043 m), falaises de *Vitrolles* et de *l'Arbois* ; au N. : collines d'*Istres, St-Chamas* (alt. 200 m), *la Fare* (alt. 287 m), *Éguilles* (alt. 380 m), *la Trévaresse* (alt. 500 m), de la montagne *Ste-Victoire* (alt. 1 011 m) ; chapelle (XVIIe s.), monastère (XVIIe s.), chaînes des *Alpilles* et des *Costes* (alt. 500 m). **Sur la mer,** falaises et calanques. **Iles** *Archipel du Frioul :* îles Ratonneau, Pomègues et d'If. *Calanques :* île Maïre, de Jarre, Calseraigne, de Riou, d'Endoume, de Planier, Tiboulen.

Ressources. Agriculture (1991) : valeur de la prod. 4,7 milliards de F. 1er dép. prod. de riz (85 800 t), pommes (202 910 t) ; laitues (45 650 t), tomates (142 830 t), poires (74 700 t) ; blé dur (66 300 t). *Vigne :* 14 400 ha dont 4 960 ha en AOC Côtes-de-Prov., Cassis, Palette ; Coteaux d'Aix-en-Prov., des Baux. *Élevage :* bovins et taureaux de Camargue 11 270 têtes, ovins 229 000 (mérinos, transhumance dans les Alpes), porcins 33 000 (élevages ind.). **Industrie** (entre parenthèses % de la prod. fr.) : BTP, métall. avec réparations navales (70), aéron. (Marignane, Istres), ind. alim. [semoule (70), huiles vég. (35), sucre raff. (25)] ; ind. chim. [acide tartrique (95), alumine (80), savon (45), pesticides (30)]. Électron., ingénierie dans la haute vallée de l'Arc. **Énergie :** *pétrole* raff. (1989) 26,8 millions t/an, 31,6 % prod. fr., pétrochimie. **Gisements :** *lignite,* Gardanne-Meyreuil, 1 650 000 t en 1991 (+ fort rendt de France : 11 t/mineur de fond/j ; 12 % de la prod. nat.) ; *bauxite.* **Recherche :** centre d'études nucléaires à Cadarache, Institut médit. de Technologie de Marseille, Château-Gombert.

Sites touristiques. Calanques (Marseille et Cassis : falaises les plus hautes de France, 400 m). **Montagne** *Ste-Victoire.* **Villages** *Allauch, Les Baux.* **Abbaye** *Sylvacane* (cistercienne). **Parc** *naturel régional* (820 km², créé 25-9-1970) **Réserve naturelle** de *Camargue* (13 117,5 ha, créée 24-4-1975).

■ **Var** (83) 5 973 km² (100 × 95 km). *Alt. max.* Pyramide de Lachens 1 715 m. *Côtes* 432 km. *Pop. 1801 :* 271 704 ; *1851 :* 216 481 ; *1861 :* 315 526 ; *1880 :* 283 689 ; *1911 :* 330 755 ; *1936 :* 398 662 ; *1948 :* 370 688 ; *1982 :* 708 331 ; *1990 :* 816 120 (dont Fr. par acquis. 38 666, étrangers 51 646 dont Tunis. 12 201, Maroc. 9 289, Alg. 9 269, Ital. 5 844). D 136,6. Seul département dont le nom évoque une entité géographique se situant dans un département voisin : jusqu'en 1860, le Var coulait dans le dép. à la limite de l'arr. de Grasse et de Nice. Mais depuis l'arr. de Grasse a été réuni au comté de Nice formant le dép. des Alpes-Mar. où coule le Var.

Villes. TOULON 4 284 ha, 167 550 h. [*1471 :* 2 000 ; *1531 :* 7 000 ; *1698 :* 25 000 ; *1721 :* 10 493 (peste) ; *1746 :* 30 000 ; *1794 :* 15 000 (Révolution) ; *1801 :* 20 000 ; *1866 :* 30 148 ; *1901 :* 101 602 ; *1936 :* 150 310 [1] (*24-11-1943 :* bombardement, env. 500 †) ; *1954 :* 141 117 ; *1962 :* 161 786 ; *1975 :* 181 801] ; [ag. 437 825 (90) dont *Bandol* 7 431. *Carqueiranne* 7 118. *Hyères* 48 043, alt. 16 à 110 m ; salines, primeurs, fleurs, stat. baln., hôpitaux, maisons de retraite, base aéronav., pharm. *La Crau* 11 257, alt. 35 m. *La Farlède* 6 491. *La Garde* 22 412 ; métall. *La Seyne-sur-Mer* 59 977 ; fort Balaguier. *La Valette-du-Var* 20 687. *Le Pradet* 9 704. *Le Revest-les-Eaux* 2 704. *Ollioules* 10 398 ; édit. du « Var Matin ». *St-Mandrier-sur-Mer* 5 175. *Sanary-sur-Mer* 14 730. *Six-Fours-les-Plages* 28 957. *Solliès-Pont* 9 525, alt. 83 m. *Solliès-Toucas* 3 439. *Solliès-Ville* 1 895, alt. 224 m ; santons, cult. fruit.] ; arsenal (le plus important de Fr.), port militaire, de commerce et croisière (1 138 ha), répar. d'avions de la Marine ; munitions et artifices ; métall. ; exploitation des océans (Cnexo) ; hôtel de ville (XVIIe s.), musées des Beaux-Arts, naval ; corniche du Mourillon ; cap Brun ; fort Balaguier ; tour Royale (diam. 60 m, mur épaisseur base 7 m, celle du haut 4 m) ; cath. XIe et XIIe s. ; monts : Caume 801 m, Coudon 702, Baou de Quatre ouro 676, Faron 542 (Tour Beaumont, mémorial), gros Cerveau 242 ; chef-lieu du Var le 28-1-1797 transféré à Draguignan (Bonaparte voulant punir les Toulonnais de s'être livrés aux Anglais en 1793), puis de nouveau le 4-12-1974.

– *Artignosc-sur-Verdon* 201 h. *Brignoles* * (sous-préf. rétablie dep. 1974) alt. 220 m, 11 239 h. ; bauxite (en déclin) (Péchiney) ; foire viticole. *Cavalaire-sur-Mer* 4 188 h. (ag. 6 822) ; tourisme. *Cogolin* alt. 50 m, 7 976 h. ; pipes, tapis (manufacture créée 1928). *Cuers* 7 027 h. *Draguignan* * alt. 182 m, 30 183 h. (ag. 37 430) ; services, admin., Éc. d'application de l'artillerie ; foire aux olives ; ex-chef-lieu (1797-1974). *Fayence* 3 502 h. *Fréjus* (forum Julii) 41 008 h. (port projeté sur 7 ha) [ag. 73 978, dont *Puget-sur-Argens* 5 865, alt. 65 m ; tourisme, viticulture, ind. *St-Raphaël* 26 616 ; stat. baln.] ; pêche, cath., cloître, nécropole (constr. 1988-93 ; inaugurée 16-2-93 ; 17 000 tués en Indochine). *Gonfaron* 2 566 h. *La Croix-Valmer* alt. 100 m, 2 634 h. *La Garde-Freinet* alt. 360 m, 1 465 h. *La Londe-les-Maures* 7 151 h. *Le Beausset* 7 114 h. *Le Lavandou* 5 212 h. (ag. 10 295). *Le Luc* alt. 150 m, 6 929 h. [ag. 10 055, dont *Le Cannet-des-Maures* 3 126]. *Le Muy* alt. 30 m, 7 248 h. *Les Arcs* 4 744 h. *Lorgues* alt. 214 m., 6 340 h. *Pierrefeu-du-Var* 4 040 h. *Plan-de-la-Tour* alt. 71 m., 1 991 h. *Ramatuelle* 1 945 h. *Roquebrune-sur-Argens* 10 389 h. *St-Cyr-sur-Mer* 7 033 h. *Ste-Maxime* 9 670 h. [ag. 12 992, dont *Grimaud* 3 322, alt. 150 m] ; stat. baln. *St-Maximin-la-Ste-Baume* alt. 303 m., 9 594 h. ; abbaye ; tombeau de Marie-Madeleine. *St-Tropez* (ancienne colonie grecque) 1 117 ha, 5 754 h. [*1831 :* 3 600 ; *1915 :* 3 700 ; *1936 :* 4 102] [ag. 8 376, dont *Gassin* 2 622, alt. 180 m] ; stat. baln. ; usine de torpilles ; musée de l'Annonciade (f. 1955, visiteurs 91 : 61 000) ; fête de « la Grande Bravade » (16 au 18 mai) ; Latitude 43 (1932, hôtel constr. par G. H. Pingusson). *Salernes* alt. 262 m, 3 012 h. *Vidauban* alt. 65 m, 5 460 h.

Nota. – (1) Pop. totale (avec doubles comptes).

Régions naturelles. *Massifs des Maures* (du latin *maurus,* brun foncé, pour désigner des collines foncées ; alt. max. 779 m à La Sauvette) et *de l'Esterel* (alt. max. 616 m au Mt Vinaigre). *Dépression* permienne (100 km × 5 à 10 km) contournant les Maures de Toulon à Fréjus (fruits, légumes). *Plateaux* (« plans ») et *chaînons* (« barres ») *calcaires du N.* [Mt de Bovrès (1 597 m), Mt de Margès (1 577 m), pyramide de Lachens (1 715 m)] (irrigation par le canal de Prov. : fruits et légumes en plus des ovins). *Côte varoise* entre Toulon et St-Tropez : partie du territoire français la plus ensoleillée (3 000 h par an). *Iles :* Bendor face à Bandol. **Iles d'Hyères :** *Porquerolles* (long. 7 km, larg. 3 km, 1 254 ha dont 1 050 appartiennent à l'État dep. janv. 1971, parc forestier et conservatoire botanique géré par le Parc de Port-Cros, alt. 142 m, 20 min de traversée ; inscrite à l'inventaire des sites) ; *Port-Cros* (Hyères), 1er parc marin d'Europe, créé 14-12-1963, superficie terrestre 675 ha (dont PNPC 216, min. de la Défense-Marine 154,2, propriétaires privés 302,5, divers et commune 2,5), s. marine 1 800 ha (600 m autour des côtes), comprend île de Port-Cros (site long. 4 km, larg. 2,5 km, alt. 196 m), îlots du Rascas (long. 1,7 km, alt. 51 m), la Gabinière et île de Bagaud (site inscrit, 57 ha). Budget 1991, en millions de F : recettes fonctionnement 8,4, investissement 3,9, dépenses de fonctionnement 12,3, investissement 5,3. *Levant* (long. 8 km, larg. 1,2, 996 ha dont 90 % à la marine nat. (base d'essai d'engins téléguidés), alt. 129 m, richesses minéralogiques.

Ressources. *Vignes :* Côtes de Provence, Bandol, coteaux varois. 2 093 000 hl (1992). *Ovins. Cult. florales, maraîchères, fruitières.* **Horticulture :** 1er dép. producteur de fleurs coupées (415 millions de fleurs en 1990). *Chèvres* dans le Haut-Var. **Bois** (en milliers d'ha, au 1-1-1990, estim.) : 328 (1981) [2e dép. forestier de Fr.]. Production : 111 520 m² : massif des *Maures* 80 (pins, chênes-lièges, châtaigniers, maquis, eucalyptus), de l'*Estérel* 30, forêt de *la Ste-Baume* (forêt « primaire ») 30 (hêtres, érables, ifs). *Apiculture :* 1er dép. apicole (26 500 ruches). **Industrie.** Nav., méc. **Mines.** *Bauxite* au Thoronet (70 % de la prod. fr. traitée dans les B.-du-Rh.).

Sites touristiques. Massifs. Gorges : *Ollioules* (3 km). **Lacs :** *Carcès* (94 ha, 2,8 × 0,2 km), *St-Cassien* (430 ha, 6 × 0,04 km), retenue de *Fontaine-l'Évêque* (partagée avec les Alpes-de-Hte-Pr., 2 300 ha, 12 × 2 km), barrage de *Ste-Croix.* **Cascades :** *Sillans-la-Cascade, Trans, Callas* (c. de Pennafort). **Rade :** *Toulon* (la + grande d'Europe). **Châteaux :** *Entrecasteaux.* **Ports :** *St-Tropez, Port-Grimaud* [construit 1966-91, sup. : 80 ha dont port 28, quais : 14 km, amarrage : 2 200 postes, logements : 1 868 dont 1 100 maisons (30 premières livrées en 1967), habitants : hors saison 800, en saison 8 000, visiteurs : 1,5 à 2 millions par an]. **Stat. baln. :** *Bandol, Cavalaire, Hyères, Sanary, Ste-Maxime.* **Abbaye :** *Le Thoronet* (fin XIIe s.) ; chartreuse *la Verne* (Collobrières). *Six-Fours :* collégiale (XIe, XIIe s.), N.-D. de Pépiole (VIe s.), *St Maximin, La Celle.* **Monuments romains :** *Fréjus* [arènes fin Ier s. après J.-C., 113 × 85 m, 10 000 places) ; aqueduc (Ier s.) ; théâtre (Ier s. après J.-C., 72 m de diamètre)].

■ **Vaucluse** (84) 3 578 km² (110 × 60 km). *Alt. max.* Mt Ventoux 1 912 m ; *min.* 12 m (confluent Rhône et Durance). *Pop. 1851 :* 264 618 ; *1891 :* 235 411 ; *1911 :* 238 656 ; *1921 :* 219 602 ; *1982 :* 427 343 ; *1990 :* 467 075 (dont Fr. par acquis. 21 679, étrangers 36 398 dont Maroc. 15 897, Esp. 5 340, Alg. 4 624, Ital. 2 364). D 131.

Villes. AVIGNON, alt. 16 à 55 m, sup. intra-muros (enceinte du XIVe s.) 150 ha, sup. urbanisée (non compris Montfavet) env. 1 305 ha, 86 939 h. [*1790 :* 26 000 ; *1810 :* 21 412 ; *1851 :* 35 880 ; *1911 :* 49 304 ; *1936 :* 59 472 ; *1954 :* 67 768] (ag. 145 147, dont *Bédarrides* 4 816. *Entraigues-sur-Sorgues* 5 788. *Le Pontet* 15 688 ; prod. réfractaires, papiers d'impression et de produits filtrants. *Montfavet* technopole, laboratoires de l'Inra. *Morières-lès-Avignon* 6 405. *Sorgues* 17 236 ; parachimie (Sté nat. des poudres et explosifs). *Vedène* 6 675] ; métall., text., ind. alim. ; emballages. 1er fest. de théâtre fr. (1947) ; 1er marché d'intérêt nat. (1961) ; palais des Papes (XIVe s.), N.-D.-des-Doms (romane), rocher des Doms, remparts, musées (Calvet, Lapidaire, du Petit-Palais), pont St-Bénézet [à l'origine 22 arches (850 m env.), reconstruit XIIIe, subsistent 4 arches], le Châtelet (XIVe et XVe s.), la chapelle St-Nicolas (romane, remaniée XIIIe s. et début XVIe s.).

– *Apt* * 11 506 h. (ag. 14 381) ; fruits confits (90 % de la prod. fr.) ; pont Julien. *Beaumes-de-Venise* 1 784 h. *Bollène* 13 907 h. ; usine hydroélec., combustibles nucléaires, métall., meubles, briques réfractaires 6 000 t/an. *Camaret-sur-Algues* 3 121 h. agro-alim. (plus grande conserverie de tomates de Fr.), pâtes alim. Buitoni. *Carpentras* * 24 212 h. [ag. 40 673, dont *Monteux* 8 157, pyrotechnie (Éts Ruggieri), épices (Éts Ducros). *Pernes-les-Fontaines* 8 304] ; conserveries ; arc romain (Ier s. apr. J.-C. ; haut. 10 m, larg. 5,90 m, prof. 4,54 m), cath. St-Siffrein, synagogue la + ancienne de France (1743), musées. *Cavaillon* 23 102 h. [ag. 31 193, dont *Robion* 3 417] ; marché d'intérêt nat. fruits et primeurs ; anc. cath. romane, arc romain (Ier s. apr. J.-C.), synagogue. *Châteauneuf-de-Gadagne* 2 619 h. *Châteauneuf-du-Pape* 2 62 h ; vignes (grand cru). *Courthézon* 5 166 h. *Grillon* 1 580 h. ; remparts, maisons médiévales. *Jonquières* 3 780 h. *Lapalud* 3 332 h. *Le Thor* 5 941 h. *L'Isle-sur-la-Sorgue* 15 564 h., église (XVIIe s.). *Orange* 26 964 h. ; base aérienne ; laine pour isolation (Isover, St-Gobain), chauss. ; arc de triomphe [arc de Tibère (haut 22,73 m, larg. 21,45 m, prof. 8,50 m)], théâtre antique (début Ier s. apr. J.-C., diam. 103 m, haut. 36 m, 12 000 pl., le mieux conservé), chorégies. *Pertuis* 15 791 h. *Piolenc* 3 830 h. *Richerenches* 542 h. ; tour de l'horloge. *St-Saturnin-lès-Avignon* 2 941 h. (ag. 4 029). *Sarrians* 5 094 h. *Vaison-la-Romaine* (Vasio Vocontiorum), 5 663 h ; th. antique (5 000 pl.) ; 22-9-1992 crue de l'Ouvèze, inondation, 37 †, 5 disparus. *Valréas* 9 069 h. [arrondissement d'Avignon (à 65 km d'Av. et 14 km de Nyons) enclavé dans la Drôme, ancienne judicature majeure des Etats du pape dep. 1317] ; 1er centre français du cartonnage ; matér. techn. de classement ind. plastique. *Visan* 1 514 h. ; ruines château (XIIe s.).

Régions naturelles. *Plaine du Comtat* (80 000 ha), fraises, melons, pêches, pommes, poires, asperges, raisins de table, abricots, tomates, vignobles de Châteauneuf-du-Pape. Vents : bise ou mistral, env. 120 j/an à plus de 50 km/h (max. 140 km/h.). *Hauteurs calcaires : Ventoux, monts de Vaucluse, Luberon* (124 000 ha), ovins, truffes, lavande, cerisiers. *Basse vallée de la Durance* (29 000 ha), polyculture : céréales, maraîchage et vergers. *Tricastin* (56 000 ha, partagé avec la Drôme), vignes, céréales, fruits. *Les Baronnies* (14 000 ha, partagées avec la Drôme), vignes, vergers. *Plateau de St-Christol* (26 000 ha), lavande, céréales, ovins.

Ressources. Agriculture. *Vins :* Châteauneuf-du-Pape, Côtes-du-Rhône, Coteaux-du-Mont-Ventoux, Coteaux-du-Luberon, muscat de Beaumes-de-Venise, vin doux naturel du Rasteau. *Divers :* 1er prod. de pommes (213 100 t), tomates (103 000 t), raisins de table (30 000 t), melons (32 000 t), cerises

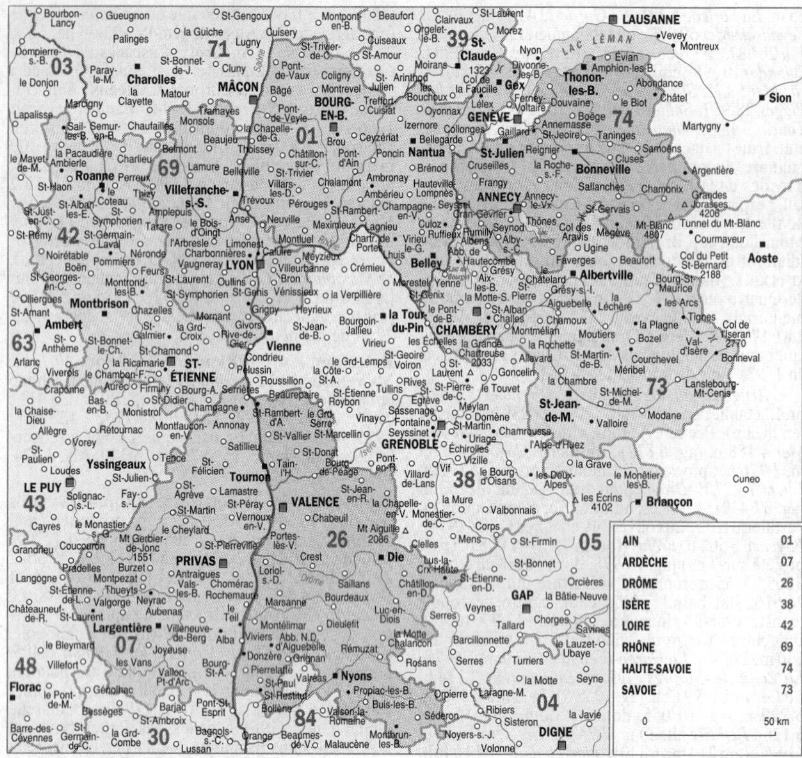

(23 100 t). **Bois** (en milliers d'ha, au 1-1-1991) 123 : forêts domaniales 10,4 (4 massifs dans le Mt Ventoux, les Mts de Vaucluse et le Luberon, massif d'Uchaux-Sérignan), communales 38,8, privées 57,7 (1981). *Production :* 77 014 m³. **Hydroélectricité :** barrage sur le canal *Donzère-Mondragon* (2 200 millions de kWh). *Caderousse* : sur le Rhône. **Industrie :** *Agroalimentaire. Chimie* (Sorgues).

Tourisme. Villes : *Avignon, Orange, Vaison* (vestiges gallo-romains, bourg médiéval, festival), *Gordes* [musée Vasarely, village des Bories (borie : maison de pierres sèches)], *Bollène* [village troglodyte de Barri, canal de Donzère-Mondragon (plus haute écluse de Fr., 25 m)], *Montmirail* (dentelles), *Sérignan* (souvenirs de J.-H. Fabre, entomologiste). **Châteaux :** *Ansouis* (XIIe au XVIIIe s.), *Lourmarin* (Renaissance). **Abbaye :** *Sénanque* (cistercienne). **Vallées :** *Durance, Calavon.* **Parcs :** *Luberon* (naturel régional, 1 200 ha). **Mont :** *Ventoux* 1 912 m. **Étangs :** de la *Motte d'Aigues* (10 ha). *Fontaine-de-Vaucluse* [source résurgente, d'origine inconnue, débit 4,5 (15-12-1884) à 200 m³/s. (moy. 15) ; gouffre – 308 m (atteint 3-8-1985 par appareil Modesca) ; maison de Pétrarque, égl. romane, expo. spéléol. Norbert-Casteret]. **Base de fusées :** *plateau d'Albion* (près d'Apt), voir Index).

RHÔNE-ALPES

■ GÉNÉRALITÉS

■ **Superficie** 43 693 km². **Population** (1990) 5 350 717 (dont Fr. par acquis. 200 594, étrangers 430 983 dont Alg. 101 375, Port. 62 527, Ital. 49 896). D 122.

■ **Dauphiné. Situation.** Ancien Dauphiné de Viennois qui s'étendait sur une partie des Alpes et jusqu'au Rhône, entre Savoie au N., Provence et comtat Venaissin au S. Se divisait en *bas Dauphiné* (basses vallées : Royannais ou Royans, Grésivaudan ; bords du Rhône : Viennois, Valentinois, Triscastin et Baronnies) et en *haut Dauphiné*, plus montagneux (Champsaur, Embrunais, Oisans, Briançonnais, Trièves, Matheysine, Rueras...) ; capitale : Grenoble.

Régions. *D'E. en O. :* massifs centraux des *Alpes*, du *Queyras* à la chaîne de *Belledonne. Sillon alpin : Grésivaudan,* pays du *Drac. Préalpes :* allant de la vallée de la Durance à la Chartreuse. *Bas Dauphiné :* entre Isère et Rhône : plateaux et collines entaillés par des dépôts tertiaires. *Au S., plaine de l'Isère* (céréales dont maïs, tabac ; vaches laitières : fromage ; culture de noyers). *Plateau de Chambaran,* au-dessus de St-Marcellin, boisé. *Plaines de la Bièvre et de la Valloire,* riches (amendées) (céréales, betteraves à sucre, prairies naturelles et artif., cult. fruitières). *Au N., collines* sols humides dominant la *vallée marécageuse de la Bourbre* (lait, textile).

Histoire. Territoires tour à tour aux mains des *Ligures,* des *Celtes* (*Caturiges* à Embrun ; *Ségusiens* à Briançon ; *Uceni* dans l'Oisans), des *Romains.* **121 av. J.-C.** *Province Romaine* entre Léman et mer. Ségusiens (cap. Suse) résistent jusqu'en 13 av. J.-C. Leur roi *Cottius* se soumet alors à Auguste qui transforme leur cité en royaume tributaire, à cheval sur les Alpes et dépendant de l'Italie. La rive gauche du Rhône forme la Viennoise (cap. Vienne ; ville princ. *Cularo,* devenue en 325 Grenoble, *Gratianopolis*). **480-523** roy. burgonde, **524** Burgondes battus à Vézeronce et occupation franque. **VIe-Xe s.** fait partie successivement de différents royaumes [Provence-Viennois, Provence bosonienne, Bourgogne-Provence (ou Arles)] ; **dep. 843** *(tr. de Verdun),* intégrée à l'Empire germanique. **Vers 1029-30** l'archevêque Brochard, ayant reçu de la reine de Bourg. le Cte de Vienne, en inféode le N. à *Guigues,* 1er Cte d'Albon. **V. 1098** le Cte d'Albon Guigues VII prend le titre de dauphin qui est un ancien prénom (Delfinus). 3 familles se succèdent à la tête du Dauphiné : maisons d'*Albon* (1029-1162), de *Bourgogne* (1192-1282), de *La Tour-du-Pin* (1282-1349). Les Pces de Dauphiné accroissent leurs possessions [Briançonnais (1039), Grésivaudan (v. 1050), Embrunais et Gapençais (1202), Faucigny (1241)] contrôlant ainsi les principaux cols des Alpes du S. Pas de capitales fixes jusqu'au XIIIe s. (ensuite, Grenoble). **XIIIe s.** divisée en 7 bailliages dirigés chacun par un bailli assisté des juges mages. **XIVe s. Humbert II (1333-49)** crée Conseil delphinal (1336), Chambre des comptes (1340) et université de Grenoble (1339) et, par le statut delphinal de 1349, codifie le privilège de ses sujets. Privé de descendance par la mort de son fils et endetté, il vend son État au roi de Fr. : le *tr. de Romans (30-3-1349)* transfère immédiatement, moyennant 200 000 florins, le Dauphiné à Charles, fils de Jean, duc de Normandie, et petit-fils du roi Philippe VI ; Humbert II se fait dominicain. Non incorporé au domaine royal, le D. devient l'apanage traditionnel du fils aîné du roi. **1356** le dauphin Charles (futur Ch. V) reçoit l'investiture impériale (maintenant fictivement les droits de l'emp.). **1357** il crée les États provinciaux du D. **1355**-*5-1 tr. de Paris* fixe les limites avec la Savoie : le Faucigny est abandonné en échange de terr. situés à l'ouest du Guiers. Pendant la g. de Cent Ans, tentatives d'inv. du duc de Savoie et du Pce d'Orange. **1378** l'emp. Charles IV institue fictivement le fils du roi de Fr. « vicaire d'Empire » en D. **1389** le dauphin Charles (futur Ch. VI) arbore en D. l'aigle impériale des « vicaires » (dernière manifestation de la suzeraineté impériale). **1419-26** annexion du Valentinois et du Diois. **XVe s.** les Vaudois (s'implantant en Briançonnais et Vallouise) jouent un rôle important. **1440-57** le dauphin Louis II s'efforce de faire reconnaître l'autonomie de son apanage, renforce son autorité, soumet étroitement clergé et noblesse, rétablit le Grand Conseil, crée une chancellerie, réduit les bailliages de 7 à 3, achète au pape la suzeraineté sur Montélimar (1447). Devenu le roi de Fr. Louis XI, il ne donne pas le D. à son fils et en conserve l'admin. Ses successeurs, tout en garantissant les privilèges de la province, en font autant. **1523** la Réforme rallie les Vaudois. Principaux chefs protestants : baron des Adrets, Dupuy-Montbrun. **1577** Lesdiguières, gouv. de la province sous Henri IV et jusqu'à sa mort (1526). **1560** *union définitive proclamée* (pas de modifications profondes de l'admin.). **1628** suspension des états du D., apparition des intendants. Inv. savoyardes au cours des guerres de la ligue d'Augsbourg et de la Succession d'Esp. **1713** *tr. d'Utrecht :* le duc de Savoie reçoit les vallées briançonnaises du versant E. des Alpes en échange de la haute vallée de l'Ubaye (Barcelonnette). **1788**-*21-7 assemblée de Vizille* réclamant des États généraux.

■ **Forez. Situation.** De part et d'autre de la Loire, du S. de St-Rambert au N. de Roanne. *Forez* devrait être écrit *Forais,* c.-à-d. « Pays de Feurs » (les 2/3 du dép. de la Loire). Comprend : *monts du Forez* et de *la Madeleine* à l'ouest de la vallée de la Loire, du *Lyonnais* et du *Pilat* entre Loire et Rhône (Primaire) ; plaines de *Roanne* au nord, et du *Forez* au centre (Tertiaire). Gisement houiller (abandonné), uranium dans 3 vallées autour de St-Étienne.

Histoire. Occupation très ancienne (Sinanthropiens, Néandertaliens). Domination celte à partir du Ve s. *(Ségusiaves).* **Époque romaine :** urbanisation (Forum Segusiavorum, Feurs ; Rodumna, Roanne ; etc.). **Après les Carolingiens** (843), appartenance à l'Empire « lotharingien », puis au royaume de Bourgogne-Provence, puis à l'Empire germanique. **1167** entrée dans la mouvance française. **1173** Lyonnais et Forez se séparent. Les nouveaux « Ctes de Forez » ont comme principaux vassaux les seigneurs de Roanne. **1531** passe à la couronne de Fr. Les seigneurs de Roanne deviennent vassaux directs de la Couronne ; **1566** ils obtiennent le titre de « ducs de Roannais » (éteint 1725). **1790** département de Rhône-et-Loire (chef-lieu Lyon), regroupe Forez, Roannais et Lyonnais ; il est en majorité jacobin à l'Ouest, girondin à l'Est. **1793** la Convention le divise en 2 : Montbrison devient chef-lieu de la Loire.

■ **Lyonnais. Situation.** Rive dr. de la Saône et du Rhône, au sud de l'Azergues, jusqu'aux monts du Lyonnais et du Pilat (alt. de 1 000 à 1 400 m). Collines de 600 m d'alt. entre le sillon Saône-Rhône (sablonneux) et la montagne, favorable à la viticulture.

Histoire. Partie O. du territoire des Ségusiaves. **43 av. J.-C.** L. Manatius Plancus, ancien lieutenant de César, fonde Lyon. **13 av. J.-C.** capitale des « Trois Gaules » (Narbonnaise, Aquitaine et Lugdunaise), point de convergence des routes gallo-romaines. **Après Dioclétien,** Lyon métropole de la Lugdunaise Première, et cap. de l'ancienne cité des Ségusiaves (pas d'évêques, ni à Feurs ni à Roanne qui dépendent du métropolite de Lyon). **478** Lyon, cap. du roy. burgonde. **Sous les Carolingiens,** le Cte est nommé aux côtés de l'archev. **V. 1000** l'archev. Burchard, fr. de Rodolphe III, repousse le Cte vers Feurs et Roanne et agit comme seigneur du Lyonnais. **1157** l'archev. reçoit un titre comtal pour le Lyonnais (partition définitive en 1173). **1290** les Lyonnais, révoltés contre l'archev., demandent un « gardiateur » mandaté par le roi de Fr. **1310** Louis X le Hutin assiège et prend Lyon (réuni à la Couronne en 1312). A la fin de l'Ancien Régime, le gouv. du Lyonnais comprend *Lyonnais, Forez* et *Beaujolais.* Sous la Révolution, Lyon est appelé « commune affranchie » (voir Index).

■ **Beaujolais. Situation.** Rive dr. de la Saône, au N. de la vallée de l'Azergues. Montagnes culminant à 1 012 m (Mt St-Rigaud). Collines viticoles.

Histoire. 843 fraction du territoire des Ségusiaves attribuée au royaume de Fr. Les seigneurs de Beaujeu étaient sans doute vassaux des ducs capétiens de Bourgogne en fait indépendants, pratiquant un jeu de bascule entre le royaume et l'Empire, et possédant de nombreuses terres « en Empire », notamment les Dombes et le massif des Bauges en Savoie. **1400** Édouard II vend ses domaines au duc de Bourbon. **1523** confisqué au connétable. **1531** réuni à la Couronne, dépend de Lyon pour justice et finances. **1560** rendu aux Bourbon-Montpensier. La Grande Mademoiselle le lègue aux ducs d'Orléans qui le posséderont encore à la Révolution.

■ **Savoie. Situation.** Comprend d'E. en O. : *massifs intra-alpins* (aiguilles d'*Arves,* massifs du *Mont-Cenis* et de la *Vanoise*), traversés par la Maurienne et la Tarentaise ; *hauts massifs cristallins (Grand Arc, Beaufortin, Mt Blanc)* ; *sillon alpin,* avec la *combe de Savoie* et le *val d'Arly* ; *massifs* (Bauges, Bornes, Chablais) et *cluses préalpines* (rive g. du Rhône, jusqu'à la crête frontière des Alpes depuis le lac Léman jusqu'au S. de la cluse de Chambéry).

Histoire. Chasseurs magdaléniens (l'âge de la pierre taillée). Les populations de Maurienne et de Tarentaise montagneuses (Ligures ?) où pénètrent un peu Celtes et Romains, différent de celles du bas Pays, où se sont installés les Celtes allobroges. **122 av. J.-C.** le consul Domitius Ahenobarbus bat les Allobroges que les Arvernes tentent vainement de sauver. Leur cité (cap. *Genaba,* Genève) est annexée à la *Provincia Romana.* **69 et 61 av. J.-C.** tentatives de soulèvement contre exactions du gouv. Fonteius et lors de la g. des Gaules. *Sous Auguste,* la Tarentaise fait partie des Alpes Grées, roy. relevant de l'Italie. **Fin IVe s.** 1er évêque de Genève connu. Le terme *Sapaudia* apparaît la 1re fois chez Ammien Marcellin (354 ? ou v. 370-80 ?) : désigne actuelle Savoie et partie de l'Helvétie. **485** Burgondes, venus du N. du Léman, occupent la région. **Ve et VIe s.** christianisation pénètre Tarentaise et Maurienne, vie religieuse autour du monastère de St-Maurice-d'Agaune et des nouveaux évêchés de Grenoble et Belley. **534** incorporée au roy. mérovingien par les fils de Clovis quand ils annexent le roy. burgonde, la Sapaudia se réduit sous le nom de *Saboia* (sans doute le pagus Sagoniensis) aux terr. compris entre Isère et rives S. du lac du Bourget et bientôt correspond à l'actuelle Savoie. Elle contrôle les cols du Mt-Cenis (où passent Pépin le Bref 755 et 756, et Charlemagne 773, en guerre contre Lombards) et du Petit-St-Bernard. **843** *tr. de Verdun,* fait partie des terr. de Lothaire, puis **888** du 1er roy. de Bourgogne transjurane et du 2e roy. de Bourg. ; **934-35** luttes seigneuriales. **Déb. du XIe s.** émancipation des Ctes de Genève au N. et des Ctes humbertiens au S. **1032-38** le roi de Germanie, Conrad II, héritier de la Bourg. transjurane (Suisse), obtient des droits théoriques sur la rive g. du Rhône. Mais les Ctes de Savoie, devenus vassaux de l'empereur en Italie, défendront les droits impériaux sur l'ancien roy. d'Arles. Les Humbertiens détiennent les Ctés de Savoie, Maurienne et Bugey, une partie du Viennois et acquièrent par mariage (1044) le marquisat en Italie (Suse et Turin). Disposent de l'abbaye d'Agaune (St-Maurice-en-Valais), du Chablais, du bas Valais et du Cté d'Aoste. Puis l'influence des Ctes de Savoie en Piémont recule au profit de l'Empire et des évêques de Turin, mais se maintient dans les vallées de Suse et d'Aoste. **1294** leurs cousins, les Savoie-Achaïe, apanagés du Piémont, reconquièrent les positions perdues outre-monts. A l'O. des Alpes, le Cte *Pierre II* prend la Suisse romande et son influence s'étend vers la Suisse alémanique ; *Philippe Ier* et *Amédée V* annexent la Bresse et pénètrent à Genève. **1355** *Amédée VI* (le Cte Vert) acquiert le Faucigny en échange du Viennois savoyard (tr. de Paris). **1388** *Amédée VII* (le Cte Rouge) se rend maître du Cté de Nice. **1401** *Amédée VIII* acquiert Annecy et Genevois. **1416** érection de la Savoie en duché. **1418** la branche des S.-Achaïe s'étant éteinte, le duc *Amédée VIII* réincorpore le Piémont à ses possessions personnelles ce qui facilite l'entrée des Piémontais dans l'adm. des États savoyards. **XVe et XVIe s.** déclin territorial à l'O. des Alpes, accroissant l'infl. du Piémont. S'étant rapprochés de Charles le Téméraire, puis de Charles Quint contre la Fr. et les cantons suisses, les ducs perdent Bas-Valais (1477) et pays de Vaud (1536). **1559** *Emmanuel-Philibert* transfère sa capitale de Chambéry à Turin. Désormais, la Savoie conserve ses institutions particulières (Sénat de S. et jusqu'en 1720 chambre des comptes de Chambéry) au sein d'un État qui s'italianise. **1601** *tr. de Lyon* cède à Henri IV Bresse, Bugey et pays de Gex. La S. a été occupée par la Fr. sous François Ier et Henri II (1536-59) et 2 fois sous Louis XIV (1690-96 et 1703-13). **1713** *Victor-Amédée II* ajoute la Sicile à ses États et devient roi. **1720** doit échanger Sicile contre roy. de Sardaigne. **1792** la Savoie rattachée à la Fr. forme un dép. (le Mt-Blanc). **1798** 2 dép. (Mt-Blanc : ch.-l. Chambéry, et Léman : ch.-l. Genève). **1814** restituée en partie, puis **1815** en totalité aux rois de Sardaigne. **1860** incorporée à la Fr. (sans Genève et environs). Après plébiscite (inscrits 135 449, votants 130 839, oui 130 533, non 235, nuls 34), divisée en 2 dép. (Savoie et Hte-Savoie). **1947**-*10-2 tr. de Paris* frontière avec Italie modifiée (près du Petit-St-Bernard et sur plateau du Mt-Cenis) en faveur de la France.

■ **Bresse, Bugey, pays de Gex.** Sur la rive dr. du Rhône et g. de la Saône, entre monts du Jura et Saône. Forment avec les Dombes le dép. de l'Ain. **Époque celtique** : les *Séquanes* (voir Franche-Comté p. 800 a) occupent le Jura. Les *Ambares* (cap. Ambérieu) la basse vallée de l'Ain avec une ville fortifiée à Bourg *(Briga)* qui a donné son nom à la Bresse *(Bricia),* **gallo-romaine** : le pagus d'*Isarnodorum,* Izernore, cap. régionale. **V. 485** : conquis par Burgondes venus du N. du Léman. **843** : terre d'Empire. Acquis progressivement par la Maison de Savoie entre XIIe et XIVe s. **1601** annexés par Henri IV (tr. de Lyon).

■ **Dombes.** Région marécageuse entre Ain, Rhône et Saône, au S.-O. du dép. de l'Ain. Non peuplée à l'époque celtique, servant de limites entre Ambares et Ségusiaves. **843** terre d'Empire. **V. le Xe s.** acquise par les seigneurs de Beaujeu (mouvance française). Beaujeu, puis Bourbons sont seigneurs impériaux en même temps que feudataires français. **1601** après l'annexion de Bresse et Bugey, reste enclave impériale, sans statut défini, à l'intérieur des terres fr. Les ducs de Montpensier s'intitulent « princes de Dombes » pour montrer qu'ils ne relèvent pas du roi sur la rive g. de la Saône. Leur cap. est Trévoux. **XVIIIe s.** les jésuites y établissent leur maison d'édition sous la suzeraineté des Pces légitimés, héritiers des Montpensier.

■ **Vivarais.** Rive dr. du Rhône, au sud du Lyonnais, jusqu'au confluent de l'Ardèche. Montagnes cristallines et volcaniques favorables au châtaignier (dép. de l'Ardèche). Cité des *Helvii,* sans doute parents des Helvètes de Suisse. **405** cap. *Alba* (Aps) détruite par Vandales ; Viviers devient évêché. **843** terre d'Empire, mais la rive droite de l'Érieux, au sud, est acquise par les Ctes de Toulouse. **1271** passe à la couronne de Fr. malgré sa qualité de terre d'Empire. Le nord du Vivarais, dépendant des Ctes de Valentinois, est acquis par Philippe le Bel en même temps que le Lyonnais, sans doute par rachat.

■ **Valentinois.** Rive g. du Rhône, en face du Vivarais (35 communes de la rive dr. entre le Doux et l'Érieux en ont fait partie jusqu'à la Révolution), au S. de l'Isère. **Histoire.** Cité des *Ségalaumes* (petite tribu gauloise, cliente tantôt des Allobroges, tantôt des Voconces ; cap. Vence, devenue Valence à l'époque romaine). **Vers le IIIe s.** évêché. **843** partie de la Lotharingie. **855** du royaume de Provence. **933** du roy. d'Arles. **XIe s.** forme le Cté valentinois *(comitatus valentinensis),* avec des Ctes movibles, dépendant du roi d'Arles. **XIIe s.** les Ctes deviennent héréditaires, relevant directement de l'emp. germanique. **1116** annexion du Diois (on dit désormais : Cté de V. et Diois). **1125** à la famille de Poitiers (bâtarde des Poitiers-Aquitaine) : 10 Ctes, pendant 4 siècles. **1423** Louis de Poitiers-Saint-Vallier (branche cadette) cède par testament son fief au pape, souverain du comtat Venaissin ; mais Charles VII, agissant comme successeur des dauphins, annule la donation et annexe le V. au Dauphiné. **1463** Louis XI le rend au pape Pie II, en gardant la rive dr. du Rhône. Les papes, appuyés par les empereurs, ne cessent, dès lors, de contester les droits de la couronne de Fr. sur le V., ce qui oblige les rois à le concéder à des seigneurs provençaux ou italiens. **1498** (érigé en duché) : à César Borgia, fils naturel du pape Alexandre VI ; **1548-66** à Diane de Poitiers-Saint-Vallier, héritière de l'ancienne famille et maîtresse d'Henri II ; **1642** duché-pairie pour Honoré II, Grimaldi Pce de Monaco, qui devient l'allié de la Fr. **1715** passe par mariage à la famille de Matignon (les Pces héritiers de Monaco portent le titre, voir Monaco à l'Index).

■ **Diois.** Bassin de la Drôme, S.-E. du Valentinois. Tribu des *Voconces.* Die, porte le nom de la déesse Andarta *(Dea Antarta),* remplacé par celui de l'épouse d'Auguste à l'époque romaine (Dea Augusta Vocontiorum). **325** évêché. **Xe-XIIe s.** Cté souverain. **1189** donné en fief à Aymar II de Poitiers, qui le réunit au Cté de Valentinois. **1275** diocèse fusionné avec celui de Valence : l'év. de V. est év. Cte de Die jusqu'en 1687. **1687-1790** restauration de l'évêché de Die (l'év. est Cte de Die).

■ Économie

Population active (emploi total, en 1992) 2 134 096. *Salariés* (au 1-1-92) primaire 84 247, secondaire 737 528, tertiaire 1 312 321.

Effectifs des principales branches ind. (au 1-1-90). BTP 138 184, constr. méc. 81 909, fonderie-travail des métaux 72 827, constr. électrique et électron. 61 861, textile et habillement 57 773, agroalim. 42 190, chimie-parachimie 36 626, auto-poids lourds 34 002, caoutchouc-plastique 32 761.

Échanges (en milliards de F, 1991). **Imp. :** 109,2 dont équip. profess. 24,8, prod. chim. et 1/2 prod. 18,6, biens de consomm. 19,7, métaux 16,1, autom. 8,5, pièces détachées et matér. de transp. 5,7, agroalim. 6,1, énergie 4,3, prod. agric. 2,2, équip. mén. 2,5, mat. 1res 0,3, divers 0,3 ; *de :* Italie 29,2, All. 19,1, Belg.-Lux. 9,4, USA 6,2, G.-B. 5,5, P.-Bas 4,6, Suisse 3,8, Espagne 3,7, Japon 2,1. **Exp. :** 124,1 dont équip. profess. 36,8, prod. chim. et 1/2 prod. 22,8, biens de consomm. 21,3, métaux 20,2, pièces détachées et matér. de transp. 7,1, prod. agric. 4,6, énergie 4, agroalim. 4, équip. mén. 1,1, autom. 0,8, divers 1,4 ; *vers :* Italie 18,7, All. 21,1, G.-B. 10,1, Belg.-Lux. 11,8, USA 7,7, Suisse 7,4, Espagne 7,3, P.-Bas 4,5, Japon 3,8.

Agriculture (au 1-1-90). **Terres** (en milliers d'ha). 4 487,2 dont *SAU* 1 835,1 [t. lab. 705,5 (dont céréales 358,6, oléagineux 80,3, légumes 18,8 dont p. de t. 6,5, racines et tubercules fourr. 7,5, fourrages annuels 65,3, jardins 18,5, cult. fruit. 45,8 dont noyeraies 5,4, vignes 62, herbe et prairies 1 018,2] ; *bois, forêts et peupleraies* 1 544,5 ; *t. agr. non cult.* 322 ; *t. non agr.* 785,7. **Prod. végétale** (en milliers de t) : blé 634,2, orge 252,5, maïs 700,6. Fruits (prod. totale) : pêches 175,7, pommes de table 131, poires de table 53,2. *Vin :* 3 322 800 hl. **Prod. animale** (en milliers, au 1-1-89) : bovins 1 092,6, ovins 530,5, porcins 442,3, caprins 174,8. *Lait* (au 1-1-90) : 15 848 000 hl.

Industrie et BTP *Effectifs salariés* (au 1-1-1990) : BTP 129 730. Constr. méc. 76 363, fonderie, trav. des métaux 74 740, constr. élec.,électron. 59 295, text., habill. 50 489, agroalim. 43 301, bois, meubles, ind. div. 34 954, auto., cycles pièces auto. 32 466, caout., mat. plast. 27 607, élec., gaz, eau 23 120, chimie, fils, fibres artific. et synth. 18 792, imprim., presse, édition 16 174, papier, carton 13 366, mat. constr. div. 12 359, min. et métaux non ferreux 11 767, cuir et chauss. 7 540, constr. aéron., armement 6 157, min. et métaux ferreux 6 155, verre 5 079, équip. mén. 4 891, pétrole, gaz nat. 1 467, combustibles, min. solides 586.

Énergie (prod. totale, au 1-1-92). **Électricité** (en milliards de kWh) : 102,7 dont nucléaire 75,4, hydraulique 25,2, thermique 2,7. Centrales du Bugey (*1972/78/79 :* 4 140 MW), Cruas (*1984 :* 3 600 MW), surrégénérateur Creys-Malville (*1986 :* 1 200 MW), St-Alban-St-Maurice (*1986 :* 2 600 MW), Tricastin (programme Eurodif, *1980/81 :* 3 600). Barrages de Grand-Maison (*1985 :* 1 800 MW), Super-Bissorte, Isère, Moyenne-Aval. **Pétrole raffiné** (en milliers de t) : 4 886. **Charbon** (en milliers de t) : 162. **Divers :** solaire, biomasse, géothermie à Bourg et Valence.

Tourisme. 2e région touristique après Paris. 15 % de la capacité hôtelière française. 2/3 des stations de sports d'hiver. *Au 1-9-92 :* hôtels non homologués 2 637 (au 1-1-86), homologués 2 755 (71 340 ch.) ; campings-caravanages : terrains homologués 913 (74 505 pl.), auberges de jeunesse 35 (2 849 pl.), villages de vac. 221 (43 052 pl.), maisons familiales de vac. 188 (19 165 pl.), gîtes ruraux 5 300 (17 040 ch.), ch. d'hôtes 1 110 (2 774 ch.), campings à la ferme et aires naturelles 197.

☞ Voir Occitanisme p. 812.

■ Départements

Voir légende p. 777.

■ **Ain (01)** 5 756,10 km² (100 × 80 km). *Alt. max.* Crêt de la Neige 1 723 m ; *min.* 170 m (sortie du Rhône). *Pop. 1801 :* 297 071 ; *1851 :* 365 939 ; *1901 :* 343 048 ; *1921 :* 309 486 ; *1936 :* 306 718 ; *1946 :* 298 556 ; *1975 :* 376 477 ; *1982 :* 418 516 ; *1990 :* 471 016 (dont Fr. par acquis. 13 584, étrangers 44 946 dont Maroc. 8 129, Port. 6 721, Turcs 6 408, Alg. 4 232). D 82.

Villes. BOURG-EN-BRESSE, alt. 241 m, 40 972 h. [*1926 :* 20 364 ; *1962 :* 32 596 ; *1975 :* 42 181 ; *1982 :* 41 098] [ag. 55 784, dont *Péronnas* 5 352. *Viriat* (90) 4 701. *St-Denis-lès-Bourg* (90) 4 145] ; ind. métall., constr. méc., véhic. util., foires importantes ; église de Brou (1506-12), musée créé 1854.

– *Ambérieu-en-Bugey* alt. 260 m, 10 455 h. [*1806 :* 2 892 ; *1926 :* 5 705] (ag. 12 235) ; nœud ferroviaire, terrain d'aviation ; château des Allymes (XIIIe s.) ; abbaye. *Ambronay* 1 996 h. ; festival de musique. *Anglefort* 687 h. ; château. *Ars-sur-Formans* 851 h. ; pèlerinage. *Bellegarde-sur-Valserine* alt. 400 m, 11 153 h. [*1806 :* 172 ; *1926 :* 4 664] (ag. 11 968) ; électrométall., imprimerie, confect. *Belley* * alt. 220 m, 7 801 h. [*1806 :* 3 775 ; *1926 :* 4 739] ; constr. métall., joints métall., maroquinerie Le Tanneur ; palais épiscopal (XVIIIe s.), cath. (XVe-XIXe s.), maison natale de Brillat-Savarin. *Châtillon-sur-Chalaronne* 3 786 h. [*1806 :* 3 194 ; *1926 :* 2 732] ; ind. pharm., marché agr. ; halles. *Culoz* 2 639 h. *Divonne-les-Bains* alt. 500 m, 5 580 h. [*1806 :* 1 296 ; *1926 :* 1 721] ; casino, thermes. *Ferney-Voltaire* alt. 423 m, 6 408 h. (90) [*1804 :* 920 ; *1926 :* 1 209] ; Cern (Centre europ. pour la rech. nucléaire), secteur fr. de l'aéroport Genève-Cointrin. *Gex* * alt. 575 m, 6 615 h. [*1806 :* 2 325 ; *1926 :* 2 065] (ag. 8 378). *Hauteville-Lompnès* alt. 850 m, 3 895 h. *Izieu* 161 h. ; mémorial (6-4-1944) (gestapo déporte 44 enfants juifs : 41 † Auschwitz). *Jassans-Riottier* (90) 4 609 h. *Lagnieu* 5 686 h. (ag. 6 518). *Lélex* 232 h. ; lapidaireries et stat. de ski. *Meximieux* (90) 6 230 h. [ag. 7 081, dont *Pérouges* 861 ; cité médiévale]. *Mijoux* 258 h. *Miribel* 7 683 h. *Montluel* 5 954 h. ; ind. frigo. *Montmerle-sur-Saône* (90) 2 596 h. (ag. 3 591). *Montréal-la-Cluse* 3 496 h. (ag. 4 269). *Montrevel-en-Bresse* 1 973 h. (ag. 3 247). *Nantua* * alt. 479 m, 3 602 h. (ag. 4 217). *Oyonnax* alt. 540 m, 23 869 h. [*1906 :* 1 275 ; *1926 :* 11 617] (ag. 30 471) ; mat. plast., lunetterie ; printemps chorégraphique (biennale) ; musée du Peigne. *Pont-de-Vaux* 1 913 h. (ag. 2 425) ; m. Chintreuil. *Pont-de-Veyle* 1 421 h. (ag. 3 540). *St-Genis-Pouilly* (90) 5 696 h. (ag. 9 912). *St-Maurice-de-Beynost* 3 468 h. *St-Vulbas* (90) 710 h. ; centrale nucléaire de Bugey. *Seyssel* 817 h. (ag. 1 658). *Thoissey* 1 306 h. (ag. 3 371). *Trévoux* 6 092 h. ; plan d'eau, palais du Parlement (XVIIe s.). *Villars-les-Dombes* 3 415 h. ; parc ornithologique.

Régions naturelles. *Bresse :* 1 317 km², alt. 100 à 300 m ; céréales, prairies, bovins, seules volailles d'appellation contrôlée. *Dombes :* 886 km², alt. 100 à 300 m ; pisciculture (env. 1 000 étangs sur 10 000 ha, Le Grand Birieux : 300 ha) ; chasse, céréales, prairies, petites cult., parc ornithologique. *Vallée de la Saône :* 336 km², alt. 100 à 280 m ; pépinières, vergers, jardins, filières de diamant. *Bugey (bas Bugey* et *Revermont) :* 1 458 km², alt. 800 à 2 300 m ; élevage, fromageries, polyculture, maroquinerie, textiles. *Jura (haut Bugey-pays de Gex) :* 1 347 km², alt. 800 à 1 700 m (crêt du Nu 1 351 m) ; plastiques, textiles, scieries, tourneries, appareillages électr., forêts, élevage, vignes.

Tourisme. Lacs : *Nantua* (150 ha, alt. 475 m, prof. 43 m), *Massignieu-de-Rives* (110 ha), *Silan* (50 ha), *Genin* (4 ha). **Forêts :** de *Seillon* (650 ha), de *Portes.* **Stations thermales et climatiques :** *Divonne-les-Bains, Hauteville-Lompnes.* **Ski** *nordique : Brenod* 1 100 m, *Hotonnes* 1 350 m, *La Faucille* 1 320 m, *Le Poizat* 1 300 m. **Architecture :** *Notre-Dame du Mas Rillier* (Espérance des désespérés, égl. inaugurée 1941, statue de 33 m, campanile de 1947 avec 50 cloches). **Cheminées « sarrasines »** sur l'ancien domaine des Sires de Bâgé [une trentaine (XVIIe et XVIIIe s.), rég. de St-Trivier-de-Courtes, Courtes, St-Nizier-le-Bouchoux, Vernoux, Vescours].

■ **Ardèche** (07) 5 556 km² (120 × 70 km). *Alt. max.* Mt Mézenc 1 754 m ; *min.* 40 m (sortie du Rhône). *Pop. 1801 :* 266 656 ; *1851 :* 386 559 ; *1861 :* 388 529 ; *1911 :* 331 801 ; *1936 :* 272 698 ; *1962 :* 245 597 ; *1975 :* 257 065 ; *1982 :* 267 970 ; *1990 :* 277 581 (dont Fr. par acquis. 4 672, étrangers 10 784 dont Maroc. 2 056, Alg. 1 864, Port. 1 560, Esp. 1 004). D 50.

Villes. PRIVAS, alt. 300 m, 10 490 h. [*1806 :* 3 080 ; *1936 :* 7 733] (ag. 14 473) ; marrons glacés, text., constr. élec., m. du Vivarais protestant [à Pranles, créé par Pierre (1 700-32) et Marie (1711-76) Durand], m. de la Terre ardéchoise, m. d'Art religieux, château de Liviers (XIIe s.). *Annonay* alt. env. 350 m, 18 525 h. [*1661 :* 3 800 ; *1803 :* 6 000 ; *1936 :* 15 669 ; *1962 :* 18 434 ; *1975 :* 20 832] (ag. 25 123) ; text. cuir, autocars RVI (Renault Véhicules Ind.), papier de luxe (Canson et Montgolfier), m. des papeteries, m. César Filhol.

– *Alba-la-Romaine* 990 h. ; château (XVe-XVIIe s.), *Aubenas* alt. 300 m, 11 105 h. [ag. 24 052, dont *Vals-les-Bains* 3 661, alt. 250 m ; station therm.] ; text., constr. méc. et élec., prod. pharm. ; château (XIe s.) et musée. *Banne* 535 h. ; château (Moyen Âge, long. 170 m, larg. 80 m, écuries 54 m × 8 m). *Bidon* 69 h. ; m. de la Préhistoire. *Boffres* 510 h. ; château de Faugs (1885-90, demeure de Vincent d'Indy). *Bourg-St-Andéol* alt. 100 m, 7 795 h. *Châteaubourg* 209 h. ; château (XIe s.). *Chirols* 223 h., écomusée. *Desaignes* 1 087 h. ; château de Tournon de Meyres. *Guilherand-Granges* alt. 108 m, 10 492 h. ; château de Crussol (incendié au XIXe s., foudroyé en 1952). *Joannas* 224 h. ; château (Xe s.). *Lamastre* alt. 400 m, 2 717 h. *Largentière* * alt. 224 m, 1 990 h. (ag. 2 920). *La Voulte-sur-Rhône* alt. 100 m, 5 116 h. ; m. de la paléontologie ; château (XIVe s.). *Le Cheylard* alt. 500 m, 3 833 h. *Le Teil* alt. 73 m, 7 779 h., m. de la Résistance. *Ruoms* 1 859 h. ; défilé. *St-Péray* alt. 128 m, 5 886 h. ; vin. *Tournon-sur-Rhône* * alt. 120 m, 9 546 h. (ag. 11 861) ; constr. élec., chaussures, text., articles de sport et de camping, caravanes ; château (XIVe-XVIe s.), m. du Rhône. *Viviers* alt. 71 m, 3 407 h. ; bâtiments XIIe au XIXe s., cath., palais épiscopal (XVIIIe s.)

Régions naturelles. *Monts du Vivarais* (forêt, élevage). *Bas Vivarais* (collines arides : vignes, cult. fruitières). *Vallées :* Doux, Eyrieux, Ouvèze, Ardèche, Rhône (cult. fruitières, cimenterie, centrale nucléaire de Cruas). **Bois** (en milliers d'ha, au 1-1-1992). 228 dont forêts privées 220, communales 12, domaniales 16 (*Mazan l'Abbaye* 1,2, *Les Chambons* 1,8, *Bonnefoi* 1,1, *La Chavanne* 1,1, *Prataubérat* 1).

Tourisme. Musées *Alphonse Daudet* au mas de la Vignasse (XVIIe s.) ; *Agricole de Verdus* à Freyssenet ; *Archéologique* Soyons ; *des Mariniers* du Rhône à Serrières ; *international du facteur* à St-André-de-Cruzières ; *régional de la Préhistoire* à Orgnac. Bastide de Virac, château des Roures (XIVe s.). *Pont d'Arc, gorges de l'Ardèche* (réserve nat.), canoë-kayak. **Mt** *Gerbier-de-Jonc* (source de la Loire à 1 550 m). **Ski :** *Areilladou* 1 448 m, *Borée* 1 132 m, *Croix-de-Bauzon* 1 511 m. *Ste-Eulalie* 1 230 m. **Lacs** *Issarlès* (alt. 1 000 m, 90 ha, prof. 132 m) ; *de retenue Viviers-Donzère-Mondragon* (2,1 km²). **Plans d'eau :** *St-Martial* (13 ha, alt. 860 m), *Devesset* (48 ha, alt. 1 100 m), *Le Cheylard* 60 ha, *Coucouron* 10 ha. **Parc zoologique :** safari de *Peaugres,* alt. 379 m. **Grottes :** *Ebbou,* et de la Forestière (Vallon Pt-d'Arc), *La Vache* (Bidon). **Avens** d'*Orgnac* (cristallisations atteignant 20 m), *Marzal,* la Madeleine (St-Remèze), St-Marcel. **Chemin de fer** *du Vivarais* (Tournon-Lamastre, à vapeur, 1900), *Picasso* (Vogüé-Villeneuve). **Parc d'attractions** *Lanas* (Aérocity), Ardèche miniature (Soyons). **Sites :** plateau du *Coiron,* grottes de *Montbrun* ; vallées de l'*Eyrieux,* de l'*Ibie, plateau ardéchois, Cévennes, vallée de Labeaume, vallée du Chassezac, gorges de l'Ardèche* (32 km de route touristique à 200 m au-dessus de la rivière). **Vieux villages :** *Beauchastel, Mirabel, Rochecolombe, Sceautres, St-Vincent-de-Barrès, Vieux-Rompon.*

■ **Drôme** (26) 6 525,13 km² (150 × 85 km). *Alt. max.* Crête des Aiguilles 2 400 m ; *min.* 50 m (sortie du Rhône). 371 communes, *Pop. 1801 :* 235 357 ; *1851 :* 326 846 ; *1901 :* 297 321 ; *1921 :* 263 509 ; *1936 :* 267 281 ; *1975 :* 361 847 ; *1982 :* 389 781 ; *1990 :* 414 191 (dont Fr. par acquis. 11 701, étrangers 23 881 dont Maroc. 5 869, Alg. 4 725, Port. 2 560, Tunis. 2 281). D 63.

Villes. VALENCE, alt. 124 m, 63 437 h. [ag. 89 485, dont dans le dép. *Aulan* 1 249 h. ; château. *Bourg-lès-Valence* 18 230 ; centrale hydroélec., ind. chim., électron. *Portes-lès-Valence* 7 818] ; méc. de précision, semences, bijouterie, text., électron., meubles, aéronautique, aérodrome Valence-Chabeuil ; cath. St-Apollinaire, maison des Têtes, abb. N.-D.-de-Soyons, m. des B.-Arts.

– *Chabeuil* 4 790 h. *Crest* 7 583 h. (ag. 9 403), château (plus haut donjon d'Europe, 49 m). *Die* * 4 230 h. ; vin blanc (Clairette) ; remparts, cath., porte St-Marcel, musées Lapidaire, Archéol., de la Clairette. *Dieulefit* 2 924 h. (ag. 3 576). *Donzère* 4 265 h. *Hauterives* 1 202 h. ; Palais Idéal du facteur Cheval (1879-1912). *La Roche-de-Glun* 2 800 h. [ag. 5 570, dont *Pont-de-l'Isère* 2 770]. *Livron-sur-Drôme* 7 294 h. [ag. 12 903, dont *Loriol-sur-Drôme* 5 609]. *Montélimar* 47 km², alt. 82 à 157 m, 29 982 h. [*1724 :* 3 946 ; *1836 :* 7 560 ; *1911 :* 13 281 ; *1954 :* 16 639] (ag. 31 260) ; nougats ; château (XIIe s.). *Maurs-St-Eusèbe* 2 027 h. ; m. d'Art sacré. *Nyons* * 6 353 h. ; lavande, olive, huile d'olive, truffes, m. Archéol., m. de l'Olivier. *Pierrelatte* 11 770 h. ; centrale nucl. *Romans-sur-Isère* 32 734 h. [ag. 49 212, dont *Bourg-de-Péage* 9 248] ; chaussures, tannerie, maroquinerie ; cath. St-Barnard, m. d'ethnographie régionale et de la chaussure. *St-Donat* 2 658 h. ; festival de musique (J.-S. Bach). *St-Jean-en-Royans* 2 895 h. *St-Marcel-lès-Valence* 3 719 h. *St-Paul-Trois-Châteaux* 6 789 h., m. de la Truffe. *St-Rambert-d'Albon* 4 176 h. *St-Uze* 1 846 h. (ag. 3 483). *St-Vallier* 4 115 h. (ag. 5 723). *Suze-la-Rousse* (XIIe s.) 1 422 h., château. *Tain-l'Hermitage* 5 003 h. *Vassieux* 283 h. ; m. de la Résistance, de la Préhistoire.

Régions naturelles. *Vercors drômois* (46 % de la sup. du dép.) : forêts et pâturages, bovins, parc rég. *Diois :* vignobles, lavande, ovins, caprins, aviculture. *Nyonsais :* olives, vin. *Baronnies :* lavande, oliviers, amandiers, vignobles, fruits, caprins, ovins. *Plaines rhodaniennes* (15 à 25 km de larg.) : aviculture, céréales, semences, vins (Côtes-du-Rhône, Coteaux du Tricastin, Ermitage), prod. arboricole très importante.

Tourisme. Ski : *Font-d'Urle, col de Rousset, Valdrôme, Lus-la-Jarjatte.* **Forêts :** *Marsanne* (1 134 ha), *Saou* (2 000 ha). **Cirque** d'*Archiane.* **Routes** des *Grands-Goulets* et de *Combe-Laval.* **Gorges :** d'*Omblèze,* de la *Roanne* et de l'*Escharis,* de *St-Moirans,* défilé de *Trente-Pas* (St-Ferréol). **Grottes :** de la *Luire,* de la *Draye Blanche,* de *Thaïs.* **Vieux villages :** *Châteauneuf-de-Mazenc* (alt. 353 m), *Clansayes, La Garde-Adhémar, Mirmande, Montbrun-les-Bains, Poët-Laval, Pontaix, Ste-Jalle, Saint-May, St-Restitut, Valaurie.* **Abbayes :** *Aiguebelle, Léoncel, Valcroissant* (cisterciennes, XIIe s.). **Gastronomie :** restaurant Pic à Valence.

■ **Isère** (38) 7 467,18 km² (150 × 80 km). *Alt. max.* Barre des Écrins 4 102 m (limite de l'Isère et des Htes-Alpes) ; *min.* 134 m (bord du Rhône). *Pop. 1801 :* 410 688 ; *1851 :* 578 297 ; *1901 :* 544 223 ; *1921 :* 502 007 ; *1936 :* 540 881 ; *1954 :* 859 800 ; *1975 :* 860 339 ; *1982 :* 936 771 ; *1990 :* 1 016 227 (dont Fr. par acquis. 55 388, étrangers 80 670 dont Alg. 18 139, Port. 13 584, Ital. 13 436, Tunis. 7 428). D 137.

Villes. GRENOBLE, alt. 213 m, 150 758 h. constr. méc., élec., électron., informatique, cimenteries, ganterie, centres de rech. nucléaires, ind. alim., papeterie, habillement, confection, métall., chaudronnerie, briqueterie, sidér., chimie, plast. ; université, ét. sup. d'électron. en partic. ; cath. St-André ; quartier et crypte de l'église St-Laurent (fin Ve s.), Palais de Justice (XVe s.), préfecture ; musées autom., de la peinture, sculpture (f. 1796, visiteurs 1992 : 71 483), des Beaux-Arts (Zurbaran, La Tour), Dauphinois, Stendhal, de la Résistance et de la Déportation ; Pyramide (h. 23 m, base 4 m) ; [ag. 400 141, dont *Claix* 6 960. *Corenc* 3 356. *Domène* 5 775 ; papeteries. *Échirolles* 34 435 ; constr. méc., matér. de broyage, chaudronnerie, constr. métall., mach.-outils, électron. *Eybens* 8 013. *Fontaine* 22 853 ; métall., chaudronnerie, app. de broyage et traitement. *Gières* 4 373. *La Tronche* 6 454 ; musée Hébert (1817-1908). *Le Pont-de-Claix* 11 871. *Meylan* 17 863 ; Zirst (Zone pour l'innovation et les réalisations scientifiques et techniques électron., Cnet). *St-Égrève* 15 891 ; électron., papeterie, transf. des métaux, BTP. *St-Ismier* 5 292. *St-Martin-Le-Vinoux* 5 139. *St-Martin-d'Hères* 34 341. *Sassenage* 9 788 ; chât., église (tombeau Mal de Lesdiguières). *Seyssins* 7 028. *Seyssinet-Pariset* 13 241. *Villard-Bonnot* 6 382. *Voreppe* 8 446].

– *Allevard* 2 558 h. (ag. 4 743), alt. 475 m. *Beaurepaire* 3 735 h. (ag. 4 409). *Bourgoin-Jallieu* 22 392 h. (ag. 31 375) ; text., métall., prod. pharm., papeterie, maçonnerie, confection, habillement, chimie, minerai non métall., transf. des mét. *Chamrousse* 544 h. ; festival du film d'humour. *Champ-sur-Drac* 3 044 h. [ag. 6 853, dont *Jarrie* 3 809]. *Charvieu-Chavagneux* 8 126 h. [ag. 21 342, dont *Chavanoz* 3 900. *Pont-de-Chéruy* 4 700. *Tignieu-Jameyzieu* 4 616]. *Chasse-sur-Rhône* 4 566 h. Choranche 132 h. ; grottes. *Crémieu* 2 855 h. (ag. 4 160) ; halles. *Crolles* 5 829 h. (ag. 8 302). *Heyrieux* 3 872 h. *Hières-sur-Amby* 95 h. ; fouilles archéologiques. *La Balme* 588 h. ; grottes. *La Côte-St-André* 3 966 h. (ag. 4 670) ; m. Berlioz. *La Mure* 5 480 h. (ag. 6 910) ; chemin de fer (30 km). *La Tour-du-Pin* * 6 770 h. (ag. 11 564) ; chaussures, text., méc., élec., électron. *La Verpillière* 5 595 h. *Le Bourg-d'Oisans* 2 911 h. *Le Pont-de-Beauvoisin* 2 369 h. (ag. 2 978). *Le Touvet* 2 229 h. ; château (XVIIIe s.), parc. *L'Ile-d'Abeau* (ville nouv.) 5 554 h. (ag. 24 034 dont *Villefontaine* 16 171, *Four* 733, *St-Quentin-Fallavier* 4 977, *Vaulx-Milieu* 2 153). *Les Abrets* 2 804 h. (ag. 4 587). *Les Avenières* 3 933 h. *Montalieu-Vercieu* 2 076 h. (ag. 4 160). *Morestel* 2 972 h. (ag. 7 419). *Poncharra* 5 824 h. *Rives* 5 403 h. [ag. 10 960 dont *Renage* 3 318]. *Roussillon* 7 635 h. [ag. 27 841, dont *Le Péage-du-Roussillon* 5 879. *St-Maurice-l'Exil* 5 218. *Salaise-sur-Sanne* 3 511]. *St-Antoine* 873 h. ; abbaye, ordre hospitalier des Antonins. *St-Hilaire* 1 423 h. ; funiculaire des petites roches (800 m, pente 83 %). – *St-Jean-de-Bournay* 3 764 h. *St-Laurent-du-Pont* 4 061 h. *St-Martin-d'Uriage* 3 678 h. (ag. 7 211). *St-Marcellin* (sous-préf. jusqu'en 1926) 6 696 h. (ag. 11 872). *Tullins* 6 269 h. ; chât. et prieuré. *Septème* 1 267 h. ; château (XIVe-XVe s.). *Varces-Allières-et-Risset* 4 592 h. – *Vienne* * 29 449 h. [ag. 39 738, dont *Pont-Évêque* 5 385] ; métall., text., outill. auto., électro-ménager, mach.-outils, méc., prod. pétroliers, chaudronnerie, confection ; festival de jazz (juillet), m. Lapidaire, vestiges romains : temple d'Auguste et de Livie (27 av. J.-C. à 11 apr. J.-C.), théâtre (Ier s. av. J.-C., début Ier s. apr. J.-C., diam. 103,40 m), pyramide [23 m + soubassement 4 m décorant le cirque romain (IIe s.)] ; site archéol. de St-Romain en Gal ; cath. (XIIe et XIIIe s.) ; église et cloître (XIIe s.). – *Vif* 5 788 h. *Villard-de-Lans* 3 346 h. *Vinay* 3 410 h. (ag. 4 305). *Vizille* 7 094 h. (ag. 9 051) ; château (1611-19), m. de la Révolution. *Voiron* 18 686 h. [ag. 36 349, dont *Coublevie* 3 335. *La Buisse* 2 238. *Moirans* 7 133. *St-Jean-de-Moirans* 2 399] ; métall., skis, papeteries, BTP, text., prod. min., boissons, liqueurs Chartreuse, méc., instr. de précision.

Régions naturelles. *Chartreuse* et *Vercors* (alt. max. 2 346 m) (bovins, exploitations forestières). *Belledonne* et *Oisans* (alt. max. 4 102 m). *Vallée du Rhône* et *Grésivaudan* (vignes, fruitiers, céréales, tabac, bovins, noix).

Tourisme. Ski : *Autrans* (fond). *Chamrousse* (1 650-2 250 m), *L'Alpe-d'Huez* (1 850-3 350 m, ski d'été), *Les Deux-Alpes* (1 650-3 600 m, ski d'été), *Les Sept-Laux* (1 400-2 400 m), *Villard-de-Lans* (1 050-2 200 m). **Parcs régional** du *Vercors* (Isère et Drôme, 1 350 km², alt. 300 à 2 300 m), **national** des *Écrins* (alt. max. 4 102 m), **naturel** de *Chambaran* (300 ha). **Correrie** de la *Grande Chartreuse.* **Maisons** sur la Bourne à *Pont-en-Royans.* **Abbayes :** *St-Antoine. St-Pierre-de-Chartreuse* (fondée 1084). **Lacs :** *Laffrey* (2,8 km²), *Paladru* (3,9 km²). **Pèlerinage :** *N.-D.-de-la-Salette.*

■ **Loire** (42) 4 773,74 km² (125 × 70 km). *Alt. max.* Pierre-sur-Haute, Mts du Forez 1 640 m ; Mt Pilat 1 429 m ; massifs montagneux : 60 % du dép. *Pop. 1801 :* 290 903 ; *1851 :* 472 588 ; *1901 :* 647 633 ; *1921 :* 637 130 ; *1936 :* 650 226 ; *1946 :* 631 591 ; *1962 :* 696 348 ; *1975 :* 742 396 ; *1982 :* 739 521 ; *1990 :* 746 288 (dont Fr. par acquis. 21 250, étrangers 53 084 dont Alg. 16 410, Maroc. 8 256, Port. 7 436, Ital. 5 924). D 156.

Villes. SAINT-ÉTIENNE, alt. 515 m, sup. 7 827 ha (chef-lieu dep. le Second Empire, auparavant Feurs 1793 et Montbrison 1857). 199 396 h. [*1697 :* 14 000 ; *1762 :* 18 000 ; *1790 :* 28 140 ; *1801 :* 16 259 ; *1851 :* 56 003 ; *1876 :* 126 019 ; *1911 :* 148 656 ; *1926 :* 193 737 ; *1946 :* 177 966 ; *1962 :* 203 633 ; *1968 :* 216 020] ; 630 ha d'espaces verts ; université, Éc. des mines, d'ingénieurs, sup. de commerce ; productique ; aciers spéciaux, fonderie, métall., mach.-outils, électron., outillage, armes, cycles, pièces autom., rubans, tresses et lacets, tissus élastiques, foulards, cravates, verrerie, optique, élec., électron., meubles métall., ind. alim., informatique, textile, habill., BTP, bois, papier, carton ; principales Stés : Casino, Berthiez, Rockwell SVI, Peugeot, Renault, Schlumberger, Usinor, Union Carbide, Chambourcy, BSN, DMC, Nestlé, Devernois ; musées d'Art et d'Ind., de la Mine, d'Art moderne (f. 1987, visiteurs 1992 : 65 000). [ag. 313 338, dont *Fraisses* 3 897. *Firminy* 23 123 ; ind. text., sid., méc. ; ville nouv. ; château des Bruneaux (XVe-XVIIIe s.). *Firminy-Vert* (Le Corbusier). *La Ricamarie* 10 246 ; métall., méc. *La Talaudière* 5 935. *Le Chambon-Feugerolles* 16 070. *Roche-la-Molière* 10 103 ; fonderie, aéron., sellerie. *St-Genest-Lerpt* 5 482. *St-Jean-Bonnefonds* 6 412. *St-Priest-en-Jarez* 5 673. *Sorbiers* 7 101. *Unieux* 8 064. *Villars* 8 189]. – *Ambierle* 1 763 h., m. Arts et Traditions pop. *Balbigny* 2 415 h. ; carosserie ind. *Boën* 3 256 h. (ag. 4 594) ; méc. *Bourg-Argental* 2 877 h. *Charlieu* 3 734 h. (ag. 5 023) ; mach., mat. méc. ; m. de la Soierie. *Chazelles-sur-Lyon* 4 895 h. ; auto. ; m. du Chapeau. *Commelle-Vernay* 2 872 h. *Feurs* 7 803 h. ; fonderies et aciéries, cartonneries ; m. Archéol. *Montbrison* * 14 064 h. (ag. 16 455) ; mach., constr. méc. ; m. d'Allard (minéralogie, numism., poupées), m. de la Diana (archéol., hist.). *Montrond-les-Bains* 3 627 h. (ag. 4 778) ; auto. *Panissières* 2 867 h. *Pelussin* 3 132 h. *Pouilly-sous-Charlieu* 2 834 h. (ag. 4413). – *Roanne* *41 760 h. [*1962*: 51 731] [ag. 77 160, dont *Le Coteau* 7 466. *Mably* 8 295. *Riorges* 7 867] ; 2e centre fr. de la maille et du tricot, confect. tissage coton, mat. text. ; constr. méc., mat. d'armement, pneumatiques, BTP, agroalim., papeteries ; Institut du sous-vide ; m. Joseph-Déchelette (archéol., faïences) ; écomusée du Roannais. – *Régny* 1 805 h. *St-Bonnet-le-Château* 1 687 h. ; auto. ; m. International de la Boule de Pétanque. *St-Chamond* 38 878 h. [ag. 81 795, dont *Châteauneuf* 1 351. *La Grand-Croix* 4 983. *L'Horme* 4 689. *Lorette* 5 082. *Rive-de-Gier* 15 623 ; festival de jazz. *St-Paul-en-Jarez* 4 179] ; mach., constr. méc., élec., électron., métall., auto. habill. *St-Denis-de-Cabanne* 1 357 h. ; méc. *St-Galmier* 4 272 h. (ag. 5 372). *St-Héand* 3 625 h. ; optique. – *St-Just-St-Rambert* 12 999 h. [ag. 43 500, dont *Andrézieux-Bouthéon* 9 407 ; agroalim., auto. *La Fouillouse* 4 035. *Veauche* 7 282] ; métaux, méc., auto. (Renault) ; constr. élec., électron., verre (St-Gobain) ; m. de St-Rambert (sciences humaines, ethnologie). – *St-Marcellin-en-Forez* 3 133 h. *St-Martin-la-Plaine* 3 168 h. ; ind. agroalim. *St-Pierre-de-Bœuf* 1 174 h. ; text. (DMC) ; canoë kayak. *St-Romain-le-Puy* 2 616 h. (ag. 3 651). *Savigneux-en-Forez* 2 391 h. ; mach. ; constr. méc. *Sury-le-Comtal* 4 592 h. Château (XIe-XVIIe s., incendié 1937). *Violay* 1 426 h.

Régions naturelles. Plaines : *Forez* [drainée par Loire et affl. ; rég. : les Chambons (alluvionnaires), terre de Varenne, les Chanonats ; irrigation (canal du Forez, Loire) ; céréales (blé, maïs), polyculture, embouche] ; de *Roanne* [herbages, embouche (Charolais)]. *Côtes roannaise* et du *Forez* (vignobles). **Massifs montagneux** (60 % du dép.) : *Monts de la Madeleine et du Forez* [alt. moy. 900 m ; forêts : 30 % du terr. ; lait, fromages (fourme d'Ambert et de Montbrison) ; tourisme], les *bois Noirs* à l'O. ; *Mts du Beaujolais, du Lyonnais* (alt. moy. 600 m ; lait) à l'E. ; massif du *Pilat* [forêts : 38 % du terr. ; lait ; fruits (rég. de Pelussin) ; tourisme], au S. **Dépression carbonifère** (S.-O./N.-E.) au N. du Pilat (40 × 5 à 6 km) [régression de l'extraction minière : effectifs *1954* : 17 827 ; *1966* : 9 911 ; *1976* : 1 813 ; *1978* : 948 (dont min. de fond 449) ; *1988* : 193 à la direction].

Tourisme. Parc naturel régional *Pilat : 60 000 ha.* **Ski :** *Le Bessat* (1 170-1 430 m). **Lacs** *Grangent :* 365 ha, long. 25 km, port de plaisance de St-Victor-sur-Loire (égl. du XIe s., château) ; *Villerest* (long. 30 km). **Cascade :** *Saut-du-Gier* (30 m). **Abbayes :** *La Bénisson-Dieu, Charlieu.* **Châteaux :** *Chalain d'Uzore* (XIVe-XVIe s.), *Champdieu* (à Vaugirard, XVIIe s.), *La Bastie d'Urfé* (Renaissance), *Sail de Couzan* (XIe s., forteresse des Levis), *St-Marcel-de-Félines* (XVIe-XVIIe s.), *Sury-le-Comtal, Talaru* (à Chamazel, XVe s.). **Vieux villages :** *Chartreuse de Ste-Croix-en-Jarez, Cervières, Malleval, Pommiers-en-Forez, Le Crozet, St-Bonnet-le-Château, St-Haon-le-Chatel.* **Musée :** *Chazelles-sur-Lyon* (chapeau). **Prieurés :** *Ambierle, St-Romain-le-Puy, Montverdun, Champdieu.* **Stations thermales :** *Montrond-les-Bains,* hydrominérale et climatique : *St-Galmier.* **Sites préhistoriques :** *Saut-du-Perron, La Vigne-Brun, La Goutte-Roffat,* rocher de la *Caille.*

■ **Rhône** (69) 3 214,95 km² (93 × 46 km). *Alt. max.* Mt-St-Rigaud 1 012 m ; *min.* 140 m (sortie du Rhône). *Pop. 1801* : 299 390 ; *1851* : 606 945 ; *1901* : 875 017 ; *1931* : 1 089 764 ; *1946* : 959 229 ; *1975* : 1 429 647 ; *1982* : 1 445 208 ; *1990* : 1 508 967 (dont Fr. par acquis. 62 204, étrangers 145 792 dont Alg. 44 953, Port. 20 214, Tunis. 19 969, Ital. 11 028). D 464.

Villes. LYON, alt. 225 m, superficie : communauté urbaine (COURLY, groupe 55 communes sur 293, pop. 1 132 415 h. en 1990) 50 000 ha, Lyon Centre 4 875 ha (dont superficies construites et constructibles 3 595, voies 600 dont voies d'eau Rhône et Saône 300, espaces verts 250), 415 487 h. [*1801* : 109 500 ; *1866* : 324 000 ; *1901* : 459 100 ; *1911* : 523 800 ; *1936* : 570 600 ; *1946* : 460 700 ; *1954* : 471 300 ; *1975* : 456 716] ; *Maires : en 1905* : Édouard Herriot (1872-1957) Radical soc. ; *57* : Louis Pradel (5-12-1906/27-11-76) ; *76* : Francisque Collomb (19-12-10) ; *89* : Michel Noir (19-5-44) RPR ; centre comm., foire intern., centre de recherches sur le cancer ; chimie, constr. méc., élec. et électron., jouets, text. ; abattoirs de la Mouche (réalisés entre 1908 et 1924 par Tony Garnier) ; musées Africain, Art contemporain, Art déco., Beaux-Arts (f. 1801, 175 000 vis en 1992), de Fourvière, Gallo-romain (85 000 vis.), Guimet, d'Hist. natur., des Hospices civils, Imprimerie et Banque, Marionnette (f. 1950), (Gadagne), de la Photo et du Cinéma, de la Résistance et de la Déportation, des Sapeurs Pompiers ; Ch. de Commerce (f. 1890, 100 000 vis.) ; Palais de la Miniature, Maison des Canuts (soie) ; Palais de Justice (milieu XIXe s.) ; Opéra ; théâtre romain de Fourvière (Ier s. av. J.-C., diam. 103 m, le plus ancien de Gaule), odéon (IIe s., 3 000 pl.), thermes (50 av. J.-C.), cath. St-Jean (1180-1480) ; St-Bruno des Chartreux (XVIe s.) ; abb. St-Martin d'Ainay (XIIe) ; basil. de Fourvière (1872-96, Pierre Bossan) ; *La Part-Dieu,* nouveau quartier (1968, 28 ha) ; passerelle du Palais de Justice, haut. 31 m ; tour du Crédit Lyonnais 1972-77, 42 étages, haut. 140 m ; auditorium Maurice-Ravel 1975, 2 055 pl., orchestre de Lyon ; halle Tony-Garnier [1913, architecte Tony Garnier, métal, 210 × 80 m, haut 23 m, 17 000 m², plus vaste surface couverte sans piliers du monde, 1 914 expo. internat., puis atelier d'armement et abattoir (fermé 1974), 1975 réhabilitée, 1988 classée monum. hist., centre de rencontres cult. et art. ; *traboules* (du latin *tra* et *ambulare*, aller à travers, communication entre les rues en traversant les immeubles, vieux Lyon et Croix-Rousse), [ag. 1 214 869 h., dont *Brignais* 10 036. *Bron* 39 683 ; fonderie. *Caluire-et-Cuire* 41 311 ; ind. diverses. *Champagne-au-Mont-d'Or* 4 934. *Chaponost* 6 911. *Charbonnières-les-Bains* 4 033. *Chassieu* 8 508. *Corbas* 8 101. *Craponne* 7 048. *Dardilly* 6 688 ; maison natale du curé d'Ars. *Décines-Charpieu* 24 565. *Écully* 18 360. *Feyzin* 8 520. *Fontaines-sur-Saône* 2 124. *Francheville* 10 863. *Génas* 9 316. *Givors* 19 777 ; métall., verrerie, text., chim. ; quartier des Étoiles. *Grigny* 7 498 ; château. *Irigny* 7 955. *La Mulatière* 7 296. *Limonest* 2 459. *Meyzieu* 28 077. *Mions* 9 145. *Neuville-sur-Saône* 6 762. *Oullins* 26 129 ; constr. méc., text. *Pierre-Bénite* 9 574. *Rillieux-la-Pape* 30 791. *St-Cyr-au-Mont-d'Or* 5 318. *St-Didier-au-Mont-d'Or* 5 967. *St-Fons* 15 735. *Ste-Foy-lès-Lyon* 21 450. *St-Genis-Laval* 18 782 ; observatoire. *St-Priest* 41 876. *St-Symphorien-d'Ozon* 5 167. *Sathonay-Camp* 4 673. *Sathonay-Village* 1 401. *Tassin-la-Demi-Lune* 15 460. *Ternay* 4 085. *Vénissieux* 60 444 ; véhicules lourds, ind. chim. ; m. de la Résistance et de la Déportation. *Villeurbanne* 116 872 ; ind. métall., text. et chim.]. – *Amplepuis* 4 839 h. ; m. Barthélémy Thimonier. *Anse* 10 307 h. (ag. 17 762) ; château des Tours. *Beaujeu* 1 874 h. ; m. des Arts et Traditions, égl. (XIIe s.). *Belleville* 5 935 h. *Corcelles* 633 h. ; château (XVe s.). *Cours-la-Ville* 4 637 h. *Eveux* 817 h. [couvent de la Tourette (Le Corbusier 1956-59)]. *Jonage* 5 076 h. *L'Arbresle* 5 199 h. (ag. 12 625). *Lentilly* 3 819 h. *Marcy-l'Étoile* 2 599 h. [m. de la Poupée (château de Lacroix-Laval)]. *Mornant* 3 900 h. *Odenas* 750 h. (ch. de la Chaize). *Poleymieux-au-Mont d'Or* 845 h. ; m. André-Marie Ampère. *Rochetaillée-sur-Saône* 903 h. ; m. de l'Auto. ; château (XVe s.). *Salles-en-Beaujolais* 507 h. (XIe-XIIe s., prieuré, cloître, maisons du chapitre). *St-Georges-de-Reneins* 3 509 h. *St-Germain-au-Mont-d'Or* 2 429 h. (ag. 4 729). *St-Laurent-de-Mure* 4 513 h. [ag. 9 117, dont *St-Bonnet-de-Mure* 4 604]. *St-Pierre-la-Palud* 1 804 h. (m. de la Mine). *St-Romain-en-Gal* 1 341 h. (site arch. gallo-romain). *St-Symphorien-sur-Coise* 3 211 h. *Tarare* 10 720 h. ; textiles. *Theizé* 915 h. ; château de Rochebonne. *Thizy* 2 855 h. (ag. 6 232). *Vaugneray* 3 553 h. *Vaulx-en-Vélin* 44 174 h. ; verrerie. *Villefranche-sur-Saône** 29 542 h. [ag. 48 223, dont *Gleize* 8 317 ; château. *Limas* 3 652] ; métall., ind. textiles, chim. ; collégiale N.-D.-des-Marais (XIIIe-XVIe).

Régions naturelles. *Beaujolais* (moy. + de 800 m) et *Lyonnais* (moy. 700 m) (élevage, vignobles). *Collines du bas Dauphiné* (extrémité). *Vallée de la Saône.*

Régions agricoles (SAU en ha) : Beaujolais viticole 44 700, Monts du Lyonnais 67 900, vallée de la Saône 9 200, plateau du Lyonnais 39 700.

Agriculture (1990). SAU 163 000 ha. 11 000 exploitations dont 8 000 à temps complet. Pop. agr. 35 500 pers. Actifs agr. 20 500. Faire-valoir direct 80 000 ha, fermage 72 000 ha, métayage 11 000 ha. *Vignoble* : 21 200 ha dont 21 000 en AOC (18 600 et 16 600 en 1970). *Légumes* : 1 300 ha en plein champ ou maraîchage. *Fruits* : 3 700 ha. *Céréales* : 32 000 ha (1989), prod. (1989) 150 000 t dont 110 000 commercialisées. *Fourrage* (1989) : prairies naturelles 77 000 ha, semées 11 000 ha, maïs 7 000 ha.

Énergie (prod. du Rhône par rapport à la France). 49 % de l'hydraulique, 27 % du nucléaire, 29 % du total.

Transports. *Aéroports* : Satolas (1975, international), Bron (plate-forme d'aviation générale, aéro-club). *Trains* : Lyon-Perrache et Lyon-Part-Dieu (1re gare de correspondance de Fr.). TGV (dep. sept. 1983) 2 h de Paris.

Tourisme. Châteaux : *Bagnols* (XVe s.), *Grigny* (XVIIe s.), *Jarnioux* (XVe-XVIe s.), *Joux* (XIIe-XIVe s.), *La Barollière* (XVIIe), *La Flachère* (XVIIIe-XIXe s.), *Le Sou* (Moyen Âge), *Les Tours* (1213-18), *Le Vivier* (XIXe s.), *Montmelas-St-Sorlin* (XVe-XVIe s.), *Rochebonne* (XVe s.), *Saconay* (XIVe-XVIe s.), *St-Laurent-de-Chamousset* (Renaissance), *St-Pierre-de-Chandieu* (XIVe s.), *Vauxrenard* (XVIIe-XVIIIe s.). **Églises :** *Avenas* (XIIe s.), *Châtillon* (XIIe s.), *Denice* (XIIIe s.). **Acqueduc :** *Gier.* **Musées :** - *Poleymieux-au-Mont-d'Or* (Ampère et électricité), *St-Bonnet-Le Troncy* (Jean-Claude Colin), *Savigny* (lapidaire), *Vaux-en-Beaujolais-Clochemerle* (vigne et vin). **Parcs :** *Écully* (Le Vivier, créé 1880), *Lyon* (Jardin des Chartreux 1855), *Lyon* (Tête d'Or, 1856 par Denis Buhler, roseraie 5 ha), *St-Cyr-au-Mont d'Or* (ermitage du mont Cindre), *St-Genis-Laval* (Beauregard), *Courzieu* (animalier), *Ile Roy* (loisirs), *Lacroix-Laval* (114 ha), *Parilly* (178 ha), *Le Pilat* (830 km²), *Rive-de-Gier* (zoologique). **Plans d'eau :** *parc de Mirebel Jonage* (2 200 ha dont eau 300), grand large (Meyzieu 165 ha), lac des *sapins* (Cublize 40 ha), *Condrieu-les-Roches* (20 ha), *Bordelan* (Villefranche-sur-Saône 10 ha), lac des *Sablons* (Belleville 5 ha), *Hurongues* (Pomeys 3,5 ha), *Rozey* (Yzeron 3 ha). **Circuit** *des « Pierres dorées »* en Beaujolais (Le Bois-d'Oingt, Anse, Theize, Charnay). **Fêtes :** *Pennons de Lyon* (mai-juin), *des Lumières* (8-12).

■ **Savoie** (73) 6 035,57 km² (100 × 100 km). *Alt. moy.* 1 500 m ; *max.* pointe de la Grande Casse 3 852 m ; *min.* 212 m (confluent du Rhône et du Guiers) ; 36 somm. de + de 3 500 m (dép. le plus montagneux). *Pop. 1801* : 220 895 ; *1851* : 275 459 ; *1901* : 254 781 ; *1921* : 225 034 ; *1936* : 239 115 ; *1946* : 235 939 ; *1962* : 266 678 ; *1968* : 288 921 ; *1975* : 305 118 ; *1982* : 323 675 ; *1990* : 343 314 (dont Fr. par acquis. 12 123, étrangers 23 068 dont Ital. 6 236, Port. 4 012, Alg. 3 828, Maroc. 2 880). D 58.

Villes. CHAMBÉRY, alt. 270 m, 2 109 ha, 54 120 h. [*1861* : 21 470 ; *1911* : 24 245 ; *1954* : 34 438 ; *1962* : 44 246 ; *1968* : 51 056 ; *1975* : 54 415 ; *1982* : 53 427] [ag. 103 283, dont *Barberaz* 4 195. *Bassens* 3 577. *Cognin* 5 779. *La Motte-Servolex* 9 349. *La Ravoire* 6 689] ; métall., prod. chim., ind. alim., verre, confection, centre comm. et culturel ; château des ducs de Savoie, cath. St-François, *fontaine* des Éléphants ; les Charmettes ; m. d'Art et d'Histoire, m. des B.-Arts. – *Aix-les-Bains* alt. 260 m, 24 683 h. [*1861* : 4 253 ; *1911* : 8 934 ; *1954* : 15 680] (ag. 35 472) ; stat. therm. (52 487 curistes en 1991, nouveaux forages en 1992) ; chaudronnerie, constr. élec. et téléph. ; m. Faure ; arc de Campanus (IIIe, IVe s.). *Albertville* * 17 411 h. [*1861* : 4 458 ; *1911* : 7 071 ; *1954* : 9 730] (ag. 28 393) ; (réunion en 1836 de l'Hôpital et Conflans) ; centre comm., confection, BTP. *Aime* 2 963 h. ; basilique St-Martin. *Bourg-St-Maurice* alt. 815-842 m, 6 056 h. ; m. du Costume. *La Rochette* 3 124 h. *Pont-de-Beauvoisin* 1 426 h. (ag. 2 697). *Modane* alt. 1 057 m, 4 250 h. (ag. 5 328) ; gare internat., électrométall., soufflerie. *Montmélian* 3 930 h. (ag. 5 311). *Moutiers* 4 295 h. (ag. 5 297). *St-Étienne-de-Cuines* 2 791 h. (ag. 3 721). *St-Genix-sur-Guiers* 1 735 h. *St-Jean-de-Maurienne* * 9 439 h. (ag. 10 263) ; aluminium (Péchiney, la plus grande usine), TP ; cloître, stalles de l'égl. *St-Martin de Belleville* 2 341 h. ; N.-D.-de-Vie, pèlerinage. *St-Michel-de-Maurienne* 2 919 h. (ag. 3 252). *St-Pierre-d'Albigny* 3 151 h. (ag. 3 751). *Ugine* 7 248 h. (ag. 8 541) [*1861* : 3 356 ; *1946* : 6 463] ; électrométall., artisanat, aciéries, BTP, fête de la descente des troupeaux (« Démontagneura » sept.).

Régions naturelles. *Massifs centraux (Beaufortin),* zone intra-alpine *(Vanoise),* vallées de l'*Isère* supérieure *(Tarentaise* : élevage) et de l'*Arc (Maurienne* : élevage). *Préalpes du Nord* (élevage). **Forêts** (en ha) : *Maurienne* 211 800, *Tarentaise* 191 500, *combe de Savoie* 47 000, *Bauges* 35 900, cluse de Chambéry 33 500, *Quatre-Cantons* 29 500, Beaufortain 27 100, *Chartreuse* 14 700, *val d'Arly* 20 800, *Albanais* 8 500, *Chautagne* 6 700.

Ressources. *Fromages* : Beaufort, Reblochon, Tomme de Savoie, Emmental. *Vins de Savoie.*

Tourisme. Lacs (en ha) : *Le Bourget* (4 462, prof. max. 147 m, alt. 231 m, long. 18 km, larg. 3,5 ; le plus grand lac français ; sports nautiques), *Aiguebelette* (600, prof. 68 m), *Chevelu* (11), *St-André* (7,58), *Roselend* (320), *Presset, Mt-Cenis* (665), *Tignes* (270), *Bissorte* (150, alt. 2 430 m). **Quelques sommets** (en m) : *Grande Casse* 3 852, *Grand Pic de la Lauzière* 3 829, *Mt Pourri* 3 779, *Pointe de Charbonnel* 3 750, *Dent-Parrachée* 3 684, *Grande Motte* 3 656, *Aiguilles d'Arves* 3 510, *Aiguille du Grand-Fond* 2 889, *Grand Arc* 2 482, *Pécloz* 2 260, *Arcalod* 2 217, *Mt Granier*

1 938, *Croix-du-Nivolet* 1 547, *Dent du Chat* 1 390. **Parc national** de la *Vanoise* [alt. de 1 800 m à 3 855 m (la Grande Casse), 1er parc nat., 52 840 ha ; zone périphérique 143 600 (28 communes)]. **Stations de ski** (les plus vastes domaines skiables de Fr. et sans doute du monde) : *La Plagne* pistes 106, 200 km, 1 250-3 250 m (avec Aime 2 000), *La Toussuire* 1 800 m, *Le Corbier* 1 550 m, *Les Arcs* pistes 174, 200 km, 1 600-1 800-2 000 m, *les Trois Vallées* pistes 275, 600 km (Courchevel 1 100-1 850 m, Méribel-les-Allues 1 450-1 700 m, Les Ménuires-vallée des Bellevilles 1 500-3 450 m : 300 km² skiables), *Tignes* 1 600-3 500 m, *Val d'Arly* 1 000-2 100 m, *Val-Cenis* 1 400-2 800 m, *Val d'Isère* 1 850 m, *Val-Thorens* 2 300-3 400 m. **Grottes** de Lamartine (lac du Bourget), des Entremonts (ossements ours 20 000 ans). **Abbaye :** *Hautecombe* (fondée 1 101, reconstr. 1824, voir Index). **Église** de *Bramans* (XVIe-XVIIIe s.). **Châteaux :** *La Bâthie, Miolans, Rochette.* **Fresques :** *Bessans, Lanslevillard.* **Cité** médiévale de Conflans. **Village de montagne typique** de *Bonneval-sur-Arc.* **Stations thermales :** *Aix-les-Bains, Brides-les-Bains, Challes-les-Eaux, La Léchère.* **Festival** de *La Plagne* (film d'aventure).

■ Haute-Savoie (74) 4 838 km² (95 × 75 km). *Alt. moy.* 1 160 m ; *max.* Mt Blanc 4 808,4 m ; *min.* 250 m (confluent du Rhône et du Fier) *Pop. 1851 :* 269 513 ; *1886 :* 275 018 ; *1911 :* 255 137 ; *1921 :* 235 668 ; *1936 :* 259 961 ; *1975 :* 447 795 ; *1982 :* 494 505 ; *1990:* 568 256 (dont Fr. par acquis. 19 672, étrangers 48 758 dont Ital. 7 472, Alg. 7 224, Port. 6 440, Turcs 5 884). D 130.

Villes. ANNECY, alt. 446 m, sup. 13,7 km², lac 2 800 ha, 49 644 h. [*1561 :* 2 775 ; *1635 :* 4 500 ; *1734 :* 4 991 ; *1861 :* 10 737 ; *1936 :* 23 296 ; *1962 :* 43 255] [ag. 122 622, dont *Annecy-le-Vieux* 17 520. *Cran-Gevrier* 15 566. *Meythet* 7 581. *St-Jorioz* 4 178. *Seynod* 14 764] ; métall., méc., ind. du bois et papier, comb. nucléaire, aéro-chim., coutellerie, bijouterie, roulements, électron. (CIT-Alcatel), art. sports, ind. alim. ; cath., égl. St-Maurice, musée, château et musée ethnographique, conservatoire d'art et d'hist. (XVIIe s., ancien grand séminaire). Vieille Ville. – *Annemasse* 27 669 h. *Genève (CH)-Annemasse (p. fr.)* [ag. 70 989, dont *Ambilly* 5 904. *Gaillard* 9 592. *St-Julien-en-Genevois* * 7 922 ; électr. *Vetraz-Monthoux* 4 311. *Ville-la-Grand* 6 469] ; horl., app. de mesure, prod. pharm., bij., méc. – *Bonneville* *9 998 h. (ag. 15 317) ; régie élec. *Bons-en-Chablais* 3 275 h. (ag. 3 929). *Chamonix-Mont-Blanc* alt. 1 050 m, 9 701 h. (ag. 11 648) ; musée Alpin. – *Cluses* 16 358 h. [ag. 34 753, dont *Marignier* 4 322. *Marnaz* 4 019. *Scionzier* 5 945. *Thyez* 4 109] ; éc. d'horlogerie, décolletage. – *Collonges-sous-Salève* 2 696 h. (ag. 4 252). *Faverges* 6 334 h. (ag. 7 092). *La Roche-sur-Foron* 7 116 h. (ag. 9 264). *Megève* alt. 1 113 m, 4 750 h. *Morzine* 2 967 h. (ag. 3 620). *Reignier* 4 067 h. *Rumilly* 9 991 h. (ag. 11 379) ; ind. alim., musée. *St-Gervais-les-Bains* alt. 860 m, 5 124 h. *Sallanches* 12 767 h. (ag. 14 294) ; text., alim. *Thones* 4 619 h. (ag. 5 320), musée de la Résistance. – *Thonon-les-Bains* * alt. 435 m, 29 677 h. [ag. 55 078, dont *Évian-les-Bains* 6 895 (*1901 :* 3 105), alt. 475 m, 429 ha ; station thermale] ; électr. (Thomson-CSF), fonderie, bois ; station thermale ; égl. St-Hippolyte : château de Sonnaz, ch. et forêt de Ripaille ; musée du Chablais. – *Veyrier-du-Lac* 1 967 h. (ag. 4 771).

Régions naturelles. *Massifs centraux alpins* à l'E. *(Mt-Blanc), préalpins du Chablais* et *Bornes* à l'O. : élevage. *Vallées* du *Fier*, de l'*Arve* (industrialisée à partir de Cluses) et du *Giffre* (Faucigny) : céréales, vergers. **Agricoles** (en ha) : *bas Genevois* 14 394, *Sémine* 4 683, *vallée des Usses* 23 286, d'*Annemasse* 15 277, *région d'Annecy* 36 200, *cluse d'Arve* 26 790, *Giffre* 45 552, *Chablais* 62 727, *plateau des Dranses* 9 260, *bas Chablais* 25 091, *pays de Thones* 53 009, *plateau des Bornes* 26 034, *Sillon Alpin* 26 311, *Albanais* 26 147, *Bauges* 7 946, *Grandes Alpes* 51 126.

Tourisme. Lacs : *Annecy* (alt. 446 m, 27 km², périmètre 32 km, larg. max. 3,3 km, prof. 80 m), *Balme de Sillingy* 10 ha (3 m), *Chartreuse du Reposoir* (ou étendue du Carmel) 1 ha (4 m). *Chavanette* (Morzine) 3 ha (6 m), *Dronières* 6 ha (1,50 m), *Léman* [le plus grand des l. alpins : 235 km en terr. fr., prof. 310 m (sup. totale 582 km²], *Machilly* 10 ha (3 m), *Mines d'Or* (Morzine) 3 ha (3 m), *Mole* (Viuz-en-Sallaz) 12 ha (3 m), *Montriond* 22 ha (10 m), *Plagnes* (Abondance) 12 ha (6 m), **Cols :** Voir p. 56. **Sommets** (en m) : *Mt Blanc* 4 808,4, *Dôme du Goûter* 4 304, *Grandes Jorasses* 4 208, *Aiguille verte* 4 122, *Aig. du Midi* 3 842 (téléphérique), *Dômes de Miage* 3 670, *Aig. du Tour* 3 544, *Aig. de Blaitière* 3 522, *Grépon* 3 482, *Grands Charmoz* 3 443, *Mt Buet* 3 094, *Pointe du Tenneverge* 2 985, *Pointe Percée* 2 752, *Pointe de Platé* 2 553, *Aig. de Varan* 2 541, *Mt Joly et Brévent* 2 525, *Hautforts* 2 464, *Dent d'Oche* 2 222, *Pointe de Miribel* 1 586. **Ski :** *Les Carroz* 1 140-2 500 m, *Chamonix* 1 035-3 842 m (dep. 1992 par avalanche), *Chatel* 1 200-2 100 m, *La Clusaz* 1 100-2 600 m, *Les Contamines Montjoie* 1 100-2 487 m, *Flaine* 1 600-2 500 m, *les Gets* 1 172-1 850 m, *Le Grand Bornand* 1 000-2 100 m, *Les Houches* 1 800-1 900 m, *Megève* 1 113-2 350 m, *Morzine-Avoriaz* 1 000-2 460 m, *St-Gervais* 1 400-2 100 m, *Samoëns* 720-2 200 m. **Réserves :** *Aiguilles Rouges, Marais* du bout du lac d'Annecy, *Roc de Chère, Sixt, Delta de la Dranse, Contamines-Montjoie* (créée 1979), *Passy* (créée 1980), *Carlaveyron* (créée 5 mars 1991). **Châteaux :** *Allinges, Avully* (XIVe-XVe s.). *Annecy, Beauregard, Brenthonne, Chens-sur-Léman, Clermont* (Renaissance), *Menthon, Montrottier* à Lovagny (XIVe-XVe s.), *Ripaille* à Thonon-les-Bains, *Sales* à Thorens. **Abbaye :** *Abondance* (cloître et fresques). **Églises baroques :** *Veroce* (St-Nicolas), *Cordon, Combloux, St-Gervais.* **Chapelle :** *Assy* (tapisseries de Lurçat). **Chartreuses :** *Mélan* (XVe) à *Taninges*, le *Reposoir.* **Bourg fortifié :** *Yvoire* (XIVe s.). **Musées :** *Arraches-les-Carroz* (horlogerie), *Vinz-en-Sallaz, Les Gêts* (ski et musiques mécaniques), *Servier* (de la cloche, fonderie Paccard), *Seynod* (des 3 guerres). **Mine de sel :** *Bex.* **Jardins :** sentier de la Plaine de Joux (2 000 ha), jardin alpin de la Jaÿsinia à Samoëns (créé par M.-Louise Cognacq-Jay). **Ponts :** de la *Caille* (1838 ; sur le canyon des Usses, 150 m), *l'Abîme* sur le Chéran (1887, 95 m de haut). **Festivals :** *Annecy* (cinéma), *Avoriaz* (film fantastique), *Évian* (musique), *St-Gervais* (humour et théâtre).

LA FRANCE OUTRE-MER

☞ Voir **Francophonie** à l'Index.

HISTOIRE DE LA COLONISATION

XVIe s. Sous François Ier, expédition en Amérique du N. de l'Italien Verrazano (1524), puis du Français Jacques Cartier (1534), qui prend possession du Canada. Expéditions au Brésil, dans la baie de Guanabara [(1555-67, dirigées par Nicolas de Villegaignon (1510-71)], puis de Maranhão (1594-1615). Jean Ribault (1520-65) et René de Laudonnière (?-1572) fondent Fort-Caroline, en Caroline du Sud (du nom de Charles IX) (1562-65).

Du XVIIe au début du XIXe s. **1604 :** Pierre de Monts et Samuel Champlain fondent une colonie en Acadie (Nlle-Écosse actuelle). **1608 :** Champlain s'installe au Québec (Montréal fondé en 1642). **1635 :** Cie des îles d'Amérique occupe Guadeloupe et Martinique. **1642 :** Cie française des Indes orientales fonde Fort-Dauphin à Madagascar. **1659 :** St-Louis du Sénégal fondé. **1664 :** Colbert crée la Cie des Indes occidentales et la Cie des Indes orientales (par actions) pour étendre les colonies et développer leur activité. **1668 :** comptoir en Inde, à Súrat (près de Bombay). **1674 :** abandon de Madagascar, installation dans l'île Bourbon (Réunion actuelle) et l'île de France (île Maurice actuelle). **1682 :** Cavelier de La Salle s'empare de la Louisiane. **1701 :** Pondichéry principal établissement fr. de Yanaon, Masulipatnam (1750-59 ; on disait alors Masulipatam, Chandernagor). **1714 :** Fr. cède Terre-Neuve, Acadie et baie d'Hudson à l'Angl. **1719 :** la Nouvelle-Orléans occupée. **1741-59 :** Dupleix conquiert Deccan (Inde), finalement cédé à l'Angl. **1763 :** Fr. perd Canada (70 000 Français), Louisiane, Dominique, St-Vincent, Tobago, Grenade et Sénégal ; elle garde 5 comptoirs en Inde, St-Domingue, Martinique, Guadeloupe, Mascareignes (îles Bourbon et de France). **1764 :** échec d'une tentative de peuplement en Guyane. **1783 :** comptoirs du Sénégal et Tobago rendus à Fr. **1794 :** la Convention abolit l'esclavage (rétabli par Bonaparte). **1798-1801 :** expédition d'Égypte. **1802 :** Espagne rend la Louisiane à la Fr. **1803 :** Louisiane vendue aux USA **1808 :** Fr. chassée de St-Domingue. **1814 :** Fr. cède Tobago, Ste-Lucie et l'île de France à l'Angleterre.

Sous Louis-Philippe. **1830** 5-7 : prise d'Alger. **1832-47 :** soulèvement d'Abdel-Kader en Algérie. Établissements Côte-d'Ivoire (Assinie et Grand-Bassam, 1842), Gabon (1839-43), Nossi-Bé (Madagascar, 1840-41), Mayotte (1843), Tahiti (1842-43).

IIe République. **1848,** 3-4 : 2e abolition de l'esclavage ; 9-12 l'Algérie forme 3 départements français.

2e Empire. **1853 :** Nlle-Calédonie annexée. **1857 :** Grande Kabylie occupée en Algérie. **1854 :** début de la conquête du Sénégal fondé par Faidherbe (f. de Dakar en 1857). **1862-67 :** Cochinchine conquise. **1863 :** protectorat sur Cambodge.

IIIe République. **1873 :** Francis Garnier (1839-73) conquiert delta tonkinois. **1880 :** protectorat sur Congo (Bangui fondé 1889). **1881 :** prot. sur Tunisie. **1883-84 :** Pierre Savorgnan de Brazza (Rome 1852-Dakar 1905) colonise Gabon. **1885 :** Chine abandonne Tonkin et Annam à Fr. **1880-95 :** Joseph Gallieni (1849-1916 ; Mal de Fr. à titre posthume 1921) conquiert Soudan (Mali actuel). **1888 :** fondation de Djibouti, puis de la Côte fr. des Somalis. **1891 :** Niger occupé. **1893 :** Guinée détachée du Sénégal ; Côte-d'Ivoire et Dahomey créés ; protectorat sur Laos reconnu par le Siam. **1896 :** Madagascar occupé. **1899 :** Hte-Volta conquise ; la mission Marchand s'installe à Fachoda, sur le Nil, puis cède la place aux Anglais. **1904 :** fondation de l'Afr. Occidentale fr. (capitale : Dakar). **1897-1912 :** Tchad conquis. **1906 :** condominium Fr.-G.-B. sur Nouvelles-Hébrides. **1907 :** Siam restitue au Cambodge ses 3 provinces occidentales. **1910 :** fondation de l'Afr. Équatoriale fr. (capitale : Brazzaville). **1912 :** protectorat sur Maroc. **1919 :** mandat sur Cameroun, Togo, Grand-Liban et Syrie. **1934 :** dernière insurrection du Maroc.

HISTOIRE DE LA DÉCOLONISATION

■ 1941-46 : Syrie et Liban indépendants. **1944 :** 30-1/5-2 *conférence de Brazzaville* prévoit notamment la représentation des peuples d'outre-mer au Parlement et la création d'assemblées locales ; 7-3 élargissement de l'octroi aux musulmans alg. de la citoyenneté fr. **1945 :** 8-5 soulèvement de Sétif (Algérie) ; 2-9 Hô Chi Minh proclame la Rép. dém. du Viêt-nam (début de la g. d'Indochine en 1946) ; 22-12 décret supprimant le « statut de l'indigénat » ; 25-12 création du franc CFA **1946 :** 13-10 vote de la nouvelle Constitution : l'Empire colonial devient l'*Union française ;* 18/20-10 fondation à Bamako du Rassemblement démocratique africain (RDA) ; 10-11 élection de 5 membres du MLTD (Messali Hadj) au collège des non-citoyens de l'Ass. nat. **1947 :** 30-3 insurrection réprimée à Madagascar ; 4-8 création du Gd Conseil de l'AOF (8 membres) et du Gd Conseil de l'AÉF (6 membres) ; 27-8 *statut de l'Alg.* (13 départements avec Ass. alg.) ; 11-10/3-11 élections à l'Ass. de l'Union fr. **1949 :** Fr. reconnaît l'*indépendance du Viêt-nam.* **1949-50 :** *Cambodge* et *Laos* deviennent des *États indépendants associés* (indépendance totale 1953).

■ 1950 : 28-1/3-2 Côte-d'Ivoire agitation pour la libération des leaders du RDA emprisonnés. **1952 :** 30-3 élections des Ass. territoriales d'AOF, AÉF, Cameroun, Togo, Madagascar ; 22-11 Code du Travail outre-mer. **1954 :** 21-7 *fin de la g. d'Indochine ;* 1-11 *début de la g. d'Algérie ; id.* cession à l'*Inde* des comptoirs fr. **1955 :** 22/26-5 Cameroun émeutes anti-fr. ; 29-5 Tunisie autonomie interne ; 18-11 collège électoral unique (pour Fr. et Afr.) dans 41 villes d'Afr. et de Madagascar. **1956 :** 2-3 *indép. du Maroc ;* 20-3 de la *Tunisie ;* 28-4 le *S.-Viêt-nam quitte l'Union fr. ;* 20-6 autonomie interne des États et territoires de l'Union franç. ; suffrage universel et direct ; 30-8 *indép. du Togo.* **1957 :** 20-1 rupture entre syndicats afr. et centrales fr. ; 31-3 élections au suffrage univ. des collèges uniques ; 25/30-9 revendications de l'autonomie interne pour AOF et AÉF (projet abandonné mai 1958). **1958 :** nouvelle Constitution : la *Communauté* remplace l'Union fr. *Indép. de la Guinée ;* les autres membres africains de la Communauté deviennent États autonomes. **1960 :** *indép. des États afr. et de Madagascar.* **1962 :** *indép. de l'Algérie.* **1974 :** *indép. des Comores* (mais Mayotte la refuse). **1977 :** 27-6 indép. du territoire des *Afars et des Issas.* **1985 :** troubles en Nouvelle-Calédonie. **1989 :** statuts nouveaux.

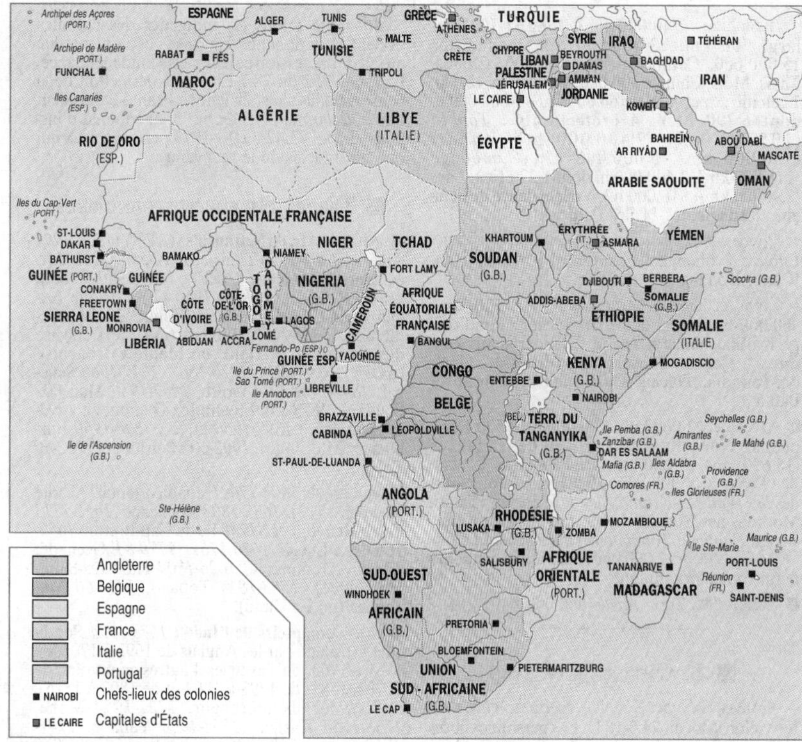

Organisation

L'empire colonial entre les 2 guerres

La plupart des pays et territoires sont des colonies ou des protectorats. Les pays d'Afrique noire sont regroupés en 2 fédérations, l'Afrique occidentale française (AOF) et l'Afrique-Équatoriale française (AEF) ; les pays de l'Indochine sous souveraineté française sont regroupés sous l'autorité du Gouvernement général de l'Indochine.

Ces pays et territoires dépendent du ministère des Colonies [sauf Algérie (m. de l'Intérieur), Tunisie, Maroc, Liban et Syrie (m. des Affaires étrangères)], et sont administrés par décrets. A la tête de chaque colonie est nommé un gouverneur qui a sous son autorité des administrateurs.

L'Union française

Créée par la Constitution de 1946. Comprend : 1°) *la République française :* a) France métropolitaine ; b) départements et territoires d'outre-mer [les habitants sont citoyens français, élisent des représentants aux assemblées françaises (droit de vote limité à une partie de la pop., double collège dans certains territoires)] ; 2°) *les territoires* (pays sous tutelle) et *États associés* (ont leur nationalité et leur système politique propres ; ils peuvent envoyer des délégués au Haut Conseil de l'Union ; Viêt-nam, Cambodge et Laos ont eu ce statut). **Organes.** *Président* (Pt de la Rép. fr.), *Assemblée* (composée d'un nombre égal de conseillers représentant la métropole, et de c. représentant DOM et TOM, pays membres de l'Union et États associés ; elle a l'initiative des lois et un pouvoir consultatif ; rôle effectif réduit), *Haut Conseil* (assemblée de diplomates).

La Communauté

Créée par la Constitution de 1958 (titre XII), elle remplace l'Union française. Le titre XII est soumis à référendum dans chaque État et TOM (Madagascar et pays d'Afrique noire, sauf Somalie française) ; seule la Guinée vote non et devient indépendante. La Communauté est une association entre les États indépendants totalement souverains, la Rép. française (France métropolitaine, départements algériens et sahariens, 4 DOM et 6 TOM) et 12 États dotés de l'autonomie interne (ils s'administrent et gèrent librement leurs affaires intérieures).

Organes. *Pt* (Pt de la Rép. fr.), *Conseil exécutif* (Premier ministre fr., chefs des gouv. des autres États, ministres divers), *Sénat* essentiellement consultatif (représentants des Parlements de chaque État). *Cour arbitrale.* Les institutions communes ont un domaine de compétence générale (politique étrangère, défense, monnaie, pol. écon. et fin. commune, et matières 1res stratégiques) et des domaines de compétence particulière.

Évolution. A partir de 1960, tous les États ont progressivement acquis leur pleine souveraineté. Des accords bilatéraux et multilatéraux de coopération ont été signés entre la France et les autres États.

Départements et territoires d'outre-mer

☞ Dépendent d'un ministre des DOM-TOM.

■ **Départements d'outre-mer (DOM).** Martinique, Guyane, Guadeloupe et Réunion dep. 1946 [devenues, depuis la loi du 31-12-1982, les DOM (sauf St-Pierre-et-Miquelon) et transformées en régions mono-départementales]. **Statut :** collectivités territoriales de la République ; leur régime législatif et leur organisation peuvent être adaptés aux particularités locales.

Conseil régional (à côté du conseil général, maintenu), élu au suffrage universel et à la représentation proportionnelle (répartition des restes à la plus forte moyenne). Compétences : générales (dévelop. écon., soc., culturel et scientifique, aménagement du territoire) et spécifiques (peuvent créer des agences) ; peuvent aussi proposer des modifications de lois au règlement sur les compétences et l'organisation de la région, donner leurs avis sur les problèmes de coopération. **Comités consultatifs :** *c. écon. et soc., c. de la culture, de l'éducation et de l'environnement.*

■ **Territoires d'outre-mer (TOM).** Nouvelle-Calédonie, Wallis-et-Futuna, Polynésie franç., Terres australes et antarctiques franç. **Statut :** partie intégrante de la Rép. franç., leurs ressortissants sont citoyens français. **Organes :** *Conseil de gouvernement* et *Assemblée territoriale* élus, *haut-commissaire* représentant la Rép. élisent des représentants au Parlement et au Conseil écon. et social. En *N.-Calédonie :* congrès et comité consultatif, *Polynésie :* gouv. et ass. territoriale.

■ **Collectivités territoriales.** *Mayotte* dep. 1976 et *St-Pierre-et-Miquelon* dep. 1985. *Commissaire de la Rép.*

Statistiques

■ **Budget du ministère des Départements et Territoires d'outre-mer** (en millions de F). 3. **Crédits :** *1985 :* 1 369,51 (0,14 % du budget de l'État) ; *90 :* 2 062,32 (0,16) ; *93 :* 2 392,41 (0,17) [dont *dépenses ordinaires* 1 260,30 (dont titre III 845,35, IV 414,95) ; *dép. en capital* CP 1 132,11 (dont titre V 72,23, VI 1 059,88). **Autorisation de programme** (1993) : 1 233,15 (dont titre V 72, titre VI 1 161,15)].

Légende. Titre III : moyens des services. *IV :* interventions publiques. *V :* investissements exécutés par l'État. *VI :* subventions d'investissement accordées par l'État. Grands fonds d'investissements Fides et Fidom [fonds de développement de l'O.-Mer : 3 sections : 1 générale (action directe de l'État) et 2 décentralisées (régionale et départementale) dont les crédits sont directements versés au budget d'investissement des collectivités territoriales concernées.

■ **Crédits du Fidom** (en millions de F, 1993). *Autorisations de programme :* 554,15 (dont section générale 413,15, régionale et départementale 141). *Crédits de paiement :* 537,52 (dont générale 402,72, rég. et dép. 134,80).

Dotation de la section générale : permettra de financer les engagements pris pour l'exécution de la dernière tranche annuelle des contrats de plan en apportant le solde correspondant à la part du ministère des DOM-TOM pour la réalisation de ces contrats (123,5 MF). Elle permettra de poursuivre des actions structurantes selon 4 orientations : développement écon. dans les DOM avec attribution de primes d'équipement et d'emploi, désenclavement insulaire, notamment à St-Pierre-et-Miquelon et à Mayotte, aide aux constructions scolaires du 2e degré, exécution de programme Phèdre (33 MF en 1993).

■ **Effort global de l'État pour DOM-TOM** (en milliards de F, 1993). Dépenses civiles 36, militaires 5,16.

■ **Effectifs civils et militaires en fonction** (en 1993). 58 872.

Échanges extérieurs (en millions de F)

1991	Imp.	Exp.	Solde
Guadeloupe	9 250	679	– 8 571
Guyane	4 275	506	- 3 769
Martinique	9 666	1 509	– 8 157
Réunion	11 740	1 022	- 10 718
Total DOM	34 931	3 716	- 31 215

Population

1991	Pop. globale	– de 20 ans (%)	indice de fécondité
Guadeloupe	386 600	35,9	2,26 [1]
Guyane	114 900	42,7	3,38 [1]
Martinique	359 800	33	2,08 [1]
Réunion	596 600	39,9	2,62 [1]
Métropole	56 614 493	27,4	1,8 [2]

Nota. – (1) 1989. (2) 1990.

Demandeurs d'emplois à l'ANPE

Fin déc.	1986	1988	1990
Guadeloupe	30 174	29 176	29 358
Guyane	4 666	3 303	4 358
Martinique	36 555	32 087	26 762
Réunion	56 606	58 339	53 785

■ **Concours des fonds structurels européens.** Fonds social européen (FSE), Fonds européen d'orientation de développement régional (Feder).

Dotations allouées aux DOM (1989-93)

(millions d'écus)	Feder	Feoga	FSE	Total
Guadeloupe	79,3	23,2	63,4	165,9
Guyane	33,8	12,0	27,6	73,4
Martinique	78,4	20,0	66,1	164,5
Réunion	134,0	69,7	142,9	346,6
Total	325,5	124,9	300,0	750,4

Programme d'options spécifiques à l'éloignement et à l'insularité des départements d'outre-mer (Poseidom) adopté par le Conseil des ministres de la CEE

Territoires de l'Empire français (1939)

En 1939, le domaine colonial français formait un ensemble de 12 300 000 km² peuplé par 103 millions d'h., métropole comprise.

■ **Afrique. Afrique du Nord : 1 territoire partie intégrante de la France :** *Algérie* (terr. civils 207 480 km², 6 000 000 h. ; terr. du Sud 2 000 000 km², 542 000 h.). **2 protectorats :** *Maroc* (415 000 km², 5 420 000 h.), *Tunisie* (130 000 km², 2 400 000 h.).

Afrique Occidentale française (AOF) : 3 738 000 km², 14 576 000 h. [20 % de race blanche : Maures 400 000, Touaregs 250 000, Nomades, Peuls 2 000 000. Européens 23 000 (dont 14 500 Français fonctionnaires, militaires, chefs d'entreprise, commerçants, planteurs, etc.), 80 % de race noire dont Ouolofs 450 000 (Sénégal), Toucouleurs 250 000, Mandingues 2 800 000 (haute et moyenne vallée du Niger), Qonahais 150 000 (bouche du Niger), Mossis 2 200 000 (Niger, Côte-d'Iv.), Haoussas 500 000 (Est du Niger)]. **8 colonies :** *Sénégal* (192 000 km², 1 634 000 h.), *Mauritanie* (400 000 km², 324 000 h.), *Guinée française* (231 000 km², 2 240 000 h.), *Côte-d'Ivoire* (315 000 km², 4 000 000 h.), *Soudan* (923 000 km², 4 000 000 h.), *Niger* (1 200 000 km², 2 000 000 h.), *Dahomey* (122 000 km², 1 110 000 h.), *Haute-Volta* (370 000 km², 3 500 000 h.). **Territoire sous mandat** (dep. 1918) : *Togo français* (56 500 km², 750 000 h., 650 Européens).

Afrique Équatoriale française (AÉF) : 3 000 000 km², 3 500 000 h. dont Européens 5 000, et 4 colonies : *Gabon* [274 870 km², 400 000 h. (Pahoins et Pongués)] ; *Moyen-Congo* [240 000 km², 700 000 h. (Batékés, Bacongos)] ; *Oubangui-Chari* [493 000 km², 1 200 000 h. (Mandjas, Bayas, Barguirmens)] ; *Tchad* [1 248 000 km², 1 200 000 h. (Kotokos, Salamas, Ouaddaiens)]. **Territoire sous mandat :** *Cameroun* [439 800 km², 2 000 000 h. (dep. 1918 dont 3 000 Européens)].

Côte française des Somalis : 22 000 km², 86 000 h. (1 500 Européens dont 350 Français).

Madagascar : 592 356 km², 3 800 000 h. (Hovas et Betsiléos), 40 000 Européens dont 25 000 Français. **Dépendance :** Comores (2 185 km², 118 700 h.).

Réunion : (île française depuis 1642), 2 400 km², 187 000 h.

Iles du sud de l'océan Indien : (îles françaises depuis 1842), 7 216 km². Iles principales : *St-Paul, Amsterdam, Kerguelen, Crozet.*

■ **Amérique. Antilles françaises :** *Martinique* (1 100 km², 240 000 h.) ; *Guadeloupe* (1 800 km², 270 000 h.) ; *dépendances* (Marie-Galante : 520 km², la Désirade : 28 km², les Saintes : 48 km², St-Barthélemy : 27 km², St-Martin : 80 km² avec la Frégate et Tintamarre). **Guyane** [90 000 km², 30 000 h. (Indiens, Noirs importés, Créoles, Blancs)]. **St-Pierre-et-Miquelon** (26 et 185 km², 4 000 h.) ; 240 km² avec quelques îlots : l'île aux Chiens (280 h.), le Grand-Colombier, l'île aux Vainqueurs, etc. **Clipperton** (5 km², inhabité ; Pacifique, à 1 300 km du Mexique).

■ **Asie. Proche-Orient : 2 pays sous mandat :** *Liban* (10 500 km², 628 000 h.), *Syrie* (171 600 km², 3 000 000 h.).

Indochine : 740 000 km², long. 1 700 km, larg. 700 km, 23 000 000 d'h. Annamites 15 000 000, Cambodgiens 2 500 000, Chams, Thaïs, Moïs, Chinois 300 000, Européens 42 000. **1 colonie :** *Cochinchine* (66 000 km², 7 800 000 h. dont 6 790 Fr.) ; **4 protectorats :** *Tonkin* (105 000 km², 7 400 000 h.), *Annam* (150 000 km², 5 000 000 h.), *Cambodge* (175 000 km², 2 400 000 h. dont 1 270 Fr.), *Laos* (214 000 km², 818 000 h.). **1 dépendance de l'empire d'Annam,** les 11 îles *Paracels.*

Concessions françaises et territoires à bail : *Chine :* à Shanghai, Canton, T'ien-Tsin, Han-K'eou, Kouang-Tcheou-Wan.

Établissements français de l'Inde : 520 km², 300 000 h. (dont 1 600 Fr.). *5 villes :* Pondichéry, Karikal, Yanaon, Mahé, Chandernagor. *9 enclaves :* Calicut, Masulipatam, Balassar, Goréty, Jouqdia, Dacca, Cassimibazar, Surate et Patna.

■ **Océanie.** 23 000 km², 100 000 h., 4 500 Européens. **Nouvelle-Calédonie** et dépendances (18 650 km², 57 000 h.). **Établissements français de l'Océanie** (4 000 km², 32 000 h.)., protectorat des *îles Wallis-et-Futuna ; îles de la Société* (Tahiti, Moorea, îles Sous-le-Vent) ; archipels des *Marquises, Gambier, Tuamotou et îles Toubouai.* **Nouvelles-Hébrides** (12 000 km², 60 000 h.), condominium franco-britannique.

■ **Antarctide.** *Terre Adélie* 900 000 km².

Statut des indigènes

Antilles, Guyane, Réunion, St-Pierre-et-Miquelon : selon la loi du 24-3-1833. Les personnes libres étaient régies par le code civil et avaient le droit de vote. **Colonies acquises après 1833 :** les indigènes ayant conservé leur statut civil personnel n'étaient pas citoyens français et ne possédaient pas de droits électoraux (exceptions : *Inde, Sénégal* après la loi du 29-9-1916). Les indigènes pouvaient accéder à la citoyenneté française par mesure individuelle (pour l'AÉF, décret du 6-9-1933).

L'indigénat en Afrique noire [système supprimé en 1945 (en AEF décret du 22-12)]. Les indigènes non-citoyens étaient sujets français. Dep. une ordonnance du 7-9-1840, ils étaient soumis à un régime spécial de sanctions administratives sans intervention judiciaire. Les chefs de circonscription et de subdivision pouvaient infliger des peines de simple police (15 F d'amende et 5 j de prison). Le gouverneur général pouvait prononcer des internements et assignations à résidence (décrets du 31-5-1910 et du 15-11-1924).

Les indigènes étaient jugés au civil et au pénal par des tribunaux indigènes appliquant les coutumes locales (sauf celles contraires *« aux principes de la civilisation française »*). L'administrateur du lieu présidait le tribunal, assisté de 2 assesseurs indigènes. La justice fut supprimée (matière pénale) par décret du 30-4-1946 ; subsista en matière civile.

Notables évolués : un décret de De Gaulle du 29-7-1942 fixait leur statut. Désignés individuellement, ils échappaient aux peines de l'indigénat.

Réformes de 1946 : la loi du 7-5-1946 et l'article 80 de la constitution du 27-10-1946 accordèrent la citoyenneté française à tous les ressortissants des TOM sans distinction de statut. Mais il y eut (jusqu'à la loi-cadre du 23-6-1956) 2 *collèges électoraux* distincts, l'un pour les citoyens de statut français, l'autre pour les citoyens de statut personnel.

Nationalité : tous les indigènes des colonies avaient la nationalité française. Ils l'ont perdue du fait de l'accession de leur pays à l'indépendance. La loi 60.752 du 28-7-1960 leur permettait de la conserver s'ils s'installaient en France et faisaient une *« déclaration recognitive »* au tribunal d'instance. La loi 73.42 du 9-1-1973 permet à ceux qui ont été français de le redevenir.

Terres qui furent françaises

■ **Afrique. Afr. du N. française (AFN) :** *1830-1962* Algérie, *1881-1956* Tunisie, *1912-56* Maroc. **Afr. équatoriale française (AÉF) :** *1839-1960* Gabon, *1891-1960* Congo, *1896-1960* Centrafrique (ex-Oubangui-Chari), *1899-1960* Tchad, *1919-60* Cameroun. *1884-1977* **Djibouti** (ex-Côte française des Somalis). **Afrique occidentale française (AOF) :** *1638-1758, 1770-1807, 1817-1960* Sénégal, *1842-1960* C.-d'Ivoire, *1857-1960* Mali (ex-Soudan), *1893-1960* Bénin (ex-Dahomey), *1893-1958* Guinée, *1897-1960* Niger, *1898-1960* Burkina (ex-Hte-Volta), *1902-60* Mauritanie, *1922-60* Togo.

■ **Amérique.** *1604-1763* Canada oriental (Acadie jusqu'en 1713), *1682-1803* Louisiane, *1655-1713* Terre-Neuve, *1612-1758* Ile du Cap-Breton, *1650-1803* Ste-Lucie, *1650-1762, 1779-83* Grenade, *1748-59* Dominique, *1626-1804* Haïti (ex-Saint-Domingue), *1783-1814* Tobago, *1764-66* Malouines (ou Falkland).

■ **Asie. Comptoirs de l'Inde :** *1673-1954* Pondichéry (occupé par les Anglais de 1693 à 1701, de 1761 à 1763, puis avec les 4 autres comptoirs, de 1778 à 1783, de 1793 à 1802 et de 1803 à 1816), *1686-1951* Chandernagor, *1721-1954* Mahé, *1738-1954* Karikal, *1751-1954* Yanaon. *1742-1763* Inde. *1868-1936* Cheikh-Saïd. *1898-1943* Kouang-Tchéou-wan. *1885* Iles Pescadores. *1920-43* Liban. *1920-45* Syrie. **Concessions dans villes chinoises :** *1858-1943* Canton, *1862-1946* Shanghai, *1896-1943* Hankéou, *1842-1943* His-men (ou Amoy), *1858-1943* Nankin, *1858-1943* Tien-tsin. **Indochine :** *1883-1954* Tonkin, *1884-1954* Annam, *1859-1954* Cochinchine, *1863-1954* Cambodge, *1893-1954* Laos.

■ **Europe.** *1066* Anglo-Normandes. *1756-63* Minorque, *1798-1800* Malte, *1797-99, 1807-09* Iles Ioniennes.

■ **Océan Indien.** *1742-1810* Iles Seychelles, *1769-1794* Iles Amirantes, *1843-1975* Comores (colonie 1912), *1883-1960* Madagascar (colonie 1896), *1715-1814* Maurice (ex-Ile de Fr.).

■ **Pacifique.** *1887-1980* Vanuatu (ex-Nouvelles-Hébrides, condominium franco-britannique).

Terres françaises en 1993

■ **Amérique.** *Dep. 1635 :* Guadeloupe, Martinique. *Dep. 1637 :* Guyane. *Dep. 1648 :* partie nord de l'île St-Martin et St-Barthélemy. *1604-1713, 1763-78, 1783-93, 1802-03, dep. 1814 :* St-Pierre-et-Miquelon.

■ **Antarctique.** *Dep. 1840 :* Terre Adélie.

■ **Océan Indien.** *Dep. 1638 :* Glorieuses, La Réunion. *Dep. 1772 :* îles Crozet, Kerguelen. *Dep. 1776 :* île Tromelin. *Dep. fin XVIIIᵉ s. :* îles St-Paul et Nelle-Amsterdam. *Dep. 1843 :* Mayotte.

■ **Pacifique.** *Dep. 1837 :* îles Wallis-et-Futuna. *Dep. 1842 :* îles Marquises, Tahiti, Moorea, îles du Vent. *Dep. 1843 :* îles Tuamotu, Australes ou Tubuaï. *Dep. 1844 :* îles Gambier. *Dep. 1853 :* Nelle-Calédonie. *Dep. 1858 :* île Clipperton. *Dep. 1887 :* îles Sous-le-Vent.

le 22-12-1989. Desserte aérienne : productions agricoles et dérivés, approvisionnement. Financement : par fonds structurels et initiatives communautaires (Stride, Envireg ou Regis).

TOM

Crédits consacrés aux TOM. Crédits du ministère aux DOM-TOM. *1992 :* 858,8.

Crédits du Fides (1991). *Section générale :* 486,5. *Répartition :* 141,34. Nouvelle-Calédonie 31,5, Polynésie 74,5, Wallis-et-Futuna 13,3, TAAF (hors transferts 1991) 16,6, Iles fr. de l'océan Indien 0,81, opérations communes 4,7, coopération régionale 6. *Section des territoires :* 28 480.

Interventions des ministères techniques (1992). 8 349,7 dont *dépenses : civiles* 5 758,3 (dont enseignement scolaire 2 526,3, DOM-TOM 815,8, économie, fin. et budget 778,2, intérieur 667,9, justice 193,7, aff. sociales et intégration 183,2, budget annexe de l'aviation civile 173,3, agriculture et forêt 86,4, enseignement supérieur 59,3, Anciens combattants 55,3, météo 44,4, urbanisme, logement et services communs 27,9). *Militaires :* 2 591,4.

Dépenses civiles et militaires TOM

(en millions de F)	civiles	milit.	Total
Nouvelle-Calédonie	2 689	948	3 637
Polynésie française	3 737	1 661	5 398
Wallis-et-Futuna	213	4	217
TAAF	14	7	21
Total	6 653	2 620	9 273

Terres Australes et Antarctiques françaises

V. légende p. 884.

■ **Statut. 1924** rattachées à Madagascar. Territoire d'O.-M. français dep. 6-8-1955 (autonomie administrative et financière, siège provisoire à Paris). *Administrateur supérieur* (Christian Dors dep. 4-12-91) assisté d'un *Conseil consultatif* de 7 m. nommés par le Gouv. pour 5 a. et d'un *Comité scientifique* de 12 m. ; dep. 1982, *Comité de l'environnement,* créé nov. 1982, 15 m. *Base de recherche :* rayons cosmiques, ionosphère, radioélectr. naturelle, magnétisme, physico-chimie de l'atmosphère, aurores et ciel nocturne, glaciologie, météo, séismologie, biologie terrestre et marine, stations de réception des satellites. Le 13-1-1992, création d'un Institut franç. pour la recherche et la technologie polaires-Expéditions P.-E. Victor (Groupement d'intérêt public). *Zone économique :* de 200 milles autour des îles dep. 3-2-1978. *Desserte régulière :* 4 navires [« Marion Dufresne », « l'Astrolabe » (civils), l'« Albatros » et « la Curieuse » (surveillance milit.)]. **Budget** en millions de F, 1993 : 131,7. **Population.** 183 h. l'hiver, 200 l'été.

4 Districts

■ **Adélie (Terre).** Partie française de l'Antarctique. Entre 136° et 142° de long. E. *Distances* (km) : Tasmanie 2 700, Kerguelen 4 260, La Réunion 7 660, Afrique 7 970. 432 000 km² (terre ferme), 589 892 avec les terres revendiquées. Plateau recouvert de glaciers s'élevant à 2 000 m (à 200 km de la côte) et 3 000 m (au pôle). Près de la côte se réfugient l'hiver des manchots empereurs. **Histoire. Base permanente :** *Dumont-d'Urville* (près du pôle magnétique Sud, sur l'archipel de Pointe-Géologie), 34 chercheurs et techniciens ; gérée par les Expéditions polaires fr. (40e expédition en 1989-90). **1840**-*18-1* découverte par le cap. de vaisseau (plus tard amiral) Dumont d'Urville (1790-1842), qui lui donne le prénom de sa femme. **1924**-*21-11* rattachée à Madagascar. **1925** parc national. **1950**-*3-2* Max Douguet (cap. de vaisseau) en prend possession au nom du gouv. **1950-51-52** expéditions (Paul-Émile Victor, n. 28-6-07, s'y rend quelques semaines d'été austral, 1re fois en 1956). **Bases scientifiques :** Port-Martin (détruit par le feu 14-1-52). **1989** affrontement entre ouvriers construisant un aérodrome à usage restreint et 15 militants de Greenpeace venus avec le Gondwana les en empêcher. **1993** mise en service d'une piste aérienne.

☞ **Projet** *de base scientifique* (igloo sur pilotis), construction à partir de 1994 sur le Dôme Concorde (3 250 m d'alt., à 1 000 km des côtes, en zone australienne). Coût : 50 millions de F. L'accès au Dôme C était avant limité (nov. à févr., été austral, à 75 j., dont 50 de trajet).

■ **Crozet (îles). 20 îles** dont *île aux Cochons* (ou Hog) 65 km², *des Apôtres, des Pingouins, de la Possession* (146 km²) et *de l'Est* 80 km². Réserve d'oiseaux de mer (albatros, pétrels géants, manchots). 35 h. **Base permanente :** (dep. 1964) Alfred-Faure, île de la Possession (*alt.* 120 m, 37 scientifiques). **Histoire : 1772**-*24-1* découvertes par Marion Dufresne (1729-92) qu'accompagnait son lieutenant Crozet, qui raconta l'histoire de l'expédition. **Distances** (km) : Kerguelen 1 480, Afrique 2 500, La Réunion 2 860, St-Paul et Amsterdam 2 900. 336 km².

■ **Kerguelen ou îles de la Désolation** (nom donné par Cook en 1776). 7 215 km². **Env. 300 îles** (la plus grande : Grande Terre, 6 675 km², long. 140 km). **Distances** (km) : St-Paul et Amsterdam 1 420, La Réunion 3 400, Afrique 3 900, Australie 4 100. 7 215 km². *Alt. max.* Mt Ross 1 850 m. **Climat :** frais l'été (7,4 °C moy.), doux l'hiver (2,6 °C), très humide. Vents d'ouest violents. **Flore :** pas d'arbres ; végétation (acaena, choux de Kerguelen). *Littoral :* algues gigantesques *(Macrocystis pyrifera).* **Faune :** lapins (introduits en 1878, ont ravagé les choux de K.) ; oiseaux de mer, manchots, éléphants de mer ; otaries décimées au XIXe s., réapparues dep. 10 ans ; moutons, rennes, mouflons (dep. 1950) ; eaux très poissonneuses (poissons des glaces Gunnari). **Base permanente** (dep. 1950) : Port-aux-Français. Alt. 15 m (76 h.). **Histoire : 1772**-*12-2* découvertes par Yves-Joseph de Kerguelen de Trémarec (1734-97). **1901** K. revendiqué par l'Australie. **1987** lieu d'immatriculation bis pour certains navires marchands français. **1993** station de poursuite de satellite.

■ **Amsterdam** (ou autrefois **Nouvelle-Amsterdam**) **(île).** Origine volcanique. *Distances* (km) : La Réunion 2 880, Australie 3 340, Afrique 4 350. 54 km². 35 h. *Alt. max.* 881 m. **Climat :** doux. **Faune :** oiseaux de mer. Bovidés sauvages. Otaries, langoustes (quota 1993 : 400 t). Aquaculture (saumon). **Base permanente** (dep. 1950), Martin-de-Viviès, 36 h. **Histoire : 1522** découverte par les compagnons de Magellan. **1843** prise de possession par le capitaine Dupeyraut.

■ **Saint-Paul** (île découverte en 1559 par les Portugais). 7 km² (14 avec la lagune). Volcan éteint (270 m) envahi par la mer. Vents violents quasi permanents : les quarantièmes rugissants. Langoustes. **Base intermittente :** *Martin de Viviès.*

Guadeloupe

V. légende p. 884.

Nom. De N.-D. de Guadalupe d'Estremadure (donné par Christophe Colomb pour remercier N.-D. de l'avoir sauvé d'une tempête). Les indigènes l'appelaient Calouacaera ou Karukera.

Situation. Archipel de 9 îles habitées dont 2 principales (Grande et Basse-Terre séparées par la Rivière salée) dans le groupe des îles du Vent. 1 780 km². **Distances de Pointe-à-Pitre** (km) : Paris 6 756, New York 2 969, Cayenne 1636, Caracas 862, Fort-de-France 196. **Climat** tropical adouci par les alizés (temp. moyenne 24 °C), plus frais sur les hauteurs. *Pluies* plus abondantes « au vent » que « sous le vent » ; 1,55 m à Pointe-à-Pitre. *Hivernage* 15 juill.-15 oct. (grosses pluies, cyclones).

Basse-Terre. (Guadeloupe proprement dite) 43 × 21 km. 848 km². *Côtes* 180 km. A 130 km de la Martinique. *Origine* volcanique, montagneuse [pitons et mornes (collines)], bouleversée par les éruptions successives, parsemée de falaises escarpées, de laves, d'éboulis, de vallées encaissées et de ravins. *Forêts* tropicales, bananiers. *Alt. max.* la Soufrière (volcan) 1 467 m. **Grande-Terre.** 590 km². *Côtes* 260 km. Surtout calcaire. Relief bas. Centre et Sud : petits mamelons. Canne à sucre. *Alt. max.* 135 m.

Population. *1686 :* 11 437, *1759 :* 50 643, *1790 :* 107 000, *1831 :* 119 663, *1852 :* 121 041, *1901 :* 182 112, *1936 :* 304 239, *1946 :* 278 464, *1954 :* 229 120, *1961 :* 283 223, *1967 :* 312 724, *1974 :* 324 530, *1982 :* 328 400, *1990-1-12 :* 387 034 (avant 1954 : recensements défectueux et majorés). Noirs, Mulâtres, Indiens, Créoles (Blancs nés aux Antilles, env. 12 000, dits Békés). **Métropolitains** env. 8 000. **Étrangers** 8 461 (Dominique 1 827, USA 1 361, Haïtiens 5 863), *1990 :* 25 000. **Age :** – *de 20 a.* 35,9 %, + *de 65 a.* 8,5 %. D 217,4. **Accrois. naturel** (1989) : 5 330 ; solde migrat. (de 1982 à 90) + 23 489 ; accrois. an. + 1 266. **Villes** (1990) : *Basse-Terre* 14 000 h. (ag. 52 600), Pointe-à-Pitre 26 029 (capitale écon., à 64 km) (ag. 141 300 h. dont Abymes 62 605). **Régions** (90) : côte sous le vent 25 350, côte au vent 47 565, Grande-Terre Nord 33 073, Marie-Galante 13 470, petites dépendances 4 650, îles du N. 33 560. **Émigration :** de 1971 à 1980 : 23 823 départs dont 1 586 en 80. Il y avait, en 1982, 378 015 G. en France dont Région parisienne 81 000.

Langues. Français (*off.,* 99 %), créole. Les G. originaires des îles anglaises parlent angl. (minorité). **Religions.** Catholiques, sectes protestantes.

Histoire. 1493-*3-5* découverte par Christophe Colomb à son 2e voyage. **1635**-*28-6* occupée par les Français Duplessis et L'Olive, représentant la Cie des Iles de l'Amérique créée sous l'égide de Richelieu. **V. 1640** les Caraïbes, habitées par les Arawaks que les Caraïbes élimineront, quittent l'île pour fuir les colons. **1666** la Cie des Indes occidentales lui succède, puis la vend à la Couronne de Fr. (1674). Prospère (canne à sucre introduite 1644 et cultivée par des esclaves africains importés). **Révolution** lutte entre planteurs et hommes de couleur. **1794** *avril* occupation angl. à Pointe-à-Pitre et Basse-Terre ; *juin* abolition de l'esclavage, annoncée par Victor Hugues, envoyé de la Convention, les planteurs se rapprochent des Angl., mais sont battus par Hugues soutenu par Noirs. **1802** rétablissement de l'esclavage, révolte réprimée par Gal Richepanse (28-5-1802 Delgrès se fait sauter avec 300 h.). **1810-14** et **1815-16** occupation angl. **1833**-*28-4* création d'un Conseil colonial. **1848** abolition de l'esclavage par Schoelcher ; effondrement de la production du sucre jusque v. 1860 ; introduction de salariés hindous. **1871** représentée au Parlement fr. **1946**-*19-3* département. **1967**-*26-5* manif. autonomiste, 40 †. **1973** région fr. **1976** *août* crainte d'une éruption de la Soufrière, évacuation temporaire de 72 000 h. (15-8/1-12). **1979**-*3-9* cyclones Frédéric et *-29-10* David, 316 millions de F de dégâts. **1980** cyclone Allen. Attentats du GLA (Groupe de lib. armée). *Déc.* Pt Giscard en G. **1981**-*5-1* attentat du GLA contre Chanel à Paris. *-14-2* Max Martin, directeur d'une bananeraie, tué. *Printemps :* cyclone. **1983**-*28-5* 17 att. en G., Martinique, Guyane et Paris (j anniv. de la révolte de 1802). *-14-11* 6 att. de l'Alliance révol. caraïbe (ARC). 23 blessés à Basse-Terre. **1984**-*22-1* parti (LPG) créé par Lucette Michaux-Chevry, Pte du Cons. général. Plusieurs att. dont *15-1, 26-2* (14), *23-7 :* 4 † indépendantistes, *3-5* ARC dissoute. **1985** *févr.* Luc Reinette, indépendantiste condamné à 19 ans de prison (pour violence et attentats). *-7-3* L. Michaux-Chevry échappe à un att. *-13-3* att. 3 †. *-5/7-4* conférence « internat. des dernières colonies fr. » (indépendantistes des Dom-Tom). *-16-6* Reinette et 3 indép. s'évadent de la prison de Basse-Terre. *-22/28-7* émeutes pour libération de Georges Faisans (condamné à 3 ans de prison pour avoir blessé avec un sabre un enseignant métropolitain en oct. 84). *-29-7* Faisans libéré sous contrôle judiciaire. *-5/6-12* Pt Mitterrand en G. **1986** *mars* législatives ; mot d'ordre d'abstention indépendantiste, participation 47 %. *20-3* L. Michaux-Chevry secr. d'État à la Francophonie. **1987**-*1-7* 3 indépendantistes en fuite (Luc Reinette, Henri Amédien, Henri Bernard) constituent un « Conseil nat. de la résistance g. » contre « péril blanc ». *-21-7* Reinette, Amédien et H. Bernard remis à la Fr. par St-Vincent. *-25/30-11* 21 att. ARC. **1988** *sept.* tempête Gilbert. **1989**-*25-1* nuit bleue à Pointe-à-Pitre (25 ARC arrêtés en avril). *-20-4* affrontements à Port-Louis ; *mai* Reinette condamné à 33 ans de prison, puis amnistié 23-5. *-13-7* Reinette et 5 autres indépend. amnistiés rentrent. *-16/17-9* cyclone Hugo [vitesse : 19 km/h ; diamètre de l'œil : 37 km ; vents : 210 à 250 km/h (ouragan classe IV)]. Bilan : 5 †, 10 000 à 12 000 sans-abri ; destructions (%) : cultures de bananes 100, canne à sucre 65, logements 30. Reconstruction : coût : 1,7 milliard de F. **1992**-*17-7* loi sur l'octroi de mer abolissant le protectionnisme. *-26-11* retour au calme (on annonce que l'importation en métropole des bananes de Côte-d'Ivoire et du Cameroun sera contrôlée). **1993**-*1-1* suppression douane avec Martinique.

Statut. Dép. d'Outre-Mer dep. 19-3-46, *4 députés,* 1 RPR, 2 PS, 1 PC ; sénateurs : 1 PC, 1 PS. *Conseil régional :* 15 PS, 7 PC, 10 DVD, 2 RPR, 4 PPDG, 3 UPLG. *Pt de l'Ass. rég. :* Lucette Michaux-Chevry (RPR). *Conseil gén.* 42 m. *Comité écon. et social* 40 m. *Préfecture* Basse-Terre (J.-P. Proust). *Sous-préfectures :* Pointe-à-Pitre et Marigot (St-Martin). 34 *communes.*

Partis. *RPR,* Aldo Blaise. *UDF,* Simon Barlagne. *FGPS,* Georges Louisor. *PC de G.,* secr. gén. : Christian Céleste dep. 13-3-88. *P. progressiste démocr. g.,* créé 28-9-91 par env. 500 dissidents du PCG, leader : Henri Bangou. *UPLG (Union pop. pour la libér. de la G.)* f. 1978, Lucien Peratin, indépend. *Mouv. pour la G. indépend. (MPGI)* f. par Luc Reinette, Simone Faisans-Renac. *KLPG (Mouv. des chrétiens pour la libér. de la G.).*

Élections. Législatives 14-6-81 : *abst.* 75,56 % (voix PC 25,64 %, PS-MRG 24,20, UDF-RPR 46,98) ; *élus* 1 app. PS, 1 PS, 1 app. UDF **16-3-86 :** *abst.* 52,43 % (voix RPR 35,46, PS 27,8, PC 23,52, UDF 10,98, div. g. 1,24, FN 0,68, Écolo. 0,29) ; *élus* PC 1, PS 1, div. droite 2. **12-6-88 :** *abst. 61,38 % (voix maj. P-PS 35,17, URC-RPR et app. 26,64, PC et app. 26,46, diss. RPR 11,73 ; élus* PS 2, PC 1, URC app.-RPR 1. **21-3-93 :** *abst.* 56,25 % (voix maj. p. 36,98, UPF 25,35, div. d. 14,67, div. g. 11,84, PC 7,82, div. 3,13, ext. g. 0,16) ; *élus* PS 1, PPDG 1, div. d. 1, RPR 1.

Régionales 16-3-86 : abst. 53,19 %, RPR 33,09 (8 élus + divers droite 8), PS 28,65 (11), PC 23,77 (8), UDF 10,71 (3), div. g. 2,36, extr. 1,41. **22-3-92 :** Objectif Guadeloupe 29,27 % (15 s.), PS 17,46 (9), PC 16,62 (8), PS dissidents 15,38 (7), UPLG 5,49 (2), divers 15,78 (0) ; annulées par le Conseil d'État le 4-12-92. **31-1-93 :** abstentions 54,06 %, voix obtenues (%) : RPR/DUD 48,30, FGPS 17,09, FRUI.G (dissidents PS) 7,44, PPDG 8,90, UPLG 7,75, PCG 6,05. **Cantonales 25-9/2-10-88 :** 13 socialistes, 9 communistes, 1 extr. g., 4 divers g. sur 36 s. (7 divers d., 2 UDF). **Mars 92** (sur 43 cantons) : FRUI.G 13 s. RPR/DUD 13, PPDG 8, FGPS 3, PCG 3, UPLG 1, PSG 1, sans étiquette 1.

Éducation (1989-90). *1er degré* 59 170 (dont privé : 5 370), *2e degré* 51 858 (5 487). **Établissements** (1990-91) : *primaires et maternelles* 341, *collèges* 50, *LEP* 24, *lycées* 15.

Dépendances

La Désirade. Rocher calcaire. 20 km² (11 km × 2). *Côtes* 30 km. A 10 km de Grande-Terre. *Alt. max.* 276 m. 1 610 h. *Chef-lieu : Grande-Anse.* Pêche. *Découverte* 1493. Jusqu'en 1952 : refuge de lépreux.

Les Saintes. Ilots volcaniques ; pas de cours d'eau. 13 km². A 12 km de Basse-Terre. 8 îles (dont *Terre-de-Haut :* long. 4 × 0,6 à 3 km). *Alt. max.* (Morne du Chameau) 309 m. *Terre-de-Bas :* long. 4 km ; 3 036 h. (beaucoup descendent de marins bretons). Pêche. Tourisme. Belle rade. *Découverte* 1493. Occupée par les Fr. dep. 18-10-1648.

Marie-Galante (nom dérivé de la caravelle de Christophe Colomb). 158 km² (en cercle, diam.

15 km). *Côtes* 83 km. A 26 km du S.-E. de Basse-Terre. Calcaire. *Alt. max.* 204 m. 13 470 h. *Découverte en 1493. Villes : Grand-Bourg* 6 244 h. (écomusée de l'anc. habitation Murat XVIe s.), Capesterre 3 825 h., St-Louis 3 404 h. Canne à sucre. Élevage. Rhum (distillerie du Père Labat à Poisson).

Saint-Barthélemy. Ile de formation volcanique. 21 km². *Côtes* 32 km. A 205 km de la G., 29 km de St-Martin, 150 km de St-Thomas. *Alt. max.* 281 m, pas de cours d'eau. *Population* [descendants de Fr. venus aux XVIIe et XVIIIe s. des provinces de l'Ouest (Poitou notamment)] : *1782 :* 739 hab. (458 Bl., 281 N.), *1815 :* 6 00, *1835 :* 2 60, *1986 :* 3 059 (Bl. 95 %), *1990 :* 5 038. *Chef-lieu : Gustavia.* **Histoire :** *1493-24-8* Christophe Colomb découvre l'île. *1629* quelques mois, colonisation par gouverneur de St-Christophe. *1651* vendue à l'ordre de Malte. *1656* Indiens Caraïbes chassent colons. *1659* une trentaine de colons se réinstallent. *1665* achetée par C. des Indes occid. *1847* esclavage aboli, Noirs partent. *1784-8-7* Fr. la cède au roi de Suède contre des avantages commerciaux à Göteborg (et pour obtenir du roi de S., Gustave III, son consentement au mariage du Bon de Staël avec Germaine Necker). *1877-10-8* Fr. la rachète 320 000 F (+ 80 000 F de dédommagement aux rapatriés suéd.). *Référendum :* 350 voix (contre 1) pour rattachement à la Fr. *1852* incendie de Gustavia. *XIXe-XXe s.* immigration d'env. 1 000 h. à St-Thomas. **Économie** : *zone franche. Tourisme* (résidences sec. de luxe) 22 plages, dont Colombier, Grande Saline et Grand-Fond. *Pêche.*

Saint-Martin (13 × 15 km). Ile à 250 km de la G., partagée avec les P.-Bas dep. 13-3-1648 (absence de frontière commune). *Climat* sec. **Partie française** (St-Martin) 53,2 km², côtes 72 km. *Alt. max.* Mt Paradis 424 m ; 28 518 h. dont 16 000 étr., chef-lieu *Marigot,* port franc. Presque toute la pop. parle anglais. Cédée aux Chevaliers de Malte *1651,* à la 2e Cie des Indes occid. *1665,* à la Couronne *1674.* **Partie hollandaise** (Sint Maarten) 1/3 (chef-lieu *Philipsburg*). *Paradis fiscal :* pas de douanes, de TVA, d'impôt direct, de norme française obligatoire ; comptes bancaires à numéros. *Zone franche. 1990-mai,* 350 kg de cocaïne saisis dans un avion. *-27-9* le conseil municipal de St-Martin (partie fr.) refuse l'installation de douaniers décidée par le gouv. *1991-27-11,* 551 kg de cocaïne saisis. *Tourisme. Élevage.*

Iles de la Petite-Terre. 1,7 km². *Alt. max.* 10 m.

Tintamarre. 1,2 km². *Alt. max.* 39 m.

■ Économie

PNB (1991) 8 400 $ par h. 80 % du PNB vient de l'apport de la métropole (transfert de fonds publics en 1983 : 5 milliards de F), l'État assure 50 % de la protection soc. **Pop. active.** (% et, entre parenthèses, part du PNB en %) agr. 15 (6), ind. 20 (9), services 65 (85). *Nombre* (1990) : 171 045 (dont au 30-9-92, 39 968 chômeurs). 36,1 % des hommes et 24,9 % des femmes travaillent. **RMI** (juin 91) 21 133. *Fonctionnaires :* métropolitains en trop grand nombre.

Budget (en millions de F). *État* (en 1989) recettes perçues 2 124 dont impôts et taxes assimilés 773, TVA 662, autres 74 ; dépenses 4 282. *Département* (1988) rec. 1 838, dép. 1 660 dont investissement 414, fonctionnement 1 246. *Communes* (1988) rec. 1 802, dép. 1 814 dont invest. 575, fonctionnement 1 239. *Région* (1988) rec. 911, dép. 892 dont invest. 352, fonctionnement 540.

Agriculture. Terres (en ha, 1989). SAU 46 740 [56 096 ha en 92] dont arables 29 517 [dont cult. ind. 16 952 (canne à sucre : 56 % des t. arables), fruitières 7 615 (bananes : 6 300 ha des terres arables, en 92), lég. 3 815, autres 1 135] ; surface en herbe 16 233 ; jardins familiaux 256 ; cult. florales 126 ; autres cult. 608. **Sucre** (canne récoltée et sucre extrait, en milliers de t) *1960 :* 2 000 ; *79 :* 1 111 (105) ; *80 :* 976 (92) ; *81 :* 788 (59) ; *82 :* 840 (72) ; *83 :* 613 (57) ; *84 :* 478 (42) ; *85 :* 520 (53) ; *86 :* 712 (65) ; *88 :* 871 (76) ; *89 :* 831 (78) ; *90 :* 334 (25) ; *91 :* 622 (55) ; *92 :* 483 (38). **Bananes** (milliers de t) : *1988 :* 140 ; *89 :* 93 ; *90 (cyclone) :* 84 ; *91 :* 111. **Cheptel** (milliers, en 1988/89) bovins 65,3, dont vaches 29,1, porcins 23 (dont truies mères 5,7), ovins 3,4, caprins 28,2 (dont chèvres mères 10,8), poules pondeuses 59,4, poulets 173,9, lapines-mères 5,2. **Abattages** (en t de carcasses produites, 1988) : bovins 3 012, porcins 2 824, (total : 4 770 en 1984), volailles 1 284, total 7 800. **Pêche** (1988) : 1 600 marins-pêcheurs, 1 065 navires immatriculés en 1986. Consom. locale 14 300 t en 1988. *Prises* (89) 8 360 t. **Rapport** (en millions de F, en 1983) 992 dont c. à sucre 160, bananes 160, autres végétaux 358, prod. animales 234.

☞ **Problèmes agricoles.** Rhum, sucre, bananes, ananas, stagnent alors que les importations augmentent de 15 % par an. La production n'est plus compétitive sauf subventions (souvent mal réparties) . *Prix de revient de la main-d'œuvre* 4 ou 5 fois plus élevé que dans les îles voisines (et jusqu'à 10 fois celui de Haïti). *Élevage :* échec faute d'éleveurs compétents. *Export.* ne couvrent que 25 % des import.

Énergie (1989). Importée pour 90 %, principalement hydrocarbures. *Électricité :* 30 % de la consommation ; 2 centrales thermiques à fuel [prix de revient du kWh (1986) : 1,40 F (France 0,42)] ; géothermie potentiel 15 à 20 MW (centrale de 4 MW à Bouillante ; eau à 240 °C à 320 m de profondeur) ; projet d'incinération de déchets à Pointe-à-Pitre (3 MW). **Industrie.** Rhum, boissons, sucrerie. **Mines. Transports.** *Routes* (en km, en 1985) : nationales 329, chemins départementaux 582, communaux 1 171. *Parc auto.* (en 1990) : utilitaires 29 683, particuliers 69 259, motos 2 968.

Tourisme. *Visiteurs* (1989) 320 000 dont (en %, en 1984) *France 66,* Europe 8,2, U.S.A. 17, Canada 6,8. *T. de croisière* (1991) : 318 bateaux et 282 355 passagers. *Séjour moyen* (1985) : 6,1 j. *Au 1-1-91 :* 5 353 chambres. Basse-Terre : parc naturel 13 000 ha. Parc national 17 000 (dep. mars 89), Pigeon (à 770 m).

Commerce (en milliards de F). **Imp.** *1983 :* 5 ; *84 :* 5,2 ; *85 :* 5,7 ; *86 :* 5,4 ; *87 :* 6,2 ; *88 :* 7,2 (dont en %) : biens de consom. 24,1, biens d'équip. profes. 16,9, IAA 16,7, autom. et pièces détachées 12,6, prod. chim. 10,4, métaux 7,2, prod. énerg. 4,7, autres produits 7,4 *de métropole 64,4 %,* CEE 15,2, USA 2,9, Japon 2,4, *Martinique 2,2,* Caraïbes 1,2, *Guyane 0,6* autres pays 11,1. **Exp.** *1983 :* 0,6 ; *84 :* 0,7 ; *85 :* 0,6 ; *86 :* 0,7 ; *87 :* 0,6 ; *88 :* 1 (dont en %, prod. des IAA 42,6 : prod. agric. 35,8 [banane : 50 % des export. ; canne à sucre : 10 000 t par an (*1965 :* 65 000 t)], biens de consom. 8, équip. profes. 7,7, autres produits 5,9) *vers métropole 63 %,* CEE 14,5, *Martinique 12,5, Guyane 2,1,* Caraïbes 0,6, autres pays 7,4. *En 1990 :* imp. 9,2, exp. 0,67.

■ Guyane française

V. légende p. 884.

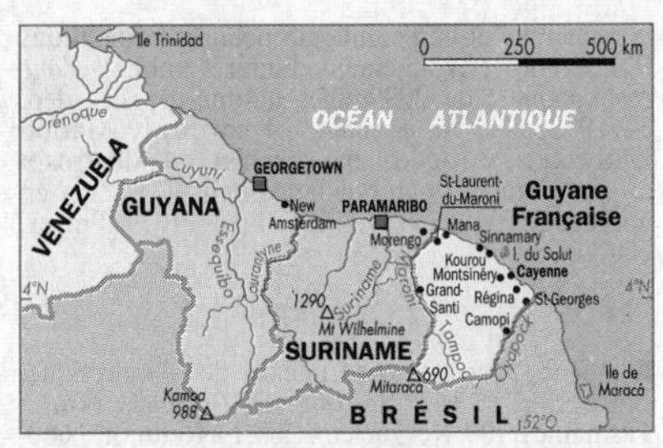

Nom. Donné par les Indiens à la forêt, signifiant « sans nom ».

Situation. Côte N.-E. de l'Amérique du S. A 7 052 km de Paris et 1 500 km des Antilles françaises. 90 000 km² (le plus vaste département). *Côtes :* 380 km. *Frontières :* 1 100 km [Brésil 580 (dont fleuve Oyapock 425), Surinam 520 (dont fleuve Maroni 625)]. *Alt. max.* env. 800 m (monts Lorquin et Tinokato).

Régions. Zone côtière : 15 à 40 km de large, bordée de mangrove (forêt de palétuviers), plateaux érodés ; *climat* équatorial chaud (moy. 26 °C à 28 °C) et humide ; pluie 2 500 à 4 000 mm (petite saison de déc. à févr., grande s. d'avr. à juill.) ; petit été en mars, grande s. sèche d'août à déc. **Équatoriale :** forêts (90 % des terres), saison pluvieuse (mi-déc.-mi-févr.), sèche (févr.-mi-avril), pluvieuse (15 avril-15 août), sèche (15 août-15 déc.). *Humidité* 81 à 90 %.

Population. *1676 :* 1 519. *1736 :* 5 113 dont 484 Blancs (+ 25 000 Indiens). *1789 :* 14 540 dont 2 000 Blancs. *1830 :* 23 747 (1 450 Indiens). *1876 :* 18 230, *1954 :* 27 864, *1961 :* 33 505, *1974 :* 55 125, *1982 :* 73 022, *1990 (rec.) :* 114 678, *2000 (prév.) :* 163 000. En % : ville de Cayenne 65, côte 27, intérieur 8. D. 1,6. **Composition** (août 1992) : *Amérindiens :* 1ers habitants (6 groupes : Galibis, Arawaks et Palikours sur le littoral, Emerillons, Wayanpis et Wayanas en amont des grands fleuves) ; 5 000 à 9 000. *Bushinengs :* descendants des Noirs marrons (esclaves en fuite), vivent des 2 côtés (Guyane et Surinam) du fleuve Maroni. Groupes ethniques : Boshs, Bonis, Djukas, Saramacas, Paramakas, Aloukous) ; 3 500. *Métropolitains :* 30 000. *Chinois :* arrivés fin XIXe s., originaires de la province de Zé-Zhiang, Taiwan, Hong Kong ou Malaisie ; 4 000 à 5 000. *Hmongs :* réfugiés laotiens, arrivés 1977 ; surtout à Cacao. Alimentent Cayenne en cult. vivrières ; 2 000 Syro-Libanais (ou Syriens). ÉTRANGERS : + de 50 % (à l'origine d'env. 60 % des naissances). *Brésiliens :* font le va-et-vient entre Guyane et Brésil, ont tendance à se sédentariser. *Haïtiens. Surinamiens :* arrivés surtout 1985-90 ; env. 6 200 personnes provisoirement déplacées du Surinam (dont 4 070 dans 4 camps d'accueil). Actuellement, beaucoup retournent au Surinam. *Guyanais* (brit.). **Age** (en %, 1990) : *– de 20 a.* 43, *+ de 60 a.* 6. **Taux** (‰, en 1990) *natalité* 31,5 *mortalité* 5,2, accroissement 26,3. **Villes** (rec. 1990) : *Cayenne* (chef-lieu) 41 067 h., Kourou 13 873 (à 65 km), St-Laurent-du-Maroni 13 616 (247 km, sous-préfecture), Remire-Montjoly 11 701, Matoury 10 152, Mana 4 945, Sinnamary 3 431, Grand-Santi-Papaïchton 2 536, Maripasoula 1 748, St-Georges 1 523. **Pop. active** 48 723 dont ayant un emploi 36 597. **Chômage** (en %) *92 :* 24.

Histoire. 1500 côte reconnue par Espagnols, nombreux aventuriers recherchant le pays fabuleux d'El Dorado. **1544** création de Cayenne. Les Français (avec Nicolas de Villegagnon en **1555** et Daniel de La Ravardière en **1604**) la visitent, puis s'établissent en **1637.** De nombreux essais de colonisation échouent : Poncet de Brétigny († 1644), la Cie des Douze Associés (1652), La Vrigne et Michel (1656), le Hollandais Spranger (1663-64), la Cie de la France équinoxiale (absorbée par celle des Indes occidentales). **1647** prise par Angl. (détruisent Cayenne). **1667** cédée aux Holl. (tr. de Breda). **1677** reconquise par l'amiral d'Estrées. **1713**-*11-4* tr. d'Utrecht fixant limites avec Brésil. **1763-65** expédition de Kourou (commandée par le frère de Turgot) : sur 12 000 émigrants, 8 000 emportés par fièvre jaune et typhoïde, d'autres furent rapatriés, d'autres se réfugièrent aux « îles du Diable » (appelées ensuite îles du Salut). **1768** Cie de l'Approuague. **1766-68** assainissement avec le Suisse Josef Samuel Guisan. **1794**-*4-2* abolition de l'esclavage. **1795** 1re déportation de condamnés politiques [Collot d'Herbois (y mourut), Billaud-Varenne (survécut) et le Gal Pichegru (s'évada)]. **1798** le Directoire déporte + de 300 condamnés, majorité de prêtres, décimés par la maladie (de 1795 à 1800 au total 688 exilés en G.). **1802**-*20-5* esclavage et traite rétablis par gouverneur Victor Hugues. **1808**-*12-1* occupation portugaise. **1817**-*28-8* restituée à la France à la suite d'une convention entre Fr.-Port. (remise le 8-11) ; projets de colonisation (**1822** Baron Milius, **1828** Mère Javouhey). **1831** traite abolie. **1848**-*27-4* esclavage aboli ; ruine les plantations (12 000 esclaves libérés). **1852**-*27-5* sert de *bagne* (le décret du 17-6-1936 le supprimera) [74 000 bagnards y furent envoyés, près de St-Laurent-du-Maroni, aux îles du Salut (île Royale 28 ha, 950 m de long ; île St-Joseph 20 ha, 650 m de l. ; île du Diable 14 ha, 950 m de l.) ; dans l'île du Diable, Dreyfus de 1894 à 1899]. **1855** un Brésilien (Paoline) trouve de l'or. **1928**-*6-8* Jean Galmot, ancien déporté, meurt ; émeutes, 6 †. **1930**-*9-6* divisée en 2 territoires : Guyane et Inini. **1943**-*17-3* ralliée à la Fr. libre. **1945**-*23/25-2* émeutes de la garnison sénégalaise 7 †. **1946**-*19-3* département français. **1950** *Janv.* Raymond Maufrais (n. 1-10-26), explorateur, disparaît (1952-64 pour le retrouver, son père Edgar montera 18 expéditions infructueuses). **1951** 2 arrondissements : Cayenne et Inini (doté d'un statut particulier : décret du 26-10-1953). 15 cantons et 14 communes (loi du 2-8-1949). 9 cercles municipaux remplacent les communes à Inini (24-12-1952). **1953** départ des derniers bagnards. **1964** *avril* création du CSG. **1969** réorganisation : 2 arrondissements : Cayenne et St-Laurent-du-Maroni. **1975**-*1-8* « plan vert » de mise en valeur annoncé avec repeuplement de 30 000 h. (3 milliards de F en 10 ans). **1979**-*24-12 lancement de la fusée Ariane.* **1983**-*28-5* 3 attentats, 1 †. **1985**-*16/17-8* incidents à Kourou, 1 légionnaire tué. **1987** *avril* arrivée de 9 000 réfugiés surinamiens. **1989**-*24-6* contrat de plan, l'État consacrera 377,5 millions de F au développement de 1989 à 93. **1992**-*15/16-7* conférence à Awala-Yalimapo des Amérindiens de G. : regroupe 22 associations en une fédération. Pt : Félix Tiouka. *-12/18-10* grève gén. *-2/5-12* visite de Danielle Mitterrand aux Amérindiens. *-3/4-12* incidents à Cayenne (garde à vue de Maurice Saint-Pierre, libéré 4-12).

Statut. Dép. d'Outre-Mer dep. 19-3-1946. Région dep. juin 75. 2 *députés,* 1 *sénateur.* 2 *arrondissements :* Cayenne et St-Laurent-du-Maroni. *Conseil général :* 19 m, Pt Élie Castor (app. PS) ; *régional :* 31 m, Pt Antoine Karam (PS) dep. 22-3-92. *Comité économique et social :* 40 m, Pt Lucien Prévot. *Préfet de région :* Jean-François Di Chiara.

Élections. Régionales 16-3-86 : *abst.* 37,59 %, div. gauche 42,2 (15 élus), RPR 29,14 (9), div. g. 11,97 (4), div. opp. 8,73 (3), FN 3,58, ext. g. 3,34, div. opp. 3,07. **22-3-92 :** *abst.* 32 %, PS 39,55 % (16 s.), FDG 23,34 (10), RPR 5,84 (2), divers 31,28 (3). **Législatives 14-6-81 :** *abst.* 50,82 %, div. gauche 53,5 % des v., UDF-RPR 46,4 % ; *élu :* 1 app. PS **16-3-86 :** *abst.* 38,50 %, div. gauche 48,4 % des v., RPR-UDF 51,6 % ; *élus :* 1 app. PS, 1 RPR. **5-6-88 :** inscrits 30 240, *abst.* 50,73 %, PS 56,9 % (1 élu), RPR 42,1 % (1 élu). **21-3-93 :** *abst.* 41,57 (voix div. g. 41,14, UPF 35,51, maj. p. 17,88, div. d. 3,31, ext. d. 2,14) ; *élus* div. g. 1, RPR 1.

Partis. **P. national populaire guy. (PNPG)** créé 1985, avec d'anciens m. du Mouv. guy. de décolonisation Moguyde, du Front nat. de libération de la G. (FNLG) des années 1970-80, de l'Union des étudiants guy. (France) : *leader :* Claude Robo. **P. socialiste guy. :** créé 1956, *secr. gén. :* Antoine Karam. **PS :** créé 1991, *secr. gén.* J.-P. Méléder. **Action dém. guy. :** *secr. gén. :* André Lecante. **RPR :** *secr. gén. :* Paulin Bruné. **UDF/UDG :** *Pt :* Claude Ho A Chuck. **P. pour le Progrès guy. (PPG) :** *secr. gén. :* Claude Ho A. Chuck. **RGR :** *Pt :* Léon Bertrand. **Mouv. dém. guy. (MDG) :** *Pt :* Yvan Ho You Fat. **Front dém. guy. (FDG) :** f. 1989, *Pt :* Georges Othily. **Mouvement de décolonisation et d'émancipation sociale (MDES) :** indépendantiste.

☞ **Conflits frontaliers.** *Avec le Brésil :* par suite d'une erreur ayant échappé lors de la signature des tr. d'Utrecht (1713-15), la France y exerce sa souveraineté à l'Est sur un territoire étendu que le Brésil lui revendique en 1840. *1895* combats franco-brésiliens. *1900* tr. de Berne, arbitrage suisse fixant les frontières actuelles. Le Surinam (malgré un arbitrage du tsar de Russie conclu 1888), réclame 4 000 km².

■ Économie

PNB (1990). 8 700 $ par h. **Agriculture.** *SAU* (1992) : 20 675 ha. *Terres* (ha, en 1985) arables 4 473, pâturages 7 150, vergers et jardins 1 100. *Production* (en t, en 1990) c. à sucre 2 000, manioc 10 000, dachines 3 230 (83), tubercules 9 000, bananes 825 (89), riz 20 000, ananas 1 150 (89), maïs, ignames 630 (83), patates 790 (83), agrumes 850 (85), grenadilles 160 (89). *Exploitations* (1988) : 3 370 sur 12 594 ha (soit en moy. 3,73 ha). *Pop. agricole* (1985) : 9 300 dont actifs 4 200 (cultivant chacun 2,57 ha).

Forêts (1989). 7,3 millions d'ha (90 % de la superficie du dép.). Sol de 20 à 30 cm d'épaisseur. *Production* (en m³) : grumes sorties de forêt 80 200, grumes transformées 85 514, sciages et équarris 38 551, prod. finis 3 518. *Commerce* (exp., en m³) : grumes 56, sciages et prod. finis 8 891. *Ventes locales :* 25 738 m³. *Espèces :* + de 1 000. *Essences :* 13 dont acajou, bois serpent, lettre moucheté ougins (amourette), rubané, satiné marbré. 400 000 espèces d'insectes, 685 d'oiseaux. **Élevage** (têtes, en 1990) : bovins 16 000, moutons 1 000, porcs 8 000, volailles 220 000 (89), équins 250 (89). **Pêche** (t, 1989) *artisanale :* crevettes 201, poissons 2 849 ; *industrielle :* cr. 3 701 p. 145 ; *export.* (1989) : cr. 4 092, p. 460. *Aquaculture de chevrettes* (cr. d'eau douce en t, en 1989) : 89,1.

Mines. Or découvert 1855 (prod. en kg) : *1985 :* 402 ; *86 :* 326 ; *87 :* 514 ; *88 :* 522 ; *89 :* 544 ; *90 :* 870 ; prod. des orpailleurs 174 (est. 88) ; bauxite, zinc, diamants, argent, plomb, manganèse, cuivre, platine, kaolin non exploités. **Électricité** (millions de kWh) : 437 (92). Barrage de Petit Saut [(en construction) : coût : 2 300 millions de F, haut. 37 m, retenue d'eau 310 km² ; débit 428 m³/s ; puissance 114 millions de W ; en 1994 : doublera la prod. électrique de la G.]. **Centre spatial guyanais** *créé* 1964, implanté avril 1968. Env. 13 000 h. à Kourou.

Transports. *Routes* 720 km en 1985 dont 520 bitumés. Parc auto. (mars 1989) : 51 778, roulant 15 000 en 1984. *Aéroport* 1. *Aérodromes :* 7. *Avions* (en 1989) : passagers 351 134, fret 6 345 t. *Port* (en 1989) : 523 000 t dont 190 000 hydrocarbures. **Tourisme** (en 1988) : 30 hôtels (959 chambres). 67 000 vis. (en 1989).

Enseignement (1989-90). Maternel : 6 156, primaire : 12 049, second : 10 470 (dont 2ᵉ cycle court 2 116).

Budget (en millions de F, 1989). Communes 711 (87), département 586, région 750 (91), concours financiers extérieurs de caractère public 2 560 (90). Selon un audit (août 1992) : *dettes :* 804 millions de F (dont au titre des marchés publics 593) ; *recettes :* 495 (besoin de financement à court terme de 573, besoin immédiat de trésorerie 419). *Multiples anomalies :* surfacturations systématiques des marchés, doubles rémunérations des maîtres d'œuvre, surcoûts de travaux..., atteintes à la réglementation *« nombreuses et touchant toutes les opérations »,* contournement des contrôles...

Commerce (en millions de F, 1988). **Exp. :** 353 (90) dont prod. alim. 228, biens de consommation 46,5 (85), d'équip. professionnels 33,1 (85), bois 33, métaux et prod. divers du travail des métaux 26,7 (85), or 23 (89), *vers métropole* 126,7, *Antilles Françaises 58,7,* USA 47,7, Japon 21,2, Trinité-et-Tobago 3. **Imp. :** 2 371 dont biens d'équip. prof. 645, prod. des IAA 408, biens de consomm. 406, prod. alim. 394, prod. énergétiques 216, *de métropole 3 462* (89), Trinité-et-Tobago 209, Japon 100,7, USA 100,2, *Antilles françaises 63,6.* Brésil 30, Surinam 5,7.

■ Martinique

V. légende p. 884.

Nom. De Martin (découverte le 11 nov., jour de sa fête).

Situation. Ile des Antilles, à 6 748 km de Paris, 3 300 km de New York, 120 km de la Guadeloupe. 1 102 km². *Long.* 65 km, *larg.* 12 à 30 km. *Côtes :* 350 km. *Cours d'eau principaux :* la Lézarde 33 km, rivière du Galion 20 km. **3 zones :** plaines alluvionnaires au centre, montagnes au N., Montagne Pelée 1 397 m, collines basses au S. **Forêt** équatoriale ou savane dans les parties moins humides, mangrove sur côte basses. **Climat** chaud (moy. 27,3 °C à Fort-de-France) et humide (plus de 2 m de pluies au N.-E., moins d'1 m au S.-O., protégé) ; *2 saisons* peu tranchées (carême, déc.-mai, sec ; hivernage, juin-nov., humide). *Cyclones les plus dévastateurs : 14-8-1766 :* 440 †, *12-10-1780 :* 9 000 †, *18-8-1891 :* 700 † ; récemment *17-8-1970 :* 44 † (tempête tropicale), *4-10-1990 :* 8 † (Klaus). Dep. 1635, un cyclone ou une tempête tropicale violente tous les 8 ans en moy., fréquence max. en sept. (35 %). Après période de calme (1903-50), période agitée depuis 1967.

Population. *1664 :* 4 505 ; *1701 :* 24 298 ; *1789 :* 83 459 ; *1886 :* 174 863 ; *1936 :* 246 712 ; *1946 :* 261 595 ; *1974 :* 324 832 ; *1982 :* 328 566 ; *1990 :* 359 572 ; *prév. 2000 :* 415 000. **Age** *- de 15 a. :* 23 %. *+ de 60 a. :* 14 %. En maj. mulâtres et catholiques. Békés (mot Ibo : Blancs créoles) 2 500. **Taux** (‰, en 90) : *natalité* 17,8, *mortalité* 6,1 (infantile 7,1), *accroissement* 11,7. **Personnes nées en Métropole et vivant à la M.** 25 936. **Étrangers** (1990) : 3 133. D 333. **Villes** (1990) : *Fort-de-France* (chef-lieu) 100 072 h., Lamentin 30 026, Schoelcher 19 813, Ste-Marie 19 683, Le Robert 17 675, Le François 16 957, St-Joseph 14 035, Rivière-Pilote 12 634, Ducos 12 400, St-Pierre 5 007 (*1902 :* avant l'éruption, 30 000, rehâbitée dep. 1923). **Martiniquais en métropole** 150 000. **Soldes migratoires :** *1982 :* - 1 800 ; *83 :* - 1 000 ; *84 :* - 500 ; *85 :* - 200 ; *86 :* + 200 ; *87 :* + 800 ; *88 :* + 1 100 ; *89 :* + 1 400. **Naissances :** *1965 :* 10 749 ; *78 :* 5 065 ; *87 :* 6 322 ; *90 :* 6 437.

Histoire. Vers 130 apr. J.-C. établissement des Arawaks, originaires des forêts tropicales d'Am. du Sud, descendants des inventeurs de la *culture « saladoïde »* (de Saladeros, village près de la côte vénézuélienne) basée sur le manioc amer. **296** éruption volcanique, disparition des Arawaks. **V. 400** arrivée d'autres Ar. expulsés après **600** ou **700** par les Caraïbes, issus des mêmes origines ; manioc. **1493**-*11-11* découverte par Christophe Colomb (v. 1451-1506). **1635**-*20-1* début colonisation. *-15-9* prise de possession au nom de Louis XIII par Pierre Beslain d'Esnambuc. **1636** les Fr. de la Cie des Iles d'Amér. exterminent Caraïbes et importent 50 000 esclaves noirs de Guinée, Angola ou Sénégal, pour cultiver canne à sucre et plus tard cacao, café, épices (milieu XVIIIe s.). **1759-62** occupation angl. **1763**-*23-6* naissance de Joséphine Tascher de La Pagerie (1re femme de Napoléon Ier) à Trois-Ilets. **1790** prise du pouvoir par planteurs, agitation des Noirs. **1809-14** occupation angl. **1839** agitation des Noirs. *-11-1* séisme à Fort-de-Fr. (400 †). **1848** esclavage aboli : production de canne à sucre s'effondre jusque v. 1860. **1890**-*22-6* incendie de Fort-de-Fr. **1902**-*8-5* éruption de la montagne Pelée : 30 000 † (15 % de la pop. de l'île qui perd 3/4 des hab. créoles), St-Pierre détruit (1 survivant, Siparis, enfermé dans une prison). *-30-8* nuée ardente sur le Morne-Rouge : 1 500 †. **1974**-*14/16-12* rencontre Giscard d'Estaing-G. Ford. **1979** *sept.* cyclone David, 500 millions de F de dégâts. **1980** *déc.* Pt Giscard d'Estaing en M. **1981**-*3-1* attentat palais de justice de Fort-de-Fr. **1985** agitations autonomistes. **1986**-*15-3* 2 attentats. **1990**-*22-2* él. régionales du 16-3-86 annulées.

Statut. Dép. d'outre-mer dep. 19-3-1946. 4 *députés,* 2 *sénateurs,* 1 *préfet* (Fort-de-France, M. Morin), 2 *sous-préfets* (Trinité et Marin). *Conseil général* 36 m. *Conseil régional* 41 m (Pt : Émile Capgras). **Partis.** *P. progressiste mart.,* f. 1957, Pt Aimé Césaire (25-6-1913), ancien député-maire de Fort-de-Fr. (poète, voir Index). *Mouvement indép. mart.,* f. 1973, Pt Alfred Marie-Jeanne, maire de Rivière-Pilote. *Assoc. pour la sauvegarde du patrim. mart.* (écol.), Pt Garcia Malsa, maire de Sainte-Anne. *Fédér. socialiste de la M.,* 1er secr. Michel Yoyo. *RPR,* Pt Stephen Bagoe, *UDF,* Pt Jean Maran. *PR,* leader Jean Bailly.

Élections (en %). **Régionales 16-3-86 :** *abst.* 35,95. *Voix obtenues :* Union gauche 41,34 (19 élus), RPR 30,83 (14), UDF 18,94 (8), extr. gauche 7,77, div. opp. 1,47. **14-10-90 :** P. progressiste mart. 32,8 (14 élus), RPR-UDF 22,3 (9), Mouv. indép. m. 16,5 (7), Indép. de gauche 11,7 (5), de droite 9,7 (4), div. 7 (2). **22-3-92 :** RPR-UDF 25,92 (16 s.), MIM 16,02 (9), PPM 15,8 (9), PCM 11,7 (5), indépendantistes de droite 9,7 (4), écologistes-indépendantistes 5,2 (2), France unie 1,8 (0). **Législatives 14-6-81 :** *abst.* 63,76, PC 6,43, PS 44,12, UDF-RPR 48,09. **16-3-86 :** *abst.*

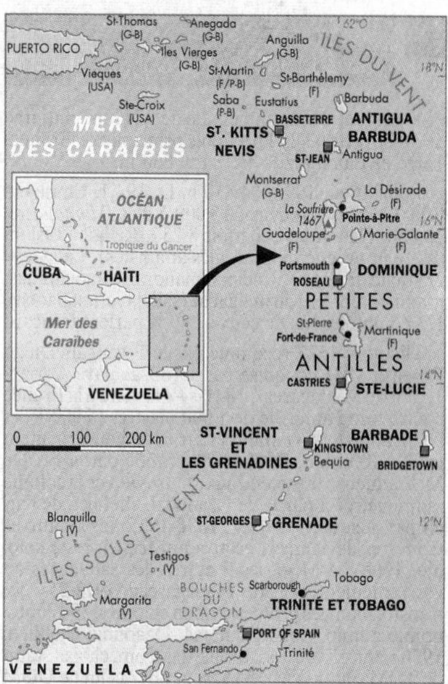

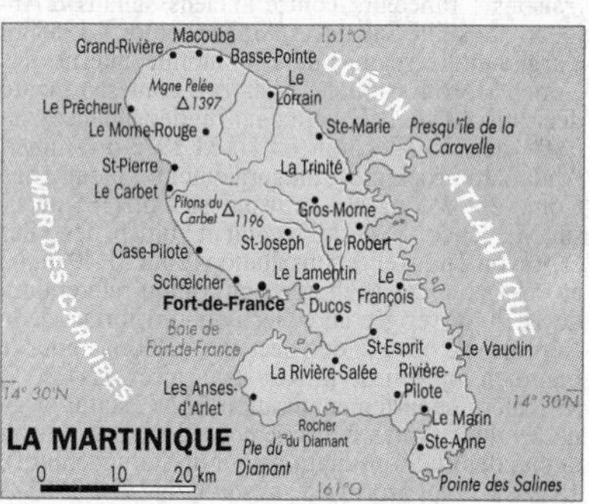

41,48, Union gauche 51,18, Un. opp. 42,44, extr. gauche 3,01, div. opp. 2,01, FN 1,34 ; élus 1 PS, 1 app. PS, 1 UDF-RPR, 1 RPR. **12-6-88 :** *abst.* 50,82, Maj. prés.-PS 45,23, Union opp. 28,69, div. gauche 13,16, div. droite 12,89 ; élus 3 PS, 1 app. PS. **21-3-93 :** *abst.* 56,96 % (*voix* UPF 41,42, maj. p. 28,13, nat. 12,06, div. g. 9,54, PC 4,90, div. d. 2,28, est. g. 1,29, ext. g. 0,18, div. 0,16) ; *élus* UPF 1, RPR 2, PPM 1.

■ Économie

PNB (1991) 9 500 $ par h. **Pop. active** (% et entre parenthèses part du PNB en %) agr. 10,6 (9,9), ind. 17,06 (17), services 75,1 (73,1). *Nombre* (1990) : actifs 164 877 dont ayant un emploi 110 133. *Chômage* (en %) *1990 :* 32,1 ; *92 (1-1) :* (29 967). **Bénéficiaires** du RMI (au 1-1-92) : 18 111 (11 % de la pop. active). **Budget 1991** (recettes, et, entre parenthèses dépenses, en millions de F) : *État* 3 234 (7 092), *région* 1 567 (1 598), *départements* 2 351 (1 952), *communes* (en 1989) 2 462 (2 581). **Aide de la France** (millions de F) : *1980 :* 2 424 ; *81 :* 2 894. Important transfert des salaires des émigrés. **De la CEE** (en millions d'écus, 1989-93) : 164,5, dont Feder 78,4, FSE 66,1, Feoga 20.

Agriculture. *Terres* (en %) : SAU 35 dont cult. 15, forêts 42,3, non cult. 9,3, divers 13,4. *Exploitations. 1973 :* 24 900 ; *89 :* 16 000 ; *91 :* 16 038 dont - de 1 ha 10 408. *SAU* (en ha) *1973 :* 52 100 ; *89 :* 36 600 ; *90 :* 38 592 ; *91 :* 38 513 dont bananes 8 500, ananas 600 (850 en 1973) ; *92 :* 38 620. *Forêt* (en ha, en 1992) : 46 462 (42 % de la sup.). *Production* (milliers de t, 1991) : c. à sucre 190, bananes 217,6, ananas 25,5, épices. **Élevage** (en milliers, en 1990) : moutons 78, bovins 35, porcs 49, chèvres 33, chevaux 2 (85). **Pêche** (1990) : 1 096 embarcations, 3 300 t pêchées dont 2 300 commercialisées ; (91) : 6 300 t. **Aquaculture** (1990). 57 t de chevrettes. **Industrie** (1990). Sucre 6 589 t en 90 (12 500 t en 78, 2 000 en 1982). Rhum (84 827 hl). Ciment 277 300. *Pétrole raffiné :* 738 000 t. *Électricité :* 755 millions kWh. **Transports.** Routes 1 690 km. **Tourisme** (1991). 417 043 croisiéristes, 226 000 séjours. **Recettes** (Mds F) : *89 :* 1,16 ; *90 :* 0,99.

Commerce (millions de F, 1991). **Exp.** 1 209 *dont* (90) bananes 605,5, pétrole raffiné 238,5, rhum 134,2 *vers France 690, Guadeloupe 381, Guyane française 75,* All. féd. 18. **Imp.** 9 552 *dont* biens de cons. 2 481, prod. alim. 1 844, biens intermédiaires 1 780, biens d'éq. 1 672, autos 1 025, *de France 5 939,* G.-B. 391, Italie 334, All. féd. 342.

Mayotte

Carte p. 960. V. légende p. 884.

Situation. Océan Indien. Ile de 374 km² entourée de 18 îlots (total 25 km² ; îlots principaux : Grande-Terre et Pamandzi). *Alt. max.* 660 m.

Population (1991) 94 410 h. D. 194,1. **Étrangers** (91) : Comoriens environ 15 000. **Villes :** *Mamoudzou* 20 450, Dzaoudzi-Labattoir 8 257. **Religion** : Islam (97 % imprégné de pratiques animistes). **Langues** : 2/3 dialecte bantu principal (mahorais, anjouannais, grand-comorien) ou malgache (sakalave, antalaotsi), 1/3 combinaisons de ceux-là. 30 % parlent français.

Histoire. **1527** reconnue par le Portugais Diego Ribeiro. **1831** conquise par le roi sakalave Adrian-Tsouli de Madagascar. **1841**-*24-4* la vend à la France contre rente annuelle de 1 000 piastres (5 000 F) et l'éducation de ses enfants aux frais du gouvernement fr. à la Réunion. **1843**-*16-2* tr. ratifié par la Fr. De M. l'influence fr. s'étend aux 3 autres îles de la colonie (administrée à partir de Dzaoudzi, chef-lieu de l'archipel jusqu'en 1962). **1886-1912** les 3 autres Comores deviennent protectorat fr., M. reste colonie. **1908**-*9-4* M. et les 3 autres îles rattachées au gouvernement gén. de Madagascar. **1912**-*25-7* loi transformant les protectorats en colonies. **1947** autonomie admin. pour Comores, Dzaoudzi chef-lieu. **1958** référ. : l'Ass. territoriale des Com. choisit statut de TOM, mais, à M., 85 % sont pour celui de DOM (raisons : rancœurs contre anciens sultans d'Anjouan ; hostilité Sakalaves/Arabes comor.). **1968** loi élargissant le régime de l'autonomie interne des Com., Moroni capitale. Mahorais contestent cette décision. **1974**-*22-12* vote pour l'indépendance, oui (99 %) dans les 3 îles, non (65 %) à M. **1975**-*6-7* Ahmed Abdallah proclame unilatéralement l'indép. des Com. *-21-11* « marche verte » des Com. (165 pers.) sur M., échec. *-13-12* loi reconnaît l'indép. des 3 îles et prévoit 2 nouvelles consultations pour M. **1976**-*3-2* et *-11-4* vote des Mahorais confirmant référendum de 1974. M. érigée en collectivité territoriale de la Rép. fr. *-8-2* 99,4 % des électeurs mahorais pour le maintien au sein de la Rép. française. *-11-4* 80 % réclament départementalisation. *-27-12* statut original évolutif (après 3 ans, le conseil général pourra demander une consultation pour un statut définitif). **1979**-*22-12* loi proroge 5 ans statut de 1976. **1982**-*2-12* résolution ONU sur retour de M. aux Com. 110 voix contre 1 (France) et 22 abstentions. **1984** report du référendum. **1986**-*19-10* Chirac à M. *-20-12* inauguration télévision. **1987**-*28-3* convention de développement pour M.

Statut. Collectivité territoriale (loi 24-12-1976). *Préfet* Jean-Jacques Deracq. *Cons. gén.* de 17 m. 1 *député,* 1 *sénateur.* **Élect. législatives** (en %). **16-3-86 :** abst. 20,23, UDF-CDS 64,55 (1 élu), RPR 33,98, extr. gauche 0,02. **5-6-88 :** inscrits 22 479, abst. 34,7. UDF-CDS 58,20 (1 élu), RPR 38,31, FN 1,41, div. droite 1,09, extr. gauche 0,97. **21-3-93 :** *inscrits* 29 187, *abst.* 24,91 %, *voix :* UDF-CDS 52,42, RPR 44,33, PS 3,24 ; *élu* UDF-CDS 1.

Partis. *RPR-Fédér. de M.,* Secr. Mansour Kamardine. *Mouv. pop. mahorais.,* Pt Younoussa Bamana. *P. pour le rass. dém. des Mah.,* f. 1978, Pt Darouèche Maoulida. *Union dém. mah.,* Pt Maoulida Ahmed. *Front dém.* 1er secr. Youssouf Mousa. *Assoc. pour M. franc.,* f. 1984, Pt Didier Beoutis.

Économie (en 1990). **PNB** env. 1 000 $ par h. Ylang-ylang (fournit essence pour parfumerie), vanille, vétiver, géranium, cannelle, coprah, café, manioc, ananas, bananes, mangues, riz, petit maraîchage. Pêche (langoustes, espadons, carangues, mérous, crevettes). Bovins, caprins, volailles. *Base* navale. *Tourisme.* **Commerce** (millions de F). **Exp.** 13,5 *dont* ylang-ylang 11, vanille 2,2 *vers* (85) *France 4,* Comores 1. **Imp.** 327,6 *dont* prod. alim. 72, mach. et app. 70, mat. de transp. 48, métaux 33, prod. chim. 23 *de France 225,* Afr. du S. 36, Thaïlande 10.

Nouvelle-Calédonie

Carte p. 849. V. légende p. 884.

Nom. Donné par James Cook en 1774, en souvenir de son Écosse natale. *Surnom :* le Caillou.

Situation. Iles du Pacifique (mer de Corail) à 18 368 km de Paris, 11 236 de Los Angeles, 1 978 km de Sydney, 1 859 km d'Auckland (N. Zél.). 18 575 km². **Grande-Terre** 16 494 km² ; *long.* 400 km ; *larg.* 42 km ; *côtes* 880 km ; *alt. max.* Mont Panié 1 628 m ; *montagne* aux paysages variés, ceinture de récifs-barrières. *Forêt* tropicale humide, *savane* à *niaoulis* (petit eucalyptus). **Ile des Pins** au S., **Archipel de Bélep** au N., **Iles Loyauté** au N.-O. (1 981 km²). **Climat** tempéré ou semi-tropical (moy. 20-26 °C) et salubre. *Saison sèche* avril-nov. (coupée de pluies en juil.), *pluvieuse et chaude* déc.-mars (cyclones déc.-avr.) avec longues sécheresses, *fraîche* juin à sept.

Population. *1887 :* 62 500 [Européens (Caldoches) 30 %, Mélanésiens (Canaques, 333 tribus) 68 %, autres 2 %)] ; *1901 :* 54 400 (E. 41,8, M. 53,3, A. 4,7) ; *1921 :* 47 500 (E. 29,4, M. 57,1, A. 13) ; *1936 :* 53 200 (E. 29, M. 54,1, A. 16,9) ; *1951 :* 65 500 (E. 31,1, M. 51,9, A. 17) ; *1969 :* 100 579 (E. 41, M. 46, A. 13) ; *1989 :* 164 173 [E. 55 085 (33,6 % dont 61,4 % nés en N.-Calédonie), M. 73 598 (44,8), A. 35 490 (21,6 dont Wallisiens 14 186, Indonésiens 5 191, Tahitiens 4 750, Vietnamiens 2 461, Ni-Vanuatu 1 683, autres Asiatiques 642, divers et non déclarés 6 577] ; *prév. 2000 :* 172 000 (M 82 000, E. 64 000, A. 26 000). **Âge** - *de 20 ans :* 45 %, *+ de 60 a. :* 7 %. **D** 8,8. **Autochtones** à Nouméa ou en brousse où les tribus mélanésiennes (54 % des Mél.) disposent de réserves foncières inaliénables (399 800 ha). **Européens** descendent de colons arrivés fin XIXe s. et d'anciens forçats, et vivent à Nouméa et côte Ouest (95 %). **Emploi** (%) : *Mélanésiens :* agr. 23,7, artisans-commerçants 1,1, cadres 0,6, prof. intermédiaires 6,8, employés 23,1, ouvriers 28,8. *Européens :* agr. 2,2, artisans-commerc. 11,5, cadres 8, prof. interméd. 25,4, employés 29,5, ouvriers 18,5.

Répartition : Grande-Terre 146 261 dont *Nord* 34 526, *Sud* 111 735, *Iles Loyauté* 17 912. A *Nouméa* (Grand Nouméa dont communes de Nouméa, Mont-Dore, Dumbéa et Paita, en %) : Européens 45,7 ; Mél. 21,6 ; autres 32,7. *Province sud* (%) : Eur. 44,3 ; Mél. 25,8 ; autres 29,9. *Province îles* (%) : Mél. 98.

Villes (89). *Nouméa* (fondé 25-6-1854), chef-lieu, 65 110 h. (ag. 83 : 85 000), Mont Dore 16 370 (à 10 km), Dumbéa 10 052 (à 15 km), Lifou 8 726, Païta 6 049 (à 30 km), Maré 5 646, Bourail 4 122 (à 168 km), Canala 3 966 (à 175 km), Houaïlou 3 671 (à 239 km), Poindimié 3 590 (à 312 km), Ouvéa 3 540, Koné 2 919, Thio 2 368 (à 126 km), Koumac 2 194, La Foa 2 155.

Langues français *(off.)* ; 28 vernaculaires. **Religions :** *cathol.* 92 000 (dont 47 000 Eur., 30 000 Mél., 10 000 Wallisiens) ; *protestants* (surtout évangélistes) 34 000 (dont 30 000 Mélan., 3 000 Tahitiens, 1 000 Eur.) ; *musul.* 4 000 (Indonésiens). **Enseignement** (1992). *Primaire :* 185 écoles maternelles et primaires publiques et 95 privées ; effectifs (public) 23 997 élèves. *Secondaire :* 19 collèges publics et 22 privés, 6 lycées publics et 5 privés, 23 lycées prof. publics et 12 privés ; effectifs (public) collèges 14 994, lycées 8 213. *Supérieur :* 271 élèves dans les sections de BTS. Université française du Pacifique (Papeete) créée en mai 1987 : 769 étudiants en Deug.

Histoire. **1774**-*5-9* découverte par l'Angl. James Colnett, midship du capitaine Cook. **1788** La Pérouse reconnaît le pays, ses bateaux (la *Boussole* et l'*Astrolabe*) font naufrage [on retrouvera l'*Astrolabe*, en 1826 à Vanikoro (Salomon)]. **1791-93** Bruny d'Entrecasteaux recherche ces bateaux et explore côte et îles. **1827-37** Dumont d'Urville reconnaît les îles Loyauté. **1841** la London Missionary Society les évangélise. **1843**-*21-12* arrivée de missionnaires (Maristes), Mgr Douarre s'installe à Balade dans le N, sur le point d'être colonisée par l'Angl. Paddon (établi île Nou). **1853**-*24-9* à la suite du massacre par les indigènes des 12 marins fr. de l'*Alcmène* (nov. 1850), le contre-amiral Febvrier-Despointes prend possession de l'île, qui est rattachée aux Établissements fr. d'Océanie (Tahiti). **1859** 43 colons installés sur 850 ha. **1860**-*18-1* colonie autonome. **1861** culture de coton. **1864** le cap. de vaisseau Tardy de Montravel fixe le chef-lieu (appelé Port-de-France jusqu'en 1866) ; un colon, Higginson, découvre du nickel à Dumbéa. 1er convoi de 250 forçats. **1865** culture de sucre. **1868-1946** système des réserves indigènes. **1871** colonie pénitentiaire (île de Nou achetée à Paddon en 1857) ; arrivée d'Arabes, déportés sur Grande-Terre et l'île des Pins après la révolte en Algérie (1871) du bachaga el-Mokrani, et d'Alsaciens Lorrains. **1871-74** ruée vers l'or. **1874** nickel exploité. **1872-78** 4 300 déportés après la Commune, répartis entre l'île Nou (300), où les condamnés pour assassinat ou pillage sont mêlés aux autres forçats, la presqu'île Ducos (1 000), pour les cond. à la détention dans une enceinte fortifiée, dont Louise Michel, qui deviendra institutrice, et l'île des Pins (3 000), pour les cond. à la déportation simple. **1878** *révolte canaque* menée par Ataï (200 Blancs et 1 200 Mél. †), les Mél. sont regroupés dans des réserves (370 000 ha). **1880** *juin* condamnés de la Commune reviennent en métropole. **1894** colonisation agricole ; gouverneur Feillet développe café. **1895** conseil général. **1896** arrivée de travailleurs javanais et hindous. **1897** dernière arrivée de forçats (« transportés »). Sur 21 000 arrivés dep. 1864, il en reste 9 700. **1917** *révolte canaque* près de Koné. **1922** arriv. des Tonkinois. *Révolte.* **1940**-*19-10* ralliement à Fr. libre. **1942-45** base amér. (50 000 h.). **1945**-*22-8* création d'un siège de député, droit de vote pour certains autochtones (anciens combattants, pasteurs, chefs coutumiers, moniteurs) soit 1 444 Canaques sur 9 500 él. **1946** Territoire d'O.-M. Parti comm. de N.-C. fondé. **1947** installation à Nouméa de la Commission permanente du Pacifique S. Les catholiques (père Luneau) fondent l'Union des Indigènes cal. amis de la liberté dans l'ordre (Uicalo), et les protestants l'Association des indigènes cal. et loyaltiens français (AICLF). **1951** il y a 8 930 Mél. électeurs sur 19 761. Henri Lafleur 1er élu Conseiller de la Rép., Maurice Lenormand 1er député élu. **1953** Union cal. (UC) créée. **1956** devient TOM. De Gaulle en N.-C. **1957**-*22-7* autonomie. *-26-7* droit de vote pour tous les Canaques. Loi-cadre. Un Mél. (Richard Kamouda) tué par policier (rixe) ; manif. *-6-10* él. Ass. terr. majorité UC. **1958**-*30-10* Ass. terr. dissoute. *-7-12* él. majorité UC. *-17-12* opte pour le maintien du statut de TOM. **1962**-*9-3* Ass. terr. dissoute. *Avril* él. majorité UC. **1963**-*21-12* loi : conseil de gouv. sous l'autorité du gouv. Boom du nickel. **1969** *Foulards rouges,* étudiants canaques menés par Nidoish Naisseline (1er Can. diplômé de l'Ens. supérieur) revendiquent indép. **1969-72** boom du nickel. **1972** él. : anti-autonomistes vainqueurs. **1976**-*28-12* loi accordant certaine autonomie. **1977**-*8-12* loi créant 2e siège de député **1979**-*24-5* Ass. terr. dissoute. *Juill.* él., Front indép. 35 % des v. *-22-8* manif. **1981**-*19-9* Pierre Declercq, secr. gén. de l'UC tué. *-11-11* 20 000 manif. contre indép. *-9-12* Christian Nucci haut-commissaire. *-21-12* réforme foncière. **1982**-*20-1* loi permettant au gouv. de prendre ordonnances jusqu'au 1-1-83. *Févr.* réforme fiscale. *Juin* Jean-Marie Tjibaou, vice-Pt de l'UC, vice-Pt du conseil gouv. *-22-7* bagarres à l'Ass. terr. et dans rues de Nouméa. *-5-9* Lafleur réélu député (91,95 % des v.). **1983**-*10-1* 2 gendarmes tués par Mélanésiens (18 † dans forces de l'ordre dep. mars 82). *-11-5* Mélanésien tué par Europ. *-23-12* Ass. terr. rejette avant-projet de statut d'autonomie. **1984**-*31-8* nouveau statut d'autonomie. *-24-9* Front indép. reconstitué en FLNKS *Oct.* barrages routiers, violences. *-18-11* élec. terr. *-20-11* 200 FLNKS occupent mairie de Thio. *-22-11* séquestration du sous-préfet des Loyauté. CRS blessés par balles. *-23-11* 4 CRS tués par balles. *-25-11 gouv. indépendantiste provisoire :* Pt Jean-Marie Tjibaou. *-30-11* Européen et Mélanésien tués. *Déc.* FLNKS forme gouv. provisoire. *-2-12* Edgard Pisani délégué du gouv. pour accélérer autodétermination. *-5-12 Hienghène,* embuscade 10 FLNKS tués (dont 2 frères de Tjibaou) ; les 7 agresseurs seront acquittés le 29-10-87. *-31-12* 3 attentats à Nouméa. **1985**-*7-1 plan Pisani :* indépendance-association, droit de vote après 3 ans de présence, statut spécial pour Nouméa. Statut de résident privilégié pour ceux refusant nationalité canaque. *-11-1* Yves Tual, Européen (17 ans), tué ; émeutes à Nouméa, Éloi Machoro (n. 1945, secr. gén. de l'UC) et Marcel Nonnaro tués dans affrontement avec GIGN le 12, état d'urgence. *-19-1* Pt Mitterrand en N.-C. *-21-1* mine de Thio saccagée par indépendantistes. *-23-1* état d'urgence prolongé jusqu'au 30-6. *-23-1* sabotage mine de Kouano. *-26-2 :* 30 000 manif. pour la Fr. *-8-3* major de gendarmerie tué. *Mars* troubles à Thio. *-26-3* Dick Ukeiwé propose partition en longueur de la Grande-Terre. *-8-4* enseignante tuée par pierre. *-11-4 :* 2 000 manif. à Nouméa. *-22-5* Pisani nommé min. chargé de la N.-C., et Fernand Wibaux, délégué du gouv. *-24-5* Tjibaou condamné pour « atteinte à l'intégrité du territoire national » à 1 an de prison avec sursis et 10 000 F d'amende, sur citation directe d'Ukeiwé, Pt du gouv. territorial. *-20-8* loi sur évolution de la N.-C. (promulguée 24-8). *-29-9* élec. 60,8 % contre indép. **1986** *janv.* consul d'Australie expulsé. *-26-6* procès de Koindé (assassinat des gendarmes), 10 ans de réclusion pour principal inculpé. *-17-7* loi sur le régime transitoire. *-23-7* Jean Montpezat Haut-Commissaire. *-15-11* assassinat de James Fels. *-2-12* ONU affirme le droit NC à l'autodéterm. (par 89 v. contre 24, 34 abstentions, 11 ne participent pas au vote). **1987**-*28-4* gendarme tué par délinquant. *13-9 référendum :* inscrits 85 022, abstentions 40,89 %, dont : pour maintien au sein de la Rép. 98,30 %, pour l'indép. 1,70 %. 16,8 % de l'électorat canaque aurait voté pour la Fr. *-30-9* 2 gendarmes tués. *-6-11* 1 Canaque tué par gendarme. *Nov.* nouveau statut voté. *-28-12* Yeiwéné Yeiwéné (vice-Pt du FLNKS) arrêté 22-12, libéré. **1988** *-22-2* troubles à Poindimié (9 gendarmes pris en otage puis libérés). *-22-4* Fayaoué : 27 gendarmes pris en otage ; 4 gendarmes, 2 mobiles, 1 terroriste tués à Ouvéa. *-24-4* 11 sont libérés. *-27-4* 8 nouveaux otages. *-29-4* José Lapetite assassiné (un des 7 agresseurs de Hienghène en 1984). *-5-5* opération Victor ; assaut grotte de *Gossanah* contre ravisseurs : 19 rav. (dont Waïma Amossa et Wenceslas Lavelloi) et 2 mil. tués, 24 otages libérés ; enquête sur décès d'Alphonse Dianou (tué après s'être rendu ?). *-6-6* Albert Sangarné tué. *-26-6 accords de Matignon* entre l'État, le FLNKS (signés par J.-M. Tjibaou) et le RPCR (J. Lafleur) : (du 14-7-88 au 14-7-89 ; administration directe par l'État puis nouveau statut appliqué). *-6-11* référen-

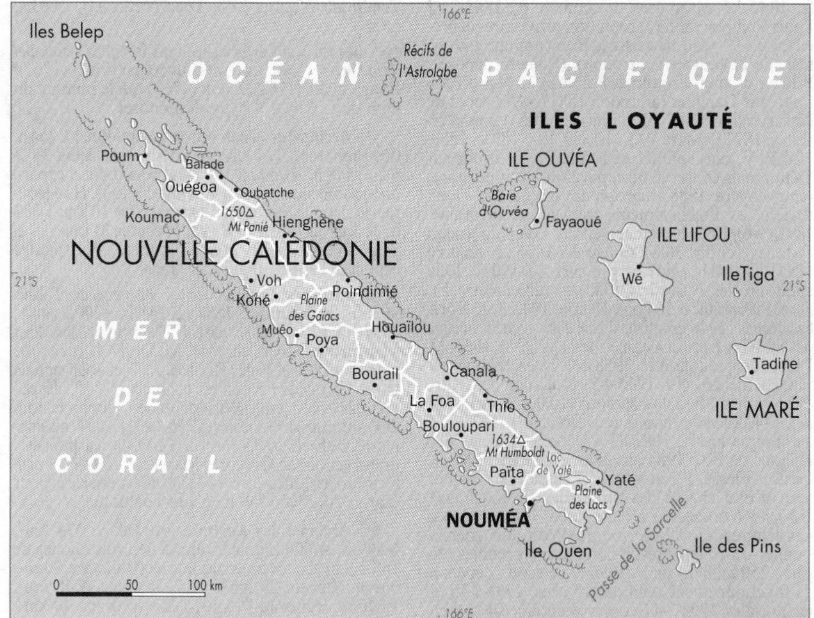

dum sur le statut transitoire. **1989**-*24-4* élec. régionales. -*4-5* lors de la commémoration de la prise de la grotte, Tjibaou et Yeiwéné tués par Djubelly Wéa (chef de la tribu de Gossanah) qui est tué et André Tangopi qui est arrêté (libéré 6-2-90). -*7-5* Rocard aux obsèques. -*26-6* Simon Loueckhote élu Pt du territoire. -*27-7* USTKE (Union synd. des travailleurs kanaks et des exploités) décide par 95 voix contre 14 et 9 abst. de quitter FLNKS. -*12-8* Muliana Kalepo (n. 1938), Pt de l'Union océanienne, meurt. *Nov.* 150 indépendantistes libérés dont le *17-11* 26 détenus à Paris pour l'affaire d'Ouvéa et 21 à Nouméa. -*18-12* amnistie pour infractions commises avant 20-8-88. **1990**-*18/25-2* Ouvéa : municipales remportées par FLNKS devant RPCR et FANC. -*24-3* Paul Néaoutine Pt du FLNKS. -*24-4* Ouvéa : municipales annulées. **1991**-*13-1* île des Pins : municipales (conseil dissout 24-11-90), maire FLNKS élu 18-1. **1992**-*26-1* Fulk autodissous en vue création du Congrès pop. -*4-3* cyclone « Esaü ». -*10-3* cyclone « Fran ». Décès du préfet délégué Jacques Iekawé (n. 1946). -*14/15-3* centre commercial saccagé Nouméa.

Nota. – Présence militaire et policière : *1983 :* 3 000 h, *85 (fév.) :* 6 000 h.

Statut. Terr. d'outre-mer dep. 28-12-1956. Statut particulier dep. la loi du 9-11-1988. **Provinces** (mises en place 14-7-1989) : 3 administrées par Pt des **Assemblées des Provinces** (m. élus pour 6 a. au suf. proportionnel le 11-6-1989). *Pts : Nord* Léopold Jorédié, UC ; *Loyauté* Richard Kaloi, UC (avant : Yeiwéné, tué 4-5-89) ; *Sud* Jacques Lafleur, RPCR. **Haut-commissaire :** Alain Christnacht en janvier 91, exerce le pouvoir exécutif assisté par un **comité consultatif** composé des Pts (+ Vice-Pts) des 3 provinces et du *Pt (+ Vice-Pt) du congrès.* **Congrès territorial :** *Pt* Simon Loueckhote (RPCR) élu 26-6-89. 54 membres (Réunion des élus des 3 Ass. des Provinces, élus pour 6 ans) : Sud 32, Nord 15, îles Loyauté 7.

Tribus. **1865-86** l'État, propriétaire de la terre, attribue à chaque tribu une réserve. Il peut nommer et destituer les chefs, dissoudre et créer des tribus et les déposséder de leur territoire. **1877** institution de la grande chefferie, groupant plusieurs tribus ; les chefs nommés sont responsables du maintien de l'ordre. **1988 conseil consultatif coutumier créé.** L'État conserve diplomatie, finances, maintien de l'ordre, justice, audiovisuel, grandes décisions écon. **1991** 52 grandes chefferies et 350 tribus, qui n'ont plus que des rapports lointains avec celles d'avant la colonisation. Certaines sont hébergées sur le territoire d'autres tribus. **1998** (entre 1-3 et 31-12) *référendum d'autodétermination* auquel participeront ceux qui seront inscrits sur les listes et ceux qui auront résidé sur le terr. dep. le 6-11-88.

Référendum sur la loi « portant dispositions statutaires et préparatoires à l'autodétermination de la N.-Cal. en 1998 ». *Inscrits* 38 039 735, *votants* 14 043 134, *exprimés* 12 371 041, oui 9 896 298 (79,99 %), non 2 474 743 (20 %). *N.-Cal. :* inscrits 88 401, *votants* 55 908, *abst. 36,75 %, expr.* 51 349, oui 29 284 (57,02 %), non 22 065 (42,97 %).

Élections. Législatives. 16-3-1986 (boycottées par FLNC) *abst.* 49,61 % ; *voix* (%) Union opp. 88,53, extr. gauche 8,99, FN-dissident 2,57 ; *élus :* 1 RPR, 1 app. RPR. **5-6-1988 :** *Nouméa :* inscrits 45 216, *abst.* 46,35 %, *voix* (%) URC-RPR 83,31, FN 13,74, extr. droite 2,93. *Bourail, Hienghène, Thio :* inscrits 43 007, *abst.* 59, 38 %, *voix* (%) URC-RPR 86,17, FN 13,82. **21-3-93 :** *Nouméa : inscrits* 48 047, *abst.* 42,31 %, *voix* (%) RPR 53,26, div. d. 16,04, FLNKS 14,32, FN 5,68, ext. d. 4,79, MRG 1,88, div. g. 1,39, div. d. 1,35, div. d. 1,25, *élu* RPR 1. *Bourail, Hienghène, Thio : inscrits* 46 592, *abst.* 42,70 %, *voix* (%) RPR 54,13, FLNKS 29,80, div. d. 8,76, MRG 2,90, div. g. 2,20, div. d. 2,18 ; *élu* RPR 1.

Conseils de région (24-4-1989) : *inscrits* 88 929, votants 50 138, *exprimés* 48 449 dont (%) RPCR 64,46, FN 22,49, FC (extrême droite) 6,01, Entente (divers droite) 3,97, UPC 3,04. *Abstentions* 100 % aux îles Bélep, 99,44 à Pouebo, 95,38 à Maré, 88,62 à Canala, 88,54 à Hienghène.

Congrès du territoire rassemblant les élus aux 3 **Assemblées des Prov.** (11-6-89). *Abst. :* 30,7 % ; *votants :* 62 470 ; *voix (%) :* RPCR 44,46 (27 s.), FLNKS 28,65 (19 s.), FN 6,73 (3 s.), CD (Caléd. Demain) 5,15 (2 s.), UO 3,89 (2 s.), autres 11,1 (LKS 1 s.).

Partis. Front de libération nat. kanak et socialiste (FLNKS) créé 24-9-1984, Pt Paul Néaoutyine (n. 1951), maire de Poindimié dep. 89 ; vice-Pt Rock Wamytan. Rassemble : *Union calédonienne* (UC) f. 1956 par Maurice Lenormand, Pt François Burck, avant, Jean-Marie Tjibaou [n. *1936,* aîné de 8 enfants, sa grand-mère avait été tuée par des soldats français lors d'une révolte en 1917, *1965* ordonné prêtre, *1972* renonce à la prêtrise, *1977* maire de Hienghène et vice-Pt de l'UC « pluriethnique » puis « kanake » en 1978, *1979* conseiller territorial (Front indépend. 34,5 % des v.), *1982* vice-Pt du Conseil du gouv., *1989* (4-5) assassiné] ; *Front uni de libération kanak* (Fulk), f. 1974, Pt Yann Céléné Uregei (exilé avr. 1989 à juil. 90), appuyé par Kadhafi et le Vanuatu ; *Union progressiste mélanésienne* (UPM), f. 1974, Pt Edmond Nekiriai ; *P. socialiste de Kanaky* (PSK), f. 1985, Pt Jacques Violette ; *P. de libération kanaque* (Palika), f. 1976, Pt Paul Néaoutyine, Elie Poigoune. **P. national cal.,** Pt Georges Chateney. **Rassemblement pour la C. dans la Rép. (RPCR)** f. 1978, Pt Jacques Lafleur [coalition de 5 partis : *Union pour la renaissance de la C.,* f. 1977, Pt Jean-Louis Mir ; *Sociaux-démocrates chrétiens-Entente toutes ethnies,* f. 1979, Pt Raymond Mura ; *Rassemblement pour la C. (RPC),* f. 1977, Pt Lafleur ; *Rassemblement de la Rép.,* Pt Dick Ukeiwé ; *Mouv. libéral cal.,* f. 1971, Pt Jean Lèques]. **P. de Libération kanaque socialiste (LKS),** Pt Nidoish Naisseline. **P. fédéral kanak d'OPAO,** Pt Gabriel Paita, Auguste Siapo. **Front calédonien** (FC), Pt Claude Sarran. **Front national,** Pt Guy George. **Union pour construire l'Indépendance (UPCI)** f. 1988, Pt Francis Poadouy. **Féd. pour une nouvelle société cal. (FNSC)** f. 1979, Pt Jean-Pierre Aïfa. **Union des syndicats de travailleurs kanaks exploités (USTKE),** Pt Louis Kotra Uregeï, fils adoptif de Yann Céléné Uregeï, chef du Fulk. **Union océanienne (UO)** f. 1989, Pt Michel Hema.

Dépendances

Beautemps-Beaupré (îles). **Bélep** (Archipel au N.-O.) 70 km², alt. max. 283 m, 551 h. (69) *Wala* (aéroport). **Chesterfield** (îles) 1 km² à 580 km. Inhabitées. **Huon** (île) 0,13 km² à 290 km N.-O. Inhabitée : Guano. **Hunter** (île) 0,6 km², inhabitée. **Loyauté** (îles) archipel à 100 km N.-E. de la N.-C., découvert 1792, par l'Angl. Ravers puis par d'Entrecasteaux, déclarées fr. en 1864 et 1865 (Ouvéa), 3 îles principales : **Ouvéa** 132 km², alt. max. 39 m, 2 774 h. dont 14 Europ., *Fayaoué ;* **Lifou** 1 196 km², alt. max. 90 m, 7 585 h. dont 90 Europ., *Wé ;* **Maré** 642 km², alt. max. 129 m, 4 156 h. dont 26 Europ., *Tadine.* Noix de coco, coprah. **Matthews** (île) 0,54 km², inhabitée. **Pins** (île des) ou **Kounié** 153 km², alt. max. 262 m. 50 km au S.-E. de la N.-C. 1 095 h. (78 Eur.) ; *chef-lieu : Vao.* Abrita (1872-79) déportés de la Commune dont Louise Michel, puis condamnés de droit commun. Tourisme. Pêche. **Surprise** (île) 0,6 km² ; inhabitée. **Walpole** (île) 1,25 km², à 180 km de Maré, guano.

■ Économie

PNB (90). 6 900 $ par h. **Pop. active** (%, entre parenthèses part du PNB en %). Agr. 32 (5), ind. 20 (25), services 40 (60), mines 8 (10). **Salariés** (31-12-91) : 40 982. *Chômage* (%). *1982 :* 20 ; *83 :* 6,2 ; *89 :* 16. **Impôt sur le revenu :** taux max. 40 %. **Inflation** *90 :* 1,4. **Aide de la France** (milliards de F) *1984 :* 0,59 ; *85 :* 0,58 ; *86 :* 0,78 ; *87 :* 0,73 ; *89 :* 0,38. De 1988 à 1998, dotations de 300 millions de F/an pour les fonctionnaires régionaux.

Budget du territoire (en milliards de F CFP, 1991). **Dépenses :** *de fonctionnement (budget primitif) :* 52 dont (en %) dotations aux provinces 54,5 (Sud 27, Nord 17,5, îles 10), aux communes 15, fonctionnement territoire 14, dette 5, divers 11,5 ; *d'investissement :* 8,7 dont (en %) programmes pour les tiers 36 (provinces 20, communes 9, autres 7), dettes en capital 25, programmes territoriaux 23, divers 16. **Collectivités provinciales :** *investissement :* Nord 16, Sud 12, P. Iles 5,5 ; *fonctionnement :* Sud 15,5, Nord 8,7, P. Iles 5,1.

Crédits Contrats de développement (en millions de FF, 1990-92) : Iles 110 (participation de l'État 56 %), Nord 270 (0 %), Sud 119 (38 %).

Agriculture. *Terres.* En 1991, 10 302 propriétaires possédaient 228 969 ha. *Terres appropriées* 700 000 ha dont 378 000 aux Mélanésiens, *t. domaniales* 1 000 000 ha ; réforme foncière en cours pour redistribuer avant 1998 100 000 à 150 000 ha au profit des Mél. (qui revendiquent 270 000 ha). *1989-91 :* 42 700 ha restitués (dont Province N. 2 400 en 90). *Surfaces utilisées* (ha, 1991) céréales 504, p. de t. 180, légumes et fruits 606, cult. vivrière 7 610, caféiers 1 026. *Production* (t, 91) fruits 1 736, légumes 3 034, céréales 650, blé 165 (90), maïs 825 (90), sorgho 21 (89), riz 5,9 (90), café 135 (1939 : 2 000) [échec du plan café lancé en 82], coprah 22,5 (1986 : 734). **Forêts** 1 500 000 ha (3/4 du terr.). Bois 3 363 m³ (90). **Élevage** (milliers, 91) : chevaux 11,4, bovins 125,4, porcs 38,2, cerfs 12,5, moutons 3,6, chèvres 16,4, volailles 877,3. **Pêche** (91) 6 261 t, sur 7 000 000 km² de zone de pêche ; 263 bateaux. **Aquaculture** crevettes *1986 :* 65 t ; *90 :* 539 t ; *91 :* 642,7 t.

Mines. Nickel [découvert 1864, 3e rang mondial, 90 % des exp. (3,6 milliards de F en 90), 20 % des réserves mondiales (50 millions de t) : minerai garniérite (vert et riche, seul exploité) ou latérite (rouge, faible teneur)]. *Exploitations :* 1°) *indépendants :* Nickel Mining Corporation (famille Pentecost) 540 000 t au Japon ; Sté des Mines de la Tontouta, ou SMT : 360 000 t vendues au Japon ; Sté minière du Sud-Pacifique (SMSP) : 700 000 au Japon. 17-4-90, J. Lafleur vend 85 % de ses actions à la province Nord (montant de 99 millions de F, soit le tiers de la valeur, mais 65 % avaient été achetées en 1987 30 millions de F. Nouméa Nickel : 160 000 t ; Sopromines : 35 000 t. 2°) *Sté SLN,* gisements à Thio et Kouaoua ; exploite de la garniérite (Doniambo), expédiée à Sandouville (mattes de ferro-nickel et nickel pur) et au Japon (125 000 t) ; *Prod.* minerais (métal contenu) en millions de t : *1984 :* 2,9 (0,583) ; *85 :* 3,6 (0,072) ; *86 :* 3,1 (0,064) ; *87 :* 2,8 (0,058) ; *88 :* 3,4, (0,071) ; *89 :* 4,9 (0,096) ; *90 :* 4,4 ; *91 :* 5,7 (3,4) ; *92 :* 5,5 (3,9). *Export.* minerais (millions de t), *1987 :* 1,3 ; *88 :* 1,9 ; *89 :* 1,9 ; *90 :* 2,2 ; *91 :* 3,2. *Prod. métall.* (ferro-nickel et matte, en t) : *1989 :* 46 935 ; *90 :* 41 961 ; *91 :* 43 452. **Autres métaux :** *Chrome* (6,2 t de minerai concentré en 1990, contre 70,3 en 88), *manganèse, fer, cobalt* (2e prod. mondial), *cuivre, giobertite, plomb, zinc.*

Routes 5 761 km en 1989 ; de 1988 à 1992 : 586 millions de F pour le plan routier. **Tourisme** (visiteurs) *1987 :* 60 747 ; *88 :* 55 111 ; *89 :* 75 621 ; *90 :* 85 213 ; *91 :* 80 840 dont Japon 26 020, Australie 16 964, *France 15 291,* N.-Zélande 8 535, divers 14 030.

Commerce (millions de F CFP, 1992). *Exp.* 39 448 *dont* nickel 8 734, prod. alim. 1 036 *vers* (%) *France 32,2,* Japon 23,5, All. féd. 6,7, USA 3,6, Inde 1,2. *Imp.* 89 160 *dont* mat. de transport 15 046, mat. élec. 18 085, prod. alim. 15 162, prod. minéraux 7 175, métaux 5 813, prod. chim. 6 198 *de* (%) *France 46,3*, CEE 14,9, Australie 10,2, Japon 6,3, Nlle-Zél. 4,4.

Rang dans le monde (1990) 2e cobalt. 3e nickel.

Polynésie française

Carte p. 851. Voir légende p. 884.

Situation. Océanie. A 17 500 km de la France, 9 500 du Japon, 6 500 de l'Amér., 6 000 de l'Australie. *Ensemble d'env. 130 îles et atolls du Pacifique.* 4 167 km² (3 521 habitables) dispersés sur 4 000 000 de km². 5 archipels d'origine volcanique (Société, Marquises, Australes, Gambier) ou corallienne (Tuamotu). *Alt. max.* Mt Orohena 2 241 m. Toutes les îles (sauf Marquises) ont un récif barrière, coupé de passes. **Zone d'expansion économique** 200 miles (4,5 millions de km²). **Marées** faibles, semi-diurnes, avec influence prépondérante pour la Lune ; à Papeete très faibles (influences Soleil-Lune égales), marées des quartiers nulles ; à la pleine et à la nouvelle lune : marnage 20 à 35 cm ; « hautes » mers v. 1 h et 13 h ; autres marées hautes plus faibles et à h. variables.

Climat. Tropical variant avec latitudes. Papeete, moy. 26 °C, mars 28 °C (mois le plus chaud), août 20 °C (le plus froid). *Humidité* relative moy. : 78 %. *Été :* déc. à avril, *hiver :* juin à oct. *Pluies* 2 500 à 3 000 mm (Marquises), surtout déc. à févr. (le moins, juill. à nov.). **Cyclones :** 14 importants de 1831 à 1982 dont *févr. 1878 :* 117 †, *janv. 1903 :* 517 ; *05, 06 :* 150 ; *58, 67, 68, 70, 76, 81, 82* Lisa (10-15/12), *83* Nano (23-27/1), Orama Nisha (27-28/2), Reva (8-17/3), Veena (9-14/4), William (12-22/4), *91* Vasa (31-12). *Risques par siècle :* 1 au N. des Marquises, 1 à 3 des Marquises au N. des Tuamotu, 4 à 8 des Tuamotu aux Gambiers (en passant par Tahiti et Bora-Bora), 30 à 50 des îles Cook aux îles Australes.

Flore. *Fleurs :* tiaré (emblème de Tahiti), hibiscus, bougainvillées, frangipaniers, camélias, orchidées, authuriums. *Fruits abondants :* mangues, papayes, avocats, caramboles, corossols, ananas, pamplemousses, oranges. **Faune** autochtone : cochon, chien, poulet, rat de cocotier amenés par les 1ers Polynésiens. Le capitaine Cook importa bétail et chats. Ni insectes ni animaux venimeux. *Poissons communs :* thon, dorade.

Population (est. juin 91). 199 031 h. (mars 91) dont *Polynésiens et assimilés :* 164 997 [dont Polynésiens (Maoris : teint clair, cheveux lisses, gens de mer et agriculteurs) 132 356 ; Demis (nés d'unions souvent fort anciennes entre Maoris et Blancs ou plus récemment entre Maoris et Chinois) 32 641] ; *Européens et assimilés :* 23 685 (dont Européens 20 898, Métis à dominante europ. 2 787) ; *Asiatiques et assimilés :* 9 155 (dont Asiatiques 7 961, Métis à dominante asiatique 1 194) ; *autres :* 1 194. *2000 (prév.) :* 218 000 ; *2 011 (prév.) :* env. 310 000. *Français* métrop. 2 781, *Chinois* 5 681. D 47,8. **Age** (88) : *- de 20 ans :* 47,1. *20 à 60 :* 47,8. *+ de 60 :* 5,1. *En 1990 :* mariages 912, naissances 5 371, décès 857. **Taux brut** (‰, 89) : *natalité* 27,9, *mortalité* 5,3, (*infantile* 15,5 en 88), *accroissement* 22,9 (90). **Villes** (r. 88). *Papeete* (chef-lieu à Tahiti) 23 555 (agg. Faaa 24 048, Pirae 13 366), Uturoa (île de Raiatea) 3 098. **Langues** (off.) : français, tahitien. **Religions** (%) : protestants 54, cath. 30, divers 10. Sans religion déclarée 6.

Histoire. **1595** l'Esp. Mandana visite Marquises. **1605** l'Hispano-Portug. Queiroz traverse les Tuamotu. Découvre Tahiti et la nomme « Sagitaria » (du latin *sagitta* flèche, rappelant le cône volcanique, en forme de faisceau de flèches). **1767** Wallis découvre Tahiti qu'il nomme « King George's Island ». **1768** Bougainville la redécouvre, la baptise la « Nouvelle Cythère » et ramène un Tahitien qui accréditera la légende du bon sauvage de Rousseau. **1769, 1773 et 1777** Cook visite Tahiti et certaines îles Sous-le-Vent, Marquises et Australes. **1791** l'amiral Marchand prend possession de plusieurs des Marquises au nom du roi de Fr. **Avant 1793** chaque île a un chef indép. [Pomaré I n. v. 1743, † 3-9-1803 ; fils de Hapai, chef de Paré († nov. 1802), 1773] et un gouv. propre. **1793** dynastie des Pomaré (la nuit de la toux). Tahiti et les îles forment les États du protectorat. **1796** Cook, envoyé par la Royal Society de Londres, arrive à Tahiti pour observer le passage de Vénus devant le Soleil. **1797** *Pomaré I* (1743-1803) ; arrivée des protestants de la Sté missionnaire de Londres. **1803** *Pomaré II* (1779 ou 82/7-12-1821), baptisé 1819 ; une partie de la population devient protestante. **1821** *Pomaré III* (1820/11-1-1827), fils de P. II. **1827** *Aimata* dite *Pomaré IV Vahiné* (1813/17-9-1877) sœur de P. III. **1836** le missionnaire George Pritchard (1796-1883), qui fait fonction de consul d'Angl., expulse des missionnaires cath. fr. **1838**-*29-8* le cap. de vaisseau Dupetit-Thouars obtient réparation de P. IV. **1842**-*9-9* P. IV ayant sur l'insistance de Pritchard fait du protestantisme la religion off., Dupetit-Thouars l'oblige à reconnaître le protectorat fr. **1842**-*1-5* Marquises deviennent fr. **1843**-*25-3* Louis-Philippe ratifie acceptation provisoire du protectorat. -*17-4* cap. de vaisseau Bruat nommé gouverneur de l'Océanie fr. ; troubles (Pomaré déposée, Pritchard expulsé, retour de Pomaré). **1844** protectorat fr. sur Gambier (annexion 1881). -*21-3* début de l'insurrection. **1847**-*1-1* soumission des derniers révoltés. **1877** Pomaré V (3-11-1839/12-6-1891). **1880**-*29-6* P. V, sans enfants, cède à la Fr. ses droits sur Tahiti, mais conserve titre, pavillon, droit de grâce, rente viagère. **1888** annexion des îles Sous-le-Vent ; devient les Établissements français de l'Océanie. **1891 (9-6)/1893** 1er séjour de Paul Gauguin [(peint 66 toiles). en Fr. 30-8-1893 au 3-7-1895 ; revient en 1895 (1901 Hiva-oa) et y meurt 8-5-1903]. **1900** annexion des Australes. **1940**-*1-9* ralliement à Fr. libre. Plébiscite : 5 564 oui, 18 non. **1942** Bora Bora, base amér. **1946** création d'une Ass. représentative des Établiss. fr. de l'Océanie ; devient TOM. **1956**-*23-7* loi-cadre : autonomie. **1958** *nov.* référendum pour rattachement à la Fr. **1963**-*4-2* installation du Centre d'expérimentation du Pacifique (10 000 pers.). **1971** *déc.* 44 nouvelles communes (total 48). **1977**-*12-7* autonomie locale. **1982-83** 6 cyclones (dégâts 880 millions de FF). **1984** autonomie interne. **1987**-*7-2* Gaston Flosse, Pt du gouv., démissionne (nommé secr. d'État chargé des problèmes du Pacifique). -*31-8/3-9* 6 brûlés vifs à Faïté (atoll, 180 h.) (chasse aux démons). -*7-12* Jacky Teuira (Pt du gouv.) démissionne. -*23-10* émeutes, 8 immeubles incendiés, dégâts : 250 millions de F. **1990** crise écon., dépenses de fonctionnement publ. trop fortes. **1991**-*17-3* él. territoriales. **1992**-*7-4* Bérégovoy annonce la suspension des essais nucléaires jusqu'à l'été 1993 (entraîne des pertes écon. importantes).

Statut. Terr. d'O.-M. dep. 1946. Nouveau statut d'autonomie dep. 6-9-84. **Haut-commissaire de la Rép. :** Michel Jau dep. 1992. **Pt du gouvernement :** élu par Ass. terr., choisit ses min. : *1984 :* Gaston Flosse (24-6-31) RPR. *87 :* Jacky Teuira. *-9-12* Alexandre Léontieff (n. 20-10-48, non inscrit). *1991-4-4* Gaston Flosse RPR. **Ass. territoriale : Pts** *1991* Émile Vernaudon (n. 8-12-44). *1992-6-4* Jean Juventin. 41 conseillers élus au suffr. universel pour 5 a. [5 circonscriptions : Iles du Vent (22 subdivisions administratives), Sous-le-Vent (8), Tuamotu-Gambier (5), Australes (3), Marquises (3)]. **Comité écon., social et culturel.** Consultatif 41 m. max. **Comité d'État-Territoire.** Dep. août 81. **Subdivision adm.** 5. **Députés** 2. **Sénateur** 1. **Conseiller écon. et social** 1.

Élections. Législatives. 26-6-88 : inscrits 107 934 ; (en %) *abst.* 44 ; div. opp. 57,46 ; RPR 42,54 ; élus 2 div. opp. **21-3-93 :** *P. ouest : inscrits* 64 296, *abst.* 31,41 %, *voix* RPR 55,70, indép. 44,29 ; *élu* RPR 1. *P. est : inscrits* 46 141, *abst.* 30,62 %, *voix* RPR 50,15, maj. p. 27,07, indép. 14,78, div. d. 4,81, indép. 1,88, div. g. 1,28 ; *élu* RPR 1.

A l'Ass. terr. 16-3-86 : Tahoeraa Huiraatira 25 s., Ia Mana Te Nunaa 3, Pupu Here Ai'a 2, Ai'A Api 2, Te Aratia O te Nunaa 2, Front de lib. de la P. 2, Taatira Polynesia 1, Porinesia No Ananahi 1, Te E'a No Maohi Nui 1. **17-3-91 :** *abst.* 21,65 %. Tahoeraa Huiraatira 18 s. (31,41 % des v.), Union pol. 12 (Ai'A Api) (23,27), Patrie nouvelle 7 (12,28), Front indép. de libér. de la P. 4 (11,43).

Partis politiques. *Rassemblement pour la Rép. de Pol. (Tahoeraa Huiraatira) RRP* fondé 1958 (Gaston Flosse n. 24-6-1931, RPR) ; *Union pol.*, comprenant : *Te Tiarama* f. 1987 (Alexandre Léontieff n. 20-10-48, non inscrit) et *Pupu Here Ai'a*, centriste, f. 1965 (Jean Juventin) ; *Te e'a No Maohi Nui*, f. 1985 (Jean-Marius Raapoto), *Pupu Taina*, f. 1976 (Michel Law) ; *Ia Mana Te Nunaa*, f. 1976, indépendantiste (Jacques Drollet). *Entente polynésienne*, f. 1976 (Arthur Chung) ; *Ai'A Api*, f. 1981 (Émile Vernaudon) ; *Te Aratia O te Nunaa (Tinomana Ebb)* f. 1984. *Front indép. de libér. de la P.* (Oscar Temaru).

Subdivisions

Nota. – Population en 1988. (1) 1984.

5 archipels. 1°) **Iles du Vent.** 140 341 h. **Tahiti** 1 042 km², 115 820 [1] h. ; montagneuse, plaine côtière étroite, alt. max. mont Orohena 2 241 m et mont Aroai 2 066 m. **Moorea** (lézard jaune) 132 km², 9 032 h., alt. max. mont Tohiea 1 207 m. **Mehetia. Tetiaroa** à 47 km de Tahiti, plusieurs îlots dont 1 (long de 3 km) acheté par Marlon Brando. **Maiao** 10 km², 231 h.

2°) **Iles Sous-le-Vent.** 22 232 h., 507 km². **Raiatea** à 200 km à l'O. de Tahiti, 240 km², 8 560 h., chef-lieu Uturoa. **Tahaa** 88 km², 4 005 h. **Huahine** (fruit gris) 73 km², 2 îles et des îlots, 4 479 h. **Bora Bora** (né le premier), 38 km², 4 225 h., alt. max. 727 m, tombeau du navigateur Alain Gerbault (1893-† 16-12-1941 à Dili Timor). **Maupiti** 13 km², 963 h. Atolls [1] : **Mopelia** 360 ha, **Scilly (ou Manuae)** (atoll de 140 îlots) 400 ha, **Bellinghausen (ou Temiromiro)** 280 ha, 28 h., **Tupai** (petite île) 1 100 ha, 35 h.

☞ Iles du Vent et Sous-le-Vent forment *l'archipel de la Société* (1 647 km²) découvert par Wallis (1767), Bougainville (1768), Cook (1769) qui le nomma du nom de la Royal Society de Londres.

3°) **Archipel des Tuamotu** ou **Touamotou** 11 754 h. (les Pomotus), 774 km². 78 atolls dont **Anaa** 29 × 6 km, 648 h., *Tureia* 2 186 [**Mururoa** (base d'expérimentations nucléaires à 450 km d'Hao)], **Hao** (soutien logistique du centre d'expér.) 60 × 10 km, 1 333 h., **Rangiroa** 75 km², 1 874 h. **Makatea** 21 km², 58 h. Sans sources ni rivières. Cocotiers. Phosphates exploités 1917-66 (épuisés). Nacre.

Archipel des Gambier : à 1 900 km de Tahiti. 36 km². Population : *1831 :* 2 141 h. ; *1902 :* 480 ; *1911 :* 1 512 ; *1988 :* 620. 8 îles principales dont **Mangareva** (620 h., alt. max. Mt Duff 441 m) et une vingtaine d'îlots. Ville : Rikitea. *1572* et *1606* signalé par le Portugais Fernandez et Queiroz. *1797* découvert par le cap. angl. Wilson, qui leur donna le nom de l'amiral angl. Gambier (1756-1833). *1834* missionnaires cath. *1836-25-5* le roi Te-Wapotea baptisé : prend le nom de Gregorio Maputeo. *1844-16-1* protectorat fr. (officialisé 1871). *1881* annexion pour écarter All. *1986* rattaché aux Tuamotu.

4°) **Archipel des Australes** ou **Tubuaï** 174 km², 6 509 h. A 600 km de Tahiti, 5 îles volcaniques de 160 à 230 km les unes des autres (**Rimatara** 8 km², 969 h., **Rurutu** 29 km², 1 953 h., **Tubuaï** 48 km², 1 846 h., **Raïvavae** 16 km², 1 225 h., **Rapa** 40 km², 516 h.), quelques atolls.

5°) **Archipel des Marquises** 1 274 km², 7 358 h. ; chef-lieu Taiohae dans Nuku-Hiva. A 1 500 km de Tahiti. 10 îles volcaniques dont **Nuku-Hiva** 482 km², 2 100 h., **Ua-Pou** 1 918 h., **Ua-Huka** 65 km², 539 h., **Hiva-Oa** 150 km², 1 671 h. (où Gauguin et Brel sont enterrés, Mt Keavi 1 260 m), **Tahuata** 633 h., **Fatu-Hiva** 77 km², 497 h.

1 dépendance : Clipperton (atoll de) ou **île de la Passion :** à 6 500 km de Tahiti, 1 300 du Mexique et 2 300 du Guatemala ; plat (alt. max. 29 m), 7 km², *long.* 3 km, *larg.* 2 km, *circonf.* 12 km. *Temp.* moy. 22 à 30 °C, humide. *Pluies* (mai à oct.) tornades. Pêche au thon. Inhabité. La zone de 200 milles qui l'entoure représente 425 220 km². **Histoire :** *1705* le pirate Clipperton et son équipage traversent le Pacifique du Mexique à Macao (19 000 km) et découvrent l'île. *1711-3-4* Martin de Chassiron et Michel du Bocage la baptisent « île de la Passion ». *1858-17-11* annexée par la Fr. *1895* les Amér. tentent d'exploiter le guano. *1897* la Fr. reprend C. mais le Mexique accordant une autorisation d'exploitation se considère souverain. *1906* le Mex. envoie 7 hommes sur l'île avec leur famille (40 pers.) et les oublie. Les Angl. débarquent ; l'exportation du guano reprend. La garnison oubliée par le Mex. est atteinte de scorbut ; le cap. pense trouver du secours auprès d'un bateau qu'il croit apercevoir au large et chavire avec quelques hommes. 1 Noir se déclare roi de C. ; resté seul avec 4 femmes, il est assassiné par 2 d'entre elles en 1917. Un croiseur amér. venu vérifier l'absence de base ennemie recueille les 4 femmes et leurs enfants le lendemain. *1931-31-1* arbitrage du roi d'Italie. C. est reconnu à la Fr. *1935-26-1* la *Jeanne-d'Arc* marque la souveraineté de la Fr. *1936-12-6* rattaché à la Polynésie fr. *1942* la Marine US aménage une base aérienne de secours, puis une station radio météo, en 1944. *1945* la paix revenue, abandonne les lieux. Le phosphate, seule ressource, est épuisé. *1979-24-1* compétence juridictionnelle à Paris. *1986-88* Norbert Niwes Nirves crée une base pour thoniers. **Statut.** Classé dep. 18-3-1986 dans le domaine public de l'État, gestion assurée par le min. des DOM-TOM ; administré par le Haut-Comm. en Polynésie.

Économie

PNB (90). 7 000 $ par h. **Pop. active** (en % et, entre parenthèses, part du PNB en %). Agr. 13 (4), ind. 19 (18), services 68 (78). **Nombre** (88). 70 044 (44 391 h. et 25 653 f.) dont 53 447 dans îles du Vent (38 % de leur pop.). *En 88*, sur 48 700 inactifs (33 934 Polynésiens et 5 773 Européens) 14,9 % étaient chercheurs d'un emploi (1990 : 10 %, soit 8 000 pers.). Fonctionnaires et assimilés (88) : 23 863 (y compris 6 000 des communes et contractuels du territoire). **Inflation** (%). *1988 :* 2,6 ; *89 :* 2,9 ; *90 :* 0,1 ; *91 :* – 0,6. **Concours financiers extérieurs** (milliards de F CFP). *1981 :* 35,2 ; *83 :* 53,7 ; *86 :* 76,3 ; *90 :* 64,4 ; *91 :* 70 ; *92 :* 88 (dont civils 44, militaires 38, retraites expédiées de métropole 6). **Budget** (millions de F, CFP). *Recettes : 1987 :* 60,1 ; *88 :* 66,6 ; *89 :* 79,6. *Dépenses (y compris dép. militaires) : 87 :* 90,7 ; *88 :* 103,8 ; *89 :* 102,5 ; *90 :* 108. **Fiscalité :** pas d'impôt sur le revenu, ni de droits de succession, de TVA ou d'IGF.

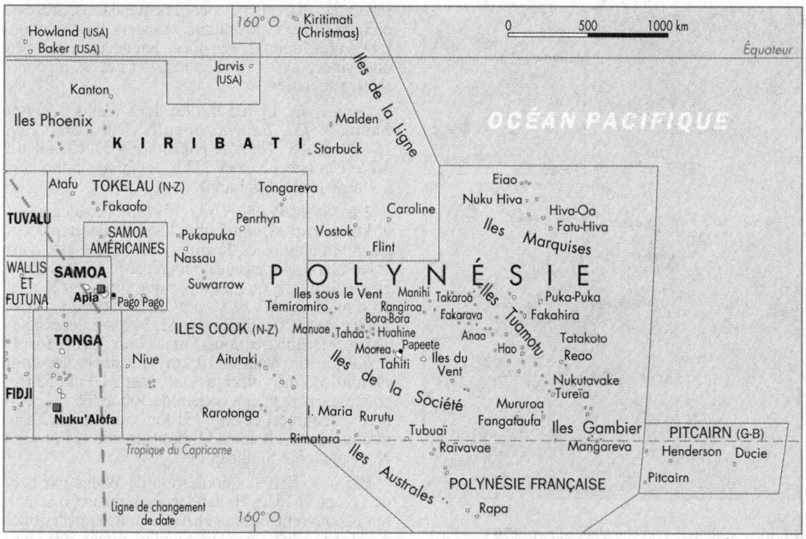

Agriculture. **Terres cult.** 19 % (plaines côtières, fond des vallées). *Production* (en milliers de t) : *coprah 1987 :* 15 ; *88 :* 11 ; *89 :* 11 ; *90 :* 13 ; *91 :* 10. *Vanille 1990 :* 39 t. *Café* commercialisé (t) *1979 :* 180 ; *82 :* 55 ; *83 :* 141 ; *85 :* 53,2 ; *86 :* 15 ; *88 :* 3 ; *89 :* 10 ; *90 :* 6. *Légumes* (t, 90) p. de terre 1 256, taros 452, patates douces 136, amères 45 (83), tarua 81. *Fruits* (t, 90) ananas 2 436, bananes 284, papayes 134, mangues 137, citrons 75, pamplemousses 160, oranges 16 (en extinction). Horticulture. Élevage (90). *Bovins* 7 000, *porcins* 32 000, *œufs* 2,3 millions de douzaines, *poulets* 447 t. Pêche (en t.). **Industrielle :** *1989 :* 2 743 ; *90 :* 4 129 ; *91 :* 4 728 ; **artisanale :** *1989 :* 2 847,3 ; *90 :* 2 625,6 ; *91 :* 2 283,4 ; *hauturière :* (en déclin) 118 bonitiers (920 t en 90) ; pêcheurs prof. : 400 ; armateurs et arm.-pêcheurs : 90 ; *côtière :* 272 « poti-marara » embarcation en bois de 5 à 6 m, pêchent marara (poissons volants), thon, mahi mahi (500 t/an) ; *lagonaire :* îles Tuamotu (parcs à poissons), de la Société (env. 4 600 t/an). **Aquaculture :** crevettes 60,5 (90). **Huîtres :** nacrières et perlières (les plongeurs descendent jusqu'à + de 40 m). **Perliculture :** 599 kg exp. en 1990. Forêts. 10 000 ha ; programme de reboisement 1977-2002 : 21 000 ha (plantation annuelle prévue 770 ha). Phosphates (Mataïva) : prod. possible 10 millions de t/an pendant 10 à 15 ans. Industrie. Huileries.

Énergie renouvelable (potentiel) : *solaire* 5,3 kWh/m²/j en moyenne ; *éolienne :* alizés du S.-E. de 5 à 6 m/s ; *biomasse :* 50 000 t par an de déchets de coprah ; *hydroélectricité :* 15 à 20 MW équipables à Tahiti. **Électricité** (91) : *production* 302,2 millions de kWh (thermique 229,5, hydraulique 72,7), *abonnés* 30 578 à Tahiti (90).

Présence du CEP (Centre d'expérimentation du Pacifique) et des forces de souveraineté. **Dépenses locales** (milliards de F CFP). *1981 :* 16,8 ; *82 :* 18,4 ; *83 :* 27,3 ; *88 :* 36,8 ; *89 :* 35,7. **Effectifs** (armées et CEA). *Militaires : 1985 (mai) :* 5 000 ; *89 :* 4 170 ; *90 :* 4 400 ; *civils : 85 :* 4 000 ; *89 :* 2 215 ; *90 :* 3 350. Des renforts civils peuvent être acheminés lors des expérimentations.

Tourisme. **Visiteurs :** *1980 :* 88 959 ; *86 :* 161 000 ; *90 :* 132 361 ; *91 :* 120 938 (USA 34 289, *France 19 843*, Japon 13 795). **Revenus** *88.* 16,5 milliards de F CFP. **Main-d'œuvre** *86.* 3 637 (5,3 % de la pop. active). **Capacité hôtelière :** *90 :* 2 824 lits 3 étoiles.

Commerce (en milliards de F, CFP, 91). *Exportations :* 13,1 *dont* perles de culture 4,4, huile de coprah 0,2, nacre 0,09, vanille 0,06 *vers France 3,2,* USA 1,1. *Importations :* 93,8 *dont* biens de cons. 39,5, biens d'équip. 28,7, biens interm. 25,6 *de* (%) CEE 64 *(France 52),* USA 11, Australie 5,8, N.-Zélande 4,3.

La Réunion

V. légende p. 884.

Nom. Donné par la Convention (décret du 23 ventôse an I), à l'île Bourbon en souvenir de la réunion des Marseillais et des gardes nationaux pour l'assaut des Tuileries (10-8-1792).

Situation. Océan Indien [forme avec l'île Rodrigues et l'île Maurice (à 210 km) l'archipel des *Mascareignes*]. 2 512 km² (72 × 51 km). **Distances :** Paris 9 180, Bombay 4 600, Djibouti 3 680, Johannesburg 2 825, Tananarive 880. **Côtes** 207 km dont plages 40 km. **Alt.** *max.* Piton des Neiges 3 069 m ; à l'E., piton de la Fournaise (2 631 m, au piton Bory encore en activité, éruption avril 1977). Terrain volcanique, relativ. fertile ; roches poreuses et friables. **Rivière :** du Mât (34,7 km). Climat tropical tempéré, nombreux microclimats. *Saisons :* chaude et humide (déc.-mars), fraîche (mai-nov.). *Zone au vent* (côté E. de l'île) modérément chaude, très humide, pluie + de 5 m ; *sous le vent* (O.) plus sèche (pluie 0,7 m) et plus chaude. *Temp.* 18 à 31 °C (côte), 4 à 18 °C (selon l'altitude). *Cyclones* tropicaux : entre nov. et avril. La plupart, nés entre Diego Garcia et Seychelles ; peuvent atteindre la R. par le N. D'autres se forment sur le canal du Mozambique et viennent par l'O. (généralement moins violents).

Population. *1646 :* 12 h. ; *1707 :* 734 ; *17 :* 2 000 ; *77 :* 35 469 ; *1804 :* 65 152 ; *37 :* 110 000 ; *72 :* 182 700 ; *87 :* 163 900 ; *1921 :* 173 190 ; *41 :* 220 955 ; *61 :* 349 282 ; *74 :* 476 675 ; *82 :* 515 814 ; *90 :* 597 823 ; *91 :* 606 100 ; *prév. 2000 :* 685 000. D 241. **Age** *– de 15 a. :* 29,6 %, *+ de 65 a. :* 5,8 %. **Européens :** 120 000 (descendants de Fr., Angl., All., Hol., Ital.). **Personnes nées hors de la Réunion et y vivant** (dont entre par. métropolitains). *1967 :* 13 122 (5 664) ; *74 :* 22 801 (12 174) ; *82 :* 35 581 (21 270) ; *90 :* 57 058 (37 387). **Les métropolitains** sont dits *Z'oreilles* (comprenant mal le créole,ils font répéter, passant ainsi pour être « durs d'oreille ») ; on dit aussi qu'à l'origine les Z'oreilles étaient des Blancs qui coupaient une oreille à leurs esclaves qui avaient tenté de s'échapper afin de les reconnaître en cas de récidive. Les descendants des 1ers Européens (« *petits Blancs* ») étaient pauvres et prolétarisés au début du XXe s. [600 vivent encore isolés (noms courants : Casabois, de Boisvilliers)]. La bourgeoisie créole actuelle est faite de descendants d'émigrants de fin XVIIIe, début XIXe s. **Indiens** en majorité métis 120 000 (dits *Malabars*, bien qu'importés de la côte de Coromandel et de Madras, religion tamoule brahmanique). **Chinois** 20 000 (les 1ers arrivèrent v. 1860). **Indiens musulmans** dits *Z'arabes* 7 000 (originaires de Bombay et du Gujerat après 1870), Métis 200 000. **Taux** (91) *fécondité* 2,6 ‰, *natalité* 23,1, *mortalité* 5,6 (dont infantile 7,3). **Solde migratoire** *1980 :* – 4 682 ; *81 :* – 3 725 ; *82 :* + 600 ; *83 :* + 670 ; *84 :* –435 ; *85 :* – 1 244 ; *86 :* – 168 ; 87 : + 64 ; *88 :* – 1 563 ; *89 :* – 300 ; *90 :* + 400. **Réunionnais en métropole** (dont, entre par., nés à la Réunion). *1974 :* 48 500 (34 990) ; *82 :* 109 440 (75 720) ; *90 :* 149 090 (91 430). Sur 12 000 jeunes arrivant chaque année sur le marché du travail, 3 000 trouvent un emploi dans l'île, 6 000 viennent en métropole. **Communes** (90) *St-Denis* 121 999 (chef-lieu), St-Paul 71 669 (à 27 km), St-Pierre 58 846 (86 km), Le Tampon 47 593 (93 km), St-Louis 37 420, St-André 35 049, St-Benoît 26 187. Langues. Français *(off.)*, créole. Religions. Majorité de cath. ; musulmans (7 000) ; hindous ; bouddhistes. Scolarisation. *1975 :* 17,5 %, *89 :* 38 % ; en *92* 40/54 % parviennent au niveau du bac. *Académie* créée 1985. **Illettrés** (%). *1967 :* 39 ; *82 :* 21,3.

Histoire. **1507** découverte par le Portugais Diego Fernandez Pereira. Visitée par Pedro Mascarenhas. **1642**-*sept.* possession française, mais non colonisée, appelée île Bourbon. **1646 et 1654** sert à la déportation de mutins. **1664** concédée à Cie des Indes orientales. **1665** 1ers colons. **1715** introduction du café. **1719** passe à la Cie fr. des Indes orientales. **1735-46** Mahé de La Bourdonnais gouv. **1764**-*4-8* achetée par la Couronne à la Cie. **1767**-*14-7* rétrocession effective à la Couronne. **1793**-*13-3* appelée île de la Réunion. **1806**-*15-8* île Bonaparte. **1810**-*8-7* île Bourbon. **1810/15**-*6-4* occupation brit. **1811**-*nov.* et **1831**-*mai* *révoltes d'esclaves.* **1848**-*9-6* à nouveau île de la Réunion. -*20-12* abolition esclavage (env. 60 000). **1942**-*27/30-11* se rallie à de Gaulle après l'arrivée du *Léopard* (4 †). **1946**-*9-3* DOM. **1980**-*janv.* cyclone Hyacinthe (*du 15 au 27-1 ;* 4 194 mm d'eau sur La Plaine-des-Palmistes : 25 †, 15 disparus, 7 500 sinistrés, destruction des récoltes de géraniums 100 %, vanille et tabac 30 à 50 %). **1981**-*14-1* lancement de Radio-Free-DOM. -*11-12* 30 000 manif. à St-Denis contre régionalisation. **1986**-*févr.* cyclone Clotila, 7 †, dégâts 400 millions de F. **1988**-*sept.* incendie de forêt (4 000 ha). **1989**-*28/29-1* cyclone Firinga (vents de 220 km/h) : 3 †, 4 disparus. Dégâts : 1 milliard de F. *Juil.-août* scandales politiques. -*16-11* 7 condamnés pour fusillade lors des municipales de mars. **1990**-*mars* émeutes. *Mai* CSA demande saisie du matériel de Télé-Free-DOM [*1986-mars* émet illégalement. -*9-9* son resp., Camille Sudre, condamné à 3 mois de prison avec sursis, à 800 000 F de dommages et à la confiscation de son matériel, *1988-mai* jugement infirmé. *1989-mai* Cour de cass. estime décision non fondée et renvoie l'affaire au 21-2-91 (reportée au 26-9)]. **1991**-*22/26/2* émeutes après saisie de l'émetteur de Télé-Free-DOM (8 †). -*17-3* visite PM Rocard ; émeute. -*28-3* reprise émissions Radio-Free Dom. **1992**-*16-3* Camille Sudre exclu de la maj. municipale de St-Denis. -*30-4* son élection au cons. rég. est invalidée.

Statut. Dép. français d'outre-mer dep. 19-3-1946. *Préfet* Hubert Fournier depuis déc. 92. *Cons. gén.* 47 m. *Cons. régional* 45 m. *Pte* Marguerite (Margie) Sudre (n. 1943, ép. de Camille Sudre n. 1948) dep. 25-6-93. 5 *députés,* 3 *sénateurs. Région* dep. 2-3-1973. *Cantons :* 47 (dep. 28-2-91). Élections. **Législatives 16-3-86 :** *inscrits* 278 193, *abst.* 25,33 %. *Voix (%) :* Union de l'oppos. Michel Debré 38,86 (2 élus) ; PC Paul Vergès 29,37 (2 é.) ; divers oppos. 17,07 (1 é.) ; PS 13,70 ; div. gauche 1,07 ; FN 1,01 ; div. oppos. 0,85. **12-5-88 :** *inscrits* 293 054, *abst.* 26,64 % ; URC-RPR-UDF Auguste Legros (2 élus) ; URC-div. dr. 13,97 (1 é.) ; PC Paul Vergès 39,97 (2 élus) ; PS (9,4) ; div. dr. (0,4). **Régionales 22-3-92 :** *abst.* 32,75 % ; *voix* div. 33,46, droite 32,41, PCR 17,94, PS 10,53, écol. 4,39, FN 1,24. *Élus* liste Sudre 17, UPF 14, PCR 9, PS 5. Annulées 7-5-93. **16-3-1986 :** *inscrits* 278 761, *abst.* 25,72 % ; voix (%) : Un. opp. 36,78 (18 élus). PC 28,18 (13 é.). Div opp. 17,26, 8 é. PS 14,09, 6 é. FN 2,23. **21-3-93 :** *abst.* 43,84 % (voix UPF 40,75, PC 25,95, maj. p. 14,17, div. g. 8,30, div. d. 5,44, div. 2,41, écol. 2,24, ext. dr. 0,45, nat. 0,18, ext. g. 0,05) ; *élus* PS 1, PCR 1, UPF 1, RPR 1, UDF-CDS 1.

■ Dépendances. **Iles éparses :** entité créée par décret du 1-4-1960. *Statut :* dépendent du ministre des DOM-TOM qui les fait administrer par le préfet de la R. Revendiquées par Madagascar et l'île Maurice (importance stratégique, stations météo pour prévoir les cyclones, missions zoologiques, garnisons mil., zone écon. exclusive : pêche sur 645 000 km², nodules polymétalliques). **Tromelin** 1 km² (1 500 × 700 m), à 535 km au N. de la Réunion, 600 km de Toamasina (Madagascar), recueil des tortues de mer, station météo, nom du chevalier français qui y débarqua 1776, revendiquée par île Maurice. Dépendante de la Réunion dep. 1814. Station météo. **Les Glorieuses** 5 km², banc madréporique, long. 16 km, à 200 km de Madagascar et 270 km de Mayotte. *3 îles : du Lys,* long - de 500 m, zone économique 276 290 km² ; *des Roches Vertes, Grande Glorieuse* (diam. 2 km), à 220 km au N.-O. de Madagascar, Fr. dep. 23-8-1892, garnison militaire, stations météo et radio... **Juan de Nova** (St-Christophe) 4,4 km², 600 × 1 800 m, à 150 km de Madagascar, à 290 km de l'Afrique. Fr. dep. 18-2-1897, on en tira jusqu'à 12 000 t de guano par an, garnison militaire, station météo, zone économique 66 000 km². **Bassas da India** atoll presque entièrement recouvert par la mer, à 380 km à l'O. de Madagascar, 460 de l'Afrique. Fr. dep. 22-8-1897. **Europa** 28 km², île circulaire, 16 km de diamètre à 350 km de Madagascar. Fr. dep. 25-2-1897, garnison militaire, station météo, zone économique 127 300 km².

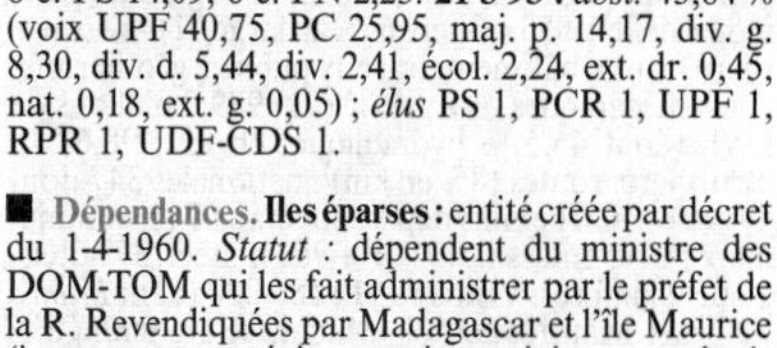

■ Économie

PNB ($ par h.). *1983:* 4 400 ; *84:* 3 261 ; *85:* 3 522 ; *86 :* 3 933 ; *87 :* 4 910 ; *88 :* 5 300 ; *89 :* 5 750 ; *90 :* 8 860. **Pop. active** (90) 233 566 dont ayant un emploi 146 188 (% par secteur). *Primaire* 7,7 ; *secondaire* 19,1 (dont bâtiment, génie civil et agr. 11,2, ind. agroalim. 2,6, prod. et distrib. d'énergie 0,9, autres 4,3) ; *tertiaire* 74,2 (dont transp. et télécom. 5, commerce 12,1, serv. marchands et organ. financiers 18,9, serv. non marchands 37,2). *Répartition par catégories :* agr. exploitants 9 869, salariés agr. 6 382, patrons de l'ind. et du commerce 8 327, prof. libérales, cadres sup. 6 687, cadres moyens 14 448, employés 22 735, ouvriers 32 615, agents de service 14 216, autres 3 211. *Chômage* (%) : *92 (juill.) :* 38. **RMI.** *Montant total* (millions de F) : *1989 :* 816,5 ; *90 :* 1 019,9 ; *91 :* 1 009,2. *Allocataires* (et, entre parenthèses, nombre de personnes concernées) : *90 :* 49 248 (141 609) ; *91 :* 48 501 (135 908). *Allocation moyenne* (1-1-92) 1 822 F.

Inflation (%). *1988 :* 1,5 ; *89 :* 4,9 ; *90 :* 3,9 ; *91 :* 4,1. **Budget** (millions de F, 91). *Dépenses budgétaires de l'État* 10 699, fonctionnement 8 552,7 (dont personnel 4 731,7), investissement 1 130,1 (dont subventions directes 888,3) ; *région* 2 472, fonct. 808, investissements 1 664 ; *département* 4 073, fonct. 2 657, inv. 1 416 ; *communes (90)* 4 867, fonct. 2 449,9 (dont personnel 1 483), inv. 2 046. *Recettes budgétaires de l'État* 4 484,4 : fiscales 3 075 (dont impôts sur le revenu 1 101, sur les Stés 313, TVA 1 160,7) ; *des coll. locales :* taxes spéciales sur carburants (région) 713, (communes) 189, octroi de mer (région) 100, DGF communes 674 (89), DGF départ. 236, impôts locaux 803 (89).

Agriculture. *Terres* (ha, 91) : SAU 62 180 [62 720 en 92] (dont canne à sucre 32 300, fruits et vignes 3 395, cult. vivrières et maraîchères 5 200, céréales 2 240, fruits 2,5, pâturages 12 000, jachères 2 200), bois 88 430, landes et friches 60 530, divers 40 860. *Production* (91) : canne à sucre 2 009 500 t, sucre 214 500 t (baisse de 20 à 30 % due au cyclone et à la sécheresse ; quota de 300 000 t), rhum 71 721 hl, alcool de mélasse 2 446 hl (90), essence de géranium 254 q, essence de vétiver 22 q, vanille verte 704 q, tabac 733 q, piment 3 803 q, thé, maïs. **Élevage** (milliers de têtes, 91). Bovins 18,6, caprins 31,2, porcs 63,2. **Pêche** (t, 91). 2 281 (pêcheurs, *91 :* grande pêche industrielle 1 555, côtière 655, au large 71). **Industrie** sucre, rhum, bâtiment, travaux publics, géothermie, cons. mécaniques. **Électricité** (91) 989,7 millions de kWh (dont 46,5 % hydraulique, en 82 : 98,6 %). **Transports** routes (85, en km) : nationales 347 dont à 4 voies 40, chemins départementaux 742, communaux 1 620. **Tourisme** (91) 411 751 nuitées, 37 hôtels, 1 605 chambres. **Visiteurs 91 :** 186 000 (dont *France 129 700,* Maurice 29 500, Madagascar 5 800, CEE 7 700).

Commerce (millions de F, 91). **Export.** 824,7 *dont* sucre 538,9, langoustes 25,6 (90), rhum 21,5, essence de géranium 7,4, mélasse 7, ess. de vétiver 1,4, *vers* (%) *France 76,2,* océan Indien 11,8, Japon 6,1, CEE 3,6. **Import.** 12 028, *dont* biens d'équip. 4 513, biens de cons. 2 702, prod. agricoles et alim. 2 126, biens intermédiaires 1 931,8, prod. pétroliers 702,8, *de* (%) *France 64,9,* CEE 19,5, USA 5,7, Bahreïn 4,3, Afr. du S. 2,3.

Saint-Pierre-et-Miquelon (Iles)

V. légende p. 884.

Généralités. Amérique du N. 242 km². *Côtes* 120 km. Archipel (8 îles) à 25 km de Terre-Neuve. *Alt. max.* (morne de la G^de^ montagne) 240 m. **Climat** rude (moy. ann. 5,6 °C), vents et humidité, hiver long, froid et enneigé (parfois - 14 °C, - 17 °C) ; printemps froid et brumeux, été court et frais (rarement + 20 °C). *Pluies* 1 400 mm. *Végétation* rabougrie. **Population** 6 392 h. (90). D 26. **Religion** catholique 99 %. **Langue :** français *(off.).*

Iles principales. St-Pierre (25 km², 5 683 h. en 90, alt. max. 207 m), **Langlade** (91 km²) et **Miquelon** (110 km², 709 h. en 90), à 6 km de St-Pierre [Langlade et Miquelon sont reliées par un isthme sablonneux de 12 km (la Dune, utilisable en voiture tout terrain)]. Plusieurs îlots : *î. aux Marins* 0,50 km², *Grand-Colombier* 0,50 km², *î. aux Vainqueurs* 0,10 km², *î. aux Pigeons* 0,04 km².

Histoire. 1520-*21-10* découvertes par José Alvarez Faguendez (Port.) ; appelées îles des Onze Mille Vierges (j de la fête religieuse du même nom). **1536** nom actuel donné par Jacques Cartier. **1604** des pêcheurs fr. fondent un 1er établissement permanent. **1713** cédées à l'Angl. (tr. d'Utrecht). **1763** rendues à la Fr. (tr. de Paris). **1778** réoccupation angl. **1783**

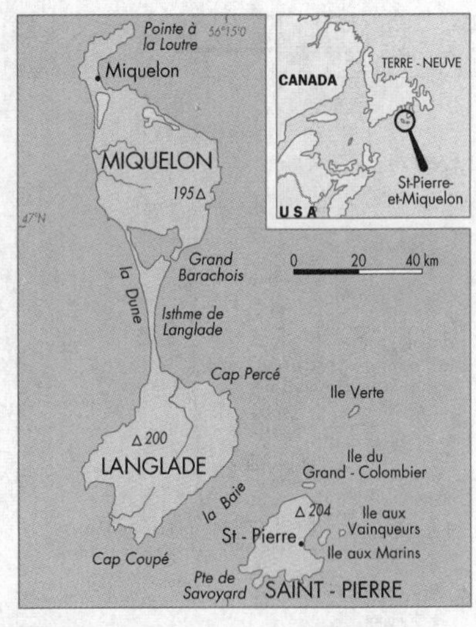

rendues à la Fr. (tr. de Versailles). **1793** occupation angl. **1802** restituées à la Fr. **1803** reperdues. **1814**-*14-5* rendues à la Fr. (tr. de Paris). **1941** *déc.* se rallient à la Fr. libre. **1946** territoire d'O.-M. **1972**-*27-3* accord de pêche avec Canada. **1988** différend avec Canada sur quotas de morues pour chalutiers fr. (12 dont 6 de St-P.-et-M.) et zones de pêche réservées.

Statut. *Collectivité territoriale* dep. 11-6-1985 (1976-85 : DOM). *Conseil général* (19 m. élus). 1 *sénateur,* 1 *dép.* (**21-3-93 :** *inscrits* 4 264, *abst.* 17 %, *voix :* UDS-CDS 73,78, RPR 26,21 ; *élu* UDF-CDS 1). 1 *conseiller écon. et social. 1 préfet* (Kamel Khrissate).

Économie. PNB (90) 10 600 $ par h. **Pop. active** (91) 2 981. *Pêche* [1] (92) 10 219 t (7 chalutiers, 4 891 tonneaux). Surtout morue. Usine de transformation et de congél. de poissons, frigorifique de stockage. *Station internation. de quarantaine animale* (350 têtes) (fermée). *Trafic portuaire* (92) : 1 283 entrées 1 527 569 tx. *Chômage* (91) 9 %. *Tourisme (92) :* 15 000 vis. *Intervention de l'État (92) :* 264 millions de F dont 72 d'investissements.

Nota. – (1) **Zone économique exclusive.** Réclamée par la France, en vertu de l'équidistance autour de St-Pierre-et-M. **1989**-*30-3* accord franco-can. pour un « Tribunal d'arbitrage ». **1992**-*10-6* « Trib. d'arbitrage » de New York attribue une zone de 24 milles autour de l'archipel et un couloir (long. 200 milles, larg. 10,5) au sud (env. 8 700 km² sur 12 400 km² relevant de la juridiction fr.).

Commerce (millions de F, 92). **Exp.** 21,7 (prod. locale : morue salée, séchée, filets de poisson congelés, farine de poisson, capelans, déchets) *vers* CEE 19,6. **Imp.** 37,7 *de* CEE 15,6 Canada, *France,* USA, P.-Bas, G.-B.

Wallis-et-Futuna (Îles)

Carte v. page de garde. V. légende p. 884.

Situation. *Pacifique Sud.* 274 km². A 2 100 km au N.-E. de la N.-Calédonie, 3 200 km de Papeete, 4 800 km d'Honolulu, 22 000 km de Paris. *Liaisons :* maritime mensuelle de Nouméa, aérienne 1 fois par semaine Nouméa-Wallis-Papeete et retour, 2 avec Nouméa via Nandi (Fidji), et 4 entre Wallis et Futuna. **Climat :** chaud et humide, *temp. moy.* 26,6 °C. Hygrométrie 80 %. *Pluies* 2 500 à 3 000 mm par an. Zone de formation de cyclones. **Flore** fougères arborescentes, manguiers, cocotiers, pandanus, arbres à pain, bananiers, citronniers, orangers, taro, manioc, tubercules, ananas, ignames. **Faune** terrestre peu diversifiée, perruches, martins-pêcheurs, pigeons, râles, roussettes.

Population. 13 705 h. (90) dont Wallis 8 973 et Futuna 4 732. *Émigration* en N.-Calédonie : env. 15 000. D 58. *Taux de croissance* 4 %. **Chef-lieu :** *Mata-Utu* (sur Uvéa) 1 222 h. **Religion :** catholique à 100 % (évêché à Lano).

2 archipels. Wallis : *Uvéa* (159 km², île volcanique, 95 km², alt. max. mont Lulu 142 m, 80 % ne dépassent pas 40 m d'alt., lacs de cratères dont le + grand est le lac Lalo-Lalo, pas de cours d'eau) ; 22 îlots d'origine volcanique ou madréporique situés sur le récif ou dans le lagon ; *récif corallien* à 3 km du rivage, 1 seule passe, Honikulu au sud, 3 passes accessibles aux petites embarcations. **Futuna** (aux îles de Horn) : à 240 km de Wallis, 110 km². Plusieurs îles dont *Futuna* (64 km², volcanique, alt. max. Mt Puke 524 m, côte escarpée, plaine côtière de 100 à 200 m, nombreuses sources) et *Alofi* (51 km² au S.-E., à 2 km, montagneuse, alt. max. Mt Bougainville 417 m, côte N. récifs, côte S. abrupte).

Histoire. XIIe s. colonisation de Wallis par hab. de Tonga. **1616** les Hollandais Lemaire et G. Schouten découvrent Futuna et Alofi qu'ils appellent îles de Horn. **1767** l'Anglais Samuel Wallis découvre Wallis. **1837** arrivée des pères maristes, 1res missions, érigent une théocratie (le père Chanel, martyrisé en 1841, sera canonisé en 1964). **1887** protectorat fr. à Wallis. **1888** Futuna protec. *-27-11* rattaché au gouv. de N.-Calédonie. **1909** *juin* décret organisant l'administration fr. **1913** roi de Wallis demande rattachement à la Fr. **1942-46** occupation amér. **1959**-*27-12* référendum pour statut de TOM : 94,12 % de oui. **1961**-*29-7* érigé en TOM.

Statut. Territoire d'outre-mer. *Administrateur supérieur* Jacques Le Llenaff. *Conseil territorial,* consultatif, Pt adm. supérieur, 6 m. [3 de droit (rois de Wallis, Alo et Sigave) et 3 nommés par l'adm. sup.]. *Ass. territoriale* 20 m. élus pour 5 a. à la proportionnelle (él. 22-3-1992 : Taumu'a Lelei 11, RPR 9), *Pt* Joane Mani Uhila. *1 député* Kamilo Gata (MRG) (**21-3-93 :** *inscrits* 6 611, *abst.* 11,11 %, *voix :* MRG 52,41, RPR 47,58 ; *élu* MRG 1). *1 sénateur* Sosefo Makapé Papilio (RPR). *1 cons. écon. et social* Gaston Lutui.

Administration. *3 circonscriptions* (Uvéa, Alo, Sigave) dont les limites recouvrent celles des royaumes. **Organisation coutumière. 3 royaumes : Wallis :** sur Uvéa ; *roi* Lavelua choisi par les familles royales (société divisée en roturiers, familles nobles ou *aliki* et familles royales) ; 3 districts (Hihifo, Hahake et Mua) dirigés par des *faipules* (chefs de district) ; districts divisés en 20 villages dirigés par des chefs de village (Hihifo : 4, Hahake 6, Mua 10). **Sigave :** sur Futuna ; *roi* Tuisigave ; 6 villages. **Alo :** sur Futuna ; comprend l'île d'Alofi ; *roi* Tuiagaïfo ; 9 villages ; les rois de Sigave et d'Alo ont 5 ministres, des chefs de village, un chef de cérémonie, un chef de la police.

Économie. PNB (90) 2 500 $ par h. **Agriculture :** 80 % de la pop. active. 25 % des terres cult. *Production* (milliers de t, est. 90) bananes 4, fruits de l'arbre à pain 16, taro 10, kapé 1 (81), manioc 11, ignames 15, ananas, mangues, noix de coco 3, trocas 1,5 (81). **Élevage** (milliers, 90) : porcs 24 000, chèvres 7 000, chevaux 75 (89), bovins 50 (89), volailles 53 000 (89). **Pêche** (85-89) : 1 000 t. Accord avec Japon et Corée pour la pêche dans la zone des 200 milles. Barracudas, carangues, tazards, langoustes thonides. *Zone écon. excl. :* 271 050 km². **Aide** (90) : 165 millions de F. Salaires des émigrés. **Visiteurs** (90) : 1 800 (dont *1 750 Français*). **Commerce** (millions de F CFP, 90) : *Export.* 35,2 *dont* (86) trocas 1,7 t. *Import.* 1 302 (84) *dont* (t, 85) farine 448, sucre 289, viande 237, riz 205.

La Politique

Définitions

☞ Pour en savoir plus, lisez le Quid des Présidents de la République et des candidats (éd. Robert Laffont, 1987). Voir l'histoire des partis p. 726.

Quelques définitions politiques

Anarchisme

Principes

Du grec *anarkhia :* absence de commandement. Refus de l'autorité de l'État, revendication de l'initiative individuelle, de la liberté absolue et de la spontanéité, mais aussi de la solidarité. « La future organisation sociale doit être faite seulement de bas en haut, par la libre réunion et fédération des travailleurs dans les associations, puis dans les communes, les régions, les nations, et finalement dans une grande fédération internationale et universelle. » *(Bakounine).* Pour Bakounine, le passage à la nouvelle société s'effectuera par la violence. Le contrat an., selon Proudhon, est librement conclu entre ses membres ; chacun de ceux-ci reçoit autant qu'il donne, et jouit de sa liberté et de sa souveraineté, que rien ne vient limiter sauf les obligations précisées par le contrat (il y a en fait une multiplicité d'accords portant sur les besoins de chacun et non pas un seul contrat). *Programme de la Fédération an. :* il prévoit : socialisation des moyens de production, création de coopératives de production et d'associations artisanales, répartition égalitaire des richesses.

Mouvements et organisations

Organisations

■ **Organisations internationales. Internationale « antiautoritaire » :** *créée* 15-9-1872 au congrès de St-Imier (Suisse) (après l'exclusion de Bakounine de l'Association internat. des travailleurs le 7-9-1872 au congrès de La Haye). Dissoute après 3 congrès : Bruxelles 1874, Philadelphie 1876, Verviers 1877. **Internationale des Fédérés anarchistes (IFA) :** issue de l'Intern. anarchiste *créée* à Amsterdam en 1907 et réaffirmée à Berlin en 1921. Programme de Carrare 1968, précisé par le congrès de Paris 1971. Sections nationales (fédérations géographiques ou ethniques), autonomes et solidaires.

■ **Organisations nationales. France :** *FCRA (Fédération communiste révolutionnaire an.)* créée août 1913, après le congrès nat. organisé par la FCA (Féd. de Paris et de sa banlieue), Le Libertaire, Les Temps nouveaux, Le Réveil anarchiste ouvrier. A partir de 1920 (congrès de Paris en nov.), l'organisation tient plusieurs congrès sous divers noms (Unions an., Union an. communiste, Union an. communiste révolutionnaire...) ; congrès clandestin à Toulouse en 1944 ; 1946, février, unité rétablie ; *CNT* française créée à Toulouse (hebdomadaire : « Espoir »). **Espagne :** *1881 (sept.)* Féd. des travailleurs de la région esp. ; *1908* Féd. régionale Solidaridad Obrera. *1927* Féd. an. ibérique (FAI) ; *1936* (1-8) la CNT-FAI (Confederación nacional del trabajo-Federación anarquista ibérica) participe au gouvernement républicain avec 4 ministres. **Italie :** *Féd. an. it.* créée 1920-21, reconstituée sept. 1945.

Nota. – Voir Anarcho-syndicalisme ci-contre.

Essais de sociétés anarchistes

■ **Amérique latine. Brésil** (colonie Cecilia, dans le Paraná, en 1891), **Paraguay** (coopérative Cosme, en 1896), **Mexique** (Métropole socialiste d'Occident en 1881)... ; échec d'une création d'une « République socialiste de Basse-Californie » en 1911.

■ **Europe. Ukraine :** Nestor Makhno (1884-1935), été 1918 à août 1921, à la tête d'une armée paysanne libertaire et disciplinée. **Bavière :** 1919, les an. Gustav Landauer et Erich Müsham (1878-1934) dirigent quelques j la Rép. soviétique. **Espagne :** les an. de la CNT-FAI tentent (à partir de juill. 1936) en certaines régions (Catalogne, Andalousie, Levant et Aragon) des essais de vie libertaire : collectivisation des terres (jusqu'en août 1937), socialisation des usines (jusqu'en août 1938). Ces essais furent décriés par leurs adversaires marxistes. **Italie :** création d'une République libertaire, près de Carrare, par des résistants durant la guerre de 1939-45.

Drapeau noir. *1830,* juillet apparaît sur l'Hôtel de Ville de Paris. *1831,* nov. apparaît à Reims, Grenoble, Lyon lors du mouvement des canuts. *1883* adopté par le mouvement anarchiste. On le retrouve en *1917* en Russie, en *1936* en Espagne et en *1968* à Paris.

Principaux anarchistes

William Godwin (Angl., 1756-1836), Friedrich Hegel (All., 1770-1831), Pierre-Joseph Proudhon (Fr., 1809-65), Max Stirner (All., 1806-56), Michel Bakounine (Russe, 1814-76), Camillo Berneri (It., 1897-1937), Pierre Besnard (Fr.), Carlo Cafiero (It., 1846-92), Buenaventura Durruti (Esp., 1896-1936), Sébastien Faure (Fr., 1858-1942), Pietro Gori (It., 1865-1911), Jean Grave (Fr., 1854-1939), Piotr Alexandrovitch Kropotkine (Ru., 1842-1921, « Paroles d'un révolté »), Ricardo Flores Mágon (Mex., 1873-1922), Enrico Malatesta (It., 1853-1932), Saverio Merlino (It.), Fernand Pelloutier (Fr., 1867-1901), Emile Pouget (Fr., 1860-1931), Manuel Gonzales Prada (Pérou, 1848-1918), François-Claudius Kœnigstein dit Ravachol (Fr., 1859-92), Elisée Reclus (Fr., 1830-1905), Lev Tolstoï (Ru., 1828-1910), Auguste Vaillant (Fr., v. 1861-94), Luigi Fabbri (It., 1877-1935), James Guillaume (Suisse, 1844-1919).

Attentats anarchistes

Nombreux dans la 2e moitié du XIXe s. et au début du XXe s. : **Russie** (entre 1865 et 1881). **Allemagne** (contre l'empereur Guillaume Ier). **Italie** (assassinats : 1898 impératrice Elisabeth d'Autr. par Luigi Lucheni, 1900 roi Humbert Ier d'It. par Gaetano Brecci). **Espagne** (attentat de Mateo Morral contre Alphonse XIII en mai 1906). **États-Unis** 1901 Pt MacKinley assassiné. **France** [attentats : de Ravachol (condamné à mort 23-6-1892, exécuté 11-7), bombe lancée dans la salle des séances de la Chambre des députés en déc. 1893 par Auguste Vaillant (n. 1861, exécuté 5-2-1894), assassinat à Lyon le 24-6-1894 du Pt de la Rép. Sadi Carnot par Jeronimo Santo Caserio (n. 1873, exécuté 16-8-1894)].

Journaux anarchistes

■ **Argentine.** *La Questione sociale* (Malatesta, 1885). *La Protesta* (1903, dirigée par G.I. Lafarga, puis D. Abad de Santillan) ; entre 1890 et 1904, 64 périodiques (en espagnol, italien et français) et 6 revues d'art et de littérature.

■ **France. Avant 1914.** *Le Libertaire* (hebdo. fondé 1895 par Sébastien Faure). *Les Temps nouveaux :* f. 1895 par Jean Grave (faisait suite au Révolté et à la Révolte). *L'Anarchie :* f. 1905 par Libertad, hebdo. anarcho-individualiste (y collaborent notamment O. Mirbeau, G. Lecomte, L. Descaves, P. Adam, C. et L. Pissarro, Van Dongen, P. Signac). **Pendant la g. de 1914-18 :** *Par-delà la mêlée :* f. 1916 (succédant à *Pendant la mêlée* de E. Armand et P. Chardon). *Ce qu'il faut dire :* f. 1916 par Faure et Mauricius.

Entre les 2 guerres : *L'En-Dehors* (1922-39, d'E. Armand). *Plus Loin* (1926-39). *Le Libertaire* (reparu de 1919 à 1939). *La Voix Libertaire* organe de l'AFA (Association des fédéralistes an., 1928-39). **Après 1945 :** *l'Unique* (1945-56 d'E. Armand) ; *le Monde libertaire :* 1954 (faisant suite au Libertaire), hebdo. dep. 1977.

■ **Italie.** *Volontà* f. 1913 par Malatesta, *Umanità nova* f. 1920 par Gigi Damiani, *Pensiero e volontà* f. 1924-26 par Malatesta.

Anarcho-syndicalisme

■ **Europe. France :** début XXe s., courant favorable au synd. révolutionnaire (charte d'Amiens en 1906) et à la grève générale, avec notamment Fernand Pelloutier (1867-1901) à la Féd. des Bourses du Travail (de 1894 à 1901), et Émile Pouget (1860-1931), secrétaire adjoint de la CGT à partir de 1900. **Italie :** une partie des an. organisent mouvements revendicatifs et grèves violentes : 1894 Carrare, 1906 grève des travailleurs de la mer, juin 1908 grève et soulèvement de Parme, et constituent une organisation synd. révolutionnaire : congrès de l'Action directe à Bologne 1910, création de l'Union synd. it. au congrès de Modène 1912 (le synd. des cheminots, anarcho-synd. dep. 1906, reste autonome) ; Malatesta considère la grève générale comme un moyen insurrectionnel. Les an. participent aux mouvements sociaux (émeutes, grèves) entre 1917 et 1922 ; août-sept. 1920, ils ne peuvent transformer les occupations d'usines en mouvement révolutionnaire. **Espagne :** 1911 création de la Confédération nat. du travail (CNT) (1 200 000 m. en 1936) ; clandestins de mai 1924 à janv. 1930, soutiennent la Rép. proclamée 12-4-1931, décrètent la grève générale du 13 au 15-4.

■ **Amérique latine.** A partir de la fin du XIXe s., syndicats et mouvements de lutte de tendance an. : **Cuba, Mexique, Bolivie, Chili, Pérou. Argentine :** essor avec l'arrivée des Italiens Malatesta (1885) et Pietro Gori (1898) ; mai 1901 création de la Féd. ouvrière régionale argentine (Fora) ; janv. 1919 participation aux grèves (chantiers métallurgiques de Vasena, « semaine sanglante »), février-mars 1920 (grève maritime), 1921 (en Patagonie).

☞ Les *Brigades rouges* en Italie et la *Bande à Baader* en Allemagne fédérale se sont réclamées du marxisme-léninisme et n'avaient aucun point commun avec l'anarchisme.

Bolchevisme

Mot employé souvent dans un sens polémique pour désigner le communisme russe. En fait, le bolchevisme fut une tactique adoptée (à partir de 1900-03) par la majorité *(bolchinstvo)* des socialistes russes, groupée derrière Lénine, opposée à celle de la minorité *(menchinstvo),* groupée derrière Martov (Jouli Ossipovitch Cederbaum, dit ; 1873-1929) et Paul Axelrod (1850-1928). Cette majorité voulait un parti centralisé, composé de révolutionnaires professionnels, et refusait l'adhésion d'éléments *progressistes* bourgeois. En 1912, les bolcheviks se séparèrent des mencheviks (les 2 groupes coexistaient au sein du POS-DR, Parti ouvrier social-démocrate de Russie, depuis 1902) et constituèrent un parti marxiste indépendant qui, vainqueur en oct.-nov. 1917, deviendra en 1918 le Parti communiste.

Capitalisme

Définition

Régime économique et social qui s'est constitué dans l'ouest de l'Europe entre la fin du Moyen Age et le XVIIIe s., puis s'est développé à la suite de la « révolution industrielle » anglaise. Cette expression a été utilisée par les économistes John Stuart Mill (1806-73), Karl Marx (1818-83) et Arnold Toynbee (1852-83). Elle désigne 3 grands changements dans la vie économique : 1°) *révolution agricole* (vers 1760) : suppression des vaines pâtures *(open fields)*, qui obligeaient les propriétaires terriens à laisser paître dans leurs domaines les bêtes d'autrui (résultat : disparition de l'éleveur non propriétaire terrien ; progrès de la zootechnie : le poids moyen du bétail triple) ; 2°) *révolution démographique* (entre 1751 et 1801) : chute de la mortalité infantile ; multiplication de la main-d'œuvre ; 3°) *révolution manufacturière* (fin du XVIIIe s.) : création de la machine à vapeur (houille), des machines textiles, des hauts fourneaux.

Les bouleversements de la technologie et de l'organisation du travail se traduisent par la parcellarisation des tâches, une intensification croissante du rythme du travail et par des gains de productivité. Concentration et centralisation des moyens de production et financiers, apparition de nouvelles industries, énorme augmentation de la production, grand développement des services.

En régime capitaliste de marché : *les détenteurs des moyens de production* (terres, mines, usines) – *les capitalistes* – louent, en vue de la réalisation d'un profit, la force de travail d'autres personnes rémunérées par un salaire (les salariés). *Les biens produits font l'objet d'un échange généralisé* : ce sont des marchandises dont les prix sont confrontés sur un marché (concurrence). *L'économie a une forme monétaire,* la monnaie est à la fois un moyen de paiement des marchandises et l'unité qui permet d'exprimer le prix de ces marchandises ; le crédit, devenu source de création de moyens de paiement, y joue un rôle essentiel. *Les capitaux ont une forme* : 1°) *physique* (capital réel : biens matériels qui constituent les moyens de production et d'échange) ; 2°) *monétaire et financière* (valeur de ces biens en unités monétaires et titres juridiques de propriété). *La circulation,* généralisée à l'ensemble de l'économie, a également une forme : 1°) *matérielle* (transport et stockage des biens produits) ; 2°) *monétaire et financière* (circulation des moyens de crédit et de paiement, des titres financiers).

☞ Voir aussi **Économie** (définitions), **Finances** (définitions), **Crises** à l'Index.

■ Critiques

Critiques « réformistes » du capitalisme. Les secteurs les moins rentables sont délaissés même s'ils sont essentiels pour la collectivité (certaines mines, chemins de fer...), le fonctionnement incontrôlé du marché, de la concurrence et du crédit est source de déséquilibre (crises qui empêchent une utilisation rationnelle des moyens de production et une croissance régulière de la production) et source de nombreux gaspillages ; les investissements sociaux sont sacrifiés. Ces critiques prônent notamment une intervention croissante de l'État, un développement de la planification, un contrôle plus ou moins important des entreprises par les salariés, etc.

Critiques « révolutionnaires » du capitalisme. Voir aussi Anarchisme p. 853, Communisme ci-contre, Marxisme p. 856 a, Socialisme p. 856 c.

■ Défense du capitalisme

Certes, le capitalisme repose sur un défaut de l'homme, la soif de puissance qui se traduit par l'appât du gain ; mais cet appât peut être un moteur du progrès. Certes, le capitalisme s'intéresse aux secteurs rentables, mais ceux-ci sont souvent les plus utiles.

L'homme est peut-être un instrument mais un instrument qu'il faut « soigner » pour qu'il fonctionne convenablement : on doit donc lui accorder du repos, un meilleur salaire et lui faciliter les conditions de travail. Mais il n'est pas qu'un instrument : tout salarié d'une entreprise est, sinon le client de l'entreprise, du moins celui de multiples autres entreprises. Or, pour que le capitalisme « tienne », il faut vendre. Comme les salariés forment l'essentiel des acheteurs, pour qu'ils puissent acheter, il faut leur verser un salaire suffisant. Un État capitaliste ne peut donc négliger le niveau de vie de ses salariés ; sinon, c'est la ruine et la faillite de la chaîne [*objection* des critiques du capitalisme : l'exploitation du prolétariat n'a pas disparu, mais certaines de ses formes ont changé : l'augmentation des salaires, la réduction du temps de travail... ont eu pour contrepartie une augmentation du rendement imposé aux travailleurs ; d'autre part, l'augmentation du niveau de vie (mesuré en valeurs d'usage : quantité de marchandises que les travailleurs peuvent consommer avec leur salaire) n'exclut pas la paupérisation (diminution du nombre d'heures de travail incorporées dans la consommation des salariés) ; cette tendance ne peut être contrecarrée que si la pression des travailleurs permet d'obtenir une élévation du salaire réel au moins égale à celle de la productivité].

Le capitalisme a permis l'industrialisation et le niveau de vie actuel. Cela n'a pas été sans mal pour la classe ouvrière qui a connu famines et misères, mais un autre système eût-il fait mieux et plus rapidement ? Ce n'est pas sûr, si l'on en juge par l'expérience soviétique qui a délibérément sacrifié plusieurs générations et pris plusieurs fois des retards considérables par suite d'erreurs [l'expérience soviétique n'est pas considérée comme probante par certains critiques marxistes pour qui le système instauré en URSS, dans les démocraties populaires et en Chine n'était qu'une variante du mode de production capitaliste (capitalisme d'État) : il s'agissait toujours de sociétés de classes où subsistait l'exploitation du prolétariat (maintien du salariat) et dont le fonctionnement était toujours réglé par la loi de la valeur (voir Marxisme p. 856), la force de travail y étant achetée en vue de l'extorsion d'une plus-value destinée à valoriser le capital. Dans ces sociétés, les fonctions habituellement assurées par le marché le sont par la planification (un capital social, centralisé, ayant remplacé une multitude de capitaux autonomes), et la gestion du capital est le fait non plus des capitalistes privés, mais d'une « bureaucratie »].

Collectivisme

Principes. Mise en commun des moyens de production (soit au niveau de la nation en général ou de l'ensemble des travailleurs, soit à un niveau plus restreint : village, communauté d'agriculteurs).

Quelques dates. 1869 au congrès de Bâle de la Ire Internationale, la tendance collectiviste (Français, Belges, Suisses), hostile au socialisme d'État des marxistes allemands, préconise une collectivisation décentralisée au bénéfice de communautés de travailleurs autonomes pouvant se fédérer. **1879** le congrès ouvrier de Marseille demande « la collectivité du sol, du sous-sol, des instruments de travail, des matières premières ». Par la suite, le socialisme réformiste d'Alexandre Millerand (1859-1943) souhaite la réalisation progressive et légale de la propriété collective des moyens de production.

Communisme

■ Évolution des idées communistes

■ **Antiquité. Antisthène** (444-365), **Platon** (428-347) : « La République », **Diogène** (413-327) : préconisent la mise en commun de tous les biens (ainsi que des femmes et des enfants) ; ces projets ne concernent qu'une catégorie d'hommes libres au sein d'une société esclavagiste qui n'est pas remise en cause.

■ **De la Renaissance au XVIIIe s. Thomas More** (saint anglais 1478-1535) : « Utopie » (1516), **Tommaso Campanella** (moine it. 1568-1639) : « La Cité du Soleil », **Meslier** (curé fr. 1664-1729) : « Mon testament », **Gabriel Bonnot de Mably** (Fr. 1709-85) : « Droit public de l'Europe », **Morelly** (Fr. XVIIIe s.) : « Code de la nature » ; communisme « utopique » d'inspiration religieuse ou morale, préconise l'établissement d'une société égalitaire et sans propriété privée. **François-Noël** dit **Gracchus Babeuf** (Fr. 1760-97) élabore la théorie communiste matérialiste (qui privilégie la notion de lutte de classes).

■ **XIXe. Socialistes utopiques : Claude-Henri, Cte de Saint-Simon** (Fr. 1760-1825) : « Système industriel », **Robert Owen** (Angl. 1771-1858) : crée les coopératives de production, **Charles Fourier** (Fr. 1772-1837) : prévoit des *phalanstères* regroupant harmonieusement les individus (voir Socialisme, p. 856 c). **Courants communistes** d'inspiration religieuse avec **Étienne Cabet** (Fr. 1788-1856) : « Voyage en Icarie » (1840), fonde une colonie communiste aux États-Unis (à La Nlle-Orléans), abolition de la propriété privée, fédération de communes ; babouviste et jacobine avec **Albert Laponneraye** (Fr. 1808-48) : « Lettre aux prolétaires » (1833) et **Jean-Jacques Pillot** (Fr. 1809-77) : « Ni châteaux ni chaumières » (1840) ; matérialiste et plus scientifique avec **Théodore Dézamy** (Fr. ?-1850) : « Code de la communauté » (1842) et **Auguste Blanqui** (Fr. 1805-81) (qui précise la notion de lutte de classes et analyse les rapports de classes au niveau de la production), **Armand Barbès** (Fr. 1809-70). **Louis Blanc** (Fr. 1811-82). **Lahautière** (Fr.) : « Petit Catéchisme de la réforme sociale » (1839). Avec **Karl Marx** [(All. 1818-83) : « Manifeste du parti communiste » (1848), « Le Capital » (1867-83)] et **Friedrich Engels** [(All. 1820-95) : en coll. avec Marx, « Manifeste du parti communiste » (1848)] une conception s'impose, se fondant sur une analyse du mouvement réel des différentes sociétés et de la dernière en date (la société capitaliste). Elle établit que l'existence des classes est liée au développement de la production, que la lutte de ces classes conduit nécessairement à la dictature du prolétariat (la classe ouvrière étant seule capable de surmonter les contradictions qui mènent le capitalisme à sa destruction), et que cette dictature est une phase transitoire vers le communisme (société sans classes qui met fin aux conflits entre l'homme et la nature, l'homme et l'homme, l'individu et l'espèce, l'existence et l'essence, l'objectivation et l'affirmation de soi, la liberté et la nécessité).

☞ Voir également Marxisme p. 856, Socialisme p. 856 c, Léninisme p. 855, Stalinisme p. 856 c, Trotskisme p. 857. Et consulter les livres : **Lénine** (Russe, 1870-1924) : « L'État et la Révolution » (1917). **Trotski** (Russe, 1879-1940) : « La Révolution trahie » (1937). **Staline** (Russe, 1879-1953) : « Les Fondements du léninisme » (1924). **György Lukacs** (Hongrois, 1885-1971) : « Histoire et Conscience de classe » (1923). **Mao Tsé-toung** (Mao Zedong) (Chinois, 1893-1976) : « De la pratique » (1937).

Selon la thèse avancée notamment par Lewis H. Morgan, puis Marx et Engels, la société de classes ne serait apparue qu'au Néolithique et aurait été précédée par une société sans classes, celle du communisme primitif.

De la fin du Moyen Âge au XVIIIe s., plusieurs mouvements de lutte populaires d'inspiration chrétienne ont été animés par le désir d'abolir la société inégalitaire de classes : ainsi, au XVe s. (1420-37), insurrection en Bohême de *Taborites,* plébéiens et paysans de tendance hussite, dirigés par Ziska puis Procope, contre la féodalité et l'Eglise catholique (écrasée par la bourgeoisie et la noblesse) ; au XVIe s. (1513-25), insurrection des paysans d'Allemagne dirigés par le prédicateur Thomas Münzer (1489-1525) (écrasée par les princes, les Églises et la bourgeoisie coalisés) ; au XVIIe s., en Angleterre, mouvement urbain des *« Niveleurs »* (1646-50), dirigé par John Lilburne (1614-57), Richard Overton (1642-63) et William Walwyn (1600-80) qui réclament la souveraineté pour le seul peuple et l'égalité pour les biens et pour les terres.

En outre, à la fin du XVIIIe s., « conspiration des Égaux » *babouviste.* [Animateur à Paris du journal *Le Tribun du Peuple* et du Club du Panthéon (fermé en févr. 1796 par Bonaparte), puis agissant dans la clandestinité, Gracchus Babeuf (n. le 23-11-1760, exécuté 26-5-97), qui préconisait la production en commun et l'obligation au travail, voulait organiser un mouvement de masse capable de s'emparer du pouvoir (« fondateur du 1er parti communiste agissant », d'après Marx)].

■ Principes

Sur le plan économique. Mise en commun de tous les biens (moyens de production et biens de consommation). Il se distingue donc du *collectivisme* (mise en commun des seuls biens de production), du socialisme agraire (mise en commun des terres seules) et du *socialisme d'État,* mise en commun de ce que seul l'intérêt général exige (ex. ressources énergétiques).

Sur le plan social. La part de chacun varie selon les théoriciens : « A chacun selon ses capacités, à chaque capacité selon ses œuvres », dit Saint-Simon. « De chacun selon ses capacités, à chacun selon ses besoins », dit Fourier.

Sur le plan philosophique. Le communisme a actuellement pour théorie le matérialisme dialectique (Voir Marxisme). En raison de sa position philosophique et sociale (en tant qu'elle nie parfois la famille ou les droits de l'individu), le communisme est rejeté en général par l'Église catholique. Dans certains pays, celle-ci a pu parvenir à une certaine entente avec le parti communiste (ex. en Pologne).

■ Grandes dates

■ **1848-1917.** Parution du *Manifeste du parti communiste* (1848) et du *Capital* (1867) de Marx. 1864, *Ire Internationale* (voir Index). *Apparition de partis socialistes nationaux :* Allemagne 1863-69. France 1874-82-90. Danemark 1878. Espagne 1879. P.-Bas 1881. Russie 1883. Belgique et Suède 1885. Norvège 1887. Italie 1891. G.-B. 1893-1900. Suisse 1893. USA 1900, etc.

■ **1917-1928. URSS :** prise du pouvoir par le parti bolcheviste en nov. 1917 (voir Index). Création (à Moscou) de la IIIe Internationale le 2-3-1919 ; organe exécutif : le Komintern (voir p. 873).

1921-28 : NEP (Nouvelle Politique Économique) inaugurée par Lénine, qui rétablit provisoirement et partiellement le capitalisme privé. **Allemagne :** le groupe Spartakus, avec Karl Liebknecht (1870-assassiné 1919) et Rosa Luxemburg (1871-ass. 1919), essaie de prendre le pouvoir à Berlin, mais échoue (répression de Noske, semaine rouge du 6 au 11-1-1919). **Hongrie :** action de Béla Kun (1886 exécuté 1937 en URSS pour déviationnisme) du 21-3 au 1-8-19. **Chine :** échec coup de force à Canton (1927).

Création de partis communistes : *1919* Bulgarie, Norvège ; *1920* France ; *1921* Italie, Chine, Japon. **Interdiction :** Yougoslavie *(1921),* Finlande *(1923),* Bulgarie *(1923).*

■ **1928-1943.** Renforcement de la discipline imposée par le Komintern aux PC nationaux. **1936,** *participation de certains PC à des fronts populaires :* Espagne (févr.), France (mai), Chine (mai). **1939**-*23-8* le pacte germano-soviétique, *28-9* le partage de la Pologne, *30-11* la guerre de Finlande déroutent les militants communistes des pays européens. **1941**-*22-6*, attaque allemande en Russie, alliance de mouvements de résistance communistes et d'autres tendances dans les pays occupés par l'Allemagne (et le Japon en Chine). **1943**-*15-5* dissolution du Komintern.

■ **1944-1953.** *Victoire des partis comm. :* Albanie (1945), Corée (1945), Hongrie (1945), Youg. (1945), Allemagne orientale (août 1946), Roumanie (nov. 1946), Pologne (janv. 1947), Tchécoslovaquie (avril 1948), Chine (1949), Mongolie extér. *Création du Kominform* 5-10-1947 pour assurer l'unité d'action des PC nationaux sous le contrôle de l'URSS (la Yougoslavie en sort en juin 1948). Des purges suivent ; Hongrie : Rajk exécuté (oct. 1949) ; Pologne : Gomulka chassé du parti (nov. 1949) ; Tchécoslovaquie : Slansky arrêté (1951).

■ **1953-1957.** Après la mort de Staline : *détente internationale,* armistice en Corée (1953), en Indochine (1954). *Déstalinisation* progressive amorcée au XXe Congrès, le 25-2-1956, quand Khrouchtchev (1894-1971) dénonce à huis clos les crimes de Staline ; le passage au socialisme par la voie légale et parlementaire est admis, ainsi que la collaboration avec les autres partis ouvriers ou socialistes. *Dissolution du Kominform* (17-4-56). **Victoire des partis communistes :** *Viêt-nam* (1954, Viêt-n. du N.) reconnu, *Cuba* (1959-65). **Soulèvements réprimés :** *All. dém. ;* Berlin-Est (17-6-1953) ; *Pologne,* Poznan (28-6-1956) ; *Hongrie* (23-10/4-11-1956). Mais l'URSS renonce aux contrôles économiques asservissants (comme les sociétés mixtes) et négocie.

■ **1957-1973.** *Divergence entre URSS et Chine* (voir Index). Succès d'un courant prochinois en Occident. Création de groupements maoïstes contestataires dans divers pays. Émeutes diverses en 1966. *Intervention soviétique en 1968 en Tchécoslovaquie* lors du printemps de Prague (voir Index). *Inde :* en 1958-59, le PC gouverne l'État de Kerala.

■ **1974-1980.** Extension du communisme. **1974-75** au Portugal, gouvernements procommunistes du Gal Vasco Gonçalves, le PC soutient le Mouv. des Forces armées et propose un « grand mouvement unitaire de masse ». **1975** Viêt-nam du Sud, Laos, Cambodge ; **1976** Angola ; **1977** Éthiopie ; **1978** Afghanistan.

■ **1980-90.** *Retournement. 1°) Contestations « feutrées »* puis plus véhémentes au sein de différents PC occidentaux (en particulier italien et français), affirmant que chaque pays pouvait avoir sa propre voie vers le socialisme (eurocommunisme). *Mouvements dissidents* en *URSS* (milieux intellectuels : Andreï Sakharov, Alexis Soljenitsyne, Leonid Pliouchtch, Sergeï Koraliev, Vladimir Boukovski...) et dans plusieurs démocraties populaires ; *en Pologne :* création d'un syndicat indépendant (Solidarité) en 1980 ; *Tchécoslovaquie... 2°) Après l'arrivée de Gorbatchev au pouvoir, glasnost* (transparence, publicité) et *perestroïka* (restructuration) entraînent le retrait soviétique d'Afghanistan, la négociation du départ des Cubains d'Angola, une remise en cause radicale du régime communiste en Eur. de l'Est (rejet des dogmes, des hommes, élections libres). Indépendance des pays Baltes, dislocation de l'URSS. Voir chacun de ces pays dans le chapitre États p. 877.

☞ Parlant du communisme en Hongrie, Imre Poszgay déclara en oct. 1989 : « C'était une impasse. Il enseignait la propriété collective, il a créé la propriété bureaucratique. Toutes les fonctions économiques et sociales ont été remplacées par une coordination bureaucratique. Il a tué l'initiative individuelle et la passivité est devenue le comportement dominant. »

☞ Dans le Quid des Présidents de la République (éd. Robert Laffont, 1987), vous trouverez la vie de Jacques Duclos et de Georges Marchais.

DÉMOCRATIE

■ **Définition.** Du grec *kratos* et *dêmos :* « pouvoir du peuple ». S'oppose à l'*aristocratie (aristos :* excellent, gouv. d'une classe privilégiée), la *théocratie* (l'autorité émane de Dieu), la *monarchie* (gouvernement d'un seul, du grec *monos* « seul », *arkhein* « commander ») et l'*oligarchie* (gouvernement d'un groupe, *oligoï :* peu nombreux).

■ **Types. Démocratie directe :** les citoyens votent directement les principales lois ou principaux règlements (réalisable dans des petits pays, ex. certains cantons suisses) ; **indirecte :** le peuple délègue des pouvoirs à des élus (députés, sénateurs, etc.). **Démocraties parlementaires :** ministres responsables devant le Parlement (ex. : France, G.-B.). Aux USA, la démocratie n'est pas parlementaire ; les ministres sont responsables devant le président et non devant le Parlement.

Démocratie chrétienne. Origine : terme apparu en 1891 après la publication de l'encyclique *Rerum Novarum* de Léon XIII sur la condition des ouvriers. **Principes :** le pouvoir appartient au peuple qui applique les principes chrétiens des *Évangiles.* **Applications : en France,** avant 1939, 2 partis démocrates chrétiens : PDP (Parti démocrate populaire), avec G. Champetier de Ribes (1882-1947), et JR (Groupement Jeune République), avec Marc Sangnier (1873-1950) ; après 1944, MRP (voir Index). **Italie :** au pouvoir depuis 1945.

Démocratie populaire. Nom donné (qu'il figure ou non dans leur dénomination) avant 1990 à : Afghanistan, Albanie, Algérie, Allemagne de l'Est, Angola, Bénin, Bulgarie, Chine, Congo, Corée du Nord, Cuba, Hongrie, Laos, Mongolie extérieure, Mozambique, Pologne, Roumanie, Sud-Yémen, Tchécoslovaquie, Yougoslavie, Viêt-nam.

Pour tous ces pays, le peuple ne représentait pas l'ensemble des citoyens, mais le *prolétariat* au nom duquel avait été faite la révolution qui avait donné naissance au régime. Les autres citoyens ne devaient pas pouvoir s'exprimer (ils étaient des ennemis ou tout au moins des obstacles au bonheur du peuple).

Le peuple donnait naissance au Parti appelé à le diriger. Le Parti était contrôlé par la « base » qui faisait part de ses désirs, transmis par une pyramide des cellules, fédérations, comités, congrès, aux dirigeants qui en appliquaient la synthèse. Il n'y avait pas d'opposition tolérée (s'opposer au Parti c'était s'opposer au peuple). Une liste unique (souvent de coalition) était proposée aux électeurs et obtenait généralement de 90 à 99,99 % des voix.

DROITE ET GAUCHE

Le 11-9-1789, les défenseurs d'un pouvoir monarchique fort se groupèrent à la droite du président de l'Assemblée nationale constituante. Depuis, les expressions droite et gauche ont vu leur contenu évoluer. Les libéraux de gauche sont devenus la droite sous Louis-Philippe et des idées de gauche ou d'extrême gauche ont été, après un certain temps, inscrites au programme de la droite dont les différents groupes ont souvent adopté un langage « révolutionnaire ».

FASCISME

De l'italien *fascio :* « faisceau ». Nom du régime établi par Benito Mussolini (1883-1945) en Italie (de 1922 à 45), reposant sur la dictature d'un parti unique, le corporatisme et le nationalisme. Il rejetait la croyance au progrès, la démocratie, le pacifisme, et cultivait l'obéissance au chef du parti, Mussolini, « le Duce qui a toujours raison ». Aujourd'hui, le qualificatif *fasciste* est employé le plus souvent dans un dessein injurieux, pour fustiger racisme, totalitarisme, impérialisme ou des procédés comme le recours à la terreur, la restriction de certaines libertés, etc.

GAUCHISME

Courant doctrinaire du communisme se caractérisant, selon Lénine, par le refus du compromis, l'usage des seuls moyens illégaux, la contestation du Parti au nom de la spontanéité des masses. Horner (1873-1960), Estelle Sylvie Pankhurst (1882-1950), Herman Gorter (1864-1927) et Alexandra Kollontaï (1872-1952) furent gauchistes.

Aujourd'hui, on englobe souvent sous ce terme *communistes libertaires, maoïstes* et *trotskistes.*

LÉNINISME

Origine. Terme utilisé par les adversaires de Lénine 1903, puis repris notamment par Staline en 1924, Zinoviev en 1925 (et Mao Tsé-toung en 1960) pour désigner les théories de Lénine [(Vladimir Ilitch Oulianov, dit) 1870-1924, qui publia : « le Développement du capitalisme en Russie » (1899), « Que faire ? » (1902), « Matérialisme et Empiriocriticisme » (1909), « l'Impérialisme, stade suprême du capitalisme » (1917), « l'État et la Révolution » (1917), « le Socialisme et la Guerre » (1917), « la Dictature du prolétariat et le renégat Kautsky » (1919), « le Gauchisme, maladie infantile du communisme » (1920)].

Principes. Le léninisme, qui se présente comme le développement du marxisme, se caractérise notamment par : l'importance accordée au rôle dirigeant de l'avant-garde, et en particulier du parti, qui doit préparer la révolution prolétarienne et organiser le pouvoir après la conquête de celui-ci (dictature du prolétariat) ; l'importance de l'alliance avec les masses paysannes pour la classe ouvrière révolutionnaire ; l'analyse de l'impérialisme, considéré comme stade ultime du capitalisme avant la révolution prolétarienne. Pour Lénine, l'aggravation des *contradictions internes du capitalisme* devenu monopoliste (entre le capital et le travail, entre les métropoles impérialistes et leurs colonies, entre les capitalismes nationaux) conduit inéluctablement à la guerre mondiale, puis à la révolution qui en résultera. Cette révolution peut ne triompher que dans un seul pays, mais soutiendra ensuite les mouvements de lutte des classes ouvrières nationales et de libération des peuples colonisés contre l'impérialisme.

Avant 1990, le peuple soviétique et le peuple chinois se réclamaient du marxisme-léninisme mais l'interprétaient d'une façon différente. (Voir aussi **Chine** et **URSS** à l'Index.)

LIBÉRALISME

Origine. XVIIIe s. philosophes (Voltaire, Diderot...) et physiocrates français (Quesnay, Gournay...). XIXe s., école économique libérale classique représentée par les Anglais Adam Smith (1723-90), Thomas Malthus (1766-1834), David Ricardo (1772-1823), John Stuart Mill (1806-73), et les Français Jean-Baptiste Say (1767-1832) et Frédéric Bastiat (1801-50). En France, depuis l'instauration de la IIIe Rép., des formations politiques, de droite ou de gauche, se sont réclamées du libéralisme.

Principes. Courant philosophique, politique et économique recouvrant des tendances de diverses origines et au contenu variable selon les époques. Sur le plan politique, le libéralisme défend les droits de l'individu à l'intérieur de la société, face notamment à l'État, dont les pouvoirs doivent être limités. Dans le domaine économique, le libéralisme est partisan de la libre entreprise et de la concurrence, l'intervention de l'État, lorsqu'elle est considérée comme nécessaire, ayant pour seul rôle de corriger les abus des « lois du marché ».

MAOÏSME

Origine. Doctrine des partisans de Mao Tsé-toung [(1893-1976) qui publia : « Problèmes stratégiques de la guerre révolutionnaire en Chine » (1936), « De la pratique » (1937), « Des contradictions » (1937), « la Démocratie nouvelle » (1940), de nombreux traités et textes de circonstance ; le « Petit Livre rouge », qui est censé exprimer sa pensée, a été composé et publié par le M^al^ Lin Piao, min. de la Défense, dans les années 60].

Principes. Se présente comme le développement du marxisme-léninisme, en fonction de la révolution chinoise. Ses partisans accusaient les « révisionnistes soviétiques » : 1°) De trahir les luttes de libération nationale des peuples du tiers monde en ne les soutenant pas dans leurs combats contre l'impérialisme américain sous le prétexte de vouloir maintenir la coexistence pacifique. 2°) D'avoir une politique « social-impérialiste », notamment vis-à-vis des pays de l'Europe orientale (invasion de la Tchécoslovaquie). 3°) De restaurer le capitalisme en URSS en y réinstallant la notion de profit.

Pour le maoïsme, adepte de la « révolution permanente » (exemple de la « révolution culturelle » chinoise de 1966-69), il faut lutter sans cesse contre l'embourgeoisement du Parti et transformer les mentalités du peuple, notamment par la lutte idéologique, afin d'améliorer la production (importance des stimulants idéologiques).

« Aussi longtemps que la lutte de classes continue, aussi bien dans l'ordre spirituel que matériel, le danger de restauration capitaliste subsiste, et par conséquent la dictature du prolétariat doit être maintenue. La victoire complète du socialisme n'est pas l'affaire de 1 ou de 2 générations ; pour être définitive, elle exige 5 ou 6 générations, voire davantage. »

Applications. A influencé différents partis communistes, notamment ceux d'Asie du Sud-Est et une partie de l'extrême gauche occidentale (France, Italie...).

Marxisme

Origine. Théorie de Karl Marx [(Allemand, 1818-83) qui rédigea : « la Sainte Famille » (1845), « Misère de la philosophie » (1847), « le Manifeste du parti communiste » (1848, avec Engels), « Contribution à la critique de l'économie politique » (1859), « Salaire, prix et profit » (1865), « le Capital » (1867 à sa mort, inachevé), « la Guerre civile en France » (1871)] (avec la collaboration partielle de Friedrich Engels, Allemand, 1820-95). Reprise notamment par Lénine, Rosa Luxemburg, Staline, Mao Tsé-toung (voir Communisme).

Principes. Analyse globale (philosophique, sociale et politique, économique) de l'histoire des sociétés, qui est celle de la lutte des classes. A chaque société correspond un mode de production où les rapports sociaux de production déterminent les superstructures : politiques, juridiques. C'est notamment le cas pour la dernière société apparue, le capitalisme. C'est aussi une théorie du devenir de l'humanité débouchant sur la société sans classes du communisme.

Aspects. Philosophique : voir Matérialisme dialectique p. 318, Communisme p. 854. **Social et politique** : voir Communisme p. 855, Socialisme ci-contre. **Économique** : selon Marx, le mode de production capitaliste se distingue fondamentalement des différents modes de production antérieurs (communauté primitive, puis sociétés de classes – donc d'exploitation – issues de la décomposition de celle-ci : esclavagisme, féodalité...).

– Les biens ne sont pas produits en fonction de leur utilité immédiate *(valeur d'usage),* mais en fonction de leur aptitude à être substitués les uns aux autres (mesurée par la *valeur d'échange,* qui fait abstraction de leurs particularités). Une valeur d'usage, pour être reconnue en tant que telle, doit d'abord être reconnue en tant que valeur d'échange. La valeur d'échange des marchandises est mesurée par la quantité (durée et intensité) de travail abstrait (social) que leur production a nécessitée.

– La production capitaliste tend (en moyenne) à réduire en permanence le temps de travail nécessaire à la production de chaque valeur d'usage. Il s'ensuit une dépréciation continuelle, en termes de valeur d'échange, des éléments de la production : pour une même quantité de travail, la quantité de valeur d'usage produite augmente. C'est la *loi de la valeur* – ou de l'élévation de la productivité.

– Les rapports de production capitalistes sont caractérisés par une aliénation : les travailleurs – qui ne disposent plus que de leur *force de travail* – sont contraints de vendre (aliéner) l'usage de celle-ci aux capitalistes (qui se sont approprié les *moyens de production :* machines, bâtiments, matières 1res...). Ils reçoivent en échange un *salaire* qui leur permet de se procurer les moyens d'existence dont ils ont besoin. Leur force de travail est devenue ainsi une *marchandise.* Ces rapports sont maintenus par la domination des moyens de production *(capital constant)* – détenus par les capitalistes – sur le *travail vivant* (travailleurs salariés vendant leur force de travail) qui permet d'imposer aux travailleurs la discipline du travail et une productivité supérieure.

– La force de travail crée de la valeur ; elle produit une quantité de valeurs d'usage supérieure à celle qui lui est strictement nécessaire pour se maintenir en vie et assurer la production. Les capitalistes s'approprient les résultats de la production. La différence entre le salaire qu'ils versent et la valeur globale des marchandises représente le *surtravail* (ou temps de travail non payé). Celui-ci devient la *plus-value* que s'attribuent les capitalistes.

– Capitalistes et travailleurs (producteurs) sont en lutte permanente à propos du salaire et de la productivité. Pour élever celle-ci, les capitalistes doivent continuellement moderniser le capital constant. Pour cela, ils utilisent la plus grande partie de la plus-value afin d'accroître le capital. Ce mécanisme de l'accumulation *(reproduction élargie)* a pour but, à son tour, d'extraire une plus-value supplémentaire, et ainsi de suite.

– Mais le mouvement du capital – inséparable de la lutte du prolétariat contre son exploitation – engendre ses propres contradictions. D'une part, il entraîne une concentration croissante du capital ; celle-ci renforce l'opposition entre le caractère social (collectif) du processus de production – qui devrait logiquement aboutir à la propriété collective des moyens de production – et l'appropriation privée de ces mêmes moyens. D'autre part, il détruit les formes d'économie antérieures et accroît ainsi l'importance (quantitative) de la classe (antagoniste) des salariés. En outre, la modernisation des moyens de production implique l'élévation tendancielle de la *composition organique,* du rapport entre le capital constant et le capital variable, élévation qui entraîne une baisse tendancielle du taux de profit. Pour combattre cette baisse, le capital est contraint à une « fuite en avant », chaque étape de l'accumulation crée les besoins d'une accumulation encore plus forte. Ainsi, pour augmenter le *taux d'exploitation* (rapport de la plus-value au capital variable), il faut accroître la productivité, donc élever la composition organique du capital ; celle-ci entraîne à son tour une baisse du taux de profit, et ainsi de suite. Ces efforts du capital pour contrecarrer cette tendance contribuent à aggraver la condition du prolétariat (travailleurs en surnombre et exploitation accrue, se traduisant par une dévalorisation de la force de travail). Les antagonismes se renforcent donc. A terme, le développement de ces contradictions aboutira à une crise plus grave que les précédentes ; le prolétariat s'appropriera alors l'usage des conditions de production pour lui-même.

National-socialisme

Origine. Doctrine composite exposée en 1920 par l'ouvrier Anton Drexler, puis par Adolf Hitler (1889-1945) dans « Mein Kampf » (1925-27), reposant sur : un État autoritaire [Johann Gottlieb Fichte (1762-1814), Friedrich Hegel (1770-1831), Bismarck (1815-98)] ; une nation supérieure (gardant pure sa race, en rejetant notamment les Juifs) ; le recours à la guerre et à la violence (culte de la force).

Applications. Hitler négligea l'aspect socialiste de la doctrine, il s'en tint à la lutte contre le marxisme « générateur de conflits sociaux », les Juifs « exploiteurs », le parlementarisme « source de faiblesse », à la planification autarcique et à la lutte pour « l'espace vital » en Europe. L'abréviation allemande *Nazi* désignait les partisans du national-socialisme. Elle est très utilisée comme injure politique.

Nihilisme

Origine. Du latin *nihil,* « rien ». Apparu en Russie après l'échec des réformes d'Alexandre III (1845-94), il voulait repartir sur des bases neuves, à la lumière des sciences nouvelles et en balayant toutes les idées acquises. Souvent confondu avec l'anarchisme. **Principaux nihilistes :** Nicolaï Dobrolioubov (1836-61), Dimitri Pissarev (1841-68), Nicolaï Tchernychevski (1828-89).

Progressisme

Professe des idées politiques ou sociales avancées. De 1893 à 1914, l'Union progressiste désire être en dehors de toute idéologie et faire progresser le régime en matière économique et sociale. Aujourd'hui, les progressistes défendent souvent des idées soutenues par les marxistes.

Prolétariat

Ensemble des prolétaires, c'est-à-dire des salariés qui n'ont que leur salaire pour vivre (à l'opposé des propriétaires de moyens de production ou de moyens d'échange, comme les commerçants). La prolétarisation réduit à l'état de salariés les indépendants (petits exploitants agricoles, artisans, détaillants). Selon Marx et Engels (« Manifeste du parti communiste », 1848), c'est la classe qui, dans la société capitaliste, crée la plus-value appropriée par les capitalistes. Par la révolution, le prolétariat créera une société sans classes en se libérant de son exploitation.

Le *lumpenproletariat* (de l'allemand) est la partie la plus misérable du prolétariat, incapable de se révolter.

Radicalisme

État d'esprit plutôt que doctrine immuable, demandant une rupture avec les institutions passées. Le radicalisme a beaucoup évolué dans la vie politique française. Les radicaux ont combattu pour le suffrage universel et les grands principes des droits de l'homme. Les radicaux-socialistes ont mis l'accent sur les réformes sociales tandis que d'autres radicaux ont pu se rapprocher des républicains modérés en prônant le libéralisme.

Socialisme

Origine. Le socialisme a commencé par condamner les inégalités sociales et l'exploitation de l'homme par l'homme, et par demander que l'intérêt général prime en tout l'intérêt individuel. On distingue habituellement le socialisme :

– **utopique** [Thomas More (Angl. 1478-1535), Campanella (It. 1568-1639), Cte de Saint-Simon (Fr. 1760-1835)] : dénonçant les impostures sociales et imaginant des sociétés idéales parfaites.

– **associationniste :** Charles Fourier (Fr., 1772-1837), Louis Blanc (Fr., 1811-82), Pierre-Joseph Proudhon (Fr., 1809-65, en fait anarchiste qui crée en 1848 une Banque du peuple, établissement « mutuelliste » dont s'inspireront plus tard coopératives et Sociétés de secours mutuel), Robert Owen (G.-B., 1771-1858, qui créa les 1res coopératives de production et de consommation en 1832).

– **d'État :** Léonard Simond de Sismondi (Suisse, 1773-1842), Johann Karl Rodbertus (All., 1805-75), Ferdinand Lassalle (All., 1825-64, qui énonça la *loi d'airain* sur les salaires, selon laquelle le salaire de l'ouvrier ne pourra dépasser le montant minimal dont il a besoin pour survivre), Ch. Dupont-White (Fr., 1807-78).

– **de la chaire** [expression créée par Henri-Bernard Oppenheim (1819-80)] : Congrès d'Eisenach (1872) où les professeurs universitaires étaient nombreux : Gustav Schmoller (All., 1838-1917), Adolphe Wagner (1835-1917).

– **chrétien :** Félicité de Lamennais (1782-1854, abbé français qui, désavoué par le pape en 1832, rompit avec l'Église), Philippe Buchez (Fr., 1796-1865), Cte Charles de Coux (1787-1864).

– **scientifique :** Marx (qui doit beaucoup à Sismondi et Rodbertus), pour qui le socialisme devient inéluctable avec la disparition des classes (disparition que l'on peut hâter).

Applications. Le socialisme recouvre (ou a recouvert) des réalisations diverses [les Républiques populaires, les États scandinaves (sauf la Finlande) qui se sont dits socialistes ; les États fascistes et nazis (socialismes nationaux)] et des doctrines souvent opposées quant à leurs objectifs et à leurs moyens. Le socialisme a pu être « de gauche » ou modéré (ex. : la social-démocratie allemande ou scandinave).

– *La plupart des partis socialistes des pays développés* (Europe occidentale, Australie, N.-Zélande), plus ou moins réformistes, insistent sur la lutte progressive contre les inégalités économiques et sociales et les défauts du capitalisme de marché. Ils préconisent des mesures sociales et fiscales, des nationalisations, la planification, la réforme ou la transformation légale de l'État, le respect de la démocratie pluraliste, le soutien au mouvement coopératif...

– *Le camp dit socialiste,* avant 1990, comprenait l'URSS et diverses républiques socialistes (Europe de l'Est, certains pays du tiers monde), la Chine. Un parti unique se réclamant du marxisme-léninisme détenait le pouvoir. Selon la thèse officielle, le maintien de l'État – devenu socialiste – correspondait à la phase de dictature du prolétariat. Pour la Yougoslavie, voir à l'Index.

– *Certains pays du tiers monde* se sont réclamés d'un socialisme « adapté à leurs particularités ».

Stalinisme

Origine. Doctrine et méthode de Staline [(1879-1953) qui publia : « les Fondements du léninisme » (1924), « les Questions du léninisme » (1926), « Matérialisme historique et Matérialisme dialectique » (1938), « les Problèmes économiques du socialisme » (1952)]. Staline s'opposa à Trotski (1879-1940) pour instaurer le socialisme dans un seul pays et en acceptant temporairement la NEP (Nouvelle

Politique économique). Il lança le 1er plan quinquennal en 1928 et la collectivisation des terres en 1929.

Principes. Doctrine caractérisée d'abord par l'opportunisme, la centralisation, l'autoritarisme et, après 1945, l'intransigeance (refus de la coexistence pacifique).

Totalitaire (régime)

Régime où une équipe dirigeante et une organisation monolithique (parti de masse) détiennent tous les pouvoirs. L'opposition est privée d'existence légale. Étaient totalitaires les régimes fasciste et national-socialiste. Sont aujourd'hui considérés comme totalitaires un certain nombre de régimes (« communistes », ou du tiers monde).

Trotskisme

Origine. Doctrine de Trotski [(Lev Davidovitch Bronstein, dit) (1879-1940)] qui publia : « Histoire de la révolution russe » (1932), « la Révolution permanente » (1932), « la Révolution trahie » (1937), « l'École stalinienne de falsification » (1937), « Staline » (1940)]. Appelée aussi bolchevisme-léninisme.

Avant la révolution d'Octobre (1917), Trotski prône la révolution permanente. Partout où la révolution bourgeoise est impossible (pays arriérés et coloniaux), seul le prolétariat – même s'il est très minoritaire – peut, après s'être organisé en parti de classe, entreprendre la lutte révolutionnaire contre la bourgeoisie en entraînant la paysannerie (qui est potentiellement révolutionnaire). La dictature du prolétariat assure la victoire de la révolution socialiste permanente (elle se poursuit par la suite), mais cette révolution ne peut s'achever qu'au niveau mondial. *A partir de 1936,* Trotski analyse notamment le stalinisme (excroissance bureaucratique de l'économie collectiviste dans un État ouvrier arriéré, que la poursuite de la révolution détruira), le fascisme (dernière solution de la bourgeoisie avant la révolution), et élabore une stratégie « de transition » qui constituera le fondement théorique de la IVe Internationale (voir p. 873 c).

Après la guerre de 1939-45. Les idées de Trotski sont reprises par la IVe Internationale. Plusieurs courants s'en réclament aussi (Amérique latine : Posadas ; Europe : P. Frank, P. Lambert et G. Healy, et M. Raptis dit Pablo). Le trotskisme influence les expériences chinoise et cubaine. Depuis 1968, les mouvements trotskistes se sont développés dans les pays occidentaux (notamment en France, voir p. 726 et suivantes).

Organisations internationales et européennes

Organisation des Nations unies (ONU)

Premières ententes universelles. 1864 (24-8) Croix-Rouge intern. **1865** Union télégraphique intern. (UTI). **1874** (9-10) Union postale universelle (UPI). **1875** (20-5) Bureau intern. des poids et mesures. **1910** (23-9) Convention sur le sauvetage en mer. **1919** (26-7) Bureau intern. de l'heure (décidé 1913). **1934** (1-1) Union intern. des télécom. (UIT) succède à l'UTI. **1944** (22-7) Banque intern. pour la reconstruction et le développement (BIRD). Fonds monétaire intern. (FMI). (7-12) Organisation de l'aviation civile (OACI). **1945** (26-6) Charte des Nations unies.

Société des nations (SDN). Proposée par le Pt des USA Wilson, prit corps dans le traité de Versailles de 1919 et s'installa à Genève au palais Wilson puis au palais des Nations (construit de 1929 à 1937). Elle comprit au max. 60 États (45 au début, 44 en 1939). Les USA avaient refusé d'en faire partie. Le Brésil s'en retira en 1928, le Japon en 1920 et l'Allemagne (admise en 1925) en 1935, l'Italie en 1937 et l'URSS (admise en 1934) en fut exclue en 1939. Sa *dissolution effective* date du 3-7-1947, mais elle était déjà remplacée officiellement par l'ONU depuis octobre 1945. Elle avait défini (article 22 de la Charte) des *pays sous mandat* comme « des colonies ou territoires qui, à la suite de la guerre, ont cessé d'être sous la souveraineté des États qui les gouvernaient précédemment et sont habités par des peuples non encore capables de se diriger eux-mêmes dans les conditions particulièrement difficiles du monde moderne. Le bien-être et le développement de ces peuples forment une mission sacrée de civilisation ». Elle considérait que « la meilleure méthode est de confier la tutelle de ces peuples au nations développées qui, en raison de leurs ressources, de leur expérience et de leur position géographique, seront le mieux à même d'assumer cette responsabilité et qui consentent à l'accepter ».

Données générales

■ **Siège.** Manhattan, New York (USA). **Création.** *Déclaration interalliée, Londres,* 12-1-1941 (14 États). *Charte de l'Atlantique,* 14-8-1941 (USA et G.-B.). *Décl. de Washington,* 1-1-1942 (26 États). *Décl. de Moscou,* 30-10-1943 (URSS, G.-B., USA, Chine). *Décl. de Téhéran,* 1-12-1943 (USA, URSS, G.-B.). Conférences : *Dumbarton Oaks* (G.-B., USA, URSS, Chine, 27-8 au 17-10-1944). *Yalta* (G.-B., USA, URSS, févr. 1945). *San Francisco* (25-4 au 26-6-1945). Élaboration définitive de la Charte et du Statut de la Cour intern. de justice, ratifié par 51 pays (dont la France) en guerre contre l'Axe.

■ **Budget des Nations unies. Participation** fixée par un comité des contributions (réuni tous les 2 ans) en fonction de la population, du niveau d'industrialisation et du PIB de chaque membre. *Montant (en %) :* USA 25 (avant 1970 : 30), Japon 12,45, ex-URSS (sans les 3 Républiques Baltes, entrées aux NU le 17-9-1991) 9,41, All. 8,93, *France 6,* G.-B. 5,02, Italie 4,29, Canada 3,11, Espagne 1,98, Brésil 1,59, Australie 1,51, P.-Bas 1,50, Suède 1,11, Belgique 1,06, Arabie S. 0,96, Mexique 0,88, Chine 0,77, Autriche 0,75, Biélorussie 0,31, Ukraine 1,18. (79 pays en voie de développement contribuent pour 0,01 % chacun au budget.) **Budget brut** (en millions de $). *1992-93 :* 2 468 [dont administration et gestion 103 ; conférences et bibliothèques 106 ; contributions du personnel 402 ; affaires politiques et du Conseil de sécurité, maintien de la paix 113 ; conférence sur commerce et développement 92,5 ; information 103 ; commissions écon. pour Afrique 72, Amér. latine et Caraïbes 67,3 ; affaires écon. et soc. intern. 13,7 ; Haut-Commissariat pour réfugiés 63,6 ; commissions écon. pour Europe 42, Asie et Pacifique 55,3, Asie occid. 45,3 ; programme ordinaire de coop. technique 40 ; affaires polit., tutelle et décolonisation 2,8 ; coop. technique pour développement 6,7 ; travaux (locaux) 98 ; activités juridiques 24 ; droits de l'homme 25 ; cour intern. de justice 18,4 ; centre du commerce intern. 18,4 ; programme pour environnement 12,8 ; Stés transnationales 3,7 ; affaires de désarmement 4,5 ; contrôle intern. des drogues 13,4 ; centre pour établissements humains (Habitat) 12 ; bureau du Coordinateur pour secours en cas de catastrophe 2 ; centre pour science et technique au service du développement 1,4 ; politique, direction et coordination d'ensemble 34,6 ; affaires humanitaires 9,8].

■ **But.** Maintien de la paix et de la sécurité intern. Coopération pour le développement économique et social de tous les peuples et le respect des droits de l'homme et des libertés fondamentales. Favoriser le désarmement et la réduction des budgets militaires.

■ **Nombre de membres.** *1945 :* 51 originaires. *50 :* 60. *55 :* 76. *60 :* 100. *65 :* 118. *70 :* 125. *75 :* 144. *80 :* 154. *84 :* 159. *90 :* 159. *92 (2-3) :* 175. *93 (1-4) :* 181. Derniers inscrits : *1980 :* St-Vincent-et-Grenadines, Zimbabwe ; *81 :* Antigua-et-Barbuda ; Belize ; Vanuatu ; *83 :* St-Kitts-et-Nevis ; *84 :* Brunei ; *90 :* Liechtenstein, Namibie ; *91 (17-9) :* Corée (Rép.), Corée (Rép. dém.), Estonie, Lettonie, Lituanie, Marshall (îles), Micronésie ; *92 :* Arménie, Azerbaïdjan, Kazakhstan, Kirghizistan, Moldavie, Ouzbékistan, St-Marin, Tadjikistan, Turkménistan ; *93 :* Érythrée, Macédoine, Monaco, Slovaquie, Rép. tchèque.

États membres des Nations unies (183 au 9-7-1993 : en italique, fondateurs) : Afghanistan [2]. *Afrique du Sud [1].* Albanie [7]. Algérie [13]. Allemagne [22]. Angola [25]. Antigua-et-Barbuda [30]. *Arabie Saoudite [1]. Argentine [1].* Arménie [35]. *Australie [1].* Autriche [7]. Azerbaïdjan [35]. Bahamas[22]. Bahreïn [21]. Bangladesh [23]. Barbade [17]. *Belgique [1].* Belize [30]. Bénin [11]. Bhoutan [21]. *Biélorussie [1].* Birmanie [4]. *Bolivie [1].* Botswana [17]. *Brésil [1].* Brunei [32]. Bulgarie [7]. Burkina-Faso [11]. Burundi [13]. Cambodge (Kampuchéa) [7]. Cameroun [11]. *Canada [1].* Cap-Vert [23]. Rép. Centrafricaine [11]. *Chili [1]. Chine [1].* Chypre [11]. *Colombie [1].* Comores [24]. Congo [11]. Corée (Rép.) [34]. Corée (Rép. dém.) [34]. *Costa Rica [1].* Côte-d'Ivoire [11]. *Cuba [1]. Danemark [1].* Djibouti[26]. Dominicaine (Rép.) [1]. Dominique [27]. *Égypte [1]. El Salvador [1].* Émirats arabes unis [21]. *Équateur [1].* Érythrée [36]. Espagne [7]. Estonie [34]. *États-Unis [1]. Éthiopie [1].* Fidji [20]. Finlande [7]. *France [1].* Gabon [11]. Gambie [16]. Ghana [9]. *Grèce [1].* Grenade [23]. *Guatemala [1].* Guinée [10]. Guinée équat [19]. Guinée-Bissau [23]. Guyana [17]. *Haïti [1]. Honduras [1].* Hongrie [7]. Iles Maldives [16]. *Inde [1].* Indonésie [6]. *Irak [1]. Iran [1].* Irlande [7]. Islande [2]. Israël [5]. Italie [7]. Jamaïque [13]. Japon [8]. Jordanie [7]. Kazakhstan [35]. Kenya [14]. Kirghizistan [35]. Koweït [14]. Laos [7]. Lesotho [17]. Lettonie [34]. *Liban [1]. Liberia [1].* Libye [7]. Liechtenstein [33]. Lituanie [34]. *Luxembourg [1].* Macédoine [36]. Madagascar [11]. Malawi [15]. Malaysia [9]. Mali [11]. Malte [15]. Maroc [8]. Marshall (îles)[34]. Maurice [19]. Micronésie [34]. Moldavie [35]. Namibie [33]. Mauritanie[12]. *Mexique [1].* Moldavie [35]. Monaco [36]. Mongolie [12]. Mozambique [24]. Namibie [33]. Népal [7]. *Nicaragua [1].* Niger [11]. Nigeria [11]. *Norvège [1]. Nouvelle-Zélande [1].* Oman [21]. Ouganda [13]. Ouzbékistan [35]. Pakistan [3]. *Panamá [1].* Papouasie-Nouvelle-Guinée [24]. *Paraguay [1]. Pays-Bas [1]. Pérou [1]. Philippines [1]. Pologne [1].* Portugal [7]. Qatar [21]. Roumanie [7]. *Royaume-Uni [1].* Russie [35]. Rwanda [13]. Saint-Kitts-et-Nevis [31]. Sainte-Lucie [28]. Saint-Marin [35]. Saint-Vincent-et-Grenadines [29]. Salomon [27]. Samoa [25]. São Tomé-et-Príncipe [24]. Sénégal [11]. Seychelles [25]. Sierra Leone [12]. Singapour [16]. Slovaquie [36]. Somalie [11]. Soudan [8]. Sri Lanka [7]. Suède [2]. Surinam [24]. *Syrie [1].* Tadjikistan [35]. Tanzanie [12]. Tchad [11]. Tchèque (Rép.) [36]. Thaïlande [2]. Togo [11]. Trinité-et-Tobago [13]. Tunisie [8]. Turkménistan [35]. *Turquie [1]. Ukraine [1]. Uruguay [1].* Vanuatu [30]. *Venezuela [1].* Viêt-nam [26]. Yémen (Rép.) [3]. *Yougoslavie [1].* Zaïre [11]. Zambie [15]. Zimbabwe [29].

Nota. – (1) 1945. (2) 46. (3) 47. (4) 48. (5) 49. (6) 50. (7) 55. (8) 56. (9) 57. (10) 58. (11) 60. (12) 61. (13) 62. (14) 63. (15) 64. (16) 65. (17) 66. (18) 67. (19) 68. (20) 70. (21) 71. (22) 73. (23) 74. (24) 75. (25) 76. (26) 77. (27) 78. (28) 79. (29) 80. (30) 81. (31) 83. (32) 84. (33) 90. (34). 91. (35). 92. (36) 93.

États membres sanctionnés : Afr. du S. (1979), Iraq (1991), Libye (1992), Rhodésie du S. (1966-79), ex-Youg. (1993). **États non membres de l'ONU** (au 4-6-1993). Andorre, Kiribati, Nauru, St-Siège, Suisse, T'ai-wan, Tonga, Tuvalu.

■ **Langues. Officielles :** anglais, arabe, chinois, espagnol, français, russe. **De travail :** anglais, français.

■ **Opérations de l'ONU. Généralités** (mars 1993) : dep. 1948, 27 opér. et missions, + de 600 000 h. (859 †).

Grèce *(1947-51).* Comité spécial des Nations unies sur les Balkans (Cosnub) observe les infiltrations étrangères.

Corée *(1950-53).* 15 nations : USA 7 divisions d'infanterie ; G.-B. 2 brigades ; Canada 1 ; Turquie 1 ; Australie 1 bataillon, Thaïlande 1 ; Philippines 1, Éthiopie 1 ; Grèce 1 ; Colombie 1. L'ONU a perdu 38 500 h. Il y a un commandement unifié des Nations-Unies en Corée du S.

Suez *(1956-67).* Après l'expédition de Suez (voir Index), l'Assemblée générale de l'ONU envoya en

RÉFUGIÉS DANS LE MONDE EN 1992 (EN MILLIERS)

Total : 16 357. **Afrique :** 6 495 (dont Éthiopie 1 182, Malawi 982, Soudan 730, Guinée 564, Zaïre 483, Kenya 412, Burundi 270, Tanzanie 266, Côte-d'Ivoire 240, Algérie 169, Ouganda 162, Zimbabwe 123). **Amériques :** 1 038 (dont USA 482, Honduras 237, Canada 87, Mexique 54, Guatemala 40, Costa-Rica 34,5). **Asie :** 2 811 (dont Pakistan 1 900, Chine 287, Bangladesh 264, Inde 120, Thaïlande 74, Népal 65, Hong-Kong 51, Indonésie 16, Malaisie 11). **Europe :** 2 834 (dont ex-Yougoslavie 1 900, All. 29,6, *France 195*, Suède 150, Hongrie 60, G.-B. 37, Danemark 34, Turquie 31,7, Belgique 26, Suisse 25,5). **Proche-Orient :** 3 110 (dont Iran 2 500, Iraq 525, Yémen 80). **Océanie :** 67,6 (dont Australie 24, Papouasie N.-G. 7). *Sources* HCR.

nov. 1956 une Force d'urgence des Nations unies de 6 000 h. (Funu I) pour surveiller le cessez-le-feu (le terme de *« casque bleu »* apparaît). 10 États ont participé au début (à la fin 7). Nasser obtint le retrait de cette force en mai 1967. Peu après éclata la g. israélo-arabe des 6 Jours. *Effectif max. févr. 1957 :* 6 073 ; *juin 1967 à la dissolution :* 3 378. *Pertes :* 90 † (dont 64 par fait de guerre ou accident). *Coût :* 220 millions de $.

Liban *(juin 1958).* Groupe d'observateurs des Nat. u. au Liban (Gonul) pour surveiller 6 mois les ingérences de la Rép. arabe unie. *Effectif max.* 591 (dont 501 observateurs et 90 aviateurs) de 20 États. *Pertes :* néant. *Coût :* 3,7 millions de $.

Zaïre (ex-Congo-belge) *(1960-64).* A la demande du gouvernement, le Conseil de sécurité envoie 20 000 h. (Opérations des Nations unies au Congo : Onuc) rétablir l'ordre et maintenir l'unité du pays. Ils interviennent contre la rébellion katangaise et partent 30-6-1964. *Pertes :* 234 †.

Nouvelle-Guinée occidentale (Irian Jaya) *(1962-63).* Octobre 1962 : les P.-Bas remettent à l'ONU l'administration du pays. Une force intérimaire de 1 500 h. (Force de sécurité des Nat. u. en N.-G. occ. : UNSF) facilite la transition des P.-Bas à l'Indonésie.

Yémen du Nord *(1963-64).* Mission d'observation des Nat. u. au Yémen : Unyom (189 h. en 1963). Patrouille le long d'une partie de la frontière Yémen/Arabie Saoudite afin d'éviter que celle-ci ne fournisse des armes aux yéménites monarchistes. Mission dissoute fin 1964 ; elle n'avait pas obtenu de résultats.

Mission d'observation des NU en Inde et au Pakistan (Unipom) (1965-66). 96 h. *Coût :* 1,7 million de $.

Sinaï *(25-10-1973/24-7-1979).* Après la guerre du Kippour, en oct. 1973, 2e Force d'urgence des Nat. u. (Funu II) sur la rive ouest du canal entre Égyptiens et Israéliens. Après le dégagement des forces, 7 000 h. sont redéployés le 25-10-73 au Sinaï dans une zone tampon. Mission achevée 24-7-79 (force dissoute 30-4-80) ; 4 mois après : paix isr.-ég. *Effectif max.* 6 973 (févr. 1974) (dont Canada 1 097, Pologne 820, Finlande 640, Autriche 600, Kenya 600). Juin 1976 : 4 200 h. *Pertes :* 52 † (dont 30 par accident + 9 acc. aériens). *Coût :* 446 millions de $.

Mission de bons offices des NU en Afghanistan et au Pakistan (Ungomap). *Créée* 1988 pour surveiller l'application de l'Accord de Genève du 14-4-1988 sur retrait soviét. 35 obs. milit. *Sièges :* Kaboul et Islamabad. *Coût :* 8 millions de $ par an. Retrait 15-3-90.

Nicaragua. Mission Onuven. *(1989-90)* (120 fonctionnaires, 40 observateurs) pour vérifier le déroulement de la campagne électorale et des él. présidentielles et générales du 25-2. *Coût :* 5,5 millions de $.

Groupe d'assistance des NU pour la période de transition (Ganupt) *(1989-90).* Pour maintenir l'ordre en Namibie pendant le retrait des Sud-Afr. et assurer un scrutin libre lors de l'élection d'une ass. constituante. *Début* 1-4-89, *fin* 21-3-90 ; *durée :* 51 semaines. *Effectif* 6 700 h. (4 300 milit., 1 500 policiers, 900 civils) appartenant à 109 nationalités. *Pertes* 17 †. *Déficit :* 23 millions de $. *Coût :* 345,3 millions de $.

Groupe d'observateurs des NU en Amérique centrale (Onuca) (200 observateurs et 826 militaires, 120 personnels d'appui, 150 fonctionnaires civils) *(1989-92)* pour vérifier la cessation de l'assistance financière et en armement aux forces irrégulières et insurrectionnelles. Mandat élargi (mars 90) à la démobilisation de la résistance nicaraguayenne. *Coût :* 57 millions de $.

Groupe d'observateurs militaires des NU pour l'Iran et l'Iraq (Gomnuii). *(1988-91),* pour surveiller le cessez-le-feu Iran-Irak. Max. 399 (juin 90). *Pertes :* 1 †. *Sièges :* Téhéran et Bagdad. *Coût :* 220 millions de $ par an (*déficit* 1,25 million de $).

Mission de vérification des NU en Angola (Unavem-I). *(1988-91)* pour vérifier retrait des troupes cubaines. 75 obs. milit. *Coût :* 16 millions de $ (arriérés 0,8).

Opérations en cours (mars 1993). 15. *Coût :* 2,8 milliards de $ (sans Monuas et Unover).

52 000 h. (6 900 à 10 000 Français) sur 12 terrains d'action différents, 67 États engagés.

Organisation des NU chargée de l'observation de la trêve en Palestine (Onust). *Créée* 11-6-1948. 248 observ. milit. *Siège :* Jérusalem. 20 pays participants dont USA et URSS. Présente dans le Sinaï, à Beyrouth, à Damas, à Tibériade et à Amman. *Coût :* 31 millions de $ (1992). *Pertes :* 28 † au 30-3-93.

Groupe d'observateurs militaires des NU en Inde et au Pakistan (Unmogip). *Créé* 24-1-1949. *Sièges :* Rawalpindi (Pak.) et Srinagar (Inde). Patrouille le long de la ligne de cessez-le-feu (Jammu-Cachemire). 38 h. *Coût :* 5 millions de $ (1992). *Pertes :* 6 † au 30-3-93.

Force des NU chargée du maintien de la paix à Chypre (Unficyp). *Créée* 1964, surveille cessez-le-feu entre chypriotes grecs et turcs, 1 539 h. *Coût :* 31 millions de $ par an, *déficit* + de 197 millions de $ accumulés depuis 1964. *Pertes :* 159 † au 30-3-93.

Force des NU chargée d'observer le dégagement (Fnuod). *Créée* 3-6-1974, surveille cessez-le-feu et zone de séparation Syrie/Israël (Golan). *Eff. début :* 1 250 h., *août 1979 :* 1 450, *avril 90 :* 1 337, *juin 91 :* 1 307, *mars 93 :* 1 215. *Siège :* Damas. *Coût* (3-6-74 au 31-5-91) : 870,5 millions de $ (arriérés 19) ; *92 :* 43. *Pertes :* 31 † au 30-3-93.

Force intérimaire des NU pour le Liban (Finul). *Créée* 1978, pour confirmer le retrait des Israéliens, rétablir la paix et la sécurité au Sud-Liban. *Effectif prévu* 4 000 [*3-5-78 :* 6 000, *25-2-82 :* 7 000, *mai 87 :* 5 660 (dont Norvège 882, Ghana 873, France 530), *juin 91 :* 5 900] de 14 pays en 6 bataillons ; *mars 1993 :* 5 251 h. *Siège :* Nakoura. *Coût* (1978 au 31-1-92) : 1 721 millions de $ (arriérés 280) ; *92 :* 153. *Pertes* (au 30-3-93) : 189 † (dont au 22-1-91 : actions de guerre 67, accidents autom., hélicoptère 75, causes diverses 35) dont 25 † français.

Mission de vérification des NU en Angola (Unavem-II). *Créée* 1991 pour 18 mois, pour surveiller les élections (sept. 92), prolongée 1er trim. 93, 224 observ. milit. *Coût :* 132 millions de $. *Pertes :* 1 † au 30-3-93.

Mission d'observation des NU pour l'Iraq et le Koweït (Monuik). *Créée* avril 1991 après la guerre du Golfe pour la libération du Koweït. Stationnée en zone démilitarisée entre Irak et Koweït, sur la frontière. 3 645 observateurs milit. et soldats. *Coût :* 225 millions de $ par an. *Pertes :* 1 † au 30-3-93.

Mission préparatoire des NU au Cambodge (Miprenuc) et autorité provisoire des NU au Cambodge (Apronuc). *Créées* 1991 et 1992 pour résoudre le conflit cambodgien, préparer et surveiller les élections libres de 1993 en assurant la paix civile, la reprise économique et le déminage ; durée prévue : env. 20 mois. 19 253 milit., civils et policiers. *Coût prévu :* 2 milliards de $. *Pertes :* 28 † au 30-3-93.

Groupe d'observateurs des NU en Salvador (Onusal). *Créé* 1991 pour 18 mois pour assurer paix civile et respect des droits de l'homme et surveiller élections libres de 1992. Depuis, contrôle l'application des accords de Mexico gouv./guérilla (désarmé 15-12-92). 309 observ. milit., 360 policiers, 146 fonctionnaires civils et 400 milit. d'appui. *Coût (prév.) :* 49 millions de $. *Pertes :* 1 † au 30-3-93.

Dates d'entrée en vigueur des conventions adoptées sous les auspices de l'ONU. *Apatrides* (statut) : 6-6-1960, réduction des cas : 13-12-1975. *Crime d'apartheid* (élimination et répression) : 18-7-1976. *Crimes de guerre et contre l'humanité* (imprescriptibilité) : 11-11-70. *Discrimination raciale :* 4-1-1969. *Droits civils et politiques :* pacte 23-3-1976. *Droits écon., sociaux et culturels :* pacte 3-1-1976. *Droits de l'enfant :* 2-9-1976. *Esclavage* (Convention, amendée) : 7-12-1953, abolition : esclavage, traite et institutions et pratiques analogues : 30-4-1957. *Femme* (droits politiques) : 7-7-1954, élimination de toute forme de discrimination : 3-9-1981, nationalité de la f. mariée : 11-8-1958. *Génocide* (prévention et répression du crime de) : 12-1-1951. *Mariage* (âge minimal et enregistrement) : 9-12-1964. *Rectification* (droit international) : 24-8-1962. *Réfugiés* (statut) : 21-4-1954, protocole : 4-10-1967. *Torture :* 26-6-1987. *Traite des êtres humains et prostitution d'autrui* (répression) : 25-7-1951.

Mission des NU pour le référendum au Sahara occidental (Minurso) *(1991-93).* 1re phase : listes élect. acceptables (échec) 1 695 milit., 1 020 civils et 300 policiers. *Coût :* 180 millions de $. *Pertes :* 2 † au 30-3-93.

Force de protection des NU en ex-Yougoslavie (Forpronu). *Créée* 02-1992 pour assurer le maintien du cessez-le-feu entre forces croates et fédérales youg. et séparer les combattants (contingents de 25 pays). *Siège :* Zagreb ; détachements en Krajina (Croatie), aéroport de Sarajevo (Bosnie-Herzégovine), frontière Bosnie-Macédoine. *Effectif total :* 22 639 h. au 30-3-93. 10 400 h. d'infanterie (dont 900 Français), 2 840 h. de logistique et appui, 530 policiers, 100 observateurs milit. *Pertes :* 29 † au 30-3-93. *Commandant en chef :* Gal Lars-Eric Wahlgren. *Coût :* 607 millions de $ par an.

Mission de vérification des NU en Érythrée (Unover). *Créée* 1992 pour vérifier scrutin d'autodétermination d'avril 1993. *Siège :* Asmara. 22 fonction. intern., 100 observ. au moment du scrutin. *Coût :* 3 millions de $.

Opérations des NU en Somalie (Onusom I). *Créée* 1992 pour 1 an, observe cessez-le-feu entre parties somal. et assure convoyage et escorte de l'aide humanit. intern. *Effectifs :* 696 observ. mil., pers. de sécur., logistique et d'appui et fonction. civils. *Coût :* 202 millions de F. En déc. 1992, Conseil de sécur. soutient propos. amér. de 16 000 h. sous commandement amér. (*Unitaf*). **(Onusom II).** *Créée* mars 1993, au moment retrait Unitaf, pour 9 mois, distribue aide humanit., asssure transition avec Unitaf et surveille cessez-le-feu. *Effectifs :* 30 000. *Coût :* 855 millions de $ (6 premiers mois).

Mission d'observation des NU en Afrique du Sud (Monuas). *Créée* 1992 pour observer situation au cours de la transition démocr. *Effectifs :* 50 observ. civils. *Coût :* 13 millions de $ (sept. 92 à déc. 93).

Opération des NU au Mozambique (Omunoz). *Créée* 1992 pour 1 an, surveille cessez-le-feu gouv./opp. Renamo et élect. libres de 1993. *Effectifs :* 8 000 dont 354 observ. milit. et 1 200 observ. intern. lors des élect. *Coût :* 331,8 millions de $.

■ **Pertes françaises. Corée** 262 † sur 3 241 volontaires qui se sont succédé. **Israël** 1 † (Cel Serat) sur 125 observateurs en 1948 (25 obs. en 1967). **Koweït** 1991 : 2 milit. **Liban** 1978-89 120 milit. + 3 CRS † sur 25 000 qui se sont succédé (Onust). **Ex-Yougoslavie** 1992 : 1 observateur (lieut. de vaisseau). 1993 (févr.) : 12 †.

Coût de la participation de l'armée française aux opérations de l'ONU (1991) : 142 millions de $ (hors ex-Youg.).

■ **État au 1-4-1989.** Env. 10 000 hommes dont 5 844 au Liban. 500 000 h. de 58 pays ont participé à ces missions. *Pertes* 733 (Corée exclue) dont 177 Finul.

ORGANES PRINCIPAUX

■ **Assemblée générale. Organisation :** 181 États m. en 1993 (à l'origine 51). Aucun membre n'a été exclu. L'Indonésie se retira en mars 1965 pour protester contre l'admission de la Malaisie, mais revint le 28-9-1966. Chaque membre dispose de 1 voix [avant d'éclater en plusieurs États, admis aux NU en févr. 1992, l'URSS en avait 3 : Biélorussie, Ukraine et URSS]. 1 Pt élu pour chaque session. 1 session annuelle (commençant en sept.), des sessions extraordinaires si le Conseil de sécurité ou la majorité des m. le demande. Des commissions spécialisées (politique et sécurité, économique, sociale, de décolonisation, administrative, juridique) préparent les délibérations. L'Ass. élit sur proposition du Conseil de séc. le secr. gén. ; les m. non permanents des différents organes et les juges de la Cour intern. ; vote l'admission des nouveaux m. ; arrête le budget de l'organisation.

Les recommandations sont votées à la majorité simple, les questions importantes (paix et sécurité, admissions, budget) à la majorité des 2/3. Les résolutions adoptées par l'Ass. gén. n'ont pas un caractère obligatoire et prennent la forme de recommandations aux États membres.

■ **Conseil de sécurité. Organisation :** *Membres :* 15 dont *5 permanents :* USA, Russie, France, G.-B., Chine, et *10 non perm.* élus pour 2 ans par l'Ass. générale : Cap-Vert, Hongrie, Japon, Maroc, Venezuela jusqu'au 31-12-93 ; Brésil, Djibouti, Espagne, N.-Zélande, Pakistan jusqu'au 31-12-94. En dehors des questions de procédure, la majorité de 9 voix comprenant obligatoirement celles des 5 m. permanents est requise. *Comités :* du désarmement ; pour l'admission de nouveaux m. ; des Nat. unies pour le contrôle de la trêve en Palestine ; plusieurs chargés de surveiller embargos (Afr. du S., Iraq, Libye, Somalie, ex-Youg.).

Droit de veto : permet aux grandes puissances de paralyser le Conseil. En cas de veto, l'Ass. gén. peut faire des recommandations par un vote à la majorité des 2/3. L'abstention et l'absence ne sont pas considérées comme un veto. **Ont fait usage du droit de veto** (au 1-1-93) : URSS 116 fois. USA 63 (2 pour la Rhodésie, 29 pour le Moyen-Orient, 3 pour l'admission du Viêt-nam à l'ONU et 16 pour Afr. du S., Namibie, apartheid). G.-B. 30 (dont 2 fois avec la France dans l'affaire de Suez, 9 fois pour la Rhodésie). France 18 [enquête sur le régime de Franco 26-6-46, question indonésienne 25-8-47, 2 fois dans l'affaire de Suez, le 30-10-56 (contre un projet américain et un projet soviétique demandant un cessez-le-feu immédiat entre Israël et Egypte), 31-10-74 (expulsion de l'Afrique du Sud), 6-2-76 sur Comores]. Chine 4 (conflit indo-pakistanais 5-12-71, admission du Bangladesh en 1972). En juin 1950 (guerre de Corée), le Conseil n'a pu décider l'aide militaire à la Corée du Sud qu'en raison de l'absence de l'URSS. En 1990 et 91, le Conseil de sécurité, sans qu'aucun des 5 m. permanents n'oppose son veto, a pu après l'invasion et l'annexion du Koweït par l'Iraq, adopter un embargo contre l'Iraq et autoriser implicitement la tenue d'un conflit armé contre cet État pour la libération du Koweït et la restauration de son gouvernement légitime.

But : responsable de la sécurité intern., il prend toutes mesures pour la maintenir ou la restaurer. En cas de menaces de guerre, il décide de l'envoi de forces de maintien de la paix. Il recommande à l'Ass. gén. l'élection du Secrétaire gén. et la candidature de nouveaux États. L'application des résolutions votées par le Conseil est obligatoire.

■ **Conseil économique et social. Organisation :** 54 m. élus par l'Ass. gén. pour 3 ans, renouvelables par tiers chaque année. Les 5 Grands ont toujours été réélus. **But :** coopération écon. et sociale. Coordination des activités des institutions spécialisées (OIT, FAO, Unesco, etc.). Contrôle 5 commissions économiques régionales : Europe (CEE à Genève), Asie et Pacifique (Cesap à Bangkok), Amér. latine (Cepalc à Santiago du Chili), Asie occid. (CEAO à Bagdad), Afrique (CEA à Addis-Abeba) ; d'autres commissions (Statistiques, Droits de l'homme, Sociale, Condition de la femme, Stupéfiants, Population, Sociétés transnationales, Ressources naturelles, Dév. durable, énergie).

■ **Conseil de tutelle. Organisation :** composé de membres du Conseil de sécurité qui n'ont pas de territoire sous tutelle, et de membres chargés d'administrer des territoires sous tutelle dont les USA chargés d'administrer les terr. sous tutelle des îles du Pacifique, anciennement sous mandat japonais. **But :** n'administre plus qu'une des îles sous tutelle du Pacifique (USA). Examine rapports de la puissance adm. et pétitions des terr. administrés.

■ **Cour internationale de justice. Siège :** La Haye (P.-Bas). *Pt :* sir Robert Yewdall Jennings (19-10-13, G.-B.). *Vice-Pt :* Shigeru Oda (22-10-24, Japon). *Greffier :* Eduardo Valencia-Ospina (19-9-39, Colombie). **Organisation :** membres : 15 de nationalités différentes élus pour 9 ans par l'Ass. gén. et le Cons. de sécurité (rééligibles). Renouvelables par tiers tous les 3 ans. Env. 57 des 181 États membres de l'ONU ont accepté sa juridiction comme obligatoire. **But :** juge les différends que peuvent lui soumettre les États. Lorsque ceux-ci y recourent, le jugement rendu par la Cour est obligatoire pour eux. Donne des avis consultatifs en matière juridique à la demande de certains organes, en particulier de l'Ass. gén. ou du Conseil de sécurité et des Institutions spécialisées.

> Depuis le *10-1-1974,* Paris ne reconnaît plus la juridiction obligatoire de la Cour de justice de La Haye, celle-ci ayant examiné les plaintes australiennes et néo-zélandaises contre les essais nucléaires français. La France a dénoncé l'acte d'arbitrage de 1928 et récusé la compétence de la Cour en matière de défense nationale. Elle distingue sa participation au statut de la juridiction de la Cour et l'acceptation de sa juridiction obligatoire.

■ **Secrétaire général.** *1946* 1-2 Trygve Lie (Norvégien, n. 16-7-1896 ; démissionne 10-11-52) ; *1953* 10-4 Dag Hammarskjöld (Suédois, n. 29-7-1905/† 18-9-61, accident d'avion au Congo) ; *1961* 3-11 U Thant (Birman, 1909-74) ; *1972* (1-1) Kurt Waldheim (Autr., n. 21-12-18) ; *1982* (1-1) Javier Pérez de Cuellar (Pérou, n. 19-1-1920) ; *1992* (1-1) Boutros Boutros-Ghali (Égypte n. 14-11-1922), élu pour 5 ans. **Organisation :** élu pour 5 ans par l'Ass. gén. sur recommandation du Cons. de sécurité ; rééligible. Il peut être chargé, en plus de ses fonctions adm., de n'importe quelle fonction, même politique, de médiation et de bons offices. Il soumet à l'Ass. gén. un rapport annuel sur les activités de l'ONU. *Services relevant du Secrétariat gén. :* cabinet du Secr. gén., Service juridique. *Départements dirigés par des généraux adjoints et des sous-secrétaires gén. :* Affaires pol., Aff. écon. et sociales, Maintien de la paix, Information, Administration et Gestion, Conférence. *Services extérieurs du Secrétariat :* Centre d'information des Nat. unies [Genève ; Vienne et Paris (1, rue Miollis 75015) et 72 autres centres répartis dans le monde]. *Fonctionnaires* (au 1-1-92) : 27 578 dans le monde. **Coordinateur chargé des affaires humaines** (sous-secrétaire général) *créé* le 19-12-1991 ; chargé d'harmoniser les efforts des agences spécialisées de l'ONU et des organisations humanitaires non gouvernementales : « La souveraineté, l'intégrité territoriale et l'unité nationale des États doivent être respectées. L'aide humanitaire doit être fournie avec le *consentement* du pays concerné. »

■ Programme des Nations unies pour le développement (PNUD)

Origine : né en nov. 1965, de la fusion du Fonds spécial (institué 1959) et du Programme élargi d'assistance technique (institué 1950). **But :** assistance technique multilatérale et investissement dans les pays en voie de dévelop. **Budget 1993 :** + de 2 000 millions de $ (contributions volontaires).

Autres organes des Nations unies

■ **HCR (UNHCR). Haut-Commissariat des Nations unies pour les réfugiés (Office of the United Nations High Commissioner for Refugees). Siège :** Palais des Nations, Genève. Plus de 90 bureaux dans le monde. *Haut-commissaire :* Mme Sadako Ogata (n. 1927, Japon) dep. 1-1-91, pour 4 ans. Protection internationale et assistance à 17 millions de réfugiés dans le monde. **Création :** 14-2-1950 (entrée en vigueur : 1-1-1951). Mandat du Haut-Commissaire : 4 ans à partir du 1-1-1991 ; du Haut-Commissariat : 5 ans à partir du 1-1-1989. **Budget :** dépenses administratives partiellement couvertes par budget ordinaire de l'ONU (63 millions de $ en 1993). Assistance matérielle financée par des contributions volontaires, gouvernementales ou privées. *Budget* (millions de $) *1992* (programmes généraux) : 796,3.

Charte internationale des droits de l'homme

Se compose de 5 textes :

■ **La Déclaration universelle des droits de l'homme.** N'a pas la forme d'une convention internationale conclue sous les auspices des Nations unies, mais celle d'une simple résolution adoptée par l'Assemblée générale le 10-12-1948 à Paris (par 48 voix avec 8 abstentions, 2 absents : Honduras, Yémen). Juridiquement, elle n'a qu'une force morale, mais son influence considérable n'a cessé de s'accroître. Voir p. 860.

■ **Deux pactes internationaux.** Destinés à donner une forme juridiquement obligatoire aux droits reconnus dans la Déclaration universelle des Droits de l'homme.

Le *Pacte international relatif aux droits économiques sociaux et culturels* (entré en vigueur le 3-1-1976). Au 15-3-1993, 119 États parties (pour lesquels ratifications et adhésions sont entrées en vigueur après expiration du délai de 3 mois prévu par les Pactes et le Protocole) s'engagent à assurer progressivement le plein exercice des droits reconnus dans le Pacte, et à présenter des rapports sur les mesures adoptées et les progrès accomplis (examinés par le Conseil économique et social).

Le *Pacte international relatif aux droits civils et politiques* (entré en vigueur le 23-3-1976) ; les États parties s'engagent à respecter et à garantir à tous les individus se trouvant sur leur territoire et relevant de leur compétence les droits reconnus dans ce pacte, et à présenter des rapports sur les mesures adoptées (examinés par un Comité des droits de l'homme composé de 18 pers.). Au 15-3-1993, 116 États parties.

■ **Protocole facultatif se rapportant au Pacte international relatif aux droits civils et politiques** (entré en vigueur le 23-3-1976). Le Comité des droits de l'homme a compétence pour recevoir et examiner les communications émanant de particuliers qui relèvent de la juridiction d'un État partie au Protocole et qui prétendent être victimes d'une violation par cet État de l'un des droits énoncés dans le Pacte. Au 15-3-1993, 67 États parties.

■ **2e protocole facultatif se rapportant au Pacte international relatif aux droits civils et politiques** visant à abolir la peine de mort adopté 15-12-1989, entré en vigueur le 11-7-1991. 17 États parties au 15-3-1993.

■ **Unicef (Fise). Fonds des Nations unies pour l'enfance (United Nations International Children's Emergency Fund). Création :** 11-12-1946 par l'Ass. gén. des Nations unies. A l'origine Fonds international de secours à l'enfance. **Siège :** New York. Comité français pour l'Unicef : 35, rue Félicien-David, 75210 Paris Cedex 16. *Minitel :* 36-15 Unicef. **Organisation.** *Conseil d'administration :* 41 représentants de gouv., sous contrôle du Conseil économique et social de l'ONU. *Dir. :* James P. Grant. *Bureau européen :* Genève. 88 bureaux extérieurs. Centre d'emballage et d'emmagasinage (Unipac) à Copenhague (Danemark). *Intervention :* dans 128 pays en développement en faveur de + de 1,5 milliard d'enfants de 0 à 15 ans (dans le monde, 14 millions d'enfants meurent chaque année de maladies et de malnutrition). *Ambassadeurs de l'Unicef :* représentants spéciaux, non salariés, envoyés par l'Unicef en mission pour soutenir la cause de l'enfance. Parmi eux Audrey Hepburn (†), Roger Moore, Liv Ulmann, Peter Ustinov. **Recettes** (1992) : 830 millions de $ venant de contributions volontaires gouvernementales et inter-gouv., 75 % ; non gouv. 25 %. **Contribution française** (en millions de $, 1993) : gouvernementale 12 ; non gouvernementale 24, 307 (y compris cartes de vœux). **Dépenses des programmes** (en millions de $, 1991) : santé de l'enfant 202, approvisionnement en eau 73, services familiaux et communautaires pour enfants et femmes 39, nutrition de l'enfant 31, éducation formelle et non formelle 48, planification et services d'appui aux programmes 87, secours d'urgence 111.

■ **UNRWA. Office de secours et de travaux des Nations unies pour les réfugiés de Palestine dans le Proche-Orient (United Nations Relief and Works Agency for Palestine Refugees in the Near East). Siège :** Centre international de Vienne. BP 700, A-1400 Vienne (Autriche) et PO Box 484, Amman (Jord.). *Bureaux de liaison :* Caire, New York. **Création :** 8-12-1949 (début des activités le 1-5-1950). **But :** dispenser des services d'éducation, de santé et de secours aux réfugiés palestiniens victimes du conflit israélo-arabe de 1948 (+ de 50 % du budget pour l'éducation) : *Réfugiés immatriculés* auprès de l'Office (au 31-12-92) 2 727 820 dont env. 35 % dans des camps. L'UNRWA vient aussi en aide à des personnes déplacées pour la 1re fois lors de la g. de 1967. *Élèves* (1991-92) : 374 000 dans 636 écoles. *Étudiants* 5 300 dans 8 centres de formation prof. et pédagogique. Bourses universitaires 661. Centres de santé 116. **Financement :** principalement par contributions gouv. volontaires. *Budget 92* (en millions de $) : 274 (dont contributions : USA 67,9, CEE 58,8, RFA 8,2, Arabie S. 2,4, *France 2,1*). *93 :* 317.

■ **Cnuced. Conférence des Nations unies sur le commerce et le développement. Siège :** Genève. **Créée** 1964 en tant qu'organe permanent de l'Assemblée gén. des Nations unies. *Membres :* 183 ; *secr. gén. :* M. Kenneth K.S. Dadzie (Ghana) ; *budget* annuel de fonctionnement (1993) : 45 millions de $, + 20 millions de $ de contributions extrabudgétaires pour des activités d'assistance technique. **But :** favoriser l'expansion du commerce international en vue d'accélérer le développement économique, surtout celui des pays en développement.

■ **Centre ONU de Vienne.** *Inauguré* 23-8-1979. 80 000 m² de bureaux. *Agence internationale de l'Énergie atomique* (1 600 agents) dep. 1957 ; *Organisation des Nations unies pour le développement industriel* (1 200) depuis 1967 ; *Progr. des NU pour le contrôle intern. des drogues ; Centre pour le développement social et les affaires humanitaires ; UNRWA* (230).

Institutions spécialisées des Nations unies

■ **AID (IDA). Association intern. pour le développement (International Development Association). Siège :** 1818 H Street, N.W. Washington DC 20433, USA. **Création :** sept. 1960, filiale de la Bird. **Organisation :** même cons. d'adm. et même Pt que la Bird. 139 États m. **Ressources :** 15,5 milliards de $ de 1991 à 1993. **But :** crédits de développement à 35 ou 40 ans, sans intérêts (exercice 1991-92 : 6,5 milliards de $ pour 110 crédits).

■ **AIEA (IAEA). Agence internationale de l'énergie atomique (International Atomic Energy Agency). Siège :** Vienna Intern. Centre, POB 100, A-1400

■ Déclaration universelle des droits de l'homme (adoptée à Paris le 10-12-1948)

Préambule

Considérant que la reconnaissance de la dignité inhérente à tous les membres de la famille humaine et de leurs droits égaux et inaliénables constitue le fondement de la liberté, de la justice et de la paix dans le monde,

Considérant que la méconnaissance et le mépris des droits de l'homme ont conduit à des actes de barbarie qui révoltent la conscience de l'humanité et que l'avènement d'un monde où les êtres humains seront libres de parler et de croire, libérés de la terreur et de la misère, a été proclamé comme la plus haute aspiration de l'homme,

Considérant qu'il est essentiel que les droits de l'homme soient protégés par un régime de droit pour que l'homme ne soit pas contraint, en suprême recours, à la révolte contre la tyrannie et l'oppression,

Considérant qu'il est essentiel d'encourager le développement de relations amicales entre nations,

Considérant que dans la Charte les peuples des Nations unies ont proclamé à nouveau leur foi dans les droits fondamentaux de l'homme, dans la dignité et la valeur de la personne humaine, dans l'égalité des droits des hommes et des femmes, et qu'ils se sont déclarés résolus à favoriser le progrès social et à instaurer de meilleures conditions de vie dans une liberté plus grande,

Considérant que les États membres se sont engagés à assurer, en coopération avec l'Organisation des Nations unies, le respect universel et effectif des droits de l'homme et des libertés fondamentales,

Considérant qu'une conception commune de ces droits et libertés est de la plus haute importance pour remplir pleinement cet engagement,

L'Assemblée générale

Proclame : LA PRÉSENTE DÉCLARATION UNIVERSELLE DES DROITS DE L'HOMME comme l'idéal commun à atteindre par tous les peuples et toutes les nations afin que tous les individus et tous les organes de la société, ayant cette Déclaration constamment à l'esprit, s'efforcent, par l'enseignement et l'éducation, de développer le respect de ces droits et libertés et d'en assurer, par des mesures progressives d'ordre national et international, la reconnaissance et l'application universelles et effectives, tant parmi les populations des États membres eux-mêmes que parmi celles des territoires placés sous leur juridiction.

Article 1er : Tous les êtres humains naissent libres et égaux en dignité et en droits. Ils sont doués de raison et de conscience et doivent agir les uns envers les autres dans un esprit de fraternité.

2 : Chacun peut se prévaloir de tous les droits et de toutes les libertés proclamés dans la présente Déclaration, sans distinction aucune, notamment de race, de couleur, de sexe, de langue, de religion, d'opinion politique ou de toute autre opinion, d'origine nationale ou sociale, de fortune, de naissance ou de toute autre situation.
De plus, il ne sera fait aucune distinction fondée sur le statut politique, juridique ou international du pays ou du territoire dont une personne est ressortissante, que ce pays ou territoire soit indépendant, sous tutelle, non autonome ou soumis à une limitation quelconque de souveraineté.

3 : Tout individu a droit à la vie, à la liberté et à la sûreté de sa personne.

4 : Nul ne sera tenu en esclavage ni en servitude ; l'esclavage et la traite des esclaves sont interdits sous toutes leurs formes.

5 : Nul ne sera soumis à la torture, ni à des peines ou traitements cruels, inhumains ou dégradants.

6 : Chacun a le droit à la reconnaissance en tous lieux de sa personnalité juridique.

7 : Tous sont égaux devant la loi et ont droit sans distinction à une égale protection de la loi. Tous ont droit à une protection égale contre toute discrimination qui violerait la présente Déclaration et contre toute provocation à une telle discrimination.

8 : Toute personne a droit à un recours effectif devant les juridictions nationales compétentes contre les actes violant les droits fondamentaux qui lui sont reconnus par la constitution ou par la loi.

9 : Nul ne peut être arbitrairement arrêté, détenu ou exilé.

10 : Toute personne a droit, en pleine égalité, à ce que sa cause soit entendue équitablement et publiquement par un tribunal indépendant et impartial, qui décidera, soit de ses droits et obligations, soit du bien-fondé de toute accusation en matière pénale dirigée contre elle.

11 : (1) Toute personne accusée d'un acte délictueux est présumée innocente jusqu'à ce que sa culpabilité ait été légalement établie au cours d'un procès public où toutes les garanties nécessaires à sa défense lui auront été assurées. (2) Nul ne sera condamné pour des actions ou omissions qui, au moment où elles ont été commises, ne constituaient pas un acte délictueux d'après le droit national ou international. De même, il ne sera infligé aucune peine plus forte que celle qui était applicable au moment où l'acte délictueux a été commis.

12 : Nul ne sera l'objet d'immixtions arbitraires dans sa vie privée, sa famille, son domicile ou sa correspondance, ni d'atteintes à son honneur et à sa réputation. Toute personne a droit à la protection de la loi contre de telles immixtions ou de telles atteintes.

13 : (1) Toute personne a le droit de circuler librement et de choisir sa résidence à l'intérieur d'un État. (2) Toute personne a le droit de quitter tout pays, y compris le sien, et de revenir dans son pays.

14 : (1) Devant la persécution, toute personne a le droit de chercher asile et de bénéficier de l'asile en d'autres pays. (2) Ce droit ne peut être invoqué dans le cas de poursuites réellement fondées sur un crime de droit commun ou sur des agissements contraires aux buts et aux principes des Nations unies.

15 : (1) Tout individu a droit à une nationalité. (2) Nul ne peut être arbitrairement privé de sa nationalité, ni du droit de changer de nationalité.

16 : (1) A partir de l'âge nubile, l'homme et la femme, sans aucune restriction quant à la race, la nationalité ou la religion, ont le droit de se marier et de fonder une famille. Ils ont des droits égaux au regard du mariage, durant le mariage et lors de sa dissolution. (2) Le mariage ne peut être conclu qu'avec le libre et plein consentement des futurs époux. (3) La famille est l'élément naturel et fondamental de la société et a droit à la protection de la société et de l'État.

17 : (1) Toute personne, aussi bien seule qu'en collectivité, a droit à la propriété. (2) Nul ne peut être arbitrairement privé de sa propriété.

18 : Toute personne a droit à la liberté de pensée, de conscience et de religion ; ce droit implique la liberté de changer de religion ou de conviction ainsi que la liberté de manifester sa religion ou sa conviction seule ou en commun, tant en public qu'en privé, par l'enseignement, les pratiques, le culte et l'accomplissement des rites.

19 : Tout individu a droit à la liberté d'opinion et d'expression, ce qui implique le droit de ne pas être inquiété pour ses opinions et celui de chercher, de recevoir et de répandre, sans considérations de frontières, les informations et les idées par quelque moyen d'expression que ce soit.

20 : (1) Toute personne a droit à la liberté de réunion et d'association pacifiques. (2) Nul ne peut être obligé de faire partie d'une association.

21 : (1) Toute personne a le droit de prendre part à la direction des affaires publiques de son pays, soit directement, soit par l'intermédiaire de représentants librement choisis. (2) Toute personne a droit à accéder, dans des conditions d'égalité, aux fonctions publiques de son pays. (3) La volonté du peuple est le fondement de l'autorité des pouvoirs publics ; cette volonté doit s'exprimer par des élections honnêtes qui doivent avoir lieu périodiquement, au suffrage universel égal et au vote secret ou suivant une procédure équivalente assurant la liberté du vote.

22 : Toute personne, en tant que membre de la société, a droit à la sécurité sociale ; elle est fondée à obtenir la satisfaction des droits économiques, sociaux et culturels indispensables à sa dignité et au libre développement de sa personnalité, grâce à l'effort national et à la coopération internationale, compte tenu de l'organisation et des ressources de chaque pays.

23 : (1) Toute personne a droit au travail, au libre choix de son travail, à des conditions équitables et satisfaisantes de travail et à la protection contre le chômage. (2) Tous ont droit, sans aucune discrimination, à un salaire égal pour un travail égal. (3) Quiconque travaille a droit à une rémunération équitable et satisfaisante lui assurant ainsi qu'à sa famille une existence conforme à la dignité humaine et complétée, s'il y a lieu, par tous autres moyens de protection sociale. (4) Toute personne a le droit de fonder avec d'autres des syndicats et de s'affilier à des syndicats pour la défense de ses intérêts.

24 : Toute personne a droit au repos et aux loisirs et notamment à une limitation raisonnable de la durée du travail et à des congés payés périodiques.

25 : (1) Toute personne a droit à un niveau de vie suffisant pour assurer sa santé, son bien-être et ceux de sa famille, notamment pour l'alimentation, l'habillement, le logement, les soins médicaux ainsi que pour les services sociaux nécessaires ; elle a droit à la sécurité en cas de chômage, de maladie, d'invalidité, de veuvage, de vieillesse ou dans les autres cas de perte de ses moyens de subsistance par suite de circonstances indépendantes de sa volonté. (2) La maternité et l'enfance ont droit à une aide et à une assistance spéciales. Tous les enfants, qu'ils soient nés dans le mariage ou hors mariage, jouissent de la même protection sociale.

26 : (1) Toute personne a droit à l'éducation. L'éducation doit être gratuite, au moins en ce qui concerne l'enseignement élémentaire et fondamental. L'enseignement élémentaire est obligatoire. L'enseignement technique et professionnel doit être généralisé ; l'accès aux études supérieures doit être ouvert en pleine égalité à tous en fonction de leur mérite. (2) L'éducation doit viser au plein épanouissement de la personnalité humaine et au renforcement du respect des droits de l'homme et des libertés fondamentales. Elle doit favoriser la compréhension, la tolérance et l'amitié entre toutes les nations et tous les groupes raciaux ou religieux, ainsi que le développement des activités des Nations unies pour le maintien de la paix. (3) Les parents ont, par priorité, le droit de choisir le genre d'éducation à donner à leurs enfants.

27 : (1) Toute personne a le droit de prendre part librement à la vie culturelle de la communauté, de jouir des arts et de participer au progrès scientifique et aux bienfaits qui en résultent. (2) Chacun a droit à la protection des intérêts moraux et matériels découlant de toute production scientifique, littéraire ou artistique dont il est l'auteur.

28 : Toute personne a droit à ce que règne, sur le plan social et sur le plan international, un ordre tel que les droits et libertés énoncés dans la présente Déclaration puissent y trouver plein effet.

29 : (1) L'individu a des devoirs envers la communauté dans laquelle seule le libre et plein développement de sa personnalité est possible. (2) Dans l'exercice de ses droits et dans la jouissance de ses libertés, chacun n'est soumis qu'aux limitations établies par la loi exclusivement en vue d'assurer la reconnaissance et le respect des droits et libertés d'autrui et afin de satisfaire aux justes exigences de la morale, de l'ordre public et du bien-être général dans une société démocratique. (3) Ces droits et libertés ne pourront, en aucun cas, s'exercer contrairement aux buts et aux principes des Nations unies.

30 : Aucune disposition de la présente Déclaration ne peut être interprétée comme impliquant pour un État, un groupement ou un individu un droit quelconque de se livrer à une activité ou d'accomplir un acte visant à la destruction des droits et libertés qui y sont énoncés.

Vienne. **Création :** Conférence de New York oct. 1956, établie en oct. 1957. **Organisation :** *Conférence générale annuelle. Conseil des gouverneurs* de 35 m. *Secrétariat :* dir. gén. Hans Blix (Suède, n. 28-6-28), dep. 1-12-1981. *116 États m. Budget ordinaire* (1993) 210 millions de $ (contributions des États membres). **But :** accélérer l'utilisation pacifique de l'énergie atomique. Établir des normes de protection radiologique et de l'environnement ainsi que des mesures de sûreté et de protection de la population. Servir d'intermédiaire pour les matières nucléaires. Favoriser l'échange de connaissances atomiques et prévenir le détournement des matières fissiles et d'installations nucléaires à des fins militaires. Appliquer les garanties dans le cadre du traité sur la non-prolifération des armes nucléaires. Après la g. du Golfe en 1991, l'AIEA a organisé 18 missions en Iraq, afin de déterminer l'étendue du programme militaire nucléaire du pays, procéder à la destruction du matériel et à la restitution aux pays d'origine des matériaux fissiles saisis.

■ **Bird (IBRD). Banque internationale pour la reconstruction et le développement (International Bank for Reconstruction and Development)** ou **Banque mondiale (World Bank). Siège :** Washington. **Création :** 1945. Origine : Conférence de Bretton Woods, juill. 1944. **Organisation :** *Ass.* des 162 États m. *Conseil des gouverneurs* réuni tous les ans, délègue une partie de ses pouvoirs à des administrateurs (22 m. : 5 représentant les 5 États ayant la plus forte participation et 17 élus par les 147 autres États). *Pt* choisi par les administrateurs, jusqu'au 30-6-1996 : Lewis Preston (USA, n. 5-8-26). **But :** financer, dans ses États m. les moins favorisés, des projets ou programmes de développement économique et des programmes d'ajustement par des prêts aux gouvernements, à des organismes publics ou des entreprises privées, avec la garantie du gouvernement intéressé. **Capital autorisé :** 168 milliards de $. L'essentiel des ressources prêtées par la Bird (15,1 milliards de $ d'engagements en 1992 pour 112 prêts) vient d'emprunts sur les marchés des capitaux (11,8 milliards de $ en 1992).

■ **FAO. Organisation pour l'alimentation et l'agriculture (Food and Agriculture Organization). Siège :** viale delle Terme di Caracalla, Rome 00 100. **Création :** 16-10-45. *Orig. :* Conf. de mai 1943 à *Hot Springs* (USA). **Budget :** *programme ordinaire (1992-93) :* 679,9 millions de $, financé par les 161 États m. selon un barème fixé par la Conférence. Contributions du PNUD (43 %), des fonds fiduciaires nationaux (48 %) et du Programme de coopération technique (PCT) du budget ordinaire de la FAO (9 %) : 880 millions de $ en 1992-93 pour les opérations du programme de terrain. **Organisation :** *conf. bisannuelle* des 161 États m. Conseil de 49 m. élus par la Conf. *Directeur gén.* avec un personnel adm. permanent (secrétariat) : Édouard Saouma (Liban, n. 6-11-26), depuis 1975. **But :** améliorer le développement agric., des pêches, des forêts (augm. et meilleure distribution des prod. alim. et agric.) ; assistance techn. aux pays en voie de développ. ; amélioration revenu, niveau de vie et alimentation des milieux ruraux.

■ **FMI (IMF). Fonds monétaire international (International Monetary Fund). Siège :** Washington, DC *Dir. gén. :* Michel Camdessus (France, n. 1-5-33) depuis janvier 1987, succédant à Jacques de Larosière (n. 12-11-29) (1978-86). **Création :** déc. 1945 ; homologuée par l'ONU nov. 1947. *Origine :* Conf. de Bretton Woods, juill. 1944. **Organisation :** *Cons. des gouverneurs* (157 pays membres, soit 1 par État m. ; candidats la Suisse, les pays baltes, l'Albanie), *conseil d'administration :* 5 repr. perm. des 5 plus forts souscripteurs (USA, G.-B., France, All., Japon). Normalement, 16 repres. des autres États m. élus pour 2 ans. Actuellement, un administrateur supplémentaire (Arabie Saoudite) en vertu de la règle que les 2 créanciers principaux du Fonds ont le droit de nommer 1 administrateur chacun s'ils ne figurent pas parmi les 5 mentionnés ci-dessus. Russie admise 27-4-92 avec quota de 2 à 2,5 % du capital donnant droit à 3,5 milliards de DTS, soit jusqu'à 20 milliards de $ de prêts. Quote-part totale des républiques de l'ex-URSS constituant la CEI : 4,5 %. **But :** faciliter expansion et accroissement harmonieux du commerce intern., promouvoir stabilité et liberté des changes ; système de prêts [capital équivalant à 91 milliards de droits de tirages spéciaux (DTS)] et création de liquidités intern. sous forme de DTS **Réserves en or (1990) :** 938 millions d'onces. En 1991, pour la 1re fois dep. 1985, le FMI a été créditeur net. **Montant des prêts** *1990 mai* 40 milliards de F ; *91 avril* 52,6. **Remboursements d'emprunts** *(1990) :* 46,5 ; *91 :* 41,8.

■ **Gatt. Accord général sur les tarifs douaniers et le commerce (General Agreement on Tariffs and Trade). Siège :** Centre William Rappard, 154, rue de Lausanne, 1211 Genève 21. *Dir. gén. :* Arthur Dunkel (Suisse, n. 28-8-32), depuis 1980. **Création :** élaboré lors de la conf. de Genève (oct. 1947), entré en vigueur 1-1-1948. *Membres :* 107 États parties contractantes, 29 autres avec des relations spéciales. Les 2/3 sont des pays en voie de développement. *Grandes négociations commerciales et multilatérales : Kennedy Round* (1964-67), *Tokyo Round* (1973-79), *Uruguay Round* [engagée dep. sept. 1986, élargissant le champ des sujets négociés au Gatt : 1°) libéralisation du commerce (tarifs, mesures non tarifaires, agriculture, textiles, produits tropicaux, etc.) ; 2°) adaptation des règles de l'Accord général et des Codes du Tokyo Round (sauvegardes, subventions, dumping, obstacles techniques, etc.) ; 3°) nouveaux domaines (services, aspects commerciaux de la propriété intellectuelle et des investissements)]. *Centre de commerce international* créé 1964, géré dep. 1968 par Gatt et Cnuced pour aider les pays peu développés à trouver des débouchés. **Ressources :** contribution correspondant aux parts dans l'ensemble des échanges commerciaux entre les membres. **Budget :** 85 973 800 F suisses en 1992. **But :** contribuer à élever les niveaux de vie, réaliser le plein emploi, mettre en valeur les ressources mondiales, développer production et échanges de marchandises, encourager le développement économique. Constitue un *ensemble de règles* et une *tribune* où les pays peuvent discuter et régler leurs problèmes comm. et négocier entre eux des possibilités d'élargissement du comm. mondial et améliorer le cadre juridique pour la conduite du comm. mondial ; un traitement spécial et plus favorable est accordé au comm. des pays en voie de développement.

■ **OACI (ICAO). Organisation de l'aviation civile internationale (International Civil Aviation Organization). Siège :** place de l'Aviation-internationale, 1000 Sherbrooke Street West, Montréal, Québec, Canada H2A 2R2. *Pt :* Assad Kotaite (Liban). *Secr. gén.* P. Rochat (Suisse) dep. 1-8-91. *Bureaux régionaux :* Bangkok, Le Caire, Dakar, Lima, Mexico City, Nairobi, Paris. **Création :** 7-12-1944 : Conf. de Chicago. Organ. provisoire juin 1945 ; définitive avril 1947. **Organisation :** *Membres* 176 États, *conseil permanent* de 36 m. élus pour 3 ans. *Commissions et comités spécialisés :* navig. aérienne, transport aérien, aide collective pour les services de nav. aér., juridique. *Secrétariat.* **But :** uniformiser les normes, pratiques recommandées et procédures ; aviation civile ; coopération technique aux PVD. **Budget :** 47,9 millions de $ (1993).

Nota. – 1919 : *Commission intern. pour la navigation aérienne.* 1928 : *Convention panaméricaine de La Havane.*

■ **OIT (Ilo). Organisation internationale du travail (International Labour Organization). Siège :** 4, route des Morillons, CH-1211 Genève 22. *Dir. gén.* Michel Hansenne (Belg., n. 1940), dep. 1989. **Création :** agence autonome de la SDN (1919), associée à l'ONU (1946). **Budget :** 405,7 millions de $ (1992-93). **Organisation :** *Membres* 161 États. *Conf. int. du travail* annuelle comprenant, pour chaque État, 2 repr. du gouv., 1 des employeurs et 1 des trav. *Conseil d'adm.,* réuni 3 fois par an, de 56 m. élus pour 3 ans (28 m. gouvernementaux, dont 10 m. de droit, repr. les principales puissances industrielles ; 14 repr. les employeurs et 14 les trav.). *Bureau int. du travail (BIT) :* constitue le secrétariat permanent. **But :** contribuer à établir une paix durable par le progrès social et l'amélioration des conditions de travail. *Activités :* élaboration d'un droit intern. du trav. par voie de conventions que les pays sont invités à ratifier ; coopération technique (org. et planif. de la main-d'œuvre, formation professionnelle, perfectionnement des cadres, services de l'emploi, coopératives, petites industries, sécurité sociale, administration du travail) ; travaux de recherche. Exécution du Programme mondial de l'emploi pour lutter contre le chômage dans les pays en voie de développement ainsi que du Programme international pour l'amélioration des conditions et du milieu de travail (PIACT).

■ **OMI (anciennement OMCI). Organisation maritime internationale (International Maritime Organization). Siège :** 4, Albert-Embankment, Londres. *Secr. gén. :* W.A. O'Neil (Canada), dep. 1990. **Création :** Conf. maritime de l'ONU, 2-3-1948. **Budget :** 54,5 millions de $ (1992-93). **Organisation :** *Membres :* 141 États. *Ass. des États* m. se réunissant tous les 2 ans. Conseil de 32 m. *Comité de la Sécurité mar.* se composant de tous les 136 membres. Secrétariat. **But :** traiter des problèmes techniques maritimes, recommander l'adoption des normes de sécurité, lutter contre la pollution des mers, convoquer des conférences maritimes internationales, élaborer des conventions internationales, échanger des informations techniques maritimes sur le plan intergouvernemental.

■ **OMM (WMO). Organisation météorologique mondiale (World Meteorological Organization). Siège :** 41, av. Giuseppe-Motta, Genève. *Secr. gén. :* Prof. GOP Obasi (Nigeria), dep. 1-1-1984. **Création :** 1951. Succède à l'Org. météor., intern. existant depuis 1873. **Budget biennal :** 78,32 millions de $ (1992-93). **Organisation :** *Membres* 166 États et territoires. *Congrès* météor. mondial tous les 4 ans, comprenant tous les m. *Conseil exéc.* de 36 m. réuni au moins 1 fois par an. *Assoc. météor. région.* 6 (Asie, Afrique, Am. du S., Am. centrale et du Nord, Europe, S.-O. Pacifique). *Commissions techn.* 8. *Secrétariat.* **Historique :** *1854* réseau d'informations météo transmises télégraphiquement, sur l'initiative de l'astronome français Urbain Le Verrier (1811-77). *1871* Comité météorologique international. *1951* OMM. **But :** faciliter la coopération intern. dans le domaine de la météo et de l'hydrologie opérationnelle.

■ **OMS (WHO). Organisation mondiale de la santé (World Health Organization). Siège :** avenue Appia, 1211 Genève 27. *Dir. gén. :* Dr Hiroshi Nakajima (Jap.) nommé pour 5 ans en 1988, reconduit en 1993. **Création :** juin 1946, Conf. int. de la santé, N. York ; avril 1948, entrée en fonction. **Budget :** 872,49 millions de $ (1994-95). **Organisation :** *Membres* 186 États. *Assemblée mondiale* de la santé réunie 1 fois par an. *Conseil exéc.* de 31 m. renouvelable par tiers chaque année, se réunissant au moins 2 fois par an. *Secrétariat. Bureaux régionaux :* Afrique (Brazzaville), Amériques (Washington), Asie du S.-Est (N. Delhi), Europe (Copenhague), Méditerr. orientale (Alexandrie), Pacifique occid. (Manille). **But :** amener tous les peuples au niveau de santé le plus élevé possible. **Précédents :** *1853,* Convention sanitaire intern. (guerre de Crimée). *1864,* Conv. de Genève : création de la *Croix-Rouge* (voir Index). *1907,* Office intern. d'hygiène publique (Paris). *1923,* Organisation d'hygiène de la SDN (Genève).

■ **Onudi (Unido). Organisation des Nations unies pour le développement industriel (United Nations Industrial Development Organization). Siège :** PO. Box 300, A-1400 Vienne (Autriche). *Dir. gén. :* Mauricio De Maria Y Campos (Mexique). **Création :** 1985 (ancien organe subsidiaire de l'Assemblée générale des Nations unies créé 1967 et transformé en organisation intergouvernementale en 1985 ; devenu institution spécialisée des Nations unies le 1-1-86). **Organisation :** *Membres* 158 États (janv. 93). *Conférence générale* tous les 2 ans. *Conseil du développement industriel* 2 fois par an. **Budget :** 181 millions de $ (1993).

■ **SFI (IFC). Société financière internationale (International Finance Corporation). Siège :** Washington. **Création :** affiliée à la Bird créée en juill. 1956. **Organisation :** *Membres* 147 États. *Conseil de Dir.* (celui de la Bird). *Pt* (celui de la Bird). **Capital autorisé :** 1,3 milliard de $. *Capital souscrit :* env. 1,1 milliard de $ au 30-6-92. **But :** promouvoir le développement de ses États membres en finançant des entreprises privées par des prises de participation ou des prêts à long terme. *Montant des financements* (1991-92) : 1,1 milliard de $ pour 167 projets.

■ **UIT (ITU). Union internationale des télécommunications (International Telecommunication Union). Siège :** place des Nations, 1211 Genève 20. *Secr. gén. :* Dr. Pekka Tarjanne (Finlande, n. 19-9-37). **Création :** *1865* création de l'Union télégraphique intern. *1932* devenue Union int. des télécommunications. *1947* institution spécialisée de l'ONU. **Budget :** 146 millions de F suisses (1993). **Organisation :** *Membres* 177 p. ; *Conf. de plénipotentiaires,* conf. admin. ; *Conseil d'adm.* de 43 m. élus par la conf. de plénipotentiaires. 3 *comités :* intern. d'enregistrement des fréquences (IFRB) ; consultatif intern. des radiocommunications (CCIR) ; intern. télégraphique et téléphonique (CCITT). *Bureau de développement des télécommunications* (BDT). *Secrétariat général.* **But :** réglementer, planifier, coordonner et normaliser les télécommunications internationales de toutes sortes.

■ **Unesco. Organisation des Nations unies pour l'éducation, la science et la culture (United Nations Educational, Scientific and Cultural Organization). Siège :** pl. de Fontenoy, 75700 Paris. *Dir. gén. :* Federico Mayor (Espagne, n. 1934), dep. 14-11-1987. **Création :** 4-11-1946. **Budget :** voté pour une période de 2 ans. En millions de $: *1977-78 :* 224,4 ; *79-80 :* 303 ; *81-83 :* 629,4 ; *84-85 :* 374,4 ; *86-87 :* 289,3. *88-89 :* 350,4. ; *90-91 :* 378,7 ; *92-93 :* 450 + 160 (ressources extrabudgétaires venues de l'ONU et des pays riches) (dont en % direction générale 7,7, culture 15, science 28, éducation 39). Le Japon finance + de 11 % du budget, la France 6 %. **Organisation :** *Membres* 172 États. Derniers admis (oct. 91) : États baltes, Tuvalu ; (févr. 93) : Rép. tchèque. *Conférence gén.* tous les 2 ans. *Conseil exéc.* de 51 m. élus par la Conf. gén. Un amendement (oct. 91) de l'acte constitutif de l'Unesco en fait désormais les représentants « directs » de leur pays d'origine et non plus des personnalités élues à titre personnel. *Commissions nationales. Forum de réflexion* (créé 1992). *Pte* Elizabeth Evatt (Austr.), 21 m. **But :** contribuer au maintien de la paix en resserrant, par l'éducation, la science, la culture, les sciences sociales et la

Participation de la France aux organisations internationales (1992). Toutes contributions confondues (obligatoires, bénévoles et contributions aux organismes de recherche) : 3 400 millions de F (+ 19,4 % par rapport à 1991 ; 13e rang des contributeurs du système des Nations-Unies, 2,24 % des contributions totales). En 1991, la France a contribué à titre obligatoire à + de 100 organ. internationales ; bénévole, à 100 organ. **Principales contributions** (millions de F). *Obligatoires :* ONU 293, Otan 137, Conseil de l'Europe 111, OAA 109, OMS 103, Unesco 91, OCDE 85, AIEA 80, OIT 70. *Bénévoles :* Unicef 40, Unref (Haut-Commissariat aux réfugiés) 36,5, Centre international pour l'enfance 23, Fnulad (Fonds des NU pour la lutte contre l'abus des drogues) 10,2, Fnuap (Fonds des NU pour la population) 5,5, programme alimentaire mondial 4,9, AIEA (Fonds volontaire) 3,4, programme pour le développement de la communication 2,6, réfugiés coordination Afghanistan 2.

communication, la collaboration entre les nations (ex. pour alphabétisation, droits de l'homme, programme « L'homme et la biosphère », océanographie, développement culturel et préservation du patrimoine culturel). Les USA (en 1984), Singapour et la G.-B. (en 1985) ont quitté l'Unesco (en restant observateurs) désapprouvant la déformation idéologique, la politisation excessive et la gestion « inepte » lorsque Amadou Mahtar M'Bow (Sénégalais) en était le dir. gén. (la bureaucratie engloutissait, selon les USA, 70 % des ressources, alors que 7 % seulement étaient consacrés à la lutte contre l'illettrisme). Ils lui reprochaient la poursuite des débats sur le Nouvel Ordre mondial de l'information et de la communication dit Nomic (attaque contre la libre circulation de l'information et contre les médias occidentaux) imaginé dans les années 70, soutenu par l'URSS, promu par M'Bow.

■ **UPU. Union postale universelle (Universal Postal Union). Siège :** Weltpoststrasse 4, 3000 Berne 15, Suisse. *Dir. gén. :* Adwaldo Botto de Barros (Brésil, n. 19-1-25), dep. 1-1-1985. **Création :** traité de Berne 1874, entrée en vigueur le 1-7-1875. **Budget :** 29 087 000 F suisses (1993). **Organisation :** *Membres* 180 États en janv. 93. *Congrès postal univ.* tous les 5 ans. *Conseil exécutif* de 40 m. élus par le Congrès. *Conseil consultatif des études postales* de 35 m. élus par le Congrès. *Bureau intern.* servant d'organe de liaison, d'information et de consultation aux administrations postales membres de l'Union. **But :** assurer, organiser et perfectionner les services postaux, développer la collaboration postale intern., participer à l'assistance techn. demandée par les pays membres.

OCDE

Organisation de coopération et de développement économiques (Organisation for Economic Development and Cooperation)

Siège. Château de la Muette (parc 2,5 ha), 2, rue André-Pascal, 75775 Paris Cedex 16. **Langues officielles.** Anglais, français. **Création.** 14-12-1960 : signature à Paris de la Convention de coopération et de développement économiques, entrée en vigueur 30-9-61 ; succède à l'OECE (Organisation européenne de coopération économique), instituée 1948 après les propositions du général *George C. Marshall* (1880-1959), secrétaire d'État améric., à Harvard (5-6-1947). Elle avait pour but la mise sur pied d'un programme de coopération pour reconstruire l'Europe grâce à l'aide américaine (« Plan Marshall »).

Membres. 24 : All., Austr. (dep. 1971), Autr., Belgique, Canada, Danemark, Esp., Finlande (dep. 1969), France, Grèce, Irlande, Islande, Italie, Japon (dep. 1964), Luxemb., Norvège, N.-Zélande (dep. 1973), P.-Bas, Portugal, R.-U., Suède, Suisse, Turquie et USA ; Pologne, Hongrie, Rép. tchèque et Slovaquie participent aux travaux avec un statut spécial. La Commission des Communautés européennes participe généralement aux travaux.

Nature. Forum au sein duquel ses 24 membres s'efforcent de coordonner leurs politiques économiques et sociales en vue de promouvoir leur bien-être écon. et de contribuer au bon fonctionnement de l'économie mondiale, notamment en stimulant et en harmonisant les efforts de ses membres en faveur des pays en voie de développement.

Organisation. Conseil : un représentant de chaque pays membre. Siège au niveau des chefs des délégations permanentes (2 fois par mois) sous la présidence du secr. gén., et au niveau des ministres (1 fois par an) sous la présidence du min. d'un pays membre désigné annuellement ; le Conseil peut prendre à l'unanimité des décisions engageant la responsabilité des gouvernements membres. **Comité exécutif :** Chefs de délégations permanentes de 14 pays membres désignés annuellement. Prépare les travaux du Conseil. **Comités et groupes de travail spécialisés principaux** (+ de 200). **Délégations permanentes** des pays membres sous forme de missions diplomatiques dirigées par des ambassadeurs (Ambassades économiques). **Secrétariat international :** env. 1 700 pers., structuré en directions et divisions, adaptées aux besoins des comités et autres organes. *Secr. gén. :* Jean-Claude Paye (n. 26-8-34) ; *Secr. gén. adjoints :* R.A. Cornell (n. 1936) ; Pierre Vinde (n. 15-8-31) ; Makoto Taniguchi (n. 1930) ; *secr. gén. suppléant :* Salvatore Zecchini (n. 17-11-43).

Relations avec une trentaine d'autres organisations internationales intergouvernementales (OIG). Quelques rares organisations non gouvernementales (ONG) jouissent d'un statut consultatif dont : le Comité consultatif économique et industriel auprès de l'OCDE (BIAC, représentant les groupements d'employeurs dans les pays m.) et la Commission syndicale de consultation auprès de l'OCDE (TUAC, représentant les syndicats). **Publications :** env. 130 titres par an.

Organismes autonomes ou semi-autonomes

☞ Établis dans le cadre de l'OCDE, chacun possédant son propre Comité directeur.

Agence internationale de l'énergie de l'OCDE (AIE). *Créée* nov. 1974. *But :* améliorer la structure de l'offre et de la demande mondiales d'énergie. *Membres :* tous les pays m. de l'OCDE sauf Islande. La commission des Communautés europ. participe aux travaux de l'Agence. *Dir. exécutif :* Mme Helga Steeg.

Agence de l'OCDE pour l'énergie nucléaire (AEN). *Créée* déc. 1957 sous le titre *Agence europ. pour l'énergie nucléaire,* nom actuel dep. 1973, après l'adhésion du Japon. *Membres :* pays de l'OCDE, sauf N.-Zél. *Dir. gén. :* Dr K. Uematsu.

Centre de développement. *Créé* 1962. *But :* développer des actions de recherche, de communication et de liaison dans tous les domaines du développement économique et social des pays en développement. *Membres :* pays de l'OCDE sauf Australie et N.-Zélande. *Pt :* vacant.

Centre pour la recherche et l'innovation dans l'enseignement (CERI). *Créé* juillet 1968. *Membres :* pays de l'OCDE. *Dir. :* Thomas Alexander.

Communautés européennes

Histoire

■ **Symboles. Drapeau européen :** azur à 12 étoiles d'or disposées en cercle [nombre invariable, symbole de la perfection et de la plénitude], adopté le 8-12-1955. **Hymne européen :** prélude à « l'Ode à la joie » de la 9e symphonie de Beethoven, adopté en janv. 1972, arrangement musical spécial d'Herbert von Karajan.

Quelques dates

■ **Origines. V. 1310** Pierre Dubois, légiste de Philippe le Bel, propose d'instituer la république des chrétiens et l'arbitrage internat. **1693** W. Penn (G.-B.) publie l'*Essai pour la paix présente et future de l'Europe,* envisage un parlement eur. et le français comme langue eur. **1805** Napoléon Ier déclare qu'une seule loi doit régir l'Empire. **1851** Victor Hugo parle des États-Unis d'Europe. **1925**-*29-1* Edouard Herriot publie un livre remarqué, « Europe ». **1926** Gaston Riou crée l'*Union économique et douanière européenne.* Publication « Europe, ma patrie ». **1927** Louis Loucheur préconise la constitution – par les gouvernements – de cartels européens du charbon, de l'acier et du blé. **1929** Aristide Briand, Pt de l'Union paneuropéenne, dépose à la SDN un projet pour les États-Unis d'Eur. (avec lien fédéral et coopération économique).

■ **De 1943 à 1957. 1943** *21-3* W. Churchill propose un *Conseil de l'Europe.* **1946** *19-9* discours de Churchill à Zurich suggérant à la France et à l'Allemagne de construire les États-Unis d'Eur. **1947** *5-6* annonce du *plan Marshall* d'aide américaine à la reconstruction de l'Europe. **1948** *1-1* entrée en vigueur Benelux, convention douanière Belgique, Pays-Bas, Luxembourg. *17-3 tr. de Bruxelles* créant **l'Union occidentale.** Tr. de coopération essentiellement militaire entre G.-B., France et Benelux, pour compenser le danger allemand à partir de 1950, dans le cadre de l'Otan, tout en se prémunissant contre une invasion soviétique. *16-4* création de l'OECE. **1949** *5-5* création du **Conseil de l'Europe. 1950** *9-5* Robert Schuman (1886-1963), Pt du Conseil fr., propose de « placer l'ensemble de la production franco-allemande de charbon et d'acier sous une Haute Autorité commune, dans une organisation ouverte à la participation des autres pays d'Europe ». Idée proposée par Jean Monnet à Bidault le 28-4 (mémorandum de 3-5). *Août* le Conseil de l'Europe recommande la création d'un Marché commun de l'agriculture. Réunie en mars 1952, mars 1953 et juillet 1954, une conférence préparatoire ne parvient pas à un accord. *19-9* création de l'Union européenne des paiements. **1951** *18-4 tr. de Paris* instituant la **Ceca :** All. féd., Belgique, France, Italie, Lux., P.-Bas. **1952** *27-5* Paris, tr. de la CED signé (voir encadré ci-contre). *10-8 entrée en vigueur de la Ceca.* Jean Monnet, 1er Pt. **1953** *1-1* entrée en vigueur du prélèvement Ceca, 1er impôt européen. *10-2* ouverture du Marché commun pour charbon et minerai de fer. *1-5* pour l'acier. **1954** *20-5* Benelux propose un Marché commun. *31-8* l'Assemblée nationale rejette la CED. *23-10* accords de Paris créant **l'Union de l'Europe occidentale (UEO)** modifiant le tr. de Bruxelles de 1948. All. féd. et Italie en deviennent membres. Protocole d'accession de l'All. féd. à l'Otan. **1955** *1/3-6 Conférence de Messine,* les ministres des Aff. étr. des Six envisagent un Marché commun élargi à toute l'économie et à l'énergie nucléaire. Un comité d'experts, présidé par Paul-Henri Spaak (1899-1972), prépare un rapport. La G.-B., invitée à y participer, cesse rapidement de prendre part aux travaux. *5-8* signature de l'*Accord monétaire européen,* qui remplacera l'Union eur. des paiements début 1959. **1956** l'agriculture fr. commence à connaître des excédents. La libération des échanges serait inefficace et dangereuse. *Mai :* Venise, conférence intergouvernementale préparatoire pour la création de CEE et Euratom.

Communauté européenne de défense (CED). 1950 *26-10 : Plan Pleven* approuvé par l'Ass. nationale par 343 voix contre 225 (communistes et RPF). Il prévoit l'intégration des futures forces armées all. au sein d'une armée multinationale eur. aux ordres de la CED. Celle-ci aurait eu des objectifs exclusivement défensifs et aurait coopéré étroitement avec l'Otan. **1951** *15-2 : Conférence de Paris :* All. féd., Belgique, France, Italie, P.-Bas acceptent le principe. **1952** *27-5 : Tr. de Paris :* signé par les 6 États instituant la CED. L'art. 38 stipule que la CED doit aboutir à une structure politique communautaire. Ce tr. doit être ratifié par les Parlements des pays membres, ce qui est fait par tous, sauf la France. **1954** Pierre Mendès France, chef du gouv., propose un protocole visant à modifier le tr., mais il est rejeté 31-8, le tr. non modifié est soumis à l'Ass. nat. qui refuse sa ratification. Ont voté pour : MRP ; contre : Républ. sociaux (ex-RPF), PC ; Socialistes, Radicaux et Rép. indép. se sont partagés.

■ **1957** *25-3* **traité de Rome** créant **CEE (Marché commun)** et **Euratom. Ratification par la France. Assemblée nationale** *(9-7) : 345 pour,* dont 99 socialistes (sur 100), 25 radicaux (sur 45), 18 UDSR-RDA (sur 20), 11 radicaux dissidents (sur 13), 12 RGR (sur 13), 6 IOM (sur 7), 74 MRP (sur 74), 81 ind. (sur 89), 11 paysans (sur 17), 1 poujadiste (sur 38), 2 non-inscrits (sur 11) ; *236 contre,* dont 143 communistes (sur 143), 6 progressistes ; *7 abstentions volontaires* (1 rad., 1 RGR, 3 ind., 1 UDSR, 1 paysan) ; *6 n'ont pas pris part au vote, 6 absents pour congé.* **Sénat** *(23-7) : 219 pour,* dont 59 de gauche dém. (sur 76), 49 RI (sur 62), 15 IOM-RDA (sur 23), 3 C. Rép. (sur 3), 17 Crars (sur 22), 21 MRP (sur 21), 55 socialistes (sur 56) ; *68 contre,* dont 14 communistes (sur 14), 4 gauche dém., 7 RI, 7 IOM-RDA, 25 Rép. sociaux (sur 33), 4 Crars, 7 Rass. d'OM (sur 8) ; *14 abstentions volontaires* (4 RI, 1 IOM-RDA, 7 Rép. sociaux, 1 Crars, 1 ROM) ; *15 n'ont pas pris part au vote, 2 absents pour congé.*

■ **De 1958 à nos jours. 1958** *1-1* à Bruxelles, installation de la Commission exécutive du Marché commun. *15-1* 1re réunion des Commissions eur. à Val-Duchesse. *19-3 1re réunion du Parlement eur. à Strasbourg.* **1959** *20/21-7* Autriche, Danemark, G.-B., Norvège, Portugal, Suède, Suisse, réunis à Stockholm, décident de créer AELE. Voir Index. **1960** *4-1* Stockholm convention instituant l'AELE (entrée en vigueur 3-5-1960). **1961** *9-8* G.-B. candidate à la CEE (après vote aux Communes le 3-8 : 315 pour, 5 contre, abstention des travaillistes). *18/22/29/31-12 1er marathon agricole :* élaboration de la politique agricole commune (PAC). **1962** *14-1* passage à la 2e étape du traité de Rome. Accord sur la PAC : organisation des différents marchés, création du Feoga, application des règles de concurrence aux produits agricoles, critères de détermination des prix minima, établissement d'un calendrier. *Avril :* échec du *« plan Fouchet »* d'Union politique eur. *4-7* Pt Kennedy propose un *partnership* atlantique. *4-12* création d'un comité permanent des structures agricoles. **1963** *14-1* conférence de presse du Gal de Gaulle : la G.-B. n'est pas prête à entrer dans le Marché commun. *22-1 :* Paris tr. de coopération fr.-all. *29-1* candidature G.-B. écartée *sine die. 20-7* Yaoundé, 1re convention d'association avec CEE, 18 pays africains et Madagascar. *16/23-12 2e marathon agricole* compromis France-Allemagne (lait, produits laitiers, viande bovine, riz, matières premières végétales...). **1964** *5-2* adoption de règlements sur 1res organisations communes de marchés pour certains produits agr. et du règlement financier agr. *15-12 3e marathon agricole :* plan d'unification du prix des céréales. Nouveaux règlements (85 % de la production est sous organisation commune des marchés). **1965** *8-4 tr. de fusion des institutions eur. Juin* crise (7 mois) pour financement de l'Europe verte, ouverte par Paris. *6-7* le représentant permanent de la France au Conseil regagne Paris, la délégation ne participe ni au Conseil, ni au Coreper, ni aux groupes de travail. *25/26-10* la France refusant de siéger, le Conseil adopte à 5 les lignes directrices du financement de la PAC. **1966** *28/29-1* la France accepte de reprendre sa place au Conseil. La procédure de vote à la majorité sera remplacée par le vote à l'unanimité lorsqu'un État membre considérera que « des intérêts très importants » sont en jeu. *10-3* la France quitte l'Otan. *11-5* décision sur financement de l'exportation des excédents agr. ; avancement au 1-7-1968 de l'Union douanière. **1967** *11-5* candidatures de G.-B., Irlande, Danemark. *15-5* fin des négociations du *Kennedy Round* au sein du Gatt. Renouvellement de l'accord sur le blé. Concessions sur viande bovine à Argentine et Danemark ; violentes réactions des prod. français. *1-7 traité de fusion des exécutifs* de CEE, Ceca et Euratom. *21-7* Norvège candidate. *18/19-12* veto français au Conseil, à la poursuite du processus d'adhésion de la G.-B. **1968** *1-7* Union douanière ; suppression des droits de douane entre États membres pour la plupart des produits agr. ne faisant pas l'objet d'une organisation commune des marchés. *6 et 23-7* dep. les événements de mai, la Commission autorise la Fr. à établir temporairement des contingents à l'importation pour produits sidérurgiques, textiles et électroménagers. *18-12 Plan Mansholt* pour la modernisation en 10 ans des structures agr. **1969** *23-7* le Conseil reprend l'examen des demandes d'adhésion (Danemark, G.-B., Irlande, Norvège). *29-7 Convention de Yaoundé* avec 18 États afr. et Madagascar. *24-9 2e convention d'Arusha* avec pays de l'Est afr. (la 1re n'est pas entrée en vigueur (cause : retards de ratification). Dévaluation du franc de 11 % (10-8), réévaluation du mark (24-10) ; montants compensatoires monétaires (MCM) dans les échanges agr. *1/2-12 La Haye* chefs d'État et de gouv. des Six : accord de principe sur règlement financier agr. ; Pt Pompidou lève veto français à l'entrée de la G.-B. dans la CEE. *19/22-12 marathon :* mise en place des dispositions nécessaires au passage à la période définitive du Marché commun. **1970** traité prévoyant le financement progressif des Communautés par des ressources propres, l'extension des pouvoirs de contrôle du Parlement eur. en matière budgétaire. *1-6* entrée en vigueur du marché unique du vin. *30-6* Dan., G.-B., Irl. et Norvège : conditions posées par la Communauté (acceptation des traités et du droit dérivé, adaptations possibles seulement par des mesures transitoires). *15-10 plan Werner* relatif à l'Union écon. et monétaire pour créer une monnaie commune aux Six. *27-10* adoption du *rapport Davignon* sur unification pol. *26-11* réforme du Fonds social eur. (FSE) permettant de financer des actions facilitant la mise en œuvre des politiques communautaires. **1971** *1-1* entrée en vigueur du régime des ressources propres à la CEE pour financer la Pac. *9-2* accord sur mise en œuvre par étapes de l'Union écon. et monétaire. *Mars* manif. dans la Communauté contre plan Mansholt. *23-3* 100 000 agriculteurs à Bruxelles. *25-3 :* accord sur prix agr. et réforme des structures agr. *Mai* All. féd. et P.-B. font flotter leur monnaie. Fin de l'Union écon. et monét. La livre anglaise flotte, puis la lire, le mark sera réévalué 2 fois, le franc décroche de sa parité. *11-5* et *19-5* mise en place et généralisation des MCM. *22/23-6* accord sur principales conditions d'adhésion de la G.-B. *13-9* le Conseil définit les principes d'une position commune de la CEE au sein du FMI. **1972** *24-4* création du Système monétaire eur. (SME) et du serpent monétaire, en application d'une décision du Conseil (21-3). *19/21-10* Paris, chefs d'État ou de gouvernement affirment « leur intention de transformer, avant la fin de la décennie, l'ensemble de leurs relations en une Union eur. ». **1973** *1-1* entrée dans la CEE de Danemark, G.-B. et Irlande ; accord de libre-échange entre CEE et pays de l'AELE qui n'ont pas adhéré à la CEE (Autriche, Portugal, Suède, Suisse). *11-3* les 9 décident de ne plus soutenir le dollar et de rester liés par une marge restreinte de fluctuation (après réévaluation de 3 % du DM). G.-B., It. et Irl. restent provisoirement en dehors du système. *3-4* le Conseil adopte règlement et statuts du Fecom (Fonds eur. de coopération monét.). *28-4 et 1-5 marathon agricole ;* la France obtient la modification des prix prévus ; adoption de la résolution sur l'agr. de certaines régions défavorisées. *27-6* accord des 9 pour une position commune au *Nixon Round. 3/7-7* 1re phase de la *Conf. d'Helsinki* sur sécurité et coopération en Eur. où les 9 ont parlé d'une seule voix. **1974** *19-1* la France quitte le SME, flottement du franc, d'où *28-1* établissement de MCM. *Févr. :* la Fr. se sépare de ses partenaires lors de la Conf. de Washington sur le pétrole : désaccord français. *1-4* le gouv. travailliste britannique demande de renégocier les conditions d'adhésion acceptées par le précédent gouv. conservateur. *30-4* à la demande de la Fr., le Conseil agr. restreint les imp. de viande de bœuf. *8-5* le Dan. prend les mesures destinées à réduire ses imp., par une fiscalité indirecte. *15-6* le Conseil ministériel de l'Otan adopte à Ottawa *la nouvelle « Charte atlantique ». Juillet* organisation commune d'un marché pour les graines de soja et harmonisation des législations vétérinaires et phytosanitaires. *15-7* fermeture jusqu'au 1-11 des frontières communautaires aux imp. de bovins venant des pays tiers. *9/10-12* 7e sommet (Paris) : les États membres de la Communauté décident de se réunir régulièrement au plus haut niveau. **1975** *28-2 1re Convention de Lomé* entre CEE et 46 États ACP. *18-3* Conseil adopte l'unité de compte eur. (panier de monnaies des États membres). *5-6* référendum en G.-B. (67 % pour maintien dans la Communauté). **1976** *14-3* le franc fr. sort du serpent monétaire. *6-4* négociations commerciales multilatérales du Gatt (Tokyo Round). La Commission offre des concessions pour les prod. tropicaux en faveur des pays en développement. **1977** *1-1* zone de pêche étendue à 200 milles. *1-7* achèvement de l'union douanière. *31-12* fin de la période de transition pour Dan., Irl. et G.-B. **1978** *5-12* accord sur SME. **1979** *13-3 entrée en vigueur du SME* et création de l'écu (European Currency Unit). *28-5* tr. d'adhésion de la Grèce à la CEE *7/10-6* 1re élection au suffr. univ. du Parlement eur. *31-10 2e Convention de Lomé. 13-12* rejet du projet de budget par le Parlement. **1980** *30-5* accord budgétaire : contribution de la G.-B. réduite des 2/3 pour 80 et 81 ; le Parlement adopte le budget. **1981** *1-1 entrée effective de la Grèce.* L'ECU (European Currency Unit) remplace l'UCE dans le budget communautaire. *1-4 Accords de Bruxelles :* démantèlement de MCM positifs (étape vers le retour à l'unité des prix). Augmentation moyenne des prix agr. de 11 %. Rejet d'une supertaxe laitière proposée (la Fr. aurait supporté 49 % de la dépense). Réforme de la politique commune des structures et mesures en faveur des jeunes agriculteurs. Programmes spécifiques pour DOM et Lozère. *1-7* nouvelle organisation communautaire des marchés du sucre. *Marché unique :* les produits, sauf alcool et p. de terre, circulent librement à l'intérieur de la Communauté. Droits de douane, taxes équivalentes, subventions, restrictions quantitatives faussant la concurrence entre États membres sont supprimés. *Préférence communautaire :* les États membres accordent une préférence à la production communautaire et se protègent ensemble à la frontière extérieure commune contre les fortes fluctuations des prix sur le marché mondial et les importations à bas prix. *Responsabilité financière commune :* par le Feoga. *Participation financière des producteurs :* pour certains produits agr. particulièrement excédentaires. *Seuils de production* (cadre pluriannuel) : en cas de dépassement, contribution des producteurs : réduction des prix de soutien ou autres mesures appropriées, c.-à-d. diminution de leurs « garanties ». *5-10* réaménagement des parités monétaires au sein du SME (voir Index). **1982** *21-2* 2e réaménagement. *18-5* prix de la campagne agr. 1982-83 adoptés malgré désaccord brit. Dégradation des rapports commerciaux entre Eur. et USA. *12-6* 3e réaménagement monétaire. **1983** *25-1 :* naissance de *l'Europe de la pêche (Europe bleue) :* quotas de pêche répartis entre pays membres selon besoins et capacités et système de soutien des prix minimaux. *3-2* avis favorable de la CEE au retrait du Groenland (terre danoise) de la CEE. *21-3* 4e réaménagement monétaire. *6-5* nouvelles propositions de financement du budget commun., à décider avant fin 1984. *28/31-5* sommet économique occidental à Williamsburg (USA). *5* et *6-12 sommet des 10 à Athènes :* échec des négociations sur problèmes de fond de la CEE. **1984** *14-2* le Parlement eur. adopte, par 237 voix, contre 31 et 43 abstentions, le projet de tr. sur l'Union eur. (initiative du député eur. Altiero Spinelli). *19/21-3 sommet des 10 à Bruxelles :* échec (désaccord sur le montant de la compensation à accorder à la G.-B.). *10-6/19-7* 2es él. au suffrage universel du Parlement. *8-12 3e convention de Lomé.* **1985** *1-2* suite du référendum du 23-1, le Groenland quitte la Communauté, à laquelle il avait adhéré en 1972 comme territoire danois, et devient associé comme territoire d'outre-mer. *25/26-2* réforme du règlement viti-vinicole, applicable à partir du 1-9-1985 (distillation obligatoire à 50 % du prix d'orientation, à 40 % au-delà de 10 millions d'hl, en cas d'excédents, le volume étant réparti entre les régions viticoles au prorata de leur contribution aux excédents, primes incitant à l'arrachage des vignes à hauts rendements et à celles produisant du raisin de table...), assouplissement du régime des quotas laitiers. *30-3* accord des 10 sur le financement de « programmes intégrés méditerranéens » (la Grèce lève son opposition à l'entrée Espagne et Portugal). *16-5* le Cons. des min. ne peut fixer les prix des céréales et du colza, l'All. féd. s'opposant à leur baisse. *12-6* tr. d'adhésion Esp. et Port. *17-7* création d'*Eurêka,* projet d'une Eur. de la technologie. **1986** *1-1* entrée Esp. et Port. *18-2* signature de *« l'Acte unique européen »* élargissant les compétences de la CEE pour réaliser, d'ici à 1992, un véritable marché intérieur. 3 pays s'abstiennent : Dan. (se prononcera après référendum le 27-2), It. et Grèce. *28-2* signature par Danemark, Italie, Grèce [après référ. du 27-2 (56,2 % pour)]. *29-5* pour la 1re fois, le drapeau eur. est hissé devant les bâtiments des institutions communautaires. **1987** *12-1* réajustement monétaire. *29-1* accord agricole avec USA qui pourront vendre à l'Espagne les 2/3 de ses importations de maïs pendant 4 ans. *26-5* référendum en

Quelques comparaisons

États	Population (milliers) 1991	Dont Étrangers (milliers) 1990	Naissances (milliers) 1990	Décès (milliers) 1990	Natalité et Mortalité pour 1 000 hab. 1991		Enfants par femme 1991	Mortalité infantile ‰ 1990	Vie moyenne (en années) 1987	
					N	M			Hommes	Femmes
Europe des 12										
All. féd.	79 632	5 242	898,4	910,7	11,3	11,1	1,5	7,5	71,8 [2]	78,4 [2]
Belgique	9 968	904	123,6	104,5	12,8	10,7	1,6	7,9	72,4 [2]	78 [2]
Danemark	5 143	160	63,5	61	12,5	11,5	1,5	7,4	71,8 [2]	78,4 [2]
Espagne	39 045	400 [2]	399,3	334,6	10,2	8,5	1,5	7,6	73,1 [2]	79,6 [2]
France	56 681	3 607	763,0	526,6	13,3	9,2	1,8	7,3	72,5	80,7
Grèce	10 083	225	102,2	94,2	10,2 [1]	9,3 [1]	1,5	9,7	72,6 [2]	77,6 [2]
Irlande	3 502	79	53,0	31,8	14,9	8,9	2,1	8,2	71,0 [2]	76,7 [2]
Italie	57 719	781	580,8	544,4	9,8	9,6	1,3	8,2	72,6 [2]	79,2 [2]
Luxembourg	378	104 [2]	4,9	3,8	12,9	9,7	1,5	7,4	70,6 [2]	77,9 [2]
Pays-Bas	15 023	692	198,0	128,8	13,2	8,6	1,6	7,1	73,7 [2]	80,0 [2]
Portugal	10 393	100	116,4	103,1	11	9,7	1,6	10,9	70,7 [2]	77,0 [2]
Roy.-Uni	57 356	1 875	798,6	641,8	13,8	11,3	1,8	7,9	72,4 [2]	78,1 [2]
Autres pays d'Europe										
Albanie	3 303	n.c.	79,7 [4]	17,1 [4]	25,9 [4]	5,6 [4]	3,0	28,2 [4]	68,5	73,9
Autriche	7 730	413	90,5	83	12,0	10,6	1,5	6,8	71,5	78,1
Bulgarie	8 798	n.c.	116,7 [4]	107,2 [4]	13,0 [4]	12,0 [4]	1,9	14,7 [4]	68,2 [5]	74,4 [5]
Finlande	4 999	18 [3]	67,5	50,1	13,1	9,8	1,8	6,1	70,7	78,7
Hongrie	10 500	n.c.	120,6 [2]	140,9 [2]	12,2	13,7	1,8	15,8 [2]	65,7	73,7
Islande	258	5	4,7 [3]	1,8 [3]	18,7 [3]	6,7 [1]	2,1	6,1	75,0	80,1
Malte	356	n.c.	5,5 [3]	2,7 [2]	15,2 [1]	7,7 [1]	2,1	7,9 [3]	72,5	77,0
Norvège	4 259	143	60,9	460	14,2	10,5	1,8	6,9	72,8	79,6
Pologne	38 337	n.c.	562,5 [2]	381,2 [2]	14,3	10,6	2,1	16 [2]	66,8	75,2
Roumanie	23 276	n.c.	369,5 [2]	247,3 [2]	11,9	10,9	2,1	26,9 [2]	67,3	72,8
Suède	8 588	483	123,9	95,2	14,3	11,0	1,9	6,0	77 [1]	83 [1]
Suisse	6 740	1 100	83,9	63,7	12,6	9,0	1,7	6,8	73,8	80,5
Ex-Tchécoslov.	15 694	n.c.	208,6 [2]	181,6 [2]	13,3	11,5	2,0	11,3 [2]	67,6	75,1
Ex-Yougoslavie	23 690	n.c.	335,9 [2]	215,5 [2]	14,1 [1]	8,9 [1]	2,0	23,7 [2]	68,6	73,8
Comparaisons										
Europe des 12	344 923	13 356	4 101,6	3 485,3	11,9 [1]	10,1 [1]	1,6	7,8	72,8 [2]	79,2 [2]
États-Unis	252 040	n.c.	4 179,0	2 162,0	16,3	8,6	1,9	9,1	71,3	78,3
Ex-Union soviét.	288 800 [1]	n.c.	4 853,0	2 985,2	16,8 [1]	10,3 [1]	2,5 [2]	22,0	65,0	73,8
Japon	123 969	1 075	1 228,0	826,0	9,9	6,7	1,6	4,5	76,0	81,0
Canada	26 756 [1]	1 200 [6]	391,9	191,0	15,2	7,3	1,7	7,1	73,0 [5]	79,8 [5]
Australie	17 341 [1]	1 645 [6]	246,2 [3]	119,9 [3]	14,8	6,9	1,9	8,7 [3]	72,8	79,1
Nlle-Zélande	3 429	n.c.	58,1 [2]	27,0 [2]	17,8	7,8	2,0	–	71,0	77,3

Nota. – (1) 1990. (2) 1989. (3) 1988. (4) 1987. (5) vers 1985. (6) 1981.

☞ Toute l'Europe avec les États européens de l'ex-URSS représentent 45 pays et 840 millions d'habitants.

Irlande : la Constitution est modifiée, l'Irl. peut ratifier l'Acte unique. *8/10-6* sommet écon. occidental à Venise : 8 participants, dont la CEE, adoptent 6 déclarations portant sur relations Est-Ouest, terrorisme, guerre Iran-Iraq et liberté de navigation dans le Golfe, coopération écon. et monétaire, sida et drogue. *1-7 entrée en vigueur de « l'Acte unique européen ». 20-7 :* le Maroc demande à adhérer à la CEE (mais l'art. 237 du tr. CEE limite les possibilités d'adhésion aux seuls États eur.). *4/7-12* échec du sommet de Copenhague. **1988** objectif de soustraire 1 million d'ha à la culture. *2/3-12* accord de Rhodes sur le projet *Eurêka.* **1989** *15/18-6 3es él.* au suffrage universel du Parlement eur. *17-7* l'Autr. demande officiellement d'adhérer à CEE. *11-10* Strasbourg, Jean-Paul II au Parlement eur. *8-12* négociations dans le cadre du Gatt. Divergences CEE/USA qui envisagent de taxer à 100 % certains produits agr. eur. *15-12 4e convention de Lomé.* **1990** *5-4 :* 12 sessions plénières ordinaires se tiendront chaque année à Strasbourg ; les sessions extraordinaires auront lieu à Bruxelles (vote : 181 oui, 155 non, 18 abst.). *Dublin 21-4 :* des discussions sur l'union politique seront entamées par un traité qui entrera en vigueur le 1-1-93. L'intégration de la RDA en 3 étapes sera étudiée. *27-4 :* conférence sur les prix agr. *Rome 1-7 :* libre circulation des capitaux. *27/30-11 :* 1re Conférence des Parlements de la CEE réunissant 85 délégués de l'Ass. des communautés et 173 dél. des 20 chambres des Parlements des 12 États. Manif. d'agriculteurs contre le Gatt. *13-11* 15 000 à Bruxelles. *3-12* 25 000 à Bruxelles. **1993** *1-12* libre circulation prévue au sein de 9 pays, *convention de Schengen* voir p. 865 c.

■ Membres non fondateurs

■ **Danemark. 1961**-*31-7 :* 1re demande d'adhésion. **1967**-*11-4 :* 2e demande. **1971**-*16-12 :* le Folketing autorise le gouv. à signer le traité d'adhésion (141 voix pour, 32 contre et 2 abstentions). Le D. a obtenu que la zone côtière des 12 milles soit réservée jusqu'en 1982 aux pêcheurs du Groenland (30 % de la population active) et des îles Féroé (24 %). **1972**-*22-1* tr. signé, *-2-10* ratifié par référendum par 57 % des inscrits, soit 63,7 % des votants ; participation au vote de 89,4 % (la + élevée depuis 1945).

■ **Espagne. 1977**-*28-7 :* demande d'adhésion. **1979** *février :* ouverture des négociations. **1985**-*12-6 :* traité d'adhésion. **1986**-*1-1 :* entrée dans la CEE. **Industrie :** transition 7 ans sauf : automobile [contingent à droit réduit (17,4 %) élargi pendant 3 a.], textiles (régime de surveillance 4 a.), sidérurgie (3 a.), monopoles nation. (6 a. pour tabac et pétrole). **Agriculture :** transition 7 a. sauf : vin (product. fixée à 27,5 millions d'hl., distillation oblig. à 85 % de ce montant), matières grasses végétales (10 a.), fruits et légumes (10 a. en 2 étapes : 4 a. pour amélioration des infrastructures puis 6 a. pour démobilisation tarifaire). **Pêche :** transition 7 a. (+ aide de 28,5 millions d'écus pour restructuration de la flotte). **Budget :** transition 7 a. avec solde neutre des paiements et des versements. **Fiscalité :** introduction de la TVA au 1-1-86.

■ **Grèce. 1981**-*1-1* Adhésion. **Commerce extérieur :** transition 5 ans pour : abolition totale des droits de douane sur les imp. industrielles de la CEE, suppression des restrictions quantitatives et autres mesures de protection contre imp. de la CEE, tarif extérieur commun aux imp. de pays tiers, adhésion aux accords préférentiels de la CEE avec pays tiers. **Agriculture :** transition de 5 a. pour alignement des prix grecs sur prix communautaires (possibilité d'appliquer des montants complémentaires et d'évoquer la clause de sauvegarde) ; 7 ans pour pêches et tomates. *Mesures d'encouragement* spéciales pour coton, figues sèches et raisins secs (pour lesquels la Gr. sera le seul producteur eur.). **Activités professionnelles :** transit. de 7 a. pour libre circulation des travailleurs ; prestations sociales identiques à celles des nationaux pour les trav. gr. se trouvant déjà dans la CEE, au bout de 3 a. **Finances :** la Gr. sera bénéficiaire nette du budget de la CEE les 1res années ; transition de 3 ans pour adopter la TVA.

■ **Irlande. 1972** *mai :* vote pour l'adhésion (80 % de oui). L'Irl. peut protéger son ind. autom. et subventionner pendant plusieurs années ses autres secteurs.

■ **Portugal. 1977**-*28-3 :* demande d'adhésion. **1978** *oct. :* ouverture des négociations. **1985**-*12-6 :* tr. d'adhésion. **1986**-*1-1 :* entrée dans la CEE. **Industrie :** transition 7 ans sauf : automobile (accord CEE-Port. en vigueur av. 1986 valable encore 2 a.), textiles (surveillance de 3 ou 4 a. pour les export. port. vers autres membres de la CEE). **Agriculture :** transition en 2 étapes pour 85 % de la production port. : 5 a. pour adaptation des structures du marché port., puis 5 a. pour l'application de nouveaux mécanismes. 7 a. pour fruits et légumes transformés, sucre et isoglucose. **Pêche :** 7 a. pour Port., 6 a. pour autres m. de la CEE (régime partic. pour produits à base d'anchois et de

Maurice Allais (prix Nobel d'économie) estime nécessaire un territoire fédéral propre à la Communauté européenne et indépendant de tout pays membre pour localiser les institutions eur. Deux implantations possibles. 200 km² sur 3 zones contiguës en All., France et Lux. incluant les villes de Perl (All.), Sierck-les-Bains (Fr.) et Burmerange (Lux.). Ou 400 km² sur env. 20 km le long de la Lauter et sur 10 km de part et d'autre de la frontière franco-all.

thon, conserves de maquereaux et sardines). **Budget :** 7 a. au bout desquels le Port. devrait recevoir au min. 1,2 à 1,6 million d'écus de + qu'il ne versera au budget communautaire. **Fiscalité :** TVA introduite en 1990.

■ **Royaume-Uni (Grande-Bretagne). 1971**-*28-10 :* les Communes votent pour l'adhésion (356 pour, 244 contre et 22 abstentions). **1972**-*20-1 :* gouvernement autorisé à signer le tr. d'adhésion (298 voix pour, 277 contre). *-17-10 :* la Chambre des lords approuve la signature du tr. (161 voix pour, 21 contre). **1973**-*1-1 :* entrée dans la CEE. **Industrie :** transition 4 a. en 5 étapes (1er abattement tarifaire de 20 % : 1er 1-4-73 ; 2e 1-4-74 ; ensuite à chaque début d'année). G.-B. s'alignera progressivement sur le tarif extérieur et bénéficiera de contingents tarifaires pour certains produits. *Ceca :* adhésion en 5 a. et versement de 57 millions de $ comme participation au patrimoine de la Ceca. **Agriculture :** transition 5 a. La référence communautaire entre immédiatement en vigueur. La G.-B. applique en 6 étapes égales les prix agr. du Marché commun. *Produits laitiers importés de N.-Zélande* par la G.-B. (1re période de transition de 5 a. : les exp. n.-zél. de beurre diminuent de 20 %, les exp. de fromage de 80 %). **Pêche :** transition de 10 ans avant de se plier à la règle communautaire, libérale, en matière de droit d'accès aux zones de pêche côtière. Dans certaines régions de pêche importante, régime except. (comme dans 5 dép. atlantiques français). **Budget :** transition 5 a. (éventuellement 10). *Contribution* au financement communautaire : *1973 :* 8,6 %, soit 220 millions de $, *5e année :* 18,9 %. *1980* et *1981 :* réduction de 1 175 et 1 410 millions d'u.c. *Fiscalité :* TVA introduite 1-4-1973. *Monnaie :* abandon progressif du rôle de monnaie de réserve de la livre, diminution des balances sterling, pour être en règle avec objectifs de l'Union écon. et monétaire eur.

■ I. Les communautés

Généralités. *Comprennent :* Ceca, CEE ou Marché commun, Euratom ou CEEA. Depuis le 1-7-1967, Commission et Conseils de ces 3 communautés ont fusionné laissant subsister les 3 traités existants. Un traité unique est envisagé. **Membres :** All., Belgique, Danemark, Espagne, France, Grèce, Irlande, Italie, Luxembourg, P.-Bas, Portugal, Royaume-Uni. **Siège :** rue de la Loi, 200, 1049 Bruxelles, et Bâtiment Jean-Monnet, rue Alcide-de-Gasperi, 2920 Luxembourg-Kirchberg.

■ Communauté européenne du charbon et de l'acier (Ceca)

Siège. Rue Alcide-de-Gasperi, 2920 Luxembourg-Kirchberg. **Création :** Plan Schuman du 9-5-1950 ; traité de Paris : signé 18-4-1951 ; entrée en fonctions : 10-8-1952. **Organisation :** avant le 1-7-1967 (voir *Quid 1968*). **But :** permettre un rapprochement politique entre les pays en créant un marché commun du charbon et de l'acier, et en abolissant tout obstacle à la circulation des marchandises et toute discrimination. Abolition des droits de douane pour charbon, minerai de fer et ferraille, 10-2-53 ; acier, 1-5-53 ; aciers spéciaux, 1-8-54. Dep. 1980, contingentement autoritaire de la production. Disparition des aides publ. à la sid. dep. fin 1985. **Pt :** 1° Jean Monnet (1888-1979), démissionne 10-11-54 ; 2° 1-6-55 René Mayer (1895-1972).

■ CEE (Communauté économique européenne dite Marché commun)

■ **Siège.** 170, rue de la Loi, 1048 Bruxelles. **Création** (voir p. 862). *1957* 25-3 signature du tr. de Rome instituant la CEE ; *1958* 1-1 entrée en vigueur. **Membres d'origine :** All. féd., Belgique, France, Italie, Lux., P.-Bas, Danemark, G.-B., Irlande (entrée 1-1-73) ; Grèce (entrée 1-1-81) ; Espagne et Portugal (entrée 1-1-86). **But :** expansion continue et équilibrée, et relèvement accéléré du niveau de vie par la libre circulation des marchandises, libre établissement des personnes et des capitaux, création d'un tarif ext. commun et mise en place de politiques communes : agriculture, commerce, concurrence, énergie et transports.

■ **Marché commun agricole, dit Europe verte.** *Fondé* 1-4-1962 sur : libre-échange des produits, niveau commun des prix pour les producteurs, solidarité financière, libre accès du consommateur aux meilleurs produits et préférence communautaire. Relève, par un système de taxes variables *(prélèvements),* les prix des produits importés au niveau des prix pratiqués dans le Marché commun. A l'inverse, accorde des restitutions à l'exportation des produits agricoles européens afin de permettre aux agriculteurs de pratiquer des prix concurrentiels sur le marché mondial. (Voir Index). Actuellement, l'Europe agricole absorbe les 2/3 des dépenses budgétaires (env. 35 milliards d'écus sur un budget communautaire de 55 milliards).

Abaissement des droits de douane (tarifs industriels) en %. *1-1-59 :* 10 ; *1-7-60 :* 20 ; *1-1-62 :* 10 ; *1-7-62 :* 10 ; *1-7-63 :* 10 ; *1-1-65 :* 10 ; *1-1-66 :* 10 ; total : 80 ; *1-7-68* abolition complète entre 6 premiers membres (date prévue 1-1-70).

Grand Marché unique européen ou Marché intérieur de la Communauté

Déjà inscrit dans le principe dans le traité de Rome de 1957. Fin 91, 232 dispositions sur 282 prévues par le « Livre blanc » étaient arrêtées. + de 80 % des mesures nécessaires pour garantir la libre circulation des hommes, des marchandises, services et capitaux ont déjà été adoptées par la France. Ne sont pas encore adoptées par les 12, la convention sur le franchissement des frontières extérieures qui devrait permettre aux voyageurs non originaires d'un pays membre de se déplacer au sein de la Communauté avec 1 seul visa, et (Danemark excepté) la convention de Dublin déterminant l'État responsable de l'examen d'une demande d'asile.

Dispositions de base pour la réalisation du Marché unique : suppression des écarts de fiscalité indirecte et de la différence des normes techniques et sanitaires, ouverture des marchés publics, actuellement presque tous réservés aux entreprises nationales (transparence de la publicité des offres qui devront être publiées dans les JO des communautés européennes, principe de l'appel d'offres ouvert, réglementation restrictive des appels d'offres restreints et des négociations de gré à gré), développement du SME, création d'une monnaie unique.

Situation au 5-5-1993	Mesures transposées		Dérogations	Mesures non transposées	Sans objet
	nombre	%			
Allemagne	165	76,7	0	44	6
Belgique	182	84,6	0	27	6
Danemark	195	90,7	0	13	7
Espagne	169	79	2	41	3
France	*177*	*82*	*0*	*33*	*5*
Grèce	157	73	2	51	5
Irlande	160	74,4	1	48	6
Italie	189	88	0	22	4
Luxembourg	168	78	0	39	8
Pays-Bas	172	80	0	37	6
Portugal	173	80	2	38	2
Roy.-Uni	188	87,4	1	20	6

Traité sur l'Union européenne (Traité de Maastricht)

■ **Adoption. 1991** *9/10-12* tr. d'union économique, monétaire et politique, conclu les par les chefs d'État et de gouv. des Douze lors du 46e sommet européen à Maastricht (P.-Bas). **1992** *7-2 signé* par les ministres des Aff. étr. *7-4* approuvé par le Parlement européen (226 pour, 62 contre, 31 abstentions). **Ratification dans les pays membres. Référendum.** *Danemark 2-6-92 :* non 50,7 % des voix ; *18-5-93* oui 56,8 %. *Irlande 19-6-92 :* oui 69 %. *France 20-9-92 :* oui 51 %. **Adoption par voie parlementaire.** *Luxembourg* 2-7-92. *Belgique* 17-7-92. *Grèce* 1-8-92. *Italie* 29-10-92. *Pays-Bas* 12-11-92. *Espagne* 25-11-92. *Allemagne* 2-12-92. *Portugal* 10-12-92. *G.-B.* 20-5-93 (Ch. des communes).

■ **Principales dispositions.** Institue une Union européenne. *Objectifs :* promouvoir un progrès économique et social durable, notamment par la création d'un espace sans frontières intérieures et l'établissement d'une union économique et monétaire avec une monnaie unique ; affirmer son identité sur la scène internat. par la mise en œuvre d'une politique étrangère et de sécurité commune ; renforcer la protection des droits et intérêts des ressortissants de ses États membres par l'instauration d'une citoyenneté de l'Union ; développer une coopération étroite dans le domaine de la justice et des aff. intérieures ; maintenir intégralement et développer l'acquis communautaire. Les institutions chargées d'accomplir les tâches confiées à la Communauté sont le Parlement européen, le Conseil des min., la Commission, la Cour de justice et la Cour des comptes. L'Union respecte l'identité nationale de ses États membres dont les systèmes de gouv. sont fondés sur les principes démocratiques et les droits fondamentaux tels qu'ils sont garantis par la Convention des droits de l'homme et des libertés fondamentales signée à Rome le 4-11-1950. **Action de la Communauté.** Entre les États membres :

élimination des droits de douane et des restrictions quantitatives à l'entrée et à la sortie des marchandises ; politique commerciale commune ; abolition des obstacles à la libre circulation des marchandises, des personnes, des services et des capitaux ; mesures relatives à l'entrée et à la circulation des personnes dans le marché intérieur ; régime assurant que la concurrence n'est pas faussée dans le marché intérieur ; rapprochement des législations nat. dans la mesure nécessaire au fonctionnement du marché commun ; politique dans le domaine social comprenant un Fonds social européen ; renforcement de la cohésion économique et sociale ; politique dans le domaine de l'environnement ; renforcement de la compétitivité de l'industrie de la Communauté ; promotion de la recherche et du développement technologique ; encouragement et développement de réseaux transeuropéens ; contribution à l'épanouissement des cultures ; politique dans le domaine de la coopération au développement ; association des pays et territoires d'outre-mer, en vue d'accroître les échanges et de poursuivre en commun l'effort de développement économique et social ; contribution au renforcement de la protection des consommateurs ; mesures dans les domaines de l'énergie, de la protection civile et du tourisme.

■ Principe de subsidiarité. Précisé dans le traité à la demande de l'Allemagne et du R.-U. « Dans les domaines ne relevant pas de sa compétence exclusive, la Communauté n'intervient... que dans la mesure où les objectifs ne peuvent être réalisés de manière suffisante par les États membres et... peuvent être mieux réalisés au niveau communautaire. »

■ Union économique et monétaire (UEM). Principe arrêté à Madrid en juin 1989. Elle doit être réalisée en 3 étapes. *1°)* **Institution d'un SEBC (Système européen de banques centrales)** composé de la *BEC (Banque centrale eur.)* et des b. centrales nat., chargé de déterminer et mettre en œuvre la politique monétaire de la Communauté, détenir et gérer les réserves officielles de change des États membres, promouvoir le bon fonctionnement des systèmes de paiement. Dep. juill. 1990, libér. totale des mouv. de capitaux dans les pays de la CEE.

2°) **1-1-1994 : entrée en fonction de l'Institut monétaire européen** (IME) chargé de renforcer la coopération entre banques centrales nat., surveiller le fonctionnement du SME, promouvoir l'usage de l'écu et proposer les conditions du passage à la monnaie unique. En 1996, le Conseil eur. décidera si 7 pays membres ou + remplissent les conditions requises (inflation ne dépassant pas de + de 1,5 point la moyenne des 3 meilleures performances des 12, taux d'intérêt à long terme n'excédant pas de + de 2 points ceux pratiqués par les 3 pays où les taux sont les + bas, déficit budgétaire inf. à 3 % du PNB, dette nat. et monnaie stable dep. 2 ans). Si ces conditions sont réunies la phase finale commencera en 1997, sinon en 1999. *3°)* **1-1-1999 : entrée en vigueur de la monnaie unique.** Seuls France, Danemark et Luxembourg remplissaient fin 1991 toutes les conditions. Une clause d'exception *(opting out)*, en annexe au traité, permet à la G.-B. de ratifier le traité sans se prononcer sur la monnaie unique dont elle refuse le principe. Le Danemark a accepté le principe mais pourra organiser un référendum conformément à sa tradition constitutionnelle.

Fin 1991	Inflation	Déficit % du PIB	Dette % du PIB	Intérêt [1]	Prêt pour l'UEM
Allemagne .	4,6	3,6	45,4	8,7	non
Belgique . .	3,2	6,3	129,4	9,3	non
Danemark .	2,4	1,7	66,7	10,1	non
Espagne . .	5,8	3,9	45,6	12,4	non
France	3,0	1,5	47,2	9,0	oui
G.-B.	6,5	1,9	43,8	9,9	non
Grèce	18,3	17,9	96,4	19,5	non
Irlande . . .	3,0	4,1	102,8	9,2	non
Italie	6,4	9,9	101,2	12,9	non
Luxemb. . .	3,4	2,0	6,9	8,2	oui
Pays-Bas . .	3,2	4,4	78,4	8,9	non
Portugal . .	11,7	5,4	64,7	17,1	non

Nota. – (1) Taux d'intérêt à long terme.

Principe de cohésion. Transfert de richesses des pays les plus riches vers les plus pauvres pour assurer « la cohésion » de la Communauté. Reconnu par le traité qui permet également une augmentation des « fonds structurels » (compensation) pour la période 1993-97. L'Espagne avait exigé des garanties sur ce principe de cohésion.

■ Union politique. **Politique étrangère commune :** les chefs d'État et de gouvernement devant décider à l'unanimité des sujets qui feront l'objet d'une action commune. **Défense commune :** l'UEO (Union de l'Europe occid.) est chargée de l'élaboration de cette politique. **Pouvoirs du Parlement eur. :** en particulier renforcement en matière législative. Outre le pouvoir de « codécision » dans un certain nombre de domaines, le Parlement devra donner un avis conforme pour la ratification des traités et approuver la nomination des membres de la Commission. **Compétences de la Communauté :** élargissement des visas (politique commune), santé, grands réseaux (infrastructures transnationales de transports et télécomm., éducation, formation, protection des consommateurs, culture et industrie). Décisions prises en Conseil des ministres à l'unanimité (pour agriculture et industrie), sinon à la majorité qualifiée, et en association avec le Parlement eur. (procédure de codécision ou droit de veto). La majorité qualifiée est d'au moins 8 États membres et 54 voix sur 76. Nombre de voix des pays membres (All., France, Italie, R.-U. 10 chacun ; Espagne 8 ; Belgique, Grèce, P.-Bas, Portugal 5 ; Danemark, Irlande 3). Le R.-U. ayant refusé la « charte sociale », un protocole autorise les autres membres à appliquer à 11 les décisions votées à la majorité qualifiée en matière d'hygiène, santé dans le travail, information et participation des travailleurs, égalité des sexes dans le travail. **Coopération politique et judiciaire :** renforcement.

■ Citoyenneté de l'Union. Est citoyen toute personne ayant la nationalité d'un État membre. Tout citoyen de l'Union est libre de circuler et séjourner sur le territoire des États membres. Même s'il n'en est pas ressortissant il a le droit de vote et d'éligibilité aux élections municipales (et aux élections au Parlement européen) dans l'État où il réside.

☞ A priori 2 dispositions du traité sont contraires aux règles constitutionnelles françaises : 1°) *le droit de vote et d'éligibilité des ressortissants européens aux élections municipales et européennes* est contraire à l'art. 3 de la Constit. de 1958 : « sont électeurs (...) tous les nationaux français majeurs » ; 2°) *le préambule de la Constitution de 1946, repris par celle de 1958, prévoit seulement la possibilité de « limitations de souveraineté »* : le Conseil, dans sa décision de 1976, en a conclu que les « transferts de souveraineté » n'étaient pas autorisés. Or, la théorie admet qu'il y a « limitation » lorsqu'un pouvoir est transféré à une autorité au sein de laquelle les décisions doivent être prises à l'unanimité, et « transfert » lorsqu'elles peuvent être prises à la majorité (comme les décisions sur la monnaie unique). Le 11-3-1992, le Pt Mitterrand a saisi à ce sujet le Conseil constitutionnel (il y a déjà eu des transferts de souveraineté en 1957, lors de la signature du traité de Rome, et on vit depuis cette époque avec des dispositions « non constitutionnelles »).

■ Principaux points de discussion. Diplomatie. En matière de politique étrangère commune, décisions désormais prises à la majorité qualifiée, et non plus à l'unanimité. *Pour :* All., Belgique, Espagne, France, Italie, Luxembourg, P.-Bas. *Contre :* Danemark, Irlande, Portugal, R.-U. *Décision :* la règle de l'unanimité est conservée, seules les modalités d'application pourront faire l'objet d'un vote à la majorité qualifiée. Défense. Désormais de la responsabilité de l'UEO et non plus de l'Alliance atlantique. *Pour :* All., Espagne, France. *Contre :* Italie, P.-Bas, Portugal, R.-U. *Décision :* confiée à l'UEO. Politique sociale. Possibilité pour la Communauté d'arrêter à la majorité qualifiée des prescriptions minimales en matière de conditions de travail, information des salariés, égalité des sexes dans le travail. *Pour :* All, la Commission. *Contre :* Espagne, Grèce, Irlande, Portugal, R.-U. *Décision :* un protocole autorise les 11 à appliquer les décisions votées à la majorité, sans le R.-U. en raison de son opposition irréductible. Monnaie. Passage à la monnaie unique le 1-1-1997 et engagement irréversible des Douze à adopter l'écu. *Pour :* tous sauf R.-U. *Décision :* engagement irréversible sauf pour R.-U., passage à la monnaie unique adopté fin 1996 à la majorité qualifiée si 7 pays au moins sont prêts, passage automatique au 1-1-1999 pour les pays aptes.

■ Coût de Maastricht (estimations de la Commission). Budget de la Communauté : *1992 :* 66 milliards d'écus (46 Md F) ; *1997 :* 87,5 (609) dont 1°) réduction des disparités de développement par un doublement des aides structurelles aux pays les moins riches (coût 11 Md d'écus) ; 2°) renforcement de la compétitivité industrielle pour stimuler la croissance (3,5 Md) ; 3°) affirmation de la présence de l'Union sur la scène internationale (3,5). All., France et R.-U. sont actuellement contributeurs nets. L'aménagement de 2 autres ressources (prélèvement de 1,4 % de l'assiette TVA et impôt basé sur le PNB) devrait amener Italie, P.-Bas, éventuellement Belgique et Danemark à devenir également contributeurs nets.

Répartition des crédits par secteurs (en milliards d'écus, 1992)	1987	1992	1997
Politique agricole commune	32,7	35,3	39,6
Actions structurelles [1]	9,1	18,6	20,3
Politiques internes [2]	1,9	4	6,9
Politiques extérieures	1,4	3,6	6,3
Dépenses d'administration [3]	5,9	4	4
Réserves	0	1	1,4
Total	**51**	**66,6**	**87,5**

Nota. – (1) Dont le Fonds de cohésion. (2) Autres que les actions structurelles. (3) Et remboursements.

Gagnants (aides, subventions, en milliards de F en 1992). Grèce + 27,3, Espagne +20,3, Irlande + 16,8. **Perdants** (contributions nettes). G.-B. – 21, France – 10,5, All. – 1,63.

Territoire douanier de la CEE

■ Régime normal. Territoire des États signataires du traité de Rome. *All. fédérale* (sauf l'île de Helgoland et le territoire de Büsingen), *Belgique, Danemark* (sauf îles Féroé), *France* (sauf Territoires d'outre-mer), *Grèce, Irlande, Italie* (sauf communes de Livigno et Campione d'Italia, eaux nationales du lac de Lugano comprises entre la rive et la frontière politique de la zone située entre Ponte Tresa et Porto Ceresio), *Luxembourg, P.-Bas, Royaume-Uni* (sauf îles Anglo-Normandes et île de Man).

■ Régimes d'exception. 1°) *Jungholz et Mittelberg* (Autriche, rattachés au domaine douanier allemand par les traités germano-autr. de 1868 et 1890) ; *Monaco* (en union douanière avec la France : convention du 18-5-1963) ; *St-Marin* (conv. du 31-3-1939). 2°) *Zones franches : du pays de Gex et de la Hte-Savoie* régies par un statut particulier (origine : tr. de Paris du 20-11-1815 et de Turin du 16-3-1816 ; consacré par l'arrêt de la Cour de justice int. du 7-6-1932 et la sentence arbitrale du 1-12-1933). Les opérations effectuées en z. fr. doivent être soumises à des conditions très proches de celles de l'entrepôt pour le stockage, de celles du perfectionnement actif pour la transformation sous sujétion douanière. Il est interdit de consommer en z. fr. ou d'utiliser des biens d'équipement, outillage, énergie, n'ayant pas acquitté les droits de douane. *Le port franc de Hambourg* a hérité certains privilèges de son passé hanséatique : les opérations de perfectionnement actif qui y sont effectuées ne sont pas soumises à des conditions d'ordre économique tant que la concurrence dans la Communauté n'en sera pas affectée.

☞ Fin 1988, les entraves économiques qui subsistaient encore entre les 12 États de la CEE coûtaient chaque année au moins 120 milliards d'écus (840 milliards de F environ).

■ Circulation. Convention de Schengen. Signée 19-6-1990, complète l'accord conclu à Schengen (Luxembourg) le 14-6-1985, qui visait à supprimer progressivement les contrôles aux frontières communes des pays signataires (1985 : France, Allemagne, Belgique, Luxembourg, Pays-Bas ; 27-11-90 : Italie ; 25-6-91 : Espagne, Portugal). Entrée en vigueur théorique le 1-1-93, reportée au 1-7-93, probablement repoussée au 1-1-94 [1]. *Citoyens de la CEE :* liberté de circulation totale dans l'espace Schengen. *Ressortissants de pays tiers :* les étrangers résidant dans un des pays membres et les étrangers en visite dans un des 8 pays signataires de la Convention, s'ils désirent se rendre dans l'un des 7 autres États, seront soumis à une déclaration obligatoire (à l'entrée du territoire ou auprès des autorités du pays dans lequel ils se rendent). *Touristes de pays tiers :* visa obligatoire pour les ressortissants de + de 100 pays. désirant pénétrer dans le nouvel espace (visa uniforme, valable pour les territoires des 8 pays signataires). *Demandeurs d'asile :* toute demande sera étudiée par un seul État membre de Schengen. Sera responsable du traitement de la demande, l'État où résident déjà, en qualité de réfugiés, des parents du demandeur ; l'État qui lui a délivré un titre de séjour ou un visa : celui qui a autorisé son entrée sans visa ou le 1er des 8 pays sur le territoire duquel le demandeur a pénétré, même irrégulièrement. *Immigrés illégaux :* harmonisation des politiques de refoulement (dispositions pénales réprimant l'aide à l'immigration illégale, et dispositions de droit interne concernant le rapatriement par les Cies de transport des ressortissants de pays tiers ayant fait l'objet d'un refus d'entrée). L'État responsable de ce refoulement est celui qui découvre sur son sol un étranger en séjour irrégulier.

Nota. – (1). La France a décidé de ne pas appliquer la convention en 1993, en raison de l'insuffisance de la lutte contre le trafic des stupéfiants aux P.-Bas et de l'incapacité de l'Italie et de la Grèce à surveiller leurs frontières. ext.

Principales critiques. **Trafic de drogue :** danger de la disparition des contrôles aux frontières intérieures. La Convention se satisfait d'une déclaration d'intention des pays membres et accepte des différences sensibles entre les législations (les P.-Bas, plaque tournante du trafic de drogue, et l'Espagne tolèrent ainsi les drogues douces). **Établissement des étrangers :** la France risque d'apparaître plus attractive, notamment pour les clandestins : prestations sociales, scolarisation sans conditions, regroupement familial, mesures d'expulsion peu appliquées, naturalisation facile (aux Pays-Bas il n'y a jamais de régularisations collectives, les mesures d'éloignement sont exécutées, en All. l'accès à la nationalité est difficile). **Immigration clandestine de l'Est :** l'Allemagne comptait en 1991 550 000 demandeurs d'asile en instance, 490 000 « faux réfugiés politiques », 700 000 étrangers pouvant faire valoir une origine allemande et environ 500 000 clandestins. Mais le droit d'asile est inscrit dans la Constitution all. et ne peut être modifié qu'à la majorité qualifiée des 2/3, actuellement impossible à réunir au Bundestag. *Du Sud :* de l'Afr. du N. facile aux frontières du Portugal et aux frontières sud de l'Espagne (Ceuta, Melilla, Algésiras, Las Palmas, côte de Cadix, Malaga, Almería). **Renforcement des contrôles aux frontières extérieures :** coûteux et difficile à réaliser. La France devra ainsi redéployer ses moyens à la frontière suisse, dans 118 aéroports assurant des vols extra-Schengen, au tunnel sous la Manche et sur ses 3 000 km de frontières maritimes. **Aménagement des aéroports :** les passagers venant d'un État tiers, y compris ceux en transit, devront être contrôlés, ainsi que leurs bagages à main, à l'aéroport d'arrivée dans l'espace Schengen. D'où la nécessité d'aménager dans les aéroports un circuit de circulation spécifique aux passagers Schengen s'ajoutant aux circuits domestique et international.

Principales mesures réclamées. Création d'un « espace judiciaire » dans les 8 pays concernés, harmonisation des législations sur la drogue, modification du droit d'asile en Allemagne, création d'une police européenne, mise en place de brigades mixtes aux frontières extérieures.

■ Euratom ou CEEA (Communauté européenne de l'énergie atomique)

Siège. 200, rue de la Loi, 1049 Bruxelles. **Création :** tr. de Rome signé 25-3-1957 (en vigueur : 1-1-1958). **But :** promouvoir le développement de l'énergie nucléaire dans les 10 États membres. A facilité la réalisation de centrales nucléaires dont : Chooz (Fr.), Grundremmingen, Lingen, Obrigheim (All. féd.) et l'installation expérimentale JET dans le domaine de la fusion. *Centre commun de recherches :* 2 000 chercheurs en 4 établissements : Karlsruhe (All.), Geel (Belg.), Ispra (It.), Peter (P.-Bas).

■ Budget des communautés

■ **Origine.** La Ceca fut autorisée à percevoir un 1er impôt européen, prélevé sur la production de charbon et d'acier et à contracter des emprunts.

Budget 1993-97. Le projet présenté au Parlement européen (12-2-1992) dit « paquet Delors 2 » vise à le porter de 66 milliards d'écus (1991) à 85 milliards en 1997, soit + de 590 milliards de F. Il représenterait alors 1,35 % du PNB communautaire contre 1,2 % actuellement.

■ **Comparaisons entre États membres. Ressources propres** (1990, en %). All. 25,9, *France 19,87* (91 : 20,53), Italie 15,35, G.-B. 15,14, Esp. 7,99, P.-Bas 6,17, Belgique 4,02, Danemark 2,04, Grèce 1,3, Portugal 1,16, Irlande 0,84, Lux. 0,16. **Position financière** (en milliards d'écus courants, 1992). *Contributeurs nets :* All. 9, R.-U. 3, France 1,5, P.-Bas 0,1, *Bénéficiaires nets :* Danemark 0,5, Italie 0,6, Lux. 0,7, Portugal 1,1, Belgique 1,6, Irlande 2,4, Esp. 2,9, Grèce 3,9.

Structure de financement des dépenses des communautés européennes en 1993

En %	Moyenne CEE	All.	France	Italie	G.-B.
Prélèv. agric.	3,4	2,5	3,2	3,6	2,8
Droits de douane	20,2	21,6	13,6	11,4	31
TVA	54,8	55,7	61,8	60	38,7
PNB	21,6	20,2	21,4	25	27,5
Total	100	100	100	100	100

■ **Part de la France. Ressources affectées par la France aux communautés** (en milliards de F 1991). 84,25. En retour, elle en recevra 60, soit une contribution nette de 24 milliards (*1982* 5).

■ **Prélèvements sur les recettes de l'État** (en milliards de F). *1988, loi de finance initiale* 54,77 (révisée 64,48), *89 :* 64,49 (61,44), *90 :* 63,5 (60,2), *91 :* projet de loi de fin. 70,75. **En indice.** *1982* indice 100. *88 :* 176,1, *89 :* 161,6, *90 :* 153,2, *91 :* 175,3. (En % du PIB) : *1970-74 :* 0,2, *75-85 :* 0,8, *88-91 :* 1,1.

☞ Le prélèvement CEE représente 4,7 % des recettes fiscales de l'État, 10,5 % de la TVA, 14 % de l'IRPP.

Répartition (en milliards de F, projet 1991). Soutien marchés agricoles 41,9, politique des structures agr. 3,3, de la pêche 0,6, développement régional et transport 8,4, pol. sociale 5,9, recherche, énergie et ind. 2,3, coopér. et développ. 2,3, fonctionnement des institutions 3,5, remboursement aux États membres et crédits provisionnels 2,7. *Total* 70,75.

■ **Dépenses des Communautés européennes en France** (en milliards de F, est. 1990) : 46,1 dont Feoga garantie hors budget 38,4, fonds de concours budg. 6,2, remboursement à l'État 1,6.

■ **Contributeurs nets pour 1986-90** (en milliards de F). Allemagne 186, G.-B. 89, *France 53,5,* Belgique 27, Italie 12,5, Luxembourg 2. **Pays bénéficiaires :** Grèce 61, Irlande 46,5, Espagne et P.-Bas 23,6, Portugal 15,3, Danemark 11,1.

☞ En 1988 pour 100 écus versés à la Communauté, les pays ont reçu : Irlande 453, Grèce 446, Portugal 228, Esp. 150, P.-Bas 141, Danemark 135, Italie 102, *France 80,* G.-B. 61, Belgique 49, All. féd. 47, Luxemb. 17.

■ **Fraude** (en millions d'écus, 1992). 270 (1 850 cas) dont infractions douanières 152,1 (820 cas), fraudes agricoles 117,8 (1 030 cas). **Par pays** (nombres de cas dénoncés). Italie 422, All. 383, G.-B. 311, *France 257* [dont fraudes douanières 137 (13 millions d'écus), fraudes agr. 108 (5)], Belgique 129, Espagne 121, P.-Bas 111, Grèce 90, Danemark 54, Irlande 33, Portugal 11, Luxembourg 0.

■ Organismes d'action des communautés

■ **Fonds européen de coopération monétaire (Fecom).** *Créé* 1972 pour gérer le mécanisme de change du SME et ses mécanisme de crédit. Devenu depuis l'instrument de réserve et le moyen de règlement entre banques centrales du SME. Émet l'écu au bénéfice des banques centrales, en échange du dépôt de 20 % de leurs réserves d'or et 20 % de leurs réserves en $. *Montant total des réserves* (1992) : 52 milliards écus.

Nota. – Le Fecom sera dissous le 1-1-1994 au profit de l'Institut monétaire européen.

■ **Fonds européen de développement (FED). But :** faciliter les concours financiers des États membres aux États associés. **Sommes octroyées :** *1°) dans le cadre des 3 premiers Fonds de développement* de 1958 au 31-1-1975 : 2 211,25 millions d'unités de compte aux associés d'Afrique et de Madagascar. *2°) 4e Fonds* élargi à 46 pays d'Afrique et des Caraïbes et du Pacifique (ACP). *1re Convention de Lomé* (28-2-1975) du 1-4-1975 au 28-2-1980 : 3 150. *2e Conv. de Lomé* (CEE et 58 pays) de 1980 à 1985 : 5 900. *3e Conv. de Lomé* (66 pays) de 1986 à 1990 : 8 500.

Répartition (en %, 1993) : All. féd. 26,06 ; *France 23,58 ;* G.-B. 16,58 ; Italie 12,58 ; Espagne 6,66 ; P.-Bas 5,64 ; Belgique 3,96 ; Danemark 2,08 ; Grèce 1,24 ; Portugal 0,88 ; Irlande 0,55 ; Luxembourg 0,19.

■ **Fonds européen de développement régional (Feder). Création :** décidée 10-12-1974 (réunion de Paris). *Mise en œuvre :* 1-1-1975. **But :** corriger les déséquilibres régionaux de la CEE (résultant d'une prédominance agricole, des mutations industrielles et du sous-emploi) en fournissant une aide complémentaire aux actions menées par les pouvoirs publics nationaux. **Dotation** au départ 1 300 millions d'u.c. (7,15 milliards de F), dont en *1975 :* 300 millions, *76 :* 500, *77 :* 500, *78 :* 581, *79 :* 620, *85 :* 1 652.

Dep. 1978, quote-part nationale pour 95 % des ressources et sections, « hors quote-part » pour 5 % (dont en % : Italie 39,39 ; G.-B. 27,03 ; *France 16,86 ;* Irlande 6,46 ; All. féd. 6 ; P.-Bas 1,58 ; Belgique 1,39 ; Danemark 1,20 ; Luxembourg 0,09). **Taux d'intervention :** en général 20 % de l'investissement pour les activités ind., artisanales ou de services, 30 % des dép. publiques pour les inv. en infrastructures (10 à 30 % si inv. de 10 millions ou + d'u.c.).

Destinataires. Répartition des ressources. Italie, G.-B., Irlande, Grèce, Espagne, Portugal 75 % ; France 15 % (Bretagne, S.-Ouest, Nord, Est, Corse et DOM-TOM).

■ **Fonds européen d'orientation et de garantie agricole (Feoga)** (voir Index.)

■ **Fonds social européen (FSE). Créé** 1958. Fonctionne dep. 1960. **Buts :** accompagnement des décisions sur l'emploi prises au niveau européen (reconversions par ex.), promouvoir les facilités d'emploi et la mobilité géographique et professionnelle des travailleurs à l'intérieur de la Communauté. **Taux d'intervention :** *actions entreprises par le secteur public,* 50 % des dépenses ; *secteur privé :* somme égale à celle dépensée par les pouvoirs publics (majorée de 10 % quand déséquilibre grave et prolongé de l'emploi dans une région). **Répartition des aides** (en %) : Esp. 20,5, G.-B. 16, Italie 14, *France 11,4,* Grèce 10, Italie 8,8, Portugal 7,9, All. 6, P.-Bas 2,4, Belgique 1,8, Danemark 1, Luxembourg 0,1.

Aides en millions d'u.c. : *1975 :* 371,83, *76 :* 436,37, *77 :* 615,70, *78 :* 568, *80 :* 1 014,2, *82 :* 1 533,9, *83 :* 1 876,25, *84 :* 1 854,25 (France 214,53), *85 :* 1 596.

■ **Nouvel Instrument communautaire (NIC).** Dit aussi *« Facilité Ortoli »* du nom de son promoteur. Destiné à concourir au financement de projets d'investissement contribuant à accroître le degré de convergence et d'intégration des politiques écon. des États membres. **Montant total des emprunts** au titre du NIC : *1979 à 1990 :* 6 347,2 millions d'écus (dont 1990 : 23,6).

II. Institutions communes

■ Conseil des ministres

Organe de décision de la CEE. Siège : *Sessions* à Bruxelles 9 mois ; Luxembourg en avril, juin et octobre. *Secr. gén.* à Bruxelles. **Organisation :** réunit les représentants des 12 gouv. (1 par gouvernement) en plusieurs compositions (relations ext., agriculture, problèmes écon. et fin., budget, énergie, environnement, pêche, transport, affaires sociales, etc.). *Présidence* confiée à tour de rôle pendant 6 mois à chaque État m. *Préparation des travaux :* assurée par le Comité de représentants permanents, ayant rang d'ambassadeurs (Coreper), de chaque État membre auprès de la Communauté eur. Le Coreper est assisté par une centaine de groupes de travail composés de diplomates ou fonctionnaires de divers ministères des États m. **Rôle :** organe de décision de la Communauté, il statue sur les propositions de la Commission après consultation du Parlement eur. (si prévue par les traités) et du Comité économique et social. Décisions prises à la majorité simple, à la majorité qualifiée ou à l'unanimité. Il ne peut amender les propositions de la Commission qu'à l'unanimité. Il peut inviter la Commission à lui soumettre des propositions (art. 152 du traité).

■ Commission des communautés européennes

■ **Organisation.** 17 *membres* (désignés pour 4 ans) dont 2 p. All. féd., Espagne, France, G.-B., Italie et 1 p. Belgique, Danemark, Grèce, Irlande, Luxembourg, P.-Bas et Portugal, désignés par les 12 gouvernements. 23 directions générales.

■ **Organigramme au 1-1-1993.** *Pt Aff. monétaires :* Jacques Delors (20-6-1925, Fr.). *Aff. écon. et financ., Crédit et investissements, Statistiques :* Henning Christophersen (8-10-39, Dan.). *Coopération et développement, Aide humanitaire d'urgence :* Manuel Marin (1-9-49, Esp.). *Aff. industrielles, Technologies de l'information et des télécommunications :* Martin Bangemann (15-11-34, All.). *Aff. écon. ext., Pol. commerciale :* Sir Leon Brittan (25-9-39, G.-B.). *Énergie et agence d'approvisionnement de l'Euratom, Transports :* Abel Matutes (31-11-41, Esp.). *Budgets, Contrôle financier, Antifraude :* Peter Schmidhuber (15-12-31, All.). *Fiscalité et union douanière, Pol. des consommateurs :* Christiane Scrivener (1-9-25, Fr.). *Pol. régionale :* Bruce Millan (5-10-27, G.-B.). *Pol. de la concurrence, Personnel, Administration et traduction :* Karel Van Miert (17-1-42, Belg.). *Rel. pol. ext., Pol. ext. et de sécurité commune, Négociations d'élargissement :* Peter Van den Broek. *Rel. avec le Parlement europ., avec les États membres en matière de transparence, communication et information, Culture et audiovisuel, Publications :* João Deus Pinheiro (8-3-19, Port.). *Aff. sociales et emploi, Rel. avec le Comité économique et social, Questions liées à l'immigration et aff. intérieures et judiciaires :* Padraig Flynn (9-5-39, Irl.). *Science, Recherche et développement, Ressources humaines, Éducation, Formation et jeunesse :* Antonio Ruberti. *Agriculture, Développement rural :* René Steichen. *Environnement, Sécurité nucléaire et protection civile, Pol. de la pêche :* Ioannis Paleokrassas (Grèce). *Questions institutionnelles, Marché intérieur, services financiers, Pol. d'entreprise (PME, Commerce et artisanat) :* Raniero Vanni d'Archirafi (It.).

Nota. – 1er Pt Commission de la CEE (17-1-1958/1-1-1967) Walter Hallstein (1901-82).

Personnel : 12 500 fonctionnaires dont 3 000 dans les services scientifiques et techniques, 2 000 à Luxembourg, 4 000 dans le monde dans les délégations. *Fonctionnaires de catégorie A :* 3 450 (Français 16 %, Allemands 14, Italiens 13, Belges 13, Britanniques 11, Espagnols 10).

■ **Buts.** Propose au Conseil des ministres de la Communauté les mesures à prendre dans l'intérêt de la Communauté. Gardienne des traités et des dispositions prises par les institutions communes, elle rend compte de sa tâche dans un rapport annuel soumis à l'examen de l'Assemblée parlementaire eur. Elle informe et donne aux gouv. les éléments d'appréciation dont ils ont besoin en conseil. Elle dispose de certains pouvoirs de décision. Elle cherche à concilier les points de vue des États membres et joue ainsi un rôle important dans les négociations (en fait continuelles entre eux).

■ PARLEMENT EUROPÉEN

ORGANISATION

Nom. Assemblée des communautés européennes. **Secrétariat général.** Luxembourg (Centre européen). **Organisation. Membres.** 518 m. élus au suffrage universel direct (All. 81, Belgique 24, Danemark 16, Espagne 60, *France 81,* G.-B. 81, Grèce 24, Irlande 15, Italie 81, Luxembourg 6, P.-Bas 25, Portugal 24). *Travail parlementaire* préparé par des commissions spécialisées et par les groupes politiques. Groupes : voir tableau ci-contre. *Sessions plénières :* en général 1 fois par mois à Strasbourg, au Palais de l'Europe. **Pts :** *1979 :* Simone Veil (13-7-27 UDF), *1982 :* Piet Dankert (1934, trav. néerl.), *1984 (juill.)* Pierre Pflimlin (5-2-07, UDF), *1987 (janv.)* Lord Henry Plumb (27-3-25, conserv. brit.), *1989 (juill.)* Enrique Barón Crespo (1934, socialiste esp.), *1992 (janv.)* Egon Klepsch (dém.-chr. all.). **Vice-pts.** Nicole Péry (PS) ; Nicole Fontaine (CDS) ; Georgios Anastassopoulos (dém.-chr. grec) ; Roberto Barzanti (Gauche dém. ital., ex-PCI) ; Antonio Capucho (libéral port.) ; João Cravihho (soc. port.) ; Nicolas Estgen (dém.-chr. lux.) ; Maria Magnani-Noya (soc. ital.) ; David Martin (trav. brit.) ; Johannes Peters (soc. all.) ; Georgios Romeos (soc. grec) ; Jack Stewart-Clark (dém.-chr. brit.) ; Josep Verde y Aldea (soc. esp.) ; Marie-Anne Isler-Béguin (Verts). **Bureau d'information.** 288, bd St-Germain, 75007 Paris. Minitel 36-15 code CEE.

Pouvoirs. De contrôle : motion de censure contre la Commission ; recours à la Cour de justice si Commission et Conseil s'abstiennent de statuer ; questions écrites, orales, avec débat au Conseil, à la Commission et aux ministres des Aff. étr. réunis dans le cadre de la coopération politique ; rapport de la Communauté sur les suites données aux avis du Parlement eur. ; colloque trimestriel de la commission politique avec le Pt. de la coop. politique ; rapport du Conseil eur. au Parlement eur ; investiture du Pt de la Commission (tr. de Maastricht). **Budgétaires :** arrête le budget de la Communauté après l'avoir établi avec le Conseil. Peut le rejeter. Cas en 1979 pour l'exercice 1980 et en 1984 pour 1985, forçant le Conseil à reprendre la procédure. Contrôle son exécution. **Participation au processus législatif :** consulté dans la majorité des cas. Si le Conseil n'entend pas l'avis du Parlement, son acte est annulé. Établissement des rapports d'initiative ; concertation avec le Conseil dans le domaine législatif pour les actes ayant des incidences financières notables. Coopère avec le Conseil dans les domaines du marché intérieur. Codécide avec le Conseil dans certains domaines (tr. de Maastricht).

ÉLECTIONS AU PARLEMENT EUROPÉEN

Généralités

Mode. Suffrage universel (avant 1979, les membres étaient désignés par les Parlements nationaux). **All. féd.** : proportionnel à l'échelon fédéral. Seules les listes ayant au moins 5 % des voix participent à la répartition des sièges. Les députés de Berlin sont élus par la chambre des députés du Land. **Belgique :** prop. 3 circonscriptions (Flandre, Wallonie, Bruxelles) ; 2 collèges électoraux (Français, Néerlandais) ; vote obligatoire ; panachage interdit. **Danemark :** prop. national. **Espagne :** prop. dans le cadre des provinces. **France :** prop. national. **G.-B :** majoritaire pour les 66 circonscriptions anglaises, les 8 écossaises et les 4 du pays de Galles ; prop. en Irlande du N. **Grèce :** prop. national. ; listes bloquées : vote obligatoire. **Irlande :** prop. 4 circonsc. **Italie :** prop. dans les 5 circonsc. région. : N.-E. 17 sièges, N.-O. 25, Centre 17, Sud 15, Sicile et Sardaigne 7 ; vote préférentiel et panachage possibles. **Luxembourg :** prop. national. **Pays-Bas :** prop. national. **Portugal :** prop. national.

Taux d'abstention	1979	1984	1989
Allemagne féd.	34,1	43,2	38,5
Belgique	8,6	7,8	7
Danemark	53	47	54
Espagne	–	31,1 [1]	45,2
France	39,3	43,3	51,1
Grèce	21,4 [2]	23	22,3
Irlande	36,4	53	31,7
Italie	14,5	16,1	18,5
Luxembourg	11,1	13	13
Pays-Bas	42,2	49,5	52,8
Portugal	–	27,4 [1]	48,8
Royaume-Uni	67,6	68	64

Nota. – (1) 1987. (2) 1981.

Composition du Parlement européen au 17-5-1993	TOTAL	All. féd.	Belg.	Dan.	Esp.	France	Grèce	Irl.	It.	Lux.	P.-Bas	Port.	R.-U.
Socialistes	199	31	8	3	27	22	9	1	34	2	8	8	46
PPE [1]	162	32	7	4	17	12	10	4	27	3	10	3	33
LDR [2]	45	5	4	3	5	9	–	2	3	1	4	9	–
Verts	28	6	3	1	1	8	–	–	7	–	2	–	–
RDE [3]	20	–	–	–	2	11	1	6	–	–	–	–	–
Groupe Arc-en-Ciel	16	1	1	4	3	1	–	1	3	–	–	1	1
DR [4]	14	3	1	–	–	10	–	–	–	–	–	–	–
CG [5]	13	–	–	–	–	7	3	–	–	–	–	3	–
Non-inscrits	21	3	–	–	5	1	1	1	7	–	1	–	1
TOTAL [6]	518	81	24	16	60	81	24	15	81	6	25	24	81

Nota. – (1) Parti pop. eur. ; dém. chrétiens. (2) Libéral, dém. et réformateur. (3) Rassemblement des dém. eur. (4) Groupe technique des droites eur. (5) Coalition des gauches. (6) En 1994, le Parlement devrait compter 567 députés pour tenir compte de la réunification de l'All. [99 (+ 18)], It., R.-U., France 87 (+ 6), Esp. 64 (+ 4), P.-Bas 31 (+ 6), Port., Grèce, Belg. 25 (+ 1), Dan. 16 (0), Irl. 15 (0), Lux. 6 (0).

ÉLECTIONS EUROPÉENNES DE 1979

■ **Dates.** *7-6 :* Danemark, G.-B., Irlande, P.-Bas ; *10-6 :* All. féd., Belgique, France, Italie, Lux. Les Grecs ont voté la 1re fois le 18-10-81 (la Grèce venant d'entrer à la CEE).

Résultats en France	Voix	%
Inscrits	35 180 531	100
Votants	21 356 960	60,77
Suffrages exprimés	20 242 347	57,53
UFE [1]	5 588 851	27,61
PS et MRG [2]	4 763 026	23,53
PCF [3]	4 153 710	20,52
DIFE [4]	3 301 980	16,31
Écologistes [5]	888 134	4,39
Extrême gauche trotskiste [6]	623 663	3,08
Emploi-Égalité-Europe [7]	373 259	1,84
Défense interprofessionnelle [8]	283 144	1,40
Eurodroite [9]	265 911	1,31
Régions-Europe [10-12]	337	0
PSU [10-11-12]	332	0

Nota. – (1) S. Veil. (2) F. Mitterrand. (3) G. Marchais. (4) J. Chirac. (5) Solange Fernex. (6) A. Laguiller. (7) J.-J. Servan-Schreiber. (8) Ph. Malaud. (9) J.-L. Tixier-Vignancour. (10) J.-E. Hallier. (11) Huguette Bouchardeau. (12) N'avaient pas déposé de bulletins de vote dans les bureaux.

☞ Voir détails dans Quid 1985, page 728.

ÉLECTIONS EUROPÉENNES DE 1984

■ **Dates.** *14-6 :* Danemark, G.-B., Irlande et P.Bas ; *17-6 :* All. féd., Belgique, France, Grèce, Italie, Luxembourg. En Espagne et Portugal (nouvellement admis), les représentants sont d'abord désignés par les parlements nationaux, avant d'être élus au suffrage universel en 1987 : le *10-6 :* Esp. (60 repr.) ; le *19-7 :* Port. (25 repr.).

Résultats en France	Voix	%
Inscrits	36 836 544	100
Votants	20 879 760	56,68
Suffrages exprimés	20 119 200	54,62
PCF (liste Marchais)	2 262 532	11,24
PS (liste Jospin)	4 179 593	20,77
UDF-RPR (liste Veil)	8 644 002	42,96
PCI	161 277	0,90
LO	414 465	2,06
PSU-CDU	145 415	0,72
ERE	667 152	3,31
Verts	677 754	3,36
EUE	78 767	0,39
Réussir	380 341	1,89
Utile	137 474	0,68
I 84	122 438	0,60
FN (liste Le Pen)	2 261 299	10,98
POE	17 691	0,08

■ **Résultats. Allemagne fédérale.** CDU 37,5 %/CSU 8,5 % (total) 46 % (41 s.). SPD 37,4 (33 s.). FDP 4,8. Verts 8,2 (7 s.). Liste pour la paix 1,3. Divers 2,4.

Belgique. CVP 19,8 (4 s.). PSC 7,6 (2 s.). PSP 13,4 (5 s.). PS-SP 17,1 (4 s.). PVV 8,6 (2 s.). PRL 9,5 (3 s.). Volksunie 8,5 (2 s.). Écologistes (wall.) 3,9 (1 s.). AGALEV (écol. fl.) 4,3 (1 s.). Rass. wallon n.c.

Danemark. SD 19,5 (3 s.). Mouv. populaire anti-CEE 20,8 (4 s.). CD (Centre démocratique) 6,6 (1 s.). Venstre (libéral) 12,4 (2 s.). PPC (Centre chrétien) 2,8. Konservative 20,8 (4 s.). Radikal 3,1. PPS (socialiste anti-CEE) 9,2 (1 s.). Venstresocialisterne (marxiste) 1,3. Fremskridtspartiet (libéral) 3,5.

Espagne. PSOE 39,10 (28 s.). AP (All. populaire) 24,7 (17 s.). CDS 10,2 (7 s.). IU (gauche unie) 5,2 (3 s.). CIU 4,4 (3 s.). Herri Batasuna 1,9 (1 s.) EP (Europe des peuples) 1,7 (1 s.).

Grèce. PASOK (soc.) 41,58 (10 s.). Nouvelle Démocratie 38,11 (9 s.). P. com. grec (prosoviét.) 11,62 (3 s.). PC « de l'intérieur » 3,40 (1 s.). Union pol. nat. (extr. droite) 2,29 (1 s.). Divers 2,48 (1 s.).

Irlande. Fianna Fáil 39,2 (8 s.). Fine Gael 32,2 (6 s.). P. travailliste 8,4. P. ouvrier 4,3. Sinn Féin 4,8. Non inscrits 8,1 (1 s.).

Italie. DC 33 (27 s.). PCI 33,3 (27 s.). PSI + Unité prolét. 11,2 (9 s.). MSI (néo-fasciste) 6,4 (5 s.). PSM (social-dém.) 3,5 (3 s.). P. radic. (libert.) 3,4 (3 s.). PLI (libéral) 6,2 (5 s.). PRI (rép.) 6,2 (5 s.). Dém. prolét. n.c. (1 s.). Union valdotaine/P. d'action sarde n.c. (1 s.). Dém. nation. n.c.

Luxembourg. PCS 35,33 (3 s.). POSL (soc.) 30,28 (2 s.). PD 21,15 (1 s.). Verts 6,13 (0 s.). PCL 4,11 (0 s.). PSI (soc. indép.) 2,59 (0 s.). LCR 0,38 (0 s.).

P.-Bas. CDA 30,03 (8 s.). PVDA 33,72 (9 s.). VVD 18,90 (5 s.). Démocratie 66 (radicaux) 2,28. Alliance progress. verte (extr. gauche) 5,60 (2 s.). SGP, RPF, GPV (calvinistes, conserv.) 5,21 (1 s.). Divers 4,26.

Portugal. PSD 37,42 (10 s.). PS (soc.) 22,46 (6 s.). CDS 15,4 (4 s.). CDU 11,51 (3 s.). PRD (P. rénov. démocr.) 4,43 (1 s.).

Royaume-Uni Conservateurs 41,3 (45 s.). Travaillistes 36,4 (32 s.). Alliance (soc.-dém. et libéraux) 19,1 (0 s.). Nationalistes écossais 2,5 (1 s.). **Irl. du N.** P. unioniste officiel n.c. (1 s.). P. démocratique unioniste n.c. (1 s.). SDLP (soc.-dém.) n.c. (1 s.).

ÉLECTIONS EUROPÉENNES DE 1989

■ **Dates.** *15-6 :* Danemark, Espagne, G.-B., Irlande, P.-Bas. *18-6 :* All. féd., Belgique, France, Grèce, Italie, Luxembourg, Portugal.

■ **Résultats. All. fédérale.** CDU-CSU 37,7 % (32 sièges), SPD 37,3 (31), Verts (écolog.) 8,4 (8), Rép. (extr. droite) 7,1 (6), FDP (libéraux) 5,6 (4).

Belgique. *Collège néerlandophone :* CVP 34,1 % (5 sièges), SP (P. socialiste flamand) 20,6 (3), PVV (libéraux flamands) 17,1 (2), AGALEV (écolog. fl.) 12,2 (1), Volksunie (fédéraliste fl.) 8,7 (1), Vlaamse Blok (ext. droite) 6,6 (1) ; *collège francophone :* PS 38 (5), PSC (P. social-chrétien) 21,3 (2), PRL (libéraux) 18,9 (2), Écologistes 16,6 (2).

Danemark. SD (social-démocrate) 23,3 % (4 sièges), Mouvement populaire anti-CEE 18,9 (4), VENSTRE (libéral) 16,6 (3), Konservative (conservateurs) 13,4 (2), SF (socialistes populaires) 9,1 (1), CD (Centre démocrate) 7,9 (2), Fremskridtspartiet (ext. droite) 5,3 (0), Radikal 3,1 (0).

Espagne. PSOE (P. socialiste) 39,6 % (27 sièges), PP (P. populaire) 21,4 (15), CDS (Centre démocrate et social) 7,1 (5), Izquierda Unida (gauche unie, communiste) 6 (4), CIU (centre droit catalan) 4,2 (2), Liste Ruiz Mateos 3,8 (2), IP (Izquierda de los pueblos, gauche nationaliste) 1,8 (1), PA (P. andalou) 1,8 (1), PNV (P. nationaliste basque) 1,9 (1), Herri Batasuna 1,5 (1), PEP (nationalistes) 1,5 (1).

Résultats en France [1]	Voix	%
Inscrits [1]	36 297 496	
Votants	18 690 692	(48,80 %)
Suffrages exprimés	18 151 416	(97,10 %)
UDF-RPR (M. Giscard d'Estaing)	5 242 038	(28,87 %)
PS (M. Fabius)	4 286 354	(23,61 %)
FN (M. Le Pen)	2 129 668	(11,73 %)
Verts (M. Waechter)	1 922 945	(10,59 %)
Centre (Mme Veil)	1 529 346	(8,42 %)
PC (M. Herzog)	1 401 171	(7,71 %)
Chasse (M. Goustat)	749 741	(4,13 %)
LO (Mme Laguiller)	258 663	(1,42 %)
Protection Anim. (Mme Alessandri)	188 573	(1,03 %)
Alliance (M. Joyeux)	136 230	(0,75 %)
MPPT (M. Gauquelin)	109 523	(0,60 %)
Rén. (M. Llabres)	74 327	(0,40 %)
Gén. Europ. (M. Touati)	58 995	(0,32 %)
RFL (M. Cheminade)	32 295	(0,17 %)
IDE (M. Biancheri)	31 547	(0,17 %)

Nota. – (1) Sans les résultats de Polynésie et de certains bureaux de l'étranger.

Grèce. ND (conservateurs) 40,8 % (10 sièges), Pasok (soc.) 35,2 (9), Rassemblement des forces de gauche et de progrès (PC et gauche ind.) 14,5 (4), Diana (centre-droit) 1,4 (1).

Irlande. Fianna Fáil 31,5 % (6 sièges), Fine Gael 21,7 (4), Indépendants 11,9 (2), Prog. dém. P. 11,9 (1), Labour 9,5 (1), Workers 7,6 (1).

Italie. DC (Démocratie chrétienne) 32,9 % (27 sièges), PCI (P. communiste) 27,6 (22), PSI (P. socialiste) 14,8 (12), MSI-NDI (mouvement social droite nationale) 5,5 (4), PLI-PRI (libéraux républicains) 4,4 (4), Verdi (verts-écolog.) 3,8 (3), Arcobaleno (verts-écolog.) 2,4 (2), Ligue lombarde 1,8 (2), DP (Ligue prolétarienne) 1,3 (1), Ligue antiprohibition 1,2 (1), Fédéralistes 0,6 (1).

Luxembourg. PCS (chrétiens sociaux) 34 % (3 sièges), POSL (socialistes) 22,4 (2), PD (démocrates) 19,5 (1).

P.-Bas. CDA (chrétiens démocrates) 36,4 % (10 sièges), PVDA (socialistes) 30,7 (8), VVD (libéral) 13,6 (3), Arc-en-ciel (écolog.) 7 (2), SGP, RPF, GPV (confessionnels) 5,9 (1), Démocratie 66 (centre gauche) 5,9 (1).

Portugal. PSD (P. social-démocrate) 32,25 % (9 sièges), P. socialiste 28,5 (7 ou 8), CDS (Centre démocratique et social) 14,2 (3 ou 4), CDUC (Coalition démocratique unitaire) (communistes) 14 (4).

Royaume-Uni. Travaillistes 40,3 % (45 sièges), Conservateurs 34,15 (32), Verts 14,99 (0), P. démocrate, social et libéral 6,4 (0), Nationalistes écossais 2,65 (1), Plaid Cymrus 0,75 (0), P. social-démocrate 0,49 (0). **Irlande du N.** P. unioniste démocr. (protestants) 30,2 (1), P. social démocr. et travailliste (catho. modérés) 25,49 (1), P. unioniste officiel (protestants) 22,1 (1), Sinn Féin (nationalistes catho.) 9,1.

Députés français au 15-7-1993

Groupe libéral, démocrate et réformateur. *9 élus :* Janine Cayet (1943), Robert Delorozoy (1922), Yves Galland (1941), Charles de Gaulle (1948), Simone Martin (1943), Jean-Thomas Nordmann (1946), Jean-Pierre Raffarin (1948), André Soulier (1933), Yves Verwaerde (1947).

Rassemblement des démocrates européens. *11 élus :* Raymond Chésa (1937), Guy Guermeur (1930), François Guillaume (1932), Jean-Paul Heider (1939), Pierre Lataillade (1933), Louis Lauga (1940), Christian de la Malène (1920), François Musso (1935), Jean-Claude Pasty (1937), Alain Pompidou (1942), Dick Ukeiwé (1928).

Parti populaire européen. *12 élus :* Pierre Bernard-Reymond (1944), Jean-Louis Bourlanges (1946), Georges de Brémond d'Ars (1944), Henry Chabert (1945), Michel Debatisse (1929), Nicole Fontaine (1942), André-Georges Fourçans (1946), François Froment-Meurice (1949), Robert Hersant (1920), Jeannou Lacaze (1924), Marc Reymann (1937), Jean-Marie Vanlerenberghe (1939).

Socialiste. *22 élus :* Jean-Marie Alexandre (1946), Jean-Paul Benoit (1936), Alain Bombard (1924), Martine Buron (1944), Gérard Caudron (1945), Claude Cheysson (1920), Jean-Pierre Cot (1937), Marie-Jo Denys (1950), Bernard Frimat (1940), Gérard Fuchs (1940), Max Gallo (1932), Michel Hervé (1945), Jean-François Hory (1949), Nora Mebrak-Zaidi (1965), Nicole Pery (1943), Frédéric Rosmini (1940), Henry Saby (1933), André Sainjon (1943), Léon Schwartzenberg (1923), Bernard Thareau (1936), Marie-Claude Vayssade (1936).

Technique des droites européennes. *10 élus :* Bernard Antony (1944), Yvan Blot (1948), Pierre Ceyrac (1946), Bruno Gollnisch (1950), Jean-Marie Le Chevallier (1936), Martine Lehideux (1933), Jean-Marie Le Pen (1928), Jean-Claude Martinez (1945), Bruno Mégret (1949), Jacques Tauran (1930).

Verts. *8 élus :* Aline Archimbaud (1948), Bruno Boissière (1956), Marie-Marguerite Dinguirard (1948), Yves Frémion (1947), Marie-Anne Isler-Béguin (1947), Gérard Onesta (1960), Jean-Pierre Raffin (1937), Djida Tazdaït (1957).

Coalition des Gauches. *7 élus :* Sylviane Ainardi (1947), Mireille Elmalan (1949), Maxime Gremetz (1940), Philippe Herzog (1940), Sylvie Mayer (1946), René Piquet (1932), Francis Wurth (1948).

Arc-en-Ciel. Max Siméoni (1929).

Non-inscrit. Michel Pinton (1937).

■ Cour de justice

Siège. Plateau de Kirchberg. 2925 Luxembourg-Kirchberg. **Pt :** Ole Due (10-2-31), dep. le 7-10-88. **Organisation.** 13 juges et 6 avocats généraux nommés par les gouvernements pour 6 ans et renouvelables. **Compétence.** Juge les différends nés de l'application des traités de la Communauté et du droit dérivé, selon le principe de la primauté du droit de la CEE sur les législations nat. Peut être saisie par les États membres, une institution de la Communauté, ou d'un recours formé par une personne physique ou morale contre une décision qui lui est adressée par le Conseil ou la Commission des Communautés eur. Les juridictions nationales ayant à trancher des litiges relatifs au droit communautaire peuvent saisir la Cour d'une demande d'interprétation préjudicielle. La Cour a, en outre, d'autres compétences spécifiées dans le Traité.

Arrêts rendus (1992). 210 dont recours préjudiciels 112, directs 88, pourvois 9, procédures particulières 1. **Affaires réglées** (1992). 345 dont moyennant arrêts 241, ordonnances mettant fin à l'instance 103, avis 1. **Affaires introduites** (1992). 442 (dont recours préjudiciels 162, directs 251, pourvois 25, procédures particulières 2, avis/délibérations 2). **Demandes en référé** (1992). 4. **Affaires pendantes** (1992). 736. **Durée moyenne des procédures** (vacances judiciaires comprises ; excluant les aff. dans lesquelles la procédure a été formellement suspendue). *Recours préjudiciels* 18,8 mois, *directs* 25,8, *pourvois* 17,5, *procédures particulières* 2,7.

☞ **Tribunal de 1re instance. Créé :** 24-10-1989. *Entré en fonction* 1-11-1989. **Compétence :** exerce en 1re instance les compétences conférées à la Cour de justice pour les recours de fonctionnaires, de particuliers en matière de concurrence et les affaires relatives aux quotas de production d'acier et quelques autres affaires Ceca. Statue sur certains recours tendant à la réparation de dommages. Un pourvoi (limité aux questions de droit) peut être formé devant la Cour de justice. **Composition :** 12 membres. **Siège :** normalement en chambres. **Procédure :** les parties autres que les institutions doivent être représentées par un avocat inscrit au barreau de l'un des États membres. **Arrêts rendus** (1992). 88 dont recours de fonctionnaires 45, directs 35, procédures particulières 8. **Affaires réglées** (1992). 128 dont moyennant arrêt 80, ordonnance mettant fin à l'instance 48. **Affaires introduites** (1992). 123 dont recours de fonctionnaires 79, directs 36, procédures particulières 8. **Demandes en référé** (1992). 7. **Affaires pendantes** (1992). 169. **Durée moyenne de procédures** (vacances judiciaires comprises, 1990). Recours directs 19,4 mois. Recours de fonctionnaires 17,8 mois.

■ Comité économique et social

Siège. 2, rue Ravenstein, Bruxelles. *Pt :* Susanne Tiemann dep. 25-11-1992. **Membres :** 189 (24 All., 24 Brit., 24 Fr., 24 It., 21 Esp., 12 Bel., 12 Néerl., 12 Port., 12 Grecs, 9 Dan., 9 Irl., 6 Lux.) nommés pour 4 ans à titre personnel par le Conseil des ministres sur proposition des gouvernements. *Secr. gal :* Jean-Pierre Nothomb dep. 1-12-92. **Rôle :** Obligatoirement consulté par le Conseil et la Commission avant l'adoption de décisions importantes. Peut émettre des avis de sa propre initiative (175 avis en moyenne par an, publiés au JO des Communautés européennes).

■ Cour des comptes

Créée 22-7-1975 ; fonctionne dep. oct. 1977. **Siège.** 29, rue Aldringen, 1118 Luxembourg. **Organisation.** 12 membres nommés pour 6 ans par le Conseil des CE après consultation de l'Assemblée (au début, 4 m. ont été choisis par tirage au sort pour 4 ans). *Pt:* Pierre Lelong (Fr.) dep. le 8-10-81. **Rôle.** Contrôle légalité, régularité et gestion financière des ressources prélevées sur les contribuables européens et gérées par les 3 Communautés. Peut présenter, à tout moment et sur son initiative, des observations sur des points particuliers et rendre des avis à la demande des institutions de la CE Rapport annuel.

☞ Conventions avec des pays d'Afrique, des Caraïbes et du Pacifique (ACP). Voir index.

■ Banque européenne d'investissement

Siège : 100 bd Konrad-Adenauer L 2 950 Luxembourg. **Créée** 1958. Instituée par le tr. de Rome (25-3-1957). **But :** contribuer par des prêts et des garanties au développement équilibré de la Communauté. Institution financière de la CE et la plus importante banque multilatérale du monde (devant la Banque mondiale). Ressources empruntées sur les marchés des capitaux ; intervient, sans but lucratif, dans tous les secteurs de l'économie quel que soit le statut de l'emprunteur (public ou privé). **Capital :** 57,6 milliards d'écus, souscrits par les États membres de la CEE (7,5 % env. effectivement versés, le solde constitue un capital de garantie). **Encours des prêts au 31/12/1992 :** 84 milliards d'écus. **Prêts en 1992 :** + de 17 milliards d'écus (en France près de 2 milliards d'écus) à 94 % dans la CEE où 70 % des financements concernaient le développement régional. **Investissements principaux :** infrastructures de transport, de télécom. et énergétiques ; aménagement urbain (transports collectifs, valorisation des centres-villes, zones ind., chauffage urbain) ; renforcement de la compétitivité économique de la Communauté (notamment haute technologie) ; financement de petits et moyens investissements des PME et collectivités locales (plus de 7 500 crédits accordés en 1992 par des prêts globaux à des banques ou instituts de financement ; début 1993 en France : Axamur, BNP, Banques Populaires, Immobail-BTP, Interbail, Cie BTP, Cie Européenne de Crédit aux Entreprises, Cie Financière du Crédit Mutuel de Bretagne, Locafrance, Sefergie, Groupe Paribas, Caisse Centrale de Coop. Économique, Caisse Centrale de Crédit Coopératif...) ; protection de l'environnement (protection de l'eau, de l'air et des sols, aménagements industriels).

La BEI est associée à la définition et à la mise en œuvre des plans de développement structurels de la Communauté pour obtenir le maximum d'effet d'entraînement à la combinaison de ses prêts et des subventions communautaires. **A l'extérieur de la CEE,** coopération de la Communauté au développement dans 69 pays ACP, 12 pays méditerranéens et 6 pays d'Europe centrale et orientale. En 1992 : 893 millions d'écus. Dans ce cadre, certaines ressources sont gérées par la BEI sous mandat de la Communauté (notamment pour des bonifications d'intérêt). La BEI est actionnaire de la BERD et gère le mécanisme financier de l'EEE (Espace Économique Eur.).

Conseil de l'Europe

Création. 5-5-1949 (signature du statut). **Siège :** Conseil de l'Europe, BP 431 R6, 67006 Strasbourg Cedex. **Bureaux :** *Paris :* 55, av. Kléber 75016. *Bruxelles :* Résidence Palace, 155, rue de la Loi. **Secr. gén.** Catherine Lalumière (France) (n. 3-8-1935), dep. mai 1989. Env. 900 fonctionnaires internat. **Représentant de la France** (rang d'ambassadeur) : Olivier Stirn (24-2-1936) dep. 23-9-1991.

Membres. Tout État européen peut devenir membre à condition de reconnaître les principes. *États membres au 1-7-1993 :* 28 (en italique membres fondateurs en 1949). All. (1951), Autr. (1956), *Belgique,* Bulgarie (1992), Chypre (1961), *Danemark,* Espagne (1977), Finlande (1989), *France, G.-B.,* Grèce [1949 (s'est retirée en déc. 1969 parce qu'elle ne satisfaisait plus aux conditions ; réadmise en nov. 1974 après avoir changé de régime politique)], Hongrie (6-11-1990), *Irlande,* Islande (1950), *Italie,* Liechtenstein (1978), *Luxembourg,* Malte (1965), *Norvège, P.-Bas,* Portugal (1976). St-Marin (1988), *Suède,* Suisse (1963), Slovaquie (1993), Tchèque (Rép. 1993), Turquie (1949), Pologne (26-11-1991).

Organisation. Comité des ministres réuni 2 fois par an, au niveau des ministres des Aff. étr. des États, et, mensuellement, au niveau des délégués des ministres. **Assemblée parlementaire** (1 session en 3 parties par an) : 202 représentants. De 2 à 18 par pays, selon la population. Siègent selon l'ordre alphabétique des noms de pays suivant l'orthographe anglaise. *5 groupes politiques* (multinationaux) : socialiste, parti pop. européen, démocrates eur., libéral démocrate et réformateur, groupe pour la gauche unitaire eur. *Invité spécial* (statut 1989) pour des délégations parlementaires de l'Europe centrale et de l'Est (10 pays). **Langues** *officielles :* français et anglais ; *de travail* à l'Ass. parlementaire : 8 langues. **Journée de l'Europe :** 5 mai. **Budget** ordinaire (1993), y compris traitements du personnel : 1 057 000 000 de F, répartis entre États membres au prorata de leur population et de leur PNB.

But. Réaliser une union plus étroite entre les membres afin de sauvegarder et de promouvoir idéaux et principes qui sont leur patrimoine commun et de favoriser leur progrès économique et social dans un cadre paneuropéen. **Programme de coopération : « Démosthène ».** *But :* aider les pays de l'Europe centrale et orientale à mettre en œuvre leurs réformes constitutionnelles, législatives et administratives (créé 1990).

Conférence permanente des pouvoirs locaux et régionaux de l'Europe. *Créée* 1957. Siège une fois par an à Strasbourg. Réunit des élus des collectivités

■ CONVENTION EUROPÉENNE DES DROITS DE L'HOMME

Création. *Signée* le 4-11-1950, entrée en vigueur le 3-9-53, *complétée* et amendée par 9 protocoles additionnels ; vise avant tout les droits civils et politiques ; institue un mécanisme judiciaire de garantie internationale. Ratifiée par tous les États membres du Conseil de l'Europe. *Le droit de recours individuel* et la juridiction obligatoire de la Cour européenne des droits de l'homme ont été acceptés par tous ceux qui ont ratifié la Convention.

Droits garantis. Droit à la vie, liberté, sûreté ; une bonne administration de la justice (cas le plus fréquemment invoqué) ; au respect de la vie privée et familiale, du domicile et de la correspondance. Liberté de pensée, de conscience et de religion ; d'expression et d'opinion y compris le droit de recevoir et de communiquer des informations ; de réunion pacifique et d'association (y compris le droit de fonder des syndicats). Droit de se marier et de fonder une famille. Interdiction de la torture et de peines ou traitements inhumains ou dégradants. Interdiction de l'esclavage, de la servitude, du travail forcé et obligatoire. Interdiction de la rétroactivité des lois en matière pénale. Interdiction de la discrimination dans la jouissance des droits et libertés garantis par la Convention. Droit au respect des biens ; à l'instruction ; engagement par les États contractants à organiser, à des intervalles raisonnables, des élections libres au scrutin secret, dans des conditions qui assurent la libre expression de l'opinion du peuple sur le choix du corps législatif. Droit de circuler librement et de choisir sa résidence ; de quitter un pays y compris le sien. Interdictions d'emprisonnement pour manquement à une obligation contractuelle ; d'expulsion individuelle ou collective de ses propres ressortissants, du refus d'entrée et d'expulsions collectives d'étrangers ; droit pour les étrangers à des garanties procédurales en cas d'expulsion du territoire d'un État ; droit d'un condamné à faire réexaminer sa condamnation par une juridiction supérieure ; droit à ne pas être poursuivi ou condamné, en matière pénale, en raison d'une infraction pour laquelle on a déjà été acquitté ou condamné ; égalité de droits et de responsabilités des époux dans le mariage.

■ **Contrôle. Commission européenne des droits de l'homme** Strasbourg. *Membres* en nombre égal à celui des États contractants, élus par le Comité des ministres du Conseil de l'Eur. et agissant à titre individuel. *Compétence :* peut être saisie de toute violation prétendument commise par l'un des États contractants. Tout État contractant peut introduire une requête, ainsi que tout individu, groupe d'individus ou organisation non gouvernementale (si l'État mis en cause a accepté le droit de recours individuel). Décide de la recevabilité des requêtes, se met ensuite à la disposition des parties pour un règlement amiable de l'affaire ; si la tentative de règlement amiable échoue, elle rédige un rapport qui contient son avis et est transmis au Comité des ministres du Conseil de l'Eur.

Cour européenne des droits de l'homme. *Membres :* juges en nombre égal à celui des États membres du Conseil de l'Eur., et élus par l'Ass. parlementaire du Conseil de l'Eur. *Compétence :* peut être saisie de l'affaire dans les 3 mois suivant la transmission du rapport de la Commission. Seuls les États intéressés et la Commission peuvent la saisir (si l'État mis en cause a accepté la juridiction obligatoire de la Cour ou, à défaut, avec son consentement).

Comité des ministres du Conseil de l'Europe. N'intervient que si la Cour n'est pas saisie et doit alors décider, par un vote à la majorité des 2/3, s'il y a eu ou non une violation de la Convention. Est également appelé à surveiller l'exécution des arrêts rendus par la Cour européenne.

■ **Statistiques.** *Au 31-12-1992,* 21 077 requêtes individuelles enregistrées par la Commission, dont 1 227 déclarées recevables. 18 requêtes soumises à la Commission par des États contractants. La Cour eur. des droits de l'homme a été saisie de 392 affaires et a constaté une ou plusieurs violations dans 231 aff. 62 aff. sont actuellement pendantes devant elle. Le Comité des ministres du Conseil de l'Europe a adopté 182 résolutions sur la violation ou non-violation de la Convention dont 6 relatives à des affaires interétatiques.

locales et régionales. Adresse des avis et des résolutions au comité des ministres et à d'autres organismes européens et internationaux.

Accords partiels. Regroupent une partie des États membres. **Toxicomanie :** groupe Pompidou, *créé* 1971. **Pharmacopée :** normes juridiquement applicables pour env. 800 substances médicinales. **Transfusion sanguine :** réseau de centres nationaux de transfusion et banque européenne de sang congelé de groupes rares à Amsterdam. **Fond de développement social du Conseil de l'Eur. :** *créé* 1956, finance jusqu'à 40 % des projets destinés à aider réfugiés, régions dévastées par séismes ou inondations, réintégrer des chômeurs. Permet la construction de logements sociaux et le financement de projets d'éducation et de santé publique. *Capacité de prêt du Fonds* (1992) : 1 250 millions d'écus. *Prêts accordés :* 8,8 milliards d'écus. **Eurimages :** fonds eur. destinés à développer la coproduction et la diffusion des œuvres cinématographiques et audiovisuelles, *créé* 1988 ; dotation (1993) : env. 120 millions de F. **Commission eur. pour la démocratie par le droit** (« Venise ») : développement des institutions démocr. et du droit constitutionnel, *créée* 1990.

Centre de documentation pour l'éducation en Europe. *Créé* 1964. Bibliothèque spécialisée. Participe à la production de la base de données EUDISED (European Documentation and Information System for Education) et à la gestion du *Thésaurus européen de l'éducation.*

Publication : News-letter/Faits Nouveaux (5 par an, abonnement 160 F).

Centre européen de la jeunesse (CEJ). *Créé* 1972. *Siège :* Strasbourg. Cogéré entre gouvernements et organisations de jeunesse. Établissement éducatif résidentiel permettant aux jeunes de se rencontrer. A accueilli en 1992 1 750 jeunes. *Budget 1993 :* 24 millions de F (inclus dans le budget ordinaire).

Fonds européen pour la jeunesse (FEJ). *Créé* 1973. *Siège :* Strasbourg. Cogéré comme le CEJ soutient financièrement des organisations de jeunesse. Placé sous l'autorité d'un Comité intergouvernemental qui lui est propre. *Budget 1993 :* env. 15 000 000 de F.

Centre Naturopa. *Créé* 1967 sous le nom de Centre européen d'information sur la conservation de la nature. *Publications :* Naturopa, Faits Nouveaux. Service de doc., campagnes d'information.

AUTRES ORGANISATIONS EUROPÉENNES

■ **AELE (EFTA). Association européenne de libre-échange (European Free Trade Association). Siège :** 9-11, rue de Varembé, Genève. Bureau de Bruxelles : 118, rue d'Arlon. **Secr. gén. :** Georg Reisch (n. 23-5-30, Autriche) dep. 16-4-1988. **Création :** Convention de Stockholm 20-11-1959, en vigueur 3-5-1960. **Membres :** Autriche, Islande (dep. 1-3-1970), Liechtenstein (dep. 1991), Norvège, Suède, Suisse. Finlande (associée dep. 26-6-1961), membre dep. 1-1-1986. Ont quitté l'AELE pour la CEE : R.-U. et Danemark (31-12-1972), Portugal (1985). Les autres pays ont signé des accords de libre-échange bilatéraux avec la CEE. **Conseil :** 1 représentant par État membre ; présidé alternativement tous les 6 mois par l'un d'eux. **Comités permanents** (économique, experts commerciaux, experts en matière d'origine et de douane, obstacles techniques au commerce, experts juristes, consultatif, parlementaires des pays de l'AELE de dir. du Fonds du Portugal, budget). **But.** Abolition des obstacles aux échanges en Europe occidentale et maintien des pratiques libérales, non discriminatoires du commerce mondial. 31-12-1966 : abolition complète avec 3 ans d'avance des droits de douane et des restrictions quantitatives sur les produits industriels, dans l'AELE. Pas de tarif extérieur commun. En application des accords de libre-échange conclus avec la CEE, les derniers obstacles tarifaires subsistants et les restrictions quantitatives dans le commerce AELE-CEE étaient éliminés au début de 1984. La Déclaration de Luxembourg de 1984 arrête des directives pour développer les relations AELE-CEE.

■ **EEE. Espace économique européen.** Créé par accord du 14-2-1992, entre la CEE et l'AELE, effet le 1-1-93. Englobe AELE (7 pays) et CEE (12 pays, 380 millions d'habitants). Les pays de l'AELE se sont engagés à adopter environ 1 400 textes législatifs communautaires. L'AELE a prévu 2 milliards d'écus sur 5 ans pour développer les régions les moins favorisées de la Communauté (gestion assurée par la BEI, accord du 30-6-1992). La Cour de justice de la CEE sera seule compétente pour problèmes de commerce, autorisations de fusions d'entreprises et aides d'État. *Poids de l'AELE dans les import. de la CEE* (1990) : 139 Mds de $ (9,8 %).

■ **BERD. Banque européenne pour la reconstruction et le développement. Siège :** Londres. **Pt :** Jacques Attali [n. 1-11-1943, Fr. ; démissionne 25-6-93 (gestion dispendieuse reprochée)]. **Création :** 18-11-1989. Inaugurée 15-4-1991. **But :** aider les pays de l'Est dans leur transition vers une économie de marché. Interviendra dans de nombreux domaines (conseils, capitaux, financement de programmes de formation, coordination de la politique de privatisation et de programmes régionaux de développement. **Capital :** 10 milliards d'écus (69 milliards de F). *Actionnariat* (en %). CEE 51 (dont France 8,58, All. féd. 8,58, Italie 8,58, Commission CEE 3, BEI 3) ; pays emprunteurs 13,5 (dont ex-URSS) 6 ; USA 10, Japon 8,58 ; divers 16,92. **Bilan (au 24-4-93) :** 88 projets de prêts et d'investissement 57 Md de F, dont 13,5 approuvés et 1,3 déboursés + 260 projets de coopération technique.

■ **Comité de coopération de l'Europe centrale. Création :** avril 1992. **Membres :** Hongrie, Pologne, Tchécoslovaquie. **But :** zone de libre-échange.

■ **Conférence sur la sécurité et la coopération en Europe (CSCE).** Pour faire le bilan sur les Accords d'Helsinki (juill.-août 1975). L'Acte final n'était pas un traité et, à ce titre, n'avait pas de valeur juridique contraignante. Un consensus y régissait toutes les décisions. *Plan militaire :* l'Allemagne voudrait doter la CSCE d'une force de maintien de l'ordre, sur le modèle des Casques bleus des Nations unies. La Suède parle de 50 000 h. USA, G.-B., France, P.-Bas, Russie estiment que cela ferait double emploi avec Onu, Otan ou UEO. *Plan politique :* la CSCE est concurrencée par la CEE, le Conseil de coopération Nord-Atlantique qui offre un forum permanent de coopération et de consultation aux anciens pays du bloc communiste. Les P.-Bas proposent la création d'un poste de haut-commissaire pour les minorités de l'Ukraine, la création d'un « Institut européen des minorités nationales ». *Plan économique :* la CEE à travers l'assistance technique, l'aide alimentaire ou humanitaire et divers crédits à long terme, assure l'essentiel du soutien occidental aux pays de l'Est et à l'ex-URSS. **Conférences de Belgrade** (1977-78), **Madrid** (1980-83).

Vienne (nov. 1987) : recherchait un accord sur 3 points (appelés « corbeilles ») : 1°) la sécurité en Europe ; 2°) la coopération en matière économique, scientifique, technique et d'environnement ; 3°) la coopération en matière humanitaire et de droits de l'homme. URSS et pays de l'Est mettaient l'accent sur la 2e « corbeille », les pays de l'Ouest sur la 3e. 19 signataires du 1er Traité de désarmement conventionnel en Europe (CFE) adopté le 15-11 à Vienne et prévoyant des réductions substantielles des armes classiques de l'Atlantique à l'Oural.

Paris (19 au 21-11-1990) : 34 chefs d'État (dont Mitterrand, Bush, Gorbatchev) et de gouv. signent la **Charte de Paris pour une nouvelle Europe** (l'Albanie est représentée par son min. des Aff. étr. ; assistent comme observateurs les représentants des 3 pays baltes « invités de la République », qui n'ont pu assister aux débats, l'URSS s'y étant opposée). Grands principes affirmés :

1°) *Une nouvelle ère de démocratie, de paix et d'unité :* droits de l'homme, démocratie et État de droit (les droits de l'homme et les libertés fondamentales sont inhérents à tous les êtres humains, inaliénables et garantis par la loi, la responsabilité première des gouv. est de les protéger et de les promouvoir ; identité ethnique, culturelle, linguistique et religieuse des minorités nat.), liberté économique et responsabilités (croissance économique durable, prospérité, justice sociale, développement de l'emploi et de l'utilisation rationnelle des ressources économiques), relations amicales entre les États participants (progrès de la démocratie, respect et exercice effectif des droits de l'homme sont indispensables au renforcement de la paix et de la sécurité entre les États), sécurité (États libres de choisir leurs propres arrangements en matière de sécurité), unité (réalisation de l'unité nationale de l'All. afin d'instaurer une paix juste et durable dans une Europe unie et démocratique) ;

2°) *Orientations pour l'avenir :* dimension humaine (liberté de circulation et de contact entre les hommes, les informations et les idées, ce qui est essentiel à la pérennité et au développement), sécurité (poursuivre la négociation sur les mesures de confiance et de sécurité, s'efforcer de les conclure d'ici à la réunion à **Helsinki** (prévue 9 et 10-7-92), conclusion le plus tôt possible de la convention sur l'interdiction universelle, globale et effectivement vérifiable des armes chimiques, détermination à œuvrer à l'élimination du terrorisme tant sur le plan bilatéral que par la coopération multilatérale).

Institutions nouvelles : conseil des min. des Affaires étr. qui se réunissent au moins une fois par an. *Secrétariat* à Prague. *Centre de prévention des conflits* à Vienne. *Bureau des élections libres* chargé de faciliter les contacts et l'échange d'informations sur les élect. dans les États participants à Varsovie. *Ass. parlementaire. États membres* ; 48 européens, USA, Canada. L'Albanie et les 3 États baltes y ont été admis en sept. 91 et 10 républiques de la CEI le 30-1-92 (sauf Géorgie qui n'a pas demandé son adhésion).

■ Conseil baltique. **Création :** 6-3-1992. **Membres :** Allemagne, Danemark, Estonie, Finlande, Lettonie, Lituanie, Norvège, Pologne, Russie, Suède.

■ Conseil nordique. **Création :** années 50. **Membres :** Danemark, Finlande, Islande, Norvège, Suède. **But :** harmoniser les législations des États membres.

■ Pacte balkanique. **Création :** signé 9-8-1954. Développe le traité d'amitié et de coopération signé à Ankara en févr. 1953. **Membres :** Grèce, Turquie, Yougoslavie. N'est plus en vigueur.

■ UEO (WEU). Union de l'Europe occidentale (Western European Union). **Siège :** 4, rue de la Régence, 1000 Bruxelles. **Origine :** 17-3-1948 : tr. de Bruxelles et Roy.-Uni qui se transforma en UEO le 23-10-1954. **Membres** au 1-4-1991 (en italique signataires du tr. de Bruxelles) : All. féd. (6-5-1955) ; *Belgique ;* Espagne (27-3-1990) ; *France ;* Italie (6-5-1955) ; *Luxembourg ; Pays-Bas ;* Portugal (27-3-1990) ; *R.-U.* **Organisation :** *Conseil* (1 représentant de chaque pays membre) se réunissant au niveau des min. des Aff. étr., de la défense ou des ambassadeurs. **Assemblée :** siège à Paris. **Pt :** sir Dudley Smith G.-B., conservateur, dep. 14-6-1993.

But : intégration progressive de l'Europe, légitime défense collective, coopération et consultation dans les domaines politique, de défense et de sécurité. Seule organisation proprement européenne compétente en matière de défense.

☞ Prix Charlemagne : voir p. 876.

ORGANISATIONS AFRICAINES

■ OUA. Organisation de l'Unité Africaine. **Création :** 25-5-1963. **Siège :** Addis-Abeba (Éthiopie). **Président :** Pt d'un État membre désigné chaque année [1991-92 : Ibrahim Babangida (Nigeria) élu au 27e sommet à Abuja]. **Secr. gén. :** Salim Ahmed Salim (Tanzanie, n. 1942). **Membres :** 51 États [Algérie, Angola, Bénin, Botswana, Burkina Faso, Burundi, Cameroun, Cap-Vert, Rép. centrafricaine, Comores, Congo, Côte-d'Ivoire, Djibouti, Égypte, Éthiopie, Gabon, Gambie, Ghana, Guinée, Guinée-Bissau, Guinée équat., Kenya, Lesotho, Liberia, Libye, Madagascar, Malawi, Mali, Maurice, Mauritanie, Mozambique, Namibie, Niger, Nigeria, Ouganda, Rép. arabe sahraouie dém. (RASD), Rwanda, São Tomé et Principe, Sénégal, Seychelles, Sierra Leone, Somalie, Soudan, Swaziland, Tanzanie, Tchad, Togo, Tunisie, Zaïre, Zambie, Zimbabwe]. **Organisation.** *Conférence des chefs d'État et de gouv.* au moins 1 fois par an, *Conseil des min.* 2 fois par an. *Bureaux régionaux : New York* (ONU), *Genève* (ONU), *Dar es-Salaam* (Comité de coordination pour la libération de l'Afrique), *Lagos* (Commission scient., techn. et de recherche), *Bruxelles* (Bureau permanent), *Niamey* (Centre d'études linguistiques et histor. par tradition orale), *Nairobi* (Bureau inter-afr. pour les ressources animales), *Yaoundé* (Conseil phytosanitaire inter-afr.), *Conakry* (Bureau de coordination pour l'aménagement intégré du Fouta-Djalon), *Tunis* (Délégation permanente auprès de la Ligue des États arabes).

Nota. – Le 15-4-1958, *1re Conférence des États indépendants d'Afrique* à Accra (Ghana). 8 États (Égypte, Éthiopie, Ghana, Liberia, Libye, Maroc, Soudan, Tunisie). L'Afr. du Sud, invitée, refuse, ne consentant à y siéger qu'en la compagnie de toutes les puissances coloniales exerçant des responsabilités sur le continent. 1961 avril, Conf. d'Accra, Ghana, Mali et Guinée formèrent une *Union des États africains.* Quand l'OUA fut créée, ils la rejoignirent. Le Maroc a quitté l'OUA le 12-11-1984, quand celle-ci a accueilli la RASD.

■ BAfD ou BAD. Banque africaine de développement. **Création :** 4-8-1963. **Siège :** Abidjan (Côte-d'I.). **Membres :** 75 États d'Afrique, d'Amérique, d'Asie et d'Europe.

■ CEAO. Communauté économique de l'Afrique de l'Ouest. **Création :** 16-4-1973. Entrée en vigueur du tr. le 1-1-1974, successeur de l'Udeao [Union douanière des États de l'Afr. de l'Ouest (qui remplaçait l'Udao créée 1959)]. **Siège :** Ouagadougou (Burkina). **Membres :** Bénin, Burkina, Côte-d'Ivoire, Mali, Mauritanie, Niger, Sénégal. *Observateurs :* Guinée, Togo. **Budget** (1990) : 1,2 milliard de F CFA. **Buts :** promouvoir une politique active de coopération et d'intégration écon., (agr., élevage, pêche, ind., transports et communications, tourisme) ; développer les échanges commerciaux des États membres, en établissant une zone d'échanges organisée. **Organisation :** *Conférence des chefs d'État* (1 fois tous les 2 ans). *Conseil des min. Cour arbitrale. Secrétariat gén.* **Secr. gén. :** Mamadou Haïdara (Mali, n. 1940), dep. mars 1986. **Fonds de solidarité et d'intervention pour le développement économique communautaire (Fosidec)** *créé* oct. 1978, intervient par garantie et contre-garantie des emprunts, octroi de prêts, prises de participations, financement d'études communautaires, subventions. *Capital :* 13,5 milliards de F CFA. **Accord de non-agression et d'assistance en matière de défense (Anad)** *signé* juin 1977, entre CEAO et Togo. **Accord pour la libre circulation** des personnes et le droit d'établissement à l'intérieur de la Communauté signé oct. 1978.

■ Cedeao. Communauté économique des États de l'Afrique de l'Ouest. **Création :** 18-5-1975. Entrée en vigueur du tr. : mars 1977. **Siège :** Lagos (Nigeria). **Membres :** Bénin, Burkina, Cap-Vert, Côte-d'Ivoire, Gambie, Ghana, Guinée, Guinée-Bissau, Liberia, Mali, Mauritanie, Niger, Nigeria, Sénégal, Sierra Leone, Togo.

■ Communauté est-africaine. **Création :** 1-12-1967. **Siège :** POB 1001 Arusha (Tanzanie). **Membres :** Kenya, Ouganda, Tanzanie. **But :** Marché commun.

■ Conférence de coordination pour le développement de l'Afrique australe (Southern African Development Coordination Conference, SADCC). **Création :** 1-4-1980 (Lusaka). **Siège :** Gaborone (Botswana). **Membres :** Angola, Botswana, Lesotho, Malawi, Mozambique, Swaziland, Tanzanie, Zambie, Zimbabwe. **But :** renforcer l'indépendance économique de ses membres principalement vis-à-vis de l'Afr. du Sud.

■ Conseil de l'entente. **Création :** 29-5-1959. **Siège :** Abidjan (C.-d'Ivoire). **Membres :** Bénin, Burkina, C.-d'Ivoire, Niger, Togo (dep. 9-6-1966). **Organisation :** *Conférence des chefs d'État* 1 fois par an (précédée par un *Conseil des ministres*). *Secrétariat administratif* du Fonds d'entraide et de garantie des emprunts du CE, est aussi celui du CE. **Secr. admin. :** Paul Kaya (n. 1933), dep. 1966. **But :** organiser et développer la solidarité et la coopération économique entre les États membres. **Capital** (au 31-12-92, en milliards de F CFA) 8. **Budget** de fonctionnement (1993, en milliards de F CFA) 1,74.

■ Groupe de Casablanca. **Création :** Conférence de Casablanca (1961). **Membres :** Algérie, Égypte, Ghana, Guinée, Libye, Mali, Maroc.

■ Groupe de Monrovia. **Création :** Conf. de Monrovia (Liberia), 1961. Charte signée à Lagos 1962. **Membres :** 12 États de l'Union afric. et malg., plus Éthiopie, Liberia, Nigeria, Sierra Leone, Somalie, Togo, Tunisie, Zaïre. **But :** coopération pol., écon., diplom., culturelle et de défense.

■ Union douanière d'Afrique australe (Southern African Customs Union). **Création :** 11-12-1969. **Siège :** Pretoria (Afrique du S.). **Membres :** Afr. du S., Botswana, Lesotho, Swaziland (fondateurs) ; Transkei, Venda, Bophuthatswana, Ciskei.

■ Udeac. Union douanière et éc. de l'Afr. centrale. **Création :** 8-12-1964 (a remplacé l'Union douanière équatoriale créée 23-6-1959). **Membres :** Cameroun, Rép. centrafricaine, Congo, Gabon, Guinée équatoriale (dep. 19-12-1983) ; Tchad (avait quitté l'Union 1-1-1969 réintégré 18-12-84). **Institutions :** *Conseil des chefs d'État* (au moins 1 fois par an). *Comité de direction :* 2 ministres par État. Se réunit au moins 2 fois par an ; décisions prises à l'unanimité ont force de loi dans les 6 États. **Secr. gén.** (élu pour 3 ans) : Thomas Dakayi Kamga (n. 1944, Cameroun) dep. 6-1-1992.

■ UMA. Union du Maghreb arabe. **Création :** 17-2-1989 à Marrakech lors du 2e sommet du Maghreb (1er sommet : Alger en 1980). **Membres :** Algérie, Libye, Maroc, Mauritanie, Tunisie.

■ Union monétaire ouest-africaine. **Création :** 12-5-1962. **Membres :** Bénin, Burkina, C.-d'Ivoire, Mauritanie, Niger, Sénégal, Togo (dep. 27-11-1963). Unité monétaire : le franc de la Communauté financière africaine (F CFA : 0,02 F), émission confiée à la Banque centrale des États de l'Afr. de l'Ouest.

☞ **Organisations disparues. Comité permanent consultatif du Maghreb :** créé oct. 1964, n'a jamais eu d'activités. *Membres :* Algérie, Maroc, Mauritanie, Tunisie. *Buts :* coordination économique, échange d'informations techniques. **Conférence des chefs d'État de l'Afr. équatoriale :** créée 24-6-1959 par les États de l'ancienne AÉF (Afr. équatoriale française), dissoute 28-5-1970. **UAMCE (Union afr. et malg. de coopération économique). OAMCE (Organisation afr. et malg. de coopération économique)** (voir Quid 74, p. 435 b). **UEAC (Union des États d'Afrique centrale) :** créée février 1968. *Membres :* Tchad, Zaïre. En déc. 1968, l'Emp. centrafricain l'avait quittée. **URAC (Union des Rép. d'Afr. centrale) :** créée juin 1960. *Membres :* Rép. centrafr., Congo, Tchad. **OCAM (Organisation commune afric. et mauricienne) :** *siège :* Bangui (Rép. centrafr.), créée juin 1966 à Tananarive, dissoute 25-3-85.

ORGANISATIONS AMÉRICAINES

■ Alliance pour le progrès. **Création :** 17-8-1961 à Punta del Este (Uruguay), dissoute 1975. **Membres :** USA et pays d'Amér. latine, sauf Cuba. **But :** programme d'assistance (10 ans) à l'Amér. latine.

■ Aladi. Association latino-américaine d'intégration. **Création :** tr. de Montevideo (12-8-1980). **Siège :** Montevideo (Uruguay). **Membres :** Argentine, Bolivie, Brésil, Chili, Colombie, Équateur, Mexique, Paraguay, Pérou, Uruguay, Venezuela. Remplace l'Alale (Assoc. latino-amér. de libre-échange, créée 18-2-1960), dep. 18-3-1981. **But :** intégration écon. et, à long terme, formation d'un marché commun latino-amér. **Organisation :** *Conseil des ministres des Aff. étr., Conférence d'évaluation et convergence, Comité de représentants. Secr. gén. :* Jorge Luis Ordóñez Gómez. *Plusieurs organes auxiliaires.*

■ Alena (Nafta). Accord de libre-échange nord-américain. **Création.** Conclu 12-8-1992, signé 7-10-1992. **Membres :** USA, Canada et Mexique. **But :** réduire et éliminer en 15 ans les barrières tarifaires entre les 3 pays [zone de libre-éch. prévue 1-1-94. Pop. (en millions) : 364 (dont USA 250, Mex. 88, Can. 26). Pop. active : 163 (dont USA 125, Mex. 24, Can. 14). Imp. (Md de $) : 661 (dont USA 487, Can. 115, Mex. 59). Exp. (Md de $) : 591 (dont USA 422, Can. 124, Mex. 46). PIB (Md de $) : 6 285 (dont USA 5 422, Can. 580, Mex. 283). Rev./hab. ($) : USA 21 740, Can. 21 600, Mex. 3 484].

■ BID (IADB). Banque interaméricaine de développement (Inter-American Development Bank). **Création :** 30-12-1959. **Siège :** Washington. **Membres :** 44 [27 pays américains (dont USA, Canada), 17 européens (dont All., G.-B., France), Israël, Japon]. **Organisation :** *Conseil de gouvernements, conseil d'administration :* 12 m. *Pt :* Enrique Iglesias (Urug.).

■ Caricom. Caribbean Community. **Création :** tr. de Chaguaramas (4-7-1973). A remplacé la Caribbean Free Trade Association (CARIFTA) créée 1965. **Siège :** Georgetown (Guyana). **Membres :** Barbade, Guyana, Jamaïque, Trinidad et Tobago (fondateurs) ; Antigua et Barbuda, Bahamas, Belize, Dominique, Grenade, Montserrat, St Christopher and Nevis, Ste-Lucie, St-Vincent et les Grenadines (ont adhéré en 1974). **But :** coop. économique, coordination de la politique étrangère commune pour santé, éducation, culture, communication, industrie. Marché commun en 1993.

■ CBI. Caribbean Basin Initiative. **Création :** 1983 par le Pt Reagan. **Principe :** exonérer de droits de douane les produits de 22 pays des Caraïbes et de l'Amér. centrale, exportés vers USA. Reagan espérait renforcer le secteur privé local et attirer les investisseurs.

■ Conseil de coopération de la région des Amazones. **Création :** 1978. **Siège :** Brasilia. **Membres :** Bolivie, Brésil, Colombie, Équateur, Guyane, Pérou, Surinam, Venezuela.

■ Groupe de Contadora. **Création :** janv. 1983. **Membres :** Colombie, Mexique, Panama, Venezuela. **But :** recherche de paix en Amérique centrale. S'élargit avec le groupe d'appui de Lima (Argentine, Brésil, Pérou, Uruguay) au sommet d'Acapulco (1987).

■ Groupe des 3 (G3). **Création :** 1991 (mémorandum de Guadalajara, Mexique). **Membres :** Colombie, Mexique, Venezuela. **But :** zone de libre commerce avec perspective d'intégration à l'Alena.

■ MCCA (Marché commun centre-amér.). **Création :** 1960 Managua, 1990 sommet d'Antigua (Guatemala), Plan d'action écon. pour l'Amér. centrale (Paéca). **Membres :** Costa-Rica, Guatemala, Honduras, Nicaragua, Panama (observ.), Salvador. **Buts :** union douanière et zone de libre-échange à partir de 1996.

■ **Mercosur.** **Création :** 26-3-1991. **Membres :** Argentine, Brésil, Paraguay, Uruguay. **But :** marché commun du sud de l'Amér. latine à partir de 1995. 1re étape : réduction immédiate de 47 % des taxes à l'importation.

■ **Odeca. Organizacion de Estados centro-americanos.** **Création :** Charte de San Salvador (14-10-1951 et 12-12-1962 à Panama). **Siège :** San Salvador. **Membres :** Costa Rica, Guatemala, Honduras, Nicaragua, Salvador. **Organisation :** *Réunion des Présidents* (1re en 55). *Conseil exécutif. 1 secr. gén.* (l'Office centre-amér.). **But :** coopération écon., culturelle et sociale. **Administrateur du secr. gén. et secr. du Conseil exécutif :** Ricardo Juarez Marques (Guat.).

■ **OEA (OAS). Organisation des États américains (Organization of American States).** **Création :** *1890 :* 1re Conférence intern. amér. à Washington fonde l'Union intern. des Rép. amér. ; *1948 :* 9e Conf. de Bogota adopte la Charte de l'Org. de l'OEA ; *1970-88 :* Charte réformée. **Siège :** Washington. **Membres :** Antigua et Barbuda, Arg., Bahamas, Barbade, Belize, Bolivie, Brésil, Canada, Chili, Colombie, Costa Rica, Cuba (gouv. expulsé en 1962 ; le pays reste membre), Dominicaine (Rép.), Dominique, Équateur, Grenade, Guatemala, Guyane, Haïti, Honduras, Jamaïque, Mexique, Nicaragua, Panama, Paraguay, Pérou, St Christopher and Nevis, Ste-Lucie, St-Vincent et Grenadines, Salvador, Surinam, Trinité et Tobago, Uruguay, USA, Venezuela. **Organisation :** *Assemblée gén.* (chaque année). *Consultation des min. des Relations ext.* pour problèmes urgents. *3 Conseils :* C. permanent (Washington ; 1 représentant par pays), C. écon. et social interaméricain et C. interamér. pour éducation, science et culture. *Comité juridique interamér. Commission interamér. des droits de l'homme. Cour interamér. des droits de l'homme. Secr. gén. Conférences et organismes spécialisés* (santé, agr., etc.). **Secr. gén.** (jusqu'au 6-02-94) : Joào Clemente Baena Soares (Brésil). **Budget :** 80,2 millions de $ (1993).

■ **Pacte amazonien.** **Création :** 3-7-1978. **Membres :** Bolivie, Brésil, Colombie, Équateur, Guyana, Pérou, Surinam, Venezuela. **But :** politique commune de mise en valeur et d'exploitation de l'Amazone.

■ **Pacte andin.** **Création :** accord de Carthagène (26-5-1969). **Siège :** Lima. **Membres :** Bolivie, Chili (se retire en 1976), Colombie, Équateur, Pérou, Venezuela (1973). **But :** création d'un véritable marché commun avant 1995. En déclin.

Nota. – Le 12-2-93, *déclaration de Caracas* instituant zone de libre-échange entre Colombie, Costa-Rica, Guatemala, Honduras, Mexique, Nicaragua, Panama, Salvador et Venezuela).

■ **Sommets des présidents centro-américains** (Costa Rica, Guatemala, Honduras, Nicaragua, Salvador). 1er au 4e : sans Nicaragua. *1er :* 1986 (mai) Esquipulos I (Guatemala). *2e :* 1987 (févr.) Esquipulos II : accord élaboré à partir du plan Arias C. *3e :* 1988 San José : déclaration d'Alajuela (16-1). *4e :* 1989 Salvador : déclaration de Costa del Sol (14-2). *5e :* 1989 Honduras : accord de Tela (7-8).

■ **TIAR. Tratado Interamericano de Asistencia Recíproca.** **Création :** Rio 2-9-1947. **Membres :** tous les États amér., sauf Canada. **But :** tr. d'assistance réciproque en cas d'agression contre un État américain. La décision d'intervenir ne peut être prise qu'à la majorité des États réunis en conférence (jusqu'au 17-5-1975, majorité des 2/3).

AUTRES ORGANISATIONS

ORGANISATIONS POLITIQUES ET ÉCONOMIQUES DIVERSES

☞ Voir aussi Index (ex. pour OPEP, OPAEP...).

■ **Anzus. Australia, New Zealand, United States.** **Création :** San Francisco 1-9-1951 pour une durée illimitée. **Membres :** Australie, N.-Zélande, USA. **But :** tr. de sécurité militaire dans le Pacifique (en 1986, les USA ont suspendu leurs engagements à l'égard de la N.-Zélande).

■ **Apec (Asia-Pacific Economic Cooperation).** **Origines :** 1989 à l'initiative de l'Australie (préside dep. 1986 le groupe *Cairns,* ville du Queensland où le groupe a été créé). **Membres :** Australie, Brunei, Canada, Chine pop., Corée du S., Indonésie, Japon, Malaisie, N.-Zél., Philippines, Singapour, Taïwan, Thaïlande, USA.

■ **Ansea (Asean). Association des nations du Sud-Est asiatique (Association of South East Asian Nations.)** **Siège :** Jakarta. **Création :** 8-8-1967. **Membres :** Brunei (dep. 7-1-1984), Indonésie, Malaisie, Philippines, Singapour, Thaïlande. **Organisation :** *secr. gén.* à Jakarta : Rusli Noor. **But :** coopération régionale. Projet de zone de libre-échange AFTA (Asian Free Trade Area). *Tarifs douaniers :* 1res réductions 1-1-1993 ; taux max. : 20 % les 5 1res années ; *objectif :* 5 % max. en 2008.

■ **ASACR (Saarc). Association sud-asiatique de coopération régionale.** **Création :** déc. 1985. **Membres :** Bangladesh, Bhoutan, Inde, Maldives, Népal, Pakistan, Sri Lanka. + de 1 milliard d'hommes. Le 6e sommet, qui devait se tenir à Colombo du 7 au 9-11-1991, a été reporté (tension Népal-Bhoutan) ainsi que le 7e à Dacca, le 13-1-93 (menaces d'extrémistes musulmans bangladais).

■ **Badea. Banque arabe pour le développement économique en Afrique.** **Création :** 1974 (Le Caire). **Siège :** Khartoum (Soudan). **Membres :** 17 pays arabes d'Afrique et d'Asie.

■ **Bad. Banque asiatique de développement.** **Création :** 1966 (Manille). **Siège :** Manille (Philippines). **Membres :** 52 pays d'Asie, d'Australie, d'Amér. du Nord et d'Europe.

■ **Bid. Banque islamique de développement.** **Création :** 1974. **Siège :** Djedda (Arab.). **Membres :** 44.

■ **CAEM (dit Comecon). Conseil d'assistance économique mutuelle (Council for Mutual Economic Assistance).** **Création :** janv. 1949. **Siège :** Moscou. **Membres :** All. dém. (jusqu'à oct. 1990), Bulgarie, Cuba, Hongrie, Mongolie, Pologne, Roumanie, Tchécosl., URSS, Viêt-nam. La Youg. participait aux travaux de certains organes dep. 17-9-1964. **Convention avec des États non-membres :** Finlande (16-5-73), Irak (4-7-75), Mexique (13-8-75), Nicaragua (16-9-83), Mozambique (17-5-85), Angola (1986), Éthiopie (1986), Yémen (1986), Afghanistan (1987). **Observateurs :** Afghanistan, Angola, Éthiopie, Laos, Rép. dém. pop. du Yémen. **Dissolution** officielle à Budapest le 28-6-1991, ainsi que celle des organismes affiliés.

■ **CCG (CCASG). Conseil de coopération des États arabes du Golfe (Cooperation Council for the Arab States of the Gulf).** **Création :** 1981 (Abu Dabi). **Siège :** Riyad (Ar.). **Membres :** Arabie, Bahreïn, Émirats arabes unis, Koweït, Oman, Qatar.

■ **Cocona. Conseil de coopération de l'Atlantique Nord.** **Création :** nov. 1992 à l'initiative de l'**Otan.** *Membres :* 16 pays de l'**Otan,** 5 d'Europe orientale, 3 baltes, 12 de la CEI. **But :** établir entre **Otan** et anciens membres du pacte de Varsovie une coopération dans différents domaines civils et militaires. *1re séance :* 20-12-1991, *2e :* 20-3-92.

■ **Cento. Central Treaty Organisation.** **Création :** 24-2-1955 [pacte de Bagdad entre Turquie et Irak auxquels s'associèrent G.-B. (4-4), Pakistan (23-9), Iran (3-11)]. Le 24-3-59, l'Irak se retira ; le 21-8-59, le nom de Cento fut adopté. En mars 79, l'assoc. fut dissoute. **But :** défense mutuelle et programme de développement économique.

■ **Cocom. Comité de coordination pour le contrôle multilatéral des exportations.** **Création :** 27/28-2-1991 à Paris. Regroupe 17 pays (membres de l'Otan sauf l'Islande), Japon, Australie. **Mission :** contrôler les ventes de technologies vers les pays de l'Est.

■ **Conférence du Pacifique Sud.** **Création :** 28-1/6-2-1947 (convention de Canberra). **Siège :** 100, Promenade Pierre Laroque, Anse Vata, BP D 5, Nouméa, N.-Calédonie (dep. 1950, pour la Commission). **Langues officielles :** anglais, français. **Membres** (en italique, fondateurs) : *Australie,* îles Cook (10-1980), Micronésie (1983), *États-Unis,* Fidji (5-1971), *France,* Guam (1951), Kiribati (1983), Mariannes du Nord (1983), Marshall (1983), Nauru (7-1969), N.-Calédonie (1983), *N.-Zélande,* Niue (10-1980), Palau (1983), Pitcairn (1983), Papouasie-N.-Guinée (9-1975), *Pays-Bas* (retirés 1962 après accord du 15-8-1962 avec Indonésie lors du rattachement de la N.-Guinée néerlandaise sous le nom d'*Irian Jaya*), Polynésie (1983), *Royaume-Uni,* Samoa amér. (1983), Samoa occ. (10-1965), Salomon (11-1978), Pacifique (Terr. sous mandat) (1951, lors de l'amendement de la convention), Tokelau (1983), Tonga (1983), Tuvalu (11-1978), Vanuatu (1983) et Wallis-et-Futuna (1983). Total représentant 5 millions d'Océaniens sur 30 millions de km². **Organisation : Commission du Pacifique Sud,** organisme de l'assistance technique, qui se réunit après la Conférence. **Conférence du Pacifique Sud,** née 1950, issue de l'ancienne Session des Commissaires et de la Conf. du Pacifique S. lors de la 14e Conf. du Pacifique S. de Rarotonga, aux îles Cook, le 2-10-1974 ; réunion des délégués des territoires du Pacifique tous les 3 ans puis devient réunion annuelle depuis 1967. **But :** assistance technique et développement des pays océaniens.

■ **Conférence de Bandung.** Du 18 au 25-4-1955 (Indonésie) : réunit 24 pays (dont 16 anciens États « coloniaux » devenus indépendants : Afghanistan, Arabie S., Cambodge, Chine, Côte-de-l'Or (futur Ghana), Égypte, Éthiopie, Irak, Iran, Japon, Jordanie, Laos, Liban, Liberia, Libye, Népal, Philippines, Siam, Soudan, Syrie, Turquie, Viêt-nam-Nord, V.-Sud, Yémen. **Résultats :** formula les *10 principes de la coexistence :* **1°)** Respect des droits humains fondamentaux en conformité avec les buts et les principes de la charte des Nations unies ; **2°)** Respect de la souveraineté et de l'intégrité territoriale de toutes les nations ; **3°)** Reconnaissance de l'égalité de toutes les races et de l'égalité de toutes les nations, petites et grandes ; **4°)** Non-intervention et non-ingérence dans les affaires intérieures des autres pays ; **5°)** Respect du droit de chaque nation de se défendre individuellement et collectivement conformément à la Charte des Nations unies ; **6°)** a. Refus de recourir à des arrangements de défense collective destinés à servir les intérêts particuliers des grandes puissances, quelles qu'elles soient ; b. Refus par une puissance quelle qu'elle soit d'exercer une pression sur d'autres ; **7°)** Abstention d'actes ou de menaces d'agression ou de l'emploi de la force contre l'intégrité territoriale ou l'indépendance politique d'un pays ; **8°)** Règlement de tous les conflits internationaux par des moyens pacifiques, tels que négociation ou conciliation, arbitrage et règlement devant des tribunaux, ainsi que d'autres moyens pacifiques que pourront choisir les pays intéressés, conformément à la Charte des Nations unies ; **9°)** Encouragement des intérêts mutuels et coopération ; **10°)** Respect de la justice et des obligations internationales.

■ **Conférences « au sommet » des pays non alignés.** **Belgrade** (1er au 6-9-1961) : 25 pays + pays observateurs. Invite USA et URSS à « entrer en contact » pour éviter un conflit mondial, rejette le système des « blocs » et la thèse selon laquelle la guerre, même « froide », serait inévitable, la coexistence pacifique étant le seul choix devant la « guerre froide » et le risque d'une catastrophe nucléaire universelle ; affirme le droit des peuples à l'autodétermination, à l'indép. et à la libre disposition de leurs richesses ; demande la création d'un fonds d'équipement contrôlé par l'Onu pour fournir une aide écon. aux pays en voie de développement ; préconise le « désarmement complet et général ». **Le Caire** (5 au 10-10-1964) : 7 pays + 10 pays observ., l'OUA, la Ligue arabe et divers mouv. de libération nat. **Lusaka** (Zambie) (8 au 10-9-1970) : 65 pays, 10 observ. (Viêt-nam Sud et 9 pays d'Amér. latine). **Alger** (5 au 10-9-1973) : 65 pays, 6 observ. (Amér. latine) et 3 invités (Autriche, Finlande, Suède), 4 organisations intern. (ONU, OUA, Ligue arabe et OSPAAA) et 15 mouv. de libération. **Colombo** (Sri Lanka, 16 au 19-8-1976) : 86 pays, 17 pays observ. et 12 organisations. **La Havane** (Cuba, 3 au 8-9-1979) : 92 pays (le Cambodge n'est pas représenté) et 3 organisations membres (OLP, Org. des peuples du S.-O. africain, Fr. patriotique du Zimbabwe), 9 pays observ., 8 invités. **Delhi** (7 au 11-3-1983) : 97 pays (sur 164 États alors indépendants, dont 157 de l'Onu). **Harare** (Zimbabwe, 1 au 7-9-1986) : 102 pays. *Afrique :* 50 ; *Amér. latine et Caraïbes :* 18 ; *Asie et Proche-Orient :* 30 ; *Océanie* (Vanuatu) ; *Europe :* 3 (Chypre, Malte, Yougoslavie). **Belgrade** (1 au 7-9-1989) : 102 pays, 10 observateurs, 20 invités. **Larnaca** (Chypre 3-2-1992) : 150 délégués d'env. 50 pays étudient la réforme du mouv.

■ **CUEA. Conseil de l'unité économique arabe.** **Création :** 1957 (Le Caire). **Siège :** Ammān (Jordanie). **Membres :** 11 (Égypte, Émirats arabes unis, Irak, Jordanie, Koweït, Mauritanie, Palestine, Somalie, Soudan, Syrie, Yémen). Est à l'origine de la création du marché commun arabe.

■ **ECO (organisation de coopération régionale).** *Créée* 1985 par Iran, Pakistan, Turquie, élargie 1992 au sommet d'Islamabad qui jette les bases d'un futur marché commun musulman regroupant 300 millions d'hab. (dont 50 % de turcophones). *Membres :* Afghanistan, Azerbaïdjan, Iran, Kazakhastan (adhésion en cours), Kirghizistan, Ouzbékistan, Pakistan, Tadjikistan, Turkménistan, Turquie.

G7. Sommet des chefs d'État ou de gouvernement des 7 premiers pays industriels occidentaux (All. féd., Canada, France, G.-B., Italie, Japon, USA) qui assurent plus de 50 % de la production mondiale, près des 4/5 de la prod. des pays industriels. **Origine :** 1975 : proposition d'un sommet monétaire par le Pt Giscard d'Estaing. **Lieux :** 1975 Rambouillet, 76 Porto Rico, 77 Londres, 78 Bonn, 79 Tokyo, 80 Venise, 81 Ottawa, 82 Versailles, 83 Williamsburg, 84 Londres, 85 Bonn, 86 Tokyo, 87 Venise, 88 Toronto, 89 Paris, 90 Paris, 91 Londres, 92 Münich, 93 Tokyo, 94 (prév.) Naples. **Objet :** étude des problèmes économiques, monétaires et politiques.

■ Forum du Pacifique Sud. **Création :** 1971. **Membres :** 15 pays mélanésiens (Australie, îles Cook, Fidji, Kiribati, îles Marshall, États fédérés de Micronésie, Nauru, île de Niue, N.-Zélande, Papouasie-N.-Guinée, îles Salomon, Samoa occid., Tonga, Tuvalu, Vanuatu). **But :** encourager et promouvoir la coopération régionale et assister le développement des pays insulaires du Pacifique Sud.

■ Ligue des États arabes. **Création :** 7-10-1944 (Alexandrie) ; à l'initiative du Pt du Conseil égyptien Moustapha el-Nahhas Pacha. 22-3-1945 pacte signé par 7 pays. **Siège :** Le Caire (temporairement transféré à Tunis entre 1979 et le 31-10-90). **Membres** (fondateurs en italique) : Algérie, *Arabie Saoudite,* Bahreïn, Djibouti, *Égypte* (après la signature du tr. de paix israélo-ég. du 26-3-1979, écartée de 1979 à 89), Émirats arabes unis, *Irak, Jordanie,* Koweït, *Liban,* Libye (1953), Maroc, Mauritanie, Oman, Palestine, Qatar, Somalie, Soudan (1956), Syrie, Tunisie, *Yémen.* 241 millions d'hab. en 1992, 299 prévus en 2000. **Organisation :** 1 conseil, 5 comités permanents, 1 secr. gén., 1 conseil de déf. et 1 conseil écon. et soc. **Secr. gén. :** *1945 :* Abdel Rahman Azzam, *52 :* Abdel Khalek Hassouna, *72 :* Mahmoud Riad, *79 :* Chedli Klibi (Tunisie, n. 1925), *91 (15-5) :* Esmat Abdel Méguid (Ég.). **But :** défense des intérêts et resserrement des rapports entre États membres, coordination de leur action politique en vue de réaliser une collaboration étroite entre eux, de sauvegarder leur indépendance et leur souveraineté.

■ Ligue des peuples islamiques et arabes. **Secr. gén. de l'Ass. Constit. :** Sayed Nofal (Égypte, n. 1910).

■ Marché commun arabe. **Création :** 1964. **Siège :** 20, rue Aisha el Taymouria, Garden City, Le Caire, Égypte. **Membres :** Égypte, Émirats arabes unis, Irak, Jordanie, Koweït, Libye, Mauritanie, OLP, Yémen (Rép. arabe), Yémen (Rép. démocr.). **Organisation :** 1 conseil, 6 comités permanents, 1 secr. gén. **Secr. gén. :** avant : *1965 :* Dr Abdel Moneim el-Banna, *73 :* Dr Abdel al-Saghban, *depuis 78 :* Badr el-Din Abou Ghazi.

■ OCE. Organisation de la coopération Economique. **Création :** 1985. **Membres fondateurs :** Turquie, Iran, Pakistan. Entrés le *16-2-1992 :* Azerbaïdjan, Ouzbékistan, Turkménie (Kazakhstan, Kirghizie et Tadjikistan ont demandé leur adhésion). **But :** faciliter les échanges commerciaux et économiques.

■ OCI. Organisation de la Conférence islamique. **Création :** 1971. **Siège :** Djedda (Arabie S.). **Membres :** 44 (+ OLP). *Conférence des chefs d'États :* tous les 3 ans ; *des ministres des Aff. étr. :* 1 fois par an. *Comité al-Quds* pour la libération de Jérusalem.

■ OIM. Organisation internationale pour les migrations. **Création :** 5-12-1951 sous le nom de CIME, devenu 1980 CIM, puis nov. 1989 OIM. **Siège :** 17, route des Morillons, CH-1211, Genève 19. **Membres :** (48 États) All., Angola, Argentine, Australie, Autriche, Bangladesh, Belgique, Bolivie, Canada, Chili, Chypre, Colombie, Corée (Sud), Costa Rica, Danemark, Dominicaine (Rép.), Égypte, Équateur, Finlande, France, Grèce, Guatemala, Honduras, Hongrie, Israël, Italie, Kenya, Luxembourg, Nicaragua, Norvège, Ouganda, Pakistan, Panamá, Paraguay, P.-Bas, Pérou, Philippines, Pologne, Portugal, Salvador, Sri Lanka, Suède, Suisse, Thaïlande, Uruguay, USA, Venezuela, Zambie (35 gouvernements observateurs associés aux travaux). **Dir. gén. :** *1988 :* James N. Purcell Jr. (USA, n. 1938). **But :** transfert organisé de migrants conformément aux besoins spécifiques des pays d'émigration et d'immigration ; réfugiés, personnes déplacées et autres contraintes de quitter leur pays d'origine ; transfert de technologie en faveur de pays en développement par la migration de personnel qualifié ; forum à échanges de vues et d'expériences. **Réalisations :** en 41 ans, a pris en charge plus de 5 millions de personnes, 4 millions de réfugiés et 1,1 million d'émigrants nationaux.

■ Ospaa. Organisation de solidarité des peuples afro-asiatiques. **Création :** 1957 au Caire. **Siège :** Le Caire. En sommeil. **But :** lutter contre le néocolonialisme, libérer les peuples et contribuer à leur développement. **Membres :** 78 pays d'Afrique et d'Asie.

■ Ospaal. Organisation de solidarité des peuples d'Afrique, d'Asie et d'Amérique latine. **Création :** 1966 à la 1re Conférence tricontinentale réunie par Fidel Castro à La Havane. **Siège :** La Havane. Influence en déclin depuis 1972. **But :** soutenir la lutte des peuples contre impérialisme, colonialisme et néocolonialisme. **Membres :** 9 (Angola, Chili, Congo, Corée du N., Cuba, Guinée, Porto Rico, Viêt-nam).

■ Otan (Nato). Organisation du traité de l'Atlantique Nord (North Atlantic Treaty Organization). **Création :** 4-4-1949. Traité de Washington. **Siège :** 1110 Bruxelles, Belgique (avant le 1-11-1967 à Paris). **Membres :** *à l'origine :* Belg., Canada, Danemark, France (membre de l'alliance politique, ne participant plus au système de défense intégré dep. 10-3-1966, a cependant demandé de participer en mars 91 aux travaux du comité des plans de défense de l'OTAN portant sur l'évaluation de la menace à l'Est après le démantèlement du Pacte de Varsovie ; a accepté en janv. 93 que ses unités de l'Eurocorps soient placées sous commandement Otan ; siège dep. avril 93 au comité militaire avec voix délibérative), G.-B., Islande, Italie, Luxembourg, Norvège, P.-Bas, Portugal, USA. *1952 :* Grèce et Turquie. *1955 :* All. féd. *1982 :* Espagne. **Organisation :** CONSEIL DE L'ATLANTIQUE NORD, composé des représentants des 16 gouvernements (les chefs d'État ou de gouvernement peuvent y siéger eux-mêmes), réuni en principe 2 fois par an à l'échelon ministériel et en session permanente à l'échelon des ambassadeurs. Assisté de comités et par un *secrétariat international.* SECR. GÉN. DE L'ALLIANCE : *1952* (mars) : Lord Ismay (1887-1965, G.-B.). *1957* (mai) : Paul-Henri Spaak (1899-1972, Belg.). *1961* (avril) : Dirk Stikker (1897-1979, P.-B.). *1964* (août) : Manlio Brosio (1897-1980, It.). *1971* (oct.) : Joseph Luns (n. 28-11-1911, P.-B.). *1984* (25-6) : Lord Carrington (n. 6-6-1919, G.-B.). *1988* (juillet) : Manfred Wörner (n. 24-9-1934, All. féd). COMITÉ MILITAIRE (siège en permanence à l'échelon des représentants des chefs d'états-majors, qui eux se réunissent en principe 2 fois par an) émet des avis. GRANDS COMMANDEMENTS DE L'OTAN : *Shape (Supreme Headquarters Allied Powers Europe)* commandé par le *Saceur (Supreme Allied Commander Europe) : 18-12-1950 :* Gal Dwight D. Eisenhower (1890-1969 – USA). *30-5-1952 :* Gal Mathew B. Ridgway (n. 3-3-1895 – USA). *11-7-1953 :* Gal Alfred M. Gruenther (n. 1899-1983 – All. féd.). *20-11-1956 :* Gal Lauris Norstad (1907-88 – USA). *1-1-1963 :* Gal Lyman L. Lemnitzer (1899-1988 – USA). *1-7-1969 :* Gal Andrew J. Goodpaster (n. 12-2-1915 – USA). *15-12-1974 :* Gal Alexander M. Haig (n. 2-12-1929 – USA). *1-7-1979 :* Gal Bernard Rogers (n. 16-7-1921 – USA). *30-6-1987 :* Gal John R. Galvin (n. 13-5-1929 – USA). *Mai 1992 :* Gal John Shalikashvili (n. 27-6-1936 – USA). *Aclant (Allied Commander Atlantic)* commandé par le *Saclant (Supreme Allied Commander Atlantic) :* Amiral Paul D. Miller (USA) ; *Cinchan (Commander in Chief Channel) :* Amiral Sir Jock Slater (G.-B.) et *Groupe de planification régional États-Unis-Canada.* Dans le cadre de l'ajustement des moyens de défense de l'Alliance, la décision a été prise en déc. 1991 de ramener de 3 à 2 (Shape et Acclant) le nombre des grands commandements de l'OTAN. À part quelques unités de défense aérienne en état d'alerte permanent, la Force navale permanente de l'Atlantique *(Stanavforlant),* celle de la Manche *(Stanavforchan)* et la Force navale permanente en Méditerranée, les forces des pays de l'Otan demeurent, en temps de paix, sous commandement national. **But :** défense du territoire des pays membres, sauvegarde des valeurs qu'ils ont en commun. Dep. 1990-91, adaptation en raison des changements politiques et militaires en Europe de l'Est.

■ Otase (Seato). Organisation du traité de l'Asie du Sud-Est (South East Asia Treaty Organization). **Création :** traité de Manille 8-9-1954. **Siège :** Bangkok (Thaïlande). **Dissous** 30-6-1977. **Membres :** Australie, G.-B., N.-Zélande, Philippines, Thaïlande, USA. Le Pakistan s'était retiré le 7-11-1973. **But :** pacte de défense contre l'agression communiste à l'extérieur, assistance aux membres contre subversion interne, coopération économique et culturelle.

■ Plan de Colombo (pour la coopération économique et le développement social en Asie et dans l'océan Pacifique). **Création :** 1-7-1951. **Siège :** Colombo (Sri Lanka). **Membres :** Afghanistan, Australie, Bangladesh, Bhoutan, Birmanie, Cambodge, Corée (Sud), Fidji, Inde, Indonésie, Iran, Japon, Laos, Malaisie, Maldives, Népal, N.-Zélande, Pakistan, Papouasie, Philipp., Singapour, Sri Lanka, Thaïlande, USA. **Organisation :** *Comité consultatif. Colombo Plan Council, Bureau du Plan de Colombo. Institut d'enseignement technique* (Manille). **But :** aide économique et technique assurée par des accords bilatéraux. Drug Advisory Program.

■ Sommet des pays turcophones. Ankara : Azerbaïdjan, Kazakhstan, Kirghizistan, Ouzbékistan, Turkménistan, Turquie.

■ Traité de Varsovie. **Création :** 14-5-1955. Dissous 25-2-1991. **Siège :** Moscou. **Membres :** All. dém., Bulgarie, Hongrie, Pologne, Roumanie, Tchéc., URSS. **But :** traité d'assistance en cas d'agression armée. D'autres pays pouvaient adhérer, indépendamment de leur régime politique et social.

Organisations atomiques internationales

■ CERN. Laboratoire européen de physique des particules. **Création :** 15-2-1952, organisation provisoire : le Conseil européen pour la recherche nucléaire (CERN) ; 29-9-1954 : permanente. **Siège :** Genève, Suisse. **Membres :** Allemagne, Autriche, Belgique, Danemark, Espagne, Finlande, *France,* Grèce, Italie, Norvège, P.-Bas, Pologne, Portugal, Roy.-Uni, Suède, Suisse. **Organisation.** *Conseil :* 2 délégués par État m. [*Pt :* William Mitchell (G.-B.)]. *Dir. gén. :* Carlo Rubbia (It.) **Laboratoires** de part et d'autre de la frontière franco-suisse (Suisse 109 ha, France 487,5 ha). **Grandes machines :** 1 anneau à antiprotons de basse énergie (LEAR), 1 synchrotron à protons (28 GeV), 1 super synchrotron à protons de 6,4 km de circonférence (450 GeV), 1 collisionneur électrons-positons (LEP, Large Electron Positon collider) (50 GeV + 50 GeV) de 27 km de circonférence creusé côté Jura, à cheval sur la frontière franco-suisse. **Budget de base** (1992) : 910,27 millions de FS.

■ Eurochemic. Sté européenne pour le traitement chimique des combustibles irradiés. **Siège :** Mol (Belg.). **Création :** 20-12-1957, entrée en vigueur : 27-7-1959. **Membres :** All. féd., Autriche, Belgique, Danemark, Espagne, *France,* Italie, Norvège, Portugal, Suède, Suisse. **Évolution :** *1974,* arrêt de l'usine de retraitement et programme sur le conditionnement et le stockage des déchets venant du retraitement des combustibles irradiés. *1982 (27-7)* entrée en liquidation. *1985* 1-1 exploitation du site reprise par la Belgoprocess SA, filiale à 100 % de l'Organisme national des déchets radioactifs et des matières fissiles (ONDRAF). *1990* liquidation terminée.

■ European Atomic Energy Society. **Siège :** Bonn, All. féd. **Membres :** All. féd., Autriche, Belg., Danemark, Espagne, Finlande, *France,* Italie, Norvège, P.-Bas, Portugal, Roy.-Uni, Suède, Suisse. **But :** échange de renseignements.

■ Institut unifié des recherches nucléaires. **Création :** 1956. **Siège :** Dubna (près de Moscou). **Membres :** Arménie, Azerbaïdjan, Biélorussie, Bulgarie, Corée du N., Cuba, Géorgie, Kazakhstan, Moldavie, Mongolie, Ouzbékistan, Pologne, Roumanie, Russie, Slovaquie, Tchèque (Rép.), Ukraine, Viêt-nam. *Dir. gén. :* Vladimir Kadyshevsky (Russie).

■ Nordita. Institut nordique de physique théorique. **Création :** 1957. **Siège :** Copenhague. **Membres :** Danemark, Finlande, Islande, Norvège, Suède. *Dir. :* dep. 1-1-89 Pr. C. J. Pethick. **But :** recherche et enseignement spécialisés. **Budget** (1991) : 15,9 millions de couronnes danoises.

Nota. – Voir aussi AIEA (Onu), Aenenea (OCDE), Euratom (Communauté européenne). Brevatome est une Sté française pour la gestion des brevets d'application nucléaire (24 % des parts sont détenues par le CEA ; 5 % par EDF ; 71 % par des Stés françaises).

Club de Rome

Origine. *7/8-4-1968 :* réunion à Rome, à l'académie des Lincei, de Hugo Thiemann, Max Konztamm, Jean Saint-Geours, Alexander King, etc. invités par A. Peccei. Statut : association de droit helvétique. Siège : *secrétariat gén. :* 34, av. d'Eylau, 75116 Paris. Membres : 100 [chercheurs, professeurs, décideurs, publics et privés, du monde entier ; 10 femmes : E. Mann-Borghese (Canada), E. Masini (Italie), M.-L. Pintasilgo (Portugal), W. Maathaï (Kenya), Hélène Ahrweiler (Fr.), Lilia Ramos (Philippines), Peggy Dulany (E.-U.), Ruth Bamela Engo-Tjega (Cameroun), Leonor Briones (Philippines), Michaela Smith (G.-B.) ; *Français :* A. Danzin, P. Piganiol, J. Lesourne, B. Schneider]. Organisation : *Bureau exécutif :* 7 m. *Conseil :* 15 m. *Pt :* Ricardo Díez Hochleitner. *Secr. gén. :* Bertrand Schneider (n. 1929). **Cellules :** All., Australie, Autriche, Belgique, Canada, Colombie, Égypte, Espagne, Finlande, Italie, Japon, Maroc, N.-Zélande, P.-Bas, Pologne, Russie, Slovaquie, Suisse, Rép. tchèque, Turquie, Ukraine, USA, Venezuela, ex-Yougoslavie. **Sous-traitants :** au titre d'un organisme (Inst. intern. pour les applications de l'analyse des systèmes, Centre d'analyse des systèmes de Cleveland, Inst. de technologie de Hanovre...) ou à titre personnel (J. Tinbergen, Thierry de Montbrial, U. Columbo, O. Giarini).

Buts : étude de l'activité de l'humanité envisagée comme un système global à l'échelon mondial pour résoudre les problèmes nationaux. Rapports : *Halte à la croissance ?* (D. Meadows, 1972) : d'ici à 100 a. (chute de la population et de la capacité ind.) ; les limites de la planète étant atteintes (non-renouvellement des ressources natur.), sauf si l'on utilise de façon sélective les progrès de la technologie et si l'on agit immédiatement sur les niveaux de pop. et du capital. *Stratégie pour demain* (Mesarovic et Pestel, 1974) : prévoit plusieurs scénarios et des crises graves dans certaines régions provoquant des réactions en chaîne. *RIO (Reshaping International Order : Du défi au dialogue)* (J. Tinbergen, 1976) : nécessité du dialogue Nord-Sud. *Goals for Mankind* (E. Laszlo, 1977), *Beyond the Age of Waste* (Sortir de l'ère du gaspillage) (D. Gabor, 1978), *Énergie, le compte à rebours* (T. de Montbrial, 1978), *On ne finit pas d'apprendre* (J.

L'Internationale

Écrite au lendemain du 4-9-1870 (et non en juin 1871, comme on l'a écrit) par Eugène Pottier (1816/6-11-1887 à Lariboisière), ouvrier (alors dessinateur sur étoffe dans son propre atelier) ; membre de la Commune et chansonnier populaire. Mise en musique à Lille en 1888, à la demande de son maire Gustave Delory, par Pierre de Geyter (Gand 8-10-1848/hôpital de St-Denis sept. 1932), ouvrier tourneur sur bois à Fives-Lille (Lille), et membre de la chorale du Parti ouvrier français, « La Lyre des Travailleurs », qui l'a entonnée pour la 1re fois le 23-7-1888. [En 1910, son frère Adolphe (1859-se pend en 1916) revendiqua la paternité de cette musique. Pierre lui intenta, en avril-juin 1901, un procès en contrefaçon jugé à Paris le 17-1-1914 au bénéfice d'Adolphe ; le 27-4-1915 Adolphe écrivit à son frère, reconnaissant avoir menti. Pierre reçut cette lettre le 20-12-1918 et la cour d'appel de Paris lui donna raison le 23-11-1922.] Chantée surtout dans le Nord, gagne la France entière lorsque Henry Ghesquière l'entonne au Congrès des organisations socialistes à Paris en 1899 ; hymne révolutionnaire international, hymne international des partis socialistes et communistes, hymne national soviétique de 1917 à 1941. Droits d'auteur (4 000 à 8 000 F par an jusqu'en 1992) versés à Marguerite Eckert (petite-fille d'Eugène Pottier, n. 1903).

1re version

C'est la lutte finale.
Groupons-nous et demain
L'Internationale
Sera le genre humain.

Debout ! l'âme du prolétaire !
Travailleurs, groupons-nous enfin.
Debout ! les damnés de la terre !
Debout ! les forçats de la faim !
Pour vaincre la misère et l'ombre
Foule esclave, debout ! Debout !
C'est nous le droit, c'est nous le nombre :
Nous qui n'étions rien, soyons tout.

Il n'est pas de sauveur suprême :
Ni Dieu, ni César, ni tribun.
Travailleurs sauvons-nous nous-mêmes :
Travaillons au Salut Commun.
Pour que les voleurs rendent gorge,
Pour tirer l'esprit du cachot,
Allumons notre grande forge !
Battons le fer quand il est chaud !

Les rois nous soûlaient de fumée,
Paix entre nous ! guerre aux tyrans !
Appliquons la grève aux armées,
Crosse en l'air ! et rompons les rangs !
Bandit, prince, exploiteur ou prêtre
Qui vit de l'homme est criminel ;
Notre ennemi, c'est notre maître
Voilà le mot d'ordre éternel.

L'engrenage encor va nous tordre ;
Le Capital est triomphant ;
La mitrailleuse fait de l'ordre
En hachant la femme et l'enfant.
L'Usure folle en ses colères,
Sur nos cadavres calcinés,
Soudée à la grève des Salaires
La grève des assassinés.

Ouvriers, paysans, nous sommes
Le grand parti des travailleurs :
La terre n'appartient qu'aux hommes.
L'oisif ira loger ailleurs.
C'est de nos chairs qu'ils se repaissent !
Si les corbeaux, si les vautours,
Un de ces matins disparaissent...
La terre tournera toujours.

Qu'enfin le passé s'engloutisse !
Qu'un genre humain transfiguré
Sous le ciel clair de la Justice
Mûrisse avec l'épi doré !
Ne crains plus les nids de chenilles
Qui gâtaient l'arbre et ses produits.
Travail étends sur nos familles
Tes rameaux tout rouges de fruits.

C'est la lutte finale.
Groupons-nous et demain
L'Internationale
Sera le genre humain.

2e version

C'est la lutte finale :
Groupons-nous, et demain,
L'Internationale
Sera le genre humain.

Debout ! les damnés de la terre !
Debout ! les forçats de la faim !
La raison tonne en son cratère :
C'est l'éruption de la fin.
Du passé faisons table rase,
Foule esclave, debout ! debout !
Le monde va changer de base :
Nous ne sommes rien, soyons tout !

Il n'est pas de sauveurs suprêmes :
Ni Dieu, ni César, ni tribun,
Producteurs, sauvons-nous nous-mêmes !
Décrétons le salut commun !
Pour que le voleur rende gorge,
Pour tirer l'esprit du cachot,
Soufflons nous-mêmes notre forge,
Battons le fer quand il est chaud !

L'État opprime et la loi triche ;
L'Impôt saigne le malheureux ;
Nul devoir ne s'impose au riche ;
Le droit du pauvre est un mot creux.
C'est assez languir en tutelle,
L'Égalité veut d'autres lois ;
« Pas de droits sans devoirs, dit-elle,
« Égaux, pas de devoirs sans droits ! »

Hideux dans leur apothéose,
Les rois de la mine et du rail
Ont-ils jamais fait autre chose
Que dévaliser le travail ?
Dans les coffres-forts de la bande
Ce qu'il a créé s'est fondu.
En décrétant qu'on le lui rende
Le peuple ne veut que son dû.

Les Rois nous soûlaient de fumées.
Paix entre nous, guerre aux tyrans !
Appliquons la grève aux armées,
Crosse en l'air et rompons les rangs !
S'ils s'obstinent, ces cannibales,
A faire de nous des héros,
Ils sauront bientôt que nos balles
Sont pour nos propres généraux.

Ouvriers, paysans, nous sommes
Le grand parti des travailleurs ;
La terre n'appartient qu'aux hommes,
L'oisif ira loger ailleurs.
Combien de nos chairs se repaissent !
Mais, si les corbeaux, les vautours,
Un de ces matins, disparaissent,
Le soleil brillera toujours !

C'est la lutte finale :
Groupons-nous, et demain,
L'Internationale
Sera le genre humain.

Botkin Malitza, M. Elmandjra, 1980), *Dialogue sur la richesse et le bien-être* (O. Giarini, 1981), *les Itinéraires du futur : vers des sociétés plus efficaces* (Hawrylyshyn, 1980), *l'Impératif de coopération Nord-Sud, la Synergie des Mondes* (J. Saint-Geours, 1981), *Microelectronics and Society* (A. Schaff, G. Friedrichs, 1982), *Le tiers monde peut se nourrir* (René Lenoir, 1984), *La Révolution aux pieds nus* (B. Schneider, 1985), *L'Afrique face à ses priorités* (B. Schneider, 1987), *Questions de survie, la révolution mondiale a commencé* (A. King et B. Schneider, 1991). **Critiques** émises notamment par P. Braillard (*l'Imposture du Club de Rome,* 1982). Option mondialiste et conception technocratique de la planification qui privilégient le rôle des firmes multinationales et ne remettent pas en cause le statu quo social et politique. Les moyens « scientifiques » utilisés contrarient une analyse fondée sur le mythe de la catastrophe, et les conclusions sont déjà contenues dans les postulats choisis.

Commission trilatérale

Créée : oct. 1973. **Statut en Europe :** fondation de droit néerlandais. Bureaux Paris (35, avenue de Friedland, 75008), New York et Tōkyō. **Membres :** 150 européens, 100 américains et canadiens, 85 japonais. **Organisation :** Pt d'honneur : David Rockefeller (dep. 1991), **3 co-pts** élus par leurs régions respectives ; *Europe :* Otto Graf Lambsdorff, membre du Parlement allemand et Pt du parti libéral ; anc. ministre féd. de l'Écon. (dep. 1991) ; *Amér. du Nord :* Paul Volcker, anc. Pt Federal Reserve (dep. 1991) ; *Japon :* Akio Morita, Pt de Sony (dep. 1992). **Comité exécutif** (42 membres) dont : Michel Albert, C. Fred Bergsten, Zbigniew Brzezinski, Hervé de Carmoy, Antonio Garrigues Walker, Allan Gotlieb, Garret FitzGerald, Takashi Hosomi, Yusuke Kashigawi, Henry Kissinger, Yotaro Kobayashi, Winston Lord, Robert McNamara, Mario Monti, Sir Michael Palliser, Niels Thygesen, Otto Wolff von Amerongen. Membres des partis dém. de toutes les tendances, chefs d'entreprises privées et publiques, dirigeants d'organisations prof., patronales et syndicales ouvrières, diplomates et hauts fonctionnaires, éditorialistes. **Comité français** (19 membres) : Michel Albert, Raymond Barre, Jean Bergougnoux, Georges Berthoin (Pt d'honneur eur.), Marcel Boiteux, Hervé de Carmoy (Pt), Jean-Claude Casanova, Alain Cotta, Michel David-Weill, Jean Deflassieux, Jean Dromer, Claude Imbert, Alain Joly, Jacques Julliard, André Lévy-Lang, Gilles Martinet, Thierry de Montbrial, François de Rose, Simone Veil. **Durée :** décision de renouvellement et poursuite des activités tous les 3 ans.

But. Mener toutes réflexions ou études tendant à l'harmonisation des relations politiques, écon., sociales et culturelles entre les 3 régions dém. et ind. à économie de marché. **Objectif :** intégrer le Japon dans un dialogue d'égal à égal avec les 2 autres pôles industrialisés du monde dém. (Europe de l'Ouest, USA/Canada), établir des relations entre partenaires égaux en vue de dégager, si possible, des points de convergence ou des zones d'accords sur les grands problèmes et défis internat. d'intérêt commun, sans pour autant gommer différences et aspirations nat. ; développer le sens d'une responsabilité commune vis-à-vis du reste du monde et plus particulièrement à l'égard des pays en développement, et vers les nouvelles dém. d'Europe centrale et orientale et la CEI par l'aide et l'appui vers la transition dém. et l'économie de marché.

3 groupes de réflexion (92-93) : migrations et réfugiés, régionalisme et mondialisme dans l'économie internat., partage des responsabilités en matière de sécurité et nouveau rôle dévolu à l'ONU dans le maintien de la paix.

Rapports annuels : 43 rédigés pour la Trilatérale dep. 1973 [3 auteurs venant de chacune des régions formulent conjointement des recommandations d'actions à l'attention des décideurs publics (gouvernements) et privés (entreprises...)]. *Thèmes principaux :* rénovation du système intern. écon., monétaire, institutionnel (15 rapports) ; relations Nord-Sud (7) et Est-Ouest (5) ; questions énergétiques (3) ; défense et sécurité régionale (Proche-Orient/Asie du Sud-Est (6) ; problèmes de société et transitions sociales (6) ; environnement (1). **Réunions annuelles :** plénières (Washington 93), européennes (Barcelone 93) et nationales.

Internationales ouvrières

Ire Internationale. Nom officiel : Association internationale des travailleurs (AIT). *Création :* 28-9-1864 à Londres. **Congrès :** Genève 1866, Lausanne 1867, Bruxelles 1868, Bâle 1869, La Haye 1872 (d'où les anarchistes sont exclus), Philadelphie juillet 1876, où elle est dissoute.

IIe Internationale. *Secrétariat :* Londres. **Congrès :** Paris (14-7-1889, création), Bruxelles 1891, Zurich 1893, Londres 1896, Paris 1900, Amsterdam 1904, Stuttgart 1907, Copenhague 1910, Bâle 1912.

IIIe Internationale. Création : mars 1919 par Lénine, sous le nom de **Komintern** (Kommounistitcheski Internatsional) dissous le 15-5-1943, complété par l'*Internationale syndicale rouge (ISR)* créée juillet 1920, disparue 1934, après le refus de la FSI (Féd. synd. intern.) d'admettre les syndicats soviétiques.

IVe Internationale. Création : 1938 par Trotski († 1940). Poursuit son activité notamment en Amér. latine, en Extrême-Orient et depuis les années 60 en Europe avec l'essor de mouvements trotskistes (France, Italie, Portugal notamment).

Internationale socialiste. Origine : *1919* après la dislocation de la IIe Intern., les communistes ayant organisé le Komintern (mars), des socialistes indépendants allemands, autrichiens et suisses se groupèrent dans l'*Union de Vienne ; 1923* Congrès de Hambourg (423 délégués de 43 partis), réunification des tendances socialistes à l'exclusion des communistes. Devient l'*Internationale ouvrière et soc. (IOS)* qui siège à Londres, Zurich, puis Bruxelles. *1939* interruption due à la guerre. *1944 Office de liaison et d'information socialistes* (Silo) constitué sous les auspices du parti travailliste anglais. *1947 (mars)* Anvers, devient le *Comité de la conférence socialiste internationale (Comisco),* exclut les partis sociaux-démocrates de l'Europe de l'Est qui ont fusionné avec les PC. *1951* congrès de Francfort, *Intern. soc.* reconstituée. **Congrès dep. 1951 :** *1952* Milan, *53*

Stockholm, *55* Londres, *57* Vienne, *59* Hambourg, *61* Rome, *63* Amsterdam, *66* Stockholm, *69* Eastbourne, *72* Vienne, *73* Paris (35 délégués, vice-Pt de l'Intern : F. Mitterrand), *76* Genève, *78* Vancouver, *80* Madrid, *83* Albufeira (Port.), *86* Lima, *89* Stockholm, *92* Berlin. **Pts :** *1951-57* Morgan Philipps, *57-63* Alsing Andersen, *63* Erich Ollenhauer, *64-76* Bruno Pittermann, *76-92* Willy Brandt, *93* Pierre Mauroy.

En 1982, l'Internat. soc. représentait 16 millions de socialistes et sociaux-démocrates appartenant à 62 formations, près de 80 millions d'électeurs, la direction de 13 gouv.

Internationale d'Amsterdam. Origine : *1903* (7-7) Secrétariat syndical international (SSI) fondé à Dublin. *1919* (juillet) congrès d'Amsterdam, effectivement créée. On la désigna alors sous le nom d'Int. d'Amsterdam. **Conférences syndicales internationales du SSI :** *1901 (août)* Copenhague, *1902 (17-6)* Stuttgart, *1905* Amsterdam, *1907* Christiania, *1909* Paris, *1911* Budapest, *1913* Zurich [le SSI se transforme en Fédér. syndicale intern. (FSI), voir Index]

FRANCOPHONIE

☞ Il y a env. 3 000 langues dans le monde. **Langues parlées en % de la population mondiale. Langues maternelles les plus importantes.** *Mandarin* 14, *hindi* 9, *anglais* 8. **Langues véhiculaires.** *Anglais* 30, *portugais* 7, *russe* 6. **Langues les plus parlées en Europe** (CEE) : *Anglais* (Européens la pratiquant 35,5 %, Français 26,5, All. 25,2, Ital. 19,3, Esp. 13,6).

QUELQUES DATES

■ **Avant le XVIIIe s. Le latin,** langue de l'Église cath., reste également longtemps langue officielle dans certains pays d'Europe [France, pour la justice, jusqu'à Charles VIII ; pour les actes publics, jusqu'à François Ier (édit de Villers-Cotterêts, 10-8-1539) ; Hongrie, jusqu'au XVIIIe s.]. Lettrés et savants publient en latin (jusqu'au début du XIXe s). **XIIIe s, le français** prend de l'importance, puis son influence décroît, mais reprend à la fin du XVIe s. Le *1er acte notarié en français* (1532) est rédigé à Aoste en Italie (le latin étant encore utilisé à Paris). **Du XIVe au XVIIe s.** *Angleterre,* Édouard III, le vainqueur de Crécy, ne sait pas l'anglais. Lois et protocoles sont libellés en latin et français jusqu'au XVe s. Henri IV (1367-1413) est le 1er roi dont l'anglais est la l. maternelle. Les procès-verbaux des séances du Parlement sont en français jusqu'en 1422 env. Dans la juridiction, le français est employé jusqu'au XVIIIe s., sauf une courte éclipse sous Cromwell. En 1689, dans son « Essai pour une paix présente et future en Europe », William Penn (Anglais, 1644-1718) propose de choisir le français comme l. européenne.

■ **XVIIIe s.** *En 1714,* au *traité de Rastatt, le français est adopté pour la 1re fois dans la rédaction d'un tr.,* (jusqu'à la g. de 1914-18 il restera la l. diplomatique). Il n'est pas une cour allemande ou italienne où l'on ne trouve des Français ministres, ingénieurs, fonctionnaires, chambellans, maîtres de ballet, académiciens, peintres ou architectes ; Frédéric II, le Pce de Ligne, Casanova, Grimm, l'abbé Galiani, Walpole, Catherine II, Marie-Thérèse, Joseph II écrivent un français excellent. Paris est la capitale universelle. Des écrivains allemands s'indignent que les Allemands réservent le français pour la conversation et ne parlent allemand « qu'à leurs chevaux ».

■ **XIXe s. 1800** apogée du français, servi par les émigrés comme par les conquêtes intellectuelles ou territoriales de la Révolution. Czartoryski, min. des Affaires étr. d'Alexandre Ier, en rend l'usage obligatoire dans la correspondance diplomatique de l'*État russe*. La *Prusse* l'adopte pareillement jusqu'en 1862. Les souverains d'Europe correspondent entre eux en français. Le Mal Bernadotte peut régner en *Suède*, sous le nom de Charles XIV, jusqu'à sa mort en 1844, sans apprendre le suédois : toutes les affaires de l'État sont traitées en français. En revanche, en 1800, le min. anglais des Affaires étr., Lord Grenville, recommande « à ses collaborateurs du Foreign Office de s'exprimer en anglais et non plus en français, dans leurs échanges de vues avec les représentants diplomatiques accrédités à Londres ». En 1887, la *Triple Alliance,* dirigée contre la France et rassemblant deux États de l. allemande (Allemagne, Autriche) et un de l. italienne (Italie), est rédigée en français. En 1896, le français est adopté comme l. officielle des *jeux Olympiques,* restaurés à l'initiative d'un Français, le Bon Pierre de Coubertin. La charte olympique (art. 18) dit : « les langues officielles du Comité intern. olympique sont le français et l'anglais (...). En cas de désaccord entre les textes français et anglais de ces règles, le texte français fera autorité ». Il est d'usage que les cérémonies d'ouverture et de clôture des jeux se déroulent en français (quitte à être traduites ensuite dans la l. du pays d'accueil).

■ **1900-20.** En 1914, le tsar *Nicolas II* écrit en français à la tsarine. Le français est reconnu comme l. diplomatique, l'anglais comme l. commerciale outre-mer, mais l'allemand, utilisé dans les relations administratives et commerciales du Proche-Orient, prend une importance croissante. En 1919, Clemenceau, en acceptant que le *traité de Versailles* soit bilingue, laisse porter un 1er coup au prestige diplomatique du français. Mais les *traités de St-Germain, Sèvres et Neuilly* stipulent que le texte français serait la seule version de référence au cas où surgiraient des contestations.

■ **1920-40.** L'enseignement du français devient obligatoire dans lycées et collèges de Pologne, Tchécoslovaquie, Hongrie, Roumanie. La Suède concède des privilèges uniques au français. Les élites des nations latines d'Europe et d'Amérique restent sous l'influence intellectuelle fr. Le français règne aussi en Égypte, Syrie, Perse... Il y a en outre les Empires coloniaux français et belges centrés sur l'Afrique, mais cette primauté est attaquée. La *Conférence navale de Washington,* en 1921, prétend adopter l'anglais comme seule langue de travail. En *Italie,* Mussolini proteste auprès du roi contre le maintien du français comme l. de la Cour.

■ **1940 à nos jours.** En sept. 1940, l'Argentine abolit la primauté du français dans ses universités. L'Amér. latine suit (une réaction à ce mouvement s'est dessinée et, maintenant, le français est à égalité avec l'anglais). Les *tr. de paix* (Paris, février 1947, avec Italie, Hongrie, Roumanie, Bulgarie et Finlande) sont rédigés en anglais, en russe et en fr., mais les deux 1res versions seules font loi. Le *tr. de San Francisco* (1946), rétablissant l'état de paix avec le Japon, ne connaît qu'un texte officiel : l'anglais. La *convention d'armistice en Palestine* (1948) est rédigée en fr., ainsi que tous les tr. conclus entre pays balkaniques depuis la fin de la g. (2-9-1945). A la *conférence de Bandung,* en avril 1955, le français, accepté comme 3e l. de travail après l'anglais et l'arabe, n'est presque pas employé par les représentants de 62 % de la pop. mondiale.

A l'Onu. On distingue les l. officielles dans lesquelles sont traduits tous les documents des assemblées plénières, soit, depuis la création : anglais, espagnol, français, russe, arabe et chinois, et les l. de travail (anglais et français), en théorie à parité, mais en fait l'anglais domine. 90 % env. des documents préparés par le secrétariat de l'Onu sont rédigés en anglais ; *dans les institutions spécialisées,* le français vient en 2e place, mais ne dépasse 10 % du total qu'à l'OMCI, à l'Office de l'ONU à Genève, à l'UIT (24,5 %) et à l'UNESCO (29 %). *Répartition des discours du débat général en 1989* (en %) : Anglais 44,8. Français 16,88. Espagnol 12,98. Arabe 11,68. Dans quelques organisations, le français jouit d'un statut privilégié par rapport aux autres langues. A l'UIT il est l'une des 3 langues de travail avec l'anglais et l'espagnol et constitue la l. de référence en cas de contestation ; à l'UPU, il demeure la seule l. officielle.

Conférence d'Helsinki sur la sécurité et la coopération en Europe en 1975 (CSCE). 6 langues en usage : anglais, français, allemand, russe, espagnol et italien. Lors de la 10e réunion anniversaire de l'acte d'Helsinki (30-7-1985), sur 35 pays représentés, 6 délégations s'expriment en français, 18 en anglais (notamment polonaise, grecque et portugaise).

Communauté européenne. Le français est la l. de travail et de communication, mais dep. l'entrée de la G.-B., l'anglais tend à le supplanter.

NOMBRE DE FRANCOPHONES

☞ **Nombre** (en milliers) **et %** (par rapport à la population) **de francophones réels et,** entre crochets, **de francophones occasionnels dans le monde en 1989.**

Sources : Rapport sur l'état de la Francophonie dans le monde.

■ **États ou régions de la francophonie. Afrique** 22 486 (9,6) [33 147 (14,1)]. Égypte 215 (0,4) [1 700 (3)]. *Maghreb* 6 980 (21) [9 560 (28)] : Maroc 4 610 (18) [6 400 (25)], Tunisie 2 370 (30) [3 160 (40)]. *Afrique subsaharienne* 13 441 (10,1) [19 745 (14,9)] : Bénin 470 (10) [940 (20)], Burkina-Faso 610 (7) [1 300 (15)], Burundi 165 (3) [550 (10)], Cameroun 1 940 (18) [2 160 (20)], Cap-Vert 0,5 (0,1), Centrafrique 140 (5) [365 (13)], Congo 770 (35) [660 (30)], Côte-d'Ivoire 3 630 (30) [3 630 (30)], Djibouti 29 (7) [100 (24)], Gabon 300 (30) [400 (40)], Guinée 355 (5) [710 (10)], Guinée-Bissau 1 (0,1), Guinée équatoriale 0,5 (0,1), Mali 890 (10) [890 (10)], Mauritanie 120 (6) [(4)], Niger 520 (7) [1 110 (15)], Rwanda 210 (3) [350 (5)], Sénégal 720 (10) [1 100 (14)], Tchad 150 (3) [980 (20)], Togo 680 (20) [1 020 (30)], Zaïre 1 740 (5) [3 500 (10)]. *Océan Indien* 1 850 (13,2) [2 142 (15,2)] : Comores 35 (8) [120 (27)], Madagascar 1 060 (9) [1 300 (11)], Maurice 270 (25) [600 (55)], Mayotte 20 (33) [20 (35)], Réunion 460 (80) [87 (15)], Seychelles 5 (7) [15 (20)]. **Amérique** 8 054 (15,4) [3 565 (6,8)]. *Amér. du Nord* 6 886 (15,4) [3 200 (7,1)] dont *Canada* 6 580 (25) [3 000 (11)], Québec 5 620 (82,9), Nouveau-Brunswick 245 (33,6), USA Louisiane 100 (2,2) [200 (4,4)], Nouv.-Angleterre 200 (1,4), *St-Pierre-et-Miquelon* 6 (100). *Caraïbes* 1 168 (15,8) [365 (4,9)] : Dominique 1 (1,1), Haïti 570 (9) [250 (4)], Guadeloupe 270 (80) [50 (15)], Guyane fr. 55 (73) [15 (20)], Martinique 270 (80) [50 (15)], Ste-Lucie 2 (1,4). **Asie** 968 (1,3) [800 (1,1)]. Liban 894 (27) [800 (23)]. *Extrême-Or.* 74 (0,1) : Laos 4 (0,1), Viêt-nam 70 (0,1). **Europe** 61 059 (83,5) [5 200 000 (7,1)]. Belgique 4 500 (45,5) [3 200 (32)], *France 55 000 (98),* Luxembourg 300 (80), Monaco 27 (90), Suisse 1 220 (18,5) [2 000 (30)], Val d'Aoste 12 (10). **Océanie** 300 (64,5) [33 (7,1)]. Nouv.-Calédonie 120 (80) [15 (10)], Polynésie fr. 128 (80) [16 (10)], Vanuatu 45 (31), Wallis et Futuna 7 (70) [2 (20)]. **Total.** 92 867 (21,4) [42 745 (9,8)].

■ **Pays ou régions à tradition francophone ou francophile. Afrique** 7 475 (10) [7 470 (10)]. Algérie 7 470 (30) [7 470 (30)], Éthiopie 4 (0,008), St-Thomas 1 (0,7). **Amérique** 168 (0,08). *Amér. centrale, Caraïbes* 80 (0,2) : Costa Rica 1 (0,03), Grenade, St-Vincent, Trinité et Tobago 7 (0,5). *Amér. du S.* 160 (0,08) : Brésil 100 (0,07), Argentine, Chili, Venezuela 60 (0,1). **Asie** 584 (0,5) [10 (0,008)]. *Proche et Moy.-Orient* 572 (0,5) : Iran 50 (0,09), Israël 500 (11), Syrie 12 (0,1), Turquie 10 (0,02). *Extr.-O.* 12 (0,2) [10 (0,1)] : Cambodge 10 (0,1), Pondichéry 2 (0,2) [10 (1)]. **Europe** 2 373 (1,3) [4 000 (2,1)]. Andorre 13 (29), Espagne, Grèce, Italie, Portugal 1 300 (0,1), Bulgarie, Pologne 60 (0,1), Roumanie 1 000 (4) [4 000 (17)]. **Total** 10 600 (1,7) [11 480 (1,9)].

■ **Reste du monde. Afrique** 40 (0,02). **Amérique** 460 (0,1). *Du Nord* 400 (0,2). *Centrale, Caraïbes* 40 (0,02). *Du Sud* 20 (0,03). **Asie** 75 (0,003). *Proche et Moyen-Orient* 25 (0,04). *Extr.-O.* 50 (0,002). **Europe** 520 (0,1). *De l'Ouest* 500 (0,3). *De l'Est et URSS* 20 (0,006). **Océanie** 50 (0,2). **Total** 1 145 (0,03).

■ **Total** 104 612 (54 225).

STATUT DU FRANÇAIS

FRANCE

☞ **En 1992,** la langue française est reconnue « langue de la République française » (art. 1 de la Constitution).

■ **Ordonnance de Villers-Cotterêts.** 192 articles. Datée et signée de François Ier le 5-8-1539, rédigée par le chancelier Guillaume Poyet, enregistrée par le Parlement de Paris le 6-9-1539 ; elle a établi les registres d'état civil pour constater naissances et décès ; déterminé les limites précises entre la juridiction ecclésiastique et la jur. séculière ; décidé, en matière pénale, que l'accusé répondrait lui-même aux interpellations qui lui seraient faites, qu'il pourrait entendre les dépositions avant de proposer ses répliques ; a institué les « amendes de fol appel », pour dissuader les plaideurs d'interjeter des recours abusifs ; ordonné que les actes notariés, procédures et jugements se feraient en français. **Art. 110 :** « Afin qu'il n'y ait cause de douter sur l'intelligence des arrêts de justice, nous voulons et ordonnons qu'ils soient faits et écrits si clairement, qu'il n'y ait, ni puisse avoir, aucune ambiguïté ou incertitude, ni lieu à demander interprétation. » **Art. 111 :** « Et pour ce que telles choses sont souvent advenues sur l'intelligence des mots latins contenus dans lesdits arrêts, nous voulons dorénavant que tous arrêts, ensemble toutes autres procédures, soit de nos cours souveraines et autres subalternes et inférieures, soit de registres, enquêtes, contrats, commissions, sentences, testaments, et autres quelconques actes et exploits de justice, ou qui en dépendent, soient prononcés, enregistrés et délivrés aux parties, en langage maternel français et non autrement. »

■ **Décret du 2 thermidor an II (20-7-1794).** « Nul acte public ne pourra, dans quelque partie que ce soit du territoire de la République, être écrit qu'en langue française » (sous peine de 6 mois d'emprisonnement et de destitution : tout fonctionnaire ou officier public, tout agent du gouvernement, tout receveur du droit d'enregistrement).

■ **Décret Lakanal du 27 Brumaire an III (17-11-1794) sur les écoles primaires.** L'enseignement sera fait en langue française : l'idiome du pays ne pourra être employé que comme un moyen auxiliaire.

■ Arrêté du Pt du Conseil du 2-2-1919. Il déclare que le français est la langue judiciaire des départements du Bas-Rhin, du Haut-Rhin et de la Moselle.

■ Décret du 2-5-1953 relatif à l'Office français de protection des réfugiés et apatrides. Il prévoit que le recours formé contre la décision du directeur de l'Office devant la commission compétente doit être établi en français.

■ Loi du 31-12-1975 (Bas-Lauriol). Elle déclare l'emploi du français obligatoire dans la désignation, l'offre, la présentation, la publicité écrite ou parlée, les modes d'emploi d'un article ou d'un produit.

■ Position de la Cour de cassation. Elle a énoncé qu'à peine de nullité, tout jugement doit être motivé en langue française (Cass. 2e civ., 11-1-1989, Bull. II, page 5). Position du Conseil d'État. Il a rappelé que n'est pas recevable une requête qui n'est pas rédigée en français (C.E., 22-11-1985, Requête Quilleveret).

Autres pays

■ Statistiques. 44 États et 3 parties d'État attestent de leur caractère francophone, même très partiellement, par le statut particulier réservé au français. Dans quelques autres pays (Cambodge, Dominique, Égypte, Grenade, Laos, St-Vincent, Ste-Lucie, Syrie, Viêt-nam) ou régions (Val d'Aran, Jersey, Nouvelle-Angleterre, Pondichéry, vallées Vaudoises) subsiste un attachement variable au français sans que celui-ci jouisse de statut privilégié. Certains États sans réel passé francophone utilisent régulièrement le français dans les instances internationales : Angola, Cap-Vert, Grèce, Guinée-Bissau, Italie, Pologne, Portugal, St-Thomas et Vatican.

■ États totalement ou partiellement francophones. *Légende* : o. : langue officielle ou administrative de fait (éventuellement avec d'autres langues). e : langue d'enseignement (système public) exclusive. ne : Non exclusive. p : Enseignée à statut privilégié.

Afrique. Sud du Sahara : *Bénin,* o, e ; *Burkina* o, e ; *Burundi* o (kirundi ne) ; *Cameroun* o (anglais), e (Cam. oriental), ne (anglais) ; *Centrafrique* o, e (secondaire), ne (sango, primaire) ; *Comores* o (arabe), e (secondaire), ne (comorien, primaire) ; *Congo* o, e ; *Côte-d'Ivoire* o, e ; *Djibouti* o (arabe), e (secondaire), ne (arabe, primaire) ; *Gabon* o, e ; Guinée o, e ; *Madagascar* o (malgache), ne (malgache), p (primaire) ; *Mali* o, e ; *Maurice* o (anglais), ne (supérieur) p ; *Mauritanie* o (arabe), ne (arabe) ; *Niger* o, e ; *Rwanda* o (kinyarwanda), ne (kinyarwanda) ; *Sénégal* o, e, ne (en projet) ; *Seychelles* o (créole anglais), p ; *Tchad* o (arabe), e ; *Togo* o, e ; *Zaïre* o, e (secondaire), ne (4 langues nationales). **Maghreb :** *Algérie* o (arabe), ne (arabe), p. (filières arabisées) ; *Maroc* o (arabe), ne (arabe), p (filières arabisées) ; *Tunisie* o (arabe), ne (arabe).

Amérique. *Canada* o (Québec), o (anglais), e (Québec), p (hors Québec) ; *Louisiane* (USA) o (anglais), p ; *Haïti* o, e (secondaire), ne (créole primaire).

Asie. *Proche et Moyen-Orient ; Liban* o (arabe), ne (arabe), p.

Europe. *Andorre* o (catalan), ne ; *Belgique* o, e (Wallonie), p (région flamande) ; *France* (avec DOM-TOM) o (tahitien Polynésie), e ; *Luxembourg* ne (allemand) ; *Monaco* o, e ; *Suisse* o (allemand italien), e (pour les francophones), p (pour les non francophones) ; *Val d'Aoste* o (italien), p.

Océanie. *Vanuatu* o (anglais), ne (anglais).

■ Enseignement dans les pays non francophones. Le français est enseigné comme langue étrangère à plus de 25 millions d'élèves par env. 250 000 professeurs. Près de 100 millions de personnes apprennent ou ont appris le français comme langue étrangère.

■ Quelques précisions

Amérique

Seule langue officielle. **Outre-mer français. Guadeloupe** 350 000 h. et dépendances (Marie-Galante 16 341, Les Saintes 2 772, Désirade 1 592, St-Barthélemy 2 176, St-Martin 4 502) ; **Guyane** 33 698 ; **Martinique** 342 000 ; **St-Pierre-et-Miquelon** 6 000. **Île St-Martin** [divisée entre France (52 km², 4 500 h.) et P.-Bas (34 km², 1 000 h.) dep. 1648]. Officielle avec néerlandais. Autres cas : **Argentine, Canada** (voir Index). **Chili** (villages de vignerons français au sud, importantes colonies basques dans la région de Temuco). **États-Unis.** Voir Index. **Mexique** *État de Veracruz :* env. 10 000 descendants d'émigrants francs-comtois et bourguignons. *Hauts Plateaux :* les Barcelonnettes, spécialisés dans le commerce des tissus (du nom de Barcelonnette, Alpes-de-Hte-Prov., d'où émigrèrent un certain nombre d'habitants à partir de 1821, quand la filature des Arnaud de Jusiers ferma ses portes).

Asie

Inde. Langue officielle avec le tamoul : **Pondichéry** (territ. de l'Inde, 471 507 h., 481,74 km², ancien établissement français avec **Karikal, Mahé, Yanaon** et **Chandernagor ;** traité de cession 28-5-1956, ratifié 16-8-1962). Le fr. est très peu enseigné (en dehors des établissements fr.). Communauté française : 20 000 personnes. Liban et Syrie : un certain nombre d'habitants descend des Poulains, « pieds-noirs » du temps des Croisades : ex. les Douahy descendant du sire de Douai, les Frangi (de Frangy) et les Frangié de 2 chevaliers originaires de Frangy (Hte-Savoie), les Duras. A partir du XIXe s., les langues eur. (fr. surtout, italien et anglais) sont enseignées comme l. de culture. A la fin du XIXe s., l'usage du fr. l'emporte. Le mandat français (1920-43) favorise son extension. Turquie : certains Smyrniotes sont citoyens fr.

Europe

■ Seule langue officielle. **France, Monaco, Luxembourg** (85 % des h. savent le français, mais parlent un dialecte).

■ Langue officielle avec d'autres. **Belgique :** voir Index. **Suisse :** *seule langue off. :* cantons de Vaud, Neuchâtel, Genève et Jura (seul canton monolingue ayant disposé dans sa constitution que le fr. serait langue off.). *Une des langues officielles :* cantons de Fribourg (majoritaire), Valais et Berne (en concurrence avec l'allemand) (majoritaire).

■ Autres cas. **Allemagne :** env. 300 000 réformés descendent des huguenots (dont 30 000 inscrits à l'Association des hug.). **Espagne :** 12 000 « pieds-noirs » d'Algérie, notamment autour d'Alicante. **Grèce :** 332 000 élèves en Fr., influence de l'Institut français d'Athènes créé 1938. **Roumanie :** enseigné dans le primaire (161 000 élèves soit 38 % en 1990). **Turquie :** enseignement : Turcs ayant une connaissance bonne ou moyenne 200 000, sommaire 100 000 (+ Levantins). Lycées bilingues 7 750 élèves.

☞ Les Églises réformées dites Égl. françaises, ou Égl. wallonnes, ou Égl. vaudoises, ont leur culte en français : Pays-Bas (la famille royale appartient à l'Église « wallonne », dont le culte est en français), Allemagne (Taunus, Berlin-Est), Italie (Piémont), Danemark, Suède, Irlande.

Océanie

■ Seule langue officielle. **Nouvelle-Calédonie :** le parler populaire, marqué par les origines des 1ers colons fr., le bagne et l'infanterie coloniale, ne se distingue plus aujourd'hui du français international que par un accent « caldoche » et quelques expressions locales. **Polynésie française :** le tahitien utilisé par 80 % de la pop. (dep. 1980 l. officielle à côté du fr.) progresse au détriment des autres dialectes locaux.

Nota. – 3 247 villes étrangères ont un nom de localité française.

Organisations

■ Organisations publiques

■ Conférence des chefs d'État de France et d'Afrique. **Origine :** à l'issue du « sommet » africain à Paris autour de M. Pompidou (13-11-1973), il est décidé que les réunions regroupant des chefs d'État africains francophones auront lieu chaque année.

Sommets de la francophonie. 1986 (17/19-2) 1er, Versailles. **1987** (2/4-9) : 2e Québec, 36 pays représentés + 3 invités . **1989** (24/26-5) : 3e Dakar. **1991** (19/21-11) : 4e Paris (Chaillot). 44 pays + 3 observateurs (Bulgarie, Cambodge, Roumanie) + 3 visites (Louisiane, N.-Angleterre, Val d'Aoste). **1993** (5/7-10) : 5e Île Maurice. 50 pays et territoires.

■ Agence de coopération culturelle et technique. (ACCT) 13, quai André-Citroën, Paris 15e. **Créée** 20-3-1970 à Niamey (Niger). **Secr. gén. :** Jean-Louis Roy (Canada) élu pour 4 ans en déc. 1989. **Membres :** 34 États (Belgique, Bénin, Burkina, Burundi, Cameroun, Canada, Centrafricaine (Rép.), Comores, Congo, Côte-d'Ivoire, Djibouti, Dominique, *France,* Gabon, Guinée, Guinée équatoriale, Haïti, Laos, Liban, Luxembourg, Madagascar, Mali, Maurice, Monaco, Niger, Rwanda, Sénégal, Seychelles, Tchad, Togo, Tunisie, Vanuatu, Viêt-nam, Zaïre). 5 États associés (Égypte, Guinée-Bissau, Maroc, Mauritanie, Ste-Lucie). 2 gouvernements participants (Nouveau-Brunswick, Québec). 3 pays observateurs (Bulgarie, Cambodge, Roumanie). **Budget** *1993 :* 370 861 000 F.

■ Conférence des ministres de l'Éducation ayant en commun l'usage du français. (Confemen). **Créée** 1960 à l'initiative de certains pays d'Afrique francophone. **Membres** 31 : Belgique (communauté française), Bénin, Burkina-Faso, Burundi, Cameroun, Canada (gouv. fédéral), Canada-Nouveau-Brunswick (1990), Canada-Québec, Cap-Vert, Centrafricaine (Rép.), Comores, Congo, Côte-d'Ivoire, Djibouti, *France,* Gabon, Guinée-Bissau, Haïti, Île Maurice, Luxembourg, Madagascar, Mali, Mauritanie, Niger, Rwanda, Sénégal, Seychelles, Tchad, Togo, Zaïre. **Organe exécutif :** Secrétariat technique permanent à Dakar. Dernière session ministérielle à Bamako (Mali) 19/20-7-1990.

■ Ministre, puis secr. d'État (4-4-1992) délégué auprès du ministre des Affaires étrangères chargé de la francophonie. Catherine Tasca (n. 13-12-1941) dep. le 15-5-1991 [avant *1986-2-5* Lucette Michaux-Chevry (n. 5-3-1929) ; *1988-28-6* Alain Decaux (n. 23-7-1925)]. **Mission :** entre autres, coordonner l'action télévisuelle extérieure de la France.

Nota. – Le *Service des Affaires francophones* du min. des Aff. étrangères : unique service administratif doté d'une compétence exclusive en matière de francophonie. Rattaché à la Direction des Affaires politiques, il se trouve placé à la disposition du ministre.

La *Dir. générale des Relations culturelles, scientifiques et techniques,* dépendant du min. des Aff. étrangères, sous l'autorité du secrétariat d'État aux Rel. cult. intern., a pour mission de développer l'action culturelle de la France à l'étranger.

■ Ministre de la Coopération et du Développement. Champ de responsabilité étendu à 37 États d'Afrique et des Caraïbes francophones, créophones, lusophones et hispanophones (sauf Namibie). Comprend le Fonds d'Aide à la Coopération (FAC) et l'assistance technique.

■ Haut Conseil de la francophonie. 72, rue de Varenne, 75007 Paris. **Créé** 12-3-1984. **Pt :** F. Mitterrand. **Pt d'honneur :** Léopold Sédar Senghor (n. 9-10-1906) (ancien Pt du Sénégal). **Secr. gén. :** Stélio Farandjis (n. 16-4-1937).

■ Conseil supérieur de la langue française. 1, rue de la Manutention, 75116 Paris. **Créé** 2-6-1989, présidé par le PM. *Vice-Pt :* Bernard Quemada. **Mission :** étudier les questions relatives à l'usage, l'aménagement, l'enrichissement, la promotion et la diffusion de la langue fr., et la politique à l'égard des langues étrangères ; présenter des recommandations au gouvernement et suivre l'action de la Délégation générale à la langue française.

■ Délégation générale à la langue française. 1, rue de la Manutention, 75116 Paris. **Créée** 2-6-1989, placée auprès du PM. *Délégué général :* Bernard Cerquiglini. *Secrét. gén. :* Maurice Zinovieff. **But :** promouvoir et coordonner les actions des administr. et des organismes publics et privés qui concourent à la diffusion et au bon usage de la langue fr. *Publications :* les Brèves, bull. trim., Dictionnaire des termes officiels, Répertoire des organisations et associations francophones (1992).

■ Agence pour l'Enseignement français à l'étranger. **Créée** 6-7-1990 pour regrouper sous une structure unique les divers services et directions concourant à l'animation du réseau des établissements d'enseignement du français à l'étranger.

■ Organisations privées

Principales associations francophones

■ Association francophone d'amitié et de liaison (AFAL). 5, rue de la Boule Rouge, 75009 Paris. Agréée par l'Unesco. *Fondée* 1974, restructurée 1983. *Pt :* Xavier Deniau (24-9-1923). *Vice-Pts :* Martial de la Fournière (1-4-1918) (Celf), Jacques Rabemananjara (23-6-1913) (Sté afric. de culture), Paul Fahy (20-2-1922) (Mission laïque fr.) et Alain Plantey (19-7-1924) (Idef). *Secr. gén. :* N'Sougan Agblemagnon (Cercle Richelieu Senghor). *Trésorier :* Bernard Pecriaux (Fond. Post-univ.). **Membres :** 100. *Publications :* bulletins périodiques de liaison AFAL.

■ Alliance française. 101, bd Raspail, 75006 Paris. *Création :* 1883. *Pt :* Marc Blancpain (n. 1909). *Secr. général :* Jean Harzic (n. 1936). *Objectif :* diffusion de la langue et de la civilisation fr. dans le monde par l'intermédiaire de 1 010 comités ou associations affiliées (conférences, réunions, bibliothèques et surtout cours de langue et de civilisation). *Activité enseignante* dans plus de 600 centres. *Étudiants (1990) :* 327 421 (*89* 334 820) dont Europe 53 195 (52 757), Afrique 36 125 (42 297), Canada-USA 26 300 (24 602), Asie-Océanie 61 271 (56 361), Amérique Centrale et du Sud 157 670 (158 803). *Pays ayant le plus d'étudiants en 1987 :* Brésil 49 201, Argentine 30 535, Pérou 17 992, Mexique 17 686, Portugal 12 742, États-Unis 12 000. *Villes comptant le plus d'étudiants en 1987 :* Rio de Janeiro 14 186, Lima 13 870, Buenos Aires 13 683, São Paulo 13 505, Mexico 9 075, Hong Kong 6 680, Séoul 5 460, Lisbonne 4 594, Bogota 3 725, New York 3 500. *École de Paris :* fonctionne toute l'année et reçoit 4 000 élèves par jour (dep. débutants jusqu'aux prof. de français stagiaires de langue étrangère).

■ Ass. intern. des parlementaires de langue fr. (AIPLF). 235, bd St-Germain, 75007 Paris. *Fondée* 1967. *Pt :* Martial Asselin (Can.). *Publication :* Parlements et Francophonie (trim.).

Ass. des écrivains de langue fr. (Adelf). *Créée* 1926 (2 200 écrivains de 67 nationalités, *Pt :* Edmond Jouve, décerne 15 prix littéraires). **Ass. intern. des maires et responsables des capitales et métropoles** partiellement ou entièrement francophones (AIMF). *Pt :* Jacques Chirac. **Association des universités partiellement ou entièrement de langue française – Université des réseaux d'expression française (Aupelf-Uref).** BP 400, succ. Côte-des-Neiges, Montréal, Québec, Canada H3S2S7. *Créée* 1961 à Montréal. **Fonds international de coopération universitaire (Ficu).** *Budget 1993 :* 7,9 millions de F ; **Université des réseaux d'expression française (Uref).** *Budget 1992 :* 64 millions de F. *Membres :* 254 institutions et réseaux institutionnels d'enseignement supérieur d'expression française dans 47 pays et 400 départements d'études françaises d'universités non francophones. *Pt :* Abdelatif Benabdeljlil (Maroc).

Conseil international de la langue française (CILF). 11, rue de Navarin, 75009 Paris. *Créé* sept. 1967. 75 membres titulaires (26 Français, 10 Canadiens, 7 Belges, 3 Suisses, 20 Africains, etc., linguistes qualifiés). *Pt :* André Goose (Belg.). *Secr. gén. :* Hubert Joly. *Publications :* dictionnaires, revues : la Banque des mots (semestrielle), le Français moderne (sem.), collection de tradition orale monolingue et bilingue (80 fascicules publiés) et de manuels de formation en agronomie tropicale, mécanique et architecture (78 publiés). *Budget 1990 :* 6 000 000 F. Dispose d'une Maison de la francophonie, 11, rue de Navarin, 75009 Paris (siège d'une vingtaine d'associations littéraires et culturelles) ; de la librairie de la Francophonie, 21 bis, rue Cardinal-Lemoine, 75005 Paris ; d'une Maison de l'Europe, 10, rue Sainte-Odile, 71250 Cluny, pour former des étrangers à la langue fr. et les francophones aux langues européennes. La marquise de Bérenger lui a légué le château de Sassenage (classé), près de Grenoble. Banque de données orthographiques et grammaticales par Minitel « 3615 Orthotel » et Banque de terminologie industrielle (« 3615 Mitrad »). Service « Orthofax 45 55 41 16 ». Enseignement audiovisuel accéléré de fr. à formation postuniversitaire internationale, 11, rue Tiquetonne, 75002 Paris.

Union internationale des journalistes et de la presse de langue française (UIJPLF). 3, cité Bergère, 75009 Paris. *Fondée* 1952. *Pt intern. :* Auguste Miremont (Abidjan). **Comité international pour le français langue européenne.** 70, av. de la Gde-Armée, 75017 Paris. *Fondé* 1957. *Pt intern. :* l'archiduc Otto de Habsbourg. *Fondateur et Pt* de la Sect. française : Hervé Lavenir de Buffon (n. 10-10-30). **Conseil international des radios-télévisions d'expression française (Cirtef).** 23, rue Groujas, CH-1205 Genève, Suisse. *Créé* 1978. *Pt :* Robert Stéphane (Belge). **Fédération internationale des professeurs de français (FIPF).** 1, av. Léon-Journault, 92311 Sèvres Cedex. *Créée* 1969. *Pt :* Jean-Claude Gagnon. **Institut international de Droit d'expression française (Idef).** 27, rue Oudinot, 75007 Paris. *Créé* 1961. *Pt :* Raymond Barre. **Institut pour la coopération audiovisuelle francophone (Icaf).** *Créé* 1982. 9, rue de Civry, 75016 Paris. *Pt :* André Delehedde. **Office de coop. et d'accueil univ. Richelieu International.** *Créé* 1944 à Ottawa. *Origine du nom :* « Maison Richelieu » établie en Amérique par la D[cesse] d'Anguillon, nièce du Gal de Richelieu. *But :* accueillir les orphelins de soldats et de colons. *Dél. gén. :* Grégoire Pagé, 445, rue Comberland, Case postale 2, Ottawa Canada K1N 8V1. **Richelieu France.** *Gouv. exécutif :* Bernard Laurence, 1, rue Jean-Moulin, 35000 Rennes. **Union culturelle et tech. de langue fr. (UCTF).** 47, bd Lannes, 75016 Paris. *Créée* 1954. *Pte :* Mme Serieyx-Prom. *Décerne* tous les 2 ans le prix Jean-Mermoz pour des Fr. de l'étranger ayant servi la Fr. Congrès des villes sœurs (3 247 dans le monde portant un nom fr.). Bibliothèque internat. de langue fr. à la Bibl. Ste-Geneviève. **Centre international de documentation et d'échanges de la francophonie (Cidef).** 100, rue de Lille, 59200 Tourcoing.

■ Revues, journaux écrits en français paraissant à l'étranger (estim. 1984). Suisse 225, Canada 180, Belgique 160, Maroc 32, Algérie 19, Sénégal 18, Tunisie 18, Roumanie 15, Israël 15, USA 15, Pologne 14, île Maurice 14, Liban 3, Italie 12, Yougoslavie 11, Luxemb. 10, Tchécosl. 9, Hongrie 9, Zaïre 8, All. féd. 7, G.-B. 6, Égypte 5, Dan. 5, Madagascar 5, Albanie 4, Tchad 4, Japon 4, Seychelles 3, Cameroun 2, Côte-d'Ivoire 2, URSS 2, Grèce 2, Autriche 2, Chine 2, Cuba 2, Iran 2, Portugal 2, Venezuela 2. *Source :* UCTF.

☞ **Grand Prix de la francophonie.** Voir p. 330 a.

Latinité

☞ Les langues néolatines (espagnol, italien, français, portugais, roumain, catalan, galicien, occitan, provençal, romanche) sont issues du bas-latin, lui-même issu du latin, langue d'un petit peuple fixé dans la région de Rome (Latium).

Organisations

■ Organismes intergouvernementaux

■ Union latine. **Siège :** 8, rue Colón-Santo-Domingo, Rép. dominicaine. *France :* 65, bd des Invalides, 75007 Paris, 14, bd Arago, 75013 Paris. Autres bureaux : Bucarest, Buenos Aires, Lima, Lisbonne, Montevideo, Rome, Santiago du Chili. **Pt du Congrès :** Dan Haulica (Roumanie). **Vice-Pts du Congrès :** Jacques Boissen (Monaco), Hugo Palma (Pérou). **Secr. gén. :** Philippe Rossillon (Fr., 10-8-1931). **États membres** (janv. 1993) : Argentine, Bolivie, Brésil, Cap-Vert, Chili, Cuba, Dominicaine (Rép.), Équateur, Espagne, *France,* Guatemala, Guinée-Bissau, Haïti, Honduras, Italie, Mexique, Moldavie, Monaco, Nicaragua, Paraguay, Pérou, Philippines, Portugal, Roumanie, St-Marin, St-Siège (statut partic.), São Tomé et Príncipe, Uruguay, Venezuela. **Histoire :** fondée par Pierre Cabanes (Fr.) après 1945 sous forme d'association privée. Transformée en organisme intergouvernemental par le traité de Madrid de 1954. Sans grande activité pendant 1/4 de siècle, elle disparut en 1979, mais fut relancée par un congrès le 17-10-1983. **Objectifs :** *Promotion et enseignement des langues latines* dans les pays latins. *Collecte, informatisation, enrichissement des vocabulaires. Collecte, comparaison, renforcement des législations* et réglementations tendant à la protection linguistique des consommateurs et à la promotion des productions audiovisuelles d'expression latine. *Activités culturelles* (expositions, festivals, colloques, prix littéraires,...). **Langues officielles :** espagnol, français, italien, portugais, roumain.

■ Oficina de educación ibero-americana (OEI). **Créée** 1949. **Siège :** Madrid. **Membres :** pays hispanophones d'Amérique, Brésil, Guinée équatoriale, Philippines. **Secr. gén. :** Simon Romero. **Objectifs :** coopération en matière éducative à tous niveaux. Nombreuses publications.

■ Istituto italo-latino americano (IILA). **Créé** 1966 sur l'initiative d'A. Fanfani. **Siège :** Rome. **Membres :** pays d'Am. latine (dont Brésil et Haïti). **Langues officielles :** espagnol, français, italien, portugais. **Objectifs :** développement et coordination des recherches en matière culturelle, scientifique et technique. **Secr. gén. :** ambassadeur Magliano.

■ Organismes privés

Cultura latina. Association fondée pour la promotion en France des langues et des cultures latines. *Créée* 1981. *Siège :* 65, bd des Invalides, 75007 Paris. *Pt :* Philippe Rossillon (10-8-1931). Anime des radios (Radio Latine, 101.8 FM à Paris, Radio Cora Latina à Arles, Nîmes, Montpellier), un cinéma, une galerie et un bistrot (le Latina, 20, rue du Temple, 75004 Paris). **Association des professeurs de langues romanes. Centro d'Azione Latino.** Association privée pour le développement des échanges entre l'Italie et les pays d'Amérique latine. *Siège :* Rome. **Fundación latina** (Argentine). **Helvetia latina.** Suisses francophones et italiens.

■ Statistiques

■ Espagnol. (en 1980 et, entre parenthèses, en 2000, en milliers). **Pays de langue officielle et (ou) maternelle :** Espagne 37 378 (43 362), Amérique latine hispanique 228 561 (352 974) [dont Mexique, toute l'Amér. centrale (sauf partie de Belize), du Sud (sauf Brésil, Guyane, Guyana, Surinam), *Caraïbes :* Cuba, Rép. Dominicaine, Porto Rico], Guinée équatoriale 363 (613). **Minorités esp. :** USA 19 600 (32 400) [dont N.-Mexique 36,6 (% d'hispanophones) ; Texas 21 ; Californie 19,2 (Sud 22,6) ; Arizona 16,2 ; New York 9,5 (ville 19,9) ; Floride 8,8 (Miami 35,7)], Philippines 2 461 (6 100), France. **Total :** 288 788 (435 449).

Pays marqués par une influence espagnole. Philippines, Maroc (Rif).

■ Prix international Charlemagne

Fondé 1949 par des notables d'Aix-la-Chapelle. **Attribué** chaque année, le jour de l'Ascension, par la ville d'Aix-la-Ch., à la personnalité qui a le plus contribué à l'entente et à la coopération internationale sur le plan européen. **Prix :** document-parchemin et médaillon (sur une face, sceau du XIIe s.) d'Aix-la-Chapelle, et 5 000 DM.

Lauréats. 1950 Richard Coudenhove-Kalergi (Autr.). **51** Hendrik Brugmans (Belg.). **52** Alcide De Gasperi (It.). **53** Jean Monnet (Fr.). **54** Konrad Adenauer (All. féd.). **55** Sir Winston S. Churchill (G.-B.). **57** Paul Henri Spaak (Belg.). **58** Robert Schuman (Fr.). **59** George C. Marshall (USA). **60** Joseph Bech (Lux). **61** Walter Hallstein (All. féd.). **63** Edward Heath (G.-B.). **64** Antonio Segni (Ital.). **66** Jens Otto Krag (Dan.). **67** Joseph Luns (P.-B.). **69** Commission des Communautés europ. **70** François Seydoux de Clausonne (Fr.). **72** Roy Jenkins (G.-B.). **73** Don Salvador de Madariaga (Esp.). **76** Leo Tindemans (Belg.). **77** Walter Scheel (All. féd.). **78** Constantin Karamanlis (Grèce). **79** Emilio Colombo (It.). **81** Simone Veil (Fr.). **82** Juan Carlos I (Esp.). **84** Karl Carstens (All. féd.). **86** ensemble des citoyens luxembourgeois. **87** Henry Kissinger (USA). **88** Fr. Mitterrand (Fr.), Helmut Kohl (All. féd.). **89** Frère Roger (Fr., Taizé). **90** Gyula Horn (Hong.). **91** Václav Havel (Tch.). **92** Jacques Delors (Fr.). **93** Felipe Gonzalez (Esp.).

☞ **Prix non décerné.** 1956, 1962, 1965, 1968, 1971, 1974, 1975, 1980, 1983, 1985.

Locuteurs parlant seulement une langue amérindienne. Effectifs en milliers, % monolingues et bilingues en 1974. Paraguay 1 185 (44) *52,* Bolivie 1 477 (27) *42,* Guatemala 1 250 (24) *8,8,* Pérou 1 846 (12) *22,1,* Équateur 626 (9) *8,7,* Mexique 930 (1,6) *4,7,* Nicaragua 33 (1,6) *0,8,* Argentine 175 (0,7) *0,6,* Chili 40 (0,4) *1,9.*

■ Français (voir p. 874).

■ Portugais. **Pays de langue officielle ou maternelle. Europe :** Portugal. **Amérique :** Brésil. **Afrique :** Angola, Cap-Vert, Guinée-Bissau, Mozambique et São Tomé. **Asie :** Macao.

Pays où résident des minorités « lusophones ». *France,* Afrique du Sud, USA, Canada, Venezuela, All... ; zones d'émigration massive des Cap-Verdiens (USA, Sénégal), Inde (Goa).

Lusophones (en 1980 et, entre parenthèses, en 2000, en milliers). **Pays de langue maternelle** 132 156 (198 647) : Portugal 9 836 (11 154), Brésil 122 320 (187 493). **Afrique** *lusophone* 2 350 (11 200) : Mozambique, Guinée-Bissau 1 350 (6 300), São Tomé, Cap-Vert, Angola 1 000 (4 900). **Minorités** (*France,* Afr. du S., etc.) 2 281 dont *France 857,* Afr. du S. 500, USA (Cap-Verdiens compris) 470, Canada 204, Venezuela 140, All. féd. 110. **Total :** 136 787 (210 000).

■ Italien. **Pays de langue officielle et maternelle** (pop., en 1980 et, entre parenthèses, en l'an 2000, en milliers) : Italie 56 108 (57 400) ; Suisse ital. 644 (640) ; St-Marin 20 (22).

Communautés italiennes et italophones hors des pays où l'italien est langue officielle (en 1980, en milliers). **Amérique** *du Nord* 1 874, USA 1 354, Canada 520 ; *latine* 1 639, Argentine 1 216, Brésil 255, Venezuela 168 ; **Europe :** 1 900, *France 922,* All. féd. 618, Belgique 360 ; **Océanie** *(Australie) :* 530. **Total :** 5 943.

■ Roumain. **Pays de langue officielle et maternelle** (population en 1980 et, entre parenthèses, en 2000, en milliers). Roumanie 22 268 (25 728), Moldavie 3 972 (3 709). Importantes minorités : Hongrie, Yougoslavie, diaspora roumaine (USA, *France,* Israël).

Statistiques comparées

Effectifs des locuteurs [de 10 ans et + (en millions en 1980 et, entre parenthèses, en 2000)]. **Langues néo-latines :** Espagnol 339 (403), Portugais 163 (261), Français 151 (231), Italien 51 (58), Roumain 24 (31), *Total* 728 (984). **Langues germaniques** (en 2000) : Anglais 431, Allemand 77, Néerlandais 27.

Concordances lexicales entre langues latines (selon Henri Guiter, en %) : **Espagnol** portugais 93, italien 82, roumain 75, français 72. **Portugais** italien 84, roumain 77, français 74. **Italien** français 81, roumain 76. **Français** roumain 67.

ÉTATS ET TERRITOIRES

Quelques comparaisons

Légende. (1) En milliers de km². (2) Habitants/km². (3) En millions. (4) En % < 15 ans/> 64 ans. (5) Pour 1 000 hab. (6) Pour 1 000 naissances. (7) Enfants par femmes. (8) 2 sexes, en années. (9) En dollars en 1989. (10) CEPII. (11) 1989. (12) 1992. (13) 1993.

	Superficie [1]	Densité [2]	Population [3]		Age [4]	Taux				Espérance de vie [8]	PNB par hab. [9]	PIB par hab. [10]
			mi-1991	Prévis. 2025		Natal. [5]	Mort. [5]	Mort. infant. [6]	Fécondité [7]			
MONDE	133 483	40,3	5 384	8 645	33/6	27	9	68	3,4 [11]	65 [11]	–	–
AFRIQUE	30 331	22,3	677	1 641	45/3	44	14	102	6,1 [11]	53 [11]	610 [11]	–
Afrique du Nord	8 525	17	145,7	284	42/4	37	10	79	5 [11]	59 [11]	1 100 [11]	–
Algérie	2 381,7	10,9	26	49	46/4	35	8	74	4,9	66	2 020	2 964
Égypte	997,7	55	55,2 [12]	105	40/4	38	9	93	3,9	61	620	2 099
Libye	1 775,5	2,5	4,4	9	44/3	37	7	64	6,6	63	3 500/6 000	5 516
Maroc	447	58,6	26,2	46	42/4	34	9	75	4,4	62	1 030	1 730
Sahara Occidental	267	0,7	0,2	0	– / –	48	23	–	–	–	–	–
Soudan	2 505,8	10,3	25,3	60	45/3	44	15	104	6,2	51	420	898
Tunisie	164,1	50,5	8,3 [12]	14	40/4	25,4	6,4	48	3,4	67	1 510	2 736
Afrique de l'Ouest	6 143	34,3	211	534	45/2	46	17	115	6,4 [11]	49 [11]	330 [11]	–
Bénin	112,6	43	4,9	13	46/3	49	19	90	6,3	51	380	594
Burkina Faso	274,2	34,2	9,4	26	48/3	50	17	121	6,5	48	350	574
Cap-Vert	4	84	0,3	1	44/5	40	8	44	5,5	66	750	1 952
Côte-d'Ivoire	322,4	38	12	39	45/3	50	15	96	6,6	55	690	1 193
Gambie	11,3	77,4	0,8	2	46/3	47	21	143	6,5	45	360	867
Ghana	238,5	64,9	15,5	35	46/4	44	13	86	6,2	55	400	1 472
Guinée	245,8	29	7,1	16	43/3	48	22	145	6,5	44	450	797
Guinée-Bissau	36,1	26,7	0,9	2	44/4	43	23	143	6	39	190	527
Liberia	97,7	26,7	2,7	7	46/4	47	15	134	6,3	55	500/1 500	884
Mali	1 241,2	6,8	8,4 [12]	22	46/3	51	21	102	7,1	48	280	621
Mauritanie	1 030,7	2	1,9	5	46/3	46	18	122	6,8	47	510	1 036
Niger	1 267	6,3	8	22	47/4	51	20	141	7,2	46	300	637
Nigeria	923,7	95,8	88,5	305	47/2	44	17	119	5,9	52	290	1 034
Sénégal	196,2	37,4	7,3	17	46/3	46	18	87	6,5	48	720	989
Sierra Léone	71,7	59,9	4,3	10	41/3	48	22	176	6,5	42	210	583
Togo	56,8	66,9	3,8	11	44/3	50	14	112	6,6	54	410	728
Afrique de l'Est	6 356	32	204	543	47/3	48	15	108	6,8 [11]	52 [11]	230 [11]	–
Burundi	27,8	202	5,6	16	44/4	47	15	119	6,8	47	210	551
Comores	1,8	258	0,5	1	47/3	47	13	92	6,8	56	500	–
Djibouti	23,2	22,4	0,5	1	45/3	46	17	117	6,6	49	500/1 500	1 714
Érythrée	126	31,7	4	140 (Érythrée et Éthiopie)								
Éthiopie	1 125,3	42,6	48 [13]		45/3	49	20	130	7,5	48	120	307
Kenya	582,6	42	27,2 [13]	63	51/2	55	17	62	6,5	59	340	862
Madagascar	587	19,2	11,5	34	45/4	44	16	110	6,3	51	210	618
Malawi	118,5	72	8,5 [12]	26	48/3	52	18	136	7,6	46	230	518
Maurice (île)	1,9	528,4	1,1	1	29/6	20	7	22,7	1,8	70	2 420	2 955
Mozambique	799,3	20,1	16,1	35	44/3	46	20	159	6,5	49	70	560
Ouganda	241	67	16,6	55	48/3	52	17	108	7,3	46	160	274
Réunion	2,5	248	0,6	1	29/6	22	6	13	2,2	72	6 000	5 384
Rwanda	26,3	285,2	7,5	23	49/2	51	16	122	8,3	48	260	513
Seychelles	0,45	148	0,1	0	35/6	24	8	18,1	2,8	71	5 110	4 224
Somalie	637,6	11,2	7,7	19	45/4	49	19	127	6,8	48	500	1 060
Tanzanie	945	28,4	26,9	79	48/3	50	13	102	6,6	47	100	446
Zambie	752,6	10,6	8	25	47/3	51	13	84	6,7	49	420	941
Zimbabwe	390,2	26,6	10,4 [12]	23	48/3	41	10	65	4,8	60	620	1 111
Afrique centrale	6 613	10,6	70	175	45/3	45	16	102	6 [11]	50 [11]	490 [11]	–
Angola	1 246,7	8,2	10,3	22	45/3	47	19	132	6,6	46	500/1 500	859
Cameroun	475,4	26	12,2	26	46/3	42	16	123	5,8	57	940	1 265
Centrafricaine (République)	618	4,2	2,9	7	43/3	44	16	85	5,8	49	390	620
Congo	342	7	2,3	6	46/3	43	14	112	6,6	53	1 120	1 926
Gabon	267,6	4	1,2	3	35/6	39	17	173	5	54	3 780	4 436
Guinée équatoriale	28	12,7	0,3 [12]	1	42/4	43	18	118	5,5	47	330	913
Sao Tomé et Principe	0,94	106,3	0,1	0	42/5	35	10	71,9	5,1	67	350	807
Tchad	1 284,2	3,9	5,1	10	44/2	44	19	143	6	48	220	439
Zaïre	2 344,8	16,1	37,8	101	46/3	46	14	103	6	52	220	721
Afrique australe	2 693	17	46	105	40/4	35	8	57	4,6 [11]	63 [11]	2 310 [11]	–
Afrique du Sud	1 221	26,3	37,7	92	41/6	35	8	52	4,2	62	2 530	4 355
Bostwana	582	2	1,3	2	48/4	37	11	63	4,5	68	2 590	3 300
Lesotho	30,3	57	1,8	4	43/5	41	12	95	5,6	56	500	599
Namibie	824,3	1,8	1,5	5	45/3	43	11	102	5,9	58	1 120	–
Swaziland	17,3	46,2	0,8	2	46/2	46	15	129	6,7	51	1 060	1 471

Quelques comparaisons (suite)	Superficie [1]	Densité [2]	Population [3]		Age [4]	Taux				Espérance de vie [8]	PNB par hab. [9]	PIB par hab. [10]
			mi-1991	Prévis. 2025		Natal. [5]	Mort. [5]	Mort. infant. [6]	Fécondité [7]			
AMÉRIQUE LATINE	20 446	22,1	451	740	36/5	28	7	52	3,5 [11]	67 [11]	1 990 [11]	–
Amérique Centrale et Mexique ...	2 496	46,5	116	204	40/4	31	6	46	4,1 [11]	69 [11]	1 760 [11]	–
Belize	23	8,3	0,2	0	44/4	38	6	35	4,6	68	2 050	3 685
Costa Rica	51	63	3,1 [12]	6	36/5	28	4	19	3	77	1 930	4 118
Guatemala	109	86,8	9,5	22	46/3	38	8	62	5,4	64	930	2 684
Honduras	112	47,3	5,3	12	47/3	39	8	48	5,1	65	570	1 482
Mexique	1 958	43,4	85,7	143	39/4	29	6	43	3,2	70	2 870	5 112
Nicaragua	130	30	3,9	8	47/3	42	8	62	5,3	65	340	1 766
Panama	77	32,5	2,5	4	38/4	29	3,7	22	2,8	70	2 180	4 062
Salvador	21	257,1	5,4	9	46/4	35	8	55	4,1	64	1 070	1 377
Caraïbes	236	144	34	49	32/6	26	8	55	3,2 [11]	69 [11]	–	–
Antigua-et-Bermuda	0	–	0,1	0	27/6	14	6	22	1,9	74	4 770	10 302
Antilles Néerlandaises	1	200	0,2	0	26/7	18	6	13,9	2,1	77	–	–
Bahamas	14	18,3	0,3	0	31/5	18	5	22,3	2,1	69	11 720	10 764
Barbade	0	–	0,3	0	28/10	16	9	9	1,8	76	6 630	6 200
Cuba	111	96,8	10,7	13	27/8	18	6	10,7	1,9	76	500/1 500	2 882
Dominicaine (République)	49	151	7,3	11	41/3	30	7	61	3,1	67	950	2 629
Dominique	1	100	0,1	0	33/7	26	5	13	2,7	76	2 440	2 847
Grenade	0	–	0,1	0	43/6	37	7	30	3	70	2 180	2 766
Guadeloupe	2	217	0,4	0	28/8	21	7	13	2,3	75	6 000	5 522
Haïti	28	234	6,5	12	45/5	36	16	114	4,8	54	370	780
Jamaïque	11	222	2,3	4	34/7	25	6	18	2,7	73	1 380	3 023
Martinique	1	333	0,3	0	24/9	18	6	7	2,1	76	3 500/6 000	7 369
Porto Rico	9	393,1	3,5	4	30/8	18	7	12,6	2,2	76	6 330	9 095
St-Christophe-et-Nevis	0	–	0	0	37/9	21	11	23	2,6	70	3 960	3 377
St-Vincent-et-Grenadines	0	–	0,1	0	38/5	23	6	21,7	2,6	71	1 730	2 604
Ste-Lucie	0	–	0,2	0	41/5	21	6	17,7	3,1	72	2 500	2 942
Trinité-et-Tobago	5	260	1,3	2	34/5	23	7	11,4	2,8	71	3 620	4 847
Amérique du Sud tropicale	14 015	18,1	253	417	37/4	30	7	53	3,5 [11]	65 [11]	1 475 [11]	–
Bolivie	181	7	6,3 [12]	14	41/4	40	14	169	4,8	60	650	1 521
Brésil	8 512	18	153,2	246	35/5	27	8	63	3,1	67	2 920	4 317
Colombie	1 141	28,9	33,5	54	36/4	26	6	37	2,6	69	1 280	4 128
Équateur	270	40,7	11	19	40/4	31	7	58	3,6	66	1 020	3 205
Guyana	215	3,4	0,7	1	38/4	25	7	52	2,7	65	290	1 448
Paraguay	407	10,8	4	9	41/4	34	7	41	4,6	67	1 210	3 118
Pérou	1 285	16,1	23,3	37	41/4	31	8	76	4	63	1 020	2 849
Surinam	163	2,4	0,4	1	41/6	2,4	6,9	31	3,3	68	3 610	3 601
Venezuela	912	22	20 [12]	35	37/4	28	4	23,3	3,5	70	2 610	6 176
Amérique du Sud tempérée	3 699	13,3	49,2	69	29/9	21	8	24	2,6 [11]	72 [11]	1 280 [11]	–
Argentine	2 766	11,7	32,6	45	30/9	21	8	25,6	2,8	71	2 780	3 746
Chili	757	18	13,6 [12]	20	31/6	22	6	19	2,5	72	2 160	5 427
Uruguay	176	17,6	3,1	4	27/11	18	10	21,9	2,2	73	2 860	5 205
Amérique du Nord (sans Mexique) .	19 339	1,4	28	367	22/12	16	9	9	2 [11]	75 [11]	20 900 [11]	–
Canada	9 970	3	27,7 [12]	34	21/11	15	7	7,2	1,7	78	21 260	20 055
États-Unis	9 373	27	252,6	334	22/12	16,2	8,5	9,1	1,9	76	22 560	20 868
ASIE (sans ex-URSS)	27 592	114,3	3 155	4 976	33/5	27	9	68	3,3 [11]	64 [11]	1 580 [11]	–
Asie du Sud-Ouest	4 542	30	136	307	41/4	36	9	63	4,9 [11]	64 [11]	2 840 [11]	–
Arabie Saoudite	2 140	7	17,8	44	43/3	42	8	10,3	7	65	7 070	8 705
Bahrein	1	749	0,5	1	41/2	27	3	32	4	69	6 910	10 384
Chypre	9	77	0,7	1	26/10	18	9	11	2,2	77	8 640	9 166
Cisjordanie	6	183,3	1,1	2	45/4	44	5	38	6,5	–	–	–
Émirats arabes unis	–	24,6	1,9	7	29/1	30	3	23	4,9	71	18 430	121 665
Gaza	0	–	0,6	1	49/3	54	10	41	6,9	66	–	–
Iraq	43,8	41,6	18,7	44	45/3	41	15	69	6,2	63	1 500/3 500	3 730
Israël	21,9	219,7	5,2 [12]	7	32/9	22	6	10	2,8	76	11 330	10 195
Jordanie	98	46	4,2	10	48/4	46	5	38	7,2	68	1 120	3 062
Koweït	18	67,3	1,2	3	40/5	32	3	16	3,3	–	6 000	10 865
Liban	10	259	3	6	37/5	28	7	48	3,6	68	1 500/3 500	3 454
Oman	300	6,6	2	5	45/2	46	8	117	7	66	5 650	15 586
Qatar	11	37	0,4	1	34/3	27	2	24	5,6	71	15 870	18 475
Syrie	185	65	12,9 [12]	41	49/4	43	11,6	37	6,5	66	1 100	3 508
Turquie	779	73,5	57,3	103	36/4	30	7	60	3,4	67	1 820	4 133
Yémen	537	26	14 [12]	30	49/3	51	16	121	8,4	49	540	1 745
Asie du Sud	6 785	177,7	1 206	2 126	38/4	33	11	95	4,4 [11]	57 [11]	330 [11]	–
Afghanistan	652	28,5	16,4	45	46/4	48	22	200	7,1	39	500	1 168
Bangladesh	144	824	118,7 [13]	226	44/4	37	13	98	4,4	52	220	604
Bhoutan	47	14,9	1,5	1	39/4	39	19	142	5,5	49	180	966
Inde	3 288	267	854 [12]	1 366	37/4	30	9,6	96	3,8	59	330	1 093
Iran	1 648	35	57,7	141	44/3	41	8	43	6,2	63	2 320	4 143
Maldives (îles)	0	–	0,2	1	45/2	46	9	72	6,1	62	460	1 384
Népal	147	124,3	18,9 [13]	41	42/3	42	17	120	5,7	52	180	660
Pakistan	804	145	117 [12]	281	45/4	34	13	120	5,7	56	400	1 677
Sri Lanka (Ceylan)	66	268	17,6	24	35/4	21	6	19,4	2,3	71	400	1 847

Quelques comparaisons (suite)	Superficie [1]	Densité [2]	Population [3]		Age [4]	Taux				Espérance de vie [8]	PNB par hab. [9]	PIB par hab. [10]
			mi-1991	Prévis. 2025		Natal. [5]	Mort. [5]	Mort. infant. [6]	Fécondité [7]			
Asie du Sud-Est	4 479	99,3	445	700	37/4	28	8	64	3,4 [11]	62 [11]	–	–
Brunei	6	44,5	0,2 [12]	1	36/3	29	3	7	3,8	76	6 000	13 761
Cambodge	181	45,3	11 [12]	13	35/3	38	16	127	4,5	51	200	–
Indonésie	1 919	93	193 [12]	283	39/4	25	8	73	3	62	610	1 954
Laos	237	18	4,2	7	50/3	37	15	117	6,7	50	230	–
Malaisie	330	55,4	18,3	35	39/4	30	5	13,2	3,7	70	2 490	5 276
Myanmar	677	63	42	72	41/4	32	13	103	3,8	61	500	909
Philippines	300	208,6	62,7 [12]	101	39/3	33	7	54	3,4	65	740	2 153
Singapour	1	4 322	3	3	23/6	18	5	6,6	1,9	75	12 890	15 855
Thaïlande	513	112,2	57,6 [12]	78	34/3	20	7	39	2,4	66	1 580	3 535
Viêt-nam	330	215,4	71 [12]	108	39/4	34	10,2	81	3,7	66	500	–
Asie de l'Est	11 787	116,1	1 369	1 843	26/6	20	7	31	2,2 [11]	70 [11]	2 720 [11]	–
Chine	9 571	122,2	1 170 [12]	1 500	27/6	19,8	6,7	33	2,4	70	370	1 933
Corée du Nord	121	183	22,6 [13]	32	29/4	24	6	30	2,3	71	500/1 500	–
Corée du Sud	99	437	44,6 [13]	48	27/5	17,7	6	23	1,8	71	6 430	6 926
Hong-Kong	1	5 385	5,7	6	24/7	12	5	7,4	1,5	71	13 200	15 122
Japon	377	327	124	135	18/1	10	6,7	4,5	1,6	79	26 920	15 778
Macao	0	–	0,4	1	22/6	17	3	10	2,1	73	6 000	–
Mongolie	1 564	1,4	2,2 [13]	5	44/3	36	8	64	4,6	63	500/1 500	–
Taïwan	36	573	20,5	25	27/6	15	5	5,2	1,7	74	–	8 178
EUROPE (sans ex-URSS)	4 869	103,1	502	518	20/13	13	10	11	1,7 [11]	75 [11]	12 920 [11]	–
Europe du Nord	1 572	54,1	85	88	19/16	14	11	8	1,8 [11]	75 [11]	16 370 [11]	–
Danemark	43	119,8	5,1 [12]	5	18/15	12	12	8,4	1,5	75	23 660	15 175
Finlande	338	16,4	5	5	21/13	13	10	5,8	1,8	76	24 400	15 392
Irlande	70	50	3,5	3	30/15	15	8,9	8,2	2,1	75	10 780	9 068
Islande	103	2,5	0,2	0	25/14	18	7	5,3	2,1	78	22 580	15 861
Norvège	324	13,1	4,2 [12]	4	21/15	14	11	8	1,8	77	24 160	18 733
Royaume-Uni	244	236,7	55,5 [12]	61	19/16	14	11	8,4	1,8	76	16 750	15 125
Suède	450	19,1	8,6	9	18/18	14	11	5,8	1,9	78	25 490	17 800
Europe de l'Ouest	1 100	160	176	181	18/14	12	10	7	1,6 [11]	76 [11]	17 330 [11]	–
Allemagne	357	222	79,5	82	16/15	11	11	7,5	1,5	77	23 650	14 838
Autriche	84	93	7,8	8	18/15	12	11	7,9	1,5	76	20 380	13 563
Belgique	30	328	10 [12]	9	18/15	12	11	8,6	1,6	76	19 300	14 557
France	547	103,6	56,7	59	20/14	14	9	7,2	1,8	77	20 600	14 794
Liechtenstein	0	–	0	0	20/10	13	6	2,7	1,4	70	–	–
Luxembourg	3	148,6	0,4 [12]	0	17/13	12	11	9,9	1,5	75	31 080	19 317
Pays-Bas	41,8	446	15 [12]	16	18/13	13	9	6,8	1,6	77	18 560	14 475
Suisse	41,3	165,8	6,8	7	17/15	12,7	9,2	7,3	1,7	78	33 510	18 800
Europe de l'Est	882	110	97	104	24/11	14	11	18	2,1 [11]	71 [11]	–	–
Bulgarie	111	77	9	9	22/12	11	12,3	16,7	1,9	73	1 840	6 840
Hongrie	93	111,3	10,3	10	21/13	12	14	15,7	1,8	71	2 690	7 668
Pologne	313	122	38,4	42	25/10	15	10	15,9	2,1	71	1 830	5 769
Roumanie	238	97,6	22,7 [12]	26	25/9	16	11	22,7	2,1	70	1 340	5 347
Slovaquie	49	107	5,2	–	–	15	10	–	–	–	–	–
Tchèque (Rép.)	79	130	10,3	–	–	–	–	–	–	–	–	–
Europe du Sud	1 315	110,3	145	145	20/13	11	9	13	1,5 [11]	75 [11]	9 830 [11]	–
Albanie	29	115	3,3	5	32/6	25	6	25,2	3	73	500/1 500	–
Bosnie	51	85,4	4,3	–	–	–	–	–	–	–	–	–
Croatie	56,5	84,6	4,7	–	–	–	–	–	–	–	–	–
Espagne	505	77,2	39	41	20/13	13	8	8,3	1,5	77 [7]	12 460	10 672
Grèce	132	77,8	10,2	10	20/14	10,7	9	9,8	1,5	77	6 230	7 179
Italie	301	191,7	56,4	52	18/14	10	9,7	8,2	1,3	78	18 580	14 477
Macédoine	25,7	82	2,2	–	–	–	–	–	–	–	–	–
Malte	0	–	0,4	0	24/10	16	7	10,4	2,1	74	6 850	7 973
Portugal	92	112	10,5	11	22/13	12	9	12,1	1,6	75	5 620	7 194
Slovénie	20	96	2,2	–	–	–	–	–	–	–	–	–
Ex-Yougoslavie	256	92	23,5	26	24/9	16,5	9	24,3	2	72	2 940	5 538
OCÉANIE (sans Hawaii)	8 505	3,2	27	41	27/9	19	8	24	2,6 [11]	72 [11]	11 280 [11]	–
Australie	7 682	2,2	17,4 [12]	24	11/10	15	7	7,7	1,9	77	16 590	15 401
Fidji	18	40,1	0,7 [13]	1	37/3	24	4	21	3	65	1 830	4 957
Nouvelle-Calédonie	19	10,5	0,2	0	32/5	24	5	21	2,8	69	3 500/6 000	12 452
Nouvelle-Zélande	268	13	3,4 [12]	4	23/11	17	8	10,6	2	76	12 140	9 538
Papouasie-Nouvelle-Guinée	463	8,4	3,9	8	42/2	34	12	59	5,1	55	820	2 472
Polynésie française	4	50	0,2	0	37/4	30	6	20	3,3	73	–	12 013
Salomon (Iles)	28	11,6	0,3	1	48/3	40	5	39	5,6	65	560	2 336
Samoa	3	59,3	0,1	0	40/4	34	6	47	4,6	66	930	1 920
Vanuatu	122	13,3	0,2	0	57/3	36	5	36	5,6	65	1 120	3 891
Ex-URSS	22 402	13	292	363	26/9	18	10	23	2,3	70	–	8 024
Arménie	29	112,6	3,3	–	–	–	–	–	2,4	73	2 150	–
Azerbaïdjan	86	110	7,1	–	–	–	–	–	2,6	71	1 670	–
Biélorussie	207	49	10,2	–	–	–	–	–	2,1	73	3 110	–
Estonie	45	34,5	1,5 [12]	–	–	–	–	–	2,1	71	3 830	–
Géorgie	69	78,2	5,5	–	–	–	–	–	2,1	73	1 640	–
Kazakhstan	2 717	6	16,5	–	–	–	–	–	2,7	69	2 470	–
Kirghizstan	198	21	4,4	–	–	–	–	–	3,6	69	1 550	–
Lettonie	65	42	2,7	–	–	–	–	–	2	71	3 410	–
Lituanie	65	56	3,7 [12]	–	–	–	–	–	2	73	2 710	–
Moldavie	34	129	4,3	–	–	–	–	–	2,7	69	2 170	–
Ouzbékistan	447	45	20	–	–	–	–	–	3,9	69	1 350	–
Russie (Fédération de)	17 075	8,8	149,4 [12]	–	–	–	–	–	2,2	64	3 220	–
Tadjikistan	143	35,7	5,2	–	–	–	–	–	4,9	69	1 050	–
Turkménistan	488	7	3,6	–	–	–	–	55	3,9	66	1 700	–
Ukraine	604	86	51,7	–	–	–	–	–	2,1	73	2 340	–

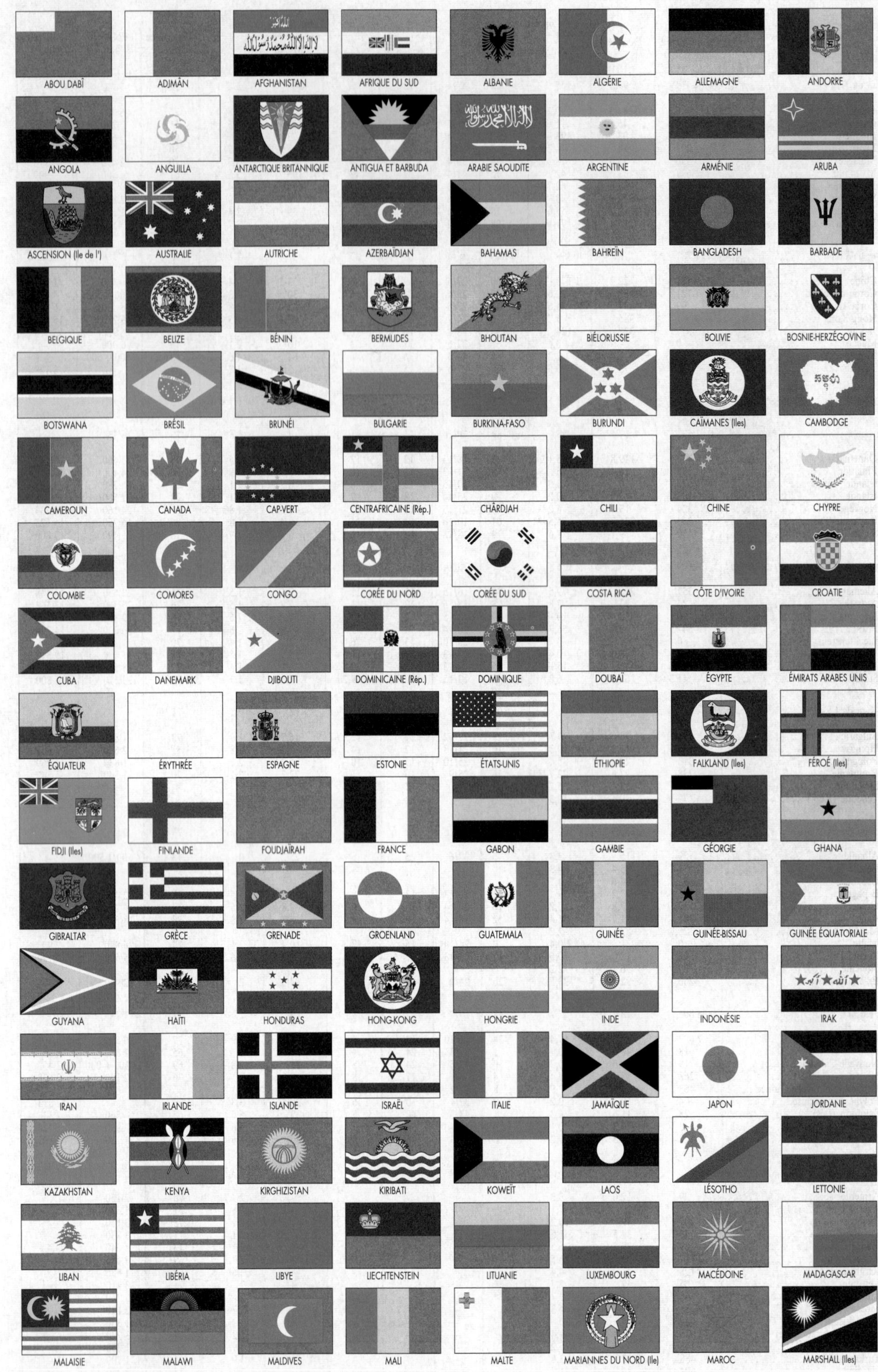
ABOU DABÎ
ADJMÂN
AFGHANISTAN
AFRIQUE DU SUD
ALBANIE
ALGÉRIE
ALLEMAGNE
ANDORRE
ANGOLA
ANGUILLA
ANTARCTIQUE BRITANNIQUE
ANTIGUA ET BARBUDA
ARABIE SAOUDITE
ARGENTINE
ARMÉNIE
ARUBA
ASCENSION (île de l')
AUSTRALIE
AUTRICHE
AZERBAÏDJAN
BAHAMAS
BAHREÏN
BANGLADESH
BARBADE
BELGIQUE
BELIZE
BÉNIN
BERMUDES
BHOUTAN
BIÉLORUSSIE
BOLIVIE
BOSNIE-HERZÉGOVINE
BOTSWANA
BRÉSIL
BRUNÉI
BULGARIE
BURKINA-FASO
BURUNDI
CAÏMANES (îles)
CAMBODGE
CAMEROUN
CANADA
CAP-VERT
CENTRAFRICAINE (Rép.)
CHÂRDJAH
CHILI
CHINE
CHYPRE
COLOMBIE
COMORES
CONGO
CORÉE DU NORD
CORÉE DU SUD
COSTA RICA
CÔTE D'IVOIRE
CROATIE
CUBA
DANEMARK
DJIBOUTI
DOMINICAINE (Rép.)
DOMINIQUE
DOUBAÏ
ÉGYPTE
ÉMIRATS ARABES UNIS
ÉQUATEUR
ÉRYTHRÉE
ESPAGNE
ESTONIE
ÉTATS-UNIS
ÉTHIOPIE
FALKLAND (îles)
FÉROÉ (îles)
FIDJI (îles)
FINLANDE
FOUDJAÏRAH
FRANCE
GABON
GAMBIE
GÉORGIE
GHANA
GIBRALTAR
GRÈCE
GRENADE
GROENLAND
GUATEMALA
GUINÉE
GUINÉE-BISSAU
GUINÉE ÉQUATORIALE
GUYANA
HAÏTI
HONDURAS
HONG-KONG
HONGRIE
INDE
INDONÉSIE
IRAK
IRAN
IRLANDE
ISLANDE
ISRAËL
ITALIE
JAMAÏQUE
JAPON
JORDANIE
KAZAKHSTAN
KENYA
KIRGHIZISTAN
KIRIBATI
KOWEÏT
LAOS
LÉSOTHO
LETTONIE
LIBAN
LIBÉRIA
LIBYE
LIECHTENSTEIN
LITUANIE
LUXEMBOURG
MACÉDOINE
MADAGASCAR
MALAISIE
MALAWI
MALDIVES
MALI
MALTE
MARIANNES DU NORD (île)
MAROC
MARSHALL (îles)

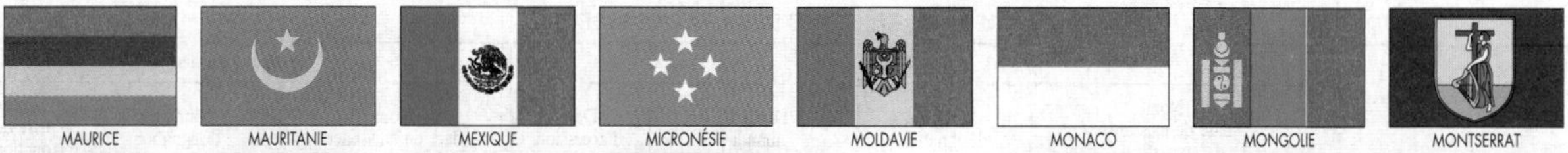

MAURICE	MAURITANIE	MEXIQUE	MICRONÉSIE	MOLDAVIE	MONACO	MONGOLIE	MONTSERRAT
MOZAMBIQUE	MYANMAR	NAMIBIE	NAURU	NÉPAL	NICARAGUA	NIÈVES	NIGER
NIGÉRIA	NORVÈGE	NOUVELLE-ZÉLANDE	OCÉAN INDIEN	OMAN	OUGANDA	OUMM AL QAÏWAÏN	OUZBÉKISTAN
PAKISTAN	PANAMA	PAPOUASIE-NOUVELLE-GUINÉE	PARAGUAY	PAYS-BAS	PÉROU	PHILIPPINES	PITCAIRN
POLOGNE	POLYNÉSIE FRANÇAISE	PORTO-RICO	PORTUGAL	QATAR	RÂS AL KHAÏMAH	ROUMANIE	ROYAUME-UNI
RUSSIE	RWANDA	SAINT-CHRISTOPHE ET NIÈVES	SAINTE-HÉLÈNE	SAINTE-LUCIE	SAINT-MARIN	SAINT-THOMAS ET PRINCE	ST-VINCENT ET LES GRENADINES
SALOMON (Iles)	SALVADOR	SAMOA OCCIDENTAL	SÉNÉGAL	SEYCHELLES	SIERRA LÉONE	SINGAPOUR	SLOVAQUIE
SLOVÉNIE	SOMALIE	SOUDAN	SRI LANKA	SUÈDE	SUISSE	SURINAM	SWAZILAND
SYRIE	TADJIKISTAN	TAÏWAN	TANZANIE	TCHAD	TCHÈQUE (Rép.)	THAÏLANDE	TOGO
TONGA	TRINITÉ ET TOBAGO	TRISTAN DA CUNHA	TUNISIE	TURKMÉNISTAN	TURKS ET CAÏQUES	TURQUIE	TUVALU
UKRAINE	URUGUAY	VANUATU	VATICAN	VENEZUELA	VIERGES BRITANNIQUES (Iles)	VIETNAM	YÉMEN
		YOUGOSLAVIE	ZAÏRE	ZAMBIE	ZIMBABWE		

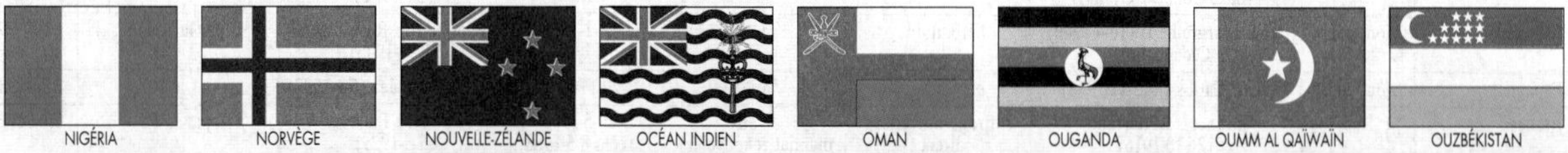

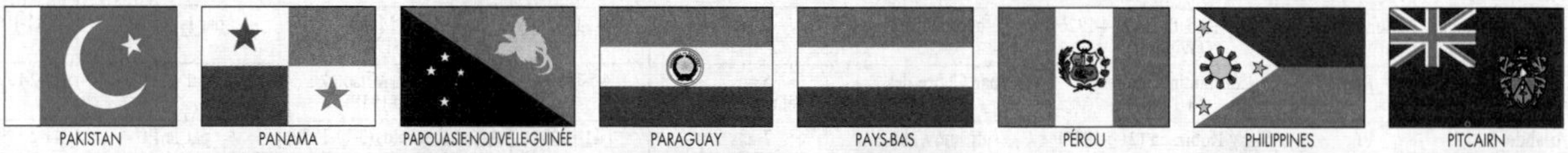

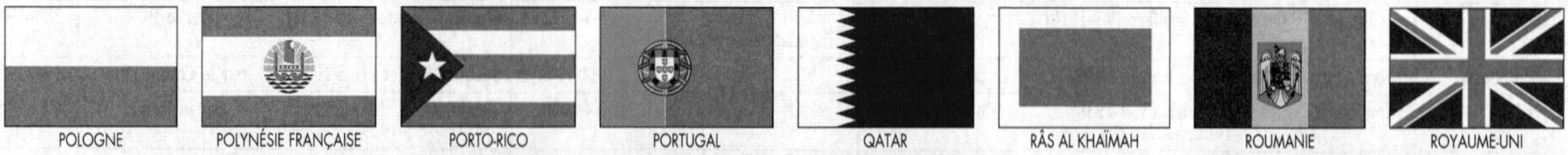

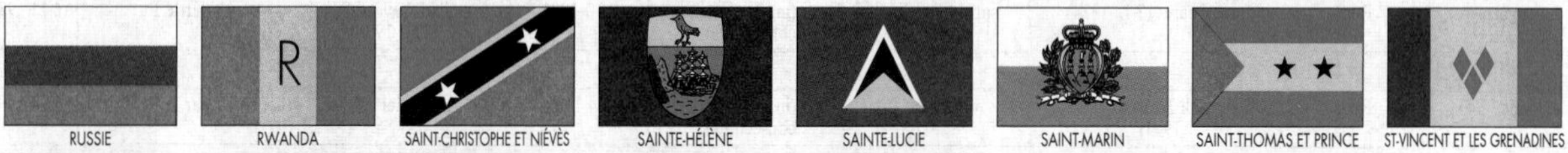

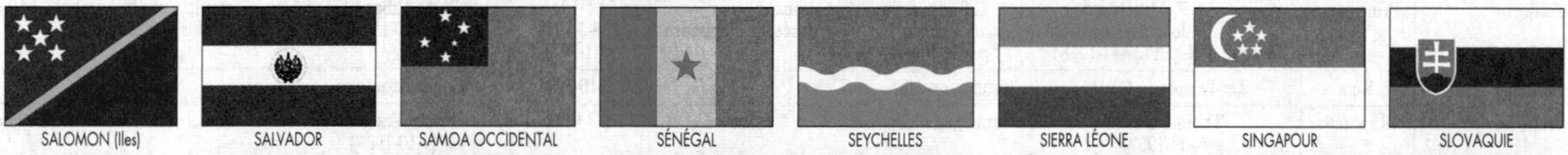

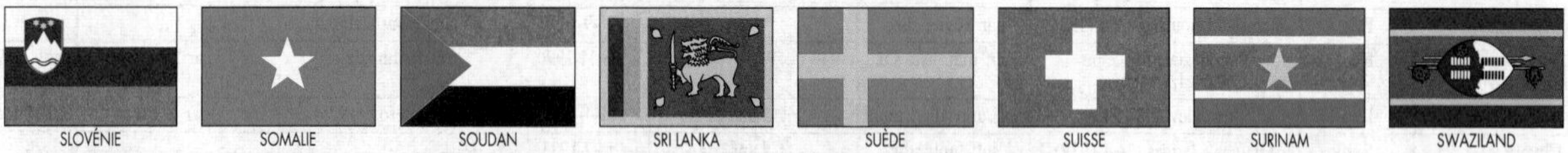

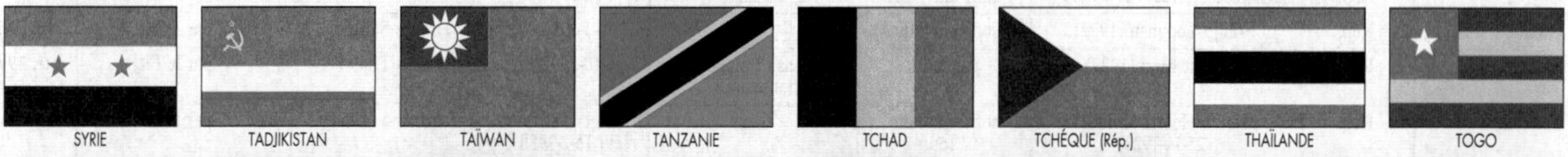

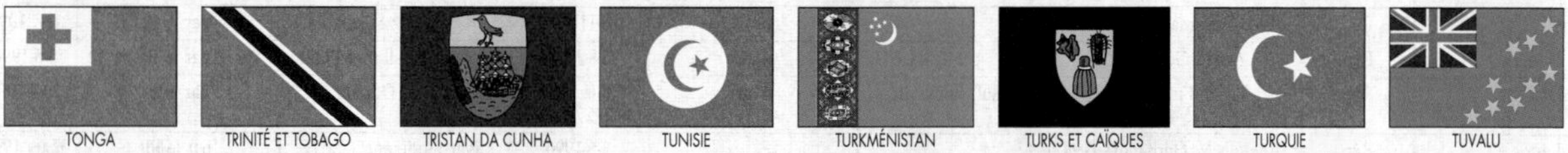

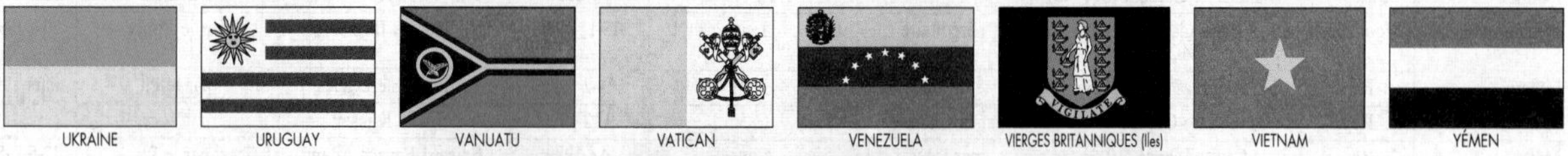

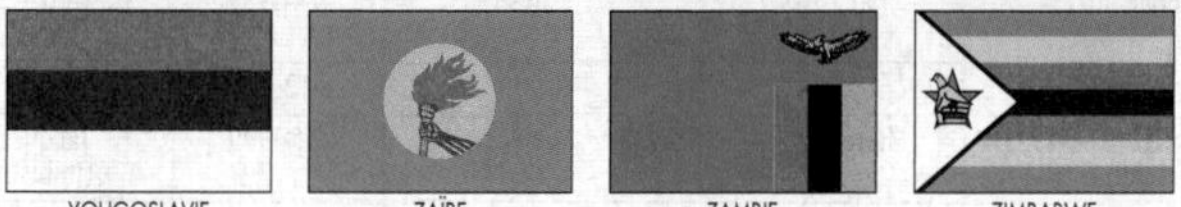

INSTITUTIONS INTERNATIONALES ET ORGANISATIONS RÉGIONALES

* Autorité inter-gouvernementale sur la sécheresse et le développement.

O.N.U. — C.E.E. — C.E.C.A. — Commission Centrale du Rhin — COMMISSION DU DANUBE — O.U.A. — Organisation des États Américains — Org. des États d'Amérique Centrale

COMMONWEALTH Britannique — LIGUE ARABE — BÉNÉLUX — O.T.A.N. — PLAN DE COLOMBO — Conférences des États francophones — Commission du Pacifique Sud — CROIX DE MALTE

I.G.A.D.D. *

Organisation du Croissant Rouge

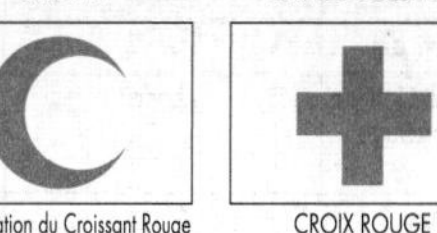

CROIX ROUGE

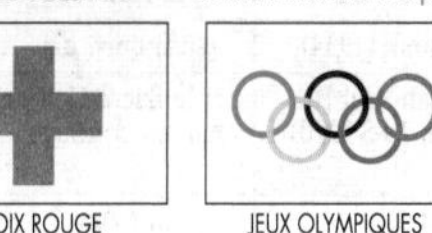

JEUX OLYMPIQUES

Pouvoirs exécutifs des États européens

	Régime politique	Chef de l'État				Premier Ministre		
		Nom date de naissance dynastie	Mode de désignation	Durée du mandat	Date d'accession	Nom date de naissance	Mode de désignation	Date de prise de fonction
CEE								
Allemagne	Rép. Féd.	Richard von Weizsäcker (15-4-1920)	Élect. par Ass. Féd.	5 ans 2 mandats max.	1-6-1984 réélu 23-5-1989	Helmut Kohl (3-4-1930)	Élection par Bundestag sur proposition du Pt.	1-10-1980
Belgique	Mon. const.	S.M. Baudouin Ier (7-9-1930) (Saxe-Cobourg-Gotha)	héréditaire	à vie	17-7-1951	Jean-Luc Dehaene (7-8-1940)	par le Roi	6-4-1992
Danemark	Mon. const.	S.M. Margrethe II (16-4-1940) (Oldenbourg)	héréditaire	à vie	14-1-1972	Paul Nyrup Rasmussen (15-6-1943)	par la Reine	25-1-1993
Espagne	Mon. const.	Juan Carlos Ier (5-11-1938)	héréditaire	à vie	22-11-1975	Felipe Gonzalez (5-4-1942)	par le Roi	3-12-1982
France	Rép.	François Mitterrand (26-10-1916)	suffrage universel direct	7 ans mandat renouvelable	10-5-1981 réélu 8-5-1988	Édouard Balladur (2-5-1929)	par le Pt	29-3-1993
Grande-Bretagne	Mon. const.	S.M. Elizabeth II (21-4-1926) (Windsor)	héréditaire	à vie	6-2-1952	John Major (29-3-1943)	par la Reine	28-11-1990
Grèce	Rép.	Constantin Caramanlis (8-3-1907)	par Chbre des députés	5 ans rééligible 1 fois	4-5-1990	Constantin Mitsotakis (18-10-1918)	par le Pt	11-2-1992
Irlande	Rép.	Mary Robinson (21-5-1944)	suff. univ. dir.	7 ans	7-11-1990	Albert Reynolds (3-11-1932)	par le Pt	11-2-1992
Italie	Rép.	Oscar Luigi Scalfaro (9-9-1918)	par le Plt	7 ans mandat renouvelable	25-5-1992	Giuliano Amato (13-5-1938)	par le Pt	28-6-1992
Luxembourg	Mon. const.	Grand Duc Jean (5-1-1921)	héréditaire	à vie	12-11-1964	Jacques Santer (18-5-1937)	par le Grand Duc	17-6-1984
Pays-Bas	Mon. const.	S.M. Beatrix (31-1-1938) (Orange-Nassau)	héréditaire	à vie	30-4-1980	Rudolphus F.M. Lubbers (7-5-1939)	par la Reine	4-11-1982
Portugal	Rép.	Mario Soares (7-12-1924)	suff. univ. dir.	5 ans (max. : 2 mandats consécutifs)	13-1-1991	Anibal Cavaco-Silva (11-7-1939)	par le Pt	6-11-1985
AUTRES ÉTATS								
Albanie	Rép.	Sali Berisha (1944)	par le Plt	5 ans (max. : 2 mandats consécutifs)	9-4-1992	Alexander Meksi	par le Pt	13-4-1992
Andorre	Principauté	coprinces ⟨ F. Mitterrand / Joan Marti y Alanis évêque d'Urgell (29-11-1928)	↗ suff. univ. dir. en France ↘ par le Pape	⟨ 7 ans / durée de l'épiscopat	21-5-1981 et 8-5-1988 / 31-1-1971	Oscar Ribas-Reig (26-10-1936)	par le Conseil Gl des Vallées	12-1-1990
Arménie	Rép.	Ter-Petrossian (1945)	suff. univ. dir.		16-10-1991	Gagik Aroutovran		
Autriche	Rép. féd.	Thomas Klestil (4-11-1932)	suff. univ. dir.	6 ans	8-7-1992	Franz Vranitzky (4-10-1937)	par le Pt	6-1986
Biélorussie	Rép.	Stanislas Chouchkevitch (1934)	par Soviet supr.		18-9-1991	Viatcheslav Kebitch		
Bosnie-Herzégovine	Rép.	P. collégiale 6 vice-pts Aliza Izetbegovic	scr. maj. liste s.u.		28-11-1990	Mile Akmadzic	par le Plt	nov. 1992
Bulgarie	Rép.	Jilo Jelev (3-3-1935)	suff. univ. dir. 2 tours	5 ans	19-1-1992	Luben Berov (1925)	par le Pt	30-12-1992
Chypre	Rép.	Glafcos Cléridès (24-4-1919)	suff. univ. dir.	5 ans	14-2-1993	–	–	–
Croatie	Rép.	Franjo Tudjman (1922)	suff. univ. dir.	5 ans	30-5-1990	Hrvoje Sarinic	par le Plt	8-9-1992
Estonie	Rép.	Lennart Meri (1929)	par le Plt	5 ans (2 mandats consécutifs)	5-10-1992	Mart Laar	par le Plt	oct. 1992
Finlande	Rép.	Mauno Henrik Koivisto (25-11-1923)	suff. univ. dir. 2 tours	6 ans	26-1-1982 réélu 15-2-1988	Esko Aho (1954)	par le Plt	8-4-1991
Géorgie	Rép.	Ed. Chevarnadze (25-9-1928)		prov.	10-11-1992	Tenguiz Sigoua	par le Pt	fév. 1993
Hongrie	Rép.	Árpád Göncz (1922)	par l'Ass.	4 ans	3-8-1990	Jozsef Antall (8-4-1932)	par le Pt	3-5-1990
Islande	Rép.	Vigdis Finnbogadottir (15-4-1930)	suff. univ. dir.	4 ans	30-6-1980 réélu 27-6-1992	David Odsson	par le Pt	20-4-1991
Lettonie	Rép.	Anatolis V. Gorbunovs (1942)			3-5-1990	Ivar Godmanis (1951)	par le Plt	mars 1992
Liechtenstein	Mon. const.	S.A.S. Hans-Adam de Liechtenstein (14-2-1945)	héréditaire	à vie	13-11-1989	Marcus Büchel	par le Prince	26-5-1993
Lituanie	Rép.	Akgirdas Brazauskas	suff. univ.	4 ans	14-2-1993	Adolfas Slezevicius	par le Plt	mars 1993
Macédoine	Rép.	Kiro Gligorov	par la Chambre		9-12-1990	Nikola Kljusev		
Malte	Rép.	Censu Tabone (1913)	par l'Ass.	5 ans	4-4-1989	Edward Fenech-Adami (7-2-1934)	par le Pt	12-5-1987
Moldavie	Rép.	Mircea Snegur			8-12-1991	Andreï Sangheli		
Monaco	Principauté	S.A.S. Rainier III (31-5-1923) (Grimaldi)	héréditaire	à vie	9-5-1949	Jacques Dupont (ministre d'État)	par le Prince sur prop. Pt Rép. française	1-1-1992
Norvège	Mon. const.	S.A.R. Harald V (27-2-1937)	héréditaire	à vie	17-1-1991	Mme Gro Harlem Bruntland (1938)	par le Roi	3-11-1990
Pologne	Rép.	Lech Walesa (29-9-1943)	suff. univ. dir.	6 ans	22-12-1990	Hanna Suchoka (3-4-1946)	élu par la Diète	10-7-1992
Roumanie	Rép.	Ion Iliescu (3-3-1930)	suff. univ. dir.	4 ans	20-5-1990	Nicolae Vacaroiu	par le Pt	4-11-1992
Russie	Rép. féd.	Boris Eltsine (1-2-1931)	suff. univ. dir.	5 ans	12-6-1991	Viktor Tchernomyrdine	par le Pt	14-12-1992
Saint-Marin	Rép.	2 capitaines régents	élus par le Gd conseil	6 mois		–	–	–
Slovaquie	Rép.	Michael Kovac (1931)			15-2-1993	Vladimir Meciar (26-7-1942)		24-6-1992
Slovénie	Rép.	Milan Kukan	suff. univ. dir.		8-4-1990	Janez Drnovsek	par le Plt	
Suède	Mon. const. neutre	S.A.R. Carl-Gustav XVI (30-4-1946)	héréditaire	à vie	15-9-1973	Carl Bildt (15-7-1949)	par le Plt	15-9-1991
Suisse	Rép. féd. neutre	Adolf Ogil (10-1-1942) puis Otto Stich	par l'Assemblée	1 an (remplacé par le vice Pt)	1993	–	–	–
Tchèque (Rép.)	Rép.	Vaclav Havel (5-10-1935)	par Assemblée	5 ans	26-1-1993	Vaclav Klaus (19-6-1941)	par le Pt	juill. 1992
Turquie	Rép.	Süleyman Demirel (1924)	par Ass. Nat.	7 ans	16-5-1993	Tansu Ciller (1946)	par le Pt	14-6-1993
Ukraine	Rép.	Léonid Kravtchouk (1934)	suff. univ. dir.		1-12-1991	Vitold Fokin		mai 1991
Vatican	Gouvernorat (souverain absolu)	S.S. le Pape Jean-Paul II (Carol Wojtyla n. 18-5-1920)	par le Sacré Collège réuni en conclave	à vie	16-10-1978	Secr. d'État Mgr Angelo Sodano (23-11-1927)	par le Pape	1-12-1990
Ex-Yougoslavie (Serbie + Montenegro)	Rép. féd.	Dobritza Tchositch	par Ass.	4 ans	15-6-1992	Radojkontic	par le Plt	9-2-1993

Pouvoirs législatifs des États européens

	Nbre de chbres	Chambre haute					Chambre basse				
		Nom Nbre de sièges	Mode d'élection	Durée du mandat	Date des dernières élections	Majorité (Parti, nbre de s.)	Nom Nbre de sièges	Mode d'élection	Durée du mandat	Date des dernières élections	Majorité (Parti, nbre de sièges)
CEE											
Allemagne	2	Bundesrat 68 s.	Par les gvts des Länder	En fonction des échéances de chaque Land		CDU/CSU	Bundestag 662 s.	suff. univ. dir.	4 ans	2-12-1990	CDU/CSU 268 s.
Belgique	2	Sénat 185 s.	suff. univ. dir. cooptation	4 ans	24-11-1991	Parti social chrétien	Ch. des Repr. 212 s.	suff. univ. dir. proport.	4 ans	29-11-1991	Soc.
Danemark	1	–	–	–	–	–	Folketing 179 s.	suff. univ. dir.	4 ans	12-12-1990	PSD 69 s.
Espagne	2	Sénat 208 s.	suff. univ. dir.	4 ans	29-10-1989	PSOE 109 s.	Cortes 350 s.	suff. univ. dir.	4 ans	6-6-1993	PSOE 159 s.
France	2	Sénat 322 s.	suff. univ. indir.	9 ans ren. par tiers tous les 3 ans	27-9-1992	RPR 90 s.	Assemblée Nat. 577 s.	suff. univ. dir.	5 ans	28-3-1993	RPR 242 s.
Grande-Bretagne	2	Chbre des Lords 1 180 s.	héréditaires ou nommés par Reine	à vie	–	–	Ch. des Communes 651 s.	suff. univ. dir.	5 ans	9-4-1992	Conservateurs 336 s.
Grèce	1	–	–	–	–	–	Ass. Nat. 300 s.	suff. univ. dir.	4 ans	8-4-1990	Nouv. Dém. 150 s.
Irlande	2	Sénat (Seanad Ecreann) 60 s.	11 nommés 43 désignés 6 représentants	5 ans	17-2-1993	Fianna Fail 25 s.	Ch. des députés (Dail Eireann) 166 s.	suff. univ. dir.	5 ans	25-11-1992	Fianna Fail 68 s.
Italie	2	Sénat 315 s.	suff. univ. dir.	5 ans	6-4-1992	Dém. chrét. 107 s.	Ch. des députés 630 s.	suff. univ. dir.	5 ans	6-4-1992	Dém. chrét. 206 s.
Luxembourg	2	Conseil d'État 21 s.	–	–	–	–	Ch. des députés 60 s.	suff. univ. dir.	5 ans	18-6-1989	Parti Chrét. Social 22 s.
Pays-Bas	2	1re chbre 75 s.	Par États provinciaux	4 ans	27-5-1991	CDA Dém. Chrét. 27 s.	2e chbre 150 s.	suff. univ. dir.	4 ans	6-9-1989	CDA Dém. Chrét. 54 s.
Portugal	1	–	–	–	–	–	Ass. lég. 230 s.	suff. univ. dir.	4 ans	6-10-1991	PSD 135 s.
AUTRES ÉTATS											
Albanie	1	–	–	–	–	–	Ass. Pop. 140 s.	suff. univ. dir.	4 ans	29-3-1992	Parti Démocr. 92 s.
Andorre	1	Conseil Gén. des Vallées 28 s.	suff. univ. dir.	4 ans	12-4-1992	–	–	–	–	–	–
Arménie	1	–	–	–	–	–	Cons. suprême 260 s.	–	–	juin 1990	Mouv. Arm. Pan nat. 110 s.
Autriche	2	Bundesrat 63 s.	par ass. prov.	5 ans	9-11-1991	P. conserv. 27 s.	Nationalrat 183 s.	suff. univ. dir.	4 ans	7-10-1990	PSD 80 s.
Biélorussie	1	–	–	–	–	–	Sov. suprême 360 s.	suff. univ. dir.	4 ans	4-3-1990	PC
Bosnie-Herzégovine	2	Chbre des communes 110 s.	suff. univ. dir.	–	9-12-1990	SDA 39 %	Ch. des citoyens 130 s.	suff. univ. dir.	–	9-12-1990	SDA 33 %
Bulgarie	1	–	–	–	–	–	Ass. Nat. 240 s.	suff. univ. dir.	4 ans	13-10-1991	Union des forces dém. 110 s.
Chypre	1	–	–	–	–	–	Ch. des députés 56 s.	suff. univ. dir.	5 ans	19-5-1991	Rass. dém. de dr. (Disy) 20 s.
Croatie	3	Sabor 356 s. 3 chambres	suff. univ. dir.	4 ans	22-4-1990	Union dém. croate 205 s.					
Estonie	1	–	–	–	–		Riegikogo 101 s.	suff. univ. dir.	4 ans	20-9-1992	Pro Patria
Finlande	1	–	–	–	–	–	Diète 200 s.	suff. univ. dir.	4 ans	17-3-1991	P. du centre 55 s.
Géorgie	1	–	–	–	–	–	Sov. suprême 235 s.	suff. univ. dir.	5 ans	11-10-1992	Bloc de la Paix 29 s.
Hongrie	1	–	–	–	–	–	Ass. nat. 386 s.	suff. univ. dir.	4 ans	25-4-1990	Forum MDF 165 s.
Islande	2	Chbre haute 21 s.	suff. univ. dir.	4 ans	20-4-1991	P. de l'Indép.	Chbre basse 42 s.	suff. univ. dir.	4 ans	20-4-1991	P. de l'Indép. 26 s.
Lettonie	1	–	–	–	–	–	Saeima 201 s.	suff. univ. dir.	4 ans	5-6-1993	Voie lettone 36 s.
Liechtenstein	1	–	–	–	–	–	Landtag 25 s.	suff. univ. dir.	4 ans	7-2-1993	Citoyens prog. 12 s.
Lituanie	1	–	–	–	–	–	Sov. suprême 141 s.	suff. univ. dir.	4 ans	25-10-1992	PDLT 73 s.
Macédoine	1	–	–	–	–	–	Ass. 120 s.	–	–	9-12-1990	UMRO 37 s.
Malte	1	–	–	–	–	–	Ch. des représ. 65 s.	suff. univ. dir. prop.	5 ans	22-2-1992	P. Nat. 34 s.
Moldavie	1	–	–	–	–	–	Parl. 366 s.	–	–	mai 1991	–
Monaco	1	–	–	–	–	–	Conseil Nat. 18 s.	suff. univ. dir.	5 ans	24-1-1988	Un. Nat. Dém. 18 s.
Norvège	2	Lagting 41 s.	suff. univ. dir.	4 ans	10-9-1989	P. travailliste	Odelsting 124 s.	suff. univ. dir.	4 ans	11-9-1989	P. travailliste
Pologne	2	Sénat 100 s.	suff. univ. dir.	4 ans	27-10-1991	Union dém. 21 s.	Diète 460 s.	suff. univ. dir.	4 ans	27-10-1991	Union dém. 62 s.
Roumanie	2	Sénat 143 s.	suff. univ. dir.	2 ans	27-9-1992	FDSN 49 s.	Ass. Nat. 328 s.	suff. univ. dir.	2 ans	27-9-1992	FDSN 117 s.
Russie	1	–	–	–	–	–	Congrès des dép. du Peuple 1 068 s.	suff. univ. dir.	4 ans	4-3-1990	–
Saint-Marin	1	Gd Cons. Gén. 60 s.	suff. univ. dir.	5 ans	29-5-1988	Dém. Chrét. 27 s.	–	–	–	–	–
Slovaquie	1	–	–	–	–	–	Cons. Nat. 150 s.	–	5 ans	8-6-1993	Public contre violence
Slovénie	3	–	–	–	–	–	Ass. Nat. 240 s.	–	–	6-12-1992	–
Suède	1	–	–	–	–	–	Riksdag 349 s.	suff. univ. dir.	3 ans	15-9-1991	PSD 138 s.
Suisse	2	Cons. des États 46 s.	par les cantons	4 ans	1991	P. rad. dém. 18 s.	Cons. Nat. 200 s.	suff. univ. dir.	4 ans	20-10-1991	P. Rad. Dém. 44 s.
Tchèque (Rép.)	2	Sénat 81 s.	suff. univ. dir.	6 ans	5-6-1992	P. civ. dém.	Ch. des députés 200 s.	suff. univ. dir.	4 ans	5-6-1992	P. civ. dém.
Turquie	1	–	–	–	–	–	Ass. Nat. 450 s.	suff. univ. dir.	5 ans	20-10-1991	PJV (droite agrarienne (178 s.)
Ukraine	1	–	–	–	–	–	Sov. suprême 450 s.			4-3-1990	Commun. 239 s.
Vatican	0	–	–	–	–	–	–	–	–	–	–
Ex-Youg. (Serbie + Montenegro)	2	Chbre des Rép. 40 s.	suff. univ. dir.	4 ans			C. des citoyens 138 s.	suff. univ. dir.	4 ans	20-12-1992	PS de Serbie 47 s.

PARTICIPATION DES ÉTATS EUROPÉENS AUX ORGANISATIONS INTERNATIONALES

Organisations / États	AELE [1]	CEE [2]	CEI [3]	C.NORD [4]	COCONA [5]	CSCE [6]	EEE [7]	MCMN [8]	OTAN [9]	UEO [10]	COMMON-WEALTH
CEE											
Allemagne		×			×	×	×		×	×	
Belgique		×			×	×	×		×	×	
Danemark		×		×	×	×	×		×		
Espagne		×			×	×	×		×	×	
France		×			×	×	×		×	×	
Grande-Bretagne (+ Gilbraltar)		×			×	×	×		×	×	×
Grèce		×			×	×	×		×		
Irlande		×				×	×				
Italie		×			×	×	×		×	×	
Luxembourg		×			×	×	×		×	×	
Pays-Bas		×			×	×	×		×	×	
Portugal		×			×	×	×		×	×	
AUTRES ÉTATS											
Albanie						×					
Andorre						×					
Autriche	×					×	×				
Biélorussie			×		×	×					
Bosnie											
Bulgarie					×	×		×			
Chypre						×					×
Croatie											
Estonie					×	×					
Finlande	×			×		×	×				
Géorgie						×		×			
Hongrie					×	×					
Islande	×			×	×	×	×		×		
Lettonie					×	×					
Liechtenstein	×					×	×				
Lituanie					×	×					
Macédoine											
Malte						×					×
Monaco						×					
Norvège	×			×	×	×	×		×		
Pologne					×	×					
Roumanie					×	×		×			
Russie			×		×	×		×			
Saint-Marin						×					
Saint-Siège						×					
Slovaquie					×	×					
Slovénie						×					
Suède	×			×		×	×				
Suisse	×					×	×				
Tchèque (Rép.)					×	×					
Turquie					×	×		×	×		
Ukraine			×		×	×		×			
Ex-Yougoslavie						×					

Nota. – (1) Association européenne de libre-échange. (2) Communauté économique européenne. (3) Communauté des États indépendants. (4) Conseil nordique. (5) Conseil de coopération nord-atlantique. (6) Conférence sur la sécurité et la coopération en Europe. (7) Espace économique européen. (8) Marché commun de la mer Noire. (9) Organisation du traité de l'Atlantique-Nord. (10) Union de l'Europe occidentale.

(*Photo :* J. R.)

COMPARAISONS DANS QUELQUES PAYS

■ **Droit de vote (âge).** *Allemagne :* 18 ans (dep. 1972). *Belgique :* 21 (municipales 18). *Bulgarie :* 18. *Canada :* 18. *Danemark :* 18 (dep. sept. 1978). *Espagne :* 18. *Finlande :* 18. *Grande-Bretagne :* 18. *Iran :* 16 (dep. 1979). *Irlande :* 18. *Italie :* 18. *Luxembourg :* 18. *Norvège :* 18. *Pays-Bas :* 18. *Suède :* 18. *Suisse :* 20 (Conseil national). *USA :* 18.

■ **Jour du vote.** *Allemagne* (lég.) : dimanche. *Belgique* (lég.) : 4e dimanche de mai (si c'est Pentecôte, le dimanche suivant). *Danemark :* mardi 9 à 21 h (20 h à la campagne). *Espagne :* dimanche. *Grande-Bretagne :* toujours en semaine de 7 h à 22 h. *Irlande :* en semaine. *Italie :* dimanche et lundi matin. *Luxembourg* (lég.) : 1er dimanche de juin (si c'est Pentecôte, le dernier dimanche de mai). *Norvège :* lundi 9 à 20 h (éventuellement le dimanche d'avant). *Pays-Bas :* en semaine un jour non choisi, mais la 43e journée après le dépôt des candidatures. *Suède :* dimanche.

■ **Référendum possible.** *Allemagne. Danemark* (pour ratifier traité intern. déléguant certains pouvoirs à un organisme ext.). *Espagne. Irlande. Italie* (pour l'abrogation partielle ou totale d'une loi déjà votée par le Parlement ; 500 000 signatures min.). *Luxembourg. Norvège. Suède. Suisse. USA.*

■ **Vote obligatoire.** *Belgique. Luxembourg.*

Légende. a. : ans ; D : densité ; él. : élections ; Ép. : épouse ; Exp. : exportations ; F : francs ; f. : fils ou fille ; g. : guerre ; h. : habitants ; Imp. : importations ; m. : membre ; nat. : naturel ; off. : officiel ; par. : parenthèse ; PM : Premier ministre ; Pt : Président ; r. : recensement ; Rép. : République ; s. : son ; tr. : traité. – La capitale est en italique. Entre parenthèses, distance des principales villes à la capitale.

Si l'on veut d'autres détails, voir aussi à l'Index le nom du pays (où l'on trouvera, pour certains, des renvois à littérature, cinéma, armée, etc.), le nom des produits (ex. : charbon, pétrole, blé...), les mots : monnaie, devises, PNB, commerce extérieur, transports.

AFGHANISTAN

Carte p. 885. V. Légende ci-dessus.

Situation. Asie. 652 225 km². *Frontières :* avec ex-URSS 2 384 km, Iran 1 500, Pakistan 2 432, Chine 100. *Alt. max.* 7 500 m, Naoshakh (Pamir), *min.* 270 m, désert du Seistan. *Sol :* Nord, steppes ; Centre, montagnes calcaires couvertes de lœss ; Est, Hindou-Kouch, primaire siliceux, env. 6 000 m ; Sud, sable et désert. **Climat.** *Continental* [de – 30 °C à + 40 °C à Kaboul ; record : – 46 °C en 1972 ; neige et pluies (350 mm, insuffisantes) hiver et début du printemps] ; *des steppes* au N. de l'Hindou-Kouch ; *désertique* au S., max. + 50 °C . Vents 120 j (juin à sept. Seistan et bas du bassin du Helmand).

Population (en millions). *1979 :* 17 (dont 1,5 à 2 nomades) ; *1991 (est.) :* 16,4 ; *2000 :* 24,18. **Age** – *de 15 a.* 46%, *+ de 65 a.* 4%. *Accroissement* 0%. *Espérance de vie* 39 ans (60 % touchés par la tuberculose). *Mortalité infantile :* 200 ‰. D 28,5 (295 à Kaboul, 5 dans le Helmand). **Villes** (82) : *Kaboul* 1 036 407 (*1988* env 3 000 000, *90* 1 500 000), Kandahar 191 345, Hérat 150 497, Mazar-i-Sharif 110 367, Djalalabad 57 824, Kunduz 57 112, Baghlan 41 240. *Alphabétisation* 12 %. *Immigration :* hindoue dep. plusieurs siècles. *Émigration (avant 1979) :* Arabie S., Irak, Émirats, All. féd. *Réfugiés,* voir p. 885 c (bilan).

Nota. – En ville, les femmes portent parfois le « tchadri », voile les recouvrant (avec un treillis à hauteur des yeux).

Races. *Pachtounes* (40 %, 5 à 6 millions dont 2 nomades) : Est et Sud. 3 groupes : P. de l'Est, Ghilzai, Durrani ; langue : pachtô (à Kaboul, dari). *Tadjiks :* ancienne pop. d'Asie centrale ; langue : dari, 25 %, 3 à 4 millions. *Hazaras* (env. 15 %, 2 à 3 millions) : ancienne pop. locale, Centre et Kaboul ; langue : persan. *Ouzbeks* (9 %, 2 millions). *Turkmènes :* Turcs du N. *Nouristanis :* Est. *Baloutches :* Sud. *Qirghizes :* Pamir.

Langues. Pachtô et dari (persan) *(off.) ;* env. 30 autres langues et dialectes. **Religions.** Islam : officielle, 84 % sunnites, 15 % chiites (Hazaras et Tadjiks). Hindouistes env. 20 %.

Histoire. Siège de civilisations très anciennes. **329 av. J.-C.** arrivée d'Alexandre le Grand sur le territoire actuel. **Apr. J.-C. : 50** les Kouchans prennent Kaboul. **652** arrivée des Arabes à Hérat. **698** à Kaboul. **971** dynastie ghaznévide fondée. **999-1030** sultanat de Mahmoud Ghaznévide. **1221** dévastations mongoles (Gengis Khân). **1370-1405** Tamerlan envahit Hérat. **1404-1506** règnes des sultans timourides de Hérat.

1506-1722 partage entre Inde et Iran. **1520** Baber (officiellement roi de Kaboul) couronné (fonde la dynastie des Grands Moghols de l'Inde). **1708** fond. de la dynastie des Hotaks. **1722** révolte contre l'Iran. **1747** le Pachtoun Ahmad Chah Dourrani crée un empire (capitale Kandahar) englobant Iran (en partie), Pakistan, Pendjab, Cachemire. **1793** mort de Timour Chah, fils d'Ahmad Chah, l'empire Dourrani se morcelle. Querelles entre les chefs des 2 plus puissantes tribus pachtounes : Mohammedzaï et Saddozaï (anarchie). **1re g. anglo-af. : 1839-42,** *printemps 1839* armée anglaise avec William Mc Naughton [6 000 partisans de Shah Shuja, 10 000 en majorité cipayes (fantassins) de l'armée du Bengale, 5 000 de l'armée de Bombay et 30 000 suivants] entre en A. *-21-7* prise de Ghazni. *Août* entre dans Kaboul. *1840 sept.* retour de Dost Mohammad, fait prisonnier le 4-11. *-2-11-1841* Kaboul s'insurge. *-23-12* Mc Naughton assassiné. *-1-1-1842* accord : 5 000 militaires et 12 000 civils brit. quittent Kaboul ; embuscades pendant la retraite faisant 3 000 †. **1843-63** émir Dost Mohammad Khan, Pachtoun barakzaï, cherche à unifier le pays. **1855** *tr. de Peshawar,* statu quo avec Anglais. **1863-78** anarchie. **1860-85** la Russie annexe peu à peu toute l'Asie centrale. **2e g. anglo-af. : 1878-80** interrompue par épidémie de choléra ; *tr. de Gandomak* (1879) (les Agl. contrôlent la polit. extérieure et versent une « pension » au roi). **1880** l'émir **Abdur Rahman** (1844-1901) prend le pouvoir. **1885** incident de Panjdeh : Russes battent Afghans et prennent oasis. **1893** tr. anglo-af., la *ligne Durand* (colonel brit.) délimite A. et (futur) Pakistan, coupant en 2 les Pachtounes (appelés Pathans au Pak.). **1895-96** G.-B. et Russie attribuent à l'A. le corridor du Wâkhân (conduisant au Petit Pamir, peuplé de Kirghizes et d'Ismaéliens), ainsi les 2 empires ne se touchent pas. **1901**-*3-10* **Habiboullah Khan** (n. 3-6-1872) succède à son père Abdur Rahman. **1904-06** frontière avec Iran délimitée par Anglais. **1914-18** pays neutre. **1919**-*20-2* Habiboullah assassiné par un inconnu. **Amanoullah Kahn** (n. 1-6-1892), s. f., prend le titre de roi. **3e g. anglo-af. :** *-8-8 tr. de Rawalpindi ;* l'A. reprend le contrôle de ses affaires extérieures. **1921-24** la Russie lui verse 500 000 $ par an. **1928** palais royal incendié à Djalalabad. **1929**-*14-1* Amanoullah abdique († 1960). *14/17-1* **Anayatoullah** (n. 10-10-1888), son fr., abdique. Des musulmans traditionalistes dirigés par Habiboullah, dit Batcha-é-Saqao (le « fils du porteur d'eau »), prennent le pouvoir, anarchie. *-16-10* ordre rétabli ; le **Gal Mohammad Nadir** (n. 10-4-1880), descendant d'un frère de Dost Mohammad, devient roi. *-3-11* Batcha fusillé. **1931** nouvelle constitution rétablissant monarchie ; restera en vigueur jusqu'en 1964. **1933**-*6-6* Mohammed Aziz (n. 1875), fr. de Nadir et père de Daoud (futur Pt de la Rép.) assassiné à Berlin. *-8-11* Nadir assassiné d'un coup de pistolet par un étudiant lors d'une distribution de prix ; son fils Mohammad Zaher Shah (n. 15-10-1914) lui succède (1933-46 : régence de Hachem, 1946 de Chah Mahmoud). **1939-45** neutralité. **1946** tr. avec URSS. **1947** l'A. (contestant la ligne Durand de 1893) vote contre l'admission du Pakistan à l'Onu. [*Question du Pachtounistan :* 1901, l'empire brit. des Indes avait séparé du Pendjab la province de la frontière du Nord-Ouest (NWFP), regroupant les Pachtouns de l'Inde. Lors de la partition (juill. 1947), la NWFP, musulmane à 90 %, demanda à être pakistanaise. Les Afghans (soutenus par l'Inde indépendante) auraient voulu que les électeurs puissent choisir aussi le rattachement à l'A.] **1951** adhère au plan de Colombo. **1953** Chah Mahmoud démissionne pour le Sardar (Pce) Mohammed Daoud (1909-78, beau-frère du roi Zaher Shah), PM qui cultive l'amitié soviét. **1955** Daoud décide de faire équiper et entraîner l'armée a. par l'URSS. **1961-63** frontière avec Pak. fermée. **1963** Daoud démissionne, Zaher règne seul. **1964** constitution. **Monarchie parlementaire. 1967** accord soviéto-af. pour exploitation à long terme du gaz naturel af. par l'URSS. **1968-72** manif. étudiantes contre Zaher Chah. **1971-73** sécheresse, disette.

République. 1973-*17-7* roi détrôné (*-24-8* abdication, exil à Rome). **Daoud** Pt. **1975** constitution, parti unique. *-21-7* insurrections fondamentalistes soutenues par Pak. 1 seule, dans le Pandjchir, dure plusieurs jours. **1976** accord Iran-Af.-Pak. : reconnaissance par Daoud de la ligne Durand comme frontière. *-1-12* coup d'État du Gal Mir Ahmed Shah échoue. **1977**-*14-2* nouvelle const. ; partis interdits. Accord commercial de 30 a. avec URSS. **1978**-*mars* Mir Akbar Khyber (n. 1925, du PDPA), assassiné. *-27-4* coup d'État mil., prosoviét. sous l'influence du PDPA, env. 3 000 † (dont le Pt Daoud) ; troubles en province. *-30-4* **Noor Mohammad Taraki** (1917-79) du Khalq, Pt. Nationalisations, réforme agraire *(2-12),* remise des dettes des paysans envers grands propr., abolition de l'achat de l'épouse, nouveau drapeau rouge *(19-10) ;* le PM s'appuyant sur le Khalq (parti du peuple) évince (en juil.) les min. du Parcham (p. du drapeau). *– août* Babrak Karmal (n. 1929) exilé à Prague comme ambassadeur ; échec d'une tentative de coup d'État de ses partisans. *-5-12* tr. avec URSS (amitié, coopération).Taraki, poussé par les Sov. va tenter d'éliminer PM Hafizullah Amin (1929-79, communiste radical et nation. pachtoune ; condamné par URSS pour son sectarisme). **1979**-*14-2* Adolf Dubs, amb. amér. assassiné. *Mars* soulèvement de l'Hérat, env. 30 000 †. *-11-3* action du Hezb-i-Islami (parti islamique) et du Jamiyat-i-Islami (rassemblement isl.). *– été* tentative d'insurrection de chiites hazaras, alliés au Hezb-i-Islami, annulée ; répression : ayatollahs Sayyed Sarwar Wâ éz et Aqaï Alim tués (liés aux ayatollahs Khuï en Irak et Khomeyni en Iran). Début rupture chiites/communistes. *-5-8* mutinerie garnison de Bala-Hisar (Kaboul). *Août* 5 000 mil. soviét. en A. ; *-14-9* coup d'État, **Amin** fait étrangler Taraki rentrant de Moscou. *-15-12* 1500 parachutistes soviét. occupent base de Begram. *-24-12* **intervention mil. soviét.,** 40 000 h [à « l'appel du gouvernement Karmal » (qui n'était pas encore en place)]. « 14 requêtes », et en vertu du tr. d'amitié [en fait l'URSS n'admet pas sur sa frontière Sud un régime « progressiste » et nationaliste (les visées stratégiques : descente vers les mers chaudes, lutte contre l'intégrisme, n'auraient pas joué). L'état-major aurait désapprouvé l'invasion, à l'inverse du KGB qui constituera le *Khâd* (services secrets afghans)]. Aucune résistance af. (les conseillers sov. avaient fait enlever les batteries des tanks, pour vérifier leur résistance au gel) *-28-12* **Karmal** (revenu avec les Sov.) remplace Amin exécuté le 27. **1980**-*1-1* 50 000 mil. sov.*-janv.* l'Onu condamne l'intervention soviét. par 104 voix contre 18 et 16 abst. ; guérilla. *-21/25-2* grève du Bazar à Kaboul et émeutes ; + de 500 civils †. *-8-10* attentat à Kaboul 50 †. *-11-11* Onu vote pour le retrait soviét. (123 voix pour, 19 contre, 11 abstentions). *-20-11* id. (111 voix pour, 22 contre et 12 abst.). **1981**-*1-1* 115 000 mil. sov. *-1/3-5* le tribunal permanent des peuples, réuni à Stockholm, condamne l'URSS. *-16-6* sultan Ali Keshtmand (n. 1936) PM. *Déc.* Onu vote pour le retrait (114 voix pour, 21 contre et 13 abst.). **1982** A. cède à URSS corridor de Wâkhân, 200 km de long, reliant le N.-E. de l'A. à la Chine. *Mai-juin* offensive soviét. et gouv. (20 000 h.) au Panchir (100 km au N.-E. de Kaboul). *-30-10* attentat dans tunnel de Salang (2 675 m, 3 363 m d'alt., reliant Kaboul au N. et à l'URSS, réparé 1987), env. 700 Russes et 100 civils tués. **1983**-*16-1* docteur Philippe Augoyard (Fr.) capturé ; *mars* condamné à 8 ans de prison, *juin* gracié. **1984** offensives soviét. au Panchir. *Déc.* Zabiullah tué par le *Khâd. Sept.* Jacques Abouchar (Fr., journaliste, condamné à 18 ans de prison, gracié 25-10). **1985**-*7-1* mutinerie de soldats soviét. tadjiks (80 † ?). *-13-11* Onu vote pour le retrait (pour 122, contre 19, abst. 12). **1986** la résistance reçoit les missiles portatifs Stinger permettant d'abattre nombre d'hélicoptères soviét. *-4-5* Karmal démissionne du secr. gén. du parti. *-20-11* de ses fonctions de chef d'État (raisons de santé). *-8-12* bombardement soviét. de Kandahar 450 †. **1987**-*15-1* Najibullah annonce un programme de réconciliation nationale, décrète un cessez-le-feu unilatéral, ignoré. Nouvelle constitution permettant aux non-communistes de jouer un rôle. *Nov.* un frère du Pt et un demi-frère de Karmal rejoignent la résistance. **1988** *janv.* succès gouvernemental à Khost. *-4-1* Alain Guillo, journaliste fr., condamné à 10 ans de prison pour espionnage (libéré 28-5). *-11-2* Sayed Bahâ'uddin Majrouh, poète, assassiné. *-14-4* Genève, accord sur retrait soviét. (entre A., Pakistan, URSS, USA) ; les résistants le rejettent. *-28-5* Hassan Sharq PM. *-10-8* départ du 1er convoi soviét. de Kaboul (500 h., 100 véh.). *-18-8* résistance attaque base sov.-afghane (600 à 700 †). *- Fin août* prend Bamiyan. *-24-12* Vorontsov (vice-min. soviét. des Aff. étr.) rencontre ex-roi Zaher Shah. L'URSS est pour son retour. *-30-12* Najibullah ordonne une trêve de 4 j. **1989**-*3-1* cessez-le-feu rompu par résist. *-15-2* retrait soviét. total. *-20-2* PM Sharq révoqué. *Déc.* complot échoue. **1990**-*1-1* offensive moudjahidine sur Djalalabad. *-11-1* compromis de la résistance pour faire élire un gouv. en exil par une assemblée élue de 3 000 représ. *-6-3* échec complot. ; gén. Shah Nawaz Tanaï (du Khalq, min. de la Défense) fait bombarder palais présidentiel, puis s'enfuit au Pakistan : 100 à 300 †. *-6-4* 3 000 combattants et 7 000 résistants à Hérat devant se rendre officiellement au gouvernement ouvrent le feu : 12 † (dont 2 généraux). *4-5* levée de l'État d'urgence. **1991** combats sporadiques. *Avril* Asadabad 400 † (scuds lancés). *-13-9* accord USA-URSS suspendant leur aide militaire aux factions le 1-1-1992. *Sept.* Sibgatullah Modjaddedi, Pt du gouv. provisoire de la résistance, invité à Moscou. *-4-11* Rome, l'ancien roi Zaher Shah blessé (couteau) par J.P. Santos de Almeida (Portugais voulant l'empêcher de rentrer en A.). *-10/15-11* Moscou, visite de moudjahidines (Burhanuddin Rabbani). *-13-11* manif. royaliste à Kaboul organisée par Zia Khan Nassery. **1992**-*15-4* Najibullah destitué ; *26-4* moudjahidines entrent dans Kaboul, luttes intestines Hezb/partisans de Massoud. -*15/28-4* gouv. du Gal Hatif. *-24-4 accord de Peshawar* entre 10 partis islamistes pour un gouv. de coalition. *-28-4* Sibgatullah Modjaddedi, Pt du Conseil isl. intérimaire du gouv., arrive du Pakistan. *-28-6* renonce à ses pouvoirs de chef de l'État par intérim. *-Août* combats à Kaboul entre Hezb demandant le départ des milices ouzbeks du Gal Abdul Rachid Dostam et les forces gouv. *-29-8* cessez-le-feu à Kaboul 2 400 †, 9 000 bl., exode de 500 000 Kaboulis ; les milices ayant soutenu les communistes doivent quitter la ville. *-14-11* nouveaux bombardement de Kaboul par intégristes. *Nov.* Babrak Karmal rentre en A. *-6/11-12* combats à Kaboul, 100 † et 1 000 bl. **1993** *janv.* combats à Kaboul. *-7-3* accord de paix : B. Rabbani Pt (mandat prorogé jusqu'à la mi-1995), G. Hekmatyar devient PM. D'avril 1992 à mai 1993 : au moins 6 000 tués.

Bilan (1979-89). Forces en présence (mai 1988) : *Parti gouvernemental soviét.* 115 000 + 50 000 en URSS, Afghans 20 000 à 30 000 (90 000 en 1979, nombreuses désertions), *résistants* 100 000. **Pertes** (1979-89) : Russes 13 833 † (dont 2 343 en 1984), Afghans 1 242 000 (80 % civils). *Pertes matérielles russes* (1979-86) : 800 hélico. et avions, 1 500 blindés, 3 000 camions. **Déportés :** 50 000 (dont 10 000 enfants) selon « Die Welt ». **Prisonniers politiques :** env. 50 000. **Réfugiés** (en millions) : **AU PAKISTAN :** *avr. 1978 :* 0,1 ; *janv. 80 :* 0,5 ; *août :* 1 ; *mai 81 :* 2 ; *87 :* 3,5 à 5 (dont Pachtounes 85 %) dont 14 % nés au Pakistan. **EN IRAN :** *janv. 85 :* 2. *Retour de réfugiés* (en 1992) : Pakistan env. 1 000 000, Iran env. 200 000. **Coût pour l'URSS :** 2 à 3 milliards de $ par an. **Aide à la résistance** (en millions de $). *USA : 1984 :* env. 250 ; *85 :* 470 (50 % des armes fournies sont détournées par corruption) ; *91 :* réduction progressive. *Proche-Orient et Asie :* 200 (?). *1987 :* 725. **Aide humanitaire américaine** (en millions de $, 1991) : 60.

Forces gouvernementales. *(Mars 1989) :* mobilisés 170 000 (dont armée régulière 40 000), Sarandoys (gendarmes locaux) 80 000, police secrète (Khâd) 50 000. Garde spéciale 20 000, soldats de la Révolution, miliciens [issus de tribus ralliées (dont les Jozjanis 6 000, Tadjiks et Ouzbeks du N.]. **Drapeau.** Vert (islam), blanc (lumière : succès guérilla), noir (années d'occupation soviét.).

Résistance. *Chef de l'État :* Ahmed Chah, élu 18-2-1989 par la choura. *Gouvernement provisoire installé au Pakistan :* Pt Sibgatullah Modjaddedi (FLN, modéré) élu dep. 23-2-1989 par la choura : 174 voix contre 173 à Abdul Rasul Sayyaf, chef de l'Ittihad-i-Islami qui devient PM. *Assemblée* de 480 membres (dont 210 commandants de l'intérieur). **Conseil de surveillance, ou du Nord (Shura-ye Nazar) :** créé 1984 par le commandant Ahmed Shah Massoud (dit « le lion du Panshir »). Contrôle 7 des 31 provinces. **Ismaël Khan** contrôle Hérat.

Nota. – Wahabites : combattants non afghans venus en A. pour participer à la *Jihad* (guerre sainte). Payés par l'Arabie S.

Statut. République. État islamique. **Constitution :** 29-11-1987 révisée en mai 1990, non appliquée. **Conseil dirigeant :** créé 24-4-1992. 10 m. *Pt* Burhannuddin Rabbani (Parti Jamiat) dep. 28-6-92 ; nommé pour 4 mois (jusqu'au 28-10), *-31-10* prolongé jusqu'au 15-12, puis jusqu'à mi-1995. **Ass.** de notables et de moudjahidines (2 représentants pour chacun des 212 districts). **PM** *-6-7-92* Abdoul Dostam Farid, *-16-8-92* limogé ; *-7-3-93* Gulbuddin Hekmatyar.

Conseil de la Guerre sainte : 64 m. Consultatif. *Pt* Sibgatullah Modjaddedi (n. 1922, élu 23-2-89 Pt du gouv., en exil au Pakistan).

Partis. *P. de la Patrie :* nouveau nom, dep. juin 1990, du P. démocratique pop. af. (PDPA) f. 1965, *secr. gén. :* Mohammed Najibullah (n. 1947) dep. 4-5-1986, ancien chef du Khâd (police secrète) et ancien Pt du gouv. et Conseil révolut. dep. 30-11-1986. 2 tendances : [*Parcham* (drapeau, Karmal

Keshtmand ; divisé en Najibis, Keshmandis Karmalistes), *Khalq* (peuple, Taraki ; gén. Gulabzoï)]. *Front de la Paix* (avant juin 1990, appelé Front national).

Mouvements. SUNNITES (7 organisations alliées en mai 1985). FONDAMENTALISTES : *Hezb-i-Islami* (parti islamique) de Gulbuddin Hekmatyar (pachtoune). En 1979 soutenu par Pak. qui lui a fourni l'aide amér. [car opposé à la revendication des Pachtouns afghans sur la NWFP (prov. du N.-O du Pak.)]. *Hezb-i-Islami* de Yunus Khales : séparé en 1979 du précédent. *Jamiat-i-Islami* (Sté de l'islam) de Burhannudin Rabbani : le mieux implanté ; commandants Ahmed Shah Massoud (dans le Panshir) et Ismaël Khan (autour de Hérat), surtout influente parmi Tadjiks, Ouzbeks et Turkmènes du N, Alam Khan et Khalil (autour de Mazar-i Sharif). *Ittihad-i-Islami* (Alliance islamique) d'Abdul Rasul Sayyaf, wahabite, le moins puissant. TRADITIONALISTES : *Harakat-i-Inqelab-i-Islami* (mouv. de la révolution islam.) de Nabi Mohammedi. Modérés : Pachtounes. Implantés au Sud. *Jabha-e-Nijat-e-Milli* (Front de lib. nat.) de Sibgatullah Modjaddedi (modérés-traditionalistes). *Majaz-e-Milli* (Front nat. isl.) Ahmed Gailani (royaliste pachtoune).

CHIITES. *Harakat-i-Islami* du cheikh Assef Mohseni : commandant Anouari. *La Shura* (f. 1979) de Sayyed Beheshti (modéré). *Le Nasr* (f. 1979) ; prokhomeyniste. *Le Sepah-i-Pasdaran* : créé par les pasdarans (gardiens de la révolution) iraniens en 1983 (extrémiste). *Mustazafin* : intellectuels *Kezelbash* de Kaboul (région de Bamiyan), gauchistes. – 1990, regroupement dans le *Hezb-e-Wahdat* (P. de l'unité).

☞ L'A. revendique les territoires pachtounes rattachés au Pakistan (origine : tr. du 12-11-1893 entre roi d'A. Émir Abdour Rahman et sir Mortimer Durand, coupant en 2 les territoires pachtounes). **Hazarajat :** centre de l'A. *1979* autonomie de fait (les grands propriétaires, inquiets des réformes agraires, chassent les repr. de l'État et rejoignent la résistance). *1984* influence du Nasr et du Sepah-i-Pasdaran. *1986* tentatives d'assimilation (création du conseil de la nationalité hazara. – Sultan Ali Keshmand). Les Ismaéliens (régions du Badakhshan et du Baglan) seront les seuls intéressés (double jeu). *1989* autonomie adm. et pol. accordée.

■ ÉCONOMIE

PNB (millions de $). *1978 :* 4 335 ; *85 :* 3 438 ; *par hab. 1988 :* 260 ; *90 :* 330. **Pop. active** (% et, entre par. part du PNB en %) : agr. 43 (25), ind. 5 (5), services 50 (60), mines 2 (10). **Aide** (milliards de $, 1990) soviét. 3,4 (a cessé dep. déc. 91), amér. 0,5.

Agriculture. Terres (millions d'ha, 1981) : 64,7 dont pâturages 30, t. arable 7,9 (12 % de la sup., env. 52,4 % irriguées), forêts 1,9, divers 24,7 [30 % des terres non exploitées (récoltes en baisse de 50 % dep. 1978)]. *Production* (milliers de t, 1991) blé 1 726, riz 335, p. de t. 223, orge 217, maïs 420, coton 36, fruits, légumes, sésame, sainfoin, vigne, raisins secs, betteraves à sucre. Parfois 2 récoltes par an dans les zones irriguées. **Élevage** (millions de têtes, 91). Moutons 13,5, volaille 7, bovins 1,65, chèvres 2,15, chevaux 0,4, ânes 1,3, et mules 0,03. Surtout extensif, nomade et transhumant. Laine et peaux (astrakan *Karakul*). **Drogue** (est. 1992) 2 000 t d'opium.

Industrie. Artisanale : tissage, tapis, peaux, lingerie. Ciment 70 000 t (1988-89), engrais. **Mines.** *Charbon* 151 000 t (85), 145 000 (89). *Gaz* (milliards de m³, 91) production 0,3 (v. URSS), réserves 60. *Sel* 37 000 t (88). *Lapis-lazuli* 8 000 kg/an (trafic avec Pak.). *Mica, talc, uranium, or, cuivre, fer* (teneur 72 %), *abeste, sulfure, chrome.* **Électricité :** hydraul. : (89) 0,76 milliard de kWh.

Transports. *Routes* (1986) 22 000 km. Pas de *ch. de fer.* **Tourisme.** *Saison :* mai à oct. (inclus), avril et nov. (possible). *Lieux visités :* sites gréco-bouddhiques [Bamiyàn (bouddhas géants), Hadda] ; mosquées de Kandahar et Hérat ; Mazar-i-Sharif : m. et pèlerinage du Now-Roz (nouvel an afghan le 21-3) ; ruines de Bost (Lachkargah) et de Bactres (Balkh). *Curiosités naturelles :* 7 lacs suspendus de Band-é-Amir (3 000 m d'alt. ; se déversent les uns dans les autres), vallées d'Adjar et du Panjü, forêts du Paktya, Nouristan. *Jeu* du Bozkachi.

Commerce (millions de $, 1990-91). **Exp.** 235,1 *dont* gaz 260 (86), fruits et noix 93,3, tapis 44,4, laine 9,6, fourrures 3 *vers* URSS. **Imp.** 936,4 *dont* céréales, textiles, pétrole, thé, caout., sucre *de* URSS, 70 % des échanges avec pays de l'Est.

Rang dans le monde (1988). 11ᵉ ovins.

☞ *Métayers.* Donnent 3/4 de la récolte au propriétaire (qui leur en rend 1/4 comme semences, en garde 1/4 pour lui et met le dernier 1/4 en réserve pour entretenir la mosquée et son mollah, et pour payer le *Dirab* ou « émir des eaux » qui répartit l'eau et entretient le système d'irrigation). Les propriétaires de plus de 35 ans peuvent participer à la *djirga* (conseil tribal élisant le chef appelé *khan, arbad* ou *malek).*

■ AFRIQUE DU SUD

V. légende p. 884.

Nom. En bantou : *Azanie.* Jusqu'en 1910, *Afrique du S. britannique.* 1910-61, *Union Sud-Africaine.* Dep. 1961, *République d'Afrique du S.*

Situation. *Superficie :* 1 127 200 km² (1 221 037 avec Transkei, Bophuthatswana, Venda, Ciskei). **Côtes** 2 954 km dont Atlantique 872 km, o. Indien 2 082. **Frontières :** avec Mozambique 480 km, Swaziland 470, Zimbabwe 250, Botswana 1 550, Namibie 920, Lesotho (enclave) 780. **Capitale :** Pretoria (l'été austral, le gouv. se déplace au Cap où se tient la session parlementaire de janv. à juin).

Relief-végétation. Drakensberg (*alt. max.* Mt aux Sources 3 282 m) ; chaîne (1 200 km de long, 60 km de large) S.O.-N.E., parallèle à la côte, à 200 km env. à l'intérieur : les 2/3 au N.-E. [plateau, alt. moy. 1 200 m, quasi désertique, au S.-O. (Grand Karoo), couvert de prairies au centre (Highveld), type semi-tropical (savane épineuse) au N. (Bushveld du Transvaal)] ; 1/3 au S.-O. [pentes vers la mer (Grand Escarpement), végétation méditerranéenne près du Cap, forêt subtropicale vers l'océan Indien].

Climat. *Intérieur du Highveld :* hivers courts, temp. descendant en dessous de 0 °C, pluies 375 à 750 mm/an ; *littoral oriental :* étés chauds et humides (1 000 mm/an) ; *côte occ. (Le Cap) :* pluies en hiver (mai et août) ; *littoral sud :* pluies en toutes saisons. En moyenne 464 mm/an.

Distances de Johannesburg (en km). **Par la route :** Le Cap 1 452, Durban 642, East London 602, Gaborone 347, Maputo 593, Maseru 430, Mbabane 371, Pretoria 56, Umtata 882, Windhoek 1 805. **Par avion :** Kinshasa 2 788, Le Caire 6 265, Rio de J. 6 700, Dakar 6 716, Paris 8 200, Londres 8 500, Moscou 9 170, New York 12 830, Tōkyō 13 522.

■ DÉMOGRAPHIE

■ **Origine de la population. Noirs** (bantous négroïdes) (effectifs 1985 en milliers) : 4 groupes linguistiques [*Nguni,* dont ethnies Zouloues (5 338), Swazi (841), Ndebele, Pondo, Tambu et Xhosa (2 080) ; *Sotho-Tswana* dont Tswana (1 148), Sotho du Sud (1 580), du Nord (2 306) ; *Shanga-Tsonga* (1 025) ; *Venda*] viennent des grands lacs du centre de l'Afr. et ont émigré vers le S. 1ᵉʳ groupe arrêté dans le bassin du Congo, en Angola, et plus au sud. 2ᵉ (Sothos) fixé au Lesotho, au Botswana et dans certaines parties du Transvaal et du Cap (au N.). 3ᵉ (Ngunis) au Natal le long de la côte est, jusqu'au N.-E. de la prov. du Cap, entré en contact avec les Blancs venant de l'ouest (1750-70). Une part des foyers nationaux Tswana, Swazi et Basotho a formé plus tard Botswana, Swaziland et Lesotho. Des peuples (Xhosas, Zoulous, Sothos du N. et Vendas) ont été inclus dans l'Union Sud-Afr., avec certains Tswanas, Swazis, Basothos et Tsongas Shangaans dans la partie la plus riche, le *« Triangle Bleu »* (à l'est d'une ligne Blouberg-Port Elizabeth).

Asiatiques : originaires d'Inde, Malaisie, Indonésie, Chine (10 000). *Indiens :* v. 1860, travailleurs sous contrat pour la canne à sucre du Natal, puis négociants, marchands ou artisans. *1927,* « Cape Town Agreement » entre Inde et Afr. du Sud, prévoyant un plan d'aide (retour payé et prime pour les candidats au rapatriement, lopin de terre pour les autres) ; *1949,* peu de retours malgré augmentation de la prime. Aujourd'hui, les I. sont marchands, courtiers, avocats (Gandhi le fut), médecins, entrepreneurs, industriels, maraîchers, planteurs de canne à sucre, ouvriers spécialisés ou non.

Afrikaners : descendants des pionniers du XVIIᵉ s. 20 % descendent des huguenots.

Indigènes : *Khoïsan* regroupant *San ou Bochimans* (chasseurs-cueilleurs exclusifs) et *Khoï ou Hottentots* (chasseurs-cueilleurs-éleveurs). Décimés par 2 épidémies de variole, les survivants se mêlèrent aux autres races, constituant le noyau métis actuel. Les *Namas* de Namibie sont les plus authentiques Hottentots primitifs.

Métis du Cap (Cape Coloured ou Bruns) : de souche surtout hottentote mélangée avec des Blancs, Asiatiques et Noirs.

■ **Nombre d'habitants en millions** *(sans les homelands depuis leur indépendance). 1904 :* 5,17 (Noirs 3,49, Blancs 1,12, Métis 0,44, Asiatiques 0,12). *1911 :* 5,97 (N. 4,02, Bl. 1,28, M. 0,52, A. 0,15). *1921 :* 6,93 (N. 4,7, Bl. 1,52, M. 0,54, A. 0,16). *1936 :* 9,59 (N. 6,6, Bl. 2, M. 0,77, A. 0,22). *1946 :* 11,42 (N. 7,83, Bl. 2,31, M. 0,93, A. 0,29). *1960 :* 15,1 (N. 10,93, Bl. 3,08, M. 1,51, A. 0,48). *1970 :* 21,79 (N. 15,34, Bl. 3,77, M. 2,05, A. 0,63). *1980 :* 25,08 (N. 17,06, Bl. 4,5, M. 2,7, A. 0,8). *1990 :* 30,79 (N. 21,6, Bl. 5, M. 3,2, A. 0,9). *1991 :* 30,99 (N. 21,65, Bl. 5,07, M 3,29, A 0,99) + 37,7 avec les 4 homelands indép. *2000 :* 50,29 (N. 37,92, Bl. 6,89, M. 4,9, A. 1,21). *2035 :* 95,3 (N. 81,9, Bl. 5,7, M. 5,2, A. 1,4) à 118,3 (N. 105,9, Bl. 6,1, M. 5,6, A. 1,5). **Age** - *15 a.* 41 %, *+ 65 a.* 6,2 %. D 26,3.

■ **Répartition régionale** (1991 en milliers). Total 38 445 dont prov. du Cap 6 471 (N. 2 325, A. 39, M. 2 768, Bl. 1 340), Natal 2 606 (N. 1 079, A. 793, M. 113, Bl. 621), Orange 2 093 (N. 1 692, A. 0, M. 71, Bl. 330), Transvaal 10 419 (N. 7 169, A. 152, M. 320, Bl. 2 777), Bantoustans indép. ou non 16 856 (N. 16 797, A. 8, M. 28, Bl. 23). **Densité** 30,8 h./km2.

■ **Émigration** (en milliers). *1924-38 :* 51,42 ; *39-45 :* 18,89 ; *46-60 :* 162,12 ; *61-80 :* 224,55 ; *81 :* 10,51 ; *82 :* 6,83 ; *83 :* 7,63 ; *84 :* 8,55 ; *85 :* 11,4 ; *86 :* 12,81 ; *87 :* 11,17 ; *88 :* 7,8 ; *89 :* 4,9 ; *90 :* 4,7 (dont vers Eur. 2 371, Australie 1 292, Afrique 269). **Immigration** (en milliers). *1924-38 :* 92,39 ; *39-45 :* 16,68 ; *46-60 :* 252,45 ; *61-80 :* 681 ; *81 :* 42,93 ; *82 :* 45,78 ; *83 :* 30,38 ; *85 :* 17,2 ; *86 :* 6,52 ; *87 :* 7,95 ; *88 :* 10,4 ; *89 :* 11,3 ; *90 :* 14,5 [dont 7 560 Eur. (3 395 G.-B.), 3 084 Africains, 839 Amér., 2 837 Asiat.]. **Noirs étrangers** (1990) : 2 millions de réfugiés des pays voisins (dont 1,5 viennent chercher du travail).

■ **Taux démographique** (‰, 1989). **Natalité :** Noirs 39,1 ; M. 26 ; A. 21,9 ; Bl. 14,3 (globale de *1985 à 90 :* 32 ; *91 :* 35). **Mortalité :** N. 12, M. 7,7 ; Bl. 7 ; A. 5,7 (globale de *85 à 90 :* 9,9 ; *91 :* 8). **Croissance annuelle** (en %, en 1985-90) : N. 2,93 ; M. 1,87 ; A. 1,71 ; Bl. 0,8 (globale *80-91 :* 2,4).

Nota. – Solde migratoire dans la pop. blanche. 1988 : 2 633 ; *89 :* 6 359 ; *90 :* 10 000. *Selon un sondage de janv. 1993, 250 000 Blancs songent au départ.*

■ **Espérance de vie** (1984-86) (en italique, âge moyen pour les femmes). Blancs 68,3, *75,8 ;* Asiatiques 64,1, *70,7 ;* Métis 57,9 ; Noirs 58, *61* (1979-81). *Globale* (1991) : 61, *67.* **Maladies transmissibles** (1988) : 44 714 cas de tuberculose respiratoire chez les Noirs (70 fois plus que chez les Blancs). **Sida :** *Est. 1995 :* 10 % de la pop. active, 30 000 cas, 25 000 †. *Est. 1998 :* 40 %, 175 000 cas, 130 000 †.

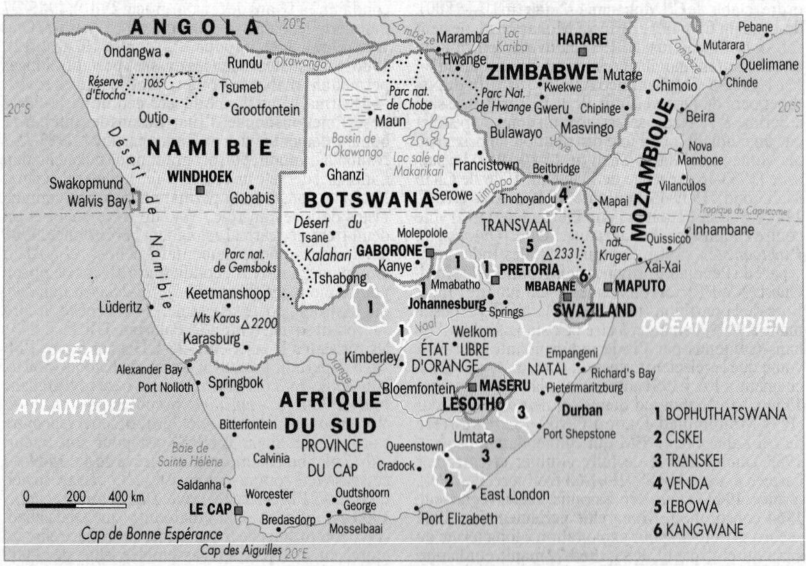

■ Superficie habitable. 28 % (13,7 % occupée par les foyers noirs, 14,3 par les Blancs, Métis ou Coloured (surtout Hottentots), Indiens et Bantous (hors de leur propre territoire). Répartition. **Noirs** *vers 1900 :* 75 % résidaient dans les territoires nationaux (10 % dans les centres urbains des Blancs) ; *en 1960 :* 62 % et 38 % ; *en 1985 :* 35,8 % et 41,7 %.

Une émigration s'est faite progressivement du S. vers le N. Ainsi, en 1985, la province du Cap abritait 21,55 % de la pop. totale (*1904 :* 46,6 %) et le Transvaal 32,2 % (24,5 %).

■ Principales agglomérations (en milliers, 1985). Le Cap 1 911 (dont Métis 1068), Johannesburg [y compris Soweto (South Western Township)] 1 609 (dont Noirs 914), East Rand (avec Brakpan, Boksburg, Benono, Nigel et Germiston) 1038 (dont Noirs 587), Durban-Pinetown 982 (dont Indiens 490), Pretoria 823 (dont Noirs 351), Port Elizabeth-Uitenhage 651 (dont Noirs 299, Métis 172), West Rand (avec Krigersdorp, Randfontein, Roodepoort, Carletonville) 647 (dont Noirs 387), Vanderbijlpark-Vereeniging-Sasolburg 540 (dont Noirs 352), Free State Goldfields 320 (dont Noirs 244), Bloemfontein 233 (dont Noirs 118), East London 194, Pietermaritzburg 192, Kimberley 150. *Townships noirs :* Alexandra et Soweto (est.) 5 000 (à Johannesburg), Crossroads (Le Cap) 100, Mamelodi (Pretoria), New Brighton (Port Elizabeth).

■ Urbanisation (en %, 1990). Asiat. 90, Blancs 90. *2000* (est.) : Asiat. 92, Blancs 93, Métis 86, Noirs 75. 80 % de la pop. urbaine vit sur 4 % du territoire (conurbations de Pretoria-Witwatersrand-Vereeniging, péninsule du Cap, Durban-Pinetown et Port Elizabeth-Uitenhage).

Apartheid (développement séparé)

■ Définition. Développement séparé des races et progressivement création d'États fondés sur les groupes linguistiques et culturels.

■ Structures politiques. **1951** *Black Authorities Act :* reconnaît les structures politiques et administratives traditionnelles des Noirs, le pouvoir territorial repose sur des autorités tribales et régionales. **1959** *Black Self-Government Act :* reconnaît les 9 groupes ethniques noirs comme des entités nationales, et établit les fondements de l'autonomie, puis progressivement de l'indépendance totale. **4 États indépendants** (TBVC) sont constitués : *Transkei* (qui regroupe la majorité des Xhosas, 1963 autonome, 26-10-1976 indépendant), *Bophuthatswana* (6-12-77), *Venda* (13-9-79), *Ciskei* (4-12-81). **6 États autonomes :** *GazaNkulu, KaNgwane, KwaNdebele, Kwa-Zulu, Lebowa, Qwaqwa.* Voir p. 891 a.

■ Étapes. **1911** *Bantu Labour Regulation Act :* oblige les travailleurs noirs à accepter un emploi sous peine de poursuites pénales. **1913** *Native Land Act :* divise l'Afr. du S. en 2, laissant 7,3 % du territoire (12,7 % en 1936) aux Noirs ; sur le reste, seuls les Blancs peuvent posséder la terre. 50 % des terres arables sont en territoire noir. **1923** *Native Urban Area Act* impose aux Noirs d'habiter certains quartiers réservés. **1927** *loi Hertzog* prohibant tout rapport sexuel hors mariage entre Blancs et Noirs. *Mines and Works Amendment Act* (Colour Bar Act) : réserve des emplois aux Bl. et interdit la délivrance de certificats d'aptitude aux Noirs et Asiatiques. **1944** *Apprenticeship Act n° 37 :* refuse aux Noirs la possibilité de recevoir une formation. **1945** *Bantu Consolidation Act :* habilite les inspecteurs du travail à délivrer et révoquer les permis de travail aux Noirs. **1949** loi de prohibition des mariages interraciaux. **1950** les dispositions de 1927 sont appliquées aux Indiens et aux Métis. *Group Areas Act n° 41 :* astreint la population à résider dans des zones distinctes. *Population Registration Act :* classe les Sud-Africains à la naissance selon la couleur de peau. **1952** *Native Act n° 67 :* oblige les Noirs de 16 ans et + à porter sur eux un *pass book* contenant leurs pièces d'identité, avec mention de l'origine tribale, leurs quittances d'impôts, etc. (interdiction de séjourner + de 3 j en zone urbaine sans autorisation spéciale). **1953** *Bantu Labour Act :* interdit aux Noirs de faire grève et de se syndiquer. *Bantu Education Act,* système d'éducation séparé pour les Noirs. *Separate Amenities Act :* ségrégation dans les lieux publics. **1956** *Industrial Conciliation Act :* interdit les syndicats ouvriers « mixtes ». **1957** *Immorality Amendment Act :* interdit tout rapport sexuel entre personnes de races différentes. **1959** *Promotion of Bantu Self Governing Act,* base du système des bantoustans annonçant des déplacements massifs de population (1,5 million de 1960 à 70). **1966** *Group Areas Act :* amendé. **1970** *26-2 Bantu Homeland Citizenship Act* privant les Noirs de la citoyenneté sud-afr.

« Reflux » 1974 *29-12 1er match à Johannesburg opposant une équipe blanche à une éq. noire.* **1975** 1ers officiers métis. **1976** plage multiraciale à Port Elizabeth. **1977** ségrégation supprimée par 12 firmes américaines, modification des églises réservées. **1978** crématoire multiracial au Transvaal. **1979** syndicalisation noire autorisée. **1980** 200 000 Noirs syndiqués, mariage mixte entre un Bl. et une métisse. **1981** *Manpower Training Act, loi 56* sans discrimination d'ordre sexiste ou racial. *Labour Regulations Amendment Act, loi 57* supprime les emplois réservés, ouvre syndicalisme et centres d'apprentissage et de formation aux travailleurs de toutes races. **1982** réunion entre le gouv. des 4 États indép. et celui de l'Afr. du S. pour faciliter la coopération. **A partir de 1982** octroi d'un statut municipal aux zones urbaines noires. **1984** *17-8* 1re grève légale lancée par syndicat noir. *27 et 28-8* élection des chambres métisse et indienne (réforme constitutionnelle du 2-11-83). *Black Communities Development Act, loi 4* remplace Black Labour Act (1964), Black (Urban Areas) Consolidation Act (1945), sections de lois ayant remplacé Black Land Act (1913) et celle de 1952 (n° 67) sur l'abolition des pass laws et la coordination des documents, sections du Bantu Law Amendment Act (n° 44) de 1964 et d'amendements ultérieurs. *Bilan du Group Areas Act :* 126 000 familles expulsées (66 % métisses, 32 % indiennes, 2 % blanches). **1985** l'apartheid est désigné comme un « concept dépassé » par le Pt Botha. Seule s'y réfère l'extrême droite sud-afr. *Avril* abolition des dispositions raciales de l'*Immorality Act* et de celles interdisant les mariages mixtes. *1-9* abolition de la ségrégation dans bus et trains. **1986** *Avril* abandon des laissez-passer *(passes)* comportant une référence raciale (800 000 Noirs auraient été arrêtés entre 1981 et 1984 pour infraction au système des *passes*). *Juillet* reconnaissance du droit de pleine propriété aux Noirs. *Oct.* l'Église réformée hollandaise (NGK) condamne toute tentative de justification biblique de l'apartheid. Restitution de la citoyenneté sud-africaine aux ressortissants des États TBVC (Transkei, Bophuthatswana, Venda, Ciskei) après 5 ans de résidence permanente en Rép. sud-afr. Instauration d'une direction multiraciale des aff. régionales avec création des conseils chargés des services régionaux à partir du 1-7-1987, et des conseils exécutifs (remplacent les conseils provinciaux). **1987**-*12-8* disparition des dernières dispositions discriminatoires en matière d'emploi dans l'industrie minière. *5-10* principe accepté : ouverture à toutes les races de certaines zones de résidence. **1988** *29-6* Conseil national multiracial créé pour doter le pays d'une nouvelle constitution, au min. 46 m. dont 30 Noirs. *Oct.* élections municipales pour tous (Noirs compris) prévues le 26-10-1999. *3-11* entrée en fonction de l'Autorité exécutive conjointe du KwaZulu-Natal : 5 Noirs (Pt : Oscar Dhlomo), 3 Blancs et 2 Indiens. **1989** *févr.* 1er pilote non blanc (indien-métis) à la SAA *-29-6* Johannesburg ouvre à tous piscines, lignes d'autobus et centres de loisirs. *-16-11* ouverture des plages à tous. *-24-11* libre accès à 4 zones résid. **1990**-*16-5* suppression de la discrimination raciale dans les hôpitaux. *-15-10* loi sur la ségrégation raciale dans les lieux publics (*Separate Amenities Act*) officiellement abrogée. **1991** *17-6* abrogation officielle de l'Apartheid et des dernières lois ségrégationnistes.

Nota. – Afr. du S. exclue de l'Onu en 1973 pour non-représentativité de son peuple.

■ Enseignement. *Nombre d'élèves noirs scolarisés (1989)* 5 125 905 (dont primaire 75 %, secondaire 25 %). *(1988)* 87 % des enfants noirs de 6 à 16 ans sont scolarisés (36,7 % en 1951). *Élèves par professeur (1988) :* Noirs 39, Blancs 18. *Taux de réussite (examen de fin d'ét. sec) : 1988 :* Noirs 54 % ; *1990 :* Noirs 36,4 % (absentéisme) (Soweto : taux d'échec de 74 %), Blancs 95 %. *Enseignement supérieur (1989) :* 143 076 ét. noirs (dont universités et écoles normales 123 784, instituts de technologie : 19 292). *Dépenses pour l'éducation des Noirs* (en millions de rands, *1991-92) :* 6 833 ; *des Blancs :* 5 950. Le ratio 1 rand par élève noir pour 10 rands par élève blanc (1980) est devenu 1 pour 3,6 en 1989.

■ Domaine économique (1988-89). **Revenus et impôts.** *Blancs :* ils perçoivent 54 % de l'ensemble des revenus des ménages (mais ils constituent 67,6 % de l'ensemble des contribuables sud-afr. et paient 81 % de l'impôt sur le revenu). *Noirs :* 36 (14,7 et 7,7). *Métis :* 7 (11,58 et 6,8). *Asiatiques :* 3 (6,03 et 7).

■ Lutte politique. **1950** *Communism Act n° 44 :* la police peut assimiler l'opposition à l'apartheid à la poursuite d'objectifs « communistes ». **1953** *Public Safety Act n° 3 :* autorise le gouvernement à déclarer l'état d'urgence et à agir par voie de décrets. *Criminal Amendment Act n° 8 :* réprime l'opposition pol., notamment la liberté d'expression visant à modifier la pol. du gouvernement. **1955** *Criminal Procedure Act n° 56 :* modifié 1965 autorise la détention 180 j sans jugement. **1956** *Riotous Assembly Act n° 17 :* autorise de sévères restrictions à la liberté de réunion. **1960** *Unlawful Organizations Act n° 34 :* le chef du gouv. peut déclarer des organ. illégales et les dissoudre. **1963** *Publications and Entertainment Act n° 26 :* assimile à une infraction pénale l'exercice de la liberté de la presse lorsqu'un journal critique l'apartheid comme injuste. **1967** *Terrorism Act n° 83 :* crée l'infraction de « terrorisme » (le gouv. peut poursuivre qui bon lui semble). **1976** *Internal Security Act :* vise toute organisation, publication ou personne mettant en danger la sécurité de l'État ou le maintien de l'ordre. **1982** *Intimidation Act :* loi sur la contrainte. *International Security Act n° 74 :* on peut déclarer illégale toute organisation dont les activités constituent une menace à la sûreté de l'État ou qui prône le communisme.

■ Langues

■ Langues officielles. **Anglais :** 35 %. *1795,* 1re occupation brit. *1806,* 2e 80 anglophones. *1820,* 5 000 colons débarquent baie d'Algoa, 43 000 anglophones. *1822,* langue du gouv. et de l'Administration. *1901,* langue officielle. **Afrikaans :** 65 %. Issu du hollandais du XVIIe s. avec influences hottentote, allemande, franç., angl., bantoue et orientale. Des mots d'origine holl. ont souvent changé de sens, la prononciation diffère, des consonnes ont disparu, la syntaxe est modifiée. *1925,* lg. officielle. 60 % des Bl. et de nombreux Métis. 2e lg. de nombreux immigrants et de Noirs.

■ Autres langues. **Bantoues** (1990) : 23 050 000. *1°) Nguni* (14 300 000) : E. et S.-E. du pays (+ Zimbabwe, Swaziland), regroupe : *Zoulou* (7 000 000) : KwaZulu et Natal ; *Xhosa* (6 200 000) : Le Cap, Ciskei, Transkei ; *Swazi* (650 000) : KaNgwane ; *Ndebele* (500 000) : Centre du Transvaal. *2°) Sotho* (7 600 000) à l'O. et N.-O. de la zone ngunie : *Sotho méridional* (3 600 000), Qwaqwa (2 000 000), bordure État d'Orange (+ Lesotho 1 600 000) ; *Sotho occidental* ou *tswana* (1 300 000) : au Bophutatswana (+ Botswana) ; *Sotho du Nord* ou *pédi :* Lebowa (2 700 000), N. du Transvaal. *3°) Tsonga* (1 500 000) : Gazankoulou (+ Mozambique). *4°) Venda* (550 000) : N. du Transvaal, Venda (+ Zimbabwe).

Fanakalo : 300 mots et expressions. A base de zoulou, d'anglais et d'afrikaans. **Khoe ou hottentot :** N.-O. de la province du Cap 10 000. 5 groupes : *Nama* (ou namaqua), *Xiri* (ou griqua), *Iora* (ou korana), *Tschukhwe* et *Hai-num* (ou heikom). **Boschimanes :** « Boschiman » (Bushmen) signifie « gens de la brousse » et désigne plutôt un mode de vie (chasse, cueillette, nomades). Peu parlées. 3 familles : *Ixû* (ou *ju boschiman*) : env. de Grootfontein. *Húa* (ou *!ô,* ou *ta'a*) : N. de la province du Cap 230. *!wi* (ou *kwi* ou *boschiman du Cap*) : parlé par 30 personnes, des Kwi. Les 1ers hab. du Cap, de l'Orange et du Transvaal oriental ont presque complètement disparu. Les 2 dialectes !wi survivants sont le xegwi, ou !wi oriental parlé dans les env. de Lake Chrissie, et le n/huki, ou l'Ouest parlé par 3 personnes dans le Kalahari Gemsbok Park.

■ Langues usuelles (en %, 1991). *Asiatiques :* anglais 95, tamil, hindi, gujarati, urdu, afrikaans, divers 1,2. *Métis :* afrikaans 83,2, anglais 15. *Blancs :* afrikaans 57,5, anglais 39. *Noirs :* zoulou 38,5, xhosa 11,6, sotho du N. 16, s. du S., tswana, shangaan-tsonga, swazi, anglais 0,2.

■ Religions

■ Statistiques (en milliers, 1991 sur 26,3 millions recensés). **Chrétiens :** 68 % dont *églises africaines indép.* 4 602, *NGK* 2 832, *cathol. romains* 2 043, *méthodistes* 1 637, *égl. de Sion* 1 224, *anglicans* 747, *luthériens* 661, *égl. apostoliques* 363, *presbytériens* 361, *mission apostolique de la foi* 351, *congrégation unie* 335, *NHK* 236, *baptistes* 222, *égl. de l'Évangile* 178, *égl. d'Angleterre* 146, *GK* 142, *assemblée de Dieu* 132, *nouv. égl. apostolique* 127, *égl. provinciale d'Afr. du Sud* 119, *divers* 1 392. **Non-chrétiens :** 32 % dont *musulmans* 298, *hindouistes* 341, *juifs* 59, *bouddhistes* 2, *divers* 22, *athées* ou *indéterminés* 7 715.

■ Organisation. **Églises réformées afrikaans :** Égl. réformée holl. *(Nederduits Gereformeerde Kerk),* Égl. réformée *(Gereformeerde Kerk)* et Égl. de nouveau réformée holl. *(Nederduits Hervormde Kerk).* **Égl. anglicanes :** Égl. d'Angleterre d'Afr. du S. et Égl. de la Province d'Afr. australe (19 diocèses), dirigée par Mgr Desmond Tutu (n. 7-10-1931, Noir, prix Nobel de la paix 1984, archev. dep. 7-9-1986). **Égl. africaine indigène** (AICS) : 2 courants : c. éthiopien et c. sioniste ou apostolique (la plus importante : Égl. chrét. de Sion). Affiliée au conseil intern. des Égl. chrétiennes (ICC), elle a, en 1981, quitté le SACC jugé trop politisé, présidée par Mgr Isaac Mokoena. **Église catholique :** 21 diocèses.

☞ *Le Conseil sud-afr. des Églises (SACC),* (créé 1936, Pt : Mgr Manas Buthelezi, secr. gén. : révérend Frank Chikane, ancien vice-pt de l'UDF) groupe 18 Églises et 48 % de la pop. En mai 1987, le conseil œcuménique des Égl., auquel il appartient, s'était prononcé à Lusaka pour la lutte armée contre le gouv. sud-afr.

■ Histoire

500000 ans habitée. Peuplement khoisan (race non noire, réduite à quelques îlots dans le désert). **Ier millénaire après J.-C.** immigration des Boschimans. **XIe s.** des Hottentots ou Namas (peut-être croisement de pasteurs hamites et de Boschimans). **1488** le Portugais Bartolomeu Diaz (embarqué avril 1487) double Le Cap, débarque à Mossel-Bay sur l'océan Indien. **1497** le Port. Vasco de Gama double le cap de Bonne-Espérance. **1510** Almeida 1er vice-roi des Indes portugaises tué par les Khoisans (65 †). **1647** naufrage de Nieuw-Haarlem : 60 « colons forcés ». **1652**-*6-4* 1er colon holl., Jan Van Riebeeck, s'installe au Cap en vue de ravitailler les bateaux de la Cie des Indes. **1688** établissement d'env. 150 huguenots fr. (révocation de l'édit de Nantes). **1707** 800 colons blancs. **1713** 95 % des Namas meurent (variole) ; immigration bantoue. **1722** 1er immigrant port., Ignacio Ferreira. V. **1770** 1re rencontre avec des Noirs entre rivières Kei et Fish. **1779** 1re g. *cafre* des Boers contre envahisseurs bantous. **1795** 15 000 colons anglais (le roi de Hollande chassé par la révolution a confié temporairement la colonie aux Anglais).

XIXe s. g. entre Bantous ; les Zoulous s'imposent. **1802** colonie rendue à la Hollande. **1806** *janv.* les Angl. occupent Le Cap. **1814** Le Cap officiellement cédé à G.-B. **1815** 3 despotes dévastent la moitié S.-E. (Chaka, né v. 1787, roi des Zoulous ; *1818* tué par son demi-frère et successeur Dingaan) déclenchant le *mfecane* (vagues de déplacements jusqu'au Tanganyika). **1820** 3 500 colons anglais arrivent. **1828** Mzilikazi, ancien commandant des Zoulous sous Chaka et fondateur de la dynastie Matabélé ; Mantatisi, reine sotho des Batlokoas. **1835-37** *Grand Trek :* 14 000 Boers (25 % des Blancs du Cap) vont vers le N.-E. (Natal réputé riche et fertile), fuyant l'admin. brit. Raisons : fermiers harcelés par tribus xhosas et hottentotes, les Angl. interdisant les représailles. 1ers départs : 200 pionniers conduits par Louis Trigardt (1783-1838) et Hans Van Rensburg, suivis plus tard de Piet Retief (1780-1838), Gerrit Maritz (1797-1838), Andries Potgieter (1792-1852) et Sarel Cilliers (futurs fondateurs du pays). **1836**-*16-10 Vegkop :* Boers battent Matabélés du Nord. **1837** *juin Constitution de Winburg* (propose création de la libre province de Nelle-Holl. du S.-E. de l'Afr.). **1838**-*4-2* Retief et 60 h. massacrés par Zoulous. -*17-2* 300 Bl. (dont 50 % d'enf.) et 200 serviteurs assassinés à Blaauwkraus. -*16-12* Andries Pretorius (1798-1853) bat 12 000 Zoulous avec moins de 500 h. à Blood River (rivière Ncome rougie par le sang des Z.). Fondation du Transvaal [en 1849 devient Rép. sud-afr. (reconnue par G.-B. le 17-1-1852)]. **1839-43** Rép. boer du Natal annexée par G.-B. 2e trek vers Transvaal (reconnu par G.-B. en 1852). **1848-58** arrivée de 5 000 colons brit. dans Le Cap oriental. **1854**-*23-2* indép. de l'Orange (fondé par Holl., 1836). **1860** début d'importation d'Indiens au Natal pour la canne à sucre (+ nombreux que les Blancs en 1900). **1864** création de la rép. du Transvaal. **1866** *découverte du diamant* (Kimberley). **1868** Moshe (chef sotho) battu par les Boers obtient le protectorat anglais. **1873** de l'or à Pilgrim's Rest. **1877** G.-B. annexe Transvaal. **1879** Angl. battent Zoulous à Ulundi. **1881** *1re guerre anglo-boer,* victoire boer d'Amajuba Hill, autonomie du Transvaal. **1885** début de la politique anglaise d'encerclement des Boers : déclaration de protectorat du Transvaal au Zambèze, annexion du Zululand (1887), puis du Tongaland (1895). **1886** *ruée vers l'or* (mines du Witwatersrand). **1895-96** échec du *raid de Jameson* contre les Boers. **1899**-*11-10*/**1902**-*31-5 2e g. des Boers* [Orange et Transvaal, Pt Paul Krüger (1825, Clarens, Suisse-1904) vaincus par Horatio Herbert Kitchener (G.-B. 1850-1916), 448 000 Brit. engagés (7 792 †) contre 40 000 Boers (6 000 †). La plupart des armes (allemandes) destinées aux Boers transita par la Namibie, d'où une sérieuse rivalité entre G.-B. et All. *En janv. 1900* 118 000 Européens, 43 000 Noirs ou Métis dans les camps de concentration anglais (25 camps en 1901) (20 000 †) sous la responsabilité de Baden-Powell. *5-6* Pretoria pris. **1902**-*31-5 paix de Vereeniging* consacrant la souveraineté brit. **1904** Africains exclus des emplois qualifiés. **1906** soulèvement manqué du chef Dinizulu. **1910**-*31-5* Le Cap, Natal, Transvaal et Orange forment l'Union sud-afr. et deviennent un dominion ; Lesotho, Botswana et Swaziland : protectorats exclus de l'Union. **1913** *Native Land Act :* possession garantie des terres ancestrales aux Noirs qui ne peuvent posséder des terres en zones blanches ; pour eux sont délimités 8 900 000 ha. **1914-18** participe à la guerre, 200 000 volontaires, 12 452 † (8 551 Blancs, 709 Métis, 3 192 Noirs). **1915** *mai* occupation du S.-O. afr. appartenant à l'All. (Namibie) **1921** *mai* massacre de Bulhoek, 163 Noirs †. **1922** *mars* émeutes à Witwatersrand (remplacement de 4 000 ouvriers blancs par des Noirs moins payés) : 534 †. *Oct.* la Rhodésie du S. refuse de se joindre à l'Union s.-afr. **1930** droit de vote accordé aux femmes. **1931** statut de Westminster, indép. législative comme dominions. **1936** territoires alloués aux Noirs portés à 15,3 millions d'ha. **1939**-*6-9* déclare la g. à l'All. [218 260 participants (dont 135 172 h. blancs, 12 878 f. blanches, 27 583 Métis, 42 627 Noirs, 6 000 †)]. **1947** prise des îles Edward et Marion. **1948** application de l'*apartheid.* **1949**-*15-1 émeutes à Durban,* 149 †. **1950**-*1-5* grève nat. -*26-6* 1re journée de désobéissance civ. Parti communiste interdit. **1955** pétrole produit par Sasol à partir de charbon. **1957** base de *Simonstown* revient à l'Afr. du S. **1960**-*21-1* catastrophe minière à Clydesdale Colliery. -*21-3* émeutes noires contre les passeports intérieurs à *Sharpeville,* 69 † ; -*8-4* loi sur les org. illégales (adoptée par 128 v. contre 16) : le PAC (Pan African Congress, f. par Robert Sobukwe en 1958) et l'ANC (African National Congress, f. en 1912) sont interdits. -*5-10 référendum pour la Rép.* [1 800 748 inscrits, 1 626 336 votants, 850 458 oui (52 %), 775 878 non (48 %)]. **1961**-*14-2 système décimal.* -*31-5* naissance de la République Sud-Afr. (RSA) détachée du Commonwealth ; *déc.* l'ANC (clandestin) crée l'Umkoto we Siz we (*Fer de lance de la nation*). (Pt de l'ANC, Albert Luthuli, prix Nobel de la Paix, non consulté.) **1962**-*5-8* Nelson Mandela arrêté. **1963** début d'autonomie des Bantoustans, *12-7* 10 pers., dont W. Sisulu, arrêtées dans la ferme de Rivonia, louée par Arthur Goldreich, communiste blanc, qui en a fait le QG du PC sud-afr. [cache d'armes : l'ANC en voie d'acquérir ou de fabriquer 210 000 grenades à main, 1 500 dispositifs à retardement, 48 000 mines antipersonnel ; plan de renversement du gouv. par la force : « Opération Mayibuye » (*Retour*)]. **1964** *mai procès de Rivonia* (12-6 Sisulu, Mbeki, Mandela emprisonnés à vie). Les bases opérationnelles d'Umkoto avaient été achetées par des fonds du PC sud-afr. **1966**-*6-9* PM *Verwoerd assassiné* à l'Assemblée par Dinitei Tsafendas (déséquilibré). **1967**-*3-11* 1re greffe mondiale du cœur au Cap par le Pr Barnard. **1974** élect. générales, victoire nationaliste. -*22-9* PM Vorster en Côte-d'Ivoire. **1975**-*12-2* rencontre Vorster-Tolbert (Pt du Liberia) à Monrovia. **1976** *janv.-mars* opérations milit. sud-afr. dans le S. de l'Angola ; -*16-6* au *28-2-77 émeutes à Soweto* après décision d'imposer l'afrikaans comme langue d'enseignement, 575 † (dont 5 Blancs) dont 441 tués par police. -*26-10* 1er Bantoustan indépendant (Transkei). **1977** 1re expérience atomique dans le Kalahari ; *sept.* Steve Biko (leader noir) meurt en prison. -*19-10* 17 mouv. anti-apartheid dissous. Winnie Mandela bannie de Soweto pour activités illégales. **1979** Gatsha Buthelezi, chef de l'Inkatha rencontre ANC à Londres. -*4-6* Pt Vorster, malade, démissionne.

1980-*2-6* incendie terroriste de 2 complexes pétrochimiques à Sasolburg. -*17/20-6* émeutes au Cap, 30 à 60 †. **1981** *janv.* raid au Mozambique, près de Maputo, 13 † de l'ANC ; *mai-juin* attentats de l'ANC. -*24-8* raid en Angola contre la Swapo, 450 à 500 † (8 S.-Afr., 2 Namibiens). -*1/20-11* raid id. contre PC de la Swapo à Chitequeta, 71 †. **1982** attentat contre les locaux de l'ANC à Londres. *Févr.* id. contre la Swapo, 201 †. -*1/2-7* grèves dans mines d'or (11 †, 5 000 licenciements). *Août* raid en Ang. contre Swapo (314 † dont 15 Sud-Afr.). -*2-12* libération de Breyten Breytenbach (n. 1939), poète-peintre condamné à 9 ans de prison pour sympathie envers l'ANC. -*9-12* raid au Lesotho, 30 † dont 4 chefs de l'ANC. -*19-12* attentat ANC contre la centrale nucléaire de Koeberg (2 réacteurs touchés). **1983**-*4-1* Parti travailliste métis accepte de participer à la réforme constitutionnelle. -*20-5* attentat ANC (voiture piégée) à Pretoria (17 †). -*23-5* représailles de l'aviation sud-afr. sur quartier résidentiel de Maputo censé abriter des bases ANC (64 †). -*2-11 référendum* approuvé par 65,95 % des votants (uniquement blancs), prévoyant la présidentialisation du régime, et l'association partielle et séparée des Métis et Indiens au pouvoir. -*4-11* création d'un front démocr. (500 org. anti-apartheid). **1984**-*16-3 tr. de N'komati* de non-agression avec Mozambique, puis de *Lusaka* avec Angola (id) (plus de base arrière pour l'ANC). -*3-4* voiture piégée (3 †) à Durban. -*14-7* attentat (5 †) à Durban. -*22/28-8* él. de députés métis et indiens. -*3-9* nouvelle Constitution en vigueur. -*5-9 Pieter Botha* élu Pt. -*15-9* 1er gouv. comprenant un min. métis et un min. indien. -*16-10* Mgr Desmond Tutu, prix Nobel. -*11-11* P. Botha en Fr. à Longueval. **1985**-*10-2* Mandela refuse sa libération conditionnelle. *Févr.* arrestation de leaders (UDF) ; lib. de Dennis Goldberg (cond. à la prison à vie en juin 1964) ; Pt Botha en France (visite privée). *Sept. 84 à mars 85* violences dans townships, + de 200 † (notamment à Crossroads, Langa, le 21-3, 20 N. †). -*13/14-4* émeutes près de Port Elizabeth, 8 N. †. -*avril* retrait s.-afr. du S. angolais. -*28-5* bombe ANC à Johannesburg (16 bl.). -*14-6* raid au Botswana (13 † à Gaborone). -*21-7* état d'urgence dans 36 districts sur 265 (1/10e du territoire). -*24-7* la France rappelle son ambassadeur, saisit Conseil de sécurité de l'Onu d'un projet de résolution condamnant l'Afr. du S., suspend nouveaux investissements. -*1-8* Victoria Mxenge, avocate noire, assassinée par des N. près de Durban. -*7/10-8* Durban : N. et Indiens s'affrontent, 73 †. -*28-8* manif au Cap pour Mandela (9 †). -*5-9* agitation (N. et Métis) dans quartiers blancs du Cap et de Port Elizabeth. -*10-9* Reagan, contre l'apartheid, annonce des sanctions (vente de matériel informatique et de technologie nucléaire interdite). *Oct.* Botha menace d'arrêter export. de chrome (88 % des imp. amér. et 48 % des europ. ; 1 000 000 d'Amér. perdraient leur emploi). -*18-10* Benjamin Moloïse (28 ans) de l'ANC accusé d'avoir participé au meurtre d'un policier n. est pendu. -*19-10* Johannesburg 2 500 N. saccagent voitures et boutiques et molestent des Bl. -*13-12* 6 N. condamnés à mort pour le lynchage du maire-adjoint n. de Sharpeville. -*15-12* attentat (6 Bl. †). -*20-12* raid au Lesotho (9 † dont 6 ANC et 1 Bl.). -*22-12* attentats à Amanzimtoti (5 Bl. † dans centre commercial). Winnie Mandela rentre à Soweto. *Du 27-11-85 au 4-1-86* 13 Bl. † dans 8 attentats au N. du Transvaal. *Bilan 1985 :* 22 000 incarcérés (629 encore en prison en janv. 86) ; 879 tués (par la police 2/3, affrontements entre N. 1/3) + 25 policiers (la plupart N. assassinés par des N.). **1986**-*4-1* attentat (2 Bl. †). -*31-1* Botha annonce le démantèlement juridique de l'apartheid. -*7-3* état d'urgence levé. -*14/17-3* affrontements (Xhosas/Basothos) dans mine d'or de Val-Reef (7 †), entre policiers et N. (9 N. †). -*26/27-3* 30 †. -*14-4* Mgr Tutu élu chef de l'Égl. anglicane d'Afr. australe et archevêque du Cap. *Avril :* Winnie Mande la lance le *necklace* (le collier : pneu arrosé d'essence placé autour du cou et enflammé). -*18-5* troubles à Crossroads 40 †. -*19-5* raids contre Harare (Zimbabwe), Gaborone (Botswana), Lusaka (Zambie). -*31-5* manif. 10 000 Bl. à Pretoria contre réformes pour N. -*9/10-6* troubles à Crossroads 17 †. -*12-6* état d'urgence. -*16-9* incendie mine d'or de Kinross, 177 †. -*30-9* Reagan nomme un N., Edward Perkins, ambassadeur. -*2-10* Congrès américain vote sanctions contre l'Afr. du S. -*20-10* grève de 275 000 mineurs. *Bilan 1986 :* 906 Noirs † (dont 655 du 1-1 au 31-6), 70 % victimes de violences entre N. [dont 50 % brûlés vifs (pneu enflammé autour du cou)]. **1987** *janv.-févr.* affrontements Xhosas (du Transkei) et Basothos (du Lesotho) à la mine d'or du Pt Steyn, 39 †. -*7-1* rentrée des écoliers noirs après 2 ans de boycottage. -*23-1* 12 † dont 7 enfants près de Durban (Inkhata mis en cause). *Janv.* USA, Oliver Tambo (Pt de l'ANC) déclare que « le meurtre de civils bl. aura un effet bénéfique : celui d'habituer les Bl. à saigner ». *Févr.* USA retirent plusieurs minerais stratégiques des produits frappés par les sanctions. -*20-3* Pierre-André Albertini (prof. fr. coopérant, arrêté 23-10-86), condamné, au Ciskei, à 4 ans de prison pour transport d'armes (il avait avoué avoir aidé l'ANC, accepté puis refusé de témoigner contre ses amis). -*20-3* sac de la chancellerie s.-afr. à Paris (dégâts : 500 000 F). -*6-5* élections législatives (pour les Bl.). *Mars* accord avec Mozambique pour rénover port de Maputo. *Mai* élec. législ., succès du P. national et du P. conservateur. -*20-5* Johannesburg : voiture piégée par ANC, 4 †. -*27-6* Pt Mitterrand refuse de recevoir les lettres de créance de l'amb. d'Afr. du S. *Juil.* Johannesburg, attentat ANC 68 bl. *7/30-8* grèves des mines (21 j) 300 000 grévistes, 10 †, coût 100 millions de $. -*7-9* Albertini libéré par échange (l'Unita relâche 133 soldats angolais, laisse partir 1 Néerlandais reclus dans son ambassade ; l'Angola relâche le major Du Toit). *Sept.* Natal, affrontement UDF contre Inkhata. -*5-11* libération de 7 pris. incarcérés pour atteinte à la sûreté de l'État [dont John Wkosi, ancien dirigeant du Pac, et Govan Mbeki, ancien secr. du commandement de la branche armée de l'ANC, condamnés en 1963 et 64 à la réclusion à perpétuité]. -*7-12* le gouv. rejette la fusion de Natal et KwaZulu. **1988** *févr.* plan de restructuration de l'économie, privatisation (électricité, PTT, transports, sidérurgie). Au Natal, affrontements UDF-Inkhata (plus de 400 † dont env. 100 dep. 1-1-88). -*24-2* interdiction activité politique pour 17 organisations anti-apartheid. -*25-3* 7 N. exécutés pour meurtre. -*29-3* Dulcie September (métisse, n. 1935) représentante ANC, tuée à Paris ; Joseph Clue (agent sud-afr.) soupçonné. -*21/22-5* un député métis et 9 personnes †. -*26-5* 2 policiers Bl. condamnés à mort pour le meurtre d'un N. -*3-6* attentat près de Johannesburg : 4 †. -*8-6* mobilisation des réservistes (325 000 h., qui appuient les 97 000 soldats réguliers) car menace cubaine sur la frontière angolo-namibienne. -*9-6* état d'urgence reconduit pour un an. -*20-6* amnistie des exilés politiques (ANC compris) renonçant à la violence. *Août* Pt Botha reconnaît l'existence d'un « potentiel nucléaire » militaire. -*12/13-9* Botha reçu par Pt Chissano (Mozambique) et Pt Banda (Malawi). -*14-9* l'avion du pape Jean-Paul II contraint d'atterrir à Johannesburg. Botha reçu par Mobutu ; -*15-10* Botha en Côte-d'Ivoire. -*Sept.* municipales : maintien du P. national face à l'extr.-droite : participation des N. : 26 % (Soweto : 11). -*15-11* 1 ancien policier bl. abat 6 N. à Pretoria. -*17-11* le BBB (Mouv. de lib. des Blancs) interdit. -*23-11* Botha gracie les « 6 de Sharpeville ». -*26-11* libération de 2 condamnés pour terrorisme, pour raisons de santé : Z. Mothopeng, 75 ans, Pt du PAC, condamné 1979 à 15 ans, et H. Gwala, 79 ans, ANC, cond. à perpétuité en 1977. *-7-12* détention de Mandela assouplie (résidence surveillée à Paarl). *-10-12* procès de « Delmas » : sur 22 dirigeants de l'UDF (branche légale ANC), 11 acquittés et 6 condamnés avec sursis. *-20-12* le seul ministre non blanc, Amichand Rajbansi limogé (pour irrégularité). *-22-12 2 tr. de New York :* avec Angola et Cuba, garantissant retrait des Cubains d'Angola, en échange de l'indép. de la Namibie (prévue 1-11-1989). *-25-12* Natal : affrontements Inkhata/Front démocratique (9 †). Les luttes pour le contrôle des cités n. ont fait 3 500 † dep. 1987, dont 1 150 dans la région de Durban, et 2 288 dans celle de Pietermarizburg. **1989**-*8-1* ANC se retire d'Angola. *-18-1* Botha victime d'une congestion cérébrale. *-19-1* Chris Heunis (n. 1927), Pt par intérim. *-15-3* Pt Botha reprend ses fonctions. *-4-6* écrivain Richard Rive assassiné. *-14-8* Botha démissionne. *-15-8* De Klerk Pt par intérim. *-4-9* déclare que l'apartheid doit disparaître. *-6-9* législatives : 68,5 % des électeurs bl. pour des réformes ; grève gén. lancée par synd. noirs et mouv. anti-apartheid : 39 % d'abstentions au Transvaal, 5 % des 500 000 mineurs noirs absents (68 000 selon le Synd. des mineurs), 100 % dans le Natal. Selon Mgr Tutu, 23 manif. tués par la police lors d'émeutes au Cap. *-13-9* marche pour la paix au Cap (autorisée) 20 000 à 100 000 pers. *-15-9* nouvelle marche de protestation. *-16-9* nouveau gouv. : Rina Venter, 1re femme min. dep. 41 ans (santé et population). *-15-10* 8 dirigeants nation. : Elias Motsoaledi, Ahmad Kathrada, Raymond Mhlaba, Andrew Mlangeni, Walter Sisulu, Jafta Masemula (PAC), Wilton Mkwayi (ANC, successeur de Mandela à la tête de la branche mil.) et Oscar Mheptha (90 ans), libérés. *-24-10* ANC veut intensifier la lutte armée. *-29-10* 1re réunion publique de l'ANC et du PC dep. 30 ans (50 000 à 70 000 pers.). *-7-12* service mil. réduit à 12 mois. *-8-12* complot d'extrême droite déjoué. *-9/10-12* 4 600 délégués, repr. plus de 200 org. anti-apartheid à la Conf. pour un avenir dém. (CAD), rejettent le programme de De Klerk. **1990** légalisation de l'ANC et du PC. *-11-2* Mandela libéré, incidents (60 †) dans le ghetto de Thokoza au Ciskei, au Cap et au Natal (heurts Zoulous/membres UDF : 48 †). *-20-2* la G.-B. lève ses sanctions écon. *-24-2* De Klerk participe à un sommet de chefs d'État afr. *-25-2* à Durban (Natal), devant 100 000 pers., Mandela demande aux factions noires de renoncer à la violence. *Fév.* exécution des condamnés à mort suspendue jusqu'au 5-3-91. *-28/30-3* affrontements UDF/Inkhata (40 †). *-2/4-5* 1re rencontre officielle entre ANC et gouv. ; accord de Groote Schur ouvrant des négociations avec l'ANC. *-20-5* 3 Noirs tués par la police. *Juin* état d'urgence levé. *-7-6* l'ANC renonce officiellement à la lutte armée. *-6-8* rencontre gouv.-ANC (accord sur le retour de 20 000 exilés) ; affrontement entre ANC et Inkhata (500 †). *-1/5-12* 80 †. *-13-12* Oliver Tambo revient en A. **1991**-*1-2* manifeste pour la nouvelle Afr. du S. *-4-2* 1re rencontre dep. 30 ans entre ANC et PAC. *-12-2* accords ANC-gouv. sur l'abandon de la lutte armée. *-15-2* assassinat du juriste noir Bheki Mlangeni. *-4-3* dissolution du Front dém. uni (UDF) qui regroupe 600 associations et organisations d'opposition dont la Cosatu, le PC, l'ANC et des assoc. civiques, religieuses et estudiantines. *-16-4* réunion ANC-PAC à Harare. *-15-4* la CEE lève une partie des sanctions écon. *-9-6* les avions de la South Africain Airways peuvent survoler l'Afr. occidentale (interdit dep. 1963). *-21-6* le Parlement réduit à 10 j la détention d'un suspect (avant illimitée). *-9-7* Le CJO reconnaît le Comité nat. sud.-afr. *-14-9* accord de paix entre De Klerk et env. 20 organisations pour mettre fin aux violences entre factions noires. *-3-10* Nadine Gordimer prix Nobel de Littérature. *-8/12-11* affrontements, mine d'or Pt-Steyn, 76 †. *-20/21-12* création de la Codesa (voir ci-contre). Dans l'année, plusieurs milliers d'exilés admis à rentrer, plusieurs centaines de détenus libérés. **1992**-*24-1* le gouv. annonce que les Noirs se prononceront par référendum sur le gouv. transitoire. *-3/4-2* De Klerk et Nelson Mandela à Paris pour recevoir le Prix Houphouët-Boigny. *-28-2* relations dipl. reprises avec Russie. *-11-3* la France lève embargo sur charbon sud-afr. *-16-3* référendum dans communauté blanche pour la poursuite des réformes (abst. 14,3 % sur 3 290 000 électeurs, 68,3 % votent oui). Bilan des affrontements en mars : 437 †. *-6-4* CEE lève embargo pétrolier (imposé 1985). *-17-6* Inkhata à Boipatong (Johannesburg) fief ANC : 45 † ; l'ANC rompt les négociations. *-25-6* l'ANC pose 14 conditions à la reprise du dialogue (voir 12-2-93). *-15-7* annonce de la dissolution d'unités spéciales (Koevoets, bataillon 31 et 32). *-3/5-8* violences (34 † en 2 jours), grève générale ANC/SACP/Cosatu et manifestation (70 000 personnes). *-27-8* retraite anticipée annoncée pour 13 des 54 Gaux de la police (mis en cause dans les violences) ; postes ouverts aux Noirs. *-7-9* Ciskei, manif. ANC contre Pt Gqozo : l'armée tire, 29 †. *-22-9* 1er policier blanc condamné pour la mort d'un détenu noir. *-19-10* amendement constit. autorisant l'accès de non-parlementaires aux postes ministériels (en pratique les Noirs non éligibles). *1992-19-10* Mandela reconnaît que l'ANC aurait, dans les années 1980, pratiqué des tortures dans les camps (Ouganda, Tanzanie, Angola où vivaient et transitaient des milliers de militants en exil). **1993**-*12-2* accord ANC-Gouv. : *1°)* assemblée constituante élue début 94, ratifiable à une majorité qualifiée non définie (protection des minorités), *2°)* conseil exécutif multiracial mis en place en juin (TEC), *3°)* gouv. intérimaire d'unité nat. pour 5 ans avant entrée en vigueur de la nouvelle Constitution. *-20-2* 2 Métis min. (sport, population), 1 Indien (tourisme). *-24-3* Pt De Klerk reconnaît : « l'A. a produit 6 bombes atomiques », il les a fait démanteler dep. 1989. **1994**-*27-4* 1res élect. multiraciales prévues.

■ Politique

■ **Statut.** Rép. depuis le 5-10-1961. *Const.* (approuvée par référendum le 2-11-1983, entrée en vigueur le 3-9-84) promouvant les valeurs chrétiennes et civilisées, et garantissant l'égalité de tous devant la loi. **Législatif :** *Parlement* composé de 3 chambres élues pour 5 ans : *Assemblée* 178 députés bl. [166 élus à la majorité simple (province du Cap 56, Natal 20, Orange 14, Transvaal 76), 4 nommés par le Pt et 8 élus à la proportionnelle représentant les partis]. *Ch. des représentants* 85 métis dont 80 élus (Cap 60, Natal 5, Orange 5, Transvaal 10), 2 nommés et 3 à la proportionnelle. *Ch. des délégués* 45 Indiens dont 40 élus (Cap 3, Natal 29, Transvaal 8), 2 nommés et 3 à la proportionnelle. Les lois doivent être votées par les 3 ch. pour les questions d'intérêt général, par chaque chambre concernée pour les autres questions. Si un désaccord survient entre les Chambres, le Conseil présidentiel tripartite décide en dernier ressort. Le Conseil de sécurité de l'ONU (par 13 voix et 2 abstentions, USA et G.-B.) a jugé la Const. contraire aux principes de la charte de l'ONU. **Exécutif :** *Pt de la Rép.* [élu pour 5 ans par un collège électoral (50 Blancs, 25 Métis, 13 Indiens choisis par leurs propres ch. parlementaires) ; les membres des 3 communautés (les Noirs sont exclus) peuvent devenir m. sans être m. du Parlement], assisté d'un cabinet (15 m. nommés par lui, 35 membres élus par les différentes ch., et 10 nommés par l'opposition). *Conseil présidentiel* 60 m. dont 35 élus par les Chambres (20 bl., 10 métis, 5 indiens) et 25 nommés par le Pt, dont 10 parmi les représentants des partis d'opposition, et 15 autres relevant de sa décision personnelle. **Judiciaire :** cour suprême à Bloemfontein.

Codesa (Convention pour une Afr. du Sud démocratique). *Créée* 20-12-1991. *Composée* de représentants du gouv. et de 19 org. politiques ; ne participent pas, HNP, AWB, AZAPO, PAC. *Chargée* de définir le cadre d'institutions multiraciales.

Élections 6-9-1989. Les 3 communautés votent ens. pour la 1re fois dep. la création des Chambres métisse et indienne en 1984. *Candidats :* 763 pour 286 sièges. *Électeurs :* 5 600 000, dont 3 170 667 Bl. (68 % de part.) [dont P. nat. 1 036 499 (48 % des voix – 58 % en 81, 52 % en 87), P. cons. 673 302 (31,2 %), P. dém. 441 371 (20,4 % – 27 % en 81, 17 % en 87)], métis 1 775 751 (17,5 % de part.), Indiens 665 870 (20 % de part.).

■ **Composition du Parlement tricaméral aux élections de 1989 (puis en avr. 92). Assemblée :** 178 m. ; P. national 93 (103), P. conservateur 39 (40), P. démocrate 33 (33), vacant 1 (2). **Chambre des représentants :** 85 m. ; P. travailliste 69 (65), P. démocrate de la réforme 5, P. démocrate uni 3, P. de la liberté 1, indépendants 2 (10). **Chambre des délégués :** 45 m. ; Solidarité 16 (24), P. national du peuple 9 (7), P. démocrate 3, P. national fédéral 1, P. du peuple d'Afr. du S. 1, indépendants 6 (5), P. du Mérite 3 (2), P. uni 1 (0), P. nat. 0 (1), vacant 0 (1).

■ **Justice.** *Exécutions : 1986 :* 120 (N. 89, M. 24, Bl. 6, Asiatique 1). *1987 :* 164 (N. 102, M. 53, Bl. 9). *1988 :* 117 (N. 76, M. 38, Bl. 3). *1989* (oct.) : 39 (N. 29, M. 8, Bl. 2). *Peine de mort* suspendue le 2-2-1990 (en 1991, 302 condamnés, pas d'exécution dep. 14-11-89). *Fouet (2 à 6 coups) :* 35 745 condamnés (juillet 1991-juin 92). *Amnistie* le 18-12-1990 pour ceux qui ont quitté l'Afr. du S. illégalement avant le 8-10-1990. *Retour des exilés* dep. 7-3-1991, 170 personnes, 5 967 demandes. En mai 1991, 981 prisonniers pol. libérés et, pour 3 692, levée des poursuites judiciaires (73 %). *Violences pol. 1985 :* 879, *86 :* 1 298, *87 :* 661, *88 :* 114, *89 :* 1 403, *90 :* 3 699 dont 1 224 au Natal-Kwazulu et 68 policiers, *91 :* 2 672. *Violences entre Noirs ;* † de 1984 à 1992 : env. 30 000 (beaucoup dans affrontements avec l'Inkhata). *Policiers tués : 1990 :* 68, *91 :* 145, *92 :* 226. *Décès en garde à vue :* 200 cas dep. 1986. *Meurtres à Soweto 1984 :* 1 454 (record du monde de criminalité). *1985 :* 137. *1986 :* 2 638. *1987 :* 1 130. *1988 :* 100.

Police. *Effectifs :* 60 000 (dont 32 260 non-Blancs) (1 pour 452 hab.) + réserve 37 000.

■ **Partis. Blancs. P. national** (NP). *Fondé* 1912 par J.B.M. Hertzog, issu de la scission 1934 du Dr Malan ; *leader :* Frederik De Klerk dep. 3-2-1989 ; conservateur (au pouvoir dep. 1948), a incarné la revanche Afrikaner sur les anglophones et forgé l'apartheid, puis évolué vers le centre gauche, négociant avec les Noirs ; ouvert à toutes les races en 1990. **P. démocrate** (DP). *Fondé* 8-4-1989, fusion du P. fédéral progressiste (PFP) avec de petites formations (IP, NDM) qui s'en étaient détachées. *Leaders :* Zacharias De Beer. Financé par milieux d'affaires (De Beer : diamant). Tendance libérale, dominant dans médias et enseignement. Veut promouvoir une majorité noire avant qu'il ne soit trop tard ; *courant gauchisant : FFF* (Forum for Five Freedom). **Herstigte Nasionale Party** (HNP). *Fondé* 25-10-1969 par des exclus d'extrême droite du P. national dont le docteur Hertzog ; *leader :* Jaap A. Marais. **P. conservateur** (CP). *Fondé* 1982 (nouv. scission du NP) ; *leader :* Ferdi Hartzenberg (opposé au partage du pouvoir avec les Noirs, prône la partition). 70 municipalités sur 110 au Transvaal. *Courants :* **NKP, AFOF** (Action For Own Future qui prône des territoires ethniques), **AWB** (mouv. de résistance afrikaner). *Fondé* 1973 ; extr. droite néo-nazie ; *leader :* Eugène Terreblanche. **P. de l'État Boer** (BWB) *fondé* 1988 ; *leader :* Robert Van Tonder ; veut fonder un État afrikaner (1990 : tentative de Carel Boshoff à *Orania* avec 400 partisans sur 2 700 ha).

Métis. P. travailliste (LP). *Fondé* 1965. *Leader :* pasteur Allan Hendrickse. **P. de la liberté** (FP). *Leader :* Arthur Booysen. **P. réformé de la liberté** (RFP). **P. de la réforme démocratique** (DRP). *Fondé* 1968. **P. des travailleurs démocratiques** (DWP). *Fondé* 1984.

Indiens. P. national. Formé du **P. nat. du peuple** (NPP) *(leader :* Amichand Rajbansi) et du **P. du peuple** (PP). **Nouvelle Solidarité.** *Leader :* Jayaram Reddy. **P. indépendant progressiste** (PIP). *Leader :* Faiz M. Khan. **P. indien de la réforme. Transvaal Indian Congress.**

Noirs. African National Congress (ANC). *Fondé* 8-1-1912 (chrétien, libéral non violent). *Drapeau :* vert, jaune et noir. *Hymne :* Nkosi Sikélélé y Africa (Dieu sauve l'Afrique). 700 000 m. Attire surtout Xhosa et Sotho. *1942 :* création de la Youth League qui oriente l'ANC vers l'activisme. *1949-52 :* tente de s'unir avec les org. d'oppos. métisse et indienne. *1950 :* infiltré par le PC et collabore avec le Congrès indien dans le cadre d'un progr. de désobéissance civ. *1955-26-6* adopte une « Charte de la liberté » et prône une société multiraciale malgré l'opp. du courant africaniste de l'ANC, qui dénonce la mainmise du PC sud-afr. *-Déc. :* Albert Luthuli Pt (avant Dr Moroka). *1959-avril :* scission courant africaniste qui crée le PAC. *1960-8-4 :* ANC interdit ; s'installe à Lusaka (Zambie). *1961 :* création de son bras armé l'Umkonto We Sizwe (UWS) (fer de lance du peuple) dirigé par Joe Slovo, d'or. lituanienne, ex-colonel du KGB et secr. gén. du SACP ; env. 10 000 h. (camps d'entr. en Libye, Ghana, Éthiopie, Tanzanie, Ouganda) dont 500 actifs en Afr. du S. Lutte armée clandestine, avec le PAC et le Mouv. de la rés. afr. (ARM, composée d'univ. blancs) : 400 opér. de sabotage (100 †). *1967 :* Oliver Tambo Pt. *1984* ANC chassé du Mozambique, et en *1989* d'Angola et de Zambie. *1990-2-2 :* ANC légalisé. *1991-5-7* N. Mandela élu Pt de l'ANC à l'unanimité, Walter Sisulu (n. 18-5-1912) vice-Pt, Winnie Mandela m. du comité exécutif (53,9 % des v.). *-29-9* Sam Ntuli assassiné. *-27-10* ANC et PAC forment le Front patriotique ou Front uni. **Leaders :** *Nelson Mandela* originaire d'une famille princière du Transkei (tribu des Xhosas), arrêté 5-8-1962, condamné 7-11-62 à 5 ans de prison pour

Procès de Winnie Mandela

1989-*17-2* **Winnie Mandela** exclue du mouvement anti-apartheid [soupçonnée d'avoir couvert l'assassinat, le 29-12-88, de Stompie Moeketsie « Seïpeï » 15 ans, qui avait participé aux émeutes de 1986 (enlevé, amené au domicile de W. Mandela et battu à mort par ses gardes du corps, membres du Mandela Football Club). Le médecin qui examina la victime est assassiné, un membre du club sera poignardé : 9 inculpés]. **1990**-*12-2* procès des membres du Mandela Football Club ; W. n'y assiste pas. *-19-3* mandat d'arrêt contre W. pour défaut de paiement de cotisations sociales (du 1-1 au 7-12-89). *-8-8* Jerry Richardson, ancien garde du corps de W. condamné à mort pour le meurtre de Seïpeï. *-18-9* W. poursuivie pour enlèvement et coups et blessures. **1991**-*4-2* ouverture du procès de W. *-13-5* W. reconnue coupable (enlèvement et coups et blessures sur 4 jeunes le 28-12-88) ; *-14-5* condamnée à 6 ans de prison. **1992**-*13-4* Mandela se sépare de W. *-15-4* W. démissionne de son poste ANC. *-3-5* W. réélue dans ANC. **1993**-*24-3* procès en appel de W.

incitation à la grève et pour avoir quitté illégalement le territoire sud-afr., et 12-6-64 à vie pour trahison ; *Oliver Tambo,* exilé en 1964 à Dar es-Salaam, en liaison avec des organisations terroristes internationales aidées par les pays de l'Est et des pays nordiques, chef d'état-major de l'UWS, malade, † 24-4-93, remplacé août 1989 par *Alfred Nzo* (64 ans) secr. gén. de l'ANC. *Joe Slovo* (voir création UWS p. 889 c) dep. 1964 en Zambie, 1987 ; quitte la dir. de la branche mil. (remplacé par Chris Hani assassiné 10-4-93).

Front démocratique uni (UDF). *Fondé* 1983 façade modérée de l'ANC pendant son interdiction ; dissous en août 91. Regroupait environ 600 organisations anti-apartheid ; *leader :* révérend Allan Boesak, métis, Pt de l'Alliance mondiale des Églises réformées puis Nick Abraham Apollis 4-3-1991 ; dissolution.

Inkhata. *1922* organisation culturelle Zoulou, *1975* parti politique, **P. de la liberté Inkhata** 1990, ouvert à toutes les races, 1,5 million de m. dont 100 000 Blancs. *Pt* Gatsha Mangosuthu Buthelezi (27-8-1928), dissident de l'ANC (car dominé par les Xhosas et les communistes) qui l'a condamné à mort. Il s'oppose à l'ANC par la violence, contestant son rôle d'interlocuteur privilégié du pouvoir, alors qu'il bénéficiait lui-même de soutiens occultes pour lutter contre l'ANC.

Azapo [Organisation du Peuple d'Azanie (nom revendiqué pour l'Afr. du Sud)]. *Fondée* 1978. Membre du National Forum *fondé* 1983 pour une Rép. socialiste. *Pt* Pandelani Nefolovhodwe. Plus radical que l'ANC (l'Afrique aux Noirs). **PAC (Congrès panafricaniste).** Scission de l'ANC en 1959. 1960-21-3 incidents de Sharpeville, 69 Noirs †. 1960-28-3 interdit. Création d'une branche armée clandestine Poquo (le pur) dirigée par Potlako Leballo et établissement de branches en exil. 1990-2-2 légalisation. *Pt :* Clarence Makwethu remplace Zaphania « Zeph » Mothopeng (élu 1986 en prison et libéré en 1988). *Secr. gén. :* Benny Alexander. *Bras armé :* l'Apla (Armée de Libération du peuple d'Azanie) : 31 attentats anti-Blancs en 91-92 (6 † fin 92). **Mouvement panafricaniste (PAM).** *Fondé* déc. 1989 (branche interne et légale du PAC). **P. communiste sud-afr.** *Fondé* 1921 (ISL, Internat. Socialist League), interdit 1950, reformé (clandestin) sous son nom actuel 1953. Autorisé 2-2-1990. 20 000 m. *Leader :* Dan Tloome, trésorier gén. de l'ANC [avant Yusuf Dadoo († 1983) dep. 1972, vice-Pt du cons. rév. de l'ANC dep. 1969]. *Secr. gén. :* Chris Hani remplace le 6-12-91 Joe Slovo, dep. 1986 (avant Moses Kotane de 1939 à 1978) ; appliquait les directives de la 3e Internationale mal comprises par les Noirs dont la lutte est raciale et non sociale. Électoralement marginal, est influent dans l'ANC (cadres). **Parti chrétien uni de la conciliation** *fondé* 1986 par Mgr I. Mokoena et M. Tamasanja Linda.

☞ **Les Blancs** espèrent contrebalancer la majorité noire en faisant bloc avec Métis et Indiens (soit 9 millions sur 36) car les Noirs (électeurs moins nombreux en raison de leur âge moyen ; 7 millions sur 20) sont divisés (opposition ANC/Inkatha). Les Blancs veulent : un droit de veto ou une majorité qualifiée de 70 à 75 % pour le vote de la nouvelle constitution, un parlement bicaméral (1 chambre élue au suffrage universel direct, 1 représentant des régions au suffrage indirect), un système fédéral avec des régions aux pouvoirs importants. Les Noirs veulent une constituante libre de choisir un système centralisé où la majorité puisse s'exprimer sans limite ; mais admettent une période transitoire de partage du pouvoir avec la minorité blanche.

■ **Syndicats. Syndiqués** (1989) : 2 130 000 (dont 63 % de Noirs). **Principales centrales : Cosatu** *(Congrès des synd. sud-afr.)* affilié UDF, fondé 1985. Pt Elijah Barayi, Secr. Gal Jay Naidoo. 800 000 membres dont *Num (National Union of Mineworkers).* 350 000 m. *Numsa (métallurgistes).* 188 000 m. *Syndicat des travailleurs du textile* 185 000 m. **NACTU** *(Conseil nat. des syndicats)* fondé 1986, 450 000 m., Pt James Mndaweni, fédération noire de 22 syndicats. **SAAWU** Pt M. Maboso, 19 syndicats. **SACL** *(Conf. sud-afr. du travail),* 7 syndicats. **Synd. non enregistrés** (1990) 330 000 m. dont *l'Union des travailleurs unis d'Afr. du Sud* fondée 1986, contrôlée par Inkhata.

■ **Présidents de la République.** *1961 (31-5)* Charles-Robert Swart (1894-1982) [1]. *1967 (31-5)* Theophilus Ebenhaezer Donges (8-3-1898, † 10-1-1968) [1], malade, il ne peut tenir son poste. *1968 (10-4)* Jim Fouché (6-6-1898) [1]. *1975 (19-4)* Nicolaas Diederichs (1903-78) [1]. *1978 (28-9)* John Balthazar Vorster (1915-83) [1]. *1979 (19-6)* Marais Viljoen (2-12-1915) [1]. *1984 (5-9)* Pieter Willem Botha (12-1-1916). *1989 (20-9)* Frederik W De Klerk, dit FW (18-3-36).

■ **Premiers ministres.** *1910* Gal Louis Botha (1862-1919) [2]. *1919* Gal Jan Christiaan Smuts (1870-1950) [3]. *1924* Gal James Barry Munnik Hertzog (1866-1942) [1]. *1939* Mal Jan Chr. Smuts (1870-1950). *1948* Dr Daniel François Malan (1874-1959) [4]. *1954* (30-11) Johannes Gerhardus Strijdom (1901) [1]. *1958* (24-8) Dr Hendrik Frensch Verwoerd (1901-assassiné le 6-9-1966 par un Blanc) [1]. *1966* (13-9) John Balthazar Vorster (1915-83) [1]. *1978* (28-9) Pieter Willem Botha (12-1-1916) [1]. Fonction supprimée par la nouvelle Constit. (3-9-1984).

Nota. – (1) Parti nationaliste. (2) Union sud-africaine. (3) P. républicain. (4) P. nationaliste unifié.

■ **Fêtes nat.** 6-4 (découverte de l'Afr. du S.), 31-5 (proclam. de la Rép.), 10-10 (naissance de Krüger), 16-12 (bataille de Blood River). **Drapeau.** Origine 1928, revu 1961. Bandes horizontales orange, blanche, bleue avec motif central aux couleurs de la G.-B., du Transvaal et de l'État libre d'Orange.

PROVINCES (1991)

Le Cap *(Le Cap)* 641 379 km², 5 514 413 h. dont 1 221 365 Blancs, 1 835 657 Noirs, 2 417 527 Métis, 39 871 Asiatiques. **Natal** *(Pietermaritzburg)* 91 785 km² (avec Kwazulu), 2 074 153 h. dont 533 267 Blancs, 783 175 Noirs, 666 006 Asiatiques, 91 705 Métis. **Orange** (État libre d') *(Bloemfontein)* 127 993 km² (avec Qwaqwa), 1 929 369 h. dont 327 565 Blancs, 1 538 171 Noirs, 62 789 Métis, 644 Asiat. **Transvaal** *(Pretoria)* 262 499 km², 8 630 016 h. dont 2 300 620 Blcs, 5 938 426 Noirs, 126 070 Asiatiques, 264 900 Métis. **Ile Marion** à 1 920 km au sud du Cap dans l'océan Indien. 388,5 km². Long. 22 km ; larg. 12 km. *Alt. max.* 1 280 m. *1772* découverte par le capitaine Marion. Base météo, centre d'essais nucléaires. **Ile du Prince-Édouard** à 20 km de l'île Marion. 47 km². Circulaire, 10 km de diam. *Alt. max.* 1 723 m. Possession fr. cédée à la G.-B. sous la IIIe Rép., annexée avec l'île Marion par l'Union sud-afr. en 1948. Inhabitée.

■ ÉTATS NOIRS (BANTOUSTANS)

Statut. Leurs droits territoriaux furent reconnus par le *Bantu Land Act* de 1913, et élargis par le *Bantu Trust and Land Act* de 1936. Lorsque les parcelles de terres supplémentaires accordées aux Bantous seront rattachées à celles qu'ils possèdent déjà, les possessions bantoues seront d'env. 15,4 millions d'ha. L'attribution des terres n'est pas définitive. Le Parlement examine la possibilité de les remembrer. Leur création devait permettre de refouler la main-d'œuvre noire (indispensable) hors des agglomérations blanches et de la priver de la citoyenneté sud-africaine. Certains États sont éclatés géographiquement (Bophuthatswana en 7 morceaux, Kwazulu en 9) au nom des découpages ethniques. L'aide de l'Afr. du Sud lui assure une tutelle de fait. Les Noirs (sauf l'Inkatha) demandent leur réintégration. Le pouvoir blanc n'en rejette plus le principe.

BANTOUSTANS INDÉPENDANTS (NON RECONNUS PAR L'ONU OU L'OUA)

■ **Bophuthatswana** (ex-Tswanaland). 44 000 km², 7 parties disséminées en Afr. du S. et au Botswana indépendant dep. 1966. **Population :** 1 959 000 h. (+ 1 500 000 résidents en Afr. du Sud) (est. 90), en % (est. 82) : Tswanas 70, Sothos du N. 7,4, Shangaans 6,3, Xhosas 3,1, Sothos du S. 3, Zoulous 3. Sur 2 000 000 de Tswanas, 65 % vivent en dehors. D 42,5. **Villes :** *Mmabatho* (cap.), (siège du gouv.) *Ramitsogo.* Garankuwa, Mabopane. **Ressources :** mines [platine (2e du monde), chrome, vanadium, rhodium, nickel, cuivre, diamant, amiante, chaux, fluor, calcite, manganèse (58 % des réserves naturelles)] ; salaires des migrants (28 %) ; Tourisme (Sun City). *PNB* (87) : 1,870 milliard de R. *Budget* (89/90) : recettes 1,750 milliard de R. dont contribution 30 % Afr. du Sud ; dépenses 2,3. **Statut :** République ; Pt : chef Lucas Mangope (n. 27-12-1923) dep. 6-12-1977. *Assemblée législative* 108 m. (12 désignés par le Pt, 72 élus, 24 nommés par autorités régionales). **1968** autonomie partielle, **1972**-*1-6* totale. **1977**-*6-12* indépendance. **1987** *27-10* élections (72 sièges : P. démocratique du Bophuthatswana (BDP, *Pt :* L. Mangope) 66 ; P. progressiste du peuple (PPP de Peter Malebane-Metsing) 6 ; P. national Seoposengwe : 0. **1988** *10-2 :* échec du coup d'État de P. Malebane-Metsing. **1990** Pt Mangope s'oppose à l'ANC qui exige réintégration du bantoustan dans l'Afrique du Sud. *Mars* manif., dem. la démission du Pt *-15-3* état d'urgence (levé 9-3-91). **1991** *déc.* participation à la Codesa.

■ **Ciskei.** 8 500 km². *Côtes* 60 km. **Population :** 844 000 h. (est. 90) (surtout Xhosas) + 1 million de résidents en Afr. du Sud. D 96,6. **Villes** [*Bisho* (capitale avant Swelitsha)] 8 000 h. (87), Mdantsane 350 000 h. **Ressources :** économie de subsistance (ananas, blé, légumes) ; élevage ; pas de mines ; début d'agriculture ind. et d'industrialisation. 65 % du revenu nat. viennent des salaires des migrants. *PNB* (85) 0,82 milliard de R. **Statut :** République. *Conseil militaire, Conseil d'État* de 8 membres (législatif et

exécutif), Pt Gal Joshua Gqozo (dep. 1991). **1968** *déc.* autonomie partielle. **1972** totale. **1980** *4-12* référendum, 98,7 % pour l'indép. **1981** *4-12* indép. ; Pt Dr Lennox Sebe (n. 1926). **1986** *19-2* coup de force contre Pt : échec (1 †). *Sept.* Charles Sebe, frère du Pt, emprisonné dep. 1984 pour complot, libéré par commando. **1990**-*4-3* Pt Lennox Sebe renversé par Gal Josh « Oupa » Gqozo (n. 1954) (27 †), soutenu par ANC, *-6-3* état d'urgence. Conseil militaire. **1991**-*21-1* et *-9-2* échec de 2 tentatives de coup d'État. *-27-2* nouvelle Constitution prévoyant la réintégration dans l'Afr. du Sud (qui gère écon., justice, administration, transports). **1992** *7-9* Ciskei, manif. ANC contre le Pt Gqozo, l'armée tire : 28 †.

■ **Transkei.** 43 798 km². **Population :** 3 301 000 h. (est. 90). 9 000 frontaliers et 342 000 travailleurs émigrés, D 71. **Villes :** *Umtata* (cap.) 32 500 h., Butterworth (Gcuma) 24 000 h. **Ressources.** *Terres* (en %) : pâturages et autres terres non productives 76, terres sèches 18,5, terres irriguées 0,1, forêts 5,1. Les Blancs possédant des terres ne peuvent plus en acheter. 95 % des h. sont des agriculteurs (95 % des champs ne dépassent pas 5 ha env.), méthodes archaïques. Maïs, sorgho, thé, café, fibres végétales (*1976 :* bovins : 1 300 000, ovins : 3 750 000). *Minerais :* faibles gisements de cuivre, nickel, platine, titane, charbon encore inexploités. *PNB* (85) : 2,112 milliards de R. **Statut :** *République* gouvernée par un Conseil militaire (dep. 1987). **Élections** (oct. 86) : P. nat. de l'indépendance du Transkei (TNIP) 48, Indépendants 16, P. démocratique progressiste 2. *Partis :* TNIP f. 1964, leader Tutor Ndamase ; P. démocratique progressiste f. 1979, l. Caledon Mda ; P. de la liberté f. en 1976, l. Cromwell Diko. **1972**-*23-12* autonomie, **1976**-*26-10* indépendance. **1978** *10-4* rompt momentanément ses relations dipl. avec l'Afr. du S. qui lui refuse la souveraineté sur l'East Griqualand. *Constitution* de 1976. *Pt* élu pour 7 ans. **1979** *19-2* chef Kaiser Daliwanga Matanzima. *Ass.* 150 m. dont 75 chefs traditionnels nommés (5 chefs souverains et 70 chefs) et 75 élus pour 5 ans. **1986** *20-2* Tutor Nyangilizwe Ndamase. *PM :* George Matanzima. **1987** *2-10* accusé de malversations, démissionne. *5-10* Stella Sigcau élue PM par l'Ass. *30-12* renversée, conseil militaire présidé par le Gal Bantu Holomisa. **1990**-*7-2 :* Gal Holomisa légalise ANC et critique la politique « démodée et impraticable » des bantoustans. *-22-11* échec d'un coup d'État (chef Craig Dulit), *15-12* d'un coup d'État de Matanzima (incarcéré jusqu'au 15-3-91).

■ **Venda.** 7 088 km² divisés en 3 parties qui forment une entité. **Climat :** modéré subtropical. Températures moyennes : 24 °C à 26 °C (été), 15 °C à 18 °C (hiver). Précipitations : 350 à 500 mm par an (1 000 mm dans les chaînes montagneuses). **Population :** 518 000 h. (90) dont Vendas 90 % ; Shangaans 7 % ; Pedis 3 %. 27 tribus. Environ 150 000 Vendas vivent en dehors, principalement en Afr. du S. D 75,4. **Villes :** *Thohayandou,* Sibasa, Makwarela 2 500 (est. 80). **Langues :** luvenda, anglais, afrikaans. **Ressources.** *Agriculture* (80 % de la pop.) : mangues, citrons, agrumes, arachides, coton, café, thé, maïs, agave, fruits. Sols généralement fertiles. *Forêts :* 14 600 ha (pins, eucalyptus). *Minerais :* charbon, or, cuivre, phosphate, graphite, magnésite. *Routes :* 1 226 km. *Ch. de fer :* 30. *Barrages :* 7 majeurs, capacité 416 millions de m³. *Revenu national :* 78 % viennent des salaires des migrants. *PNB* (85/86) 245 millions de R.

Budget (87/88) 492 millions de R. **Statut :** République. *Conseil exécutif :* Pt et 9 min. nommés. *Ass. nat. :* 45 m. élus au scrutin pop., 28 m. traditionnels (chefs) et 15 m. nommés par les conseils régionaux, 6 m. nommés par le Pt. *Chef d'État :* Pt, nommé par l'Ass. nat. **1969** *oct.* autonomie partielle. **1973** totale. **1974**-*13-9* indépendance, Patrick R. Mphephu Pt. **1988** *mai* Frank Ravele Pt. **1990**-*5-4* C[el] Gabriel Ramushwana prend le pouvoir. Constitution provisoirement suspendue, territoire administré par un Conseil d'unité nationale.

Bantoustans autonomes

■ **Gazankulu.** 7 967 km² en 4 parties (3 après une 1re consolidation). **Population :** 700 349 h. (89) (dont 88 % de Shangaans et 12 % de Tsongas, Sothos du N., Vendas, Swazis). Sur 750 000 Shangaans, 47 % vivent en zone blanche, 21,5 % dans les autres bantoustans. D 72. **Capitale :** *Giyani* 476 694 h. (80). **Ressources :** agriculture, magnésite, or, prod. manuf., 69 % du revenu national viennent des salaires des migrants. *PNB* (85) 530 millions de rands. **Statut :** *autonomie* dep. févr. 1973 (partielle dep. oct. 1969). *Ass. lég.* 43 élus, 43 nommés. *PM* Dr Hudson Ntsanwisi dep. 1973.

■ **Kangwané.** 5 056 km². **Population :** 583 535 h. (89) (Swazis 82 %, Shangaans 18 %). D 110,3. (Sur 439 000 Swazis, 20 % vivent au Swazi, 23 % vivent dans les autres bantoustans, 57 % dans la zone blanche du Transvaal.) **Capitale :** *Louisville.* L'Afr. du S. envisagea en juin 1985 de céder ce territoire au Swaziland mais la Cour suprême sud-afr. s'y opposa. **Ressources :** sisal, café, charbon. *PNB* (85) 485 millions de rands. **Statut : 1977** *1-10* autonomie. *PM* Enos Mabuza (démissionne 1-4-1991) remplacé par M.C. Zitha le 15-4.

■ **Lebowa.** 25 276 km². Composé de 2 grands territoires et 17 petits (7 après une 1re consolidation). **Population :** 2 591 541 h. (89) (Sothos du N. : 56 % habitent sur place, 38 % en zone blanche, 6 % dans d'autres bantoustans.). D 92,6. **Villes :** *Lebowakgomo (cap.)* Seshego 29 000 h. **Ressources :** agriculture, mines (amiante, platine, chrome), à l'étude (chrome, diamants). 58 % du revenu nat. viennent des salaires des migrants. *PNB* (89) 2 milliards de rands. 70 à 80 % des revenus dépensés en territoire blanc. **Statut :** *autonomie* dep. oct. 1972 (partielle dep. août 1969). *PM* Noko Ramodike.

■ **Qwaqwa.** 902 km². Dans les monts Drakensberg, entre 1 700 et 2 500 m d'alt. **Population :** 286 205 h. (89) (Sothos du S.). D 138. **Ressources :** prod. manuf. *PNB* (89) 404 millions de rands. **Capitale :** *Witsieshoek.* **Statut :** *autonomie* dep. 25-10-1974. *PM* T. Kenneth Mopeli.

■ **Kwazulu.** 32 395 km². Dans Natal, 70 parcelles, représentant 35 % de la province. Une consolidation entraînerait la disparition des zones blanches (Durban ou Pietermaritzburg disparaîtraient). **Population** (89) : 4 867 063 h. (Zoulous 98 %, Xhosas, Sothos du S. et Swazis 2 %) ; 4 000 000 de Zoulous (2 000 000 résident dans le K., 500 000 au Transvaal, 1 100 000 aux env. de Durban et 500 000 dans la zone blanche du Natal.). D 140. **Villes :** *Ulundi (capitale),* Umlazi 177 000, Kwamashu 188 000, Madadeni 61 000, Ozizweni 56 000. **Ressources :** cultures de subsistance et sucre, coton, sisal, prod. manuf. ; env. 50 % du revenu nat. viennent des salaires des migrants. *PNB* (89) 4,9 milliards de rands. **Statut :** *aut.* dep. juin 1970. *Roi :* Goodwill Zwelithini (n. 14-7-1948) dep. 20-9-1968, 4 épouses. *Chef ministre :* Mangosotho Gathsa Buthelezi (n. 27-8-1928) (dep. 1965, descendant de Shaka et oncle du roi). *Parti :* l'Inkhata (« conférence » en zoulou, créé 1920, 1 700 000 m.). **Histoire :** *début XIXe s.* roy. sous l'autorité de Shaka Senzangokhona (1785-1828), dit le « Napoléon noir », qui s'impose au Natal et réunit 283 tribus. *1838* vaincu par les Boers. *1879-80* annexion du reste du roy. au Natal par les Anglais. *1984 -28-8* début de l'affrontement entre partisans du PM et de l'UDF.

■ **Kwandébélé.** 2 399 km². **Capitale** (future) : *Kwanhlanga.* **Population :** *1982 :* 156 260 h., *1989 :* 469 898. D 86,7 **Ressources :** prod. manuf. *PNB* (89) 515 millions de rands. **Statut :** *autonomie* dep. 1-10-1979. *PM* James Mahlangu dep. 30-4-90. **1985** *déc.* Moutsé (120 000 Pédis du groupe Sotho détachés du Lebowa et rattachés au K. se soulèvent : 160 †). **1986** *30-7* Piet Ntuli, min. de l'Intérieur, chef des Imbokothos (organis. para-milit.) tué (voiture piégée). *12-8* l'Ass. législative repousse l'indépendance proposée par l'Afr. du S. **1988** *déc.* majorité contre indép. aux élect.

■ Économie

☞ **Place en Afrique** (1989). *Superficie :* 4 %. *PNB :* 20 %. *Prod. ind. :* 40 %. *Minière :* 45 %. *Électrique :* 50 %. *Réseau ferré :* 30 %. *Parc autom. :* 46 %. **Part des besoins des pays voisins couverts par l'Afr. du S. Botswana :** 88 % des imp. 30 000 frontaliers travaillent en A. **Lesotho :** transit 95 % des imp. et des exp. 100 % de l'énergie. 150 000 personnes travaillent en A. et fournissent 60 % du PNB. **Malawi :** transit 60 à 70 % des imp., 6 % des export. 30 000 Mal. travaillent en A. **Mozambique :** 260 000 Moz. travaillent en A. (dont 200 000 clandestins), 90 % de l'électricité. **Swaziland :** 90 % des imp. 130 000 frontaliers travaillent en A. **Zaïre :** transit 75 % des imp. alim. et énergétiques. **Zambie :** transit par A. : 60 à 70 % des imp., 1 % des exp. **Zimbabwe :** transit 60 à 70 % des imp. et 17 % des exp.

PNB (1991). 109 milliards de $ (par habitant 2 810). **Répartition.** Par race, par hab. en 1990 et entre parenthèses en % en 1989. Blancs 10 400 (57), Asiatiques 3 900 (3,4), Métis 2 750 (7,2), Noirs 1 150 (32). **Pop. active et, entre par., part du PNB** (en %) : agr. 14 (5), mines 9 (12), ind. 16 (33), services 61 (51). **Pop. active** (89) : 10 856 000 (Blancs 2 033 000, Métis 1 223 000, Asiat. 344 000, Noirs 7 256 000). *Emploi* (89) : agriculture (n.c.), mines 706 810, ind. de transformation 1 458 821, bâtiment 417 200, commerce 819 667, autres 1 873 497. *Chômage 1991 :* 18,2 % (selon mode de calcul). *Emplois nouveaux à créer :* 300 000 par an.

Agriculture. Terres (millions d'ha, 1986) 85,8 dont forêts 1,1, réserves naturelles 3, terres arables 10,5 (12 %), pâturages naturels 70,6. **Production** en millions de t, 91 (et entre par., contribution au PNB en millions de R.) maïs 7,7 (2 800, 17 % des t. arables), blé 1,7 (860, 14 % des t. arables), sucre 18,1 (1 002), sorgho 0,25 (1 125), arachides 0,09, tournesol 0,6, tabac, p. de terre 1,4 (628), coton, vignes 1,9 (992), agrumes 0,9 (506), autres fruits 1,4 (1 328), légumes 1,9 (992). L'Afr. du S. est le 7e exp. mondial de prod. agric. **Handicap** manque d'eau ; projet *Highlands Water Scheme* signé avec Lesotho mars 1988 (fournirait 2 200 millions de m³ en 2025). **Élevage** (millions, 1991) : moutons 27,3 en 92, poulets 380 + 11 de pondeuses (3 486 œufs), bovins 8,4 en 92 (2 403), chèvres 2,5, porcs 1,2 en 92. Laine mohair (681), viande, lait (990). **Forêts.** *Production* bois de construction 1 660 000 m³, bois à papier 1 390 000 m³ (1990). **Pêche.** 786 000 t (1990).

Mines. *1991,* 1 100 mines en activité extrayant plus de 60 minéraux différents, 663 000 employés dont 290 000 mineurs dans les mines d'or. **Or** (bassin du Witwatersand). *1871* 1er gisement découvert à Eersteling (Transvaal). 77 mines en activité. *Prod. (t) : 1890 :* 13,7, *1910 :* 234, *70 :* 1 000, *81 :* 657, *82 :* 664, *83 :* 678, *84 :* 679, *85 :* 670, *86 :* 638, *87 :* 602, *88 :* 617, *89 :* 607, *90 :* 602, *91 :* 597, 40 % des réserves mondiales et 40 % de la prod. Problèmes : épuisement des filons, forages plus profonds (1 500 à 4 000 m) et hausse des coûts d'exploitation 439 $ l'once (prix mondial 350). **Diamants :** *Prod.* 8 446 073 carats (1991). 66 mines en activité. 24 % des réserves mondiales. **Charbon :** *prod.* (millions de t). *1985 :* 173, *86 :* 176, *87 :* 176, *88 :* 181,4, *89 :* 176, *90 :* 184, *91 :* 177,5. 110 mines en activité. *Réserves :* 9 % du monde, 115,5 milliards de t dont 55 récupérables économiquement. **Minerai de chrome :** *prod.* (1991) : 4,5 millions de t. 1er prod. mondial. *Réserves :* 54 % du monde. (Bophuthatswana 18,6 % non compris) 22 mines en activité. **Manganèse** (minerai) : *prod.* 3,2 millions de t (1991). *Réserves :* 82 % du monde. **Vanadium :** *prod.* (1989) 33 144 t. *Réserves :* 33 % du monde. **Uranium (U 308) :** *prod.* (91) 1 900 t. **Platine et métaux associés :** *prod.* 62 000 t, seul producteur de platine primaire. *Réserves :* 69 % du monde. **Fer, titane, zirconium, antimoine, spathfluor, amiante, andalousite, sillimanite, vermiculite,** etc. **Ferrochrome :** 1er prod. mond. 993 920 t en 1989 (29 %). **Ferromanganèse et ferro-silico-manganèse :** 1er exp. mond. 625 500 t (1988). **Manganèse métal :** 1er prod. et 1er exp. mond. (1990) 3 820 961 t.

☞ *Harry Oppenheimer* (n. 28-10-1908). Opposé à l'apartheid. Responsable du 1er groupe industriel d'Afr. du S., dont De Beers (diamants, chiffre d'affaires 1992 : 3,4 milliards de $) et l'Anglo-American Corp. (or, charbon, platine, uranium...) aurait des intérêts dans 45 % des Stés cotées à la Bourse de Johannesburg. Filiale : Central Selling Org. (CSO) contrôle 85 % de la commercialisation mondiale des diamants de qualité « gemme » (joaillerie) ; Pt : Nicholas Oppenheimer, fils de Harry.

Besoins mondiaux couverts par l'Afr. du S. (nov. 1990, rang dans le monde et % couvert). *1er* manganèse 82, platine 69, chrome 56, or 44, aluminosilicates 37, vanadium 33. *2e* diamants 24, zirconium 14. *3e* fluor 11, phosphates 6. *4e* charbon 8, abeste 6, zinc 5, acier 4. *5e* titane 10. **Besoins français couverts par l'Afr. du S.** (1987, en %) : minerai de chrome 56, ferrochrome 54, minerai de manganèse 3, manganèse métal 31, oxyde d'uranium 16, pentoxyde de vanadium 24. **Charbon importé en Fr.** *1985 :* 21,3 millions de t, *86 :* 18,6, *87 :* 0,73, *88 :* 0,91, *91 :* 0,93 (embargo imposé du 13-10-85 au 12-2-92).

Gaz naturel. Off-shore au large de Mossel Bay dep. nov. 1985 (potentiel + de 4 millions de m³/jour), à 2 500 m ; fin 1992, démarrage du complexe pour transformer le gaz en pétrole. **Carburants synthétiques.** Les usines de Sasol sont les seules au monde produisant rentablement du pétrole à partir du charbon. Secunda, qui alimente Sasol II (1980) et III (1982), est une des plus importantes mines souterraines du monde (40 millions de t par an).

Électricité. *1882 :* réverbères él. à Kimberley (1er réseau él. en 1890). *1923 :* création de la Sté Eskom. *1991 :* 25 centrales él. [146 milliards de kWh sur 149 dont 91,3 % d'origine thermique (charbon)]. **Koeberg** (province du Cap) (1er réacteur nucléaire dep. 1984 et 2e dep. nov. 85). Capacité 1 930 MW (10 % des besoins du pays). **2 centres de recherche nucléaire :** *Valindaba Pelinbada* et un autre à 45 km de Mossel Bay. **Prod.** (dont nucléaire) (milliards de kWh). *1988 :* 140,6 (10,4) ; *89 :* 146,2 (11,7) ; *90 :* 147,2 (8,5) ; *91 :* 148,9. **Industrie.** *4 grandes régions ind. : Transvaal :* i. lourde et mines ; *Le Cap :* i. alimentaire ; *Durban* (satellite « Pinetown ») : chantiers navals, raffinage du pétrole et pâte à papier ; *Port Elizabeth* et *Pretoria :* usines de montage automobile. I. alimentaires, textiles, chimiques, engrais, sidérurgie (120 000 t d'acier par an).

Transports (1991) *Chemins de fer* 21 303 km (dont 8 440 électrifiés) ; écartement 1,065 m ; *routes* 185 751 km (dont 55 383 bitumés) ; *maritimes* 27 600 bateaux (dont 7 200 supertankers) empruntent chaque année la route du Cap ; trafic portuaire 1991 (pétrole exclu) : 12 575 bateaux, 391 millions de t. **Tourisme.** *Visiteurs* (est. 92) 615 000 Européens + 1,2 million d'Africains. *Musées.* Le Cap, Johannesburg, Port Elizabeth, Kimberley, East London, Pretoria. *Mines :* or de Johannesburg, diamants de Kimberley.

Taux de croissance (%). *1981 :* 4,8 ; *82 :* – 0,8 ; *83 :* – 2,1 ; *84 :* 5,1 ; *85 :* – 1,5 ; *86 :* 1 ; *87 :* 2,6 ; *88 :* 3,5 ; *89 :* 2,2 ; *90 :* – 0,9 ; *91 :* – 1 ; *92 :* – 2 ; *93 (prév.) :* 1,5 [5 % sont nécessaires pour absorber les 300 000 pers. (noires) qui arrivent sur le marché du travail]. **Valeur ajoutée** industrie alimentaire 14 %, chimie 13, autre 9,2. **Inflation** (%). *1981 :* 13,8 ; *82 :* 10,9 ; *83 :* 12,3 ; *84 :* 12,7 ; *85 :* 16,2 ; *86 :* 18,6 ; *87 :* 16,1 ; *88 :* 12,9 ; *89 :* 14,7 ; *90 :* 14,4 ; *91 :* 15,3. **Dette extérieure** (milliards de $). *1980 :* 7,2 ; *85 :* 23,5 ; *86 :* 22,6 ; *87 :* 22,6 ; *88 :* 21,2 ; *89 :* 21 ; *90 :* 19 ; *91 :* 18,3 (pour un PIB de 115 Md $). **Réserves** *(fév. 90)* : 3 milliards de rands, rés. d'or 8,3 milliards ; *(déc. 90 en $)* : 2,42 milliards, rés. d'or : 1,4 milliard. **Cours du rand.** *1980 :* 5,90 $ (l'once d'or valait 850 $) ; *81 :* 6,19 F ; *82 :* 6,04 F ; *83 :* 6,82 F ; *84 :* 5,94 F ; *85 :* 3,46 F ; *86 :* 3,03 F ; *87 :* 2,95 F ; *88 :* 2,62 F ; *89 :* 2,50 F ; *91 :* 2,04 F ; *92 :* 1,78 F (once 350 $). **Affaires à capitaux noirs :** CA inf. à 2 % du PNB. Bourgeoisie noire urbaine (buppies, ou black yuppies). **Salaire moyen en $** (1989). Blancs 998, Asiat. 561, Métis 397, Noirs 320 (l'éventail se resserre).

Budget (en milliards de rands). *1991-92 :* 94,9 (recettes 75), *92-93 :* 100,67 (r. 84,75), *93-94 :* 114. **Déficit public** *1992 :* 9 % du PIB.

Commerce (milliards de rands, est. 1991). **Exp.** 66,2 dont métaux de base 9,6, prod. miniers 7,75, pierres précieuses 6,8, prod. agric. 1,8, prod. alim. 2, prod. chimiques 2,3, textiles 1,7, *vers* (1990) Italie 1,5, All. 3, USA 2,4, G.-B. 4,9, Japon 3,9, *France 2,4,* P.-Bas 3,3, Suisse 5,5. **Imp.** 48,4 dont mach. 14, mat. de transport 6,8, prod. chim. 5,4, prod. miniers 2,2, plastique et caoutchouc 2,2, instruments d'optique, photo, etc. 2,2, textiles 2,5, *de* (1990) All. 8,7, USA 5, G.-B. 5, Japon 4,3, Italie 1,9, *France 1,4. Excédent commercial : 1985 :* 12,88 ; *86 :* 16,25 ; *87 :* 14,62 ; *88 :* 11,92 ; *89 :* 14,04 ; *90 :* 16,8 ; *91 :* 17,89 ; *92 :* 15,54 (exp. 67,46, imp. 51,92). L'Afr. du S. a des rel. commerciales avec 43 États africains.

Ports sud-africains. *La Zambie* expédie par ceux-ci 95 % de ses export. de cuivre et cobalt ; *le Zaïre,* 45 % de son cuivre, 60 % de son zinc et 40 % de son cobalt.

Sanctions économiques occidentales. Mesures : *1985 :* USA embargo sur pièces d'or (Kruggerrands), ordinateurs et techn. nucléaire. *1986 :* interdit d'importer charbon, fer, acier, uranium, fruits et prod. man. sud-afr. ; blocus pétrolier ; départ de grandes entr. amér. Mêmes mesures de la part de la CEE et du Commonwealth (sauf G.-B.). *Déc. 1990 :* CEE lève l'interdiction de tout investissement en Afr. du S. *10-7-1991* USA lève sanctions. *Févr. 92* l'Europe lève les sanctions. **Conséquences :** *pertes estimées de 1985 à 1990 :* 12 à 30 milliards de $ [désinvestissement et fuite des capitaux étr. ; 50 % des 1 121 Stés étr. parties (mais rachetées dans 2/3 des cas par des groupes sud-afr., parfois comme prête-noms pour les anc. Stés)]. *Manque à gagner :* 15 % du revenu moyen.

Rang dans le monde. Production (90). 1er or. 5e charbon. 7e nickel, fer, ovins. 8e vin, fer. 13e canne à sucre, cuivre. 14e maïs, argent. **Réserves.** 1er or, manganèse (80 %), platine, chrome (72 %), alumino-silicates, vanadium. 2e vermiculite, zirconium. 3e uranium, phosphates. 4e diamant, zinc, amiante, fluor. 5e charbon (avec bitumineux), titane. 6e antimoine, plomb. 7e fer.

Albanie

Carte p. 1183. V. légende p. 884.

Nom. « Albania » apparut au XIe s. ; il vient d'une tribu illyrienne, située entre Krujë et Lezhë, appelée « Albanoï » par le grec Ptolémée (IIe s. apr. J.-C.) [ce nom semble être d'origine géographique (signifiant peut-être « montagne » et se rapprochant du mot *Alpe*)] ; le nom moderne « Shqipëria » apparaît après l'occupation ottomane (pays de ceux qui parlent « shqip » c.-à-d. « clairement »).

Situation. Europe. 28 748 km² dont eaux intérieures 1 350. *Alt. max.* mont Korab 2 751 m, *moy.* 708 m. *Frontières :* avec Grèce 271 km, Yougoslavie 529. *Régions :* Alpes albanaises (N.), montagnes (Centre), montagnes (S.), Bas-pays (O.). *Climat :* littoral, hiver humide et été sec ; en montagne, hiver plus froid et averses orageuses l'été. *Pluies :* 1 400 mm en moy./an (Alpes du N. + de 2 200 mm/an). *Forêts :* 35 % de la superficie. *Faune :* il reste 800 ours ; 120 loups tués par an.

Population. (en milliers d'h.). *1930* 1 003, *40* 1 088, *50* 1 215, *60* 1 607, *70* 2 136, *80* 2 671, *91* 3 300 (dont Albanais 90 %, Grecs 8, Roms, Aroumains, Macédoniens). **Espérance de vie** (1987-88)H. 69,4, F. 74,9. **Mortalité infantile** (1988) 25,2. D 115. **Pop. urb.** (89) 35 %. **Villes** (90) : *Tirana* 300 000 (91), Durrës (Durazzo) 85 400, Elbasan 83 300, Shkodër (Scutari) 81 900, Vlorë 73 800, Korçë (Koritza) 65 400, Fier 45 200. **Albanais à l'étranger** (en millions) : *Yougoslavie :* Cossove ou Cassovie (Kossovo) env. 1,5, Macédoine 0,38, Monténégro 0,04, autres régions 0,088, *Turquie, Grèce* 1 à 2, *Syrie, Égypte, Italie* (appelés Arbëresh) 0,5, *USA, Australie, France* 1.

Langues off. Albanais dep. 1912 [appelée *shqip,* l. indo-européenne du groupe thraco-illyrien, relativement proche du groupe gréco-arménien (nombreuses analogies avec l'ancien étrusque) ; – unifié de 1908 à 1972, synthèse de 2 dialectes : *geg* au N. et *tosk* au S. (le radical *tosk* se retrouve dans *Toscane,* pays des Étrusques)], grec. **Religions** (92). Musulmans 70 %, orthodoxes 18 % (Église autocéphale au S.), catholiques 12 % au N. (relations rompues avec Vatican dep. 21-5-1945 ; en 1945 : 7 évêques, 200 prêtres, 200 religieuses ; en 1991 : 1 év., 30 pr., 30 rel.). Pratique interdite de 1967 à 1990 (dep. 1990 construction d'églises et de mosquées autorisée). (A Tirana, cathédrale transformée en cinéma, mosquée en dépôt et église orthodoxe en club de sports).

Histoire. Pop. préhistorique pélasgienne, puis à la fin du **IIIe millénaire av. J.-C.** remplacée par les Illyriens. **Ve s.-168 av. J.-C.** États illyriens indép. **229, 219** et **168 av. J.-C.** g. illyro-romaines. Province romaine. **395-1347** prov. byzantine. **852-996** occupation bulgare dans le Centre ; **1050** serbe au N. **1190-1216** principauté indép. d'Arbërie. **1347-55** domination serbe (tsar Stefan Dushan), sauf région de Durrës (Anjous de Naples). **Fin XIVe s.** 3 grandes familles : Balsha (N.), Muzakaj (S.), Topia (Krujë et Durrës) qui finit par dominer. Occupation vénitienne à Durrës, Lezhë et Skhodër. **1385** arrivée des Turcs. **1444**-*2-3 Ligue de Lezhë.* Résistance animée par *Georges Skanderberg* (1405-68). Révoltes épisodiques aux XVIe et XVIIe s. ; les montagnes échappent à l'autorité turque. Pachaliks autonomes de Shkodër (famille des Bushatlli) et de Joannina (Ali, Pascha de Tepelenë, ass. en 1822) du XVIIIe s. au début XIXe s. **1877** Abdul Frashëri (1839-92), député de Janina, et des notables réclament l'autonomie. **1878**-*10-6 Ligue alb. de Prizren* (auj. en Youg.) forme soulèvement. **1881** *déc.* proclame gouv. provisoire, répression turque [Abdul Frashëri, condamné à mort, grâcié et emprisonné jusqu'en 1885 ; ses frères Sami (1850-1905) et Naïm (1846-1900, poète) luttent sur le plan culturel]. **1912**-*28-11* ind. avec Ismaïl Qemal à Vlorë. **1914**-*7-3/3-9* règne de Guillaume Ier, Pce d'A. [Pce all. *de Wied* (26-3-1876/18-4-1945)] sur l'intervention des grandes puissances. **1915** tr. secret de Londres prévoyant démembrement de l'A. (au profit des voisins). *Rép. de Korçë* (chef Themistokli Gërmenji, fusillé par le tribunal militaire de l'armée d'Orient 1917). **1920** *juin* Italiens refoulés. *Déc.* A. m. de la SDN. **1922** Ahmet Bey Zogolli dit Zogu (1895-1961) [fils de Djemal Pacha Zogu (†1908), gouverneur de Mati] PM. **1924** Zogu s'enfuit en Youg. *-16-6/24-12* gouv. démocratique de Fan Noli. *-10-12* Zogu revient. **1925** élu Pt pour 7 a. **1927**-*22-11* tr. d'alliance avec Italie. **1928** *-1-9* Zogu proclamé roi des A. **1939**-*7-4* invasion it. Zogu Ier s'enfuit en G.-B. Le roi d'It. se proclame roi d'A. **1941**-*8-11* PC alb. (Hodja) anime le Front de libération nat. **1944**-*29-11* libération ; Hodja prend le pouvoir, tente de constituer une Église cathol. nat. détachée de Rome ; 28 000 † et 70 000 blessés sur 1 125 000 h. **1945** Zogu Ier en Égypte. *-2-12* élect. procommunistes : Front dém. (PC) d'E. Hodja 93 % des voix (seul candidat). Arrestation de nombreux prêtres et religieux opposés à l'Église nat. **1946**-*2-1* Zogu Ier déposé. *-11-1* Rép. pop. proclamée. Staline interdit à la Youg. d'annexer l'A. Exécution de Koci Xoxe, 2e secr. du PC, partisan de Tito. **1947** 1re ligne de chemin de fer. **1948** rupture avec Youg. **1951** persécution contre croyants, malgré compromis promulgué par le gouv. **1952** Zogu Ier en France. **1955** entrée à l'ONU. **1961**-*9-12* relations dipl. rompues avec URSS ; privilégiées avec Chine communiste. **1967** l'A. devient offic. un « État athée ». Env. 2 200 édifices rel. saccagés. **1968** l'A. quitte pacte de Varsovie. **1974** incarcération des 3 derniers évêques alb. **1977** rupture avec Chine. **1979**-*15-4* séisme (100 000 sans-abri, 17 000 maisons et édifices détruits). **1981**-*18-12* Mehmet Shehu (n. 1913), PM dep. 20-7-54, se suicide (ou est abattu au cours d'une altercation avec Hodja). **1982**-*26-9* échec d'un débarquement de partisans de Leka Ier (fils de Zogu Ier prétendant au trône). *-10-10* Hodja accuse Shehu d'avoir été agent secret. **1983** reprise des rel. commerc. avec Chine. *Déc.* ferry-boat Durrës-Trieste. **1984-85** rapprochement avec voisins ; ouverture de 2 postes-frontière avec Grèce. **1986** *-mars* ouverture ligne aér. Suisse-A. *-6-8* chemin de fer de 55 km dont 35 en A. reliant Shkodër à Titograd (Youg.) et au réseau européen (fermée 1988 : trafic nul). **1987**-*28-8* état de guerre avec Grèce levé. La Grèce a renoncé à ses revendications sur Gjirokastër et Korçë. *-2-10* rel. dipl. avec All. féd. **1988**-*7-3* 1re fois dep. 1954, anniversaire de la mort de Staline non célébré. *-17-3* loi interdisant de donner des prénoms chrétiens ou musulmans, les prénoms devant être « politiquement, idéologiquement et ethniquement » conformes à la loi [ainsi : Ylli (étoile) ou Miri (le bon)]. *Oct.* Mgr Troshani, dernier évêque cathol. en A. libéré. **1990**-*janv.* réformes écon. (accès à la propriété autorisé). *-11 et 14-1* manif. catholiques contre stalinisme. *Févr.* troubles à Shkodër, Korçë et Sarande. *-2-6* l'Ass. vote la libre circulation des A. *Juin* milliers de réfugiés dans les ambassades d'All., de Fr. et d'It. *-13-7* 4 786 évacués (vers Italie 3 500, France 544). *-30-7* rel. dipl. avec URSS reprises. *Août* réfugiés en France (+ de la moitié veulent partir aux USA). *-25-10* Kadaré réfugié en Fr. *-4-11* 1re messe (à Skhodër). *-21-11* déstalinisation décrétée. *-11-12* multipartisme autorisé. *-19/20-12* plusieurs Alb. abattus en voulant fuir en Youg. *-21-12* gouv. décide suppression des symboles de Staline (retire le 22-12 statue de 10 m de haut à Tirana). *-30-12* autorise droit de grève (sauf politique), liberté religieuse, droit à la propriété privée ; les juifs alb. peuvent émigrer vers Israël. **1991** *-11-1* amnistie de 200 prisonniers pol. *-12-1* Forum des Droits de l'homme (créé 19-12-90) légalisé. *-4-2* contestation étudiante. *-8-2* possession de voitures privées autorisée. *-20-2* à Tirana, statue de Hodja déboulonnée par manif. *-21-2/22-2* manif. *-4-3* sur 20 641 réfugiés alb. en Grèce dep. janv. 1990, 6 500 revenus. *-6-3* 25 000 pers. de souche serbe et monténégrine autorisées à émigrer vers la Youg. *-10-3* + de 1 000 entrent au Monténégro. 19 275 réfugiés alb. arrivés en It. dep. le 20-2 (dont 4 500 le 7-3). *-14-3* rel. dipl. reprises avec USA (interrompues dep. 1939). *-4 à 17-3* « libération » officielle de tous les prisonniers pol. (64 encore détenus). *-31-3* et *-7-4* 1res législatives dep. 1946 : victoire du PTA. *-2-4* incidents à Shkodër, 3 †. *-3-4* grève générale *-11-4* arrivée en Israël des 11 derniers juifs de la communauté alb. (300 en tout, début en déc. 90). *-22-5* rel. dipl. avec G.-B. reprises (rompues dep. 1946). *-11-6* gouv. de coalition. *-14-6* 800 réfugiés reconduits par les autorités it. dans les eaux internat. *-20-6* Tirana, statue de Lénine déboulonnée. *-8-8* en It., cargos *Skanderberg* (1 000 réfugiés) et *Vlora* (10 000 r.) arrivent. *Août* aide alim. et médicale de la CEE : 2 millions d'écus. *-15-8* 17 000 réf. en It. ont regagné l'A. *-7-9* rel. dipl. avec Vatican reprises. *-14-9* Tirana, 50 000 manif. demandent démission du Pt. *Sept.* lek lié à l'écu européen. Adhère à la Berd. *-5-10/16-10* manif. *-1-11* libération partielle des prix. *-4-12* Nedjmije Hodja (n. 1921), veuve d'Hodja, arrêtée pour abus de pouvoir et corruption. *-7/8-12* pillage de vivres et incendie, 38 †. *-9-12* Tirana, 20 000 manif. *-12-12* manif. à Tirana. *-15-12* gouv. de techniciens. **1992**-*22/29-3* élections législatives : succès du P. dém. *Juill.* affrontements devant les ambassades occidentales. *-16-7* le parlement vote l'interdiction des partis « fasciste, communiste, totalitaire ou stalinien ». *Sept.* Ramiz Alia en résidence surveillée. **1993**-*25-4* visite de Jean-Paul II.

Nota. – Zogu Ier (8-10-1895/Paris 9-4-1961) marié avril 1938 à Géraldine (6-4-1917 à Budapest), fille du Cte Jules Apponyi de Nagy Apponyi († 1924) et de Gladys Virginia Steward (Amér.). *Fils unique : Leka* [5-4-39, filleul du roi Fayçal, taille 2,10 m, investi 15-5-61 ; musulman ; 1962 vit en Espagne ; épouse 10-10-75 Susan Cullen-Ward, Australienne ; 1977 arrêté en Thaïlande pour trafic d'armes ; 1979 quitte l'Esp. (accusé de détention d'armes)] ; vit en Afr. du S. (un fils : Leka, n. 1982).

Statut. Rép. *Const.* du 28-12-1976, déclarée non valide en avril 1991 après adoption le 30-4-91 d'une législation constitutionnelle intérimaire par l'ass. *Pt* (élu par l'ass. pour 5 ans) Sali Berisha (n. 1944, Parti dém.) dep. 9-4-92 [avant Ramiz Alia (n. 18-10-25 ; Pt du praesidium de l'ass. populaire dep. 22-11-82 ; élu Pt par l'ass. 30-4-91, démissionne 6-4-92)]. *PM 1982 (15-1)* Adil Carcani (n. 1922), *91 (22-2)* Fatos Nano ; *(5-6)* Ylli Bufi (n. 1949) PTA ; *(10-12)* Vilson Ahmeti. *92 (13-4)* Alexander Meksi. *Ass.* 140 m., élus pour 4 a. *Élections des 30-3, 7 et 14-4-91 :* PTA 169 s., P. démocratique d'A. 75, Omonia 5, Union des vétérans 1. *Élect. des 22/29-3-92 :* P. dém. 92 s., socialistes (ex-comm.) 38, socio-démocr. 7, minorité grecque 2, républicains 1. *Élect. locales :* 26-7-92 abst. 40 %, succès du P. soc. (ex-comm.) avec 23 mairies (P. démocr. 18), conseils de district 44 % (38), municipaux 43 % (41), communaux 46 % (35).

Partis. **P. communiste,** f. 1941, devient 1948 **P. du travail albanais,** puis 12-6-91 **P. socialiste albanais ;** parti unique jusqu'en 1990 ; 130 000 m. ; comité de 81 m. dirigé par une présidence de 15 m. ; *Pt 1991 (13-6)* Fatos Nano [avant *1941 (nov.)* Enver Hodja (1908-85) ; *1985 (13-4)* Ramiz Alia]. **P. démocratique alb.,** f. 1990 par Sali Berisha, légalisé 19-12-90, *Pt* Édouard Selami. **Omonia** (Union dém. de la minorité grecque), f. 1991, *Pt* Jani. **P. républicain,** *Pt* Sabri Godo. **P. agraire. P. écologique.**

Fêtes nat. 1er janv., 11 janv. (proclamation de la Rép. pop. en 1946) ; 1er mai (solidarité intern. des travailleurs) ; 28 nov. (indép. nat., en 1912) ; 29 nov. (libération en 1944). **Drapeau.** Rouge, avec aigle noir à 2 têtes surmonté d'une étoile dorée (ajoutée 1946, retirée 7-4-92).

■ **Économie. PNB** *(91) :* 620 $ (800 en 88) par h. **Pop. active** (% et, entre parenthèses, part du PNB en %) agr. 60 (35), ind. 10 (20), services 15 (25), mines 15 (20). **Chômage** *(92) :* 70 %. Appareil industriel obsolète. **Aide d'urgence** (CEE, FMI, Banque mondiale) : 200 millions de $ par an ; *aide humanitaire :* médicale, nourriture, etc. **Envois des émigrés** 300 000 travailleurs, 400 millions de $ par an. **Inflation.** *1991 :* 104, *92 :* 400. **Dette ext.** *(92) :* 600 millions de $.

Agriculture. *Terres* (milliers d'ha, 89) : 2 874 dont terres arables 706 (24,5 %), forêts 1 046, pâturages 570, eaux intérieures 135, divers 258. Agr. socialisée à 100 %. Secteur d'État 29,8 % de la prod., coopérateur 70,2 % (89). *Production* (milliers de t, 90) blé 615, betterave à sucre 250, maïs 302, légumes 486, p. de terre 88, coton, tabac, haricots, vigne, mûrier, orge, riz, fruits. **Élevage** (milliers de têtes, 90) : poulets 6 000, moutons 1 630, chèvres 1 150, bovins 700, porcs 183. Viande, laine. **Pétrole** (millions de t) *réserves* env. 20 ; *prod.* (90) 1,07. **Gaz nat.** (90) 243 millions de m³]. *Chrome* exporté à 70 %. *Cuivre. Nickel* (90) 8 500 t. **Électricité** (90) 3,2 milliards de kWh, 87 % hydraulique.

Transports. *Routes* (81) 21 000 km. *Chemin de fer* (88) 417 km. **Tourisme.** *1989 :* 20 000 vis.

Commerce (millions de $) 1992. **Exp.** 150 *vers* All., Tchéc., Bulgarie, Roumanie, Italie, Chine, Youg.. **Imp.** 350.

Rang dans le monde (90) 17e nickel.

Algérie

Carte p. 893. V. légende p. 884.

■ **Situation.** Afrique. 2 381 741 km². *Alt. max.* Tahat (Hoggar) 3 010 m ; *min.* chott Melghir – 30 m, **moy.** 900 m. **Frontières :** Maroc 1 350 km, Sahara occidental 60, Mauritanie 450, Mali 1 100, Niger 1 180, Libye 1 000, Tunisie 1 140.

■ **Régions.** **Algérie du Nord :** 381 000 km², 3 zones parallèles au rivage s'étageant du N. au S. : *chaîne du Tell* (1 000 km × 125 km) entre mer et hautes plaines avec d'O. en E. : *monts de Tlemcen :* alt. max. Djebel Kouabet 1 621 m ; *massif des Beni Snouss :* Dj. T'chouchfi 1 842 m ; *Ouarsenis :* Œil du Monde 1 985 m ; *massif algérois :* Mouzaïa 1 608 m ; *Djurdjura :* Lalla Khédidja 2 308 m ; *Mts du Constantinois* [entrelacés, rejoignant au S. l'Atlas saharien (Aurès) : Djebel Chelia 2 328 m] ; *plaines attenantes* [d'O. en E. : pl. du *Sig* et du *Chlef* (Chélif) (Oranais) ; haute vallée du Chlef ; pl. de la *Mitidja* (Algérois), pl. de l'*Isser ;* pl. d'*Annaba* (pluies 300 à 1 000 mm, surtout févr.-mars et oct.-nov.)] ; *hautes plaines intérieures :* dépressions du *Chott el Chergui,* du *Chott el Hodna* et du *Tarf,* zone steppique, pluie 100 à 300 mm ; *Atlas saharien* [d'O. en E. : massifs des *Ksour* (Djebel Mzi 2 200 m) ; de l'*Amour* (Djebel Touilet 1 977 m) ; des *Ouled Naïl* (Bou Kahil 1 500 m)].

Algérie saharienne : 2 000 000 de km², plaines et montagnes, parallèles à la côte. *Vallées sèches :* N.-S. Principales : Oued Saoura ; O. Tafassasset. *Dépression max. :* Chott Melghir : – 30 m ; *hauteur max. :* Hoggar : 3 000 m (mont Tahat 3 010 m, massifs volcaniques dominant le socle primaire, lui-même recouvert de calcaires crétacés).

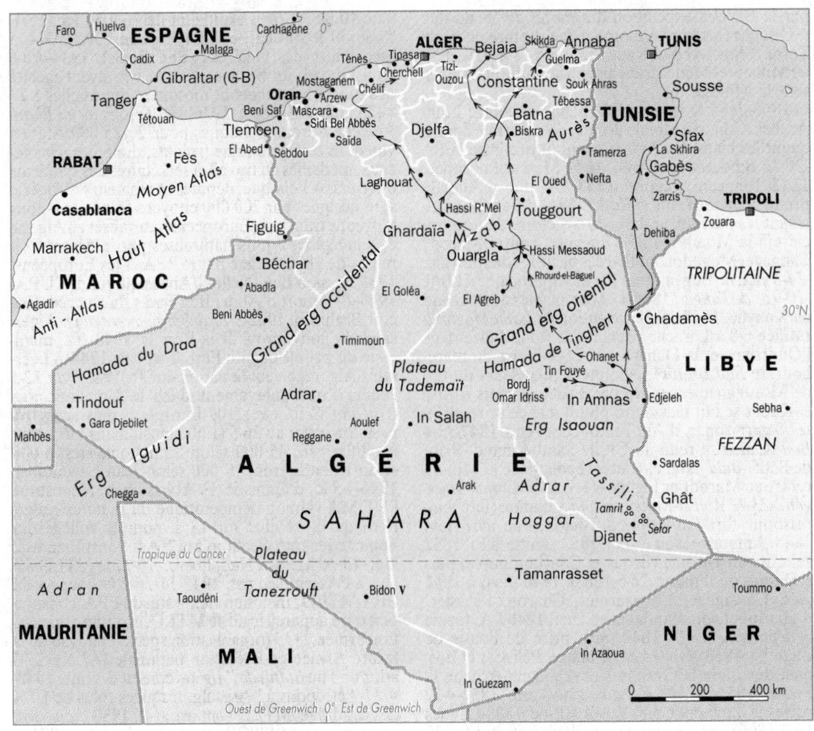

	Températures moy.		*Pluies*
	janvier	*juillet*	*ann. mm.*
Oran	10,5 °C	23,1 °C	253
Alger	12,2 °C	24,5 °C	691
Annaba	12,9 °C	24,5 °C	476
Skikda	13,5 °C	25,7 °C	621
Béchar	12,1 °C	31,7 °C	70

☞ **Grande Kabylie :** massifs montagneux bordés au nord par la mer ; à l'ouest par l'oued Isser, de son embouchure à Palestro ; au sud par la route Palestro, Bouïra, Maillot, Akbou ; à l'est par la vallée de la Soummam. **Petite Kabylie :** à l'est.

Côtes : 1 200 km, montagneuses, chaîne calcaire (nord de l'Atlas tellien) parallèle au rivage. 5 échancrures correspondant aux fleuves côtiers : golfe d'Oran, baie d'Alger, golfe de Béjaïa, golfe de Skikda (baies de Collo et Stora), golfe d'Annaba. Nombreux récifs.

■ **Climat.** Méditerranéen. Au Nord, hiver pluvieux et froid, été chaud et sec. Au Sud, climat sec et tropical, grands écarts de température en hiver. Sahara (pluie < 100 mm ; temp. moy. 36 °C le jour, 5 °C la nuit).

■ **Distance d'Alger** (en km). Aïn Salah 1 388, Annaba 600, Béchar 965, Bejaïa 263, Biskra 425, Constantine 431, El Goléa 968, Ghardaïa 600, Laghouat 400, Oran 432, Ouargla 800, Skikda 510, Souk Ahras 623, Tamanrasset 1 970, Tlemcen 540, Touggourt 767.

■ Démographie

■ **Population. Total** (en millions) : *1835 :* 1,87 dont Maures d'Espagne et arabophones (cultivateurs et ouvriers) 1,2, nomades 0,4, Kabyles 0,2, juifs 0,03, Turcs et renégats 0,02, Koulouglis 0,02. *1856* 1er recensement : 2,31 (+ non-musulmans 0,16). *1881 :* 2,86 (0,41). *1901 :* 3,78 (0,63). *21 :* 4,92 (0,79). *36 :* 6,2 (0,83). *54 :* 8,67 (0,98). *62 :* 10,24. *66 :* 11,98. *70 :* 13,75. *75 :* 16,02. *80 :* 18,67. *85 :* 21,76. *90 :* 24,7. *91 :* 25,4. *2000* (hypothèse moy.) : 35,2 (haute) : 36,5. *V. 2025 :* 57,3 à 65,4. **D** 11 hab./km². **Répartition :** 96 % de la pop. dans le N. sur 17 % des terres. – *de 15 a.* 43,9 %, + *de 60 a.* 5,8 %. **Pop. urbaine** (%). *1966 :* 31, *1987 :* 49. **Étrangers :** *Marocains* 300 000 (en 1975, 30 000 expulsés). *Français* (1986) : 51 924 (dont 2 300 Pieds-Noirs). *Américains :* 2 000/3 000. *Soviétiques :* 1 500. **Émigrés :** 1 800 000 (dont en France 900 000).

Naissances (en milliers). *1963 :* 503. *70 :* 603. *75 :* 500. *85 :* 845. *89 :* 742. *95 :* 1 300. **Décès.** *1976 :* 163. *85 :* 138. *89 :* 113. *De moins d'un an. 1976 :* 59. *86 :* 37. *89 :* 29. **Mariages.** *1988 :* 140. **Espérance de vie.** 63 ans (H. 59, F. 62). **Analphabètes** (1982) – *de 17 ans :* 20,4 %, *17 à 60 :* 51,6, + *de 60 :* 90,7. (1987) 46 %.

Taux brut (en ‰). **Natalité** *1967 :* 5,01, *80 :* 4,27, *85 :* 3,95, *88 :* 3,3. **Mortalité** *1970 :* 1,4, *80 :* 1, *88 :* 0,8 ; infantile *1962 :* 16, *76 :* 8,5, *88 :* 6. **Accroissement en %** *1967 :* 1,59, *80 :* 3,2, *85 :* 3,1, *88 :* 2,7, *91 :* 3. **Fécondité :** 5,9 enfants par femme (1,8 en Fr.). **Médecins par habitant** *1990 :* 1 pour 2 000.

■ **Villes** (est. 87). *El-Djezaïr* (Les Iles, ex-Alger) 2 500 000 (91) [*1872* 48 000, *1910* 100 000], Wahran (ex-Oran) 590 818, Qacentina (ex-Constantine ; antique Cirta) 438 717, Annaba (ex-Bône ; antique Hippone) 310 106, Batna (bivouac, f. 1844) 182 375, Tizi-Ouzou 100 749 *(83),* Sétif 168 295, Blida 165 541, Sidi-bel-Abbès 151 397, Ech-Cheliff (ex-El-Asnam, ex-Orléansville) 129 127, Biskra 128 707, Skikda (ex-Philippeville) 118 848, Mostaganem 112 820, Bejaïa (ex-Bougie ; on y exploitait la cire dont on faisait les chandelles) 112 693, Tébessa 107 391, Béchar 105 907, Tilimcin (ex-Tlemcen) 100 405.

Code	Tél.	Wilaya	Superficie km²	Popul. (est. 1987)	Densité hab./km²
01	7	Adrar	464 900	216 931	0,47
02	3	Chlef	4 651	680 000	146
03	9	Laghouat	25 052	215 067	8,5
04	4	Oum-el-Bouaghi	7 638,12	402 674	52,72
05	4	Batna	12 028,24	752 422	62,5
06	5	Bejaïa	3 328,5	694 695	213
07	4	Biskra	21 671,20	429 217	20,3
08	7	Béchar	161 400	183 896	1,14
09	3	Blida	1 540,6	699 804	454,2
10	3	Bouira	4 517,10	525 715	98,81
11	9	Tamanrasset	556 000	26 114	0,15
12	8	Tébessa	13 878	409 320	49,48
13	7	Tlemcen	9 017,69	707 453	78,45
14	7	Tiaret	20 087	574 786	28,6
15	3	Tizi-Ouzou	2 992,96	935 141	315
16	2	Alger	272,97	1 699 043	6 187,3
17	3	Djelfa	29 035	491 677	13
18	5	Jijel	2 398,69	471 319	274
19	5	Sétif	6 504	997 396	153
20	7	Saïda	6 631	235 240	35,5
21	8	Skikda	4 137,24	618 761	149
22	7	Sidi-Bel-Abbès	9 150,63	452 058	49
23	8	Annaba	1 412	453 951	321
24	8	Guelma	3 910,51	361 441	92
25	4	Constantine	2 288	662 330	289,5
26	3	Médéa	8 700	650 940	74,82
27	6	Mostaganem	2 269	504 124	222
28	5	M'Sila	18 446,6	615 000	33
29	6	Mascara	5 962,08	562 569	94
30	9	Ouargla	270 030	286 547	01
31	6	Oran	2 114	926 383	438,2
32	7	El-Bayadh	70 539	154 945	2,18
33	9	Illizi	284 618	27 036	0,067
34	5	Bordj Bou-Arreridj	3 920,42	429 009	109
35	2	Boumerdès	1 558,39	646 462	415
36	8	El-Tarf	2 998,22	276 836	92,33
37	7	Tindouf	214,50	16 339	0,08
38	7	Tissemsilt	3 151,37	227 542	72
39	4	El-Oued	80 000	380 000	4,75
40	4	Khenchela	9 810,64	244 982	26
41	8	Souk-Ahras	4 359,65	293 644	67
42	2	Tipaza	2 219	614 449	256,3
43	4	Mila	3 407,60	510 435	149
44	3	Aïn Defla	4 260	536 522	126
45	7	Naâma	30 644	112 858	3,68
46	7	Aïn Témouchent	2 630	271 252	105
47	9	Ghardaïa	86 105	216 059	2,51
48	6	Relizane	4 840,40	545 061	112,6
–	–	Total	2 381 741	21 472 356	9

■ **Algériens en France. V. 1900 :** arrivée des 1ers travailleurs. **1914-18 :** 90 000 réquisitionnés [*volontaires : 1914 :* 7 000, *1915 :* 20 000, *1916 :* 30 000, *1917 :* 35 000 (+ 173 000 soldats dont 25 000 seront tués). **1919 :** 68 000 (la plupart rentreront). **1922 :** 50 000 entrées. **1922-24 :** 90 000. **1929-30 :** crise ; 42 000 retours. **1930 :** 43 000. **1945-62 :** émigration reprise (sauf 1958). **1954 :** env. 212 000. **1962 :** 400 000. Indépendance : les Alg. sont considérés comme citoyens fr. avec droit de libre circulation. **1964 :** accord fr.-alg. permettant 12 000 sorties par an en moy. **1965 :** remises en cause par l'A. **1968 :** contingent 35 000 par an de 1969 à 1971 et 25 000 de 1972 à 1973. **1971 :** 750 000. **1973** (19-9) : incidents à Marseille, l'A. suspend l'émigration. **A partir de 1975 :** retours plus importants que les entrées en Fr. **1977 :** *aide au retour* (10 000 F et transport gratuit). **1980 :** négociations fr.-alg. sur les retours. But : 35 000 départs/an jusqu'en déc. 1983. La carte de résidence des 280 000 installés en Fr. avant le 1-7-1962 sera renouvelée pour 10 ans à son échéance, celle des 400 000 arrivés après le 1-7-1962 sera prorogée automatiquement pour 3 ans et 3 mois si elle expire entre le 1-10-80 et le 31-12-83 (ensuite pas de renouvellement). **1983** (1-1) : 816 000 en Fr. y compris femmes et enfants, 120 000 en cours de régularisation, 100 000 anciens harkis (70 000 en 1962), 400 000 jeunes nés en Fr. et ayant la nationalité fr. **1992 :** 2 000 000 à 3 000 000.

■ **Religions. Islam** *(off.)* 19 000 000. **Catholicisme** 60 000, dont env. 5 000 pratiquants, 280 prêtres, 1 000 religieuses (dont enseignantes 500, soignantes 200). **Juifs** 200 (1962 : 150 000). **Langues.** Arabe *(off., 75 %),* français *(l. admin.),* parlers berbères (25 %) [kabyle, chaouia, mozabite (du dialecte zenatyia), chenoui, targui (touareg ou tamahaqt)].

☞ **Tombes françaises en A.** + de 300 000 dans + de 600 cimetières.

■ Histoire

■ **Avant Jésus-Christ. Paléolithique moyen** (chaud, et humide), peuplement *atérien* (gisement de Bir el Ater, dans les Némentchas, à 70 km au S. de Tébessa, à l'extrémité E. du Djebel Onk) ; **Néolithique ancien :** « escargotières » du Constantinois et du Sahara : collines de pierres, les *Capsiens* (Capsa, auj. Gafsa, Tunisie) sont mangeurs d'escargots. **N. récent** au Sahara (humide) : civilisation brillante (gravures et peintures rupestres du Tassili des Adjers). **XVIe au IXe s.** Berbères (descendants probables des Capsiens) entrent en contact avec les « peuples de la Mer », qui leur enseignent techniques égéennes et anatoliennes ; le Sahara devient désertique et se vide. **V. 1250** Carthaginois ; fondation d'*Hippone ;* **IXe s.** domination carth. sur côtes (intérieur contrôlé par chefs numides rivaux). **V. 207** *Gayya* (roi des Massyles), fils de Zelalsen, meurt. *Ozalcès,* son frère, lui succède. **V. 206** Ozalcès meurt ; *Capussa,* son fils, lui succède ; il est tué dans une bataille ; son vainqueur et rival Mazaètullus nomme roi le jeune *Lacumazès,* frère de Capussa, il s'en déclare le tuteur. *Massinissa* (le plus âgé de la famille royale), en apprenant la mort de son oncle Ozalcès et de son cousin Capussa, rentre d'Espagne pour accéder au trône. Rivalité avec *Syphax* [roi des Massaesyles, capitale Cirta (auj. Constantine)], pour des territoires que son père Gayya a déjà revendiqués. **V. 203** Syphax vaincu par Massinissa. Lacumazès et Mazaètullus s'enfuient à Carthage. Massinissa envoie des émissaires pour ramener les 2 fuyards. Il unifie les 2 royaumes en *roy. de Numidie* dont il devient roi. **202** *Zama* (Scipion bat Hannibal), débuts de l'intervention romaine ; alliance romano-numide dans l'armée rom. **V. 149** Massinissa meurt. *Micipsa,* son fils, lui succède. **V. 118** Micipsa meurt. Rivalité entre ses fils *Adherbal* et *Hiempsal Ier,* et son fils adoptif *Jugurtha.* Jugurtha s'impose. Hiempsal est assassiné, Adherbal résiste, Jugurtha prend Cirta, arrête Adherbal et le met à mort car il voulait traiter avec les Romains. Il devient roi de Numidie, épouse la fille de *Bocchus,* roi des Maures. Après 7 ans de g. contre les Romains, il est trahi par son beau-père qui le livre aux R. Condamné à mort, étranglé à Rome au Tullianum. Après sa mort, le royaume est attribué à son frère *Gauda.* **46** *Thapsus* victoire romaine : Numidie répartie entre Mauritanie césarienne (cap. Caesarea, Cherchell) et Afrique proconsulaire (cap. Carthage).

■ **Après J.-C.** l'Alg. se romanise. Villes principales : Timgad, Tipasa, Tébessa, Hippone [Bône puis Annaba ; évêque *St Augustin* (354-430)]. **429** invasion *vandale.* **533** domination *byzantine.* **680** débuts de *la conquête arabe.* Invasion d'Oqba ibn Nafaâ. Résistance berbère jusqu'au début XIIIe s., islamisation puis arabisation. **VIIIe-début XVIe s.** dynasties musulmanes d'origine berbère : *Rustémides, Aghlabides* (750-910 englobant Tunisie), *Kharidjites* (hauts plateaux, cap. Tiaret VIIIe-910) ; *Fatimides* (Alg., Tun. 910-73), *Zirides* (Alg., Tunisie), *Hammadites* (partie de l'Alg.), domination *almohade* (en partie 1060, en totalité 1147-1269), *hafside* (Tun. et Constantinois), *zianide* (Tlemcen). **Xe s.** invasion des *Beni Hillal.* **1450** La France obtient, moyennant redevance annuelle, la concession de côtes (près de Bône) [1518 confirmée ; 1692 droit exclusif d'exploiter les bancs de corail]. **XVIe-XVIIIe s.** les deys d'Alger, quasi indépendants de la Turquie, pratiquent la g. de course contre les Eur. ; représailles esp. 1541, 1774 ; franç. 1665, 1682-83, 1685, 1688. **1515** corsaires turcs restaurent l'unit. Protectorat nominal du sultan de Constantinople. **1535** Charles Quint prend Tunis. **1541**-*21-10* arrive devant Alger (+ de 500 navires, 12 000 marins, 22 000 h.) ; des intempéries le mettent en déroute. **1553** la compagnie marseillaise des « Concessions d'Afrique » obtient du dey de pêcher le corail sur la côte ; elle construit, à 12 km à l'O. de La Calle, le « Bastion de France ». Plusieurs fois détruit et relevé, ce comptoir sera évacué de 1799 à 1816, et détruit sur l'ordre du bey de Constantine en 1827. **1643**-*31-10* le duc de Beaufort (ancien « roi des Halles ») débarque à Djidjelli et l'évacue. **1659** l'*agha* des janissaires turcs détient le pouvoir en A. **1681** les A. prennent un bâtiment de la marine royale fr., le chevalier de Beaujeu est vendu comme esclave. **1682** Duquesne bombarde Alger en représailles. **1684**-*2-4* Tourville devant Alger. -*28-4* paix proclamée pour 100 ans ; g. recommence. **1708** Turcs prennent Oran. **1732**-*30-6* Esp. débarquent près du cap Falcon. -*1-7* prennent Oran, s'y maintiennent ainsi qu'à Mers-el-Kébir jusqu'en 1792 (Peñon d'Alger et Bougie repris par les Barberousse). **1797** 2 négociants algérois, Jacob Bacri et Busnach (Israélites détenant un monopole de vente), vendent (au triple du prix et avec des intérêts usuraires) pour 24 millions de F de blé à la Rép. fr. (impayés). **1798** projet d'expédition à Alger, Tunis, Tripoli pour lutter contre l'influence brit.

1801-*17-12* tr. avec France. **1807** privilèges commerciaux accordés à la Fr., donnés à l'Angl. contre redevance annuelle de 267 000 F. **1808** projets d'expédition. **1815** USA, excédés par la piraterie, envoient en Méditerranée 2 escadres contre le dey d'Alger : l'une d'elles sous les ordres du commodore Decatur (frégate *Guerrière*) rencontre près du cap de Gate (Esp.) la frégate algéroise le *Mashuda* sur laquelle se trouvait le raïs Hamida (amiral alg.) qui est tué. **1816**-*27-8* Alger bombardée par escadre anglo-hollandaise (amiral lord Exmouth). **1818**-*1-3* le dey Hussein (Smyrne v. 1773-Alexandrie, Italie 1838), créditeur de Bacri et Busnach, réclame 24 millions de F de blé à Louis XVIII. **1819**-*28-10* transaction, dette réduite à 7 millions. **1820** Hussein en reçoit 4. **1821** les 3 autres sont réclamés par d'autres créanciers et mis à la Caisse des dépôts, en attendant le jugement (devant la cour d'Aix). **1826** Hussein écrit à Charles X pour se plaindre de la longueur du procès ; pas de réponse. **1827**-*30-4* à la réception officielle la veille du Baïram, Hussein demande à Pierre Deval, consul de Fr. (dep. 1815), s'il a une lettre de Ch. X. Réponse négative. Hussein furieux frappe Deval d'un coup de chasse-mouches. -*12-6* le cap. de vaisseau Collet (avec 4 navires) arrive devant Alger en exigeant des excuses, Hussein refuse. -*16-6* rupture des rel. dipl. et blocus des côtes d'Alg. *4/5-10* combats, la flotte alg. est rejetée dans le port. **1828** plusieurs escarmouches. **1829**-*3-8* échec des négociations ; le vaisseau *Provence* est bombardé. **1830**-*25-5* départ du corps expéditionnaire de 37 577 h., 103 bâtiments de g., 572 nav. de commerce, 3 divisions (Loverdo, Berthezène, duc des Cars), C^{dt} en chef maréchal de Bourmont (min. de la G., 1773-1846). -*14-6* débarquement à Sidi-Ferruch. -*19-6* l'agha Ibrahim, gendre de Hussein, battu à Staouëli. -*5-7* prise d'Alger, le dey capitule et le 10-7 part pour Naples. Occupation restreinte (Alger, Blida, Médéa, Oran, Bône, Bougie). **1832** soulèvement d'Abd el-Kader (1808-83 ; proclamé émir le 21-11) et Hadjd Ahmad. **1834**-*26-2 tr. de Desmichels* (Louis Alexis, G^{al}-B^{on} 1779-1845), Abd el-Kader reste souverain de tout l'O. (sauf Oran, Mostaganem et Arzew). -*22-7* la Fr. annexe la Régence d'Alger. *Drouet d'Erlon gouverneur général.* **1835** *Bertrand Clauzel (1772-1842) gouv. gén.* -*3-12* Abd el-Kader battu sur l'Hébra par Clauzel et le duc d'Orléans. **1836** vict. de l'*Hafrah,* prise de Mascara, Mostaganem, Tlemcen. G^{al} d'Arlange battu à Sidi Yakoub par Abd el-Kader. -*6-7* vict. de Bugeaud à la Sikkak. *Nov.* échec de l'expédition de Constantine. **1837**-*12-2 Gal Denis Damrémont (1783-1837) gouv. gén.*, Bugeaud commande à Oran. -*20-5* convention de *Tafna.* Bugeaud renforce les pouvoirs d'Abd el-Kader qui disposera de 59 000 combattants. -*6/13-10* siège (et chute) de *Constantine* par le Gal Sylvain Charles Valée (1773-1846). Damrémont tué. *Valée gouv. gén.* **1838** occupation de Blida, Djidjeli, Sétif. **1839**-*14-10* le min. de la Guerre appelle *Algérie* la zone occupée par la Fr. *Oct.* expédition des *Portes de fer* du duc d'Orléans (interprétée comme une rupture du tr. de Tafna). *Nov.* Abd el-Kader reprend la g. Les deys de Miliana et Médéa franchissent la Chiffa et envahissent la Mitidja.

1840-*2/7-2 Mazagran,* 123 h. luttent contre 1 200 Arabes. Conquête totale décidée. -*1-11* arrêté confisquant les biens des Arabes ayant lutté contre la Fr. -*29-12 Bugeaud gouv. gén.* **1841** Mascara occupée. **1842** Tlemcen occupée. **1843**-*16-5* duc d'Aumale prend la *smala d'Abd el-Kader.* **1844**-*1-2* arrêté organisant les bureaux arabes. -*30-5* victoire de Lamoricière à la Mouila. -*6/25-8* hostilités contre Maroc ; Tanger et Mogador bombardés par le P^{ce} de Joinville. -*14-8* vict. de Bugeaud sur l'armée marocaine à *l'Isly.* -*10-9 tr. de Tanger.* **1844-47** 3 campagnes de Bugeaud en Kabylie. **1845**-*18-3* convention de *Lalla Maghnia* ratifiée 6-8 à Larache. Révolte de Bou Maâza dans l'Ouarsenis et la Dahara. -*23/25-9* affaire du marabout de *Sidi Brahim* (colonne de chasseurs du C^{dt} de Montagnac encerclée par 3 000 cavaliers d'Abd el-Kader se fait massacrer plutôt que de se rendre). -*27-9* garnison fr. d'Aïn Temouch se rend. **1847**-*13-4 Bou Maâza* se rend au C^{el} de Saint-Arnaud. Prise de Sétif. -*Juill.* Abd el-Kader repoussé de la Mitidja rentre au Maroc par Figuig. -*11-9 duc d'Aumale gouv. gén.* -*23-12 Abd el-Kader se rend* à Lamoricière [emprisonné fort Lamarque à Toulon, Pau avril-nov. 1848, Amboise jusqu'en oct. 1852 ; quitte la Fr. 1852 se retire en Turquie (Brousse, Constantinople) puis à Damas où il meurt 26-5-1883]. **1848** -*févr.* à **1851** -*déc.* Cavaignac, Changarnier, Charon, Pélissier, d'Hautpoul commandants en chef. **1848** l'A. forme 3 *départements fr.* **1849** -*nov.* prise de l'oasis de Zaatcha. **1850** *révolte kabyle* matée. Pélissier et Bosquet dévastent la Grande Kabylie, Saint-Arnaud la Petite. **1851-58** *M^{al} Randon gouv. gén.* **1852**-*4-12* prise de Laghouat par Yusuf [(Elbe 1808-Cannes 16-3-1866), esclave puis mamelouk à Tunis ; 1830 s'échappe, s'engage au service de la Fr. ; en A. chef des mamelouks (futurs spahis) ; général de div. 1856] et Pélissier. **1853** soumission de la Kabylie des Babors. **1857** pacification de la Kabylie par Mac-Mahon et Yusuf. -*Mai* construction de Fort-Napoléon (Fort-National). Prise d'Icheriden. -*Juill.* campagne du Djurdjura. Reddition de la femme du marabout *Lalla Fadhma.* Napoléon III, influencé par Ismail Urbain (1812-84), hésitera entre l'assimilation et un « Royaume arabe ». **1858**-*24-6* création d'un ministère de l'A. et des Colonies (P^{ce} Jérôme Napoléon). -*9-8* Randon démissionne. **1859** *Cte de Chasseloup-Laubat min. de l'A.* (P^{ce} Jérôme a démissionné). **1860**-*25-7* décret organisant la vente des terres. -*17/19-9 visite de Napoléon III.* -*24-11* gouv. gén. rétabli. *M^{al} Pélissier* (1794-1864) *gouv. gén.* Politique du « roy. arabe ». **1864** *M^{al} de Mac-Mahon* (1808-98) *gouv. gén.* **1865** 2e voyage de *Napoléon III.* **1868** famine, 35 000 †. **1870**-*24-10 décret Adolphe Crémieux* (1796-1880) accordant la citoyenneté fr. aux Israélites alg. (les autres indigènes ne souhaitaient pas abandonner leur statut personnel). **1871** révolte de *Mokrani* et du cheik *El Haddad.* Kabylie reconquise après des combats à Fort-National et à Icheriden (22/24-7). Accélération du peuplement européen. Islamisation et arabisation des régions berbères favorisées par l'admin. fr. **1881**-*16-11* assassinat au Hoggar du *C^{el} Paul Flatters* (n. 1832) ; révolte des Ouled-Sidi-Cheikh. -*31-10* A. déclarée pacifiée. **1882** *abandon du projet de mer intérieure saharienne* du commandant François-Élie Roudaire (1836-95) [superficie du bassin inondable (au-dessous du niveau de la mer) 6 700 km², profondeur max. 31 m]. Le chott Rharsa est au-dessous du niveau de la mer, mais pas les chott Jerid et Fejaj. Il faut percer 3 seuils : *Oudref* (s'élevant à 45 m), *Kriz* (entre Jerid et Rharsa) et *Aslouj* (entre Rharsa et Melrhir).

1901 installation à Béni-Abbès (Sud-Oranais) de l'oratoire du père Charles de Foucauld (1858-1916), désireux de convertir les musulmans au christianisme. **1905** se fixe à Tamanrasset (Hoggar), aumônier des milit. fr. et missionnaire auprès des Touareg (tué 1-12-1916 par des Senoussis venant de Libye et armés par les services secrets allemands). **1914-18** 173 000 Algériens mobilisés. **1925** *mai Maurice Viollette* (1870-1960) *gouverneur général.* **Après les années 20** mouvements nationalistes : *Emir Khaled* († 1936), *Messali Hadj* (1898-1974) qui créera l'Étoile nord-africaine [(20-6-1926, dissoute 20-11-1929 (jug. cassé pour vice de forme) et 26-1-1937 (6 000 adhérents en 1936)], l'Union nationale des musulmans nord-afr. (fév. 1935-37), le Parti populaire alg. (11-3-1937, interdit 26-9-1939), l'Union populaire alg. (UPA en 1938 après scission avec Ben Djelloul), le Mouvement pour le triomphe des libertés démocratiques [(MTLD) fondé 1946 qui deviendra le Mouvement nationaliste alg. (MNA)] ; *Cheikh Abdelhamid Ben Badis* (1899-1940), fondateur de l'association des Oulémas, P. communiste (1935), *Farhat Abbas* (1899-1985). **1930** fête du *centenaire de la conquête.* -*4/12-5* Pt Doumergue en A. Il y a alors 26 153 colons européens, 1,8 % possèdent - de 10 ha., 2,24 % exploitent de 10 à 50 ha., 15,3 % de 50 à 100 ha., et 73,4 % + de 100. **1931**-*5-5* association des Oulémas (Ben Badis). **1934**-*4/5-8* Constantine, un zouave israélite ivre ayant insulté des musulmans dans la mosquée, représailles : 27 † (25 juifs, 2 Arabes). **1936**-*23-12 projet de loi Blum-Viollette :* droits politiques pour 20/25 000 Alg. en vue d'un collège unique (soldats, diplômés, élus locaux, médaillés du travail et secrétaires des syndicats ouvriers. A l'époque, députés et sénateurs d'Algérie sont désignés par 200 000 citoyens français : colons d'origine française, Européens naturalisés en Algérie et « indigènes » juifs naturalisés par le décret Crémieux de 1870), rejeté par le PPA et les Européens. **1938** scission Ben Djelloul/Abbas qui fonde l'UPA. **1940**-*17-4* mort d'Abdel Ben Badis (lui succède Bachir Brahimi). **1942**-*8-11 débarquement allié.* Alger, siège du gouv. prov. de la Rép. fr. **1943**-*10-2* manifeste du peuple alg. de Ferhat Abbas. **1944**-*7-3* certains Alg. reçoivent la nationalité fr. **1945**-*8 au 12-5* échec d'un soulèvement dans le Constantinois (*Guelma, Sétif,* etc.). 109 Européens massacrés, répression jusqu'au 26-5 (1 500 musulmans tués selon le chiffre off., 45 000 selon les nationalistes, 6 000 selon Robert Aron, 10 000 selon Jean Lacouture). **1946**-*4-3* loi d'amnistie. F. Abbas libéré reconstitue l'UDMA (Union démocratique du manifeste algérien) qui a 11 élus sur 13 s. pour le collège des non-citoyens aux élections à la 2e Ass. constituante du 2-6. -*13-10* Messali Hadj libéré. -*10-11* le MTLD a 5 élus à l'Assemblée nat. **1947**-*15/16-2* Ier congrès du PPA-MTLD : maintien clandestin du PPA, constitution d'un appareil légal, le MTLD, et d'une organisation armée, l'OS (organisation spéciale) noyau de la future Armée de libération nationale (ALN). *27-8* adoption du *Statut de l'Alg.* au conseil des min. **1948**-*4/11-4* élections à l'Ass. alg. truquées (plus de 50 % des candidats MTLD sont arrêtés). **1950** *mars/avril* démantèlement de l'OS par forces coloniales. **1951**-*5-8* Front alg. pour la défense et le respect des libertés avec PPA-MTLD, UDMA, Oulémas et PCA. **1952**-*14-5* Messali Hadj arrêté, mis en résidence surveillée à Niort (France). **1953**-*1/6-4* IIe congrès du PPA-MTLD. **1954** *janvier* 2 tendances du PPA-MTLD : Comité central et Messali Hadj (majoritaires). *Mars* 3e tendance : le Comité révol. pour l'unité et l'action (CRUA), composé de membres du CC et d'anciens de l'OS. *Juin* direction collégiale du CRUA des « 6 » présidée par Boudiaf. -*9-9 séisme* à *Orléansville,* 1 450 †. *Oct.* les « 6 » du CRUA fixent au 1er nov. le déclenchement de l'insurrection.

1954 *31-10/1-11* **début de la guerre d'A.** (70 attentats, 7 † dont l'instituteur Monnerot et le caïd Hadj Saddok lors de l'attaque, dans les gorges de Tighanimine, du car de Biskra à Arris). -*12-11* le Pt du Conseil (Mendès France) déclare : « L'A. c'est la Fr. On ne transige pas lorsqu'il s'agit de défendre l'intégrité de la République. » -*29-11* Grine Belkacem † dans l'Aurès. *Déc.* Messali Hadj fonde MNA (Mouvement nat. alg.).

1955-*26-1 Jacques Soustelle* gouv. gén. -*31-3* état d'urgence (Aurès, Kabylie). -*16-5* effectifs mil. portés à 100 000 h. -*20-8* insurrection généralisée de la wilaya 2 (N.-Constantinois) avec Zighout Youssef : 39 localités attaquées à midi (171 civils fr. égorgés, dont 1/3 d'enfants, notamment à El Halia, 35 †) ; représailles : 1 273 musulmans exécutés. -*30-8* état d'urgence pour toute l'Alg. *Nov.* création des SAS. -*21-12* ralliement de Kerbadou Ali avec 500 h. (Aurès).

1956-*12-1* décrets sur pouvoirs spéciaux. -*2-2* Soustelle quitte Alger. -*6-2* manif. hostile des Européens à Alger contre G. Mollet. *Gal Catroux* démissionne (min. résident dep. 8 j), remplacé par *R. Lacoste.* -*21-2* Ferhat Abbas et Ahmed Francis passent en Fr. -*24-2* naissance de l'Union générale des travailleurs Alg. (UGTA). -*12-3* 455 voix (communistes compris) contre 76 (poujadistes et droite) votent les pouvoirs spéciaux au gouv. -*4-4* l'aspirant communiste Maillot déserte (tué 2-6). -*6-4* bataille du *Djeurf.* -*11-4* rappel de 70 000 disponibles. -*12-4* dissolution de l'Ass. alg., beaucoup de musulmans ayant démissionné. *Avr. arrivée du contingent,* échec de négociations secrètes. -*22-4* Ferhat Abbas et le chef des Oulémas rallient le FLN au Caire. *Mai* quadrillage de l'A. -*18-5* embuscade de *Palestro* (19 Fr. †). *20/21-6* bombe à Alger. -*20-8* congrès du FLN à *La Soummam* (Kabylie) ; affirme la primauté du politique sur le militaire et de l'intérieur sur l'extérieur (rédacteur principal Abane Ramdane) ; la reconnaissance de l'indép. est un préalable à l'ouverture de négociations ; désigne un Conseil nat. de la révolution qui désigne un comité de coordination et d'exécution de 5 m. -*1/5-9 négociations secrètes échouent à Rome,* la Fr. ne voulant pas aller au-delà de la personnalité alg. -*15-9* contacts Yazid-Comin à Rome. -*2-10* bataille du *Djebel Amour.* -*22-10 l'avion d'Air Maroc* conduisant de Rabat à Tunis Ben Bella, Aït Ahmed, Boudiaf, Khider, Lacheraf est détourné sur Alger ; ils sont prisonniers ; *conséquences :* plusieurs dizaines de Français tués à Meknès (Maroc) ; le roi du

Statut, de 1830 à l'indépendance

1830-*5-7*/**1834**-*22-7* territoire étranger occupé par des troupes françaises. Le général Cdt en chef détient tous les pouvoirs. **1831**-*1-12* ordonnance créant le poste d'intendant civil. **1834**-*22-7* commandement et administration « des possessions fr. dans le N. de l'Afr. » confiés à un gouverneur général assisté d'un Conseil consultatif ; il dépend du ministre de la Guerre. **1845** ses attributions sont révisées. **1848** réduites (service des cultes, de l'instruction publique, de la justice et des douanes). **1852** renforcées. **1858**-*24-6* le min. de l'Alg. et des Colonies, Cdt supérieur des forces militaires de terre et de mer, remplace le gouv. général. *-27-10* décret centralisant à Paris l'administration de l'Alg. et attribuant aux préfets les pouvoirs que détenait le gouv. gén. **1860**-*10-12* poste de gouv. général rétabli, instruction publique et service des cultes demeurent rattachés à Paris. **1870** chute de Napoléon III ; gouv. gén. supprimé. **1871**-*29-3* gouv. gén. civil établi : relève du min. de l'Intérieur (les 2 premiers seront, en fait, un amiral et un général). **1881**-*26-8* décret confiant à chacun des ministères intéressés les différents services de l'A. Le gouv. gén. ne statue plus que par délégation des ministres sur des affaires limitativement énumérées. **1896**-*31-12* décret complété par celui du 25-8-1898, supprimant les rattachements ; le gouv. gén. est nommé par décret du Pt de la Rép., sur propositions du min. de l'Intérieur. **1947**-*27-8* l'Ass. nat. adopte, par 320 voix contre 88 et 186 abstentions, un *nouveau statut* de l'A. « groupe de départements dotés de la personnalité civile et de l'autonomie financière ». Une *Ass. alg.* [120 m. en 2 sections (1er collège : citoyens de statut civil fr. ; 2e de statut musulman)] sera chargée de « gérer, en accord avec le gouv. gén., les intérêts propres de l'A. ».

1955 *loi du 7-8, décrets du 23-8 et du 11-1-1958 :* dép. de Bône ; nombre d'arrond. créés : 32 (avant 20). **1956**-*28-6* 12 dép. réunis en 3 groupes : Alger (Alger, Médéa, Orléansville et Tizi-Ouzou), Oran (Oran, Mostaganem, Tiaret et Tlemcen), Constantine (Constantine, Batna, Bône et Sétif). **1957**-*10-1 :* les 4 territoires du S. sont englobés dans l'Organisation commune des régions sahariennes, puis découpés (*décret 7-8-1957*) en 2 dép. (Oasis et Saoura). *Décrets de mai* **1957**, *févr.* **1958** *et nov.* **1959** : 76 arrond. **1958** *décret du 17-3 :* création de 3 dép. : Bougie, Aumale et Saïda. *Décret du 14-4 :* dép. regroupés en 5 terr. autonomes (non appliqué ?) : Alger (dép. d'Alger, Médéa et Aumale), Oran (dép. d'Oran, Tlemcen et Saïda), Constantinois (dép. de Constantine, Batna, Bône et Sétif), Chélif (dép. de Mostaganem, Orléansville et Tiaret), Kabylies (dép. de Bougie et Tizi-Ouzou). **1959** *décret des 4 et 6-7 :* les 3 groupes de dép. deviennent circonscription d'action régionale. *Décret du 7-11 :* abroge décret du 17-3-1958 : dép. de Bougie et d'Aumale supprimés (Saïda conservé). **1960** *décret du 3-12 :* dép. des Oasis 9 arr. (3 avant), de la Saoura 6 (4 avant).

L'Algérie en 1954

■ **Économie.** **Agriculture** 7 200 000 ha cultivés (500 000 en 1830). Terres irriguées 50 000 ha. Sur 600 000 ha de bonnes terres : vigne 400 000, cult. mar. et ind. 100 000, agrumes 30 000, fruitiers 26 000, oliviers à gros rendement 25 000. *Répartition des terres :* autochtones : 10 107 000 ha de t. agricoles, 274 000 ha de forêts, État 9 412 579 ha. ; Européens : 2 818 000 ha de t. agr. (1 million d'ha de t. colonisées venaient du domaine public, hérités du gouv. turc, dont 500 000 ha attribués gratuitement). *Exploitation moyenne* europ. 109 ha, autochtone 14 ha (73 % des expl. aut. ont moins de 10 ha). **Routes** 58 000 km. **Réseau ferré** 4 375 km, dont 1 812 à voie étroite. **Téléphone** 12 600 postes principaux. **Consommation d'électricité** 827 M de kWh (dont 356 d'origine hydraulique). **Revenu** (annuel moy. par pers., en AF) : France : 350 000, Algérie : – de 50 000.

■ **Population.** **Active** musulmane : 3 156 000 (87,8 % agriculture), européenne 331 000 (14,4 % agriculture, 28,6 % industrie, 8 % commerce et service). **Scolarisation :** 1 garçon sur 5, 1 fille sur 16. *Illettrés* en français : hommes 94 %, femmes 98 % (*en 1961,* enseignement primaire : élèves européens 109 300, musulmans 735 474). **Hygiène :** médecins 1 p. 5 137 h. (1 p. 1 091 en Fr.) ; dentistes 1 p. 19 434 h. (1 p. 3 199 en Fr.) ; taux de mortalité infantile 13 % (Fr. 1,2).

Accords d'Évian

■ **1°) Déclaration générale.** « L'indépendance de l'A. en coopération avec la Fr. répond aux intérêts des deux pays. » L'A. s'engage à garantir les intérêts de la Fr. et les droits acquis des personnes physiques et morales. En contrepartie, la Fr. accorde son assistance technique et culturelle et s'engage à apporter pour le développement écon. et social une aide financière privilégiée.

■ **2°) Textes concernant la période intérimaire.** Jusqu'à l'organisation d'un référendum d'autodétermination en A. le 1-7-1962, la Fr. continuait à exercer sa souveraineté sur l'A.

■ **3°) Autres textes.** Sur les garanties dont doivent jouir, dans l'A. indépendante, les « citoyens de statut civil de droit commun » (Alg. d'origine fr. et gardant la double nationalité), les modalités d'une coopération privilégiée entre Fr. et Alg.

Après l'exode des « pieds-noirs », la plupart de ces dispositions n'ont jamais été appliquées. En 1971, les hydrocarbures étaient nationalisés et la coopération privilégiée en matière économique s'effondrait. Boumediene, chef d'état-major en 1962, avait désapprouvé les accords d'Évian.

☞ Musulmans profrançais menacés en mars 1962 (selon ONU) : 263 000 h (dont militaires de carrière 20 000, du contigent 40 000, harkis 58 000, moghaznis 20 000, membres des GMPR et GMS 15 000, groupes civils d'autodéfense 60 000, élus anciens combattants fonctionnaires 50 000).

Bilan de la guerre d'Algérie

■ **Bilan en Algérie** *(du 1-11-1954 au 19-3-1962).* **Forces de l'ordre.** **Effectifs engagés** 2 000 000. **Morts** 24 614 dont *Armée de terre :* 23 716 [dont 15 000 tués (combat ou attentat), 7 678 accidents, 1 038 par maladie, suicide ou noyade] ; *de l'air :* 898 [dont 583 tués (opérations et accidents aériens), 239 acc. divers, 76 de maladie]. **Blessés** 64 985 (dont 35 615 au combat ou par attentat, 29 370 par acc.). **Disparus ou prisonniers** 1 000. **Expédition de Suez** (nov. 1956) : 15 tués français.

ALN. **Morts :** 158 000 [au combat 141 000, victimes des purges 15 000 (au min.), tués par les armées maroc. et tunis. 2 000].

Pertes civiles. **Européens.** *Du 1-11-1954 au 19-3-1962 :* tués 2 788, disparus 875. *Du 19-3 au 31-12-1962 :* 2 273 disparus (dont 50 % officiellement décédés). **Musulmans.** *Du 1-11-1954 au 19-3-1962 :* tués 16 378, disparus 13 296 (sans tenir compte des blessés décédés, des victimes de ratissages et regroupements). *Après le 19-3-1962 :* 30 000 à 150 000 supplétifs musulmans tués. *Nombre global de morts toutes pertes confondues :* 500 000 à 600 000 (d'après *Le Monde*, sept. 1985). D'après l'amiral de Gaulle (*France Soir* 19-3-92) en 8 ans : 55 000 Européens civils et militaires (dont 25 000 par accidents), 180 000 musulmans, 1 900 victimes d'assass. par le FLN (en Alg. et Fr.).

☞ D'après la charte d'Alger, il y avait, lors de l'indépendance (1962) 300 000 orphelins dont 30 000 complets, env. 1 000 000 de martyrs, 3 000 000 de personnes déplacées, 400 000 détenus et internés, 300 000 réfugiés (Maroc et Tunisie surtout), 700 000 émigrés vers les villes.

Supplétifs. *Harkis 1958 (déc.) :* 28 000, *60 :* 88 000 *moghaznis* (éléments de police).

■ **Coût de la guerre.** **Coût total** pour l'État français : env. 50 milliards de F (*1956 :* 5. *1957 :* 7,5. *1958 :* 8. *1959 :* 9. *1960 :* 10. *1961 :* 9,5). **Pertes de devises.** 1,5 milliard de $ (achats supplémentaires, manque à exporter, rapatriement en Italie des salaires des immigrés italiens venus remplacer les maintenus sous les drapeaux...).

■ **Terrorisme algérien en France** (du 1-1-1956 au 23-1-1962). 4 176 † et 8 813 blessés (musulmans 3 957 †, blessés 7 745 ; métropolitains civils 150 †, bles. 649 ; militaires 16 †, bles. 140 ; policiers 53 †, bles. 279).

■ **Biens français.** **Abandonnés :** valeur 25 à 50 milliards de F. Après le départ des Français, leurs biens ont pu être nationalisés (entraînant l'expropriation ou la dépossession), parfois avec indemnisation, ou déclarés vacants et récupérés. Un bien était considéré vacant après 2 mois depuis le 1-6-1962. 220 000 locaux ont ainsi été déclarés vacants. En 1980, le régime a été assoupli.

■ **Bilan de la colonisation.** **Pour la France.** *Charges pour la France* (services civils et dépenses militaires) en millions de F-or. *1831-34 :* 52,2, *1835-40 :* 227,4, *1841-47 :* 561,9, *1848-71 :* 1 669, *1872-90 :* 2 472. Total *1831-1900 :* 4 981, *1901-13 :* 875, *1919-39 :* env. 8 000 millions de F courants. *Commerce extérieur de l'A. 1830-1900* 18 milliards de F dont + de 12 avec la Fr. *1919-39* 60 Mds de F courants. Selon Jacques Marseille, l'A. n'a pas été rentable pour la Fr. sur une longue durée (mais elle a pu l'être pour certains Français). *1952-62* l'A. achète à la Fr. 3 350 milliards d'AF mais la Fr. transfère en A. 3 528 Mds. *1961* l'A. achète pour 421 Mds, la Fr. lui verse 638 Mds pour rétablir la balance des paiements. Le vin représente 55 % des exportations (payé 25 % plus cher que le cours mondial).

Maroc soutient le FLN ; les Fr. établissent un barrage à la frontière algéro-maroc. *-5-11 expédition de Suez. -1-12 gal Salan, commandant en chef,* remplace Lorillot. *-28-12* Amédée Froger, maire de Boufarik, assassiné.

1957-*7-1* Gal Massu, Cdt de la 10e division de parachutistes, chargé du maintien de l'ordre à Alger : début de la *bataille d'Alger* gagnée en juillet. *-16-1* attentat au *bazooka* contre bureau de Salan (Cdt Rodier tué). *-28-1* grève gén. décidée par le FLN, brisée par l'armée. *-17-2* les chefs du CEE partent au Maroc et en Tunisie. *-9-5* bataille de *Collo*. *-28-5* massacre de *Melouza* (douar pro-MNA) par le FLN (315 †). *Juin* attentats, manif., incidents à Alger ; combats dans le Constantinois. *-15-6* bataille de *Chéria. -21-6 Maurice Audin* (assistant à la faculté des sciences d'Alger), arrêté 11-6, disparaît. *-19-7* bat. de *Bouzegza*. *-20-7* ralliement de *Si Chérif* avec 300 h. *-29-7* bat. de *Ferna*. *-4-8* bat. de *Bouzegza*. *-24-9 Yacef Saadi* arrêté. *-30-9* projet de loi-cadre repoussé par l'Ass. nat. (279 v. contre 253). *-15-10* Massu liquide la « zone autonome d'Alger » (arrestation du réseau de Yacef Saadi). *-3-11* bataille de *Timimoun*. *-6-11* accord avec *Gal Mohammed Bellounis*. *-11-11* bat. de *Aïn Tame*. *-26-11* projet amendé de loi-cadre (adopté par 269 v. contre 200). *-26-12* Boussouf tue *Abane Ramdane,* attiré au Maroc.

1958 janv. frontière tunis. bouclée par la *ligne Morice* (barrage électrifié mis en place à partir de juin 1957). *-7-1* début de l'exploitation pétrolière au Sahara. *-11-1* bataille de *Djebel Alahoun*. *-31-1 loi-cadre* adoptée. *-8-2* l'aviation fr., ayant été attaquée par des tirs de mitrailleuses FLN, bombarde en représailles le village tunisien de *Sakhiet-Sidi-Youssef* (70 †). *-18/19-3* bataille de *Guelma*. *-9-5* exécution de 3 militaires fr. par le FLN ; télégramme de Salan à l'état-major gén. exprimant l'appréhension de l'armée devant l'éventualité de négociations. *-13-5* Alger : grève générale décrétée par les anciens combattants ; les manifestants prennent l'immeuble du gouvernement gén., création d'un *Comité de salut public* (Pt : Gal Massu). Salan nommé délégué gén. du gouv. et Cdt en chef. *-14-5* Alger : Salan conclut une harangue au cri de « Vive de Gaulle ! » *-1-6* de Gaulle investi à Paris. *-4-6* de Gaulle à Alger : « Je vous ai compris » ; à Mostaganem, il emploie pour la seule fois l'expression « Alg. française ». *-6-6* Salan concentre pouvoirs civils et militaires. *-1/5-7* de Gaulle en A. *-16-7* Gal Bellounis tué. *-19-9 gouv. provisoire de la Rép. alg. (GPRA)* formé au Caire, Pt Ferhat Abbas. *-28-9* référendum sur la Const. 98 % de oui en A. *-28/29-9* de Gaulle à Alger. *-2/5-10* de Gaulle en A. : annonce à Constantine un *plan* de 5 a. de développement. *-14-10* les militaires quittent les Comités de salut public. *-15-10 Gal Jouhaud limogé. -15/17-10* combats de l'*Akfadou*. *-23-10* conf. de presse, de Gaulle propose *« la paix des braves »,* rejetée *25-10* par GPRA *-17-11* Azzedine capturé. *-28-11 Gal Vanuxem limogé. -23/30-11 élections lég.* en A. au collège unique, vict. des partisans de l'intégration. *-3/7-12* de Gaulle en A. *-12-12* Salan remplacé : *Paul Delouvrier* délégué gal, Gal Challe Cdt en chef.

1959-*3-1* bataille de *Berrouaghia*. *-Févr.* début du *plan Challe* (opérations héliportées menées d'E. en O., d'un barrage électrifié à l'autre). *-28-3* colonels *Amirouche* (wilaya III) et *Si-Haouès* (w. IV) tués. *Gal Allard limogé. Si Salah* remplace Si M'Hamed († 5-5) (w. IV). *-Juill.* début opérations *« Jumelles »* et *« Pierres précieuses »*. *-27/31-8* de Gaulle en A. « 1re *tournée des popotes* » (« Moi vivant, jamais le drapeau FLN ne flottera sur l'A.»). *-16-9* allocution ; de Gaulle propose sécession, francisation, association. *-28-9* refus du GPRA qui exige, préalablement à toute discussion, l'indépendance totale. *-28-10* de Gaulle dit à l'armée d'A. : « Après un délai de l'ordre de plusieurs années viendra l'autodétermination » ; Massu dit : « La pacification continue » ; Delouvrier : « Nous nous battons pour une A. française. » *-28-11* le FLN désigne comme négociateurs Ben Bella et 4 dirigeants arrêtés en 1956.

1960-*19-1 Massu rappelé. -22-1 Gal Crépin* le remplace. *-24-1/1-2 semaine des barricades* à Alger avec Pierre Lagaillarde (n. 1931, député d'Alger) et Joseph Ortiz (n. 1917, patron du « Bar du Forum », Pt fondateur du Front national français), 22 †, 150 blessés le 1er j. *-4-2* mouvement activiste dissous. *-Févr.* Bigeard et Godard limogés. *-13-2* 1re *bombe atomique* fr. à Reggane. *-3/5-3* de Gaulle en A. ; 2e *tournée des popotes,* insiste sur la nécessité d'une victoire complète des armes fr. et le droit de la Fr.

Putsch d'Alger et complot de Paris.

Condamnations fermes. *15 ans de détention criminelle :* Généraux Challe, Zeller, Bigot.

12 ans : Gal Nicot.

10 ans : Cdt Denoix de Saint-Marc, Gal Faure, Cel Vaudrey.

8 ans : Cels Masselot et Lecomte.

7 ans : Gal Gouraud, Cel de La Chapelle, Bernard Sabouret Garat de Nedde.

A mort, par contumace (7-7-1961). Généraux Salan, Jouhaud, Gardy ; Cels Argoud, Broizat, Gardes, Godard, Lacheroy ; Cdt Vailly.

Nota. – Capitaine Sergent (par contumace) 20 ans de détention criminelle.

à rester en A., mais parle d'une « A. algérienne liée à la Fr. », renouvelle l'offre de négociations. *-23-4* Crépin remplace Challe. [Il restait alors 22 000 combattants de l'ALN (46 000 en mai 1958).] *-Mai Si Salah,* chef de la wilaya d'Alger, battu par Challe, rencontre de Gaulle secrètement (10-6 à Paris). Il est abattu en juill. *-6-5* bataille de *Djebel M'zi. -20-6* le GPRA accepte de négocier. *-25/29-6 entretiens de Melun,* rupture des négociations (le GPRA constate qu'il s'agit de négocier le cessez-le-feu). *-30-10* Salan en Espagne. *-3-11* début du *procès des barricades de Paris. -16-11* de Gaulle annonce un référendum sur l'autodétermination. *-21/22-11* batailles de Bab B'har, Oum Teboul, La Croix, Rouh el Souk. *-23-11 Jean Morin* remplace Delouvrier. *-5-12* Lagaillarde (en liberté provisoire) rejoint l'Espagne. *-9/13-12* de Gaulle en A., violentes manif. à Alger et Oran (plusieurs †). *-19-12* l'ONU reconnaît le droit du peuple alg. à l'autodétermination.

1961-*8-1* référendum sur l'autodétermination : oui 75 % en métropole et 70 % en A. *-Fin janv.* contact avec GPRA *-Févr.* Lagaillarde fonde en Espagne l'OAS (Organ. de l'armée secrète). *-20/22-2* entretiens secrets en Suisse : Pompidou/Bruno de Leusse/GPRA *-2-3* fin du procès des barricades (ouvert 3-11-60), les présents sont acquittés. *-30-3* annonce des pourparlers d'Évian. *-22/25-4 putsch des généraux* (Challe, Jouhaud, Zeller et Salan) à Alger (Morin, Buron, Gal Gambiez arrêtés par des insurgés), Gal Gouraud se rallie à Constantine. *-26-4* Challe se rend. *-6-5* Zeller se rend. *-20-5* ouverture de la *conférence d'Évian. -31-5* commissaire Gavoury, assassiné à Alger. *-7-6* Gal Ailleret remplace Gambiez († 1989). *-13-6* rupture des pourparlers d'Évian à cause du statut du Sahara et des garanties de la minorité eur. *-11-7* condamnation par contumace des auteurs du putsch, voir encadré ci-dessus. *-20-7 reprise des négociations à Lugrin* (Hte-Savoie). *-28-7* ajournement à cause du Sahara. *-Août* Salan dirige l'OAS *-Août/sept.* en Alg. nombreux attentats FLN et OAS *-5-9* conf. de presse, de Gaulle admet qu'une A. indépendante et associée à la Fr. aura vocation à revendiquer le Sahara. *Oct.* contacts secrets. *-20-10* Bidault fonde le CNR (Conseil nat. de la résistance) avec Soustelle et Gal Gardy. *-4-11* Abderhamane Farès arrêté à Paris. *-21/22-11* bat. de Bab'B'har, Oum Teboul.

1962-*8-1* purge interne dans l'OAS. *-13-1* Cel Château-Jobert rallie l'OAS *-29-1* à *El Biar* l'OAS fait sauter la villa des « barbouzes » (plusieurs dizaines de †). *-11-2 négociations aux Rousses. -26-2* Cel Argoud s'évade des Canaries, rejoint Alger. *-7/18-3 Conf. d'Évian. -15-3* Mouloud Feraoun, écrivain, tué par OAS. *-18-3* **accords d'Évian.** *-19-3* **cessez-le-feu** à 12 h. *-23-3* fusillades OAS/forces de l'ordre à Bab el Oued. *-25-3 Jouhaud arrêté* à Oran. *-26-3 fusillade rue d'Isly* (49 †, 200 bl.), la troupe tire pour briser une manif. OAS *-29-3* l'OAS tente de soulever les Eur. d'Oranie, « chasse aux musulmans » dans les villes. *-2-4* Cel Gardes ne peut implanter un maquis OAS dans l'Ouarsenis (40 OAS arrêtés). *-7-4* installation de *l'exécutif provisoire,* lieutenant *Degueldre,* chef des commandos OAS Delta, arrêté. *-8-4* référendum en Fr. sur accords d'Évian, 90 % de oui. *-13-4* Jouhaud condamné à mort. *-20-4 Salan arrêté. -26-4* fusillades à Oran gendarmes/OAS *-Mai* politique de la terre brûlée par OAS *-2-5* voiture piégée à Alger, 62 †. *-19-5* pont aérien pour les rapatriés. *-20-5* début des négociations Louis Joxe/Krim Belkacem. *Juin programme de Tripoli,* dénonce l'indigence idéologique du FLN (réd. par Mostefa Lacheraf, Ridha Malek, Mohammed Harbi, M. Benyahia). *-26-5* 1re rencontre secrète J.-J. Susini (OAS)-Farès (Pt provisoire). *-1-6* OAS annonce la trêve des attentats. *-6-6* reprise (opération terre brûlée). *-17-6* accords de cessez-le-feu à Alger entre OAS et FLN (Susini-Mostefai). *-17-6* accords Susini-Farès, capitulation de l'OAS à Oran. *-25-6 Gardy* et *Dufour* arrêtent le combat. *-28-6* dernier groupe OAS quitte Oran. *-1-7 référendum* pour l'autodétermination.

Chefs de la révolution

■ **Les 9 chefs historiques de la révolution fondateurs en mars 1954 du Comité révolutionnaire d'unité et d'action (CRUA). Hocine Aït-Ahmed** (n. 1926). Membre du FLN au Caire et du CNRA (1956), 1er responsable de l'OS (Organisation spéciale), arrêté avec Ben Bella 22-10-56. Libéré 1962. Arrêté 19-10-64 pour avoir créé le 29-9-63 le FFS (Front des forces socialistes), levé des troupes et organisé l'« insurrection kabyle » (lorsque les Marocains lançaient « la guerre des sables » pour reprendre la région de Tindouf), condamné à mort pour « menées contre-révol. », gracié, s'évade de la prison d'El Harrach (30-4/1-5-66), exilé. Amnistié 1989 (15-12, retour en A.).

Ahmed Ben Bella. Voir ci-contre.

Mohamed Larbi Ben M'hidi (1923-57). Responsable de l'insurrection en Oranie. Exécuté 4-3-1957.

Rabah Bitat (n. 1926). Responsable de l'Algérois. Arrêté févr. 1955. Libéré 1962. Min. d'État du GPRA, vice-Pt de l'Alg. dep. 1966, min. des Transports. Pt de l'Ass. pop. nat. de 1977 à 90.

Mohamed Boudiaf (1919-92). Carte no 1 du FLN. Chargé des relations maquis/Le Caire, Pt du CRUA (3-6-54). *22-10-1956 à 1962* arrêté avec Ben Bella, min. puis vice-Pt du GPRA. *Sept. 1962* fonde le PRS (marxiste). *25-6-1963* arrêté. *1963 à 92* libéré, choisit l'exil au Maroc. *16-1-1992* rentre, Pt du Haut Comité d'État. *29-6-1992* assassiné.

Mustapha Ben Boulaïd (1917-56). Membre du Comité central du MTLD, responsable de l'Aurès en 1954, tué 22-3-1956 (poste radio piégé).

Didouche Mourad (1927-55). Chef du maquis nord-constantinois. Tué 18-1-1955 au combat.

Mohamed Khider (1912-67). *Nov. 1946* député MTLD d'Alger. *1951* au Caire, membre de la délégation du FLN. *22-10-1956,* arrêté avec Ben Bella. *1963* dans l'opposition, quitte l'A. Détenteur du trésor de guerre du FLN. *3-1-1967* assassiné à Madrid.

Belkacem Krim (1922-70). Responsable de la Kabylie au début de la guerre, avec son adjoint Ouamrane. Colonel. *1956* m. du CCE. *1958* vice-Pt du GPRA à sa création. *1960* min. des Forces armées, des Aff. étrangères. *1961* de l'Intérieur. *1962* signataire des accords d'Évian, opposé à Ben Bella. *1967-19-10* crée MDRA (Mouvement démocratique de la Rép. alg.). *7-4-1969* condamné à mort par contumace pour avoir inspiré un complot découvert en févr. 1968 (attentat contre Kaïd Ahmed, responsable du FLN). *20-10-1970* assassiné à Francfort.

Nota. – MTLD (Mouvement pour le triomphe des libertés démocratiques).

■ **Autres chefs. Aït Homouda Amirouche** (colonel) tué 29-3-1959. Décima ses maquis qu'il crut infestés de traîtres. **El-Haouès Ben Abdelkader** tué 29-3-1959. Chef de la zone III de la wilaya I, puis de la wilaya VI. **Amar Ouamrane** (1919-92). **Abane Ramdane** (n. 1920) assassiné au Maroc, en déc. 1957. **Yacef Saadi** garçon boulanger, militant du MTLD, 1955 rallié FLN. 1956-57 rôle important dans la bataille d'Alger, 1957 *mai* capturé, condamné à mort ; 1962 gracié, libéré, a épousé Djamila Bouhired. **Zighout Youcef** (1921-56) organise la résistance dans le Constantinois, puis commande wilaya II. Tué 25-9-56 dans une embuscade.

Algérie indépendante

■ **Youssef Ben Khedha** (1920). **1962**-*5-7 indépendance ;* Ben Khedha, Pt du GPRA, s'installe à Alger. Massacre à Oran : 1 500 pieds-noirs, Gal Katz n'intervient pas. *-22-7* bureau pol. constitué par Ben Bella à Tlemcen. *-3-8* Ben Bella et Boumediene à Alger ; le GPRA s'incline. *-3-9* Alger prise par les troupes soutenant Ben Bella. *-20-9* 1re Ass. nat. élue et référ. sur ses pouvoirs (5 265 377 oui, 18 637 non).

■ **Farhat Abbas** [(1899, près de Taher -1985, Alger), Pt de l'Assoc. des Ét. musulmans. *1931* publie un livre, « le Jeune Algérien ». *1933* pharmacien à Sétif, fonde un journal, « l'Entente ». *1937* fonde l'Union populaire alg. *1939* s'engage (service sanitaire). *1940* rentre à Sétif. *1943 10-2* publie avec Ahmed Boumendjel « Amis du manifeste et de la liberté » ; envoyé en résidence forcée. *1944* crée les Amis du manifeste et de la lib. *1945* fonde avec Ahmed Boumendjel, le Dr Saadane, Ahmed Francis l'UDMA. *1946 juin* député de Sétif ; *nov.* battu. *1954* pris de court par le soulèvement. *1955* (début) contact avec maquis. *1956 22-4* rejoint au Caire le FLN, Pt du CCE (Comité de coordination et d'exécution). *1958 sept.* Pt du GPRA. *1961* Ben Khedda le remplace. *1962* se rallie au groupe de Tlemcen. 1er Pt de l'Ass. *1964* en résidence forcée. *1965 janv.* libéré. *1976* s'élève contre le pouvoir personnel, placé sous surveillance. *1984 nov.* rétabli dans ses droits. *1985 24-12* meurt].

1962-*25-9 proclamation de la Rép. -27-9* Boudiaf quitte le FLN pour fonder le PRS (Parti de la révolution socialiste). *-29-9* Ben Bella PM, Boumediene min. de la Défense. *-Nov* P. comm. interdit. *-19-3* au *-31-12,* 3 018 Français officiellement disparus (1 245 retrouvés ou libérés, 1 125 probablement décédés). **1963**-*26-3* autogestion des exploit. agricoles vacantes. *Avril* Ben Bella secr. gén. du bureau pol. du FLN (remplace Khider qui a démissionné le 16). *-17-5* Boumediene 1er vice-Pt du Conseil. *-8-9 Constitution* adoptée par référendum (5 166 185 oui, 105 817 non), rég. présidentiel, FLN parti unique. *-15-9* Ben Bella élu Pt de la Rép.

■ **Ahmed Ben Bella** (n. 25-9-1918) [fils d'un paysan de Marnia, adjudant des tabors marocains ; *1944,* décoré de la médaille mil. *1949* chef pour l'Oranie de l'OS (Organisation spéciale), attaque la poste d'Oran pour remplir la caisse du parti, incarcéré à Blida, s'évade en *1952,* se réfugie au FLN du Caire (chargé des relations extér.). *1956*-22-10 arrêté, après détournement de son avion, détenu jusqu'au 18-3-62. Devient secr. gén. du FLN. *1963*-15-9 Pt. *1979* juillet interné, puis 4-7 en résidence surveillée à M'Sila (en compagnie de sa femme Zohra, épousée en captivité, et de leurs 2 filles adoptives). *1980*-31-10 libéré, vit en Suisse. *1990*-29-9 revient en A.]. **1963**-*29-9* « dissidence » en Kabylie [Cel Mohand Ou el-Hadj (1911-72), plus tard rallié à Ben Bella] et Aït-Ahmed leader du Front des forces socialistes (FFS). *-1-10* nationalisation des propriétés des colons fr. *-3-10* Constit. suspendue, Ben Bella prend les pleins pouvoirs. *-8/9-10* combats près de Tindouchi : 15 †. *-4-11* fin de la dissidence (cessez-le-feu). **1964**-*20-2* accord avec Maroc sur une zone démilitarisée. *-Mars Charte d'Alger* votée par le congrès du FLN, se réfère au socialisme scientifique. *-10-4* le dinar remplace le franc. *-14-4* début des nationalisations (minoteries, ind. alim.). *-Juillet* opposition : Khider en Suisse, Aït-Ahmed et Cel Chaabani forment le « Comité de défense de la révol. ». *-15-6* départ de l'armée française. *-20-9* él. d'une *Ass. constitutionnelle :* 85 % pour les listes uniques FLN. *-17-10* Aït-Ahmed arrêté en Kabylie (condamné à mort puis gracié). **1965**-*16-6* accord FLN-Front des forces socialistes (Aït-Ahmed) pour mettre fin à la lutte armée. *-19-6* prise du pouvoir par un Conseil de la révol. de 26 m. (*1968* 10 m., *1977* 8 m.). Ben Bella arrêté.

■ **Colonel Houari Boumediene** [Mohamed Brahim Boukharrouba (1932-78)]. **1965**-*10-7* Pt du Conseil de la révol., chef du gouv., min. de la Défense. *-29-7* accord fr.-alg. sur hydrocarbures et dévelop. ind. **1966**-*8-4* convention fr.-alg. de coop. culturelle et techn. *-7-5* nationalisation des Stés minières étr. **1967**-*3-1* Khider assassiné à Madrid. *-Janv.* code communal. *-5-2* élect. des 1res ass. pop. communales. *Mai-juin* évacuation bases fr. de Reggane et Colomb-Bechar. *-5-6* « état de g. avec Israël », rupture relat. dipl. avec USA. *-24-8* nationalisation d'Esso et Mobil. *-15-12* putsch du colonel *Zbiri,* chef d'état-major, échoue. **1968**-*1-2 évacuation base fr. Mers-el-Kébir. -25-4* Boumediene blessé (attentat). *-13-5* nationalisation du marché des produits pétroliers et du gaz (49 Stés nation. dont 48 fr.). *-12-6* de chimie, mécanique, ciment, alimentation. *-11-7* la Fr. restitue 300 œuvres d'art venant du musée d'Alger. **1969**-*1-1* entrée en vigueur de l'accord sur la main-d'œuvre alg. en France. *-15-1 accord avec Maroc* qui renonce à Tindouf. *-26-3* charte de la Wilaya. *-19-6* complexe sidérurgique d'Annaba inauguré. **1970**-*1-1 1er plan quadriennal* de développement. *-6-1* tr. de coop. tuniso-alg. *-27-5 accord de Tlemcen* (sur frontières alg.-maroc.). *-20-10 Krim Belkacem* assassiné à Francfort. **1971**-*24-2* nationalisation : oléoducs, gaz naturel et 51 % des avoirs des Stés pétr. fr. *-16-4* service nat. oblig. à partir de 19 ans. *-30-6* accord CFP-Sonatrach. *-14-7* réforme agraire. *-21-9* accord Elf-ERAP-Sonatrach. *-16-11* ordonnance sur gestion socialiste des entreprises. **1972**-*15-6* accord alg.-maroc. (coop. et règlement du litige frontalier). *-20-12* Kaïd Ahmed (1924-78), alias Cdt Slimane, resp. du FLN dep. déc. 1967, déchargé de ses fonctions. **1973** mouvement clandestin : *Soldats de l'opposition algérienne SOA* lancé par Mouloud Kaouan (ancien dirigeant FLN, créateur en 1963 du Front démocr. et social alg., emprisonné de juillet 1965 à 1968). *-1-5* discours annonçant la nationalisation du pétrole. *-19-6* grande raffinerie d'Arzew inaugurée. *-19-9* l'A. décide de ne plus envoyer de travailleurs en Fr. à cause d'incidents racistes. *-28-12* médecine gratuite. **1974** *2e plan quadriennal. -3-6 Messali Hadj* (n. 1898, dep. 1952 en France) *meurt.* **1975**-*10-4 visite du Pt Giscard* (1er Pt fr. en vis. off.). *Déc.* nationalisation des dernières Stés fr. importantes. **1976**-*janv.* tension avec Maroc à propos du Sahara occid. ; destruction d'une colonne alg. par l'armée maroc. Plusieurs attentats en Fr. contre des organismes alg. (Off. nat.

de tourisme, journal *El Moudjahid)* par les SOA *-12-5* enseignement privé payant supprimé (env. 38 000 élèves concernés). *-27-6 référendum pour Charte nationale* (98,51 % pour). *-19-11 pour Constitution* (99,18 % pour). *-10-12 Boumediene élu Pt* par 99 % des voix. **1977** relations diplom. rompues avec Égypte (cause : visite Pt Sadate à Jérusalem). *-27-4* nouveau gouv. à base de gestionnaires. *-23-12* libération de 6 Fr. pris à Zouérate le 1-5 par le Polisario (détenus en A.). **1977-78** rapports tendus avec Fr. qui reproche à A. d'aider le Polisario. **1978**-*20-11* Boumediene dans le coma, meurt *27-12 (29-12* enterré au « carré des Martyrs » de l'indépendance à la droite d'Abd el-Kader). *Rabah Bitat, Pt de l'Ass. pop. nat., chef de l'État* par intérim.

■ **Chadli Bendjedid** (n. 14-4-1929 à Bouteldja près de Bône). **1955** rejoint maquis du FLN. **1959** commandant du 13e bataillon de la zone N. **1961** adjoint de Boumediene au PC de la zone N. **1963** m. du bureau fédéral du parti de Constantine. **1964** commandant de la IIe région milit., Oran. **1965** m. du Conseil de la révolution. **1969** colonel. **1979** coordonnateur des affaires milit., min. de la Défense, *-7-2* Pt de la Rép. (candidat unique : 99,5 % des v.). *-8-3 Ahmed Abdel Ghani* (n. 18-3-27) PM. *-4-7* Ben Bella en résidence surveillée à M'Sila. *-1-11* Bruno de Leusse (secr. général du Quai d'Orsay), Georges Gorse (ancien min.) en A. pour le 25e anniversaire de la rébellion. *-30-11* l'A. récupère une partie du « trésor de g. du FLN » (placé en Suisse : 6 milliards de FF de l'époque) et devient propriétaire d'une banque en Suisse. **1980** *avril* émeutes, grèves, plusieurs morts à Tizi-Ouzou (Kabylie). *-10-10 tremblement de terre à El Asnam* 3 000 †, 55 000 logements détruits (80 % de la ville, coût 10 milliards de dinars) ; pertes pour l'économie : 30 milliards. **1981** Bouteflika, anc. min. des Aff. étr. exclu du Comité central du FLN *-Mars* affrontements à Tizi-Ouzou et Alger (problèmes berbères). *-19-5* à Alger et Annaba, affrontements avec étudiants intégristes (plusieurs †) et à Bejaia (problèmes berbères). *-28-9* heurts à Laghouat entre intégristes et policiers, 1 †. *-Oct.* problème du rapatriement des archives conservées à Aix-en-Pr. (env. 200 t, 7 km, période 1830-1962), 134 caisses avaient été restituées en 1975 lors du voyage de Giscard. *-30-11* Pt Mitterrand en A. **1982**-*3-2 accord sur le gaz* (l'A. livre 9,15 milliards de m^3 par an à partir de 1983), à un prix supérieur au marché d'env. 20 % (l'A. sera payée par Gaz de Fr. et le min. de la Coopération). *-8-2 † du Bachaga Benaïssa Saïd Boualem* [(n. 1906) ancien chef de l'Ouarsenis, Cel de l'armée fr., 1958 député d'Orléansville, vice-Pt de l'Ass. nat. ; réfugié dep. 1962 à Mas Thibert près d'Arles]. *-9-2* découverte de 926 cadavres à Khenchela (Aurès) près d'une caserne qui abritait un centre de transit. *-19-5* Mitterrand fait escale en A. *-Juin* protocole de coopération avec la Fr. *-Juill.* peines de 3 à 12 ans de prison pour les 6 « comploteurs du cap Sigli ». *-17-12* Chadli en Fr. (1re visite d'un Pt alg. dep. l'indép.). **1983**-*26-2* Chadli rencontre Hassan II. *-7-4* libre circulation avec Maroc. *-7-11* Chadli en Fr. **1984**-*13-1* Chadli réélu [inscrits 10 154 715, votants 9 776 952 (non 56 482, nuls 36 322)]. *-19-10* Mitterrand en A. *-23-10* réhabilitation posthume de 21 anciens chefs du FLN dont Khider, Krim, Ramdane, Cel Chaabani, Si Salah. *-24-10* création du grade de général. *-1-11* Cl. Cheysson en A. pour le 30e anniv. de la rébellion. **1985** cours du pétrole s'effondre. *-4-5* émeutes casbah d'Alger (1 †). *Juil.* : 14 arrest. (dont Pt de la Ligue des droits de l'homme, Ali Yahia, et chanteur Ferhat Mehenni) pour avoir tenté de célébrer le 5-7 le 23e anniv. de l'indép. en marge des cérémonies officielles. *-5-7* arrestation d'une trentaine de fils de Chouhades (martyrs de la g. d'indép.) après une manif. *-21-10* combat à Laarba (5 gendarmes et 1 intégriste tués). *-29-10* Aït Menguellet, chanteur kabyle, condamné à 3 ans de prison pour détention d'armes. *-31-10* échauffourées à Tizi Ouzou. *-8-12* jeunes manif. à Constantine et Sétif contre modification du bac (4 †). *-15-12* procès des membres de la LADH et des fils de Chouhades. *-24/26-12* congrès FLN : projet de *Nouvelle Charte nationale* réhabilitant secteur privé. *-25-12* procès des partisans de Ben Bella arrêtés 1983 pour détention d'armes [sur 37 accusés : 21 acquittés, 3 (en fuite) condamnés à 20 ans de réclusion, les autres à des amendes et 13 ans de prison ferme]. **1986**-*21-5* 15 000 Touareg en situation irrégulière reconduits vers Niger et Mali. *-17-12* Abdennour Ali-Yahia, Pt de la LADH, arrêté. *8 -11/10-1-1987* manif. étudiants à Constantine (2 †) et *11/12-11* Sétif (1 †). **1987** *janv.* Mustapha Bouyali, leader du mouv. islamique, abattu par police. *-16-2* retour de Bouteflika. *-7-4 Ali Mecili* (n. 1940, fondateur 1963 du FFS avec Aït Ahmed, exilé 1965), avocat, assassiné à Paris. *-28-6/1-7* Kadhafi en A. **1988**-*6-2* Kadhafi en A. *-16-5* relations dipl. reprises avec Maroc (rompues par Maroc en févr. 76 à cause du Sahara occid.). *-5-6* réouverture progressive de la frontière avec Maroc. *-10-6* Zeralda, *1er sommet maghrébin. -28-6* projet d'union A.-Libye. *-5-10* émeutes à Bab el-Oued : lycéens et écoliers (env. 2 000). *-6/12-10 état de siège ;* révolte gagne 80 % des villes (sauf Est et Kabylie). *-7 au 10-10* manif. (20 000 à 30 000), à l'initiative des mosquées. *-21-10* bilan : 159 † (selon certains + de 500 † dont 250 à Alger), 3 743 arrêtés, 923 libérés et 721 jugés (dont 153 relaxés). *-29-10* M. Messaadia (FLN) et Gal Lakehal-Ayat (chef de la sécurité mil.) limogés. *-2-11* 694 lib. *-3-11* référendum pour amendements const. *-5-11 Kasdi Merbah* (n. 1938) PM. *-12-11* retour de partisans de Ben Bella, après rupture avec le Mouv. pour la démocratie en Alg. (en exil). *-16-11* la LADH dénonce l'utilisation de la torture. *19/23-11 :* 233 conflits sociaux en cours. *-24-11* rel. diplom. reprises avec Égypte après 11 ans. *-22-12* Chadli réélu Pt : avec 81,47 % des voix, en fait 18,8 % ? (88,56 % de part.). **1989**-*12-1* accord sur prix du gaz avec la Fr. (rétroactif au 1-1-87). *-6-2* Chadli au Maroc (1re visite d'un Pt alg. dep. 1972). *-23-2* référendum pour la Const. *-4-3* l'armée se retire du comité central FLN. *-9/10-3* Pt Mitterrand en A. *-3-4* l'Ass. pop. supprime la Cour de sûreté de l'État. *-3-7* loi autorisant le *multipartisme. Mai* émeutes à Souk-Ahras. *-Juillet-sept.* manif. et grèves. *-8-9* LADH reconnue, dir. par M. Ben-Yahyia. *-9-9 Mouloud Hamrouche* (n. 3-9-1943) PM. *-29-10* séisme à Alger (magn. 6). *-20-11* agrément du PPA rejeté (déposé 28-8 par Mohammed Memchaoui, n. 1917, neveu de Messali Hadj). *-6-12* serv. mil. ramené de 24 à 12 mois. *-15-12* Aït Ahmed rentre d'exil. *-21-12* + de 100 000 femmes en *hidjab* et *khimmar* (foulard islam.) manif. devant l'Ass. pop. nat. à l'appel de la Ligue de la daawa islam. contre « la recrudescence des agressions contre l'islam et les musulmans ». **1990**-*10-1* env. 100 Frères musulmans attaquent police à Alger pour obtenir la lib. de l'un deux arrêté pour « commerce illégal sur la voie publique ». *-16-1* commando chiite attaque palais de justice de Blida. *-25-1* Alger : manif. du mouvement culturel berbère. *-31-1* Chadli autorise retour des exilés pol. *-8-3* journée de la femme : des millions de femmes manif. pour l'abrogation du code de la famille voté 1984. *-20-4* Alger, manif. du FIS, env. 100 000. *-12-6* él. locales et régionales, succès (54,25 % des suffr. exprimés) islamistes. *-30-7* amnistie pour émeutes de 1988. *-27-9* Ben Bella rentre d'exil. *-26-12* le parlement décide généralisation de l'arabe. **1991** *fév.* Alger, 400 000 manif. pour l'Irak. *-1-4* nouvelle loi électorale (scrutin majoritaire uninominal à 2 tours). *-25-5* grève générale illimitée lancée par le FIS. *-27-5* 30 000 à 100 000 manif. du FIS à Alger. *-4-6* affrontements Alger avec FIS, 17 †. *-5-6* état de siège pour 4 mois, démission du gouv. Hamrouche, report des législatives des 27-6 et 18-7, *Sid Ahmed Ghozali* (n. 1937) PM (démissionne 8-7-92). *-6-6* couvre-feu à Alger et dans 3 départements. *-7 et 9-6* fin de la grève générale lancée par le FIS 25-5. *-30-6* Abassi Madani et Ali Benhadj, dirigeants du FIS arrêtés pour conspiration armée. *Début juill.* nombreux islamistes arrêtés. *-7-7* Mohammed Saïd, porte-parole du FIS, arrêté. *Du 5-6 au 2-8 :* 55 †, 326 bl., 3 000 arrestations. *-9-9* prêt de 2,8 milliards de F de la CEE. *27-9 au 29-10* Abdelkader Hachani, responsable du FIS, en prison. *-29-9* état de siège levé. *-30-9* dinar dévalué de 22 %. *-4-10* Alger manif. islamistes. *Oct.* les banques prêtent 1,5 milliard de $ pour refinancer la dette. *-28-10* le Conseil constitutionnel déclare inconstitutionnel le vote d'un conjoint pour l'autre. *-1-11* Alger. 300 000 manif. du FIS. *-29-11* 3 militaires tués par groupe armé islamiste (El-Afghani). *-7/15-12* accrochages armée/groupe El-Afghani, 25 islamistes et 4 militaires †. *-26-12* 1er tour législatives, succès du FIS (47,54 % des voix). **1992**-*2-1* 300 000 manif. pour sauver la démocratie à Alger. *-3-1* 341 recours déposés devant le Conseil constitutionnel (dont FLN 174, FFS 30, FIS 17). *-9-1* Alger manif. de femmes contre FIS. *-4-1* Ass. nat. dissoute. *-11-1* Chadli démissionne.

■ **Intérim assuré par Abdelmalek Benhabiles** (n. fév. 1921, diplomate, secr. gén. de la présidence de la Rép., Pt du Conseil constitutionnel dep. 89) *-12-1* Haut conseil de sécurité annule législatives 14-1. **Haut Comité d'État (HCE)**, créé par Conseil const., doit gouverner jusqu'à déc. 93. *Pt :* Mohamed Boudiaf (voir p. 896 b). *Membres :* Khaled Nezzar (général-major, min. de la Défense dep. 27-7-90), Ali Kafi (ancien diplomate, secr. gén. de l'organisation nat. des moudjahidines), Tedjini Haddam (n. janv. 1921, médecin, 1964-70 min. des Aff. religieuses puis de la Santé, ambassadeur à Tunis et Riyad, recteur de la mosquée de Paris dep. 10-6-89), Mohammed Ali Haroum (avocat, min. des Droits de l'homme dep. 18-6-91). *-22-1* Abdelkader Hachani, Pt provisoire du FIS et 7 dirigeants du FIS arrêtés. *-9-2* état d'urgence pour 12 mois. *-23-2* arrestation Tayeb el-Afghani, chef du commando responsable de l'attaque du 29-11-91. *-1-3* 3 m. du Hezbollah condamnés à mort. *Bilan* (janv. févr. 193 † dont forces de l'ordre 31). *-29-3* 397 municipalités sur 1 541 et 14 ass. départementales sur 48 dissoutes. *-1-4* 7 000 détenus du FIS, 397 assemblées populaires communales et 14 ass. pop. de wilayas constituées par le FIS dissoutes. *-29-6* Mohamed Boudiaf, Pt du HCE, assassiné à Annaba pendant un discours (assassin présumé : Boumarafi Lembarek, sous-lieut., inculpé 12-7) ; 41 bl. dans l'assistance. *-1-7* obsèques Boudiaf, 100 000 personnes. *-2-7* **Ali Kafi** (n. 1928) Pt du HCE ; le HCE coopte Redha Malek (n. 1931, Pt du Conseil consultatif nat. pour élaborer les lois). *-4-7* décret reportant l'application de la loi sur la généralisation de l'arabe. *-15-7* Abassi Madani et Ali Benhadj, Pt et vice-Pt du FIS, condamnés à 12 ans de prison. *-8-8* suspension des journaux « Le Matin », « La Nation » et « El Djezair El Youm » pour « malveillance » et diffusion de « fausses nouvelles ». *-17-8* expulsion de France vers le Pakistan d'Eddine Kerbane, chef des Afghans. *-25-8* démolition d'une mosquée construite illégalement à El Eulma près de Sétif. *-26-8* attentat aéroport d'Alger, 9 †, 124 bl. *-5-12* couvre-feu à Alger et dans 6 départements. *De fév. 92 à fév. 93 :* 600 tués dont 250 policiers, 131 civils et 218 islamistes. **1993**-*3-2* Redha Malek (min. du HCE) min. des Aff. étr. *-9-2* état d'urgence prolongé. -12-2 4 islamistes (condamnés à mort 5-5-92) exécutés. *-13-2* le Gal Khaled Nezzar échappe à un attentat à la voiture piégée revendiqué par le FIS. *-14-3* Hafid Senhadri, min. du CCN, blessé dans un attentat, meurt 18-3. *-16-3* Djillali Lyabès, ancien min. de l'Enseignement sup., assassiné. *17-3* Dr Laadi Flici, du CCN, assassiné. *-22-3* Alger, 100 000 manif. contre terrorisme. *-28-3* relations dipl. avec Iran rompues. *-26-5* Tahar Djaout, écrivain et *22-6* M'Hamed Boukhobza, sociologue, tués (attentats).

■ Politique

Statut. République démocratique et populaire. *Constitution du 22-11-1976, révision* approuvée par référendum 3-11-88 par 92,27 % des voix (abstentions 16,92 %) et 23-2-89 par 73,43 % des voix (abst. 19,76 %) : ne se réfère plus au socialisme. Pouvoirs séparés. Pas de parti unique. Rôle de l'armée est limité. Régime présidentiel. [*Charte nationale* adoptée par référendum par 98,51 % des voix le 27-6-76 ; *Nouvelle Charte nationale* (affirmant le peuple alg. arabe et musulman) approuvée par référendum (oui 98,37 %) le 16-1-86 (11 218 398 inscrits, 10 761 462 votants). *Pt :* élu au suffr. univ. p. 5 ans, rééligible].

Gouvernement. *PM :* Belaïd Abdesslam dep. 9-7-92. **Assemblée populaire nationale.** 430 m. élus p. 5 ans. Dissoute 4-1-92. Remplacée 22-4-92 par le **Conseil consultatif nat. (CCN)**. 60 m., Pt Redha Malek.

Élections. 26-2-87 : participation 87,29 % (*1977 :* 72,65 % ; *82 :* 71,74 %), les 295 sièges vont au FLN, parti unique (il présentait 3 candidats dans chaque circonscription). **26-12-91 :** *1er tour :* 41 % d'abstentions ; sur 430 s., FIS 188 (43,72 % des suffrages), FFS 25, FLN 16, Indépendants 3, 198 s. en ballottage. *2e tour* prévu 16-1-92 n'a pas eu lieu.

Organisation administrative. 48 *wilayas* (31 avant le 15-12-83) (*wali :* préfet de w.), 160 *dairates* (sous-préfectures). 1 541 *communes.* Dep. le 4-2-1984, *Assemblées populaires communales* (APC), élues au suffr. univ. pour 5 a. *Ass. pop. de wilayas ou départementales* 35 à 55 m., élues pour 5 ans.

Élections communales et, entre parenthèses départementales. 12-6-1990. En voix. *Inscrits :* 12 841 769 dont en % : votants 65,15 (64,16), abstentions 34,85 (35,84), blancs ou nuls 2,97 (2,87), exprimés 62,18 (61,28). **En % :** FIS 33,73 (35,20), FLN 17,49 (16,87), Indépendants 7,25, RCD 1,29, PNSD 1,02, autres petits partis 1,39, (Ind. + RCD + PNSD + autres : 9,21). **En sièges.** FIS 45,66 (55,04), FLN 36,60 (35,61), Ind. 10,88 (5,29), RCD 4,75 (2,94), PNSD 1,02 (0,43), autres 1,09 (0,69). Le FIS gère 853 communes sur 1 541, 31 wilayas sur 48.

Fêtes nat. *1er mai* (Travail), *5 juillet* (Indépendance, FLN, Jeunesse), *19 juin, 1er novembre* (Révolution). **Fêtes religieuses :** Aid el-Fitr, Aid el-Adha, Awal Moharram, Achoura, El-Mawlid Ennabawi. **Devise.** La révolution par le peuple et pour le peuple.

Partis et organisations. « Al-Irchad Wal Aslah ». Islamique. Alliance nat. des Indép. *légalisée* 4-7-1990. **El-Oumma** *légalisé* 18-7-1990, *Pt* Benyoussef Ben Khedda. **FFS (Front des forces socialistes)** *créé* 1963, *reconnu* 20-11-1989, *Pt* Hocine Aït-Ahmed (n. 1936). **FIS (Front islamique de salut)** *créé* 10-3-1989, *reconnu* 14-9, *Pt* Cheikh Abassi Madani (n. 1939). Prône l'instauration de la *Charia,* l'interdiction de l'alcool, de la mixité, de l'indécence, de la prostitution. Aile dure autour de Ali Benhadj, imam de la mosquée El-Sunna à Bab-El-Oued (condamné juillet 1987 pour intégrisme), *Pt provisoire* dep. 30-6-1991 : Abdelkader Hachani et dep. 23-1-92 : Othmane Aïssani. 1992 *-4-3* dissous par tribunal d'Alger. **Front islamique (Hamas)** *créé* 1990, *Pt* Cheikh Mahfouz Nahnah, modéré prosaoudien. **FLN (Front de libéra-**

tion nat.) *créé* 1-10-1954 (parti unique). *Pt* Chadli Bendjedid (démissionne 28-6-91), *secr. gén.* Abdelhamid Mehri dep. 29-10-1988, *comité central* 265 m., 258 702 militants, 10 709 cellules en 1983 [3 réunions en Congrès extr. : 1980 (adoption du plan quinq.), 1986 (nouv. charte nat.), 28 au 30-11-1989 (attitude du FLN dans une sit. pluraliste) ; 6 réunions ordinaires entre 1956 (Soummam) et 1988 (3ᵉ mandat du Pt Chadli)]. **MAJD (Mouvement alg. pour la justice et le développement)** *créé* 1990, *Pt* Kasdi Merbah. **MDA (Mouvement pour la démocratie en A.)** *Pt* A. Ben Bella, fondé 1982, légalisé 11-3-1990. **Mouv. démocratique pour le renouveau alg.** *Pt* Slimane Amirat. **Mouvement de la renaissance islamique (Nahda)** *Pt* Cheikh Sahnoun, pro-Frères musulmans égyptiens. **PAGS (P. de l'avant-garde socialiste)** *créé* janv. 1966, *reconnu* 12-9-1989, *secr. gén.* chérif El-Hachemi, remplace PC ; se dissout en déc. 92.**Parti du renouveau alg.,** f. 1989, *Pt* Noredine Boukrouh. **PNSD (P. nat. pour la solidarité et le développement)** *créé* 1989. **PRS (P. de la révolution socialiste). PSD (P. social-démocrate)** *reconnu* 4-9-1989, *Pt* Abderrahmane Adjérid. **PST (P. socialiste des travailleurs)** *Pt* Salhi Chawki. **RAI (Rassemblement arabo-islamique)** *légalisé* 7-8-1990, *Pt* Laid Grine. **RCD (Rassemblement pour la culture et la démocratie)** (berbériste) *créé* 11-2-1989, *secr. gén.* Dr Saïd Saadi (n. 1947). **UFD (Union des forces démocratiques)** *créée* 23-1-1989. **Afghans** (Algériens ayant combattu en Afg.) proches du FIS, *Pt* Eddine Kherbanne. **Mouvement de la Nahda islamique** (MNI), *créé* 1990. Organisations de masses. **UGTA (Union gén. des travailleurs alg.)** *fondée* févr. 1956. **UNPA (Union nat. des paysans alg.). UNFA (Union nat. des femmes alg.). UNJA (Union nat. de la jeunesse alg.). ONM (Organisation nat. des moudjahidines,** anciens combattants). **OST (Organ. socialiste des travailleurs),** trotskyste.

Enseignement. En arabe (avant 1990, seulement les 2 premières années du primaire, puis bilingue). **Pop. scolarisable.** *1989-90 :* 6 390 000. *Taux de scolarisation* (1986-87) 83,3 %. *Effectifs* (1991-92) : primaire 4 317 018, moyen 1 467 617, secondaire et technique 831 798, supérieur (1986-87) 140 000 (*1963 :* 3 000, *1970 :* 10 000). **Baccalauréat** 4 % d'une classe d'âge l'obtiennent. **Enseignants** (1991-92) : primaire 156 937 (99,72 % d'Alg.), moyen 85 140 (98,63), secondaire et technique 48 957 (85,4), supérieur (82-83) 120 000.

Gouvernements du 1-11-1954 à l'indépendance

Comité national de la révolution algérienne *(CNRA)* dont l'exécutif est le Comité de coordination et d'exécution (CCE). Gouvernement provisoire de la rép. algérienne *(GPRA)*. **1ᵉʳ :** *1958* (19-9) Ferhat Abbas (1899-1985) Pt, Krim Belkacem (1922-70) vice-Pt. **2ᵉ :** *1960* idem. **3ᵉ :** *1961* (27-4) Youssef Ben Khedda. Exécutif provisoire. *1962* (7-4) Pt Abderrahmane Farès (1911-91). Vice-Pt Roger Roth (n. 1912).

Économie

■ PNB ($ par h.) *1960 :* 1 276, *87 :* 2 722, *88 :* 2 340, *89 :* 2 170, *90 :* 2 060. **Pop. active** (*% et,* entre parenthèses, *part du PNB en % pour 91*). Agr. 25 (12), ind. 26 (20), services 45 (43), mines 4 (25). *En 1988 : actifs* 4 118 000 dont administration 1 020 000, agr. 1 019 000, services 834 000, BTP 685 000, ind. 540 000. *Chômeurs* (en %) : *1983 :* 15,5 ; *91 :* 22 (1 266 000 sans compter les femmes). Économie parallèle importante (trabendo). Crise économique : chute du prix du pétrole.

SMIG. *1990 :* 807 dinars/mois ; *1-5 :* 1 000 ; *1991 : 1-1 :* 2 000 ; *1-7 :* 2 500 ; *1992 : 1-1 :* 3 000 ; *1-7 :* 3 500. **Salaire minimum d'activité. 1991 :** *1-1 :* 2 100 dinars/mois ; *1-7 :* 2 500.

■ Agriculture. **Terres utilisées** (milliers d'ha, 89) : total 39 722 ; SAU 7 675 dont *terres labourables* 7 097 (cult. herbacées 3 699, jachère 3 398), cult. permanentes 577 (prairies nat. 34, vignes 105, arbres fruitiers 437), *pacages et parcours* 31 053, *terres non agricoles* 993. *Utilisation (1963-64 et,* entre parenthèses, *1988).* Céréales 2 802 (3 200), légumes secs 58 [141 (87)], cult. maraîchères 84 (287), cult. industrielles 17 (21), fourrages artificiels 61 (811), naturels 151 (187), viticulture 351 (157), agrumes complantés 45 (44), en rapport 0 (39), olives 106 (163), dattes 48 (71), figues 34 (38), autres fruits complantés 23 (120), en rapport 0 (82). *Culture sous serre. 1986 :* 3 500 ha, *prév. 89 :* 9 000. *Autres plantes :* alpha, crin végétal. **Production** (en millions de t, 90) : céréales 2 (1985-86 : 2,5, 86-87 : 3,8, 87-88 : 1,8) dont blé dur 0,75, blé tendre 0,3, orge 0,7, avoine 0,04, maïs, sorgho. Cultures maraîchères 2,7 dont p. de terre 1,1, tomates 0,5, oignons 0,2, haricots verts, carottes, melons et pastèques 0,3, divers 0,9. Tabac 0,004. Tomates ind. 0,2. Fourrages artificiels, naturels. Agrumes 2,6 dont oranges 1,7, mandarines, clémentines 0,9, citrons 0,006, pomelos et divers. Raisin de table 1,1. Olives 0,17. Dattes 2,1 (7 500 000 palmiers sur 60 000 ha). Figues 0,7. **Vignes :** *superficie* (milliers d'ha) V. à vin : *1885 :* 48,6. *1928 :* 221. *1939 :* 400 (de table 5), *1962 :* 351, *70 :* 292, *80 :* 199, *84 :* 153 (à vin 123, de table 30), *87 :* 119 (à vin 79, de table 40). *Production* (millions d'hl, à vin) *1928 :* 13,6, *39 :* 17, *64 :* 10,5, *65 :* 14, *80 :* 2,8, *85 :* 0,94, *89 :* 0,5. *Rendement* (hl à l'ha) *1962 :* 45, *83 :* 10, *85 :* 15,8, *86 :* 20,1, *87 :* 11,5.

Révolution agraire. 1962 22 000 domaines abandonnés par les Européens sont transformés en coopératives de moudjahidin ou en domaines autogérés. **1970-71** révol. agraire. Plus de 1 million d'ha (dont 0,4 de bonnes terres) redistribués. **1ʳᵉ phase (14-7-70) :** porte sur terres collectives [communales, domaniales, religieuses (habous)]. Bilan au 1-1-73 : 1 232 dons (600 000 ha), 50 000 attributaires (35 % des cand.) avaient reçu 700 000 ha, groupés en coopératives de prod. (CAPRA). Coop. polyvalentes de services (CAPCS), 600 prévues, 1 000 villages agricoles socialistes à réaliser av. 1980. **2ᵉ phase (15-9-72/mars 73) :** recensement des terres. Suppression de la grosse propriété. Création de l'UNPA (Union nat. des paysans alg.) (1 000 000 de m. env. en 75). **3ᵉ phase :** réglementation : eaux, forêts, pastoralisme. Concerne 35 000 à 40 000 petits éleveurs, 4 000 gros propr. qui emploient 120 000 à 130 000 bergers. L'ordonnance de nov. 1971 avait interdit toute transaction foncière entre particuliers et toute aliénation à des particuliers, aux fins d'exploitation privée, des terres appartenant à l'État ou aux collectivités locales. **1983** transactions entre particuliers possibles à certaines conditions ; le domaine public peut être redistribué, s'il s'agit de terres non exploitées « en zone saharienne ou présentant des caractéristiques similaires ». Plus de 40 000 ha de terres vierges attribués à 5 000 personnes dans le S. (lots de moins de 5 ha) deviendront pleine propriété des attributaires si une prod. significative est constatée dans les 5 ans. **1988** (loi du 8-12-1987) libéralisation. Regroupement des producteurs. Libre association des paysans auxquels l'État consent un droit de jouissance perpétuel sur les terres (moyennant redevance), et un droit de propriété sur tous les biens de l'exploitation autres que la terre (cession à titre onéreux). Droits cessibles. Objectif : 26 000 exploitations au lieu de 3 159. *Bilan au 31-12-1988 :* 99,68 % des domaines agricoles concernés, 25 375 expl. nouvelles. Manque de techniciens. 98 % des fermes autogérées sont déficitaires. En 15 ans, 4 barrages édifiés (1,5 milliard de m³ d'eau). *Coût de distribution :* 65 % du prix des prod. alim. (en 1962, 35 %). **1990** 13 500 faux paysans auraient profité de la loi de 1987.

Secteur privé et, entre parenthèses, **secteur socialiste (1986) :** *Surfaces utiles* (millions hectares) 5,1 (2,8). *Exploitations.* Nombre : 800 000 (3 415), moyenne des superficies 6 ha (830 ha) ; des effectifs 2 actifs (40 actifs) ; superficie par actif 3,2 ha (20,6 ha). *Secteur privé :* 60 % des terres cultivées (en général les bonnes) produisant 60 % des céréales, fruits et légumes et 90 % de la viande. **Secteur socialiste** 33 %, avec 1 873 domaines autogérés, 390 CAPAM (Coopératives agricoles de production des anciens moudjahidin) occupant 235 000 trav. et faisant vivre 1 140 000 pers. : 25 % de grosses exploitations ; 42 % fellahs. *Agriculteurs : 1975* (60 % de la pop. active) : 1 500 000 ; *1985 :* 39 % (700 000 travaillent à leur compte ; 60 % ont + de 50 ans) ; *1988 (24,7 %) :* 1 019 000.

Autonomie alimentaire (en %) : *1962 :* 70, *82 :* 30, *88 :* 25. *Couverture des besoins par la production nationale* (en %). Céréales 60 (25 en 88), produits laitiers 90, matières grasses 30, sucre 5. **Part de l'agriculture :** *plan quinquennal 1985-89.* Investissements : 115 milliards de dinars (210 milliards de F), notamment pour l'irrigation de 420 000 ha.

Élevage (milliers de têtes, 90). Poulets 23 000 (œufs 2,9 milliards, viande 57 000 t), moutons 13 350, chèvres 3 699, bovins 1 427, ânes 300, chevaux 195, chameaux 135, mulets 130. L'Alg. importe 1/3 de sa viande. **Pêche** (milliers de t). *1970 :* 25,7. *75 :* 37,7. *80 :* 33,3. *85 :* 66. *87 :* 70. *89 :* 99,7.

Forêts superficie (milliers d'ha) : *1830 :* 5 000. *1988 :* 4 000. Forêt proprement dite 1 794 (dont pin d'Alep 1 058, chêne-liège 287, thuya 108) ; maquis 1 876. *Production* bois d'œuvre 60 056 m³ (84), de chauffage 54 750 stères (85), charbon de bois 1 270 t (82), liège brut 13 848 t, alpha 34 705 t. Parcs nationaux : 9. *El-Kala* 78 400 ha. *Djurdjura* 18 500 ha. *Chréa* 26 000 ha. *Theniet El-Had* 3 616 ha. *Tassili* 100 000 ha. *Bellezma* 26 250 ha. *Taza* 3 807 ha. *Gouraya* 2 080 ha. *Hoggar* 4 500 000 ha.

■ Le désert (90 % de la superficie) conquiert chaque année plusieurs dizaines de milliers d'ha. Barrage vert : lancé 1971, reboisement de 3 millions d'ha sur 1 500 km de long et 10 à 20 km de large pour arrêter le désert.

■ Énergie. **Consommation** (en milliers de Tep) : *1970 :* 4 000, *80 :* 14 000, *84 :* 10 500, *87 :* 13 000, *90 (prév.) :* 42 000. **Part des hydrocarbures (en %)** *dans le PIB : 1975 :* 31, *81 :* 37,54, *84 :* env. 40 ; *dans les ressources en devises :* 98 ; *dans le budget :* 43. **Recettes** (1991) 11 milliards de $.

Électricité. *Capacité de prod.* (en mégawatts) : *1962 :* 342, *80 :* 1 825. *86 :* 1 241. *Production* (en mégawatts) : *1987 :* 13,8. *1988 :* 14,9. *1989 :* 15,1. *Nombre d'abonnés* (en millions) : *1982 :* 1,7, *1989 :* 2,97. *Construction de lignes élec.* (80-84) : 26 000 km. Pétrole. *Prod.* (millions de t) : *1980 :* 51,5, *81 :* 40, *82 :* 45, *83 :* 43,7, *84 :* 44, *85 :* 44, *86 :* 46, *87 :* 49,8, *88 :* 53, *89 :* 52, *90 :* 56, *91 :* 58,4. Gisement d'Hassi-Messaoud découvert août 1956, apprécié pour sa pureté et sa légèreté. *Réserves* 1 260 (92). *Revenus pétroliers* (milliards de $). *1989 :* 9 ; *90 :* 12. *Ventes :* 73 milliards de F, soit 26 % du PNB. Les USA achètent env. 50 % de la prod. Gaz. *Prod.* (milliards de m³) : *80 :* 11. *81 :* 12,85. *82 :* 15,5. *83 :* 35,6. *84 :* 44. *85 :* 40. *86 :* 37. *87 :* 42. *88 :* 44,9. *89 :* 52,5, *90 :* 50,6, *91 : 56,4.* Gisement d'Hassi-R'Mel découvert nov. 1956. *Réserves* 3 000 milliards de m³ (91). Liquéfié dans usines de Skikda ou d'Arzew, ou transporté par oléoduc (2 500 km) vers l'Italie. *Abonnés au gaz* (en milliers) : *1969 :* 16,8. *82 :* 590. *89 :* 803. *Modules de traitement du gaz :* 5 (capacité annuelle : 92 milliards de m³ de gaz, 18,2 millions de t de condensats, 3,4 millions de t de GPL). *Capacité de transport :* 61 millions de t de brut, 61,5 milliards de m³ de gaz. *Transformation :* 21,5 millions de t de prod. raffinés, 31 milliards de m³ d'équivalent-gaz sous forme de GNL, 1,5 million de t d'engrais, 600 000 t de prod. pétrochimiques. *Employés : 1975 :* 57 122, *1981 :* 103 186 (dont env. 80 000 à la Sonatrach). *Prix du gaz payé par la France : 1988 :* 1,97 $ par million de BTU (25 m³), *89 :* 2,28 $. Charbon. *Réserves :* 40 millions de t (bassin d'Abadla). Nucléaire. *Draïra* réacteur Nur (Nuclear Research) livré par Argentine 4-4-1989 (1 MW). Aïn Oussera 1993 (40 à 60 MW) d'origine chinoise. Énergie solaire. *Potentiel :* 5,2 millions de terawatt/h.

☞ SONATRACH (Cⁱᵉ nationale pour recherche, transport, transformation et commercialisation des hydrocarbures). *Fondée* 31-12-1963. 12 Stés. Dep. les nationalisations de 1971, chargée de l'exploitation ; *production* (1981) : 98,5 % du pétrole alg. (31 % en 1971). *Export. de gaz* (milliards de m³, 1987) : GNL 13,4, par gazoduc 10,06.

■ Autres ressources minières (en millions de t, en 90). *Fer* 2,1. 80 % d'Ouenza exploité dep. 1921. *Plomb* 0,004. *Zinc* 0,012. *Cuivre* 0,001 (85). *Mercure* 0,06 (88). *Phosphates* (découverts 1885 par Philippe Thomas) 1,3. *Uranium.*

■ Industrie. *Raffinage du pétrole,* Skikda (capacité 20 000 000 t). *Liquéfaction du gaz,* Arzew (cap. 12 milliards de m³). *Aciérie* d'El Hajar (cap. 2 000 000 t/an). Projet à Bellara. *Électricité, ind. alimen.* (surtout farine et semoule). *Ciment* (6,6 milliards de t en 89). *Engrais* 771 900 t (1987). *Textile. Automobiles* (Licence Fiat).

■ Transports (km). *Routes* 82 000 dont 43 000 bitumées. *Ch. de fer* 3 836 dont 299 électrifiés. *Flotte* importante. Tourisme. *Visiteurs : 88 :* 353 723. Monuments romains, voir p. 1050.

■ Commerce (en milliards de $). **Exportations de biens** (dont hydraucarbures, en %) : *1987* 9,03 (97,6), *88 :* 7,62 (94,6), *89 :* 9,56 (95,8), *90* 12,82 (96,3), *91* 12,31 (97,2). **Importations** [dette extérieure/PIB (serv. Dette/export.) en %] : *1987* 6,62 [41 (54,4)], *88* 6,69 [48,2 (80,3)], *89* 8,38 [53,3 (69,4)], *90* 8,66 [50,4 (65,2)], *91* 6,89 [66,8 (72,4)]. Échanges franco-algériens (en milliards de F). **Exp. d'Algérie vers France :** *1970 :* 3,5. *71 :* 1,3. *72 :* 1,7. *73 :* 3,3. *74 :* 4,6. *75 :* 3,2. *76 :* 3,3 (93 % hydrocarbures). *77 :* 3,9. *78 :* 3,2. *79 :* 4,7. *80 :* 7,3. *81 :* 13. *82 :* 25,9. *83 :* 23,4. *84 :* 24,8. *86 :* 11,7. *88 :* 8. *89 :* 9,5. *90 :* 10,6. **Imp. de France :** *1970 :* 3,1. *71 :* 2,8. *73 :* 2,1. *74 :* 6,2. *75 :* 8. *76 :* 7. *77 :* 8,8. *78 :* 6,9. *79 :* 8,2. *80 :* 11. *81 :* 12,9. *82 :* 14. *83 :* 18,6. *84 :* 23,6. *86 :* 15,9. *88 :* 9,5. *89 :* 12,7. *90 :* 14,8.

■ Finances (en milliards de dinars). **Budget** (1988) : *dépenses :* 112 (fonctionnement 64,5, équipement 47,5) dont (1984) éducation nat. 18,1, soutien des produits alim. de large consommation (céréales, huile, semoule, farine, sucre) 3,86. *Recettes* 103 [dont (86) taxes pétrolières 32,2 %]. *1991 :* dépenses 118,3, recettes 195,3 (pétrole 25 %). *Recettes en devises (milliards de F). 1985 :* 13, *88 :* 8. **Balance des paiements** (milliards de $) : *88 :* – 0,9. *89 :* – 7,7. *90 :* + 0,08.

Change. Taux du dinar en $ (et en F), moyenne annuelle : *1987 :* 4,85 $ (0,81 F), *88 :* 5,92 (0,99), *89 :* 7,61 (1,19), *90 :* 8,96 (1,65), *91 :* 18,47 (3,27).

Inflation (%) : *1979 :* 11,3. *80 :* 9,6. *82 :* 18. *83 :* 4,6. *84 :* 6,6. *85 :* 10,8. *86 :* 2,5. *87 :* 7,5. *88 :* 8,6. *89 :* 9,3. *90 :* 16,7. *91 :* 22,8. *92 :* 32. **Dette ext.** (milliards de $) : *1980 :* 17, *85 :* 5, *86 :* 21, *87 :* 21, *88 :* 22,8,

89 : 23, *90* : 25, *91* : 23,8 (67 % du PIB), *92* : 27,8 (dont dette militaire 24), *93* : 26. *Service* : *1987* : 5,20, *91* : 9,35 (pour 12 de recettes extérieures). *92 (est.)* : 12. **Prêts** (en milliards de $) : *1988* : Banque mondiale : 15,11 (dinars), Fonds mon. arabe 26,11. *France* (en milliards de F) 9-1-1989 : 7, aide reconduite 1991 : 8,3. Au 1-1-92, 33 Md F de crédits garantis par la Coface. **Argent des immigrés :** transferts des trav. alg. en France (en millions de F). *1973* : 640. *76* : 1 000. *80* : 97.

■ **Plans de développement** (en milliards de dinars) : **préplan** *(1967-69)* 12 (priorité sidérurgie) ; **1er plan** *(1970-73)* 36 (priorité ind. méc.) ; **2e plan** *(1974-77)* 110 (priorité ind. méc.) ; **3e plan** *(1978-81)* 160 à 250. **Plans quinquennaux : 1er** *(1980-84)* priorité aménagements sociaux et ind. **2e** *(1985-89)* 550 d'investissement prévus (dont 300 pour les programmes non achevés du 1er plan, industrie 174, agriculture et hydraulique 79, habitat 76, éducation 45, équipement collectif 45, santé 8).

■ **Privatisation.** Participation étrangère possible (jusqu'à 49 %) dans l'exploitation pétrolière.

■ **Rang dans le monde** (91). 8e réserves gaz nat. et prod. de gaz, 14e réserves pétrole.

ALLEMAGNE

V. légende p. 884.

☞ **Nom allemand.** Deutschland. *Deutsch* vient de l'évangélisateur de la Germanie Théodiscus, qui a donné *tudesque* en vieux français et *tedesco* en italien. Forme altérée en *théodischus* puis *teudischus* puis *deutsch*. **Nom officiel.** République fédérale d'Allemagne [comprenant, depuis la réunification, l'Allemagne de l'Ouest (République fédérale all. [RFA]) et l'All. de l'Est (Rép. démocratique all. [RDA])].

■ **Situation.** Europe. 357 041 km² [dont ex-RFA 248 708, ex-RDA 108 333] (le Reich en 1937 : 470 622 km²). **Longueur max.** 853 km. **Largeur max.** 453 km. **Alt. max.** Zugspitze (massif du Wetterstein) 2 962 m.

■ **Frontières.** 3 767 km (dont Tchécoslovaquie 810, Autriche 784, P.-Bas 576, Pologne 460, France 446, Suisse 334, Belgique 155, Luxembourg 135, Danemark 67). **Côtes :** 907 km (m. du Nord 477, Baltique 430). La frontière entre All. de l'Ouest et All. de l'Est (1 381 km) était matérialisée par le *rideau de fer* [bande large de 246 m occupant 344 km² en All. de l'E., séparant les 2 All. par 80 500 km de barbelés, des tours de garde ; les troupes est-all. (14 000 h. et 600 chiens) tiraient sans sommations ; 2 230 000 mines avaient été posées le long (la dernière fut retirée le 1-11-85)]. **Nombre de morts lors de tentatives de passage** *(1961 à 89)* : 190.

■ **Régions.** EX-ALL. OUEST. **Extrême-Sud :** Alpes bavaroises (alt. max. Zugspitze 2 962 m). **Sud :** plateau bavarois (Préalpes, avec élevage laitier). **S.-O. :** Forêt-Noire (montagne hercynienne ; forêts de résineux, élevage laitier). **S.-E. :** monts de Bohême (montagne hercynienne ; avec forêts, seigle, pommes de terre) ; entre les 2 massifs hercyniens : plateaux calcaires de Souabe et de Franconie (jurassique, non plissé ; porcs, céréales). **Centre-Ouest** (rive g. du Rhin) : 3 parties, du S. au N. : plateau du Palatinat (sédimentaire ; cultures fourragères), bordé à l'E. par la plaine du Rhin (riches cultures intensives, vignes sur les coteaux) ; massif schisteux rhénan (pauvre, boisé ; vignes dans la vallée de la Moselle et du Rhin) ; bassin de Cologne. **Centre-Est :** prolongation des massifs rhénans (élevage laitier, forêt ; céréales dans le bassin de la Weser). **Nord :** grande plaine ; bords de terrasses de lœss (blé) au pied des massifs centraux. **Extrême-N.-O. :** polders, vers la m. du Nord. **Extrême-N.-E. :** dépôts glaciaires et moraines (landes buissonneuses et caillouteuses, seigle ; dunes vers la Baltique). Les bassins de Cologne et de Westphalie sont en grande partie urbanisés (Ruhr). **EX-ALL. EST. Nord :** plaine d'anciens dépôts morainiques et de sable. **S. et O. :** montagne (Thuringe, Mittelgebirge, Erzgebirge). *Alt. max.* Fichtelberg (Erzgebirge) 1 214 m, Brocken (Harz) 1 142 m.

■ **Iles les plus grandes** (en km²). Rügen 926,4, Usedom 445, Fehmarn 185,4 (Baltique), Sylt 99,1 (mer du Nord), Föhr 82,9, Nordstrand 50,4, Pellworm 37,4.

■ **Principaux lacs** (en km²). Bodensee (lac de Constance) 538,5 (dont partie allemande 305), Müritz 115,3, Chiemsee (Bavière) 82, Schweriner See 65,5, Starnberger See 57,2, Ammersee (Bavière) 46,6, Plauer See 38,7, Kummerower See 32,9, Steinhuder Meer 29,4.

■ **Fleuves** (longueur en km). Rhin 865 (dont navigables 778), Elbe 725 (sur 1 165), Danube 647 (386), Main 524 (396), Weser 440 (440), Saale 427, Spree 382, Ems (jusqu'au Dollart) 371 (238), Neckar 367 (203), Havel 343 (343), Moselle 242 (242), Neisse 199 (sur 256), Oder 162 (sur 912).

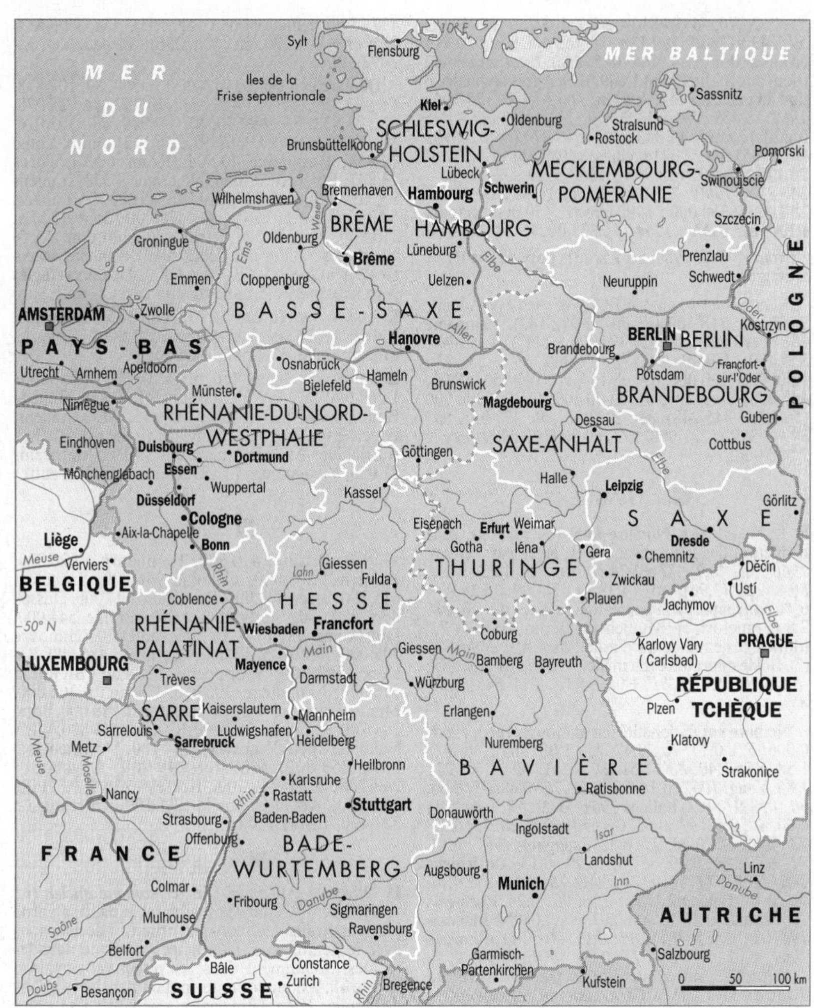

■ **Canaux de navigation** (longueur en km). *Mittellandkanal* (depuis 1938) 321,3 ; *de Dortmund à l'Ems* (1899) 269 ; du Main au Danube (1989) 124 ; *latéral de l'Elbe* (c. Nord-Sud, 1976) 112,5 ; *de Kiel* (mer du Nord-Baltique, 1895) 98,7 ; *de l'Oder à la Sprée* (1935) 83,7 ; *de l'Oder à la Havel* (1914) 82,8 ; *Küstenkanal* (c. côtier, 1935) 69,6 ; *hanséatique* (Elbe-Lübeck, 1900) 62 ; *de Wesel à Datteln* (1929) 60,2.

■ **Climat.** Tempéré de type maritime au N. et N.-O. (0,3 °C janv., 17,1 °C juill.), continental au S. (1 °C janv., 19,1 °C juill.). Temps instable, pluies réparties sur toute l'année : Alpes 2 000 mm, Centre (surtout orages d'été) 800 mm, N. (min. en févr.) 600 mm. Rhénanie, hivers relativement doux (1,9 °C à Cologne), étés très lourds. *Jours de gel :* Hambourg 62, Mayence 62, Munich (518 m d'alt.) 105.

■ POPULATION

■ **Avant 1939** (en millions). *1865* : 39,5, *1875* : 42,5 (y compris Alsace-Lorraine) ; *1885* : 46,7, *1895* : 52, *1905* : 60,3, *1913* : 67, *1939* : 79,5.

■ ALLEMAGNE RÉUNIFIÉE. **Nombre d'habitants** (en millions, 1990) : 79,1, dont F 41, H 39,1. D 222. **Taux** (en ‰, 1989) : *natalité* 11,1, *mortalité* 11,4.

■ EX-ALLEMAGNE DE L'OUEST. **Nombre d'habitants** (millions) : *1939* (territoire de 1945 à 1990) : 42,8. *46* : 44,2 (dont 6,5 réfugiés). *60* : 55,1 ; *70* : 60,4 ; *74* : 62,1 ; *80* : 61,4 ; *85* : 61,01 ; *89* : 62,5 ; *90* : 62,7 (– de 20 a. : 13,1, de 20 à 60 a. : 36,6, + de 60 a. : 13,1). *Prévision an 2000* : 49,2 à 63,5 s'il y a un redressement de la natalité (– *de 20 a.* : 13,1, *de 20 à 60 a.* : 35,1, + *de 60 a.* : 15,3) ; *2040* : 45,5 (7,1, 21,5, 17) ; *2050* : 35 (sans redressement). **Solde des naissances moins les décès** (en milliers) : *1960* : 336 ; *64* : 421 ; *70* : 76 ; *71* : 48 ; *72* : 30 ; *75* : 149 ; *80* : 93 ; *84* : 124 ; *85* : 118 ; *86* : 75 ; *87* : 45 ; *88* : 10 ; *89* : 16. **Mariages** *1989* : 398 000, *âge moyen 1989* : hommes 31, femmes 27,9. **Divorces** *1988* : 129 000 (20,6 %). **Naissances** (par an en milliers) *1948-54* : 808 ; *55-64* : 954 ; *65-69* : 997 ; *70-74* : 711 ; *80* : 621 ; *85* : 586 ; *89* : 682. **Taux (‰)** : *natalité* : *1979* : 9,5 ; *82* : 10,1 ; *85* : 9,6 ; *89* : 11 ; *mortalité* : *80* : 11,6 ; *89* : 11,3 ; *infantile* : *87* : 10 ; *89* : 7,5. **Fécondité (naissance par femme) :** *1948-56* : 2,09 ; *65-69* : 2,43 ; *80* : 1,45 ; *85* : 1,28 ; *87* : 1,3 (le + faible du monde) ; *88* : 1,4. **Accroissement** (1987) – 0,1 % par an. **Espérance de vie** 75 a. D 251 (Ruhr + de 1 000). **Suicides** (1989) : 14 000.

■ EX-ALLEMAGNE DE L'EST. **Nombre d'habitants** (en millions) : *1949* : 18,3, *60* : 17,1, *70* : 17,1, *80* : 16,74, *83* : 16,70 (dont femmes 56 %), *88* : 16,6, *2000 (prév.)* : 16,55. *Accroissement* : – 0,1 par an. D 154. **Population urbaine :** 75 %. **Minorité nationale :** 150 000 Sorabes de Lusace, descendants des Slaves. **Age** – *de 15 a.* : 19 %. + *de 60 a.* : 17 %. **Espérance de vie :** H. 69 ans, F. 75. **Naissances** vivantes : *1950* : 303 866, *74* : 179 127, *80* : 245 132, *86* : 222 269. **Décès :** *1986* : 225 521. **Mariages :** *1986* : 137 208. **Divorces :** *1986* : 52 439. **Taux (‰, 1988) :** *natalité* 12,9 (*1991* 6,6), *mort-nés* 4,7, *mortalité* 12,8, *infantile* 8,7.

■ MIGRATIONS

Émigration avant 1914. *1881* : 184 369 ; *1891* : 120 089 ; *1901* : 16 467 ; *1905* : 28 075.

Allemands à l'étranger. *1989* : *URSS* 1 820 000, *Pologne* 800 000 soit 2 % de la pop. (90 % des Pol. d'or. all. ne parlent pas l'all.), *Roumanie* 220 000 à 300 000 (Saxons de Transylvanie et Souabes du Banat), *Hongrie* 200 000, *Tchécoslovaquie* 50 000, *Yougoslavie* 15 000. Les associations de réfugiés de l'Eur. de l'Est comprenaient en 1985 2 200 000 m. (dont 300 000 de Silésie, 140 000 Sudètes, 125 000 de Hte Silésie).

Allemands de l'O. émigrés à l'E. *1955-61* : 279 000. **RDA** *1962-77* 51 000, *1984* : 36 000, *85* : 25 000, *86* : 19 982, *87* : 12 958, **Pol.** *62-77* : 96 200, **URSS** *62-77* : 7 000.

Allemands venus de l'E. en All. de l'O. (Übersiedler). 1945-1990 : 6 944 000. 1) *All. des prov. orientales expulsés* (*Vertriebene*) des pays sous tutelle sov., et réfugiés dans les zones occ. (dès 1944-45). 2) *All. de l'Est réfugiés* (*Flüchtlinge*) ayant fui le régime comm. dans leur zone d'occ. (1947) et en RDA (1949). **De 1949 à la construction du mur de Berlin :** *1945 à 1949* : 732 100. *49* : 129 245, *50* : 197 788, *51* : 165 648, *52* : 182 393, *53* : 331 390, *54* : 184 198,

55: 252 870, *56:* 279 189, *57:* 261 622, *58:* 204 092, *59:* 143 917, *60:* 199 188, *61:* 155 402 (dont 30 415 en juillet, dont 51,4 % de - de 25 ans). *Total:* 2 686 942 (dont par Berlin Ouest 1 649 070). **Après la construction du mur :** *du 15-8-1961 au 31-12-1977 :* 177 204 ; *1981:* 15 433 ; *1982:* 13 208 (9 113 légalement, 4 095 fugitifs) ; *1983 :* 11 343 ; *1984 :* 40 974 (dont 34 982 lég., 3 651 fug., 2 341 rachats) ; *1985:* 24 912 ; *1986:* 26 178 ; *1987 :* 18 958 ; *1988 :* 39 832 ; *1989 :* 343 854 ; *1990 :* 238 384. *Total :* 1 198 289. *1991 :* 250 000 à 350 000 ; *1992 (prév.) :* 150 000. **Retours RFA vers RDA :** *1964-75 :* 33 000, *75-84 :* 14 314.

Nota. – Dep. 1989, 5 à 7 % de la pop. de l'ex-RDA a émigré.

Venus d'autres pays de l'Est (Aussiedler). **Pologne** *1951-84 :* 718 300 (*85-90 :* 1 372 182). **Roumanie** *1988 :* 13 000, *89 :* 23 397, *90 :* 111 150 (*50-90 :* 353 470). **URSS** *1962-77 :* 51 000, *86 :* 753, *87 :* 15 000, *88:* 30 000, *89:* 98 134, *90:* 147 950 (*50-90:* 403 258). *Total 1945-46:* 6 000 000, *47-49:* 2 000 000 (*50-90 :* 2 345 248), *88 :* 203 055, *89 :* 377 055, *90 :* 397 073, *91 :* 221 000, *92 :* 260 000 [*90-2000 (prév.) :* 2 500 000].

■ Étrangers

■ EX-ALL. OUEST. **Nombre total** (en millions, sans déduction des naturalisations et, entre par., avec) : *1960 :* 0,7 (0,7). *71 :* 2,74 (2,74). *75 :* 4,02 (3,99). *80 :* 4,23 (3,96). *85 :* 4,38 (4,07). *90 :* 5,2. *92 :* 6. **% par rapport à la population totale.** *1974 :* 4, *88 :* 7,6 (Francfort 21, Munich 18, Berlin 13). *89 :* 7,5 (dont 2,5 demandeurs d'asile). *90 :* 8,3. *2000 :* 13 (?). **Solde migratoire** (en milliers) : *1971 :* + 0,37. *75 :* – 0,23. *80 :* + 0,25. *81 :* + 0,09. *82 :* – 0,11. *84 :* – 0,21. *85 :* – 1,19.

Nombre par nationalité (en millions). **Turcs** *1960 :* 0,006. *67 :* 0,17. *70 :* 0,47. *75 :* 1,08. *80 :* 1,46. *82 :* 1,58. *85 :* 1,40. *88 :* 1,51. *89 :* 1,61. *90 :* 1,67. *93 :* 1,85. **Youg.** *1967 :* 0,14. *70 :* 0,51. *75 :* 0,68. *85 :* 0,60. *90 :* 0,6. *91 :* 0,7. **Italiens** *1961 :* 0,20. *67 :* 0,41. *75 :* 0,60. *86 :* 0,53. *93 :* 0,55. **Grecs** *1967 :* 0,20. *71 :* 0,38. *73 :* 0,41. *85 :* 0,28. *93 :* 0,32. **Espagnols** *1967 :* 0,18. *71 :* 0,27. *73 :* 0,29. *85 :* 0,15. *90 :* 0,13. **Autrichiens** *1967 :* 0,12. *71 :* 0,16. *74 :* 0,18. *78 :* 0,16. *85 :* 0,17. *90 :* 0,18. **Polonais** *1988 :* 0,16. *90 :* 0,24. **Portugais** *1967 :* 0,02. *74 :* 0,12. *85 :* 0,07. *90 :* 0,08. **Néerlandais** *1967 :* 0,10. *75 :* 0,11. *84 :* 0,11. *90 :* 0,11. **Français** *1961 :* 0,02. *67 :* 0,04. *75 :* 0,06. *84 :* 0,07. *93 :* 0,04.

Dep. 1973, entrée interdite aux travailleurs venant d'autres pays que la CEE. *Aide au rapatriement :* 30 000 F (+ 4 500 F par membre de la famille, cotis. sociale remboursée après 2 ans d'attente).

Immigration (par an, en milliers). *1990 :* 1 264 (dont All. de souche 397, d'ex-RDA 410, étrangers 457 (dont demandeurs d'asile 193). *91 :* 792 [(A. s. 222, ex-RDA 220, étr., d.a. 256)]. Illégaux de l'Est *1992 :* 200.

Demandes d'asile. *1967-79 :* 176 394. *80 :* 107 818. *81 :* 43 391. *82 :* 37 423. *83 :* 19 737. *84 :* 35 278. *85 :* 73 832. *86 :* 99 650. *87 :* 57 379. *88 :* 103 076. *89 :* 121 318. *90 :* 193 063. *91 :* 256 112 [dont ex-Youg. 74 854, Roumains 40 504 (Roms 60 %), Turcs 23 877, Bulgares 12 056, Nigérians 9 358, Iraniens 8 133, Afghans 7 337, ex-URSS 5 690, Sri Lankais 5 623, autres 60 037]. *92 :* 438 000 (dont de l'Est 310 000, Asie 50 000, Afrique 36 000) dont 4,3 % reconnues valides par tribunaux. **Demandes acceptées** (en %) *1989 :* 5, *90 :* 4,4, *91 :* 6,9. **Aide aux réfugiés pour subsister.** 6,5 milliards de marks (1991).

■ EX-ALL. EST (avant 1990). **Ouvriers étrangers :** 85 000 à 100 000, de Pologne (25 000), Hongrie, Mozambique, Viêt-nam (60 000).

■ Actifs étrangers (en mars 1992). Allemands 1 960 000 (6,7 %), Yougoslaves, Polonais, Tchèc., Roumains 894 331, Turcs 649 855, CEE (Italiens, Grecs, Esp., Portugais, Anglais, Français) 440 209, Autrichiens 93 085, Américains 30 199, Marocains 21 053, Vietnamiens 17 597, Iraniens 14 772, autres 245 987.

■ Villes

1989. Berlin 3 410 800, Hambourg 1 626 000, Munich 1 207 000, Cologne 946 000, Francfort 635 800, Essen 624 000, Dortmund 594 000, Düsseldorf 570 000, Stuttgart 571 000, Brême 544 000, Duisbourg 532 000, Leipzig 530 000, Hanovre 506 000, Dresde 501 000, Nuremberg 486 000, Bochum 393 000, Wuppertal 378 000, Bielefeld 315 000, Mannheim 306 000, Chemnitz 302 000, Magdebourg 290 400, Gelsenkirchen 288 000, Bonn 283 700, Karlsruhe 267 200, Rostock 254 800, Wiesbaden 254 600, Brunswick 254 100, Mönchengladbach 253 800, Münster 249 900, Augsbourg 248 300, Kiel 241 200, Krefeld 236 900, Halle 234 800, Aix-la-Chapelle 234 100, Oberhausen 221 400, Erfurt 220 000.

■ Langues

■ Officielle. **Allemand :** le *germanique ancien* (né v. 1200 av. J.-C. dans la région du Jutland) a gardé plusieurs traits de l'indo-eur. primitif : déclinaisons avec le génitif en *s,* alternance vocalique dans les racines, notamment dans les verbes (conjugaison « forte ») ; lexique commun, notamment les relations de famille : *Vater,* latin : *pater,* « père », et les formes verbales essentielles : *ist* « est », *sind* « sont ». Beaucoup de ses mots ont été empruntés aux Celtes, voisins des Germains pendant 2 millénaires : *rix : Reich ; durum : thür.* Ils ont été modifiés par la force de l'accent tonique (sur la 1re syllabe) et par la « 1re mutation consonantique » : le *p* devient *f ;* le *g* devient *k ;* le *ph* devient *b.* **Au IVe s. av. J.-C.** le germanique se coupe en 3 groupes : *oriental* (gothique, burgonde, vandale) aujourd'hui disparu ; *nordique* (devenu le groupe scandinave) et *occidental* ou *westique* (anglais, néerlandais, allemand). **Au VIIe s. apr. J.-C.** une « 2e mutation consonantique » différencie les langues westiques en 2 groupes : *bas-allemand* (Nord et G.-B.), garde les consonnes *p, t, k, haut-allemand* (Sud) *f* ou *pf, tz, ch* [angl. : pan, sleep (all. : Pfanne, schlaf-) ; angl. : set (all. : sitz-) ; angl. : book (all. : Buch)]. Le *haut-all.* devient langue culturelle et littéraire à partir de 1200. Le *bas-all.* reste la l. commerciale et maritime. **Hoch-Sprache** (l. off.) : l. moyenne faisant partie du haut-all., mais proche du bas-all. ; elle était parlée en Thuringe au XVIe s., répandue par Luther (Thuringien), codifiée par les grammairiens pour la 1re fois en 1663. Syntaxe influencée par celle du latin classique. Compte actuellement 1/6e de racines étrangères assimilées (français puis latin et grec) servant à former des mots composés.

Dialectes modernes. **Haut-all. :** *all. supérieur.* 3 dialectes méridionaux [alémanique (avec notamment parlers alsacien et suisse), austro-bavarois, franconien supérieur]. *All. moyen :* 2 dialectes centraux (franconien moyen et haut-saxon). **Bas-all. :** 1 dialecte, le « bas-saxon », son dialecte occidental étant devenu le néerlandais.

Sorabe (en Lusace) : langue slave. *En All. de l'Ouest* 47 % des All. sont bilingues et pratiquent quotidiennement leur dialecte.

Langues étrangères. *En All. de l'Ouest* 58 % des All. parlent l'anglais (85 % des 14-34 ans), 22 % le français, 7 % l'italien, 5 % l'espagnol et 1,6 % le russe.

■ Religions

■ Allemagne réunifiée. Protestants 37 %, catholiques 35 %, autres sans confession 28 % (70 % sans confession dans les nouveaux Länder de l'Est).

■ Protestants. **Grandes dates de la Réforme. 1517** (31-10) à Wittenberg (Saxe), le moine allemand (thuringien) *Martin Luther* (1483-14/2/1546) rédige 95 thèses sur les Indulgences, et les aurait affichées sur la porte de l'église. **1520** il publie les « Ecrits réformateurs » : *l'Appel à la noblesse allemande, la Captivité de Babylone et la Liberté chrétienne ;* la bulle « Exsurge Domine » l'excommunie mais il la brûle solennellement à Wittenberg. **1521** la Diète de Worms le met au ban de l'Empire ; l'Électeur de Saxe l'abrite dans le château de la Wartburg où il traduit la Bible en allemand. **1522** Luther retourne à Wittenberg où, en 1525, il épousera une ancienne religieuse, Katharina von Bora. **1529** colloque de Marbourg : désaccord des luthériens et des zwingliens (Zurich)

■ Princes électeurs (Kurfürsten)

Nombre d'électeurs (nobles). Jusqu'au XIIIe s. : de 10 à 100, prépondérance des grands-ducs et archevêques.

Bulle d'Or de 1356 : 7 : 3 ecclésiastiques (archev. de Cologne, Mayence, Trèves), 4 laïcs dont 3 deviennent protestants au XVIe s. [margrave de Brandebourg, duc de Saxe, comte palatin du Rhin (à Heidelberg)] et 1 demeure catholique (roi de Bohême). **1623** le vote du Cte palatin (protestant) est attribué au duc de Bavière (catholique). **1648** le Cte palatin redevient électeur, mais le duc de Bavière conserve son vote. **1697** le duc de Saxe se fait cath. **1708** un 9e vote est créé pour le duc de Hanovre (prot.). **1778** le vote du Cte palatin (Mannheim devient cap.), duc de Bavière et cath., est attribué rétroactivement au duc de Hanovre qui reçoit sa charge honorifique de grand sénéchal. **1803** la Fr. annexe les 3 électorats eccl. (Mayence, Trèves, Cologne) et les 4/5e de l'ancien Palatinat devenu bavarois (rive gauche du Rhin). L'électorat eccl. de Mayence est transféré à Ratisbonne. 4 nouveaux électeurs laïcs : duc de Salzbourg (ancien évêché) remplacé dès 1804 par le Gd-duc de Wurzbourg (ancien archevêché), Gds-ducs de Hesse-Cassel, de Bade, de Wurtemberg qui a pris le titre de roi. La Confédération du Rhin est proclamée ; la dignité électorale abolie.

■ Royaumes allemands

Autriche. Voir Index. **Bavière. 788** Charlemagne crée un duché de B. **1070** dynastie des Welf (Guelfes), hostile aux Hohenstaufen. **1180** donné à la famille de Wittelsbach par Frédéric Barberousse. **1648** reçoit dignité électorale et Haut-Palatinat ; plusieurs fois la dignité impériale (notamment Charles VII, allié de Louis XV, 1742-45). **1779** *tr. de Teschen :* unie au Palatinat rhénan. **1801** perd Palatinat rhénan. **1803** reçoit plusieurs évêchés en compensation au Recez (voir plus loin). **1806** royaume (alliance de Napoléon). **1815** récupère Palatinat rhénan. **1866-70** indépendance de fait, mais alliance militaire avec Prusse. Louis II se noie dans le lac de Starnberg (son docteur milanais l'empêche, mais se noie aussi). Connu pour ses châteaux Neuschwanstein, Linderhof, Schachen (refuge alpin, décor oriental).

Hanovre. Primitivement duché de Brunswick-Lunebourg. **1692** prend le nom de sa capitale en recevant la dignité électorale. **1714** l'électeur devient roi d'Angleterre. **1803** occupé par les Fr. (Richelieu). **1805** cédé à la Prusse. **1807-14** divisé entre roy. de Westphalie (Jérôme Bonaparte) et départements fr. **1837** séparé de l'Angl., l'électeur garde la dignité royale (roi du Hanovre).

Prusse. 1134 Albert l'Ours acquiert seigneurie de Branibor en pays slave, sur rive droite de l'Elbe ; prend le titre de marquis de Brandebourg. **1235** dignité électorale. **1242** Berlin fondé. **1414** électorat et margraviat donnés au burgrave de Nuremberg, Frédéric VI de Hohenzollern. **1472** suzeraineté sur Poméranie. **1521** le grand maître des Chevaliers Teutoniques (Pr. polonaise), Albert de Hohenz., cadet de Brandebourg, devient protestant ; transforme sa seigneurie ecclésiastique en duché héréditaire, vassal du roi de Pologne (hors d'Empire). **1618** Jean-Sigismond de Hohenz., électeur de Brand. hérite de la Pr. **1657** ducs de Pr. s'affranchissent de la suzeraineté polonaise. **1701** deviennent « rois en Pr. » (c.-à-d. hors d'Emp.). Frédéric Ier, couronné 18-1-1701, reconnu « roi de Pr. » au tr. d'Utrecht (1713). **1713-40** Frédéric-Guillaume Ier, le roi-sergent, organise un État milit. puissant. **1740-86** Fréd. II le Grand ; apogée de la puissance. **1742** Fréd. II annexe Silésie autrich. **1786-97** Fréd.-Guillaume II : g. contre Fr. révolutionnaire. **1772-93-95** reçoit de vastes territoires polonais (restitués en partie, 1807). **1795** *tr. de Bâle.* Fréd.-Guillaume II abandonne possessions de la rive gauche du Rhin. **1803** Recez (voir ci-dessus) échange Clèves contre 5 évêchés, 6 villes, 5 abbayes. **1805** échange Neuchâtel et Anspach contre Hanovre pris aux Anglais. **1807** Fréd.-Guillaume III perd ses territoires à l'O. de l'Elbe. **1814** échange Han. contre Rhénanie. **1866** Pr. récupère Han., atteint 400 000 km^2 d'un seul tenant, garde province de Posen, renonce à la Saxe.

Saxe. IXe-Xe s. duché, comprend presque tout le N. de l'All. **1165** 1re foire à Leipzig. **1180** vaincu par Frédéric Barberousse, et démantelé. Plus tard se développent Basse-Saxe (futur Hanovre) et Hte-Saxe. **1356** duc de Hte-Saxe (ou Saxe-Wittenberg) électeur (bulle d'Or). **1697** élu roi de Pologne. **1806** Napoléon nomme Frédéric-Auguste Ier roi de Saxe. **1807** nommé grand-duc de Varsovie. **1815** amputé de plus d'un tiers (Saxe prussienne), titre royal confirmé.

Wurtemberg. IXe s. partie du « duché de Souabe ». **1135** comté. **1310** bailliage de Basse-Souabe (cap. Stuttgart). **1495** duché ; vassal du duc d'Autr. **1599** devenu protestant et fief direct de l'Empire. **1803** électeur au Recez. **1805** roi indép. du St Empire. **1815** royauté confirmée.

■ Anciennes colonies

Superficie en km^2 ; population de couleur, entre parenthèses, population blanche vers 1913 : **Afrique orientale** (actuels Rwanda, Burundi et Tanzanie) 995 000 km^2, 7 661 000 h. (5 336). **Sud-Ouest africain** (actuelle Namibie) 835 000 km^2, 83 300 h. (14 830). **Cameroun** 790 000 km^2, 2 751 000 h. (1 871). **Togo** 87 200 km^2, 1 032 000 h. (368). **Congo** 275 000 km^2 cédés par Fr. **Nouvelle-Guinée orientale** (Terre de l'Empereur Guillaume) (arch. Bismarck, Carolines or. et occid., Mariannes) 242 476 km^2, 601 700 h. (1 427). **Iles Samoa** 2 572 km^2, 37 540 h. (557). **Kiao-Tchéou** (en Chine) 552 km^2, 37 540 h. (350).

Le Saint Empire au XVIe s.

sur la Sainte Cène. **1530** *Melanchthon* (1497-1560) présente à la Diète d'Augsbourg la *Confession de Foi* de l'Égl. luthérienne (Confessio Augustana). **1542** union des hussites de Bohême et des luthériens. **1555** *Paix de religion d'Augsbourg :* Charles Quint reconnaît l'existence du protestantisme allemand selon le principe de l'unité confessionnelle des États *(cujus regio, ejus religio :* tel royaume, telle religion). **1563** publication en français du catéchisme de Heidelberg exposant la doctrine calviniste. **1648** traités de Westphalie fixant la carte confessionnelle de l'Europe. **1660** 1re communauté piétiste fondée à Francfort, par l'Alsacien Philippe Spener (1635-1715). **1733** 1re Sté missionnaire, créée par les Frères Moraves ou Herrnhuters [disciples de Spener (piétistes), regroupés en 1721 à Berthelsdorf (Lusace), par le Cte Nicolas de Zinzendorf (1700-60)].

Statistiques. EX-ALL. OUEST (RFA) : 39,5 % (25 156 000 fidèles) des h. **Égl. évangélique en Allemagne (Evangelische Kirche in Deutschland, EKD),** comprend 17 égl. régionales *(Landeskirchen) :* 5 formant l'*Union des Égl. évangéliques luth. d'All.* (Vereinigte Ev.-Luth. Kirche Dtlds., VELKD) ; 3 formant *l'Égl. évangélique de l'Union* (EKU) ; 9 autres dont 2 luthériennes, 5 unifiées et 2 réformées. **Total égl.** luthériennes 12 174 000, unifiées 12 550 000, réformées 432 000. *Paroisses (autonomie juridique) :* 10 774 dont 1 999 sans presbytère au 1-1-1991. *Pasteurs :* 19 007 [dont 2 927 (15,4 %) sont des femmes]. *Districts :* 504. *Inspections :* 34. En 1990, 144 143 prot. sont « sortis de l'Église ». EX-ALL. EST (RDA) : 4 286 000 (7 340 paroisses, 3 941 pasteurs). En 1991, réunification des égl. évangél. des 2 All. L'EKD comprend actuellement 24 égl. régionales.

■ **Catholiques romains** (y compris uniates). EX-ALL. OUEST : 42,9 % (87), 26 400 000 (Sarre, Bavière, Rhénanie-Westphalie). 22 évêchés (avec Berlin-O.). 12 436 prêtres (89). En 1987, 81 598 cath. sont « sortis de l'Église ». EX-ALL. EST : 1 200 000, 7 % (1 037 églises et chapelles, 1 300 prêtres, 130 pr. réguliers, 35 ordres religieux, 300 couvents et cloîtres). Le diocèse de Meissen était entièrement en RDA, ceux de Görlitz, Schwerin, Magdebourg et Erfurt étaient des circonscriptions d'évêchés de RFA dirigés par des administrateurs apostoliques. L'évêché de Berlin couvrait les 2 parties de la ville (474 000 cath. dont 120 000 en RDA et 80 000 à Berlin-Est).

■ **Juifs** *1900 :* 570 000. *1933 :* 530 000 (dont 160 000 à Berlin). *Ex-All. Ouest : 1988 :* 27 552 (dont 6 199 à Berlin). *Ex-All. Est : 1946 :* 3 100. *52 :* 2 600. *89 :* 800 (off.) et 2 000 à 3 000 d'origine juive non recensés. Un rabbin (poste vacant dep. 1966) (8 synagogues, 1 oratoire). ALL. RÉUNIFIÉE : *1990 :* 28 000. *1992 :* 40 000 à 60 000 (20 000 venus d'ex-URSS).

■ **Musulmans** 2 %. **Divers** 2 %.

☞ **Impôt d'Église.** Depuis la sécularisation des biens d'Église le 25-2-1803, les autorités civiles prélèvent sur les fidèles 8 à 10 % de leur impôt sur le revenu. *Produit (ex-All. Ouest, 1991)* en milliards de DM (déduction faite des frais administratifs, civils, ecclésiastiques) : protest. 7,62 ; cathol. : 7,61.

■ HISTOIRE

■ **Avant J.-C. Protohistoire** faiblement peuplée de Ligures à l'O. jusqu'au XVe s. av. J.-C. **1500 à 109** population celtique dense, créant les civilisations du bronze récent, de *Hallstatt* (âge du fer, 1000 av. J.-C.), de *La Tène.* Contact étroit avec Germains en Thuringe et dans le bassin de l'Elbe (frontière à env. 100 km à l'O. de l'Elbe). Certaines tribus sont dites germano-celtiques (ex. Cimbres et Teutons). **V. 400** (La Tène I) les Belges (N. du Main) émigrent sur la rive g. du Rhin, ils sont remplacés par des tribus germaniques. Au S. du Main, les Celtes construisent des forteresses et résistent aux Germains jusqu'en 113 av. J.-C. **113-109** Cimbres et Teutons occupent la rive dr. du Rhin jusqu'à l'Helvétie (Suisse) ; battus par Marius à Aix (103 av. J.-C.), ils sont exterminés, mais les Celtes sont chassés d'All., ne conservant que Norique (Sud-Bavière et Autriche) et Bohême. **85** le Celte Arioviste devient le chef des Germains de la rive dr. du Rhin (Conféd. des Suèves ou Souabes) ; il les emmène à l'attaque de la Gaule, occupant l'Alsace v. 61. **58** César bat *Arioviste* et rejette les Germains sur la rive dr. du Rhin. **15** les Romains prennent Rhétie et Norique.

■ **Apr. J.-C. 8** les Romains attaquent l'All. du Nord, mais *Arminius* (Herrmann) bat Varus au Teutoburgerwald. **A partir de 90** ils construisent un *limes* (fortification continue) du confluent Main-Rhin jusqu'au Danube. Au S. du *limes* est organisée la province des *Champs Décumates* (Celtes et légionnaires romains ; cap. Augusta Raurica, près de Bâle). Augsbourg devient un évêché chrétien au début du IVe s. **405** les Germains franchissent le *limes* et envahissent l'Empire romain. Resteront germanisés : Norique et Rhétie (par Bavarois), Champs Décumates et Helvétie (par Alamans), N.-E. de la Belgique sur la rive g. du Rhin (par Francs et Saxons). **496** Clovis, roi des Francs (rive g. du Rhin), bat Alamans, annexe future « Franconie » et vassalise terr. alémaniques jusqu'en Autriche. **531** fils de Clovis, alliés aux Saxons (All. du N.), conquièrent et annexent Thuringe. **A partir de 535** les Slaves occupent l'E. de la Germanie jusqu'à la Saale. **782-85** Charlemagne conquiert et annexe la Saxe au N. de la Thuringe ; baptise les habitants. **816** Louis le Pieux couronné emp. pour Gaule, Germanie (« Francie occidentale » et « orientale ») et Italie. **843** *tr. de Verdun, la Francie occid.* (futur roy. de France) est détachée de l'Emp. *La Lotharingie* (au centre) et *la Francie orientale* demeurent unies. **Xe s.** la Lotharingie se disloque en Basse-Lorraine, Hte-Lorraine, royaumes de Bourgogne et de Provence, Italie du N. Tous ces territoires restent dans la mouvance du roi de Germanie.

■ **Saint Empire romain germanique (Ier Reich)** (en allemand Heiliges Reich appellation attestée 1157). **962** *2-2* Otton Ier le Grand, couronné comme chef du St-Empire romain germanique. **1076-1122** *querelle des investitures* entre Henri IV et papauté qui désire intervenir dans la nomination des clercs et juges. **1077** *Canossa,* Henri IV, excommunié, s'incline devant le pape Grégoire VII, puis reprend la lutte. **1122** *Concordat de Worms,* l'emp. garde l'investiture des biens temporels. Frédéric Barberousse essaye de soumettre l'Italie (qui dépend théoriquement de lui), puis y renonce (paix de Constance 1183). **XIIIe s.** rivalité des *Guelfes* (partisans d'Othon de Brunswick ; en Italie : pour les libertés locales et le pape, contre l'empereur) et des *Gibelins* (pour Philippe de Souabe et la centralisation impériale). **1215-50** Frédéric II de Hohenstaufen (n. 1194, petit-fils de Fréd. Barberousse, 3 fois excommunié, emp. des Romains) hérite du roy. de Naples-Sicile, et veut soumettre toute l'Italie (voir croisades p. 629), vaincu par papes Grégoire IX et Innocent IV. **XIVe s.** luttes féodales ; la *bulle d'Or* (1356) fixe la Constitution de l'Emp. (3 princes ecclésiastiques, 4 princes laïques élisant l'emp., dont le pouvoir est surtout honorifique). **XVe s.** Habsbourg deviennent en fait emp. héréditaires. **1499** Confédération suisse cesse de faire partie de l'Emp. **XVIe s.** Réforme : *Ligue de Smalkalde* obtient de Charles Quint (élu emp. 1519 contre François Ier roi de Fr.) la liberté religieuse (*Paix d'Augsbourg* 1555). Ch. Quint réunit monarchie espagnole aux héritages bourguignon et autrichien, en plus de la dignité impériale ; doit lutter contre les rois de Fr. François Ier et Henri II ; abdique (1556) : l'Emp. est de nouveau séparé de la monarchie esp. ; l'emp. Ferdinand Ier, fr. de Charles V, garde seulement l'héritage autrichien (dans l'Emp. : duchés d'Autr. et Silésie, roy. de Bohême ; hors d'Emp. : roy. de Hongrie). **1618-48** *g. de 30 ans* entre emp. (cath.) et princes protestants seuls (1618-23) puis aidés par Danemark (1625-29), Suède (1630-48), France (1635-48). **1648** *24-10 tr. de Westphalie* réduisant le pouvoir de l'Emp. et attribuant la souveraineté à 343 États all. (villes, évêchés, seigneuries). Les Provinces-Unies (P.-Bas) cessent de faire partie de l'Emp. **1648-1714** l'Emp. participe aux g. contre Louis XIV, surtout celle de la succession d'Esp. Les princes « vendent » leur alliance au plus offrant. **1673-74** Louvois fait dévaster le Palatinat. **1713-14** *tr. d'Utrecht et de Rastadt :* plusieurs États importants (dont 2 roy.) émergent parmi les 343 États all. **XVIIIe s.** les États all. prennent part aux nombreuses g. européennes. Dans l'ensemble, Bavière, Saxe et Cologne sont alliés de la Fr. ; le Hanovre est lié à l'Angl. ; Prusse et Autriche sont rivales.

■ **De la fin du St Empire au IIe Reich. 1792-1815** g. de la Révolution et de l'Empire. **Recez de 1803** (du latin *recessus,* « action de se retirer » : procès-verbal d'une séance voté au moment de se séparer ; désigne les textes juridiques adoptés par les Diètes d'Empire) : Bonaparte annexe la rive g. du Rhin et ramène les États souverains all. de 343 à 39 ; les autres sont *« médiatisés »* (voir Index) ; principautés épiscopales supprimées. **1806** *fin officielle du St Emp. -6-8* François II abdique et devient emp. d'Autr. [Autr. et Bohême sont détachées de l'All., la Prusse (qui a refusé l'offre de Nap. de créer une Confédération des États du Nord en majorité protestants) devient un État étranger], les 37 autres États sont groupés en une *« Confédération du Rhin »* [dont fait partie le « roy. de Westphalie » (Jérôme Bonaparte, 1784-1860)] ; protecteur : Napoléon Ier. Diète à Francfort sous la présidence d'un P[ce] primat, conseil des princes. Après Iéna (14-10-1806), la Conféd. comprend l'ensemble de l'All. (sauf Prusse, Autr., Holstein danois, Frise). **1810** (à partir de) flambée nationale contre le blocus continental et la domination franç. **1813** *« Bataille des nations »* à Leipzig : fin de la domination fr. en All. **1815** *Congrès de Vienne. -8-6* création de la *Confédération germanique* [Deutscher Bund, présidée par l'empereur d'Autriche, et une Diète siégeant à Francfort formée de représentants des gouvernements (et non d'élus des peuples), dépourvue de pouvoirs, sorte de congrès de diplomates)]. **1819**-*23-3* Karl Sand tue Kotzebue ; le Burschenschaft (Assoc. gén. des étudiants) dissous. **1834** sous la direction de la Prusse, *Union douanière all.* [39 États : un empire (l'Autriche), 5 royaumes (Prusse, Saxe, Hanovre, Wurtemberg, Bavière), 1 électorat (Hesse-Cassel), 7 grands-duchés (Bade, Luxembourg, Hesse-Darmstadt, Saxe-Weimar, Mecklembourg), 20 duchés et principautés, 4 villes libres (Lübeck, Hambourg, Brême, Francfort-sur-le-Main)], le *Zollverein* (sans l'Autriche). **1848-49** tentatives pour reconstituer une Allemagne unitaire. Parlement convoqué à Francfort. Fréd.-Guillaume IV de Prusse élu empereur le 28-3-1849, refuse le 3-4 la couronne de l'Empire. *-19-6* Parlement dispersé. **1850** *Olmütz* 28/29-11 entrevue Manteuffel (Prusse)/Schwarzenberg (Autr.). *-15-7* la Prusse doit renoncer à son projet d'union restreinte et accepter le rétablissement de la Confédération. **1850-71** formation de l'unité all. sous la direction prussienne. **1861-88** Guillaume Ier, roi de Pr. **1862** Bismarck PM de Pr. **1863** Lassalle (1825-64) constitue l'Union générale allemande des travailleurs (dirigée après sa mort par J. B. von Schweitze, qui fonde le journal Sozial-Demokrat). En 1868, elle adhère à l'Internationale. Union des associations des travailleurs all. de tendance marxiste fondée. *-30-3* lettre patente du roi sépare Holstein du Schleswig, laissé sous la domination du Rigsraad danois. *Fin 1863* Schleswig incorporé au roy. de Danemark. **1864** *g. des Duchés,* Pr. et Autr. déclarent la g. au Danemark pour éviter que le D. annexe Holstein et Lauenbourg (qui appartenaient à la Conf. germ. mais étaient dep. 1815 des fiefs de la famille royale danoise et formaient avec le Schleswig, province danoise, une unité administrative). *Conséquences :* le D. cède Schleswig et Lauenbourg à Pr., Holstein à Autr. **1865** l'Autr. laisse les Holsteinois choisir comme duc Frédéric d'Augustenbourg. **1866**-*11-6* g. contre Autr. ; *-3-7 Sadowa :* Autr. battue. *-22-8 tr. de Prague* Autr. exclue de l'All. ; la Prusse annexe Schleswig-Holstein, Francfort, Hanovre et Hesse ; impose son protectorat aux petits États du Nord. **1867**-*17-4* la Pr. crée *la Confédération de l'All. du N.* qui réunit les États all. (22), sauf Bade, Wurtemberg, Bavière, Hesse. A son propre budget. Les États qui en faisaient partie gardaient leurs souverains et leur politique intérieure indépendante, mais la Conféd. formait désormais un État, avec un chef, Pt à titre héréditaire assisté d'un Parlement (Reichstag) composé de députés élus au suffrage universel et une armée [Napoléon III, inquiet, voulait imposer à la Conféd. du Nord la limite du *Main,* puis offrit en secret à la Pr. de sacrifier les États du S. en échange de la Belgique]. **1869** Parti social des travailleurs créé (lassalliens dissidents). **1870**-*15-7 g. franco-all.,* voir Index.

■ **IIe Reich. 1871**-*18-1* **Guillaume Ier** (j anniversaire du couronnement du 1er roi de Prusse, Frédéric Ier à Koenigsberg en 1701) le 2e Emp. all. (IIe Reich) est proclamé dans la galerie des Glaces à Versailles. Il comprend tous les États all. (sans l'Autriche) [*4 royaumes* (Prusse, Bavière, Saxe, Wurtemberg) ; *6 grands-duchés* (Bade, Hesse-Darmstadt, Mecklembourg-Schwerin, Saxe-Weimar, Mecklembourg-Strelitz, Oldenbourg), *5 duchés* (Brunswick, Saxe-Meiningen-Hildburghausen, Saxe-Altenbourg, Saxe-Cobourg-Gotha, Anhalt), *7 principautés* (Schwarzbourg-Rudolfstadt, Schwarzbourg-Sondershausen, Waldeck, Reuss-Greitz, Reuss-Géra-Ebersdorf, Lippe-Schaumbourg, Lippe-Detmold), *3 villes libres* (qui étaient d'anciennes villes hanséatiques : Hambourg, Brême, Lübeck)]. *-16-4* constitution monarchie féd. héréditaire ayant à sa tête un empereur [le roi de Pr. (1er emp. protestant)]. Parlement *(Reichstag)* élu au suffrage univ. et un Conseil fédéral *(Bundesrat)* (avec 58 représentants, dont Prusse 17, Bavière 6, Saxe 4, Wurtemberg 4, etc.) ; *l'Alsace-Lorraine* devient *« terre d'Emp. »,* commune à tous les États [elle n'avait pas été autrefois allemande, mais terre d'Empire (comme l'étaient princi-

■ Quelques personnages

Bismarck, Otto, P^{ce} von (1815-98). Propriétaire terrien (noble) en Prusse. Vit jusqu'en 1847 sur son domaine de Kniephof. Élu député au Landtag de Pr. 1847, chef du groupe d'extrême droite 1848. Ambassadeur en Russie (1859-62), à Paris 1862. 1er min. de Pr. et min. des Aff. étr. (8-10-1862). *Dessein : 1°) faire de la Pr. la seule grande puissance d'All. :* a) élimine l'Autriche de l'All. en l'attirant dans la g. contre le Danemark 1864, puis en lui confiant l'administration du Holstein, d'où sortit un *casus belli* en 1866 [les Autr. sont écrasés à Sadowa (3-7-1866)] mais B. épargne l'Autr. à la paix de Prague (23-8-1866), pour conserver son alliance : il l'oblige à quitter la confédération all. et se paye sur d'autres États all. : annexion de Schleswig-Holstein, Hanovre, Hesse et Francfort. b) ramène dans l'ensemble germanique Bavière et États du Sud (indépendants de fait depuis 1866, mais unis à la Prusse par un tr. d'alliance devant expirer le 1-8-1870), en déclenchant la g. franco-all. en juill. 1870 ; le 18-1-1871 fait proclamer par les Princes all. l'Empire d'All., la couronne impériale étant offerte à Guillaume Ier de Pr. *2°) faire de l'All. la 1re puissance d'Europe : 1878* congrès de Berlin ; *1882,* avec Autriche et It. tr. de la Triple-Alliance (*Triplice*) qui isole la France. Soutenu par l'emp., favorise le développement industriel de l'Empire (surtout la Prusse : Ruhr, Silésie), mais est réticent devant l'expansion coloniale (1re annexion : S.-O. africain 1884). En 1888, Guillaume II entreprend de faire de l'All. une puissance mondiale (flotte, colonies, commerce extérieur) ; Bismarck, qui craint l'hostilité angl., tente de s'y opposer ; disgracié le 20-3-1890, se retire dans ses domaines (Friedrichsruhe, Varzin).

Frédéric II (1712-86), dit Fréd. le Grand, roi de Prusse 1740. Haï par son père le roi Fr.-Guillaume Ier (dit le *« Roi-Sergent »*), il est emprisonné et très surveillé ; se forme à la culture française ; entre dans la franc-maçonnerie en 1736 ; cherchant à faire de la Prusse le 1er État d'All., en oct. 1740 agresse l'Autriche. Conquiert la Silésie (qu'il se fait attribuer au tr. de Dresde 25-12-1745). En 1743, fonde l'Académie de langue fr. de Berlin (protestante, devant contrebalancer les ac. catholiques et latinophones de Munich et de Vienne). S'allie à l'Angl. en 1756 contre Fr. et Autr., subit de graves revers pendant la g. de Sept Ans [notamment *Künersdorf,* devant les Russes (12-8-1759) : armée anéantie, les Russes à Berlin], mais conserve la Silésie en 1763 ; reconstruit son royaume ravagé et prend part en 1772 au 1er partage de la Pologne. Considéré comme le type même du « despote éclairé » du XVIIIe s. (culture raffinée jointe à l'étatisme totalitaire).

Goebbels, Joseph (1897-1945). Fils d'ouvrier, fait des études de philosophie. **1922** de tendance socialiste, s'inscrit au parti nazi (à l'aile gauche). **1927** fonde le journal nazi *Der Angriff* (« L'Attaque »). **1928** chef de la propagande du parti. **1933** ministre de la Propagande. **1943**-*13-2* promoteur de la « guerre totale ». **1944** chef de la répression après le putsch manqué du 20-7. Chargé de la direction de la guerre totale août. **1945**-*29-4* se suicide dans le bunker de Hitler, avec sa femme et ses 5 enfants.

Goering, Hermann (12-1-1893/15-10-1946). Fils d'un haut fonctionnaire colonial, as de l'aviation (1914-18 : 30 victoires). **1920** épouse une Suédoise. **1922** Appelé au parti nazi. **1923**-*9-11* blessé lors du putsch de Munich. Assure le financement du parti par l'aristocratie et la haute finance. **1933-39** min. de l'Air. Crée la Gestapo (avril), mais doit en laisser la direction à Himmler. **1935** remarié à l'actrice Emmy Sonnemann, mène un train de vie fastueux. **1940** perd son influence auprès de Hitler après l'échec de la bataille d'Angl. **1945**-*23-4* tente de prendre en main le pouvoir, Hitler étant incapable de l'exercer. Accusé de trahison, il doit abandonner ses fonctions. Arrêté par les Américains. **1946** condamné à mort comme criminel de guerre, il s'empoisonne le 15-10.

Hess, Rudolf (26-4-1894/7-8-1987). Aviateur. **1922** membre du parti nazi. **1923** participe au putsch de Munich : devient l'intime de Hitler. **1933** min. sans portefeuille et suppléant de Hitler 21-4. **1941**-*10-5* féru d'astrologie, tente, pour des raisons astrales, de négocier la paix avec l'Angl. en se rendant, à bord de son avion personnel, en Écosse (il saute en parachute sur la propriété du duc de Hamilton). Prisonnier, jugé à Nuremberg et condamné à la prison à vie. Incarcéré à Spandau où il était le seul dep. le 30-9-66, il n'obtint jamais sa grâce (opposition des Russes). Se suicide (certains ont parlé d'assassinat). Spandau conçue en 1882 pour 600 détenus sera détruite. Sa captivité, surveillée par 50 soldats, revenait à 8 millions de F par an à l'All.

Himmler, Heinrich (1900-45). Ingénieur agronome. **1924** entre dans la SS. Pour la sélection raciale. **1934** chef de la SS et de la Gestapo. **1939** s'efforce d'éliminer les Juifs européens. **1944** nommé G^{al} de groupe d'armées, se révèle incapable. **1945** mai, essaye de négocier une reddition par l'intermédiaire du Cte Bernadotte. Arrêté sous un déguisement 15 j après la capitulation, s'empoisonne le 23-5.

Hitler, Adolf [20-4-1889 à Braunau-sur-Inn (Autriche)/30-4-1945]. *Père* Aloïs (1837-1903) [douanier autr. (enfant naturel légitimé d'une domestique autr., Maria-Anna Schicklgruber, et d'un père inconnu qui aurait pu être 1°) un fils Frankenberger de 19 ans de la famille juive chez laquelle, âgée alors de 40 ans, elle servait (révélation de l'avocat de Hitler, Hans Frank 1946) ; 2°) Johann Georg Hiedler, ouvrier meunier qu'elle épousa 5 ans après la naissance d'Aloïs. 3°) le frère de celui-ci, le paysan Johann Nepomuk Hüttler]. *Mère* Clara Poelzl († 1908). **1904** échoue à l'examen d'entrée des Beaux-Arts (section architecture). **1905-12** peintre à Vienne, puis **1912-14** à Munich (on connaît 2 000 aquarelles, 200 dessins, des centaines de croquis). **1914** *févr.* réformé, *3-8,* engagé volontaire dans l'armée bavaroise, croix de fer de 2e cl. *Nov.* blessé : gazé et brûlé aux yeux. **1918** *août* croix de fer de 1re cl. **1919** *janv.* démobilisé, chômeur ; *mai* « officier politique » (responsable de propagande anticommuniste du gouv. bavarois) ; membre du parti ouvrier all. (proche du révisionnisme du SPD, mais plus nationaliste ; fondé par un ouvrier, Drexler, qui a rejoint Gottfried Feder, théoricien, et le capitaine Roehm ; 60 m.). **1920**-*5-1* responsable de la propagande ; *24-2* au Hofbraü de Munich fondation du *Parti national-socialiste (National-Sozialistische Deutsche Arbeiter Partei)* dont il est le guide, « Führer » ; *4-2* quitte l'armée. **1921**-*21-1* 1er congrès du Parti nat.-soc. (3 000 m.) ; *29-7* Pt du Parti. Crée un service d'ordre qui deviendra (5-10) les sections d'assaut [*Sturm Abteilung* (SA) : uniforme brun venant des réserves des troupes all. d'Afrique qui viennent d'être démobilisées], rejoint par Hermann Goering, qui devient chef des SA, Hess, Otto et Gregor Strasser, Rosenberg, Frick, Roehm et Ludendorff. 2 tendances : Strasser et Roehm, socialiste, hostile au grand capital et Rosenberg, penseur du parti, pour la lutte contre le bolchévisme. **1922**-*22-1* 2e congrès (6 000 m.). **1923**-*27-1* 3e congrès (22 000 m.). -*8-11* putsch de Munich. Les SA cernent la Bürgerbräukeller où le chef du gouv. bavarois, von Kahr, tient meeting. Menaçant avec un revolver, Hitler monte à la tribune. -*9-11* 3 000 SA marchent sur le centre de Munich. Fusillade. 16 nazis tués. Hitler se cache (arrêté peu après). **1924**-*24-2* procès des putschistes. -*1-4* H. condamné à 5 ans de détention dans la forteresse de Landsberg. -*20-12* libéré. **1923-24** rédige en prison *Mein Kampf* « Mon combat » (dicté à Rudolf Hess, publié 1925) exposant sa doctrine (nationalisme all. conquérant, racisme germanique, socialisme, totalitarisme). **1925** fonde la SS *Schutz Staffel,* troupes de choc. -*25-2* 1er meeting du parti nazi reconstitué. Le gouv. de Bavière interdit à Hitler, pour 2 ans, de prendre la parole en public. -*7-4* renonce à la citoyenneté autrichienne. **1928** *été* idylle avec Geli Raubal, sa nièce. Elle se suicidera. 12 députés nazis au Reichstag. **1930** succès électoral dû à la crise économique. **1932**-*24-2* conseiller de l'État de Brunswick à sa légation de Berlin (acquiert par là la nationalité all.) ; -*10-4* présidentielle, a 13 millions de voix (36,8 %), élu ; *juill.* 230 députés nazis, *déc.* après dissolution : 196 dép. **1933**-*30-1* nommé chancelier par Hindenburg ; -*23-3* pleins pouvoirs pour 4 ans. **1934**-*19-8* élu Pt du Reich en conservant le titre de chancelier (Reichsführer-Kanzler). **1938** chef de l'armée. **1939**-*1-9* déclenche la g. **1941** quitte Berlin et vit dans un QG (la « tanière du loup » : *Wolfsschanze)* en Russie, puis en Prusse-Orientale. **1944**-*20-7* échappe à l'attentat du colonel von Stauffenberg. *Nov.* se réfugie dans un bunker sous la chancellerie de Berlin ; abusant de médicaments, il perd peu à peu la raison. **1945**-*30-4* se suicide en compagnie d'Eva Braun (n. 1912), sa maîtresse dep. 1932, épousée le 28-4-45.

pautés de Liège, Franche-Comté, Provence), la moitié de la Moselle relevait de la France dep. 1559]. **1873-79** *Kulturkampf* [lutte pour la civilisation, en fait contre le catholicisme (pour Bismarck, luthérien, les cath. sont des barbares)]. **1875** congrès de Gotha : fusion des 2 partis socialistes. **1882**-*20-5 Triplice* (alliance All.-Autriche-Italie). **1884** début de l'expansion coloniale. **1888**-*9-3* Guillaume Ier meurt à 91 ans. **1988**-*9-3* Frédéric III (1831-1888) fils de Guillaume Ier, règne 99 j, -*15-6* meurt d'un cancer.

1888-*15-6* **Guillaume II** (27-1-1859/4-6-1941). Fils de Fr. III, petit-fils par sa mère de la reine Victoria Ire d'Angl., emp. d'All. et roi de Prusse. **1890**-*20-3* oblige Bismarck à démissionner de la chancellerie et se lance dans une politique de prestige et d'expansion économique, « le nouveau cap » *(Neue Kurs).* -*14-6* l'All. acquiert de G.-B. l'île d'*Heligoland* (1 km²) contre 4 millions de marks. **1891** *fév.* impératrice Frédérique (mère G. II) en visite en Fr. (écourtée car manif. hostiles). **1895** ouverture du canal de Kiel (début de la rivalité navale anglo-all.). **Fin XIXe,** naissance du pangermanisme, revendiquant l'hégémonie en Europe centrale. **1898** important programme de constructions navales (amiral Tirpitz). **1900** loi militaire permettant un réarmement intensif (renforcée 1911). **1905** G. II essaye à Björkö de s'allier avec son cousin, le tsar Nicolas II (échec). **1905-11** rivalité franco-all. au Maroc, l'All. abandonne ses droits, la Fr. lui cède 275 000 km² en AEF. **1913** *juill.* la loi militaire renforce armée et marine de g. **1914** *juill.-août* entraîné dans la g. mondiale sans l'avoir désirée vraiment (influence de l'état-major all. ; sottise du chancelier Bethmann-Hollweg), Guillaume II, C^{dt} suprême des armées all., joue surtout un rôle d'apparat. **1918**-*7-11* révolte à Munich par Kurt Eisner (1867-1919). -*8-11* proclame la rép. en Bavière. -*9-11* révolution à Berlin, le P^{ce} Max de Bade (1867-1929 ; héritier du duché, chancelier du Reich dep. le 3-10) démissionne. Guillaume II se réfugie en Hollande (abdique 28-11). **1919** déclaré responsable de la g. par les signataires du tr. de Versailles, reste en Hollande, protégé par la reine. **1920-41** écrit ses mémoires.

■ **République 1918**-*9-11* Rép. proclamée et gouvernée par un Conseil de députés du peuple. -*10-11* les sociaux-démocrates et l'extrême gauche *(spartakiste)* menée par Karl Liebknecht (n. 1871) et Rosa Luxemburg (n. 1870) s'affrontent. -*11-11* armistice. -*12-11* après l'abdication de l'emp. Charles Ier, l'Autriche signe un tr. d'union avec l'All. -*28-11* Guillaume II abdique. -*6-12* Alliés occupent Cologne. -*27-12* Polonais occupent Posen. **1919**-*5-1* le gouv. provisoire écrase la révolte *spartakiste* de Berlin. -*15-1* Liebknecht et Rosa Luxemburg arrêtés et assassinés. -*19-1 élection de l'Ass. nat. constituante* (socialistes 163, centre 88, démocrates 75, nationalistes 42, socialistes indépendants et divers 31). -*28-1* reprise de *Brême* (aux mains d'un conseil d'ouvriers et de soldats 9-11-18 ; érigée en Rép. socialiste indépendante 10-1-19) par le C^{el} Gerstenberg. -*6-2* l'Ass. se réunit à *Weimar.* -*11-2* Friedrich Ebert, soc., élu Pt de la Rép. (le matin, il n'a pas convaincu Max de Bade d'accepter le titre de régent). -*21-2* Kurt Eisner, PM bavarois assassiné par off. monarchiste. *Févr.-mars* soulèvements communistes à Berlin, Munich, etc. réprimés par Gustav Noske (1868-1946) au nom du gouv. (semaine sanglante 4 au 13-3 : 1 200 †, 10 000 bl.). -*4-4 Rép. soviétique en Bavière,* écrasée le *1-5* par l'armée fédérale. -*10/12-5* Leipzig (grève brisée). -*1-6 Rép. de Rhénanie* proclamée à l'instigation de la France sans succès auprès de la population. -*20-6* le PM Scheidemann démissionne pour protester contre les clauses du tr. de paix. -*21-6* Gustav Bauer, soc., PM. La flotte all., internée à *Scapa Flow* (G.-B.) et qui devait être livrée, se saborde [11 cuirassés, 13 croiseurs (dont 5 de bataille, 8 légers), 50 torpilleurs]. -*23-6* Assemblée nationale accepte le traité de paix (par 237 v. contre 138). Berlin, des corps francs et des étudiants brûlent, devant la statue de Frédéric le Grand, les drapeaux français conquis en 1870-71 (selon le traité, devaient être rendus). -*28-6* **tr. de Versailles :** l'All. perd Moresnet, Eupen, Malmédy (cédés à Belgique), Sarre (soumise à plébiscite 1935), Alsace-Lorraine (Fr.), Hte-Silésie (Pologne), Memel (Lituanie), Prusse-Occ. et Posnanie (Pologne), Nord-Schleswig (Danemark) ; renonce à son Emp. colonial : Canton (Angl.), Chan-Toung (Japon), Togo (Angl.-Fr.), Cameroun (Angl.-Fr.), S.-O. africain (Union s.-afr.), Afrique orientale [divisée entre Rwanda-Burundi (Belg.), Tanganyika (G.-B.)], îles Carolines (Jap.), îles Marshall (Jap.), N.-Guinée (Austr.), îles Bismarck (Austr.), Samoa (N.-Zél.). *Pertes du Reich (en %)* : prod. céréales 15, pommes de t. 17, charbon 30, mines de fer 80 (étain 70, plomb 25). L'A. devait, entre autres pour l'Entente, construire, à ses frais, pendant 5 ans, 200 000 t annuelles de bateaux ; livrer pendant 10 ans 23 millions de t de charbon. Elle devait livrer des « criminels de guerre » (dont Guillaume II, Hindenbourg et Ludendorff). La France exigeait 334 personnes, la G.-B. 100. Le tribunal, à Leipzig, prononça 35 non-lieux, 6 acquittements et 4 condamnations puis la procédure fut abandonnée. -*12-7* les Alliés lèvent le blocus ; Angl. et Fr. rétablissent leurs relations commerciales avec l'All. *-31-7 Constitution de Weimar.* *-22-9* les Alliés contraignent l'All. à garantir le respect de l'ind. autr. *-28-11* la Lettonie souhaitant l'indépendance confisque terres et biens immobiliers all. et déclare la g. à l'All. *-16-12* troupes all. évacuent Lettonie et Lituanie.

1920-*10-2 Schleswig-N.* plébiscite pour l'union avec le Danemark (75 431 oui ; 25 329 non). *-24-2 fondation du Parti national-socialiste.* *-24-3 Schleswig-S.* avec Flensbourg opte pour l'All. par 248 148 voix contre 13 029. *-12-2 Hte-Silésie* placée sous la tutelle de l'armée fr. et de la Commission de contrôle alliée. *-13/17-3* tentative de coup d'État monarchiste à Berlin par Wolfgang *Kapp* (24-7-1858/12-6-1922). Le gouv. se réfugie à Stuttgart mais la grève gén. ordonnée par les syndicats fait avorter le putsch. *-3-4* l'armée écrase la révolte de la Ruhr. *-16/17-4* les Fr. occupent Francfort, Darmstadt et Hanau jusqu'à ce que l'armée all. évacue la Ruhr. *-5-5* All. et Lettonie signent *tr. de Berlin.* *-6-6* élection d'un *Reichstag* remplaçant l'Ass. nat. ; Parti du peuple (libéral), centre et démocrates forment la nouvelle coalition. *-5/16-7 conférence de Spa* (Alliés et All.) sur dommages de guerre. *-11-7* plébiscite en Prusse-Or. et -Occ. (Allenstein et Marienwerder) ; 97 % pour rattachement à l'All. **1921**-*24/29-1 Conférence de Paris :* montant des indemnités dues par l'All. (269 milliards de marks-or). *-8-3* en représailles contre non-paiement des premières indemnités, *les troupes fr. occupent* Düsseldorf et d'autres villes de la Ruhr. *-20-3* plébiscite en Hte-Silésie, 63 % pour l'All. *-27-4* la Commission des dommages de g. réduit la dette all. à 132 milliards de marks-or. *-6-5 tr. de paix germ.-sov.* *-28-5* Walter *Rathenau* (1867-1922) min. des Réparations. *-25-8 tr. de paix germ.-américain* (le Sénat amér. ayant rejeté le tr. de Versailles le 19-11-1919). Mathias *Erzberger* (n. 1875), min. des Fin. assassiné. *-30-9 les Fr. évacuent la Ruhr.* *-6-10* accord franco-all. pour paiement en nature des indemnités. *-25-10* All. et Pologne acceptent principe du partage de la Hte-Silésie proposé par la SDN *-12-11* effondrement du mark all. De 1919 à 22 : 354 assassinats polit. (par groupes d'extrême droite), 24 condamnés à la prison. **1922**-*20-3* rappel des troupes amér. de Rhénanie. *-16-4* All. et URSS signent *tr. de Rapallo* (l'A. renonce à ses droits sur les entreprises all. de Russie nationalisées par l'URSS. En échange de crédits bancaires et d'un appui technique des ingénieurs all., l'URSS autorise l'All. à expérimenter en URSS les armes interdites par le tr. de Versailles, et à former les personnels destinés à les utiliser. Les *Panzer* s'entraîneront à Kama, la future *Luftwaffe* à Lipietzk, et de nouveaux gaz de combat seront testés à Saratov). *-24-6* assassinat de Rathenau. **1923**-*9-1* la conférence interalliée des réparations constate, contre les voix anglaises, que l'All. a manqué à ses obligations. *-11-1* les troupes françaises commencent à pénétrer dans la Ruhr, qui servira de gage. L'All. proclame la résistance passive. *-13-8* Gustav Stresemann chancelier et min. des Aff. étr. *-15-9* taux d'escompte de la Banque d'All. à 90 %. *-26-9* fin de la résistance passive. *-1-10* échec du coup d'État de la Reichswehr noire. *-11-10* 1 £ vaut 10 000 millions de marks. *-21-10 Rép. de Rhénanie* proclamée à Aix-la-Chapelle par Léo Deckers, pour la zone d'occupation belge. *-22-10* 2 autres rép. rhénanes proclamées en zone fr. : Dorten (cath. libéral) à Bad Ems, Matthes (révolutionnaire) à Coblence. Émeutes communistes en Saxe et désordres monarchistes en Bavière. *-2-11* Matthes liquide la Rép. rhénane d'Aix-la-Ch. *-9-11* échec du *putsch de la Brasserie* à Munich (par Adolf Hitler et Gal Ludendorff ; Hitler incarcéré). *-15-11* création du *Rentenmark.* *-23-11* Wilhelm Marx (centre-cath.) PM. *-30-11* son mouvement se désagrège à Coblence. **1924**-*1-1* sur ordre de Poincaré, Dorten est exilé à Nice. *-31-1* Heinz, Pt du gouv. autonomiste du Palatinat assassiné. *-12-2* massacre de *Pirmasens* (40 autonomistes rhénans tués par un corps franc nazi venu de la rive dr. du Rhin ; Poincaré interdit aux Fr. d'intervenir : fin de l'autonomisme rhénan). *-1-4* Hitler condamné à 5 ans de prison (relâché 12-12). *-4-5* succès des nationalistes (32 s.) et des comm. aux él. du Reichstag. *-30-8* fin du contrôle naval de l'All. *-30-11* les troupes fr.-belges *évacuent la Ruhr.* *-7-12* él., les soc. reprennent des sièges aux nationalistes et communistes.

1925-*15-1* Hans Luther, indépendant, chancelier, conserve Stresemann aux Aff. étr. *-28-2* mort d'Ebert, Pt du Reich. *-12-5 Hindenburg* élu Pt. *-8-6* pacte rhénan de sécurité : l'All. garantit l'inviolabilité des front. fr. et belge. *-13-7* les Français commencent à *évacuer la Rhénanie.* *-25-8* tr. de paix avec USA *-5/16-10 conférence de Locarno* sur sécurité europ. : tr. de garantie mutuelle entre France, Belg., Tchéc., Pologne et All. *-12-10* accord commercial germ.-soviét. *-1-12* les Britanniques évacuent Cologne. **1926**-*24-4* tr. d'amitié avec URSS *-17-5 Wilhelm Marx,* centriste, redevient chancelier. *-8-9* All. entre à la SDN *-23-9* rencontre A. Briand et Gustav Stresemann à *Thoiry.* **1927** loi sur l'assurance chômage. *-31-1* fin du contrôle interallié du désarmement. *-13-5 vendredi noir* et effondrement économique (*chômeurs : 1927 :* 380 000, *29 :* 1 200 000, *31 :* 3 000 000, *33 :* 5 500 000). **1928** *élections :* 800 000 v. nazies. *-28-6 Hermann Müller* (soc.) chancelier. **1929**-*7-6 plan Young :* l'All. paiera 34,5 milliards de marks-or en 59 ans, en engageant les Chemins de fer all. jusqu'en 1988 auprès d'une banque internationale. *-6/13-8* conférence de La Haye ; All. accepte plan Young et *Alliés évacuent Rhénanie.* *-3-10* Stresemann meurt. *-30-11* 2e zone de Rhénanie évacuée. *-22-12* référendum all. : acceptation du plan Young. **1930**-*23-1* Wilhelm Frick, nazi, PM de Thuringe. *Fév.* militant nazi Horst Wessel tué dans rixe avec communistes. *-27-3* chute du gouv. social-démocrate d'Hermann Müller. *-28-3* chancelier Brüning dissout Reichstag. *-30-6 évacuation totale de la Rhénanie.* *-14-9* él. au Reichstag : soc. 143 s. et comm. 77, nazis 107 (6 401 000 voix). *-12-10 évacuation totale de la Sarre.* **1931**-*21-3* publication d'un projet d'union douanière austro-all. : la Fr. proteste. *-13-7* banqueroute de la Danat Bank all. : fermeture des banques all. jusqu'au 5-8. *Déc.* 6 millions de chômeurs. **1932**-*13-3 élec. présid.* 1er tour, majorité requise 18 830 000 v. M[al] von Hindenburg 18 661 000 voix, Hitler 11 338 000, Ernst Thaelman (communiste) 4 982 000, colonel Duesterberg 2 557 000, Winter 111 000. *-10-4* 2e tour Hindenburg élu 19 367 000, Hitler 13 419 000, Thaelman 3 706 000. *-14-4* Brüning supprime par décret les armées privées (SA de Hitler, qui se soumet). *-24-4* nazis vainqueurs des él. rég. de Prusse, Bavière, Wurtemberg et Hambourg. *-8-5* accord secret Hitler/Schleicher à propos des SA en échange de la dissolution du Reichstag. *-12-5* le Reichstag vote la confiance au chancelier Brüning. *-13-5* le Gal Groener, min. de la Défense, démissionne sous les injures des députés nazis. *-29-5* Franç. *Von Papen chancelier.* *-30-5* Brüning démissionne. *-4-6* von Papen dissout le Reichstag. *-15-6* lève l'interdiction qui frappe les SA. Émeutes (centaines de morts). *-16-6/9-7 Conférence de Lausanne* sur Réparations, l'All. fait un dernier versement de 3 milliards de reichsmarks. *-20-7* von Papen interdit manif. politique. Loi martiale à Berlin et arrestation de socialistes. *27-7* meetings d'Hitler à Potsdam, Brandebourg et Berlin. *-31-7 él. au Reichstag :* nazis 230 s. (13 750 000 v.), soc. 133, centristes 97, comm. 89. *-12-9* dissolution du Reichstag. *-21-9 au 31-12* procès de Leipzig. *-6-11* nouvelles él. : les comm. reprennent quelques sièges aux nazis, soit 11 750 000 v. *-17-11* von Papen démissionne. *-24-11* Hitler refuse le poste de chancelier, Hindenburg lui refusant les pleins pouvoirs. *-2-12 Kurt von Schleicher,* chancelier. **1933**-*5-1* entrevue Hitler-von Papen. H. peut renverser Schleicher (avec les communistes) et a le soutien des milieux d'affaires. *-28-1* chute de Schleicher. *-30-1 Hitler chancelier* [gouvernement de coalition. 2 min. nazis, Frick (Intérieur) et Goering (Intérieur en Prusse)]. *-1-2* Hindenburg dissout Reichstag. *-22-2* Goering crée une force de police regroupant SA, SS et Stahlhelm. *-27-2 incendie du Reichstag* [les nazis accusent les communistes et proclament l'état d'urgence ; allumé par Martin Van der Lubbe, Néerlandais, arrêté avec le député comm. Torgler, et le 9-3, 3 comm. bulgares : Gueorgui Dimitrov (en All. depuis 1929), Vassil Tanev et Blagoï Popov (arrivés dep. peu de Moscou)] -23-12 acquittés, retournent en prison. 27-2-34 libérés (Torgler, lib. en 1936). Van der Lubbe (sans doute) coupable mais manipulé par les nazis, est décapité d'un coup de hâche. 10-1-1934, acquitté à titre posthume en 1980. *-5-3 élections lég.* (nazis 44 % des voix, 288 s. sur 647, centre 96 s., gauche 208 s.) ; coalition avec le parti national de Hugenberg (DNVP). KPD (p. comm.) interdit. *-6-3* occupation des sièges des partis soc. et comm., des syndicats et des maisons d'édition. *-14-3* Goebbels min. de la Propagande. *-22-3* création de 2 camps de déportés : Dachau et Oranienbourg. *-23-3* le Reichstag (réuni à l'Opéra Kroll) vote les pleins pouvoirs. *-2-4* dissolution des synd. Fondation du Deutsche Arbeitsfront (Front all. du travail). *-26-4* création de la *Gestapo.* *-2-5* syndicats dissous. *-10-5* la littérature *non conforme* est brûlée. *-22-6* SPD (parti socialiste) dissous. *-27/29-6* partis de droite dissous. *-4 et 5-7* p. cathol. dissous. *-14-7* p. nazi unique ; loi prescrit la stérilisation des malades mentaux et des grands criminels (400 000 stérilisés dont femmes 50 %). *-14-10* All. quitte SDN et conférence du désarmement. *-17-10* 1re élection pour le parti unique national (92 % des voix). **1934**-*26-1* tr. de non-agression avec Pologne. *-30-1* fin de la souveraineté des Länder all. *-30-6 (Nuit des longs couteaux)* arrestation puis exécution (1-7) of Ernst Roehm (n. 28-11-1887), des principaux chefs SA, du G[al] von Schleicher (et de sa femme), du G[al] von Breder, de Strasser et d'env. 1 000 personnes (Hitler, s'appuyant sur l'armée, a voulu liquider une opposition révolutionnaire). Lutze devient chef des SA. *Juillet* les SS deviennent une organisation autonome relevant de Hitler. *-20-7* concordat avec Rome. *-2-8* Hindenburg meurt.

Svastika (ou croix gammée)

Origine. *Inde :* le symbole de bon augure, utilisé par hindous, jaïns et bouddhistes. Dans le jaïnisme, emblème du 7e Tîrthamkara : ses 4 branches sont supposées rappeler au croyant les 4 domaines dans lesquels l'homme peut renaître : le monde animal ou végétal ; l'enfer ; la terre ; le monde de l'esprit. On distingue le *svastika sinistrogyre* ou *sauvastika* (figurant une roue tournant vers la gauche), symbolisant plus fréquemment la nuit, la déesse Kâlî et certaines pratiques magiques, et le *svastika dextrogyre* (tournant vers la droite), imitant par la rotation de ses branches la course quotidienne apparente du Soleil ; utilisé par des civilisations non indo-européennes, notamment en Amérique du N. et dans le monde méditerranéen. Hitler prit comme emblème un svastika dextrogyre noir, le considérant comme un symbole « aryen », remontant aux Indo-Européens primitifs. Le mot **« croix gammée »** est d'origine gréco-phénicienne (allusion aux 4 branches, qui ont chacune la forme d'un gamma majuscule, tournant vers la droite). On en trouve sur les poteries grecques. Au début du scoutisme, elle était décernée à ceux qui avaient rendu service au mouvement.

Procès de Nuremberg

Intenté devant le Tribunal international à 24 dirigeants et 8 organisations nazis (14-11-45/25-10-46). *Robert Ley* (suicidé 25-10-45), *Gustav Krupp* (cas disjoint, raisons de santé), *Martin Bormann* (1900, disparu 2-5-45, † 15-2-1959 d'un cancer de l'estomac à Ita, Paraguay).

Condamnés à la pendaison. *Maréchal Hermann Goering* (n. 12-1-1893 ; 53 ans), successeur désigné de Hitler se suicide le 15-10-46. **Exécutés le 16-10-46** (de 1 h à 3 h du matin, leurs cendres seront dispersées avec celles de Goering), *Joachim von Ribbentrop* (n. 30-4-1893 ; 53 a.), min. des Aff. étr. ; *maréchal Ernst Keitel* (n. 22-9-1882 ; 64 a.), chef du ht-com. ; *Ernst Kaltenbrunner* (n. 1903 ; 43 a.), chef des camps de concentration ; *Alfred Rosenberg* (n. 12-1-1893 ; 53 a.), min. des Terr. occupés de l'Est ; *Hans Frank* (n. 23-5-1900 ; 46 a.), gouv. gén. de Pologne ; *Wilhelm Frick* (n. 12-3-1877 ; 69 a.), min. de l'Intérieur ; *Julius Streicher* (n. 12-2-1885 ; 61 a.), propagandiste de l'antisémitisme ; *Fritz Sauckel* (n. 27-10-1894 ; 51 a.), organisateur du travail oblig. ; *Alfred Jodl* (n. 10-5-1890 ; 56 a.), chef d'é.-major gén. ; *Arthur Seyss-Inquart* (n. 22-7-1892 ; 54 a.), gouv. des P.-Bas.

Prison. A vie : *Rudolf Hess* (n. 22-7-1892 ; 54 a.), délégué du Führer, malade mental (?), suicidé 7-8-1987 ; *Walther Funk* (56 a., 1890-1960), Pt de la Reichsbank, libéré 1957 ; *Erich Raeder* (70 a., 1876-1960), amiral, libéré 1955. **20 ans :** *Baldur von Schirach* (39 a., n. 1907), führer de la jeunesse, libéré 1966, † 1974 ; *Albert Speer* (40 a., n. 1905), architecte, min. de l'Armement [responsable de la politique (fin 1942) et de l'Économie de g. (sept. 1944)], libéré 1966, † 1981. **15 ans :** *Constantin B[on] von Neurath* (72 a., n. 1873), min. des Aff. étr., † 1956. **10 ans :** *Karl Dönitz* (55 a., n. 1891), gd amiral, libéré 1954, † 1980.

Acquittés. *Horace Schacht* (69 a., n. 1877), min. de l'Économie †1970, *Franz von Papen* (66 a., n. 1879), chancelier du Reich, † 1969, *Fritzsche* (46 a., † n.c.), adjoint de Goebbels.

Nazis poursuivis

L'Allemagne elle-même a poursuivi 91 000 nazis, du 8-5-1945 à août 1986 : 6 479 ont été condamnés dont 12 à mort, 160 à la prison à vie, et 6 192 à des peines de prison à temps. **Les 3 occidentaux** (USA, France, G.-B.) ont prononcé 5 025 condamnations, dont 806 à mort. De 1945 à 1955, les tribunaux ont surtout examiné les crimes commis contre des citoyens allemands : assassinats des antinazis après 1933, exécutions sommaires pratiquées par les fanatiques de la dernière heure, personnel médical responsable du programme d'« euthanasie ». Depuis 1956, les tribunaux, assistés à partir de 1959 par l'Office central de recherche contre les criminels nazis, installé à Ludwigsbourg, examinent le dossier des camps de concentration et des massacres commis sur le front de l'Est. En 1986, 1 300 procès étaient en cours en Allemagne. Sur 120 000 criminels *nazis* vivants, 20 000 avaient été jugés ; 7 500 vivaient en Argentine. Disparus : Heinrich Müller (2-5-1900), Richard Rucks et Josef Mengele [n. 1911 ; médecin-chef d'Auschwitz, responsable de 300 000 †, réfugié au Paraguay puis au Brésil, † 1979 ; corps exhumé 6-6-1985 à Embu (Brésil), reconnu comme le sien].

■ **IIIe Reich. 1934**-*2-8* **Hitler nommé chef de l'État :** les membres du gouv. prêtent serment. *-19-8 plébiscite :* 90 % des suffrages pour Hitler. **1935**-*13-1* plébiscite 90,7 % pour le *rattachement de la Sarre à l'All.*, 0,4 pour l'union avec la Fr., 8,9 pour le statu quo. *-15-3* conscription rétablie. *-18-5* All. peut reconstituer une flotte de guerre. *-21-5* Juifs exclus du service milit. *-15-9 lois de Nuremberg :* l'une interdit tout croisement entre All. et Juifs, l'autre fait des Juifs de simples ressortissants distincts des citoyens de plein droit. *-14-11* loi de protection de la race. **1936**-*7-3* l'All. réoccupe *la zone démilitarisée* [à l'est du Rhin, une bande de 50 km de large allant de la frontière suisse à la front. hollandaise et à l'ouest du Rhin, l'ancienne zone d'occupation des armées alliées s'étendant du Rhin aux front. de la France, du Lux., de la Belg. et de la Hollande (total 56 400 km^2, dont 26 900 km^2 à l'ouest du Rhin)]. 30 000 h de la Wehrmacht s'installent en zone démilitarisée, quelques bataillons poussent jusqu'à Sarrebruck, Trèves et Aix-la-Chapelle. *-23-4* tr. de commerce avec URSS. *-18-6* intervention en Espagne. *Automne* plan de 40 ans (autarcie). *Sept.* Himmler fonde *Lebensborn* (Fontaine de Vie) : 11 000 enfants y naissent de 1936 à 1945, dont + de 50 % illégitimes. *-1-11* Mussolini parle de l'*axe* Rome-Berlin. *-25-11 pacte anti-Komintern.*

1938 *janvier :* expulsion des Juifs russes ; expropriation des biens juifs. *Fév.* Ribbentrop (nazi) min. Aff. étr. Chef d'État-Major von Fritsch, min. de la Guerre von Blomberg éliminés. *-12-3* annexion de l'Autriche *(Anschluss)*. *-4-4* statut légal enlevé aux institutions communautaires juives ; *-26-4* décret sur la déclaration des biens juifs. *Mai :* déportations à Dachau ; *juin :* destruction de la synagogue de Munich ; *juillet :* carte d'identité spéciale pour les Juifs. *-6/15-7 conférence d'Évian,* réunie à l'initiative du Pt Roosevelt, pour trouver des pays d'accueil (hors des USA) pour 650 000 Juifs que l'All. veut expulser. 32 États représentés : échec. *-22/24-9* Hitler et Chamberlain se rencontrent à Godesberg. *-30-9 accord de Munich* (Hitler, Daladier, Chamberlain, Mussolini) : attribution des terr. des *Sudètes* à l'All. qui les occupe le *1-10*. *-28-10* Gestapo arrête 17 000 Juifs et les refoule dans le no man's land entre All. et Pologne. *-7-11* Herschel Grynspan (17 ans, Juif polonais) abat Ernst von Rath, secr. d'ambassade d'All. à Paris (mort le 8-11). *-8-11* manif. antijuives. *-9-11* Hitler apprend la mort de Rath et laisse Goebbels organiser un pogrom qui débute à Berlin le 10-11 au matin *(« Nuit de Cristal ») :* bris des devantures de 7 500 magasins juifs, incendie et pillage de 267 synagogues (91 †), arrestation et internement des Juifs [30 000 à Dachau, Buchenwald et Sachsenhausen (dont 2 000 mourront)]. *-23-11* décret excluant les Juifs de la vie économique. *-6-12* déclaration de coopération. **1939**-*14-3 Slovaquie* proclame son indép. *-15-3* Pt Hacha remet à l'Allemagne Bohême et Moravie. Les All. les occupent. *-18-3* Neurath nommé Protecteur du Reich pour Bohême et Moravie. *-23-3* All. entrent à Memel. Slovaquie devient protectorat all. *-22-5* alliance militaire germ.-ital. *(Pacte d'acier). Été* programme d'« anéantissement de la vie indigne d'être vécue » (« mort par grâce » pour fous, grands vieillards et certains grands blessés de guerre). *-23-8 pacte de non-agression* avec URSS (des articles secrets prévoient le partage de la Pol.). *Prod. ind.* (1938, base 100 en 1928). Indice général 127. Ind. lourde 144, biens de cons. 116. *Revenu national* (1938, en milliards de RM) 79,8. *Chômeurs* (1938, en millions) 0,2. *Autoroutes* (1933-39) 2 953 km construits, donnant du travail à 210 000 pers. *Logements* (1934-39). 200 000 construits. *Dépenses militaires* (1939). 17 % du PIB (10 % en G.-B., 20 % en France), mais, entre 1935 et 1939, l'All. consacra 13 % de son PIB à la défense et la France – de 5 % ; la préparation à la guerre commence véritablement en 1936 [avions de combat conçus : Dornier 17, Messerschmitt 109 et Stuka, 1ers essais 1937 ; blindés : PZKW I et II sortent 1933-34, chars modernes 1936-37]. A partir de 1936, la prod. d'armement joue un rôle essentiel dans la croissance. *Agriculture* (moyenne en q/ha, 1935/39). *Blé.* All. 27 (France 16), avoine 24 (14), p. de terre 176 (114). *Part de l'All. dans les importations* (1939, en %) : Bulgarie 52, Yougoslavie 42, Roumanie 40, Hongrie 29,7, Grèce 29. Amér. latine (1937) : Chili 26 (part des USA 29,1), Équateur 24,1 (39,6). Brésil 20 (24,3), Mexique 14,8 (64,6). Argentine 10,3 (16,4). **Guerre 1939**-*1-9* instruction de Hitler sur malades incurables (Gnadentod, mort administrée comme un acte de grâce). *-1-9 invasion de la Pol. -3-9* **déclaration de g.** angl. et fr. (voir Index). *8/9-11* Georg Elser (n. 1903) tente de tuer Hitler à Munich (6 † et 63 bl.). **1941**-*21-6 Solution finale* (extermination des Juifs d'Eur.) mise en application en URSS. *-3-9* 1ers gazages expérimentaux à Auschwitz. *-15-9* étoile jaune (Judenstern) obligatoire. *-23-10* émigration juive interdite (env. 254 000 émigrants j. avaient quitté l'All. de 1933 à 1939, et 23 000 autres en 1940 et 41). **1942**-*20-1* conférence des SS à *Wannsee* sur la « Solution finale » sous la présidence de Heydrich. **1944**-*20-7 « opération Walkyrie ».* Tentative d'assassinat de Hitler par le colonel Cte von Stauffenberg qui dépose une bombe dans une serviette placée sous la table de Hitler, au QG [Wolfschanze (la Tanière du loup) près de Rastenburg] : 12 h 42 explosion, plusieurs †, H. a les tympans crevés ; le Gal Beck devait devenir chef d'État et le Mal von Witzleben commandant en chef de la Wehrmacht. A Paris, le Gal Stülpnagel, croyant Hitler tué, fait arrêter les 1 407 membres des SS et de la police. Stauffenberg (5-11-1907/20-7-1944) est fusillé, Beck qui s'est raté en se suicidant est achevé, von Kluge (30-10-1882/18-8-44) et Rommel (15-11-1891/14-10-1944) seront contraints de se suicider ; 7 000 arrêtés (dont 5 000 seront exécutés). *-12-9* protocole et *14-11 accord de Londres* déterminant 4 zones d'occupation et 1 territoire spécial de Berlin. **1945**-*1-5* suicide de Hitler et Goebbels. *-2-5 capitulation de Berlin.* Nouveau gouv. à Flensburg (Pt du Reich : amiral Dönitz). *-8-5 reddition sans condition* des forces all. *Production industrielle* (indice 100 en 1938). *1939 :* 110, *40 :*109, *41 :* 130, *42 :* 130, *43 :* 138, *44 :* 118. *Main-d'œuvre* (en millions de pers., en mai). *1939 :* 39,1 (femmes 14,6) + 0,3 étrangers et prisonniers de guerre 0,3 ; *43 :* 30,3 (14,8) + 6,3 ; *44 :* 29 (14,8) + 7,1. *Rations en calories distribuées. 1938-39 :* 3 239, *42-43 :* 3 510, *sept. 44-janv. 45 :* 2 828. *Frais d'occupation perçus par le Reich* (en milliards de DM). 1940, 2e sem. (entre parenthèses 1944, jusqu'au 10-9). Total 4 (84) dont France 1,75 (35,25), P.-Bas 0,8 (8,75), Belgique 0,35 (5,7), Danemark 0,2 (2), Italie (après sept. 43) (10), autres pays occupés 0,9 (22,3).

■ **De la fin du IIIe Reich à la réunification. 1945**-*23-5* Commission de contrôle alliée prend le contrôle de l'All. Le Führer du Reich (Gd Amiral Karl Dönitz) et le gouv. du Reich (dirigé par le Cte Johann-Ludwig Schwerin von Krosigk) sont arrêtés. Dissolution du gouv. all. et du parti nazi. *-5-6* les 4 commandants en chef se réfèrent aux frontières de 1937. Ils prennent en main de façon indivise la souveraineté all. ; l'État all. demeure mais ses fonctions sont assumées par les Alliés. Chacune des 4 zones d'occupation est administrée par un gouverneur militaire ; les 4 Cdts en chef forment 1 conseil de contrôle allié (siège : Berlin) pour administrer en commun l'All. dans son ensemble. Les décisions des organes de coordination sont prises à l'unanimité. *-11-7/-2-8 Conf. de Potsdam* définit de façon floue la politique d'occupation (dénazification, démilitarisation, démocratisation, décentralisation, réparations). Amér., Brit. et Sov. arrêtent aussi le principe de l'expulsion des All. se trouvant en Pologne, Tchéc. et Hongrie. Les territoires à l'est de la ligne Oder-Neisse, y compris Dantzig et la Prusse orientale, sont confiés à l'admin. pol. et sov. mais la fixation définitive des frontières doit intervenir lors de la signature du tr. de paix avec l'All. Création d'un conseil des ministres des Affaires étrangères des 4. *-7-8* la France récuse le principe d'administrations centrales all. pour les 4 zones, mais considère comme définitive la ligne Oder-Neisse, installe en Sarre un gouv. qui lui est favorable et rattache la Sarre à l'ensemble écon. français. *-14-11* ouverture du procès de Nuremberg. **1947**-*1-1* fusion des zones amér. et brit. *(bizone)*. *-29-5* Amér. et Brit. décident de faire élire, et non plus de nommer directement, les membres de l'admin. de la bizone, qui comprend 1 Conseil écon. (Wirtschaftsrat) qui fait fonction de Parl. et 1 Cons. exécutif (Exekutivrat), dans lequel sont représentés les Länder et diverses admin. spécialisées. *-25-6* Conseil écon. constitué : 52 dép. venus des ass. régionales (CDU-CSU et SPD : 20 m. chacun, 12 m. pour les petits partis dont 3 pour KPD), qui élisent leur Pt, Erich Köhler (qui sera aussi le 1er Pt du Bundestag). *-30-6* zones d'occupation : on a tenu compte des limites des « Gau » mis en place en 1928 par les nazis. *Zone soviétique* comprenant Gauen de Mecklmbourg, Kurmark (Brandebourg), Magdebourg-Anhalt, Halle-Mersebourg, Saxe, Thuringe. *Zone britannique :* Schleswig-Holstein, Hambourg (d'où le Land du même nom), Ost Hannover, Sud Hannover, Weser-Ems (qui, moins la ville de Brême, vont constituer le Land de Basse-Saxe), Westfalen Nord, Westfalen Sud, Essen Düsseldorf, Lïln-Aachen (qui constituent le Land de la Rhénanie du Nord-Westphalie (Nord-Rhein-Westfalen). *Zones française et amér. :* sud partagé avec division du Bade, du Wurtemberg et de la Hesse-Nassau. **1948**-*5-2 statut de Francfort* réorganise l'admin. bizonale. *Conseil écon. :* 104 m. ; *Conseil des Länder de la Bizone* (Länderrat) : 24 m. issus des gouv. régionaux, forme la seconde Chambre. *Conseil administratif* devient une sorte de gouv. *-23-2/-6-3* et *20-3/-7-6 Conférence des 6* à Londres (3 Occ., Belg., P.-Bas et Lux.). *-27-2 accord de Londres* sur la dette all. : 14 millions de marks dont 7 datant d'avant-guerre (remboursement des emprunts Young et Dawes, dette de la Prusse) et 7 d'après-guerre (*plan Marshall,* aide brit. et franç.). *-2-3* Conseil admin. élit son directeur général (Hermann Pünder) et ses directeurs (Ludwig Erhard, dir. de l'écon.). *-24-6-48 au 12-5-49* **blocus de Berlin** par Russes. Communications terr. Berlin-O./All. occid. coupées. Un pont aérien (277 728 vols en 322 j) achemine 1 700 000 t de vivres (27 %) et charbon 62 % ; record 16-4-1949 : 1 344 appareils transportent 12 940 t (l'équivalent de 22 trains de 50 wagons). *Coût* 75 tués (31 Amér., 40 Brit., la plupart pilotes, 5 civils all.), USA 350 millions de $, G.-B. 17 millions de £, All. 150 millions de DM.

1949-*23-5 loi fondamentale* (le nouvel État correspond à 52 % de la superficie et à 62 % de la pop. de 1937). *-14-8* 1res élections au Bundestag. *-21-9 fin du gouv. milit.* **1951** *mai* révision du statut d'occupation. **1952**-*22-1* fin de la dénazification. *-26-5 convention de Bonn* rétablissant souveraineté (Adenauer aurait reconnu secrètement la ligne Oder-Neisse). *-1-6* création du *rideau de fer.* **1953**-*23-10 accords de Paris,* tr. provisoire mettant fin à l'état de g. entre All., USA, France et G.-B. **1955**-*5-5* entrée en vigueur des accords de Paris, statut d'occupation aboli, All. adhère à UEO et entre à l'Otan. *-9-5* reconnaissance diplomatique. *Sept.* adopte la *« doctrine Hallstein ».* La reconnaissance diplomatique de la RDA (All. de l'Est) par tout État autre que l'URSS entraînera la rupture des relations dipl. de l'All. féd. avec cet État. **1957**-*1-1 Sarre rattachée* à All. (après plébiscite 23-10-55 : pour l'All. 423 440 v. ; p. un statut européen 201 975). **1958**-*8-9* attentat antiamér. à Francfort (2 †, 11 bl.). **1961** *août* **mur de Berlin** (voir p. 909 b). **1963**-*22-1 tr. d'amitié et de coopération franco-all.* **1967**-*2-6* Benno Ohnesorg, étudiant, abattu par un policier à Berlin, lors d'une manif. contre la visite du Chah d'Iran. Cette date donnera son nom au groupe de résistance dit « mouvement du 2-Juin ». **1968**-*2-4* incendie d'un grand magasin à Francfort ; Andreas Baader, Gudrun Ensslin et 2 autres camarades sont condamnés à 3 ans de prison. *-11-4* attentat contre Rudi Dutschke ; manif. **1969** All. renonce à doctrine Hallstein ; commence à négocier avec RDA sur circulation et trafic postal. **1970**-*19-3* rencontre à Erfurt du chancelier Willy Brandt et du Pt du Conseil des min. de la RDA, Willi Stoph. Début de l'Ostpolitik (acceptation du statu quo par des pays satellites de l'URSS). *-14-5* Andreas Baader libéré par un commando de la Far. *-12-8 tr. germano-soviétique de Moscou :* URSS et All. féd. considèrent inviolables les frontières de tous les États en Europe. *Déc.* chancelier Brandt en Pologne. *-7-12 tr. germano-polonais :* la ligne Oder-Neisse constitue la frontière occ. de la Pol. **1971**-*3-9* accord quadripartite (France, G.-B., URSS, USA) sur Berlin. *-17-12* accord avec RDA sur circulation entre Berlin-O. et All. féd. **1972**-*26-4* tr. inter-all. sur circulation. *-17-5* Bundestag ratifie tr. de Moscou et de Varsovie. *Juin-juillet* arrestations de la *bande à Baader* (terroristes qui ont commis 16 meurtres + 100 tentatives et blessé 88 personnes). Andreas Baader (1943-condamné à vie 28-4-77 suicidé 17/18-10-77), Jan-Karl Raspe (1944-suicidé 17/18-10-77) et Holger Meins (1941-† 19-11-74 après 53 j de grève de la faim) à Francfort ; de Gudrun Ensslin suicidée 17/18-10-77 à Hambourg ; d'Ulrike Meinhof (1934-suicidée 8/9-5-76) à Hanovre. *-7-11* tr. inter-all. normalisant rapports entre All. féd. et RDA. *-20-12* accord Sénat de Berlin-O. et RDA sur laissez-passer. *-21-12 tr. fondamental* entre les 2 All. reconnaissant l'existence de la RDA repoussé par Bundesrat par 21 v. contre 20 le 3-4-73 (n'empêche pas sa ratification, le Bundestag l'ayant approuvé), accepté 25-5. **1973**-*11-12* tr. sur normalisation des rapports avec Tchécoslov. *-18-12 entrée à l'ONU.* **1974**-*7-5 W. Brandt démissionne* (à la suite d'espionnage : arrestation de son conseiller Günter Guillaume n. 1-2-27). *Helmut Schmidt chancelier. -15-5* Walter Scheel élu Pt., *21-11* le mouvement du 2 juin tue Gunter von Drenkmann Pt de la Cour d'appel de Berlin-O., pour venger Meins mort 2 j avant en prison. **1975**-*30-1 Convention de Bonn* du 2-2-71 (permettant de poursuivre, en All., les nazis condamnés par contumace en France) ratifiée. *-23-2* enlèvement du candidat à la mairie de Berlin-O. Peter Lorenz (leader CDU), relâché 5-3 contre libération de 6 m. du mouv. du 2-6. *-24-4* commando essaie de prendre des otages à l'amb. d'All. (Stockholm). Le gouv. all. refuse de négocier (3 †). *-9-10* accords germ.-pol. (ratifiés au Bundesrat le 19-2 par 276 voix contre 191) : l'All. verse un crédit d'un milliard de marks à taux symbolique, octroie une compensation forfaitaire de 1,3 milliard de marks aux Polonais ayant travaillé dans des entreprises nazies ; 125 000 Pol. de souche all. pourront émigrer en All. féd. dans les 4 ans (+ de 250 000 demandent à partir). **1976** plusieurs attentats. **1977**-*7-4* procureur gén. tué. *-5-9* l'organisation Matin rouge enlève *Hans-Martin Schleyer* (n. 1915), Pt du patronat (3 gardes du corps et chauffeur tués), et le tue 42 j plus tard. *-13-10* détournement d'un Boeing 737 de la Lufthansa ; le commando demande la libération de 11 détenus de la bande à B., les passagers sont libérés à Mogadiscio. *-18-10* suicide en prison de Baader, Gudrun Ensslin, Karl Raspe ;

la Fraction Armée Rouge (Far) menace de faire 100 000 attentats. *-11-11* suicide d'Ingrid Schubert (33 ans) en prison à Stadelheim. **1978** affaire *Lutze* (espionnage). **1979** *juin* échec, attentat Far contre Gal Haig (Cdt Otan, Europe).

1980-*26-9* attentat à Munich à la fête de la Bière, 13 †, 211 bl. *Déc.* émeutes du mouvement alternatif à Berlin-O., 120 bl. **1981**-*28-2* manif. antinucléaire à Brokdorf (50 000). *-10-5* Heinz Herbert Karry, min. des Finances de Hesse, favorable au nucléaire, assassiné. *Mai* manif. de squatters à Berlin-O., Göttingen, Heidelberg, Fribourg. *-31-8* attentat de Far (base Otan de Ramstein, 20 bl.). *-15-9* Gal Frederick James Kroesen, Cdt des forces terrestres amér. en Europe, blessé par la Far, 1 †. *-28-9* Guillaume gracié, échangé contre 34 agents occidentaux détenus à l'Est (en nov. 81, 9 sont relâchés) et l'émigration de 3 000 personnes moyennant paiement ; *-1-10* Guillaume expulsé. *-10-10*, 250 000 pacifistes manif. à Bonn. **1982**-*1-10* le Bundestag adopte la « motion de défiance constructive » déposée par l'opposition (256 v. pour, 235 v. contre, 4 abst., 2 députés absents) ; *Helmut Kohl chancelier*. *-11-11* Brigit Mohnhaupt et Adelheid Schulz et *-16-11* Christian Klar, dirigeants de la Far, arrêtés. **1984**-*18-12* attentat manqué contre l'école militaire Otan à Oberammergau. *Nov.* groupe Flick accusé de corruption : avait en 10 ans donné + de 25 millions de marks aux partis [Cte de Lambsdorff (n. 10-12-26), min. de l'Économie, compromis, démissionne 26-6-84 ; Rainer Barzel, Pt du Bundestag, démissionne]. **1985**-*7-1* bombe près d'un oléoduc Otan. *-3-2* Ernst Zimmermann, industriel, assassiné par Far *-30-5* attentats anti-Otan à Francfort (gros dégâts matériels). *-19-6* bombe à l'aéroport de Francfort (3 †, 32 bl.). *Août* Hans Joachim Tiedgen, conseiller du contre-espionnage all. passe à l'Est. *-19/21-9* Willy Brandt en RDA. *-30-9* incidents après la mort d'un manif. antinazi écrasé par un véhicule de la police. *-27-10* Hesse, 3 écologistes, 1 ministre (Joscka Fischer, min. de l'Environnement) et 2 secr. d'État au gouv. *-24-11* attentat anti-amér. à Francfort (23 bl.). **1986**-*19/21-2* visite de Horst Sindermann, Pt de la Chambre du Peuple de RDA. L'affaire Flick ébranle les partis. *-5-4* bombe dans discothèque à Berlin-O. 2 †, 118 bl. *-18-5* manif. antinucléaires à Wackersdorf [usine de retraitement des combustibles irradiés (1 350 t/an) prévue en 1993, à 150 km de l'Autriche], 300 bl. *-7-6* à Broksdorf 27. *-9-7* Heinz Beckurts, dir. gén. de Siemens et son chauffeur tués par gauchistes. *-13-10* élections Bavière, recul SPD (– 4,2 %), CSU (– 2 %), succès des Verts (passent de 2,7 à 7,3 % des voix et ont 16 dép.). **1987** *févr.* Lambsdorff condamné (amende 180 000 DM) pour fraude fiscale. *-7/11-9* Honecker en All. O. *-10-10* suicide d'Uwe Barschel [chef du gouv. du Schleswig-Holstein (avait démissionné après scandale)]. *-19/21-10* Pt Mitterrand en All. **1988** *mai* l'ancien Pt de la communauté juive, Werner Nachmann, aurait détourné 110 millions de F. *-3-10* F. J. Strauss meurt. *-11-10* Cte Lambsdorff élu Pt du FDP. *-11-11* P. Jenninger Pdt du Bundestag ; démissionne à la suite d'un discours ambigu sur la « Nuit de Cristal ». *-25-11* Rita Süssmuth (CDU) élue Pte du Bundestag. *-3-12* démission de la dir. collective des Verts (parti condamné pour détournement de fonds). **1989**-*1-1* suppression des contrôles aux frontières physiques de l'All. féd. *-29-1* poussée extrême droite et écolo. aux él. de Berlin-O. *-12-3* municipales en Hesse (Francfort), poussée extrême droite et écolo. (Daniel Cohn-Bendit adjoint au maire). *-23-5* Richard von Weizsäcker réélu Pt de la Rép. avec 86,2 % des voix (881 voix sur 1 022). *-1-7* réforme des PTT. *-3-8* le min. des Aff. interallem. met en garde All. de l'E. contre tentatives de fuite à l'O. *-7-8* l'A. ferme son ambassade à Berlin-Est (130 All. de l'E. à l'intérieur), le *13-8* celle de Budapest, occupée dep. une sem. par 180 All. de l'E. *-23-8* fermeture de l'ambassade all. à Prague. *-3-9* les 3 500 All. de l'E. qui y sont réfugiés sont autorisés à émigrer. *-8-9* fusion Daimler-Benz/Messerschmidt Bolkow Blohm (400 000 sal., CA de 2,70 milliards de F). *-19-9* l'A. ferme son ambassade à Varsovie (occupée par 110 All. de l'Est). *-9-11 ouverture du mur de Berlin et d'autres passages frontaliers* avec RDA. *-9/14-11* Helmut Kohl en Pologne. *-24-11* Genscher remet à la Roumanie aide de 500 millions de DM. *-30-11* Alfred Herrhausen, dir. de la Deutsche Bank, assassiné par Far (charge télécommandée). *Déc.* l'A. refuse de signer la conv. de Schengen (du 14-6-85, qui préconise la libre circulation des pers. entre All. féd., France, Benelux) car elle n'est pas autorisée aux All. de l'E. *-18-12* SPD se prononce dans la « Déclaration de Berlin » pour l'unité du peuple all. *-22-12* Berlin, ouverture de la Porte de Brandebourg. **1990**-*28-1* él. régionales en Sarre : SPD 54,4 % des voix. *-8/9-2* 17e congrès : l'Union des partis soc. affirme l'« inviolabilité des frontières existantes ». *-10-2* Kohl à Moscou. *-20-2* les 12 de la CEE se prononcent pour la réunification. *-25-4* Oskar Lafontaine échappe à un attentat à Cologne [agresseur : Adelheid Streid (n. 1948)]. *-18-5 tr. d'union monétaire économique et sociale* (DM unique le 1-7). *-21-6* Bundestag ratifie tr. du 18-5 (les dép. de Berlin votent également). *-1-7* entrée en vigueur de l'union monétaire. *-16-7* accord Kohl-Gorbatchev : future All. unifiée restera dans l'Otan. *-27-7* attentat manqué contre Hans Neusel, secr. d'État à l'Intérieur, revendiqué par la Far. *-12-8* fusion FDP/BFD (ancien P. libéral est-all.). *-31-8* **traité d'unif. RFA/RDA** signé à Berlin Est (Palais Unter den Linden). *-12-9 signature à Moscou de l'accord « 2 + 4 »*, rétablissant la souveraineté pleine et entière de l'All. unifiée et réglant le retrait des troupes soviétiques de RDA (achevé le 31-12-94). *-13-9* service mil. 12 mois (avant 15), et civil 15 mois. *-18-9* traité de coopération franco-all. du 22-1-1963 et son protocole additionnel du 22-1-1988 sont appliqués à l'All. unie. *-20-9* tr. d'unification approuvé par le Parlement est-all. [299 voix pour (sur 380), 80 contre (P. comm. et extr. gauche), 1 abstention] et à Bonn par le Bundestag [442 voix pour, 47 contre (Verts et ultra-cons. représentant les All. expulsés des territoires de l'Est en 1945), 3 abstentions]. *-21-9* adopté à l'unanimité par le Bundesrat. *-27-9* congrès d'unification du SPD. *-29-9* Markus Wolf, ex-chef des services secrets de RDA, en fuite. *-1-10* à New York, déclaration officielle des min. des Aff. étr. de France, G.-B., URSS, USA, affirmant suspendre, à partir du 3-10-1990, leurs droits issus de la victoire de 1945.

■ **Depuis le 3-10-1990 réunification officielle.** A 0 h, la RDA adhère à la RFA, + de 1 000 000 de manif. à Berlin. *-4-10* séance constitutive du Bundestag de l'All. unie, à Berlin, avec 144 dép. de la Ch. du peuple de l'ex-RDA. *-9-10 tr. germano-sov. sur le retrait des troupes soviétiques* (l'All. versera 12 milliards de DM sur 4 ans + crédit gratuit de 3 milliards de DM). *-10-10* 8 espions de la Stasi arrêtés après la reddition de Klaus Kuron du contre-espionnage fédéral. *-14-10* élections régionales dans les 5 nouveaux Länder. *-19-10* siège du PSD perquisitionné : 107 milliards de marks auraient été illégalement virés en Norvège et aux P.-B., via la Sté est-all. Putnik. *-26-10* Wolfgang Pohl, Pt du PSD arrêté après ses aveux. *-31-10* vote des étrangers aux municipales déclaré anticonstitutionnel. *Nov.* aide alimentaire à l'URSS (700 millions de DM de vivres stockés à Berlin). *-9/10-11* Gorbatchev à Bonn. Tr. de bon voisinage et coopération avec URSS. *-14-11 tr. germano-pol.* confirmant la ligne Oder-Neisse. *-2-12 1res législatives panallemandes :* succès CDU/CSU. *-15-12* dernier réacteur nucléaire de RDA arrêté (Greifswald) après plusieurs incidents. *-17-12* accusé d'avoir renseigné la Stasi, Lothar de Maizière (ministre et vice-Pt de la CDU) démissionne. *-20-12 1re réunion du Parlement unifié* (662 députés, dont 144 de la partie est). *-21-12* la France réclame à l'All. le remboursement de dettes de la 2e Guerre mondiale (37 milliards de F de 1945 + 261 millions de reichsmarks). **1991** *-6-3* l'All. versera 1 milliard de F à la France pour les dépenses de l'armée française dans le Golfe, en plus des 17,1 milliards de DM déjà octroyés à la coalition (3,3 seulement versés en oct.). *-14-3* gouv. all. demande la restitution d'Honecker. *-17-3* Genscher à Moscou (refus de livrer Honecker pour raisons médicales). *-18-3* manif. dans plusieurs villes est-all. contre le chômage. *-20-3* 70 000 manif. à Leipzig, *-25-3* 40 000 à 50 000. *-26-3* 4 anciens responsables de la Stasi arrêtés. *-1-4* Detlev Rohwedder (n. 1933), responsable de la privatisation des entreprises de l'ex-RDA, assassiné par Far. *-8-4* visa aboli pour Polonais : 91 000 franchissent la frontière (500 000 étaient prévus). *-20-6* Berlin sera la capitale (vote Bundestag : 337 v. contre 320). *Août* charnier de la Stasi découvert à Dresde (600 prisonniers pol.). *-17-8* cercueils de Frédéric II le Grand et de Frédéric-Guillaume Ier ramenés au château de Sanssouci à Potsdam (hébergés dep. 1945 au château de Hechingen). *-6-9* Lothar de Maizière démissionne de ses fonctions pol. *-18/20-9* Pt Mitterrand à Berlin et dans nouveaux Länder. *Oct.* Hans-Jochen Vogel annonce son retrait. *-24-9* Markus Wolf chef de la Stasi (1958-87) arrêté à la frontière germano-autrichienne (lib. sous caution le 4-10, procès le 10-10). *-3-10* attentats contre foyers d'immigrés. *-4/5-10* tombe d'Adenauer profanée. *-7-10* tr. germano-tchécos. de coopération. *-2-11* Otto Lambsdorff réélu Pt du FDP avec 2/3 des voix (85 % en 1990). *-8-11* Berlin : statue de Lénine démontée (œuvre de Nikolaï Tomsky, inaugurée 15-4-70 : haut. 19 m, poids 400 t, 120 pièces), coût : 340 000 F. *-11-12* décision du transfert des principaux ministères et services politiques du gouv. à Berlin ; Bonn reste le centre administratif avec 65 % des fonctionnaires (14 000 sur 21 000). **1992**-*12-1* manif. communiste à Berlin pour le 73 e anniversaire de la mort de Rosa Luxembourg. *-19/23-10* Reine Elisabeth en visite off. (à Dresde le 22). Nombreux attentats ou manif. contre immigrés (dont à Rostock). Manif. antiracistes dont *8-11* Berlin, *13-12* Hambourg 300 000, *20-12* 500 000. *-19/20-12* tombe de Marlène Dietrich profanée à Berlin. **1993**-*10-2* début du procès Croissant.

☞ **Actions violentes.** *1983* de gauche 1 540 (dont 215 attentats), *84* de gauche 1 269 (dont 148 att.), néonazies 74 (dont 11 att.). *90* néonazies 270. *91* néonazies 1 483, 7 † (92 % des victimes sont étrangères). *92* 2 010 (sur 4 100 délits racistes), 17 † (8 étr., 9 All.), 850 bl. *93* janv.-juin env. 700 [9 † dont 5 Turcs (incendie à Solingen le 29-5)].

Allemagne de l'Est (République démocratique allemande)

■ **Histoire. De 1945 à 1990 (réunification). 1945** zone d'occupation soviétique *(Sowjetische Besatzung Zone, SBZ)* (108 780 km² et 30 % du potentiel écon. du Reich). *-8-5* capitulation allemande. *-9-6* constitution de l'administration militaire soviétique (Mal Joukov). *-14-7* KPD (Parti communiste d'All.), Parti social-démocrate d'All. (SPD), Union chrétienne-démocrate (CDU) et Parti libéral-démocrate (LDP) forment le Bloc démocratique. *-27-7* 11 administrations centrales installées. *Septembre* début d'une réforme agraire (expropriation des propriétaires possédant + de 100 ha et des responsables nazis et des criminels de guerre). Réforme judiciaire. **1945-50** 11 camps d'internement sov. dont anciens camps nazis [Buchenwald (32 000 pris. dont 6 à 12 000 † ; détruit janv.-févr. 1950), Sachsenhausen, Bautzen] ; 200 000 à 250 000 détenus [dont anciens nazis, collaborateurs, adolescents soupçonnés de sabotage, adhérents des partis non communistes (6 000 sociaux-démocrates)], 90 000 †. **1946**-*21/22-4* KPD et SPD fusionnent et forment le Parti socialiste unifié d'All. (SED). *-30-6* après plébiscite en Saxe, expropriation sans indemnisation des grandes entreprises et anciennes entreprises d'armement. **1948** amnistie partielle : 28 000 libérés ; 13 945 transférés à la Stasi, 20 000 à 30 000 déportés en URSS. *Automne* dernières élections libres : municipales, él. aux Assemblées des Landtage et au Conseil municipal de Berlin. *Résultats en zone soviétique sauf secteur de Berlin (en %).* SED (P. soc. unifié d'All.) 47, CDU 25,4, LDP (P. lib.) 24,6. Les « Recommandations de Londres » des 3 puissances (USA, G.-B., France) en vue de la constitution d'un État fédératif ouest-all. et la réforme monétaire séparée du 20-6 dans les zones occidentales accélèrent la division de l'All. **1949**-*30-5* IIIe Congrès populaire all. adopte Constitution et élit le Conseil pop. all. qui, après la fondation de l'All. féd. en sept., devient le *7-10* Chambre pop. provisoire et constitue un gouvernement **(fondation de la RDA). 1950**-*6-6 tr. de Zgorzelec* (Görlitz) avec Pol. établit ligne Oder-Neisse comme frontière commune (9-6 RFA refuse de reconnaître l'accord). *-29-9* admission au CAEM. *-15-10* 1re Chambre du peuple, élue sur liste unique. **1951**-*27-1* protocole avec Pol. sur frontière Oder-Neisse. Accord inter-zones réglant les rel. entre les 2 All. **1952** *juillet* 15 districts *(Bezirke)* (regroupant 36 arrondissements urbains et 191 ruraux) remplaçent les 5 *Länder* (Mecklembourg, Saxe-Anhalt, Brandebourg, Saxe, Thuringe). **1953**-*17-6* émeutes réprimées par l'Armée rouge [Berlin : 25 † (des centaines selon les Occidentaux), 4 000 emprisonnés]. **1954**-*23-3* l'URSS octroie la souveraineté à RDA. **1955**-*14-5* membre du pacte de Varsovie. *-20-9* tr. avec URSS mettant fin à l'occupation sov. (maintien du régime provisoire dans le secteur sov. du Gd Berlin). *Sept.* l'URSS laisse à la RDA le contrôle de ses frontières. **1956** entrée dans le pacte de Varsovie. **1960**-*12-9* après la mort du 1er Pt, Wilhelm Pieck, un *Conseil d'État* de 28 m. élus pour 5 ans remplace le Pt de la Rép. (Pt : Walter Ulbricht). **1961**-*30-7* le sénateur amér. Fulbright déclare ne pas comprendre pourquoi la RDA ne ferme pas ses frontières. *-13-8 début construction du mur de Berlin. -17-8* protestation USA, Fr., G.-B. *Sept.* retraités est-all. peuvent visiter leur famille à l'Ouest 1 fois par an. **1963** *déc.* Berlinois de l'O. peuvent visiter leur famille à l'Est. **1964**-*12-6* tr. d'amitié avec URSS garantissant l'intégrité territoriale. **1968**-*6-6* Constitution adoptée par référendum (94,5 % des voix). *-20-8* troupes est-all. participent à l'occupation de la Tchéc. **1970**-*19-3* rencontre Pt du Conseil Willi Stoph/chancelier RFA Willy Brandt, à Erfurt, et en mai à Kassel. **1971**-*3-5* Walter Ulbricht, 78 a., démissionne de ses fonctions de secr. gén. du parti « pour des raisons de santé ». Remplacé par Erich Honecker, 59 a., mais reste Pt du Conseil nat. de défense jusqu'au 24-6, et Pt du Conseil d'État jusqu'à sa mort le 1-8-1973. **1972**-*24-11* entrée à l'UNESCO. *-21-12 tr. fondamental* avec RFA, début de normalisation des relations. **1973**-*9-2* relations dipl. avec France et G.-B. *-3-7* RDA et RFA participent ensemble pour la 1re fois à une conf. intern. (celle de la CSCE à Helsinki). *-18-9* entrée à l'ONU. **1974**-*2-5* repr. diplom. perm. à Bonn. *-9-10* loi complétant la Constitution. **1976**-*30-6* le pasteur Oskar Bruesewitz s'immole par le feu. *-16-11* Wolf Biermann, chanteur contestataire émigré 1953 en All. dém., est privé de sa nationalité est-all. **1977**-*11-10* manif. antisoviét. de 1 000 jeunes à Berlin-E. **1978**-*28-5* heurts jeunes/police à Erfurt. **1979**-*1-8* nouveau

Code pénal (amendes décuplées ; 5 à 8 ans de réclusion pour ; crimes contre l'État, résistance aux mesures de l'État, délit commis par plusieurs personnes à la fois ; 5 ans de prison pour All. de l'Est répandant à l'étranger des nouvelles portant préjudice à l'All. dém.) ; *-11-10* amnistie pour Rudolf Bahro (économiste condamné 30-6-78 à 8 ans de prison pour espionnage) et Nico Hüber. **1981**-*14-6* él. au suffr. univ. à la Chambre pop. de Berlin-E., condamnées par Occidentaux (selon l'accord quadripartite de 1971, les représentants de Berlin-O. et E. ne doivent pas être élus directement). *-11/13-12* Helmut Schmidt en RDA. **1982**-*7-2* manif. pacifiste à Berlin, puis *13-2* à Dresde (organisée par Églises évangéliques et intellectuels). **1983**-*avril* après la mort de 2 All. de l'O. lors de contrôles en RDA, Honecker annule projet de visite à Bonn. *-27-7* Franz Josef Strauss rencontre Honecker à Berlin-E. *-1-9* journée mondiale de la Paix, manif. devant amb. amér. et sov. **1984** 40 800 départs autorisés. **1987**-*17-7* peine de mort abolie. *7/11-9* Honecker en All. féd. **1988**-*7/8-1* Honecker en France. **1989**-*mai* élections munic. : Front nat. (SED) 98,85 % des voix. *-2-5* Hongrie commence à démanteler le Rideau de fer (entre 1966 et 1968, sur 13 500 tent. de fuite recensées, 300 passages réussis) ; exode accentué en été par les ambassades ouest-all. de Prague et Varsovie. *-19-8* à l'occasion d'un pique-nique, 500 All. de l'E. passent la frontière hongr. à Sopron, vers l'Occ. (200 000 All. sont en vacances en H.). *-23-8* fuite massive vers Autriche. *-10-9* frontière hongroise ouverte aux All. de l'Est (10 000 passent). *-12-9* RDA accuse Hongrie de porter atteinte à sa souveraineté en permettant à ses ressortissants de quitter la H. vers l'Autriche. *-13-9* 13 000 réfugiés en Bavière (camps submergés). *19-9* amb. d'All. féd. à Prague et Varsovie réoccupées. *-25-9* départ de 20 000 All. de l'Est (10 meurent noyés en traversant le Danube entre Tchéc. et Hongrie) ; 8 000 manif. à Leipzig. *-26-9* 200 des 1 200 réfugiés à l'amb. de Prague retournent en RDA (on leur promet de pouvoir émigrer légalement dans les 6 mois). *-29-9* + de 2 500 réfugiés à l'amb. de Prague. *-1-10* 8 000 venant de Prague et Varsovie en RFA (« trains de la liberté »). *-2-10* amb. de Prague réoccupée par 500 réfugiés, celle de Varsovie par 300. *-3-10* RDA suspend libre accès à Tchéc., mais autorise sortie des 10 000 réfugiés des amb. *-5-10* 8 nouv. trains de réfugiés en Bavière. *-6-10* Gorbatchev à Berlin-E. *-7-10* manif. à Berlin-E. lors du 40e anniv. de la RDA. *-9-10* 70 000 manif. à Leipzig, (Krenz, vice-Pt, aurait annulé l'ordre de Honecker d'autoriser la police à tirer). *-16-10* 150 000 manif. *-17-10* pont aérien Pol./RFA pour 1 600 réfugiés à Varsovie. *-18-10* Honecker abandonne ses fonctions ; Krenz secr. gén. du SED, 300 000 manif. à Leipzig. *-24-10* Krenz élu Pt du Cons. d'État et responsable des armées ; manif. dans plusieurs villes. *-26-10 Dresde,* 100 000 manif. *-27-10* amnistie pour condamnés pour franchissement illégal de la frontière. *31-10/1-11* Krenz à Moscou. *Leipzig* et *Dresde* centaines de milliers de manif. *-2-11* Harry Tisch, chef du synd. unique EDGB, et Margot Honecker, min. de l'Éduc. (femme d'Erich) démissionnent. *-3-11* + de 100 000 manif. *-4-11* 1 million à Berlin-Est. *-5-11* passage libre à l'Ouest, par les pays de l'Est, 10 000 pers. arrivent en RFA par la Tchéc. *-6-11 Leipzig et Dresde* 300 000 manif. pour la démission du gouv. *-7-11* Willi Stoph, PM, démissionne. *-8-11* bureau pol. du SED démissionne (nouv. bur : 11 membres). *-9-11* **ouverture des frontières interallemandes.** *-11-11 :* des centaines de milliers franchissent le mur de Berlin ; 22 points de passage entre les 2 All. *-12-11* 3 millions passent à l'O. en 72 h. *-13-11* Hans Modrow élu PM à l'unanimité (à bulletin secret et non à main levée) ; Günther Maleuda (n. 1931) élu Pt du Parl. (246 voix sur 478). 1/3 des All. de l'E. ont obtenu leur visa pour voyager en RFA (5 188 510 visas délivrés, dont 2 700 000 le 12) ; de fin juin au 13-11, 153 000 ont choisi de rester en RFA. *-13-11* 300 000 manif. à Leipzig. *14-11* Lothar de Maizière, cand. des réformateurs, élu Pt CDU [92 voix sur 118 ; remplace Gerald Götting (n. 1933)]. *17-11* Modrow s'oppose à la réunification, mais envisage une nouvelle entente *(Vertragsgemeinschaft)* entre les 2 A., allant « bien au-delà du tr. fondamental » de 1972. Nouveau gouv. *-19-11* 1,7 à 3 millions d'All. de l'E. en visite en RFA ; dizaines de milliers manif. *-20-11* 6 000 anarchistes et gauchistes manif. à Berlin-O. *-24-11* SED prêt à abandonner son rôle dirigeant (selon l'art. Ier de la Constit.), la RDA étant un État soc. dirigé par la « classe ouvrière et son parti marxiste-lén. »). *-27-11 Leipzig* affrontements entre partisans et adversaires de l'unification. *-1-12* Krenz mis en cause à la Ch. du peuple dans un débat sur la corruption. *-3-12* direction du SED démissionne. *-5-12* anciens dirigeants, dont Honecker, assignés à résidence ; locaux de la sécurité d'État occupés par manif. *-6-12* Alexander Schalck-Golodkowski, ex-secr. d'État au Comm. ext., accusé de trafic d'armes et de détournement de devises, se livre à la police. *-7-12* Manfred Gerlach Pt du Cons. d'État ; plusieurs centaines d'All. de l'E. pénètrent en zone mil. sov. du Harz. *-8-12* Congrès extr. du SDE : Gregor Gysi élu secr. gén. ; Wolfgang Berghofer, maire de Dresde et chef de file des rénovateurs, vice-Pt (refuse présidence). *-9/10-12* 1 million de vis. est-All. en RFA. *-19-12* Willy Brandt à Magdebourg (50 000 pers.). *-19/22-12* Helmut Kohl en RDA [100 000 pers. à Dresde (drapeaux sans leur emblème)]. *20/22-12* Mitterrand reçu par Manfred Gerlach (va à Leipzig). *-22-12* ouverture de la porte de Brandebourg (2 passages piétonniers inaugurés par Kohl et Modrow). **1990** *-3-1* dizaines de milliers de manif. à Berlin-E. à l'appel du SED contre extr. droite. *-7-1* 15 000 artisans manif. à Halle. *-8-1* 80 000 manif. à Leipzig critiquent PM et chef du SDE. *-10-1* Honecker opéré (tumeur au foie). *-11-1* grèves pour démocratisation plus rapide. *-15-1* Berlin-E. ; siège de la Stasi saccagé par manif. ; grèves contre lenteur des réformes et pour référendum sur réunification. *-22-1* Uta Nickel, min. des Fin. (SED), démissionne (accusée de paiements illégaux) ; 200 000 manif. dans grandes villes. *-25-1* crise (départ des 4 min. CDU). *-30-1* Honecker libéré après 1 j de prison (accusé de haute trahison, conspiration anticonstit., abus de pouvoir et corruption). *-1-2* PM Modrow se prononce pour une Allemagne unique. *-6-2 Leipzig* 100 000 manif. contre Gysi et l'Église prot. (pour avoir donné asile à Honecker). *-7-2* enseignement du russe n'est plus oblig. à l'école. *-8-2* RDA reconnaît sa resp. dans l'holocauste ; accepte de verser 100 millions de $ d'indemnités. *-13/14-2* PM Modrow et 14 min. à Bonn. *-16-2* Honecker admet avoir approuvé le truquage des élections comm. du 7-5-89. *-20-2* Kohl lance à Erfurt devant 100 000 pers. la campagne de l'Alliance pour l'All. *-22-2* Markus (Micha) Wolf, chef de la Stasi (1958-87), réfugié URSS. *Mars* jugement de Honecker et de 14 m. du bureau pol. *-18-3 1res élections libres :* Lothar de Maizière élu Pt du Conseil (voir ci-dessous). *-5-4* Parlement abolit référence constit. à un État « socialiste et communiste ». *-12-4* nouveau gouv. CDU 11 min., SPD 7, LDP 3, DSU 2, DA 1. *-26-4* PM verse 6,2 millions de DM aux survivants de l'Holocauste. *Avril* 40 000 prisonniers politiques réhabilités. *-6-5 municipales :* Alliance pour l'All. 38,5 % des voix ; libéraux 6,7 ; Nouvelle Féd. paysanne 5 ; DBD 4,8 ; Verts 2,5 ; Forum 1,8 ; gauche réunie 75 (Berlin-Est). *-18-5 tr. monétaire avec RFA. -1-7 union monétaire avec RFA. -22-7 loi sur la reconstitution des Länder. -24-7* libéraux quittent le gouv. *-1-8* loyers augmentés de 360 %. *-23-8* Chambre du peuple adopte une résolution pour l'unification le 3-10, par 294 voix contre 62 et 7 abstentions : elle pourra s'autodissoudre et proclamer l'adhésion à la RFA. *-19-9* la Ch. du peuple adopte le traité d'unification.

■ **Statut. 1945-1990 (2-10).** République démocratique populaire. **Ch. du peuple** (400 députés élus pour 5 ans), où sont représentés tous les partis et certaines organisations de masse ; scrutin proportionnel : listes séparées dans les districts, mais mandats répartis nationalement (0,25 % nécessaires pour 1 siège). **Élections. 18-3-1990** (1res élections libres avec isoloir obligatoire pour la 1re fois). Sur 24 partis participant, 12 obtiennent des sièges. **Alliance pour l'All.** 48,5 % (193 s.) [dont CDU 40,91 % (163), DSU 6,32 % (25), DA 1 % (4), SPD 21,84 % (88), PDS 16,33 % (66)], *Féd. des démocr. lib.* (LDP, FDP et DFP) 21, *Alliance 90* (Nouv. Forum, Démocratie maintenant et Initiative pour la paix et les droits de l'H.) 12, *P. paysan* 9, *P. vert et Union indép. des femmes* 8, *NDPD* 2, *ALJ* (commun.) 1, *Alliance d'action de la Gauche unie (marxiste)* 1, *DFD (Union démocr. des femmes)* 1. 10 % des élus (40 dép.) auraient été liés à la Stasi. 7 567 communes (dont 1 001 urbaines).

Pt du Conseil des ministres. 1964 Willi Stoph (8-7-14). **1989** (13-11) Hans Modrow (27-1-28) SED. **1990** (12-4) Lothar de Maizière (n. 1940) CDU.

■ **Partis. PDS (P. du socialisme démocratique, ex-SED) :** *créé* 31-1-1990. Abandonne l'emblème des mains croisées de l'Union de la gauche, exclut 12 anciens dir, dont Egon Krenz, Günter Schabowski. **SED, P. socialiste unifié d'All. :** *fondé :* 21/22-4-1946 (fusion du PC et du PS-démocrate d'All.), *secr. gén. : 1971* Erich Honecker, *1989-8-12* Gregor Gysi (n. 1948). *Membres : 1989 :* 2 432 439 ; *1990 (janv.) :* 1 200 000 ; *mars :* 700 000. *Budget* (1989, en milliards de marks-Est) : ressources 1,5 [dont cotisations des membres, prélevées d'autorité sur salaire (0,5 à 3 %) ; bénéfices des entreprises du SED (345 milliards de marks ; presse tirage à 7,6 millions d'ex. par j)] ; dépenses 1,65. **DBD (démocrate paysan) :** *fondé* 1948. *Membres :* 11 500. Gunther Maleuda (n. 1931). **LDP (libéral démocrate).** *Fondé* 5-7-1945. *Membres :* 105 000. Manfred Gerlach (28-5-28). **CDU (Union dém.-chrétienne) :** *fondé* 26-6-1945. *Membres :* 140 000. Lothar de Maizière dep. 14-11-89. Fusion avec CDU ouest-all. en 1990. **DSU (Union sociale all.),** Hans-Wilhelm Ebeling (n. 1934). **DA (Renouveau démocr.) :** *fondé* 2-10-1989, Wolfgang Schnur (n. 1945) démissionne 12-3-90. **NDPD (national démocrate) :** *fondé* 25-5-1948. *Membres :* 110 000. Heinrich Homann. **SPD (social-démocrate) :** *fondé* sept 1989 (sous le nom de SDP), Ibrahim Böhme (n. nov. 1944) (démissionne 2-4-1990, accusé de collaborer avec Stasi). Fusion avec le SPD ouest-all. en 1990.

■ **Syndicats. FDGB (Freier Deutscher Gewerkschaftsbund)** *fondé* 1945, unique jusqu'en 1989. Pt Harry Tisch, arrêté nov. 89, remplacé par Annelis Kimmel (jusqu'en déc.) : 9 500 000 m. (avant événements). **Reform** *fondé* 23-10-1989, 1er synd. indép.

■ **Armée. Est-allemande** (1989) : 173 000 h. (94 500 conscrits) et 400 000 réservistes (jusqu'à 65 ans), réduite à 70 000 h. en 1990 (135 généraux et 3 800 officiers limogés). Service mil. : 18 mois, ramené à 12 en 1990 (dans la Marine de 3 ans à 18 mois). *Milices de combat* (groupes de combat de la classe ouvrière), créées 1953, dotées en partie d'armement lourd 450 000 h., dissoutes 30-6-90. **Forces soviétiques en RDA :** *1982 :* 530 000 soldats ; *89 :* 19 divisions (15 terrestres, 4 aériennes), 750 chasseurs-bombardiers (dont des Mig-29), 7 650 chars (dont des T-80). *90 :* 380 000 h., dont 3 500 à Berlin ; 152 désertions officielles sov., dont 50 demandes de droit d'asile (110 selon sources all., qui annoncent 6 000 désertions) ; *92 :* 200 000 h. (+ familles et employés 140 000). **Retrait** total prévu pour le 31-8-1994. *Coût pour l'All.* (en milliards de DM) : 13,5 [dont construction de 36 000 logements pour les soldats rapatriés et leur famille 7,8, frais d'entretien des soldats sov. 3, transport des troupes et du matériel vers l'URSS 1, aide à la reconversion prof. 0,2, intérêts d'un crédit de 3 milliards utilisé par l'URSS sur 4 ans 1,5. + 0,25 annoncés en févr. 91, + 0,55 en déc. 92.]. **Stasi** (Ministerium für Staatssicherheit, min. de la Sécurité d'État) : *fondée* 1950. employés : 85 000 à 110 000, 100 000 à 500 000 indicateurs. Avait noyauté les Églises [écoutes dans les confessionnaux (3 évêques sur 7 émargeaient au budget de la Stasi], ordonnait l'enfermement d'opposants pol. en hôpital psychiatrique. Dissoute 17-12-1989. Son chef, le Gal Erich Mielke, 85 ans, emprisonné pour abus de pouvoir, corruption et enrichissement pers., est traduit en Haute Cour en mars 90 puis jugé en déc. 92 à Berlin pour le meurtre (qu'il nie) de 2 policiers all. (en 1931), et co-inculpé dans le procès Honecker.

☞ La RDA avait « vendu » à la RFA de 1962 à 1984, 31 775 détenus pol. et 250 000 citoyens est-All. voulant émigrer (135 000 à 500 000 F par pers.).

■ Nobiliaire allemand

■ **Origine. Saint Empire :** l'ancienne noblesse (*Uradel*) était divisée en haute et moyenne noblesse : *empereur, roi, grand-duc, duc, prince régnant (Fürst), prince (Prinz)* et les titres « ministériaux » *Landgrave* (Cte d'un pays, assez rarement porté), *Margrave* (Cte d'une *marche,* frontière, d'où est venu « marquis » en France), *comte palatin* (d'abord juge à la cour impériale, dénommée le Palais et aussi juge pour les pays de droit saxon, d'où le terme de Palatinat ; ces juges étaient aussi gouverneurs nés et receveurs des finances de l'Emp.), *Burgrave* (Cte d'une forteresse ou *burg,* gouverneurs des châteaux et maisons royales), *comte* (avec traitement d'altesse), *comte* (de haute naissance), *baron, chevalier, noble* portant le « von », *Rhingrave* (Ctes du Rheingau), et *Wildgrave* (Ctes forestiers) dans la région du Rhin.

En 1521, le *Reichsmatrikel* (registre d'immatriculation impérial) reconnaissait comme *Reichsfürsten* (princes d'Emp.) 7 électeurs *(Kurfürsten),* 4 archevêques, 46 évêques, 28 princes laïcs *(Weltfürsten),* 64 prélats, 13 abbesses d'Emp., 4 grands maîtres des Ordres, 135 comtes, et des chevaliers nobles libres *(Edelherren),* tous exerçant une souveraineté. Par ailleurs, des « titres du Saint Empire » furent conférés par les emp., titres d'honneur sans base de souveraineté territoriale. Ils subsistent encore en Europe (France, Espagne, Italie...) et l'on indique alors « Pce de X... Saint Empire ». **En 1806 à la fin du St Empire** il y avait 347 États et 1 740 territoires semi-indépendants, 350 000 nobles (y compris 50 000 nobles polon. du fait des 3 partages de la Pol.). Les chevaliers du St Empire comptaient 350 lignées et possédaient 668 domaines « immédiats » (ne relevant que de l'autorité impériale, sans interposition d'un autre État entre leur domaine et l'emp.).

Après la dissolution du Saint Empire (1806) : l'All. a connu diverses transformations, notamment en 1815, la *médiatisation* d'une cinquantaine d'États souverains dont les dynasties ont gardé certains privilèges (égalité de naissance avec les maisons souveraines, exemptions d'impôts, statut pour la gestion de leurs biens), constituant le *Fürstenrecht* ou droit des Princes ; ces dispositions sont théoriquement en vigueur bien que l'art. 109 de la Constitution de Weimar ait prescrit leur suppression (seule une loi prussienne du 23-6-1920 fut prise en exécution de cet art.) Le transfert des biens de la haute noblesse à une fondation de famille demeure autorisé avec des avantages fiscaux.

☞ *Le titre fait partie du nom* mais les « traitements » de *Durchlaucht* (Altesse sérénissime, etc.) ont été supprimés (11-3-1966), par le Trib. adm. fédéral.

■ **Nombre de titres portés.** 90 maisons subsistantes avec titre de prince (y compris maisons médiatisées) ; 555 avec titre de comte ; 835 de baron. Pas de statistiques pour chevaliers *(Ritter)* et nobles (avec le « von »).

■ **Titres.** 1°) **Maisons ayant régné jusqu'en nov. 1918. Titre dignitaire** porté par le chef de chaque maison. *Anhalt* (duc). *Bade* (Margrave ou grand-duc). *Bavière* (duc). *Brünswick-Lunebourg* (Pce de Hanovre, duc de B.-L.). *Hesse* (Landgrave et Pce de H.). *Lippe* (Pce de L.). *Mecklembourg-Schwerin* (duc de M.-S., titre porté par la reine de Hollande). *Oldenbourg* (grand-duc). *Prusse* (Pce de P.). *Reuss* (Pce héréditaire de R.). *Saxe* (grand-duc de Saxe-Weimar-Eisenach). *Saxe-Cobourg-Gotha* (Pce et duc de S.-C.-G. et Margrave de Meissen). *Schleswig-Holstein* (duc de S.-H.-Sonderburg-Glücksburg.). *Schwarzburg* (Pce de S.). *Waldeck-Pyrmont* (Pce de W.-P.). *Wurtemberg* (duc de W.). Les membres de ces familles portent tous la qualification de Prince.

2°) **Princes, ducs et comtes des États médiatisés en 1815.** En réorganisant la Confédération germanique, le Congrès de Vienne, en 1815, laissa subsister 83 États (appartenant à 50 maisons) qui avaient été souverains dans le St Empire. Ces États devinrent alors les premiers vassaux des 39 États souverains subsistant en 1815, puis des États membres de l'Emp. all. institué en 1871. On pouvait relever, en 1845, 1 titre d'archiduc (pour *Schaumbourg*, alors à l'Autriche), 4 de duc (*Arenberg*, *Croÿ*, *Looz-Corswarem*, *Dietrichstein*), 36 de prince, 40 de comte, 2 de baron. Il s'y ajoutait 11 autres maisons médiatisées (5 princes, 6 comtes) dont les possessions n'avaient pas formé des États : titulaires de hautes dignités ou suzerains à titre personnel. **En 1977.** 49 familles médiatisées subsistaient (représentant env. 700 descendants masculins), ayant donné naissance à 78 maisons : 3 titres de duc (Arenberg, Croÿ et Looz-Corswarem), 1 prince et comte, 52 princes et 32 comtes. En outre, ces chefs de maisons médiatisées peuvent porter des titres historiques datant du Saint Empire : duc (7) ou autres titres de prince, comte, baron, anciens titres tels que comte palatin (1), seigneur (1), comte et seigneur, comte et noble seigneur, comte (féodal), Landgrave (2, pour les Fürstenberg).

3°) **Ducs, princes et comtes sans souveraineté.** Titres de haute dignité venant du Saint Empire (6 princes et 1 comte), datant du XVIIIe s. ou venant de Bavière (1 prince *Wrede* 1814, 1 comte *Rechtern-Limpurg* 1819) et les autres, tous princes, créés en Prusse aux XIXe et XXe s. (12 dont : *Bismarck* 1871, *Blücher* 1861, *Eulenburg* 1900, *Pless* 1850, etc.).

■ CHEFS D'ÉTAT

SAINT EMPIRE ROMAIN GERMANIQUE

Carolingiens. 768 CHARLEMAGNE (742-814), f. de Pépin le Bref, roi des Francs. **814** LOUIS Ier le Pieux ou le Débonnaire (778-840), s. f., roi (de France), empereur 28-1-814. **840** LOTHAIRE Ier (795-855), s. f. **855** LOUIS II (825-875), s. f., empereur. **875** CHARLES II le Chauve (823-877), f. de Louis Ier, roi (de France de 840 à 877). **881** CHARLES III le Gros (839-888), f. de Louis Ier, déposé. Roi (de Fr. 884-887). **887** ARNULF († 899), f. illég. de Carloman, lui-même f. de Louis le Germanique, élu. **901** LOUIS III l'Aveugle (880-928), s. f., roi d'Allemagne. **911** CONRAD Ier († 918), duc de Franconie, élu roi d'Allemagne.

Maison de Saxe. 919 HENRI Ier l'Oiseleur (v. 876-936), f. du duc de Saxe. **962** OTHON Ier le Grand (912-973), s. f. **973** OTHON II (955-983), s. f. **996** OTHON III (980-1002), s. f. **1002** HENRI II le Saint (973-1024), pet.-f. d'Henri Ier.

Saliens et Franconiens. 1027 CONRAD II le Salique (v. 990-1039), f. d'Henri, Cte de Spire. **1039** HENRI III le Noir (1017-56), s. f. **1056** HENRI IV (v. 1050-1106), s. f. **1106** HENRI V (v. 1081-1125), s. f.

Maison de Saxe. 1125 LOTHAIRE III (v. 1060-1137).

Maison Hohenstaufen. 1138 CONRAD III (1093-1152), duc de Franconie. **1152** FRÉDÉRIC Ier BARBEROUSSE (1122-1190), s. neveu. **1190** HENRI VI le Cruel (1165-1197), s. f. **1198** OTHON IV (1175 ou 1182-1218), f. d'Henri le Lion, duc de Saxe. **1220** FRÉDÉRIC II (1194-1250), f. d'Henri VI. **1250** CONRAD IV (1228-1254), s. f. **1250-1273 : interrègne.** ALPHONSE X le Sage, de Castille, a été de janv. à avril 1257 élu roi (Richard de Cornouailles, prétendant).

Maison de Bohême. 1253-78 OTTOKAR II (1230-78), f. de Venceslas Ier roi de Bohême (1205-1253); seul roi couronné de l'Empire, lutte contre Alphonse et Richard, chassé par Rodolphe de Habsbourg (1218-91) et tué à Dürnkrut.

Maison de Habsbourg. 1273 RODOLPHE Ier (1218-1291), roi des Romains. **Maison de Nassau. 1292** ADOLPHE (1248 ou 1255-98), roi d'Allemagne, déposé. **Maison de Habsbourg. 1298** ALBERT Ier (1255-1308), f. de Rodolphe Ier. **Maison de Luxembourg. 1308** HENRI VII (v. 1269-1313), f. du Cte de Luxembourg.

Maison de Bavière. 1314 LOUIS IV (1287-1347), f. du duc de Bavière, roi des Romains 1314 ; empereur 1328, déposé 1346.

Maison de Luxembourg-Bohême. 1346 CHARLES IV (1316-78), f. de Jean l'Aveugle, roi de Bohême, roi des Romains 1346, couronné empereur 1355. **1378** VENCESLAS (1361-1419), f. du précédent et roi de Bohême et roi des Romains, abdique 1411.

Électeur palatin. 1400 RUPERT (1352-1416), roi des Romains, compétiteur de Venceslas.

Maison de Luxembourg. 1410-*20-9* SIGISMOND (1368/9-12-1437), fr. de Venceslas, roi de Hongrie 31-3-1387, roi des Romains 20-9-1410, couronné emp. des Romains 31-5-1433.

Maison de Habsbourg. 1438-*18-3* ALBERT II (1397/27-10-1439), gendre de Sigismond, roi des Romains ; non couronné par le pape. **1452**-*19-3* FRÉDÉRIC III (1415/19-8-93), f. d'Ernest, duc d'Autriche, emp. des Romains. **1493** MAXIMILIEN Ier (1459/12-1-1519), s. f., 1er emp. élu des Romains 10-2-1508, 1er roi de Germanie. **1519**-*28-6* CHARLES V, Charles Quint (1500/21-9-58), f. de Philippe le Beau, Cte de Flandres (f. de Maximilien Ier), roi d'Esp. sous le nom de Charles Ier (1516-56), emp. 24-2-1530, abdique. **1556**-*24-2* FERDINAND Ier (1503/25-7-1564), s. fr. **1564**-*24-7* MAXIMILIEN II (1527/12-10-1576), s. f. **1576**-*12-10* RODOLPHE II (1552/20-11-1612), s. f. **1612** MATHIAS (1557/20-3-1619), s. fr. **1619** FERDINAND II (1578/15-2-1637), f. de Charles, duc de Styrie (f. de Ferdinand Ier). **1637**-*27-11* FERDINAND III (1608/2-4-1657), s. f. **1657** LÉOPOLD Ier (1640/5-5-1705), s. f. **1705** JOSEPH Ier (1678/17-4-1711), s. f. **1711** CHARLES VI (1685/20-10-1740), s. fr., emp., roi de Hongrie et de Bohême, dernier Habsbourg mâle.

Maison de Bavière. 1742 CHARLES VII (1697-1745), électeur de Bavière.

Maison de Habsbourg-Lorraine. 1745-*13-9* FRANÇOIS Ier (1708/18-3-65), f. de Léopold, duc de Lorraine, mari de Marie-Thérèse (f. de Charles VI). **1765**-*18-8* JOSEPH II (1741/20-2-90), s. f. **1790**-*30-9* LÉOPOLD II (1747/1-3-92), s. fr. **1792**-*5-7* FRANÇOIS II (5-7-1768/2-3-1835), s. f., couronné roi de Hongrie 6-6-1792, élu roi des Romains 7-7-1792, cour. à Francfort 14-7-1792, cour. à Prague, roi des Romains 5-8-1792, emp. élu des Romains, roi de Germanie, archiduc d'Autr., prit 1804 le titre d'emp. héréditaire d'Autr. (couronné tel, mais prenant le titre d'emp. élu), puis 1806 (le *St Empire romain germanique* est aboli) celui d'emp. d'Autr. (Voir Index.)

Nota. – Après 1493, les empereurs ne seront plus couronnés par le pape, sauf Charles Quint, à Bologne.

ROIS DE PRUSSE

Maison de Hohenzollern. Les *Hohenzollern* (du château de H., près de Sigmaringen) descendent de Burchard de Zollern (v. 1061), dont l'aîné des descendants fut Cte en 1111 et un autre, Frédéric, burgrave de Nuremberg v. 1200. En 1363, le burgrave fut reconnu Pce du St Empire, et, en 1415, un de ses descendants recueillit le margraviat de Brandebourg avec la dignité électorale. En 1613, Jean-Sigismond de H. (1572-1619) hérite le duché de Prusse.

1701 FRÉDÉRIC Ier (1657-1713) (Fréd. III comme Pce électeur), f. de Fréd.-Guillaume, électeur de Brandebourg, se nomme roi en Prusse, puis est reconnu par l'emp. Léopold Ier et se dit roi de Prusse. Ép. 1679 Élisabeth-Henriette de Hesse-Cassel, 1684 Sophie-Charlotte de Hanovre, 1708 Sophie-Louise de Mecklembourg-Schwerin. **1713** FRÉDÉRIC-GUILLAUME Ier (1688-1740), le roi-sergent, s. f. Ép. Sophie-Dorothée de Hanovre (1687-1757). **1740** FRÉDÉRIC II LE GRAND (1,59 m !) (1712-86), s. f. Ép. 1733 Élisabeth-Christine de Brunswick-Bevern (1715-97). **1786** FRÉD.-GUILLAUME II (1744-97), s. nev. Ép. 1°) 1765 Élisabeth de Brunswick (1746-1840) (mariage dissous 1769) ; 2°) 1769 Frédérique-Louise de Hesse-Darmstadt (1751-1805). **1797** FRÉD.-GUILL. III (1770-1840), s. f. Ép. 1793 Louise de Mecklembourg-Strelitz (1776-1810). **1840** FRÉD.-GUILL. IV (1795-1861), s. f. Ép. Élisabeth de Bavière (1801-73). **1861** GUILLAUME Ier (1797-1888), 2e fils de F.-G. III et de la reine Louise, régent dep. 1858. Ép. 1829 Augusta de Saxe-Weimar (1811-90).

EMPIRE ALLEMAND (IIe REICH)

1871 GUILLAUME Ier (1797-9-3-1888). **1888** FRÉDÉRIC III (1831-cancer 15-6-88), s. f. (règne 99 j). Ép. 25-1-1858 Pcesse Victoria d'Angleterre (1840-1901). **1888**/9-11-**1918** GUILLAUME II (27-1-1859-1941) bras atrophié, plus court de 20 cm, s. f. Ép. 1882 Augusta-Victoria de Schleswig-Holstein (1858-1921).

☞ Chef de famille actuel. *Pce Louis-Ferdinand de Prusse* (9-11-1907), 2e f. du Kronprinz Frédéric-Guillaume (1882-1951) et de la Kron. née Desse Cécile de Mecklembourg (1886-1954). Son fr. aîné, le Pce Guillaume (1906-40), renonça en 1933 à ses droits. Vit à Brême. *Ép.* 2-5-38 Gde-Duchesse Kyra (1909-67), f. du Gd-Duc Cyrille, chef de la maison imp. de Russie (1876-1938). *Enfants : Fréd.-Guill.* (9-2-39) ; 1°) ép. 1967 Waltrud Freydag (div. 1976) ; 2°) 1976 Ehrengard von Reden (1943) ; *Guill.-Henry* (22-3-40). Ép. 1966 Jutta Jörn (1943), 2 enf. ; *Marie-Cécile* (28-5-42) ép. 1965 du Fréd.-Auguste d'Oldenbourg (1936) f. de Nicolas, Gd-Duc héritier d'Oldenbourg ; *Kyra* (27-6-1943) ; *Louis-Ferdinand* (1944-77) ép. Ctesse Donata Castell-Rudenhausen ; *Christian-Sigismond* (14-3-1946) ; *Xénia* (1949-92) ép. 27-1-73 Per-Edvard Lithander (Suéd.) (divorcés 1978) dont 2 enf.

RÉPUBLIQUE ALLEMANDE (DITE DE WEIMAR)

1919 Friedrich EBERT (1871-1925). **1925** Maréchal Paul VON HINDENBURG (1847-1934).

IIIe REICH

1934 Adolf HITLER (1889-1945), Führer. **1945**-*2/23-5* Grand Amiral Karl DÖNITZ (1891-1980). **1945-49** : *Occupation alliée.*

RÉPUBLIQUE DÉMOCRATIQUE ALLEMANDE CHEFS D'ÉTAT

Pt de la Rép. 1949 (11-10) Wilhelm PIECK (1876/7-9-1960). **Pt du Conseil d'État : 1960** (12-9) Walter ULBRICHT (1893/1-8-73). **1973** (3-10) Willi STOPH (8-7-14). **1976** (29-10) Erich HONECKER (25-8-12), réélu avril 86. **1990**-*3-12* admis dans hôpital soviét. **1991** *janv.* incarcéré quelques h. puis relâché pour raisons de santé. -*13-3* transféré clandestinement en URSS dans avion sov. -*14-3* gouv. all. demande restitution. -*11-12* réfugié à l'ambassade du Chili à Moscou (asile politique refusé). **1992**-*29-7* renvoyé en All., incarcéré à Berlin (accusé de 49 meurtres et de 25 tentatives d'homicide). -*12-11* début du procès. **1993**-*12-1* reconnu inapte à être jugé pour raisons de santé. -*14-1* part pour le Chili]. **1989** (24-10) Egon KRENZ (37). (8-12) Manfred GERLACH (8-5-28). **1990** (5-4) Sabine BERGMAN POHL, Pte de la Chambre du peuple.

RÉPUBLIQUE FÉDÉRALE ALLEMANDE (PRÉSIDENTS)

1949, 12-9 Theodor HEUSS (1884-1963). **1959,** 1-7 Heinrich LÜBKE (1894-1972). **1969,** 5-3 Gustav HEINEMANN (1899-1976). **1974,** 15-5 Walter SCHEEL (8-7-19). **1979,** 23-5 Karl CARSTENS (1914-92). **1984,** 23-5 Richard von WEIZSÄCKER (15-4-20).

■ CHANCELIERS

1871 *21-3* Otto Pce VON BISMARCK (1815-98). **90** *23-3* Cte Leo VON CAPRIVI (Gal) (1831-99). **94** *29-10* Pce Clodwig ZU HOHENLOHE (1819-1901). **1900** *17-10* Pce Bernhard VON BÜLOW (1849-1929). **09** *14-7* Theobald VON BETHMANN-HOLLWEG (1856-1921). **17** *14-7* Georg MICHAELIS (1857-1936). *25-10* Cte Georg VON HERTLING (1843-1919). **18** *3-10* Pce Maximilien DE BADE (1867-1929). *9-11* Friedrich EBERT (1871-1925) SPD. **19** *13-2* Philipp SCHEIDEMANN (1865-1939) SPD. *21-6* Gustav BAUER (1870-1944) SPD. **20** *27-3* Hermann MÜLLER (1876-1931) SPD. *25-6* Constantin FEHRENBACH (1852-1926) Zentrum (catholique). **21** *10-5* Dr Joseph WIRTH (1879-1956) Zentrum. **22** *22-11* Dr Wilhelm CUNO (1876-1933) sans parti. **23** *13-8* Dr Gustav STRESEMANN (1878-1929) Deutsche Volkspartei. *30-11* Dr Wilhelm MARX (1863-1946) Zentrum. **25** *15-1* Dr Hans LUTHER (1879-1969) sans parti. **26** *16-5* Dr Wilhelm MARX Zentrum. **28** *28-6* Hermann MÜLLER SPD. **30** *30-3* Dr Heinrich BRÜNING (1885-1970) Zentrum. **32** *1-6* Franz VON PAPEN (1879-1969) NP. *3-12.* Gal Kurt VON SCHLEICHER (1882-assassiné 30-6-34). **33** *30-1* Adolf HITLER (20-4-1889/30-4-1945) Nazi. *1945-49 Occupation alliée.* **49** *15-9* Konrad ADENAUER (1876-1967) démissionne 15-10-63 CDU. **63** *16-10* Ludwig ERHARD (1897-1977) CDU démissionne 30-11-66. **66** *1-12* Kurt Georg KIESINGER (6-4-1904/9-3-1988) CDU. **69** *21-10* Willy BRANDT (18-12-1913/8-10-1992, vrai nom : Frahm) SPD démissionne 6-5-74. **74** *6-5* Helmut SCHMIDT (23-12-1918) SPD (vote de défiance). **82** *1-10* Helmut KOHL (3-4-1930) CDU (mesure 1,93 m ; 118 kg).

■ Statut (Allemagne réunifiée)

Rép. fédérale. Avant le 3-10-1990, elle n'était pas juridiquement un État souverain (art. II Const. : les 3 grandes puiss. USA, Fr., G.-B., se réservent les droits et responsabilités antérieurement détenues par elles). L'All. est juridiquement toujours en guerre (aucun traité de paix n'ayant encore été signé avec ses anciens ennemis). Elle n'avait pas d'autonomie militaire (arme nucléaire interdite, absence de contrôle sur les armes étrangères).

Constitution : *Loi fondamentale* de la RFA. Adoptée 8-5-1949, elle stipulait dans son préambule : « Durant une période transitoire, le peuple all. dans son ensemble disposant librement de lui-même, reste convié à parachever l'unité et la liberté de l'All. ». Selon l'*art. 146* « la Loi cessera d'avoir effet le jour où entrera en vigueur la Constitution adoptée par le peuple all., libre de ses décisions ». L'*art. 23* prévoit que les Länder qui se reconstitueraient en RDA pourraient adhérer, chacun de leur côté, à la RFA. Selon les accords de Paris (23-10-1954), les États signataires devaient coopérer pour atteindre par des moyens pacifiques leur but commun : une All. réunifiée, dotée d'une Const. libérale et démocratique telle celle de la RFA, et intégrée dans la CEE. ».

Modification : la loi fondamentale, conçue comme une Constitution provisoire lors de sa rédaction, a été modifiée, pour signifier que l'unification de l'All. est terminée, excluant explicitement les territoires allemands cédés après la guerre à la Pologne et à l'URSS [Nouveau préambule : ... *le peuple allemand (...) disposant librement de lui-même, a achevé dans la libre autodétermination l'unité et la liberté de l'All.*]. L'art. 23, qui permet le rattachement d'*une partie de l'Allemagne* à la RFA, a été supprimé (après avoir été utilisé par la Sarre en 1956 et la RDA le 23-8-1990). Sa suppression interdit par exemple à la Silésie (Pologne) de demander son rattachement à la RFA, comme elle pouvait le faire jusqu'ici. **Finances :** l'art. 7 a étendu l'ensemble de la structure fiscale de la RFA à la RDA (dispositions transitoires pour la répartition du produit des impôts entre l'État fédéral et les Länder de RDA). *L'Union monétaire* a été fixée (texte du 23-4-1990) au 1-1-91, *salaires et traitements* devant être échangés par principe sur la base du niveau d'alors (sans versements compensatoires pour la résorption des subventions et pour la mise en œuvre de la réforme des prix en RDA). Le système des *retraites* de la RDA doit être adapté à celui de RFA (70 % du revenu net du travail moyen pour 45 années d'assurance). Les *réserves monétaires et de crédit* des All. vivant en RDA doivent être échangées au taux de 2/1 (possibilité d'échanger jusqu'à 4 000 marks-Est par personne au taux de 1/1).

Droit : l'art. 8 étend l'ensemble du droit ouest-allemand à la RDA (bien que certaines lois est-all. demeurent compatibles avec la Constitution et les directives européennes). Le droit est-all. sera considéré comme un droit régional des Länder. L'art. 10 étend l'ensemble du droit communautaire à la RDA. **Traités internationaux :** ceux de la RFA s'appliquent, sauf exception. **Réhabilitation :** l'art. 17 prévoit une réhabilitation des « *victimes du régime d'injustice du parti communiste* » et prescrit qu'il leur soit versé une indemnisation. Les décisions de la justice et de l'admin. est-all. restent cependant en vigueur. Les All. de l'Est peuvent demander leur révision. **Économie :** l'All. unie s'engage à poursuivre et à intensifier les relations économiques avec le Comecon développées par la RDA, dans le respect des règles de l'économie de marché et des compétences de la CEE (art. 29). Les dettes de la RDA seront transférées sur un fonds spécial, puis réparties dès 1994 à parts égales entre l'État fédéral et les Länder de l'ex-RDA. Les recettes des privatisations des entreprises est-all. devront uniquement servir au désendettement des Länder de l'ex-RDA ou à prendre des mesures d'aides financières sur ce territoire (art. 21 à 25). **Députés :** jusqu'aux élections du 2-12-1990, la Chambre du Peuple est-all. a délégué 144 députés au Bundestag ouest-all. (art. 42).

Pt (élu par le *Bundesversammlung* ou Ass. féd., les 520 du *Bundestag* et les 518 délégués élus par les diètes des *Länder,* pour 5 ans, renouvelables 1 fois). **Chancelier** (élu par le Bundestag sur proposition du Pt) voir ci-dessous. **Ministres (principaux) :** *Vice-ch. et min. des Affaires étr.* Klaus Kinkel (n. 1937) (FDP) dep. la démission (mai 92) de Hans Dietrich Genscher (dep. 1974) [1,90 m, n. 21-3-27 à Reideburg (Thuringe), quitte RDA 1952, avocat] FDP, *Économie* Gunther Rexrodt (1942) (FDP), *Finances* Theo Waigel (1939) (CDU), *Défense* Volker Rühe (1928) (CDU), *Intérieur* Rudolf Seiters (1937) (CDU), *Justice* Sabine Leutheusser-Schnarrenberger (FDP), *Agriculture* Jochen Borchert (1940) (CDU).

Nota. – 10 CDU, 3 CSU, 6 FDP.

Fête nat. 3-10 fête de la Réunification (3-10-1990).

Hymne. *Origine : 1797* mélodie « *Gott erhalte Franz den Kaiser* » composée par Joseph Haydn (1732-1809) pour l'anniv. de l'empereur François Ier le 12-2 [paroles de Leopold Haschka (1749-1827)]. *1841* Henri Hoffmann von Fallensleben (1798-1874) adapte à la mélodie les paroles de son « *Lied der Deutschen* » [la 1re strophe commence par « *Deutschland über Alles* » qui signifie : l'All. au-dessus de tout (c. à d. la patrie avant tout)]. *1922* hymne nat. all. (jusqu'en 1914, les États all. avaient leur hymne propre). *1945* interdit par les Alliés, l'hymne actuel se limite au 3e couplet.

■ **Chambres. Bundestag** (Ch. des députés). *Membres avant la réunification :* 520 (dont 22 députés de Berlin-O.), participant à l'él. du *Pt de la Rép.* (art. 54) *et du Bundestag* (art. 40) et du chancelier (art. 63). *Dep. la réunification :* 662 m. *Pte :* Rita Süssmuth (n. 1937), dep. 88, réélue 1990, CDU. *Députés :* élus pour 4 ans, une moitié directement, l'autre au niveau des Länder, à la *représentation proportionnelle personnalisée.* Chaque électeur dispose de 2 voix : la 1re pour un des candidats de sa circonscription (élu à la majorité simple ou relative : *mandat direct*) ; la 2e, au *niveau du Land,* d'après les listes présentées par les partis dans les Länder. La répartition globale des sièges dans les Länder accorde à chaque parti des sièges directs et mandats de liste (parti). Seuls les partis qui ont au moins 5 % des suffr. ou ont obtenu 3 mandats directs peuvent être représentés. *Pouvoir législatif* exclusif pour : affaires étrangères, défense, questions de nationalité, d'immigr. et d'émigr., change, crédit, monnaie, tr. de commerce, P et T ; concurremment avec les diètes des Länder en matière de droit civil et pénal, état civil, dommages de guerre, droit écon., prévoyance soc., etc.

Répartition des sièges au Bundestag
(y compris les députés de Berlin)

	SPD	CDU	CSU	FDP	Divers
1949	136	117	24	53	80
1953	162	198	57	48	44
1957	181	225	55	41	17
1961	203	201	50	67	–
1965	217	202	50	49	–
1969	237	201	50	30	–
1972	242	186	49	41	–
1976	224	201	53	40	–
1980	228	185	52	54	–
1983	202	202	53	35	28
1987 [1]	186	174	49	46	42 [2]
1990	239	268	51	79	25 [3]

Nota. – (1) Dont Berlin (CDU 11, SPD 7, FDP 2, Verts 1) compris. (2) Verts. (3) PDS (ex-communistes) 17, Alliance 90 (Écologistes et gauche alternative) 8.

Élections générales du 2-12-1990 (en %). Ensemble de l'Allemagne, entre parenthèses territoire électoral occidental et terr. él. oriental. CDU/CSU 43,8 (44,1 –) [dont CDU 36,7 (35 – 43,4) ; CSU 7,1 (9,1 – n.c.)]. SPD 33,5 (35,9 – 23,6). FDP 11 (10,6 – 13,4). Verts (Ouest) 3,9 (4,7 – n.c.). PDS 2,4 (0,3 – 9,9). Républicains (extrême droite) 2,1 (2,3 – 1,3). Alliance 90/Verts (Est) 1,2 (n.c. – 5,9). Les « Grises » (3e âge) 0,8 (0,8 – 0,8). Parti écologiste-démocrate (droite) 0,4 (0,5 – 0,2). NPD (extrême droite) 0,3 (0,3 – 0,3). DSU 0,2 (n.c. – 1). Ligue chrétienne (partisans de l'interdiction de l'avortement 0,1 (0,1 – 0,2). Divers 0,2.

☞ Le Deutsche Reichspartei (DPR) comprenant d'anciens nazis a eu 1,8 % des voix et 5 députés. Le Parti communiste (KPD), qui avait 15 sièges et 5,7 % des voix en 1949, a disparu du Bundestag en 1953, n'ayant que 2,2 % des v. (car dep. 1953 il faut au min. 5 % des voix pour être représenté au Bundestag) et a été interdit en 1956.

Bundesrat (Conseil fédéral). *Siège :* Bonn. *Membres* (nommés par les Länder) : 68. Avant la réunification, 41 m. + 4 m. consultatifs pour Berlin-O. (CDU 21 voix). *Pouvoirs :* tous les projets de loi du gouvernement doivent d'abord lui être soumis.

■ **Cours suprêmes de la Fédération.** Tribunal constitutionnel féd., Cour de cassation, Tribunal administratif fédéral, Cour fédérale d'arbitrage social, Tribunal fédéral du travail, C. féd. en matière fiscale.

■ **Droit de vote.** A 18 ans (dep. 1971) (ex-RDA dep. 1949). **Éligibilité** à 18 ans dep. 1-1-1975. A Hambourg, les étrangers résidant dep. 8 ans en All. peuvent participer aux votes des assemblées d'arrondissement. Au Schleswig-Holstein, les immigrés (dep. 5 ans) dont le pays d'origine accorde la réciprocité aux All. émigrés peuvent voter au scrutin communal.

■ **Structure administrative** (1991). *Länder* 16. *Districts* adm. 26. *Cercles (Kreise)* 543 (*1960 :* 565, *70 :* 542, *90 :* ex-RFA 328, ex-RDA 215). *Communes* 16 127 (*1960 :* 24 505, *70 :* 22 510, *90 :* ex-RFA 8 505 dont 4 644 de – de 2 000 h., 3 791 de 2 000 à – de 100 000, 68 de + de 100 000, ex-RDA 7 622).

☞ **Troupes sur le territoire allemand en 1990 et, entre parenthèses, dans le futur. Allemandes :** Allemagne de l'Ouest 425 000, All. de l'Est 98 000, All. unie 593 000 (1994 : 370 000). **Étrangères :** soviétiques 380 000 (92 : 200 000, 94 [31-8] : 0), américaines 248 000 (95 : 105 000), britanniques 72 000 (95 : 23 000), françaises 55 000 (92 : 20 000), belges 26 600 (96 : 3 000), canadiennes 8 000 (95 : 1 200), néerlandaises 7 800 (96 : 3 000). *Total 1 340 000* (525 200 dont étrangères 155 200).

☞ En 1989, **Berlin-O.** 9 200 Amér., Brit. et 2 800 Fr. *Coût* 1 384 millions de marks/an.

■ Länder

Généralités

Institutions. États : (16) qui ne détiennent leurs droits souverains que d'eux-mêmes. *Domaine de la Fédération :* politique étrangère, y compris la défense, poste fédérale, chemins de fer fédéraux, monnaie, politique douanière et commerciale, unification du système judiciaire, charges issues de la guerre (frais de stationnement des forces d'occupation, d'où devait naître ensuite la contribution allemande à la défense ; charges sociales résultant de la guerre). *Domaine des Länder :* enseignement, police, maintien de l'ordre, sécurité, soin de faire appliquer les lois fédérales.

Les Länder sont divisés en *Landkreise.* Le *Landrat* exerce les fonctions d'un sous-préfet (en All. du N.-O., l'Oberkreisdirektor), contrôle l'administration communale et l'admin. étatique du *Kreis.* Le *Kreistag,* parlement à l'échelle de l'arrondissement, est compétent pour les tâches intercommunales : ponts et chaussées, chemins de fer d'intérêt local; assistance aux mineurs, hôpitaux, assistance sociale, etc., mais le Kreis n'a pas d'instructions à donner aux communes qui ne lui sont pas subordonnées. Les *Regierungspräsidenten* contrôlent le Landrat et l'admin. urbaine pour le compte du Land. Les Länder peuvent prescrire aux communes la forme que doit prendre leur autonomie, contrôler leur budget et même en modifier les limites territoriales.

Liste des Länder

Superficie, population et densité (1990), religion (entre parenthèses : % protestants et cath. au 1-5-1970), *capitale* et villes principales au 30-6-1989.

Ex-Allemagne de l'Ouest

■ **Bade-Wurtemberg** (formé 1951 par fusion de 3 Länder formés 1945 : Bade, Wurtemberg-Bade, Wurtemberg-Hohenzollern). 35 752 km², 9 619 000 h., D 269 (1-1-80 p. 44,4 ; c. 47,2), *Stuttgart* 571 000 [1], Mannheim 306 000, Karlsruhe 267 200, Fribourg-en-Brisgau 185 300, Heidelberg 132 400.

■ **Basse-Saxe** (formé 1-2-1946 par l'ancien Hanovre et les Länder de Brunswick, Oldenbourg et Schaumbourg-Lippe.) 47 348 km², 7 284 000 h., D 154 (p. 74,6 ; c. 19,6), *Hanovre* 506 000 [1], Brunswick 254 100, Osnabrück 156 900, Oldenbourg 141 000.

■ **Bavière** 70 554 km², 11 221 000 h., D 159 (p. 25,7 ; c. 69,4). *Munich* 1 206 400 [1], Nuremberg 477 000 [1], Augsbourg 245 600.

■ **Berlin.** *Superficie* (km²) : 889 (Arrondissement O. 486, 54,6 % ; A.-Est 403). *Étendue :* Nord-Sud 38 km, Est-Ouest 45 km (Arr.-Ouest 32 et 29 km) (le *1-7-1988* la partie occ. avait reçu 96,7 ha et donné 87,3 ha à l'Est). *Alt. max. :* le Grand Müggelberge 115 m (Arr.-E.), le «Teufelsberg » composé des décombres de la g. de 1939-45 115 m (O.). *Arbres :* dans les forêts 35 millions, les rues 244 414. *Répartition du territoire :* (%, entre parenthèses % des arr. O. et E.) surface bâtie 42,7 (42,9 ; 42,6) dont habitations 26,7 (26 ; 27,7) et industries 4,7 (4,5 ; 5), eaux, forêts 23,9 (22,5 ; 25,6), parcs, terrains de jeu et squares 10,9 (10,9 ; 10,9), voies de transport 12,4 (16,8 ; 7), autres surfaces 10,1 (6,9 ; 13,9). *Lacs les + grands :* Grand Müggelsee (Arr.-E., 767 ha), Tegeler See (408 ha), Seddinsee 376, Langer See 284. *Lacs les + profonds :* Tegeler See (16 m) (la plupart : 2 à 8 m de prof.). *Climat :* moy. ann. : 9,2 °C ; pluies : 470 mm par a. *Population (milliers) : 1600 :* 9 ; *1614 :* 12 ; *1648* (après la g. de Trente Ans) : 6, *1710 :* 57, *1800 :* 172 ; *v. 1840 :* 400 ; *1871 :* 932 ; *1900 :* 2 712 ; *1914 :* 1 900 ; *1936 :* 4 300 ; *1943 :* 4 490 ; *1945* (guerre) : 2 800 ; *1992 (30-6) :* 3 445 (dont étrangers 366,6), dont Arr.-E. 1 282,3 (dont étr. 35,8), Arr.-O. 2 163 [dont étr. : 330,8 (137,3 Turcs, 45,2 ex-Yougoslaves, 19,6 Polonais, 9,3 Grecs, 8,7 Italiens)]. *2010 :* 4,9 à 5,7. *Arrondissements :* 23 dont Arr.-O. 12 (de 95 305 à 312 029 h.) ; E. 11 (de 51 533 à 166 780 h.).

☞ **Communication avec la RFA avant la réunification** Berlin-O. avait 117 km de frontières avec la

RDA et communiquait avec la RFA par des autoroutes de transit [vers Helmsted (Basse-Saxe) 172 km (la plus courte), Hambourg, Francfort et Nuremberg/Munich] ; des lignes ferroviaires de transit, des jonctions aériennes [mais Lufthansa n'était pas autorisée à desservir B.-O. ; en 1988 avait été créée Euroberlin-France (Air France 51 %, Lufthansa 49)]. **Transports :** *aéroport civil central* Tegel (remplaçant Tempelhof dep. 1974). 6 millions de passagers en 1989 (compagnies : Panam 50 %, British Airways 21, Euroberlin-France 18, TWA 6, Air France 5). *Voies navigables :* 197 km (126 ; 71). *Réseau routier :* 5 113,1 km. *Véhicules* (31-12-91) : 1 343 968 (900 742, 443 226). **Bases militaires :** *Tegel* (franc.), *Tempelhof* (améric.), *Gatow* (Brit.).

Histoire. 1237 1re mention de Berlin dans un document. **1451** résidence permanente des P^ces^ Électeurs de Hohenzollern. **1539** réforme. **1685** (à partir de) accueil des Huguenots (20 % de la pop. en 1720). **1701** capitale du roy. de Prusse. **1710** les 5 villes résidentielles autonomes de Berlin, Cölln, Friedrichswerder, Dorotheenstadt et Friedrichstadt sont réunies. **1809** 1re assemblée de députés et 1er maire élus. **1871** cap. du IIe Reich. **1920** création du Grand Berlin (incorporation de 8 villes, 59 villages et 27 domaines). **1945** *-2-5* capitulation ; bilan : 20 % des bâtiments détruits, 50 % endommagés (sur 250 000), 75 millions de m³ de décombres ; 100 000 tués, 20 000 morts violentes, 6 000 suicides, au moins 20 000 viols. *-11-7* partagé en secteurs d'occupation et administré par un commandement allié (la Kommandatura), formé par URSS, USA, G.-B., France. **1948**-*16-6* le représentant soviétique quitte la Kommandatura, *-1-7* il déclare que l'administration conjointe de Berlin a cessé d'exister. *-23-6 au 12-5-* **1949** blocus de B.-O. *-30-11* le SED (P. socialiste unifié) nomme un nouveau Magistrat « démocratique » à l'Est. **1950**-*1-10* Constitution de B. **1953**-*17-6* insurrection à B.-Est et dans le pays. **1958**-*27-11* ultimatum soviétique : les Occidentaux devront quitter B.-O. dans les 6 mois ; une « ville libre de B.-O. » démilitarisée sera établie. **1961**-*13-8* construction du Mur, voir ci-contre. **1971**-*3-9* accord quadripartite ; l'URSS reconnaît les liens de fait unissant B.-O. à l'All. féd. **1984**-*22-10* Mur abattu sur quelques m pour laisser passer un gazoduc de 60 cm de diam. venant de RDA. **1987** *déc.* « initiative de Berlin », Pt Reagan prévoit l'amélioration de la desserte de B. et des manif. intern. comme les JO. **1989**-*29-1* l'extrême droite a 7,5 % des voix et 11 dép. à la Chambre des députés. *-9-11* l'All. dém. décide l'ouverture du Mur. *-11-11* des centaines de milliers d'All. de l'E. le franchissent par 22 points de passage. *-13-11* un Amér. propose de racheter le Mur pour 50 millions de $. *Nov.* une brique de Mur se vend 50 à 70 $. *21/22-12* ouverture de 2 passages à la porte de Brandebourg, inaugurée par Kohl et le PM Modrow [le périmètre devient zone de promenade, mais l'axe formé par l'avenue Unter den Linden et celle du 17-Juin reste fermé (protection bétonnée antichar de 3 m d'épaisseur devant la porte)]. **1990**-*1-1* exactions porte de Brandebourg : aile endommagée, chute d'un écran géant (1 †, 50 bl.). *Fév.* démantèlement du Mur : moyenne 100 m par nuit (un pan de 3,6 m de haut sur 1,2 m de large, pesant 2,6 t atteint 50 000 DM ; une Sté est-all. recueille les fonds pour les services de santé de l'All. dém.) ; 39 points de passage. *-19/20-2* 3 km de Mur détruits entre Reichstag et Checkpoint Charlie (remplacés par une clôture mét.). *-12-6* le Magistrat de B.-E. et le Sénat de B.-O. tiennent leur 1re réunion commune dans l'Hôtel de Ville Rouge. *-2-10* dissolution du commandement militaire allié (suite du traité « 2 + 4 » signé à Moscou le 12-9 mettant fin à la tutelle des 4 alliés sur l'Allemagne). *-2-12 législatives :* CDU 40 % des voix et 84 s. ; SPD 30,5 ; PDS 10 (24 dans la partie est) ; Alternatifs 9 ; FDP 7,2. **1991**-*24-1* Eberhard Diepgen, Pt du P. chrétien-dém., élu maire par le Parlement régional, à la tête d'un Sénat de 15 membres. *-20-6* vote du Bundestag faisant de Berlin la capitale de l'All. réunifiée.

Statut (avant 1990). **1944**-*12-9* protocole de Londres. *-14-11* accords de Londres ; divisé en 4 secteurs qui devaient être occupés et administrés en commun [*France 11,8 %* de la superficie, G.-B. 18,7 %, USA 23,9 %, URSS 45,6 % ; garnisons à Berlin-O. : 2 700 Fr., 3 300 Brit., 6 200 Amér.]. **1948** l'URSS ayant quitté la Kommandatura interalliée, les 3 Alliés occidentaux exercent ensemble à Berlin-O. leurs droits de réserve en détenteurs de la souveraineté suprême. **1955** (5-5) accords de Paris, intégration pratique de B.-O. à la RFA limitée en droit international. Les 22 membres du Bundestag (élus par la Chambre des députés de B.) n'avaient pas plein droit de vote ; les lois fédérales étaient adoptées à Berlin avec l'accord des Alliés par un acte formel de la Chambre des députés. B.-O. étant démilitarisé, il n'y avait pas de service militaire obligatoire ; le port d'uniformes de la Bundeswehr y était interdit. B.-O. était intégré aux Communautés européennes.

Budget de Berlin (milliards de DM, 1991) 38,4 (1993 : 42,5). *PIB* 99,9. **Imp.** (91) 11,55 (de CEE 1,2, USA 1,2). **Export.** (91) 14 (vers CEE 5,9, ex-URSS 1,9).

Apport de population suite au transfert des organes d'État. *Gouvernement et Parlement :* 15 000 personnes de +. *Ambassades et Länder :* 18 500. **Coût :** hébergement (milliards de DM) : 9, déménagement : 50.

Activités culturelles (Arr. O. et E. entre parenthèses). Universités 8 (4,4) [143 196 (119 017, 24 179) étudiants] ; musées privés et d'État 78 (42,36) ; théâtres d'État 17, privés 28 ; Philharmonie ; zoos (Zoologischer Garten, Tierpark) ; bibliothèques publiques 274.

☞ **Porte de Brandebourg.** Dans l'axe de l'avenue Unter den Linden (Sous les tilleuls). *Larg. :* 65,5 m, *haut. :* 28 m. Ouverte 6-8-1791. Néoclassique (modèle : Propylées de l'Acropole), architecte Karl Gothard Langhans ; passage sous l'arche centrale réservé au roi, puis à l'empereur. Défilé des troupes les j de victoire. *Quadrige et déesse de la Paix :* enlevés par Napoléon Ier en 1806, rapportés 1814, détruits 1945, refondus 1958 et remis en place (sauf aigle prussien et Croix de Fer). Limite des secteurs sov. et brit. (avant le 2-10-1990).

Mur de Berlin. Origine : *13-8-1961,* sur les instances du pacte de Varsovie, la RDA construit un mur autour de Berlin-O. Avant le 13-8, il y avait 81 points de passage ; 69 furent fermés (barbelés ou murs de briques) le 13-8, et 4 autres le 23-8 (porte de Brandebourg le 14-8). 7 points de contrôle restèrent, dont Checkpoint Charlie ouvert en permanence. De sept. 1949 à août 1960 env. 3 600 000 personnes avaient fui la RDA pour l'Ouest, la plupart passant la ligne de démarcation à B.-O. (500 000 pers. la traversaient par j). Réseau de communication ferroviaire et métropolitain fermé ; 63 000 Berlinois de l'E. perdent leur emploi à B.-O. et 10 000 B. de l'O. le perdent à B.-E. *Après l'accord quadripartite de 1971* et des arrangements interallemands, 10 points de passage furent établis dont 1 réservé aux étrangers (« Checkpoint Charlie »), les autres en partie pour les All. de l'O. seulement, ou les Berlinois de l'O. uniquement. **Caractéristiques :** Haut. min. 3,50 m, 61 km de palissades en grillage métallique, 9 km de murs divers, 106 km de fossés interdisant la circulation automobile, 293 miradors, 25 abris bétonnés, 293 postes de chiens de garde ; mines au sol jusqu'en 1985 et dispositifs automatiques de tir jusqu'en 1984. 500 000 m³ de forêts rasés et transformés en no man's land, réseaux électrifiés, barrages antichars et sous-marins au fond des rivières. On avait utilisé 107,6 km de plaques en béton destinées à l'autoroute Berlin-Rostock (jamais construite). **Passages :** août 1961 au 8-3-1989 : 80 tués à la frontière dont 59 par balles ; 115 blessés par balles ; 38 818 ont pu passer [dont par escalade 4 000, ou par souterrains (le + long 145 m sur 0,70, prof. 12 m : 57 passèrent) ou traversée de la Spree à la nage] dont 561 soldats (30-5-88). *1res victimes* 19-8-61 : Rudolf Urban (47 ans), tombé en s'échappant ; *par balle* 24-8-61 : Günter Liftin (24 ans). *Dernières victimes*, un homme mort de froid dans la nacelle d'un ballon en plastique qu'il avait fabriqué ; par balle 13-2-89 : anonyme.

Vente du Mur : des fragments ont été vendus en 1990 de 50 250 F pour un panneau de béton nu à 301 500 F avec des graffiti. Pour un mot courant sur 8 fragments : 1 200 000 F.

■ **Brême** (ville libre hanséatique). 404 km², 674 000 h., D 1 668 (p. 82,4 ; c. 10,22), *Brême* 544 000 [1]. Bremerhaven 127 600.

■ **Hambourg** (ville libre hanséatique fondée 889). 755 km² (y compris îles de Neuwerk et Scharhörn, 7 km²), 1 626 000 h., D 2 154 (p. 73,6 ; c. 8,1).

■ **Hesse.** 21 114 km², 5 661 000 h., D 268 (p. 60,5 ; c. 32,8). Francfort-sur-le-Main 635 000 [1], *Wiesbaden* 254 600, Cassel 189 500, Darmstadt 136 300.

■ **Rhénanie-Palatinat** (en all. Rheinland-Pfalz). 19 848 km², 3 702 000 h., D 186 (p. 40,7 ; c. 55,71), *Mayence* 175 400, Ludwigshafen 158 900, Coblence 107 400.

■ **Rhénanie-Westphalie** (en all. Nordrhein-Westfalen). 34 068 km², 17 104 000 h., D 502 (p.41,9 ; c. 52,5), *Düsseldorf* 574 000 [1], Cologne 946 000 [1], Essen 624 000 [1], Dortmund 594 000 [1], Duisbourg 532 000 [1], Bochum 390 100, Wuppertal 372 400.

■ **Sarre.** 2 570 km², 1 065 000 h., D. 414 (p. 73,8 ; c. 24,1), *Sarrebruck* 188 600.

■ **Schleswig-Holstein.** 15 729 km², 2 595 000 h., D 165 (p. 86,3 ; c. 6), *Kiel* 241 200, Lübeck 211 000.

Nouveaux Länder issus de l'ancienne RDA

■ **Brandebourg.** Nom venant de Brennaburg, forteresse des Slaves vaincus 1 157 par le Cte et margrave Albert l'Ours. 29 060 km², 2 641 152 h., D 91. *Potsdam* 143 000, Cottbus 129 100, Brandebourg/Havel 94 600, Frankfurt/Oder 88 100.

■ **Mecklembourg-Poméranie.** 23 838 km², 1 963 909 h., D 82. Rostock 252 956, *Schwerin* 130 700, Neubrandenburg 91 200, Stralsund 74 566.

■ **Saxe.** 18 337 km², 4 900 675 h., D 267. Leipzig 530 000, *Dresde* 501 000, Chemnitz 302 000, Zwickau 121 200, Görlitz 77 000.

■ **Saxe-Anhalt.** 20 445 km², 2 964 971 h., D 145. *Magdebourg* 290 400, Halle/Saale 234 800, Dessau 103 200, Halle/Neustadt 93 000.

■ **Thuringe.** 16 251 km², 2 683 877 h., D 165. *Erfurt* 220 000, Gera 134 500, Iéna 107 500, Weimar 63 300.

■ Partis et mouvements

Action directe. Orientée vers le terrorisme.

CDU (Union chrétienne-démocrate d'Allemagne). *Créé* 1945 par des résistants antinazis et anciens membres du P. cath. Zentrum. *1er leader* Konrad Adenauer (1876-1967). *Pt* Helmut Kohl (3-4-1930) ; *secr. gén.* Peter Hintze. *Membres : 92* 714 000. Parti gouvernemental de 1949 à 69 et dep. 1982. Pour l'intégration europ., l'alliance atlantique, une économie de marché sociale.

CSU (Union chrétienne sociale en Bavière). *Créé* 1946 ; *leader* Theo Waigel (22-4-1939). *Nombre : 91* 186 193 m. Indépendant, allié du CDU. Dep. 1949 forme un groupe parlementaire ; en 1983 fait partie de la coalition gouvernementale, et dep. les él. du 2-12-1990. Parti au pouvoir en Bavière. 54,9 % des v. aux él. du 14-10-90 au Parlement de l'État.

DKP (Parti communiste allemand). *Créé* avril 1969 (s'était présenté sous le sigle ADF), marxiste. Héritier du KDP déclaré inconstitutionnel en 1956. *Pt* Herbert Mies (dém. en fév. 90). *Membres : 1979* 49 000, *89* 20/30 000. Hebdomadaire « Notre Temps ». Y sont rattachés Jeunesse ouvrière soc. all. (20 000 m.) et groupe Spartakus (2 000 m.). Aurait reçu en 1988 70 millions de DM de la RDA où ont été formés 5 000 cadres.

DVU (Union pop. allemande). *Leader* Gerhard Frey. *Créé* 1971. *Membres :* 25 000. Extrême droite. *1992-5-4* 6,3 % des v. aux régionales du Schleswig-Holstein.

FDP (Parti libéral). *Pt* Klaus Kinkel depuis 11-6-93 avant Otto Cte Lambsdorff (20-12-26). *Secr. gén.* Uwe Lühr. *Membres : 1992* 140 000. *Fondé* 11/12-12-1948 à Heppenheim (Hesse). Fusion des P. libéraux des 3 secteurs d'occupation occid. Pt Theodor Heuss (1884-1963) ; *1949-56* et *1961-66* coalition gouv. avec CDU/CSU ; *1969-82* coalition gouv. avec P. soc.-démocrate ; *dep. 1982,* avec le CDU/CSU. A fourni les 1er et 3e Pts de la Rép. Theodor Heuss (1949-59) et Walter Scheel (1974-79). Pour l'intégration européenne, l'alliance atlantique et une économie de marché sociale. *1990*-12-8 fusion avec P. libéral de l'ex-RDA (BFD).

Groupes trotskistes. Groupe des marxistes internat., Internationale des communistes all.

Grüne (les Verts. Parti écologiste). *Fondé* 1980, entre autres par Petra Kelly. *Membres :* 41 000. *Porte-parole* Ludger Volmer, Christine Weiske ; représentés de 1983 à 90 au Bundestag. Fusionnent avec **Alliance 90** en janv. 93.

Jeunes Démocrates. Proches du FDP. **Jeunes Libéraux.** Proches du FDP 14 à 35 a. *Membres :* 6 000. *Pt* Guido Westerwelle. **Jeunesse socialiste allemande.** *Membres :* 10 000. **Junge Union.** Jeunes chrétiens démocrates de – de 35 a. *Membres : 1984* 265 000. **Jungsozialisten (dits Jusos).** Jeunes socialistes de 16 à 35 a. *Membres :* 186 000. *Pt* Ralf Ludwig.

Néo-nazis. Env. 5 000 militants connus, 39 800 sympathisants de l'extrême droite (dont 4 200 skinheads), 76 groupuscules [FAP (Freiheitlichen Deutschen Arbeiterpartei), Deutsche (ou Neue) Alternative (interdit déc. 92), Nationale Offensive et Nationalistische Front (interdit nov. 92)].

NPD (P. national-démocrate). *Leader :* Günter Deckert. *Membres : 1992* 7 700. *Fondé* 1964. Représenté aux él. locales (mairie de Francfort). Interdit dep. déc. 92.

RP (Republikaner Partei). *Fondé* 27-11-1983 par 2 anc. dép. de la CSU opposés à Franz-Josef Strauss, opportuniste vis-à-vis de la RDA, et par Franz Schönhuber, ancien Waffen-SS, seul chef du parti en 1985 (démissionne mai 90). *Membres :* 25 000. Nationaliste : rétablissement de l'All. dans ses terres et ses droits antérieurs à 1945. *Représentation* (% des voix). *1986 oct. :* 3 régionales de Bavière. *1989-29-1 :* 7,5 rég. Berlin-O. *-18-6 :* 7,1 aux européennes. *-1-10 :* 4,1 aux municipales de Rhénanie-Westphalie (+ de

Élections fédérales du 2-12-1990	CDU-CSU			SPD			FDP			Verts			PDS			Alliance 90		
	%	Gain perte	Sièges	%	Gain perte	Sièges	%	Gain perte	Sièges	%	Gain perte	Sièges	%	Gain perte	Sièges	%	Gain perte	Sièges
Bade-Wurtemberg	46,5	– 0,2	39	29,1	– 0,2	24	12,3	+ 0,3	10	5,7	– 4,3	0	0,3	+ 0,3	0	–	–	0
Basse-Saxe	44,3	+ 2,8	31	38,4	– 3	27	10,3	+ 5,1	7	4,5	– 2,9	0	0,3	+ 0,3	0	–	–	0
Bavière	51,9	– 3,2	51	26,7	– 0,3	26	8,7	+ 0,6	9	4,6	– 3,1	0	0,2	+ 0,2	0	–	–	0
Berlin [1]	39,4	–	12	30,6	–	9	9,1	–	3	3,9	–	0	9,7	–	3	3,3	–	1
Brême	30,9	+ 2	2	42,5	– 4	3	12,8	+ 4	1	8,3	– 6,2	0	1,1	+ 1,1	0	–	–	0
Hambourg	36,6	– 0,8	6	41	– 0,2	6	12	+ 2,4	2	5,8	– 5,2	0	1,1	+ 1,1	0	–	–	0
Hesse	41,3	–	22	38	– 0,7	20	10,9	+ 1,8	6	5,6	– 3,8	0	0,4	+ 0,4	0	–	–	0
Rhénanie du N. -Westphalie	40,5	+ 0,4	63	41,1	– 2,1	65	11	+ 2,6	17	4,3	– 3,2	0	0,3	+ 0,3	1	0,2	+ 0,2	0
Rhénanie-Palatinat	45,6	+ 0,5	17	36,1	– 1	13	10,4	+ 1,3	4	4	– 3,5	0	0,2	+ 0,2	0	–	–	0
Sarre	38,1	– 3,1	4	51,2	+ 7,9	6	6	– 0,9	1	2,3	– 4,8	0	0,2	+ 0,2	0	–	–	0
Schleswig-Holstein	43,5	+ 1,6	11	38,5	– 1,3	10	11,4	+ 2	3	4	– 4	0	0,3	+ 0,3	0	–	–	0
Brandebourg [1] *	36,3	+ 2,7	8	32,9	+ 3	7	9,7	+ 5	2	–	–	0	11	– 7,3	3	6,6	+ 1,2	2
Mecklembourg Pomér. [1] *	41,2	+ 4,9	8	26,5	+ 3,1	4	9,1	– 5,5	1	–	–	0	14,2	– 8,6	2	5,9	+ 1,5	1
Saxe [1] *	49,5	+ 6,1	21	18,2	+ 3,1	8	12,4	+ 6,7	5	–	–	0	9	– 4,6	4	5,9	+ 1,2	2
Saxe-Anhalt [1] *	38,6	– 5,9	12	24,7	+ 1	6	19,7	+ 12	5	–	–	0	9,4	– 4,6	2	5,3	+ 1,3	1
Thuringe [1] *	45,2	– 7,3	12	21,9	+ 4,4	5	14,6	+ 10	3	–	–	0	8,3	– 3,1	2	6,1	+ 2	1
TOTAL	43,8	– 0,5	319	33,5	– 3,5	239	11	+ 1,9	79	3,8	– 7,9	0	2,4	– 13,9	17	1,2	n.c.	8

Nota. * ex-RDA – % régionaux calculés sur le 2e vote, qui permet à chaque électeur de se prononcer pour un parti, tandis qu'il choisit un homme avec le 1er vote. (1) Gain ou perte par rapport à l'élection du 18-3-1990.

Élections aux Parlements des Länder	Date des élections	Députés (total)	CDU	SPD	FDP	Verts	PDS	Alliance 90	Divers
Bade-Wurtemberg [5]	5-4-92	146	64	46	8	13	15	–	–
Basse-Saxe	13-5-90	155	67	71	9	8	–	–	–
Bavière	14-10-90	204	127 [1]	58	7	12	–	–	–
Berlin	2-12-90	240	100	76	18	12	23	11	–
Brême	29-9-91	100	32	41	10	11	–	–	6 [4]
Hambourg	2-6-91	121	44	61	7	9	–	–	–
Hesse	20-1-91	110	46	46	8	10	–	–	–
Rhénanie du Nord-Westphalie [3]	13-5-90	227	89	122	14	12	–	–	–
Rhénanie-Palatinat	21-4-91	101	40	47	7	7	–	–	–
Sarre	28-1-90	51	18	30	3	–	–	–	–
Schleswig-Holstein [6]	5-4-92	89	32	45	5	0	–	–	7
Brandebourg *	14-10-90	88	27	36	6	–	13	6	–
Mecklembourg-Poméranie *	14-10-90	66	29	21	4	–	12	–	–
Saxe *	14-10-90	160	92	32	9	–	17	10	–
Saxe-Anhalt *	14-10-90	106	48	27	14	–	12	5	–
Thuringe *	14-10-90	89	44	21	9	–	9	6	–

Nota. – * ex-RDA (1) En Bavière : CSU. (2) *Südschleswigscher Wählerverband :* Union d'électeurs du Sud-Schleswig. (3) SPD 50 % des voix, CDU 36,7 %, FDP 5,8 %, Verts 5. (4) DVU avec 6 % des voix. (5) en 1988, 125 dép. (dont CDU 66, SPD 42, Verts 10, FDP 7). En % en 1992 et 1988 : CDU 39,6 (49), parti rég. 10,9 (1), Verts 9,5 (7,9), FDP 5,9 (5,9), SPD 29,4 (32). (6) En 1988 74 députés, SPD 45, CDU 27, Divers 2. En % 1992 et 1988 : SPD 46,2 (54), CDU 33,8 (33,3), DVU 6,3, FDP 5, Verts 4,97.

5 dans grandes villes). *Implantation.* All. du S. (Bavière 14,6 et Bade-Wurtemberg 8,7 aux europ. apportent + de la moitié des voix pour 1/3 de l'électorat).

Rote Armee Fraktion **(Fraction de l'Armée rouge)** ou *Bande à Andreas Baader* (arrêté 1968, libéré par un commando le 14-5-70, repris 72, † suicidé 18-10-77). 26 % de femmes. Groupe terroriste internationaliste. Attaques contre banques, préfectures, camps militaires, supermarchés. Dirigeant présumé : Helmut Pohl (n. 1940), emprisonné à vie à Schwalmstadt. **Roter Morgen** (Matin rouge) : 2 000 m.

SPD **(Parti social-démocrate).** *Créé* 23-5-1863 par Ferdinand Lassalle (comme « Association gén. des ouvriers all. »), interdit sous Bismarck, puis sous Hitler ; abandonne le 13/15-11-1959 à Bad-Godesberg toute référence au marxisme. *Leaders* Ferdinand Lassalle (1825-1864), August Bebel (1840-1913), Friedrich Ebert (1871-1925), Kurt Schumacher (1895-1952), Erich Ollenhauer (1901-1963), Willy Brandt (1913-92, démissionna de la présidence 23-3-87), Hans-Jochen Vogel (3-2-1926) ; *mai 91 :* Björn Engholm (9-11-1939) ; *23-6-93 :* Rudolf Scharping (n. 2-12-1947). *Vice-Présidents :* Johannes Rau (16-1-1931), Oskar Lafontaine (1943, dit le « Napoléon de la Sarre »), Herta Däubler-Gmelin (1943), Wolfgang Thierse (1943) ; 902 193 m. (92) (ouvriers 25,4 %, employés et fonctionnaires 37,6 %). Au pouvoir de 1969 à 1982. Partisan de l'intégration européenne et de la coopération avec l'Est. Fusionne 27-9-90 avec le SPD est-allemand (35 000 m.). 900 000 m.

■ Économie

Allemagne réunifiée

■ **Statistiques Allemagne réunifiée.** *Source :* instituts de sondages. **PNB** (croissance en %). *1991 :* + 0,4 ; *92 :* + 1,6 ; *93 (prév.) :* 0 à – 1 ; *94 (prév.) :* + 3 à 3,5. **Chômage** (taux) *1991 :* 6,7 ; *92 :* 7,7 ; *93 (prév.) :* 8,5 à 9. **Inflation** *1991 :* 4,8 ; *92 :* 5 ; *93 (prév.) :* 4,5.

■ **Comparaisons. Ex-RFA et** entre parenthèses **ex-RDA. Productivité** (1992) : Indice 100 (40) ; **Salaires** *1990-91 :* 100 (60) ; *92 :* 100 (73). **PNB** (en milliards de DM, 1992) : 2 773 (231). **PIB [par habitant (DM), est. 1992].** 76 000 (27 000). **Croissance** (%). *1990 :* + 4,9 (– 13,4) ; *91 :* 3,6 (– 28,4) ; *92 :* + 1 (+ 5,1) ; *93 (est.) :* 1er trim – 3,2 (sur 1 an) (+ 5 à + 7). **Inflation** (%). *1990 :* 2,7 (9,8) ; *91 :* 3,5 (12,8) ; *92 :* 4,1 (11,2) ; *93 (est.) :* 3,5 (8,5). **Chômage** (% par rapport à la pop. active). *1990 :* 6,4 (2,7) ; *91 :* 4,3 (11,8) [*déc.* 1 689 000 chômeurs (1 035 000)] ; *92 déc. :* 6,4 (13,9) (1 197 000 ch. (1 101 000 [1])] ; *93 mars :* 7,2, soit 2 223 000 ch. (15, soit 1 141 000). **Emplois créés** (en milliers). *1982-92 :* 3 000 ; *90 :* 829 (– 945) ; *91 :* 732 (– 1 600) ; *92 (est.) :* 200 à 300 (– 800 à 1 000). **Consommation des ménages** (variation en %, prix 1985). *1990 :* + 5,4 (+ 12,6) ; *91 :* + 3,6 (+ 3,6) ; *92 (prév.) :* + 1 (+ 5,5). **Consommation publique** (variation en %). *1990 :* + 2,4 (+ 5) ; *91 :* + 0,5 (– 4,3) ; *92 (prév.) :* + 3 (+ 7,5). **Investissements** (Variation en %). *1990 :* + 13,1 (– 5,6) ; *91 :* + 9,1 (+ 100) ; *92 (prév.) :* – 2,1 (+ 20). **Taux en %.** *1991 :* 10,8 (11) ; *92 (prév.) :* 10,4. **Épargne des ménages** (taux en %). *1988 :* 13,9 ; *89 :* (8,1) ; *90 :* 13,4 (1,3) ; *91 :* 13,4 (6,6) ; *92 :* 13 (11).

Nota. – (1) + 1 900 000 pers. en formation et 200 000 trav. à temps partiel (soit 40 %).

■ **Budget** (en milliards de DM, 1993). 435,6 (1992), dont ministère du Travail et Aff. sociales 98,7, nouveaux Länder 93, Défense 50,8.

■ **Dette publique globale** (en milliards de DM, entre parenthèses, en % du PNB). [*1981 :* 35 ; *85-89 :* 41]. *91 :* 1 171 (41) ; *92 :* 1 300 ; *93 :* 1 875. **Financement** (1991). Emprunts directs 333, obligations d'État 269, crédits bancaires 528. **Déficit budgétaire (fédéral + local)** (en milliards de DM, entre parenthèses, en % du PNB). *1990 :* 93,6 (3,3) ; *91 :* 123,5 (4,5) [150 à 200 attendus] ; *92 :* 112,5 (3,5) [objectif du gouv. 50 (22 en 1996)] ; *93 (est.) :* 175 (5,6 du PIB). **Déficit fédéral** *1991 :* 52,1 milliards de DM ; *92 :* 38,6 ; *93 :* 55 à 60. **Service de la dette** (en milliards de DM). *1992 :* 45,8 ; *96 :* 65 (14,2 % du budget total de l'État en 1994).

Nota. – En 1995, la plupart des dépenses débudgétisées seront reprises en charge par l'État et les Länder (fonds pour les privatisations, f. pour l'unité, f. pour l'apurement des créances des Länder de l'Est), soit 400 milliards de DM. En outre, les Länder de l'Ouest devront supporter 70 milliards de DM lors de l'extension du système de péréquation à l'ex-RDA.

■ **Endettement des Länder** (milliards de DM). Ex-RFA. *1991 :* 347 (ex-RDA 5), *95 :* 417 (134). **Des Communes. Ex-RFA.** *1991 :* 130 (5), *95 :* 155 (112).

■ **Fiscalité. Taux d'imposition global** (en % du PNB). *Années 60 :* 33 ; *80 :* 39,75 ; *92 :* 41,5[1]. **Impôts sur revenus mobiliers** (loi du 6-7-1992) Retenue à la source de 30 % pour revenus sup. à 6 000 DM (12 000 pour 1 ménage), soit 20 % des porteurs. *Bénéfice attendu :* 3,4 milliards de DM. **Impôts sur sociétés.** Réforme du 9-12-92. Au 1-1-94, réduction de 50 à 44 % pour les bénéfices réinvestis, de 36 à 30 % pour les bénéfices distribués. Taux maximal d'impôts sur les entr. individuelles ou en partenariat réduit de 53 à 44 %.

Nota. – (1) **Hausses des impôts (1-7-91 au 30-6-92).** Impôt sur le revenu + 7,5 %, taxes sur carburants + 25 % ; hausse sur alcool, tabac et assurance. *Recettes attendues :* 46 milliards de DM (57,3 en 93). **TVA :** taux min. à partir du 1-1-1993 : 15 % au lieu de 14 (apport de 12,5 milliards de DM).

Taux de prélèvement total de l'État et de la Sécurité sociale (%). *1989 :* 43,4 ; *90 :* 44,4 ; *91 :* 43,7 ; *92 :* 43,2.

Bénéfice de la Bundesbank (en milliards de DM). *1990 :* 9,1 ; *91 :* 15,2 ; *92 (est.) :* 10-14.

■ **Agriculture** (1991). **Production** (millions de t) : céréales 37,8 (dont blé 15,8, orge 14,2), p. de terre 16,3. **Élevage** (millions) : porcs 30,7 ; bovins 18,3. **Couverture de la demande (%) :** p. de terre 90, porc 87. **Part dans le PNB** (1990) : 1,2 % (1,4 % en 1980). **Actifs** (millions) : **Ex-RFA :** 1980 : 1,3 ; 90 : 0,8. **Ex-RDA :** 1989 : 0,85 ; 93 : 0,17. **Importance des aides : Ex-RDA :** sociétés, jusqu'à 50 % des revenus, fermes individuelles 70 % ; **Ex-RFA :** 28 %.

■ **Énergie** (Mt, millions de t). Houille 76 Mt (90), lignite 280 Mt (91). Gaz nat. 21,80 milliards de m[3] (91). **Électricité** (1990) 560 milliards de kWh dont nucléaire [1] 153 (dont ex-RDA 5,5).

Nota. – (1). Programme gelé dep. 10 ans (opposition Verts-SPD). Fin 1992, les 2 principales Cies, RWE et Veba, envisagent l'abandon du nucléaire pour le charbon ou le gaz.

■ **Industrie. Charbon.** *Actifs. 1950 :* 500 000, *92 :* 82 000, *2000* (prév.) : 30 000. **Sidérurgie** (1/3 de l'acier européen). **Ex-RFA.** Prod. réduite et fermeture des sites (concurrence Europe de l'Est, surproduction et surtaxes amér.). *Actifs : 1963 :* 250 000, *92 :* 156 000 (120 000 emplois supprimés dep. 1980), 35 000 à 40 000 emplois menacés. **Ex-RDA.** *1988 :* 7,5 millions de t d'acier, *95 (prév.) :* 4,4. **Chimie.** *Actifs. 1992 :* 588 000, *93 (prév.) :* 538 000. **Mécanique.** 1re au monde (20,7 % de part de marché, devant Japon 18,9 %). 1er employeur privé all. devant l'automobile. *Part de la prod. manuf.* 13,5 %, *des exp.* 17,7 %. *CA* (1991) 115 milliards de $. *Effectifs :* 1 100 000. *Entreprises :* 5 000 PME (Mittelstand). *Production en baisse. 1991 :* – 1 %, *92 :* – 6 % (50 000 emplois supprimés). *Raisons :* chute des commandes, taux d'intérêt élevés, faiblesse du $ et du yen, montée des impôts et des charges sociales, hausse des salaires dep. 1991, concurrence japonaise. **Emplois supprimés** (en milliers). **Automobile** Volkswagen. (1992) 12,5, (1993 à 1997) 36. Mercedes (1994) 24. Daimler-Benz (1995) 12,5. **Électronique** Siemens (1993) 15. **Textile** (1992) 14.

■ Entreprises. **Endettement des grands groupes** (1990). 21 % des fonds propres *(France 68 %)*. **Faillites. Ex-RFA.** *1985 :* 13 625 ; *91 :* 8 445 ; *92 :* 9 500 ; *93 (prév.) :* 12 000 (ex-RDA 2 000). **Privatisations** (avant l'an 2000). Lufthansa (1994), Telekom (bénéfice 170 à 240 milliards de F), Cies de chemins de fer Bundesbahn et Reichsbahn (1994), fusionnées dans une soc. par actions (Deutsche Eisenbahn AG).

Investissements. **Variation** (%, All. seule). *1990 :* + 13 ; *91 :* + 9 ; *92 :* – 0,5. **Par secteurs d'origine** (en milliards de DM, prix 1991). *Source :* Institut écon. de Halle. *1991 :* 82,9 dont 41 privés [12 à 23 selon autres inst.] (*France 2,7,* USA 1,7), 30,4 publics, 11,5 Treuhand ; *92 :* 98 à 110 (ex-RFA 55) dont 55 pr. [24 à 72 selon les inst.] (France 6 à 7), 37 pu., 6 T. ; *93 :* 121 dont 78 pr. + T., 43 pu. (selon d'autres sources, firmes de l'ex-RFA 135). **Directs français en All., entre parenthèses, all. en France** (milliards de F). *1981 :* 0,8 (2,1) ; *82 :* 1,5 (1,2) ; *83 :* 0,8 (1,7) ; *84 :* 1,4 (2,1) ; *85 :* 0,8 (2,1) ; *86 :* 1,2 (1,4) ; *87 :* 0,6 (2,4) ; *88 :* 3,4 (3,7) ; *89 :* 6,8 (6,1) ; *90 :* 11,6 (6,6) ; *91 :* 8,3 (9,9). **En Europe orientale** (entre parenthèses, projets 1992). 2, soit 28,5 % des investissements (52,8), dont Tchécosl. avec Skoda, Hongrie 0,55 (0,25), ex-URSS 0,25 (0,18), Roumanie 0,015 (0,015), Pologne 0,01 (0,15), Bulgarie (0,011), Albanie (0,015).

■ Travail-Salaires. **Coûts salariaux** (variation en %). *1982-90 :* + 1,9 ; *91 :* + 5 ; *92 :* + 5 à 6,5 ; *93 (prév.) :* + 4,25. **Durée du travail** *(en h/an) :* 1 643 *(France 1 763,* USA 1 904, Japon 2 119). *(en h/sem., entre parenthèses j de vacances/an). 1960 :* 44,6 (15,5) ; *75 :* 40,3 (24,3) ; *91 :* 38,3 (30,7).

■ Voies de communication (en km, 1991). Routes 44 275, autoroutes 10 571. Voies ferrées 80 000. Voies d'eau 6 500.

■ Commerce extérieur (milliards de DM 1991). **Imp. :** 643,9 dont alimentation 68 ; produits industriels 569 (mat. 1res 36,2, prod. finis 466,8, semi-finis 65,3) ; *de France : 78,9 ;* P.-Bas : 62,6 ; Italie : 59,7 ; USA : 42,2 ; Belg.-Lux. : 45 ; G.-B. : 42 ; Japon : 39,6 ; Suisse : 25,3 ; Autriche : 26,9. **Exp. :** 648,3 dont alimentation 36 ; prod. ind. 61,2 ; *France : 87,5 ;* Italie : 61,3 ; G.-B. : 50,7 ; Pays-Bas : 56 ; USA : 41,7 ; Belg.-Lux : 48,7 ; Suisse : 37,6 ; Autriche : 39,5 ; Suède : 15. **Échange avec l'Europe de l'Est (exp. et entre parenthèses imp. en milliards de DM, 1991)** ex-URSS : 17,7 (14,1) ; Ex-Tchéc. : 4,9 (5) ; Hongrie : 4,2 (4,3). **Échanges avec la France. Imp. françaises, et, entre parenthèses, exp.** (en millions de F). *1990 :* 238 661 (196 848) ; *91 :* 235 460 (223 402). **Part de marché des exp. français (en %).** *1990 :* 11,8 ; *91 :* 12,2.

Balances (en milliards de DM). **Des paiements** (entre parenthèses en % du PNB). *1990 :* 76,1 (2,9) ; *91 :* – 32,9 (1,1) ; *92 :* – 32,9 (0,5). **Commerciale** *90 :* + 105,4 ; *91 :* + 21,8 ; *92 :* + 33 [RFA *87 :* + 117,7 ; *88 :* + 128 ; *89 :* + 134,7 ; *90 :* + 105,4 ; *91 :* + 15,3 ; *92 :* 28,9. RDA *91 :* + 6,7 ; *92 :* + 3,9] ; *92 :* + 32,8.

Rang dans le monde (1991). 1er lignite. 3e orge. 4e p. de t., rés. lignite. 5e porcins, rés. charbon. 8e vin. 9e blé, charbon. 12e bois, étain. 14e bovins, gaz nat.

All. de l'Ouest avant la réunification

■ PNB (1989) 19 610 DM par h. *Croissance* (en %) *1981 :* – 0,2 ; *82 :* – 1,1 ; *83 :* + 1,3 ; *84 :* + 2,7 ; *85 :* 2,4 ; *86 :* + 2,5 ; *87 :* + 1,7 ; *88 :* + 3,6 ; *89 :* 3,9 ; *90 :* 4,6. **Emploi** (en milliards de DM, 1989) : dépenses de consomm. priv. 1 213,4 ; formation de capital fixe 418,3 (équipement 207,6 ; bâtiment 255,3) ; contributions ext. + 140,7 ; variations des stocks + 25,1. *Exp.* de biens et services 778,2. *Imp.* de biens et services 637,6. *Total* 2 260,4.

Produit intérieur brut (en milliards de DM). *1985 :* 1 830 ; *1989 :* 2 237 (agriculture et sylviculture 35,7 ; ind. productrices de marchandises 896,3 ; comm. et transp. 320,7 ; services 627,3 ; État, ménages part., etc. 285,1). *1990 :* 2 403.

■ Pop. active (% et, entre parenthèses, part du PNB en %). Agr. 5,3 (1,9) [en 1950, 24,8 (9)], mines 2 (0,8), ind. 38,5 (38,2), services 54,3 (58,8). *Emploi* (millions, 1990) : 28,4 dont hommes 16,9, femmes 10,8. Indépendants 2,4, aides familiaux 0,6, salariés 24,7. *Par secteurs (1990) :* agriculture et sylviculture 0,9, ind. productrices 11,3, commerce, transports 5,3, autres branches 12,1. Créé (1989) 0,43 (pour 0,33 nouveaux venus). *Chômeurs* (millions) : *1980 :* 0,9 ; *85 :* 2,3 ; *89 :* 2 (3,5 % en Bavière) ; *90 :* 1,88 (7,2 % des actifs) , *91 janv. :* 1,78. **Salariés étrangers ayant un emploi** (milliers) : *1973 :* 2 515 (dont Turcs 605, Youg. 535, Ital. 450), *1982 :* 1 784 (Turcs 554, Youg. 313, Ital. 259, Grecs 116, Esp. 76, Port. 51), *1985* (30-6) : 1 584, *1989* (30-6) : 1 689.

■ Agriculture. Intensive. Souvent plus compétitive que l'agriculture fr. Prédominance des entreprises familiales. Orientée de plus en plus vers l'élevage. Utilisation massive des engrais (239 kg/ha contre 180 en France) : rendements élevés. Élevage 68 % de la prod. agricole, végétaux 32 % (bœuf, volaille insuffisant). Couvre les 3/4 des besoins. Déficit en légumes frais, fruits et oléagineux. Excédent pour produits laitiers. **Régions agricoles.** Riches terres des Bördes, du bassin de Cologne, du fossé rhénan et des basses terrasses danubiennes : culture intensive du blé et des plantes ind. (betterave, houblon), élevage à l'étable du gros bétail. Moyennes montagnes humides, N.-O. océanique, plateau bavarois : beaucoup d'herbages pour l'élevage laitier. Ailleurs, en général polyculture : blé, céréales secondaires, p. de terre, bovins, porcs, volailles. Près des villes : vignobles (coteaux de la Moselle et du Rhin, du Neckar, du Kocher), légumes (Palatinat). **Utilisation des terres** (milliers d'ha, 1989). SAU 11 885 dont terres arables 7 273, jardins et vergers 118 (en 81), pâturages 4 407, vigne 77,8 (81). Territoire rural 24 744 (81). Bois 7 401. Bâtis et divers 4 350 (81). **Exploitations agricoles** (1989) : 649 000 dont : *1 à – de 2 ha :* 80 000 ; *2 à – de 5 ha :* 116 000 ; *5 à – de 20 ha :* 247 000 ; *20 à – de 100 ha :* 199 000 ; *100 ha et + :* 6 000. Taille moy. 18 ha (8 en 1949). *Production* (milliers de t, 1989) : céréales 26 114 (68,4 qu. par ha, contre 25,4 en 1949), p. de terre 7 233 (90), betteraves à s. 23 310 (90), fruits 924, légumes 1 494, moût de vin 13 226.

Élevage (millions, 1989). Bovins 14,6, porcins 22,6, chevaux 0,37, moutons 1,4, poulets 72, dindes 3,1 (88), canards 1 (88). **Lait** 24 243 000 t (4 717 kg par an en 86 contre 2 469 en 1949). **Œufs** 262 par an (120 en 1949). **Forêts** 28 693 000 m³ (87). 35 % des forêts sont atteintes par la pollution (pluies acides) ; en Bavière 5 à 75 %. **Pêche** 167 000 t (89).

■ Mines. **Sel. Potasse** (Basse-Saxe, Hesse, Bade-Wurtemberg, réserves : 2 milliards de t, couvre 6,6 % des besoins). **Plomb** (30 % des besoins couverts). **Zinc** (50 %). **Fluospath, feldspath, baryte, graphite, fer (Salzgitter)** 68 000 t (87), **cuivre.**

■ Énergie. **Houille** (bassins de la Ruhr, d'Aix-la-Chapelle et de la Sarre, réserves 230 milliards de t, soit pour + de 600 ans). Prod. (millions de t) *1957 :* 149 ; *60 :* 142 ; *70 :* 111 ; *85 :* 89 ; *89 :* 71 ; *90 :* 71 ; *95 (obj.) :* 65 ; *2005 (obj.) :* 50 (30 000 lic. prévus). *Subventions :* 10 milliards de DM par an. *Effectifs* (en milliers). *1957 :* 604 ; *68 :* 272 ; *79 :* 183 ; *90 :* 133. **Lignite** (à l'ouest de Cologne, un peu en Hesse et Bavière, réserves : 61 milliards de t exploitables à ciel ouvert, soit pour 50 ans) prod. (millions de t) *1970 :* 107,8 ; *85 :* 120 ; *89 :* 109. **Consommation** (1982). 363 millions de tec dont *pétrole* 44,2 [(en millions de t) : *réserves (82) :* 47 ; *prod. 88 :* 3,9], *houille* 21,2, *gaz nat.* 15,2, *lignite* 10,6, *nucléaire* 5,7, *autres* 3,1. **Gaz nat.** (milliards de m³). *Réserves (82) :* 175 ; *prod. (87) :* 17,5. 30-11-1981, signature avec URSS d'un contrat d'achat de 10,5 milliards de m³ de gaz/an pendant 25 ans. **Électricité** (milliards de kWh) *1960 :* 116 ; *70 :* 243 ; *85 :* 409 ; *87 :* 418 ; *88 :* 431 ; *89 :* 435. **Gaz** (milliards de m³) *1960 :* 28 ; *70 :* 41 ; *85 :* 34 ; *87 :* 33 ; *88 :* 33. **Barrages** (retenues en millions de m³ d'eau). *Schwammenauel* (Roer, y compris le barrage d'entrée) 205,5 ; *Edersee* (Eder, Fulda) 202,4 ; *Bigge* (Bigge, Lenne, Ruhr) 171,8 ; *Forggensee* (Lech) 165. **Nucléaire.** *Centrales :* 21. *Surgénérateur nucléaire de Kalkar* [à 70 km de Düsseldorf (construit 1972-87), coût 7 milliards de DM (23,8 milliards de F), puissance 300 MGW (devait être l'équivalent du réacteur français Phénix, en attendant la construction d'une centrale analogue au réacteur de 1 200 MGW Super-Phénix), arrêté définitivement]. Abandon en août 1989 du réacteur à haute temp. (HTR) de Hamm-Uentrop (300 MW, coût 4 milliards de DM). **Uranium** importé (mais des gisements ont été découverts). 41 millions de t vendues par an pour la production d'électricité.

Nota. – % de houille dans la consommation. *1957 :* 70 ; *68 :* 34 ; *79 :* 19 ; *90 :* 19.

■ Industrie. Concentrée, très moderne. Une certaine cogestion est souvent appliquée. Taux d'autofinancement élevé. Petites et moyennes entreprises (1 800 000) occupent 60 % de la pop. active. L'État intervient peu : ni nationalisations, ni planification. Mais il y a des Stés d'État souvent puissantes, et l'État et les Länder contrôlent de larges secteurs (gaz, électricité, transports, crédit, minerai, de fer, constructions navales). Ces entreprises d'État sont gérées comme des Stés privées dep. 1960. Certaines ont été vendues au secteur privé : ind. métallurgiques en tête, constructions navales, automobiles, gros matériel d'équipement mécan., électrique et électron. Certaines fabrications ont quasi disparu : optique de précision, appareils photo et transistors. Ind. chimique puissante (caoutchouc et textiles synthétiques, engrais, colorants, produits pharmac., matières plastiques). Résultats en baisse en 1991 et réduction des effectifs. Ind. du cuir, des textiles et de la confection en déclin. La part des industries de consommation a décru : coût élevé de la main-d'œuvre, concurrence des pays de l'Est et du tiers monde.

Zones industrielles. **Basse-Saxe** (Hanovre, Brunswick) : ind. chimiques et mécan. (Volkswagen) profitent du Mittelland Canal. **Sarre :** sidérurgie, chimie, céramique. **Carrefour Rhin-Main-Neckar** (Francfort, Ludwigshafen, Mannheim) : ind. de transformation. **Ruhr :** 8 000 km², 15 millions d'hab. : mines, terrils, hauts fourneaux, aciéries, usines de toutes sortes. Bassin houiller le plus riche d'Europe occid., qui a donné naissance à une puissante ind. lourde, métallurgique et chimique, fournit 4/5 du charbon allemand, 3/4 de l'acier, 50 % de la prod. chimique. Important chômage. **Au Sud :** extraction ancienne abandonnée, textiles, métallurgie regroupés dans les vallées (Wuppertal). **Düsseldorf :** métropole financière et commerciale. **Cologne :** nœud de communications, centre d'affaires, industries variées. Krefeld et Mönchengladbach : coton et fibres artificielles. **Au Centre :** charbon peu profond, métallurgie lourde, industrie chimique, ind. diversifiées (Dortmund, Bochum, Gelsenkirchen, Essen). Port : Duisbourg-Ruhrort. *Au Nord :* couches plus profondes, extraction récente, usines isolées.

Quelques chiffres (1989). **Industrie :** *établissements* 45 997 ; *personnes occupées* 7 213 000 ; *chiffre d'affaires* (en milliards de DM) 1 704 dont 525 avec l'étranger. *Production* (millions de t, 1989) : ciment 28,5 ; fonte et alliages de fer 32,7 ; lingots d'acier brut 41 ; aluminium de 1re fusion 0,7 ; essences (moteur et spéciales) 20,5 ; fuel-oils 28,3 ; matières plastiques 9,2 ; fibres synthétiques 1 ; papier et carton 11,2 ; acier laminé 31,7 ; bois de sciage 11 330 (m³). Voitures particulières 4 536 000 (dont 2 500 600 exp. en 1985) ; cigarettes 159 milliards. App. radio-récepteurs 4 975 000 (1970 : 6 729 000), téléviseurs 3 236 000. *Bière* 89 167 000 hl. **Artisanat :** *personnes occupées* 3 668 000 ; *CA* 395 milliards de DM. **Logements** *terminés* (en milliers) : *1961 :* 566 ; *64 :* 624 ; *70 :* 478 ; *73 :* 714 ; *82 :* 347 ; *85 :* 312 ; *88 :* 208 ; *89 :* 239.

Syndicalisation (1991, %) : chimie 80, métallurgie 62, fonction publique 62, bâtiment 50, commerce, banque 20.

■ Tourisme (88). Nuitées (étrangers) 30 millions.

■ Transports. **Voies de communication** (1989, km). *Réseau ferroviaire* 30 045 ; *routes* (hors agglomération) 173 652 dont autoroutes 8 721 ; *fluvial* important ; *Rhin* et prolongements (Moselle, Main, Neckar, canal de l'Ems, la Weser, l'Elbe et le Mittelland Canal). 4 400 km de voies navigables dont 640 recevant des convois de + de 3 000 t. **Moyens de transport** *(1989) :* locomotives et autorails 8 617 ; wagons à marchandises 261 000 ; voitures particulières 29 755 000 ; camions 1 345 000 ; bateaux fluviaux 2 990 ; navires marchands 4 005 000 tjb ; avions 8 811. **Voyageurs transportés** (millions, 89) : chemin de fer 1 127 ; trafic routier 5 542 (88) ; trafic aérien : 55 972. **Marchandises transportées** (millions de t) : chemin de fer 315 ; camionnage à longue distance 414 ; voie fluviale 235 ; navires de mer 141 ; pipe-lines 59 ; voie aérienne 1 117. **Lettres** (millions) : 13 886. **Comm. téléphoniques** (millions) : 31 710.

■ Budgets publics (milliards de DM, 1989). **Dépenses** 675,4. Bund 292,4. Länder 280,6. Communes/coll. multicommunales 193,1, dont Défense nat. 53,1 ; sûreté publique, justice 29,8 ; écoles, établ. d'enseign. sup., etc. 88,1 ; science, recherche 11,9 ; sécurité soc. 140,9 ; santé, sports, loisirs 40,6 ; logement, aménagem. du territ. 35,8 ; encouragement à l'économie 28 ; transports et comm. 29,4.

Recettes fiscales encaissées 535,5 ; impôts en commun 397 dont sur salaires 181,8 ; revenu perçu 36,7 ; revenu du capital 12,6 ; revenu des Stés 34,1 ; TVA 67,9 ; chiffre d'aff. des prod. importés 63,4 ; Bund 61,3 ; des Länder 24,2 ; communaux 46,2 ; *1989 :* 22 milliards de DM d'excédent. **Déficit public** *1986 :* 43 (2 % du PNB) ; *87 :* 52 (dont État féd. 28. Länder 20. Communes 4) (2,5 % du PNB) ; *88 :* 45,2 (dont État féd. 35,3). *89 :* 25.

■ 1res entreprises allemandes. Chiffres d'affaires (milliards de DM, 1988) : Daimler-Benz 73,4 (1er groupe automobile eur.), Siemens 59,4 (173 usines dans 35 pays, 373 000 salariés, dont 240 000 en All.), Volkswagen 59,2, Veba 44,4, BASF 43,87, Hoechst 40,96, Bayer 40,5, RWE 39,8, Thyssen 29,2, Bosch 27,7.

■ Revenu national (milliards de DM, 1989). 1 751,1 : rémunération des salariés 1 176,1, revenu de l'entreprise et de la propriété 575. **Inflation** (en %) *1978 :* 2,5 ; *79 :* 4,1 ; *80 :* 5,5 ; *81 :* 5,9 ; *82 :* 4,9 ; *83 :* 3,3 ; *84 :* 2,4 ; *85 :* 2,2 ; *86 :* – 0,2 ; *87 :* + 0,3 ; *88 :* 1,3 ; *89 :* 2,8 ; *90 :* 2,7. **Dette. Globale** *1991 :* 1 600 milliards de DM. **Publique** *(% du PNB) 1969 :* 19 ; *78 :* 28 ; *81 :* 34,5 ; *90 :* 100 milliards de DM. **Épargne des ménages** *1986 :* 2 260 milliards de marks (soit 91 000 marks par ménage). **Avoirs nets à l'étranger** (en milliards de DM) *1985 :* 125, *89 (juil.) :* 427 (RFA 2e créancier du monde). **Exportations de capitaux** (en milliards de DM) *1989 :* 120.

Réunification de l'Allemagne

■ Pacte de solidarité (1995-2005). **Objectifs.** Reconstruction écon. de l'ex-RDA et rééquilibrage des budgets des Länder. **Moyens** (MdM : milliards de DM) : 100 à 140 (4 à 5 % du PNB) par an (dont 1 suppl. consacré par les banques nationales à la privatisation). 1°) *Transferts annuels à l'ex-RDA* (1995) 60 à 75 (aide fédérale + système de péréquation des Länder étendu à l'ex-RDA 55,8 [44 % des recettes de la TVA (37 % en 1993)] + remboursement des dettes par l'État 40. 2°) *Versements supplémentaires. 1993 :* 2 (emplois d'utilité collective) + 3,7 (Fonds de l'unité all.), *94 :* 8,8 (Fonds). 3°) *Nouv. emprunts de la Treuhandanstalt* (environnement et protection des sites ind.). **Mesures. « Programme fédéral de consolidation » (19-1-1993). Hausse des recettes.** *Nouveaux impôts :* assurance-vie taxée de 10 % (1993) à 12 %, puis 15 % (1995), vignette autoroutière (prévue 1994, repoussée), taxe sur carburant + 10 % (1994, repoussée), supplément de 7,5 % sur impôt sur le revenu (« i. de solidarité » 1995), impôt sur la fortune relevé, projet de taxe de 30 % des revenus du capital (dep. 1-1-93) étendu aux étrangers, avantages fiscaux supprimés. [*Économie (1995) :* 20 à 28 Md DM (dont impôt de solid. 12)]. **Réduction des dépenses.** Hausse des salaires limitée à 3 % en 1993, aide sociale réduite [aides aux réfugiés pol., pers. en difficulté, alloc. chômage – 3 % (*Économie :* 1,5 Md DM)], subventions fiscales supprimées (*Économie :* 9 Md DM), alloc. logement et familiales en baisse (indexées sur revenus), dépenses fédérales limitées (en Md DM) [*1993 :* 4,2 (3 % de hausse) ; *1993-96 :* budget défense – 2,4, aides directes aux agric. supprimées, subventions à ind. charbonn. – 0,25, chantiers navals – 0,16)].

■ Coût de la réunification (en milliards de DM). Pour la RFA. *Selon le min. de l'Écon. de RFA :* 500 ; *selon des experts du gouv. féd. :* 300 sur 10 ans [dont 200 pris en charge par le budget féd. (qui atteint 300 milliards de DM en 1990)] ; *selon la Deutsche Bank :* 30 par an (endettement supplémentaire en 1991 : 3 % du PNB) ; *selon la Dresdner Bank :* 10 par an ; *selon d'autres sources :* 10 à 20 milliards pour les Länder.

■ Répartition. **En % du revenu brut.** Ouvriers 4, cadres et employés 3,5, retraités et chômeurs 2,2, agriculteurs 1,8, trav. indép. 1,7, fonctionnaires 1,7. **En DM/mois.** Trav. indép. 320, cadres et employés 280, ouvriers 260, fonct. 150, agric. 130, retraités et ch. 90.

■ Endettement par habitant (milliers de F ex-RFA, entre parenthèses ex-RDA). *1991 :* 24,5 (2,3), *92 :* 25,4 (6,4), *93* (prév.) : 25,8 (12), *94* (prév.) : 25 (42,4), *95* (prév.) : 24,5 (86,5), *96* (prév.) : 22,8 [20 000 F] (104,6) [100 000].

■ Transfert de fonds publics à l'ex-RDA (contributions en milliards de DM) en 1991 (et 92). État fédéral 75 (86), Länder et communes de l'Ouest 5 (5), fonds « Deutsche Einheit [1] » 31 (24), CEE 4 (5), Office fédéral du travail (= ANPE) 25 (34), fonds de pension (14). Total (contributions brutes 140 (167), impôts fédéraux perçus en RDA – 33 (– 41). Contributions nettes 107 (126). En 1990, 13,5 milliards de DM ont été versés à l'URSS pour la réunification (45 prévus de 1991 à 1995). *1993 :* 91 à 93 (transferts budg. normaux) + 12 supplém., *94 :* 5 : 96, *95 :* 70 (transf. normaux) + 110 dont *Fonds d'amortissement de l'héritage* (Erblastentilgungsfonds) 40, qui reprendra, fin 1994, les dettes de la Treuhandanstalt (250 Md) et du Fonds de l'unité all. (140) [durée prévue 30 ans] ; *péréquation financière entre Länder* 60 [dont État féd. 40 (26 en l'an 2000), L. de l'O. 20 (18)] ; *subventions de la Treuhand* 6 ; *versements aux Länder de Brême* et *Sarre* 5 à 6.

Nota. – (1) Ou « de l'unité all. » (État 50 %, Länder occ. 30 %, communes occ. 20 %), 1 des 4 programmes de reconstruction lancés en 1990 avec *Fonds de dév. régional* (fédéral, 14 milliards de DM en 1990), *Sté de crédit pour la reconstruction* (féd. + Länder, 9 milliards) et *Fonds de modernisation de l'équipement* (féd., 9).

Programme « Œuvre commune pour la reprise à l'Est » (fin 1991). *Coût :* 22 Md DM, couvert par taxe de solidarité de 7,5 %.

Nota. – Dès 1995, 4 % du PIB de l'All. réunifiée financera le redressement de l'Est.

■ Coût pour la CEE. 1,5 à 2 milliards d'écus par an (part de la RFA 27 %, *Fr. 21 %,* G.-B. 16 %). *1992-94 :* 4,5.

■ Coût de déménagement de Bonn à Berlin (est.) 82 à 200 milliards de DM.

■ Conséquences de la réunification. **Pour l'ex-RFA.** *Pop.* (1987-91) + 3,3 millions d'hab. (dont 2,2 d'actifs), *PIB* (1992) – 1,5 %. **Ex-RDA.** *PNB* (1991) – 28 %, *revenus des entreprises* (1992) – 48 %, *salaires* (1992) + 60 %.

■ Privatisations. Une loi de la RDA du 17-6-90 a confié (jusqu'au 31-12-93) à la *Treuhandanstalt* [(4 000 salariés (93) ; *Pte :* Birgit Breuel (n. 1937)] la privatisation de 12 515 Stés d'État (80 % de l'économie de la RDA), qui ont été divisées en 40 000 entreprises, représentant 1,7 milliard d'ha de terrains, 25 000 de commerce, 7 500 hôtels et restaurants, 2 000 pharmacies, 900 librairies... Ensemble estimé à 2 000 milliards de F. Sur les 340 milliards de dettes des entreprises, la Treuhand a donné sa garantie pour 65 milliards.

Bilan. **Entreprises privatisées.** *1991* (30-6) 2 583, (30-12) 5 210, *92* (30-11) 10 669 [1]. **Produit des privatisations** (milliards de DM) : *1991* (30-6) 10,7 (30-12) 19,5, *92* (30-10) 35,2. **Investissements** (milliards de DM) : *1991* (30-6) 65,3, (30-12) 114, *92* (30-11) 165, 1 [2]. **Emplois garantis** (en milliers), *1991* (30-6) 526, (30-12) 930, *92* (30-11) 1 362. **Effectifs** (en milliers) : *1990 :* 4 000, *93 :* 550 à 600 [juin 91/nov. 92 : 2 000 entr. liquidées, soit 270 000 emplois (commerce, mécanique, textile, électr.). **Endettements de la Treuhand** (Md de DM) : *1991 :* :167, *92-94 :* 250. **Déficit annuel :** *1991 :* 20, *92 à 95 :* 30.

Nota. – (1) 95 % acquises par S[tés] all. (1 700 par ex-All. de l'E.), 5 % par étrangères [540 (dont Suisse 98, G.-B. 73, Autriche 67, *France 61* [1er inv. avec 5,47 milliards de DM (31 % des inv., 11,2 % des prises de contrôle ou de part., 17,4 % des promesses d'emploi (20 986)], USA 57, P.-Bas 49, Italie 24, Suède 23, Danemark 23, Canada 6, autres 59]. 2 000 à 3 000 firmes encore à vendre. (2) Dont Saxe 40 200, Brandebourg 28 600, Berlin 21 700, Saxe-Anhalt 19 500, Thuringe 12 000, Poméranie occ. 9 400.

■ Chiffres-clés (en milliards de DM). **Déficit :** *1991 :* 25 ; *1992 à 94 (est.) :* 30. **Dette** (milliards DM) : *1992 :* 200 à 500 (dont 17,6 auprès de la Russie), *93 (est.) :* 400, *95 (prév.) :* 350 à 400.

■ Statut des biens mobiliers et immobiliers en ex-RDA. **Biens expropriés par les Russes entre 1945 et 1949.** Ne peuvent être restitués. Compensation plafonnée à 300 000 DM. **Autres biens** (certains dep. 1933). Restitués, mais le propriétaire initial doit apporter un investissement égal à celui d'un acquéreur potentiel (sinon indemnité, calculée sur prix des années 30). *Nombre de demandes* (en millions). *1991 :* 1,2, *93* (févr.) : 2,5.

■ Banques. **Part de marché** (1988). % des dépôts, entre parenthèses % des valeurs mobilières, en italique % des crédits. 3 grandes (Deutsche, Dresdner, Commerz) 10,1 (6,5) *9,2.* B. étrangères 1,5 (4,9) 2,6. Autres b. 9,5 (7,3) *11,9.* B. hypothécaires 10 (1,5) *18,3.* B. coopératives 20,5 (24,2) *13,9.* Caisses d'épargne 40,3 (50,3) *37,3.* Poste 2,9 (3,1) *1,1.* Divers 5,2 (2,2) *5,7.*

■ Commerce extérieur (milliards de DM, 1990). **Imp. :** 550,6 dont alimentation 59,2 (prod. alim. d'origine animale 16, végétale 34,8, boissons et tabacs 7,75) ; prod. ind. 483,6 [mat. 1res 33,5, prod. finis 388, semi-finis 62,1]. *Principaux groupes* (89) : pétrole, gaz nat., schistes bitumineux 22 714 ; prod. chimiques 51,8 ; constr. méc. 30,9 ; textiles 25,4 ; art. électro. 49 ; prod. pétroliers 12,9 ; matériel de transport routier 40,8 ; métaux 22,8 ; *de France 60,4,* P.-Bas 52, Italie 45,2, USA 38,2, Belg.-Lux. 35, G.-B. 34,7, Japon 32,2, Suisse 21,2, Autriche 21. **Exp. :** 642,8 dont alimentation 31,1 ; prod. ind. 609,4, prod. manuf. 568,4. *Principaux groupes* (89) : matériel de transport routier 115,5, matériel électrique et électronique 71,8, fer et acier 2,6, textile 22,2, instr. de précision et d'optique, horlogerie 11,7, métaux non ferreux 14,8 ; *vers* (89) : *France 84,3,* Italie 59,8, G.-B. 59,3, P.-Bas 54,4, USA 46,6, Belg.-Lux. 46,6, Suisse 38,1, Autriche 35,2, Suède 18,2.

Échanges avec l'Europe de l'Est (exp., et entre parenthèses imp., en millions de $). URSS 5 366,4 (3 912,2), Pologne 1 641,6 (1 657,2), Hongrie 1 572 (1 286,4), Tchéc. 1 384,9 (1 251,6), Bulgarie 891,6 (182,4), Roumanie 789,6 (327,6).

Balance (en milliards de DM). **Commerciale :** *1974 :* + 51 ; *75 :* + 37,3 ; *80 :* + 8,9 ; *81 :* + 27,7 ; *82 :* + 51,3 ; *83 :* + 42,1 ; *84 :* + 54,1 ; *85 :* + 73,3 ; *86 :* + 112,6 ; *87 :* + 107,7 ; *88 :*+ 128 ; *89 :* + 135 ; *90 :* + 105,4. **Paiements :** *1985 :* + 35 ; *86 :* + 28,5 ; *87 :* + 37 ; *88 :* + 46,7 ; *89 :* + 19 ; *90 :* 77,4.

Rang dans le monde (89). 3e lignite. 4e rés. lignite, potasse. 5e rés. charbon, porcins. 7e p. de t., vin, orge. 8e charbon. 11e blé. 13e céréales. 14e gaz nat. 16e bovins. 19e bois.

Ex. All. de l'Est avant la réunification

■ PNB (89) 9 100 $ par h. **Croissance (%).** *1984 :* 5,5 ; *85 :* 4,8 ; *86 :* 4,3 ; *87 :* 3,6 ; *88 :* 3. *89 :* 2, *90 :* – 19. **Part de l'économie parallèle.** 10 à 15 % du PNB.

Budget (89, milliards de marks-Est). *Recettes :* 301,5, dépenses 301,3 dont économie d'État 76 (87), défense 16 [Stasi 1,3 % (3,6 milliards, dont 2,4 au personnel)]. *Déficit (1990) :* 15. **Inflation.** *1980 :* 5,5 % ; *81 :* 0,1 ; *84 :* 0 ; *85 :* -0,1 ; *86 :* 0 ; *87 :* 0,8 ; *88 :* 2 (10 à 12 % en réalité) ; *89 :* 2. **Dette à l'Ouest** (milliards de $). *1977 :* 5,28 ; *81 :* 9,61 ; *82 :* 12 ; *84 :* 8,41 ; *89 :* 20,6 (10 % du PNB). **Service de la dette** (milliards de $). *1989* 3,3 (50 % des recettes d'exp.). **Dette publique** (milliards de marks) *1989 :* 100. **Balance des paiements** (milliards de $). *1980 :* – 15,7, *85 :* + 12. **Prix.** 60 % subventionnés [*1989 :* 58 milliards de marks (1/3 du budget) dont 33 par les prod. alim.]. **Monnaie.** Mark-Est : fixé arbitrairement à 1 pour 1 DM. *1989 (nov.) :* 1 DM pour 16 à 25 marks-Est.

Produit social global (en milliards de marks-Est, 1985) 622,1. *Revenu national net : 1985 :* 241,86, *86 :* 252,21, *87 :* 261,2 ; produit net des branches productives (par branche, en %) : industrie 64,2, agriculture et sylviculture 11, commerce intérieur 8,7, bâtiment 7,2, transports, postes et télécomm. 5,4, autres branches productives 3,5.

■ Pop. active (% et entre par. part du PNB en %) agr. 11 (9), mines 2 (3), ind. 48 (64), services 39 (24). [Agr. en 1950, 28 (28,4)]. **Nombre (en milliers) :** *1986 :* 8 938,2 dont ouvriers et employés (y compris apprentis) 7 945,3 ; adhérents des coop. de prod. 815,3 (dont c. agricoles 621,1, c. artisanales 164,2) ; chefs d'entr. mixtes et gérants de commerce commissionnés 25,2 (84) ; autres catégories 177,6 (dont exploitants agr. et maraîchers 6, artisans chefs d'entr. 109,6, comm. de gros et de détail, chefs d'entr. 37,7, trav. indépendants 11,8) ; *1990 :* 8 600. **Chômage latent :** *1980 :* 3 % ; *85 :* 9,3 % ; *90 :* 21 % (dont 757 000 sans emploi et 1 900 000 salariés à temps partiel).

■ Agriculture. En 1945, biens nazis et domaines de + de 100 ha furent confisqués et morcelés en fermes de 4 à 9 ha remises à 550 000 ouvriers, réfugiés ou paysans pauvres. La collectivisation se fit entre 1952 et 1960. **Terres** (milliers d'ha, 86) 10 833,1 dont SAU 5 837 (89), oseraies 1,6, forêts 2 983 (89), terres incultes 77,5, landes 103,4, exploitations ind. 97,9, cours d'eau et étangs 291,5. **Exploitations socialistes** (86) fermes d'État 465 ; coopératives de production agricole 3 890 ; surface agr. utilisée (en %) 95 dont : fermes d'État 7,5 et coopératives 91. **Terres agricoles privées** (1988) 5 % 14 200 pers., 6 000 fermes appartenant à des particuliers ou à l'Église. **Machines de l'agr. socialiste** *(86)* tracteurs 161 515 ; moissonneuses-batteuses 17 461. **Production** (89, millions de t) céréales 10,9 (blé 4,1, seigle 2, orge 4, avoine 0,6), oléagineux 0,4 (86), pommes de t. 11,7, bett. à sucre 5, bett. fourr. 2,6 (86), maïs vert et ensilé 12,9 (86), prairies et pâtures 36,4 (86), cultures dérobées (masse verte) 9,7 (86). *Rendements* (q à l'ha 1989) : blé 54, seigle 31,2, p. de t. 26, bett. à sucre 346 (86). *En 1990-92* 4 500 coopératives agricoles mises en vente. *1995 :* 1,3 million d'ha de terres privatisés, vendus en priorité aux propriétaires dépossédés entre 1945 et 1949. *Effectifs. 1989 :* 850 000, *91 :* 230 000, *93 (prév.) :* 170 000.

■ Élevage (millions, 89). Bovins 5,7 [(dont vaches 2)], porcins 12,4, ovins 2,6, poules pondeuses 24,8.

■ Pêche (t, 86). Côtière et hauturière 247 700, intérieure 24 821 (carpes 13 121, truites 6 196).

■ Énergie. **Électrique** 118,9 milliards de kWh en 89 (dont % centrales thermiques alimentées au lignite 83,7 (88) ; c. nucléaires 10,5 % [4 réacteurs sov. à eau légère de 440 MW et 1 de 80 MW] ; autres combustibles (88) 4,6 ; c. hydrauliques 1,5 ; pétrole 0,6 ; houille 0,2).

■ Industrie. **Gaz domestique** 11,2 milliards de m^3 (88). **Production** (en millions de t) : *lignite* (+ briquettes) 301 (89) ; *sulfate de soufre* 0,88 ; *engrais* potassiques 3,5 ; phosphatés 0,3 ; azotés 1,2 ; *fibres synth.* 0,16 ; *acier* brut 7,8 (88) ; laminé 5,6 ; *ciment* 12,2 (89). EN MILLIERS : automobiles 218 [dont *Trabant* 600 cm³, 23 ch., 3 337 h de travail, 11 000 marks (2 ans de salaire d'un enseignant) ; *Wartburg* (+ de 22 000 marks)] ; camions 45 ; motos 73,4 ; mach. à laver 495 ; réfrigérateurs 1 018 ; téléviseurs 712 (dont couleur 502).

■ Environnement. *1990 :* 80 % de l'électr. vient du lignite ; par an 5 millions de t d'anhydride sulfureux rejetées ; l'Elbe charrie vers l'O. 10 t de mercure, 24 t de cadmium et 142 t de plomb, et la Werra, polluée par les mines de potasse, 10 millions de t de chlorure de sodium et de magnésium. Sur 3 millions d'ha de forêts, 650 000 gravement atteints ou morts, 2 millions endommagés et 300 000 intacts.

■ Voies de communication (1986, en km). **Réseau ferré** 14 035 (89) (dont lignes principales 7 531, secondaires 6 474) ; à écartement normal 13 730 ; dont électrifiées 2 754. Manque de locomotives et de wagons, cheminots suremployés (12 h par j). **Routier.** *Autoroutes* 1 855 ; *routes* à grande circulation 11 330 ; secondaires 34 025. **Voies navigables** 2 319 dont v. principales 1 675 ; secondaires 644 ; canaux 566 ; cours d'eau régularisés et canalisés 1 287 ; nav. alternant cours d'eau, canal, lac 466. **Oléoducs** 1 307. **Trafic marchandises** (%, 1986). Fer 37,5 ; route 9,7 ; eau int. 1,6 ; maritime 48,4.

■ **Commerce** (milliards de marks-Est, 88). **Exp.** 90,1 dont (en %) mach. et équip. de transport 47,6 ; prod. de consommation durables 16,4 ; mat. 1res et combustibles 15,1 ; prod. chim. et mat. de bâtiment 13,9 ; prod. bruts ou semi-facturés pour l'ind. 7. **Imp.** 87,1 dont (en %) mach. et équip. de transport 37 ; mat. 1res et combustibles 33,5 ; prod. bruts ou semi-facturés pour l'ind. 14,1 ; prod. chim. 9,7 ; prod. de consommation durables 5,7. *Partenaires commerciaux* (en milliards de marks, 88) : URSS 66,4 ; Tchéc. 14,6 ; RFA 12,4 ; Pol. 12,2 ; Hongrie 9,9 ; Bulg. 5,7 ; Roum. 5 ; Suisse 3,9 ; Autr. 3,5. *France 3,1 ;* Youg. 2,8 ; P.-B. 2,8 ; Cuba 2,5 ; G.-B. 2,2. **Commerce inter-allemand** (en milliards de marks-E.) *Exp. ouest-all. 1975 :* 3,7, *88 :* 6,8, *exp. est-all. 1975 :* 3,2, *88 :* 6,4. **Balance** (en milliards de DM). *1989 :* – 37, *90 :* + 15,2 (import. réduites de 44,5 %). **Exportations, entre parenthèses, importations** (en milliards de DM). *1989 :* 41 (41), *91 :* 18 (11). *Raisons :* chute des transactions avec l'Est [Comecon 1989-91 : Exp. – 60 % (1990 : + 7 vers ex-URSS), Imp. – 75 %], compensée par échanges inter-all. (Achats de l'O. *1989 :* 13,5, *91 :* 145 ; fourniture de biens et services 1990-92 : + 974 %). **Solde commercial** (milliards de DM). *1989 :* – *0,37, 91 :* + 7.

■ **Salaire moyen mensuel** (en marks-Est, 1989). 800 à 1 000 ; ouvrier : 1 400 ; dir. d'usine : 2 200. Disparité de 1 à 10 avec la RFA.

■ **Coût de la vie** (marks-Est, 1989). *Automobile :* Trabant : 11 000, *poste T.V. :* 7 000 ; *baladeur :* 150 à 200, *chaussures de qualité :* 200 ; *chemise :* 200, *tee-shirt :* 150 ; *collants :* 40 ; *pain* [2 sortes : le « 78 », pain de seigle : 78 pfennigs, le « 93 », 93 pfennigs (Brötchen à 5 pf.)] ; *loyer (4 p. de 100 m²) :* 100 ; *voyage en bus ou en tramway :* 20 pf.

■ **Rang dans le monde** (88). 1er lignite, 2e ciment (85), 3e machines à laver (85), potasse, 5e rés. lignite, 6e p. de terre, 10e porcins, 11e orge.

☞ En 1989, plusieurs milliers de prisonniers politiques étaient encore en prison. L'ex-RDA condamnait également des innocents à de lourdes peines pour les vendre contre de fortes devises (400 pers. dans les années 80).

ANDORRE

Carte p. 977. V. légende p. 884.

Situation. Europe. 467 km². S'étend sur 2 vallées (Valira del Norte et Valira del Orien) qui se réunissent à Andorre et forment le Gran Valira. *Frontières :* 120,3 km (avec Espagne 63,7, France 56,6) ; 65 km à + de 2 500 m, 1 km au-dessous de 1 000 m. *Alt. max. :* pic Coma Pedrosa 2 949 m. Pays habité le plus élevé d'Europe. **Climat** de haute montagne ; moy. annuelles 6 à 9 °C, max. 25 à 30 °C ; *pluies :* abondantes au printemps et en été (moy. : 12 à 14 j) ; *neige :* 10 j par an à Sant-Julia (940 m), 50 à Soldeu (1 840 m).

Population *1932 :* 4 039, *60 :* 8 792, *93 (1-1) :* 60 000 h. dont 30 000 Espagnols, 16 600 Andorrans, 6 000 Portugais, 4 400 Français. D 110. 40 hameaux sur 7 paroisses : Andorre-la-Vieille (chef-lieu, 1 029 m) 19 003 h., Les Escaldes (station thermale, 1 053 m) 12 287, Encamp (1 240 m) 7 134, St-Julia-de-Loria 6 020, La Massana (1 288 m) 3 901, Canillo (1 564 m) 1 287, Ordino 1 255. **Langue** catalan (off.). **Religion** catholique (off.).

Histoire. Terre d'« aprision » (nouvellement défrichée, devenue propriété privée). Sous Louis le Débonnaire, bénéficie de franchises (comme d'autres régions de repeuplement de la « Marche hispanique »). **988** l'év. d'Urgel (dont A. dépend déjà en 839) reçoit du Cte de Barcelone, Borel, les alleux que celui-ci y possède, et devient ainsi suzerain temporel des Vallées. **Vers l'an 1000** inféode l'A. aux Vtes de Caboet, le fief passe par successions et mariages aux Vtes de Castelbon, puis aux Ctes de Foix. **1278** et **1288** les paréages (toujours en vigueur) règlent un conflit entre évêque et Cte de Foix, son vassal. **1401** Isabelle, ép. d'Archambaud de Grailly, sœur du Cte Mathieu de Foix, mort sans enfant, reconnue comme héritière ; Jean de Foix de Grailly (1412-36), son f., lui succède et ajoute le comté de Bigorre reçu de Charles VII ; Gaston IV (1436-72), f. de Jean, rachète la vicomté de Narbonne, épouse Éléonore d'Aragon, f. de Jean II roi d'Aragon et de Nav. (elle hérite la Nav.) ; **1479** son petit-fils, François Phébus, devient roi de Nav. ; Catherine (sœur héritière de François) transmet ses domaines à la maison d'Albret, par son mariage avec Jean d'A. (1484) ; **1589** épouse Henri III, roi de Navarre et Cte de Foix, vicomte de Béarn et seigneur d'Andorre, fils de Jeanne d'Albret et d'Antoine de Bourbon, qui devient roi de France (Henri IV). **1607** il rattache à la couronne les droits de coseigneurie des Ctes de Foix ; passent ensuite aux chefs de l'État fr., héritiers des Ctes de Foix. **1793** en raison de l'origine féodale des liens entre l'A. et la France, les républicains refusent de recevoir les Andorrans et leur tribut. **1806** tradition féodale rétablie par Napoléon. **1835** l'évêque d'Albi nommé coprince pour contrecarrer les mesures coercitives de l'Esp. à l'égard de l'év. d'Urgel, carliste. **1913** route avec Espagne. **1973**-*25-8* les 2 coprinces (Pt Pompidou et év. d'Urgel) se rencontrent pour la 1re fois depuis 7 siècles à Cahors. **1978**-*19-10* Pt Giscard d'Estaing et év. d'Urgel célèbrent en A. le 7e centenaire des Paréages ; dep. *1278* 56 coprinces épiscopaux et 50 français se sont succédé. **1981** séparation des pouvoirs. **1986**-*29-6* visite du Pt Mitterrand. **1991**-*1-7* accord avec CEE signé 1989 entre en vigueur. **1992**-*30-1* manif. (300) contre parlementaires. *5 et 12-4* él. législatives, succès d'Oscar Ribas. **1993**-*14-3* vote pour Constitution : adoptée par 74,2 % des voix (75,7 % de particip.). *Déc.* él. prévues. *-3-6* tr. avec France et Espagne.

Statut. Seigneurie féodale sous la double souveraineté de l'év. d'Urgell (Joan Marti y Alanis dep. 31-1-71), coprince épiscopal, et du Pt de la Rép. (François Mitterrand dep. 21-5-81), coprince français. Ils nomment chacun, dans les Vallées, 1 *viguier* (v. français et v. épiscopal) qui les représente. Ils jurent de respecter les institutions devant le *Conseil général des Vallées* (28 m., 4 par paroisse). Celui-ci désigne pour 4 ans, parmi ou en dehors de ses m., un *syndic procureur gén.* [Albert Gelabert (n. 1949)] et un *vice-syndic* (Josep Casal-Puigcernal). Les viguiers sont aussi responsables de l'ordre public. Les 7 *paroisses* élisent chacune 1 *comu* (conseil : 2 consuls et 10 conseillers élus p. 4 a. par les And. d'au moins 21 a.). Femmes éligibles dep. décret du 8-9-1973. **Tribut.** A. verse chaque année la *questia* aux coprinces, alternativement au Pt de la Rép. fr. (960 F, les années impaires) et à l'év. d'Urgel (460 pesetas, les années paires), + un tribut en nature : 12 fromages, 12 chapons, 12 perdrix, 6 jambons.

Constitution du 14-3-1993 : instaurant coprincipauté parl. avec Chambre élue au suffrage universel. *Conseil exécutif* (Pt du gouv. choisi par le Conseil gén. des Vallées + 4 à 6 conseillers choisis par le chef du gouv.) ; responsable devant le législatif (révocable à la majorité des 2/3, soit 19 voix). *Chef du gouv.* Oscar Ribas-Reig, dep. le 12-1-90. Viguier fr. devient consul (puis ambassadeur).

Partis. *P. démocratique d'Andorre,* f. 1979 ; *Groupe conservateur* (réélu 10-1-86).

Justice. Les coprinces délèguent leur pouvoir législatif et celui de trancher les « recours en queixa » (recours soulevés par les And. contre les décisions du Cons. gén. des Vallées) aux *délégués permanents,* qui sont, respectivement, un vicaire de l'év. d'Urgel et le préfet des Pyrénées-Or. **En matière civile :** *1re instance :* devant 2 bayles (nommés par chaque viguier). *Appel :* devant un juge des Appellations, Nommé pour 5 ans alternativement par chacun des coprinces. *Dernier ressort : tribunal supérieur* créé 1888, successeur du Conseil souverain du Roussillon, et se réunissant à Andorre sous la présidence du Pt du trib. de gde instance de Perpignan [ou le *Tribunal supérieur de la Mitre* siégeant à La Seu d'Urgell (doté dep. 7-9-1974 d'une structure collégiale : 1 Pt, 1 vice-Pt, 4 m.)]. **En matière criminelle :** les *« Corts »,* composés de 2 *viguiers,* du *juge des Appellations* et de 2 *rahonadors* désignés par le Cons. gén. des Vallées, un procureur gén. et un proc. adj. nommés pour 5 ans alternativement par chacun des coprinces, jugent plusieurs fois par an ; les prévenus peuvent être assistés d'un avocat. Les juridictions and. appliquent la *coutume* complétée par le droit romain, le droit canon et le droit catalan. Codification en cours (Code pénal, de commerce). **Police** A. dispose de ses propres forces. **Diplomatie** les And. peuvent à l'étranger faire appel à l'assistance des représentations diplomatiques fr.

☞ L'Espagne souhaite une harmonisation du régime social et dénonce le système d'éligibilité aux conseils d'adm. des mutuelles d'ass. soc. (postes réservés aux Andorrans). La CEE proteste devant le refus d'A. de reconnaître les droits synd. et d'assoc.

Fête nat. des vallées d'Andorre 8-9 (couronnement de la Vierge de Meritxell, patronne de l'Andorre). **Drapeau.** Adopté 1866. **Hymne.** Le Grand Charlemagne.

■ **Économie.** *PNB (91)* 17 596 $ par hab. **Ressources :** *terres arables* 3,98 %, *forêts* 23,67 %, *pâturages haute montagne* 44,24 %. Céréales (blé, seigle, orge), tabac, pommes de t., élevage (bovins, ovins, chevaux, lapins), textiles et articles d'habillement, artisanat (céramique, bijouterie, joaillerie). **Dette publique (1992) :** 700 millions de francs. **Tourisme :** visiteurs (milliers) *1955* 300, *91* + de 10 000. 5 stations de sports d'hiver. **Monnaies :** fr. et esp. **Union postale :** France et Espagne avec figurines propres à l'A. Franchise postale dans les vallées. **Impôts :** aucun sur le revenu, taxe de résidence dans les hôtels (tribut), taxe sur les primes d'assurances. Les 9/10 des recettes viennent des taxes sur les importations (dont celle sur le carburant).

Commerce. Exp. : prod. artisanale bois (meubles et bibelots) et fer, *vers* France, Esp., Allemagne, Belgique. *Union douanière* avec la CEE (1989).

ANGOLA

Carte p. 914. V. légende p. 884.

Situation. Afrique. 1 246 700 km² (y compris Cabinda 7 270 km²). *Longueur* N.S. 1 277 km, *largeur* 1 236 km. *Frontières* 6 487 km (dont terrestres 4 837, maritimes 1 650). *Alt. max.* Mt Moco 2 620 m. **Régions :** littoral (plaines et plateaux) ; montagnes, plateaux intérieurs (1 000 à 2 000 m). **Climat** tropical influencé par l'altitude, le courant froid du Benguela et les vents secs du Kalahari. Au N. saison des pluies oct. à mai ; sec au S.-O.

Population. 10 301 000 h. (91) *2000* (prév.) : 13 234 000 h. Bantous, Bochimans, Vatuas. (400 000 Européens, 150 000 Euro-Africains avant l'indép. ; 90 % sont partis). *Accroissement* (en %) : 2,5 par an. – *de 15 a.* 45, + *de 65 a.* 3. *Espérance de vie* 46 a. *Taux de mort. infantile :* 143 ‰. D. 8,2. **Réfugiés angolais :** au Zaïre 1 000 000 (200 000 y sont restés) ; Namibie, Botswana 500 000 ; Brésil 150 000 ; Zambie 500 000 ; Portugal 100 000. **Immigrés :** 50 000 *Namibiens* dont 20 000 au S.-E. de la cap., 30 000 *Zaïrois* dans le N. **Villes :** *Luanda* (agg.) 2 000 000 (91), Lobito-Benguela 150 000, Huambo (ex-Nova-Lisboa) 100 000, Malange 35 000, Lubango 32 000. **Analphabètes :** 80 %. **Malnutrition :** 2 000 000. **Langue off.** Portugais. **Religions.** Catholiques 43 %, animistes 45 %, protestants 12 %.

Histoire. XIIIe s. royaume de Kongo, capitale Mbanza, qui deviendra São Salvador. **1482** découverte par Diogo Cão. **1484** la région côtière devient province portugaise. **1574** prend le nom du roi noir N'gola. **XVIe s.** fondation de comptoirs. **XVIIe s.** centre de traite des esclaves. **1617** le N'gola (roi) Kiluanji est décapité, sa fille N'Zinga reprend la lutte. **1641** occupation par Hollandais. **1648** chassés par des colons brésiliens. **1656** tr. reconnaissant indép. du N'dongo. **1665** Antonio Ier battu à Ambuila par Portugais ; le Kongo perd son indép. **1705** le clergé impose Pedro IV comme roi, Beatriz (inspiratrice de la secte des Antoniens), qui est contre, est brûlée. **XIXe s.** domination port. s'étend vers l'intérieur. **1955** province port. **1956** fondation du MPLA. **1957** du FLNA. **1961**-*4-2* rébellion. 2 000 Blancs assassinés. Représailles 10 000 †, des centaines de milliers de Noirs se réfugient au Congo. **1966** fondation de l'Unita. **1972** *déc.* MPLA et FLNA forment un Conseil suprême de libération de l'A. (CSLA), Pt Roberto Holden, vice-Pt Agostinho di Neto. **1974**-*17-6* cessez-le-feu Port./Unita. Étendu au FNLA et au MPLA. Affrontements Blancs et Noirs (juill. 35 † ; nov. 50 †). Rivalités entre les 3 mouv. **1975**-*15-1 accords d'Alvor* Port./3 mouv. : gouv. de transition, indépendance prévue 11-11. *Mars* g. civile MPLA contre FNLA et Unita. Exode de 400 000 Port. *Oct.* intervention sud-afr. dans le S. contre MPLA. *-11-11* indépendance, 2 gouv. : Rép. pop. du MPLA (aidée par Cubains et Russes). Rép. pop. du FNLA et de l'Unita (aidée par CIA), jusqu'en janv. 76. Après des revers, en nov., MPLA contre-attaque (déc.-janv.) avec Cubains (15 000 militaires, 7 000 à 8 000 experts civils). **1976** *fin janv.* retrait sud-afr. *-8-2* MPLA prend Huambo. *Mi-février* victoire MPLA. Plusieurs dizaines de milliers de † ; plantations de café détruites. **1977**-*27-5* échec d'un coup d'État à Luanda : 20 000 †. **1978** les Fapla (forces régulières ang. : 30 000 h.) et 23 000 Cubains combattent l'Unita. *-4-5* bombardement sud-afr. de Kassinga (+ de 700 †). *-24-6* rencontre en Guinée-Bissau du Gal Eanes (Pt port.) et du Pt Neto. *-19-8* rencontre Neto-Mobutu (Pt du Zaïre) à Kinshasa. *-10-10* 40 † à Huambo (2 attentats). *-15-10* Mobutu à Luanda. *-9-12* PM Lopo do Nascimento destitué ; charges de PM et de vice-PM supprimées. **1981-82** plusieurs raids sud-afr. **1982**-*8-12* début de négociations Afr. du S.-Angola au Cap-Vert. **1984**-*3-1* raid sud-afr. contre Swapo (331 †). *-16-2 accord de Lusaka* avec Afr. du S. qui retirera ses troupes d'A., l'A. réprimant les infiltrations de la Swapo. *-19-4* attentat Unita à Huambo 24 †. *Été* échec

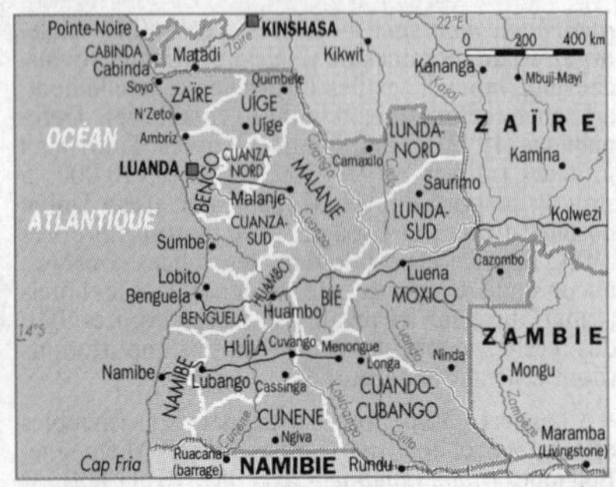

offensive contre Unita. **1985**-*1/4-31-5* 181 combats Unita/MPLA (1 020 †). *-1-7* raid sud-afr. contre Swapo (61 †). *-16-9* raid sud-afr. *-18-9* attaque aérienne sud-afr. *Sept.-oct.* échec offensive MPLA. **1986**-*7-2* dernier combat de Jonas Savimbi à Huambo. *5-8* attaque de Cuito-Cuanavale, 22 avions détruits. **1987**-5-6 Forces territoriales namibiennes (SWATF), sous commandement sud-afr., attaquent base Fapla. *3-7* choléra, 3 000 †. *-23-7 à nov.* offensive MPLA contre Mavinga. Off. repoussée. *-21/23-9* Pt Dos Santos en France. **1988** bombardement S.-Afr. dans le Sud. *-17-3* avancée des Cubains sur 250 km. *-27-4* avion cubain abattu par erreur par missile cubain : 26 officiers cub. tués. *Mai* renforts cubains *-29-6* embuscade cubaine au barrage des Calueque : 12 Sud-Afr., 300 Ang. et Cubains † ; 8 Mig-23 détruisent bases arrière sud-afr. *-8-8* Genève, accord A., Cuba et Afr. du S. : cessez-le-feu, retrait des Sud-Afr. *-22-12* New York, accord A./Cuba : repli des Cubains du 1-4-1989 au 1-7-1991 [les 2/3 la 1re année (3 500 soldats par mois) ; puis 14 000 h. en 6 mois, et 10 000 h. le 1-7-91]. **1989**-*10-1* départ de 450 Cubains. *-9-2* offensive Unita. *-22-6* à Gbadolite (Zaïre) : accord de cessez-le-feu entre Pt Dos Santos et J. Savimbi. *-24-6* Unita rompt le cessez-le-feu. **1990**-*25-1* arrêt du retrait cubain après attaque Unita (4 C. †). *-24/25-4* à Evora (Port.) rencontre Gouv./Unita. **1991**-*26-3* loi sur le multipartisme. *-1-5* accord d'Estoril ou accords de Bicesse (Port.) Gouv./Unita : cessez-le-feu. *-25-5* départ des derniers soldats cubains, *-31-5* Lisbonne accord de paix ; l'ONU surveillera le cessez-le-feu. **1992**-*3-1* 4 Brit. tués dans embuscade. *Avril-mai* retour des premiers réfugiés (400 000 prévus). *Juill.-août* enlèvements au Cabinda. *-11-8* combats pro-gouv./Unita (5 †). *Sept.* mutinerie militaire au Cabinda : 9 †. *-19/20-9* affrontements police/Unita à Luanda : 6 †. *-25-9* 3 Français tués. *-26-9* accident d'hélicoptère ONU : 14 †. *-29/30-9* législatives (MPLA 129 sièges, 53 % des voix ; Unita 70 s., 34 % des v.) et présidentielle (Dos Santos 49,57 % des v., Savimbi 40 %) ; 90 % de participation. *Nov.* Savimbi conteste les résultats (9 à 12 % de fraude) et retire ses forces de l'armée unifiée. Dep. le 11-10, affrontements police/Unita. Guerre Unita/forces gouvernementales. D'oct. 1992 à juin 1993 : 20 000 † (?). **1993** Huambo prise par gouv. 9-1, perdue 7-3.

Statut. Rép. populaire. *Constitution* du 15-11-1975, modifiée oct. 76, sept. 80 et mars 91. *Pt* (désigné par MPLA) : José Eduardo Dos Santos (n. 28-8-42) dep. 21-9-79 [succède à Agostinho di Neto († 10-9-79), Pt dep. le 11-11-75]. *18 provinces. Ass.* 220 m.

Forces présentes (1975-91). **Militaires :** *Ex-URSS* (3 500) ; *pays de l'Est* (600 en mars 88 ; 3 500 All. de l'Est en 87) ; 2 500 *Nord-Coréens,* 3 500 *Portugais* communistes de l'amiral Rosa Constinho [4 000 conseillers milit. (5 à 10 par régiment) ; base aéronavale de Moçamedes] ; *Cuba* (52 000 h. en 1988 dont 42 000 soldats professionnels et 10 000 techniciens). 310 000 Cubains se sont succédé en Ang., + de 10 000 y sont morts (offic. 2 100) ; Swapo (organisation de libération de la Namibie) 7 000 h. qui, en 1989, ont rejoint la N. ; ANC (contre régime sud-afr.) 1 200 h. **Forces armées du MPLA (Fapla) :** 74 000 dont 24 000 fantassins, 1 500 aviateurs, 2 500 marins, 10 000 miliciens. Recrutement arbitraire, rafles fréquentes (sortie des lycées, marchés). *Armement :* 100 chars T-62, 200 hél. de chasse dep. 1988, Mig 23, SU-22 soviét., missiles sol-air à guidage électr. *Aide soviét. :* + de 10 milliards de $. Le 27-9-1992, Fala et Fapla fusionnent pour former les FAA (Forces armées angolaises), mais Fapla se retirent après élections du 30-9. *Effectifs prévus :* 50 000 (terre 40 000, air 6 000, mer 4 000). *Chefs :* Gaux Antonio Dos Santos Franca, « Ndallu » (Fapla) et Arlindo Isaac Chenda Pena, « Ben Ben » (Fala) (tué nov. 1992), dépendants de la CCPM (Commission conjointe politico-militaire, composée de représentants du MPLA, de l'Unita et des médiateurs portugais, américains et russes). Début 1993, les FAA comprennent 20 000 soldats mal équipés, et 30 000 à 40 000 policiers anti-émeutes, formés par l'Espagne. Des mercenaires sud-africains engagés par MPLA protègent les installations pétrolières.

Bilan de la guerre : de 1975 à 91, 230 000 à 350 000 †, 1 100 000 personnes déplacées. 10 000 enfants de 4 à 7 ans avaient été envoyés à Cuba pour y être formés. *Nov. 1992-mars 93* 25 000 † [2 à 3 millions de pers. menacées de famine ; manque de 600 000 t de grains en 1992], 1,7 million de pers. déplacées (827 000 mi-92).

Partis. Mouvement pop. de libération de l'Angola-P. du travail (MPLA-PT). *Créé* déc. 1956, regroupe des militants de l'ancienne Ligue nat. africaine, de l'Assoc. régionale des naturels de l'A. et du Mouv. pour l'ind. nat. de l'A. *Principaux chefs :* Dr Agostinho di Neto (11-9-22/10-9-79), Mario de Andrade, et le R.P. Joachim Rocha Pinto de Andrade qui forment en 1977 le MPLA-P. du travail. *Chef actuel :* José Eduardo Dos Santos. **Front national de libération de l'Angola** (FNLA). *Créé* 1962, regroupe l'Union des pop. de l'A. (UPA), issue de l'Union des pop. du N. de l'A. (UPNA), créée 1956. Constitua, avr. 1962, un gouv. révol. ang. en exil (GRAE appuyé par les missions protestantes). Inactif depuis 1984. *Chef :* John Gilmore (alias Roberto Holden, n. 1923). 3 000 maquisards (Bakongos) contrôlant le Nord. **Union nationale pour l'indépendance totale de l'Angola** (UNITA). *Créée* mars 1966. Le 23-4-1988 forme un gouvernement provisoire à Jamba (PM Jeremias Chitunda). *Chef :* Jonas Savimbi (n. 1934), favorable à l'Occident. *Base ethnique :* Ovimbundus, majoritaires en A. *Contrôlait* (en mars 1993) : 105 des 120 départements (70 % du pays). *Soutiens : diplomatiques :* Afr. du S., Zaïre, Maroc, USA (250 millions de $ reçus de 1986 à 1991), pays occidentaux ; *militaires :* Afr. du S., matériels pris sur Cubains (missiles Stinger). *Forces Fala :* 25 000 à 50 000 h.

Économie. PNB (90) : 750 $ par h. **Pop. active** *(en %) et* entre parenthèses *part du PNB (en %) :* agr. 58 (13), ind. 12 (10), mines 4 (45), services 26 (32). **Dette extérieure** (milliards de $) : *1977 :* 0,3, *85 :* 1,4. *87 :* 4. *88 :* 5. *89 :* 5,6. *Service :* 0,44.

Nota. – Cours du $ (en kwanzas). *1992-1-10* 2 800, *-15-10* 3 400, *-1-11* 3 800, *-15-11* 4 500. *1993-1-1* 7 000, *-14-1* 8 000.

Agriculture. Superficie. (milliers d'ha, 81) 124 670 dont t. arables 3 500, pâturages 29 000, forêts 53 670, divers 38 500. **Productions** (milliers de t) : *manioc v. 1973 :* 1 640 ; *82 :* 900, *84 :* 1 950, *85 :* 300, *90 :* 1 920, *maïs* (*84 :* 260, *85 :* 250, *86 :* 230, *87 :* 300, *88 :* 270, *90 :* 180), *sisal* (*v. 1973 :* 71, *84 :* 3, *90 :* 1), *blé* (*84 :* 10, *90 :* 3), *coton* (*v. 1973 :* 72, *84 :* 11, *85 :* 33, *90 :* 11), *sorgho* (*84 :* 50, *90 :* 63), *café* (*1974 :* 240, *80 :* 80, *82 :* 35, *84 :* 27, *85 :* 25, *86 :* 35, *87 :* 16, *88 :* 15, *89 :* 5, *90 :* 5), *tabac,* sucre (*v. 1976 :* 82, *82 :* 32). Il faut importer : céréales (187 000 t en 1987-88), canne à sucre et haricots. *Prod. de céréales dans zones contrôlées par guérilla (en milliers de t) : 1987-88 :* 110, *88-89 :* 52, *89-90 :* 34. **Élevage** (milliers de têtes, *90).* Bovins 3 100, porcs 493, moutons 275, chèvres 985, volailles 6 000. **Forêts** (bois). 6 448 000 m³ (90). **Pêche.** *1972 :* 600 000 t, *85 :* 74 500, *88 :* 101 600, *89 :* 110 900.

Pétrole (millions de t). *Réserve* (86) : 252. *Prod. : 1974 :* 8,7, *75 :* 4,7, *83 :* 8,9, *84 :* 10,4, *85 :* 11,2, *86 :* 13,8, *87 :* 18, *88 :* 23. *89 :* 24,8. *90 :* 24. *91 :* 24 (dont les 2/3 des gisements offshore de Cabinda). *Revenu : 1985 :* 2 milliards de $, *1986 :* 1. 1 raffinerie de pétrole (capacité 1,5 million de t). **Mines. Manganèse** (*v. 1973 :* 950 000 t). **Cuivre. Fer** (Kassinga). **Uranium. Asphalte. Diamants** [1] (961 000 carats en 91). **Industrie.** Bois, farine, papier, sucre, gaz, ciment. **Transports.** *Voies ferrées :* 3 000 km ; *routes asphaltées :* 8 000 km.

Nota. – Programme de privatisations depuis 1989 (plantations et cimenteries). (1) Forte contrebande depuis 1991.

Commerce (milliards de $). **Exp. :** 3,8 (90) (dont pétrole 90 %) *vers* USA, Espagne. Café exporté *86 :* 18 000 t (*1974 :* 180 000 t). **Imp. :** 1,2 (87) (équipement, alimentation, textile) *de* (84) USA (38 %), Portugal, Brésil, *France.*

Cabinda. Enclave côtière entre Zaïre et Congo. 7 270 km². 300 000 h., 60 000 réfugiés au Zaïre (Bakongos, Blancs). Sous protectorat portugais par tr. de Simulambuco (1-2-1885). Rattaché à l'A. en 1956 bien qu'il n'y ait ni frontière ni ethnies communes. Pétrole (voir économie). Diamants, phosphates, manganèse. Café, cacao. *Mouvement sécessionniste :* Front de libération de l'enclave de Cabinda (FLEC), f. 1963. *Branche mil.* Forces armées du C. (FAC). Colonel Alfred Raoul.

ANGUILLA

Carte p. 847. V. légende p. 884.

Généralités. Ile des Antilles, 90,6 km², 8 960 h. (92). *Cap. : La Vallée* 795 h. **Histoire. 1967** se sépare de facto de St Christopher and Nevis. **1980**-*12-9* sécession légalisée. *-16-12* indépendant de la G.-B. **Statut.** Monarchie parlementaire. M. du Commonwealth. *Gouv.* Alan W. Shave dep. 14-8-92. *PM 1973-84 :* Ronald Webster (Parti du peuple) ; *1984-12-3 :* Emile Gumbs (Alliance nat.). *Conseil exécutif. Ass. législative* 7 m. élus, 2 d'office, 2 nommés. L'île de **Sombrero** (5 km²) lui est rattachée. **PNB** (90) : 1 000 $ par h. **Tourisme** (1991). 90 544 vis. Siège de sociétés financières.

ANTARCTIQUE (Pôle Sud)

Carte p. 915. V. légende p. 884.

Situation. Continent situé à 990 km de l'Amér. du S. et 2 000 km de la Nelle-Zélande. Divisé en 2 par les monts transantarctiques, prolongement géologique des Andes. *Ant. oriental :* masse continentale plus ou moins continue ; *occid. :* plus réduite, presque entièrement dans l'hémisphère occid., semble composée pour l'essentiel d'une plate-forme glaciaire et d'archipels d'îles glaciaires soudées. **Superficie.** 13 000 000 km² (14 000 000 en comptant les glaces). 98 % couvert de glace permanente (épaisseur 2 160 à 4 500 m) ce qui fait que l'A. contient 70 % de toute l'eau douce de la Terre. **Alt. max.** Mt Vinson 4 897 m ; *moy.* 2 300 m. **Fleuve :** *Onyx,* s'écoule en été sur 30 km, alimenté par les eaux de fonte du glacier de Wright dans la dépendance de Ross.

Côtes. Bordées par une zone de glace aux contours instables. La mer est libre sur une partie du littoral l'été, la surface gelée (sur 1 à 2 m d'épaisseur) passe en hiver de 2 000 000 à 20 000 000 km². La calotte glaciaire forme au large de vastes plates-formes (épaisseur 250 à 1 300 m). Les plus importantes : barrières de Ross, de Filchner, de Ronne et d'Amery. **Pack** (glaces flottantes) : se forme sur le continent ou en bordure, et est ensuite poussé par les vents vers le N. dans la mer. Passe de 2 600 000 km² en mars à 18 800 000 km² en sept. En hiver, il recouvre l'Antarctique et peut s'étendre au N. jusqu'à 55° de latitude S. Largeur des fleuves de glace : 10 à 100 m. Épaisseur 1,5 m (moy.) à 3 m. **Icebergs** (parfois plus de 60 × 100 km, haut., 100 m au-dessus du niveau de la mer et 400 à 500 m au-dessous) se détachent par clivage de la plate-forme et, entraînés par des courants, se déplacent d'env. 18 km par j. On en rencontre jusqu'au 45° de latitude S. dans l'océan Pacifique et jusqu'au 35° de lat. S. dans les océans Atlantique et Indien. A24 est un iceberg géant séparé en 1986 [13 000 km², emportant 2 stations scientifiques (Droujnaïa base sov. ; Argentine : General Belgrano)]. *Plateau continental* env. 4 000 000 km², longueur moy. 30 km (moy. mondiale 70 km), profondeur, parfois plus de 800 m.

Climat. Même ensoleillement qu'à l'équateur : altitude élevée, faible densité de l'atmosphère et transparence exceptionnelle de l'air. Pour l'essentiel, le rayonnement solaire est réfléchi dans l'espace par la calotte glaciaire et la banquise. **Température.** *Record* – 89,6 °C le 21-7-1983. *Moyenne* janvier : 0 °C sur la côte (– 30 °C sur le plateau) ; juillet : – 20 °C (– 65 °C). **Cyclones** nés entre le 60° et le 70° degré de lat. S. se déplacent vers l'E. le long des côtes. **Neige :** – de 5 m par an sur le plateau, 50 cm sur côte et péninsule.

Faune et flore. A l'intérieur pas de vie animale et végétale. Près des côtes, algues, lichens, mousses, hépatiques, nombreux oiseaux (manchots, albatros), pinnipèdes (éléphants et léopards de mer, phoques) ; mer riche en plancton, cétacés (baleines), petits crustacés (krill), poissons et calmars.

Histoire. 1744 *janv.* l'Anglais James Cook (1728-79) relève une « chaîne de 97 collines de glace ». **1820**-*20-1* les Anglais William Smith et Edward Bransfield (1795 ?-1852) découvrent la pointe N. de la péninsule. **1820**-*17-1* Faddei Faddeievitch Bellingshausen, (n. 1779 en All. sous le nom de Fabian Gottlieg von Bellingshausen, † 1852) se met au service du tsar Alexandre Ier, est le 1er à voir le continent ; il fait le tour de la banquise mais estime qu'« il n'existe pas de continent austral ». **1821** *févr.* l'Américain John Davis en foule le sol. **1840**-*19-1* le cap. de vaisseau Dumont d'Urville (1790-1842) aperçoit l'Antarctique ; *20-1* y débarque (au même moment se trouve une expéd. amér. avec Charles Wilkes (1798-1877), qui aurait longé de 1839 à 40 le continent sur 2 500 km dans le quadrant australien : dans son rapport du 11-3-1840, Wilkes affirme « avoir vu le 19-1 au matin la terre au sud et à l'est » [car il a appris en Tasmanie que Dumont d'Urville avait découvert l'A. dans l'après-midi du 19] alors que son journal de bord ne l'indique pas. Pourtant la côte découverte s'appelle toujours « terre de Wilkes », malgré le passage de W. en cour martiale aux USA, sur plainte de ses officiers pour « injustice, cruauté, mensonge et conduite scandaleuse ».

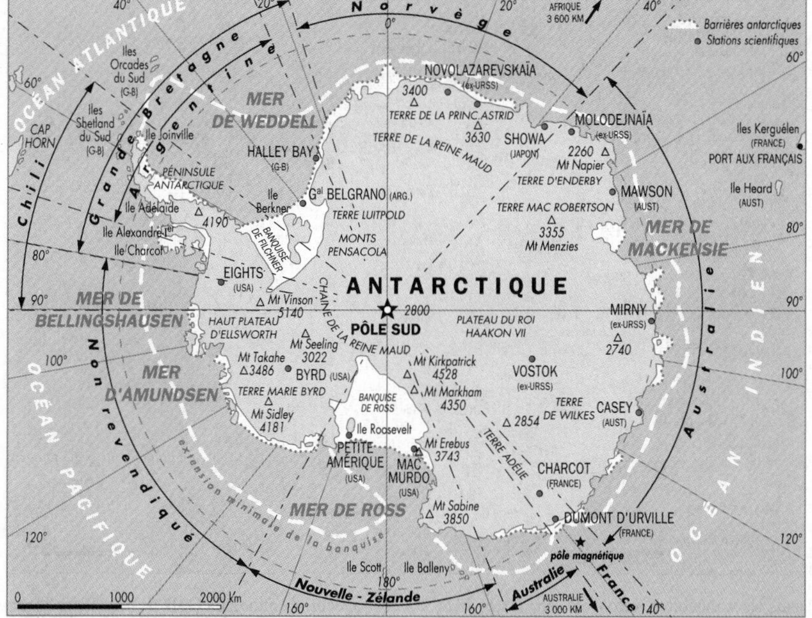

Statut. Régi par le *traité de l'Antarctique* signé à Washington le 1-12-1959 (entré en vigueur 23-6-1961 pour 30 ans, étendu le 1-6-1972 à la protection des phoques et le 20-5-1980 à la faune et flore marines). Il a suspendu toutes revendications et démilitarisé le continent, dont il a établi le libre usage à des fins scientifiques et météorologiques. Il s'applique pour les régions situées au S. du 60° degré de latitude S.

On distingue : **1°) les possessionnés :** 7 États qui ont chacun fait valoir formellement et unilatéralement des prétentions territoriales sur certaines parties de l'Ant. : *Argentine* (îles Orcades, îles Shetland du Sud et une partie du continent antarctique entre 25° et 74° long. O ; 6 bases permanentes), *Australie* (voir Index), *Chili* (voir Index), *France* (Terre Adélie), *Norvège* (Terre de la Reine-Maud entre 20° O. et 45° E.), *N.-Zélande* (Terre de Ross 730 000 km² au total), *G.-B.* (5 425 000 km², Territoire de l'Ant., créé 3-3-1962, comprenant Orcades du S. 622 km², Shetland du S. 4 622 km², Terre de Graham et partie du continent antarc. entre 20° et 80° de long. O.) Leur souveraineté n'est reconnue que par eux-mêmes, mais n'est ni contestée ni critiquée sauf par ceux qui ont des prétentions superposées (ex. Argentine, Chili, G.-B.) Ils sont tous parties consultatives. **2°) les parties consultatives :** 26 États qui ont au min. une base et participent aux travaux et conférences, dont 12 sont parties consultatives originaires [les 7 possessionnés, USA et URSS (qui refusent tout droit acquis et toute revendication de souveraineté sur l'Ant.) Afrique du S., Belgique, Japon] et 14 sont parties consultatives non originaires (Pologne, All., Brésil, Inde, Chine, Uruguay, Equateur, Espagne, Italie, P.-Bas, Pérou, Corée du S., Finlande, Suède). Un État devient partie consultative s'il démontre un intérêt pour l'Ant. constaté souverainement par les parties originaires. **3°) les signataires non consultatifs :** 14 États qui ont signé le traité, mais n'ont jamais envoyé d'expéditions nationales et n'ont pas de bases : Autriche, Bulgarie, Canada, Colombie, Corée du N., Cuba, Danemark, Grèce (dep. 1987), Guatemala, Hongrie, Papouasie-N.-Guinée, Roumanie, Suisse, Tchécosl.

Conférence consultative. Annuelle dep. 1991.

Convention de Wellington. Adoptée 2-6-1988 : complète le tr. de 1959, envisage l'exploitation des ressources minières de l'Antarctique (le tr. de 1959 interdit toute activité autre que scientifique) ; doit être ratifiée par 16 des 20 pays repr. à Wellington [signée par 10 États : Afr. du S., Brésil, Corée du S., USA, Finlande, Norvège, N.-Zélande, Suède, URSS et Uruguay]. En *1989* : la France et l'Australie l'ont rejetée ; 4 autres États devraient le faire : Belgique, Italie, Inde, Mexique. *1990* : ratification suspendue.

Conférence de Madrid (22-4-1991) *-29-4* accord interdisant l'exploitation minière pendant 50 ans pour protéger l'environnement. *-4-7* ratifié par USA *-4-10* signé à Madrid par 31 des 40 signataires du tr. de Washington. Seule la recherche scientifique est autorisée avec évaluation d'impact préalable. Création d'un comité pour la protection de l'environnement.

☞ **Bases permanentes.** D'abord en bordure du continent, puis à l'intérieur des terres : Vostok (URSS), près du pôle magnétique [forage à 2 000 m de prof. (3 700 m prévu)], Scott-Amundsen (USA), près du pôle géographique, et Dôme C (Fr.) en 1990.

Scar *(Scientific Committee for Antarctic Research)* fondé 1958. *Réunions spéciales* (2 fois par an dep. 1982) pour élaborer un régime d'exploitation des ressources minérales et donner des directives aux États membres sur la recherche scientifique.

■ **Terres australes.** 20 îles ou groupes d'îles épars dans l'océan Austral entre 37° et 60° de latitude S.

Beaucoup ont une activité volcanique intermittente (Heard, Tristan da Cunha, Sandwich du S.). Les autres sont d'origine continentale (Falkland, Géorgie du S., Auckland).

Secteur atlantique : îles *Tristan da Cunha, Gough, Falkland* (ou *Malouines*, 16 380 km²), *Géorgie du S., Sandwich du S., Orcades du S.* appartenant à la G.-B. et île *Bouvet* à la Norvège. **Indien :** îles *Amsterdam, Saint-Paul, Crozet* appartenant à la France (voir p. 845) ; île *Marion* à l'Afr. du Sud. île *Heard* (alt. max. Big Ben 2 750 m) à l'Australie. **Pacifique :** îles *Bounty, Antipodes, Auckland, Campbell* à la N.-Zélande, île *Macquarie* à l'Australie.

Températures moyennes annuelles. Vers le 50e parallèle, Bouvet – 1,5 °C, Kerguelen + 4,6 °C, Heard + 1,5 °C, Macquarie + 4,8 °C, Campbell + 6,6 °C. Le secteur atlantique est plus froid.

☞ **Expéditions. Transantarctica** env. 6 000 km [Jean-Louis Etienne (Fr.), Will Steger (USA), Viktor Boyarski (URSS), Geoff Summers (G.-B.), Keiko Funatsu (Jap.), Qin Dahé (Chine)]. **1989**-*28-7* départ de Mirny (base sov.). *-11-12* arrivée au pôle Sud (après 3 090 km en 138 j). **1990** *-3-3* retour à Mirny.

Antigua et Barbuda

Carte p. 847. V. légende p. 884.

Généralités. 3 îles des Antilles (442 km²) : *Antigua* 280 km² ; *Barbuda* (à 40 km) 161 km², 1 400 h., autrefois possession de la famille Codrington ; *Redonda* (à 48 km) 1 km², inhabitée. *Alt. max.* Boggy Peak 403 m. **Climat** tropical. *Saisons :* humide de juill. à nov., sèche de déc. à juin. *Temp.* moy. 26,7 °C. **Population.** 63 880 h. (est. 91). D 144,7. *Capitale : St John's and Codrington* 30 000 h. **Langues.** 95 % de la pop. parle anglais, 5 % anglais et français. **Religion.** Anglicane.

Histoire. 1493 Christophe Colomb découvre l'île qui sera nommée d'après l'église de Santa Maria de la Antigua à Séville. **1520** 1re tentative des Esp. pour s'installer. **1629** tentative de colonisation des Français. **1632** les Anglais colonisent A., cultivent tabac et canne à sucre. **1650** travail des esclaves noirs dans les plantations. Possession revendiquée par G.-B., France, Hollande, Esp., Port. **1661** colonisation de Barbuda. **1667** *juin* tr. de Breda : A. est britannique. **1669** les îles Leeward comprenant A., Barbuda, St-Kitts, Nevis, Anguilla, Montserrat et Dominique sont rattachées. **1834** abolition de l'esclavage. **1871** *fédération des îles Leeward* (A., St Kitts-Anguilla, Montserrat, Dominique, îles Vierges brit.) ; siège à A. **1956**-*30-6* féd. dissoute, devient colonie. **1958**-*3-1* A. se joint à la Féd. des Indes occ. comme membre indépendant jusqu'à sa dissolution, le 31-5-1962. **1966** association avec G.-B. (effective 27-2-1967). **1968** accord avec Barbade et Guyane, pour zone de libre-échange. **1972** A. rejoint Communauté des Caraïbes et Marché commun. **1981**-*1-11* indépendance.

Statut. Monarchie parlementaire. Membre du Commonwealth. *Const.* du 1-11-1981. *Chef de l'État* reine Élisabeth II. *Gouv.* Gal Sir Wilfred Ebenezer Jacobs dep. 1-11-81. *PM* Vere Cornwall Bird (7-12-1910) dep. 18-2-1976 (ALP). *Sénat* 17 m. nommés. *Chambre des représentants* 17 m. élus p. 5 ans. *Élections* (9-3-1989) Antigua Labour Party (ALP) 15 s.

Économie. *PNB (90) :* 4 600 $ par hab. *Terres* (en km²) agriculture 69,1, forêt 47,9, *improductives* 74,4, arables 55,1. *Production* rhum, fruits, légumes. *Élevage* (90) 18 000 bovins, 4 000 porcs, 13 000 chèvres, 13 000 moutons. *Pêche* (89) 2 400 t. **Tourisme** *(90) : visiteurs* 176 893 (par avion), 198 587 (croisières).

Commerce (millions de $ US 90). **Exp.** 28 *dont* mach. et équip. de transp. 40 %, text. et biens manufacturés 20 %, prod. chim. *vers* USA 40 %, G.-B., Canada, Caricom. **Imp.** 340 *dont* pétrole 22,2 %, *de* USA 26 %, Caricom 17 %, G.-B. 16 %, Venezuela 13 %.

Antilles Néerlandaises

Carte p. 847. V. légende p. 884.

Situation. Amérique. 800 km². 2 groupes d'îles distantes de 1 000 km (îles Sous-le-Vent à 60 km du Venezuela et îles du Vent plus près de Puerto Rico). *Alt. max.* St Christoffelberg (Curaçao) 372 m. **Population** (92). 189 474 h. D 237. A l'origine 42 nationalités. *Siège du gouvernement : Willemstad.* **Langues.** Néerlandais *(off.)*, papiamento (mélange de portugais, néerl., anglais, espagnol), anglais. **Religions** (81). Catholiques 85 %, protestants 5 %.

1°) **Îles Sous-le-Vent (Leeward).** *Climat* tropical tempéré par alizés du N.-E., vent 7,2 m/s à Curaçao). *Temp.* moy. 27,5 °C ; mois le + froid janv. (jour 28,5, nuit 21,3), le + chaud sept. (j. 30, n. 26). *Pluies* 500 à 750 mm par an surtout nov.-déc., peu de mars à oct. (averses juill.-août), humidité moy. 76 %. **Curaçao** 444 km², long. 61 km, larg. 7 km. 144 097 h. (92). *Willemstad* (cap.) ; centre comm., raffinerie dep. 1916 ; grottes de Hato. **1499** découverte par Alfonso de Ojeda ; occupée par Esp. **1527** Hollandais. **1634** Anglais. **1816** rendue aux P.-Bas. **1863** esclavage aboli. **Bonaire** ou île des Flamants 288 km², long. 38,6 km, larg. 4,8 à 11,3 km, 10 187 h. (92). *Kralendijk* (cap).

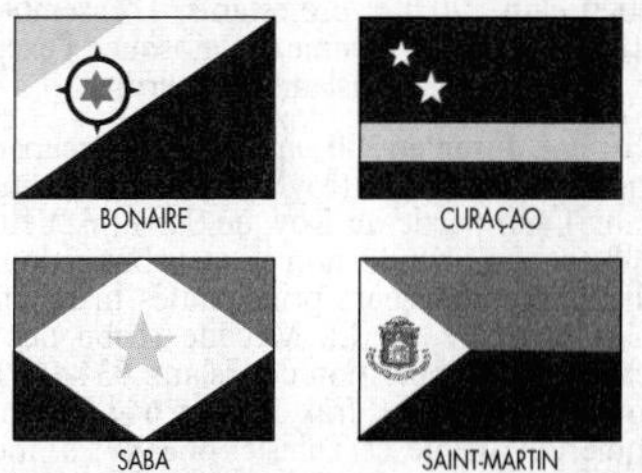

2°) **Îles du Vent (Windward).** *Même climat. Temp.* moy. 26,5 °C (janv.-févr. 24,5 °C, août-sept. 27,5 °C). *Pluies* 1 080 mm surtout mai-déc. **Saint-Martin** (partie sud Sint Maarten ; le N. appartient à la France 34 km². 32 221 h. (92). *Philipsburg ; 11-11-1493* déc. par Chr. Colomb, *1648* partage avec la France ; pas de frontière matérialisée. **Saba** 13 km². 1 130 h. (92). *The Bottom.* **Saint-Eustache** (Sint Eustatius) 21 km². 1 839 h. (92). *Oranjestad.*

Statut. Acquises par les Pays-Bas (avant, à l'Espagne). Autonomie dep. 29-12-1954. *Const.* d'avril 1955. *Chef de l'État* reine Beatrix. *Gouv.* (nommé p. 6 a., représente la reine des P.-Bas) Jaime M. Saleh. *PM* Maria Ph. Liberia-Peters (dep. mai 1988). *Ass. législative* (22 m. élus pour 4 ans). 5 *territoires :* Curaçao, Bonaire, St Eustache, Saba, St-Martin. **Drapeau** (1991). 5 étoiles (6 ét. de 1959 à 86 ; Aruba s'étant séparée le 1-1-86).

Économie. PNB (90) : 7 050 $ par h. **Pop. active** (en % et, entre par., part du PNB en %) : agr. 5 (1), ind. 20 (18,5), services 75 (80,5). **Terres** (millions d'ha, 81) : 96 dont t. arables 8. **Agriculture :** blé, café, légumineuses. **Mines :** soufre, sel, phosphates. **Industrie :** *raffinage du pétrole* du Venezuela ou d'Arabie Saoudite. *Capacité* (millions de t) : *1985 :* 37, *89 :* 7. *Constr. navale, électronique.* **Centre financier.** *Siège de multinationales* (Schlumberger). **Tourisme** (91) : 766 000 vis. et 671 000 en croisière. **Inflation** (91) : 3 %. **Commerce** (millions de florins ant. 90). *Exp. :* 3 218. *Imp. :* 3 843.

■ Arabie Saoudite
V. légende p. 884.

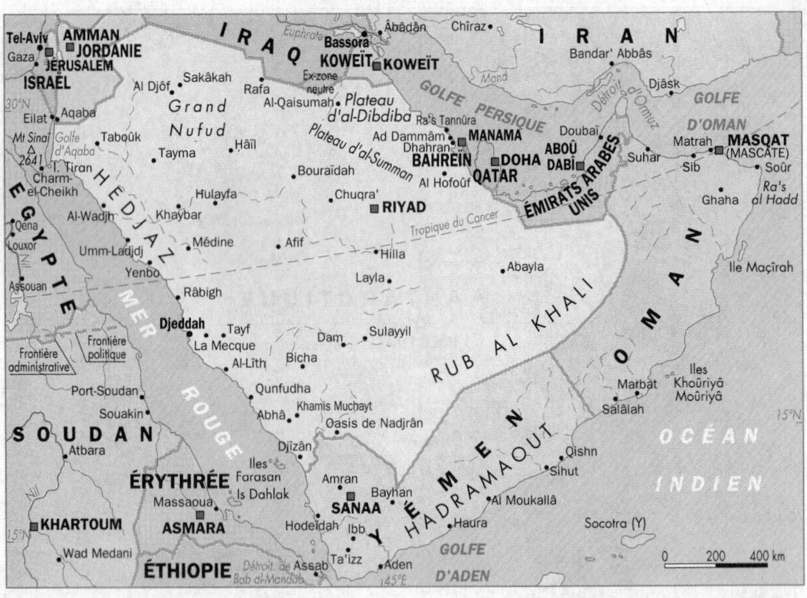

Situation. Asie occ. 2 240 000 km². O.-E. 1 500 km, N.-S. 2 000 km. Désertique. Pluie moy. 100 mm (Asie 275 mm). *Alt. max.* 3 133 m dans le Djebel Al-Hijaz. **Régions naturelles :** plaine *(Tihama)* sablonneuse longeant la mer Rouge (50 à 70 km de large, 80 à 100 % d'humidité, temp. 38 à 49 °C en été) que surplombent les barrières montagneuses du *Hedjaz* (en arabe « barrière montagneuse », 1 000 à 3 000 m, 1 500 000 h., cap. La Mecque) et de l'*Asir* [« l'inaccessible », cap. Abha (plantation de café)] ; le *Nadj* (plateau) désertique, alt. moy. 1 000 m, climat continental, hiver froid, été très sec (+ 48 °C à Riyadh et 9 % d'humidité en juillet), 3 500 000 h., cap. Riyadh ; plaine (500 km de long) formant la majeure partie de la province de *Hassa ;* au nord et au sud, 2 déserts (le grand *Nafûd* et le *Rub'al-Khali*). Hiver doux sauf dans les rég. montagneuses. **Côtes :** mer Rouge 1 760 km, Golfe 650 km.

Population. 17 869 000 h. (est. 91), (6 000 000 selon certains), *2000 :* 18 864 000 h. *Accroissement* (en %) : 3,7. *Âge : - de 15 a. :* 43, *+ de 65 a. :* 3. *Espérance de vie :* 64. *Mortalité infantile :* 10,3 ‰. D. 7. *Citadins* 38 %, *ruraux sédentaires* 33 %, *villageois* 20 %, *nomades* 9 % (en 1968 : env. 50 %) (officiellement 635 000 dont 210 000 Bédouins des régions frontalières). **Pop. active** 1 600 000 (60 % d'étrangers, *1985-90 :* départ prévu de 600 000). **Étrangers** env. 3 000 000 dont Yéménites 1 000 000, Soudanais 880 000, Égyptiens 180 000, Palestiniens 100 000, Indiens 75 000, Pakistanais 50 000, Américains 65 000, Coréens 20 000, Anglais 30 000, *Français 5 000 (91).* **Villes :** *Riyadh* (en arabe « jardins ») 1 800 000 h. (est. 91). Djeddah (cap. dipl. et port principal) 1 800 000 (est. 91, 20 000 en 1960), La Mecque 463 000 (80) [cap. religieuse ; pèlerins (milliers) : *v. 1938* 50 ; *85 :* 1 600 dont 852 de l'étranger dont Iraniens 150, Égyptiens 131, Pakistanais 88, sacrifice de 1 300 000 moutons dont 300 000 distribués aux réfugiés afghans et palestiniens et en Afr. noire] ; Tayf (alt. 1 630 m) 204 857 (74), Médine 198 186 (74) [dep. 1984, vieille ville rasée et transformée, à l'exception du tombeau-mosquée de Mahomet, autour duquel le sanctuaire passera de 16 500 m² à 98 000 m², pour accueillir 167 000 fidèles. Les terrasses recevront jusqu'à 90 000 fidèles sur 67 000 m², soit une capacité globale de 257 000 pers. sur 165 000 m². 6 minarets de 92 m de haut], Dharan 130 000 (89) (70 000 en 53). Hûfût 101 271 (74).

Langue off. Arabe. Illettrés 75 %. **Religions.** *Islam* dont 200 000 à 300 000 chiites. *Chrétiens* (immigrés) 500 000 cath., 70 000 protestants. L'ensemble du pays étant considéré comme une mosquée, l'exercice d'un autre culte que l'islam est interdit.

Histoire. Jusqu'en 300 *env. apr. J.-C.* occupée par tribus arabes *kindaïtes* (roy. de Kinda au centre de l'Arabie), fait partie du Roy. de Saba (V. Yémen). **V. 300** *apr. J.-C.* Kinda morcelé en tribus bédouines. Hedjaz forme plusieurs principautés marchandes, la plus prospère est La Mecque (tribu des Quraychites). **617** apparition de l'islam. **634-44** Omar conquiert Perse, Syrie, Irak, Égypte. **644-50** Othman conquiert Arménie et Tunisie. **668-XVe s.** monde musulman gouverné par dynasties Omayyades et Abbassides. **XVe s.** rivalités internes. **XVIe s.** Turcs gouvernent le monde arabe, sauf l'Ar. centrale (Nedj). **XVIIIe s.** Cheikh Mohammed ibn Abdulwahab (1703-92) prône une réforme religieuse (wahhabisme), retour à l'islam orthodoxe : haine des chiites, accusés de substituer au dogme de l'unicité divine une façon de penser où Mahomet représente la révélation, Ali l'interprétation et Hussein (cadet d'Ali) la rédemption [pensée reprise d'Ibn Taymîya (1263-1328)]. **1744** accord avec Pce de Derieh Mohammed Ibn Saoud, qui fonde le 1er État saoudien. **Début XIXe s.** Abdallah Ibn Saoud, fils de Mohammed Ibn Saoud, et les wahhabites pillent Kerbala, la ville sainte chiite (Irak). **1804** prennent Médine (trésors dérobés). **1811-18** la T. demande à Mehemet Ali, gouverneur d'Égypte, de lutter contre wahhabisme (Abdallah Ibn Saoud exécuté à Constantinople ; tombeaux et mausolée de Médine restaurés) mais les wahhabites retrouvent leur force. **1824** 2e État saoudien avec imam Turky ibn Abdullah Saoud.

> **Tentatives d'unification du monde arabe. 850** expansion max. de l'arabo-islamisme, des Pyrénées aux Indes. Maroc et Espagne arabisés cesseront de faire partie d'un ensemble cohérent. Perse et Afghanistan ne seront jamais arabisés. **1187** Saladin le Grand (Kurde), chef des Ayyoubides, unifie Égypte et Syrie. **1250** Baïbars (Turc), chef des mamelouks, unifie Égypte, Syrie et Hedjaz. **1516** Selim Ier (Turc), chef des Ottomans dont l'empire au XVIIe s. comprendra les pays arabophones, de l'Algérie à l'Irak.

■ **Abd el-Aziz ibn Abderrahmane al-Saoud** (1882-1953, 14 épouses officielles, 44 fils légitimes ; 200 concubines, 100 fils naturels), de la famille des Saoud (régnant dans le Nadj, mais réfugiée à Koweït en 1892 après avoir été déposée par Ibn al-Rachid), émir de Haiel et allié des Turcs, reprend l'émirat de Riyadh. **1902** roi. **1902-12** reprend tout le Nadj à la famille Rachid. **1912-27** ralliement de l'Est (1913), du Sud (l'Asir, ajoutée par Fayçal en 1921), de La Mecque (prise 14-10-1924), Médine (prise 5-12-1924) ; coupole du mausolée de Mahomet endommagée (puis restaurée et embellie), Djedda (prise 23-12-1925), fondation des roy. du Hedjaz (29-8-1926) et du Nadj (mai 1927). **1932**-*22-9* fondation du roy. d'A. Saoudite après union du Nadj et du Hedjaz. **1933** 1re concession accordée (à Standard Oil of California). **1934** incorporation du Najran et de la Côte d'Asir. **1938** découverte du pétrole (à Dammana). **1945**-*13-2* accords du « Quincy » : l'A. cède le monopole d'exploitation des gisements pétroliers aux USA. Lancement du projet Tap-Line (Trans-Arabian Pipeline) qui réduit le trajet de 5 000 km à 1 800 (par Suez). **1950** pipeline inauguré (coût 300 millions de $). **1952** la G.-B. occupe l'oasis de Buraimi et la partage entre Abū-Dhabī et Oman ; 1re frappe de monnaie, 1re émission de billets de banque. **1953**-*9-10* Conseil des ministres créé.

■ **Saoud ben Abdul-Aziz** (9-11-02/12-2-69) ; il aura 53 fils et 54 filles. **1953**-*12-11* roi. **1961** 1re école pour filles, 1re université. **1962** esclavage interdit. **1964**-*3-11* Saoud, très prodigue, déposé par Conseil de famille et Conseil des Ulémas (Sages).

■ **Fayçal** (1906-75, son demi-frère). **1964**-*3-11* roi. **1973**-*17-10* l'A. se joint à l'embargo pétrolier. **1975**-*24-3* Fayçal assassiné par son neveu Fayçal ben Moussaed ben Abdulaziz (décapité).

■ **Khaled** (1913-82, son demi-frère). **1975**-*25-3* roi. -*21-12* Cheikh Ahmed Zaki Yamani (n. 2-7-1930, min. pétrole) pris en otage à Vienne, libéré (voir p. 923 c). **1976** nombreuses importations (bateaux attendant de 4 à 6 mois à Djeddah pour décharger). **1977**-*22-1* visite du Pt Giscard d'Estaing. **1978**-*30-5* roi Khaled à Paris. **1979** l'A. étant contre l'accord isr.-ég., rompt avec Ég., lui supprime aide financière ; -*20-11* au -*3-12* env. 1 300 extrémistes de la tribu des Oteiba (étrangers : Yéménites, Égyptiens), dirigés par Al-Kahtani (26 ans, présenté comme le Mahdi) attaquent la Grande Mosquée de La Mecque (officiellement 135 † dont 60 gardes nationaux, selon certains 270 à 400 †). La Fr. envoie des gendarmes du GIGN conduits par le cap. Barril (qui avant d'intervenir se convertirent à l'islam). **1980**-*9-1* exécution de 63 rebelles. **1981**-*26-9* visite du Pt Mitterrand. **1982**-*13-6* Khaled meurt.

■ **Fahd ibn Abdelaziz** (n. 1920 ou 1922, son demi-frère). **1982**-*13-6* roi. **1985**-*11-7* 1er astronaute arabe et musulman, le Pce sultan Ben Salman, neveu du roi Fahd, est fêté à son retour. **1986**-*29-10* Yamani remplacé par Hicham Nazer. **1987**-*31-7* La Mecque, incident pèlerins/chiites et service d'ordre, 402 † dont 275 Iraniens. **1988** *juin* emprunt d'État de 8 milliards de $. -*3-7* l'A. achète 100 mds de F d'armements à la G.-B. (dont 50 avions Tornado, 60 Hawk, 80 hélic., 6 dragueurs de mine). La G.-B. devra acheter 20 millions de t de pétrole par an. -*16-11* l'A. reconnaît l'État palestinien. **1989**-*4-1* 3e secr. de l'amb. A. à Bangkok assassiné par Djihad islam. -*29-3* imam de la mosquée de Bruxelles (saoudien) et son adjoint, assassinés. -*10-7* 2 explosions à La Mecque revendiquées par la Génération de la colère arabe, 1 †. -*17-7* nouvelle explosion. -*21-9* 16 chiites koweitiens décapités (accusés des attentats). **1990** *janv.* selon Amnesty Internat., + de 700 prisonniers pol. incarcérés sans jugement dep. 1983 (notamment des m. du Hezbollah et du P. de l'action soc. arabe). -*1-2* 3 diplomates saoudiens tués à Bangkok. -*2-7* La Mecque : panique dans tunnel, 1 400 †. -*21-7* relations diplom. avec Chine. -*29-8* achète 2,2 milliards de $ (6 à 8 milliards prévus) d'armes amér. *Nov.* 48 rabbins (du corps expéditionnaire amér. comprenant 8 000 Juifs) autorisés à venir en A. *Nov.* manif. de 47 femmes pour la conduite automobile (interdite par la loi). **1991** guerre du Golfe, voir index. -*20-2* relations diplom. reprises avec Iran (rompues dep. avril 88). -*13-10* le roi rend leurs passeports aux femmes qui avaient manifesté en 90 pour conserver leurs permis de conduire. **1992** *nov.* saisie d'une partie des avoirs pétroliers irakiens.

Statut. Monarchie islamique. **Roi**, gardien des 2 lieux saints (La Mecque, Médine) et **PM** Fahd (n. 1920 ou 1922) dep. 13-6-1982. Le roi est vêtu de l'*abaya* traditionnelle. **Héritier** dep. 1982 **et vice-PM** Pce Abdallah (n. 1923 ou 1921, demi-frère du roi). **Partis politiques** aucun. Env. 4 200 princes du sang participent à de nombreux postes. **Loi du royaume.** Coran et Sunna. **Loi fondamentale** promulguée 1-3-1992 organise l'État et les règles de succession (le roi choisit le plus apte parmi les fils et petits-fils d'Ibn Saoud, auparavant le plus âgé des fils). **Conseil consultatif** (Majilis as Choura), créé 1-3-1992, 60 m. et 1 Pt nommés pour 4 a. par le roi. **Nouvelle loi sur l'organisation des provinces** 1-3-1992. **Justice.** Sanctions définies par le Coran : pour homicide : mort ; vol : ablation de la main sauf circonstances atténuantes ; adultère : lapidation (si 4 témoins l'attestent), flagellation (1 seul témoin). **Garde nat.** 10 000 h. **Enseignement** (87). Primaire 1 380 764, secondaire 575 302, supérieur 107 454. **Fête nat.** 22 sept. (création du roy. d'Arabie, 1932). **Emblème** 2 sabres surmontés d'un palmier (aucune prospérité n'est possible en dehors de la justice). **Drapeau** (1938) : vert portant un sabre et « Il n'y a de Dieu que Dieu, Mouhammad est le prophète de Dieu ».

■ Économie

PNB. *Total* en milliards de $. *1980 :* 116,8 ; *81 :* 121,5 ; *82 :* 158 ; *83 :* 111 ; *84 :* 103 ; *85 :* 92 ; *86 :* 82 ; *87 :* 83 ; *88 :* 85,3 ; *89 :* 91,6 ; *90 :* 104. *Par hab.* (en $), *82 :* 15 820 ; *85 :* 7 965 ; *86 :* 6 800 ; *87 :* 5 120 ; *88 :* 5 248 ; *89 :* 5 980 ; *90 :* 7 020 ; *91 :* 7 328. **Croissance (%).** *1989 :* 5 %. **Pop. active** (en % et, entre parenthèses, part du PNB en %) agr. 9 (4), mines 2 (45), ind. 24 (20), services 65 (31). *Travail :* permis aux femmes dans certaines fonctions et certains métiers qui ne sont pas incompatibles avec les traditions.

Agriculture. *Terres* (en milliers d'ha, 90) : cultures *1976 :* 0,1 ; *86 :* 2,3 ; *90 :* 35 ; forêts 18. 430 000 ha irrigués. *Production* (en milliers de t, est. 91) : dattes 542 ; sorgho 37 ; blé [*1978 :* 3 ; *80 :* 50 ; *83 :* 600 ;

85 : 1 700 ; *86 :* 2 300 (soit 200 % des besoins, subvention en août de 600 $ la t, importée coûterait 200 $, l'A. en exporte 1 200 et en donne 400 à des pays arabes) ; *91 :* 4 000] ; tomates 390 ; oignons 14 ; raisins 100 ; agrumes 35 ; millet 12 ; pastèques 461 ; melons 320 ; café ; figues ; gomme arabique. **Élevage** (en millions, est. 90) moutons 8,8, chèvres 3,7, bovins 0,11, chameaux 0,4, ânes 0,11, volailles 0,46. **Pêche** (1990) 50 000 t. Perles. **Balance agricole** (milliards de F) *1982 :* 38 ; *84 :* – 46,7 ; *85 :* 41,6.

Nota. – Dep. 1964, l'A. Saoudite a poussé les Bédouins à devenir paysans sur les nouvelles terres irriguées.

Pétrole. Réserves *prouvées* 35,2 milliards de t [probables 40, 1er rang mondial (25,9 %)]. **Production** *(en millions de t) 1946 :* 8 ; *47 :* 20 ; *52 :* 43 ; *60 :* 70 ; *72 :* 285 ; *79 :* 475 ; *80 :* 495 ; *81 :* 490 ; *82 :* 325 ; *83 :* 246 ; *84 :* 229 ; *85 :* 165 ; *86 :* 264 ; *87 :* 209 ; *88 :* 251 ; *89 :* 255 ; *90 :* 320 ; *91 :* 410. *(en millions de barils/j) 89 :* 4,85 ; *90 :* 6,5 ; *91 :* 8,5 (10 potentiels) ; *92 (est.) :* 6,8 dont 97 % des champs de l'Aramco [Arabian American Oil Cy : créée 31-1-1944 ; actionnaires initiaux : Socal (auj. Chevron) 30 % et Texaco 30 %, puis Esso 30 %, et Socony (auj. Mobil) 10 % ; durée de la concession : 60 ans. *1972* l'État prend 25 % du capital, *1974* 60, *1980* 100.] et 3 % de la zone neutre exploitée en commun avec le Koweït. **Revenus** *pétroliers* (en milliards de $) *1955 :* 0,34 ; *60 :* 0,35 ; *67 :* 0,84 ; *72 :* 4 ; *73 :* 4,3 ; *74 :* 20 ; *78 :* 32,2 ; *79 :* 48,4 ; *80 :* 84,4 ; *81 :* 115,5 ; *82 :* 78,9 ; *83 :* 45 ; *84 :* 36,3 ; *85 :* 26 ; *86 :* 18,1 ; *87 :* 20,4 ; *88 :* 20,2 ; *89 :* 23 ; *90 :* 40 ; *91 :* 45 ; *92 (est.) :* 37. **Gaz** (en milliards de m³, 1991) : *réserves* 4 136. *Production : 1988* 28, *89* 29,8, *90* 30,5, *91* 32. **Réserves diverses.** Phosphates, gypse, marbre, cuivre, uranium. Commercialisation prochaine de cuivre, zinc, or, argent, fer.

Eau. Nappes d'eau fossile (de + de 10 000 ans) non renouvelables 75 %, renouvelable 10 % ; eau de mer dessalée 15 % (ex. à Riyadh 830 millions de l amenés par 2 conduites de 466 km). Consommation (millions de m³) : nappe 9 500, dessalement 100. 24 stations de dessalement (1,90 million de m³/j). **Industrie.** *Raffineries de pétrole* (6, capacité 1 690 000 barils/j en 90). *Complexes pétrochimiques* (2 en construction), prod. (90) 12,4 millions de t.

Transports. Chemins de fer env. 700 km. **Routes** goudronnées en *1954 :* 257 km, *70 :* 8 440 km, *87 :* 33 576 km. Pistes (87) 59 226 km. **Oléoduc** *transarabique* [golfe Persique, Yanbu (mer Rouge)] 1 200 km. **Tourisme.** Entrée autorisée aux hommes d'affaires, aux invités officiels, à ceux désirant accomplir le pèlerinage ou « Umrah » à La Mecque ou visiter Médine, ou pour visites familiales. En 1988-89, 774 560 pèlerins.

Finances (en milliards de $). Poids financier presque égal à celui des USA. **Avoirs à l'étranger** *1973 :* 5 ; *83 :* 150 ; *85 :* 90 ; *87 :* 110, *88 :* 106. **Dette publique** (92) 45. **Réserves monétaires** *1989 :* 16,9, *90 :* 11,8, *91 :* 11,9. **Budget** (en milliards de rials saoudiens). *1985 :* – 48,6 ; *86 :* – 77,8 ; *87 :* – 68,1 ; *88 :* – 36 ; *89 :* – 25 ; *90 :* – 25 ; *91 :* – 25 ; *92 :* – 30 [dépenses 181, revenus 151 dont 76 % dus au pétrole]. **Impôt** unique de 2,5 % (« part du pauvre » ou « zekkat »), pas d'impôt sur revenu ou sur bénéfices des Stés (sauf pour Stés étrangères). **Aides** (en milliards de $). **Aux pays en voie de dévelop.** (env. 50 pays. *1973-89 :* total 59,5. **A l'URSS** (en 90) : 4. **Inflation** (en %) *1976 :* 70 ; *77 :* 35 ; *78 :* 10 ; *79 :* 1,9 ; *80 :* 3,2 ; *81 :* 2,4 ; *82 :* 1,1 ; *83 :* 0,9 ; *85 :* – 3,3 ; *86 :* – 3 ; *87 :* – 0,9 ; *88 :* 1 ; *89 :* 1,1 ; *90 :* – 2,2 ; *91 :* 4,4.

Commerce (en milliards de rials, 90). **Exp.** 166,3 *dont* en % pétrole brut 81, raffiné 11 : *vers* USA 19,8, Japon 15,1, Singapour 5,1, P.-Bas 4,9, *France 4,5.* **Imp.** 90,1 *dont* (en %) machines 14,6, prod. alim. 14, équip. de transp. 12,2, chim. 9,3, text. 8,8 ; *de* (en %) Japon 15,3, USA 16,7, G.-B. 11,3, All. féd. 7,4, *France 4. Interdiction d'importer :* alcools, viande de porc, stupéfiants et publications contraires à l'islam. **Balance** (milliards de $) **commerciale** *1982 :* + 40, *83 :* – 33, *84 :* – 29, *85 :* – 20, *86 :* – 19, *87 :* + 3 ; *88 :* + 2 ; *89 :* + 7 ; *90 :* + 20 ; **des paiements** *82 :* + 8, *83 :* – 16, *84 :* – 18, *85 :* – 13, *86 :* – 15, *87 :* – 3 ; *88 :* – 3 ; *89 :* – 3 ; *90 :* – 5. **Rang dans le monde** (91). 1er rés. de pétrole. 3e pétrole. 6e rés. de gaz nat. 10e gaz nat.

☞ **Conséquences financières de la guerre du Golfe.** Augmentation du prix du baril de brut (jusqu'à 40 $) et de la production (+ de 8 millions de barils/j) auraient pu rapporter de 12 à 15 milliards de $ supplémentaires (mais le prix du baril est retombé). **Dépenses** (en milliards de $). *Aide aux USA :* 15 (prévus). *Coût de la force alliée :* 48. *Recours à l'emprunt :* 3 (en févr. 1991, pour la 1re fois). *Réserves :* 10 (en janv. 91, au lieu de 25 en 84).

ARGENTINE

V. légende p. 884.

Situation. Amér. du S., 2 766 889 km² [sans les îles Malouines (Falkland), Géorgie du Sud, Sandwich du Sud et Antarctique]. **Long.** 5 171 km **Larg.** *max.* 1 460 km, *min.* 399 km. **Alt. max.** Aconcagua 6 959 m.

Frontières : 9 376 km (Chili 5 308, Paraguay 1 699, Brésil 1 132, Bolivie 742, Uruguay 495). *Côtes* 4 725 km (sans compter l'estuaire du Río de la Plata qui a 200 km de large). **Fleuves :** Uruguay (du N. au S.), Paraná, Pilcamayo, Salado, Desaguadero, Río de la Plata, Negro, Chubut, Deseado (d'O. en E.), Santa Cruz, Río Gallegos.

Régions. Ouest : montagnes (cordillère des Andes) ; *du N. au S. :* Puna (alt. 3 000 m), plateau désertique et raviné ; oasis de Tucuman (2 700 m), 2 000 mm de pluies ; Andes centrales (7 000 m), désertiques (rochers, éboulis, peu de neige avant 4 000 m), avec à leur pied (vers l'E.) les sierras préandines ou Piémont subandin (alt. 2 100 m), 600 mm de pluies, cultures irriguées, vignes ; Andes de Patagonie (alt. 3 600 m) froides, humides (neiges éternelles 1 000 m). **Centre et Est :** plaines ; *du N. au S. : Chaco* boisé et humide, *Mésopotamie argent.* entre Paraná et Uruguay : savane, blé, maïs. **Pampa :** 1 000 000 de km² de lœss, plate, sans cailloux (céréales, élevage). *Humide :* province de Buenos Aires, tempérée, chaude et humide (pluies : 830 mm/an) ; *sèche :* climat continental et pluies irrégulières. **Patagonie :** Terre de Feu, froid (pluies 156 mm/an) ; terrasses caillouteuses.

Dépendances revendiquées. Îles Malouines (Falkland, voir p. 1006) env. 200 îles à 500 km de l'A. 11 800 km², 1 900 h. **Orcades du S.** (Orkney), **Géorgie du S., îles Sandwich du S.** (voir p. 1006 b), **Antarctique arg.** (1 231 064 km²).

Chenal du Beagle. Exploré 1826 par le Britannique Fitz Roy, capitaine du *Beagle,* qui cherchait un passage plus protégé que le tour du cap Horn. **1811** tr. fixant les limites entre A. et Chili ; étaient chil. : les îles au-dessus du chenal, jusqu'au cap Horn. **1815** A. estime que le chenal obliquant plein sud au débouché de l'île de Navarrino, Picton, Nueva et Lennox sont dans les eaux a. **1902** arbitrage brit. **1977** 5 membres de la Cour intern. de La Haye (désignés 22-7-71 par la reine Élisabeth) rendent une sentence favorable au Chili. **1978**-25-1 l'A. en refuse les termes. **1979**-8-1 A. et Chili soumettent leur différend au pape. **1980**-12-12 Jean-Paul II propose une solution acceptée par Chili (souveraineté au Chili sur les îles au-dessous du chenal ; navigation et expl. des ressources naturelles partagées entre les 2 pays). **1984**-*18-10* tr. de paix et d'amitié. *-24-11* approuvé par référendum (80 % oui). **1985** approuvé par Parlement.

Population (en millions). *1800 :* 0,3 ; *1850 :* 0,8 ; *1869 :* 1,9 ; *1900 :* 4 ; *1935 :* 13,5 ; *1960 :* 20,9 ; *1991 :* 32,60 ; *v. 2000 (prév.) :* 31,2. [*Origine* (1960) européenne, (surtout Esp. et Ital.) 86 %, Criollos (créoles) 12 % surtout au N.-E., *Indiens* 2 %)]. Italiens 1 260 000, Esp. 860 000, *Fr. 35 000, Indiens* de 20 000 à 30 000 [Matacos et Tobas (N.) ; Guaranis ; N. Mésopotamie ; Araucanis (O. prov. de Neuquen et Patagonie)]. *Métis d'Indiens* (péons) : nombreux au N.-O. **Accroissement** (en %) : 1,4. **Âge :** *– de 15 a. :* 30,3, *+ de 60 a. :* 12,9. **Espérance de vie :** 71. D 11,7. **Taux (‰, 90)** *mortalité infantile :* 25,6 ; *natalité :* 21.

Immigration (millions) : surtout Esp., Ital., et loin derrière Port., All., Holl. et quelques Youg., Syriens, Autr., Fr. *1860-1930 :* 8 (dont 4 repartirent) (dont *1906 :* 0,25) ; *1947-51 :* 0,63 ; *dep. 1963 :* env. 0,06 Boliviens. En *1914 :* 30 % de la pop. était née hors d'Arg., en *1971 :* 9,3 %. **Population urbaine :** 87 %. **Analphabètes :** 5 %.

Langues. Espagnol *(off.),* guarani (3 à 4 %). **Religions (%).** Catholiques 92,7 (le Pt doit être cath.), protestants 1,9, juifs 1,6, autres 3,8.

Villes (est. 90, en milliers). *Buenos Aires* (agg.) 7 950 (91) (*1650 :* 4, *1730 :* 16, *1850 :* 120, *1884 :* 365, *1901 :* 850, *1907 :* 1 100, *1914 :* 1 576, *1947 :* 2 981, *1956 :* 3 553, *1991 :* 2 961)), Cordoba 1 116, Rosario 1 096, Mendoza 728, La Plata 644, Tucuman 626, Mar del Plata 523, Santa Fe 338. Projet de transférer la capitale à Viedma et à Carmen-de-Patagones (1 000 km au S. de Buenos Aires, 35 000 h.), voté 1987, abandonné. *Ville la + au sud* (à 30 km du cap Horn) Ushuaia 1 200 h.

Histoire. Période précolombienne : la région du Río de la Plata est occupée par les guerriers charruas ; à l'O. de Buenos Aires vivent les pasteurs quérandis, qui ont enseigné aux Esp. l'usage du *lazo ;* au S. les Tehuelches, chasseurs semi-nomades. Les Diaguitas vivent dans le N.-O. en petites bourgades formées

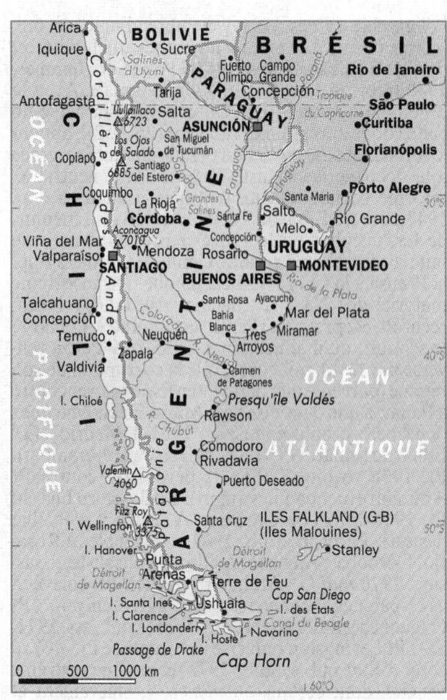

de maisons en pierre. **1516** Juan Diaz de Solis (v. 1450-1516) parcourt l'estuaire du Rio de la Plata qu'il appelle *Mar Dulce.* **1526** Sebastian Cabot (Italien, 1476-1557) remonte Rio Parana, recherchant la *Terre du Roi Blanc* à l'embouchure du Rio Carcarana, crée *Santi Spiritus.* **1536** Pedro Mendoza (Esp., 1487-1537) fonde Buenos Aires. **1580** Juan de Garay (1527-83) fonde Buenos Aires pour la 2e fois. **1593-1796** les terres du Rio de la Plata sont divisées en 2 gouvernements (Buenos Aires et Paraguay). **1776** Vice-royauté du Río de la Plata créée (5 millions de km² : Argentine, Bolivie, Paraguay, Uruguay et une partie du Brésil et Chili). **1782** A. divisée en 8 intendances et 7 gouvernements. **1801** 1er périodique de Buenos Aires le *« Telegrafo Mercantil ».* **1806**-*25-6* Quilmes, Angl. (Cdt Popham) débarquent. *-27-6* prennent Buenos Aires. *-12-8* reprise par Liniers (1753-1810) [fidèle à l'Esp., fait Cte de Buenos Aires, Cte de la Lealtad (Loyauté) et vice-roi du Río de la Plata]. **1807**-*5-7* 2e invasion angl. Liniers ordonne à Whitelocke d'abandonner B. A. *-7-7* tr. de paix. **1809** Liniers démissionne, accusé par la junte de complicité avec Napoléon Ier. Indépendance. **1810**-*25-5* révolution de mai, les chefs mil. refusent d'appuyer le vice-roi. Le Cabildo reconnaît l'autorité de la junte qui devient le 1er gouv. nat., Pt Cornelio Saavedra). *-28-6* Liniers fusillé par révolutionnaires (les Fr. se battant pour les Esp.). **1812-20** g. de libération menée par San Martín. **1812**-*27-2* Belgrano crée le drapeau national. **1813** esclavage et titres de noblesse abolis. Création de l'hymne et de l'écu nationaux. **1816**-*9-7* déclaration d'indép. (Congrès de Tucuman). République. Dissensions entre Unitaires (Lavalle † par accident) et Fédéraux (Dorrego, exécuté). **1818** San Martín traverse les Andes : libération du Chili et du Pérou. **1819**-*20-4* Constitution. **1820** chute du gouv. nat. *-23-2 tr. du Pilar* mettant fin aux Provinces Unies. **1826** *févr.* création du Pouvoir exécutif nat. *-7-2* Bernardino Rivadavia élu Pt. **1835-52** gouv. du Gal Juan Manuel de Rosas (1793-1877) pour une large autonomie des provinces. Des *mazorcas* sont chargés d'assassiner les suspects. **1852**-*3-2* Caseros, Rosas vaincus par Urquiza. **1853** Constitution fédérale (compromis entre fédéralisme et unitarisme). **1865-70** guerre de Triple Alliance contre Paraguay avec Uruguay et Brésil. **1868-86** présidences de Domingo Faustino Sarmiento, Nicolas Avellaneda et Julio A. Roca, développement économique. **1880** début de l'émigration eur. : l'A. est contrôlée par les capitaux anglais. **1912** loi électorale (vote universel, secret obligatoire). **1916** Union civique radicale au pouvoir. *-2-3* Buenos Aires, règlement municipal interdisant aux hommes de danser le tango sur le trottoir. *-12-10* Hipólito Irigoyen élu Pt. **1918** affaiblissement de la G.-B. et naissance d'un capitalisme arg. *Juill.* déclare la g. à l'All. **1920** entrée à SDN **1930**-*6-9* coup d'Etat, Gal Uriburu prend le pouvoir. **1935**-*24-6* Carlos Gardel [n. Toulouse officiellement 11-12-1890 (en fait 1885)], chanteur de tango, tué accident d'avion, a enregistré + de 800 titres. **1939** neutre pendant la guerre (Perón est favorable à l'Axe). **1944** rompt avec Allemagne et Japon. **1945**-*17-10* Perón libéré grâce au peuple. **1945-52** arrivée de milliers de nazis et criminels de g. all. (2 000 passeports en blanc remis) dont Josef Mengele (arrivé 1949-† Brésil 1979), Eichmann (enlevé 1960 par Israéliens). **1946-55 dictature de Perón.** **1946**-*24-2* Perón élu Pt, malgré l'opp. de l'oligarchie et des USA ; membre d'une Sté mil. secrète (Gou). Loi privant les homosexuels du droit de vote à Buenos Aires. **1947**-*9-9* vote des femmes. **1949** réforme de la Constitution nationale. Avec sa 2e femme « Evita » [Eva Duarte, à qui fut voué un culte laïque après sa mort à 33 ans (26-7-52)], obtient le soutien des *descamisados* (« sans-chemise »), grâce à la doctrine justicialiste (nationalisme, neutralité, réforme sociale) et aux réformes pratiquées dep. 1943 au secr. d'État au Travail. Nationalise chemins de fer, téléphone et certaines entreprises, mais ne fait pas de réforme agraire. Confie le journal d'opp. la Prensa à la CGT, syndicat unique. Dispose d'une majorité des 2/3 à la Chambre. **1951**-*11-11* Perón réélu Pt. Répression (Perón surnommé « Pocho », le scooter, qu'il affectionne). **1955**-*16-9* Perón renversé par révol. mil., qui révèle la corruption de son régime [part en Amér. latine et en Espagne, rencontre à Panamá une danseuse arg., Maria Estela Martínez (« Isabel »), qu'il épouse en 1961 à Madrid]. Gal Eduardo Lonardi Pt. *-13-11* renversé ; Gal Arambaru Pt. **1956** révolte d'officiers péronistes contre Pt Aramburu (condamnés à mort). **1963** Arturo Illia élu Pt. **1964**-*3/6-10* de Gaulle en A. **1966**-*28-6* Pt Illia destitué. Partis interdits. **1969** *mai* troubles à Rosario, Córdoba ; Augusto Vandor, syndicaliste, assassiné. **1970** *mai* Gal Aramburu (ancien Pt) enlevé et ass. (par des *montoneros*). *Juin* agitation pop., Pt Ongania destitué. *Août* José Alonso, synd., ass. **1971**-*22-3* Pt Levingston renversé. Gal Lanusse Pt. *-8-9/10* coup d'État mil. échoue. **1972** terrorisme (extrême gauche, dont certains *montoneros*), enlèvement et ass. du directeur de la filiale Fiat en mars. *-17-11* Perón rentre triomphalement d'exil (après 17 ans dont 13 à Madrid) mais renonce à se présenter et part le 14-12. **1973** 190 enlèvements pol. *Sept.* José Rucci, secr. gén. de la CGT, ass. *-11-3 élections :* Justicialistes (pour Perón) 49,59 % des voix, Radicaux (Ricardo Balbin) 21,10, Alliance pop. fédéraliste (Francisco Manrique) 14,70, divers 7,13. Balbin se retire, Cámpora déclaré élu avant le 2e tour. *-20-6* retour triomphal de Perón, fusillade à l'aérodrome d'Ezeiza (péronistes orthodoxes contre *montoneros*). *-13-7* Pt Cámpora démissionne. *-23-9* Perón élu Pt (sa femme Isabel vice-Pte) par 61,5 % des voix devant Balbin (23,34 %) et Manrique (12,11 %) ; lutte contre marxistes. **1974** action de l'ERP (*Armée révol. du peuple*, env. 5 000 membres). *Mars* libération du directeur d'Esso contre 14 200 000 $ (68 millions de F). *-1-5* tension CGT péroniste/*montoneros*. *-1-7* Perón meurt (grève CGT en signe de deuil). Isabel le remplace, s'appuyant sur un groupe fascisant dirigé par José López Rega (ancien coiffeur, † 9-5-1989), min. du Bien-Être social. Nombreux assass. pol. (dont Arturo Mor Roig, ex-min. de l'Intérieur), contre-terrorisme (gangs incontrôlés de l'Alliance anticommuniste d'A.). 120 000 manif. contre le régime à Buenos Aires, 1 †. *ERP et montoneros* [péronistes de gauche, env. 4 000 h. bien équipés grâce aux rançons obtenues à la suite d'enlèvements d'h. d'affaires (ex. rançon payée en 75 par les frères Born : 60 millions de $)] ont subi des pertes (Mario Roberto Santucho et Benito José Urteaga). *Sept. montoneros* passent à la clandestinité. *-6-11* état de siège. *-17-11* corps d'Eva Perón rapatrié de Madrid (en échange, les montoneros rendent le cercueil du Gal Aramburu qu'ils ont déterré en 1973) ; exposé dans la maison de la CGT, il aurait été enlevé par les militaires, réenterré à Milan puis transféré en 1972 dans la demeure de Perón à Madrid. **1975** nombreux assass. dont l'ex-consul amér. à Córdoba, John Egan (28-2). *-11-7* grève générale : López Rega démissionne (part pour l'Esp.) ; anarchie, inflation (800 %). *-13-9/17-10* Isabel Perón laisse provisoirement le pouvoir au Pt du Sénat. *-4-11* état de siège. *-18/22-12* rébellion d'aviateurs, échec. *-23/24-12* bataille contre gauchistes près de Buenos Aires (+ de 100 †). *Déc.* Roberto Quieto, marxiste (ex-FAR montoneros) arrêté. *-25-12* Gal Videla lance ultimatum de 3 mois au gouv.

1976-*24-3* **coup d'État mil.,** Congrès dissous, partis interdits (I. Perón arrêtée, *-23-6,* privée de ses droits politiques). *Mars 1976* à *juin 1978,* répression frappant maquisards, terroristes, avocats, politiciens, ecclésiastiques, journalistes, universitaires, et tout suspect figurant dans le carnet d'adresses d'un subversif. **1978**-*1-8* attentat contre l'amiral Lambruschini, chef d'état-major de la marine (3 † dont sa fille). **1980** Pérez Esquivel, prix Nobel de la paix (avait été détenu d'avril 77 à juin 78). **1981**-*20-3* I. Perón condamnée à 8 a. de prison pour détournement de fonds. *-6-7* libérée après 5 a. de détention (en avril 83 sera rétablie dans ses droits civiques et en sept. 83 réhabilitée politiquement). *-9-9* Ricardo Balbin (77 ans, Union civique radicale) meurt. *11-12* Gal Viola destitué. **1982**-*2-4/19-6 g. des* **Malouines** (coût 850 millions de $, voir p. 1 006 b). *-26-4* 1re manif. à Buenos Aires contre régime. *-5-5* dévaluation de 16,6 % du peso. *-11/12-6* visite du pape. *-15-6* manif. à Buenos Aires contre Gal Galtieri. *-17-6* Galtieri démissionne. *-22-6* Gal Reynaldo Bignone choisi comme Pt par la junte. Junte dissoute. Nouveau gouv. (10 min. dont 1 seul militaire). *-13-7* junte mil. reconstituée. *-12/16-8* Las Tres A (Alliance anticommuniste arg.) dissoute, mais la répression d'extrême droite se poursuit.

1983-*31-10* **Raúl Alfonsín** (radical) élu Pt avec 7 659 530 voix (52 % des suffrages) [Italo Luder (péroniste) 5 936 556 v., Oscar Allende (intransigeant) 344 434 v.]. *Él. législatives, provinciales et munic. -10-12* les mil. remettent le pouvoir à R. Alfonsín. *-16-12* abrogation du décret « d'autoamnistie » des mil. *Disparus sous la dictature* (chiffre officiel) : 8 960 à 30 000. **1984**-*10-1* Gal Bignone arrêté. *-17/19-1* arrestation des anciens généraux de la junte. *-22-1* du Gal Galtieri. *-22-2* amiral Anaya. *-23-2* Gal B. Lami Dozo. *-22-6* Gal Roberto Viola. *-2-8* Gal Jorge Videla. *-22-10* Pt Alfonsín en France. *2-11* convention collect. suspendues pour 1 an. **1985**-*21-2* Isabel Perón, Pte du parti justicialiste, démissionne. *Avril* procès des généraux (début). *-14-6 plan austral* (avec Juan Sourrouille, min. de l'Économie) ; l'austral (0,80 $ US) remplace le peso (1 A = 1 000 P), gel des prix (15-6) et des salaires (30-6), impôt d'« épargne obligatoire » pour les plus gros contribuables. *-17/21-9* Pt Alfonsín en France. *Oct.* 9 attentats à la bombe. *-25-10* état de siège pour 60 j. *-9-12* sur 9 Cdts des 3 juntes (de 1976 à 82) jugés pour violations des droits de l'homme, 5 condamnés à la prison dont 2 (Gal Videla et amiral Massera) à perpétuité, Gal Viola à 17 ans, amiral Lambruschini 8 a., Gal Agosti 4,5 a. ; 4 acquittés (Gal Galtieri, amiral Anaya, Gal Lami Dozo, Gal Omar Graffigna). **1986**-*28-4* Conseil suprême des forces armées acquitte, « faute de preuves », le lieutenant Astiz, accusé de nombreux enlèvements et disparitions [dont celles de 2 religieuses françaises, Alice Domon (43 a.) et Léonie Duquet (62 a.), les 8 et 10-12-1977, pour lesquelles le parquet de Paris avait ouvert le 14-5-1982 une information judiciaire (Astiz alors prisonnier des Brit. aux Malouines avait été libéré le 12-6-82, puis le 25-3-1985, faisait l'objet d'un mandat d'arrêt intern.)] *-16-5* responsables de la défaite des Malouines, condamnés : amiral Anaya 14 ans, Gal Galtieri 12 ans, Gal Lami Dozo 8 ans, et dégradés. *-17-10* Pt Alfonsín en Fr. *-2-12* 50 000 manif. contre décision d'Alfonsín de mettre un terme aux procès des milit. *-7-12* Lt Astiz bénéficie d'une prescription. **1987** *févr.* Astiz rejugé. *-16/19-4* lieut.-col. Aldo Rico (de l'école d'infanterie de Campo-de-Mayo) déclenche rébellion d'un régiment près de Cordoba pour s'opposer à l'arrestation du com. Barreiro (qui avait refusé de comparaître devant un tribunal pour violation des droits de l'homme). *-4-6* loi amnistiant la quasi-totalité des militaires et policiers poursuivis pour violations des droits de l'homme sous la dictature. *-24-6* libération de l'ex-commissaire général de la police de Buenos Aires, de l'ex-commandant de l'armée de terre, d'Astiz et de 11 de ses coaccusés de l'Esma (centre de torture). *-29-6* profanation de la tombe de Perón : un correspondant réclame 8 millions de $ en échange de son sabre et de ses mains. *-6/9-10* Pt Mitterrand en A. *Nov.* on révèle qu'Osvaldo Sivak a été enlevé en 1985 par des policiers qui ont demandé une rançon de 1 million de $ et l'ont tué. *-22-12* Pt Alfonsín (menacé d'une rébellion) promeut Astiz cap. de corvette. **1988**-*17/18-1* rébellion du lieut.-col. Aldo Rico à Monte Caseros matée (après avoir tenu l'aéroport de Buenos Aires) : 278 mil. arrêtés. *-3-8 plan Primavera* contre inflation : gel des prix de 15 j, hausses limitées (1,5 à 3,5 %) les 3 mois suivants, dévaluation de l'Austral de 10 %, restriction des dépenses publiques. *-25-9* Banque mondiale prête 1,25 milliard de $. *-29-11* Isabel Perón s'installe en A. *-2/6-12* rébellion de l'École d'inf. (Campo de Mayo, Buenos Aires) avec le col. Mohamed Ali Seineldin (3 †). *-9-12* Cdt Hugo Avete (qui avait pris le contrôle de la base mil. de Mercedes) arrêté. Les mutins réclamaient : amnistie pour les mil., hausse du budget mil. et départ du chef d'état-major de l'armée (Gal José Dante Caridi) qui démissionne le 20-12. *-24-12* nouv. déval. de l'austral (252 % en 1988). **1989**-*23-1* gauchistes du MTP (Mouvement Tous pour la Patrie) attaquent garnison de la Tablada, 40 †. *-2-2* austral dévalué de 6,5 % (perd en fait 70 %). *Avril* Gal Agosti, libre. *Mai* élection *-1-5* plan d'austérité.

1989-*14-5* **Carlos Menem** élu avec 49,2 % des voix. *-28-5* nouveau plan économique : libéralis., privatisation des entr. publiques. *Fin mai* magasins d'alimentation pillés à Rosario et Buenos Aires (19 †). *-29-5* état de siège pour 30 j. *Juin* amiral Massera, libre. *-4-7* Carlos Monzon condamné à 11 ans de prison. *-11-7* magasins pillés après annonce d'un plan d'austérité. *-14-7* † de Miguel Roig, min. des Fin. (crise cardiaque). *Août* droits d'exp. des grains réduits de 20 %, droits de douane à l'imp. pour agrochimie réduits. *-1-9* suppression de l'impôt sur capital et patrimoine ; *oct.* FMI prête 1,4 milliard de $. *-1-10* rapatriement des cendres de l'anc. gouverneur Rosas exilé G.-B. († 1877). *-7-10* amnistie pour 213 mil. [39 off. (dont 27 gén. et amiraux condamnés pour violation des droits de l'h. pendant la « g. sale » de 1976 à 1983, et les 3 commandants en chef de la g. des Malouines : Galtieri, Lami Dozo et Anaya) et 174 mil., dont les meneurs des putschs de 1987 et 1988] et 64 guérilleros des Montoneros. *-10-10* privatisation partielle du pétrole. *-19-10* rel. consulaires avec G.-B. reprises. *Nov.* 5 000 km de voies ferrées privatisées. Suppression du contrôle des changes et libéralisation des prix (mais blocage des tarifs publics), report volontaire de la dette intern. sur bons d'État ext. (Bonex) [rendu impossible par le montant du serv. de la dette]. **1990**-*1-1* suppression des placements à terme, supérieurs à 1 million d'australs [en général infér. à 7 j, leurs taux d'intérêt accumulés atteignaient 1 200 % par an ; leur dépôt rémunéré auprès de la banque centr. coûtait cher] ; seront échangés en Bonex sur 10 a. (dont la valeur $ convertit la dette interne en dette externe). Objectifs : revaloriser l'austral, réduire la masse monétaire et le déficit fiscal. *-8-1* chute de 54 % des indices boursiers (après 2 j de suspension des cours). *Févr.* amiral Lambruschini libéré. *-15-2* reprise relations dipl. avec G.-B. *-12-2* magasins d'alim. pillés à Rosario. *-16-3* Paris, Astiz condamné par contumace à la réclusion criminelle à perpétuité. *-6-8* Antonio Cafiero, chef du P. péroniste, démissionne. *-10-8* Carlos Menem nommé chef du Parti, délègue ses fonctions à son frère Éduardo, Pt du Sénat. *Nov.* l'A. envoie sans l'accord du Congrès 2 navires de guerre et des troupes dans le Golfe. *-15-11* 30 000 à 100 000 manif. à Buenos Aires contre le gouv. *-28-11* l'A. renonce avec Brésil à toute utilisation milit. de l'énergie nucléaire (ils n'avaient pas signé le tr. de non-prolifération nucl.). *-3-12* rébellion [colonel Mohammed Ali Seineldin (cathol. intégriste)] réprimée. *-5-12* visite Pt Bush (1re visite d'un Pt amér. dep. Eisenhower en 1960). *-18-12* peine de mort requise contre rébellion. *-30-12* Buenos Aires, 30 000 manif. après la libération des anciens chefs de la dictature et de Mario Éduardo Firmenich, cofondateur des Montoneros. **1991**-*8-1* les 7 officiers responsables de la rébellion du 3-12 condamnés par le tribunal militaire à perpétuité. *Févr.* plan de rigueur du min. de l'Écon. Domingo Cavallo : plan de privatisation. *-24-2* Raúl Alfonsín échappe à un attentat. *-25-3* projet (pour 1-1-95) de *Mercosur* (marché commun Argentine, Uruguay, Brésil, Paraguay) signé. *-1-4* nouveau plan monétaire : convertibilité de l'austral en $ (1 $ = 10 000 A.). *-5-6* Buenos Aires, manif. pour augmentation des retraites. *-24-7* Amira Yoma, belle-sœur du Pt Menem, accusée d'avoir blanchi des narcodollars (scandale : Yomagate) démissionne. *-2-8* visite Pt chilien, accord sur la Laguna del Desierto en Patagonie. *-2-9* les 15 responsables de la rébellion du 3-12-90 condamnés (de 2 ans à perpétuité). *-11-8, 8-9, 27-10 et 1-12* élections partielles (23 gouverneurs, responsables locaux et moitié de la Chambre), vict. péroniste. *-30-10* Pt Menem annonce la fin de l'étatisme. **1992**-*1-1* le peso remplace l'austral. *-2-1* loi visant à indemniser les victimes de la dictature. *Févr.* Pt Menem se déclare prêt à accueillir env. 10 000 réfugiés de l'Est si la CEE aide l'A. *-17-2* Pt Menem en France. *-17-3* attentat amb. d'Israël, 28 †, 235 bl. *-13-7* Amina Yoma, belle-sœur du Pt Ménem, inculpée (blanchiment argent de la drogue). *-22-7* dette en partie rééchelonnée. *-26-10* Carlos Grosso, maire de Buenos Aires, démissionne (accusé de corruption). *-9-11* grève générale. *-6-12* accord sur la dette. **1993**-*10-3* Buenos Aires, manif. contre privatisation du régime des retraites. *-11-3* accord avec gouvernement, les organisations juives pourront faire des recherches sur les nazis. *Juin* pétrole privatisé.

Statut. Rép. fédérale. **Pt et vice-Pt :** élus pour 6 ans au suffr. univ. Doivent être catholiques. **Sénat :** 46 m. élus au suffr. univ. pour 3, 6 ou 9 a selon tirage au sort. **Ch. des dép. :** 254 m. élus suffr. univ. pour 2 ou 4 a. selon tirage au sort (à 18 a. vote oblig.). **Divisions :** *cap. féd.* (district) (Buenos Aires) ; *23 provinces* qui ont leurs propres constitutions, législatures, tribunaux, et élisent leur gouverneur. **Fêtes nat.** 25-5 (anniversaire de la Révolution de 1810). 20-6 j. du drapeau. 9-7 indépendance. 17-8 anniversaire de la mort de San Martín.

Partis. P. justicialiste, f. 1945 par Perón, 3 000 000 m., *Pt* Carlos Menem (composé de 3 mouvements : **Front rénovateur, justice, démocratie et participation,** f. 1985, Carlos Menem ; **Mouvement nat. du 17 oct.,** Herminio Iglesias, **Officialistes,** José Maria Vernet). **Union civique radicale,** f. 1890, 1 410 000 m., *Pt* Mario Losada. **Union du centre démocratique,** f. 1980, *Pt* Jorge Aguado. **P. intransigeant,** f. 1957, 90 000 m., *Pt* Oscar Alende. **Mouvement pour la dignité et l'indépendance,** f. 1991, *Pt* Aldo Rico.

Élections à l'assemblée *des 11-8, 8-9 et 27-10-1991.* Parti des justicialistes 119 s., UCR 85 s., Union du centre démocratique 10 s., divers 40 s., (parti intransigeant 2).

Présidents de la République depuis 1898

1898 Gal Julio Argentino Roca (1843-1914). **1904** Manuel Quintana (1834-1906). **06** José Figueroa Alcorta (1860-1931). **10** Roque Saénz Peña (1851-1914). **14** Victorino de la Plaza (1840-1919). **16** Hipólito Irigoyen (1850-1933). **22** Marcelo T. de Alvear (1868-1942). **28** Hipólito Irigoyen (2e mandat). **30**-*6-9* Gal José Félix Uriburu (1868-1932). **32**-*8-11* GalAgustin P. Justo (1876-1943). **38** Roberto M. Ortiz (1886-1942). **42** Ramón S. Castillo (1873-1944). **43**-*4-6* Gal Arturo Rawson (1885-1952). -*7-6* Gal Pedro Ramirez (1884-1962). **44**-*11-4* Gal Edelmiro J. Farreli (1887-1979). **46**-*24-2* Gal Juan Domingo Perón (8-10-1895/1-7-1974) (ép. 1o Aurelia Tizón, 2o Eva Duarte, 3o Maria Estela Martínez : Voir ci-dessous). **55**-*16-6* Gal Eduardo Lonardi (1896-1956). -*13-11* Gal Pedro Aramburu (1903-70). **58**-*23-2* Arturo Frondizi (1908). **62**-*29-3* José Maria Guido (1910). **63**-*12-10* Arturo Umberto Illia (1900-83). **66**-*29-6* Gal Juan Carlos Ongania (1914). **70**-*18-6* Gal Roberto Levingston (1920). **71**-*26-3* Gal Alejandro Lanusse (1918). **73**-*27-5* Hectór Campora (1909-80). **73**-*12-10* Gal Juan Domingo Perón. **74**-*1-7* Mme Maria Estela (dite Isabel) Martínez de Perón (4-2-31). **76**-*29-3* Gal Jorge Rafael Videla (2-8-1925). **81**-*29-3* Gal Roberto Viola (1924). -*11-12* Gal Leopoldo Fortunato Galtieri (1927), nommé par la junte. **82**-*1-7* Gal Reynaldo Bignone (1920). **83**-*10-12* Raúl Alfonsín (1926). **89**-*8-7* Carlos Saúl Menem [n. 2-7-30 de parents syriens (père marchand ambulant à Damas) convertis au cathol. *1965* épouse Zulema Fatima Yoma (n. 1937), syrienne et musulmane. Avocat, porte des favoris par admiration pour Facundo Quiroga (ancien caudillo de la Rioja) dont il est élu gouv. en 1973. *1976/1980-10-2* emprisonné au pénitencier de Magdalena. *1983, 87* réélu gouv. péroniste, mais nommé aux primaires contre l'appareil du P. justic.], élu 14-5-89 avec 49,2 % des voix et la majorité des grands électeurs devant Eduardo Angeloz (radical, 36,9 %). *Juin 1990,* séparé officiellement de sa femme (publie un décret l'expulsant de leur résidence), qui menace de passer à l'opposition (se dit l'amie du syndicaliste Saul Ubaldini et rencontre en prison le colonel rebelle Seineldin). C. Menem serait lié avec Maria Julia Alsogaray (n. 1943), fille du leader de l'Union du centre dém.

Économie

Avant l'indépendance. L'A. intéressait peu les Espagnols. Elle n'avait pas de métaux précieux. Le N.-O. andin fournissait des mulets au Pérou. Les communications avec l'Europe se faisaient à travers les Andes, par Lima sur le Pacifique. **Après l'indépendance (1816).** L'A. vécut longtemps d'une économie fondée sur le *quebracho*, le maté dans les Misiones, la chasse au bétail introduit d'Europe mais redevenu sauvage dans la Pampa. Les gauchos abattaient les bêtes pour le cuir ou pour attacher leur cheval (il n'y avait pas d'arbres). *L'asado,* grillade de bœuf, est resté un plat national. **De 1880 à 1920.** L'A. se dév. avec l'arrivée de 4 500 000 immigrants, des investissements britanniques (réseau ferré) et amér. **Avant 1930.** L'A. est la 8e puiss. écon. mond. Le peso, stable, fait partie des 5 grandes monnaies mondiales. **En 1939-45.** Gros bénéfices pendant la g. permettant de racheter les placements européens. **De 1946 à 1955.** Perón veut gouverner contre les grands propriétaires, au profit des masses urbaines sur lesquelles il s'appuie. Les salaires montent, l'immigration reprend. Les expl. agricoles, mal rémunérés, restreignent leur production. L'A. perd des clients. **Avec les dictatures mil.** et la crise du pétrole, forte émigration (3 à 4 millions d'A.). **En 1990.** 9 millions d'A. vivaient au-dessous du seuil de pauvreté.

■ **PNB** (90). 2 370 $ par h. **Evolution** *1989 :* – 5 %, *92 :* + 6,5. **Pop. active** *(% et,* entre parenthèses, *part du PNB en %)* agr. 11 (13), ind. 23 (28), mines 6 (7), services 60 (52). *Chômage* (%) : *1989 :* 18,5, *92 :* 5. En 1987-89 : la monnaie s'est effondrée. Le niveau de vie a baissé. En 1991, amélioration (PNB + 5 % ; 1er excédent budgétaire : 0,2 Md de $). **Salaire min.** (92) : 200 $ US (1 kg de pain = 1 $ US).

Inflation (%). *1975 :* 343 ; *76 :* 347 ; *77 :* 160 ; *78 :* 175 ; *79 :* 159 ; *80 :* 88 ; *81 :* 131 ; *82 :* 230 ; *83 :* 433,7 ; *84 :* 688 [en *1954* 1 $ = 14 pesos ; *84 :* = 400 millions d'anciens pesos (40 000 pesos nouveaux)] ; *85 :* 627 ; *86 :* 90,1 ; *87 :* 131,3 ; *88 :* 343 ; *89 :* 923 ; *90 :* 1 344 ; *91 :* 84 ; *92 :* 20. Le prix de la viande de bœuf entre pour 50 % dans le calcul de l'indice du coût de la vie. **Dette ext.** (en milliards de $) : *1985 :* 48,4, *86 :* 57, *87 :* 54, *88 :* 67 (8 % du PNB), *89 :* 65, *90 :* 64, *92 sept. :* 61 (dont commerciale 31 dont 8 d'arriérés rééchelonnés sur 30 a.). **Service de la dette** (% du PIB) *1989 :* 10 à 12 ; *92 :* 2. **Transferts à l'étranger :** *1974-85 :* env. 25 milliards de $; *1983-88 :* 40 ; *91 :* 50. **Déficit du secteur public** (en % du PIB) : *1983 :* 15,6 ; *84 :* 12 ; *85 :* 4,8 ; *89 (est.) :* 6 (600 millions de $ par mois).

Réserves en or et devises (1991) : 5,6 milliards de $. **Monnaie :** le 1-1-1992, le peso a remplacé l'austral [créé 14-6-1985 pour remplacer le peso d'alors (1A = 1 000 P)], qui avait perdu 99 % de sa valeur [1 $ = 1,25 A. (1985), 1991 (avril) : 10 000]. **Taux d'intérêt interbancaire :** 1 400 à 4 000 % par an (600 % en déc. 89). **Bourse :** hausse de 937 % en 1992. **Placements :** compte rénuméré à 7 j (1 pour les grosses sommes, dit « overnight »). Durée max. du dépôt : 2 sem. (inflation en hausse), 1 mois (infl. en baisse). **Fiscalité :** 23,5 % du PIB.

■ **Agriculture.** *Terres* (en milliers d'ha, 89) : 276 689 (80) dont arables 26 000, cultivées en permanence 9 750, pâturages 142 300, forêts 60 050 (80), eaux 3 020 (80), divers 35 219 (80). **Régions agricoles.** *Pampa :* champs, élevage. Vaches « créoles » croisées avec Shorthorn, Hereford, Aberdeen Angus, exp. surtout en G.-B. ; Chaco l'aride, Santa Gertrudis : croisements de créole, de Shorthorn et de zébu de l'Inde. Élevage laitier : pie noire hollandaise. *Est :* maïs, luzerne. *Ouest :* blé, sorgho-grain pour bétail, lin (pour sa graine) en recul, tournesol et arachide. *Estancias :* plusieurs dizaines de milliers d'ha (30 millions d'ha abandonnés). Agriculture très extensive. Rendement à l'ha faible mais productivité forte par personne employée. *Extrême-Nord-Est :* cultures tropicales (maté, coton, thé, tabac). *Pied des Andes :* au N., canne à sucre (gagne, grâce à l'irrigation, vers l'O. du Chaco) ; au centre, ressources en eau de la montagne : agriculture « méditerranéenne » (vignoble de Mendoza et de San Juan, planté de cépages français) ; rendements très élevés ; oliviers, figuiers, pêchers (extension menacée par l'épuisement des réserves en eau) ; au S., pommiers et poiriers. **Superficie moy. des exploitations agr. :** 270 ha (1970). **Production** (millions de t, 91) canne à s. 15, blé 9 (1885 : 1,2, 1905 : 4,5), maïs 7,8 (1906 : 5), soja 10,6 (90), haricots 1,6 (90), vin 2 (89), p. de terre 2,5, graines de tournesol 3,8 (90), orange 0,7 (90), lin 0,4 (90), coton 0,2 (90), riz 0,4 (90), thé 0,04, tabac 0,06.

■ **Élevage** (millions de têtes, 90). Bovins 51 (91) *(81 :* 58,7), moutons 26,9 (91), chèvres 3,2, porcs 4,4, poulets 52 (89), chevaux 3, dindes 4 (89), canards 3 (89). **Régions.** *Extrême-Ouest* et *Est* (pays naisseurs). *Centre :* embouche dans la Pampa. *Sud :* moutons à viande ; *près de Buenos Aires :* élevage laitier. *Patagonie :* moutons à laine transhumant l'été dans la montagne andine. Sous ce climat : toisons épaisses (6 kg de laine par animal). 1991 : centaines de milliers de moutons meurent à cause des cendres dues à l'éruption du volcan Hudson. L'érosion dégrade le sol, les lapins font des ravages. 160 000 hommes travaillent à cheval. *Production* (milliers de t, 90) : viande de bœuf et veau 2 650, mouton et agneau 92, porc 215, volaille 369. Lait 6 500. Laine 161. Peaux 372. **Balance agricole** (milliards de $) : *1987 :* + 3,5, *90 :* + 6,77. **Pêche.** 486 631 t (89).

■ **Énergie. Charbon** 505 000 t (88). **Pétrole** (millions de t) *1980 :* 28,4 ; *85 :* 23,5 ; *86 :* 22,5 ; *87 :* 23,2 ; *88 :* 24,3 ; *89 :* 23, *90 :* 24, *91 :* 24,7. Réserves (est. 91) 214. *Gisements les + importants :* Patagonie (1er découvert 1907 à Comodoro Rivadavia). En bordure de mer, ils permettront le transport maritime, mais hauts-fonds, tempêtes et envasement du Paraná n'autorisent que des pétroliers de petit tonnage. **Gaz naturel** (milliards de m3) *production 1988 :* 19 ; *89 :* 20,4 ; *90 :* 21 ; *91 :* 19,1 ; *réserves* (91) 773 milliards de m3. **Uranium** (88) *prod.* 150 t ; *réserves* 300 000 t. **Électricité** 46,3 milliards de kWh (89) dont *hydroélectricité* 15 (88) [barrage binational (A./Uruguay : « Salto Grande » sur Uruguay). Barrages en construction : A./Paraguay : Yacyreta sur Paraná (fin 94), Piedra del Aguila sur le rio Limay (fin 93)]. *Centrales nucléaires :* Atucha 1 (1974) 335 MW, Embalse (1983) 600 MW ; 4 prévues (1982-97) dont 2 en construction arrêtées par manque de financement. 1 usine d'enrichissement d'uranium ; 6 centres de recherche et 2 usines de retraitement. *État d'urgence énerg. 6-1-1989 :* émissions TV réduites à 4 h, coupures de courant de 6 h par j., dimin. de 50 % de l'éclairage public (le réseau ne produit que 3 100 MW/h., soit 25 % de sa capacité : sécheresse, mauvais entretien des centr. thermiques). **Mines diverses.** *Fer, étain, acier* (3,6 millions de t, 88), *plomb.* **Industrie.** *Alim.* (sucreries, minoteries, huileries, viandes). *Fer :* Patagonie (2,2 millions de t d'acier à Bahia Blanca, Córdoba, Campana, San Nicolás et Ensenada). *Chim. et mécan. Ciment, autom., mach. agricoles. Textiles :* laine, coton.

■ **Privatisations prévues 1990-92.** Pour env. 40 milliards de $: *téléphone* (il fallait parfois 20 ans pour avoir une ligne personnelle), *radio, TV* (en partie), *chemins de fer, électricité, eau et gaz.*

■ **Transports.** *Chemin de fer :* 34 400 km (en service). Rails et matériel à renouveler. 5 % des voies peuvent supporter des vitesses supérieures à 100 km/h. *Routes :* env. 220 000 km, 80 % du trafic des marchandises. *Flotte marchande :* insuffisante.

☞ *Cie aérienne Aerolineas Argentinas* (créée 1950 : 29 avions, 10 800 pers.) vendue en nov. 90 à un groupe espagnol : 130 millions de $, + 1,6 milliard de $ au titre de la dette ext. et 130 millions de $ sur 5 ans.

■ **Tourisme. Zones :** *Mésopotamie,* chutes de l'Iguazù (275 chutes, 80 m de haut), *Nord* (Jujuy et Salta montagneux), *Cuyo* (au pied des Andes), *Córdoba* (montagnes), *plages* (dont Mar del Plata), *Patagonie* (plus de 1 000 lacs dont Nahuel, Huapi, Buenos Aires, Argentino, Viedma), *Terre de Feu,* réserve de Valdes. **Visiteurs** (89) : 2 005 055.

■ **Commerce** (millions de $, 89). **Exp.** 11 830 (92) *dont* prod. alim. préparés 1 928, prod. végétaux 1 572, prod. man. de base 1 238, animaux vivants et prod. animaux 917, graisse animale et végétale 875 *vers* USA 1 151, Brésil 1 124, P.-Bas 985, URSS 828, All. féd. 413. **Imp.** 14 657 (92) *dont* prod. chim. 1 083, mach. et app. électriques 1 080, prod. minéraux 557, prod. man. de base 398, éq. de transp. 242 *de* USA 880, Brésil 721, All. féd. 393, It. 243, Bolivie 232.

■ **Balance** (milliards de $). **Des paiements :** *1988 :* – 1,2 ; *89 :* – 1,2 ; *90 :* + 1,79 ; *91 :* – 2,5 ; *92 :* – 7,3. **Commerciale :** *1985 :* + 4,6, *86 :* + 2,12, *87 :* + 0,54, *88 :* + 3,8, *90 :* + 8,2, *91 :* + 4, *92 :* – 2,82.

Rang dans le monde (91). 5e vin. 6e bovins. 10e thé. 11e ovins. 12e blé. 14e canne à sucre, maïs. 17e céréales, gaz nat. 24e pétrole.

■ Arménie (Rép. d')

Carte p. 1170. V. légende. p. 884

Situation. 29 800 km2. **Europe.** Enclavée (Géorgie, Azerbaïdjan, Turquie et Iran). **Géographie.** 90 % du territoire à + de 1 000 m. *Alt. max. :* mont Aragatz 4 095 m. **Forêts** et broussailles 12 %. **Lac** le + grand : Sevan 1 300 km2 (alt. 1 950 m). **Climat.** Continental. Hivers froids (jusqu'à – 40o C). *Erevan* moy. janv. – 3o C, août 25o C. **Population** (91). 3 354 000 h. [en % Arméniens 93,7, Kurdes 1,8, Russes 1,5, Azéris 1,4, autres 1,5]. D 112,6. *Capitale : Erevan* fondée 783 av. J.-C. 1 133 000 h. (1991). **Arméniens dans le monde** (en milliers). *Afrique :* 15. *Amérique :* USA 800, Canada 200, Argentine 100, Brésil 30, Uruguay 20, Venezuela 5, divers 30. *Asie centrale :* Syrie 110, Liban 80, Iran 80, Turquie 50 (dont Istanbul 45), Arabie S. 15, Irak 12, Égypte 6, Israël 3, Jordanie 2. *Extrême-Orient :* 15. *Ex-URSS :* Géorgie 550, Azerbaïdjan 500, Russie 300, Ukraine 35. *Europe : France 300,* Grèce 15, Bulgarie 15, G.-B. 12, Roumanie 6, All. féd. 5, Italie 5. *Océanie :* 20. *Divers :* 15. **Langues.** Arménien (alphabet national), russe, kurde. **Religions.** Chrétiens en majorité. Église dirigée par un *catholicos* (patriarche chef des communautés arm. du monde). 4 diocèses. Orthodoxes (Russes). Protestants. Musulmans.

Histoire (Voir Arménie turque p. 1174). **1828** tr. de Turkamantchâi avec Perse, laissant à la Russie l'A. perse, avec Erevan et Echmiadzin (27 000 km2), incorporée à la prov. de Transcaucasie. Les A. de Turquie (pour 1/3 env.) constituent un parti prorusse, voyant dans le protectorat russe (et dans l'annexion à la Transcaucasie) le meilleur moyen de protéger la chrétienté a. contre les Musulmans (au XIXe s., 150 000 A. se réfugient en Russie, dont 40 000 en Géorgie). **1853-55** et **1877-78** g. russo-turques : l'A. russe atteint 455 000 km2 (Kars annexé 1878). **1914**-*4-11* offensive r. en A. turque (120 000 A. servent dans l'armée r.). Conquête du lac de Van. **1915-16** conquête de l'A. turque (Van, Tiflis, Erzeroum). **1917**-*20-9* l'A., y compris les territoires récemment conquis, se proclame *partie de la Rép. fédérale de Transcaucasie,* fondée à Tiflis. **1918**-*3-3* tr. de Brest-Litovsk : les All. exigent la restitution aux Turcs des terr. conquis en 1914-16, et des provinces annexées en 1877-78 (Kars) ; -*13-4* la rép. de Transcaucasie déclare la g. à la T., pour empêcher l'occupation de l'A. ; -*26-5* elle se disloque : une *rép. d'Erevan* (arménienne) continue seule la g. contre les T. ; -*4-6* tr. de Batoum : la rép. d'Erevan accepte les frontières d'avant 1877 (Kars cédé à Turquie). -*28-7* les Anglais débarquent à Bakou, mais doivent rembarquer, les A. ayant refusé leur collaboration. -*30-10* défaite des T. (armistice de Moudros) ; les Alliés rétablissent la frontière de 1878 (Kars à l'A.) et occupent les ports de Géorgie. **1919** *nov.* les Sov. s'allient aux T. kémalistes contre les 3 rép. de Transcaucasie. **1920** *avr.* les Sov. réoccupent l'Azerbaïdjan, isolant la rép. d'Erevan ; *sept.-nov.* les kémalistes conquièrent la rép. d'Erevan et installent un gouv. à Erevan ; les non-communistes se replient au Karabakh (enclave a. en Azerbaïdjan) ; -*29-11* soulèvement pop. contre Turcs, proclamation de la rép. soc. sov. d'A. -*2-12* le chef du gouv. com., Khatizian, signe à Tarnopol un tr. de paix avec les kémalistes : l'A. libre reconnaît les frontières de 1878-1914 (rend Kars ; réduite à 34 000 km2). **1921**-*6-3 tr. de Moscou* entre Sov. et kémalistes : la frontière est reconnue ; *-13-10* tr. arméno-t. de Kars : confirmation de la frontière de Tarnopol. **1922**-*1-3* l'A. fait partie de la RSFST. *-30-12* la Transcaucasie devient une rép. de l'URSS. **1923**-*24-7 tr. de Lausanne :* la frontière a.-t. reconnue par SDN. **1936**-*5-12 dissolution de la Transcaucasie :* l'A. (réduite à 29 800 km²) devient une Rép. sov. fédérée (Karabakh devient un *oblast* autonome azerbaïdjanais). **1946-48** retour d'env. 100 000 A. rescapés de Turquie. **1987**-*17/19-10* manif. à Erevan. **1988**-*11/26-2* manif. pour le rattachement à l'A. du H^t-Karabakh. *-7-12* séisme : Spitak détruite à 100 %, Leninakan à 80 %, env. 100 000 †, 500 000 sans-abri. **1989** *-15-4* siège du KGB attaqué à Erevan (1 †). *Mai* légalisation du Mouvement national (*Hay Hamaskaine Charjoum*), vainqueur aux 1res élections législatives libres (1990). *-1-12* Parlement vote rattachement du Ht-Karabakh à l'A. **1990**-*27-5* affrontements A./militaires (20 †). *Juill.* décret de Gorbatchev désarmant les milices. *-4-8* Levon Ter-Petrossian (n. 1945) élu pt du Parlement. *-23-8* proclame indép. **1991**-*fin avril* offensive sov. contre Arm., dizaines de †, 4 000 réfugiés. *-4-5* Moscou, rencontre Gorbatchev-Ter-Petrossian pour désarmer milices. *-9/10-5* 3 villages attaqués, 48 †. *-21-9* indépendance ratifiée par référendum (oui 93,31 %). *16-10* Ter-Petrossian pt. de la Rép. (83 % des voix). **1992** intervention au Haut-Karabakh (voir p. 925 c). *-2-3* entrée ONU. *-28-5* au FMI. *-1-7* H. Maroukhian Pt du P. Dachnak (hostile au modéré Ter-Petrossian) expulsé. *-14-8* milliers de manif. pour démission de Ter-Petrossian après défaites au Karabakh. **1993** *mars bilan du conflit :* 3 000 † en 4 ans 1/2, 92 500 réfugiés en A. Centrales thermiques arrêtées. Énergie réduite de 90 %.

Statut. République. Membre de la CEI. **Pt** Levon Ter-Petrossian. **PM :** Gagik Aroutiounian. **Parlement :** 260 députés. **Partis.** Mouvement Arm. Pan National 110, Républicains 69, PC arm. 25, Féd. Arm. Révolutionnaire 10, indépendants et autres partis 31. **Dachnak :** P. qui dirigea la rép. arm. de 1918 à 1920. Auj. p. de l'émigration, nationaliste et anti-turc. Réclame l'indépendance du Ht-Karabakh.

Économie. **PNB** (91) 1 091 $ par h. ; total 3,6 milliards de $. **Pop. active** (en %) agr. 17, ind. et mines 31, services 52. *Chômage* (91) 20 %. **Agriculture.** Terres cult. 48 %. *Production* (milliers de t, 91) Grain 310, p. de terre 316, légumes divers 457, raisin 200, baies 120, Tabac. **Élevage** (milliers de têtes, 91). Bovins 429, porcs 170, moutons 686, volailles 6 731. **Industrie.** Caoutchouc, pneus, ciment, tapis, cuir, vin. Économie désorganisée par le tremblement de terre de 1988 et le blocus des Azeris, l'A dépendant largement de l'extérieur. **Commerce** (millions de $, 90). **Exp.** 176. **Imp.** 1 467.

ARUBA

V. légende p. 884.

Situation. Amérique. 193 km². Longueur 30 km, largeur 10 km. **Population.** 62 500 h. (dont 2 300 Anglais, 840 Vénézuéliens). *Capitale : Oranjestad* 20 000 h. **Ressources.** De 1925 à mars 84 : pétrole. **Tourisme** (90) : 432 762 v. *Site :* pont naturel d'Andicouri.

Statut. Acquis par P.-Bas. *1983* (12-3) (accord de La Haye) : autonomie décidée. *1986* (1-1) effective. *1996* indépendance prévue. *PM :* Nelson O. Oduber. *Gouverneur, représentant la reine des P.-Bas :* F.B. Tromp. *Chambre :* 21 m., élus 6-1-89.

AUSTRALIE

V. légende p. 884.

Situation. A 20 048 km de la G.-B. par Le Cap. **Sup.** 7 682 300 km² (dont Tasmanie 67 800 km²) (14 fois la France). **Côtes :** 36 735 km (dont Tasmanie 3 200). **Longueur :** (E.-O.) 4 000 km, (N.-S.) 3 180 km (3 680 avec Tasmanie). **Relief :** pour les 3/4, un plateau, alt. moy. 300 m (moy. mondiale 700 m) (végétation : eucalyptus, acacias). Centre : dépression (du lac Eyre au golfe du Carpentarie) avec le grand bassin artésien (6 grandes nappes d'eau souterraines sous 60 % du continent) ; à l'O. plateau couvert de latérite, grès, sable (Grand Désert de sable, désert Victoria) ; au S.-O. petite plaine. A l'E. du plateau, chaîne de hauts plateaux (dir. N.-S.) : Cordillère austr., parallèle à la côte or., alt. moy. 1 000 m. Au S.-E. (région de Melbourne) Alpes australes (sommets de 1 800 m, Mt Kosciusko 2 228 m). **Grande Barrière ou Reef** (parallèle à l'est du Queensland) : longueur 1 900 km, largeur 19 km (au N.) à 240 km (au S.). **Fleuves :** Murray 2 550 km (affluents Darling, Murrumbidgee, Lachlan) draine la dépression. Fleuves côtiers : courts, débit peu important sauf dans le N. tropical. **Climat :** tempéré 2/3, tropical 1/3 ; *été* (déc.-févr.), *automne* (mars-mai), *hiver* (juin-août), *printemps* (sept.-nov.). Dans le N. climat tropical : été (saison humide), pluies en janv., févr. et mars ; hiver (s. sèche). *Pluviosité* – de 250 mm sur 40 % du territoire, – de 500 mm sur 70 % (évaporation intense) ; Sydney 1 219 mm/an, Melbourne 655, Darwin 1 669, Brisbane 1 217. *Temp. moy.* juill. : 25 °C au N., 8 °C au S. ; janv. : 29 °C au N., 17 °C au S.

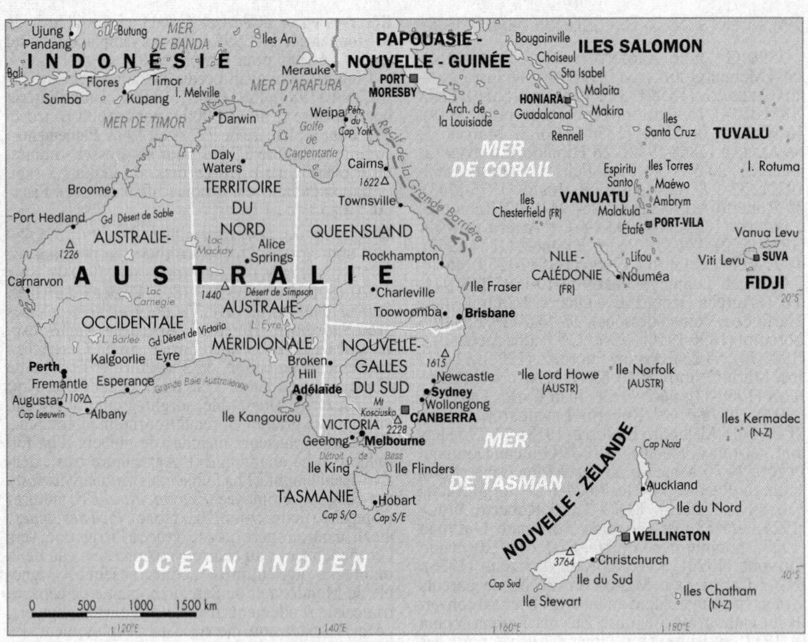

Distances de Canberra (en km). Adélaïde 970, Brisbane 950, Darwin 3 260, Hobart 880, Melbourne 470, Perth 3 180, Sydney 240.

Faune. MARSUPIAUX : *Kangourous :* 40 millions de 48 espèces (6 éteintes, 13 raréfiées). Développement dû à l'absence de carnassiers. Ordre des macropodes [grands kangourous, osphranters (wallaroos), wallabies, rats-kangourous, dendrolagues]. Arboricoles (sauf le dendrolague), la plupart terrestres et herbivores. 1 000 000 exportés vers Italie (chaussure), G.-B. et Japon 100 000, France 10 000 ; *Koala :* sorte d'ours marsupial. OISEAUX : 800 espèces (60 de perroquets), émeu et casoar (o. aptères ne se trouvent qu'en A.). Cygne noir, oiseau-lyre, merle bâtisseur de bosquets ou *bowerbird,* dindon sauvage, poule de Mallee.

Population (en millions). *1810 :* 0,01 (dont 48 % de forçats) ; *1821 :* 0,038 ; *1850 :* 0,4 ; *1900 :* 3,7 ; *1920 :* 5,4 ; *1939 :* 6,9 ; *1961 :* 10,55 ; *1976 :* 14 ; *1992* (30-6) 17,41 ; *2000* (prév.) : 18,67. **Accroissement** (en %) : 0,8. **Age :** *– de 15 a. :* 11,2 %, *+ de 65 a. :* 10,7 %. **Espérance de vie :** 77 a. **Origine** (en %, 1986) : G.-B. et Irl. 74, Australie 25, Aborig. 1. **Aborigènes** (australoïdes) [*ab origines :* présents depuis l'origine] *v. 1788 :* 300 000 (en 500 clans parlant + de 300 langues), *1971 :* 106 290, *81 :* 144 665, *86 :* 227 645, *2000* (prév.) : 300 000 [ont le droit de vote dep. 1967 et dep. 1984 sont tenus de se faire inscrire sur les listes électorales ; disposent de titres de propriété inaliénables sur + de 600 000 km² (1/10 du pays), alors qu'ils ne représentent que 1 % de la population ; et touchent des royalties sur les opérations minières effectuées sur leurs terres (1985/86, le Territoire-du-Nord a touché 21,7 millions de $) et bénéficient de *fonds alloués* pour eux 509,2 millions de $ (86/87) ; 30 % sont urbanisés]. **Chinois :** 36 638 ; **îles du détroit de Torres :** 21 541. **Divers :** 1 408 747. D 2,2. **Urbanisation :** 71 % dans grandes villes.

Étrangers. *1966 :* 511 075 étrangers (dont 153 413 Ital., 106 677 Grecs, 77 955 Holl., 42 821 All., 38 253 Youg.). **Naturalisés :** *du 1-1-1945 au 1-1-1970 :* 647 951 (150 395 Ital., 74 704 Holl., 69 314 Pol., 68 074 Grecs, 50 003 All., 49 830 Youg., 31 490 Hongrois, 20 291 Ukrainiens, 2 656 Fr.). *En 1983 :* 88 825, *1989 :* 119 140, *1991* (30-6) : 122 498.

Nota. – Depuis déc. 1992, serment d'allégeance à la couronne brit. n'est plus nécessaire pour obtenir la citoyenneté austr.

Immigration totale nette (en milliers). 3 400 dep. 1945. *1954-61 :* 585, *61-66 :* 395, *66-71 :* 591, *71-76 :* 281, *76-81 :* 379, *82 :* 103, *83 :* 53, *84 :* 57, *85-86 :* 93, *86-87 :* 114, *87-88 :* 143, *88-89 :* 145, *89-90 :* 121, *90-91 :* 122. **Réfugiés** (en milliers) : *1945-89 :* + de 485, *89-90 :* 11,9 (dont 6,8 Asiat.), *91-92 :* 111, *92-93 (prév.) :* 80. Env. 1 h sur 5 n'est pas né sur place (+ de 1 million de demandes d'immigration par an).

Nota. – En 2030, 25 % des Australiens auraient du sang asiatique (venant des 800 000 Austr. de cette origine).

Religions (1986, en %). Catholiques 26 (4 194 970 m.), anglicans 23,9 (3 856 145 m.), Église unie 7,6 (1 226 222 m.), presbytériens 3,6 (580 842 m.), orthodoxes 2,7 (435 631 m.), baptistes 1,3 (209 748 m.), luthériens 1,3, Église du Christ 0,6.

Langues. Anglais. 15 % des A. de 15 ans et +, parlaient en 1983 une autre langue maternelle : italien (440 776), grec (227 167), allemand (165 633), hollandais (110 540), polonais (86 016), chinois (85 000), arabe (77 565), croate, maltais, espagnol, serbe, vietnamien.

Histoire. *Vers* **70 000-36 000 av. J.-C.** établissement des Australoïdes (aborigènes) venant d'Asie (l'A. était alors sans doute reliée à la N.-Guinée). **IIe s. av. J.-C.** le mathématicien grec Ptolémée place un continent sur sa carte à l'endroit de l'A. **XVIe s.** l'existence d'une *Terra Australis* est soupçonnée en Europe. **1606** l'Esp. Luis de Torres franchit le détroit qui porte son nom, puis viennent les Holl. : Willem Jansz (1606), Hendrik Brouwer (1611) (l'A. sera appelée *Nouv.-Hollande* jusque v. 1850), Dirk Hartog (1616) et Abel Tasman (1642) qui reconnaissent les côtes. **1688** l'Anglais William Dampier (1651-1715) débarque en A. occ. avec des boucaniers (pirates). **1770** James Cook (débarque le 20-4 à Botany Bay) prend possession de l'A. orientale, après avoir découvert les limites du continent (baptisé N.-Galles du S.). **1772**-*30-3* le Français Saint-Allouarn débarque dans la baie de la Tortue sur l'île Dike Hartog et prend possession pour le roi, pas de colonisation. Nicolas Marion du Fresne (Fr.) en Tasmanie. **1788**-*18-1* le commandant Arthur Phillip (parti le 13-5-1787 d'Angl. avec 11 navires et 1 530 personnes dont 736 forçats) débarque à Botany Bay, rencontre La Pérouse et prend possession de l'Est. 1re colonie pénitentiaire à Port Jackson (Sydney) 117 forçats. **1801-02** Baudin envoyé par Bonaparte explore l'A. **1826** arrivée de colons brit. **1838** massacre de Myall Creek. **1848** 1re tentative de traversée du continent (est-ouest) : mort de l'explorateur allemand Ludwig Leichhardt (n. 1813). **1851** découverte de mines d'or en N.-Galles du S. 1852 en Victoria. Arrivée massive d'immigrants. **1860** échec de la 1re traversée sud-nord : 3 explorateurs †, 1 survivant. **1867** suppression de la transportation des forçats (déjà arrêtée en 1840 en N.-Galles du S. et en 1853 en Tasmanie) (160 000 auraient été envoyés en A.). **1901**-*1-1* féd. du Commonwealth d'A. Déclin des mines d'or. **1914-18** l'A. participe à la g. (60 000 †). **1927** Canberra devient capitale. **1939-45** participe à la g. **1942-43** attaque japonaise repoussée. **1972** *déc.* 1re victoire travailliste aux élect. dep. 23 a. **1974-déc. 77** Sir John Kerr, gouverneur († 24-3-91). **1975**-*16-9* Papouasie indépendante *-11-11* dissolution du gouv. Whitlam et du Parlement. *-13-12* élections : victoire conservateurs (P. libéral et P. national agraire), confirmée aux élections du 10-12-77, du 18-10-80 et de juill. 82. **1983** *févr.* Chambre dissoute. *-5-3* victoire travailliste. **1986**-*2-3* abolition des derniers liens juridiques avec G.-B. *-27-3 :* 6 bombes : 22 bl. à Melbourne. *-27-5* Londres, Greenpeace appelle la CEE à boycotter les importations de viande et peaux de kangourous, les quotas d'abattage autorisés étant dépassés

(1,8 million de kangourous tués en 1985, 2,6 en 1986). **1987**-*22-1* bombe au consulat de Turquie, 1 †. **1988** bicentenaire. **1989** -*16-6* PM Hawke à Paris. -*18-8* PM Rocard en A. (48 h). **1990** -*24-3* législatives anticipées. **1992** Alan Bond en faillite, condamné 2 ans 1/2 prison. *Févr.* PM Keating lance plan One Nation de reconstruction écon. **1993** -*13-3* législatives : travaillistes 51 % des voix.

Statut. État fédéral. 6 États et 2 territoires métropolitains. Membre du Commonwealth. *Chef de l'État* reine Élisabeth II. *Gouv. gén.* dep. févr. 89 William George Hayden (n. 23-1-33), représentant la reine, chef de l'État et de l'exécutif. **Parlement fédéral.** *Sénat :* 76 m. élus au suffr. univ. pour 6 a., renouvelable par moitié tous les 3 a. (12 par État, 2 par terr.). *Chambre des représentants :* 147 m. élus au suffr. univ. pour 3 a. (représentation de ch. État en fonction de sa pop. ; min. 5 députés). **Él.** (13-3-93) : P. travailliste 78 s. (51 % des voix), P. libéral 55 s. (35,3 %), P. national 14 s. (8,59 %), Indépendants 2. **Référendums :** 38 organisés de 1901 au 3-9-1988 dont 8 positifs (il faut la majorité absolue à l'échelon national et dans au moins 4 États sur 6). **Fête nat.** 26 janv. (*Australia Day :* arrivée de la 1re flotte anglaise à Sydney 1788). **Drapeau** : adopté 1901. Bleu avec drapeau de la G.-B. dans l'angle gauche, 1 étoile représente les 6 États et 5 étoiles, la Croix du Sud.

Partis. *Austr. Labor Party :* travailliste (socialiste) fondé 1891, leader Paul Keating. *Liberal Party of Austr. :* libéral (conservateur) f. 1944, John Hewson. *Democratic Labor Party :* conserv.-cathol. f. 1956, J. Kane. *National Party of Austr. :* agraire (conserv.) f. 1920, Tim Fischer. *Austr. Communist Party :* f. 1920. *Austr. Party :* libéral, f. 1969. *Socialist Party of Austr. :* f. 1971, P. Symon. *Austr. Democrats :* f. 1977, J. Powell.

Premiers ministres

1945-*13-7* Joseph Chifley (1885-1951). **49**-*19-12* Robert Menzies (1894-1978). **66**-*26-1* Harold Holt (1908-67, noyé). **67**-*19-12* John McEwen (1900-80). **68**-*10-1* John Gorton (n. 9-9-11). **71**-*10-3* William McMahon (1908-88). **72**-*5-12* Gough Whitlam (n. 11-7-16). **75**-*11-11* John Malcolm Fraser (n. 29-5-30). **83**-*10-3* Robert James Lee (dit Bob) Hawke (n. 9-12-29), trav. **91**-*19-12* Paul Keating (n. 18-1-44) trav.

■ États et territoires

☞ Chaque État a un **gouverneur** (nommé par la reine), un **gouvernement** de 12 à 17 ministres, un **parlement** (compétent à l'intérieur des circonscriptions administr. et concurremment au P. fédéral pour impôt, recensements et statistiques) comprenant 2 assemblées : *cons. législatif ou ch. haute* (sauf Queensland dep. 1922 et Terr. du N.), *ass. législative ou ch. basse.*

■ **États** [superficie, population (30-6-91), capitale en italique et villes principales (sept. 90)]. **Australie-Occidentale** 2 525 500 km², 1 636 800 h., *Perth* 1 161 200 h. (avec Freemantle). **Queensland** 1 727 200 km², 2 966 100 h., *Brisbane* 1 273 500 h. **Australie-Méridionale** 984 000 km², 1 447 200 h., *Adélaïde* 1 037 700 h. **N.-Galles du Sud** 801 600 km², 5 902 400 h., *Sydney* (fondée 1842) 3 633 600 h., Newcastle 425 600, Wollongong 236 700. **Victoria** 227 600 km², 4 416 300 h., *Melbourne* 3 043 500 h., Geelong 149 300. **Tasmanie** (île) 67 800 km² détachée de l'A. il y a env. 9 500 ans, à 240 km de l'A. (détroit de Bass), *1830* ratissage de l'île (opération Black Line), 135 Tasmaniens exilés île Flinders, *1876* Triganini, dernière Tasmanienne meurt *1972-90* env. 6 000 Tasmaniens se prétendent héritiers des aborigènes (descendants bâtards d'aventuriers réfugiés îles Furneaux). 466 900 h., *Hobart* 181 200 h. Culture du pavot (dep. 1972) sur 8 000 ha, produisant 80 t de morphine (40 % de la prod. mondiale légale).

■ **Territoires intérieurs. De la cap. australienne** 2 400 km², 289 700 h., *Canberra* 303 200 h. **Du Nord** 1 346 200 km², 166 700 h., *Darwin* 75 900 h.

■ **Territoires extérieurs. Antarctide australienne :** 6 400 000 km², sous la tutelle de l'Austr. dep. 7-2-1933. Dépendant du min. des Sciences. Terres autres que T. Adélie situées s. 60° lat. S. entre 160° et 45° long. E. avec les îles *Heard* (258 km²), *McDonald, Macquarie* (175 km²), 25 h. (dépendant de la Tasmanie), station météo. de Garden Cove.

Île Christmas : à 2 623 km de Perth, 360 km de Java, 417 km des Cocos. 135 km², 1 770 h. (91) dont 1 062 Chinois, 443 Austr. d'origine eur., 265 Malais. D 13. Terr. austr. dep. 1-10-1958 (annexée 1888, adm. par G.-B. 1-1-1958, rattachée à Singapour). Phosphates.

Îles Cocos (Keeling) : 14 km², 603 h. (90) dont 200 Eur. (84). D 43. À 3 685 km à l'O. de Darwin. 27 îlots de corail constituent 2 atolls distincts (le plus grand *West Island* 190 h., long. 10 km, largeur 400 m ; *Home Island* 413 h.). *Histoire : 1609* découvertes par William Keeling. *1826* John Clunies Ross s'établit et fait planter des cocotiers. *1857* possession brit. *1888* concession à perpétuité donnée aux descendants de Ross. *1955* souveraineté austr. *1978* l'Austr. achète les îles 26 milliards de F aux Clunies-Ross.

Île Lord Howe : à 702 km au N.-E. de Sydney, long. 11,5 km, larg. 1,5 km [dorsale long. 3 000 km, larg. 500 km], 300 h. (86), volcanique. Adm. par la N.-Galles du S. *Alt. max.* Mt Gower 866 m. *Découverte* 1788. *Tourisme.*

Île Norfolk : à 1 900 km au N.-E. de Sydney. 34 km². 1 977 h. (86) (beaucoup issus des 193 descendants des mutinés du Bounty transférés de l'île Pitcairn en 1856). D 58. *1788-1813* et *1826-55* siège d'un pénitencier. *1914* rattachée à l'A. *1978* autonomie partielle. *Ville : Kingston.* Semences, fruits, légumes, café, tourisme, timbres-poste.

Îles de la mer de Corail : 5 km². 3 h. *Chef-lieu : Willis Island* (station météo). Admin. de Norfolk.

Îles Ashmore et Cartier : 5 km² ; inhabitées. Mer de Timor ; administrées par le Territoire du Nord.

Îles Heard et McDonald : 412 km². Inhabitées. Près de l'Antarctique. Administr. austr. dep. 1947.

CHRISTMAS (île)

NORFOLK (île)

■ Économie

■ **PNB** total (milliards de $) *1983 :* 150,5. *84 :* 177,5. *85 :* 153,8. *90 :* 298,2. *91 :* 297. Par hab. ($). *83 :* 9 760, *84 :* 11 419. *85 :* 9 800. *90 :* 17 740. *91 :* 17 130. **Croissance** (en %) *1989 :* 4,2, *90 :* 2,2, *91 :* 1,6. *92 :* 1,5. **Pop. active** (en % et entre parenthèses part du PNB en %) agr. 5,8 (4), mines 4 (7), ind. 22,6 (28), services 67,6 (61). *Chômage* (en %) *1983 :* 10 ; *85 :* 8,2 ; *88 :* 6 ; *90 :* 8,3 ; *92 :* 11,3 ; *93* (janv.) 10,9. *Salaire moyen :* 10 000 F/mois (90).

■ **Agriculture.** 125 000 propriétés (arides 40 %, élevage et agr. 60 %, 6 % cultivées). **Superficie cultivée** (1990/91 en millions d'ha) 465 dont céréales 17,5 (88/89). *Cultures* mécanisées, grandes surfaces, faible rendement (1 028 kg/ha). **Céréales** (millions de t) : *1984 :* 28,5, *85 :* 24,8, *86 :* 25,2, *87 :* 20,4, *88 :* 22,1, *89 :* 19,6, *90 :* 22, *91 :* 18,3 (dont blé 10,6). **Autres récoltes** (1990-91) : N.-Galles du S., Victoria : *riz* (rendement 7,89 t/ha, 1 123 000 t 1991-92), *canne à sucre* 25 300 000 t (Queensland). *Vigne* dans le S. (Barossa Valley) : 589 000 t. *Fruits* [pommes (Tasmanie, 350 000 t), poires (157 000 t en 1988), oranges (N.-Galles du S., bassin de Murray et Murrumbidgee 584 000 t), bananes (210 000 t), ananas 135 000 t]. *Légumes* (dont p. de t. 1 075 000 t), *coton* (Queensland 357 000 t).

Forêts (en milliers d'ha 1987). 40 840 (29 940 de forêts d'État) dont (en %, 84) eucalyptus 68,7, eucalyptus tropical 15,2, cyprès 10,2, forêt pluviale 4,4, plantation 1,5 (Tasmanie, Cordillère, rég. côtières), 500 variétés d'eucalyptus.

Élevage (millions de têtes, 90) *moutons et agneaux* 167,7, [dont (89) 7 exp. au Moyen-Orient (3 en Arabie S.)], *volailles* 66, *bovins et veaux* 22,6, *porcs* 2,7, *chevaux* 0,31. *Laine* (25 % de la prod. mondiale, 1 091 000 t en 90/91). *Viande.* **Pêche** 175 000 t (89).

■ **Énergie** (milliards de t, 90). **Charbon** 0,16 (70 % à ciel ouvert). *Réserves* 771 [51 récupérables, soit 310 ans de durée de vie, dont 65 % en sous-sol]. *Exp.* (1987-88) : 0,102 (27,5 %), dont Japon 47,6 % ; *pertes* 1989 : 200 millions de $ a. (malgré la fermeture de 12 mines de fond entre juin 87 et juin 88). **Lignite** 0,048 [réserves 123,6 (41,7 récupérables)]. **Pétrole** (millions de t) : *prod. : 1984 :* 30,9, *85 :* 27, *86 :* 24, *87 :* 25, *88 :* 24,5, *89 :* 23, *90 :* 27,6, *91 :* 25,3 (autosuffisance à 80 %) ; *réserves* 215 (90). Nouveau gisement de griffin (100 millions de barils prévus en 1993). **Gaz naturel** (milliards de m³, 91) *réserves* 437, *prod.* 18,8. Mise en service d'un gisement dans le North West Shelf (prod. augmentée de 50 % dès 1995). **Électricité** (1990-91) 155,7 milliards de kWh dont 17,8 d'origine hydraulique.

■ **Mines** (millions de t, 90/91). *Fer* (Austr.-Occ.) 109,8, *bauxite* 44,2 (30 % des rés. mondiales, 41 % de la prod. mond.), *nickel* 0,05, *uranium* 4,3 t (299 000 t de réserves), *plomb* 0,59, *zinc* 1,1, *argent* 1 245 t, *cuivre* 0,32, *tantale, étain, zircon* 0,3, *diamants* (86) 29,8 millions de carats, *or* (en t) *1903 :* 119, *80 :* 17, *83 :* 31, *84 :* 39, *85 :* 57, *86 :* 76, *87 :* 108, *88 :* 150, *89 :* 197 ; *90 :* 241 ; *91 :* 240 (réserves 2 145).

■ **Industrie.** Sidérurgie, constr. auto., aéronautique, méc., métallurgie, raff. de pétrole, chimie, électronique. Développement ind. faible par rapport aux possibilités des mines.

Nota. – Projet MFP (Multifunction Polis) : ville de 50 000 h. près d'Adélaïde, consacrée à la science et aux technologies de pointe. Début des travaux fin 1992.

■ **Transports.** *Chemins de fer* 40 000 km. *Routes :* 810 000 km. **Tourisme** (91) 2 280 000 vis, dont Japon 375 000, G.-B. 290 000, Amérique du N. 262 000, Europe du N. 208 000.

■ **Commerce** (en milliards de $, 90-91). **Exp. :** 52,4 *dont* mat. 1res sauf fuel 12,8, fuel et lubrifiants 10,6, prod. alim. 9,4, prod. man. de base 6,4, mach. et équip. de transp. 4,5 ; *vers* (%) Japon 27,4, USA 11, Corée du S. 6, Sing. 5, N.-Zélande 4,7, Taiwan 3,6, G.-B. 3,2, Hong Kong 2,8, Indonésie 2,6, Chine 2,4, Suisse 2,3, All. 1,9, P.-Bas 1,7. **Imp. :** 48,9 *dont* mach. et équip. de transp. 21,7, prod. man. de base 7,4, prod. man. divers 6,9, prod. chim. 5,1, fuel et lubrifiants 3,1 ; *de* USA 23, Japon 18, G.-B. 6,7, All. féd. 6,3, N.-Zél. 4,3, Taiwan 3,4, Chine 3, Italie 2,8, Singapour 2,4.

■ **Budget** (91-92, en millions $ A). *Dépenses* 102,2, *recettes* 97,4. *Déficit* (1993) 15,9 milliards de $. **Inflation** (en %). *86 :* 9,8 ; *87 :* 8,5 ; *88 :* 7,2 ; *89 :* 7,3 ; *90 :* 7,1, *91 :* 3,5, *92 :* 0,3. **Dette extérieure** (en milliards de $ A.). *1988 :* 75,26. *1989 :* 109. *1990 :* 122 (65 % dus à la spéculation boursière). *1991 :* 133,5. *1992 :* 163 (42 % du PIB). *1993 :* 168. **Déficit de la balance courante :** *1991* 413 millions de $. **Taux d'intérêt** 18 %. **Investissements japonais** (en milliards de $) : *1988-89 :* 2,4 ; *90 :* 6,7 ; *91 :* 2,1. **Banques :** *jusqu'en 1985 :* implantation de banques étrangères interdite. *1989 :* 15 établissements, dont 3 japonais.

■ **Rang dans le monde** (91). 1er ovins, laine. bauxite. 2e zinc, uranium. 3e rés. de lignite, fer. 4e rés. charbon, nickel, or. 6e argent, charbon. 8e blé, étain. 9e canne à sucre. 10e cuivre. 11e bovins, orge, vin. 12e lignite. 14e céréales. 18e gaz. 24e pétrole.

■ Autriche

Carte p. 922. V. légende p. 884.

Situation. Europe. 83 859 km². Montagneux à 70 %. Plaines et collines au N. (vallée du Danube) et à l'E. (Burgenland). **Frontières :** 2 707 km dont All. 815, Tchécoslovaquie 568, Hongrie 354, Yougoslavie 330, Italie 430, Suisse 168, Liechtenstein 36. **Régionales :** Alpes orientales (6/10 du territoire) ; Préalpes (1/10), Précarpathes (1/10) ; bordure de la plaine pannonienne (1/10) ; hauts plateaux du massif de Bohême ; bassin de Vienne (1/20). **Danube** 350 km en A. **Alt. max. :** Grossglockner 3 797 m. **Climat :** *centre* modéré-continental ; *O. et montagnes :* alpin (janv. – 2,7 °C ; juill. 18 °C ; pluies 1 359 mm) ; Est : « pannonien » (janv. – 0,9 °C ; juill. 19,5 °C ; pluies 680 mm).

Population (millions). *1800 :* 9 ; *1856 :* 17,5 + Hongrie 13,2 ; *1900 :* 26,1 + 20,8 ; *1934 :* 6,76 ; *1981 :* 7,5 ; *91 :* 7,8 h. ; *2000 :* 8,19 h. D 93. **Accroissement (en %) :** 0 par an. **Age :** *– de 15 a.* 18, *+ de 60 a.* 14. **Espérance de vie :** 76. **Immigration** (92) 518 000 (6,6 % de la pop.). **Réfugiés** *1981 :* 34 557, *82 :* 6 314, *83 :* 5 868, *84 :* 7 208, *85 :* 6 724, *86 :* 8 639, *87 :* 11 406, *88 :* 15 790, *89 :* 21 882, *90 :* 22 789 (dont 12 200 Roumains, 44 Hongrois), *91* (juin) : 27 306, *92 :* 50 000 à 70 000 (maj. Bosniaques). **Transit des Juifs d'URSS** (1989) 20 162 pers. **Émigration** 300 000 (surtout en All. féd., Suisse, Italie). **Villes** *(91) : Vienne* 1 533 176 (*1754 :* 175 400 ; *1910 :* 2 083 630 ; *1920 :* 1 841 326), Graz 232 155 (à 197 km), Linz 202 855 (à 178 km), Salzbourg 143 971 (à 290 km), Innsbruck 114 996 (à 471 km), Klagenfurt 89 502 (à 297 km), Dornbirn 40 881, Bregenz 27 236 (à 675 km).

Langues. Allemand 99 %, slovène, croate, tchèque, hongrois 1 %. **Religions** (en %). Catholiques 84,3, luthériens 5,6, sans religion 6, autres églises 3, islamiques 1, israélites env. 70 000.

Bundesländer (italique : capitales)	Sup. km²	Pop. (1991, en milliers)
Basse-Autr. [1] *(St Pölten)*	19 172	1 481
Burgenland *(Eisenstadt)*	3 966	274
Carinthie *(Klagenfurt)*	9 533	552
Haute-Autr. [2] *(Linz)*	11 980	1 340
Salzbourg *(Salzbourg)*	7 154	484
Styrie *(Graz)*	16 387	1 185
Tyrol *(Innsbruck)*	12 647	630
Vienne *(Vienne)*	415	1 533
Vorarlberg *(Bregenz)*	2 601	333

Nota. – (1) Niederösterreich. (2) Oberösterreich.

Metternich, Clément, P[ce] de (1773-1859). Fils de diplomate, études à Strasbourg (université germanophone, mais ville de garnison francophone), acquiert une culture raffinée. *1794* diplomate. *1801-03* min. d'A. à Dresde. *1803-06* à Berlin. *1806* ambassadeur à Paris, adversaire de la Révolution, décidé à abattre Napoléon. *1809* min. des Aff. étr. après la défaite de Wagram et paix de Vienne, s'allie provisoirement à Nap. *1810* négocie mariage de Nap. et Marie-Louise. *1812* envoie un corps de troupes contre la Russie. *1813* (9-9) signe la convention de Toeplitz, avec les coalisés russo-prussiens. *1814-15* essaie en vain de sauvegarder la régence de Marie-Louise en s'opposant au retour des Bourbons ; évite un affaiblissement trop grand de la Fr., et met au point la Ste-Alliance pour extirper la révolution en Europe. La France des Bourbons en fait partie. *1821* chancelier, organise le Congrès de Vérone (1823), qui charge la Fr. de briser la révolution libérale espagnole. *1827* contré par Fr., Angl. et Russie, doit laisser la Turquie accorder l'indép. aux Grecs. *1830* ne peut empêcher la Fr. de rejoindre le camp libéral (Angl.). *1848* renversé par la révol. viennoise, exilé. *1851* revient à Vienne, se retire de la pol. Son fils *Richard* (1829-95), P[ce] de M. en 1859, amb. à Paris de 1859 à 70, aida l'imp. Eugénie à s'enfuir le 4-9-1870. Sa femme, Pauline (1836-1921), était une des femmes en vue de l'époque. Il fut classé 1er à la « dictée de Mérimée », avec 3 fautes. Voir Index.

DISLOCATION DE L'AUTRICHE - HONGRIE

Histoire. Région de peuplement celtique ancien, romanisée au **II**[e] **s. apr. J.-C.** (Norique). **IV**[e] **s.** dépend du diocèse d'Illyrie. **V**[e]**-VII**[e] **s.** invasion des Alamans à l'O. puis des Avars à l'E. **811** marche créée par Charlemagne après victoire sur les Avars. **976** marche de l'Est sous domination des Babenberg. **1156** duché héréditaire. **XII**[e] **s.** acquiert Carniole, Styrie (1192). **XIII**[e] **s.** Bohême (1254-73). **1276** l'empereur Rodolphe Ier de Habsbourg (seigneur argovien) acquiert tous ces domaines après la bataille de *Marchfeld* où Ottokar de Bohême est tué. **1363** Rodolphe IV réunit Tyrol et l'A. **1365** fonde université de Vienne. **1515** Traité de Vienne Maximilien/Vladislav Jagellon. **1529** Turcs de Soliman le Magnifique assiègent Vienne, repoussés. **1618-48** participe à la g. de Trente Ans : *Montagne Blanche* (1620), Ferdinand III d'Autr. bat rebelles protestants de Bohême (Tchèques et All.), *tr. de Westphalie* (1648) : l'A. perd Alsace et seigneuries suisses (dont Argovie). **1679** reste à Vienne. **1680-1740** apogée de l'art baroque. **1683** 2e siège de Vienne par Turcs, repoussés à Kahlenberg. **1699** *tr. de Karlowitz :* acquisition de la Transylvanie. **1713** *Pragmatique Sanction :* Charles VI déclare ses possessions indivisibles et en proclame héritière sa fille Marie-Thérèse. **1714** *tr. de Rastatt* après la g. de Succession d'Esp. (1700-14) : l'A. renonce à l'Alsace, reçoit Milan, Naples, Sardaigne, côte de Toscane et P.-Bas esp. **1716-18** g. austro-turque. **1718** échange Sardaigne contre Sicile avec duc de Savoie. **1733** vaincue durant la g. de Succession de Pologne, cède Naples, Sicile, Toscane, reçoit Parme et Plaisance. **1736** Marie-Thérèse épouse François de Lorraine. **1738-39** g. austro-turque. **1739** *tr. de Belgrade,* perd Bosnie, Serbie, Valachie. **1740-80 Marie-Thérèse** réforme État et finances, encourage industrie et commerce, crée écoles primaires, fait des universités des institutions d'État. **1741-48** *g. de Succession d'Autr.,* M.-Th. défend ses possessions contre Prusse, alliée à France, Saxe, Bavière, Sardaigne, Espagne. **1742** Charles VII de Bavière élu empereur. **1745** François élu emp. (mort de Charles VII). **1748** *tr. d'Aix-la-Chapelle :* l'A. perd Silésie, Parme, Plaisance et Guastalla. **1756** *g. de 7 ans,* l'A. tente de reprendre Silésie à Frédéric II de Prusse, avec aide de la Fr. **1763**-*15-2 tr. d'Hubertsbourg :* A. vaincue, la perd définitivement. **1772** reçoit Galicie au 1er partage de la Pologne (confirmation au 3e part. 1795). **1775**-*5/6* prend Bukovine aux Turcs. **1780-90 Joseph II** renforce pouvoir sur Église (738 couvents fermés), institue mariage civil, abolit servage. **1788-91** g. austro-turque. **1790-92 Léopold II. 1792 François II. 1792-1815** participe aux g. de la Révolution et de l'Empire. **1805** Français occupent Vienne. **1806** François II renonce à la couronne du St Empire et devient François Ier emp. héréditaire d'A. **1809** vaincu, s'allie à Napoléon (qui le 1-4-1810 ép. l'archiduchesse Marie-Louise). **1813** se retourne contre Nap. **1814-15** congrès de Vienne ; récupère ou reçoit Illyrie, Dalmatie, Lombardie-Vénétie. L'emp. est Pt de la Confédération germanique et, avec *Metternich* s'efforce, par la Ste-Alliance, de faire respecter les tr. de 1815. **1835-48 Ferdinand. 1848**-*13-3* révolution à Vienne : fuite de Metternich. *-15-3* révolution à Budapest. *-7-4* Louis Batthyány Pt du Conseil en Hongrie. *Juin* Prague, congrès panslave, Windischgraetz occupe la ville. *Juillet* ouverture du Parlement (*Reichstag*), Vienne. *Sept.* abolition du servage par Parlement autr. Révolution « démocratique » à Vienne : ministre Latour se pend. *Oct.* sécession Hongrie. *Nov.* parlement autr. siège à Kremsier (Moravie). *Nov.* le P[ce] Félix Schwarzenberg († 1852) Pt du conseil autr. *-2-12* Ferdinand Ier abdique. Avènement de **François-Joseph.** L'A. bat Sardaigne à *Novare.* **1849** *avril* Hongrie proclame déchéance des Habsbourg. *Mai* intervention militaire russe en Hongrie. *Août* capitulation hongroise à Vilagos. **1850** union douanière A. et Hongrie. Début du néo-absolutisme. Reculade d'Olmütz. La Prusse s'incline devant l'A. **1851**-*31-12* patente suspendant la Constitution. **1855** concordat avec le St-Siège. **1859** l'A. attaquée par Fr. et Piémont, battue à *Magenta* (4-6), et *Solférino* (24-6), cède Lombardie à la Fr. (alliée au Piémont) qui l'échange avec Piémont contre Nice et Savoie. **1860** fin du néo-absolutisme : diplôme d'octobre. **1861** patente de février : retour au centralisme. **1864** g. des Duchés : victoire prussienne. **1865** convention de Gastein avec Prusse. **1866**-*3-7* battue par Prusse à *Sadowa* (appelée en All. Königgrätz) (au cours d'une g. provoquée par Bismarck, à propos de l'administration des duchés danois, Schleswig, Lauenbourg et Holstein), perd Vénétie, cédée au Piémont (allié des Prussiens) et doit quitter la confédér. german. **1866** régime dualiste : A. *(Cisleithanie)* et Hongrie *(Transleithanie).* **1867** compromis austro-hongrois. **1868** réformes libérales en Hongrie. **1870** abolition du concordat. **1871** *octobre* échec compromis austro-bohême. Andrássy min. des Aff. étrangères. **1878** *tr. de Berlin :* l'A.-H. occupe Bosnie-Herzégovine. **1879** fin de l'ère libérale. Retraite d'Andrássy. Alliance austro-allemande. **1881** alliance des Trois Empereurs (A.-Hongrie, Allemagne, Russie). **1882** Triplice. *-8-12* Vienne, incendie Ringtheater 380 †. **1889**-*30-1* à *Mayerling,* l'arch. héritier Rodolphe (1858-89) se suicide (voir p. 924 b). **1897** fondation de *Secession,* association d'artistes pour abolir les frontières entre l'art et les arts appliqués. **1898**-*10-9* impératrice Élisabeth assassinée, voir p. 924 b. **1905** crise constitutionnelle austro-hongroise. **1906** politique antiserbe d'Aerenthal (min. des Aff. étr.). **1907** suffrage universel en Cisleithanie. **1908**-*5-10* l'A.-H. annexe Bosnie-Herzégovine. **1913** *août* demande secrètement à l'Italie son assentiment pour une g. immédiate avec la Serbie.

1914-*28-6* archiduc héritier François-Ferdinand (n. 1863) et sa femme [épouse morganatique, Ctesse Sophie Chotek (n. 1868), faite Duchesse de Hohenberg] assassinés à Sarajevo par Gavrilo Princip, Serbe de Bosnie, membre de l'organisation secrète Mlada Bosna, armée par la Main noire (organisation nationaliste serbe dirigée par un colonel du service de renseignements serbe). *-14-7* la Russie mobilise. *-19-7* le Conseil de la Couronne décide à l'unanimité d'adresser un ultimatum à la Serbie demandant de pouvoir contrôler l'enquête sur l'attentat ; est remis le 23-7 à 6 h du soir au Pt du Conseil serbe Pašić. *-25-7* la Serbie cède sur tous les points sauf un (envoi de policiers en Serbie). *-28-7* l'A. (sans que l'Ass. soit réunie) déclare g. à la Serbie, croyant à une guerre limitée à quelques semaines. *-1-8* l'All. déclare la g. à la Russie puis le 3-8 à la Fr. *-12-8* la Fr. déclare la g. à l'A. Guerre mondiale (voir p. 666). **1915**-*23-5* l'Italie déclare g. à l'A.-H. **1916**-*21-11* Fr.-Joseph meurt à 21 h 05. **Charles I**[er] **empereur. 1917** tentatives de paix séparées. **1918**-*7-10* proclamation de la Rép. de Tchéc. *-15/31-10* gouv. hongrois se comporte comme s'il était à la tête d'un État indépendant dont la moitié fait cependant déjà partie (théoriquement ou de fait) du « Royaume des Serbes, Croates et Slovènes », de la Tchéc. et de la Roumanie ; il retire les unités hongroises du front italien. *-17-10* manifeste de l'emp. annonçant la création de nouveaux États sur le territoire de l'Empire mais sans porter atteinte à l'intégrité territoriale de la Hongrie (fureur des Slaves du S.). *-21-10* Assemblée nat. provisoire de la Rép. dém. d'Autr. allemande constituée par les députés germanophones (y compris ceux de Bohême et Moravie), proclame son rattachement à l'All. *-29-10* commission nat. des Serbes, Croates et Slovènes (formée le 6-10) proclame l'indépendance et forme le 1-11 avec la Serbie, un nouvel État (« Royaume des Serbes, Croates et Slovènes »). *-4-11* armistice avec Italie. *-9-11* la Roumanie décl. la g. à l'All. et envahit la Hongrie. *-11-11* armistice (ne concerne pas l'A.-H.). Charles Ier renonce à participer aux affaires de l'État. *-12-11* Rép. Parti social-démocrate au pouvoir. *-13-11* Karolyi va voir Franchet d'Esperey (Cdt fr. du front d'Orient). *-14-11* république proclamée à Prague. *-16-11* proclamée en Hongrie. **1919**-*23-3* l'Emp. part pour la Suisse. *-2-4* l'Ass. nat. autr. vote bannissement de la famille impériale. *-10-9 tr. de St-Germain-en-Laye* démembre l'A. (l'art. 88 interdit la réunion de l'A. à l'All., souhaitée par la population et votée par le parlement autr. en nov. 1918). **1920**-*1-10* Constitution ; du 10-6 à 1938, les chrétiens-sociaux ont la majorité au Parlement. Dep. 1920, les 2 partis ont une milice armée :

Empire d'Autriche-Hongrie

■ Monarchie bicéphale (loi fondamentale du 21-12-1867), 2 parties, séparées par la Leitha, affluent du Danube.

I. Partie autrichienne (Cisleithanie) : **Basse-Autriche** *Vienne* 19 854 km² - 3 364 110 h. (All.), **Hte-Autriche** *Linz* 11 994 km² - 800 000 h. (All.), **Salzbourg** 7 163 km² - 200 000 h. (All.), **Styrie** *Graz* 22 449 km² - 1 494 699 h. (All., minorité slovène), **Carinthie** *Klagenfurt* 10 333 km² - 487 072 h. (All., min. slovène), **Carniole** *Laibach (Ljubljana)* 9 965 km² - 500 000 h. (Slovène, min. all.). **Trieste** 95 km² - 100 000 h. (Ital., min. slovène). **Görz** *Gorizia* 2 927 km² - 200 000 h. (Slovène, min., ital.). **Istrie** *Pola* 4 951 km² - 400 000 h. (Ital., Croate, min. slovène). **Tyrol** 26 690 km² - 900 000 h. (All., min. ital.). **Vorarlberg** 2 570 km² - 100 000 h. (All.), **Bohême** *(Prague)* 51 967 km² - 6 700 000 h. (Tchèque, min. all.), **Moravie** *Brünn* (Brno) 22 231 km² - 2 600 000 h. (Tchèque, min. all.). **Silésie** *Troppau* 5 153 km² - 700 000 h. (All., Pol., Tchèque), **Galice** *Lemberg* (Lwow) 78 532 km² - 8 000 000 h. (Pol., Ruthènes). **Boukowine** *Czernowitz* 10 456 km² - 800 000 h. (Ruthènes, Roum., All.), **Dalmatie** *Zara* 12 863 km² - 600 000 h. (Croates, min. serbes). **Total :** 300 193 km² - 28 000 000 h. [dont All. 10 000 000, Tchèques 6 300 000, Polonais 5 000 000, Ukrainiens (appelés Ruthènes) 3 500 000, Slovènes 1 300 000, Italiens et Ladins 800 000, Croates 700 000].

II. Partie hongroise (Transleithanie) : **Royaume de Hongrie** *Buda-Pest* 279 749 km², 18 000 000 h. (Hongrois, fortes minorités roumaines, slovaques, croates, serbes, allem.). **Fiume** 19 km² - 20 981 h. (Ital.). **Roy. de Croatie** *Zagreb* 43 444 km², 2 800 000 h. (Croates, min. serbe). **Total :** 322 853 km², 21 500 000 h. (Hongrois 10 000 000, Roumains 3 000 000, All. 2 500 000, Slov. 2 100 000, Croates 1 800 000, Serbes 1 000 000, Ruthènes 600 000, divers 300 000).

III. Bosnie-Herzégovine (depuis 1878) (Sarajevo). Administration en commun par l'A. et la H. Son occupation, « provisoire » mais sans date limite, est accordée à l'Autr. par l'acte final du Congrès de Berlin (13-7-1878). Le territoire reste en principe turc jusqu'à son annexion décidée unilatéralement par l'Autr., 8-10-1908 : 51 100 km², 1 800 000 h. dont Croates 1 000 000 (dont 600 000 musulmans assimilés aux Cr., en fait mélange de Cr., Serbes, Turcs, Alb.), Serbes 800 000.

Distribution ethno-linguistique. **Recensement de 1910 :** 51 390 000 h. dont Cisleithanie 28 572 000, Hongrie 20 886 000, Bosnie-Herzégovine 1 932 000 ; de langue allemande 23,9 %, hongroise 20,2, tchèque 12,6, slovaque 3,8, polonaise 10, ruthène 7,9, slovène 2,6, croates (catholiques) 5,3, serbes (orthodoxes) 3,8, serbocroates musulmans ou Bosniaques 1,2, roumains 6,4, italiens 2. Les Juifs ne sont pas recensés en tant que tels. Ils représentent 4,5 % de la pop. en Cisleithanie (Galicie comprise) et 4,5 % des pays de la couronne de St-Étienne (à Vienne 5 à 6 %, Budapest 23 %).

Nationalités (1914). **Slaves :** Tchèques env. 6 500 000, Slovaques 2 000 000, Polonais env. 5 000 000, Ruthènes (Ukrainiens) 4 100 000, Slovènes 1 300 000, Serbes 1 600 000, Croates 3 000 000 (dont 1 800 000 en Croatie), Bulgares 30 000 ; **Allemands :** 12 500 000 ; **Hongrois :** 10 000 000 [*Juifs :* 1 646 000] ; **Latins :** Italiens et Ladins 750 000, Roumains 3 300 000. Les Slaves sont divisés en 2 groupes : Sl. du Nord et Sl. du Sud, sans lien géographique ; de plus, un antagonisme assez violent oppose Polonais et Ruthènes au N. et Croates et Serbes au S.

Total. 674 000 km² (2ᵉ pays d'Europe après Russie), 52 000 000 hab. (3ᵉ après Russie et All.).

La France et l'Autriche

1477-*21-4* rivalité entre Capétiens (Valois) et Habsbourg pour succession de Charles le Téméraire, duc de Bourgogne, mort le 5-1. Sa fille Marie se fiance avec Maximilien d'Autr., fils de l'emp. Frédéric III. Louis XI désire conquérir Artois, Flandre, Hainaut, Charolais, Franche-Comté : les popul. résistent par fidélité à Marie. **1482**-21-9 *tr. d'Arras :* Marguerite, fille de Maximilien et Marie, épousera le dauphin et lui apportera en dot Franche-Comté et Artois. **1486,** *juin* g. entre Maximilien, devenu roi des Romains (emp. avant son couronn.), et Charles VIII. Motif : la régente Anne de Beaujeu s'oppose au remariage de Maximilien (veuf de Marie) avec l'héritière de Bretagne. Invasion autr. stoppée en sept. **1490,** *déc.* mariage par procuration d'Anne de Bret. et de Maximilien Iᵉʳ ; la Fr. est encerclée. Anne prend le titre de Reine des Romains. **1491,** Charles VIII (comme suzerain des ducs de Bret.) casse le mariage d'Anne et épouse celle-ci. Il perd ses droits sur Artois et Franche-Comté (dot de son ex-épouse, Marguerite). **1496** fusion des maisons de Habsbourg-Bourgogne et d'Espagne (mariage de Philippe le Beau, fils de Maximilien et de Marie, avec Jeanne la Folle). Les Habsbourg encerclent la Fr. (Espagne, Italie, Franche-Comté, Alsace, Pays-Bas).

1525-26 François Iᵉʳ, prisonnier de Charles Quint, emp. german. et roi d'Esp., évite le démembrement de son roy. **1556** Philippe II devient roi d'Esp., son oncle Ferdinand Iᵉʳ est emp. L'ennemi nº 1 de la Fr. est désormais l'Esp., qui possède Franche-Comté et Pays-Bas, objectifs des rois de Fr. Mais les 2 branches des Habsbourg restent unies contre la Fr., qui passe alors pour protestante. **1590** les Esp. occupent Paris et tentent de mettre sur le trône de Fr. une Habsbourg, Isabelle, puis reconnaissent Henri IV.

1610 Henri IV assassiné alors qu'il s'apprête à attaquer Esp. et Impériaux. **1618-48** la Fr. soutient contre les « Impériaux » les Pᶜᵉˢ protestants d'All. (g. de Trente Ans). **1648** *tr. de Westphalie,* la Fr. acquiert pour la 1ʳᵉ fois un fief autrichien : l'Alsace. **1672-1713** Louis XIV place un Bourbon sur le trône d'Esp. et récupère Franche-Comté, Artois, Flandre, Hainaut, Cambrésis. **1713** *tr. d'Utrecht,* l'Angl. exige que le reste des Pays-Bas soit donné aux Habsbourg d'A. L'Autr. bloque donc la politique du « pré carré ».

1736 François de Lorraine ép. Marie-Thérèse, héritière des couronnes d'A., de Hongrie et de Bohême qui, en 1740, succède à son père l'Empereur Charles VI. **1738** à la fin de la g. de succession de Pologne, François cède le duché de Lorraine à Stanislas Leszczyński et reçoit le Gd duché de Toscane (acquisition à la mort du dernier Médicis en 1737). La Fr. renonce à conquérir P.-Bas. **1756** *1ʳᵉ alliance franco-autr.* (après 279 ans d'hostilité) conclue par Bernis à Jouy-en-Josas le 1-5, *« renversement des alliances ».* Raisons : 1°) pour reconquérir la Silésie enlevée par Frédéric II en 1741, l'A. a besoin d'un allié. 2°) l'ennemi nº 1 de la Fr. est alors l'Angl. (rivalité coloniale). **1770** le dauphin, futur Louis XVI, épouse Marie-Antoinette d'A., mais le peuple fr., anti-habsbourgeois, déteste sa future reine. Les « Patriotes » restent opposés à l'abandon des P.-Bas (préférant le « pré carré » aux conquêtes coloniales). **1792** les « Patriotes » au pouvoir déclarent la g. à l'A. et envahissent les P.-Bas. L'A. sera de toutes les g. antirévolutionnaires jusqu'en 1809 (tr. de Vienne).

1809-13 Metternich, décidé à abattre Napoléon, choisit provisoirement de revenir à la politique de Bernis. Napoléon (dont l'ennemi nº 1 est alors la Russie) accepte et épouse en 1810 la petite-nièce de Marie-Antoinette, Marie-Louise. Il pense avoir réalisé la politique du « pré carré » (annexion de la rive g. du Rhin). **1813** Metternich renverse les alliances : 2 armées autr. envahissent la Fr. **1815** congrès de Vienne. Metternich (qui a vainement tenté de s'opposer au retour des Bourbons en faveur d'une régence de Marie-Louise) et les Angl. soutiennent la Fr. contre Prusse et Russie. Entente franco-autr. jusqu'en 1856. **1856** Napoléon III, lié au carbonarisme italien, déclare la g. à l'A. pour lui enlever la plaine du Pô. Mais, pour sauver l'entente franco-autr., renonce à conquérir la Vénétie. **1866** Nap. III, trompé par Bismarck, laisse la Prusse écraser l'A. à Sadowa. Son min. des Aff. étr. pro-autr., Édouard Drouyn de Lhuys (1805-81), est disgracié. **1870-71** l'A., par ressentiment, laisse la Prusse écraser la Fr. L'empereur François-Joseph veut conserver ses territoires de nationalités différentes, et, redoutant la doctrine fr. des « nationalités », choisit l'alliance allemande (Duplice 1882). **1881-1914** la Fr. considère l'A. comme un adversaire : 1°) opposition des anticléricaux fr. à la politique catholique de Vienne ; 2°) opposition du « principe des nationalités » à l'expansion germanique dans le S.-E. européen ; 3°) alliance fr.-russe (dirigée contre l'All.), amenant les Fr. à prendre parti contre l'A. dans le S.-E. européen (où elle gêne la Russie). **1912-1914** l'A. déclenche la g., à la suite de l'assassinat de l'archiduc François-Ferdinand. La Fr. lui déclare la g. le 12-8. **1917** Caillaux tente de détacher Charles Iᵉʳ de l'alliance all. (affaire des lettres de l'emp. Charles au Pᶜᵉ Sixte de Bourbon-Parme, son beau-frère, voir Histoire de France). Il est écarté (puis emprisonné) par les radicaux Ribot et Clemenceau.

1918-20 *mars* Clemenceau pousse au démantèlement de l'Empire qui avait duré 4 siècles (1526-1918) en 7 pays (Pologne, Tchéc., Roum., Hong., Autr., Ital., Youg.). Raisons : le « principe des nationalités » (pourtant tous les États successeurs de l'A. sont de nouveau des pays multinationaux, sauf l'A. et la Hong.), volonté de détruire une puissance catholique. **1920-36** la Fr. soutient mollement l'A. qui lui en veut du tr. de 1919. **1938** l'A. accepte l'« Anschluss ». **1944-45** la Fr. occupe une partie de l'A., et déclare celle-ci « pays ami », pour la détacher du bloc all. **1955** l'A. neutre ; les relations fr.-autr. perdent tout caractère passionnel.

les sociaux-démocrates, le *Republikanischer Schutzbund* (Association de défense républic., 62 000 membres en 1932) ; les chrétiens-sociaux, les *Heimwehren* (Défense de la patrie, 23 000 m.). *-9-12* Hainisch, Pt de la Rép. **1921** *mars* l'Emp. Charles tente de revendiquer ses droits en Hongrie. **1931**-*11-5* faillite de la Creditanstalt (banque). *-13-9* putsch manqué de la Heimwehr. **1932**-*20-5* gouv. Dollfuss chrétien-social instaure un régime autoritaire (« état corporatif »). Dollfuss nomme le chef de la Heimwehr de Vienne, Emil Fey, secr. d'État à la Sécurité publique. *-17-10* Fey interdit tout défilé au Schutzbund, aux communistes et aux nat.-socialistes. **1933**-*30-1* Hitler arrive au pouvoir en All., réclame l'Anschluss, mais les partis autr. sont contre le national-socialisme. *-4-3* Parlement dissous. *-30-2* Schutzbund dissous. *-30-5* Parti comm. dissous. *-20-6* Parti nat.-socialiste dissous. *-7-7* création d'un corps de volontaires de 35 000 h. Devant le renforcement de la droite, les sociaux-dém. décident l'épreuve de force. **1934**-*24-1* Dollfuss cherche à prévenir la g. civile : perquisitions chez les sociaux-dém. (200 arrêtés ; armes saisies). *-12/16-2* combats Schutzbund police, armée, Heimwehr, à Vienne, Linz et Steyr. *Pertes* Schutzbund : 118 † et 279 bl. (selon le journaliste britann. George Eric Rowe : 1 500 à 2 000 †, et 5 000 bl.), forces gouvernementales : 47 † et 152 bl. ; civils 109 † et 259 bl. Les sociaux-dém. se réfugient à l'étranger (Tchéc.). *-25-7* Dollfuss assassiné lors d'un putsch avorté des nazis. *-2-10* congrès du P. national-socialiste autr. à Vienne ; nazis agressent des israélites célébrant le Nouvel An juif. **1936**-*11-7* accord avec Hitler : le chancelier Schuschnigg obligé d'accepter 2 ministres « nationaux » (proches des nat.-social.) contre levée des sanctions éco. **1938**-*12-2 accord de Berchtesgaden* Hitler et Schuschnigg, imposé sous la menace d'une invasion : amnistie des nazis ; ministres nazis au gouv. dont Arthur Seyss-Inquart (Intérieur et Police). *-12-3* invasion all. (accueillie avec enthousiasme) pour empêcher le référendum projeté par Schuschnigg. *-13-3* proclamation de l'*Anschluss* (« réunion »). *-10-4* plébiscite contrôlé par la Gestapo : 99,75 % pour l'union avec l'All.

1945-*13-4* les Russes occupent Vienne ; division en zones d'occupation. *-27-4* gouv. provisoire de *Karl Renner*, Rép. rétablie. *-25-11* élect. (OeVP et SPOe, 94 % des voix ; communistes 5 %). *-20-12* après élection gén., gouv. reconnu par les occupants. Dénazification sous contrôle du conseil allié (130 000 poursuivis, 13 000 condamnés, 43 à mort dont 30 exécutés, + de 100 000 éliminés de la fonction publique). **1955**-*15-4 mémorandum de Moscou :* l'A. déclare s'engager à exercer une neutralité permanente sur le plan intern. Condition préalable pour que l'URSS accepte la conclusion, le *15-5, du tr. de Vienne,* rétablissant souveraineté intégrale de l'A. mais sans mention de la neutralité perm. *Points essentiels :* interdiction de toute union politique ou écon. avec All. ; reconnaissance des droits de l'homme, des droits des minorités slovènes et croates, des institutions démocratiques ; dissolution de toutes les organisations nat.-socialistes et fascistes ; maintien de la loi de 1919 (seuls, les Habsbourg qui ont renoncé à leurs prérogatives et dont la déclaration de renoncement a été acceptée par le Gouvernement fédéral et par la commission principale du Conseil National, ont le droit de séjourner en A.) L'URSS restitue les entreprises qu'elle administrait. En échange, l'A. payera une indemnité jusqu'à fin 1963. *-25-10 fin de l'occupation* (évacuation de 56 000 Russes, 15 000 Amér., 2 800 Britann., 540 Fr.). *-26-10* Ass. nat. vote à l'unanimité une loi constit. instaurant la neutralité permanente. *-15-12* entrée à l'Onu. **1972**-*22-7* tr. de libre-échange avec CEE. **1975**-*22-10* assassinat de l'amb. de Turquie (par des Arméniens ?). *-21-12* prise en otage au siège de l'Opep (à Vienne) de ministres de l'Énergie et de 70 personnes par 6 terroristes (dont « Carlos ») ; 2 † ; libération des derniers otages en Libye le 23-12. **1978** référendum contre l'énergie nucléaire (1ᵉʳ et seul pays au monde). **1981**-*29-8* attentat synagogue de Vienne (2 †, 18 bl.) par 2 Palestiniens. **1984**-*20-6* Oczen Erdogan, attaché commercial turc à Vienne, tué par Arméniens. *-29-12* report des travaux du barrage de Hainburg (pris sur dernière grande forêt fluviale d'Europe). **1985** scandale des vins additionnés de diéthylène glycol (antigel) (*au 15-8 :* 803 vins frelatés découverts). **1986**-*8-7* Kurt Waldheim élu Pt fédéral malgré une campagne l'accusant d'avoir participé à des crimes de guerre en Yougoslavie en 1942. -*23-11* législatives. **1987**-*21-1* nouveau gouvernement Vranitzky. -*25-6* Jean-Paul II reçoit Waldheim 35 mn. -*27-6* le parti socialiste de Vienne demande démission de Waldheim. **1989**-*19-1/25-1* Karl Blecha, min. de l'Intérieur, et Leopold Gratz, Pt du Parlement, démissionnent après enquête (ouverte 1983) sur escroquerie à l'assurance (*Lucona* coulé 23-1-1977 volontairement). -*12-3* él. régionales Carinthie, Salzbourg et Tyrol : avance du Parti libéral (FPOe) de droite nationaliste, recul du SPOe (socialiste). -*Avril* 3 aides-soignantes et 1 infirmière ont tué en 6 ans au moins 49 malades (pavillon 5, Hôpital de Lainz, Vienne). -*1-4* obsèques de l'impératrice Zita. -*27-6* les min. des Aff. étr. autr. et hongrois sectionnent les barbelés entre les 2 pays. -*13-7* Vienne, Abdel Rhaman Ghassemlou, dirigeant kurde iranien, assassiné. -*17-7* demande d'adhésion CEE. **1990** *sept.* ancien chancelier Fred Sinowatz et 2 ex-ministres, Leopold Gratz (Aff. étr.) et Karl Blecha (Int.) inculpés dans affaire de vente d'armes à l'Iran dep. 1983 (scandale Voest) : deux filiales, Noricum et Hirtenberger, auraient livré 200 canons et 100 000 obus à pays en guerre malgré loi sur neutralité. Pt Waldheim rencontre Saddam Hussein à Bagdad et ramène 142 Autr. -*7-10* législatives. -*17-12* nouveau gouv. Vranitzky. *Dep. 1984,* sur 673 instructions judiciaires pour activisme néo-nazi, 5 ont donné lieu à des condamnations. Victoires du FPOe : *6-10,* en Hte-Autriche (17,7 % des voix), *10-11,* à Vienne (22,5 %). **1991**-*19-9* site de Hauslabjoch du glacier de Similaun [3 200 m, Tyrol du S. dans l'Otztal (territ. ital. à 92,56 m de la frontière autr.) découverte d'un cadavre datant de 3500 a. à 2600 av. J.-C. **1992**-*26-12* amendement const. renforçant répression contre néo-nazis. -*12/15-10* Pt Klestil en France. -*26/27-11* incendie palais de la Hofburg (salle des Redoutes détruite). **1993**-*17-1* succès FPOe aux municipales de Graz (20,3 % des suffrages). -*23-1* 200 000 manif. antiracistes à Vienne. -*10-3* procès de l'ancien chancelier Sinowatz et des min. Gratz et Blecha (scandale Voest).

Statut. Rép. féd. neutre. **Const.** 1920, modif. 1929. **Bundesrat (Conseil fédéral)** élu pour 5 ou 6 ans par les diètes : 63 m. (SPOe 26 s., OeVP 27 s., FPOe 10 s. au 9-11-1991). **Nationalrat (Conseil national)** 183 m. élus au suffr. univ. direct pour 4 a. ; *Pt* élu au suffrage univ. pour 6 a., désigne **chancelier** (et vice-chancelier) et son cabinet qui sont responsables devant le Conseil nat. **États :** 9 *Bundesländer* ayant chacun une diète (voir p. 921). **Fête nat.** 26 oct. (vote en 1955 de la neutralité permanente).

Partis. *Sozialdemokratische Partei Oesterreichs (SPOe),* fondé 1889, rétabli 1945 (700 000 m.), Pt : Franz Vranitzky (n. 1937). *Oesterreichische Volkspartei (OeVP)* (chrétien, démocrate), fondé 17-4-1945 ; leader : Erhard Busek (760 000 m.). *Freiheitliche Partei Oesterreichs (FPOe)* (libéral), fondé 1956 (40 000 m.) ; leader : Jörg Haider dep. 13-9-1986. *Parti communiste (KPOe),* fondé 1918 ; leader : Walter Baier ; n'est plus représenté à l'Ass. nat. dep. 1959 [8 000 m. (155 000 après 1945). 0,72 % des voix aux lég. 1986, 0,55 % en 90]. *Liste Alternative Verte,* fondée 1986 ; leader : Franz Floss.

Élections au Conseil national (nombre de voix et sièges obtenus)

Partis	1966		1970		1971		1975		1979		1983		1986		1990	
SPOe [1]	1 928 985	74	2 221 981	81	2 280 168	93	2 326 201	93	2 413 226	95	2 312 529	90	2 049 497	80	2 012 463	80
OeVP [2]	2 191 109	85	2 051 012	78	1 964 713	80	1 981 291	80	1 981 739	77	2 097 808	81	1 952 577	77	1 508 226	60
FPOe [3]	242 570	6	253 425	6	248 473	10	249 444	10	286 743	11	241 789	12	472 205	18	782 610	33
Verts [4]		–		–		–		–		–		–	218 879	8	224 941	10
KPOe [5]	18 636	–	44 750	–	61 762	–	55 032	–	45 280	–	31 912	–	35 104	–	–	–

Nota. – (1) Parti socio-démocrate. (2) Parti chrétien-démocrate. (3) Parti libéral. (4) Gruen-alternative Liste Freda Meissner-Blau. (5) Parti communiste. Les chiffres représentent le nombre de députés envoyés au Conseil national.

Chefs d'État

Dynastie des Babenberg

Margraves d'Autriche. 976 Léopold Ier l'Illustre († 994). **994** Henri Ier († 1018), s. f. **1018** Adalbert († 1055), s. fr. **1055** Ernest († 1075), s. f. **1075** Léopold II le Beau († 1095), s. f. **1095** Léopold III le Pieux (saint), s. f. **1136** Léopold IV (1108-1141), s. f. **1141** Henri II Jasomirgott (1112-77), s. fr. **Ducs d'Autriche. 1156** Henri II Jasomirgott. **1177** Léopold V (1157-94), s. f. **1194** Frédéric Ier (1175-98), s. f. **1198** Léopold VI le Glorieux (v. 1176-1238), s. fr. **1230** Frédéric II le Batailleur (1210-46), chassé 1237, restauré 1246, s. f. **1246-51** Interrègne.

Dynastie des Premysl

1251 Ottokar II (1230-78), roi de Bohême. Désigné par les États comme successeur de Frédéric II, sans héritier.

Dynastie des Habsbourg

1278 Rodolphe II [1218-91 ; roi de Germanie 1273 ; roi des Romains ; empereur (Rodolphe Ier) 1273 s'attribue Autriche (élu roi) et Styrie, administrées par s. f. Albert]. **1282** Albert Ier (1255-1308), s. fr., investi duc d'Autr. par la Diète ; roi des Romains, 1298. **1298** Rodolphe III le Débonnaire (1282-1307), s. fr. **1308** Frédéric III le Beau (1286-1330), s. fr. **1330** Albert II le Sage (1298-1358), s. fr. **1358** Rodolphe IV le Magnanime (1339-65), s. f. **1365** Albert III à la tresse (1349-95), s. fr. **1395** Albert IV le Patient (1377-1404), s. f. **1404** Albert V l'Illustre (1397-1439), s. f., roi de Bohême et de Hongrie 1437 (Albert II comme roi des Romains 1438). **1439** Ladislas le Posthume (1440-57), s. f. **Archiducs d'Autriche. 1453** Frédéric V à la grosse lèvre (1415-93), petit-nev. d'Albert III (Frédéric III comme empereur des Romains 1452).

Dynastie des Habsbourg-Lorraine

1740 Marie-Thérèse (1717-80), f. de Charles VI (1685-1740), femme de l'emp. François Ier (de Lorraine) (1708-65).

1780 Joseph II (1741-90), s. f., emp. corégent depuis 1765. Ép. 1°) 1760 Isabelle de Bourbon-Parme (1741-63) ; 2°) 1765 Marie-Josèphe de Bavière (1739-67).

1790 Léopold II (1747-92), s. fr., emp. Ép. 1765 Marie-Louise de Bourbon-Espagne (1745-92).

1792 François II (1768-1835), s. f., emp. d'Allemagne [Saint Empire (1792-1806)], emp. d'Autriche à partir de 1804 (François Ier). Ép. 1°) 1788 Élisabeth de Wurtemberg (1767-90) ; 2°) 1790 Marie-Thérèse de Bourbon-Naples (1772-1807).

1835 Ferdinand Ier (1793-1875) le Débonnaire, sujet à des accès de démence, s. f., abdique 1848. Ép. 1831 Marie-Anne de Savoie (1803-84).

1848 François-Joseph Ier (18-8-1830-21-11-1916), s. neveu. Ép. 24-4-1854 Élisabeth de Bavière, dite Sissi [née 24-12-1837, belle, sportive, anorexique, à partir de 1859 voyage (Madère, Corfou, Angl., Irlande) négligeant mari et enfants sauf sa dernière fille Marie-Valérie ; 1867 pousse au compromis avec Hongrie ; laisse son mari fréquenter Mme Schratt (actrice du Burgtheater) assassinée le 10-9-1898 à Genève d'un coup de lime par Luigi Lucheni (25 ans, condamné à la prison à vie, se pendit en 1910 à Genève, son cerveau fut analysé et trouvé normal, sa tête conservée dans un bocal fut rendue à l'A. en 1984)]. Son règne de 68 ans est le plus long de l'histoire après celui de Louis XIV (72 ans). Catholique et conservateur, il voulut « faire durer » : 1°) *à l'intérieur* en faisant des concessions aux opposants les moins extrémistes (en 1867, il favorise les Hongrois, au détriment des Slaves et Roumains, en érigeant la H. en royaume autonome) ; 2°) *à l'extérieur,* en compensant par des annexions ses pertes territoriales. (*1856* chassé du Milanais. *1863* acquiert le Holstein. *1866* chassé de Vénétie. *1878* occupe Bosnie-Herzégovine, etc.).

Enfants : Gisèle (1856-1932) ép. 1873 Léopold de Bavière. **Rodolphe** (21-8-1858-89, Pce héritier) avait épousé 10-5-1881 Stéphanie de Belgique [1864-1945 remariée 22-3-1900 au Cte (puis Pce) Lónyay de Nagy], dont 1 fille : Élisabeth (1883-1963, ép. 1902 Pce de Windischgraetz dont elle divorce 26-3-1924) et aurait eu un fils de l'archiduchesse Maria-Antonia de Toscane (Théodore Rodolphe Salvador Pachmann). Il est mort le 30-1-1889 à *Mayerling* (à 40 km de Vienne, dans un pavillon de chasse remplacé auj. par un monastère), avec sa maîtresse la baronne Marie Vetsera (rencontrée en 1888, elle avait 17 ans). Il l'aurait tuée puis se serait suicidé. On a dit que R. était acculé à un échec sentimental et politique, que Marie aurait été enceinte, que R. et Marie auraient découvert qu'ils étaient demi-frère et demi-sœur (François-Joseph ayant eu des relations avec la baronne Vetsera). Rodolphe libéral redoutait la Russie et la Prusse. Il souhaitait une alliance fr. pour venger Sadowa. L'impératrice Zita, en mars 1983, a déclaré que R. avait été assassiné (pour des raisons politiques : Clemenceau l'aurait fait approcher par Cornélius Herz pour fomenter, avec son accord, un complot contre son père afin de faire passer l'A. dans le camp français ; Rodolphe ayant refusé aurait été assassiné). Après un 1er refus de funérailles religieuses, le Vatican, à la suite d'un 2e télégramme chiffré de François-Joseph, accepta en adoptant la thèse du suicide dans un moment de folie. Le tombeau de Marie Vetsera a été profané 2 fois. 1°) 1946 par des soldats soviét. 2°) le 8-7-1991 par Franz Flatzelsteine, marchand de biens, qui vole le cercueil. On le retrouvera le 23-12-1992. Le crâne (incomplet) retrouvé ne porte pas de trace de balle, mais des marques de coups (houe de jardinage ?). **Marie-Valérie** (1868-1924) ép. 1890 archiduc François Salvator (n. 1866) dont 9 enf.

Frères. Ferdinand (1832-67) fut emp. du Mexique où il fut fusillé (Maximilien Ier 10-4-1864) v. Index.

Charles-Louis (1833-96) ép. 1°) 1856 Marguerite de Saxe (1840-58) ; 2°) 1862 Marie-Annonciade de Bourbon-Sicile (1843-71) ; 3°) 1873 Marie-Thérèse du Portugal (1855-1944).

Enfants du 2e lit : *François-Ferdinand* (18-12-1863-28-6-1914), ép. 1-7-1900, morganatiquement la Ctesse Sophie Chotek (1868-1914), faite duchesse de Hohenberg (1 fille et 2 garçons privés de droits dynastiques) ; brutal, il passait (à tort ?) pour chef du parti de la guerre donc partisan d'une triple monarchie (Autr. Hongrie, Slavie), fut abattu à Sarajevo par les Serbes le 28-6-1914, ce qui entraîna la guerre de 1914. *Othon* (1865-1906) ép. 2-10-1886 Marie-Josèphe de Saxe (1867-1944) père de Charles qui suit et de Maximilien (1895-1942) ép. de Françoise de Hohenlohe (dont 2 fils).

Du 3e lit : *Marie-Annonciade* (1876-n.c.) abbesse. *Elizabeth-Amélie* (1878-1960) ép. 1963 Aloyse, Pce de Liechtenstein.

Louis-Victor (1842-1919).

1916 Charles Ier (17-8-1887 Funchal, Madère 1-4-1922), son pet.-nev., couronné roi de Hongrie le 30-12-1916, renonce « à sa participation aux affaires de l'État » le 11-11-1918. Ép. 21-10-1911 Zita de Bourbon-Parme (9-5-1892/Suisse 14-3-1989), f. du Pce Robert de Bourbon, duc de Parme (1848-1907) et de sa 2e femme Marie Antonia de Bragance (1862-1959). Exilée 3-4-1919, ayant toujours refusé de signer une déclaration de loyauté à la Rép., elle put cependant revenir la 1re fois en A. le 17-5-1982.

Enfants de Charles Ier

Othon (« Otto ») d'Autriche (Altesse impériale et royale) (20-11-1912), parfois titré duc de Bar, f. aîné. Chef de la maison et souverain de la Toison d'or qu'il confère rarement. Docteur ès sciences pol. et sociales de Louvain (1935), a écrit des ouvrages sous le nom de Otto Habsburg-Lothringen. Réside en All. ; en 1978, il a acquis la nationalité all. pour se présenter aux élections eur. Il est le Pt de l'Union paneuropéenne. *1988* (déc.) va à Budapest (Hongrie) pour la 1re fois dep. 1918. Ép. à Nancy, le 10-5-1951, Pcesse Regina de Saxe-Meiningen, Desse de Saxe (6-1-1925), f. du Pce Georges (1892-1946). *7 enfants* (Alt. imp. et roy., archiducs ou archiduchesses) : Andrea (30-5-53), ép. 20-7-77 Cte Charles Eugène de Neipperg (20-10-51), Monique et Michèle (jumelles 13-9-54), Gabrielle (18-10-56), Walburga (5-10-58), Charles héritier (11-1-61) (en droit, chef de la maison puisqu'il n'a pu, vu son âge, renoncer à ses droits), ép. 31-1-93 la baronne Francesca von Thyssen-Bornemisza (juin 1958). Paul-Georges (18-12-64).

Adélaïde (1914-71). Docteur ès sciences polit.

Robert, archid. d'Autriche-Este (8-2-1915) (cette branche régna jusqu'en 1860 sur le duché de Modène en Italie ; le dernier souverain, François V duc d'Este, mourut en 1875, sans postérité mâle). Vit à Paris. Ép. à Brou, le 29-12-1953, Pcesse Marguerite de Savoie Aoste (7-4-1930), f. du duc d'Aoste (1898-1942) et de la Desse n. Anne d'Orléans (sœur du Cte de Paris). 5 enf. : Béatrice (11-12-54), ép. 26-4-80 à Chartres le Cte Riprand von Arco-Zinneberg (25-7-55), Laurent Othon (16-12-55), Gérard (30-10-57), Martin (19-12-59), Isabelle (2-3-63).

Félix (31-5-1916). Vit au Mexique. Épouse à Beaulieu, le 19-11-1952, Anne Pcesse et Desse d'Arenberg (5-7-1925), f. du Pce et duc Robert d'Arenberg et de la Pcesse n. Gabrielle de Wrede. *7 enf. :* Maria del Pilar (18-11-53), Charles (18-10-54), Kinga (13-10-55), Ramón (21-1-58), Myriam (21-11-59), Istvan et Viridis jumeaux (23-9-61).

Charles-Louis (10-3-1918). Vit en Belg. Ép. à Belœil (Belg.), le 17-1-1950, Pcesse Yolande de Ligne (6-5-1923), f. d'Eugène, 11e Pce de Ligne, et de Philippine de Noailles des ducs de Mouchy. *4 enf. :* Rodolphe (17-11-50), Alexandra (10-7-52), Charles-Christian (26-8-54), Marie-Constance (20-10-57).

Rodolphe (5-9-1919). Vit en Belgique. Ép. 1°) 22-6-1953, Ctesse Xenia Besobrasov des C[tes] Cernichev (11-6-1929/22-9-1968). *4 enf. :* Marie-Anne (19-5-54), Charles-Pierre (5-11-55), Siméon (29-6-58), Jean (1962-75). 2°) 1971, P[cesse] Anne-Gabrielle de Wrede : 1 enf. Catherine.

Charlotte (1-3-1921). Ép. en Bavière, 25-7-1956, duc Georges de Mecklembourg, Cte de Carlow (4-10-1899/6-7-1963), veuf d'Irène Mihailovna Raiewski (1892-1955), veuve du Cte Alexandre Tolstoï.

Élisabeth-Charlotte (31-5-1922 posthume). Le 12-9-1949, ép. P[ce] Henri de Liechtenstein (5-8-1916). 5 enf.

☞ *Titulature complète* des membres de la maison d'A. : P[ce] impérial et archiduc d'Autr., P[ce] royal de Hongrie et de Bohême ; *abrégée :* archiduc d'Autr.

■ Présidents de la République

1918 Karl Seitz (1869-1950). **20** Michael Hainisch (1858-1940). **28** Wilhelm Miklas (1872-1956), démissionné 1938. **1938-45** *domination allemande.* **45** Karl Renner (1870-1950). **51** Theodor Körner (1873-1957). **57** Adolf Schärf (1890-1965). **65** Franz Jonas (1899/24-4-1974). **74** *23-6* Rudolf Kirchschläger (20-3-1915). **86** *8-7* Kurt Waldheim (21-12-1918). En % : *1er tour (4-5) :* Waldheim 49,64, Steyrer 43,66, Meissner-Blau 5,5, O. Scrinzi 1,2). *2e t. (8-6) :* Waldheim 53,9, Steyrer 46,1. **92** *8-7* Thomas Klestil (14-11-1932) OeVP. En % : *1er t. (26-4) :* 37,19 % [Rudolf Streicher (SPOe) 40,68, H. Schmidt (FPOe) 16,41, R. Jungk (Verts) 5,72)], *2e t. (24-5) :* 56,89 %.

■ Chefs de gouvernement

1867 *30-12* Adolphe, P[ce] Auersperg (1821-85). **68** *26-9* Édouard, Cte Taaffe (1833-95). **70** *25-1* Léopold Hasner (1819-91). *15-4* Alfred, Cte Potocki (1817-89). **71** *7-2* Karl-Sigmund Hohenwart (1824-99). *31-10* Ludwig Holzegthan (1810-76). *25-11* Adolphe, P[ce] Auersperg. **79** *18-2* Karl von Stremayr (1823-1904). *12-8* Édouard, Cte Taaffe. **95** *18-6* Erich, Cte Kielmansegg (1847-1923). *29-9* Kasimir, Cte Badeni (1846-1909). **97** *28-11* Paul, Bon Gautsch (1851-1918). **98** *5-3* Franz-Anton Thun-Hohenstein (1847-1916). **99** *17-10* Manfred Clary-Aldringen (1852-1928). *21-12* Heinrich von Wittek (1844-1930). **1900** *18-1* Ernst von Koerber (1850-1919). **05** *1-1* Paul, Bon Gautsch. **06** *30-4* Konrad Hohenlohe-Schillingsfürst (1863-1918). *3-6* Max-Wladimir Beck (1854-1943). **08** *14-11* Richard, Cte Bienerth (1863-1916). **11** *27-6* Paul, Bon Gautsch. *31-10* Karl, Cte Von Stürgkh (1859-21-10-1916) assas. par Frederick Adler. **16** *31-10* Ernst von Koerber. *20-12* Heinrich, Cte Clam-Martinitz (1863-1932). **17** *24-6* Ernst von Seidler (1862-1931). **18** *24-7* Max Hussarek-Heinlein (1865-1935). *27-10* Heinrich Lammasch (1853-1920). *30-10* Karl Renner (1870-1950). **20** *7-7* Michael Mayr (1864-1922). **21** *21-6* Johannes Schober (1874-1932). **22** *26-1* Walter Breisky (1871-1944). *31-5* Mgr Ignaz Seipel (1876-1932). **24** *20-11* Rudolf Ramek (1881-1941). **26** *20-10* Mgr Ignaz Seipel, démissionne. **29** *4-5* Ernst Streeruwitz (1874-1952). *26-9* Johannes Schober (1874-1932). **30** *30-9* Carl Vaugoin (1873-1949). *4-12* Otto Ender (1875-1960). **31** *20-6* Karl Buresch (1878-1936). **32** *20-5* Engelbert Dollfuss (1892, assas. 25-7-1934). **34** *29-7* Kurt von Schuschnigg (1897-1977). **38** *12-3* Arthur Seyss-Inquart (1892, condamné à mort à Nuremberg, exécuté 16-10-1946). *13-3 domination allemande.* **45** *27-4* Karl Renner (1870-1950)². *20-12* Leopold Figl (1902-65)¹. **53** *21-4* Julius Raab (1891-1964)¹. **61** *11-4* Alfons Gorbach (1898-1972)¹. **64** *2-4* Josef Klaus (1910)¹. **70** *22-4* Bruno Kreisky (1911-90)². **83** *18-5* Fred Sinowatz (n. 1929) soc. : gouv. de coalition. **86** *16-6* Franz Vranitzky (n. 1937)² : gouv. de grande coalition SPOe et OeVP.

Nota. – (1) OeVP. (2) SPOe.

■ Économie

PNB (91). 20 740 $ par h. *Secteur* (%, 91) primaire 3,4, secondaire 39,8, tertiaire 56,8. **Budget** (1993, en milliards de sch.) dépenses 682,6, recettes 597,3. **Déficit budgétaire** (milliards de schillings) *1989 :* 101, *90 :* 63 ; *91 :* 63,2 ; *92 :* 62 (3 % du PIB). **Inflation** (%) *1985 :* 3,2 ; *86 :* 1,7 ; *87 :* 1,4 ; *88 :* 2 ; *89 :* 2,5 ; *90 :* 3,2 ; *91 :* 3,3 ; *92 :* 4 ; *93 (prév.) ;* 3,6. **Dette ext.** (milliards de US $, 89) 40. **Finances** (milliards de sch., janv.-sept. 1992). **Croissance des capitaux** + 23, **des rés. officielles de devises** + 18. **Aide à l'Est.** 120 milliards de schillings (1 % de l'OCDE 90). (5e rang des créanciers). **PIB** (1991) 1 916 milliards de schillings. Par habitant 245 100 sch. Par personne active 566 270 sch. Cours moyen pour 1 $ 11,68. **Taux de croissance** (%) *1985 :* 2,5 ; *86 :* 2,2 ; *87 :* 1 ; *88 :* 3,9 ; *89 :* 3,7 ; *90 :* 4,6 ; *91 :* 3 ; *92 (prév.) :* 2 ; *93 (prév.) :* 0.

Pop. active (et entre par. part du PNB en %). Agr. 9 (4,4), ind. 37,1 (38,6), services 52,9 (56,3), mines 1 (0,7). Salariés (91) : 2 997 400 dont hommes 1 752 200, femmes 1 245 200. Étrangers, 8,8 % de la main-d'œuvre soit 266 461 personnes dont Youg. 48 %, Turcs 21 %, All. 5,1 %. **Chômage** (%) *1980 :* 1,9. *85 :* 4,8. *86 :* 5,2. *87 :* 5,6. *88 :* 5,3. *89 :* 5. *90 :* 5,4. *91 :* 5,8. *92 :* 5,9. *93 (prév.) :* 6,9.

Agriculture. Terres (milliers d'ha, 91) 7 535 dont (90) arables 1 406, cultivées en permanence 89, pâturages 1 953, forêts 3 877, eaux 42, divers 807. **Production** (milliers de t, 91) blé 1 375, orge 1 427, maïs 1 571, p. de terre 790, bett. à sucre 2 522, seigle 350, avoine 226, pommes 243, poires 36. Hauts rendements en plaine (grandes exploitations mécanisées) ; plus faibles en montagne (expl. morcelées). 95 % des besoins alim. couverts par la prod. nationale (88). **Élevage** (milliers de têtes, 91). Bovins 2 532, porcs 3 629, moutons 323, poulets 13 466. **Forêts** (91). Prod. bois total 11 492 028 m³. Cellulose, papier.

Énergie (91). *Consommation* totale d'énergie 1 142 pétajoules (dont charbon 16 %, pétrole 42, gaz naturel 20, hydraulique 13, autres 9). **Pétrole** (millions de t) *réserves* 15, *prod.* 1,3, *imp.* 9,7. **Gaz** (milliards de m³) *prod.* 1,3, *imp.* 5,1. **Lignite** (millions de t) 2,4, *imp.* 5. **Électricité** (1991) 63,5 % d'origine hydraulique ; (milliards de GWH) : *prod.* 51,5, *consom.* 52,2, *exp.* 7,7, *imp.* 8,5. **Mines** (milliers de t, 1991). *Fer* (l'Erzberg, la montagne de Fer, est la plus grande mine de fer à ciel ouvert d'Europe) 2 120. *Zinc et plomb* 254. *Graphite* 19. *Sel* 457. **Industrie.** Nationalisée à 27 % (prod. de base et énergie). *1er groupe :* Austrian Industries (chimie, métall., énergie) ; *CA :* 85 milliards de F. *Prod.* (millions de t, 91) : fonte brute 3,4, acier brut 4,2, laminés 3,4.

Transports (91) *chemins de fer* 5 782 km, *routes* 39 275 km, *voies fluviales* 350 km. **Tourisme** (91). Étrangers 19 058 000 arrivées, 129 millions de nuitées (dont All. 63,8, P.-Bas 9,1, G.-B. 4,2, *France 3,1*, P. de l'Est (90) 1,3 [16 prévus]). *Chiffre d'affaires et revenus (en milliards de schillings). 1991 :* 165 et 172. 400 000 pers. vivent du tourisme.

Commerce (milliards de sch., 1991). **Exp.** 479 *dont* produits transformés 144,6, machines et moyens de transport 183,7, produits chimiques 42,6, matières 1res 21,5, alimentation 12,6, combustibles, énergie 4,5 ; *vers* (en %) All. 39, Italie 9,4, Suisse 6,4, *France 4,3.* **Imp.** 591,9 *dont* machines et moyens de transport 231,7, produits transformés 107,7, produits chimiques 57,5, combustibles, énergie 35,3, matières 1res 25,4, alimentation 26,9 ; *de* (en %) All. 43, Italie 8,8, Japon 4,8, *France 4,3,* Suisse 4,2.

Balance. Commerciale (milliards de $). *1988 :* – 5,82 ; *89 :* – 6,66 ; *90 :* – 10 ; *91 :* – 9,4. **Des opérations courantes** (milliards de $). *1989 :* + 0,01 ; *90 :* + 1,2, *91 :* – 0,3.

■ Azerbaïdjan (Rép. d')

Carte p. 1024. V. légende p. 884

Situation. Asie. 86 600 km². *Frontière :* limitée à l'est par la mer Caspienne [Iran, Arménie, Géorgie, Russie (rép. autonome du Daghestan)]. *Côtes :* Caspienne. **Climat.** Méditerranéen, aride, chaud et sec. *Température moy. :* janv. 1° C, juill. 27° C. *Pluies :* 200 à 300 mm en plaine.

Population. 7 174 000 h. au 1-1-91 (en % Azerbaïdjanais 70, Arméniens 8, Russes 5,6). D 110. *Mort. inf.* 75 ‰ ; cancers 7 fois + nombreux qu'ailleurs (pollution record) ; 80 % des femmes anémiques. *Capitale : Bakou* (de « bad kube », la ville des vents presqu'île d'Achéron) 1 757 000 h. dont 200 000 Russes en 1988). **Azéris dans le monde** (en milliers). Iran 5 000, reste de l'ex-URSS 2 000, Turquie 500. **Langue.** Azéri (origine turque), s'écrit dep. 1939 en caractères cyrilliques. **Religions.** Musulmanes en majorité (chiites 70 %, sunnites 30). Orthodoxes (Russes). Catholiques arméniens.

Histoire. Jusqu'en 1806, fait partie, avec l'Azerbaïdjan iranien, de *l'Albanie* (en arabe *Arran*), peuplée dep. le XIIIe s. de Turcs Seldjoukides, chiites. **1806** tsar Alexandre Ier conquiert sur la Perse la région de Bakou. **1813** Bakou annexée, devient capitale d'un gouv. **XIXe s.** exploitation du pétrole ; construction des chemins de fer Bakou-Tiflis-Batoum et Bakou-Stavropol. **1905** pogroms à Bakou. **1911** Mohamed Emin Rezulzade fonde parti Moussavat (Égalité). **1917** *mars* indépendance (à Bakou, un gouv., dirigé par l'Arménien Stepan Shaumian, fait sécession et reste uni aux bolcheviks russes) ; *-20-9* les séparatistes s'unissent à A. et Géorgie en une *Féd. de Transcaucasie.* **1918**-*28-5* indépendance. *-4-6* alliance avec Turquie contre communistes de Bakou ; *-17-8/14-9* 1 500 Anglais occupent Bakou puis sont forcés de se réembarquer. *-17-9* Fath Ali Khan Khoysky occupe Bakou et y établit le gouv. de la rép. d'Azerbaïdjan ; *-7-12* élections, victoire sociaux-démocrates. **1920**-*12-1* reconnu *de facto* par les Alliés ; *-27-4* conquis par Armée rouge ; *-28-4 rép. sov. de l'A.* proclamée. **1921**-*1-2 :* 1er congrès du parti du parti com. a. ; 120 000 Az. déportés en Sibérie. **1922**-*12-3* partie de la *rép. sov. de Transcaucasie.* *-30-12 Rép. fédérée.* **1923** 1er gisement offshore exploité. **1988**-*28-2* Soumgaït pogroms anti-arméniens : 32 †. *21-5* 1er secr. du PC destitué. *-19/24-11* affrontements Arméniens-Azéris à Kirovabad. *-21-11* 100 000 manif. à Bakou. **1989** nombreuses manif. **1990**-*1/7-1* manif. aux frontières d'Azéris pour libre circulation avec Iran. *-13-1* Bakou pogroms anti-arm. : 34 †. *-19/20-1* intervention milit. 160 †. État d'urgence à Bakou. *-23-9* proclame sa souveraineté. *Nov.* rejette appellation socialiste et sov. **1991**-*30-4* assaut des Omon et forces spéciales azéris contre 2 villages arm. : 36 †. *-30-8* indépendance. *Sept. Ayaz Moutalibov* (n. 1938), secr. du PC d'Azerbaïdjan, élu Pt (+ de 90 % des voix). *-9-11* reconnaissance officielle par Turquie. *-8-12* membre de l'Organisation de la Conférence islamique (1re rép. ex-soviétique admise). **1992**-*6-3* Pt Moutalibov (accusé par le Front populaire azéri (opposition nationaliste) de soumission à Moscou, démissionne. Pt intérimaire : Yakoub Mamedov. *14/15-5* échec du coup d'État de Moutalibov. *-7-6 Aboulfaz Eltchibey* chef du Front Populaire élu Pt au suffrage universel (64 % des voix). *-7-10* refuse de signer traité de la CEI. *-12-10* tr. russo-az. d'amitié, de coopération et de sécurité mutuelle. C[el] Sourat Gousseïnov (rebelle) prend Guandja (69 †). *-15-6* Gueïdar Aliev élu Pt du Parlement. *-18-6* Pt Eltchibey s'enfuit. *-30-6* Gousseïnov PM.

Statut. Rép. **Constitution** 1978. **Pt** Gueïdar Aliev. dep. 25-6-93. **PM** Gousseïnov. **Parlement** 360 députés (pas d'élections dans 11 circonscriptions du Ht-K.). **Conseil National** instance législative (20 % des députés) créée oct. 1991 par le Parlement.

Nagorny Karabakh. 4 400 km². 188 000 h. (en 1989) dont 120 000 Arméniens chrétiens, 40 000 Azéris. Enclave séparée de l'Arménie par le corridor de Latchine (largeur 4 km). *Capitale : Stepanakert* (35 000 h. en 76). **Conflit du Haut-Karabakh.** *7-7-1923* région autonome rattachée à l'A. *20-2-1988* le Parlement du Ht-K. demande réunification avec Arménie. *Juill.* ouverture de négociations à Rome sous l'égide de la CSCE. **1989** *janv.* combats : dizaines de †. *-20-1* rattaché à Moscou. 80 000 familles a. réfugiées en Arménie, 100 000 en Russie. *-28-11* suppression du Comité spécial chargé d'administrer le Haut-K. dep. janv. 89. **1991**-*14-5* déplacement des pop. arm. : hommes emmenés en détention en Azerbaïdjan, femmes et enfants doivent partir en Arménie ou ailleurs. *-16-5* le gouv. central décide de désarmer les volontaires arm. (avant l'armée encerclait les villages et les miliciens azéris faisaient les contrôles). *-23-5* affrontements : 3 † dont 1 soldat. *-2-9* les députés arm. du Ht-Karabakh et du district de Chaoumian proclament indép. *-25-9* le Parlement d'Azerb supprime statut d'autonomie. Stepanakert prend le nom azéri de Khankendi. *-10-12* Arméniens du Ht-K. votent à 99 % l'indép. du territoire et demandent adhésion à la CEI. **1992** internationalisation du conflit. *-2-1* passe sous l'administration directe du Pt Moutalibov. *-31-1* la CSCE décide l'envoi sur place d'une commission. *-26-2* Arméniens prennent Khodjaly. *-28-2* retrait des troupes de l'ex-URSS. *-5-3* 57 †. *-11-3* Arménie refuse plan de paix turc. La Turquie menace de lui interdire l'accès à la mer Noire par son territoire. En 4 ans, le conflit a fait 2 000 †. *-10-5* Arm. prennent Choucha. *Août* Stepanakert, bombardement par avions az., 20 †. 60 000 réfugiés à Bakou. *-13-8* mobilisation générale.

Nakhitchevan république autonome (dep. 9-2-1924) [*1828-28-4* annexée par la Russie]. Enclavée dans la rép. arménienne. 5 500 km². 295 000 h. (89). Arméniens 1 %. *Capitale : Nakhitchevan* 37 000 h. en 76. *1992* Pt Aliev Gueidar. *-24-10* échec coup d'État par 200 militants locaux du Front Populaire Az.

Économie. *Pétrole* [11 millions de t en partie sous-marines, 0,35 % de la prod. mondiale (91)]. *Gaz nat. Fer. Alunites. Sel gemme.* **Industrie :** mat. de constr. raffineries, constr. méc., chim., électrotechnique, verre, porcelaine, faïence, bois. **Agriculture :** raisins (1 152 000 t en 91), céréales, fruits, thé, riz, coton (540 000 t en 91). *PNB* 6,8 milliards de $ (1991). **Pop. active** *(en %, 1991) :* agr. 28, ind. et mines 18, tertiaire 54. **Commerce** (millions de $, en 1990) *exp.* 780, *imp.* 2 122.

■ Bahamas (Îles)

Carte p. 967. V. légende p. 884.

Nom. De l'espagnol *baja mar :* mer basse.

Situation. Amérique (au N. des Caraïbes). 13 939 km². *Alt. max.* 122 m (île de Cat). Env. 700 îles (30 habitées) et 2 400 récifs s'étendant sur 885 km. **Principales îles** (pop. en 80) : *Nouvelle Providence*

(207 km², 135 437 h.), *Grande Bahama* (1 373 km², 33 102 h.), *Andros* (à 56 km de Nassau, 5 957 km², 8 307 h.), *Abaco* (104 km de N., 1 681 km², 7 271 h.), *Eleuthera* (96 km de N., 518 km², 10 631 h.), *Exuma* (56 km de N., 290 km², 3 670 h. en 70), *Harbour* et *Spanish Wells* (0,8 km², 3 221 h. en 70), Chat (î. du) (388 km², 2 215 h.), *Bimini* (208 km de N., 23 km², 1 411 h.), *Inagua* (939 h.), *Longue* (î.) (256 km de N., 448 km², 3 304 h.). Savane et pins. **Climat** : temp. 21 à 30 °C. *Pluies* abondantes mais brèves de mai à oct. Haute saison (pas de pluies) : 15 déc.-30 avr.

Population. *1990 :* 254 685 h. dont 80 % de Noirs. *2000 :* 276 000 h. D 18,3. **Immigrants illégaux haïtiens :** 40 000 à 50 000. **Capitale.** *Nassau* (dans Nouvelle-Providence) 171 542 (90). **Langue** *(off.).* Anglais. **Religions** (%). Baptistes 29, anglicans 23, catholiques 22.

Histoire. 1492 découvertes par Christophe Colomb. **V. 1600** peuplées par la Cie des aventuriers d'Eleuthera, fuyant des persécutions religieuses aux Bermudes. **XVIIe s.** centre de piraterie jusqu'à l'expédition punitive des Espagnols à Charles Town (Nassau). **1717** attribuées par tr. à l'Angleterre. **1728** Parlement et bases d'une Constitution. **1964**-*7-1* autonomie interne. **1973**-*10-7* indépendance. **1984** le PM et des min. compromis (concussion, drogue).

Statut. État membre du Commonwealth. *Constitution* de 1969. *Sénat* 16 m. *Assemblée* 49 m. élus pour 5 a. au suffr. univ. *Chef d'État* reine Élisabeth II. *Gouv. gén.* Sir Clifford Darling dep. 2-1-92. *PM* Hubert Ingraham (n. 4-8-47) dep. 19-8-92 [avant Lynden Oscar Pindling (22-3-1930) (Noir) dep. 16-1-1967]. *Élections législatives* 19-8-1992 : FNM (Mouvement national libre ; Hubert Ingraham) 32 s. ; PLP (Parti libéral progressiste, électorat noir) 17 s.

Économie. PNB *(91)* 12 300 $ par h. **Pop. active** (% et entre par. part du PNB en %). Agr. 12 (10), mines 1 (1), ind. 10 (10), services 77 (79). **Agriculture.** 40 000 ha cultivés (canne à sucre, tomates, agaves ; déficit). **Forêts** 28 % des terres. **Crustacés. Tortues. Sel. Mines** aragonite, soufre. **Immatriculations de navires** (pavillon de complaisance) : *1977 :* 58 000 t (60 navires), *82 :* 600 000 t (129), *85 :* 4 500 000 t (345), *91 :* 16 656 505 t (1 155). **Place financière** (394 banques). **Tourisme** : *visiteurs : 1990 :* 3 628 578. *Recette : 1989 :* 40 % du PNB. *Principales plages :* Abacos, Treasure Cay, Eleuthera, Inagua, Long Island, San Salvador, Andros, Berry Islands, Bimini, Exuma. **Drogue** : transit (cannabis, cocaïne : 40 % de la consommation USA). Profits 100 millions de $. **Inflation** (%) *1989 :* 5,4 ; *90 :* 4,7 ; *91 :* 7,1. **Dette ext.** (sept. 90) : 829,6 B $.

Commerce (millions de $, hors pétrole, 89). **Exp.** 2 567 (pétrole 1931) vers (87) USA 72 %. **Imp.** 3 100.

BAHREÏN

Carte p. 916. V. légende p. 884.

Nom. Signifie « les deux mers », allusion à l'insularité du pays et à la nappe d'eau souterraine.

Situation. Asie. 691,2 km². 33 îles en 2 archipels : *1°) Bahreïn* [15 îles : Manama (en arabe « lieu du repos »), Muharraq, Sitra, Nabi-Salih, Oumm-Nasan, Jeda, Abou-Maher, Abou-Chahin, Oumm-Al-Sobban, Nouaym, Soulouta, Oumm-El-Chajar-El-Sagjira...] ; *2°) Hawar* (nombreux îlots). *Alt. max.* djebel Ad-Dukhan (île de B.) 135 m. L'île de B. a été reliée en 1987 à l'Arabie S. (pont 25 km). **Climat.** Chaud et humide. *Temp.* moy. 18,5 °C (janv.), 39,1 °C (août). *Pluies* 5,6 mm (déc.), 5,7 (janv.) ; saison sèche (févr.-nov.).

Population. *1991 :* 518 000 h. [dont Bahreïnis 322 276, étrangers 195 967 (en %, 87 : Omanais 10, Indo-Pakistanais 10, Iraniens 2, Autres 8]. *2000 :* 688 000 h. *Accroissement* (en %) : 2,8 par an. *Age : – de 15 a.* 41, *+ de 64 a.* 2. *Mortalité* infantile 32 ‰. D 749. **Villes** (88) : *Manāma* 138 784 (90), Muharraq 75 906 (90), Judhaf 48 000, Rifaa 28 000, Isa Town 21 200, Hidd 7 111. **Langues.** Arabe *(off.),* anglais (compris par 70 %), persan (40 %). **Religions** (81). Musulmans 298 140 (chiites 60 %, sunnites 40 %), chrétiens 25 611, divers 27 047.

Histoire. 1507-1622 présence portugaise. **1782** la dynastie Al-Khalifa, venue du Koweït, prend le pouvoir. **1820** présence britannique. **1871** protectorat brit. **1925** pétrole découvert. **1932** début de l'exploitation. **1951 et 1965** grèves violentes anticoloniales. **1970** l'Iran renonce à ses prétentions. **1971**-*14-8* indép. **1975**-*27-8* Parlement dissous. **1981**-*13-12* coup d'État pro-iranien déjoué, 73 arrestations. **1986**-*26-4* l'armée du Qatar enlève 29 techniciens et ouvriers étrangers sur l'îlot de Facht-al-Dibel, revendiqué par les 2 pays. *-12-5* ils sont libérés.

Statut. Émirat. *Constitution* du 6-12-1973. *Émir* Cheikh Issa ben Salman al-Khalifa (n. 3-7-33) dep. 16-8-61. *Héritier* Cheikh Hamad Ben Issa al-Khalifa. *PM* Cheikh Khalifa Ben Salman al-Khalifa (n. 1935) dep. 19-1-70. *Pas de partis politiques.* **Fête nat.** 16 déc. (intronisation de l'émir 1961, et indép. de 1971). **Drapeau** : origine 1820. Rouge (Islam) et blanc (G.-B.) séparés par une ligne brisée.

Économie. PNB (91) 7 300 $ par h. **Pop. active** (en % et entre par. part du PNB en %). Agr. 5 (1,2), ind. 34 (26,4), services 60 (54,9), mines 1 (17,5). **Inflation** (en %). *89 :* + 1,5 ; *90 :* + 1,2 ; *91 :* 0,8. **Budget** : *déficit* (90) : 103 millions de $. **Agriculture.** 3 % des terres cult. Dattes, légumes, fruits, volailles, ânes. **Pêche.** Perles (*1950 :* 1 000 bateaux de pêche, *1982 :* 10). **Pétrole** (millions de t en 91), *réserves* 15, *prod.* 2, 40 % du PNB. **Gaz** (milliards de m³ en 91) *réserves* 177, *prod.* 6,6 (dont 27 % réinjectés pour accroître la prod. pétr.).

Industrie. *Raff. de pétrole* (capacité 12,5 millions de t/an ; *1939 :* 1,6). *Chantiers navals* (cale sèche de Manāma : 375 × 75 m pour pétroliers de 550 000 tpl). *Usine d'aluminium* d'Alba (alimentée par gaz, bauxite d'Australie, prod. 212 800 t en 90). **Place bancaire.** *Bourses de l'or* (avoirs des « banques off shore » en oct. 83 : 58 milliards de $, 89 : 72,6, *juin 91 :* 51). **Tourisme** (91). *Entrées :* 1 400 000. *Revenus (89) :* 82 millions de $.

Commerce (millions de $, 90). **Exp.** 496 *dont* prod. pétroliers raffinés 420 (85 %), biens man. et aluminium ; *vers* (%) Ar. Saoudite 13, Japon 9, Qatar 9, USA 9. **Imp.** 527 *dont* pétrole brut 255 (48 %) ; *de* (%) USA 13,9, G.-B. 11,1, Australie 10, Japon 9,8.

BANGLADESH

Carte p. 1028. V. légende p. 884.

Situation. Asie 143 999 km². Plaine alluviale (deltas du Gange et du Brahmapoutre). Collines au S.-E. et N.-E. **Frontières :** Inde 2 484 km, Birmanie 216. **Côtes :** env. 2 700 km (+ rivages fluviaux 4 000 km). **Alt. max. :** Keokradang 1 053 m. **Climat.** *4 saisons :* mousson d'hiver nov./févr. (s. sèche), soufflant du N.-O. ; été mars/mai (orages) ; mousson d'été, juin/sept. (vents et pluies du S. et S.-O.) ; automne (port-mousson d'été), orages avec temp. décroissantes. *Moy.* à Dacca : janv. 19 °C, juillet 29 °C. *Pluies* annuelles Ouest 1,27 m, S.-O. 2,54, Sylhet 5,08.

Population. 118 700 000 h. (93), prév. *2 000* 155 000 000. *Accroissement* (en %) : 2,1 par an. *Age : – de 15 a. :* 44, *+ de 65 a. :* 4. *Mortalité infantile :* 98 ‰ (une des + élevées du monde). *Espérance de vie :* 55 a. *Médecins :* 1 pour 8 144 h. *Illettrés :* H 69, F 84 %. **Principales ethnies :** Bengalis 98 %, Chittagong Hill Tracks 500 000 (dont Chakmas 200 000, Moghs 100 000, Murangs 30 000), Tipras, Garos, Hajongs, Santals 500 000. **Émigrés :** env. 1 000 000 (dont G.-B. 400 000, Proche-Orient). D 824. **Réfugiés :** 250 000 Rohingyas (musulmans birmans fuyant persécutions au Myanma). **Villes** (91) : *Dhaka* (ex-Dacca, créée 1608) 6 105 160, Chittagong 2 040 663, Khulna 877 388, Rajshahi 517 136.

Langues. Bangla (ou bengali). 2 formes : *classique* (verbes et pronoms plus longs, nombreux mots d'origine sanscrit) ; *courant* admet des mots persans, arabes, anglais, mais qui reste, cependant, proche du sanscrit primitif ; alphabet (avec enjolivures) : utilisé dep. le XIIe s. pour de nombreux textes écrits dans d'autres dialectes. *Anglais :* courant.

Religions. Musulmans 86,6 %, hindous 12,1 %, bouddhistes 0,6 %, chrétiens 0,3 %. Islam, religion d'État dep. 7-6-1988.

Histoire. Le B. (Bengale oriental) a formé jusqu'à la fin du XIIe s., avec le Bengale occid., le roy. de Vangalam. **1199-1202** conquis par Mohamed Bakhtijar (musulman), devient émirat vassal des sultans de Delhi, puis des emp. moghols ; seul, E. du Vangalam se convertit à l'islam. **1757** bataille de Plassey ; conquête angl. **1906** Dhaka capitale de la résistance anti-angl. et anti-hindoue (Ligue Musulmane, 1906). **1947**-*14-8* constitue le Pakistan oriental. **1970** *nov.* cyclone (+ de 200 000 †). *-7-12* élections, triomphe autonomiste [ligue *Awami,* fondée 23-1-1949 par Mujibur Rahman (1920-1975) et le maulana Bashani (1882-1976), Pt du BKS (Associat. des paysans du B.), chef de l'aile prochinoise du NAP (National Awami Party, fondé 25-7-1957)]. *-16-12* indépendance. **1971**-*1-3* ajournement de l'Ass. nat. ; *-25-3* répression (milliers de Bengalis tués par armée pak.) ; *-26-3* proclamation de la *Rép. pop. du B. ;* Mujibur Rahman arrêté ; *-17-4* gouv. prov. (en Inde) ; *-4-12* Indiens attaquent, alliés à l'armée de libération du B. (Moukhti Bahini) ; *-6-12* Inde reconnaît le B. ; *-16-12* capitulation des forces pak., épuration des « razakars » (dont Biharis), collaborateurs des Pak. **1972**-*10-1* Mujibur R. libéré ; URSS et pays de l'Est (janv.), G.-B. (févr.) reconnaissent le B. ; *-12-1* Constit. provisoire. *Pt* Abu Sayed Chowdhury (1921-87), *PM* Mujibur R. ; *-12-3* départ des troupes ind. ; *-19-3* liens d'amitié et de coopération avec Inde. **1973**-*7-3* élections ; succès Awami ; *déc.* accord avec Pak. sur transfert de popul. (Bengalis du Pak. au B. et Biharis du B. au Pak.). **1974**-*22-2* Pak. reconnaît le B. ; *déc.,* inondations, famine (dizaines de milliers de †). **1975**-*25-1* Mujibur R. nommé Pt pour 5 ans ; *-15-8* coup d'État, Mujibur R. tué, Khondakar-Moshtaque Ahmed (n. 1918) Pt ; *-4/10-11* coup et contre-coup d'État mil. : Gal Ziaur Rahman au pouvoir. **1976**-*1/7-11* mort du maulana Bashani (94 ans) ; *-30-11* Khondakar-M. Ahmed arrêté, coup d'État échoue (plusieurs centaines de †). Rébellions dans le N. (Garos) et à l'E. (Chakmas). 561 m. de l'armée de l'air seront pendus après le putsch. **1977**-*30-5* référendum : 99 % pour Gal Ziaur Rahman. **1978** 200 000 réfugiés de Birmanie ; *-3-6* Rahman élu Pt par 78 % des voix. **1981**-*30-5* Rahman assassiné par off. rebelles (lui-même avait fait assassiner ses adversaires et avait échappé à env. 20 coups d'État) ; *-1-6* fin de la rébellion, Gal Manzur Ahmed, auteur présumé du putsch, est tué ; *sept.* affrontements près de Chittagong, tribu Chakma (500 †) ; *-25-9* exécution de 12 officiers ayant participé à l'assassinat du Pt. **1982**-*24-3* coup d'État mil. renverse le Pt Justice Abdus Sattar. Gal Hussain Mohammat Ershad (n. 1-2-1930), PM. *-11-12* se proclame chef de l'État et libère chefs de l'opposition. Démission du Pt A. Chowdhury († 31-7-87). **1984**-*27-9* émeutes contre loi martiale 4 †. **1985**-*mars* loi martiale réinstaurée (après levée partielle en déc.). *-21-3* référendum (participation 72 %, dont 94,14 % pour le maintien de la junte jusqu'aux él. générales). *Mai :* cyclone au S.-E. (15 000 †). **1986**-*15-10* Pt Ershad réélu. *-10-11* loi martiale suspendue, Constitution remise en vigueur ; élections : fraudes massives, violences (env. 25 † et 500 bl.). **1987** troubles (Chittagong, 5 000 km², 600 000 h.) : implantation de colons musulmans, résistance des Chalmas. *Avr.* inondations, 1 600 †. *-10-11* Hartal (grève générale), manif. contre Ershad, 14 †. *-27-11* état d'urgence, 2 †. *-6-12* Parlement dissous. **1988**-*10-2* municipales, 120 †. *-7-6* islam religion d'État. *Sept.* inondations, 2 000 †, 43 millions de sinistrés, dégâts : 2,6 milliards de $, cultures détruites : 35 millions d'ha, 3,3 millions d'ouvriers agric. sans travail. Déficit en nourriture d'env. 2 millions de t. *-29-11* cyclone côte sud (900 †). **1989**-*22/24-3* Pt Ershad en France. **1990**-*févr.* visite du Pt Mitterrand. *-10-10* début du mouvement contre l'autocratie du Pt Ershad. *-27-11* état d'urgence, chefs de l'opposition arrêtés. *-4/6-12* Pt Ershad démissionne. *-5-12* Shahabuddin Ahmed, Pt de la Cour suprême, nommé vice-Pt par intérim ; état d'urgence levé et Parlement dissous. **1991**-*27-2* législatives (1res sans violence et sans fraudes massives) dep. 1971 : victoire du P. national. *-30-4* cyclone : 139 000 † ; dégâts : + de 2 milliards de $. **1992** *mars* réfugiés birmans. *-20/21-6* Dhaka et Chittagong, émeutes (2 †). *-9-11* police tire dans camp de réfugiés Rohingyas (8 †). **1993**-*7-1* fusillade entre extrémistes à Dhaka (6 †). *-6-2* bagarre entre étudiants (3 †). *-26-3* naufrage d'un ferry 150 †.

Statut. *République dite pop., démocratie de type parl.,* membre du Commonwealth. *Pt* Abdul Rahman Biswas (BNP, par intérim 8-10-90, élu Pt 8-10-91 par 172 voix sur 330, devant Badrul Haider Chowdhury, Ligue Awami). *PM* Bégum Khaleda Zia (n. 15-8-45), dep. 20-3-91. **Constitution** du 16-12-1972, amendée en 1973, 74, 75 (régime présid.), 77, 79, 88 (Islam religion et État) et 91 (régime parl.). *Assemblée nationale* (Jatiya Sangsad) : 300 m. élus au suffr. univ. pour 5 a. + 30 femmes nommées par le Parlement pour représenter les femmes. **Élections** (27-2-1991) : P. nationaliste du B. 170 sièges, Ligue Awami 92 s. **Districts** 64. « Unions rurales » 4 401. **Villages** 85 650. **Fêtes nat.** *26-3* (indép.), *16-12* (victoire contre Pak.). **Drapeau** (1971). Cercle rouge (lutte pour la liberté), fond vert (fertilité).

Partis. *Ligue Awami (Hasina) :* f. 1949, leader Sheikha Hasina Wajed (fille du sheikh Mujibur Rahman, assassiné 1975). *P. nationaliste du Bangladesh :* f. 1978 par des partisans de Ziaur Rahman (assassiné 1981), leader begum Khaleda Zia (sa veuve). *Coalition de gauche :* 5 partis, leader Rashed Khan Menon. *Jammat-e-Islami* (P. musulman fondamentaliste) : f. 1979, leader Abbas Ali Khan. *Jatiyo Party :* f. 1986.

Nota. – Les 60 millions de Bengalis hindouistes sont répartis entre Bengale-Occ. (inclus dans la Féd. indienne), Assam, Meghalaya, Tripura, Bihar, Orissa, S. du Népal et le Bangladesh. La reconstitution d'un *Vangalam* uni, au-delà des divisions religieuses, a été envisagée.

ÉCONOMIE

PNB (92) 210 $ par h. **Croissance du PIB** (92) 3,5 %. **Pop. active** (% et entre par. part du PNB en %). Agr. 56 (47), ind. 13 (9), mines 1 (2), services 30 (39).

Inflation (en %). *1985 :* 10,7, *86 :* 11, *87 :* 10,4, *88:*9,3, *90-91:*9 à 11. **Aide étrangère :** 90 % du budget. **Taux d'usure** jusqu'à 20 % par j dans certains villages. **Pauvreté** 70 % vivent au-dessous du seuil. **Endettement global** (91). 10,5 milliards de $.

Agriculture. 13,32 millions ha (cultivés 63 %) dont 9 donnent 1,5 récolte par an (proportion la plus forte du monde), 78 % sont en rizières. *Production* (millions de t, 91) : riz 17,5, blé 0,9, jute 0,9, canne à sucre, p. de terre 1,2, thé, légumineuses, coton. *Déficit agricole :* 3,1 % du PNB en 88 (615 millions de $). **Élevage** (milliers de têtes, 91). Bovins 23,2, buffles 0,8, chèvres 22,3, moutons 0,9, poulets 95, canards 13,8. *Prod. (88) lait :* 992 000 t, *viandes :* 274 000 t. **Pêche. Forêts.**

Électricité. Thermique. *Capacité* (1991) : 2 353 MW. *Villages électrifiés 1985 :* 6 507 ; *1990 :* 12 573 sur 70 000. **Charbon** (région de Jamalganj). **Gaz** (milliards de m³, 89) *réserves* 360, *prod.* 6 ; 14 gisements découverts, 7 en exploit. **Industrie** (80 % des ressources en devises) : jute, ciment, engrais, papier, cuir, prod. alim., constr. nav., prêt-à-porter, prod. pétroliers, prod. de la mer congelés.

Transports. *Voies ferrées* 2 892 km (2 réseaux), *routes* 12 300 km, *voies nav.* 8 431 km. **Tourisme** (91). 120 000 vis. (dont 50 000 Indiens, 1 500 Français). **Principaux sites :** *Rajshahi* monastère bouddhique, *Mahastangarh* ancienne capitale royale, *Kantanagar* temple hindou (1772), *Mainamati* centre bouddhique (Comilla), *Dhaka* mosquée (700), *Khulna* mosquée, *Cox's Bazar* ville balnéaire à 152 km de Chittagong (f. 1798, 120 km de plages).

Commerce (millions de $, 90-91). **Exp.** 1 670 *dont* (en %) prêt-à-porter 47, produits en jute 17, prod. de la mer 10, cuirs et peaux 8, jute brut 7, engrais 2,6, thé 2,4, *vers* USA 29, All. 9, G.-B. 8, Italie 6,3, *France 4,5.* **Imp.** 3 650 *dont* (en %) biens d'équipement 31, textiles 14, engrais, prod. pétr. 11, blé 9, *de* Singapour (transit) 10, Hong Kong 5, Inde 5, Japon 5, Corée du S. 4,6, Chine 3,5, USA 2, G.-B. 1,7.

Rang dans le monde (91) 2ᵉ jute (1ᵉʳ exp.). 4ᵉ riz. 9ᵉ thé. 11ᵉ bovins. 15ᵉ céréales.

> **Projet de contrôle des inondations.** Sous l'autorité de la Banque mondiale. Réseau de 4 000 km de digues devant couvrir 80 % du pays. *Budget :* 150 millions de $ engagés par 15 donateurs (11 pays riches, la Banque mondiale, la Banque asiatique de Dév., la CEE et le PNUD).
>
> **Projet de pont sur le Brahmapoutre à Serajgonj.** Coût : 530 millions de $.

BARBADE

Carte p. 847. V. légende p. 884.

Généralités. Antilles. Autrefois appelée îles Lucayes. 430 km². *Alt. max.* Mt Hillaby 337 m. *Climat* tropical. *Temp.* 24 à 28 °C. 1 saison sèche, s. humide de juill. à nov.

Population. 257 082 h. (90) dont (en 82) : Noirs 80 %, Métis 16 %, Blancs 4 %, *2000 :* 307 000. D 597,8. *Villes* (80) : *Bridgetown* 7 517 h. (agg. 92 401), Holetown, Speightown, Oistins. **Langue.** Anglais. **Religions.** Anglicans 70 %, pentecôtistes, catholiques 4 %, méthodistes 9 %, frères moraves.

Histoire. 1627 colonie brit. **1639** 1ᵉʳ Parlement. **1834** abolition de l'esclavage. **1954** gouvernement ministériel (*PM* Grantley Adams). **1958-62** membre de la Féd. des Indes-Occidentales. **1961**-*16-10* autonomie interne, *PM* Errol W. Barrow. **1966**-*30-11 indépendance.* **1968**-*1-5* entre à la Carifta. **1973**-*13-8* forme le Caricom.

Statut. État membre du Commonwealth. *Constitution* du 30-11-1966 : *Sénat* (21 m. nommés), *Ass.* (27 m. élus pour 5 a.). *Chef de l'État :* reine Élisabeth II. *Gouv. gén.* Dame Nita Barrow dep. 6-6-90. *PM* 1976 (2-9) : John Michael Adams (1931-85) ; 1985 (11-3) : Bernard St John (16-8-31) ; 1986 (28-5) : Errol W. Barrow (1920-87) ; 1987 (1-6) : Erskine Sandiford. **Élections** (22-1-91). P. travailliste démocrat (f. 1955), Erskine Sandiford, 18 s. ; P. travailliste de la B. (f. 1938), Henry Forde, 10 s. **Fête nat.** 30 nov. (indép.). **Drapeau** (1966) 2 bandes verticales bleues (le ciel et la mer), et 1 jaune (le sable) ; une pointe de trident noir pour l'indép. et la rupture avec le passé.

Économie. PNB (91) 6 470 $ par h. **Pop. active** (% et entre par. part du PNB en %) agr. 13 (7), ind. 15 (19), serv. 71 (73), mines 1 (1). **Chômage** 18,9 %. **Inflation** (%) *89 :* 6,2 ; *90 :* 3,1 ; *91 :* 6,3. **Dette extérieure** (89) 714 millions de $.

Agriculture. 76 % de la superficie. Canne à sucre (43 % des sols cultivés, 660 000 t en 91, ayant donné 65 774 t de sucre), mélasse, rhum, igname. **Élevage. Pêche. Pétrole.** *1991 :* 62 000 t. **Gaz. Industrie :** raffineries.

Tourisme (91) 394 242 visiteurs et 372 140 v. de croisière ; env. 15 % du PNB.

Commerce (millions de $ b., 90). **Exp.** 421 (prod. man., sucre, mach. et équip. de transp., fuel et lubrifiants, prod. chim.) *vers* (en %, 88) Caricom 26,7, USA 21,3, G.-B. 18,7. **Imp.** 1 408 (mach., prod. man., huiles minérales, prod. alim.) *de* (en %, 88) USA 34,5, Caricom 14, G.-B. 11,5, Canada 7.

BELGIQUE

Carte p. 928. V. légende p. 884.

> ☞ Pour en savoir plus sur la Belgique demandez à votre libraire l'édition spéciale QUID-BELGIQUE.

Situation. Europe 30 528 km². **Frontières** 1 444,5 km dont France 620, P.-Bas 449,5, Lux. 148, All. 161,5, côtes 65,5. **Alt. max.** 694 m (Signal de Botrange, Ardennes) ; **min.** 0,05 m (De Moeren, près de Furnes). **Climat.** Tempéré océanique, *Temp.* moy. 9,8 °C ; *pluie :* 780 mm par an ; *gel* 60 j par an (Ardennes temp. moy. 8,6 °C, pluie 1 000 mm, gel 96 j).

Régions. 4 bandes parallèles du N. au S. : 1°) *Basse Belg.* (larg. 45 km ; alt. 0-100 m) : *Flandre maritime* à l'O. : polders, cultures maraîchères et élevage laitier intensif, dunes sur les côtes ; *Flandre intérieure* au centre : plaine à blé et betteraves avec cultures industrielles, urbanisation très poussée ; *Campine* à l'E. : terres sablonneuses, récemment converties à la culture maraîchère. 2°) *Moyenne Belg.* (larg. 80 km ; alt. 100-250 m) : plateaux et collines de limon (blé, betteraves, élevage à l'étable), urbanisation du sillon Sambre-Meuse. 3°) *Ardennes* (larg. 120 km ; alt. 250-600 m) : croupes schisteuses avec landes, prairies, forêts. *Famenne* (escarpement rocheux), *Condroz* (contrefort des Ardennes avec couche de limon, alt. moy. 300 m.), *Hautes Fagnes* à l'E. élevées et marécageuses (tourbières). 4°) *Lorraine belge* (larg. 25 km ; alt. 250 m) : terrasses argileuses, forêts défrichées (blé, betteraves). *Enclave de Baarle-Hertog* aux Pays-Bas : 7 km², 2 096 h.

☞ **Enclaves allemandes en Belgique :** la voie ferrée joignant Eupen à Malmédy attribuée à la B. (art. 21, 1° du tr. de Versailles) empruntait 8 fois le terr. all. dans la région de Montjoie ; le tr. du 24-9-1956 a attribué ces enclaves à la B. (qui en échange a cédé les Fagnes, marécages à l'est d'Eupen).

Distances de Bruxelles (en km). Amsterdam 198, Anvers 41, Bruges 89, Charleroi 49, Douvres 115, Gand 50, Genève 656, La Louvière 43, Liège 89, Londres 226, Madrid 1 546, Milan 902, Paris 242.

DÉMOGRAPHIE

Population (en millions). *1846 :* 4,34 ; *1866 :* 4,83 ; *1900 :* 6,69 ; *1910 :* 7,42 ; *1940 :* 8,29 ; *1960 :* 9,18 ; *1970 :* 9,65 ; *1976 :* 9,82 ; *1992 :* 10,02 [dont 5,79 (57,82 % en 92) d'expression néerlandaise, 3,21 (32,01 % en 92) française, 0,07 (0,68 % en 92) allemande, 0,95 (9,49 % en 92) bilingue des 19 communes de Bruxelles-capitale], *2001 (prév.) :* 9,88. **Age :** *- de 15 a.* 18,13 %, *+ de 65 a.* 15,22 %. D 328. **Pop. urbaine** 76 %.

Naissances pour 1 000 h : *1964 :* 17,01 ; *70 :* 14,56 ; *75 :* 12,15 ; *80 :* 12,56 ; *85 :* 11,59 ; *86 :* 11,90 ; *87 :* 11,91 ; *88 :* 11,96 ; *89 :* 12,11 ; *90 :* 12,38 ; *91 :* 12,51.

Provinces	Populat. (au 1-1-92)	Superf. (en ha)
Anvers (Anvers)	1 610 695	286 738
Brabant (Bruxelles)	2 253 794	335 809
Flandre-Occ. (Bruges)	1 111 557	314 434
Orientale (Gand)	1 340 056	298 224
Hainaut (Mons)	1 283 252	378 569
Liège (Liège)	1 006 081	386 231
Limbourg (Hasselt)	755 593	242 214
Luxembourg (Arlon)	234 664	443 972
Namur (Namur)	426 305	366 601
Total	*10 021 997*	*3 052 792*

Émigration (au 1-1-74). Env. 450 000 B. vivaient à l'étranger dont : *France* 125 000, USA 63 000 (inscrits dans les consulats ; 225 000 Belges ou d'origine belge, la plupart naturalisés), Canada 57 000, Zaïre et Afr. centr. 28 000, G.-B. 24 000, P.-Bas 22 000, Afr. du S. 14 000, All. féd. 13 500 (+ 61 500 militaires et membres de leur famille), Amér. latine 12 000 (dont Argentine 5 500, Brésil 2 500, Chili), Luxembourg 6 500, Australie 6 000, Suisse 5 000, Afr. du N. 4 000, Espagne 3 250, Italie 2 500, Proche-Orient 2 000, Asie 1 800, Afr. occid. 1 500, autres pays 5 000. (En 91, solde migratoire : 14 146).

Étrangers. 922 502 (1-1-92) dont Italiens 240 008, Marocains 145 600, Français 94 855, Turcs 88 365, Néerland. 67 711, Esp. 51 095, All. 28 509, G.-B. 24 188, Grecs 20 620, Port. 17 797, Lux. 4 652, divers 139 102. **Frontaliers** (81) occupés en France 14 678, All. 9 857, P.-Bas 2 867.

La loi du 13-6-1991 confère à partir du 1-1-92 la nationalité belge aux enfants de la 3ᵉ génération de – de 18 ans. Ceux de + de 18 a. doivent faire une déclaration à l'état civil. Ceux de la 2ᵉ génération et de moins de 12 a. l'obtiennent sur déclaration de leurs parents. *Est. 92 :* 130 000 personnes concernées.

Régions. Superficie en km² et population (au 1-1-1992). *Bruxelloise* 161 km² (951 217 h.). *Flamande* 13 522 (5 794 857 h.). *Wallonne* 16 844 (3 275 923 h.) [dont de langue allemande 854 (68 184 h.)].

Villes (en 1992). *Bruxelles* 135 435 (dont 36,28 % d'étrangers), agg. 960 324 ; Anvers 465 783 (agg.) ; Gand 230 232 ; Charleroi 206 903 ; Liège 196 303 ; Bruges 116 717 ; Schaerbeek 102 417 ; Namur 104 304 ; Mons 92 428 ; Anderlecht 88 131 ; Louvain 85 573 ; La Louvière 76 694 ; Alost 76 453 ; Courtrai 76 385 ; Malines 75 689 ; Uccle 73 826 ; Ixelles 72 447 ; Molenbeck-Saint-Jean 67 993 ; Ostende 68 457 ; Saint-Nicolas 68 253 ; Tournai 67 776 ; Hasselt 66 884 ; Genk 61 589 ; Seraing 61 182 ; Verviers 53 758 ; Mouscron 53 774 ; Roulers 53 180 ; Forest 45 957 ; Saint-Gilles 42 379.

Langues off. Français (wallon) (off. dep. 1830) ; *prononciation* similaire à celle du picard à l'O. (*a* prononcé *o, ê* prononcé *é*), du lorrain à l'E. (*oi* prononcé *oué ;* suppression des nasales) ; *le vocabulaire* diffère du fr. de l'Hexagone par une vingtaine d'archaïsmes, plus d'une centaine de néologismes, une trentaine de termes dialectaux empruntés aux patois wallon et liégeois ou au flamand ; *la syntaxe* comporte plus de 200 idiotismes. **Néerlandais** *(flamand)* (off. dep. 1898) ; *1923* arrêté royal ordonnant de traduire les textes législatifs en néerlandais. *1963* publication de la traduction néerlandaise de la Constitution (1831) **Allemand,** 2 groupes de dialectes : au S., haut all. (francique moyen) ; au N.-E., bas all. (bas-francique).

% des électeurs (24-11-1991) : flamands 58,29, wallons 32,19, bruxellois 9,64.

Religions. *Catholiques* à 79 % [7 008 prêtres diocésains ; séminaristes (1987) : 185 néerlandophones, 115 francophones ; ordinations (1989) : 36 ; 1 archev. ; 7 évêques ; 55 ordres religieux masculins, 543 couvents ; 387 congrégations féminines, 2 798 couvents (27 310 religieuses) ; 6 250 écoles (1 033 000 élèves)]. *Protestants* 125 000 (88 pasteurs). *Israélites* 35 000 (27 rabbins). *Anglicans* (11 chapelains). *Orthodoxes* (29 officiants). Pas de religion d'État. Traitements et pensions des ministres du culte reconnus (cath. romain, protestant évangélique, anglican, musulman, hébraïque) sont à la charge de l'État.

HISTOIRE

Période préromaine 5 tribus celtiques : Éburons, Nerviens, Ménapiens, Morins et Segni (sous-tribu des Trévires) installées v. 250 av. J.-C., venant de la rive dr. du Rhin ; font partie des Belges ou Belques ou Volques, Gaulois vêtus du pantalon-sac (bouge)

et non de la braie étroite. Une tribu germanique, Aduatuques ou Tongres, installée en 113 av. J.-C., lors de l'invasion des Cimbres. **57 av. J.-C.** J. César conquiert Gaule, Belgique, entre Seine et Rhin. En 5 ans vainc les tribus belges ; Ambiorix, chef des Éburons, fut son adversaire le plus acharné.

Période romaine répartie entre Belgique seconde (cap. Reims) et Germanie inférieure (cap. Cologne). Cités principales : Aduatuca (Tongres), Turnacum (Tournai) ; centre militaire : Bavai. **IVe s.** christianisme apparaît (ne se répand qu'aux VIe et VIIe s.). **Ve s.** Francs saliens, puis Francs ripuaires occupent le N. **843** tr. de Verdun : partage entre France et Lotharingie : la marche de Flandre (O. de l'Escaut) est attribuée au roi de Fr., bien que germanophone. **879** Lotharingie absorbée par l'All. **IXe au XIIe s.** formation des fiefs belges [comté de Flandre (fr.), duché de Brabant et Limbourg, comtés de Hainaut, Namur, Luxembourg, principautés épiscopale de Liège et abbatiale de Stavelot-Malmédy (impériaux)]. Participation aux croisades.

XIIe au XIVe s. Bruges centre de rayonnement. **1214** 1er soulèvement de la Flandre contre les Fr. : Ferrand battu à *Bouvines*. **1285-1319** 2e soulèvement : victoire [11-7-1302 : *Courtrai* (bataille des *Éperons d'Or :* Cte de Fl., Guy de Dampierre et milices communales battent les Fr.) ; **1304** défaite à *Mons-en-Pévèle]*. **1319** Fl. francophone détachée du comté. **1328** 3e soulèvement : déf. de *Cassel.* **1340** 4e ; alliance des Fl. et des Anglais. **1382** 5e (déf. de Westrozebeke).

1384-1477 *période bourguignonne.* **1384** Philippe le Hardi hérite de la Fl. et entreprend l'unification des P.-Bas. **1473** Charles le Téméraire inst. la capitale des P.-Bas à Malines. *Institutions :* « Grand Conseil », « Chambre du Conseil » à Dijon et Lille, « Conseil de Flandre », « Chambre des Comptes » à La Haye, « États généraux » à Bruges. **1477** mort de Charles le Téméraire : P.-Bas séparés de la Bourgogne ; passeront par héritage dans la maison d'Espagne.

Chefs d'État. 1515-1795. 1515 CHARLES QUINT (1500-58). **1555** PHILIPPE II d'Espagne (1527-98). **1599** ISABELLE d'Autriche (1566-1633), f. de Philippe II, et Albert (1559-1621), son mari (f. de Maximilien II emp. d'Allemagne). **1621** ISABELLE, seule. **1633** PHILIPPE IV d'Espagne (1605-65), f. de Ph. III (1578-1621). **1665** CHARLES II (1661-1700), s. f. **1701** PHILIPPE V (1683-1746), p.-f. de Louis XIV. **1713** CHARLES VI de Habsbourg (1685-1740), emp. d'Autriche (1711-40), f. de l'emp. Léopold Ier. **1740** MARIE-THÉRÈSE (1717-80), s. f. **1780** JOSEPH II (1741-90) emp., s. f. **1790** LÉOPOLD II (1747-92) empereur, s. frère. **1792** FRANÇOIS II (1768-1835) emp., s. f. **1795-1815** *annexée à la Fr.* (après conquête 1794). **1815** GUILLAUME Ier des P.-Bas (1772-1843). **1519** Charles Quint, souverain des P.-Bas, devient emp. d'All. **1526** *tr. de Madrid :* la Fl. cesse de faire partie du roy. de Fr. Avec Brabant, Hainaut, Namur, Luxembourg (mais non Liège), figure dans un bloc des 17 provinces des P.-Bas. Industrie et Anvers en plein essor ; depuis 1425 université de Louvain, foyer intellectuel européen. **1555** Charles Quint abdique en faveur de son f. Philippe II. **1559-67** gouvernement de Marguerite d'Autriche (1521-86), duchesse de Parme, fille naturelle de Charles Quint, demi-sœur de Philippe II (PM : cardinal de Granvelle, archev. de Malines ; chef militaire : Alexandre Farnèse, fils de Marguerite). **1565** début de la *« guerre des gueux »,* soulèvement des protestants des P.-Bas contre l'Esp. **1581** scission des 17 provinces en 2 blocs rivaux : P.-Bas du Sud ou espagnols (futur roy. de Belgique) et Provinces-Unies calvinistes (futur roy. des P.-Bas). Blocus maritime d'Anvers par les Pr.-Unies : décadence du commerce maritime. **1598** Philippe II confie P.-Bas à sa fille, l'archiduchesse Isabelle, et à son époux, l'archiduc Albert d'Autriche. Restauration économique, renaissance culturelle. Après leur mort (sans enfant), de 1633 à 1714, P.-Bas redeviennent le champ de bataille de l'Europe. **1648** *tr. de Münster :* paix définitive avec Pr.-Unies (fermeture de l'Escaut, cession de la Fl. maritime, du Nord-Brabant et de Maestricht). **1659** *tr. des Pyrénées :* la Fr. récupère la Fl. francophone. **1678** *tr. de Nimègue :* échange de territoires entre Fr. et P.-Bas esp. : frontière actuelle se dessine. **1713-14** *tr. d'Utrecht* et *de Rastatt :* à l'issue de la g. de Succession d'Esp., Philippe V renonce aux P.-Bas ; ils passent sous l'autorité des Habsbourg d'Autr. **1714-1790** P.-Bas autrichiens : 3 souverains, Charles VI, Marie-Thérèse et Joseph II. **1723** fondation du port d'Ostende, qui remplace Anvers (Escaut fermé).

1789 révolution brabançonne chasse les Autr. ; un aventurier français, Armand-Louis de Béthune (1770-94), fils du duc de Charost, tente de se faire couronner roi de Brabant ; arrêté, se réfugie en Fr. **1790**-*11-1* États généraux proclament à Bruxelles *l'indépendance des États belges unis.* **1791**-*déc.* A. de Béthune recrute des volontaires pour envahir le Brabant. **1792**-*6-11* victoire fr. à *Jemmapes.* **1793**-*1-3* la Rép. fr. *annexe la Belg.* -*18-3* Fr. battus à *Neerwinden,* les P.-Bas retournent à l'Autr. -*11-9* A.-L. de Béthune, arrêté à Calais, sera guillotiné. **1794**-*26-6* victoire fr. de *Fleurus,* liens entre P.-Bas et Habsbourg définitivement tranchés. **1795** Fr. annexe Liège, principauté ecclésiastique impériale qui n'avait jamais fait partie des P.-Bas (à Liège sur 10 000 votants, 9 980 pour). **1795-1814** forme 9 départ. français. *Principales réalisations :* port d'Anvers ; complexe industr. de Liège. **1814** *juillet* roy. des P.-Bas réunit Hollande, anciens P.-Bas autr. et év. de Liège.

1830-*25-8* Bruxelles : *La Muette de Portici* (opéra d'Auber, paroles de Scribe, exaltant l'insurrection des Napolitains contre le régime espagnol) déclenche une vive agitation dans la salle, puis dans la rue : les anciens P.-Bas esp. et habsbourgeois sont catholiques ; les anciens P.-Bas orangistes sont protestants (avec une frange sud cath.). Les B. francophones, lisant la presse parisienne, sont libéraux (le roi des P.-Bas, Guillaume Ier, absolutiste). La garde bourgeoise rétablit l'ordre, mais Guillaume Ier envoie avec son fils Guillaume (héritier) 6 000 h. à Bruxelles. -*1-9* Guillaume plaide auprès de son père la séparation admin. du N. et du S. -*13-9* délégation de députés belges à l'ouverture des états généraux à La Haye. -*23-9* Frédéric, 2e fils de Guillaume Ier, entre à Bruxelles avec 12 000 h., 4 j de combats. -*26/27-9* l'armée holl. évacue la ville, puis en sept. la Belg. sauf la citadelle d'Anvers (enlevée en déc. 1832 par le Mal fr. Gérard). Formation d'un gouv. révolutionnaire. -*4-10* proclamation de l'indépendance. -*6-10* formation d'une Commission constituante. -*3-11* élection au suffrage censitaire des 200 m. du Congrès national qui proclament le 24-11 la déchéance des Nassau. **1831**-*20-1 neutralité perpétuelle* décidée à la conférence de Londres. -*3-2* le Congrès élit roi le *duc de Nemours* (16 ans, 2e fils du roi de Fr. Louis-Philippe) par 97 v. contre 74 pour le duc de Leuchtenberg (fils d'Eugène de Beauharnais), 21 pour l'archiduc Charles d'Autriche, ancien gouv. des Pays-Bas autr. -*7-2 Constitution promulguée.* -*17-2* Louis-Phil. refuse pour son fils (l'Angl. ayant mis son veto).

■ **Régence. 1830**-*24-2* confiée au Bon *Emmanuel Surlet de Chokier* (1769-1839).

■ **Royaume. 1831-4-6 Léopold de Saxe-Cobourg Gotha** élu roi des Belges (152 voix sur 196 présents au Congrès national) [LÉOPOLD Ier (1790-1865). Ép. 1o) 2-5-1816 Pcesse Charlotte de Gde-Bretagne (1796-1817) ; 2o) 9-8-1832 Louise-Marie d'Orléans (1812-1850), f. du roi de France Louis-Philippe et sœur du duc de Nemours]. -*21-7* prête serment. -*22-7* Holl. battent Belg. à Hasselt et prennent Louvain. *Août* invasion holl., 10 j de campagne, aide fr., retrait holl. **1831-32** *tr. des 24 articles,* consacrant indép. et neutralité : Maestricht, Luxembourg, bouches de l'Escaut sont enlevés à la Belg. *conférence de Londres.* **1839** roi des P.-Bas reconnaît l'indépendance b. **1847**-*6-4* loi interdisant d'offenser le roi. **1848** neutralité menacée par la Fr. (1866 id.). **1863** B. rachète aux P.-Bas le droit de péage sur l'Escaut, libérant le port d'Anvers.

■ **1865 Léopold II** (9-4-1835/17-12-1909) s. f. Ép. 22-8-1853 Marie-Henriette de Habsbourg-Lorraine (23-8-1836/9-1902), fille de l'archiduc Joseph, prince palatin de Hongrie et de Bohême, et de Marie-Dorothée de Wurtemberg ; enfants *Louise* (1858-1924) ép. Phil Pce de Saxe-Cobourg Gotha (1844-1921), [1897 le Cte Geza Mattachich († 1921) enlève Louise ; ils sont emprisonnés momentanément en 1898 ; en 1904, Mattachich l'enlève à nouveau, elle obtiendra le divorce en 1906], *Léopold* (1859-69), *Stéphanie* (1864-1945) ép. 1881 Rodolphe arch. hér. d'Autr. (1858-89), 2e Elemer Pce de Lonyay (1946), *Clémentine* (1872-1955) ép. 1910 Pce Victor Napoléon (1862-1926). **1908** L. II lègue à la Belg. le Congo, qui lui appartenait dep. 1885 *(acte de Berlin).*

■ **1909 Albert Ier** (8-4-1875/17-2-1934, chute en montagne à Marche-les-Dames, dit « le roi chevalier ») neveu de Léopold II, f. de Philippe, [Cte de Flandre (fr. de L. II) (24-3-1837/17-11-1905)] et de Marie de Hohenzollern (1845-1912). Ép. 2-10-1900 Élisabeth de Wittelsbach (Desse de Bavière) (25-7-1876/23-11-1965), f. de Carl Theodore, duc en Bavière, et de Marie-José de Bragance. *Enfants :* Léopold III [Pce *Charles* de Belgique, Cte de Flandre (1903-83), régent du 20-9-1944 au 20-7-1950, marié ; Pcesse *Marie-José* de Belgique (4-8-06) épouse 8-1-30 le futur roi Humbert II d'Italie (voir Index)]. **1912** lettre ouverte de Jules Destrée au roi : « Il n'y a pas de Belges, il n'y a que des Flamands et des Wallons. » **1914**-*2-8* la B. refuse l'ultimatum all. de laisser le passage à l'armée all. *-4-8* l'All. viole la neutralité b., crée un « Conseil des Flandres », et tente d'installer un C. wallon. Liège résiste (en 1919, le Pt français Poincaré remettra à la ville la Légion d'honneur ; le café viennois devient en Fr. le c. liégeois). *Pertes belges à la g. de 1914-18,* 40 000 militaires (10 % de l'effectif max. de l'armée), 6 000 civils (en août 1914), 2 614 déportés et 3 000 civils, morts de sept. 1914 à nov. 1918. **1919***18-6 tr. de Versailles :* la B. reçoit Eupen (176 km², 30 000 h.), Malmédy (813 km², 33 000 h.) St-With (1 469 km²) et le terr. neutre de Moresnet (956 km²), et un mandat sur le Rwanda-Urundi. **1920**-*7-9* accord mil. défensif avec Fr. **1922** *union économique avec Luxembourg.* **1925**-*16-10 accords de Locarno* garantissant frontières.

■ 1934 **Léopold III** (3-11-1901/25-9-1983) fils d'Albert. Ép. 1°) 4-11-26 P^cesse^ Astrid de Suède, D^esse^ de Vestrogothie (17-11-1905/29-8-1935, accident de voiture à Küssnacht en Suisse) ; 2°) morganatiquement (religieusement 11-9-41 civilement 6-12-41), Liliane Baels (28-11-16) (P^cesse^ de Belg. connue sous le nom de P^cesse^ L. de Réthy) ; abdique 15-7-1951. *Enfants de Léopold III : du 1er mariage : P^cesse^ Joséphine-Charlotte* (11-10-27) ép. 9-4-53 P^ce^ Jean Gd-duc de Luxembourg (Voir Index) ; roi *Baudouin Ier ; P^ce^ Albert,* P^ce^ de Liège (6-6-34) ép. 2-7-59 Donna Paola des princes Ruffo di Calabria (Italienne, n. 11-9-37), f. du P^ce^ Ruffo di Calabria, duc de Guardia Lombarda, Cte de Sinopoli, 3 enf. : Philippe (15-4-60), Astrid (5-6-62) ép. (22-9-84) Archiduc Laurent d'Autriche-Este (19-10-63) du *2e mariage : Alexandre* (18-7-42), *Marie-Christine* (6-2-51) ép. 1°) 25-5-81 Paul Druker ; 2°) 1989 Jean-Paul Gourgues. *Maria-Esmeralda* (30-9-56). **1935** *mars* belga dévalué. **1936** la B. redevient neutre. *-24-5 succès rexiste* avec 11,5 % des voix [21 députés (Flandre 3, Wallonie et Bruxelles 18), 12 sénateurs] aux él. lég. [P. soc. 32,10 % (au lieu de 37,11 % en 1932), 70 dép. (73 en 1932) ; P. cath. 27,67 % (38,55 %), 61 dép. (79) + 2 dém.-chr. ; P. lib. 12,40 % (14,28 %), 23 dép. (24) ; VNV (nat. flamands) 7,12 % (5,92 %), 16 (8) ; P. comm. 6,06 % (2,81 %), 9 (3)] avec *Léon Degrelle* [(15-6-1906, père français)]. *1930* Dir. de Christus-Rex, maison d'édition de l'Action catholique. *1932* fonde la revue *Rex. 1934 août* él. légis. échec rexiste (4 dép. au lieu de 21). *1935* chef du rexisme (pour un pouvoir fort et antiparlementaire, un système social corporatif, chrétien proche du fascisme). *-25-3* 1er grand meeting à Bruxelles. Inspire à Hergé son personnage de Tintin. *1937-11-4* él. partielles, battu par Van Zeeland. *1938-oct.* échec rexiste aux él. munic. *1940* partisan d'une entente avec l'All., *mai* arrêté et emprisonné en Fr. (camp de concentr. du Vernet, Pyr.-Or.). *-22-7* libéré, crée la légion « Wallonie ». *1941-8-8* combat avec elle contre l'URSS du côté all. *1944-29-12* condamné à mort par contumace. *1945* réfugié en Espagne]. **1937**-*24-3* France et G.-B. délivrent la B. de ses obligations militaires. *-25-10* All. s'engage à respecter neutralité B. **1939**-*2-4* él. lég. : 4 dép. rexistes. **1940**-*10-5* attaque all. *-28-5* 4 h du matin, Léopold III (Cdt en chef des armées) capitule. Réfugié en France, le gouv. social-chrétien *Hubert Pierlot* estime « que le roi avait rompu le lien qui l'unissait à son peuple et que placé sous le pouvoir de l'envahisseur il n'était plus en situation de gouverner », et annonce assumer désormais les pouvoirs constitutionnels dévolus au souverain (art. 82 de la constit.). Le gouv. Pierlot s'installe à Londres ; L. III, se considérant comme prisonnier volontaire à Laeken, refuse tout contact politique et toute intervention, cependant le 19-9 voit Hitler à Berchtesgaden mais n'obtient pas la libération des prisonniers de guerre (sauf des Flamands parce que, dit Hitler, « ils se sont montrés sympathiques et nous ont témoigné de la confiance »). **1944**-*6-6* sur ordre d'Hitler, la famille royale est emmenée dans un château des bords de l'Elbe. *-3-9* Bruxelles libérée. *-5-9 tr. de Londres :* formation du *Benelux. -20-9 régence du P^ce^ Charles.* **1945**-*7-5* Léopold, libéré à Stroll (Autriche) où il avait été transféré, se retire à Prégny (Suisse). *Pertes dues à la g. : 1940 :* militaires 6 516, civils 12 000. *1943 à 1945 :* 19 570 civils (dont bombardements du 1-1 au 31-8-44 : 6 500, combats de la libération 2 622, offensive des Ardennes 1 205), déportés 12 000 ; israélites 28 000 déportés (la plupart récemment arrivés en Belg.), 1 200 revenus. **1949** la B. adhère au *Pacte atlantique.* **1950**-*12-3* élect. : 57,68 % pour le retour du roi, 41,3 % contre (Hainaut et prov. de Liège ont voté contre ; 72 % des Flamands et 42 % des Wallons ont voté pour). *-20-7* les Chambres votent une motion constatant que l'impossibilité de régner pour L. III a cessé. *-22-7 retour du roi* suivi de grèves et de manif. *-30-7* 3 † à Grâce-Berleur. *-10-8* L. III nomme Baudouin P^ce^ royal et lieut.-gén., lui confère les pouvoirs souverains. Quand Baudoin prête serment, le Pt du Parti communiste belge, Julien Lahaut, crie « Vive la République ! » ; il sera assassiné quelques mois plus tard. **1951**-*16-7* L. III abdique.

■ 1951-*17-3* **Baudouin Ier** (7-9-1930) fils de L. III. Ép. 15-12-60 Doña Fabiola de Mora y Aragon (Madrid 11-6-28), fille du Mis de Casa Riera, Cte de Mora. B. devient membre de la *Ceca.* **1957** membre du *Marché commun.* **1960**-*30-6 Congo* indépendant. **1960-61** grèves insurrectionnelles. **1962**-*1-7 Rwanda-Urundi* indépendant. **1965** querelles linguistiques. **1970** révision de la Constitution qui réalise l'autonomie culturelle (art. 59 bis), et permet la régionalisation (art. 107 quater), suivie de la mise en place des Conseils écon. régionaux (CER) et des Stés de dévelop. régional (SDR) prévus par la loi Terwagne. **1974** discussions de Steenokerzeel. Échec. Loi *Perin-Vandekerkhove* (régionalisation préparatoire). Création des Conseils rég. (consultatifs). **1976** tentative Moreau-Claes de règlement global de la régionalisation ; échec (Volksunie réticente, PSC refuse). **1977** *pacte d'Egmont,* accepté par partis fédéralistes ; le CVP, pourtant signataire, le fait échouer.

1980-*juillet* attentat contre un car scolaire à Anvers (1 †, 19 bl.). *8/9-8* vote du projet gouvernemental de régionalisation (les décisions importantes restent de la compétence du pouvoir central dans lequel la Flandre occupe une position majoritaire), pour Bruxelles, rien n'est réglé. Les exécutifs régionaux restent à l'intérieur du gouv. central. **1981**-*2-4* crise économique : « gel » de la régionalisation. *Oct.* bombe devant la synagogue d'Anvers (3 †, + de 100 bl.). **1982**-*22-2* dévaluation (8,5 %, 1re dep. 33 ans). *-16-3* manif. à Bruxelles des sidérurgistes de Liège et de Charleroi ; 179 policiers et 100 manif. bl. *-28-4* P. Vanden Boeynants, ex.-PM, mis en cause (fraude fiscale). **1985**-*20-4* attentat contre siège de l'Otan à Bruxelles (1 †). *-1-5* voiture piégée des Cellules communistes combattantes (CCC) à Bruxelles (2 †). *-29-5* attaque de supporters italiens par des hooligans britanniques lors de la finale de la coupe d'Europe des clubs champions à Bruxelles stade *du Heysel* (39 † dont 31 It., 454 bl.). *-16-7* démission du gouv. de Wilfried Martens après démission (15-7) du vice-PM et min. de la Justice Jean Gol ; refusée par le roi Baudouin. *-9-11* supermarché *d'Alost,* 8 tués par gangsters. *-6-12* attentat des CCC à Liège (1 †). *-16-12* arrestation de 4 membres présumés des CCC. **1986**-*6-4* réévaluation de 1 %. *-23-5* plan de rigueur. *-25-6 Vanden Boeynants* (ancien PM) condamné à 3 ans de prison avec sursis et 620 000 FB (95 000 FF) d'amende pour fraude fiscale et usage de faux. **1987**-*15-10 W. Martens* PM démissionne (il n'a pas trouvé de solution au problème des *Fourons,* commune en majorité francophone mais rattachée à la Flandre ; le bourgmestre, José Happart, refusant de passer un examen linguistique, ayant été destitué et réélu). *-13-12* élection, succès socialiste. Longue crise ; le gouvernement obtient à la Chambre les 2/3 requis pour continuer la révision de la Constitution, entamée en 1970. **1988** *-9-5 W. Martens* PM (coalition, il a fallu 187 j pour former le gouv.). *-30-7* projet de loi transférant une série de compétences aux régions et aux communautés : révision de 7 art. de la Constitution : art. 17, 59 *bis* et 107 *ter* sur la communautarisation de l'enseignement, art. 47 et 48 sur la commune des Fourons, art. 108 *bis* sur la région de Bruxelles-capitale, art. 115 sur le financement futur des régions. *-26-9* procès des 4 membres présumés des CCC. *-23-12* rapports tendus avec Zaïre. **1989**-*6-1* lois spéciales sur cour d'arbitrage et instit. brux. *-14-1 Vanden Boeynants* (ancien PM) enlevé par des truands, libéré contre 60 millions de FB [*févr. :* ravisseurs identifiés ; 27-5 à Rio, Patrick Haemers arrêté (organisateur du rapt) ; 13-5-93 se suicide]. *-16-1* loi spéciale sur finances des Communautés et Régions. *Mars* assassinat de l'iman Abdallah Ahbal, chef de la communauté musulmane de B. et, le *-3-10,* de Joseph Wibran, Pt du comité des org. juives de B., revendiqués par « les soldats du droit » (l'imam avait rejeté la condamnation à mort de S. Rushdie). *-1-12* bombe à l'univ. libre de Bruxelles (3 bl.). *Déc.* URSS verse 25 millions de F B pour les dégâts causés par la chute d'un Mig-23 le 4-7 (1 †). **1990**-*29-3* Ch. des dép. vote dépénalisation de l'avortement par 126 voix contre 69 (12 abst.). *-3-4* Baudouin, pour ne pas promulguer cette loi, démissionne 36 h (art. 82 de la Constit.), le Conseil des min. assure la régence. *-4-4* le Parlement (dép. et sénateurs) lui redonne son pouvoir (245 pour, 93 abstentions). *Déc.* plan de restructuration de l'armée. **1991**-*11-1* terroriste palestinien Nasser Saïd libéré en échange des 4 otages du Silco. *Mai* Bruxelles, émeutes Maghrébins. *-18-7* Liège, *André Cools* (n. 1928), ex-vice-PM, assassiné. *Oct.* chambres dissoutes. *-29-11* él. législatives. **1992**-*3-7* service militaire réduit à 8 mois pour appelés, supprimé 1-1-94. *30/11-2/12* visite roi et reine en France. **1993**-*25-4* Bruxelles, 20 000 manif. contre séparatisme.

■ Politique

■ **Statut.** Monarchie constitutionnelle et parlementaire. **Constit.** 7-2-1831, révisée en 1888, 1893, 1919-21, 1970, 1980, 1988, 1991 [fils aîné du roi (héritier) ou, à son défaut, le petit-fils aîné est titré duc de Brabant, et le fils aîné du duc de Brabant Cte de Hainaut]. Dep. 8-3-1991, succession par primogéniture absolue ou cognatique (les filles aînées montent sur le trône même si elles ont des frères cadets), 1993 *-6-2* art. 1 révisé pour transformer le pays en état fédéral (3 régions).

Décentralisation au profit des régions. *Régions linguistiques :* 3 unilingues (francophone, néerlandophone, germanophone), où il existe des communes avec minorités protégées parlant l'une des autres langues nationales et 1 bilingue francophone et néerlandophone (Bruxelles-Capitale). **Des Communautés et des régions** disposant chacune d'un Conseil (organe législatif) et d'un Exécutif. *3 communautés* (flamande, française, germanophone) réglant les affaires culturelles, l'enseignement et les matières personnalisables (santé, affaires sociales...), et *3 régions* (bruxelloise, flamande, wallonne) réglant les matières régionalisées (logement, emploi, environnement, développement économique...).

Communauté. Flamande. Les organes politiques gèrent les attributions de la Communauté et celles de la région. *Conseil :* composé des députés et sénateurs élus dans les arrondissements flamands et collègues néerlandophones élus dans l'arrond. électoral de Bruxelles (188 membres : CVP 59, SP 42, PVV 39, Volksunie 15, Agalev 12, Vlaams Blok 17, Rossem 4). *Exécutif :* 8 m. (CVP 4, SP 3, VU 1). **Française.** *Conseil :* composé des députés et sénateurs élus dans les arrond. wallons et collègues francophones élus dans l'arrond. électoral de Bruxelles (130 m. : PS 53, PRL 29, PSC 27, Écolo 16, FDF 4, FN 1). *Exécutif :* 4 m. (PS 3, PSC 1). **Germanophone.** *Conseil :* élu par la voie directe [25 m. : CSP (PSC) 8, PFF (PRL) 5, SP (PS) 4, PDB 4, Écolo 4). *Exécutif :* 3 m. CSP (PSC) 1, PFF (PRL) 1, SP 1].

Région bruxelloise. *Conseil :* [83 m. : PS 20, PRL 15, FDF-ERE 14, PSC 10, Écolo 8, CVP 5, SP 3, PVV 2, FN-NF 2, VO 2, Vlaams Blok 1, Agalev 1]. *Exécutif :* 8 m. au sein du gouv. national (PS 2, FDP-ERE 2, CVP 1, SP 1, PSC 1, VU 1). *Pt* Charles Picqué (n. 1948). Enclave (162 km², 19 communes) à 80 % francophone mais linguistiquement gérée comme un condominium. L'extension géographique de la capitale entraînant la francisation de sa banlieue, les Flamands opposent le « droit au sol » aux Wallons qui s'appuient sur le « droit des gens ». La minorité avait obtenu la parité linguistique sur la zone de B., sauf pour 6 communes périphériques (dites à facilité linguistique, où seul le néerlandais régit les rapports entre administration locale et pouvoir régional). **Région flamande** gérée par la communauté flamande. **Région wallonne.** *Conseil :* députés et sénateurs élus dans les seuls arrondissements wallons (104 m. : PS 47, PRL 20, PSC 24, Écolo 13). *Exécutif :* 7 m. (PS 4, PSC 3). Conseil et Exécutif règlent également les matières régionales afférentes à la Communauté germanophone.

☞ *Les Fransquillons (Franskiljoen) :* faible minorité de Flamands monolingues en fr. (3,5 % en Fl. et Limbourg, 1 % à Anvers), appartiennent généralement aux milieux du commerce et de la banque. Entre 1880 et 1950, de nombreux écrivains et poètes de langue exclusivement fr. étaient des Flandres. On ne considère pas comme fransquillons les Flamands bilingues (20 % en Fl., 18 % à Anvers).

■ **Divisions.** *Administrative :* 10 provinces, 43 arrondiss., 214 cantons, 589 communes (*1920 :* 2 838, *32 :* 2 670, *72 :* 2 359, *75 :* 589, *77 :* 596). *Judiciaire :* 26 arrondiss., 222 cantons. *Électorale :* 214 cantons.

■ **Fêtes.** *Nationale :* 21-7 (prestation du serment constitut. de Léopold Ier en 1831) ; *de la dynastie :* 15-11 [Les francophones célèbrent le 27-9 (anniv. de la vict. sur les Holl. dans le parc de Bruxelles en 1830) et les néerlandophones le 11-7 (anniv. de la bat. des Éperons d'Or 1302)]. **Drapeaux.** *National :* adopté 1830 : noir, jaune et rouge (couleurs issues des armes du Brabant). *Communauté flamande :* lion noir aux griffes et langue rouges sur fond jaune ; *française :* coq hardi rouge sur fond jaune ; *germanophone :* lion rouge entouré de 9 quintefeuilles bleues sur fond blanc et surmonté d'une couronne royale. **Emblème héraldique.** Lion (Leo Belgicus) avec la devise « l'Union fait la force ».

Hymne national belge. *La Brabançonne* [paroles en 1830 de Louis-Alexandre Dechet (dit Jenneval), modifiées en 1860 par Charles Rogier, musique de François Van Campenhout] : « O Belgique, ô mère chérie, / A toi nos cœurs, à toi nos bras, / A toi notre sang, ô Patrie, / Nous le jurons tous : Tu vivras. / Tu vivras, toujours grande et belle / Et ton invincible unité / Aura pour devise immortelle : / Le Roi, la Loi, la Liberté *(ter)* ».

■ **Justice.** *Peine de mort :* n'est plus appliquée dep. un siècle, sauf en 1918 à Furnes (le bourreau étant en zone occupée, on fit venir de Paris Antoine Deibler) ; le dernier bourreau belge est mort en 1929 sans avoir officié.

■ Partis

Partis dits traditionnels. Christelijke Volkspartij (CVP), fondé 1945, 186 000 m. néerlandophones. Pt Herman Van Rompuy (31-10-1947) [avant Frank Swaelen (23-3-1930), Léo Tindemans (16-4-1922)]. **P. social chrétien** (PSC, f. 18-8-1945) 65 000 m. francophones, Pt Gérard Deprez (3-8-1943). Jusqu'en 1972, partis unitaires, aujourd'hui autonomes. **P. socialiste-Socialistische Partij (PS-SP).** Ancien P. ouvrier belge (f. 5/6-4-1885 ; jusqu'en 1945). 2 Pts nationaux, l'un francophone [Guy Spitaels (3-9-1931) de 1981 au 6-1-92, puis Philippe Busquin (6-1-34) dep. janv. 92], l'autre néerlandophone (Frank Vandenbroucke (21-10-1955). Le 26-11-1978 scission : congrès constitutifs du PS (francoph.) à Namur et du SP (flamand) à Gand. 142 795 m. **P. réformateur libéral-Partij voor Vrijheid en Vooruitgang (PRL-PVV).** Ancien P. libéral f. 14-6-1846 (jusqu'en 1961). Pt Guy Verhofstadt (11-4-1953), 75 000 m. Le PLP a fusionné, le 24-11-1976, avec une partie du Rassemblement wallon (RW), puis, le 19-5-1979, avec le P. libéral bruxellois (PL), et est devenu le *P. réformateur libéral* (PRL), f. 1979, 60 000 m. Pt Antoine Duquesne (3-2-1941). **Union des communistes (PCB-KPB)** f. en 1921, Pt du KPB Louis Van Geyt (24-9-1927), Pt du PCB Pierre Beauvais. 50 000 m.

Autres partis. Francophones : Front démocratique des francophones (FDF) dans la région bruxelloise, f. 1964, 14 406 m., Pt Georges Clerfayt (23-4-1935) [avant, Lucien Outers (1924-93)]. **Écologistes.** P. Écolo, f. 1980. 1989 él. europ. 16,6 % (2 s.). **Solidarité et Participation (SEP).** Flamands : *Volksunie VU* f. 14-12-1954, 40 000 m., Pt Baer Anciaut (11-9-1959). **Vlaams Blok,** f. 1979, droite nationaliste, Pt Karel Dillen (16-10-1925). **Anders Gaan Leven (Agalev), Vivre autrement,** f. 1982. 1987 : 4,5 %. 89 : 12,1 % (1 dep. au Parlement europ.), Pt Johan Malcorps. Germanophones : **Partei der Deutschsprachigen Belgier (PDB),** f. 1971, Pt Alfred Keutgen. **Rossem,** *Pt* Pierre Van Rossem.

■ Parlement

Sénat. 185 m. pour 4 ans, (âge min. 40 a.), dont 106 élus au suffr. univ. à la représ. prop., 52 élus par les conseils provinciaux et 26 cooptés par les S. directement élus et les S. provinciaux, 1 de droit : le Pce Albert de Liège (6-6-1934). *Pt* Frank Swaelen (23-3-1930), CVP.

Chambre des représentants. 212 m. (âge min. 21 a.), élus au suffr. univ. à la proportionnelle pour 4 a. *Pt* Charles-Ferdinand Nothomb (3-5-1936), PSC.

■ Élections du 24-11-1991

Scrutin : proportionnelle. % des voix et comparaison en % avec les élections du 13-12-1987.

	Wallonie		Bruxelles		Flandre	
PS	39,2	− 4,7	15,4	− 5,2	–	–
PRL	19,8	− 2,4	21,7	− 3,6	–	–
PSC	22,5	− 0,7	8,8	+ 0,3	–	–
Écolo	13,5	+ 7	9,4	+ 3,9	–	–
PCB	0,3	− 1,3	–	− 1	–	− 0,5
UDRT	–	− 0,3	0,3	+ 0,3	–	–
RW	–	− 0,6	–	–	–	–
FDF-PPW	1,0	+ 0,8	11,9	+ 1,1	–	–
Agalev	–	–	1,7	+ 0,5	7,8	+ 0,5
SP	–	–	3	− 2,1	19,6	− 4,6
Vlaams Blok	–	–	3,9	+ 2,9	10,3	+ 7,3
Volksunie	–	–	2,8	− 0,9	9,3	− 3,6
CVP	–	–	6,7	− 1,3	26,9	− 4,5
PVV	–	–	5,4	− 0,4	19,0	+ 0,5
Rossem	–	–	1,6	+ 1,6	5,1	+ 5,1
FN-NF	1,7	+ 1,7	5,7	+ 4,5	–	–
Divers	1,9	− 0,4	1,7	− 0,5	1,9	− 1,5

■ Premiers ministres belges

1831 *26-2* Albert-Joseph Goblet d'Alviella (1790-1873). *23-3* Cte E. de Sauvage (1789-1867). *26-5* F. de Muelenaere (1794-1862) Uni. **32** *20-10* Albert-Joseph Goblet d'Alviella. Joseph Lebeau (1794-1865). Charles Rogier (1800-85) Uni. **34** *4-8* Cte Barthélemy de Theux (1794-1874) Uni. **40** *18-4* Joseph Lebeau Uni. **41** *13-4* Bon Jean-Baptiste Nothomb (1805-81) Uni. **45** *30-6* Sylvain Van de Weyer (1802-74) Uni. **46** *31-3* Cte Barthélemy de Theux – Malou Uni. **47** *12-8* Charles Rogier Lib. **52** *31-10* Henri de Brouckere (1801-91) Lib. **55** *30-3* Pieter de Decker (1812-91) Uni. **57** *9-11* Charles Rogier – Hubert Frère-Orban (1812-96) Lib. **58** *3-1* Hubert Frère-Orban Lib. **70** *2-6* Bon Jules d'Anethan (1803-88) Cath. **71** *7-12* Cte Barthélemy de Theux – Malou Cath. **78** *18-6* Hubert Frere-Orban – Van Humbeeck Lib. **84** *16-6* Jules Malou – Jacobs – Woeste Cath. *26-10* Auguste Beernaert (1829-1912) Cath. **94** *26-3* Jules de Burlet (1844-97) Cath. **96** *25-2* Cte Paul de Smet de Naleyer (1843-1913) Cath. **99** *24-1* Jules Vandenpeereboom (1873-1917) Cath. *5-7* Cte Paul de Smet de Naleyer Cath. **1907** *1-5* Bon Jules de Trooz (1857-1907) Cath. **08** *9-1* François Schollaert (1851-1917) Cath. **11** *18-6* Bon Charles de Broqueville (1860-1940) (Cte en 1920) Cath. **18** *1-6* Gérard Cooreman (1852-1926) Cath. **19** *21-11* Léon Delacroix (1867-1929) Cath. **20** *20-11* Bon Henri Carton de Wiart (1869-1951) Cath. **21** *16-12* Georges Theunis (1873-1966) Cath. **25** *13-5* Vte Aloys Van de Vyvere (1871-1961) Cath. *17-6* Vte Prosper Poullet (1868-1937) Cath. **26** *20-5* Henri Jaspar (1870-1939) Cath. **31** *5-6* Jules Renkin (1862-1934) Cath. **32** *22-10* Cte Charles de Broqueville Cath. **34** *20-11* Georges Theunis Cath. **35** *25-3* Vte Paul Van Zeeland (1893-1973) Cath. **37** *23-11* Paul-Émile Janson (1872-1944) Cath. **38** *15-5* Paul-Henri Spaak (1899-1972) Soc. **39** *21-2* Bon Hubert Pierlot (1883-1963) Cath. **45** *12-2* Achille Van Acker (1889-1976) Soc. **46** *13-3* Paul-Henri Spaak Soc. *31-3* Achille Van Acker Soc. *3-8* Camille Huysmans (1871-1968) Soc. **47** *20-3* Paul-Henri Spaak Soc. **49** *11-8* Gaston Eyskens (1905-88) CVP. **50** *8-6* Jean Duvieusart (1900-77) CVP. *16-8* Joseph Pholien (1884-1968) CVP. **52** *15-1* Jean Van Houtte (1907) CVP. **54** *22-4* Achille Van Acker Soc. **58** *23-6* Gaston Eyskens CVP. **61** *25-4* Théo Lefevre (1914-73) CVP. **65** *27-7* Pierre Harmel (1911) CVP. **66** *19-3* Paul Vanden Boeynants (22-5-1919) CVP. **68** *17-6* Gaston Eyskens CVP. **73** *26-1* Edmond Leburton (18-4-1915) PSB. **74** *25-4* Léo Tindemans (16-4-1922) CVP. **78** *20-10* Paul Vanden Boeynants PSC. **79** *3-4* Wilfried Martens (19-4-1936) CVP. **81** *6-4* Mark Eyskens (29-4-1933) CVP. *17-12* Wilfried Martens CVP. **92** *7-3* Jean-Luc Dehaene (7-8-1940) CVP.

☞ *Depuis 1919,* les gouv. belges sont presque toujours des coalitions entre partis traditionnels. La réforme constit. (de 1967-71) a introduit les secr. d'État, adjoints aux min., et confirmé la parité linguistique au sein du gouv. : même nombre de min. francoph. et néerlandoph., PM non compté.

■ Économie

PNB (91). 200,6 milliards de $, 20 074 $ par h. **PIB** par habitant (FB/an) (88). 515 000, Wallonie 415 900, Flandre 525 000, Bruxelles 785 700. **Pop. active** (% et, entre parenthèses, part du PNB en %) agr. 2,7 (2), ind. 28 (28,8), mines 0,4 (0,3), services 69,3 (69,2). En milliers (91) : 3 770 dont primaire 98, secondaire 1 051, tertiaire 2 621, chômeurs 391, frontaliers 50. *Secteur public* (91) : 967 431 personnes occupées. **Croissance** (%) *1986 :* 2 ; *87 :* 2,4 ; *88 :* 4,9 ; *89 :* 4,2 ; *90 :* 2,9 ; *91 :* 2,7. **Chômage** (%) *1980 :* 7,8 ; *85 :* 13,2 ; *90 :* 9,6 ; *91 :* 10,2 ; *92 :* 11,2 ; *93 (est.) :* 9,6.

Budget (milliards de FB 92). **Dette publique** 8 288,7 (116 % du PNB) dont en monnaies étrangères 1 010,5. **Avoirs extérieurs** 738,2 dont encaisse or 276,5. **Stock de monnaie fiduciaire** 417,3. **Solde net financier** 354,8 ; par rapport au PNB : *81 :* 13 %, *87 :* 11,5 %, *88 :* 7,5 %, *89 :* 6,5 %, *90 :* 6 %, *91 :* 5,4 %, *92 :* 5 %, *93 :* 5,2 %. **Dette extér.** (déc. 92) :1 010,5 (14 % du PNB).

Inflation (%). *1985 :* 4,9 ; *86 :* 1,3 ; *87 :* 1,6 ; *88 :* 1,2 ; *89 :* 3,1 ; *90 :* 3,5 ; *91 :* 3,2 ; *92 :* 2,43 ; *93 (est.) :* 3.

☞ **Balance des paiements** (milliards de FB). *1985 :* – 44,6 ; *86 :* + 9,8 ; *87 :* + 97,3 ; *88 :* + 162,2 ; *89 :* + 91,3 ; *90 :* + 312,7 ; *91 :* + 608,3. Comptes courants, *87 :* + 102,6 ; *88 :* + 134 ; *89 :* + 139,7 ; *90 :* + 119,6 ; *91 :* + 156,1 ; *92 :* +33.

Agriculture. Terres (milliers d'ha, 91) arables 1 350, pâturages 630, forêts 600,5. *Caractéristiques.* Très productive et intensive. Petites exploitations de 16,03 ha en moy. *Ardenne :* forêts ; *Hainaut, Brabant, Hesbaye :* céréales, betterave, fourrage ; *Flandre :* élevage, pomme de terre, lin, houblon, tabac, maraîchage, fleurs. **Balance agricole** déficitaire (– 2,8 milliards de $ en 88). **Production** (millions de t, 91) betteraves sucr. 5,7, fourragères 1, p. de t. 1,8, froment 1,4, orge 0,5, avoine 0,04, seigle 0,01. **Élevage** (milliers de têtes, 91). Porcs 6 550, bovins 3 264, moutons 175, chevaux 21, poulets 26 809, dindes 161, canards 66. **Pêche.** (91) 30 456 t dont mollusques et crustacés 1 621.

Flotte marchande. En janv. 1992, 68 navires (dont sous le pavillon luxembourgeois 48, autres 9) jaugeant 1 768 955 t brutes.

Énergie. Charbon *prod. (millions de t) : 1960 :* 24 ; *81 :* 5 ; *85 :* 6,2 ; *86 :* 5,6 ; *87 :* 4,4 ; *88 :* 2,5 ; *89 :* 1,9 ; *90 :* 1 ; *91 :* 0,6. *93 :* fermeture prévue. **Gaz** 654,6 millions de m^3 en 90. **Électricité** (71,9 milliards de kWh en 91 dont 42,9 d'origine nucléaire, 48 en 81). La Belgique a décidé en déc. 88 de geler son programme nucléaire. **Consommation** apparente brute d'énergie primaire (en 1 000 tep.) (1991). 49 696 dont pétrole 20 142, combustibles solides 10 470, nucléaire 9 572, gaz naturel 9 705, électricité hydraulique et importations nettes d'électricité – 193.

Industrie. Textile, sidérurgie, métallurgie. *Prod.* (milliers de t, 91) fonte 9 352, acier brut 11 335, acier laminé 8 980, zinc brut 385, plomb brut 111, cuivre brut 478.

Tourisme (90) 12 886 249 nuitées d'étrangers.

Commerce [milliards de FB (91) Belg. et Lux.]. **Exp.** 4 023,3 *dont* mat. de transp. 660,5, métaux 498,6, mach. 431,4, prod. chim. 418, plastiques 294,4, textiles 292,2, perles et p. précieuses 291, minéraux 181,7, prod. alim. 168,2, animaux 150, papier 107,9 *vers* All. 955,2, *France 766,6,* P.-Bas 551, G.-B. 311,1, It. 243,2, USA 151,1. **Imp.** 4 116,2 *dont* mach. 669,3, mat. de transp. 566,5, minéraux 411,3, prod. chim. 375,1, métaux 358,8, perles et pierres précieuses 283,8, textiles 264, plastiques 227, ind. alim. 163,1, végétaux 150,9, papier 139,4, animaux 116,9 *de* All. 968,5, P.-Bas 709,2, *France* 648,8, G.-B. 344,2, USA 197,7, It. 186,6.

(Sources : Parlement)	1916	1968	1971	1974	1977	1978	1981	1985	1987	1991
Chambre des Représentants										
P. social chrétien PSC-CVP	96	69	67	72	80	82	61	69	61	57
P. socialiste PS-SP	84	59	61	59	62	58	61	67	70 [1]	63
P. réform. lib. PRL-PVV	20	47	34	30	33	37	52	46	48	46
Communistes PCB	–	5	5	4	2	4	2	–	–	–
Volksunie VU		20	21	22	20	14	20	16	16	10
Front démocr. des Brux. francophones FDF	–	12	24	25	15	15	8	3	3	3
Écolo.-Agalev	–	–	–	–	–	–	4	8	9	17
UDRT	–	–	–	–	–	1	2	1	–	–
Vlaams Blok	–	–	–	–	–	1	1	1	2	12
Autres	2	–	–	–	–	–	1	1	3	–
ROSSEM (Parti des Libertins)	–	–	–	–	–	–	–	–	–	3
FN/NF	–	–	–	–	–	–	–	–	–	1
Total Chambre	*202*	*212*	*212*	*212*	*212*	*212*	*212*	*212*	*212*	*212*
Sénat										
P. social chrétien PSC-CVP	81	64	61	66	70	73	56	60	55	36
P. socialiste PS-SP	73	53	49	50	52	53	52	61	65	30
P. réform. lib. PRL-PVV	17	37	29	27	26	27	43	42	39	22
Communistes PCB	–	2	1	1	1	2	1	–	–	18
Volksunie VU		14	19	16	17	11	17	12	13	8
Front démocr. des Brux. francophones FDF	–	8	19	21	15	15	6	2	2	2
Écolo.-Agalev	–	–	–	–	–	–	5	6	8	19
UDRT	–	–	–	–	–	–	1	0	0	–
Vlaams Blok	–	–	–	–	–	–	–	–	1	6
Autres	1	–	–	–	–	–	–	–	–	1
FP	–	–	–	–	–	–	–	–	–	26
RSC	–	–	–	–	–	–	–	–	–	16
ROSSEM (Parti des Libertins)	–	–	–	–	–	–	–	–	–	1
Total Sénat	*172*	*178*	*178*	*181*	*181*	*181*	*181*	*183*	*183*	*185*

Nota. – (1) Pour la 1re fois dep. 1936, les socialistes (flamands + francophones) sont, avec 31 % des voix, le parti majoritaire à la Chambre

BELIZE

Carte p. 1016. V. légende p. 884.

Nom. *Honduras britannique* jusqu'au 1-6-1973.

Situation. Amérique centrale. 22 965 km². *Frontières :* 384 km ; avec Mexique 161, Guatemala 223. *Côtes :* 285 km. *Long. max.* 186 km. *Larg. max.* 118 km. *Alt. max.* Victoria Peak 1 122 m. *Relief :* fraction du plateau du Yucatán, bordé par 2 chaînes (alt. 1 100 m) : Maya (côtière) et Cockscomb. Barrière de corail de 300 km et atolls. Turneffe Islands : 3 atolls : Lighthouse Reef [avec le Trou bleu (diam. 305 m, prof. 122 m.), Glover's Reef]. Climat. Subtropical. 10 à 35 °C. *Saisons : sèche* févr.-mai ; *humide* juin-août. *Pluies :* moy. Nord 1,30 m, Sud 4,30 m. De 1955 à 77, 6 typhons.

Population. *1992 :* 190 792 h., *2000 :* 201 000 h. *– de 15 a.* 44,5 %. D 8,3. En % : Noirs et Métis 60, Mayas et Métis (Esp.-Mayas) 26, Mulâtres (Afro-Caraïbes : Garijunas) 7, Blancs 4, Hindous 2, env. 6 000 Salvadoriens. Villes et districts (est. 90) : *Belmopan* 5 256 h., Belize 56 131 (éprouvée par cyclones 1931 et 1961), Orange Walk 29 462, Corozal 28 217. Langues. Anglais (off.). *Langues parlées* (%) créole 75, anglais 50, espagnol 32, maya ketchi 10. Religions. Catholiques (60 %), anglicans, méthodistes, presbytériens.

Histoire. **Xe s.** occupé par les Mayas. **V. 1638** établissement de bûcherons anglais. Jusqu'en **1798** nombreuses attaques espagnoles. **1765** Constitution. **1786** 1er superintendant brit. **1853** ass. législative présidée par le superint. brit. **1862** colonie brit. avec Lt-gouverneur dépendant du gouverneur de la Jamaïque. **1884** le Lt-gouverneur devient gouv. **1964**-*7-1* autonomie interne. Le Guatemala revendiquant le B. rompt relations dipl. avec G.-B. **1971** m. de la Carifta. **1974**-*8-12* m. du Caricom. **1975** l'ONU reconnaît le droit de B. à l'autodétermination et à l'indép. **1978** litige frontalier avec Guat. (zone riche en pétrole). **1979**-*21-11* élections le Parti uni du peuple a 12 s. **1981**-*11-3* accord Guat.-G.-B. prévoyant d'accorder l'indép. au B. dans l'année, moyennant droit de passage vers l'Atlantique pour le Guat. (eaux territoriales, possibilités d'exploiter fonds marins, facilités dans les ports). *-21-9* indépendance (reconnue par Guat. 11-9-91).

Statut. État membre du Commonwealth. *Chef de l'État* Reine Élisabeth II. *Gouv. gén.* Elmira Minita Gordon dep. 21-9-81. *PM* Manuel Esquivel (n. 2-5-1940), dep. juil. 93, élu pour 4 a. *Ch. des dép.* (28 m. élus pour 5 a. au suffr. univ.). *Élections :* sièges *30-6-93 et,* entre parenthèses, *4-9-89 : P. démocratique uni* (conservateur Manuel Esquivel, 16 (13). *P. uni du peuple* (George C. Price) 13 (15). *Sénat* (11 m. nommés). Fête nat. 21 septembre. Drapeau. Adopté 1968 : bleu à bords vert, rouge ; motif : 2 hommes avec des outils et devise « Sub umbra floreo, we flourish in the shade ».

PNB (91). 1 940 $ par h. **Pop active** (% et, entre par., part du PNB en %). Agr. 50 (30), ind. 15 (20), services 35 (50).

Agriculture. *Terres* (%) forêts 90, arables 5,1 (dont cultivées 4). *Production* (milliers de t, 91) canne à sucre 984 (80 % des terres cult.), riz 4, maïs 20, oranges 70, pamplemousses 40, bananes 34, citrons, gomme de sapotillier (pour chewing-gum), marijuana. Forêts. Bois tropicaux. 155 000 m³ (87). Pêche. 1 512 t (90) dont 615 de homards. Tourisme. 215 442 vis. (91). Réserves (95 000 ha), sites mayas.

Commerce (millions de $ US, 90). **Exp.** 104,6 *dont* sucre 42,8, agrumes 21,4, vêtements 15,2, bananes 9,9, mélasse 3,3 *vers* USA 51,5, G.-B. 34,7, Mexique 1,9. **Imp.** 211,2 *de* USA 121,7, G.-B. 17,4, Mexique 14,3, P.-Bas 7,8, Guatemala 3,4.

BÉNIN

Carte p. 1009. V. légende p. 884.

Nom. Dahomey jusqu'au 26-10-1975. *Le Roy. fon d'Abomey* correspondant au Dan-Homé historique, couvrait env. 1/5 du territoire actuel. *Roy. du Bénin* (croissant de 800 km sur 300 entre bas Niger, basse Volta et côte Atlantique ; apogée XVIIe et XVIIIe s.) comprenant 4 ethnies principales : Edos (Nigeria actuel), Yorubas (Nigeria et B. actuels), Fons (B. et Togo actuels), Ewés (Togo et Ghana actuels).

Situation. Afrique. 112 622 km². *Frontières :* Niger 190 km, Burkina Faso 270, Nigeria 750, Togo 620 ; côtes : 120 km. *Long.* 700 km, *larg.* 125 km au S., 325 au N. *Alt. max.* 800 m (massif de l'Atacora). *Cours d'eau principaux :* Oueme 450 km (dont 200 navigables), Mono 350 (100 nav.), Couffo 125. Régions. *Côtière :* rectiligne, basse, sablonneuse, bordée de lagunes, prof. 2 à 5 km. *Intermédiaire :* terre de barre, plateau d'argile ferrugineuse avec dépressions marécageuses, – de 400 m. *Moyenne :* plateau silico-argileux entre Savalou et Atacora, forêt clairsemée. *Massif de l'Atacora :* 500 à 800 m, château d'eau du Dahomey et du Niger. *Plaines du Niger :* silico-argileuses, caractère soudanien. Climat. *Sud :* équatorial, forte humidité, temp. de 23 à 32 °C, 4 saisons : pluies (gde saison mars-juin, petite sept.-nov.), sèches (gde saison juill.-août, petite déc.-févr.) ; *Nord :* écarts de temp. plus marqués en s'éloignant de la côte, humidité diminuant, tropical, 2 saisons : pluies (mai-oct.), sèche (nov.-avril) ; harmattan (déc.-mars).

Provinces	Pop. (1982)	Villes	Superficie km²	% de terres cultivées sur t. cultivables
Ouémé	626 870	*Porto-Novo*	4 700	56
Atlantique	686 260	Cotonou	3 222	54
Mono	477 380	Lokossa	3 800	43
Zou	570 430	Abomey	18 700	15
Borgou	490 670	Parakou	51 000	7
Atacora	479 600	Natitingou	31 200	9

Population. *1920 :* 1 200 000 ; *1940 :* 1 440 000 ; *1950 :* 1 670 000 ; *1960 :* 2 050 000 ; *1989 :* 4 591 000 ; *1991 :* 4 900 000 ; *2000 :* 6 381 000. dont Fons, Adjas, Nagots, Peuls, Aïzos, Sombas, Baribas, Yorubas, Pila-Pila, Mahis. *Étrangers :* 32 000 dont Européens 6 000 (Français 2 800). *Accroissement* 2,9 %. *Age : - de 15 a.* 46,5 %. *+ de 60 a.* 4,5 %. *Mortalité infantile* 115 ‰. *Espérance de vie* 46,5. D 43. *Pop. urbaine.* 47,6 %. Villes (90) : *Porto-Novo* (cap.) 200 000, Cotonou 650 000 (à 30 km), Parakou 100 000 (450 km), Abomey 54 418¹ (135 km), Natitingou 15 500¹ (530 km), Lokossa 15 000¹.

Nota. – (1) 1982.

Langues. Français *(off.)*, fon (47 %), dendi, yoruba (9 %), mina, goun, bariba (10 %), fulani (6 %), somba (5 %), yoabou, azo (5 %), adja (12 %), pila-pila. Religions (en %). Animistes 65, musulmans 10 à 15, catholiques 14, protestants 6.

Histoire. **1851** Ghezo, roi du Dan-Homé (1818-58) signe un tr. comm. avec France. Après 2 expéditions (1890 et 1892-94 avec le Gal Dodds), Fr. occupe Dahomey, fait prisonnier le roi Behanzin (1844-1900) et regroupe ses possessions dans les établissements du Bénin (1893), qui devient la colonie du D. (10-3-1893). **1899** entre dans AOF. **1958**-*4-12* rép. au sein de la Communauté. **1959**-*17-1/1-2* s'associe au Mali. **1960**-*1-8* indép. **1963**-*28-10* Pt Hubert Maga renversé. **1964**-*19-1* Sourou Migan Apithy (1913-89) Pt (vice-Pt en 1960), et J. Ahomadegbé Pt Cons. **1965**-*29-11* Apithy démissionne. Tahirou Congacou Pt, renversé en déc. par l'armée. **1967**-*17-12* des officiers éliminent Gal Soglo (n. 28-6-09), remplacé par Lt-Col. Allev (n. 9-4-30), chef d'État, PM Maurice Kouandete. **1968**-*avril* nouvelle Const. ; él. présid. annulée par l'armée qui nomme Pt le Dr Émile Derlin Zinsou (n. 23-3-18). **1969**-*10-12* Lt-Col. Kouandete écarte Zinsou ; triumvirat milit. **1970** *-mars* él. présid. (annulée). *-7-5* gouv. d'union nat. remet le pouvoir à un Conseil président. de 3 m [Maga (n. 1916), Ahomadegbé (n. v. 1917), Apithy] (Pt assisté alternativement par chacun des 2 autres pour 2 ans). **1972**-*23-2* putsch : échec. *-26-10* réussi. Gal Mathieu Kérékou (2-9-33), chef d'État. Constitution suspendue. **1974**-*nov.* nationalisations. **1975**-*juin* cap. Aikpe, min. de l'Intérieur, accusé d'adultère avec la femme du chef de l'État, est abattu. *-18-10* complot ourdi par le Dr Zinsou (exilé à Paris) échoue. *-30-11* Rép. pop. **1976**-*1/2-2* 11 « zinzouistes » condamnés à mort. **1977**-*17-1* tentative de complot soutenue par Gabon et Maroc, voir Index, commando (58 Européens, 22 Africains) de Bob Denard condamné par défaut à 5 a. de prison le 16-10-91 à Paris, 6 † (dont 2 mercenaires). **1979**-*nov.* législatives : 97,9 % pour liste unique. **1980**-*5-2* Kérékou élu Pt. **1983**-*janv.* visite Pt Mitterrand. *-4-2* prorogation de 18 mois du mandat du Pt et de l'Ass. Sécheresse. **1984**-*31-7* Kérékou réélu Pt. *-1-8* amnistie. **1987** crise économique. **1989**-*2-8* Kérékou élu Pt par l'ass. nat. révol. *Déc.* le B. renonce à l'idéologie marxiste-lén. adoptée 30-11-74 [le terme « camarade » ne sera plus obligatoire]. **1990**-*19/27-2,* conférence nat., 488 délégués. *-27-2* constitution de 1977 suspendue, Parlement dissous. *-9-3* Haut Conseil de la Rép. (Pt : Mgr Isidore De Souza), 27 m., disposant du pouv. lég. *-12-3* PM : Nicéphore Soglo (360 v. sur 430), gouv. de transition. *-31-3* Pt Kérékou accepte de gouverner avec l'opposition et d'organiser des él. libres. **1991**-*20-2* législatives (48 % d'abst.). *-24-3* Soglo élu Pt (67,7 % des v., Kérékou 34,2) ; 95 % dans le Nord (violences 2 †).

Statut. République. *Const.* du 2-12-1990 (adoptée à 93,2 %). *Pt* (élu p. 5 ans) : Nicéphore Soglo (n. 1934) dep. 4-4-91. *PM* Désiré Vieyra dep. 91. *Assemblée nationale* élue p. 4 ans à la proportionnelle, 64 m. Multipartisme (34 partis déclarés). Fête nat. 1er août.

ÉCONOMIE

PNB ($ par h.). *1982 :* 330 ; *84 :* 256 ; *86 :* 331 ; *90 :* 421 ; *91 :* 426. **Pop. active** (%) **et, entre par., % du PNB :** agr. 56 (36), ind. 6 (12), mines 3 (3), services 35 (48).

Agriculture. **Terres** (milliers d'ha, 79) 11 262 dont arables 675 (90), cultivées en permanence 330 (90), pâturages 442, forêts 4 020, eaux 200, divers 4 810. **Production** (milliers de t, 90-91, est.), manioc 827, maïs 407, huile de palme 40, coton 130, arachides, ignames 992, sorgho, millet, cacao. Autosuffisance alim. Forêts. 5 000 000 m³ (est. 89). Pêche. 42 200 t (89). Élevage (milliers, 90). Moutons 921, chèvres 1 028, bovins 951, porcs 714, poulets 25 000.

Mines. *Pétrole* (millions de t) : *réserves* 37, *prod. 87 :* 0,3 ; *88 :* 0,45 ; *90 :* 0,24. *Or. Phosphates. Marbre* (non exploité). *Kaolin.* Industries. Sucreries, cimenteries, textile, brasseries, huileries. Transports (km). Chemins de fer 438, routes 6 380 (dont 1 070 bitumés). Tourisme. 61 586 vis. (89). Village lacustre de Ganvie.

Budget (milliards de F CFA, 91). Déficit 42,5. **Dette extér.** *90 :* 309 (53 % du PNB en 89). *90 :* 248. **Aide française** *except. (millions de F.) : 88 :* 70, *89 :* 480, *90 :* 340. Commerce (milliards de F CFA, 90). **Exp.** 48 dont 0,8 % vers la France. **Imp.** 96 dont 29 % de France. Rang dans le monde (81). 5e palmiste.

BERMUDES (ILES)

V. carte p. de garde. V. légende p. 884.

Situation. Amérique du N. 53 km² (360 îles dont 20 habitées, s'étendant sur 35 km à 956,6 km de la Caroline du Sud, 1 241 de New York, 1 664 de Miami). *Alt. max.* Town Hill 79 m. Climat. Doux et humide (mais aucune rivière ni réserve d'eau douce). *Temp.* moy. 21 °C, max. 31,1 °C, min. 8,3 °C.

Population. 60 565 h. (91) + 2 173 militaires américains (77), dont Noirs 61 % ; *2000 :* 103 000 h. D 1 080. *Capitale : Hamilton* (91) 2 000 h. Langue. Anglais *(off.)*. Religions (%). Anglicans 37, cath. 14, autres chrétiens 34.

Histoire. **V. 1503** découvertes par l'Esp. Juan Bermudez. **1609** George Somers s'y échoua. **1612** colonisées par les Brit. **1968**-*8-6* autonomie. **1973**-*10-3* le gouverneur sir Richard Sharples assassiné ; émeutes raciales en 1968, 72, 73, déc. 77.

Statut. Colonie britannique. *Constitution* du 8-6-1968. *Chef de l'État* reine Élisabeth II. *Gouverneur* lord Waddington dep. 20-10-92, nommé par la reine. *PM* John W. Swan. *Conseil des min.* (13 m.). *Chambre* (40 m. élus pour 5 ans ; *él. 9-2-89 :* P. uni des Bermudes 23 s.). *Sénat* (11 m. nommés dont 5 par le gouv., 3 par le Gouverneur et 3 présentés par l'opposition). *Base aéronavale américaine* 6 km², louée 99 ans dep. 1941. Drapeau (1915). Rouge avec drapeau anglais et lion tenant l'épave du *Sea Venture,* bateau des 1ers arrivants en 1609.

Économie. **PNB** (90 est.) 22 000 $ par h. Légumes, bananes. Langoustes (se raréfient). *Tourisme :* 40 % du PNB 514 329 vis. (91) ; saison : mars à déc. *Sièges de Stés étrangères* (avantages fiscaux). Commerce (millions de $ B., 89). **Exp.** 50 (essences concentrées, fleurs, produits de beauté et pharm.) *vers* Jamaïque, USA, Esp., G.-B. **Imp.** 527 (viande, pétrole, vêtements, machines) *de* USA, Jap., G.-B., Antilles néerl., Canada, *France.*

BHOUTAN

Carte p. 932. V. légende p. 884.

Nom. Signifie : extrémité du Tibet. *Nom officiel :* Druk Yul (« pays des Dragons »).

Situation. Asie. 46 500 km². *Frontières :* 1 000 km, avec Inde 585, Tibet 370, Sikkim 45.

Régions. *Méridionale* (larg. 50 km) : forêts, orchidées, bois précieux. Pluviosité + de 4 m. Éléphants, tigres, buffles, rhinocéros, cerfs, langur doré (singe qui ne se trouve que là). *Centrale* (tempérée, alt. 1 650 m) : érables, bouleaux, châtaigniers ; hautes alt. : conifères, mélèzes, pins, sapins, rhododendrons, épicéas, genévriers. *Nord ou alpine :* Grand Himālaya (4 000 et 6 000 m) ; touche les neiges éternelles ; plantes rares : ex. : pavots bleus, saxifrages, gentianes, primevères. Daims musqués, moutons bleus, takins.

Population. *1991* 1 560 000 h. (90). *2000 :* 1 893 000 h. *Accroissement* (en %) : 2. *Age : - de 15 a. :* 39,9, *+ de 60 a. :* 6,4. *Mortalité infantile* 14,2 ‰. *Espérance de vie :* 48. D 33. **3 ethnies principales :** *Scharchops* (à l'E.), descendants des 1ers habitants mongoloïdes ; *Ngalops* (O.), descendants d'immi-

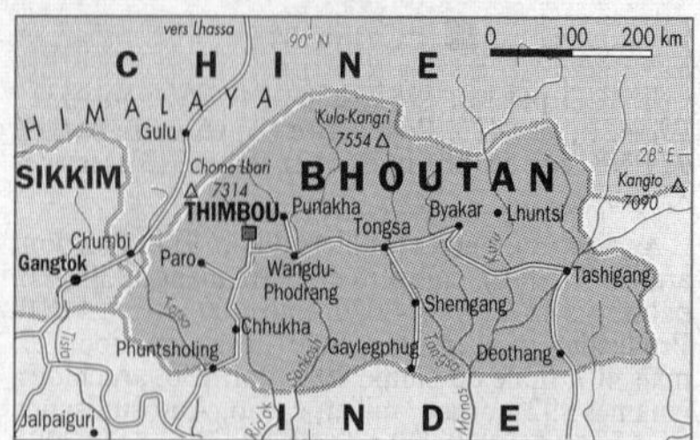

grants du Tibet, occupant les 5 vallées ; *Népalais* (S), implantés début XXe s. (env. 35 % de la pop. en 1993). **Villes** : *Thimbou [Thimphu* (90) 45 000 h. (alt. 2 400 m)]. Jusqu'en 1955, alternance entre Punakha (cap. d'hiver) et Thimphu (été). **Analphabètes** 90 %.

Langues. *Dzongkha* (tibétain) *(off.)*, bumthangkha (Bhoutan central), sharchopkha (E.), népali (S.). Nombreux dialectes. Angl. off. dans l'enseignement. **Religions.** D'État (bouddhisme du Mahayana) ; école religieuse off. (éc. Drukpa de la grande éc. religieuse des Kagyupa). *Monastères et temples :* + de 1 000, ex. : Kyichu et Taksang (vallée de Paro), Jampey et Kujey (v. de Bumthang), Phajoding, Tango et Cheri (v. de Thimphu).

Histoire. VIIIe s. apr. J.-C. Padmasambhava introduit le bouddhisme. **IXe s.** occupation tibétaine. **XIIIe s.** Phajo Drugom Shigpo fait de l'école Drukpa Kagyro du bouddhisme Hahayam l'école dominante. **XVIIe s.** Zhabdrung Nyawang Namgyel († 1651) unifie pour la 1re fois le pays : le Desi ou Deb Raja (affaires temporelles), le Jey Khenpo (aff. religieuses). **1865** *invasion* brit. : le B. cède un terr. contesté (plaine des Duars, 12 000 km²) contre pension annuelle. **1907**-*17-12 monarchie :* **Ugyen Wangchuck** († 1926), Penlop (gouverneur) de Tongsa, nommé par les représentants laïcs et du clergé, monarque héréditaire. **1910** tr. avec G.-B. chargée des relations extérieures. **1926 Jigme Wangchuck** (1905-52) fils de Ugyen. **1949**-*8-8* tr. ratifié avec Inde, devenue indépendante, qui représente le B. pour les aff. étrangères. **1952 Jigme Dorji Wangchuck** (1927-72). **1971** B. admis à l'Onu. **1972**-*24-7* **Maharadjah Jigme Singye Wangchuck** (n. 11-11-1955), couronné 2-6-74, confirmé par Conseil des chefs 2-6-74 (en nov. 1988, a célébré offic. ses noces avec 4 j. femmes épousées en secret en 1979). **1974** B. s'ouvre au tourisme. **1987** l'Assemblée ferme officiellement le pays au tourisme (les temples sont un lieu de méditation et non de visite). **1988** *juin* « bhoutanisation » : port du costume nat. sous peine de prison et utilisation de la langue dzongkha. **1990** des étudiants (d'origine népalaise) créent le Parti pop. du B. et demandent une démocratisation de la Const. *Sept.* manifestants venant d'Inde : 1 à 300 † selon les sources. **1992** 100 000, d'origine népalaise, s'expatrient.

Statut. Monarchie. Rois : Druk Gyalpo (roi-dragon). **Ass. nat.** (Thsogdu, créée 1953) : 150 m. dont 105 représentent le peuple, 34 le gouv., 10 le clergé, 1 l'industrie. **Conseil royal** (créé 1965) : 9 m. dont 6 personnalités, 2 moines et 1 Pt nommé par le roi. **Conseil des ministres :** créé 1968. **Pas de partis pol.** L'Inde s'occupe des relations extérieures et finance 55 % du budget du Plan. 40 % des enseignants, 30 % des fonctionnaires sont indiens. Influence du chef religieux, le Jey Kempo. **Districts (Dzong :** signifiant aussi forteresse) : 18. **Fête nat.** 17-12 [installation du 1er roi (1907)]. **Drapeau.** Adopté 1971 (entrée à l'Onu) ; jaune safran (pouvoir royal) et rouge-orange (pouvoir spirituel bouddhiste) dragon, symbole national.

■ Économie

PNB (91). 195 $ par h. **Pop. active** (%, entre par. part du PNB en %) agr. 65 (50), mines 1 (1), ind. 10 (17), serv. 24 (32). **Aide** (1987-92) 500 millions de $ (dont Inde 300) ; 424 m. de $ de 1981 à 87, soit 80 % de l'aide intern. **Monnaie** XVIe s., pièces de cuivre (Zangtam). V. 1960, p. d'argent (Tiktung), puis cuivre et nickel. Récemment, monnaie de papier (Ngultrum). La m. indienne a aussi cours légal.

Agriculture. Forêts 63 %, terres cultivées 5 % (vallées fertiles 250 km²). *Production* (milliers de t, 91) riz 43 (25 % des terres cult.), blé 5, p. de terre 33, maïs 40, orge 4, millet, sarrasin, cardamome, agrumes 62, pommes, jute, tabac. **Élevage** (milliers de têtes, 91). Bovins 413, porcs 73, moutons 59, chèvres 38, buffles 4, chevaux 27, ânes 18, mulets 9, volailles 211. **Forêts.** 3 220 000 m³ (89). Papier, résine, placage, huile de citronnelle, meubles.

Mines. Charbon, cuivre, dolomite, gypse, graphite, plomb, zinc, ciment. **Électricité.** Barrage sur la Chukha (1 950 MW, 1986). En 1991, vente d'électr. pour 20 millions de $/an à l'Inde. 10 % des habitations électrifiées. **Artisanat.** Bois, or, argent, allumettes, conserveries, tissage, distillerie. **Timbres.** Dep. 1962, ventes pour obtenir des devises. **Transports.** *1971 :* 1re route asphaltée. *1990 :* 2 336 km de routes. **Tourisme** (90). 1 540 vis. (quota max. 2 500/an). *Recettes* 2 millions de $ (90). **Sports.** Tir à l'arc ; keshey (lutte), poungdo (lancer), dokor (lancer d'une pierre plate), soksom (javelot), etc. **Commerce** (millions de $ US, 90-91). **Exp.** 74,1 *vers* Inde 66,4. **Imp.** 106,4 *d'*Inde 88,7.

■ Biélorussie (BSSR)

Carte p. 1124. V. légende p. 884

Nom. Biélorussie signifiait Russie Blanche, c'est-à-dire Russie occid. (le blanc étant, chez les Slaves, le symbole de l'O.). Appelée *Russie Blanche* jusqu'en 1939, les noms Biélorussie et Biélorusse s'imposaient car il y avait confusion entre les *Blancs-Russiens,* ses habitants, et les *Russes blancs* (réfugiés politiques antisoviét.). Nom officiel adopté par Parlement biélorusse 19-9-1991. **Superficie.** 207 600 km². **Frontières.** Russie, Ukraine, à l'o. Pologne, Lituanie, Lettonie. *Forêts :* 1/3 du territoire (feuillus et résineux). *Lacs :* 4 000. *Faune :* loups, ours, sangliers, renards, aurochs dans les réserves d'État. **Climat.** Continental. Moyenne à Minsk janv. – 3 °C ; juill. 19 °C. *Pluies :* 560 à 660 mm. **Population.** 10 200 000 h. (dont, en %, Biélorusses 79, Russes 13,1, Polonais 4,2, Ukrainiens 2,4, Juifs 1,4). D 49. *Capitale : Minsk* (1 589 000 h.). 6 provinces. **Langue.** Biélorusse (dialecte du slavon oriental), officielle dep. 1990. Écriture cyrillique. **Religions.** Orthodoxe. Catholiques romains 2 millions (dont 25 % Polonais). Uniates (Ukrainiens). Baptistes. **Histoire. 1919**-*1-1* rép. soc. sov. **1922**-*30-12* fait partie de l'U. **1989** *août* pape nomme 1er évêque dep. la guerre. **1990** *avril* 100 000 h. de 526 villes attendent d'être évacués (suite de Tchernobyl). *-27-7* proclame sa souveraineté. *Juin* naissance au Parlement d'un Mouvement communiste pour la démocratie. La B. participe aux négociations sur le traité d'Union. **1991**-*25-8* indép. proclamée. *8-12* accord de Minsk avec Russie et Ukraine. A conservé son siège à l'Onu. *-21-12* adhère à CEI.
Économie. Tourbe, sel gemme, potassium, pétrole, phosphorite, mat. de constr., houille, lignite, schiste ; constr. méc., usinage des métaux, automobiles. **Agr.** 15 % du PNB : céréales, bett. à sucre, p. de t., légumes, viande, lait, œufs, forêts. **Population active** (%) agr. 22, mines et ind. 30, tertiaire 48. **Revenu par hab.** 2 549 roubles (en 1990) ; % de la moyenne nationale 102. **Commerce** (en millions de $ 1990) *Exp.* 4 304, *Imp.* 8 465.

Statut. Rép. membre de la CEI. **Pt** Stanislas Chouchkevitch, pt du Soviet suprême. **PM** Vjachteslav Kebitch. **Parlement** 360 députés en majorité ex-communistes. Front populaire biélorusse. Communistes de Biélorussie pour la démocratie (p. d'opposition).

■ Bolivie

Carte p. 934. V. légende p. 884.

Situation. Amérique du S. 1 181 581 km². *Alt. max.* 6 542 m (Sajama). *Frontières :* 5 545 km, avec Brésil 2 570, Pérou 735, Arg. 700, Paraguay 740, Chili 800.

Régions. 1°) **Ouest : Andes** (les plus hauts sommets : Sajama 6 542 m, Illampu 6 421 m, Ancohuma 6 380 m, Illimani 6 322 m) et **hauts plateaux de l'Altiplano** (3 500/4 000 m ; 840 × 140 km ; 102 300 km²) ; minerais, pétrole et gaz. Sel (Coipasa et Uyuni), dépôt alluvial de chlorure et carbonate de sodium, contient aussi du lithium, potassium et borate. **Lacs :** *Titicaca* [8 300 km² (dont Bol. 3 814 et Pérou 4 486) 171 × 64 km, prof. 274 m à 3 810 m], *Poopó* 1 337 km², alt. moy. 3 686 m. Paysans Aymaras : cultures surtout autour des lacs (pommes de terre, orge, fèves, quinoa, maïs) ; bovins, lamas et alpacas. **Yungas** (zone intermédiaire) [vallées étroites et chaudes coupant la Puna (steppes)]. 14 % de la sup., 38,9 % de la pop. Alt. 500/3 000 m. CULTURES : *régions subtropicales :* bananes, citriques, coca, café, canne à sucre ; paysans en majorité Aymaras ; *vallées* des flancs de la Cordillère (alt. 800 à 3 000 m). *Tempérées :* pâturages et terres fertiles pour céréales, fruits, tubercules, légumes verts et secs. Paysans en majorité Quechuas. 2°) **N.-Est : plaines** : 70 % de la sup., 19,9 % de la pop. Alt. 134/800 m. Climat tropical. Savanes et grandes prairies naturelles, coupées de forêts et nombreuses rivières, souvent navigables. Terres très riches : canne à sucre, coton, soja, tabac, manioc, riz. Bovins. Forêts : bois précieux, caoutchouc, amandes du Brésil. Chasse et pêche. Pétrole, gaz naturel. 3°) **Est : Llanos :** plateau et savane ; **Chaco :** plaine, sable, désert.

Climat. Saison sèche et froide avr. à oct., des pluies (temps chaud) de nov. à mars ; *zone torride :* plaines du N. et de l'E. ; *semi-torride :* 750 à 1 805 m, moyenne 20 °C ; *tempérée* 1,50 à 2 650 m, 15 °C à 25 °C ; *semi-froide :* haut plateau 2 650 à 3 700 m, 12 °C sans variation entre été et hiver ; *froide :* 3 700 à 4 350 m, 9 °C à 12 °C. *Températures moyennes :* La Paz 10 °C. Sucre 12 °C (24 °C en nov.-déc., 7 °C en juin).

Population. (92) 6 344 396 h. dont (en %) Amérindiens 65, Métis 25, Blancs 10 ; prév. *2000 :* 9 724 000 h. *Pop. rurale* 53 % (100 % Indiens dans l'Altiplano, env. 60 % à La Paz, Eur. ou Métis 75 % dans les Yungas). *Age : – de 15 ans* 41,1 %, *+ de 60 a.* 5,5 %. D 7 (hauts plateaux 12,6, vallées 12, basses terres 1). *Taux* natalité 40 ‰ ; mortalité 14 ‰ (infantile 169) ; croissance 2 %. *Analphabétisme* 26 %. **Régions administr.** (en km² et pop. en 1992). La Paz 133 985, 1 883 122 h. ; Potosi 118 218, 645 817 h. ; Santa Cruz 370 621, 1 357 191 h. ; Beni 214 564, 251 390 h. ; Pando 63 827, 37 785 h. ; Oruro 53 588, 338 893 h. ; Chuquisaca 51 524, 451 722 h. ; Cochabamba 55 631, 1 093 625 h. ; Tarija 37 623, 290 851 h. **Villes** (92) : *La Paz* 1 189 032 h. (siège du gouvernement, à 3 800 m d'alt.), *Sucre* 146 521 (cap. constitutionnelle, à 2 844 m, appelée Chuquisaca av. 1825), Santa Cruz 976 092, Cochabamba 561 170 (à 2 610 m), Oruro 222 532 (à 3 700 m), Potosi 219 647 (à 4 040 m, 3 600 au niveau de la cathédrale), Tarija 159 841, Trinidad 175 588, Cobija 9 973. **Distance de Sucre :** La Paz 740 km, Cochabamba 366, Oruro 501, Santa Cruz 608, Potosi 166, Tarija 512, Villazon 596.

Langues (%). Espagnol *(off.)* 55 ; indien : quechua 34,4, aymara 25,2. **Religion.** Cath. *(off.)* 95.

Histoire. 400 av. J.-C.-1200 apr. J.-C. civilisation de Tiahuanacu ; **vers 1200** l'Inca Manco Kapac l'incorpore à l'Emp. inca. **1532** domination esp. **XVIIIe s.** missions jésuites. Révoltes de Alejo Calatayud (1731), Tupac Katari (1770) exécuté le 15-11-1781, Gabriel Tupac Amaru (1780). **1776** rattaché à la vice-royauté de la Plata. **1809 (25-5) à 1825** luttes pour l'indép. Manuel Goyeneche contre Antonio Balcarce. **1824** victoire de Sucre (1795-1830, Gal équatorien au service de Bolivar 1785-1830). **1825**-*6-8* indép. proclamée à Chuquisaca. Rép., nommée Bolivie en l'honneur de Bolivar Pt (Sucre vice-Pt). **1825-60** 70 Pts, 11 Constitutions. G. civiles et g. contre Chili. **1879-93** g. contre Chili ; alliée au Pérou, B. battue, cède Atacama (120 000 km² ; actuellement dans la prov. chilienne d'Antofogasta), perdant tout accès à la mer. **1903** B. cède territ. de l'Acre et du Mato Grosso au Brésil. **1932-35** g. contre Paraguay, B. renonce au Chaco (g. fomentée par les pétroliers amér. – qui soutenaient la B. – et anglais, qui misaient sur le P.). **1941**-*janv.* un groupe d'intellectuels, dont plusieurs députés avec Victor Paz Estenssoro, fonde le MNR (Mouvement nationaliste révolutionnaire). **1943**-*20-12* conspirateurs provoquent la chute du régime des « barons de l'étain ». Le Lt.-col. Gualberto Villaroel prend le pouvoir avec le MNR. **1946**-*juill.* Villaroel doit démissionner ; les barons organisent une insurrection (Villaroel et proches collaborateurs assassinés). Paz Estenssoro exilé en Argentine et 1949 en Uruguay. **1951** élections : Paz l'emporte. Pt Urriolagoitia provoque un « putsch ». Gal Hugo Ballivian annule élections. **1952**-*févr.* MNR déclenche grèves et marches de la faim. *-8-4* Siles Zuazo, second de Paz, appelle MNR et carabiniers à l'insurrection. Après 3 j de g. civile (600 †), reddition de l'armée. *-13-4* Paz rentre d'exil (foule en liesse), Zuazo lui remet le pouvoir. Nationalisation des mines, contrôle ouvrier, abolition des latifundia, monopole du commerce ext., réforme éducative, vote universel, salaire minimum vital avec échelle mobile... *-31-10* nationalisation de mines d'étain (Patiño, Aramayo, Hochschild), les « barons » reçoivent une petite indemnisation. **1953**-*juin* suffrage universel. *-2-8* réforme agraire. **1956-60** Zuazo succède à Paz. **1960-64** Paz au pouvoir. **1964**-*4-11* junte mil. (Gal Barrientos) renverse Paz (exil au Pérou). **1966**-*4-7* Barrientos élu Pt. **1966-67** guérillas. **1967** le Français Régis Debray arrêté, *27-4* condamné à 30 ans de prison (libéré 23-12-70), l'Argentin *Ernesto Guevara* (dit Che) exécuté 9-10. **1969**-*27-4* Barrientos tué (accident d'hélico.), Luis Adolfo Siles Salinas (n. 1926) Pt. *-26-9* renversé par Gal Alfredo Ovando Candia (1918-82). **1970**-*6-10* Candia renversé par Gal Juan José Torres. **1971**-*19/22-8* Gal Hugo Banzer Suarez (n. 10-5-1926) prend pouvoir, constitue le Front populaire nationaliste avec appui MNR et Phalange ; gèle salaires, interdit syndicats et partis de gauche, se maintenant grâce à répression. **1974** *févr.* émeutes à Cochabamba (+ de 100 †). *-7-11* soulèvement mil. à Santa Cruz (échoue). *-9-11* Banzer proclame l'« ordre nouveau ». Constit. suspendue. Élections ajournées. Paz Estenssoro exilé au Paraguay puis au Pérou. **1976**-*11-5* Joaquim Zenteno Anaya (n. 1921), ambassadeur, tué à Paris. *-2-6* Gal Torres tué en Argentine. *-14-6* grève de solidarité étudiants/mineurs. **1977**-*22-12* amnistie partielle.

1978-*18-1* a. générale. *-17-3* rupture dipl. avec Chili [26-8-75 B. demande au Ch. un corridor territorial jusqu'à la côte et une enclave ; *-19-12* Ch. refuse l'enclave, accepte corridor de 3 000 km² contre un terr. équivalent en B. ; Pérou consulté obligatoirement accepte 29-11-76, mais exige terr. commun aux 3 pays ; Ch. refuse.]. *-9-7* Juan Pereda Asbun élu Pt contre Zuazo (Union dém. pop.), nombreuses fraudes. *-19-7* élection annulée. *-21-7* coup d'État du Gal Juan Pereda (n. 1931). *-1-11* tentative de coup d'État. *-24-11* Pereda renversé, nouveau gouv. [Gal David Padilla Arancibia (n. 1924) appuyé par UDP]. **1979**-*1-7* élect. présid. : aucun candidat n'a la majorité, le congrès doit trancher. *-6-8* Walter Guevara Arce, Pt du Sénat (n. 1912) nommé pour 1 an. *-1-11* coup d'État mil. (env. 300 †), Cel Alberto Natusch Busch (n. 1933) au pouvoir. *-16-11* Lidia Gueiler, Pte de la Chambre des dép., élue Pte par intérim (jusqu'au 6-8-80).

1980-*29-6* él. présidentielle. *-17-7* soulèvement du Gal Luis Garcia Meza contre la Pte. **1981** *mai* l'armée abandonne lutte contre drogue. *-27-6* échec du putsch des gén. H. Cayoja et L. Añez (en exil). *-3-8* soulèvement mil. à Santa Cruz contre Garcia Meza (démissionne, compromis dans trafic de drogue). **1982**-*26-5* amnistie générale et levée des mesures restrictives contre partis et syndicats. *-20-7* Gal Guido Vildoso (n. 1934), nommé par les Cdts en chef des 3 armées, succède comme Pt à Celso Torrelio Villa, démissionnaire. Manif. et grèves syndicales. *-10-10* Parlement élit Hernan Siles Zuazo (UDP, centre gauche) Pt. *-17-11* dévaluation du peso de 150 %. **1983**-*févr.* Klaus Barbie (naturalisé bol. le 7-10-57 sous le nom de K. Altmann), arrêté 26-1 pour fraude financière, expulsé. **1984**-*30-6* putsch (191e en 160 ans) échoue. Pt Zuazo qui a été séquestré, libéré. *Nov.* dévaluation du peso de 350 % ; Zuazo décide d'abréger d'un an son mandat. **1985**-*9-2* peso dévalué de 400 %. *-26-3* grève générale de 16 j. *-14-7* él. présid. : 18 candidats, aucun n'ayant la majorité absolue [Gal Banzer, parti ADN 28,57 % des voix, Paz Estenssoro, MNR 26,42 % (soutenu par le Mir, dont le Pt, Paz Zamora, mobilise la gauche contre Banzer)]. *5-8* Paz Estenssoro élu Pt par congrès. *-29-8* libéralisation des prix, change flexible, secteur public restructuré, gel des salaires. *-4-9* au *4-10* grève générale. *-19-9* état de siège et couvre-feu pour 90 j. *-6-10* accords MNR (majoritaire) – Action démocratique nation. (opposition). **1986**-*mai* réforme fiscale. *-10-6* plan de réduction de 90 % des cultures de coca. *-16-7* arrivée de militaires amér. *-22/27-8* 5 000 mineurs marchent sur La Paz, protestant contre fermeture des mines et licenciement de 20 000 mineurs sur 26 000 (baisse de l'étain). *-28-8* état de siège. **1987**-*2-1* boliviano remplace peso (1 b. = 1 million de p.). **1988**-*20-7* Roberto Gómez (56 ans), « roi » de la cocaïne, arrêté. La B. refuse son extradition vers USA. *8-8* G. Schultz (secr. d'État amér.) échappe à un attentat. **1989**-*7-5* élect. Congrès et présidence. *-5-8* aucun des 3 vainqueurs n'ayant eu la majorité : Gonzalo Sánchez de Lozada (MNR, 23,07 % des voix), Banzer (ADN, 22,70) et Jaime Paz-Zamora (Mir, 19,63 %), le Congrès élit Paz-Zamora Pt. Alliance gouvernementale Paz-Zamora – Banzer. *-15-11* état de siège (le gouv. dénonce une collusion POR/MNR). **1991**-*22-3* Cel Luis Arce Gómez (n. 1939), ancien min. de l'Intérieur, condamné aux USA à 30 ans de prison (trafic de cocaïne). *-29-7* décret permettant aux trafiquants de drogue qui se livreront avant nov. d'éviter l'extradition aux USA. **1992**-*24-1* accord avec Pérou donnant à la B. accès au Pacifique et zone franche dans le port d'Ilho (500 km de la Paz). *-6-6* élections : succès du MNR.

Statut. Rép. *Const.* du 19-11-1826. *Sénat* (27 m. élus p. 4 a.). *Chambre* (130 m. élus pour 4 a.). Pt (élu pour 4 a. au suff. univ.) Jaime Paz-Zamora (n. 1935) dep. 6-8-89. Gonzalo Sánchez de Lozada (dit Gõnia) a obtenu 36 % des v. le 6-6-93, sera sans doute désigné Pt le 6-8 par le congrès. **Partis.** *Action dém. nat.* (ADN), f. 1979, Pt Hugo Banzer, conservateur. *Mouv. de la gauche révolut.* (MIR), f. 1971, Pt Jaime Paz Zamora. *Mouv. nat. révolut.* (MNR), f. 1942, Pt vacant, 700 000 m, centre droit. *P. ouvrier rév.* (POR), f. 1935, Pt Guillermo Lora, trotskiste. **Fête nat.** 6-8 réunion de la 1re constituante. **Drapeau** (1825). Rouge (valeur de l'armée), jaune (ressources minérales), vert (agr.).

■ Économie

PNB. *1980 :* 878 $ par hab., *85 :* 507 ; *90 :* 590 ; *91 :* 640 ; *92 :* 786. **Croissance** (92) 3,7 %. **Pop. active** (% et entre par. part du PNB en %) agr. 50 (20), ind. 14 (10), serv. 26 (55), mines 10 (15). *Chômage* (%) *1991 :* 20. **Inflation** (%) *1978 :* 10,3 ; *79 :* 19,7 ; *80 :* 47,2 ; *81 :* 32,1 ; *82 :* 250 à 300 ; *83 :* 275 ; *84 :* 1 300 ; *85 :* 23 000 ; *86 :* 276,4 ; *87 :* 14,6 ; *88 :* 21,5 ; *89 :* 16 ; *91 :* 15 ; *92 :* 10,3. **Salaire minimum** *1992* (janv.) : 180 bolivianos (42 $), mais 60 $ par an pour les paysans (88). **Dette extérieure** (milliards de $). *1990 :* 3,5.

Nota. – Baisse du pouvoir d'achat des salaires d'août 1985 à déc. 1990 : 75 %.

Agriculture. *Terres* (milliers d'ha, 80) 109 858 dont cultivées 1 273, pâturages 27 050, forêts 56 200, eaux 1 419, divers 21 819. *Production* (milliers de t, estim. 91) canne à sucre 4 180, p. de terre 855, maïs 510, riz 257, blé 103, coton 9, bananes, café, légumes, quinoa, coca (v. plus bas), manioc. **Forêts.** 95 000 m³ (90). En juillet 1989 accord avec la *« Conservation International Foundation »* (pour aider à la préservation des ressources naturelles), et la *« Citycorp International Bank »* (qui rachètera 650 000 $ une partie de la dette extér.). **Élevage** (milliers, 91). Bovins 5 600, moutons 12 300, chèvres 2 450, porcs 2 340, volailles 19 000. Laine (lamas), fourrures.

Énergie (91). *Pétrole* 8,1 millions de barils. *Gaz* 4 milliards de m³/an. **Mines** (milliers de t, 91). *Zinc* 129,7. *Antimoine* 7,2. *Étain* 15,8 (26,8 en 82). *En 1952 :* création de la Comibol [26 000 salariés, 70 % de l'étain extrait en B., teneur en minerai 1,5 à 2,5 % (auj. 0,3 %)]. *1986 :* crise, fermeture de mines (20 000 mineurs licenciés en 1985-86). *Plomb* 20,8. *Tungstène* 1,3. *Cuivre* 0,3. *Bismuth,* nickel, wolfram, soufre, vanadium. Argent 337. Or 5. **Industrie.** Affinage des métaux. **Transports.** Chemins de fer 3 642 km. **Tourisme.** *Vis. :* 193 557 (89). *Lieux :* Lac Titicaca, Copacabana, Vallée de la Lune, Tihuanaco, Chacaltaya, La Paz, Sucre, Potosí, Oruro (carnaval).

Commerce (millions de $ US, 91). **Exp.** 848,5 *dont* min. 356, gaz 232, *vers* Argentine 259, USA 124, G.-B. 102. **Imp.** 992 *de* USA 257, Brésil 142, Japon 122. **Balance commerciale** (millions de $). *1985 :* + 71,5, *86 :* – 164,9, *87 :* – 303, *88 :* – 97. **Rang dans le monde** (91). 5e étain, 9e argent, 15e zinc.

☞ **Cocaïne.** 1er rang mondial. 3,1 % du PIB (pour certains 13 à 15 %) ; 38 000 ha. *Production* (1992) : 91 612 t (20 % de la consommation mondiale), *chiffre d'affaires :* 1,5 à 4 milliards de $ par an, dont 0,5 restent en B. La Banque centrale de La Paz est autorisée par décret dep. 1985 à ne pas enquêter sur l'origine des $. 350/600 000 personnes en vivent. **Contrebande (export) :** 1/5 des concentrés d'étain et 4/5 de l'or.

■ Bosnie-Herzégovine

Carte p. 1183. V. légende p. 884.

■ **Situation.** 51 129 km² (dont Herzégovine 9 119). *Alt. max. :* Mt Maglic 2 386 m. **Population.** 4 364 574 h. (91) dont *analphabètes :* 14,5 %. **Cap.** *Sarajevo* 525 980 h. (91) ; 300 000 (93). Musulmans (Slaves islamisés sous occupation ottomane) 44 % surtout dans les villes ; Serbes (orthodoxes) 33 % surtout à la campagne ; Croates (catholiques) 18 % au Nord et au S.-O. D 85,4. *Langue :* serbo-croate. **Peuple musulman de B.-H. Statut** (nationalité) créé 1968 par Tito pour les Slaves de B.-H. qui ne se reconnaissent ni serbes, ni croates. Se réclamer de la nationalité musulmane ne signifie pas nécessairement une appartenance confessionnelle. **Économie.** Détruite par la guerre. **Ressources.** Fer, charbon, lignite, sel gemme, plomb, zinc, manganèse, bauxite, baryte, rés. hydroénergétiques 16 milliards de kWh. *Forêts* 2 331 000 ha (en 79). **Commerce extérieur** (1990, milliards de $). *Exp. :* 2. *Imp. :* 1,8. **Chômage.** 14 %. **Tourisme.** Parcs naturels de Kozara (3 375 ha) et Sutjeska (17 250 ha). Sarajevo, Mostar, montagnes Jahorina, Bjelasnica. *Stations thermales :* Banja Vrucica, Ilidza, Guber, Fojnica, Kiseljak, Laktasi.

Histoire

■ **Bosnie. VIIe s.** peuplée de Slaves. **Xe s.** début d'organisation d'État. **948** soumise par le Grand Zupan (préfet) de Serbie, Caslav Klonimirovié, avec l'aide des Byzantins ses suzerains. **960** réincluse et annexée par Michel Kresimir II. **991** domination bulgare. **1018** byzantine. **1042** réunie au roy. croate par Étienne Ier. **Fin Xe s.-1250** hérésie bogomile ; 33 « Djed » ou papes bogomiles reconnus par les bogomiles byzantins *(1110)*, les cathares de France *(1222)*, d'Italie. **Début XIIe s.** indép. ; gouvernée par des Ban (chef). **1138** province de Hongrie-Croatie. **1167-80** domination byzantine. **1180** vassale de Hongrie-Croatie, mais autonome en fait, g. par des Ban (ban Kulin). **1299** possession des princes croates Subic de Bribir. **1322** vassale de Hongrie-Croatie. **1377** le Ban Tvrtko Kotromanic (1354-91) couronné roi des Serbes et de la B. **1463** conquête turque, islamisation. Le sultan Mehmed II garantit la liberté de confession aux chrétiens du sandjakat de Bosnie. **1516** persécutions sporadiques. **1878** occupation mil. par Autr.-Hongrie. **1908** annexion par A.-H. qui ne réunit pas la Bosnie-Herzégovine. **1914**-*28-6* attentat de Sarajevo. **1918**-*26-10* indép. des territoires slovènes, croates et serbes de l'Autr.-Hongrie. Le « Conseil national » de Zagreb décrète l'union des Serbes, Croates, Slovènes : 1er gouv. nat. de B.-H.

■ **Herzégovine. VIIe s.** peuplée de Slaves. **IXe s.** principautés (Zeta, Raska). **1322-1463** incluse dans Bosnie. **1391-1482** gouvernée par ducs croates indépendants Kosatcha. **1448** duc Étienne Vouktchitch Kosatcha titré *« Herzog »* (« Herceg » en croate) par l'empereur germanique Frédéric III. Territoires (*Terre du Herceg* ou *Hercegovina*) : actuelle Herzégovine, S.-E. et S.-O. de Bosnie actuelle, Dalmatie centrale jusqu'à Kotor, N. du Monténégro actuel, S.-O. de la Serbie actuelle (17 000 km²). **1470-82** conquête turque ; sandjkat d'H. inclus dans pachalik de Bosnie en 1580. **1832-51** autonome dans l'Empire turc (pachalik), gouverné par le vizir Ali-pacha Stotchèvitch. **1875-78** insurrection chrétienne. **1878** Pljevlja (Plièvlia) et Prijepolje (Priyèpoliè) incorporés au sandjkat de Novi Pazar, Niksic (Nikchitch), Piva et Banjani (Baniani) au Monténégro ; occupée, **1908** annexée avec Bosnie par A.-H.

Statut. Rép. *Présidence collégiale* avec 6 vice-Pts, élus au suffrage univ. au scrutin de liste maj. *Pt. :* Alija Izetbegovic musulman (P. d'action dém.) élu 28-11-90 parmi 28 candidats. *PM :* Jure Relivan, dep. 28-11-90. *Parlement : Ch. socio-écon.* (130 m. élus au scrutin propr.) et *Ch. des Communes* (110 m. élus au scrutin maj. à 2 tours). Pt de l'Assemblée : Serbe, PM : Croate. **Partis.** 3 partis principaux représentant les 3 peuples de la B.-H. *Parti d'action démocratique* (SDA) nationaliste, Alija Izetbecovic pt, Musulmans (40 %). *Hrvatska Demokratska Sajednica* (HDS), Croates (18 %) de Stepan Kljujik. *Parti démocratique serbe* (SDS), de Radovan Karadzic (– de 40 %). **Élections du 18-11 et 2-12-90 :** 38 partis, SDA 86 sièges 33 % (Ch. socio-écon.) et 39 % des voix (Ch. des Comm.), P. dém. serbe (SDS) 70 sièges 26 et 32,7 %. Union dém. croate (HVO) 45 sièges.

■ **Indépendance. 1991** *juin-sept.* déclaration d'autonomie de 6 enclaves serbes en Bosnie. *15-10* proclamation de la souveraineté de la B.-H. par une coalition islamo-croate au Parlement. *Déc.* proclamation de l'indépendance par le Parlement, affrontements armés entre communautés (Musulmans favorables à l'indép., Croates au rattachement à la Croatie, Serbes au maintien dans la Féd.). **1992**-*29-2* et *1-3 référendum sur l'indép.* Participation 60 % (boycottage des Serbes). Oui 62,78 % des inscrits (99,43 % des M.). *-20-3* accord de Sarajevo à l'issue de négociations sous l'égide de la CEE, sur la constitution d'une féd. de 3 entités constituantes. *-28-3* les Serbes de B.-H. proclament une « République serbe de B.-H. » (8e Rép. et 4e État serbe de la Y). *-6-4* la CEE reconnaît l'indép. de la B.-H. Démission du PM et manif. pacifiste à Sarajevo en faveur de la cohabitation et contre la politique des 3 partis. *-7-4* USA reconnaissent la B. *Avril-mai* intervention de l'armée féd. et encerclement de Sarajevo. *-8-4* instauration de l'état d'urgence. *-22-5* admission à l'ONU. *Nov.* milices serbes (200 000 h, chef Radovan Karadzic) et 100 000 h de l'ex-armée fédérale contrôlent + de 70 % de la B.-H. ; les Croates, l'Herzégovine occ. où ils établissent un État croate autonome, l'Herceg-Bosna (cap. Mostar). Les Bosniaques ne contrôlent plus que 10 000 km². *Bilan de la guerre* (déc. 92). + de 50 000 †. Sarajevo : 8 000 † (dont 900 enfants), 50 000 blessés. Réfugiés : 850 000 (B.-H. seule). 612 mosquées détruites sur 2 000. **1993**-*2-1* Conférence de la paix de Genève : projet de statut. *-8-1* assassinat vice-PM Hakija Turajlik tué par un milicien serbe. **Guerre** (voir Yougoslavie, p. 1183).

Position des partis. *SDA :* souhaite un État unitaire, armée, police et monnaie communes. *HDS :* une fédération composée de plusieurs cantons ethniques, avec garantie des droits des minorités. *SDS :* un découpage avec création de 3 États. L'État serbe de Bosnie comprendrait les 2/3 du territoire où « les Serbes sont en position dominante » (Krajina 63,4 %, Herzégovine de l'Est 61,9, Romanija 39, Semberija 51,8). En échange, les Croates auraient l'Herzégovine de l'Ouest et une enclave de 125 000 h en Bosnie centrale. Le reste irait aux Musulmans. Découpage ne tenant compte ni des minorités importantes (Musulmans 18,5 % en Krajina, 25,2 % en Herzégovine de l'Est), ni des enclaves (8 communes serbes à + de 50 % et 6 croates à + de 45 % dans la « Rép. musulmane »), ni des territoires en multipropriété (ex. Mostar 34,8 % de Musulmans, 33,8 % de Croates). **Plan de la Conférence nationale de la paix (Vance-Owen).** Redécoupage de la B.-H. en 10 provinces sur une base ethnique (3 à dominante serbe, 43 % du territoire ; 3 croates, 15 % ; 3 musulmanes, 25 % du territoire pour 44 % de la population avant la guerre). Démilitarisation de la région de Sarajevo avec octroi d'un statut spécial. Constitution d'un État décentralisé, la plupart des fonctions gouvernementales étant exercées par les provinces dotées d'un parlement mais sans personnalité juridique internationale. Présidence composée de 3 représentants de chacune des unités constituantes. 1res élections sous le contrôle de l'ONU, la CEE et la CSCE. Accepté par Croates (janvier), Musulmans (26-1) ; rejeté à l'unanimité (– 1 voix) par le « Parlement serbe de B.-H. » réuni dans sa « capitale » de Pale (3-4).

Botswana

Carte p. 886. V. légende p. 884.

Situation. Afrique 582 000 km², dont 2/3 désert du Kalahari. *Alt. max.* 1 489 m (Mt Otse), *min.* 503 m. **Climat.** Été (oct.-mars) chaud (parfois 40 °C) et humide, hiver (avril-sept.) sec, chaud le jour (26 °C) avec nuits fraîches, gelées matinales épisodiques. *Pluies :* 600 mm par an au N.-E. à 250 au S.-O.

Population. *1991 :* 1 325 291 h. dont 6 000 Européens ; Bushmen (1ers hab. de l'Afrique, en voie de disparition). *An 2000 :* 1 600 000 h. *Accroissement* (en %) : 3,6. *Age : - de 15 a :* 48, *+ de 65 a :* 4. *Mortalité infantile :* 7 ‰. *Espérance de vie* 68. **Émigrés** (81) env. 41 961 (mines d'Afr. du S. 18 000). **Régions** (entre parenthèses tribus principales, et pop. 1991). *Centre* (Bamangwato) 395 564, *Kweneng* (Bakwena) 169 835, *Gaborone* 133 791, *Ngwaketse* 129 474, *Kgatleng* (Bakgatla) 57 168, *N.-E.* (Bakalaka) 43 361, *S.-E.* (Bamalete, Batlokwa) 31 101, *Kgalagadi* (Bakgalagadi, Basarwa) 30 873, *Ghanzi* (Bakgalagadi) 24 695. D 2,3. **Villes** (est. 90) : *Gaborone* 129 535 h., Francistown 56 021 (457 km), Selebi-Phikwe 52 560 (402 km), Molepolole 29 212 (88), Mochudi 23 852 (88), Lobatse 27 928. **Langues.** Anglais *(off.)*, setswana. **Religions.** Chrétiens (60 %), musulmans (env. 1 000), animistes (peu nombreux). **Histoire.** **1885** protectorat brit. (Bechuanaland). **1966**-*30-9 indépendance.* **1974** *sept.* Parlement dissous. **1988**-*28-3* raid sud-afr., 4 †.

Statut. République, membre du Commonwealth. *Constitution* du 30-9-1966. *Pt* Quett Ketumilé Masiré (n. 23-7-1925) élu par le Parlement le 18-7-1980, réélu mars 1984 et 1989. *Ass.* (30 m. élus pour 5 ans au suffr. univ., 4 m. nommés, le speaker et l'attorney général). *Ch. des Chefs* (15 m.). **Élections** (1989). Participation 68 %, BDP (Bot. Democratic Party, fondé 1962) 31 s., BNF (Bot. Nat. Front, f. 1967) 3. **Fête nat.** 30 sept. **Drapeau** (1966). Bandes horiz. blanche et noire (harmonie raciale), sur fond bleu (pluie et eau).

Économie

PNB par h. *85 :* 765. *90 :* 2 200. **Croissance** *90 :* 8,5 %. **Pop. active** (% et, entre par., part du PNB en %) agr. 60 (3), mines 7 (45), ind. 10 (5), serv. 23 (47). **Inflation** (%). *88 :* 8,4, *89 :* 11,5, *90 :* 11,4.

Agriculture. *Terres* (en milliers d'ha, 79) arables 1 360, pâturages 44 000, forêts 962, eaux 1 500, divers 12 215. *Production* (milliers de t, 90). Céréales *81 :* 60, *83 :* 14, *84 :* 9,7, *85 :* 16, sorgho 43, maïs 8, légumineuses 14, arachides 1, coton, haricots, agrumes. **Forêts.** 1 389 000 m³ de bois (90). **Élevage** (milliers, 90). Bovins 2 616 (*77 :* 3 500), chèvres 2 093, moutons 301, ânes 152, porcs 16, volailles 2 000, chevaux 33. Procure les revenus de 85 % de la pop. De 81 à 84, sécheresse (abattage de 900 000 têtes), ainsi qu'en 1989.

Mines (90). Diamants [1967, découverte à Orapa, 2e mine du monde, prod. 17 351 000 carats : ouverture à Jwaneng (154 cts/100 t de minerai, prod. 8,5 M cats/an)]. Charbon 794 041 t, soude 350 000 t (83), cuivre 20 612 t, nickel 19 022 t, manganèse, amiante. **Transports** (km). *Routes* 7 933 dont 1 914 goudronnés ; *chemins de fer* 705. **Tourisme.** 1 313 237 vis. (89) *parcs et réserves* 17 % du territoire (Chobe, Okavango, Moremi). *Sun City.*

Commerce (millions de pulas, 90). **Exp.** 3 322 *dont* diamants 2 665, cuivre et nickel 287, viande 130, divers 163 *vers* (%) Europe (sauf G.-B.) 84, CCA (Lesotho, Afr. du S., Swaziland) 5,4, Afr. (sauf CCA) 8, G.-B. 1, USA 0,2. **Imp.** 3 527 *dont* mach. et équip. élect. 869, mat. de transport 530, métaux 407, prod. alim. 367, chim. 301 *de* (%) CCA 77, reste de l'Afr. 7, G.-B. 6, Europe (sauf G.-B.) 4, USA 2,2. **Rang dans le monde** (86). 3e diamants.

Brésil

V. légende p. 884.

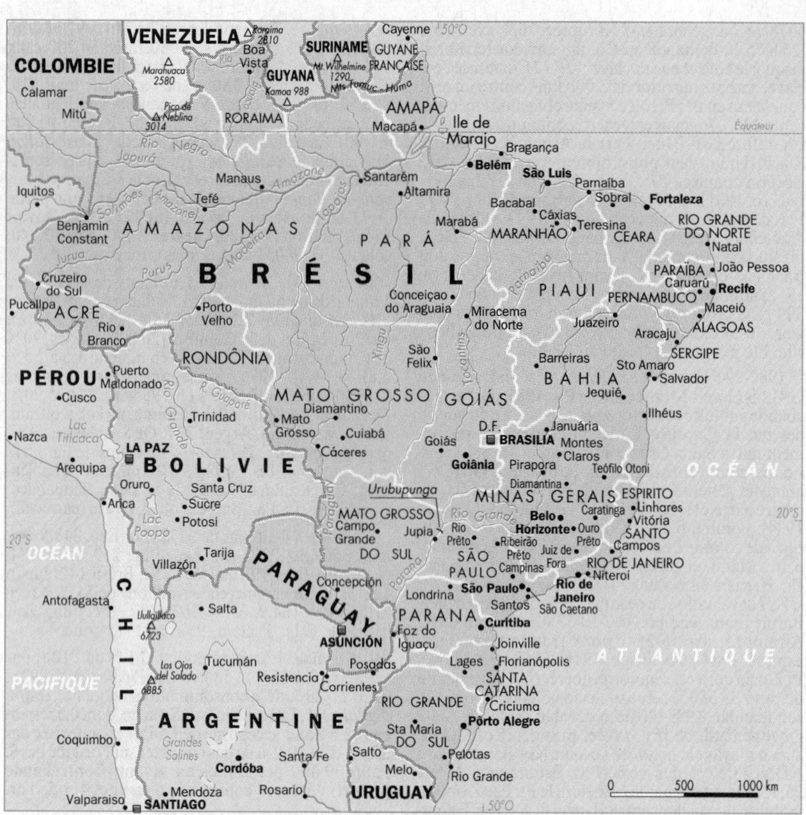

■ **Nom.** Du bois *brésil* abondant au XVIe s. et utilisé pour teindre les tissus (couleur de braise).

■ **Situation.** Amérique du S. 8 511 996,3 km² (env. 50 % du continent s.-am.) dont eaux 55 457 km². *Pourtour* 23 086 km, *long.* 4 394,7 km, *larg.* 4 319,4 km. 90 % du territoire se situent entre équateur et tropique du Capricorne. **Frontières** (communes avec tous les États s.-am., sauf Chili, Équateur et Trinité) : Bolivie 3 126 km, Pérou 2 995, Colombie 1 644, Guyana 1 606, Venezuela 1 495, Paraguay 1 339, Argentine 1 263, Uruguay 1 003, Guyane fr. 655, Surinam 593. *Côtes* 7 367 km. **Alt.** *max.* Pico da Neblina 3 014 m. *Basses terres* 41 % de la sup., *hautes t.* 58,5 %, *aire culminante de +* 1 200 m 0,5 %.

Régions. Socle précambrien recouvert de roches sédimentaires s'abaissant d'E. en O. (plateaux 5/8 du terr., plaines 3/8 du terr.). L'**Amazonie** correspond à une gouttière du socle ; forêt (mata) amazonienne (Voir Index). *N.-E. :* plateaux (alt. moy. inf. à 1 000 m) limités par des reliefs de côte. *E. et S.-E. :* hautes terres (chapada Diamantina, serra do Espinhaço entre 1 000 et 1 800 m) drainées par le rio Grande. *Végétation* semi-aride (caatinga) dans région de São Francisco, campos (savanes) dans le Mato Grosso, *cerrados* (beaucoup d'arbustes) dans Brésil central. Forêt atlantique (Mata Atlântica). Bordure côtière. 91 % de sa superficie disparue dep. le XVe s., 62 000 ha perdus dep. 1987 dans l'État de Sao Paulo. Menacée par projet de mégalopole de 40 millions d'hab. le long de la route Sao Paulo-Rio (450 km). *Hydrographie :* 8 bassins, Amazone (+ grand bassin du monde), Tocantins, São Francisco, Paraná, Uruguay, Atlantico Norte/Nordeste, Atlantico Leste et Atlantico Sudeste ; 44 000 km navigables.

Climat. *Moyenne des temp.* max. 35 °C, min. 9 °C. 1°) **Zone tropicale** (moy. ann. sup. à 25°) : *haute Amazonie :* pluies 2 000 à 4 000 mm : grandes pluies févr.-juill. ; petites oct.-janv. (200 j par an ; humidité de l'air 80 %) ; *N. du Mato Grosso :* grandes pluies de printemps et automne ; coups de vent frais du S.-E. (temp. min. 7,8 °C) ; *région atlantique :* climat constant pluies max. en avr., chaleur max. nov. à mars (pluies : 2 000 mm/an). 2°) **Z. subtropicale** (moy. ann. + de 20 °C) : *région côtière* au N. de Bahia : temp. constante (23-26 °C), pluies max. oct.-nov. (orages brefs et violents) ; au N. de Rio de Janeiro : pluies déc. à avr. ; *centre du Mato Grosso :* pluies printemps et automne (forêt vive, la *mata,* qui, défrichée, donne de bonnes terres), gros écarts de temp. (Cuiaba max. 37,5 °C, min. 8,2 °C) ; *montagnes centrales :* climat sud-méditerranéen. 3°) **Z. tempérée** (moy. ann. 15 °C) : *région côtière* au S. de Rio de Janeiro : pluies d'été très abondantes (4 000 mm), humidité constante ; *montagneuse de l'intérieur :* climat italien ou espagnol : pluies modérées hiver et automne, temp. min. – 8 °C.

Démographie

Évolution (millions). *1872 :* 9,9 h. ; *90 :* 14,3 ; *1900 :* 17,4 ; *20 :* 30,6 ; *40 :* 41,2 ; *50 :* 51,9 ; *60 :* 70,2 ; *70 :* 93,1 ; *80* (rec.) : 119 ; *91* (est.) : 153,2 ; *2000* (est.) : 179,5. **Densité** *1872 :* 1,2 ; *90 :* 1,7 ; *1900 :* 2,1 ; *20 :* 3,6 ; *40 :* 4,9 ; *50 :* 6,1 ; *60 :* 8,3 ; *70 :* 11 ; *80 :* 14,1 ; *91 :* 18 ; *2000* (prév.) : 21,2. **Accroissement annuel** (%) *1890 :* 2,01 ; *1900 :* 2 ; *20 :* 2,9 ; *40 :* 1,5 ; *50 :* 2,4 ; *60 :* 3 ; *70 :* 2,9 ; *80 :* 2,5 ; *80-85 :* 2,2 ; *87-88 :* 2 ; *90 :* 2,1 ; *91 :* 0,6.

Composition de la pop. (%, *1989*). **Blancs** 55,7 (dont 1 million d'or. all. en 1990). **Métis** [entre Bl. et Indiens (caboclo : paysan pauvre)] et **Mulâtres** [entre Bl. et Noirs : beaucoup de Noirs pratiquent l'« hypergamie » (recherche de partenaires plus blancs qu'elles)] 38,6. **Noirs** (1 150 000 surtout Bantous et Soudanais). Introduits entre 1550 et 1850 (40 % de la traite totale des esclaves de 1500 à 1800 et 80 % de 1801 à 1850), jusqu'à 1850 travaillent d'abord dans canne à sucre (N.-E.), mines (Minas Gerais), puis dans tertiaire et artisanat ; 1850-88 (abolition de l'escl.), revendus aux producteurs de café (Rio de Janeiro, São Paulo). **Jaunes** 1 (92) [Japonais : immigr. interrompue par loi des quotas 1934, reprise dep. 1990 (loi jap. permettant visa de 3 ans renouvelable) ; *nombre d'entrées 1989 :* env. 1 000, *90 :* 45 000, *91 :* 62 000]. **Divers** 0,1. **Indiens** dans tout le pays sauf 2 États. *Variétés :* 3 grands troncs linguistiques : Tupi, Macro-Je, Aruak. *Nombre : 1550* (arrivée des Port.) : 3 à 6 millions ; *1900 :* 1 million (env. 230 tribus autochtones). *1950 :* 45 429 ; *v. 1970 :* 200 000 ; *1989 :* 230 000 dont 140 000 sous la protection de la FUNAI *(Fundação Nacional do Indio)* sur 41 009 630 ha ; 50 000 env. sous celle des missions religieuses ; 40 000 dispersés dans la forêt. *Taux d'accroissement* 3,7 %. *Statut 1967* (loi fondamentale) : inaliénabilité de leurs terres (possession permanente et usufruit exclusif des richesses naturelles). *1970 :* « Statut de l'Indien » : le sous-sol appartient à l'État, mais la FUNAI doit être consultée et accorde seule les autorisations (de 1983 à 85, 537 autor. délivrées direct. par les autorités, affectant 17 terr. indiens). *1980* (8-8) les Indiens attaquent les établissements bl. d'Amazonie (12 ouvriers agr. bl. tués à São Felix de Xingu). Les évêques brés. ont dénoncé la disparition des Indiens comme un génocide organisé. La BIRD accuse la FUNAI d'irrégularités. *1989* (févr.) colloque à Altamira : 20 nations indiennes représentées s'élèvent contre la déforestation et le projet du barrage de Xingu. *1991* réserve de 4,9 millions d'ha attribuée en nov. (Pará et Mato Grosso : aux 498 Mekragnotire). Pour Tikunas, Pataxos, Kaimbes, Karajas et Jurunas, décret-loi du 24-12 créant 22 réserves de 22,18 millions d'ha sur 8 États. *Bilan :* 10,52 % du B. leur sont concédés et 183 réserves créées. *1992* (janv.) territoire délimité à 9,4 milliards d'ha entre Roraima et Amazonie ; (nov.) réserve de 122 000 ha pour Araras (Mato Grosso).

☞ **Indiens Yanomami** (« êtres humains » en indien ; ancien nom : Guaharibos, « hommes-singes »). 22 000 dont 13 000 au sud du Venezuela et 9 000 dans le Roraima sur 94 000 km², riches en minerais. Tous les 2 ans, déplacent le *shaponoo* (case centrale, où vivent 60 à 80 personnes) pour aller 5 km plus loin défricher. Les os des morts sont pilés et mélangés à une compote de bananes bouillies que parents et amis mangent (le corps des vivants devient ainsi le lieu où gisent les morts). Territoire envahi depuis 1987 par 45 000 chercheurs d'or (*garimpeiros*) ; 120 aérodromes ; menace de malaria et de maladies vénériennes ; accord (9-1-90) pour les réinstaller ailleurs, non respecté ; décret (15-11-91) présidentiel créant parc indigène sur territoire yanomami.

Immigration (estimation). *De 1819 à 1975 :* Portugais 1 788 402, Italiens 1 630 944, Espagnols 724 506, Allemands 263 413, Japonais 260 000 (après 1908), Français 51 567, Libanais 25 297, divers 892 820, total 5 626 312. **Population étrangère** (*1980*). 1 110 910 dont Portugais 392 661, Japonais 139 480, Italiens 108 790, Espagnols 98 515, Allemands 39 032, Argentins 26 633, Polonais 23 646, Libanais 21 909, Uruguayens 21 238, Soviétiques 18 064, Chiliens 17 830, Paraguayens 17 560, Américains 13 803, Boliviens 12 980, Français 12 014.

D'après la Constitution de 1946 : le nombre annuel d'immigrants de chaque nationalité (sauf Portugais) ne pouvait excéder 2 % du total des immigrants de ces pays admis au Brésil entre 1926 et 46.

Taux (en ‰, en 1990). *Natalité :* 29. *Mortalité :* 8 ; *infantile :* 63 (Sud 75, O. et N. 100). **Espérance de vie** *1985-90 :* 64,9 a. (dont hommes 62,30, femmes 67,60) ; *92 :* 67. **Naissances** (89) 3 636 901. **Décès** (89) 850 237. **Mariages** (89) 827 928. **Analphabètes** (15 ans et +) *1940 :* 56 ; *60 :* 39,6 ; *89 :* 18,8 (Sud 12 %, N.-E. 36,4 %) ; *92 :* 19.

☞ Sur 60 millions d'enfants, 20 vivent dans la misère, 7 à 9 à l'abandon (dans la rue, où beaucoup de *pivettes* vivent de rapines), 500 000 se prostituent, 1 000 ont été tués en 1990.

Villes. Brasília capitale fédérale (voir États et territoires p. 936 c.) **Pop. urbaine** (88) : 73,8 %. **Langue off.** Portugais ; les 230 000 (89) Indiens survivants parlent plus de 100 langues différentes. **Religions** (millions, 1980). Cath. 106 [90 % de baptisés, – de 35 % de pratiquants (5 % dans les grandes villes) ; 388 évêques], protestants 7,9, spirites 1,5, orientales 0,3, juifs 0,1, div. 1,1. **Sectes :** une centaine, soit 10 % de la pop., venant s'ajouter aux cultes afro-brésiliens traditionnels : camdomblé (pratiqué par Noirs), umbanda (emprunté au spiritisme d'Alan Kardec et au catholicisme). [Macumba, rite de sorcellerie, est un terme utilisé par les étrangers à ces groupes].

■ Histoire

■ **V. 5000 av. J.-C.** peuplement par des Amérindiens venus de Colombie. **V. 1000 av. J.-C.** culture du manioc en Amazonie et Orénoque. **1493** le pape Alexandre VI Borgia attribue, à partir d'une ligne imaginaire N.-S., à 100 lieues à l'ouest des îles du cap Vert, les terres en deçà aux Portugais, au-delà aux Espagnols. **1494** *tr. de Tordesillas,* l'Esp. accorde au Portugal toutes les terres à l'E. de 50° de long.

■ **1500**-*22-4* le Portugais *Pedro Alvares Cabral* aborde à Bahia et s'y établit en **1503. 1525** *conférence de Badajoz* (Jean III de Port. et Charles Quint) : le Portugal obtient le B. Plusieurs essais pour conquérir la colonie port. sont tentés par des pirates et des expéditions officielles, dont celles de la France antarctique [1557-67, dans la baie de Rio de Janeiro par Nicolas Durand de Villegagnon, seigneur de Torcy et vice-amiral de Bretagne, qui débarque le 10-11-1555 avec 600 colons (André Thevet, moine cordelier, l'accompagnait ; malade, il revint en Fr. en 1556 rapportant du pétun : tabac) ; puis son neveu M. de Boissy, seigneur de Bois-le-Comte] et de la Fr. équatoriale (1594-1615 dans le Maranhão), celles de la Hollande à Bahia (1624-25) et Pernambuco (1630-54). **XVIIe s.** introduction du café. Début des *Bandeiras* (expéditions armées), qui partent du littoral de São Paulo. Les *Bandeirantes* partent vers l'intérieur pour ramener des esclaves indiens, découvrir des mines d'or et des pierres précieuses. Ces conquêtes dépassent les limites du *tr. de Tordesillas :* nombreux conflits armés avec Esp. (sur le rio de la Plata) ; *tr. de Madrid* (1750) annulant tr. de Tordesillas, moyennant la cession à l'Esp. de l'Uruguay, puis *tr. de San Ildefonso* (1777) fixant les limites définitives. **1701-13** B. allié de l'Angl. contre Louis XIV. Des escadres fr. [Duclerc (1710), Duguay-Trouin (1711)] prennent 2 fois Rio. **1763** Rio siège de la vice-royauté (cap. du B. indépendant de 1834 à 1960). **1789** échec du soulèvement *Inconfidencia Mineira.* **1808** Napoléon envahit Port. et abolit par décret la monarchie ; la reine, Dona Maria Ire, le P^ce^ régent, Dom João, et la Cour (15 000 personnes) se réfugient au B. Ouverture des ports au commerce intern. (fin du monopole port.). **1815** le B. devient royaume, à la mort de Dona Maria Ire ; le P^ce^ régent est couronné Dom João VI, roi du Port., du B. et de l'Algarve. Après la défaite de Napoléon, il rentre au Port., en laissant au B. son fils Dom Pedro comme régent ; à Lisbonne, les députés des « Cortes » veulent rendre au B. son ancien statut de colonie.

■ **Empire. 1822 Pedro Ier** (1798-1834), f. de Jean VI, roi du roy. uni du Portugal, du Brésil et de l'Algarve, ép. 1817 Léopoldine d'Autriche (1797-1826). *-7-9* Dom Pedro proclame l'indép. du B., prend le nom de Pedro Ier, le B. devient un Empire (8,5 millions de km², 4 000 000 hab.). *-12-10* empereur. **1826** roi du Port. à la mort de son père. *-2-5* laisse le Port. à sa fille Marie II. **1831**-*7-4* abdique.

1831 Pedro II (1825-91), fils de Pedro Ier, ép. 1843 Thérèse de Bourbon-Siciles (1822-89), 2 filles. **Héritiers** (voir ci-dessous). **1840**-*23-7* gouverne effectivement. **1843**-*16-3* fonde Petrópolis à 66 km de Rio. **1850** traite des Noirs abolie. **1851-52** g. contre l'Argentine. **1866-70** g. contre Paraguay. **1877-79** sécheresse, 50 000 † dans le N.-E. **1880-1912** fièvre du caoutchouc en Amazonie. **1888**-*13-5* abolition définitive de l'esclavage : crise sociale et écon. **1889** insurrection milit. (M^al^ de La Fonseca). *-15-11* Pedro II abdique, *17-11* quitte secrètement le B. († à Paris 5-12-1891, son corps et celui de sa femme seront ramenés en 1922 dans la cath. de Petrópolis).

■ **Ire République.**

☞ Fonctionne de 1889 à 1930 par la « politique des gouverneurs » : le Pt appuie les gouv. des États, qui assurent l'élection de représentants qui font, au Congrès, la politique du pouvoir central.

1889 M^al^ Manuel Deodoro da Fonseca (1827-92).

1891 M^al^ Floriano Vieira Peixoto (1839-95).

1894 Prudente de Morais e Barros (1841-1902).

1897 massacre de Canudos (Nordeste) : 7 000 soldats encerclent communauté mystique de 15 000 h., conduite par Antonio Vicente Mendes Maciel (Conseilheiro).

1898 Manuel Ferraz de Campos Sales (1841-1913).

1900 Francisco de Assis Rosa et Silva (1856-1929), Pt par intérim.

1902 Francisco de Paula Rodrigues Alves (1848-1919).

1906 Afonso Moreira Pena (1847-1909).

1909 Nilo Procopio Peçanha (1867-1924).

1910 M^al^ Hermes Rodrigues da Fonseca (1855-1923), nev. du 1er Pt.

1914 Vencesláu Brás Pereira Gomes (1868-1966).

1917 Urbano Santos da Costa Araújo (1859-1922), Pt par intérim.

1918 Francisco de Paula Rodrigues Alves (1848-1919) ; malade, remplacé par le vice-Pt Delfim Moreira da Costa Ribeiro.

1919 Épitácio da Silva Pessoa (1865-1942).

1922 Artur da Silva Bernardes (1875-1955).

1925 loi d'exil abrogée.

1926 Washington Luis Pereira de Souza (1869-1957) ; déposé par une révolution (1930).

■ **IIe République. 1930 Augusto Tasso Fragoso** (1869-1945) (chef du gouv. prov.).

1930 Getúlio Dornelles Vargas (1882-1954) ; chef du gouv. prov. *-24-10 révolution* (chef Getulio Vargas), l'État de São Paulo demande la remise en vigueur de la Constitution. **1934**-*16-7 nouvelle Constit.* G. Vargas, élu Pt **1937** proclame un « *État nouveau* », octroie une charte constit.

1945 José Linhares (1886-1957).

1946 M^al^ Eurico Gaspar Dutra (1889-1974). *-18-9 nouvelle Constit.* **1951** loi interdisant discrimination raciale.

1951 Getúlio Dornelles Vargas (1882-suicide 24-8-1954, son fils étant mis en cause pour attentat contre un journaliste).

1954 João Café Filho (1889-1970) ; démissionne 10-11-54.

1955 Carlos Coimbra da Luz (1894-1961).

1955 Nereu De Oliveira Ramos (1888-1958).

1956 Juscelino Kubitschek de Oliveira (1902-76). **1960**-*21-4 Brasilia* devient *capitale fédérale.*

1961 Jânio da Silva Quadros (1917-92) ; démissionne 25-8-1961.

1961 Paschoal Ranieri Mazzilli (1910-75) ; Pt par intérim.

1961 João Marques Goulart (1918-76). *-2-9* acte additionnel, le B. passe du régime présidentiel au r. parlementaire. **1963**-*6-1* acte additionnel révoqué, r. présidentiel restauré, conforme à la Const. du 18-9-1946. **1964**-*1-4* Goulart renversé.

1964 Ranieri Mazzilli ; Pt par intérim (2-4/15-4).

1964 (15-4) **M^al^ Humberto de Alencar Castelo Branco** (1900-67). Gouv. militaire.

1967 (15-3) **M^al^ Arthur da Costa e Silva** (1902-69), se retire ayant été frappé d'une thrombose cérébrale le 31-8-69. **1968** escadrons de la mort créés par des policiers contre le « laisser-aller ». **1968-73** « *miracle brésilien* » (croissance de 11 à 12 % par an, influence de Delfim Neto, min. des Finances).

1969 (31-8) junte mil. (30-10) **Gal Emilio Garrastazu Medici** (1908-85). *17-10* nouvelle Constit. *-13-12* prolongation de l'acte institutionnel 5, le Pt met fin aux activités du Congrès, suspend droits pol. de tout citoyen pour 10 ans, « casse » parlementaires et fonctionnaires, supprime l'*habeas corpus* pour délits contre la « sécurité nat. » (de 1968 à 78, 4 582 personnes « cassées » dont 3 783 mises à la retraite d'office). **1970** plusieurs diplomates enlevés, échangés contre des prisonniers pol.

1974 (15-3) **Gal Ernesto Geisel** (3-8-07). **1974** épidémie de méningite à São Paulo (4000 † en une semaine). **1974-75** difficultés écon. **1977** *avril* modification des modalités d'élection des gouv. et du tiers des sénateurs. **1978**-*15-10 Gal João Baptista Figueiredo* élu (parti *Arena* 355 v.) contre Gal Euler Bentes Monteiro (226 v.).

1979 (15-3) **Gal João Baptista de Oliveira Figueiredo** (15-1-18). **1979** le commissaire Fleury (« cerveau » des escadrons de la mort) meurt lors d'une partie de pêche. *-28-8* amnistie sauf pour terroristes. *-15-9* retour de Miguel Arraes ; *juin à oct.* échec de la réforme du système des partis. **1980**-*juill.* visite Jean Paul II. **1981** amnistie : Luis Carlos Prestes, chef du PC en exil à Paris, peut rentrer ; Pt Figueiredo en France. **1984**-*25-4* le Congrès se prononce contre l'élection du Pt de la Rép. au suffrage univ.

1985 (15-3) **Tancredo de Almeida Neves** (4-3-10/21-4-85).

1985 (22-4) **José Sarney** (1931). *-15-1* José Sarney vice-Pt élus par 480 voix dont 180 à Paulo Salim Maluf (53 ans). *-15-3* le Pt étant malade, Sarney assure l'intérim. *-21-4* Pt meurt. *-10-5* décision : élect. présid. au suffrage universel, droit de vote pour 20 millions d'analphabètes. *-11-7* 10 partis légalisés dont les 2 PC. *-14/18-10* Pt Mitterrand au B. *-15-11 él. municipales,* 1er scrutin libre dep. 21 ans ; le Pmdb remporte 17 capitales du pays sur 23, mais échoue à São Paulo (l'ancien Pt Quadros « l'homme au balai » est élu), et à Rio [Roberto Saturnino Braga (Pdt) élu] ; suivi par PDT et PT ; 2 principaux perdants : PFL droite et PDS. **1986**-*28-2 plan tropical* (ou *Cruzado I*) de redressement : prix, salaires, tarifs publics bloqués pour 6 mois ; l'économie cesse d'être indexée ; nouvelle monnaie : 1 cruzado : 1 000 cruzeiros. *-15-11* élections, victoire du Pmdb ; 1re femme noire député (Benedita da Silva). *-21-11 plan Cruzado II :* hausses (en %) des tarifs publics : téléphone, électr. 35, poste 100, boissons alcoolisées, voitures 80, carburant 60. **1987** *-20-2* moratoire partiel sur dette extérieure. *-18-5* le Pt annonce qu'il ramènera de 6 à 5 ans son mandat présidentiel. *Mai* échec du plan Cruzado. *-12-6 plan Cruzado novo,* nouveau blocage des prix et salaires pour 90 j. *-30-6* émeute à Rio, hausse 50 % des transports en commun (contraire au gel des prix) annulée, le calme revient (bilan : 47 blessés, 100 autobus détruits). *-13-9* à Goiana, 2 chiffonniers récupèrent dans une clinique abandonnée une capsule de césium, 248 personnes contaminées 4 †. *-21-12* 133 (?) chercheurs d'or tués (affrontements avec police). **1988**-*févr.* pluies État de Rio, 251 †, 10 000 sans-abri. *-22-3* l'Ass. constituante vote par 334 v. contre 212 pour que le Pt soit doté des pleins pouvoirs, Pt Sarney restera encore 2 ans. *Avril* vente aux enchères d'une partie de la dette. *Août* incendie du parc naturel « das Emas » (Centre-Ouest) : plusieurs milliers d'animaux tués, 40 000 ha sur 120 000 détruits. *-2-9 nouvelle Constitution* ; droit de grève reconnu ; torture, racisme, terrorisme et trafic de drogue considérés comme crimes imprescriptibles ; censure abolie ; droit d'initiative populaire : proposition de lois par 1 % de l'électorat. *Oct.* droit de vote à 16 a. *-15-11 él. munic. :* la maj. présid. ne conserve que le Nordeste. *-22-12* l'écologiste Chico Mendes tué par Darcy et Darly Alves, éleveurs (15-12-90 : condamnés à 19 ans de prison ; 15-2-93 : évadés). **1989**-*15-1 plan « été »,* gel des prix et salaires ; dépenses publiques courantes en baisse de 50 %, nouveau cruzado (= 100 cruzados) dévalué officiellement de 17 %. *De janv. à mai* 4 dévaluations. *Juin* abandon du *Plan Eté,* dévaluation de 1,29 % du cruzado. Scandale financier à la Bourse. *-9-11* Silvio Santos propriétaire d'une chaîne de TV, Parti municipaliste, déclaré non éligible comme Pt. Collor élu Pt (en fonction 15-3-90). *-23-12* Gabriel Maire (prêtre français) assassiné.

1990 (15-3) **Fernando Collor de Mello.** *-21-2* base spatiale inaugurée à Alcantara, coût 115 millions de $; *16-3 plan Collor* d'austérité : pendant 18 mois retraits d'argent limités ; gel de 80 % des avoirs des comptes bancaires supérieurs à 1 000 $; taxes sur transactions mobilières. Effets : chute de la Bourse (São Paulo – 60 %, Rio – 50 %) et de l'or. *-17-3* Opéra de Manaus (fermé dep. 1907) rouvert, après 2 ans et demi de travaux (coût : 48 millions de F). *-19-3* Cruzado devient cruzeiro. *-9-5* plan Collor : 20 à 25 % des 1 600 000 fonctionnaires licenciés et entreprises publiques « non stratégiques » privatisées. *-3-10* et *-25-11 él. fédérales. Nov.* Neuza Maria Goulart Brizola, fille de Leonel Brizola, gouverneur de Rio de Janeiro, impliquée dans trafic de drogue. **1991**-*4-2 plan Collor II :* blocage prix et salaires (accord avec les 4 États les + dépensiers : Minas Gerais, Rio Grande do Sul, Rio de Janeiro et São Paulo) ; *-mars* 950 appartements de Rio occupés par des habitants des favelas. *14-3* après échec des 2 plans de stabil., Pt Collor propose « grand projet de reconstr. nationale ». *-5-4* Trib. féd. de São Paulo juge inconstitutionnel le gel des avoirs brésiliens. *-8-5* Marcilio Marques Moreira (59 ans) remplace Zelia Cardoso de Mello (37 ans, min. Économie, démissionnaire). *-3-9* Rosane Collor, femme du Pt, Pte de la Légion brésilienne d'assistance (1 milliard de $ par an ; 10 000 salariés) démissionne (accusée de détournement de fonds pour 175 000 $). *-6-9* João Alvino Malta Filho, beau-frère du Pt Collor, accusé de tentative de meurtre. *-12/22-10* Jean-Paul II au B. *Nov.* 3 167 kg de cocaïne saisis (*1989 :* 1 278, *90 :* 2 623). **1992** *démission :* Min. du Travail et secr. d'État à l'Action sociale (17-1), min. de la Santé (accusé de corruption), de l'Intégr. écon. rég. (23-1). *-30-3* Pt Collor obtient démission collective de son cabinet en vue d'un remaniement min. Nouv. équipe composée de pers. « à la moralité insoupçonnable ». *-17-5* gouverneur d'Acre assassiné. *-25-5* affrontement entre Pt Collor et son frère Pedro. *2-6* libération du P^ce^ Pedro Thiago d'Orléans et Bragance (13 ans) enlevé le 26-5. *3/16-6* 2e « Sommet de la Terre » : 180 pays (coût : 180 millions de F). *Juin* Paulinho Paiakan, cacique des Indiens kayapos, converti à l'écologie, accusé de viol. *-26-7* mutinerie prison de São João do Mereti (banlieue de Rio) 12 †. *Août* Rosane Collor aurait reçu illégalement 500 000 $ en 2 ans. *-16-8* manif. pour démission Collor (100 000 à Brasília). *-24-8* selon commission parlem. d'enquête, Collor aurait reçu 6,5 millions de $ de pots-de-vin dep. 1989, et laissé son ami Paulo Cesar (PC) Farias monter réseau de recyclage de fonds secrets. 200 000 manif. à São Paulo. *-26-8* 80 000 manif. à Brasília. *-9-9* Ass. nat. annonce au Pt qu'il devra présenter sa défense avant le 15-9. *-18-9* 700 000 manif. à São Paulo. *-29-9* Ass. nat., par 441 v. contre 48, destitue Collor. *-2-10* Itamar Franco (n. 28-6-31) Pt par intérim. *-2/3-10* mutinerie prison de São Paulo : 111 à 200 †. *-4-11* 2 000 Indiens guajajaras prennent 400 pers. en otage dans État de Maranhao. *-30-12* Sénat condamne Pt Collor à 8 ans de suspension de ses droits pol. **1993**-*21-4* référendum sur système de gouv. [pour République 68 % (présidentielle 57 %, parlementaire 25 %), monarchie 12 %].

■ Politique

Statut. *Rép. féd.* (26 États, 1 district féd., siège de la cap.). *Const.* du 5-10-1988. *Ch. des députés* (503 m. élus pour 4 ans). *Sénat féd.* (81 m. élus pour 8 ans, renouvelables tous les 4 ans pour 1/3 ou 2/3). *Pt de la Rép.* élu au suff. univ. à 2 tours pour 5 ans non renouvelables (avant par le Congrès pour 5 a., non rééligible) F. Collor en 1989 a été le 1er Pt élu au suf. univ. (dep. 1960 él. de Quadros), remplacé le 2-10-92 par Itamar Franco (n. 28-6-31), Pt par intérim. Le Pt nomme et révoque les min. (non responsables devant le Parlement), ne peut dissoudre les chambres. *Gouverneurs, conseillers municipaux, maires :* élus pour 4 ans. **Fête nat.** 7-9 (en 1889 : 14-7). **Drapeau.** Fond vert, losange jaune avec sphère bleue, devise « Ordre et Progrès », 27 étoiles (États).

Élections. Présidence *(15-11 et 17-12-89).* 1er tour : 22 candidats ; 2e tour : Fernando Collor de Mello (P. de la rénovation nationale) *élu* (42,75 %), Luis Inácio Lula da Silva (P. des travailleurs) (37,86 %). Votes blancs : 1,20 %, nuls ; 3,79 %, abstentions : 14,40 % (quoique le vote fût obligatoire). **Sénat** *(3-10/25-11-90).* 81 s. : PMDB 26, PFL 14, PSDB 10, PTB 7, PDT 7, PRN 4, PDS 3, PDC 3, PT 1, PSB 1, PST 1, PMN 1, divers 3. **Ch. des députés** *(15-11-86).* 487 s. : PMDB 259, PFL 115, PDS 36, PDT 24, P. des travailleurs 19, P. travailliste brés. 19, PL 7, PDC 3, PCB 2, PCDB 2, PSB 1. *(3-10/25-11-90) :* 503 s. : PMDB 109, PFL 85, PDT 46, PDS 44, PRN 40, PSDB 38, PTB 37, PT 35, PDC 22, PL 15, PSB 10, PSC 5, PCDB 5, PRS 4, PCB 3, PTR 2, PST 2, PMN 1. *De 1966 à 1982* (en %) (Parti gouvernemental : *Pg.* Opposition : *O.* Votes blancs ou nuls : *B)* **1966 :** *Pg :* 50,5, *O :* 28,4, *B :* 21. **1970 :** *Pg :* 48,4, *O :* 21,3, *B :* 30,3. **1974 :** *Pg :* 40,9, *O :* 37,8, *B :* 21,3. **1978 :** *Pg :* 40, *O :* 39,3, *B :* 20,7. **1982 :** *Pg :* 36,6, *O :* 48, *B :* 15,1. **Ass. des États** *(15-11-86).* 953 s., PDS 476 s. *(25-11-90).* 1 036 s. PMDB 207, PFL 171. *Élect. des 23 gouverneurs des États* (1re fois dep. 1965). + de 59 millions d'inscrits (10 É. passent à l'opposition). 686 grands électeurs (479 députés, 69 sénateurs, 138 élus territoriaux). *Élect. du 25-11-90.* 27 gouverneurs, 16 d'opposition.

Partis. Dep. sa création v. 1920 à 1985, le PC brésilien n'a été légal que 2 ans (1945-47). De 1945 à 65, 2 partis (ARENA et MDB) et des partis moins importants étaient autorisés. Dep. mai 1985, partis libres. *P. démocratique social* (PDS), Antonio Netto ; ancien parti du régime milit. *P. du front libéral* (PFL), Ricardo Fuiza. *P. du mouvement démocratique br.* (PMDB), Ulysses Guimarães (1916-92) remplaçant l'ancien MDB. *P. démocrate travailliste* (PDT), Leonel Brizola. *P. des travailleurs* (PT) f. 1980, Luis Inacio « Lula » da Silva. *P. comm. brés.* (PCB), pro-soviét. *P. comm. du Br.,* pro-albanais (PC do B). *P. soc. brés.* (PSB). *P. social-dém. brés.* (PSDB). *P. dém.-chrétien* (PDC). *P. trav. brés.* (PTB). *P. lib.* (PL). *P. de reconstr. nat.* PRN. *P. nat. soc.* (illégal), Néo-nazi (10 000 m.).

Héritiers de la Couronne

1891 *Isabelle,* fille de Pedro II (1846-Eu 1921), ép. 15-10-1864 Gaston d'Orléans (1842-† 1922 sur le *Massilia*) Cte d'Eu, f. aîné de Louis duc de Nemours (1814-96, f. du roi Louis-Philippe) dont *Pierre d'Al-Cantara* P^ce^ de Grão Para (1875-1940, ép. 1908 Elisabeth Dobrzensky de Dobrzenicz 1875-1951) qui renonce à ses droits en 1908 [a pour enfants la Ctesse de Paris (n. 1991) ; Pierre (n. 1913, ép. 1944 Maria de la Esperanza de Bourbon-Siciles, n. 1914, dont il a eut 4 fils) qui est revenu sur cette renonciation ; Jean (n. 1916)] ; *Louis* (1878-1920, ép. 1908 Maria-Pia de Bourbon-Siciles 1878-1973). **1921** *Pierre-Henri d'Orléans et Bragance* (13-9-09/5-7-81) fixé au Brésil en 1946, f. de Louis, ép. 19-8-37 P^cesse^ Marie de Bavière (n. 9-9-14) dont 8 P^ces^ et 4 P^cesses^ [nés entre 1938 et 59, dont Louis-Gaston (n. 8-6-38, célibataire) ; Eudes (n. 1939 dont 3 fils, 2 filles) ; Bertrand (n. 2-2-41) ; Isabelle (n. 1944) ; Antoine (n. 1950 dont 2 fils, 2 filles)]. **1981** *P^ce^ Louis-Gaston d'Orléans et Bragance* (n. 8-6-38) son fils.

■ États

Légende : États et territoires, superficie en km², population et densité (est. 90), capitale (en italique) et distance de Brasília.

■ **Nord.** Amazonie, 3 851 560 km², 45,25 % du territoire, 10 581 561 h. D 2,7. 81 % de l'eau douce du B. [l'Amazone (découvert 1542 par Francisco de Orellana, lieut. de Pizarre) déverse dans l'Océan, sur 200 km, 1/5 de l'eau douce du globe, 6 270 km, bassin de 6 000 000 km², env. 1 100 affluents, 3 à 14 km de large (50 km lors des crues), 30 à 100 m de prof., 65 m de pente de la frontière à la mer, 120 000 m³ de débit par s (max. 320 000 m³/s)]. 80 % des réserves de bois mais déforestation (incendies *1987 :* 204 000 km², *88 :* 80 000) ; réserves : sel gemme, étain, manganèse, bauxite, fer. Représente 4 % du revenu national.

Acre (AC). État dep. 1962. 153 697 km², 434 708 h., D 2,8 ; *Rio Branco* 145 779 h. (2 249,7 km).

Amapá (AP). État dep. 1990. 142 358 km², 267 576 h., D 1,9 ; *Macapá* 155 303 h. (1 783,2 km).

Amazonas (AM) 1 567 953 km², 2 213 966 h., D 1,41 ; *Manaus :* fondée 1669 sur rio Negro ; prospère 1890-1920 (hévéa) ; opéra 1896 (restauré) ; récession jusqu'en 1967 [devenue zone franche, traite le pétrole brut br. et vénézuélien] ; 1989-91, baisse 40 %. 1 089 962 h. (1 929,4 km). Terr. en litige entre Amazonas et Pará (2 680 km², 4 000 km² peuplés de 20 000 Yanomani, soit 40 % du Roraima)].

Pará (PA) 1 246 833 km², 5 391 864 h., D 4,3 ; *Belém* 1 190 017 h. (1 585,5 km).

Rondônia (RO). État dep. 1981 (avant Terr. féd. du Guaporé puis de R.). 238 378 km², 1 125 118 h., D 4,7 ; *Pôrto Velho* 216 254 h. (1 902 km).

Roraima (RR). État dep. 1990. 225 017 km², 135 956 h., D 0,6 ; *Bõa Vista* 66 357 h. (2 490 km).

Tocantins (TO) État dep. 1990, 277 321,9 km², 1 012 373 h., D 3,65 ; *Palmas* 3 477 h.

■ **Nord-Est.** 1 556 001 km², 18,38 % du terr., 44 429 181 h. D 28,55, pop. urbaine. Ceinture côtière fertile et plateau du *sertao* (polygone de sécheresse ; mortalité infantile 74,7 ‰).

Alagoas (AL) 29 106 km², 2 522 197 h., D 86,6 ; *Maceió* 527 220 h. (1 486,3 km).

Bahia (BA) 566 978 km², 12 174 961 h., D 21,5 ; *Salvador* 2 000 387 h. (1 062,1 km).

Ceará (CE) 145 694 km², 6 666 651 h., D 45,7 ; *Fortaleza* 1 763 546 h. (1 684,2 km). Terr. en litige entre Ceará et Piauí, 2 614 km².

Maranhão (MA) 329 555 km², 5 274 797 h., D 16 ; *São Luis* 624 321 h. (1 518,5 km).

Paraiba (PB) 53 958 km², 3 420 340 h., D 63,4 ; *João Pessoa* 440 279 h. (1 716,6 km).

Pernambuco (PE) 101 023 km², 7 603 176 h., D 75,3 ; *Recife* 1 352 024 h. (1 657,4 km). [Ile Fernando de Noronha 26 km², 1 295 h. (85), D 49,80. A 2 150 km].

Piauí (PI) 251 273 km², 2 799 919 h., D 11,1. *Teresina* 533 678 h. (1 308,6 km).

Rio Grande do Norte (RN) 53 166 km², 2 451 076 h., D 46,1 ; *Natal* 578 487 h. (1 774,6 km).

Sergipe (SE) 21 862 km², 1 516 064 h., D 69,3 ; *Aracaju Capella* 398 183 h. (1 293,2 km).

Nota. – Terres en litiges 3 381 km².

■ **Sud-Est.** 924 266 km², 10,85 % du terr., 67 067 873 h., D 72,6, pop. urbaine 89 %. Ceinture côtière fertile et *campos cerrados* (savane), *limpos* (sans arbres), *alpinos* (+ de 1 000 m). % par rapport au Brésil : superficie 2,9 %. PIB 40, pop. 44,1, prod. ind. 60.

Espirito Santo (ES) 45 733 km², 2 635 307 h., D 57,6 ; *Vitória* 277 269 h. (947,6 km).

Minas Gerais (MG) 586 624 km², 16 854 745 h., D 28,7 ; *Belo Horizonte* 2 339 039 h. (614 km).

Rio de Janeiro (RJ) 43 653 km², 14 061 694 h. (*1820* 45 000, *70* 235 000), D 322,12 ; *Rio* 6 011 181 h. (agg. 10 217 269 h., 931,3 km). Habitants (appelés *Cariocas*) *1710 :* 12 000, *1808 :* 50 144, *1900 :* 691 565, *1939 :* 1 896 948. Site découvert 1-1-1502 par André Gonçalves (ou Gonçalo Coelho), qui le nomme « fleuve de Janvier », ayant pris la baie pour un estuaire ; ville fondée 1565 (St-Sébastien du Rio de Janeiro) ; capitale du B. de 1763 à 1960, Niterói étant la capitale de l'État de Rio. *1-7-1974* fusion des États de Rio et de Guanabara, Rio capitale pour contrebalancer l'influence de l'État de São Paulo ; climat chaud et humide ; terrains défavorables (marécages, collines à pic : on a remblayé l'océan, percé des tunnels). Activités des quartiers actuels : N. (ind., zone portuaire) banlieue Baixada Fluminense, comprenant 2,5 millions de pauvres venus du Nord-Est ; Centre (affaires, commerce) ; S. (résidences élégantes : Flamenco, Botafogo, Copacabana, Ipanema, Leblon). 2e centre ind., 2e port du B. *Samba :* origine « batuque » de Bahia, introduit par les esclaves en 1870. Naquit dans le baiana (bar) de Tia Ciata à Rio, au début du siècle.

Nota. - En 1990 : 2 572 homicides. 400 enfants tués par mois (New York 160, Londres 15) ; 10 000 attaques à main armée en 1990 dans les autobus (27 par j).

São Paulo (SP) 248 255 km², 33 516 127 h., D 135 : *São Paulo* 10 997 473 h. (agg. 15 280 375 h., 870,5 km) ; s'accroît de 600 000 nouveaux venus par an. Une des plus fortes concentrations industrielles du monde, notamment dans la zone polluée de Cubatão. Env. 60 % du PNB brés.

■ **Sud.** 575 316 km², 6,76 % du terr., 23 393 001 h., D 39,7, pop. urbaine 75,79 %. Montagneux au N., plaine et pampa au S. Seule région où il y ait un hiver. 1er du pays pour : tabac, maïs, soja, blé, sorgho, avoine, seigle, orge, graines de lin. Porcins et ovins.

Paraná (PR) 199 324 km², 9 341 569 h., D 46 ; *Curitiba* 600 000 h. (1 077,2 km, 400 km de São Paulo et 70 km de l'Océan).

Rio Grande do Sul (RS) 280 674 km², 9 449 932 h., D 33 ; *Pôrto Alegre* 1 371 313 h. (1 614,1 km). 8 % du PNB, 12 % des exportations.

Santa Catarina (SC) 95 318 km², 4 601 500 h., D 46,2 ; *Florianópolis* 236 359 h. (1 310 km).

■ **Centre-Ouest.** 1 604 852 km², 18,8 % du terr., 10 091 301 h., D 6, pop. urbaine 77,57 %. Plateau central assez élevé avec chaînes de montagnes et vallées fertiles.

District fédéral (DF) 5 794 km², D 311,2 ; *Brasília* 1 803 478 h. Construite autour d'un lac artificiel de 40 km de long. *1789* projet de capitale à l'intérieur (raisons surtout stratégiques) ; *1890* projet de transfert inclus dans la Constitution provisoire ; *1955* le Pt Café Filho dépossède le Goiás du futur district fédéral ; *1956*-9-3 création de la Cie Nova-Cap ; *1957*-10-1 décret du Pt Kubitschek transférant la capitale. RAISONS. 1°) *économiques :* centre de développement pour le plateau central ; 2°) *politiques :* fin de la rivalité entre les 2 capitales : São Paulo (financière) et Rio (politique) ; 3°) *écologiques :* climat sain (alt. 1 152 m ; temp. 17-22 °C), eaux abondantes, cadre naturel (savane vallonnée, appelée *mato* ou *cerrado*). RÉALISATION. *Lauréat du concours* (1956) : Lucio Costa (26 candidats) ; *architecte :* Oscar Niemeyer. *1960*-21-4 inauguration. *1970* transfert du corps diplomatique.

Goiás (GO) 340 166 km², 4 288 415 h., D 12,6 ; *Goiânia* 1 038 187 h. (173 km). *Nom :* celui des Indiens *Guaiases* (fleur des champs). Démembré oct. 1988 pour créer dans sa partie nord l'État de Tocantins ; *Palmas* (cap.).

Mato Grosso (MT) 901 420 km², 2 118 197 h., D 2,34 ; *Cuiabá* 331 893 h. (675,6 km).

Mato Grosso do Sul (MS). État formé 1979. 357 471 km², 1 881 211 h., D 5,26 ; *Campo Grande* 435 448 h. (878,2 km).

■ ÉCONOMIE

■ **PNB.** Total (milliards de $) *1982 :* 274,6 ; *83 :* 241,9 ; *84 :* 227,7 ; *85 :* 222 ; *86 :* 268,5 ; *87 :* 286 ; *88 :* 309 ; *89 :* 353 ; *90 :* 402 ; par hab. ($) *82 :* 2 170 ; *85 :* 1 640 ; *88 :* 2 040 ; *89 :* 2 100 ; *90 :* 2 000. **PIB** total (milliards de $) *1983 :* 185,7 ; *84 :* 203,5 ; *85 :* 228 ; *86 :* 250 ; *87 :* 268,7 ; *88 :* 279,5 ; *89 :* 303,5 ; *90 :* 289,5, *91 :* 305. **Pop. active** (% et entre par. part du PNB en %) agr. 30 (15), mines 4 (5), ind. 20 (29), serv. 46 (51). **Total** (88) 58 728 534 h. dont hommes 38 221 744, femmes 20 506 790. **Chômage** *1991 :* 4,8 %. **Déficit public** % du PNB *1985 :* 30, *89 :* 83, *91 :* 21,5. **Inflation** (%) *1980 :* 110,2 ; *81 :* 95,2 ; *82 :* 99,7 ; *83 :* 211 ; *84 :* 223,8 ; *85 :* 235,1 ; *86 :* 65 ; *87 :* 366 ; *88 :* 934 ; *89 :* 1 765 ; *90 :* 2 938 ; *91 :* 475,10 ; *92 :* 1 149,06. *93 (janv.) :* 30. **Réserves en devises** (milliards de $) *1985 :* 10,4, *90 :* 8,7 ; *92 :* 22. **Balance des paiements courants** (milliards de $) *1989 :* + 1 ; *90 :* – 3,7 ; *91 :* – 1,3 ; *92 :* + 4,3. **Croissance du PIB** (en %) *1949-59 :* + 6,5 ; *1959-64 :* 5,9 ; *1970 :* 9,5 ; *71 :* 11,3 ; *72 :* 11,9 ; *73 :* 14 ; *74 :* 8,2 ; *75 :* 5,2 ; *76 :* 10,3 ; *77 :* 4,9 ; *78 :* 5 ; *79 :* 6,8 ; *80 :* 9,2 ; *81 :* – 4,4 ; *82 :* 0,7 ; *83 :* – 3,4 ; *84 :* 5 ; *85 :* 8,3 ; *86 :* 7,5, *87 :* 3,6, *88 :* 0 ; *89 :* 3,6 ; *90 :* – 4,3 ; *91 :* 1,2 ; *92 :* – 1,5.

Nota. – 40 à 50 millions de Brésiliens sur 150 ont un niveau de vie comparable à celui des Européens. En 1989, 1 % de la pop. détenait 17,3 % de la richesse (13 % en 1981), 10 % en détenait 49,7 %. **Revenus :** 30 % des familles disposent de – de 400 F par mois (salaire min. 300 F). Sur 59,5 millions d'actifs, 28 gagnent – de 152 $ par mois (dont 14,5 – de 76 $ par mois). 34 millions sont sans argent pour manger. 15 % des enfants de – de 5 a. souffrent de dénutrition chronique. Au moins 500 000 enfants se prostituent.

Dette extérieure (milliards de $). *1979 :* 52 ; *80 :* 70,2 ; *85 :* 105,1 ; *90 :* 121 ; *91 :* 123 ; *92 :* 122,2 (dont envers gouvernements étrangers 26 %, banques commerciales 74 %) ; *93* (mars) : 139. Dep. 1988, différents accords intervenus dont en *1992-29-1* prêt stand-by du FMI de 2,1 Md de $ (en échange d'une promesse de hausse des tarifs publics de 15 % par an, et d'une inflation autour de 20 % dès 1993). *-27-2* accord avec Club de Paris (13 pays créanciers) qui financera 10 Md de $ sur 14 ans. *-9-7* réduction de 35 % de la dette (44 milliards de $) accordée par les banques. Le B. aura 30 ans pour rembourser la dette. *-10-7* accord avec la France : rééchelonnement de 2,76 milliards de $ de dette. [*Remboursement annuel de la dette : 1989 :* 11 Md de $, *90 :* 5, *91 :* 8, *prév. 92 :* 8,5, *93 :* 7, *94 :* 6,5, *95 :* 5,1, *2000 :* 3,4.]. **Influence écon. étrangère** importante. *Capital étranger* 10 à 20 % en moyenne (autom. 100 %, chimie, prod. pharm., électronique très important). **Investissements (%).** *Brésiliens* dans le monde : *1980 :* 6,1, *90 :* 1,1. *Français* au Brésil : *1991 :* 5,2. **Monnaie** (valeur pour 1 $) : *1989 :* 1 cruzeiro, *92 :* 10 000 ; *93* (15-6) : 50 000. **Comptes bancaires :** rémunération 25 à 30 % par mois. **Emprunts bancaires :** taux réels de 30 à 40 %. **Fiscalité.** 76 % des contribuables ont cessé de payer l'impôt sur le revenu, + de 50 % des entreprises ne paient pas les contributions au Fonds social, 86 % d'entre elles ignorent la contribution extraordinaire au plan d'intégration sociale et 31 % ne cotisent pas aux caisses de retraites.

■ **Agriculture. Développement.** 1°) *monoculture de la canne à sucre* (XVIIe-XVIIIe s.), avec défrichement massif de la forêt ; 2°) *monoculture du café* (XIXe s.) ; 3°) *caoutchouc* (début XXe s.) : les défrichements donnent des champs de cannelle, cacao, maté ; 4°) *monoculture du café* (milieu XXe s.) : au cours fluctuant, recul des cultures vivrières ; 5°) fin XXe s. *réhabilitation des cultures vivrières* [difficultés : 1°) *climatiques* (sécheresse dans le N.-E., gel dans le S.) ; 2°) *réformes structurelles ;* 1964, l'État a tenté de redistribuer les terres : échec (en oct. 85, il y avait de 10,5 à 12 millions de travailleurs ruraux démunis, et l'appropriation des grandes exploitations par propriétaires privés et multinat. s'était renforcée) ; réforme agraire décidée sur 416 millions d'ha de latifundia (grandes propriétés) avec installation de 7 millions de familles (*au 31-12-86 :* 3,7 millions d'ha distribués à 15 000 familles installées) ; opposition des grands propriétaires (*fazendeiros* qui pourchassent les *posseiros,* squatters de terres inoccupées) ; 430 000 km² devaient avoir été distribués en 1989. 9 % de la main-d'œuvre agr. a – de 14 ans : mobilité excessive des salariés moyens (prod., commercialisation, transport) vétustes]. *-5-88 :* échec du projet de redistribution devant l'Assemblée (84 partisans de la redistribution tués en 1988).

Conflits agraires. Nombre en *1988 :* 621, *89 :* 500 ; *surfaces concernées* (en millions d'ha) : *1987 :* 17,6, *88 :* 20, *89 :* 14,5. **Morts.** 1 500 dep. 1965.

Réalisations. 55 % de la surface agr. utile est inexploitée (la plus forte réserve du monde). *Se développent :* irrigation (*80 :* 1 481 219 ha), électrification, routes d'accès, techniques, diversification des cultures (soja et orangeraies). **Exploitations** (1980). *– de 10 ha :* 50,4 % (2,5 % de la surface), *10 à 100 :* 39,1 (17,7), *100 à 1 000 :* 9,5 (34,8), *1 000 à 10 000 :* 0,9 (28,7), *+ de 10 000 :* 0,1 (16,3). 50 % des terres fertiles sont détenues par 4 % de la population.

Régions agricoles. *S.-E.* café, maïs, bovins, agrumes, canne à sucre, coton. *Sud* bovins, porcins, ovins, riz, p. de t., haricots, tabac, agrumes, blé, maïs, soja. *N.-E.* cacao, canne à sucre, coton, élevage. *Amazonie* peu d'agriculture. Élevage, riz, jute, poivre, mauve, cacao, hévéa, palmier à huile. *Nord* élevage. *Centre-Ouest* riz, maïs, soja, élevage.

Production. Café (26 % de la prod. mondiale) *1981 :* 62,5 millions de sacs de 60 kg, *82 :* 33,4 (sécheresse et gel), *83 :* 55,7, *85-86 :* 29, *88-89 :* 22,9, *90 :* 23,3, *91 :* 21,6. **Divers** (en millions de t, 1991) *soja* 14,9, *manioc* 24,5, *canne à sucre* 263 [encouragé par le plan proalcool (voir énergie), fait reculer cult. vivrières et stérilise les sols cultivés sur 4 millions d'ha (sur 51 millions d'ha cultivés)], *maïs* 23,8, *haricots* 2,7 (fejoas, dont est tiré le plat national, fejoada), *oranges* 94,8, *cacao* 0,32, *tabac* 0,41, *coton* 1,9, *bananes* 0,5, *blé, p. de terre.* **Caoutchouc** (jusqu'en 1912, 1er prod. mondial de borracha, exporte 42 000 t ce qui lui fournit 1/3 de ses devises, *90 :* 33 000 t). **Forêts.** *Superficie :* 3 972 240 km², 47 % du pays ; *prod. :* 259 243 000 m³ (90). *Prod. de cueillette* (Amazonie, N.-E.) : babaçu, caoutchouc, cire de carnauba, noix du B., fibre textile (piassava), noix de cajou, bois.

■ **Élevage** (millions de têtes, 91). Bovins 152, porcs 35, ovins 20, caprins 12,5, chevaux 6,2, mulets 2, ânes 1,3, volailles 581. **Pêche.** 800 000 (90).

■ **Énergie. Pétrole** (millions de t) *réserves 1991 :* 389 ; *prod. 1981 :* 12 ; *85 :* 31,7 ; *90 :* 36,5 ; *91 :* 32. **Gaz** (milliards de m³) *réserves 1987 :* 105 ; *prod. 1987 :* 5,7, *88 :* 5,8, *89 :* 6. **Charbon** (millions de t) *(réserves 1988 :* 5 100 ; *prod. 1986 :* 24, *87 :* 18, *88 :* 21 ; *imp. 1987 :* 11,4 t. **Électricité** *1990 :* 235 837 GWh (dont hydroélectricité 1987 : 217 162). *Complexe hydroélectrique d'Itaipu* (à 14 km de Foz do Iguaçu) le 1er du monde. Décidé 22-6-1966 avec le Paraguay (le Paraná est un fleuve frontière) ; mise en route de l'usine en 1983. Capacité 29 milliards de m³ ; surface inondée 1 460 km² ; puissance installée 12 600 000 kW (18 générateurs) ; coût : 16 milliards de $. *Usine hydroélectrique de Tucurui* à 300 km de Belém, 4e du monde et 1re du Brésil. Puissance finale 8 millions de kW (24 générateurs). 23-11-84 mise en service de 2 générateurs (660 MW). **Nucléaire.** *Angra 1* (réacteur de 626 MW construit par USA à 130 km de Rio) dep. avr. 82 en régime expérimental. Pour l'an 2000, 60 centrales étaient prévues (75 000 MW), 7 suspendues en 1984. *Uranium :* réserves *1990 :* 255 100 t. Le B. maîtrise l'ensemble du cycle du combustible nucléaire dep. 1987 (1re expérience réussie d'enrichissement de l'uranium dans la centrale d'Abramar à Ipero – São Paulo), mais sa Constitution lui interdit de produire l'arme atomique.

Projet « proalcool ». Lancé 1979 : carburant végétal (alcool de canne à sucre ou de manioc). *Décidé* 1975. *En 1927 :* les voitures marchaient avec un mélange alcool (75 %), éther (25 %). Devait assurer indépendance énergétique ; 70 % des transp. se faisant par camions. *Coût :* 7 milliards de $. Inconvénient : réintroduction de la monoculture de la c. à sucre sur 7,5 % de la sup. cultivable, soit 4 milliards d'ha, au détriment des cultures vivrières (soja, haricot, maïs, p. de t.). *1986 :* échec (dû à la baisse des cours du pétrole brut, et à la concurrence du gas-oil pour camions et tracteurs). *1990 :* 4 500 000 voitures sur 9 000 000 utilisent l'alcool (prix de revient du baril 50 à 60 $, + de 4 fois celui du pétrole ; prix de vente fixé par la loi à 31 % de celui du pétr. domestique : baril à 88 $). *Coût au litre :* 33,6 cruzeiros (2,20 F, soit 80 centimes de moins que l'essence). *% de voitures à alcool :* – de 50 % des ventes (*1985 :* 85 %). *Alcool produit* (1986) : 9,96 millions de m³. *Économie de devises de 1975 à 84 :* 7 milliards de $.

■ **Mines.** Potentiel considérable peu exploité. 3 grandes Stés publiques. *Réserves (88) et,* entre parenthèses, *production (89) en millions de t :* calcaire 40 768 (66), potasse 12 356 (83) (1986), fer 11 582 (104) [1] (1990), sel gemme 5 774 (1,4), bauxite 1 693 (9,8) (1990), dolomite 1 181 (2,9), cuivre 749 (5,7), titane 578 (2,5), nickel 302 (0,01), étain 238 (0,03) [2] (1990), manganèse 86 (2,5), zinc 26,7 (0,11) (1990), pyrochlore 3 (1), soufre 1 (0,312), plomb 1 (0,180), sel de mer (2,3), mica, magnésium, béryl, tantale, quartz, diamants, gemmes. *En t.* (89) : or 12 170 (80) (1991), argent 167,7 (54,5), tungstène 8 819 (1 196).

Nota. – (1) Mines de Cajaras (État de Pará), les + grandes du monde à ciel ouvert. (2) Mine de Bom-Futuro (État de Rondônia), la + grande du monde, fermée dep. 1991 (pollution).

■ **Industrie.** (10e puissance ind.). Électricité, pétrole, prod. alim., textiles, auto. (935 245 voit. en 1990), métallurgie, méc. et chimie, mat. élect. (complexe ind. de São Paulo). *Armement :* 95 % exporté. *Petrobras* (entreprise d'État) contrôle 90 % de la capacité nat. de raff. (13 raff. traitant env. 1 000 000 barils). *Chantiers navals* (parmi les + modernes du monde). Sur les 200 plus grandes entr. 72 publiques, 91 privées et 37 étrang.

■ **Privatisations.** *Programme du 15-3-90 (commencé 24-10-91) :* 42 des 220 entreprises publiques avant 1992 ; bénéfice prévu : 9 milliards de $. *Bilan (mars 93) :* 19 privat.

■ **Transports. Routes** [(km, 1990) entre par. revêtues] 1 670 194 (139 415) dont fédérales 66 806 (50 372), régionales 191 859 (78 284), municipales 1 247 829 (10 759). *Grands axes* (en km) : Cabedelo/Benjamin Constant (Transamazonienne) (transversale) 4 918 (dont 928 construits au 1-10-85) dont 1/3 envahi par la forêt, Limeira/Mancio Lima (diagonale) 4 196, Fortaleza/ Jaguarão (longitudinale) 4 468, Touros/Rio Grande (longitudinale) 4 517. **Voies ferrées** *1854 :* 15 km ; *1890 :* 9 200 ; *1990 :* 30 129, dont 2 099 électrifiées : concentrées dans le S.-E, mais avec 2 antennes vers Brasilia. 88 % à voie étroite. *En 1985* ouverture São Luís/Caragas (890 km, bassin minier). **Fleuves** *San Francisco,* ou « Fleuve de l'Unité », traverse 5 États. Actuellement, en déclin (navigation fluviale + cabotage = 11 % du trafic total). 2 193 bateaux (85). **Réseau aérien** dense (*85 :* 829 aéroports).

■ **Tourisme. Visiteurs** (1990) 1 078 601 dont Am. du S. 520 782, Eur. 323 573, Am. du N. 145 076.

Lieux touristiques. Nord : forêt amazonienne. *Manaus* (alt. 92,9 m). *Belém.* **Nord-Est :** *São Luis* fondée 1612 par Français, nom donné en hommage à Louis XIII. *Natal* (Noël, la 1re église fut consacrée le 25-12-1599. Mermoz y atterrit en 1930 après 1re traversée de l'Atlantique). *Recife :* la « Venise brés. ». Chapelle Dorée. *Olinda,* ville coloniale. *Salvador de Bahia :* fondée 1549 ; églises baroques. **Sud-Est :** villes baroques. *São João del Rei, Sabara, Mariana, Congonhas do Campo ; Ouro Preto* (« or noir », on a trouvé des pépites d'or mélangées avec du sable noir, alt. 1 179 m). *Tiradentes* (grottes : Maquiné, explorée 1935, 440 m de larg. ; Lapinha, explorée 1930, 790 m d'alt., 511 m de long., 40 m de prof.). *Rio de Janeiro :* carnaval (*nombre de † : 1982 :* 122 ; *83 :* 98 ; *85 :* 205 ; *86 :* 121 ; *87 :* 162 ; *88 :* 139 ; *92 :* 84 assas. ; *93 :* 82 assas.). Pain de sucre, 395 m, pic du Corcovado, 710 m (statue du Christ du Français Landowski, 38 m, inaugurée 1931), Jardin botanique, stade de Maracana (150 000 places), baies et plages de Copacabana, Ipanema, Leblon, Barra da Tijuca. *São Paulo,* alt. 760 m, centre économique. **Sud :** *Vila Velha,* ville en rochers. *Chutes d'Iguaçu* (en indien, eau grande), puissance hydraulique de 1 200 000 HP. 275 chutes en demi-cercle : larg. 2 700 m, haut. 60 à 80 m, dénivellement de 752 à 200 m. *Rio Grande do Sul :* chute du Caracol (120 m). *Canyon de Taimbézinho :* « Parque National de Aparados da Serra », précipices, long. 23 km (faille de parois de 400 à 500 m de haut). *Canyon de « Fortaleza »,* dénivellement de 1 000 m. *São Miguel das Missões,* ruines de l'église. **Centre-Ouest :** *Brasília* (alt. 1 171 m), archit. moderne (Oscar Niemeyer).

■ **Commerce** (milliards de $ US, 90). **Exp.** 31,4, *dont* prod. alim., boissons et tabac 5,3, mach. et mat. élec. 3,5, prod. min. 3,5, prod. vég. 2,3 (café cru en grains : 1,1), *vers* USA (y compris Porto Rico) 7,7, P.-Bas 2,5, Japon 2,3, All. féd. 1,8, Italie 1,6. **Imp.** 22,6, *dont* prod. min. 6,6, mach. et mat. élec. 5,5, prod. chim. 3,1, prod. vég. 1,2, équip. de transp. 0,8 *de* USA (y compris PR) 4,7, All. féd. 1,9, Arabie Sa. 1,6, Argentine 1,6, Japon 1,4, Iraq 1. **Balance commerciale** (milliards de $). *1987 :* + 11,2 (exp. 26,2) ; *88 :* + 19,2 (33,8) ; *89 :* + 16,12 (34,4) ; *90 :* + 11 (31,4) ; *91 :* + 10,6 (31,6) ; *92 :* 15,6 (36,2).

Rang dans le monde (91). 1er café, canne à sucre, étain, manioc (85), bananes (85), oranges (85), 2e bovins, cacao, soja (85), 3e maïs, palmistes (85), 4e porcins, bauxite, fer, tabac brut (85), 5e bois, 6e coton, or, 7e diamants (83), 9e céréales, lait (85), arachides (85), 11e riz, 14e zinc, nickel, 15e ovins, 20e pétrole, 21e blé (85).

BRUNEI

Carte p. 1075. V. légende p. 884.

Situation. Asie. Forme 2 enclaves au N.-O. de Bornéo (à l'O., Tutang et Belait, à l'E. Temburong). 5 765 km². *Alt. max.* 396 m. *Climat* tropical. (*T. :* 24 à 30 °C ; *pluie :* 2 540 à 5 080 mm).

Population. *1960 :* 84 000, *70 :* 136 000, *84 :* 215 943, *92 :* 250 000, *2000 :* 386 000. Malais 69 %, Chinois 18 %. D 44,5. **Capitale.** *Bandar Seri Begawan* 50 500 (86).

Langues. Malais *(off.)*, chinois, anglais, iban (proto-malais). *Analphabètes :* 45 %. **Religions.** Islam (*off.*, 60 000 musulmans), bouddhistes, chrétiens (1 prêtre), animistes.

Histoire. **1341** 1er sultanat installé par les Arabes. **XVe s.** sultanat musulman avec Alak Ber Tata ; tributaire du roy. hindou de Majapahit (Java), puis indépendant. **1580** conquête espagnole repoussée. **XVIIIe s.** comptoir anglais de la Cie des Indes. **XIXe s.** centre de la traite des esclaves en Asie du S.-E. **1888-1971** protectorat brit. **1929** découverte du pétrole. **1962** échec coup d'État contre sultan Omar par Ryakat (parti populaire). Intervention anglaise. **1963** ne rejoint pas la Fédération malaise. **1971** tr. d'association avec G.-B. **1984** indép. *-7-1* adhésion à l'ASEAN.

Statut. Monarchie islamique. État membre du Commonwealth. *Constitution* 29-9-1959, amendée 1965. *Sultan :* Hassanal Bolkiah Muizzaddin Waddaulah (n. 15-7-46) dep. 5-10-67, couronné 1-8-68. *Conseils : privé, des ministres et législatif* (20 m. nommés). Partis interdits dep. 1988. État de siège dep. 1962. B. revendique Limbang au Sarawak. **Fête nat.** 23 fév. **Drapeau.** Bande blanche (population) et noire (gouv.) représentant la protection brit., ajoutée en 1906 au drapeau jaune du sultan. Armes de l'État : 1959.

■ ÉCONOMIE

PNB *(91).* 21 150 $ par h. **Pop. active** (% et entre par. part du PNB en %) agr. 5 (2), ind. 42 (16), services 48 (22), mines 5 (60). **Chômage (%)** *1990 :* 6. Fortune (étatique) du sultan : 37 milliards de $ (pas d'impôts ; éducation et soins gratuits).

Agriculture. *Terres* (milliers d'ha, 1979) arables cultivées en permanence 9, pâturages 6, forêts 415, eaux 50, divers 93. *Production* riz (1 000 t en 90), manioc, patates douces, bananes, légumes, pamplemousses, caoutchouc (abandonné). 1 % de sa superficie est cultivé. **Forêts.** 3/4 du territoire. Bois 90 000 m^3 (90). **Élevage** (milliers, 1990). Bovins 1, buffles 10, porcs 25, chèvres 1, poulets 3 000, canards 14. **Pêche.** Env. 2 307 t (89).

Pétrole (millions de t). *Réserves :* 188 ; *prod. : 1980 :* 12,5, *85 :* 7,5, *90 :* 7,9. **Gaz** (milliards de m^3). *Réserves :* 200 ; *prod. : 1981 :* 7, *86 :* 9, *89 :* 9, *90 :* 9, *91 :* 9,2. **Industrie.** Raffinerie de pétrole. Liquéfaction du gaz. **Tourisme** (90) 7 800 vis.

Commerce (milliards de $ Br, 86). **Imp.** 1,45 dont machines et équip. de transport 0,55, prod. manuf. de base 0,30, alim. et animaux vivants 0,20 ; *de* Singapour 0,37, Japon 0,25, USA 0,17, G.-B. 0,11, All. féd. 0,08. **Exp.** 3,9 dont pétrole brut et autres produits raffinés 1,7 ; *vers* Japon 2,6, Thaïlande 0,32, Corée du S. 0,29, Singapour 0,26.

■ BULGARIE

V. légende p. 884.

Situation. Europe (Balkans). 110 993,6 km^2. *Frontières* avec Roumanie 609 km (dont Danube 470), mer Noire 378, Grèce 493, Turquie 259, Serbie et Macédoine 506. *Alt. moy.* 470 m, *max.* Moussala (Vihren) 2 925 m. *Dim. max.* E.-O. 520 km, N.-S. 330 km. *Principaux cours d'eau (longueur en B. en km) :* Danube 470, Iskar 368, Toundja 349, Maritsa 322. **Régions :** *B. du N. :* entre chaîne de Stara Planina et Danube, plateaux et plaines fertiles, climat contin. (*moy. :* janv. à Pleven – 1,7 °C, juillet + 23,6 °C ; pluies 550 mm). *B. du S. :* montagnes (Stara planina et Sredna gora au N., massifs de Rhodope au S., de Rila et de Pirine au S.-O.) et bassins (plaine de Thrace, vallée de Sofia, vallée des Roses), climat méditerranéen de transition : conifères, maquis.

Population (en millions d'h.). *1900 :* 3,75 (96 346 km^2), *30 :* 5,77 (103 146 km^2), *40 :* 6,37, *50 :* 7,27 (110 669 km^2), *60 :* 7,9, *70 :* 8,51 (110 912 km^2), *80 :* 8,88, *92 :* 8,5, *2000 (prév.) :* 9,7 ; *– de 15 a. :* 22,7 %, *+ de 65 a. :* 12 % [+ de 60 a. 18,9 (90)]. *Espérance de vie* (1987-89) H 68 a., F 74. *Taux* (1991, ‰) : natalité 10,8 ; mortalité 12,3 (infantile 16,7) ; fécondité 2 enf./f. *Minorités :* Turcs 9,7 % [soit env. 822 000 pers. (en 1950-51, 155 000 Turcs bulgares ont émigré en Turquie, 115 000 de 1969 à 78, de mai à oct. 1989, 310 000 expulsés ; au 1-1-1990, 80 000 revenus], Arméniens, Juifs, Grecs, Roumains, Tsiganes 2 %. D 77. **Villes** (92) : *Sofia* 1 107 613, Plovdiv 340 810 (à 156 km), Varna 307 915 (470), Bourgas 210 296 (385), Roussé 165 658 (320), Stara Zagora 150 482 (231), Pleven 130 515 (174), Choumen

107 900 (en 1989) (386), Sliven 106 065 (203), Dobritch 104 396 (512), Pernick 94 750 (en 1985).

Langues. *Bulgare* 88 % *(off.) :* slave, contient des éléments russes, latins, grecs, turcs (alphabet cyrillique, du nom de Constantin le Philosophe, connu sous le nom de Cyrille, 826-869) ; codifié langue littéraire XVIIIe s. ; *turc* 8,6 % (*1959* devient langue étrangère. *1974* peu enseigné. *1992* rétabli). **Religions.** Église séparée de l'État. En %, orthodoxes 80, musulmans 9 [*1946 :* 938 418, *91 :* 900 000 Turcs, 200 000 Pomaks du Rhodope (chrétiens hérétiques convertis à l'Islam au Moyen Age), 600 000 Tsiganes, 6 000 Tartares], catholiques 50 000 (1976), juifs 5/8 000.

Histoire. Pays thrace conquis par Rome (Ier s.). **VIe s.** slavisation. **VIIe s.** pénétration des Proto-B. (tribu turque, venue d'Asie centrale). **681** Khan Asparoukh, fils de Koubrat le Grand, signe tr. de paix avec Constantinople et unifie les tribus slaves et protobulgares peuplant Dobroudja et Bulgarie du N. d'aujourd'hui jusqu'à la rivière Timok, et constitue le 1er État slave-bulgare, la B. (capitale : Pliska, puis Preslav). **701-18** Khan Tervel fait la paix avec voisin du Sud, puis allié de Constantinople bat Arabes (712). En récompense reçoit titre « césar », devenu en bulgare « tsar », et territoires au S. des Balkans. **777-803** Khan Kardam. **803-14** Khan Kroum, consolidation et expansion territoriale. **814-831** Omourtag (khan, successeur de Kroum) reconstruit la 1re capitale, Pliska, détruite par les Byzantins, g. victorieuses contre la monarchie franque, paix de 30 ans avec Constantinople, travaux de construction. **852-889** Boris Ier. **864** conversion au christianisme, Égl. nation. **870** adoption du rite tsarigradien. **885** adoption et propagation de l'écriture et des lettres slaves de Cyrille et Méthode. **893-927** Siméon le Grand, f. de Boris, g. victorieuses contre Constantinople. État puissant. Reconnu « tsar » (empereur) en 913 par Constantinople, en 926 par Rome. **926** Église b.-patriarcat. « Age d'or » de la culture b. **Fin Xe s.** luttes intestines, hérésies, mouvement des Bogomiles. **967** Constantinople appelle le Pce Svetoslav de Kiev, qui conquiert le N. de la B., s'allie à Boris II (970-71) contre Byzantins. **972** Constantinople conquiert B. du N.-E. B. occid. résiste sous le roi Samouil (997-1014), s'étend, puis est soumise par l'emp. Basile II Bulgaroctone. **1018-1185** domination byzantine. **1185-87** insurrection de Tarnovo, dirigée par les frères Assen et Petar. Libération : 2e roy. b. (cap. Tarnovo). **1197-1207** expansion sous Kaloian. G. victorieuses contre les croisés. **1218-41** Ivan Assen II. **XIIIe et XIVe s.,** essor de Tarnovo, foyer de la culture b., puis luttes dynastiques, démembrement féodal, subversion bogomile. **2e moitié du XIVe** 2 roy. : Tarnovo et Vidin, envahis par les Turcs (1393 et 1396). **1396-1878** domination turque. Insurrections (1404-13, 1598, 1686, 1688, 1689, 1737, 1835-37, 1841, 1850, 1862, 1875, 1876), haïdouks (résistants contre les Turcs) ; 150 000 Bulgares émigrent en Russie et Roumanie. **XVIIIe-XIXe s.** renaissance b. Rôle de Pasij, moine d'Hilendar (1722-89). Prospérité écon. **1870** Égl. b. autonome (exarque à Istanbul jusqu'à l'Indépendance). Mouv. révolutionnaire et de libération nat. : Georges Rakovski (1821-67), Ljuben Karavelov (1837-97), Vasil Levski (1837-pendu févr. 1873), Christian Botev (1849-76). **1876** *avr.* insurrection nat. (30 000 †, des milliers de Bulgares emprisonnés ou exilés). **1877** g. russo-turque. **1878**-*3-3 tr. préliminaire de San Stefano :* B. autonome dans ses frontières ethniques ; réduite et divisée par le *tr. de Berlin* (13-7) : principauté tributaire du sultan, au N. prov. autonome de Roumélie orient., au S. reste possession de l'Empire ottoman. Macédoine et Thrace restituées à Turquie. Roumanie prend Dobroudja du N., Serbie prend Nish et Pirot. **1879**-*3-4* Sofia capitale.

Principauté. **1879**-*29-4* ALEXANDRE Ier de Battenberg (5-4-1857/93, candidat proposé par Russie, neveu de la tsarine, protégé de Bismarck ; *13-7* entrée solennelle à Sofia) élu à l'unanimité par l'Assemblée des notables de B., abdique 7-9-1886. *Oct.* 1res élections : sur 36 mandats : Bulgares 31, Grecs 3, Turcs 2. **1881** suspend Constit., confie pouvoir à autre gén. russe et le renvoie après 2 ans (brouille avec Alexandre III). **1885** Roumélie, création à Philippopolis (Plovdiv) du « Comité révol. secret », présidé par Zacharie Stojanov. *-18-9* conjurés de Roumélie arrêtent gouverneur, reconduit à la frontière ottomane ; gouv. provisoire adresse télégramme au prince Alexandre (« Union proclamée »). Russie favorable, mais pas sous Alexandre (avec qui le tsar était brouillé) et soutient l'union. *Nov.* Serbie déclare la guerre. *-19-11* repli serbe. **1886** *Fév.* paix de Bucarest : statu quo. *-5-4* convention de Tophane reconnaît union Bulgarie-Roumélie. B. devient le plus grand pays balkanique (96 000 km^2, 3 millions d'hab.). *Août* complot d'officiers russophiles oblige Alexandre à s'enfuir ; un 2e coup de force de Stefan Stambolov, Pt de l'Ass., lui permet de revenir avec le consentement de l'Autriche-Hongrie et de l'Angleterre, mais le tsar Alexandre III veut son départ. *-7-9*-Battemberg abdique (devenu comte von Hartenau, sert dans l'armée autrichienne comme général-major et se marie avec une cantatrice ; meurt à Graz en 1893).

■ **Régence.** **1886** Stéphane STAMBOULOV (1854-95) qui s'appuie sur bourgeoisie liée aux intérêts autrichiens et anglais ; Petko KARAVELOV (1843-1903) jusqu'au 5-10 ; Gueorgui JIVKOV (1844-99) dep. 1-11 ; Sava Atanasov MOUTKOUROV (1852-91).

1887 Gde Assemblée élit FERDINAND Ier de Saxe-Cobourg, duc de Saxe [26-2-1861-1948, f. du Pce Auguste de S.-C. (1818-81) et de la Pcesse Clémentine d'Orléans (1817-1907), f. du roi Louis-Philippe] élu Pce par la Gde Assemblée Nat. 14-8-1887, ép. 1°) Marie-Louise de Bourbon-Parme (17-1-1870/19-1-1899). 2°) Éléonore Pcesse de Prusse (22-8-1860/12-9-1917), abdique 3-10-1918. – Début du mouv. ouvrier et soc. Dimitar Blagoev (1856-1924), Yanko Sakazov. **1891**-*2-8* Blagoev fonde P. ouvrier soc.-dém. b. (1903 scission en 2 partis soc. – Posdb – soc. de gauche). **1893** mouv. de lib. nat. dans la pop. b. en Macédoine et dans région d'Andrinople dirigé par la future Organisation rév. intérieure de Macédoine et d'Andrinople (Orima). **1894** Ferdinand, catholique, accepte que son fils Boris soit baptisé dans la rel. orthodoxe avec le parrainage du tsar (aussitôt reconnu par la Russie). *Mai* Stamboulov démissionne, mais furieux, se lance dans campagne violente contre Ferdinand. La Cour charge un officier de l'éliminer. **1895**-*15-7* abattu à coups de sabre, meurt 3 j. plus tard. **1896**-*14-3* firman confirme Alexandre comme Pt de B. et lui transfère le gouvernement de la Roumélie orientale en qualité de gouverneur gén. **1899** création du P. agrarien b. (Pab) par Alexandre Stambolijski (1879-1923), chef en 1904. **1903**-*2-8* insurrection de la Ste-Élie et de la Transfiguration, dirigée par l'Orima, écrasée par T.

■ **Royaume.** **1908** *juin* Ferdinand abolit vassalité avec la Porte (paiement du tribut). *-22-9* proclame à Tirnovo indép. de la B. *-5-10* devient **Ferdinand Ier :** déclare Roumélie orient. indépendante et prend le titre de roi (tsar) (reconnu par Turquie 20-4-1909). **1912** alliance balkanique (B., Serbie, Grèce, Monténégro) bat Turquie ; g. entre alliés pour se partager Macédoine prise aux Turcs. **1913** B. battue. *-28-7 tr. de Bucarest,* la B. perd 7 695 km^2 (Grèce et Serbie ont une partie de la Macédoine ; Turquie : Andrinople ; Roumanie : Dobroudja du S. dont Silistra). **1915**-*6-9 tr. de Sofia,* alliée à All. et Autr. **1918**-*3-5 2e tr. de Bucarest,* récupération de Dobroudja du S. *-28-9* après la percée sur le front b. à Dobro Polé, insurrection de soldats. *-29-9* fin g. *-3-10* Ferdinand abdique. **1918 Boris III** (30-1-1894-1943) fils de Ferdinand Ier, ép. 25-10-30 Pcesse Jeanne de Savoie (13-11-07), f. du roi Victor-Emmanuel III d'Italie. **1919**-*27-11 tr. de Neuilly :* B. cède 11 278 km^2 dont à Grèce : Thrace occid. ; Roumanie : Dobroudja du S. ; Yougoslavie : vallées du Timok et de la Stroumitza. En outre, B. doit leur verser 2,25 milliards de F or (bientôt rééchelonnés, puis abandonnés 1938). Posdb, m. de l'Internationale commun. **1920-23** gouv. Stambolijski (formé par le Pab). **1920** *mars* législatives agrariennes : 40 % des voix. **1922** réforme agraire : étendue max. des propriétés 30 ha. **1923** *avril* législatives agrariennes : 212 s. sur 245, comm. 16. *-9-6* coup d'État militaire. *-14-6* Stambolijski, torturé, assassiné. *Sept.* insurrection (Georges Dimitrov et Vassil Kolarov) échoue, répression (20 000 victimes ?). **1925** gouv. Alexandre Tsunkov (1870-1959). Attentat contre le roi Boris dans l'église Sveta Nedelja (Sofia) : 128 †. B. et Turquie prévoient la liberté d'immigration dans les 2 sens. **1929** crise économique, politique : le « Zveno » (l'« Anneau » ; groupe de militaires et d'intellectuels) est créé (programme autoritaire mais républicain) prônant une fédération avec Youg. **1931** gouv. A. Liaptchev, plus modéré. **1934**-*19-5* coup d'État du « Zveno » : assemblée dissoute, partis interdits. **1935** *janv.* le roi chasse les « républicains », au gouv. G. Kioseivanov (jusqu'en 1940). **1940**-*7-9 tr. de Craiova :* Roumanie rend Dobroudja du S. (env. 7 500 km^2). **1941**-*1-3* adhère au *Pacte tripartite.* Partant de B., All. attaque Yougoslavie et Grèce. *-24-6* débuts du mouv. des partisans. *-12-12* B. déclare g. à G.-B. et USA, mais maintient ses relations avec URSS. **1943**-*23-5* minorité juive (50 000) sauvée. *-10-8* sur l'initiative du PCB, fondation du Comité nat. du Front de la Patrie ; adhèrent P. agrarien b., cercle « Zvéno », P. soc.-dém. b., P. radical et intellectuels indépendants. *-28-8* mort de Boris III (empoisonné ?).

1945-*(28-8)* **Siméon II** (16-6-1937) s. f., ép. 21-1-62 Marguerite Gomez-Acebo y Cepiela (Esp. 6-1-35) expulsé 1946, réside à Madrid. 5 enfants : *P^ce^ Kardam* (P^ce^ de Tarnovo) (2-12-62), *P^ce^ Cyrille* (P^ce^ de Preslav), *P^ce^ Kubrat* (P^ce^ de Panaguiourichte), *P^ce^ Constantin* (n. 1967), *P^cesse^ Kalinka* (n. 1972).

Régents élus *jusqu'au 9-9-1944 :* P^ce^ Kiril, Bogdan Filov, Gal Mikhov ; *ensuite jusqu'en 1946 :* Todor Pavlov, Veneline Ganev, Zv. Bobochevski. **1944**-*2-9* gouv. de K. Mouraviev avec la participation de partis démocratiques en dehors du Front de la Patrie. *-5-9* URSS déclare g. à la B. *-9-9* B. déclare g. à All. Insurrection, gouv. du Front de la Patrie (P. antifascistes) dirigé par Kimon Guéorguiev (1882-1969). *28-10* armistice avec URSS, G.-B., USA. Les troupes b. libèrent des régions de Youg., Hongrie et Autriche. **1946**-*8-9* référendum (Rép. : 3 833 183 v., monarchie : 175 232, bulletins nuls : 123 690).

■ **République populaire. 1946**-*15-9* Rép. pop. *-27-10* élect. sur 468 sièges. Front de la Patrie (communistes, agrariens, socialistes, Zveno et ind.) 362 s. (dont 275 aux C.), opposition 99. Purges : env. 17 000 †. **1947**-*10-2 tr. de Paris :* B. garde Dobroudja du S. *-23-9* Nicolas Petkov, chef du P. agrarien (dissous 26-8), jugé et pendu. *-4-12* nouvelle Constit. *-23-12* nationalisations (ind., mines, banques). **1948**-*févr. et mars* P. radical et Zveno fusionnent avec Front de la Patrie. *-18-3* tr. d'amitié avec URSS. *-23-4* Tchéc., *-29-5* Pologne, *-16-7* Hongrie. *Août* P. soc. et PC fusionnent. 1er plan économique quinquennal. **1949** la B. autorise les juifs b. à émigrer en Israël. *Déc.* Traïtcho Kostov, vice-Pt du Cons., pendu (réhabilité 1956). **1950-51** émigration en Turquie de 153 998 T. **1953**-*13-12* interdiction de quitter le pays. **1954** *4-3* Todor Jivkov (n. 7-9-1911) élu 1er secrétaire du PCB. **1965**-*avr.* échec d'un complot anti-URSS. **1968** accord avec Turquie : 115 000 émigrés en 10 ans. **1971**-*18-5* Constit. Todor Jivkov Pt du Conseil d'État. **1978** assassinats à Londres de dissidents : *-11-9* Gueorgui Markov, *-29-9* Vladimir Simeonov. **1979**-*janv.* projet soviét. : faire de la B. la 16e Rép. féd. de l'URSS. **1981** *juill.* Ljoudmila, fille de Jivkov, férue de nationalisme, meurt (tuée par KGB ?). **1982** services secrets b. accusés d'avoir participé à l'attentat contre le pape. **1984**-*8-5* « bulgarisation » des noms turcs : frictions (+ de 100 †) ; obligatoire en 1985. *-Août* attentats à la bombe. **1987**-*10-5* liberté de voyager. *-3-6* Banque nationale perd monopole ; 8 banques commerciales créées. *-17-7* 2 zones franches créées, Vidin et Rousse (plus tard : Bourgas, Plovdiv, Lom, Svilengrad). **1988**-*Juillet* Chudomir Alexandrov, n° 2 du régime, réformiste modéré, limogé. **1989**-*9-1* décret sur la libéralisation écon. : des Stés par actions remplacent les combinats. Secteur privé toléré jusqu'à 10 employés par entreprise. *-18/19-1* Pt Mitterrand en B. *-10-5* liberté de voyager. *-20-5* affrontements gendarmes/musulmans (4 †). *-1-6* 1er départ massif de B. turcophones. *-16-9* avantages accordés aux agriculteurs pour : la vente de 100 l de lait de brebis 4 $ en 1990 et 5 en 1991 ; l'augment. du cheptel : 350 à 500 leva pour une vache, 40 à 60 pour une brebis. *-10-11* chute de Todor Jivkov. Petar Mladenov (min. des Aff. étr. dep. 1971) le remplace comme secr. gén. du PC. *-18-11* 50 000 manif. contre régime. *-22-11* 13 maisons de Jivkov rendues à la nation. *-25-11* dissolution du département politique de la milice. *-8-12* Jivkov exclu du comité central, puis du PC comme son fils Vladimir et son collaborateur Milko Balev. *-10-12* 100 000 manif. pour des réformes. *15-12* l'assemblée nat. vote l'amnistie des prisonniers polit. 10 000 manif. contre PC. *-29-12* musulmans peuvent utiliser leur langue et pratiquer l'islam. **1990**-*7-1* Gueorgui Atanasov, chef du gouv., et 2 dirigeants conspués par 10 000 manif. pour avoir restitué leurs droits aux musulmans. *-14-1* 50 000 manif. contre régime. *-15-1* Parlement abolit rôle dirigeant du PC. Mladenov renonce à sa fonction de chef du PC *-18-1* Jivkov inculpé d'abus de pouvoir, de corruption et d'avoir « attisé la haine nationale », en détention provisoire. *-8-2* gouv. comprenant uniquement des communistes (1re fois dep. 1947). *-25-2* 50 000 à 200 000 manif. contre PC. *-26-2* 15 000 manif. *-1-3* 10 000 manif. *-5-3* les musulmans peuvent retrouver leur nom d'origine. *-8-3* 45 000 manif. contre PC. *-3-4* Conseil d'État supprimé, Petar Mladenov élu Pt de la Rép. pour 18 mois. *-10 et 17-6* élec. Ass. Constituante. *-Juillet* le corps (embaumé dep. 1949) de Dimitrov enlevé de son mausolée et incinéré. *-6-7* Pt Mladenov démissionne sous la pression de la rue. *-17-7* Nicolaï Todorov élu Pt du Parlement. *-18-7* grèves anti-turques dans plusieurs villes. *-23-7* 200 000 manif. à Sofia en souvenir de Dimitrov.

■ **République démocratique. 1990**-*1-8* **Jelio Jelev** (3-3-35) (philosophe, 1er Pt de l'UFD et fondateur 1988 du Club indép. pour la glasnost et la perestroïka), élu par le Parlement [*1er t.* (20-7) : Tchavdar Kuranov (n. 1921) PSB : 211 v., Petar Dertliev (n. 1916) UFD, Viktor Valkov (n. 1936) P. agrarien ; *2e t. (26-7) :* Kuranov 194 v., Dertliev 146, Valkov 41 ; *5e t. (30-7) :* 257 v. retrait de Valkov, Dertliev 130 ; *6e t. (31-7) :* retrait des 2 candidats. *-1-8* élu Pt par 284 v. sur 384, Gal Atanas Semerdjiev (min. de l'Intérieur) élu vice-Pt. *-7-8* PM Loukanov démissionne. *-17-9* Sofia, 30 000 manif. pour UFD. *-19-9* nouveau gouv. Loukanov (16 membres du PSB et 3 sans étiquette) ; Gal Dobri Djourov (min. de la Défense) exclu de la direction du PSB). *-23-9* Sofia, 20 000 manif. contre gouv. *-18-11* 120 000. *-25-11* grève générale déclenchée par syndicat d'opposition Podkrepa. *-29-11* PM Loukanov démissionne. *-7-12* Dimitar Popov PM (en fonction 29-12). **1991**-*14-3* Jivkov jugé pour avoir bulgarisé des noms musulmans. *-17-3* 50 000 manif. à Sofia pour élect. *-15-4* 20 000. *-3-5* Marie-Louise, sœur de Simeon II accueillie par dizaines de milliers de B. *-16-5* 16 000. *-23-5* accord él. prévu oct. 91. *-5-6* Parlement annule référendum prévu. *-6-7* sur la forme du régime (rép. ou monarchie). *Juill.* B ferme les 2 réacteurs de Kozlodoui (la CEE lui versera 11,5 millions d'écus). *-12-7* nouv. Constit. *-22-9* Sofia, manif. monarchiste (discours enregistré de Siméon II appelant à voter pour la démocratie aux lég. du 13-10, et dénonçant l'illégitimité du référendum de 1946). *-21-10* Todor Jivkov affirme avoir démissionné en 1989 parce que Gorbatchev bloquait ses réformes. *-8-11* Filip Dimitrov PM (par 128 v. contre 90). *Résultats écon. 1991 :* revenus de la pop. – 45 %, prod. nat. – 20 %, prod. ind. – 30 %, invest. – 35 %, salaires réels – 20 à 25 %. **1992** Jelev réélu Pt. *-12-1 1er tour :* 44 % des v., devant Valkanov (indép. soutenu par PSB) 30 %, Gantchev 17 %. *-19-1 2e tour :* 53,3 % des v., Valkanov 47,12 %. *Janv.* procès de l'affaire du « parapluie » : *-8-1* suicide (?) du Gal Stoïan Savov, ancien vice-min. de l'Intérieur, accusé d'avoir détruit le dossier Markov (assass. 1978). *-23-4* loi sur la privatisation. *-24-4* G. Atanassov arrêté. *-19-5* Mladenov inculpé. *-19-6* Gal Vladimir Todorov condamné à 14 mois de prison pour avoir détruit une partie du dossier Markov. *-9-7* Andreï Loukanov arrêté. *-14-7* Gricha Philipov arrêté. *-4-9* Todor Jivkov condamné à 7 ans de prison pour détournement de fonds et abus de pouvoir. *Déc.* loi de « décommunisation de la science ». *-12-12* 20 000 manif. à Sofia pour élect. *-30-12* Luben Berov (n. 1925) PM ; gouv. d'experts. **1993** *Janv.* aide de la Banque mondiale (3,7 millions de $) pour l'énergie (dont 1,6 pour constr. centrale hydraulique). *-8-3* accord d'association avec CEE.

Statut. Rép. *Const.* du 12-7-1991 [*Pt de la Rép.* élu au suffrage univ. direct. *Ass. nat. 240 m.* élus pour 4 ans (min. de 4 % des v.), mais révocables avant par les électeurs. *Gouv.* élu par l'Ass. nat. et responsable devant elle]. *Pt de l'Ass. nat. :* Alexandre Jordanov. *Régions économiques* 9 (dep. 26-8-1987 ; avant 20 départements). **Fête nat.** 3-3 (libération du joug ottoman 1878), 11-5 (Saints Cyrille, Méthode et Boris). **Drapeau** (1878). Voir p. 859.

Élections. Assemblée constituante (1990) : 6,5 millions d'électeurs, 3 098 candidats, 38 partis. ; *1er tour (10-6) :* 90,7 % de part. ; PSB 172 s. (47,1 % des voix), UFD 107 s. (36,2 %), Mouv. des droits et des libertés 21 s. (6,3 %), UAPB (P. agrarien) 16 s. (8 %), divers 3. *2e tour (17-6) :* 75,2 % de part. ; PSB 211 s. (sur 67 circonscriptions), UFD 144, MDL 23, UAPB (P. agrarien) 16, autres 6. **Assemblée nationale** (13-10-91) : 80 % de participation [UFD 110 dép. (34,36 % des v.), PSB 106 (33,14), MLD 24 (7,55)].

Partis. *P. socialiste b. (PSB) :* nom pris le 3-4-90 par le *P. communiste* b. *fondé* 1891, 500 000 m., *chef* Jean Videnov (n. 1959) dep. 17-12-91. *UAPB (P. agrarien) :* fondé 1899, 120 000 m. *Union des forces démocratiques (UFD).* Regroupe 19 partis et mouvements, *Pt* Filip Dimitrov (n. 1956), dep. 12-12-90. *P. démocrate* et *P. radical-démocrate :* interdits de 1948 à 1989. *P. démocratique indépendant :* f. 1989. *Mouvement pour les droits et libertés (MDL),* musulman : Pt Ahmed Dogan (favorable à la monarchie).

Présidents du Conseil des ministres. 1946 Gueorgui DIMITROV (1882/1-7-1949, accusé en 1933 de l'incendie du Reichstag). **49** *(2-11)* Vassil KOLAROV (1877/23-1-1950). **50** Valko TCHERVENKOV (1900-80). **56** *avril* Anton YOUGOV (n. 15-8-14). **62** *nov.* Todor JIVKOV (n. 7-9-11). **71** *-7-7* Stanko TODOROV (n. 10-12-20). **81** *-16-6* Gricha PHILIPOV (n. 13-7-19). **86** Gueorgui ATANASOV (n. 25-7-33). **90** *-8-2* Andreï LOUKANOV (n. 26-9-1938). *-20-12* Dimitar POPOV (n. 26-6-27). **91**-*8-11* Filip DIMITROV (n. 1956) UFD. **92**-*30-12* Luben BEROV (n. 6-10-25).

Pt du Conseil d'État. 1971-*18-5* Todor JIVKOV (7-9-1911), secr. du Comité central au PC dep. 1954 (chef de l'État).

■ ÉCONOMIE

PNB *1990 :* 4 500 $ par h. *1991 :* baisse de 5 %. **Pop. active** (% et, entre parenthèses, part du PNB en %) : agr. 16 (16), ind. 44 (50), services 38 (32), mines 2 (2). **Chômage** (en %) *91 :* 10, *93 :* 13. **Inflation** (%) *85 :* 1,7, *86 :* 3,5, *87 :* 0,1, *88 :* 10, *89 :* 10, *90 :* 50, *91 :* 249, *92 (prév.) :* 80. **Dette extérieure** (milliards de $) *70 :* 1,1, *85 :* 4,1, *90 :* 11 (29-3 paiement suspendu), *91 :* 11 (dont 85 % auprès de banques occ.), *92 :* 11 (10 remboursés en sept.), *93 :* 12,5. **Salaire min.** *(mars 1993).* 1 200 leva par mois (env. 276 F).

Nota. – Nombre d'entreprises privées (1991) 199 000, dont – de 10 % ont eu des résultats positifs. 10 % du PIB, 50 % du commerce et 20 % des revenus des ménages d'origine privée.

Agriculture. (en 1938 : 80 % de la pop., 73 % du PNB). *Terres* (milliers d'ha, 90) 6 159 dont arables 4 671, cultivées en permanence 3 769, pâturages 1 516, forêts 3 871, eaux 1 263, divers 1 010. 20,5 % des terres cult. sont irriguées. *Production* (milliers de t, 91) blé 4 503, maïs 2 718, bett. à sucre 868, orge 1 495, soja 18, raisins 741, p. de terre 503, tomates 629, feuilles de tabac 74, riz 27, tournesol 423, légumes, fruits, vin 220 millions de l (90), céréales 9 652 (89). *Secteur agricole privé :* 15,4 % des terres arables (50,1 % viande, 47 % œufs, 48 % fruits, 48 % légumes et 29 % fourrages). Env. 1 500 000 pers. cultivent des lopins indiv. de 0,2 à 0,5 ha. **Forêts** 4 455 000 m³ (89). **Élevage** (millions de têtes, 91) : bovins 1,4, porcs 4,1, moutons 7,9, chèvres 0,49, volailles 27,9. **Pêche** 66 295 t *(90).*

Électricité (milliards de kWh). *1970 :* 19,5, *80 :* 34,8, *85 :* 41,6, *89 :* 44,3, *90 :* 42,1, *91 :* 40 (dont en %, 89 : charbon 61,1, nucléaire 32,8, hydroélectricité 6,1) ; nucléaire [centrale (type VVR sov.) de Kozlodoui ; prod. 2 760 MW, soit 38 % de l'énergie nat. ; 6 réacteurs dont 4 de 440 MW chacun (1er arrêté 3-9-91, 2e 28-11-91, rouvert 1992, fermé 3-1-93), 2 de 1 000 MW ; en 1993, seules fonctionnent les tranches n° 4 à 440 MW et n° 5 à 1 000 MW], centrale de Béléné (4 réacteurs de 1 000 MW, chacun, en constr. ; arrêt des travaux en 1990 pour des raisons d'environnement), hydroélectricité (86 centrales). **Houille** (millions de t). *70 :* 31,4, *80 :* 31,6, *85 :* 32,5, *90 :* 33. **Pétrole** *90 :* 90 000 t. **Gaz naturel. Mines.** Fer, plomb, cuivre, zinc. **Industrie** (millions de t, 1990) Ciment 5 ; acier 2,2 ; constr. méc., électrique, chimie, prod. alim. (vins et spiritueux, cigarettes).

Transports (km, 90). *Routes* 36 897 dont autoroutes 273, nationales 2 933 ; *ch. de fer* 6 604 dont 2 640 électrifiés. **Tourisme** (1990). *Visiteurs étr. :* 10 330 000 ; *revenus :* 302 millions de $.

Commerce (millions de leva, 91). **Exp.** 57 368 dont mach. et équip. 17 576, biens de cons. 12 797, prod. alim. 8 789, fuel et mat. 1res 6 033, *vers* URSS 28 552, All. 2 729, Pologne 1 183, *France 827* [1], Tchéc. 492. **Imp.** 45 132 dont fuel et mat. 1res 26 487, mach. et équip. 7 125, mat. 1res et prod. de trans. 3 272, *de* URSS 19 508, All. 3 146, *France 959,* Tchéc. 535, Pologne 515. **Balance commerciale** (91) 732 millions de $.

Nota. – (1) + 50 % en 1992.

Rang dans le monde (89). 3e tabac, 5e blé, 11e lignite (90), rés. lignite (88). 16e vin (90). 19e orge (85).

■ BURKINA FASO (ancienne Haute-Volta)

V. légende p. 884.

Nom. Officiel dep. 4-8-1984 : Burkina Faso [Rép. de Burkina (Patrie des hommes intègres)]. Faso (du dioula : terre de nos ancêtres) ; signifie pays, nation, République]. *Nom des habitants :* Burkinabè.

Situation. Afrique 274 200 km². *Distances :* Cotonou 810 km, Abidjan 830, Conakry 1 450, Dakar 1 450, Atlantique 500. *Alt. max.* Tenakourou 747 m. *Plateaux* (moy. 500 m). 3 *zones* de végétation du N. au S. : *steppe, savane arbustive* et *savane boisée* avec des forêts-galeries le long des cours d'eau. La faible déclivité du relief gêne l'écoulement des eaux des 3

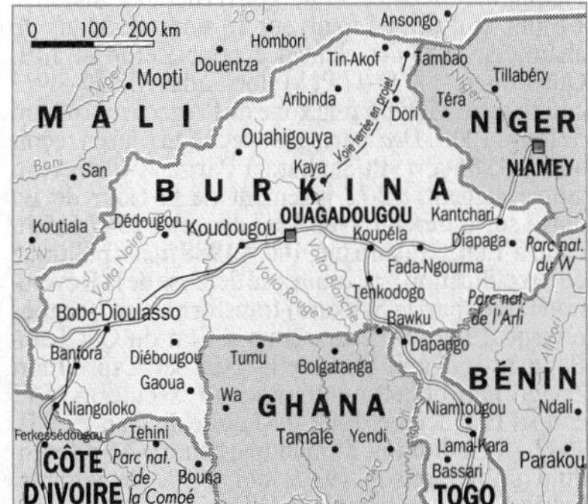

Volta : Noire (Mouhoun), Blanche (Nakambe) et Rouge (Nazinon) qui drainent le pays. *Surface cultivable :* 110 000 km². **Climat.** N. : présaharien, pluies : 400 mm par an ; centre et S. : soudanais, +de 1 000 mm. 2 *saisons :* sèche et fraîche nov.-févr., puis chaude de mars à mai ; pluvieuse (hivernage) juin-oct. (pluies irrégulières : sécheresses prolongées).

Population. *1991 :* 9 400 000 h. ; *2000 :* 10 542 000 h. En % : Mossis 48, Peuls 10, Lobis-Dagaris 7, Bobos 7, Mandés 7, Sénoufos 6, Gourounsis 5, Bisas 5, Gourmantchés 5. Europ. 3 350 (dont *2 358 Français*). D 34,2 (centre 37, parfois 125 à 150, 95 % pop. rurale). A l'étranger 2 500 000 (2/3 en Côte-d'Ivoire ou Ghana). – *de 15 a. :* 48 %, *+ de 65 a. :* 3 %. *Mortalité infantile :* 14,6 ‰ *Espérance de vie :* 47 a. **Villes :** *Ouagadougou* 590 000 (90) (capit.), Bobo-Dioulasso 300 000 (90) (à 356 km), Koudougou 105 826 (86), Banfora 99 344 (86), Ouahigouya 74 322 (86). **Langues.** Français *(off.)*, langues voltaïques ougour (gourmamoore utilisé par Gourmantchés et Mossis, Sénoufos, Dogons, etc.), mandé (Nord : dont le dioula utilisé dans les échanges commerciaux ; Sud : dont le bissa), foulfouldé (parlé par les Peuls), tamacheq (par les Touaregs). **Religions.** Animistes 52 %, musulmans 35 %, chrétiens 13 %.

Histoire. Peuplement paléolithique et néolithique. A une époque inconnue, au pays Lobi, murs de pierre et d'argile de 3 à 7 m de haut. Hypothèses : Phéniciens, Égyptiens, Portugais, Berbères. **XIIe s. apr. J.-C.** à l'O., villages indépendants. A l'Est, Ouedraogo fonde le royaume mossi de Tenkodogo. **1180** son fils aîné Rawa fonde le roy. mossi de Zandoma (plus tard roy. de Yatenga) ; son 2e f., Zoungrana, règne à Tenkodogo. **V. 1200** son 3e f., Diaba Lompo, fonde roy. de Gourmantché (mossi, mais comprenant 17 fiefs vassaux). **XIIIe s.** Oubri, f. de Zoungrana, fonde roy. de Ouagadougou ; sa dynastie comptera 34 rois. **XVIe s.** exploration par le Soudanais Tarikh el-Fettach. **XVIIe s.** le Soud. Tarikh el-Soudan. **1799** l'Écossais Mungo Park. **1810** Ibrahim Bi Sady crée émirat peul et convertit l'Est voltaïque à l'islam. **1877** exploration de l'Allemand Barth. **1888** 1re expédition (non militaire) fr. (Binger). **1896** Yatenga devient protectorat fr. **1896-97** occupation des 3 autres roy. mossi ; mission Voulet-Chanoine. **1901** « territoire mil. ». **1904** rattaché au Ht-Sénégal-et-Niger. **1916** agitation nationaliste. **1919** colonie de Hte-Volta distincte. **1932** partagée entre C.-d'Ivoire, Niger et Soudan. **1947** Hte-Volta reconstituée. **1958**-*11-12* Rép. autonome au sein de la Communauté. **1960**-*5-8* indépendance. **1966**-*3-1* Pt Maurice Yameogo démis par l'armée. Lt-Cel Sangoulé Lamizana (n. 31-1-16) Pt. Constitution suspendue. **1970** *juin* nouvelle Constit. **1971** 2e Rép. l'officier le plus ancien dans le grade le plus élevé devient chef de l'État. Sangoulé Lamizana, promu Gal, reste chef de l'État, Gérard Kango Ouedraogo et Joseph Ouedraogo, membres du RDA (Rassemblement démocratique afr.) deviennent PM et Pt de l'Ass. nat. **1974**-*8-2* coup d'État mil., Ass. dissoute, Const. suspendue ; Lamizana reprend le pouvoir. *Déc.* conflit frontalier avec Mali. **1975**-*17/18-12* grève générale. **1976** gouv. d'union nationale. **1977** *nov.* Const. **1978** 3e Rép. *Avr.* élect. au système tripartite (victoire du Rassemblement démocr. afr.). Lamizana élu Pt au 2e tour. **1980**-*25-11* coup d'État du Cel Saye Zerbo (n. 1932, musulman, Samo) après grève des enseignants de 55 j. Non sanglant : suppression du tripartisme et des droits syndicaux. **1981**-*4-3* coopération renforcée avec Fr. **1982**-*7-11* coup d'État (6 †, 30 bl.) du Cdt Jean-Baptiste Ouedraogo, médecin. -*8-12* mort de Moro Naba Kougri, empereur des Mossi (intronisé 1957), à Ouagadougou (avait une cour, des « ministres », et une certaine autorité pour les litiges mineurs ; bien que musulman, il était le chef d'une religion animiste). **1983**-*17-5* capitaine Thomas Sankara (n. 21-12-1949) PM proli-byen arrêté. -*30-5* relâché. -*4-8* coup d'État : Sankara Pt. -*15-11* arrestation des dirigeants de l'anc. régime. **1984**-*3-5* Cel Zerbo condamné à 15 ans de détention dont 7 avec sursis. -*28-5* coup d'État (échec), -*11-6* 7 conjurés exécutés. -*19-8* gouvernement dissous ; 14 min. (m. de la Lipad) sur 18 nommés chefs de chantiers. **1985**-*6-8* clémence pour Zerbo et J.-B. Ouedraogo. -*17/18-11* Pt Mitterrand au B. -*19/29-12* conflit avec Mali pour la zone de l'Agacher (160 km de long) 100 †. *Déc.* partagée avec Mali (qui en reçoit 40 %). **1986**-*févr.* Pt Sankara à Paris. *29-8* nouveau gouvernement. *22-12* jugement de la Cour de La Haye sur différend avec Mali accepté. **1987** -*15-10* coup d'État, Sankara tué, 100 †. **1988** *juillet* politique de « rectification » : Comités de défense de la Révolution (créés par T. Sankara) transformés en Comités révolut. **1989**-*18-9* échec coup d'État du Cdt Jean-Baptiste Lingani, min. de la Déf., et Cap. Henri Zongo, min. de la Promotion écon. (exécutés). -*25-12* coup d'État déjoué. **1990** -*29-1* visite de Jean-Paul II. **1991**-*18-1* adoption du multipartisme. -*2-6* référendum pour Constit. (93 % oui, 49 % de votants, boycott de l'opposition aux él. prés.). -*7-10* Ouagadougou, 10 000 manif. pour une conférence nationale. -*1-12* Blaise Compaoré élu Pt avec 86,4 % des voix (72,7 % d'abstentions). -*9-12* attentats contre opposants : Clément Ouedraogo, secr. gén. du PTB, assassiné, Tall Moctar, dir. du Groupe des démocrates révolut. et Marlène Zebango, blessés.

Statut. **Rép.** *Const.* du 2-6-1991. *Pt :* Cap. Blaise Compaoré (n. 1951) dep. 1-12-91 (avant, Pt du Front Populaire dep. 15-10-87). *PM :* Youssouf Ouedraogo dep. 20-6-92. **Provinces :** 30. **Départements :** 301. **Partis pol. :** ODP/MT (Organisation pour la dém. pop./mouvement du travail, *f.* 15-4-89), abandonne le marxisme-léninisme le 10-3-91. CNPP/PSD (Convention nat. des patriotes progressistes-P. social démocrate) de Pierre Tapsoba. Rass. dém. afr. Alliance pour la dém. et la fédér. **Ass. :** 107 m. élus pour 5 a. **Élections 24-5-92 :** ODP-MT 78, CNPP-PSD 12, div. 27.

Fête nat. : 11 déc. **Drapeau** (1984). Bandes horiz. rouge et verte (couleurs panafricaines), avec étoile dorée.

■ ÉCONOMIE

PNB ($ par h.). *1982 :* 180 ; *85 :* 136 ; *89 :* 280 ; *91 :* 320. *Croissance* (1991) : + 6 % (1992, est.) : + 1 %. **Pop. active** (% et, entre parenthèses, part du PNB en %) agr. 77 à 90 (38), ind. 10 (22), services 11 (38), mines 2 (2).

Agriculture. *Terres* [milliers d'ha, 9 000 (90) dont] : t. arables 2 620, t. cult. 13, pâturages 10 000, forêts 7 140, eaux 40, divers 7 607. *Production* (milliers de t, 90) sorgho 1 041,8, millet 677,8, canne à sucre 273, maïs 216, arachides 141, riz 43,1, légumes 165 (89), coton 186. **Forêts** (bois). 8 745 000 m³ (90). **Élevage** (millions de têtes, 90). Volailles 16, chèvres 6,4, bovins 3,8, moutons 4,9, ânes 0,4, porcs 0,5. **Pêche.** 7 000 t (90). **Mines.** Phosphates (Kodjari), or (Poura, réserves 20 t), manganèse (Tambao, réserves 17 000 000 t), calcaire (Tin Hrassan, réserves 60 000 000 t). **Industrie.** Minoteries, textile, huileries, sucreries, brasseries, cigarettes. **Transports.** *Routes :* 13 117 km. *Voies ferrées :* métriques, 525 km (frontière ivoirienne-Ouagadougou) ; en construction 340 (Ouagadougou-Tambao) ; projet 365. **Tourisme.** 103 000 vis. (90).

Inflation (%). *1985 :* 6,9 ; *86 :* – 2,6 ; *87 :* – 2,7 ; *88 :* + 4,2 ; *89 :* – 0,5 ; *90 :* + 3 à 4 ; *91 :* 3,6. **Dette extérieure** (90) 794 millions de $. **Aide extérieure** (millions de F) dons 428, prêts 329. **Aide fr.** (millions de F) *1987 :* 470 ; *88 :* 366 ; *89 :* 525 ; *90 :* 501 ; *91 :* 607.

Commerce (millions de F CFA, 91). **Exp.** 79 829 *dont* coton 30 730, or 12 060, prod. de l'élevage 9 000, *vers* (%, 90) *France 34,* Taiwan 15,51, Chine 11,5 (85). **Imp.** 169 600 *dont* biens d'équip. 69 700, prod. alim. 25 000, prod. pétr. 14 300, *de* (%, 90) *France 31,2,* Côte-d'Ivoire 16,3, USA 6,4.

■ BURUNDI

V. légende p. 884.

Situation. Afrique centrale. Pays enclavé : à 1 200 km de l'océan Indien et 2 000 km de l'Atlantique entre Rwanda, Zaïre, Tanzanie (Tanganyika). *Frontières* 825 km. 27 834 km² dont lacs 1 885. *Alt. max.* Mt Heha 2 670 m. **Régions :** plaine côtière de l'Imbo, montagnes de la crête Congo-Nil, hauts plateaux centraux, dépression du Mosso à l'est. **Lacs :** Tanganyika (32 000 km², long. 650 km, larg. 25 à 65 km, prof. 1 470 m, alt. 775 m,) Kachamiringa, Rwihinda (3,5 km²), Cohoha (69 km²), Rweru (103 km²), Kanzigiri (7,5 km²). **Climat :** 2 saisons sèches (janv. et juin-oct.), 2 des pluies (oct.-déc. et févr.-juin) ; plaine de l'Imbo : tropicale, zones d'altitude plus fraîches. *Temp. moy. :* 17 à 24 °C. *Pluies :* 800 à 1 800 mm.

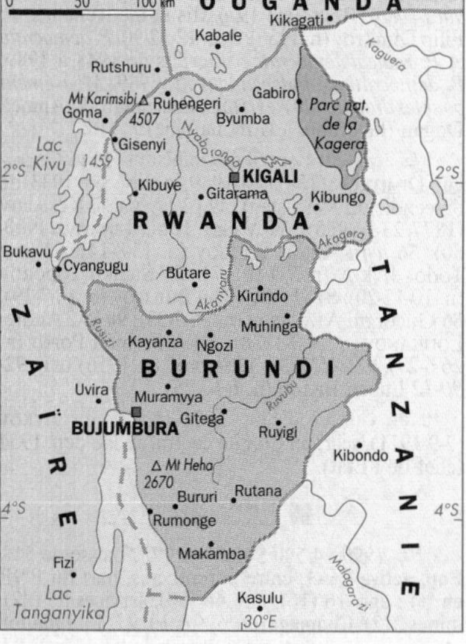

Population. *1991 :* 5 620 000 h. dont env. : Hutu 85 %, Tutsi (très grands) 14 %, Twa 1 % ; *2000 :* 6 800 000 h. – *de 15 a.* 44 %, + *de 65 a.* 4 %. D 201,9. Pop. rurale 94 %. *Taux de croissance* (88-93) : 3,06 % an. *Mortalité infantile :* 11,9 ‰ (malnutrition : 30 % des enfants). *Fécondité :* 7 enfants par f. *Espérance de vie :* 49 a. *Émigration :* 200 000 (Ouganda, Rwanda, Tanzanie). *Immigration :* Rwandais 250 000, Zaïrois 20 000, Européens et Asiatiques env. 3 000. **Villes** (89) : *Bujumbura* (avant, Usumbura fondée 1897 par All.) 280 000 h. Gitéga (alt. 1 696 m) 17 000 (à 100 km), Rumonge 13 000, Ngozi 8 000 (à 125 km). **Langues.** Kirundi (du groupe bantou) (l. nation.) et français (2e l. administrative) ; kiswahili. **Religions.** Catholiques 65 %, animistes 23 %, protestants 10 %, musulmans 1,5 % (56 000).

Histoire. Peuplé par les Twa apparentés aux Pygmées, puis par les Bahutu (langue : bantou) et les Batutsi (ou Hamites). **XVIIe s.** Roy. unitaire avec Ntare Rushatsi. **1852-1908** Mwami Mwezi Gisabo. **1871**-*25-11* à Murgere (10 km de Bujumbura) Stanley rencontre Livingstone. **1890** colonisation allemande. **1892** arrivée de l'Autrichien Oscar Baumann. **1897** implantation all. **1899** intégré dans l'Afr. de l'Est all. **1903**-*6-6* tr. de Kiganda : devient protectorat all. rattaché à l'Afr. orientale all. **1919** partie du Rwanda-Urundi administrée par la Belgique. **1958** Pce Louis Rwagasore fonde l'Uprona. **1961**-*18-8* élections : Uprona (80 % des voix) au pouvoir avec Louis Rwagasore PM neutraliste, ami du Congolais P. Lumumba, opp. à toute discrimination raciale [(Hutu et Tutsi), 58 s. sur 64]. -*13-10,* Rwagasore (PM) assassiné. **1962**-*1-7* indépendance. Les gouv. comprennent un nombre égal de Hutu et Tutsi ; -*16-10* 1re Constit. **1965** *janv.* Pierre Ngendandumwe, hutu (PM) assassiné ; *avril* élections : Uprona 21 s. sur 33.PM tutsi. *Oct.* tentative de coup d'État hutu. Massacres ethniques. **1966**-*8-7* mwami Mwambusta IV déposé par son fils (19 ans) qui devient le mwami Ntare V, mais est déposé le 28-11. Le B. est dirigé par des Tutsi (groupe Hima du Sud). Rép. avec capitaine Michel Micombero (n. 1940). **1969** complot échoue (23 conjurés fusillés). Massacres ethniques. **1972**-*29-4* insurrection Hutu à Bujumbura et dans le S. tentative de génocide contre Tutsi, g. civile ; Ntare V tué ; -*30-4* coup d'État manqué et répression mil. : milliers de Hutu tués. *Bilan total :* + de 100 000 †. **1976**-*1-11* Lt-Gal Micombero exilé en Somalie. -*9-11* J.B. Bagaza (n. 24-8-46), Pt. **1981**-*18-11* référendum pour Constit. (98,6 % des voix). **1982** *oct.* Pt Mitterrand au B. **1983**-*16-7* Micombero meurt en exil. **1984**-*31-8* Bagaza élu Pt au suffr. univ. **1986-87** expulsions de missionnaires. **1987**-*3-9* coup d'État, major **Pierre Buyoya** (n. 1949, Tutsi) au pouvoir (libéralisation religieuse). **1988** *août* massacres Tutsi/Hutu dans le N. [villageois hutu, convaincus d'une menace d'extermination proche, assassinent paysans tutsi ; répression dure de l'armée, en maj. tutsi], de 5 000 † (bilan officiel) à 20 000. + de 56 000 Hutu réfugiés au Rwanda. Le B. refuse une enquête internationale. -*19-10* Pt Adrien Sibomana PM, hutu ; les 12 ministres hutu deviennent majoritaires au gouv. **1989** retour des réfugiés hutu du Rwanda (1 000 restent). **1990**-*5/6-9* visite de Jean-Paul II. **1991**-*janv.* Charte de l'unité nationale, instituant le multipartisme. -*5-2* approuvée à 89 % (abstentions : – de 4 %). *Fin nov.* affrontements avec Hutu : 551 † (Bujumbura 135) ; 3 000 selon certains. *Déc.* 10 000 réfugiés au Rwanda. **1992**-*4-3* échec coup d'État mil. -*10-3* Constit. instaurant multipartisme : 90 % pour. -*1-4* gouv. composé à 60 % d'Hutu. -*3-5* crise avec Rwanda. *Sept.* épidémie de méningite : 209 †. **1993**-*1-6* él. prés. : **Melchior Ndadayé** (n. 1953, Hutu) élu par 64,79 % des v. -*28-6* législatives : Frodebu majoritaire.

Statut. Rép. unitaire, laïque et démocratique dep. le 28-11-1966. *Constit.* du 13-3-1992. **Parti unique** jusqu'en 1992 *Uprona* (Union pour le progrès national, f. 1958) p. de Buboya. *Frodebu* (Front pour la démocratie au Burundi) p. du Pt Ndadayé. *Palipehutu* (P. pour la lib. du peuple hutu), f. 1980, extrémiste. **Fête nat.** 1er juill. (indépendance). **Drapeau** (1966). 2 côtés triangulaires verts (l'espérance), 2 rouges (lutte pour l'indépendance) sur fond blanc (la paix) ; 3 étoiles rouges pour la devise : « Unité, Travail, Progrès ».

■ ÉCONOMIE

PNB. *1985 :* 230 par hab. ; *90 :* 205. **Croissance** (%) : *1991 :* + 1,5. **Pop. active** (% et, entre parenthèses, part. du PNB en %) agr. 56 (55), ind. 15 (15), services 29 (29).

Agriculture. *Terres* (km²) utilisables pour agric., pâturages et boisements 23 023 (dont surface utilisée 7 925, pâturages 8 123, boisements 900). *Production* café moy. : 30 000 t par an, 38 000 t en 1991 (soit 75 % des exportations), bananes, patates douces, manioc, maïs, sorgho, blé, coton, haricots et pois, ignames, riz, oléagineux, éleusine. **Élevage** (milliers de têtes, 91). Bovins 435, moutons 365, chèvres 930, porcs 103. **Pêche.** 17 400 t (90). **Mines.** Non encore exploitées : nickel (5 % des réserves mondiales), vanadium, phosphates. **Tourisme** : *visiteurs :* 80 000 (90). *Sites :* sources du Nil (2 145 m d'altitude, la plus au S. à Rutovu découverte 1934 par l'All. Burchard Waldeker), chutes de la Karera, colline d'arbres sacrés de Banga, forêt de la Kibira, parc national de la Ruvubu, Gitega (tambourinaires), lac Tanganyika.

Inflation (%). *88 :* 4,4 ; *89 :* 11,6 ; *90 :* 7 ; *91 :* 8,9. **Dette extérieure** (89) 1 milliard de $. (service : 69 % des exp.). **Aide** (89) de *France (13 %),* All. féd. (9 %), Belgique (7 %). (92) 43 millions de $ de l'AID.

Commerce (milliards de F Burundi, 91). **Exp.** 16,6 dont café 13,4 *vers* All. 3, *France 0,8,* Belg.-Lux. 0,2, USA 3,2, G.-B. 0,4, P.-Bas 0,5. **Imp.** 46,1 *de* Benelux 6,5, All. 4, *France 4,5,* Japon 3,8.

CAÏMANS (ILES)

Carte p. 967. V. légende p. 884.

Situation. Antilles 263 km². 3 îles : *Grand Caïman* (long. 35 km, larg. 12 km, 122 km²) 23 881 h. (rec. 89) ; *Caïman Brac* à 143 km de G. Caïman [long. 19 km, larg. 1 km, alt. max. 42 m (Bluff)] 1 441 h. (rec. 89) ; *Petit Caïman* à 8 km de C. Brac (long. 16 km, larg. 3 km) 33 h. *Temp. moy.* 29 °C. (hiver 24 °C). **Population.** 28 100 h. (est. 92) (*1802 :* 933 h. dont 551 esclaves). D 92,6. *Capitale : George Town* 12 921 h. (89). **Langues.** Anglais, dialectes. **Religions.** Presbytériens, anglicans, catholiques, baptistes.

Histoire. **1503**-*10-5* découvertes par Christophe Colomb. **1670** cédées avec Jamaïque par l'Espagne à la G.-B. Dépendent de la J. **1959** territoire dans la Fédération des Indes-Occid. **1962** dissolution de la Fédération, dépendance de la G.-B.

Statut. Colonie britannique *Constitution du* 26-7-1972. *Gouverneur :* Michael E. J. Gore dep. sept. 1992. *Ass. lég.* (15 m. élus, 3 m. officiels) Speaker (Mrs. Sybil Ione McLaughline dep. 15-2-91). *Conseil exécutif* (4 m. élus et 3 officiels) présidé par le gouv. **Drapeau.** Bleu avec drapeau anglais ; ajouté en 1958 : 1 tortue, 1 ananas, 3 étoiles pour les 3 îles, avec la devise : « He hath founded it upon the seas » (Il les a fondées au-dessus des mers).

Économie. Place bancaire. Sièges de 23 700 Stés. *Tourisme :* 717 160 vis. (91). **Commerce** (91). **Exp.** 2 500 000 $ CI. **Imp.** 222 900 000 $ CI (alim., textile, mat. de constr.), *de* (%), USA 75,2, Antilles néerl. 10,1, G.-B. 3,9, Japon 3,9.

CAMBODGE

Carte p. 1178. V. légende p. 884.

Situation. Asie. 181 035 km². **Régions :** plaine centrale du Tonlé Sap et du Mékong (1 432 mm pluies à Phnom Penh, inondation annuelle dans les 2 plaines) ; plateaux de forêts et savanes au N. et à l'E. ; monts au S. *Alt. max.* Mt Aural (1 813 m) (5 473 mm pluies à Bokor, 7 917 en 1923) ; plaine côtière au S. **Côtes :** 435 km. **Climat.** *Saison des pluies* fin mai à oct. (surtout en sept.). *Temp.* moy. à Phnom Penh 27 °C. *Mois le plus chaud* avril.

Population (millions). *1962 :* 5,73 (5,33 Khmers, 0,218 Vietnamiens, 0,163 Chinois, 0,014 divers) ; *79 :* 5,5 ; *87 :* 7,69 [dont 93 % de Khmers (*1950 :* 0,004 Français)] ; *92 (rec. Onu) :* 11. **Age :** – *de 15 a. :* 35 %, + *de 65 a. :* 3 %. **Mortalité infantile :** 127 ‰. **Espérance de vie :** 43 ans. **Croissance :** 2,5 %. D 45,3. **Pop. rurale :** 88 %. **Réfugiés :** [702 967 arrivés en Thaïlande dont 651 544 accueillis dans des pays tiers dep. 1975 (dont USA 421 750, *France 75 500,* Canada 39 900, Australie 36 000)]. *« Sites pour personnes déplacées » :* 375 000 pers. : dep. 1985 dans 5 camps de la frontière thaï-khmère ; 6 dont le « site 2 » avec 170 000 pers., « son sannistes site B » 55 000, « sihanoukistes site 8 » 34 000, « Khmers rouges » ; retour progressif en cours dep. avril 92. *Rapatriés. 1992* (28-8) 100 000, (nov.) : 170 000 ; *93* (15-2) 300 000. Une partie de l'aide accordée aux camps, administrée par la guérilla, serait détournée à des fins militaires. **Immigration** (dep. 1979) : 600 000 Vietnamiens (300 000 ont été naturalisés cambodgiens), au total 1 000 000 étaient prévus, 100 000 Thaïlandais. **Villes :** *Phnom Penh* (cap.) 1 500 000 h. (rec. 90), Battambang 66 475 (83), Siem Reap 30 000, Kompong Cham 13 667 (83). De 1976 à 1979 villes dépeuplées (Phnom Penh : 10 000/20 000 h.). **Langues** Cambodgien (khmer, off.), français (passible de mort sous Pol Pot). **Religions** *bouddhistes* (petit véhicule) majoritaires à 90 % (1975 : 2 500 à 3 000 monastères, 54 000 bonzes et 40 000 novices ; 1990 : 500 pagodes, quelques milliers de bonzes) ; *1980 :* interdiction aux – de 50 ans de devenir rel., cours oblig. d'éduc. marxiste pour les bonzes maintenu jusqu'en 87 ; *1988 :* culte rétabli (pagodes reconstruites, cérémonies autorisées, fêtes respectées) ; *1989 :* 10-1 le gouv. présente ses excuses aux bouddhistes. 15-4 Heng Samrin et Hun Sen participent à une procession, 30-4 bouddhisme redevient rel. d'État (révision de la Const.). *Musulmans* 2 % [Chams : 250 000, exterminés par Khmers rouges à 70 % (mosquées détruites, pratique interdite), puis protégés par Viêt.-N. (écoles coraniques rouvertes pour garder le soutien financier du Moyen-Orient)]. *Chrétiens 1959 :* 10 % de cath. ; *1970 :* 65 000 cath. et 3 000 prot. (rapatriements massifs de Vietnamiens : 250 000 dont 60 000 cath.) ; *1977 :* 0,5 % de cath. [*1975-79 :* extermination de 5 000 cath. (églises et cath. détruites) et de 3 000 prot. (13 des 14 pasteurs)] ; *1989 :* 2 000 cath., 2 000 prot. (L'État garantit les activités rel. conformes à la Const., mais une circulaire de la mairie de Phnom Penh interdit la reconnaissance d'autres rel. que le bouddhisme).

Histoire. **VIe s.** début civilisation khmère. **VIIIe s.** anarchie. **IXe s.** unité restaurée, Angkor fondée, **1177** détruite par les Chams, reconstr. par Jayavarman VII (1181-1218). **Début XIIIe s.** invasion siamoise. **1431** chute d'Angkor devant Siamois. **XVIe s.** Ang Chan restaure le pays. **1555** établissement du christianisme. **Début XVIIe s.** Hollandais à Phnom Penh. **XVIIe-XVIIIe s.** g. civiles, intervention Cochinchine et Siam. **1845** Siam et Viêt-nam exercent protectorat conjoint. **1854** appel au consul de France à cause d'amputations territoriales du Siam et Viêt-nam. **1863** *juillet* protectorat Fr. **1864** roi Norodom couronné. **1867** *tr. fr.-siamois :* le Siam reconnaît le protectorat, mais obtient provinces de Battambang, Siem Reap et Sisophon que le C. récupère en 1907 *(tr. fr.-siamois).* **1940** *déc.* attaque du Siam soutenu par Japon. **1941** roi Monivong † ; malgré victoire navale de Koh Chang, le C. doit céder des terr. au Siam (récupérés en 1945). *-23-4* Norodom Sihanouk (n. 31-10-22) élu par le conseil des dignitaires roi à 19 ans (Deva-Raj, roi-dieu), couronné 28-10 (l'amiral Decoux, gouverneur G[al] de l'Indochine, dépose la tiare d'or sur son front). **1945**-*9-3* coup de force jap. qui impose à Sihanouk un conseiller anti-français (Son Ngoc Thanh). **1949**-*8-11* État indép. associé. **1952** inondations. **1953**-*9-11* indép. **1954**-*24-7 accords de Genève :* retrait des troupes fr. et viêt-minh (terminé janv. 55). **1955**-*2-3* Sihanouk abdique en faveur de son père Suramarit, fonde un mouvement (Sangkum : communauté socialiste populaire) et une doctrine (« socialisme bouddhiste royal khmer »). *Juill.* assiste à la Conf. de Bandoeng. *-19-12 accord de Paris ;* le C. quitte l'Union fr. **1960**-*3-4* à la mort de son père, Sihanouk redevient chef de l'État sans être roi. *-30-9* formation du P. (khmer). **1962** *juillet* accords de Genève sur Laos. Inondations. **1963** Saloth Sar (futur Pol Pot), Khieu Samphan, Ieng Sary, Son Sen gagnent le maquis. **1965** *mai* relations dipl. avec USA rompues. **1966**-*30-8* de Gaulle au C. *-1-9* discours de Phnom Penh. *-24-10 1er gouv.* Gal Lon Nol (1913-85). *-26-10* Sihanouk crée contre-gouv. **1967** *avril* agitation communiste armée (prov. de Battambang). *-3-5* Lon Nol démissionne. Sihanouk PM, « gouv. d'exception ». **1968**-*17-1* formation de l'armée révolutionnaire du Kampuchéa. *-30-1* Penn Nouth († 18-5-85 à 80 a.) PM. **1969**-*18-3* bombardements secrets du C. par Amér. *-11-6* relations dipl. avec USA reprises. *-1-8* Penn Nouth démissionne (santé). *-12-8* Lon Nol « gouv. de sauvetage ».

1970 *mars* P. aligne 5 000 h. *-8-3* amb. du N.-Viêtnam saccagée. *-18-3* coup d'État (prince Sisowath Sirik Matak, vice-PM et cousin du PM, Gal Lon Nol et Cheng Heng, soutenus par CIA), Sihanouk (en cure en France) destitué par les 2 Chambres à l'unanimité (accusé d'avoir autorisé les N.-Vietnam. et Viêtcong à aménager des bases mil. en violant la neutralité consacrée par accords de Genève de 1954). *-30-4* intervention mil. sud-viet. et amér. *mai* 3 630 bombardements amér. dep. 14 mois (Viêt-cong repoussés à l'int. du C.). *-4-5* Sihanouk forme à Pékin un gouv. royal d'Union nat. du Kampuchéa : Grunk avec les Khmers rouges. *-9-10 Rép. « de Phnom Penh »* proclamée. **1971**-*7-2* combats entre gouv. et Sud-viet., contre 4 000 Khmers rouges. *-20-10* état d'urgence. **1972**-*12-3* Lon Nol dissout l'Ass. const. *-21-3* Son Ngoc Thanh PM. *-4-6* élect. : abstentions massives ; Lon Nol réélu. **1973**-*17-3* attentat aérien contre palais de Lon Nol par capitaine So Photra, gendre de Sihanouk, 20 †. *-15-8* fin officielle des bombardements amér. **1974**-*11-2* Phnom Penh (3 millions de réfugiés) bombardée par les rouges (139 †). *-4-6* émeutes à Phnom Penh, 2 min. tués. *-13-6* Long Boret (n. 3-1-32), rép., PM. **1975** *janv.* Phnom Penh assiégée par 20 000 Khmers rouges. *-1-4* Lon Nol part. *-17-4 Phnom Penh prise ;* les Khmers rouges installent des bases, vident la Bibliothèque nat. pour y installer des porcs, détruisent des monastères, villes évacuées, vieillards et malades abattus sur place, ou mourant sur les routes, Viet. expulsés, tentative de s'emparer de plusieurs îles viet. *Bilan dep. 1970 : 600 000 †.* *-12-5* cargo amér. *Mayaguez* arraisonné, récupéré par « marines » le 15-5 ; bombardements amér. *-28-5* nationalisation des plantations d'hévéas. Journalistes étrangers interdits au C. ; massacres. *-9-9* Sihanouk rentre. **1976**-*3-1* nouvelle Const. *-5-4* Sihanouk (choisi Pt à l'unanimité par l'ass. pop. élue le 20-3-76) abdique, en résidence surveillée. **Rép. du Kampuchéa dém.** proclamée. *Khieu Samphan* chef d'État. *Pol Pot* PM ; création du PC du Kampuchéa (Angkar). *Sept.* épuration des anciens cadres formés au V. **1977**-*avr.* soulèvement mil. échoue. *Mai* monnaie supprimée *-3-12* rupture avec Viêt-nam après combats frontaliers. **1978**-*mai* coup d'État échoue. *Juin* 70 000 soldats viet. occupent une zone de 40 km de profondeur au C. oriental. *-3-12* création avec *Heng Samrin* (déserteur Khmer rouge) du Funsk (Front uni national pour le salut du Kampuchéa) qui lutte aux côtés du Viêt. *-25-12* offensive v. (armée camb. 80 000 engagés ; viet. 615 000. dont 200 000 engagés), milliers de †. **1979**-*6-1* Sihanouk libéré (dep. 1975, a perdu 5 enfants et 14 petits-enfants) ; arrive à Pékin, va à l'Onu. *-7-1* Viêt prennent Phnom Penh. *-11-1* gouv. « pro-viet » avec d'anciens Khmers rouges reconvertis (PM Pen Sovan puis Heng Samrin et Hun Sen) ; Rép. pop. du Kampuchéa proclamée. Affrontements entre maquis khmers rouges, sihanoukistes et nationalistes de Son Sann. Famine. Dizaines de milliers de réfugiés en Thaïlande et à Phnom Penh (paysans). *-5-3* 5 des résistants forment les Forces Armées de Libération du Peuple. *-9-10* Son Sann forme avec eux le Fnlpk à Sokh-Sann. *Oct.* aide alim. internat. acceptée. *-27-12* Khieu Samphan PM remplace Pol Pot. *Déc.* Khmers rouges forment un « Front de grande union nationale » contre Viêt-nam.

1980 *janv.* 150 000 soldats viet. *-20-3* monnaie réintroduite. **1980-81** aide de 700 millions de $ d'Unicef et Croix-Rouge. **1982**-*21-2* accord Sihanouk et Khmers rouges. *-22-6* gouv. de coalition (du Kampuchéa dém.) antiviet. à Kuala Lumpur (Malaisie) reconnu par Onu. Sihanouk Pt, Khieu Samphan vice-Pt, Son Sann PM. Guérillas, 50 000 maquisards contre Viet. **1983** inondations : banlieue de Phnom Penh évacuée. **1984** armée viet. attaque camps de réfugiés du N.-O. **1985**-*10-5* Fnlpk (15 000 combattants + 7 000 sans armes : 150 000 civils dans 8 bases) perd Ampil. *-14-2* Khmers rouges (35 000/40 000 h.) perdent Phnom Malai. *-11-3* ANS perd Tatum ; Gal King Men (n. 1940) tué. *-22-12* repli du Fnlpk. **1985-90** édification d'un « mur » de 700 km le long de la Thaïlande. **1986**-*20-3* Viêt N. rejette proposition de Sihanouk : un gouv. quadripartite (les 3 de l'opposition + Heng Samrin). **1987**-*20-5* journée de la haine à Phnom Penh, Sihanouk brûlé en effigie. *-2/4-12* rencontre Sihanouk/Hun Sen à Fère-en-Tardenois ; l'armée viet. quitterait le C. en 1990. **1988**-*20/22-1* rencontre Sihanouk/Hun Sen à St-Germain-en-Laye : accord sur régime multipartite. *-30-1* Sihanouk démissionne de la présidence de la résistance. *-16-2* reprend la tête de la résistance. *-27-5* Viêt-nam annonce retrait d'ici déc. de 50 000 h. sur 120 000. *-30-6* Viêt-nam. reconnaît avoir perdu 25 000 h. (dont 15 000 en 80-81) des 200 000 envoyés dep. 1979 ; 13 000 soldats retirés. *-5-7* Bangkok : accord Son Sann, Khieu Samphan, Sihanouk sur politique envers Viêt-nam. *-11-7* Sihanouk redémissionne, s'exile en Fr. *-25/28-7* Bogor (Indon.) rencontre Hun Sen, Khieu Samphan, Son Sann, P[ce] Ranariddh et représ. de l'ASEAN, Laos et Viêt-nam. Aucun accord signé. *-7-11* rencontre Sihanouk/Hun Sen à Fère-en-Tardenois. *-2-12* Viêt-nam annonce retrait de 18 000 h. en déc. ; 50 000 « bodoï », encore en place, seront sous les ordres de l'armée camb. *-14-12* Fère-en-T., Sihanouk rencontre Khieu Samphan qui le reconnaît chef des Khmers, même après retrait viet. **1989** *6-1* accord Chine/Viêt-nam sur retrait définitif viet., en sept. 89, sous contrôle internat. *-12-2* Sihanouk Pt de la coalition de résistance. *-5-4* annonce officielle du retrait viet. (50 000 h.). *-3-4* film « La Déchirure » projeté à Phnom Penh. *-30-4* Rép. pop. du K. devient l'*État du Cambodge.* *-2/3-5* rencontre Sihanouk-Hun Sen à Djakarta. *-28-8* conférence intern. sur le C. à Paris : échec. *-16 au 26-9* retrait total des 26 000 viet. *-26-10* offensive khmère rouge contre Pailin (Thaïlande convoite mines d'émeraude et diamant ; Khmers rouges payés entre 500 et 1 500 bahts pour acheminer et protéger les mineurs). **1990** *-7-1* 6 attentats à Phnom Penh et attaque de Battambang : QG des forces gouv. détruit : 35 †. *-3-2* Sihanouk abolit drapeau, hymne des Khmers rouges et nom de Kampuchéa, *-21-2* rencontre Hun Sen à Bangkok (accord sur intervention Onu). *-15-7* Khmers rouges attaquent train (30 †). *-9-9* conférence de Djakarta sur le C. : les 4 factions acceptent plan de paix. *-18-7* USA arrêtent leur soutien à la résistance, négocieront avec Viêt-nam. *-25-11* plan-cadre : C. sous contrôle d'une Autorité provisoire de l'Onu (APRONUC) jusqu'aux élect. libres (refusé par gouv.), constitution d'un Conseil nat. suprême (CNS) de 12 membres pendant transition. **1991**-*10-2* Khmers rouges attaquent Battambang. *-Mars* gouv. annonce élect. anticipées en juin 92 en l'absence de règlement du conflit. *-15-4* Khmers rouges prennent Kompong Trach. *-1-5* cessez-le-feu provisoire. *Juin* rompu par K. rouges. *-17-7* Pékin, accord entre les 4 factions camb. P^ce^ Sihanouk élu Pt du Conseil national suprême. *-29-7* Son Sann remplace Sihanouk à la tête de la résistance. *-26/29-8* réunion du Conseil national suprême khmer (CNS) à Pattaya. *Sept.* inondations : 200 000 sans-abri et 400 000 ha de rizières détruites. *-9/1-9* plan de sauvegarde d'Angkor sous l'égide de l'Unesco. *-23-10* conférence de Paris : accord de paix. *-13-11* Ngo Dien, ambassadeur du Viêt-nam dep. 1979 (en fait proconsul), quitte le C. *-14-11* Sihanouk à Phnom Penh (palais de Chamcar Mon). *-17-11* délégation khmère rouge à Phnom Penh (1re fois dep. 1978). *-20-11* Sihanouk chef de l'État (destitution de 1970 jugée illégale) ; 200 000 à 300 000 pers. assistent à Fête des eaux. *-22-11* accord avec Thaïlande sur rapatriement de 370 000 réfugiés. *-26-11* manif. anti-Khmers rouges. *-27-11* Khieu Samphan à Phnom Penh évite lynchage (retourne à Bangkok). *-2-12* Khmers rouges demandent protection à Phnom Penh par 800 casques bleus. *-21-12* police disperse manif. (1 étudiant †) ; couvre-feu. *-25-12* Khmers rouges attaquent convoi alim. (10 †). *-30-12* réunion du CNS (Khieu Samphan présent). **1992** *fév.* Pen Sovran (PM 1979-déc. 81, exilé depuis au Viêt-nam) rentre. *-6-4* Chea Sim, chef de l'État. *-8-7* Khmers rouges refusent plan de désarmement prévu. Dep., nombreux incidents, plusieurs centaines de tués (dont 5 casques bleus). **1993**-*11/12-2* visite Pt Mitterrand. **1993**-*23/28-5* élect., Ass. constituante sous contrôle Onu.

Bilan (depuis 1975). *Morts : chiffres officiels (donnés en 1990) :* 3 314 768 [massacres, sévices, famine (800 000), etc.] dont en % : médecins 91, pharmaciens 83, dentistes 58, off. de santé 52, infirmières 45, sages-femmes 32. DESTRUCTIONS : 5 857 écoles, 1 987 pagodes, 108 mosquées, cath. de Phnom Penh, 796 établ. méd., Banque centrale, et usines. Selon Pol Pot, « le C. révolutionnaire n'avait besoin que d'un million de pers. » et envisageait d'exterminer encore 5 millions de pers. PERTES VIETNAMIENNES (dep. 1979) 60 000 h.

Nota. – « Musée du Génocide » à Tuol Sleng : + grand centre de détention et de torture (avril 1975 à janv. 1979) ; 20 000 disparus (7 survivants).

Armée cambodgienne. (FAPC, Forces armées du peuple C.) 50 000 soldats et 100 000 miliciens armés par URSS et Viêt-nam (désarmés à 70 % en 1992). *Présence soviét.* 3 000 h. *Conseillers viet.* (1991) 4 000 (10 000 officiers et 30 000 soldats selon resp. Khmer r.). Le 27-6-92, armée de l'air camb. sous contrôle Onu (21 MIG, 600 soldats).

Opération « Cambodge » (1-1-1992/8-93). Confiée à l'**Apronuc (Autorité provisoire de l'Onu).** *Resp. :* Yahushi Akashi (n. 1931). *Commandant :* Gal John Sanderson (austr., n. 1941). *Effectifs* (mars 1993) : 22 000 (60 pays) dont 16 000 mil. (32 pays, dont *France 1 354*, Japon 700), 3 585 policiers, 2 500 fonctionnaires civils + 50 000 employés locaux. *5 missions :* 1°) démobilisation, désarmement et cantonnement de 70 % des 4 factions mil. (150 000 à 250 000 h.), déminage [entre 600 000 et 4 millions de mines (500 † par mois)] et destruction d'armes. 2°) création d'un « environnement pol. neutre » permettant l'élection « libre et équitable d'une Ass. constituante » (enregistrement des partis et surveillance des élect. de 1993). 3°) relèvement et reconstruction du pays. 4°) rapatriement et réinstallation des 350 000 réfugiés. 5°) protection de la souveraineté et de l'intégrité du C.

Statut provisoire (1992-93). *Pt :* P^ce^ Norodom Sihanouk (n. 31-10-22), rétabli 14-6-93, chef de l'État (appelé « Altesse royale » ou « Monseigneur Papa ») dep. 22-10-91. *Gouv. provisoire* de 62 m. *Pts* Hun Sen (ancien K. rouge n. 1951) (PM dep. 15-1-85) [avant, Chan Si († déc. 84), dep. 10-2-82] et P^ce^ Ranariddh. *Ass. constituante* (Pt Son Sann) : élue 23/28-5-1993, 120 m. (deviendra Parlement). Funcinpec 58 s., PPC 51, PDLB 10. Le C. revendique plusieurs milliers de km² au Viêt-nam et en Thaïlande. **Fête nationale :** 17-4. **Drapeau :** (1989) coupé, rouge sur bleu, temple d'Angkor Vat (jaune) au centre.

Partis. P. du Peuple cambodgien (PPC, ex-PC dep. nov. 91 ; a rompu avec le socialisme et prône le soutien à Sihanouk), *leaders :* Hun Sen et Chea Sim. FUNCINPEC (Front uni national pour un C. indépendant, neutre, pacifique et coopératif), dont ANS (Armée nat. sihanoukiste), *chef :* P^ce^ Norodom Ranariddh (fils du P^ce^ Sihanouk, co-PM), 3 000 à 4 000 h. (Nord et Ouest du C.). Soutenue off. par Malaisie et Singapour (France et USA en sous-main). FNLKP **(Front nat. de libération du peuple Khmer) ;** armée FALNPK (Forces armées de lib. nat. du peuple k.) *f. 1979, Pt :* Son Sann (ancien collab. de Lon Nol), *Cdt en chef :* Gal Sak Sutsakhan, 5 000 h. Longtemps soutenu par USA. **PDLB (Parti démocratique libéral bouddhiste)** *Pt :* Son Sann.

P. du Kampuchéa démocratique (PKD) **ou Khmers rouges** *(Armée nat. du Kampuchéa démocratique, ANKD).* Chef : Khieu Samphan [avant, Son Sen (16-6-1930) qui avait remplacé Pol Pot (ex-Saloth Sar n. 1925 ou 28) dep. sept. 85]. 16 000 à 20 000 h. armés par Chine et USA en 1993 (150 000 en 1990). Contrôlent grande partie de l'ouest du C. (Pailin, Cardamomes) et encerclent centres urbains. Dep. 1985, recherchent assise pop. Ils rafleraient des enfants dès 10 ans pour en faire des soldats. Pol Pot continuerait à diriger le mouvement depuis Thaïlande et ouest du C.

■ Économie

PNB (est. 91). 170 $ par h. **Pop. active** (% et, entre par., part du PNB en %) agr. 80 (80), ind. 3 (5), services 17 (45). **Inflation** (%). *89 :* 50 ; *90 :* 100 ; *91 :* 150 ; *92 :* 200. **Dette extérieure** (millions de $). *1988 :* 500 ; *89 :* 140 ; *91 (FMI) :* 39 ; *92 :* 200 (+ 1 Md de roubles) [dont Japon 200, USA 135, Banque mondiale 110, CEE 97 (*France 57*), BAD 80, PNUD 57, Australie 40]. **Aide** (millions de $) : *internationale 1979-82 :* 400, *92-93 :* 880 ; *soviétique 86-87 :* 2 600 (arrêtée 1990) ; *Viêt-nam.*

Agriculture. *Terres* (milliers d'ha, 82) arables 2 800, cultivées en permanence 1 800, pâturages 580, forêts 13 372 (surexploitées), eaux 452, divers 654. « Groupes de solidarité » *(krom samaki) :* de 10 à 15 familles qui vendent leur surplus à l'État et écoulent le reste sur le marché libre. Chaque famille possède de 800 à 2 000 m². *Production* (milliers de t, 91) : riz (paddy) [*1969 :* 3 800 ; *79 :* 565 ; *86 :* 2 000 ; *87 :* 1 700 (déficit : 200) ; *88 :* 2 400 ; *89 :* 2 100] 2 400 ; *91 : 2 400 ; 92 :* (déficit 171) (autosuffisant avec 3 500), canne à sucre 238, manioc 62, maïs 50, noix de coco 48, patates douces 35, soja 30 (90), tabac, kapoc, coton, caoutchouc 30 [*1969 :* 53] (mal cultivé), jute 2,8 (90), fruits, légumes.

Élevage (milliers, 91) poulets 8 000, canards 4 000, bovins 2 150, buffles 760, porcs 1 610. **Pêche** (t, 90) *eau douce* 65 100 (110 000 en 1970) ; *marine* 39 900 (40 000).

Nota. – *Trafic : pierres précieuses* (50 % de la prod. thaïl.), dont Khmers rouges tirent revenus de 100 à 400 millions de $/an (100 000 mineurs thaïlandais) ; *bois,* devenu rare dans région dévastée par l'abattage. *1992 :* 250 000 ha rasés sur 7 millions. *1993* (1-1) embargo du bois (violé 3-3).

Industrie. Artisanat, conserveries. Achète 100 000 t de pétrole à l'URSS par an.

Transports (km). *Chemins de fer* 649 (*1970 :* 1370) 10 % en service ; *routes* 13 350 (2 600 asphaltées) mais 500 carrossables ; *navigation intérieure* (Mékong, Tonlé Sap) 1 400. **Tourisme** *Sites.* Phnom Penh : Fête des eaux vers le début nov. quand les eaux du Tonlé Sap se retirent vers la mer ; pavillon Napoléon III [dans palais Khemarin (résidence du prince)] offert en 1876 à Norodom 1er (servit à l'impératrice Eugénie lors de l'inauguration du canal de Suez) ; temples d'Angkor [(600 érigés de 800 à 1431), dont Angkor Vat (287 sur 200 km², édifiés sans fondation, assemblés sans ciment, puis envahis par végétation et livrés au vandalisme dont Banteay Srei « temple des femmes », à 26 km au N.-E. d'Angkor V.) : statues en grès rose (certaines dérobées par Malraux), bains royaux, monastère de Prak Khan, Ta Prohm « temple de la jungle ». Angkor Thom (temple de Bayon de 13 tours à 4 faces souriantes, terrasse des Éléphants)]. Non Angkor (200 temples, sur 400 km²) ; Preah-Vihear (temples du x et XIe s.). *Visiteurs :* 3 000 (en 1992).

Commerce (millions de $ US, 90). **Exp.** 52 (vers URSS 10,8 en 85). **Imp.** 162 (de l'URSS 109,5 en 85). *Échanges avec Japon (en 91) :* 1 000 (90 % du pétrole c. acheté).

Cameroun

Carte p. 1090 . V. légende p. 884.

Situation. Afrique. 475 442 km². *Alt. max. :* Mt Cameroun 4 094 m. *Sud :* plaine côtière, bas plateaux et monts volcaniques, pluies 1,5 à 4 m, forêts. *Centre :* plateau de l'Adamaoua 800 à 1 500 m, pluies 1,25 m, saison sèche 5-7 mois. *Nord :* plaine de la Bénoué, monts Alantika et de Mandara, pluies moins abondantes, savanes. **Frontières :** 4 669 km dont Guinée équat. 183, Gabon 302, Congo 520, Rép. centrafric. 822, Tchad 1 122, Nigeria 1 720. *Côtes :* 364 km.

Population. *1991(est.) :* 12 200 000 h. ; *2000 :* 14 424 000 h. D 26. – *de 15 a. :* 46,1 %, + *de 60 a. :* 5,6 %. *Mortalité infantile :* 10,3 %. *Espérance de vie :* 57 a. *Pop. rurale* 71,5 %, *urbaine* 28,5 %. **Ethnies** 200 dont au S. Pygmées 15 000, Bantous 1 900 000 (Makas 200 000, Fangs 900 000, Bassas Bakokos 260 000, Doualas 140 000, Betis 170 000), Bantoïdes 2 000 000 (Bamilékés 650 000, contrôlent la plupart des grandes affaires, Bayas 125 000) ; au N. Soudanais 1 300 000, Paléosoudanais 1 140 000 (Massas, Toupouris, Mboums, Dourous), Néosoudanais 160 000, Hamites, Peuls 350 000, Sémites, Arabes Choas 60 000. **Étrangers.** Européens 15 000 (dont *9 000 Français*), Nigérians 70 000, Guinéens équat. 30 000. **Émigration :** 33 000 en France. **Villes** (91) : *Yaoundé* 1 000 000 (91), Douala 1 500 000, Nkongsamba 60 000, Bafoussam 200 000, Maroua 80 000, Garoua 120 000, Bamenda 60 000, Kumba 55 000, Ngaoundéré 50 000. **Langues off.** Français (75 %), anglais (25 %). Environ 220 langues et dialectes : pidgin, bamiléké, fang, foufouldé, béti, moundang, toupouri, bakossi. **Scolarisation** 67 % (Nord 30,90 %, Centre et Sud 92,1). **Religions** (en %). Animistes 45, catholiques 21, musulmans 20, protestants 14.

Histoire. XVe s. atteint par le Portugais Fernando Poo, attire au **XVIIe s.** négriers, **XVIIIe s.** négociants et missionnaires brit. **1884**-*12-7* tr. avec chefs doualas, Ed. Woermann établit protectorat allemand. Gustave Nachtigal (1834-85) occupe le C. pour l'All. **1911** la Fr. cède partie du Congo pour avoir les mains libres au Maroc. **1916** Fr. et Angl. battent All. au C. (1 800 All. + 700 auxiliaires). **1919**-*28-6 tr. de Versailles* mandats fr. (432 000 km² sans compter les 278 000 km² du Congo cédés à l'All. en 1911 et qui retournent à l'AEF) et brit. (89 270 km²). **1940** rallié à Fr. Libre. **1945** mandats transformés en tutelles. **1955-62** révolte de l'UPC. **1958**-*13-9* son chef, Ruben Um Nyobe est tué *-31-12.* C. français obtient autonomie interne. **1960**-*1-1* indép. Après plébiscite, C. brit. se scinde : N. fusionne avec Nigeria. S. avec C. ex-fr., les 2 constituent une fédération (1-10-61). **1966** unification des partis des 2 régions. **1972**-*21-5* référendum pour État unitaire (99,97 % oui). **1974** mise en service du Transcam (622 km de ch. de fer, Yaoundé/Ngaoundéré). **1982**-*4-11* Ahmadou Ahidjo (n. 5-8-1924), musulman peul au pouvoir dep. 5-5-60, démissionne pour raisons de santé, remplacé par PM P. Biya. **1983** *févr.* Pt Biya en Fr. *-21/22-6* Pt Mitterrand au C. *-18-7* Ahidjo quitte le C. *-22-8* complot ; échec. *-23-8* Luc Ayang PM. *-27-8* Ahidjo démissionne de l'UNC (remplacé 14-9 par Biya). *-6-11* Maigari Bello Bouba (n. 1947) PM. **1984**-*14-1* Biya élu Pt (99,98 % des voix). *-25-1* poste de PM supprimé. *-28-2* Ahidjo condamné à mort par contumace et gracié (vit en Fr., et au Sénégal, † Dakar 30-11-89). *-6-4* putsch « nordiste » du col. Saleh Ibrahim échoue (70 à 300 †). *-15-8* du gaz carbonique s'échappe du lac Monoun (37 †). **1985** *janv.* Pt Biya en France. **1986**-*21-8* du gaz carbonique s'échappe du lac Nyos (1 887 †). Voir index. *-25-8* relations rétablies avec Israël. **1987** Pt Biya en France. *-24-4* Pt Biya réélu ; législatives, le RDPC présente 2 listes pour la 1re fois. **1990** *janv.* USA annulent dette d'assistance écon. (20 milliards de FCA) et accordent rééchelonnement de la dette bilat. (6 Mds). *-26-5* 20 000 manif. à Bamenda, à l'appel du FSD : 6 †. *-août* selon « International News Hebdo » 650 milliards de F CFA auraient été détournés dep. 1986. *-6-12* loi sur multipartisme. **1991**-*21-2* 1re réunion publique de l'UPC. *-5-3* expulsion de l'écrivain Mongo Betti rentré le 24-2 après 32 a. d'exil. *-11-4* manif. *-13-4* Kombo : 4 †. *25-4* Sadou Hayatou PM. *-16-5* Douala : 4 †. *Juin* le Pt refuse la Conférence nat. *-16-7* manif. à Meiganga, 9 †. *-1-10* 1re université catholique à Yaoundé. *-3-12* fin du contrôle militaire dans l'O. et le N. **1992** *-29/30-1* affrontements dans le N., 35 †. *Août* 2 religieuses assassinées. *-11-10* présidentielle (5 candidats), Paul Biya réélu (39,9 %), John Fru Ndi (35,9 %) ; résultats contestés. *-27-10/29-12* état d'urgence dans la région de Bamenda, John Fru Ndi en résidence surveillée.

Statut. Rép. *Const.* du 2-6-72, plusieurs fois révisée. 10 *provinces,* 49 *départements.* **Assemblée nat.** 180 m. élus au suff. univ. pour 5 a *(élections lég. 1-3-92 :* RDPC 88, UNDP 68, UPC 18, MRD 6). *Pt* (élu pour 5 a. au suffr. univ.) Paul Biya (n. 13-2-33) dep. 6-11-82. *PM* Simon Achidi Achu dep. 9-4-92. **Partis.** Au 1-3-92, env. 70 dont *Rassemblement démocratique du Peuple Cam.* (RDPC), f. 1966, remplace 31-3-85 l'Unc (parti unique jusqu'en déc. 90), *leader* Paul Biya, *secr. gén.* Joseph-Charles Doumba. *Union des Pop. du C.,* f. 1948, interdite 1960, mènera guérilla réprimée par l'armée française (+ de 3 000 †), reconstituée 1991, *Pt* Dika Akwa. *Union nat. pour la* *démocratie et le progrès* (UNDP) *leader* Samuel Ebona et Maïgari Bello Bouba. *Front social démocratique* (FSD) f. 16-3-90, *Pt* John Fru Ndi (n. 1958), implanté dans le N.-O., anglophone. *Mouvement social pour la nouvelle démocratie* (MSND) *leader* Yondo Black. **Fête nat.** 20 mai. **Drapeau** (1960). Bandes : verte, rouge et jaune. Une étoile (pour l'unité) ajoutée 1972 (auparavant 2, représ. C. français et C. brit.).

■ Économie

PNB ($ par h.). *1985 :* 783 ; *88 :* 1 120 ; *89 :* 928 ; *90 :* 1 090 ; *91 :* 1 000. **Pop. active** (% et, entre parenthèses, part du PNB en %) agr. 63 (24), ind. 10 (19), services 25 (45), mines 2 (12). **Inflation** (%) *1984 :* 11,3 ; *85 :* 1,2 ; *86 :* 3,2 ; *87 :* 11,5 ; *88 :* 8,6 ; *89 :* 2,4. **Aide financière** (milliards de F CFA). *1983 :* 27,5 ; *84 :* 35 ; *88 (oct.) :* 150 millions de $ par FMI ; *90 :* 3,6 *par France,* 0,3 par USA. **Dette extérieure** (milliards de $). *1988 :* 5,5 ; *89 :* 4,92 *(service de la dette* 0,6 en 88).

Agriculture. *Terres* (milliers d'ha, 79) arables 5 899, cultivées en permanence 1 014, pâturages 8 300, forêts 25 750, eaux 600, divers 5 982. *Production* (milliers de t, 91) manioc 1 230, igname 80, plantain 1 946, maïs 450, millet et sorgho 463, cacao 110, café 100, sucre 1 400, banane 520, coton 35, caoutchouc 40, tabac 4. **Élevage** (milliers, 91). poulets 18 000, bovins 4 700, chèvres 3 550, moutons 3 550, porcs 1 414. **Pêche.** 77 600 t (89). **Forêts.** bois 14 216 000 m³ (90).

Pétrole (millions de t). *Réserves* 55, exploité dep. *1978, prod. 1987 :* 8,5 ; *88 :* 8,3 ; *89 :* 9 ; *90 :* 8,2 ; *91 :* 7,9. **Gaz.** *Réserves* 115 milliards de m³, usine de liquéfaction prévue à Kribi. **Mines.** Cassitérite, titane, or. Bauxite et fer non exploités. **Industrie** (88). *Hydroélectricité* 2,40 milliards de kWh, *aluminium* (Alucam) 88 000 t (90), *pâte à papier.* **Transports** (km). *Chemins de fer* 1 104, *routes* 66 910 (2 922 bitumées). **Tourisme.** 130 000 vis. (89).

Commerce (milliards de F CFA, 86). **Exp.** 541,7 dont pétrole 192,7, cacao, café, bois, aluminium ; *vers* P.-Bas 148,9, *France 111,8,* USA 88,7, All. féd. 39,6. **Imp.** 590,4 dont biens d'équipements 79,72, demi-produits et produits pétroliers ; *de France 248,9,* All. féd. 53,8, Japon 45, USA 29, Italie 27,9. **Rang dans le monde** (91). 7ᵉ cacao. 15ᵉ café.

■ Canada

V. légende p. 884.

■ **Nom.** En algonquin : lieu de rencontre.

■ **Situation.** Amér. du N. 9 970 610 km² dont eaux intérieures 755 180 km², soit 18 fois la France. **Frontières** 8 892 km (avec USA dont Alaska 2 476, au S. 6 416). **Côtes** 244 000 km (la + grande baie du monde : baie d'Hudson, 12 268 km côtes, 822 324 km²). **Fuseaux horaires,** 6 [de – 3 h 30 (TU Terre-Neuve, à l'E.) à – 8 h (Yukon, à l'O.)]. **Alt. max.** 6 050 m (Mt Logan). **Glaciers** 2 % (îles de l'Arctique 150 000 km², continent 50 000 km²).

Ottawa capitale fédérale. Distances (en km). Montréal 190, Toronto 399, Québec 460, Winnipeg 2 218, Calgary 3 553, Vancouver 4 611.

■ **Régions. Toundra arctique :** au N. de la limite sud du pergélisol continu (état qui se maintient à – de 0 °C plusieurs années). *Région inuitienne* (378 000 km²) : au N. du passage de Parry (74ᵉ N.) : îles Ellesmere, Axel Heiberg (1/3 recouvert de glace), Parry et Reine-Élisabeth ; toundra pauvre. *Basses terres sédimentaires arctiques* (409 000 km²) : îles de l'Arctique au S. du passage de Parry (îles Banks, Victoria, Pᶜᵉ-de-Galles, Somerset et Southampton), plaine côtière de l'Arctique, y compris delta du Mackenzie : toundra riche et humide : lichens, mousses, herbes et carex. *Bouclier arctique* (1 412 000 km²) : 20 % du district de Mackenzie (terr. du N.-O.), 80 % du district de Keewatin (terr. du N.-O.), 35 % du dis. de Franklin (terr. du N.-O., majeure partie de l'île Baffin) et 15 % du terr. québécois. À l'E., toundra humide, avec des îlots de « toundra buissonneuse » ; à l'O, terrains rocheux *(barren grounds).*

Savane subarctique et forêt boréale : du Mackenzie à Terre-Neuve : pergélisol, par endroits, dans le S. et N. *Terres de la baie d'Hudson* (303 000 km²) : organiques sans affleurement rocheux (épinette et tamarak, avec sous-bois d'aulnes et de saules). *Bouclier subarctique et boréal* (3 354 000 km²) : 40 % du Mackenzie, 10 % du Keewatin, 35 % du Saskatchewan, 60 % du Manitoba, 80 % du Québec et 55 % de l'Ontario ; toundra, forêt (50 à 160 km de largeur) : épinette blanche et noire ; zones boisées du N. : savane, épinette noire ; forêt boréale, de Terre-Neuve à la Colombie brit. (épinette, sapin, mélèze, pruche, pin). *Plaines intérieures* (1 479 000 km²) : 300 à 1 000

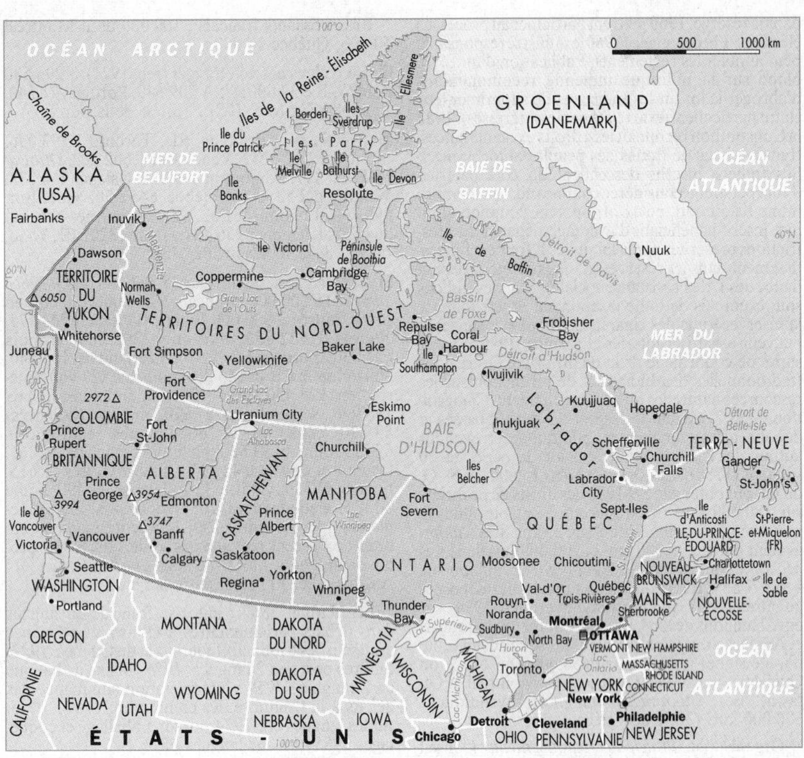

km de largeur (avec quelques vallées, collines et escarpements) : végétation semblable à celle du bouclier boréal. *Appalaches, Acadien boréal* (150 000 km²) : Terre-Neuve et Gaspésie au Québec (peu accidentées).

Forêt tempérée de l'Est : de la Nouvelle-Écosse (océan Atl.) au lac Supérieur (Ontario). *Appalaches, Acadien tempéré* (210 000 km²) : hautes terres des cantons de l'E., au Québec, Nouveau-Brunswick, Nouvelle-Écosse et l'île du Pᶜᵉ-Édouard (épinette rouge, sapin baumier, bouleau jaune, érable à sucre, hêtre). *Bouclier tempéré can.* (161 000 km²) : rocheuses avec poches intermédiaires de sable, silt et argile (érable à sucre, tremble, bouleau jaune, pruche, pin rouge, pin blanc). *Basses terres du St-Laurent* (181 000 km²) : entre Appalaches et bouclier (roches sédimentaires avec terrains vallonneux et dépôts glaciaires) : hêtre et érable, chêne blanc, hickory, noyer, tilleul d'Amér., cerisier d'automne.

Prairies (337 000 km²). 10 % de l'Alberta, 35 % du Saskatchewan et 5 % du Manitoba ; quelques tremblaies ; grande partie labourée pour blé.

Cordillère : o. du Canada : zones forestières boréales, subalpines, côtières et du Columbia. *Est* (458 000 km²) : montagnes bien découpées (Mackenzie, Richardson et Rocheuses) 60 %, plateaux et contreforts (Porcupine et Laird et contreforts des Rocheuses) 30 %, plaines (Old Crow, Eagle et Mackenzie) 10 %. *Intérieur* (821 000 km²) : relief moins accentué, plateaux (intérieur, Stikine, Hyland et Yukon) 55 %, montagnes (British, Selwyn, Cassiar, Omineca, Skeena, Hazelton et Columbia) 40 %, basses terres (fossés des Rocheuses, Tintina et Shakwak) 5 %. Végétation N. (forêts mixtes) ; S. (montagnes boisées, prairies, terres pauvres où pousse l'armoise). *Ouest* (313 000 km²) : relief accentué, élevé : massif St-Élie (alt. max. du C. : Mt Logan, 6 050 m), chaîne côtière et montagnes formant îles Reine-Charlotte et Vancouver. De Vancouver à l'Alaska : fjords ; régions forestières subalpines et côtières.

■ **Lacs** (km²). *Supérieur* 82 100 (dont 28 700 au C.), *Huron* 59 600 (dont 36 000 au C.), *grand lac de l'Ours 31 326, grand lac des Esclaves* 28 570, *Érié* 25 700 (dont 12 800 au C.), *Winnipeg* 24 390, *Ontario* 18 960 (dont 10 000 au C.).

■ **Climats.** *Côte Pacifique :* frais et sec en été à l'intérieur des terres ; doux, nuageux et enneigé en hiver. *Colombie britannique :* selon l'altitude (côté au vent et humide des montagnes : neiges abondantes l'hiver ; vallées sèches abritées : été torride ; écarts de température (jour et nuit) marqués sur hauts plateaux). *Zone intérieure :* continental (hiver rigoureux, été court et chaud, rares précipitations). *N. de l'Ontario et du Québec :* humide, hiver froid, été chaud et abondantes précipitations toute l'année. *Atlantique :* continental humide malgré l'influence de la mer sur le littoral. *Iles du N., côte de l'Arctique et région baie d'Hudson :* arctique constant [hiver long interrompu quelques mois chaque année (t. moy. au-dessus de 0 °C ; précipitations faibles)]. *Zone boréale transitoire :* hiver long et rigoureux (l'été dure plus longtemps) : précipitations, légères dans l'O., abondantes dans péninsule d'Ungava.

■ Démographie

■ **Population** (en millions). *1800 :* 0,3 ; *51 :* 2,35 ; *71 :* 3,69 ; *1901 :* 5,37 ; *31 :* 10,38 ; *41 :* 11,51 ; *51 :* 14,01 ; *61 :* 18,24 ; *71 :* 21,57 ; *81 :* 24,34 ; *91 (1-6) :* 27,29 ; *92 (est.) :* 27,2 ; *2000 (prév.) :* 28,93. *Age : – de 15 a. :* 21,4 %, *+ de 60 a. :* 15 %. D 3. *Taux de natalité* (90) : 15,3 ‰. *Croissance* (1990) : 0,9 % (2,7 pour Indiens).

■ **Acadiens** (6 dont 4 millions de francophones descendent des 3 380 premiers colons (dont 1 425 femmes) venus de France avant 1680 : en majorité de Poitou et Saintonge (les Québécois sont plus souvent d'origine normande ou picarde), arrivés en 1604 avec Champlain. Établis en Acadie (Nouv.-Écosse) française jusqu'au tr. d'Utrecht (1713). Les Québécois sont restés français 50 ans de plus (tr. de Paris, 1763) ; ils ont été l'objet de tentatives d'assimilation plus brutales. **Implantation :** *a)* ancienne Acadie, annexée par la G.-B. 1713 : Terre-Neuve 2 655 ; Ile du Pᶜᵉ-Édouard 6 080 ; N.-Écosse 36 030 ; N.-Brunswick 234 030 (total : 278 795). *b)* Québec 300 000 (dont Montréal 100 000). *c)* USA (N.-Angleterre 75 000 ; Louisiane 600 000).

■ **Amérindiens. Nombre :** *1500 :* 200 000 ; *1900 :* 100 000 ; *1961 :* 208 286 ; *81 :* 491 460 ; *91 :* s'identifiant comme Indiens 470 615 (207 470 dans les réserves dont en % : Ontario 22,3, Col. brit. 20,2, Manitoba 14,4, Alberta 14,1, Saskat. 13, Québec 9), s'identifiant comme Métis 135 265 ; *2 000 (est.) :* 600 000. **Langues et dialectes** 50 en 10 principaux groupes (dont algonquin, iroquois, sioux, athapascan, kootenayen, salishen, wakashen, tsimshen, haida, tlingite, cri, ojibway et inuktitut). **Réserves** 2 237, de quelques ha à des milliers. *Sup. totale* 24 840 km ². Les terres de la Couronne ne peuvent être vendues ou louées sans l'accord du Conseil de la bande et l'autorisation du min. des Aff. ind. **Statut : 1763** « proclamation royale » reconnaissant le droit des Ind. sur les terres encore non aliénées après 200 ans de présence fr. **1876** loi sur les Indiens : de sujets de la Couronne, deviennent « pupilles de la nation » (leurs biens, leurs personnes placés sous tutelle relèvent du ministère de l'Intérieur). Par 11 traités, cèdent à l'état fédéral 2 millions de km² (en contrepartie faibles annuités). **1936** affaires indiennes transférées à une division du ministère des Ressources et des Mines. **1951** loi définissant le statut de l'Indien : prévoit le régime de gestion des terres, le processus électoral du conseil de « bandes » (subdivisions d'une tribu) et la gestion des successions. Le terrain de la réserve appartient à l'État. S'il souhaite bâtir, l'autochtone doit en faire la demande au ministre des Affaires indiennes. Les conseils de bandes (élus par les membres de la bande) peuvent adopter des règlements touchant à la protection de la faune et de la flore, à la circulation et au maintien de l'ordre dans la réserve. **1960** peuvent participer au processus électoral. **Fin des années 1960** le ministre responsable peut annuler les règlements. Publication d'un Livre blanc sur la politique indienne recommandant d'abroger la loi sur les Indiens et de supprimer leur statut particulier (texte rejeté par les intéressés). **1982** la Constitution reconnaît les « droits existants, ancestraux ou issus de traités des peuples autochtones » [les Indiens inscrits descendent du côté paternel d'une personne considérée comme ind. (ou membre d'une bande ind. en 1874) ou sont conjoints d'un ind. inscrit bénéficiant d'avantages légaux]. Les restrictions prescrites par la loi sur les I. freinent l'investissement dans les réserves (d'où pauvreté et dépendance des I. de l'assistance sociale). Mais les Indiens sont exemptés de toute taxation sur le territoire de la réserve (trafic des cigarettes, alcool et essence) et peuvent organiser loteries et casinos. **1990** la Cour suprême confirme le droit de propriété des régions traditionnelles des Indiens et de juridiction sur les ressources naturelles qu'elles contiennent. **Contestations.** Les I. exigent le respect des traités passés et dénoncent les tr. iniques [ex. : 500 km² de terre vendus autour de Toronto contre un lot de perles et 10 shillings (1788)]. Les *Dénés* et *Métis* 15 000 (au N.-O. du C.) ont obtenu le 5-9-1988 des droits de propriété sur 180 000 km² (qui resteront à la Couronne) et recevront 500 millions de $ sur 20 ans. Les *Yukons* avaient obtenu 25 000 km² et 200 millions de $. Les *Mohawks* ont obtenu le 26-11-1990 25 millions de $ sur 5 ans. Revendications territoriales déposées au bureau des revendications ouvert dep. 1974 : sur env. 2 millions de km². Les *Algonquins* (que Français et Anglais n'ont jamais conquis puisque aucun traité n'a été signé) revendiquent 650 000 km² (40 % du Québec et partie de l'Ontario avec Montréal et Ottawa). Les *Attikamels-Montagnais* revendiquent 500 000 km² (30 % du Québec).

Organisation. *Principaux regroupements :* Conseil national des Métis, Conseil national des autochtones et Assemblée des 1res nations. *Pt* Ovide Mercredi (Cri du Manitoba dep. 12-6-91). *Bandes :* 603 reconnues, vivant sur 2 634 réserves.

Conflits dans les réserves. *Mohawks* début 1988, après des affrontements, la police envahit la réserve d'Akwesame (territoire à cheval entre Québec-Ontario et État de New York) et saisit cigarettes de contrebande, armes et drogue. Sept. 1988, même opération à Kahnawake, les Mohawks bloquent le pont entre Can. et USA. *Innus* (Labrador) : dep. oct. 1988, 250 campent près de la base aérienne de Goose Bay, protestant contre les vols des avions de l'Otan qui perturbent les caribous. *Cris du Lubicon* (Alberta) : *1978* (6-10) n'ayant pas signé le tr. de 1899, se déclarent « indépendants » et réclament une réserve de 234 km².

■ Inuits. **Eskimos** (mangeurs de viande crue, à l'origine injure des Hurons). **Nombre :** *1961 :* 11 835 ; *81 :* 25 390 ; *91 :* 36 215 (dont en % Territoire du N.-O. 58,1, Québec 19,4, Terre-Neuve 13). **Statut :** *1975 :* le Québec leur accorde 225 millions de $ d'indemnité, lors de la construction du complexe hydroélectrique de la baie James, qui leur enlève la jouissance de 610 000 km². **Nunavut** *1991-16-12 :* accord gouv.-Inuits créant le Nunavut (Terre du peuple) dans le Territoire du N.-O. *1992 nov. :* ratifié par référendum (69 % des voix des 8 000 votants). Administration confiée aux Inuits sur 350 000 km². Droits de chasse, pêche sur 2 200 000 km², exploitation du sous-sol sur 14 000 km². Versement sur 14 ans de 1,15 milliard de $ C, en échange renoncent à leurs droits ancestraux. *Population :* 17 500 h.

■ Immigrants. Accueillis : + de 10 000 000 depuis 1867 (400 000 en 1913). *Du 1-6-1971 au 31-5-1981 :* 1 437 669 (6,45 % de la pop.) ; *81 :* 131 455 ; *82 :* 121 147 ; *83 :* 88 846 ; *84 :* 90 000 ; *85 :* 84 302 ; *86 :* 97 474 ; *87 :* 152 098 ; *88 :* 161 929 ; *89 :* 191 971 ; *91 :* 212 166. *Quotas d'immigration autorisés. 92-95 :* 250 000 par an.

Province	Population [1]	Minorité [2]
Alberta	2 545 553	62 145
Colombie britannique	3 282 061	45 615
Ile Pce-Édouard	129 765	6 080
Manitoba	1 091 342	52 560
Nouveau-Brunswick	723 900	234 030
Nouvelle-Écosse	899 942	36 030
Ontario	10 084 885	475 605
Québec	6 895 963	809 000 [3]
Saskatchewan	988 928	25 535
Terre-Neuve	568 474	2 655
Terr. du Nord-Ouest	57 649	1 240
Yukon	27 797	580

Nota. – (1) Populations (au 1-7-1991). (2) Minorités (en 1982) francophones, sauf (3) anglophones (en 86).

Ressortissants français : 160 000 dont Montréal 50 000, Québec 10 000.

■ Canadiens nés à l'étranger (rec. 1971). 3 295 530 dont G.-B. 933 000, USA 309 640, Portugal 71 540, Inde 38 875 ; (*rec. 1981 :* 16,1 % de la pop.).

■ Principales villes (agg. 91). Toronto 3 893 046, Montréal 3 127 242, Vancouver 1 602 502, *Ottawa-Hull* 920 857, Edmonton 839 924, Calgary 754 033, Winnipeg 652 354, Québec 645 550, Hamilton 599 760, London 381 522, St. Catharines-Niagara 364 552, Kitchener 356 421, Halifax 320 501, Victoria 287 847, Windsor 262 075.

■ Langues maternelles (sur 25 354 000 hab.). *1986 :* anglais 15 300 000, français 6 200 000 (90 000 en 1759), autres 2 900 000 [dont (81) italien 528 775, allemand 522 855, ukrainien 292 265, chinois 224 030, portugais 165 510, néerlandais 156 640, hollandais et frison 146 830, polonais 127 960, amérindien 127 450, grec 122 960, indo-pakistanais 116 990, serbo-croate 87 870, magyar (hongrois) 83 720, espagnol 70 160, langues scandinaves 67 725, punjabi 53 680, philippin et tagalog 44 865, tchèque et slovaque 42 825, l. indochinoises 41 615, finnois 33 380, yiddish 32 760, russe 31 490, arabe 30 115, vietnamien 30 105, japonais 20 130, arménien 17 140, coréen 17 100]. L'accent canadien viendrait de l'accent parisien des « filles du Roy » promises au XVIIe s. aux 1ers colons. *Avril 1991* (en %) : Anglais 60,5, Fr. 23,8, autre langue 13.

Législation. *1867 :* autorise français ou anglais dans débats parlementaires à Ottawa et à Québec et au sein des tribunaux fédéraux et du Québec. *1927 :* timbres-poste en 2 langues. *1936 :* billets de banque en 2 langues. *1959 :* interprétation simultanée des débats à la Chambre des communes. *1969 :* 1re loi sur les langues off. *1974 :* loi sur emballage et étiquetage. *1988 :* loi sur langues off.

■ Religions. **Catholiques** 11 375 445 (91). *Pratiquants 1961 :* 60 % ; *71 :* 30 %. *Clergé (83) :* prêtres 6 904 diocésains (66,6 % francophones) + 178 dans les éparchies, dont 1 420 à la retraite ; 5 % de – de 35 ans ; départs 1 020 de 1960 à 83 ; ordinations 65 par an dep. 1977 ; paroissiens sans prêtre 11,2 %. **Église anglicane du C.** 2 600 000 m. (1990). **Juifs** 296 425 (1981). **Grecs orthodoxes** 230 000 (1984). **Luthériens** (1985) 220 327. **Presbytériens** (1985) 215 911. **Pentecôtistes** (1985) 178 743. **Baptistes** 133 352. **Musulmans** (1981) 100 000.

■ Histoire

20000 av. J.-C. arrivée de tribus d'Asie par le détroit de Behring. **VIe-XVe s. après J.-C.** Peuplement des territoires du N.-E. (encore non glacés) par des Esquimaux (venus d'Alaska) et des Norrois (« Vikings » venus d'Islande). **V. 550** le moine irlandais St Brendan (selon 2 manuscrits médiévaux : *le Voyage de St Brendan l'abbé* et *le Livre de Lismore*), avec 17 autres moines, aurait atteint la « Terre promise aux saints » sur un *curragh* (bateau garni de cuir), au cours d'un pèlerinage de 7 a. qui les aurait menés au Groenland et à Terre-Neuve ; Brendan aurait ensuite regagné son monastère (en 1977, le trajet fut effectué sur un curragh moderne par Timothy Severin). **IXe s.** Islandais chassés d'Islande, fixés au Groenland, exploitent le bois du Labrador et de Terre-Neuve. **986** un marchand norvégien, Bjarni Herjulfson (selon 2 récits médiévaux islandais : le *Flateyjarbok* et le *Livre de Hauk*), visite son père au Groenland. **1000** le Norvégien Leif Eriksson (selon Helge Ingstad qui a découvert en 1960 l'Anse aux Meadows, le seul site viking trouvé à Terre-Neuve, le seul reconnu officiellement en Amér. : parc national, classé par Unesco dans le patrimoine mondial) débarque sur l'île de Baffin (Helluland), puis au Labrador (Markland), enfin à Terre-Neuve qu'il appelle Vinland [à cause du raisin indigène d'Amér. du N., la *Vitis labrusca* ou de *vin* (en vieux norrois, « pâturage »)]. **1004-5** Thorvald, frère de Leif, hiverne dans le Vinland, puis, explorant la région du St-Laurent, est tué par des Indiens ; les survivants de l'expédition ramènent son corps au Groenland en 1007. **1010** l'Islandais Thorfinn Karlsefni, beau-frère de Leif, s'établit avec 60 hommes et 5 femmes au Vinland où sa femme met au monde un garçon, Snorri (1er Européen né en Amér.). **1014** les colons islandais retournent au Groenland, à cause des attaques des Indiens et de l'absence de femmes. **1121** l'évêque groenl., Éric, meurt au Vinland. **1347** les Groenl. livrent en Islande du bois labradorien. **1356** le Norv. Paul Knutson prend la tête d'un groupe de colons. La plupart meurent en Amér., les autres retourneront en Norvège en 1364. **1476** le marin danois Johannes Scolp et le noble portugais João Vaz Corte Real, chargés par le roi Alphonse de Portugal et Christian Ier de Danemark de trouver une route de la soie vers la Chine, partent du Danemark, explorent : baie d'Hudson, golfe et fleuve du St-Laurent. N'ayant pas trouvé de passage vers l'Asie, ils retournent au Danemark où leurs découvertes suscitent peu d'intérêt. **V. 1485** Christophe Colomb séjourne en Islande et enquête sur l'existence du Vinland. **1497**-*24-6* Jean Cabot (Génois, 1450-99) explore le Canada. **1524** redécouvert par Verrazzano (1480-Brésil 1527 ?), Florentin envoyé par François Ier. N.-Est appelé Nouv.-France. **1534** Jacques Cartier (Français de St-Malo, 1491-1557) prend possession du C. au nom de François Ier et remonte le St-Laurent (1536). **1583** Humphrey Gilbert (v. 1537-1583) prend possession de Terre-Neuve au nom de l'Angl. **1604** 1re installation de colons fr. (île de Ste-Croix, actuellement USA). **1608** Fr. Samuel de Champlain (Fr. 1570-1635) fonde Québec 1627 et devient gouverneur. **1629** capitule devant flotte angl. **1632** *tr. de St-Germain-en-Laye :* les Angl. rendent le C. par charte royale à une « Cie de la Nouvelle-France » (100 associés). **1642** Montréal fondé. **1661** Sté des Indes occ. fondée. **1663** révocation de la Charte de la Cie : le Can. est assimilé à une province fr. ; planning : fait en métropole (ex. : expansion du blé, pour ravitailler Fr. ; interdictions de culture du tabac, pour ne pas concurrencer St-Dominique ; de transformer les fourrures, pour ne pas concurrencer la Fr.). **1665-72** intendance de Jean Talon ; peuplement français. **1672** Louis Jolliet (1645-1700) et le père Jacques Marquette (1637-75) atteignent le Mississippi par le Wisconsin. **1672-82** gouvernement de Frontenac, essor économique. **1680** René Cavelier de La Salle (1643-87) descend Mississippi et fonde Louisiane (de Louis XIV). **1687** Indiens micmacs et malécites s'allient aux Fr. contre Angl. (g. de la ligue d'Augsbourg). **1689-1763** g. franco-anglaise (Indiens algonquins et hurons alliés aux Fr. ; iroquois aux Angl.). **1713** *tr. d'Utrecht* Louis XIV abandonne Acadie (auj. N.-Brunswick et N.-Écosse), Terre-Neuve et terr. de la baie d'Hudson à l'Angl. (les Fr. y soutiendront Indiens révoltés contre colons angl. ; les Acadiens n'auront pas le droit de se replier au C. resté fr.). Art. 13 : la Fr. garde le droit d'envoyer des pêcheurs à Terre-Neuve dans les conditions qu'ils avaient pratiquées jusque-là (en revenant chaque année et en s'installant sur la côte pour trancher la morue et la sécher, mais sans que jamais leurs constructions puissent affecter un caractère définitif ou même permanent), sur le French Shore (littoral de Terre-Neuve entre les caps Ray et St-John). **1740** Halifax fondé. **1750** Nouvelle- France englobe vallées du St-Laurent et Mississippi jusqu'au golfe du Mexique, avec 85 000 h. (Nouv.-Angleterre : 1 500 000 h., sur un territoire 20 fois moindre). *Origine sociale* des 10 000 Fr. immigrés de 1608 à 1760 (dont 2 500 en 1668) : soldats 3 500, « filles du Roy » (ouvrières pauvres, veuves, orphelines, recrutées comme futures épouses) 1 100, prisonniers 1 000, engagés 3 900, colons libres 500. Il y a également de nombreux immigrants anglais, notamment à Montréal. **1754**-*17-4 g. de Sept Ans :* Fr. (alliés aux Indiens) : 900 h. ; Angl. 1 850 h., dont 450 Amér. **1755-60** déportation (le *Grand Dérangement*) de 15 000 Acadiens fr. vers d'autres colonies brit. (Massachusetts, Maryland, Caroline, Virginie, Connecticut, Nlle-York, Pennsylvanie, Georgie) ou fr. (St-Domingue, Louisiane). *Motif :* ont refusé le « serment d'allégeance » à la Couronne (qui les aurait obligés à porter les armes contre les terr. demeurés fr.) ; (le tr. de 1713 les dispensait de ce serment, mais les Angl. ont déclaré ce statut caduc, à cause de l'état de g.). **1756** Louis, Mis de Montcalm (Gal, 1712-59), envoyé par la Fr., essaye de rétablir la situation, mais les colons fr. sont 65 000 et les Angl. 1 200 000. **1759**-*18-9.* Québec : Gal angl. Wolfe bat Montcalm (W. est tué ; M., blessé, meurt le 19). **1760** Ste-Foy, Mis de Vaudreuil (1698-France 1778), gouverneur de Québec, capitule (jugé en Fr., acquitté). **1763**-*10-2 tr. de Paris* Fr. renonce à la N.-France, cède à l'Angl. le Can. qui constitue la province de Québec, et la rive g. du Mississippi (reste de Louisiane donné à l'Esp.) ; les îles du Pce-Édouard rattachées à la N.-Angleterre et les territoires N.-O. d'Ottawa constituent un territoire de chasse interdit à la colonisation. Les Angl. renoncent à imposer au Québec protestantisme et institutions brit. en échange de la liberté relig. accordée aux huguenots fr. Noblesse, cadres administratifs, gros commerçants fr. quittent le C., des anglophones (en majorité écossais) les remplacent.

1774 *Acte de Québec* permet aux Fr. de conserver institutions et religion (le terme *canayen* désigne désormais les Can. cath. et francophones). **1775**-*13-11*/**1776**-*17-6* les Amér. soulevés contre l'Angl. prennent Montréal, mais échouent devant Québec. **1776-83** 6 000 colons anglais « loyalistes » quittent États insurgés pour se fixer au C. (sur des terres confisquées aux Canayens). **1791** divisé en Haut et Bas-C., séparés par la rivière des Outaouais. Le Haut-C. (Ontario aujourd'hui), peuplé d'une majorité de loyalistes de N.-Angl., adopte système légal et gouvernemental de la G.-B. ; le Bas-C. ou Québec, essentiellement franç., garde lois civiles fr., mais adopte Code criminel angl. **1792** *1re élection d'un Parlement :* 35 dép. de langue fr. (pour 14/15e de la pop.) ; 15 dép. de l. angl. (pour 1/15e de la pop.). **1799** le Parlement vote subside de 20 000 livres pour aider la G.-B. en g. contre la Fr. **1801** nouveau subside, fourni par souscription (« fonds patriotiques »). **1813** des envahisseurs amér. sont battus à *Châteauguay ;* les combats se poursuivent jusqu'en 1818 (fixation de la frontière au 49e parallèle). **1837-38** *rébellions dans Haut et Bas-C.* [leader francophone : Louis-Joseph Papineau (1786-1871), exilé à Paris 1839-47, amnistié 1847 ; l. anglophone : William Lyon Mackenzie (1795-1861), exilé aux USA. 1839-49 ; amnistié 1849] ; 12 Canayens exécutés à Montréal ; nombreux départs de Canayens aux USA (total 1837 à 1910 : 500 000). **1840**-*23-3 Acte d'Union,* Haut et Bas-C. deviennent le C. uni. **1840-1900** immigr. massive d'Irl., catholiques et anti-anglais, politiquement alliés des Canayens, mais anglophones ; ils anglicisent le pays. **1867**-*1-7 Acte de l'Amérique du Nord britannique* créant la Confédération du C., comprenant N.-Brunswick, N.-Écosse, Ontario, Québec. Création du Sénat. **1869** révolte des Métis (francoph.) du Manitoba, dépouillés de leurs terres par nouveaux immigrants angloph. (leader : Louis Riel, dép. en 1871, expulsé du Parlement). **1877** loi limitant droits de l'enseignement confessionnel. **1885** 2e révolte des Métis du Manitoba (Riel pendu 16-11). **1890** Manitoba abolit les dispositions garantissant l'usage du français à l'école. **1896** ruée vers l'or du Klondike. *-Déc.* près de Dawson City.

1900 Ottawa, incendie. **1904** la Fr. renonce à l'exclusivité de ses droits de pêche sur une partie de la côte de Terre-Neuve. **1914-18** *1re G. mondiale* (30 000 combattants, dont 12 000 volontaires). **1916** l'Ontario limite l'usage du fr. dans les écoles. **1919** début de l'emprise écon. des USA sur le C. **1931** *Statut de Westminster : le C. devient dominion* indépendant, mais Londres enlève 110 000 km² au Québec pour les donner à Terre-Neuve, qui ne fait pas partie du dominion (Labrador). **1939** le C. déclare la g. à l'All., les Québécois se montrent réticents devant le service en Europe (10 000 déserteurs). **1944** les C. participent au débarquement en Normandie. 37 217 † durant la g. **1967** de Gaulle au C. Voir p. 946 b. **1970** campagne terroriste du FLQ (Front de libération du Québec). **1978**-*1-11* Trudeau PM ; le gouv. féd. propose aux provinces de réexaminer la répartition de l'impôt, le contrôle des dépenses féd. **1979**-*22-5* élections : victoire conservateurs : Joseph Clark PM. **1980**-*18-2* él. : victoire libéraux : Trudeau PM. *-20-5* référendum sur indép. du Québec : non 59 %. **1982** rapatriement de la Const. c. et adoption le 17-4 de la charte c. des droits et libertés. *-18/25-7* 1re assemblée mondiale des Nations premières : 2 000 à 3 000 autochtones représentant 250 nations de plus d'une douzaine de pays se réunissent à Regina (Saskatchewan). **1983**-*15/16-3* Conférence constitutionnelle à Ottawa sur droits des autochtones ; propositions rejetées par Indiens de Colombie brit. n'ayant signé aucun traité avec le C. et Trudeau qui refuse le principe de souveraineté nat. pour Indiens. **1984** *juin* John Turner PM. *-4-9* él., succès conservateur. *-9/20-9* Jean-Paul II au C. **1986**-*20/22-2* Brian Mulroney en Fr. *-25/29-5* Mitterrand au C. **1987**-*3-6* accord. *-30-4 accord du lac Meech* entre PM et les 10 PM provinciaux, reconnaît au Québec un statut de « Sté distincte », non ratifié. La Cie de la baie d'Hudson (en 1838 possédait 3 millions de milles carrés) vend ses derniers comptoirs. **1988**-*2-1* accord de libre-échange avec USA (ratifié 30-12). *25/29-1* Jeanne Sauvé en Fr. (1re visite d'État d'un gouverneur c.). *-21-11* législatives : victoire conserv. **1989**-*31-3* accord franco-c. sur droits de pêche au large de Terre-Neuve. *Été* 6,4 millions d'ha de forêt incendiés, *-6-12* Marc Lépine (25 ans) tue 14 étudiantes à l'école polytechnique de Montréal (deuil national de 3 j). **1990**-*29-5* loi recriminalisant l'avortement. *8/9-6* Québec obtient le statut de « Sté distincte » en échange de l'adhésion à la Constitution c. *-21-6* Manitoba et Terre-Neuve refusent de ratifier l'accord du lac Meech dans les délais (avant le 23-6). *-23-6* Québec décide de négocier désormais de gouvernement à gouvernement avec Ottawa. *-11-7/29-8* affrontements police-Mohawks, opposés à l'agrandissement d'un golf près de Montréal (1 policier †).

Élections à la Chambre des communes

% de voix et, en italique, nombre de sièges

	30-1-72		8-7-74		22-5-79		18-2-80		4-9-84		21-11-88	
P. libéral ...	38,5	*109*	42,9	*141*	39,9	*114*	44,3	*147*	22,8	*40*	31,9	*82*
P. prog.-conser. ...	35	*107*	35,6	*95*	36,1	*136*	32,4	*103*	49,6	*211*	43,8	*169*
Nouveau P. dém. ..	17,7	*31*	15,6	*16*	18	*26*	19,2	*32*	18,6	*30*	21	*43*
Crédit social.	7,6	*15*	5	*12*	4,5	*6*		*0*		*0*		*1*
Divers	1,3	*2*	0,9	*1*	1,5	-		*0*		*1*	3,3	*0*

-6-9 législatives en Ontario, vict. des sociaux-dém. 74 s. sur 130. **1991**-*3-4* Rita Johnston, PM de Colombie brit. **1992**-*28-8 accord de Charlottetown* entre PM fédéral, 10 PM provinciaux, les représentants des 2 territoires et les 4 repr. des autochtones ; réforme sénat et chambre, le Québec sera une « Sté distincte » dans la conféd., autonomie des minorités indiennes. *-26-10* référendum sur cet accord : non 54,4 % (Colombie brit. 68, Manitoba 62, Alberta 60, Saskatchewan 55, Québec 55, Nelle-Écosse 51), oui 44,6 % (I. du Pce Édouard 74, Terre-Neuve 63, N.-Brunswick 61, Ontario 50,1). **1993**-*24-2* PM Brian Mulroney démissionne. *Automne* législatives.

■ Organisation politique

■ **Statut.** État fédéral membre du Commonwealth. **Constitution** du 17-4-1982 remplace la Constitution 1-7-1867 ; après le rapatriement de l'Acte de l'Amér. du N. brit. voté 2-12-1981 par Parlement can. (246 v. contre 24) et 17-2-1982 par Chambre des communes brit. (334 v. contre 44) malgré l'opposition du Québec, qui ne voulait pas voir restreindre l'autonomie des provinces. **Provinces** *1867* Ontario, Québec, N.-Brunswick, N.-Écosse. *1870* Manitoba (ancien État de la Rivière-Rouge). *1871* Colombie brit. *1873* île du Pce-Édouard. *1905* Alberta, Saskatchewan. *1949* Terre-Neuve [après référendum, 78 408 pour, 71 466 contre (partisans d'un gouv. autonome)]. **Fête nat.** 1er juill. **Drapeau** *1965* (15-2) national : bandes latérales rouges et feuille d'érable rouge à 11 pointes sur fond blanc (ajoutée 22-10-1964). **Grandes armoiries :** *composition :* léopards d'Angleterre, lion d'Écosse, harpe d'Irlande, lis de France, feuilles d'érable du Canada.

■ **Pouvoir exécutif. Chef d'État :** reine Elisabeth II représentée par le **gouverneur gén.** nommé par elle pour 5 à 7 ans (sur l'avis du PM can., assisté par un conseil privé). **PM** choisit son cabinet.

■ **Pouvoir législatif. Parlement fédéral : Sénat** [104 m. présentés par le PM et nommés à vie par le gouv. gén., 30 ans min. (retraite 75 ans), Ontario 24, Québec 24, N.-Écosse 10, N.-Brunswick 10, Terre-Neuve 6, Colombie brit. 6, Manitoba 6, Alberta 6, Saskatchewan 6, Pce-Édouard 4, Yukon 1, Terr. du N.-O. 1]. **Chambre des communes** (295 m. élus pour 5 ans) ; répartition revue après chaque recensement ; en 1988 : Terre-Neuve 7, N.-Écosse 11, N.-Brunswick 10, île du Pce-Édouard 4, Québec 75, Ontario 99, Manitoba 14, Saskatchewan 14, Alberta 26, Colombie brit. 32, Yukon 1, Terr. du N.-O. 2. *Seul* organe auquel le cabinet ait à rendre des comptes. Après 3 lectures, vote les lois.

■ **Partis. P. libéral :** *f.* 1867, *leader :* Jean Chrétien (n. 11-1-34) dep. 23-6-90 [avant, John Turner (7-6-29), Pierre Elliott Trudeau (18-10-19)]. **P. conservateur :** *f.* 1854, devenu 1942 *P.* **Progressiste-Cons.,** lors de l'absorption du P. progressiste ; *leader :* Kim Campbell dep. 14-6-93 [avant Brian Mulroney (20-3-39)]. **Nouveau P. démocratique :** *f.* 1961 par fusion de la CCF (Cooperative Commonwealth Feder.) et du CTC (Congrès du Travail du C., 140 000 m.), tendance soc., *leader :* Audrey McLaughlin (1re femme à diriger un parti pol. au C.) (dep. 2-12-89 ; avant, Edward Broadbent). **Green Party,** *f.* 1983.

■ **Référendums. Nationaux :** *1898* sur la prohibition (seul le Québec est contre : le gouv. féd. laisse les provinces choisir). *1942* sur la conscription (seul le Québec est contre) ; sera adoptée en 1944. *1980* 20-5 sur le statut du Québec (non). *1992* 26-10 sur réforme constitut. **Provinciaux :** rares. **Municipaux :** courants.

■ **Pouvoir judiciaire.** La *Cour suprême,* instituée 1875, juge en dernier ressort dans les litiges de nature criminelle et les procès en matière civile. 9 juges.

■ **Provinces fédérées** (10). Chacune a son parlement (1 chambre). *Pouvoir exécutif* exercé par le Lt-gouv. en conseil nommé par le gouverneur gén. *Pouvoirs relevant uniquement de la prov. :* pouvoirs constitutionnels prov. (sauf sur ce qui touche le Lt-gouv.), propriété, souveraineté sur ressources, droits civils, impôts directs, emprunts, aménagements, vente des terres de la Couronne, hôpitaux prov., licences commerciales, travaux publics sauf décision contraire du pouvoir féd., justice (le gouv. nomme les juges des cours prov.), éducation. *État féd. :* gère ch. de fer, ports et aéroports. *Divisions :* régions et sous-régions adm., municipalités, comtés, cités, villes, cantons, districts municipaux.

■ **Territoires.** Relèvent directement du gouv. et du Parlement can. élu. Chacun a un commissaire à sa tête, nommé par le gouv. assisté d'un conseil (Yukon : 16 m., Terr. du N.-O. : 24 m.).

■ **Gouverneurs généraux. 1867** Vte MONCK (1819-94). **69** Lord LISGAR (1807-76). **72** Cte de DUFFERIN ET AVA (1826-1902). **78** Mis de LORNE (1845-1914). **83** Mis de LANSDOWNE (1845-1927). **88** Lord Stanley de PRESTON (1841-1908). **93** Cte d'ABERDEEN (1847-1934). **98** Cte de MINTO (1845-1914). **1904** Cte GREY (1851-1917). **11** SAR le duc de CONNAUGHT et de STRATHEARN (1850-1942). **16** Duc de DEVONSHIRE (1868-1938). **21** Lord BYNG DE VIMY (1862-1935). **26** Vte de WILLINGDON (1866-1941). **31** Cte de BESSBOROUGH (1880-1956). **35** Lord TWEEDSMUIR (1875-1940). **40** Cte d'ATHLONE (1874-1957). **46** Vte ALEXANDER DE TUNIS (1891-1969). **52** Vincent MASSEY (1887-1967) (1er Can.). **59** Gal Georges Philéas VANIER (1888-1967). **67** (17-4) Roland MICHENER (1900-91). **74** (14-1) Jules LÉGER (1913-80). **79** (22-1) Edward R. SCHREYER (21-12-35). **84** (14-5) Jeanne SAUVÉ (1922-93). **89** (3-10) Ramon John HNATYSHYN (1934).

■ **Premiers ministres.** *Légende.* (C. : conservateur, L. : libéral.) **1867** *1-7* Sir John Alexander MACDONALD (1815-91). **73** *7-11* Alexander MACKENZIE (1822-92) L. **78** *17-10* MACDONALD C. **91** *16-6* Sir John Joseph Caldwell ABBOTT (1821-93) C. **92** *5-12* Sir John Sparrow David THOMSON (1844-94) C. **94** *21-12* Sir Mackenzie BOWELL (1823-1917) C. **96** *1-5* Sir Charles TUPPER (1821-1915). **96** *11-7* Sir Wilfrid LAURIER (1841-1919) C. **1911** *10-10* Sir Robert Laird BORDEN (1854-1937) C. **17** *12-10* id. Unioniste. **20** *10-7* Arthur MEIGHEN (1874-1960) C. **21** *29-12* William Lyon MACKENZIE KING (1874-1950) L. **26** *28-6* Arthur MEIGHEN Unioniste. **26** *25-9* MACKENZIE KING L. **30** *7-8* Richard Bedford BENNETT (1870-1947) C. **35** *23-10* MACKENZIE KING C. **48** *15-11* Louis Stephen SAINT-LAURENT (1882-1973) L. **57** *21-6* John George DIEFENBAKER (1895-1976) Progr. **63** *22-4* Lester Bowles PEARSON (1897/1972) L. **68** *20-4* Pierre Elliott TRUDEAU (18-10-19) L. **79** *4-6* Charles Joseph CLARK (5-3-39) C. **80** *3-3* Pierre Elliott TRUDEAU L. **84** *30-6* John Napier TURNER (7-6-29) L. **84** *17-9* Brian MULRONEY (20-3-39) C. **93** *-25-6* Avril Phaedra (dite Kim) CAMPBELL (n. 1947 ; ép. 1972 Nathan Divinski, divorce 1982) C.

■ Confédération canadienne

■ **Alberta.** 661 185 km² dont 16 796 d'eau. 2 565 000 h. (92) (dont, en 82, Brit. 761 665, All. 231 005, *Fr. 94 665,* Ital. 24 805). D 3,7. **Villes** (1991) : *Edmonton* 616 741, Calgary 710 677, Lethbridge 60 974. **Ressources.** *Agriculture* 8 000 exploitations de + de 445 ha. ; plan d'irrigation pour 364 200 ha dans le S.-E. *Charbon. Gaz naturel. Pétrole. Céréales.* **Commerce (90) :** *exp.* 15,6 milliards de $. *Imp.* 4. **Emblème :** rose aciculaire (1930).

■ **Colombie britannique** (appelée Nouv.-Calédonie jusqu'en 1858). 952 263 km², 3 305 000 h. (92) [dont, en 82, Brit. 1 265 445, All. 198 315, *Fr. 96 550,* Ital. 53 795, Chinois 44 315 (+ de 100 000 h. descendent de Chinois venus v. 1860 construire le Canadien Pacifique), Danois 21 205]. D 3,3. **Villes** (1991) : *Victoria* 287 897 (agg.), Vancouver 1 602 502 (agg.). **Forêts** 75 % du terr. (54 % des réserves can.). **Pêcheries** (1er rang). Projet de ch. de fer vers Alaska. **Commerce** (milliards de $, 90) : *exp.* 16,4, *imp.* 14,2. **Emblème :** cornouiller du Pacifique (1956).

■ **Ile du Pce-Édouard** (appelée î. St-Jean jusqu'en 1798). 5 660 km (le plus petit État du C. : long. 224 km, larg. 6 à 24 km), 130 000 h. (92) (dont en 1982 : Brit. 92 285, *Franç. 15 325,* All. 955). D 23 (la plus forte du C.). **Villes** *Charlottetown* 30 000 (91). Summerside 8 020 (87). **Ressources** pommes de t., porcins, pêcheries. **Commerce** (milliards de $, 90) : *exp.* 0,16, *imp.* 0,045. **Emblème :** cypripède royal (1947), sabot de la vierge (1965).

■ **Manitoba.** 649 047 km², 1 096 000 h. (92) (dont, en 82, Brit. 414 125, All. 123 056, Ukrainiens 123 000, *Fr. 86 510,* Juifs 20 010). D 1,67. **Villes** (1990) : *Winnipeg* 647 100 (agg.), Brandon 39 366, Thompson 14 379. **Forêts** (50 % du terr.). **Céréales** (dont blé 50 %). **Commerce** (milliards de $, 90) : *exp.* 2,9, *imp.* 3,3. **Emblème :** anémone pulsatille (1966).

■ **Nouveau-Brunswick.** 73 440 km² dont 1 871 d'eau, 728 000 h. (92). D 9,85. **Langue maternelle** (1991) angl. 64,1 %, *Français 32,7.* Une partition entre région francophone et r. anglophone a été envisagée. **Villes** (1991) : *Fredericton* 71 869, St John 124 981, port de commerce, Moncton 106 503. **Ressources** forêt, pêche, pommes de t. Très endetté. **Chômage** 12 % (30 % chez les francophones). **Commerce** (milliards de $, 90) : *exp.* 3,1, *imp.* 2,7. **Emblème :** violette cucullée (1936).

■ **Nouvelle-Écosse.** En anglais : Nova Scotia (du latin) [appelée Acadie jusqu'en 1713, y compris île du Cap-Breton (avant, î. Royale)]. 52 840 km², 907 000 h. (92) (dont, en 82, Brit. 611 310, *Fr. 80 215,* All. 40 910). D 16,8. **Villes** (1991) : *Halifax* 182 253 h., port. **Forêts** (75 % du terr.). **Pêcheries** (2e rang). **Commerce** (milliards de $, 90) : *exp.* 2,2, *imp.* 3,2. **Emblème :** Fleur de mai (1901).

■ **Ontario** (belles eaux en Iroquois). 1 068 630 km² (dont cours d'eaux et lacs 189 196). 10 098 000 h. (92). **Langue maternelle** Angl. 75,1 %, *Français 4,6,* autres 17,2. Hongrois 65 695). D 9,12. **Villes (91) :**

ALBERTA

COLOMBIE BRITANNIQUE

ILE DU PRINCE ÉDOUARD

MANITOBA

NOUVEAU-BRUNSWICK

NOUVELLE-ÉCOSSE

ONTARIO

QUÉBEC

SASKATCHEWAN

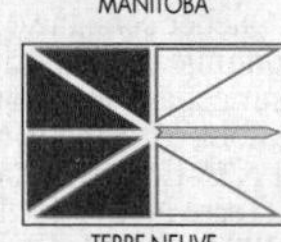
TERRE-NEUVE

TERRITOIRE DU NORD-OUEST

TERRITOIRE DU YUKKON

Toronto 2 275 771 (agg.), Hamilton 318 499 (agg.) [*1851 :* 30 775, *1901 :* 208 040], **Ottawa** (cap. fédérale) 313 987 (agg.), London 303 165 (agg.), Windsor 191 435, Kitchener 168 282 (agg.), Sudbury 148 877. **Ressources :** N. : or, argent, amiante, uranium ; S. : industrie utilisant hydroélectricité (Niagara, Outaouais, St-Laurent) ; pétrochimie, sidérurgie à Hamilton (5,1 millions de t). Dépend de l'Alberta pour matières premières, et du Québec pour débouchés. Représente 38 % du PNB du Can., 52 % du PIB, 52,6 % des articles manufacturés. **Commerce** (milliards de $, 90) : *exp. :* 70,4, *imp. :* 79. **Chômage** (92) : 11,2 %. **Parcs :** 220 (dont p. Algonquin, créé 1893, 7 600 km², 1 600 km de voies navig. par canot). **PM :** Bob Rae. **Emblème :** trille à grande fleur (1937).

■ **Québec** (la « Belle Province »). Connu comme la Nouvelle-France ou le Canada (1535-1763), prov. de Québec (1763-90), Bas-Canada (1791-1867) et, depuis 1867, prov. de Québec. **Régions :** basses terres du St-Laurent (3 060 km, 1 300 000 km² de bassin versant, 13 000 m³/s), plateau des Laurentides (750 m), chaîne des Appalaches 1 300 m (s'étendent jusqu'en Gaspésie), Saguenay. **Lacs et rivières :** + de 1 million. **Superficie :** 1 667 926 km² dont 352 792 d'eau. **Climat :** Sud : humide. Hiver froid ; été, la temp. dépasse rarement 28 °C. *Pluies :* 76 à 139 cm. **Population.** *Vers 1730 :* 50 000 h., *1851 :* 890 000 h. ; *1881 :* 1 359 000 h. ; *1911 :* 2 006 000 h. ; *1941 :* 3 332 000 h. ; *1951 :* 4 056 000 h. ; *1961 :* 5 259 000 h. ; *1971 :* 6 028 000 h. ; *1981 :* 6 438 000 h. ; *1987 :* 6 532 465 h. [dont *Fr.* 5 105 665, Brit. 437 835, Ital. 163 880, Amérindiens 82 000, Juifs 81 190, All. 53 870 (82), Grecs 47 450, Antillais (surtout Haïtiens) 36 785] ; *1992 :* 6 926 000 h. D 4,1. **Taux (‰) :** *1985* natalité 13,1 ; *1988* fécondité 1,41 ; *1985* mortalité 6,9 ; accroissement 6,9. **Émigration** *dep. 1967,* 5 000 et 10 000 pers. par an, vers d'autres prov. can. **Immigration** *1979-82 :* 84 509 ; *1982 :* 26 640 ; *1988 :* 25 420 dont (en %) Haïti 6,6, *France 7,6,* Liban 6,5, Sri Lanka 5,5 (82), Hong Kong 5,3, Portugal 3,9. **Chômage** (89) 9,4 % ; (92) 11,7. **Villes** (1991) : *Québec* 167 517 [*1851 :* 42 052, *1901 :* 68 840] (ville 164 580), Montréal (mét., fondée 1692) 2 921 357 en 86 [*1851 :* 57 715, *1901 :* 266 736] (ville 1 017 666), Laval 314 398, Chicoutimi-Jonquière 158 468 (agg. en 86), Sherbrooke 76 429, Verdun 61 200 (est. 90), Hull 60 900 (est. 90), Trois-Rivières 51 800 (est. 90).

Langue. **1974**-*31-7* loi 22 faisant du fr. la seule l. officielle ; **1977**-*26-8* « charte de la langue fr. » (loi 101) seule langue autorisée pour l'affichage extérieur. **1979**-*13-12* la Cour suprême du C. la déclare inconstit. **1984** la Cour suprême, s'appuyant sur la nouvelle Const. du C., bien que le Québec ne l'ait pas ratifiée, déclare illégale l'oblig. pour les parents venant d'autres provinces d'inscrire leurs enfants dans des écoles fr. **1986**-*22-12,* la C. d'appel déclare inconstit. l'art. 58 de la loi 101 qui fait du fr. la seule langue autorisée dans l'affichage commercial. **1988**-*15-12* la C. suprême déclare inconstit. les dispositions de la loi 101 imposant le seul usage du fr. dans affichage, pub. et dénomin. des Stés. *-21-12* l'Ass. du Q. vote (91 voix contre 26) loi maintenant l'affichage en fr. permettant le bilinguisme avec présence du fr. à l'intér. des magasins. **1993**-*23-6* loi autorisant l'anglais dans affichage commercial. **Langue maternelle** (1991) Français 81,2 %, Angl. 8,7, autres 7,5.

Religions (1981). *Catholiques* 5 618 365 [87,3 % ; 22 diocèses, 1 976 paroisses, 4 287 prêtres (5 382 en 1961), 32 528 religieuses et religieux]. L'Église cath. a gardé un rôle prépondérant (hôpitaux, presse, universités) jusqu'en 1968. De 1960 à 69, les ordinations ont diminué de 57,7 %. *Anglicans du C.* 187 115. *Presbytériens* 34 625. *Baptistes* 25 050. (Il y a 20 000 francophones protestants.)

Histoire récente. **1935** Maurice Duplessis (1890-1959) fonde l'Union nationale (au pouvoir 1936-39 et 1944-60). **1960**-*22-6* victoire du P. libéral provincial (alors nationaliste), le PM *J. Lesage* (1922-80) lance une politique d'émancipation. **1961**-*5-10,* délégation générale du Q. à Paris (reconnue officiellement par la Fr. le 1-1-1965). **1963** développement d'un courant séparatiste (leader Pierre Bourgault). *Mars* naissance du Front de lib. du Q. (FLQ), terroriste (il aura 35 membres en oct. 70 et disparaîtra fin 72). *-8-4* Lester Pearson PM (P. libéral féd.). **1966**-*5-6 Daniel Johnson* (9-4-1915/26-9-1968) PM (Union nat. réformée). **1967**-*22/26-7* de Gaulle au Q. *-24-7* du balcon de l'hôtel de ville de Montréal, crie : « Vive le Q. libre ! » ; protestation du gouv. can., annulation du voyage à Ottawa. **1968**-*20-4* P.E. Trudeau PM féd. *-26-9* Daniel Johnson meurt. Jean-Jacques Bertrand (20-6-1916) PM. **1970**-*29-4* Robert Bourassa (14-7-33), PL, PM. *-30-4* victoire élect. du P. libéral. *-5-10* le FLQ enlève James Cross, conseiller commercial brit. (libéré 3-12) et le *10-10* Pierre Laporte, min. de l'Emploi du Q. (assassiné 17-10). *-21-12* arrestation de certains des ravisseurs (Paul Rose condamné à la prison à vie sera libéré le dernier en sept. 82). **1974**-*31-7* la « loi 22 » institue le fr. comme seule langue off. au Q. *Déc.* visite off. du PM R. Bourassa. *Déc :* Jérôme Choquette crée le P. national. **1976**-*15-11 élections :* victoire du PQ [les anglophones se sont détournés du P. lib. (suite à la loi 22), plusieurs centaines ont quitté le Q.]. *-26-11* René Lévesque (24-8-1922/1-11-1987, PQ) PM. **1980**-*20-5* référendum national sur l'indépendance : 4 367 136 inscrits dont votants 85,6 % (non 60 %, oui 40 %). **1980-81** Trudeau renforce la centralisation, décevant ceux qui avaient voté *non* en espérant une Constitution favorable aux provinces. **1981**-*13-4* él. [R. Lévesque et PQ ont 80 députés (dont 3 anglophones) sur 122]. **1984**-*29-6* René Lévesque, PM quitte la présidence du PQ. *-3-9* bombe gare de Montréal : 3 Français tués. **1985** *janv.* congrès du PQ, 65 % écartent l'option « souveraineté » pour les prochaines él. *-29-9* Pierre-Marc Johnson (5-7-46, PQ) [fils de Daniel Johnson (9-4-1915/26-9-1968)] PM. *-2-12* él. : succès libéral (mais Bourassa est battu). *-2-12* Robert Bourassa (14-7-33, PL), PM. **1986**-*20-1* él. partielles Cté de St-Laurent : Bourassa élu (16 135 v. contre, 1 692 à Sid Ingerman du p. démocratique). **1987**-*23-6* l'Ass. nat. du Q. entérine *accord du lac Meech* du 3-6 entre le PM du C. et ses 10 homologues provinciaux ; s'il est ratifié le Q. adhèrera à la Constitution can., avec le statut de « société distincte ». *-23-6* l'Ass. nat. ratifie par 95 voix contre 18. *Sept.* 2e sommet francophone au Québec (Mitterrand et Chirac présents). *-23/24-10* 1re visite d'Elisabeth II dep. oct. 1964. *-1-11* Lévesque meurt. **1988**-*18-12* manif. à Montréal, la Cour suprême annule la loi sur l'affichage. *-19-12* à cause du projet de loi linguist. de Bourassa, le Manitoba retire son appui à l'accord du lac Meech. *-20-12* démission de 3 min. québ. angloph. **1989** *janv.* échec des négoc. sur la ratif. de l'accord du lac Meech (limite fixée en juin 1990) : opp. du Manitoba, du Nouv.-Brunswick et de Terre-Neuve. *-9-8* Ass. nat. dissoute. *-25-9* législatives, victoire du P. libéral. **1991** *août* congrès du P. conservateur reconnaît le droit à l'autodétermination au Q.

Statut. **Ass. nat. :** 125 députés élus pour 5 ans au scrutin majoritaire à un tour. Redécoupage des circ. favorise les régions rurales moins peuplées [circ. la – peuplée : îles de la Madeleine (8 000 él.), la + peuplée : Taillon (160 380)]. **Lt-gouv. :** Martial Asselin. **PM :** voir à Histoire. **Fête nat. :** St-Jean-Baptiste (24-6). **Drapeau :** bleu avec une croix et des fleurs de lys blanches (officiel dep. 21-1-1948). **Emblème floral** (1963) : lys blanc ; **aviaire** (1987) : harfang des neiges. **Devise :** « Je me souviens. »

Partis. **P. libéral du Québec** (indép. du P. lib. fédéral, *créé* 1848/50 ; *chef :* Robert Bourassa dep. oct. 83. **P. québécois** (Péquiste), *créé* 14-10-1968 par René Lévesque lors de la fusion mouv. Souveraineté-Association/Ralliement nat. ; pour l'indép. du Q. avec une association can. *Membres 1976 :* 300 000, *89 :* 115 000 ; *92 :* 150 000. *Pt : 1968 :* René Lévesque (1922-87) ; *1985 (25-9) :* Pierre-Marc Johnson ; *1988 (17-3) :* Jacques Parizeau. **P. de l'égalité,** *créé* 1989, anglophone., *Pt :* Richard Libman.

Sièges et *% des voix*	1970		1973		1976		1979		1981		1985		1989	
P. lib. (fédéral.)	71	*45*	28	*34*	2	*34*	26	*33,8*	42	*46*	99	*56*	92	*49,9*
Union nat.	17	*20*	11	*18*	11	*18*	11	*18,2*	–	*4,6*	–	–	–	–
Rall. créditiste	13	*11,5*	1	*1*	1	*5*	1	*4,6*	–	–	–	–	–	–
P. Q.	7	*23*	69	*41*	76	*41*	71	*41,4*	80	*49,2*	23	*38*	29	*40,1*
C. Indépendant	–	–	1	*2*	1	*2*	1	*2*	–	*0,2*	–	–	–	–
Nouv. p. dém.											–	*2,4*	–	*1,2*
P. de l'égalité													4	*3,6*
Divers											–	*2,6*	–	*5,2*

Ressources. Hydroélectricité, 45 % de la prod. can. (notamment complexe de la baie James) ; uranium près de la baie James ; bois (pâte à papier 20,3 Mt), 14 % de la prod. mond. forestière ; tourisme (sports d'hiver dans les Laurentides ; plages de la Gaspésie). **Industrie :** *principaux secteurs :* aérospatiale, électricité, génie-conseil, électronique, recherche et développement, informatique et télécom. **Commerce** *(milliards de $, 91) : exp.* 25,8 *vers* USA 19, G.-B. 0,729, P.-Bas 0,803, All. 0,702, *France 0,592 ; imp.* 27,6. **Croissance** (1989) 4,4 %.

■ **Saskatchewan.** 570 113 km², 994 000 h. (92). D 1,76. **Langue maternelle** (1991) Angl. 83,1 %, Français 2, autres 12,5. **Villes** (1991) : *Regina* 179 178, Saskatoon 186 058. **Ressources** blé (60 % du C.). Potasse. **Commerce** (milliards de $, 90) : *exp.* 4,6, *imp.* 1,4. **Emblème :** Lis rouge orangé (1941).

■ **Terre-Neuve et Labrador.** 371 690 km² dont 34 030 d'eau, 576 000 h. (92) (dont Esquimaux 1 055). D 1,4. **Langue maternelle** (1991) Angl. 98,4 %. **Villes** (1991) : *St John's* 171 859, Corner Brook 22 410. Entrée dans la Conféd. c. en 1950. Brouille avec Québec sur la région côtière du Labrador et l'île de l'Assomption, mises, en 1821 par l'arch. de Québec, sous la juridiction ecclésiastique du vicaire apostolique de Terre-Neuve, et détachées du Québec par la G.-B. en 1926. **Ressources** *pêche* (morue, baleine), *bois* et *papier, minerai de fer.* **Chômage** *(juil. 89) :* 16,4 %. **Commerce** (milliards de $, 90) : *exp.* 1,9 ; *imp.* 1,2 *(oct. 92) :* 21,6 %. **Emblème :** Sarracénie pourpre (1954).

■ **Territoire du N.-Ouest** [y compris l'archipel arctique can. (dont îles de la Reine-Élisabeth qui comprennent l'île d'Ellesmere, île Devon, îles Sverdrup, îles Parry, île Banks ou Terre de Banks, île Victoria, île du Pce-de-Galles, île Somerset, île de Baffin ou Terre de Baffin)]. 3 376 698 km², 56 000 h. (92) [dont en 89 : Inuits (eskimos) 37 %, Indiens 17 %, Brit., *Fr.,* All.]. D 0,016. **Langue maternelle** (1991) Angl. 54,2 %, Français 2,4, autres 41,6. **Villes** (1990) : *Yellowknife* 15 179 (91), Inuvik 2 740. **Emblème :** dryade à feuille étroite (1957).

■ **Territoire du Yukon.** 482 515 km² dont 4 481 d'eau, 28 000 h. (92) (dont en 82 : Brit. 8 945, All. 1 555, Franç. 1 230). D 0,061. **Langue maternelle** (1991) Angl. 88,1 %, Français 2,9, autres 7,4. Indiens athapaskan : 6 groupes (Kutchin, Han, Tutchone, Inland Tlingit, Kaska et Tagish). **Villes** (1990) : *Whitehorse* 17 925 (91), Dawson City (capitale de 1898 à 1951) 1 718, Watson Lake 1 651. **Emblème :** épilobe à feuilles étroites (1957).

■ Économie

PNB. *Total* (milliards de $) *1985 :* 341,8 ; *90 :* 578,6 ; *91 :* 595. *Par hab.* (en $) *1985 :* 13 400. *90 :* 22 040 ; *91 :* 20 040. **Taux de croissance** *1986 :* 3,1 %, *87 :* 3,75 % ; *88 :* 4,5 % ; *89 :* 2,8 ; *90 :* 1,1 ; *91 :* – 0,5 ; *92 (est.) :* 2,3. **Inflation** (%) *1980 :* 10,2 ; *81 :* 12,5 ; *82 :* 10,8 ; *83 :* 5,9 ; *84 :* 4,4 ; *85-86 :* 4 ; *87 :* 4,6. *88 :* 4 ; *89 :* 5 ; *90 :* 4,5 ; *91 :* 5,6 ; *92 :* 1,5 ; *93 (est.) :* 2,4 ; *94 (est.) :* 2,7. **Budget** (en milliards de $) : *déficit 1985-86 :* 30,6 ; *86-87 :* 29,3 ; *87-88 :* 29,3 ; *88-89 :* 28,9 ; *89-90 :* 30,5 ; *90-91 :* 28,5 ; *91-92 :* 31,5 ; *92-93 (est.) :* 26,9. **Dette publique** *1984 :* 208 ; *92 :* 420. **Balance des paiements** *1990 :* – 19 ; *91 :* – 10,7.

Pop. active (en milliers et, entre parenthèses, part du PNB en %). Agr. 4,9 (5), mines 4 (7), ind. 21,3 (20), services 69,8 (68). **Chômage (%)** *1981 (août) :* 7,1 ; *85 (janv.) :* 11,3 ; *90 :* 8,1 ; *91 :* 10,3 ; *92 :* 10,3 ; *93 (est.) :* 9,8. **Pauvreté** *1983 :* 17 % ; *91 :* 12,2 ; *92 (juin) :* 11,6 (1 700 000).

Agriculture. *Terres* (milliers de km², 79) arables 730, forêts 3 417, vierges 4 334, urbanisées et développées 34. Sur les 11 % de terres cultivables, 85 % sont dans l'Ontario et les Prairies. 82 % des terres agricoles sont dans l'O. du pays. *Production* (milliers de t, est. 91) blé 32,8, orge 12,4, maïs 6,6, avoine 1,8, viande 2,6 (87), lin 0,3, seigle 0,6. *Blé* (de printemps, surtout dans Prairie : Manitoba, Alberta, Saskatchewan, 30 % des terres cult., 75 % exportés, 2e pays exp., rendement : 2 060 kg/ha), avoine, orge, maïs (Ontario), oléagineux (colza, lin, soja, tournesol), tabac (Ontario), légumes [Québec (pommes de t.), N.-Brunswick]. **Forêts** 453 millions d'ha (50 % productifs, 25 % ayant un intérêt commercial). Gestion dépendant des provinces (prévu dans la const.). *Propriétaires* (en %) : État fédéral 11, provinces 80, privés 9 (430 000 personnes). En 1989, les incendies ont détruit 73 millions d'ha et les insectes 19 millions d'ha. *Production :* 1er prod. de papier journal (31 % de la prod. mondiale, 85 % exportés). 2e prod. de pâte à papier (16 %), 3e prod. de bois d'œuvre (16 %). *Prod.* de bois de sciage 179,9 millions de m³ en 90 [pertes : 143 millions de m³ (54,5 % d'incendies)]. *Commerce :* 17 % des exp. Principaux clients (en %) : USA 65, CEE 15, Japon 11. *Chiffre d'aff.* (90) : 19,7 milliards de $ C soit 3,4 % du PIB. *Employés :* 888 000 dont 348 000 directs. **Élevage** (milliers de têtes, 91). Bovins 12 369, vaches laitières 1 359, porcs 10 441, moutons 780. **Pêche** (millions de t, 90) 1,5. Terre-Neuve et Pacifique. **Fourrures, peaux.** Piégeage 63 %, élevage 37 % ; vison, renard, chinchilla.

Énergie. Pétrole (millions de t) *réserves* (92) 762, 86 % de la prod. : gisement de l'Athabasca (sables bitumeux contenant 84 % de sable, 11 % de pétrole, 5 % d'eau) ; *prod. : 1985 :* 84 ; *86 :* 84 ; *87 :* 87 ; *88 :* 93 ; *89 :* 90 ; *90 :* 91 ; *91 :* 92. **Gaz** (milliards de m³) *réserves 1992 :* 2 820 ; *prod. 1985 :* 84 ; *86 :* 90 ; *87 :* 98 ; *88 :* 100,5 ; *89 :* 105 ; *90 :* 107 ; *91 :* 115,6. **Électricité** (1989) 488 milliards de kWh dont (%, 87) hydraulique 66, thermique 17, nucléaire 17. **Consommation d'énergie** (% en 87). Pétrole 40, gaz nat. 28, électricité 28, énergies renouvelables 4.

Complexes hydroélectriques des baies James et d'Hudson. (N.-O. du Québec). *Projet (1971) :* sur 800 km de la Grande-Rivière, construction du *complexe de la Grande :* 7 barrages [Brisay, Laforge 2 et 1, La Grande 4, 3, 2 (inauguré 27-10-79), 2A] et 1 (en const. 1991), 4 réservoirs de 765 km² à 4 275 km² (Caniapiscau), 7 usines, 3 rivières ont été détournées pour renforcer le débit de la Grande-Rivière, ce qui entraîne des problèmes écologiques avec Cris (Indiens) et Inuits. En 1975, la Sté d'énergie de la baie James a accepté de verser sur 20 ans (1978-98) 115 millions de $ aux Cris et 90 aux Inuits. Un revenu min. garanti de 10 000 $ a été prévu pour familles de chasseurs et trappeurs. Les castors et la sauvagine ont dû émigrer à cause du changement de niveau des eaux. Elles nuisent aux migrations des caribous (en 1984, 10 000 se sont noyés en franchissant une chute d'eau). Depuis 1987, libération de méthylmercure par les bactéries qui digèrent les tourbières et les forêts immergées. *Grande Rivière de la Baleine :* se jette dans la baie d'Hudson. 1 000 km² inondés. Centrales de 3 000 MW. *Coût* est. 12,6 milliards de $ can. Sept. 1991, projet ajourné pour études supplémentaires.

Mines (1991). **Uranium :** *réserves* 7 150 t (30 % du monde), (84), *prod.* 7,8 t (85 % exp.). **Charbon :** *réserves* 24,6 milliards de t, prod. 71 000 000 t. **Nickel :** *réserves* 8 millions de t (84), prod. 189 161 t. **Fer :** Labrador, entre Québec et Terre-Neuve, *réserves* 20 milliards de t. (84), *prod.* 21 600 000 t (91). **Zinc :** 1 079 912 t. **Cuivre :** 795 000 t (91). **Amiante** (88) : 705 000 t, dont 80 000 t (11 %) exp. vers USA. **Argent :** 1 240 t. **Potasse :** 7 036 000 t (86). **Lignite :** *réserves* 3,5 milliards de t, *prod.* 31 000 000 de t (91). **Industrie.** *Auto* (*1978 :* 1 800 000 ; *83 :* 1 500 000 ; *85 :* 1 930 000 ; *87 :* 1 421 000 ; *88 :* 2 157 000), *mach. agricoles, pâte à papier, de bois, prod. alim., fer et m. non ferreux, raff. de pétrole, chimie, textile.* **Contrôle étranger** (80 % par USA) : pétrole (raff.) 99,9 % ; pétrole et gaz (prod.) 82,6 ; 1res transformations des métaux 84,9 ; ind. minière 60,5 ; manufacturière 68,7.

Transports. *Voies ferrées* 86 880 km (90). *Routes* 884 273 km (dont Trans-Canada Highway 7 699, ouverte 1962, reliant une côte à l'autre, Victoria à St-Jean-de-Terre-Neuve). *Navigation* importante sur Grands Lacs et St-Laurent, 3769 km (construction avec USA du *St Lawrence Seaway :* navires de 28 000 tx peuvent rejoindre les grands lacs). *Oléoducs et gazoducs* 196 000 km. *Voies aériennes.*

Tourisme. Visiteurs (92) : 35 731 000 (dont 32 427 000 Américains). **Curiosités :** *Anse aux Meadows :* (le + ancien établiss. européen en Amér. 1000 apr. J.-C.). *Edmonton :* West Edmonton Mall 48,6 ha. *Ile Anthony. Louisbourg :* forteresse, village des années 1740. *Moncton :* côte magnétique. *Montréal* [vieux quartier, basilique Marie-Reine-du-Monde (1870-86) copie de St-Pierre de Rome, oratoire St-Joseph contenant 4 000 personnes, croix illuminée de 30,5 m de haut], parc olympique. *Nanaimo* [mi-juill. course dans d'anciennes baignoires (Côte du Soleil près de Vancouver)]. *Ottawa* [forme anglicisée d'Outaouais (tribu indienne)], Parlement, tour de la Paix (89 m, carillon 53 cloches), m. des Beaux-Arts, m. de l'Aviation, m. des Civilisations. *Québec :* fondée 1608, muraille vieille ville, N.-D.-des-Victoires (1688), m. de la Civilisation. *Rossland* (ville de l'or découverte 1880). *Toronto* [tour du CN, 553 m (la + haute du monde, voir Index), Centre des Sciences, Ontario Place]. *Chutes du Niagara. Trail* (+ grande usine de plomb et de zinc du monde). **Parcs** [34 nationaux (sur 180 156 km²) et 82 historiques nat.] : dont Banff (*1885* le + ancien des p. nat., 6 641 km²), Dinosaur, Kluane, Moresby Sud (île Anthony), Nahanni, Rocheuses can., Wood Buffalo (précipice à bisons Head-Smashed-In), Ellesmere (1986).

Commerce (milliards de $ can., 91). **Exp.** 145,7 *dont* voitures particulières 16,2, camions 7,2, pièces détachées 6,3, bois d'œuvre 5, pâte de bois ou similaire 4,9, *vers* USA 109,6, Japon 7,2, G.-B. 3, All. 2,4, Corée du S. 1,9, Chine 1,9, P.-Bas 1,7, URSS 1,5, *France 1,4,* Italie 1,1, Taïwan 1,1. **Imp.** 135,3 *dont* pièces détachées 12,2, voitures 11,7, ordinateurs 6,6, éq. et mat. de télécom. 4, vêtements 3,5, *de* USA 86,2, Japon 10,2, G.B. 4,1, All. 3,7, *France 2,6,* Mexique 2,6, Taïwan 2,2, Corée du S. 2,1, Chine 1,9, Italie 1,8, Norvège 1,5. **Balance commerciale** (solde, en milliards de $ can.) *1987 :* – 6,2 ; *88 :* – 5,7 ; *89 :* 2,4 ; *90 :* 5, *91 :* 7,4.

Rang dans le monde (91). 1er zinc. 2e orge, nickel. 3e gaz. 4e argent, cuivre. 5e céréales, or. 6e blé, bois. 7e fer. 9e maïs, réserves de gaz. 10e réserves de charbon. 11e charbon, étain, pétrole. 14e porcins, lignite. 15e pêche, réserves de lignite. 18e réserves de pétrole.

CAP-VERT (ILES DU)

Carte p. 1147. V. légende p. 884.

Généralités. Afrique, à 455 km de Dakar. 4 033 km² [10 îles et 8 îlots en 2 groupes : *Barlavento (au vent)* Santo Antão, 779 km², São Vicente (227 km², Mindelo 50 000 h.), Santa Luzia, Bramo, Rojo 45 km², São Nicolau 388 km², Sal 216 km², Boa Vista 620 km², Branco, Raso ; *Sotavento (sous le vent)* Maio 269 km², São Tiago (991 km², 145 957 h.), Fogo (476 km², São Filipe 10 651 h.), Brava 67 km², Luís Carneiro, Sapado Grande, Cima]. *Alt. max.* 2 829 m (pic Canon, île de Fogo). **Climat** 22 à 28 °C.

Population. *1991 (est.) :* 340 000 h. *2000 :* 400 000 h. Métis 71 %, Blancs 1 %, Noirs 28 %. – *de 15 a. :* 45,6 %, *+ de 60 a. :* 6,7 %. *Taux de fécondité* 5,1 ‰. **Émigration** 1981 : 600 000. USA 320 000, Sénégal 40 000, Portugal 35 000, Angola 30 000, P.-Bas 10 000, Amér. latine 10 000, Italie 8 000, France 7 000, divers 20 000. 1989 : 950 000 (France 20 000). **Immigration :** réfugiés angolais. D 84. **Capitale.** *Praia* (Sur São Tiago) 62 000 h. (est. 91). **Langues.** Portugais *(off.)*, crioulo. **Religions** (%). Catholiques 90, protestants 3.

Histoire. 1456 découv. probable par le Vénitien Ca'da Mosta, au service du Portugal. Portugaise jusqu'en 1974. **1968** famine. **1974**-*12-12* autonomie. **1975**-*5-7* indépendance ; -*30-6* élect. décidant fusion avec Guinée-Bissau. **1980**-*14-11* coup d'État en G.-Bissau, fin du projet de parti commun (PAIGC : parti afr. de l'indép. de Guinée et du Cap-Vert). **1990**-*28-9* multipartisme adopté. **1991**-*13-1* législatives : Mpd 56 s., Paicv 23. -*31-1* police pol. dissoute.

Statut. République. **Constitution** 7-9-1980, amendée en sept. 90. **Pt** Antonio Mascarenhas Monteiro (n. 16-2-44) dep. 22-3-91 (élu avec 73,5 % des v.) [avant, Aristides Maria Pereira (n. 17-11-23) dep. 5-7-75]. **PM** Carlos Veiga (n. 21-10-49) dep. 25-1-91 [avant Pedro Rodrigues Pires (n. 29-4-34) dep. 5-7-75]. **Assemblée** 83 m. dont 79 élus pour 5 a. au suffr. univ. **Partis.** *P. afr. de l'indép. du Cap-Vert (PAICV) f.* 19-1-1981 ; *Mouv. pour la démocratie (MPD) f.* mai 1990. **Fêtes nat.** 20-1 (héros), 8-3 (femme), 1-5 (travail), 1-6 (enfant), 5-7 (indép.), 12-9 (nation). **Drapeau** (1975). Jaune, vert, rouge ; emblème : étoile noire, gerbes de maïs, épis de blé et coquillage.

ÉCONOMIE

PNB (91). 880 $ par h. **Pop. active** (% et entre parenthèses part du PNB en %) agr. 45 (15), services 39 (67), industrie 15 (18), mines 1 (0). Chômeurs 25 %, sous-employés 20 %. **Dette extérieure** (millions de $) *1980 :* 20 ; *85 :* 91 ; *88 :* 137. **Aide** (millions de $) *1981 :* 51 ; *87 :* 800. **Transferts des émigrés :** env. 250 millions de F/an.

Agriculture. *Terres* (%) cultivées 10, pâturages 9, forêts 0,3. *Production* (milliers de t, 91) canne à sucre 13, bananes 5, manioc 4, maïs 4 (rendement 0,5 t à l'hectare), patates douces 8, p. de t. 4, noix de coco 10, légumineuses 9, café. **Élevage** (milliers de têtes, 91). Chèvres 110, poulets 65 (82), porcs 86, bovins 19. **Pêche** 7 000 t (90). Conserveries. **Mines.** Sel, gypse, pouzzolane, ciment. **Services.** *Port* d'escale à São Vicente. *Aéroport :* île de Sal. **Tourisme.** Env. 20 000 par an.

Commerce (milliers de $ US, 88). **Exp.** 3,2 *dont* poissons et fruits de mer 1,5, bananes 1,1, prod. man. 0,1, sucre 0,09 *vers* Port. 1,3, Esp. 0,9, *France 0,2,* P.-Bas 0,15, Italie 0,13. **Imp.** 106,4 *dont de* Port. 35,8, P.-Bas 11,4, Japon 6,1, All. féd. 5,5, Brésil 5,3.

CENTRAFRICAINE (République)

V. légende p. 884.

Situation. Afrique. 618 115 km². *Frontières :* 3 600 km dont Cameroun 600, Congo 300, Soudan 800, Tchad 900, Zaïre 1 000. **Alt.** moy. 590 m, *max.* Mont Ngaoui, 1 410 m, *min.* 334. **Climat.** Équatorial à tropical en allant d'O. en E. et du S. au N. *Pluies* 750 au N. (Birao) à 1 700 mm dans le S. (Bangassou, Rafai). *Saison* sèche principale : nov. à mars. *Temp.* moy. 25 à 32 °C. Savane. Forêt dense 15 % de la superficie.

Population. *1921 :* 730 000, *46 :* 1 040 000, *60 :* 1 227 000, *75 :* 2 054 610, *89 :* 2 611 000, *91 :* 2 688 426, *91 (15-12) :* 2 895 000 (dont 63 % rurale et 37 % urbaine), *2000 :* 3 736 000 [dont (79) 684 000 Gbaya, 573 000 Banda, 196 000 Sara, 182 000 Manza, 181 000 Mbum, 128 000 Mbaka, 40 000 Oubanguien (Banziri, Yakoma, Sango, Bouraka), 37 000 Nzakara, 7 000 Zandé]. – de 15 ans : 43 %, *+ de 65 a. :* 3,6 %. **Taux** (‰) : *natalité* 4,1 ; *mortalité* 16,7, infantile 8,5. **Espérance de vie :** H. 47,2, F. 50,6 ans. D 4,22. **Villes** (est. 89) : *Bangui* 450 000 (*1931* 18 889, *50* 38 000, *70* 200 000), Bambari 41 000 (385 km), Berbérati 39 000 (600 km), Bouar 37 000 (455 km), Bossangoa 30 000 (305 km), Mbaiki 16 000, Bangassou 24 000 (750 km). *En 1989 :* 3 300 civils (*1960 :* 5 500) et 1 300 milit. français. **Est du pays :** *XVIIe s.* peuplé, *XIXe s.* dépeuplé par esclavagistes arabes, *1990* déserté (– de 50 000 h. sur 200 000 km²).

Langues. Français, sango *(off.)*. **Religions.** Animistes, catholiques 420 000 (325 prêtres et religieux dont 50 autochtones, 300 religieuses) et protest. (400 000) 35 %, musul. (250 000) 4 %.

Histoire. Jusqu'à la fin du XIXe s. zone de passage ravagée par la traite. **1889**-*10-5* Michel Dolisie, frère d'Albert Dolisie (1856-99) crée un poste au coude de l'Oubangui et le nomme Bangui (« les Rapides » en dialecte local). **1890-91** exploration de Paul Crampel (1804-91) (tué près de Ndélé). **1891** Alfred-Louis Fourneau (1860-1930), Poumeyrac (tué 17-5-1892), Casimir Maistre (1863-1957). Membre du Congo fr. **1894**-*13-7* Oubangui détaché du Congo, devient une colonie ; premiers missionnaires. **1901** création d'un impôt indigène. **1903**-*29-12* création du territoire de l'Oubangui-Chari. **1910** Fédération de l'A.-É.F. **1911**-*4-11* accord fr.-allemand, ouest de l'Oubangui-Chari intégré au Cameroun all. **1919** redevient français. **1909 et 1928** insurrections contre impôt et travail forcé (aboli 1946). **1928-31** g. de Kongo-Wara. **1940** *sept.* l'Oubangui se rallie à la France libre, son bataillon de tirailleurs s'illustre à Bir Hakeim. **1958**-*1-12* rép. autonome. **1959**-*29-3* Pt Barthélemy Boganda (n. 1904) tué dans accident d'avion. -*30-4* David Dacko Pt (ancien instituteur de l'ethnie m baka). **1960**-*13-8* indépendance. **1966**-*1-1* Bangui, coup d'État du colonel **Jean Bedel Bokassa** [n. 22-2-1921 m baka, ex-capitaine de l'armée fr., Bedel pour Jean-Baptiste de La Salle (« B. de L. »), neveu de Boganda]. -*4-1* constitution abrogée. **1969**-*11-4* coup d'État du Lt-C[el] Alexandre Banza échoue. **1970**-*30-8* réforme agraire. **1972**-*2-3* Bokassa Pt à vie. -*29-7* décret contre vol (1er vol une oreille coupée, 2e l'autre oreille, 3e une main, 4e exécution). **1973**-*7-4* Auguste M'Bongo min. d'État arrêté, il mourra en prison. **1974**-*19-5* Bokassa maréchal. *Déc.* coup d'État du Gal Lingoupou échoue. **1975** coup d'État échoue. **1976**-*3-2* Bokassa échappe à un attentat : 8 condamnés à mort [dont Fidèle Obrou, époux de la fausse Martine (avait eu en Indochine une 1re fille ; il reconnut 20 ans plus tard une fausse Martine avant de retrouver la vraie), qui a disparu depuis]. *Sept.* D. Dacko conseiller personnel de Bok. -*4-12* devient un empire. **1977**-*6-1* appartenance au Mouv. pour l'évol. soc. de l'Afrique noire obligatoire à 18 a. *4-12* couronnement de l'empereur Bokassa Ier [il a 33 enf. dont 6 de l'imp. Catherine (n. 1949)], coût env. 140 millions de F, soit 1/5 du budget du pays, sa grande tenue de maréchal est la réplique de celle de Ney au sacre de Napoléon Ier ; 5 000 invités, aucun chef d'État officiel présent, Robert Galley, min. de la Coop. représente la Fr. **1978**-*7-12* P[ce] Georges, fils aîné de l'emp., déchu pour « propos diffamatoires ». **1979**-*19/20-1* Bangui, émeutes d'étudiants contre le port de l'uni-

forme, répression : 150 à 500 †. *-17/19-4* manif., nombreuses arrestations, meurtres d'env. 100 enfants. *-22-5* Sylvestre Bangui amb. en Fr. constitue un front de libération des Oubanguiens. *-16-8* commission afr. conclut à la participation de Bokassa aux meurtres d'avril. *-20/21-9* opération *Barracuda,* coup d'État à Bangui (Bokassa étant en Libye), parachutistes fr. pour maintenir l'ordre, Dacko prend le pouvoir. *-24-9* Bokassa obtient l'asile en C.-d'Ivoire (la Fr. le lui a refusé). *Oct.* Ange Patassé à Bangui (n. 1930, ancien PM de sept. 76 à juill. 78 et chef du Mouv. de lib. du peuple centr.) confirme les accusations. **1980** *Mars* le Mesan devient l'Union dém. centrafricaine. *-25-12* Bokassa condamné à mort par contumace. **1981**-*24-1* complices de Bokassa exécutés ; *-1-2* référendum pour Const. (votants 859 447, oui 837 410, non et nuls 22 037). *-15-3* Dacko réélu Pt (50,23 % des v. devant Ange Patassé 38,11, Abel Goumba 22). *-14-7* attentat Cinéma-Club Bangui (3 †, 32 bl.) revendiqué par Mouv. centrafr. de lib. nat. *-18-7* partis dissous. *-21-7/16-8* état de siège. *-1-9* Dacko démissionne, partis interdits. Kolingba, Pt du comité militaire de redressement national (CMRN). **1982**-*3-3* échec du coup d'État d'A. Patassé qui se réfugie à l'ambassade de Fr. puis est expulsé le 13-4. **1982**-*25-10* Pt Kolingba en Fr. **1983**-*26-11* tentative de rétablissement de Bokassa (échec). *Déc.* Bokassa s'installe en Fr. **1983** *août* création du P. révol. centrafricain. **1984**-*9-10* attaque à Markounda (4 †). *-12/13-2* Pt Mitterrand en C. **1985**-*21-9* CMRN dissous, 6 civils au gouvernement. **1986**-*27-3* un avion Jaguar fr. s'écrase : 35 † à Bangui. *-23-10* Bokassa rentre en C., il est arrêté. *-21-11* référendum pour la Constitution. Pt élu pour 6 ans au suffr. univ. Parti unique. *-26-11* procès Bokassa. **1987**-*12-6* Bokassa condamné à mort à Bangui (commuée 29-2-88 : détention à perpétuité). **1988**-*15/18-2* Pt Kolingba en Fr. **1991**-*6-3* réforme constitutionnelle et création d'un poste de PM. *-4-7* vente aux enchères des biens de Bokassa en Loir-et-Cher [1 château (Villemorant, Neung-sur-Beuvron), 1 ferme, 1 hôtel-restaurant : 6 347 000 F]. *-24-9* Gal Bozize acquitté pour sa participation au coup d'État de 1982, maintenu en détention. **1992**-*1-8* début du « grand débat nat. » boycotté par l'opposition. *-25-10* législatives et présidentielles, suspendues le 26, annulées 29-10 par Cour suprême. **1993**-*17-1* Pt Kolingba crée un conseil nat. pol. provisoire de la rép. (CNPPR) pour gérer le pays. *-14 et 28-2* présidentielles et lég. prévues (reportées).

Statut. République. *Constitution* du 21-11-86. *Pt* Gal André Kolingba (n. 12-8-35) de l'ethnie Yakoma, dep. 1-9-81. *PM* Enoch Derant Lakoué dep. 26-2-93. *Assemblée nat.* 52 députés élus pour 5 ans au suffr. univ. *Conseil écon. et régional. 16 préfectures et Bangui.* **Partis.** *Rassemblement démocratique centr.,* f. 6-2-1987, p. unique jusqu'au 22-4-91. *Front patriotique pour le progrès* (FPP), *Pt* Abel Goumba. *Alliance pour la dém. et le progrès* (ADP), f. par le Dr Jean-Claude Conjugo (tué 1-8-92 lors d'affrontements à Bangui). *P. social dém.* (PSD), f. par Enoch Derant Lakoué. *Mouv. pour la libération du peuple centrafr.* (MLPC), *Pt* Ange Patassé. **Fête nat.** 1er déc. (proclamation de la Rép. 1958). **Drapeau** (1960). Bandes horiz. bleue (avec une étoile jaune), blanche, verte et jaune, surmontées d'une bande rouge (amitié entre les couleurs franç. et panafr.). **Militaires** français 1 500 (Bangui et Bouar).

■ ÉCONOMIE

PNB (91). 410 $ par h. **Pop. active** (en %) **et,** entre parenthèses, **part du PNB** (en %) agr. 66 (41), ind. 9 (9), services 22 (40), mines 3 (10). **Inflation** *1984 :* 12,4. *85 :* 8,8. *86 :* 7,6. *87 :* 8. *88 :* – 4. *89 :* 0,7. *90 :* 0. *91 :* 6. **Aide** (milliards de F CFA) *90 :* 64 ; *91 :* 56 (France, Banque mondiale, Taiwan). Les aides gratuites ont représenté 62 % du budget. **Dette extérieure** *1991 :* 175,3 Mds de F CFA.

Agriculture. *Terres* (milliers d'ha), *1979 :* arables 1 860, cultivées en permanence 129, pâturages 3 000, forêts 3 400, divers 17 678 ; *1988 :* cultivées 5 000. *Production* (milliers de t, est. 91) manioc 520, ignames 200, arachides 106, bananes 93, maïs 100, plantain 68, millet et sorgho 50, café 17 (*80 :* 17, *82-84 :* – de 10), sisal, sésame 23, coton 19, tabac 0,1 (90). **Élevage** (milliers de têtes, 91). Bovins 2 677 (400 en 1960), poulets 3 000, chèvres 1 270, porcs 426, moutons 135. Apiculture. **Pêche.** 17 000 t (90). **Forêts** (m³, 91). Grumes 166 113, sciage 78 922.

Mines. *Diamants* (carats). 1960 : 500 000 (+ de 50 % partent en fraude), *91 :* 429 734. *Or* (kg) 191,3 (91). *Uranium* (réserves 8 000 t, non exploité). **Hydroélectricité** (millions de kWh/an). *1991 :* 93,8. *1991 :* mise en service du barrage sur la Mbali.

Transports. *Routes* 22 560 km (442 goudronnés). Fret : 53 100 t (trafic international). *V. navigables* Congo-Oubangui Sangha (5 mois sur 12, le niveau insuffisant ne permet pas de charger à plein les barges). *Trafic aérien (91) :* 57 923 passagers. **Tourisme** (90). 1 599 vis. (surtout chasseurs).

Commerce (milliards de F CFA, 91). **Exp.** 30,7 *dont* diamants 15,7, coton 5,7, bois 4,1, café 1,4, tabac 0,5 *vers* (% en 88) Benelux 41,2, *France 39,4.* **Imp.** 44,7 *dont* prod. alim. 8,3, mat. de transp. 5,9, prod. chim. 5,6, mach. et app. 5,5, combustibles minéraux 3,9 *de* (sauf combustibles) *France 20,1,* Cameroun 3,9, Japon 3,6, Benelux 2, All. 1,9. **Balance.** *1988 :* – 13,25 ; *89 :* – 12,09 ; *90 :* – 24,79. **Rang dans le monde** (81). 12e diamants.

■ CHILI

Carte p. 917. V. légende p. 884.

■ **Nom.** Viendrait d'un oiseau du centre du pays ou du kitchwa (« Là où finit la terre »).

■ **Situation.** Amérique du S. 756 626,3 km² (+ Antarctique revendiqué, 1 250 000 km² et îles du Pacifique). *Long.* 4 270 km, *larg.* moy. 175 km (max. 445 km, min. 90 km). *Alt. max.* Aconcagua 7 060 m. **Frontières** 5 000 km : avec Pérou 200 (ligne de la Concorde), Argentine et Bolivie 4 800. *Côtes* + de 10 000 km en suivant les sinuosités.

■ **Régions. Grand Nord** d'Arica à Copiapo 160 000 km², désert aride, 500 000 h. D 3 (cuivre, nitrate, sel, pêche, fer, soufre, or, argent, molybdène, quartz, kaolin, agriculture dans les oasis). **Norte Chico** de Copiapo à La Ligua, 132 000 km², 500 000 h., montagneuse (cuivre, fer, or, argent, mercure, quartz, kaolin, fruits). **Noyau central** d'Aconcagua à Bio-Bio, 77 000 km², zones agricoles, hiver froid et pluvieux ; été chaud et sec, 5 500 000 h. D 72 (mines, agriculture, blé, maïs, avoine, haricots, pois, lentilles, orge, p. de terre, betterave, riz, tabac, vin, élevage, bois, cuivre, or, argent, chaux, viandes, grandes villes). **Région de Concepción et de la frontière** de Bio-Bio à Lastarria, 66 300 km², 1 600 000 h. D 26 (forêts, blé, oléagineux, bovins, b. à sucre, pêche, ind., charbon, argile et kaolin). **Sud : Région des lacs** de Lastarria au golfe de Reloncavi 43 000 km², forêts, 650 000 h. D 13 (agricole, centre d'immigration all.) **Extrême S. : Zone des canaux,** 240 000 km², pampa, steppe, fjords, pluies 5 000 mm ; Terre de Feu (50 % de la sup.) 300 000 h. D 1,2 (élevage, bois, pêche).

■ **Climat.** Influencé par courant froid de Humboldt (15 à 18 °C sur côte), brouillard (le *camanchaca*) couvre la côte vers le Nord. *Santiago :* temp. moy. (°C) janv. 21, juin 8,7, juillet 8,8 et avril 9,9.

■ **Population** (millions). [*1835 :* 1,01 ; *1850 :* 1,5 ; *1907 :* 3,23 ; *40 :* 5,02 ; *50 :* 6 ; *60 :* 7,39 ; *70 :* 8,89]. *92 :* 13,59 métis 66 % (Indiens et Européens) ; Européens non métissés 25 % (surtout All.), Indiens 5 % [Araucans (esp. : *araucanos*), mot forgé en 1569 par le poète Alonso de Ercilla, parlant picunche, pehuenche, mapuche, huilliche. Aujourd'hui, 500 000 *Mapuches* et *Huilliches* survivent (prov. d'Arauco, Malleco, Cautin)] ; quelques centaines de descendants d'*Onas* et d'*Alacalufes* dans l'extrême Sud ; habitants de *Rapa Nui* (île de Pâques). *An 2000 :* 14 934 000 h. - *de 15 a. :* 30,9 %, *+ de 60 a. :* 7,7 %. D 18 (centre 73, sud 1,2). **Taux** (‰) natalité 22, mortalité 6 (infantile 19) ; accroissement 1,7 %. **Population urbaine** 81 % (82). **Espérance de vie :** 72 ans (1989). **Émigrés :** 160 000 (dont 500 interdits de séjour).

75 % des Chiliens descendent des Espagnols qui se métissèrent avec les *Picunches* (habitant la vallée centrale du C.). Aux XIXe et XXe s., importante immigration européenne (majorité allemande ; des recrutements off. eurent lieu en 1840 et 1860 ; les All. s'installèrent dans la région des lacs et forêts) ; Anglais à Valparaiso ; Italiens, Arabes, Yougoslaves, Français peu nombreux [quelques familles au XVIIIe s., dont les Pinochet (d'origine bretonne), Letelier, Subercaseaux, Labbé, Morandé].

■ **Villes** (92). *Santiago du Chili* 4 545 784 h. Concepción 314 953 (à 580 km), Viña del Mar 316 680 (151), Valparaiso 276 756 (145), Talcahuano 254 542 (594), Antofagasta 224 172 (1 186), Temuco 255 186 (676), Rancagua 205 364, San Bernardo 208 517.

■ **Langue.** Espagnol. **Religions.** Cathol. 89 %. Protestants 11 %.

■ **Histoire. 1480** les empereurs incas du Pérou conquièrent le C. jusqu'au río Maule, au 35° de latitude S. ; stoppés par Araucans. **1520** découvert par Magellan. **1536** Almagro passe du Pérou au C. **1541** Pedro de Valdivia (v. 1500-53) fonde Santiago. **XVIe s.** Villagran et Mendoza repoussent Araucans. **1561-1810** capitainerie gén. dépendant du vice-roi du Pérou. **1598** Araucans battent Esp. qui abandonnent les villes fondées au sud du fleuve Bio-Bio. **XVIIIe s.** Basques et Catalans remplacent les originaires d'Estrémadure, Andalousie, Castille (qui avaient fait la conquête) et insufflent des idées plus modernes. **1810** 1re junte (1er congrès en 1811). **1814** échec du 1er soulèvement pour l'indépendance. **1816-18** 2e soulèvement, victoires de Bernardo O'Higgins (1778-1842) à *Chababuco* (12-2-1817) et *Maipu* (5-4-1818). O'Higgins directeur suprême. **1818**-*12-2* indépendance. **1823** O'Higgins exilé Pérou. **1823-30** 1re anarchie : conservateurs et libéraux, fédéralistes et unitaires, politiciens et militaires se disputent le pouvoir. **1830** victoire des conservateurs à Lircay. **1833** Constitution. **1836-39 et 1879-84** (g. du Pacifique) g. contre Pérou et Bolivie, le C. vainqueur s'agrandit des provinces d'Antofagasta (120 000 km² à la Bolivie), d'Arica et de Tacna (au Pérou) (tr. d'Ancón). **1861** les lib. remplacent les conserv., au pouvoir depuis 1830. **1884** après 350 a. de lutte contre Européens, les Indiens signent un tr. avec le gouv. chilien. **1891** g. civile perdue par Pt Balmaceda (se suicide), puis régime politique parlementaire.

1920 mouvement réformiste de gauche, au pouvoir avec Arturo Alessandri élu 23-12, qui abdique sous la pression de militaires réformistes (5-9-24). *-23-1* Alessandri rappelé après un contre-coup d'État. **1925**-*23-12* Figueroa, libéral, élu Pt. **1926** arbitrage du G[al] amér. Pershing dans la question de Tacna (revendication péruvienne). **1927**-*4-5* Figueroa démissionne sous la pression de son min. de la Guerre Carlos Ibañez del Campo qui se fait élire Pt le 21-7. **1927-32** anarchie. **1929**-*3-6* tr. de Lima ; le C. rend la prov. de Tacna au Pérou, mais garde celle d'Arica contre indemnité. **1931**-*26-7* Carlos Ibañez démissionne. Montero le remplace. **1932**-*4-5* renversé par insurrection. « République socialiste » qui dure 13 j. *-17-6* colonel Marmaduke Grove et Eduardo Matte, taxés de communisme, exilés à l'île de Pâques. Carlos Davila assume la présidence, renversé sept. par Gal Bartolomé Blanche, min. de l'Intérieur, qui doit quitter le pouvoir au profit d'Abraham Oyanedel. *-30-10* Alessandri revient au pouvoir. **1938**-*25-10* victoire du Front populaire, avec le radical Pedro Aguirre Cerda. **1941** *janv.* soc. quittent la coalition. *25-11* Cerda meurt ; *févr.* **1942** Juan Antonio Rios, radical. **1946**-*4-9* Rios meurt ; Gabriel González Videla, radical, appuyé par les comm. **1948** loi de défense de la démocratie ; comm. mis hors la loi (loi abrogée 1958). **1952**-*4-9* Carlos Ibañez del Campo (ancien dictateur, 1927-31) élu. **1958**-*4-9* Jorge Alessandri (1896-1986), fils d'Arturo, élu contre Salvador Allende avec 32 000 voix d'avance. **1964**-*4-9* démocrate-chrétien Eduardo Frei († janv. 1982), soutenu par la droite, élu avec 55,6 % des suffr. **1969** Pacte andin (Colombie, Équateur, Pérou, Bolivie, Chili dep. fin 73, Venezuela).

1970-*4-9* Allende (soc.) n'obtient pas la majorité absolue, mais arrive en tête (l'Unité populaire a 36,3 % des voix) devant Alessandri, conservateur (34,98 %) et Radomiro Tomic († 1992), démocrate-chrétien (27,84 %). *-24-10* Congrès ratifie l'él. d'Allende, (le P. dém. chr. décide de voter pour lui). *-2-12* 1res expropriations des grands domaines. **1971**-*4-4* municipales, l'Unité pop. a 49,75 % des voix. *-11-7* le Parlement vote à l'unanimité nationalisation du cuivre. *-20-7* gouv. perd contrôle des 2 ass. du Congrès. Fernando Sanhueza (DC), élu Pt de la Chambre. *-13-8* USA coupent des crédits. *-1/2-12* manif. à Santiago contre pénurie alim. État d'urgence. *-9-12* gouv. suspend convertibilité de la monnaie et opérations en devises. **1972**-*30-10* opposition lance une procédure contre 4 ministres. *-31-10* gouv. démissionne. *-2-11* gouv. Gal Carlos Prats, Cdt en chef, min. de l'Intérieur. *-5-11* fin grève des camionneurs.

1973 *mars* législatives, opposition (CODE) 54,70 %, Unité pop. 43,9 %, fraction soc. (USOPO) aucun élu, votes blancs et nuls 1,91 %. Il fallait à l'opposition 2/3 des sièges dans les 2 Ass. (elle n'a que 60 % des s.) pour bloquer la polit. du Pt (en rejetant à la majorité des 2/3 les décrets d'insistance du Pt). *-28-3* mil. quittent gouv. *-20-6* Sénat destitue 2 min. *-27-6* état d'urgence à Santiago après tentative d'attentat contre Gal Prats. *-28-6* régiment de blindés attaque le palais prés. : révolte matée en 3 h. Allende réclame pleins pouvoirs ; Parlement refuse. *-3-7* fin de la grève des mineurs d'El Teniente. *-5-7* nouveau gouv., sans milit. *-25-7* grève des camionneurs. *-27-7* Arturo Araya Peters, aide de camp naval d'Allende, assassiné (extr. droite et extr. gauche s'accusent). *-2-8* grève des transports en commun. *-9-8* gouv., comprenant des Cdts des trois armes. *-18-8* Gal Ruiz (min. des Tr. publics et Cdt en chef des f. aériennes) démissionne. *-22-8* Chambre des dép. signifie que le gouv. a souvent enfreint la Const. et demande aux milit. (garants de celle-ci) de veiller à son respect ou de se retirer. *-23-8* Allende accepte démission du Gal Prats, du min. de la Défense et du Cdt en chef des f. armées. *-24-8* G[aux] Guillermo Pickering et Mario Sepulveda démissionnent. *-27-8* l'amiral Raoul Montero, Cdt en chef des f. navales, min. des Fin., démissionne. *-28-8* nouveau gouv., avec 4 mil. *-5-9* des dizaines de milliers de femmes réclament à Santiago la démission d'Allende. *-11-9 coup d'État mil.,* la junte annonce la découverte d'un complot rouge prévu pour le 19-9. Allende se suicide. *-21-9* partis de l'Unité pop. [comm., soc., radical, gauche chrétienne, MAPU (Mouv. d'action pour l'unité pop.)] dissous. Formations autorisées : Démocratie chrétienne, P. national (conservateur), P. démocrate rad.

et gauche rad. + de 30 000 arrestations, 4 000 † selon sources off. + de 6 000 réfugiés (dont 1 000 en Fr.). *-18-10* 1 000 usines réquisitionnées restituées (selon l'AFP 10 000 † les 6 premiers mois, 90 000 détenus en 1 an et demi, 163 000 exilés). **1974**-*11-6* : 100 000 fonctionnaires licenciés. *-26-6* Gal Pinochet (n. 25-11-15) chef suprême de la nation. *-30-9* Gal Prats assassiné à Buenos Aires. *-8-10* affrontement avec l'armée : Miguel Enriquez, secr. gén. du Mir (gauche révol.), tué. **1975**-*9-12* l'ONU condamne la torture au Chili par 95 voix (dont USA et Fr.) contre 11 (dont Égypte et 10 pays d'Amér. latine) et 23 abstentions (dont Chine, Albanie, Cambodge). **1976**-*12-8* Dina (police pol.) dissoute. *-21-9* Orlando Letelier, ancien min. d'Allende, tué à Washington. *-30-10* Ch. quitte Pacte andin (f. 1969). *-17-12* Luis Corvalán, secr. gén. du PC, échangé contre dissident russe Vladimir Boukovski. **1977**-*4-1* référendum 4 173 547 v. (75,30 %) contre 1 130 185 (20,39 %) appuient Pinochet dans sa défense de la dignité du Ch. et réaffirment la légitimité du gouv. *-9-3* état de siège aboli. *-19-4* amnistie générale. *-19-6* annulation des expropriations de terres (10 millions d'ha appartenant à 5 000 grands propriétaires avaient été distribués à 100 000 paysans). *-12-12* le Ch. ayant été condamné pour la 4e fois pour violation des droits de l'homme, Pinochet annonce un plébiscite contre l'« ingérence étrangère ». **1978**-*4-1* pléb. : 75 % de oui. *-8-1* Washington : procès des assassins de Letelier ; 8 inculpés (3 Ch. et 5 Cubains anti-castristes) ; accusé principal : Gal Contreras, ancien chef de la Dina ; élect. syndicales, droit de grève instauré. *-11-3* état de siège levé (non l'état d'urgence). *-24-7* Pinochet destitue Gal Leigh, membre de la junte, pour hostilité au plébiscite. *-1-10* Cour suprême refuse d'extrader les 3 inculpés du meurtre de Letelier. **1978 à 82** expansion économique [influence d'experts amér. monétaristes (Chicago Boys), disciples de Milton Friedmann].

1980-*11-9* référendum : 67 % pour « Const. de la liberté » (excluant les partis à vocation anti-démocratique) ; prévoit un retour à une « démocratie limitée ». Pinochet restera Pt jusqu'en 1989 ; à la fin du mandat, un plébiscite sur une candidature unique pour la succession sera organisé. En 1980, le Mir revendique + de 100 attentats. **1982**-*22-4* gouv. avec 14 milit. *-24-12* 125 Chiliens autorisés à rentrer. **1983**-*14-1* 70 retours autorisés. *-11-5* 1re « protesta » (manif. contre le régime), 2 †. *Juill.* banques étrangères restreignent crédits : crise, chômage. *-11/16-8* 4e protesta (24 †). *-30-8* Gal Urzua Ilanez, maire de Santiago, assassiné. *-18-11* 500 000 manif. à Santiago (1 †). **1984** plusieurs protestations. *-1-5* manif. 100 blessés. *-4-9* manif. 9 † (dont le père André Jarlan, Fr. n. 1941). *-8-9* état de siège rétabli. *-30-10* grève générale 8 † (20 policiers et milit. tués en quelques semaines). *-6-11* état de siège rétabli, attentats. *-27/28-11* protestas. **1985**-*3-3* séisme magnitude 7,6 (Santiago 135 †). *-27-3* protesta. *-17-6* état de siège levé. *-9-8* journée de défense de la vie (3 †). *-4-9* protesta (10 †). *-5/6-11* protesta (3 †). *-21-11* 300 000/500 000 manif. pour dém. chr. **1986**-*3/4-7* protesta 6 †. *-7-9* attentat manqué contre Pinochet (5 †). *-11-9* 3 prêtres français expulsés. *-23-10* 5 auteurs de l'attentat (du Front patriotique Manuel Rodriguez) arrêtés. **1987**-*2-2* levée du couvre-feu (2 h à 5 h appliqué dep. nov. 1984) à Santiago. *-25-2* partis pol. de + de 30 000 adhérents (sauf PC), autorisés. *-1-4* Jean-Paul II au C. *-3-4* émeutes à Santiago lors de la messe du Pape, 600 blessés, 1 †. *-15/16-6* opération de police à Santiago : 12 †. *-18-6* obsèques de 3 des 12 tués ; affrontements. **1988**-*2-2* 16 partis (dont le P. dém.-chr. et 2 partis soc.) forment un Comité national pour le « non » (au plébiscite du 5-10). *-11-8* les évêques demandent aux milit. de désigner un *candidat de consensus,* repoussant indirectement Pinochet. *-27-8* état d'urgence levé. *-30-8* la junte désigne Pinochet comme candidat (si le « oui » l'emporte, il gardera le pouvoir jusqu'en 1997, sinon il gouvernera 15 mois avant de nouv. élec. et la désignation du Pt de la Rép. en mars 1990). *-1-9* levée des mesures d'exil : concerne 500 pers. env. : Isabel Allende, fille de l'ancien Pt, et José Oyarce, anc. min. comm. du Travail, rentrent. *-4-9* 400 000 manif. à Santiago. *-11-9* 100 000 manif. pour le 15e anniv. de la mort d'Allende. *-24-9* Hortensia Allende, femme d'Allende, 74 ans (dite « la Tencha ») rentre. *-1-10* + de 1 million manif. à Santiago. *-5-10* plébiscite : 7 251 943 votants, « non » 54,71 %, « oui » 43,1, votes nuls 1,31, blancs 0,97. Pinochet annonce son maintien jusqu'en mars 1990 et son refus d'élect. anticipées. *-21-10* démission du gouv. ; un commando d'extr. g. occupe Los Quenes. *-3-11* junte remaniée, 13 gén. sur 50 versés dans la réserve. *-7-11* Gal Sinclair représente Pinochet à la junte des commandants en chef (corps lég.). **1989**-*18-4* grève gén. (2 †). *-26-4* gouv. démissionne à la demande de Pinochet, puis maintenu. *-31-5* accord gouvernement-opposition sur réforme constitutionnelle. *-20-6* Pinochet annonce qu'il ne sera pas candidat. *-30-7* référendum sur 54 amendements à la Charte constitutionnelle (en particulier la réduction du mandat présidentiel de 8 à 4 ans). Inscrits 7 556 613, votants 7 066 628, blancs et nuls 429 976, exprimés 6 636 652, oui 6 056 440, non 580 212 (8,2 %). *-11-8* démission du gouv. *-4-9* Jegar Neghme, dirigeant du Mir assassiné. *-14-12* présidentielles, Patricio Aylwin (71 ans, avocat, *1971* Pt du Sénat, *1973-75* soutient Pinochet) élu avec 55,2 % des voix (dém.-chrétien) devant Hernan Büchi Buch 29,4 % (démocratie et progrès, candidat gouvernemental), Francisco Javier Errazuriz Talavera 15,4 % (centre). *-29-12* marxistes-léninistes de Clodomiro Almeyda et socialistes rénovés de Jorge Arrate forment un seul Parti socialiste. **1990**-*30-1* Santiago, 49 du Front patriotique s'évadent de prison. *-11-3* entrée en fonction du Pt Aylwin, Pinochet reste 8 ans Cdt en chef de l'armée. *Mars* relations diplom. avec URSS, All. dém., Pologne, Tchéc. et Youg. rétablies *-20-3* 1re session des 2 chambres réunies en Congrès à Valparaiso dep. 16 ans. *-21-3* Gal Gustavo Leigh tué (attentat). *-Juillet* charniers découverts. *-4-9* transfert des cendres du Pt Allende à Santiago (enterré 1973 à Viña del Mar, à 100 km de Santiago). *-Nov.* loi permettant au Pt de la Rép. de gracier tout détenu ayant commis un délit pour raison politique avant le 11-3-90. *-14-11* 8 membres des forces pop. Lautaro (commando d'extrême gauche) tuent 4 policiers en libérant un de leurs dirigeants. **1991**-*1-2* Pt Aylwin ferme la colonie « Dignidad » [15 000 ha à 400 km de Santiago, baptiste (*f.* 1961 par Paul Schäfer, All. poursuivi pour délits sexuels), accusée d'être un camp de travail concentrationnaire où les tortures sont courantes]. *-23-3* Parlement décide d'amender la Constitution pour permettre au Pt de recouvrer son droit de grâce pour les prisonniers pol. (200 concernés). *-1-4* Jaime Guzmán, ancien conseiller de Pinochet, sénateur de Santiago dep. déc. 89, assassiné. *-22-9* tr. de libre-échange avec Mexique ; au 1-1-92 tarifs douaniers 10 %, seront supprimés en 96 ou 98. *-22-9* Gal Manuel Contreras (ancien chef de la Dina) et son adjoint le C[el] Pedro Espinoza arrêtés (9-11-92 : reconnus coupables du meurtre de Letelier). **1992**-*28-6* municipales, victoire coalition présidentielle. *-11-7* Pt Aylwin en Fr.

■ **Bilan récent.** *Pers. ayant été arrêtées dep. 1973 :* 150 000 (pers. détenues en oct. 91 : 83). *Exilés :* officiellement 10 000 opposants condamnés après le putsch. 1ers retours autorisés en 1984. Selon le rapport de la *Commission Vérité et Réconciliation* (mars 1991) : 2 279 † irréfutables depuis 1973 (640 non prouvés) dont 957 détenus pol., 1 068 victimes d'agent d'État, 164 de la violence policière (au cours de manif.) et 90 par l'action de particuliers ; suicide d'Allende confirmé ; le compositeur Victor Jara, torturé, fut assassiné le 15-8-73.

■ **Statut.** République. *Constitution* du 11-3-1981. *Pt* Patricio Aylwin Azocar (n. 26-11-18) dep. 11-3-90. *Ch. des députés* (120 m. élus 14-12-90) et *sénat* (47 m. dont 38 élus et 9 nommés). **Régions** 13. **Fête nat.** 18-9 (autonomie 1810). **Drapeau** (1817). Bandes horiz. blanche (neige des Andes), rouge (sang des patriotes), carré bleu (ciel) avec une étoile blanche.

■ **Syndicats.** *Centrale unitaire des travailleurs ch.* reconstituée 20-8-88. 300 000 m. **Partis pol.** Interdits en 1973, rétablis 1987 (sauf PC). *Alliance démocratique : P. démocrate-chrétien* (f. 1957, Pt Eduardo Frei Ruiz-Tagle, vice-Pt Edgardo Boeninger), *P. social-démocrate, P. radical, Droite rép. et socialistes* sauf Almeydistes. *Bloc socialiste* formé du *P. socialiste Briones* et du MAPU *(Mouv. démocrate pop.)* regroupant Almeydistes (partisans de Clodomiro Almeyda), *P. communiste* (moins de 30 000 m., contre 50 000 en 1973). *Mouvement de la Gauche révol.* (MIR), *Pt :* Andres Pascal Allende, f. par Bautista Van Schouwen. *Alliance-Centre. P. Centre-Centre. P. pour la Démocratie. P. des Verts et Humanistes. Rénovation nationale. Union démocratique indépendante. Front patriotique Manuel-Rodriguez :* communiste, prône lutte armée.

■ **Dépendances. Îles de Pâques et Sala y Gómez** (en polynésien : Rapa Nui). 180 km² (dont 60 % parc nat.), 2 800 h. (1992). *Chef-lieu :* Hanga Roa. A 3 700 km du Chili, 4 000 de Tahiti volcanique formée par l'émersion de Poiké (Est) il y a 3 millions d'années, Rano Kau (S.-O.) 2 millions d'a. et Tereveka (N.) 300 000 a. 500 000 eucalyptus ont été plantés récemment. *Historique :* IVe s. peuplée par Polynésiens venus des Marquises. VIIe-XVIIe s. 5 000 h. Statues de 3 à 8 m (8 à 60 t) venant du volcan Rano Raraku (à 70 km) dressées entre le VIIe ou VIIIe s. et le XVIe ou XVIIe s. [dites *moai* ; plusieurs centaines en ruine ; 28 redressées sur leur piédestal (ahu), notamment celles de l'ahu Akivi (le seul où les moai regardent vers la mer), Tahai, Nau Nau ; sur la plage d'Anakena, 15 moai (record) de l'ahu, Tongariki]. En tuf ou basalte. *1722* 5-4 découverte par le Holl. Jacob Roggeven (le j de Pâques). *1774* décrite par Cook et en *1786* par La Pérouse. *1862* les Péruviens chasseurs d'esclaves pour le guano déportent 1 000 h. et en tuent plusieurs centaines (dont le roi et les dignitaires religieux). Personne ne pourra plus déchiffrer l'écriture de leurs tablettes en bois (rongorongo). *1868* des marins anglais du *Topaz* s'emparent du *moai* Hoa haka nana ia (Celle qui brise les vagues), auj. à Londres. *1872* des marins franç. de la *Flore* renversent plusieurs statues et rapporteront une tête (au musée de l'Homme). *1868-1877* Dutrou-Bornier, aventurier français, maître de l'île, réduit la pop. à 111 pers., avant d'être tué. Objets usuels et sculptures rituelles peu à peu emportés. *1888-9-9* l'île devient chilienne. *Touristes :* 3 000 à 4 000 par an.

Desventuradas (îles San Ambrosio et San Felix) 3,32 km², inhabitées.

Archipel Juan Fernández. 3 îles. **1563** découvert par l'espagnol Juan Fernández. **1680** un indien mosquito, abandonné par son capitaine, survit 3 a. (inspire le personnage de Vendredi à Daniel Defoe). **1703-09** Alexander Selkirk (1676-1723, G.-B.), débarqué par son capitaine, y vit 4 a. (inspire R. Crusoé). **1750** garnison espagnole. **1810** devient chilien. Un moment bagne. **1935** parc nat. sur Robinson. **Mas a Tierra** ou **Île de Robinson Crusoé.** Où vécut Selkirk. Alt. max. El Yunque (900 m). Env. 100 km². Env. 200 h. Pêche à la langouste et saumon. **Mas a fuera** ou **Selkirk.** 86 km². Alt. max. Los Innocentes 2 500 m. Env. 10 h. **Îlot de Santa Clara.** Inhabité.

Antarctique. 1 205 000 km² revendiqués (entre 53° et 90° de long. O., 202 h.).

■ Économie

PNB. *Total* (milliards de $). *1982 :* 25,2 ; *85 :* 16 ; *86 :* 14,94 ; *87 :* 17,11 ; *88 :* 18,5 ; *89 :* 23,29 ; *90 :* 27,8 ; *91 :* 31,2 ; *92 :* 37,5 ; *par h.* (en $). *82 :* 1 927 ; *86 :* 1 220 ; *89 :* 1 795 ; *90 :* 2 010 ; *91 :* 2 334 ; *92 :* 2 800. **Croissance** *1991 :* 5,5 % ; *92 :* 10,2 ; *93 est. :* 6. **Pop. active** (% et entre parenthèses part du PNB en %) agr. 12 (12), mines 6 (8), ind. 24 (29), services 58 (51). *Total* actifs 4 794 000 (91). **Chômage** (%). *1976 :* 15 ; *81 :* 30 ; *85 :* 13,9 ; *90 :* 6,6 ; *91 :* 5,3 ; *92 :* 4,5. **Salaires** par mois min. 100 $ (min. vital réel 120 $).

Politique sociale. Dépenses (éducation, santé, logement) : *1973 :* 27 % du budget, *82 :* 59,4, *89 :* 51,6. De 1973 à 1987, le min. du Log. a construit 305 000 maisons et subventionné 417 000 autres constr., 447 000 familles pauvres sont devenues propriétaires. En 1990, 600 000 sans-abri. **Déficit budgétaire** (1989). 380 millions de $ (1,5 % du PIB).

Agriculture. *Terres* (milliers de km², 81) arables 16,5, pâturages 129,3, forêts 84,2, improductives 526,5. Zone de dév. de Copiapo (fruits). *Prod.* (milliers de t, 92) bett. à sucre 2 978, blé 1 557, p. de terre 1 023, maïs 911, pommes 830, raisins 632, avoine 183, riz 134, orge 109, haricots 91, tabac, légumes, fruits. Vins réputés. **Forêts** (91) 26 695 000 m³. Zone écon. de Puerto Montt. **Élevage** (millions de têtes, 91) moutons 4,6, bovins 3,4, porcs 1,2, chèvres 0,6 (89), chevaux 0,34, laine. **Pêche** 6 006 500 t (91), dont poissons 95 %. Farine de poisson. Aquaculture de saumon : prod. : *1991* 42 000 t (32 800 exportées), *est. 2020* 500 000 t.

Énergie. Pétrole (millions de t, 90) *réserves* 62, *prod.* 0,9. **Gaz naturel** (milliards de m³, 90) *réserves* 116, *prod.* 4,1. **Charbon** (millions de t, 90) *réserves* 3 900, *prod.* 2,7. **Électricité** (89) *prod.* 16,8 milliards de kWh (dont hydroélec. 14,5).

Mines (millions de t, 91). **Cuivre** 1,8 (Chuquicamata ; plus grande mine du monde à ciel ouvert, 25 % des réserves mondiales, 13 % de la prod. mondiale, 10 % de la prod. de cuivre raffiné) ; mine de la Escondida ouverte 14-3-91 ; coût de prod. l'un des + bas du monde ; *réserves :* 1,8 milliard de t de minerai (teneur en minerai 1,60 %). *Cours (en $) : 1973* 1,73, *84 (fin)* 0,57, *88* (déc.) 1,63. **Fer** 8,4 (réserves 2 940 millions de t, 0,8 % des réserves mondiales, 1 % de la prod. mondiale). **Nitrate** 0,87 (85). **Molybdène** 0,014 (25 % des réserves mondiales). **Manganèse, phosphates. Borax. Or** 32,5 t. **Argent** 676,3 t. **Lithium. Industrie** *Bois, papier, acier.* Zone de dév. de Temuco.

Transports (km). *Routes* 78 025, *ch. de fer* 7 205 dont 1 786 électrifiés. **Tourisme.** 1 350 172 vis. (91).

Inflation (%). *1973 :* 508 ; *74 :* 376 ; *75 :* 341 ; *76 :* 174 ; *77 :* 63,5 ; *78 :* 30,3 ; *79 :* 38,9 ; *80 :* 31,2 ; *81 :* 9,5 ; *82 :* 20,7 ; *83 :* 23,1 ; *84 :* 23 ; *85 :* 26,4 ; *86 :* 17,4 ; *87 :* 21,5 ; *88 :* 12,7 ; *89 :* 21,4 ; *90 :* 27,3 ; *91 :* 16,7 ; *92 :* 12,7 ; *93 (est.) :* 11. **Balance des paiements** (en milliards de $) *1990 :* + 1,9 ; *91 :* + 0,9 ; *92 :* – 0,6. **Dette extérieure** (au 31-12) *1975 :* 5,3 ; *80 :* 11 ; *85 :* 19,3 ; *90 :* 15,9 (dont 4,9 rééchelonnés 12-12-90) ; *92 :* 19 ; *93 (1-1) :* 17,5. *Intérêt de la dette (en % des exp.) 1985 :* 43, *87 :* 26. **Dettes** 20 % des dettes couvertes en prises de participation dep. 1985. En 1988, le Chili racheta 200 millions de $ de dette, grâce à la décote sur les marchés parallèles des créances. **Monnaie :** peso réévalué en 1989 de 4 % par rapport au $. **Investissements étrangers** (en millions de $) : *87 :* 497 ; *90 :* 1 132 ; *91 :* 1 104.

Commerce (millions de $ US, 91). **Exp.** 9 048 *dont* prod. miniers 4 369 (cuivre 3 913 en 90, 3 590 en 91), prod. man. 3 444, prod. agricoles 1 221 *vers* Japon 1 644, USA 1 596, All. féd. 709, Brésil 447, G.-B. 408. **Imp.** 7 685 *dont* biens intermédiaires 4 448, prod. du capital 1 839, biens de cons. 1 136 *de* USA 1 581, Brésil 697, Japon 645, Argentine 553, All. féd. 497.

Rang dans le monde (91). 1er cuivre. 5e pêche. 8e argent. 11e or. 15e vin.

CHINE

Carte p. 951. V. légende p. 884.

☞ Voir **Art chinois** p. 383.

■ GÉNÉRALITÉS

■ Nom. *Qin* (Tch'in), nom de la 1re dynastie chinoise (221-206) ; *Cathay,* donné par Marco Polo [nom d'une peuplade mongole, les Khitan ou Kitat, fondateurs du royaume chinois de *Liao*, dans la région de Pékin (xe s. apr. J.-C.)], peut-être nom ancien de Jingdezhen, Changnan, capitale de la porcelaine chinoise. Appelée aussi autrefois l'*Empire du milieu* ou *Céleste Empire* (aujourd'hui : *Chine* = Zhongguo = le pays du Milieu).

■ Situation. Asie. 9 571 300 km² (3e superficie mondiale). *Alt. max.* Everest (Chomolongma, voir Index) 8 848 m. *Distances* O.-E. 5 000 km ; N.-S. 5 500. *Frontières* terrestres 32 000 km, maritimes 18 000 (sans compter les côtes de 5 000 îles). **Conflits frontaliers.** La C. a revendiqué 1 000 000 de km² cédés à la Russie en 1858 (tr. d'Aïgoun). Cependant, selon les accords conclus en 1989, il ne resterait que 2 % de 3 000 km de frontières en litige.

■ Divisions géographiques. 1°) **Plateaux du Tibet :** alt. moy. 4 000 m ; steppes glacées [le « Toit du monde » (600 000 km²)]. 2°) **Cuvette du Xinjiang :** désert du Tarim (dont Takla-Makan) et Dzoungarie séparés par les monts Tianshan. 3°) **Déserts du Nord-O. :** de Gobi, de la Mongolie Intérieure au Qinghai, Gansu, Ningxia. 4°) **Plateaux de lœss du Shaanxi et du Shanxi.** 5°) **Bassin du Sichuan et plateaux calcaires du Guangxi et du Yunnan.** 6°) **Grande plaine orientale :** de Mandchourie au N. au Guangdong au S.

■ Principales entités géographiques. **Centre.** Vers 33° de latitude, plaine, climat plus chaud et plus humide ; agriculture intensive, riz et blé. Le *Yangzijiang* (Yang-tseu-kiang), qui la traverse, a facilité la pénétration économique des Européens qui ont créé à Hankou (devenu l'un des faubourgs de Wuhan) une industrie textile (coton) et métallurgique (utilisant charbon et fer extraits plus au sud). *Wuhan,* carrefour ferroviaire. *Nankin,* centre ind. *Shanghai* (principal comptoir européen avant 1949), ind. : mécaniques, chimiques, pétrochimiques, horlogerie, textiles.

Sud. *Collines* accidentées, climat tropical, cultures arbustives (théier, mûrier, canne à s., coton, riz), nombreux minerais non ferreux. Culture intensive : 3 récoltes de riz ; main-d'œuvre abondante. *Canton :* aglom. principale. *Bassin rouge du Sichuan,* entouré de montagnes, souvent refuge contre les envahisseurs. Culture intensive : riz ; terres basses : blé et millet ; hauteurs : canne à s., coton ; porcs ; industrie utilisant charbon et fer des gisements situés au S. du Yangzi. *Chongqing,* centre ind. actif, au terminus de la navigation, carrefour ferroviaire et routier.

Nord. Montagnes entourant une plaine fertile [ancienne fosse marine remblayée par les fleuves, principalement par le *Huanghe* (fleuve Jaune) qui a entraîné les lœss des plateaux de l'intérieur] au milieu de laquelle se dresse la péninsule du *Shandong.* Plus vers l'E., en arrière des montagnes du *Shanxi,* hauts plateaux de la boucle du *Huanghe* (région de l'Ordos). POPULATION : env. 170 000 000 d'h. dans la plaine du N. 15 villes de + de 100 000 h. 2 centres dominent : *Tianjin,* port maritime et centre ind. ; *Pékin* (Beijing = capitale du Nord), cap. politique et culturelle, centre ind. et carrefour.

Mandchourie. Pénétrée par les Russes à la fin du XIXe s. puis colonisée par les Japonais au XXe s. Plaine allongée du N. au S., dominée par des montagnes à l'O. et à l'E. : *Grand Khingan* séparant la M. des hauts plateaux mongols ; « Alpes » coréennes à l'E. séparant la plaine de la péninsule de Corée. Vers le N. collines accidentées *(Petit Khingan)* précèdent la vallée de l'*Amour* (Heilongjiang), qui traverse l'Extrême-Orient sov. Au S. presqu'île du *Liaodong,* montagne isolée au milieu de plaines alluviales ; hivers très froids, étés chauds. Influence de la mousson, pluies d'été abondantes vers le S. ; plaine couverte à l'état naturel par une savane. Dans la moitié N., élevage extensif, vastes zones encore inexploitées. GRANDES VILLES : *Shenyang* (Moukden), capitale régionale. *Harbin* (Kharbine), nœud ferroviaire. Dans le Liaodong, *Lüda* (grand port de *Dalian*, ex-*Port-Arthur*).

Xinjiang. N.-O. : 1 350 000 km², continental. 2 dépressions séparées par la chaîne des *Tianshan* (7 430 m au mont Tomur) dont l'O. constitue la frontière sino-sov. Au N. la *Dzoungarie* qui communique avec la dépression du Turkestan russe. Au S., la *Kashgarie,* dépression fermée, drainée par le *Tarim* qui descend du *Pamir* et se perd dans les marais du *Lob Nor.* Route Kashgar-Pakistan par le Karakorum. Climat : été chaud et très sec, hiver rigoureux ; la fonte des neiges des montagnes du pourtour permet la vie d'oasis (Hetian-Khotan, Yarkand, Kashgar) ; 14 000 000 d'h. (dont 50 % de Ouïgours), densité faible (8,2 h. par km²). VALEUR ÉCONOMIQUE : 1°) charbon, pétrole, fer et métaux non ferreux, métaux rares et précieux (uranium) dans les montagnes ou à leur pied. 2°) oasis : légumes, céréales et fruits. 3°) élevage et peausseries. 4°) communications avec les plaines orientales, en dépit des distances énormes, relativement faciles (hauts plateaux peu accidentés). Traversé par anciennes routes de caravanes (routes du thé et de la soie) ; par chemin de fer à Lanzhou ; liaisons aériennes. *Lob Nor :* centre d'essais nucléaires, 1re base de lancements de fusées ch. *Centre principal : Urumqi* (Ouroumtsi) près de gisements minéraux variés (charbon, fer, pétrole), carrefour aérien et aéroport international.

■ Montagnes. Couvrent les 2/3 de la superficie totale : *Mts Altaï* (en mongol : m. d'or) alt. 3 000 m, au N. du Xinjiang et en Mongolie ; *Mts Tianshan* alt. moy. 3 000-5 000 m, max. 7 443 m ; traversent le Xinjiang [comprennent une dépression, la fosse de Turfan, avec le lac Aykingkol, à – 154 m] ; *Mts Kunlun* (2 500 km de long) du Pamir au Sichuan, alt. moy. 5 000 m ; plusieurs sommets dépassent 7 000 m ; *Mts Qinling :* traversent le centre de la Chine sur 1 500 km (alt. 2 000 à 3 000 m), entre les bassins du Huanghe (fl. Jaune) et du Yangzi (fl. Bleu) ; *Mts Karakorum* (en ouïgour : m. violette et noire) : pt culminant 8 611 m (Mt Qogir), à la frontière du Cachemire ; *Mts Gangdise* (en tibétain : roi des m.), sud Tibet, 6 000 m ; pt culminant Mt Kangrinboqe (en tibétain : trésor des neiges) ; pèlerinages bouddhistes ; *Himalaya* (demeure des neiges) ; 40 pics dépassant 7 000 m ; pt culminant 8 848 m : Everest [Chomolongma (en tibétain : déesse-mère du monde)]. Chaînes orientales (entre plateaux centraux et plaines), direction : S.-O./N.-E., altitude moyenne 1 000 m, point culminant : Mt Changbai.

■ Cours d'eau. **Fleuves :** + de 1 500 ont un bassin supérieur à 1 000 km². *Débit (total) :* 2 700 milliards de m³ (force hydraulique potentielle 5 800 millions de kW). *Changjiang* [Yangzijiang (fl. Bleu, en fait jauni à cause des boues qu'il charrie)] : long. 5 520 km ; bassin 1 800 000 km² ; navigable par des bateaux de 10 000 t (en hautes eaux) jusqu'à Chongqing, descendu depuis sa source en 1987 sur des radeaux. Projet de barrage pour faciliter la navigation et arrêter les inondations (200 en 2 000 ans : en 1954, 350 000 † et 1 million de pers. déplacées). *Huanghe* [Houang-ho (fl. Jaune), surnommé « le Chagrin de la Chine », 4 345 km] le plus limoneux du monde (1 600 millions de t par an) ; son lit est rehaussé par les alluvions et le fl. doit être contenu dans des digues (26 déplacements importants au cours de l'histoire, grosses crues de printemps-été). *Xijiang* [Si-kiang (fl. de l'Ouest)], 2 655 km, navigable ; grossi de 2 rivières également navigables : *Beijiang* (Pé-kiang, rivière du N.), *Dongjiang* (Tong-kiang, rivière de l'E.) ; à partir de Canton, divisé en plusieurs bras dont le plus important est le *Zhujiang* [Tchou-kiang (rivière des Perles)]. *Heilongjiang* [Dragon noir] (fl. Amour : 4 667 km), frontière avec la Russie. **Canaux :** le grand canal N.-S. de Pékin à Hangzhou, 1 899 km ; C. Hunan-Guangxi. **Lacs :** 370, dont 130 ont plus de 100 km² (lac Qinghai, 4 456 km² à 3 194 m d'altitude).

■ Climat. *Température moy. janv. et juill. 1987 en °C :* Pékin – 3,6 ; + 26,6. Shanghai + 5,1 ; + 27. Canton + 15,9 ; + 28,5. Wuhan + 5,2 ; + 27,4. Urumqi – 11,4 ; + 24,5. Shenyang + 10,8 ; + 24,3. Harbin – 20,1 ; + 21,7. **Meilleure période :** avr.-mai ou sept.-oct. ; **par régions :** *O.* (Mongolie, Xinjiang, Qinghai, Ganshu) : précipitations faibles, amplitude thermique élevée. *N.-E. :* continental. Hiver très froid, été chaud, max. de pluies. *Plaine centrale :* temp. douces. *Hauts plateaux lœssiques :* continental. Hiver, froid dans plaines du Yangzijiang, tempéré au Zhejiang et au Fujian. Pluies (1 100 mm) en juin.

■ Faune. **Espèces.** *Oiseaux :* 1 150 (13,4 % des esp. connues). En 1958, campagne de destruction pour les empêcher de manger les récoltes ; les hab. tapent dans leurs mains pour affoler les oiseaux qui tombent d'épuisement. *Mammifères :* 400 (11,1 %). *Reptiles et amphibiens :* 420. *Animaux propres à la Ch. :* panda géant, rhinopithèque, takang (env. 1 000), cerf aux lèvres blanches, crossoptilon brun, dauphin aux nageoires blanches, alligator chin., crocodile-légor.

■ Flore. *Plantes supérieures :* 32 000 esp. (dont 2 000 vivrières) et 2 800 essences d'arbres. *Projet :* reboiser 100 millions d'ha.

■ DÉMOGRAPHIE

■ Évolution (millions). *2 apr. J.-C.* Han de l'Ouest (Empereur Pingdi) 60 ; *156* Han de l'Est (Emp. Huandi) 50 ; *220/280* (3 royaumes) 7 ; *280* Jin de l'Ouest (Emp. Wudi) 16 ; *606* Sui (Emp. Yangdi) 46 ; *742* Tang (Emp. Xuanzong) 48 ; *1110* Song (Emp. Huizong) 47 ; *1290* Yuan (Emp. Shizu) 59 ; *1393* Ming (Emp. Taizu) 6 ; *1661 :* 21 ; *1757 :* 190 ; *1830 :* 385 ; *1860 :* 470 ; *1901 :* 426 ; *28 :* 474 ; *49 :* 548 ; *53* (rec.) : 582 ; *64 :* 714 ; *78 :* 958 ; *82* (rec.) : 1 004, dont Han 937 (93,3 %), minorités 67 (6,7 %). *1990 (1-7) :* 1 133, 68 (4e recensement), dont Han 1 042,48 (92 %), minorités 91,2 (8 %), *92 :* 1 170. A l'O. : Mongols, Turcs originaires du Turkestan, Tibétains ; au S.-O. : Yi et Miao ; au N.-E. : Toungouses et Mandchous (Voir langues p. 951 a etb) ; *2000 :* 1 300-1 414 (objectif max. du gouv. 1 250-290) ; *2025 :* 1 500 ; *2060 :* 2 000 (objectif max. 1 400).

Minorités. 55 nationales (pop. en millions au recensement de 1990). *Zhuang* [ou Dchouang, autonomie en 1948, capitale : Nanning (Guangzi)] 15,5. *Mandchous* 9,8. *Hui* (ou Houei ou Douganes, descendants des nestoriens ? Se disent descendants des soldats de Tamerlan) 8,6. *Miao* 7,4. *Uygurs* 7,2. *Yi* 6,6. *Tujia* 5,7. *Mongols* 4,8. *Tibétains* 4,6. *Bouyei* 2,5. *Dong* 2,5. *Yao* 2,1. *Coréens* 1,9. *Bai* 1,6. *Hani* 1,2. *Kazakhs* 1,1. *Li* 1,1. *Dai* 1. *Lisu* 0,5 [1]. *She* 0,4 [1]. *Lahu* 0,34 [1]. *Va* 0,3 [1]. *Shui* 0,3 [1]. *Dongxiang* 0,3 [1]. *Naxi* (ou Nasis) 0,2 [1]. *Tu* 0,1 [1]. *Kergez* 0,1 [1]. *Qiang* 0,1 [1]. *Daur* 0,09 [1]. *Jingpo* 0,09 [1]. *Mulam* 0,09 [1]. *Xibe* 0,08 [1]. *Salar* 0,07 [1]. *Bulang* 0,06 [1]. *Gelao* 0,05 [1]. *Maonan* 0,04 [1]. *Tajik* (Tadjiks) 0,02 [1]. *Pumi* 0,02 [1]. *Nu* 0,02 [1]. *Achang* 0,02 [1]. *Evenki* 0,02 [1]. *Uzbeks* (Ouzbeks) 0,01 [1]. *Benglong* 0,01 [1]. *Gin* 0,01 [1]. *Chino* 0,01 [1]. *Yugur* 0,01 [1]. *Bonan* 0,01 [1]. *Monba* 0,006 [1]. *Drung* 0,004 [1]. *Oroqen* 0,004 [1]. *Tatar* 0,004 [1]. *Russes* 0,003 [1]. *Lhoba* 0,002 [1]. *Hoche* 0,001 [1]. *Divers* 0,8 [1].

Nota. – (1) 1982. *Taux d'accroissement (%, 1982-90) :* Han 10,8, minorités 35,2.

■ Données générales. **Répartition par sexe** H. 51,59 %, F. 48,41 %. **Densité** 122,2. 2/3 de la pop. vit sur 1/6 des terres [bande côtière Shanghai à Guangzhou (Canton) 500, Bassin rouge 250], Tibet 1,6 (+ faible). **Pop. rurale** *1993 :* 900 millions. **Longévité** hommes : 66,4 a., femmes : 69,3. **+ de 65 ans :** *1990 :* 5,5 %. **– de 15 ans :** *1987 :* 28,8 %. **Taille moy.** *1949 :* h. 1,64 m (f. 1,52 m) ; *1988 :* h. 1,67 (f. 1,56).

Naissances (millions) *1986 :* 21. *90 :* 23,8. *91 :* 22,6 (baisse due à l'année du Mouton, portant malchance aux nouveau-nés). *92 :* 21,2 dont 8 d'illégales. **Décès** (millions) *92 :* 7 (30 % incinérés).

Mesures démographiques. *Population souhaitable pour atteindre un niveau de vie comparable à celui de l'Occident* (estim. officielle) : 600 millions d'h. Il faudrait qu'il n'y ait plus qu'un enfant par famille jusqu'en 2060. Politique de l'enfant unique concernant les Chinois de souche (Han) et non les minorités (1979) : congés de maternité, soins et scolarisation gratuits pour le 1er enfant, dans certains cas possibilité d'avoir un 2e enf. (parents étant enfants uniques, 1er enf. handicapé, appartenance à une minorité, si le 1er enf. est une fille, possibilité 4 ans après sa naissance d'avoir un seul autre enf.). A la campagne, les parents, en compensation, sont favorisés dans la distribution des lopins individuels. Hausse de l'âge min. du mariage (h. 22 ans, f. 20 ans, sinon envoi dans des camps de travail). Encouragement au mariage tardif. Libéralisation de l'avortement (22 % des couples). *Rapport naissances masculines/100 n. féminines (1990) :* 111 (Monde : 105). *Raisons :* infanticide, sous-enregistrement des naissances fém. (nombreuses « adoptions » non déclarées par foyers urbains), avortement différentiel (amniocentèse servant à détecter le sexe).

■ Taux (‰). **Natalité** *1954 :* 37,87 ; *64 :* 39,1 ; *70 :* 33,43 ; *75 :* 23,01 ; *80 :* 20,91 ; *90 :* 20 ; *91 :* 19,8 (selon certains, il faudrait 10 pour que l'objectif de 1,2 milliard en *2000* soit respecté). **Indice de fécondité** *1980 :* 2,1 enfants par femme ; *1990 :* 2,5. **Mortalité** *1950 :* 18,81 ; *81 :* 6,36 ; *85 :* 6,6 ; *90 :* 6,3 à 6,6 ; *91 :* 6,7 ; **infantile** *1984 :* 38. **Croissance** *1957 :* 23,33 ; *59 : 19 ; 60 : –* 4,57 ; *63 :* 33,33 ; *70 :* 25,83 ; *80-85 :* 12 ; *90 :* 14,7 ; *92 :* 11,6.

Nota. – 1986-95 baby-boom. Raisons : relâchement de la planification familiale (dep. 1984, nombreuses exceptions à l'enfant unique et mariages avant l'âge légal), arrivée à la nuptialité des générations 1962-72 [femmes 20-29 a. (80 % des naissances) *en 1982 :* 81 millions ; *87 :* 97 ; *90 :* 100 ; *95 :* 125], représentant 20 % de la hausse.

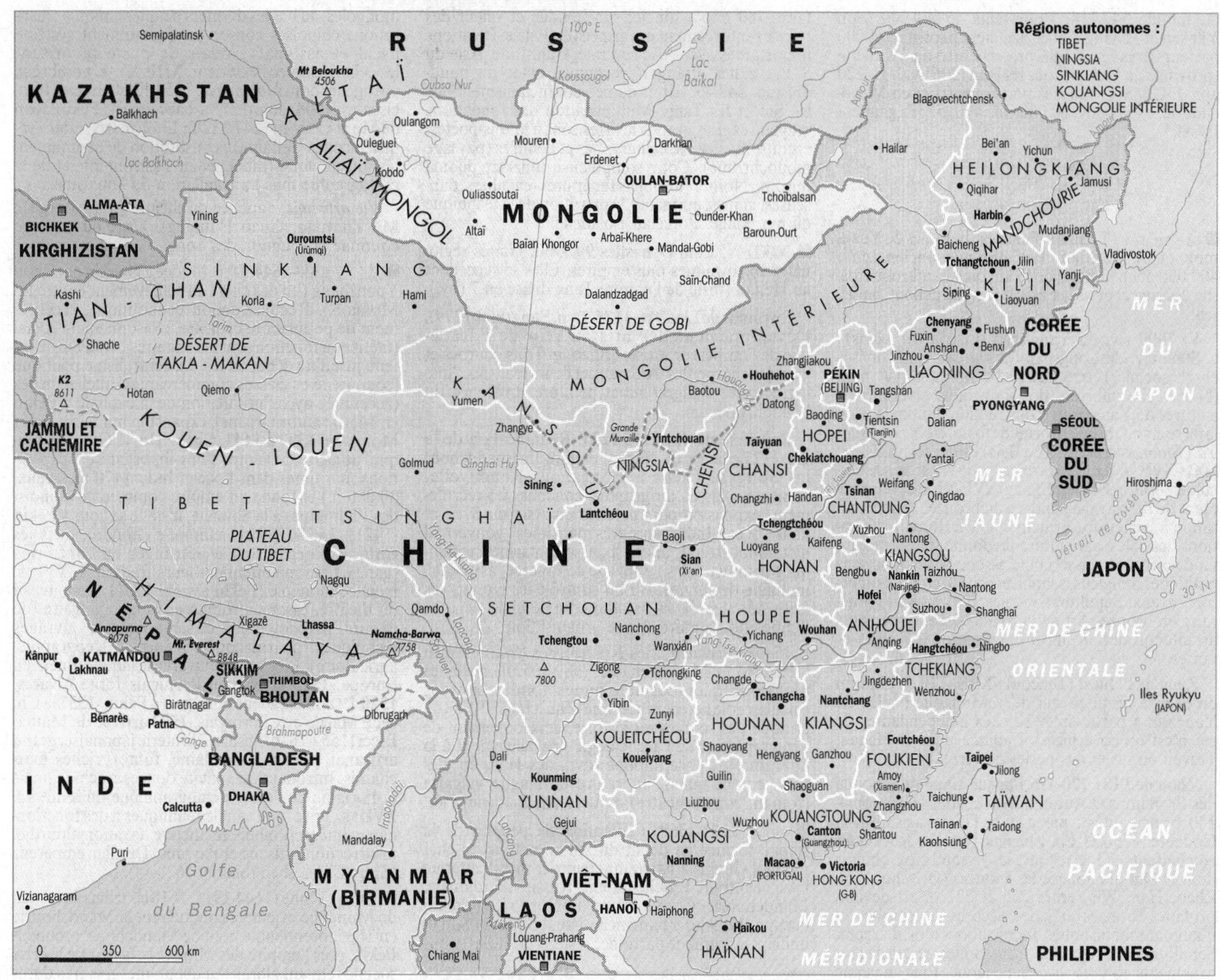

■ **Villes** (en millions d'h., 1990) : *Beijing (Pékin)* 7 (pop. voir régions p. 956), Shanghai 7,83 (la plus grande ville industrielle), Tianjin (T'ientsin) 5,77, Shenyang (ex-Moukden) 4,54, Wuhan 3,75, Guangzhou (Canton) 3,58, Chongqing 2,98, Harbin 2,83, Chengdu (Chengtu) 2,81, Xian (Sian) 2,76, Nanjing (Nankin) 2,50. **Taux d'urbanisation** (en %, entre parenthèses étude Kirkby). *1982:* 20,6 (15), *90:* 26,2 (21). **Croissance** (%, en 1982-90) : 43,5 (Guizhou 9, Guangdong 120).

Nota. – En 1990, 12 000 bourgs, 450 municipalités (dont 30 de + de 1 million d'hab.). Dep. 1980, l'exode rural a entraîné une pop. « flottante » de 50 à 80 millions d'hab. (1 à 2 à Shanghai et Pékin).

☞ Selon le « Journal des lois », plusieurs centaines de milliers de femmes et d'enfants ont été vendus au Henan en 18 mois. Ex. : des sœurs enlevées dans le sud du pays ont été vendues 3 400 yuans (1 yuan = un peu moins de 1 F) ; enfant de 5 ans ; 4 200 yuans.

■ **Chinois de l'étranger** (ou d'outre-mer dits *Huaqiaos)* (en millions). **Asie du S.-E. :** env. 20, Indonésie 6 à 7,2 (4 % de la pop. locale), Thaïlande 5,8 (10 % de la pop. locale), Malaisie 5,2 (30), Singapour 2 (76), Myanmar 1,5 (4), Viêt-nam 0,8 (avant la récente émigration), Philippines 0,8 (1), Cambodge 0,4 (4), Laos 0,06 (2). **Pays non asiatiques :** USA 1,8, Canada 0,6, Cuba 0,035, Pérou 0,032, G.-B. 0,03, île Maurice 0,03, Pays-Bas 0,03, Australie 0,02, *France 0,02.*

■ **Étrangers en Chine.** Env. 1 000 Français en 1989.

■ **Enseignement. Élèves** (en millions, 1989) : maternelle 18,4, primaire 123,7, secondaire 45,5, technique et agricole 2,82, supérieur technique 1,49, formation d'enseignants 0,6, étudiants 2. **Niveau d'instruction** (1982, en %) primaire 30,4 ; 1er cycle 22,3 ; 2e 9,6 ; supérieur 0,45. **Analphabètes** 28,5 % des + de 12 ans (37,2 des femmes de 15 à 49 ans).

■ Langues

Majoritaire. *Han* (92 % de la pop.), groupe linguistique apparenté aux langues thaïe et tibéto-birmane, notamment au lolo indochinois (monosyllabique). Chaque mot est composé d'une syllabe invariable (tendance à la bisyllabisation). Certaines combinaisons fixes deviennent de vrais polysyllabes, ex. : *Ren* « hommes », *Ren-lei* « humanité » (mot à mot : « homme catégorie »). L'écriture comporte un signe par syllabe. Langue écrite ancienne, invariable dep. 2 000 ans (sauf simplification d'une liste des caractères vers 1950), peut être lue des yeux mais ne correspond pas au langage parlé. *Langues parlées :* seules utilisées y compris dans les publications, 3 variétés majeures : N. et N.-O. (Pékin) ; O., S.-O. et S. (Nankin) : mandarin [*putonghua* (500 millions) langue off. fondée sur la prononciation de la région de Pékin, créée du VIIe au IXe s. par les lettrés de Pékin] ; dialectes du S.-E. : de Shanghai (Jiangsu et Zhejiang), cantonais (Guangdong, Guangxi). *Caractères :* env. 40 000 idéogrammes dont 6 000 d'usage courant. *Prononciation :* varie d'une région à l'autre. **Minoritaires** (voir minorités p. 950 c).

Méthodes de transcription en caractères latins. Wade (anglais, utilisé par Taiwan), **Efeo** (École française d'Extrême-Orient), **Pinyin** (utilisé par la Chine pop.). *Avantages :* absence d'apostrophes et de traits d'union, échanges facilités par télex, etc. *Inconvénients :* doit recourir à des accents de divers types pour préciser le sens des mots (le chinois ne connaît ni déclinaison ni conjugaison, et c'est la place des mots dans la phrase qui détermine leur sens avec le ton adopté) : selon la modulation, *ma* peut signifier mère, chanvre, injure ou cheval. Le *p* de Wade est transcrit en pinyin b ; le *ts,* j ; le *t,* d ; le *hs,* x ; le *ku* (en Efeo *kou*), gu, etc. Ainsi, *Mao Tsé-toung* est transcrit Mao Zedong ; *Teng Siao-ping :* Deng Xiao-ping ; *Tchou Teh :* Zhu De, etc. *Peiking* (Pékin) : Beijing ; *Kouang-tong :* Guangdong ; *Kouang-tchéou* (Canton) : Guangzhou ; *Hang-tchéou :* Hangzhou ; *Nanking* (Nankin) : Nanjing ; *Chantoung :* Shandong ; *Changhai :* Shanghai ; *Setchouan :* Sichuan ; *Soutchéou :* Suzhou ; *T'ientsin :* Tianjin ; *Sin-kiang :* Xinjiang ; *Chen Po-ta :* Chen Boda ; *Kuo-Mo-jo :* Guo Moruo ; *Tchang Kaï-chek :* Jiang Jieshi ; *Lin Piao :* Lin Biao ; *Lieou Chao-k'i :* Liu Shaoqi ; *Chou En-lai :* Zhou Enlai ; *Chu Teh :* Zhu De ; *Tchiang Ts'ing :* Jiang Qing ; *Kouo-min-tang :* Guomindang ; *Hopei :* Hebei ; *Tibet :* Xizang.

■ Religions

Position officielle. La Constitution de 1982 a rétabli explicitement la liberté religieuse. Le Parti préconise l'athéisme, les religions n'étant qu'un produit de l'oppression naturelle et sociale. Elles représentent une conception inversée du monde et qui a été engendrée dans certaines conditions historiques pendant lesquelles l'humanité restait incapable de connaître la loi objective de la nature, de la société et la sienne propre. Les persécutions antireligieuses sont suspendues, mais il reste des prêtres catholiques en prison. Les 2 grandes religions chinoises, bouddhisme et taoïsme, mêlées au confucianisme, qui est plutôt une philosophie, se sont transformées (surtout dep. le XIVe s.) en une religion populaire, variant selon les régions, mais ayant en commun le culte des ancêtres (les 2 clergés restent distincts).

Statistiques. Bouddhistes 150 000 000, **Taoïstes** 30 000 000, **Musulmans** 35 000 000 selon les autorités, 158 000 000 selon les religieux (islam introduit au VIIe s. par des commerçants arabes dans les ports du Guangdong et du Fujian et sur la route de la soie. XIIIe s. conquête de Gengis Khan et afflux de musulmans). *En 1990 :* 50 mosquées ont été fermées dans le N. et la construction de 100 autres a été interdite. **Hui** env. 6 400 000 (surtout dans le Ningxia). **Christianisme** [introduit VIIIe s. par les nestoriens, 635, moine syrien Olapen (ou Aloben) à Chang'an puis 1 245, 1582, 1685 (1er évêque chinois Grégoire Luo), se développe après 1840]. *1900 :* 1 000 000 de catholiques, 759 prêtres blancs (409 chin.), 3 930 églises et 2 912 écoles. *1947-48 :* 3 251 347 cath., 190 850 catéchumènes, 5 588 prêtres (2 542 chin.), 1 077 frères (663 chin.) et 6 543 religieuses (4 717 chin.), 803 grands séminaristes ; 3 universités, 189 écoles secondaires, 1 500 primaires, 216 hôpitaux, 781 dispensaires, 5 léproseries, 254 orphelinats ; 29 ateliers de typographie, 55 publications ; observatoires de Zikawei et Zosé créés par les jésuites de Shanghai. *1949-55 :* 70 évêques expulsés. *1951 :* internonce et missionnaires expulsés. *1957 :* l'Association patriotique des cath. ch. fondée par Zhou Enlai rassemble 4 % des fidèles [rupture avec Rome évitée (non déclarés schismatiques)]. *Jusqu'en 1978 :* 1 église ouverte (Nantang à Pékin). *1989 :* nov. conférence épiscopale fidèle à Rome créée : ses participants seront arrêtés. *1990 :* 3 300 000 à 6 000 000 de fidèles, env. 1 000 prêtres. 60 évêques officiels consacrés sans l'autorisation du St-Siège (60 évêques clandestins), 700 séminaristes officiels. En juin 1992, 17 évêques, 30 prêtres détenus ou assignés à résider. 3 évêques † en prison en 1991-92. **Chinois catholiques vivant hors de Chine** 1 344 591 dont T'ai-wan 301 677, Hong Kong 265 800, Macao 30 000, reste du monde 747 114. **Protestants** 45 000 000 (Sun Yat-sen et Tchang Kaï-chek étaient baptistes), 4 000 pasteurs (très âgés). **Juifs** présence attestée à Kaifeng (province du Henan) sous les Han (206 av. J.-C.-220 apr. J.-C.). XIXe dans les ports ouverts et en Mandchourie. *1939 :* env. 30 000, *56 :* 400, *57 :* ils gagnent Israël.

Histoire

Histoire ancienne

■ Avant J.-C. **1 million d'années :** hommes de Yuanmou et de Lantian. **Paléolithique ancien** (env. 400 000 ans), homme de Pékin ou sinanthrope (fossile découvert près de Pékin) : marche debout, outils, feu.

V. 7000 civ. du Yang-shao (matriarcat, clans) ; **v. 5000** civ. de Longshan (patriarcat, clans divisés en cl. sociales). DYNASTIES LÉGENDAIRES [IVe mill. (?)-déb. IIe mill.] ép. des souverains civilisateurs, cultures de Yang shao (construction par damage de la terre, habitations en forme de fosse, etc.). *Dynasties Yao, Shun.* ATTESTÉES. Xia (Hsia) États esclavagistes ; **XXIe-XVIe s.** âge du bronze (XVIe-VIe s. av. J.-C.), culture erliton. **Shang** (Chang) **XVIe-XIe s.** développement de l'esclavage ; apogée du bronze. **Xe s.** char à timon à 2 chevaux, principes de l'écriture, fortifications des villes, agriculture prédominante, structure féodale (roi et classe noble assument les fonctions politiques, religieuses, milit. et écon.), culte des ancêtres royaux. Sépultures royales avec mobilier funéraire en bronze. Art de la ronde-bosse. Ornements architecturaux en marbre, céramiques rouges et noires.

Zhou de l'Ouest (Tchéou) ; **XIe s.-770** civilisation du bronze jusqu'au sud de la Mongolie (vallée du Yangzi) ; à partir du Xe s., cités indépendantes (le roi n'est qu'un arbitre). Capitale dans le Henan. Travail du fer et des perles de verre.

Zhou de l'Est 770-476 Époque Chunqiu (époque des Printemps et Automnes ou ép. des Hégémons), 140 principautés : passage de l'esclavagisme à la féodalité. **475-221 Ép. Zhanguo** (ép. des **Royaumes combattants**). Guerre entre les 7 grands roy. chinois dont le Qin qui annexe les 6 autres (Qi, Chu, Yan, Zhao, Han, Wei) entre 256 et 221. L'art devient profane. Bronzes et jades décorés de courbes et d'animaux fantastiques. Incrustations d'or, d'argent. Sépultures du royaume Chu. Boîtes, ustensiles et ornements en bois revêtus de laque. Plus ancienne peinture sur soie connue. **Qin** (Chin) **221-207** 1er État féodal (multinational et unitaire) fondé par l'emp. Q'in (prononcé T'sin qui donne le mot Chine) Shi Huangdi (200 000 déportés) ; **213 :** livres brûlés sauf précis de médecine, astronomie, agriculture. **209** insurrection conduite par Chen Sheng et Wu Guang.

Han de l'Ouest 206 av. J.-C.-24 apr. J.-C. 17-18 apr. J.-C. insurrections populaires des *Lulin* (insoumis) et des *Chiméï* (Sourcils rouges). Extension de l'art funéraire. Sculpture monumentale, peinture murale, dalles ciselées. Objets en laque polychrome. Figurines peintes, les mingqi, utilisées au cours des rites mortuaires.

■ Après J.-C. **Han de l'Est 25-220. 184** insurrection des Huangjin (Turbans jaunes), Époque : **Les Trois Royaumes** (Wei, Shu, Wu) **220-265 ; Jin de l'Ouest 265-316 ; Jin de l'Est 317-420 ; Dynasties du S. et du N. 420-589. 220 à 380** insurrections d'inspiration taoïste, armées autonomes chargées de la répression, affaiblissement du pouvoir des Han et formation de 3 roy. indépendants dont le plus puissant (Wei, au N.) avec l'usurpation du pouvoir par une grande famille, les Sima, qui restaure l'unité (265 à 316). Grandes invasions en C. du N. de hordes turco-mongoles (IIe et IIIe s.). **316-589** séparation C. du S. et C. du N. [tribus originaires des steppes et montagnards apparentés aux Tibétains (ép. des royaumes et empires barbares)]. Influence de la steppe et des pays de l'Asie centrale (organisation militaire). Influence du taoïsme et du bouddhisme. Développement de la peinture, création de la critique d'art, multiplication des sculptures monumentales (lions ailés). Sanctuaires rupestres (grottes de Dunhuang). **Vers 439** absorption des petits roy. par l'empire des Wei (groupe turco-mongol) ; capitale à Luoyang (Henan) en 493 ; à nouveau, forte influence c. (organisation administrative). C. du S. : émiettement des roy., affaiblissement écon. (autarcie des grands domaines). Influence du taoïsme et surtout du bouddhisme sur arts et vie intellectuelle.

Sui (Souei) **581-618** conquête par les Souei (C. du N.) de l'empire du S. (capitale : Nankin). Unification administrative et écon. (grands travaux : canal approvisionnant le Henan, le Shanxi, la vallée de la Wei ; greniers). **Tang 618-907** armées indépendantes. **684** règne de l'impératrice du Ciel Wu Hou (624-705). **755** retour aux sources anciennes, proscription des cultes étrangers. **755-63** rébellion militaire. **780** impôt foncier sur étendue et valeur des terres, renforcement des armées du Palais. Relations importantes avec Asie centrale, Iran, Inde, Asie du S.-E. ; cultes étrangers reconnus, essor du bouddhisme. **843-45,** début du néo-confucianisme. **Sous les Sui et les Tang.** Multiplication des fondations religieuses. Les grands artistes sont à la fois poètes, érudits, musiciens, calligraphes et peintres (paysage monochrome). Cour somptueuse utilisant bijoux, miroirs. Nombreux objets funéraires (cavaliers, danseuses, génies, animaux). Apparition de la technique du martelage. Porcelaine blanche.

■ X-XIIe s. **Cinq Dynasties 907-960.** Unités régionales en royaumes puis empires. Elles se succèdent au Henan (reste de l'empire Tang divisé en 7 roy.).

Royaume de Liao 916-1125. Dyn. Song (960-1279). Développement des arts au sein de l'académie de l'empereur artiste Huizong. Toits courbés et grandes charpentes. Animaux et fleurs réalistes. Analogies entre calligraphie et peinture. Influence du bouddhisme zen.

Royaume de Jin 1115-1234. Réunification de la Ch. **1127** chassés du N. par l'empire Jin (mandchou) les Song se fixent à Hangzhou. Renouvellement des classes dirigeantes, concours de recrutement, expansion commerciale en Asie du S.-E. et dans l'océan Indien (progrès maritimes : gouvernail d'étambot, treuil, ancre, boussole marine ; techniques commerciales : effets de commerce, assignats, monnaie de cuivre). L'État contrôle les monopoles (sel, thé, alcool), la fiscalité commerciale dépasse l'imposition agraire. Forte urbanisation.

Vie intellectuelle : les Réformistes [Wang Anshi (1027-86) et Fan Zhongyan (989-1052)], systèmes philosophiques cosmologiques fondés sur des calculs, école néo-confucéenne [Zhu Xi (1130-1200)], critique des sources en histoire, développement de l'épigraphie et de l'archéologie ; parallèlement à la littérature de style antique (dyn. des Han, ép. des Roy. combattants), littérature en langue vulgaire (roman, conte, théâtre) diffusée par l'imprimerie.

■ Yuan **1271-1368.** Fédération de peuples de la steppe formée au début du XIIIe s. autour du chef mongol Gengis Khan (empereur des mers), attaque l'Asie centrale, Proche-Orient, Russie méridionale, Mandchourie, Corée, Chine du Nord, 1215 Pékin occupé. **1279** les Yuan anéantissent Song du Sud et unifient une grande partie de l'Asie. A la tête les tribus mongoles, au bas les derniers peuples conquis ; institutions chinoises conservées (notamment système fiscal et assignat) ; relais de poste favorisant les échanges avec l'extérieur. **XIIIe-XVe s.** nombreux voyageurs dont *Marco Polo,* 1254-1324, moines franciscains. **1308** sacre du 1er archevêque de Pékin, Jean de Mont-Corvin (1247-1328). **1362** (martyre de l'évêque Jacques Ceffagni) ; constitution de communautés musulmanes (influence de l'astronomie et de la cartographie mus.) ; installation du lamaïsme.

Vie artistique : apogée du théâtre (dramaturges : Ma Zheyuan, Guan Hanqing). L'art du paysage continue la tradition des Song.

■ Ming **1368-1644.** Dyn. fondée à Nankin par Zhou Yuanzhang (un des chefs du soulèvement contre les Mongols). Reconstruction économique, recensement de population, cadastre, cloisonnement social (métier ou fonction sont héréditaires ; système maintenu jusqu'au début du XVe s.), centralisme politique [coupure avec classes commerçantes, intellectuelles (accentuée avec l'installation de la capitale à Pékin en 1450) ; autoritarisme], expansion militaire vers la Mongolie. **1399 à 1443,** Cheng Ho, le Grand Eunuque, ministre de l'emp. Yung-lo, organise 7 expéditions maritimes dans l'océan Indien (70 vaisseaux, 30 000 h.) et fonde un empire commercial chinois, des Philippines à la Somalie, installe sa cour à Pékin (1421). **1450-1500** cet empire s'effondre, mais les Chinois s'organisent à l'étranger en confréries (gangxi) qui maintiennent leurs traditions. **XVIe s.** menace mongole (Pékin assiégé 1552). Renouveau du théâtre, essor du roman en langue vulgaire (de mœurs, psychologique et sentimental) ; ouvrages techniques (pharmacopée, médecine, géographie, agriculture). Bibelots recouverts de laque affluent en Europe. **1513** arrivée du Portugais Jorge Alvares. **1520** 1er ambassadeur portugais à Pékin. **1557** la Ch. cède Macao aux Portugais. **1582** arrivée de Matteo Ricci (1552-1610), jésuite. Piraterie japonaise, grand artisanat (tissage, porcelaine, fonte), riches marchands. Introduction : patate douce, arachide, maïs (à l'origine de l'essor démographique du XVIIIe s.). **XVIIe s.,** crise opposant les eunuques à des fonctionnaires intègres, faillite financière, taxation alourdie, insurrection artisans et paysans. Dernier empereur Ming, Chongshen (Sizong 1628-44).

■ Qing (T'sing) **1644-1911. 1618** les tribus Jurgchen de Mongolie orientale conquièrent la Mandchourie en 1635, prennent le nom de Mandchous, prennent Pékin, puis l'empire des Ming (à la faveur de la crise sociale régnant alors). Au début, mesures très dures (imposition du port de la natte et du costume mandchou, expropriation des paysans, etc.), adoucies surtout par l'empereur Kangxi (1662-1722) qui consolide son pouvoir en maintenant en place les anciennes élites chinoises et en élargissant son empire en Asie centrale et au Tibet. **1645** port de la natte (bianzi) imposé pour les mandarins. **1656** 1er diplomate russe à Pékin. **1669** Ferdinand Verbiest (jésuite flamand) directeur du Bureau impérial d'astronomie. **1688-*22-8* *tr. de Nertschinsk*** [en latin, négocié par l'intermédiaire de 2 jésuites (Pères Gerbillon et Pereira)] : frontière russo-chinoise sur le fleuve Kerbetchi. **1736-96** essor démographique et écon. (exportation vers Asie du S.-E. et Eur. de thé, soieries, laques, cotonnades, quincaillerie). **A partir de 1800,** déclin : densité démographique trop élevée, centralisme politique et administratif (immobilisme), récession écon., dépréciation de l'argent (monnaie chinoise) par rapport à l'or (pays occidentaux).

Empereurs Qing (Ts'ing)

Légende. Les empereurs sont désignés par leur nom posthume ou nom de temple, *p :* nom porté avant d'être intronisé ; *e :* nom d'ère. Noms donnés en pinyin et entre parenthèses en Efeo.

1644 Qing Shizu (Ts'ing Che-tsou) ; *p* Fulin (Foulin) ; *e* Shunzhi (Chouen-tche). **1661** Qing Shengzu (Ts'ing Cheng-tsou) ; *p* Xuanhua (Hiuan-houa) ; *e* Kangxi (K'ang-hi). **1723** Qing Shizong (Ts'ing Che-tsong) ; *e* Yongzhen (Yong-tchen). **1735** Qing Gaozong (Ts'ing Kao-tsong) ; *p* Hongli (Hong-li) ; *e* Qianlong (K'ien-long). **1796** Qing Renzong (Ts'ing Jentsong) ; *e* Jiaqing (Kia-k'ing). **1821** Qing Xuanzong (Ts'ing Hiuan-tsong) ; *e* Daoguang (Tao-kouang). **1851** Qing Wenzong (Ts'ing Wen-tsong) ; *e* Xianfeng (Hien-fong). **1862** Qing Muzong (Ts'ing Moutsong) ; *e* Tongzhi (T'ong-tche), pendant ces 2 règnes, le pouvoir est aux mains de Cixi (Ts'eu-hi). **1875** Qing Dezong (Ts'ing Tö-tsong) ; *p* Zaitian (Tsai-t'ien) ; *e* Guangxu (Kouang-siu). **1908** Qing Xundi (Ts'ing Hiun-ti) ; *p* Puyi (P'ou-yi) ; *e* Xuantong (Siuant'ong) ; né 1906, détrôné 12-12-1912, nov. 1924 expulsé de la Cité interdite, se réfugie à la légation jap., 23-2-1925 évacué sur T'ientsin (ville internat.), mars 1932 nommé par les Japonais régent de la Mandchourie, 1-3-1934 emp. de Mandchourie sous le nom de Kang Teh, 1945 détrôné ; 14-6 capturé

Quelques inventions et découvertes chinoises

■ **Avant J.-C. Ier s.** *brouette :* de Guo Yu. *Pompe à godets (carrés en chaîne).* **IIe s.** *acier :* redécouvert 1845 par William Kelly (Kentucky, USA) avec 4 experts chinois. *Suspension à la Cardan :* en Occident, décrite par Jérôme Cardan (1501-76). En 695 apr. J.-C., l'impératrice Wu Zetian fit construire une colonne de fonte octogonale (haut. 32 m, diamètre 3,6 m, 1 345 t), surmontée d'une « voûte de nuages » de 3 m et d'une circonf. de 9 m, soutenant 4 dragons de bronze de 3,6 m portant une perle dorée. *Harnais. Taches solaires :* observées par Gan De, qui dressa le 1er catalogue d'étoiles, 200 ans avant le Grec Hipparque. **VIIIe s. (au moins)** *laque.* **VIIIe ou IXe s.** *déclinaison du champ magnétique terrestre.* **XIVe s.** *système décimal.*

■ **Après J.-C. Ier s.** *Pétrole et gaz naturel :* au Ier s. ap. J.-C. forage à + de 30 m. *Porcelaine* (en Occident, encore très rare au XVe s.). **IIe s.** *bateaux à roues :* actionnés par des pédaliers. **IIIe s.** *étrier :* inconnu des Perses, Mèdes, Romains, Assyriens, Égyptiens, Babyloniens et Grecs (au début : étriers de fer et de bronze). Vikings et peut-être Lombards ont répandu l'étrier en Europe. *Machine cybernétique* (sinon 1030 av. J.-C.) : chariot de 3,3 x 2,75 m surmonté d'une statue en jade orientée vers le S. quelle que soit la direction du chariot. *Valeur précise de pi :* Archimède l'avait calculée jusqu'à la 3e décimale et Ptolémée jusqu'à la 4e. Au IIIe s., Liu découvre une valeur de 3,14159, puis au Ve s. Zu Chongzhi et son fils 3,1415920203. **577** *allumettes :* faites avec du soufre. **VIIe s.** *pont à arc surbaissé :* par Li Chun, 1er grand pont de 37,5 m construit en 610 sur le Jiao (restauré XXe s.). Le + grand pont : Marco Polo (1189) sur le Yongsding avec 213 m (11 arches de 19 m). **683 à 727** *horloges mécaniques :* de Yixing. **812** *papier-monnaie :* effet à vue. **Xe s.** *immunologie.* **954** *fonte :* le + grand objet d'une pièce célébrant la victoire de l'empereur Shizong sur les Tartares : lion de Zhangzou (haut. 6 m et creux). 1601 : Pagode Yu Quan à Dangyang (Hubei) : la + ancienne, entièrement en fonte. **V. 1 000** *poudre :* utilisation à des fins militaires. **1027** *odomètre.* **1088** *horloge hydraulique à échappement.*

par les Russes, 1950 remis à la Chine, rééduqué, devient jardinier puis aide-bibliothécaire, meurt le 17-10-1967 à Pékin (tué par des gardes rouges ?).

Chine impériale moderne

1820 Ch. fermée à la pénétration européenne, derniers jésuites expulsés. A Canton, un commerce se maintient avec les Anglais (cotonnades et opium des Indes contre thé et soie). **1re guerre de l'opium (1839-42).** Origine : **1729** opium interdit (décret peu appliqué). **1773** la Cie des Indes exporte de l'opium en C. **1796** peine de mort pour trafiquants. **1833** fin du monopole de la Cie des Indes, les États princiers développent la culture du pavot, les prix baissent, on exporte plus. **1839** édit interdisant l'import. de l'opium remis en rigueur, 200 Britanniques expulsés de Canton, 20 000 caisses détruites, blocus chinois à la suite de rixes, Jardine pousse la G.-B. à intervenir. *-4-9* et *-3-11* flottes chin. détruites. **1841**-*24-5* les Angl. bombardent Canton, sir Hugh Gough venu avec 20 navires et 4 060 soldats. **1842** Angl. occupent Shanghai. *-29-8* tr. de Nankin (1er tr. inégal). G.-B. obtient l'ouverture au commerce de 5 ports (Canton, Amoy, Fuzhou, Ningbo, Shanghai) et l'île de Hong Kong. **1844** USA (*tr. de Ho-hia 3-7*) et France (*tr. de Whampoa 24-10*) obtiennent des garanties. La Fr. protégera également missionnaires et cathol. chinois. **1851** Hong Xiuquan (1813-64) fomente une révolte mystique et régénératrice, se proclame « roi céleste », fonde l'empire de la Grande Paix (Tai Ping), prend Nankin (1853), est vaincu (juillet 1864) par le gouv. impérial aidé de l'étranger [l'Amér. Ward, puis l'Angl. Charles George Gordon (1833-85)] et se suicide. **1856-60 2e guerre de l'opium. 1857** Fr.-Anglais prennent Canton. **1858**-*28-5* (calendr. julien : 16-5) *tr. d'Aïgoun :* la Russie reçoit la rive g. de l'Amour (2 500 000 km²). Le fleuve Amour devient frontière, le territoire entre l'Oussouri et la côte un condominium sino-russe. *-2-6* et *28-6 le tr. de Tianjin* (T'ientsin) après intervention fr.-angl. accorde à G.-B., USA, Fr., Russie l'ouverture de 11 nouveaux ports ; non respecté, il est suivi d'une autre intervention (Gal Cousin-Montauban ; vict. à Palikao 21-9-1860 [avec 1 200 soldats face à 50 000 Tartares (après vict. anglo-franç. le 18-9 à Tchang-Kia-Ouan)], *sac du palais d'Été* à Pékin). **1860**-*24-10* nouv. *tr. de Pékin* ouvrant 11 ports. **1881** la Ch. cède à Russie la vallée de l'Illi. **1885** la Ch. renonce à l'Annam après l'attaque de Courbet à Fuzhou et Formose (la Ch. était intervenue au Tonkin avec les Pavillons noirs). **1894** la Ch. essaie de restaurer son pouvoir en Corée, le Japon l'en empêche. **1895**-*17-4 tr. de Shimonoseki* Jap. vict. obtient Formose. *-26-10* 1er projet avorté de soulèvement révolutionnaire de Sun Yat-sen à Canton. *-8-11* les Occidentaux obligent Japon à rétrocéder à la Ch. la presqu'île de Liaodong avec Port-Arthur. **1896**-*22-5* tr. secret d'alliance avec Russie contre les ambitions jap. en Mandchourie permettant la construction du Transsibérien. **1896** début des troubles des *Boxers* (sectes des 8 trigrammes) dans le Shandong. **1897**-*11-10* Londres, tentative d'enlèvement de Sun Yat-sen par des agents impériaux. **1898**-*6-3* l'Allemagne obtient à bail Jiao-zhou (Kiao-chow). *-27-3* la Russie se fait céder les ports de Dalian et Port-Arthur. *-9-4* Ch. reconnaît le Yunan zone d'influence française. *Avril* Kang Youwei fonde la Sté pour la sauvegarde de l'État (Baoguohui). *-11-6/-21-9* Réforme des *Cent-Jours.* L'impératrice Tseu-hi reprend le pouvoir et fait arrêter les chefs réformistes. *Juin* G.-B. obtient cession des Nouveaux Territoires au N. de Hong Kong (bail 99 ans). **1899** *été* extension de la révolte des Boxers au Zhili et Henan (devise de leurs drapeaux : *Mié-iang-pao-tsing,* anéantir l'Européen). **1900**-*10-6* amiral anglais Seymour quitte Tien-Tsin pour Pékin, avec 1 100 h. *-13-6* les Boxers envahissent Pékin. *-20-6* min. allemand von Ketteler tué à Pékin. *-21-6/-14-8* Pékin, *siège des légations* étrangères, délivrées par un corps expéditionnaire international. Tsen-hi fuit à Xi'an. Pékin et le Palais impérial mis à sac par les troupes étrangères. *Oct.* nouvelle tentative d'insurrection de Sun Yat-sen à Huizhou. **1901**-*7-9* signature du protocole des Boxers, la Ch. s'engage à punir les chefs et fonctionnaires et à verser sur 40 ans 450 millions de taels (1,6 milliard de F-or) aux Puissances. **1905**-*20-8 Tōkyō* Sun Yat-sen crée la ligue jurée (Tongmenghui). *-5-9 tr. de Portsmouth,* fin de la g. russo-jap. *Japon* reçoit droits acquis par la Russie en Mandchourie du S. *Sept.* suppression des examens mandarinaux. *-11-12* mission d'enquête sur systèmes politiques européens. *-12-12 tr. Ch.-Japon* la Ch. reconnaît droits du Japon en Mandch. **1906**-*1-9* adhésion du trône au principe constitutionnel. Ch. cède Sakhaline à la Russie. **1908**-*15-11* Tseu-hi meurt, son petit-neveu Puyi empereur. **1911** *avril Canton* tentative d'insurrection de Sun Yat-sen. *-9-5* nationalisation des chemins de fer. *-10-10* (double dix) Wuchang insurrection milit. éclate, un officier, Li Yuanhang, tente de prendre le pouvoir. *-29-12* indépendance de la Mongolie Extérieure.

République

1912-*1-1* Nankin, Sun Yat-sen *proclame la République. -12-2* Puyi abdique. *-10-3* Gal *Yuan Shikai* (1859-1916) Pt de la Rép. à titre provisoire. Effacement de Sun Yat-sen. *Août* la Ligue jurée (Tongmenghui) devient *Guomindang* (Parti nationaliste). **1913** *janv.* Dalaï-lama *proclame l'indépendance du Tibet. -20-3* assassinat de Song Jiaoren, dirigeant du Guomindang. *Juill. 2e Révolution,* soulèvement des forces du Guomindang et du S. contre le gouv. de Yuan Shikai. *-6-10* Yuan Shikai élu Pt de la Rép. *-4-11* dissout le Guomindang et le *15-12* l'Assemblée nationale. **1914**-*3-7 accord de Simla* ôtant à la Ch. le contrôle des zones extérieures du Tibet et de la Mongolie. *-6-8* Chine se déclare neutre dans la 1re Guerre mond. *-2-9* le Japon prend les possessions allemandes du Shandong. **1915**-*7-5* ultimatum jap. réclamant l'acceptation des 21 demandes que Shikai accepte le *25-5. -7-6* tr. Chine-Russie-Mongolie reconnaissant l'autonomie de la Mongolie avec une vague suzeraineté ch. *Août* Shikai lance une campagne pour restaurer le régime impérial à son profit. *-12-12* se proclame empereur. **1916**-*22-3* y renonce et meurt (6-6). *-1-8* rappel de l'ancienne Assemblée nat. à Pékin. **1917** *juin-juill.* Gal Shang Xun tente de restaurer l'Empire. Dissolution de l'Assemblée nat. *-14-8* la Ch. entre en guerre aux côtés des alliés (*1917-18 :* 27 000 Ch. employés à creuser des tranchées sur le front fr.). *-25-8* Sun Yat-sen forme un gouvernement mil. à Canton. *-1-9* élu Grand Maréchal de l'Armée et de la Marine. **1918** *mai* Sun Yat-sen chassé de Canton par les militaristes locaux. **1919**-*20-2* échec des négociations de paix entre Jap. et révolutionnaires du S. *-30-4* Conférence de paix de Versailles décide le transfert au Jap. des droits allemands sur le Shandong. *-19-5* grève générale des cours et boycottage antijap. *-5-6* marchands et ouvriers de *Shanghai* appellent à la grève pour soutenir les étudiants. *-28-6* la Ch. refuse de signer le tr. de paix avec l'Allemagne. **1921**-*2-4* Canton, gouv. républicain de Sun Yat-sen. *Juill.* Shanghai, fondation du PC Chinois. **1922**-*3-2* Sun Yat-sen chassé de Canton par son ancien allié Chen Jiongming. *-4-2* les puissances réaffirment la politique de la Porte ouverte ; les droits allemands sur le Shandong sont rendus à la Ch. **1923**-*26-1* déclaration Sun-Joffé qui permet la coopération Guomindang-URSS *-21-2* Sun Yat-sen reprend direction du gouv. de Canton. *Fév.* grève des cheminots ligne Pékin-Hankou. *Nov.* Canton, arrivée du conseiller politique soviétique Mikhail Markovitch Gruzenberg dit Borodine (1884-1951). **1924** *oct.* arrivée du conseiller militaire soviétique Galen dit Blücher. **1925**-*12-3* mort de Sun Yat-sen à Pékin [sa veuve Song Jeagling (sœur de Song Meiling, épouse de Tchang Kaï-chek) rompt avec le Guomindang et part pour l'URSS ; 1944 vice-Pte de la Rép. populaire]. *-30-5* police britannique tire sur des manif. à Shanghai. **1926**-*20-3* 1er coup de force de Tchang Kaï-chek : incident de la canonnière *Zhongshan* à Canton. *Juill.* départ de l'expédition du Nord (Beifa) qui prend Changsha et Wuhan. **1927**-*21-3* 3e *insurrection de Shanghai* (victorieuse). *-12-4* Coup de Shanghai, Tchang massacre communistes et syndicalistes. *-1-8* insurrection comm. de *Nanchang* (naissance officielle de l'Armée rouge). *Août-déc.* retraite provisoire de Tchang qui épouse Song Meiling. *Août* soulèvement de la Moisson d'automne (Hubei, Hunan). Après la défaite, Mao se réfugie dans les Jinggangshan et mobilise les paysans du Jiangxi jusqu'en **1934. 1928** *avr.* reprise de l'expédition du N. qui prend Pékin (juin). *-4-6* Zhang Zuolin assassiné par Jap. *-29-6* Pékin devient Peiping. *-10-10* gouv. national à Nankin. **1930** *mars* 1re des 5 campagnes d'anéantissement des communistes du Jiangxi. **1931** *janv.* 28 bolcheviks éliminent Li Lisan et prennent la direction du PC. *Été* inondation du Yangzi. *-18-9 incident de Moukden,* le Jap. envahit la Mandchourie. **1932** *janv.-mars* g. de Shanghai (incidents sino-jap.). *-9-3* la Mandchourie devient *Mandchoukouo* (protectorat sous l'autorité nominale de Puyi, le dernier empereur). *-5-5* armistice avec Japon. **1933**-*27-2* Jap. prennent Jehol. **1934**-*15-10* départ de la *Longue Marche* (369 j, terminée le *20-10*-**1935**) au N. du Shaanxi. **1936** *juin* révoltes des deux Guang (Guangdong et Guangxi) matées. **1937**-*7-7 incident du pont Marco Polo* à Lugougiao, début de la g. sino-jap. (dure jusqu'en 1945). *-27-7* Jap. prennent Pékin. *Fin sept.* victoire de Lin Biao à Pingxingguan. *Fin nov.* Jap. prennent Shanghai. *-3-12 à fin févr. 1938* Jap. prennent Nankin (200 000 à 300 000 Chinois massacrés). **1938** *mai* chute de Xuzhou, destruction des digues du fleuve Jaune. *Oct.* début de la g. d'usure (Wuchang et Hankou évacuées). *-18-12* défection de Wang Jingwei. **1940**-*30-3* gouv. national à Nankin, dirigé par Wang Jingwei. **1941**-*4-1* 4e armée communiste se révolte contre gouv. *-9-12* Chine déclare guerre au Japon. **1942** route de la Birmanie coupée jusqu'en 1945. *Oct.* USA et G.-B. renoncent à leurs droits d'extraterritorialité. **1945**-*8-8* Sov. entrent en Mandchourie. *-14-8* capitulation du Japon (de 1931 à 45 env. 20 millions de Ch. massacrés par Jap.). *-10-10* accord Tchang-Mao mais la g. civile reprend. **1946**-*13-3* armée gouv. entre à Mukden après départ des Sov. *-17-4* troupes communistes entrent à Changkun. *-5-5* gouv. se replie à Nankin. **1947**-*21-11* 1res él. lég. *-25-12* nouv. Constitution. **1948**-*19-4* 1re Assemblée nat. élit Tchang Kaï-chek Pt.

Présidents

1912-16 Yuan Shikai (1859-1916), empereur quelques jours 1915. **1916-21** Li Yuang-hong. **1921-25** Sun Yat-sen (1866-1925). **1926-75** Tchang Kaï-chek [1887-1975, à ses débuts membre d'une triade (organisation mafieuse) du gang vert, Cdt en chef des armées du N. 1926], généralissime 1928, directeur du Guomindang 1938, Pt de la Rép. 1943, réfugié Formose 1949.

République populaire

Quelques dates. 1949 *-31-1* Pékin occupé par communistes *-1-10* Rép. populaire proclamée. *-10-12* Tchang, battu par comm., se réfugie à T'ai-wan avec 600 000 h. Mao élu Pt, signe un tr. d'amitié avec URSS. Reconnaissance par Israël. **1950**-*6-1* la G.-B. reconnaît la Ch. pop. (échanges de chargés d'affaires 1954, ambassadeurs en 1972). *-14-2* tr. d'alliance avec URSS, crédit de 300 millions de $ obtenu. *-25-10* 54 divisions de « volontaires » ch. participent à la

La Chine, « semi-colonie »

Origine. 1555 les Portugais fondent Macao, ont l'exclusivité du commerce à partir de Goa (Inde), achètent soie, porcelaine et or en Ch., pour les revendre au Japon. **Après 1576** (création d'un évêché), activité de missionnaires jésuites. **1638** (fermeture du Japon), l'activité port. se concentre sur la Ch. **1683** le père Matteo Ricci essaye de créer une Égl. cath. chinoise dégagée d'attaches politiques avec Occident. **1699** (alliance anglo-port.), des marchands anglais (dont beaucoup de colons américains) s'introduisent à Canton et commencent à exploiter le marché c. Privés de droits politiques, ils résident à Macao ; ils n'envisagent pas de coloniser la C., mais d'y profiter des privilèges commerciaux port. (laissant le Japon aux Hollandais). Missions de lord Macartney (1793), lord Amherst (1816), lord Napier (1834) : échec, les Anglais refusent de se soumettre au k'eou-t-eou, 3 génuflexions successives, chacune accompagnée de trois prosternations.

XIXe s., l'Angl. supplante le Port. (le tr. de Nankin lui livre Hong Kong, août 1842), mais lui disputeront l'hégémonie commerciale : France, Allemagne, USA, Russie (celle-ci annexant de vastes territoires, dans le N. de la Ch.). **1894,** le Japon intervient (40 ans plus tard il est près de coloniser toute la Ch. à son profit.) Les 5 puissances (All., G.-B., France, Russie, USA), ne pouvant obtenir un protectorat exclusif, passent un accord tacite (« dépècement »). Elles obtiennent des concessions à bail (99 ans) [*Allemagne :* Jiaozhou et Qingdao ; *Angleterre :* Weihaiwei (en plus de Hong Kong depuis 1842 et d'un quartier de Shanghai depuis 1848) ; *France :* Guangzhou, et un quartier de Shanghai dep. 1949 ; *Russie :* Liaodong et Port-Arthur ; *USA :* un quartier de Shanghai dep. 1849]. Droits reconnus : bases navales avec entretien d'une flotte, exploitation des mines, création d'usines avec autour des zones d'influences (monopole commercial et industriel) : *Allemagne :* Shandong ; *Angleterre :* bas Yangzijiang ; *France :* Yunnan ; *Russie :* Mandchourie. **1863** zones anglaise et amér. fusionnées à Shanghai et appelées « concession internationale ». **1900** 45 000 soldats étrangers dans le N. de la Ch.

Certains organismes d'État chinois sont confiés à des commissions étrangères (ex. : de 1861 à 1908, l'inspecteur gén. des douanes est un Anglais : sir Robert Hart). Angl. et Russie sont rivales, Fr et All, aussi.

XXe s. 1905 Jap. élimine Russie. **1914** *investissements occidentaux :* 1 610 millions de $ [dont G.-B. 38 % ; Japon 13,6 % (contre 0,1 % en 1900)]. **1915** Jap. élimine Allemagne, **1941** Jap. élimine Angl. **1945** Jap. vaincus ; laissent les Angl. récupérer Hong Kong. **1946** les concessions étrangères de Shanghai sont supprimées. **1948** après la révolution communiste, seules subsistent *Macao* (Portugal) (qui redeviendra chinois avant 2000) et *Hong Kong* (G.-B.) [qui redeviendra chinois en 1997].

g. de Corée. **1951**-*21-2* règlements sur la suppression des éléments contre-révol. (5 catégories : bandits, despotes locaux, agents secrets du Guomindang, chefs des partis non com., membres des Stés secrètes). Exécutions : 5 millions [(1 % de la pop.) Mao avait conseillé de condamner à mort env. 20 % des inculpés, mais les « tribunaux pop. » ont dépassé ce chiffre]. *-23-5 tr. de Pékin avec Tibet :* la Ch. reconnaît le gouv. lamaïque et accorde l'autonomie. *-15/20-10* occupation mil. du Tibet. **1953**-*1-1* début du 1er plan quinquennal. *-3-2* la VIIe flotte amér. reçoit l'ordre de ne plus gêner les opérations nationalistes contre le continent. *-27-7* fin de la g. de Corée. **1954** (Viêtnam) *mars-mai* bataille de Diên Biên Phu : conseillers chinois ; livraison d'armes au Viêt-minh. *Août-oct.* Constitution. *Oct.* Khrouchtchev à Pékin. L'URSS restitue Port-Arthur, annule les dernières concessions russes en Ch. (chemins de fer, sociétés mixtes), accroît l'aide économique. **1956** *févr.* XXe congrès du PC de l'URSS, Khrouchtchev prononce un réquisitoire contre Staline ; la Ch. distingue mérites et erreurs du défunt. **1957** *-27-4* les *Cent Fleurs* (campagne de discussions publiques) ; mouvement « antidroitier » à partir de juin contre 550 000 intellectuels jugés « trop critiques » ; *oct.* accord sur livraison d'armes atomiques avec URSS. **1958** *mai* Mao décrète le **« grand bond en avant »** (collectivisation accélérée des terres, inscrite dans une réforme communale ; multiplication des petites entreprises industrielles) ; des années « noires » suivront [de 1958 à 61 : régression alim. (prod. de céréales passe de 200 à 143 millions de t) : 20 millions de décès supplémentaires, 32 millions de naissances en moins] ; bombardement des îles de Quemoy et Matsu (aux nationalistes). Élimination des oiseaux (pour protéger les cultures) ; *conséquences :* ravages des insectes, vers, etc. **1959**-*19/27-3* rébellion au Tibet réprimée (voir p. 956). Khrouchtchev n'accorde pas à Mao le soutien escompté. *-20-6* l'URSS répudie l'accord d'oct. 1957 sur la bombe at. *-30-9* Khrouchtchev à Pékin plaide pour entente avec USA ; il est mal reçu, 1ers incidents frontaliers sino-russes au Xinjiang.

1960-*21-4* 1ers grands textes antirévisionnistes à Pékin. *-20-6* PC roumain attaque dirigeants ch. ; Albanie se rallie à Pékin. *-16-7* l'URSS rappelle ses spécialistes de Ch., met fin à presque toute assistance. *Nov.* conférence des 81 PC à Moscou, 2e « déclaration de Moscou », compromis que Ch. et URSS interpréteront en sens opposé. Échec du « grand bond en avant » (explications de Mao : 1°) fin de l'aide soviétique ; 2°) déformation des directives par les leaders prosoviétiques : Deng Xiaoping, Peng Chen (maire de Pékin), Liu Shaoqi (Pt, 1898-1974). Mao lance contre eux le « mouvement d'éducation socialiste » (1962). **1961-62** incidents aux frontières Xinjiang-U. 50 000 Kazakhs et Uighurs tentent de passer au Kazakhstan (URSS). Fermeture de la frontière et répression du côté c. Révolte antich. de 5 000 musulmans dans la vallée d'Ili. **1962** *sept.* la Ch. accuse l'U. de soutenir l'Inde. *Oct.* crise de Cuba : la Ch. accuse Khrouchtchev de « capitulationisme ». **1963** *mars* Mao propose le soldat Lei Feng († 1962 à 22 ans) comme modèle. *-6/20-7* rencontre de délégués ch. et russes pour réconciliation ; échec. *-5-8 tr. de Moscou* sur l'interdiction partielle des essais nucléaires (dénoncé par Ch.). *-20-8* l'U. annonce que plus de 5 000 violations de frontière ont été commises par les Ch. en 1962. *-7/9-9* incident à la gare frontière de Naouchki entre cheminots ch. et douaniers sov. *G. avec l'Inde* (motif : après l'occupation du Tibet par les Ch., l'Inde dénonce le tr.). **1964**-*27-1* la Fr. reconnaît la Ch. (échange d'ambassadeurs). *Févr.* rapport Souslov devant le PC sov., faisant la somme des accusations russes contre la Ch. Échec des conversations de Pékin au sujet des frontières. *-10-7* Mao dénonce empiètements territoriaux de l'U. *-16-10* 1er essai nucléaire ch. **1965** *début* Brejnev-Kossyguine tentent une réconciliation, notamment par l'unité d'action au Viêt-nam. *Mars* réunion à Moscou de 19 PC pour préparer une conférence intern. des PC, la C. refuse de s'y rendre. *Sept.* Mao charge Lin Biao de définir une nouvelle politique extérieure : lutte armée contre les impérialismes dans tous les continents. *Fin :* 10 PC ont passé dans le camp chinois (3 au pouvoir : Albanie, Corée du N., Nord-Viêtnam ; 7 dans l'opposition : Indonésie, Japon, Laos, Malaisie, Thaïlande, Sud-Viêt-nam, N.-Zélande) ; 13 PC ont eu une scission prochinoise : Australie, Belgique, France, Espagne, Suisse, Brésil, Colombie, Mexique, Paraguay, Birmanie, Ceylan, Inde, Liban ; 4 ont des fractions prochin. dans leurs rangs : Autriche, Équateur, Pérou, Népal. A Cuba, le PC (au pouvoir), après avoir hésité, choisit le camp. sov. (la Ch. condamne dès lors le « castrisme »).

Révolution culturelle. En principe il s'agit de « prévenir le révisionnisme » ; en fait, en créant les *« gardes rouges »,* armés et conditionnés idéologiquement, Mao met les cadres du parti sous le contrôle mil., fait persécuter intellectuels et cadres compétents, élimine ses principaux adversaires : Peng Chen, Liu Shaoqi et Deng Xiaoping. **1967**-*25-1* incidents avec des étud. ch. à Moscou. *-26-1/12-2* siège de l'ambassade sov. à Pékin. 40 divisions sov. sur la frontière devant 50 à 60 divisions ch. (soit plus de 600 000 h.). Xinjiang, Kazakhs et Uighurs fuient en U. (URSS) la rév. cult. **1967-68** mise en place de comités maoïstes en province (consignes : faire la révolution, promouvoir la production). **1969**-*2/15-3* incident avec U. (32 Chinois tués, 22 Russes ?) au sujet de l'île Damansky (Chen-Pao, pour la Ch.) sur l'Oussouri, île plate et désolée souvent recouverte par les eaux. Selon la Ch., le tr. de Pékin (nov. 1860) aurait inclus Damansky en Ch. et l'U. l'aurait admis en 1964. Lin Biao critique la « superstructure » sov. (créatrice d'une nouvelle bourgeoisie bureaucratique). La Ch. veut rapprocher cadres et masses (contre-critique sov. : la Ch. veut appauvrir les cadres, car elle vise l'austérité générale ; l'U. veut le bien-être des masses). *-31-10* Liu Shaoqi privé de ses fonctions.

1970-*26-8 au 6-9* Mal Lin Biao (n. 1908) essaie de se faire élire Pt de la Rép. Détente amorcée avec USA. Reconnaissance par Italie. **1971**-*10/17-4* visite d'une équipe de ping-pong amér. *-9-7* voyage secret de *Kissinger* à Pékin. *-8* et *-11-9* tentatives d'assassinat de Mao par Lin Biao (attaque du train). *-13-9* Lin Biao meurt dans un acc. d'avion en territoire mongol en fuyant Pékin (ou abattu le 11-9 dans un restaurant de Pékin sur ordre de Jiang Qing, femme de Mao). *-26-10* admission à l'Onu (T'ai-wan expulsée) ; la Ch. devient m. permanent du Conseil de Sécurité. Début du IVe plan quinquennal (1971-75). **1972**-*21/28-2* Pt Nixon en Ch. Les USA reconnaissent que T'ai-wan fait partie de la Ch. (29-9 relations dipl. reprises). *-1-9* Tanaka, PM jap., en Ch. : le J. reconnaît la Ch. *Automne* campagne contre Lin Biao et Confucius [philosophe (551-479 av. J.-C.) pour avoir fait assassiner (?) un adversaire progressiste, Sheo Cheng Mao (Tchao Koung, roi de Lou, † 501)]. Reconnaissance par All. féd. **1973** tendance « aller à contre-courant », qui a pris en main la critique contre Lin Biao et Confucius, et tente de lancer une 2e révolution culturelle, visant principalement Zhou Enlai (semi-échec : tout se terminera en 1975). *-12-4* Deng Xiaoping réapparaît en public après disgrâce de 6 a. *Sept.* Pompidou en Ch. **1974**-*20-1* la Ch. occupe 4 archipels, les Hsisha (Paracels) et réaffirme sa souveraineté sur les 2 îlots de Nansha [(Spratley) que le Viêt-nam du S. occupait], les Chung-sha (Macclesfield Bank) et Tung-sha (Pratas) ; critique de Lin Biao. **1975** *janv.* la Ch. accepte les dispositions des tr. de 1858 et 60, demande restitution de 20 000 km² occupés par l'U. en violation de ces tr. L'U. refuse d'admettre l'existence de « régions contestées ». La Ch. soutient Pt Mobutu, le Shah, Gal Pinochet. Deng Xiaoping vice-Pt du parti, vice-PM et chef d'état-major gén. *Août* troubles dans usines notamment à Hangzhou. *Oct.* incidents frontaliers avec Inde : dizaines de soldats indiens tués (?). *Nov.* journaux muraux à Pékin contre le min. de l'Éducation nat. *-3/7-12* Pt Ford en Ch. **1975-76** inondations du fl. Jaune dans le Honan (700 000 †). **1976**-*8-1* Zhou Enlai (n. 1898) meurt. *-8-2* Hua Guofeng [n. 1909, ancien commissaire pol. de Canton (1972), min. de la Sécurité publ. et vice-PM (1975)], PM par intérim. Campagne d'affiches contre Deng Xiaoping (ex-vice-PM) et ceux qui « suivent les voies capitalistes ». *20/28-2* Nixon en Ch. ; *févr.* dénonciation d'infiltrations sov. au Xinjiang. *-8-3* météorites dans le N.-E. *-5-4* manif. modérés à Pékin (place Tiananmen ; 100 †). *-7-4* Deng Xiaoping destitué, Hua Guofeng PM. *-29-5* Yunnan, séisme. *-6-7* Mal Zhu De meurt. *-28-7* tremblement de terre à Tangshan et Fengnan (242 000 †). *-30-7* alerte à Pékin. *-9-9* Mao meurt (crise cardiaque).

Après Mao. 1976-*6-10* **« bande des quatre »** arrêtée : Zhang Chunqiao (n. 1911 ; ex-vice-PM), Yao Wenyuan [journaliste, n. 1924 (ex-membre du bureau pol. du parti)], Wang Hongwen (1934-92 ; ex-vice-Pt du parti), Jiang Qing (ép. de Mao). *-26-12* réhabilitation du Mal Ho Lung († 1969 ?). Les cadres épurés pendant la rév. culturelle reviennent en masse. Hua Guofeng Pt du Comité central. **1977** *janv.* Pékin, affiches réclament retour au pouvoir de Deng Xiaoping. *Mars* dizaines d'exécutions en province. *-16/21-7* Deng Xiaoping rétabli dans ses fonctions par le Comité central, exerce en partie un pouvoir dictatorial. Purges (milliers de fusillés). *-12/18-8* XIe congrès du PCC : nouvelle Const., Hua Guofeng Pt du Comité central (n'exerce pas la réalité du pouvoir). **1978** Confucius réhabilité. *-1-2* abandon de la politique d'autosuffisance écon. (des régions, localités, entreprises) au profit de la « spécialisation » et de la « coordination » entre unités de production. *-26-2/5-3* 1re session de la 5e Ass. nat. pop. (3 500 délégués, dont des religieux) : Hua Guofeng confirmé Pt du parti et PM, nouvelle Constitution. *-3-4* tr. commercial avec CEE. *-4-4* à Pékin affiches dénonçant les « clowns politiques » au pouvoir. *-3-7* suspension aide écon. au Viêt-nam. *-7-7* rupture avec Albanie demeurée maoïste. *-12-8* tr. sino-jap. de paix et d'amitié. *Août* rétablissement des privilèges des « Chinois d'outre-mer » (dans le Guangdong, 1/8 de la pop. reçoit des virements de parents de l'étranger ; restitution aux propriétaires légitimes des villas fermées en 1966). Incidents frontaliers sino-viet. *Nov.* libération des derniers « tenants de la droite » envoyés en 1957 en camps de rééducation. 160 000 Sino-Vietn. rentrent en Ch. *-11-12* réhabilitation du Mal Peng Tehuai et de Tao Chu confirmée. *-15-12* relations dipl. reprises avec USA. **1979** le « grand bond en avant » (voir 1958) est qualifié de « grand bond en arrière » ; les 4 modernisations de Zhou Enlai redeviennent la doctrine officielle. *-10-1* les « anciens capitalistes » retrouvent leurs biens confisqués pendant la rév. culturelle. *-28-1/5-2* Deng Xiaoping aux USA (propose une coalition antisoviét.). *Février* le parti décide de ne plus appliquer les étiquettes attribuées aux 8 catégories nuisibles : propriétaires fonciers, paysans riches, contre-révolutionnaires, mauvais éléments, droitistes, militaires et policiers du Guomindang, agents ennemis capitalistes (la 9e cat. était les intellectuels sous la révolution culturelle) ; la suppression des étiquettes sera annoncée officiellement le 2-1-84. *-17-2 l'armée ch. entre au Viêt-nam* pour le punir d'avoir envahi le Cambodge *-5-16/3* retrait des troupes ch. du Viêt-nam (*bilan :* tués Chinois 26 000, Viêt 30 000). *Avril* la Ch. dénonce le tr. sino-sov. du 14-2-1950. *-10-10* 5 000 ét. manif. à Pékin. *-11-10* 1er congrès dep. 20 a. des vieux P. démocr. *Oct.-Nov.* Pt Hua Guofeng en Europe (en Fr. 15/21-10).

1980 réhabilitations : *23/29-2* Liu Shaoqi, Li Lisan (1896-1967) *-19-3* Qu Qiudai [secr. gén. du PC (1927-28) fusillé par le Guomindang en 1935]. *-17-5* deuil nat. à la mémoire de Liu Shaoqi. *-Sept.* Zhao Ziyang (n. 1919) PM *-29-10* explosion gare de Pékin, 10 †, 81 bl. *-31-10* Kang Sheng (1903-75) exclu du PC à titre posthume. *-17-11 Confucius* reconnu comme « une des gloires de la nation ». *-20-11* début du procès des « 2 cliques contre-révol. » : les 5 Gaux complices du Mal Lin Biao († en 71) et la « bande des 4 » + Chen Boda. **1981**-*25-1* Jiang Qing, veuve de Mao, à laquelle on a reproché 727 425 crimes ayant fait 34 724 †, est condamnée à mort avec 2 ans de sursis (non exécutée). *Juin* Mgr Deng, évêque de l'Église cath. chinoise, nommé év. de Canton par Jean-Paul II, destitué. *Juill.* consécration de 5 év. **1982**-*7-5* gouv. remanié. *-31-5/5-6* visite du PM au Japon. *Juin* dissidents Wang Yizhe et He Qiu condamnés à 14 et 10 ans de prison. *-3-7* visite du Panchen Lama au Tibet (1re fois dep. 1964). *Juil.* reprise en main du Xinjiang (agitation religieuse et incidents entre Hans et Uighurs dep. 1981). *-18/20-6* athlètes sov. à Pékin (1re fois dep. 17 ans). Réhabilitation de 3 millions de cadres du PC exclus après 76. **1983** *févr.* reprise des négociations Ch./U. : Qian Qichen à Moscou ; commissions frontalières sur l'Oussouri et l'Amour (ouvertures de points de passage). *Août* 700 000 arrestations, 5 000 (?) droits communs exécutés, interdiction de posséder des chiens, extermination des 400 000 chiens de Pékin (risque de rage). **1984**-*janv.* PM Zhao Ziyang aux USA. *-2-7* mort d'Ochi Huyakt (n. 1900), dernier descendant (32e génération) de Gengis Khan. *-26-9* accord avec G.-B. sur Hong Kong. **1985**-*janv.* 1res actions (60 000 à 50 yuans = 1,5 million de $) émises dep. + de 30 ans. *-3-7* Mgr Ignatius Gong Pinmei libéré sous condition. *-6-3* 1er concours de beauté dep. 1949 parrainé par firme de cosmétiques occidentale. *-18-9* manif. anti-jap. de milliers d'étudiants. *Déc.* manif. à Uruma (4 000 à 10 000) et à Pékin (400) contre essais nucléaires au Xinjiang. *-24-12* cathédrale de Pékin rouverte. **1986**-*3-5* un avion de T'ai-wan atterrit à Canton. *-19-5* accord entre les 2 C. (1re conversation entre elles). *-27-5* Dalaï-Lama à Paris pour 4 j. *-18-6* accord C.-USA : des fusées ch. lanceront des satellites amér. *-6-7* yuan dévalué de 15, 8 %. *Juillet* 1re faillite d'une usine annoncée dep. 1949. *-12/19-10* reine d'Angl. en C. *-22-10* accord avec Portugal sur Macao. *-5-11* visite de 3 navires de g. américains à Qingdao (1re visite de ce genre dep. 1949). *Déc.* manif. étudiants dans 17 villes (dont Shanghai et Pékin). Rapprochement avec Pacte de Varsovie (sauf URSS). Manif. étudiants (Hefei, Shanghai, Pékin...). **1987** *janv.* incidents avec Viêt-nam [tués 600 Ch., Viet. 500 (?)] ; 3 intellectuels expulsés du PC pour « libéralisme bourgeois » (Liu Binyan, Fang Lizhi et Wang Ruowang) ; réforme politique accélérée et rééquilibrage du commerce extérieur. *-16-1* Hu Yaobang, secr. gén. du parti, destitué pour ne pas avoir réprimé assez durement les manif. étudiantes de déc. 86 ; *mai* incendie dans le N.-E., 650 000 ha ravagés. *Août* expulsion du PC d'autres intellectuels. *Oct.* manif. nationalistes au Tibet. *Nov.* Li Xiannian, 1er Pt de la C. à venir en Fr. *-25-10* XIIIe congrès du parti à Pékin, Zhao Ziyang secr. gén. *-4-11* Li Peng PM. *-30-11* relations normales avec Laos. *-7-12* manif. étudiante à Pékin (1 000 †). **1988**-*2-4* statues de Mao à l'université de Pékin démolies. *-18-5* Deng Xiaoping « refuse le socialisme intégral », conseille « un soc. conforme à chaque pays ». *-25-5* Jiang Qing, la veuve de Mao, sort de prison. *-22-6* selon Deng Xiaoping, le maoïsme est responsable de 20 ans de « grandes souffrances ». *-26-6* 2 évêques protestants consacrés à Shanghai. *-30-11* tr. avec Mongolie sur frontière commune. *-1-12* min. des Aff. étr. Qiang Qichen à Moscou (1re visite dep. 30 ans). *-24-12* incidents avec étudiants afric. à Nankin. **1989**-*5-1* 300 étud. afric. de Pékin et 130 de Nankin demandent leur rapatriement. *Févr.* l'U. retirera 260 000 soldats en 2 ans de ses terr. asiat., 65 000 h de Mongolie, et toutes ses escadrilles. Elle maintiendrait de 500 000 à 700 000 h le long de sa frontière avec la C. *-15-4* Hu Yaobang meurt. *-22-4* manif. étudiantes lors de ses obsèques. *-27-4* 1 000 000 de manif. *place Tiananmen*, Pékin. *Mai* 1re délégation off. de T'aiwan à Pékin pour réunion de la Banque asiatique de dévelop. *-2-5* Shanghai, manif. étud. *-4-5* rassemblement place Tiananmen. *-8-5* après 15 j de grève, de nombreux étudiants reprennent les cours. *-13-5* Tiananmen, début de la grève de la faim des étud. *-15/18-5* visite de Gorbatchev. *-17-5* 1 000 000 de manif. à Pékin, demandent démission de Deng Xiaoping. Visite de Gorbatchev à la Cité interdite annulée. *-19-5* Tiananmen, Li Peng (PM) fait appel à l'armée ; la pop. la bloque à l'entrée de Pékin. *-20-5* loi martiale. *-21-5* 1 000 000 de manif. *-24-5* repli de l'armée dans la banlieue. *-29-5* Tiananmen, les étud. érigent une réplique de la statue de la Liberté rebaptisée « Déesse de la Démocratie ». *Nuit du 2 au 3-6* l'armée ne peut pas reprendre pacifiquement le contrôle de Tiananmen ; *nuit du 3 au 4-6* l'armée tire ; plusieurs milliers de † (?). *Juin* arrestations (10 000 ?), campagnes télévisées appelant à la délation. *-21-6* plusieurs émeutiers exécutés (7 à Pékin et 3 à Shanghai). *-20-7* Paris, formation d'un *Front démocratique*. *-30-7* des religieuses prennent le voile à Pékin. *-1-8* les dirigeants n'auront plus droit à une nourriture spéciale. *-5-8* selon *China Daily*, dep. 1980, 20 † et 1 200 irradiés par suite d'accidents nucléaires. *-11-8* Yu Zhijian condamné à perpétuité pour avoir profané un portrait de Mao. *-16-9* Deng Xiaoping réapparaît en public (1re dep. le 9-6). *-20-9* † de Chen Boda, ancien secrétaire de Mao. *-7-10* la Ch. proteste contre Nobel de la paix attribué au Dalaï-Lama. *-9-11* Deng Xiaoping démissionne de la présidence de la commission militaire du PC (remplacé par Jiang Zemin). *Déc.* 12 évêques catholiques arrêtés ; yuan dévalué de 21,2 %. *Du 4-6 à fin 1989*, le gouv. reconnaît 40 exécutions et 6 000 arrestations (selon certains : 10 000 à 30 000). **1990**-*20-1* 573 « contre-révolutionnaires » libérés. *-27-1* nouvel an lunaire, concert du rocker Cui Jian autorisé. *Janv.* 12 évêques catholiques arrêtés. *Févr.* levée de la loi martiale. *-8-2* prêt de Banque mondiale (30 millions de $) pour reloger 175 000 personnes à la suite du tremblement de terre d'oct. 89 dans le Shanxi et le Hebei. *Avril* étudiante Chai Ling, dirigeante du « Printemps de Pékin », réfugiée en France, 10 000 dissidents ch. dans le monde dont 2 500 en France. Troubles au Xinjiang (22 †). *-23/26-4* Li Peng en URSS. *Fin avril* congrès d'opposants chinois à Berlin-Est. *Mai* 67 banques jap. accordent 2 milliards de $ de crédit. *-10-5* 211 prisonniers du « Printemps de Pékin » relâchés (plusieurs milliers incarcérés). *30-5* 11 personnes exécutées à Pékin. *-25-6* dissident Fang Lizhi, réfugié à l'ambassade US dep. 7-6-89, autorisé à émigrer. *Juill.* rel. diplom. avec Arabie rétablies. *Fin juill.* arrestation de Mgr Xie Shiguang et de 14 prêtres et diacres de l'Église catholique clandestine accusés d'avoir ouvert un séminaire, ordonné des prêtres et prêché à des – de 18 ans. *-8-8* rel. diplom. avec Indonésie (suspendues dep. 1967) rétablies. *Sept.* Zhao Ziyang réapparaît en public. *-3/7-9* visite secrète des Vietnamiens Nguyên Van Linh (secr. gén. du PC) et Pham Van Dông. *-22-9* Mal Xu Xianqian meurt. Pékin, 22es Jeux Asiatiques. *-24-9* réconciliation Ch.-Viêt-nam. *-2-10* détournement d'avion à Canton, 127 †. *-3-10* rel. diplom. avec Singapour rétablies. *-20-12* Bourse de Shanghai (fermée dep. 41 ans) réouverte, 7 stés cotées, capitalisation boursière 175 millions de $, 25 maisons de titres (le marché des valeurs a été réintroduit en Chine en 1984). **1991**-*2-4* Duanmu Zheng annonce : 715 dissidents condamnés pour participation aux événements de 1989. *Mai* commerce frontalier avec Inde interrompu dep. 1962, ouverture d'un point de transit à Garbyang (6 en 1962) ; réconciliation avec URSS. *Juin-août* inondations du Yang-Tsé sur 2 000 km, touchant 10 provinces : 2 078 †, 155 millions de sinistrés. *-26-10* 35 trafiquants de drogue exécutés à Kunming (Yunnan, près du « Triangle d'Or ») [88 les 16 mois précédents]. *-31-10* C. diffère la ratification du traité de non-prolifération nucléaire. *-5-11* « normalisation » des relations avec Viêt-nam. *-15-11* visite du secr. d'État amér. James Baker. *-20-11* journaliste dissidente Dai Qing libéré (arrêtée 1989). *-28-11* procès de Zhai Weimin, dir. étudiant du « printemps de Pékin ». *Déc.* 20 millions de Chinois construisent digues le long de la rivière Huai. *-24-12* mort du dissident Wen Jie (gerbe de 4 roses rouges et 6 noires, symbole du « printemps de Pékin »). **1992**-*24-1* relations diplom. israél. établies. *-29-1* Parl. approuve l'adhésion (off. 9-3) au traité de non-prolifération (ratifié fin 92). *-14-5* Nic Rongzhen, dernier Mal, meurt à 93 ans. *Juill.* 1ers paris officiels dep. 42 ans sur l'hippodrome de Huangku. Inondations dans le Sud (1 000 †). *-8/10-8* troubles à Shenzhen lors d'une émission d'actions en Bourse (2 †). *-24-8* relations dipl. avec Corée du S. *-23/28-10* visite de l'empereur Akihito du Japon. *-17-12* du Pt Eltsine. *Fin déc.* la France ayant vendu 60 Mirage à Taiwan, consulat de France à Canton fermé et stés françaises exclues du métro.

Présidents

1949 (21-9) Mao Tsé-toung, né 26-12-1893 à Shaoshan dans le Hunan. *1921*-1-7 participe à la fondation du PCC à Shanghai. *1927* crée, après l'échec du soulèvement de la « moisson d'automne » dans les monts Jinggang, la Rép. du Jiangxi. *1931* Pt. *1934* Longue Marche. *1935*-8-1 Pt du PCC. *1945* confirmé par le VIIe congrès à Yenan. *1949*-1-10 Pt du « Gouv. central du peuple ». *1954* Pt de la Ch. pop. *1959* fin du mandat, Liu Shaoqi lui succède (destitué 1968). *1969 avril* Pt du Parti. *1973 août* Xe congrès consacre son autorité sur Parti et Ch. *1976*-9-9 mort. *1977 août* mausolée de marbre achevé (ht 33 m, style néoclassique grec) place Tiananmen. **Femmes : Yang Kaihui** (exécutée 1930 à Changsha). **He Zizhen** (répudiée 1938, 40 ans dans un hôpital psychiatrique). **Jiang Qing** [(n. mars 1914-91), née Li Jin, fille de forgeron, demi-prostituée. 1933 adhère au PC, actrice de cinéma (sous le nom de Li Yunhe), rencontre Kang Sheng, futur chef des services secrets de la Chine comm. 1937 rejoint les communistes sous le nom de Lan Ping (« Pomme bleue »). 1938 rencontre Mao et l'épouse. 1941 donne à Mao une fille, Li Na. 1949-59 séjours en URSS pour soigner un cancer. 1964 lance les « opéras modernes révol. ». 1966 dirige « radicaux de Shanghai ». 1976-9-9 éloignée du pouvoir. 1981-25-1 condamnée à mort avec sursis de 2 ans, 1982 peine commuée en détention à perpétuité. 1991-14-5 se suicide].

1959 (27-4) Liu Shaoqi (1898-2-11-1974) (destitué). **1968 (31-10)** Mao Tsé-toung reprend la présidence jusqu'à sa mort (9-9-1976). **1976** plus de président, mais un conseil d'État ; les fonctions de chef de l'État sont assurées par le Mal Ye Jianying (n. 1898). Deng Xiaoping (n. 22-8-04, secr. du comité central 1956-67) exerce un pouvoir dictatorial. **1983 (18-6)** Li Xiannian (1909-92). **1988 (8-4)** Gal Yang Shangkun (n. 1907). **1993 (27-3)** Jiang Zemin (n. 1926).

■ Institutions

■ **Statut.** Rép. pop. « État socialiste de dictature démocratique du Peuple, dirigé par la classe ouvrière et fondé sur l'alliance des ouvriers et des paysans » ; le peuple participe à la gestion de l'État. État unifié multinational.

Constitution du 4-12-1982 : 138 articles dont : *Art. 2* Tout le pouvoir appartient au peuple. Les organes par lesquels le peuple exerce le pouvoir d'État sont l'Assemblée populaire nationale et les ass. pop. locales. *3* Tous les organes de l'État pratiquent le « centralisme démocratique ». *4* Toutes les nationalités sont égales en droits... Elles jouissent de la liberté d'utiliser et de développer leurs usages et coutumes. Autonomie régionale là où les minorités nationales vivent en groupes compacts. *6* Le régime écon. socialiste a pour base la propriété publique soc. des moyens de production, c.-à-d. la propriété du peuple entier et la propriété collective des masses laborieuses. *7* L'économie d'État est un secteur soc. fondé sur la propriété du peuple entier ; elle est la force dirigeante de l'économie nationale. *8* Les communes populaires rurales, les coopératives agricoles de production et l'économie coopérative sous ses diverses autres formes – production, approvisionnement et vente ; crédit et consommation – relèvent du secteur soc. de l'économie fondé sur la propriété collective des masses laborieuses. Les travailleurs qui participent à ces organisations économiques collectives rurales ont le droit, dans les limites définies par la loi, d'exploiter des parcelles de terre cultivable et de montagneuse réservées à leur propre usage, de se livrer à des productions subsidiaires familiales et de posséder des têtes de bétail à titre individuel. Les diverses formes de l'économie coopérative qui englobent les entreprises des agglomérations urbaines s'occupant de l'artisanat, de l'industrie, du bâtiment, des transports, du commerce et des services appartiennent toutes au secteur soc. de l'économie. *9* Les ressources minières, les eaux, les forêts, les terres montagneuses, les prairies, les terres incultes, les bancs de sable et de vase et les autres ressources naturelles sont propriété d'État. Exceptions : les forêts, terres montagneuses, prairies, terres incultes et bancs de sable et de vase qui, en vertu de la loi, relèvent de la propriété collective. *10* Dans les villes, la terre est propriété d'État. A la campagne et dans les banlieues des villes, elle est propriété collective, exception faite de celle qui, en vertu de la loi, est propriété d'État ; de même, les terrains pour construction de logements et les parcelles de terre cultivables ou montagneuses réservées à l'usage personnel sont propriété collective. Nulle organisation, nul individu, ne peut s'approprier des terres, en faire un objet de transactions, les donner à bail ou les céder illicitement à autrui sous d'autres formes. *11* L'économie des travailleurs des villes et de la campagne, pratiquée dans les limites définies par la loi, constitue un complément du secteur soc. de l'économie fondé sur la propriété publique. *15* L'État pratique une économie planifiée fondée sur le système soc. de la propriété publique (art. modifié dep. 29-3-93 : l'État a mis en pratique une économie de marché socialiste). *18* Conformément aux dispositions de la loi, les entreprises, les autres organisations économiques et les citoyens de pays étrangers sont autorisés à faire des investissements en Ch. et à y pratiquer diverses formes de coopération écon. avec les entreprises ou les autres organisations économiques ch. *25* L'État encourage le planning familial pour assurer l'harmonie entre la croissance démographique et les plans de développement écon. et social. *35 et 36* Les citoyens jouissent de la liberté de parole, de presse, de réunion, d'association, de cortège et de manifestation. Ils jouissent de la liberté religieuse. Les groupements religieux et les affaires religieuses ne sont assujettis à aucune domination étrangère. *37 à 40* La liberté individuelle, la dignité personnelle et le domicile des citoyens sont inviolables. La liberté et le secret de la correspondance des citoyens sont garantis par la loi. *42* Les citoyens ont droit au travail et le devoir de travailler. *48 à 49* La femme jouit de droits égaux à ceux de l'homme dans tous les domaines... L'homme et la femme reçoivent une rémunération égale pour un travail égal. Le mariage, la famille, la mère et l'enfant sont protégés par l'État. Le mari comme la femme ont le devoir de pratiquer le planning familial. *52 et 53* Les citoyens doivent préserver l'unité du pays et l'union de ses nationalités ; respecter la Constit. et la loi.

Assemblée populaire nationale. Organe suprême du pouvoir d'État. *Comité permanent* 155 m. *Pt:* Peng Zhen (n. 1902, dep. 6-1983). *Députés : 1993* (23-2) : 2 977 [(en %, 86) cadres révol. 24,7, intellectuels 23,4, ouvriers 22,9, paysans 20,6, militaires 9, patriotes 8,9, Chinois d'outre-mer rapatriés 1] élus pour 5 ans par les ass. pop. de provinces, régions autonomes (1 pour 800 000 h.) et municipalités (1 pour 100 000 h.) relevant de l'autorité centrale, et par les forces armées. Se réunit 1 fois par an sur convocation de son Comité permanent. Pouvoirs législatifs. Nomme le PM du Conseil des aff. d'État et, sur proposition de celui-ci, les m. du Conseil élisent le Pt de la Cour suprême et le procureur gén. du Parquet pop. suprême. Dep. 1988, vote à bulletin secret.

Gouvernement. « Conseil des affaires d'État », membres élus par l'Ass. *PM* Li Peng (n. 1929) dep. nov. 87 (le 9-4-91 annonce qu'il le restera jusqu'en mars 93, puis reconduit à cette date pour 5 a.) ; 4 *vice-PM* ; 11 *conseillers d'État* ; 1 *secr. gén.* ; 41 *ministres ou Pts de Commissions d'État.* Moy. d'âge *v. 1980:* 67 ans, *1988* : 61.

Fête nationale. 1er octobre (proclamation de la République). **Drapeau** (adopté 1949). Rouge avec une grande étoile jaune (le progrès du Parti) et 4 petites (les classes sociales).

Parti communiste chinois. *Fondé* juill. 1921. **Comité central :** 319 m. dont 189 titulaires et 130 suppléants (moy. d'âge oct. 92 : 56 a.), **secr. gén. :** Jiang Zemin dep. 24-6-1989 [avant, Hu Yaobang (1915-89)] ; dep. févr., 1980 9 secrétaires et 2 suppléants. **Bureau politique :** 20 m. (moy. d'âge 1984 : 76 ans ; nov. 87 : 64) dont 7 en comité permanent [Jiang Zemin, Li Peng (n. 1929), Qiao Shi (n. 1924), Zhu Rongji (n. 1928), Hu Jintao (n. 1932), Li Ruihuan, Amiral Liu Huaging (76 a.)]. **Membres :** 50 320 000 (91) : entre 1982 et 1986 : 151 935 exclus pour raisons disciplinaires. 1988-93 : 730 000 m. sanctionnés pour corruption. **Congrès :** tous les 5 ans. **1er** *juil. 1921* Shanghai. **2e** *juill. 22* Shanghai. **3e** *juin 23* Canton. **4e** *janv. 25* Shanghai. **5e** *avr. 27* Hankou. **6e** *juill.-sept. 28* Moscou : 84 dél. représentent 40 000 m., nouvelle ligne menant au *lilisanisme* (rév. ouvrière et urbaine) et à son échec ; Mao, appuyé par l'armée et la révol. paysanne, l'emporte sur Li Lisan. **7e** *avr.-juin 45* Yan'an : union autour de Mao ; programme de coalition avec les bourgeois patriotes en vue de la révol. socialiste. **8e** 1re session *sept. 56*, 2e *mai 58* Pékin : « Grand bond en avant ». **9e** *avr. 69* Pékin : élimination de Deng Xiaoping, Liu Shaoqi... **10e** *24/28-8-73* Pékin : modification des statuts du parti, remaniement du bureau pol., condamnation du « groupe anti-parti » de Lin Biao et Chen Boda. **11e** *août 77* Pékin. **12e** *sept. 82* Pékin. **13e** *oct. 87* Pékin Deng Xiaoping se retire en nov.

87 mais reste Pt de la Commission milit. du Comité central). **14e** *-12/19-10* « système d'économie de marché socialiste » ; Commission centrale des conseillers (anciens dirigeants, staliniens en maj.) dissoute ; nombre de fonctionnaires réduit de 25 % sur 3 ans.

Exécutions. 10 000/20 000 par an. **Détenus :** 20 millions.

Armée. *1982 :* 4 238 210 h. (0,4 % de la pop.). *1985*-30-10 conscription obl. (500 000 appelés chaque année). *85 et 86 :* démobilisation de 1,5 à 2 000 000. *89 :* 3 000 000.

Bilan du maoïsme selon les dissidents (victimes en millions). Grand bond en avant 60, Révolution culturelle 100. *État intérieur :* famine dans beaucoup de provinces, trafics (certains organisés par armée), hausse de la criminalité, 6 % de la population audessous du seuil de subsistance, possibilité de sécession (Mongolie intérieure, Tibet, Chine du Sud). *Détenus :* 12 à 16 millions dans le « laogai » (goulag Chine) (dont 1,1 en prison proprement dite).

Provinces

Superficie, population (rec. de 1990), capitale (en italique) et population (est. au 31-12-90).

Sichuan 567 000 km^2, 107 218 000 h. (avec Taiwan + 19 454 610). *Chengdu* 2 810 000 h. **Shandong** 153 300 km^2, 84 393 000 h. *Jinan* 2 320 000 h. **Henan** 167 000 km^2, 85 510 000 h., *Zhengzhou* (Tcheng-Tcheou) 1 710 000 h. **Jiangsu** 102 600 km^2, 67 057 000 h., *Nanjing* (Nankin) 2 500 000 h. **Hebei** 188 000 km^2, 61 082 000 h., *Shijiazhuang* 1 320 000 h. **Guangdong** 178 000 km^2, 62 829 000 h., *Guangzhou* (Canton) 3 580 000 h. **Hunan** 210 500 km^2, 60 660 000 h., *Changsha* 1 330 000 h. **Anhui** 139 900 km^2, 56 181 000 h., *Hefei* 1 000 000 h. **Hubei** 186 000 km^2, 53 969 000 h., *Wuhan* 3 750 000 h. **Zhejiang** 101 800 km^2, 41 446 000 h., *Hangzhou* (Hang-Tcheou) 1 340 000 h. **Liaoning** 146 000 km^2, 39 460 000 h., *Shenyang* 4 540 000 h. **Yunnan** 394 000 km^2, 36 973 000 h., *Kunming* 1 520 000 h. **Jiangxi** 169 000 km^2, 37 710 000 h., *Nanchang* 1 350 000 h. **Shaanxi** 206 000 km^2, 32 882 000 h., *Xian* 2 760 000 h. **Heilongjiang** 469 000 km^2, 35 215 000 h., *Harbin* 2 830 000 h. **Shanxi** 156 000 km^2, 28 759 000 h., *Taiyuan* 1 960 000 h. **Guizhou** 176 000 km^2, 32 392 000 h., *Guiyang* 1 530 000 h. **Fujian** 121 000 km^2, 30 048 000 h., *Fuzhou* (Foutcheou) 1 290 000 h. **Jilin** 187 000 km^2, 24 659 000 h., *Chang-chun* 2 110 000 h. **Gansu** 454 000 km^2, 22 371 000 h., *Lanzhou* 1 510 000 h. **Hainan** 34 000 km^2, 6 557 h., *Haikou* n.c. **Qinghai** 721 000 km^2, 4 457 000 h., *Xining* 650 000 h.

Régions autonomes

■ **Guangxi.** 236 000 km^2, 42 246 000 h., *Nanning* 1 070 000 h. **Neimenggu** (Mongolie intérieure), 1 183 000 km^2, 21 457 000 h., *Huhehot* 890 000 h.

■ **Xizang (Tibet).** 1 228 600 km^2, 2 196 000 h., *Lhassa* 310 000 h. (86). *Tibétains* (ou Bod en langue locale) appelés T'oufan par les Chinois (qu'ils associent parfois à la peuplade mongole Tuppat). *Analphabètes* 70 %. *Esp. de vie* 45 ans. *Mortalité inf.* 150 ‰. **Histoire. Avant le VIIe s.** 6 tribus primitives Nan-Gi-Mi'u (« petits hommes nains »), fruit de l'union du grand singe de la forêt avec démone des rochers. *1re dynastie :* 7 rois Nam-La-Khri (« ceux qui trônent dans le ciel » ; 8e roi Drigum répandit le Bon-Po, religion initiale du T. 6 rois « legs », donnant aux Tibétains charbon de bois, fer, cuivre et argent. Règne des « 7 Lde », puis de 5 autres rois (fin du VIe s.). *Domaine royal :* région de *Yar-Lung* (cap. : Pying-Ba ; résid. royale : château de Tagtse, « pointe de tigre »). **569-649/650** règne de Songtsen-Gampo, 1er grand roi de l'époque tib., qui fonde Lhassa ; **639** marié à Pcesse chinoise Wen-Ch'eng et à Pcesse népalaise Bhrikuti (deviendront déesses Tara verte et blanche). **779** (ou 791) bouddhisme rel. d'État avec prédicateur indien Padma-Sambhava (créa 1res sectes « anciens » ou « Rouges »). **792-794** concile de Lhassa confirme sépar. spirit. entre T. et Chine. **XIe s.** moines indiens se réfugient au T. (dont Atiçâ (982-1054), apôtre de la renaissance boudd. **XIIe-XVIIe s.** vassal des Mongols. **1391-1475** Gedun-Truppa 1er dalaï-lama. **1577** Altan Khān donne titre de *Dalaï* (océan) à Sonam-Gyatso. **1720** empire mandchou ; T. sous protectorat (sommet : dalaï-lama + 4 *Ka-Lon*, min. laïcs nobles et 1 min. moine). **XIXe s.** la G.-B. essaie de pénétrer au T. Une garnison chinoise se rend à Lhassa. **1912** renvoyée lors de la révolution chinoise. **1914** *conférence de Simla* (C., G.-B., T.) : divisé en T. int. chinois et T. extérieur autonome ; la Ch. ne reconnaît pas cette division. **1950** *7-10* entrée des troupes ch. (400 000 h). **1951** *23-5* accord donne à la Ch. défense et affaires ext. *Oct.* dalaï-lama (« Océan de sagesse ») et panchen-lama nommés membres de la Conférence consultative de la Rép. pop. **1954** assistent au 1er Congrès national. **1956** *22-4* comité pour préparer l'adm. du T. comme région autonome. **1959** *19/20-3* rébellion réprimée par Ch. (10 000 †) ; le XIVe dalaï-lama Tenzin Gyatso (n. 1935) dep. 1937, couronné en 1940, s'enfuit en Inde, où il crée un gouv. en exil. Le panchen-lama accepte de collaborer avec la Ch. comme Pt en exercice du Comité (le D.L., quoique en exil, est nommé Pt). **1961** collectivisation de l'écon. **1964** *déc.* D. L. déclaré traître, démis off. ; P.L. démis aussi, s'évade d'un camp de rééducation et se réfugie en Mongolie ext. **1965** P.L. emprisonné pour 10 ans. *9-9* Ngapo-Ngawang Jigma nommé Pt de la région autonome. **1966-68** nombreux temples et monastères détruits. **1982** *3-7* P.L. rentre à Lhassa. **1987** le tibétain redevient langue off. (ne l'était plus dep. 1959). *Sept./oct.* troubles (13 † le 1-10). **1988**-*mars* troubles. *Avril* l'Ass. pop. chin. réélit le P. L., qui déclare le *4* que le D. L. peut rentrer au Tibet, s'il reconnaît la souveraineté chin. *-15-6* le D. L., à Strasbourg, propose un plan de semi-indépendance du T., en assoc. avec Ch. *-26-6* la Ch. refuse. *-10-12* manif. à Lhassa pour le 40e anniv. de la Décl. des droits de l'h. [1 † (18 † selon Tib.)]. **1989**-*29-1* mort du P. L. (son héritier ne peut être qu'un enfant né au même moment, dans le corps duquel l'âme du défunt aurait transmigré). *-5-3* émeutes à Lhassa (12 †). *-8-3* loi martiale à Lhassa. Au 23-3-89 (dep. 1987) 21 émeutes : 600 †, 25 000 disparus. *-17-4* Parlement de Strasbourg, le D. L. propose à la Chine un statut d'autonomie. *Juin* 13 fusillés. **1990**-*1-5* levée de la loi martiale. **1950-90** env. 1 200 000 †. **1993**-*24-5* émeutes.

Religions. Monastères. *Nombre : 1950 :* 6 200 dont 3 000 habités. *59 :* 2 200. *70 :* 10. *80 :* 45. *Principaux :* Zuglakang (VIIe s.), Zhaibung et Sera (à Lhassa), Zhaxilhunbu (à Xigaze), Palkor (à Gyangze, terminé 1429 ; sur 13 temples, 8 restent dont 6 non réparés). Drepung (10 000 lamas avant 59, 3 000 en 60, 233 en 81). *Pagode aux 100 000 bouddhas* (32 m et 9 étages). **Moines :** *1959 :* 500 000 (1/10 de la pop.), *85 :* 1 300 à 1 400.

Nota. – **Salut officiel des Tibétains :** langue tirée. Marque de soumission exigée au XVIIe s. des Tib. prisonniers des Mongols, dep. que l'un d'eux fut accusé du meurtre d'un geôlier par des incantations (rendant la langue noire, selon la coutume).

Économie. *Agriculture :* ancestrale (orge, élevage individuel chèvre, yak) ; transformée : échec du blé cultivé en terrasses. *Revenu des travailleurs agricoles.* (84) 317 yuans. *Production industrielle.* (85) 5,7 millions de $. *Tourisme :* (1987) 40 000 vis. Pour les Chinois, le T. riche en métaux précieux à l'avantage de dominer l'Inde.

■ **Xinjiang** (Sin-Kiang). 1 646 900 km^2, 15 156 000 h., *Urumchi* 1 160 000 h. **Ningxia Hui** 66 000 km^2, 4 655 000 h., *Yinchuan* 576 000 (1982).

Municipalités particulières

Beijing (Pékin) 17 000 km^2, 10 819 000 h. (dont ville 7 000 000). **Shanghai** 5 970 km^2, 13 342 000 h. (dont ville 7 830 000). [1 % de la pop., 10 % du PNB, 15 % des revenus de l'État ; dep. 1980, prod. × 2 et revenu × 2,5]. **Tianjin** (T'ientsin) 11 000 km^2, 8 785 000 h. (ville 5 770 000).

■ Économie

☞ La plupart des statistiques chinoises sont fausses ou truquées.

■ **PNB.** Ancien calcul et nouveau calcul du FMI prenant en compte les parités de pouvoir d'achat PIB (1992) 430 milliards de $ (1 660 soit 3e du monde derrière USA 5 610, Japon 2 370). Revenu par hab. 370 $ (1 450 $). **Pop. active** (%, entre parenthèses part du PNB en %) agr. 55 (35), ind. 17 (47), services 17 (20), mines 5 (9). *Actifs 1987 :* 528 000 000 dont paysans 334 000 000 (91), ouvriers et employés 143 970 000 (91). **Croissance annuelle** (%). *1981-85 :* 11. *86 :* 7,5. *87 :* 9,4. *88 :* 11,2. *89 :* 3,9. *90 :* 5,4. *91 :* 7. *92 :* 12,8. *93 (est.) :* 10. **Chômage** (92) : 3,5 % (villes 2,3). Selon 8e plan quinquennal (1991-95), 260 millions de paysans devront quitter les zones rurales (de 1990 à 2000).

■ Agriculture

■ **Grandes régions.** *Sud* (climat tropical) : riz (2 récoltes), mûrier (soie), agrumes, canne à sucre, thé sur les collines. *Centre* (bassin du Yangzijiang) : riz (1 récolte), développement récent du coton. *Nord* (terre de lœss ; climat tempéré, mais contrasté : hivers froids, étés chauds) : blé, millet, maïs, kaoliang (sorgho) ; patates douces, p. de t., soja, arachides, mûrier (soie), coton. *Mandchourie* (N.-E.) : soja, bois. *Mongolie intérieure :* moutons. *Xinjiang :* oasis irriguées (céréales, fruits, coton). *Tibet* voir ci-contre.

■ **Difficultés.** *Désertification :* 1 300 000 km^2 (13,3 % du pays). Augmente de 1 000 km^2 par an. *Surface agricole restreinte :* 11 % des terres arables ; absence de bétail, donc d'engrais animal. Morcellement [moyenne des exploitations 0,15 ha (USA 15 ha)]. *Productivité insuffisante :* tracteurs : 852 000 de + de 20 ch. (45 000 produits 1985), et 3,8 millions de petits tracteurs (822 500 produits 1985) (priorité aux petits motoculteurs, traction humaine encore employée). Sous-équipement, pour une surface ensemencée de 143 millions d'ha et de 190 millions de foyers ruraux. *Rendement à l'ha* assez élevé (jardinage), *par agriculteur :* minime. **Problèmes 1989-93 :** ventes difficiles (perte stockage de 10 à 20 % de la récolte, soit 45 millions de t par an), chute des cours sur marché libre ; hausse des prix de revient (engrais, eau, électricité). *Grandes famines récentes :* 1920-21 (N.), 1928, 1931, 1932 (N.-O.), 1942-43 Hunan, 1959-60-61 résultat de la collectivisation accélérée du « grand bond en avant », plusieurs millions de victimes, 1980-81 (sécheresse ou inondations). 1985 : 21 millions d'ha (sur 131) sinistrés. 1988 inondations.

■ **Facteurs favorables.** Travail minutieux du paysan (remonte la terre, cultive les moindres surfaces, utilise engrais, notamment excréments humains) ; perfectionnements techniques (meilleures semences, semis plus serrés, labours plus profonds) ; généralisation de l'engrais chimique (achats d'usines) ; maîtrise de l'irrigation (1er rang au monde pour la surface irriguée : 55 millions d'ha).

■ **Organisation rurale.** Plusieurs niveaux : **Provinces** voir ci-contre. **Régions** (6 régions économiques). **District :** unité administrative et écon. qui possède des usines, livre des équipements comme des moteurs, bateaux ou machines aux communes pop. **Communes populaires :** env. 54 352 en 1982. 80 % des Chinois y vivent. Chacune rassemble 10 000 à 40 000 ruraux sur env. 2 000 ha. Dirigée par un comité révol. élu. Possède une milice. Tient l'état civil. Dirige enseignement, justice, crédit, approvisionnement, hôpital. Doit résoudre les problèmes agr., hâter le passage au communisme, réaliser de grands travaux. **Brigades de production :** env. 677 000 en 1979. Correspondent aux anciens villages. En moyenne par commune : 12,7 brigades de 1 140 personnes sur 152 ha. Entreprennent les gros travaux d'aménagement des champs (hydrauliques). Possèdent les établissements que les équipes ne peuvent gérer ou qui sont rentables sous sa gestion. Ont une infirmerie. **Équipes de production :** env. 5 100 000 en 1979. Correspondent souvent aux anciens hameaux. 7,6 équipes par brigade, regroupant en moy. 20 à 30 familles (soit env. 150 personnes) sur 20 ha. Disposent des animaux de trait, machines et main-d'œuvre. Commune et brigade peuvent s'en servir moyennant compensation. Dep. 1976, les membres ont parfois la jouissance de lopins individuels (5 à 7 % des terres cult. des communes, 100 à 150 m^2) dont la prod., destinée à la consommation familiale, peut, en cas de surplus, être vendue sur les marchés spontanés. Unité budgétaire de base. Se charge de l'organisation de la prod. et de la répartition des revenus. Jouit de l'autonomie financière, prend à son compte pertes et profits. A un dispensaire. **Commune suburbaine :** compte env. 40 000 personnes. Cultive de 2 000 à 6 000 ha. **Fermes d'État :** env. 2 000 sur plus de 4 millions d'ha : 5 millions de salariés, 3,7 % des terres cultivées. Souvent situées sur les terres nouvellement défrichées. Un système de contrat tend à privatiser l'agriculture.

Part du privé. *Entreprises* (millions) : *1983 :* 4,2 (5,5 millions de personnes), *85 :* 10,7 (28,3 millions de pers.). *CA 1985 :* 78,3 milliards de yuans. *1986-87 :* 1 million d'entr. rurales ont fermé.

Utilisation des terres (milliers d'ha, 1979, T'ai-wan inclus). 959 696 dont arables 98 550, cultivées en permanence 760, pâturages 220 000, forêts 115 700 (en 1987, 12,7 % du pays), eaux 29 200, divers 495 486.

Production (millions de t, 90). *Céréales : 90 :* 384 (blé 98), *91 :* 432 (12,3 imp.), *92 :* 442,6. Riz 189, légumes 117, patates douces 112, maïs 96,8, sucre 72,1 (dont canne 57,6, betteraves 14,5), p. de terre 33, soja 11, arachide 6,3, coton 4,5 (*52 :* 1,3, *65 :* 2,1, *78 :* 2,2), haricots 1,9, jute 0,72, sésame 0,5, thé 0,5, caoutchouc 0,26. 80 % des céréales sont autoconsommées dans la région de prod. *Rendement :* 300 à 750 kg/ha pour le blé selon les régions. **Bois** produit (90) : 277 015 000 m^3 (y compris T'ai-wan) dont bois de chauffe 185 477 000 m^3. Projet de reboiser 80 millions d'ha en 20 ans.

Élevage (millions, 90). Volailles 1 984, moutons 112,81, bovins et buffles 102,4, chèvres 92,7, ânes 11,19, chevaux 10,17, porcs 362. **Viande** (millions de t, 90) 28,7 (*52 :* 3,4 ; *65 :* 5,5 ; *78 :* 8,6). **Pêche** 11,22 millions de t (89) dont 6,3 en mer.

■ Énergie

Énergie totale (millions de Tec). **Production** 1 047 (91) dont (en %) charbon 73, hydrocarbures 23, hydroélect. 4.

Charbon. Bassins principaux. *Chine du S. :* Wuhan ; *Sud Mand. :* double bassin du Hoang Ho (Chensi, dans la boucle ; Chansi, à l'Est). **Production** (millions de t). *1946 :* 10 ; *60 :* 232 ; *75 :* 432 ; *80 :* 620 ; *85 :* 850 ; *90 :* 1 090 ; *91 :* 1 058. **Réserves** 1 010 milliards de t (accessibles 71 milliards).

Électricité (milliards de kWh). *1952 :* 73, *78 :* 257, *85 :* 380 ; *90 :* 621 ; *91 :* 670. **Hydroélectricité exploitable** 900 milliers de kWh (+ fort potentiel mondial), *puissance installée* de 125 000 MW (7 % du potentiel utilisé, plan de 50 ans pour l'aménagement du Hoang Ho) ; projet : barrage de Sanxia (levée de 150 à 165 m, lac de 500 km de long., capacité 1 300 MW, coût 10 milliards de $) ; projet : barrage des Trois-Gorges sur le Yangzijiang (larg. 2 km, lac de 600 km de long, 11 milliards de $, centrale hydro-élec. de 20 000 MW). **Nucléaire :** 7 centrales projetées dont Qinshan 300 MW arrêtée et Daya Bay (Guangdong) 1er 1 000 MW (1993), 2e 1 000 MW (1993), 3e 2 × 600 MW (2005). *Objectif :* mettre en place entre 1990 et 2000 1 réacteur de 1 000 MW par an, pour que le nucléaire assure 15 à 20 % de la prod. électrique.

Pétrole. Production (en millions de t). *1952 :* 0,44, *65 :* 11,31, *75 :* 77, *80 :* 106, *85 :* 125, *90 :* 138, *91 :* 139. *2000 (prév.) :* 200. **Réserves** 3,3 milliards de t. **Principaux champs :** *Sheng Li* (embouchure du fl. Jaune, 60 % de la prod.) ; région de *Daqing* (Mandchourie) ; *Hua Bei* (sud de Pékin). **Exportation** (millions de t) *1985 :* 31, *88 :* 30.

Gaz naturel (milliards de m³). **Production.** *1952 :* 0,008, *65 :* 0,11, *75 :* 8,85, *80 :* 14,3, *84 :* 12,9, *86 :* 20,6, *90 :* 14,4, *91 :* 14,9, *2000 (prév.) :* 25. **Réserves** 850.

Minerais et métaux

Antimoine (à Xikuangshan). *Bauxite* (à Shangong et Hunan). *Béryllium. Cinabre* [à Tongren (Guizhou)]. *Cuivre* [à Dongchuan (Yunnan), Gaolan, Gansu, Tongling (Anhui)]. *Étain* [à Gejiu (Yunnan), 40 800 t (89)]. *Fer* [à Anchang (Mandchourie), Xinjiang ; teneur moy. (30 à 40 %) ; 87 600 000 t (91)]. *Germanium. Lithium. Niobium. Or* 60 t. *Phosphates* 19 800 000 de t (89). *Plomb et zinc* [à Shuikoushan (Hunan)]. *Tantale. Thorium. Tungstène* (à Dayu). *Uranium.*

Industrie

Grandes zones. Mandchourie du Sud (Shenyang, Anshan) : métallurgie, chimie. **Canton** soie et coton. **Shanghai :** métallurgie port 100 millions de t (1/3 du trafic total ch., 16,5 % des export. ch.). **Vallée du Yangzijiang :** Wuhan, Nankin (métall.), Chongqing (textiles, industrie de transformation). **Pékin** (port : Tianjin) : mécanique, chimie ; Baotou sur le Huanghe (nucléaire).

Valeur globale. 9 % du PNB en 1988. **Production** (en millions de t, est. 1991) *acier 38 :* 31,8 ; *52 :* 1,35 ; *57 :* 5,35 ; *65 :* 12,23 ; *89 :* 61,2 ; *90 :* 66,3 ; *91 :* 70,5 (dont 20 à 30 de mauvaise qualité). *Fonte* 62,4 (90) ; *ciment* 248 (*52 :* 3 ; *57 :* 7 ; *65 :* 13 ; *78 :* 65) ; *constr. navales* 0,41 (88), 0,58 (89, prév.) ; *acide sulfurique* 13,1 ; *soude pure* 3,9 ; *caustique* 3,3 (90) ; *engrais chimiques* 19,8 ; *filés de coton* 4,5 ; *papier* fabriqué industr. et *carton* 14,3 ; *sucre* 6,3 ; *sel brut* 23,5 ; *détergents* 1,4 ; (en millions d'unités, 90) *tracteurs* 0,5 (91) ; *motoculteurs* 0,8 ; *locomotives* 0,0007 (91) ; *wagons de marchandises* 0,01 ; *machines à coudre* 7,6 (*1952 :* 0,07 ; *57 :* 0,3 ; *69 :* 1,2 ; *78 :* 4,9 ; *88 :* 27) ; *outils* 0,1 (83) ; *TV* 27 (*1965 :* 4,4, *78 :* 5,17) ; *radios* 21 ; *magnétoscopes* 18,6 (87) ; *cotonnades* (millions de m) 18,8.

Difficultés. *Développement gêné* sous Mao par des préoccupations idéologiques (limiter la formation d'une classe de technocrates urbains ; augmenter le rôle éducateur de l'usine, en sacrifiant au besoin la rentabilité) et par des soucis politiques et stratégiques (refuser l'aide technique et financière de l'URSS et des démocraties industrielles ; éparpiller les outils de production en vue d'un conflit éventuel). *Difficultés géographiques :* densité rurale rendant difficile la création de centres de peuplement ouvrier. Sidérurgie dispersée [(pour chaque tonne d'acier, 3 fois plus d'énergie qu'au Japon) ; 2 plus grands combinats : *Anshan* (221 000 salariés, 7 millions de t prod.), *Wuhan* (120 500 s., 3,5 mt)].

Facteurs favorables. 1°) *Avant la mort de Mao :* la forte densité rurale et l'ingéniosité du paysan ont permis de créer une micro-industrie (artisanat modernisé tendant à « tout construire sur place ») au rendement faible, mais qui a répandu la mentalité industrielle dans la masse. 2°) *Après la mort de Mao :* on renonce à tout construire sur place et on investit dans les transports. Les régions écon. sont restructurées ; l'aide technologique extérieure est recherchée. Principal partenaire : le Japon (accord commercial de 1978 ; tr. de paix et d'amitié, surtout antisoviétique). Accords envisagés avec la CEE (prêts d'État ou de groupes bancaires ; constitution de sociétés d'économie mixte ; sous-traitance en Chine pour textile et électronique, avec les bas salaires chinois). Livraison à Hong Kong de produits semi-finis, pour y terminer la finition.

Réalisations scientifiques. 1re bombe atomique 1964 ; 1re bombe à hydrogène 1967 ; 1er satellite artificiel 1970 ; 1re récupération de satellite 1975.

Nouvelle politique économique

Étapes. 1978 autorisation des entreprises privées. **Avril 1979** *réajustement :* privilégier l'ind. légère et l'agr. par rapport à l'ind. lourde, privilégier la consommation. *Restructuration :* changer le système des prix, salaires et main-d'œuvre en fonction des mécanismes du marché. *Consolidation des entreprises :* augmenter la productivité du travail (souvent surabondance de main-d'œuvre qu'il faut employer à faible rendement). *Transformation technique* (ne plus construire des usines dans les montagnes pour des raisons mil., ce qui augmente le coût de transport et engorge les chemins de fer). **1980** création de *Stés mixtes* pour assimiler les techniques étrangères et fabriquer des prod. destinés à l'exportation ; *zones franches ou écon. spéciales* (2 provinces : Guangdong [1991 : croissance + 23 à 40 %, PNB/hab 600 $, 50 % des invest. étrangers] et Fujian [1991 : croissance + 11 %, exp. 9 milliards de $] et 3 municipalités : Pékin, Shanghai, Tianjin), *centres d'exportation*, et retour à l'*agriculture familiale*. **1983-88** priorité à la politique écon. sur la pol. étrangère : *5 zones écon. spéciales* (ZES) : *Shenzhen* (327 km² jouxtant Hong Kong), *Zhuhai* (jouxtant Macao), *Shantou* (Swatow), *Xiamen* (Amoy) et île d'*Hainan ; 14 ports ouverts* pour attirer les étrangers. Essor du delta (Foshan, Zhonsgshan, Dongghuan). **1990** *avril zone spéciale* de Pudong (Shanghai) : 350 km² ; en 1991 : 2 500 entr., 1,3 million de pers., 8 % de la capacité ind. de Shanghai. **1991** entr. publiques autorisées à licencier la main-d'œuvre excédent. **1992** projet de complexe portuaire du delta du Tumen avec Corée, Japon et ex-URSS (durée 25 à 30 ans ; coût : 170 milliards de F). *Juil.* droit de licenciement sans limite et de dépôt de bilan. *Oct.* XIVe Congrès lance « Économie socialiste de marché ». Obligation de « se soumettre à la direction unifiée de l'État » supprimée. **1992-95** modification du statut en société par actions et application de la loi de 1988 sur faillites, afin de désengager le budget de l'État au profit de l'épargne privée. **Bilan (au 1-8-92) :** 3 200 entr. par actions, cotées en Bourse (Shenzhen et Shanghai).

Investissements étrangers (milliards de $). *1985 :* 5,5, *87 :* 3,7, *90 :* 6,6, *91 :* 7,16, *92 :* 59. **Origine g. dep. 1979.** Hong Kong et Macao 62 % des engagements ; T'ai-wan : 11,5 ; USA 9. **Entreprises étrangères (1991)** 37 000, dont 23 000 joint-venture, 8 000 à contrats de gestion locatif et 6 000 à capitaux exclusivement étrangers.

Affaires privées (nombre en millions). *1949 :* 4 à 10 ; *56 :* 0,43 ; *65 :* 1 ; *70 :* aucune ; *78 :* 0,30 ; *80 :* 0,89 ; *82 :* 2,6 ; *85 :* 11,7 ; *90 :* 13 (22 600 000 salariés) ; *2000 (prév.) :* 30 (20 % du PIB, 50 millions d'actifs, valeur 600 milliards de yuans). **Part dans l'activité économique** (%). *85 :* 1,8 ; *89 :* 4,8.

Part du secteur d'État. Effectifs (1992). 106 millions, dont sureffectifs 30 à 40 % (1). **Part dans l'activité économique** (%). *1980 :* 76, *85 :* 65, *90 :* 55, *91 :* 53, *92 :* 46. 300 000 entr. déficitaires devaient être déclarées en faillite en 1988.

Transports

Aviation civile. 130 lignes intérieures (réseau 150 000 km). 12 régulières internationales, desservant 13 pays (*1950 :* 2).

Marine marchande. 436 millions de t chargées et déchargées (88).

Routes *longueur (km). 1949 :* 81 000 ; *65 :* 515 000 ; *89 :* 1 014 300 ; *trafic marchandises : 1991 :* 339 800 millions de t/km. **Automobiles** *production* tous véhicules (milliers) *1975 :* – de 100, *81 :* 175,6 ; *84 :* 300 ; *88 :* 644,7 ; *89 :* 583,5 ; *90 :* 514 ; *91 :* 713. *Parc* 270 000 voitures particulières : 1 pour 4 000 personnes (prév. en 2000, 3,1 pour 1 000). *Accidents :* 53 000 † (87). **Bicyclettes** *production* (millions) *1952 :* 0,08 ; *57 :* 0,8 ; *65 :* 1,8 ; *78 :* 8,5 ; *89 :* 36 ; *91 :* 36. *Parc* 200 pour 1 000 hab.

Voies ferrées. *1876 :* 1re ligne (construction anglaise) ; *1900 :* 588 km (4 213 en construction, 6 639 concédées) ; *1949 :* 22 000 ; *65 :* 36 000, *89 :* 53 200 ; 0,5 km pour 100 km (France 6,2). **Distances** *par voie ferrée de Pékin* (en km) : Shanghai 1 462, Tianjin 137, Nankin 1 157, Huangzhou 1 651, Chongqing 2 252, Kharbine 1 388. **Traction** en majorité à vapeur ; vitesse commerciale : 50 km/h. **Trafic** *voyageurs* (1991) : 282,7 millions/km dont 50 % en province ; *marchandises :* 1 097,2 millions de t/km.

Voies navigables. 40 000 km, principalement sur Huanghe, Yangzijiang et le grand canal de 1 800 km (modernisé) les reliant à Pékin (97 millions de t transp.).

Tourisme

Visiteurs. (91) 33 360 000 dont (90) 93,3 % de Chinois de Hong Kong, Macao et T'ai-wan et 1 838 000 étrangers (dont en 86 : 38 000 Français) (hommes d'affaires 35 %, scientifiques, artistes et sportifs 16 %). **Capacité :** *1990 (prév.) :* 910 hôtels, 362 000 lits.

Lieux touristiques. *Grottes* de Datong Shenxi (53 gr., 50 000 statues). *Sculptures bouddhiques et rupestres :* Kansu, centres religieux de Dunhuang, de Maïgishan et de Binglingsi (Ping-Lingsseu) ; *monastère troglodytique* près de Tatong (Shanxi). Pékin, *grande muraille*, Nankin, Wuxi, Hangzhou, Shanghai, Guilin, Canton, Kunming, Chengdu, Xian [tombeau de l'empereur Qin Shihuangdi (+ 210 av. J.-C.) gardé par une armée de soldats d'argile, retrouvé 1974, construit par 700 000 h]. Grottes-temples de Long-men (Henan), dans le temple de Fangxian (VIIe s.), bouddha assis de 11 m de haut. Sichuan, vestiges datant de 2 000 à 4 500 ans (dont plusieurs milliers d'hommes en bronze de 1,5 à 2 m).

Finances

Budget (milliards de yuans). *1992* (prév.) *dépenses* 411,9 (dont défense 37 [42,5 en 93]), *recettes* 391,2. *Déficit 90 :* 15 ; *91 :* 21,1 ; *92 :* 20,7. **Réserves de devises** (milliards de $). *1974 :* quasi nulles ; *81 :* 2,2 ; *84 :* 16,2 ; *85 :* 12 ; *86 :* 10 ; *88 :* 17 ; *89 :* 17 ; *90 :* 28,6 ; *91 :* 40 ; *92 : 50.* **Dette extérieure** (milliards de $). *1984 :* 6 ; *85 :* 15 ; *86 :* 25 ; *87 :* 30 ; *88 :* 40 (20 % du PNB) ; *89 :* 41,3 ; *90 :* 52,5 (dont 87,1 % à moyen ou long terme) ; *91 :* 61,5. **Inflation officielle** (%). *1980 :* 7,5 ; *81 :* 2,6 ; *82 :* 1,9 ; *85 :* 8,8 (réelle 15 à 20) ; *86 :* 7,7 ; *87 :* 7,2 ; *88 :* 18,5 (réelle 30 à 40) ; *89 :* 17,8 (réelle 25 à 30) ; *90 :* début 30, fin 5 ; *91 :* 2,9 ; *92 :* 5,3 (villes 7, dont Canton 12,6, Shanghai 11,3, Pékin 9,3). **Épargne** (1992) 1 150 milliards de yuans (1 000 y./hab., soit 175 $), 38 % du PNB, 2e rang mondial après Singapour : + 20 % en 1 an.

Monnaie pour étrangers. Billets libellés en yuan (Waihui, FEC, Foreign Exchange Certificate) à l'opposé des billets pour les Chinois (renminbi, RMB) également libellés en yuan (coupures de 50 et de 100 dep. 1987, auparavant de 1/100e de y. à 10 y.). Parité : 1988 : 100 y. FEC valent 170 y. RMB (fluctuations fréquentes) : en réglant en FEC, l'étranger paye 70 % plus cher que les Chinois.

Contentieux financiers (196 millions de $ de biens amér. saisis par Chinois en Corée ; 80 millions de $ d'avoirs chinois bloqués par USA). **Avec URSS** (en millions de $, 1989) : 2 147.

Conditions de vie

Alimentation. Consommation par hab. *Par jour :* 2 666 cal. et 78,8 g de protéines. *Par an* (85) : céréales 260 kg, huile 5,1 kg, porc 13,9 kg, sucre 5,6 kg, tissus 11,7 m. En 1989, 40 000 000 de personnes ne mangent pas à leur faim. **Prix alimentaires** bloqués afin de pouvoir assurer un minimum de 2 300 calories par j.

Avantages sociaux. Prestations (alimentées par des retenues de 3 à 11 % sur salaires), biens contingentés : bicyclettes, logements, etc.

Congés. 1 j par semaine (6 j de travail, de 8 h) ; 8 j par an (printemps 4 ; 1er mai 1 ; 1er oct. 1 ; nouvel an 2 ; mères de famil. 1/2 j le 8 mars (f. des enfants).

Dépenses (%, 1983). Alimentation 59,2, habillement 14,5, articles d'usage courant 16,2, autres 10,1.

Équipement (taux pour 100 hab. citadins, et entre parenthèses, ruraux, 1985). Bicyclettes 163,7 (80,6), mach. à coudre 73,1 (43,2), radio 80,8 (54,1), TV 74,9 (11,7), réfrig. 52,8, lave-linge 9,5.

Femmes. Nombreux enlèvements (vendues).

Prix (exemples). *Divers :* chemise blanche 13 F (3 j de salaire), casquette de fourrure 40 F (7 j), montre 150 à 1 200 F (1 à 8 mois), bicyclette 400 F, télévision 1 100 F (7 mois), voiture (30 ans ; 15 000 pers. en possèdent), théâtre et cinéma : 0,25 F à 0,60 F la place.

Retraite. *Age* en général hommes (ouvriers 55 à 60, intellectuels 60), femmes (ouvrières 50, intell. 60) ; *pension* 60 à 80 % du salaire, primes non comprises.

Revenu annuel moyen (RMB, 1991) villes 1 570 yuans, campagnes 720. 100 millions de Chinois disposent de – de 37 $ par an.

■ Santé. **Soins médicaux :** *gratuits :* pour 80 % des Chinois [installations sommaires, peu de médicaments ; pratique de l'acupuncture ; du gigong (prononcer tsignong), discipline de contrôle du souffle vital] ; hospitalisation gratuite pour ouvriers et fonctionnaires (à 50 % pour leur famille).

Statistiques (85) : 2 229 000 lits d'hôpitaux, 1 413 000 « médecins aux pieds nus », 336 000 médecins traditionnels, 350 000 à l'occidentale ; 637 000 infirmières.

■ Commerce

Commerce (92, milliards de $). **Export.** 85 *dont* mat. 1res diverses, tissus et vêtements, fuel, minéraux et métaux, armement (1,2 en 86), mach. et équip. de transp., divers *vers* Hong Kong, Japon, USA, CEE, ASEAN. **Import.** 75 à 80 *dont* prod. manuf. (mach. et équip. de transp.), de base (mat. 1res) *de* Hong Kong, Japon, USA, T'ai-wan, CEE, pays de l'Est. **Avec USA** (en millions de $) ; *91* :imp. chin. 8 008-Exp. chin. 6 194. **Avec T'ai-wan** (via Hong Kong) balance – 9,42. **Avec Corée du S.** *1990 :* 3 800, *92* (prév.) : 10 000. **Avec Japon** *1972 :* 900, *91 :* 21 000.

– *Nota.* En 1993, commerce de troc supprimé avec Corée du N.

Balance commerciale (milliards de $). *1984 :* – 1 ; *85 :* – 12,6 ; *86 :* – 7,5 ; *87 :* – 0,2 ; *88 :* – 5,5 ; *89 :* – 6,6 ; *90 :* + 8 ; *91 :* + 8 (avec USA + 12,8) ; *92 :* + 17 (avec USA + 18).

Rang dans le monde (91). 1er céréales, coton, porcins, riz, blé, charbon. 2e maïs, thé, pêche, étain, fer. 3e pommes de t., ovins, bois, rés. charbon. 4e canne à sucre, zinc. 5e bovins. 6e cuivre, pétrole. 7e bauxite, or. 9e nickel. 10e rés. pétrole. 12e gaz naturel, lignite. 13e orge. 16e argent.

■ Chine libre (T'ai-wan)

(République de Chine)

Carte p. 951. V. légende p. 884.

Situation. Île de Formose (nom donné par les Portugais : Formosa : la belle), mer de Chine, Asie. Nom de l'ancienne capitale T'ai-wan (baie des terrasses) devenue T'ai-nan en 1886. 35 961 km² (dont T'ai-wan à proprement parler 35 874 km²). Séparée du continent par le *détroit de Formose* ou *T'ai-wan,* larg. 160 km env. (long. 377 km, larg. 142 km). Traversée par le tropique du Cancer. Le niveau de la terre baisse de 2 à 3cm par an à cause des forages illégaux. 275 km de rivières polluées. Distance de Taipei (km) Chine 220, Philippines 350, Manille 1 176, Japon 1 232, New York 15 300, Sydney 9 100, Tōkyō 2 121. *Alt. max.* 3 997 m (mont Yu-chan ou mont de Jade ou mont Morrisson), Siué-chan, mont des Neiges 3 884, Siokoulouan-chan 3 833, Nan-hou Ta-chan 3 740, Kouan-chan 3 666, Kilaïtchoufong 3 569, Tasiué-chan 3 529. **Iles :** *Peng-hou* (ou *Pescadores :* pêcheurs en portugais) 126,86 km² ; 96 000 h. ; à 188,9 km du continent, à 53,7 km de T'ai-wan. *Kinmen (Quemoy)* (150,4 km² ; 42 754 h., 2 grandes îles et 12 îlots), *Matsou* (28,8 km², 5 585 h. en 90, 19 îlots dont Nankan 10,4 km² et Kaoteng à 9 250 m de la Chine). **Montagnes** 64 % du territoire.

Climat. Subtropical. Été mai-oct. (pluies dans le S.), hiver janv.-févr. (pluies dans le N.). Moyen. 22,7 °C (au Nord), 25,1 °C (Sud). A augmenté de 0,4 °C de 1986 à 1989 à cause de la pollution due au pétrole et au charbon formant du dioxide de carbone (effet de serre).

Population (en millions). *1951 :* 7,81 ; *61 :* 11,20 ; *70 :* 14,75 ; *80 :* 17,87 ; *90 :* 20,41 ; *91 (oct.) :* 20,56 ; *2011 (prév.) :* 25. D 573. **Âge** (1989) : 27,1 % de – de 15 a. *Espérance de vie (1991) :* hommes 71,33 a. ; femmes 76,75 a. **Origine :** Aborigènes [orig. malaise et polyn. 345 523 (92) dont (88) Ami 128 628, Atayal 77 359, Païwan 61 508, Bunun 36 294, Pouyouma, Roukaï, Tsoou, Saïchatt, Yami ; dans les villes 46,3 %, réserves 53,7 % (visitées avec un laissez-passer), 240 000 ha protégés dep. 1949]. Taiwanais (1ers Chinois arrivés au XIIe s., puis XVIe s. venus du Fou-kien) env. 11 679 000, Hakkas (venus XIXe s. de la prov. de Canton) 4 000 000, Chinois réfugiés (1949) 8 877 641. **Étrangers** (1991) : 35 379 résidents. Villes (91) : *Taïpei* 2 717 992 h. (10 092 h./km²), Kaochiong 1 396 425 (à 379 km), Taïtchong 774 197 (169), Taïnan 689 541 (329), Kilong 355 894 (29). **Taux : naissance :** *1945-63* (moy.) : 3,7 %, *1987 :* 1,6, *89 :* 1,5, *90 :* 1,7 ; *91 :* 1,5 ; **fécondité** *(91) :* 1,7 ; **mortalité infantile** *(91) :* 5,2 ‰.

Langue. Chinois (langue nat. ou kouo-yu) *(off.),* dialectes chinois (minnan, hakka). Religions. Boudhistes 4 856 000, taoïstes 3 270 000, chrétiens 364 432 (prêtres : 1 958 chinois, 674 étr.), musulmans 52 000.

Histoire. Tribus malaises et polynésiennes. **Vers le XIIe s.** arrivée des 1ers Chinois. **1624** occupée par Hollandais. **1661** base des opposants [occupée par Cheng Cheng-kung (Coxinga)] à la dynastie mandchoue. **1662** Hollandais chassés. **1683** revient à celle-ci. **1886** province chinoise. **1895** g. sino-japonaise : *-20-3* débarquement jap. *-8-5* la Ch. cède T. au Jap. (tr. de Shimonoseki). *-24-5* les Taiwanais proclament la Rép., mais sont vaincus. **1903** révolte T. matée sauvagement par Jap. **1945**-*25-10* redevient prov. ch. à statut spécial, puis ordinaire (1947). **1947** *-28-2* révolte des Taiwanais réprimée par Gal Chen Yi (28 000 †). **1949**-*8-12* nationalistes ch. s'y réfugient ; assaut. comm. contre Kinmen (7 000 soldats comm. tués, 13 000 prisonniers). **1950**-*5-1* Truman, Pt des USA, s'engage à ne pas fournir d'aide ou de conseil mil. aux nationalistes, mais la g. de Corée remet tout en question. Selon D. Mendel, 90 000 arrestations entre 1949 et 1955, 45 000 exécutions. **1950**-*1-3* Tchang Kaï-chek Pt. **1952**-*28-4* traité de paix avec Japon. **1954** accord de défense avec USA. **1958**-*29-7* 4 avions chinois abattent un avion T. *-3-8* nouvelles pièces d'art. à Foukien. *-17-8* préparatifs mil. sur côte du Foukien, en Chine comm. : 189 000 h., 370 pièces d'artillerie, 267 avions en position face à Kinmen. *-23-8 au 5-10* bombardements entre Kinmen et Hsiamen Iamoy (Amoy) (à 3 km). Bilan : + de 500 000 obus tirés du continent, 39 avions comm. abattus (pour 2 de T.), 19 torpilleurs coulés (contre 1 ravitailleur de T.), 80 † civ., 2 600 habit. détruites et 2 000 endommagées à Kinmen. **1960**-*17/19-8* 150 000 obus tirés. **1961** fin des bombardements (sauf env. 500 obus bourrés de brochures de propagande ; T. répond de même) ; propagande par haut-parleurs. **1964** ambassade de France fermée. **1971**-*25-10* doit laisser à l'ONU son siège à la Rép. pop. de Ch. **1975**-*5-4* Mal Tchang Kaï-chek meurt, Yen Chiakan (n. 23-10-05) vice-Pt, Pt. **1978**-*15-12* fin des bombardements à Kinmen (162 †, 800 bl. supplém., 9 000 maisons de + endommagées). **1979**-*1-1* USA reconnaissent la Ch. comm. ; crise financière. Prêt US 500 millions de $ à long terme et faible intérêt ; rupture diplom. USA-T. *-27-4* départ des derniers soldats amér. **1987**-*15-7 :* « loi martiale » abolie. *Nov.* les Taiwanais pourront se rendre en Ch. continentale voir leur famille. **1988**-*1-1* mesures de libéralisation pour la presse. *-13-1* Pt Chiang Ching-kuo meurt ; Lee Teng-hui (n. 15-1-23) vice-Pt, Pt. *-22-4* amnistie : 7 776 libérés. *-6-4* 1re délégation à Pékin. *Juil.* Song Meiling, veuve de Tchang Kaï-chek, quitte la vie publique. **1989** essor de la presse : 203 quotidiens (31 en 1987). Nouveaux partis pol. autorisés. *-1-6* 1 million d'étudiants forment une chaîne pour recueillir des fonds pour ét. chin. *-4-6* 1 milliard de $ t. (600 M de F) collectés par 24 entr., 1 000 litres de sang envoyés à Pékin par les étudiants, 1 million de journaux relatant la répression envoyés par ballon en Ch. **1990**-*7-1* France suspend vente prévue de frégates (classe La Fayette, deplaçant 3 200 t, valeur unitaire de 1 200 millions de F) sur pression de la Ch. *-21-1* municipales Kuomintang (283 maires sur 309, 650 conseillers sur 842). *-21/22-3* Lee Teng-hui réélu Pt avec 641 voix sur 668 (95,9 %). *-1-6* Hau Pei-tsun (n. 13-7-19) PM. **1991**-*1-1* amnistie (80e anniversaire de la Rép.), 4 705 libérés, 12 000 autres prévus en 91. *-30-4* fin officielle des hostilités entre T. et Chine comm. *-21-12* élect. lég. : 68,3 % de part. ; Kuomintang 71,2 % des v., PDP 23,9, ANID 2,6, autres 2,3. **1992**-*7-7* révision de la loi d'exil. *-11-11* bateau douanier chinois intercepté. *sept.* achat de 60 Mirage français (2,6 milliards de $), de 16 frégates La Fayette (4,8 Md de $) et de 160 F-16 amér. **1993**-*6-1* Kung Teh-cheng, 77e descendant en ligne directe de Confucius, abandonne présidence du Yuan de contrôle.

Statut. République. *Constitution* déc. 1946. *Pt* Lee Teng-hui, taiwanais d'origine (n. 15-1-23) dep. 13-1-88 [† du Pt Chiang Ching-kuo (n. 18-3-10, fils de Tchang Kaï-chek]. Pt élu pour 6 ans par l'Ass. nat. *Vice-Pt* Li Yuan-zu (n. 24-9-23) dep. 22-3-90 (93,4 %). *PM* Lien Chan (27-8-36) taiwanais d'origine, dep. 23-2-93. *Ass. nat.* (Kuo Min-Ta-Huei) théoriquement pour toute la Ch., 325 élus 21-12-91 dont KMT 254, PDP 66, ANID 3, autres 3 [225 au suffr. univ. (KMT 179, PDP 41, autres 5) et 100 par partis (KMT 75, PDP 25)]. *Yuan législatif (92)* 161 m. [Kuomintang 96 s. (59,6 % des voix), PDP 50 s. (31,1 %, 20 % en 1986), PDSC 1 (0,6 %), div. 14 s. (8,7 %)]. *Pt* Liu Sung-fan, réélu fév. 93. *Yuan de contrôle* 29 m. Partis. *Kuomintang* (P. nationaliste ch.) fondé par Sun Yat-sen, 2 550 000 m. (65 % nés à T.) ; programme : *Tridémisme,* les 3 principes du peuple énoncés 1924 : nationalisme, démocratie, bien-être social. *P. de la Jeune Ch.* (f. 1923 par Chen Chitien, Lee Huang). *P. démocrate soc.* (f. 1932 par Sun Ya-Fu). *Pt :* Yang Yueh-tse. *P. démocrate progressiste* (f. 1986) *Fond. :* Huang Hsin-chieh, *Pt* Hsu Hsin-liang (emblème : drapeau vert orné des contours de l'île ; forte min. pro-indép.). *P. soc. dém. chinois* (f. 1991 par Ju Gau-jeng). **Divisions admin. :** 16 districts, 5 villes provinciales, 2 à statut spécial (Taïpei et Kaochiong) et îles côtières du Foukien (Kinmen et Matsou). Fête nationale. 10 oct. (dit « double dix ») anniv. du soulèvement d'Outchang (1911). Drapeau (1949). Rouge (la Chine), carré bleu (le ciel), avec un soleil blanc. Diplomatie. 29 pays ont des relations dipl. officielles avec T. (dont Afrique du S. et petits États sud-américains). + de 150 pays ont des relations commerciales. **Relations avec la Chine communiste : 1949** doctrine officielle : *no contact, no compromise, no negociation.* T. revendique souveraineté sur Chine entière. **1987** droit de visite aux Taiwanais (sauf fonctionnaires, journalistes, enseignants et militaires) : plusieurs milliers peuvent entrer en Chine. **1988** *janv.* secr. du PC chinois Zhao Ziyang salue la mémoire du Pt Chiang Ching-kuo, *avril* T. autorise correspondance avec continent, *juill.* T. décide régularisation des échanges indirects (via Hong Kong) et autorise visites de Chinois à T. **1989** journaux t. peuvent ouvrir des bureaux à Pékin. Visite des enseignants autorisée, livres ch. diffusés à T., *mai* Mme Shirley Kuo, min. des Fin. t., participe à Pékin à la 20e ass. gén. de la Banque asiat. de développement. **1990** *avril* une équipe t. participe aux Jeux d'Asie à Pékin. **1992** *juil.* visites culturelles autorisées sur le continent ; *août* loi des Relations à travers détroit de T'ai-wan autorise visites des membres du PCC ; *nov.* loi des Échanges écon. assouplit visites de Continentaux. **1993**-*27-2* 1re visite de resp. chinois. **Autres investissements privés t. en Chine** (milliards de $) *1992 :* 1,5 à 3,5 (2e invest.). **Tourisme en Chine** *1989-90 :* 1 400 000, *91 :* 995 000, *92 :* 1 600 000 Taiwanais. **Passages de pilotes** *dep. 1949 :* 12 de Chine comm. passés à T. (dont 6 par Corée du S.). 2 de T. en Ch. comm. (1981 et 83).

☞ Les 8 îles Tiaoyutai (à 88,6 miles au N.-E. de T.), [incorporées au Japon en 1895 par le tr. de Shimonoseki et restituées par les USA avec Okinawa en 1972] sont revendiquées par la Chine comm. et T. Station météo automatique jap.

■ Économie

PNB (92). 10 196 $ par h. (obj. 2000 : 20 000 $), **total** en milliards de $: *1951 :* 1,2 ; *67 :* 3,6 ; *78 :* 26,7 ; *87 :* 97 ; *88 :* 125,3 ; *89 :* 150,2 ; *90 :* 159,5 ; *91 :* 180 ; *92 :* 212. **Fortune nat.** 5,89 fois le PNB soit 388 730 $ par hab. et 11 820 $ d'actif par foyer. **Pop. active** (%, entre parenthèses part du PNB, en %) agr. 12,8 (4,1), ind. 40,8 (42,5), services 40,2 (53,3), mines 1 (1), 70 000 trav. philippins cland. *Chômage* (%) : *91* (nov.) : 1,49. **Inflation** (%) *1988 :* 5 ; *89 :* 5,6 ; *90 :* 4,1 ; *91 :* 3,5 ; *92 (nov.) :* 4,6. **Taux de croissance** (%) *1978 :* 13 (record mondial) ; *79 :* 8,03 ; *80 :* 7,1 ; *81 :* 5,76 ; *82 :* 4,05 ; *83 :* 8,65 ; *84 :* 11,6 ; *85 :* 5,5 ; *86 :* 12,5 ; *87 :* 11,8 ; *88 :* 7,8 ; *89 :* 7,3, *90 :* 5,2 ; *91 :* 7,3 ; *92 :* 6,7 ; *93 (prév.) :* 7. **Investissements étrangers** (en millions de $) *1990 :* 2 082 ; *1991 :* 1 780. **Investissements taiwanais à l'étranger** (en millions de $) *91 :* 1 660 ; *92 :* 2 000. **Situation économique.** 3e pays d'Asie (après Japon et Singapour) pour le revenu par h. ; commerce extérieur prospère (13e puissance comm. mond.) ; *réserves* (milliards de $) : Banque centr. 95 (1992, 1re au monde), épargne privée 50, or (1991) 4,93. En 1990, 113 t importées. *Handicaps :* coûts salariaux élevés, pénurie de main-d'œuvre dans l'ind., monnaie gênant la compétitivité, dépendance vis-à-vis du marché amér. **Politique écon. 1991-94** libéralis. du secteur bancaire. **Privatisations 1992-2000** 105 entr. pub.

Budget (en milliards de $). En 1992-93 : 42,7. Monnaie. yuan ou nouveau $ de T. (25 NT = 1 $ le 13-5-92).

Agriculture. *Terres* (%) arables 25, forêts 60. *Production* (milliers de t, 91) canne à sucre 4 536, riz 1 818 (*surface cult. 1975 :* 1 225 000 ha, *1990 :* 550 000 ha), légumes 1 781, patates douces 343, bananes 196, manioc 16, maïs 321, arachides, asperges, soja, champignons, thé, ananas, noix de bétel. Couvre 84 % des besoins. Forêt 93 500 m³ (91). Élevage (millions, 91). Poulets 34, canards 36,3, porcs 13,5, dindes 0,28, moutons 0,21, bovins 0,15. Pêche. 1 316 651 t (91) dont 21,1 % de la pisciculture.

Mines (91). **Charbon** *réserves* 175 885 000 t, *prod.* 402 575 t. **Gaz** (milliards de m³) *réserves* 17,8, *prod.* 0,76. **Marbre** 11 837 479 t. **Dolomite** 362 686 t. **Sel** 195 319 t. **Or** 71,5 (90). **Argent** 3 925,8 (90). **Pétrole. Cuivre, pyrites, amiante, graphite, mica, soufre, marbre, talc.**

Énergie électrique (origine en %, 1985 et entre par. 1990). Nucléaire 52,4 (38,3), charbon 24,9 (25,2), pétrole 9,6 (25,3), hydraulique 13,1 (9,5). Pétrole. *Importations* (1991) 450 000 barils/j.

Industrie. **Textile-habillement :** [CA 18 milliards de $ (11 % de l'ind.) ; 3 500 entr. ; salariés : text. 279 000, confection 143 000 ; 99 % des exp. faites sous les marques des acheteurs ; princ. entr. Far Eastern Textile : CA (87) 0,6 M de $, 11 000 sal., 1er exp. de T.], **constr. élect., véhicules, contreplaqué, chantiers navals** (Kaohsiung, cale sèche de 1 km de long, 2 ponts roulants, 2e rang après Nagasaki),

acièrie, pétrochimie. Papier : 583 528 t, 55 % recyclé. Transports (km). *Chemins de fer* 2 502 dont 1 270 électr. Projet TGV Taïpei-Kaochiong (coût : 426 milliards de y.) *Routes* 19 998. *Métro* de Taïpei en construction (1998 : mise en service). *Voitures volées. 1985 :* 8 000, *89 :* 20 000. Tourisme (91). 1 829 448 vis.

Salaire ouvrier. *Mensuel :* 1 080 $, *horaire :* 5,6 $. **Équipement des familles** (%, fin 90). Téléviseurs couleur 97,8, réfrigérateurs 98,3, téléphones 91,5, machines à laver 86,8, motocyclettes 76,8, climatiseurs 41,7, automobiles 24,9. **Dépenses ménagères** (en %, 90). Alim., boissons, tabac : 30,3, logement : 17,8, loisirs et cult. : 16,27, transp. et télécom. : 13,4, santé : 4,71, habill. : 4,66, autres : 7,87. **Consommation de riz.** *1961 :* 384 g par hab. et par j, *1990 :* 216.

Commerce (en milliards de $, 91). **Exp.** 81,4 (92), *dont* appareillages 26,3, textile-hab. 12 [dont (91) maille 56,3 %, autres 14,4 %, prêt-à-porter fém. 29,3 %, soit 15,8 % des exp. (20 % en 1954)], mécanique 3,8, véhicules de transp. 3,9, prod. chim. 1,572, instruments de précision 2,035 ; *vers* (%) USA 29,3, Japon 12, Hong Kong 16,3, All. féd. 15,1, autres 37,3. **Imp.** (11ᵉ rang mondial) 71 (92) *dont* appareillages 18,57, prod. chim. 7,12, mécanique 16,17, véhicules de transp. 3,96, textile-hab. 2,6 [dont (91) coton brut 22 %, (88) laine 9 %, synthét. 8 %] ; *de* (%) Japon 30, USA 22,5, All. féd. 4,8, Hong Kong 3,1, Australie 3,2, autres 39,6.

Échanges. Avec Chine via Hong Kong : export., entre parenthèses import. (en milliards de $). *1987 :* 2,9 (1,2), *88 :* 2,2 (0,5), *89 :* 2,9 (0,6), *90 :* 3,3 (0,8), *91 :* 4,7 (1,1), *92 :* 9,4. En 1989 [abandon du qualificatif de « bandit » appliqué aux produits importés de Ch., remplacé par le label « fait sur le continent »]. **Excédent commercial** (milliards de $) *87 :* 18,65, *88 :* 10,9, *89 :* 13,9, *91 :* 13,3 (dont 8,2 avec USA), *92 :* 12. **Déficit avec Japon** (91) : 7,66. **Rang dans le monde** (91) 15ᵉ thé. 18ᵉ canne à sucre (85).

CHYPRE

V. légende p. 884.

Situation. Ile de la Méditerranée (I. d'Aphrodite, culte rendu dans l'Antiquité). 9 251 km² (3ᵉ). *Côtes* 737 km. *Alt. max.* Mt Olympe 1 953 m. Climat. *Pluies* 500 mm par an (oct. à mars) ; *temp.* à Nicosie de 5 °C à 36 °C ; *ensoleillement l'hiver :* 5 h par j (plaines), 3 h 30 (montagnes). Distances (km) Turquie 65, Syrie 85, Égypte 340, Rhodes 800, Athènes 1 600.

Population. *1881 :* 186 173, *1901 :* 237 022, *1931 :* 347 959, *1960 :* 573 566, *1985 :* 669 500, *1989 :* 698 800, *1991 :* 709 000, *1992 :* 710 000 [origine grecque 577 000 (orthodoxes 78 %), turque 131 800 (musulmans sunnites 18 %), cath. romains maronites 9 000, arméniens grégoriens (0,6 %), divers (2,2 %)]. D 77. Tx de croiss. nat 1,1 %. Villes (91) : *Nicosie* 171 000 h., Limassol 135 400, Larnaca 62 600, Paphos 29 000. Langues *(off.).* Grec (75 %), turc (25 %).

Histoire. **Av. J.-C. 8000** inhabitée (boisée, peuplée d'éléphants et d'hippopotames nains). **V. 7000** les navigateurs néolithiques venus d'Asie, site principal : Khirokitia. *IIIᵉ mill.* renommée pour ses mines de cuivre. *Fin IIᵉ mill.* colonisée par Grecs ; occupée par Phéniciens, puis Égyptiens, Assyriens et Perses. **333** avec Alexandre le Grand suit le sort de la Grèce. **58** passe à Rome. **Après J.-C. 338** à Byzance. **1191** conquise par Richard Cœur de Lion, cédée aux Templiers, à Guy de Lusignan (1192). *(Période franque.)* **1489** cédée à Venise par Catherine Cornaro (veuve de Jacques II de Lusignan). **1571** occupée par Turcs. **1878** administrée par G.-B. **1914** annexée par G.-B. **1925** colonie de la Couronne. **1931** émeutes à Nicosie : siège du gouv. incendié par partisans de l'*Enôsis* (union avec Grèce), soutenus par l'Église. **1933** partis interdits. **1940** 20 000 Chypriotes gr. dans l'armée brit. Partis autorisés. P. communiste (40 % de l'électorat) organise des grèves et revendique l'Enôsis. **1951** *mars* Mgr Makarios III (Michaël Christodoulou Mouskos, n. 13-8-1913, évêque en 1948, archev. et ethnarque en 1950) revendique le droit à l'autodétermination ; la pop. grecque réclame Enôsis ; G.-B. refuse ; Turquie préfère le Taksim : rattachement du nord de C. à la Turquie et du sud à la Grèce, que proposera 10 ans + tard le plan Acheson. **1955**-*1-4* Eoka [org. pour la libération de l'île commandée par Cᵉˡ Georges Grivas dit *Dighenis* (1899-1974)], soutenue par Makarios, déclenche lutte armée contre Brit. ; *-2-4* sir John Herding, gouv. brit., échappe à un attentat. P. comm. désorganisé. **1956** état d'urgence. Les Anglais s'appuient sur la minorité turque pour contrer le soulèvement grec (police spéciale formée de Turcs). Attentat de l'org. terroriste turque TMT. *Mars* Makarios exilé, pendaison d'activistes de l'Eoka. **1958** *juin* heurts Grecs/Turcs de Ch. **1959**-*19-2 tr. de Londres* et *Zurich :* C. devient Rép. G.-B., Grèce, Turquie garantes de l'indép. La G.-B. garde 2 bases. *-13-12* Makarios Pt. Se rapproche des non-alignés à l'Onu.

1960-*16-8* indép. proclamée. **1963**-*30-11* Makarios propose de modifier la Const. ; les Turcs, en désaccord, se retirent du gouv. et constituent des enclaves. **1964** *mars* intervention des forces de l'Onu ; *août* plan Acheson proposé, refus du gouv. ch. *-6-8* Grecs détruisent réduit turc de Mansura pour empêcher les Turcs de s'armer en T. *-8/9-8* avions turcs bombardent la région de Mansura. **1967** *nov.* guerre gr.-turque manque d'éclater. Org. tente d'assassiner Makarios. **1968**-*29-1* Fazil Kutchuk forme administration ch. turque. **1971** Gén. Grivas revient de Grèce et relance terrorisme pour l'*Enôsis.* **1972** *déc.* accord d'association avec CEE. **1973**-*28-2* Makarios, seul candidat, reconduit comme Pt. **1974**-*27-1* Grivas meurt. *-6-6* Makarios prépare une purge de la garde nationale, de la police et de l'administration (renvoi en Gr. des off. gr.). *-15-7* coup d'État de la garde nat. (rebelles légalistes) ; contingent (650 h.) et milice d'autodéfense (10 000 h.) turcs en état d'alerte. *-16-7* Nicos Sampson se proclame « Pt » et forme un « gouv. » ; Makarios quitte C. dans un hélicoptère brit. *-17-7* fin de la résistance légaliste dans les principales villes ; 91 † depuis le début. *-18-7* PM anglais Wilson rejette hypothèse intervention anglo-turque. *-20-7 opération Attila :* aviation turque bombarde aéroport Nicosie ; débarquement de troupes t. à Five Mile Point Beach (10 000 h.) ; mobilisation gén. en Gr. (non suivie d'effets, pas d'opérations militaires) ; hôtels de Kyrénia et de Famagouste visés par avions t. malgré touristes étr. PM t. Ecevit déclare « apporter la paix ». Tête de pont t. consolidée entre Kyrénia et Nicosie. *-22-7* cessez-le-feu non respecté. *-23-7* Sampson démissionne (sera condamné à 20 ans de prison), Glafcos Clérides (Pt du Parlement) Pt par intérim. L'armée t. déporte des Chypr. gr. vers Mersin [l'Onu procédera à leur échange mais 1 619 manqueront (tués entre 1975 et 1980 ?)]. *-24/30-7* conférence tripartite (G.-B., Gr., T.) à Genève. *-8-8/14-8* 2ᵉ conf. [G.-B. propose de créer 5 cantons turcophones ; Gr. refuse ; T. tente de faire entériner le partage de l'île] : échec. *-14-8* les T. (qui ont agrandi leur zone de plus de 100 km² et disposent de 40 000 h. et de 300 chars) reprennent les hostilités (*opér. Attila* 2, condamnée par l'Onu) ; la Gr. quitte l'organisation mil. de l'Otan. *-15-8* les T. prennent Famagouste, occupent le tiers N. de C. (37,2 %) jusqu'à la ligne *Attila* de Morphou à Famagouste par Nicosie (coupée en 2). 180 000 Chypr. grecs se réfugient hors de cette zone et 11 000 Chypr. t. y sont transférés. *-16-8* gouv. Clérides replié à Limassol abandonne Nicosie. La T. accepte cessez-le-feu (la g. a fait 4 000 † Chypr. gr., 500 † turcs et plus de 2 000 disparus). *-24-8* fin d'Attila 2. *-28-8* M. Davies, amb. des USA, tué (lors d'une manif. des Chypr. grecs). *-1-11* Ass. gén. Onu exige départ des « forces étrangères » (turques). *-7-12* Makarios rentre à Nicosie. *-13-12* Conseil de sécurité prolonge pour 6 mois présence troupes Onu à C. **1975**-*14-1* début des négociations Clérides-Denktaş. *-9-2* Makarios soumet au Conseil national chypr. grec un projet de « féd. cantonale » avec gouv. central puissant. *-13-2* les Chypr. t. proclament un « état autonome, laïc et fédéré ». **1976**-*17-2* reprise des négociations Gr.-T. **1977**-*27-1, -12-2* et *-13-3* rencontres Makarios-Denktaş. *-3-8* Makarios meurt. *Sept.* Spyros Kyprianou (n. 28-10-32) élu Pt (réélu 1983). **1976-77** redémarrage écon. **1978**-*19-2* commando égyptien essaye de délivrer 11 otages enlevés au Hilton de Nicosie et détenus par 2 Palestiniens sur l'aérodrome de Larnaca ; confusion, 15 † ég. Relations diplom. avec Égypte rompues (reprises plus tard). **1985** *-25-9* 3 touristes isr. tués par 2 Palestiniens et 1 Angl. (seront arrêtés). **1986**-*3-8* terroristes attaquent base anglaise d'Akrotiri (2 bl.). **1987** accord union douanière étalé sur 15 ans avec CEE. **1988**-*21-5* accrochage Ch. t./soldats Onu (1 †). – *Fin février* Tōkyō, rencontre Vassiliou/PM turc Özal. **1990**–*4-7* candidature à la CEE.

Statut. République membre du Commonwealth associée à CEE. *Pt* Glafcos Clérides (n. 24-4-19) (conservateur du Disy) élu 14-2-93 au 2ᵉ tour (50,3 % des v.), [contre Georges Vassiliou (49,69 %) ; 1ᵉʳ tour 7-2-93 : Vassiliou 44,15 ; Clérides 36,74 ; Paschalis Paschalidès 18,64 ; autres 0,47 %]. La Const. du 16-8-1960 prévoyait 1 Pt grec, 1 vice-Pt turc élus pour 5 ans, par leurs communautés respectives. *Conseil des min.* nommé par le Pt (6 du Disy et 5 du Diko en avr. 93). *Ch. des députés* élue pour 5 ans au scrutin proportionnel [56 Gr., 1 Maronite, 1 Arménien, 1 Catholique (représentants des minorités religieuses), 24 T., qui ne prennent plus, dep. déc. 63, part aux travaux de l'Ass.]. *Bases britanniques* à Akrotiri-Episkopi et Dhekelia (256 km²). Fête nat. 1ᵉʳ oct. (indép.). Drapeau (1960). Blanc avec dessin de l'île, et 2 branches d'olivier représ. l'unité gréco-turque.

Élections. **19-5-1991** (sièges obtenus et, entre parenthèses, résultats des élect. précédentes) : Disy 20 (19), Diko 11 (16), Akel 18 (15), Edek 7 (6).

Partis. *Akel* [P. progressiste des travailleurs (communiste)] f. 1926, 14 000 m., secr. gén. Dimitris Christofias. *Edek* (P. soc. de Ch.) f. févr. 1969, leader Dr Vassos Lyssaridès, prône démilitarisation et non-alignement. *Diko* (P. démocr.) f. 1976, leader Spyros Kyprianou, partisan de l'*Enôsis* (union avec la Gr.). *Disy* [Rassemblement démocr. (droite)] f. 1976, leader Glafcos Clérides, 10 000 m. *Adisok* f. 1990 par 5 dissidents d'Akel, leader Michelis Papapetrou.

ÉCONOMIE
(ZONE GRECQUE UNIQUEMENT)

Monnaie. Le CYP (Cyprus Pound), taux 92 : 2,2215 $. PNB (92 en $). 6 883 millions, 11 784 par h. **Taux de croissance** (en %) *1985 :* 4,7 ; *86 :* 3,8 ; *87 :* 6,9 ; *88 :* 8,5 ; *89 :* 8,4; *90 :* 7,3 ; *91 :* 1,2 ; *92 :* 6,8. **Pop. active** (92) 263 500 ; en % et, entre parenthèses, part du PNB en % : agr. 13,5 (6,5), ind. 28,9 (28), serv. 57,6 (65). *Chômage* (%) *1987 :* 3,4 ; *90 :* 1,8 ; *91 :* 3 ; *92 :* 1,8. **Inflation** (en %) *1990 :* 4,5 ; *91 :* 5 ; *92 :* 6,5. **Aide ext.** CEE, Unesco, Banque mondiale, Banque du Koweït. **Autres données** (92, en milliards de $) *exp.* 0,93 ; *imp.* 2,99 ; *recettes invisibles* 2,79 ; *balances des paiements* – 0,3 ; *dette étrangère* 0,82 (service 9,7 %).

Agriculture. *Terres agricoles* 37 %. *Production* (milliers de t, 91) oranges 55, orge 60, pamplemousses 65, p. de terre 180, blé 6, citrons 34, olives 7, raisin 90, tomates 30, caroube 6. Forêts. 122 500 ha (20 %). Élevage (milliers de têtes, 91). Moutons 295, chèvres 205, poulets 2 700, bovins 55. Pêche. 2 744 t (91). Mines (t, 91). Gypse 19 000, cuivre 535, terre d'ombre 6 000. Industrie. Chaussures, vêtements. 8 087, prod. alimentaires, boissons et tabac, comp. étrangères « off shore », dont 18 grandes banques. Transports (90). Maritimes 2 190 bateaux (21,2 millions de tonneaux, 3ᵉ rang mondial). Pas de chemins de fer. Routes (89) 9 824 km. Tourisme (91). 20 % du PNB, principale source de revenu. 1 385 129 vis. [dont (en %) G.-B. 49, Suède 6,6, Finlande 5,1, All. 4,8, Grèce 4,3, *France 1,7*].

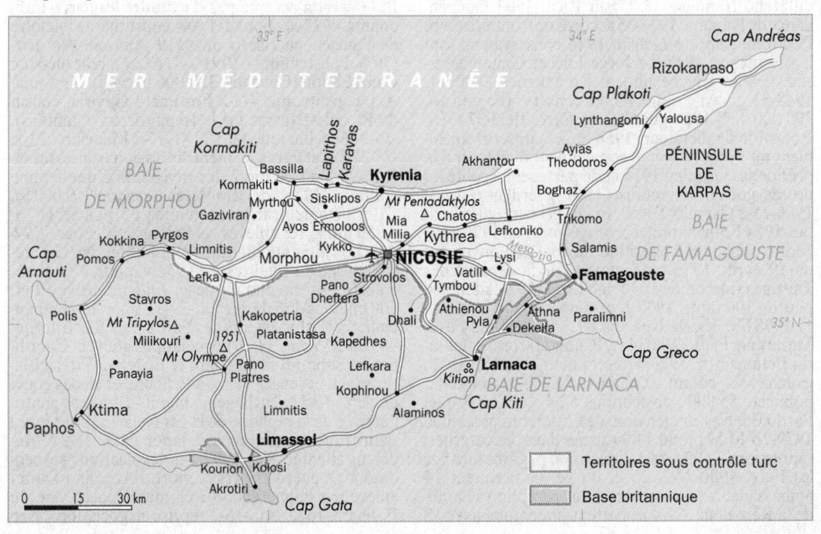

Commerce (en millions de CYP, 91). **Exp.** 442 dont prod. du pays 242,4 (*dont* prod. manufacturés 183, agric. 58,9, minéraux 0,5), réexports 161,2, shipstores 38,2, *vers* (91) G.-B. 92,6, Grèce 37, Liban 56, All. 22,8, Égypte 21,3, Arabie S. 14,5, Jordanie 11,4. **Imp.** 1 216 *dont* biens de consommation 299,6, prod. pétroliers 125, *de* (91) France 44,5, G.-B. 157,9, Japon 138,1, Italie 123,4, All. féd. 116,2, Grèce 83,8, USA 96,6, ex-URSS 58, P.-Bas 26.

« République turque du Nord de Chypre »

Situation. 3 355 km² [37,2 % de C. ; la pop. turque représentait 22,5 % de la pop. totale de C. au rec. de 1960, 162 676 h. en 86 ; en 1974, 70 % de la richesse nat., 50 % de l'industrie, 56 % des mines, 83 % des activités portuaires (Kyrénia et Famagouste), 65 % du potentiel touristique, 70 % du cheptel de l'île].

Population. *1990 (est.) :* 171 000 C. turcs, dont ceux venant de la zone grecque (180 000 C. grecs ayant quitté la zone turque). 70 000 à 80 000 colons turcs d'Anatolie, 36 000 militaires et 20 000 membres de leurs familles. Il reste env. 560 Grecs et 250 Maronites. **Villes** (91) : Famagouste 25 000, Kyrénia 8 000. Env. 30 000 militaires turcs.

Statut. Origine. 1975-*13-12* les Turcs créent dans la zone qu'ils occupent dep. 1974 [au N. de la ligne Erenköy (Kokkina)-Famagouste], *l'État fédéré turc de Kibris (EFTK).* **1983**-*15-11* ils proclament son indép. (seule la Turquie le reconnaît). **1985**-*5-5* référendum pour Constit. **Pt** (élu au suffr. univ. pour 5 ans le 22-4-90 avec 66,7 % des v.) Rauf Denktaş (27-1-1924) dep. 13-2-75. **PM** Dr. Dervis Eroglu dep. 85, réélu juin 90. **Ass.** 50 m. élus au suffr. univ. pour 5 ans. **Drapeau** (1984). Blanc, croissant et étoiles rouges avec, de part et d'autre, une mince laize horizontale rouge.

Élections législatives. 23-6-1985 : UBP (p. de l'unité nat. de R. Denktaş) 36,75 % des v. (28 s. sur 50), PC 21,28 (12), P. soc. 15,85 (10). **6-5-1990 :** UBP 54 % des v. (34 s. sur 50).

Partis. *P. des Turcs républ.,* f. déc. 1970, leader Ozker Ozgur. *P. démocr. du peuple,* f. 1979, l. Ismet Kotak. *P. de Libér. communale,* f. 1976, l. Mustafa Akinci. *P. de l'Unité nat.,* f. 1975, l. Dervis Eroglu. En 1990, opposition regroupée dans le *P. de la lutte démocratique* (DMP).

Économie. PNB (90) env. 3 500 $ par hab. **Agriculture.** *Production* (milliers de t, 89) blé 22, orge 88,4, p. de terre 17, tomates 1,9, melons 7, caroube 3, olives 1,6, citrons 21,2, pamplemousses 47,2, oranges 118,5, tangerines 0,8. **Élevage** (milliers, 89). Bovins 12,1, moutons 192,6, chèvres 56,6, poulets 1 659,4 (88). **Budget** (1991). 214 millions de $ dont en % impôt 66, aide turque 20, emprunt 14. **Tourisme** (90) : 375 491 vis.

Commerce (milliers de $ US, 89). Embargo économique inter. **Exp.** 55,2 *dont* prod. alim. et animaux vivants 34, prod. man. divers 14,3, mat. 1res sauf fuel 1,6, boissons et tabac 1,1, prod. man. de base 1,1 *vers* G.-B. 35,3, Turquie 9,2, autres pays de la CEE 5. **Imp.** 262,5 *dont* prod. man. de base 87, mach. et éq. de transp. 72,8, prod. man. divers 26,2, prod. alim. et animaux vivants 25,5 *de* Turquie 112,5, G.-B. 49,6, autres pays de la CEE 45,1.

☞ **Négociations gréco-turques dep. 1976 :** plusieurs rencontres : Makarios-Denktas (27-1, 12-2, 13-3-77) ; Kyprianou-Denktas (17-1-85) ; Vassiliou-Denktas (24-8-88, 26-2-90). **Les Turcs,** minoritaires, veulent : des garanties effectives : État bizonal, Constitution confédérale à égalité de statut ; présence militaire turque jusqu'à accords constitutionnels. **Les Grecs,** majoritaires, veulent : un État unitaire fort avec possibilité de retour pour les Grecs chassés (100 000) de la partie turque (ou au moins la liberté de circulation et un rééquilibrage plus juste des zones) ; le retrait des forces étrangères (turques) contre la renonciation éventuelle à leurs propres forces (garde nationale) ; le départ des « colons » turcs.

Colombie

V. légende p. 884.

Nom. Donné en l'honneur de Christophe Colomb (avant l'indépendance : Nouvelle-Grenade).

Situation. Amérique du S. 1 141 748 km². *Frontières* avec Venezuela 2 219 km, Brésil 1 645, Pérou 1 626, Équateur 586, Panamá 266. *Côtes :* mer Caraïbe 1 600 km, Pacifique 1 300. *Alt. max.* Pic Colomb 5 800 m. **Régions :** littoral (tropical), Andes (traversées par les vallées de Cauca et Magdalena), les llanos (2/3 du terr., plaines, pâturages). **Climat.** *Terres chaudes* (jusqu'à 1 000 m d'alt.) moy. 24 à 28 °C, *tempérées* (1 000 à 2 000) 17 à 24 °C, *froides*

(2 000 à 3 000 m) 8 à 17 °C, Páramo (3 000 à 4 000 m) 8 °C, *neiges éternelles* (+ de 4 800 m). *Été :* déc. à avril sur la mer Caraïbe (le reste de l'année pluies fréquentes ; terres hautes : janv.-févr., juin-juillet-août et par endroits déc.).

Population. *1991 (est.) :* 33 500 000. *2000 :* 37 999 000. **Croissance** 1,7 %. *- de 15 a. :* 36,1 %, *+ de 60 a. :* 6,1 %. *En % :* Métis 54, Blancs 20, Mulâtres 14, Indiens 5 (398 tribus), Noirs 4. *Pop. urbaine* 67 %, *active* 7 500 000. 3 000 000 d'enfants de - de 14 a. travaillent. D 28,9. **Villes** (est. 90) : *Santa Fe de Bogotá* 4 819 696 h. (à 2 640 m d'alt., fondée 1538), Medellín 1 664 000 (1 474 m. d'alt., à 569 km de la cap.), Cali 1 637 000 (1 108 m d'alt., à 538 km), Barranquilla 1 000 000 (à 1 411 km), Carthagène (85) 531 426 (à 1 274 km, fondée 1532). **Langue.** Espagnol, paez, wayuu et autres langues indigènes issues de 3 familles linguistiques : Chibcha, Caraïbes, Arauca. **Analphabètes** (adultes) 12 %. **Religion d'État.** Catholicisme 96 %.

Histoire. Civilisation des Chibchas dans la Cordillère orientale ; cultivateurs venus d'Amér. centrale (2 roy. : Zipa à Bogotá ; Zaque à Tunja). **1499** découverte par Alonso de Ojeda. **1532** fondation de Carthagène. **1536-39** explorée par Gonzalo Jiménez de Quesada, qui fonde Santa Fe (Bogotá) en 1538 ; réunie au Venezuela et à l'Équateur. **1717** création de la vice-roy. de N.-Grenade. **1781**-*6-3* les communeros lancent le 1er mouvement d'indép. **1810-15** 1er soulèvement. **1819**-*7-8* bataille du Pont de Boyacá. Indép. *-17-12 création de la Rép. de Colombie* (comprend C., Venezuela, Équateur et Panamá). **1830** dissolution de cette Grande C. (Venezuela et Équateur indépendants). **1831** Rép. de Nouvelle-Grenade. **1858** système fédéral : Confédération grenadine. **1863** Constitution fédérale de « Río Negro », États-Unis de C. **1886** Constitution unitaire : Rép. de la C. **1849-79** les libéraux (anticléricaux et contre la centralisation) dominent, guerres civiles. **1879-89** lib. et conservateurs alternent. **1899-1936** hégémonie conservatrice. **1899** *g. civile* (g. des 1 000 j) ; lib. battus (1902), 100 000 †. **1900** le Pt de la Rép. franç. arbitre différend frontalier C./Costa Rica. **1903** indépendance de Panamá. **1934-35** accords de frontières avec Pérou au sujet de *Leticia.* **1946** conservateurs ont la présidence. **1948**-*9-4* Jorge Eliecer Gaitán assassiné (leader gauche lib.), 3 j d'émeutes, 3 000 †. **1948-53** g. civile entre lib. et conserv. (bogotazo), 300 000 †. **V 1950** guérilla des Farc. **1953-57** Gén. Rojas Pinilla dictateur. **1958** lib. et conserv. constituent un Front national, conviennent d'alterner à la présidence jusqu'en 1974 et de partager à égalité les postes gouvernementaux. **1961** guérillas (ELN). **1966**-*15-2* Camillo Torres (n. 1929) curé guérillero tué. **1974** Front national prorogé jusqu'en 1978 pour l'adm. publique. Apparition du M 19 (mouvement du 19 avril). **1975** redécouverte de la capitale des Taironas (incendiée 1630 par Esp.). **1976** attentats, plus de 100 rapts. **1977** *sept.* émeutes ouvrières (18 †). **1978** *févr.* législatives, abs. 67,5 %. *-4-6* Julio César Turbay élu Pt (2 320 034 v., P. libéral) contre Belisario Betancur (n. 1923, conservateur, 2 216 673 v.) ; gauche soc., comm. et maoïste 70 000 v. ; candidat populiste 55 000 ; abstentions 62,4 %. *-12-9* Rafael Pardo Buelvas, ancien min. de l'Intérieur, assassiné. **1979**-*1-1* M 19 prend 5 000 armes dans des casernes, répression (2 400 arrestations). 400 paysans tués par les Farc. **1980**-*27-2,* 25 g. du M 19 prennent 14 ambassadeurs en otage lors d'une réception à l'amb. de la Rép. dom. *-27-4* ils partent pour Cuba avec 12 otages qu'ils libèrent (ils n'ont pas obtenu la libération des 311 prisonniers pol. demandée). **1981** *cartel de Medellín* créé après l'enlèvement de Maria Neves Ochoa (fille de Fabio) par le M 19 : en 2 mois, 700 partisans de la guérilla abattus. Maria libérée. **1982**-*30-5* Betancur élu par 3 200 000 v. [devant A. López (libéral) 2 800 000 et Luis Carlos Galán (libéral indép.) 750 000]. *-20-6* état de siège (durant dep. 34 ans) levé. *-20-11* amnistie ; au 1-1-83, 380 guérilleros sur 6 000 avaient demandé à en bénéficier. **1983**-*31-3* séisme. Popayán détruite à 90 %. *-28-4* J. Bateman, leader guérilla meurt. *-22-11* l'ELN enlève le frère du Pt de la Rép. (libéré 7-12). **1984**-*27-4* Rodrigo Lara Bonilla, min. de la Justice, assassiné par Mafia (drogue). *-28-5* cessez-le-feu avec Farc. *-23-8* avec l'EPL, autre accord avec l'Ado. *-24-8* avec le M 19 (en 1984, 136 policiers tués, lutte contre la Mafia). **1985**-*14/16-5* grâce pour guérilleros. *Juin* M 19 et EPL rompent trêve. *-28-8* Ivan Marino Ospina, chef du M 19, tué. *-6/9-11* 70 membres du M 19 occupent palais de justice de Bogotá. *-14/15-11* coulée de boue venant du Nevada Ruiz à *Armero* (23 000 †). **1986**-*30-1* purge dans la guérilla anti-gouvernementale : 164 exécutions. *-1-7* visite de Jean-Paul II. *-30-8* Leonardo Posada Pedraza, député de l'Union patriotique (gauche), assassiné. *-1-9* Pedro Nel Jiménez Obando, sénateur UP, assassiné. *-17-12* Guillermo Cano, dir. d'*El Espectador,* assassiné par Mafia. **1987**- *14-1* Enrique Parejo amb. Hongrie (avant, min. de la Just.) blessé par tireur. *Févr.* Carlos Lehder (1952), cerveau du cartel de Medellín, arrêté, livré à la justice amér. *-18-6* embuscade : 32 militaires †. *Sept.* glissement de terrain 500 †. *-11-10* Jaime Pardo Leal (gauche) tué ; manif. 5 †. **1988**-*25-1* Carlos Mauro Hoyos (procureur gén.) tué par trafiquants de drogue. *-13-3* municipales (1res dep. 30 ans), succès social-conservateur. *Mars* massacre de paysans de l'Uraba. *-19-5* Lehder condamné aux USA (150 ans de prison). *-20-7* M 19 libère Alvaro Gómez Hurtado, leader conservateur séquestré dep. 53 j. *Août* recherche de la cargaison du « San José » coulé 1708, évaluée 9 milliards de F. *Nov.* guérilla à Ségovia (42 †). **1989**-*11-1* M 19 s'engage à ne plus attaquer les mil., en échange de l'acquisition d'un statut légal avant 1990. *-3-3* attentat, aéroport Bogotá (4 †). *-16-7* Monica de Greiff, 32 ans, nommée min. de la Justice, démissionne 21-9 (menacée de mort ainsi que sa famille). *-18-8* Luis Carlos Galán, candidat à la présidence, assassiné (par cartel de Medellín ?). *-18-9* 2 Israéliens arrêtés : Yaïr Gal Klein et Arik Acek accusés d'avoir entraîné des trafiquants. *-5-10* Mgr Jésus Jaramillo, év. d'Arauca, enlevé et assassiné par l'ELN, inhumé. *-12-10* Pt Mitterrand en C. *-17-10* Hector Jimenez, magistrat à Medellín, assassiné. *-1-11* Luis Francisco Madero, député et Mariela Espinosa Arango, juge, assassinés. *-27-11* explosion Boeing d'Avianca 107 † (attentat). *-6-12* Bogotá, 500 kg de gélinite devant la police secrète, cratère de 13 m de large et 3 m de haut, 63 †, 1 000 bl. *-15-12* Pt Barco renonce à réformer la Constitution. **1990**-*17-1* cartel se déclare prêt à suspendre le trafic et à déposer les armes. *-22-1* cartel libère Alvaro Diego Montoya Escobar, fils du secr. gén. de la présidence, enlevé 15 j plus tôt. *-15-2* sommet anti-drogue de Carthagène [Pts Bush, Barco, Paz Zamora (Bolivie) et García (Pérou)]. *-11-3* législatives et municipales. *-22-3* Bernado Jaramillo Ossa, candidat de l'Union patriotique aux présidentielles, assassiné (Pablo Escobar et cartel de Medellín accusés). *Avril* armée cerne le siège de Pablo Escobar (510 † en 10 j). *-27-5* présidentielles. *-14-7* Medellín : 40 tués par tireurs inconnus. *-11-8* police abat Gustavo Gaviria Rivero, cousin d'Escobar. *-19-8* 960 000 $ offerts pour la capture de P. Escobar. *-5-9* Pt Gaviria n'accepte pas d'extrader les narco-trafiquants. *-9-12* élections de l'Ass. constituante : victoire de l'ancien guérillero du M19 Antonio Navarro (70 % d'abstentions). **1991**-*24-1* ELN sabote oléoduc Caño-Limón (Covenas, 220 000 barils/j). *-Fév.-juill.* Ass. constituante. *-12-2* Fortunato Gaviria, cousin du Pt, enlevé (assassiné le 16 par droits communs). *-16-2* Medellín attentat : 22 †. *-17-2* Medellín : 23 †. *-18-2* ELN et Farc acceptent discussions sur cessez-le-feu. *-21-2* police tue 7 des ravisseurs d'une femme d'affaires, Maria del Río Vargas (rançon 860 000 $). *-20-3* affrontements avec guérilla : 3 policiers †, + de 50 militaires enlevés. *-8-6* Congrès dissous. *-19-6* Ass. constituante interdit l'extradition des Col. recherchés dans d'autres pays (51 v. pour, 13 contre, 5 abst.). *-4-7* fin état de siège. *Juill.* offensive ELN, 500 millions de $ de dégâts. *-29-8* Esmeraldo Bethancour, un des fondateurs des Farc et de l'ELN, arrêté. *-4-9 au 30-9 puis 31-10* négociations gouv. et Coordination Simón-Bolívar (Farc et ELN). *-27-10* législatives (ass. et sénat), vict. du P. libéral et él. des gouv. de dép. *-10-11* Carthagène, manif. d'Indiens contre l'arrivée de la réplique de la caravelle *(Santa Maria)* (construite par fondation japonaise) *-19-12* Medellín, attentat, 8 †. **1992**-*4-2* négociations suspendues avec guérilla après la mort d'Angelino Durán enlevé par la guérilla. *-8-3* él. municipales, vict. du P. libéral (61,9 %). *-10-3* reprise négociations avec guérilla à Tlaxcala (Mexique). *-4-5* rupture. *-8-11* état d'urgence 90 j contre guérilla et trafic de drogue. *-12-11* démission des chefs des 3 armes. *-4-12* l'ELN dynamite 5 aéroports. **1993**-*2-1* Humberto Javier Callejas, nº 2 ELN arrêté. *Fin janv.-début févr.* 5 attentats voiture piégée, 25 †. *-5-2* état d'urgence prolongé de 90 j. *-15-5* Bogotá, voiture piégée, 11 †. *-30-5* Javier Baena (Cartel de Cali), arrêté.

Statut. Rép. *Const.* de 1886, révisée 6-7-1991. *Sénat* (102 m. élus p. 4 ans dont, en 91, P. libéral 58, conservateur 10, Union patr. 1). *Ch. des dép.* (161 m. élus p. 4 ans dont, élect. du 27-10-91, P. libéral 86, conservateur 15, Alliance dém. 15, NFD 12, MSN 12, Union patr. 2, autres 19). *Pt* (élu au suffr. univ. p. 4 ans ; ne peut se représenter) Cesar Gaviria Trujillo (n. 31-3-47, libéral) élu 27-5-90 par 47,8 % des v. devant Alvaro Gómez Hurtado (conserv.) 23,7, Antiono Navarro Wolff (M 19) 12,4, Rodrigo Lloreda Caicedo (social-conserv.) 12,1 [avant Virgilio Barco (libéral) élu 25-5-86 par 57 % des v. devant Alvaro Gómez (conserv.) 37, Jaime Pardo Leal (comm.) 4, Regina de Liska 0,7 (avant Belisario Betancur Cuartas (n. 1923) conservateur)]. **Fête nat.** 20-7 (Indép.). **Départements.** 32 (31 dép. et 1 district), capitale (Santa Fe de Bogotá). **Drapeau** (1861). Bandes horiz., jaune pour la nation, mer en bleu (séparat. de l'Espagne), rouge (sang du peuple qui a résisté à la tyrannie). **Armée.** 85 000 h (terre 65 000, gendarmes 75 000, agents de renseignement 5 000). *Guérilla :* 15 000 s'appuyant sur 75 000 paysans. *Miliciens :* 2 000 à 10 000 recrutés par propriétaires terriens contre guérilla. 18 000 fonctionnaires faisaient, au 1-9-1991, l'objet d'une enquête pour corruption et détournement de biens publics.

Partis et mouvements. *Alliance nationale populaire* (ANAPO), fondée 1971, leader Eugenia Rojas de Moreno Díaz. *Démocratie chrétienne,* f. 1964, l. Juan Alberto Polo. *P. social-conservateur,* f. 1849, leader Misael Pastrana. *P. libéral,* f. 1815, l. Alberto Santofinio Botero. *Union démocratique de la gauche,* comprenant PC, PST (P. soc. des travailleurs) et Firmes. *EPL* (Esperanza Paz Libertad), (avant févr. 91 Armée pop. de libération maoïste), branche armée du PC marx.-lén. *Ado* (Mouv. trotskiste d'autodéfense ouvrière), f. 1977. *M 19* (Mouv. du 19 avril) au début réformiste nationaliste, se radicalise (né 1974 d'une dissidence de l'Anapo, parti du Gal Rojas Pinilla). *Farc* (Forces armées révolutionnaires de Col.), communiste, née v. 1950 [chef Manuel Marulanda Velez (*Tirofijo* : « Vise juste »)] 7 500 h. constituent le *P. de l'Union patriotique,* branche dissidente dep. 1983 : Front Ricardo Franco (Javier Delgado). *ELN* (Armée de libération nat.), f. 1965, chef prêtre espagnol Manuel Pérez Martínez (dit Poliarco), env. 4 000 m en 87, devenue *P. de l'Espérance, de la Paix et de la Liberté,* leader : Francisco Caraballo. *Front Quintin-Lame* indigènes voulant récupérer les anciennes réserves. Farc, ELN, EPL dissident constituent la coordination nat. de la guérilla. *Nouvelle force dém.* (NFD), leader Andrés Pastrana.

Dépendances. **Mer Caraïbe :** îles de *San Andrés, Providencia* (26 km², à 850 km de la côte, tourisme), *San Bernardo,* de *Rosario* et *Fuerte* ; **Pacifique :** *Gorgona, Gorgonilla, Malpelo* (1 km²).

■ ÉCONOMIE

PNB (91). 1 250 $ par h. **Pop. active** (%) et part du **PNB** (%) agr. 30 (21), ind. 14 (26), serv. 51 (44), mines 5 (9). **Inflation** *1981 :* 27,5 ; *82 :* 24,5 ; *83 :* 20 ; *84 :* 17 ; *85 :* 22,45 ; *86 :* 20,95 ; *87 :* 25 ; *88 :* 28 ; *89 :* 26 ; *90 :* 29,1 ; *91 :* 30,4. **Chômage** (%) *1985 :* 14,2 ; *90 :* 10,6. **Dette extérieure** *1990 :* 17,2 milliards de $.

Agriculture. *Terres* (milliers d'ha, 81) arables 4 050, cultivées en permanence 1 600, pâturages 30 000, forêts 52 450, eaux 10 021, divers 15 570. *Prod.* (milliers de t, 91) canne à s. 1 702, riz 1 738, manioc 1 645, pommes de t. 2 371, café (19 % des terres arables, cultures sous futaies, arabica) 970 (92), maïs 1 273, soja 193, coton 414, orge 102, blé 93, bananes 1 521 (90 % des exp. faites à Uraba), plantain 2 456, fruits 1 499, légumes 1 272, cacao, tabac. Fleurs exportées aux USA. Grande propriété et *aparceria* (métayage précédemment). **Bois.** 19 384 000 m³ (90). **Pêche.** 101 100 t (90).

Drogue. 80 % de la drogue consommée aux USA viendrait de C. *Cocaïne :* env. 3 000 ha de coca. 1er transformateur et exp. de la cocaïne venant de Pérou, Bolivie et Équateur. *Saisies 89 :* 29,350 t, *90 :* 44 t *91 :* 64. *Marijuana :* 700 km², 1er prod. *Saisies (89) :* 545 t. **Chiffre d'aff.** (milliards de $) : *1978* 0,5, *1989* 4 dont 3 recyclés à l'étranger, 1 rapatrié (2,5 % du PNB). **Personnes impliquées :** 600 000 à 1 700 000.

Cartel de Medellín. Contrôle 80 % du marché de la drogue (+ de 100 milliards de $). En 1984, a proposé au gouv. col. de rembourser la dette ext. (25 Md $ env.) en échange du libre trafic. Actif en Floride et côte O. des USA. *Membres* appelés « paisas ». **Dirigeants :** *Gonzalo Rodriguez Gacha* († déc. 1989, tué par police), frères *Ochoa* se rendent : *18-12-1990 :* Fabio (accusé d'avoir introduit 19 t de cocaïne aux USA en août 1981, en sept. 1988 avait sous menace de mort empêché la diffusion d'un reportage de TF1) ; *15-1-1991 :* Jorge Luis, n. 1949, nº 2 du Cartel (arrêté 1984 à Madrid avec Gilberto Orejuela, chef du Cartel de Cali, extradé vers Col., condamné pour trafic de taureaux) ; *16-2-1991 :* Juan-David. *Pablo Escobar* (n. 1-12-49, l'un des 10 hommes les plus riches du monde), *1970 :* enlève l'ind. Diego Aristizabel, puis investit dans une affaire d'import-export (voitures volées) ; *1980 :* vend cocaïne aux USA. Possède + de 20 000 ha (Napoles-Naples), 6 hélicoptères et 40 petits bimoteurs ; *1991-19-6 :* se rend aux autorités (la Constituante ayant voté l'interdiction d'extrader les Colombiens, incarcéré à Envigado près de Medellín) grâce à la médiation du père Rafael García Hereros († 1992) ; *-21-6* son frère Roberto se rend. *1992-22-7* P. Escobar s'évade avec 9 co-détenus. *-27-10* Brances Alexander Munoz Mosquera, dit Tyson, chef de l'organisation militaire du cartel, tué par la police. *-31-12* Juan Jairo Posoda Valencia arrêté. *1993-1-3* Luis Guillermo Londono White, homme d'affaires proche d'Escobar, enlevé et assassiné ; José Fernando Posada, directeur financier du cartel, se livre à la police ; Hernán Dario Henano, chef de la sécurité d'Escobar, tué. **Cartel de Pereira.** Chef José Durán arrêté à Rome en sept. 92. **Cartel de Cali.** Chefs présumés : *Gilberto Rodriguez Orejuela, José Santacruz Londono.*

Victimes de la violence pol. et du trafic de la drogue : *1980 à 89 :* 350 magistrats et hommes de loi abattus. *1986-90* 86 856 † (144 policiers dep. janv. 90). **Enlèvements** (1-1 au 31-8-91) : 1 185 (106 tués, 679 libérés, 400 détenus en otage), rançons : plus de 26 milliards de $.

Élevage (millions de têtes, 90). Bovins 24,8 (91), porcs 2,6, moutons 2,6, chevaux 1,9, mulets 0,6, ânes 0,7, chèvres 0,9, poulets 42.

Énergie. **Pétrole** (millions de t) : *réserves* 277, Cano-Limon (220 000 b/j ; 320 000 prévus), El Tambor, Payoa, Santos, Putumayo, Cusiana, *production 1982 :* 6,9 ; *85 :* 8,9 ; *90 :* 22 ; *91 :* 21. **Gaz** (milliards de m³) : *réserves* 130, *production* 4,42 (91). **Charbon** (millions de t) : *réserves* 16 500 à Cerrejon, *prod.* 23 (90). **Hydroélectricité** (milliards de kWh) : *potentiel* 200, *prod.* 29,8 (89). En construction, barrage du Guavio et centrale hydroélectrique souterraine, production 1 600 MW en 1990 (coût : 2 milliards de $). **Mines.** *Or* 32,2 t (91) ; *uranium, fer, zinc, mercure, nickel, argent, émeraudes* (33 % de la prod. mondiale). **Industrie.** Textile, ciment, sucre, automobile, raffineries pétrole. **Transports.** *Routes* 75 000 km. *Ch. de fer* 2 532 km. **Tourisme.** **Visiteurs** 856 862 (91). **Sites :** *Bogotá,* musée de l'Or (25 000 pièces d'orfèvrerie précolombienne). *Zipaquira,* mine de sel transformée en cathédrale. *Lagunes* de Guaravita, de Ubate. Bassins de Neusa et Sisga. *Montagne* de Monserrate. *Ruines* de San Agustín, Leticia, Villa de Leyva, Neiva. *Villes coloniales :* Cartagena, Santa Marta, Mompox, Popayán, Tunja. *Parcs archéologiques :* San Agustín (Huila), Isnos [(Huila), p. San José], Tierradentro [(Tolima), p. de San Andrès de Pisimbala] ; *p. naturels :* Sogamoso (Santander), Santa Marta [(Magdalena), p. de Tayrona et de la Sierra Nevada], Ipiales (Nariño), Cundinamarca [(Bogotá), cascade de Tequendama]. *Thermalisme :* Paipa. *Iles :* San Andrés, Providencia.

Commerce (millions de $ US, 91). **Exp.** 7 268 *dont* minéraux 2 146 (charbon 630), prod. de l'agr., pêche, forêt 2 373 (café 1 336), textile 816, métaux de base 252, prod. chim. 189 *vers* USA 2 791, All. féd. 547, P.-Bas 312, Japon 231, Venezuela 429. **Imp.** 4 967 *dont* éq. mécanique et élect. 1 260, prod. chim. 1 053, métaux 523, éq. de transp. 380, plastiques et caoutchouc 294 *de* USA 1 859, Japon 411, All. féd. 271, Venezuela 348, Canada 118. **Balance commerciale** (milliards de $ US) *1985 :* – 1,3, *86 :* + 1,9, *87 :* + 1,8, *88 :* 0,6, *90 :* 1,1, *91 :* + 2,8 ; **des paiements** *1987 :* + 3,8, *88 :* + 4,5. **Rang dans le monde** (91). 2e café. 9e bovins, or. 10e cacao. 11e réserves de charbon. 12e canne à sucre, nickel. 26e pétrole.

■ COMORES
V. légende p. 884.

Situation. Archipel de l'océan Indien. 1 862 km² (2 236 km² avec Mayotte) ; îles d'origine volcanique frangées de récifs coralliens. *Alt. max.* Karthala 2 361 m (volcan en activité, dernière éruption 1977, le plus grand cratère du monde.). **Climat.** Tropical. *Saisons :* chaude et humide, nov.-avril (moussons ; cyclones rares), temp. max. 27 °C (moy. de déc.) ; *sèche* mai-oct. (max. 23 °C moy. de juill.). Régions

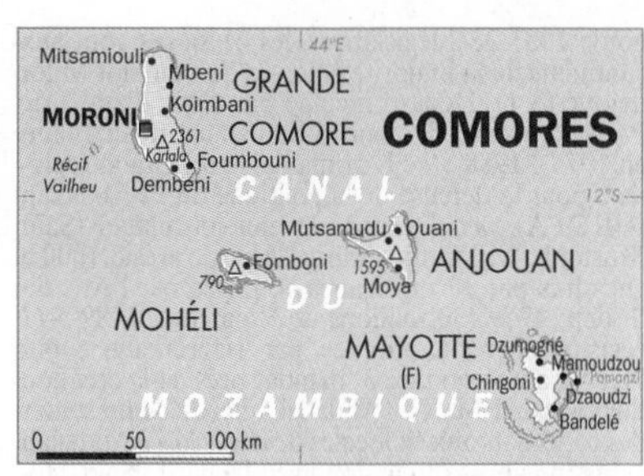

au vent plus humides que sous le vent (baobabs). *Pluies* en mm : Moroni 2 500, Boboni 5 434.

Population. *1980* (rec.) : 335 150 h. *91 (est.) :* 560 000. *Prév. 2000 :* 715 000. Noirs (Bantous), Arabes, Malgaches dont 600 expatriés. *– de 15 a. :* 47 %, *+ de 65 a. :* 3 %. *Émigration* vers Madagascar (reflux 1976) et côte orientale de l'Afrique, tarie vers Réunion et France. *Polygames : 1966 :* 24,9 % des hommes mariés, *1986 :* 19,1 %. D 258. **Langues.** Français et arabe *(off.)* ; comorien (proche du swahili avec 25 % de vocabulaire arabe). **Enseignement** (1989). 49 % des jeunes de 12 à 14 ans vivent en dehors du système éducatif. **Religions.** Musulmans, 1 500 chrétiens (Créoles, Fr. d'orig. et Malgaches).

Iles principales. **Ndzouani (Anjouan) :** 424 km². *Alt. max.* 1 570 m. 171 000 h. D 403,3. *Villes : Mutsamudu* 10 000 h., Domoni, Ouani. **Ngazidja (Grande Comore) :** 1 148 km². *Alt. max.* 2 361 m (Karthala). 220 000 h. D 191. *Villes : Moroni* (cap.) 21 000 h., *aggl.* 60 000 h., Mitsamiouli, Foumbouni. **Moili (Mohéli) :** 290 km². 21 000 h. D 72. *Ville : Fomboni* 4 500 h.

Histoire. **XIIe s.** islamisation. Les 4 îles constituent depuis des émirats séparés. Les sultans d'Anjouan, à certaines périodes, dominent Mohéli ou Mayotte. **1503** les Portugais abordent en G[de] Comore. **1841**-*25-4* le capit. Passot négocie l'acquisition de Mayotte. **1843** occupation fr. **1886** tr. de protectorat avec sultans des 3 autres îles. **1891** annexion d'Anjouan. **1892** de la G[de] Comore. **1897** constitution de la colonie « Mayotte et dépendances », capitale : Dzaoudzi. **1912** annexion de la G[de] C., Anjouan et Mohéli. *-4-7* rattachement à Madagascar. **1947** autonomie admin. et financière ; puis douanière en 1952. **1958** vote pour le maintien en TOM. **1961**-*22-12* terr. autonome. **1962** Saïd Mohammed Cheikh élu à la tête du Conseil de gouv. des C., capitale transférée de Dzaoudzi (îlot de 2 ha à Mayotte considéré comme trop petit) à Moroni (G[de] C.). **1972**-*22-12* élect. : partisans d'Ahmed Abdallah (1919-89) (Parti Vert) 72 % des v., de Saïd Ibrahim et Mohamed Ahmed (P. Blanc) 26 % ; Abdallah élu Pt de la Chambre des dép. *-23-12* l'Ass. vote pour l'indép. (34 v. contre 5). **1974**-*22-12 référendum sur l'indép. :* inscrits 174 918, votants 163 167, suffr. expr. 163 037 ; oui 154 184 (94,56 %), non 8 853 (5,44 %) [*G[de] Comore* oui 84 123 (99,98 %), non 21 ; *Mohéli* oui 6 054 (99,88), non 5 ; *Anjouan* oui 58 897 (99,92), non 44 ; *Mayotte* oui 5 110 (36,18), non 8 783 (63,82)]. **1975**-*6-7* l'Ass. des C. proclame l'indép. Mayotte déclare cette décision illégale. *-8-7* Abdallah élu Pt des C. déposé *3-8* par le Comité nat. révol. Ali Soilih prend le pouvoir : fonctionnaires renvoyés, archives brûlées, suppression du voile des femmes, comités révol. (rôle important des lycéens) dans chaque village. *-21-9* fin de la sécession d'Anjouan où s'était réfugié Abdallah. *-21-11* échec d'une « marche neutre » comor. à Mayotte (160 personnes). *-13-12* le Parlement fr. entérine l'indép. des C. et laisse à May. le choix de son statut. **1976**-*2-1* Ali Soilih Pt. *-8-2* référendum à May. (99,4 % pour rester dans la Rép. fr.). *-21-10* à l'ONU, 102 États (contre 1 ; 28 abstentions) protestent contre les référendums imposés à May. (atteinte à la souveraineté de l'État com.). **1977** destruction des archives. *13-5* loi fondamentale. Les C. deviennent « une république démocratique, laïque et sociale ». Droit de vote abaissé à 14 ans. Tous les partis, groupements et associations à caractère politique sont dissous. *-28-10* référendum pour maintien d'Ali Soilih au pouvoir (155 558 votants, 55 % pour, 42,5 % contre, 2,5 % votes nuls). **1978** répression aggravée. *-13-5* Ali Soilih devenu fou et drogué, renversé par Bob Denard (n. 7-4-1929) et 50 mercenaires, est tué. Directoire : co-Pts Ahmed Abdallah (Parti Vert) et Mohamed Ahmed (P. Blanc, † 27-1-84). *-1-10* référendum pour la Const. 90 %. *-22-10* Abdallah, candidat unique, élu Pt 99,4 % des voix. **1979**-*1-1* vote Assemblée fédérale instituant période de 12 ans avec parti unique. **1982**-*6-2* Udzima devient parti unique. *-17/24-3* él. anticipées à l'Ass. féd. *-24-10* révision de la Const. (renforcement du pouvoir central). **1984**-*8-3* putsch de la garde prés. échec (60 arrest.). *-30-9* Pt Abdallah réélu (99 % des voix). **1985** *janv.* réforme constit., Abdallah devient chef du gouv. **1987**-*22-3* législatives, les 41 sièges vont aux candidats de la majorité élue. *-30-11* complot Milot déjoué (3 †). Denard inculpé par Cour d'appel de Paris (tentative de coup d'État manqué au Bénin en 1977). **1988**-*30-4* Udzima devient l'Union régionale pour la défense de la politique du Pt Abdallah (URDPA). *oct.* Denard, devenu musulman (Saïd Mustapha M'Madijou) dirige la garde présid. (600 h encadrés par 17 off. français), payée par l'Afr. du S. dep. 1979 (30 millions de F par an). **1989**-*5-11* révision Constit. adoptée par référendum : oui 92,5 %, autorisant un 3e mandat prés. et la création du poste de PM. *Nov.* Abdallah interdit de présenter des candidats aux él. locales de déc. *-26-11* Abdallah assassiné après discussion avec Denard ; Saïd Mohamed Djohar Pt par intérim. *-13-12* 3 navires fr. se dirigent vers Gde Co. *-15-12* Denard et ses mercenaires partent pour l'Afr. du S. (qui leur a payé 6 mois de solde). *-22-12* Denard part pour la Fr. **1990**-*18-1* présidentielles ; fraude. *-14-3* Saïd Mohamed Djohar élu Pt (au 2e tour) avec 55,02 % des voix devant Mohamed Taki Abdoulkarim (44,98 %), abstentions 40 % (élection contestée par l'opp.). *-13-6* visite Pt Mitterrand. *-14-9* capitaine « Siam » inculpé à Paris. *-14-10* Vincent Naves tué (groupe Nassur, gendre du Pt). *-17-10* Servadac (Max Vieillard), ancien compagnon de Denard, tué par la Gendarmerie dans l'île d'Anjouan. **1991** *avr.* grèves. *-29/30-4* manif. *-3-8* Pt Saïd Mohamed Djohar reconnu inapte à gouverner. Pt et m. de la Cour suprême arrêtés. *-5-8* Mutsamudu, manif. *Nov.* l'opposant Taki rentre après 2 a. d'exil. *Déc.* membres de la Cour suprême libérés. *-27-12* 22 partis signent Pacte de réconciliation nat. **1992**-*7-1* gouv. Taki. *-7-6* référendum 74,25 % pour Constit. *-3-7* PM Mohamed Taki Abdoulkarim démis. *-26-9* échec coup d'État du fils du Pt Abdallah (Pt Dohar étant en France). *-13 et 19-10* affrontements. *-22 et 29-11* législatives.

Statut. République fédérale islamique. *Const.* du 7-6-1992. *Pt* (élu pour 5 ans) Saïd Mohamed Djohar dep. 14-3-90 (par intérim), Ibrahim Ahmed Halidi dep 3-8-91. *PM* Saï Ali Mohammed (dep. mai 93). *Ass.* 42 m. élus pour 5 a. *Conseil des îles. Gouv.* dans chaque île. **Accord d'assistance et de défense mil.** avec France dep. 1978. **Partis.** 22 (au 1-1-92). *Union com. pour le progrès* (Udzima), parti unique 1982-89 (Saïd Mohamed Djohar). *Union nat. pour la démocratie aux C.* (UNDC), Mohamed Taki. *Chouma* (P. pour la fraternité et l'unité des îles), Pce Kemal. *P. com. pour la démocratie et le progrès,* Elbak. *Mouv. pour la dém. et le progrès.* **Drapeau** (adopté 1975). Vert avec croissant blanc (foi islamique) et 4 étoiles blanches (les 4 îles, dont Mayotte).

■ Économie

PNB (91). 490 $ par h. **Pop. active** (% et, entre parenthèses, part du PNB en %) agr. 65 (37), ind. 5 (13), serv. 30 (50). **Aide franç.** (millions de F, 92) 179 (dette annulée en 1990 : 238). **Afr. du S.** 9,3 millions de $ (en 90). **Coopération franç.** 150 pers., dont 39 militaires (en 91).

Agriculture. 42 % des terres cult. *Production* (milliers de t, 91) bananes 52, manioc 46, noix de coco 50, riz 15, patates douces 18, maïs 4, légumineuses 7, ignames 1,8 (86), tarots 1,7 (86), ambrevade, fruits, ylang-ylang, vanille 0,127, girofle 0,681, coprah, basilic, cassie, oranger, lantana, poivre, cannelle, café. Riz importé du Pakistan (22 500 t en 85) et viande du Botswana. **Élevage** (milliers, 91). Poulets 66 (86), chèvres 125, bovins 47. **Pêche.** (90) 8 000 t. **Mines.** Pouzzolane. **Tourisme.** 8 000 vis. (87).

Commerce (millions de F français, 89). **Exp.** 115,2 *dont* vanille 72,5, ylang-ylang 25,5, girofle 12,6. **Imp.** 271,5 *dont* riz 55,2, prod. pétroliers 15,6, éq. de transp. 15,2, fer et acier 6,8, ciment 6,2.

Congo

Carte p. 1187. V. légende p. 884.

Situation. Afrique, sur l'équateur. 341 821 km². *Alt. max.* 600 m. *Côtes* 180 km (plaine de 50 km de large). *Plateau* savanes. *Forêt* (50 % de la sup.) domine au n. d'une ligne S.-O./N.-E. (coton, café, cacao, hévéas, palmiers à huile). **Climat.** Équatorial, humide et chaud, temp. 25 °C à Brazzaville. *Pluie* 1 200 mm (variations importantes).

Population. *1991 (est.)* : 2 310 000 h. *2000* : 3 600 000 h. 15 groupes répartis en 75 tribus [en % : Kongos 45 (ou Bakongos, à l'O. de Brazzaville), Tékés (ou Batékés, sur les hauts plateaux) 20, M'Bochis 10 (agriculteurs, pêcheurs, chasseurs]). **Immigrants :** France 7 500, Portugal 300 env., Sénégal, Mali, Centrafrique, Gabon 500. **Age** *- de 15 a. :* 46 %, *+ de 65 a. :* 3 %. **Mort. infantile** 11,2 ‰. D 7. **Villes** (est. 90) : *Brazzaville* 760 300 h. (fondée 3-10-1880), Pointe-Noire 387 774, Loubomo 62 073, N'Kayi 40 019. **Langues.** Français *(off.)*, lingala 50 %, munukutuba 30 %, lari 15 %. **Religions.** Catholiques 53,9 %, protestants 24,4 %, animistes 19 %, kibanguistes, quelques musulmans.

Histoire. XIV-XVe s. Fondation du roy. du Kongo par la Nkeni. **1484** le Portugais Diego Cao découvre l'embouchure du Zaïre. **1879** *sept.* Pierre Savorgnan de Brazza (1852-1905) signe avec Makoko, roi des Batékés, un tr. de protectorat français. **1884** fondation de Brazzaville. **1908** fait partie de l'AEF. **1910** Brazzaville capitale de l'AEF. **1940**-*août* rallié à la Fr. libre. **1944**-*30-1* discours de Brazzaville (de Gaulle pose les 1ers jalons de la décolonisation). **1958**-*21-11* abbé Fulbert Youlou (1917-72) élu Pt. *-28-11* Rép. autonome. **1959** guerre tribale. **1960**-*15-8* indépendance. **1963**-*13/14/15-8* révolution, Youlou démissionne. *Déc.* Alphonse Massamba-Débat (n. 1921 d'origine lari et bakongo du centre, exécuté 25-3-77) Pt. **1968**-*31-7* renversé par Cdt Marien Ngouabi (kouyou nord), Cap. Alfred Raoul (n. 1938 tribu Vili), nommé immédiatement Cdt (PM jusqu'au 1-1-70). **1970**-*1-1* Rép. populaire (1er pays africain). *Mars* coup d'État échoue. **1972**-*22-2* coup d'État échoue. **1973**-*févr.* complot découvert, 2 anciens min. arrêtés, police dissoute, mise à la retraite de fonctionnaires « improductifs ». **1977**-*18-3* Pt Marien Ngouabi tué (attentat). *-22-3* Cardinal Biayenda assassiné. Comité militaire de 11 officiers. *-25-3* Massamba-Débat exécuté. *-5-4* Gal Joachim Yhombi-Opango (n. 1939) nommé Pt par le comité militaire. **1979**-*5-2* destitué. *-8-7* Constitution. **1982** attentats à Brazzaville 20-3 (5 †) et 17-7 (4 †). **1986**-*17-8* jugé pour cela, Ernest-Claude Ndalla dit Ndala-Graille (ancien 1er secr. du Parti), condamné à mort, puis gracié. **1987**-*sept.* rébellion militaire [capitaine Pierre Anga († 1988, Kouyou)] (50 † ?). **1990** *Oct.-nov.* nombreuses manif. *-6-12* parlement approuve multipartisme et prolonge le mandat du Pt jusqu'en 1994. **1991**-*25-2/10-6* Conférence nat., env. 1 000 représentants de 67 partis pol., 134 associations. Pt : Mgr Ernest Kombo, év. d'Owando. *-1-4* début du retrait des 1 500 militaires cubains (à Pointe-Noire dep. 1977). *-8-6* André Milongo élu pour un an par la Conf. *-10-6* fin de la Conférence, « lavement des mains » (pardon entre ennemis). *-14-8* Maurice Nguesso, frère du Pt arrêté. *-31-10* Lekoundzou Itihi Ossetoumba, ancien min. des Finances, condamné à 15 a. de travaux forcés (détournement fonds publics). **1992**-*20-1* échec coup d'État militaire. *-21-1* 2 000 manif. pour PM Milongo. *-15-3* référendum, 96,32 % pour nouvelle Constit. *-25-6 et 19-7* législatives, 125 s. dont UPADS 39, MCDDI 29, PCT 19, RDPS 9, RDP 5. *-2 et 16-8* présidentielles. *-17-11* Ass. nat. dissoute. *-30-11* manif. à Brazzaville, plusieurs †. **1993**-*mars* 147 Zaïrois expulsés se noient. *-22-3* établissement de relations diplom. avec Afr. du S. *-2-5/5-6* législatives : UPADS 69 s., coalition PCT 49, URD 6, UPRN 1.

Statut. *Const.* de mars 1992. *Pt* (élu pour 5 ans au suffr. univ.) Pascal Lissouba dep. 31-8-92. Gal Joachim Yhombi-Opango dep. 23-6-93 nommé par Pt Lissouba. Gouv. de salut national (opposition) : J.-Pierre Thystère-Tchikaya (n. 1936). *Ass. nationale populaire* 125 m. élus au suffr. univ. pour 5 ans. **Partis** *P. congolais du travail,* f. 31-12-69, marxiste-léniniste, env. 10 000 m unique (jusqu'en janv. 91), Gal Denis Sassou Nguesso. *Union panafricaine pour la dém. sociale* (UPADS), Pascal Lissouba. *Mouv. congolais pour la dém. et le développement intégral* (MCDDI), f. 1990, Joachim Yhombi-Opango. *Union pour le renouveau dém. Rass. dém. pour le progrès social,* Jean-Pierre Thystère-Tchikaya. **Régions** 9. **Fête nat.** 13, 14 et 15 août (les 3 Glorieuses : journées d'août 1963). **Drapeau** (1970). Rouge avec étoile dorée, marteau et houe (union de l'ind. et de l'agric.).

■ Économie

PNB (91). 1 060 $ par h. **Pop. active** (%, entre par., part du PNB en %) agr. 34 (10), ind. 20 (10), serv. 41 (52), mines 5 (28). **Chômage** touche plus de 50 % des – de 25 ans. **Inflation** (%) *1985 :* 6,1 ; *86 :* 2,4 ; *87 :* 2,5 ; *88 :* 2,7 ; *89 :* 4,1 ; *90 :* 2,2. **Dette extérieure** (milliards de $) *1987 :* 3,7 ; *90 :* 5 ; *92 :* 6. **Croissance** (%) *1985 :* - 8,8 ; *86 :* - 10 ; *87 :* - 8,2 ; *88 :* - 4. **Recettes budgétaires** courantes (milliards de F CFA) *1985 :* 335 (dont pétrole 224) ; *87 :* 159 (50) ; *90 :* 281,9 (78). **Aide française** (millions de F) *89 :* 547 ; *90 :* 233 ; *92 :* 170.

Agriculture. *Terres* (milliers d'ha, 81) arables 200 (83), cultivées en permanence 20 (83), pâturages 10 000, forêts 21 360, eaux 50, divers 2 139. *Production* (milliers de t, 91) manioc 780, canne à sucre 450, ananas 117, bananes 40, plantain 80, patates douces 20, arachides 27, avocats 23, maïs 25, café 1, cacao 2. **Forêts.** (90) 3 644 000 m³. **Élevage** (milliers de têtes, 91). Bovins 68, moutons 108, porcs 52, caprins 272, poulets 2 000. **Pêche.** (90) 48 000 t.

Pétrole (millions de t). *Réserves :* 113 (91) ; *production : 83 :* 5,4 ; *84 :* 4,5 ; *85 :* 6 ; *86 :* 5,9 ; *87 :* 5,8 ; *88 :* 6,7 ; *89 :* 7,9 ; *90 :* 8,2 ; *91 :* 7,4. **Gaz.** *Réserves 1990 :* 100 millions de m³, non exploité. **Mines.** Potasse, Uranium, Plomb, Fer. **Industrie.** Prod. alim., textile, prod. chim., ciment, tabac, allumettes. **Tourisme** (88). 39 000 vis. **Congo-Océan. Chemins de fer** Brazzaville-Pointe-Noire inauguré 1934 (20 000 † pour sa construction : maladies, mauvais traitements).

Commerce (milliards de F CFA, 88). **Exp.** 290,4 (90) dont pétrole 178,2, bois 34,9, diamants 4,7, fer et acier 0,2, café 0,2 *vers* (85) USA 293, Esp. 68, *France 53,2,* P.-Bas 29,6, Italie 8,9. **Imp.** 162,2 (90), *de France,* Italie, USA, All. féd., Esp., Japon.

Corée

☞ Appelée « Pays du matin calme ».

Histoire. *Av. J.-C.* A partir de 4000 peuplement. **2333** fondation de l'ancien Chosun par Dangun. **800-194 :** 3 royaumes : Kodjoseum, Bouyé, Djin. **108** colonie chinoise de Nakland. **57 av.-668 apr. J.-C.** 3 roy. : Silla (fondé 57, S.-E., cap. Kyong Jo), Koguryo (f. 37, Nord), Paikche (f. 18, S.-O., cap. Puyo). **372** introduction au Koguryo du bouddhisme (religion d'Etat jusqu'en 1932). **660** chute du roy. de Paikche. **668** du roy. de Koguryo. **670** le roy. de Silla unifie la C. **918-1392** dyn. Koryo. **935** chute de Silla. **1231** 1re invasion mongole. **1234** imprimeries à caractères mobiles. **1274** 1re expédition au Japon. **1281** 2e exp. **1392-1910** dyn. Yi (Chosun). Invasion mandchoue. **1396** Séoul capitale des Yi. **1471** Corée nationale. **1592** invasion jap. **1637** la C. reconnaît la souveraineté mandchoue. **1836-86** persécutions anticatholiques, 10 000 †. **1894-95** g. sino-jap., Chine et Japon reconnaissent la C. **1895**-*8-10* Séoul, Miura Goro, amb. jap. fait tuer Min l'impératrice C. **1896-1905** rivalités Russie-Jap. **1897** Kojong, empereur, donne à la C. le nom d'empire de Taehan. **1900-01** influence franç. (PTT, prêt, ch. de fer). **1905**-*5-9 tr. de Portsmouth* reconnaissant le protectorat du Japon. *-17-11* tr. de protectorat (non ratifié par Kojong). **1907** protectorat jap. Kojong abdique. Yi Un (1897-1970), 3e fils de Kojong, emmené 1908 comme otage au Japon ; 1922 ép. Pcesse Masako (ou Pang-ja ; Japon, 1912/30-4-89) dont 1 fils marié à une Amér. (sans enfant). Son PM, Lee Wan-Yong (1858-1926), collabore avec les Jap. **1910**-*22-1* roi Kojong meurt au palais Toksu (empoisonné par les Jap. ?). *-1-3* manif. pour l'indép. (mouvement Samil). *-29-8* annexée au Jap., devient prov. de Chosun. **1919** nationalistes réprimés. Gouv. provisoire en exil dans la concession fr. de Shanghai. Certains émigrent aux USA, d'autres mouvements de résistance s'établissent en Mandchourie. **1926** Kim Il-sung fonde l'Union pour Abattre l'Impérialisme (UAI). **1932**-*25-4* crée à Antu (Chine) l'*Armée de Guérilla Populaire Antijap.* (AGPA), devenue l'*Armée rév. pop. de C.* **1936**-*5-5* crée l'*Assoc. pour la restauration de la Patrie.* **1941-45** la C. participe à la guerre aux côtés du Japon : 6 millions de soldats, 440 000 †, 1 600 000 bl. (en janv. 1992, le gouv. jap. exprimera ses remords pour avoir obligé 100 000 Coréennes à se prostituer auprès de ses troupes). **1945**-*10-8* armée soviét. entre en C. *-15-8* capitulation jap. *-8-9* débarquement amér. en zone S. *Déc.* conférence de Moscou. Commission mixte soviéto-amér. créée. **1947**-*10-10* se sépare.

Langue. Coréen (ouralo-altaïque ; caractères chinois jusqu'au XVe s., alphabet hangul inventé 1 443 par le roi Sejong, phonétique de 14 consonnes, 5 doubles consonnes et 10 voyelles). **Religions.** Bouddhistes, confucianistes, chrétiens (C. du N. : 10 000). **Costume national.** Hanbok (femme : veste chogori, jupe china).

Comparaisons entre les 2 Corées. Nord, entre parenthèses Sud. Armées : *soldats* 1 132 000 [633 000 (+ 40 000 sold. amér.)], *pièces d'artillerie* 9 200 (1 840), *avions de combat* 966 (455), *navires de guerre* 38 (38). **Population :** 22 millions (43). **PNB :** 23 milliards de $ (281), PNB/hab. 1 038 $ (6 498), croissance PNB - 5,2 % (+ 8,4 %). **Exp. :** 1 milliard de $ (71). **Imp. :** 1,7 milliard de $ (81). **Commerce intercoréen** *(1991) : exp. du Sud vers le Nord (en millions de $) :* produits chimiques 11, textile 7, équipements ménagers 2, divers 6. *Du Nord vers le Sud :* métaux non ferreux 73, produits miniers 30, prod. de la mer 26, prod. alim. 17, prod. chimiques 3, textile (soie) 2, divers 15.

Corée du Nord

(République populaire démocratique)
V. légende p. 884.

Situation. Asie. 120 538 km². **Frontières** avec Chine 1 300 km, Corée du S. 248, Sibérie 20. *Long.* 400 km, *larg.* 110 km. *Alt. max.* Mt Paik Tou San 2 750 m. *Montagnes* 75 % (65 % à moins de 500 m). *Lac* Tcheun (cratère volcanique) : 9,16 km², périmètre 14,4 km, larg. 3,55 km, prof. 384 m (le + profond lac de montagne du monde), débit 30 000 m³, volume 1 955 millions de m³. **Climat.** *Tempéré continental :* hivers froids, particulièrement aux confins soviétiques (– 6 °C en moy.) ; été : mousson, temp. élevées (+ 27 °C dans le sud). *Pluies* avril-oct. (800-1 300 mm, 60 % de juin à août). **Population.** (93) : 22 600 000 h. *2000 :* 28 166 000 h. D 183. **Villes** (88) : *Pyongyang* 2 000 000 h., Tcheungdjin 530 000.

Histoire. 1946-*févr.* création du Comité pop. provisoire de la C. du N. *Mai* pourparlers russo-amér. pour réunification : échec. Réforme agraire. **1947** nationalisation d'industries. **1948**-*8-2* création de l'Armée pop. C. du N. refuse que l'Onu surveille les élections dans le N. *-25-8* élections. En C. du N. 217 dép. et en C. du S. 360 (dont certains vinrent siéger au N.). *-9-9* l'Ass. proclame la Rép. pop. dém. de C. *-25-12* retrait des troupes sov.

Guerre de Corée

Belligérants. Corée du Nord (9 millions d'hab.). La + forte capacité ind. Équipement sov. : chars T 34, artillerie lourde, 150 avions (chasseurs Yak et bombardiers Ilyouchine) ; plusieurs milliers de Russes (1 division d'aviation basée en Chine du N.-E., 1 corps de sécurité), renfort de 30 000 Coréens retour de Chine où ils ont combattu aux côtés de Mao. *Printemps 1950 :* 135 000 réguliers et unités de milice. **C. du S.** Armement défensif léger, à l'exclusion de chars et d'avions. Les Amér. avaient estimé en 1947 d'un intérêt stratégique limité le maintien de troupes et de bases en C. (il n'y a que 500 conseillers amér.).

Déroulement. 1950-*27-2* Kim Il-sung va à Moscou mettre au point son projet d'invasion. *-25-6* prenant prétexte d'une « agression sudiste », 5 divisions nord.-c. (commandées par Kim Ir-Sen) pénètrent en C. du S., et prennent Séoul. *-27-6* USA interviennent sur demande de l'Onu (l'URSS n'a pas mis son veto au Conseil de sécurité car, bien que membre permanent, elle refuse de siéger parce que la place de la Chine est occupée par le représentant de Tchang Kaï-chek). 16 pays participent à la g. pour l'Onu (dont la France avec le Gal Monclar). *-28-6* Nord-C. prennent Séoul (3-7 Inchon, 20-7 Taejon). *-7-7* des troupes de l'Onu débarquent à Pusan, puis le *15-9* à Inchon, reprennent Séoul (18/25-9), atteignent 38e parallèle (2-10), prennent Pyongyang (19-10) et atteignent frontière chinoise (26-10) ; (28-10) mais 500 000 « volontaires ch. » sous les ordres du Gal Peng Dehuai (en fait des unités régulières) les repoussent (27-11), franchissent le 38e parallèle (26-12). **1951**-*4-1* prennent Séoul. *-21-1* troupes de Ridgway lancent contre-offensive, reprennent Séoul (14-3), atteignent 38e parallèle (31-3). Front stabilisé. *-11-4* Gal Douglas MacArthur (1880-1964), Cdt en chef, partisan de l'offensive jusqu'en Ch., remplacé par Ridgway (n. 1895), puis 1952, Mark Clark (1896-1984). *-22-4 et 16-5* offensive chinoise : échec. *-27-11* cessez-le-feu. **1953**-*27-7 armistice de Pan-Mun-Jom* signée par l'amiral Harrison et le Gal Nam Il. S. Rhee fait libérer 250 000 prisonniers n.-cor. qui refusaient d'être rapatriés. USA et URSS accordent leur garantie à la C. du N. et du S. Commission de l'Onu, composée de Polonais, Tchécoslovaques, Suisses et Suédois, chargée de surveiller l'application de l'accord.

Bilan de la guerre (25-6-50 au 27-7-53). **Corée du Sud :** *Coréens :* 58 127 †, 175 743 bl., 166 297 disparus ou prisonniers. *Américains :* 33 629 †, 103 284 bl., 5 178 disp. 5 764 143 Amér. ont participé à la guerre. *Alliés de l'Onu :* 3 194 †, 11 297 bl., 2 769 disp. [dont *Français :* effectif total 3 421 (dont 262 †, 1 008 bl., 7 disparus) ; *Belges-Lux. :* 106 †, 350 bl.]. **Corée du Nord** *(Estim.) :* 300 000 †, 220 000 bl. **Chine pop.** 200 000 †, 700 000 bl. **Zone démilitarisée.** Sur le 38e parallèle. Long. 249 km, largeur 4 km de part et d'autre de la ligne de démarcation à 48 km de Séoul ; troupes massées n.-cor. 440 000 h. (91), s.-cor. 650 000 h., 42 000 Américains. 20 tunnels auraient été creusés par les N.-Cor. permettant aux N.-Cor. de prendre à revers les S.-Cor. (30 000 h. avec des Jeeps pouvant passer par heure). (*1er découvert* 15-11-74 : long. 3,5 km, haut. 1,2 m, larg. 0,9, prof. 0,45 ; *2e* 19-3-75 : long. 3,5 km, haut. 2 m, larg. 2,1 m, prof. 50 à 60 m ; *3e* 17-10-78 : long. 1,6 km, haut. 2 m, larg. 2 m, prof. 73 m ; *4e* 3-3-90 : long. 2 m, diam. 1,7, prof. 145 m). La C. du S. accusait en oct. 84 la C. du N. d'avoir violé plus de 112 000 fois l'armistice dep. le 27-7-52. La C. du N. accusait USA et C. du S. de l'avoir violé + de 310 800 fois de 1953 à déc. 80.

1958 troupes ch. se retirent. **1968**-*23-1* les N.-Cor. arraisonnent le *Pueblo*, navire espion amér. (1 †). *-23-12* 82 membres de l'équipage relâchés à 25 milles des côtes. **1971**-*12-4* et *6-8* C. du N. propose des conversations. **1972**-*10-1* C. du N. propose tr. de paix entre les 2 C. *-4-7* dialogue repris entre les 2 C. **1974** *mars* C. du N. propose accord de paix aux USA. Rapports tendus entre les 2 C. *Avril* abolition des impôts. **1976** des diplomates n.-cor. expulsés de Danemark, Norvège, Finlande, Suède pour trafic de drogue. **1980**-*10-10* Kim Il-sung propose projet de Rép. confédérale dém. de Koryo (RCDK) : 2 C. réunies avec gouv. national et autonomie régionale. **1984** *sept.* C. du S. accepte aide de 12 millions de $ pour les victimes d'inondations proposée par la C. du N. *Oct.* Kim Il-sung à Moscou (1re fois en 23 ans). *-15-11 :* 1er face-à-face à Pan-Mun-Jom de 2 délégations économiques n.-c. et s.-c. *-23-11* évasion d'un Soviétique (3 soldats n.-cor., 1 garde s.-cor. tué). *-27-11* C. du N. rompt le dialogue. *Joint ventures* possibles avec Occidentaux. **1985** *mai* pourparlers repris. Signe le tr. de non-prolifération nucléaire. **1986** Kim Il-sung à Moscou. **1988**-*3-9* boycott des JO de Séoul. *Nov.* plan de paix en 3 ans, retrait amér. de C. du S., armée des 2 C. réduite au total à 100 000 h. **1989**-*19-1* réunion tripartite à huis clos à Pan-Mun-Jom (1re dep. 1953). **1990**-*28-9* rapprochement avec Japon. **1991**-*17-9* entre à l'Onu. *-5-11* Kim Il-sung en Chine. *-12-11* refuse la dénucléarisation de la péninsule proposée par C. du S. et l'inspection des experts de l'AIEA. *-30-11* Moon en C. *-24-12* Kim Jong-Il élu commandant en chef des forces armées par le PC. **1992**-*30-1* accord de garanties nucléaires avec AIEA. *Juill.* émeutes de la faim. **1993**-*1-2* Russie rompt alliance militaire. *-16-2* refus de laisser inspecter par l'AIEA 2 sites nucléaires. *-8-3* état de semi-guerre (cause : manœuvres militaires C. du S.-USA). *-11-3* se retire du tr. de non-prolifération nucléaire. *-15-3* fermeture des frontières.

Statut. Rép. populaire. *Constitution* du 27-12-1972, révisée 9-4-92. *Ass. pop. suprême* élue suffr. univ. pour 4 ans (687 m. dont femmes 21,1 %). *Conseil de l'Administration* (11 m. et 4 candidats) élu par Comité central du Parti du travail (85 m., 50 candidats). *Pt* élu pour 4 a. par l'Ass. pop. dep. 28-12-72, et *secr. gén.* du parti dep. 10-10-45, M[al] Kim Il-sung (15-4-12, exilé en URSS jusqu'en 1945), promu généralissime 13-4-92 ; il a désigné pour successeur son fils Kim Jong-Il (n. 16-2-42) nommé maréchal 21-4-1992, *vice-Pts* Pak Seung Tcheul et Li Jong Ok. *PM* nommé par l'Ass. pop. Kang Song-San dep. 11-12-92 (déjà PM de 1984 à 86). Ryeum Hyeung-Mouk dep. nov. 88. **Fêtes nat.** 15-4 (ann. de Kim Il-sung), 9-9 (fondation de la Rép. pop.), 10-10 (fond. du P. du travail), 27-12 (fête de la Constitution).

Partis. *P. du travail de C.* f. 10-10-45, 3 200 000 m., Pt Kim Il-Sung. *P. social-démocrate,* f. 1945, Pt Li Gye Baek. *P. du culte Tcheundo-Tcheungou,* f. 1946, Pt Jong Sin-Hyok. **Prisonniers politiques.** 200 000 (dont + de 50 000 à Yodok).

Économie

PNB (92) 21,1 milliards de $. 943 $ par h. **Pop. active** (% et, entre par., part du PNB en %) agr. 40 (25), ind. 25 (25), services 30 (40), mines 5 (10). **Budget** (1990, en milliards de $) 37,12 (dont défense 12,3 %). **Dette extérieure** (en milliards de $) *92 :* 10. **Croissance (%) :** *90 :* – 4, *91 :* – 5, *92 :* – 7,6.

Agriculture. *Terres* (milliers d'ha, 81) arables 2 360 (87), cultivées 90, pâturages 50, forêts 8 970, eaux 13, divers 766. *Production* (milliers de t, 90) riz paddy 5 500, maïs 4 400, p. de terre 2 100, blé 220, patates douces 505, orge 150, haricots 455, légumineuses 326, soja, coton. **Forêts.** 4 692 000 m³ (90). **Élevage** (milliers de têtes, 90). Porcs 3 200, bovins 1 300, moutons 385, chèvres 295, chevaux 44, ânes 3. **Pêche.** 1 700 000 t (89).

Énergie (milliers de t.) **Anthracite** 48 500 (90). **Charbon bitumineux et lignite** 13 000 (89). **Hydroélectricité** (86-96) *centrale de Kumgangsan :* 810 MWh de 4 réserves [dont Innam (haut. 121,5 m), retenue 2,6 milliards de m³, *coût :* 2 milliards de $; la C. du S. y voit une menace écologique et militaire (en cas de rupture de la digue)]. **Nucléaire :** *centrale de Yongbyon* (90 km au N. de Pyongyang) : 2 réacteurs expérimentaux (3e commencé 1984, achevé 1994). **Pétrole importé d'URSS** (milliers de t). *1987* 800, *90* 410, *91* 42. **Mines** (milliers de t, 88). Fer 3 600, plomb, zinc, magnésite 2 000 (87), wolfram, molybdène, cuivre, nickel, manganèse, bauxite, alunite, graphite 25,4, tungstène 500 t. Or 5 000 kg (89). Argent 300 t (89). **Industrie.** Engrais, acier, fonte, mat. élec. **3e Plan septennal (1987-1993).** *Objectifs (non réalisés) :* électricité 100 milliards de kWh ; charbon 122 millions de t, ciment 22, céréales 15, acier 10, engrais chim. 7,2, métaux non ferreux 1,7 ; tissu 1,5 milliard de m. Pénurie alimentaire et énergétique. Zones spéciales : Sonbong, Nampo. Zone de libre-échange : Tumen (projet 621 km²).

Commerce. Exp. magnésite, ciment, fer, fonte, acier. **Imp. et,** entre parenthèses, **exp.** (en millions de $) : *1970 :* 440 (370) ; *89 :* 2 850 (1 950) ; *90 :* 2 840 (1 950) ; *92 :* 1 640 (1 020). (20 % des échanges avec l'URSS). **Aide soviétique** env. 300 millions de $/an. **Rang dans le monde** (91). 9e zinc. 10e charbon, argent. 13e riz. 14e pêche. 16e lignite.

Corée du Sud

V. légende p. 884.

Situation. Asie. 99 221 km². *Côtes* 1 736 km. *Frontière* avec C. du N. le long du 38e parallèle 248 km. *Long.* 450 km, *larg.* 230 km. Montagnes (80 % de la superficie), *alt. max.* 1 950 m (Mt Hanla). Plaines. **Côtes** env. 17 300 km dont 8 600 autour des îles. **Cheju :** île volcanique à 96 km au S. **Climat.** Tempéré continental. *Pluies* juin, début sept., fortes juill. surtout dans le S. *Temp. moy.* 12,4 °C, écart max. – 25 °C l'hiver, + 35 °C l'été. **Grottes** de lave (une de 6,8 km de long).

Population (en millions d'hab.). *1960 :* 25, *70 :* 32,24, *80 :* 38,12, *90 (1-11) :* 43,41 (dont 74,4 % urbanisés), *93 :* 44,60, *2000 :* 46,83, *2025 :* 50,19. Une seule ethnie : les Han. Tradition matriarcale. Pêcheuses de coquillages à la plongée. **Émigration** (90) : 4 832 414 dont Japon 730 901, USA 1 452 149. *Départs pour l'étranger : 87* 460 000, *88* 700 000, *89* 1 500 000, *91* 17 433. D 437. **Taux** (1991) *croissance* 1,09 % ; *natalité :* 16,9 ‰ ; *mortalité :* 5,9 ‰. **Age** – *15 a.* 27,3 %, *+ de 60 a.* 7,2 %. **Espérance de vie** (91) hommes 67,37 ans, femmes 75,37. **Divorces** (90) 9,5 %. **Étrangers (90) :** 20 525.

Villes (est. 90, en millions) : *Séoul* 15,3 en 1991 (0,44 en 1935) (à 50 km du 38e parallèle), Pusan 3,8 (428 km), Taegu 2,2 (300 km), Inchon 1,8 (29,5 km), Kwangju 1,1 (320 km), Taejon 1 (160 km), Chonchu 0,5 (160 km). **Criminalité** (1992). 1 642 193 crimes et délits pour 100 000 hab. (5 690 en France), dont 877 meurtres, soit 2 pour 100 000 hab. (France 4,6, USA 8,4).

Religions (%, 86). Bouddhistes 36,3, confucianistes 24,4, protestants 23,3, catholiques 5 [*en 1992 :* 3 000 000, 1 712 prêtres (dont 201 étrangers), 5 399 religieuses (dont 184 étr.), 1 442 grands séminaires], divers 10,7. Grand rôle du *chamanisme* (animisme).

Histoire (voir ci-contre). **1948**-*10-5* Ass. nat. élue. *-17-7* Constit. *-20-7* **Syngman Rhee** (1875-1965), Pt. *-15-8* Rép. proclamée à la fin du gouv. militaire amér. *-9-12* l'Onu déclare le gouv. de Séoul seul légitime. **1949**-*26-6* Ahn Du-hu tue Kim Ku ancien Pt du gouv.

prov. **1950** *janv.* Dean Acheson exclut la C. du système défensif amér. *Mai* élections. *Juin* guerre de Corée voir p. 963. **1953**-*27-7* armistice. **1960**-*19-4* émeutes, Syngman Rhee se retire ; système parlementaire restauré. *-29-7* élections, victoire démocrate, **Yun Po sun** (1897/19-7-1990) élu Pt. **1961**-*16-5* coup d'Etat, PM Chang Myung déposé. Ass. nat. dissoute, partis interdits. Conseil pour la reconstr. nat. avec Gal Park Chung-hee. **1962**-*17-12* nouvelle Const. **1963**-*15-10* Park, Pt. **1964-73** 312 853 h. envoyés au Viêt-nam (4 624 +). **1965**-*2-6* tr. nippo-cor. : Japon reconnaît 21 919 Coréens morts durant la 2e G. mond. et octroie 500 millions de $ (dont subventions 300, et prêts 200). **1968** incursion n.-cor.

1971 Park élu Pt contre Kim Dae-jung (45 % des voix). **1972** agitation étudiante. *-4-7* reprise dialogue entre les 2 C. *-17-10* loi martiale. *-21-11* référendum constitutionnel : oui 91,5 %. *-30-11/1-12* 1re réunion du Comité de coordination Nord-Sud à Séoul. **1973** *août* Kim Dae-jung (exilé à Tōkyō, enlevé et transporté en C.). **1974**-*15-8* Park échappe à un attentat, sa femme meurt. Tensions avec Jap., manif. anti-jap. à Séoul. **1975** *juin* dizaines d'opposants emprisonnés *-12-2* référendum sur pol. du Pt : oui 74,7 %. **1976** Kim Dae-jung condamné à 5 ans de prison. *-18-8 :* 2 off. US tués dans la zone démilit. à Pan-Mun-Jom. **1978**-*22-12* Kim Dae-jung libéré ; amnistie gén. pour 5 368 prisonniers. **1979** *janv.* détente entre les 2 C. *27-2* 1re rencontre de tennis de table avec C. du N. *Oct.* Kim Young-sam, Pt du Nouveau P. démocrate, expulsé du Parlement. *-26-10* Pt Park assassiné par Kim Jae-kyu, chef de la CIA cor. Choi Hyu-ha, ancien PM, Pt par intérim., loi martiale.

1979-*12-12* coup d'État milit., **Gal Chun Doo-hwan** (n. 23-1-31) au pouvoir (aidé du gén. Roh). *-21-12* Kim Jae-kyu et ses 6 coaccusés condamnés à mort. **1980**-*17-5* Kim Dae-jung, chef de l'opposition, arrêté, condamné à mort, puis à 20 ans de prison. Sera 16-12-82 expulsé vers USA pour traitement médical. *-20-5* émeutes à Kwangju (après l'extension de la loi martiale), puis dans toute la prov. de Cholla ; 200 à 1 000 † (officiellement 91 †). *20-9* Chun Doo-hwan élu Pt (sera réélu 25-2-81 pour 7 ans par collège électoral de 5 270 membres). Campagne de purification : 57 000 antisociaux arrêtés (dont 3 000 condamnés à la prison). *Oct.* référendum pour la Constitution : oui 91 %. **1981**-*24-1* levée de la loi martiale. *-3-3* amnistie pour 5 221 pris. **1982**-*avril* un policier ivre tue 55 personnes. *-20-5* scandale financier, démission de 11 m. du gouv., chute boursière. **1983**-*1-9* l'aviation soviétique détruit un Boeing 747 s.-cor. (269 †), *-9-10* attentat à Rangoun (Birmanie) attribué à des agents n.-cor. lors de la visite du Pt Chun (18 † dont 5 du gouv. cor.). **1984**-*mai* Jean-Paul II en C. pour la canonisation de 103 martyrs (93 C., 10 Français). *-30-11* 84 personnalités retrouvent leurs droits pol. **1985**-*8-2* Kim Dae-jung rentre. *-12-2* élections (%) DJP 35, NKDP 30, autres opp. 28, ind. 12, abstentions 15. *Avril* PM Fabius en C. *-21/23-9* quelques dizaines de familles séparées par ligne de démarcation ont pu se réunir (1re fois dep. la g. de Corée). **1986**-*14/16-4* Pt Chun en France. *-6-5* manif. étudiantes. *-20-5* un étudiant s'immole par le feu à Séoul. Heurts étudiants/policiers. *-14-9* bombe à l'aéroport de Séoul (5 †). *Oct.-nov.* manif. étudiantes. **1987**-*19-5* manif. pour le 7e anniv. du soulèvement de Kwangju. *-9-6* Roh Tae Woo désigné successeur en 1988 du Pt Chun. 2 298 arrestations pour prévenir manif. *-10-6* manif. : 1 000 blessés (dont forces de l'ordre 700). Le card. de Séoul s'interpose entre la police et les centaines d'étudiants réfugiés dans la cathédrale ; *-11-6 au 15-6* manif. Pt Chun mis en garde par cathol. et bouddhistes (considérés comme « gardiens de la Nation »). *-29-6* Pt promet libéralisation. *Juillet* 2 000 prisonniers pol. libérés. *-1-7* Pt Chun accepte que son successeur soit élu au suf. direct. *-10-7* abandonne à Roh la direction du PJD. *Août* grèves. *-29-11* Boeing Korean Air Lines disparaît en Birmanie (115 †) : sabotage par Kim Hyon-hui (n. 1963), agent secret n.-cor., condamné à mort 25-4-89, amnistié 12-4-90 ; se convertit au christianisme. *-17-12* émeutes, plusieurs †.

1987-*18-12* **Roh Tae-woo** Pt au suffrage univ. par 36,7 % des voix devant Kim Young-sam (28 %), Kim Dae-jung (27 %), Kim Jong-pil (8,1 %), + de 89 % de partic. *-27-12* référendum pour la const. (oui 93 %). **1988**-*10-2* C. du S. et Chine ouvrent des bureaux commerciaux. *-31-3* Chun Kyung-hwan, frère aîné de l'ancien Pt Chun, arrêté pour corruption (construction du métro de Pusan) sera condamné le 5-9 à 7 ans de prison et à 5,7 millions de $ d'amende ; Lee Sung-ja, femme de l'ex-Pt, soupçonnée. *-26-4* législatives (abst. 25 %). *-18-5* un étudiant se jette du haut de la cath. de Séoul. *-10-6* 10 000 étud. manif. à Séoul pour la réunification, à l'initiative du PRDP. *-14-8* Séoul : 4 000 étud. exigent départ des Amér. *-17-9* 24es *JO à Séoul.* *-3-10* 1 026 détenus, dont 52 polit., amnistiés. *-19-11* 10 000 prof. et étud. manif. pour l'arrestation de l'ex-Pt Chun. *-23-11* Chun s'excuse à la TV, de corruption et violation des droits de l'h. [« camps d'entraînement » de Samchong tenus par l'armée, où ont été envoyés des milliers de délinquants ; « centres de bien-être » pour vagabonds, handicapés et enfants abandonnés (16 125 pers. placées en « détention de protection » en 1987) ; 2 254 mil. suicidés après mesures disciplinaires, et 180 tués par supérieurs]. *-26-11* Pt Roh demande le pardon pour Chun, des étud. réclament sa révocation pour collusion avec Chun. *-2-12* accord commercial avec URSS. *Déc.* 2 015 politiques libérés. **1989**-*27-2* manif. anti-amér. (visite du Pt Bush). *-3-5* heurts étudiants/policiers (6 †). *-2-6* Kim Young-sam (PRD) en URSS. *-28-6* Suh Kyong-won (PPD) arrêtée pour avoir été en août 1988 en C. du N. *-12-8* Kim Dae-jung (PPD, opposition) accusé d'avoir reçu de l'argent de C. du N. *-20-11/2-12* Pt Roh en Europe (30-11/2-12 : en France). *-30-12* après 24 mois dans un monastère, l'ex-Pt Chun revient à Séoul devant parlement. **1990** *janv.* C. du S. rejette proposition du N. de démanteler le mur séparant les 2 pays, propose accord de libre passage. *-22-1* Conseil national des syndicats ouvriers (Chonnohyop) déclaré illégal. *-28-2* 1 111 politiques libérés. *-9/10-5* 80 000 à 90 000 manif. (dont 50 000 à Séoul). *-18-5* 100 000 manif. commémorent le massacre de Kwangju. *-23-7* démission des 70 députés du PPD. *-26-7* rencontre des PM des 2 Corées : 4 au 7-9 (Séoul), 15 au 17-10 (Pyongyang). *-30-9* relations diplom. rétablies avec URSS. **1991**-*30-1* contribution de 280 millions de $ à la g. du Golfe. *-18-2* 2 ministres remplacés (scandale financier). *-26-3* 1res él. de conseils de base dep. 1960 dans 13 185 circ. : [progouvern. 75 % des v. (45 % d'abstention)]. *-19-4* rencontre Roh Tae-woo-Gorbatchev dans île sud-c. (1re visite d'un dirigeant sov.). *-1-5* PM Michel Rocard en C. *-1-5* manif. demandant la démission du Pt, des étudiants s'immolent par le feu. *-9-9* le poète Park Ki-pyong condamné à la prison à perpétuité pour avoir créé le P. socialiste du travail (organisation anti-État). *-17-9* entre à l'Onu. *-27-10* jour du yin et du yang (faste, a lieu tous les 60 a. selon le calendrier lunaire). *-8-11* Pt Roh annonce dénucléarisation de la C. *-12-11* min. des Aff. étr. chinois Qian Qichen en C. (1re dep. 1953). *-11/13-12* Séoul, rencontre des PM des 2 Corées, accord de réconciliation, non-agression et coopération. *-18-12* fin du retrait des armes nucléaires amér. (commencé 27-9). *-31-12* accord sur dénucléarisation entre les 2 C. **1992**-*24-8* relations diplom. reprises avec Chine *-7-9* accord sur les échanges écon. entre les 2 C. *-27/30-9* Pt Roh en Chine. *-19-11* Boris Eltsine à Séoul.

1993-*25-2* **Kim Young-sam** (n. 1927) [élu 18-12-92 par 42 % des voix devant Kim Dae-jung (PD) 33,8, Chung Ju-yung (PNU) 16,3, Park Chang-jong (Nouveau P. pour la réforme pol.) 6,4]. *-6-3* grâce présidentielle pour 41 886 condamnés.

Statut. Rép. *Constitution* du 25-2-1988. Pt élu pour 4 ans, mandat renouvelable 1 fois (siège à la maison bleue). *PM 1988 (25-2)* Kang Young-hoon (n. 1922). *1991 (24-5)* Chung Won-shik (n. 1928). *1992 (8-10)* Hyun Soon-jong. *1993 (22-2)* Hwang In-sung (67 ans). *Ass. nat.* 299 m. élus pour 4 a. 224 députés élus directement (dont la moitié par les électeurs de campagne favorisés par le découpage électoral), 75 dép. supplémentaires sont désignés par les partis, où la proportionnelle avantage le parti majoritaire au scrutin.

Partis. *Parti démocrate libéral* (PDL) issu (9-2-1990) de la fusion du *P. de la justice et de la démocratie* (PJD), f. 1981, Pt Kim Young-Sam quitte le parti 5-10-92, 1 million de m.), du *P. pour la réunification démocr.* (PRD), f. 1987, Pt Lee Ki-taek, et du *Nouveau P. démocr. et rép.* (NPDR) f. 1985. *P. pour la paix et la démocr.* (PPD) f. 1987, devenu *P. démocratique* en 1991, Pt Lee Ki-taek. *P. pour l'unification nationale* (PUN), f. 1991 par Chung Ju-yung (73 ans, fondateur de Hyundai, Pt Kim Dong-gill. *P. du peuple* (PP). *P. de la révol. démocr. du peuple* (PRDP). *P. comm.* interdit. *P. du peuple unifié* (PPU) f. 1992 par Ju Yung-chung. *Nouveau P. de Corée,* f. 1992 par Chae Mun-shick. **Élections** *du 26-4-88 :* PJD 125 élus (87 directs), PPD 70 (54), PRD 59 (46), NPDR 35 (27), Indép. 10, *du 24-3-1991 :* PDL 149 (116), PD 97 (75), PNU 31 (24), PRPP 1 (1), div. 21 (21), *du 24-3-92 :* PDL 149, PD 97, PPU 31, indép. 22. **Armée.** 620 000 h. **Forces américaines.** *1991* : 43 000, *1992* : 39 000, *fin 95 (prévu)* : 30 000 h.

■ **Fêtes nat.** 1-3 (mouv. d'indép. contre Jap., 1919), 17-7 (Constit. de 1948), 15-8 (lib. de 1945), 3-10 (fondation de la C. par Tangun en 2333 av. J.-C.). **Emblème national :** « taekukki » : cercle coupé en 2 par ligne sinueuse. Partie supérieure (yang) symbolise Soleil, éléments actifs de la nature, principe masculin. Le « yin », obscur, Terre ou Lune, éléments passifs, principe féminin. Couleurs rappelant les vertus essentielles : bleu (froid, eau, douceur) et rouge (feu, chaud, virilité) unis par le jaune, couleur impériale. **Drapeau** (1950). Blanc (la paix), avec taekukki et 4 symboles noirs pour les saisons, le point de compas, le Soleil, la Lune, la Terre et le Ciel.

■ Économie

■ **PNB. Total** (milliards de $). *1970 :* 8,1 ; *80 :* 60,5 ; *85 :* 89,7 ; *91 :* 272,7 [*96 (prév.) :* 492,6]. **Par hab.** *1961 :* 82 $; *70 :* 252 ; *80 :* 1592 ; *85 :* 2 194 ; *91 :* 6 498 [*1996 (prév.) :* 10 908]. **Pop. active** (%, entre parenthèses part. du PNB en %) agr. 16,7 (8,1), ind.-mines 26,9 (27,9), serv. 56,4 (64). Nombre (92, en millions) 17,8, emplois 2,7 (agric., forêt, pêche 4,8, services et autres 11,6), chômeurs 0,5. **Taux de croissance (%)** *1980 :* –3,7, *81 :* 5,9, *82 :* 7,2, *83 :* 12,6, *84 :* 9,3, *85 :* 7, *86 :* 12,9, *87 :* 13, *88 :* 12,4, *89 :* 6,8, *90 :* 9,3, *91 :* 8,4, *92 :* 4,7. **Chômage (%)** *1980 :* 5,2, *85 :* 4, *90 :* 8,6, *91 :* 2,4, *92 :* 2,4, *93 (est.) :* 2,6. 400 000 emplois par an doivent être créés pour absorber les nouveaux venus. **Travailleurs étrangers illégaux :** env. 100 000 au 1-1-92.

■ **Salaire moyen mensuel urbain** (91). 1 495 $. **Conflits du travail** *1987 :* 3 749, *89 :* 1 800 (6,26 milliards de $ en pertes de production), *91 :* 235 (2,5 millions de $). **Pauvreté :** touche 2 246 000 h. (5,2 % de la pop.), dont 2 200 000 gagnent 48 000 wons par mois (360 F). **Revenus** (1990) 3 516 personnes gagnent + de 100 millions de wons par an, 176 + de 500 millions, 288 141 – de 2,5 millions.

■ **Finances. Budget. Part des dépenses** (%, 1991) : Déf. nat. 28,6 (4,2 % du PNB), Éduc. nat. 19. Dév. écon. 16, soc. 11. Recherche et dév. : (1980) 0,58 % du PNB, 87 : 2 %. **Investissements étrangers** (en milliards de $) *1988 :* 1,2, *89 :* 1, *90 :* 0,8, *91 :* 1,2. Les étrangers possèdent en *92 :* 4,07 % des actions cotées en Bourse. **Inflation** (%) *1980 :* 28,7, *81 :* 21,6, *82 :* 7,1, *83 :* 3,4, *84 :* 2,3, *85 :* 2,5, *86 :* 2,8, *87 :* 3, *88 :* 7,1, *89 :* 5,7, *90 :* 9,4, *91 :* 9,5, *92 :* 4,5. **Dette extérieure** (milliards de $) *1985 :* 46,7, *86 :* 44,5, *87 :* 35,6, *88 :* 31,2, *89 :* 29,4, *91 :* 41,1, *92 :* 42,6. **Aide extérieure** 70 milliards de $ pour financer l'industrialisation.

■ **Agriculture. Terres** (milliers d'ha, 87) forêts 6 550 (67 %), arables 3 275, cultivées 2 143, pâturages 53, eaux 27, divers 116. **Production** (milliers de t, 92) riz (58,9 % des t. arables) 5 330, pommes 694, pommes de t. 726, orge 314, oignons 809, patates douces et ignames 314, légumineuses 212, maïs 92, melons 209, haricots 175, blé 552, seigle 41, concombres 267,1 (91), choux 198 (91), poires 165 (91), pastèques 724 (91). **Forêt.** 6 598 000 m³ (90). **Élevage** (millions de têtes, 91). Poulets 74,8, porcs 5, bovins 2, canards 1,1, ruches 0,5, lapins 0,16, chèvres 0,34. **Pêche.** 2 983 200 t (91). **Problèmes :** la distribution des terres ne permettant pas, avec 1 ha en moyenne, de faire vivre une famille, a entraîné l'exode rural, le développement des terres en fermage (30 %) et l'apparition de propriétés de 20 à 30 ha. Coûts de prod. élevés. *Pop. agricole* (en millions) 5,71, (*ménages* 1,64).

■ **Énergie. Consommation** (92) 115,6 millions de Tep. **Électricité** (92) 115,2 milliards de KWh (dont nucléaire 56,5, thermique 69,5, hydraulique 4,8). **Nucléaire :** 9 centrales [13 prévues dont 2 réacteurs canadiens : Wolsong 1 (1983) et 2 (27-12-90) ; 3 et 4 commandés sept. 92 au Canada] 52,9 millions de kW (49 % du total). 40 t d'uranium soviét. livrées nov. 90.

■ **Mines** (millions de t, 92). Argent 4 723 kg, anthracite 11,9, or 23 263 kg, kaolin 1,8, fer 0,22, talc 0,15, zinc 0,43, plomb 0,27, tungstène 0,004, cuivre 0,001 (88). **Industrie.** Textiles, chaussures, constr. navale (1992, env. 4 000 milliards de wons), ciment, fer et acier (10 000 milliards), automobile (1 760 000 en 92), électronique [magnétoscopes, TV (prod. millions TV couleur : *1985 :* 3,8, *92 :* 14,5)]. **Bâtiments.** *Chantiers à l'étranger* (principalement Moyen-Orient). **Conglomérats (chaebols) (90).** *Chiffre d'affaires, bénéfice en milliards de $ entre parenthèses, et employés en ital. : Samsung* 35,6, (0,348) *180 000, Hyundaï* 31,8 (0,445) *167 000, Lucky-Goldstar* 22,8 (0,308) *100 000, Daewoo* 15,8 (0,217) *102 000, Sunkyong 10,6 (0,09) 30 000, Sangyong* 7,2 (0,16).

■ **Transports** (km, 92). *Routes* 58 905 (dont autoroutes 1 600) ; *chemins de fer* (1re ligne ouverte 1899) 6 456. **Tourisme.** *Visiteurs (91) :* 3 200 000. *Revenus :* 3,4 milliards de $. *Lieux :* Séoul (capitale, palais, musées), Puyo (cap. dynastie Paickjie, temples), Kyong Ju (cap. dynastie Silla, temples), Pusan, Chungma, Mont Songni, île de Che-ju.

■ **Commerce** (milliards de $ US, 91). **Exp.** 76,78 (92) *dont* mach. élec. 9,3, éq. de transp. 8, chaussures 3,8, textile 4,7, tissus et fils 0,96 *vers* USA 18,5, Japon 12,3, Hong Kong 4,7, All. féd. 3,1, Singapour 2,7. **Imp.** 81,70 (92) *dont* pétrole 10,2, valves thermiques 5,3, prod. chimiques organiques 3,4, génératrices 2,3, mach. élec. 1,2 *de* Japon 21,1, USA 18,8, All. féd. 3,6, Arabie s. 3,2, Australie 3. **Commerce intercoréen** (Achats au Nord et, entre parenthèses, ventes au Nord) *1988 :* 1,04 (aucun), *89 :* 22,24 (0,07), *90 :* 20,35 (4,73), *91 :* 164,03 (25,64). **Importations non soumises à restriction** (en % des imp. totales) *80 :*

68,6, *88* : 95. **Balance commerciale** (en milliards de $) *70* – 0,92, *75* – 1,67, *80* – 4,38, *85* – 0,8, *87* + 6,2, *88* + 8,8, *89* + 0,9, *90* – 4,8, *91* : – 7, *92* : – 4,9. **Des paiements** *86* : 4,6, *87* : 9,8, *88* : 14, *89* 5,1, *90* – 2,1, *91* – 8,7, *92 (est.)* : – 2,8. **Tarif douanier moyen** (%) *80* : 24,9, *89* : 12,7, *91* : 10,1, *93* (objectif) : 7,9.

■ Problèmes économiques. *Dépendance vis-à-vis de l'étranger :* + de 70 % des mat. 1res sont importées. *Coût prévu :* pétrole 4 milliards de $/an, céréales 1. *Restructuration :* pour renforcer industries de pointe et haute technologie. Déséquilibre régional, ind. et social créés par l'industrialisation.

■ Rang dans le monde (91). 2e vidéocassettes (21,7 % du marché). 3e constr. navale (32,1 % de la prod. mondiale). 3e export. de chaussures (fournit 50 % des ch. de sport). 2e du marché eur. des micro-ondes (44 % contre 0,8 % en 1983). 8e (91) pêche. 10e (91) riz. 13e puiss. comm. du monde.

■ Costa Rica

Carte p. 1016. V. légende p. 884.

Nom. « Côte riche » en espagnol (impression donnée à Christophe Colomb par la délégation de chefs indiens couverts d'or qui le reçut).

Situation. Amérique centrale. 51 100 km^2. *Alt. max.* Chirripó Grande 3 820 m. *Frontières* (km) Nicaragua 300, Panamá 365. *Côtes* Atlantique 193, Pacifique 1 200. *Largeur* 119 à 259 km. *Longueur max.* 464 km. *Volcans* 6 encore actifs (Irazu, Turrialba, Rincón de la Vieja, Poas, Arenal, Barva). Climat. *Côtes :* chaud et humide. *Plateau central :* tempéré (pluies mai-nov.). *Moy.* 22 °C.

Population. *1992 :* 3 100 000 h. *2000 :* 3 596 000 h. (Blancs 85 %, Métis 8, Noirs 3, Asiatiques 3). – *de 15 a.* 36,2 %, *+ de 60 a.* 6,4 %. **Taux** (‰ 1991) *natalité* 28,5, *mort.* 3,7, *infantile* 19. **Espérance de vie** (1990) 77 ans. D 63. **Croissance dém.** 2,4 %. Villes (91) : *San José* 296 625 h., Alajuela 158 276 (à 23 km), Cartago 108 958 (22 km), Puntarenas 92 360 (130 km), Heredia 67 387 (22 km), Liberia 36 395. **Pop. rurale** 50,4 %. Langues. Espagnol *(off.)*, anglais, français. Religion. Catholicisme (off.) ; protestants 40 000.

Histoire. **1503** découvert par Christophe Colomb. **1524** Hernández de Cordoba, débarqué sur côte pacifique, fonde Bruselas. **1537** érigé en duché de Veragua pour Luis Colón, neveu de Christophe. **1540** prov. de Cartago créée. **1560** dépend de l'audience de Guatemala. **1821** indépendance. **1824-33** membre de la Rép. féd. centro-américaine dissoute 1839. **1849** rép. indép. **1878** accord avec United Fruit (USA) : concession de bananeraies contre constr. d'un chemin de fer (achevé 1891). **1917** coup d'État des frères Tinoco. **1948** g. civile (1 000 †) après conflit électoral. **1949** junte révolutionnaire avec José Figueres. Suppression de l'armée. **1953** Figueres élu Pt. **1957-73** alternance de mandats présidentiels tous les 4 ans. **1974-78** Pt Oduber, apaisement des conflits après la « g. de la banane » (1974) ; stabilité économique. **1978** Pt Carazo ; occupations de terre et affrontements entre paysans et « garde civile et rurale » ; appui aux sandinistes du Nicaragua jusqu'à la chute de Somoza (1979). **1981** appui aux antisandinistes. **1982**-*7-2* Pt Luis Alberto Monge (n. 29-12-25) élu. Incidents de frontière avec Nicaragua. **1986**-*2-2* Pt Oscar Arias Sánchez (44 ans PLN) élu, 53,3 % des voix (Rafael Calderón Unité soc. 44,8 %) prix Nobel de la paix 1987. *6/7-8 accords d'Esquipulas II* au Guatemala (plan de paix pour Amér. centr.). **1989**-*févr.* trafiquant de drogue amér. aurait financé pour 15 000 $ la campagne du PLN, mettant en cause l'ancien Pt Oduber et le Pt. Arias. **1990**-*15/17-12* sommet des Pts centro-amér. à Puntarenas. *-22-12* séisme. **1991**-*22-4* séisme.

Statut. Rép. *Const.* du 7-11-1949, *Pt* (élu pour 4 ans au suffr. univ., non rééligible) et chef du gouv. Rafael Angel Calderón Fournier (n. 14-3-49) élu 4-2-90, en fonctions 8-5. [Unité sociale chrétienne (f. 1983) 51 % des voix]. PM Germán Serrano Pinto dep. 90. *Ass. nat.* (57 m. élus pour 4 a.). *7 provinces :* San José, Alajuela, Heredia, Cartago, Puntarenas, Guanacaste, Limón. Fêtes nat. 15-9 (indép. 1821), 12-10 (jour de la Race, découverte de l'Amér. par Colomb). Drapeau. Adopté 1848.

■ Économie

PNB ($ par h.). *1982 :* 975, *89 :* 1 780, *90 :* 1 640, *92 :* 1 800. **Croissance** (92) 5 %. **Pop. active** (% et, entre par., part du PNB en %) agr. 28 (20), ind. 24 (25), services 48 (55). *Chômage 90 :* 4 %, *91 :* 5,5. **Inflation** (%) *1985 :* 15, *86 :* 15, *87 :* 16,41, *88 :* 25,35, *89 :* 9,85, *90 :* 27,25, *91 :* 25,32. **Dette extérieure** (92) 1,5 milliard de $ US. **Déficit fiscal** *1991 :* 360 millions de $.

Agriculture. *Terres* (milliers d'ha, 81) pâturages 2 090, forêts 1 730 (en 1950 : 80 % des terres, 92 : 20 %), arables 283, cultivées 207, eaux 4, divers 756. *Prod.* (milliers de t, 91) canne à sucre 2 629, bananes 1 550 (92), café 158, riz 193, maïs 60. Forêts (90) 4 400 000 m^3. Élevage (milliers, 91) volailles 4 000, bovins 1 741, porcs 224, chevaux 114. Pêche (89) 20 400. Transports (km). Routes asphaltées 3 600 km, pistes 3 500 km. Tourisme (92). 500 000 vis.

Commerce (millions de $). **Exp.** 1 600 (92) *dont* (90) bananes 316,9, café 245,4, viande 46,2, sucre 33,5 *vers* (90) USA 536,8, CEE 403,7, Amér. centrale 353,4, Panama 104,1, Canada 56. **Imp.** 1 850 (92) *dont* (91) mat. 1res pour l'ind. 651, mach. et éq. 390, prod. de cons. non durables 302, fuel et lubrifiants 205, prod. de cons. durables 119 *de* (90) USA 817,9, Japon 169,9, Vénez. 161,1, Amér. centrale 147,2, All. féd. 84,8. Rang dans le monde (91). 9e café.

■ Côte d'Ivoire

V. légende p. 884.

Situation. Afrique. 322 462 km^2. *Long.* 600 km, *larg.* + de 500 km. *Front.* Ghana 640 km, Burkina (ex-Hte-Volta) 490, Mali 370, Guinée 610, Liberia 580. *Côtes* 500 km (300 de lagunes). *Alt. max.* crête du massif du Nimba (frontière guinéenne) 1 752 m. *Fleuves principaux* (km) : Bandama 950, Comoé 900, Sassandra 650, Cavally 600. Climat. *1°) Sud-équatorial* région côtière (21 à 33 °C, 80 à 90 % d'humidité, pluies dans certaines zones 2 500 mm sur env. 140 j). *4 saisons : sèche* entre déc. et fin avr. (chaude avec quelques pluies) ; *« grandes pluies »* entre mai et mi-juill. ; *courte saison sèche* mi-juill. fin sept. ; *courte saison de pluies* oct. et nov. *2°) Tropical humide* forêts et savanes (14 à 39 °C, 70 % d'humidité, 1 000 à 2 500 mm de pluies). *4 saisons : grandes pluies* mi-juill./fin oct., *petites pluies* mi-mars/mi-mai, *sèches* nov./mi-mars et mi-mai/mi-juill. *3°) Soudanais* (zone des savanes). *2 saisons : des pluies* (juill.-nov.) et *sèche* (déc.-juin) avec de petites pluies en avr. *Harmattan,* vent frais et sec venant du N.-E., déc. à févr. **Végétation :** 1°) *Cordon littoral alluvionnaire* moitié est de la côte, profonde d'env. 30 km, cocotiers et, vers l'intérieur, bananiers, palmiers à huile et hévéas. 2°) *Forêt type équatorial* env. 300 km de prof. et 120 000 km^2, café, cacao, ananas, igname, manioc. 3°) *Plus au N., savane* coupée de forêts, puis de plus en plus herbeuse, élevage, mil, coton et riz.

Population. *1991 (est.)* : 12 090 000. *2000* : 19 290 000. **Étrangers** 4 000 000, dont Voltaïques, Maliens, etc. 1 000 000, Libano-Syriens 100 000 (+ 200 000 réfugiés lib. ?), Européens 60 000 (Français *1980* 60 000, *84* 45 000, *90* 22 000, pour la majorité à Abidjan). **Ethnies** (60 env.). *Au S. :* Brignans, Aladians, Appoloniens, Adioukrous, Ébriés. *O. :* Krous, Didas, Bétés (18 %), Wobés, Guérés, Dans, Yacoubas. *Centre :* Baoulés, Mangoros. *E. :* Agnis-Achantis, Abrons, Baoulés (23 %). *N. :* Mandés [Malinkés (11 %), Dioulas] et Sénoufos (15 %). *N.-E. :* Lobis. **Age** (%) – *de 15 a. :* 45,1, *+ de 60 a. :* 4,7. **Taux** (‰) : *natalité* 50,9 ; *mortalité* 14,2 (*infantile :* 96) ; *accroissement* naturel 3,7 (%), migration nette 1,2 (%) ; *indice de fécondité :* 7,3 enfants/femme. D 38. Villes (1988) : Abidjan (agg.) 2 500 000 (1900) [quartier résidentiel de Cocody] (120 000 en 60), *Yamoussoukro* 110 000 (à 250 km) nouv. cap. prévue dep. 21-3-1983, Bouaké 333 000 (à 378 km), Daloa 123 000 (400 km), Korhogo 110 000, Man 89 000 (599 km), Gagnoa 85 000. Langues. Français *(off.),* dioula et baoulé (langues commerciales entre les ethnies). Religions. Animistes 65 %, musulmans 23 %, catholiques 12 % [*fidèles* nombre (en milliers) *1900 :* 0,55, *60 :* 240, *87 :* 1 044 ; 1 cardinal, 13 évêques, 450 prêtres].

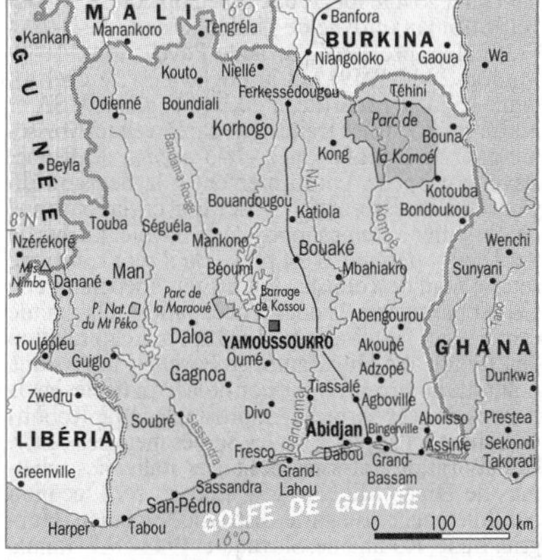

☞ **Basilique N.-D.-de-la-Paix à Yamoussoukro.** Construite 1985-88 : 90 000 m^2, capacité 7 000 assis, 11 000 debout, 35 000 sur le parvis en croix (190 × 150 m) et 300 000 sur le péristyle, 84 colonnes de 25 m de haut ; inaugurée en 9/10-9-1989 par Jean-Paul II. Réplique en béton (+ grande) de St-Pierre-de-Rome, 272 colonnes (haut. 21 m, diam. 2,2 m) ; plus grande coupole du monde (160 m), 7 500 m^2 de vitraux fabriqués en Normandie, réalisée par Dumez (Français) et Pierre Falkhouny (Libanais), parc 130 ha (3 fois le Vatican) ; coût : 1 milliard de F ; caractère extraterritorial inscrit dans la Constitution ; financée par Pt Houphouët-Boigny, qui en a fait don au pape. (Après sa mort, les intérêts des économies de Houphouët, placées sur un compte spécial, seront versés chaque année au Vatican.)

Histoire. **XIVe s.** visitée par des marchands dieppois, la « Côte des Dents » (« dents » pour défenses d'éléphant) reçut des établissements à Assinie et Grand-Bassam (officiellement fr. depuis 1842). **1961**-*1-8* Bossuet baptise (Louis XIV est parrain) Aniaba (Pce assinien confié aux missionnaires), 1er officier de couleur ayant servi sous le drapeau français, repart 1701. **1887-89** Louis Binger (1856-1926), parti du Sénégal, parcourt 4 000 km et rejoint Grand-Bassam. **1891** chargé de fixer frontières avec Liberia (tr. du 8-12-92) et Côte-de-l'Or (12-7-93). **1893**-*10-3* colonie (cap. : Grand-Bassam ; gouverneur : Binger). **1896-99** g. contre Samory. **1899** intégrée à l'AOF. **1932** agrandie du S.-O. de la Hte-Volta. **1947** retrouve ses frontières d'avant 1932 (reconstitution de la Hte-Volta). **1958**-*14-12* république au sein de la Communauté. **1958-59** Auguste Denise (1906-91) Pt du gouv. provisoire. **1960**-*7-8* indépendance. **1963** 2 complots découverts. **1964** réformes (polygamie abolie). **1968**-*mai* et **1969**-*mai* agitation étudiante. **1973**-*juin* complot découvert. **1979**-*févr.* réconciliation avec Guinée (visite de Sékou Touré). **1982** chute des cours café et cacao (perte des 3/4 des ressources à l'export.). *-9-2* manif. d'étudiants. *-4-3* universités réouvertes. *21/23-5* visite Pt Mitterrand. **1983** sécheresse, feux de brousse. **1983-84** crise, sécheresse, chute des cours café et cacao. **1986**-*12-4* visite PM Chirac. **1987**-*25-5* se déclare insolvable (baisse café et cacao), dette 4,5 milliards de F. *-16-8* Aoussan Kofi, min. des Transports, enlevé par 2 Français, relâché 20-8 contre 6 millions de F. *Nov.* prêt spécial français 1,4 milliard de $. *Août* 3 Français assassinés en 3 mois. **1990** *févr.* manif. étudiante. Salaires des 110 000 fonctionnaires réduits de 15 à 40 %, taxation des salaires privés portée de 1 à 11 %. *-26-3* agitation à Abidjan. *Avril* lycéen tué par police à Adzopé. *-15-4* plan d'austérité suspendu. *Mai* manif. de soldats (conditions de vie). *-28-5* plan d'austérité. *-6-6* 6 nouveaux partis autorisés (dont un p. communiste et un pour la protection de l'environnement). *-9/10-9* Jean-Paul II inaugure basilique de Yamoussoukro. *-29-9* Houphouët-Boigny accuse l'opposition d'avoir voulu assassiner le pape. *-28-10* présidentielles (2 candidats : Houphouët-Boigny et Laurent Gbagbo, pour la 1re fois). *-2-11* ambassadeur d'Italie assassiné. FPI dépose recours en annulation de l'élection prés. (listes électorales non publiées 10 j avant le scrutin comme l'exige la loi). *-26-11* législatives. *-24-12* municipales : PDCI gagne dans 123 communes sur 135, FPI dans 6. **1991**-*25-4* 6 000 détenus de droit commun sur 15 000. *Mai* manif. étudiants violemment réprimées. *-17-6* Thierry Zebie, étudiant accusé d'être un agent du pouvoir, lynché par ses camarades. **1992**-*18-2* manif. ; *-6-3* Laurent Gbagbo (FPI) condamné à 2 a. de prison. *-18-3* 8 partis d'opposition créent une concertation nat. *-5-8* 2 382 détenus libérés dont Laurent Gbagbo (31-7).

Statut. Rép. *Pt* (élu p. 5 ans au suffr. univ.) Félix Houphouët-Boigny [n. 18-10-1905 ou entre 1895 et 1900 ? Baoulé, chef animiste à 5 ans, baptisé cathol. à 13 ans)] dep. 27-11-60 (candidat unique, réélu 28-10-90, 1res élect. pluralistes (80 % des voix) ; en 85 (100 % des v.) ; en 80 (99,99 %). *Const.* du 31-10-1960 révisée 71, 75, 80, 85, 86 et 90. *PM* Alassane Ouattara (n. 1952) dep. 7-11-90. *Ass. nat.* 175 m. [élus p. 5 a. ; élections (26-11-90) : PDCI 163 sièges, FPI 9, PIT 1, divers 2]. *Cour suprême :* 10 m., 26 dép. Partis. *P. démocratique de la C.-d'Iv.-Rassemblement dém. africain (PDCI-RDA)* f. 1946, unique jusqu'en 90 ; secr. gén. : Laurent Dona Fologo (n. 1940). *Front Populaire iv. (FPI),* f. 1982, leader : Laurent Gbagbo. *P. ivoirien des travailleurs,* f. 1990, Pt Francis Bodié. Fête nat. 7-12 (combinaison du 4-12-1958, proclamation de la Rép. et du 7-8-1960, procl. de l'Indép.). **Fortune des dirigeants** (en milliards de F, 1990). Houphouët-Boigny 66, Angoua Koffi (dir. des douanes) 2,6, Konan Bédié (Pt de l'Ass. nat.), 2,3, Bra Kanon 1,4, Ahoussou Koffi 1,4, Konan Lambert 1,4, Dijbo Sounkalo 1,3, Ekra Mathieu 1, Moulod (port autonome) 0,5.

■ Économie

PIB *1990:* 2,7, *1991* (est.) : 2,6 milliards de F CFA (multiplié par 12 en 20 ans grâce au cacao et au café). **PNB** (91) 670 $ par h. **Croissance du PIB** (%) *1985 :* + 4,5, *86 :* + 3,4, *87 :* - 1,6, *88 :* - 2, *89 :* - 3,9 ; *90 :* - 8,2. **PIB marchand** (%, 89) 87,2 dont *secteur primaire :* 34,8 (dont agriculture vivrière 19,2, d'exp. 14,1, bois en grumes 1,3, pétrole brut 0,3) ; *secondaire :* 18,5 (dont énergie 5,3, industries agricoles et alimentaires 4,8, autres ind. 6,6, bâtiment, travaux publics 1,9) ; *tertiaire :* 33,9 (dont commerce intérieur 12, extérieur 0,1, services 8,2, transports 7,7, droits et taxes à l'imp. 6) ; **Non marchand** 12,8 %. **Pop. active** (% et, entre parenthèses, part du PNB en %) agr. 59 (29), ind. 9 (17), services 31 (54), mines 1 (0). 310 000 salariés déclarés. Bâtiment et travaux publics 5 000 pers. (50 000 en 1975). 4 millions de travailleurs immigrés. **Inflation** (%) *1987 :* 5,3. *88 :* 7,5. *89 :* 1. *90 :* - 0,8. **Déficit budgétaire** (89) : 215 milliards de F CFA. **Balance des paiements** (milliards de F CFA) *1985 :* - 31,2, *86 :* - 38,2, *88 :* - 344, *89 :* - 373, *90 :* - 284, *91 (est.) :* - 280. **Dette interne** *1990* (mars) 500 ; (milliards de F CFA), **externe :** *fin 89* 14 milliards de $ (1 500 par hab.), *90* 18. **Aide extérieure** (1989) FMI 223,5 millions de $. FED 3 800 milliards de F CFA (sur 5 ans). **Fraude fiscale** (1989, en milliards de F CFA) *sur impôt direct :* 40 par an, *droits de douane :* 70 à 150.

Agriculture. *Terres* (milliers d'ha, 84) arables 2 840, cult. 1 185, pâturages 3 000, forêts 7 880, eaux 446 (81), divers 16 885. **PRODUCTIONS AGRICOLES** (milliers de t) **cacao :** *1960 :* 85, *83-84 :* 411, *88-89 :* 836, *89-90 :* 705, *90-91 :* 740. **Café :** *60 :* 136, *83-84 :* 85, *87-88 :* 187, *88-89 :* 239, *89-90 :* 284, *90-91 :* 220. **Caoutchouc latex :** *87-88 :* 54,8, *88-89 :* 67, *89-90 : 64, 90-91 :* 73,6. **Régimes de palme** (palmindustrie) : *88-89 :* 766, *89-90 :* 990,5. **Bananes export. :** *88-89 :* 91,9, *89-90 :* 103, *90-91 :* 116. **Ananas export. :** *87-88 :* 165,8, *88-89 :* 146,6, *89-90 :* 152,4. **Coton :** *87-88 :* 256, *88-89 :* 290, *89-90 :* 240. **Sucre :** *87-88 :* 140, *88-89 :* 145, *89-90 :* 150, *90-91 (est.) :* 140. **Riz :** *90-91 :* 690. **Maïs :** *90-91 :* 510, *2000 (prév.) :* 3 000. **Ignames :** *90-91 :* 2 559. **Manioc :** *90-91 :* 1 435. **PROBLÈMES AGRICOLES** chute des cours du cacao (*fin 1987 :* 13 000 F ; *oct. 88 :* 8 300, le coût de production est de 14 000 F la t) et du café (*1985 :* 1 200 F CFA le kg ; *86 :* 300). De 1986 à 89, baisse de 50 % des cours. **Concurrence étrangère** (notamment indonésienne et malaise). Forêts. 12 654 000 m³ (90) dont bois de chauffage et charbon de bois 9 751 000 m³. Presque épuisée car surexploitée. Élevage (milliers 91). Poulets 27 000, chèvres 905, moutons 1 150, bovins 1 064, porcs 369, chevaux 1 (86), ânes 1 (86). Pêche. 108 900 t (90).

Énergie. **Pétrole** (millions de t) *réserves* 42 ; *prod. 87 :* 0,7, *88 :* 0,6, *89 :* 0,3, *90 :* 0,3, *91 :* 0,16. **Gaz naturel :** *rés.* 99 milliards de m³. **Électricité** 1,982 milliard de kWh en 90 (dont 74 % hydraulique). **Diamants** 20 000 carats (89). **Fer** à Bangolo non encore exploité. Industrie. *Textile, alimentation* (100 000 t par an), *bois, chimie.* **Réalisations inutilisées** (absence de budget de fonctionnement) : barrage de Kossou, École sup. d'agr.

Transports (km). *Chemins de fer* Abidjan-Niger 1 333 dont la ligne Abidjan-Ouagadougou (Burkina ex-Hte-Volta) 1 147 (dont 625 en cours de modernisation) ; *routes principales* 12 780, régionales 21 210, mineures 11 180. Tourisme. 184 000 vis. (87).

Commerce (milliards de F CFA). **Exp.** 839 (90) *dont* cacao et dérivés 225 (90), café et extraits 82 (90), bois, coton, fruits frais, *vers* (%) All. féd., *France,* Italie, P.-Bas, USA. **Imp.** 464 (90) *de* All. féd., *France,* Italie, Japon, Nigeria.

Rang dans le monde (91). 1er cacao (10 % du PNB). 5e café (5 % du PNB).

■ Croatie

Carte p. 1183. V. légende p. 884

■ Situation. Europe. 56 538 km². **Population.** 4 784 265 h. (91) dont (%) : Croates 78,1, Serbes 12,2 (600 000 pers., dont la moitié dans la région de Krajina), musulmans 0,9, divers 8,8. D 84,6. Villes : *Zagreb* (cap.) 930 753 (91), dont 100 000 Serbes. Dubrovnik (Serbes 6 %), Zadar (10 %), Split (4 %), Osijek (20 %). *Alt. max.* Dinara 1 831 m. *Réfugiés :* 750 000 début 93 ; coût 90 à 100 millions de $ par mois, + l'aide extérieure.

■ Histoire. **626** Croates (ou Horvats : en vieux perse « alliés ») s'installent ; ce seraient des Iraniens (1re mention 520 av. J.-C.) émigrés au N. de la mer Noire (Ier s. av. J.-C.), puis en Europe centrale, y fondant la Cr. Blanche autour de Cracovie (Horvat) où ils se slavisent (les monts Carpates porteraient aussi leur nom) (IVe-Ve s.), conquièrent et s'établissent dans les prov. romaines de Pannonie, Dalmatie, Illyrique Norique (Autriche du S., Slovénie, Croatie, Bosnie-H., Monténégro du S. actuels), occupées par Avars. L'empereur Héraclius Ier leur attribue les terres conquises (Avars rejetés au N. du Danube). **V. 800** 1re principauté du S. (1er *knez* ou prince au nom connu, Vicheslav), puis 2e au N. Formation d'États : Croatie Carinthienne (743), Pannonienne (897), Dalmate (siège du souverain suprême), Illyrique (appelé C. Rouge, 753), s'étendant du Semmering (Autriche) à l'Albanie du S. (Vlorë, la Dhrina), et de la Carinthie occid. à l'Istrie et aux fleuves Mur, Drave et Danube. **VIIe-VIIIe s.** alliés indép. de Byzance. **626-1097** dynasties nationales Kloukas-Trpimirovitch, Domagoyevitch, Svatchitch. Notamment Tipimir Ier (845-64), Tomislav [910-28 (roi vers 925)] et Étienne Drzislav (969-95), roi de Croatie et Dalmatie (988). **630-880** christianisation. **799** *Lovran* (Istrie) : le margrave franc Éric, tentant de conquérir la C. Dalmate, vaincu et tué par duc Vicheslav. **803-878** suzeraineté franque (nominale 830) sur la C. littorale. **806-817** g. entre C., alliés aux Francs, et Byzantins : nouvelle frontière (Albanie du N. : sur le Drim). **819-23** soulèvement du knez Pce Ljudevit, contre domination étrangère, échec. **Milieu du IXe s.** consolidation de la Pté c. de Dalmatie (villes côtières et îles restent au pouvoir de Byzance). **V. 878** émancipation du pouvoir franc, brève suprématie de Byzance. Essor de la C. Dalmate sous le knez ou Pce Branimir et surtout sous Tomislav (roi à partir de 925) qui refoule assaillants bulgares, expulse Hongrois de C. Pannonienne et obtient contrôle de partie byzantine de Dalmatie. **1000** conquise par Venise en conflit avec C. dep. milieu du IXe s. (menaçait leur navigation sur Adriatique). **1060** Byzance confie administration de Dalmatie au roi Pierre Krešimir. **1075-89** Dmitar Zvonimir roi. **1097** dernier souverain national Pierre Svačić tué (bataille contre Hongrois). **1102** union personnelle roy. de C.-Dalmatie/Hongrie *(Pacta Conventa).* C. gouvernée par ban (vice-roi) et à partir de 1273 sabor (parlement de patriciens). **1242** *vict. de Grobnitchko Poliè :* princes c. Fridik Ier et Bartoul III de Krk refoulent Khan Batou (chef tartare de la Horde d'Or) qui a conquis Moldavie, Hongrie, Bulgarie. **1301-86, 1397-1408** maison d'Anjou de Naples. **1409** Venise achète Dalmatie au dernier roi angevin. **1526** *Mohacs (Mohač) :* Turcs détruisent armée hongroise et détachements c. Hongrie et C. acceptent Habsbourg d'Autriche comme souverains. Turcs conquièrent plus grande partie du territoire hongrois-c. **1573** révolte paysanne (20 000) en C. et Slovénie ; échec, nombreux insurgés †. **1593** Turcs définitivement arrêtés à Sisak. **1664-70** complot de nobles c. et hongrois (pour renverser Habsbourg) échoue, chefs décapités dont ban de C. **1699** *tr. de Karlowitz :* Hongrie reprend la C. qui forme avec Dalmatie non vénitienne et Esclavonie le « roy. triunitaire » ou *roy. d'Illyrie.* **1797** Autr. annexe Dalmatie vénitienne. **1806-13** *« Provinces illyriennes » françaises* avec littoral ex-vénitien et, à partir de 1809, la C. méridionale (gouverneur : Marmont, duc de Raguse). **1813** retour à l'Autriche. **1848** mouvements révol. en C. ; abolition du servage, g. avec Hongrie. **1867** compromis austro-hongrois (monarchie bicéphale) : C. et Esclavonie (43 000 km²) font partie du roy. de H. ; Dalmatie et îles (12 000 km²), de l'emp. d'A. **1868** compromis *(nagodba)* hongr.-c. : C. et Escl. ont une autonomie restreinte au sein du roy. hongr. **1871** Eugène Kvaternik proclame un gouv. nat. mais est tué dans l'insurrection. **1918**-*29-10* Parlement Cr. proclame l'*indép. de la vice-royauté de C. ; nov.* occupation ital. ; *-1-12* englobée dans *roy. des Serbes, Croates et Slovènes ;* Dalmatie du N.-O. à l'Italie. Parti Paysan des frères Radelic boycotté par nouvelle Constit. jugée trop favorable aux Serbes. **1930** création à Rome, sous l'égide de Mussolini, de l'organisation terroriste *Oustacha* (nom apparu 1870 en Bosnie-Herzégovine lors d'une rébellion contre le pouvoir ottoman) en vue de l'indép. croate. **1941**-*10-4* État indép. proclamé par Ante Pavelic (14-7-1889-Madrid 28-12-1959) (dit le Poglavnick : « chef »). Signe le pacte tripartite et déclare la g. aux USA et à la G.-B. *-7-5* projet, traité signé par Pavelic et Mussolini à Trzic (Monfalcone). *-18-5* accord de Rome, Pavelic propose, conformément à la décision du Conseil d'État cr. et du gouv. de l'État cr., la couronne de Zvonimir à la maison royale de Savoie. Le duc de Spolète est désigné (il est prévu qu'il sera couronné sous le nom de Tomislav II). L'État indépendant de Cr. est partagé en 2 zones d'occupation : allemande et italienne (1 seule en sept. 1943 après la capitulation de l'Italie). *-6-6* Hitler autorise Pavelic à mener une politique de terreur. Annexion de la Croatie : les chefs italiens de la IIe Armée (Ambrosio, Roatta, Roboti) cherchent à s'appuyer sur les Serbes menacés de Cr. Collaboration autorités militaires italiennes/tchetniks de Draza Mihailovic. L'État cr. sera reconnu par Allemagne, Bulgarie, Espagne, Finlande, Hongrie, Italie, Roumanie, Slovaquie. **1943**-*20-9* Dalmatie, Istrie, îles du Kvarner, Zadar, Lastovo et autres territoires (italiens dep. 1919) sont rattachés à la C. et à la Y. par le Conseil national antifasciste de libération pop. de C. (Zavnoh).

1990-*août-sept.* troubles *19-8* et *2-9* référendum (interdit) : minorité serbe pour une province autonome. *22-12* nouvelle Constitution. **1991**-*janv./mai* troubles. *-2-3* incidents à Pakrac. *-31-3* à Plitvice (2 †) [région serbe de Krajina, proclamée autonome août 1990, décide 1-4-91 son rattachement à la Serbie]. *-8-4* procès du Gal Spegelj, min. de la Déf., interrompu par manif. *-2-5* affrontement Serbes/Croates à Borovoselo (15 †). *-6-5* manif. à Split (1 soldat †). *-19-5* référendum pour sécession de la C. 94 % de oui (83 % de part.). *-29-5* C. proclame sa souveraineté. Serbes formaient 75 % de la police locale, 50 de la pol. politique et 90 des gardiens de prison de C. *18-11* C. décide de se retirer de la présidence collégiale de la Y. (démission de Stipe Mesic, Pt croate de la féd.). *21-11* installation à *Vukovar* (37 % de Serbes), conquise par la JNA, d'un gouv. de la « région autonome serbe de Slavonie, Bararijé et Ouest-Srem ». *13-12* Dubrovnik, assiégée par Serbes, déclarée « site en péril » par l'Unesco. *19-12* l'All. (580 000 immigrés croates et slovènes) reconnaît indép. de la C. **1992**-*janv.* les Serbes contrôlent 40 % du territoire C. et 800 000 de ses habitants (700 000 autres ont dû partir). *20-1* CEE reconnaît indép. de la C. (déjà reconnue par env. 30 pays). *-3-2* Pt Tudjman accepte « inconditionnellement » le plan de paix Onu. *-21-2* Onu vote envoi de Casques bleus dans les 3 régions à fort peuplement serbe (Krajina, Slavonie or. et occ.). *-7-4* USA reconnaissent indép. croate. *-22-4* entre à l'Onu. *-2-8 1res élections lég. et présid.* depuis l'indépendance. *-30-9* Genève, accord Tudjman/Cosic (Pt Youg.). *-23-11* Genève, accord cessez-le-feu serbo-croate. Les Serbes occupent 30 % du territoire de la C. A Londres, lord Owen, coprésident de la conférence de paix, dénonce la politique de « purification ethnique » menée par les Croates en B.-H. dans la perspective de la « cantonisation » prévue par le plan de paix. **1993**-*22-1* attaque croate contre positions serbes en Krajina contrôlée par la Forpronu. 2 Casques bleus français †.

■ Dommages de guerre. 148 monuments histor. détruits à Osijek, Vukovar (monastère St-Jean XVe s., site préhistorique de Vucedol, château de Casimir Eltz, maisons du XIIe s.), Karlovac. 125 palais et forteresses, 138 églises, 15 musées, 65 ouvrages d'intérêt national et international bombardés ou incendiés à Dubrovnik (monastère des Dominicains XIIIe-XVe s., églises Ste-Anne, Ste-Marie, Ste-Madeline; Lazaret, Domus Christi), Sibenik, Varazdin, Zadar.

☞ *Attentats [1962* contre consulats y. (Bad Godesberg, 3 blessés) ; *66* (Stuttgart) ; *68* bombe au club y. de Paris (1 †) ; *71* ambassadeur y. à Stockholm tué ; *75-13-1* groupe « Jeune Armée c. » revendique attentat d'Orly ; *-29-3* vice-consul assassiné à Lyon ; *1966-80* ass. de 31 indépendantistes c. et de Serbes anticomm. (65 † en 20 ans)].

■ Statut. Rép. *Constit.* du 21-12-1990 supprimant le communisme. *Pt :* Franjo Tudjman, dep. 30-5-90. Réélu 2-8-92 (56,7 %). *PM :* Hrvoje Sarinic. *Parlement tricaméral :* 356 m. **Élections du 22-4-90 :** *U. dém. croate* (600 000 m.) 205 s. sur 356. *P. du changement dém.* (ex-Ligue des Comm.). *Coalition d'entente nat. Police* 70 000 h.

■ Parti. *Parti croate du droit* (HSP) d'extrême-droite de Dobrosav Paraga.

Cantons 105 dont 11 (12,5 % du territoire) à majorité serbe.

■ Krajina. Région autonome à dominante serbe. *Chef-lieu :* Knin. **1991**-*19-12* indép. Rép. serbe de Krajina proclamée par le « Parlement » local et débordant la région de ce nom. **1992** Milan Babic Pt. *févr.* refuse d'accueillir Casques bleus. *-7-2* Parlement décide référendum sur plan de paix de l'Onu. *-16-2* Babic destitué. *-18-2* report du référ.

■ Économie. **PIB** (en milliards de $) : *90 :* 17, *91 :* 12, *92 :* 9. **Inflation :** *92 :* + 847,4 %. **Investissements** - 40. **Chômeurs :** env. 300 000 (25 % de la pop. active). **Chômage :** 10,2 %.

Ressources. Vins, huile d'olive, colza, blé, maïs, pétrole au N., constructions navales à Pula, Rijeka et Split, ind. chimique, pharmaceutique, plastiques, colorants, carbones et alliages de fer. **Tourisme.** *Côte, lacs* de Plitvice (20 000 ha), Risnjak (3 014 ha), Kornati (22 000 ha) ; *parcs naturels :* Brioni (3 000 ha), Mljet (3 100 ha), Paklenica (3 617 ha). Dubrovnik.

Commerce extérieur (en milliards de $, 91). **Exp.** 3,2. **Imp.** 3,8.

Coût de la reconstruction (à faire). 100 milliards de F. **Dette :** 14,5 milliards de F + part croate de la dette fédérale yougosl. (17,5 milliards de F).

CUBA

V. légende p. 884.

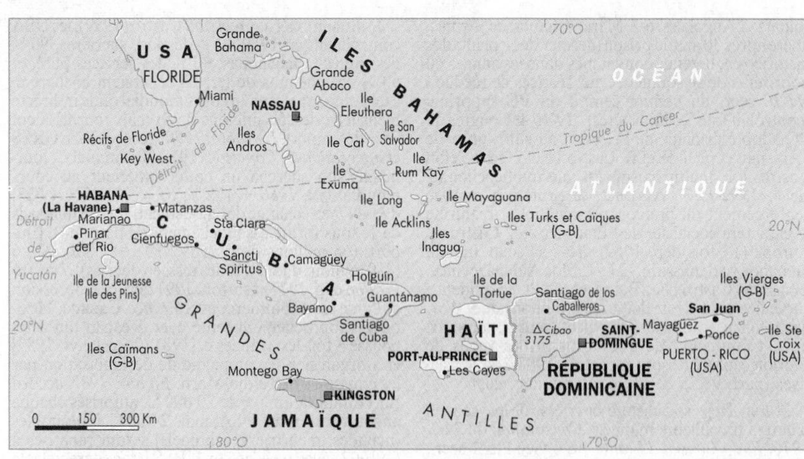

Situation. Archipel de l'Atlantique. Surnommée le « crocodile des Caraïbes ». 110 860 km² (1 200 × 27 à 200 km), 3 500 km de côtes. *Alt. max.* Pic Turquino 1 973 m. *Plaine* calcaire limitée par chaînons au N. et *sierra Maestra* au S.-O. *Ile de la Jeunesse.* 1 600 îlôts dits cayos. *Distance (km)* à 77 km d'Haïti, 140 de la Jamaïque, 180 des USA (150 îles Keys Floride). **Climat.** *Pluies* mai-oct. (moy. 1 400 mm) ; *temp.* La Havane : moy. hiver 22 °C, été 25 °C (max. 35,8 °C, min. 8,6 °C).

Population (millions). *1899 :* 1,57. *1919 :* 2,89. *31 :* 3,97. *43 :* 4,78. *53 :* 5,83. *70 :* 8,57. *91 :* 10,73. *2000 :* 11,72. *- de 15 a. :* 27 %, *+ de 65 a. :* 8 %. *En % :* Noirs 12 (Mulâtres 21,9), Blancs 66, Asiatiques 0,1. **Mort. infantile** (1989, ‰) 11,1 médecin pour 275 h. **Émigration :** aux USA *1990 :* 1 500 000 [dont Miami 500 000 (est.), région New York 250 000] ; évolution : *1959-61 :* 1re vague. *62-65 :* USA ferment frontières. *65-70 :* pont aérien avec Miami. *70-79 :* env. 4 000 par an. *80-82 :* 125 000 marielitos (embarqués à Mariel) ; *dep. 81 :* env. 50 000 par an. *90 :* 467, *91 :* 2 000 balseros (« gens sur 1 bouée »). **Taux de croissance** *1907 :* 3,3, *53 :* 2. *70 :* 2,3. *81 :* 1,2. *85 :* 0,6. *90 :* 0,3. D 96,8. *Pop. urbaine* (86) 71 %. **Villes** (89) : *La Havane* 2 096 054 h., Santiago de Cuba 405 354, Camagüey 283 000, Holguín 228 053. **Langue.** Espagnol *(off.).* **Religions** (91). Catholiques 3 200 000 [(41 % en 70), protestants 80 000. Cultes afro-cubains (senteria, palo,...). *Cathol. pratiquants* (%) : *1958 :* 17, *87 :* 0,5 ; *prêtres : 1959 :* 800, *86 :* 200, *91 :* 325]. 10-7-1992, liberté religieuse rétablie.

Histoire. 1492 C. Colomb s'arrête à son 1er voyage. **1511** conquête par Velásquez. **1762-63** occupation angl. **1868**-*10-10* Carlos Manuel de Cespedes proclame l'ind. jusqu'en 1878 (200 000 †). L'Esp. donne des garanties qu'elle ne respecte pas. **1887** abolition effective de l'esclav. **1895** José Martí, Maceo et Gómez lancent le manifeste de Monte-Cristi, création d'un gouv. républicain. **1895-98** g. d'indépendance contre l'Esp. ; intervention USA (28-8-98) qui avaient reproché notamment aux Esp. d'avoir coulé par une mine le cuirassé *Maine* le *15-2* dans la rade de La Havane (en 1911, une commission d'enquête conclut à une explosion accidentelle). **1898**-*22-12 tr. de Paris :* indépendance. **1899**-*1-1*/**1902**-*20-5* adm. milit. amér. **1901** Const., l'amendement Platt (abrogé 1934) imposé par USA oblige C. à soumettre tout accord diplomatique et militaire à l'autorisation des USA. **1903** tr. de commerce avec USA. **1907, 12, 17** interventions amér. pour faire respecter tr. de Paris. **1906-09** administration amér. **1917** participation à la g. mondiale. **1925** dictature de Gerardo Machado y Morales (1871-1939).

■ **Dictature de Batista. 1933** coup d'État mil., le sergent Fulgencio **Batista** y Zaldivar (16-1-10/6-8-73) devient chef d'état-major et manœuvre en coulisse. **1940** constitution démocratique. Batista élu Pt. **1944** Grau San Martín lui succède, renversant le Pt Carlos Prio Socarras (1903-suicidé 1977) avec le soutien des USA, élu 1948. **1951** Eduardo Chibas, fondateur du parti orthodoxe, appelle les C. à se réveiller et se suicide. **1952**-*10-3* coup d'État de Batista (100 †). **1953**-*26-7* un groupe dirigé par le Dr Fidel Castro, avocat, attaque la caserne Moncada. *-1-8* Castro arrêté (condamné à 15 ans de prison, puis amnistié 6-5-55) commence la guérilla. **1954** Batista réélu Pt. **1956**-*2-12* navire « Granma » (capitaine One Lio Pino) : à Bilic Castro débarque 82 h. (dont le médecin argentin Ernesto « Che » Guevara, 6-12-28/8-10-67), qui se réfugient dans la sierra Maestra. *-5-12* bataille à Alegria de Pio (10 survivants, Guevara blessé). **1957** guérilla dans sierra Maestra. *Mai* prend cargo chargé d'armes. Guevara devient *commandante. -26-7* attaque de la caserne *Moncada* de la Plata (avec l'aide de paysans) ; les partisans adoptent le nom de Mouvement du 26 juillet. Directoire des étudiants formés à La Havane. Guérilla dans la sierra de l'Escambray. Frank Pais, dirigeant du « 26 juillet », assassiné. **1958** *printemps* opinion publique amér. favorable à Castro. *Mai* troubles dans la sierra Maestra. *-18-8* offensive de Castro en 2 col. : 1re : Camilo Cienfuegos (sierra de Los Oraganos), 2e : Che Guevara (sierra de l'Escambray). *-24-12* bat. de Santa Clara (200 à 300 †) ; Guevara prend un train blindé envoyé par Batista (train du million de $) dont le commandant, Florentino Rosell, acheté, fuit aux USA ; siège de Santiago et campagne de Raoul Castro dans l'E.

■ **Époque castriste. 1959**-*1-1* grâce à l'aide du Gal Eulogio Cantillo, avec lequel Castro avait tenté un accommodement, fuite de Batista vers la Rép. Dominicaine avec sa famille, de Tabernilla (min. de la Défense), du Pt élu Rivero Aguero, du PM Gonzalo Güell ; 485 partisans de Batista exécutés. Manif. pour la libération des prisonniers (dont 1 000 politiques). Destruction du journal du sénateur ex-communiste Rolando Masferrer, chef d'une troupe d'assassins à gages (fuit à Miami). *-2-1* Carlos Manuel Piedra y Piedro, doyen des juges de la Cour suprême, sollicité comme Pt, ne peut former de gouv. et faire enregistrer sa prestation de serment. Cantillo propose à Castro de désigner le nouveau Pt. *-5-1* Manuel Urrutia (n. 1901) (juge qui avait innocenté les prisonniers lors du débarquement du « Granma ») nommé Pt. *-7-1* nouveau régime reconnu par USA et Mexique. *-8-1* Castro entre à La Havane (les combats font 13 †). *-10-1* reconnu par URSS. *Avril* 1er accord sur ventes de sucre à l'URSS. *-17-5* réforme agraire et expropriation des entreprises sucrières étr. *-17-7* Osvaldo Dorticos Torardo (1919-83) nommé Pt, Castro PM. **1960** *février* accord commercial avec URSS. *Juin.-juillet* saisie des installations de Standard Oil, Texaco et Shell qui refusent de raffiner le pétrole sov. *Août* nationalisation des entreprises amér. **1961** *janv.* relations dipl. avec USA rompues *-19-4* après 72 h de combat, échec du débarquement de 1 500 anticastristes armés par USA à Playa Girón *(baie des Cochons),* 114 †. Castro échange avec USA 1 113 personnes contre 53 millions de $ de médicaments. *-1-5* Castro proclame que la révolution est socialiste. *-2-12* adhère au marxisme-léninisme.

1962 création du Parti uni de la révol. soc. (futur PC en 1965). Les USA annulent leurs importations de sucre, l'OEA exclut C. *-8-9* un cargo suspect soviét. arrive à C. *-14-10* début de la *crise des missiles* pour intimider les USA, Khrouchtchev décide d'installer des missiles nucléaires ; en fait, il veut transformer Berlin-Ouest en « ville libre » (en chasser les garnisons occidentales). Le pilote Anderson (espion) rapporte les 1res photos de bases de missiles. *-22-10* USA craignant le développement de bases de fusées soviét. décident une quarantaine défensive (blocus de C.) : 20 à 45 ogives nucléaires sont dans l'île, 36 autres sur 1 navire voguant vers Cuba ; elles auraient pu être dirigées vers les USA en quelques h. ; 42 000 soldats soviét. se trouvent à C. Les C. déclarent qu'ils lutteront jusqu'à la mort et armeront 270 000 h. *-26/28-10* Castro écrit à Khrouchtchev de lancer une attaque nucléaire sur USA. *-26-10* Khrouchtchev écrit à Kennedy : l'URSS est prête à retirer ses fusées en échange d'une promesse amér. de ne pas envahir Cuba. *-27-10* la DCA cubaine abat un avion-espion : le pilote Anderson est tué. *-28-10* solution officiellement annoncée. L'URSS décide de démonter les bases ; à l'époque, les USA disposaient de 300 fusées intercontinentales (URSS : 75), 144 missiles sous-marins Polaris (URSS : 0), 2 000 bombardiers lourds (URSS : 150). Khrouchtchev a envoyé publiquement une nouvelle lettre proposant le retrait des fusées en échange d'un retrait des fusées amér. Jupiter (en Turquie). Ce qui sera fait en 1963 (partie « non dite » du règlement). Castro ayant refusé tout contrôle à C., les fusées seront « déshabillées » en haute mer, lors de leur retrait, par les Sov., à la vue de l'US Navy. *-20-11* Castro renonce aux bombardiers semi-lourds Iliouchine-18 que l'URSS lui avait livrés et dont Kennedy exige également le retrait. **1963** plusieurs raids anti-castristes échouent. *Avril-juin* 70 % des terres nationalisées. Guevara rejoint les guérilleros boliviens (tué 8-10-67). **1965**-*1-10* nouveau PC cubain. Insurrection de la sierra de l'Escambray réprimée. **1966** *janv.* conférence tricontinentale à la Havane. Attaques verbales antichinoises. **1967** anti-russes. **1968**-*13-3* petites entreprises nationalisées. C. approuve l'invasion de la Tchéc. **1968-69** liens resserrés avec URSS. **1969** commerce de détail artisanal et certains services nationalisés. **1970** Kissinger empêche l'installation d'une base de sous-marins nucléaires soviét. **1971** *avril* loi « antiparesse » (jusqu'à 2 ans de travaux forcés pour inactifs) : 100 000 pers. demandent un emploi, 50 019 poursuivies d'avr. 71 à avr. 73, dont 32 846 pour avoir abandonné leur emploi sans raison valable. **1973**-*15-2* accord C.-USA pour extradition des pirates de l'air (1961 à 73 : 145 avions détournés sur C.). **1975**-*15-1* 1re visite en Fr. d'un min. c. dep. 1959 (Carlos Rafael Rodriguez, vice-PM). Accord de coop. Fr.-C. *-10-7* 3 dipl. cub. expulsés de Fr. (en relation avec l'affaire « Carlos »). *-29-7* OEA lève blocus imposé à C. en 1964. *-22-12* Castro reconnaît l'envoi de troupes en Angola (15 000 à 22 000 h.) (opération Carlotta en nov.). Selon le Sénat amér., la CIA a tenté 8 fois de faire assassiner F. Castro. **1976**-*15-2* référendum pour Constitution (97,7 %). *-15-10* C. dénonce l'accord de 1973 sur piraterie. *-2-12* Assemblée nation. créée. **1977** envoi de 5 000 h en Éthiopie contre Somalie. *Avril* accord C.-USA sur zones de pêche. **1978** *août-sept.* 48 prisonniers pourront demander asile aux USA. *-22-11* Castro prêt à libérer 3 200 pris. pol. (400 par mois) si USA les accueillent. Hubert Matos, héros de la révolution, libéré en nov. **1979** 100 000 exilés dits gusanos (vers de terre) en visite à C. **1980** Castro ouvre frontières. *Avril-mai* 125 000 C. quittent C. pour Pérou, Costa Rica, Floride. **1982**-*21-10* poète Armando Valladares (arrêté déc. 1960) libéré. *-24-12* Andres Vargas Gómez libéré, après 20 ans de prison. **1983**-*23-10* Grenade, les milit. c. se rendent pratiquement sans combattre aux Amér. (les off. c. seront dégradés en mai 84). **1984**-*22/24-11* des experts en économie coiffent l'activité du gouv. Pt : Osmany Cienfuegos. *-14-12* accord C.-USA, C. reprendra 2 746 délinquants et déséquilibrés mentaux partis 1980 en Floride, USA accorderont en 1985 des visas à 3 000 anciens prisonniers et leurs proches, et statut de résident permanent aux 125 000 immigrés de 1980-82. **1985**-*1-7* loi autorisant chaque citoyen à devenir propriétaire de son logement. **1986**-*12-4* politique de « rectification » (« castroïka » : centralisation et étatisation de l'économie). *Juillet* Ricardo Bofill, Pt du CCDH, réfugié à l'ambassade de Fr. à Cuba, demande asile politique. *-17-10* libération du dernier Amér. emprisonné en 1961. *Déc.* Eloy Gutierrez Menoyo (emprisonné dep. 1965 pour complot) libéré. **1987** chute du prix du pétrole (baisse de la valeur des réexportations cub. de pétrole sov.). *-25-4* Blas Roca (n. 1908), chef communiste meurt. *-28-5* Gal del Pino Díaz se réfugie aux USA (selon lui, 56 000 soldats cubains ont déserté dep. 3 ans). *-29-5* Robert Martín Pérez Rodriguez libéré après 28 ans de détention. **1988**-*12-9* ambassadeur et attaché commercial c. à Londres expulsés. *-4-10* Ricardo Bofill autorisé à quitter C. *-27-10* les marielitos pourront, fin 89, venir 1 semaine à C. **1989** *janv.* 44 pris. condamnés pour « atteinte à la sécurité de l'État » libérés. *-8-3* visite Mme Mitterrand. *-12-6* Gal Arnaldo Ochoa, collaborateur de Raoul Castro et ancien commandant en chef en Angola arrêté pour corruption et escroquerie, exécuté 13-7 (avec cel Antonio de la Guardia. cap. Martínez, Cdt Amado Padrón). Selon sa veuve, exécuté pour avoir critiqué l'intervention en Angola. *-31-8* Gal José Abrantés († 21-1-91, infarctus), ancien min. de l'Intérieur destitué 29-6, condamné à 20 ans de prison pour négligence [sur le point d'être arrêté par USA pour trafic de drogue ? (dirigeait une section secrète du min. de l'Int., chargé de contourner l'embargo amér. : département MC pour « monnaies convertibles » en fait « marijuana-cocaïne »). **1990** *mars* C. arrête son aide au Nicaragua. Ration de pain journalière réduite de 100 à 80 g. *-15-3* Castro au Brésil (1re fois dép. 1959). *-27-3* TV Marti financée par Congrès amér. pour 7,5 millions de $ (émet d'un ballon à 3 000 m audessus de l'île de Cudjoe Key). *Juill.-août* réfugiés c. dans des ambassades (Esp. 18, Belg. 9, Suisse 3). *-26-7* Castro autorise tout C. à partir si USA et CEE leur accordent des visas. **1991** *mai* retour des derniers soldats d'Angola. *-16-7* Mario Chanes de Armas, libéré après 30 ans de prison (dernier des « plantados historicos », détenus condamnés dans les années 60 pour refus de se soumettre aux séances de rééduc.) *-11-10* secr. du comité central du PC supprimé (contrôlait tous les ministères). *-14-10* 4ᵉ Congrès du PC adopte principe de l'élection au suffr. univ. de l'Ass. nat. et réélit F. et R. Castro 1ᵉʳ et 2ᵉ secr. Selon Castro, « le multipartisme est une multicochonnerie ». **1992**-*12-7* l'Ass. nat. se prononce pour le renforcement du pouvoir présidentiel et réaffirme le caractère socialiste de l'État. *-23/29-7* Castro en Europe (1ʳᵉ fois dep. 1959). *-16-8* sa sœur Juanita demande sa démission. *-23-9* Carlos Aldana, évincé. *Oct.* Fidel Castro Díaz Balart, fils du Pt, en résidence surveillée pour avoir détourné 5 millions de $. *Nov.* lib. religieuse admise. *Déc.* élect. munic. au suffr. univ. Commando de 3 Cubains armés venus de Floride capturé (2 sont exécutés). **1993**-*24-2* législatives (part. 98,75 %, 589 cand. uniques élus).

Statut. Rép. socialiste d'ouvriers, de paysans et d'autres travailleurs manuels. *Constitution* du 24-2-1976. *Pt du Conseil d'État* (1 Pt, 6 vice-Pts, 1 secr., 23 m.) *et du Cons. des min.* Fidel Castro Ruz (n. 13-8-26, fils de Lina Ruz, servante d'Angel Castro, paysan de Galicie), dep. 3-12-76, réélu 16-3-93 (avant *PM* dep. 1-1-59), 1ᵉʳ secr. du PC « Lider Maximo », en 30 ans, il aurait parlé 400 j. *1ᵉʳ Vice-Pt des 2 Cons.* Raoul Castro, 2ᵉ secr. du PC (frère de Fidel, désigné comme successeur). *2ᵉ Vice-Pt* Carlos Rafael Rodriguez (nᵒ 3). *Ass. nationale du pouvoir pop.* 589 m. élus dep. 24-2-93 (avant 510 m. nommés par les ass. municipales) pour 5 a. *Provinces* 14, ass. prov. 1 190 m. élus 24-2-93, *ass. municipales* 160. **Fête nat.** 1ᵉʳ janv. **Drapeau** (1902). Bandes horiz. bleues et blanches, triangle rouge (représ. la liberté vis-à-vis de l'Espagne) orné d'une étoile blanche (reprise du drapeau amér. et datant de 1849).

« Commandants historiques » de la révolution cub. Fidel et Raoul Castro, Che Guevara (1928-67), Camilo Cienfuegos et Huber Matos [chef de la région mil. de Camaguey, détenu 20 ans pour avoir dénoncé en 1959 la dérive communiste du régime, exilé aux USA (chef du mouv. Cuba Independiente y Democratica)].

Opposition. Coalition démocratique cubaine [1] **:** liée à la Fondation cubano-amér. de Miami [3] ; rejette le castrisme et prône sa destruction. **Convergence démocratique cubaine** [2] **:** modérée (chrét.-dém. et libéraux) ; pour un dialogue. *Chefs :* Oswaldo Payas (dém.-chr.), Elizardo Sánchez (dir. Commission Dr. de l'H.), Maria Elena Cruz (empris., chef du mouv. Alternativa Criterión). **Autres mouvements : Alpha 66** (terroristes). *Chefs :* Andrés Nazario noyauté par castristes. **Plate-forme démocratique** [2] (à Madrid). *Pt :* Carlos Alberto Montaner (lib.).

Nota. – (1). Plus puissante à l'étranger. (2) Plus influente à Cuba. (3) A distinguer de la Fondation nat. cubano-amér., lobby profess. (contrôle lobby c. de Washington). *Chef :* Jorge Mas Canosa. *Ressource :* dons de Cubanos-Amér. fortunés. *Actions :* subv. des campagnes élect. amér.

Système pénitentiaire. *Loi de dangerosité :* punit de prison tout suspect avant même tout délit. *Selon Amnesty International :* 22 prisons d'État et 54 camps avec + 20 000 prisonniers pol. en 1961 ; 4 000 à 5 000 détenus en 1978 (?) ; 300 à 400 en 1982. *Selon Jorg Valls* (emprisonné de 1964 à 1984) : plusieurs millions. *Selon Fernando Arrabal :* 200 000 droits-communs et 50 000 politiques en 1984. *Selon le Comité cubain pour les Droits de l'Homme,* 1 500 prisonniers polit. et 15 000 incarcérés pour objection de conscience ou motifs religieux.

Armée. 200 000 h. **Présence soviétique.** 1 brigade de 1 500 h. dep. 1963 [*Départ :* juin 1993 (*1992-20-11* 876 dep., *-28-12* 700)], réseau de surveillance électronique de Lourdés. En 1992, Cuba aurait triplé son réseau de tunnels souterrains.

Nota. – Comités de défense de la révol. (CDR). Réseaux d'informateurs complétant l'action de la police, et des milices et des services de sécurité.

Base aéronavale américaine de Guantanamo (11 650 ha, périmètre 30 km, 20 000 à 30 000 h.) à 960 km de La Havane, accordée par tr. (1903, renouvelé 1934), durée illimitée, contre une indemnité annuelle de 2 000 $ or que Cuba n'encaisse pas.

Cubains en Afrique. *Angola 1975 à 88 :* + de 300 000 C., civils et militaires, ont servi (en 1988, 50 000 présents [dont + de 50 % seraient atteints par le sida. 10 000 y sont morts (off. 2 016) ; 20 000 ont déserté ; rapatriés de 1988 à mai 1991]. *Éthiopie* (*1977 :* 5 000 ; *1978 :* 17 000 ; *1985 :* 5 000). C. disait agir par solidarité anti-impérialiste. Pour les Occid. : C. cherchait à exporter la révol. en Afrique après avoir échoué en Amér. latine ; C. remboursait l'aide économ. et militaire reçue de Moscou « en nature ».

Politique extérieure. *Avant* Castro (1959), les USA contrôlaient en 1959 40 % des ind. sucrières, 90 % des mines et haciendas, 80 % des services publ. et 50 % des chemins de fer. Ils achetaient le sucre c. à un cours supérieur au cours mondial (aide indirecte mensuelle de 250 millions de $) mais fournissaient 75 % des import. *De 1960 à 1990 :* accords avec URSS et *intégration au Comecon* (1972-90), auquel C. fournissait son sucre à un cours supérieur au cours mondial (ex. *1980* + 172 %, *81* + 31, *85* + 1 023, *89* + 447) en échange de l'aide soviét. (3 à 7,5 milliards de $, sous forme essentiellement de pétrole [1]), [Import. (en millions de t) *1989 :* 13 ; *91 :* 8,5 ; *92 :* 6 (850 millions de $, 36 % des ress. en devises)]. *Diversification* dep. 1977 et surtout 1991 dep. la suppression de l'aide sov. (commerce avec *France,* Canada, Mexique), rapprochement tenté avec Reagan qui a repoussé 3 fois les avances c. [1981 (2 fois), avr. 1982] et a organisé une campagne de déstabilisation par les émissions de Radio-Marti. *En nov. 1987,* accord sur l'immigration : + de 20 000 C. autorisés chaque année à entrer aux USA, mais 2 700 C. indésirables (malades, meurtriers, criminels) seront rapatriés à C. *1992 :* avec pays de l'ex-URSS [troc sucre-pétrole avec Kazakhstan (200 000 t de s. contre 400 000 t de p. au 1ᵉʳ trim.), sucre-mat. ind. avec Biélorussie, sucre-pétrole avec Ukraine et Iran (7 milliards de $)]. Avec pays de l'Est : 830 millions de $ (– 93 % en 3 ans). **Relations avec la Chine :** *1966* brouille. *1988 juin* soutien c. lors des événements de Tiananmen. *1989* commerce sino-c. +50 %. *1991-95* accord comm. [*exp. c. :* sucre (900 000 t en 91, Chine 2ᵉ client), acier, app. médicaux et prod. pharm. ; *imp. c. :* prod. alim., biens d'équip., vélos) ; facilités de paiement et troc].

Nota. – (1) Cours de la t de sucre (en t de pétrole) *1988 :* 6 ; *92 (2ᵉ trim.) :* 1,4.

■ ÉCONOMIE

PNB (91). 870 $ par h. *Pop. active* (%, entre par. part du PNB en %) agr. 23 (62), ind. 25 (10), serv. 50 (22), mines 2 (6). **Salaires mensuels** (pesos) gynécologue 400, ouvrier spécialisé 250, instituteur 200 (artisans 100 par j en travaillant au noir). 2 carnets de rationnement (libreta) permettent d'obtenir le strict nécessaire. *En févr. 1993, par pers. par mois :* œufs 8, riz, sucre 2,5 kg, haricots 600 g, huile 1 litre, p. de terre et bananes 2 kg, café 120 g, poisson 300 g ; *par j :* pain 80 g. **Travail obligatoire :** semaine de 5,5 j. (1 sam. sur 2 ouvrable), le dimanche étant consacré au « travail volontaire » (pour certains). Dep. 1991, semaine ou mois de travail à la campagne n'est plus oblig. mais conseillé. **Monnaie (peso)** non convertible, sauf pour comptes internat. (= 0,75 $), cours au noir 1p. = 0,03 $ (fév. 92). **Taux de croissance** (%) *1984 :* + de 4 ; *85 :* – 1,8 ; *86 :* – 0,6 ; *87 :* 0 ; *88 :* + 8,5 ; *89 :* – 5 ; *90 :* – 7 ; *91 :* – 7. **Aide soviétique** (milliards de $) *1988 :* 4,5 (40 dep. 1961), soit 30 % du revenu nat. ; *89 :* 4,1 ; *90 :* 3,5 à 4 ; *91 :* 2,5 (technique 1,8, militaire 0,9) ; de la CEI *92 :* 0,65.

Situation économique 1990-93. Chute de l'activité ind. (de 80 % : faute de carburant). Retour à la traction animale (100 000 taureaux bêtes de trait). Propriété d'État limitée aux moyens de prod. « fondamentaux » ; l'État pouvant créer des entr. autogérées disposant de fonds propres, et les petits propr. pouvant vendre leurs terres à des agric. privés si l'État n'exerce pas son droit de préemption ; investissements étrangers possibles. **Dette extérieure** (milliards de $, 90). Pays de l'Ouest 8, CAEM 27 (dont ex-URSS 9,5). **Budget** (milliards de $) 13,6.

Agriculture. *Terres* (millions d'ha, 81) terres cult. 3 (en 89, dont canne 1,3), pâturages 2,5, jachère 0,34, forêts 1,9, divers 3,8. **Canne à sucre :** *production* (millions de t). *1963 :* 3 ; *70 :* 86 ; *81 :* 74 ; *82 :* 82 ; *83 :* 71 ; *84 :* 82 ; *85 :* 83 ; *86 :* 73 ; *87 :* 72 ; *88 :* 73,7 ; *89 :* 73,5 ; *90 :* 85,9 ; *91 :* 74. Les accords de Genève (77) reconnaissaient C. comme le 1ᵉʳ export. (quota de 2,5 M t/an de sucre brut) ; campagne 80-81 : 6,8 Mt dont export 6,19 ; obligations internationales : 3 pour Comecon, 2,5 sur marché libre et 0,6 pour pays soc. non membres du Comecon. *89-90 :* 8,04, *90-91 :* 7,60, *91-92 :* 7, *92-93 :* 4,2 [manque de carburant, de pièces de rechange et d'engrais (en milliers de t, *89 :* 800 ; *92 :* 120)]. **Divers** (milliers de t, 91) : riz 430, oranges 600, tomates 260, p. de terre 180, bananes 200, plantain 120, patates douces 250, mangues 85, citrons 62, tabac 44, cacao, maïs, jute, café. **Forêts.** Cèdre, acajou, teck. **Élevage** (milliers, 91) : volailles 28 000, bovins 4 920, porcs 1 900, chevaux 629, moutons 385. **Pêche** 188 200 t (90).

Mines. *Nickel* 43 200 t (90) arrêt depuis [coût élevé, technologie sov. ancienne ; 1990 : usine « E. Che Guevara » (prod. 30 000 t) fermée ; 1991 : usine de Punta Gorda fermée]. *Fer, cuivre, manganèse, chrome, cobalt, sel, pétrole* (1 460 000 t). **Industrie et commerce** (nationalisés à 100 % jusqu'en 1992). Sucrerie, tabac, affinage du nickel, acier, ind. pharm. **Énergie.** Centrale nucléaire sov. de Juragua (terminée à 90 % ; constr. arrêtée en 1991, suspendue 1992), 2 réacteurs de 407 MgW (au lieu de 440 prévus). Raffinerie de pétrole de Cienfuegos.

Nota. – Dep. nov. 1992, coupures de courant.

Tourisme. *1958 :* 300 000 ; *85 :* 172 000 ; *90 :* 350 000 ; *92 :* 500 000 ; *95 (prév.) :* 1 000 000. *Recettes* (millions de $) : *1988 :* 152 ; *89 :* 168 ; *90 :* 180 ; *91 :* 250. **Sites.** Trinidad (cité), vallée de Vinalés, sierra los Organos, plages Varadero et Cayo Largo. **Transports.** Pénurie d'essence et réduction des transp. en commun. En 1991, 750 000 bicyclettes commandées à la Chine.

Commerce. Exp. sucre, minéraux, poisson, tabac [1]. *Pétrole sov. réexporté, recettes : 1985 :* 574 millions de $; *86 :* 248 ; *89 :* 70 (?). *Troc avec Russie 1992 :* 1 t de sucre contre 1,6 t de pétrole. **Imp.** (milliards de $) *1989 :* 8,1, *92 :* 2,2. **Part des pays capitalistes** dans les échanges. *1975 :* 40,5 % ; *85 :* 15 % ; *90 :* 17 %. **Échanges (en millions de $). Avec CEE.** *1989 :* exp. 435, imp. 655 ; *90 :* e. 370, i. 764.

Nota. – (1) Havanes. 100 millions de cigares exportés, vers Europe : Espagne, France, Suisse.

Rang dans le monde (91). 3ᵉ c. à sucre. 6ᵉ nickel.

■ DANEMARK

Carte p. 969. V. légende p. 884.

■ **Situation.** Europe. **Superficie :** *Danemark proprement dit* 43 093 km² dont presqu'île du Jutland 29 776 m², îles 13 317 km² [406 dont 97 habitées ; les plus grandes : Seeland 7 448 km², Fionie (Fyn) 3 486 km², Lolland 1 795 km², Bornholm 588 km², Falster 514 km²]. **Côtes** 7 314 km, point le plus éloigné de la mer 52 km. **Frontière** 67,7 km avec l'All. **Relief :** *ouest :* plat, landes sablonneuses ; *est et nord :* terr. argileuses, collines, matériaux morainiques (traitement artificiel du sol pour l'agricult.). *Alt. max.* 173 m (Yding Skovhøj), *moy.* 30. **Lacs** 1 008 (dont 76 de plus de 0,5 km²) (le plus grand Arresø 40,6 km²). **Fleuve** *le plus long :* Gudenaa 158 km. **Climat.** Maritime tempéré du Gulf Stream (moy. 8 °C). *Pluies* 830 mm sur 195 j. *Neige* 6 à 9 j par mois, de janvier à mars. *Mois le plus froid* mars, min. – 12,6 °C, moy. + 1,7 °C, *le plus chaud* juill. max. 30,2 °C, moy. + 16,2 °C ; *gel* 70 j par an sur les côtes, 120 j à l'intérieur.

■ **Population** (en millions d'h.). *1769 :* 0,80 ; *1901 :* 2,45 ; *1930 :* 3,55 ; *1960 :* 4,58 ; *1970 :* 4,94 ; *1992 :* 5,16 ; *2000* (prév.) : 5,24 ; *2025* (prév.) : 5,14. **En % :** Danois 97,2, Allemands 0,2 (8 145 en 85), Suédois 0,2 (7 992 en 85). *– de 15 a. :* 18 ; *+ de 65 a. :* 15. **Pop. urbanisée** 84,4 %. **Émigration** (91) 10 462 dont pays nordiques 2 189, CEE 2 823, autres pays d'Eur. 1 167, hors d'Eur. 4 283. **Étrangers** (91) 160 641 dont Europe 99 032 (dont CEE 27 761, Turquie 29 680, pays nord. 23 242, Youg. 10 039), Asie 38 248, Amér. 7 921, Afr. 7 063, Océanie 763. D 119,8. **Villes** (92) : *Copenhague* 464 566 h. (agg. 1 339 395), Aarhus 267 873 (à 282 km de Copenhague), Odense 179 487 (à 141 km), Ålborg 156 614 (à 385 km), Esbjerg 81 843 (à 278 km), Randers 61 440 (à 318 km).

■ **Langue off.** Danois. Langue germanique scandinave, dérivée du nordique commun (urnordisk) parlé jusqu'au IXᵉ s. après J.-C. A partir de 1000, se différencie de l'islandais, du norvégien et du suédois en simplifiant phonétique et grammaire et en adoptant de nombreux mots romans et all. ; redevient langue off. en Norvège au XIVᵉ s. Un dialecte frison (germanique westique) est parlé dans le S.-O. **Religions** (1988). Luthériens 90,2 % (rel. d'État, le chef de l'État doit être luthérien), 28 188 cath., 6 106 baptistes, 3 064 musulmans, 1 603 méthodistes, israélites.

■ **Histoire. VIIᵉ s. av. J.-C.-XIᵉ s. apr. J.-C.** peuplement scandinave : Germains nordiques navigateurs ne se distinguant pas des Norvégiens et Suédois (Vikings). **IXᵉ s.** invasion franque en Saxe : le roi Godfred barre l'isthme danois à la hauteur de Schleswig ; déclenche une g. navale de harcèlement contre Europe chrétienne (bateaux à faible tirant d'eau : knörr). **911** Rollon, chef viking, devient duc de Normandie (française). **950** royaume (le + ancien d'Europe). **965** le roi Harald († 986) se fait baptiser. **1018** fondation d'un roy. bicéphale angl. et danois par Knut le Grand ; missionnaires angl. convertissent D. **1066** D. chassés d'Angl. par Normands fr. **1104** création de l'archevêché de Lund. **1157-1241** roy. intégré à l'Europe chrétienne par la dynastie des Valdemar. **1167** Copenhague fondée. **1241-1340** g. intestines. **1397** *Union de Kalmar :* D., Islande, Norvège, Suède. Rompue 1438, 1448. **1523** la Suède (Gustave Vasa) la quitte définitivement. **1536** protestantisme adopté. Après sieurs g. avec Suède, le D. perd *(tr. de Roskilde 1658)* Halland, Blekinge et Scanie (sud Suède) qu'il ne peut reconquérir (g. de Scanie 1675-79). **1772**-*28-4* l'All. Friedrich Struensee

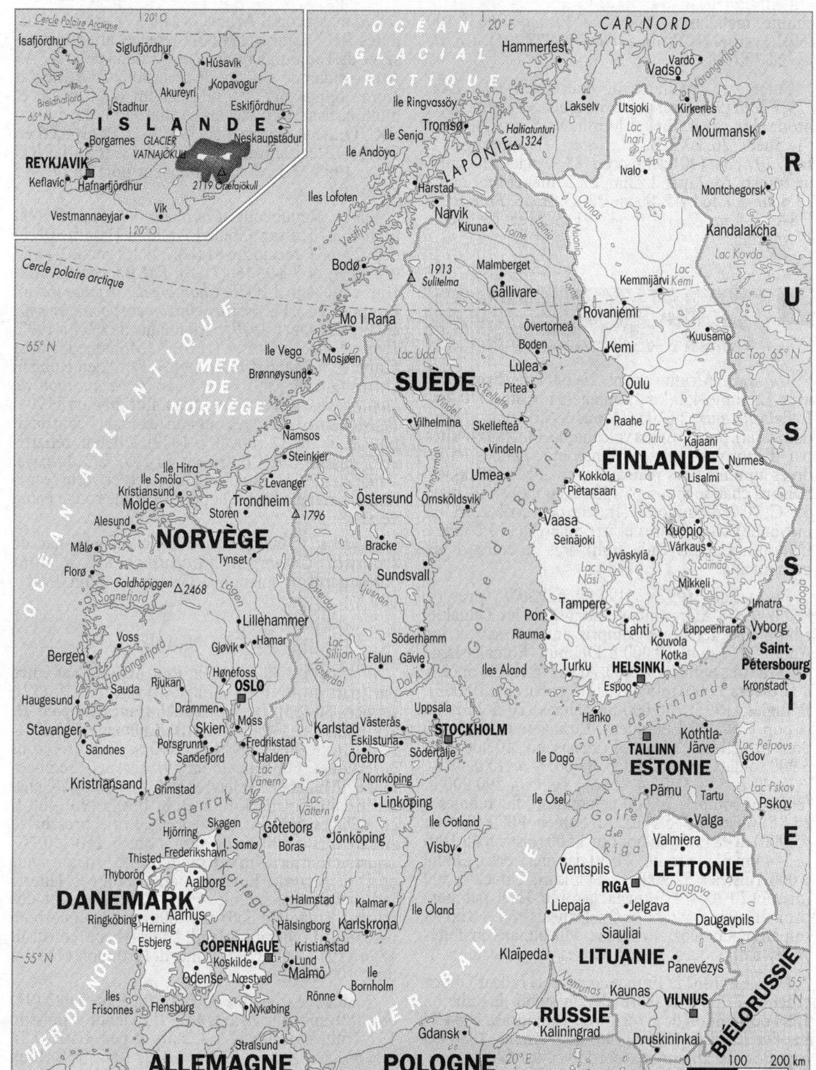

(n. 1737), partisan du « despotisme éclairé » exécuté. **1807**-*5-9* les D. ayant soutenu Napoléon, les Angl. bombardent Copenhague. **1814**-*14-11 tr. de Kiel,* le D. cède Norv. à la Suède. **1848-50** révolte des duchés du Schlesvig et du Holstein, qui sont perdus après une g. contre Prusse et Autr. (1864). **1914-18** neutre. **1918** autonomie de l'Islande. **1920** l'All. rend, après plébiscite local, partie du Schlesvig (3 822 km^2, 200 000 h. dont 15 % de langue all.). L'Islande devient indépendante mais le roi de D. en reste le roi. **1940**-*9-4* invasion all. **1943**-*29-8* en raison des sabotages, les All. exigent un état d'exception, le gouv. d. refuse, le roi est prisonnier dans son château, les All. instituent des cours martiales. *-1-10* persécutions contre Juifs. **1944**-*30-6/15-7* grève gén., les All. doivent accepter le départ de la milice dan. Indépendance complète de l'Islande. **1945**-*5-5* entrée des Brit. **1960** entrée dans AELE. **1972**-*2-10* référendum sur adhésion à la CEE : votants 89,8 % ; oui 57 % des inscrits, 63,5 % des votants ; non 32,6 %, et 36,5 % (Groenland : oui 4 062 voix, non 9 894 voix). **1973**-*1-1* entrée dans CEE. **1978**-*17-11* loi-cadre, autonomie interne au Groenland. **1982**-*28/30-4* visite Pt Mitterrand. **1984** le D. réaffirme ses droits sur l'île déserte de Hans (3 km^2), découverte 1873 (le Canada y ayant entrepris des recherches, en revendique la propriété). **1985**-*21-1* Parlement refuse projet de réformes de la CEE : 80 députés contre (sociaux-démocrates, radicaux, socialistes pop. et soc. de gauche), 75 pour (conservateurs, libéraux, centristes démocrates et chrétiens pop.). **1986**-*27-2* référendum pour projet (oui 56,2 % des voix, abstentions 25,2 %). **1988**-*29-5* loi accordant l'égalité des droits aux homosexuels. *-30-5* Parlement envahi par des perturbateurs. *-2-7* arraisonnement du *Moby-Dick,* navire de Greenpeace. **1991**-*23-3*- accord avec Suède pour un pont de 18 km entre les 2 pays (ratifié 14-8). **1992**-*2-6* référendum : 82,9 % de votants, 50,7 % contre accords de Maastricht. **1993**-*14-1* PM Schlüter démissionne (impliqué dans affaire des Tamouls de 1987, dite Tamoulgate). *-30-3* Parlement approuve (par 154 v. contre 16) tr. de Maastricht amendé. *-18-5* référ. sur Maastricht ; oui 56,8 %.

■ **Statut.** Royaume. *Constitution* du 5-7-1849, modifiée 5-6-1953 (accession des femmes au trône). Parlement : *Folketing* (179 m., dont 2 pour Féroé et 2 p. le Groenland, élus p. 4 ans au suffr. univ.). Pour être représenté, un parti doit avoir au moins 2 % des suffrages. *Ombudsmand,* chargé de contrôler l'admin., élu par Folketing. *Comtés (amtskommuner)* 14 ayant un maire (élu dans et par le conseil de comté) à leur tête, bourg 1 (Frederiksberg) et *commune* 1 (Copenhague) avec statut particulier. Municipalités 275 *(kommuner).*

Drapeau. Le plus ancien du monde (Dannebrog 1219). **Fête nat.** 5 juin (Constitution).

☞ Le D. contrôle les détroits qui font communiquer Baltique et mer du Nord. Les sous-marins qui les traversent (même s'ils ne passent pas par les eaux territoriales) doivent le faire en surface et après avoir hissé pavillon.

Élections législatives. 10-5-1988 *% des voix et nombre de sièges entre crochets :* PSD 29,8 [55 (+ 1)]. PCP 19,3 [35 (– 3)]. PSP 13 [24 (– 3)]. PL 11,8 [22 (+ 3)]. PR 5,6 [10 (– 1)]. PDP 9 [16 (+ 7)]. PCD 4,7 [9]. P. chr. pop. 2 [4]. Cap commun (extrême gauche) 1,9 [0 (– 4)]. Divers 2,9 [0]. Représentants du Groenland [2], des Féroé [2]. **12-12-1990.** PSD 37,5 [69 (+ 14)]. PCP 16 [30 (– 5)]. PSP 8,3 [15 (– 10)]. PL 15,8 [29 (+ 7)]. PR 3,5 [7 (– 3)]. PCD 5,1 [9]. P. chr. pop. 2,3 [4]. PDP 6,4 [12 (– 4)].

Nota. – % des voix obtenues par les partis dep. 1943 : *soc.-dém.* max 44,5 (1943), min. 25,6 (1973) ; *radicaux (libéraux-soc.)* max. 15,7 (1990), min. 3,5 (1990) ; *conserv. pop.* max. 23,4 (1984), min. 5,5 (1975) ; *soc. pop.* max. 14,6 (1987), min. 3,9 (1977) ; *libéraux* max. 27,6 (1947), min. 10,5 (1987) ; *communistes* max. 12,5 (1945), min. 0,7 (1984).

Partis. *P. social-démocrate* (PSD) : f. 1871, *Pt* Poul Nyrup Rasmussen (15-6-1943) dep. 11-4-92 100 000 m. *P. libéral* (PL) : f. 1870, *Pt* Uffe Ellemann-Jensen (1-11-1941), 86 962 m. *P. conservateur* (PCP) : f. 1916, *Pt* Poul Schlüter (3-4-1929), 35 000 m. *P. socialiste populaire* (PSP) : f. 1959, *Pt* Holger K. Nielsen (23-4-1950), 9 000 m. *P. libéral-radical* (PR) : f. 20-5-1905, *Pt* Grethe Erichsen, 10 000 m. *P. georgiste :* f. 1919, *Pt* Poul Gerhard Crone Kristiansen (15-11-53), 2 000 m. *P. communiste :* f. 1919, 10 000 m., *Pt* Ole Sohn. *P. socialiste de gauche :* f. 1967, 600 m. *P. centre démocrate* (PCD) : f. 1973, *Pt* Mimi Jacobsen, 2 500 m. *P. chrétien du peuple* (P. chr. P.) : f. 13-4-1970, *Pt* Jann Sjursen (n. 20-10-63), 9 000 m. *P. du progrès* (PDP) : f. 1972, *Pt* Pia Kjarsgaard, 10 000 m. **Syndicat.** *LO,* lié au P. social-dém. 1 412 767 m. (89).

■ **Rois depuis 1448. Dynastie d'Oldenbourg. 1448** CHRISTIAN Ier (1426-81), f. de Dietrich, duc d'Oldenbourg, roi de Danemark 1448, Norvège 1450, Suède 1457-68. **1481** HANS Ier (1455-1513), s. f. (roi de Suède : Jean II 1497-1501). **1513** CHRISTIAN II (1481-1559), s. f., roi de Suède 1520, expulsé 1523. **1523** FREDERIK Ier (1471-1533), f. de Christian Ier. **1534** CHRISTIAN III (1503-59), s. f. **1559** FREDERIK II (1534-88), s. f. **1588** CHRISTIAN IV (1577-1648), s. f. **1648** FREDERIK III (1609-70), s. f. **1670** CHRISTIAN V (1646-99), s. f. **1699** FREDERIK IV (1671-1730), s. f. **1730** CHRISTIAN VI (1699-1746), s. f. **1746** FREDERIK V (1723-66), s. f. **1766** CHRISTIAN VII (1749-1808), s. f. **1808** FREDERIK VI (1768-1839), s. f. (régent 1784, son père étant devenu fou). **1839** CHRISTIAN VIII (1786-1848), s. f. **1848** FREDERIK VII (1808-63), s. f.

Dynastie de Schleswig-Holstein-Sonderbourg-Glücksbourg. 1863 CHRISTIAN IX (1818-1906), f. de Guillaume, duc de Schleswig-Holstein, descendant de Christian III, ép. Pcesse Louise de Hesse-Cassel (1817-98), dit le « grand-père de l'Europe » (il a une fille, épouse du futur Édouard VII, hérit. d'Angl., un fils roi de Grèce et des neveux et arrière-neveux rois ou reines). **1906** FREDERIK VIII (1843-1912), s. f., ép. Pcesse Louise de Suède et de Norvège (1851-1926). **1912** (14-5) CHRISTIAN X (1870-1947), s. f., ép. 26-4-1898 Alexandrine, duchesse de Mecklembourg (1879-1952). **1947** (20-4) FREDERIK IX (1899-1972), s. f., ép. 24-5-35 Pcesse Ingrid de Suède (28-3-10), f. du roi Gustave VI. **72** (14-1) MARGRETHE II (16-4-40), s. f. Reine des Wendes et des Goths, duchesse de Schleswig, Holstein, Stormarn, des Dithmarses, de Lauenbourg et d'Oldenbourg, ép. 10-6-67 Henri de Laborde de Monpezat (Français, n. 11-6-34), devenu Pce Henrik de Danemark. *Enfants :* Frederik (26-5-68), Joachim (7-6-69). *2 sœurs : Pcesse Benedikte* (29-4-44) ép. 3-2-68 Pce Richard de Sayn Wittgenstein Berlebourg (29-10-34), enfants : Gustav (12-1-69), Alexandra (20-11-70), Nathalie (2-5-75). *Pcesse Anne-Marie* (30-8-46) ép. 18-9-64 le roi Constantin de Grèce (2-6-40), enfants : Alexia (10-7-65), Paul (20-5-67), Nicholas (1-10-69), Theodora (9-6-83), Philippe (26-4-86).

■ **Premiers ministres. 1945** *5-5/7-11* coalition gouv. par Wilhem Buhl (1881-1954) [1]. *7-11* Knud Kristensen (1880-1962) [2]. **47**-*13-11* Hans Hedtoft (1903-55) [1]. **50**-*30-10* Erik Eriksen (1902-72) [3]. **53**-*30-9* Hans Hedtoft (1903-55) [1]. **55**-*1-2* Hans Christian Hansen (1906-60) [1]. **57**-*28-5* H.C. Hansen [1]. **60**-*21-2* Viggo Kampmann (n. 21-7-10) [1]. **62**-*3-9* Jens Otto Krag (1914-78) [1]. **68**-*2-2* Hilmar Baunsgaard (1920-89) [4]. **71**-*11-10* Jens Otto Krag [1]. **72**-*5-10* Anker Jorgensen (n. 13-7-22) [1]. **73**-*19-12* Poul Hartling (n. 14-6-14) [2]. **75**-*13-2* Anker Jorgensen [1]. **82**-*10-9* Poul Schlüter (n. 3-4-29) [3], réélu 3-6-88 et 12-12-90. **93**-*25-1* Poul Nyrup Rasmussen (n. 15-6-43) [1].

Nota. – (1) Sociaux-démocrates. (2) Libéraux. (3) Libéraux-conservateurs. (4) Radicaux.

DÉPENDANCES AUTONOMES

■ **Iles Féroé** (en danois *Faerøerne,* dans la langue locale *Foroyar,* îles aux moutons). Atlantique, à 450 km au S.-E. de l'Islande, 5 % du sol cult. 18 îles (1 398,85 km^2) dont 17 habitées, île la plus grande : Strömö 374 km^2. *Alt. max.* 882 m. **Climat :** hiver doux (janv. 3,2 °C), été frais (juil. 10,8 °C). **Population** 47 449 h. (91) D 34. *Chef-lieu : Thorshavn* 16 189 h. *Religion :* luthériens. *Langues off. :* féroen et danois. **Statut :** à la Norvège, puis au D. (1380), autonome dep. 1948. 2 députés au Folketing. Gouvernement local *(Landstyre)* de 4 m. présidé par le *Lagmand. Rigsombudsman :* représentant supérieur du royaume. *Parlement (Lagting) :* 32 m. élect. 17-11-90 soc.-dem 10 (27,4 % des voix), rassemblement pop. (droite indép.) 7, P. de l'union (Centre) 6, républicains (extr. gauche) 4. A refusé en 1972 d'entrer dans la CEE. **Ressources :** pêche (crise : *1985* 300 000 t, *92* 100 000 t), chasse à la baleine, pas de forêt, landes (moutons). **Dette extér. :** 8 milliards de couronnes. **Chômage :** + de 20 %. Pétrole : non exploité.

■ **Groenland** (pays vert). Atlantique, à 300 km de l'Islande. 2 175 600 km^2 (plus grande île au monde après l'Australie) dont 44 800 km^2 d'îles côtières. 1 833 900 km^2, 85 % recouverts par l'inlandsis (épaisseur moy. : 1,515 km et jusqu'à 2,7 km) et 341 700 km^2 libres de glaces. *Volume de glace :* env. 2 600 000 km^3. *Alt. max.* Gunnbjoerns Fjeld 3 733 m. Maigre végétation. **Climat** été + 30 °C au S., + 5 °C au N., hiver – 20 °C au S., atteint – 40 °C au N. **Population** 55 385 h. (92) sur 150 000 km^2 (surtout S.-O.) dont 8 201 Européens, Esquimaux (en indien ceux qui mangent de la viande crue : inuit, hommes en inuktitut). *Taux (91, en ‰) :* natalité 25, mortalité 8,1. D 0,025. **Villes :** Nuuk (ex-Godthaab) 12 751 h. (92), Sisimiut (ex-Holsteinborg) 5 222 h. (92). 18 villes de + de 1 000 h. 70 villages ou campements de 30 à 600 h. **Langues :** *Off. :* groenlandais et danois.

Histoire : 400 av. J.-C. peuplement esquimau. **V. 982** colonisé par Éric le Rouge. **XIIe s.** Colon. norv. de 12 000 membres assimilés ou dispersés v. 1500. **1397** colonie d. **1721** nouvel établissement danois avec le pasteur Hans Egede ; **1953** colonie ; comté d. (partie intégrante du D.) représenté par 2 m. au Folketing. **1979**-*17-1* référendum pour l'autonomie (votants 63,2 % dont oui 70,1 %, non 22,8 %, nuls 4,1 %). *1-5* autonomie effective. **1982**-*23-2* référendum sur retrait du Marché commun, oui 52 %, non 46,1 % (effet au 1-2-85). **1984**-*6-6* élections à l'Assemblée du territoire, socialistes 11 s., modérés 11 s., extrême gauche indépendantiste 3 s. **1987**-*26-5* élections anticipées. **Statut :** État autonome. *Exécutif :* Landstyre (7 m.). *PM* Lars-Emil Johansen dep. mars 91. *Parlement* (Landsting) él. 3-91 Siumut (gauche) 11 s., Atassut (modéré) 8. Inuit Ataqatigiit (soc.) 5. Akullit 2. Issittup 1. Défense et Aff. étrangères restent au gouv. d. **Drapeau :** adopté 1985 : demi-cercle rouge (soleil) sur fond blanc (banquise), demi-cercle blanc sur fond rouge. **Ressources :** chasse (peaux de phoques, env. 4 000/an, uniquement adultes). Pêche 162 500 t (89) *dont* crevettes 65 100, morue 85 700, saumon 860 (85). Moutons au S. Cryolithe, charbon, plomb, zinc, chrome, cuivre, molybdène. Uranium, pétrole, thorium, or. **Base américaine :** Thulé (+ Sondre Stromfjord jusqu'en 1992).

Anciennes colonies danoises

Europe. **Islande** dep. 930, indép. dep. 1944. **Groenland** autonome 1979. **Féroé** voir p. 969 c.

Amérique. **Antilles danoises** (50 îles, 344 km^2) dont *St-Thomas* (83 km^2, cap. Charlotte-Amélie) dep. 1672 ; *Ste-Croix* (207 km^2), française en 1650, cédée 1733 par Louis XV à Christian VI en le remerciant de l'aide accordée à son ambassadeur, le Cte de Plélo, et au Gal de La Motte de La Peyrouse, Cdt du corps expéditionnaire fr. à Dantzig, venus au secours du roi Stanislas Leszczyński ; *St-Jean* (52 km^2) dep. 1718. Achetées 25 millions de $ (1917) par USA.

Asie. **Bengale occidental** (Inde). Tranquebar et Serampur, sur l'Hooghly, de 1618 à 1845. **Iles Nicobar** (1 645 km^2) annexées 1756 sous le nom de Ny Danmark (rebaptisées îles Frédéric). Occupées 1789 à 1796 par Anglais (y avaient créé un pénitencier), réoccupées par D., cédées aux Angl. 1858. **Canton** (Chine) comptoir du XVIIIe s. au début XIXe s.

Afrique. **Ghana :** à Accra, fort de Christiansborg, dep. 1699. A l'est, comptoirs de Tema et de Nimbo. Vers le Bénin, forts de Fridensborg, de Kœnigstein, de Binzenstein. Laissés aux Anglais en 1850 pour 50 000 livres.

■ Économie

PNB (91). 25 440 $ par h. **Croissance** (%). *1990 :* 1,8 ; *91 :* 1,1 ; *92 :* 1,2. **Pop. active.** (% et, entre par., part du PNB en %) agr. 5,9 (5,5), ind. 27,1 (26), services 66 (67,5), mines 1 (1). *Nombre total (91) :* 2 550 100. *Secteur public* 779 600 personnes (30 % de la main-d'œuvre). *Chômage* (%) *1993* (avril) : 12,3. **Inflation** (%) *1989 :* 4,8 ; *90 :* 2,6 ; *91 :* 2,4 ; *92 :* 2,1. **Dette extérieure** (milliards de $) *1985 :* 28 ; *91 :* 4,5. **Dette publique** (milliards de $) *1989 :* 62 ; *90 :* 77 ; *91 :* 85 ; *92* (juil.) : 76 (54 % du PNB). **Balance des paiements** (milliards de couronnes) *1985 :* – 29 ; *86 :* – 36 ; *87 :* – 20 ; *88 :* – 8,9 ; *90 :* + 8 ; *91 :* + 14,3 ; *92 :* + 21,3. **Déficit budgétaire** (milliards de couronnes) *1991 :* 29 ; *92 :* 20 (2 % du PNB) ; *93 :* 50. **Prélèvements obligatoires** 56 % du PIB. Impôt sur le revenu : taux max. 68 % (78 % avec l'impôt sur la fortune), min. 49 %. TVA 25 %. Taxe sur voiture particulière 80 %. **Investissements étrangers** (milliards de couronnes). *1991 :* 11,1 ; *92 :* 6,6.

Agriculture. *Terres* (milliers d'ha, 84) cultivées 2 769 (91), forêts 493. *Production* (milliers de t, 91) orge 5 041, blé 3 670, p. de terre 1 462, seigle 395, avoine 126. Horticulture. Élevage (milliers de têtes, 91). Poulets 15 498 (90), porcs 9 783, bovins 2 222, canards 429, dindes 389, moutons 188, oies 28, chevaux 32, viande, lait et dérivés du lait. Visons pour les peaux. Pêche (milliers de t, 91). 1 625 dont 99 % dans océan Atlantique et 1 % dans eaux territoriales.

Énergie. Mer du Nord : *pétrole :* production 6 800 000 t en 91, *gaz* (milliards de m^3) production 3,5 en 91, réserves 126 (Gnen près d'Ekofisk). Industrie. Constr. navale, farine de poisson pour l'élevage, bière, ind. alim., conserveries de poisson, papier, chimie, métallurgie. Tourisme. *Visiteurs* 8 638 100 (89). Transports (km). *Routes* 70 922 (91). *Ch. de fer* 2 838 (90).

Commerce (milliards de couronnes, 91). **Exp.** 229,7 *dont* (90) demi-prod. 81, mach. et équip. 58,2, prod. alim. 56,4, fuel et lubrifiants 8 *vers* All. féd. 51, Suède 26,3, G.-B. 23, *France 13,* Norvège 12. **Imp.** 207 *dont* (90) demi-prod. 88,9, mach. et équip. de transp. 61,7, prod. alim. 22,2, fuel et lubrifiants 13,6, *de* All. féd. 45, Suède 22, G.-B. 16, *France 13,* USA 13. Rang dans le monde (91). 9e orge. 15e pêche. 17e porcins.

■ Djibouti

Carte p. 1005. V. légende p. 884.

Situation. Afrique orient. 23 200 km^2. **Frontières** avec Éthiopie 450 km, Somalie 65. **Côtes** 370 km. **Reliefs** *alt. max.* 2 010 m (Moussa Ali), *min.* – 150 m (lac Assal). *Sol* d'origine volcanique. Plateaux limités par d'énormes failles. A l'intérieur, plaines effondrées au milieu des plateaux et chaînes basaltiques. **Saisons** chaude mai-sept. (40 °C en moyenne, max. 55 °C, 70 % d'humidité) ; fraîche oct.-avril (25 °C en moyenne). *Pluies* rares et irrégulières (170,2 mm à Djibouti, 115,2 à Tadjourah). Pas de cours d'eau permanents.

Population. *1991 :* 519 900 h., *2000* (prév.) : 800 000 h. ; Afars (même ethnie que les Danakils éthiopiens ; territoire compris entre Assab et lac Abbé) 37 % dont 10 000 à Djibouti, Somalis Issas 47 %, autres Somalis 55 000, Arabes 6 %, Européens 8 %, divers 3 000 (réfugiés de l'Ogaden env. 10 000). **Réfugiés** (1991) 100 000 Somaliens (20 à 25 % de la pop.). 50 000 Éthiopiens. **Étrangers** (91) 61 400 dont Éth., Som., Yémen. Français env. 10 000 dont 3 900 soldats (avant l'indép. 8 000). *– de 15 a.* 46 %, *+ de 65 a.* 3 %. D 22,4. Villes : *Djibouti* 290 000 h. (89, non compris 20 000 personnes « fluctuantes » en 85) (district 355 300), Ali Sabieh 4 000 (district 45 900) (à 98 km), Tadjourah 3 500 (district 45 100) (à 344 km par la route, 2 h 30 par mer : bac), Dikhil 3 000 (district 52 900) (à 117 km), Obock 1 500 (district 20 700) (419 km par la route, 3 h 30 par mer : bac). Langues. Arabe *(off.),* français *(off.),* afar et somali (nationales). Religions. Musulmans chaféites 96 %, catholiques 2, orthodoxes 1, protestants 1.

Histoire. **1862** la France acquiert la rade d'Obock et achète D. pour 10 000 thalers au sultan de Raheito. **1884** occupation de la région de Tadjourah. **1884-94** Léonce Lagarde (1860-1936) gouverneur. **1888** occupation de D. après accord avec les Okals Issas, frontières avec Éthiopie précisées. **1892** devient *Côte fr. des Somalis.* **1917** chemin de fer d'Addis-Abeba inauguré. **1935** 1er quai en eau profonde, construit sur la carcasse du *Fontainebleau* (vapeur échoué). **1942** ralliement à Fr. libre. **1946** TOM. **1958** référendum pour le statut de TOM. **1966** *sept.* visite de Gaulle, manif. (plusieurs †). **1967**-*19-3* référendum (inscrits 39 512, suffrages exprimés 37 221, oui 22 555, non 14 666) : nouveau statut avec ch. des députés et gouv. local, prend le nom de *Territ. fr. des Afars et des Issas.* **1972**-*12-3* création de la Ligue pop. afric. pour l'indép. (LPAI). **1975** *mai* le FLCS enlève Jean Gueury, amb. de Fr. en Somalie, et le relâche contre la libération d'Omar Osman Rabeh (interné en Fr.) et d'Omar Elmi. *-25/26-5* affrontements Afars-Issas (11 †). **1976**-*3/4-2 :* 30 enfants de milit. pris en otages par commando du FLCS, libérés par la force (1 enf. tué). *-17-7* Pt Ali Aref Bourhan démissionne. **1977** *mars* table ronde à Paris entre principaux partis et mouv. dj. *-8-5* élections lég. et référendum (votants 96 %, oui à l'indép. 98,7 % des v.). *-27-6* indép. *-15-12* attentat (6 †), démission du PM, dissolution du Mouv. pop. de libér. (Afars, extrémistes). **1978**-*7-11* activité volcanique à 80 km à l'O. de D. (Ardou-Boka). **1981** rapprochement avec Éthiopie. **1982**-*21-5* 1res élec. législ. **1986**-*7-9* Aden Robleh, condamné par contumace pour complot. **1987**-*18-3* attentat, 12 † (dont 5 Français). *-22/23-12* Mitterrand à D. (1re visite d'un Pt fr. dep. 1977). **1989** *juin* Pt Gouled en Fr. **1990**-*27-9* attentat contre café (1 Français †), Mouvement de la jeunesse djib. (4 auteurs présumés arrêtés 10-10). **1991**-*1-1* attaque d'une caserne (1 †). *-10-1* Ali Aref et 20 Afars arrêtés pour complot. *-24-3* Adouani Hamouda Ben Hassan, Tunisien pro-palest. accusé de l'attentat de mars 1987, condamné à mort. *Mai/juin* opérations « Totem » et « Godoria » pour contrôler et désarmer 40 000 réfugiés éthiopiens. *-10/15-7* heurts tribaux Issas/Omoros (à Dire-Dawa) : 20 †. *-6-11* selon Amnesty Int., 300 pers. torturées en 1 an [dont 200 Somalis arrêtés après attentat du 27-9-90, 50 Afars en janv. 91 (dont l'ex-Pt du Conseil Ali Bourhan)]. *-12/13-11* Afars du FRUD attaquent Tadjourah (28 mil. †) puis prennent villes du N. (40 † ?). *-21-11* caserne d'Obock. *-27-11* cessez-le-feu. *-18-12* massacres d'Arhiba (8 à 40 † ?). *-31-12* 14 députés RPP démiss. **1992**-*3-1* rebelles attaquent caserne de Tadjourah (200 † ?). *-9-7* amnistie. *-12-7* Ali Aref condamné à 10 ans de réclusion. *-23-8* attentat contre opposants. *-4-9* référendum sur Constit. et multipartisme (4 partis max.) : oui 97 %. Boycott du FRUD. *Sept.* combats 50 †. *-3/4-11* Pt Gouled en Fr. *-18-12* législatives RPP 72 % des v. (65 s.), PRD 28 %. **1993**-*13-3* rebelles attaquent port de D. *-7-5* él. présid.

Statut. République. *Const.* du 4-9-1992. *Pt* (élu pour 6 a.) Hassan Gouled Aptidon (Issa n. 1916) dep. 27-6-77, réélu 12-6-81 (84,7 % des voix), 24-4-87 (90,30 %) et 7-5-93 (60,71 %). *PM* Barkhat Gourat Hamadou dep. 2-10-78. *Chambre des députés* (65 m. élus pour 5 a.). Partis. *Rassemblement populaire pour le Progrès* (RPP) f. 1979, parti unique de 1981 à 1992. *P. du renouveau démocr.* (PRD). *Pt :* Mohamed Djama Elabe. *P. national démocr.* (PND). *Pt :* Aden Robleh. Opposition illégale. *Front pour la restauration de l'unité et de la démocratie* (FRUD), afar, *créé* avril 1991. *Pt :* Mohamed Adoyta Youssouf (ex-Pt du Front dém. pour la lib. de D. (FDLP), *f.* 1979), 2 000 h. répartis en 7 régions mil. Contrôlent en 1992 2/3 du pays. Drapeau (1972). Bandes bleue (ciel) et verte (espérance), triangle blanc (la paix) et étoile rouge (sang versé).

Défense. 15 000 h. dont 500 FNS (forces nat. de sécurité). *Contingent français :* 4 800 h. dont 3 900 perm. + mission « Godoria » (juin 1991 : 600 h.).

■ Économie

PNB (91). 1 305 $ par h. **Pop. active** (% et entre par. part du PNB en %) agr. 10 (3), ind. 10 (12), services 80 (85). **Dépenses publ. françaises pour D.** 1,1 milliard de F (50 % du PIB). **Chômage** (91) 60 %. Agriculture. Peu importante (90 % des terres sont désertiques, 600 ha cult. en 89). Élevage. Semi-nomade. (Milliers, 91) chèvres 504, moutons 420, chameaux 60, bovins 170, ânes 8. Pêche (90) 400 t, coquillages, éponges. Géothermie. Projet près du lac Assal, vers 1 500 m de prof., eau à 150-250 °C, pourrait fournir 18 mW (couvrant 100 % des besoins de D.). Industrie. Boissons non alcoolisées, laiterie ind., minoterie, bitume. Port. Ravitaillement des navires. Trafic 775 600 t et 17 800 conteneurs. Aboutissement du chemin de fer d'Addis-Abeba (construit 1896 à 1917, seul accès à la mer de l'Éthiopie : 781 km dont 106 à D.).

Commerce (millions de FD, 90). **Exp.** 3 083 (91) *dont* (80) animaux vivants 477 (91), viande et poisson 137, fruits et légumes 134, cuirs et peaux 103 (85), *vers France 2 165,* Yémen 1 432, Italie 158. **Imp.** 38 103 (91) *dont* alim. 14 000, text. 3 759, mach. et mat. élec. 3 579, mat. de transp. 3 067, prod. chim. 2 217, *de France 11 777,* Éthiopie 4 253, Japon 2 070, Italie 2 014, USA 1 243.

■ Dominicaine (République)

Carte p. 967. V. légende p. 884.

Situation. Grandes Antilles, partie orientale de l'île d'Hispaniola (ou St-Domingue). 48 422 km^2. *Long.* 430 km, *larg.* 226 km. *Côtes* 1 600 km. *Frontières* avec Haïti 308 km. *Alt. max.* Pico Duart 3 175 m. Climat. Tropical, tempéré à l'intérieur ; pluies d'été abondantes au N. et à l'E. Cyclones surtout au déb. de l'automne.

Population. 7 313 000 h. (91) dont, en %, Mulâtres 75, Noirs 10, Blancs 15, *prév. 2000 :* 9 247 000 h. D 151. *– de 15 a. :* 41,3 %, *+ de 65 a. :* 3 %. Pop. urbaine 52 %. Villes (83) : *Santo Domingo de Guzmán* (ex-Ciudad Trujillo 1936-61) 1 410 000 h., Santiago de los Caballeros 285 000, La Romana 101 000, San Pedro de Macoris 81 000. *Haïtiens,* 500 000 à 1 000 000 en Rép. dom., trafic de saisonniers pour canne à sucre *(braceros).* Langue. Espagnol *(off.).* Religions. Catholiques (95 %) *(off.),* protestants (3 %).

Histoire. **1492**-*5-12* découverte par C. Colomb. **1697** partagée entre France et Espagne (tr. de Ryswick). **1795** partie esp. (St-Domingue) cédée à la Fr., puis se révolte. **1809** Fr. chassés ; 1re Rép. ; l'Esp. reprend le contrôle. **1821** indép. éphémère. **1822-44** invasion et occupation haïtienne. **1844**-*27-2* indép., Rép. dominicaine. **1861-65** retour à l'Esp. **1865** restauration. **1904** USA prennent en charge dette extérieure (32 000 000 pesos). **1907** convention amér., USA prennent contrôle des douanes pour s'assurer paiement de la dette. **1916-24** occupation amér. **1930-61** dictature du Gal Rafael Trujillo (1891-1961) (Pt 1930-38 et 1942-52). **1937** 20 000 Haïtiens exterminés « pour blanchir la race ». **1952-60** Pt Hector Trujillo, frère du Gal. **1961**-*30-5* Trujillo assassiné. **1962** *janv.* Joaquin Balaguer (Pt dep. 1960) se retire.

-18-1 Rafael F. Bonnelly, Pt du gouv. provisoire. *-20-2* Juan Bosch Pt (1res él. libres dep. 38 ans). **1963**-*25-9* renversé ; triumvirat soutenu par l'armée. **1965**-*24-4* g. civile [partisans de Bosch et de Camaño contre partis. du Gal Antonio Imbert, qui triomphent soutenus par USA et forces de l'OEA (35 000 h.)], 3 000 †. *-30-9* gouv. provisoire de García Godoy. **1966** Joaquin Balaguer élu Pt. **1973** guérilla réprimée, Camaño tué. Bosch quitte PRD (Parti révolutionnaire dom.) et fonde PLD (Parti de la Libération dom.). **1978** élections, PRD 51,61 % des voix, PRSC 42,1, PLD 1. Antonio Guzmán (PRD) Pt. **1979**-*3-9* cyclones David et Frédéric, + de 1 200 †, 350 000 sans-abri, 90 % de l'agr. détruite (env. 350 millions de $ de dégâts). **1982**-*3-7* Pt Guzmán se suicide (pots-de-vin mettant en cause son entourage). Élections, PRD 46 %, PRSC 36,5, PLD 9,6. Jorge Blanco (n. 5-7-26) (PRD) Pt. **1984**-*23/24-4* émeutes, 70 †. **1985** retrait des multinationales ; crise [la livre de sucre (5 cents sur marché mondial) revient à 15 c.]. **1986**-*16-5* élections, PRSC 41,56 %, PRD 39,46, PLD 18,37, abst. 27,8. **1988** *févr.* manif. contre vie chère (5 †), salaires augmentés de 30 %. *-27-11* l'ex-Pt Jorge Blanco, réfugié aux USA, condamné pour corruption à 20 ans de prison (amende 77 millions de pesos + remboursement de 25). **1990**-*13-8* grève générale (12 †). **1992** 500e anniv. de la découverte de l'Amérique : phare de Colomb inauguré à St-Domingue (croix 100 m + flamme et mausolée).

Statut. Rép. *Const.* du 28-11-66. *Sénat* (30 m. élus pour 4 a.). *Ch. des dép.* (120 m. élus pour 4 a.). *Pt* (élu pour 4 a. au suffr. univ.). Joaquín Balaguer (n. 1-9-07, aveugle) (PRSC) élu 16-5-86, devant Jacobo Majluta (PRD), réélu 16-5-90, devant Juan Bosch (PLD). **Fête nat.** 27-2 (indép.). **Drapeau** (1844). Croix blanche, représentant le mouv. de libération vis-à-vis de l'ancien drapeau bleu et rouge d'Haïti, dont la R. dom. faisait partie.

Économie

PNB (90). 820 $ par h. **Pop. active** (%, entre par. part du PNB en %) agr. 39 (17), ind. 15 (23), services 43 (53), mines 3 (7). *Chômage* (87) 30 % (50 % sous-employés). **Inflation** *1989* : 45,4 ; *90* : 59,4 ; *91* : 53,9. **Dette extérieure** (milliards de $) *1990* : env. 4,1 (service de la dette : 39,8 % des exp. en 84).

Agriculture. 161 propriétaires possèdent 22,5 % de la surface agricole ; 200 000 paysans travaillent sur moins de 11,5 % des terres cultivables. *Terres* (milliers d'ha, 81) arables 885, cultivées en permanence 350, pâturages 1 520, forêts 633, eaux 35, divers 1 450. *Production* (milliers de t, 91), canne à sucre 7 224, bananes 389, riz 303, mangues 190, tomates 175, manioc 134, avocats 130, oranges 64, cacao 50, café 46. **Élevage** (milliers de têtes, 91). Bovins 2 250, chèvres 555, porcs 435, chevaux 320, ânes 143, moutons 120. **Pêche** 20 000 t (90). **Mines.** Or (4 t en 1991), argent, nickel, bauxite. **Tourisme.** *Visiteurs (90)* : 1 533 217. *Sites* : Santo Domingo (tombeau de Christophe Colomb), Playa Grande, Puerto Plata, Sosuán, Casa de Campo.

Commerce (millions de $, 91). **Exp.** 658 *dont* ferronickel 220, sucre 132, or et argent 39, café 43, *vers* USA 368, P.-Bas 99, Porto Rico 50. **Imp.** 1 721 *dont* (86) pétrole 254, mach. 218, véhicules 161, prod. alim. 115, prod. chim. 106, *de* (86) USA 511,7, Venezuela 134,3, Mexique 113, Japon 105,6, All. féd. 45, Italie 28,5, Espagne 26.

Rang dans le monde (90). 8e nickel. 9e cacao. 15e canne à sucre (86).

Dominique

Carte p. 847. V. légende p. 884.

Situation. Antilles (île du Vent). 750,6 km². *Long.* 152 km, *larg.* 47 km. *Montagnes* volcaniques (alt. 1 640 m). 365 rivières. **Climat.** Tropical.

Population. 81 600 h. (89) dont 95 % de race africaine et 500 à 600 Caraïbes. *Prév. 2000* : 114 000 h. D 109,1. **Villes :** *Roseau* 20 755 h. (91), Portsmouth 2 700. **Chômage** 13 %. **Langues.** Angl. *(off.)* ; français ; créole martiniquais 75 %. **Religions.** Catholiques (80 %), anglicans et méthodistes (20 %).

Histoire. **1493**-*3-11* découverte par Christophe Colomb. **1625** occupée par les Fr. pendant la g. de Trente Ans. **1763** cédée à l'Angleterre après d'âpres disputes. **1772-83** et **1802-14** reconquise. **1967**-*1-3* État associé à la G.-B. **1978**-*3-11* indépendance. **1979** cyclones David (29-8) et Allen (3-9), 222 millions de $ de dégâts, 3/4 des h. sans abri. **1981**-*19-12* tentative de coup d'État. **Statut.** République parlementaire. Membre du Commonwealth. *Pt* Clarence Seignoret dep. 20-12-83. *PM* Mary Eugenia Charles (n. 1919) dep. 23-7-80. *Ass. législative* 31 m. dont 9 nommés, 1 d'office et 21 élus. *Élections* du 1-7-90 : Parti de la liberté (DFP) d'Eugenia Charles (PM) 11 s., P. trav. uni (UWP) 6 s. P. trav. d'opposition (DLP) de Michael Douglas 4 s. **Drapeau** (1978). Vert avec bandes croisées jaunes, noires et blanches ; cercle central rouge avec perroquet (sisserou, emblème nat.) et 10 étoiles pour les îles.

Économie. **PNB** (90) 1 940 $ par h. **Agriculture** (milliers de t, 91). Bananes 67, noix de coco 12, pamplemousses 8, coprah 2 (86), patchouli. **Élevage** (milliers de têtes, 91). Volailles 115 (86), chèvres 10, moutons 8, bovins 9, porcs 5. **Mines.** Pierre ponce 109 (87). **Industrie.** Rhum, savon. **Tourisme.** 55 211 vis. **Dette extér.** (1984) 69,3 millions de $.

Commerce (millions de $ EC, 90). **Exp.** 149,9 *dont* prod. alim. 94,1, prod. chim. 35 *vers* G.-B. 73,6, autres pays des Caraïbes 38,1. **Imp.** 318 *dont* prod. man. 83, prod. alim. 55, *de* USA 85,8, autres pays des Caraïbes 84,3, G.-B. 45,7.

Égypte

Carte p. 773. V. légende p. 884.

Situation. Afrique et Asie (Sinaï, à l'E. du canal de Suez). 997 738,5 km² dont 35 580 habités et cultivés. *Hte Égypte* au S. de Qena (désert de la Thébaïde), *moyenne E.* entre Qena et le Caire, *basse E.* : delta du Nil. *Long.* N.-S. 1 024 km, *larg.* E.-O. 1 240 km. **Côtes :** Méditerranée 995 km, mer Rouge 1 941. **Frontières :** Soudan 1 150 km, Libye 1 080, Israël 240 ; *actuellement* 110. **Alt. max.** Gebel Ste-Catherine (Sinaï) 2 641 m. **Régions :** *vallée et delta* 33 000 km² (Nil largeur : 200 m au S. d'Assouan ; delta : 200 km au Caire) ; à 400 km du Soudan, la vallée du Nil a 3 km de large ; le Nil a 6 cataractes (la 1re à Assouan, les autres au Soudan) ; *désert occ.* 710 000 km², série de plateaux et dépression de Kattara (– 137 m) ; *orient.* 222 000 km², alt. de + de 2 000 m près de la mer Rouge ; *Sinaï* presqu'île 56 000 km². **Climat.** Littoral chaud et humide, faibles variations (janv. 13,4 °C, août 26 °C) ; Le Caire (hiver) 12 à 20 °C, (été) 33 à 35 °C ; delta et moyenne Ég. : sécheresse, chaleur max. + de 41 °C, hivers plus froids 7,5 °C, gels possibles ; Louqsor, Assouan (hiver) 23 °C, (été) 40 °C. *Pluies* (par an) ; Alexandrie 200 mm ; au S. 80 mm ou moins. *Vent* de sable sec (khamsin) fréquent au printemps (la temp. peut s'élever de 20 °C en 2 h, le vent atteindre 150 km/h). **Distances du Caire** (km) : Alexandrie 221, Assouan 899, Charm el-Cheikh 336, Hélouân 32, Ismaïlia 120, Louqsor 670, Minîêh 247, Port Saïd (f. 1869) 220, Saqqarah 34, Suez 134.

Population (en millions). *1800* : 4,5 ; *1882* : 6,7 ; *1907* : 11,2 ; *1937* : 15,9 ; *1947* : 19,7 ; *1986* : (r.) 48,3 ; *1992* : 55,2 ; *est. 2000* : 65 ; D 55 (zone reconnue comme habitée 55 039 km² dont z. habitée et cultivée 35 580 km², D 981,1). **Âge** – *de 15 a.* : 40 %, *+ de 65 a.* : 4 %. **Accroissement** *annuel moyen* : 1,25 million (30,8 ‰). **Taux** (‰) *natalité* : *1960* : 42,9 ; *87-88* : 38 ; *mort. (87-88)* : 9 ; *infantile (88)* : 93. **Villes :** *Le Caire* 6 686 950 h. (grand Caire 9 790 644 : nombreux migrants non déclarés, habitant les cimetières ou vivant à 10 par pièce), Alexandrie 2 926 859, Guizeh 3 725 420, Suez 327 717, Shubra el Khema 600 000, El Mahalla el Koubra 160 000, Tantah 170 000.

Égyptiens à l'étranger : *début 1993* : 4 500 000 (Irak 1 à 2 000 000, Arabie Saoud., Koweït 180 000, Émirats arabes 1 000 000, Libye 250 000) employés dans construction, professions scientifiques et techniques (enseignement). **(1991)** : 670 000 retours d'Irak et Koweït. **Étrangers en Égypte** *1897* : 112 000 [Grecs 40 000, Italiens 20 000, Anglais 19 557 (dont 6 500 Maltais), Français 14 155]. *1990* : 250 000. [*Français* : *1945* : 25 000, *63* : 700, *75* : 2 100 (dont 300 religieux, 200 coopérants), *91* : 3 041 ; Libanais : *1976* : 43 700, *v. 90* : 55 000].

Origine ethnique. **Arabes** (« Saïts ») : 4 %. **Musulmans d'origines diverses :** Turcs, Berbères, Slaves. **Coptes** (descendants des anciens Ég.) 95 %, dont 88,5 % (musulm.) se sont croisés avec Arabes et mus. d'origine diverse, et 6,5 % (chrétiens) sont restés des coptes purs, leur religion leur interdisant les mariages mixtes. Favorables aux Arabes qui les protégeaient contre Byzance, ils furent soumis à des impôts spéciaux à cause de leur religion, d'où de nombreuses conversions à l'islam. Bien traités sous Toulounides (868-905) et Fatimides (969-1171), ils furent opprimés par les Turcs (servage). Favorisés sous Méhémet-Ali, allié à l'Occident (1804-49), ils forment la classe des fonctionnaires, une bonne partie de l'intelligentsia ég. au XXe s., puis des cadres du P. communiste ég. Souvent en butte à des violences (églises brûlées : 1970, 77, 80, 87 ; assassinats par islam. : 1992-93 90). Les conversions de coptes à l'islam sont fréquentes (motifs principaux : possibilité de divorce, ou désir d'épouser une musulmane).

Langues. Arabe *(off.)*, anglais, français. (Le *copte*, l. morte, est resté la l. de la liturgie chrétienne.) **Analphabètes :** 70 %. **Religions.** *Musulmans* sunnites 88,5 %. *Chrétiens* coptes 5 à 6 %. *Protestants* 250 000. *Bahaïs* 50 000. *Juifs* 20 000 (*1948* : 70 000).

Histoire de l'Ancienne Égypte

Préhistoire. 1res traces d'occupation humaine vers 700 000 ans av. J.-C. (climat humide jusqu'en 400/300000). *Paléolithique*, chasseurs nomades, dessins rupestres de la région d'Assouan. *Néolithique* (10000 à 6000), vie sédentaire, artisanat (tissage, vannerie, céramique domestique) ; climat humide vers 10000/8000 (jusqu'à 4000). Selon G. Mokhatas, l'écriture ég. (nilotique) daterait du Négadien I (6000). *Énéolithique* (v. 5500), bourgades, naissance de l'art. Émail sur sable, métal ou pierre, sous forme de perles ; verre moulé ; vases de pierre dure. Ivoire et argile utilisés pour les premières rondes-bosses (usage magique) : oiseaux, poissons, bovidés, figurines de femmes et d'hommes nus. Figuration en relief en ivoire ou schiste.

Cultures prédynastiques. **4000** *av. J.-C. Primitif* : Badarien, Fayoumien A. **3800** *Ancien* : Négadien I, Mérindien. **3500** *Moyen* : Négadien II, Omarien A. **3200** *Récent* : Omarien B. Méadien.

Égypte pharaonique **(3000 à 333).** Environ 207 pharaons. **Période thinite (v. 3000-2778) : 3050 Ire dynastie** *Nârmer (ou Menès)*, roi du Sud, conquiert le N. ; *Aha.* Décoration simple : stèles-pancartes (où le défunt est figuré en relief). Petite sculpture en relief, utilisation du *papyrus* [feuilles obtenues en pressant plusieurs épaisseurs de fines bandes tirées de la tige : 20 feuilles forment un rouleau de 3 à 6 m de long (parfois 30 à 40 m) autour d'un bâton qu'on tient de la main gauche : on lit en déroulant de la main droite (d'où le mot *volume* : latin *volumen*, « enroulement »)]. **IIe dynastie :** *Ninéter, Khasekhem.*

Ancien Empire (période memphite, 2778-2263 ou 2635-2140) IIIe dyn. : *Nebka, Djéser, Sekhemkhet.* **IVe dyn. :** *Snéfrou, Khéops, Khéphren, Mykérynos, Chépseskaf.* **Ve dyn. :** *Sahourê, Néferirkarê Kakaï, Niouserrê, Rêneferef, Djedkarê Isési, Ounas.* **VIe dyn :** *Téti, Pépi Ier, Mérenrê, Pépi II.* **VIIe dyn. :** expéditions au Sinaï, en Nubie, relations avec Byblos. La féodalité est installée ; début d'anarchie sous Nicrotis. *Architecture* : 1er monument à degrés (Djoser), puis pyramides. Taille de la pierre, emploi de la couleur. *Peintures et reliefs* : grandes compositions avec sujets animés (*les Oies de Meïdoum*, sur calcaire, IVe dynastie), art animalier, hiératisme des attitudes. *Développement de la statuaire* privée où se mélangent hiératisme et réalisme [*le Scribe accroupi*, au Louvre ; statue monumentale de Chephren (Musée du Caire), en diorite (ses traits seront reproduits sur le grand sphinx)]. *Arts mineurs* : vases en albâtre, mobilier (lits posés sur pattes de lion, coffres à couvercle incrusté, chaises à porteurs avec tiges en forme de palmes), travail de l'or.

1re période intermédiaire (2263-2065 ou 2140-2022) VIIIe dyn. (memphite) : *Néferkaouhor* ; **IXe dyn.** (hérakléopolitaine) ; **Xe dyn.** (hérakléopolitaine) : *Mérikarê* ; **XIe dyn. :** les *Antef* : affaiblissement de la royauté, croissance de la féodalité provinciale. L'architecture funéraire privée se développe ; reliefs peu soignés en général. Le bois domine dans la statuaire : allongement du corps. **V. 2500** médecine (diagnostic, thérapeutique, chirurgie).

Moyen Empire (v. 2065-1785 ou 2022-1650) : fondé par princes thébains **XIe dyn.** (suite) : *Nebhépetrê Montouhotep (II), Montouhotep III.* **XIIe dyn. :** *Aménemhat Ier, Sésostris Ier, Sésostris III, Aménemhat III.* **XIIIe dyn. :** les *Sébekhotep, Néferhotep Ier.* **XIVe dyn.** (partiellement contemporaine de la XIIIe, à Xoïs et Avaris). Invasion Hyksôs, puis libération. **V. 1880** *Sésostris II* fonde Kahoum. Le pouvoir royal doit renoncer à son caractère surhumain ; l'art devient plus réaliste. Travail des métaux à motifs asiatiques (dessins en spirales) ; pierres précieuses ; nombreux objets : miroirs, barques des morts, scarabées, pendants d'oreilles (travail en or granulé).

2e période intermédiaire (1785-1580 ou 1650-1539) : XVe dyn. (hyksos) : *Khyan, Apopis.* **XVIe dyn.** (contemporaine de la XVe en Basse et Moyenne Égypte). **XVIIe dyn.** (thébaine) : *Séqenenrê, Kamosis.* Œuvres d'art rares. **V. 1620** les frères de Joseph s'installent en É. (Voir Israël).

Nouvel Empire (1580-1085) : issu de Thèbes, restaure l'unité en chassant les envahisseurs, porte la guerre au-delà de la frontière orientale et étend sa protection intérieure. **XVIIIe dyn. :** *Ahmosis, Aménophis Ier, Hatchepsout. Thoutmosis Ier et Thoutmosis III* (1479-1425) conquièrent ht Nil et Syrie jusqu'à l'Euphrate. Apogée : *Aménophis III* (transcription grecque : Amenhotep (Amen est satisfait), 9e pharaon de la XVIIIe dyn. 1391-1353), fils de Thoutmosis IV (1401-1353) et de Mondemonia (1401-1391) ; ép.

■ Monuments et sites

Hypogées tombes creusées dans les falaises de la vallée du Nil : Beni Hassan ; *vallée des Rois :* Toutankhamon, Sethi Ier, Amenhotep II, Ramsès II, Ramsès IV, Ramsès VI, Horemheb et Thoutmosis III ; *vallée des Reines* (ou « porte des Filles, de la Sultane, ou des Femmes ») : Satré (épouse de Ramsès Ier, 1re reine enterrée), Touy (épouse de Sethi Ier), Nefertari (2e épouse de Ramsès II). [*1829* vallée explorée par Champollion. *1904* l'Italien Ernesto Schiaparelli découvre tombe de Nefertari. *1937 :* 35 sépultures mises à jour. *1968 :* 79. *1989 :* 98] ; *tombeaux des Nobles :* Nakht (scribe et astronome d'Amon), Ramouza, (gouverneur de Thèbes), Horemheb (scribe royal). **Mastabas** tombes de hauts fonctionnaires s'alignant autour des pyramides. **Temple funéraire** de la reine Hatshepsout à Deir el-Bahari (XVIIIe dyn.). **Ramesseum** édifié par Ramsès II.

Pyramides et nécropoles. Gizeh [*sphinx,* long. 70 m, haut 20 m ; 2500 av. J.-C. (5 000 à 7 000 selon certains)]. *Pyramides : Chéops* [v. 2690 av. J.-C., 7 millions de t de pierre (2 600 000 m³), haut. 137 m (avant 146), marches (assises) 201 (à l'origine 215 à 220) de 1,50 m (la 1re) à 0,65 m, côté 230 m ; 2 barques solaires ont été découvertes (1954 et 87)], *Chephren* (ou Kephren) haut. 136 m (avant 143), côté 215 m, *Mykerinos* 260 000 m³, Bonaparte avait calculé qu'avec les blocs des 3 pyramides de Guizeh, on pourrait entourer la France d'une enceinte de 3 m de haut sur 0,30 m de large. **Le Caire. Memphis. Saqqarah** (pyramide de *Djoser* la plus ancienne, 62 m de haut., en pierres calcaires de Tura, 2650 av. J.-C.). **Meïdoum. Thèbes. Assouan,** mausolée de l'Aga Khan. **Tounah el-Gebel,** nécropole d'Hermoropolis sous les Ptolémées), **Bouitti, Quaret el Muzzawaqat.**

Temples divers. Karnak (à 3 km de Louqsor) *T. d'Amon,* composé de 3 enceintes : Amoen, Mout et Khonsou (la plus grande salle hypostyle 300 × 130 m - colonnes 13 à 23 m), **Abydos** *Sethi Ier* (XIVe s. av. J.-C.), **Abou-Simbel**. Voir ci-contre. **Louqsor** (v. 1500 av. J.-C.), **Médinet-Habou, Edfou** (à 123 km au N. d'Assouan, le mieux conservé, 237 à 105 av. J.-C.), **Philae, Kom-Ombo, Esna, Denderah, Kalabsha, Bouitti, Deir el-Hagar** (à 45 km d'Assouan), **Balat, Khargeh.**

Villes. Akhenaton, Alexandrie [plages de Montazah, Maamoura et San-Stéphans ; colonne de Pompée (297 apr. J.-C., haut. 25 m)], mosquée d'Abou el-Abbass (1767), palais de Montazah, tour 180 m, cath. St-Marc (tombeau de St-Marc). **Le Caire** [citadelle de Saladin (1183) ; bazar de Khan Khalil ; musées national, copte, des arts islamiques]; mosquées [d'Albâtre (1830, coupole 52 m, 2 minarets, 84 m), el Azhar (université 975), Bleue (1347) Sultan Hassan (1356), Ibn Touloun (878, cour 162 × 161 m), Kaït-Bay (1474), Mohamed Ali (1830-49), Mouayyad (1441) ; quartier copte (synagogue Ben Ezza, église St-Serge, Musée copte) ; Archmounein]. **Minia** (ou *Minieh*) (Touna El Gebel).

Colosses. Memnon [Thèbes 2 statues de quartzite rouge (hautes de 15,60 m + socle 2,30 m) représentant Amenophis III assis ; il reste à Karnak 1 pied long de 2,90 m d'une autre statue de 18 m.], Ramsès II (Memphis). **Cirques de montagne** *Deir el-Bahari, Tell et Amarna.* **Phare** *Alexandrie.* **Obélisques** *Assouan, Louqsor.* **Oasis** *Fayoum, Farafreh, Khargeh.* **Barrages** *Assouan* (*1er barrage :* 1902, *2e :* voir p. 975 b et c), *Esna, Nag Hammadi, Asiout, Mohamed Ali* (sud du Caire). **Monastères** *Ste-Catherine, St-Antoine, St-Siméon* (VIe s.). **Iles** *Amon, Kitchener* (île aux fleurs), *Eléphantine, Séhel,* des *Bananes.*

☞ *La pierre de Rosette* (à 70 km d'Alexandrie), trouvée vers le 15-7-1799 par l'officier du génie Pierre Bouchard, a été déchiffrée par Jean-François Champollion le 14-9-1822 en comparant le texte grec aux textes en hiéroglyphes [nom grec *hiéros* (sacré) et *glyphein* (graver), inventé par Rabelais v. 1530] et démotique (travaux publiés 1834). Rédigée en 190 av. J.-C., elle portait un décret de Ptolémée V Épiphane.

Temples sauvés par l'Unesco. Abou Simbel (1963-68, *coût :* 36 millions de $) ; créés entre 1300-1233 av. J.-C. par Ramsès II : grand temple [culte de Râ-Hoz-Akhty (dieu du soleil, éblouissement)] et petit (culte de Néfertari son épouse et de la déesse Hator) (à 280 km au S. d'Assouan) : 2 temples découpés en 1 036 blocs (certains de 30 t) et reconstruits lors de la construction du nouveau barrage d'Assouan (64 m plus haut, 180 m en retrait). 2 dômes de béton recouverts de rochers et de sable restituent la forme initiale de la montagne. Ils étaient à 124 et 122 m au-dessus du niveau de la mer, niveau des eaux du réservoir de l'ancien barrage ; le nouveau devait élever les eaux à 182 m). **Temples de Philae.** Ensemble englouti par les eaux, dans un bief entre l'ancien et le nouveau barrage d'Assouan (construit 1899, exhaussé 1907 et 1929) : 37 363 blocs de 1 à 5 t remontés à 500 m dans l'île d'Egilka (1972). *Coût :* 30 millions de $. **Autres temples remontés.** Une vingtaine.

☞ **Dégradation des monuments.** *Causes :* vent de sable et pollution atmosphérique (Gizeh est polluée directement par le Caire, Saqqarah est recouverte d'un calcin brun-noir à cause du dioxyde de soufre et de carbone), ou souterraine (infiltration d'eau), ou due aux touristes (1 touriste produit en 1 h 110 calories et 130 g d'eau dans une atmosphère non ventilée à 22 °C).

Quelques énigmes

Tombeau de Toutankhamon. Découvert entre le 4 et le 26-11-1922 par Howard Carter (1874-1939) envoyé par Lord Carnarvon (1866, † au Caire 5-4-1923 d'une pneumonie), dans la Vallée des Rois [antichambre (7,85 × 3,55 m contenant 600 objets) et 3 pièces explorées en 8 ans]. Nombre des archéologues qui avaient « violé » cette sépulture moururent de 1922 à 1930. On parla de la « malédiction du pharaon » : les Égyptiens, disait-on, avaient peut-être imaginé un dispositif (poison ou autre) destiné à frapper ceux qui pénétreraient dans leurs nécropoles. En 1985, on a parlé d'une sorte de pneumonie, due à une allergie à des champignons microscopiques, développés dans le caveau fermé. En réalité, les archéologues furent victimes de maladies ou d'accidents sans rapport avec leur découverte.

Conservation des fresques. Leur support est en plâtre recouvert d'une couche de lapis-lazuli (pierre précieuse bleue) délayée dans du liquide. L'atmosphère sèche transforme le gypse du plâtre en sulfate de calcium anhydre (anhydrite) formant une couche dure, transparente et protectrice.

Grande Pyramide. Son origine a été expliquée de façons diverses : tombeau royal, exercice de géométrie dans l'espace (utilisant les mesures et formules connues alors par ex. : le rapport de la hauteur à la longueur est un demi-π : 1,6708), observatoire astronomique, construction gratuite (pour donner du travail aux ouvriers agricoles pendant les inondations), repère géodésique (permettant de retracer à la fois sur le papier et sur le terrain les limites des champs du Delta, après les inondations du Nil). On a même appelé « pouvoir de la pyramide » une force spéciale venant de ses proportions et de son orientation face au nord magnétique : la nourriture s'y dessécherait sans s'y corrompre et les lames de rasoir s'y affuteraient toutes seules. L'expérience n'a pas confirmé la réalité de ce double « pouvoir ».

■ Religion égyptienne ancienne

■ **Divinités. Râ** (le Soleil) gouverne l'univers du haut du ciel, et sert de source au *ba,* âme du monde et de tous les êtres, fils de la déesse **Nout** (le Ciel) qui toutes les nuits le recueille pour le rendre au monde le lendemain. Devenu dieu national sous l'action des prêtres d'Héliopolis. **Geb,** Dieu de la Terre forme avec Nout et Râ la Triade primitive qui se transforme en ennéade (9 divinités) : *1 dieu créateur :* **Atoum,** dieu du chaos liquide, assimilé à Râ, soleil sortant de l'eau tous les matins ; *4 couples dieu déesse :* **Chou** (air) et **Tefnout** (humidité) ; **Geb** et **Nout,** leurs enfants ; **Osiris** [nature double, puissance vitale dont une forme est le Nil et dieu civilisation (roi), fils de Geb et de Nout] et **Isis** (déesse reine et lune) sa sœur et épouse ; **Seth** (homme à tête de lévrier, dieu de violence, ténèbres) fils de Geb et de Nout, et **Nephtys** sa sœur et épouse.

Autres dieux importants. Ptah (à Memphis) dieu créateur, assimilé à Atoum-Râ et supplantant peu à peu tous les autres dieux. **Amon** (à Thèbes), maître de l'air, assimilé à Râ. **Aton** (le disque solaire répand la lumière de ses 2 mains) dieu créateur suprême des Nubiens (monothéistes) assimilé à Atoum-Râ. **Anubis** (dieu de la mort et de l'embaumement) figuré par un homme à tête de chacal. **Apis** (dieu solaire, en forme de taureau) assimilé à Ptah (de son vivant) et à Osiris (après sa mort : Oser, Apis ou Sérapis). **Thot** dieu à tête d'ibis, dieu lunaire, patron des scribes ; a inventé l'écriture. Conseiller d'Osiris, puis protecteur d'Horus. Les Grecs l'appelèrent Hermès Trismégiste (Hermès 3 fois très grand), nom qui fut donné aux ouvrages du IIIe s. des néo-platoniciens adeptes des idées religieuses ég. Les alchimistes appelèrent également de ce nom l'auteur de leur art. **Athor** ou Hathor (déesse-vache, incarnation d'Isis). **Sebek** (dieu-crocodile, un des maîtres de l'univers, incarnation de Râ). **Horus** (figuré par un homme à tête de faucon) fils d'Osiris et d'Isis, dieu de l'horizon, le plus grand dieu ég. à la période gréco-romaine. **Maât** (fille de Râ, vérité et harmonie). **Sekhmet** (déesse-lionne, se manifeste par la violence). **Khnoum** (à tête de bélier, a modelé les hommes). **Khepri** (dieu-scarabée). **Bès** (nain accroupi et barbu, génie bienfaiteur).

■ **Métaphysique.** Dieux et hommes sont de même nature, mais à un degré différent : ils possèdent une âme *(ba)* et des éléments corporels *(ka).* L'homme n'a qu'un seul *ka,* les dieux en ont plusieurs (Râ : 14) ce qui multiplie leurs chances d'atteindre l'immortalité. Les hommes peuvent atteindre aussi l'éternité, à leur manière : leur *ba* va rejoindre Osiris dans le ciel (où il reçoit la lumière du soleil pendant qu'il fait nuit sur terre) ; leur *ka* est réembaumé et vit dans son tombeau la vie éternelle des cadavres impérissables (« zone crépusculaire », « ciel de la nuit »).

Culte. Perpétue l'union des *ba* et des *ka* divins. La statue du dieu représentant son *ka* et le prêtre faisant un geste rituel qui fixe le *ka* divin dans la statue. Exposée au soleil, elle en reçoit le *ba* et ainsi le dieu habite son temple comme un être vivant. Offrandes, processions, honneurs rendus sont ceux de la cour pharaonique (les dieux ont sur terre un rang royal et les pharaons descendants d'Horus et de Râ reçoivent un culte divin).

Le Soleil est conçu comme une barque, le *ba* s'unit à la statue lors de ses escales et les obélisques sont des bittes d'amarrage.

Animaux sacrés. A l'origine, chaque division territoriale, chaque *nome* possède son totem. A l'époque tardive, on élève et adore des animaux près des sanctuaires (ibis et babouins près des temples de Toth, vaches près du temple d'Hathor à Denderah ; déesse-chat, Bastet, à Bubastis ; le taureau Apis est l'incarnation de Ptah). A leur mort, les animaux sacrés sont momifiés (Ex. : Serapeum de Memphis : galerie funéraire des taureaux Apis).

Tiyi ; réside à Thèbes, puis Malgatta, pacifique ; homme de confiance : Amenhotep – fils de Hapou. *Aménophis IV (= Akhenaton),* son fils, époux de Néfertiti, résidant à Tell-el-Amarna ; révolution « amarnienne » : hérésie religieuse, culte du dieu solaire Aton. *Toutankhamon, Ay, Horemheb.* **XIXe dyn.** (ramesside) : *Ramsès Ier, Sethi Ier, Ramsès II* (1290-1224) ép. Nefertari, combat les Hittites. **1298** après la bataille de *Quadesh,* devant la menace assyrienne, tr. de paix avec Hittites ; épouse une princesse hittite ; *Mérenptah, Sethi II.* **XXe dyn.** (ramesside) : *Ramsès III à XI.* **V. 1230** départ des Hébreux vers la Terre promise. **1192** invasion des *Peuples de la Mer* (Égée) : Philistins, Sardanes, Sicules, Tyrséniens. Ils sont en partie repoussés, en partie fixés comme mercenaires. **1085** perte de la Syrie. L'art de la Cour s'oriente vers le grandiose et vers l'idéalisme dans la figuration humaine. Développement d'un art moins officiel : les privilèges funéraires sont étendus aux ouvriers d'art. Monuments divins et funéraires plus grands et plus nombreux. Reliefs : élégance, coloris sobres. Petits objets : oushebtis, objets de toilette (cuillers à fard en bois et ivoire, en forme de nageuse), colliers, parures de tête.

3e période intermédiaire (1085-663 ou 1069-700) : division entre le Nord, où réside le pharaon, et le Sud, soumis au grand prêtre d'Amon de Thèbes. Tendance archaïsante dans la statuaire. **XXIe dyn. :** A Tanis : *Smendès, Psousennès Ier et II.* A Thèbes : *Hérihor, Payankh, Pinedjem 1er.* **XXIIe dyn.** (bubastite) : *les Chéchanq.* **XXIIIe dyn. XXIVe dyn. :** Tefnakht, Bocchoris. **XXVe dyn.** (kouchite) : *Chabaka* conquiert Basse Égypte (715), *Taharqa, Tanoutamon, Assarhaddon* prend Memphis (671), *Assourbanipal* saccage de Thèbes (667-666). **853-671** résistance aux Assyriens, avec l'alliance des Hébreux.

Basse Époque : dominations étrangères (663 av. J.-C.-315 apr. J.-C.) : *XXVe dynastie :* style rude, lourdeur des formes. **XXVIe dyn. :** les Psammétiques, *Apriès, Amasis.* **XXVIIe dyn.** (1re domination perse achéménide) : *Cambyse* prend Égypte (525), Darius Ier et II. **XXVIIIe dyn.** (saïte); **XXIXe dyn.** (mendésienne) : *Akoris.* **XXXe dyn.** (sébennytique) : *Nectanébo Ier, Téos, Nectanébo II* (339-341). *Période saïte* période archaïsante. Statuaire : imitation de l'Ancien Empire, larges masses, modelé pauvre, sillons profonds mais expression vigoureuse. Nombreuses statuettes de dieux ou de prêtres coulées en bronze, en séries. *Automne* **332**-*printemps* **331** Alex. le Grand séjourne en É. Proclamé roi et fils de Dieu, il fonde Alexandrie. **Dyn. macédonienne :** *Alexandre Ier, Philippe Arrhidée, Alexandre II.*

■ **Égypte lagide** (Ptolémées). Culture grecque (hellénistique ou alexandrine). **323 av. J.-C.** *Ptolémée Ier*

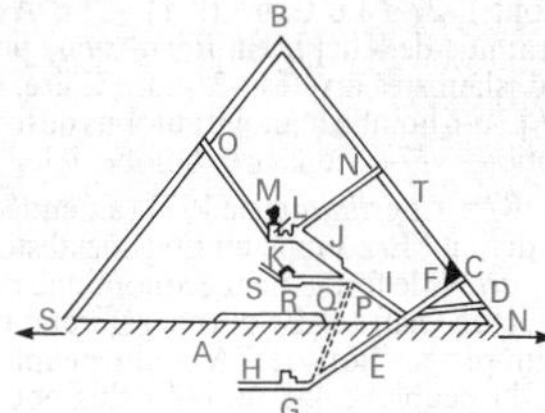

Coupe de la Grande Pyramide de Chéops. A Base ou assise rocheuse. B Sommet ou pyramidion. C Entrée ancienne. D Fausse entrée. EF Couloir d'entrée descendant ou descenderie. G Ancienne chambre primitive du mastaba. H Souterrain inachevé ou cul-de-sac. I Couloir ascendant. J Grande galerie. K Antichambre ou passage aux herses. L Caveau du roi Chéops. M Chambre de décharge ou de sécurité. N Conduit d'aération (?) au sud. O Conduit d'aération (?) au nord. P Puits. Q Couloir horizontal. R Chambre dite de la Reine. S Couloir obstrué ou inachevé. T Niveau primitif du revêtement.

Sôter (le Sauveur), fils de Lagos, est nommé satrape d'É., à la mort d'Alexandre (juin 323) ; il transforme sa satrapie en monarchie héréditaire (321). **284** la lègue à son fils *Ptolémée II Philadelphe* (= qui aime sa sœur) ayant écarté l'aîné, *Ptolémée Kéraunos* (« la Foudre »). Il répudie sa 1re femme, Arsinoé Ire, fille du diadoque Lysimaque, épouse sa sœur Arsinoé II. **246** *Pt. III Evergète* (= le Bienfaiteur). **222** *Pt IV Philopatôr* (= qui aime son père). **204** *Pt. V Épiphane* (= qui apparaît, illustre). (A partir de 207-206 la Thébaïde fait sécession avec des pharaons indigènes d'origine nubienne, Hurgonaphor, puis Chaonnophris 201-200. Révolte matée par Komanos en 186.) **180** *Pt. VI Philometôr* (= qui aime sa mère) (Cléopâtre II, sa femme et sœur, associée au pouvoir en 176) ; expulsé du trône en 164/3 par son frère, le futur *Pt. VIII).* **145** *Pt. VII Eupatôr* (= de noble père). **145** *Pt. VIII Évergète Physcôn* (= bienfaiteur, gros ventre). **115** *Pt. IX Sôter Lathyros* (= sauveur, gesse ou pois chiche) (Cléopâtre III nièce et femme de Pt. VIII règne conjointement. Pendant un temps, de 110 au printemps 108, Ptolémée IX est remplacé par Pt. X.) **107** *Pt. X Alexandre Ier.* **80** *Pt. XI Alexandre II.* **80-58 et 55-51** *Pt. XII Neos Dionysos Aulètès* (= joueur d'aulos). **58-55** *Bérénice IV* [1] (règne jusqu'en 57 conjointement avec *Cléopâtre VI Tryphaina* (= la magnifique). **51** *Pt. XIII* [1]. **51** *Cléopâtre VII* [1] Thea Philopatôr (= déesse, qui aime son père). **47** *Pt. XIV* [1]. **44** *Pt. XV* Césarion (fils de César et Cléopâtre VII qu'Octavien fit assassiner). 21 rois ou reines (*Ptolémée Ier* à *XVI, Cléopâtre Ire* à *VII*) ; *Cléopâtre VII* [(69-30 av. J.-C.), célèbre par sa beauté [les plaisanteries sur son nez datent des *Pensées* de Pascal (1669) ; celui-ci supposait que Cl. avait le nez long, car à l'époque les femmes camuses passaient pour laides], eut de Jules César *Césarion* (né 47, exécuté par ordre d'Octave en 30) ; **47** *1er incendie de la bibliothèque d'Alexandrie ;* **41-40** liaison de Cléopâtre VII et du triumvir *Marc-Antoine* (83-30 av. J.-C.), gouv. de l'Orient. **37-31** nouvelle liaison : Antoine répudie Octavie, sœur d'Octave, épousée en 40. **31** défaite d'Antoine. **30** suicide de Cléopâtre (qui se fait mordre par un aspic).

Nota. – (1) Enfants de Pt. XII.

■ **Égypte romaine. 30 av. J.-C.** conquête rom. **Après J.-C. V. 50** province divisée en 3 « colonies » : Alexandrie, Delta et Heptanomide (groupe de 7 districts au S.). **54-68** légions envoyées contre royaume d'Axoum (Éthiopie). **Apr. 70** Alexandrie devient le grand centre de la Diaspora juive (de langue grecque) ; les Juifs alexandrins fondent l'Église chrétienne d'É. 1er év. : Démétrius [(189) mais la tradition attribue la fondation à l'apôtre St Marc] ; principaux théologiens : Clément d'Alexandrie, Origène (prof. à la Didascalée), Athanase. Hadrien (117-138) va en É. (130). Noyade et divinisation d'Antinoos ; fondation d'Antinoé. **199** Septime Sévère (193-211) va en É. Caracalla (211-217) donne le droit de cité aux É. Constantin (306-337) libère le christianisme par l'Edit de Milan. Théodose (379-395) fait du christianisme la religion officielle de l'Empire. Destruction du Serapeion d'Alexandrie.

■ **Égypte byzantine. 395** partie de l'Empire d'Orient. **451** concile de Chalcédoine, rupture avec Egl. byzantine (les coptes seront confondus à tort avec les hérétiques monophysites). **535** Interdiction du dernier culte « païen », celui d'Isis ; destruction des bas-reliefs de Philae, croix gravées à la place sous Justinien. **Jusqu'en 538** Alexandrie dispute la suprématie à Constantinople. **538** ordonnance de Justinien : É. divisée en 5 « duchés », administrés directement depuis Constantinople.

■ Histoire de l'Égypte moderne

Dep. la conquête arabe. 639 conquête arabe ; les monophysites accueillent favorablement les musulmans. **642** incendie de la *bibliothèque d'Alexandrie* (voir p. 347). **660-750** califes *Omeyyades.* **750-932**

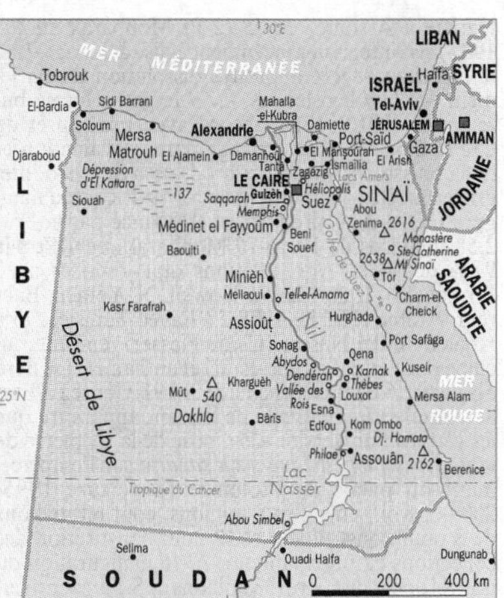

Anciennes dynasties

Nouvel Empire (1580-1085). Époque de Karnak et Louqsor 18e [Ahmosis, Aménophis Ier, Thoutmosis Ier (1530-20), Thoutmosis III (1504-1450), Aménophis II, Aménophis III (1405-1372), Aménophis IV (1372-54) (capitale Tell el-Amarna) qui prend le nom d'Akhenaton, Toutankhamon [*nom de naissance :* Toutankhaton (« Parfait de vie est Aton ») changé en : Toutankhamon (« Parfait de vie est Amon »), de *souverain:* Neb-Chépérou-Ré (« Maître des métamorphoses est Ré »), appelé Nipchouroura ou Nipchouriria dans des lettres babyloniennes. *Taille :* 1,67 m, règne de 1347 (11 ans) à 1338 (20 ans)].

Décadence. 21e fondée vers 1100 par Smendès, Psousennès Ier, 22e (bubastite) fondée par Chechanq (950), Osorkon II (870-65), 23e tanite, 24e saïte, 25e éthiopienne. Une « 31e dynastie » (341-32), avec 3 rois, en réalité retour des Achéménides après Artaxerxès III.

Abbassides. **868-904** *Toulounides.* Ahmed Ibn-Touloun se proclame émir et conquiert Syrie et Mésopotamie. **935-946** Mohamed el-Ekhchid, souverain indép. **969-1171** domination des *Fatimides* de Kairouan. **1171-1250** dyn. des *Ayyubides* fondée par Saladin († 1193). **1250-1390** *Baharites* (Mamelouks). **1390-1517** *Bordjites* ou *Circassiens* (Mamelouks). **1517** *Sélim Ier* prend Le Caire, l'É. devient un pachalik turc. **1767** (tué 1773) *Ali Bey* chef mamelouk se proclame sultan et conquiert la Syrie.

1798-1801 *occupation fr.* (2-7-1798 débarquement ; 21-7 bataille des Pyramides, Bonaparte déclare : « Du haut de ces pyramides, 40 siècles vous contemplent »). L'expédition, partie de Toulon le 19-5-1798, comprend : 35 000 soldats, 21 mathématiciens, 3 astronomes, 17 ingénieurs civils, 13 naturalistes, 4 architectes, 8 dessinateurs, 10 gens de lettres, 22 imprimeurs et 1 pianiste ; 1 légion grecque de 600 h, copte de 800 h, 1 compagnie de mamelouks, 2 de janissaires à cheval, des janissaires à pied, la plupart ramenés en France en 1801. Il crée 16 provinces gouvernées par un général, avec un intendant copte pour lever les impôts. **1798** Mourad Bey (v. 1750/pest 28-4-1801) chef mamelouk battu aux Pyramides, à Sediman (7-10) par Desaix. *Oct.* insurrection : le gouverneur et plusieurs scientifiques massacrés. Répression : mosquée al-Azhar bombardée. **1799** *23-8* Bonaparte rentre en France. Kléber lui succède. **1800**-*5-4* Mourad Bey traite avec Fr. : reçoit Hte-Égypte avec titre de Pce Saïd. *14-6* Kléber assassiné par un Musulman. **1801** *31-8* les troupes françaises (21 122 h.) seront rapatriées en France. [*Bilan:* embarqués au 6-6-1798 : 36 395 h. (4 100 seront laissés à Malte), 2 000 rapatriés au cours des 3 ans, 12 300 perdus (57 % par la peste et les maladies)].

1805 Méhémet Ali Pacha (1769-1849) vice-roi, ex-officier albanais des forces ottomanes. **1811** massacre des chefs mamelouks. **1811-18** aide au sultan contre Wahabites (en Arabie). **1820** N.-Soudan conquis. **1824-27** intervention en Grèce (flotte ég. détruite à *Navarin* 30-10-1827). **1831-33** Syrie conquise. **1839** convention de Londres (des Détroits) renonce à ses conquêtes. **1841**-*13-2/1-6* firman du Sultan reconnaît à M. Ali un droit héréditaire au trône d'É. *-13-7* tr. de Londres, khédive indépendant de fait (de la Turquie), ne garde que l'É.

1848 Ibrahim Pacha (1789-1848), fils de Méhémet Ali, vice-roi du 2-9 au 10-11-1848. **Abbas Ier** (1813-54), fils de Tusun, 2e fils de Méhémet Ali, vice-roi. **1851**-*12-11* Auguste Mariette (1821-81) découvre le Serapeum (à Saqqarah).

1854 Mohammed Saïd Pacha (1822-63), oncle d'Abbas Ier (fr. d'Ibrahim), vice-roi. **1858** Mariette crée le Serv. des Antiquités, 100 millions de F.

1863 Ismaïl Pacha (1830-95), 2e fils d'Ibrahim, khédive 1867. **1869**-*17-11 canal de Suez* inauguré. **1875** Ismaïl vend 176 602 actions du canal à la G.-B. ; il garantit les nouveaux emprunts de l'État sur ses propres biens, il suspend le remboursement des dettes égyptiennes. **1876-86** contrôle financier par G.-B. et Fr. ministre des Finances britannique ; min. des Travaux publics français.

1879 Tewfik Pacha (1852-92), 1er fils d'Ismaïl. Ismaïl démis par la Turquie. **1882** révolte du Cel *Arabi Pacha. -20-5* 6 vaisseaux britanniques et 6 français prennent position à Alexandrie, 1 de chaque mouillant par ailleurs à Suez. *-11-6* Alexandrie ; 50 chrétiens tués par des musulmans. *-11-7* après l'échec de négociations, la marine brit. ouvre le feu. Les Français ont levé l'ancre le matin pour Port-Saïd. Les Égyptiens rebelles évacuent après avoir incendié quartiers européens. *-2-8* une armée anglo-indienne débarque à Suez. *-13-9* Tall al Kébir : les Ég. se débandent. *-24-9* le khédive, rétabli, fait son entrée dans Le Caire sous la protection des Brit. **1882-85** Soudan perdu, puis reconquis (1896-99).

1892 Abbas II Hilmi (1874-1944) fils de Tewfik Pacha. **1898** *juill. à Fachoda* mission fr. Marchand y arrive. *-25-9* Kitchener y arrive. *-3-11* Fr. évacuent Fachoda. **1899** la Fr. renonce au bassin du Nil. **1902** haut barrage d'*Assouan.* **1906** *oct.* l'É. a les pouvoirs administratifs sur le Sinaï (Rafa au golfe d'Akaba), mais la Turquie s'en réserve la souveraineté. **1908** Boutros Ghali, copte anglophile, PM. **1910** assassiné. **1911** Lord Kitchener, maréchal, consul général et agent diplomatique d'Angleterre au Caire. **1914** protectorat angl. (l'Angl. est en guerre contre la Turquie). Le khédive, en vacances en Turquie dep. l'été 1914, est destitué.

1914 Hussein Kemal Pacha (1853-1917), oncle de Abbas II Hilmi, 2e fils d'Ismaïl, sultan d'Égypte.

1917 Fouad Ier (1868-1936) frère d'Hussein (dont le fils a refusé le trône) ép. 1°) Chievikar ; 2°) Nazli (1894-1978). **1918-19** une délégation (wafd) de nationalistes é. est à Londres. **1921** révolte nationaliste, l'É. devient royaume. **1922**-*21-2* G.-B. abandonne principe du protectorat. *-15-3* É. État souverain et indépendant. *-4/26-11* découverte du trésor de *Toutankhamon.* **1923**-*18-4* nouvelle Constitution ; le sultan *Fouad* prend le titre de roi. **1924**-*20-11* assassinat au Caire de Sir Lee Stack (Gal en chef angl.).

1936-*6-5* **Farouk Ier** (1920-65), roi d'Égypte et du Soudan (1951-52) ; fils de Fouad Ier ; ép. 1936 Safinaz Zulficar (1921-88) qui prend le prénom de Farida, répudiée, ép. Narriman Sadek (n. 1934). Tr. anglo-ég. : les Anglais pourront occuper le canal de Suez 20 ans. **1937** entrée à la SDN. **1940**-*24-6* sous la pression anglaise, PM Ali Maher démissionne, remplacé par Hassan Sabri. Pierre Montet († 1966) découvre à *Tanis,* à 50 km de Port-Saïd, 5 tombes dont 3 inviolées (de Chechonq II, Osorkon, Psousennès). **1942-44** la G.-B. menace de déposer *Farouk:* il doit prendre *Nahas Pacha* wafdiste comme PM et gouv. militaire. **1948** g. contre Israël. **1949** Frères musulmans contraints à la clandestinité. **1951** l'É. abroge le tr. de 1936. **1952** émeutes anti-angl. *-23-7* Néguib dépose Farouk.

1952-*23-7* **Fouad II** (16-1-1952) fils de Farouk, roi d'É., du Soudan, du Kordofan et du Darfour, détrôné ; ép. 1977 Dominique France Picard, française, renommée Fadila.

■ **République. 1953**-*18-6* Rép. gén. Mohamed **Néguib** (1901-84) Pt et PM. **1954**-*25-2* Néguib destitué par le Conseil de la Révolution. *-27-2* rappelé grâce au soutien populaire. *-18-4 Nasser* PM. *-19-10* tr. avec G.-B. *26-10* attentat manqué contre Nasser. *-14-11* Néguib déposé.

■ **Gamal Abdel Nasser** (15-1-1918/28-9-1970). **1956**-*18-6* évacuation angl. *-23-6* référendum pour Nasser. *-19/21-7* G.-B., USA et Banque mondiale refusent de financer le barrage d'Assouan. *-26-7* Nasser nationalise le canal de Suez. *-29-10* attaque israélienne. *-31-10* intervention aéroportée franco-angl. (sur Port-Saïd le 5-11). *-6-11* sous la pression amér. et soviét., cessez-le-feu. *-15-11* une force de l'Onu intervient. *Nov.* canal fermé. *-23-12* Port-Saïd libéré. **1957** *mars* les Israéliens ont évacué les terr. occupés, canal rouvert. **1958**-*1-2* féd. É. et Syrie : *Rép. arabe unie (RAU). -8-3* féd. avec Yémen (N.) : *États-Unis arabes.* **1959** construction haut barrage d'*Assouan,* crédits soviét. **1961**-*28-9* sécession Syrie. *-26-12* féd. avec Yémen abolie. **1962-67** intervention au Yémen pour républicains. **1964** *mai* inauguration haut barrage d'Assouan. **1967** *juin g. avec Israël,* défaite ; canal de Suez inutilisable, Israël occupe Sinaï. Reprise sporadique des hostilités. **1970**-*7-8* cessez-le-feu accepté. *-28-9* Nasser meurt.

■ Anouar el-Sadate (1918-assassiné 1981). **1970** (était vice-Pt de la Rép. dep. 20-12-69 ; élu par 90 % des voix). *-1-10* funérailles de Nasser (4 000 000 d'assistants). *-9-11* alliance RAU-Libye-Soudan. **1971**-*15-1* barrage d'Assouan inauguré. *-13-5* élimination du vice-Pt Ali Sabri (n. 20-8-20), favorable à l'URSS ; l'assassinat de Sadate était prévu. Sadate échappe ensuite à plusieurs attentats fomentés par KGB *-27-5* tr. d'amitié et de coopér. avec URSS *-1-9* la RAU redevient l'É. **1972**-*1-1* naissance officielle de l'*Union des Rép. arabes* (É., Libye, Syrie ; *Pt* Ahmed el Khatib, Syrien). *-24-1* agitation étudiante, univ. du Caire fermée. *-18-7*, 21 000 conseillers mil. soviét. expulsés. *-26-10* Gal Sadeck, chef de l'armée, démissionne. **1973**-*1-9* fusion É.-Libye reportée. *Oct. g. contre Israël* (Voir Index). *-12-9* reprise des relations dipl. avec Jordanie. Accord au km 101 entre É. et Israël. *-15-11* échange des prisonniers. 2 000 soldats de l'Onu ont pris position dans la zone-tampon. *Infitah :* « ouverture » de l'É. aux capitaux étrangers, exploitation de main-d'œuvre ég. **1974**-*18-1* accord sur désengagement des forces ég.-isr. *-28-2* reprise des relations dipl. avec USA (interrompues dep. 1967). Pt Nixon en É. **1975**-*1-1* révolte d'ouvriers à Hélouan. *-27-1* Sadate à Paris. *-23-3* mission Kissinger échoue. *-29-3* Sadate prolonge mandat des soldats de l'Onu jusqu'au *24-7*. *-5-6 canal de Suez rouvert*. *-6-7* amnistie (2 000 condamnés pol.). *Oct.-nov.* Sadate aux USA ; aide amér. 848 millions de $. *-16-11* l'É. récupère puits de pétrole de Ras Sudr. *-10/15-12* Pt Giscard d'Estaing en É. **1976**-*28-1* plan d'austérité. *Mars*, tension avec Libye (3 000 É. expulsés). *-15-3* l'É. abolit *tr.* de coop. avec URSS (de mai 71). *Déc.* entrée en service de l'oléoduc Suez-Alexandrie. **1977**-*18-1* émeutes au Caire (79 †) contre augmentations de prix (30 % sur sucre, pain, riz, sel, l'État ayant supprimé des subventions). *-10-2 référendum :* 99,42 % pour les mesures de répression. *-21/24-7* conflit armé avec Libye. *-19/21-11* Sadate en Israël. *-5-12* rupture dipl. avec Algérie, Irak, Libye, Syrie, Yémen du S. *-25/26-12* rencontre Begin-Sadate à Ismaïlia. **1978**-*21-5 référendum* pour le régime. *Oct.* accords de *Camp David ;* projet de tr. de paix avec Israël. **1979**-*26-3 tr. signé avec Israël* (Voir Index). *Coût des 4 conflits* avec Israël (estimation officielle) : 250 milliards de F en 30 ans, perte de 100 000 h. sur le champ de bataille, mobilisation permanente de 750 000 h., 20 % des ressources consacrées aux dépenses mil., 36 % aux dettes. *-28-3* relations dipl. rompues avec pays arabes (sauf Oman, Somalie, Soudan). *Avril* exclusion de la ligue arabe. *-19-4* référendum : 99,9 % pour tr. de paix. **1980**-*25-1* l'É. récupère cols de Mitla et Giddi ; *-30-4* droit islamique *(charia)* devient source principale de la législation. *Mai* Sadate accuse les coptes de vouloir créer un État copte avec Assiout pour capitale. **1981** *févr.* Sadate en France. *-4-6 rencontre Begin-Sadate* à Charm-el-Cheikh. *-17-6* affrontements musulmans et coptes à Zawia el Hamra (14 †). *-26/28-8* rencontre Begin-Sadate à Alexandrie. *-2 et 5-9*, 1 536 opposants (Frères musulmans, coptes, politiciens) arrêtés ; 65 mosquées nationalisées ; pape copte Chenouda III (n. 1923) destitué, exilé dans le désert. *-10-9* plébiscite, 99,45 % pour politique de Sadate. *-15-9* 243 soviét. dont l'ambass. Vladimir Polyakov expulsés. *-6-10* Sadate assassiné pendant le défilé de la fête nat. par commando de 4 dirigés par Lt Khaled El-Istambouli [6 † par balles dans les officiels dont 1 diplomate Chinois, et plusieurs † écrasés (panique)].

Gal Hosni Moubarak (n. 4-5-28). **1981**-*6-10* élu Pt de la Rép. (était vice-Pt dep. avril 1975) par 98,46 % des voix. *-8-10* affrontements à Assiout avec intégristes (100 † dont 68 policiers). **1982**-*6-3* procès des assassins de Sadate : 5 exécutés 15-4, 12 peines de prison. *-25-4* Israël restitue Sinaï encore occupé. *Oct.* Esmet el-Sadate, frère de l'ancien Pt, privé de ses biens (50 millions de $ amassés en 10 ans). *-24/26-11* Pt Mitterrand en É. **1984** *juillet/oct.* mer Rouge minée (l'É. accuse Libye et Iran). *Sept.* émeutes « du pain », 3 †. *-25-9* relations dipl. rétablies avec Jordanie. *-30-9* verdict clément pour accusés d'Assiout. *-1-12* Hussein de Jordanie, en É. *-18-12* l'É. présente à la 15e conférence des min. des Aff. étr. des pays musulmans. **1985**-*1-5* Chenouda III rétabli. *Juil.* arrestation d'extrémistes musulmans. *-20-8* Albert Atracki (n. 1955) attaché isr. au Caire tué par islamistes. *-6-10* à Ras-Burka, Soliman Khater, policier tire sur touristes israéliens 7 †, sera retrouvé pendu en prison 7-1-86. *-11-11* 4 Libyens venus éliminer des opposants arrêtés. *-23-11* Boeing 737 d'Égypte Air détourné sur La Valette (Malte) : un commando ég. intervient, 60 †. *-23/29-12* Pt Mitterrand au Caire (séjour privé). **1986**-*25/28-2* mutinerie, 2 000 à 3 000 appelés de la police croyant qu'on porterait leur service de 3 à 4 ans. 107 †, dégâts 105 millions de $ (3 hôtels incendiés), milliers d'arrest. 26 644 conscrits démobilisés. *-19-3* attentat foire du Caire, 1 Israélienne †. *-11/12-9* PM Peres (Israël) rencontre Moubarak à Alexandrie. Plusieurs complots pour assassiner Moubarak déjoués. *Oct./déc.* agitation intégriste à Assiout. *-10/13-12* Pt Moubarak en Fr. **1987** *févr.* intégristes incendient église à Sohag. *-12-2 référendum* 88,9 % approuve dissolution du Parlement. *-6/13-4* législatives. *-27-4* le gouv. ferme bureaux de l'OLP. *-22-5* accord avec FMI (prêt de 250 millions de $ en échange d'une dévaluation et de la baisse des subv. aux prod. de base). *-9-6* intégristes arrêtés avant attentats. *-27-9* J. Chirac inaugure métro du Caire (réalisé et financé par la Fr. ; 2,58 milliards de F). *-5-10* Moubarak réélu Pt par 97 % des voix. *Nov.* relations dipl. reprises avec Émirats ar., Irak, Maroc, Koweït, N.-Yémen, Bahreïn, Arabie (16-11). **1988** *23-1* avec Tunisie. *Févr.* Khaled Abdel Nasser (fils de Nasser), en fuite, inculpé pour attentats anti-Israël et anti-amér. ; se livre à la justice 6-6-90 ; sera acquitté 2-4-91. Conseil d'État autorise le *néquab* (voile ne laissant apparaître que les yeux) à l'université. *-26-6* pose de la 1re pierre de la *nouvelle bibliothèque d'Alexandrie* sur l'emplacement du palais de Ptolémée (ouverture 1995, 200 000 vol., puis 4 et 8 millions, coût 60 millions de $ pour construction et 40 pour constitution des collections et informatique) *-10-10* inauguration du nouvel opéra du Caire (33 millions de $, l'ancien avait brûlé en 1971). *-22-10* Akaba, rencontre roi Hussein, Arafat, Moubarak. *-25-10* Pt Mitterrand en É. *-5-11* l'É. réintègre l'Organ. ar. pour le développement ind. (et le Conseil de l'Union écon. arabe le 4-12). *-20-11* É. reconnaît l'État palestinien ; relations dipl. avec Algérie rétablies (interrompues dep. 1977). **1989**-*22-1* découverte à Louqsor de 5 statues : Aménophis III (1408-1372 av. J.-C.), reine Tiy, Horemheb son G[al] devenu pharaon (1340-1314 av. J.-C.), déesse Hathor et statue non identifiée. *-21-2 accords de Taba :* l'É. paie à Israël 38,15 millions de $ pour l'hôtel de Taba et le village de vacances de Rafi-Nelson près d'Eilat. *-15-3* retour de Taba à l'É. *-27-3* Roi Fahd en É. *Avr.* 1 500 islamistes arrêtés. *-1-5* frontière avec Libye réouverte. *-13-5* É. réintègre l'Opaep. *-25-5* la Ligue arabe. *-9-6* élections à la Choura : victoire du P. nat. démocrate. *-19-6* manif. contre difficulté de l'épreuve de français au bac. *-16-10* rencontre Moubarak-Kadhafi à Marsa-Matrouk (1re venue de Kadhafi en É. dep. 1973). *-27-12* relations dipl. avec Syrie rétablies (interrompues dep. 1977). **1990**-*4-2* Ismaïlia : attentat contre autocar israélien (9 †), revendiqué 6-2 par FLPLP. *-1-3* incendie hôtel Sheraton d'Héliopolis (16 †). *Mars* attentat contre églises coptes. *-24-3* rencontre Moubarak-Assad en Libye. *-4-4* 3 nouveaux partis autorisés : Verts (écologiste), Union démocratique (centre droit) et Misr el-Fatat (Jeune Égypte, populiste). *-26-4* manif. à Manfalout (4 †). *-30-4* 16 intégristes tués par police à Khak. *-14-7* Pt Assad en É. (1re visite en 17 ans). *Août-févr.* g. du Golfe (voir Index). *Oct.* Rifoat Mahgarb, Pt du Parl., assassiné. *-11-10 référendum* sur dissolution du Parlement, la Haute Cour constitutionnelle ayant déclaré le 19-5 anticonst. le scrutin de liste à la proportionnelle qui avait servi à élire le Parlement en 1987. *-3-11* Alexandrie 1re université francophone internat. inaugurée. *-25-11* attentat anti-isr., 4 † 23 bl. *-29-11/6-12* él. lég. **1991** *juin* 1re visite dep. 1953 de Fouad (le dernier roi), fils du roi Farouk. *-3-8* Ali Sabri meurt. *-22-11* Boutros Boutros-Ghali (n. 1922, copte, universitaire, diplom.) secr. gén. de l'Onu. **1992**-*4-5* Sanabou : 13 coptes tués par maximalistes musul. *-8-6* Farag Foda écrivain tué par Islamistes. *-21-7* PM Rabin au Caire. *-11/12-8* émeutes à Edko 3 †. *-12-10* séisme au Caire : 520 †, 5 300 bl. (émeutes le 17). *-15-10* Tama, 4 coptes tués. *-21-10* touriste brit. tué. *-25-10* 3 tour. russes bl. *-1-11* 10 coptes blessés. **1993**-*16-2* loi syndicats (but : empêcher contrôle islam.) *-16/17-3* à Assiout (10 islam. †). *-6-4* Cheikh Omar Abdel Rahman jugé par contumace pour incitation à la violence (cité dans l'enquête du Trade World Center à New York le 26-2, dont le resp. présumé de l'attentat, Mahmoud Abou Halima, est arrêté 24-3). *-11-4* G[al] de la police assass. près d'Assiout. *Attentats islamistes :* plusieurs depuis 1992 dont en 1993 : *janv.-fév.* autobus de touristes attaqués. *-5-2* tour. amér. assass. *-26-2* Caire (4 †, dont 3 tour.) *-27-3* Le Caire (2 †), *-28-3* Assouan, *-30-3* pyramide de Khephren. *Répression :* plusieurs milliers d'islamistes arrêtés. *-21-5* Le Caire, voiture piégée, 7 †. *-8-6* bombe manque autobus de touristes, 2 † égyptiens. *-17-6* Le Caire, bombe 7 †.

> **Frères musulmans (Société des)** (Jamaet al-Ikhwân al-muslimûn). Fondée à Ismaïlia 1928 par Hassan el-Banna (1906-49, instituteur). *But :* restaurer un islam authentique. **V. 1945** très puissante, **1948** dissoute, **1951** réautorisée, **1954** dissoute, **1966** épurée, **1970-75** membres libérés. **Groupe Apostasie et exil** (Al-Takfir wal-Hegro) a assassiné un ministre de Sadate en 1977. **Groupe Guerre sainte** (Al-Jihad) a tué Sadate en 1981, restructuré en **Groupe islamique** (Al-Djamaa al-Isla miya). *Chef(?):* Cheikh Omar Abdel Rahman (n. 1939 ; aux USA dep. 1990). *Idéologues : Saïd Kotp,* Frère musulman, pris 1966 (livre : *Les Signes de piste).* Omar Abder Rahman, 52 ans, cheikh aveugle du Fayoum où il créa un groupe radical dans les années 70. Septembre 1981, a lancé la « fatwa » condamnant Sadate à mort. Faute de preuves, libéré après le procès des assassins.

Statut. Rép. *Constitution* de 1971 (amendée 1982) [*art. 1er :* définit l'É. comme un État socialiste démocratique ; *art. 4 :* le fondement économique de l'État est le système socialiste]. **Pt** (élu par référendum pour 6 ans, sur proposition de l'Ass. du peuple). **Ass.** (Conseil du peuple) : 458 m. (448 élus pour 5 ans au suffr. univ. et 10 nommés par Pt pour 5 ans) ; 50 % des élus doivent être ouvriers ou agriculteurs ; 30 sièges réservés aux femmes. **La Choura** (Conseil consultatif) : membres 210 (2/3 élus, 1/3 nommé par Pt de la Rép.). **Gouvernorats** 26. **Fête nat.** 6-10. **Drapeau.** Adopté 1972 (bandes horiz. rouge, blanche et noire, symbolisant l'union de l'Égypte avec Libye et Syrie). **Emblème :** aigle, avec la devise « Fédération des Républiques arabes ».

Partis. *P. libéral socialiste,* f. 1976, Pt Mustafa Kamel Murad. *P. Wafd,* au pouvoir de 1919 à 1952 ; réapparu 1978, Pt Fouad Serag El Din opposition. *P. nat. démocrate* (PND) f. 1978, Pt Hosni Moubarak. *P. socialiste travailliste* (PST) f. 1978, Pt Ibrahim Mahmoud Choukri. *Rass. progressiste unioniste* (RPU), marxiste, f. 1976, Pt Khaled Mohieddine.

Élections législatives. 29-11/6-12-1990. Sièges : 448. PND 348, indépendants 83 (Wafd 14, PST 8, Lib. 1), RPU 6.

Premiers ministres. 1975 *avril* Gal Mamdoul Muhammad SALEM (n. 1918). **1978** *oct.* Moustapha KALIL (n. 1920). **1980** *mai* Anouar EL-SADATE (1918-81). **1982** *janv.* Ahmad Fouad MOHIEDDINE (1926-84). **1984** *août* Gal Kamal Hassan ALI (1921-93). **1985** *5 mai* Ali LOUFTI (50 ans, PND). **1986**-*11-11* Atef Mohamed Naguib SEDKI.

> **PROBLÈMES ÉCONOMIQUES**
>
> **Urbanisation.** 90 % de la pop. vit sur 35 580 km² [(densité de 700 à 1 100 au km²), pop. urbaine 44 % en 1980] : une grande partie des t. cultivables (vallée du Nil) gagnées par l'urbanisation sont perdues pour l'agr. Crise du logement (178 000 l. construits par an, or il en manque 3 millions).
>
> **Culture du coton.** Procurant 50 % des devises étrangères. Développé au détriment des cultures vivrières.
>
> **Aménagement de la New Valley.** Perpendiculaire au Nil, le long du Soudan. Des canaux y déverseraient l'eau du lac Nasser, dont les limons fertiliseraient le pays. Un essai sur 12 500 ha (thé, café, céréales, canne à sucre) n'a pas été probant (coût des travaux : 4 200 F par ha irrigué).
>
> **Échec des réformes rurales.** La politique agraire de Nasser (distribution de terres aux fellahs, pour créer des emplois primaires dans l'agr.) a échoué : 1°) les postes créés couvrent – de 20 % des demandes (expansion démographique) ; 2°) analphabétisation rurale forte : hommes 67 %, femmes 93 ; 3°) rendement déficitaire des petites propriétés (devant fixer une main-d'œuvre nombreuse) [1975, Sadate a rendu 33 000 ha à 5 000 anciens propr. fonciers et 87 000 ha regroupés en grandes fermes coopératives].
>
> **Projet de répartition des terres.** *– d'1 feddan* (0,42 ha) (18,2 % de la superficie) : 2 696 000 petits propriétaires (69,2 % du total). *Entre 20 et 50 feddans* (19 %) : 27 000 propr. moyens. *+ de 100 feddans* (8 %) : 2 000 grands propr.
>
> **Réformes économiques 1991-93** (en contrepartie de l'effacement de la dette). Libér. des prix et du commerce, déréglementation de la prod. agric., marché des changes libre, encouragement du secteur privé, privatisation du secteur public (70 % du secteur ind., 80 % des exp.).

■ ÉCONOMIE

PNB (91). 570 $ par h. **Pop. active.** (% et entre par. part du PNB en %) agr. 36 (19), ind. 18 (13), services 40 (53), mines 6 (15). *Chômage* (%) *1990 (juil.) :* 15 ; *92 :* 33. **Déficit budgétaire** (en % du PIB) *1988-89 :* 17 ; *89-90 :* 15 ; *90-91 :* 17 ; *92-93 :* 15. **Balance des paiements** (milliards de $) *1985 :* – 2,24 ; *86 :* – 1,87 ; *87 :* – 0,31 (y compris transferts des trav. ég. émigrés) ; *88 :* – 0,35 ; *89 :* – 0,29 ; *90 :* + 2,2 ; *91 :* – 2,2. **Réserves en devises** (millions de $) ; *1990 (sept.) :* 3 722 ; *1992 :* 10 500 ; *1993 (fév.) :* 15 000. **Coût de la guerre du Golfe** 27 milliards de $. **Dette extérieure** (milliards de $) *1970 :* 1,7 (à long terme) ; *81 :* 21 (16 à long t.) ; *86 :* 40 (dont militaire 9) ; *90 :* 48,8 (13 annulés par USA) ; *91 :* 55 (en 90-91, Koweït et A. Saoudite en annulent 7 et le FMI 50 % jusqu'en 1994) ; *92 :* 25. **Inflation** (%) *1985 :* 13,5 ; *86 :* 22,6. *87 :* 19,7 ; *88 :* 15,9 ; *89 :* 21,3 ; *90 :* 16,8 ; *91 :* 20,7 ; *92 :* 9,7.

Le Nil (3e fleuve du monde). *Longueur :* 6 671 km, bassin 2 870 000 km². Source (lac Victoria) découverte 30-7-1858 par John Henning Speke. Grâce à son orientation S./N. (unique au monde pour un fleuve de cette importance), draine des régions appartenant à 4 zones climatiques différentes : équatoriale, tropicale, tropicale-boréale, désertique : grâce à lui, l'É. n'est pas un désert, comme les autres régions de la même latitude. *Débit :* 2 800 m³/s, (soit un apport de 0,93 l/s. par km² de bassin) ; 84 milliards m³/an dont (accord de 1959) : Égypte 55,5 Soudan 18,5, 10 représentant l'évaporation. *Apport annuel à Assouan* (milliards de m³) : *1985* 56,1 ; *1986* 48,5 ; *1987* 41,1 ; *1991* 55 ? *Vallée en E. :* long. 1 200 km, larg. 32 km, dénivellation avec plateau avoisinant 400 m. *Delta* (7 branches principales, nombreuses sous-br.) : long. 160 km, larg. 200 km (250 km près d'Ismaïlia, grâce à la 8e br. artificielle). *Crues :* jamais à sec ; son cours supérieur (régime équatorial : pluie toute l'année) est régularisé par la traversée des lacs Édouard, Albert et Victoria (réservoirs naturels). *Hautes eaux* (août-nov.) dues au régime tropical-boréal des 3 affluents éthiopiens qui ont chacun une crue d'env. 6 semaines : Sobat (oct.-nov.), N. Bleu (sept.-oct.), Atbara (août-sept.). Avant la construction du barrage il y avait des inondations annuelles (montée de 6,4 m, puis, après des travaux, 4,6 m). Jusqu'au XIXe s. les eaux étaient recueillies dans des bassins qui fournissaient de l'eau durant 3 ou 4 mois après l'inondation ; puis on construisit des barrages permettant d'utiliser l'eau toute l'année (ainsi on passa de 2 à 3 ou 4 récoltes par an et l'on put cultiver maïs et coton). *Limon transporté :* solide 57 millions de t par an, soit 20 t par km² de bassin (dont argile 62 %, terre végétale 25) ; dissous 10,7 millions de t (3,7 t/km² de bassin), notamment bicarbonates (75 %). Teneur en chlorure de sodium forte, entraînant salinisation des terres. *Eau potable :* alimente l'É. et la bande de Gaza, occupée par Israël (600 000 hab.), reliée dep. 1917 au delta par un aqueduc.

Partage des eaux 1929 tr. entre Égypte et Soudan (sous tutelle anglo-égypt.), des « droits acquis ». Accords : Égypte 48 km², Soudan 4. Le débit moyen du Nil étant estimé à 84 km³/an, la masse d'eau restante (32 km³/an) inutilisée se perd dans la mer au moment de la crue, ou par infiltration et évaporation. **1956**-*1-1* Soudan indépendant : réclame renégociation du tr., les besoins ayant augmenté dep. 1929. **1957** échec des pourparlers. Le Soudan se considère dégagé et prépare la construction du barrage de Roseires, sur le Nil Bleu. **1959**-*7-10* négociations reprises. *-8-11* tr. : Ég. 55,5 km³/an, Soudan 18,5. L'Ég. financera le déplacement des Nubiens soudanais habitant la région du haut barrage, leur paiera des compensations et accepte la construction de 2 barrages au Soudan (Roseires sur Nil Bleu et Khachm al-Guirba sur Atbara). L'aménagement du haut Nil est prévu : creusement du canal de Jonglei (Soudan, entre Bor et Malakal : 360 km, pour récupérer 5 milliards de m³ d'eau qui se perdent dans les marécages). Charges et bénéfices doivent être partagés par les 2 pays. Les travaux, commencés 1979, ont été interrompus par la g. civile au Soudan. Éthiopie dispose des sources du Nil Bleu, du Sobat et de l'Atbara, qui fournissent 80 % des eaux du Nil. **1902**-*15-5* Addis-Abeba, Accord de frontières Soudan/anglo-égyp., Éth./Érythrée, signé par Éth. et G.-B. d'une part ; par G.-B., Italie et Éth. d'autre part. Ménélik II s'engage à ne pas construire d'ouvrages sur le Nil Bleu, lac Tana ou rivière Sobat sauf accord avec G.-B. et Soudan. L'Éth. a dénoncé les accords de 1902, refusé ceux de 1929, projette de prélever 5,4 km³/an.

Consommation annuelle égypt. en eau (en milliards de m³). 60,7 dont 55,5 du Nil, 2,3 de la réutilisation des eaux de drainage et 2,9 de pompages dans la nappe souterraine s'étendant du Tchad à l'É. et renfermant une masse d'eau évaluée à 50 000 km³, dont 20 000 env. en É., dans le sous-sol des oasis (Kharga, Dakhla, Farafra et Bahriyya). Consommation domestique 6 dont 50 % perdue dans les canalisations. *Eau d'irrigation utilisée par an :* 8 000 m³ (gratuite) par feddan (alors que 4 500 suffiraient). Dep. 1989, grâce au remplissage du lac Nasser, on a diminué le débit du Nil jusqu'à un seuil minimal suffisant pour la navigation : la perte est réduite à 2,5 km³ et on envisage de récupérer ces eaux en les déviant vers les deux lacs du nord du Delta – Barollos et Menzaleh –, transformés en réservoirs.

Volume d'eau disponible par hab. (m³ par j). *1972 :* 4,4. *2000 (est.) :* 2,1.

Aide **(en milliards de $).** *De 1973 à 1978 :* 85 milliards de F des pays arabes pétroliers, USA, Europe occ. (*France :* plus de 1 milliard de F), Iran, Japon, et aide multilatérale. *En 82,* 15 milliards de F dont 1 de la *France. Aide arabe* a cessé en 79, à cause des négociations israélo-ég. (*l'aide d'Abou Dhabi* destinée à l'élargissement et à l'approfondissement du canal de Suez a été compensée par des prêts jap. et angl.). *Aide américaine 1986 :* 2,5 (dont aide militaire : 1,2) ; *88 :* 2,3 ; *92 :* 2,7 (dont milit. 1,3). *Totale. 1991-93 :* 3,2 à 4,4.

Croissance économique. *1913-55 :* égale à l'accroissement démographique (1,7 % par an) ; *1956-65 :* 6,7 % (a. d. 2,6 %) ; *dep. 1965 :* 4,3 % par an (a. d. 2,6 %) ; *1984 :* 5,1 ; *85 :* 5 ; *86 :* 6 ; *87 :* 3,5 (a. d. 3,8 %) ; *88 :* 7,5 ; *89 :* 5,3 (a. d. 2,2 %) ; *90 :* 5,3. **Recettes invisibles** (en milliards de $, 92) *canal de Suez* 1,9 (*88 :* 1,3), transferts des *revenus ég. à l'étranger* [*83 :* 4 ; *84 :* 3,75 ; *85 :* 3,1 ; *86/87 :* 2,5 ; *88-91* (pays du Golfe) : 3 ; *89 :* 9 ; *91 :* 19 ; *92 :* 16,8]. *Tourisme 89 :* 3 ; *90 :* 2 ; *91 :* 3 ; *92 :* 1,7.

Agriculture. *Terres* (%) : cultivables 4 (dont cultivées 3), désert 95. *Production* (milliers de t, 91) : canne à sucre 11 621, maïs 5 008, blé 4 755, riz 3 385, millet 655, haricots 179, oignons 1 014, coton 736, orge 78, fèves 335, dattes 450, agrumes 2 413, sésame 25, lentilles 17, lin. **Déficit alimentaire** (1986-87 en %) huiles 81, blé 80, sucres 60, céréales 55. Élevage (milliers de têtes, 91). Poulets 35 000, canards 8 000, buffles 2 550, ânes 2 000, bovins 3 500, chèvres 4 500, moutons 4 900, chameaux 200, porcs 110. Pêche. 313 000 t (90).

Énergie. **Pétrole** (millions de t) *réserves* 785 (6,3 milliards de b.), soit 14 ans de prod. *Prod. 85 :* 44 ; *86 :* 41 ; *87 :* 46 ; *88 :* 44,5 ; *89 :* 45 ; *90 :* 44 ; *91 :* 45 (876 652 b/j) ; *92 :* 53. *Explorations* surtout off shore (golfe de Suez à 90 %). *Recettes* (milliards de $). *1984/85 :* 2,1 ; *86 :* 1,9 ; *90 :* 1,5 (29 % des exp.). **Gaz naturel** (milliards de m³) *réserves* 351 ; *prod. : 85 :* 3,6 ; *90 :* 3,5 ; *91 :* 9,2 ; *92 :* 8,3. **Électricité** 45,5 milliards de kWh (dont 17 gaz, 7,8 hydraulique). Assouan produit 22 % de l'électricité (54,3 % en 1978). Mines. Fer, phosphates, calcaire, manganèse, sel. Industrie. Textile, prod. alim., tabac, métallurgie. Transports (km). Routes 91 000, chemins de fer 4 548 (88). Tourisme. *Visiteurs* (en millions) *1985 :* 1,5 ; *90 :* 2,6 ; *91 :* 2,2 ; *92 :* 3,2 (dont 0,2 Français, 0,5 Israéliens). *Capacité d'accueil* (91) : 415 hôtels (101 469 lits en 90). *Emploi :* officiellement 600 000 personnes (en fait 2 400 000). *Ressources :* 3 milliards de $. *Développement* (1985-90) sur mer Rouge [marinas et ports de commerce ; villes balnéaires de Hurgada (385 km au S. de Suez) et de Charm el-Cheikh (336 km)].

Commerce (millions de £ É, 90). **Exp.** 6 953 *dont* pétrole 1 995, coton 562 ; *vers* (%) Italie 30,5, ex-URSS 8, USA 8, G.-B. 5,5, All. 4. **Imp.** 24 830 *dont* équip. 5 618, prod. alim. 4 287, textile, bois 2 813, prod. chim. 2 755, métaux 2 291, prod. min. 1 124 *de* (%) USA 19,3, Italie 12, *France 10,* All. féd. 10, G.-B. 5. **Déficit commercial** (milliards de $) *1960 :* + 0,3 ; *83 :* – 4,5 ; *84-85 :* – 4,2 à – 5 ; *86 :* – 4,01 ; *87 :* – 4,33 ; *88 :* – 6,7 ; *89 :* – 7,6 ; *90 :* – 7 ; *91 :* – 7,5. *Causes :* baisse du prix du pétrole, sécheresse (en 1985, le Nil était à son plus bas niveau depuis 1611).

Rang dans le monde (91). 8e coton. 14e phosphates. 18e pétrole. 23e gaz nat.

■ Grands travaux

■ Assouan. **Barrage** (es-Sadd, la digue, ou el-Khazzan, le réservoir) : construit 1898-1902, surélevé 1907-12 et 1929-34 ; long. 1 962 m ; larg. 27 m à la base ; haut. 30,5 (*1912 :* 35,5, *34 :* 41,50), retenue d'eau haut. 20 m ; réservoir 1 milliard de m³ (*1934 :* 5).

Haut barrage (Sadd-el-Ali) : mis en eau 1964, inauguré 15-1-71. Barrage poids épaisseur base 980 m, sommet 40, long. sommet 3 600 m, volume 47 200 000 m³. *Coût :* 2 milliards de $ (40 % payés par URSS, 40 % remboursables en coton). *Lac Nasser* (5 000 km², 2e du monde après Kariba sur Zambèze) 10 à 30 km de large et 500 km de long (2/3 en É., 1/3 au Soudan), 175 m de prof. en 1978, 150 m en juill. 88 ; retient 157 à 185 milliards de m³ d'eau, soit 5 fois le débit annuel (dont 1/6 sont perdus par évaporation). *Production hydroélectrique :* 12 turbines (puissance installée 21 millions de kW).

Objections des écologistes : 1°) *la suppression des crues* du Nil prive les terres du limon fertilisant (60 à 180 millions de t/an), le lac Nasser s'envase ; 2 000 000 t/an d'engrais chimiques sont nécessaires au lieu de 700 000 en 1957 ; elle a fait disparaître de Méditerranée orientale la majeure partie des poissons, notamment des sardines, qui se nourrissaient du Nil [en fait, le lac Nasser est très poissonneux (pêche annuelle 34 000 t), mais la région étant sous-peuplée il y a peu de débouchés] ; 2°) *le Nil coule + vite* et creuse son lit (60 cm de 1964 à 68, 1,7 cm par an depuis) ; 3°) *le limon* apporté par le Nil maintenait la superficie du delta ; attaqué par la Méditerranée, il recule actuellement de 30 m par an ; 4°) *le remplissage* constant des canaux d'irrigation cause une endémie de bilharziose, dont 1 cas sur 10 est mortel [les bilharzies, vers parasites, ne peuvent être détruites que par un assèchement prolongé (minimum 3 semaines)] ; 5°) dans la province de Tahrir, l'irrigation a provoqué la stérilisation complète des sols, à cause des gisements de sel gemme non repérés. On espérait obtenir 2,54 millions d'ha irrigués sur le plateau, on en a obtenu 273 000, dont 162 000 ont été abandonnés à cause des infiltrations de sel.

Nota. – La création du lac Nasser a déplacé 60 000 Nubiens en haute Égypte.

■ Projet hydroélectrique de Kattara. Cuvette de 20 000 km² à 137 m au-dessous du niveau de la mer, dans le désert de l'Ouest. Lac de 50 m de prof., 2 600 km², créé grâce à un canal de 75 km creusé avec des explosifs atomiques pour amener les eaux de la Méditer. *Avantages :* fonctionnement de centrales sur le parcours ; modification du climat, grâce à l'évaporation ; exploitation des sels marins.

■ Émirats arabes unis

Carte p. 916. V. légende p. 884.

Nom. Autrefois *Trucial States* (États de la trêve). *Émirats arabes unis* dep. le 2-12-1971. Situation. Golfe Persique *(côte des Pirates).* 77 700 km². *Long.* 600 km. *Alt. max.* env. 2 400 m.

Population. *1971 :* 180 000. *1991 :* 1 909 000, prév. *2000 :* 5 849 000. 15 % d'autochtones, 85 % d'étrangers [50 % Pakistanais et Indiens, 40 % Arabes tiers (Libanais, Égyptiens), 10 % Européens]. D 24,6. **Espérance de vie** H. 70 a., F. 73 a. Langues. Arabe *(off.)* ; anglais (1. commerciale). Religions. *Autochtones :* 100 % musulmans sunnites ; *étrangers :* sunnites (96,7 %), chiites, chrétiens (1,6 %). Alcool toléré, plages et piscines ouvertes aux femmes. Enseignement. *1930 :* aucune école. *1971 :* 28 000 à 30 000 élèves. *1991 :* 300 à 350 000 (dont 9 000 étudiants).

Histoire. **XVIIe s.** comptoirs portugais. **Début XIXe s.** piraterie. **1835** sous la pression de la G.-B., trêve (d'où l'ancien nom) entre cheikhs de la côte. **1853** tr. de paix entre cheikhs (sous la pression G.-B.). **1885-1909** règne du cheikh Zayed ben Khalifa al-Nahyan (le + long). **1892** accord officialisant tutelle G.-B. **1922-26** cheikh Sultan. **1928** cheikh Zhakbhut (son frère). Trêve maritime avec G.-B. **1930** crise écon. (perles fines concurrencées par perles de culture jap.). **1968**-*27-2* « déclaration d'union » des 9 émirats, création d'un conseil suprême : projet non réalisé. **1971**-*14-8* Bahreïn, *1-9* Qatar ; indépendants. *-2-12* Féd. proclamée ; Bahreïn, Qatar et Râs al Khaïmah n'en font pas partie. Tr. d'amitié avec G.-B. **1972**-*25-2* Khaled ben Mohamed al-Qassimi, souverain de Chârdjah, tué ; son frère, le Pce héritier Sultan ben Mohamed al-Qassimi lui succède. *-23-12* Râs al Khaïmah 7e m. de la Féd. **1975**-*12-7* Doubaï nationalise les Stés pétrolières. **1990** guerre du Golfe. Voir Index. **1991** *juil.* scandale de la BCCI (Banque de Crédit et Commerce Intern.) : cheikh Zayed, actionnaire principal, aurait été dépossédé de 2 milliards de $. *-12-9* cheikh Zayed en France.

7 émirats. **Abou Dhabi** 67 350 km² (86 %), 798 000 h. (*1968 :* 46 400). *Capitale : Abou Dhabi,* 350 000 h. (85), 20 parcs. *Pétrole* dep. 1962 : réserves 98 milliards de barils, prod. 2,6 millions de barils/jour (91), revenus 6 milliards de $. Port de Mina Zayed. *Souv. :* Cheikh Zayed ben Sultan al-Nhayan dep. 6-8-1966. **Doubaï** 3 900 km², 637 000 h. *Pétrole* dep. 1969, réserves 193 millions de t (84) 800 millions de $ (84) [20 ans de cons. en 1993], *prod.* 580 000 barils/jour (91). Aluminium : 170 000 t/an. Port Rachid (+ grand port artificiel du monde ; 11 millions de t de march. en 1991) et Jebel Ali (zone franche et pôle de frêt ; 500 Stés. Grand centre commercial. 2 golfs 18 trous, uniques au Moyen-Orient (4 à 5 millions de l d'eau/j). *Souv. :* Cheikh Maktoum ben Saïd al-Maktoum dep. 1990. **Chârdjah** 2 600 km², 314 000 h. *Pétrole* dep. 1874, réserves 11,3 millions de barils (84), prod. 65 000 barils/jour (89), revenus 0,04 Md $ (84). Pétrochimie. Port Khalid. *Souv. :* Cheikh Sultan ben Mohamed al-Qassimi dep. 1972. **Foudjaïrah** 1 150 km², 63 000 h. Pêche, tourisme, agriculture. *Souv. :* Cheikh Hamaïd ben Mohamed al-Sharqi dep. 1974. **Adjmân** 250 km², 76 000 h. Pêche, construction navale, commerce, ciment, eaux minérales, chrome, cuivre, fer. *Souv. :* Cheikh Humaïd ben Rashed al-Nuaimi dep. 1981. **Oumm al-Qaïwaïn** 750 km², 27 000 h. Pêche, perles et commerce. *Souv. :* Cheikh Rashed ben Ahmed al-Mualla dep. févr. 1981. **R'as al-Khayma** 1 700 km², 130 000 h. *Capitale :* Râs al Khaïmah. *Souv. :* Cheikh Saqr bin Mohammed al-Qassimi dep. 1948. Agriculture, pêche, commerce, cuivre, fer. Port Saop.

Statut. Fédération de 7 émirats. *Constitution* provisoire du 2-12-1971 prorogée depuis. *Conseil suprême des gouverneurs* comprenant les 7 émirs, nomme Pt et vice-Pt pour 5 ans renouvelables. *Pt* Cheikh Zayed ben Sultan al-Nahyan (n. 1916 ou 1923) dep. 2-12-71 [fils du Cheikh Sultan et petit-fils du Cheikh Zayed ben Khalifa al-Nahyan]. *Vice-Pt et PM* Cheikh Rashed bin Saïd al-Maktoum (vice-Pt dep. 2-12-71, PM dep. 30-4-79). *Conseil national fédéral* (Parlement) 40 m. nommés pour 2 ans par les émirs (Abou Dhabi et Doubaï 8 m., Chârdjah et Râs al-Khaïmah 6 m., les autres 4 m.) **Fête nat.** 2 déc. (Constitution). **Drapeau.** Adopté 1971.

■ Économie

PNB ($ par h). *1982* : 24 080 ; *85* : 17 866 ; *86* : 15 000 ; *87* : 16 700 ; *88* : 15 875 ; *89* : 17 800 ; *90* : 22 000. **Pop. active** (% et entre par. part du PNB en %) agr. 5 (1), ind. 45 (13), services 46 (48), mines 4 (38). **Aide** aux fonds arabes (91) : 865 millions de $. **Budget déficit** (milliard de $) *1988* : – 0,5 ; *89* : – 0,5 ; *90* : – 0,3, *91* : – 0,2, *92* : – 0,4.

Agriculture. 100 000 ha de terres cult. et irriguées. 1981 : 13 000 ha cultivables dont 7 000 cultivés. 70 millions d'arbres et 14 de palmiers plantés sur 200 000 ha de désert. **Cultures maraîchères** 700 000 t. **Élevage** (milliers, 90). Volailles 7 000, chèvres 580, moutons 260, chameaux 115, bovins 50. **Pêche.** 91 200 t (89). **Énergie. Pétrole** (millions de t) *réserves* 13 466 (100 milliards de b. ; 150 a. de cons.), représente 85 % des ressources ; *prod. 1980* : 84,2 ; *85* : 60 ; *86* : 69 ; *87* : 73 ; *88* : 77 ; *89* : 91 ; *90* : 110 ; *91* : 118 (3,2 millions de b/j) ; compagnies : Adco, Adma-Opco (Abou Dhabi). **Gaz** (milliards de m³) : *réserves* 5 763, *prod. 86* : 10 ; *88* : 14 ; *89* : 18 ; *90* : 22 ; *91* : 23,4. *Revenu* pétrolier (milliards de $) : *81* : 19,4 ; *84* : 11,7 (24,5 avec gaz naturel) ; *88* : 8,6 (avec gaz naturel) ; *89* : 11,5. **Industries.** Alim., métaux, prod. chim., ciment : 5 millions de t/an (capacité 9). **Transports.** 6 aéroports, 2 comp. aériennes : Emirates Airlines, Gulf Air.

Commerce (milliards de dirhams des ÉAU, 89). **Exp.** 50 *dont* pétrole 45,8 (85), hydrocarbures 37 *vers* (84) Arabie S. 1,2, Qatar 0,6, Oman 0,4, Yémen 0,1. **Imp.** 36,7 *dont* prod. man. de base 12,5, mach. et équip. de transp. 10,1, prod. alim. 4,2, chim. 2,2, fuel et lubrifiants 2 (84), prod. man. divers 4,6 (84) *de* Japon 5,1, USA 3, G-B 3, All. féd. 2,2, Bahreïn 1,4 (84), *France 1,1*. **Rang dans le monde** (91). 3ᵉ rés. gaz nat, rés. pétrole. 8ᵉ pétrole. 20ᵉ gaz nat.

Équateur

Carte p. 960. V. légende p. 884.

Nom. Au XVIIIᵉ s., une mission scientifique dirigée par Louis Godin et Charles-Marie de La Condamine mesura le degré d'un arc de méridien sur l'équateur (dit arc du Pérou). La région fut ensuite désignée ainsi en Europe.

Situation. Amérique du S. 270 667 km², y compris les îles *Galápagos* [sans compter les *régions orientales* (174 565 km²) cédées au Pérou par le tr. de Rio du 29-1-1942, tr. dénoncé en 1961 par l'Équateur]. *Côtes* : 887 km. *Frontières* : 1 786 km, avec Pérou 1 200, Colombie 586. *Alt. max.* volcans les + hauts du monde : Chimborazo (6 310 m) et Cotopaxi (5 896 m en activité). **Régions :** *La Sierra* (cordillère des Andes), *La Costa* (plaine côtière), *El Oriente* (haut bassin de l'Amazone) et archipel des Galápagos. **Climat.** Tropical sur la Costa (température élevée, moy. 23-26 °C, une saison des pluies unique de déc. à avr., 150 à 2 000 mm), équatorial tempéré par l'altitude dans la Sierra (climat doux, moy. 12-18 °C, 2 saisons des pluies : oct.-nov. et fév.-mai, 1 500 mm environ), pluvieux uniforme dans l'Oriente, une seule saison avec légère baisse de déc. à févr., plus de 3 000 mm, température moy. 22-26 °C.

Population. *1950* : 3 202 757, *90* : 10 781 613 (50 % sur littoral), *91* : 11 078 400, *2000 (prév.)* : 13 939 000. Indiens ¹ 25 %, Métis 55, Créoles 10, Noirs 10. *Pop. rurale* 45,17 %. *- de 15 a.* : 40 %, *+ de 65 a.* : 4. D 40,7. **Villes** (90) : *Quito* (à 2 800 m d'alt.) 1 281 849, Guayaquil 1 764 170 (bidonville 500 000 h.) (port à 416 km), Cuenca (alt. 2 595 m) 227 212 (472 km), Ambato (alt. 2 570 m) 137 418. **Famine :** déficit en calories 25 %, en protéines 29 % pour les pop. marginales. **Analphabétisme croissant** 20 % en augm. **Langues.** Espagnol *(off.)* 93 % ; les Indiens parlent quetchua (7 %) et d'autres langues. **Religions.** Catholiques 94 %, protestants 6 %.

Nota. – (1) Regroupés en fédér. régionales dans la cordillère (1972), puis en Amazonie (1980) et dep. 1986 forment la Confédér. des nationalités indigènes d'E. (CONAIE), Pt : Luis Macas.

■ **Iles Galápagos. Nom** autrefois Islas Encantadas (îles Enchantées) formant la province de l'archipel de Colón (nom off. dep. 1892). **Situation** Pacifique à 1 200 km de l'E. ; 7 964 km² ; *1990* : 9 710 h. *Alt.* : 2 150 à 3 050 m. **Climat** tempéré, pluies rares. **13 grandes îles** dont (1989) : *San Cristóbal* (anglais : Chatham) 2 947 h. ; *Santa Cruz* ou *Chávez* (Indefatigable) 5 290 h., *Isabela* (Albermarle) 1 006 h. (long. 120 km ; bagne fermé 1958), *Floreana* (Charles) 400 h. ; *San Salvador* ou *Santiago* (James) et *Fernandina* (Narborough) (inhabitées). *42 îlots.* 7 954 h. (1986). **Ressources** pêche, agriculture, tourisme (visiteurs : 12 000/an max.) ; parc national dep. 1959.

Faune 9 000 à 10 000 tortues géantes (11 espèces) ; iguanes marins, terrestres ; oiseaux ; millions de rats introduits par l'homme ; animaux domestiques devenus sauvages (porcs, ânes, chiens, chats, 50 000 chèvres tuées dep. 1970).

Histoire *1535* découverte par le dominicain Tomás de Berlanga. 1ᵉʳ habitant permanent : Patrick Watkins (Irlandais). *XVIIIᵉ s.* boucaniers et pirates sont remplacés par chasseurs de baleines et d'otaries (5 000 peaux d'otaries en 2 mois pour un seul chasseur). *1832*-12-2 intégré à l'E. *1835* Darwin étudie la faune. *1942* base navale amér. (destruction de milliers d'iguanes). *1964* création, à Santa Cruz, de Darwin Station (internationale). *1970* reconstitution du « cheptel » des tortues dans l'îlot de Pinzón. *1985-avril* incendie dans l'île Isabela : 25 000 ha détruits ; 500 tortues géantes sauvées par hélicoptères.

Histoire. Avant le Xᵉ s. roy. des Quitos, capitale Quito. **V. 1000** conquête du terr. des Quitos par le peuple maritime des Caras ou Caraques, dont les caciques se nommaient les shiris. **1370** le shiri Hualcopo entre en g. contre l'Inca du Pérou Tupac Yupanqui. **XVᵉ s.** défaite des Caras et domination inca. **1533** conquête esp. (Pizarro et Benálcazar). **XIXᵉ s.** nombreux conflits avec Pérou sur frontières. **1809-22** lutte pour l'indépendance. **1822-30** partie de la Grande-Colombie. **1830** éclatement de la Gde-C. et indépendance sous le 1ᵉʳ Pt élu, le Gᵃˡ J.J. Flores (1801-64). **1845** chute de Flores. **1860-95** *théocratie catholique* [fondée par García Moreno († 1875, assass.)]. **1875**-*9-5* période progressiste. **1895** révolution libérale (anticléricale) du Gᵃˡ Eloy Alfaro. **1895-1912** *Régime libéral-radical* 2 généraux-dictateurs (tantôt Alfaro, tantôt Leonidas Plaza) fondent un État laïc (Église séparée de l'État). **1912** Plaza rompt avec Alfaro (assass. 28-1) et gouverne en libéral modéré. **1924-25** dernière présidence d'un radical (Gonzalo de Cordova, renversé par des militaires). **1933-72** *« Vélasquisme intermittent »* [José-Maria Velasco Ibarra (1893-1979), « Caudillo » : catholique, tantôt à droite, tantôt à gauche, nationaliste, révolutionnaire, francophile, nommé 5 fois Pt, menant 1 seul fois son mandat à terme (1952-56) ; 4 fois renversé : 1934-35, 1944-47, 1960-61, 1968-72]. **1941**-*janv.* g. avec Pérou, qui conquiert Est du pays (Amazonie). **1942** tr. de Rio de Janeiro, cédant au Pérou 174 565 km². **1961**-*sept.* Ibarra dénonce tr. **1962-63** régime de gauche, alliance avec Fidel Castro (Pt Carlos Julio Arosemena, ancien vice-Pt Ibarra). **1963**-*11-7* Arosemena renversé par militaires conservateurs. **1969**-*26-5* adhésion au pacte andin. **1970** découverte du pétrole de Lago Agrio. **1972**-*16-2* junte des généraux « nassériens » [Pt : Guillermo Rodríguez Lara (n. 1924) qui a renversé Ibarra (nationalisme de gauche, anti-amér., économie dirigée)]. **1973** adhère Opep. **1975** surchauffe économique, forte inflation. *-1-9* tentative de putsch (Gᵃˡ González Alvear). **1976**-*11-1* Pt Lara remplacé par Amiral Alfredo Poveda (non nassérien). **1977** violences (notamment *-19-10* grève de la sucrerie Aztra, 120 †) : Poveda, poussé par USA, admet retour à la démocratie. **1978**-*15-1* référendum pour constit. démocr., avec élection prés. à 2 tours. *-16-7* Jaime Roldos Aguilera (n. 1941), « réformiste » (centre gauche) en tête. Poveda tente d'annuler les élect., mais, sur intervention du Pt Carter, accepte un 2ᵉ tour retardé de 9 mois. **1979**-*29-4* *Roldos* élu Pt. *Oct.* « 2ᵉ choc pétrolier », amélioration financière. **1981**-*28-1/3-2* conflit avec Pérou sur territoires amazoniens. *-24-5* Roldos tué (accident aérien) ; remplacé par vice-Pt *Osvaldo Hurtado*, démocrate-chrétien **1981-84** relance : déficit, chute de la monnaie. **1983**-*mai* pluies diluviennes (600 †) ; dégâts 1 milliard de $. **1984**-*6-5* 1ʳᵉˢ élections avec vote des « analphabètes » (Indiens). *León Febres-Cordero* (n. 1931), conservateur, élu Pt. **1985**-*9-11* grève générale contre austérité (6 †). **1986**-*janv.* monnaie stabilisée (1 $ = 95 sucres), dette extérieure rééchelonnée. *-14-3* mutinerie du Gᵃˡ Frank Vargas réprimée. *-1-6* législatives et référendum : 58 % hostiles au pouvoir. **1987**-*16-1* Pt pris en otage (plusieurs †) par des militaires ; relâché contre libération du Gᵃˡ Vargas. *-6-3* séisme, 1 600 † (dégâts 600 millions de $). *-21-7* un évêque et une religieuse tués par Indiens Aucas. **1988**-*9-5* *Rodrigo Borja* (n. 19-5-35), social-dém., élu Pt. *-11-8* rel. dipl. avec Nicaragua reprises. *-31-8* mort de Mgr Proano (n. 29-1-1910), « évêque des Indiens ». **1989**-*15-8* accord avec FMI : crédit-relais 137 millions de $ sur 18 mois (+ 75 millions si l'É. renégocie sa dette). *oct.* Pt Mitterrand en É. **1990**-*4 et 10-6* soulèvement indien. **1991**-*18-1* Pt Borja en France. **1992**-*9-1* Pt Fujimori en É. (1ʳᵉ visite d'un Pt péruvien dep. 1941). *mai* 1 700 000 ha de terres distribués aux indigènes d'Amazonie (l'État peut les exproprier en cas d'exploitation pétrolière). *sept.* plan d'austérité : dévaluation de 30 %, privatisations.

Statut. République. *Constitution* du 19-1-1978 (en 150 ans, 17 Constitutions et 60 gouvernements). *Pt* (élu pour 4 a. au suffr. univ.) Sixto Durán-Ballen (Union. rép. n. 1922) élu 5-7-92 avec 57 % des v. devant Jaime Nebot Saadi (soc. chrét. n. 1947) avec 38 % des v. *Chambre* 72 m. élus pour 4 a. au suffr. univ. (majorité pop.). *Législatives* (5-7-92) : P. soc. chrétien (PSC) 20 sièges, P. roldosiste éq. (PRE) 15, P. unit. rép. (PUR) 12, Gauche dém. (ID) 7, P. cons. (PC) 6, dém. pop.-Union dém.-chr. (DP-UDC) 5, Mouv. pop. dém. (MPD) 3, P. soc. (PSE) 3, CFP 2, P. lib. radical (PLR) 2, Front rad. alfariste (FRA) 1, Front Amplio de gauche (FADI) 1. 21 *provinces.* **Fête nat.** 10 août (1ʳᵉ déclaration d'indép. de 1809).

■ Économie

PNB (91). 920 $ par h. *Croissance* : *1985* 4 %, *86* : 2,6, *87* : – 8,5, *88* : 11,3, *89* : 0,2, *90* : 2,3 ; *91* : 2,9, *92* : 4. **Pop. active** (% et entre parenthèses part du PNB en %) agr. 31 (19), ind. 15 (14), services 48 (47), mines 6 (20). *Chômage* (91) : 15 à 16 %. **Inflation** (%) *1983* : 45 ; *84* : 31,2 ; *85* : 28 ; *86* : 23,1 ; *87* : 29,5 ; *88* : 58,2 % ; *89* : 75,6 ; *90* : 48,5 ; *91* : 48,7 ; *92* : 60. **Dette extérieure** (milliards de $) : *1992* : 12 à 13 (99,5 % du PIB). **Salaire minimum.** 40 $ par mois.

Agriculture. *Terres* (milliers d'ha, 81) arables 1 755, cultivées en permanence 865, pâturages 3 780, forêts 14 450, eaux 672, divers 6 834. *Production* (milliers de t, 91) canne à sucre 3 361, bananes 3 525, riz 848, p. de terre 372, maïs 560, café 138, cacao 100, coton 34. **Forêts.** 10 157 000 m³ (90). **Élevage** (milliers de têtes, 91). Bovins 4 516, moutons 1 501, porcs 2 327. **Pêche.** 391 100 t (90). **Énergie. Pétrole** (millions de t) : *réserves* 211 ; *prod. 82* : 10,7 ; *85* : 14 ; *86* : 14 ; *87* : 8,5 ; *88* : 15,8 ; *89* : 15,90 ; *90* : 14,5 ; *91* : 14,8 (60 % des revenus, 40 % des exp.) ; *92* : 320 000 b/j. **Gaz :** *réserves* 115 milliards de m³, *prod.* nulle. **Hydroélectricité.** 4,7 milliards de kWh. **Mines.** Argent, or (4 t), cuivre, plomb, soufre, zinc, antimoine, cadmium, uranium, cobalt, manganèse. **Industrie.** Alim., textile, chimie, pétrochimie, métallurgie, mécanique. Potentiel hydroélectrique. **Transports** (km). *Routes* 36 187, *chemins de fer* 971. **Tourisme.** 288 000 vis. (88).

Commerce (millions de $ US, 91). **Exp.** 2 851 *dont* pétrole 1 059, poisson 541 (crevette), bananes 715, café 84, *vers* USA 1 384, Pérou 164, Chili 104, All. féd. 137, Panamá 106. **Imp.** 2 398 *dont* mat. 1ʳᵉˢ pour l'ind. 989, biens man. pour l'ind. 531, équip. de transp. 335, biens de cons. non durables 165, mat. 1ʳᵉˢ pour l'agr. 114, *de* USA 751, Japon 233, Italie 145, Brésil 137, All. féd. 142. **Rang dans le monde** (90). 5ᵉ bananes. 8ᵉ cacao. 11ᵉ café. 27ᵉ pétrole.

Érythée

Carte p. 1005. V. légende p. 884.

Indépendante dep. 24-5-1993 (voir p. 1005).

Espagne

Carte p. 977. V. légende p. 884.

■ Géographie

■ **Situation.** Europe 504 782 km² (sans Canaries et Baléares 492 463 km²). **Frontières** (km) : avec France et Andorre 712, Portugal 1 232, Gibraltar 1,2. *Alt.* moy. 660 m (2ᵉ d'Eur. après Suisse ; France : 342 m). 40 % de 500 à 1 000 m ; 20 % à + de 1 000 m. **Montagnes** (alt. max.) : *Pyrénées* Mt Néthou 3 404 m, Peña de Cerredo 2 678 m, Espignette 2 453 m ; *cordillère Centrale,* El Moro Almanzor 2 550 m ; *Sierra Morena,* Estrella 1 299 m ; *chaîne Ibérique,* plateau 1 500 m (moy.) ; *cordillères Bétiques,* 800 km, Mulhacen 3 481 m (max. Esp.).

■ **Régions. Espagne atlantique :** région montagneuse Galice et cordillère Cantabrique (prairies nat.

et art., vergers de pommiers) ; plateaux centraux, végétaux pauvre, culture extensive du blé, culture irriguée près des grandes retenues fluviales (Badajoz, Jarama). **Méditerranéenne :** viticulture dans collines non irrigables, amandiers, oliviers, orge en *dry farming ;* horticulture dans *huertas* irriguées (Valence, Murcie) ; 1/3 de la surface en *montes* (steppe épineuse), Andalousie, Levant, Aragon et Catalogne, S.-E. de la Navarre. La région de Grenade est plus froide et plus humide (altitude, forêts).

■ **Côtes.** 3 904 km (plus celles des îles Canaries 1 126 km, Baléares 910 km). **Littoral méditerranéen :** 1 670 km ; *Pyr.* (Costa Brava) : c. très rocheuse et découpée ; *vers Barcelone :* basse et sableuse ; *près de Tarragone et Castellón* (Costa Dorada) : collines caillouteuses sans plages ni falaises ; *Valence* (Costa del Azahar) : basse et rectiligne ; *au S. du golfe de Valence jusqu'à Málaga* (Costa Blanca, Costa de Almería, Costa del Sol) : rocheuse et escarpée. **Atlantique :** 1 367 km : SUD. à l'O. du détroit de Gibraltar ; *région de Huelva :* c. basse, récifs avec dunes ; NORD : *Galice :* très découpée avec des rias profondes ; *au S. du golfe de Gascogne* jusqu'à la frontière française : montagneuse mais peu découpée, hautes falaises et plages de sable. *Littoral cantabrique :* 867 km.

■ **Fleuves. Se jetant dans la Méditerranée :** Èbre 910 km (affluents : Aragon 197 km, Segre 261 km), Jucar 498 km, Guadalvir ou Turia 280 km ; **dans l'Atlantique :** Tage 1 007 km, Duero 895 km, Guadiana 778 km, Guadalquivir 657 km, Miño 310 km ; **c. Cantabrique :** Nalon 129 km.

■ **Climats. Continental :** hiver très froid (– 21 °C à Ávila), été très chaud (+ 47 °C à Badajoz) ; sécheresse accentuée, l'anticyclone saharien est proche (pluies : minimum 284 mm/an à Salamanque). **Méditerranéen :** tiers S.-E. de l'Esp. ; pluies hivernales, sécheresse au printemps et en automne, orages d'été (min. 339 mm de pluie à Carthagène, 14 j de pluie/an). **Alpestre :** hivers très froids, étés frais et relativement humides (chutes de pluie et de neige 2,5 fois plus faibles sur le versant esp. que sur le v. fr.). **Atlantique :** vents d'O., hivers humides et doux, étés frais (max. St-Jacques-de-Compostelle, 1 655 mm et 176 j de pluie/an).

Moyennes annuelles	Températures			Pluies
	moy.	max.	min.	litres/m
N.-O. et Cantabrique	13,6	40,2	– 12,1	1 235,6
Duero et Centre	12,3	44,2	– 22,5	436,9
Catalogne et haut Èbre	14,0	42,0	– 25,0	604,4
Levant et S.-E.	17,6	44,9	– 7,3	368,8
Estrémadure, Guadalquivir et S.	17,4	47,0	– 10,4	526,7
Baléares	16,8	38,5	– 4,0	543,6

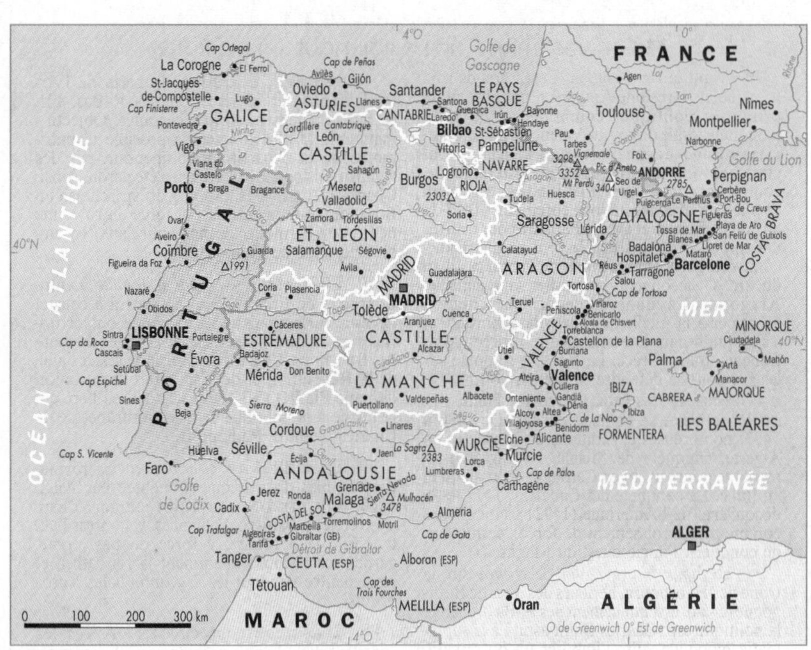

■ DÉMOGRAPHIE

■ **Population** (en millions d'h.). *XVIe s. :* 16 ; *1768 :* 9 ; *1799 :* 10,5 ; *1833 :* 12,3 ; *1857 :* 16,5 ; *1877 :* 16,6 ; *1900 :* 18,6 ; *20 :* 21,4 ; *30 :* 23,8 ; *40 :* 26,2 ; *50 :* 28,4 ; *60 :* 30,9 ; *65 :* 31,9 ; *70 :* 33,7 ; *75 :* 35,4 ; *80 :* 37,5 ; *85 :* 38,6 ; *90 :* 38,87 ; *91 :* 39 ; *2010 (est.) :* 27 (si le taux de natalité reste à 12,5 %). D 77,26.

Taille moyenne (hommes) *1978 :* 170,8 cm ; *85 :* 172,3 cm. **Age (%) :** *- de 15 a. : 1981 :* 27,5, *91 :* 19,5, *2 000 :* 20,3 ; *+ de 65 a. : 42 :* 7,2, *91 :* 13,8, *2010 :* 32. *Croissance : 1991 :* 3,16. **Espérance de vie :** 77 a. **Taux (‰)** *de natalité : 1946-50 :* 21,4 ; *56-60 :* 21,5 ; *66-70 :* 20,2 ; *76-80 :* 17,1 ; *92 :* 13 ; *mortalité : 1946-50 :* 11,6 ; *75 :* 8,4 ; *83 :* 7,4 ; *87 :* 8 ; *infantile : 1975 :* 18,9 ; *87 :* 11 ; fécondité : *1975 :* 2,8, *86 :* 1,5. **Toxicomanie** *1983 :* 93 † par overdose, *91 :* 817. *Saisies* (en t, 91) : héroïne 0,7, cocaïne 7,6, haschish 104,75.

■ **Villes** (est. 91). *Madrid 1560 :* 15 000 h. ; *1600 :* 60 000 ; *1723 :* 130 000 ; *1843 :* 217 000 ; *1990 :* 3 120 732 ; *1991 :* 2 984 576. Barcelone 1 653 175 (à 620 km de Madrid), Valence 777 427 (356 km), Séville 683 487 (541 km), Saragosse 614 401 (322 km), Málaga 524 748 (41 km), Bilbao 372 191 (394 km), Las Palmas 347 668, Valladolid 345 259 (191 km), Murcie 328 842 (391 km), Cordoue 309 212 (401 km), Palma de Majorque 308 616 (546 km), Grenade 286 688 (433 km), Vigo 276 573 (543 km), Alicante 270 951 (410 km), La Corogne 251 342 (606 km), Oviedo 203 189 (446 km), Santander 194 217 (395 km), Pampelune 191 112 (411 km), St-Sébastien 174 219 (465 km), Burgos 169 279 (240 km), Cadix 156 558 (656 km), Tarragone 112 655 (563 km). 75 % des hab. vivent en ville.

■ **Espagnols à l'étranger** (1984, milliers). *Amérique :* 2 251 dont Arg. 750, Venezuela 650, Uruguay 400, USA 140, Mexique 90, Chili 80, Cuba 60, Canada 25, Colombie 20, Panamá 18, Rép. dom. 18 ; *Europe :* 1 382 dont *France 650* (*1989 :* 350 + nationalistes, 145 de 1970 à 86), Suisse 250, All. 250, Angleterre 90, Belg. 80, P.-Bas 45, Portugal 12, Italie 9, Pays nordiques 6 ; *reste du monde :* 228 dont Australie 78.

■ **Émigration** (milliers). *Vers 1900-39 :* 100 par an vers Amér. latine. *Vers 1960-70 :* 100 par an vers France, All., Suisse. *1987 :* 17 (retours 10). *1989 :* retours dépassent départs. **Intérieure :** ém. max. : Cáceres (pop. active – 13 % annuel) ; immigr. max. : Alava (+ 19,4 %), Baléares (+ 19 %).

■ **Immigrants** (est. au 1-1-90, et entre par., imm. irréguliers, en milliers). 538 (132) dont Europe 297 (35), Amér. latine 88 (22), Afrique 85 (60), Asie 42 (12), divers 26 (3) (non compris 57 mineurs, réfugiés pol. et travailleurs temporaires). En 1992 (est.) 800 (de CEE 400, Maghreb 150, Asie 50, Noirs 20). **Permis de travail délivrés** (1989) 69 097 dont CEE 28 821 (G.-B. 7 900, Portugal 6 353), Amér. latine 12 200, Afrique 10 320.

Gitans 500 000, en *chômage* 70 %, *analphabètes :* hommes 40 %, femmes 70 %.

Nota. – Dep. 1992, nombreux clandestins africains (3 000 à 6 000 par an) traversant par groupe de 20 sur des barques plates *(pateras)* prévues pour 4 ou 5. Des centaines de noyés.

■ **Langues. Statistiques :** *Espagnol* ou *castillan (off.)* (73 %)) ; *basque* (3 %), *catalan* (24 %), *galicien* (parlé par 70 % des Galiciens). **Espagnol :** dérivé du latin (populaire) dont il conserve les voyelles *a* et *o* après l'accent, et dont il a gardé en grande partie le vocabulaire ; se distingue des l. romanes par l'importance de l'élément arabe (1 300 mots d'or. arabe dont 800 commençant par l'article *al*), et par des consonnes d'or. arabe *z* (ceta) et *j* (jota). Peu de variétés rég. (sauf aragonais), le pays ayant été repeuplé après le XIIIe s. par des colons originaires de la même région : Castille, León. *Espagnols d'Amér. du S. :* plusieurs variétés (argentin, péruvien, antillais). **Galicien :** l. romane du groupe portugais, fréquence du *ch* (écrit *x*), voyelles nasales, *en, an, on* (écrits *e, ã, õ*), maintien du son *ou* à la fin des mots (écrit *o*).

Nota. – 32 % de la pop. parle au moins une langue étrangère. Au Val d'Aran, l'occitan est langue off.

☞ En 1991, 320 millions de personnes parlaient espagnol dans le monde (dont Mexique 76,7, Esp. 40, Argentine 32, Colombie 29,6, USA 26,5, Venezuela 18,9), voir index.

■ RELIGIONS

■ **Catholicisme.** *Statut :* n'est plus religion d'État dep. 1978 (Constitution). *Nouveau concordat* signé 3-1-1979. Le précédent (du 27-8-1953) accordait à l'Église de nombreux privilèges [exemptions fiscales, dispenses du service mil., le cath. (religion off) devait être enseigné dans les écoles]. *Richesses de l'Égl. cath. :* t. agricoles 100 000 ha, patrimoine bancaire, immobilier (exempté d'impôt) et artistique. *En 1990,* l'État a mis fin à son aide (13,35 milliards de pesetas), les contribuables pouvant déduire, jusqu'à 0,5 % de leurs revenus, les sommes qu'ils verseront volontairement à l'Église. *Subventions de l'État à l'Église* (1990) 15 304 millions de pesetas dont 12 260 aux diocèses.

Pratiquants : 1970 : 87 %, *91 :* 49 % de la pop.

En 1990 : diocèses 67. Évêques 78 (dont 2 cardinaux, 12 archev., 55 év., 9 auxiliaires). Paroisses 22 305. Prêtres diocésains 20 441 (21 155 en 86). Ordinations (90) : 230 (187 en 86). Religieux 27 786 (dont 15 965 prêtres). Religieuses 55 834. Diacres permanents (90) : 100. Séminaires (91-92) : 1 929.

■ **Autres. Protestants** *v. 1900 :* 500, *92 :* 360 000. **Juifs** *92 :* 15 000 (dont 70 % venus du Maroc à la fin des années 1950, 30 % d'Allemagne, Europe centrale, Moyen-Orient après la g. 1939-40, Argentine dep. les années 1950). *Edit d'expulsion* 31-3-1492 voir p. 950 a [abrogé Constit. du 5-6-1869 (culte en privé autorisé, culte officiel autorisé 1909), 1935, 1968] : 1927 les sefardim pouvant prouver leur origine, peuvent retrouver la nationalité esp. *Synagogues :* 5 à Madrid, Barcelone, Málaga, Ceuta et Melilla ; 3 converties en musées par l'État : 1 à Cordoue, 2 à Tolède. 1re synagogue depuis 1492 rouverte le 2-10-1959. **Musulmans** 250 000. En majorité du IXe s. au XIIe s. L'islam avait pris la place laissée vacante par l'arianisme (religion off. au VIe s., interdite au VIIe s) ; en minorité du XIIIe au XVIe s. (expulsion 1502).

■ HISTOIRE

■ **Période prémusulmane. Époque magdalénienne (v. 12000 av. J.-C.)** chasseurs de rennes et bisons peuplent le N.-O. de l'E., civilisation d'Altamira (peintures rupestres). **Néolithique (4000-2500)** civilisation « asturienne », consommation de coquillages sur les côtes et multiplication de monuments funéraires mégalithiques [plus de 500 dolmens et menhirs, dont celui de Pena et Izarra (Santander) ; *haut. :* 16,80 m]. **Chalcolithique (v. 2000)** centre de Los Millares, qui a donné son nom à la civilisation rayonnant en Europe. Base de départ du « peuple aux gobelets campaniformes », qui fonde des colonies de guerriers et de techniciens (archers). **Age du Bronze (1800-1000)** le cuivre esp. est mélangé à l'étain des Cassitérides par les Ligures [qui occupent le pays (voir France, proto-histoire p. 625), ancêtres des Basques ?]. **V. 1000** débarquement des Tartessiens (d'origine libyenne). Civilisation de type égéen (villes de pierre, bijoux d'or). Ville principale : Tartessos (appelé Tarsis dans la Bible ; embouchure du Guadalquivir). Les Tartessiens possèdent la côte du S.-E. au cap Nao. **Xe s.** Phéniciens fondent Gadès (Cadix) et monopolisent le commerce du cuivre. **VIIIe s.** Aganthonios, roi de Tartessos, bat Phéniciens et accueille des colonies grecques (de Samos, puis de Phocée-Marseille) [principales : Ampurias, Ibiza, Torre del Mar (Málaga), Hemeroscopion (Denia)]. **VIIe s.** Ibères, autre peuple libyque venu d'Afrique par Gibraltar, peut-être avant les Tartessiens ; avancés jusqu'au bassin inférieur de l'Èbre, ils se seraient peu à peu substitués à eux (leur langue a fourni de nombreux mots au basque) : cités de pierre, armes en fer, élevage du cheval, culture vigne et olivier, apprise des Grecs. Villes principales : Elche, Indica, Sagonte. *A la même époque,* des Celtes (civilisation de Hallstatt) pénètrent au N.-O. et fondent 3 provinces : Galice, autour de Salamanque et S. du Tage. Sur le plateau central, se mêlent aux Ibères, fondant la nation celtibérique. **VIe s.** Ibères colonisent Aquitaine et Septimanie, habitées par Ligures. Carthaginois fondent des ports rivaux de ceux des

■ Grands traits de la politique (historique)

1°) Avant la réunification. Les 2 grands roy. (Castille et Barcelone-Aragon) n'ont plus eu de principes politiques communs après 1252 (conquête totale du roy. de Valence par la monarchie catalano-aragonaise) : les Castillans, qui ont encore devant eux le roy. de Grenade à conquérir, continuent à lutter contre les infidèles au besoin en s'alliant avec les nations chrétiennes (c.-à-d., en fait, la France) et avec la Papauté pour trouver des appuis ; les rois de Cast., d'origine franc-comtoise, gardent le souvenir de l'emp. castillan du XIIe s. et songent à réunifier la Péninsule. Aragonais-Catalans-Valençais cherchent à échapper à la tutelle cast. dans la péninsule, et à s'agrandir dans le bassin méditerranéen : Midi français, Italie, Grèce. La Navarre s'appuie sur les Fr. pour se défendre contre ses voisins.

2°) Sous les rois cath. La reconquête de l'E. sur les infidèles se poursuit en Afr. De 1480 à 1497, nombreuses expéditions au Maroc et en Algérie, conquête de Melilla. Les agrandissements se poursuivent en Cerdagne-Roussillon et en Italie. La conquête des Canaries (1477) et la découverte de l'Amérique (1492) sont conçues comme un accroissement de forces permettant de conquérir l'angle ouest du Maghreb.

3°) Héritage bourguignon. L'arrivée sur le trône des Habsbourg, héritiers des ducs de Bourgogne (c.-à-d. essentiellement des P.-Bas), change la politique esp. Charles Quint aspire à la suprématie mondiale, afin d'imposer un ordre cath. Principal adversaire : la France.

4°) Philippe II. Ayant renoncé à l'All. mais pas aux Pays-Bas (héritage bourguignon), ni à l'Italie (tradition aragonaise), combat la Fr., puis l'Angl. séparée de Rome. Il continue la lutte contre les Nord-Africains et annexe le Portugal.

5°) Décadence esp. Après la perte de l'Armada (1588) et la sécession des P.-Bas, l'E. est sur la défensive en Méditerranée. Objectif : maintenir le plus longtemps possible le patrimoine de la dynastie en compensant par des acquisitions ponctuelles ce qui a été perdu. Ainsi, Charles II (dernier Habsbourg d'Esp.) choisit un Bourbon comme héritier : la force du royaume de Fr. doit permettre de maintenir dans l'ensemble l'héritage de Philippe II.

6°) Alliance fr. Le « *pacte de famille* » entre Bourbons de Fr. et d'Esp. permettra à ceux-ci de restaurer leur puissance (récupérations territoriales en Italie et Amér. du N.). Après la chute des Bourbons, Charles IV choisit de rester l'allié de la Révolution et de Nap. Mais l'arrestation du pape Pie VII (5-7-1809) scandalise l'Esp. qui retourne à la politique cath. et antifrançaise de Charles Quint et Philippe II.

7°) Fin de l'Empire d'outre-mer. La révolte des colonies d'Amérique (fomentée par Angl. 1820, puis par USA en 1898) entraîne l'Esp. à se replier (abandon d'alliances, y compris l'all. fr.). Elle veut refaire la force du pays, pour garder ses idéaux (notamment la foi cath.), et reste neutre pendant les 2 g. mondiales : gros profits.

8°) Renouveau contemporain. Après les progrès technologiques, financiers et démographiques des années 1960-80, l'E. souhaite : 1°) prendre la tête des nations hispanophones (mais la tradition anticolonialiste la rend impopulaire) ; 2°) s'intégrer aux démocraties industrialisées de l'Occident (alliance avec USA, entrée dans la CEE).

Grecs [Capitales : Carthagène (Carthago Nova), Barcelone (Barcino), Alicante (Lucentum)], étendent leur domaine pendant 3 siècles vers l'intérieur, fondent Helia Edetana (Belchite) et Hemantica (Salamanque). Échec devant Sagonte en 226 av. J.-C. **306-218 av. J.-C.** Romains chassent Carthaginois puis conquièrent la péninsule sur les Celtibères qui résistent jusqu'en 133 (prise de Numance), puis révolte de Sertorius (80-73).

133 av. J.-C.-409 apr. J.-C. centre de la culture romaine, Cordoue (Colonia Patricia Romana Cordubensis), la « 2e Rome », pouvant battre monnaie comme Rome et peuplée de patrices romains émigrés (cap. de la Hispania Ulterior, après Auguste, 13 av. J.-C.). 3 empereurs seront d'origine hispanique : Trajan, Hadrien, Marc Aurèle. **134-135 apr. J.-C.** Hadrien installe en Esp. 50 000 familles juives déportées de Palestine, souche de la communauté j. d'Esp. (plusieurs millions en 711). **Après 300** 4 provinces : Lusitanie [cap. Emerita (Merida)] ; Carthaginaise (Carthagène) ; Tarraconaise (Tarragone) ; Bétique [Hispalis (Séville) et Cordoue]. **409** invasion d'ariens : Vandales (Germains) et Alains (non-Germains : Sarmates), qui fondent roy. d'Andalousie, puis passent en Afr. du N. ; Quades (Germains occidentaux païens, confondus longtemps avec les Suèves), qui fondent en Galice un roy. (11 rois, 412-585) païen jusqu'à 450, catholique 450 à 465, arien 465 à 586 ; Wisigoths (Germains orientaux) ayant séjourné longtemps à Byzance, qui fondent un puissant roy. arien, cap. Tolède [dominent Péninsule, 25 rois, de 409 à 711 ; civilisation caractérisée par mosaïques et orfèvrerie ; personnage principal : St Isidore de Séville (560-636)]. **V. 554** l'emp. byzantin (catholique) Justinien chasse Wisigoths ariens du S.-E., jusqu'au Tage ; rétablit hiérarchie cath. **586** roi wisigoth Récarède reconnaît la suzeraineté impériale et se convertit au cath. ; Quades (ou « Suèves ») redeviennent cath. et se fondent dans le roy. gothique. **616** l'emp. Héraclius cherche à obtenir l'expulsion des juifs ; le roi Sisebut en convertit de force 90 000 et persécute les autres ; par suite de l'hostilité juive, les Byzantins doivent se replier sur Ceuta en Afr. du Nord (631). **631-709** nombreuses g. civiles, d'origine religieuse : noblesse arienne s'allie aux juifs contre les rois ; le chef arien *Wittiza* règne de 701 à 709, puis est tué par le roi cath. *Rodrigue.* **710-11** renversement des alliances : les fils de Wittiza, repliés à Ceuta, obtiennent contre Rodrigue l'appui du Cte byzantin Olban, dit Julian ; 5 000 Berbères (ariens ou musulmans), commandés par *Tarik,* débarquent à Gibraltar ; en 5 ans, avec l'aide des anticatholiques (juifs et ariens), ils s'établissent dans la péninsule (Rodrigue, battu près de Cadix, 711, tué près de Salamanque quelques mois après).

■ **Espagne musulmane. 716-56** émirats dépendant de Damas ; fréquentes g. civiles. **756-929** émirat indépendant. **756**-*15-5* Pce Abd al-Rahman, survivant du massacre de la dynastie des Omeyyades à Damas, bat les émirs de Saragosse à *la Alaméda* et se fait proclamer « émir » descendant des califes avec autorité sur toute l'Esp. ; ses 6 successeurs lutteront contre noblesse locale (dite « renégate », c.-à-d. ralliée à l'islam, en réalité restée attachée à l'arianisme) ; nombreux soldats arabes et mamelouks importés d'Orient. **929-1038** califat de Cordoue. **929**-*16-2* Abd al-Rahman III prend titre de calife (défenseur de la Foi et Pce des Croyants). Son petit-fils Hixem II (976-1016), surnommé *Almanzor* (« le vainqueur »), fait des raids contre chrétiens d'Asturie-Galice, détruisant St-Jacques-de-Compostelle en 997. **1038-90** anarchie des roitelets (en arabe : *taïfas*). L'empire d'Almanzor éclate : 15 principautés, toujours en g. Almamoun, taïfa de Tolède, laisse Alphonse VI de Castille prendre sa cité (25-5-1085). **1090-1140** emp. almoravide. L'empereur marocain Yusuf ibn Tachfin (berbère), chef des intégristes almoravides, débarque à Algésiras 1090 et unifie les royaumes musulmans. Capitale : Grenade ; **1145** son petit-fils Tachfin laisse l'emp. se morceler en 5 roy. de taïfas. **1147-1245** emp. almohade. **1147** Abd al-Mu'min, berbère *imam* et *mahdi* des Almohades (fondés Mauritanie v. 1120) devient sultan du Maroc et prend roy. almoravide de Grenade (Tachfin tué). Son 7e successeur, Asrasid (1236-45), dernier calife d'Esp., laisse l'emp. divisé en 6 roy. dont 5 (Valence, Séville, Niebla, Almeria et Murcie) sont pris par chrétiens. **1245-1492** roy. de Grenade. **1245** Mohammed le Rouge (1238-72), fondateur de la dynastie des *Nazaris,* se reconnaît vassal du roi de Castille, et commence construction de l'Alhambra de Grenade. 11 successeurs, dont Yusuf III († 1227), qui devient empereur du Maroc (Grenade prospère).

■ **Royaumes hispano-chrétiens (718-1515). Début de résistance : Asturies et Galice (718-909),** principauté fondée par chef cath. Pelayo (720-37), neveu de Rodrigue (?). Son 10e successeur, Alphonse III, se proclame, 909, « roi de León ». **Castille :** comté dépendant du roi d'Asturie-Galice en 824 ; indép. 935 (Fernand Gonzáles) ; roy. de Castille 1035 (Ferdinand Ier), et de Castille-León, 1038. **Navarre :** duc carolingien d'Aquitaine Loup Ier se proclame duc des Navarrais en 710 ; Iñigo Arista, montagnard basque, se proclame « roi de Pampelune » 825. Son fils (ou petit-f.) Garcia Iñiguez devient roi de Navarre v. 850. **Aragon :** formé de 2 comtés pyrénéens de Ribagorza (navarrais de 925 à 1037) et d'Aragon (transformé en roy. en 1035). Fondés sans doute par des Carolingiens (v. 810). **Catalogne ou Gotolonia** (« pays des Goths ») : seigneuries wisigothiques ariennes ayant résisté aux musulmans dans Pyrénées (716 à 778) ; ralliées à Charlemagne 778 ; ayant un marquis carolingien [à Gérone (785), puis Lérida (800), Barcelone (801), Tortose (811)] qui devient comte héréditaire de Barcelone en 820.

■ Les grandes découvertes

Voir Découvertes et explorations, p. 52.

Amérique du Nord et du Centre. Christophe Colomb (Gênes 1451-1506 ; père guetteur puis tisserand) [**v. 1471** apparaît à Lisbonne. **1492** *3-8* s'embarque à Palos avec 80 personnes sur 3 caravelles *(Santa Maria, Niña, Pinta)* ; *11-10* débarque en Amérique ; *12-10* île de Guanahani (Watling), arch. des Bahamas ; *28-10* Cuba ; *6-12* St-Domingue (Hispaniola). **1493** *25-9/27-12* 2e voyage vers St-Domingue. **1494** *5-5* arrive à la Jamaïque. **1496** *10-3/11-6* retour de Colomb. **1502-04** isthme de Panamá. **1506** *20-5* meurt à Valladolid. Enterré à la Cartuja de Séville ; transféré quelques années plus tard à St-Domingue où ses descendants légitimes ont fait souche ; 1795 St-Domingue attribuée à la Fr., l'Esp. rapatrie le corps à la cathédrale de La Havane jusqu'à ce qu'elle perde Cuba (1898) ; le ministre de la Justice descendant de Colomb rapatrie le corps en Esp. ; mais v. 1940, le gouv. dominicain prétend avoir découvert la vraie caisse contenant les restes de l'amiral (en 1795, les Esp. auraient confondu ceux-ci avec ceux de son fils Diego)]. **1507** (Pinzón et Díaz de Solis) : Yucatán. **1508** (Ocampo) : circumnavigation de Cuba. **1513** (Bilbao) : traversée de Panamá, déc. du Pacifique (Ponce de León) : Floride. **1518** (Juan de Gripilba et Hernández de Cordoue) : Campeche et Tabasco (Mexique). **1518-19** (Alvarez de Pineda) : tour du golfe du Mexique. **1519-21** (Pedro de Alvarado, sur ordre de Hernán Cortés) : côte mex. du Pacifique. **1524-26** (Esteban Gomez) : côte de l'Atl. Nord jusqu'au cap. Hatteras (Caroline du N., U.S.A.). **1530** (Guzmán) : Arizona, N. Mexique. **1536** (Hernán Cortés) : basse Californie. **1542** (Jean Rodriguez Cabrillo) : baie de San Francisco.

Amérique du Sud 1499 (Alonso de Ojeda) : embouchure de l'Amazone et Guyane. **1508** (Díaz de Solis et Pinzón) : côtes de l'Argentine vers le 40 ° de lat. S. **1515** (les mêmes) : côtes de l'Arg. plus au N. (la Plata). **1520** [Magellan (Fernando de Magallanes, Portugais au service de l'Esp.)] : détroit de Magellan, Terre de Feu. **1524** (Pizarre) : Pérou. **1533** (Belalcazar Quito) : Chili. **1539** (Almagro) : río Maule, au S. du Chili (les limites de l'Am. du S. sont connues). **1539-41** (Francisco Orellana) : descente de l'Amazone du Pérou à l'Atlantique.

Terres du Pacifique. 1521 (Magellan) : *6-3* Iles Mariannes ; *31-3* (le même) : Mindanao [(Philippines) ; Magellan y est tué]. **1522** Elcano ramène en Esp. la flotte de Magellan. **1564** (Legazpi, parti des côtes mex.) : Cebu (Phil.). **1570** Luçon (Phil.).

Principales routes maritimes esp. Transatlantiques (départ de Séville jusqu'en 1600 ; de Cadix après 1600). Direction sud jusqu'aux Canaries ; traversée de l'Atlantique au 28° parallèle (alizés). Dans les Antilles : a) Flotte de terre ferme : Carthagène (Colombie), Panamá, La Havane. b) Flotte de Nouvelle-Espagne (Mexique), La Havane. Les 2 fl. reviennent ensemble par Floride et Açores. **Pacifiques** [reliées à celles de l'Atlantique par l'isthme de Panamá et le Mexique (Acapulco)]. a) Pérou-Panamá (route de l'argent) ; b) Acapulco-Philippines (Manille) ; retour par Japon et Californie (vents d'ouest).

Nota. – Il n'y avait pas de liaisons directes Espagne-Philippines par l'océan Indien.

Conséquences des découvertes. 1°) l'E. devient la 1re nation du monde : assise territoriale, puissance économique (commerce des produits coloniaux : canne à sucre, maïs, haricots, pommes de t., tabac ; exploitation des nouvelles terres) ; financière (70 % des réserves monétaires métalliques) ; tonnage de la flotte (en comptant la flotte holl.). Mais pas de suprématie démographique, à cause du génocide des Indiens. 2°) l'E. se dépeuple, l'expansion vers Italie et Afrique du N. s'arrête. 3°) l'activité écon. se tarit : terres en friche ; industrie paralysée par la baisse démographique. 4°) la monarchie, qui dispose des ressources américaines, n'a plus besoin des subsides votés par les provinces et les villes et devient absolue. 5°) les Hollandais, sujets esp., lors des découvertes, profitent du régime colonial pour s'enrichir proportionnellement plus que les Esp. Ils deviendront indépendants. 6°) les Anglais, qui convoitent l'empire esp., deviennent ses rivaux.

Reconquête : Amorcée 722, bataille de Covadonga. *Navarrais :* Calahorra 1035 ; *Aragonais :* Barbastro 1064 (avec les Français de Guillaume de Montreuil), Huesca (cap. provisoire) 1096, Tudela 1110, Saragosse (cap.) 1118, Monzón 1143, Teruel

1171, Cuenca 1177 ; *Catalans et Aragonais fusionnés:* Baléares 1229-35, Valence 1238 ; *Castillans:* Tolède 1085 (cap.), Valence (conquête éphémère par le Cid 1096), Cordoue 1236, Séville 1248, Murcie 1248 ; *Rois catholiques :* Grenade 1492. *Principal traité:* Cazorla 1179 : partage conquêtes futures entre Aragonais et Castillans ; au N. de Biar : Aragon, au S. : Castille. *Principale bataille :* las Navas de Tolosa (1212) réduisant à l'Andalousie les territoires arabes (armée surtout française par solidarité avec le roi franc-comtois de Castille, Alphonse VIII). **Réunification : 1037** León-Castille (séparés 1157-1230 ; définitive 1230) ; **905** Navarre et Aragon (séparés 1035) ; **1162** Barcelone-Ar. ; **1492** Barcelone-Ar. et Castille ; **1512** Nav. conquise par Castille-Ar.

Principaux événements dans chaque royaume : Castille : 1135-57 Alphonse VII, fils d'un seigneur franc-comtois, porte le titre d'« empereur » [vassaux : rois chrétiens de Navarre, Aragon, Portugal ; roi maure Saïf ed Daoula ; Ctes de Barcelone, Toulouse, Provence ; nombreux seigneurs français]. **1364-68** intervention dans la g. de Cent Ans : dynastie anglophile (Pierre le Cruel) vaincue et remplacée par les Transtamare, alliés aux Fr. (victoire de Du Guesclin à Montiel 1368). **Aragon et Catalogne : 1112** acquisition du comté de Provence (échange contre Cerdagne et Narbonnaise 1168). **1213** participation à la g. des Albigeois, défaite et mort de Pierre II à Muret. **1281** conquête de la Sicile sur Angevins. **1287** aristocrates obtiennent le « privilège d'union », qui les rend maîtres de la monarchie. **1297** conquête de la Sardaigne. **1348** aristocrates écrasés par Pierre IV à Epila, perdent privilèges. **1391** persécutions antijuives. **1440** conquête du roy. de Naples (**1460** domaines italiens déclarés inséparables de la couronne d'Aragon). **1461** bourgeoisie cathol. obtient capitulation de Villafranca, qui affranchit villes commerçantes de l'autorité royale (oligarchies urbaines). **Navarre : 1234** passe à des seigneurs fr. (Thibaud de Champagne). **1284-1328** aux rois de Fr. (titrés « de Fr. et de Navarre »). **1328** aux Valois-Évreux, puis à d'autres familles fr., jusqu'en 1512 (conquête par les rois cath.).

■ **Espagne réunifiée. 1469** Ferdinand II d'Aragon (1479-1516) ép. Isabelle Ire de Castille (1474-1504) : union personnelle des 2 royaumes. **1479** Inquisition d'E. (autorisée par bulle de Sixte IV du 1-11-1478) fondée [dirigée au début contre marranes (juifs pseudo-convertis), *1483-98* confiée au dominicain Tomás de *Torquemada* (1420-98) : 2 000 exécutions ; *1529* protestantisme réprimé. *1808* abolie par Joseph Bonaparte. *1814* rétablie ; *1834-15-7* suppression définitive ; total des condamnés 30 000]. **1485**-*14-8* Portugais battent Castillans à Aljubarrota. **1492**-*2-1* entrée des Rois Catholiques dans Grenade. Fin de la reconquête. *-31-3* édit d'expulsion des Juifs [ont 4 mois pour se convertir (100/150 000 se convertissent), ou partir (partent pour Moy.-Orient 90 000, Italie 90 000, Maghreb 30 000, pays du Nord 90 000, France 30 000) (selon certains, 80 000 Juifs vivaient alors en E., 40/50 000 furent expulsés)]. *-19/30-4* capitulations de Santa Fe, souverains esp. s'engagent à soutenir l'expédition de Christophe Colomb (1451-1506, Valladolid). *-2-8* tout Juif présent en E. est passible de mort. *-30-9* les cimetières juifs doivent être détruits. **1493**-*4-5* par la bulle *Inter Caetera,* le pape Alexandre VI délimite les zones d'influence de l'E. et du Portugal sur les conquêtes futures (ligne tracée à 100 lieues à l'ouest des Açores). **1494** Ferdinand et Isabelle reçoivent d'Alexandre VI le titre de Rois Catholiques. *-7-6* traité de Tordesillas déplace à 370 lieues à l'ouest des Açores la ligne tracée par Alexandre VI ; accorde au Portugal toute terre découverte à l'est de la ligne et à l'Esp. toute terre déc. à l'ouest. **1497**-*30-5/31-8* 3e voyage de C. Colomb à St-Domingue. **1500**-*25-11* C. Colomb de retour à Cadix. **1502**-*11-5* 4e et dernier départ de C. Colomb. **1503**-*juin* C. Colomb échoue à la Jamaïque. **1504**-*7-11* retour de C. Colomb. **1513** Conseil des Indes créé (*1521* Charles Quint « roi des Indes et des terres fermes de la mer Océane » ; vice-royautés : Mexico *1536,* Pérou *1543,* N.-Grenade *1719,* La Plata *1776*). **1516-56** Charles de Habsbourg devient roi d'Espagne (il sera élu empereur d'Allemagne en 1519 sous le nom de Charles V, ou Charles Quint). **1518 g. des Communes,** 1re grande g. civile espagnole [chef : Juan de Padilla (1490-1521, décapité) ; *motifs : proches :* peuple irrité contre prédominance flamande dans les cadres politiques de l'E. ; *lointains :* 1°) attachement des villes aux libertés locales *(fueros)* ; 2°) colère des pauvres contre « magnats ». *Déroulement : 1518* soulèvement du roy. de Murcie et des grandes villes de Castille (Tolède, Ségovie, Zamora, Burgos, Madrid, Ávila, Guadalajara, Siguenza, Cuenca, etc.). **1519** Impériaux incendient Medina del Campo ; Sainte Junte *(Junta santa)* réunie à Ávila, prend Valladolid et Tordesillas ; *déc. : Germanía* (fraternité), mouvement populaire à Valence : les nobles fuient. *-10-8* Magellan quitte Séville. Cortés conquiert Empire aztèque et refonde Mexico. **1520** le mouvement gagne tout le roy. de Valence, puis Majorque ; l'aristocratie favorable jusque-là aux *comuneros* prend parti pour Impériaux. **1521**-*23-4* connétable Inigo de Velasco écrase communaux à Villalar. *-27-4* Magellan meurt à Mactan (Philippines). *-18-7* duc de Segorbe écrase *agermanados* à Almenara. **1522**-*19-5* un imposteur visionnaire se prétendant le fils de don Juan et de Marguerite de Flandres est exécuté. **1523** Majorque reconquise par Impériaux, chefs rebelles exécutés]. **1556-98** Philippe II laisse l'Empire à son oncle ; garde E., Amérique, P.-Bas et possessions d'Italie. **1531-34** Pérou, Pizarre conquiert l'Empire inca. **1555**-*25-10* Charles Quint laisse à son fils Philippe les affaires des Pays-Bas espagnols. **1556**-*3-2* Charles Quint abdique en faveur de son fils Philippe II, et se retire au monastère de Yuste. **1558**-*21-9* mort de Charles Quint. **1561** Madrid capitale de l'Esp. (avant Valladolid). Autodafé de Séville contre protestants, échec définitif de la réforme. **1568** début de la g. (des Quatre-Vingts Ans) aux Pays-Bas esp. Mort de l'infant don Carlos, fils de Philippe II. Soulèvement des morisques à Grenade. **1570** échec du soulèvement des morisques (sont déportés en Castille). **1572** *mars* les provinces calvinistes du N. des Pays-Bas esp. se soulèvent et choisissent Guillaume d'Orange comme chef. **1574** Turcs reprennent Tunis aux Esp. **1576** crise économique et banqueroute. Sac d'Anvers par Esp. et pacification de Gand. Guillaume d'Orange fait sécession d'avec l'Esp. **1579**-*6-1* Alexandre Farnèse conserve à l'Esp. les provinces catholiques des Pays-Bas ; Artois, Flandres, Hainaut et Wallonie forment l'Union d'Arras. **1580-1713** union avec Portugal (en rébellion 1640). **1585** protecteur de la *Sainte Ligue* (cathol.) en Fr., cherche à faire donner la couronne de Fr. à sa fille Isabelle-Claire-Eugénie [complot avec Cazaulx à Marseille 1588, Mercœur en Bretagne 1589 ; occupation de Paris (par Alexandre Farnèse) 1590, Rouen 1592 ; 1593 états généraux fr. refusent candidature d'Isabelle ; défaite de Fontaine-Française 1595 ; *tr. de Vervins* (Philippe II reçoit Charolais) 1598]. **1587**-*6-1* l'Anglais Drake pille Cadix. **1588** perte de l'*Invincible Armada* [130 vaisseaux (7 000 marins, 19 000 soldats, commandés par le duc de Medina Sidonia) contre 197 vaisseaux angl. ; pertes : 65 vaisseaux, 12 000 †] ; déclin amorcé [g. à Élisabeth d'Angl. « qui favorisait l'hérésie » (P.-Bas)]. **1589** peste et famine en Castille. **1594** famine en Castille. **1596** l'Anglais Raleigh prend Cadix. **1597** début épidémie de peste en Esp. (durera jusqu'en 1602). **1598**-*2-5* tr. de paix de *Vervins* France/Esp. *-13-9* Philippe II meurt, avènement de Philippe III. Duc de Lerma principal ministre. **1604** paix avec Angleterre. **1609**-*9-4* trêve de 12 ans avec Provinces-Unies. **1613** expulsion de 300 000 morisques d'Andalousie et d'Aragon. **1615** tr. d'Asti Esp./Savoie. **1618**-*4-10* disgrâce et renvoi du duc de Lerma († 17-5-1625). Son fils, le duc d'Uceda, lui succède aux affaires. **1621-43** gouv. d'un favori, le comte-duc d'Olivares [Gaspar de Guzmán (1587-1645)] : Esp. appauvrie et déchue. **1621** Olivares fait Grand d'Espagne. **1622**-*7-10* Zuniga meurt. Olivares entre au Conseil d'État. **1625**-*1/6-11* échec du débarquement anglo-hollandais à Cadix. **1639**-*21-10* l'amiral holl. Tromp bat flotte esp. de l'amiral Oquendo devant Douvres. **1640**-*10-8* Français prennent Arras aux Esp. *-16-12* Catalogne fait sécession et s'allie avec la Fr. **1642** échec des complots esp. contre Richelieu. *-7-10* défaite esp. à Lérida devant les Français. **1643**-*17-1* disgrâce d'Olivares (6-1-1587/22-7-1645) (remplacé par son neveu Luis de Haro). **1648**-*14-10 tr. de Westphalie,* perd P.-Bas néerl. **1649**-*5-2* peste. **1656** Catalogne soumise. **1658**-*14-6* bataille des Dunes, Turenne bat Esp. **1659**-*7-11 tr. des Pyrénées* Luis de Haro/Mazarin (victoire de la France). **1660** l'infante Marie-Thérèse épouse Louis XIV, roi de Fr. **1665** autodafé de Cordoue. *-17-9* Philippe IV meurt, avènement de Charles II. Fin du *siècle d'Or esp.* **1713**-*11-4 tr. d'Utrecht,* perte Italie et P.-Bas belges ; alliance étroite entre Bourbons d'Esp. et Fr. **1792** *(nov.)* Manuel de Godoy (1767-1851) amant de la reine Marie-Louise (femme de Charles IV) PM. **1793-95** g. avec Rép. fr. ; tr. de Bâle ; Godoy fait Pce de la Paix. **1795-1805** alliance avec Fr. ; défaite navale de Trafalgar aux côtés des Fr. **1801** *mai g. des Oranges* avec Port. *-7-6* tr. de Badajoz : l'E. conserve Olivença et son territoire jusqu'au Guadiana (et refusera de le rendre après le congrès de Vienne de 1815). **1807**-*27-10 tr. de Fontainebleau :* Charles IV remet sa couronne à Napoléon. **1808**-*2-5* révolte de Madrid contre troupes de Murat ; g. d'E. contre roi Joseph Bonaparte imposé par Nap. et surnommé *Pepe Botella* (Jojo la Bouteille) ou le *roi intrus.* **1813** Bourbons restaurés. **1810-29** colonies d'Amér. perdues [indép. : *1810* Argentine, *1817* Chili (San Martín), Venezuela (Bolívar) ; *1821* Pérou (San Martín ; g. jusqu'en *1826*), Mexique, St-Domingue ; Colombie ; *1822* Équateur ; *1824* Amér. centrale (rép. féd. du Guatemala)]. **1820** les troupes en partance pour l'Amér. du S. se soulèvent avec le Gal O'Donnell, envoyé pour les mater. *-7-3* Constitution de 1812 remise en vigueur. **1822** *juill.* Ferdinand VII prisonnier des Libéraux appelle les Puissances. *-20-10* congrès de Vérone. **1823** expéd. fr. décidée par tsar à Vérone et dirigée par duc d'Angoulême pour restaurer monarchie absolue. *-7-4* offensive (26 000 h.). *-24-5* entrée à Madrid sans combat. *-30-8* siège de Cadix qui capitule 20-9. *-31-8* prise du *Trocadéro ;* épuration sanglante des Lib. par Ferdinand VII. **1833-76** *g. carlistes* (voir p. 981). Conséquence : retard économique. **1834**-*15-7* Inquisition (créée XIIIe s.) abolie. **1837** Madrid insurrection. Constitution 1837 rétablit celle de 1812. **1845** Constitution modifiée en faveur de la royauté. **1865** g. contre Chili et Pérou (g. du Pacifique). **1868**-*30-9* Isabelle II doit abdiquer en faveur de son fils Alphonse XII. *-9-10* Gal Juan Prim (1814-70) soulève Madrid, Valence, Barcelone. *-20-10* reine s'enfuit en Fr. **1870**-*16-11* Prim installe sur le trône Amédée de Savoie. *-30-12* Prim assassiné. **1871-72** carlistes près de triompher.

Ire République : 1873-*11-2* Amédée fuit en Italie ; Parlement vote Rép. (258 voix contre 32). *-23-4* Assemblée dissoute. *-10-6* réunion des Cortes (majorité monarchiste).

Royaume : 1873-*28-12* les Cortes offrent la couronne à Alphonse XII, fils d'Isabelle. Le duc de Montpensier, 5e fils du roi de Fr. Louis-Philippe, qui revendique la couronne, est exilé. **1898** g. hispano-amér. : Cuba (voir p. 938), Porto Rico, Philippines (100 000 † esp.) perdus. **1914-18** neutralité pendant la g. mondiale (enrichissement). **1923**-*19-9* **à 1930**-*28-1* dictature de Miguel Primo de Rivera, marquis d'Estella (1870-1930) : sera abandonné par les Catalans, dont il supprime l'autonomie, et par les milieux d'affaires (effondrement de la peseta, dû à la crise mondiale). **1926** fin de la g. du Maroc.

1931 municipales : vict. républ. dans 41 provinces sur 50 ; Alphonse XII part. *-11-4* république, gouvernement provisoire, Pt Niceto Alcala Zamora. *-14-4* **IIe République :** *-28-6* élect. : victoire de la gauche. *-14-10* Azana PM (jusqu'au 7-9-33). *-9-12* Constitution. **1932** échec du putsch du Gal José Sanjurjo (1872-1936). **1933**-*29-10* Phalange fondée par José Antonio Primo de Rivera (1903-36). *-19-11* élect. législatives : victoire de la droite, 5 200 000 v. contre 3 000 000 à la gauche (sur 473 sièges : agrariens 152, extrême droite 33, divers droite 64, radicaux 100, socialistes 58, gauche catalane 23). **1932** *janv.* Jésuites dissous. *-2-9* réforme agraire. **1933**-*7-9* Alejandro Leroux PM. **1934** *oct.* grèves des Asturies réprimées par Gal Franco. **1936**-*16-2* élect. : victoire du Front pop. (sur 453 s. : droite 142, centre 31, gauche 280, dont radicaux 80, soc. 90, comm. 16, gauche catalane 38). *-10-5* Azana élu Pt de la Rép. *-12-7* lieutenant républicain del Castillo assassiné. *-13-7* José Calvo Sotelo, leader monarchiste, assassiné. *-15-7* Galice autonome.

■ **Franco. 1936**-*17-7* g. civile voir p. 981. *-18-7* Franco, Cdt général aux Canaries, rejoint secrètement Maroc. *-20-7* Gal Sanjurjo tué (accident avion à Lisbonne) ; en rejoignant Burgos où des insurgés l'attendaient, il aurait reçu l'infant don Juan (fils d'Alphonse XIII) qui venait d'entrer clandestinement en Esp. pour prendre part à la rébellion (Mola le fera reconduire à la frontière). *-3-8* Franco membre de la junte de défense nat. *-1-10* chef du gouv. nat. et Cdt en chef des forces nationalistes. *-18-11* All. et Italie reconnaissent Franco. *-20-11* J. A. Primo de Rivera, chef de la Phalange, exécuté par rép. **1938**-*1-2* 1er gouv. franquiste. *-18-7* Franco, capitaine général. **1938-42** Ramón Serrano Suñer (n. 1901), min. des Aff. étr. (a épousé la sœur de la femme de Franco). **1939**-*5-2* Pt Azana passe en Fr. *-27-2* Fr. et G.-B. reconnaissent Franco ; Mal Pétain ambassadeur en E. *-28-2* Azaña réfugié à Paris démissionne. Juan Negrín (1887-Paris 1956) lui succède. *-1-4* fin de la guerre. *-19-5* défilé de la victoire à Madrid.

1940-*14-6* E. occupe Tanger. *-23-10* entretiens Franco-Hitler à Hendaye. **1941**-*12-2* entretiens Franco-Mussolini à Bordighera. *-14-2* entretiens Franco-Pétain à Montpellier. *-28-6* création de la *División Azul* (45 000 E. participeront à la croisade antibolchévique, rappelée 25-9-42). **De 1941 à 1944** 30 000 Fr. internés en E. sans jugement après avoir franchi clandestinement les Pyrénées pour rejoindre la Fr. combattante ; 1 200 Fr. tués par les patrouilles all. ou morts de froid et 5 000 déportés (arrêtés par All. ou livrés à eux par E.). 23 000 s'engagèrent (12 000 tués au combat). **1944** 10 000 à 15 000 guérilleros passent en E. (par le val d'Aran jusqu'à Viella), occupent plusieurs jours un territoire qu'ils espéraient voir reconnu par les Alliés. Franquistes (45 000 h.) feront 4 000 prisonniers.

1945-*17-7* *3e loi fondamentale* du régime : Charte des E. *-31-7* extradition de Pierre Laval (demandée par la Fr.). *-18-9* E. obligée par Alliés à quitter

Tanger. **1946**-*28-2* Fr. ferme frontière avec E. (rouverte 10-2-48). **1947**-*26-7* référendum sur loi de succession (14 145 163 oui, 1 074 400 non ou nuls) ; l'E. est officiellement une monarchie. **1949**-*12-2* commando comm. fait dérailler un train (40 †). **1950**-*5-8* crédit amér. (62 500 000 $). **1952**-*1-11* entrée à l'Unesco. **1953**-*26-9* pacte avec USA. Aides écon. et mil., défense mutuelle. **1955**-*14-2* entrée à l'ONU. **1957**-*25-2* « technocrates autoritaires » au 6e gouv. **1960**-*8-3* Antonio Abad Donoso (anarchiste) exécuté. **1963**-*20-4* Julián Grimau, dirigeant du PCE, exécuté. -*28-12* 1er Plan de dévelop. écon. et social. **1968**-*6-5* blocus terrestre de Gibraltar (voir p. 1010). -*14-10* Guinée esp. indépendante. -*20-12* famille Bourbon-Parme expulsée. **1969**-*14-3* 2e plan de dévelop. -*22-7* Juan Carlos désigné successeur de Franco. **1970**-*8-6* Franco reçoit de Gaulle au Pardo. -*29-6* accord commercial E.-CEE. -*3-12* procès de Burgos (voir Pays basque). **1972**-*2-11* attentat contre Roger Tur, consul de Fr. à Saragosse (mort 7-11), par des maoïstes (30 a. de réclusion aux 5 assassins). **1973** Reconnaissance de RDA (10-1) et Chine (mars). -*20-12* l'amiral Luis Carrero Blanco (n. 4-3-03, vice-Pt du gouv. dep. 22-9-67, *PM* dep. 8-6-73) tué par Eta. Carlos Arias Navarro (1908-89) PM. **1974**-*2-3* Salvador Puig Antich (Catalan anarchiste accusé du meurtre d'un policier en sept. 72) exécuté. -*19-7/2-9 Juan Carlos* chef de l'État par intérim (Franco malade). Attentats attribués aux Gari (Groupes d'action révol. internat.), issus du Mil (Mouv. ibér. de libér. dont Puig Antich était m.). *Juillet* caravane du Tour de Fr. attaquée. -*13-9* Madrid, bombe dans restaurant, 13 †. -*7-12* droit d'assoc. pour action pol. si respect des principes du franquisme et allégeance au Mouvement nat. **1975**-*22-8* décret-loi antiterroriste. -*27-9* : 3 m. du Frap et 2 m. de l'Eta exécutés ; 9 pays eur. rappellent leur ambassadeur. -*29* au -*30-9* grève gén. au P. basque. -*1-10* : Madrid, 3 policiers tués. Manif. profranquiste (200 000 pers.). -*4-10* renouvellement pour 5 a. du bail des bases amér. (contre aide de 500 à 750 millions de $). -*14-10* au -*20-11* agonie et † du Gal Franco.

■ **Juan Carlos Ier. 1975** -*30-10* chef provisoire de l'État. -*14-11* accord Maroc-Mauritanie-E. sur Sahara esp. -*15-11* basque, catalan et galicien reconnus langues nationales. -*22-11* Juan Carlos roi d'E. -*26-11* « indulto », amnistie partielle des prisonniers pol. -*11-12* nouveau gouv. Navarro : 3 m. libéraux (Cte de Motrico, Antonio Garrigues, Fraga Iribarne). **1976** *janv.* grèves (postiers réquisitionnés). -*24-1* tr. de coopération de 5 a. avec USA : maintien des bases amér., vente d'avions mil. à l'E., aide 1 200 millions de $. -*27-1* Cortes renouvelées pour 15 mois. -*6-2* décret-loi antiterroriste amendé. -*9-5* affrontements à Montejurra entre carlistes partisans de Charles-Hugues de Bourbon-Parme et partisans de son frère Sixte (1 †). -*28-10* Juan Carlos à Paris (1re visite off. d'un chef d'État esp. dep. 1905). -*12-11* grève générale, 500 000 sur 13 millions de trav. *Nov.* -*11-12* Grapo (Groupe de résistance antifasciste et patriotique du 1er oct.) enlève A.M. de Oriol, Pt du Conseil d'État. -*15-12* référendum sur Constitution : abstentions 22,6 %, b. blancs 3 %, oui 94,1 %, non 2,6 %. **1977** avocats comm. ass. par extrême droite (Atocha) ; Gal Villaescusa (Pt du Conseil suprême de la justice mil.) enlevé. -*9-2* relations dipl. avec URSS normalisées. -*11-3* amnistie, sauf pour auteurs de « crimes de sang ». -*18-3* Mexique cesse relations dipl. avec gouv. rép. esp. en exil. -*27-3* acc. aérien : 612 † à Los Rodeos aux Canaries. -*9-4* PC esp. autorisé. -*14-5* don Juan, Cte de Barcelone, renonce à ses droits dynastiques en faveur de son fils (le roi). -*15-6* élections aux Cortes constituantes, 1re él. au suffrage universel dep. 41 ans. % votes et entre parenthèses sièges : UCD (A. Suárez) 34,72 (165), Psoe (F. González) 29,25 (118), PCE (S. Carrillo) 9,24 (20), AP (M. Fraga) 8,34 (16), PDC (J. Pujol) 2,78 (11), PNV (Ajuriaguerra) 1,60 (8), PSP (E. Tierno) 4,46 (6), UC-DCC (Canellas) 0,95 (2), EC (H. Barrera) 0,75 (1), EE (Letamendia) 0,33 (1). -*23-6* gouv. de la Rép. en exil (Pt José Maldonado) met fin à sa mission. -*30-7* amnistie ; accord écon. *de la Moncloa*. -*24-11* entrée au Conseil de l'Europe. **1978**-*10-1* au -*6-2 1res élect. syndicales libres* dep. 40 ans. -*20-1* amnistie pour accusés dans l'attentat contre amiral Carrero Blanco. -*25-1* Joaquim Viola, ancien maire de Barcelone, et sa femme ass. -*19-4* IXe congrès du PCE (abandon de la référence au léninisme). -*8-7* feria de St-Firmin à Pampelune : émeute 1 † ; 135 000 touristes fuient la ville. -*11-7* St-Sébastien, affrontements avec police, 1 † ; au camping de Los Alfaques 215 †, 67 bl. (camion de carburant explose). -*21-7* Gal Sánchez Ramos Izquierdo et lieut.-col. Rodriguez ass. -*31-10* vote final de la Constitution. -*5-11* Madrid : 300 000 manif. contre terrorisme. -*11-11 coup de force* (« opération Galaxie ») militaire (dont lieut-col. Antonio Tejero) déjoué. -*6-12 référendum sur projet de Const.* : oui 88 %, abstentions 32,33 (55 % au Pays basque). -*25-12* J.M. Benaran Ordenana (dit « Argala », un des auteurs de l'attentat contre amiral Carrero Blanco), ass. à Anglet (Fr.). **1979**-*3-1* Gal Gil, gouv. de Madrid, ass. -*1-3 législatives* : victoire de l'UCD. -*3-4 municipales* : vict. de la gauche. -*11-5* manif. nat. à Madrid. -*26-5* attentat rue Goya, 8 †. -*13-6* att. contre chantier centrale nucléaire de Lemoniz. -*25-10* Catalogne et P. basque : référendum sur autonomie. -*11-11* dép. centriste Javier Ruperez enlevé.

1980-*28-2* référendum sur autonomie de l'Andalousie : non. -*20-3* législatives en Catalogne ; vict. autonomistes modérés. *Juillet* entrée dans CEE repoussée. -*23-11* : 200 000 franquistes manif. à Madrid. -*21-12* référendum sur autonomie en Galice : oui (74 % d'abstentions). **1981**-*29-1* Adolfo Suárez, PM, démissionne. -*23-2 tentative de putsch* ; Lt-col. Antonio Tejero et 200 gardes civils envahissent Cortes. -*24-2* échec, l'armée ne suit pas. -*27-2* manif. pour démocratie. -*1-3* Enrique Castro Quini, footballeur, enlevé, rançon versée (100 millions de pesetas). -*4-5* Grapo tue Gal Andres Gonzáles Suso, chef de l'artillerie. -*7-5* Gal Joaquim de Valenzuela blessé (3 †). -*23-5* banque de Catalogne à Barcelone, prise d'otages (1 †, extrême droite, pour libérer putschistes du 23-2-81). -*22-6* divorce autorisé. -*23-6* complot contre roi (?) éventé : 2 colonels, 1 Cdt et 3 civils arrêtés. -*5-9* Enrique Cerdán Calixto, chef Grapo, abattu. -*10-9 Guernica*, tableau de Picasso, rentre des USA. -*22-11* 6e anniv. de la mort de Franco : 125 000 à 800 000 manif. -*25-11* référendum sur autonomie Andalousie : oui. -*29-12* Dr *Iglesias*, père du chanteur, enlevé, rançon demandée 1 milliard de pesetas (50 millions de F), libéré 16-1-82 par police. **1982** *févr.* pneumonie atypique (huile toxique, frelatée) : 386 †, 17 800 malades (dep. 1-5-81). Ricardo Tejero, dir. gal du Banco Central, tué. -*3-6 procès des putschistes* : 30 ans de réclusion Gal Milan del Bosch et Lt-Col. Tejero ; Gal Armada 6 ans (gracié 23-12-88) ; autres : acquittement. -*22/24-6* Pt Mitterrand en E. -*27-8* dissolution des Cortes. -*28-10* élections : vict. du Psoe. -*2-10* complot mil. déjoué, 3 off. arrêtés. -*31-10/9-11* visite de Jean-Paul II. -*4-11* Gal Lago Roman, Cdt de la division Brunete, tué. -*5-12* Juan Martin Luna (28 ans), chef du Grapo, tué. **1983**-*7-2* : 50 000 manif. à Bilbao contre Eta. -*8-5* élect. *munic. et région.* : Psoe en tête ; Centre perdant, PCE progresse. -*27/30-6* victoire d'Iglesias au Comité central du PCE (défaite de Carrillo). -*21-10* 550 000 manif. antiterroristes à Madrid. **1984** *janv.* scission du PCE, I. Gallego (avec 800 délégués). -*29-1* Gal Quintana (Cdt région mil. de Madrid qui, loyaliste, fit échouer le putsch du 23-2-81) tué. -*7-3* ayant constaté en 1982-83 1 100 infractions, la marine fr. arraisonne 2 chalutiers esp. pêchant illégalement dans eaux communautaires du golfe de Gascogne (6 marins esp. bl., 1 amputé d'une jambe). -*17-3* condamnés à 120 000 F d'amende, 1 200 F de contravention pour refus d'obtempérer, confiscation des poches de chaluts et 130 000 F pour frais de consignation des bateaux. -*Mai* Juan Carlos en URSS (1re visite d'un monarque esp.). Pour protester contre extraditions de réfugiés basques de Fr., attentats antifrançais : Crédit Lyonnais (Barcelone), *14-7* Renault (St-Sébastien), *18-7* Sté Générale (Bilbao), *10-8* BNP et Renault (Madrid), *14-8* Renault (Barcelone). 250 autom. et 48 camions détruits de juillet à oct. : coût 150 millions de pesetas pour État esp. -*5-9* Rafael Paduro, Pt patronat andalou, tué par Grapo. -*10-10* escale de 15 h de Jean-Paul II à Saragosse. -*20-10* garde-côte irlandais coule chalutier esp. (équipage rapatrié). -*18-11* 500 000 manif. à Madrid pour liberté de l'enseignement. **1985**-*12-4* près de Madrid, att. dans restaurant, 18 †. -*1-6* projet d'ass. du roi par des militaires. -*12-6* E. adhère à CEE. -*8/10-7* Juan Carlos en Fr. -*29-7* vice-amiral Fausto Escrigas (à Madrid) et un commissaire adj. à Vitoria tués. -*9-8* 1er avortement légal. **1986**-*1-1* entrée dans CEE. -*12-3* référendum pour maintien dans l'Otan : oui 52,53 %, non 39,84 % (P. Basque : non 65,2 %), (abstentions : 40,27 %). -*23/26-4* roi et reine en G.-B. (1re vis. d'un roi Esp. dep. 1906). -*25-4* voit. piégée, 5 gardes civils †. -*17-6* att. Madrid : 3 militaires †. -*22-6 législatives* : PS 44,06 % des voix (46 % en 1982), coalition populaire 26 % (25 %) ; participation : 70,77 %. Felipe González réélu. -*14-7* att. Madrid : 12 †. -*20-8* incendie forêt de Montserrat (8 000 ha). ; *déc.* manif. étudiants. **1987**-*17-1* 6 membres du commando Madrid arrêtés. *Janv./févr.* manif. étudiants contre sélection, pour gratuité universitaire et salaire min. pour 80 % des étud. -*30-3* procès des huiles frelatées (386 † en Esp. en 1982). -*17-5* Madrid : 3 att. -*26-12* Barcelone : att. de la Grapa séparatistes catalans : 1 marin Amér. †. **1988**-*14-1* 5 partis sur 6 (sauf Herri Batasuna) condamnent Eta militaire. -*15-1* renouvellement du tr. américano-esp. de 1953 pour 8 ans : 72 avions F 16 quitteront Torrejón dans les 3 ans [les USA ont 4 bases : *Torrejón de Ardoz* près de Madrid (défense et contrôle aérien de l'Atlantique à la Méditerranée), *Sanjurjo* à Saragosse (entraînement des forces stationnées en Europe dep. le retrait amér. de Wheelus Field en Libye, en 1970), *Morón de la Frontera* près de Séville (tâches logistiques), *Rota* près de Cadix (importante dep. le repli des bases du Maroc, 1963). En tout, il y a 13 000 militaires américains]. *6-2* mort de Carmen Polo (n. 1900), veuve de Franco. *Juillet* l'écrivain Jorge Semprun (64 ans) min. de la Culture. -*17-10* visite reine d'Angl. -*14-12* grève générale (95 % des travailleurs). **1989** *févr.* fusion des 2 chambres de commerce à Paris (séparées dep. mai 1938). -*19-6* entrée peseta dans SME. Été très sec. -*1-9* Cortes dissoutes. -*24/28-9* Hassan II en Esp. (1re visite off.). -*29-10 législatives.* **1990**-*13-1* incendie boîte de nuit à Saragosse, 43 †. -*25-3* Psoe perd majorité absolue aux Cortes après élection partielle à Melilla (175 sièges sur 350). -*16-6* Cel Manuel López Muñoz ass. (Grapo). -*21-6* députés indépendantistes élus en 89 pourront siéger aux Cortes (refusent de prêter serment). -*6-9* 3 att. du Grapo à Madrid. -*10-10* explosion boîte de nuit de St-Jacques-de-Compostelle, 3 †. -*26-10* Fernando Silva Sande, chef présumé Grapo, arrêté. -*26/28-10* Gorbatchev en E. **1991**-*12-1* Alfonso Guerra, vice-Pt du gouv. (dont le frère Juan aurait bénéficié d'un trafic d'influence), démissionne. *Mars* procédure de béatification de la reine Isabelle Ire (prévue pour 1992) suspendue. **1992**-*8-1* Barcelone, 1 officier tué. -*16-1* id., 2 militaires tués. -*6-2* Madrid voiture piégée, 5 †. -*31-3* visite Juan Carlos à synagogue de Madrid (5e centenaire de l'expulsion des Juifs). -*20-4 au 12-10* Exposition universelle de Séville, thème : ère des découvertes, 95 pavillons, 112 pays, 215 ha, budget (Md de F) : 11 ; bénéfices : 0,12 ; recettes : 6,5 (entrées 2,4, activité commerciale 2,1) ; ouverture : 176 j ; visiteurs : 41,8 millions (dont étrangers 34 %). -*22-7* Cortes approuvent la modification de la Const. permettant la ratification du tr. de Maastricht (les ressortissants de la CEE pourront être élus aux élect. locales). -*25-7* ouverture des JO de Barcelone. -*17-8* reprise lutte armée ETA. -*23-9* contrôle des changes rétabli. -*12-10* « jour de l'Hispanité », 5e centenaire de la découverte de l'Amérique. -*26-10* arrivée à Madrid de la « Marche de fer » (sidérurgistes) des Asturies et du P. basque manifestant contre licenciements. -*22-11* peseta dévaluée de 6 %. -*25-11* Parlement approuve tr. de Maastricht. **1993**-*3-3* Madrid, 3 attentats du Grapo contre min. du Travail et patronat. -*5-3* arrivée à Madrid de la « Marche verte » des agriculteurs (15 j, env. 100 000) contre la Pac. Scandale politique (financement PSOE). -*21-6* Madrid 2 attentats, 7 †.

Nota. – Dep. 7-6-1968 + de 3 000 attentats ; 725 tués par ETA.

■ Guerres civiles espagnoles

Analyse

1°) **Tradition anticentralisatrice.** (au XIe s., les roy. musulmans du S., ou taïfas, étaient indépendants ; les roy. chrétiens et féodaux du N. étaient souvent ennemis.) Les particularismes locaux sont garantis par les *fueros,* chartes consenties par les souverains et reconnaissant le droit à l'autonomie fiscale et administrative. L'avènement d'une dynastie unique n'a pas supprimé les administrations propres à chaque royaume.

2°) **Tradition anticastillane.** Date de 1521, lorsque la noblesse cast. voulant défendre ses biens contre la *Germania* a basculé dans le camp impérial au cours de la g. des Communes, et a lié désormais la centralisation monarchique et l'hégémonie castillane qui fut : a) *culturelle* par la langue, y compris en Andalousie, où les populations implantées de fraîche date n'ont pas de dialectes locaux vivaces, mais se heurtent au catalan-valencien à l'E., au basque au N., au portugais-galicien au N.-O. b) *financière et politique.* Dep. 1492 (découverte du Nouveau Monde et conquête du roy. musulman de Grenade), les nouvelles terres sont annexées au roy. de Castille (Indias de Castilla), l'union avec l'Aragon-Catalogne n'étant pas encore faite. L'or importé d'Amér. est investi en territoire cast. ; les postes lucratifs d'outre-mer sont réservés aux nobles cast. Les régions riches non cast. (P. basque, Catalogne), qui payent le plus d'impôts, réprouvent la priorité donnée aux investissements en Castille.

3°) **Disparition du domaine public.** Au XIe s., les rois délèguent leur autorité sur les grands domaines *(senorios solariegos)* à des magnats laïcs et à des dignitaires ecclésiastiques. Après le XIIe s., les terres reconquises sur les Musulmans sont distribuées de même. Aux XIVe et XVe s., les donations *(mercedes)* de biens fonciers aux nobles réduisent à rien le domaine royal. En 1811, les Cortes (en majorité bourgeois des villes) retirent aux seigneurs les droits de justice sur les hab. des domaines et transforment ceux-ci en propr. privées (loi confirmée en 1837) dont les propr. exercent des droits illimités (en 1930, les 29 grands d'Espagne possédaient 577 359 ha).

4°) **Révoltes plébéiennes.** Les paysans n'ont pas de recours contre les propriétaires, qui fixent eux-mêmes les redevances à payer et souvent n'accordent pas de baux supérieurs à 3 ans ; la menace d'expulsion est constante. Les nobles vendent à perpétuité à des tiers (souvent bourgeois des villes) le droit de percevoir les redevances foncières de leurs domaines (moyenne pour l'Esp. aux XVIIIe-XIXe s. 7,14 %, le double de la moyenne européenne). [Exception : P. basque, où les exploitations rurales, même petites, sont réputées « nobles » (en Biscaye, 98 % des paysans portent la particule et sont propriétaires de leurs biens fonciers ; leur hostilité à la Castille se double du mépris pour le sous-prolétariat rural castillan).] Aussi les pauvres émigrent-ils vers l'Amér. ou se révoltent. Toute g. civile esp. (d'origine polit. ou régionale) se double d'une g. sociale (paysans pauvres contre possédants).

5°) **Tradition de la guérilla.** En 1705 et 1713 g. de la Succession d'E. (voir ci-dessous, 9°). En 1808 contre les Fr., ensuite pour des objectifs pol. ou sociaux.

6°) **Traditions catholique et anticath.** L'Église aux Ve-VIIe s., minoritaire devant les ariens, a acquis par intrigues politiques et par les armes (conversion du roi Récarède) une situation de force. La reconquête militaire eut lieu pour refaire un roy. chrétien. Après la prise de Grenade, la hiérarchie cath. (entre les mains de la royauté) a utilisé l'*Inquisition* pour maintenir ses positions : expulsion des morisques et des juifs ; exécution des renégats, puis (aux XVIe-XVIIe s.) extermination du protestantisme. Au cours des g. civiles du XIXe s., les ecclésiastiques se font souvent chefs militaires [ex. : le trappiste, *El Trapense* (Fray Antonio Marañon), qui s'empare de la Seo de Urgel, pendant la g. de Riego en 1822 ; en 1872 (g. carliste), curés basques et navarrais se mettent à la tête de leurs paroissiens]. Au contraire, dans de nombreuses campagnes, les paysans sans terres prennent parti contre l'Église, en tant que propriétaire terrienne. Aux XIXe et XXe s., en Esp. comme en Amér. latine (notamment au Mexique), les théoriciens de la lutte contre l'Église (« libéraux » ou révolutionnaires, héritiers des révolutionnaires fr.) prétendent lutter contre le « fanatisme » (c.-à-d. les méthodes de l'Inquisition).

7°) **Tradition des pronunciamientos** (coups d'État mil. au cours desquels le chef des rebelles *prononce* un discours-programme, pour entraîner ses partisans). De gauche (par ex. Riego 1821, Galán 1930) ou de droite (Primo de Rivera 1923). Peuvent être l'occasion de g. civiles, les rebelles sachant qu'ils seront tués en cas d'échec (Riego pendu 1823, Galán fusillé 1930). Ainsi, le pronunciamiento de Franco, en 1936, a-t-il déclenché la g. civile de 1936-39.

8°) **Traits psychologiques des Esp.** Ils ne se posent pas en citoyens (Alphonse XIII disait qu'il régnait « sur 21 millions de rois »). Trait principal : l'égocentrisme (individualisme, sentiment de l'honneur, sens de l'égalité). Vie sociale et politique relâchée, goût des actions individuelles (francs-tireurs), imprévoyance et démesure (goût des victoires totales, avec refus du compromis), recherche du prestige et, à l'échelon local, *caciquisme* (autoritarisme des notables). Ces traits expliquent en partie la fréquence des g. civiles, le goût de l'anarchie, l'acharnement des luttes, le caractère spectaculaire du terrorisme.

9°) **Interventionnisme étranger.** Toutes les g. civiles esp. modernes [à part les 2 1res, 1518-23, dites *g. des Communes* et *g. de la Germania* (voir ci-dessus)] ont connu des interventions étrangères, et sont nées souvent du fait que les Esp. s'étaient rangés dans 2 camps étrangers différents. Ex. : *1704-11 g. de la Succession d'Espagne :* le prétendant autrichien Charles de Habsbourg (futur emp. Charles VI) est reconnu roi d'Esp. par Catalans et Aragonais. Les Castillans prennent parti contre lui (et les Catalans). Repoussé de Madrid, Charles se retranche 2 ans (1710-11) dans la province de Gérone. La lutte se prolonge jusqu'en 1713, sous la direction de sa femme Isabelle de Brunswick-Lunebourg, régente. Vaincus en 1713-14, Catalans et Valençais sont privés de leurs *fueros. Insurrection de Riego (1819-23) :* ancien officier fait prisonnier par les Fr. en 1808, Riego se convertit aux idées révolutionnaires et, en 1819-20, oblige Ferdinand VII à accepter la Constitution libérale de 1812. Mais la Sainte Alliance (Fr., Autriche, Russie) envoie des troupes (fr.) en E. Les libéraux sont vaincus et Riego exécuté (1823).

Guerres carlistes (1833-76)

■ **Causes.** *1°) dynastiques* (la loi salique en vigueur chez les Bourbons, mais non traditionnelle en E., ferait passer la couronne à don Carlos, frère de Ferdinand VII, et non à Isabelle II). *2°) politiques* [Carlistes (traditionalistes) contre Christinistes (pour la régente Marie-Christine), plutôt libéraux].

■ **1re guerre (1833-39).** Les « puissances libérales » envoient contre Zumalacarréqui (chef carliste) 18 500 h. (Angl. 14 000, chef : lord Ewans, Fr. 4 500, dont Bazaine). Zumalacarréqui est tué par les Angl. devant Bilbao. Don Carlos échoue et signe avec Espartero la convention de Vergara.

■ **2e guerre (1849).** Le Cte de Montemolín (Charles-Louis de Bourbon, 1818-61) débarque en Catalogne. Son Lt, Tristany, doit se replier en Fr.

■ **3e guerre (1872-76).** Thiers, redoutant une victoire de don Carlos, qui aurait favorisé le retour de la monarchie en Fr., persuade les rép. de soutenir Amédée de Savoie. Le duc de Madrid occupe les 2/3 du pays et s'installe à Estella (Navarre), l'emporte sur les rép. (1873-74), mais est battu par le Gal Primo de Rivera, lieutenant d'Alphonse XII (Estella prise le 19-2-1876). 70 000 †. Abolition des fueros en Guipúzcoa, Biscaye et Álava.

Guerre civile de 1936-39

■ **Effectifs. Nationalistes :** *1936-20-7 :* 30 000 h. (métropole), 53 000 h. (Maroc) ; *-30-10 :* 350 000 h. *1937-30-7 :* 500 000. *1938-30-7 :* 700 000. *1939-1-4 :* 800 000. **Républicains :** *1936-20-7 :* 91 000 ; *oct.* 450 000, chiffre indéterminé par la suite.

■ **Aide étrangère.** AUX NATIONALISTES. **Allemagne :** 16 000 h. (dont légion aérienne Condor 6 500). *Pertes :* 300 h. Coût : + de 500 millions de Reichsmarks, dont matériel de g. pour les nationalistes 124 et All. 354. **France :** Bandera Juana de Arco 500 h. (Cap. Bonneville de Marsannoy tué 10-10-37). **Irlande :** 600 h. **Italie :** volontaires ital. : 75 000 h. (dont les escadrilles aériennes et 4 divisions de Chemises noires avec d'importants éléments de chars légers). *Pertes :* 6 000 h. *Aide matérielle :* 763 avions, 1 672 t de bombes, 1 930 canons, 10 500 mitrailleuses, 240 000 armes légères, 7 663 véhicules à moteur. **Portugal :** 7 000 à 12 000 vol. (Viriatos). 1 100 officiers dans les unités esp. Pertes : 670 h. A servi aux franquistes de relais avec l'extérieur et a facilité, en août 1936, la prise de Badajoz.

AUX RÉPUBLICAINS. **Accord franco-soviét.** pour la fourniture de matériel soviét. acheté avec l'or esp. : les armes débarquées à Dunkerque et au Havre transitent en wagons plombés. Responsables français : Jules Moch, Jean Moulin, Pierre Cot [entre oct. 1936 et mars 1939 : 127 000 t apportées par 164 navires, dont 34 soviét. soit : 900 chars, 198 canons, 8 000 camions, 9 000 véhicules divers, 500 000 fusils. Aide par voie maritime : 242 avions, 731 chars, 703 canons. Personnel (instructeurs, techniciens civils) : 2 500 h.]. **Fournitures d'armes fr.** (selon des contrats fictifs passés avec Mexique et Lituanie ; mais correspondant souvent à des contrats passés avec la Rép. esp. avant la g. civile) : 200 avions, 47 canons de 75. **Volontaires.** *23 bataillons* (dont 15 ayant transité par la Fr.) *formant 6 brigades internat.* ayant totalisé 35 000 h. dont 10 000 Fr. (3 000 †), 5 000 All. et Autr., 4 000 Balkaniques, 5 000 Polonais, 3 500 Ital., 2 800 Amér., 2 000 Belges, 2 500 Scandinaves, 200 Brit. *Principaux chefs : Esp. :* Valentín González, dit El Campesino (1909-20-10-1983), G^{al} commandant la 46e division de choc des Brigades. Réfugié en URSS, promu M^{al}, il entra à l'école de g. de Frounze, puis fut arrêté, envoyé au goulag. Évadé en 48, se réfugia en Fr. ; 13-10-1961, interné à l'île de Bréhat, puis libéré, devint ouvrier. *All. :* Walter Ulbricht. *Bulgare :* Georges Dimitrov. *Hongrois :* Laszlo Rajk. *Youg. :* Josip Broz, dit Tito. *Italiens :* Pietro Nenni, Palmiro Togliatti. *Français :* André Marty (inspecteur des Brig. inter.), Charles Tillon, Rol-Tanguy.

■ **Opérations. 1936**-*17-7 soulèvement du Maroc (movimiento* préparé par Gal Sanjurjo et Gal Franco, soutenu par le financier Juan March) ; *-18-7* en Vieille Castille et León (Gal Emilio Mola Vidal, 1887-3-6, 1937 † accident d'avion) et Andalousie (Gal Queipo de Llano 1875-1951). Les Rép. contrôlent 2 zones : Nord : Pays basque-Asturies ; Est : Barcelone-Valence-Málaga (+ Badajoz). *-22/26-7 bataille de Guadarrama :* les troupes de Mola à 60 km de Madrid. *-23-7* pont aérien Maroc/Andalousie : Queipo de Llano peut se maintenir dans le S. *-30-7* 3 transports de troupes amènent des renforts marocains à Algésiras. *-14-8 prise de Badajoz :* les 2 zones nat. réunies. *-3-9.* prise de *Talavera, -4-9 Irun. -13-9* prennent St-Sébastien. *-29-9* troupes du S., marchant vers Madrid, délivrent *Alcazar* de Tolède (résistance dep. *18-7 ;* chef : colonel José Moscardo 1878-1956). *-16-10* 2e offensive, prise d'Oviedo et d'Illescas. *Oct.* généraux Godded et Burrel fusillés. *Oct.-déc.* échec des Nat. devant Madrid. *-7-11* Gouv. rép. réfugié à Valence. **1937**-*janv.* J.A. Primo de Rivera fusillé. *-Janv.-févr.* échec d'encerclement de Madrid par le S. (vallée du Jarama) ; *-8/10-2* Italiens prennent Málaga. *-9-3* sur le Guadalajara, les Républicains font 10 000 prisonniers. *-23-3* It. ne peuvent encercler Madrid par le N. (Guadalajara). *-30-3/21-10* offensive nat. contre zone rép. N. *-26-4* bombardement de *Guernica* (par All., centaines de †). *-19-6* prise de *Bilbao. Juin* Gouv. rép. réfugié à Barcelone. *-6/28-7* contre-attaque rép. à *Brunete* (secteur de Madrid) ; front du N. dégagé. *-14-8* reprise de l'offensive ; *-23-8 Santona :* armée basque battue devant It. *-26-8 Santander* pris par Nat. ; *-20-10 Gijón* pris ; *-21-10* reddition en masse des Rép. *-15-12* offensive rép. sur *Teruel* qui est prise : Franco déplace ses réserves. **1938**-*8-1* Teruel, victoire rép., reddition du colonel nat. Rey d'Harcourt. *-8-2* vict. nat. sur l'Alfanbra au N. de Teruel (20 000 pris.). *-17-2* Nat. reprennent Teruel ; Franco attaque en Aragon. *-22-2* Franquistes reprennent Teruel. *-9-3* lignes rép. percées au S. de l'Èbre. *-15-4* Nat. à Vinaroz (zone rép. de l'E. coupée en 2). *-15-6* Franco prend Castellón *-24-8* Nat. à 60 km de Valence. *-25-8* contre-attaque rép. dans boucle de l'Èbre ; Valence dégagée. *-26-8/15-11 bat. de la boucle de l'Èbre ; rép.* 30 000 †, 20 000 bl., 20 000 prisonniers (brigades internat. : 75 % de pertes), *nat.* 33 000 (†, bl. et disp.). *-23-11* offensive nat. en Catalogne. **1939**-*26-1* prise de *Barcelone* (Valence devient capitale). *-5-2* prise Gérone ; prise Azana passe en France. *-8-2* prise Figueiras. *-9-2* conquête Catalogne ; *-10-2* frontière atteinte. *-16-2* Negrín décide résistance à outrance. *Mars* liquidation de la zone rép. S. *-6-3* complot du colonel Casado [rép. non communiste, Cdt du front de Madrid, attaque et désarme communistes opposés à la reddition (2 000 †)]. Pt Negrín et Gouv. rép. quittent l'E.]. Gal Miaja (1878-1958), Cdt en chef des Rép., dispose encore de 500 000 h. *-28-3 Madrid* prise (les Nat. forment 4 colonnes, leurs partisans de l'intérieur formant la *5e colonne*) ; *-30-3* communiqué de victoire de Franco. Miaja quitte l'E. dans avion français.

Stratégie communiste pendant la g. civile. Pour certains, le PC voulait apparaître comme un parti d'ordre (il profite des excès anarchistes et tente de conquérir l'hégémonie chez les républ.). Les Soviét. voulaient que la g. dure pour qu' All. et Italie s'y engagent de plus en plus (sabotage des tentatives de compromis en 1937) ; antifranquistes et antistaliniens furent liquidés et les courants non comm. affaiblis, même au prix de victoires franquistes (refus d'attaquer en Estrémadure au printemps 1937).

■ **Bilan de la guerre. Victimes :** *selon Georges Roux,* 850 000 à 900 000 † dont 150 000 assassinés [115 000 par les Rouges (15 000 prêtres) et 35 000 par les Nation.]. On envisage de canoniser 7 113 exécutés dont 11 évêques, 4 184 prêtres, 2 635 religieux et 283 religieuses. *Selon Hugh Thomas* 410 000 † ; 110 000 nat. et 175 000 rép. dans les combats ; 25 000 victimes civiles de bombardements ; 126 000 assassinats et exécutions (86 000 par les rép., 40 000 par les nat.). 200 000 † des suites indirectes de la g. (sous-alimentation, maladies, etc.). *Selon le min. de la Justice,* 300 000 détenus pol. en 1938 (28 077 en 1944). 192 684 exécutés ou morts en prison entre avr. 39 et juin 44. *Des trib. militaires ont siégé jusqu'en 1963. Entre 1949 et 1963,* 45 peines de mort furent ainsi prononcées (19 exécutées). Après l'exécution, le 20-4-63, du communiste Julian Grimau, le Code pénal fut modifié et certains délits (grève, propagande illégale, etc.) furent rendus à la compétence des tribunaux civils ; les délits pol. accompagnés de violences continuant, eux, d'être jugés par les trib. militaires. *Selon Bartolomé Benassar :* morts au combat 145 000 (dont 25 000 étrangers), d'actions de guerre (dont bombardements aériens) 15 000, d'homicides ou exécutions sommaires 134 000, de malnutrition ou de maladies 600 000.

Réfugiés : en janv.-févr. 1939, 550 000 rép. se réfugient en Fr. [dont recensés à la frontière 453 000 (mil. 270 000, civils 170 000, blessés et malades 13 000) ; clandestins 100 000 ; 70 000 rentrent en E. dès mars 1939 ; total réfugiés au 1-1-1940 : 300 000]. *Principaux camps en Fr. :* Argelès/Mer, St-Cyprien, Agde. *Émigrés* en Amér. latine 50 000.

Dommages matériels : 183 villes dévastées ; 250 000 maisons inhabitables, 250 000 partiellement détériorées ; 160 églises brûlées, 1 800 hors d'usage, 3 000 très endommagées ; 1/3 du cheptel et une grande partie de l'équipement agricole détruits ; matériel ferroviaire très endommagé ; 250 mines et fabriques détruites, mais les grandes usines de Barcelone et de Bilbao sont presque intactes, et l'irrigation de la région de Valence n'a pas souffert. Famine en avril 1939 dans la zone rép. reconquise. Récolte de 1939 inférieure de 60 à 70 % à celle de 1935. D'où émigration intérieure ou vers étranger : de 1940 à 60, la prov. de Jaén perd 29,7 % de sa population ; Almeria 29,2 ; Albacete 26,7 ; Grenade 24,3.

L'après-guerre (civile)

■ **Réorganisation de l'enseignement.** 6 000 instituteurs (de gauche) ont été exécutés, 2 000 sont partis en exil (notamment au Mexique). 90 % des intellectuels ont émigré, dont 118 prof. d'université. L'enseignement est confié à l'Église cath.

■ **Aide américaine.** En1954, le PNB par tête est de 261 $. Les salaires minimaux (1956 : 36 pesetas par j) sont bas, le seuil de la pauvreté étant de 120 pesetas pour 1 famille de 2 enf. Après accord avec USA, les produits américains affluent (116 millions de $ au lieu de 62). Il y a baisse de la peseta, faute de devises, mais la famine est évitée.

■ **Plan de stabilisation** (1959-67). L'E. entre dans l'OECE (plus tard OCDE) et au FMI. Les investissements étrangers s'accroissent. L'irrigation s'étend (1965 : 2 millions d'ha) ; la culture se modernise (25 000 tracteurs en 1954, 150 000 en 1964) ; la pop. agricole tombe à 17,5 % de la pop. active (émigration extérieure : *1962 :* 349 346, *1963 :* 443 161, *1964 :* 470 000 ; immigration intérieure ; env. 700 000). En 1964, plan quadriennal, prévoyant une hausse du PNB de 6 % par an, réalisé à 77 %.

■ **Essor économique.** *Début de l'ère touristique : visiteurs (en millions) : 1951 :* 1,26 ; *60 :* 6,1 ; *65 :* 14,2 ; *70 : 24,1 ; 75 :* 30,1 ; *86 :* 47,3 (dont env. 25 pour + de 24 h). *Recettes* (millions de $) : *1970 :* 1 500 ; *85 :* 7 500. *Importations,* surtout biens d'équipements, *1959 :* 676 (millions de $), *1970 :* 4 747.

Balance commerciale déficitaire (malgré tourisme), couverture des imp. par exp. : *1971 ;* 51 % ; *1977 ;* 57 %, mais les transferts des 1 800 000 travailleurs émigrés (France, 1970 : 467 millions de $) et les investissements étrangers (1970 : 700) équilibrent presque la *balance des paiements.*

■ **Comparaison entre 1955 et 1976** (millions de t). Houille 12,4 (10,5), minerai de fer 1,7 (3,8), acier 1,2 (11), électricité (en millions de kWh) 12 (82,3), constructions auto. (milliers) 14 (850), navales (Mtjb) (1,6), ciment 3,7 (25).

■ **Stabilisation politique du « Mouvement ».** Franco avait choisi le futur chef de l'État espagnol (un roi : Juan Carlos Ier) et le futur chef du gouvernement : son adjoint l'amiral Luis Carrero Blanco (n. 1903). Après l'assassinat de celui-ci par l'Eta le 20-12-73, le « Mouvement » franquiste (coalition des droites esp. : militaire, cléricale, phalangiste, affairiste, monarchiste libérale et carliste) ne put survivre à son fondateur. Le roi, appuyé sur les monarchistes libéraux et les démocrates-chrétiens, a rapidement fait basculer le régime autoritaire dans la démocratie. Les tendances anarchisantes et centrifuges de la nation espagnole ont rapidement été vaincues.

■ **Regret de Franco (1980).** 5 ans après sa mort, son régime, autrefois critiqué, laissait un certain regret dans le peuple (la crise mondiale a éclaté peu avant cette mort, et le peuple concluait que le franquisme avait su l'éviter), l'armée (inquiète du progrès des autonomistes), l'Église (inquiète devant la déchristianisation rapide), les classes dirigeantes (inquiètes devant la récession).

■ Institutions

■ **Statut.** Royaume [Constitution adoptée 6-12-1978 (87,8 % des v.) par référendum, entrée en vigueur 29-12] : État social et démocratique de droit ; la souveraineté réside dans le peuple d'où émanent les pouvoirs de l'État. Sont reconnus : liberté d'opinion, droit au divorce et à l'avortement, liberté de réunion, d'association, d'expression, d'éducation, droit à l'intégrité physique et morale, au secret de la vie privée, garanties de détention et de défense juridique ; la peine de mort est abolie. Les pouvoirs publics tiennent compte des croyances religieuses et maintiendront des relations de coopération avec l'Église cath. Nationalités et régions ont droit à l'autonomie. **Fête nat.** 24 juin (St-Jean, fête du roi) ; avant 1976, 18 juillet (anniversaire du soulèvement franquiste).

Roi. Chef de l'État, commandant en chef des forces armées et chef du Conseil suprême de défense : Don Juan Carlos Ier (5-1-1938) dep. 22-11-1975. Pouvoirs très limités ; peut proposer un candidat à la présidence du gouv. après consultation des représentants des groupes parlementaires. *Loi de succession (Constitution du 28-10-1978, art. 57) :* couronne héréditaire pour les successeurs de Juan Carlos Ier, héritier légitime de la dynastie historique. Ordre régulier de primogéniture et de représentation, la ligne antérieure étant toujours préférée aux postérieures ; dans la même ligne, on préférera le degré le plus proche au plus lointain ; au même degré l'homme à la femme et dans le même sexe l'aîné au cadet. Ce texte semble maintenir l'impossibilité pour les P^ces^ de la maison d'Esp. d'accéder au trône de France et vice versa (renonciations des 5 et 24-11-1712), d'être à la fois roi d'Esp. et chef de la maison des Deux-Siciles (tr. de Naples du 3-10-1759 et *Pragmatique* de Charles III du 6-10-1759), l'interdiction pour les infant(e)s de se marier sans l'autorisation du souverain et avec des personnes de rang non égal, ou hors de l'Église catholique (*Pragmatique* de Charles III du 27-3-1776).

Drapeau 2 bandes rouges horizontales séparées par une bande jaune plus large portant l'écu national (lion, château, chaînes, barres et grenade) surmonté d'une couronne à 8 fleurons. **Hymne** *Marcha real,* national dep. 27-2-1937.

■ **Gouvernement.** *PM et Pt du Conseil. 1975-11-12* Carlos Arias Navarro (n. 11-12-08). *1976-8-7* Adolfo Suárez (25-9-32 ; créé duc de Suárez 8-3-81). *1981-27-2* Leopoldo Calvo Sotelo (14-4-26). *1982-3-12* Felipe González Márquez (5-3-1942). *Vice-Pt* Narcis Serra (30-5-43). *Aff. étrangères* Javier Solana. *Économie et Finances* Carlos Solchaga Catalán.

■ **Élections Cortes (Congrès des députés).** 350 m. élus à la proportionnelle. **Du 29-10-1989 :** PSOE 184 s. (39,56 % des voix), PP (conservateur) 106 (25,84), Convergence et union (Catalogne) 18 (5,04), Gauche unie (IU) 17 (9,05), CDS 14 (7,91), P. national basque (PNV) 5 (1,24), Herri Batasuna 4 (1,06), P. andalou 2 (1,04), Union valencienne 2 (0,7), Euskadiko Eskerra 2 (0,51), Eusko Alkartasuna 2 (0,67), P. aragonais 1 (0,3), Rass. indép. des Canaries (RIC) 1 (0,3), coalition galicienne (en 1986) 1 (0,4). **Du 6-6-1993 :** PSOE 159 s. (38,7 % des v.), PP 141 (34,8), Izquierda unida (ex-PC) 18 (9,5), P. catalan (CIU) 17 (5), P. régionalistes 6, P. nationaliste basque 5, coalition pour Canaries 4, abstentions 20,72 %. **Sénat.** 208 m. élus au suffrage universel ou par les Parlements régionaux pour 4 a. *Sièges :* PSOE : 109 (1986 : 124), CP 74 (63), CDS 3 (3), CIU 10 (8), PNV 4 (7), HB 3 (1).

Élections municipales, 26-5-1991 : PSOE 38,4 %, PP 25,21, IU 8,46, CIU 4,85, CDS 3,87, divers 6,53. **Européennes, 15-6-1989 :** Nombre de voix en %, nombre de sièges (en ital.) et sièges au Parlement sortant (entre par.) PSOE 40,2 [*27 s.* (28)], P. Populaire 21,7 [*15* (17)], CDS 7,2 % [*5* ((7)], IU 6,2 [*4* (3)], CIU 4,3 [*2* (3)], Agr. J. M. Ruiz Mateos 3,9 [*2* (0)], P. Andalou 1,88 [*1* (0)], Coalition nation. 1,94 [*1* (0)], Gauche des peuples 1,8 [*1* (0)], HB 1,7 [*1* (1)], Europe des peuples 1,5 [*1* (1)]. *Abst. :* 45,2 % (31,29 %).

Référendum du 6-12-1979 (approbation de la Const.). Inscrits 26 632 180 ; votants 17 873 301 (67,1 %) ; oui 15 706 078 (87,8 % des suff. expr.) ; non 1 400 505 (7,8 %) ; blancs 632 092 (3,5 %) ; nuls 133 706 (0,74 %) ; abstentions 8 758 879 (32,9 %).

■ **Partis.** Jusqu'en 1974, les P. politiques étaient interdits sauf le Fet et les Jons (Phalange esp. traditionaliste et Juntes offensives national-syndicalistes), puis le Mouvement nat. **Parti populaire** (PP) *fondé* 23-9-1976, par Manuel Fraga Iribarne (n. 1922) sous le nom d'Alliance populaire, devenu PP 22-1-89, *Pt* José-Maria Aznar (n. 1953). 301 531 m. en 1991. **Démocratie chrétienne** (DC) *fondé* 1988 (avant P. démocratique pop., f. 1974), *Pt* Javier Róperez. **P. libéral** (PL) *fondé* 1983, *Pt* José Antonio Segurado García (n. 1938). **Féd. démocratique chrét.** *fondé* 1977, *Pt* Joaquín Ruiz Gimenez. **Organisation révol. des trav.** *Pt* José Sanromes. **P. communiste d'Esp.** (PCE) *fondé* avril 1920, Dolores Ibarruri (1895-1989, l'ancienne « Pasionaria » de la g. civile : *1922* élue au Ier Congrès du PC. *1930* Comité central. *1932* Bureau politique. *1935* au Comité exécutif du Komintern. *1936-39* devient 2e personnage du PC. *1939-77* exil à Moscou. *1942-60* secr. gén. après la mort de José Díaz. *1960* Pte du PCE. *1977 (13-5)* rentrée en E., député, *1979* ne se représente pas), 1923-30 : P. interdit, *secr. gén. : 1960* Santiago Carrillo (n. 1915), *1982* Gerardo Iglesias (n. 1945), *1988 (fév.)* Julio Anguita, *1989 (12-11)* meurt, *(16-11)* obsèques devant 200 000 personnes. *Membres 1977 ;* 240 000, *87 :* 62 300. *% des voix obtenues : 79 :* 10,81, *82 :* 3,87. En 1981, les « renovadores » furent expulsés (dont Manuel Azcarate). Les prosoviétiques, avec Ignacio Gallego, ont formé en 1986 un nouveau PC « verdadero » (véritable) : le P. communiste des peuples d'Espagne (PCPE) qui, en janv. 1989 (congrès de l'unité) a rejoint le PCE. **P. communiste ouvrier esp.** (PCOE) se dissout en 1986. *Pt* Enrique Lister Forjan (n. 1907), rejoint PCE. **P. socialiste ouvrier esp.** (PSOE) *fondé* 1879 par Pablo Iglesias ; congrès constitutif 1888, 1991-15-2 fusion avec P. des travailleurs d'Espagne, *secr. gén.* Felipe González Márquez, 60 000 m. (81). **P. d'Action socialiste** (PASOC) *secr. gén.* Alonso Puerta Gutiérrez, 8 000 m. (86). **P. des travailleurs d'Esp.** *fondé* 1985 par Santiago Carrillo. *Pt* Eladio García Castro. 27-10-91, se dissout et rejoint PSOE. **Union nat.** *Pt* Miguel Saguhea E. Gutiérrez Solana. **Union du centre démocratique** (UCD) *fondé* 3-5-1977, par Adolfo Suárez, 144 000 m. (81), dissous 1983. **Centre démocratique et social** (CDS) *fondé* 1982, *Pt* Adolfo Suárez. **Fédération progressiste** (FP) *fondé* 1984, *Pt* Ramón Tamames Gómez. **P. démocrate pop.** *fondé* 1982. **P. réformiste démocratique** (PRD) *fondé* 1984, *Pt* Antonio Garrigues. **P. Solidarité esp.** Lieut.-col. Antonio Tejero (0,12 % des voix en 1982). **Juntes espagnoles** d'Antonio Izquierdo, formé juin 1985. (**GRAPO**) **Groupe révolutionnaire antifasciste du 1er octobre** *fondé* 1975. Extrême gauche. **Démocratie socialiste** f. 1990, leader Ricardo García Damborenea.

Nota. – Fuerza Nueva, créée 1976 pour perpétuer la mémoire du Caudillo (1 % des voix en 1979 ; 0,47 % en 82) ; dissoute par son fondateur, Blas Pinar, en nov. 82 et transformée en mouvement culturel.

■ **Syndicats.** UGT (socialiste) 900 000 m., CC.OO (communiste) 800 000 m.

■ Souverains et Chefs d'État

■ **Maison d'Aragon. 1474** ISABELLE Ire LA CATHOLIQUE (1451-1504), f. de Jean II de Castille (1405-54), ép. 1469 FERDINAND II LE CATHOLIQUE (1452-1516), roi de Castille (1474) (Ferdinand V), f. de Jean II d'Aragon (1397-1439). **1504** JEANNE LA FOLLE (1479-1555), leur f., ép. Philippe Ier (1478-1506), archiduc d'Autriche ; folle à la mort de Philippe Ier.

■ **Maison d'Autriche. 1516** CHARLES Ier (Charles Quint) (1500-58), f. de Philippe Ier. Abdique 25-10-1555 pour les Pays-Bas et 3-2-1556 pour l'Esp. **56** PHILIPPE II (1527-98), s. f., régent dep. 1543. **98** PHILIPPE III (1578-1621), s. f. **1621** PHILIPPE IV (1605-65), s.f. **65** CHARLES II (1661-1700), s. f.

■ **Maison de Bourbon (1700-1808). 1700** PHILIPPE V (1683-1746), duc d'Anjou, pet.-f. de Louis XIV (1638-1715), abdique 10-2-1724. **24** LOUIS Ier (1707-24), s. f. **24** 31-8 PHILIPPE V (1683-1746), s. père reprend le trône à la mort de Louis Ier. **46** FERDINAND VI (1713-59), 2e f. de Ph. V. **59** CHARLES III (1716-88), 3e f. de Ph. V. **88** CHARLES IV (1748-1819), s. f., abdique 1808. **1808** FERDINAND VII (1784-1833), s. f., abdique.

■ **Maison Bonaparte. 1808** JOSEPH NAPOLÉON Ier (1768-1844), fr. de Napoléon Ier. Marié, 2 filles.

■ **Maison de Bourbon. 1814** FERDINAND VII (1784-1833) restauré 13-12-1813. Ép. 6-10-1803 Antoinette de Bourbon-Siciles (1784-1806) ; 29-9-1816 Isabelle de Bragance (1797-1818) ; 20-10-1819 Josèphe de Saxe (1803-1829) ; 11-12-1829 Marie-Christine de Bourbon (1806-78). **33** ISABELLE II, Marie-Louise (1830-1904), ép. (1846) François d'Assise de Bourbon (1822-1902), f. de l'Infant Fr. de Paule, 3e f. de Charles IV. *Régence de Marie-Christine* sa mère de sept. 1833 à nov. 1843, puis du Gal *Espartero* (1793-1879) jusqu'en 1841. Détrônée 30-9-1868. Abdique en faveur de s. f. Alphonse XII. **68** 9-9 Gouv. du M^al^ SERRANO Y DOMINGUEZ (1810-85). Élu régent 1869.

■ **Maison de Savoie. 1870** 16-11 AMÉDÉE Ier (1845-90), 2e f. de Victor-Emmanuel II d'Italie (abd. 11-2-1873). *Ép.* 1°) (1867) Maria Victoria del Pozzo de la Cisterna († 1876) ; 2°) (1888) Letizia Bonaparte (1866-1926).

■ **Première République. 1873** 24-2 STANISLAS FIGUERAS Y MORAGAS (1819-82), chef du pouvoir exéc. **73** 11-6 FRANCISCO Y MARGALL (1824-1901), chef du pouvoir exéc. **73** 18-7 NICOLÁS SALMERÓN Y ALONSO (1838-1908). **73** 7-9 EMILIO CASTELAR Y RIPOLL (1832-99).

■ **Maison de Bourbon. 1874** 3-1 ALPHONSE XII (1857-85), f. d'Isabelle II et de François-d'Assise de Bourbon, ép. 13-1-1878 Maria de las Mercedes d'Orléans (1860-1878) ; 28-11-1879 Marie-Christine d'Autriche (1858-1929). **1885** *régence de Marie-Christine sa mère* (1885-1902). **1902** ALPHONSE XIII (17-5-1886/8-3-1941), s. f. posthume. Ép. 31-5-1906 Victoria Eugenia, P^cesse^ de Battenberg (24-10-1887/16-4-1969). Abdique 13-4-31.

■ **Seconde République.** Proclamée 11-4-1931. **1931** Niceto ALCALA ZAMORA (1877-1949), destitué le 16-2-36. **36** Manuel AZAÑA Y DÍAZ (10-2-1880/Montauban 14-10-1940), démissionne 28-2-1939.

■ **Nouvel État. 1936** 29-9 Francisco FRANCO Y BAHAMONDE (4-12-1892/20-11-1975, inhumé basilique Valle de los Caidos). Officier de carrière, G^al^ à 33 ans (1925), commandant. de l'école mil. de Saragosse 1927-31, écarté, envoyé aux Baléares 1933. Réprime la grève des Asturies 1934. Chef d'état-major gén. de l'armée 1935. Écarté et envoyé aux Canaries 1936. Prend part juill. 1936 au complot nationaliste du Gal Sanjurjo. Soulève Maroc esp. 17/18-7-1936, débarque en Andalousie. A la mort de Sanjurjo (12-9-1936), chef de la junte mil. nationaliste, puis chef d'État (29-9-1936), avec titre de *Caudillo.*

■ **Royaume (Maison de Bourbon). 1975** 22-11 JUAN CARLOS Ier (n. 5-1-1938), f. du Cte de Barcelone (v. ci-dessous). Titré P^ce^ des Asturies par son père, puis après le 23-7-69, S.A.R. le P^ce^ d'Espagne, ép. 14-6-62 P^cesse^ Sophie de Grèce (2-11-38), fille du roi Paul Ier ; il avait accepté le 23-7-69 sa désignation (faite le 22-7 par Franco et les Cortes) comme successeur de Franco. *3 enfants : Hélène* (20-12-63), *Christine* (13-6-65), *Philippe,* P^ce^ des Asturies (30-1-68).

Titres autrefois portés par le roi d'Espagne : *titre Abrégé :* Sa Majesté catholique N... roi d'Espagne et des Indes. *Développé :* Roi de Castille, de León, d'Aragon, des Deux-Siciles, de Jérusalem, de Navarre, de Grenade, de Tolède, de Valence, de Galice, de Majorque, de Minorque, de Séville, de Sardaigne, de Cordoue, de Corse, de Murcie, de Jaén, des Algarves, d'Algésiras, de Gibraltar, des îles Canaries, des Indes orient. et occid., de la terre ferme et des îles des mers océanes ; archiduc d'Autriche, duc de Bourgogne, de Brabant, de Milan ; Cte de Habsbourg, de Flandre, de Tyrol et de Barcelone, duc d'Athènes et de Néopatrie, seigneur de Biscaye et de Molina ; marquis d'Oristan et de Gozianos. (En fait le grand titre de Sa Maj. cath. n'était plus porté.) En 1931, le roi se titrait dans les actes officiels « par la grâce de Dieu et par la Constitution, *roi d'Espagne* ». *Actuellement :* Juan Carlos Ier est seulement roi d'Esp.

Titres du fils aîné du roi, héritier de la couronne : comme *héritier du comté de Barcelone :* duc de Gérone (érigé 1351) ; du roy. d'Aragon : duc de Montblanch (1387) ; *du roy. de Castille :* P[ce] des Asturies (1388) ; *du roy. de Navarre :* P[ce] de Viane (1423). *Les enfants du roi et ceux du P[ce] des Asturies* sont *« infants d'Espagne »* avec le prédicat d'alt. roy. *Les autres membres* de la maison royale sont qualifiés de P[ces] de Bourbon et ne sont pas de droit infants. Le roi peut leur en conférer le titre.

Famille royale

■ **Père du roi. Juan de Bourbon et Battenberg** (20-6-1913/1-4-1993) *Cte de Barcelone* (dep. 8-3-1941), 3e f. d'Alphonse XIII. Tente, pendant la guerre civile, d'y participer dans les rangs nationalistes après avoir passé clandestinement la frontière ; reconnu, est expulsé par le G[al] franquiste Mola. *1941*-15-1 Alphonse XIII abdique en sa faveur. Vit à Lausanne (Suisse). *1946* à Estoril (Port.). *1948*-25-8 rencontre secrètement Franco sur un yacht au large de San Sebastián. 1 mois plus tard, Juan Carlos, son fils, viendra à Madrid faire ses études. *1954*-29-12 rencontre Franco en Estrémadure. *1968*-8-2 rentre pour le baptême de son petit-fils, le P[ce] Philippe. Accueil enthousiaste pendant 3 j. *1977*-14-5 renonce à ses droits, son fils l'autorisant à porter le titre de *Cte de Barcelone,* amiral honoraire esp. Ép. 12-10-35 Maria de las Mercedes de Bourbon et Orléans, P[cesse] des Deux-Siciles (23-12-10). *4 enfants : Doña Maria del Pilar* (1936) D[esse] de Badajoz, ép. 5-5-67 Don Luis Gómez Acebo, Vte de la Torre, 4e f. de la M[ise] de Deleitosa ; *Juan Carlos Ier* (roi régnant actuel, v. ci-dessus) ; *Marguerite* (6-9-39), ép. 12-10-72 Charles Zurita ; *Alphonse* (30-11-41/29-3-56, † d'un coup de revolver accidentel).

■ **Oncles et tantes du roi** (enfants d'Alphonse XIII). **Alfonso** (1907-1938 accident de voiture, hémophile) *Cte de Covadonga* (P[ce] des Asturies jusqu'à sa renonciation le 11-6-33). Ép. 21-6-33 Edelmira Sampedro Ocejo y Robato, mannequin, cubaine (div. 8-7-37), puis Maria Rocafort y Altazarra (div. 8-1-38). **Jacques (Jaime)** *duc de Ségovie* (23-6-08/20-3-75). Mal opéré d'une mastoïdite, il devient sourd-muet. Renonce 21-6-33 à ses droits (confirme 23-7-45, 17-6-49, etc.). Mais comme chef de la maison de Bourbon et fils aîné du roi Alphonse XIII, il assume le titre de duc d'Anjou (28-3-46) ; déclare revenir sur ses actes antérieurs (Paris 6-12-49), puis se proclame chef de l'ordre de la Toison d'or (Paris 1-3-63), nommant des chevaliers, et réclame la succession carliste avec le titre de duc de Madrid (3-5-64). Voir p. 620 b.

Béatrice (22-6-1909) infante d'Esp., ép. 14-1-35 Alexandre Torlonia P[ce] de Civitella Cesi (1911). *Enfants :* Sandra, Juan-Marcos, Marino, Olimpia.

Marie-Christine (12-12-1911) infante d'Esp. ép. 10-6-40 Henri Cinzano, Cte Marone (15-3-1895/23-10-1968). *Enfants :* Victoria, Giovanna, Maria-Teresa.

Gonzalve (24-10-1914/13-8-1934, accident de voiture) infant.

Nota. – La discussion entre don Juan et don Jaime, au sujet de la succession d'Espagne, portait sur la validité du principe d'exclusion des enfants nés d'un mariage « inégal » (la femme de don Jaime, Emmanuelle de Dampierre, n'étant pas issue d'une maison souveraine). Cette discussion est sans objet du point de vue de la succession française.

■ Succession carliste

Le 10-5-1713, Philippe V décidait que la couronne d'Esp. se transmettrait par les lignes masculines avant les féminines. Les femmes ne devaient être appelées qu'en cas d'extinction de toute descendance mâle de Philippe V, directe ou collatérale. En 1789, Charles IV abroge secrètement, avec le concours des Cortes, cet acte de 1713 et rétablit l'ordre traditionnel esp. des *Partidas.* 1830-29-3 Ferdinand VII promulga cette décision par sa Pragmatique Sanction. A sa mort (1833), sa fille devint ainsi la reine Isabelle II, mais le frère puîné de Ferdinand VII, don Carlos, prétendit qu'étant né en 1788, la décision des Cortes en 1789 pouvait d'autant moins lui être opposée qu'elle avait été faite secrètement. Il se posa ainsi en prétendant (ce qui provoquera 3 guerres civiles au XIXe s.).

Lignée carliste : Charles (don Carlos) V (1788-1855), vivant comme Cte de Molina, abdique (1845) en faveur de son fils aîné Charles. **Charles VI** (1818-61), son fils, connu comme Cte de Montemolín. **Jean (don Juan) III** (1822-87), son frère cadet ; abdique en faveur de son fils aîné (1868) et vit comme Cte de Montizón (fut chef de la maison de Bourbon ou de France à la mort d'Henri V, Cte de Chambord, 1883). **Charles (don Carlos) VII** (1848-1909), son fils, proclamé par ses partisans dès 1868 et reconnu par son père peu après, portant le titre de duc de Madrid. **Jacques (don Jaime) III** (1870-1931), son fils unique, porta le titre de duc de Madrid. **Alphonse-Charles (don Alfonso Carlos) Ier** (1849-1936), frère cadet de Charles VII, porta le titre de duc de San Jaime. A sa mort, la succession carliste revient normalement au roi Alphonse XIII qui descendait de la branche cadette, issue de François de Paule (3e fils de Charles IV, 1748-1819), par son grand-père, François d'Assise (fils de François de Paule) qui avait épousé la reine Isabelle II, sa cousine germaine.

■ **Maintenance du carlisme.** Bien qu'Alphonse XIII soit devenu l'héritier carliste, Alphonse-Charles désigna un neveu de sa femme, le **P[ce] François-Xavier de Parme** (1889-1977), P[ce] de Molina, pour être, après sa mort, régent de la « Communion » traditionaliste (c'est le nom du parti carliste esp.). Celui-ci n'avait aucun titre au trône d'Esp., ni selon l'acte de 1713 invoqué par les carlistes (puisqu'il n'appartient pas à la branche aînée par les mâles), ni selon la loi proprement espagnole des « Partidas ». Cependant Xavier se transforma peu à peu en régent d'Esp., puis en roi, nommant une sorte de contre-gouv., donnant des décorations, etc. Son fils aîné (Hugues de Bourbon-Parme n. 8-4-30, off. de réserve fr., devenu don Carlos Ugo et, de son propre chef, P[ce] des Asturies, duc de Madrid, etc., naturalisé espagnol, vient aux USA) et lui furent expulsés d'Esp. fin déc. 1968. Après la mort du P[ce] Xavier, Carlos-Ugo, duc de Parme, s'est présenté comme chef d'un parti carliste prônant le socialisme autogestionnaire, tandis que son fils cadet, Sixto-Henrique, était plus traditionnel ; leurs partisans ont échangé des coups de feu dans une réunion à Montejurra (1976).

☞ La succession carliste et le titre de duc de Madrid ont été revendiqués également, depuis le 12-11-1945, par l'archiduc Charles d'Autriche (1909-53), titré depuis 1938 P[ce] Charles de Habsbourg-Lorraine et de Bourbon qui se titra Carlos IX (déc. 1953) [naturalisé espagnol, fils de l'archiduc Charles-Salvator d'Autriche-Toscane et de l'infante d'Esp. Blanche de Castille de Bourbon (1868-1949), fille du roi carliste Charles VII d'Esp. Voir ci-dessus]. A sa mort, la revendication a été reprise par ses 3 frères, les archiducs Léopold (1897-1958), jusqu'au 29-3-1956 (renonciation), Anton (1901-87), jusqu'au 7-8-1954 (renonciation), François-Joseph (n. 1905) qui prit le titre de Francisco José Ier, roi d'Esp., et fonda l'ordre du Lys de Navarre. Mais Anton revint sur sa renonciation en 1958, à la mort de Léopold.

La Communion carliste aurait compté v. 1980 15 000 chefs locaux et 500 000 adhérents.

■ Communautés et provinces

■ **Andalousie.** 87 268 km², 6 717 650 h. **Capitale :** *Séville.* **Statut :** 30-12-1981, autonomie. *Pt* Manuel Chaves dep. 24-7-90 ; *8 provinces* (est. 91) : Almería 461 938 h., Cadix 1 090 773 h., Córdoba (Cordoue) 753 760 h., Grenade 806 499 h., Huelva 441 778 h., Jaén 624 752 h., Málaga 1 177 259 h., Séville 1 606 357 h. *Parlement : élect. du 23-6-90 :* 109 m. dont PSOE 61, PP 27, Gauche unie 11, P. andalou 10.

■ **Aragon.** 47 664 km², 1 211 362 h. **Capitale :** *Saragosse.* **Statut :** 30-12-1981, autonomie. Députation générale. *Pt* Hipolito G. de las Roces (PAR) ; *3 provinces* (est. 91) : Huesca 218 253 h., Teruel 141 006 h., Saragosse 852 766 h. *Cortes (él. du 27-5-1991) :* 67 m. dont PSOE 30, P. aragonais 17, PP 17, Gauche unie 3.

■ **Asturies.** 10 565 km², (est. 91) 1 096 155 h. D 103,75. **Capitale :** *Oviedo.* **Statut :** 30-12-1981, autonomie. *Pt* Pedro de Silva Cienfuegos-Jovellanos (PSOE). *Junta GE du Principat él. du 26-5-1991 :* 45 m. (dont PSOE 21, PP 13, Gauche unie 8, CDS 2, PAS-UNA 1). *1 province :* Oviedo.

■ **Baléares.** 5 015 km², (est. 91) 739 501 h. D 147,49. **Statut :** 23-2-1983, autonomie. *Pt* Gabriel Cañellas Pons (conservateur). *Parlement (él. du 27-5-1991) :* 59 m. (dont PP 31, PSOE 21, PSM 3, Ent. Men. 2, UIM 1, FTIF 1). *1 province :* Palma de Majorque. 4 GRANDES ÎLES : **Majorque** 3 500 km², 572 229 h. *Alt. max.* Torrellas o Puig Mayor 1 445 m. *Palma* 302 000 h. **Minorque** 680 km², 60 802 h. *Mahon* 22 926 h. **Ibiza** 572 km², 67 340 h. **Formentera** 115 km², 35 032 h. 7 PETITES ÎLES : **Aire, Aucanada, Botafoch, Cabrera** (déclarée parc naturel en 1988), **Dragonera, Pinto, El Rey** (ces 2 dernières forment les Pithyuses).

Histoire : ancienne colonie carthaginoise [Port-Mahon fondée par Magon (203 av. J.-C.), frère d'Hannibal)]. **70 av. J.-C.** colonie romaine, cap. Pollentia (auj. Pollensa, à Majorque). **902** conquête arabe. **1229-35** reconquête de Majorque et d'Ibiza par Jaime Ier d'Aragon. **1287** reconquête de Minorque par Alphonse III ; expulsion des musulmans. **1261-1344** roy. indépendant de Maj. (cap. Perpignan) aux mains d'une branche cadette de la maison d'Aragon. **1708** conquête de Minorque par Anglais. **1756** reconquête de Min. par Français (duc de Richelieu). **1763** Min. rendue aux Anglais. **1783** récupérée par Esp. au tr. de Versailles (g. d'Indépendance américaine). **1936-39** Majorque et Ibiza sont franquistes ; Minorque républicaine.

Tourisme : *Majorque* (château de Bellver, cathédrale, grottes du Drach, monastère de Lluch, Inca, chartreuse et pharmacie de Valldemosa, couvent N.-D. de Cura, musée du Labourage, vestiges de Talayot, monastère de San Salvador, Manacor, grottes d'Arta, ruines de Pollensa), *Minorque* (fjord, talayots, taula), *Ibiza* (salines). **Visiteurs** (millions) 4,5 dont G.-B. 1,8, All. et Autriche 1,5, Nordiques 0,46, France 0,28, Benelux 0,25.

■ **Basque (Pays).** En Espagne : 17 682 km². **Population :** 2 171 000 h. **Pop. active** (agr., industr., services ; en %, 1975) : Guipúzcoa 6,7, 54,1, 39,2 ; Biscaye 5,1, 53,9, 41 ; Navarre 24,6, 43,1, 32,3 (moy. Esp. 22, 38,3, 39,7). *Chômage* (1984) : 18 % (200 000). 100 000 Basques ont cherché un emploi au Sud. **Statut :** province autonome dep. 18-12-1979 (gouv. 22-12-1979). **Capitale :** *Vitoria.* **Pt** (Lendakari) José Antonio Ardanza (PNV) dep. 24-1-85 [avant (dep. 1980) Carlos Garaikoetxea (PNV) qui démissionne 18-12-84]. **Provinces** (est. 91) : *Vizcaya* (Biscaye) 1 153 515 h., *Guipúzcoa* 671 743 h., *Álava* 274 720 h. **Partis :** *Gauche basque* (Euzkadiko Ezkerra), *Pt* Juan Maria Bandres Molet. *Unité du peuple* [Herri Batasuna (H.B.), associé à l'Eta militaire], *Pt* Inaki Esnaola. *P. national basque* (PNV, f. 1895 par Sabino Arana), *Pt* Xavier Arzallus. *Eta militaire (févr. 1988).* Tendance dure, José Urruticoechea (alias J. Ternera) en France, 50 militaires ; modérée, Eugenio Echebeste (alias Antscon) en Algérie, 40 membres. Emprisonnés en Espagne : 457. Bilan (1975-87) : 2 100 attentats, 600 †. **Fête nat. :** 28-3 : « Aberri Eguna » (J. de la patrie). **Drapeau :** Ikurrina, créé 1894, 2 bandes vertes (croix de St-André) rappelant le symbole des Fueros et le chêne vert de Guernica, croix blanche (foi chrétienne), fond rouge (couleur de la Biscaye).

Langue : *basque :* voir Index. (en %). *Álava :* castillan 86,7, basque (le parlant) bien 7,9, moyen 1,3, mal 4,1 : *Guipúzcoa :* castillan 42,4, basque bien 26,9, moyen 16,4, mal 14,3. *Biscaye :* castillan 73, basque bien 13,6, moyen 6,4, mal 7.

Élections du Parlement régional : 1986 (30-11) : 75 sièges. ESE-PSOEP 19 s. PNB 17 s. EA 13 s. HB 13 s. (17,47 % des voix). EE 9 s. CIS 2 s. CP 2 s. **1990** (28-10) : 79 s. PNB 22, PSE-PSOE 16, HB 13, EA 13, EE 6, PP 6, UA 3.

Quelques dates : sentiment national chez les premiers grands écrivains basques connus : Detchepare (XVIe s.), Axular, Oyhenart, Garibay. Révoltes fréquentes jusqu'à la Révol. [la plus célèbre : celle des bergers et paysans de Soule (1660-61) contre le Vte de Tréville et Louis XIV, sous la direction du curé Goyhenetch (dit Matalaz)]. **1893** Sabino [Sabín Arana Goiri (1855-1903), fils d'un carliste] proclame : « Euzkadi est la patrie des B. » (crée le mot *Euzkadi :* patrie b.). Il formule dans plusieurs œuvres, dont *Biskaya por su independencia,* la doctrine du nationalisme basque sur des fondements ethniques (et même racistes), historiques, linguistiques et religieux. **1895** fonde PNV (P. national b.), préconise l'indépendance des 7 provinces b. et leur confédération. **1931** la ville d'Eibar (Guipúzcoa, entre Bilbao et San Sebastián) proclame la 2e Rép. **1936** Gouv. autonome créé à Guernica (Pt José Antonio Aguirre avec des ministres soc., rép., communistes et nationalistes). *Oct.* la Rép. esp. accorde l'autonomie aux 3 provinces pour s'assurer le soutien des B. Pendant la g. civile, le PNV, Biscaye et Guipúzcoa sont pour les Rép. ; la Navarre est franquiste. **1937** occupée par Nationalistes, abrogation du statut. *-26-4* Guernica détruite par aviation all. **1939** victoire nat. **1947** et **1951** PNB et gouv. b. en exil à Paris organisent grèves générales. **1953** étudiants créent groupe *Ekin* (faire). **1954** la Fr. interdit l'émetteur du gouv. b. en exil. **1956** Congrès mondial b. à Paris. **1957** de jeunes militants du PNV rompent avec le chef du gouv. b. en exil José Maria de Leizaola. **1959**-*31-7* fondent Eta (Euzkadi ta Askatasuna : P. basque et liberté). Plusieurs prêtres de campagne, gardiens de la langue b., les soutiennent. **1964** PNV organise clandestinement l'*Aberri Eguna* (j de la Patrie) à Guernica. **1966** l'Eta décide lutte armée. **1970**-*13/28-12* Burgos, procès devant le trib. milit. de 16 militants Eta à la suite du meurtre, en août 1968, du commissaire Melitón Manzanas González. L'Eta enlève le consul all. de San Sebastían, libéré ensuite. 6 accusés condamnés à mort ; nombreuses manif. en E. et dans le monde. **1973** *17-1* Eta enlève l'industriel Felipe Huarte, libéré contre rançon (4 millions de F). *-27-9* affrontements à Bilbao (policiers/Eta). **1974**-*22-5* Baltazar Suárez, dir. de la banque de Bilbao, enlevé à Neuilly. **1975**-*25-4* état d'urgence (Guipúzcoa et Biscaye). **1976**-*9-2* maire basque tué par Eta. *Févr.* grèves. *-3-3* affrontements à Victoria : 3 civils tués. *-8* et *-9-3,* 1 manif. tué à Bilbao ; 500 000 grévistes. *Avril* A. Berazadi, industriel tué par Eta. *-9-7* 150 000 manif. à Bilbao pour liberté du P. basque (1 †). *-30-7* amnistie (100 prisonniers Eta ou Frap exclus). *-4-10* Juan Maria de Araluce, conseiller du roy., tué par Eta. **1977**-*17-2* élect. du Conseil gén. (gouv. pré-autonome de 15 m.). *-20-5* Javier de Ybarra, ancien maire de Bilbao, enlevé par Eta. *-20-6* exécuté. **1978**-*28-6* M. Portell (dir. du journal « Hoja del lunes » de Bilbao) ass. *-28-10* appel du PNV (P. nationaliste basque) à Bilbao, défilé silencieux de dizaines de milliers de Basques contre violence Eta. **1979** accord gouv.-PNV sur texte qui servira de charte à l'Euzkadi. *-25-5* 3 off. sup. et 1 soldat ass. à Madrid par Eta. *-30-6/15-7* « g. des vacances » de l'Eta mil. (mitraillage du Paris-Madrid le 2-7, 12 bombes dans stations balnéaires). *-28-7* att. Eta (4 policiers †). *-29-7 :* 3 bombes (Eta) à Madrid (aéroport, gares de Chamartín et Atocha) : 5 †. *-25-10* référendum sur autonomie : 53,96 % oui. **1980**-*20-1* Bilbao 4 †. *Févr.* attaque d'un convoi mil. 7 †. *-9-3* législatives au P. basque ; victoire nationaliste. *Déc.* signature avec gouv. des *conciertos economicos* [compétences écon. de l'administration b. (peut lever des impôts)] et d'un accord sur police b. **1981**-*6-2* José Maria Ryan, ingénieur (centrale nucléaire de Lemoniz), ass. par Eta ; d'où grèves et manif. *-13-2* José Arregui, militant basque, † en prison. *-20-2* Eta enlève 3 consuls (Autriche, Uruguay, Salvador), libérés 28-2. **1982**-*14/18-4* attentats Eta (1 †), ultimatum Eta : 1 mois pour que policiers esp. et leurs familles quittent P. basque. **1983**-*18-10* C[dt] Barrios tué par Eta. *-14-12* 1re apparition publique des Gal (Groupes antiterroristes de libération). *-18-12* et *-19-12* Gal (groupe antiterroriste de libération) ass. 2 réfugiés basques en Fr. **1984**-*20-11* Santiago Brouard (membre d'Herri Batasuna) tué par Gal. *-21-11* Eta ass. un G[al] à Madrid. *Du 28-1-84 au 22-2-85,* 29 sympathisants b. expulsés de Fr. **1985**-*29-3* chef de la police b. tué. *-23-12* Gal Atares tué par Eta. **1986** *févr.* vice-amiral Cristóbal Colón de Carvajal tué par Eta. *-13-7* Domingo Iturbe Abasolo, dit « Txomin », n° 1 Eta, expulsé de Fr. *-10-9* Yoyes (Dolores Gonzáles Catarain, 32 ans), Eta repentie, tuée par Eta. *-25-10* Gal Garrido Gil tué par Eta. **1987**-*18-2* 32 Basques esp. expulsés de Fr. vers Esp. dep. 19-7-86. *-25-2* Txomin réfugié en Alg. meurt dans accident de voiture (ou explosion ?) à 43 ans. *-10-6* le PS (Felipe González) en tête des scrutins municipal, régional et européen, recule de 4 % (39 % des voix). *-19-6* Barcelone (supermarché) : voiture piégée, 21 † (2 m. Eta seront condamnés en 1989 à 794 ans de prison). *Août* troubles. *-11-12* Saragosse ; voiture piégée : 11 †. *-13-12* à Saragosse, 200 000 manif. contre Eta. *-19-7* attentat à Madrid, 2 militaires †. *-12-9* Madrid Carmen Tagle, procureur, assassinée par Eta. *-19-11* Madrid, lieutenant-col. José Martinez assassiné. *-20-11* Madrid, attentat contre 2 députés de Herri Batasuna (Josu Muguruza †, Inaki Esuaola grièvement bl.). Revendiqué par Gal. **1988**-*29-1* gouv. rejette offre de trêve d'Eta (de 60 j). *19-2* Philippe Bidart, chef d'Iparretarrak arrêté près de Bayonne. *-25-2* Emiliano Revilla enlevé par Eta (libéré 30-10). *Mars* attentat Eta. *-4-7* Juan Carlos Echeverria Garmedia, militant basque arrêté à Paris portant 100 millions de pesetas (partie de la rançon d'Emiliano Revilla enlevé 24-2). *-16-10* Pampelune, att. Eta, 1 †. *-22-11* Madrid att. Eta (siège garde civile), 2 †. **1989**-*8-1* trêve Eta. *-13-3* mort de Jesús Maria de Leizaola, anc. Pt du Gouv. basque en exil. *-18-3* 200 000 manif. à Bilbao. *-10-4* trêve rompue. *-15-4* explosion sur la ligne Madrid-Valence (Eta). **1990**-*27-2* Fernando de Mateo Lage, Pt de l'Audience nat., amputé des 2 mains (colis piégé). *-18-3* Josu Mondragón (Jesús Arkautz, n° 2 Eta) arrêté en France. *-4/5-4* 4 Français arrêtés à Séville dont Henri Parot (n. 1958) pour répondre de 23 attentats commis entre 2-11-78 et 17-11-89. *-26-5* élect. provinciales, baisse d'Herri Batasuna. *-17-8* attentat Eta contre commissariat de Burgos, 40 bl. *-20-9* 2 policiers condamnés à 108 a. et 8 mois de prison pour attentats au Pays basque français. *-23-9* Biarritz, José Maria Jabier Zabaleta Elasegui (« Waldo »), n° 2 de l'Eta, arrêté. **1991**-*29-5* Vich, voiture piégée Eta, 9 †. **1992**-*29-3* 3 dirigeants Eta dont Francisco Mugida-Garmendia (Artapalo) arrêtés en Fr. *-30-5* Bayonne, Inaki Bilbao Goljeaskoetxa et Rosario Picabea Ugalde, chefs Eta arrêtés. *-10-7* Eta propose au gouv. trêve de 2 mois en échange de négociations. *-30-11* Madrid, attentat Eta, voiture piégée, 1 †, 3 bl.

Terrorisme : bilan : *1977-92* 720 †.

Question navarraise : en Navarre, seules quelques vallées parlent encore euzkarien. Les Nav. (en majorité traditionalistes) s'opposent aux B. des 3 *Vascongadas* (Álava, Biscaye, Guipúzcoa) : pendant la g. civile de 1936-39, ce sont surtout les *Réquétés* navarrais (de droite) qui ont détruit la rép. d'Euzkadi. Un référendum sur le rattachement de la Nav. au P. basque est sans cesse repoussé.

■ **Canaries (îles).** Découvertes par les Romains qui y trouvent de nombreux chiens (*canis* en latin). 7 273 km², 7 îles et 6 îlots (inhabités) à 100 km de l'Afrique. *Alt. max.* Pico del Teide 3 718 m. 1 438 686 h. **Statut :** *Pt* Fernando Fernández Martín (CDS). **Provinces** (est. 91) : *Santa Cruz de Tenerife* 3 208 km², 765 260 h. D 241,41 (île de Tenerife 2 053 km², env. 625 000 h. (dont la capitale Santa Cruz 200 000 h.) ; La Palma 726 km², 90 000 h. ; Gomera 378 km², 31 829 h., Hierro 312 km², 10 000 h.). *Las Palmas* 4 065 km², 836 552 h. D 205,44 (Grande Canarie 1 533 km², 650 000 h. ; Fuerteventura 2 019 km², 50 000 h. ; Lanzarote 973 km², 42 000 h. *Parlement (él. du 27-5-91) :* 60 m. dont PSOE 23, AIC 16, CDS 7, PP 6, IC 5, AM 2, AHI 1.

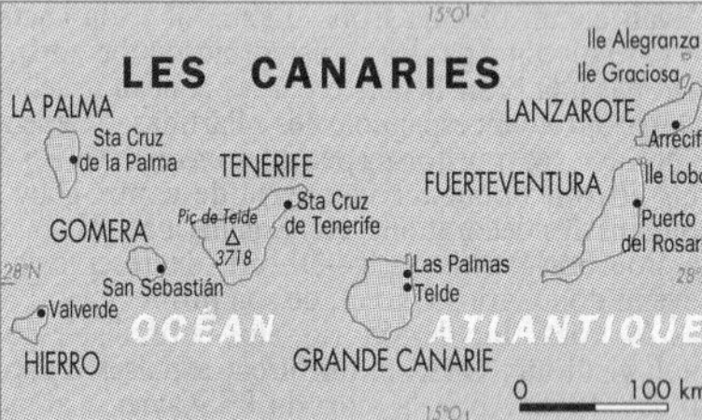

Histoire : appelées dans l'Antiquité *Hespérides* ou *Fortunates.* **1402** découvertes par le Normand Jean de Béthencourt. **1479** à l'Espagne ; les Guanches, autochtones, proches des Berbères, massacrés. **1902** soulèvement autonomiste réprimé. (Revendiquées par plusieurs nations afric.) **1978** le Mouvement pour l'autodétermination et l'indép. de l'archipel des C. (MPAIAC) rançonne industriels et agences de voyages. **Ressources :** 22 % de la population manquent d'eau ; *agriculture :* tabac, tomates et bananes.

■ **Cantabrique.** 5 289 km², (est. 91) 526 866 h. D 99,62. **Capitale :** *Santander.* **Statut :** 30-12-1981, autonomie. *Pt* Jaime Blanco (S) dep. 5-12-90. *Assemblée (él. du 27-5-91) :* 39 m. dont Psoe 16, UPC 15, PP 6, PRC 2.

■ **Castille-León.** 94 147 km², 2 596 411 h. **Capitale :** *Valladolid.* **Statut :** 25-2-1983, autonomie. *Cortes (él. du 27-5-91) :* 84 m. dont AP 43, Psoe 35, CDS 5, Gauche unie 1. *Pt* José-Maria Aznar López (AP). **9 provinces** (est. 91) : 5 de l'ancien León : León 517 176 h., Palencia 183 983 h., Salamanque 370 624 h., Valladolid 505 309 h., Zamora 210 822 h. ; 4 de l'ancienne Vieille-Castille : Burgos 355 138 h., Ávila 172 656 h., Segovia 146 650 h., Soria 93 950 h.

■ **Castille-La Manche.** 79 226 km², 1 665 649 h. **Capitale :** *Tolède.* **Statut :** 10-8-1982, autonomie. *Pt* José Bono Martínez (Psoe). *Cortes (él. du 27-5-91) :* 47 m. dont Psoe 27, PP 19, Gauche unie 1. **5 provinces** (est. 91) : 4 de l'ancienne Nouvelle-Castille : Ciudad Real 467 242 h., Tolède 489 640 h., Cuenca 200 383 h., Guadalajara 147 868 h. ; 1 de l'ancien royaume de Murcie : Albacete 339 268 h.

■ **Catalogne.** *« Généralité » :* nom du gouv. autonome. *Pays :* Principat de Catalunya. Appellation attestée dep. 1350. Partie des *Paisos catalans* [« pays catalanophones », au même titre que l'Alghero (Sardaigne), l'Andorre, la « Catalogne Nord » (Pyrénées-Or. fr.), les îles Baléares et el Pais Valenciá], formule généralisée à partir de 1960-70, rendant compte d'une identité de langue, tout en respectant les différences politiques. 41 558,51 km², 6 041 062 h. **Capitale :** *Barcelone.* **Statut :** 18-12-1979, autonomie. *Pt* Josep Tarradellas. *1980-24-4* Jordi Pujol i Soley (CIU, 1,62 m). *Parlement (él. du 15-3-92)* 135 m. élus pour 4 a. : CIU 70 (*1988 :* 69 ; *84 :* 72). PSC 40 (*88 :* 42 ; *84 :* 41). ERC 11 (*88 :* 6 ; *84 :* 6). IC (initiation pour la c.) 7 (*88 :* 9). PP (p. populaire) 7 (*88 :* 6 ; *84 :* 11). CDS 0 (*88 :* 3) soit droite (CIU, PP) 77, gauche (PSC, IC, ERC) 58. **4 provinces** (est. 91) : Barcelone 4 605 710 h., Gérone 504 046 h., Tarragone 540 360 h., Lérida 358 123 h. **Partis** *Convergence et union* (CIU), f. 1979, *Pt* Jordi Pujol. *Gauche démocratique* (ED), *Pt* Ramón Trias Fargas. *Gauche rép. de Cat.* (ERC), *Pt* Heriberto Barrera Cuesta. *Parti soc. unifié de Cat.* (PSUC), f. 1936, *secr. gén.* Rafael Ribo Masso. *Parti soc. de Cat.* (PSC-PSOE), *Pt* Joan Raventos Carner.

Langue. Catalan : l. romane du groupe occitan. *Voyelles :* comme le français, et contrairement au castillan, 2 types de é (ouvert et fermé) et 2 de o (ouvert et fermé), plus une voyelle neutre (« e muet » français) orthographiée a ou e. Pas de voyelles nasalisées. Pas de diphtongues venant du e et du o brefs latins, mais diphtongues avec u semi-voyelle comme 2e élément (eu, au, ou). Pas de son ü [*u* fr. (le *u* est prononcé comme le *ou* fr.)]. *Consonnes :* pas de z ni de j espagnols. Utilise *sifflantes* douces françaises z et j et *fricatives* ou *palatales* occitanes : *tch* et *dj* (écrites *ix* ou *ig* et *j*). *Variétés rég. :* baléarais, valencien. – Le c. parlé dans le Roussillon français et dans la vallée d'Andorre (langue officielle, voir p. 887) se distingue peu du c. écrit et publié dans la généralité. *Pop. des territ. de langue cat. (1970).* 8 767 897 dont Principat de Catalunya 5 480 105, Pais Valenciá 2 697 255, Baléares 558 287, l'Alghero 32 250.

Quelques dates : 1931-*14-4* proclamation de la rép. cat. Madrid ne la reconnaît pas et la remplace par une généralité (approbation des Cortes le 9-9-1932). **1934**-*1-1* Lluis Companys, Pt ; *-6-10* proclame l'État cat. ; généralité suspendue. **1936** *févr.* la victoire du Front pop. la rétablit. *-18-7* la C. réprime l'insurrection franquiste. **1937** Andreu Nin, min. de la Justice, torturé et tué par NKVD [fondateur du PC esp., dissident en 1931 et fondateur du Poum (parti ouvrier d'unification marxiste), trotskyste]. **1938**-*5-4* Franco abolit généralité. **1939** défaite des C. Lluis Companys s'exile en France (livré par Gestapo à Franco et fusillé 15-10-1940). **1954**-*7-8* Josep Tarradellas († 1988), chef du gouv. de la généralité en exil (Mexique). **1957**-*6-7* manif. autonomistes. **1970**-*13-12* à l'abbaye de Montserrat, ass. permanente des intellectuels. **1971**-*7-11* Ass. de C. fondée à Barcelone (300 m.). **1977**-*27-8* accord (J. Tarradellas et gouv. de Madrid). **1979** *oct.* référendum. *Déc.* statut entre en vigueur. **1980** *mars* 1re él. de la Province autonome. **1991**-*6-7* l'organisation terroriste Terra Lliure renonce à la violence. *Sept.* 3 députés sur 138 se prononcent pour l'indép.

PIB (91) 611,7 milliards de F. Commerce : représente 24 % des exp. et 31 % des imp. esp.

■ **Estrémadure.** 41 602 km², 1 085 535 h. **Capitale :** *Cáceres.* **Statut :** 12-2-1983, autonomie. *Assemblée (él. du 27-5-91) :* 65 m. dont Psoe 39, PP 19, Gauche unie 4, CDS 3. *Pt* Juan C. Rodríguez Ibarra (PSOE). **2 provinces** (est. 91) : Badajoz 643 245 h., Cáceres 401 956 h.

■ **Galice.** 29 434 km², 2 863 223 h. **Capitale :** *St-Jacques-de-Compostelle.* **Statut :** 6-4-1981, autonomie. *Pt* Manuel Fraga Iribarne (P. Pop.). *Parlement (él. du 17-12-89) :* 75 m. PP 38 s., socialistes 27, Bloc nationaliste galicien 6, nationalistes modérés 4. **4 provinces** (est. 91) : La Corogne 1 089 810 h., Lugo 379 077 h., Orense 351 529 h., Pontevedra 879 872 h.

■ **Madrid.** 7 995 km², (est. 91) 4 935 642 h. D 617,34. **Statut :** 25-2-1983, autonomie. *Pt* Joaquín Leguina Herrán (PSOE). *Assemblée (él. 27-5-91) :* 96 m. dont PP 47, PSOE 41, Gauche unie 13. **1 province :** détachée de l'ancienne Nouvelle-Castille.

■ **Murcie.** 11 317 km², (est. 91) 1 046 561 h. **Capitale :** *Murcie.* **Statut :** 9-6-1982, autonomie. *Pt* Carlos Collado Mena (PSOE). *Assemblée (él. 27-5-91) :* 45 m. dont PSOE 24, PP 17, Gauche unie 4. **1 province.**

■ **Navarre.** 10 421 km², (est. 91) 521 940 h. D 50,09. **Capitale :** *Pampelune.* **Statut :** 10-8-1982, autonomie. *Pt* Gabriel Urralburu Tainta. *Cortes (él. 27-5-91) :* 50 m. dont Union du peuple nav. 20, Psoe 19, Herri Batasuna 6, EA 3, Gauche unie 2.

■ **Rioja (La).** 5 034 km², (est. 91) 265 823 h. D 52,81. **Capitale :** *Logroño.* **Statut :** 9-6-1982, autonomie. *Pt* Fausto Ardillo Arnaez (AP). *Députation (él. 27-5-91) :* 33 m. dont PSOE 16, PP 15, P. progressiste de la Rioja 2. **1 province :** détachée de l'ancienne Vieille-Castille.

■ **Valence.** 23 305 km², 3 646 765 h. **Capitale :** *Valence.* **Statut :** 1-7-1982, autonomie. *Pt* Juan Lerma Blasco (PSOE). *Cortes (él. 27-5-91) :* 89 m. dont PSOE 45, PP 30, UV 8, Gauche unie-UPV 6. **3 provinces** (est. 91) : Alicante 1 315 712 h., Castellón de la Plana 446 683 h., Valence 2 135 846 h.

Provinces non péninsulaires

■ **Villes de Melilla et Ceuta.** 137 070 h. (est. 91). **Statut :** groupées avec leurs dépendances dans le Gouv. gén. des Terr. de souveraineté esp. de l'Afr. du N. Gouverneur à Ceuta. Statut spécial, des représentants au Parlement. Administrativement, C. est rattachée à Cadix et M. à Málaga. Depuis le XVIIIe s., l'exercice de la souveraineté esp. dans les anciens « Presidios » a été reconnu et assuré par les tr. hispano-marocains de 1767, 1799, 1844, 1859, 1860, 1862, 1894 et 1910 ; par la déclaration fr.-brit. de 1904 : par les tr. fr.-esp. de 1902, 1904 et 1912 et fr.-marocains de 1912 et 1956. *1975, 1985*-nov-déc. *1987* janv. troubles. Des musulmans réclament la nationalité esp., d'autres se prononcent pour rattachement au Maroc. **Touristes :** *1950 :* 100 000, *65 :* 1 000 000, *78 :* 3 500 000.

Ceuta : 19,5 km², (est. 90) 68 970 h. dont 25 000 musulmans (2 500 ont des papiers d'identité esp., 12 000 disposent de la « carte de statistique », 750 sont des résidents clandestins. Colonie phénicienne successivement occupée par Carthaginois, Grecs, Romains. Début XVe s. au Portugal. *1663* après la rupture de l'union Portugal-Esp., reste esp. par détermination de sa population. **Melilla :** 12,5 km², (est. 91) 63 587 h. (23 000 musulmans dont 2 500 avec des documents esp., 5 500 avec la carte de stat. et le reste clandestins). Ancienne colonie phénicienne de Rusadir, occupée 1497 par don Pedro de Estopiñan, commandeur de la Maison ducale de Medina Sidonia.

■ **Alhucemas** (6 îles, 63 h.), **les Chafarinas** (195 h.), **Peñon de Velez de la Gomera** (71 h., 1 km²).

■ ÉCONOMIE

PNB. *Total* milliards de $ courants *1988 :* 340, *89 :* 375, *90 :* 491, *91 :* 524. *Par hab. ($ courants) : 1982 :* 5 380 ; *83 :* 3 800 ; *84 :* 4 166 ; *85 :* 4 320 ; *86 :* 5 900 ; *87 :* 7 567 ; *88 :* 8 889 ; *89 :* 9 771 ; *90 :* 12 600 ; *91 :* 13 272 ; *92 (est.) :* 14 500. *Revenu net par tête* (en milliers de pesetas, 1989). *Moyenne* 676 954. Baléares 949,5, La Rioja 884,2, Pays basque 837,05, Navarre 814,3, Madrid 786,6, Catalogne 774,2, Aragon 760,9, Asturies 757,7, Cantabrique 734,6, Castille-León 677,2, Valence 676,1, Canaries 600,7, Galice 585,4, Murcie 574,6, Castille-La Mancha 537,7, Andalousie 524,6, Estrémadure 468,2, Ceuta 460,5, Melilla 460,5. **Pop. active** (% et entre par. part du PNB en %) agr. 10,22 (4,9), ind. 31,41 (35,4), services 51,85 (58,7), divers 6,51. *Emplois par secteurs d'activité* (en %, 1992 et entre par. 1976). Agriculture 9,83 (21,6), ind. 22,53 (27,4), construction 9,63 (9,8), services 58 (41,2). *Fonctionnaires* 2 148 900 (91). **Croissance** *annuelle* (%) *1985 :* 1,75 ; *86 :* 3,8 ; *87 :* 5,6 ; *88 :* 5,2 ; *89 :* 4,8 ; *90 :* 3,6 ; *91 :* 2,3 ; *92 :* 1,2 ; *93 (est.) :* 0,8 à 1. **Chômage** selon l'Inem (Inst. nat. pour l'emploi) 16,2 % ; selon l'Ine (Inst. nat. de la statistique) 21,74 % (3 300 270). *Emplois perdus de 1977 à 84 (en milliers) :* industrie 750, agriculture 630 (96,4 en 89), construction 430 ; *juin 1992/juin 93 :* 567 000. *Création d'emplois : 1986 :* 433, *87 :* 396, *88 :* 363, *89 :* 574, *90 :* 200, *91 :* 31. **Durée du travail** (nombre d'heures par an) *1991 :* 1 780.

Agriculture. Terres (milliers d'ha, 88) 50 470 dont forêts 15 656, arables 20 368, pâturages 6 770, irriguées 3 345, non irr. 47 125. *Désertification :* 2 000 km² en 15 ans. *Incendies de forêt. 1985 :* 469 000 ha (12 837 incendies), *86 :* 285 000 ha. **Régions agricoles :** *N.-O.* polyculture (maïs, élevage bovin), *Meseta* (blé, jachère), *Manche* (vignobles), *Huertas du Levant* (primeurs, agrumes), *S.* (blé, maïs, coton, tournesol, betteraves). **Exploitations** 1 965 149 dont *de - de 10 ha :* 1 841 315, *de + de 50 ha :* 123 834 (dont 31 098 de + de 200 ha dont 4 911 de + de 1 000, occupant 12 millions d'ha et n'en exploitant que 1/4). **Rendement** (en q à l'ha, 91, entre parenthèses en France, 89) blé 23,9 (47), orge 20,9 (39), vignoble 33,7 en 89 (75), pommes de terre 196,1 (300), betteraves 411,6 (515), maïs 64,4. **Consommation** (kg par personne et par an) *de viande 1960 :* 20, *87 :* 89,4 ; *pommes 1960 :* 8,6, *87 :* 22,1 ; *tomates 1967 :* 32. **Production** (milliers de t, 1991) orge 9 141, bett. à sucre 6 709, blé 5 392, raisins 5 110, p. de terre 5 178, maïs 3 181, tomates 2 763, oranges 2 687, mandarines 1 431, oignons 1 003, citrons 508, avoine 409, tournesol 994, choux 472, huile d'olive 538, bananes 410, riz 586, seigle 242, sucre de canne 250 (90), amandes 250. Vins (millions d'hl) *1987 :* 40,2 ; *88 :* 21,6 ; *89 :* 32,1 ; *90 :* 41 ; *91 :* 32,5. **Taux d'approvisionnement** (%) : *excédentaire :* agrumes 233 %, huile d'olive 139, riz 136, froment 110, autres fruits frais 105, légumes frais 105 à 112, vin 103 ; *déficitaire :* œufs 106, orge 101, lait 99,4, viande ovine 99,3, volaille 99, viande de porc 99, blé 98,6, fromages 87,5, huile et graisses végétales 80,3, maïs 34. **Problèmes :** structures foncières nécessitant un remembrement (minifundia, latifundia), irrigation (12 % des terres seulement), rendements faibles (18 q/ha en céréales), 1/3 de terres incultes ou en jachère.

Élevage (milliers de têtes, 1990). Moutons 25 000 (91), porcs 16 001 (91), bovins 5 126 (91), chèvres 3 780, chevaux 241, ânes 130, mulets 100. *Viande :* production (en milliers de t, 91) porcins 1 877 366, volaille 881 708, bovins 509 284, ovins 227 569, caprins 16 034, lapins 73 234 ; l'E. doit importer pour le bétail 5 millions de t de maïs et 3 de soja.

Pêche. *Tonnage débarqué* (milliers de t) *1977 :* 1 467 300, *89 :* 960 831 (produits de pêche importés 758 995), *90 :* 974 245, *91 :* 838 711 ; flotte de pêche (86) 17 464 bateaux. Accord sur la « zone de pêche Eskote » contrôlée par la France : 57 bateaux esp. peuvent provisoirement continuer à pêcher anchois et sardines.

Énergie Pétrole (millions de t) *réserves* 22, *prod.* 1 (91). **Gaz naturel** très peu (1 512 m³ en 89). **Charbon** prod. (91) 33 879 000 t. **Lignite** 21 (90). **Électricité** *Prod.* (milliards de kWh) *1990 :* 152,18, *91 :* 153,3 dont (en %) thermique 46,3, nucléaire 36,2, hydro-électrique 17. En partie privatisée en 1988.

Consommation d'énergie primaire (en %, 1990 et entre par. 2000). Pétrole 52,59 (50,73), charbon 20,92 (19,39), nucléaire 15,76 (11,18), gaz 5,57 (12,16), hydraulique 2,46 (2,83), énergies renouvelables 2,74 (3,17).

Mines (milliers de t, 90). Fer 1 366, potasse, chlorure de potassium 679, pyrites de fer 748, zinc 255, plomb 58, cuivre 11, argent, mercure, manganèse, tungstène, étain 49, uranium 269.

Industries. *Énergie électrique, textile* (en crise), *sidérurgie* (en redressement), *chaussures, jouets, constr. navales* (Alicante : en déclin), *conserveries* (poissons, lég.). *Automobile* prod. voit. de tourisme *1991 :* 1 804 000. Immatriculations *1984 :* 522 000 ; *88 :* 1 056 000 ; *90 :* 982 305. Construction automobile (en %, 1991). Renault 164 083 (18,5), Ford 120 619 (13,6), Opel 105 636 (11,9), Seat 89 948 (10,2), Peugeot/Talbot 85 656 (9,7), Citroën 77 959 (8,8), Fiat 62 460 (7,1), VW 60 483 (6,8), japon. 29 475 (3,3), autres 89 740 (10,1).

CA des principales entreprises esp. (en milliards de pesetas, 1991). Repsol (pétrole) 1 691, Telefonica (communications) 1 049, El Corte Inglés (distribution) 956, Iberdrola (électricité) 748, Endesa (électricité) 683, Tabacalera (tabac, alim.) 650, Seat (auto) 588, Fasa Renault (auto) 454, Cepsa (pétrole) 446, Ford España (auto) 421, General Motors España (auto) 376, Iberia (transports) 370, Pryca (distribution) 364, FCC (construction) 364, Dragados y Construcciones (BTP) 364.

Transports (km). *Routes* 318 991, *chemins de fer* 12 560.

Tourisme. Visiteurs (millions) *1988 :* 54 ; *89 :* 50,54 ; *90 :* 52 ; *91 :* 53,5 (dont Français 12,1, Portugais 10,5, All. 7,6, Angl. 6,1). **Recettes** (milliards de $) *1990 :* 18,6 ; *91 :* 19.

Finances. Inflation (%) *1980 :* 15,6 ; *81 :* 14,5 ; *82 :* 15 ; *83 :* 12,2 ; *84 :* 11,3 ; *85 :* 8,8 ; *86 :* 8,8 ; *87 :* 4,8 ; *88 :* 5,8 ; *89 :* 6,9 ; *90 :* 6,5 ; *91 :* 5,9 ; *92 :* 5,4 ; *93 (est.) :* 4 à 4,5. **Dette ext.** (milliards de $) *1990 :* 45, *91 :* 58. **Budget** (milliards de pesetas, 1993) *dépenses* 14 800 dont (en %, 89) personnel 17,8, achats de biens et services 2,9, dépenses financières 10,5, transferts courants 44,5, investissements réels 8,6, transferts de capital 8,7, actifs financiers 3,9, passifs financiers 3,1 ; *recettes* 13,4 ; *déficit* 1 421 (4,25 % du PIB, 4,4 en 91). **Privatisations.** Recettes attendues en 1993 : 150 Md de pesetas, à travers la cession en Bourse d'une partie du capital de 4 importants groupes publics [banques Argentaria, groupe Telefonica, Tabacalera (tabacs et agroalimentaire) et Transmediterranea (transports maritimes)]. **Réserves** en devises (milliards de $). *85 :* 13,3, *88 :* 39,8, *89 :* 44,4, *90 :* 53,1, *91 :* 66,2, *92 (1-12) :* 47,5. **Salaire minimal mensuel** (1-1-93) 58 530 pesetas (2 642 F) [- de 18 a. : 38 640 (1 777 F)]. **Pauvres** *1991 :* 700 000 (Madrid).

Investissements (en milliards de pesetas). **Espagnols à l'étranger** *1988 :* 240 ; *89 :* 311 ; *90 :* 470 ; *91 :* 676,9. *En France. 1988 :* 23 ; *89 :* 9 ; *90 :* 25 ; *91 :* 48,1. **Étrangers en Espagne** *1988 :* 843 ; *89 :* 1 244 ; *90 :* 1 843 ; *91 :* 2 304,7 dont P.-Bas 658, *France 361,* G.-B. 220, All. 97, Benelux 96, USA 69, Italie 60, Japon 47 [*Secteurs (%) :* instituts financiers et assurances 46, ind. 22,5, énergie-eau 6,1, mines 9, commerce et hôtellerie 12,9].

Commerce (milliards de pesetas, 1991). **Exp.** 6 255 *dont* véhicules 1 575, prod. agricoles 988, biens d'éq. 978, prod. chim. 623, énergie 271 *vers France 1 244,* All. 922, It. 706, USA 579, G.-B. 477, Portugal 410, Canada 305, P.-Bas 267. **Imp.** 9 674 *dont* biens d'éq. 2 352, véhicules 1 316, prod. agricoles 1 184, prod. chim. 1 156, énergie 1 055 *de* All. 1 566, *France 1 468,* It. 971, USA 770, G.-B. 728, Japon 451, P.-Bas 339, Benelux 287. **Déficit** (92) : 3 600. *Déficit (en % du PIB) extérieur : 90* 3,4, *91* 2,9 ; *public : 90* 2,3, *91* 2,5.

En 1991, les exportations agricoles couvrent 83,4 % des imp.

Commerce avec Amér. latine (milliards de pesetas, 1991). **Exp.** 205 *vers* Mexique 63, Cuba 29, Brésil 27, Argentine 26, Chili 17. **Imp.** 405 *de* Mexique 139, Brésil 94, Argentine 64, Chili 43, Colombie 18.

Balances (milliards de $) **commerciale** *1985 :* - 4,2, *86 :* - 6,3, *87 :* - 12,8, *88 (est.) :* - 16,7, *89 :* - 29,6, *90 :* - *29,5* ; **des services** *1985 :* + 5,85, *86 :* + 9,2, *87 :* + 10,5, *90 :* + 9 ; **des transferts** *1990 :* + 4,8 ; **des paiements courants** *90 :* - 15,7, *92 (est.) :* - 16,6, *93 (est.) :* - 18 ; **des capitaux** *1990 :* + 19 ; **de base** *90 :* + 3 ; **des paiements** *1989 :* + 7,4, *90 :* + 8,6.

Dépenses aux jeux d'argent. *1990 :* 621,7 milliards de pesetas dont loterie nat. 423 5, loto 139,2, paris sportifs 21,7.

Rang dans le monde (91). 3e vin. 5e orge. 7e porcins. 8e zinc. 11e argent. 12e ovins, p. de terre. 16e lignite. 18e pêche.

PLACE DE LA FRANCE EN ESPAGNE

La France est le 1er client de l'E. (l'E. est son 6e fournisseur). Il y a en E. env. 1 000 Stés à participation fr., PME ou filiales de grands groupes. Sur les 400 1res entreprises fr., + de 100 sont repr. en Esp. *Fasa-Renault,* filiale de Renault, est devenue (dep. 1980) le 1er fabricant esp. *St-Gobain,* installé 1905, leader du verre plat, contrôle 55 % du verre creux. *Michelin,* installé 1932, fabrique + de 60 % des pneus ind. et 50 % des pneus de tourisme. *Safa,* filiale de Rhône-Poulenc, créée 1923, est le 2e groupe esp. de fibres synthétiques. *Peñarroya,* installé 1882, produit 73 % du plomb, 40 % de l'argent, 27 % de l'antimoine du pays. *L'Air liquide* est leader dans sa branche. *Carrefour, Promodès, Radar, Mammouth, Auchan* contrôlent + de 90 % des hypermarchés.

Échanges franco-esp. (en milliards de F). *Exp. fr. : 1985 :* 29,8 ; *90 :* 72,5 ; *91 :* 82,7 (dont prod. agroalim. 14,9 %). *Imp. fr. : 1985 :* 36,6 ; *90 :* 59,6 ; *91 :* 66,5 (dont prod. agroalim. 15,5 %).

☞ L'E., pays de main-d'œuvre abondante, peut concurrencer la Fr. notamment dans agroalimentaire, produits métallurgiques semi-finis, automobiles, habillement, vin, fruits, cultures maraîchères.

■ ESTONIE

Carte p. 969. V. légende p. 884.

Situation. Europe. 45 215 km². Iles 1 520 (9,2 % du territoire) dans la Baltique. Lacs intérieurs 1 512 (les plus grands : Vortsjärv et Peipsijärv). *Alt. max.* Suur Munamägi 318 m. **Climat.** Temp. annuelle moy. 4 à 6° C (intérieur).

Population (milliers). *1922 :* 1 107, *39 :* 1 126 ; *41 :* 999 (90,8 % d'Estoniens) ; *59 :* 1 196 ; *70 :* 1 356 ; *79 :* 1 464 ; *89 :* 1 565 ; *92 :* 1 562 (en % Estoniens 61,5, Russes 30,3, Ukrainiens 3,1, Biélorusses 1,8, Finnois 1,1). **Villes** (91) *Tallin* (cap.) 497 766 h., Tartu 114 239 h., Narva 86 852 h., Kohtla-Järve 75 031, Pärnu 57 132. D 34,5. **Langue off.** Estonien dep. 1989.

Histoire. IIe s. av. J.-C. peuplée par des Finno-Ougriens, proches des Finlandais, que Tacite appelle *Aesti,* les Estes. **Xe, XIe, XIIe s.** croisades et conquêtes entre Russes et Estoniens. **1180** début de la christianisation par Germano-Danois. **1202** création de l'ordre des chevaliers Porte-Glaive ; **1206-27** g. d'indép. contre Allemands, Danois, Suédois et Russes. **1219** Danois prennent la cap. rebaptisée Tallin : Taani Linn (ville des Danois) ; **1237** fusion Porte-Glaive Ordre teutonique (de Livonie) ; **1290** conquête achevée. **1346** l'Ordre teutonique se rachète de la vassalité danoise (devient o. souverain). **1410**-*15-7* battu à Tannenberg par Lituano-Polonais. **XVIe s.** les chevaliers, convertis au luthéranisme, se transforment en aristocratie terrienne (germanophone), les « barons baltes ». **1525** 1re publication en langue esto. **1558** Ivan le Terrible conquiert Narva et Tartu. **1561-81** g. de Livonie entre Suède, Pologne et Russie. **XVIIe s.** province suédoise. **1662** Gustave II Adolphe fonde l'université de Dorpat (auj. Tartu). **1709** *Poltava :* les R. battent Suédois et conq. l'E. **1721** *paix de Nystad :* la Suède cède l'E. aux R. **XVIIIe-XIXe s.** prov. r. **1740** début du servage. La noblesse reste de culture germanique ; les serfs sont de langue eston. **1816-19** servage aboli. **1855** début réveil national. **1917** le gouvernement provisoire r. accorde *autonomie* aux Est. **1918**-*19-2* arrivée de l'armée all. appelée par les All. d'Est. ; *24-2* le Comité de salut public déclare l'indépendance de l'Est. *-11-11* défaite all. ; gouv. est. et mobilisation armée pour la g. d'indépendance.

-29-11 Sov. envahissent l'est de l'E. (prennent Narva, reprise janv. 1919). *-12-12* intervention d'une escadre britannique ; *-24-12* Rép. indépendante. **1919**-*23-8* Võnnu, Est. battent volontaires all. **1920**-*2-2 tr. de Tartu* avec URSS : indépend. reconnue. **1921**-*22-9* entre à la SDN. **1921-40** Rép. (régime autoritaire du Gal Päts à partir de 1934). **1934**-*12-9* Entente baltique avec Lettonie et Lituanie. **1939**-*23-8* pacte Molotov-Ribbentrop, une clause secrète signée en sept., placer l'E. dans la zone d'influence sov. *-28-9* tr. d'entente mutuelle E./URSS, imposant (ultimatum) l'installation de bases sov. **1940**-*17-6* arrivée des troupes sov. ; instauration d'un régime communiste ; *-21-7* gouv. com. demande son rattachement à l'URSS. *-6-8 15e Rép. de l'URSS.* **1941**-*14-6* 1res déportations (env. 10 000 Est.). **1941-44** partie de *l'Ostland,* administrée par armée all. **1944**-*22-9* réoccupation sov. **1949** 60 000 Est. déportés. **1950** *avr.* gouv. destitué pour « déviation nationaliste ». **1979** appel de 45 intellectuels baltes à l'Onu condamne les accords Molotov-Ribbentrop et demandent la publication des protocoles secrets qui les accompagnaient. **1988**-*11-9* drapeau est. autorisé. *-16-11* et *-7-12* Soviet suprême est. proclame souveraineté de la Rép. et la primauté de ses lois sur celles de l'URSS. **1989**-*18-1* estonien langue off. *-24-2* manif. commémorant l'indép. de 1918. *-18-5* Parlement crée une monnaie : le korus. *-21-7* manif. de milliers de Russes contre autonomie. *-23-8* chaîne humaine de Tallin à Vilnius pour commémorer pacte Molotov-Ribbentrop. *-27-11* Soviet suprême accorde autonomie écon. aux 3 Rép. baltes à partir du 1-1-90. **1990**-*18-3* législatives. *-30-3* déclaration d'une période de « transition ». *-5-5* nouveau statut. *-12-5* Entente baltique restaurée. *-14-5* Gorbatchev déclare illégale l'indép. *-27-6* loi limitant l'immigration URSS. **1991**-*3-3* référendum sur indépendance (77,8 % de oui). *-23/26-5* forces spéciales du min. de l'Intérieur sov. (Omon) attaquent postes de douanes. *-20-8* restauration de facto de l'indép. (69 v. pour, 0 v. contre, 35 absents). *-6-9* indép. reconnue par URSS. Assemblée Constituante (députés + membres du Congrès d'Est. représentant des citoyens est.) préparera une Constitution. *-10-9* entre à la CSCE. *-17-9* entre à l'ONU.

1992-*26-2* loi sur la citoyenneté, donnée automatiquement à ceux la possédant avant le 17-6-1940, à leurs descendants, naturalisation des étrangers vivant en E. depuis + de 2 ans et ayant une connaissance « acceptable » de l'est., à condition qu'ils n'aient jamais travaillé pour le KGB ou comme permanents des organisations de l'armée d'occupation, et qu'ils prêtent serment de fidélité à l'État est. Russes et autres « étrangers » peuvent participer aux scrutins locaux et municipaux. *-20-6* introduction de l'Eesti Kroon (EEK) (1 DM = 8 EEK). 10 roubles pour 1 EEK jusqu'à 15 000 roubles ; au-delà, 50 pour 1 EEK avec plafond de 50 000 r. *-28-6* référendum pour Constitution (91,3 % pour, 8,1 % contre, bulletins nuls 0,6 %). *-20-9* législatives et 1er tour des présid. au suffrage universel direct ; majorité de droite au parlement (coalition pro-patria). Participation 70 %. Malgré une mise en garde de Moscou, 600 000 russophones en ont été exclus (A Narva, sur 82 000 h, 4 500 électeurs seulement). *5-10* 2e tour présid. (par les députés). Lennart Meri élu (59 voix contre 31 à l'ancien Pt Arnold Rutel). **1993**-*26-1* Pt Meri en Fr. *Juillet* Pt Meri demande au Parlement de revoir loi concernant étrangers.

Statut. Rép. *Pt de la Rép.* Lennart Meri (n. 1929). *PM* Mart Laar. *Parlement* (Riĕgikogu) 101 m. dont 25 représentant les minorités. **Partis.** Propatria, P. est. de coalition, Union rurale est., P. populaire du centre, P. centriste rural, P. social-démocrate, P. de l'indépendance nationale de l'Est., Citoyen estonien, P. monarchiste, P. des entrepreneurs, P. des verts.

■ Économie

Revenu (1992). 11,5 milliards de couronnes. **Agriculture.** 10 % de la pop. active ; 86 000 personnes. *Surface cult.* (86) 2 600 000 ha. *Productions* (milliers de t, 92) céréales 594 dont orge 302, seigle 150, froment 90, avoine 48 ; p. de terre 648 (dont 492 par exploitations privées), légumes 73, fruits 74,9, viande 138, lait 900. **Élevage** (milliers, 1-12-92). Bovins 495,4, ovins et caprins 2,6, porcins 496,6, volailles 2 164. **Forêts.** 38 % du territoire. **Pêche** (92). 120 881 t. **Schistes bitumineux** (millions de t). *Réserves* (90) 3 800, *prod.* (91) 19,6. **Phosphates** *réserves* (90) 3,4 millions de t. **Production industrielle** (90 %). Ind. légère 25,9, agro-alimentaire 24,3, mécanique 15,2, bois et papier 9,6 chimie 9,3, électricité 6, matériaux de construction 4,3. **Transports** (1989). *Routes* 30 100 km ; *ch. de fer* 1 030 km ; 3 ports encore en activité sur 25 avant 1940 (terminal pétrolier à Tallin construit par la Cie finlandaise Neste).

Commerce (1992, milliards de couronnes). **Exp.** 5,54 *vers* (%) Finlande 21,1, Russie 20,8, Lettonie (dont en % : textile et dérivés 14, métal et dér. 11,3, viande 11,2, minéraux 10,9, bois 7,9). 10,6, Suède 7,7, Ukraine 6,9, P.-Bas 5,1 **Imp.** 5,12 (dont en % : minéraux 27,2, machines 18,3, textiles et dér. 15,2, automobiles et moyens de transport 12,7) *de* (%) Russie 28,4, Finlande 22,6, All. 8,3, Suède 5,6, Ukraine 3,2, Japon 2,7, USA 2,4.

Crise d'approvisionnement en énergie dep. la désintégration de l'URSS. Création de S[tés] en joint-ventures.

■ États-Unis

Carte p. 988. V. légende p. 884.

Devise. *In God we trust* (en Dieu, nous croyons) : utilisée dep. 1864 sur certaines monnaies, puis sur toutes pièces et billets dep. 1955 ; désignée comme devise off. nat. (loi du 30-7-1956). *Pluribus unum* figure sur le grand sceau américain (sur le ruban porté dans sa bouche par un pygargue) dep. 1792.

Drapeau. *1765* drapeau révol., 9 bandes rouges et blanches représentant les colonies ; *1775* 13 bandes ; *1777* 15 bandes, des étoiles remplacent dans l'angle l'Union Jack ; *4-7-1818* 20 étoiles, 13 bandes (7 rouges, 6 blanches) ; une étoile sera ajoutée pour chaque nouvel État (dernières ajoutées : 1912 : 47e et 48e Nouveau-Mexique, Arizona ; 1959 : 49e Alaska ; 1960 : 50e 4-7 Hawaii). Pas d'étoile pour la cap. fédérale.

Emblème. Pygargue (du grec : à fesses blanches) à tête blanche.

Hymne national. *La Bannière étoilée :* désignée par le congrès comme hymne nat. le 3-3-1951, écrite par Francis Scott Key les 13/14-9-1814 et appelée d'abord « Défense du fort Mc Henry ». Son beau-frère, le juge J.H. Nicholson, composa la musique.

Surnom. Uncle Sam, de Samuel Wilson (1766-1854). Inspecteur pendant la guerre de 1812, il tamponnait sur les barils de viande qu'il inspectait US (pour United States) comme son propre surnom : Uncle Sam.

■ Géographie

■ **Situation.** Amérique du N. **Superficie** (milliers de km²) : *1776 :* 2 302 ; *1803 :* 4 444 ; *1819 :* 4 631 ; *1845 :* 5 641 ; *1846 :* 6 382 ; *1848 :* 7 752 ; *1853 :* 7 830 ; *1867 :* 9 347 ; *1898 :* 9 363,353 ; *1985 :* 9 372,615 dont eaux 205,856. **Longueur** *d'E. en O.* 4 500 km. *N. au S.* 2 500 km. **Alt.** *max.* Mt McKinley 6 198 m ; *min.* Death Valley – 86 m.

■ **Frontières.** 12 007 km, avec Canada 8 892 [(dont Alaska 2 477), la plus longue frontière inter-États du monde], Mexique 3 115 (la plus fréquentée du monde : 120 millions de passages par an). **Côtes** 19 924 km dont Atlantique 3 329, Golfe du Mexique 2 624, Pacifique 12 265, Arctique 1 706. **Mason-Dixon Line :** frontière Pennsylvanie-Maryland, délimitée 1763-67 par Charles Mason et Jérémie Dixon, astronomes anglais, limites traditionnelles des États esclavagistes (Sud) et antiesclavagistes (Nord).

■ **Relief.** 2 massifs montagneux (Appalaches et Rocheuses) enfermant une rég. centrale continentale.

■ **Climat et végétation. Ouest :** 2 chaînes côtières parallèles limitent les influences océaniques sur une étroite bordure entre la montagne et la mer. Au N. de San Francisco, cl. tempéré froid, pluies abondantes (+ d'1 m/a.) (conifères) ; au S. dans les plaines, cl. méditerranéen : hivers doux, étés chauds et secs [le *chaparral* (maquis formé de plantes xérophiles) prédomine]. **Centre :** *continental* [les Rocheuses ne laissent passer que le chinook (vent chaud) ; en été, pénétration de masses d'air tropical ; hiver, air polaire continental accompagné de blizzards ; pluies de 300 à 400 mm/a. en Arizona (forêts dans les vallées et hauts reliefs, steppe sur les plateaux intérieurs des Rocheuses et hautes plaines, déserts en Arizona, au Nouveau-Mexique)]. **Rég. atlantique :** *continental humide* (courant froid du Labrador), pluies variant de 500 mm au N. à + de 1 000 mm au S. [forêt appalachienne ; à l'O. du Mississippi, la Prairie (terre noire riche en humus)]. **Sud-Est :** *tropical,* mousson pluvieuse avec des dépressions profondes (les *hurricanes*) (pinèdes). **Alaska :** *océanique froid* entre Pacifique et chaîne côtière ; *polaire* au N.-E.

Températures (moy. janv. et juill., précipitations annuelles entre parenthèses) : *Miami* 19,3 °C, 27,5 °C (1 500 mm) ; *Los Angeles* 11,7 °C, 29,3 °C (440 mm) ; *Washington* 0,5 °C, 24,9 °C (1 100 mm) ; *New York* – 8 °C parfois, + 30 °C l'été.

Ouragans et cyclones. *Hurricane :* cyclone tropical de la zone des Caraïbes ex. : Texas : Galveston *1900* 6 000 †, *1915 :* 175 †, *1961 :* 9 †. Côte Est : *Hugo* (sept. 1989) coût : 4,2 milliards de $. Louisiane et Floride (1992) : 10,2 Md de $.

■ Régions

■ **Ouest** (1/3 des USA). **Rocheuses** (plateaux et chaînes, 1/3 de la sup. totale), larg. 2 000 km : *E.* montagnes Rocheuses ; *centre* plateaux calcaires du Colorado (1 600 à 2 000 m d'alt.), le Colorado (« Rouge ») a creusé un canyon profond parfois de 1 800 m ; au N. du plateau : Grand Bassin formé de cuvettes (lac Salé, vallée de la Mort – 94 m), plateaux du Columbia (mesas de basalte 1 000 à 2 000 m) ; *O.* 2 chaînes parallèles N.S. : à 150 km de la mer, *Sierra Nevada* (Mt Whitney 4 420 m), prolongée au N. par la *ch. des Cascades* (avec le Mt St Helens, volcan revenu en activité le 22-7-1980, après 350 ans de sommeil) ; *chaînes côtières* plissées, le long du Pacifique (riches en argent, métaux non ferreux, pétrole, potentiel hydroélectrique) ; entre les deux, grande vallée de *Californie* drainée par Sacramento et San Joaquin. Élevage extensif sur les versants orientaux, les « ranches » (bovins ou moutons). Barrages permettant irrigation (fruits et légumes), élevage bovin, production d'énergie électrique : « Grand Coulee Dam » et « Bonneville Dam » sur la Columbia, « Boulder Dam » sur le Colorado. RESSOURCES : charbon (bassin le plus important près du Grand Lac Salé) ; pétrole (bordure orientale des Rocheuses), uranium (Nouv.-Mexique), cuivre, plomb, zinc, tungstène, molybdène, fer (S. du Grand Lac Salé). Métallurgie du cuivre à Butte et Spokane, du fer à Geneva. *Nord* (Oregon et Washington) : forêts, ind. mécanique (constr. navales et aéronautiques) autour du Sound, baie débouchant vers le N., près de Vancouver ; Seattle, port en relation avec l'Alaska. DENSITÉ : faible, villes rares ; côte très peuplée. Rôle écon. croissant dep. 1945.

■ **Sud.** Climat chaud, tendance tropicale ; pop. en partie noire (env. 10 millions). Coton dans la vallée du Mississippi et sur les « terres noires » (bande du Texas aux Appalaches). **Vallée et Est :** exploitations anciennes, morcelées en métairies tenues par des Noirs ou des « Pauvres Blancs », rendements médiocres. **Ouest :** grandes propriétés mécanisées mais en déclin : le coton recule (conditions climatiques hasardeuses). Marchés principaux : Memphis et Dallas. Les régions cotonnières cultivent aussi maïs, oléagineux et tabac. **Sud :** cultures intensives, légumes et fruits ; riz (Texas) ; coton (région d'Atlanta) ; métallurgie (Alabama), fer local (Birmingham) ou importé (Mobile, sur la côte) ; ind. pétrolière et pétrochimique entre Mississippi et Mexique ; chimique (sel, soufre, phosphates voisins de la côte) ; aéronautique (Dallas) ; aluminium (vallées Arkansas et Tennessee). Pétrole, gaz naturel, plus au N., hydroélectricité (vallée du Tennessee), nucléaire (Oak Ridge). VILLES : coloniale : La Nouvelle-Orléans ; modernes : Dallas, Houston. TOURISME été, hiver en Floride (Miami).

■ **Middle West.** Hautes plaines (à l'O.) 1 000 à 2 000 m (Black Hills, 2 209), ravins profonds de 100 à 200 m ; au S. de ces plaines, pl. alluviales le long du *Mississippi* et de ses affluents [apporte 400 millions de t d'alluvions par an, voie de navigation la plus longue du monde : 6 800 km avec le Missouri ; lors des crues, peut submerger jusqu'à 74 000 km² (1927)]. CLIMAT : continental et sec, sols alluviaux fertiles. CULTURE : extensive (mécanisation poussée, usage engrais limité) : rendements médiocres. *3 zones du N. au S. :* blé de printemps ; maïs (avec porcs et bovins) ; blé d'hiver. Dangers de la monoculture : usure des sols, érosion, revenus variables selon la valeur de la récolte. Pour les éviter, on adopte : assolement, cultures en bandes selon courbes de niveau, élevage (viande à l'O., lait vers les Lacs). BASSIN HOUILLER : du Mississippi (utilisé surtout par centrales thermiques), pétrole (N. du Mid Continent Field), hydroélectricité (barrages du haut Missouri), matériel agricole. VILLES : carrefours, marchés et centres d'ind. alim. : Minneapolis-St Paul (minoterie), Kansas (viande), St Louis (activités variées), Omaha et Wichita. En dehors des villes : population dispersée. **Plaine centrale** (des Appalaches aux Rocheuses, des Grands Lacs au golfe du Mexique), 2 800 000 km², alt. moy. 250 à 300 m ; au centre, massifs primaires (Mts Ozarks, 830 m ; Mts Ouachita, 854 m) ; la Prairie (nom de la végétation originelle), 1 200 000 km², se prolongeant au Canada, plaines limoneuses (céréales).

■ **Région des Grands Lacs.** Long. 1 500 km dus à l'enfoncement du socle lors de la fonte des glaciers au Quaternaire, reposent sur des cuvettes de profondeurs différentes [les lacs sont ainsi séparés par des chutes (de Sault-Sainte-Marie, du Niagara entre lac Érié et lac Ontario), navigables malgré le gel (3 mois)]. *Lacs supérieurs* (Michigan et Huron) : 200 000 km² à 177 m d'alt. ; *inférieurs* (l. Érié et Ontario : 45 000 km², plus bas). Au-delà de l'Ontario, les eaux sont évacuées vers l'Atlantique par le St-Laurent. L'Érié est relié par le canal Welland à l'Ontario, qui communique avec l'océan par la voie maritime du St-Laurent dep. 1959. **Au Nord** bouclier canadien : forêts ; **Sud :** forêts et pâturages (ceinture laitière), cultures fruitières. RESSOURCES : bois, fer du lac Supérieur, minerais non ferreux du bouclier (région de Sudbury près du lac Huron) et du S. du lac Supérieur. *Navigation :* bois et minerais vers N. des USA et bas Canada. En sens inverse, charbon des Appalaches. Sidérurgie avec minerai de fer de Duluth, charbon de Pennsylvanie, lacs de Cleveland, Detroit, Chicago ; métallurgie de transformation : Chicago (matériel agricole), Detroit (auto.) ; ind. chimique recevant pétrole et gaz de la prairie canadienne : Sarnia. POPULATION nombreuse : Chicago, Detroit, Cleveland, Buffalo.

■ Nord-Est. 19 États entre Canada, haut Mississippi, Ohio et Atlantique : plus de 50 % de la pop. des USA **N.-Angleterre :** montagnes usées (1 600 m max. dans les *Adirondacks*), compartimentées. Littoral découpé. **Appalaches :** 1 500 km sur 200 à 300 km de large, alt. 2 000 m. D'O. en E. : *plateau de Cumberland* (sédiments primaires) ; *Grande Vallée* appalachienne (argiles) ; *montagnes Bleues ; Piémont appalachien ; plaine côtière* (golfes étroits et profonds : Hudson à vastes baies [Delaware : Chesapeake (anciennes vallées noyées)]) (riches en minerai de fer et de charbon, énergie hydroélec.). **Plaines et plateaux du N.-O. :** descendant vers les Lacs, en partie recouverts de dépôts glaciaires. *Climat* rude : hiver froid (3 mois de gel sur les Lacs), été chaud et sec, violence et brutalité des précipitations. AGRICULTURE : *N.-Angl. :* élevage laitier, cultures spécialisées (fruits, pommes de t.), forêts ; *Appalaches :* forêts, cultures pauvres ; *littoral :* culture intensive (légumes, fruits, tabac) ; *rive S. des Lacs :* élevage laitier ; *plaines de l'Ohio :* céréales (blé, maïs) ; betteraves, pommes de t., oléagineux, en association avec élevage. INDUSTRIE : *lourde :* houille (Pennsylvanie) ; sidérurgie : bassin houiller (Pittsburgh), lacs (Cleveland), côte (Philadelphie, Baltimore) ; chimique lourde : bassins houillers et région de New York ; *transformation* (constr. méc. et électr., plastiques, pharmacie, textiles, bois, cuir), dispersée : Boston et N.-Angl. ; New York ; Philadelphie et Baltimore. URBANISATION : côte atlantique sur plus de 600 km de long et sur 100 à 200 km de large : *« Mégalopolis »* ou *Boswash* avec 40 millions d'hab. dont Boston 3, New York 8,22 (dans la conurbation), Philadelphie 5, Baltimore 2, Washington 3.

■ DÉMOGRAPHIE

DONNÉES GLOBALES

■ Population coloniale. EN MILLIERS. **1610 :** 0,35, **20 :** 2,3, **30 :** 4,5, **40 :** 26,6, **50 :** 50,4, **1700 :** 250,9, **20 :** 466, **50 :** 1 170, **80 :** 2 780, **90 :** 3,93. EN MILLIONS : **1800 :** 5,31, **10 :** 7,24, **20 :** 9,64, **30 :** 12,87, **40 :** 17,07, **50 :** 23,49, **60 :** 31,44 (Blancs 26,92, Noirs 4,44 dont 3,95 esclaves), **70 :** 39,82, **80 :** 50,16, **90 :** 62,95, **1900 :** 76, **10 :** 91,97, **20 :** 105,71, **30 :** 122,78, **40 :** 131,67, **50 :** 150,70 (dont en % Blancs 89,4, Noirs 9,9, divers 0,7), **60 :** 179,32, **70 :** 203,30, **80 :** 225,55 [dont Hispaniques 14,60, Indiens 1,37, Chinois 0,81, Philippins 0,77, Japonais 0,7, Indiens (d'Inde) 0,36, Coréens 0,35, Vietnamiens 0,26, Hawaiiens 0,17, Esquimaux 0,042, Samoans 0,042, Guam 0,032, Aléoutes 0,014, divers 6,75], **90 :** 248,7 dont Blancs 199,7 (80,3 %) dont Hispaniques 22 (9 %), Noirs 30 (12,1), Asiatiques 7,3 (2,9) [dont Chinois 1 645 000, Philippins 1 407 000, Japonais 848 000, Indiens 815 000, Coréens 799 000, Vietnamiens 614 000, Laotiens 149 000, Cambodgiens 147 000, Thaï 91 000, Hmong 90 000] ; Indiens 1,8 (0,8) ; Esquimaux 0,05 ; Aléoutes 0,02 ; divers 9,8 (3,9). **91 :** 252,6, **2000 (prév.) :** 259 à 278,2, **2020 (prév.) :** 264,5 à 335 (en % Blancs 79,6, Noirs 14,3, divers 6,1). *D* 27.

Urbanisation 75,2 % habitent des aires urbaines, 9,2 % dans des villes de + de 100 000 h. **Naissances** *1991 :* 4 111 000. **Indice de fécondité** *1940 :* 2,2, *57 :* 3,7, *76 :* 1,74, *85 :* 1,82, *89 :* 1,90. **Espérance de vie** *1990 :* Femmes blanches 79,3 ans (noires 74,5), hommes bl. 72,6 (n. 66). **Décès** *1990 :* 2 162 000. **Mariages** *1991 :* 2 371 000. **Enfants naturels** (pour 1 000 naissances) *1988 :* toutes races 257,1, bl. 177,2, n. 634,9. **Divorces** *1991 :* 1 187 000. **Taux (‰)** *décès : 1955 :* 9,3 ; *60 :* 9,5 ; *65 :* 9,4 ; *70 :* 9,5 ; *75 :* 8,8 ; *80 :* 8,7 ; *85 :* 8,7 ; *90 :* 8,6 ; *91 :* 8,5. *Naissances : 55 :* 25 ; *60 :* 23,7 ; *65 :* 19,4 ; *70 :* 18,4 ; *75 :* 14,6 ; *80 :* 15,9 ; *85 :* 15,7 ; *90 :* 16,7 ; *91 :* 16,2. *Mariages : 1900 :* 9,3 ; *10 :* 10,3 ; *20 :* 12 ; *30 :* 9,2 ; *50 :* 11,1 ; *60 :* 8,5 ; *70 :* 10,6 ; *80 :* 10,6 ; *90 :* 9,8 ; *91 :* 9,4. *Divorces. 1900 :* 0,7 ; *10 :* 0,9 ; *20 :* 1,6 ; *30 :* 1,6 ; *50 :* 2,6 ; *60 :* 2,2 ; *70 :* 3,5 ; *80 :* 5,2 ; *90 :* 4,7 ; *91 :* 4,7. **Avortements.** *1992 :* env. 1 600 000. *29-6-1992 :* la Cour suprême confirme par 5 v. contre 4 le droit constitutionnel à l'avortement inscrit dans l'arrêt Roe-Wade de 1973 et le droit des États à en restreindre la pratique. **Mortalité infantile** *1988 :* blancs garçons 9,5, filles 7,4 ; noirs garçons 19, filles 16,1. **Santé** (en millions, 1988) maladies cardiovasculaires 68,09 dont hypertension 61,87, infarctus 6,08 (décès 0,511), rhumatismes cœur 1,29 (0,006), attaques 2,93 (0,15). **Illettrisme** 23 millions (13 % des jeunes de 17 ans). **Consommateurs de drogue** (en millions) *1985 :* 23 ; *90 :* 12,9. *% d'étudiants (High School) ayant consommé en 1989* (*et* entre parenthèses *en 1980*) *:* marijuana 43,7 (60,3), inhalation 18,6 (17,6), LSD 8,3 (9,3), PCP 3,9 (9,6), cocaïne 10,3 (15,7), crack 4,7 (n.c.), héroïne 1,3 (1,1), cigarettes 65,7 (71). **Sida.** *Cas déclarés : 1981-91 :* 199 516 (65 % morts) dont *81-83* 2 920 ; *84* 4 442 ; *85* 8 215 ; *86* 13 150 ; *87* 21 109 ; *88* 30 754 ; *89* 33 638 ; *90* 41 616 ; *91* 43 672. *Séropositifs : 1992 :* env. 1 000 000. *Morts : 1982-91* 126 827 dont *84* 3 266 ; *85* 6 404 ; *86* 10 965 ; *87* 14 612 ; *88* 18 248 ; *89* 25 045 ; *90* 26 389 ; *91* 19 718. **Coût écon.** (milliards de $, 88) alcool 85,8, drogue 58,3, maladies mentales 129,4.

Américains vivant à l'étranger (en milliers), au 30-6-92, total, entre par. citoyens amér. résidents, en ital. touristes amér.). 14 285 (6 269) *6 674* dont Canada 1 561 (278) *1 281*, Mexique 802 (495) *300*, All. 513 (107) *208*, G.-B. 414 (213) *162*, *France 224 (126) 91*, Martinique 221 (n. c.) *221*, Italie 155 (102) *28*, Philippines 147 (119) *n. c.*, Japon 144 (38) *13*, Israël 137 (124) *12*.

■ Langues. *Officielle* anglais. *Américains utilisant chez eux une langue étrangère :* 1 sur 7 (Californie 8,6 millions, Texas 4, État de New York 3,9, Floride 2) dont espagnol 17,3, français 1,7 (Louisiane, Maine, New Hampshire, Vermont), allemand 1,5, italien 1,3, chinois 1,2. *En 1990,* 24 millions parlaient l'esp. A Los Angeles et Miami, 75 % des hab. parlent autre langue que l'anglais.

RELIGIONS (1991)

■ Catholiques romains. 57 019 948 (60 en comptant les immigrés clandestins latino-américains), 37,77 %. *Fidèles de rite oriental :* 0,6. *Conversions* de prot. au catholicisme : env. 93 000 par an. *Sanctuaire national :* basilique de l'Immaculée-Conception (patronne des USA en 1846), av. Michigan à Washington (6 000 places). *Tendances actuelles :* renouveau charismatique, lancé 1967 par l'université N.-D. (influencé par pentecôtisme, d'origine protestante). *Statistiques (82) :* cardinaux 9, archev. 39, év. 309, abbés 92, prêtres 57 891 dont diocésains 35 163 et religieux 22 728, 115 386 religieuses (425 congrégations), paroisses 19 118, 33 archevêchés, 200 diocèses.

■ Églises de l'Est. 4 057 000. *Vieux catholiques* 1 394, Arméniens 544 600, *catholiques nationaux polonais* 282 400 (81), *orthodoxes* 4 286 239.

■ Protestants. 79 387 000 dont *baptistes* 24 325 735, baptistes all. 203 805, *Christian Church* (disciples du Christ) 1 052 271, *Christian Churches and Churches of Christ* 1 070 616, *Church of the Nazarene* 561 253, *Churches of Christ* 1 626 000, *épiscopaliens* 2 439 687, *mormons* 4 368 290, *luthériens* 8 350 842, *méthodistes* 12 513 899, *pentecôtistes* 3 712 157, *presbytériens* 3 312 085, *Églises réformées* 574 451, *Armée du Salut* 445 566, *adventistes* 727 530 *dont du 7e jour* 701 781, *United Church of Christ* 1 625 969, *Témoins de Jéhovah* 825 570, *méthodistes épiscopaliens* 718 922, *mennonites* 325 512.

■ Divers. 197 000. **Juifs** 5 944 000 (env. 100 000 J. noirs, les Hébreux éthiopiens). 4 % de la pop. 2 200 000 J. à New York. **Musulmans** env. 6 000 000. **Bahaïs** 110 000. **Bouddhistes** 119 441.

Nota. – 59,3 % de la population déclarent appartenir à une confession religieuse ; 45 % suivent un office.

IMMIGRATION

■ Généralités. **Immigration légale** libre jusqu'en 1882 (nombre global, en millions) *1783-1819 :* 0,25, *1820-30 :* 0,15, *1831-40 :* 0,60, *1841-50 :* 1,71, *1851-60 :* 2,60, *1861-70 :* 2,31, *1871-80 :* 2,81, *1881-90 :* 5,24, *1891-1900 :* 3,69, *1901-10 :* 8,80, *1911-20 :* 5,74, *1921-30 :* 4,11, *1931-40 :* 0,53, *1941-50 :* 1,04, *1951-60 :* 2,52, *1961-70 :* 3,32, *1971-80 :* 4,49, *1981-90 :* 7,33, *91 :* 1,82 (Asie 0,358, Europe 0,135, Amérique 1,286, Afrique 0,036, Océanie 0,024), non compris 0,478 illégaux en 89.

Nota. – De 1981 à 1990 : 1 500 000 à 2 000 000 Cubains, 340 000 Vietnamiens et 60 000 Cambodgiens réfugiés politiques. De *1970 à 1990,* 280 000 (soviétiques juifs en majorité). *1991-92* nombreux Haïtiens.

Réfugiés (1990) : 122 000 dont URSS 50 000, Viêt-nam 41 000, Cuba 4 800, Roumanie 4 000, Ethiopie 3 100, Iran 3 100.

Origine 1820-1990 (en milliers). **Total 56 994. Europe 36 977 :** Allemagne 707 [1], Autriche-Hongrie 4 338, Belgique 210, Danemark 370, Espagne 282, Finlande 37, *France 783,* G.-B. 5 100, Grèce 700, Irlande 4 715, Italie 5 357, Norvège 753, P.-B. 373, Pologne 588, Portugal 497, Suède 1 245, Suisse 358, Tchéch. 145, URSS 3 429, Youg. 133, autres 290. **Asie 5 697 :** Chine 874, Corée 611, Hong Kong 288, Inde 427, Iran 162, Israël 132, Japon 456, Jordanie 70, Liban 91, Philippines 955, Turquie 409, Vietnam 444, autres 779. **Amérique 12 017 :** Argentine 125, Brésil 93, Canada 4 271, Colombie 272, Cuba 739, Guatemala 104, Haïti 215, Honduras 79, Indes occid. 1 168, Mexique 3 208, Panama 90, Pérou 106, Rép. Dom. 468, Salvador 216, autres 740. **Afrique 301. Australie et N.-Zélande 144, autres, Océanie 54.**

Sources d'immigration (%) **1901-20 :** Eur. 85,2 (It. 21,7, Hongrie 17,4, URSS 17,3, G.-B. 6), Am. 10,4, Asie 3,9, reste du monde 0,5. **1921-40 :** Eur. 60,5 (It. 11,3, All. 11,3, G.-B. 7,8), Am. 36,1 (Can. 22,1, Mex. 10,4), Asie 2,8, reste 0,8. **1941-60 :** Eur. 54,8 (All. 19,8, G.-B. 9,2, It. 6,9), Am. 38,1 (Can. 15,5, Mex. 10,2, Caraïbes 4,9), Asie 5,1, reste 2. **1961-80 :** Am. 47,4 (Car. 15,5, Mex. 14, Can. 7,5), Eur. 24,6 (G.-B. 4,5, It. 4,4, All. 3,4), Asie 25,8 (Philippines 5,8, Corée 3,9, Inde 2,5), reste 2,3. **1981-89 :** Am. 44,2 (Mex. 16,8, Rép. dominicaine 3,6), Asie 41,5 (Phil. 8,2, Chine 5,3), Eur. 11 (G.-B. 2,4, All. 1,4, Pol. 1,1).

■ Grandes étapes. **Avant 1890** de l'Europe du N. et de l'O. [îles Britanniques, Scandinavie, Allemagne ; peu de Français (1885-87 : 7 820, soit 2 500 par an)]. **De 1783 (création des USA) à 1816** 5 000 à 6 000 par an (en majorité Anglais et Écossais, prolétariat urbain ; explosion démographique ; chômage et misère). **1816-40** même origine (*1820 :* 8 385 ; *1830 :* plus de 20 000 ; de *1830 à 40 :* 60 000 par an) ; **1840-46** 90 000 par an, dont 30 000 Allemands et Scandinaves (ruraux manquant de terres, taux de natalité 35 %) ; **1847-51** Irlandais (famine en Irl., maladie de la pomme de t.) 250 000 à 400 000 par an ; **1851-56** retombée des immigrations ; **1856-60** 300 000 par an, beaucoup d'Irl. ; **1860-80** régression (l'Irl. est presque dépeuplée, pop. tombée de 4,5 millions à moins d'1 million) ; le % de Germano-Scandinaves s'accroît ; **1880-90** 60 % de Germ. Scand. ; *1885 :* craintes de chômage aux USA, les immigrants ne peuvent signer un contrat d'embauche avant leur départ d'Europe (il n'y a que 40 % de ruraux).

1890-1915 Russes, Austro-Hongrois et Italiens ; Polonais, Juifs. *Causes :* baisse de la natalité en Scandinavie ; industrialisation de l'Allemagne créant des emplois dans le pays ; forte natalité de l'Europe du S.-E. (en 1893-94 ralentissement récession aux USA) ; 1895 reprise). **1916-21** arrêt dû à la guerre. **1917** entrée interdite aux adultes illettrés (loi non appliquée, les contrôles de lecture en langues étrangères étant impossibles). **1920** 400 000 entrées ; **1921** 800 000. Loi des quotas interdit d'accueillir plus de 357 803 personnes par an (dont 353 747 Européens : dont du N. et de l'O. 198 000 ; du S. et de l'E. 158 000). Un *quota* annuel est fixé pour chaque nationalité [référence : le recensement de 1910 ; on accepte 3 % (puis 2 % en 1924) du nombre des hab. d'alors d'origine étrangère (naturalisés ou non) pour chaque nationalité]. *Exceptions :* les Chinois exclus par la loi du 5-5-1892 ; les Jap. qui s'imposent volontairement le même régime (les Indiens seront exclus en 1946)]. **1929** quota total ramené à 150 000 ; des normes permettent de faire jouer les quotas ; pour toutes les nationalités, un minimum de 100 est toléré par an. Objectifs : 1°) réduire l'immigration (craintes de chômage) : 2°) favoriser l'immigration « nordique », de 20 % en 1910-14, elle remonte à 55 %, puis à 80 % des quotas. **1930** crise écon. l'immigration cesse. **1932-35** solde négatif (– 138 911 personnes). **1935** afflux de Juifs fuyant l'All. ; étant Allemands (quota élevé), ils entrent sans difficultés.

1945 l'acte du 22-12 met 38 056 réfugiés et 2 268 immigrants hors quota (réf. polonais occid., conjoints et enfants de citoyens am., cadres sup. recherche et enseig.). L'immigration baisse, les nations favorisées par les quotas étant en crise de dénatalité. **1948 à 50** 123 518 immigrants supplém. admis. **1953** loi sur les réfugiés autorisant l'entrée pour 1953-56 de 122 000 All., It., Grecs et hab. des pays de l'Est (entrées effectives : 102 154). **1955** sur 237 000 imm., 115 000 viennent d'Amér. (Mexique 44 000, Canada 32 000, Amér. centrale 26 000, Amér. du S. 8 000). Entre 1930 et 1955, les quotas auraient autorisé 4 800 000 entrées (contre 14 750 000 entre 1895 et 1915). En fait, il n'y eut que 1 563 000 immigrants en tout.

A partir de 1960 boom écon., afflux d'imm. **1965-***3-10* 2 quotas globaux remplacent les quotas nationaux, 120 000 entrées possibles par an pour les Amériques, 170 000 pour le reste du monde, max. 20 000 par pays [3 500 000 entrées légales entre 1965 et 74 ; + de 8 ou 9 millions d'illégales (surtout Mexicains et Portoricains)]. **1977 « Plan Carter » contre l'immigration clandestine.** Motifs : 1°) les clandestins font baisser les salaires ; 2°) coût excessif des charges soc., niveau de vie faible ; 3°) crainte de l'implantation aux USA d'une minorité hispanophone à haute natalité. *Principales dispositions :* amnistie et naturalisation rapide pour ceux arrivés avant 1970 ; statut de « citoyen étranger non expulsable » pour ceux arrivés

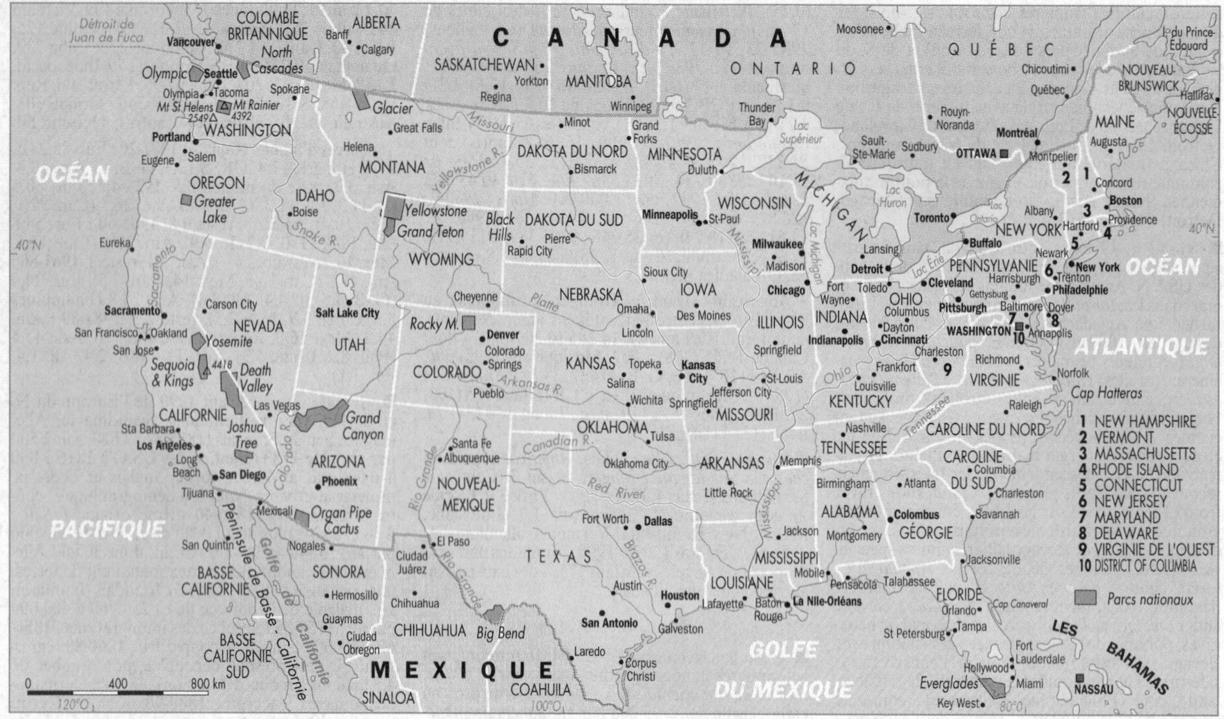

entre 1970 et 77 ; expulsion de ceux arrivés après 1977. **1978-91** quota de 290 000 sans distinction d'origine. **1986**-*6-11 loi Simpson-Rodino :* les illégaux pourront demander un statut légal s'ils sont aux USA sans interruption dep. le 1-1-1982 [sur 3 à 6 millions (dont 60 % de Mexicains et 600 000 Salvadoriens), 20 à 30 % le pourront]. **1988-89** 84 000 visas accordés **1989-90** 125 000 dont 50 000 réservés à des Soviétiques généralement juifs. **1990**-*16-5* 1 762 100 étrangers avaient demandé à bénéficier de la loi Simpson. *-29-11* loi signée [en vigueur 1992 : quota annuel *1992-94* 700 000 immigrés (avant 500 000), *après 1994* au min. 675 000 personnes]. Supprime la loi de 1952 refusant le visa en raison d'opinions politiques. Immigration facilitée pour Européens qualifiés, chercheurs, ingénieurs ou enseignants en particulier. Quota basé sur les capacités professionnelles : 140 000 par an. **1993** le Sénat (18-2) et la Chambre (11-3) votent un projet de loi interdisant l'immigration aux séropositifs. Loterie pour l'attribution de visas permanents (3 lot. de 40 000 en 1992-93).

Arrestations de clandestins : 1986 : 1 760 000, *89 :* 954 000, *91 :* 1 130 000.

■ **Migrations intérieures.** Les régions de peuplement ancien [Illinois, Pennsylvanie, New Jersey, Massachusetts et surtout New York (État – 4 % entre 1970 et 1980 ; centre ville – 11 %)] deviennent des centres d'émigration [vers Canada, Californie, Texas, Floride, « Nouvel Ouest » (du Colorado au Montana). **Variation en %.** *Augmentations les plus fortes, 1980-90 :* Nevada 49,1, Alaska 35,8, Floride 31,1, Californie 23,7, New-Hampshire 19,8, Texas 18,3. *Diminutions les plus fortes :* D.C. – 9,9, Virginie occid. – 8,6, Iowa – 5,1, Wyoming – 4,3, Dakota Nord – 2,9, Illinois – 0,9, Michigan – 0,9, Pennsylvanie – 0,8, Louisiane – 0,6, Ohio – 0,2.

■ **Perspectives.** Hispanisation du S. et du S.-O. ; stabilisation ou accroissement de la population active rurale ; rééquilibrage selon les régions économiques ; réanimation des centres urbains.

Noirs

■ **Origines. 1619** (avril) 1ers arrivants : env. 20 à Jamestown (Virginie) puis par centaines chaque année, puis par milliers (au XVIIIe s.). Prisonniers de tribus rivales, ils étaient vendus à des négriers installés le long des côtes d'Afr. Plus de la moitié mouraient en cours de traversée. **Nombre arrivé 1619-à 1700** 20 500. **1700 à 1808** env. 600 000. **1862**-*22-9* Lincoln émancipe les Noirs des États confédérés (ses adversaires) à partir du 1-1-1863. **1865** 13e amendement à la Constitution, affranchissement des esclaves des plantations du Sud (tabac, sucre, coton). **1868** (14e am.) égalité avec Blancs devant la loi.

■ **Quelques dates. 1955**-*25-12* la Commission du commerce inter-États condamne la ségrégation dans les trains et les autobus, le pasteur Martin Luther King commence son boycottage des autobus de *Montgomery* (Alabama), et la ségr. est abolie le 21-12-56. **1957**-*28-8* le Congrès adopte une loi sur les *droits civiques* protégeant le droit de vote des Noirs. *-3-9* Troubles de *Little-Rock* (Arkansas) à l'occasion de l'intégration dans les écoles. Intervention des troupes féd. pour faire céder le gouv. Orval Faubus. 7 élèves noirs seulement bénéficient cette année-là de l'intégration. **1958**-*12-9* la Cour suprême ordonne l'intégration immédiate dans les écoles de *Little-Rock*. Les autorités ferment les établissements scolaires plutôt que d'obtempérer. **1960**-*12-4* loi sur les droits civiques (droit de vote des Noirs et répression de certains crimes racistes). *Juillet* et *août* incidents raciaux en Caroline du S. et en Floride. **1961** *mai* début des incidents raciaux dans l'Alabama à l'occasion du 1er « Pèlerinage de la liberté » entrepris par des intégrationnistes à Albany. *Sept* incidents à l'université du Mississippi où le gouv. Barnett s'oppose à l'inscription du 1er étudiant noir, James Meredith ; intervention d'agents fédéraux : Meredith peut finalement s'inscrire. **1963** *mai* intervention des troupes féd. à Birmingham (Alabama) où éclatent de graves troubles raciaux à la suite d'une campagne antiségrégationniste du pasteur King. *-12-6* assassinat de Medgar Evers, responsable de la NAACP pour le Mississippi. *-28-8* marche des Noirs sur Washington (250 000 marcheurs). *-17-9* attentats racistes : 7 morts à Birmingham. *-28-9* King annonce une campagne de désobéissance civile. **1964**-*21-6* assassinat de 3 volontaires des droits civiques (2 blancs et 1 noir) dans le Mississippi. *-4-7* adoption du projet de loi sur les droits civiques. *-21-7* début des émeutes raciales de New York. **1965** *-21-2* assassinat de Malcolm X à New York. *Mars* marche de Selma à Montgomery : assassinat d'un pasteur blanc, James Reed, et d'une femme blanche volontaire des droits civiques. *-14-6* troubles à Chicago. *-11/18-8* émeutes à Watts, quartier noir de Los Angeles (35 †, 883 blessés, dégâts 182,5 millions de $). **1966** *juin* marche contre la peur de J. Meredith dans le Sud, il sera blessé d'un coup de feu. *Juillet* émeutes à Chicago, Cleveland, Dayton, Atlanta, San-Francisco (12 m.). **1967** émeutes à Boston, Tampa et Cincinnati (juin) après la mort d'un jeune Noir le 23-7 ; Buffalo, Newark (27 †, 1 300 blessés, Detroit (43 †, milliers de blessés, dégâts 162 millions de $) ; St Louis (sept.) ; Milwaukee (23 nov.), Chicago, Philadelphie, etc. **1968**-*10-2* incidents à l'université noire d'Orangeburg (Car. du S.). 3 étudiants tués par police. *-4-3* émeutes à Omaha à l'occasion de la visite de l'ex-gouverneur Wallace, 1 Noir tué. *-27-3* manif. à Memphis (Tennessee) 1 †. *4-4* Martin Luther King assassiné. **1969**-*4-4* échauffourées (Chicago, Memphis) : anniversaire de l'ass. de King. *22-7* émeutes (Colombus, York) : 3 †. **1970** + de 200 émeutes (dont 18 importantes) : 25 †. 1 000 attentats à la dynamite. **1980** *mai* Miami, émeutes (dégâts 104 millions de $). **1992** *29-4/3-5* Los Angeles, émeutes après l'acquittement de 4 policiers blancs accusés d'avoir violemment frappé un Noir en mars 91 [59 †, 2 300 blessés, dégâts 717 millions de $ (10 000 magasins et maisons incendiés et pillés)].

Répartition des Noirs (en millions, 1990) : *N.-E. :* 5,6 (dont N.-York 2,8, Pennsylvanie 1,1). Midwest 5,7 (Ill. 1,6, Michigan 1,3, Ohio 1,2). *Sud :* 15,8 (Texas 2, Floride 1,8, Géorgie 1,7, Caroline du N. 1,5, Louisiane 1,3, Maryland 1,2, Virginie 1,2, Caroline du S. 1). *Ouest :* 2,8 (Calif. 2,2, Washington 0,15). Total 30 (soit 12,1 %).

États ayant le + fort % de Noirs (en 1990) : District of Columbia 70,3 (80). Mississippi 35,6. Louisiane 30,8. Caroline du S. 29,8. Georgie 27. Texas 25,5. Alabama 23,5. **Villes ayant le plus fort % de la pop. noire** (en 1980) : East St Louis 95,6, East Orange 83,5, Compton 74,8, Gary 70,8, Washington 70,3, Detroit 63,1, Newark 58,2, Ingelwood 57,3, Birmingham 55,6, New Orleans 55,3, Baltimore 54,8, Richmond 51,3.

■ **Chômage** (déc. 85). 15 % (Blancs 5,9), touche 10,7 % de la pop. active (6 % des cols blancs, 13,7 % des cols bleus et 22,3 % des services).

■ **Politique.** En 1987, maires noirs dans 295 villes [dont 27 de + de 50 000 h. (dont Chicago, Los Angeles, Washington, Detroit, Philadelphie, Atlanta, Baltimore)]. **Sénat** (1992) 1 Noire. **Chambre** (1992) 38 Noirs. **Gouverneurs** (des 50 États) : pas de Noirs. **Fonctions électives :** 2 % détenues par des Noirs. 6 681 élus (dont 103 dans les Ass. lég. des États).

Les Noirs votaient massivement pour les républicains (pourtant plus conservateurs) par reconnaissance envers Lincoln. Dep. 1961 (Kennedy), ils votent en majorité pour les démocrates.

■ **Organisations noires. Association nationale pour le progrès des gens de couleur (NAACP).** Pt Roy Wilkins (30-8-1901). *Fondée* 1909. Classes moyennes. 500 000 adhérents : 15 à 20 % de Blancs. **Congrès pour l'égalité raciale (Core).** *Fondé* 1942. Activistes. Dir. : Roy Innis (n. 1934). **Comité de coordination des étudiants non violents (SNCC** dit Snick). Pt Rap Brown (n. 1944) dep. 1967 (avant, Stokley Carmichael, n. 1944). Lancèrent le slogan « black power » (pouvoir noir) et préconisèrent la guérilla urbaine. **Musulmans noirs (Black Muslims).** *Fondés* v. 1945 sous le nom de *Nation of Islam* par un pasteur baptiste noir, Elijah Pool (1897-1975), converti à l'islam sous le nom de Elijah Muhammad ; se font connaître en 1955 grâce à la personnalité d'un « prophète », Noble Drew Ali ; les membres rejettent leur nom de famille anglo-saxon, donné par les maîtres à leurs esclaves et adoptent un prénom musulman (le boxeur Cassius Clay devient Mohammed Ali), ou la lettre X. Proclament la violence et l'austérité (ni alcool, ni tabac), rejettent la participation à l'État am. et réclament un territ. indépendant. En 1963, Malcolm X (né 1925 Malcolm Little, voleur, prostitué se convertit en prison, devenu après le pèlerinage à La Mecque El Hadj Malik El Shabaz) prêche la guerre sainte, se rapproche de Fidel Castro et de Mao Tsé-toung. Rompant avec les Black Muslims, il crée l'Org. de l'Unité afro-amér. (OUAA) avec son journal *The Flaming Crescent,* et sa société financière *The Muslim Mosque inc. ;* il est abattu le 21-3-65 par un groupe punitif musulman *(Frust of Islam).* À la mort d'Elijah Muhammad (1975), son fils Wallance (n. 1934) devient Pt des Black Muslims et adopte une position plus modérée. **Panthères noires.** Organisation paramilitaire, groupant les militants d'extr. gauche du Black Power. *Fondée* 1966 à Oakland par des disciples de Malcolm X, Bobby Seale et Huey P. Newton. Réclament le contrôle de la communauté noire. Appuient la conquête des mairies par des victoires électorales, mais préfèrent la révol. interraciale. Responsable des milices 1968 : Eldridge Cleaver, Pt du *Peace and Freedom Party* (interracial). Démantelé par le FBI entre 1969 et 72 ; en 1982 parti pol. hétérogène (pacifistes, trotskystes, anarchistes, nationalistes noirs). **Black Power.** *Lancé* juin 1966 par Stockeley Carmichael (réfugié en Guinée 1968, revenu USA 1973 ; prônant le retour des Noirs am. en Afrique). Appellent les Noirs modérés du NAACP *les Toms,* à cause de *la Case de l'Oncle Tom,* et ont organisé l'assassinat de leur leader Martin Luther King (avril 1968). **Mouvement d'action révolutionnaire (Ram).** Pt Robert Williams. **Les Cinq pour cent.** La pop. noire se composant « de 5 % de traîtres, de 90 de moutons et de 5 % de combattants prêts à tout ». Affirmaient recruter leurs membres parmi ces derniers.

Hispaniques (latinos ou chicanos)

■ **Nombre** (en millions). *1965 :* 6 ; *70 :* 9 ; *80 :* 14,6 ; *85 :* 16,9 ; *89 :* 20 dont Mexicains (dit Chicanos) 12, Portoricains 2, Cubains 1 (+ clandestins 5), *est. 2020 :* 47. **Fertilité** 3,5 (1,8 en moy. aux USA). **Répartition** (1980) : Californie 4 543 770, Texas 2 985 643, New York 1 659 245, Floride 857 898, Illinois 635 525, New Jersey 491 867, N. Mexique 476 089, Arizona 440 915, Colorado 339 300. **Immigration clandestine :** 800 000 à 2 millions de Mex. et Hispaniques par an. Un mur de 13 km a été construit à Tijuana (Californie) et à El Paso (Texas), et des barbelés installés sur 44 km (mais la frontière est longue 2 709 km).

■ **Caractéristiques.** Catholiques, d'origine rurale. **Instruction :** analphabètes 40 % (au Texas) ; études sup. (4 a. ou + de « college ») 7,9 %. Les *Pachucos,* adolescents marginaux, ne savent pas l'anglais et sont incapables de revenir à la culture mexicaine.

■ **Politique.** 3 000 env. ont des emplois éligibles (2 100 d'origine mex.), 1 maire (or. cubaine) à Miami (dep. nov. 85).

Indiens

■ **Nombre.** *1492 :* 3 000 000 à 10 000 000. *1896-97 :* 254 300. *1900 :* 237 196. *20 :* 244 437. *40 :* 333 929. *50 :* 343 410. *60 :* 523 591. *70 :* 792 730. *80 :* 1 534 000. *90 :* 1 959 234 (avec Esquimaux et Aléoutes) dont Californie 242 164, Oklahoma 252 420, Arizona 203 527, N.-Mexique 134 355, Carol. du N. 80 155, Washington 81 483, Dakota du S. 50 575, Michigan 55 638, Texas 65 877, New York 62 651, Montana 47 679, Minnesota 49 909. **Vivant dans les réserves** *1987 :* 861 500 (dont Navajo 173 018, Cherokee 58 232, Creek 54 606).

■ **Caractéristiques.** *Espérance de vie :* 46 ans (moy. des USA 70). *Taux de suicide :* le double de la moy. nationale. *Mariages mixtes :* 33 %.

■ **Causes de leur disparition.** *Non-résistance aux microbes* venus d'Europe avec les immigrants, notamment variole, rougeole, choléra. On a parlé de déclenchements volontaires de l'épidémie (notamment distribution de couvertures contaminées par Lord Jeffrey Amherst, commandant en chef des troupes angl. en 1759). Une 2e épidémie de variole (1830-40) dans le bassin du Missouri a entraîné la disparition presque complète des Pieds-Noirs. Le choléra a détruit, entre 1849-51, les I. de l'Oregon. *Famine* [disparition des bisons (massacrés), non-distribution des vivres, promises par les traités, dans les réserves]. *Alcoolisme :* surtout dans les *réserves,* parmi une population coupée de son milieu naturel et confinée dans des superficies réduites. *Massacres :* seules sont connues les pertes militaires amér. (1866-91) : 932 †, 1 061 bl. On a évalué les pertes indiennes en multipliant ces chiffres par 3, 4, 10, ou 20.

■ **Ressources.** Faibles [sauf certaines tribus bénéficiant de gros revenus pétroliers (ex : les Shoshones, 320 $ par mois par habitant)]. **Chômage :** *max. :* Minnesota 58 %, Dakota 57, Washington 53 ; *min. :* Texas 12, Colorado, Kansas 17.

■ **Principales nations indiennes.** NORD-EST : Algonquins : E. du Mississippi (nus l'été, ils se peignaient le thorax en rouge, sans doute pour effrayer leurs ennemis). Comprennent *Abnakis* (Maine et N.-Écosse), tribus du sud de la Nouv.-Angleterre *(Penobscots, Narragansets, Pequots, Massachusetts, Wampanoags, Mohicans), Delawares* et *Cheyennes* des Middle States et de la Virginie, *Sauks* et *Foxes, Kickapoos* et *Pieds-Noirs* du Middle West d'où venaient les *Ottawas, Objibwas* et *Pottawatomis.* Champlain fut leur ami. **Iroquois :** État de N.Y. : Confédération de 5 nations *(Mohawks, Cayugas, Oneidas, Onondagas* et *Senecas)* puis ligue des 6 nations avec les *Tuscaroras.* Les *Cherokees* du Sud étaient aussi de souche iroquoise. V. 1400, les Iroquois exterminèrent Algonquins, Hurons et Ériés ; XVIIe-XVIIIe s., ils s'allièrent aux Holl. et Angl., ennemis des Fr. SUD-EST : Natchez (adorateurs du Soleil, à la mode en Fr. au XVIIIe s.) : *5 tribus civilisées ;* devenus chrétiens, agriculteurs, se groupent en 1859 en une sorte de confédération. Actuellement : 75 000 *Cherokees,* 50 000 *Choctaws,* 20 000 *Creeks,* 9 000 *Chickasaws,* 3 000 *Séminoles.* SUD-OUEST : **Navajos :** Arizona, N.-Mexique et Utah. 25 000 en 1868, 134 958 en 1977 ; réserve la + grande des USA (62 000 km²), riche en uranium, pétrole, gaz nat. **Apaches** (env. 10 000) : Réserves d'Arizona et N.-Mexique, S.-O. de l'Oklahoma. Guerriers (Cochise), aujourd'hui éleveurs de bétail. **Hopis, Pueblos :** N-Mexique, Arizona 37 220 en 1977, groupes I. sédentaires, agriculteurs, descendants des Anasazi.

Plaine : Sioux (du mot algonquin, *nadowessioux* « serpent ») ; divisés en 3 grands groupes linguistiques : Dakota, Nakota, Lakota ; env. 25 000 ; du Mississippi aux montagnes Rocheuses d'E. en O., du Saskatchewan (Canada) au Texas central du N. au S. Chassés vers les Plaines et les Blacks Hills par les Ojibwas et les Chippewas. Vivaient surtout de chasse aux bisons. Les *Dakotas* étaient spécialistes des agressions surprises. Buffalo Bill [surnom du colonel William Cody (1846-1917)] les popularisa. OUEST : climat aride, tribus misérables dans le Grand Bassin ; Plateau : *Nez-Percés, Têtes-Plates,* etc. ; Californie : 350 000 à l'époque de la conquête (vanniers). NORD-OUEST : tribus *Tlingits, Haidas, Tsimshians, Nootkas* et *Chinooks* (culture riche, trappeurs dans la rég. subarctique, Canada, Alaska à Terre-Neuve) ; *Athabascans* ou *Algonquins,* dont : *Chipewyans, Porteurs* (les veuves portaient sur leur dos les ossements calcinés de leur mari), *Couteaux-Jaunes, Castors, Esclaves, Lièvres, Crees* et *Montagnais.*

Arctique : *Esquimaux* et *Aléoutes* (pêcheurs).

■ **Chefs indiens. Pontiac** (assassiné par un Indien 1769), ottawa. **Setangya** (1810-71), kiowa. **Dull Knife** « Couteau émoussé » (1810-83), cheyenne. **Cochise** (1812-74), Chiricahua, partisan de la paix avec les Blancs ; accusé à tort en oct. 1860 d'avoir kidnappé un Amér. de 12 ans, Felix Tellez, ce qui déclencha la « guerre des Apaches » ; en fait Tellez avait été pris par des Apaches occ. **Little Wolf** « Petit Loup » (1820-1904), Cheyenne du N. **Red Cloud** « Nuage rouge » (1822-1909), Sioux Oglala. **Geronimo** (1829-1909). **Sitting Bull** « Taureau assis » (n. 1831- se rend le 19-7-1881 ; assassiné 15-12-90), Sioux Hunkpapa. **American Horse** « Cheval américain » (1840-1908), Sioux Oglala. **Crazy Horse** « Cheval emballé » (1841-77), Sioux Hunkpatila. **Wovoka** « Donneur de vie » (1858-1932), prophète.

■ **Quelques dates. 40000 à 30000 av. J.-C.** des envahisseurs mongoloïdes venus d'Asie par le détroit de Béring gelé seraient les ancêtres directs ou les prédécesseurs des Indiens (venus + tard par le même chemin). Amérindiens et mongoloïdes ont des traits communs : cheveux noirs épais et raides ; pilosité faible ; peau du jaunâtre au brun foncé ; yeux foncés et pli épicanthique fréquent aux paupières. Différences : stature, proportions du corps, faciès, forme du nez, forme du crâne. **1637** g. des *Péquots* contre les colons du Connecticut. **1675-76** soulèvement des *Wampanoags* et des *Narragansets* contre les colons de N.-Angleterre (guerre de King Philip). **1711-12** g. des *Tuscaroras* en Caroline du N. **1714-15** g. des *Yamassees ;* en Caroline du S., rébellion de *Pontiac,* territoire du N.-E. **1763** siège de Detroit. *King Philip* manque de rejeter les Angl. à la mer, est tué par un *Pocasset* passé à l'ennemi, sa tête sera exposée à Plymouth 20 ans. *Pontiac* tué par un Ind. **1777-81** *Joseph Brant,* chef Mohawk de la Ligue iroquoise des *Six Nations,* soutient les Angl. pendant la g. d'Indépendance jusqu'à Johnstown (Gal *Sullivan* bat Angl. et Ind.). Pour empêcher les tribus d'aider les Angl., le Congrès continental ordonne aux colons de cesser tout empiètement sur les terres ind. **1784** *1er traité* entre USA et Ind. à *Fort Stanwix* (État de New York) (expiré nov. 1984). Iroquois abandonnent pour 200 a. leurs revendications sur ouest de l'État de New York, Pennsylvanie et Ohio. **1790** *Gal Josiah Harmar,* venu en Ohio avec 1 500 miliciens pour châtier les Miamis, est battu. **1791** *Gal Arthur St-Clair,* gouv. des terr. du N.-O., tombe dans une embuscade tendue par Miamis. **1792**-*5-3* est destitué. **1794**-*20-8 Fallen Timbers :* Wayne bat 12 tribus ind. **1795**-*3-8 tr. de Greenville :* Ind. cèdent env. 2/3 de l'Ohio et une partie de l'Indiana, mais *Tecumseh* (1768-1813) refuse de signer et, avec son frère *Tenkawatawa,* prophète des Shwanees, organise une puissante confédération ind.

1811 W.H. Harrison détruit le gros de ces forces à *Tippecanoe.* **1812** Tecumseh se joint aux Angl. mais est tué à la bataille de la *Tamise* (1813). **1814** les *Creeks,* partisans de Tecumseh, anéantis à *Tallapoosa* dans le Sud ; les survivants cèdent près des 2/3 de leur territoire. **1824** fondation du *Bureau des réserves indiennes.* **1830**-*28-5 loi sur le déplacement des Ind.* (Removal Act), le Pt peut échanger les terres de l'O. du Mississippi contre le territoire encore détenu par les tribus dans le S.-E. **1838** Piste des larmes, 1 500 † (1 par km). **1841** Ind. stabilisés dans les États de l'E. des Rocheuses. **1848** *tr. de Guadalupe :* USA acquièrent des terr. mexicains (du Texas à la Californie) où les Ind. sont libres, mais la découverte de l'or *(1848),* et la construction du chemin de fer transcontinental Union (derniers rails boulonnés par un clou d'or le 10-5-1869) irritent les Ind. des Grandes Plaines et des Rocheuses (env. 225 000) ; ils s'opposent à l'installation des Bl. (notamment en 1861, lors de l'invasion du Colorado par des milliers de prospecteurs et mineurs). **1862** les *Sioux Santees* (Dakotas) (guerre de Little Crow) dévastent frontière du Minnesota, massacrent ou capturent env. 1 000 Bl., répression : 38 chefs sioux pendus à Mankato. **1866** après 20 années de g. sporadique, les Apaches avec *Geronimo* se rendent. **1867** Congrès établit une commission de paix. **1868** *tr. de Fort-Laramie* finit la g. des plaines, garantit les Black Hills aux Sioux. **1871** loi stipulant qu'« aucune tribu ou nation ind. ne sera reconnue en tant que tribu ou puissance indépendante avec laquelle les USA puissent contracter des traités » (auparavant plus de 400 tr. conclus avec nations ind.). **1875** or exploité dans les Black Hills du Dakota du Sud, lieux sacrés des Sioux que le gouv. avait promis de respecter. **1876**-*1-2* les Sioux refusent avec *Sitting Bull* et *Crazy Horse* de regagner leur réserve ; *25-6 (Little Big Horn)* Gal *George Custer* (1839-76), cerné par 2 500 Ind. de Crazy, meurt avec 165 h. **1877** *janv.* colonel *Nelson Miles* surprend Crazy dans son camp d'hiver et disperse ses hommes ; *mai* Crazy se rend avec 1 000 membres de sa tribu. **1890**-*15-12* Sitting Bull assassiné. *29-12 Wounded Knee,* 120 hommes, dont Big Foot et 230 femmes et enfants sioux, oglala, lakota et minneconju tués (dernier massacre des g. ind. sauf l'expédition contre les *Ojibwas* du Minnesota). **1891**-*15-1* reddition indienne définitive. **De 1866 à 1891** au cours d'un millier d'engagements, 2 571 Blancs militaires et civils et 5 519 Indiens auraient été tués ou blessés. **1914-18,** 8 000 Ind. servent dans l'Armée et la Marine (dont 6 000 volontaires). **1924** en reconnaissance, le Congrès accorde la citoyenneté amér. aux Ind. qui ne l'avaient pas encore. Néanmoins, plusieurs États leur refusent le droit de vote (N.-Mexique et Arizona jusqu'en 1948). **1973** les Crows viennent aux Invalides saluer le tombeau de Foch.

☞ **Bisons.** Indispensables aux Indiens [nourriture (pemmican), vêtements, outils, habitat, médicaments]. *Disparition v. 1800 :* 10/50 000 000 (causes : épizootie, sécheresse, extermination). Buffalo Bill en tue 4 280. *1878 :* a disparu au Texas, *1880 :* au Kansas, *1884 :* au Montana.

■ **Réserves.** Le gouv. ne put (ou ne voulut) faire respecter les clauses des traités, ni protéger les Ind. des réserves contre les empiètements des Bl. (annexions sans aucun droit, par les Stés de chemins de fer et d'autres spéculateurs). On envisagea donc de faire des Ind. des propriétaires fonciers, pour les attacher à la propriété privée et les amener à adopter progressivement le mode de vie américain. **1887** *loi Dawes :* morcellement des réserves ; chaque famille doit obtenir 160 acres, plus 80 par enfant mineur ; les surfaces concédées restant en tutelle 25 ans, les allocataires reçoivent ensuite un titre de propriété [les Ind. possédaient alors 155 millions d'acres (+ 5 millions concédés plus tard aux Navajos, à titre de réparation des spoliations passées)]. La *loi Dawes* ne s'appliqua pas aux 5 tribus civilisées de l'Oklahoma. Les autres tribus continuèrent à vivre à l'écart, dans leurs réserves, principalement en Oklahoma (État en 1907), N.-Mexique, Arizona et Utah. En fait, tous les Ind. voulaient qu'on les laissât libres, sur leurs réserves, de mener leur mode d'existence. Non assujettis à l'impôt, ils étaient « privilégiés » bien que pauvres. **1934** *loi de réorganisation des Affaires ind.* renforce les autorités placées à la tête des tribus, abolit le plan de morcellement de 1887 et interdit toute cession de terres sans approbation de l'autorité de tutelle (les Ind. ne possèdent plus que 47 millions d'acres). **1953** loi autorisant les États à assumer la juridiction en matière civile et criminelle dans les réserves sans l'approbation des tribus, résolution affirmant l'intention du Congrès d'en finir le plus tôt possible avec la tutelle de l'adm. féd. sur les tribus. **Années 1950** programme de réinstallation du Bureau des Aff. ind. (BIA). Beaucoup d'Ind. se reconvertissent, d'autres rentrent dans leurs réserves. **Dep. 1968,** le BIA doit tenir compte de l'AIM (*American Indian Movement),* créé à Minneapolis (Minnesota), par Dennis Banks, Russel Means et Clyde Bellecourt qui réclame un Red Power, rejette la société blanche, et veut reconstituer les nations. **1969** occupation du pénitencier désaffecté d'Alcatraz par 20 tribus (assurant qu'on vivait mieux en prison que dans les réserves). **1972** occupation pendant 7 j du BIA à Washington. **1973-74** manif. armée de 71 j à *Wounded Knee* (Dakota), lieu d'un massacre ; 2 † ind. dans les engagements militaires dirigés contre le chef tribal élu Dick Wilson (l'année suivante, assassinats de militants de l'AIM sur la réserve de Pwe Ridge). **1978** *févr.-juill.* marche de 5 500 km (d'Alcatraz à Washington) contre propositions de loi visant à abroger des tr. et droits divers (pêche, chasse) et à supprimer tout gouv. traditionnel. *Juillet* création du Warn (Women of All Red Nations) à Rapid City (Dakota S.). **1979**-*1-8* siège par la police de Racquette Point, village de la réserve d'Akwesasne où des Mohawks se sont retranchés : 2 Ind. †.

Statut. Actuellement le BIA s'occupe d'env. 307 *réserves,* colonies, ranches et communautés + 147 groupes de natifs de l'Alaska, occupant + de 20,4 millions d'ha. Les réserves ont une autonomie relative ; elles abriteraient 60 % des ressources énergétiques du pays. L'admission d'un Bl. est en principe subordonnée à l'obtention d'autorisation, bien que la circulation sur les routes soit garantie par le secr. d'État à l'Intérieur. Les lois amér. ne s'y appliquent pas (sauf les textes spécialement destinés à les régir et une partie de la législation pénale). Dep. 1885, les tribunaux féd. sont compétents pour certains crimes commis entre Ind. sur leurs propres terres. Si aucune autorité tribale n'est compétente, les Ind. vivent, en principe, sans lois.

■ **Art indien.** Les expéditions espagnoles n'ayant touché que le S.-O., la période « préeuropéenne » se poursuit parfois jusqu'à la fin du XVIIIe. **Sud-Ouest** (Nouv.-Mexique, Arizona). Population (ancêtres des Indiens Pueblos) sédentaire entre 100 et 400 apr. J.-C., civil. stabilisée en 1000 apr. J.-C. (site de Mesa Verde) : maisons cubiques autour de chambres cérémonielles en puits Kiva décorées de fresques. Vestiges dans les parcs. *Vers 900 apr. J.-C.,* les *peuples de tradition Hohokam,* descendus dans le nord du Mexique, subissent l'influence mex. (site de Casas Grandes, État de Chihuahua) : céramique, objets de turquoise, coquillages, travail du bronze et du cuivre. Cette culture s'éteint v. 1400 apr. J.-C. *Civilisation des Hopis et des Zûnis :* sédentaire et théocratique. Céramique géométrique, souvent bichrome. Pétroglyphes. Tissages, vannerie parfois recouverte de cire (pour la rendre imperméable). Katchina : poupées en bois sculptées et peintes, symbolisant un dieu des Indiens Pueblos ; données aux enfants au cours de cérémonies publiques chez les Hopis. Poteaux sculptés représentant le dieu de la guerre. **Est du Mississippi.** *Civilisation des moundbuilders 1000 av. J.-C. à 1500 apr. :* constructeurs de tumulus funéraires, surmontés, à partir de 800 apr. J.-C. env., de petits temples. Formes stylisées de pierre polie (*banner stones,* usage non élucidé). Céramique et pierre polie (statuettes, pipes, plats) : coquilles gravées et cuivre martelé (influence mex.). *À partir de 1500, Iroquois au N.* Bijoux d'argent très élaborés. Décoration par application de piquants de porc-épic (remplacés par les perles à l'arrivée des Européens). « Wampum » : ceintures en perles de coquillages à vocation mnémonique ou commémorative (tr. de paix, etc.). Masques rituels de bois (grimaçants) ou de cosse (paille) de maïs. **Plaines.** Culture développée principalement après l'arrivée des Eur. (civilisation du cheval, introduit par les Eur.), mais sans contact direct avec eux. Pas de céramique. Peinture sur peaux (représentations biographiques ou motifs géométriques symboliques). Vêtements avec piquants ou perles. **Côte N.-O. du Pacifique.** Développement artistique extraordinaire (totems, façades peintes de rouge et noir...) lié à l'apport des outils européens.

■ Histoire

■ **Période précolombienne. Avant J.-C. (dep. 40000),** voir p. 989 b. **V. 2640** les astronomes chinois Hsi et Ho auraient, par le détroit de Béring, descendu la côte américaine, se seraient arrêtés chez les « Yao » (ancêtres des Pueblos vivant près du Grand Canyon) et auraient ensuite gagné Mexique et Guatemala, avant de revenir en Chine. **800 et 400** missionnaires hindous en Amér. du S. et centrale ; Votan (commerçant) aurait vécu chez les Mayas où il aurait été un historien et un chef local ; Wixepecocha (prêtre) aurait vécu chez les Zapotèques du Mexique ; Sume aurait atteint le Brésil et enseigné l'agriculture aux Cabocles ; Bochia aurait établi les lois des Muycas. **Après J.-C. VIe-XIVe s. Expéditions « Vikings » (Norrois)** (voir Canada, p. 944). On a admis longtemps que les Norrois établis dans le N.E. du Canada dep. 550 ont fait des voyages vers le S., le long des côtes E. des USA actuels. *Ex. :* **986** Bjarni Herjulfson : cap Cod. **1000** Eriksson : Maine. **1010** Thorfinn Karselfni : Long Island et même baie du Cheasapeake. **1190** Madog ab Owain Gwined (gallois) : Alabama. **1356** Paul Knutson (norv.) : Newport, pas de traces archéologiques (les objets laissés au Minnesota ne sont pas authentiques).

■ **Espagnols. 1513** Ponce de León débarque en Floride. **1528-59** Fl. explorée mais abandonnée. **1567** conquête de la Fl. sur Huguenots (voir ci-dessous). **1580** fondation des 2 Fl. : occidentale (Alabama) et orientale. **1540-1600** extension du Mexique vers le N. ; colonisation de la Californie.

■ **Français. Av. 1530** Verrazzano (Florentin au service de François Ier) reconnaît les côtes de Caroline et Floride du N. **1559-64** échec d'une fondation, par des calvinistes fr., d'une Nouvelle-France protestante au N. de la Floride [*1559-63* Jean de Ribault (V. 1520-65), avec 2 navires et 500 h., fonde Charlesfort, au N. de St Augustine ; *1562-11-6* il retourne chercher du renfort à Dieppe ; *1563* faute de vivres, les colons doivent évacuer]. **1564**-*22-6* Cap Français (N. de St-Augustin) : 3 vaisseaux fr. débarquent (chef : René de Laudonnière († v. 1586). Fondation du fort de La Caroline. **1565** *août* faute de vivres, ils doivent également partir. Ribault revient avec 9 vaisseaux et 1 000 h. **1565**-*28-8* l'amiral espagnol Pedro Menendez de Abila débarque à La Caroline et massacre les hérétiques dont Ribault (Laudonnière est un des rares survivants). **1568**-*6-6* représailles, le Dieppois Dominique de Gourgues détruit les forts esp. de la région de St-Augustine. **1582-86** l'Anglais Richard Hakluyt publie à Londres les récits de Ribault et de Laudonnière, dédiés à Sir Philip Sydney, ce qui aboutit aux fondations angl. de Virginie (1607). **XVIIe s.** exploration du haut Mississippi par Canadiens fr. **1670-90** Père Marquette, Jolliet, Cavelier de La Salle. **1702** Mobile [capitale de la Louisiane puis de la Floride occ. (esp.)] fondée. **1718** Nouvelle-Orléans fondée.

■ **Hollandais et Suédois. 1614** création de la Cie de Nouvelle-Néerlande [île de Manhattan (achetée définitivement 60 guldens par Peter Minuit en 1626)]. **1619** 1ers esclaves importés (par navire holl.). **1623** fondation de Fort-Orange (Albany, NY). **1624** de Fort-Nassau (Delaware). **1626** Niew Amsterdam (New York) capitale de la colonie (non reconnue par Anglais). **1638** colonie suédoise du Delaware fondée (alliée avec Hollande 1638-55 ; absorbée 1655). **1664** les Holl. (7 000, gouverneur : Peter Stuyvesant) se laissent annexer par Anglais (100 000).

■ **Colonisation angl. 1584** des colons, avec Sir Walter Raleigh, s'établissent en Virginie (nommés ainsi en l'honneur d'Élisabeth la « reine vierge », la « femme sans homme »). **1607-08** 120 personnes s'établissent à l'embouchure de la rivière du Kennebec (dans le Maine) avec George Popham, et repartent. **1607**-*10-4* Jacques Ier, qui revendique pour la couronne d'Angl. toutes les terres amér. entre 34° (Caroline du Nord) et 45° (Maine), crée 2 Cies : Londres (monopole entre 34° et 38°), Plymouth (entre 41° et 45°) ; les territoires entre 38° (Delaware) et 41° (Connecticut) sont communs aux 2 Cies (établissements séparés par 100 miles) ; *-13-5* création de Jamestown (Virginie) par la Cie de Londres (anglicans). **1614** cap. Smith nomme « Nouvelle-Angl. » les territoires entre 41° et 45°. **1620** Massachusetts [100, 101 ou 102 passagers « Pères pèlerins » (Pilgrim Fathers, puritains) du *Mayflower,* partis le 6-9 de Plymouth (G.-B.) et arrivés le 21-11 dans le calendrier actuel, fondent le 21-12 Plymouth (USA), 41 signent la Déclaration des principes (Mayflower Compact) ; leurs descendants en ligne directe forment une association]. **1632** Maryland (catholiques ; Lord Baltimore). **1636** université d'Harvard fondée (16 élèves, 1 maître). **1682** Pennsylvanie [puritains avec William Penn (1644-1718) ; querelles de frontières avec les cath. du Maryland]. **V. 1690** 2 Carolines. **1692** *juin-sept.* procès des sorcières de Salem (village, aujourd'hui Danvers, à env. 12 km de Salem Town) : témoigne de la rivalité entre les 2 communautés, le village voulant rompre avec la ville en raison d'une fiscalité trop élevée. **1732** Georgie créée, marche militaire contre Floride esp. **1754** *congrès d'Albany :* rejet d'un projet de fédération. **1764** l'Angl. taxe sucres et mélasses. **1765** *mars* conflit du timbre (imposé par l'Angl., supprimé févr. 1766). **1770** *conflit du thé* (cause : taxes), *-5-3* massacres de colons par Angl. à Boston. **1773**-*16-12* « *partie de thé* » de Boston : une cargaison est jetée à la mer. **1774**-*5-9 congrès de Philadelphie,* déclaration des Droits.

■ **1775-83 guerre d'Indépendance. 1775**-*19-4 Lexington,* les Angl. tirent sur des miliciens ; *-15-6* Washington commandant en chef ; *-17-6 Bunker Hill* (en réalité Breed's Hill, près de Charlestown, dans la banlieue de Boston, occupée par les Angl. ; chef angl. Thomas Gage ; amér. : William Prescott, Israel Putnam) ; morts : 400 Am. (sur 1 500), 1 000 Angl. (sur 2 200) ; les *Insurgents* s'enfuient, mais les pertes angl. sont lourdes et l'effet moral est considérable. *-23-8* George III proclame l'état de rébellion. **1776**-*4-7* date choisie officiellement comme celle de la *déclaration de l'Indépendance* [j où signèrent une partie des délégués des 13 colonies ; ceux de New York signèrent le 9-7 ; le dernier signataire (Thomas Mc Kean) signa en 1781] ; elle est précédée du préambule de Jefferson sur les droits de l'homme. *-27/30-8 Long Island* (défaite amér.). **1777**-*27-7* La Fayette (6-9-1757/20-5-1834) Marie Joseph Gilbert, Mis de, arrive (à 20 ans) avec 5 000 volontaires. *-6-8* s'affrontent. 2 tribus iroquoises rangées aux côtés des Insurgés, 4 autres restent fidèles au roi d'Angl. *-26-9* Howe prend Philadelphie. *-17-10 Saratoga :* John Burgoyne (Angl., 1722-92), encerclé par Gates, capitule. Fr. (1778) et Esp. (1779) soutiennent l'Amér. [aide finan-

Les USA pouvaient-ils devenir français ?

■ **1er échec.** Colonisation de la Floride du N. par les Huguenots, sous Charles IX (voir ci-dessus). Si Ribault avait remporté (avec 7 navires) une victoire sur Menendez (5 nav.), il aurait assuré la survie de la colonie fr. (mais par une fausse manœuvre, il perdit 4 nav., naufragés avant la bataille). Alliée aux Anglophones, la colonie fr. aurait pu au XVIIIe s. constituer un 14e État « insurgent », indépendant culturellement (?).

■ **2e échec de 1586 à 1607.** Les Angl. jettent leur dévolu sur la « Floride » (Virginie actuelle) que Ribault et Laudonnière avaient prise sous Charles IX. Henri III puis Henri IV avaient des droits sur ces régions, mais ne les revendiquent pas ; pourtant, l'envoi massif des Huguenots dans les actuelles Georgie-Caroline-Virginie aurait mis fin aux guerres de religion et permis une francisation complète de l'Am. du N. Les Fr. compensent cet échec en colonisant Terre-Neuve et Laurentides, abandonnées par les Angl. en 1583 (après naufrage de Humphrey Gilbert).

Nota. – En Nouvelle-France, les colons ne devaient être ni protestants, ni étrangers. Si, comme le faisaient les Anglais, on avait admis librement tous ceux qui se sentaient persécutés en Fr. (notamment les huguenots), on aurait pu avoir une colonisation massive sur la côte E. Cependant, certains estiment qu'elle n'aurait sans doute pas abouti à une fusion entre les francophones protestants du S.-E. et les Canadiens cath. La religion l'emportait alors sur la nationalité, et les prot. fr. se sentaient plus proches des Anglais protestants que des rois de France cath. [ainsi, sur le *Mayflower* (voir ci-dessus), il y avait au moins 5 « pèlerins » d'origine fr. : Cartier, Soulier, Bompas, Moulin, Delanoë ; leurs familles se sont anglicisées dès la 1re génération : Carter, Soule, Bumpus, Mullins, Delano (ancêtre de Franklin Delano Roosevelt)].

■ **3e échec 1686-87.** Destruction par les Esp. de la colonie fondée par Cavelier de La Salle à l'embouchure du Colorado (Texas). La coalition antifr. de la ligue d'Augsbourg s'était formée en 1686, et l'Esp. (en g. depuis 1683) revendiquait toute la côte du golfe du Mexique jusqu'à la Floride. Les Fr. du Canada, qui avaient descendu le Mississippi jusqu'à son embouchure depuis 1681, étaient trop peu nombreux et trop éloignés pour peupler la plaine centrale depuis la côte jusqu'aux Grands Lacs. Seule une colonisation maritime, ayant sa base à St-Domingue (occupée depuis 1659), pouvait franciser le pays. Les Esp., momentanément alliés aux puissances protestantes, ont agi en 1686-87 au profit d'une future Amérique du N. anglophone et protestante. Ils changeront d'attitude après l'avènement du 1er roi Bourbon, Philippe V (1700), trop tard pour que la colonisation angl. puisse être inquiétée.

■ **4e échec 1689-90.** Frontenac échoue dans la conquête de la Nouv.-Angl. et du port de New York. Un de ses lieutenants, Hertel, s'empare de Casco (aujourd'hui Portland, Maine) ; mais les 2 autres colonnes can. échouent devant Albany (New York) et Salmon Falls (New Hampshire). Or la conquête de New York était indispensable à la sécurité des 12 000 Can. fr. (affrontés à 200 000 Anglo-Amér.). 1689 était « l'année de la chance » pour les Fr., car, à la suite du changement dynastique de 1688, les « colonistes » anglais étaient divisés et les partisans de Jacques II Stuart étaient prêts à se rallier à Louis XIV. L'échec de Frontenac met fin aux espoirs de suprématie française. Néanmoins, la paix de Ryswick (1697) confirme aux Fr. leurs possessions depuis l'Acadie au golfe du Mexique ; rien n'était encore perdu.

■ **5e échec 1713-14.** Pertes territoriales du tr. d'Utrecht. À la suite de la g. de Succession d'Esp., la Fr. abandonne : baie d'Hudson, Terre-Neuve, Acadie (avec la base navale de Port-Royal, actuellement Annapolis, en Nouv.-Écosse). Mais le Board of Trade londonien, qui convoite les territoires fr., fait condamner pour trahison Lord Bolingbroke, qui n'avait pas exigé davantage.

■ **6e échec 1714-63.** Stagnation démographique. Il y a, en 1713, 18 694 hab. fr. au Canada-Louisiane contre 250 000 Angl. en Am. du N. En dépit d'une forte natalité et de quelques mesures d'émigration forcée (relégations, rafles de filles publiques), la population fr. stagne : *1734 :* 37 716 hab. ; *1760 :* 65 000 (Anglo-Amér. : 1 320 000 Blancs + 300 000 esclaves noirs anglophones). La colonisation « militaire » (soldats prenant leur retraite en Amér.) n'a permis l'installation que de 30 soldats par an entre 1713 et 1756 (1 300 h. en 43 ans).

■ **7e échec 1746.** Désastre du duc d'Anville. Au cours de la g. de Succession d'Autriche (1740-48). Beauharnais, gouv. fr. du Can., se fait fort de reconquérir l'Acadie (ce qui rendrait la colonie fr. militairement viable) si on lui envoie 2 000 h. Louis XV lui envoie 5 000 marins et 3 150 soldats, sur 12 vaisseaux de ligne, commandés par le duc d'Anville. Mais celui-ci met 100 j pour traverser l'Atlantique, laisse sa flotte sombrer dans la tempête et ses hommes mourir du scorbut. Il se suicide. Son successeur, La Jonquière, qui ramène en Fr. les débris de l'« Armada française », est écrasé au cap Finisterre le 3-3-1747 [Poème de Henry Longfellow (1802-82) : *Ballad of the French Fleet*].

■ **8e échec 1754-63.** *G. de Sept Ans et tr. de Paris.* Colons fr. et angl. d'Amérique avaient engagé les hostilités 2 ans avant leurs métropoles (batailles de l'Ohio). Les Fr. avaient résisté, mais les désastres de la g. de Sept Ans aboutirent à la cession à l'Angl. du Can. fr. et de la rive g. du Mississippi (1763). Néanmoins, la Louisiane occid. était cédée à l'Esp. (alliée à la Fr.), dont les gouverneurs, de culture fr., se sont comportés presque en fonctionnaires fr. (en 1785, 31 433 francophones en Louisiane, contre 0 hispanophone).

■ **9e échec 1775-83.** La *g. d'Indépendance amér.* pouvait être, pour La Fayette (volontaire sans mandat officiel), l'occasion de reconquérir le Can. et de reconstituer l'Amér. fr. du N. De nombreux Can. fr., sujets anglais depuis 12 ans, servaient avec les « Insurgents ». Le 22-1-1778, le Congrès amér. décide la conquête du Can. et nomme La Fayette Gal en chef de l'armée d'invasion (prévue avec 2 500 h., dont 2 régiments de Can. fr. concentrés à Albany). La Fayette, ne trouvant que 1 200 h. démunis, renonce à son projet le 25-3. La Fr., entrée en g. officiellement le 15-3, envoie en Amér. l'escadre de l'amiral d'Estaing, qui quitte Toulon le 13-4 et arrive au Delaware le 7-7. D'Estaing laisse échapper 2 fois l'escadre anglaise (Delaware, *juill. ;* Rhode Island, *11-8*), perdant toute possibilité d'une victoire essentiellement fr., avec récupération des territoires perdus en 1763. Les victoires franco-amér. de 1781 ont été stériles pour la Fr. : 1°) Washington (anti-fr. et anti-cath.) avait promis faussement que le Can. serait le 14e État de l'Union ; il a saboté volontairement le raid de La Fayette ; 2°) la reconquête du Can. par l'escadre de d'Estaing a été « sabotée » à Versailles par les prérévolutionnaires (pour protéger les protestants fr. : ceux-ci avaient obtenu au tr. de Paris de 1763 la liberté de culte en Fr. contre la liberté du culte catholique au Can. devenu anglais ; ils craignaient d'être de nouveau persécutés si le Can. échappait à l'Angl.). Lors des négociations anglo-amér. de 1782-83, Thomas Paine voulait obliger l'Angl. à céder Terre-Neuve à la Fr. (échec dû à l'hostilité de Gouverneur Morris, devenu 15-3-1792 min. des USA à Paris).

■ **10e échec 1785-88.** Expédition manquée de La Pérouse. Critiqué pour sa défaite diplomatique de 1783 (perte du Canada confirmée malgré victoire militaire), Louis XVI décide de reprendre pied en Amér. du N. par la Colombie brit. et l'Alaska actuels (espoir de trouver un passage nordique entre Atl. et Pacifique). Il monte une coûteuse expédition. 2 navires : *La Boussole* et *L'Astrolabe,* 500 h., dont des savants, commandés par La Pérouse [Jean-Fr. de Galaup (Cte de, 1741-88, massacré par les habitants de Vanitoro après naufrage)] qui quitte Brest le 1-8-1785. Mais la mission est modifiée. Le 2-7-1786, ayant perdu plusieurs embarcations vers le 58° de lat. N., La Pérouse se replie sur Hawaii (ses 2 gros navires couleront à Vanikoro en 1788). L'expédition sera réussie par l'Anglais Vancouver en 1792-93.

■ **11e échec 1800-03.** Perte de la Louisiane redevenue fr. Au tr. de San Ildefonso (oct. 1800), l'Esp. rend à la Fr. la Louisiane occidentale. Bonaparte, 1er consul, décide d'en reprendre la colonisation, puis change d'avis et vend le territoire (10 États amér. actuels) aux USA, pour 80 millions de F (conventions du 30-4-1803). Explication de Bonaparte : il a voulu « affermir pour toujours la puissance des États-Unis », afin de « donner à l'Angl. une rivale maritime qui, tôt ou tard, abaissera son orgueil » (faux calcul, ou peut-être mensonge). Autres explications : 1°) il avait besoin d'argent pour le couronnement (prévu l'année suivante) ; 2°) après la perte de St-Domingue, il se croyait incapable de défendre la L. contre une attaque angl. venue du Canada ; 3°) Jefferson a versé des pots-de-vin aux négociateurs fr. [Talleyrand, min. des Aff. ext. (peut-être 10 millions) ; Pierre-Samuel Dupont de Nemours (1739-1818), huguenot fr. naturalisé amér., envoyé officieux à Paris, sous forme de commandes à ses usines chimiques] ; 4°) ressentiment de Bonaparte contre son frère Lucien qui avait conclu le tr. de San Ildefonso.

A quoi correspond la Révolution américaine ?

1°) **Vue de Paris.** *A) Militairement,* elle est une occasion de prendre, en Am., une revanche sur la défaite de 1763 (pertes de la g. de Sept Ans ; cession à l'Angl. du Can. et de la Louisiane orient., à l'Esp. de la Louisiane occid.). *B) Idéologiquement,* elle est, pour les Fr. « éclairés » (sous l'influence maçonnique), l'occasion de créer une société respectueuse des « libertés » (le roi Georges III d'Angl. était autocrate ; Washington était franc-maçon). *C)* Il y a eu conflit entre ces 2 points de vue. Ainsi : a) *en 1777,* La Fayette est chargé en principe par le « Congrès continental » de conquérir le Can. Il pense alors travailler pour le compte de la Fr., tandis que les Am. (protestants et maçonnisants) veulent prendre une revanche contre le *Quebec Act* (alliance de l'évêque cath. de Québec et de Georges III : soumission de l'ancienne Louisiane orient. à l'autorité de l'évêque). Washington préfère saboter l'expédition plutôt que de favoriser une reconquête « papiste » ; b) *en 1782,* les 3 délégués Am. : Jay et Adams (anti-français), Franklin (pro-fr., mais battu à chaque vote) concluent une paix séparée avec l'Angl., violant le tr. d'alliance fr.-am. : ils obtiennent l'indépendance, mais ne font rien pour restaurer la Nouv.-France ; c) les anciens combattants fr. d'Amér., n'ayant rien obtenu de concret pour la Fr., exalteront entre 1783 et 89 leur œuvre politique, institutionnelle et morale. La Fayette se fera le promoteur d'un régime « à l'am. », défenseur des « libertés ». Avec le triomphe du républicanisme en Fr., ce point de vue s'est imposé à la conscience collective des Fr.

2°) **Vue par les Anglais.** Ils retiennent qu'elle a été la seule g. où l'Angl. se soit trouvée isolée en face d'une coalition (*Insurgents,* France, P.-Bas, Esp.). Le conflit aurait pu être désastreux mais, grâce à la rupture du front commun entre négociateurs amér. et fr., à Versailles, l'Angl. s'en est tirée à bon compte : les colons ont obtenu des avantages politiques (mais sans se constituer en une nation hostile) ; les Fr. n'ont pu reprendre pied ni en Louisiane ni au Canada.

3°) **Vue par les Américains** (plus particulièrement ceux de l'Est = Nouv.-Angl. au N., et vieux États du S.). Ils appellent le conflit avec l'Angl. : « American Revolution » (le concevant plus comme une g. civile dans la tradition angl. que comme une g. entre 2 nations) ; le diplomate fr. Louis Otto, dans son 1er rapport à Louis XVI (1775) affirme : « C'est une guerre presbytérienne » : a) Leur *Congrès continental* s'est constitué dans la tradition du parlementarisme angl. : les colons n'avaient pas encore obtenu le droit à un Parlement, étant sur ce point désavantagés par rapport aux Angl. de G.-B. Ils s'en sont donné un de leur propre volonté, au lieu d'attendre une charte de fondation et ils lui ont reconnu le droit (britannique) de légiférer souverainement. b) *L'indépendance économique* pour la quasi-totalité des colons d'Am., libre-échangistes, l'indép. pol. n'était que le moyen d'assurer l'indép. commerciale (il fallait cesser de dépendre de Londres, puisque Londres était réglementariste). c) *L'indép. judiciaire* a été réclamée au nom de la tradition angl. de l'*habeas corpus.* George III avait supprimé (au Massachusetts) les jurys locaux et déféré les opposants pol. aux tribunaux de l'amirauté, puis avait voulu faire juger à Londres les « rebelles » capturés. L'indép. pol. a donc semblé la garantie indispensable de l'indép. judiciaire. d) *L'indép. foncière* (droit illimité de propriété) a été réclamée pour l'ancienne Louisiane or. (rive g. du Mississippi) au nom de la tradition angl. de la *yeomanry :* les anciens « tenants » des terres féodales étaient devenus, au XIVe s., propriétaires absolus de leurs biens. Georges III avait décidé d'empêcher les *colonistes* d'acquérir les terres entre Appalaches et Mississippi, pour les laisser aux Indiens. Les Am. ont choisi d'échapper à son autorité, plutôt que de renoncer à acquérir librement des biens fonciers. e) *L'indép. religieuse* a été revendiquée dans la tradition anglicane (et non conformiste) du peuple brit., devenu antiromain au XVIIe s. George III avait reconnu (Quebec Act, 22-6-1774) à l'évêque cath. de Québec (en échange du ralliement du clergé fr.-can. à la couronne d'Angl.) la juridiction sur l'ancienne Louisiane or., ce qui impliquait : la conversion des Indiens au cath. romain et la mise sous tutelle cath. des égl. prot. implantées. Les raids lancés par le Congrès continental contre le Can. (1775-1777) s'expliquaient par des causes religieuses. f) *Indép. du budget mil.* Depuis la Grande Charte de 1212, les Angl. exigeaient de contrôler financièrement les forces mil. dont disposait la couronne. Les 13 colonies d'Amér., en vertu de leur charte de fondation, avaient le choix de financer leurs propres milices ou de collaborer à l'entretien des garnisons royales angl. Or, en 1774, Georges III décide unilatéralement d'installer dans l'ancienne Louisiane or. une armée de 10 000 h. dont l'entretien incomberait au budget des 13 colonies. Ce manquement aux traditions brit. a déclenché une violente opposition des « colonistes ». g) *Washington dans la tradition de Cromwell.* Les *Insurgents* amér. (appelés « rebelles » par Georges III) ont considéré Washington comme élu de Dieu, chargé d'évincer une dynastie indigne pour créer à sa place un « Commonwealth » de type cromwellien. Plusieurs États amér. se désignent d'ailleurs sous le nom de Commonwealth, en souvenir du régime de Cromwell. Mais, à la différence de Cromwell, Washington n'a pas eu d'ambitions dynastiques, il a refusé le titre de roi et l'appellation de « Sa Majesté le Pt des États-Unis ». [*Raisons :* 1°) il n'avait pas de fils ; 2°) il partageait l'idéologie des « rép. romains » à la mode au XVIIIe s. dans les milieux maçonniques (influence de Montesquieu) ; 3°) il était de tendance aristocratique et oligarchique (milieu de riches propriétaires fonciers) ; 4°) sa tentative de restaurer une noblesse héréditaire par primogéniture mâle chez les anciens officiers de son armée (les *Cincinnati*) s'est heurtée à une vive opposition.] h) *« Whigs » et « Tories » d'Outre-Atlantique.* Les tories amér. (60 000 « loyalistes ») ont choisi la fidélité à la « Couronne », plutôt que la soumission au Congrès continental, de tradition parlementaire ou « whig » (il y a eu parfois plus d'Américains dans l'armée royale que dans les rangs des *Insurgents*). En 1783, ils se sont repliés au Canada, où ils ont fourni des cadres politiques et économiques à la paysannerie fr.-can. Plusieurs milliers d'esclaves noirs ont également suivi le parti tory. Réfugiés en Angl., ils allèrent ensuite à Freetown (Sierra Leone), où ils fondèrent une colonie de la couronne traditionaliste.

Naissance d'une mystique : les Américains sont fiers de leur Constitution, la plus ancienne du monde ; ils ont appelé plusieurs de leurs navires de g. *Constitution.* Le culte de Washington (pèlerinage à son tombeau de Mount Vernon) et des « Pères fondateurs » de l'Union a été adopté par des millions d'immigrants de toute origine, entrés aux USA aux XIXe et XXe s. *L'apport irlandais :* à partir de 1840, les Irl. sont allés en Amérique trouver ce qu'ils ne pouvaient avoir en Irlande. Ils ont introduit dans la mentalité des Nord-Am. un élément anti-anglais qu'ils n'avaient pas. Les Irl. des USA ont financé le terrorisme aboutissant à la création de l'Eire.

4°) **Point de vue américain sur l'alliance française.** En 1793, quand la guerre éclate entre la Fr. républicaine et l'Angl., Washington dénonce l'alliance militaire conclue en 1778 et proclame la neutralité des USA. Plus tard, les diplomates amér. évoqueront facilement la « fraternité d'armes » franco-amér., sachant l'opinion fr. sensible à ce souvenir. Mais le public amér. l'ignore (en 1978, à un sondage : « la France a-t-elle joué un rôle important dans la Révolution amér. ? », il y eut 80 % de non).

cière de la Fr. : don de 9 millions de £ (3 en août 78, 6 en 81) ; dépenses non remboursées des flottes et des armées : environ 1 milliard ; garantie d'un emprunt de 34 millions. Beaumarchais a fourni pour 3 600 000 F d'armement ; ses héritiers ont été remboursés de 800 000 F en 1835]. **1778**-*6-2 tr. d'alliance et de commerce Fr.-USA* **1779**-*12-5* l'Angl. Clinton prend Charleston. *-12-7 Rochambeau* arrive à Newport. *-28-10* l'am. d'Estaing échoue devant Savannah. La Louisiane soutient les insurgés. **1780** *juill.* Rochambeau en Amér. avec 6 000 h. **1781** *-30-8/19-10 siège de Yorktown :* G[al] anglais Cornwallis capitule grâce à la flotte fr. commandée par de Grasse. *-27-11* Paris est illuminé. *-23-12* La Fayette s'embarque à Boston. **1782**-*30-11* préliminaire de paix signé à Paris. *-24-12* corps d'armée Rochambeau s'embarque à Boston. **1783**-*19-4* fin de la g. (3 000 Fr. y sont morts). *-3-9 de Paris :* Angleterre reconnaît l'indépendance, rend Floride à l'Espagne.

■ **Depuis l'Indépendance.** **1784**-*23-12* New York capitale provisoire. **1787** Constit. ratifiée (7-12-87/29-5-1790) par les 13 États (Delaware, Pennsylvanie, New Jersey, Georgie, Connecticut, Massachusetts, Maryland, Caroline du Sud, New Hampshire, Virginie, New York, Caroline du Nord, Rhode Island) ; sous l'influence de Thomas Jefferson (1743-1826), gouv. dém. et lib. (malgré les tendances autoritaristes de la majorité des Amér., notamment des puritains).

■ **1789 George Washington** (Virg. 22-2-1732/Mount Vernon 14-12-1799, 1,85 m). Pt Fédéraliste. Fils d'un propriétaire terrien. Ingénieur arpenteur. *1752* adjudant d'un des 4 districts de Virginie. *1754-59* off. dans la g. contre la Fr. Quitte l'armée, colonel. *1759-74* m. du Parlement de Virginie. *1774-75* député au Congrès continental de Boston. *1775*-15-6 Cdt en chef de l'armée luttant pour l'indép. *1783* déc. abandonne le commandement. *1787* Pt de la Convention constitutionnelle de Philadelphie. **1789**-*4-3* élu Pt (*1792* réélu). **1791** Washington capitale fédérative. **1794**-*20-8 Fallen Timbers :* défaite des Indiens de l'Ohio ; *19-11* tr. avec l'Angl., en guerre contre la Fr. [*« tr. Jay »* du nom de son négociateur, John Jay (1745-1829), francophobe] : USA abandonnent l'alliance fr. en échange d'avantages commerciaux.

■ **1797 John Adams** (Mass. 30-10-1735/4-7-1826). Fédéraliste. **1800** Burr et Jefferson obtiennent le même nombre de voix aux élect. prés. (Jefferson élu à la suite des manœuvres de Hamilton, min. des Finances : 1er scandale politique).

■ **1801 Thomas Jefferson** (Virg. 13-4-1743/4-7-1826). Démocrate républicain. **1803** achat de la Louisiane à la Fr. (80 millions de F). **1804**-*11-7* Hamilton tué en duel par Burr, vice-Pt.

■ **1809 James Madison** (Virg. 16-3-1751/28-6-1836). Dém. rép. **1812-14** *g. contre l'Angl.,* motifs : raids indiens au Canada, les Angl. incendient Washington. **1814**-*24-12 paix de Gand :* statu quo. **1816** tentative pour créer en Europe une base militaire et commerciale : l'île de Lampédouse (roy. de Naples) ; échec dû à l'hostilité angl.

■ **1817 James Monroe** (Virg. 28-4-1758/4-7-1831). Dém. rép. **1819** achat de la Floride à l'Esp. (5 millions de $). **1823**-*2-12 doctrine de Monroe* « l'Amérique aux Américains ».

■ **1825 John Quincy Adams** (Mass. 11-7-1767/23-2-1848). Dém. rép.

■ **1829 Andrew Jackson** (Carol. du S., 15-3-1767/8-6-1845). Dém. **1835**-*3-11* Texas, colonisé dep. 1821 par des N.-Amér., devient rép. indép. **1836** g. contre Mexique. *-6-3* siège d'*Alamo :* 187 Texans, assiégés par 5 000 Mexicains, en tuent 1 500 et meurent ; parmi eux le trappeur *Davy Crockett* [descendant d'un huguenot fr. (Antoine de Croketagne, émigré en 1685), né 17-8-1786, fermier et trappeur en Louisiane fr. 1803 ; volontaire contre les Creeks 1812-14 ; député au Congrès 1827, battu 1835, émigré au Texas]. *-21-4 San Jacinto,* Santa Anna (Mex.) battu et capturé par Houston (USA).

■ **1837 Martin Van Buren** (N. Y. 5-12-1782/24-7-1862). Dém.

■ **1841 William Henry Harrison** (Virg. 9-2-1773/4-4-1841, pleurésie attrapée lors de son entrée en fonction, discours inauguré tête nue à l'extérieur). Whig.

■ **1841 John Tyler** (Virg. 29-3-1790/17-1-1862). Whig.

■ **1845 James Polk Knox** (Carol. du N., 2-11-1795/15-6-1849). Dém. *-29-12* Texas annexé. **1846-48** *g. contre le Mexique* [*1847-25-2* Santa Anna vainqueur à Buena Vista ; *-7-3* débarquement amér. à Vera Cruz ; *-18-4* Santa Anna écrasé à Cerro Gordo ; *-13-9* Mexico pris ; *tr. de Guadalupe* (2-2-1848) : Mex. cède Nouveau-Mex. et Californie contre 15 millions de $]. **1847** *Mormons* à Salt Lake City. **1848** *ruée vers l'or* Californie.

■ **1849 Zachary Taylor** (Virg. 24-11-1784/9-7-1850 mort de thrombose). Whig.

■ **1850 Millard Fillmore** (N. Y. 7-1-1800/8-3-74). Whig. **1852** parution de la *Case de l'oncle Tom d'Harriet* Beecher-Stowe, roman anti-esclavagiste.

■ **1853 Franklin Pierce** (N. H. 23-11-1804/8-10-69). Dém. *-30-12* USA achètent N.-Mex. et Arizona 10 millions de $.

■ **1857 James Buchanan** (Pen. 23-4-1791/1-6-1868). Dém.

■ **1861 Abraham Lincoln** (Kent. 12-2-1809/15-4-1865, 1,89 m). Républ. Fils d'un pionnier. *1832* volontaire dans la g. contre les Ind. *1834* m. de l'ass. de l'Illinois. *1837* avocat dans l'Illinois. *1847* m. du Congrès. **1865**-*14-4* Lincoln blessé le vendredi saint († 15-4) d'un coup de pistolet au théâtre Ford à Washington au 3e acte de « Notre cousin américain » par John Wilkes Booth, un acteur exalté entré dans sa loge, qui s'enfuit, mais est abattu le 26-4. Selon certains, Booth aurait été un agent secret de la Confédération qui devait kidnapper le Pt. **1861**-*14-4*/**1865**-*6-4* **g. de Sécession.** *Motifs :* Nord protectionniste pour son industrie, Sud non protect. afin de vendre son coton contre des machines. N. anti-esclavagiste, S. esclavagiste. N. : 23 États, 22 millions d'hab., armée 186 000 h., puis 990 000 h. Généraux : Grant, MacClellan, Meade, Sherman, Sheridan. S. : 11 États (1860-*20-12* Caroline du S. 1861-*10-1* Floride, *9-1* Mississippi, *11-1* Alabama, *19-1* Georgie, *26-1* Louisiane ; *2-3* Texas ; *17-4* Virginie ; *6-5* Arkansas, *20-5* Caroline du N. ; *8-6* Tennessee), 9 millions d'h. dont 3,5 d'esclaves noirs, armée 150 000 h., puis 690 000 en 1862, 175 000 à la fin. Généraux Lee, Jackson. Constituent « les *États confédérés d'Amérique* » (8-2-1861) (capitale : Richmond, Pt Jefferson Davis), surnommés les *Dixies,* à cause des anciens billets de *Dix Francs* circulant en Louisiane (un des États confédérés), lors de son annexion aux USA (1812) (le chant de Daniel Decatur Emmett écrit en 1859 est adopté comme l'hymne officieux des confédérés qui répandent le terme). **1861-62** combats indécis. **1863-65** victoires nordistes : *Gettysburg* (30-1, 2, 3-7 6-63), *Vicksburg* (9-7-63), *Atlanta* (2-9-64), Lee capitule, fin de la g. (au min. Union 364 511 †, confédérés 258 000 †). **1864**-*19-6* le bateau corsaire confédéré *Alabama* coulé à 7 milles de Cherbourg devant des milliers de spectateurs par la corvette USS Kearseage (repéré à – 60 m, nov. 1984). **1865**-*9-4* Lee se rend au Gal Grant.

■ **1865 Andrew Johnson** (Carol. du N., 29-12-1808/31-7-75). Républ. **1866-68** 7 États confédérés rentrent dans l'Union [1er Tennessee 24-7-1866, 6 en juin 1868, 4 en 1870 (dernier Georgie 15-7)]. **1867** achat de l'Alaska à la Russie (7 200 000 $).

■ **1869 Ulysses Simpson Grant** (Ohio 27-4-1822/23-7-85). Républ.

■ **1877 Rutherford Birchard Hayes** (Ohio 4-10-1822/17-1-93). Républ.

■ **1881 James Abraham Garfield** (Ohio 19-11-1831-81), blessé dans le dos le 2-7-1881 (par Charles Guitteau, avocat, exécuté 30-6-1882), mort 19-9 de ses blessures. Républ.

■ **1881 Chester Alan Arthur** (Vermont, 5-10-1830/18-11-86). Républ. Mort de Billy le Kid (William Bonney n. 1859, accusé de 21 meurtres). **1882** Jesse James (n. 1847), bandit du Middle West, tué par Robert Ford membre de son gang.

■ **1885 Stephen Grover Cleveland** (N.-J., 18-3-1837/24-6-1908). Dém. 1er gratte-ciel (Home Insurance, Chicago, 10 étages + 2 rajoutés + tard). **1886** émeutes de Haymarket. *Geronimo* (1829-1909) pris.

■ **1889 Benjamin Harrison** (Ohio 20-8-1833/13-3-1901). Républ. **1890** *Sherman Act,* loi antitrust.

■ **1893 Stephen Grover Cleveland** (1837-1908). Dém. Hawaii occupé puis annexé (1898).

■ **1897 William McKinley** [Ohio 29-1-1843, blessé (coup de revolver) le 6-9-1901 par Leon Czolgosz (anarchiste exécuté 29-10), mort le 14-9]. Républ. **1898**-*24-4/10-12 g. avec l'Esp.,* motif : explosion du *Maine* mouillé à Cuba (en fait due à un accident de chaudière) ; Dewey coule la flotte esp. de Cervera à Manille ; pertes amér. 2 446 † ; *tr. de Paris :* USA reçoivent Porto Rico, Wake, Guam et Philippines (achat contre 20 millions de $). **1899** partage des Samoa avec l'Angl.

■ Conquête de l'Ouest

Situation. A l'O. du Mississippi, 24 États dont 13 entre Mississippi et Rocheuses (le *Middle West*) et 11 entre Rocheuses et Océan (le *Far West*). **Quelques dates.** **1820** 60 000 Américains venus par mer se fixent en Californie. **1824** USA achètent à la Russie côtes de l'Oregon, colonisées par mer. **1841** ouverture de la piste terrestre de l'Oregon (5 000 personnes par an). **1848** Mexique cède aux USA 1 300 000 km², du Texas au Pacifique. **1849** ligne de navigation New York-San Francisco par Panamá. **1850** ligne de navigation fluviale sur Colorado, en jonction avec la piste de mulets de Santa Fe (Texas). **1852** 2e ligne maritime, par le Nicaragua. **1857** utilisation des chameaux sur la piste du Texas. **1859** ligne fluviale sur le Missouri, en jonction avec la piste de l'Oregon. **1860** création de la *Poney Express Company,* pour le transport du courrier par les Rocheuses (35 j). **1861** création du télégraphe E.-O. **1862** la Cie des Poneys se transforme en réseau de diligences (par Salt Lake City), en **1865** aura 8 000 km de routes.

Essor démographique. Jusqu'en 1862, les terres coûtent 1 $ l'arpent. Après 1862 (Homestead Act) tout Blanc reçoit gratuitement 160 arpents, à condition de les cultiver 5 ans. Les Cies de chemins de fer reçoivent 360 000 km² et les revendent aux colons (crédits à très long terme) ; les prix sont élevés : la proximité du rail valorise les terrains.

Transports ferroviaires. 1°) à l'E. des Rocheuses : parti de Chicago, le rail atteint le Missouri (point de départ de la navigation vers la piste de l'Oregon) en 1854. La ligne appartient à la *Chicago and Rock Island Co,* devenant en 1917 la *Chicago, Rock Island and Pacific Co/* après avoir fusionné avec la *Southern Pacific.* La *Union Pacific Railroad* obtient du Congrès, en 1864, d'ouvrir une voie Missouri-Pacifique, par l'itinéraire « du 32e parallèle », reconnu par l'armée en 1853-54. 2°) à l'O. : la *Central Pacific Railroad* reçoit la même autorisation, en sens contraire. Sa ligne part de Sacramento, sur le Pacifique, et se dirige vers l'E., à la rencontre de la UPR Ayant engagé des Chinois (sa rivale avait des Irlandais), elle progresse plus vite ; la jonction a lieu dans l'Utah à Promontory Point, le 10-5-1869.

Longueur totale des 2 lignes : 1 776 miles (2 850 km). Chaque Cie exploite le tronçon qu'elle a construit. *Southern Pacific Railroad :* San Francisco-Sacramento, puis en 1900 la N.-Orléans.

Le conducteur de train de *l'Illinois Central,* John Luther Jones [surnommé Casey Jones car né à Kayce (Kentucky)], tué dans un déraillement le 18-3-1900, est devenu le héros d'une chanson, reprise par les synd. amér. comme chant officiel.

« Ruée vers l'Ouest ». Env. 3 millions de personnes entre 1850 et 1900. **Peuplement (blanc)** (en milliers). **Arizona** *1850 :* pratiquement pas ; *1870 :* 9, *1900 :* 122. **Californie** *1850 :* 92, *1880 :* 864, *1910 :* 2 377. **Colorado** *1850 :* pratiquement vide ; *1860 :* 34 (rush minier), *1890 :* 413. **Idaho** *1870 :* 15, *1890 :* 88, *1910 :* 325. **Montana** *1870 :* 20, *1890 :* 88, *1910 :* 325. **Nevada** *1860 :* 6,8, *1880 :* 62, *1910 :* 327. **New Mexico** *1850 :* 61, *1880 :* 119, *1910 :* 327. **Oregon** *1850 :* 13, *1880 :* 174, *1910 :* 672. **Utah** *1850 :* 11,3 (Mormons), *1880 :* 145. **Washington** *1860 :* 11,8, *1890 :* 357, *1910 :* 1 142. **Wyoming** *1870 :* 9, *1890 :* 62, *1910 :* 146.

% d'immigrants non Amér. de naissance : *1848 à 1870 :* 30 %, contre 70 % d'Amér. de l'Est. % maximal : Arizona (60 % d'immigrants en 1870 : 5 000 hab. sur 9 000). Chez les + de 21 a., % des étr. en 1870, + de 50 % dans Utah, Nevada, Arizona, Idaho et Californie (qui comptait 25 % d'Irlandais). A l'origine : Français et Italiens l'emportent dans les régions au climat méditerr. ; Scandinaves au N.-O. *Après 1880,* le % des non-Amér. de naissance tombe dans l'O. (sauf San Francisco 40 %).

Élevage intensif. 1°) *Occupation des pâturages.* Jusqu'en 1880, env. 6 mois par an ; les propriétaires des grands troupeaux du Middle West (plaines entre Mississippi et Rocheuses) et du Texas envoient leur bétail dans les montagnes et les plateaux du Far West. Les bêtes sont ramenées en automne. Jusqu'à une loi (1894) interdisant de les tuer, les bisons furent décimés. Il n'en reste que 2 000 dans les réserves.

2°) *Cow-boys.* (Noirs 14 %, Mexicains 14 %, Indiens, Anglais, Écossais). En majorité Texans (culture espagnole, tradition des *vaqueros,* notamment le lancer du lasso). De mars à octobre, accompagnent les bêtes par les trails et les gardent sur les pâtures d'été (toujours à cheval). D'oct. à mars : une minorité *(line riders)* y demeure (destruction des loups, récupération des bêtes égarées, entretien). La majorité revient mener une vie désœuvrée (travaux temporaires, jeux de hasard, rodéos, etc.).

3°) *Bétail.* 1) vaches des immigrants d'Europe du N.-O., atteignent les plaines v. 1830, les Rocheuses v. 1840 ; 2) petites v. d'origine esp., introduites début XVIe et formant dep. XVIIIe s. des troupeaux sauvages (il suffit de les marquer pour en être propr.).

4°) *Méthodes.* A partir de 1880-85 : ranches permanents (généralement autour d'un point d'eau). Les troupeaux sont emmenés aux abattoirs urbains de Californie et du Middle West. Le fil de fer barbelé apparaît. L'effondrement des cours de la viande en 1885 rend peu rentable l'élevage extensif ; les ranches se transforment souvent en exploitations utilisant dry-farming ou irrigations [vergers, cultures trop., vignes (en Californie)].

Mines. Découvertes en Nevada, Colorado, Arizona, Montana, Wyoming, à partir de 1862. Des villes se créent et disparaissent souvent quand un filon est épuisé. Ex. : Central City (Colorado), Virginia City (Montana et Nevada). En Californie, des villes provisoires en bois sont créées dès 1848. Jusqu'en 1870, la pop. mène une existence instable (pas de vie de famille, prostitution généralisée, les mineurs jouent gros au jeu). Après 1870, les grandes Stés min. prennent en main l'exploitation. La pop. se stabilise, en majorité dans les villes, en fournissant également des cadres à l'agric. des ranches.

Maintien de l'ordre. Entre 1849 et 1890, l'administration légale et policière ne peut suivre les « ruées » minières. Les « marshalls » fédéraux possèdent l'autorité dans les territoires non urbains, tels que les pistes *(trails),* et plus tard les chemins de fer. Leurs adjoints sont parfois responsables d'un secteur plus vaste qu'un département fr. Dans les aggl. organisées, il y a un shérif et des policiers élus. Les aventuriers et repris de justice sont nombreux.

■ 1901 **Theodore Roosevelt** (N. Y. 27-10-1858/6-1-1919). Républ. **1903** création de la Zone du canal de Panamá. Mort de Calamity Jane (Martha-Jane Canary n. 1852). **1904** partage de la dernière réserve indienne. **1905** intervention à St-Domingue. **1906**-*18-4* San Francisco détruit par un incendie [(452 †) déclenché par un séisme (magnitude 8)]. **1907**-*24-10* panique à Wall Street.

■ 1909 **William Howard Taft** (Ohio 15-9-1857/8-3-1930). Républ.

■ 1913 **Thomas Woodrow Wilson** (Virg. 28-12-1856/3-2-1924). Dém. Fils d'un pasteur presbytérien. *1882* avocat à Atlanta, puis prof. d'écon. pol. (Wesleyan Univ. du Connecticut, puis Princeton). *1911* gouv. du New Jersey. **1914** *Clayton Act :* antitrust. **1915**-*15-5 Lusitania* torpillé par sous-marin all. **1916** Haïti occupée, Antilles danoises rachetées. Wilson réélu. **1917**-*3-2* rel. diplomatiques avec All. rompues -*2-4 entrée en g.* du côté allié [raisons : g. sous-marine all., qui n'épargne pas les navires amér. ; crainte de soulèvement au N.-Mex., soutenu par All. ; influence sur Wilson du sioniste Louis Brandeis (1856-1941), décidé à faire appuyer par USA l'offensive projetée en Palestine par les Angl. Lloyd George, Arthur Balfour et Lord Milner (la Pal. conquise devait devenir un « foyer national juif »). -*13-6* Gal Pershing arrive à Boulogne. -*27-6* début des inscriptions de volontaires (10 481 000 en 14 mois). -*28-6* 1re div. amér. (14 500 h.) arrive à St-Nazaire. **1918** -*1-11* 3 483 000 volontaires mobilisés, dont 2 000 000 en Fr. (pertes 128 831 †). 14 points de Wilson sur la paix (voir Index). **1919**-*19-10*/**1933**-*21-5* **prohibition** (le 18e amendement ratifié par tous les États, sauf Connecticut et Rhode Island, proscrit fabrication, transport et vente des boissons alcool., mais non leur consommation ; la *loi Volstead* définit les boissons) ; développement du banditisme (les bootleggers) et des débits (speakeasy) [Al Capone [Alphonso (n. Naples 17-1-1899/† Miami 25-1-1947), condamné 1931 pour infractions fiscales, relâché 1939], Frank Nitti]. **1920** Wilson prix Nobel de la Paix. *Sept.* bombe à Wall Street.

■ 1921 **Warren Gamaliel Harding** (Ohio 2-11-1865, mort d'apoplexie le 2-8-1923). Républ. -*24-8* paix séparée avec All.

■ 1923 **Calvin Coolidge** (Vermont, 4-7-1872/5-1-1933). Républ. **1927**-*23-8 Nicolas Sacco* (n. 1891) et *Bartolomeo Vanzetti (n. 1888),* arrêtés 1920 pour attaque à main armée le 15-4-1920 à South Braintree (Massachusetts), exécutés : nombreuses protestations dans le monde (leur culpabilité ne semblant pas prouvée, on accuse la justice de partialité envers 2 immigrés).

■ 1929 **Herbert Clark Hoover** (Iowa, 10-8-1874/20-10-1964). Républ. -*14-2* 7 hommes de Bug Moran tués à la mitrailleuse par ceux d'Al Capone (« massacre de la St-Valentin »). *Juin* création du *Federal Farm Board* pour prêter aux agric. -*24-10 Jeudi Noir,* début de la crise économique (voir ci-dessous). **1932**-*1-3* enlèvement du fils (20 mois) de Charles Lindbergh (rançon 50 000 $ payée). -*12-5* bébé retrouvé † (ravisseur Bruno Hautmann électrocuté 3-4-36).

■ CRISE DE 1929

■ **Causes.** *Dépression agricole de 1919 à 1929.* Production de blé trop forte entraînant une baisse des cours de + de 50 % entre 1919 et 29. Coton concurrencé par fibres artificielles. Les fermiers, voyant leurs revenus diminuer de 30 % alors que les prix ind. augmentent, réclament l'intervention de l'État. *Développement artificiel du crédit.* Dès 1925, 15 % des ventes amér. se font à crédit. *Spéculation boursière.* A partir de 1927, env. 1 million d'Amér. spéculent : ils achètent des actions parce qu'elles montent, et elles montent parce qu'ils achètent.

■ **Déroulement.** *Krach de Wall Street.* Le *jeudi 24-10 (Black Thursday)* les ordres de vente affluent ; au 1-1-1930 la baisse atteint 25 % en moyenne (*actions :* Du Pont de Nemours 90 %, Chrysler 96, de 1929 à 1933). Les spéculateurs ont voulu prendre leurs bénéfices (la faillite du holding londonien Hatry, sept. 29, les a rendus méfiants). La demande de crédits auprès des banques (par ceux qui veulent acheter d'autres actions) coïncidant avec d'importantes exportations de capitaux vers l'étranger, a fait monter le taux de l'intérêt de 4,06 % en 27 à 7,6 % en 29 quand la hausse des actions ne permet plus de couvrir les frais des emprunts au jour le jour : il faut donc vendre. Les premiers ordres de vente faisant baisser les actions, beaucoup se hâtent de vendre pour perdre le moins possible.

■ **Effets.** *Ventes à crédit* s'arrêtent, les bénéficiaires de crédits ne pouvant rembourser ; d'où *faillites* de banques (4 000 en 3 ans) et de maisons de commerce. *Prix* baissent : industriels 27 % en 3 ans ; agricoles (blé) 60 % en 2 ans. *Production agr.*, peu compressible, se maintient ; *industr.* fléchit (indice 100 en 1929 ; 55 en 1932). *Chômeurs (millions) : 1929* 1,5 ; *33* 12 à 14 ; *36* 8 ; *37* 7,2 ; *39* 9,5, dont de nombreux « cols blancs » (cadres, employés). *Salaires* baissent de 0,55 $ l'heure à 0,44. *Revenu nat.* baisse de 87 à 41 milliards de $.

■ **Mesures prises par le Pt Hoover.** Relèvement des droits de douane par protectionnisme (tarif Hawley-Smoot 1930) ; abaissement du taux d'escompte à 2,1 % en nov. 31 ; création de la Reconstruction Finance Corporation pour aider les entr. en difficulté ; du Federal Farm Board pour lutter contre la chute des cours agr. Il croit la crise « cyclique » et que la prospérité reviendra d'elle-même.

■ **Répercussions internationales.** *Réduction des importations amér.* (4,3 milliards de $ en 1929 ; 1,3 en 33). *Rapatriement* par les banques amér. des fonds à court terme placés en Europe, ce qui accule les banques europ. à la faillite quand ces fonds ont été immobilisés à long terme ou employés au financement d'importations des USA. *Principaux pays touchés :* Autr., All., G.-B., Fr. (avec 18 mois de retard) et surtout pays neufs à monoculture : Brésil (café), Cuba (sucre), Australie (laine).

■ **Réactions populaires.** *Création de la Bonus Army,* bénévoles empêchant la destruction volontaire des produits alim. et les distribuant gratuitement aux chômeurs.

■ **New Deal (1er : 1933).** « Nouvelle donne », expression de l'économiste amér. Stuart Chase (n. 1888). *Emeutes de la misère* (l'indemnité de chômage n'est que de 7,20 $ par semaine). *Roosevelt* élu nov. 1932 : aidé d'un *brains trust* (« équipe de penseurs ») d'universitaires (Icker, Bell, Tugwell, Hopkins) prend le contre-pied des méthodes républicaines, notamment de Mellon, secr. d'État au Trésor. *Moratoire sur les banques* (Emergency Banking Act 9-3-33) : les banques sont dispensées de rembourser immédiatement leurs dettes, le système bancaire est réorganisé sous le contrôle de la Banque fédérale. *Dévaluation :* suspension de la convertibilité en or (19-4-1933) ; le dollar « flottant » tombe. Les achats reprennent (on craint la hausse des prix). Les débiteurs rembourseront leurs dettes avec une monnaie dépréciée. Dévaluation officielle de 41 % le 30-1-1934 (Gold Reserve Act) rétablissant convertibilité rétablie à 35 $ l'once d'or.

Actions pour faire remonter les prix : 1°) a) AAA (Agricultural Adjustment oct. 12-5-33). Intervention de l'État sur les marchés agricoles. Accords avec les agric. pour réduire la production. *b) Nira* (National Industry Recovery Act 16-6-33). Les entreprises doivent vendre à des prix « normaux », verser des salaires « décents » (pour éviter toute concurrence). *c) « Aigle bleu ».* Affichette prouvant le « civisme » des entreprises contribuant à l'action gouvernementale. Les prix remontent à 90 % de leur niveau de 1929. *2°) Lutte contre le chômage : lancement de grands travaux* (routes, écoles, stades, reboisement, barrages hydroélectriques de la « Tennessee Valley Authority » ; TVA fondée 10-5-33) ; la « Civil Works Administration » emploie 3 000 000 de chômeurs ; Civilian Conservation Corps créée 31-3-33 ; *réduction du temps de travail.*

Résistance au New Deal. *Patronat :* lock-out, plaintes devant la Cour suprême qui condamne le New Deal (AAA et Nira déclarés non conformes à la Constitution). *Roosevelt réplique :* « Soil Conservation Act » (réduction des cultures, justifiée par l'érosion).

2e New Deal (mai-août 1935) marqué par la conversion de F. Roosevelt aux idées du brit. John Maynard Keynes qui préconise le déficit budgétaire pour relancer l'économie, et par l'adoption des grandes lois sociales telles que loi Wagner du 5-7-1935 (qui renforce liberté syndicale) et celle sur la séc. soc. du 15-8-1935 (qui crée un système fédéral d'assurance-vieillesse pour les + de 65 a. et des ass.-chômage obligatoires dans chaque État). Nouvelle récession (1937 été). **1938**-*25-3* Krach à Wall Street. **1940** les commandes militaires sauvent l'économie.

■ 1933 **Franklin Delano Roosevelt** (N. York 30-1-1882/hémorragie cérébrale 12-4-1945). Delano vient de sa mère Sara, nom déformé de son ancêtre Philippe de la Noye arrivé 1621. Dém. *1904* diplômé de Harvard. Avocat ép. 17-3-*1905* Eleanor Roosevelt sa cousine (1884-1962). *1910* sénateur de New York. *1913* secr. adjoint à la Marine. *1920* candidat à la vice-présidence de Cox, battu. *1921* août, atteint par la poliomyélite (infirme des jambes). *1929* gouv. de l'État de New York. *1932* élu Pt, réélu *1936, 5-11-1940* et *7-11-1944.* **1933**-*15-2* attentat manqué contre Roosevelt (Giuseppe Zangara) : le maire de Chicago, Anton Cermak, tué à sa place. -*4-3* Roosevelt prête serment. **1934** mort de Bonnie & Clyde [Clyde Barrow (n. 1909), Bonnie Parker (n. 1910)] accusés de 12 meurtres. *Janv.* $ dévalué (1 once d'or = 35 $). **1938-41** reprise de la crise écon., remontée du chômage (1938 : 10 millions). Baisse de la prod. ind. de 25 %. **1939** échec d'un nouveau programme de construction du type « New Deal » (opposition du Congrès à cause du déficit budgétaire prévu). **1941**-*10-3 loi prêt-bail* pour aider les adversaires de l'Axe. -*24-8 Charte de l'Atlantique :* collaboration USA/G.-B. -*7-12 entrée en g.* par suite de l'agression jap. contre *Pearl Harbor* aux Hawaii [pertes : voir p. 675 a ; certains pensent que Roosevelt a tendu un piège aux Jap. en laissant à leur portée une escadre vulnérable (il avait besoin d'une agression jap. pour justifier aux yeux des Amér. son intervention dans la G. mondiale)]. **1943** émeutes noires à Detroit 34 †. **1945**-*12-4* Roosevelt meurt en cours de mandat.

■ 1945 **Harry S. Truman** (Montana 8-5-1884/26-12-1972). Dém. Baptiste. Fils d'agriculteur. Admis à West Point mais abandonne la carrière mil. à cause de sa vue. Volontaire en 1917, finit la g. comme capitaine. 1922 dans l'organisation du P. démocrate. 1935 sén. du Missouri. 1944 vice-Pt. **1945**-*12-4* Pt à la mort de Roosevelt. -*2-9* fin de la guerre. **1946**-*4-7* indép. des Philippines. **1947**-*5-6* discours à Harvard du Gal George Catlett *Marshall* (1880-1959), secr. d'État : **Plan Marshall** [aide fin. à l'Europe, pendant 4 ans (loi du 2-4-48) ; au 31-12-51 l'Europe occid. a reçu 12,4 milliards de $ en dons ; acceptée par 16 pays, rejetée le 12-7 par URSS et bloc socialiste ; prolongée jusqu'à 1955 (balance commerciale USA/Europe de nouveau équilibrée)]. **1948** *nov.* Truman réélu. **1950** *févr.* début du *maccarthysme* [campagne anticommuniste de Joseph McCarthy (1909-57), sénateur républ. du Wisconsin, condamnée par le Sénat le 2-12-54. Principales victimes : Owen Lattimore (sinologue), Philip Jessup (amb. à l'ONU), Gal Marshall (14-6-51), 214 personnalités de Hollywood, dont Charlie Chaplin, Polonsky, Edward G. Robinson]. -*25-6 début de la g. de Corée,* qui durera jusqu'au 27-7-53 (Voir Corée).

■ 1953 **Dwight David Eisenhower** (Texas 14-10-1890/28-3-1969). Républ. Famille pauvre, mennonite. *1911* entre à West Point. *1941* G[al]. *1942* nov. participe au débarquement en Afr. du N., puis en Sicile (1943). *1943* nov. à Londres (Cdt en chef des forces alliées en Eur.). *1948* Pt de l'univ. de Columbia. *1950* Cdt suprême de l'OTAN. **1953**-*19-6* condamnés en 1951, époux Julius (n. 1916) et Ethel (n. 1918) Rosenberg exécutés comme espions [leurs fils Michael et Robert Meeropol (nom de leurs parents adoptifs) ont entamé un procès en révision]. L'ouverture des archives amér. aurait, selon Alain Decaux, prouvé leur culpabilité. **1954** intervention au Guatemala. -*17-5* ségrégation dans les écoles déclarée inconstitutionnelle. -*23-9* à Little Rock, manif. pour interdire l'entrée des Noirs au lycée ; la troupe est envoyée pendant 1 mois. **1956** Eisenhower réélu. **1960**-*1-2* début de campagne de *déségrégation.* -*1-5* un U-2, avion de reconnaissance parti d'Incirlik (Adana, Turquie), est abattu en URSS. Son pilote, Francis Gary Powers (n. 17-8-29), sera condamné à 10 ans de détention puis libéré le 10-2-62 au pont de Glienick qui traverse le lac de Wannsee entre Potsdam et Berlin-Ouest en échange du C[el] Rudolf Abel (espion soviét. aux USA). Le même jour, Frédérick Pryor (étudiant arrêté en All. de l'Est. pour espionnage) est libéré à Check Point Charlie. -*2-5* Caryl Chessman exécuté à St-Quentin (Calif.).

■ 1961 **John Fitzgerald Kennedy** (Massachusetts 29-5-17/22-11-63 ; 1,86 m, 85 kg). Dém. Fils d'un self-made-man irlandais [Joseph Patrick (1888-1969), fils d'un cabaretier, devenu milliardaire, *1937,* ambassadeur à Londres ; ép. 7-10-1914 Rose Fitzgerald (n. 22-9-1890) père de 9 enfants (voir ci-dessous)]. Étudiant à Harvard. *1941* il tombe amoureux d'Inga Arvad (journaliste danoise), ancienne Miss Danemark et Miss Europe, surveillée par le FBI. *1941-45* combattant dans la marine (Pacifique, son bateau coupé en 2 par un destroyer japonais). *1946* repr. du Massachusetts ; *1952* sénateur. *1954-53* Kennedy souffre d'une malformation de la colonne vertébrale, de la maladie d'Addison (insuffisance des glandes surrénales) et de plusieurs handicaps physiques. Il a été opéré plusieurs fois. *1957* prix Pulitzer pour le livre « Profiles in Courage » (le courage en politique), écrit par Sorensen. **1961** Intervention au Viêt-nam. *Avr.* échec intervention à Cuba *(baie des Cochons).* **1962**-*13-8* bilan du Pt : *PNB :* + 10 %, *prod. ind. :* + 16 %, *salaires :* + 10 %, *bénéfices des Stés :* 26 %. *Chômage :* tombé de 6,7 à 5,3 %. *Oct.* USA obligent URSS à démonter ses rampes de fusées à Cuba. **1963**-*30-8* inauguration du téléph. rouge USA/URSS. Les milieux d'affaires reprochent à K. de dépenser trop, d'être responsable de la chute des valeurs boursières, de combattre insuffisamment la concurrence de la CEE. Les libéraux, progressistes, réclament la relance de l'écon. suivant méthodes de Keynes. K. approuve et annonce la diminution des rentrées fiscales (donc accroissement du déficit budgétaire). Pour rassurer le monde des affaires, il va à Dallas. *-22-11* Dallas, Kennedy tué par Lee Oswald. 1er Pt catholique à l'époque d'une croissance économique annuelle de 7 % (augmentation du PNB 3,75 %), appelée « Ère Kennedy ». K. ordonna à 8 reprises de faire tuer Fidel Castro par Lee Harvey Oswald [24 ans, ancien marine, anarchiste, le 10-4-1963 il avait tenté de tuer le Gal Walker ; arrêté, sera tué le 24 à la police par Jack Ruby (tenancier d'une boîte de strip-tease, lié aux comm., † janv. 1967)]. Lors de l'assassinat, des témoins avaient cru entendre des coups de feu venant d'une clôture masquée par des buissons, situées devant la voiture. Le rapport de la commission Warren (créée 29-11-1963) n'a pu prouver qu'il y ait eu complot. Une nouvelle commission, créée par la Chambre des représentants au cours des années 1970, estima que K. avait probablement été tué à la suite d'une conspiration. En mai 1992, les 2 médecins qui avaient autopsié le corps (durant 4 h la nuit du 22 au 23-11 à l'hôpital naval de Bethesda, à Washington) ont affirmé que K. avait été touché par 2 balles qui l'ont atteint par l'arrière (l'une dans le haut du crâne, l'autre dans le cou). Le Dr Charles Crenshaw, qui avait à Dallas examiné le corps avant son transfert, a affirmé que K. avait aussi été touché par 1 balle qui l'avait atteint de face. Hypothèse d'un 2e tireur retenu par la commission qui avait repris l'enquête en 1978. Selon Kenneth Rahn, la balle (supposée avoir frappé de face K.) a bien été tirée de l'arrière, mais un mouvement réflexe de K., discernable au ralenti sur un film, semble indiquer le contraire. **[Hypothèses envisagées : 1°)** *exilés anti-castristes :* mobile : Kennedy après avoir refusé un soutien aérien pour l'opération de la baie des Cochons, a suspendu toute participation américaine à des opérations spéciales destinées à éliminer Castro ; affaire étouffée : la révélation aurait risqué de faire apparaître les liens entre l'administration amér. et exilés cubains, des complicités dans des complots politiques en Amér. latine et des bases secrètes de mercenaires en Amér. centrale. **2°)** *Complot cubain :* mobile : vengeance de Castro ; affaire étouffée : la révélation d'une conspiration cubaine pour tuer le Pt aurait poussé le gouvernement amér. à des représailles contre Castro, accroissant les risques d'une g. nucléaire avec l'URSS. **3°)** *Complexe militaro-industriel* [thèse du film JFK d'Olivier Stone, inspiré par un livre du procureur Jim Garrison († 21-10-1992 à 71 ans)] : mobile : désir d'un engagement militaire plus grand au Viêt-nam et la fin de la détente avec l'URSS. Or Kennedy voulait évincer Johnson des élections de 1964 et se retirer du Viêt-nam l'année suivante ; affaire étouffée : par le complexe. **4°)** *Renégats de la CIA :* mobile : après fiasco de la baie des Cochons, Kennedy avait commencé à briser la CIA ; affaire étouffée : Johnson nomme Allen Dulles (ancien directeur de la CIA) membre de la commission Warren. **5°)** *Mafia :* mobile : se venger de Kennedy [qui voulait « détruire » Hoffa (patron du syndicat des camionneurs), et qui n'avait pas payé sa dette envers la Mafia pour son aide lors des élections en 1960, à Chicago] ; affaire étouffée : la Mafia aurait pu sortir des affaires compromettantes [ex. : rapports de Kennedy avec Judy Exner (amie de Sam Giancana) que Sinatra lui a présentée en mars 1960] ; attitude de son père, Joe Kennedy, pendant la prohibition. **6°)** *FBI :* mobile : Kennedy menaçait de renvoyer Edgar Hoover (patron du FBI) et de reprendre le FBI en main. **7°)** *Extrême-droite américaine :* mobile : Kennedy aurait été trop tendre avec les communistes ; affaire étouffée : grâce aux rapports extrême-droite/FBI, CIA et Pentagone. **8°)** *Complot du KGB :* mobile : Kennedy allait attaquer les Russes sur leur point faible : l'économie ; affaire étouffée : pour ne pas répandre dans l'opinion amér. une psychose antisoviétique qui aurait fait élire Goldwater et risquer une guerre mondiale]. *1990-6-8 :* Ricky White (29 ans) affirma qu'un commando de 3 agents de la CIA [dont son père, Roscoe (assassiné 1971) et Oswald qui n'aurait pas tiré] aurait tué Kennedy.

Famille Kennedy. ÉPOUSE : Jacqueline (Jacky Lee Bouvier, n. 28-7-1929), remariée 1968 au richissime armateur grec Aristote Onassis (1905-75). 3 ENFANTS : Caroline (1957), John (1960), Patrick (1963, † peu après sa naissance). FRÈRES ET SŒURS : *Joseph* (1915-44 tué à la g.). *Rosemary* (n. 1918, retardée mentalement). *Kathleen* (1920-48, tuée dans accident d'avion) ép. marquis de Hartington, fils du duc de Devonshire. *Eunice* (n. 1920 ; ép. R. Sargent Shriver ; leur fille Maria ép. 26-4-86 Arnold Schwarzenegger). *Patricia (n. 1924 ; ép. Peter Lawford). Robert,* dit *Bob* (1925-68), magistrat, attorney gén. (ministre de la Justice) pendant la présidence de son frère, *1965* sénateur de New York, *1968* candidat présidentiel, assassiné par un Jordanien, Sirhan (6-6). *Jean* (n. 1928 ; ép. Stephen Smith † 1990 d'un cancer). *Edward,* dit *Ted* (n. 1932), journaliste, *1963* sénateur du Massachusetts, *1958* ép. Joan Virginia Bennett (mannequin, internée en 1974-79 pour alcoolisme ; leur fils Teddy atteint d'un cancer est amputé d'une jambe). Compromis : conduisant sa voiture avec l'ex-secrétaire de son frère Bob (la Polonaise Mary Jo Kopechne), il tombe dans la mer près du pont menant à l'île de Chappaquiddick (Massachusetts) ; il s'échappe à la nage mais la jeune fille (22 ans) meurt noyée. Il reste 10 h sans prévenir la police étant, dit-il, traumatisé (ses adversaires disent qu'il a téléphoné de tous côtés pour étouffer l'affaire). *1979* candidat aux primaires présid. (démocrate) contre Carter ; *28-11* Susan Osgood tente de le poignarder. *1980* battu aux primaires par Carter (qui échouera). *1988* renonce à se présenter. **1992** ép. Victoria Any Reggie.

■ 1963 **Lyndon Baines Johnson** (Texas 27-8-1908/22-1-1973). Dém. Disciple du Christ. *1937* représentant, 1949 sénateur du Texas. *1960* vice-Pt, **1963** Pt à la suite de l'assassinat de Kennedy. *1964* réélu. **1964**-*4-8 au 27-1-1973* g. du Viêt-Nam voir Index. **1965**-*18-2* loi condamnant atteintes au droit de vote des Noirs ; *printemps* intervention des marines en Rép. dominicaine. *-21-2* New York, Malcolm Little dit Malcolm X (n. 1925), chef nationaliste noir, assassiné. **1966** Huey Newton (assass. 22-8-89), Bobby Seale et Eldridge Cleaver fondent Panthères noires. **1967** Thurgood Marshall († 24-1-1993 à 84 a.) : 1er Noir nommé à la Cour suprême. *23-7* Détroit, jeune Noir est tué, soulèvement, 43 †. **1968**-*23-1* le *Pueblo* (navire espion amér.) arraisonné par N.-Coréens (équipage relâché 23-12). *-26-6* USA rendent au Japon îles Bonin, Volcano (avec Iwo Jima), Marcus.

■ 1969 **Richard Milhous Nixon** (Calif. 9-1-1913 ; 1,80 m). Républ. Quaker. Fils d'épicier ; avocat ; ép. Thelma (usuel Patricia) Ryan (1912-93). *1942-45* combattant dans le Pacifique. *1948* représ. de Californie. *1950* sénateur. *1952* vice-Pt, compromis dans scandale financier, battu par Kennedy en Californie. *1953-61* vice-Pt d'Eisenhower. *1960* battu de justesse par Kennedy. *1962* battu pour le poste de gouverneur de Californie. **1970** plus de 30 000 attentats. **1971** séisme à San Fernando (65 †). *-15-8* $ flottant (n'est plus rattaché à l'or). **1972** *févr.* Nixon en Chine. *-15-5* USA rendent île Ryu Kyu (avec Okinawa) et îles Daito au Jap. *-17-6* 5 cambrioleurs arrêtés au siège du P. démocrate (au *Watergate* à Washington). *-7-11* Nixon réélu Pt. Procès d'*Angela Davis,* militante noire (acquittée). **1973** *févr.-mai* « insurrection » indienne à Wounded Knee (Dakota du S.). *Avril* républicains compromis dans l'aff. du *Watergate* [démission des min. de la Justice (John Mitchell, † 1988), du Commerce, de conseillers de Nixon]. *-10-10* Spiro Agnew, vice-Pt, accusé de fraude fiscale et de concussion, démissionne. *-12-10* Gerald Ford vice-Pt. **1974**-*27-6* Nixon en URSS. *-27/29-7* la commission judiciaire de la Ch. des représentants recommande la mise en accusation *(impeachment)* de Nixon. *9-8* Nixon démissionne.

■ 1974 **Gerald Rudolph Ford** (Nebraska 14-7-1913). Républ. Épiscopalien. Ép. Elizabeth Anne Bloomer (8-4-18). *1941* avocat. Off. de marine dans le Pacifique. *1948* représentant du Michigan. **1974**-*20-8* Ford Pt. Nelson Rockefeller vice-Pt. *-8-9* Nixon amnistié. **1975**-*10-6* rapport Rockefeller sur la CIA (accusée d'activités illégales dep. 20 ans) ; mise en cause des ex-Pts Johnson et Nixon. Émeutes raciales à Boston et Louisville déclenchées par ramassage scolaire. **1976**-*9/10-3* des musulmans noirs hanafites (chef Hammas Abdul Khaalis) prennent à Washington 137 otages puis les relâchent. *Août* affaire Lockheed (V. Quid 1983 p. 1106) ; *nov.* Carter élu Pt.

■ 1977 **James Earl dit Jimmy Carter** (Géorgie 1-10-1924). Dém. Ép. Rosalynn Smith (18-8-27). Off. de marine jusqu'en 1953 ; reprend affaire familiale d'entrepôt ; diacre de l'Église baptiste. *1962-66* sénateur. *1971-74* gouverneur de Géorgie, témoin d'une arrivée de soucoupes volantes. – **1977**-*20-7* panne d'électricité à New York, pillage. **1978**-*25-10 plan Carter contre inflation :* réduction du déficit de 30 milliards de $ pour 79-80 ; hausse des salaires limitée à 7 % ; des prix à 5,75 %. *-27-11* G. Moscone, maire de San Francisco, assassiné par ancien conseiller mun. **1979**-*16-7 plan Carter pour écon. d'énergie* [140 milliards de $ investis pour ressources énergétiques nationales ; max. des import. de pétrole 8,2 millions de barils/j en 1980 (au lieu de 8,5), 8,9 en 1990 (au lieu de 13,14)]. **1979** Iran : prise d'otages (Voir Iran), boycottage des JO de Moscou (cause : intervention soviét. en Afghan.). **1980** *avril* échec d'un commando aéroporté à Tabas (Iran), démission de Cyrus Vance, secr. d'État ; dizaines de milliers de réfugiés cubains en Floride. *-24-6* commission d'enquête sur Billy Carter, fr. du Pt [il a reçu 220 000 $ de la Libye ; le « Billygate » fait tomber la cote de Carter (72 % de mécontents)]. *-4-11* Carter n'est pas réélu, fin de la « coalition démocrate » formée en 1933 autour du New Deal de Roosevelt [prolétariat du S., minorités religieuses (juifs, catholiques) et ethniques (Noirs)].

■ 1981 **Ronald Wilson Reagan** (Tampico, Illinois 6-2-1911 ; 1,83 m). Républ. Disciple du Christ. Famille miséreuse (père alcoolique). Commence études à 19 ans (les paye en étant serveur à la cafétéria) ; chômeur. *1932* reporter sportif de radio à Davenport. *1937* acteur à la Warner Brothers [1er film : *Love is on the air* de Nick Grinde (en tournera 54)]. *1940*-26-1 ép. Jane Wyman (n. 1914), actrice, divorcée. *1942-45* dans les services photogr. de l'armée (capitaine). *1948* divorce. *1952* épouse Anne Frances (dite Nancy, n. 6-7-21, fille de K. Robbins adoptée par le 2e mari de sa mère, le Dr Davis). *1954* présentateur à la télévision. *1962* soutient la candidature de Goldwater, rép. *1964* dernier film (*The Killers* de Don Siegel). *1966* gouverneur de Californie. *1970* et *1975* réélu. *1976* battu aux primaires rép. par Gerald Ford (117 voix sur 2 259). *1980*-4-11 élu Pt. – **1981**-*20-1* Reagan, Pt, envoie Carter à Wiesbaden accueillir les 52 otages libérés par l'Iran [il lui laisse ainsi la responsabilité des conditions de leur libération (10 milliards de $)]. *-30-3* Reagan blessé (balle dans le poumon gauche), par un névropathe néo-nazi de 23 ans : John Warnock Hinckley (peut-être complot). *-7-4* FBI arrête un autre névropathe, Edward Richardson, qui voulait achever Reagan. *-3-8* grève de 12 500 contrôleurs aériens : licenciés *6-8*. *-25-8* accord sur céréales avec URSS. *-17-10* Pt Mitterrand aux USA (bicentenaire). **1982**-*11-6* Reagan à Berlin, violentes manif., défilé à New York de 700 000 pacifistes. **1983**-*12-4* Harold Washington (60 ans), démocrate, 1er maire noir de Chicago († 25-11-87). *-25-10* intervention des Marines à Grenade. *-30-10* Jesse Jackson candidat noir à l'investiture démo. *-8-11* Wilson Goode (dém.) noir, élu maire de Philadelphie. **1984**-*23-1* USA restreignent export. vers Iran qui soutient le terrorisme. *-7-3* 1er otage amér. enlevé en Iran. *-15/16-3* Miami, incidents raciaux (un jury blanc ayant acquitté un policier hispanique qui avait tué un jeune Noir en déc. 82) ; *-13-7* Reagan opéré du côlon (ablation d'un polype cancéreux). *-18-7* San Ysidro (Calif.) tuerie dans restaurant, 21 †. Attentats à la bombe en 1984 : 803 (687 en 83), 6 † (12 en 83). *Nov.* Reagan réélu. **1985**-*19/20-11* Reagan rencontre Gorbatchev à Genève. **1986**-*5-1* Reagan : ablation de 4 polypes. *Cote de popularité :* 69 % en janv. (record), 56 % des Noirs (10 % en 1984). *Mars* la flotte amér. manœuvrant dans le golfe de Syrte (Libye) riposte à attaque lib. *-17-1* Reagan autorise secrètement des ventes d'armes à l'Iran. *-28-1* navette Challenger explose en vol (v. Index). *-4-7* centenaire de la statue de la Liberté, Mitterrand y assiste. *-18-9* 25 diplomates sov. expulsés de l'ONU *-11/12-10* Reagan rencontre Gorbatchev à Reykjavík. *-4-11* élections : Reagan (républicain) aura un Sénat à majorité démocrate. **1987** *Irangate (révélé 25-11-86) :* contrairement à la loi, les USA ont vendu secrètement des armes à l'Iran pour obtenir la libération des otages amér. de Beyrouth, les bénéfices permettront de subventionner la guérilla anti-sandiniste (Contra) au Nicaragua. *-7-5* Gary Hart renonce à l'investiture démocrate (accusé de tromper sa femme). *-17-5* 2 Mirage F-1 irakiens lancent 2 Exocet sur frégate américaine Stark : 37 †. La Sté jap. Toshiba ayant vendu à l'URSS des produits stratégiques, embargo de longue durée sur les produits exportés aux USA (1,7 milliard de $). Le Pt de Toshiba et son directeur général démissionnent. *-17-9* Washington le gouv. ferme le bureau de l'OLP *-19-10* krach de Wall Street ; le Dow Jones perd 508 pts.

■ 1988 **George Herbert Walker Bush** (à Milton, Massachusetts, 12-6-1924 1,85 m). Républ. Épiscopalien. Père banquier. *1945* épouse Barbara Pierce

(n. 1925) ; 6 enfants dont 1 † d'une leucémie. *1942* diplômé de la Phillips Academy *8-6-*, s'engage comme pilote dans l'aéronavale. *1947* diplômé de Yale (économie). *1948-66* homme d'affaires (Zapata Petroleum Copr.). *1966-70* représentant. *1971-73* ambassadeur à l'ONU *1973-74* Pt du P. républicain. *1974-75* amb. en Chine. *1976-77* dirige CIA. *1978-80* battu par Reagan aux primaires rép. *1981-88* vice-Pt. **1988**-*2-1 accord de libre-échange Canada-Amér.* *-3-2* le Congrès refuse l'aide de 36 millions de $ à la Contra au Nicar. par 219 v. contre 211. *-19-3 :* 3 150 Amér. envoyés au Honduras. *-4-4* Edward Mecham, gouv. de l'Arizona, 1er gouv. à être révoqué (impeachment) pour entrave à la justice et détournement de fonds. *Juin à sept.* incendie parc nat. de Yellowstone, 364 000 ha touchés sur 1 800 000 ha. *-9-8* Lauro Cavazos, secr. à l'Éducation, 1er hispanique membre du gouv. **1989**-*16/17-1* émeutes noires à Miami. *-31-1* début du procès de l'*Irangate ;* lieutenant-colonel Oliver North condamné à 3 ans de prison avec sursis, 150 000 $ d'amende et 1 200 h de travail communautaire. *-5-4* mort d'Abbie Hoffman, fondateur du mouv. Yippie (Youth International Protest.). *-19-4* explosion à bord du cuirassé *Iowa* (47 †). *-20-5* Pt Mitterrand aux USA *-1-6* Jim Wright, Pt dém. de la chambre des représ., démissionne (mis en cause par comité d'éthique). *-26-6* possibilité d'exécuter les condamnés à morts mineurs (16 à 18 ans) au moment du crime ou les handicapés mentaux. *-20-7* Window Rock heurts entre partisans de Peter Mc-Donald, ancien Pt des Navajos, accusé de corruption et la police, 2 †. *-17-10* Californie, séisme (magnitude 6,9) 55 †, la plupart à cause de l'effondrement d'une autoroute à 2 étages. *-24-10* le télévangéliste Jim Bakker (49 ans) condamné à 45 ans de prison et 500 000 $ d'amende pour escroquerie (condamnation annulée 12-2-91). *Oct.* David Rockefeller vend 846 millions de $ au groupe japonais Mitsubishi 51 % du Rockefeller Center (9 ha, 21 immeubles, inauguré 1-11-1939). *2/3-12* rencontre Bush-Gorbatchev près de Malte. *-16-12* rencontre Bush-Mitterrand à St-Martin. **1990**-*1-1* David Norman Dinkins, 1er maire noir de New York (élu 7-11-89), démocrate. *Janv.* fin de la grève des mineurs (62 j). *-5-3* vice-amiral John Poindexter condamné à 6 ans de prison (Irangate). *Mai* accord avec Iran qui versera 105 millions de $ concernant 2 750 plaintes. *-10-8* procès de Marion Barry, maire de Washington, non-lieu (le 27-9-91 sera condamné à 6 mois de prison pour possession de drogue). *-29-9* 1re rencontre des min. des Aff. étr. amér. et vietnamien dep. 1973. *Oct.* Naat'àanii, des Navajos, coupable d'avoir détourné 250 000 $ de fonds tribaux. *-5-11* New York, Rabbin Meir Kahane assassiné. **1991**-*8-1* Neil Bush, fils du Pt, accusé de « malhonnêteté » dans sa gestion d'une caisse d'épargne de 1985 à 88. *Juin* négociations ouvertes avec Canada et Mexique pour créer zone de libre-échange. *-12-7* annonce mise en place force alliée (USA, G.-B., Fr.) en Turquie pour obliger Irak à respecter décisions de l'Onu. *-30/31-7* rencontre Bush-Gorbatchev à Moscou. *Août-mars* g. du Golfe. Voir Index. *-16-10* 24 tués et 15 bl. à Killen (Texas) par un fou. *Nov.* tuerie sur campus (Iowa, 4 †). *-3-12* John Sununu, secr. gén. de la Maison Blanche, démissionne. *-4-12* Liban, libération du journaliste Terry Anderson. *-11-12* William Kennedy Smith (31 ans, accusé de viol) libéré. **1992** *janv.* Bush au Japon (atteint d'une gastro-entérite). *-31-3* cuirassé Missouri (lancé 1944) désarmé. *11-4* Midway (1945) désarmé. *-29-4* Sidney Reso, Pt d'Exxon internat., enlevé (retrouvé mort 28-6) ; Los Angeles, émeutes [53 †, 2 000 bl. et près de 1 milliard de $ de dégâts (5,6 milliards de F)] après l'acquittement par un jury blanc de 4 policiers blancs qui avaient frappé le 3-3-1991 un automobiliste noir, Rodney King (drogué, conduisant en état d'ébriété, malgré sa mise à l'épreuve après une condamnation à plusieurs mois de prison pour avoir dévalisé une épicerie) (*5-8* sont réinculpés pour violation des droits civiques ; *29-9* nouveau procès prévu). *-24/25-6* grève des cheminots. *-16-7* Ross Perot, candidat à la présidence, se retire. *Juill.-août* incendies de forêts en Oregon et Idaho, 150 000 ha détruits. *-12-8 North Free Trade Agreement* (NAFTA, en français ALENA) créant une zone de libre-échange entre USA, Canada et Mexique (entrée en vigueur 1-1-94). *-24-8* cyclone *Andrew* sur Louisiane et Mississippi, 35 †, env. 2 500 000 sans-abri, dégâts 30 milliards de $. *-24-12* Caspar Weinberger et 5 personnes mêlées à l'Irangate amnistiés. **Popularité** (en %) : *1989 janv. :* 61. *91 mars :* 90, *oct. :* 67, *déc. :* 47.

■ 1992 **William Jefferson (dit Bill) Clinton** (à Hope, Arkansas 16-8-1946), 1,85 m. Démocrate. Baptiste. Porte le nom du 2e mari de sa mère (Virginia Cassidy) [son père, Blythe, représentant de commerce, s'étant tué en voiture 3 mois avant sa naissance]. *1964* études de relations internat. (Georgetown). Bourse de la fondation « Rhodes » à Oxford. *1973* diplôme de droit (Yale). *1976* attorney gén. d'Arkansas. *1978* gouverneur (le plus jeune des USA) d'Arkansas, *1980* battu, *1982* réélu. *1991* élu meilleur gouv. des USA. *1992* élu Pt. *Ép.* 11-10-1975, Hillary Rodham (n. 26-10-1947 à Chicago, méthodiste, père petit industriel du textile, études à Wellesley, puis droit à Yale, *1974* participe à la commission parlementaire d'impeachment contre Nixon à la suite du Watergate, enseigne à l'université d'Arkansas, avocate. *1982* abandonne son nom de jeune fille. 1 fille Chelsea (n. févr. 1980). A été Pte de la New World Foundation qui finança les guérillas prosoviétiques en Amér. centrale, Pte du Fonds pour la défense de l'enfance. Lors de sa campagne élect., on lui reprocha : son absence de passé militaire, d'avoir fait jouer des relations pour éviter d'aller au Viêt-nam, un voyage à Moscou en 1970, une maîtresse, ancienne chanteuse de cabaret pendant 12 ans (même reproche fait à Bush). Vice-Pt Albert Gore (n. 31-3-48, Washington) [ép. Mary Élizabeth Aitcheson, 4 enfants. *1965-69* études à Harvard. *1969* s'engage au Viêtnam. *1976* élu au Congrès (Tennessee), *1984* sénateur du Tennessee. *1988* échec comme candidat à la présidence.] **1993**-*20-1* prestation de serment. *-26-2* New York, attentat à la bombe au World Trade Center, 6 †, 1 042 bl. (17-3 ; Mohammed Salameh et Nidal Ayyad suspectés. *-9-3* visite Pt Mitterrand. *-13/14-3* blizzard au N., tornade au S., 162 † (bilan : 800 millions de $). *-18-4* 2e procès des 4 policiers de Los Angeles (2 déclarés coupables). *-19-4* après siège de 51 j. [ranch de la secte des Davidiens à Wacco (Texas ; créée 1933, dirigée par Vernon Howell n. 1959 qui se fait appeler David Koresh)], assaut du FBI : incendie 72 † (1er assaut 28-2 : 10 †, dont 4 agents) ; du 1 au 21-3, 31 assiégés sortent. **Popularité :** *1993 mai :* 36 %.

■ INSTITUTIONS POLITIQUES

■ **Statut.** Rép. fédérale. Régime présidentiel.

■ **Constitution.** Du *17-9-1787* (comprend une Déclaration des droits de l'homme). **Amendements.** *15-12-1791* 10 am. *(Bill of Rights). 1795* 11e (le citoyen d'un État ne peut attaquer en justice un autre État). *1804* 12e [organisation détaillée de l'él. du Pt et du vice-Pt (2 tours)]. *1865* 13e (abolition de l'esclavage). *1868* 14e (clause *Due Process :* reconnaît à toute pers. naturalisée ou née aux USA les droits de citoyen amér. et les droits de son État, égalité des Noirs avec les Blancs devant la loi). *1870* 15e (égalité de vote des Bl. et des N.). *1913* 16e (autorise impôt sur le revenu) ; 17e (él. des sénateurs). *1919* 18e (prohibition alcoolique). *1920* 19e (vote des femmes). *1933* 20e (date de fin du mandat présidentiel) et 21e (annulation du 18e amendement voir p. 993 a). *1960* 22e (mandat présid. renouvelable 1 fois seulement). *1961-64* 23e (accorde droit de vote dans élec. féd. aux citoyens du district de Columbia) ; 24e (bannit l'usage des *full taxes* dans les élec. féd.). *1967* 25e (remplacement du Pt et vice-Pt). *1971* 26e (vote à 18 ans).

■ **Jours fériés. Pour le district de Columbia et les employés fédéraux** (observés dans la plupart des États). *1-1* jour de l'An ; *3e lundi de janv.* Martin Luther King ; *3e lundi de févr.* naissance de Washington ; *dernier lundi de mai* Memorial Day ; *4-7* Indépendance ; *1er lundi de sept.* travail ; *2e lundi d'oct.* Christophe Colomb ; *11-11* Vétérans ; *4e jeudi de nov.* Thanksgiving ; *25-11* Noël. **Autres fêtes légales dans certains États :** *12-2* naissance de Lincoln ; *Mardi gras* (Good Friday).

■ **Pouvoirs du gouvernement fédéral** (art. 1er, section 8). Établir et percevoir des impôts et taxes afin de pourvoir à une défense commune et au bien-être général, réglementer le commerce entre les États et avec l'étranger, réglementer la naturalisation et établir des lois uniformes en matière de faillite, battre monnaie, établir des bureaux et des routes pour la poste, constituer des tribunaux fédéraux subordonnés à la Cour suprême, entretenir des troupes et déclarer la guerre, conclure des traités. **Pouvoirs des États.** La Constitution ne les énumère pas clairement. Les États *peuvent légiférer en matière de :* droit civil (mariage et divorce), pénal (qualification des crimes et délits, sanctions), fiscal (établir et percevoir des impôts, etc.), contrôle des armes, des jeux et des drogues. *Ils créent, les circonscriptions électorales, organisent les élections et ont en principe le contrôle sur :* administrations locales (comtés, municipalités, districts), l'éducation, maintien de l'ordre public, aménagement du territoire, réglementation économique et sociale, système de santé et d'aide sociale.

PRÉSIDENT

■ **Élections.** Élu pour 4 a. Rééligible une seule fois (dep. 1960 : 22e amendement) ; coutume datant de G. Washington, interrompue en 1940 et 1944 par F.D. Roosevelt. **1°) Sélection des candidats de chaque parti. Élections primaires.** *Origine : 1905* Wisconsin, *1910* Oregon, *1912* dans 12 États, *1916* 26, puis recul (1968, 17), *1972* dans 23 États. De nombreux États n'y recourent pas, les appareils des partis désignant les délégués. *Époques :* les 1res ont lieu dans le New Hampshire en févr. de l'année des élections, les dernières en mai-juin en Californie et à New York. *But :* les citoyens élisent les délégués (nombre variable selon la pop. des États) qui siégeront aux conventions nationales des Partis républicain et démocrate. *Primaires fermées* (17 États en 1992) les électeurs doivent déclarer leur affiliation au parti concerné pour participer au scrutin. *Ouvertes* (19 États en 1992) n'importe quel citoyen peut voter. Les candidats peuvent être nombreux (207 en 1976, dont 27 liés à un parti). *Caucus* (sans doute du mot algonquin « kawkaw-was » = parler) : réunion des responsables d'un parti pour fixer sa politique ou nommer des candidats. Seuls les militants peuvent voter.

Conventions nationales des partis. Désignent les candidats (ticket) à la présidence et à la vice-prés. de chaque parti. En 1992, 4 284 délégués démocrates, convention en juill. à New York qui désigne le ticket Clinton-Gore ; 2 206 délégués républicains (sans compter les délégués de droit), convention à Houston en août, ticket Bush-Quayle. Les conventions approuvent les programmes des partis.

2°) Scrutin présidentiel. Élections des grands électeurs *(electors)* **:** élus au suffrage universel direct par l'ensemble du corps électoral début novembre. Chaque État a droit à un nombre de grands électeurs égal au chiffre de ses représentants au Congrès. Au total, en 1992, 538 dont Californie 54, New York 33, Texas 32, Floride 25, Pennsylvanie 23, Illinois 22, Ohio 21, Michigan 18, New Jersey 15, Caroline du N. 14, Géorgie et Virginie 13, Massachusetts et Indiana 12, Washington, Missouri, Wisconsin et Tennessee 11, Minnesota et Maryland 10, Louisiane et Alabama 9, Arizona, Colorado, Oklahoma, Kentucky, Connecticut et Caroline du S. 8, Oregon, Iowa et Mississippi 7, Kansas et Arkansas 6, Utah, Nebraska, N.-Mexique, Virginie occ. 5, Hawaï, Nevada, Idaho, New Hampshire, Rhode Island et Maine 4, Alaska, Montana, Wyoming, Dakota du N. et du S., Delaware, Washington DC et Vermont 3. Par convention, le candidat à la présidence qui recueille le plus de suffrages dans un État obtient tous les votes des grands électeurs de cet État.

Élection du Pt et vice-Pt : les grands électeurs se réunissent début décembre (le 1er lundi après le 2e vendredi de décembre). Pour être élus, pt et vice-pt doivent chacun obtenir la majorité (270 v.). S'il n'y a pas de majorité, la Chambre des représentants départage les candidats à la présidence et le Sénat ceux à la vice-présidence. Le nouveau Pt entre en fonction le 20 janvier suivant.

Si la majorité des grands él. désignés est démocrate, c'est le candidat de ce parti qui est élu et vice versa. 12 voix suffiraient ainsi pour assurer légalement l'él. du Pt, si le phénomène se produisait à la fois dans les 12 États les plus importants qui contrôlent la majorité absolue des votes él. (277 voix, 7 de plus que nécessaire pour l'emporter). *La majorité est parfois très faible* [ex. *1960* Kennedy 118 550 voix sur 68 838 879 suffrages exprimés, qui lui a donné 303 votes él. (Nixon 219). Si Nixon avait rallié 8 846 él. de plus dans l'Illinois, 9 980 dans le Missouri et 115 à Hawaii, soit 18 941 en tout, ces 3 États basculaient dans son camp, et il aurait éliminé Kennedy par 263 votes él. contre 259. *1968* Nixon 510 314 voix ; *1976* Carter 1 681 417 voix]. *Les victoires sont amplifiées* (*1980,* Reagan a 43 300 000 voix et 489 votes él., Carter 34 900 000 voix et 49 votes él.). L'élection n'est qu'une formalité, sauf en 1876 (le rép. Tilden avait 1 voix de majorité ; un grand él. rép. vendit sa voix aux dém. et Hayes fut élu). Washington fut le seul Pt élu par tous les grands él. ; en 1820, un seul grand él. ne vota pas pour Monroe.

En cas d'élect. blanche : aucun candidat n'ayant la majorité au collège él., les 435 députés siégeraient en bloc dans la « délégation » de l'État dont ils viennent, et chaque État ne disposant que de 1 voix se prononcerait alors comme un seul homme. Le cas s'est présenté en 1800 et 1824.

Nota. – La Cour suprême a reconnu en 1952 (arrêt Ray V. Blais) le caractère impératif de l'engagement des électeurs présidentiels. Mais il peut arriver que lors de la proclamation officielle des résultats, l'un d'entre eux se ravise : ainsi, en 1969, un él. prés. de la Caroline du S. a renoncé à voter pour Nixon au profit de Wallace ; juge du contentieux électoral, le Congrès a validé ce vote.

Participation électorale *(en %) 1932 :* 52,4 ; *36 :* 56 ; *40 :* 58,9 ; *44 :* 56 ; *48 :* 51,1 ; *52 :* 61,6 ; *56 :* 59,3 ; *60 :* 62,8 ; *64 :* 61,9 ; *68 :* 60,9 ; *72 :* 52,2 (majorité abaissée de 21 à 18 ans) ; *76 :* 53,5 ; *80 :* 54 ; *84 :* 53,1 ; *88 :* 50,1 ; *92 :* 55,5.

Coût des élections. *Avant 1972,* les frais incombaient aux candidats et à leurs comités de soutien. *Depuis 1972,* des subventions fédérales sont

Présidents minoritaires

Pts élus avec + de 60 % des voix : *1920* Harding 60,3 ; *1936* Roosevelt 60,8 ; 1964 Lyndon B. Johnson 61,1 ; *1972* Nixon 60,7. **Pts minoritaires élus avec – de 50 %. Nombre de cas :** 16 sur 48 él. présidentielles (*1824* Adams 30,54 ; *1844* Polk 49,56 ; *1844* Taylor 47,35 ; *1856* Buchanan 45,63 ; *1860* Lincoln 39,79 ; *1876* Hayes 47,9 ; *1880* Garfield 48,32 ; *1884* Cleveland 48,53 ; *1888* Harrison 47,86 ; *1892* Cleveland 46,04 ; *1912* Wilson 41,85 ; *1916* Wilson 49,26 ; *1948* Truman 49,51 ; *1960* Kennedy 49,71 ; *1968* Nixon 43,16) ; *1992* Clinton 43,3.

☞ Le Pt n'est pas toujours du parti détenant la majorité au Congrès (Wilson 1918, Truman 1946, Eisenhower 1954, Nixon 1968, Ford 1974, Bush 1988).

accordées à tout candidat ayant récolté au minimum 5 000 $ dans 20 États. Les cand. peuvent refuser une subvention publique prévue, et faire une campagne privée, mais s'ils acceptent le financement public, ils ne peuvent consacrer plus de 50 000 $ de leurs ressources propres. *Coût (millions de $) :* Lincoln (1860) 0,1, Kennedy (1960) 200, Nixon (1968) 300, Reagan (1984) 325. *1992 :* Clinton 71,3 dont coordination des campagnes des candidats démocrates aux élect. locales et nat. 18,5, marketing direct de Clinton 9,1, sondages 2,6, publicité 14,1, frais de campagne 27. Bush 62,4. Coût pour le contribuable : 173,7 dont 78,8 versés à Clinton et 76,4 à Bush.

☞ Un projet, adopté par la Chambre des représentants en 1969 à une très forte majorité, prévoyait l'élect. du Pt au suffrage universel direct (il devait obtenir au min. 40 % des voix), mais le Sénat le repoussa. En 1977 et 1979, un nouveau projet dans ce sens fut soumis (sans succès) par le Pt Carter.

■ **Pouvoirs.** Le Pt choisit les min. de son Cabinet qui ne sont responsables que devant lui [8 fois dep. 1888, le Sénat a refusé la nomination d'un secr. d'État dont (par 53 voix contre 47) le 9-3-1929 J. Goodwin Tower (nommé 16-12-1928)] ; il a le droit de veto sur les mesures présentées par le Congrès (son veto n'est plus valable si le Congrès revote à la majorité des 2/3) ; une fois accepté par le Pt, le « bill » voté par le Congrès devient un « act ». Commandant en chef de l'armée, il est chef de la diplomatie, mais ne peut déclarer la guerre (Congrès), ni signer les traités (Sénat). Il peut aussi ajourner (pas d'exemple) ou convoquer une session extraordinaire du Congrès et lui adresser des messages (par ex. sur l'état de l'Union...). *Moyens d'action officieux sur le Congrès :* patronage (survivance du « spoil system »), ensemble des avantages et des postes dont le Pt peut faire bénéficier ses amis pol. ; marchandage : (par le « lobby » du Pt) ; contacts personnels : le Pt ne peut assister aux délibérations du C, mais peut en recevoir des membres.

Cabinet. Le Pt dispose du *White House Office (ou White House Staff)*, le cabinet présidentiel. [Plusieurs centaines de membres ; *chefs d'état-major* (Chief of Staff) : Dous Ronald Reagan : James Baker ; George Bush : John Sununu]. *Central Intelligence Agency* (espionnage), *National Security Council* (politique étrangère et défense nationale), *Council of Economic Advisers* (politique écon.) et *Office of Management and Budget* (préparation et exécution du budget, contrôle de la réglementation) sont directement rattachés à la présidence.

Pts assassinés. *Abraham Lincoln* (12-2-1809/14-4-65). *James Garfield* (1831-81). *William McKinley* (1843-1901). *John Kennedy* (29-5-1917/22-11-63). **Attentats manqués :** *Franklin Roosevelt* (20-1-1882/12-4-1945) : 15-2-1933 Giuseppe Zangara tira sur Cermak. *Harry S. Truman* (8-5-1884/26-12-1972) : 1-11-1950 par 2 Portoricains. *Gerald Ford* (n. 14-7-1913) : 5-9-1975 par Lynette Alice Fromm qui le visa mais ne tira pas ; 22-9-1975 Sara Jane Moore qui tira un coup défectueux. *Ronald Reagan* (n. 6-2-1911) : blessé 30-3-1981 par John Hinckley.

Le Congrès a voté 2 lois qui diminuent les pouvoirs du Pt : *War powers resolution* (1973, exige accord du Congrès pour l'intervention à l'étranger des forces amér. pour plus de 60 j) ; *Budget and impoundment control act* (1974, le Pt ne peut limiter les dépenses et des parlementaires peuvent dépenser sans être tenus pour responsables).

■ **Impeachment.** Possibilité pour le Congrès de destituer le Pt. Décrété par la Chambre des représentants si elle reconnaît, à la majorité simple, que le Pt (ou le vice-Pt) a commis un crime ou violé la Const. (trahisons, concussions, ou autres crimes ou délits graves). Le procès est ensuite mené par le Sénat, présidé par le 1er juge de la Cour suprême. Si le Sénat, à la majorité des 2/3, confirme le bien-fondé des accusations de la Chambre, l'accusé est démis de ses fonctions. *L'« impeachment » a été prononcé contre :* John Tyler (1842 et 1843) mais la Chambre a refusé de le poursuivre ; Andrew Johnson (1868), le Sénat l'a absous par 1/3 de voix plus 1 ; Nixon pour l'affaire du Watergate (1972) mais il a démissionné en 1974 pour éviter le procès devant le Sénat (puis il a été « gracié » par son successeur Gerald Ford).

■ **Résidence.** *Executive Mansion* (nom officiel) dite *Maison-Blanche* (nom adopté 1902) : commencée 13-10-1792. Construite par James Hoban (architecte irlandais) sur le modèle de la demeure du duc de Leinster à Dublin, terrain de 7 ha, incendiée par Angl. 1814, reconstruite 1817, briques peintes en blanc pour dissimuler les traces d'incendie. Intérieur refait 1948-52 : 132 pièces. *Visiteurs :* 1 million par an.

■ **Vacance du pouvoir.** 25e amendement voté 1967 réglant l'ordre de succession (si le Pt et le Vice-Pt disparaissaient simultanément : speaker de la chambre des représentants, Pt du Sénat, secrétaire d'État, secr. au Trésor, secr. à la Défense, secr. à la Justice, secr. à l'Intérieur.

■ **Études.** *Harvard* 2 Adams, 2 Roosevelt. *Princeton* Cleveland et Wilson. *Yale* Taft, Bush, Clinton. Andrew Johnson apprit à lire tardivement sans jamais y parvenir vraiment. *Pas d'études* Truman et Reagan.

■ **Généraux.** Washington, Jackson, Taylor, Grant, Eisenhower.

■ **Dates d'entrée en fonctions.** Washington *30-4* (date du serment prêté début du mandat, 4-3), *ensuite 4-3* (sauf, du fait de la mort du Pt en exercice, Fillmore 10-7, A. Johnson 15-4, Arthur 20-9, Th. Roosevelt 14-10, Coolidge 3-8) *puis le 20-1* (Inauguration Day à midi) dep. 23-1-1933 (20e amendement), application la 1re fois 1937 avec F.D. Roosevelt (sauf Truman 12-4, L.B. Johnson 2-2, G. Ford 9-8). **Le plus jeune Pt entré en fonctions** (le 14-9-1901) : Theodore Roosevelt (42 ans). **Le plus jeune élu :** Kennedy (43 a. 5 mois 10 j, le 8-11-1960). **Les plus vieux.** Reagan (69 ans 11 mois, le 20-1-1981), Harrison (68) et Buchanan (65).

■ **Présidents réélus.** 14 dont 5 dep. 1945. **Nombre de Pts par parti.** Pts rép. 19 (dep. 1850), dém. 10.

Coût des inaugurations (millions de $) : Carter 3,7, Reagan 16 et 20, Bush 30, Clinton 25.

Dernières élections présidentielles

Pt et Vice-Pt élus (en gras) ; ensuite candidats (Pt et Vice-Pt) battus.

Nota. – (1) Républicain. (2) Démocrate. (3) Soc. Worker. (4) Progressiste. (5) Indépendant. (6) Parti américain. (7) Communiste. (8) Libertaire. (9) New Alliance. (10) Parti populiste. (11) Soc. Labor.

1928 Herbert Hoover [1] (Charles Curtiss [1]) 58,22 %. Alfred Smith Joseph [2] (Robinson [2]) 40,8 %. **1932 Fr. D. Roosevelt [2] (John Garner [2])** 57,4 %. Herbert Hoover [1] (Charles Curtiss [1]) 39,6 %. **1936 Roosevelt [2] (John Garner [2])** 60,8 %. Alfred Landon [1] (Frank Knox [1]) 36,5 %. **1940 Roosevelt [1] (Henry Wallace [1])** 54,7 %. Wendel Wilkie [1] (Charles McLary [1]) 44,8 %. **1944 Roosevelt [1] (Harry Truman [1])** 53,3 %. Thomas Dewey [1] (John Bricker [1]) 45,9 %. **1948 Harry S. Truman [2] (Alben Barkley [2])** 49,6 %. Th. Dewey [1] († 1971) (Earl Warren [1]) 45,1 %. J. Strom Thurmond [1] (Fielding Wright [1]) 2,4 %. Henry Wallace [4] (Glen Taylor [4]) 2,4 %. **1952 Dwight D. Eisenhower [1] (Richard Nixon [1])** 55,1 %. *Adlai Stevenson [2] (John Sparkman [2])* 44,4 %. **1956 Eisenhower [1] (R. Nixon [1])** 57,4 %. *Adlai Stevenson [2] (Estes Kefauver [2])* 42 %. **1960 John F. Kennedy [2] (Lyndon Johnson [2])** 49,7 %. R. Nixon [1] (Henry Cabot Lodge [1]) 49,5 %. Harry Byrd (sans parti) 0,6 %. **1964 Lyndon Johnson [2] (Hubert Humphrey [2])** 61,1 %. Barry Goldwater [1] (William Miller [1]) (1911-78) 38,5 %. **1968 Richard M. Nixon [1] (Spiro Agnew [1])** 43,4 %. *Humphrey [2] (Edmund Muskie [2])* 42,7 %. George Wallace [5] (Curtis Le May [5]) 13,5 %. **1972 R. Nixon [1] (S. Agnew [1])** 60,7 %. *George McGovern [2]* (1,86 m) *(R. Sargent Shriver junior [2])* 37,5 %. Schmitz [6] 1,4 %. Jennesson Reed [3]. Fisher [11]. Hall [7]. **Divers. 1976 Jimmy Carter [2] (Walter Mondale [2])** 51 %. Élu par 68 % des juifs, 54 % des cathol. et 46 % des protestants ; 73 % des suffrages libéraux, 53 % des modérés, 30 % des conservateurs ; 82 % des Noirs et 48 % des Blancs. Sur 207 candidats, 12 autres s'étaient présentés, dont Gerald Ford 48 %, Eugene McCarthy, Lester Maddox, Gus Hall (candidat du PC). **1980 Ronald Reagan [1] (George Bush [1])** 50,7 %. Élus avec 9 millions de voix de majorité (record) ; par 44 États sur 51 [489 mandats de grands électeurs (majorité requise : 270), malgré record d'abstention (47,4 %) ; par 51 % des femmes, 75 % des syndiqués, l'ensemble du S. (sauf Géorgie, pays natal de Carter), New York (pourtant traditionnellement démocrate), 37 % des juifs, une majorité de cathol. et de jeunes]. Jimmy Carter [2] (W.F. Mondale [2]), 41 %, dont 81 % des Noirs, 56 % des cathol., 39 % des juifs ; 49 mandats de grands électeurs. John Anderson (Patrick J. Lucey) 6,6 % ; 0 mandat. **1984 Ronald Reagan [1] (George Bush [1])** 59 %. Élus avec près de 17 millions de voix de majorité (record) sur 90 millions de votants (52,9 %) par 49 États sur 50 [525 mandats de grands électeurs (majorité requise 270) ; dont % des hommes 68, femmes 57 ; syndiqués 46, non syndiqués 65, employés 60, ouvriers 54 ; protestants 66, cathol. 56, juifs 31 ; Blancs 2/3, Noirs 9, Hispaniques 47, Asiatiques 72 ; jeunes de 18 à 29 ans 58]. W.F. Mondale [2] (Geraldine Ferraro [2], 1re femme candidate à la vice-présidence). 41 %, dont syndiqués 54 %, juifs 66, Noirs 91 et Hispaniques 53 ; 13 mandats de grands électeurs. **1988 George Bush [1] (Danforth dit Dan Quayle [1]).** [Électeurs potentiels 182 628 000, inscrits 129 500 000, votants 91 594 693 (moyenne 50,1 %, le plus faible % Washington DC 36,6, le plus fort Minnesota 65,3). 19 candidats] 48 886 097 v. (53,37 %), Michael Dukakis [2] et Lloyd Bentsen [2] 45,65, Ron Paul [8] 0,47 %, Lenora Fulani [9] (1re femme noire à obtenir les signatures nécessaires pour se présenter dans les 50 États) 0,24, David Duke [10] 0,05 %. Bush l'emporte dans 40 États et obtient les voix de 426 grands électeurs pour le scrutin du 14-12, Dukakis l'emporte dans 10 États (112 voix). **1992 Bill Clinton [2] (Al Gore [2])** [participation 55,9 %, 104 552 736 votants], 43 %, élu dans 32 états et Washington DC, 370 grands électeurs. George Bush [1] (Dan Quayle [1]) 37,7 %, 18 États, 168 grands électeurs. Henry Ross Perot [5] (James Stockdale [5]) 19 %, 0 grand électeur. 23 autres candidats. *Coût de la campagne pour les contribuables :* 173,7 millions de $ (Clinton 78,8, Bush 76,4).

Vice-président

Statut. Élu en même temps que le Pt, du même parti, mais originaire d'un autre État, successeur automatique en cas de décès, éligible ensuite et rééligible s'il a accompli moins de la moitié du mandat du défunt. En cas de décès simultanés, seraient Pt, dans l'ordre : speaker à la Chambre des représentants, Pt du Sénat, secr. d'État (relations intern.), secr. au Trésor, à la Défense, à la Justice, à l'Intérieur, etc. 81 est Pt du sénat, mais n'a pas de droit de vote sauf en cas de scrutin nul.

10 accédèrent à la présidence, 8 après la mort du Pt (4 de mort naturelle, 4 assassinés) : *1841* Tyler ; *1850* Fillmore ; *1865* A. Johnson ; *1881* Arthur ; *1901* Th. Roosevelt (réélu 1904) ; *1923* Coolidge (réélu 1924) ; *1945* Truman (réélu 1948) ; *1963* L.B. Johnson (réélu 1964) ; 1 après la démission du Pt, *1974* Ford (après démission de Nixon) ; 1 élu normalement *1988* Bush.

Autres organes

■ **Secrétaires d'État.** Nommés et révoqués discrétionnairement par le Pt ; leurs compétences sont déléguées par le Pt ; aucune responsabilité politique devant le Congrès. S'ils sont parlementaires, ils doivent renoncer à leur mandat électif.

■ **Gouvernement** (janv. 93) *Pt* Bill Clinton dep. 20-1-93. *Vice-Pt* Al Gore. *Aff. étr. (secrétariat d'État)* Warren Christopher. *Défense* Leslie Aspin. *Trésor* Lloyd Bentsen. *Justice (attorney général)* Janet Reno. *Intérieur* Bruce Babbit. *Agriculture* Mike Espy. *Commerce* Ronald Brown. *Travail* Robert Reich. *Santé* Donna Shalala. *Logement et développement* Henry Cisneros. *Transports* Frederico Pena. *Énergie* Hazel O'Leary. *Anciens combattants* Jesse Brown. *Éducation* Richard Riley.

Chef d'état-major des armées Gal Colin Powell. *Conseil de sécurité* Anthony Lake.

Nota. – Le *département de la Défense* [1 min. assisté de 3 adjoints (Armée, Marine, Air) conseillés chacun par un chef d'état-major, 1 200 000 empl. civils, soit 40 % des employés féd.] n'existe que depuis 1947. Le *secr. à l'Intérieur* ne s'occupe pas du maintien de l'ordre, mais de l'administration des richesses naturelles de l'Union. L'*Executive (EOP)* chargé d'élaborer la politique prés. réunit env. 1 800 pers. au sein du *White House Staff* (Maison du Pt) ; à sa tête le « Chief of Staff ».

■ **Cour suprême.** 9 m. (8 juges et 1 Pt, le « Chief Justice ») nommés à vie par le Pt avec l'accord du Sénat. *Pouvoirs :* arbitre les différends entre les États, entre un État et l'Union, entre un citoyen et l'État féd. Juge de la constitutionnalité des lois (votées par le Congrès) et des décisions du Pt.

■ **Congrès. Siège :** *le Capitole* construit 1792-1800, incendié 1814, reconstruit, plusieurs fois modifié. Grande rotonde : dôme 54,9 m. **Sénat :** 100 m. (+ de 30 a., citoyen amér. dep. 9 a. et habitant l'État qui l'élit) élus au suffr. univ. (avant 1913, par les législatures d'États) p. 6 a., 2 par État. Renouvelable par tiers tous les 2 a. Le district de Columbia (cap. fédérale) et les territoires d'outre-mer ne sont pas représentés. En 1992, sur 100 membres, il y avait 6 femmes dont 1 noire.

Composition du Sénat et de la Chambre (sièges)

Années	Sénat			Ch. des rep.		
	Dém.	Rép.	Ind.	Dém.	Rép.	Ind.
1900	29	56	5	153	198	6
1918	47	48	1	191	237	7
1930	47	48	1	216	218	1
1940	66	28	2	267	162	6
1950	48	47	1	234	199	2
1960	64	36	0	262	175	0
1970	54	44	2	255	180	0
1980	46	53	1	243	192	0
1984	47	53	0	252	183	0
1986 (4-11)	55	45	0	260	175	0
1987 (4-5)	54	46	0	258	176	0
1988 (8-11)	55	45	0	262	173	0
1990 (6-11)	55	44	0	267	167	1
1992 (juin)	56	43	0	268	166	1
1992 (3-11)	58	42	0	259	175	1
1992 (24-11)	57	43	0	259	175	1

Chambre des représentants : 435 dép. (+ de 25 a., citoyens amér. dep. 7 a. et résidant dans la circonscription où ils se présentent) élus p. 2 a. au suffr. univ. (scrutin uninom. à 1 tour). 1 élection sur 2 a lieu l'année des présidentielles. Les sièges sont répartis tous les 10 ans entre les États, au prorata de leur pop. (en 1789 : 1 pour 30 000). Leur nombre a crû jusqu'en 1910 (435 et provisoirement 437 au moment de l'admission de Hawaii et de l'Alaska). Après chaque recens., la répartition est revue. En 1992 : sur 435 membres, 109 nouveaux élus (1re fois) ; 38 Noirs, 17 Hispaniques, 4 Asiatiques et 1 Indien ; 47 femmes.

Pouvoirs du Congrès : vote les lois et le budget, contrôle l'exécutif et l'adm. (enquêtes et commissions spécialisées), propose et vote des amendements à la Const. (à la majorité des 2/3 avec ratification par les 3/4 des États). Le Congrès ne peut être dissous, et il ne peut être contraint de voter une loi ou un budget qu'il n'appuie pas. Kennedy et Johnson, quoique démocrates comme la majorité du C., furent très souvent en opposition avec celui-ci. En outre, le parti du Pt peut être minoritaire au C. (cas de Nixon durant ses 2 mandats). Le Congrès s'entoure de protections et de lois lui permettant d'annuler des décisions prises par l'exécutif, qu'il s'agisse du Pt ou des Agences exécutives. Il peut déclarer la guerre (le Pt n'est que chef des armées). Le *War Power Act* adopté par le Congrès le 7-11-1973 autorise le Pt à intervenir militairement en cas d'hostilités déclarées et limite l'intervention à 60 j si elle n'est pas autorisée. Chaque année, les Chambres siègent 7 mois ou + à partir du 3 janvier (session d'automne au cours des années sans él. féd.).

☞ Le mot *Congrès* désigne aussi la durée d'une législature (2 ans). Le Congrès élu pour 1991-93 est le 102e.

Participation électorale (en %) *1942 :* 30 ; *44 :* 52,7 ; *46 :* 37,1 ; *48 :* 48,1 ; *50 :* 41,1 ; *52 :* 57,6 ; *54 :* 41,7 ; *56 :* 55,9 ; *58 :* 43 ; *60 :* 58,5 ; *62 :* 45,4 ; *64 :* 57,8 ; *66 :* 45,4 ; *68 :* 55,1 ; *70 :* 43,5 ; *72 :* 50,7 ; *74 :* 35,9 ; *76 :* 48,9 ; *78 :* 37,7 ; *80 :* 47,4 ; *82 :* 38 ; *86 :* 37,3.

Élections. 1990 *(6-11)* 36 % des électeurs potentiels américains ont désigné 36 gouverneurs sur 50, renouvelé 1/3 du Sénat, la totalité de la Chambre des représentants et 6 257 sièges dans les législatures des différents États. 236 référendums et initiatives étaient organisés le même jour.

Partis

■ **Parti républicain** (GOP : Grand Old Party ; emblème : l'éléphant) : f. 1854 (1re réunion le 28-2 à Ripon, Wisconsin) ; héritier indirect du Parti fédéraliste [fondé 1787 par Alexander Hamilton (1755-1804)] qui à l'origine recrutait ses partisans en milieu aisé (financiers, marchands) et cessa d'exister en 1820 (1 seul Pt, John Adams). Une scission au sein des « rép. jeffersoniens » dirigée, pour sa fraction conservatrice, par John Quincy Adams (1767-1848), donna alors naissance au « P. rép. national », devenu parti whig après le ralliement d'une large part de l'ancien P. fédéraliste. A partir de là fut fondé (1850) le P. rép. antiesclavagiste. Plus conservateur que le P. dém. ; partisan d'une intervention limitée de l'État et d'une réduction des dépenses soc. Représente fermiers (Middle West), milieux d'affaires, banlieues résidentielles. *Leader :* Richard N. Bond.

■ **Parti démocrate** (emblème : l'âne) : f. 1848, leader Paul G. Kirk. Les rép. jeffersoniens (Jefferson était pour la limitation des pouvoirs du gouvernement central) devenus, lors de la scission de John Quincy Adams (1820), le p. des républicains démocrates, donna naissance au P. démocrate actuel. Lors de la g. de Sécession il y eut des dissensions entre démocrates du N. et du S. Plus progressistes que les rép., les dém. sont pour un accroissement du pouvoir féd. et une pol. sociale généreuse. Plus grand parti politique : a la majorité à la Chambre des représ. (259 sur 435) ; en minorité au Sénat (47 contre 53) ; majorité parmi les gouvernements (34 sur 50) et dans les assemblées des États (32 sur 50). *Leader :* David Wilhem.

■ **Parti communiste** f. 1919, *leader* Gus Hall. Env. 12 000 m. (75 000 en 1945).

■ Justice

■ **Avocats** (1990). 729 000 dont Noirs 3,2 %. **Juges fédéraux** 837 (4,3 % Noirs) ; *des États à plein temps* 12 000 (dont 465 Noirs en 1991).

Criminalité (1991). Pour 100 000 h, 5 897,8 crimes dont 5 139,7 contre la propriété, 758,1 crimes violents, 9,8 meurtres, 42,3 viols, 272,7 vols, 424 assauts aggravés, 1 252 vols avec effraction, 3 228 simples, 657 (90) de véhicules. **Meurtres.** *1985 :* 17 545, *90 :* 20 045, *91 :* 24 020 (dont Californie 3 710, Texas 2 660, New York 2 550). **Viols** (ou tentatives). *1990 :* 130 260, *91 :* 207 610. **Armes détenues par des particuliers (1992) :** 210 millions de fusils, 73 millions de revolvers. 100 000 enfants au moins vont en classe munis d'une arme à feu. **Attentats terroristes.** *1975* 24-01 bombe Fraunces Tavern de Manhattan (Portoricains). 29-12 aéroport de La Guardia : 11 † (Portoricains ou Croates). *1976* 10-9 bombe à la gare centrale de New York (Croates). 31-12 4 bombes dont 1 au quartier général de la police et 3 dans des bâtiments officiels de Manhattan et Brooklyn (Portoricains).

Nota. – % de Noirs dans les personnes arrêtées : pour vol 61 %, meurtres 55, viols 43, détention d'armes 40, coups volontaires graves 38. En 1992, un Noir vivant en zone urbaine avait 1 chance sur 10 de mourir assassiné (1 sur 4 pour un Blanc).

Peine de mort. Sur 50 États, 11 l'ont abolie, 39 la prévoient [15 utilisent la chaise électrique dite « Old Sparky » (« la vieille étincelle » ; inventée en 1888 ; électrocution en 2 min avec du courant de 2 500 V ; il faut parfois 5 décharges), 10 la chambre à gaz, 4 la pendaison, 3 l'injection (le 7-12-1983, C. Brooks, à Huntsville, Texas : 1re exécution par injection intraveineuse d'un produit chimique), 1 (l'Utah) offre le choix entre la pendaison et le peloton d'exécution], 16 l'appliquent. En 1976, la Cour suprême a admis que la peine de mort est constitutionnelle. *Exécutions de 1977 (17-1) au 5-5-1993 :* 200. *Au 1-4-92 :* 2 547 condamnés attendaient leur exécution (dont en % : Blancs 50,4 %, Noirs 41, Hispaniques 5,9, Indiens 1,3, Asiatiques 0,5). Au 31-7-91, 31 jeunes de moins de 18 a. attendaient d'être exécutés. **Détenus.** *1980 :* 369 930. *1989 (31-12) :* 710 054 dont 10 000 à l'île du Diable (sur l'East River au N. de New York), 47 % sont noirs, 15 % hispaniques. *1991 :* 823 414 (soit 1 adulte pour 156 hab.). *Au 1-1-91 :* 426 détenus pour 100 000 h. (record mondial). **1re électrocution d'un criminel.** William Kemmler 6-8-1890.

■ Politique extérieure américaine

■ **Afrique.** 3 principes contradictoires : *1°) aide contre les colonisateurs* (notamment Belgique au Congo, Portugal en Angola et Mozambique ; minorité blanche du Zimbabwe, avec pressions sur la G.-B. pour l'obliger à se retourner contre ses nationaux, etc.). *2°) efforts milit., pol. et écon. pour garder l'Afr. indép. dans le camp occid.* où elle se trouvait au temps du colonialisme. Mais l'ex-URSS s'implante longtemps en Éthiopie et Angola ; la Chine en Afrique orientale. *3°) refus d'un accord global sur les exigences du tiers monde* (allégement des dettes, fin de l'aide liée obligeant l'emprunteur à acheter chez le prêteur ; libre entrée des produits afr. dans les pays riches ; indexation des cours des mat. premières ; création d'un organisme distributeur, où le vote ne se ferait pas au prorata des contributions versées). *Motif :* les États afr., émancipés économiquement, pouvaient choisir de leur plein gré le camp soviétique.

■ **Amérique latine.** Les USA sont membres de l'OEA (Voir Index), où ils ont fait la loi jusque v. 1960. PRINCIPES : *1°) accorder aux États amér. des prêts bancaires (publics et privés) et une aide technol.* en échange de la stabilité pol. (aide fréquente aux régimes dictatoriaux), et de l'alliance nord-amér. *2°) doctrine de Monroe :* l'Amér. du N. ne tolère aucune ingérence dans les affaires des 2 continents amér. (ex. : destruction de l'empire mexicain, fondé par Nap. III en 1856). DEP. 1960 : *1°) l'hégémonie nord-amér. est souvent contestée :* Cuba, certaines îles des Caraïbes, Nicaragua, Bolivie (remise au pas après de longues péripéties) ; en revanche, l'influence écon. au Brésil et en Argentine est en essor. *2°) l'expulsion des puissances coloniales* europ. (G.-B., P.-Bas, France) a été différée (crainte de voir de nouveaux États microscopiques tomber dans l'orbite de Cuba). *De 1970 à 80,* l'opinion publique amér., plutôt à gauche, répugnait au soutien inconditionnel de dictatures faisant fi des droits de l'homme ; elle souhaite avec Reagan remettre au pas les petites nations révolutionnaires et si possible, à plus lointaine échéance, Cuba. D'où : a) soutien aux dictateurs de droite (instructeurs, matériel antiguérilla fournis à la junte salvadorienne) ; b) pression sur les nations eur. (où l'opinion publique est souvent favorable aux guérilleros gauchistes) pour qu'elles abandonnent les forces révolutionnaires d'Am. (fin de l'aide humanitaire au Salvador ; annulation de l'aide fin. à la construction de l'aéroport stratégique de Grenade, où les USA interviendront militairement en 1983) ; aide aux « Contras » anti-sandinistes au Nicaragua ; c) négocier en position de force avec l'URSS pour obtenir son retrait de l'hémisphère amér. En attendant, exiger la fin de l'aide sov.-cubaine aux guérilleros. But pratiquement réalisé avec dislocation de l'URSS dep. 1990. *3°) la découverte, en 1979, d'importantes réserves pétrolières au Mex.* rend les USA sensibles à la stabilité du régime mex. ; l'intervention au Guatemala, au Honduras, au Salvador tend à protéger le Mex.

■ **Chine.** *1°) méfiance* (nation prolifique et ambitieuse, rivale possible). *2°) espoir de trouver en Extrême-Orient un contrepoids à la menace soviétique.* [Entre 1948 et 71, les USA ont redouté la collusion des 2 puissances comm. Depuis la « normalisation » des rapports avec la Ch. populaire (contre l'abandon de T'ai-wan), ils sont satisfaits d'exporter leur blé en Ch., et tentent de récupérer pour le camp du « monde libre » les forces chinoises.]

■ **Espagne.** *Jusqu'à la mort de Franco* (1975), alliée inconditionnelle. Aide technologique et financière. *Dep. la mort de Franco,* l'Esp. tente de s'intégrer à l'Europe. Conséquences : 1°) elle peut devenir membre de l'Otan, ce qui l'intégrerait aux forces communes, mais mettrait fin aux accords bilatéraux, avantageux pour les USA. 2°) l'intégration esp. à la CEE a provoqué la diminution des échanges Espagne/USA et de l'aide amér.

■ **France.** Hostilité, remontant aux g. indiennes et franç. du XVIIIe s., notamment celles de la vallée de l'Ohio, v. 1760. 1°) l'amitié franco-amér. datant de la g. d'Indépendance (1778-83) est souvent évoquée, mais la Fr. a contre elle son passé colonial (les USA étant pour la décolonisation de l'Afr., notamment en 1956, lors du conflit avec l'Égypte de Nasser). 2°) l'existence d'un fort Parti communiste fr. (au gouv. de. 1981 à 84) a inquiété la droite anticomm. amér. (elle n'est pas sûre de voir la France rester aux côtés de l'Otan en cas de 3e G. mondiale). 3°) les rivalités commerciales jouent souvent (armements, astronautique, aéronautique, automobile, mat. ferroviaire). En général, les USA cherchent à contrebalancer l'influence de la Fr. dans la CEE par celle d'un autre pays (All., puis dep. 1976 Angl.).

☞ **Voyages de chefs d'État.** *Gal de Gaulle* (22/29-12-1959), par D. Eisenhower. *G. Pompidou* (23-2/3-3-1970), par R. Nixon. *V. Giscard d'Estaing* (17/22-5-1976), par J. Carter. *F. Mitterrand* (21/27-3-1984), par R. Reagan. *Autres voyages de Mitterrand aux USA : oct. 1981,* bicentenaire de Yorktown ; *mai 1982,* préparation du sommet écon. de Versailles ; *mai 1983,* sommet écon. de Williamsburg ; *28-9,* Ass. gén. de l'ONU. *4-6-1986,* centenaire de la statue de la Liberté à New York ; *20-5-1989.*

■ **G.-B.** Alliée privilégiée dans le système atlantique (proche culturellement, alignée politiquement, utilisée comme base militaire, notamment pour les centres de détection électronique et le réseau de missiles ; métropole du Commonwealth, comprenant de nombreux pays où les Am. ont un régime de faveur. Ex. : ils utilisent des bases milit. brit. dans l'oc. Indien et à Chypre). Les USA ont poussé la G.-B. à entrer dans la CEE (pour contrecarrer la cohésion de l'Europe, et l'empêcher de s'émanciper de la tutelle amér.).

■ **Japon.** *1°) empêcher le J. de faire bloc avec Chine ou URSS,* en lui accordant avantages moraux, politiques, économiques dans le monde libre. *2°) tenter de limiter l'expansion commerciale jap.* aux USA et dans les pays clients des USA.

■ **Moyen-Orient.** Principes généraux : *1°) maintenir les États dans l'Otase* (Voir Index) et éviter au moins qu'ils tombent sous l'influence soviét. *2°) garder le contrôle du ravitaillement pétrolier. 3°) empêcher la destruction d'Israël,* soutenu aux USA par un puissant lobby. Entorses à cette pol. dep. 1978 : chute du shah d'Iran ; agressivité de l'Opep (dès 74) ; lâchage d'Israël à Camp David ; infiltrations sov. dans plusieurs États arabes ; faiblesse de l'allié turc (malgré concessions dans l'affaire de Chypre) ; mais : retour de l'Égypte à l'alliance amér., intervention de l'Irak contre l'Iran, renforcement des bases (armée et marine) dans l'oc. Indien. Participation en 1990-91 à la g. du Golfe. Pressions pour un accord global israélien-arabe. Voir Index.

■ **Tiers monde.** Élément en Amér. latine de la sécurité des USA, l'aide amér. devant en principe être réservée aux régimes non contaminés par le communisme.

■ **Ex-URSS** *1°) « Supergrand »,* elle a eu droit à des égards (le partage de Yalta reste une valeur de référence). *2°) ennemie en puissance,* il fallait la contrer militairement et politiquement, notamment en Am. latine, où son élimination est indispensable (voir ci-dessus). *3°) la « g. froide »* fut un moindre mal, lorsque l'URSS a été la plus forte (ce qui a semblé être le cas de 1976 à 1989). *4°) la « coexistence pacifique »* (prolongation de l'esprit de Yalta) impliquait l'équilibre des forces. Il fallait donc d'abord répondre aux surenchères sov. (soutien des pays menacés par l'URSS), puis accepter les offres de rapprochement faites par l'URSS. Règle de conduite : prudence et réciprocité. *5°) le recul du communisme* parut longtemps chimérique : les pays satellisés de l'E. européen n'ont pas été soutenus : Tchéc. 1948, Hongrie 1956, Tchéc. 1968, Pologne 1971 et 1980. Avec la perestroïka, un grand espoir est né, doublé de la crainte de déstabiliser Gorbatchev. Dep. la chute de celui-ci, l'indépendance des pays baltes et l'« éclatement » de l'URSS, expectative, crainte de coups d'État milit., de trafics d'armes nucléaires. *6°) les considérations écon.* ont peu de poids dans les rapports avec le bloc communiste. Le commerce est faible (1 % des imp. ; 3 % des export.). Néanmoins, les céréaliers considèrent l'URSS comme un débouché important et ont protesté contre l'embargo sur les grains décrété par le Pt Carter en déc. 1979 (après l'intervention sov. en Afghanistan).

■ Principaux groupes de pression

■ **American Legion.** Organisation d'anciens combattants, nationaliste, conservatrice et anticommuniste (tantôt isolationniste, tantôt expansionniste). *Créée* à Paris 1919, pour maintenir le moral des troupes en instance de démobilisation. *Siège :* Indianapolis. *Membres :* 3 millions.

■ **CIA (Central Intelligence Agency)** « Agence centrale du renseignement ». *Créée* 1947 par la loi de la Sûreté nationale, héritière de l'OSS qui fonctionnait durant la 2e G. mond. *1953-61,* essor avec Allen W. Dulles : en principe tournée vers l'action extérieure en laissant au FBI (voir ci-dessous) l'action intérieure (dep. 4-12-1981, peut opérer aux USA, a placé sous surveillance 13 000 citoyens américains). *Dep. 1975* rend des comptes au Congrès. *1977* Carter ordonne une enquête sur la CIA. *1978*-24-1 une ordonnance restreint ses possibilités d'action. *1981* Reagan redonne à la CIA son importance. **Directeurs** *1946* Amiral Sidney Souers ; Gen. Hoyt Vandenberg. *1947* Amiral Roscoe Hillenkoetter. *1950* Gen. Walter Bedell Smith. *1953* Allen Dulles. *1961* John McCone. *1965* Amiral William Raborn Jr. *1966* Richard Helms. *1973* James R. Schlesinger ; William Colby. *1976* George Bush. *1977* Amiral Stansfield Turner. *1981* William Casey (1913-87). *1987* William Webster [(n. 6-3-24) démissionne 8-5-1991]. *1991* -14-5 Robert Gates (n. 1944). *1993* James Woolsey. **Budget** (milliards de $). *87 :* 25, *91 :* 30. **Effectifs** *74 :* 153 000 ; *91 :* 100 000.

■ **Cosa nostra.** Mafia (origine sicilienne). *1881* les « familles » siciliennes émigrées aux USA se reconstituent (la Main noire en Louisiane). *1920-30* Al Capone crée les « familles » modernes à Chicago. Délinquances diverses, prises de contrôle des syndicats des teamsters (camionneurs) ou roofers (bâtiment) ; prohibition : trafic clandestin d'alcool. *1931* Lucky Luciano crée la 1re « commission » de contrôle sur les 5 « familles » amér. *1945* pénètre le monde financier (Bourse, opérations immobilières) ; investit principalement dans les entreprises permettant de soustraire en partie les recettes au contrôle fiscal : machines à sous, casinos, laveries (5 000 sociétés de façade honorable). *1958* successeur de Luciano : Vito Genovese (fait assassiner son rival Anastasia). *1963* Joe Valachi et Franck Costello révèlent la structure de l'organisation. *1970* protection des témoins : confidences de + de 5 000 repentis. *1985* le capo de la famille Gambino, Paul Castellano, assassiné à New York sur ordre de son bras droit, John Gotti. *1986-87* 17 des 24 « familles » touchées par répression policière. *1992* John Gotti condamné à perpétuité. **Chiffres d'affaires** (milliards de $) *1986* (d'après l'institut de Wharton, pour activités illégales) : 51,4 (en % : drogue 60, prêts usuraires 13,7, vol 12,8, proxénétisme 6,5, jeux clandestins 4,5). *1992* on a parlé de bénéfices s'élevant à 120 (1/3 pour la drogue). **Coût de l'effet des monopoles de la Mafia.** *Estim. 1986 :* 18,2 Md de $. **Organisation :** 24 familles, aux ordres d'un Capo ; les 24 Capos se retrouvent au sein d'une commission clandestine dont la réunion n'a été surprise qu'une seule fois par la police (en 1957 à New York). **Nombre de mafiosi** « made » (intronisés) 22 000, soldats (auxiliaires) 150 000. *Employés :* 700 000. **Lutte** (contre) la corruption de parlementaires et de fonctionnaires locaux rend la répression difficile. Seul le FBI (sur le plan fédéral) est efficace. Mais son arme essentielle (l'écoute téléphonique) se heurte à l'opposition des juges, qui y voient une atteinte aux libertés individuelles. Les *mafiosi* se font souvent relâcher contre une caution. Un accord a été conclu entre gouv. amér. et banques suisses, sur la levée éventuelle du secret bancaire, dans les affaires de Mafia.

Nota. – *Meyer Lansky* (Maier Suchowljansky, n. 1902, Biélorussie), dernier survivant des lieutenants d'Al Capone, est mort le 15-1-1983 (fortune : 3 milliards de $). Le 16-12-1985, *Paul Castellano,* « Capo » présumé de la plus grande « famille » de New York, a été assassiné (avec son adjoint). *John Gotti,* un des parrains, condamné le 23-6-1992, à la prison à perpétuité.

■ **FBI (Federal Bureau of Investigation).** Police judiciaire fédérale, dépendant de l'attorney general (ministre de la Justice). *Créé* 1908 par Charles Bonaparte. *Employés :* 22 000, dont 3 000 agents spéciaux (G-Men, hommes du gouvernement) 59 directions régionales, 516 bureaux. **Directeurs :** *1924*-(10-12) 72 J. Edgar Hoover († 1972, homosexuel, la police le tenait) ; *1972* 3-3 Patrick Gray (intérim) ; *1973* 27-4 William Ruckeshauss (intérim), 9-7 Clarence M. Kelley ; *1978* 23-2 William Webster (n. 6-3-24) ; 1987 27-5 John Otto (intérim), 2-11 William Sessions (n. 27-5-30).

■ **Femmes.** *Emploi :* en 1990, 56 millions travaillent, soit 45 % de la force de travail. *Politique :* 52 % de l'électorat ; en nov. 1988, 50 % ont voté pour G. Bush (57 % des hommes), 49 % pour G. Dukakis (41 % des hommes). *Principale organisation :* National Org. for Women (NOW), f. 1966, 220 000 adh.

■ **Fondations.** 30 000 organismes autonomes, sans but lucratif, assurent des activités philanthropiques (éducation, santé, médecine, recherche, technologie, religion, bienfaisance, arts). Alimentés par des donations déductibles des impôts ou des legs exonérés de droits. **Capital** plusieurs dizaines de milliards de $ [les 3/4 détenus par moins de 200 fondations, dont (en milliards de $) : Fondation Ford 3, Rockefeller 0,8, Carnegie 0,3, Getty]. **Dépenses totales** 2 milliards de $. Accusés de concurrence déloyale par les petites et moyennes entreprises, en raison des avantages fiscaux qui leur sont accordés.

■ **John Birch Society.** Anticommuniste et antiraciste, admet les Noirs. *Créée* 1958 par Robert Welch (1899-1985). **Membres :** 100 000 répartis en chapitres de 20 pers.

■ **Juifs.** Nombre : 5 500 000 (3 % de la pop.). Vote *1980* Reagan 38 %, *1984* Reagan 34 %. *1988* Bush 29 %. *1992* Clinton 85 %. Mais 6 % des électeurs juifs sont surtout concentrés dans 12 États très peuplés qui, pris ensemble, envoient 273 grands électeurs au Collège électoral.

■ **Ku Klux Klan.** Organisation clandestine, d'extrême droite. *Fondée* 24-12-1865 dans le S. par des officiers démobilisés (après la g. de Sécession), pour empêcher par la terreur les Noirs d'user de leur droit de vote. *1871* loi martiale dans le S. pour lutter contre le KKK *1872* dissous. *1877* interdit légalement (mais les droits des Noirs sont pratiquement supprimés). *1915* (influence du pasteur W. J. Simmons) : s'attaque également aux juifs, catholiques, étrangers, pacifistes révolutionnaires. Vague de violence. *1928* interdit par la Cour suprême, retour à la clandestinité (dispersion en une centaine de groupuscules : chevaliers blancs du KKK, etc.). *1961* fédérations : *Klans Unis d'Am.* (50 000 sympathisants), qui élisent un « sorcier impérial », Robert Sheldon. *1964* exécution de 3 militants noirs dans le Missouri. *1970* le « grand sorcier », S.H. Bowers, est condamné à 10 ans de prison. *1979*-3-11, 5 †, dans une manif. noire à Greensboro (Caroline du N.). *1980* 68 enquêtes ouvertes sur : croix brûlées, Noirs attaqués. **États sudistes où le K. est représenté :** 15 (constituent l'« Empire invisible »). **Adhérents :** *1915 :* 1 à 5 millions, *68 :* 17 006 (dans 18 États), *75 :* 2 000, *78 :* 10 000. **Actuel gd sorcier :** William Hoff. Le K. a essaimé hors des USA, notamment au Portugal, où l'opposition aux Noirs est forte dep. le rapatriement des colons d'Afrique.

■ **Syndicats. AFL-CIO.** (American Federation of Labor – Congress of Industrial Organizations). *Adhérents* 14,5 millions. Proche du Parti démocrate. *Créé* 1955, fusion de l'AFL (fondé 1886 par Samuel Gompers) et des syndicats CIO [s. de gauche regroupés en 1935 par John Lewis et Walter Reuther et expulsés de l'AFL en 1937 ; le plus gauchiste, Walter Reuther, tente en vain de fonder une union dissidente, l'Afla. (Alliance for Labor Action)]. *Convention,* tous les 2 ans, désigne un conseil exécutif (Pt, vice-Pt, 17 représ. de l'AFL et 10 du CIO ; tient 1 fois par an une séance « élargie » avec un représ. de chaque syndicat). Anticommuniste. *Pt* Lane Kirkland dep. 1980. *Taux de syndicalisation* (%) : *1980 :* 23 ; *84 :* 19,1.

Nota. – Le puissant syndicat des Teamsters (1 500 000 m. des métiers du transport, créé 1902) a été exclu de l'AFL-CIO en 1957 pour corruption. *Pt* (dep. déc. 91) : Ronald Casey.

Peut-on parler d'impérialisme américain ?

Financièrement. Comme ils n'ont pas de couverture métallique, les USA sont accusés d'exporter leur inflation, et de payer leurs factures en « monnaie de singe ». Contre cet « impérialisme monétaire », les États de l'OPEP avaient décidé, en 1980, de ne plus se référer au $ pour fixer leurs prix, mais à un panier de 10 monnaies fortes. La remontée du dollar (1981-82) a rendu caduque cette mesure.

Militairement et politiquement. Les USA profitent des avantages acquis à Yalta en 1945 (l'URSS leur reconnaissait une zone d'influence dans le monde supérieure à la zone d'influence sov.). Ils étaient restés sur la défensive entre 1973 et 1981 [*1°) défaite au Viêt-nam,* le soulagement né de la fin des hostilités (pertes mil. très sensibles) est compensé par l'humiliation : pour la 1re fois, les USA ont perdu une g. et abandonné un allié (le Sud-Viêt-nam qui s'effondre dès avril 1975) d'où réveil du puritanisme politique : le Pt Nixon doit démissionner le 8-8-1974 à cause du scandale du Watergate. *2°) en Afrique* (Angola, Éthiopie), en *Am. du S.* (Cuba, Nicaragua), *en Asie* (Afghanistan, Iran, Turquie), l'URSS a marqué des points. Le soutien, passif, aux régimes pro-amér. a coûté chaque année plusieurs milliards de $ et contribué au déséquilibre de la balance des paiements et à la dépréciation du $. *3°)* les pays de l'O. partenaires des USA s'affranchissent de l'autorité amér. (ex. la Fr. depuis de Gaulle). La volonté amér. de conserver le leadership du monde occid. s'est affirmée faiblement sous Carter, celui-ci faisant souvent des concessions à ses partenaires (par ex. aux producteurs de pétrole ou aux Jap.)].

Secteurs où la suprématie américaine est restée intacte : armement nucléaire, logistique aérienne, force navale (soutenue par une forte flotte de commerce, inutilisée mais gardée en réserve) ; alliances mil. avec de petits pays, tenus par de fortes sujétions écon. (exemple récent : Somalie), maintien du $, malgré sa non-convertibilité, comme monnaie de réserve. Dep. 1978, l'URSS avait donné l'impression d'être devenue le 1er supergrand, ce qui provoquait un rapprochement de certains pays avec les USA (Chine, Japon, Inde, Pakistan, Égypte, France). Avec l'accession de Reagan au pouvoir (1981), les USA ont adopté, en apparence, une politique extérieure plus musclée (notamment en Amér. centrale). S'ils se sont montrés faibles en Pologne (1981-82) et hésitants au Salvador (1982). Ils ont pu en 1990-91 mener le g. du Golfe au nom de l'ONU.

■ États et territoires

Généralités

■ **Siège du gouvernement fédéral. District of Columbia** (DC) *1790* district pris sur le Maryland pour devenir le siège du gouv. fédéral ; *1791* capitale fédérale ; *1801* autorité fédérale ; *1878* corporation municipale : 3 commissaires nommés ; *1961* (23e amendement), les h. ont le droit de vote dans les élect. nation. ; *1967* conseil munic. nommé ; *1973* élu ayant des pouvoirs législatifs en matière locale, mais le Congrès garde le droit de légiférer. 178 km². *Population 1802* 3 087 h. (dont 623 esclaves), *1877* 150 000. D 3 393 [aggl. Washington, sur le Potomac ; construite sur le plan du major Pierre Charles Lenfant (m. Paris 2-8-1754 ; étudiant à l'Académie de peinture et de sculpture, arrivé en 1776 pour soutenir les révoltés), divisée en quadrilatère (monuments principaux : capitole, statue de Washington), 3 923 574. Majorité noire à 70,3 % ; municipalité noire ; le maire noir Marion Barry est emprisonné pour usage de cocaïne ; a été réélu conseiller municipal le 3-11-1992 ; émeutes raciales 1968 (9 †, 1 000 bl.)]. En 1988, 372 assassinats (555 y compris banlieue), 80 % liés à la drogue. 28-2-1989 couvre-feu de 23 h à 6 h pour les – de 18 ans. En 1991, 500 meurtres.

■ **États.** L'Union comprend 50 États : 13 d'origine, 37 admis par la suite dont 30 avaient été auparavant organisés comme des territoires. Chacun a sa Constitution, 2 Chambres (sauf le Nebraska dep. 1937) et 1 gouverneur. Autonomie importante (en matière de Code civil, commercial, etc.).

■ **Gouverneurs.** Chefs de l'exécutif des États. Élus pour 4 ou 2 a. (dans 9 États) au suffr. univ. ; non rééligibles dans 11 États, réél. 1 fois dans 12, sans limitation ailleurs (dont NY, Californie, Ohio, Illinois). Peuvent être révoqués par le Sénat (« impeachment », vote aux 2/3) ou, dans certains États, contraints de se représenter devant les él. si un certain % de citoyens le demandent. Ont le droit de veto (sauf en Caroline) total ou partiel sur le vote des lois, commandent la Garde nationale (voir ci-dessous), disposent du droit de grâce. Assistés dans 40 É. par un Lt-gouv. élu, qui leur succède en cas de décès (sinon, le succ. est le secr. d'État). En 1990, il n'y avait qu'un seul gouv. noir (Wilder en Virginie).

■ **Chambres.** 19 à 67 *sénateurs* élus pour 4 a. (37 États) ou 2 (13), 39 à 45 *députés* selon les États, élus pour 4 ans (sauf en Alabama, Louisiane, Maryland, Mississippi : 2 ans). *Sessions* annuelles dans 30 États, biennales dans 20.

■ **Administration locale.** Divisés en *comtés* [en moy. 50 à 100 (Delaware 3, Texas 254) (sauf Alaska : 29 « divisions », Louisiane : 62 « paroisses »), et dans certains cas en *cités* ou *districts*]. A la tête des comtés, le « Board », élu pour 2 ou 4 ans. Les responsables adm. (*sheriff :* ordre public ; *district attorney :* procureur ; *coroner :* enquêtes sur les morts violentes, etc.) sont élus au suffr. univ. Les *maires* sont élus séparément des conseils mun., pour 2 ou 4 a. Dans 243 villes de + de 5 000 h., le conseil municipal est remplacé par une commission de 5 m. élus.

■ **Garde nationale.** Chargée du maintien de l'ordre ; armement et équipement assurés par le Pentagone. Formée de volontaires (qui sont dispensés du service militaire). Les Noirs en sont pratiquement exclus.

LISTE DES ÉTATS

Nota. – Chiffres pop. (90) sauf États (91). *Légende.* (1) S'intitulent des « Commonwealths » et non des « États ».

■ **Alabama** (Al) (*1702* partie de la Louisiane française ; *1763* cédé à la G.-B. ; *1817* territoire ; *1819* État). *11-1-1861 au 25-6-1868* sécession. 133 915 km². 4 089 232 h. Blancs 73,6 %. Noirs 25,3 %, Hispaniques 0,6 %. D 30,7. Pop. urb. 60 %. **Villes :** *Montgomery* (cap.) 187 106 (281 000, *80*), *Birmingham* 265 968 (ag. 907 810), *Mobile* 196 278 (476 923).

■ **Alaska** (Ak, continent en Inuit) [*1741* découvert par le capitaine de marine de 1re cl. **Vitus Bering** (1680/8-12-1741 du scorbut ; Danois chargé dep. 1725 par le tsar Pierre le Grand de reconnaître la côte amér.) ; *1784* 1er établissement (île Kodiak), colonie russe (cap. Sitka alors la Nouvelle-Arkhangelsk 1806) ; *1845* 38 000 h. (dont 640 Russes) ; *1867-30-3* acheté 7 200 000 $ (la Russie, battue en Crimée en 1855, estimant l'A. indéfendable, la propose dès 1858) ; *1880-1910* « ruée vers l'or » (la pop. passe de 20 000 à 60 000 h.) ; *1884* district ; *1912* territoire ; *1958*-1-7 État]. 1 530 701 km². *Temp. moy. janv. et août :* Anchorage – 7 °C (20 °C), Fairbanks – 30 °C (30 °C). Pays montagneux (Mt McKinley, 6 194 m, p. culminant de l'Amér. du N.) : 6 chaînes principales, séparées par des plateaux arides ou des plaines marécageuses. Base stratégique [distance de l'ex-URSS : 90 km ; une route de 2 400 km, Alcan (Alaska-Canada), relie Dawson Creek à Fairbanks]. 570 345 h. Blancs 75,5 %, Noirs 4,1 %, Hisp. 3,2 %, Indiens, Aléoutes et Esquimaux 15,6 %, Asiatiques 3,6 %. D 0,34. Pop. urb. 64,5 %. **Villes :** *Juneau* (cap., sera transférée à Willaw) 26 751, *Anchorage* 226 338, *Kenai* 6 327, *Fairbanks* 30 843. **Économie :** peu de cultures, forêts 44 %. Rennes, bovins, ânes, animaux à fourrure (renard argenté), otaries ; pêcheries (50 % des conserves de saumon du monde) ; dep. 1977 : pétrole et gaz naturel, découverts 1957, puis 1967 [réserves 2 à 7 milliards de t, prod. prévue 100 millions de t par an ; pipeline trans-Alaska pour évacuer pétrole de Prudhoe Bay (1 250 km de tubes de 121 cm ; franchit 2 chaînes de montagnes et le Yukon, coupe l'A. en 2, posant des problèmes écologiques (transhumance des 400 000 caribous) ; coût 3,5 milliards de $]. Argent, charbon, étain, or. Tourisme d'été surtout dans les fjords utilisant des ferries depuis Juneau ; raids en traîneaux à chiens).

Îles Aléoutiennes : 17 700 km², 11 942 h., morue, saumon, renards, phoques, otaries. **Pribilof :** 160 km². 440 Esquimaux, pêche, chasse, réserve pour otaries, rennes et oiseaux. **Saint-Laurent** long. 145 km ; larg. max. 50 km ; 400 Esquimaux (75). Réserve de rennes. **Saint-Mathieu :** inhabitée, réserve d'oiseaux.

■ **Arizona** (Az) *1752* établiss. ; *1863* territoire ; *1912* État ; *1990* -6-2 l'anglais n'est plus langue officielle de l'État. 295 260 km². 3 749 693 h. Blancs 80,8 %, Noirs 3 %, Hisp. 18,8 %, Indiens 5,6 %. D 12. Pop. urbaine 83,8 %. **Villes :** *Phoenix* (cap.) 983 403 (2 122 101), *Tucson* 405 390 (666 880), *Mesa* 288 091, *Glendale* 148 134, *Scottsdale* 130 069.

■ **Arkansas** (Ar) *1686* établissement ; *1815* territoire ; *1836* État ; *6-5-1861 au 22-6-1868* Sécession. 137 754 km². 2 371 950 h. Blancs 82,7 %, Noirs 15,9 %, Hisp. 0,8 %. D 17,4. Pop. urbaine 51,5 %. **Villes :** *Little Rock* (cap.) 175 795 (513 117), *Fort Smith* 72 798, *North Little Rock* 61 741.

■ **Californie** (Ca) *1769* établiss. ; *1846* république ; *1848* territoire cédé par le Mexique ; *1850* État ; *1911* drapeau adopté : ours avec au-dessus *California Republic.* 411 049 km². 30 379 872 h. (État le + peuplé). Blancs 69 %, Noirs 7,4 %, Hisp. 25,8 %, Asiatiques 9,6 %. D 70,7. *Pop. urb.* 91,3 %. **Villes :** *Sacramento* (cap.) 369 365 (1 481 102). *Los Angeles* [nom complet (55 lettres) : El Pueblo de Nuestra Señora la Reina de los Angeles de Porciuncula] 3 485 398 dont (en %) Anglo-Saxons 37, Hispaniques 40, Noirs 13, Asiatiques 9 (300 000 Coréens), divers 1 (14 531 529) ; textile (coton et textiles artif., tissage et confection) ; chimie et pétroch., sidérurgie (Fontana, fer de l'Arizona) ; auto., aéronautique, outillage élect. ; ind. du cinéma. *San Francisco* 723 959 (6 253 311), débouché de la vallée Impériale, terminus de plusieurs voies ferrées transcontinentales et port. *San Diego* 1 110 549 (2 498 016), base navale, port de pêche, aéronautique. *San Jose* 782 248, *Long Beach* 429 433, *Oakland* 372 242. *Fresno* 354 202. En 1991, 900 gangs (100 000 jeunes), env. 725 †. **Séismes** *1906 (18-4)* San Francisco (magnitude 8,3) 700 †. *89 (17-10)* 63 † (magn. 7,1) 7 milliards de $ de dégâts, dont les Bloods et les Crips (de Cripple infirme : le fondateur était boiteux), Noirs de 13 à 21 ans. *92 (22-4)* (magn. 6,1) près de Palm Springs ; *25-4* (magn. 6,9) à 350 km N.O. de S. Francisco ; *28-6* (magn. 7,4) désert de Mojave et (mag. 6,5) près de San Bernardino, 1 †, 170 bl.

Mégalopole prévue pour 2000 : Sansan (San Francisco-San Diego) 700 km.

■ **Caroline du Nord** (NC) *1585* 1er établissement ; *1663* établiss. permanent ; *1789* État ; *21-5-1861 au 25-6-1868* Sécession. 136 413 km². 6 736 827 h. Blancs 75,6 %, Noirs 22 %, Indiens 1,2 %, Hisp. 1,2 %. D 48,1. *Pop. urb.* 42,9 %. **Villes :** *Raleigh* (cap.) 207 951 (735 480), *Charlotte* 395 934 (1 162 093), *Greensboro* 183 521 (942 091), *Winston-Salem* 143 485, *Durham* 136 611.

■ **Caroline du Sud** (Sc) *1670* établiss. ; *1788* État. *20-12-1860/25-6-1868 :* Sécession. 80 582 km². 3 559 618 h. Blancs 69 %, Noirs 29,8 %, Hisp. 0,9 %. D 43,5. *Pop. urb.* 54,1 %. **Villes :** *Columbia* (cap.) 98 052 (453 331), *Charleston* 80 414 (506 875), *Greenville* 58 282 (640 861).

■ **Colorado** (Co) *1858* établiss. ; *1861* territoire ; *1876* État. 269 596 km². 3 376 669 h. Blancs 88,2 %, Noirs 4 %, Hisp. 12,9 %. D 12,3. *Pop. urb.* 80,6 %. **Villes :** *Denver* (cap., appelée Auraria de 1858 à 1860) 467 610 (1 848 319), *Colorado Springs* 281 140, *Aurora* 222 103.

■ **Connecticut** (Ct) *1635* établiss. ; *1637* Commonwealth ; *1639* Constitution, la 1re du monde moderne, *1788* État. 12 998 km². 3 291 094 h. Blancs 87 %. Noirs 8,3 %, Hisp. 6,5 %. D 249. *Pop. urb.* 78,8 %. **Villes** (82) : *Hartford* (cap.) 139 739 (1 085 837), *Bridgeport* 141 686 (395 455 en 80), *New Haven* 130 474 (503 180).

■ **Dakota du Nord** (Nd) *1861* partie du territoire du Dakota ; *1889* État. 183 119 km². 634 604 h. Blancs 94,6 %, Noirs 0,6 %, Indiens 4,1 %, Hisp. 0,7 %. D 3,6. *Pop. urb.* 48,8 %. **Villes :** *Bismarck* (cap.) 49 256, *Fargo* 74 111, *Grand Forks* 49 425.

■ **Dakota du Sud** (Sd) *1743* colonie franç. ; *1857* établissement ; *1861* territoire ; *1889* État. 199 730 km². 703 301 h. Blancs 93,6 %, Noirs 0,5 %, Indiens 7,3 %, Hisp. 0,3 %. D 8,8. *Pop. urb.* 46,4 %. **Villes :** *Pierre* (cap.) 12 906, *Sioux Falls* 100 814, *Rapid City* 54 523, *Aberdeen* 24 927.

■ **Delaware** (De) *1638* établiss. ; tire son nom de Lord George de la Ware, 1er gouv. de Virginie ; *1787* État. 5 295 km². 679 942 h. Blancs 80,3 %. Noirs 16,9 %, Hisp. 2,4 %. D 127. *Pop urb.* 70,6 %. **Villes :** *Dover (cap.) 27 630*, *Wilmington* 71 529, *Newark* 25 098.

■ **Floride** (Fl) *1656* établiss. espagnol ; nommée Pâques fleuries (Pascua Florida) car découverte en 1513 le j des Rameaux par Juan Ponce de Léon ; *1763* cédée à l'Angl. ; *1783* retour à l'Espagne ; *1819* achetée à l'Esp. 5 millions de $; *1821* territoire U.S. ; *1845* État. *10-1-1861 au 25-6-1868* sécession. 151 939 km². 12 276 771 h. Blancs 83,1 % (Hispaniques 13,6 %), Noirs 12,2 %. D 83,3. *Pop. urb.* 84,3 %. **Villes :** *Tallahassee* (cap.) 124 773, *Jacksonville* 635 230 (906 727), *Miami* 358 548 [3 192 582 dont 500 000 réfug. cubains ; les Noirs (18 %, mais 38 % des pauvres) ont déclenché le 21-5-80 des émeutes raciales : 15 †, dont 6 Blancs], *Tampa* 280 015 (2 067 959), *St Petersburg* 238 629, *Epcot* (Experimental Prototype Community of Tomorrow). *Conurbation prévue pour 2000 :* 600 km de long de Jacksonville à Miami ; 8 000 000 d'h. [Jami] ; *menaces écologiques :* 50 millions de t de liquides pollués par j (inhabitable v. 2000).

■ **Georgie** (Ga) *1733*, 13e colonie : tire son nom du roi George II ; *1788* État. *19-1-1861 au 25-7-1868* sécession *15-7-1870*, nouveau dans l'Union. 152 576 km². 6 222 713 h. Blancs 71 %, Noirs 27 %, Hisp. 1,7 %. D 42. *Pop. urb.* 62,4 %. **Villes :** *Atlanta* (cap.) 394 017 (2 833 511), *Columbus* 178 681, *Savannah* 137 560.

■ **Hawaii** (Hw) *1778* déc. par le cap. James Cook, connues sous le nom d'îles Sandwich ; *1893* la reine Liliuokalani († 11-11-1917) est déposée ; *1894* République ; *1898* annexées aux USA ; *1900* territoire ; *1959* État. 16 759 km² (20 îles dont 8 principales). 1 134 750 h. Blancs 33,4 %, Noirs 2,5 %, Asiatiques 61,8 %, Hisp. 7,3 %. D 68,2. *Pop. urb.* 86,5 %. **Îles :** *Hawaii* 10 461 km² (92 053 h.), *Mani* 888 (71 337), *Oahu* 1 574 (761 964), *Kauai* 1 432 (39 082), *Molokai* 676 (6 076), *Lanai* 362 (2 125), *Nihau* 189 (226), *Kahoolawe* 116 (0). **Villes :** *Honolulu* (cap.) sur Oahu 377 059 (90) (826 231), *Ewa* 14 315, *Koofaupoko* 109 373 (82).

■ **Idaho** (Id) *1836* mission ; *1855* État mormon ; *1860* établiss. ; *1863* territoire ; *1890* État. 216 432 km². 1 039 295 h. Blancs 94,4 %, Noirs 0,3 %, Hisp. 5,3. D 4,6. *Pop. urb.* 54 %. **Villes :** *Boise City* (cap.) 125 738, *Pocatello* 46 080, *Idaho Falls* 43 929.

■ **Illinois** (Il) *1673* déc. par les Français Joliet et Marquette ; *1720* établiss. ; *1763* cédé par les Fr. aux Anglais ; *1783* reconnu amér. par les USA ; *1809* territoire ; *1818* État. 145 934 km². 11 542 841 h. Blancs 78,3 %, Noirs 14,8 %, Hisp. 7,9 %. D 79,8. *Pop. urb.* 83,3 %. **Villes :** *Springfield* (cap.) 105 227, *Chicago* (nom indien : *Checagou*, « oignon sauvage » ; occupe le rivage du lac Michigan sur 100 km) 2 783 726 (8 065 633), *Rockford* 139 426, *Peoria* 113 504.

■ **Indiana** (In) *1732* établiss. ; *1800* territoire ; *1816* État. 93 720 km². 5 609 616 h. Blancs 90,6 %, Noirs 7,8 %, Hisp. 1,8 %. D 59,6. *Pop. urb.* 64,2 %. **Villes :** *Indianapolis* (cap.) 731 327 (1 249 822), *Fort Wayne* 173 072 (349 000), *Gary* 116 646 (82) (642 781, 80).

■ **Iowa** (Ia) *1788* établiss. ; *1838* territoire ; *1846* État. 145 753 km². 2 795 220 h. Blancs 96,6 %, Noirs 1,7 %, Hisp. 1,2 %. D 19,4. *Pop. urb.* 58,6 %. **Villes :** *Des Moines* (cap. appelée avant 1 857 Fort des Moines) 193 187, *Cedar Rapids* 108 751, *Davenport* 95 333.

■ **Kansas** (Ks) *1727* établiss. ; *1854* territoire ; *1861* État. 213 098 km². 2 494 560 h. Blancs 90,1 %, Noirs 5,8 %, Hisp. 3,8 %. D 11,7. *Pop. urb.* 66,7 %. **Villes :** *Topeka* (cap.) 119 883, *Wichita* 304 011, *Kansas City* 149 767.

■ **Kentucky** [1] (Ky) *1765* établiss. ; *1792* État. 104 660 km². 3 713 475 h. Blancs 92 %, Noirs 7,1 %, Hisp. 0,6 %. D 35,6. *Pop. urb.* 50,9 %. **Villes :** *Frankfort* (cap.) 25 968, *Louisville* 269 063 (952 662), *Lexington-Fayette* 225 366, *Covington* 43 264.

■ **Louisiane** (La) *1682* prise de possession pour la Fr. par Cavelier de La Salle, venu du Canada ; tire son nom de Louis XIV ; *1699* colons venus par mer ; *1718* fondation de La Nouv.-Orléans ; *1755* « Grand Dérangement », arrivée de colons acadiens (Canadiens déportés) ; *1762* (3-11) tr. secret Ouest du Mississippi cédé à l'Esp. Est du Mississippi cédé à l'Angl. (sauf La Nelle-Orléans) ; *1763* tr. de Paris ; *1800* tr. secret de St-Ildefonse rend la partie esp. à la Fr. qui n'en prend possession que 20 j, après l'avoir déjà vendue pour 80 millions de F aux États-Unis (1803). Les limites de la Louisiane d'alors (en gros 13 États actuels des USA) restaient d'ailleurs inconnues. *1812* État. *26-1-1861 au 25-6-1868* sécession. 123 677 km². 4 251 569 h. Blancs 67,3 %, Noirs 30,8 %, Hisp. 2,2 %. D 35,4. *Pop. urb.* 68,7 %. **Villes :** *Baton Rouge* (cap.) 219 531 (528 264). *La Nouvelle-Orléans* (ancienne cap. 1722-63 et 1812-49) 496 938 (1 238 816), *Shreveport* 198 525. **Maintenance du français :** 1 500 000 pers. se reconnaissent d'origine fr. *Louisianais parlant ou comprenant le français* (1980) 261 137, souvent sans pouvoir le lire ou l'écrire. 4 GROUPES : 1°) *Acadiens* ou Cadiens (*Cajuns* en anglais), descendant principalement des 8 000 Acadiens de Nouvelle-Écosse et du Nouveau-Brunswick, déportés par les Anglais en 1755 et arrivés en Louisiane, après de nombreuses pérégrinations, jusqu'en 1785. Les Cadiens avaient ensuite assimilé les descendants de colons espagnols, allemands, français et américains. Le cadien, proche du français du XVIIIe s. (postillon = facteur), est essentiellement parlé d'où des variations internes (palatisation : diepe = guêpe) et externes (emprunts à l'anglais, au créole et aux langues indiennes). 2°) *Créoles,* descendant pour la plupart de colons, surtout français, venus aux XVIIIe et XIXe s. ; quelques milliers parlent encore un français assez pur. 3°) *Mulâtres et Noirs* (également appelés Créoles), descendant des esclaves africains de Sénégambie, protégés par le Code Noir (1724), ou d'Haïti après la révolution de Toussaint Louverture ; leur parler (français gombo, Creole French), proche du créole haïtien, est largement utilisé dans la musique zydeco. 4°) *Indiens,* env. 3 000, descendant des tribus Houma, Chitimacha. La Constitution de 1921 (en vigueur jusqu'en 1975) et le dévelop. économique (découverte du pétrole en 1901) avaient conduit à la disparition du français. Mais une loi de 1968 du Parlement louisianais créa le Conseil pour le dévelop. du français en Louisiane (Codofil, 217, West Main Street, Lafayette, Louisiana, 70501) et a redonné au français un statut officiel. *Bilan de l'action en faveur du français (1991-92):* enseignement élém. : 470 enseignants (dont 180 venus de Belgique, France, Québec et Nouveau-Brunswick), 64 000 élèves ; secondaire : 313 enseignants. *Presse :* « La Gazette de Louisiane » (mens.). « Revue francophone de Louisiane ». *Radio :* 168 h par semaine. *Télév. :* Lafayette, chaînes francophones (TV5, 108 h par semaine) ; reste de l'État, 62 h par semaine.

■ **Maine** (Me) *1623* établiss. ; *1652-1820* partie du Massachusetts ; *1820* État. 86 156 km². 1 234 602 h. Blancs 98,4 %, Noirs 0,4 %, Hisp. 0,6 %. D 14,1. *Pop. urb.* 47,5 %. **Villes** : *Augusta* (cap.) 21 325, *Portland* 64 358, *Lewiston* 39 757, *Bangor* 33 181.

■ **Maryland** (Md) *1634* établiss. ; tire son nom de la reine Henriette-Marie, femme de Charles Ier d'Angl. ; *1788* État. 27 092 km². 4 859 790 h. Blancs 71 %, Noirs 24,9 %, Asiatiques 2,9 %, Hisp. 2,6 %. D 173,2. *Pop. urb.* 80,3 %. **Villes** : *Annapolis* (cap.) 33 187, *Baltimore* 736 014 (2 382 172), *Dundalk* 65 800, *Bethesda* 62 936, *Towson* 49 445.

■ **Massachusetts** [1] (Ma) *1620* établiss. ; *1788* État. 21 456 km². 5 995 959 h. Blancs 89,8 %, Noirs 5 %, Asiatiques 2,4 %, Hisp. 4,8 %. D 275,5. *Pop. urb.* 83,8 %. **Villes** : *Boston* (cap.) 574 283 (4 171 643), *Worcester* 169 759 (436 905), *Springfield* 156 983 (529 519), *Cambridge* 95 802.

■ **Michigan** (Mi) *1668* établiss. ; *1805* territoire ; *1818* et *1834* agrandi ; *1837* État. 150 779 km². 9 367 627 h. Blancs 83,4 %, Noirs 13,9 %, Hisp. 2,2 %. D 61,5. *Pop. urb.* 70,7 %. **Villes** : *Lansing* (cap.) 127 321 (432 674), *Detroit* [fondée 1701 : Fort Pontchartrain du D. (voie d'eau reliant lacs Huron et Érié ; cap. 1837-47)] 1 027 974 (4 665 236) (noire à 65 %), *Grand Rapids* 189 126 (688 399), *Warren* 144 864, *Flint* 140 761.

■ **Minnesota** (Mn) *XVIIe s.* exploré, v. *1830* établiss. ; *1849* territoire ; *1858* État. 218 601 km². 4 432 361 h. Blancs 94,4 %, Noirs 2,2 %, Asiatiques 1,8 %, Hisp. 1,2 %. D 20. *Pop. urb.* 66,9 %. **Villes** : *St Paul* (cap.) 272 235, *Minneapolis* 368 383 (2 464 124), *Duluth* 85 493.

■ **Mississippi** (Ms) *1716* établiss. français ; *1763* cédé à l'Angl. par tr. de Paris ; *1798* territoire ; *1817* État. *9-1-1861 au 23-2-1870* sécession. 123 515 km². 2 592 003 h. Blancs 63,5 %, Noirs 35,6 %, Hisp. 0,6 %. D 21,2. *Pop. urb.* 47,3 %. **Villes** : *Jackson* (cap.) 196 637, *Biloxi* 46 319, *Meridian* 41 076.

■ **Missouri** (Mo) *1735* établiss. français ; *1763* cédé à l'Angl. par tr. de Paris ; *1812* territoire ; *1821* État. 180 516 km². 5 157 751 h. Blancs 87,7 %, Noirs 10,7 %., Hisp. 1,2 %. D 28,5. *Pop. urb.* 68,1 %. **Villes** : *Jefferson City* (cap.) 35 481, *St Louis* 396 685 (2 444 099), *Kansas City* 435 146 (1 566 280), *Springfield* 140 494.

■ **Montana** (Mt) *1809* établiss. (de « montagneux » en espagnol) ; *1864* territoire ; *1889* État]. 380 848 km². 808 487 h. Blancs 92,7 %, Noirs 0,3 %, Indiens 6 %, Hisp. 1,5 %. D 2,1. *Pop. urb.* 52,9 %. **Villes** : *Helena* (cap.) 24 569, *Billings* 81 151, *Great Falls* 55 097, *Missoula* 42 918.

■ **Nebraska** (Nb) *1541* atteint par les Esp. à partir du Mexique, puis à la France ; *1763* cédé par la Fr. à l'Esp. ; *1801* rendu à la Fr., *1803* vendu aux USA (partie de la Louisiane) ; *1847* établiss. ; *1854* territoire ; *1867* État. 200 350 km². 1 592 717 h. Blancs 93,8 %, Noirs 3,6 %, Hisp. 2,3 %. D 8. *Pop. urb.* 62,9 %. **Villes** : *Lincoln* (cap.) 191 972, *Omaha* 335 795 (618 262), *Grand Island* 39 396.

■ **Nevada** (Nv) *1851* établiss. part. de l'Utah ; *1861* territoire ; *1864* État. 286 352 km². 1 283 832 h. Blancs 84,3 %, Noirs 6,6 %, Asiatiques 3,2 %, Hisp. 10,4 %. D 3,8. *Pop. urb.* 85,3 %. **Villes** : *Carson City* (cap.) 40 443, *Las Vegas* 258 295 (741 459), *Reno* 133 850, *Paradise* 124 682, *North Las Vegas* 47 707.

■ **New Hampshire** (Nh) *1623* établiss. ; *1788* État. 24 032 km². 1 104 695 h. Blancs 98 %, Noirs 0,6 %, Hisp. 1 %. D 46. *Pop. urb.* 52,2 %. **Villes** : *Concord* (cap.) 36 006, *Manchester* 99 567, *Nashua* 79 662.

■ **New Jersey** (Nj) v. *1605* établiss. ; *1787* État. 20 169 km². 7 760 487 h. Blancs 79,3 %, Noirs 13,4 %, Asiatiques 3,5 %, Hisp. 9,6 %. D 383,5. *Pop. urb.* 89 %. **Villes** : *Trenton* (cap.) 88 675, *Newark* 275 221, *Jersey City* 228 537, *Paterson* 140 891 (ces 3 villes font partie de l'ag. de New York, État de N.Y.).

■ **New Mexico** (Nm) *1598* établiss. ; *1850* territoire ; *1912* État. 314 925 km². 1 547 721 h. (env. 30 % d'or. esp.). Blancs 75,6 %, Noirs 2 %, Indiens 8,9 %. D 4,8. *Pop. urb.* 72,1 %. **Villes** : *Santa Fe* (cap. fondée en 1609 par Espagnols, nom Villa Real de la Santa Fe de San Francisco de Asis) 55 859, *Albuquerque* 384 736 (480 577), *Las Cruces* 62 126.

■ **New York** (Ny) *1609* aux Hollandais ; *1664* aux Anglais ; tire son nom du duc d'York qui reçut la Nouvelle-Hollande de son frère Charles II ; *1777* État indépendant ; *1788* un des 13 États d'origine. 127 190 km². 18 057 602 h. Blancs 74,4 %, Noirs 15,9 %, Asiatiques 3,9 %, Hisp. 12,3 %. D 141. *Pop. urb.* 84,6 %. **Villes** : *Albany* (cap.) 101 082 (874 304), *New York City. Population :* 7 322 564 (dont Brooklyn 2 300 664, Queens 1 951 598, Manhattan 1 487 536, Bronx 1 203 789, Richmond 378 977), Buffalo (80) 313 570 (1 189 288), Rochester (80) 229 780 (1 002 410), Yonkers (80) 183 000. (1990, %) Blancs 52 (1960 78), Hisp. 24, Noirs 29, Asiatiques 7.

Nouvelle-Amsterdam construite au XVIIe s. par les Hollandais sur une île, Manhattan (56,6 km²), capitale jusqu'en 1797, étendue depuis sur les rives de l'Hudson (à l'E., au-delà d'East River), et à Brooklyn ; à l'O. Jersey City et Hoboken, principales gares de triage, et Paterson, centre industriel. 5 quartiers ou districts : the Bronx, Brooklyn, Manhattan, Queens et Staten Island (Richmond jusqu'en 1975), dont certains s'étendent sur les îles de Manhattan, de Long Island et de Staten Island. Capitale commerciale et financière. *Statue de la Liberté :* voir Index. *Port* accessible en tout temps, sans bassin avec des « piers » (appontements perpendiculaires). *Activités :* rives de l'Hudson (côte O. de Manhattan) : transatlantiques et grands cargos réguliers ; rives de Harlem River (côte N. de l'île) : charbon et matériaux de construction ; rives d'East River (côte E. de l'île) : caboteurs, bateaux de pêche et nav. chargés de produits coloniaux ; Jersey : installations pétrolières et chantiers navals. *Trafic 1990 :* env. 155 millions de t de marchandises ; 3e port du monde (cabotage 55 % du trafic). *Rôle intellectuel et politique* (siège ONU). *Violence 1989 :* agressions 93 377 (1 toutes les 6 minutes), meurtres 1 867 (2 200 en 1990). En 1992, 80 000 à 100 000 *sans-abri,* et, en 1990, 100 000 familles vivant en double occupation, 1 400 000 personnes vivant au-dessous du *seuil de pauvreté* (116 611 $ par an pour 4 personnes). *Drogués* réguliers (1991) : 500 000. *Prisons* (1991) : État 60 000 détenus ; ville 130 000. *Budget* (92) 30 milliards de $, déficit 3,5.

■ **Ohio** (Oh) *1650* exploré par les Fr. du Canada ; *1730* administré par Cléron de Bléville ; *1749* attaque anglaise ; *1750* reconquête fr. et fondation de Fort-Duquesne ; *1763* fait partie des territoires louisianais cédés à l'Angl. ; *1788* établiss. des Yankees du New Jersey ; *1803* État. 107 044 km². 10 938 800 h. Blancs 87,8 %, Noirs 10,6 %, Hisp. 1,3 %. D 101,8. *Pop. urb.* 73,3 %. **Villes** : *Columbus* (cap.) 632 910 (1 377 419), *Cleveland* 505 616 (2 759 823), *Cincinnati* 364 040 (1 744 124), *Toledo* 332 943 (614 128), *Akron* 223 019, *Dayton* 182 044 (951 270).

■ **Oklahoma** (Ok) *1889* établiss. ; *1893* territoire ; *1907* État. 181 186 km². 3 174 775 h. Blancs 82,1 %, Noirs 7,4 %, Indiens 8 %, Hisp. 2,7 %. D 17,8. *Pop. urb.* 67,3 %. **Villes** : *Oklahoma City* (cap.) 444 719 (958 839), *Tulsa* 367 302 (708 954), *Lawton* 80 561.

■ **Oregon** (Or) *1811* établiss. ; *1848* territoire ; *1859* État. 251 419 km². 2 921 921 h. Blancs 92,8 %, Noirs 1,6 %, Hisp. 4 %. D 11,2. *Pop. urb.* 67,9 %. **Villes** : *Salem* (cap.) 107 786 (255 000), *Portland* 437 319 (1 477 895), *Eugene* 112 669.

■ **Pennsylvanie** [1] (Pa). *1681,* Charles II, qui devait 16 000 £ à l'Amiral Penn, donna à son fils William le terrain et ajouta le nom de l'amiral à Sylvania (pays du bois) ; nom proposé par Penn ; *1682* établiss. ; *1787* État. 117 348 km². 11 961 074 h. Blancs 88,5 %, Noirs 9,2 %, Hisp. 2 %. D 102,6. *Pop. urb.* 69,3 %. **Villes** : *Harrisburg* (cap.) 52 376 (587 986), *Philadelphie* 1 585 577 (5 899 345), *Pittsburgh* 369 879 (2 242 798), *Érié* 108 718.

■ **Rhode Island** (Ri) *1636* établiss. ; *1790* État. 3 140 km². 1 004 328 h. Blancs 91,4 %, Noirs 3,9 %, Hisp. 4,6 %. D 317,8. *Pop. urb.* 87 %. **Villes** : *Providence* (cap.) 160 728 (1 141 510), *Warwick* 85 427, *Cranston* 76 060, *Pawtucket* 72 644.

■ **Tennessee** (Tn) *1757* établiss. ; *1796* État. *7-5-1861 au 24-7-1866* sécession. 109 152 km². 4 952 726 h. Blancs 83 %, Noirs 16 %, Hisp. 0,7 %. D 45,2. *Pop. urb.* 60,4 %. **Villes** : *Nashville-Davidson* (cap.) 488 374 (985 026), *Memphis* 610 337 (981 747), *Knoxville* 165 121 (604 816), *Chattanooga* 152 466 (433 210).

■ **Texas** (Tx) *1836* rép. indép. (avant, au Mexique) ; *1845* État US. *1-2-1861 au 25-6-1868* sécession. 691 030 km². 17 348 206 h. dont 3 000 000 de Mexicains. Blancs 75,2 %, Noirs 11,9 %, Hisp. 25,5 %. D 24,5. *Pop. urb.* 79,6 %. **Villes** : *Austin* (cap.) 465 622 (781 572), *Houston* (cap. de 1837 à 39 et 1842 à 45) 1 630 553 [3 711 043 (dont 25 % de Noirs)], *Dallas* 1 006 877 (3 885 415 avec Fort Worth), *San Antonio* 935 933 [1 302 099 (dont 500 000 Mexicains)], *El Paso* 515 342 (591 610), *Fort Worth* 447 619. – 3e État pour la pop. ; 2e pour la superficie (après Alaska). 1er prod. de pétrole, gaz naturel, coton, riz, sorgho, bétail ; 3e pour charbon, lignite, uranium.

■ **Utah** (Ut) *1847* établiss. mormon ; *1850* territoire ; *1896* État. 219 889 km². 1 770 212 h. (dont 830 000 mormons). Blancs 93,8 %, Noirs 0,7 %, Hisp. 4,9 %. D 7,7. *Pop. urb.* 84,4 %. **Villes** : *Salt Lake City* (cap.) 159 936 (1 072 227), *West Valley City* 86 976, *Orem* 67 561, *Ogaden* 63 909, *Provo* 86 635.

■ **Vermont** (Vt) *1724* établiss. ; *1777* république détachée de la colonie du New Hampshire ; *1791* État. 24 900 km². 566 619 h. Blancs 98,6 %, Noirs 0,31 %, Asiatiques 0,6 %, Hisp. 0,7 %. D 22,7. *Pop. urb.* 33,8 %. **Villes** : *Montpelier* (cap.) 8 247, *Burlington* 39 127, *Rutland* 18 230, *Essex* 16 498.

■ **Virginie** [1] (Va) *1606* établiss. ; nommée par Sir Walter Raleigh en l'honneur de la « Reine vierge » Élisabeth (Angl.) ; *1776* 12-6 déclaration des droits de Virginie ; *1788* État. *17-4-1861 au 30-5-1870* sécession. 105 586 km². 6 285 931 h. Blancs 77,4 %, Noirs 18,8 %, Asiatiques 2,6 %, Hisp. 2,6 %. D 57,7. *Pop. urb.* 66 %. **Villes** : *Richmond* (cap.) 203 056 (865 640), *Virginia Beach* 393 069, *Norfolk* 261 229 (1 396 107), *Newport News* 170 045.

■ **Virginie-Occidentale** (Wv) *1862* la Virginie fait sécession ; *1863* partie Est constituée en un État. 62 759 km². 1 800 936 h. Blancs 96,2 %, Noirs 3,1 %, Hisp. 0,5 %. D 29,5. *Pop. urb.* 36,2 %. **Villes** : *Charleston* (cap.) 57 287, *Huntington* 54 844.

■ **Washington** (Wa) Partie de l'Oregon ; *1853* territoire ; *1889* État. 176 479 km². 5 017 127 h. Blancs 88,5 %, Noirs 3,1 %, Asiatiques 4,3 %, Hisp. 4,4 %. D 26,9. *Pop. urb.* 73,5 %. **Villes** : *Olympia* (cap.) 33 840, *Seattle* 516 259 (2 559 164), *Spokane* 177 196, *Tacoma* 176 664.

■ **Wisconsin** (Wi) *1670* établiss. français, partie de la Nouv.-France ; *1763* cédé aux Anglais ; *1783* territoire ; *1848* État. 145 439 km². 4 955 127 h. Blancs 92,2 %, Noirs 5 %, Hisp. 1,9 %. D 33,4. *Pop. urb.* 64,2 %. **Villes** : *Madison* (cap.) 191 262, *Milwaukee* 628 088 (1 607 183), *Green Bay* 96 466, *Racine* 84 296.

■ **Wyoming** (Wy) *1834* établiss. ; *1890* État. 253 326 km². 459 511 h. Blancs 94,2 %, Noirs 0,8 %, Indiens 2,1 %, Hisp. 5,7 %. D 1,8. *Pop. urb.* 62,7 %. **Villes** : *Cheyenne* (cap.) 50 008, *Casper* 46 742, *Laramie* 26 687.

■ Dépendances américaines

GUAM

MARIANNES DU NORD (îles)

PALAU

SAMOA AMÉRICAINES

VIERGES DES ÉTATS-UNIS (îles)

■ Territoires extérieurs

■ **Porto Rico** (voir p. 1106).

■ **Îles du Pacifique.** 1 779 km². 140 000 h. (90) (Micronésiens). D 67. 2 141 îles, dont 98 habitées s'étendant sur plus de 7 770 000 km² entre 900 et 4 300 km à l'est des Philippines. Lieu de nombreuses batailles pendant la 2e G. mondiale (Pelelui dans les Carolines, Saipan dans les Mariannes, Kwajalein dans les Marshall).

Îles Mariannes (Guam non compris) : 457 km² dont *Saipan* 120 km², *Tinian* 102 km² et *Rota* 85 km². 43 345 h. (est. 90). Forment depuis 1975 le Commonwealth des îles Mariannes du N. (cap. : Capitol Hill, sur Saipan), associé aux USA avec le même statut que Porto Rico. *Gouv.* Lorenzo I. De Leon Guerrero (dep. 9-1-90).

Îles Carolines : 700 km², 100 000 h. (88, non compris Palau) ; coprah, phosphates. Dep. le 31-10-1980, les Car. à l'E. de Yap forment les *États fédérés* de Micronésie (voir p. 1083), semi-indépendants (la Défense dépend des USA). Palau en est détaché.

Palau : 7 îles principales et 20 mineures, 508 km², 15 122 h. (90) ; bauxite, phosphates. *1980* (17-11) État semi-indépendant. *1990* (6-2) refuse pour la 6e fois l'Accord de libre-association avec USA car la Constitution interdit toute activité nucléaire et l'accord prévoit le transit de navires nucléaires.

Guam : 549 km², 133 152 h. (90) D 242,5. Île de l'archipel des Mariannes. *Cap. : Agana* 3 646. Catholiques 95 %. *1521*-6-3 découverte par Magellan. *1526* occupée par marins esp. *1565* annexée aux îles Philippines (esp.) par Legazpi ; évangélisée par jésuites. *1898*-10-12 conquise et annexée par USA. *1941* conquise par Jap. *1944*-21-7 reprise par USA ; base navale et aérienne (25 000 soldats en 91) ; pendant la g. du Viêt-nam, les bombardiers en partaient. *1982*-30-1, 48,5 % des h. se prononcent pour l'autonomie. *Langues :* anglais *(off.),* chamorro. Outlying Territory (territoire non incorporé aux USA). *Gouverneur* élu : Joseph F. Ada. dep. janv. 87. *Chambre :* 21 m. élus pour 2 a. *Ressources :* coprah, maïs, patates douces, taro, cassave, bananes, citrons ; élevage ; pêche (91) 564 t. *Tourisme :* (91) 737 300 vis. *Pop. active :* agriculture 10 %, industrie 10, services 80. *PNB* (90) 10 400 $ par h.

Samoa américaines : 194,8 km², 7 îles orientales des Samoa, 46 773 h. (90) D 240,6. *Ville : Pago Pago* (île de Tutuila) 3 075 h. (80). Possession amér. dep. 1899. *Gouverneur élu* Peter Tali Coleman dep. nov. 88. *Sénat* (18 m.) et *Ch. des représentants* (20 m. élus p. 2 a.). *Ressources :* bananes, arbres à pain (papayer), patates, noix de coco. Thon. Forêts 70 %. *Dépendances : Swain's Island* (annexée 1925, 3,25 km², 106 h.). *Île Johnson,* 1 km², 156 h. (1960).

Îles Wake : Atoll, alt. 3,65 m, 8 km², env. 200 h. (90) ; îles *Wilkes* et *Peale* (annexées 1898-99) adm. dep. 1972 par l'Aviation fédérale ; *1941* occupées par les Japonais ; base américaine importante.

Îles Midway : 5 km², 2 îles : *Sands* et *Eastern,* env. 450 h. (90). *1867* acquises ; administrés par la Marine. *1942-2/5-6* échec débarquement jap. (flotte jap. est détruite).

Howland, Baker et Jarvis (îles) : 7,1 km², inhabité, atoll, à 3 220 km au sud d'Honolulu ; administrées par le Département de l'Intérieur ; guano (épuisé).

Johnston Atoll : 378 km², 327 h. (80) à 1 130 km au sud d'Honolulu, annexé en 1858, adm. par l'Agence nucléaire de Washington ; guano (épuisé) ; *1958-62* site d'expérimentation nucléaire.

Kingman Reef : 0,02 km², inhabité, à 1 610 km au sud d'Honolulu, annexé 1922, adm. par Marine.

Navussa (île) : 5,18 km² inhabitée, à 48,3 km à l'O. d'Haïti, adm. par les garde-côtes.

Palmyra (île) : 0,997 km², atoll de plus de 50 îles, à 1 610 km au sud d'Honolulu, annexé 1898, propriété privée, administré par le secr. d'État à l'Intérieur.

Iles diverses : 25 îles au S. et au S.-O. des Hawaii sont aussi revendiquées par les USA dont 18 l'étant aussi *par la G.-B. :* **îles Line** comprenant *Christmas, Flint, Malden, Starbuck, îles Vostock,* atoll *Caroline,* adm. par la G.-B., **îles Phoenix,** comprenant *Canton* et *Enderbury* (adm. par G.-B. et USA), *Birnie, Gardner, Hull, McKean, Sydney,* atolls *Phoenix* (adm. par G.-B.), **îles Ellice** (adm. par G.-B.) comprenant *Funafuti, Nukufetan, Nukulailai, Nurakita,* inhabitées. 7 étant *revendiquées et adm. par la N.-Zélande* **(îles Tokelau et îles Cook du N.).**

■ **Îles Vierges américaines.** Antilles 354,8 km², 101 809 h. D 290,8. 50 îles, dont *St-Thomas* 83 km², 48 166 h. D 631,3 ; *St-Jean* 52 km², 3 504 h. D 16,5 ; *Ste-Croix,* 218 km², 50 139 h. D 241,9. 80 % d'ascendance noire. *Chef-lieu : Charlotte Amalie* 12 331 h. Achetées (25 millions de dollars) au Danemark (1917) pour des raisons stratégiques. *Gouverneur* élu p. 4 a. (Alexander A. Farrelly, mai 1989). *Sénat* 15 m. élus p. 2 a. *Ressources :* sucre, rhum. Cultures maraîchères. Raffinerie de pétrole. *Tourisme* (86) : 1 520 000 visiteurs.

■ **Zone du canal de Panama.** Voir Index.

■ Histoire économique

Protectionnisme américain

1°) **Tradition coloniale.** *Taxes douanières.* But principal jusqu'en *1816,* rapporter de l'argent au Trésor. *1816-32* protéger industrie amér. *1816-19* modérées (25 % sur textiles). *1820* influence de Henry Clay, créateur du « système amér. », augmentation. *1824* frappent laine, chanvre, fer (pour protéger producteurs du Middle West). *1827* (convention Harrisson) : taxes sur laine et autres produits manufacturés en N.-Angl. triplent. *1831* taxe sur laine 50 %, produits manufacturés 95 %. *1832* le S. (notamment Caroline du S.) s'oppose à ces taxes. *1833-42* les taxes baissent puis augmentent. *1846* les démocrates antiprotectionnistes au pouvoir les réduisent. *1850* les démocrates, protégeant les agriculteurs du S., baissent les taxes ; les rép., favorisant les manufacturiers du N., les augmentent.

2°) **Institution des impôts directs** (1850-87). Pour payer les dépenses mil. (G. de Sécession), des impôts directs et des taxes sur tabac et alcool sont créés. Les taxes douanières perdent de leur importance. *1872* tarifs douaniers diminués de 10 %. Mais rails de chemin de fer et nickel sont taxés à 45 %, pour protéger les manuf. américains (1877, taxe sur les rails 100 %). *1883* majorité protectionniste au Congrès : taxation des produits textiles de luxe, du fer et de certains articles en acier.

3°) **Régime MacKinley** *(1890-1909).* Inspiré par les républicains, protège les producteurs de coton du S. *1897* taxe sur sucre (40 % sur brut ; 40 % + 1/8 de cent par livre sur raffiné) ; taxe sur charbon. *1897 loi Dingley :* taxes sur laine, soie, lin, certains produits fermiers, articles en acier. *1908* victoire des protectionnistes rép. *1909 loi Poyne-Aldrich :* taxes sur textiles bon marché et fruits (figues, pruneaux, agrumes).

4°) **Assouplissement** *(1909-21). 1909* Howard Taft, Pt républicain modéré, assouplit le système des échanges avec Can. *1913* Wilson, Pt démocrate, antiprotectionniste, baisse plusieurs taxes, notamment sur coton et laine (admise sans droit en 1914). *G. 1914-18* pas de concurrence eur. : taxes disparaissent. *1920* les agric. réclament des lois protectionnistes et rappellent les rép. au pouvoir.

5°) **Protectionnisme républicain** *(1922-29). 1922 lois Fordney-McCumber, Smoot-Hawley. 1930* tarif flexible : dès qu'un produit américain est menacé par la concurrence étrangère, ses importations sont taxées, par exemple montres, jouets, allumettes, etc.

6°) **New Deal et accords bilatéraux.** *1934* Roosevelt réduit de 50 % les taxes, afin de passer des accords bilatéraux avec les pays étrangers, mais il ne peut détaxer complètement un produit. Loi renouvelée en *1937, 1940, 1943.*

7°) **Accords du Gatt** *(1949).* Voir Index.

Législation antitrust

Origine fin du XIXe s. pour protéger la concurrence. **Textes :** *Sherman Act* (1890) : interdit notamment les ententes. *Clayton Act* (1914) : interdit de contourner le précédent par ententes et pratiques de prix discriminatoires ; l'art. 7 rend illégales les fusions pouvant réduire la concurrence ou créer un monopole. *Federal Trade Commission Act* (1914). *Robins-Patman Act* (1936). *Depuis 1976,* un amendement Hart Scott Rodina exige la notification préalable aux autorités de tout projet d'acquisition ou de fusion de plus de 10 millions de $. **Quelques interdictions :** ententes sur les prix entre concurrents, boycottage concerté ou refus de vente, pratiques de prix discriminatoires, répartition des marchés (géographiquement ou par produits). **Sanctions :** amendes et peines de prison jusqu'à 3 ans (moyenne récente : 90 j ferme).

De 1945 à 1986

1. **« Fair Deal » de Truman (1945-50)** (répartition équitable). Pour stimuler la demande intérieure (car l'étranger, ruiné, n'achète rien), Truman envisage un transfert de richesses vers les classes modestes, par un jeu d'impôts et de subventions. Mais le Congrès est républicain. La loi *Taft-Hartley,* en limitant le droit de grève, brise les revendications salariales. Une grave récession survient en 1948.

2. **Boom de la guerre de Corée (1950-53).** Redémarrage des industries de g. coïncidant avec la reprise du commerce mondial (l'étranger redevient acheteur, grâce au Plan Marshall).

3. **Croissance molle d'Eisenhower (1953-61).** Bien que républicain, Eisenhower reprend le programme dirigiste de Truman : stimulation de la demande intérieure ; limitation artificielle des surplus agricoles (soutien des cours, distribution gratuite des surplus agricoles au tiers monde). Croissance en dents de scie (récession sensible en 1958). Le dollar commence à se déprécier.

4. **Ère Kennedy (poursuivie par Johnson, 1961-68).** Les démocrates reprennent les idées du New Deal : grands projets publics, budget en expansion (dépenses mil., conquête de l'espace, aide au tiers monde), importation de main-d'œuvre. Expansion très rapide. *Golden Sixties,* les années 60 (« en or ») : en fait il n'y a que 5 ans de boom, dus à la réorganisation des moyens de production (1961-65). A partir de 1966 : baisse du taux de profit, gros surplus agricoles ; inflation accélérée ; multiplication de l'assistance aux « pauvres » (26 millions) ; déficit budgétaire dû à la guerre du Viêt-nam ; concurrence européenne et japonaise due au succès du Plan Marshall. Conséquence : fuite des capitaux, déficit de la balance des paiements. Mais les investissements se poursuivent (ex. en informatique).

5. **Déflation républicaine (1969-76).** Nixon, puis Ford cherchent à juguler l'inflation ; ils aboutissent à la *stagflation* (récession économique + inflation monétaire). *1971* 1er déficit commercial depuis 70 ans. *1972-73* croissance (avec augmentation du chômage). *1974-75* récession avec baisse du PNB. L'aide à l'industrie n'empêche pas la crise de l'automobile, de l'électroménager, de la sidérurgie lourde (8 millions de chômeurs).

6. **Échec de Carter (1976-80).** C. hésite entre relance et anti-inflationnisme. En 1977-78, gonflement des importations qui concurrencent les industries locales ; gros déficit commercial. Inflation de + de 10 % à partir de 1977. Chômage record (40 % des Noirs de moins de 20 ans). Légère reprise en 1980.

7. **« Effet Reagan » (1980-86). Idées de base du plan de redressement** économique de 1980 : « Le gouvernement [l'État] n'est pas la solution à nos problèmes. Le gouvernement est le problème. » Les pouvoirs et l'intervention de l'État fédéral doivent donc être réduits, les dépenses et les impôts fédéraux doivent être diminués et les réglementations administratives doivent être allégées.

Bilan. Fiscalité : charge fiscale en baisse par rapport au PNB (*1984 :* 19 %, *1981 :* 20,6 %), taux de l'impôt sur le revenu pour les personnes physiques réduit de 25 % (sur 3 ans : 5 % le 1-10-81, 10 % le 1-7-82, 10 % le 1-7-83) quel que soit le revenu, baisse de la taxation des plus-values et des taux d'imposition des sociétés favorisant l'activité économique et notamment la création d'entreprises (nombre d'entreprises nouvelles *1978 :* 280 000 par an, *85 :* 600 000). **Budget :** hausse des dép. militaires : *1980 :* 136 milliards de $ (23,4 % du total), *1983 :* 232 (29,1 %), *1985* 264,4 (29 %) ; hausse réduite des autres dép. : *1980 :* 17,3 % ; *81 :* 10,3 % ; *82 :* 6,6 % ; *83 :* 1,9 % (p. ex. suppression de 36 000 postes de fonctionnaires féd., réduction de la durée des indemnités de chômage, de l'assistance aux défavorisés et des subventions au logement) ; hausse des dépenses totales de l'État fédéral : 24 % du PNB en 84 (record), 22 % sous Carter. Déficit budgétaire en forte hausse. **Inflation. Monnaie :** hausse du $ (afflux de capitaux étrangers attirés par une rémunération élevée, puis baisse). **Bourse :** hausse. **Production :** baisse de la prod. ind., record de faillites (37 500 en 1983), mais reprise fin 83 et forte hausse en 1984. **Investissement :** croissance très réduite à cause des taux d'intérêt élevés en termes réels, + 3,5 % de 1980 à 1984 contre + 28,81 % de 1976 à 1980. **Chômage :** hausse puis baisse. **Commerce extérieur :** déficit croissant.

■ Économie (statistiques)

Généralités

■ **Rang dans le monde** (91). 1er bois, maïs. 2e céréales, coton, argent, charbon, cuivre, gaz, or, pétrole, réserves charbon, 3e blé, porcins. 4e bovins. 5e p. de terre, réserv. de gaz. 6e orge, pêche, vin, fer, lignite, zinc. 9e réserves pétrole. 10e canne à s. 12e riz.

% par rapport au monde. Population 5. PNB 32 [soja 60, maïs 42, agrumes 30, coton 16,9, blé 15, uranium 46, gaz 40, électricité 40, charbon 24, pétrole 4,3 (79, 13,7), cellulose 11,2, fibres non cellul. 34,6].

■ **Population active en %,** et entre parenthèses, **part du PNB (en %).** Agr. 3 (2), ind. 23,6 (19), services 69,9 (75,5), mines 3,5 (3,5). *Nombre d'actifs* (1991 juill.) : 125 214 000 dont 8 501 000 inemployés. *Emplois créés. 1988 :* 3 798 000 (63 % pour cadres sup. et prof. libérales). *1989 :* 3 000 000. *1992 :* 557 000 (955 000 perdus). **Chômage (%).** *1919 :* 2,3, *20 :* 4, *21 :* 11,9, *23 :* 3,2, *26 :* 1,9, *29 :* 3,2, *30 :* 8,7, *31 :* 15,9, *32 :* 23,6, *33 :* 24,9, *34 :* 21,7, *35 :* 20,1, *39 :* 17,2, *40 :* 14,8, *50 :* 5, *60 :* 5,5, *70 :* 4,9, *75 :* 8,5, *79 :* 5,8, *80 :* 7,1, *81 :* 7,6, *82 :* 9,7, *83 :* 9,6, *84 :* 7,5, *85 :* 7,2, *86 :* 6,9, *87 :* 6,2, *88 :* 5,5, *89 :* 5,3, *90 :* 5,5, *91 :* 6,7, *92 :* 7,4, *93 (juin) :* 7. *Revenu annuel moyen* (en F, 1990) : Blancs 169 896, Noirs 101 597. **Salaire mensuel ($).** *Minimum, à l'heure : 1980 (1-1) :* 3,1, *1981 (1-1) :* 3,35, *89 :* 3,35. *Hebdo. 80 :* 235,10 $, *87 :* 322,60. *Moyen. heure (mars 89) :* 9,54 $. **A hauts revenus** *(+ de 500 000 $* par an) : *1986 :* 16 881 personnes, *90 :* 183 240, *+ de 50 000 $:* 19 000 000. **Seuil de pauvreté** (1991) 13 914 $ pour une famille de 4 personnes, 6 914 $ pour 1 personne seule (18 % des salariés en 1990). **Revenu médian des familles** (en $, en valeur) *1967* 29 765, *1991* 35 939. **Répartition des revenus** (1991). Sur 95 669 000 ménages : *– de 5 000 $* 4,8 %, *5 000-9 999* 10,1, *10 000-14 999* 9,4, *15 000-24 999* 17,4, *25 000-34 999* 15,2, *35 000-49 000* 17,3, *50 000-74 999* 15,4, *75 000-99 000* 6,0, *100 000 ou +* 4,4. **Salaire horaire moyen** ($, en valeur de 1991) avec études secondaires inachevées 7,62, études sec. complètes 9,43, licence 14,77, maîtrise et au-delà 19,24.

« Yuppies » *(Young Urban Professionals).* H. d'env. 30 ans ayant réussi dans prof. libérales ou services (4 millions de 25 à 40 ans disposent de + de 40 000 $ par an), vivent en ville à l'européenne.

■ PNB. *Total* (en milliards de $). *82 :* 3 047,5 ; *85 :* 3 735,5 ; *90 :* 5 465 ; *91 :* 5 567. *Par habitant* (en $) *82 :* 12 160 ; *85 :* 16 170 ; *90 :* 21 530 ; *91 :* 19 082. **Croissance** (en %) *PNB 1983 :* 3,6, *84 :* 6,5, *85 :* 2,5, *86 :* 2,7, *87 :* 3,4 ; *88 :* 4,4 ; *89 :* 2,9 ; *90 :* 1 ; *91 :* –0,7 ; *92 (est.) :* + 2,1 ; *93 (est.) :* + 3.

■ Principaux indicateurs économiques. **Taux de croissance Réel du PIB :** *61-73 :* 3,9 ; *74-80 :* 2,1 ; *84 :* 6,2 ; *85 :* 3,2 ; 1986 : 2,9 ; *87 :* 3 ; *88 :* 3,9 ; *89 :* 2,5 ; *90 :* 0,8 ; *91 :* – 1,2 ; *92 :* 1,8. **Prod. industrielle :** *86 :* 1 ; *87 :* 4,9 ; *88 :* 5,4 ; *89 :* 2,6 ; *90 :* 1 ; *91 :* – 1,9 ; *92 :* 2,3. **Exp. de biens et services** *moy. 74-80* 8,8, *moy. 81-90* 8,7, *1991* 10,4, *1992* 10,5. **Imp.** de biens et services (% PIB) *moy. 74-80* 9,3, *moy. 81-90* 10,6, *1991* 11, *1992* 11,1. **Croissance de l'emploi** (%) *(moy. 74-80* 2,2, *moy. 81-90* 1,7, *1991* – 0,9. *1992* 0,8. **Prélèvements publics** (% PIB) *moy. 74-80* 30,2, *moy. 81-90* 30,5, *1991* 30,7, *1992* 30,8. **Dépenses publiques** (%) *moy. 74-80* 31,4, *moy. 81-90* 33,1, *1991* 33,7, *1992* 34,8. **Déficit public** (% PIB) *moy. 74-80* 1,2, *moy. 81-90* 2,7, *1991* 3, *1992* 4. **Dette publique brute** (% PIB) *1987* 52,6, *1992* 60,5. **Taux d'intérêt à court terme et entre parenthèses à long terme** (%) *(moy. 74-80* 8,6 (8,6). *moy. 81-90* 9,4 (10,3), *1991* 5,8 (7,9), *1992* 4,2 (7,5). **PIB brut** (%, 1992) salaires 59,3, autres facteurs de production 21,4, dépréciation du capital 10,8, taxes indirectes nettes 8,5. **Échanges avec l'extérieur** (prix en milliards de $), en 1987 (et 1992) : balance commerciale (FOB-FOB) – 152,1 (– 72,5), b. des paiements courants – 160,2, (– 45,2), marchandises – 157 (– 81,2), services non facteurs 14 (45,4), transferts – 17,1 (– 9,4). **Produit intérieur brut** (prix en milliards de $, 1992) : 5 955,8. **Emploi** consommation privée 4 115, publique 1 108,6, formation brute de capital fixe 769,7, variation des stocks – 1,7, export. de biens et services 624,3, import. de biens et services 660,1.

Plan Clinton (en milliards de $). **Philosophie générale :** déficit budgétaire ramené à 2,7 % du PIB (en 4 ans) ; parité entre accroissement des recettes et réduction des dépenses ; plan de relance privilégiant l'investissement des entreprises au détriment de la consommation des ménages. **Économies budgétaires :** 634 milliards de $ (1994-98). *Nouvelles recettes :* 379 dont alourdissement de l'impôt sur le revenu 126,3, taxe générale sur l'énergie 79,3, impôt sur la protection médicale dont le plafond sur le revenu est supprimé 29,2, sur les retraités aisés 21,4, accroissement de l'impôt sur les Stés 30,6, moindre déductibilité dans l'impôt sur les Stés 16,1, imposition mieux gérée des multinationales 8,6. *Diminution des dépenses :* 255 dont min. de la Défense 126,9, dépenses de santé 60,3, meilleure gestion de la dette publique 16,4, des ministères 11,2, gel des salaires dans la fonction publique (1994) 11,2, réduction du nombre de fonctionnaires 10,5. **Relance budgétaire :** 169 (1994-98) dont *abaissements fiscaux* 83,4 dont accroissement des déductions fiscales pour ménages à revenu faible et enfants 26,8, crédits fiscaux à l'investissement 28,9, déductions fiscales pour dépenses de recherche et développement 9,6. *Accroissement des dépenses* 85,3 dont éducation et formation 37,8, haute technologie 17, aménagement du territoire et logement sociaux 9,6, infrastructures de transport 8,4.

Industrie

■ Grands traits. **2 victoires dans les g. mondiales,** assurant la suprématie pol. et dipl. **Cadres entreprenants** (par ex., depuis 1940, ils ont créé 2 zones industrielles neuves : le long du Pacifique et dans le Jeune Sud). **Dynamisme d'un peuple à faible densité,** ayant l'espace pour lui et le sentiment d'être favorisé par Dieu (richesses du sol et du sous-sol). **Puissance des firmes multinationales.** Contrôlent 50 % de la prod. totale. **Primauté technologique** (due en partie aux élites europ. attirées par de hauts salaires). **Productivité** *élevée,* notamment en agriculture ; fort % du tertiaire. **Rayonnement culturel et linguistique** (cinéma, TV, publicité, satellites, musique, arts vestimentaire et décoratif, prosélytisme religieux). **Abondance des matières premières** et forte concentration ; mais importation de 1/3 du fer, 9/10 de bauxite, chrome, nickel et manganèse.

■ Problème industriel jusqu'en 1980. **Baisse de la compétitivité :** perte de marchés extérieurs et intérieurs. *Causes :* baisse de la recherche (*1964 :* 2,10 % du PNB, *79 :* 1,60 %), ralentissement de la productivité, baisse des invest. (7,5 % du PNB de 1970 à 79, 8,8 % en All. féd., et 17 % au Japon) ; salaires élevés, mais l'écart s'est réduit dep. 1970 (hausse des salaires de 1970 à 80 : USA + 133 %, *Fr. + 431,* All. féd. + 430, Japon + 467) du fait de la baisse des salaires (en termes réels) après les 2 chocs pétroliers.

■ Dans les années 80. **Hausse de la productivité** (robotisation croissante dans l'automobile). Les ind. exportatrices et excédentaires (surtout : aéronautique, machines de bureau et informatique, appareils de mesure et de précision, mat. de BTP, machines et équipements mécaniques et électriques, chimie) ayant accru leurs investissements au cours des années 70 (taux : 8,7 % en 71, 121 en 79). **Concurrence étrangère :** très forte pour ind. de transformation ou de biens de consommation. *Part des imp. (en %, en 1985) :* chaussures 75, télévisions et radios 60, bicyclettes 45, acier 26, vêtements 21.

Brevets accordés aux USA (1984). 72 149 dont 31 000 accordés à des Stés étrangères : Japon 11 355, All. féd. 6 402, G.-B. 2 414, *Fr. 2 286,* Canada 1 317 ; 1986 : 76 993 (dont Japon 13 857).

■ Secteurs en récession. **Sidérurgie.** *Causes :* retard technologique dû à l'équipement des nouvelles aciéries en fours Martin dans les années 50, alors que dans les années 60 et 70 Européens et Japonais se rééquipaient en aciéries à oxygène [part de la production en coulée continue (All. féd. 29, *France 59,* dans la CEE 53, Japon 79 %) ; prod. moyenne annuelle d'un sidérurgiste : 249 t (Japon 327)] ; salaires supérieurs de 30 % à ceux des autres secteurs jusqu'en 1983 ; hausse des taux d'intérêt et manque de fonds propres (les capitaux étant attirés par des secteurs plus rémunérateurs). De 1982 à 1992, env. 25 milliards de $ investis, près de 100 000 emplois supprimés. Productivité multipliée par 2. Modernisation largement financée par des alliances avec des sidérurgistes étrangers notamment les Japonais. 40 % des cokeries ne respectent pas les nouvelles normes antipollution. *Mini-mills* petites aciéries électriques représentants + de 20 % du marché. *Production :* acier brut (en millions de t) : *1940 :* 67, *45 :* 79,7, *55 :* 117, *60 :* 99,3, *65 :* 131,5, *70 :* 131,5, *75 :* 116,6, *80 :* 111,8, *85 :* 88,3, *86 :* 61,6, *87 :* 89,2, *88 :* 99,9, *89 :* 97,9 ; *90 :* 98,9 ; *91 :* 87,8. *Effectifs : 1970 :* 530 000 ; *82 :* 289 000 ; *83 :* 245 000 ; *89 :* 124 215.

Divers. Automobile. VENTES (en millions en 1991 et, entre parenthèses, en 90) : 12,5 (14,1) dont General Motors 4,3 (4,9), Ford 2,8 (3,3), Chrysler 1,5 (1,6), Toyota 1,01 (1,05), Honda 0,8 (0,85), Nissan 0,54 (0,59), Mazda 0,34 (0,34), Hyunday 0,11 (0,13), divers 0,93 (1), Le Japon détient 25 % du marché (*ventes amér. au Japon : 1991 :* 15 000 voitures).

Le 18-12-1991, *General Motors* a annoncé la suppression de 74 000 emplois (54 000 ouvriers, 20 000 cadres) avant 1994 et la fermeture de 21 usines. *Résultats* de GM (milliards de $) : *1983 :* + 3,7, *86 :* + 3,9, *88 :* + 4,6 (CA 123,6), *89 :* (CA 127), *90 :* –2. *Chantiers navals. Aéronautique* (Lockheed) concurrencée par Airbus : une vente de 50 millions de $ équivaut à un service de 3 500 emplois aux USA). **Textile. Chaussures. Téléviseurs. Caméras. Magnétophones. Chemins de fer** (technologie en retard). 2/3 des machines ont + de 10 ans (Japon 1/3). **Électronique.** Balance commerciale (en milliards de $) : *79* + 4,3 ; *84* – 1,2 ; *86* – 7,7 ; *88* – 5,2 ; *89* – 7,1 ; *90* – 0,1.

■ Zones d'innovation. **V. 1940-50,** *« Route 128 »* qui traverse le Massachusetts autour de Boston, le prestige du Massachusetts Institute of Technology (MIT) étant alors à son zénith. **V. 1977-85,** *Silicon Valley* (500 km² entre San Jose et San Francisco) avec les universités de Stanford et de Berkeley. Son nom signifie vallée du Silicium, base de l'électronique. Symbole de cette réussite : Steve Jobs et Stephen Wozniak, 2 jeunes de 20 ans qui créèrent, en 1977, dans un garage, la firme Apple (micro-ordinateurs). 8 000 entreprises (80 % employant – de 50 personnes) dont + de 3 000 d'électronique ; attire les 2/3 des 3 milliards de $ investis aux USA dans le capital-risque (*venture capital :* financement d'innovateurs par des capitaux recherchant de hauts profits). *Autres « zones » :* Phoenix (Arizona), Albuquerque (N.-Mexique), Dallas et San Antonio (Texas).

Sujets d'inquiétude

Gaspillage des ressources et pollution. Érosion des sols, épuisement de la pêche et de l'ostréiculture, gaspillage énergétique (réduit depuis le plan Carter). Dégradation de l'infrastructure. Due au manque de crédits pour l'entretien et la modernisation des voies de communications, égouts, conduites d'eau. Baisse du civisme. Contestation, décadence de la famille, importance de la drogue (en particulier le crack, apparu 1985), montée de la violence et de la criminalité. Inégalités sociales. **Mortalité infantile (‰, Blancs et non Blancs) :** *1965* 21,6 (41,7) ; *89* 8,2 (17,6). **Chômage (en %, Blancs et non Blancs) :** *1965* 3,4 (8,1) ; *91* 6 (11,1). **Pauvreté :** *nombre* (en millions) : *1989 :* 31,5 dont Blancs 20,8, Noirs 9,3, Hispaniques 5,4, *90 :* 33,6 (13,5 % de la pop.), *91 :* 35,7 (14,2 % de la pop., 32,7 % des Noirs, 28,7 % des Hispaniques) ; 27,4 ont reçu en mars 1993 des allocations alimentaires (record). **Sans logis :** en 1990, selon le recensement 229 000, selon les groupes d'entraide 3 000 000. **Revenus** (en %) : *1960 :* 39,9, *70 :* 25,4, *80 :* 29,3, *88 :* 13 % de la pop. vivait au-dessous du seuil de pauvreté (Blancs 10,1, d'origine esp. 26,7, Noirs 31,3). Le salaire moyen des Noirs est inférieur de 50 % à celui des Blancs. Santé. *Système.* Avant 65 ans, assurance privée, après 65 a., système public avec condition d'âge *(medicare).* Sinon, *medicaid* (association de l'État fédéral et des États), prend en charge les indigents. *Américains non couverts par une assurance maladie* (millions) *1980 :* 24,6, *85 :* 34,6, *90 :* 33,6 (13,6 %), *91 :* 37. *Dépenses de santé* (milliards de $) *1975 :* 132, *80 :* 249, *85 :* 420, *90 :* 671, *93 :* + de 900 (soit 14,4 % du PIB), *95 (est.) :* 1 073, *2000 (est.) :* 1 616. *Effectifs (1993) :* 10,6 millions.

Niveau d'éducation. 60 millions d'Amér. sont incapables de lire un mot de plus de 3 lettres, 25 millions un chiffre romain. 44 % des Noirs et 56 % des hispanophones sont totalement ou partiellement incapables de décoder un texte écrit. Sur 8 millions de chômeurs, 4 à 6 millions sont sans emploi car sans formation minimale nécessaire.

Temps de travail nécessaire en 1962 et 1992 pour acquérir 1 poulet 13 min (7), 1 pellicule Kodak (60) (27), appel interurbain 60 (4), téléviseur 62 (21), réfrigérateur (168) (60), maison avec 3 chambres New Jersey 1 125 j (1 777), frais d'inscription annuels dans une rente privée 129 j (251).

Finances

■ Aide économique et militaire versée (milliards de $, totale, entre par. écon., en ital. militaire). **1946-52** 41,6 (31,1) *10,5.* **53-61** 43,3 (24) *19,3.* **62-69** 50,2 (33,3) *16,8.* **70-79** 65,7 (26,9) *38,8.* **80-89** 140,1 (92) *48.* **90** 15,7 (10,8) *4,9.* **94 (prév.)** aide à Israël 3, Égypte 2, Russie 0,2.

■ Avoirs extérieurs nets (or exclu ; en milliards de $). *1980 :* 95, *81 :* 130, *82 :* 126, *83 :* 78, *84 :* – 7, *85 :* – 123, *86 :* – 275, *87 :* – 435, *88 (prév.) :* – 576, *89 (prév.) :* – 710.

■ Balance commerciale et des paiements courants entre parenthèses (en milliards de $). *1986 :* –155,1 (–145,4) ; *87 :* –152 (–162,3) ; *88 :* –135,5 (–128,9) ; *89 :* –118,6 (–110) ; *90 :* –101,7 (–94,9) ; *91 :* –66,2 (–8,62) en incluant versements des alliés pour la g. du Golfe (45 milliards de $) ; *92 :* – 56 (– 32,7 soit 0,5 % du PIB) ; *93 (est.) :* – 61.

■ Bénéfices. **Des Stés anonymes** (milliards de $). *1981 :* 197,6. *82 :* 156. *83 :* 192. *84 :* 231,5. *90 :* 300 (180 après impôts). *92 :* 232. **Des banques** *1988 :* 23.

■ Budget. *Créé* 1921. Année fiscale du 1-10 au 30-9. En milliards de $. **Recettes** *1945 :* 45, *50 :* 39, *60 :* 92, *70 :* 192, *80 :* 517, *90 :* 1 031, *91 :* 1 054, *92 (est.) :* 1 075,7 dont impôt individuel sur le revenu 478,7, impôt sur les sociétés 89, taxes et cotisations d'ass. sociales 410,8, droits d'accises 46, mutations 12, douanes 17,2, dépôt à la réserve fédérale 18,5. *93 (est.) :* 1 157. *94 (projet) :* 1 256. **Dépenses** (dont entre par. défense) *1945 :* 9 (1), *50 :* 42 (13), *60 :* 92 (48), *70 :* 195 (81), *80 :* 590 (133), *90 :* 1 251 (299), *91 :* 1 323 (273), *92 (est.) :* 1 475 (dont défense 307,3, affaires internat. 17,8, séc. sociale 286,7, sécurité des revenus 198, medical care 118,6, santé 94,5, éducation 45, anciens combattants 33,8, transports 34, commerce 87,1, ressources nat. et environnement 20,2, énergie 4, développement régional 7,5, agriculture 17,2, science, espace et technologie 16,3, gouvernement 12,8, justice 14, intérêts de la dette 198,8, recettes non utilisées – 38,7), *93 :* 1 476, *94 (projet) :* 1 520 [dont en % : sécurité sociale 21 (surtout retraite), défense 18, couverture médicale (medicare aide aux personnes âgées, et medicare aides aux pauvres) 16, paiement dette publique 14, reste 12].

Déficit budgétaire (ou surplus). *1945 :* – 48, *50 :* – 4, *60 :* + 0,5, *70 :* – 8,6, *80 :* – 72, *90 :* – 220,5, *91 :* – 269,5, *92 :* – 290,2, *93 (est.) :* – 319, *94 (est.) :* – 264, *2002 (est.) :* – 500.

Nota. – La loi Gramm-Rudman-Hollings (12-12-1985) exigeait que le déficit budgétaire soit ramené à 172 milliards de $ en 1986, 144 en 87, 108 en 88, 36 (prévu 100) en 90, 67 en 1991 et 0 en 1993.

Plan Clinton (en milliards de $). Ramener le déficit à 241 milliards de $ (3,1 % du PIB) en 1998 ; hausses d'impôts 360 ; réduction de certaines dépenses fédérales 332 (dont 122 dans budget de la défense) ; augmentation crédits alloués à d'autres programmes 112 et des allègements fiscaux 64 ; plan de relance économique et de création d'emplois 16,2.

■ Caisses d'épargne **(Savings and Loans).** *1989 :* 2 966 caisses (actifs 1 340 milliards de $, dépots 971). *91 :* 2 096 caisses (actifs 1 300). *Résultats* (en milliards de $). *1987 :* 7,8 ; *88 :* 13,4 ; *89 :* 19,2. *90 :* – 2,90, *91 :* + 1,97. **Coût de l'assainissement** (en milliards de $) évalué, *89 à 93 :* 250 ; *92 :* 500. **Remboursements dus par l'État** (est. 1990) : 1 350 à 2 700 milliards de $. **Taux d'épargne des ménages.** *1973 :* 9 % ; *88 :* 3,2 %.

■ Banques. Résultats des principales banques à l'échelon fédéral (11 920 établissements en 1991), en milliards de $: *1988 :* + 24,8 ; *90 :* + 16,1 ; *91 :* + 18,6. **Principales banques** (actifs en milliards de $, 1-1-92) : Citycorp New York 216,9, Chemical banking corp. New York 138,9, Bank America corp. San Francisco 115,5, Nationsbank corp. Charlotte 110,3, J.P. Morgan New York 98,1, Security Pacific corp. Los Angeles 76,4, Bankers Trust New York corp. 63,9, Wells Fargo and corp. San Francisco 53,5. En 1991, 127 faillites de banques commerciales (63 milliards de $ d'actifs).

■ Dette fédérale globale (dont entre par. dette publique, milliards de $). *1945 :* 260 (235) ; *50 :* 256 (219) ; *60 :* 290 (236) ; *70 :* 380 (283) ; *80 :* 908 (709) ; *90 :* 3 206 (2 410) ; *91 :* 359 (2 687) ; *92 (est.) :* 4 077 (3 077). Plafond dette publique fixe *oct. 1990 :* 4 145.

Service de la dette (milliards de $) *prév. 1992 :* 198 ; *93 :* 213,8. **Dette extérieure** (milliards de $) *globale 90 :* 800. **Déficit public (% PIB)** *61-73 :* 0,4 ; *74-80 :* 1,2 ; *81-90 :* 2,6 ; *91 :* 1,8.

Réforme fiscale en cours : adoptée en 1986 par la Chambre des représentants. *Impôts sur le revenu :* 2 taux marginaux d'imposition [15 % jusqu'à 29 750 $ pour un couple, 28 % au-delà (33 % pour les très gros revenus)] contre 14 % (avec un taux max. de 50 % dep. le 1-1-82, avant 70 %). Les gains en capital seront imposés comme les revenus (avant, à 20 % avec abattement de 60 %). *Impôts sur les bénéfices :* taux max. réduit de 46 à 34 %. *Élimination de nombreuses déductions fiscales.*

Impôt sur les Stés. Part dans les recettes fiscales *1980 :* 10,2 ; *83 :* 5,5 ; *89 :* 8,5 ; *90 :* 7,3.

■ Inflation (%). *1979 :* 11,3 ; *80 :* 12,5 ; *81 :* 8,9 ; *82 :* 6,1 ; *83 :* 3,8 ; *84 :* 3,9 ; *85 :* 3,8 ; *86 :* 1,1 ; *87 :* 4,4 ; *88 :* 4,2 ; *89 :* 4,9 ; *90 :* 5,2 ; *91 :* 4,3 ; *92 :* 3.

Investissements directs étrangers (stock en milliards de $, 1991). *Origine d'*Europe 258,1 (G.-B. 106,1, P.-Bas 63,8, All. 28,2, *France 22,7,* Suisse 17,6), Asie et Pacifique 96,7. Japon 86,7. Canada 30. Amérique latine 17,7 (Antilles néerlandaises 7,9). Moyen-Orient 4,8 (Koweït 2). Afrique 0,3. **Par secteur :** 407,6 dont industrie 162,9, commerce de gros 53, chimie 49,1, pétrole 40, immobilier 33,7, assurance 33,3, services 31,5, machines 27,6, agro-alimentaire 23,4, banques 20,7, métaux 15,8, finances (sauf banques) 9,2, commerce de détail 6,7, autres 53,6.

■ Endettement (milliards de $). *1991* 10 481 (185 % du PIB) dont ménages 4 805 (*74* 671 ; *84* 1 832 ; *89* 3 400), gouv. fédéral 3 599, entreprises 2 077.

■ Investissements (milliards de $). **Amér. à l'étranger :** *1975 :* 124 ; *80 :* 215 ; *85 :* 230 ; *90 :* 421,4 ; *91 :* 450,1 dont CEE 188,7 (G.-B. 68,2, All. 32,9, P.-Bas 24,7, *France 20,4,* It. 13,8, Belg. 8,8), Canada 68,5, autres pays d'Europe 34,4 (Suisse 26,4, Norvège 4,2, Suède 1,6), Amér. du S. 25,1 (Brésil 15,2, Argentine 3,4, Venezuela 2,7, Colombie 1,7, Chili 1,5), Asie et Pacifique 24,1 (Hong Kong 6,4, Singapour 4,3, Indonésie 3,4, Taiwan 2,4, Corée du S. 2,3), Japon 22,9, Bermudes 20,7, Amér. centrale 22,4 (Mexique 11,5, Panamá 10,9), Australie 15,6, Moyen-Orient 3,5 (Arabie S. 2,3, Israël 0,7, Émirats 0,5), Afrique 3,5 (Égypte 1,5, Afr. du S. 1). **Directs : étr. aux USA :** *1970 :* 13,2 ; *75 :* 27,6 ; *80 :* 83 ; *85 :* 184,6 ; *90 :* 396,7 ; *91 :* 407,6 (coût historique ; coût actuel 487, valeur de marchés au coût de remplacement 654,1) (dont Japon 86,7, G.-B. 106,1). *Effectués en 1988 :* 59,4 ; *89 :* 69 ; *90 :* 46,1 ; *91 :* 12,6 (dont Jap. 5,07 ; G.-B. 4,2 ; *Fr. 3,7 ;* All. 1,3) ; *92 :* –3,95.

■ Réserves officielles (milliards de $). *1980 :* 26,8 ; *85 :* 43,2 ; *88 :* 47,8 ; *89 :* 74,6 ; *90 :* 83,3 ; *91 :* 77,7 dont stock d'or 11,1 (inchangé dep. 1982), droits de tirage spéciaux 11,2 ; devises étr. 45,9 ; réserves au FMI 9,5.

■ Taux d'intérêt à court terme et entre parenthèses **à long terme.** *61-73 :* 4,5 (5,3) ; *74-80 :* 7,5 (8,5) ; *81-90 :* 8,4 (11,1) ; *86 :* 6 (9) ; *87 :* 5,8 (9,4) ; *88 :* 6,7 (9,7) ; *89 :* 8,1 (9,3) ; *90 :* 7,5 (9,3) ; *91 :* 6,3 (9,2). **Fed funds** (taux interbancaire) **au jour le jour :** *1989 avr. :* 10 ; *92 févr. :* 4, *9-4 :* 3,5, *sept. :* 3 ; **à 10 ans :** *89 avr. :* 9 1/2, *92 févr. :* 7.

Agriculture, forêt, pêche

■ Terres (en millions d'ha). *Agricoles* (57 %) labourables 191, prairies permanentes 244, forêts pâturées 80, divers 4 ; *non agricoles* (43 %) : forêts 212, parcs et réserves naturelles 33, villes, routes et aéroports 26, divers 127. Les terres perdraient chaque année + de 2 milliards de t de couche arable. **Surface cultivée** (millions d'ha, 92). Blé 28,36 dont blé d'hiver 20,66, dur 1,32, de printemps 6,31. Maïs 31,97. Soja 23,24. **Propriété du sol** (%, est. 82) : Particuliers 58,7, État féd. 32,2, États et Collectivités locales 6,8, Indiens 2,3. *Propr. américains :* Blancs non hispaniques 90 % (97 % des domaines privés), Noirs 4 % (1 %). Étrangers % infime. *Origine de la propriété* (%) : héritage 18, achat à des parents 60. **Exploitations :** *Nombre (1991) :* 2 105 000 (dont Texas 185 000 expl., Missouri 107 000, Iowa 102 000). En 1990, 36 000 exploitations ont disparu. *Sup. moy.* 184 ha (Rhode Island 95, Arizona 4 444). *Propriété (%)* de l'exploitant 64, partielle 26, en fermage intégral 10. 50 % n'utilisent pas de salariés. Chaque agriculteur exploite env. 180 ha (CEE 20 ha) ; dans les « feeds lots » (unités d'engraissement) un homme nourrit 1 500 à 2 000 bêtes par an (*1850 :* 1 agriculteur pour 1 consommateur ; *1940 :* 1 pour 10 ; *60 :* 1 pour 26 ; *80 :* 1 pour 52). **Population agr.** (en millions) : *1988 :* 4,95. *Travailleurs agricoles : 1900 :* 10,9 ; *30 :* 10,3 ; *40 :* 9 ; *50 :* 6,9 ; *60 :* 4,1 ; *70 :* 2,9 ; *80 :* 2,8 ; *90 :* 2,8 ; *91 :* 2,8.

Monocultures : *Dairy Belt* (production ancienne du lait) Michigan, Minnesota, Wisconsin ; *2ᵉ Dairy Belt* (récente) : Oregon et Washington. *Tobacco Belt* (tabac) : Virginie, les 2 Carolines. *Cotton Belt* (coton) : de la Géorgie au sud du Texas. *Corn Belt* (maïs) : Ohio, Indiana, Illinois, Iowa, Missouri, Nebraska (nouvelles cultures : soja, sorgho, avoine, orge). *Wheat Belt* (blé) : de printemps au N. (Montana, les 2 Dakotas) ; hiver au S. (Kansas, Nebraska, Oklahoma). *Modernes : agrumes* (Floride), *canne à sucre* (Texas), *riz* (Louisiane, Arkansas), *cult. maraîchères* (près des grosses villes), *arachides* (plaine atlantique), *pommes de t.* (Maine).

Polycultures : *a) pauvres :* Ozark, plateau de Cumberland, Appalaches ; *b) riches :* par irrigation : Californie (vergers subtropicaux et tempérés) ; oasis du N. (Utah) : luzerne, betteraves, fruits ; du S. (Idaho) : citrons, dattes, figues, coton.

Dry farming (culture sèche) mis au point en Utah au XIXᵉ s. (humidité du sol entretenue par un travail en surface), a permis les cultures céréalières sur de grandes régions sèches, notamment la *Palouse* (Washington) et le *Piedmont* (Montana). *Consommation d'engrais :* 40 kg par an (France 175 kg). *Pesticides :* usage intensif (cause de milliers de † par cancer).

■ Mécanisation. *Tracteurs :* 5 millions. Dans l'Iowa, un semoir à 18 rangs ensemence 400 ha en 6 j.

■ Élevage spécialisé. *Bœufs* transhumants (vers Idaho, Montana, Washington) dans Wyoming et États de la Plaine ; non transhumants : Mississippi et S. de la Plaine. *Volailles :* poulets (Rhode Island) ; dindes : Vermont. **Statistiques** (millions de têtes, 92) : bovins 100,1, vaches à lait 9,9, moutons 10,8, porcs 57,6, poulets 351,7, dindes 3,1 (85).

■ Pêche (voir Index).

■ Forêts. Production (bois) (90) : 530 300 000 m³.

■ Production (millions de t, 91). Maïs 190,1, blé 53,91, soja 52,3, avoine 5,1 (90), orge 10,1, riz 7,2, sorgho 15,5 (90), foin 146,9 (90), seigle 0,3 (90), tabac 0,8 (90), p. de terre 18,9, haricots 1,1 (90), cacahuètes 1,8 (90), bett. à sucre 27,5 (90), canne à s. 28,2, pommes 4,4 (89), pêches, poires, raisin 5,3 (89), oranges 8 (89), tangerines 0,5 (89), pamplemousses 2,6 (89), citrons 0,8 (89), coton 3,4 (90). En 1988, grave sécheresse ; en 1992, phylloxéra en Californie.

■ Exportations agro-alimentaires. *Ventes de céréales à l'URSS* (en millions de t/an, M/t). *Oct. 1975 :* accord pour 1976-81 : 6. *4-1-1980 :* Carter, en représailles contre l'invasion de l'Afghanistan, fixe un quota de 8. *Oct. 1981 :* l'U peut acheter 23. *Août 1983 :* peut acheter (à partir du 1-10-83) pour 5 ans 9 M/t. *Exportations blé : 89-90 :* 33,56 ; *90-91 :* 29,26 ; *91-92 :* 30,6. *Maïs : 89-90 :* 60,17 ; *90-91 :* 43,18 ; *91-92 :* 44,5.

■ Agribusiness (1 actif sur 5). Les grandes firmes investissent en terres agr. (souvent à l'étranger, notamment au Brésil), les fermiers sont souvent employés d'une entreprise ind. (ex. Dow Chemical contrôle les cult. maraîchères en Calif.). 5 Stés contrôlent le négoce, notamment *Cargil incorporated,* qui exporte 25 % du blé. Les USA réalisent 1/5 des ventes mondiales (produits végétaux et animaux).

■ Problèmes agricoles. Beaucoup d'exploitations familiales, petites et moyennes, sont condamnées à disparaître (sur 700 000 fermiers à plein temps, 56 000 fournissent les 2/3 de la prod. agr.) ; elles ne survivent, que grâce à des subventions de l'État [(114 milliards de $ de 1976 à 1985, dont 22 en 85 et 26 en 86)]. Fort endettement des fermiers (215 milliards de $) dont 20 % env. ne pourront être remboursés, cette situation provoquant de nombreuses faillites de banques agricoles. Compétitivité des produits agricoles, face à CEE, Argentine, Australie et Canada, compromise quand le $ est surévalué. Baisse du prix des terres (de 25 à 60 %). *Dépenses de l'État fédéral pour l'agr. (en milliards de $) : 1981 :* 4 ; *85 :* 55,5 ; *86 :* 58,6 ; *87 :* 49,6 ; *88 :* 44 ; *89 :* 48,3 ; *90 :* 46.

Formes de subventions et d'aides : subventions aux exportations : crédits à taux nul et aide alim. Ainsi, le Bicep (Bonus Incentive Commodity Export Program) subventionne (2 milliards de $) les exp. de blé (prix réduit de 14 $ par t) et de farine (prix réduit de 66 $ par t). **Aides intérieures directes :** prêts non remboursés dans certaines conditions pour les agriculteurs « gelant » une partie de leurs terres (Farm Bell de 61), paiement en nature (PIK : payment in kind) aux agr. gelant une partie supplémentaire de terres cultivables (10 à 30 %), prix de soutien et prime aux éleveurs réduisant leur prod. pour les prod. laitiers. **Autres mesures.** Food Stamp Program (distribution alim. gratuite à 21,6 millions d'adultes et 30 millions d'écoliers, 19 milliards de $ en 85).

Énergie

■ Consommation (1990, %). Pétrole 41,3, charbon 23,5, gaz naturel 23,8, nucléaire 7,6 (19 en 1991 par 112 réacteurs), hydroélectr. 3,6, géothermie 0,1.

■ Charbon. *Obstacles : 1°) coût du transport* (mines de l'O. Dakota, Montana, Wyoming, Colorado, Utah, Iowa, Texas, à plus de 3 000 km des centres ind.) ; *2°) coût de l'extraction :* le meilleur charbon (Appalaches) est dans des puits profonds, avec main-d'œuvre chère (syndicats anciens et puissants) ; *3°) risques écologiques :* l'extraction à ciel ouvert, la plus rentable, massacre les sites. On favorise l'extraction d'un charbon bon marché dans le Middle West (Illinois et Indiana), transformé sur place en électricité. Les « veines » carbonifères appartiennent au propriétaire de la surface, même si elles ne sont pas verticales, et si elles s'enfoncent obliquement sous une propriété voisine. Un particulier doit demander une licence d'exploitation à l'État. **Production** (millions de t) : *1970 :* 613 ; *75 :* 655 ; *80 :* 830 ; *85 :* 884 ; *88 :* 781 ; *89 :* 796 ; *90 :* 861.

■ Électricité. **Production** 2 805 milliards de kWh en 1990 (dont, en % charbon 55,5, gaz 9,4, hydro-élect. 9,9, nucléaire 20,6, pétrole 4, divers 0,2). **Hydroélectricité :** 1/4 du potentiel est équipé. L'Alaska a un potentiel énorme, mais des coûts de construction élevés (climat). **Nucléaire :** sur 249 réacteurs commandés, entre 1965 et 75, 105 ont été annulés, 22 déclassés pour vétusté. *Parc au 1-10-91 :* 112 réacteurs en exploitation commerciale, 2 avec licence pleine puissance, 1 licenciable, 2 en construction, 4 en stand-by, 2 gelés ; 90 modèles différents gérés par 54 Cᶦᵉˢ d'électricité ; *prod.* 105 000 MWe (*2030 :* 200 000). Les normes de sécurité strictes augmentent les coûts. *% de l'électricité nucléaire : 1975 :* 9, *80 :* 11, *85 :* 15,5, *90 :* 22,4.

■ Gaz naturel. 40 % env. de la cons. mondiale. Prod. en augmentation jusqu'en 1973. Ensuite, par crainte d'épuisement, régression et import. de gaz can. et algérien. Les gisements de l'Alaska sont exploités depuis 1983 (construction d'un gazoduc transcan.). **Réserves** (milliards de m³) *1991 :* 4 670. **Production** (milliards de m³). *1946 :* 118 ; *55 :* 266 ; *70 :* 621 ; *82 :* 502 ; *86 :* 452 ; *90 :* 495 ; *91 :* 505.

■ Pétrole. **Réserves prouvées** (millions de t) : 3 580 (91) dont en % Centre-Sud (Louisiane, Oklahoma, Texas) 91, Californie 6, Appalaches 3 [les schistes bitumineux des Rocheuses ont 3 fois + de pétrole que les gisements connus réunis, mais sont inexploités (seuil de rentabilité trop élevé)], Alaska. **Production** (millions de t) : *1946 :* 234 ; *58 :* 336 ; *79 :* 420 ; *85 :* 492 ; *86 :* 480 ; *87 :* 461 ; *88 :* 453,6 ; *89 :* 427 ; *90 :* 412 ; *91 :* 418,8. **Régions de prod.** (pétrole + gaz nat., en %) : *1980* Golfe du Mexique 44 (Texas 36, Louisiane 8), Midcontinent (Oklahoma, Kansas, Mississippi, Illinois) 29, Rocheuses 11, Californie 11, Alaska. **Importations :** (brutes + prod. raffinés, millions de t) *1965 :* 130 ; *70 :* 175 ; *73 :* 310 ; *77 :* 440 ; *81 :* 300 ; *86 :* 310 ; *88 :* 331,6 ; *89 :* 367,7. **Consommation** (% du pétrole importé) : *1960 :* 20 ; *80 :* 37,3 ; *85 :* 27,3 ; *90 :* 41,9. **Prix du brut** ($ par baril) pétrole national à la tête des puits et prix moyen des import. *1965 :* 2,86 (1,8), *73 :* 3,84 (3,3), *77 :* 8,57 (13,81), *79 :* 12,64 (18,72), *81 :* 31,77 (34,28), *86 :* 12,66 (13,42), *87 :* 15,65 (17,85).

Statut juridique : le propriétaire du terrain est prop. des hydrocarbures du sous-sol. En cas d'association pour l'exploitation d'un gisement, chaque prop. reçoit des royalties proportionnelles à l'étendue de son terrain. Le gouv. fédéral peut proclamer certaines régions « réserves féd. » pour l'armée et la marine. **Perspectives :** 1) *l'Alaska* (voir p. 999) : rentabilité dépendant de l'ouverture d'un oléoduc à travers le Canada ; 2) *Mexique :* grosses réserves mais problèmes politiques.

Sociétés : 5 « Majors » (Exxon, Mobil, Texaco, Socal, Gulf Oil) et 7 000 « indépendants » (dont Standard Oil of Indiana, Atlantic Richfield, Shell Oil, Continental Oil Tenneco). Les prix n'étant pas libres, les grandes Stés ont investi surtout à l'étranger et la prod. amér. est restée artisanale (500 000 puits, 50 000 petites Stés).

Mines

■ **Production** (milliers de t, 90). Cuivre 1 550, zinc 518 (91), plomb 466 (91), bauxite 560 (88), phosphates 46 000 (87), sulfure 3 650, nickel 2 (87), charbon 861 400 (90), fer 34 950 (90), or 295 t (10 millions d'onces en 1991), argent 1 848 (91), molybdène, uranium 3 400. **Minerais stratégiques importés, en 1990.** En %. Columbium (Brésil, Canada, Thaïlande, All.) 100, graphite (Mex., Chine, Brésil, Madag.) 100, manganèse (Gabon, Afr. du S.) 100, mica (Inde, Belg., France, Brésil) 100, strontium (Mex., Espagne, All.) 100, bauxite et aluminium (Australie, Guinée, Jamaïque, Surinam) 98, diamants (Afr. du S., G.-B., Irlande, Zaïre) 92, platine (Afr. du S., G.-B., URSS) 88, fluor (Mex., Afr. du S.) 90, cobalt (Zaïre, Zambie, Canada, Norv.) 86, tantale (Thaïlande, Brésil, Austr., All.) 85, nickel (Can., Austr., Norv.) 83, chrome (Afr. du S., Zimbabwe, Turquie, Yougoslavie) 79, tungstène (Chine, Bolivie, All., Pérou) 73, étain (Brésil, Indon., Chine) 76, baryte (Chine, Maroc, Inde) 69, potasse (Canada, Israël, URSS) 68, zinc (Canada, Mex., Pérou, Esp.) 69, cadmium (Canada, Austr., Mex., All.) 54, argent (Can., Mex., Pérou, G.-B.) n.c.

Transports

■ **Modes de déplacement hors zones urbaines** (en %, 1987 et entre par. 1970). Auto 79,9 (86,9), avion 18,2 (10,1), autobus 1,2 (2,1), train 0,6 (0,9).

■ **Transports aériens.** 15 132 aéroports, 30 Cies aériennes (1/3 des voy. transportés dans le monde). *1992* guerre des tarifs, perte de 8 milliards de $ pour les transporteurs amér.

■ **Chemins de fer.** 1er réseau ferroviaire du monde (330 000 km, 1/3 du r. mond.) ; baisse d'activité. Principale entreprise : *Amtrak* (National Railroad Passenger Corporation), fondée 1971, fédérale, monopole sur longue distance, situation financière difficile. Entre Washington et New York (361 km) circulent des *metroliners* (trains spéciaux de luxe) qui peuvent atteindre 200 km/h.

■ **Transports maritimes.** *Atlantique :* conditions favorables (côte découpée de N.-Angl., embouchure de l'Hudson, baies profondes de Delaware et Chesapeake, au S. embouchures protégées par des cordons littoraux). N.-E., Boston dessert la N.-Angl. : relations avec Europe. New York : 3e port du monde, complexe commercial. Philadelphie et Baltimore : fonctions générales. Norfolk et Hampton Roads : charbon des Appalaches. *Golfe du Mexique :* ports spécialisés (pétrole, soufre, phosphates) : Tampa (Floride), Mobile (Alabama), Houston, Port-Arthur, Beaumont, Corpus Christi (Texas). Moins spécialisés : Baton Rouge et La Nouvelle-Orléans. *Pacifique :* c. moins abritée, 2 sites remarquables : baies de San Francisco et du Sound au N.-O. ; Los Angeles, San Francisco et Portland (produits miniers, bois, pétrole ; reçoivent des marchandises diverses). Seattle (industriel, point de départ vers l'Alaska). *Cabotage* important : New York 55 % du trafic, N.-Orléans 75 %. Avant 1939, le trafic portuaire était assuré en grande partie par les marines étrangères, la marine américaine étant, sauf pour les pétroliers, assez réduite. En 1945, les USA avaient la 1re marine, puis retombèrent au 7e rang : 1/5 est, en fait, inemployée.

■ **Navigation intérieure.** 1re du monde. *Grands lacs, Mississippi. Voie maritime du St-Laurent :* réalisée par USA et Canada. Ouverte aux navires de 20 000 t (prof. min. 8,20 m). Longueur 4 000 km. Aboutit à la zone industrielle des Gds Lacs (alt. 192 m). Trafic annuel : 10 000 navires (57,6 millions de t).

■ **Transports routiers.** 1er réseau du monde (6 millions de km de routes, dont autoroutes 80 000), 190 millions de véhicules, 168 millions de permis de conduire. *Bus greyhound :* 3 950 desservant 9 500 localités ; 25 millions de passagers par j.

■ Divers

■ **Tourisme.** 41 634 000 (91). *Visiteurs. Parcs naturels* recevant 300 000 000 de vis. par an [dont 49 nationaux (24 dans l'O.), dont Yellowstone (8 992 km², Wy.), Death Valley (7 700 km², Ca.), Grand Canyon (4 856 km², Az.), Yosemite (3 108 km², Ca.), North Cascades (2 727 km², Wa.), Glacier (2 505 km², Mt.), Sequoia et Kings Canyon National Parks (1 564 et 1 839 km², Ca.), Monument Valley (1 206 km², Ar./Ut.), Rocky Mountains (1 062 km², Co.)].

■ **Grandes sociétés** (ventes, milliards de $, 90). *Aérospatial :* Boeing 27,5. United Technologies 21,7. McDonnell Douglas 16,3. Allied-Signal 12,3. General Dynamics 10,1. *Agroalimentaire :* Philip Morris 44,3. Sara Lee 11,6. Conagra 15,5. Archer Daniels 7,9. *Assurance-vie :* Prudential of America 129,1. Metropolitan Life 98,7. Equitable Life Assurance 52,5. Aetna Life 52. *Automobile :* General Motors 126. Ford Motor 98,2. Chrysler 30,8. *Boissons :* Pepsico 17,8. Anheuser-Busch 10,7. Coca-Cola 10,4. *Caoutchouc et plastique :* Goodyear Tire 11,4. Premark 2,7. Rubbermaid 1,5. *Chimie :* Du Pont (E.I.) De Nemours 39,8. Dow Chemical 20. Monsanto 9. Union Carbide 7,6. *Commerce de détail :* Sears Roebuck 55,9. Wal-Mart Stores 32,6. K Mart 32. American Stores 22,1. Kroger 20,2. *Construction :* PPG Industries 6,1. Owens-Illinois 4. American Standard 3,6. Owens-Corning Fiber 3,1. *Électronique :* General Electric 58,4. Westinghouse Electric 12,9. Rockwell Internat. 12,4. Motorola 10,8. Raytheon 9,2. TRW 8,1. *Équip. industriel :* Tenneco 14,8. Caterpillar 11,5. Deere 7,8. *Équipement (autres) :* Eastman Kodak 19. Xerox 18,3. Minnesota Mining 13. *Produits forestiers :* International Paper 12,9. Georgia-Pacific 12,6. Weyerhaeuser 9. *Métallurgie :* Aluminium Co. of Amer. 10,8. LTV 6,1. Reynolds Metals 6. Bethlehem Steel 4,9. Inland Steel Ind. 3,8. *Pharmaceutique :* Johnson & Johnson 11,2. Bristol-Myers Squibb 10,5. Merck 7,8. American Home Products 6,9. *Métalliques :* Kiewits 5. Gillette 4,3. Masco 3,2. *Ordinateurs :* Computers (incl. office équip.) IBM 69. Hewlett-Packard 13,2. Digital Equipment 13. Unisys 10,1. NCR 6,3. Apple Computer 5,5. *Raffineries (pétrole) :* Exxon 105,8. Mobil 58,7. Texaco 41,2. Chevron 39,2. Amoco 28,2. Shell Oil 24,4. *Services :* GTE 33,7. Bell South 30,2. Bell Atlantic 27,9. *Tabac :* RJR Nabisco Holdings 13,8. American Brands 8,2. Universal 2,8. *Textiles :* Wickes 3,6. Burlington Holdings. 2,2. *Transports :* United Parcel Service 13,6. AMR 11,8. UAL 11,1. Delta Air Lines 8,5. CSX 8,3.

■ **Plus grands pollueurs** (milliers de t de déchets toxiques et, entre parenthèses, nombre d'usines, 89). Du Pont de Nemours 158,17 (85), Monsanto 133,40 (33), American Cyanamid 91,75 (29), BP America 56,14 (18), Renco Group 54,06 (2). Amendes versées par les pollueurs : (1991) : 2 milliards de $.

Commerce

1er acheteur et 1er vendeur du monde (importations mondiales, 12 %, export. 13 %). Étant donné l'énorme demande intérieure amér. les export. ne représentent que 7 % du PIB (objectif : 15 à 20 %, chiffre atteint par ind. pharmaceutique, caoutchouc et électronique). 60 % des ventes vont aux pays industrialisés ; 5 % des achats en viennent. *Balance* déficitaire avec Opep (80 % du total), Japon (17 % du commerce extérieur), Canada (pétrole, produits chim., articles manufact.), Chine.

Subventions aux exportations agro-alim. (en millions de $) *1987 :* 929 ; *88 :* 1 012 ; *89 :* 339 ; *90 :* 312.

Échanges (milliards de $, 91). **Exp.** 421,7 *dont* prod. man. 325,9, prod. agricoles 38,5, énergie 12 ; *vers* Canada 85,1, Japon 48,1, Mexique 33,2, G.-B. 22, All. 21,3, *France 15,5,* Corée du S. 15,5, P.-Bas 13,5, Taiwan 13,1, Benelux 10,7, Singapour 8,8, It. 8,5, Australie 8,4, Hong Kong 8,1. **Imp.** 487,1 *dont* prod. man. 392,4, énergie 54, prod. agric. 22,1 *de* Japon 91,5, Canada 91,1, Mexique 31,1, All. 26,1, Taiwan 23, Chine 18,9, G.-B. 18,5, Corée du S. 17, *France 13,3,* It. 11,7, Arabie S. 10,9, Singapour 9,9, Hong Kong 9,2, Venezuela 8,1. **Déficit commercial** (milliards de $). *1978 :* 42,36 ; *80 :* 25 ; *81 :* 27,9 ; *82 :* 36,3 ; *83 :* 69,3 ; *84 :* 123,3 ; *85 :* 132,1 ; *86 :* 169,8 ; *87 :* 153 ; *88 :* 118,53 ; *89 :* 109,4 ; *90 :* 101,2 ; *91 :* 73,44 ; *92 :* 84,3 ; *93 (est.) :* 83.

Échanges avec Amér. latine (milliards de $). **Exp.** *1984 :* 26,2, *85 :* 29,7, *86 :* 27,4, *87 :* 31,4, *88 :* 40,1, *89 :* 43,9, *90 :* 49,5. **Imp.** *1984 :* 42,5, *85 :* 43,3, *86 :* 39,3, *87 :* 44,3, *88 :* 48,1, *89 :* 54,6, *90 :* 60,9.

■ Éthiopie

Carte p. 1005. V. légende p. 884.

Nom. Du grec *aethiops,* « face brûlée », qui désignait l'Afrique noire au S. de l'Égypte. Terme réintroduit fin XIXe s. pour s'appliquer à l'État abyssin agrandi à la suite des conquêtes de Ménélik. *L'Abyssinie* (en arabe, peuples mélangés) comprenait Érythrée, Somalie, partie du Soudan et s'étendait jusqu'en Nubie. Ce nom fut employé avant et pendant l'occupation ital. Au XIVe s. on parlait du *Royaume du Prêtre Jean* (légende de souverain chrétien).

Situation. Afrique 1 251 282 km². *Côtes* (mer Rouge) : 875 km. *Frontières* 4 626 km (avec Kenya 820, Soudan 1 790, Somalie 1 700, République de Djibouti 320). **Régions :** *côtes* basses chaudes (humidité constante, + de 20 °C) ; *Plateau éthiopien* (alt. moy. 2 300 m, alt. max. Ras Dejen 4 543 m) creusé de vallons, montagnes à sommets plats *(ambas),* source du fleuve Abbai (Nil bleu), lac Tana 360 km², alt. 1 830 m, *grandes pluies* juill.-sept., *petites* févr. (1 000 à 2 000 mm/an), tempéré ; *Plateau somalien,* alt. max. 300 m, chaud et plus sec ; *Dankalie* plaine désertique (100 000 km²), avec dépression (– 116 m) au S.-O.

Population. *1993 (est.) :* 52 000 000 d'h. (est. an 2000 66 205 000). Arabes 15 000. *Immigrés :* 500 000 dont Européens (8 000 Italiens). D 40 ; 90 % de la population concentrés sur les hauts plateaux (50 % du territoire) au sol érodé sur 270 000 km² (1984-85). **Ethnies** (en millions). COUCHITIQUE : 12 (40 %), dont Oromos [8 (26 %), subdivisés en Méchas, Arusis, Tulémas, Boranas, etc.], Somalis [1 (3 %)], Afars [0,3 (1 %)], Sahos, Hadiyyas, Sidamos. SÉMITIQUE : 1°) *éthio-sémitiques* (originaires de Sud-Arabie) : 14 (45 %), dont Amharas [9 (30 %), dominant politiquement], Tigréens [2,7 (9 %)], Tigrés [1,5 (5 %)] ; 2°) *sémitiques purs :* Arabes de Harrar [0,4 (1,3 %), surtout commerçants], Gouraghé [1 (3 %), dans prov. de Choa]. OMOTIQUE : 3 (10 %), dont Wolaytas [1,8 (6 %), subdivisés en Wolaytas purs, Gamos-Gofas, Kullos-Kontas, Dorzés] et Kaffas [1,2 (4 %), appelés anciennement Minjos, indép. jusqu'en 1897]. NILOTIQUE (Noirs, éleveurs de bétail) : 1 (3 %), dont Nuers [0,4 (1,3 %)], Anuaks, Bodis, Majanghirs, Naras, Surmas, Nyangatons. **Age :** *– de 15 a.* 46,5 %, *+ de 60 a.* 6,2 %. **Morts dus à la sécheresse** *1974-75* 200 000, *1984-85* 300 000. **Mort. infantile** 212 ‰. **Émigrés :** USA 200 000. **Villes** (84) : *Addis-Abeba* (alt. 2 408 m) 1 500 000 (est. 91), Asmara 275 385 (alt. 2 374 m), Dirédaoua 98 104 (alt. 1 204 m), Gondar 80 886 (alt. 2 200 m) (anc. cap. d'Abyssinie), Adama (Nazret) 76 284 (alt. 1 650 m) Dessié 68 848 (alt. 2 470 m), Harrar 62 160 (alt. 1 866 m), Magalié 61 583 (alt. 2 060 m), Djimme 60 992 (alt. 1 750 m), Debra Zèit 51 143 (alt. 1 860 m), Debro Marqos 39 808, Assella 36 720, Massawa 36 169, Lalibela (pèlerinage), Arba Minch 23 030, Goba 22 963, Nagamtié 21 694 (76).

Langues. Amharique (off.) et anglais (adm.) ; français, italien, arabe ; régionales enseignées officiellement : tigrinya, orominya, wolaminya, somalinya, etc. **Analphabètes.** *1973 :* 93 % ; *87 :* 40 %.

Religions. Chrétiens (Égl. orthodoxe monophysite) 40-50 %, rel. off. (en 1974), 75 000 prêtres (le patriarche l'Abouna a rompu en 1954 le lien qui l'unissait à l'Égl. copte d'Alexandrie) desservant 12 000 égl. env. et 8 000 monastères. **Musulmans** [surtout dans le S. et à l'E., chaféites (40 à 50 %), env. 11 500 000]. **Juifs animistes** appelés *Falachas* (descendants des notables de Jérusalem qui accompagnèrent Ménélik, héritier du roi Salomon et de la reine de Saba, ou de la tribu Dan venue en 722 av. J.-C. Peau noire et traits sémites), *XVIIIe s. :* 250 000 ; *1900 :* 100 000 ; *80 :* 25 000 (1980/85 : la plupart émigrent en Israël), *92-28-4 :* derniers 1 500 partent vers Israël. **Juifs christianisés** vers 1860 appelés *Falasmoras* 8 000 à 60 000. Coptes orthodoxes (mélangeant coutumes africaines).

Histoire. Av. J.-C. XIe s. royaume indépendant. **Xe s.** épisode légendaire (introduit aux XIIIe-XIVe s.) de la reine de Saba, qui alla à Jérusalem voir Salomon, dont elle eut Ménélik Ier, et qui se convertit au judaïsme. **VIIe s.** domine l'Égypte. **Apr. J.-C. Ier-Xe s.** royaume d'Aksoum. *24-32* les Romains détruisent Napala. **IVe s.** destruction du roy. de Kouch par les Aksoumites. Apogée d'Aksoum, et conversion au christianisme sous le roi Ezana. **VIIIe s.** Arabes chassent Aksoumites d'Arabie ; début du déclin d'Aksoum. **X[e]-XIe s.** apparition du roy. des Zagoué (dont le roi Lalibela). **XIIe s.** Arabes chassent Éthiopiens d'Arabie. **1520-26** ambassade port. **1527** invasion de Gragne le Musulman (tué 1530). **1590** invasion Oromo. **1632** expulsion des jésuites. **XVIIe et XVIIIe s.** splendeur du *roy. de Gondar.* **1855-68** Kassa Haylu (1818-68), 1855 prend le nom de Théodoros le Réformateur ; soumet Choa, Tigré, Amhara et dompte les Gallas ; appelle France et G.-B. à ouvrir une ambassade ; la réponse tardant à venir, prend une soixantaine d'otages brit. **1866** devenu fou, fait régner la terreur. **1867**-*3-10* débarquement angl. à Zoula, gouv. Sir Robert Napier, s'allie aux rebelles (Cdt en chef de l'armée de Bombay, arrive avec 32 000 h. dont 20 000 auxiliaires). **1868**-*8/9-4* bat Éthiopiens (700 † Éthiop., 2 † Anglo-Indiens) dans la plaine d'Arogé, libère les otages, emporte la couronne impériale (rendue en 1936 à Haïlé Sélassié). *-13-4* Théodoros se suicide à Magdala. *-18-6* rembarque (coût de l'expédition : 100 †, 8 500 000 £). Yohannès, roi de Tigré, lutte contre Égypte, Italie ; g. intestines. **1872-89** Yohannès IV couronné emp., les Ég. sont écrasés. **1887 Ménélik II,** roi de Choa, installe sa capitale à Addis-Abeba. **1889** défait It. à *Adoua* (1896) et reprend Tigré, Begemder, Godjam et certaines provinces méridionales dep. longtemps échappées aux souverains de Gondar (des principautés y étaient établies, ou des États indépendants y étaient créés) : Harrar, Kaffa, Sidamo. **1897** annexe Ogaden après tr. avec G.-B. et Italie. **1913 Lidj Yassou,** négus (petit-fils de Ménélik II) ; déchu 1916. **1916 impératrice Zaouditou** (1876-1930, fille de Ménélik II). **1928 ras Taffari Makonnen** (petit-neveu de

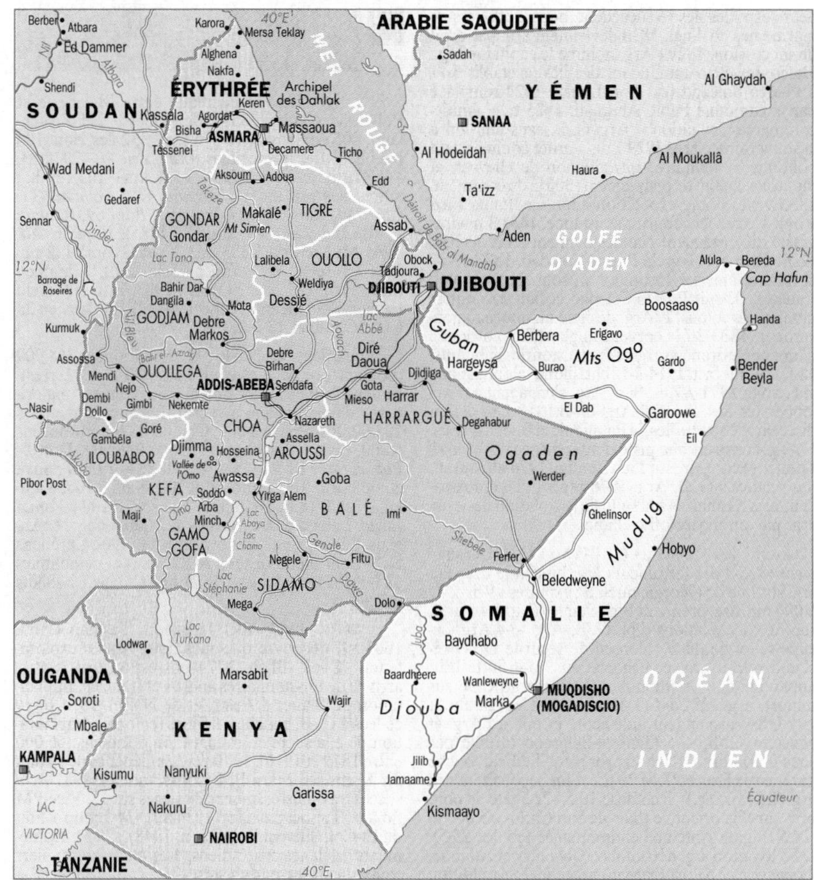

Ménélik II), négus ; proclamé emp. (1930) sous le titre d'**Haïlé Sélassié Ier** (1892-1975, *Negusa nagast,* Roi des Rois, Lion de Juda). **1935**-*3-10* invasion ital. ; l'emp. se réfugie le 3-6 en G.-B. **1936**-*5-5* It. prend Addis-Ab., le roi d'It. devient emp. d'É. Ogaden annexée à la Somalie it. **1941** fin de l'occup. it. **1942** Ogaden administrée par G.-B. **1947** revient à l'É. **1952**-*15-9* féd. avec Érythrée. **1957**-*12-5* Makonnen, duc de Harrar, 2e fils d'Haïlé Sélassié tué (accid. de voiture). **1960** *déc.* tentative de coup d'État milit. (l'emp. étant au Brésil). **1962**-*14-11* État unifié. **1964** *févr.-mars* g. de l'Ogaden, l'É. repousse Somaliens. **1965** (depuis) guérilla du Front de libération de l'Ér. (17 000 †). **1966** attentat dans cinéma à Addis-Ab. **1969** *févr.-déc.* troubles étudiants. **1970** état d'urgence en Ér. **1973-74** sécheresse, famine (notamment dans Wollo ; 200 000 †). **1974** *janv.-mars* troubles milit. *Fin juin-début juillet,* l'armée arrête plusieurs personnalités dont le ras *Asrate Kassa* (n. 1918), Pt du conseil de la Couronne. *-22-7 Lidj Michael Imru* (n. 1926) PM. *-12-9* l'armée dépose l'emp. ; Gal *Michaël Aman Andom* († 1974) Pt du Gouv. provisoire. Pce *Asfa Wossen* (n. 1916) souverain constitutionnel. Création du P. des travailleurs éth. (parti unique). *-23-11 :* 60 exécutés, dont *Andom. -28-11* Gal *Teferi Bante* (1921-77) Pt du comité militaire d'administration provisoire (Derg). *-21-12* programme socialiste Éthiopia Tekdem (É. d'abord). *-22-12 :* 2 attentats à Addis-Ab. *-27-12* Front de lib. passe de la guérilla à la guerre. **1975** *février* milliers de réfugiés fuient Asmara, rébellions dans Godjam et Sémien. *-4-3* réforme agraire.

République. **1975**-*22-3* monarchie et noblesse abolies. *-25-4* complot déjoué. *-30-7* l'É. renonce à Djibouti. *-25-8* H. Sélassié (83 ans) meurt en prison (étouffé avec un oreiller imbibé d'éther ?). *-26-9* grèves et affrontements à Addis-Ab. (7 †). *-30-9* état d'urgence. *Début oct.* rébellion de chrétiens amharas, contre-réforme agraire. *-5-12* état d'urgence levé. **1976**-*30-1* 6 membres de la junte arrêtés. *-15-2* Gal *Kedebe Worku* (ex-Cdt de la garde imp.) tué. *-21-3* démocratie pop. *-17-6* « marche rouge » sur l'Érythrée qui devait y conduire plusieurs dizaines de milliers de paysans annulée. *-10-7* coup d'État échoué ; 19 exécutés dont Gal *Getachev Nadew* (administrateur de la loi martiale) et major *Sisaye Habte* (Pt du comité pol. du Derg). *-23-9* tentative d'assassinat du Cdt Mengistu. *-2-11* exécutions. **1977**-*3-2* affrontement entre milit., le Pt (Gal *Teferi Bante*) et 9 membres du Derg tués. *Juill. g. de l'Ogaden* avec Somalie. *Oct.* massacre de centaines d'étudiants. *-12-11* Lt-Col. Atnafu Abate (vice-Pt) exécuté ; *fin déc.* terrorisme du Parti révol. du peuple éthiopien (PRPE) qui a infiltré les Kébélés [*Partisans du Derg* (souvent rivaux) : Front progressiste, « Abyotawi Seddeth » (flamme révol.), créé par Mengistu, « Malerid », bolchevique et dissident du PRPE, « Wazlig », ligue prolétarienne, « Etcheat », groupement ethnique Oromo non marxiste. *Adversaires :* « Mei'son », mouvement soc. pan-éthiopien, pour un gouv. civil. *Détenus politiques :* 100 000 ; doivent être nourris par leurs familles. Des enfants de 8 à 12 ans (après 12 ans on n'est plus un enfant en É.) sont souvent exécutés devant leur famille.] **1978** *févr.* l'É., aidée par Cubains (10 000 ?) et Russes, reprend l'Ogaden. *Mai* guérilla en Ogaden. *Juillet* sécheresse et disette. **1979** massacre de centaines de Juifs (Falachas). *Juillet* collectivisation des terres, les paysans ne disposent pour eux que de 1 000 à 2 000 m² et de 1 ou 2 têtes de bétail. *Nov.* aide écon. de l'All. dém.

1980 l'É. tient régions frontalières et centre de l'Ogaden, env. 1 000 000 réfugiés en Somalie. Réconciliation avec Soudan. **1982**-*25-1* offensive en Érythrée contre rébellion. *-1-3* contre-offensive. *-1-7* combats avec Somalie, 300 †. **1983** sécheresse. **1984**-*25-1* attentat contre chemin de fer Djibouti-Addis-Abeba (20 †). *-12-9* 10e anniv. de la Révol. (coût : des centaines de millions de $). Famine 300 000 †, aide alim. occid. mais transports insuffisants et, selon certains, volonté de ne pas « trop aider » les régions rebelles. Opération Moïse : 15 000 Falachas transférés en Israël (ponts aériens clandestins). **1985**-*26-3* 90 officiers suspects arrêtés. *Déplacement des populations* (regroupées en villages) env. 4 millions, + de 30 millions à terme. *-27-12* attaque rebelle près du lac Tana : 40 †. **1987** par constitution *-14-6* 1res *législatives* dep. 1974. *-10-9* devient officiellement Rép. démocratique et populaire, Derg dissous. **1988**-*6-4* paix avec Somalie. **1989** *févr./mars* succès rebelles. *-16-5* coup d'État militaire échoue (grâce au rôle d'Israël ?). *-17-5* Gal Mend Negust et Cdt en chef de l'armée de l'air †. *-22-5* affrontements étudiants/policiers. Épuration de l'armée, 12 généraux exécutés. *-29-6* Gal Aberra Abebe, comploteur du 16-5, tué par police. *-9-9* retrait des derniers Cubains. *-7-10* PM Fikre Selassie limogé. *-18-12* relations diplom. avec Israël reprises (interrompues dep. 1973). **1990** *févr.* les rebelles prennent Massaoua et encerclent Asmara. *-7-3* multipartisme à l'intérieur du Parti ; secteur privé réhabilité. *-9/10-3* portraits de Marx, Engels et Lénine ôtés de la place de la Révolution (en place dep. 1975). *-31-3* 2 diplomates libyens expulsés après attentat hôtel Hilton d'Addis-Abeba le 30. *Juin* succès rebelles. *-21-6* mobilisation générale. **1991**-*30-3* attaque FPLE contre Assab (seul accès à la mer Rouge) repoussée. *-2-4* FPLE contrôle Tigré, Gondar, Gojjam et partie du Wollo, du Wollega et du Choa. *-23-4* multipartisme admis. *-26-4* Tesfaye Dinka PM. *-11-5* mobilisation de tous les + de 18 a. *-21-5* Mengistu démissionne. *-21-5 Haïlé Mariam* (n. 1940, au pouvoir dep. le 3-2-77, élu Pt par l'Ass. le 10-9-87) part pour Kenya, puis Zimbabwe. Intérim assuré par vice-Pt Gal *Tesfaye Gabre Kidane* (56 a., Tigréen). *-24/25-5* opération Salomon : 14 400 Falachas transférés en Israël par avion (dont 1 080 dans un Jumbo, record mondial). *-27/28-5* Londres, accord de cessez-le-feu. Pouvoir confié au FDRPE. *-28-5* rebelles à Addis-Abeba font sauter un dépôt de munitions, 800 †. *-29-5* manif. à Addis-Abeba réprimée par FDRPE 9 †. *-3-6* nouvelle explosion de munitions, nombreux †. *-1-7* Conférence nationale adoptant une Charte des libertés et établissant un Conseil général. *-4-7 indépendance de l'Érythrée* accordée. *-12-11* affrontements à Diré-Dawa, 50 †. **1992**-*14-2* exhumation des dépouilles de Haïlé Sélassié, de ses soixante-deux ministres assassinés au lendemain de la révolution de 1974 et des douze généraux exécutés après la tentative de coup d'État de 1989. *-21-6* élections régionales (contestées). *Juin* les m. du FLO (Front de libération oromo) quittent gouv. et conseil des représentants, ses troupes sont battues, nombreux prisonniers. *-27-7* inhumation des restes de 68 hauts fonctionnaires impériaux exhumés d'une fosse commune. **1993**-*26-2* env. 16 000 prisonniers oromos libérés. *-3-5* reconnaît indép. Érythrée. *Juill.* législatives et présidentielles prévues.

Statut. *Conseil des représentants :* 87 m. dont 32 au FDRPE, détient le pouvoir législatif, doit gouverner 24 mois. *Pt* Meles Zenawi (n. 9-5-1955) élu par le Conseil 23-7-91 (Pt par intérim dep. 28-5-91). *PM* Tamrat Layne élu par Conseil 29-7-91. *Parti :* Front démocratique révolutionnaire du peuple éth. (FDRPE : Pt : Meles Zenawi). **Régions administratives :** dep. 1992, 12 basées sur les ethnies et 2 villes (Addis-Abeba et Harrar). **Drapeau.** 1904.

☞ **Prisonniers :** plusieurs milliers d'opposants (cas de torture en 1990).

Opposition. *Coalition of Ethiopian Democratic Forces* (*COEF* ou *MEISON*), en exil à New York. *Ethiopian People's Revolution Party (EPRP). All Amhra People's Organisation (AAPO).*

Prétendant. Amha Sélassié Ier (n. 1912), héritier désigné 1930, vit aux USA, ép. 2e noces Medferi ash Work Abebe dont Zerra Yacob son fils héritier.

Aide extérieure passée : *Italie* prêt de 800 millions de $ en 1988 (dont 200 pour l'achat d'armes). *Israël* aide à la guérilla sud-soudanaise. *Syrie* et *Corée du Nord* (?). *URSS* 4 milliards de $ d'armes livrées 1987-89. *USA* aide alimentaire 128,5 millions de $ (1989). *Conseillers soviétiques* 1989 : 3 000 ; dep. retrait des 2/3 ; cubains : *1980* 17 000, *84 :* 10 500, *89 :* 2 500 ; autres pays de l'Est : *1988* 1 700 ; Israéliens 200.

■ ÉRYTHRÉE

Situation. 126 000 km². *Côtes* 875 km. Archipel de Dahlak (127 îles). *Frontières* avec Soudan : + de 500 km. **Population.** 4 000 000 h. (majorité musulmane, minorité chrétienne). Env. 1 000 000 de réfugiés dont 500 000 au Soudan. **Villes.** *Asmara* 250 000 h. Massawa. Assab. **Langues.** Tigrinia, afar, arabe, tigré.

Histoire. **1869**-*15-11* la Cie maritime génoise Rubattino achète (6 000 thalers) Assab, 1re installation italienne sur la côte de la mer Rouge ; revendue au gouv. ital. **1890**-*1-1* colonie italienne (avant l'É. ne formait pas une entité politique séparée). **1941-51** administration milit. brit. **1950**-*2-12* Onu en fait « une entité autonome fédérée à l'Éth. », avec gouv. et parlement ; l'arabe devient l'une des langues off. **1952** rattachée à l'Éth. **1961**-*1-9* insurrection. **1962** annexion, région administrative éth. Guérilla du FLE [Front de libération de l'Ér. ; 1970 : 2 branches : musulmane (majoritaire) et chrét., soutenues par pays arabes limitrophes]. **1972** Soudan renonce à l'aider, l'Ét. renonçant à aider guérilla des Anyanyas, au Sud-Soudan. **1978** *nov.* l'armée éth. (200 000 h. encadrés par Cubains et Soviét.) reprend Karen. Le Fple (Front pop. de libération de l'É., f. 1977) est réduit à la « sierra Maestra » (Sahel, alt. 2 500 m, superficie 1 500 km²). **1979** l'Éth. ne peut reprendre Nakfa (capitale rebelle), *janv.* et *mars-mai* 8 000 soldats †, *juill.* 3 500 s. †. **1984**-*20/21-5* Fple détruit 33 avions à Asmara. **1985**-*25-8* Éth. reprennent Barentu. **1986**-*14-1* Fple détruit 40 avions à Asmara. **1987**-*15-3* Wolde Mayam unifie la rébellion. **1988** *mars* succès rebelles (4 divisions éth. anéanties : 15 000 h., 50 chars pris, 3 conseillers soviét. pris.). **1989** *févr./mars* succès rebelles. **1990**-*7-2* offensive Fple sur Massoua, 12 000 à 15 000 Éth. †. Sécheresse. **1991**-*25-5* Fple prend Asmara. **1993**-*27-4* référendum : 99,8 % pour indép. *-3-5* Éthiopie reconnaît indép. *-24-5* indép. off. *Juin* entrée à l'Onu.

Statut. **Gouv. provisoire,** *Pt* Issaias Afewerki (secr. gén. du Fple).

■ Économie

PNB (91). 110 $ par h. **Pop. active** (% et entre par. part du PNB en %). Agr. 77 (42), ind. 7 (18), services 16 (40). **Inflation** (%) *1985 :* 18,2. *86 :* – 9,8. *87 :* – 2,4. *88 :* 7,1. *89 :* 7,8. *90 :* 5,2. **Dette extérieure** (milliards de $) *87 :* 2,66. **Famine** (tous les 11 ans dep. 250 ans) atteint 4,5 millions d'hab. (dont Érythrée 1,9). En 1988, déficit céréalier 1 300 000 t (sécheresse). **Aide alim.** (millions de t) *1985 :* 1,3. *86 :* 1. *88 :* 0,36 (blé URSS 0,25, USA 0,15). *90-92 :* CEE 1. **Dépenses Banque mondiale** *(1950-87)* 1 milliard de $ dep. 1950 (2/3 dep. 74).

Agriculture. *Terres* (milliers d'ha, 83) eaux 12 090, t. arables 77 000, pâturages 52 000, forêts 4 700, divers 24 220. *Production* (milliers de t, est. 91) : canne à sucre 1 530, maïs 1 590, teff 1 135 (83), orge 965, sorgho 805, tubercules 1 280, blé 890, café 168, millet 260, légumes et melons, 594, ricin. *Fermes d'État :* mécanisées. Forêts. *1900 :* 40 % de la superficie, *1950 :* 16 %, *1992 :* 4 % 39 100 000 m³ (90). Eucalyptus importé d'Australie par un Français, Mondon-Vidailhet. Reboisement : 62 000 000 d'arbres. Élevage (milliers de têtes, 91). Volailles 57 000, bovins 30 000, moutons 23 000, chèvres 18 000, ânes 5 100, chevaux 2 700, mulets 610, dromadaires 1 060.

Énergie. *Hydroélectr.* (en milliards de kWh) : réserves 56 ; prod. 0,7 (88). Mines. Potasse, sel, platine, or. **Artisanat.** Transports (km). *Chemins de fer :* Addis-Abeba-Djibouti (construit 1897-1917) 783 dont 99 à Djibouti, Massaouah-Agordat (en Érythrée, arrêté) 306. *Routes :* (89) secondaires 9 687 km, asphaltées 3 508. Tourisme. *Visiteurs (89) :* 65 000. *Lieux :* châteaux du XVIIe s., lac Tana et chutes du Nil bleu (alt. 2 700 m), 11 églises monolithiques du XIIe-XIIIe s. (Lalibela), vestiges de l'Empire d'Aksoum (Tigré et Érythrée). Parcs nationaux (9 dont montagnes du Bale, vallée de l'Awash.)

Commerce (millions de $ US, 88). **Exp.** 421 *dont* prod. alim. 315 (café 272), mat. 1res 79 (peaux 62), fuel et lubrifiants 12 *vers* All. féd. 98, Japon 51, USA 41, It. 29,7, Arabie Saoudite 29,3. **Imp.** 1 085 *dont* mach. et éq. de transp. 480, prod. alim. 149, fuel et lubrifiants 107, prod. chim. 96, prod. man. 41 *de* It. 187, URSS 119, USA 118, All. féd. 110, Japon 85. Rang dans le monde (91). 7e café, bovins. 13e ovins. 14e bois.

Falkland (îles)

Carte p. 917. V. légende p. 884.

Situation. Amér. du Sud, à 402 km à l'E. de l'Argentine. 12 173 km². 200 îles [dont *Isla de la Soledad* ou Malouine orientale (5 865 km², *alt. max.* 694 m) et la Malouine occ. (plus petite, mais appelée *Grande M. :* 4 076 km², *alt. max.* Mt Adam 704 m) séparées par le détroit de Falkland] ; plusieurs îlots aux noms français : Beauchesne, Danican, Bougainville s'étendant sur 193 km. Climat. Frais et humide. *Temp.* – 5,6 à + 21,1 °C, moy. 5,6 °C. Population (91). 2 121 h. (Kelpers) et 1 600 soldats brit. D 0,17. *Cap. : Stanley* 1 557 h. Langue. Anglais. Religions. Anglicane, catholique, diverses.

Histoire. **1520** découverte par Hernando de Magallanes. **1540** visitées par l'expédition de l'évêque de Plasencia (Esp.). **1590** aperçues par l'Anglais John Davis. **1594** Sir Richard Hawkins longe côte N. **1600** aperçues par le Hollandais Sebald de Weert. **1690** cap. Strong donne au détroit central le nom du trésorier de la marine, le Vte Falkland (les Anglais donneront ensuite ce nom aux 2 îles qu'il sépare). **1698-1720** fréquentées par Malouins (chasseurs de lions de mer). **1703** nommées î. Danican ou Anican par le Jésuite fr. Nyel. **1712** î. Neuves de St-Louis par Amédée Frézier. **1721** *Malouines* (*Malvinas* en espagnol) par le Holl. Roggewin. **1749** î. Neuves par l'amiral angl. Anson. Le roi d'Esp. refuse à l'Angleterre l'autorisation d'envoyer une expédition aux M. **1764**-*3-2* arrivée de Louis de Bougainville qui installe des Acadiens, à Port-Louis, dans la Baie Française. **1765** le commodore anglais Byron établit un détachement à l'île Saunders. **1767**-*1-4* Fr. cède ses droits à Esp. pour 603 000 livres. Sur ordre de Louis XV, Bougainville démantèle la colonie de Port-Louis. **1770** les Esp. enlèvent Port-Egmont (menace d'une g. anglo-esp.). Sur ordre du roi d'Esp., le gouverneur de Buenos Aires, Buracelli, expulse le détachement angl. de Port Saunders. Médiation de la France. **1771**-*22-1* accord Angl.-Esp. permettant le retour provisoire des Angl. à Port-Egmont. **1774** les Angl. renoncent à coloniser l'îlot de Saunders, et évacuent Port-Egmont. **1776** rattachées à la vice-royauté du Rio de la Plata (Buenos Aires). **1767-1811** 20 gouverneurs esp. des îles se succèdent, dont 2 officiers de marine nés en Angl. **1810** deviennent arg. par droit de succession. **1820** l'Arg. nomme le capitaine arg., David Jewett commandant des îles ; s'établit 6-11 à Puerto Soledad (ex. Port-Louis). **1824** remplacé par le capitaine Pablo Areguati. **1825** tr. « amitié-commerce-navigation » Arg.-G.-B. sans allusion à la souveraineté arg. **1829** Luis Vernet commandant politique et militaire. Introduction de chevaux et moutons. Début de peuplement : 300 h. du continent. **1830** visite d'une expédition angl. (capitaine Fitz-Roy). Vernet leur fournit assistance. **1831** 3 navires amér. qui pêchaient clandestinement sont arrêtés. G.-B. chassent Arg. de Puerto Soledad. **1832**-*27-12* la frégate amér. « Lexington », sous faux pavillon français, détruit Puerto Soledad et fait prisonniers nombre de colons. L'Arg. désigne un nouveau gouverneur. **1833**-*2-1* la corvette angl. « Clio » ordonne d'amener le drapeau arg. et l'expulsion des habitants. **1837** colonie brit. **1914**-*8-12* bataille navale anglo-all., vict. angl. **1971**-*1-7* G.-B. et Arg. s'engagent à développer les îles. Accord Arg.-G.-B. : 1er lien aérien direct arg. entre les îles, la Patagonie et Buenos Aires. L'Arg. construit une piste d'atterrissage. **1974** *avril* 1 destroyer arg. tire sur 1 navire angl. **1976-80** rupture des relations G.-B. Arg. **1976** rappel de l'ambassadeur arg. à Londres à la suite de la violation des eaux arg. par un navire officiel angl.

Guerre des Malouines (18-3/19-6-1982). **Déroulement :** -*18-3* des ferrailleurs arg. hissent le drapeau arg. sur l'île de Géorgie du Sud ; expulsés *19-3*. -*2-4 :* 5 000 mil. arg. prennent Port-Stanley (cap.), † 1 arg., rupture des relations dipl. G.-B./Arg. -*3-4* Arg. occupe Géorgie du S., Conseil de sécurité ONU réclame retrait arg. et négociations. -*5-4* flotte brit. appareille de Portsmouth. -*10-4* embargo CEE sur import. arg. -*25/26-4* G.-B. reprend Géorgie du S. -*1-5* USA suspendent aide écon. et mil. à l'Arg. et assistent G.-B. -*2-5* Général-Belgrano torpillé par sous-marin brit. -*4-5* destroyer brit. Sheffield touché par missile Exocet [AM 39 tiré d'un Super-Étendard arg. (fabr. franç.)], il coule le 10-5. -*21-5* tête de pont brit. sur l'île orientale (baie de San Carlos), 5 000 h. -*24-5* frégate Antelope endommagée (coulée 25-5). -*25-5* aviation arg. détruit nav. Coventry et Atlantic-Conveyor. -*2-6* Port-Darwin encerclé. -*14-6* reddition du Gal Menendez et des Arg. après 3 j de combat ; 11 200 prisonniers arg. -*18-6* rapatriement de 5 500 prisonniers arg. -*20-6* reconquête des îles Sandwich ; embargo de la CEE levé. -*12-7* cessation de fait des hostilités acceptée par Arg. et G.-B. ; levée de l'embargo US. **Bilan : Argentine :** 712 †, env. 2 000 bl. ou disparus ; AVIONS DÉTRUITS : entre 91 et + de 100 (est.), dont au moins 26 Dagger ou Mirage III E, 34 A 4 Sea Hawk et 15 avions d'appui Pucara ; 16 avions détruits par missiles air-air Sidewinder ; NAVIRES PERDUS : sous-marin Santa-Fé (1 †), croiseur General-Belgrano (830 h. sauvés sur 1 042), transports Bahia Buen Suceso et Isla de los Estados, chalutier Narwal ; coût 850 millions de $. **G.-B. :** 293 †, centaines de bl. ; AVIONS DÉTRUITS : 18 dont 8 Sea Harrier et Harrier ; HÉLICOPTÈRES DÉTRUITS : 5 Sea King, 13 Wessex, 2 Chinook et 3 Gazelle ; NAVIRES PERDUS : lance-missiles Sheffield (120 †), frégates Ardent et Antelope, destroyer lance-missiles Coventry (120 †), porte-conteneurs Atlantic Conveyor, LST Sir Galahad (53 †) et Sir Tristram (récupéré ; ramené en G.-B. juin 1983) ; 7 navires avariés : coût 1 400 millions de $.

1988-*29-10* G.-B. crée une zone écon. de 150 à 200 milles. **1990**-*15-1* relations diplomatiques G.-B./Arg. reprises : la G.-B. renonce à la zone de sécurité de 150 milles instaurée 1982 (marine arg. autorisée à s'approcher jusqu'à 50 milles), communications directes Falkland/Arg. prévues.

Statut. *Colonie de la Couronne. Gouvernement : gouverneur* (David E. Tatham dep. août 92). *Conseil exécutif* de 6 m. *Conseil lég.* de 10 m. dont 2 nommés et 8 élus. *Const.* 3-10-1985. **Drapeau.** Bleu avec drapeau anglais dans l'angle, et médaillon représentant un mouton, richesse de l'île, et le navire *Desire*, à l'origine de la découverte des Falkland.

Économie. PNB (90) 12 000 $ par h. Moutons (739 899 en 90) pour la laine, bovins 5 464 en 90. *Pêche* (89) 4 620 000 t. *Réserves* d'animaux (manchots, phoques), krill, gisements (pétrole est. 3 millions de barils/j, gaz off-shore). *Exportations* (laine).

Territoires (rattachés à la G.-B., gérés à partir des Falkland). **Géorgie du Sud** [île de 3 592 km², 22 h. (80) travaillant à la base scientifique, à 1 277 km à l'E.-S.-E.] : *1908* la G.-B. s'approprie les territoires au sud du 50e parallèle et installe une délégation du gouv. des Malouines à Grytviken, en Géorgie du S. (AFP). **Sandwich du Sud** (311 km², 11 îles) : *1775* découvertes par Cook, prirent le nom de l'amiral anglais John Montagu, Cte de Sandwich ; *11-1976 au 20-6-82* occupées par scientifiques argentins, à 870 km au S.-E. de la Géorgie du S., à 3 000 km de l'Arg.

Fidji ou Viti (îles)

V. légende p. 884.

Situation. Iles du Pacifique entre Mélanésie et Polynésie. A env. 2 735 km de Sydney, 1 771 d'Auckland, 805 de Samoa. 18 376 km². 332 îles, dont 106 habitées. **Iles principales** *Viti Levu* 10 429 km², 445 422 h. et *Vanua Levu* 5 556 km², 103 122 h. ; autres îles (en km²) : *Taveuni* 470, *Kadavu* 411, *Gau* 140, *Koro* 104, *Ovalau* 101, *Rabi* 69, *Rotuma* 47 (découverte 1879, annexée 1881), *Beqa* 36. *Alt. max.* Mt Victoria 1 323 m. Climat. Tropical. 2 *saisons :* 1 sèche et + fraîche (mai-oct.), 1 humide (nov.-avr.). *Cyclones :* Oscar : 1983, Eric et Wigel : janvier 1985, Kina : janv. 1993. *Temp.* janvier 23 à 31 °C, juillet 18 à 28 °C.

Population. 746 326 h. (93) dont Fidjiens 368 709 (pouvoir politique et contrôle de 80 % des terres), Indiens 340 687 (contrôlent l'économie : majoritaires dans la canne à sucre), Européens métissés 10 000, Rotumans 8 000, Chinois 5 000, Européens 4 000, divers 10 000 ; prév. *2000* 936 000. D 40,1. *Pop. rurale :* 61 %. Villes (est. 88) : *Viti Levu :* Suva 80 000 (est. 91), Lautoka 28 700, Nadi 7 700, Vatukula 7 000 (83), Ba 6 500, Nausori 5 200 ; *Vanua Levu :* Labasa 5 000, Savusavu 2 000. Langues. Anglais, fidjien, hindi, chinois. Religions (90). Chrétiens 52 % dont méthodistes 170 820 (85) et catholiques 62 699 (87), hindouistes 38 %, musulmans 7 %, Sikhs 0,7 %.

Histoire. **1643** Abel Janszoom Tasman (Holl. 1603-59) découvre quelques îlots. Autres explorateurs : Cook, Bligh. **1774** possession brit. *XIXe s.* arrivée de missionnaires anglais et français. Implantation de Blancs d'Austr. et de N.-Zél. **1874**-*10-10* cédées à G.-B. par chefs fidjiens (colonie). Implantation de c. à sucre et immigration d'Indiens (60 000 entre 1879 et 1916). **1970**-*10-10* indépendance. Ratu Sir Kamisese Mara PM (conservateur). **1987** *avril* succès travailliste, Indiens 28 sièges sur 52. Vice-PM fidjien ; Timoci Bavadra (1934-89). -*14-5* coup d'État du Lt-Col. Sitiveni Rabuka (n. 1948). -*20-5* affrontements Mélanésiens/Indiens. Les chefs coutumiers soutiennent les putschistes. -*21-5* compromis : Rabuka présidera la réforme de la Constitution. -*25-9* coup d'État de Rabuka -*7-10* Constitution de 1970 suspendue. -*5-12* Rabuka (devenu Gal) rend le pouvoir aux civils (reste Cdt en chef et min. de l'Intérieur). **1988**-*1-1* quitte Commonwealth. **1989**-*23-8* visite de Rocard. **1990**-*5-1* Rabuka quitte le gouv. -*23-5* rupture diplom. avec Inde. **1991** départ de nombreux Indiens.

Statut. République (dep. 1-10-1987) ; *Pt* Ratu (chef) Sir Penaia Ganilau (dep. 6-12-87), était gouverneur général dep. 21-2-83 (favorable au séparatisme). *PM* Maj.-Gal Stiveni Rabuka dep. 2-6-92 (avant Ratu Sir Kamisese Mara). *Const.* du 25-7-1990 basée sur la supériorité de la race fidjienne. *Chambre des représentants* 70 m. élus pour 5 ans. (37 Fidjiens, 27 Indiens, 1 Rotuman, 5 autres). *Sénat* 34 m. nommés pour 4 ans (24 Fidjiens, 1 Rotuman, 9 autres). *Élections 31-5-92 : Fidjiens :* SVT 30, FNUF 5, indép. 2 ; *Indiens :* NFP 14, FLP 13, GVP 5, RIR 1. *Partis.* Alliance Party (f. 1965, Kamisese Mara). National Federation Party (f. 1960, Harish Chandra Sharma) et Fiji Labour Party (f. 1985, issu du congrès des syndicats, FTUC, 30 organ., *Pt* Jokapeci Koroi). Drapeau. Bleu clair avec drapeau anglais dans l'angle, et, dep. 1970, lion britannique, canne à sucre, palme de cocotier, régime de bananes et colombe de la paix.

■ Économie

PNB (90). 2 541 $ par h. **Croissance (%)** *1988 :* 1,3 ; *89 :* 12,2 ; *90 :* 5,4 ; *91 :* – 0,1. **Pop. active** (% et entre par. part du PNB en %) agr. 40 (25), ind. 15 (20), services 43 (52), mines 2 (3). *Chômage 90 :* 6,4 ; *91 :* 5,1. **Inflation (%)** *1989 :* 6,1 ; *90 :* 8,1 ; *91 :* 6,5.

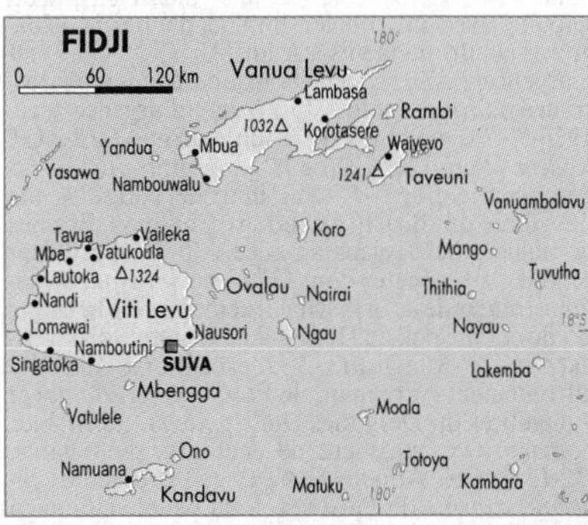

Agriculture. *Terres* cult. 13 %. *Production* (milliers de t, 91) canne à sucre 3 380 [sucre *82 :* 987 ; *83 :* 280 ; *85 :* 340 ; *86 :* 502 ; *87 :* 401 ; *88 :* 363 ; *89 :* 461 ; *90 :* 420 ; 27 % des terres ; 40 % de la pop. active (17 000 familles indiennes sur 23 000 foyers d'agriculteurs), 24 % du PNB, 39,7 % des export.], manioc 36, riz 33, coprah 15, huile de noix de coco 11,6, gingembre 6,5, cacao 0,46. Élevage (milliers, 91). Volailles 1 000 (89), bovins 158, chèvres 123, porcs 15. **Pêche.** 13 700 t (91). Mines (tonnes, 91) : or 2,7, argent 0,4. Tourisme. 280 000 vis. (est. 92).

Commerce (millions de $ fid., 91). **Exp.** 664 *dont* sucre 220, vêtements 131, or 46,6, conserves de poisson 35,7, bois de constr. 31,2, poissons frais, fumés et séchés 10,8, mélasse 13,3, huile de coco 2,3, *vers* G.-B. 171, Australie 98, USA 72, N.-Zélande 51, Japon 37, Malaisie 29,5. **Imp.** 961 *dont* machines 216, art. manuf. 104, prod. pétroliers 146, prod. alim. 141, prod. chim. et mat. 1res 80 *de* Australie 302, N.-Zélande 176, Japon 109, Singapour 59, Taiwan 44, USA 41.

FINLANDE

Carte p. 969. V. légende p. 884.

Nom. *Suomi* en finlandais.

Situation. Europe. 338 145 km² (dont 33 522 d'eau). Forêt 65 %, cultures 8 %. *Long.* max. 1 160 km. *Larg.* 540 km. 1/3 situé au-delà du cercle polaire. *Frontières :* 2 521 km (Suède 536, Norvège 716, Russie 1 269) ; côtes 1 100 km bordées par 80 897 îles de + de 100 m² (surtout au S.-O.). *Relief :* collines, crêtes, 187 888 lacs de + de 500 m² min. (sol : dépôts morainiques ép. glaciaire) : 9 % de la superficie ; les plus grands (en km²) : Saimaa 4 400, Päijänne 1 050, Inari 1 100. *Alt. max.* Haltiatunturi 1 328 m. Climat. Étés relativ. chauds (moy. juill. 13 à 17 °C, max. 30 °C), hivers froids (févr. – 3 à – 14 °C, min. – 30 °C). Pluie et neige S.-O., Centre, E. 600 mm, N.-O. (Laponie) 400 mm. Au N. vers 70° de lat., 73 j de clarté ininterrompue en été (19 h de clarté par j au S. vers la St-Jean) et 51 j de nuit d'hiver ininterrompue. Arbres. Conifères. Chêne sur côte et S.-O. en partie. Vers le N. : disparition du sapin, du pin, puis du bouleau nain. Animaux. *Mammifères :* 67 espèces. Loups et ours (certaines régions de la frontière et déserts de Laponie). Troupeaux de rennes. 55 000 élans env. Animaux à fourrure : écureuil, rat musqué, martre, renard. Oiseaux sauvages. Saumons.

Population (en millions). *1750 :* 0,421, *1809 :* 0,833, *1900 :* 2,66, *1950 :* 4,03, *1991 :* 5,05, *2000 (est.) :* 5,1. *Caractères physiques :* teint clair, yeux bleus ou gris (85 % des hommes ont les yeux bleus ou gris, 81 % des femmes), cheveux blonds (76 % des h., 82 % des f.). **Age :** – *de 15 a. :* 21 %, + *de 60 a. :* 19 %. Lapons 1 734. D 16,4, Sud 126,1, Laponie 2,2. Villes (91, entre par. nom suédois). *Helsinki* (Helsingfors) 497 542 h. (ag. 1 020 134), Espoo (Esbo) 175 670 (à 15 km), Tampere (Tammerfors) 173 397 (176 km), Turku (Åbo) 159 274 (166 km), Vantaa (Vanda) 157 274 (15 km), Oulu (Uleåborg) 102 280 (612 km), Lahti 93 414 (102 km), Pori (Björneborg) 76 432 (242 km). **Émigration** vers USA et Canada (1880-1930) (1901-10 : 159 000 ; 1921-30 : 58 000) ; Suède : plus de 340 000 dont 130 000 ont conservé la nationalité finl. **Étrangers** (92) 37 388 (dont Suédois 6 242, All. 1 605, Amér. 1 620, Angl. 1 361, ex-URSS. 9 780, divers 20 808).

Langues (1991). Finnois (langue du groupe finno-ougrien, v. Hongrie) 93,3 %, et suédois 5,9 % (1880 : 14,3) *(off.)*, divers (lapon) 0,04 %. Religions (91). Luthériens 87,4 % ; orthodoxes 1,1 % ; églises libres 0,7 % ; catholiques 0,1 % ; divers 0,3 % ; sans rel. 10,6 %.

Histoire. **1155** 1re croisade suédoise rattachant la F. au roy. de Suède. **1344** région suédoise (Contrée de l'Est). **1808-09** g. russo-suédoise, le tsar vainqueur devient gd-duc de F. (gd-duché autonome). **1812** Helsinki capitale (avant : Turku). **1906** les femmes obtiennent le droit de vote (1res en Europe). **1917**-*6-12* indépendance. **1918** *janv.* g. civile de 4 mois : les blancs l'emportent sur les rouges. **1919** république. **1921** *oct.* la SDN attribue les îles Aland (admin. par Russie 1809-1917). **1932** pacte de non-agression avec URSS. **1939**-*30-11*/**1940**-*13-3* g. russo-finl. URSS exige Hanko (+ bande de terre autour pour une base navale) et plusieurs îles dans le golfe de F., une rectification de frontières en Carélie et autour de Petsamo, soit en tout 2 700 km² de la région la plus riche de F. (contre 5 000 km² de landes et d'étangs). La F. refuse. Staline qui, en envahissant la Pologne, avait promis de respecter la neutralité finl. attaque (prétexte inventé : 7 obus finl. ont tué 4 mil. russes à Mainila). Un communiste, Otto Kuusinen, réfugié en URSS dep. 1918, dirige un gouv. émigré (*forces : Finl.* 300 000 h., + des milliers de volontaires étrangers, 37 chars. *Russes* 1 000 000 h., 2 000 chars, 1 000 avions). *Tués* Russes 48 745, Finl. 24 000. Battue, la F. cède Carélie (47 338 km² ; pertes f. 20 000 †). **1941**-*27-6*/**1944**-*19-9* g. contre l'URSS, la F. reprend Carélie, la reperd avec région de Petsamo (auj. Petchenga) et Salla (en tout 42 934 km², 400 000 réfugiés en F.). **1948**-*6-4* tr. d'amitié et d'assistance mutuelle avec URSS, valable jusqu'en 2002. Coup d'État communiste (échec). **1956**-*26-1* URSS rend Porkkala louée 50 ans en 1944. **1975**-*10-8* acte d'Helsinki signé par pays eur. (sauf Albanie) + USA + Canada et URSS (voir Index). **1981**-*27-10* Kekkonen démissionne. **1982**-*27-1* Koïvisto Pt de la Rép. **1983**-*6-6* prorogation du tr. d'amitié avec URSS (jusqu'en 2003). **1988**-*15-2* Koïvisto réélu. **1989**-*1-2* F. adhère au Conseil de l'Europe. **1991**-*17-3* législatives : victoire du Centre. **1992**-*20-1* tr. avec Russie remplaçant le tr. de 1948. *-18-3* demande d'adhésion à la CEE. *11-7* visite de Boris Eltsine. *-18-10* élect. communales, vict. des sociaux-dém.

Nota. – Finlandisation : terme inventé en 1953 par Karl Gruber (ministre autrichien) et repris par l'Allemand Franz Joseph Strauss pour dénoncer les dangers de l'Ostpolitik all. Ensemble des limitations imposées par un État puissant à l'autonomie d'un voisin plus faible. Processus par lequel, sous le couvert de maintenir des relations amicales avec l'URSS, un pays voit sa souveraineté diminuer. La F. s'est insurgée contre ce terme « contenant des insinuations qu'elle n'avait pas méritées ».

Statut. Rép. *Constit.* 17-7-1919. *Pt* élu pour 6 a. au 1er tour (dep. 1988), au suffrage univ. s'il obtient la majorité absolue, ou au 2e par un collège de 301 grands él. élus au suffr. univ. indirect le jour du 1er tour. *Diète (Eduskunta)* 200 m. élus au suffr. univ., scrutin de liste et à la représ. proportionnelle pour 4 a. **Départements (Lääni) :** 12. **Semi-autonome :** 1 [îles Ahvenanmaa (Aaland)]. *Capitale :* Maarianhamina (Mariehamn). Dep. 1955 : membre de l'ONU, du Conseil nordique, de l'OCDE dep. 1969, accord de libre-échange avec CEE dep. 1-1-1974, membre de l'AELE dep. 1-1-1986. Pays neutre. Fête nat. 6-12 (indép.). Drapeau (1917). Croix bleue (les lacs) sur fond blanc (la neige).

Élections à la Diète **(17-3-1991).** % des voix et, entre crochets, nombre de sièges obtenus, entre parenthèses résultats des élect. des 15/16-3-87 : Centristes 24,8 (17,6) [55 (40)] ; Sociaux-démocrates 22,1 (24,1) [48 (56)] ; Conservateurs 19,3 (23,1) [40 (53)] ; Alliance de gauche 10,1 (13,6) [19 (20)] ; Parti pop. suédois 5,8 (5,6) [12 (13)] ; Écologistes/Verts 6,8 (4) [10 (4)] ; Union chrétienne 3,1 (2,6) [8 (5)] ; Parti rural 4,8 (6,3) [7 (9)] ; Parti libéral 0,8 (1) [1 (0)] ; divers 2,4 (1,9) [1 (5)].

Femmes. Main-d'œuvre 47 %, Parlement 38 %.

Partis (dates de fondation, leader, membres). *P. social-démocrate,* 1899, Ulf Sundqvist (n. 1945) démissionne 24-2-93, 80 000 m. *Alliance de gauche* [le 28-4-90 : fusion *Ligue démocratique du peuple finl.,* 1944, Ari Parvidainen (n. 1951), 35 000 (communistes et certains socialistes) et le *P. communiste finl.,* 1918, Heljä Tammisola (n. 1946), 39 000. Autorisé 1944, autodissous le 28-4-90] ; Claes Anderson (n. 1937), 13 000 m. *P. du centre,* 1906, Esko Aho (n. 1954), 300 000 m. *P. de coalition nationale* (conservateurs : kokoomus), 1918, Pertti Salolainen, 57 000. *P. rural* (provincial), 1959, Raimo Vistbacka (n. 1945), 12 000 m. *P. populaire suédois,* 1906, Ole Norrback (n. 1941), 50 000. *Union chrétienne de F.,* 1958, Toimi Kankaanniemi (n. 1950), 17 000. *P. libéral,* 1965, Kalevi Määttä (n. 1957) 6 000. *Union verte,* 1988, Pekka Sauri (n. 1954) 1 000.

■ Présidents de la République. **1918** Pehr-Evind SVINHUFVUD (1861-1944), chef du gouv. (1917), régent (1918). Mal Carl Gustaf MANNERHEIM (1867-1951), régent. **19** Kaarlo Juho STÅHLBERG (1865-1952). **25** Lauri Kristian RELANDER (1883-1942). **31** Pehr-Evind SVINHUFVUD (1861-1944). **37** Kyosti KALLIO (1873-1940), démissionne. **40** Risto Heikki RYTI (1899-1956), démissionne. **44** Mal MANNERHEIM, démissionne. **46** Juho Kusti PAASIKIVI (1870-1956). **56** Urho Kaleva KEKKONEN (1900-86). **82** (26-1) Mauno Henrik KOIVISTO (25-11-1923), social-dém., réélu 15-2-88 (1er tour au suffr. univ. (1-2) 47,9 % des voix devant Harri Holkeri (conserv., 18,1 %), Paavo Väyrynen (centriste) 20,1 %, Kalevi Kivistö (gauche) 10,4 %, au 2e tour (15-2) par le Collège électoral (189 voix sur 301).

■ Premiers ministres. **1982** (19-2) Kalevi SORSA (n. 1930), social-dém. **87** (30-4) Harri HOLKERI (n. 1937), conserv. **91** (8-4) Esko AHO (n. 1954), centriste.

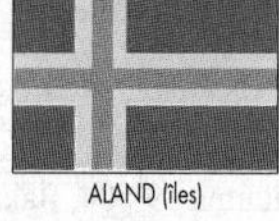
ALAND (îles)

■ Province semi-autonome. **Iles Åland** (en finnois Ahvenanmaa) : 1 527 km², 24 847 h. (92) parlant suédois à 95 % ; 6 554 îles ou rochers, dont 80 seulement sont habités. Dans la plus grande île : *Aland* (685 km², 28 km × 20 ; alt. max. 150 m, 18 800 h.), rade de *Bomarsund,* « la clef de la Baltique » [fortifiée jusqu'en 1854 ; détruite par escadre anglo-franç. (16-8-1854) durant la g. de Crimée ; démilitarisée par tr. de Paris (1856)]. **Tourisme** (91) 1 642 527 vis.

■ ÉCONOMIE

PNB. *1992 :* 24 784 $ par h. **Taux de croissance** (%) *1989 :* 5 ; *90 :* 0,4 ; *91 :* – 6,4 ; *92 :* – 3,5. **Pop. active** (% et entre par. part du PNB en %) agr. 10,4 (6,1), ind. 31,2 (29,5), services 58,4 (64,4). *Chômage (%) 90 :* 3,5 ; *91 :* 5,6 ; *92 :* 13,1 ; *93 (1-1) :* 20. **Inflation** (%) *1987 :* 3,8 ; *88 :* 5,1 ; *89 :* 6,6 ; *90 :* 6,1 ; *91 :* 4,1 ; *92 :* 3,8 ; *93 (est.) :* 2,8. **Endettement** (milliards de marks F) *1990 :* 117 ; *91 :* 180 ; *92 :* 235 ; *93 (prév.) :* 258 (46 milliards de $) 53 % du PNB.

Agriculture. *Terres* (milliers d'ha, 83) : forêts 26 778 (57 %), eaux 3 156, cult. 2 049 (90), pâturages 166, divers 4 686. *Propriété :* privée 64 % des t., État 24 %, Stés privées 8 %, communes 4 %. *Production* (milliers de t, 92) : orge 1 331, avoine 998, p. de terre 673, bett. à sucre 1 049, blé 212, seigle 27. **Élevage** (milliers, 92). Volailles 5 566, bovins 1 273, porcs 1 297, moutons 108, ruches 50, chevaux 17. Rennes 413. Prod. lait., cuirs. **Pêche.** 87 700 t (90). **Forêts.** *Superficie :* 24,6 millions d'ha (dont 16 m. privés appartenant à 352 000 propriétaires). Conifères 81 %, bouleaux et divers 19 %. *Production* (91) : 34 540 000 m³.

Consommation. Énergie (en %, 91) : *importée* 70 % dont pétrole 30 (dont 43 % d'ex-URSS), nucléaire 15, charbon 11, gaz nat. 8, électricité 6 ; *prod. intérieure :* 30 % dont hydro-électricité 11, tourbe 5, divers 14. Électricité (en milliards de kWh). *1991 :* 21 ; *1995* (prév.) 22. Pétrole 89 % importés en 91.

Mines. Chrome, fer, cuivre, pyrites, plomb, zinc, nickel, platine, vanadium, tourbe. Industrie. Pâte de bois, pâte à papier, papier journal, métallurgie, constructions navales (brise-glace, plates-formes pétrolières), constr. méc., électron. et informatique, textile et prêt-à-porter, chimie, services. 1er groupe privé : *Nokia :* 27 100 employés (dont 530 en France et 1 500 en Suède), 150 filiales dans 36 pays ; *CA :* 19 milliards de F. Transports (km). *Routes* 77 974 (46 955 asphaltées) ; *chemins de fer* 5 853 dont 1 664 électrifiés. Tourisme (millions de marks F, 91). Recettes 5 900, dépenses 10 800. Équipement. 1 923 558 voitures (92), 1 500 000 saunas.

Commerce (milliards de marks F, 92). **Exp.** 107,4 *dont* (%, 91) filière bois, 38,6, constr. méc. et électr. 27,5, métallurgie 10,6, prod. de cons. 7, ind. chimique 6,9 *vers* (%) All. 15,6, Suède 12,8, G.-B. 10,7, *France 6,7,* USA 5,9, ex-URSS 2,8 (12,7 en 90, 4,9 en 91). **Imp.** 94,9 *dont* (%, 91) constr. méc. et électr. 34,7, biens de cons. 14,2, énergie 13,3, ind. chim. 11,6, agro-alim. 5,1 *de* (%, 91) All. 16,9, Suède 12,3, ex-URSS 8,5, G.-B. 7,7, USA 6,9, Japon 6, *France 4,2.* **Déficit extérieur** (91) – 26,7 (7 % du PNB). Rang dans le monde (90). 2e papier-carton. 4e exp. de contreplaqué. 6e prod. de pâte à papier. 14e bois (11e en 91).

GABON

Carte p. 1008. V. légende p. 884.

Nom. Portugais *gabão,* « caban de marin », donné à l'estuaire du Como à cause de sa forme.

Situation. Afrique 267 667 km². *Côtes :* 950 km. *Frontières :* 2 270 km (Guinée équ. 330, Cameroun 240, Congo 1 700). *Côtes* 800 km. **Régions :** littoral (zone sédimentaire basse) ; zone de plateaux (la plus grande partie du Gabon), au N. le Woleu-N'tem, au S.-E. les plateaux Batéké, au S.-O. la chaîne du Mayombé ; au N.-O. montagnes (les Mts de Cristal alt. max. 1 200 m) ; au centre : massif granitique (Mt Iboudji 1 575 m). Climat. Équatorial, chaud et humide, moy. 26 °C. *Saisons :* sèche (mai-sept.), pluies (oct.-nov.), sèche (déc.-janv.), pluies (févr.-avril). *Pluies :* 1 600 à 3 000 mm.

Population. *1991 (est.) :* 1 200 000 h. dont (env. 40 ethnies) Fangs (40 %), Myénés, Pounous, Échiras (25 %), Adoumas (17 %), Kotas, Tékés, Mêna-Mbe, Batékés, etc. *Prév. 2000 :* 1 611 000. **Étrangers :** 200 000. **Français :** 13 293 (dont 780 coopérants, hors coopération, militaires) (86). **Age :** – *de 15 a.* 35 %, + *de 65 a.* 6 %. **Mort. infantile :** 112 ‰. D 4. Villes (86) : *Libreville* 300 000 h. (89), Port-Gentil 164 000 h. (88) (143 km), Franceville 75 000 h. (88) (515 km), Lambaréné 9 000 h. (157 km), Moanda (470 km), Oyem (269 km), Mouila (300 km). **Population urbaine :** *1975 :* 30 %, *90 :* 50. Langues. Français

(off.) et env. 40 dialectes, dont 8 importants. **Religions** (en %) : animistes 49,5, catholiques 40, protestants 10, musulmans 0,5.

Histoire. **1471** découvert par Portugais. **1492** Diego Cam installe comptoirs. **XVII**e **s.** traite des Noirs. **1580-1600** Hollandais supplantent Port. **1608** répression (autochtones révoltés). **1839** pour réprimer la traite, le cap. de vaisseau français Bouet Willaumetz crée un établissement. *-9-2* tr. entre Fr. et roi Denis Rapontchombo, régnant sur rive gauche du G. **1842**-*18-3* tr. entre Fr. et roi Louis Dowé (rive droite). **1843** Fort-d'Aumale, 1er établissement fr. officiel. **1849** Willaumetz débarque des esclaves libérés de l'*Élézia* (navire négrier port.) : Libreville créée. **1875-78, 1880-81** et **1883-84** Savorgnan de Brazza (1852-1905) explore le G. qui devient une colonie en 1883, dans l'AEF, le 15-1-1910. **1880** Franceville fondée. **1940** G. se rallie à la Fr. libre. **1956**-*28-6* loi-cadre (autonomie). **1959** *mars* rép. au sein de la Communauté. **1960**-*17-8* indépendance. **1961** (17-2 au 28-11-1967) Pt Léon M'Ba (1902-28-11-1967). **1965**-*4-9* mort du Dr Albert Schweitzer (à 90 ans), fondateur 1913 de l'hôpital de Lambaréné. **1976**-*7-9* G. quitte l'OCAM. **1978** *juillet* 10 000 Béninois expulsés (le Bénin accuse le G. d'avoir participé au raid lancé sur Cotonou en janv. 77). **1981**-*22/25-5* 10 000 Camerounais expulsés. **1982** Jean-Paul II au G. **1983** Pt Mitterrand au G. **1984**-*3/6-10* Pt Bongo en Fr. **1985**-*11-8* capitaine Alexandre Mandja Ngokouta exécuté pour complot. **1986**-*30-12* transgabonais « Libreville/Franceville » inauguré. **1989** *oct.* complots découverts. **1990** plusieurs partis autorisés. *Févr.-juin* Libreville, manif., envoi de renforts fr. *-16-9* législatives annulées pour fraude dans 32 circonscriptions (32 autres en ballottage) reportées au *21* et *28-10* : victoire du PDG. **1991**-*15-3* l'Ass. nat. adopte la const. et la Charte des partis.

Statut. République. *Const.* du 21-2-1961 modifiée 15-2-67, 15-4-75, 9 et 22-8-81, sept. 86, mai et déc. 90, 91. *Pt* (élu au suffr. universel pour 7 ans) dep. 2-12-67 El Hadji Omar Bongo (nom pris dep. sa conversion à l'islam en 73 et son voyage à La Mecque ; avant : Albert-Bernard, n. 28-12-35, remarié 3-1-90 avec la fille du Pt du Congo Nguesso), réélu 25-2-73, 30-12-79 (99,96 % des voix) et 9-11-86 (99,97 %). *PM* Casimir Oye-Mba (n. 1942) dep. 27-4-90 [avant Léon Mebiame (1-9-34) dep. 16-4-75]. *Min. Aff. étr.* Pascaline Bongo. *Ass. nat.* 111 m. élus et 9 nommés par Pt p. 5 a. **Élections. Sept. 90-mars 91 :** PDG 66, PGP 16, RNB 16, Socialistes 8, FAR 7, PSD 1, UDD 1, divers 1. **Provinces.** 9 divisées en 36 *préfectures* et s.-préf. **Partis.** *Rassemblement social-démocrate gab.* (a remplacé 23-2-90 le P. démocratique gab. *fondé* 12-3-68, unique jusqu'en mai 90). *PGP (P. gabonais du Progrès), Pt* Me Pierre-Louis Agondjo-Okawe. *Morena (mouv. de redressement nat.),* f. 1981, devenu 1992 *Forum africain pour reconstruction, Pt* Léon Mboyebi. *Rassemblement des Bûcherons,* f. 1990, *Pt* Paul M'Ba Abessole. **Fêtes nat.** 12 mars (création du PDG) et 17 août (ind.). **Drapeau** (1960). Bandes horiz. verte (la forêt et l'ind. du bois), jaune (le soleil), et bleue (la mer).

ÉCONOMIE

PNB. *1991* : 3 300 $ par h. **Pop. active** (% et entre parenthèses part. du PNB en %) agr. 48 (9), ind. 11 (12), services 31 (44), mines 10 (35). 150 000 travailleurs immigrés. **Inflation** *1985* : 7,5 % ; *86* : 6,2 % ; *87* : – 0,9 % ; *88* : – 9,8 ; *90* : 8,5. **Aide** *française* (milliards de F CFA) : *1960-81* : 170. **Aide** *All. féd., Belgique, Canada, Roumanie, Yougoslavie.* **Dette extérieure** (milliards de $) *1980* : 1,19 ; *89* : 2,5. **Budget** (milliards de F CFA). *1986* : 720 ; *87* : 360 ; *91* : 490. **Investissements publics** (milliards de F CFA) : *1985* : 400 ; *90* : 75 ; *91 (prév.)* : 102. **Situation économique** 200 faillites d'entreprises dep. 1985. Baisse du pétrole. 50 000 chômeurs dans secteur privé. *Mesures d'austérité du FMI* : réduction de personnel et dimin. des gros salaires (compensées par des avantages en nature). *1990* : rétablissement des salaires niveau 1986 ; *91* : revalorisation de la fonction publique. SMIC : 64 000 CFA (soit 1 280 F), mais 1 000 hauts fonctionnaires gagnent entre 7 et 10 millions par mois (140 000 à 200 000 F). Détournement de fonds publics. *Transferts privés à l'extérieur* : 28 milliards de F de 1980 à 1991 (2 fois le montant de la dette). **Assistance militaire française** *1983* : 400 millions de CFA (144 off. et sous-off. et base militaire de 600 h.). *1991* : 150 (90 pers. et base de 600 h.).

Agriculture. *Terres* (milliers d'ha, 81) forêts 20 000, pâturages 4 700, eaux 1 000, t. arables 290, cult. 162, divers 615. *Production* (milliers de t, 91) manioc 250, plantain 240, canne à sucre 210, ignames 68, café 2, cacao 2, huile de palme, kiwi, bananes, riz, taros. 85 % de la consom. alim. courante est importée. **Forêts.** 85 % du sol. 600 essences dont l'okoumé. Réserves 300 millions de m³. *Production (89)* : 1 020 000 m³ (hors bois de chauffage) dont okoumé 950 000, ozigo 78 000 (83), acajou, alone, sipo, moabi. Exploitation facilitée par le Transgabonais. **Élevage.** (milliers, 90) volailles 2 000, porcs 160, moutons 160, chèvres 80, bovins 27 ; déficit en viande. **Pêche.** 22 000 t (90).

Énergie. **Pétrole :** recherches dep. 1928, off-shore dep. 1965 ; *réserves (millions de t, 91)* : 100. *Prod.* : *1957* : 0,2 ; *60* : 0,8 ; *70* : 5,4 ; *76* : 11,3 ; *80* : 8,9 ; *85* : 8,6 ; *90* : 13,4 ; *91* : 15. *Revenus pétr.* (milliards de F CFA) : *1985* : 735 ; *86* : 60 ; *87* : 60 ; *88* : 8,8 ; *90 (prév.)* : 13, avec le nouv. gisement de Rabi-Kounga [(129 km², long. 14 km, larg. 5 km, réserves de 480 millions de barils) découvert 1989 par Shell-Gabon (dépasse ainsi Elf-Gabon avec 55 % de la prod.), exploité en association avec Elf-Gabon (30 %), Pétroles d'Aquitaine (13 %) et État (15 %)]. **Gaz** (millions de m³) : *60* : 7,5 ; *70* : 21,6 ; *80* : 70,6 ; *85* : 70,5 ; *88* : 66. **Électricité :** 900 millions de kWh (87) dont hydraulique 700 (89), potentiel 265,2 MW. **Manganèse** (millions de t) 200 (1/4 des réserves mondiales) ; *prod.* : 2,55 ; exploité à Moanda dep. 1962 ; teneur 50 à 52 % ; exporté par le chemin de fer transgabonais jusqu'à Libreville, auparavant par téléphérique monocâble de 76 km (le plus long du monde, 858 pylônes de 5 à 74 m) vers M'Binda (Congo), puis vers Pointe-Noire par chemin de fer (485 km : 285 construits par Comilog, 200 km du Congo-Océan). **Uranium :** *découvert* 1958, *réserves* 35 000 à 40 000 t ; *export.* (métal) *82* : 1 100 t, *88* : 850, *89* : 950. **Or :** 78 kg (88). **Fer :** gisement de Bélinga, réserves 850 millions de t, teneur 64,5 %. **Phosphate. Barytine. Talc. Plomb.**

Industrie. Sucreries. Raffineries de pétrole. Enrichissement de l'uranium. Bois. Métallurgie. Boissons. Tabac. Ciment. Textile. Chimie. Papier. Bâtiment.

Transports. **Routes** (km) bitumées 591, latérite 953, ordinaires 4 877 [dont construites 645 (au 1-4-87)]. **Transgabonais** (1974 : Owendo, Franceville). 944 km. Coût prévu : env. 1 000 milliards de F CFA. **Ports :** Owendo, Libreville, Port-Gentil. **Tourisme.** *Visiteurs* : 21 000 (89). *Sites* : Pointe Denis, église St-Michel (Libreville) ; plateaux Batéké, lagons de Mayumba, lacs de Lambaréné, lagunes et réserves zool. de Wonga-Wongué et Alopé, pont de Poubara (canyon de Leconi).

Commerce (milliards de F CFA, 91). **Exp.** 640 *dont* pétrole et prod. pétroliers 517, manganèse 47,7, bois 50,6, uranium 13,3 *vers* (% 90) *France 37,9,* USA et Canada 22,2, G.-B. 17, Benelux 4, **Imp.** 233 *dont* mach. 66,4, prod. alim. 46, métaux 32,3, équip. de transp. 30,5, prod. man. 27,4 *de* (%) *France 60,6,* USA et Canada 11,3, G.-B. 5,4, Benelux 3,3. **Rang dans le monde** (91). 30e pétrole.

GAMBIE

Carte p. 1147. V. légende p. 884.

Situation. Afrique [bande de 350 km le long du fleuve Gambie (larg. 50 km) enclavée dans le Sénégal]. 11 295 km². Forêt et mangrove (cours inf. du fleuve), savane à l'intérieur. **Climat.** Très chaud surtout févr. à nov. (côtes, plus frais). *Pluies* juin-oct. (1 m), sec de déc.-mai.

Population. 874 000 h. (est. 91) dont Mandingues 42,3 %, Foulas 18,2 %, Wolofs 9,5 %, Diolas 9 %, Sarakolés 8,7 %, Akous 1 % (descendants des esclaves enlevés aux négriers et installés en G. par la G.-B. après l'abolition de la traite) ; *prév. 2000* : 898 000. **Âge :** – *de 15 a.* : 45,9 %, + *de 65 a.* : 3,8 %. **Mort. infantile** (88) 148 ‰. D 77,4. **Villes :** *Banjul* (cap., avant 1974 appelée Bathurst) 44 505 h. (83), Serrekunda 68 433, Brikama 19 584, Bakau 19 309, Gunjur 4 700, Sukuta 3 800, Farafeni 3 800, Gambisara 3 600, Salikeni 3 300, Georgetown, Basse, Kerewan, Kaur, Mansakonko. **Langues :** anglais *(off.)* et langues tribales. **Religions** (%) : musulmans 85, animistes 8, protestants 5, catholiques 2.

Histoire. **1455** occupation portugaise. **XV**e**-XVIII**e **s.** rivalités europ. (facilités offertes par le fleuve pour la traite, attrait de l'or). **1765** Anglais occupent St-Louis du Sénégal et Gambie et créent prov. de Sénégambie. **1783** *tr. de Versailles,* Sénégal revient à France. **1808** traite interdite. **1816** Bathurst fondée. **1843** colonie de la Couronne ; développement de l'arachide. **1866-88** forme avec Sierra Leone, Côte de l'Or et Lagos, Établ. brit. de l'Afr. occid. **1888** colonie et protectorat. **1962** autonomie interne (complète *4-10*-1963). **1965**-*18-2* indépendance. **1970**-*24-10* rép., référendum (suffr. exprimés 120 606 : oui 84 968, non 35 638). **1980**-*31-10* intervention sén. pour rétablir l'ordre. **1981**-*29-7* coup d'État de Kukoi Samba Sangang. *-30/31-7* intervention sén. *-2-8* Pt Jawara rentre. *-17-12* confédérée avec Sénégal (Sénégambie). **1990** Sénégambie dissoute. **1992**-*mars* complot déjoué.

Statut. Rép. Membre du Commonwealth. *Const.* du 24-4-1970. *Assemblée* (50 m. dont 36 élus au suffr. univ. pour 5 a., 5 choisis par une ass. de chefs, 8 nommés et l'attorney gén.). *Pt* Sir Dawda Kairaba Jawara (n. 16-5-1924) dep. 24-4-70, réélu 6-5-82 avec 72,4 % des v., 11-3-87 avec 59 % des v. 29-4-92 (était PM dep. 65) (P. progressiste du peuple). *Élections lég. du 29-4-92* : P. du peuple (25 s.), P. de la Convention nat. 6, P. du Peuple g. 2, indép. 3. **Drapeau** (1965). Bandes rouge (soleil), bleue avec lisérés blancs (riv. Gambie), verte (champs).

PNB ($ par h.). *1982* : 360 ; *85* : 200 ; *90* : 244. **Pop. active** (%, entre parenthèses part du PNB en %) agr. 60 (35), ind. 4 (11), services 36 (54). **Dette ext.** (89) 345 millions de $. **Agriculture.** 23 % de terres cult. *Production* (milliers de t, 91) arachide 85 (51 % des t. cultivées), millet 61, riz 21, maïs 25, manioc. **Élevage** (milliers 91). Bovins 410, chèvres 205, moutons 175, volailles 500 (89), porcs 11. **Pêche** (90). 16 800 t. **Tourisme** (92) 63 131 vis.

Commerce (millions de dalasis 85-86). **Exp.** 136,9 *dont* prod. de l'arachide 52,8, poisson 2,5 *vers* Suisse 46,8, P.-Bas 30,2, Guinée-B. 17, G.-B., Italie, Belgique, Suisse. **Imp.** 567,6 *de France 81,5,* G.-B. 64,3, Chine 31,2, P.-Bas, All. féd.

GÉORGIE

Carte p. 1124. V. légende p. 884.

Situation. 69 500 km². Europe (Transcaucasie). **Frontières** Azerbaïdjan, Arménie, Turquie, mer Noire, Russie (Daghestan, Tchétchénie, Ossétie du Nord et Kardino-Balkar, Karat chevo-Tcherkess). *Alt. max.* Kasbek 5 047 m. **Climat.** *Subtropical* chaud et humide le long de la mer Noire (moyenne : janv. 6 °C, juill. 23 °C), + de 2 000 mm de pluie/an ; plus continental dans l'Est (hivers froids, étés chauds et secs).

Population. 5 500 000 h. (91) [en % Géorgiens 68,8, Arméniens 9, Russes 7,4, Azerbaïdjanais 5,1, Ossètes 3,2, Abkhaz 1,7, Grecs 1,9, Juifs 0,6, Kurdes 0,5, Ukrainiens 0,9, divers 0,9 (dont 400 000 Coréens descendant des déportés de 1937)]. D 78,2. **Capitale :** *Tiflis* (Tbilissi) 1 268 000 h. (90). **Langue.** Géorgien. **Religion.** Orthodoxe.

Histoire. **Antiquité** connue sous le nom d'*Ibérie* (langue asiatique, d'origine inconnue). **300 av. à 265 apr. J.-C.** conquise par Perses arsacides. **III**e**-VIII**e **s.** par Sassanides. **311** christianisée (Ste Nino, martyre 330, patronne de Géorgie). **787** indépendance, dynastie des Bagration. **1184-1212** apogée sous la reine Thamar. **1386** conquise par Tamerlan. **1407-42** par Turcs ottomans. **1615** conversion de rois à l'islam et souveraineté de la Perse. **XVIII**e **s.** roi Heraclius II reconquiert indép. **1783** par tr., se met sous la protection russe. **1795** sac de Tiflis par Persans (la Russie n'intervient pas). **1799** le dernier roi, Georges XII, négocie nouveau tr. de protectorat avec le tsar Paul Ier. Les Angl. occupent Batoum. **XIX**e **s.** partie du gouv. de Transcaucasie (garde sa culture, avec des écrivains de langue nationale). **1801** *annexée à Russie,* église rattachée au synode russe **1917**-*20-9* union avec Arménie et Azerbaïdjan au sein de la *féd. de Transcaucasie.* **1918**-*26-5* féd. dissoute, Géorgie indép. **1920**-*15-1* indép. reconnue par Alliés ; *-7-5* par Sov. *-4-6* Angl. rembarquent. **1921**-*27-1* invasion sov. ; *-22-2* alliance turco-sov. ; *-25-2* proclamation d'une *Rép. sov. à Tiflis* ; *-16-3 tr. de partage turco-sov. à Moscou* : Russie reçoit Batoum ; Turquie garde Artvin et Ardahan. **1922**-*12-3* partie de la *rép. sov. de Transcaucasie.* **1924**-*27-8* insurrection organisée par Kaikhosro Cholokashvihi (échec : 3 000 †, 130 000 Géorgiens déportés en Sibérie). **1936**

purges. *-5-12* dissolution de la Transcaucasie : forme une *Rép. membre direct de l'Union.* **1944** 150 000 Meskhs (musulmans islamisés au XVIIe s.) déportés en Asie centrale (surtout Ouzbékistan). **1953** 400 000 Géorgiens seraient morts dep. 1921 vict. de la répression. **1989**-*9-4* Tiflis, armée tire sur manif. contre rattachement d'Abkhazie à RSFSR (20 à 200 †?). *-26-5 :* 200 000 pers. célèbrent pour la 1re fois l'anniversaire de la Rép. de 1918. *-16/21-7* heurts interethniques (14 †). *25-7* 18 000 manif. pour indép. *Oct.* Merab Kostava, nationaliste, meurt dans accident de voiture (500 000 pers. à ses obsèques). *20-11* proclamation de souveraineté. *-23-11* affrontements en Ossétie du S. **1990** *fév.* parti social-démocrate g. reconstitué (créé 1893, dissous 1921, secr. gén. Gouran Moutchahidze). *-6-3* Tiflis, statue de Lénine renversée. *-9-4* Tiflis, 100 000 manif. pour commémorer événements d'avril 89. *-25-3* législatives. *-20-6* proclame sa souveraineté. *-28-10 et 11-11* élect. au Soviet suprême de G. vict. Table ronde-Géorgie libre (154 s., PC 64 s.). *-14-11* Zviad Gamsakhourdia désigné Pt par le Parlement 232 v. pour, 5 contre. *-21-11* loi créant une garde nat. et interdisant la conscription dans l'Armée rouge. *-8-12* PC de G. quitte PC sov. *-10-12* le Parlement supprime la région autonome d'Ossétie du S. **1991**-*7-1* décret de Gorbatchev exigeant que la G. abandonne ses ambitions. *-31-3* référendum, participation 90,5 % : 98,93 % pour indép. *-9-4* Parlement proclame indép. *-14-4* modifie la Const., crée un poste de Pt. *-28-4* affrontements avec Ossètes. *-26-5* Gamsakhourdia élu Pt au suffrage universel (87 % des v.). *Août* Tenguiz Sigoua, PM, démissionne. *Sept.* Gamsakhourdia fait tirer sur les protestataires et la garde nationale passée à l'opposition. Plusieurs blessés. *-22-12* nouveaux affrontements. La garde nationale assiège le parlement. *-23-12* 30 †. *-29-12* décret du gouvernement transfère les pouvoirs du Pt au Parlement. **1992**-*6-1* Pt fuit en Arménie, un conseil militaire prend le pouvoir. *-16-1/6-2* Pt essaie de reconquérir le pouvoir à partir de Koutaïssi. *-10-3* Conseil d'État, organe suprême provisoire du pouvoir. Chevarnadzé (rentré 7-3) élu Pt du Conseil. *-25-3* la CEE reconnaît la G. *-24-6* échec coup d'État partisans de Gamsakhourdia. *-31-7* à l'Onu. *-3-8* fin état d'urgence Tiflis (en vigueur dans le reste de G.). *-11-8* plusieurs ministres hauts fonctionnaires enlevés par des partisans de Gamsakhourdia qui contrôlent l'O. du pays. *-23-8* mobilisation partielle. *Sept.* tensions avec Russie accusée de soutenir rebelles abkhazes. *-11-10* législatives, E. Chevarnadzé, élu PM (seul candidat). 90 % des voix. Votants 70 % des inscrits, 10 % empêchés par la guerre. *-7-11* Chevarnadzé élu chef de l'état.

Statut. Rép. **Pt :** Édouard Chevarnadzé, [baptisé (orthodoxe) Georges 23-11-92] ancien min. sov. des Affaires étr. **PM :** Tenguiz Sigoua. **Parlement :** 250 députés. **Partis.** Bloc « Paix » (ex-communistes) 29 députés. Bloc « Unité » 14. National-démocrate. Verts.

Chef actuel de la maison royale de Géorgie : Pce Georges Bagration-Moukhransky (n. 1944, descendant du roi Georges XII déposé 1801). Fils du Pce B. et de Mercedes de Bavière († en couches 1944), marié 2 fois, 4 enf. Pilote de course automobile (1963-82), 12 fois champion d'Esp. Vit en Esp.

■ Républiques autonomes

Abkhazie : 8 600 km^2. 537 000 h. (en % : Géorgiens 44, Abkhazes 17, Russes 16, Arméniens 15). **Capitale :** *Soukhoumi* 121 000 h. **Ier s.** royaume. **VIe s.** soumis à Constantinople. **Fin VIe s.** autonome. **978** principauté de Géorgie. **XVe s.** indép. **XVIIe s.** converti à l'islam. **1810** protectorat russe. **1814** annexé. **1921**-*4-3* rép. sov. *-16-12* rattaché à Géorgie [Abkhazes divisés entre Abkhazie et région autonome de Karatchaï-Tcherkessie (rattachée à Russie) où ils sont appelés Abasas]. **1988**-*18-3* Front pop. d'A. déclare sécession de l'A. **1989** *juill.* affrontements à Soukhoumi. Abkhazes veulent faire sécession, 16 †. **1990**-*8-7* parlement abkhaze veut indépendance (Pt : Vladislas Azdzinba). *Août* affrontements, 70 † en 5 j. *-19-8* « conseil militaire provisoire ». Les indépendantistes se réfugient dans le N.-O. du pays. La « confédération des peuples du Caucase », regroupant 16 nations (Daghestan, Tchétchénie, etc.), somme la G. de cesser l'occupation militaire. *-3-9* cessez-le-feu signé à Moscou sous l'égide de la Russie (5 000 volontaires caucasiens combattant avec les Abkhazes). *Octobre* affrontements et mobilisation de 40 000 réservistes g. Les A. prennent Gagra. *Nov.* 500 † en 2 mois de combat. **1992**-*23-7* Parlement ab. demande souveraineté ; Géorgie envoie des troupes. **1993**-*5-1* Chevarnadzé demande à l'Onu une force de maintien de la paix. *-20-2* avion russe bombarde Soukhoumi. *-6-7* loi martiale (en 1 an 1 300 †). **Adjarie :** 3 000 km^2. 393 000 h. **Capitale :** *Batoumi* 136 000 h (en % Adjars 40, Géorgiens 29). Annexée 1878, 16-7-1921 rép. **1 région aut. Ossétie du Sud :** 3 900 km^2. 125 000 h. (91). (en % : Ossètes 66, Géorgiens 29) (89). *Capitale : Tskhinvali* 34 000 h. (76). Annexée apr. g. Russes/Turcs (1768-74), 20-4-1922 rég. aut. [Oss. du N. (600 000 h.) est rattachée à la Féd. de Russie, dep. 1925, les Ossètes réclament l'unification]. **1990**-*nov.* déclaration d'indép. (Moscou annule la décision). *Déc.* état d'urgence, couvre-feu. **1991**-*20-3* cessez-le-feu entre O. et G. *Pt :* Thores Gouloumbegov, emprisonné (1991). *Sept.* autonomie abolie par G. Affrontements à Tskhinvali. Plusieurs †. **1991**-*28-11* Parlement ossète proclame l'état d'urgence, nomme Znaour Gassiev PM et Pt du Parlement, et réaffirme l'indép. **1992**-*19-1* vote (99,75 %) des Ossètes pour l'indép. *Mai* affrontements, 70 † (de 89 à mai 92 : 800 †). + de 100 000 réfugiés en Ossétie du N. *-26-6* accord Eltsine-Chevarnadzé, création d'une force d'interposition. La Russie reconnaît l'intangibilité des frontières de la G. *-14-7* arrivée des 1res forces d'interposition de la CEI, retrait des milices géor. qui assiégeaient Tskhinvali depuis 1 an et demi.

■ Économie

PNB par hab. (91). 1 185 $. *PNB total* 6,4 milliards de $. **Pop. active** (%). Agr. 25, ind. 19, tertiaire 56. **Agriculture.** Cultures subtropicales, vignobles, vergers (27 % de la surf. cultivée), thé, élevage. **Économie.** Développement industriel entravé par l'absence de matières 1res et troubles politiques. *Ind.* minière (manganèse), engrais, cuir, papier, énergie hydraulique, constr. méc. ; Rustari, centre sidérurgique ; Bakouni, raffinerie de pétrole. **Transports.** *Routes* 35 100 km (90) ; *chemins de fer* 1 570 km. **Monnaie :** le *martchili.* Doit remplacer les coupons introduits au 2e trim. 93, 1 coupon géorgien valant au départ 1 rouble russe.

■ GHANA

V. légende p. 884.

Nom. D'un empire soudanais (IVe-Xe s.). Les Portugais l'appelaient *El Mina* (la mine « d'or »), les Anglais, *Gold Coast* (Côte de l'Or jusqu'au 6-3-1957).

Situation. **Afrique** 238 537 km^2 ; *long.* 672 km, *larg.* 536 km. *Frontières* 2 048 km (Burkina, C.-d'Ivoire 640 km, Togo). *Côtes* 400 km. *Régions :* plaine côtière (16 à 24 km) formant une chaîne de grands plateaux, massif de grès recouvre les 2/3 du N., encadré au N. et au S. par des collines (200 à 500 m). *Fleuve :* Volta (barrage à Akosombo, forme le plus grand lac artificiel du monde, 8 500 km^2). *Alt. max.* Mt Afadjato 885 m. *Végétation :* plaine côtière (variée) : de la forêt équatoriale aux prairies parsemées de taillis ; vers le N. moins luxuriant ; au-delà parc nat. (arbres, savanes, prairies) et savane (quelques arbres). **Climat.** Tropical adouci par brise sur la côte ; moy. 27 à 29 °C (août 21 °C) ; N. sec + 29 °C, déc. à févr. Harmattan (vent froid et sec). *Pluies* diminuent du S. (2 m) au N. (1 m) (sauf plaine d'Accra 0,7 m) ; 2 saisons pluvieuses au S. : juin-juillet (grosses pluies) et août-sept. (espacées) ; 1 au N. : juill.-oct.

Population. *1960 :* 6 727 000. *1991 (est.) :* 15 400 000 ; *2000 (prév.) :* 21 923 000. **Accroissement** 2,6 %. **Age** *- de 15 a.* 46,6 %, *+ de 65 a.* 4,5 %. **En % :** Akans 44 (forêts de l'O. de la Volta), Dagombas-Mamprusis 16 (au N.), Ewés 13 (rég. de la Volta), Gâ-Adangbes 8 (plaine d'Accra et forêt au N.), Guans 3,7, Gourmas 3,5 ; moins de 15 000 Blancs. Plus de 400 000 h. d'expression française venant de Togo, Hte-Volta, C.-d'Ivoire, Niger, Dahomey. D 65. **Espérance de vie** 54 a. **Villes.** *Accra* 15 000 000 h. (est. 91), Kumasi 500 000 h. (88) (à 270 km), Sekondi-Takoradi 200 000 h. (à 200 km), Tamale 170 000 h. (87) (à 800 km), Tema 105 000 h. (87), Cape Coast 72 000 h. (87) (à 140 km), Koforidua 70 000 h. (84). *Taux d'urbanisation :* 32 %. **Langues.** Anglais *(off.) ; kwas :* akan (dialectes twi, fanti, ashanti, etc.), éwé, gâ-adangbe ; *mossis :* dagbani, mamprusi. **Religions (%).** Musulmans 15 à 20, catholiques 14, protestants 29, animistes 38.

Histoire. **1471** 1ers Européens (Portugais). **1482** construction du fort São Jorge d'Elmina ; comptoir commercial. **1600-1700** concurrence entre Cies à charte des Pays-Bas, Angl., Suède, Danemark, France, Brandebourg ; construction de châteaux et forts sur la côte, surtout pour traite de l'or et esclaves. **1700** essor de l'Ashanti (roi Osei Tutu). **1700-75** l'Ashanti conquiert la plupart des États de l'intérieur. **1800** déclin du commerce européen. **1800-75** Ashanti envahit la région côtière. **1850** départ des Danois. **1872** des Hollandais. **1873** invasion ashanti ; Anglais prennent Kumasi (Sagrenti War). Région côtière colonie brit. *(Gold Coast).* **1875-1901** *g. de l'Ashanti,* qui devient protectorat angl., ainsi que terr. du N. (1898), roi déporté jusqu'en 1926. **1917** l'ouest du Togo all. devient protectorat brit. **1956** vote pour l'annexion à la Gold Coast. **1957**-*6-3 indépendance :* prend le nom de Ghana, Gouv. gén. et PM Kwame Nkrumah (1909-72), dit *Osagyefo* (Rédempteur).

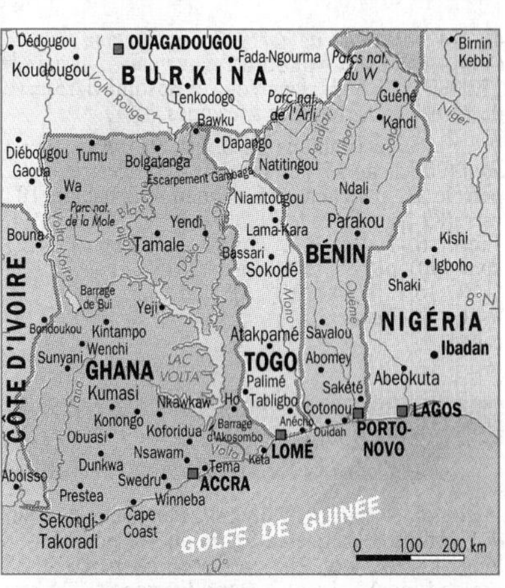

1960-*1-7* république. **1964**-*26-1* référendum parti de Nkrumah (CPP) devient p. unique. **1966**-*24-2* Nkrumah renversé pendant son absence par des milit. (meurt en Guinée où Sékou Touré l'a pris comme « coprésident »). **1967**-*17-4* coup d'État contre Gal Ankrah (Pt du Cons. de lib.) échoue. **1969** *avril* Gal Afrifa remplace Ankrah mêlé à une affaire d'abus de confiance. *-29-8* élect. gagnées par le Progress Party de Kofi Busia (n. 1913). **1970** *sept.* Akuffo Addo (1906) élu Pt (avant, présidence exercée par commission de 3 personnes). **1972**-*13-1* coup d'État du Lt-col. Ignatius Acheampong. **1978**-*30-3* référendum pour Pt (abstentions 50 %, oui 55 % des voix). *-5-7* Gal Acheampong démissionne, remplacé par Gal Fred Akuffo. *-6-12* Ass. constituante de 122 m. **1979**-*15-5* cap. Rawlings arrêté après échec coup d'État. *-4-6* libéré par des off., renverse Akuffo, préside un Conseil des forces révolut. armées ; *-16/26-6 :* 3 anciens chefs d'État (Gaux Acheampong, Akuffo et Afrifa) exécutés. *Juin* affrontements tribaux Kokomba/Namumba (1 500 †). Crise écon. *-1/8-7* Hilla Limann (n. 1934) élu Pt. **1981**-*31-12* putsch du cap. Rawlings, partis interdits. **1982** 10 000 enseignants s'exilent. *-23-11* coup d'État échoue. **1983** *févr.* 500 000 à 1 000 000 Gh. expulsés du Nigeria rentrent. *-15-6* coup d'État échoue. **1984**-*27-3* coup d'État échoue. **1985**-*nov.* affrontements tribaux (Moba/Kokomba). **1986**-*20-3* 20e coup d'État dep. 1981, échoue. **1991**-*18-5* Ass. constituante de 230 m. *-27-5* manif. dans le N. *-2-7* Pt Rawlings à Paris. **1992** *-28-4* référendum pour pluralisme (oui 92,6 %). *-14-5* loi autorisant les partis pol. *-24-5* affrontements tribaux, 63 †. *-3-11* présidentielles, Jerry Rawlings élu au 1er tour (58,6 %). *-3/11-11* 4 attentats à la bombe à Accra. *-29-12* législatives. **1993**-*7-1* IVe rép. instaurée. *-22-3* affrontements policiers-étudiants.

Statut. Rép. (dep. 1-7-60). Membre du Commonwealth. Pt capitaine Jerry John Rawlings (n. 22-6-1947, fils d'un Écossais), au pouvoir dep. 31-12-81. *Const.* approuvée par référendum 28-4-92. **Partis** (interdits de 1981 à 92). *Congrès nat. démocratique (CND) (National Democratic Congress), Parlement 200 dép. (CND 198 s.)* pro-gouv., *Pt* Jerry John Rawlings. *Nouveau Parti patriotique,* centre droit, *Pt* Albert Adu-Boahen. *Parti de l'héritage populaire, Pt* Gal Emmanuel Erskine. **Fêtes nat.** 6-3 (indép.), 1-7 (j de la Rép.). **Drapeau.** (1957). Bandes horiz. rouge (sang des combattants de la liberté), jaune (or) et verte (forêt) ; étoile noire (liberté de l'Afrique).

■ Économie

PNB (91). 400 $ par h. **Pop. active** (% et entre par. part du PNB en %) agr. 45 (37), ind. 18 (26), services 34 (33), mines 3 (4). **Inflation** (%) *1980 :* 50,1 ; *81 :* 116,5 ; *82 :* 120 ; *83 :* 123 ; *84 :* 40 ; *85 :* 10,4 ; *86 :* 25 ; *87 :* 40 ; *88 :* 30 ; *89 :* 25 ; *90 :* 37,2 ; *91 :* 18. **Dette extérieure** *(91)* 3,7 milliards de $ US.

Agriculture. *Terres* cult. 26 % dont cacao 15 %. *Production* (milliers de t, 91) manioc 3 600, plantain 1 178, maïs 932, cacao 295 (chute de 50 % des export. en 20 ans. *1960 :* 300, *65 :* 494), canne à sucre 110, noix de coco 200, riz 151, oranges 50, tabac, kola, coton, palmier, ignames 1 000, sorgho 241, bananes, coprah, café. **Bois** (90) : 472 000 m^3. **Élevage** (millions de têtes, 91). Volailles 11, chèvres 2,6, moutons 2,5, bovins 1,3, porcs 0,6. **Pêche** (90). 319 474 t.

Énergie. **Électricité** (millions de kWh, 89) : barrage de la Volta à Akosombo 4 383, à Kpong 847, autres 90 ; (90) prod. 5 700. **Gaz. Pétrole** (86) 20 000 t. **Industrie.** Aluminium, prod. alim., raffineries de pétrole, cons. navales. **Manganèse** 308 000 t (91). **Bauxite** 324 300 (*80 :* 224 000). **Or** *70 :* 32 t. *87 :* 10,2, *90 :* 16,5, *91 :* 25,8. **Diamants (milliers de carats)** *81 :* 836, *85 :* 650, *89 :* 312, *91 :* 688. **Transports** (km). *Routes*

40 214 ; *chemins de fer* 947 ; *navigation fluviale* (Volta, Densu, Ankobra). **Tourisme** : *visiteurs* 172 000 (91). *Sites :* lacs Volta et Bosomtwi, réserve de Mole, 25 forteresses anciennes.

Commerce (millions de $, est. 91). **Exp.** 979,4 *dont* (90) cacao 351, or 199, bois 132, électricité 82, pétrole 23, manganèse 15, diamants 12, bauxite 10 ; *vers* (89 %) All. féd. 21,7, G.-B. 13, USA 11,4, Japon 6, P.-Bas 3,9, *France 3,1.* **Imp.** 1 242,3 *dont* (90) pétrole 214,5, autres 957,4 ; *de* (89 %) G.-B. 16,7, USA 10,3, All. féd. 8,5, Japon 5,1, P.-Bas 5, *France 3,5.* **Rang dans le monde** (91). 4e cacao.

GIBRALTAR

V. légende p. 884.

Situation. Europe. 5,86 km². Péninsule. A 8 km d'Algésiras (Espagne), à 32 km du Maroc. *Rocher :* long. 4,8 km, larg. 1,2 km (le roc est percé de 25 km de tunnels). *Frontière* avec Espagne : 1,24 km. *Isthme :* long. 1,6 km. *Alt. max.* 426 m. *Côtes :* 6,5 km. **Climat.** Été 13 à 29 °C ; hiver 12 à 18 °C ; pluies 51 à 127 mm.

Population. *1753 :* 597 Génois, 575 Juifs, 434 Brit., 185 Esp., 25 Portugais. *1961 :* 23 926 ; *70 :* 26 833 ; *90 :* 30 861 (d'ascendance surtout génoise, puis brit., port. et esp.) dont Gibraltariens 20 531, Britanniques 5 550, autres 4 780. D 5 237. **Langue.** Anglais *(off.)*, espagnol. **Religions** (%). Catholique romaine 74,6, anglicane 8,5, musulmane 8, juive 2,2 (700 en 91), autres chrétiens 2,6, divers 4,1.

Histoire. Antiquité. *Noms : Alube* (Phéniciens), *Heraclea* (colonnes d'Hercule), *Calpe* (Grecs). **950 av. J.-C.** Phéniciens fondent *Carteia,* (ibér.). **570 av. J.-C.** prise par Carthaginois. **190 av. J.-C.** conquête romaine. **Ier s. apr. J.-C.** Romains fondent *Colonia Julia Calpe.* Occupation vandale. **409** Wisigoths. **450** une des 1res communautés chrétiennes d'Esp. **568** N.-D.-du-Roc, centre religieux wisigoth. **711** débarquement des Arabes dirigés par Tāriq ibn Ziyād (d'où *Djabal al Tāriq,* montagne de Tāriq, d'où Gibraltar). **1160** Abdel-Mumen développe la ville (mosquée, palais, système d'eau, défenses). **1309** pris par Esp. **1333** repris par Abul Hassan, sultan de Fès. **1410** pris par Maures de Grenade. **1462** reconquête esp. **1704**-*24-7* pendant la g. de Succession d'Esp., l'amiral anglais George Rooke avec 2 300 soldats prend la forteresse défendue par 70 h.

1713-*13-7 tr. d'Utrecht* cède à G.-B. comme base militaire (et non coloniale) cité, château, port, défenses et forteresse de G., dans l'état où ils se trouvaient en 1704 (depuis, la G.-B. s'est appropriée les territoires avoisinants), mais n'implique aucune juridiction terr. et n'autorise aucune communication par voie de terre avec le pays environnant, avec lequel tout commerce est interdit. Sous aucun prétexte, Juifs et Arabes ne pourraient s'y installer ; aucun navire de guerre barbaresque ne devrait être admis dans le port. La G.-B. ne pourrait donner, vendre ou aliéner G. sans offrir au préalable à l'Esp. le droit de préemption [cession confirmée par les tr. de Séville (1729), Vienne (1731), Aix-la-Chapelle (1756), Paris (1763), Versailles (1783)]. **1724** installation angl. à la « Torre del Diablo » au Levant, et au « Molino » au Ponant, sous prétexte qu'une forteresse est indéfendable si elle ne commande pas l'espace situé à la limite de la portée de ses canons. **1727** attaque esp. échoue. **1728** conférence de paix de Soissons. **1731** Esp. construit mur fortifié. **1779-83** siège franco-esp. **XVIIIe s.** *Zone neutralisée esp.* (La Linea) de 1,5 km entre fortifications de G. et murailles esp. défendant l'accès de l'isthme. **1810**-*20-1* sous prétexte que les fortifications pouvaient tomber aux mains des Fr., le Gal Campbell, gouverneur de G., exige leur démolition. **1815** fièvre jaune, les Angl. demandent à installer un camp sanitaire dans la zone neutralisée ; ils ne l'évacueront jamais. **1830** *colonie brit.* **1838** les Angl. établissent ligne de postes de garde à travers l'isthme. **1854** épidémie, avance angl. à travers la zone esp. **1864**-*26-1* protestations esp., fin de non-recevoir angl. **1876** G.-B. proteste contre création d'une zone maritime fiscale de 2 lieues (7 miles 500 yards). Incidents. **1881** les Angl. occupent 800 m de zone neutralisée, soutenant que G. n'est pas une base en Esp., mais un territoire britannique. G. devient un centre actif de contrebande malgré protestations esp. (1851 à 1852, 1868, 1876, etc.). **1895** établissement d'une station de torpilleurs et d'un bassin de radoub. **1908**-*5-8* les Angl. construisent une barrière le long de la zone neutralisée et un mur pour séparer G. de l'arrière-pays. **1940-44** évacuation des civils en G.-B. **1942** Esp. occupe les 650 m subsistant de la zone neutralisée, les Angl. protestent.

1954-*19-4* Esp. interdit l'entrée du Roc à tout Esp. qui ne fournirait pas un motif valable, supprime

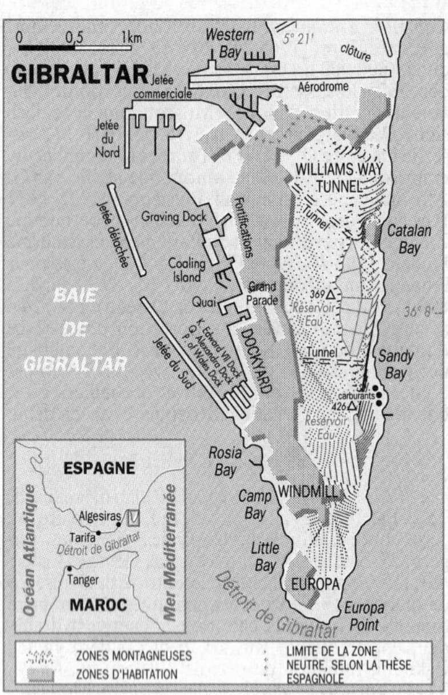

consulat esp., institue « numerus clausus » pour limiter nombre des ouvriers esp. autorisés à travailler à G. **1966**-*25-10* Esp. ferme frontière à tout véhicule, empêchant le passage des marchandises. **1967**-*2-4* Esp. déclare zone interdite l'espace aérien entourant G. (la G.-B. avait déjà interdit le survol de G.). Depuis, les Angl. ne peuvent utiliser l'aérodrome militaire installé sans droit sur l'isthme qu'au prix d'acrobaties périlleuses et de violations de l'espace aérien esp. *-10-9* G.-B. organise *référendum* sur maintien des liens avec G.-B. malgré l'ONU (oui : 12 138, non : 44). Esp. considère que les Gibraltariens rassemblés là pour des raisons utilitaires n'ont ni origine, ni culture, ni traditions communes, ni caractéristiques constituant un peuple et une nation. Le droit d'autodétermination viole l'art. X du tr. d'Utrecht, les Brit. pouvant disposer de leur sort, mais non du terr. sur lequel ils sont implantés. **1968**-*8-5* Esp. *ferme définitivement sa frontière* (sauf pour ouvriers esp. travaillant à G., Gibraltariens autorisés, et certains cas humanitaires). Elle applique ainsi le tr. d'Utrecht interdisant toute communication par terre avec l'arrière-pays. **1969**-*9-6* Esp. interdit aux ouvriers esp. (4 666) d'aller travailler à G. *-27-6* suspend ferry G.-Algésiras. *-1-10* coupe téléphone avec G. **1973** G. entre dans CEE comme territoire dépendant. **1977** ferry rétabli pendant vacances ; *déc.* téléphone rétabli. **1982**-*15-12* réouverture frontière (pour piétons habitant G.). **1985**-*5-2* réouverture à la circulation auto. **1987**-*10-11* manif. (12 000) contre toutes concessions à l'Esp. *-2-12* accord Angl. Esp. Gib. sur utilisation commune de l'aéroport. **1988**-*6-3* 3 m. de l'IRA tués par militaires. **1991**-*18-3* départ des dernières troupes brit. **1993**-*1-3* reprise des négociations G.-B.-Esp. sur le statut.

Statut. *Colonie* (la + petite) *de la Couronne brit. Const.* du 30-5-1969. *Assemblée* 15 m. élus et 2 nommés. *Gouv.* et *Cdt en chef* Sir Derek Reffell dep. 89. *PM* Sir Joe Bossano (n. 1939) dep. 24-3-88. *Conseil de G.* **Partis.** GSLP (P. socialiste et travailliste, f. 1976, Joe Bossano), 8 sièges (58,22 % des voix), GSD (P. social-dém. f. 1987, Peter R. Caruana) 7 s. (29,35 %), GNP (P. national, f. 1991, Joe Garcia, 10 %). **Drapeau.** *Britannique ; de la cité :* blanc et rouge, représentant un château fortifié et une clé.

☞ L'Onu avait sommé la G.-B. de décoloniser G. avant la fin de 1969, puis avant le 1-10-1996. Les Gibraltariens sont les seuls Européens à ne pas être représentés au Parlement de Strasbourg.

L'Espagne propose. *a)* G. rendu à l'Esp. resterait administrée par des sujets angl. *b)* lois actuelles, libertés, organisation écon. et emplois seraient respectés. *c)* les Gibraltariens pourraient s'établir dans les mêmes conditions que les Esp.

■ ÉCONOMIE

PNB (90). 14 000 $ par h. **Croissance (%) :** *1989 :* 10. **Inflation (%) :** *1989 :* 1. **Ressources.** *Paradis fiscal :* siège de 30 000 sociétés ; dépôts bancaires (millions de £) : *1987 :* 480, *90 :* 1 350. *Droits* 76,6 millions de £ (87/88) : impôt sur le revenu, taxes indirectes, licences, revenus du domaine public, de services publics et de régies, remboursements de prêts, pas de TVA, conditions fiscales avantageuses pour banques et Stés de G. *Base* aéronavale importante. **Transports.** 43 km de chemins et routes creusés dans le roc. **Tourisme** *(90) :* visiteurs 4 373 258 (dont 89). **Aide de la G.-B.** (en millions de £) : *1980 :* 4,9, *88 :* 0,7. **Dépenses militaires brit. :** 20 % du budget.

Commerce (en millions de £, 89) : **Exp.** 46 *dont* (ré-export) prod. pétroliers 34, boissons 13, prod. man. 1,5 *vers* G.-B. 29, Maroc 12, Espagne 8. **Imp.** 145 *dont* fuel 36,5, prod. manuf. 26, prod. alim. 24, boissons 12, *de* G.-B. 66, Espagne 19, Japon 17,5, *France 5,5,* Italie 3.

GRÈCE

Carte p. 1012. V. légende p. 884. Littérature anc. p. 316, moderne p. 313.

■ **Situation.** Europe. 131 957 km² (dont îles 24 796 km²). Montagnes 80 %. **Alt. max.** Mt Olympe 2 917 m., Smolikos 2 637 m. **Côtes** 15 021 km. **Frontières** 1 180 km dont Yougoslavie 256, Albanie 247, Bulgarie 474, Turquie 203. **Iles** env. 2 000 (dont 154 habitées) : 18,7 % du pays. **Fleuve le plus long** Aliakmon 297 km. **Lac le plus grand** Trichonis 96,5 km². **Forêts** 88 148 km².

Climat. Méditerranéen : été long, chaud et sec, hiver doux, ensoleillement 3 000 h par an, précipitations en hiver (nov. à févr.). *Athènes :* janv. 10,5 °C, juill. 28 °C. Été : recouverte par le *Nefos,* nuage de pollution formé de plusieurs dioxydes (apparu 1979 ; limitation de la circulation des voitures par moitié). Records : 3-11-1989 631 mg/m³ de dioxyde d'azote, 1-10-1991 : 696 (cote d'urgence 500).

■ **Préfectures** (superficie en km² et, entre parenth., population en 90). **Attique** 3 808 (3 522 769). **N. de l'Égée** 3 836 (198 241). [Iles de la mer Egée 9 036 (428 533) ; SPORADES DU N. (notamment *Skiathos* 61 (3 500), *Skopelos* 96 (4 500), *Skiros* 210 (2 500)] dont *Chio* 904 (52 691), *Lesbos* (Mytilène) 2 154 (103 700), *Samos* 778 (41 850), occupées par les Ottomans ; se sont souvent révoltées (*1822 avril* massacres à Chio ; *1849* à Samos ; *1908, 1912* rendues à la Gr.). **S. de l'Égée** 5 286 (257 522) dont CYCLADES 2 572 (95 083) [dont font partie *Amorgos* 123 (1 300), *Andros* 304 (11 000), *Délos Kythnos* 86 (1 500), *Milo* (Mélos) 161 (4 500), *Mykonos* 85 (3 500), *Naxos* 442 (14 000), *Paros* 195 (6 500), *Sérifos* 70 (1 500), *Siphnos* 74 (2 000), *Syros* 86 (30 000), *Théra* (Santorin) 76 (10 000), *Tinos* 195 (10 000)], Dodécanèse 2 714 (162 439) [SPORADES DU S. (appelées aussi *Dodécanèse,* « Douze îles » (en fait 14) : reprises à l'Italie en 1946, notamment *Cos* 290 (16 000), *Kalymnos* 109 (12 000), *Karpathos* 280 (3 000), *Kassos* 62 (1 000), *Léros* 64 (8 000), *Nisyros* 43 (1 500), *Symi* 67 (3 000), *Tilos* 59 (1 000) avec *Rhodes,* 1 398 (60 000) et *Castelorizzo].* **Crète** 8 336 (536 980). **Épire** 9 203 (339 210). **Grèce centrale** 15 549 (583 876) dont Béotie 2 959 (134 034) (chez les Grecs anciens, les Béotiens passaient pour incultes), Eubée 4 167 (209 132). **Grèce de l'O.** 11 350 (702 027). **Iles ioniennes** 2 307 (191 003) dont Céphalonie 904 (32 314), Corfou (Kerkyra) 641 (105 043), Leucade (Lefkas) 356 (20 900), Zante 406 (32 746), Ithaque 96 (3 646). **Macédoine centrale** 19 147 (1 736 066) dont ag. Salonique 706 180. **Macédoine de l'E. et Thrace** 14 157 (570 261) avec les îles de *Lemnos* 477 (17 000), *Thassos* 398 (13 111) et de *Samothrace* 180 (2 871). **Macédoine de l'O.** 9 451 (292 749). **Péloponnèse** 15 490 (605 663) avec les îles de *Cythère* 262 (3 384), *Spetsae* 22 (3 500). **Thessalie** 14 037 (731 230).

Distance d'Athènes (km) Alexandropolis 849, Cavalla 671, Delphes 164, Larissa 356, Météores 350, Nauplie 147, Olympie 326, Patras 213, Salonique 508, Volos 316.

■ **Population.** (en millions). *1812 :* 0,94 ; *40 :* 0,85 (47 516 km²) ; *53 :* 1,04 ; *70 :* 1,46 (50 211) ; *89 :* 2,19

MONT ATHOS

Situation. Presqu'île. Long 45 km. Large 8 à 10 km. *Alt. max.* 2 034 m. **Pop.** *Moines :* XVIe s. : env. 15 000, *1912 :* 8 000, *1981 :* 1 471.

Statut. Centre monastique orthodoxe. *1913,* reconnu provisoirement indépendant et sous tutelle gr. *1920,* partie auto-administrée de la Grèce. (représentée par un gouv. dépendant du min. des Aff. étrangères). Régime réglé par la Charte statutaire incorporée au décret du 10-9-1926. Administré par la Sainte Communauté résidant à Karyès (20 *antiprosopoï* représentant les 20 couvents, élus en janvier et dont 4, les *épistates,* se partagent le pouvoir exécutif sous la présidence de l'un d'eux, le *protépistatis,* élu pour 5 ans).

L'*abaton* (inaccessible), règle de Constantin Monomaque datant de 1060, en interdit l'accès à toute femme, toute femelle d'animal, tout enfant, tout eunuque, tout visage lisse.

(63 606) ; *1907 :* 2,63 (63 211) ; *20 :* 5,02 (127 000) ; *28 :* 6,21 (129 281) ; *40 :* 7,34 ; *51 :* 7,63 (131 990) ; *61 :* 8,39 ; *71 :* 8,77 ; *85 :* 9,95 ; *91 :* 10,26 ; *2000 (prév.) :* 10,73. **Taux** *naissances* 10,7 %, *fécondité* 1,48 enf. par femme. **Répartition** Grecs 98,5 %, Turcs (musulmans) 0,9 % (env. 120 000 en Thrace occidentale en 1990, représentés par 1 et souvent 2 députés au Parlement dep. 1923). Pomaques (minorité bulgare convertie à l'islam) 0,3 %, Arméniens 0,2 %. *- de 15 a.* 20,5 %, *+ de 60 a.* 20,4 %. D 77,8. **Villes** (90) : *Athènes* 885 737 en 81 [ag. 3 096 775 (91)] [40 % de la pop. grecque, 60 % de l'industrie, 65 % du commerce de gros]. Thessalonique 977 528, Patras 172 763, Héraklion 263 868, Volos 115 732, Larissa 269 300, Cavalla 135 747, Corinthe 22 658 en 81.

« **Réfugiés économiques** ». Au 1-1-93, 400 000 à 500 000 dont Albanais 150 000 à 300 000, Bulgares 50 000, Polonais, Philippins, Kurdes, Roumains, Irakiens, Pakistanais, Éthiopiens.

Grecs à l'étranger : 4 378 000 dont USA 2 237 000 (Chicago 300 000), Asie 522 000 (Chypre 510 000), Océanie 505 000, Europe 650 000 [All. féd. 287 000, G.-B. 200 000, Turquie 5 000, Albanie 250 000 dont 60 000 rentrés en G. en 1990-92 (Épirotes du Nord), Italie 4 500, *France 40 000*], ex-U.R.S.S. 344 000, Afrique 120 000 (Égypte 5 000).

Nota. – Selon la BRI, leurs avoirs étaient estimés en 1991 à 20 milliards de $.

☞ **Ponthios.** Originaires du Pont-Euxin. *Nombre :* 2 millions (dont moitié en Grèce). *Ve s. av. J.-C.* cités puissantes et prospères sur les côtes sud de la mer Noire. *1461* Ottomans prennent Trébizonde, Gr. éloignés vers Turquie. *Années 1920* chassés par Mustapha Kemal (*de 1916 à 1923 :* 350 000 tués sur 750 000) ; les survivants se réfugient en Gr. et dans le Caucase soviétique. *1937* plusieurs milliers déportés en Sibérie. *1945-46* plusieurs dizaines de milliers déportés dans le Kazakhstan et en Ouzbékistan). *1988* (mars) ouverture des frontières ; les Ponthios d'Asie centrale puis de Géorgie débarquent à Korydallos, Lavrion, Menedi (20 000 Ponthios sur 70 000 habitants). *1989* 5 000 immigrés. *1990* 15 000 prévus (100 000 jusqu'en 1992). Veulent fonder une nouvelle ville, Romania, en Thrace.

■ **Langue.** Grec (*off. : démotiki* dep. 1976). Dérive du « g. commun » parlé dans l'emp. d'Alexandre, puis dans la majeure partie de l'Emp. romain. Avant le « grec commun », il y avait les 3 dialectes des Grecs, anciens, puis classiques : *éolien* (N. et O.) ; *ionien* (centre ; l'attique était le plus élégant) ; *dorien* (S. et S.-E.). Ils formaient le rameau hellénique des l. indo-européennes orientales : le *katharevoussa* (c'est-à-dire épurée) fut la l. officielle jusqu'en 1976 ; élaborée à Paris par un réfugié grec, Adamantios Coraïs (1748-1833), elle comprenait de nombreux éléments du grec ancien. La l. populaire, *démotiki,* devenue littéraire depuis les travaux de Jean Psycharis (1854-1929), l'a remplacée.

☞ En *Laconie* (occupée par Doriens au XIIe s. av. J.-C., capitale Lacédémone, aujourd'hui département du Péloponnèse) les habitants avaient pour habitude d'employer le moins de mots possible.

Alphabet grec classique. Créé en Asie Mineure v. 900 av. J.-C., adopté à Athènes en 403 av. J.-C. 24 signes dont 14 empruntés sans changement (même nom, même son) à l'alphabet phénicien (22 signes, uniquement des consonnes) ; 8 réutilisés, pour d'autres consonnes ou des voyelles (invention capitale) ; 2 créés pour des lettres doubles : *psi* et *xi.*

Α α	alpha	Ι ι	iota	Ρ ρ	rô
Β β ϐ	bêta	Κ κ	kappa	Σ σ ς	sigma
Γ γ	gamma	Λ λ	lambda	Τ τ	tau
Δ δ	delta	Μ μ	mu	Υ υ	upsilon
Ε ϵ	epsilon	Ν ν	nu	Φ ϕ	phi
Ζ ζ	dzéta	Ξ ξ	ksi	Χ χ	khi
Η η	êta	Ο ο	omicron	Ψ ψ	psi
Θ θ	thêta	Π π	pi	Ω ω	oméga

■ **Religions** (mentionnées sur la carte d'identité). En % : Orthodoxes 97 *(off.),* musulmans 1,2 (150 000 dont 120 000 de Thrace occid., 25 000 Pomaques bulgarophones des Rhodopes, 4 000 de Rhodes et Kos), chrétiens divers 0,83, juifs 0,08 [en 1940 : 80 000 (dont 50 000 à Salonique) dont 62 500 seront déportés : 2 000 reviendront].

■ **Sites** voir **histoire** ci-dessous. Monastères byzantins (Daphni, Ossios Loucas, Mystra).

■ Histoire

Grèce ancienne (avant J.-C.)

■ **Période égéenne ou préhellénique. Paléolithique** (100 000-8 000). Outils trouvés en : Épire, Macédoine (homme type Neandertal), Thessalie, Corfou et Céphalonie, Sporades, Attique, Péloponnèse. **Mésolithique** (VIIIe-VIe mill. av. J.-C.). Grotte de Frachti à Ermioni. **Néolithique et Chalcolithique** (Ve-IIIe mill. av. J.-C.) autour de la mer Égée : Troie et Asie Mineure occidentale (où naît l'industrie du bronze) ; Cyclades, Crète, Péninsule grecque. Acropoles (villes hautes et fortifiées) : *Sesklo, Dimini* (Grèce). 1re apparition du type architectural de *mégaron.*

Age du Bronze. Helladique ancien (2600-2100) : *Lerne* en Argolide (cité avec fortifications et palais). Céramique vernissée (style Urfirniss). *Cycladique ancien :* épanouissement de l'art : « idoles cycladiques ». *Minoen ancien :* vestiges d'habitations à *Vassiliki* et *Myrto* (Iérapétra). Caractéristique générale : habitations groupées. Turquie : *Troie I* (v. 2500). **Helladique moyen ou minyen** (2100-1570) : infiltration indo-européenne : Ioniens, Achéens, Éoliens dans le Péloponnèse (y apportent le cheval), céramique. Ruines du palais fortifié de Dorian-Malthie à *Messénie.* **Cycladique moyen :** vestiges des centres d'habitation à *Milos, Paros* (Parikia), *Kéa* (Aghia Irini). **Minoen moyen :** phase des premiers palais : *Cnossos, Phaestos, Mallia, Aghia Triada.* **Helladique récent ou mycénien** (1580-1100 av. J.-C.) : *Crète* ; civ. détruite en 1400, on a supposé que l'explosion du volcan *Santorin* en avait été la cause en 1475 (or, une éruption volcanique gigantesque avait eu lieu en 1656 d'après l'analyse des dépôts du Groenland). Considérée actuellement comme point de départ de la légende des Atlantes. Péloponnèse (également Béotie et Attique) : civilisation inspirée des palais crétois, mais plus militaire (tradition indo-européenne) : château fortifié à l'écart des villes. Villes principales : *Mycènes* (acropole avec palais), *Tirynthe, Pylos* (palais de Nestor ; écriture dite linéaire B ; 1952 déchiffrée par les Anglais Michael Ventris et John Chadwick). **Cycladique récent :** *Milos* (palais de Phylacopie), *Thira* (ville avec maisons de 2 ou 3 étages ; écriture linéaire A). **Minoen récent :** phase des seconds palais : *Cnossos* (fouillé 1899 par Arthur Evans, Angl. 1851-1941), Phaestos, Isopata (tombes royales). Écriture linéaire A et B. **v. 1250** (950 selon certains) date de la « g. de Troie » (voir ci-dessous). **Subminoen et submycénien** (1200-1000). Apogée : **V. 1200** destruction de la civilisation mycénienne du Péloponnèse par un peuple inconnu, longtemps identifié à tort avec les *Doriens* (raid dévastateur, sans occupation du sol) ; il s'agirait peut-être des « Héraclides », groupe de 50 tribus thessaliennes.

■ **Période hellénique. Début du XIe s.** arrivée des Doriens, au parler archaïque (proche de l'indo-européen) ; demeurés depuis 2000 en Thessalie, repeuplent le Péloponnèse ; civilisation du fer. Styles *géométrique* (1000-700), *dédalique* et *orientalisant* (700-600), *archaïque* (600-480), *classique* (480-323), *hellénistique* (323-31).

XIe-VIIIe s. colonisation des Cyclades et de l'Asie Mineure, adoption de l'alphabet anatolien. Naissance des 3 grandes cités : Athènes, Corinthe, Sparte [ou Lacédémone ; lois de Lycurgue (personnage légendaire ?)]. **VIIIe-VIe s.** colonisation du pourtour de la Méditerranée (ex. Cyrène v. 630 en Afr. du N.) et de la mer Noire (Pont-Euxin). Réformes démocratiques de *Solon* (v. 640-558), l'un des *Sept Sages* (les 6 autres sont : Cléobule de Lindos, Périandre de Corinthe, Pittacus de Mitylène, Bias de Priène, Thalès de Milet, Chilon de Lacédémone). Tyrannie de *Pisistrate* à Athènes (561-527), de *Polycrate* (533-523) à Samos, des *Cypsélides* à Corinthe (VII-VIe s.), *Cléomène,* roi de Sparte (520-489). **508-507** réforme démocratique de *Clisthène* à Athènes. Voir encadré p. 1015. *Thémistocle,* archonte (493) ; prééminence militaire et navale d'Athènes.

La guerre de Troie (racontée par l'Iliade)

Circonstances. *Priam,* roi de Troie, a 50 fils. L'un, *Pâris,* choisi comme juge de beauté par les 3 déesses Héra, Athéna, Aphrodite, désigne Aphrodite en lui donnant une pomme (la pomme de discorde), qui lui promet en récompense l'amour de la plus belle femme du monde : *Hélène* (fille de Zeus et de Léda), femme du roi mycénien *Ménélas* (roi de Sparte), qu'il enlève. [Selon Euripide, Pâris aurait enlevé une réplique d'Hélène créée par Zeus et Héra (la véritable aurait attendu en Égypte la fin de la g. et le retour de Ménélas).] Pour punir Pâris et reprendre Hélène, les rois grecs (Achéens et Éoliens) forment une ligue, sous le commandement d'*Agamemnon* (roi de Mycènes et d'Argos), fr. aîné de Ménélas (tous 2 fils d'Atrée et d'Aéropé), époux de Clytemnestre qui lui donna 4 enfants (Chrysothémis, Électre, Iphigénie et Oreste). Pour obtenir des vents favorables, Agamemnon obéit aux dieux et sacrifia sa fille Iphigénie (à Aulis). *Principaux rois : Achille,* fils de Pélée, roi des Myrmidons et de la nymphe Thétis qui le plongea dans le Styx afin de le rendre invulnérable, mais le tint par le talon. Elevé par le centaure Chiron qui le nourissait de moelle de lion. Se révèle le meilleur guerrier, se couvre de gloire au siège de Troie. *Ajax,* le fils de Télamon (roi de Salamine) et d'Éribola, se suicidera pour n'avoir pas obtenu les armes d'Achille (attribuées à Ulysse). *Diomède,* prince d'Argos (compagnon d'Ulysse au cours d'un raid dans le temple de Troie). *Idoménée,* roi de Crète, ex-fiancé d'Hélène (semblable au sanglier par la vaillance). *Nestor,* roi de Pylos, sage vieillard. *Ulysse,* roi d'Ithaque [célèbre par ses ruses ; auteur avec Diomède d'un raid sur le temple troyen où il vole le voile de la déesse (palladium) ; jusqu'à son retour (sujet de l'Odyssée) la fidèle *Pénélope* (fille d'Icare) fit attendre ses prétendants pendant 20 ans (elle avait promis de se marier quand sa tapisserie serait finie, mais chaque nuit, elle défaisait l'ouvrage du jour précédent)]. *Philoctète,* roi de l'Œta (rendu enragé par une morsure de serpent).

Déroulement. 10 ans de combats indécis : *Hector,* fils de Priam et d'Hécube, tue *Patrocle. Achille,* qui s'est retiré sous sa tente, à la suite d'une querelle avec Agamemnon qui avait voulu lui prendre son esclave favorite Briséis, se décide à retourner au combat pour venger son ami Patrocle ; il tue Hector. *Pâris* tue Achille qu'il a blessé au talon, etc. Le fils d'Oïlée (roi des Locriens) et d'Ériopis est tué par Poséidon comme sacrilège pour le rapt de la prêtresse *Cassandre* (fille de Priam et d'Hécube, à laquelle Apollon avait donné le don de prophétie ; mais comme elle avait refusé d'être à lui, il l'avait condamnée à n'être jamais crue dans ses prédictions). *Victoire des Grecs* grâce à une ruse : ils font semblant de se retirer en laissant, comme offrande aux dieux, un énorme cheval de bois construit par Épéios. Les Troyens le font entrer dans leur ville, mais il contenait des guerriers (dont Diomède). La ville est prise et brûlée. *Énée,* fils d'Aphrodite (héros de l'Énéide, poème de Virgile), s'enfuit en portant son père *Anchise* sur son dos (roi de Dardanos, il avait eu Énée d'Aphrodite ; pour l'avoir révélé, Zeus avait rendu Anchise paralytique et aveugle) ; il se réfugie en Italie avec son fils *Ascagne* (appelé plus tard Iule). Ménélas, après la mort de Pâris, reprend Hélène (qui avait épousé Déiphobe) et la ramène à Sparte.

La malédiction des Atrides (qui s'entre-tuèrent) : Tantale, père de Pélops, tente de mettre celui-ci au menu des dieux ; il est précipité aux Enfers et condamné à une faim et une soif dévorantes. *Atrée,* fils de *Pélops,* sert à son frère *Thyeste* les propres fils de ce dernier. *Agamemnon* sacrifie sa fille *Iphigénie* pour obtenir des vents favorables ; après la g. de Troie, rentré à Mycènes avec *Cassandre* (qui lui avait donné des jumeaux), il retrouve sa femme *Clytemnestre,* qui ne lui avait pas pardonné le sacrifice de sa fille Iphigénie, et était devenue pendant son absence la maîtresse d'*Égisthe* (fils de Thyeste). Elle et son amant assassinent Agamemnon et mettent à mort Cassandre. Égisthe prend le pouvoir, mais *Électre* met son frère *Oreste* à l'abri en Phocide où son oncle *Strophios,* roi de Phocide, l'élève avec son fils *Pylade.* Oreste (avec Pylade) met à mort Égisthe et Clytemnestre ; puis, devenu roi d'Argos, accordera à Pylade la main de sa sœur Électre.

Andromaque après la mort d'Hector, devient l'esclave de Néoptolème. Son fils, Astyanax, est tué. Après la mort de Néoptolème, dont l'épouse Hermione l'avait toujours maltraitée par jalousie, elle épouse Hélénos.

Autres personnages : Automédon cocher d'Achille. *Dolon* loup-garou tué par Diomède et Ulysse.

Stentor un des guerriers avait une voix plus forte que celles de 50 hommes ensemble ; il osa défier Hermès, héraut de l'Olympe, et succomba.

Données archéologiques. Troie sur la butte d'Hissarlik (en turc : lieu de la citadelle), à 20 km de l'Hellespont, domine la vallée du Scamandre : 2 ha, avec mur d'enceinte. La population n'a jamais dépassé 300 hab., dont 75 soldats. On a retrouvé 9 couches stratigraphiques. Celles qui correspondent (entre 1420 et 1250) sont Troie VI et Troie VII. Seule Troie VI (détruite par un séisme pendant le siège) a l'aspect d'une bourgade prospère. Aucune trace d'opérations militaires prolongées. Homère a inventé une guerre à partir d'un raid de pirates mycéniens. Le *« trésor de Priam »,* trouvé par l'archéologue allemand Heinrich Schliemann (1822-90) en 1870 (bijoux en or), date du millénaire précédent. Il a disparu du musée de Berlin en 1945.

Quelques légendes

Antigone, fille d'Œdipe et de Jocaste (ou d'Euryganie), sœur d'Étéocle, Polynice et Ismène, guida son père aveugle pendant son exil et, après la mort de celui-ci, revint à Thèbes où son oncle Créon avait pris le pouvoir. Après la g. des Sept contre Thèbes, le roi interdit d'enterrer les vaincus, parmi lesquels se trouvait Polynice. Mais Antigone donna une sépulture à son frère : elle fut alors enfermée dans un tombeau où elle se donna la mort. Haemon, son fiancé (le fils de Créon) la découvrit et se suicida sur son cadavre. Eurydice, sa mère (épouse de Créon), se suicida également.

Les Argonautes partent de Iolcos avec la nef *Argo,* sous le commandement de Jason (vaisseau de 50 rameurs), pour aller chercher la Toison d'or à Aea (en Colchide). Mais le roi Aeétès, qui la détient, impose des conditions : Jason doit labourer un champ avec des taureaux crachant le feu, y semer des dents de dragon que possédait Aeétès et affronter les guerriers qui pousseraient alors dans ce champ. Avec l'aide de la fille d'Aeétès, Médée, magicienne amoureuse de lui, Jason remporte les épreuves. Les Argonautes, Médée et son frère Apsyrtos s'enfuient ; en chemin, Médée tue son frère, le démembre, jetant ses membres à la mer pour retarder Aeétès dans sa poursuite.

Dédale pour avoir tué, par jalousie, son neveu et disciple Talos, doit fuir Athènes. Il se réfugie à la cour de Minos, roi de Crète, et construit pour lui le Labyrinthe. Minos le retient prisonnier pour s'assurer de ses services : il fabrique pour lui et son fils, **Icare**, des ailes faites de plumes et de cire (mais Icare, ignorant les avertissements de son père, s'approche trop près du soleil, la cire fond et il s'abat dans la mer).

Molossos, fils d'Hélénos et d'Andromaque, roi de la Molossie (ancienne contrée d'Épire célèbre pour l'élevage des chiens).

Guerres médiques (contre la Perse), victoires gr. : *Marathon* [490 ; Miltiade († 489) décida la tactique victorieuse], *Salamine* (480), *Platées* [479 ; rôle d'Aristide (archonte 489/8, 1 des 10 stratèges, rival de Thémistocle ; victorieux à Platées)]. Confédération athénienne de *Délos* (478-77) pour libérer la Gr. d'Asie, s'oppose à la ligue péloponnésienne de Sparte, puis conclut avec elle la paix de Trente Ans (446). **Siècle de Périclès** (v. 495-429) : fils du stratège *Xanthippos* et apparenté aux *Alcméonides* [apogée de : architecture, avec Acropole et Pirée ; philosophie (Socrate et Platon) ; théâtre (Sophocle et Euripide) ; histoire (Hérodote)]. **447***Coronée* les aristocrates béotiens battent les démocrates ath. **443-429** Périclès maître de l'État. **431-404 g. du Péloponnèse** entre Athènes et Sparte. **431** les Platéens, démocrates vivant à Thèbes, cité aristocratique, rejetant l'autorité des Thébains, avaient la protection d'Athènes ; les Thébains font contre eux un raid qui échoue. **429-427** *Platées* assiégée et détruite. **421** *tr. de Nicias,* défaites athéniennes à *Mantinée* (418) et en Sicile, puis victoires *(Abydos, Cyzique),* et triomphe spartiate (*Aegos-Potamos* 405 ; victoire de Lysandre) : Sparte impose le gouv. aristocratique des *Trente.* **394-362 g. de revanche contre Sparte,** menée par coalition thébo-athénienne : *Agésilas II,* roi de Sparte (398-358), bat les confédérés à *Coronée* (394) ; sauve Sparte malgré défaite de *Leuctres* (371). **377-362** hégémonie de Thèbes. **362** *Épaminondas* tué à *Mantinée,* victoire sur Sparte. **357** confédération (Phocidiens, Athéniens, Spartiates) contre Thèbes qui écrase *Phocidiens* avec l'aide de Philippe II de Macédoine (les Macédoniens appartenaient à des tribus gr. apparentées aux Doriens ; leurs rois disaient descendre de la famille royale de Téménides, originaire d'Argos). Conscient du péril macédonien, *Démosthène* (Ath., 384-322) invite les Gr. à l'union. *Épigones* nom donné aux 7 fils [épigonos (descendant)] des 7 chefs [qui avaient participé à la 1re expédition contre Thèbes et avaient tous été tués (sauf le roi d'Argos)] et qui décidèrent une 2e expédition qui réussit. Nom donné aussi aux fils et successeurs des lieutenants d'Alexandre.

Essor de la Macédoine. *Philippe II* (v. 382-336) **338**-*2-8* à *Chéronée* bat Thébains et Athéniens. Rôle de Lycurgue à Athènes. **337** congrès hellénique de Corinthe : les Gr. déclarent une g. nationale contre la Perse, avec Philippe comme généralissime (assassiné en juill. 336 par Pausanias). *Alexandre* (356/13-6-323), fils de Philippe, bat les Perses (334 *Granique,* 331 *Arbèles*), atteint l'Indus 326 (monté sur Bucéphale). A sa mort, ses Gaux [*Antigone* (v. 380/85-301 roi d'Asie 307), *Séleucos Ier Nicator* (le Vainqueur) (v. 358-280), *Ptolémée Ier Sôtêr* (le Sauveur) (v. 367-283 roi d'Égypte 305-285 fils de Lagos) se partagent son empire et créent la civilisation gr. d'Orient (hellénistique), qui durera 10 s. Centre principal : Alexandrie (Égypte). En Macédoine et dans le reste de la Gr. ancienne : dynastie des Antigonides (277). **322** guerre Lamiaque (l'Athénien Léosithène assiège le Macédonien Antipater à Lamia, mais est tué ; Antipater s'échappe et bat les Ath. à Crannon). **318** Phocion (stratège partisan des Macédoniens) exécuté à Athènes. *Antipater,* roi de Mac., meurt. *Cassandre* [(v. 358-247) s.f., tue Olympias, mère d'Alexandre [et + tard sa femme Roxane (Roscane) et son fils Aegos], épouse Thessalonica demi-sœur d'Alexandre] s'allie à Séleucos, Ptolémée Ier et Lysimaque contre Antigone. **301** Antigone (n. v. 380-85) tué à Ipsios.

Guerres de Macédoine contre les Romains : **215-205** 1re g. Philippe V Antigonide s'allie à Hannibal contre Romains, échec. **200-197** 2e g. *Cynoscéphales* Flaminius bat Macédoniens, les cités reprennent leur indépendance. **194-183** *Philopœmen* stratège de la *Ligue achéenne* (coalition des cités gr. pour résister aux Romains, créée 280) ; tué par les Messéniens, acquis à Rome. **171-168** 3e g., *Paul Émile,* consul romain, bat *Persée,* fils de Phil. V, à *Pydna ;* Macédoine divisée en 4 districts autonomes. Anarchie.

Période romaine
146 av. J.-C. - 330 apr. J.-C.

146 la Macédoine puis toute la Gr. deviennent romaines (à partir de 27 av. J.-C., provinces d'Achaïe). **88-84** Épire, Macédoine et de nombreuses cités soutiennent Mithridate contre Rome : échec. *Sous l'empire* les cités gr. ont un régime libéral (villes libres ou cités fédérées). Villes principales : Athènes (université), Corinthe (colonie romaine), Patras (colonie fondée en 16 apr. J.-C.). A partir de Dioclétien (284 apr. J.-C.), fait partie du diocèse de Mésie, allant au N. jusqu'au Danube. **326** fondation, à Byzance, de Constantinople, qui éclipsera Athènes comme capitale : une grande partie de la pop. gr. se concentre en Asie Mineure, laissant la péninsule gr. presque vide. **395** rattachée à l'empire d'Orient (empereurs, voir Turquie). **396** Alaric (roi des W.) pille Péloponnèse, repoussé par Stilicon.

Du Moyen Age à l'Indépendance

Moyen Age. **529-805** les Slaves (Serbes à l'O., Bulgares à l'E.) occupent Macédoine, Thrace, Thessalie. **723** l'Église orthodoxe se sépare de Rome et se rattache à Constantinople. **805** l'emp. Nicéphore Ier repousse les Slaves au N. du Rhodope ; Salonique, principale place forte byzantine. **904** Sal. prise et pillée par Arabes d'Égypte. **1185** par Normands de Tancrède. **1204** Croisés latins prennent Constantinople. Gr. divisée en *4 États indépendants : 1°) royaume de Thessalonique* (patriarcat latin 1204-1418) ; *2°) duché d'Athènes,* latin (cap. Thèbes, Athènes étant devenue un village) : détruit et annexé par Turcs 1462 ; *3°) principauté d'Achaïe ou de Morée* [c.-à-d. du Péloponnèse, cap. Andreville (actuellement Andravida, à 65 km de Patras) ; archevêché latin à Patras]. **1307** passe à la dynastie d'Anjou-Naples. **1341** récupérée en partie par la dynastie byzantine des Cantacuzène et transformée en despotat de Morée (cap. Mistra). **1438** entièrement reconquise par dyn. byz. des Paléologues. **1461** conquête turque ; *4°) despotat d'Épire :* demeuré gr. à l'O. [dynastie des Comnène (1204-1318) ; conquise par Albanais (1318-1400) ; fief byzantin (1400-30) ; conquise par Turcs (1431)]. Crète, nommée *Candie,* est attribuée à Venise, qui la défendra jusqu'en 1669 contre les Turcs.

Période moderne. **XVIe-XVIIIe s.** partie de la Turquie d'Europe (capitale Constantinople) depuis 1453 (exception : Corfou et les îles Ioniennes demeurées vénitiennes). **1684-1718** les Vénitiens réoccupent, puis reperdent la Morée (Péloponnèse) ; conservent îles Ioniennes et Corfou. **1769** révolte de la *Maina* (sud Péloponnèse). Les Maïnotes sont vaincus mais gardent des bandes armées. **1797** fin de la rép. de Venise : îles Ioniennes deviennent françaises. **1800** conquises par Russes, forment la *République septinsulaire,* sous protectorat turc. **1803** Thomas Bruce, Cte d'*Elgin* (1766-1841), rapporte à Londres sculptures du Ve s. du Parthénon (actuellement au British Museum). **1807** paix de Tilsitt, redeviennent françaises. **1809** 6 îles conquises par Angl., mais Corfou (Gal Donzelot) résiste jusqu'en juin 1814. **1818** îles ioniennes indépendantes, sous protectorat angl. ; langue officielle : grec. **1819** Alî, pacha de Janina, lutte contre le sultan et accepte les avances de l'Hétairie. **1820** *janv.* Firman du sultan Mahmûd le prive de tous ses titres. Alî décide une levée en masse de 40 000 h. Mais son successeur, Ismaïl Pacha bey, arrive de son côté à la tête de troupes nombreuses. Les soldats d'Alî s'enfuient. *Août* les Ottomans assiègent 17 mois Janina [où le pacha enfermé dans sa forteresse de l'île, au milieu du lac, est tué le 22-2-1822 dans un guet-apens (sa tête fut envoyée à Istanbul)]. **1821**-*2-4* soulèvement contre Turcs. Env. 40 000 musulmans tués dans le Péloponnèse. Istanbul, à Pâques, janissaires pendent à la porte de l'église du Phanar le patriarche Grégoire V. Plusieurs évêques et de nombreux Grecs sont tués. *Déc.* assemblée constituante réunie (à Épidaure). **1822** massacres de Chio. *-13-1* indépendance de la G., gouv. grec établi à Missolonghi, présidé par Mavrocordato ; mais n'est pas accepté par le Péloponnèse (rébellion de Kolokotronis). *Déc.* 2e assemblée à Astros (à 30 km au S. de Nauplie) : conflit Mavrocordato Kolokotronis. Nouveau gouv. établi à Kranidi (face île

■ **Architecture ancienne. Grands ensembles : Grèce :** *Athènes, Corinthe, Délos, Delphes* (à l'origine Pythia, d'où le nom de pythie pour la prêtresse d'Apollon qui rendait des oracles), *Épidaure, Olympie.* **Sicile :** *Agrigente :* temples de la Concorde, d'Héra, de Castor et Pollux, d'Héraclès, de Zeus. *Sélinonte :* 6 temples. *Taormine :* théâtre, temples. **Turquie :** *Pergame :* autel de Zeus (frise au musée de Berlin), gymnase, bibliothèque, thermes, théâtre, temples, agora. *Éphèse, Milet, Priène,* etc.

■ **Premiers monuments. Acropoles :** *Tirynthe ; Mycènes* (porte des Lionnes : triangle de décharge) (Péloponnèse). **Murailles :** *Mycènes :* murs « cyclopéens » faits de gros blocs, des petites pierres comblant les interstices. *Tirynthe :* murs pélagiques (blocs irréguliers, sommairement ravalés ; 7 à 8 m d'ép., 17 m dans les parties casematées). *Gla* (en Béotie) : les + longues. **Tombeaux** « à fosses » *(Mycènes)* et « à chambre ». Tumuli de Troade. **Trésors** « tombes en tholos » ou « à coupole » de l'époque mycénienne abritant les offrandes de la cité à son roi ou prince. Baptisées trésors par erreur à cause de la richesse de ces offrandes : *Mycènes* (trésor d'Atrée) ; *Orchomène* (Béotie, prétendu trésor de Minyas) ; *Archanaï* (Crète).

■ **Monuments classiques (av. J.-C.). Édifices pour assemblées politiques ou religieuses : Grèce :** *Athènes :* agora (centre de la vie publique, VIe s. av. J.-C.). *Eleusis :* télestérion (portique dorique du IVe s. par Philon : 54,15 × 51,80 m). *Délos :* salle hypostyle (fin IIIe s. : 57 × 34 m). **Turquie :** *Milet :* bouleutérion (sénat). *Priène :* ecclésiastérion (parlement). **Fortifications : Grèce :** *Samikon* (VIe-Ve s.). *Thasos. Éleuthère* (IVe s.). *Égosthènes.* **Italie** *Euryale,* forteresse de *Syracuse* (début IVe s.). *Paestum.* **Portiques ou stoas** [boutiques, lieux pour les offrandes, abris pour les visiteurs ou malades, réfectoires ou dortoirs, usage profane, lieu de réunion des philosophes (le stoïcisme)]. **Grèce :** *Athènes :* stoa d'Attale. *Argos :* héraïon. *Délos. Delphes. Olympie.* **Turquie :** *Pergame.* **Stades : Grèce :** *Athènes* (70 000 places). *Corinthe. Délos. Delphes* (5 000 pl.). *Épidaure. Olympie* (45 000 pl.).

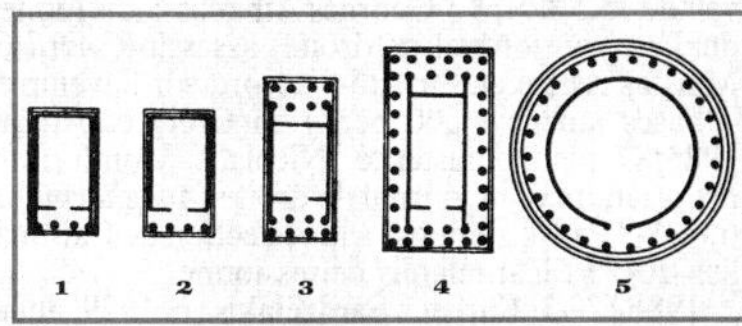

Ordonnances de temples grecs. 1. In antes. – 2. Prostyle. – 3. Amphiprostyle. – 4. Périptère. – 5. Tholos. *(Guides Bleus)*

Définitions. *Bouleutérion :* salle de réunion de l'Assemblée municipale (Boulè). *Hypostyle* (« sous les colonnes ») : grande salle dont le plafond est supporté par des colonnes. *Odéon* (gr. ôdeion, même sens) : destiné aux auditions musicales. *Télestérion* (« bâtiment éloigné ») : salle réservée à des initiés.

Temples

1°) **Caractéristiques.** En général bâti sur un *podium* (ou krepis), plate-forme de 3 marches dont la 3e est appelée *stylobate.* L'ensemble du sanctuaire s'appelle *téménos.* Une clôture, le *péribole,* l'entoure. *Prostyle :* temple ayant un portique à colonnes devant l'entrée, tourné généralement vers l'est. *Amphiprostyle :* t. ayant un portique à chaque extrémité. La partie fermée du t. s'appelle *secos.* Le t. comprend : le *naos* ou *oikos* (en latin : cella), partie centrale où se trouve la statue du culte, le *pronaos,* vestibule, et l'*opisthodome,* partie du t. répondant sur la façade postérieure. Certains t. ont un *propylée :* entrée monumentale, un *adyton,* accessible uniquement aux prêtres, qui contenait l'idole ou servait de ch. d'oracle, et un *stoa :* portique. *Tholos :* sépulture à rotonde et à coupole ; puis temple circulaire. *Toiture :* dans les grands édifices, avec, au milieu, une ouverture rectangulaire pour la lumière (t. hypèthres).

2°) **Classification.** Depuis Vitruve (Ier s. av. J.-C.) suivant : a) l'*ordre* (ou type de colonne et de

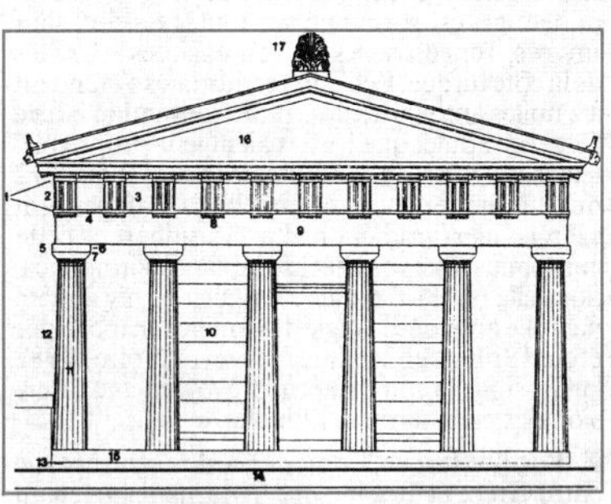
Façade de temple dorique : 1. Frise. – 2. Triglyphe. – 3. Métope. – 4. Listel. – 5. Chapiteau. – 6. Abaque. – 7. Échine. – 8. Goutte. – 9. Architrave. – 10. Naos. – 11. Fût cannelé. – 12. Colonne. – 13. Euthyntéria. – 14. Fondations. – 15. Krépis. – 16. Fronton. – 17. Acrotère. *(Dictionnaire de l'Archéologie. Laffont)*

chapiteau) utilisé : dorique, ionique ou corinthien ; b) la *disposition des colonnes,* s'ils comprennent : des *antes :* embouts des 2 murs encadrant les 2 colonnes peu saillantes ; un *péristyle* simple *(périptère)* ou double *(diptère)* avec colonnes indépendantes ; un *pseudo-périptère* ou *pseudo-diptère* si les colonnes sont engagées dans le mur ; c) le *nombre des colonnes* du portique en façade (2 distyle ; 4 tétrastyle ; 6 hexastyle ; 8 octastyle ; 10 décastyle) ; d) l'*espacement des colonnes* (pycnostyle : col. espacées de 1 diamètre 1/2 ; systyle : 2 diam. ; eustyle : 2 1/4 ; diastyle : 2 3/4 à 3 ; aérostyle : + de 3).

3°) **Temples doriques. Grèce :** *Athènes :* Parthénon [périptère, construit par Ictinos et Callicratès, de 447 à 432 av. J.-C. ; long. : 69,50 m ; larg. : 30,85 m ; haut. des colonnes : 10,43 m ; partie des frontons de la frise au Brit. Museum, Londres [marbres de Lord Elgin, (1766-1841), donnés par la Turquie pour remercier l'Angl. de l'avoir aidée en Égypte contre Bonaparte, lorsque celui-ci devint l'allié des Turcs en attaquant les Russes, Elgin dut finir les travaux précipitamment] ; le 26-9-1687, un obus vénitien atteignit le Parthénon qui servait de poudrière aux Turcs, [14 des 46 col. de gal. furent abattues] ; Théséion (vers 428 ; périptère ; le t. grec le mieux conservé ; 31,77 × 13,64 m ; haut. 10,38 m). *Bassae* (près de Phigalie) : t. d'Apollon (consacré peu après 420, construit par Ictinos ; 38 × 14,30 m ; bien conservé). *Corinthe :* t. d'Apollon (dorique archaïque, 550 à 525 ; 53,30 × 21,36 m). *Delphes :* t. d'Apollon (IVe s. ; 60,30 × 28,80 m ; ruiné). *Égine :* t. d'Aphaïa (480 ; groupes des frontons à Munich ; 29 × 14 m). *Épidaure :* t. d'Asclépios (375). *Némée :* t. de Zeus (fin IVe s.). *Olympie :* t. de Zeus [460 ; périptère par Libon d'Élée, ruiné (64 × 28 m ; haut. 25 m ?)] ; t. d'Héra (vers 640 ; 50 × 19 m) ; t. Métrôon. *Sounion :* t. de Poséidon (v. 425). *Tégée :* Athéna Aléa (IVe s.). **Italie :** *Paestum* (IVe et Ve s.) : t. de Poséidon (Ve s., bien conservé) ; t. « Basilique » (VIe s.) ; t. de Déméter. **Sicile :** *Sélinonte* (VIe s.) : 7 grands t. *Agrigente* (430 av. J.-C.) : t. de la Concorde. *Ségeste* (430 av. J.-C.) : t. inachevé. *Syracuse* (Ve s.) : t. d'Athéna (église Ste-Lucie).

☞ *Cariatides.* Nom des jeunes filles lacédémoniennes célébrant le culte d'Artémis Caryatis dans son temple à Carya (près de Sparte). Les habitants de Carya s'étant alliés aux Perses, les Grecs tuèrent les hommes et emmenèrent les femmes en captivité. Les architectes grecs figurèrent celles-ci à la place de leurs colonnes (mot fixé en 1546). Ils utilisèrent aussi des figures d'hommes (appelées perses, ou parfois atlantes en Grèce, ou télamons à Rome).

Spetsai) : à sa tête G. Kountouriotes. **1823-28** Charles *Fabvier* (colonel fr. 1782-1855) organise armée insurgée (taktikon). **1824** Lord Guilford restaure à Corfou l'Académie ionienne fondée 1808 (dissoute 1814) : foyer antiturc ; *-19-4* siège de *Missolonghi* où meurt Byron. Guerre civile. **1825** Mahmûd fait appel à son vassal Mehmet Alî, pacha d'Égypte (1769-1849) qui était déjà intervenu dans la Crète révoltée dep. juill. 1821 (en échange, Mehmet lui demande l'inclusion de la Crète dans son pachalik et la nomination de son fils Ibrahim comme gouverneur de Morée). *Févr.* Ibrahim débarque dans Péloponnèse. L'armée du sultan attaque dans le Nord. **1826** *mars* art. VIII du tr. de Bucarest : Mahmûd s'incline : la convention d'Akkerman place les 3 régions sous protection du tsar. *Avr.* Missolonghi tombe. Protocole Angl./Russ. de St-Pétersbourg (les 2 puissances envisagent de proposer leur médiation entre Ottomans et Grecs avec un État grec autonome). *Juin* Acropole d'Athènes tombe. *-13-12* Fabvier sauve Athènes assiégée par Turcs.

1827 *printemps* 3e assemblée nationale à Trézin : nouvelle Constitution prévoyant un Pt *(kubernetis)* élu pour 7 ans avec 1 Chambre des députés. L'Assemblée fit appel à Jean Capo d'Istria. **Jean Capo d'Istria** [11-2-1776/assassiné 9-10-1831 ; min. de l'Intérieur et des Aff. étr. des îles Ionniennes (1802-07), au service de la Russie 1809, participe au congrès de Vienne, min. des Aff. étr. de Russie 1816-22]. Gouverneur de la Grèce. *Juill.* tr. de Londres Angl./Russ./Fr. sur un État grec autonome dans le cadre de l'Empire ottoman. *-20-10* flotte turque détruite (6 000 h. dont beaucoup d'origine grecque) à *Navarin* par 3 escadres : anglaise (am. Codrington), française (am. de Rigny), russe (am. Heiden). **1828-29** *g. russo-turque* (Russes prennent Andrinople, 20-8-1829). **1828**-*17-8* intervention franç. en Morée (Gal Maison), Égyptiens d'Ibrahim pacha, alliés des Turcs, rembarquent. **1829**-*14-9* autonomie *(tr. d'Andrinople).* **1830**-*3-2* **indépendance** *(tr. de Londres). -21-3* Léopold de Saxe-Cobourg, futur roi des Belges, refuse la couronne de Gr. **1831**-*9-10* Capo d'Istria, assassiné.

■ **Royaume. 1832 Othon Ier** (P[ce] Othon de Bavière 1815-67, 2e fils du roi Louis Ier, ép. 1836 Amélie d'Oldenbourg, protestante, sans enf.). **1835**-*1-6* Othon déclaré majeur transfère sa capitale à Athènes. **1842** le gouv. ne peut continuer à payer la dette de l'État. Les puissances exigent des économies (surtout l'armée). Coups d'État. **1843**-*14-9* les militaires obligent Othon Ier à confier le pouvoir à André Metaxas (chef du parti russe) et à promettre la convocation d'une assemblée constituante. **1844**-*18-3* Constitution proclamée par « Assemblée nationale » siégeant avec des députés du royaume et des territoires asservis (Thessalie, Épire, Macédoine). **1846** École française d'Athènes fondée. **1852** loi confiant l'autorité suprême au synode, présidé par le métropolite d'Athènes et non plus par le roi. **1854** pendant la g. de Crimée, l'opinion grecque, encouragée par le roi, soutient les Russes ; 2 bandes armées essayent de soulever Thessalie et Épire. *Mai* débarquement franco-angl. au Pirée pour obliger Othon à confier le gouv. à A. Mavrocordato. **1862** *oct.* les garnisons de Nauplie et d'Athènes se révoltent, poussées par Constantin Canaris, Demetrios Voulgaris, Venizelos Roufos, qui obligent le roi et la reine à quitter la Grèce sous la menace d'une « effusion de sang ». Othon rentre en Bavière mais refuse d'abdiquer. Les 3 conjurés forment un Conseil de régence qui convoque une nouvelle Assemblée nationale.

■ **1863**-*31-10* **Georges Ier** (24-12-1845-assass. 18-3-1913) né Guillaume, fils de Christian IX roi du Danemark (1818-1906), ép. gde-d[esse] Olga de Russie (1851-1926). **1864** Gr. reçoit îles Ioniennes. Nouvelle Constit. : le roi de Gr. devient roi des Grecs. Suffrage universel établi, inamovibilité des juges. **1881** *mai* Turquie cède Thessalie et partie de l'Épire (région d'Arta : 13 400 km², env. 800 000 h.). **1892-1903** grande fouille de Delphes. **1897** voulant aider Crète, battue par Turquie ; sauvée par grandes puissances. Crète devient autonome. **1912-13** g. balkaniques contre Turquie. (18-10-1912) puis Bulgarie (29-6-1913). *Tr. de Bucarest* (10-8-1913), Gr. reçoit îles du N.-E. de l'Egée, Crète, grande partie de Macédoine et Épire. **1913**-*18-3* Georges Ier assassiné.

■ **1913 Constantin Ier** (2-8-1868-11-1-1923), fils de G. Ier. Ép. 27-10-1889 Sophie P[cesse] de Prusse, sœur de Guillaume II (1870-1932). *Déc.* conférence de Florence sur l'Épire du Nord (donnée au nouvel État albanais). **1914** *mars* la Grèce doit évacuer l'Épire du N. où s'était constitué un « gouv. » indépendant de l'Épire du N. **1915**-*15-3* Constantin, favorable Empires centraux, renvoie son PM Elefthérios Venizélos (1864-1936), favorable aux Alliés ; *août* Venizélos revient au pouvoir et invite Alliés à débarquer à *Salonique ; oct.* Constantin dissout Parlement et renvoie Venizélos (5-10). **1916**-*27-5* Bulg. occupent Macédoine orientale (les Gr. se retirent sans combat). *-31-8* Salonique « Comité de Défense nat. ». *-25-9* Venizélos s'enfuit en Crète, qu'il rallie au Comité ; *oct.* l'amiral fr. Dartige du Fournet occupe Le Pirée. *-21-10* Venizélos constitue à Salonique un gouv. reconnu par Alliés. *Nov.* déclare g. à Bulgarie. *-1-12* Constantin attaque marins fr. et partisans vénizélistes. **1916**-*1-12* l'escadre franco-anglaise tire 64 coups de canon sur la ville, env. 120 †. Les Alliés décrètent le blocus de la Gr.

■ **1917** (mai) **Alexandre Ier**, fils de Constantin (20-7-1893, † 25-10-1920 des suites de morsures de singe), ép. Aspasia Manos (1896-1972) dont 1 fille. *-11-6* Charles Jonnart (1857-1927), Ht-commissaire allié à Athènes, exige abdication de Constantin qui s'exile en Suisse. Alexandre règne à la place du diadoque Georges à qui les Alliés reprochent d'avoir suivi une formation dans l'armée prussienne (prisonnier dans son palais, il ne jouera aucun rôle effectif). *-27-6* Venizélos, revenu à Athènes PM. *-28-6* déclare g. à l'All. **1920**-*27-6* contingents alliés évacuent Athènes, Thessalie et points occupés (sauf Thessalonique). *-12-8 tr. de Sèvres,* Gr. reçoit Thrace occidentale (bulg.), orientale (turque), administration de la région de Smyrne ; *oct.* Venizélos renversé.

■ **1920** (oct.) **Amiral Paul Coundouriotis** (1855-1935) régent.

1920 Constantin Ier *-20-11* rappelé par 99 % des voix. **1921-22** *g. gr.-turque ;* T. vaincue (11-10-22 armistice de *Moudanya*). *-22-9* Constantin abdique.

■ 1922 **Georges II** (19-7-1890/1-4-1947), 1er fils de Constantin Ier, ép. 27-2-1921 Pcesse Élisabeth de Roumanie (12-10-1894-1956). *-28-9* complot militaire. Constantin détrôné.

■ Régence. **1923 Amiral Paul Coundouriotis** (1855-1935) régent. *Janv.* convention sur l'échange obligatoire de population. 1 500 000 Gr. de Turquie émigrent (350 000 se fixent à Athènes). Sont dispensées de l'échange obl. la minorité turque de Thrace occident. (120 000) et la min. gr. d'Istanbul (120 000). *-22-7 tr. de Lausanne* Gr. perd Smyrne et Thrace orientale.

■ République. **1924**-*25-3* instaurée par décret du Parlement. *-13-4* 70 % des voix pour.

1926 Amiral Paul Coundouriotis Pt prov. (définitif 3-6-29) démiss. 9-12-29.

1929 Janv. **Gal Théodoros Pangalos,** (1878-1952) dictateur renversé avril. *-14-12* **Alexandre Zaimis** (1855-1936) Pt.

■ Royaume. **1935**-*2-7* **Georges II** restauré. *3-11* 88 % des voix pour G II. **1936**-*4-8* Parlement dissous, dictature du Gal Ioánnis Metaxás (1871-1941) PM, soutenue par Angl. **1940**-*28-10* invasion it. repoussée. **1941**-*janvier* fin dictature Metaxás. *-6-4* All. occupent Gr. *-24-4* après la capitulation de l'armée d'Épire, signée sans en référer au gouvernement, Georges II annonce le départ du gouv. pour la Crète. *-27-4* entrée des All. à Athènes. *-24-5* gouv. grec quitte Crète pour Le Caire. *-2-6* Tsouderos PM. **1941-44** pertes civiles (famine, résistance) 520 000 †. **1944** *à l'automne* l'Eam (Front nat. de lib. créé et dirigé par le PC, 1 500 000 m.) contrôle la majeure partie du pays ; *oct.* accord Staline/Churchill (G.-B. se réserve une prédominance à 90 % en Gr.) ; All. évacuent Athènes ; *-14-10* 10 000 Anglais (Gal Scobie) arrivent. Les Angl. et le gvt Papandhréou exigent le désarmement des 70 000 combattants de l'Elas (Armée nat. de lib. pop.) et sa dissolution. *-1-12* ultimatum de Scobie. *-3-12* Athènes, manif. de l'Eam sur la place Syntagma ; la police tire (28 †). *-4/5-12* l'Eam prend Athènes. *-25-12* Anglais les chassent (ils partent après avoir fusillé 3 000 personnes et emmené 5 000 otages).

■ 1944-*31-12* **Mgr Damaskinos** (1889-1949) régent. **1945**-*5-1* Elas quitte Athènes. *-12-2 accord de Varkiza :* les com. acceptent de dissoudre l'Eam contre une amnistie, qui exclut les délits de droit commun (les com. sont alors poursuivis massivement pour délits de droit commun : 100 000 passent dans la clandestinité).

■ 1946 **Georges II. 1946**-*1-9* restauré. *-12-2* **Guerre civile.** PC déclenche lutte armée. *27-9* G. II rentre après plébiscite (70 % pour). *-31-3* comm. attaquent poste gouvernemental à Lithoro (Gr. du N.) ; *-28-10* armée démocratique : chef *Gal Markos Vafiadis* (1906-92) [d'oct. 46 à févr. 49 et 1er minist. du « gouv. des montagnes » de déc. 47 à fév. 49. Après défaite communiste, se réfugie à Moscou ; accusé de titisme, exclu du KKE ; réhabilité mars 1956, réexclu 1961. Ouvrier horloger dans l'Oural ; rentré en Grèce 25-3-1984]. **1947**-*10-2 tr. de Paris.* It. restitue Dodécanèse. Seul pays d'Eur. à voter contre la création d'Israël. *-1-4* Georges II meurt.

■ 1947-*1-4* **Paul Ier** (1-12-1901/6-3-1964), frère de G. II ép. 9-1-38 Pcesse Frederika de Hanovre (1917-81), fils du Pce Ernest Auguste, chef de la maison royale de H. (1887-1953). **1949**-*29-8* fin de la g. civile, communistes écrasés dans la montagne de Grammos par le *Gal Thrasyvoulos Tsakalotos* (pourchassés jusqu'à la reconnaissance officielle du PC en 1974 par Caramanlis). *Bilan :* effectifs : com. 30 000 dont 10 000 femmes ; gouvernementaux 200 000, pertes : com. 3 128 † (140 000 selon les com.), 598 pris., 4 500 bl. ; gouv. 590 † ; 3 130 bl. ; 24 000 enfants gr. déportés en Albanie com. ; 30 000 réfugiés gr. dans les pays de l'Est. **1952** rentre à l'Otan. *-10-10 Mal Papagos* PM. **1955**-*4/5-10* Papagos meurt. *-6-10 Constantin Caramanlis* PM. **1959**-*11-2* accord Gr.-turc de Zurich sur Chypre (voir Index). *-19-2* accords de Londres avec G.-B. et T. sur Chypre. **1963**-*22-5 Gregorios Lambrakis* (n. 1913) dép. de gauche, blessé, meurt quelques j après ; police impliquée (*17-9* 4 officiers incarcérés) sujet du film Z de Costa Gavras ; *-11-6* PM Caramanlis démissionne puis se retire en déc. à Paris jusqu'en juil. 1974. *Nov. Gheórghios Papandhréou* PM.

■ 1964-*6-3* **Constantin II,** roi des Hellènes, Pce de Danemark (2-6-40), fils de Georges [1991 : reconnaît référendum de 73, cède à la Grèce forêts de Polydentri (5 000 ha), demeure à Corfou (31 ha). Ép. 18-9-64 Pcesse Anne-Marie de Danemark (30-8-46) fille du roi Frédéric IX. 5 enfants : Pcesse Alexia (10-7-65) ; Pce Paul (20-5-67), diadoque de Gr., duc de Sparte, Pce de Danemark ; Pce Nicolas (1-9-69) ; Pcesse Théodora (1983) ; Pce Philippos (1986). *Sœurs :* Pcesse Sophie (2-11-38) ép. 14-5-62 l'infant d'Esp. Don Juan (futur Juan Carlos), voir Index. Pcesse Irène (11-5-42). **1965** *juin* Parlement rejette la demande de la gauche de traduire en justice Caramanlis et plusieurs ministres, accusés d'affairisme. *-15-7* G. Papandhréou démissionne. *-16-9 Stephanopoulos* PM. **1966**-*21-12* procès de l'*Aspida* (fils de Papandhréou accusé de tentative de subversion des forces armées). *-22-12*/**1967**-*30-3 Jean Paraskevopoulos* (n. 1900) PM. *-3-4 Panayotis Canellopoulos* PM. *-14-4* Chambre dissoute. *21-4* craignant un succès de la gauche, *l'armée prend le pouvoir* (colonels : Nicolas Makarezos, Georges Papadhópoulos, Stylianos Patakos) ; env. 70 000 déportés dans l'île de Yaros. *-13-12* échec d'un coup d'État du *roi qui s'exile à Rome.*

■ Régence. **1967**-*14-12* **Gal Zoitakis,** régent, Papadhópoulos PM. **1968**-*29-9* référendum pour nouv. Constitution (pour 91,87 % des votants ; contre 7,76 ; bulletins nuls 0,5 ; abstentions 22,5 %). **1969**-*12-12* Gr. quitte Cons. de l'Europe pour prévenir son exclusion. **1971**-*10-4* il reste 450 prisonniers pol. ; échange d'ambassadeurs avec Albanie. **1972**-*1-1* levée de la loi martiale sauf à Athènes, Pirée et Salonique. *-21-3* **Papadhópoulos** démet Gal Zoitakis et assume les fonctions de régent. **1973**-*26-1, févr., -6-3* agitation étudiante. *-23-5* complot mil. déjoué.

■ République (proclamée 1-1-1973). **Gal Georges Papadhópoulos** (5-5-1919). *-3-7* Averoff, ancien min. des Aff. étr., arrêté. *-29-7* Papadhópoulos élu Pt de la Rép. (référendum 78,4 % oui, 21,6 % non). Gal Odysseus Anghelis vice-Pt (n. 1912, écarté 1973, condamné 1975 à perpétuité, se pend en prison le 22-3-87). *-10-8* amnistie, loi martiale levée. *-6-10* gouv. civil, PM *Spyros Markezinis* (n. 1909). *-7-10* le gouv. versera 120 millions de drachmes (20 millions de F) pour les biens expropriés de la famille royale. *-14-11* troubles étudiants. *-17-11* loi martiale, 34 †. *-25-11* coup d'État, **Gal Phaedon Ghizikis** (n. 16-6-1917) prend le pouvoir, abolit Const. de 1968-73. *Adamatios Androutsopoulos,* PM. **1974**-*15-7* putsch à Chypre à l'instigation des Gaux gr.

■ 1974-*8-12* **Michel Stassinopoulos** (27-7-1905). *15-7* putsch ; après l'intervention turque à Ch., tension gr.-turque. *-23-7* Ghizikis démissionne. *Retour des civils au pouvoir* dont C. Caramanlis (rentré de Paris le 24-7). *-24-7* amnistie gén. *-31-7* accord provisoire sur Ch. avec Turq. *-1-8* Const. de 1952 rétablie (sauf art. sur souverain et fam. roy.). *-15-8* Gr. quitte Otan *-23-9* liberté pol. restaurée, partis autorisés (même les différents PC interdits dep. 1948). *-23-10* Papadhópoulos déporté. *-17-11* élect. victoire de Caramanlis. *-8-12 référendum* (en %) : pour la rép. 68,2, monarchie 31,2 (abstentions 20). Gr. réintègre Conseil de l'Europe.

■ 1975-*19-6* **Constantin Tsatsos** (1899-1987). *-24-2* échec putsch mil. *-23-8* Papadhópoulos, Patakos et Makarezos condamnés à mort et graciés. *-23-12* 1er secr. de l'amb. US assassiné. **1976**-*1-5 Alecos Panagoulis* (38 ans, dép. de l'opposition modérée) tué dans accident de voiture (attentat ?). **1978** 40 000 exilés pol. dep. 1945 (sur 60 000 partis à l'époque) demandent à rentrer en Gr. *-10-3* rencontre Caramanlis/Ecevit (PM turc) à Montreux. *-22-10* victoire du Pasok aux élect. mun. d'Athènes. *-17-12* Athènes, explosion de 51 bombes (29 revendiquées par extrême droite). **1979**-*28-5 tr. d'adhésion à CEE et Ceca ; sept.* ouverture de relations dipl. avec Vatican.

■ 1980-*5-5* **Constantin Caramanlis** (8-3-1907, dit *O Theo :* Dieu, élu au 3e t. par 183 dép. sur 300). *-10-10* Gr. réintègre Otan (quittée 15-8-74). **1981**-*1-1* entrée effective dans la CEE ; *févr.* séisme à Athènes (env. 20 †, 75 000 sans-abri). *-17-11 Andhréas Papandhréou* (n. 5-2-1914) PM. Législatives, victoire Pasok. **1982**-*17/24-10* municipales ; victoire Pasok. **1983**-*9-1* déval. de 15,5 %. *-18-3* Georges Athanassiadis (éditeur du *Vradyni,* journal de droite) assassiné. *Avril* Gal Markos rentre en Gr. *-15-7* accord sur l'avenir des 4 bases amér. (3 500 pers.) en Crète et Attique. **1985/87** plan d'austérité. Nicolaos Momferratos, propriétaire d'un journal de droite *(Apoghevmatini)* tué. *-8-3* Pasok s'oppose à la réélection de Caramanlis. *-10-3* Pt Caramanlis démissionne.

1985 *(29-3)* **Khrístos Sárdzetakis** (n. 1929, ancien juge d'instruction de l'affaire Lambrakis) élu Pt par 180 dép. sur 300 avec 112 abstentions. *-5-4 :* Athènes, 200 000 manif. contre cette « élection illégale ». *-2-7* législatives : victoire Pasok. *-11-10* dévaluation de 15 % ; programme de rigueur. *-17-11 :* 100 000 manif. ; 1 anarchiste de 15 ans tué par police. *-26-11* attentat, 2 policiers †. **1986**-*8-4* Dimitri Anghelopoulos, industriel, assassiné. *12/15-5* Pt Sárdzetakis en Fr. **1987** *mars* tensions avec Turquie (nav. scient. turc au large de la Gr. provoque mise en alerte mil.). *-10-6* la Gr. renonce à l'usine d'alumine qui devait être construite par les Soviét. à 11 km de Delphes. *Été :* canicule 1 200 †. *-28-8* fin officielle de l'état de guerre avec Albanie (institué 1940). *-3-11* accord de principe avec Église sur transfert à l'État de 150 000 ha (souvent en jachère, appartenant à 423 monastères, la plupart dépeuplés). **1988**-*30/31-1* et *3-3* A. Papandhréou (PM) rencontre Turgut Özal, PM turc. *-28-4* Agop Agopian, fondateur et chef de l'Asala, assassiné. *-13-6* Özal en Gr. (1re visite off. dep. 36 ans). *-28-6* William Nordeen, attaché naval amér., tué (voiture piégée, revendiqué par l'Organisation du 17 nov.). *-5-7* attentats à Athènes. *-11-7* 3 terroristes attaquent près d'Égine le bateau *City-of-Poros :* 11 touristes †. *juil.-août* canicule 2 000 †. *-27-8* A. Papandhréou, hospitalisé à Londres, annonce son divorce (à cause de sa liaison dep. 1987 avec Dimitra Liani, 35 ans, ancienne hôtesse de l'air, divorcée 3 fois, qu'il épousera 13-7-89). *-22-10* A. Papandhréou rentre en Gr. *-11-11* après le départ du min. de l'Intérieur, démission du min. de la Justice, Agamemnon Koutsoyorgas (à la suite de l'affaire Koskotas, banquier accusé d'avoir détourné 230 millions de $ de la banque de Crète et d'avoir remis 20 millions de $ au PM et au Pasok). *-19-11 Christina Onassis* (37 ans) meurt d'un œdème pulmonaire (elle aurait absorbé des sédatifs). Seule héritière dep. 1975 d'Aristote Onassis (son frère Alexandre a été tué dans accident d'avion) pour près d'un milliard de $. Mariée 1°) à Joe Bolker, courtier en bâtiment, Amér. de 27 ans + âgé ; 2°) 1975, à Alexandre Andréadis, armateur grec ; 3°) 1978, à Serguéi Kausov, Soviét. ; 4°) 1984, à Thierry Roussel (divorce mai 1987). Laisse à sa fille Athéna (n. 1985) 250 à 500 millions de $ (40 cargos et supertankers de + de 6 millions de tjb, un yatch *(le Petit Trianon),* l'île de Skorpios, etc. ; T. Roussel percevra une rente annuelle de

■ Problème de la mer Égée

■ **Origine. 1923** (24-7) Tr. de Lausanne : la souveraineté gr. est reconnue sur toutes les îles, sauf Imvros, Tenedos et les îles et îlots situés à 3 milles de la côte turque. Les eaux territoriales s'étendent à 6 milles autour des îles. **1958 Convention int. de Genève :** admet que les îles aient leur propre plateau continental (pour toutes les mers) et fixe à 12 milles la limite max. dans laquelle les États peuvent exercer leur juridiction. La Gr. adhère à cette conv. mais réserve sa décision quant à son application (elle reste à 6 milles). La Turquie n'y adhère pas (elle applique la règle des 6 milles en mer Égée et des 12 milles en Méditerranée et m. Noire). **1982** la Gr. signe la conv. intern. prévoyant une extension des eaux territ. à 12 milles.

■ **Position turque.** La mer Égée doit être répartie entre Grèce et T. selon une ligne médiane tenant compte exclusivement des côtes continentales, et faisant abstraction des îles. Néanmoins, si l'on découvre des hydrocarbures en mer Égée, la T. est prête à consentir à la Gr. un droit d'exploitation en commun, quelle que soit la position géographique du gisement.

■ **Position grecque.** La mer Égée est gr. jusqu'à 6 milles nautiques de toutes les côtes, y compris celles des îles (les eaux de la mer Égée étant par là ainsi réparties en % : haute mer 48,85, eaux territoriales grecques 43,68, turques 7,47). En adoptant les 12 milles, la répartition devient haute mer 19,71, eaux territoriales grecques 71,53, turques 8,76. La Gr. a le droit d'y réglementer les circulations maritimes et aériennes, d'y accorder des concessions de recherches pétrolières et d'y surveiller les pêcheries. Pour la Gr. la question du plateau continental de la mer Égée est surtout une question de sauvegarde de l'intégrité de son territoire insulaire, et beaucoup moins une question d'exploitation de ressources naturelles.

■ **Problèmes annexes. Militarisation des îles :** selon le tr. de Paris (1947), la Gr. n'a pas le droit de militariser certaines îles de la mer Égée et l'ancien Dodécanèse italien. Le fait que la Turquie n'a pas ratifié la Convention de Genève de 1958 sur le plateau continental ne saurait porter préjudice au droit des îles à un plateau continental [reconnu par la Cour intern. de justice (arrêt de 1969 sur la délimitation du plateau continental de la mer du Nord) comme une règle de droit coutumier liant tous les États, indépendamment de tout engagement conventionnel]. La Gr. a militarisé les îles après la création par la Turquie d'un corps d'armée de la mer Égée et d'une importante flotte de chalands de débarquement. Le tr. de Lausanne (1923), qui prévoyait la démilitarisation des détroits et des îles Lemnos et Samothrace, a été remplacé par le tr. de Montreux qui a abrogé les clauses de démilitarisation. **Iles restées turques :** Imvros 95 % de Grecs, Tenedos 75 %, elles auraient dû, d'après le tr. de Lausanne, devenir autonomes ; la Gr. craint leur turquisation forcée.

■ **Navigation aérienne.** Le 23-2-1980, les T. ont accepté de revenir au système de la réglementation par la Gr. seule de la navig. aér. en mer Égée.

1 420 000 $ à condition que les revenus de l'héritage ne descendent pas au-dessous de 4 250 000 $. **1989**-*23-1* Org. révol. du 1er-Mai tue un magistrat. -*10-3* Athènes, attentat contre BNP. -*19-3* 1 million de manif. à Athènes. -*23-3* Mme Papandhréou démissionne de la prés. de l'Union des femmes de Gr. -*7-5* groupe « 17 nov. » essaye d'assassiner Georges Petsos, anc. min. de l'Ordre public. -*18-6* él. européennes et législatives. Nouvelle Démocratie n'obtient pas la majorité des sièges. -*22-6* A. Papandhréou hospitalisé. -*2-7* *Tzannis Tzannétakis* (Nouvelle Démocratie) PM transitoire avec le Rassemblement de gauche et de progrès (3 min. communistes : intérieur, justice, 1 suppléant à l'économie nat.) pour une « catharsis » (épuration) de la vie pol. -*8/9-8* une commission d'enquête examinera les conditions d'acquisition par Papandhréou des 40 Mirage-2000 français (achetés, en 1985, 45 millions de $ pièce, soit 24 millions de + que ceux achetés par la Suisse), 40 F-16 amér. et 307 missiles français Magic 2. -*24-8* Nicos Athanassopoulos (ancien min. socialiste délégué aux Finances) traduit devant tribunal spécial. La justice amér. autorise l'extradition du banquier Koskotas. -*29-8* terme de « g. de rébellion » aboli. Les anciens combattants communistes pourront recevoir des pensions. Les dossiers sur les convictions pol. des Grecs sont brûlés. -*26-9* Athènes, Pavlos Bakoyannis, porte-parole de la Nouv. Dém., assassiné par groupe « 17 nov. », à cause de l'aff. Koskotas ; Mikis Théodorakis, ancien député comm., s'allie à la Nouv. Dém. pour « éliminer le terrorisme de Gr. et rejeter le Pasok ». *28-9* le Parlement décide par 166 voix contre 121 de traduire A. Papandhréou devant cour spéciale (aff. Koskotas). -*11-10 Yannis Grivas* (Pt de la Cour de cassation) PM intérimaire jusqu'aux législatives. -*22 et 23-10* attentats (bombes contre Nouv. Dém.). -*5-11 législatives :* Nouv. Dém. (46,28 % des voix) n'a pas la majorité absolue de 151 s. à 3 s. près. -*20-11* 1re chaîne de télé. privée. -*21-11 Xénophon Zolotas* PM d'union nationale. **1990**-*29-1* Kotomini (Thrace occidentale), musulmans d'or. turque manif. contre condamnation à 18 mois de prison d'un ex-député, Ahmet Sadik, pour « diffusion de fausses rumeurs ». Ankara viole le tr. de Lausanne qui ne reconnaît que le caractère religieux de la minorité, insistant pour qualifier ses membres de « compatriotes » ou de « citoyens de souche turque ». -*3-3 présidentielle :* aucun n'a le nombre de suffr. suffisant [*21-2 :* 1er tour (Khrístos Sárdzetakis, PC : 151 voix) ; *25-2 :* 2e t. (K. Sárdzetakis : 21 ; Yannis Alévras, Pasok : 127 ; les conservateurs de la Nouv. Dém. se sont abstenus comme au 1er t. après le refus de Caramanlis d'être à nouveau candidat) ; *3-3 :* 3e t. (Alévras : 128 ; Sárdzetakis : 21 ; abstention des conservateurs)] -*8-4 législatives :* victoire de la Nouv. Dém. -*10-4 Constantin Mitsotakis* PM.

1985-*4-5* **Constantin Caramanlis** (n. 8-3-1907) élu Pt. -*21-5* la Gr. reconnaît Israël. -*14-10* et *21-10 municipales : Melina Mercouri* (n. 1925, Pasok) battue à Athènes. -*28-12* PM C. Mitsotakis annonce la libération des 7 chefs de la junte militaire (au pouvoir 1967-74), désapprouvé par l'opinion, revient sur sa décision. **1991**-*8-1* arrivée de 5 000 Albanais de souche grecque. -*10-1* manif. (3 † à Athènes). -*11-3* début procès Papandhréou dans l'aff. Koskotas (accusé de corruption passive et de recel) est acquitté 17-1-92 et 3 anciens min. -*3-4* Athènes 6 attentats revendiqués par terroristes Ela et 1er-Mai. -*19-4* att. (Palestiniens ?), Patras 7 †. -*7-11* grève générale à Athènes. 30 000 manif. contre gouv. **1992**-*8-1* le Palestinien Mohammed Rachid condamné à 18 a. de prison pour avoir placé une bombe dans un avion Pan Am en août 82. -*14-7* bombe devant le min. des Finances. Attentat contre voiture de Ionnis Palaiokrassas, min. des Finances (groupe du 17 nov.). -*31-7 tr. de Maastricht ratifié* par Parlement (286 v. pour, 8 contre, 6 abst.). *Août-sept.* 4 grèves générales contre projets de réformes. -*10-12* Athènes, env. 1 000 000 manif. contre la reconnaissance internat. de la Macédoine (ex.-Youg.) accusée d'usurper un nom grec. -*31-12* 4 putschistes de 1967 (Pattakos, Zoitakis, Makarezos et Ladas) déposent un recours en grâce.

☞ **Groupe du 17 novembre.** *Origine : 17-11-1973,* révolte des étudiants grecs contre dictature militaire réprimée dans le sang à l'École polytechnique d'Athènes. *De 1975 à 1989 :* 14 assassinats (avec le même revolver, revendications rédigées avec la même machine à écrire) dont Richard Welch de la CIA le 28-12-1975, Petrou et Pavlos Bakoyannis (député de la Nouv. Démocratie). La droite accuse le Pasok d'avoir des liens avec ce groupe.

■ Institutions

Statut. Rép. *Constitution* du 11-6-1975. *Pt* [élu pour 5 a. par la Chambre des députés ; doit recueillir 200 voix (les 2/3 de l'assemblée) au 1er ou au 2e tour ou 180 au 3e tour, sinon l'assemblée est dissoute]. **PM. 1981** (21-10) Papandhréou [(n. 5-2-1919) fils

Les cités grecques

Elles ont adapté des traditions indo-européennes apportées par les Ioniens, puis les Doriens (aristocratie militaire possédant des chevaux, des esclaves domestiques et agriculteurs).

Cité ayant gardé son caractère aristocratique : Sparte : les envahisseurs doriens ont obtenu 6 000, puis 9 000 lots fonciers en Messénie, répartis par Lycurgue au IXe s. entre les familles nobles. Le lot familial ou *klêros* reste théoriquement la propriété de l'État, mais il est transmis héréditairement. Le roi reçoit un domaine royal également héréditaire ; un autre domaine réservé est laissé aux divinités locales. Les *périèques,* anciens habitants demeurés libres, travaillent comme artisans, les *hilotes* ou *esclaves sont* attachés aux domaines des nobles. Le seul métier des nobles est celui de la guerre. Ils finissent par s'éteindre : 8 000 possesseurs de lots en 430, 1 500 après Leuctres (371 av. J.-C.), 700 en 300.

Cité ayant évolué vers la démocratie : Athènes : au IXe s., elle compte 1 080 familles nobles (souche ionienne), réparties en 360 *genai* (latin *gentes*) ; leurs membres, les *eupatrides,* ont seuls, à l'origine, les droits politiques, la possession des terres (de l'Attique) et l'obligation du service armé. Les cultivateurs (ou *géomores*) sont attachés aux domaines nobles ; les artisans (ou *démiurges*) sont les anciens habitants du pays, soumis politiquement. Le roi d'Athènes perd au VIIIe s. av. J.-C. sa dignité héréditaire ; ses fonctions deviennent électives, d'abord pour 10 ans, puis, après 682, pour 1 an : un *archonte-roi* est élu parmi les eupatrides et a des fonctions surtout représentatives ; il n'est que le 2e personnage de la cité. Le 1er personnage est l'archonte *éponyme,* qui donne son nom aux lois et décrets. On élit chaque année 7 autres archontes, dont le chef militaire, le *polémarque.* Les archontes sortis de charge se réunissent à l'*Aréopage* (conseil législatif et haut tribunal). *Élection des archontes :* jusqu'au VIIe s., seuls les nobles ioniens (eupatrides) étaient éligibles et électeurs. A partir de 650, sont admis comme électeurs tous les anciens démiurges ayant acheté des terres en Attique et devenus propriétaires fonciers. En 621, un noble, *Dracon,* promulgue le *code draconien* qui rend éligibles tous les propriétaires terriens non nobles, s'ils sont assez riches pour servir comme hoplites à leurs frais. L'aristocratie se transforme en *ploutocratie.*

☞ Au VIIe s., 6 spécialistes étaient chargés de rédiger et de publier la loi pénale dont Dracon (ses lois étaient impitoyables : tous les crimes étaient sanctionnés par la peine de mort).

Ploutocratie modérée de Solon. En 594, Solon abaisse le cens (minimum de revenus nécessaire pour être élu à des charges de magistrats) mais seuls les plus riches, ayant plus de 400 médimnes de revenus, peuvent devenir archontes. Il établit une *ecclêsia* (ass. gén. du peuple) qui réunit les propriétaires terriens et décide de la guerre, des impôts et de l'octroi de la citoyenneté athén.

Réaction aristocratique de 561. Les Eupatrides rejettent la réforme de Solon. *Pisistrate,* propriétaire foncier du mont Parnès, à la tête de ses géomores, surnommés les Montagnards *(diakrioi),* prend le pouvoir, supprime les assemblées et exerce un pouvoir « tyrannique » héréditaire (*tyrannos* veut dire roitelet). Les Pisistratides gardent le pouvoir jusqu'en 510.

Réforme démocratique de Clisthène (508). *Démocratie* veut dire gouvernement des *dèmes.* L'Attique, y compris Athènes et sa banlieue, est divisée en 190 dèmes. A l'intérieur de chacun, les terres sont redistribuées et les propriétaires de parcelles, nobles ou non nobles, envoient des représentants au Conseil des Cinq Cents (env. 20 dèmes font une tribu, et chacune des 10 tribus envoie 50 membres). (*Bouleutes* tirés au sort, travaillent à tour de rôle par groupe de 50 pendant un 10e de l'année chacun ; le chef de groupe, changé toutes les 24 h, est une sorte de Pt de la Rép.). Le peuple rend la justice : il se réunit au *tribunal de l'Héliée* (6 000 citoyens tirés au sort chaque année et repartis en sections de 500 membres). Tous les non-esclaves recensés au moment du nouveau partage des terres deviennent citoyens athéniens, qu'ils soient nobles ou non nobles. Mais les esclaves forment cependant la majorité (6 esclaves pour 1 citoyen libre). En 458, les censitaires de 3e classe (150 médimnes) peuvent être élus à l'archontat. Mais en 411, les aristocrates reprennent le pouvoir et en 404-403, avec l'aide des Spartiates, ils fondent la *tyrannie des Trente* qui supprime la démocratie. Elle est rétablie en 403 par *Euclide* et fonctionne jusqu'à la conquête macédonienne. *Métèques :* la plupart sont des Gr. d'une autre cité qui s'adonnent au commerce maritime. Soumis à une taxe spéciale de 12 drachmes, ils sont inscrits comme résidents dans un dème déterminé. S'ils reçoivent la citoyenneté athénienne, ils deviennent membres de leur dème résidentiel.

Population. Citoyens athéniens 25 000, esclaves 150 000 (achetés en Thrace et en Épire), métèques 100 000.

Colonies ou clérouchies. Fondées entre 570 et 340, par Athènes, la plupart sur la mer Égée (ex. dans les îles de Salamine et de Naxos, ou à Amphipolis en Thrace). Les terres y sont partagées par des envoyés du Conseil des Cinq Cents et réparties à parts égales entre les membres des 10 tribus d'Attique. Les citoyens des clérouchies sont appelés Athéniens résidant à... (*Klêr-ouchia :* signifie possession d'un klêros, lot foncier dans la tradition indo-européenne). Les colonies fondées par des particuliers sans intervention du Conseil des Cinq Cents deviennent cités indép. mais gardent liens culturels et commerciaux avec la métropole (par ex. Nexos en Sicile).

de Georges, gouverneur des îles de la mer Égée.] Trotskiste, *1939* torturé 2 j (signe une confession donnant quelques noms). *1944* citoyen amér. (sert 2 ans dans l'US Navy) ; après la g. enseigne dans plusieurs univ. (doyen de l'univ. de Californie). *1964* renonce à son poste à Berkeley et à sa citoyenneté amér. ; *févr.* élu à Patras ; min. délégué auprès de son père, PM ; *nov.* accusé de corruption, perd son portefeuille (6 mois + tard : min. adjoint de la Coordination éco.). *1965* (15-6) son père PM congédié. *1967* (21-4) coup d'État des colonels. *1968* exil Suède puis Canada. *1974* (3-9) fonde Pasok. *1981* (21-10) au pouvoir. **1990** (10-4) Constantin Mitsotakis (n. 18-10-1918), dit « O Psilos », « le Grand ». **Assemblée** (Vouli) 300 m., 288 élus pour 4 a., 12 députés de l'État désignés par les partis. **Nomes** (départements) 55. **Régions** 13. **Membre de la CEE dep. 1-1-81.** **Fêtes nat.** 25-3 (soulèvement 1821 contre Turcs), 28-10 (invasion ital. 1940 repoussée). **Drapeau.** 1832, modifié 1970, remplacé 1975 par une croix blanche sur fond bleu puis réadopté 1981 en ajoutant bandes horiz. blanches et bleues. Représente la devise nat., « la Liberté ou la Mort ». **Emblème** soleil de Verginia adopté fév. 1993. Étoile à 16 rayons représentant le soleil décorant l'urne funéraire du roi Philippe II découverte à Verginia.

Vote. Obligatoire sous peine d'amende et de privation de passeport et de permis de conduire. **Élections** (suffrages en % et entre parenthèses sièges). **Législatives : 18-10-1981** Pasok 48,07 (172). ND 35,86 (115). PC prosov. 10,92 (13). **2-7-1985** Abstentions 20 %. Pasok 45,82 (161). ND 40,85 (126). PC prosov. 9,89 (12). PC de l'int. 1,84 (1). **18-6-1989** Abst. 21,4 %. ND 44,25 (145). Pasok 39,15 (125). Coalition gauche 13,12 (28). Dhana 1,01 (1). Autres 0,55 (1). **5-11-89** Abst. 21,3 %. ND 46,19 (148). Pasok 40,67 (128). Coalition gauche 10,97 (21). EA 0,58 (1). Initiative de gauche 10,97 (21). Kollatos écologistes 0,19. Écolo. de Gr. 0,15. Autres 0,72 (2). **8-4-90** ND 46,93 (150). Pasok 38,61 (123). Coalition gauche et progrès 10,23 (19). Liste candidats communs. Coalition Pasok 1,02 (4). Dana 0,67 (1). EA 0,77 (1). Indép. 0,71 (2). **Européennes : 20-6-1984** Pasok 41,58 (10). ND 38,05 (9). PC prosov. 11,64 (3). PC de l'int. 3,42 (1). Union pol. nat. (extr. droite) 2,29 (1). Divers 12,48. **18-6-1989** ND 40,45 (10). Pasok 35,94 (9). Coal. gauche 14,3 (4). Dhana 1,37 (1).

Partis. P. Nouvelle Démocratie (NDP), f. 1974 par Constantin Caramanlis, *Pt* Constantin Mitsotakis dep. 1-11-84. **Mouv. socialiste panhellénique** (Pasok), f. 1974, *Pt* Andhréas Papandhréou. **Union démocratique du centre** (Edik), *Pt* Ioannis Zigdis. **P. du socialisme démocr.** (Kodiso), f. 1979, *secr. gén.* Charalambos Protopapas (dep. juill. 1984). **P. agraire** (KAE), *Pt* K. Nassis. **Gauche démocr. unifiée** (EDA), f. 1951, *Pt* Andreas Lendakis. **P. comm. de Grèce** (KKE), f. nov. 1918, *Pt* Aleka Papariga dep. 1992 [avant Charilaos Florakis (n. 1914) secr. gén. de 1972 à fin 1991], 30 000 m. **Renouveau démocr.** (Dhana), f. sept. 1986, *Pt* Constantin Stefanopoulos (qui a quitté avec 9 autres députés la ND). **Regroupement socialiste unifié de la Grèce** (ESPE), f. mars 1984, *secr. gén.* Stathis Panagoulis (qui a quitté le Pasok). **Démocratie christianique** (Ch. D), f. mai 1953, *Pt* Nick Psaroudakis (élu député du Pasok). **Union politique nat.** (Epen), f. janv. 1984, *Pt* Georgios Papadopoulos. **Coalition de gauche et de progrès,** f. 1987, *secr. gén.* Maria Damanaki (n. 1952) dep. mars 91 (avant Leonidas Kyrkos) *ex-P.C. de Grèce de l'intérieur* (f. 1968). **Écologistes-Alternatifs.**

Bases amér. navales. Nea Macri Hellenikon (fermeture prochaine), Suda Bey Heraklion 3 500 mil.

■ Économie

PNB (91). 6 870 $ par h. **Pop. active** (% et, entre par., part du PNB en %) agr. 28,5 (16), ind. 27,1 (24), services 43,4 (56), mines 1 (3). **Taux de croissance** (en %) *1987 :* 0,5 ; *88 :* 3,5. **Chômage** *85 :* 7,8 ; *91 :* 7,2 ; *92 :* 7,5. **Salaire mensuel** *minimal* (1990) 2 500 F. L'État a en charge 500 000 fonctionnaires civils et militaires dont env. 30 % sont superflus. (Ex. : Olympic Airways a 20 000 employés alors qu'elle pourrait fonctionner avec 5 000.) **Fiscalité** 25 % du PIB (50 % dans les pays européens). Les salariés (40 % de la population active) assument 70 % des charges fiscales, les agriculteurs (27 %) ne paient rien. **Inflation** (%) *1985 :* 19,3 ; *86 :* 23 ; *87 :* 16,4 ; *88 :* 13,5 ; *89 :* 14,8 ; *90 :* 23 ; *91 :* 18,8 ; *92 :* 14,4 ; *93 (est.) :* 12 ; *94 (est.) :* 7 (objectif à atteindre en échange d'un prêt communautaire de 2,2 milliards d'écus). **Dette extérieure** (milliards de $) *Fin 1986 :* 14,6 ; *89 :* 22 (40 % du PIB), *90 :* 21,9. **Dépenses militaires :** (1990) 7 % du PIB. **Secteur public** 70 % du PIB en 1989. *Déficit public* (en % du PIB) *90 :* 18,6, *92 :* 14,5.

☞ *Économie parallèle :* 31 % du PIB (20 milliards de $).

Agriculture. *Terres* (%) incultes 47, cult. 33 (3 546 000 ha) dont irriguées 8, forêts 20. *Exploitations* (1989) 700 000, morcelées. Rendements faibles. *Production* (milliers de t, est. 91) blé 2 750, maïs 1 700, tabac 178 (98 000 ha, env. 17 % des exp.), coton 190, raisin 1 300, r. secs 335 (85), bett. à sucre 3 350, orge 500, p. de terre 1 100, tomates 1 990, citrons 150, oranges 703, pastèques et melons 660, olives 1 800 (58 % des arbres, 496 260 ha, 200 000 t d'huile), pêches et nectarines 824, coton 365. Vin. **Élevage** (milliers, 91). Poulets 27 000, moutons 9 759, chèvres 5 918, porcs 1 143, bovins 634, ânes 145. Peaux, fourrures. **Pêche.** 140 000 t (90). **Aides directes de la CEE.** + de 10 milliards de F par an.

Énergie. Pétrole (millions de t) : à Thassos et en mer Égée, *réserves* 21, *prod. (91)* 0,88. **Gaz :** *réserves* 113 milliards de m³. **Électricité :** *thermique* 70 % (lignite), *hydroélectricité* 30 %. **Mines** (milliers de t). Lignite 52 000 (90). Bauxite 2 503 (90), magnésite 900 (89), fer 460 (88), nickel 18,5 (90), chromite, amiante, cuivre, gypse, marbre, perlite, kaolin, manganèse, plomb, zinc, or, ponce.

Industrie. *Production* (milliers de t, 1986) : ciment 10 940 (89), engrais 1 785, textile 199, fer en barres 826, ammoniac 343 (89), alumine 404, aluminium 168 (89), prod. de verre, prod. ménagers, fourrures, textile, chimie, constr. navale.

Marine marchande. (91) 3ᵉ rang mondial, 2 039 nav. soit 12 227 486 tjb dont cargos 857 (11 818 870), tankers 374 (10 210 605), paquebots 447 (788 891), divers 361 (109 120). Sous pavillon étranger (mais appartenant à des armateurs gr.) 1 194 navires (18 431 381 tjb en 1985). Fin 1982, 10 000 inscrits maritimes sans emploi (d'où diminution de 13 % des rentrées de devises).

Tourisme. *Visiteurs : 1989 :* 8 541 000, *90 :* 8 500 000. *Revenus : 88 :* 3,8 (milliards de $), *89 :* 1,9, *90 :* 2,57, *91 :* 2,56.

Commerce (milliards de $ US, 89). **Exp.** 7,3 *dont* prod. man. de base 1,9, vêtements 1,6, prod. alim. 1,5, mat. 1ʳᵉˢ sauf fuel 0,5, fuel et lubrifiants 0,4 *vers* It. 1,5, All. féd. 1,4, *France 0,6,* G.-B. 0,5, USA 0,4. **Imp.** 16,1 *dont* mach. et équip. de transp. 4,9, prod. man. de base 3,6, prod. alim. 2,2, prod. chim. 1,6, mat. 1ʳᵉˢ sauf fuel 0,8 *de* All. féd. 3,2, It. 2,4, *France 1,1,* P.-Bas 1,1, G.-B. 0,9.

Investissements étrangers (milliards de $). *1985 :* 1,7, *88 :* 4,6. **Déficit** (milliards de $). **Balance des paiements :** *1984 :* 2,4 ; *85 :* 3,3 ; *86 :* 1,8 ; *87 :* 1,2 ; *88 :* 0,9 ; *89 :* – 2,5 ; *90 :* – 3,5. **Commerciale :** *1989 :* 1,02.

☞ De 1981 à 1984 aide financière de la CEE (en 84 : 6,8 milliards de F).

Rang dans le monde (90). 8ᵉ lignite. 9ᵉ coton. 11ᵉ bauxite, nickel. 13ᵉ vin.

Grenade

Carte p. 847. V. légende p. 884.

Généralités. Antilles. Ile montagneuse des îles du Vent à 160 km du Venezuela. 344 km². *Alt. max. mont Ste-Catherine* 845 m. 91 000 h. (est. 91) (avec dépendances) dont Noirs 82 %, Mulâtres 13 %, Indiens. D 296,5. 4 expatriés pour 1 h. **Capitale :** *St-George's* (est. 90) 30 000 h. **Langue.** Anglais. **Religions.** Catholiques 64 %, anglicans 22 %.

Histoire. 1498 découverte par Ch. Colomb. **1650** colonisée par des Français. **1783** cédée à la G.-B. **1962**-*6-7* Herbert Blaize PM. **1967**-*3-3* État associé à la G.-B. **1974**-*7-2* indép. **1976**-*7-12* élections, le Parti trav. unifié a 9 sièges sur 15. **1979**-*13-3* coup d'État du New Jewel (Joint Endeavour for Welfare, Education and Liberation). Sir Eric Gairy (n. 1922), PM dep. 1967, qui gouvernait avec l'appui de sa police secrète (les mangoose gangs) renversé. Const. suspendue. Parlement dissous. Maurice Bishop (n. 29-5-44) PM favorable à Fidel Castro. *Août* ouragan. **1980-82** construction d'un aérodrome internat., les USA redoutent que les troupes cubaines se rendant en Afrique ne s'en servent (3 300 m long, coût 75 millions de $ financé par Libye et CEE, 600 conseillers cubains et 30 soviét.). **1983**-*13-10* Bishop renversé. Conseil mil. révol. Pt Gᵃˡ Hudson Austin. *-19-10* Bishop libéré par la foule, fusillade [140 † dont Bishop et 3 des anciens min. tués par un groupe prosoviét. dirigé par Bernard Coard (ancien vice-PM]. *-22-10* l'org. des pays des Caraïbes orient. demande aux USA d'intervenir. *-25-10* opération *« Urgent Fury » :* 1 000 paras, 500 marines et 300 h. de la force des Caraïbes [réponse à attentat contre QG US à Beyrouth (*23-10* 241 †)]. *-30-10* fin des combats. *Bilan :* US 19 †, 3 disp., 77 bl. ; Grenadiens 44 † ; Cubains 24 †, 59 bl., 750 pris. (?) ; saisis : 6 332 fusils, 111 mitrailleuses, 13 batteries antiaériennes, 66 mortiers de 82 mm, 58 000 livres de dynamite. *-1-11* expulsion : dipl. soviét., mil. coréens, est-all., libyens et bulg. *-9-12* conseil exécutif prov. avec Nicholas Brathwaite. *-18-12* départ des derniers paras US (restent 150 MP, 150 conseillers US et 400 soldats de la force de paix caraïbe). **1984**-*29-10* aéroport intern. de Point-Saline inauguré. *-3-12* législative NPP a 14 sièges sur 15. *-9-12* Herbert Blaize (n. 1918) PM. **1989**-*19-12* décède ; Ben Jones PM intérimaire. **1990**-*13-3* législatives, NDC 7 sièges sur 15.

Statut. Monarchie parlementaire. Membre du Commonwealth. *Constit.* du 22-2-1967. *Chef de l'État* reine Élisabeth II. *Gouverneur* Reginald Palmer dep. 6-8-92. *PM* (élu pour 5 a.) Nicholas Brathwaite (n. 1926) dep. 16-3-90. *Sénat* (13 m.) et *Ch. des repr.* (15 m). **Fête nat.** 15 août. **Drapeau** (1974). Triangles jaunes (soleil), verts (agric.) entourés d'une bande rouge (ferveur et liberté) ornée de 7 étoiles représentant les 7 paroisses de l'île. **Partis.** *P. travailliste uni de la Gr. (GULP),* leader : Sir Eric Gairy (anc. PM) (lui a succédé : Rassemblement de mouv. patriotiques). *Congrès nat. démocratique (NDC),* f. 1987, leader : Nicholas Brathwaite. *Nouveau P. nat. (NNP),* f. 1984, leader : Keith Mitchell.

Dépendances. *Les Grenadines,* 106 km², 600 îles [dont Cariacou 26,3 km², 8 000 h. (79)] dont une partie dépend de St-Vincent, Petite Martinique.

■ Économie

PNB (91). 2 620 $ par h. **Pop. active** (% et, entre par., part du PNB en %) agr. 41 (24), ind. 11 (14), services 48 (62). *Chômage* 29 %. **Inflation.** *1990 :* 5,6 ; *91 :* 2,4. **Aide amér.** (88) 110 millions de $.

Agriculture. *Terres* (%) cultivables 47, cultivées 26. *Productions :* cacao, muscade, macis, bananes, épices, sucre de canne, coton, citrons. **Élevage** (milliers, *91*). Bovins 4, moutons 11, chèvres 11, porcs 7, ânes 1, volailles 260 (82). **Pêche** (90) 1 800 t. **Tourisme** *visiteurs (91) :* 288 639 dont en croisière (90) 198 320.

Commerce (en millions de $ est-caraïbes, 90). **Exp.** 57,6 *dont* prod. alim. 46,1 (noix de muscade 18, bananes 11,5, cacao 7,1) *vers* (87) P.-Bas 20, G.-B. 18,4, All. féd. 14,4, Trinité 7,5, USA 4. **Imp.** 294,2 *dont* prod. alim. 74,6, mach. et éq. de transp. 65,9, prod. man. de base 53,3, prod. chim. 26,5, fuel et lubrifiants 20,1 *de* (87) USA 64,3, G.-B. 40,5, Trinité 28,6, Japon 17,2, Canada 15,7. **Rang dans le monde** (92). 1ᵉʳ exportateur de noix de muscade.

Groenland

Voir Danemark p. 968.

Guatemala

V. légende p. 884.

Nom. D'un mot nahoa Coactlmoctl-lan (pays de l'oiseau qui mange des serpents).

Situation. Amérique centrale. 108 889 km². *Frontières* avec Mexique 960 km, Salvador 203, Honduras 340, Belize 223. **Côtes :** Pacifique 254 km, Atlantique 166 km. **Relief :** *alt. max.* volcan Tajumulco 4 220 m. *Zone* plate au N. (El Petén), forêt tropicale, peu peuplée ; *montagne* au centre (tierras frias), volcans (33) dont certains en activité ; *côte Pacifique* (tierras calientes, env. 25 °C). **Climat.** Plaines tropicales (temp. moy. 28 °C), en alt. plus tempéré (moy. 20 °C), côtes (max. 38 °C), saison sèche nov. à mai ; humide juin à oct. ; fortes pluies sept.-oct.

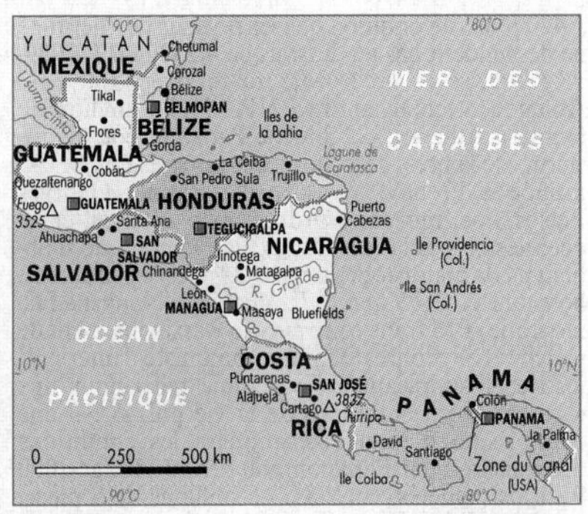

Population. *1991 :* 9 453 953 h., *2000 (est.) :* 12 739 000. En % : Indiens (surtout dans les Hautes-Terres de l'O. et du N.-O.) 54, Ladinos (Indiens urbanisés, Métis) 42 et Blancs 4. – *de 15 a.* 45,4 %, *+ de 60 a.* 5,1 %. **Étrangers** 20 605 (84). D 86,8. **Villes** (91) : *Ciudad-Guatemala* (alt. 1 500 m) 1 095 677 h., Mixco (alt. 1 739 m, inclus dans Guatemala), Quezaltenango (alt. 2 335 m) 93 439 (à 200 km), Escuintla 63 471 (à 56 km), Retalhuleu (alt. 150 m) 35 246 (à 182 km), Puerto Barrios 38 539 (à 295 km), San José (Puerto) 15 800 en 87 (à 108 km), Antigua (alt. 1 530 m) 15 800 en 87 (à 45 km).

Langues. Espagnol *(off.),* 21 langues d'origine maya et 2 non mayas (le xinka, le garifuna). **Analphabètes** 65 %. **Religions.** Catholique (75 %), protestante et sectes évangéliques (25 %) 30 % en 92.

Histoire. Siège de l'Emp. maya (ruines de Tikal construite 200 av. J.-C. à 950 apr. J.-C., Piedras Negras, Naranjo, Nakum, Cancuen, Iximché, Sayaxché, Mixco Viejo, Seibal). **1524** exploration d'Alvarado. **1773** tremblement de terre, détruit Antigua (ancienne capitale fondée 1542). **1821** *indépendant,* s'unit au Mexique, qu'il quitte (1823) pour la Féd. d'Amér. centrale jusqu'en 1839. **1839-65** *Rafael Carrera* (1814-65), dictateur. **1871** révolution libérale, *Pt Justo Rufino Barrios* (1835-85). **1898-1920** *Manuel Estrada Cabrera* (1857-1923), dictateur. **1931-44** *Gᵃˡ Jorge Ubico* (1878-1946), dictateur. **1941** déclare g. à l'Axe. **1944**-*20-10* révolution. **1945 -51** *Juan José Arevalo* (1904-90), échappe à 20 coups d'État. **1951** *Jacobo Arbenz* Pt († 27-1-71), réforme agraire (terres non cultivées de l'United Fruit et d'autres gros propr. expropriées, 900 000 ha distribués à 100 000 familles). **1954** *-27-6* coup d'État (organisé par United Fruit, CIA et ambassade amér.) : *Cᵉˡ Carlos Castillo Armas* renverse Arbenz, devient Pt et restitue les terres. **1957**-*26-7* Armas assassiné, *Gᵃˡ Miguel Ydigoras Fuentes* Pt. **1963** coup d'État mil. du *Cᵉˡ Enrique Peralta Azurdia.* **1963** rel. diplom. rompues avec G.-B. qui a accordé l'autonomie au Belize. **1966** Pt *Julio Cesar Montenegro.* **1970** *Pt Gᵃˡ Carlos Arana Osorio* (n. 17-7-18). Armée de la guérilla des pauvres (EGP). Terrorisme de droite et de gauche (env. 3 000 † en 1971). **1972**-*26-6* Oliverio Castaneda Paiz, 1ᵉʳ vice-Pt du Congrès, assassiné. **1974**-*1-7* *Kjell Laugerud Garcia* (n. 24-1-30) élu Pt (fraude élect.). **1976**-*4-2* séisme : 24 103 †, 250 000 log. détruits. **1978**-*29-5* affrontements avec paysans indiens à Panzos (100 †). *-2-10* grève générale, 30 †, 1 000 arrestations. *Gᵃˡ Romeo Lucas Garcia* (n. 1-7-24) élu Pt. **1979** guérilla (Orpa). **1980**-*31-1* paysans occupent l'ambassade d'Esp. (pour prendre des personnalités en otage) pour protester contre répression dans le Quiche, assaut de la police, 39 †. *-1-2* relations dipl. avec Esp. rompues. *-21-6* 27 syndicalistes enlevés et disparus. **1981** guérilla, env. 13 000 meurtres pol. **1982**-*7-3* *Gᵃˡ Anibal Guevara* (n. 2-10-25) élu Pt avec 35 % des voix, opposants demandent annulation pour fraude. *-13-3* Congrès confirme l'élect. *-23-3* coup d'État (armée de l'Air). *-31-5* guérilla rejette amnistie proposée. *-1-7* état de siège. **1983**-*8-8* *Gᵃˡ Mejía* dépose Gᵃˡ Efraín Ríos Montt. *-27-10* libération des sœurs des généraux Ríos Montt et Mejía enlevées juin et sept. **1984** suspension de l'aide amér. *janv.* coup d'État échoue. *-1-7* élection à l'Ass. Constituante (88 dép.). [Dém. chrét. 15,9 %, Union du centre nat. 13,19, Mouv. de la libér. nat. et Centrale nat. authentique 12,03]. *-15-10* Humberto González Gamarra (dirigeant Union révol. dém.) assassiné par un militaire. **1985**-*29-8* manif. après hausse des transports. *-3/4-9* l'armée occupe université San Carlos, 8 †. *3-11/8-12* présidentielles : *Vinicio Cerezo* élu par 65 % des voix. **1986**-*5-2* Drr, police secrète jugée responsable de crimes commis par « escadrons de la mort », dissoute. *Mai accords d'Esquipulas* (voir Index). **1988**-*11-5* coup d'État mil. déjoué. **1989**-*26/30-3* mutinerie prison d'El Pavón (12 †). *Mai* rébellion mil. échoue. **1990**-*25-7* Otto Rolando Ruano, député UCN, assassiné. *-2-12* armée tire contre manif. pacifiques à Santiago-Atitlán (16 †). *-21-12* arrêt de l'aide amér. **1991**-*4-1* rel.

dipl. avec URSS (suspendues dep. 1947) reprises. *-6-1* 2e tour présid. : Jorge Serrano Élias, ami du Gal Réos Montt (dont la candidature a été écartée), fondateur du Mouv. d'action solidaire, et un des directeurs de l'Égl. évangéliste Shadai, élu par 65 % des voix [1er tour 11-11-90 : abstentions 45 %, bulletins nuls 9,1, Jorge Carpio Nicole (Union du centre nat.) 25,7 des voix, Jorge Serrano 24,2, Alfonso Cabrera (dem.-chrét.) 17,49, Alvaro Arzu (droite) 17,3]. *-30-1* attentat manqué contre le Pt. *-26-7* accord gouv.-guérilla sur la « démocratisation ». *-14-8* G. reconnaît le droit à l'autodétermination de Belize. *-6/12-10* 2e rencontre continentale des peuples indiens d'Amérique. Retour de Rigoberta Menchu [exilée au Mexique dep. 1981 ; 32 a., quiché, héroïne de la résistance (fille de Vincente Menchu un des fondateurs du Comité de l'unité paysanne tué janv. 81) prix Nobel de la Paix 1992]. *-11-12* embuscade, 10 militaires †. **1993**-*20-1* retour de 2 500 indigènes réfugiés au Mexique dep. 1980 (sur 2 ans, 40 000 prévus). *-23-2/30-3* échec des négociations avec guérilla. *-25-5* Pt Serrano dissout Parlement et Cour suprême. *-2-6* Serrano déposé. *-5-6* Parlement élit Ramiro de Leon Carpio Pt, jusqu'à janv. 1996 (par 106 voix sur 113).

Statut. République. *Const.* de 15-9-1965, suspendue 23-3-82, révisée en 1985. Junte. *Congrès nat.* 116 m. élus pour 5 a. **Fêtes nat.** 15-9 (Indép. 1821), 20-10 (Révolution de 1944). **Drapeau.** Adopté 1871. **Symbole.** *Arbre :* Ceiba (kapok), *oiseau :* quetzal.

Principaux mouvements de guérilleros. *Mouv. révolut.* (MR 13), fondé 1960, *Forces armées rebelles* (FAR), f. 1963, *Armée de la guérilla des pauvres* (EGP), f. 1978, *Organisation révolut. du peuple en armes* (ORPA), f. 1980, *Parti guat. du travail* (PGT), regroupés en févr. 82 dans l'Union révol. nat. guat. (UNRG), 3 000 m. **Violence.** *4-1-1991/18-6-92 :* 1 049 assassinés, 197 détenus disparus (armée souvent mise en cause). *Assassinats ou disparus dep. 30 ans :* 100 000 (selon org. de déf. des droits de l'homme).

Économie

PNB (89). 890 $ par h. **Pop. active** (% et entre par. part du PNB en %) agr. 55 (25), mines 1 (1), ind. 17 (19), services 27 (55). *Sans emploi* 33,2 %. **Chômage** (90) 40 %. **Inflation** (%) *1985 :* 70 ; *86 :* 37 ; *87 :* 20 ; *88 :* 10,3 ; *89 :* 11,4 ; *90 :* 41,2 ; *91 :* 10. **Dette extérieure** (milliards de $) *1981 :* 1,3 ; *85 :* 2,6 ; *89 :* 2,7 ; *91 (mai) :* 2,3 (35 % du PIB). Pauvreté extrême : 30 % des hab., pauvreté 40 %.

Agriculture. **Terres** (milliers d'ha, est. 81) forêts 4 470, t. arables 1 485, pâturages 870, cultivées en permanence 356, eaux 46, divers 3 662. 90 % des exploitants ont moins de 7 ha et 419 620 ne possèdent aucune terre. **Production** (milliers de t, est. 91) maïs 1 405, canne à s. 10 500, bananes 17,3 millions de régimes, café 220, coton 41, cardamome 7,3 (84) ; haricots, ananas, avocats, chicle. *Héroïne :* (92) 2 000 ha de pavots (200 ha en 86), production 15 milliards de $ par an ; *marijuana :* 38 millions de $. **Forêt.** 7 604 000 m³ (89). **Élevage** (milliers, 91). Volailles 10 000, bovins 1 695, porcs 1 100, moutons 675, chevaux 114. Viande. **Pêche.** 6 894 t (90).

Pétrole (milliers de tonnes). *Prod. 86 :* 350 ; *87 :* 250 ; *88 :* 150 ; *89 :* 168 ; *90 :* 169 ; *réserves prouvées* 19 520. **Industrie.** Agroalimentaire, textile. **Transports** (km, 89). *Routes* 18 000 dont 2 850 bitumés, *chemins de fer* 953. **Tourisme.** *Visiteurs (90) :* 508 500, *(91) :* 700 000. *Lieux :* Guatemala [palais national (1939-43), cathédrale, N.-D.-de-la-Merci, théâtre national (2 200 places), galerie des Beaux-Arts, musées d'Hist. et d'Anthrop., d'Art moderne, Ixchel du Costume indien)], Tikal (à 548 km de Guatemala, alt. 254 m), Quirigua et Antigua (ancienne capitale de l'Amér. centrale, abîmée par séismes 1773 et 1976). Uaxactun, Ceibal, La Democracia, El Asintal, Mixco Viejo, Río Azul, Lagunita, Iximché, marchés indiens de Chichicastenango (à 144 km de Guat., alt. 2 071 m, 3 200 h), de San Francisco El Alto à Totonicapán et de Chiquimula, lac Atitlán (130 km² à 1 542 m d'alt., temp. constante 20 °C) et Amatitlán (alt. 1 190 m), Santiago Sacatepéquez (fête du 1-11 : cerfs-volants destinés aux esprits des morts), grottes de Naj Tunich près de Poptun (Petén, fresques 800 av. J.-C.) et d'Actun Kan à Santa Elena (« Grotte du Serpent »), plages du Pacifique (Likin). **Parcs nationaux :** Chocón Machacas [lac Izabal (du lac Izabal à Livingston 37 km), Río Dulce (48 × 28 km) et baie de l'Amatique] : protection des lamantins et des mangroves.

Commerce (millions de $ US, 91). **Exp.** 1 230 (92) *dont* café 290, sucre 124, bananes 65,3, cardamome 22,7, viande 22,5 *vers* (90) USA 449, Salvador 144, Costa Rica 73, All. féd. 63, It. 17. **Imp.** 1 673 (92) *dont* (90) mach. et éq. de transp. 266, prod. chim. 267, minerais 283, métaux de base 151, prod. alim. 119 *de* (90) USA 651, Venezuela 119, Mexique 110, Japon 98, All. féd. 91. **Rang dans le monde** (91). 5e pavot. 6e café.

Guinée

V. légende p. 884.

Situation. Afrique. 245 857 km². *Alt. max.* Mt Nimba 1 752 m. **4 régions :** *Basse :* plaine côtière de 300 km sur 50 à 90 km bordée par la mangrove (1 saison sèche en hiver, 1 très pluvieuse en été : 4 350 mm par an à Conakry) ; *Moyenne :* massif du Fouta-Djalon (Mt Loura 1 538 m), climat tropical de montagne, savane arbustive avec forêt-galerie (1 saison sèche et 1 pluvieuse 1 712 à 2 246 mm) ; *Haute :* plate, climat sec (1 332 à 1 674 mm), savane herbeuse ; *Forestière :* forêt dense, massifs (dorsale guinéenne) et bas-fonds, climat subéquatorial (longue saison pluvieuse 1 810 à 2 893 mm).

Population. *1991* 7 100 000 h., dont Peuls 40 %, Malinkés 25, Soussous 11, Kissi 8, Tomas, Glerzé, Baga et Coniagui 2, forestiers 20, autres 10, *prév. 2000* 8 879 000. *Français :* 3 000. **Age** - *de 15 a.* 43 %, + *de 65 a.* 3 %. **Taux** (‰, 1990) natalité 48, mortalité infantile 145. **Espérance de vie** (1990) 45 a. **Alphabétisation** (adultes) 24 %). D 29. **Villes** (est. 83) : Conakry 1 000 000 (91), Kankan 88 760, Kindia 55 904. **Guinéens à l'étranger :** Sénégal 600 000, C.-d'Ivoire 550 000, Sierra Leone 150 000, Liberia 100 000, Mali, G.-Bissau 100 000, France 5 000. **Langues.** 8 langues nat., français. **Religions** (%). Musul. 75, animistes 20, chrétiens 5 (115 000 cath., 3 600 réformés et 1 200 anglicans).

Histoire. **1837-42** tr. du Lt de vaisseau Bouet-Willaumetz avec souverains locaux ; comptoirs fr. Col. des Rivières du Sud, rattachée au Sénégal. **1893** col. autonome (G. française). **1899** dans l'A-OF. Pacifiée par Gallieni et le gouverneur Ballay après défaites de Mahmadou Lamine (1887), Almamy Samory Touré (1898) et Alfa Yaya Diallo (1910). **1947** création du PDG. **1958**-*28-9* indépendance ; G. vote « non » au référendum instituant « la Communauté française » : la Fr. cesse toute aide financière ; rupture des relations diplom. avec Fr. *-2-10* Rép. indép., **Pt Ahmed Sékou Touré** (v. 1922-84) ; *nov.* projet union avec Ghana ; *-10-12* la Fr. s'abstient au vote d'admission de la G. à l'Onu **1959**-*15-1* la Fr. reconnaît la G. **1960**-*2-3* sortie de la zone franc. *-21-4* Sékou Touré annonce « la découverte d'un complot » et dénonce « le colonialisme fr. » ; *déc.* projet union avec Ghana et Mali. **1961**-*31-7* accord culturel franco-g. **1962**-*9-1* nationalisation des Cies d'assurances et de la dernière banque fr. **1964** polygamie interdite. **1965**-*16-11* la G. accuse Fr., Côte-d'Ivoire, Hte-Volta, Niger d'un complot. **1962-68** nationalisations. **1969**-*12-3* Fr. accusée d'un nouveau complot. *-15-5* 13 condamnés à mort, dont Keita Fodeba. **1970**-*22-11* débarquement de forces portugaises de G.-Bissau (360 †). *-24-12* Mgr Tchidembo (n. 1920), archev. de Conakry (Gabonais, sujet français), torturé, condamné à la prison à vie le 24-1-71. Plusieurs condamnés pendus. **1971**-*19-1* Fr. et All. féd. accusées d'avoir participé au débarquement du 22-11-70 ; 20 Fr. emprisonnés. **1975**-*14-7* relations dipl. avec Fr. rétablies ; 18 Fr. libérés. **1977**-*25-2* Diallo Telli (n. 1925), ancien secr. gén. de l'OUA, meurt en prison ; *août* révolte des femmes. **1978**-*26-1* Pt Giscard d'Estaing en G. **1979**-*7-8* Mgr Tchidembo libéré (expulsé 8-8, rentrera 1956). **1982**-*16/20-9* Sékou Touré en Fr. **1983**-*22-12* séisme (400 †). **1984**-*26-3* Sékou Touré meurt. Lansana Beavogui (n. 1923, PM dep. 26-4-72, désigné chef du gouv.) renversé par coup d'État mil. des colonels Lansana Conté et Diarra Traoré. Du 3-4 au 1-6 200 000 exilés rentrent. Libéralisation de l'économie ; décentralisation ; fermeture des banques d'État. **1985**-*15-5* 30 partisans de Touré libérés. *-4/5-7* coup d'État du colonel Diarra Traoré (Malinké) échoue : 18 †. **1986**-*5-1* Franc guinéen remplace Syli, dévaluation d'env. 93 %. **1987**-*31-12* Andrée Touré (femme de Sékou) condamnée à 8 ans de prison, son fils et 65 détenus libérés. **1988**-*6-7* manif. contre vie chère. **1989**-*10/13-5* Pt Conté en Fr. **1990**-*23-12* référendum pour Constitution, mettant fin au régime mil. et instaurant multipartisme : 98,7 % pour. **1991**-*6-5* grève générale illimitée. *-17-5* Alpha Condé, secr. gén. du RPG, rentre d'exil. *-19-5* manif. de l'opposition. *-17-6* 2 †. **1992**-*24/26-2* Jean-Paul II en G. *mars* émeutes à Conakry. *-3-4* multipartisme. *-16-10* Pt Conté échappe à attentat. **1993**-*16-3* affrontements Peuls/Soussous 1 †.

Répression. Entre 1958 et 71 : sur 71 ministres et secr. d'État, 9 pendus ou fusillés, 8 morts en détention, 18 condamnés aux travaux forcés à perpétuité, 20 remis en liberté provisoire, 5 réfugiés à l'étranger. Hostilité envers les Peuls (musulmans très stricts), plusieurs milliers tués après torture, au cours de purges périodiques (dernière en 76).

Statut. Rép. pop. et révol. *Const.* du 23-12-1990 : *Pt* et chef du gouv. général Lansana Conté (58 ans, Soussou) dep. 4-4-1984. *Ass.* 210 m. dissoute 3-4-84. **Partis.** *P. Démocr. de G.* (PDG), f. 14-5-47 dissous 3-4-84, réformé 1992 en *P. Démocr. de G. Rass. dém. africain* (PDG-RDA), Ismaël Gushein. *P. Guinéen pour le Progrès* (PGP), Abdoulaye Diallo. *Union des Forces dém.* (UFD), f. 15-9-91, Amadou Oury Bah. *Union pour la Nouv. Rép.* (UNR), Amadou Ba. **Fête nat.** 2 oct. (proclamation de la Rép.). **Drapeau** (1958) bandes rouge (travail), jaune (justice) et verte (solidarité).

Économie

PNB (90). 280 $ par h. **Pop. active** (% et entre par. part du PNB en %) agr. 67 (30), ind. 5 (10), mines 5 (25), services 20 (35). **Dette extér.** (88) 1,69 milliard de $ (+ de 90 % du PNB) dont 50 % envers URSS (remboursés en bauxite) (90) 2,5. **Aide** (millions de $) *87 :* *220*, *92 :* 35 (FMI). **Balance des paiements** (92) 182 millions de $. **Inflation** *1990 :* 27,1 %.

Agriculture. *Terres* (milliers d'ha, 81) arables 6 200 (90), cultivées en permanence 1 600 (90), pâturages 3 000, forêts 10 560, divers 9 454. *Production* (milliers de t, 91) manioc 450, riz 628, maïs 79, plantain 408, arachide 52, fruits 320 (83), légumes 420, tubercules 79 (84), café 8, patates douces 110, palme 40, tabac, ignames 106, noix de coco 18. **Élevage** (milliers de têtes, 91). Bovins 1 800, poulets 13 000, moutons 518, chèvres 464, porcs 33. **Pêche** 32 000 t (90).

Mines. *Bauxite* réserves 8 milliards de t (2/3 du monde), haute teneur, très peu siliceuse, gisements à Kindia, Fria, Boké, exploités par des consortiums occidentaux ou russes, prod. 17 500 000 t (1990), *alumine* 640 000 t (90) (2/3 du PIB). *Fer* réserves 15 milliards de t, Mont Nimba, Simandou. *Or* (teneur 300 à 600 g par t de gravier) ; prod. : 4 à 5 t par an. *Diamants* réserves 200 millions de carats ; prod. : *1982 :* 32 500 carats ; *91 :* 140 000. *Manganèse.* **Industrie.** Usine d'alumine à Fria. Une dizaine d'usines en activité (33 en 1958) fonctionnent en moyenne à 10 % de leur capacité.

Transports (km). *Chemins de fer :* Conakry-Kankan 662, Sangaredi-Port-Kamsar 136. Conakry-Fria, Conakry-Dêbébé 124. *Routes et chemins :* 30 000 (dont 1 087 goudronnés).

Commerce (millions de $, 90). **Exp.** 788 *dont* bauxite et alumine 611, café, palmiste, ananas, huiles essentielles. **Imp.** 693. **Avec la France** (millions de F., 90) *Imp.* 1 247, *exp.* 551. **Rang dans le monde** (85). 1e rés. bauxite. 2e bauxite.

Guinée-Bissau

V. légende p. 884.

Situation. Afrique. 36 125 km² à marée basse, 28 000 km² à marée haute. *Partie continentale* (frontières : 680 km avec Sénégal et Guinée, côtes : 160 km), et *partie insulaire :* archipel des Bijagos (40 îles dont 20 habitées). *Alt. max.* 300 m. **Climat.** Chaud et humide (pluies mi-mai, mi-nov.).

Population. *1991 (rec.) :* 966 000 h. dont (%, 90) : Balantes 27, Foulas 23, Mandingues 12, Mandjaques 11, Pepeles 10, Mancagnes, Beafadas, Bijagos, etc. Env. 3 000 Europ. *2000 (prév.) :* 1 241 000. **Age :** - *de 15 a.* 44 %, + *de 65 a.* 4 %. **Mort. infantile.** 143 ‰. D 26,7. **Villes :** *Bissau* 200 000 h., Bafata 15 000, Cacheu 14 000, Gabu 10 000, Bolama 2 000, Buba 1 500. Farim 1 000. **Langues.** Portugais *(off.)*, créole, français. **Religions** (%). Animistes 55, islam 30, chrétiens 7.

Histoire. **1446** découverte par le Port. Nuno Tristão. **1879** colonie port. distincte. **1951** province d'O.-M. port. **1963**-*23-1* début guérilla du PAIGC. **1973**-*24-9* Luís de Almeida Cabral (n. 1931, demi-frère d'Amilcar) Pt (dans les terr. contrôlés par guérilla). **1974**-*10-9* indép. **1980**-*14-11* coup d'État du Cdt João Bernardo (dit Nino) Vieira, ancien PM. **1981**-*14-2* gouv. provisoire. **1985**-*6-11* Paulo Correia vice-Pt arrêté après coup d'État avorté. **1986**-*12-7*

6 conjurés exécutés. *Nov.* commerce libéré. **1990**-*20-5* Pt Vieira en France. **1991**-*8-5* loi sur le multipartisme. **1993** él. prévues.

Statut. Rép. *Constitution* de mai 1984, révisée fév. 1993. Pt : Gal João Bernardo Vieira (n. 1939) dep. 14-11-80. **PM.** Carlos Correia, dep. 27-12-91. *Ass.* 150 m. Partis légaux. *P. Africain pour l'indép. de la G. et du Cap-Vert (PAIGC)* f. 1956 par Amilcar Cabral (n. v. 1924, assassiné 20-1-73), *Front démocratique social (FDS)* f. 1991 par Raphaël Barbosa, *P. démocratique social uni (PDSU),* f. 1991 par Victor Saude Maria.

■ ÉCONOMIE

PNB ($ par h.). *1982 : 220 ; 87 :* 135 ; *88 :* 138 ; *89 :* 152 ; *90 :* 155 ; *91 :* 160. **Pop. active** (% et entre par. part du PNB en %) agr. 70 (60), ind. 10 (9), services 20 (31). **Dette ext.** (91) 543 millions de $. **Aide française** (1991) 34 millions de F.

Agriculture. *Terres* (milliers d'ha) cultivables 900, cultivées 400, forêts 2 000. Zones inondées (flore des marécages et mangrove), région intérieure (forêts, palmeraies, savane). 8 % des t. cult. *Production* (milliers de t, est. 91) tubercules 50, noix de coco 25, riz 118, arachide 20, plantain 33, millet 20, sorgho 11, maïs 13, palmistes 8, coton 2, noix de cajou 20. Élevage (milliers de têtes, 91) bovins 410, porcs 293, moutons 245, chèvres 208, volailles 600 (86). Pêche 5 400 t (90). Mines bauxite et phosphates (non exploités). Routes 3 750 km (620 goudronnés).

Commerce (millions de $, 90). **Exp.** 24,5 dont prod. agric. 17,3, pêche 2,6, bois 1,5. **Imp.** 76,4 dont mat. et équip. 32,4, prod. alim. 18,5, carburants 10,5.

GUINÉE-ÉQUATORIALE

Carte p. 1008. V. légende p. 884.

Situation. Afrique. 28 051 km². Climat. Équatorial : pluies + de 2 000 mm par an. Bata est plus sec et froid que Malabo (temp. moy. 25 °C).

Population. 356 100 (est. 92), dont Fangs 90 %, Bubis 8 %. 110 000 exilés. Env. 3 000 Esp. Prév. *2000 :* 569 000. *- de 15 a.* 42,7 %. *+ de 60 a.* 6,4 %. **Mort. infantile** 120 ‰. D 12,7. Capitale *Malabo* 58 040 h. (91). **Espagnols :** *1968 :* 275 000, *79 :* 49 000 (80 % de la pop. a émigré), *82 :* 380 000. Langues. Espagnol, français *(off.),* fang, bubi, bujeba, ndowé, annoboné. Religions. Catholiques 75 %, protestants, musulmans, divers.

Ile de Bioko (ex-Fernando Poo). Montagneuse. *Alt. max.* Pico Bioko 3 007 m. 2 034 km², long. 72 km, larg. 35 km. 105 000 h. (est. 84). D 39. *Chef-lieu : Malabo* (appelée avant déc. 1973 Santa Isabel). Île d'*Annobon* [(appelée quelque temps Pagalu) 17 km². Ch.-lieu : San Antonio de Palea]. **Rio Muni.** 26 017 km² sur le continent avec les îles de *Corisco* (14,2 km², 1 140 h.), *Elobey Grande* (0,5 km²), *Elobey Chico* (0,025 km²). 293 000 h. (est. 84). Bantous. D 14,2. *Ch.-lieu : Bata* 60 460 h. (est. 91).

Histoire. **XVe s.** installation portugaise. **1778** cédée à l'Esp. **1827-44** Angl. occupent Fernando Poo, établissent à Clarence (Santa Isabel, fondée 1827) la base de leur escadre antinégriers ; les esclaves libérés sont installés dans l'île. **1843**-*27-2* Angl. rendent F. Poo aux Esp. qui annexent l'île de Causco., à l'embouchure du Rio Muni. **1856** fondation de la Guinée esp. sur le continent. **1900** tr. de Paris délimitant Rio Muni. **1931**-*2-9* terr. esp. du golfe de Guinée (colonie). **1959**-*30-6* divisés en 2 prov. esp. (F. Poo et R. Muni). **1968**-*12-10* indép. [*Pt :* Francisco Macías Nguema (1924-79, de l'ethnie Fang) élu 28-9]. **1969** coup d'État d'Atanasio Ndong Miyone échoue ; opposition éliminée. **1972** Macías Pt à vie. **1975** accord avec URSS et éclipse de l'Esp. ; économie ruinée. **1976**-*8-6* immigrants nigérians tués ; rapatriement de milliers de Nig. **1979**-*3-8* coup d'État du Cel Obiang. Macías renversé (fusillé 23-9) (bilan de son régime : 50 000 †, 150 000 exilés). **1981** *avril* échec coup d'État. **1983** *mai :* idem. **1985**-*1-1* rejoint zone franc. **1986**-*17-7* échec coup d'État. **1988**-*1-9* Pt Obiang en Fr. **1991**-*17-11* référendum, nouv. Const. **1992** multipartisme autorisé (sous conditions).

Statut. Rép. *Constitution :* 2-12-1991. *Pt :* Gal Obiang Nguema Mbasogo (n. 5-6-42) dep 25-8-79 (Pt de la Rép. dep. 12-10-82, réélu 25-6-89). *Conseil militaire* suprême. Ass. 41 m. *Garde* 350 Marocains (île de Bioko). Partis *P. dém. de G.-E. (PDGE),* f. 1987, parti unique jusqu'en 1992. *Convention libérale dém. (CLD). P. pop. de G.-E. (PPGE),* Severo Moto Nsa. *P. du progrès (PP). P. social-dém. (PSD). Union pour la dém. et le dév. social (UDDS). Union pop. (UP).* Drapeau (1968). Bandes vertic. verte (ressources nat.), blanche (paix) et rouge (indépendance) ; triangle bleu (la mer).

■ ÉCONOMIE

PNB (91). Env. 174 $ par h. **Pop. active** (% et entre par. part du PNB en %) agr. 70 (60), ind. 5 (5), services 20 (35). **Dette ext.** (millions de $) *1988 :* 212 ; *89 :* 167. **Aide** (millions de $) Espagne 20 (91), *France 10* (92). **Salaire moyen mensuel** (1991) 14 000 FCFA (280 F).

Agriculture. *Terres* (milliers d'ha, 81) arables 130, cultivées en permanence 100, pâturages 104, forêts 1 700, divers 771. *Production* (milliers de t, est. 91) manioc 82, patates douces 19, bananes 26, cacao 7 (*1968 :* 40 ; *1979 :* 5,4), café 7, noix de coco 8, huile de palme 5,5, tabac, vanille. Bois. 160 000 t (1987). Élevage (milliers, est. 91). Bovins 5, porcs 5, moutons 36, chèvres 8, poulets 160. Pétrole. Gisement d'Alba : *réserves* 70 millions de barils/an sur 10 ans. Commerce. Cacao, bois, café ; avec *France* et Espagne.

GUYANA

Carte p. 846. V. légende p. 884.

Situation. Amérique du S. 214 969 km². **Frontières** (en km) : Surinam 625, Venezuela 672, Brésil 1 200. **Alt.** *max.* (Mt Roraima) 3 031 m. **Régions :** bande côtière (largeur 10 à 60 km, long. 400 km) souv. inclinée, cultivée et peuplée ; forêts (80 %) et marécages ; chaînes de montagnes au S.-E. (Mt Acaraï) ; savanes au S.-O. (Rupununi). Nombreuses cascades (Kaieteur 225 m, Horse Shoe). Climat. Équatorial, doux et humide (régions côtières 30,5 à 32,2 °C). 2 saisons sèches (mi-févr./fin avr. et mi-août/fin nov.). Période la plus chaude : août à oct.

Population *1991 :* 739 553 h. (90 % sur la côte) dont (80) Indiens 50, Africains 35, Amérindiens 10, Chinois 2, Européens 3. *2000 (prév.) :* 1 196 000. **Âge :** *- de 15 a.* 38 %. *+ de 65 a.* 4 %. **Taux** (‰) *natalité* (88) : 26,1, *mortalité :* 8. D 3,4. **Villes** (80) : *Georgetown* 200 000 h. (85), Linden 30 000, New Amsterdam 20 000. Langues. Anglais *(off.),* hindi, urdu, créole et 9 dialectes. Religions (%). Chrétiens 42,4, hindouistes 37,1, musulmans 5,7, div. 14,8.

Histoire. **1621** colonie hollandaise. **1796** prise par Angl. **1814** col. britannique. **1964** affrontements majorité (originaire des Indes)/minorité (ascendance africaine). *Déc.* PM Cheddi Jagan, pro-soviét., du PPP, représentant surtout les Indiens, perd majorité absolue. Forbes Burnham (1923-85) PM s'allie à la droite défendant intérêts des Européens. **1966**-*26-5* indépendance. **1971-74** nationalisation des Cies exploitant bauxite. **1975-76** de l'activité sucrière. **1978** nouvelle Constit. réduisant garanties accordées à l'opposition ; troubles. *-18-11* suicide collectif (poison) de la secte amér. du « Temple du peuple » animée par Jim Jones : 923 †. Tensions entre Noirs et Indiens. **1980**-*6-10* nouvelle Constit. *Déc.* Forbes B. devient Pt. Élections (irrégularités) : succès de Forbes. **1985**-*6-8* Forbes meurt, Hugh Desmond Hoyte (n. 9-3-29) Pt. **1991**-*27-9* Ass. dissoute. *-28-11* état d'urgence.

Statut. Rép. coopérative (dep. 23-2-1970) membre du Commonwealth. *Const.* du 6-10-1980. *Pt* élu pour 5 ans Cheddi Jagan (n. 22-3-18) dep. 9-10-92. *PM* Sam Hinds dep. 9-10-92. *Ass. nat.* 65 m. élus p. 5 ans et 12 m. nommés. **Élect.** du 5-10-92 : Congrès nat. du peuple f. 1955 (Hugh Desmond Hoyte) 31 s., Parti progr. du peuple, f. 1950 (Dr Cheddi Jagan) 32 s., Force unie (Mazoor Nadir) 1 s., Alliance des travailleurs 1 s. **Comtés :** 3 : Demerara, Essequibo, Berbice. Fête nat. 23 févr. (j de la Rép.). Drapeau. (1966). Triangles rouge (énergie du peuple) liséré noir (sa persévérance), jaune (le futur) liséré blanc (les rivières), sur fond vert (les forêts).

Nota. – Le Venezuela revendique 150 000 km² dans la province de l'Essequibo.

■ ÉCONOMIE

PNB. $ par h. *1982 :* 590 ; *85 :* 256 ; *90 :* 370. **Pop. active** (% et entre par. part du PNB en %) agr. 36 (26), ind. 15 (12), services 41 (42), mines 8 (20). **Inflation** (%) *1988 :* 40 ; *89 :* 63 ; *90 :* 65,2. **Dette extérieure** (90) : 1,8 milliard de $. **Budget** (millions de F, 89) recettes 1 347, dépenses 1 690. Agriculture. *Terres* (milliers d'ha, 81) arables 480, cultivées en permanence 15, pâturages 1 220, forêts 16 369, eaux 1 812, divers 1 608. *Production* (milliers de t, 91) riz 250, canne à sucre 2 950, noix de coco 48, tubercules 32, plantain 23, oranges 15. **Forêts.** 228 000 m³ (88). Élevage (milliers de têtes, 91). Bovins 230, porcs 80, moutons 130, chèvres 77, poulets 15 000. Pêche. 36 892 t (90). Mines. *Bauxite* (millions de t) *1976 :* 4,5 ; *81 :* 2,4 ; *82 :* 1,4 ; *84 :* 2,5 ; *85 :* 2,2 ; *86 :* 1,5 ; *87 :* 2,8 ; *88 :* 1,8 ; *89 :* 1,3 ; *90 :* 1,4 ; *91 :* 1,3. *Or (91) :* 1 844 kg (contrebande). *Diamants :* 7 842 carats (89). *Molybdène.* Énergie. *Électricité* (millions de kWh, 88) 413.

Commerce (millions de $ G, 91). *Exp.* 28 397 *dont* sucre 10 474, bauxite 8 952, or 2 308, riz 2 102, crevettes 2 026 *vers* (millions de $ US, 82) USA 93, G.-B. 79, Venezuela 56, Trinidad 27. *Imp.* 34 274 *dont* 34 274 dont biens du capital 13 928, biens intermédiaires 12 132, biens de cons. 6 538 *de* (millions de $ US, 82) Trinidad 122, USA 55, G.-B. 25, Canada 11. **Balance commerciale** (millions de $ US). *1983 :* – 190. *84 :* – 126. *85 :* – 160. *86 :* – 120. *88 :* + 20,6. Rang dans le monde (91). 13e bauxite.

HAÏTI

Carte p. 967. V. légende p. 884.

Nom. « Terre des hautes montagnes » en indien.

Situation. Amérique. Partie ouest de l'île de St-Domingue (dite auj. île d'Haïti). 27 750 km² (dont plaines 7 000). *Frontière* avec Rép. dominicaine : env. 375 km. *Largeur* 34 à 285 km. *Alt. max.* Le Morne la Selle 2 680 m [dans les montagnes du S. ; autre chaîne : la Hotte (Morne Macaya, 2 347 m)]. **Iles adjacentes :** *la Gonâve* 658 km², 15 634 h., *la Tortue* 180 km², *l'île à Vache* 52 km², *les Cayémites* 45 km², *la Navase* 3 km². Climat. Tropical doux dans les plaines (*Técho,* « terres chaudes ») (Port-au-Prince janv. 23 °C, juill. 33 °C), montagne (*Té fret,* « terres froides ») 10 à 23 °C. *Pluies* avril/mai, sept./nov.

Population (millions). *1960 :* 3,6, *90 :* 6,5 dont en % : Noirs 95, Mulâtres 5 ; *91 :* 6,6 ; prév. *2000 :* 8. D 234 (côtes 350, intérieur 10). **Age** *- de 15 a.* 40 %, *+ de 65 a.* 5 %. **Taux** (‰) natalité 36, mortalité 16 (infantile 114). *Nombre d'enfants par femme* 5,4. *Accroissement nat.* 1, 4 %. *Espérance de vie* 54 a. *Pop. urbaine* 26 %. *Alphabétisation* 53 %. Villes (agg., 87) : *Port-au-Prince* (agg.) 1 200 000 (89), [+ 10 % par an de pop. dans les bidonvilles] Cap-Haïtien 72 200 (à 263 km), Gonaives 37 000 (à 152 km), Les Cayes 35 800 (à 178 km), Jérémie 22 346 (83) (à 285 km), Jacmel 16 776 (83) (à 81 km). **Émigration :** env. 1 000 000 vers USA [1] (N. York, Floride), Canada, Rép. Dominicaine, Bahamas. **Étrangers** (1991) 8 000 Amér. Langues. Créole et français *(off.) ;* compris par 30 % de la pop. Analphabètes 80 %. Religions. Catholiques 80 % (off.), protestants 10 %, baptistes ; vaudous 80 % (la plupart aussi catholiques pratiquants).

Histoire. **XXe/Ier s. av. J.-C.** peuplement Ciboney (céramique, sépultures). **Ier s. apr. J.-C.** les Taïnos (Indiens du groupe arawak) éliminent les Ciboneys. **XIVe s.** les Caraïbes refoulent les Taïnos vers l'O. **1492**-*6-12* découverte par C. Colomb (peuplée de 300 000 Indiens, qui disparaissent v. 1540) ; repeuplée d'esclaves noirs africains depuis 1502. **1600-1740** laissent le terrain aux flibustiers (ou « *Frères de la Côte* », basés dans l'île de la Tortue) et aux boucaniers (tanneurs de cuir de bœuf, exploitant les troupeaux sauvages de l'île). **1641** le huguenot fr. Le Vasseur enlève l'île de la Tortue aux flibustiers. **1642** le chev. de Fontenay prend possession d'H. au nom du roi de Fr. **1659** colons français. **1697**-*20-9* rattachée aux Antilles fr. (tr. de Ryswick), repeuplée par esclaves afr. (env. 30 000 par an entre 1784 et 1791), prospère (cult. vivrières, indigo, puis canne à sucre et café). **1722** révolte des esclaves. **1770**-*3-6* Port-au-Prince détruit par séisme. **1784** (partie française) 7 803 plantations, 100 000 Européens possédant 500 000 esclaves (partie esp. : 125 000 h.). **1791**-*15-5* l'Ass. nat. accorde l'égalité des droits aux gens de couleur libres nés de parents libres. *-14-8* serment du Bois-Caïman et insurrection des esclaves du N. *-24-9* l'Ass. nat. rapporte son décret du 15-5. Les Blancs se révoltent ; battus par Mulâtres, appellent les Anglais. *-28-11* arrivée de la 1re commission civile avec Roume, Mirbeck et Saint-Léger. **1792**-*4-4* Ass. lég. accorde aux Noirs Libres des droits égaux à ceux des Blancs. *-18-9* arrivée de la 2e commission civile avec Ailhaud, Polvérel et Sonthonax. **1793** Toussaint Louverture (1743-1803) rejoint le camp des Espagnols. *-29-8* Sonthonax proclame l'abolition gén. de l'esclavage à St-Domingue. **1794**-*4-1* décret de la Convention abolissant l'esclavage. Les Noirs se soulèvent et battent Anglais et colons (incendies et massacres), proclament la Rép. ; capitale Port-au-Prince qui devient Port-Républicain. *-18-5* Louverture quitte le camp esp. et rejoint la Fr. **1795**-*22-7* *tr. de Bâle,* l'Esp. cède l'E., l'île est réunifiée. **1797**-*1-5* *Sonthonax,* Commissaire de la Rép., nomme le gén. Louverture commandant en chef de l'armée de St-Domingue. **1801**-*8-7* Louverture promulgue la Constitution autonomiste de St-Domingue. **1802**-*3-2* expédition du Gal *Leclerc* (22 000 h.), les 3 chefs noirs [Louverture, Jean-Jacques Dessalines (1758-1806), Henri Christophe (esclave noir 1767-1820)] se soumettent. *-5-2* Leclerc entre à Cap-Français, incendié. *-7-6* Louverture arrêté, envoyé en Fr. *-2-11* Leclerc meurt de la fièvre jaune qui décime l'armée. **1803**-*7-4* Louverture meurt au fort de Joux. *-17-5* l'Ass. lég. rétablit l'esclavage. Rochambeau succède à Leclerc mais est pris par escadre angl. Noirs brûlent plantations et forêts. *-4-12* départ des dernières troupes franc. **1804**-*1-1* indép. *-22-9* Dessalines se proclame empereur (Jacques Ier). **1807-18** Anne Alexandre Pétion (mulâtre n. libre 1770-1818) devient Pt de la Rép. d'H. **1808** l'Esp. récupère l'E., et l'O. est divisé. Dans le N., Christophe fonde une république qui devient en 1811 royaume dont il est le roi Henri Ier ; suicide 8-10-1820 à la suite d'un soulèvement. Dans le S., Pétion fonde une rép. (1807-18). **1815** traite des nègres abolie au congrès de Vienne. **1818-43** Jean-Pierre Boyer (1776 – Paris 1850, mulâtre) Pt d'H. **1822**-*9-2* réunifie l'île. **1825**-*17-4* la Fr. reconnaît la Rép. d'H. [H. paye une indemnité de 150 millions de F (réglée jusqu'en 1938)]. **1842**-*7-5* Cap-Français détruit par un séisme]. **1843** Boyer, exilé. **1844**-*27-2* séparation : Rép. dominicaine (E.) et Rép. d'Haïti. **1849** *sept.*/**1855**-*15-1* H. est un empire avec Faustin Ier [Soulouque (1782-1867)]. **1905** USA prennent douane en charge. **1915** *-28-7* Pt Vilbrun Guillaume Sam assassiné ; occupation militaire **1918**-*12-7* déclare. g. à l'Allemagne. **1934**-*21-8* Américains évacués. **1937** *oct.* 30 à 40 000 Haïtiens massacrés en rép. Dom. **1941**-*8-12* déclare g. au Japon. *-12-12* à l'All. et l'Italie. **1950** *oct.* troubles, Cel Paul Eugène Magloire (n. 1907) élu Pt. **1956**-*22-10* forcé de se démettre.

1956-86 ère Duvalier. François Duvalier (14-4-1907/21-4-71, docteur, dit Papa Doc) élu Pt 22-9-57 (à vie le 22-4-64), gouverne avec soutien des Tontons macoutes (volontaires de la sécurité nationale formant une milice armée). **1967**-*12-6* 19 officiers exécutés. **1968** tentative d'invasion par des exilés. **1970** coup d'État avorté. **1971**-*15-1* l'Ass. nat. autorise Duvalier à désigner son fils Jean-Claude comme successeur. *-31-1* référendum ratifie cette désignation (2 391 916 pour, 0 contre). *-21-4* Duvalier meurt. *-22-4* **Jean-Claude Duvalier** (n. 3-7-1951) (dit Baby Doc) lui succède. Sa mère, « Maman Simone », sera très influente jusqu'au mariage de J.-Cl. (27-5-1980) avec Michèle Bennett (n. 1954). Création d'un corps d'élite antiguérilla (600 h., 3 bataillons). **1973** complot du colonel Honorat ; dénoncé par le Cel Valmé, qui devient chef de la police (3 000 h.). **1980** *juill.* cyclone Allen ; *-28-11* 1 500 opposants incarcérés (inculpés d'un complot comm. sous la direction de « Caca Diable ») ; *-25-12* chef syndicaliste Yves-Ant. Richard expulsé. **1981**-*18-1* Bahamas commencent à expulser 25 000 à 30 000 H. Clémard-Joseph Charles [ancien min. des Finances (1960-67 ; emprisonné 1967-77, exilé USA 1977)] regroupe l'opposition ; *mars-avril* partisans de « Maman Simone » expulsés. *-22-11* journalistes « d'opposition » expulsés. **1982**-*9* et *-12-1* exilés débarqués (avec B. Sansaricq) sur l'île de la Tortue tentent de renverser le régime. *-14-1* troupes dominicaines empêchent retour massif d'opposants h. La marine amér. contrôle émigration illégale par mer. **1983**-*1-1* attentat à Port-au-Prince revendiqué par brigade Hector Riobe, 4 †. *-9-3* halte du pape à H. *-5-4* retour des cendres de Toussaint Louverture. *-27-8* Parlement dissous. **1984** *mai* émeutes (faim) ; abattage des porcs pour lutter contre peste porcine. **1985**-*2-1* marche de la paix de 50 000 adolescents. *3-1* suspension d'aide amér. (26 millions de $). *-22-4* Duvalier annonce libéralisation (loi sur partis pol.). *-22-7* référendum sur l'irrévocabilité de la présidence à vie : 99,98 % de oui (fraudes). *-24-11* journée de jeûne et prières, l'Église s'éloigne du régime. *-27/28-11* manif. aux Gonaives : 4 tués par Tontons macoutes. **1986**-*8-1* écoles fermées. *-26-1* police pol. dissoute. *-27-1* émeutes à Cap-Haïtien : 3 †. *-29-1* 40 000 manif. *-31-1* état de siège, troubles : plusieurs centaines de † ; profanation du tombeau du Dr Duvalier ; chasse aux Tontons macoutes (ils étaient 40 000 + 300 000 supplétifs). *-7-2* Duvalier se replie en France.

1986-*7-2 Conseil nat. de Gouv.* (Pt : *Henri Namphy,* chef d'état-major) veut récupérer sommes accaparées par Duvalier (J.-Cl. : 450 à 800 millions de $?, sa mère : 1 150 ?). *-9/10-2* Parlement dissous. Namphy annonce nouv. Constit. et des él. au suffrage univ. direct. *-15-4* gel des avoirs de J.-Cl. Duvalier en Suisse. *-26-4* émeutes, 6 †. *-4/5-6* émeutes. *-19-10* él. à l'Ass. const. (95 % d'abstentions). *-17/21-11* grève gén. **1987**-*29-3* référendum pour nouvelle Const. (99,81 %). *-29-6/1-7* grève générale : 12 †. *-2-7* Conseil national abroge décret électoral à l'origine de la grève, + de 50 paysans tués. *-27-7* 100 paysans tués. *-13-10* Yves Volel, cand. dém.-chrét. à la présidence, assassiné. *-20/22-11* au moins 25 †. *-29-11* troubles élect., reportées (24 †). Conseil électoral dissous et reformé avec des nouveaux. Aide internat. suspendue. 40 jeunes exécutés par militaires. **1988**-*17-1 Leslie Manigat* (57 ans) élu Pt avec 59,29 % (conditions discutées). *17-6* Manigat démet Namphy (surnommé Chouchou) pour avoir augmenté la solde des mil., et pour réimposer un contrôle civil sur promotions mil. *-19-6* coup d'État de Namphy. *-20-6* dissout le Parlement. Manigat exilé à St-Domingue. *-10-9* massacre église St-Jean-Bosco de Port-au-Prince lors d'une messe du Père Aristide, opposant (11 †). *-17-9* Namphy renversé par *Gal Prosper Avril* (n. 12-12-1937), chef de la garde prés. *-19-9* gouv. civil modéré. *-17-10* Père Aristide expulsé d'H. *-6-11* Cel Jean-Claude Paul, ex-patron des Tontons macoutes, et inculpé de trafic de drogue aux USA, meurt empoisonné. **1989**-*13-3* Constit. partiellement restaurée. *-2-4* coup d'État mil. échoue (5 †). *-3/9-4* affrontements. **1990**-*20-1 au 29-1* état de siège contre terrorisme. *-7-2* amnistie. *-5/8-3* manif, 3 †. *-10-3* Avril démissionne. *Gal Hérard Abraham* (n. 28-7-1940) Pt par intérim. *-13-3 Ertha Pascal Trouillot* (n. 1943 ; 1re femme juge de Port-au-Prince 1971), Pt à titre provisoire. *-16-10* duvaliéristes créent l'Union pour la Réconciliation nationale, Pt Roger Lafontant : sa candidature aux él. prés. est rejetée par conseil électoral. *-5-12* bombe lors d'un meeting du Père Aristide, candidat (8 †). *-16-12* 1er tour des él. : Père Jean-Bertrand **Aristide** (n. 15-7-53, dit « Titid », partisan de la théologie de la libération, exclu de l'ordre des Salésiens en déc. 88) élu 67 % des voix (après opération « Lavalas », ou avalanche, mouv. d'enthousiasme pop.) devant Marc Bazin (centr.) 13 % et Louis Dejoie (pop.). **1991**-*6/7-1* coup d'État échoue (40 †), Lafontant arrêté. Manif. : siège de la Conférence épiscopale pillé, cathédrale et nonciature apostolique (nonce molesté) incendiées. *-12-1* complot découvert. *-21-1* 2e t. des législatives. *-27-1* troubles à Port-au-Prince (12 †). *-29-1* Pt Aristide en France. *-19-2* René Préval PM (3 femmes au gouv.). *-9-3* Chantal Lapouille (belle-sœur d'Hervé Bourges) en mission pour l'Unicef, et *11-3* Dr Robert Coirin, Français assassinés. *-30-7* Lafontant cond. à prison à vie. *29/30-9* coup d'État du *Gal Raoul Cédras* (n. 1949), 200 † (+ répression 1 500 †). Pt Aristide fuit au Venez. *-4-10* USA gèlent avoirs haïtiens. *-7-10* Ass. destitue Pt Aristide sous la menace. *Joseph Nérette* Pt par intérim. *-11-10* Jean-Jacques Honorat PM. New York 50 000 manif. pour retour d'Aristide. *-27-10* Aristide demande à ses partisans d'infliger le supplice du « Père Lebrun » (pneu enflammé autour du cou) aux ex-Tontons macoutes *-30-10* Aristide en Fr. *-4-11* après Fr. et USA, Canada suspend commerce. *-15-11* ambass. de France sommé de quitter H. **1992**-*9-2* accord avec ONU sur envoi d'observateurs [*14-2* 40, *7-3* 22 (pour 1 an, puis 400 à 500 sur 3 ans)]. **1993**-*8-6* Marc Bazin (n. 6-3-32, dit « Mister Clean ») PM dep. 19-6-92, démissionne. *-3-7* accord : Pt Aristide rentrera 30-10. Cédras en retraite anticipée.

Répressions (oct. 91-nov. 92) : 1 867 exécutions.

Statut. République. Constitution *de 1987 : Pt* élu pour 5 ans, non immédiatement rééligible, ne peut en aucun cas accomplir plus de 2 mandats. *Chambre des députés. Sénat.* **Partis.** *Démocrate-chrétien* (d'H. Sylvio Claude, ass. 29-9-91). *Social-chrétien* (d'H. Grégoire Eugène). *Conféd. d'unité démocratique* (Evans Paul). *Congrès nat. des mouvements démocr. (KONAKOM)* (Victor Benoît). *P. agricole et ind. nat. (PAIN)* (Louis Déjoie). *Mouv. pour l'instauration de la démocr. en Haïti (MIDH)* (Marc Bazin) et *P. nationaliste progressiste révolut. haït. (PANPRA)* (f. 1986 par Serge Gilles) forment l'*Alliance nat. pour la démocr. et le progrès (ANDP). Front nat. pour le chang. et la démocr. (FNCD)* (f. 1990). *Mouv. pour la reconstr. nat. (MRN)* (f. 1991 par René Théodore n. 1940). *P. unifié des comm. haïtiens (PUCH)* (f. 1968 par René Théodore). **Fête nat.** 1er janvier (Indép.). **Drapeau** (1986). Bleu et rouge avec écusson central portant « L'union fait la force » (1964 : noir et rouge).

Économie

PNB (90). 220 $ par h. *Seuil de pauvreté absolue* 76 % (besoins alim. 3 019 866 t, prod. alim. 2 479 000 t). **Pop. active** (% et, entre par., part du PNB en %) agr. 74 (32), ind. 6 (22), services 19 (46), mines 1 (0). 70 à 80 % de la pop. est sous-employée. **Chômage** (%) hommes 11,2, femmes 13,6 (en fait 65 % en sous-emploi).

Finances. Budget (1990) 370 millions de $. **Inflation** (%) *1986 :* 3,3 ; *87 :* - 11 ; *88 :* 4,1 ; *89 :* 6,9 ; *90 :* 21,5 ; *91 :* 15,4. **Dette extérieure** (millions de $) *1981 :* 200 ; *90 :* 950. **Envois des émigrés. Aide** *USA* (millions de $) *1989 :* 10, *90 :* 54, *91 :* 82. *France : 1990 :* 176 à 227 millions de F.

Agriculture. *Terres* (km²) cult. 8 700, pâturages 5 300, forêts 3 000, (*1923 :* 23 % des terres, *74 :* 7, *82 :* 6, *85 :* 1,5, *90 :* 0 à 1), friches 300. 60 % des propriétés agricoles ont - de 1 ha [terres chaudes (- de 1 000 m) : manguier ; froides (+ de 1 000 m) : caféier (2 récoltes annuelles) ; fruits et légumes européens]. *Terres irriguées : 1789 :* 60 000 ha (pour 500 000 h.) ; *1989 :* 35 000. *Production* (milliers de t, 91) canne à sucre 3 100, patates douces 380, mangues 350 (86), légumes 288 (82), plantain 275 (86), bananes 220, maïs 145, tubercules 148 (82), riz 120, sorgho 90 (89), café 37, cacao 5, tabac, huiles essentielles, coton, sisal, rhum. **Élevage** (milliers, 91). Ovins 92, poulets 13 000, bovins 1 400, porcs 930. **Pêche** 7 500 t (90). **Bois** (12 millions d'arbres abattus par an). 72 % de la consom. d'énergie. **Électricité** (millions de kWh) *1970 :* 87,7 ; *80 :* 372,2 ; *89 :* 590. **Mines** *bauxite* (82) 431 000 t, fermées 1985, *cuivre. Non exploités :* manganèse, fer, or, marbre, molybdène, gypse. **Industries.** Assemblage, balles de base-ball (1er prod.), soutiens-gorge, chaussures, cassettes.

Transports. Routes carrossables (en km) en bitume 420,3, béton 29,6, terre battue 2 163,9, gravier 398,7. **Tourisme.** *1986 :* 112 000, *90 :* 78 026, *91 :* 84 245. **Sites :** *Port-au-Prince :* cath. Ste-Trinité, marché en fer, musée du Panthéon national, m. d'Art haïtien du Collège St-Pierre, maison Defly, distillerie Jane-Barbancourt, place des Héros de l'Indép. *Kenscoff :* Fort St-Jacques. *Cap-Haïtien :* Citadelle Henry, palais Sans-Souci.

Commerce (millions de gourdes, 90-91). *Exp.* 773 *dont* prod. man. 566, café 71 *vers* (88-89) USA 416, It. 90, *France 72,* Belg. 69, All. féd. 24. *Imp.* 2 286 *dont* prod. man. de base 434, prod. alim. 405, mach. et éq. de transp. 346, fuel et lubrifiants 342 *de* (88-89) USA 736, Japon 106, *France 102,* Canada 98, All. féd. 65.

Honduras

Carte p. 1016. V. légende p. 884.

Nom. De l'espagnol *hondo,* « profond », remarque faite par Christophe Colomb à propos de la profondeur des eaux lors de son arrivée.

Situation. Amérique centrale. 112 088 km². *Alt. max.* Cerro Selaque 2 849 m (pays très montagneux). *Frontières* 1 336 km, avec Nicaragua 805, Salvador 301, Guatemala 230. **Climat.** Tropical. *Côte atlantique* (840 km) pluies abondantes (surtout juin-août et déc.-févr.). *Pacifique* (124 km) pluies mai à oct. *Intérieur* climat plus doux du fait de l'alt. *Temp.* régions centrales 15 à 20 °C ; côtes 20 à 40 °C.

Population. *1990 :* 5 105 000 h., *2000* (prév.) 6 978 000. En % : Métis 89,9, Indiens 6,7, Noirs 2,1, Blancs 1,3. **Age :** *- de 15 a.* 47 %, *+ de 65 a.* 3 %. D 45,5. *Pop. rurale :* 59,3 %. **Villes** (89) : *Tegucigalpa* 678 700 h., San Pedro Sula 460 600 (à 252 km), Choluteca 68 500 (à 134 km), La Ceiba 68 200 (à 350 km), El Progreso 64 700, Puerto Cortes 43 300. **Langues.** Espagnol *(off.)* 98 %, indien, bas anglais sur la côte. **Religions.** Cath. 90 %, protest. 8 %.

Histoire. 1502 découvert par C. Colomb. **1523-25** conquête par Cristobal d'Olid y Alvarado. **1821** indépendant de l'Esp., membre de la Féd. d'Amér. centrale jusqu'au 5-11-1838. **1880** g. avec Guatemala. **Début XXe s.** la Cuyamel Fruit appuie les libéraux et l'United Fruit les conservateurs ; puis les 2 Cies fusionnent. **1907** intervention amér. **1933-48** Tiburcío Carías Pt se retire. **1937** différend avec Nicaragua. **1949**-*1-1* Juan Manuel Galvez élu Pt. **1954** grève générale (bananeraies). **1955-61** crises (ouragans, baisse prod. bananière). **1957-63** gouv. constitutionnel (P. libéral), Pt Ramón Villeda Morales. **1963**-*3-10* coup d'État mil. (Gal Oswaldo López Arellano). **1969**-*24-6* match de football avec Salvador : incidents. *-14/18-7* g. avec Salv. Env. 100 000 Salvadoriens regagnent Sal. *-30-7* paix provisoire, **1971**-*6-6* Ramón Cruz élu Pt. **1972**-*4-12* coup d'État mil. : Arellano au pouvoir. Assemblée suspendue. **1974**-*18/20-9* cyclone « Fifi », 10 000 †, dégâts 60 % du PNB. **1975**-*22-4* coup d'État : Arellano, accusé de concussion, renversé, Cel Juan Melgar Castro (n. 26-6-30) Pt. **1978**-*7-8* coup d'État mil. : Melgar déposé, impliqué dans affaire de drogue. **1981**-*29-11* Roberto Suazo Cordoba (n. 1928) élu Pt. **1982**-*5-7* attentat à Tegucigalpa contre 2 centrales électriques. **1984**-*31-3* Gal Gustavo Alvarez Cdt en chef exilé. **1985**-*24-11* élect. José Azcona (P. Libéral) élu Pt. 132 députés. **1988**-*17/28-3* USA envoient 3 200 paras contre incursion sandiniste. **1989**-*25-1* Alvarez assassiné par Forces pop. de libération du H.

☞ De 1821 à 1981 (en 160 ans), le H. a connu 159 changements de gouv., 24 guerres avec un voisin et 260 révoltes armées.

Statut. *Rép. constit. de 1980. Pt* Rafael Leonardo Callejas (n. 1943) élu 26-11-89 avec 50,97 % des voix contre Carlos Flores (P. libéral) 43,18 % (pour 4 ans au suffr. univ.) en fonction dep. 27-1-90. *Ass. lég.* 28-11-89 : libér. 71 s. (55,47 % des v.), Nation. 55 (42,97), Pinu 2 (1,56). **Départements :** 18. **Fête nat.** 15 sept. (indép.). **Drapeau** (1949). Bandes bleue, blanche et bleue (couleurs trad. d'Amér. centr.) ; 5 étoiles bleues (prov. unies d'Amér. centr.).

Partis. *P. national,* f. 1902, Pt Rafael Leonardo Callejas ; *P. libéral,* f. 1980, Pt Carlos Flores Facussé (off. reconnus, conservateurs) ; *P. Innovation et Unité* (Pinu), f. 1970, Pt Miguel Andonie Fernández (se déclare humaniste) ; *P. dém.-chrétien,* f. 1968, Pt Efraín Díaz Arrivillaga (opposition, progressiste) ; *P. comm. hond.,* f. 1954, proscrit dep. 1982.

■ Économie

PNB (91). 1 020 $ par h. **Pop. active** (% et entre par. part du PNB en %) agr. 58 (22), ind. 13 (21), services 27 (55), mines 2 (2). *Chômage :* 17 % de la pop. **Inflation** (%) *1988 :* 4,5, *89 :* 9,9 ; *90 :* 25 ; *91 :* 33. **Dette extérieure** (91) 3,2 milliards de $.

Agriculture. *Terres* (milliers d'ha, 81) : t. cult. 199, t. arables 1 565, pâturages 3 400, forêts 3 980, eaux 20, divers 2 045. *Production* (milliers de t, 91) canne à sucre 2 909, maïs 584, bananes 1 100, café 122, sorgho 93, tabac, riz, p. de terre, coton, ananas, palme. **Forêts.** 6 165 000 m³ (90). **Élevage** (milliers, 91) : poulets 9 122, bovidés 3 696, porcs 734, chevaux et mules 292. **Pêche** 15 442 t (90) crevettes, langoustes, homards, aquaculture. **Mines.** Plomb, zinc, argent, or, cuivre, fer, antimoine. **Industries.** Allumettes, tissus, construction. **Transports** (km). *Routes* 18 494 dont 2 262 goudronnées ; *chemins de fer* (voies étroites) 1 004. **Tourisme.** 249 761 vis. (89).

Commerce (millions de $, est. 91). **Exp.** 808 *dont* bananes 342, café 155, crustacés 103,6, zinc et plomb 37,6, viande 30,7 *vers* USA 435, All. féd. 70, Belgique 56, Japon 43,4, Italie 28,8. **Imp.** 880 *de* USA 356,6, Japon 79, Mexique 64, Venezuela 58, P.-Bas 52,6.

Rang dans le monde (90). 13ᵉ café.

HONG KONG

V. légende p. 884.

Nom. En cantonais « heung gong » (rade parfumée). **Situation.** Asie (presqu'île de Kowloon et 237 îles sur la côte sud de la Chine à 130 km de Canton). 1 067,65 km² (avec les eaux int. 2 903,5) dont Hong Kong et les îles adjacentes 78,94, Kowloon et l'île de Stonecutters 11,31, New Kowloon et les Nouveaux Terr. 973,77. *Frontière* avec Chine 35,4 km. *Alt. max.* Tai Mo Shan 957 m. **Climat.** Subtropical et de mousson : *mars-mai :* chaud jour, froid nuit ; *juin-août :* chaud, pluies ; *sept.-nov. :* chaud jour, froid nuit ; *déc.-févr. :* frais, sec (15,9 à 18,6 °C).

Population. *1845 :* 23 817, *1861 :* 119 321, *1881 :* 160 420, *1901 :* 368 987, *1931 :* 840 473, *1941 :* 1 640 000, *1961 :* 3 129 648, *1981 :* 4 986 560 (57 % nés à H.K.), *1991 :* 5 693 600, prév. *2000 :* 6 894 000. 98 % d'origine chinoise. **Age :** *– de 15 a.* 24 %, *+ de 65 a.* 7 %. D 5 385 (en moy. 4 pers. pour 12 m²). *Répartition* (86) Hong Kong 1 175 860, Kowloon et New Kowloon 2 301 691, [165 000 hab./km² (1 000 000 à Walled City) ; 10 m²/pers]. Nouveaux terr. 1 881 166, pop. vivant dans des jonques et des sampans 37 280. **Étrangers** (85) : Vietnamiens 64 000 dont 22 000 internés (91), Philippins 32 200, Américains 15 200, Indiens 15 200, Anglais 14 900 (+ 6 000 militaires), Malaisiens 9 700, Thaïlandais 9 660, Australiens 8 000, Portugais 7 700, Japonais 7 500, Canadiens 7 200, Pakistanais 7 100, *Français 1 700.* **Émigrés :** *90 :* 55 000 (off.), 40 000 par mois en fait ?, *91 :* 60 000, *92 :* 66 000. Env. 1,5 million de Chinois de H. K. possèdent un passeport brit., mais dep. 1982, ne peuvent plus s'établir en G-B (Nationality Act du 20-10-1981). *Pays d'accueil :* Canada 400 000, Australie, USA. La G.-B. accordera le droit de résidence en G.-B. à 225 000 de H. K. (50 000 chefs de famille et leurs familles), dès 1992. **Immigrés : de Chine :** *de 1977 à 80 :* 392 300 illégaux ont été rapatriés en Ch. dep. 1980. **Du Viêt-nam :** *1975-89 :* 170 000 ; coût 2 milliards de F, parqués dans 18 camps. *1989 (22-11) :* accord G.-B./V.-nam pour rapatriement forcé par avion de 37 000 à 44 000 h. **Capitale** *Victoria :* 2 100 000 h. (88) dans l'île de H. K.

Langues. Anglais et chinois *(off.).* Cantonais, koklo, hakka, szevap, autres l. chin. **Religions.** Bouddhistes, taoïstes, chrétiens (10 % de la pop. 5 000 départs en 1991), musulmans, juifs, hindous, sikhs.

Histoire. **1840** *févr. 1ʳᵉ g. de l'opium :* déclenchée pour défendre les intérêts de commerçants angl. (William Jardine, James Matheson). **1841**-*20-1* convention de Chuenpi, colonie brit. **1842**-*29-8 tr. de Nankin,* la Chine cède à perpétuité l'île de H. K. à la G.-B. **1843**-*26-6* colonie et port franc. **1850** (années) centre d'émigration vers USA et Australie (ruées vers l'or). **1856** *2ᵉ g. de l'opium.* **1860**-*26-3* convention de Pékin, la Ch. cède Kowloon et les îles Stonecutters. **1898**-*9-6* convention de Pékin, au *-1-7* location par la Ch. des Nouveaux Terr. pour 99 ans (jusqu'au 1-7-1997), l'entrée des résidents chinois munis d'un visa doit être libre. **1938** prise de Canton par Jap., afflux de réfugiés. **1941**-*25-12*/**1945**-*1-8* occupation jap. **1946** interdiction de fumer de l'opium. **1949** afflux de réfugiés Ch. **1952, 1967** émeutes. **1972** tunnel routier entre île de H. K. et Nouveaux Terr. **1975** Élisabeth II, 1ʳᵉ souveraine brit. à H K **1979-82** 2 lignes de métro construites. **1982**-*15-6* Deng Xiaoping déclare que la Chine veut retrouver sa souveraineté en 1997 ; retrait de 6 milliards de $. *Sept.* ouverture négociations Ch.-G.-B. Chute du $ HK. **1983**-*23-9* Samedi noir : le $ US vaut 9,50 $ HK. **1984**-*13-1* émeutes (1 million de $ de dégâts). *-19-12* accord Ch. et G.-B. : H. K. redeviendra ch. le 1-7-1997 avec statut spécial pour au moins 50 ans (institutions conservées ; fonds spécial de réserves fin.). **1985** *sept.* réorganisation ; él. indirectes au conseil lég. **1986** *oct.* Élisabeth II à H. K. **1989** baisse en Bourse. *Mai-Juin* inquiétude (événements de Chine) (1 million de manif.) *été PADS* (Prog. de grands travaux publics) adopté. **1990**-*16-2* commission mixte adopte loi fondamentale applicable 1-7-1997 (amendable 2007). *-4-5* affrontements police/Vietnamiens réfugiés. **1991**-*15-9* 1ʳᵉˢ él. lég. libres (18 sièges du Conseil lég. à pourvoir) 40 % de part. Dém. unis de H. K. 17 s. **1992**-*9-10* plan Patten de démocratisation repoussé. **1993**-*2-4* négociations reprises avec Chine. **1994** él. des conseils de district. **1995** él. lég.

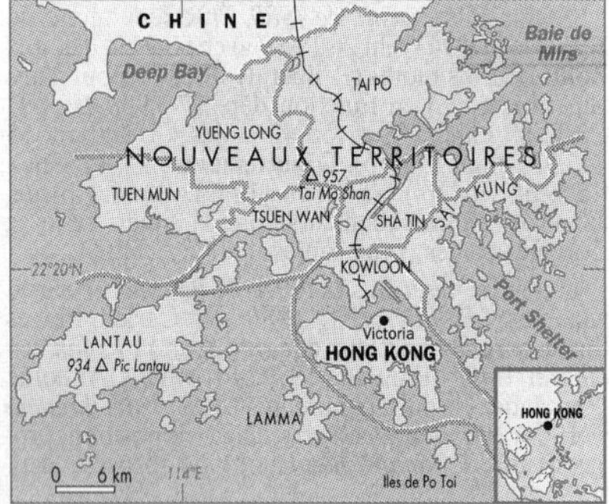

Statut. Colonie britannique. *Charte* de 1843. *Gouv.* sir Chris Patten (12-5-44) dep. 24-4-92. *Conseil exécutif* 4 m. d'office, 10 nommés. *Conseil lég.* 60 m. (dont 21 désignés par Gouv., 21 élus par repr. socio-prof., 18 élus au suff. univ.). **Partis.** *Reform Club, Civic Association, communiste, Kouomintang. Démocrates unis* de H. K. (*Pt* Martin Lee).

■ Économie

PNB (91). 14 000 $ par h. **Pop. active** (% et entre par. part du PNB en %) agr. 1 (1), ind. 27 (26), services 72 (73). **Inflation** (%) *1988 :* 8 ; *89 :* 10 ; *90 :* 9,5 ; *91 :* 12 ; *92 :* 10. **Taux de croissance** (%) *1981 :* 11 ; *82 :* 2,4 ; *83 :* 5,1 ; *84 :* 9,6 ; *85 :* 0,8 ; *86 :* 11,9 ; *87 :* 13,8 ; *88 :* 8 ; *89 :* 3 ; *90 :* 2,8 ; *91 :* 4,2 ; *92 :* 6. **Chômage** (%) *1985 :* 3,4 ; *90 :* 1 ; *91 :* 1,9. **Salaire moyen** (88) 2 500 à 3 000 F (Chine 300 F).

Agriculture. *Terres* (km², 84) : constructions 174, bois 125, pelouses et taillis 625, terres arables 75, piscicultures 21, marécages 1, divers 46. *Production* (t, 91) légumes 105 000, fleurs (84) 775 540 (unités), fruits 3 950. 45 % des aliments viennent de Chine. **Élevage** (milliers de têtes, 91). Poulets 5 051, canards 403, cailles 225, porcs 175, pigeons 600, bovins 2,6. **Pêche.** 226 200 t (91).

Mines. Kaolin, quartz, feldspath. **Eau** (millions de m³). Stockée 586 (17 réservoirs, dont Plover Cove 230, High Island 280) ; fournie par Chine 290 (prév. pour 1995 : 620). **Industries.** Textile (41 % de la pop. active ind.), électronique, photo, horlogerie, bijouterie, mat. plastiques, jouets, caoutchouc, constr. nav., chaussures, ivoire (60 millions de $ de revenus par an ; originaire de Doubaï). **Transports** (km, 89). *Routes* 1 446 ; *tramways* 30,4 ; *chemins de fer* 43,2. Projet d'aéroport à Lantau (Chek Lap Kok) [coût 127 à 185 milliards de $ HK], prévu 1997 (123 avions au sol, 87 millions de passagers, 9 millions de t de fret)] la Chine y est opposée. **Tourisme.** 6 032 081 vis. (91) dont (%) Taiwan 22, Japon 21, USA 10, G.-B. 4,6, Thaïlande 4,2, Australie 4. *Capacité* (89) 23 000 chambres.

Place financière. 2ᵉ d'Asie (1ʳᵉ pour transactions sur or) (1993) 530 établissements (350 étr.). Bourse (3ᵉ rang mond.). La Chine possède : antenne commerciale, banques 13 dont Bank of China [2ᵉ de HK, 20 % des dépôts, autorisée à battre monnaie dep. mai 93], Cᶦᵉˢ d'assur., entreprises, 4 000 Stés d'inv. (1991), dont : Corporation ch. pour l'Inv. et le Trust inter. (Citic) [dep. 1987 : 20 milliards de $ HK d'actifs, dont (en %) Dragon Air 38, Cross Harbour Tunnel 25, Hongkong Telecom 20, Cathay Pacific 12,5], China Resources. **Port** franc. **Avoirs en devises** (1992-11) 238,7 milliards de $ HK.

Commerce (milliards de $ HK, 91). **Export.** 231 *dont* vêtements 75,8, mat. élec. 19,4, montres et horloges 19, textiles 17,6, équip. de télécom. 15,2 ; *vers* USA 62,8, Chine 54,4, All. féd. 19,3, G.-B. 13,7, Japon 11,6. **Réexportations** 534,8 *dont* prod. man. divers 209,6, mach. et équip. de transport 137, prod. man. 107,8, prod. chim. 37,6 ; *vers* Chine 153,3, USA 110,8, All. féd. 32, Japon 29,7, Taiwan 24,7, G.-B. 14,6. **Import** 779 *dont* mach. et équip. de transp. 227, prod. man. divers 210,7, prod. man. 185,5, prod. chim. 60,1 ; *de* Chine 293,3, Japon 127,4, Taiwan 74,6, USA 58,8, Corée du S. 34,9.

Nota. – Part des exp. chinoises réexp. par H. K. (%). *90* (2ᵉ sem.) : 61,3.

Balance commerciale (milliards de $ US). *1988 :* + 0,74 ; *89 :* + 1,04 ; *91 :* – 2,6. **Investissements. Étrangers à H. K.** En 1992, Chine 1ᵉʳ inv. (10 à 20 milliards de $ H. K., 75 % du total), Japon 2ᵉ. **De H.K. en Chine :** 10 milliards de $. Raisons : main-d'œuvre, terrain et mat. 1ʳᵉˢ bon marché. Possibilité de tourner les quotas imposés aux imp. de H.K.

☞ Hong Kong achète en Ch. nourriture, eau, mat. 1ʳᵉˢ (surtout sable, ciment) et vend produits du monde capitaliste. Les excédents commerciaux chinois y sont en dépôt. La plupart des opérations commerciales avec la Chine s'y négocient. (2) *Pollution.* 2 millions de citadins exposés à des taux de SO_2 et de NO_2 élevés. En 1989, programme de lutte (20 milliards de $ HK sur 10 ans).

HONGRIE

V. légende p. 884.

Nom. Hongrois (du turc *onogour*) signifie « dix tribus d'archers ».

Situation. Europe. 93 032 km² (long. 528 km, larg. 268). *Frontières* 2 242 km (avec Croatie, Slovénie, Serbie 631 km, Slovaquie 608, Roumanie 432, Autriche 356, Ukraine 215). *Alt. max.* Mt Kékes (massif de la Mátra) 1 014 m ; *min.* 78 m au-dessus du niv. de la mer. **Régions** d'O. en E. : petite plaine (Kisalföld), Dorsale hongroise (300 km S.-O./N.-E., monts Bakony, Pilis, Mátra, etc.) ; Transdanubie (à l'O. du Danube ; plaines, collines peu élevées et petits massifs) ; grande plaine (Nagyalföld, 1/2 de la surface du pays) à l'E. du Danube, entre Dan. et Tisza sablonneuse, à l'E. de la Tisza limoneuse. **Fleuves :** *Danube* 417 km en H. sur 2 850 (dans la région de Baja sur 150 km, se sépare en 2 bras, a de 20 à 30 km de large), *Tisza* 598 km sur 977 (XIXᵉ s., raccourci de 450 km en coupant 120 méandres, construction de digues protégeant 3 000 000 ha de terres arables), *Drave* 143 km. **Eaux thermales** env. 500 sources à 35 °C ; au S. de la Transtisza 80 à 90 °C ; 500 000 m² de serres chauffés. **Lac** *le plus grand : Balaton* 598 km² (77 × 8 à 14 km). **Climat.** Continental : moy. (1961-70) 11,2 °C, max. 36,7 °C (– 2,1 °C à Budapest en janv., 21,2 °C en juill.) ; ensoleillement 1 975 h ; pluies 500 à 900 mm.

Population (millions) *1869 :* 5, *1910 :* 7,6, *1941 :* 9,3, *1992 :* 10,34, prév. *2000 :* 10,22. Magyars 92,3, Tziganes 5 (2 modif. importantes du territoire : 1920 et 1938-40). En %, Magyars 92,3, Tziganes 5, Allemands 2, Slaves du Sud (Serbes, Croates, Slovènes) 0,9, Slovaques 0,9, Roumains 0,2. **Age (en %) :** *– de 15 a. :* 21,2 h., 18,7 f., *+ de 60 a. :* 15,9 h., 22 f. **Taux (en ‰) :** natalité *1990 :* 12,1 (tzigane 24), mortalité : 14,1. D 111,3. **Pop. urb.** (92) : 62,4 %. **Villes** (92) : *Budapest* 2 000 955 h. en 91. *1867* capitale. *1872 (22-12)* réunion des 3 villes (Buda-Obuda-Pest) sur les 2 rives du Danube. Miskolc 192 355 (à 185 km). Debrecen 216 137. Szeged 177 679 (à 170 km), Pécs 170 542 (à 202 km), Győr 130 293 (à 128 km). **Départements ruraux :** 19 [le + grand (8 561 km²) Bacs-Kiskun, le + petit (2 446 km²) Komárom] ; **urbains :** 6.

Immigrés (fin 1992). 250 000 (100 000 trav. légaux, 100 000 demandeurs d'asiles et réfugiés, 50 000 clandestins) dont env. 100 000 d'origine Hongr. venus de Roumanie, 60 000 venus de Youg.

Hongrois d'origine à l'étranger (en milliers, 91) : 4 800 dont Roumanie 2 000, USA 730, Slovaquie 600 à 700, Serbie (Voïvodine) 350 à 400, Israël 400, Ukraine 170, Autr. 70, Brésil 70, All. 50, France 35.

Langues. En % (rec. 70) : hongrois *(off.)* 98,5 [origine ouralienne du même groupe que le finnois (finno-ougrien), dont elle s'est séparée v. 500 av. J.-C. ; parlers les plus voisins : en Sibérie, dans le bassin de l'Ob (vogoul et ostiak, l. ob-ougriennes)], allemand 0,4, roumain 0,3, croate 0,2, slovaque 0,2.

Religions. En % : cath. romains 61 à 66, calvinistes 18 (Église fondée 1552), luthériens 8, orthodoxes 0,4, israélites 1 [*1941* : 825 000 j. ; 565 000 exterminés ; *1991* : 80 000 à 100 000 (dont 90 000 à Budapest) + 25 000 à 30 000 assimilés], grecs unis 0,6. Après un accord (19-9-64), le pape nomme 3 archevêques, des évêques et administrateurs apostoliques, qui, avec les précédents, prêtent serment à la Rép. pop. Dep. un accord de 1975, tous les postes sont pourvus. *Religieux et religieuses : 1949 :* 13 000, *89 :* 2 800.

■ HISTOIRE

V. 450 000 av. J.-C. Vestige retrouvé. Province romaine, Pannonie (Transdanubie) jusqu'en 439 ; et Dacie (Transylvanie) jusqu'en 271. Soumise par Huns (jusqu'en 453, mort d'Attila). Goths, Gépides, Lombards, Skires, Slaves et Avars dans le Bassin danubien. **795** conquête carolingienne. **V. 895** envahie par Magyars (langue finno-ougrienne), duc Árpád († 907). **955** expansion arrêtée à Augsbourg par l'emp. Otton. **1000** St Étienne Ier († 15-8-1038) sacré roi apostolique à Esztergom, convertit les Hongrois. **1172-96** Béla III ép. 1°) Anne de Châtillon ; 2°) Marguerite, sœur du roi de Fr. Philippe Auguste. Influence française, constructions importantes. **1222** *Bulle d'Or* reconnue par André II : elle garantit les libertés de la noblesse vis-à-vis de l'aristocratie, promet la suppression des abus financiers, la convocation régulière des Diètes, droit de résistance des grands seigneurs au roi, s'il ne tient pas ses engagements. **1241-42** invasion tartare. **1301** André III meurt, fin des Árpád. **1308-42** Charles-Robert d'Anjou, roi imposé par le Pape Boniface VIII. **1342-82** Louis Ier le Grand, son fils, aussi roi de Pologne 1370. **1367** université de Pécs fondée. **1382** Marie, sa fille, proclamée roi, associe au trône son époux, Sigismond de Luxembourg (1387-1437, élu empereur d'All. 1410). **1395** université de Buda fondée. **1396** g. défensive contre Turcs (défaites de Nicopolis 1396, Semendria 1412), János Hunyadi (1387-1456) les arrête à Belgrade (1456). **1437-39** Albert Ier (II de Habsbourg), gendre de Sigismond. **1440-57** Ladislas V le Posthume, son fils sous la régence d'Hunyadi. **1458-90** fils de Hunyadi, Mathias Corvin (1440-90) élu roi. Guerre contre Georges Podiébrad, roi de Bohême, qui lui abandonne Moravie, Silésie et Lusace ; Mathias prend également Basse-Autriche et Vienne (1485). **1465** université de Presbourg fondée. **1490-1516** Ladislas Jagellon déjà roi de Bohême, élu par magnats qui, irrités de l'absolutisme de Corvin, ont écarté son fils naturel. **1514** grande jacquerie de Dózsa. **1516-26** Louis II Jagellon, son fils, battu par Turcs, tué à Mohács (29-8-1526). **1526** Ferdinand de Habsbourg (1503-64), se fait proclamer roi de Bohême et de H. par la Diète de Presbourg, mais une partie de la noblesse h. lui oppose le voïvode de Transylvanie, Jean Zapolya, élu roi du Royaume oriental, future Pté de Transylvanie, soutenu par Turcs dont il s'était déclaré le vassal. **1541-1686** centre de la H. devient province turque. **1541** Gül-Baba (le Père des roses), nom véritable Kel-Baba (le Chauve), personnage légendaire enterré sur la colline des Roses, meurt à Buda. E. et Transylvanie deviennent principautés quasi indépendantes sous Pces hongrois [Istvan Bathory (1533-86), élu 1576 roi de Pologne (Étienne Ier), Gábor (Gabriel) Bethlen (1580-1629), György Rákóczi (1593-1648), etc.]. Propagation du protestantisme à l'Est. O. et N. restent aux Habsbourg et catholiques. **1686** Léopold Ier de Habsbourg reprend Buda. **1687** Diète de Presbourg rend aux Habsbourg couronne héréditaire de H. **1691** Transylvanie annexée [privilèges garantis *(Diploma Leopoldinum)*]. **1699** fin de l'occupation turque. **1703-11** *g. d'indépendance* [le Pce Ferenc II Rákóczi, chef du mouvement, allié de Louis XIV, émigrera en Fr. († en Turquie)] matée par Autr. **1740-80** Marie Thérèse, impératrice d'Autr. et reine de H. fait édifier le château royal de Buda (à nouveau capitale). **1718** *tr. de Požarevac :* Banat rendu à H. ; H. autrichienne réunifiée. **1777** loi fondamentale sur l'instruction publique (Ratio Educationis, 1777). **1781** Édit de Tolérance (religieuse). **1785** abolition du servage perpétuel. **Début XIXe s.** mouvements nationaux et réformateurs avec István Széchenyi et Lajos (Louis) Kossuth. **1844** Hongrois langue officielle. **1848**-*15-3* soulèvement, Sándor Petőfi et Kossuth imposent à Diète égalité fiscale et abolition des charges féodales contre indemnité de l'État. Cte Lajos Batthyány chef du gouv. *-11-4* Autr. reconnaît H. comme roy. unit., parlem. démocr. *Automne* Autr. attaque H., Kossuth résiste. **1849**-*14-4* roi détrôné. *Été* intervention russe à la demande des Habsbourg. Oppression. Exécution des 13 généraux (les martyrs d'Arad). *-13-8* g. d'indép. échoue. **1849-67** néo-absolutisme. **1867**-*8-2* compromis : Diète et gouvernement h. ; l'emp. d'Autr. se fait couronner roi de H. ; le ministère d'Empire est chargé des affaires communes : aff. étrangères, finances, affaires militaires et g. 2 chambres : la *table des magnats* et la *table des représentants,* le droit de vote censitaire. Régime dualiste : Autr.-H. (rattachement à la H. de la Transylvanie, administrée par Vienne, Croatie et Slavonie). **1868**-*6-12* 1re loi sur les minorités nationales définissant une seule « nation politique », la « nation hongroise », composée de différentes minorités ethniques et culturelles. Les tendances à la magyarisation et la non-reconnaissance d'une autonomie plus large relancent les mouvements nationaux. Croates : autonomie partielle, minorités slovaques, ruthènes, roumaines. **1914-18** participe à la guerre aux côtés de l'Allemagne.

■ **République 1918**-*16-11* rép., **Cte Mihály (Michel) Károlyi** (1875-1955), Pt 29-10, 21-3-1919 démissionne à cause des amputations prévues pour H.

■ **Régence 1919 Archiduc Jozef** (1872-1962). *-29-10* liens rompus avec Croatie-Slavonie, *-1-12* avec Transylvanie (les Roumains de Tr. demandent son rattachement à Roumanie), Slovaquie (occupée par Tchèques). **1919**-*21-3* le P. communiste, qui a fusionné avec le P. socialiste démocrate, crée la rép. hongr. des Soviets dirigée par *Béla Kun* (1886- condamné à mort en URSS, exécuté 24-8-1938), qui dure 133 j : lutte avec Roumains et Tchèques qui occupent terr. enlevés par Alliés. *-16-11* contre-amiral Miklós Horthy (protestant, 1868-1957) occupe Budapest. **1920**-*1-3* **Contre-amiral Miklós Horthy** (1868-Portugal 10-2-1957) élu régent par l'Ass. nat. (130 voix pour H., 7 pour le Cte Apponyi). *-4-6 tr. de Trianon,* consacrant démembrement ; H. (90 000 km² au lieu de 320 000 km²) : 7 615 000 h. (au lieu de 20 855 000). *Pertes :* Slovaquie, Ukraine subcarpatique, Transylvanie, Croatie et Banat : 13 000 000 d'hab. (dont Hongrois 3 000 000). *Répartition :* Roumanie reçoit 102 000 km² (5 260 000 h., dont Roumains 2 800 000, Hongrois 1 500 000, Allemands 700 000) ; Yougoslavie 63 000 km² (4 120 000 h., dont Croates 1 700 000, Serbes 1 000 000, Hongrois 500 000, Allemands 500 000) ; Tchécoslovaquie 63 000 km² (3 580 000 h., dont Slovaques 2 100 000, Hongrois 750 000, Ruthènes 350 000, Allemands 300 000) ; Autriche 4 000 km² [380 000 h. du Burgenland, mais après plébiscite (déc. 1921) la région de Sopron revient à la H.)]. **1921** *mars-oct.* Charles IV (ex-empereur Charles Ier d'Autr.) essaie de reprendre son trône. *-5-11* loi proclame déchéance des Habsbourg. **1921-31** Cte Bethlen István PM. **1923** entre à la SDN. **1927** H. se rapproche de l'Italie, puis de l'All. hitlérienne. **1937**-*23-10* P. de la volonté nationale créé 1935, devient P. des Croix-Fléchées. Chemises vertes : leader Ferenc Szalasi, 150 000 membres en 1938, 31 députés en 1939. **1938**-*2-11* 1er arbitrage de Vienne. La H. récupère, au détriment de la Tchéc., Sud Slovaquie et Ruthénie. **1939** *mars* récupère toute la Ruthénie subcarpatique. *-30-8* 2e arbitrage de Vienne, Transylvanie partagé entre H. et Roumanie (alliées de l'All.). *Sept.* refuse passage troupes all. pour envahir Pologne. **1940** *oct.* accepte le passage des troupes all. en wagon plombé, vers Roumanie pour attaquer URSS. *Nov.* adhère au pacte tripartie. **1941** *avril* troupes all., sans autorisation d'Horthy, entrent en H. pour attaquer Youg. Pál Teleki, PM se suicide. *Mai* effondrement de la Youg., la H. reçoit divers territoires entre Danube et Tisza. *-26-6* g. contre URSS (forces h. anéanties 1942-43), puis 13-12 contre G.-B. et USA. **1942** *janv.* massacre d'Ujvidék, 3 000 Serbes et Juifs tués. **1944**-*17-3* ultimatum all., Horthy étant retenu au QG all. *-19-3* occup. all. *-15-9* Horthy demande armistice à URSS. *-23-9* armée sov. pénètre en H. *-15-10* demande à la radio de cessez-le-feu contre Alliés. Les All. le forcent à abdiquer (sous menace de tuer son dernier enfant kidnappé 24 h avant), et l'emmène en All. *-21-10* proclamation du régime des « Croix-Fléchées » (fascistes dirigés par Ferenc Szálasi), terreur. Extermination des Juifs h. Des dizaines de milliers sont sauvés par des diplomates [dont le dipl. suédois Raoul Wallenberg, arrêté 17-1-45 sur ordre de Boulganine (vice-min. soviét. de la Défense) et disparaît († 17-7-47 en URSS après un interrogatoire brutal, à la Loubianka, prison de Moscou ?)]. *Nov.* les Serbes tuent 30 000 Hongrois en représailles (en majorité civils, femmes, enfants). *-21-12* à Debrecen, 226 dép. adoptent le manifeste, élaboré à Moscou, qui prévoit la rupture immédiate avec l'All., le soutien des Alliés, la nécessité d'une réforme agraire, le contrôle de l'État sur grandes banques et cartels, la nationalisation de l'électricité et du pétrole. *-22-12* **gouv. provisoire** formé à Debrecen par Gal Béla Dálnoki Miklós (12 m. dont 3 com.), décl. g. à l'All. *-28-12* gouv. prov. du « Front de l'indépendance » animé par le PC et dirigé par le pasteur Tildy (p. des petits propriétaires). **1945**-*17-1* entrée des troupes soviét. *-20-1* armistice avec URSS. *-13-2* Soviét. prennent Budapest. *-17-3* réforme agraire. *-4-4* libération totale. *-7-10* municipales. *-4-11* législatives : petits propriétaires 57 % des voix, p. social démocrate 20, communistes 17, nationaux-paysans 6. *-15-11* pasteur Zoltán Tildy (p. des Petits Propriétaires) PM.

■ **République 1946**-*1-2* proclamée à l'unanimité moins la voix de Margit Slachta proche du cardinal Mindszenty qui voulait rétablir Otto de Habsbourg sur le trône. **Zoltán Tildy** (1889-1961) Pt. *Fév.* accord forcé avec Tchéc. pour échange 300 000 hongrois et slov. *-21-3* László Rajk min. de l'Intérieur. *-26-6* mines et assurances nationalisées. *-1-8* forint nouvelle monnaie. **1947** prise progressive du pouvoir par communistes. *-10-2 tr. de Paris :* rétablissement des frontières de 1920. *Mai gouvernement du Front populaire patriotique* (PC, PS dém., p. nat.-paysan, p. des petits propriétaires et Conseil nat. des syndicats). *-31-8* élect., Union des forces de gauche 60 % des voix, défaite des petits propriétaires. **1948 Arpád Szakasits** (1888-1965) Pt. *-18-2* tr. d'amitié et d'assistance mutuelle avec URSS. *-29-4* nationalisation des entreprises de + de 100 ouvriers. *-13/14-6* fusion du PS dém. et du PC dans le P. des travailleurs h. *-23-12* cardinal Mindszenty, primat de H. (29-3-1892/1975), accusé de complot et d'espionnage arrêté. Condamné à prison à vie (8-2-49), en résidence surveillée (16-7-55), libéré 30-10-56, réfugié ambass. USA, la quitte pour Vienne 28-9-71, titre de primat retiré par Vatican 1974. **1949** le PC prend la direction du Front pop. patriotique. *-15-5* élect. : 1 seule liste (celle du Front) 96,2 % des voix, le PC a 270 s. sur 395.

■ **République populaire 1949**-*18-8* Constitution *-24-9* László Rajk arrêté 30-5, exécuté pour complot titiste. M. Károlyi ambassadeur à Paris démissionne († Vence 1955). **1950**-*25-4* Pt Szakasits démissionne pour raisons de santé, arrêté.

1950 Sandor Rónai (1892-1965) Pt. *-7-9* ordres religieux dissous. **1951** János Kádár, accusé de titisme, torturé et condamné à réclusion à perpétuité. **1952 István Dobi** (1898-1968) Pt. *-14-8* gouv. Mátyás Rákosi (1892-1971). **1953**-*4-7* gouv. Imre Nagy. **1954**-*20-10* Kádár libéré. **1955**-*18-4* Nagy (exclu du Comité central du PC) remplacé par András Hegedüs. *-14-12* entrée à l'Onu.

1956-*27-3* Rajk réhabilité. *-21-7* Ernő Gerő (1898-1980) remplace Rákosi à la direction du PC. *-6-10* manif. lors des funérailles nationales de Rajk. *-14-10* Nagy réintégré dans parti. *-23-10* manif. pacifique de solidarité avec Polonais (Poznań). Tirs le soir devant la maison de la Radio où la foule veut faire diffuser ses revendications. Les manif. s'arment. Police [sauf la p. politique (AVH)] et armée restent neutres ou se rangent du côté de l'émeute. Statue de Staline renversée près du « Bois de Ville ». La nuit, le PC appelle Nagy à la tête du gouv. (retour réclamé par intellectuels) et demande l'aide des troupes soviét. *-24-10 1re intervention armée sov.* Mikoyan et Souslov (Politburo) arrivent à Budapest. Le gouv. promet l'amnistie à ceux qui déposeraient les armes avant 14 h., (h. d'entrée en vigueur de la loi martiale). Délai sans cesse repoussé. *-25-10* tirs de l'AVH sur la foule devant le Parlement. Les Soviét. rendent Gerő (qui démissionne) responsable de la crise. János Kádár élu 1er secrét. du Parti. *26-10* Nagy reconnaît, comme légitime, l'exigence du retrait des troupes soviét. et annonce la constitution d'un gouv. comprenant des sans-parti. Formation de Comités révolutionnaires et de Conseils ouvriers. *-27-10* les insurgés demandent le départ des ministres compromis pendant la période stalinienne. Nagy s'oppose à l'écrasement armé de l'insurrection en menaçant de démissionner. *-28-10* le journal du parti qualifie le soulèvement de « mouvement démocratique national ». Nagy proclame cessez-le-feu général et annonce départ des troupes soviét. de Budapest. La direction du PC est confiée à un présidium de 6 membres dont Nagy et Kádár. *-29-10* généralisation des Comités révol. et des Conseils ouvriers. *-30-10* le présidium du PC accepte multipartisme. Le PC est dissous, un comité provisoire d'organisation d'un nouveau parti (dont Kádár et Nagy sont membres) est créé. Les anciens partis se reconstituent. Le gouv. soviét., reconnaît « l'égalité complète des droits entre pays socialistes et la non-immixtion dans les affaires intérieures des autres pays ». Les insurgés occupent le siège du comité du PC de Budapest (atrocités). Formation d'un conseil révol. de l'armée pop. hongr. *-31-10* projet de garde nationale pour intégrer les insurgés armés. Nagy annonce que les négociations sont engagées pour le départ des soviét. et le retrait de la H. du pacte de Varsovie. *-1-11* constatant le renforcement des unités soviét. à l'est du pays, Nagy proclame la neutralité de la H. et son retrait du pacte de Varsovie. Kádár annonce à la radio la formation du nouveau PC et quitte secrètement Budapest. *-2-11* nouveau gouv. Nagy avec représentants des anciens partis. Khrouchtchev entreprend d'obtenir l'accord des dirigeants des autres pays socialistes, notamment Tito, pour une intervention armée. *-3-11* discours du card. Mindszenty (libéré 30-10) qui refuse de reconnaître le gouv. Nagy. Tard le soir, le Gal Pál Maléter, min. de la Défense, est arrêté lors de négociations avec les Russes. *-4-11 troupes sov. entrent en action.* Nagy se réfugie à l'ambassade de Yougoslavie et Mindszenty à celle des USA. Kádár annonce à la radio la formation d'un « gouv. révolutionnaire ouvrier et paysan » qui a demandé l'aide sov. *-13-11* formation du Conseil ouvrier du Grand Budapest. Grève générale. *-14-11* insurrection armée écrasée. Arrestations massives. *-23-11* Nagy et son entourage emmenés en captivité en Roumanie. *-11-12* arrestation des dirigeants ouvriers. **1957** le calme revient. *Bilan :* 2 500 à 13 000 †, 200 000 émigrés. *-28-3* tr. H.-URSS sur le « stationnement provisoire » des troupes soviét. et aide écon. **1958**-*28-1* Münnich Pt, Kádár reste 1er secr. du parti. *-16-7* Nagy, Gal Maléter et journaliste Miklós Gimes pendus (après procès secret). **1962** *mars* collectivisation agricole achevée. **1963**-*22-3* amnistie partielle. **1964**-*15-9* accord avec Vatican ; pape nomme 5 évêques.

1967-*14-4* **Pál Losonczi** (18-9-1919) Pt. **1968**-*1-1* réforme « nouveau mécanisme économique » [réhabilitation des mécanismes de marché, autonomie des entreprises, tendance à restaurer la vérité des prix, régulation par des moyens écon. « indirects » tels que taxes, subventions, taux d'intérêts, etc.]. **1972** *avril* Constit. modifiée. **1974-75** croissance des dotations de soutien aux prix à la consommation. Subventions à la consommation des matières 1res. **1976**-*1-1* NME révisée (recentralis.) Mgr Lékai archev. d'Esztergom et primat de H. **1977** rencontre Paul VI-Kádár au Vatican. **1978**-*6-1* Cyrus Vance (secr. d'État amér.) remet à H. couronne de St Étienne, symbole de la H. (gardée dep. 32 ans à Fort Knox). Rapports tendus avec Roumanie au sujet des Magyars de Transylvanie. *-15/17-11* Kádár en Fr. Entreprises classées en 3 catégories (à financement autonome, nécessitant une aide temporaire de l'État, d'utilité publique et déficitaire) reçoivent crédits bancaires sélectifs ou des subventions. **1979-80** système des prix « compétitifs » pour s'aligner sur prix internat. **1980** congrès du parti : priorité au redressement des comptes extérieurs ; politique d'austérité. **1981** mise en gestion privée de commerces et restaurants d'État. Dissociation des trusts industriels en unités plus petites. *Oct.* unification des cours du forint commercial et non-commercial. **1981-85** 6e plan. **1982** semaine de 42 h. Encouragements à créer de petites entreprises. *-7 au 9-7* Pt Mitterrand en H. **1983** sécheresse (200 millions $ de pertes). **1984** création de conseils d'entreprises responsables de la gestion avec participation des salariés, séparation des fonctions de régulation et de crédit au sein de la Banque nat., instauration de « prix de marché », différenciation des salaires, réduction de l'endettement. *-15-10* Kádár en Fr. **1985**-*8/22-6* législatives (pour la 1re fois candidatures multiples) : 762 cand. (dont 71 non « recommandés » par le Front pop. patriotique) pour 387 s. ; 25 non « recommandés » élus. **1986**-*2-7* mort du cardinal-primat László Lékai.

1987 *juin* **Károly Németh** (14-12-22) Pt. *-2-9* László Paskai archevêque-primat. Crise. **1988**-*1-1* réforme générale des taxes. Introduction d'un impôt sur le revenu de 20 % à 50 %, et de la TVA (15 et 25 %). *-15-3* anniv. de l'insurrection de 1848, manif. (non autorisée, 10/15 000 pers.). *-14-5* 1er syndicat indép. dep. 40 ans (synd. dém. des travailleurs scient.). *-22-5* Károly Grósz (n. 1931) 1er secr. du Parti, Kádár (secr. dep. 25-10-56) en devient le Pt. *27-6* 30 à 50 000 manif. à Budapest pour défendre la minorité d'origine h. en Roumanie.

1988-*29-6* **Bruno F. Straub** Pt. *-20-8* 950e anniv. de la mort du roi Étienne, fondateur de la H. *-8-9* réhabilitation de condamnés de 1956. *-17-11* Károly Grósz en Fr. *-23-11* il renonce à son mandat de PM. *-28-11* création du Mouv. social-dém. *-30-12* 120 condamnés de 1956 réhabilités. **1989** *-28-1* PC hong. reconnaît soulèvement pop. de 1956. *Févr.* adhère à la Convention de Genève. *-15-3* 100 000 manif. pour l'anniv. de la g. d'indép. de 1848 devenu férié. *2-4* reconst. du P. de l'indép. h. (1947-48, 56). *-3-5* grillage électr. supprimé à la frontière avec Autriche (260 km). *-8-5* Kadar exclu du comité central du PC. *-10-5* gouv. remanié investi par le Parl. (1re fois). *-31-5* PC juge illégale l'exécution de Nagy. *-16-6* obsèques solennelles de Nagy. *-23/24-6* PC se donne direction collégiale (4 m., 1 Pt : Rezsö Nyers). *-27-6 fin du « Rideau de fer »* hongrois. *Juin* démontage de la statue de Lénine (26 m). *Juillet* Pt Bush en H. *-6-7* Kádár meurt. *-22-7/5-8* 4 élect. partielles : PC battu, un pasteur (Gábor Roszik) non-communiste élu. *Été* réfugiés est-all. transitant vers Autriche et All. féd. *-19-8* 1re émission d'une TV indép., Nap-TV (*nap* en hongrois = jour, soleil). *-20-8* 1re fois dep. 40 ans procession de la *Ste-Dextre* [main droite de St-Étienne, (canonisé 1083), confisquée par Turcs, 1771 restituée, 1944-45 cachée en Autriche]. *-25-8* abolition du décret de 1950 n'autorisant que 4 ordres religieux. *-1-9* réévaluation du forint de 5 %. *-16-9* f. du Mouvement pour une Hongrie démocratique, Pt Imre Pozsgay. *-17-9* élect. partielles, victoire du Forum démocr. *-18-9* relations dipl. avec Israël reprises. *-22-9* l'indemnisation des victimes du stalinisme et de l'insurrection de 1956 annoncée (55 000 internés et 43 000 déportés, 17 000 encore en vie recevront à partir du 1-1 1 500 forints par mois). *-7-10* PC abandonne son rôle dirigeant (1 073 voix pour, 159 contre, 38 abst.) et devient le PS hongrois. *-18-10 loi fondamentale révisant Constitution de 1949* (333 oui, 5 non, 8 abst.), devient une République. *-20-10* nouvelle loi élect., dissolution de la milice ouvrière créée 1956 (60 000 h.).

■ 1989-*23-10* **Pt intérimaire Mátyás Szürös, proclamation de la Rép. h.** *Oct.* parlement vote le retrait des cellules du PC des lieux de travail. *-15-11* demande d'adhésion au Conseil de l'Europe. *-26-11* référendum pour décider si le Pt de la Rép. sera élu avant (au suffrage universel) ou après (par le Parlement) les législatives [7 824 775 inscrits, votants 58,03 % dont 50,07 après, 49,93 avant]. *-5-12* dévaluation du forint, 10 %. *-21-12* gouvernement prend le contrôle des services secrets, le Parlement se dissout. **1990**-*3-1* loi sur la liberté de conscience (votée à l'unanimité – 1 voix). *-5-1* scandale des écoutes téléphon. *-18-1* Pt Mitterrand et 7 min. en H. *-23-1* démission du min. de l'Intérieur, István Horváth. Retrait des 52 000 soldats soviét. (10 000 partis en 1989), accord signé à Moscou 10-3, retrait total avant 30-6-1991. *Févr.* suppression de l'étoile rouge sur le toit du parlement. *-9-2* relations avec Vatican reprises (rompues 1945). *2/4-3* synd. officiel se dissout et devient Conf. nat. des Synd. (MSZOSZ), Pt Sándor Nagy, 4 200 000 m. *-16-3* Parlement se dissout.

1990-*16-5* gouvernement à majorité d'enseignants membres du MDF ; économie de marché, privatisations (75 à 80 % d'entreprises autogérées). *-26-6* Parlement vote retrait du pacte de Varsovie (prévu avant fin 91). *-23-7* vote d'une motion demandant des excuses officielles de l'URSS pour l'intervention de 1956. *-29-7* référendum sur mode d'élect. du Pt de la Rép. ; invalidé en raison des abstentions (80 %). *-3-8* **Arpad Göncz** élu Pt de la Rép. par l'Ass. *-10-8* fin du pacte de gouv. conclu en avril entre démocrates libres et conservateurs. **1991**-*4-5* inhumation du cardinal Mindszenty († Vienne 1975). *-13-6* grève générale. *-19-6* départ des derniers militaires soviét. *-26-6* loi d'indemnisation des propriétaires spoliés [1 500 000 demandes attendues, coût 100 milliards de forints ; au 1-3-92 : 822 000 demandes, coût 30 milliards (beaucoup de spoliés sont morts, beaucoup ayant perdu les titres de propriété ont renoncé)]. *-10-7* loi sur restitution des biens des Églises (nationalisés 1948). *-12-7* loi sur démantèlement des biens de l'ex-syndicat officiel rebaptisé. Conféd. des synd. h. (montant 400 millions de forints). *-12-8* 1er bureau d'indemn. des vict. du comm. (2 millions de pers. attendues) : bons (valeur max. 5 millions de forints) pouvant être vendus, ou utilisés comme actions dans les entreprises privatisées. *-16/20-8* visite Jean-Paul II (1re d'un pape à Budapest). *-30-9* et *14-10* municipales (64 et 70 % d'abstentions). *-31-10* Gábor Demszky, 1 des chefs de l'Alliance des démocrates libres, élu maire de Budapest par l'ass. municipale ; fonction supprimée dep. 1947. *-4-11* loi permettant de poursuivre les ex-dirigeants comm. ayant commis des crimes. *déc.* prix libérés (à la consomm. 90 %, prod. 93 %). **1992** *fév.* PPP se retire du gouv. *Mars* Hungarian Telecommunications privatisée. *-3-3* Cour Constit. rejette loi levant prescription pour crimes commis sous le régime comm. *23-5* membre d'Eurêka. *-24-9* 40 000 à 100 000 manif. à Budapest contre l'extr. droite. *-10/11-11* Pt Eltsine à Budapest. *-17-12* loi restreint avortement. *-21-12* accord libre-échange avec Pologne et Tchéc. (groupe de Visegrad) pour former CEFTA (Central European Free Trade Agreement). **1993**-*16-2* prescription levée contre auteurs des exactions de 1956. *-25-5-* 1res él. intersyndicales démocr. : participation 38 % ; MSZOSZ (ancien synd. comm.) largement en tête.

■ Politique

Statut. République. Membre du Conseil de l'Europe (1990) ; membre associé de la CEE (1991). *Constit.* 1990. *Ass. nat.* (386 m. élus au suffrage univ. pour 5 a.).

Partis. **P. socialiste h. 1.** (MSZP). *Pt :* Gyula Horn (n. 5-7-32), 40 000 m. en 1991, a remplacé le 7-10-89 le PS ouvrier h. [MSZMP : 800 000 m. en 1989, avait succédé en nov. 1956 au P. des travailleurs hongrois (f. 1948) et PC (f. 1918) qui détenaient la réalité du pouvoir]. **Forum démocratique h.** (MDF) ; *créé* fin 1987, centre droit. 3 tendances : chrét.-dém., libérale et nationale. *Pt:* József Antall [n. 8-4-32 ; fils de József Antall (1896-1974, Pt du P. des Petits Propriétaires)], 34 000 m. **Alliance des démocrates libres** (SZDSZ), f. 1988, *Pt:* Yvan Petö 33 000 m. **P. des Petits Propriétaires** (FKGP) reconstitué 1988 (57 % des voix en 1945). *Pt :* József Torgyán. 57 000 m. **Fédér. des jeunes démocrates** (FIDESZ) jeunes radicaux proches du SZDSZ. *Pt :* Viktor Orbán, 10 000 m. **P. social-démocrate de H.** (SZDP) reconstitué 1988, membre de l'intern. soc., suspendu 1991, *Pte :* Anna Petrasovits. **P. des chrétiens-démocrates** (KDNP), *Pt :* László Surján, 16 000 m. **Partis non représentés au Parlement. P. Populaire** (PP) successeur du P. national paysan, coalition électorale patriotique (socialiste), *Pt :* Gyula Fekete. **Alliance agrarienne** (ASZ) issue de l'ancien p. socialiste ouvrier, *Pt :* Tamàs Nagy. **P. républicain** (MRP) (ancien P. des entrepreneurs), f. 1992, *Pt :* János Palotás.

Nota. – (1). 1er parti de l'Est membre de l'Internationale soc. en 1992.

Loi électorale. 1°) *176 députés élus dans 176 circonscriptions,* au scrutin uninominal majoritaire à 2 tours. 2°) *152 élus à la proportionnelle sur des listes présentées par les partis* dans 20 départements. 1 tour (sauf si abstention de + de 50 %). 3°) *58 élus sur des listes nationales,* d'après les restes des scrutins précédents. Élections législatives. *1er tour* 25-3-90, 12 partis présents représentés. Abstentions 36,85 %. *2e t.* 8-4-90. *Résultats* (sièges, entre parenthèses en % des voix). MDF 165 (42,74), SZDSZ 92 (23,83), FKGP 43 (11,13), MSZP h. 33 (8,54), FIDESZ 21 (5,44), P. chrétien-démocr. 21 (5,44), Indép. 6 (1,55), Coalition électorale 4 (1,03), Union agraire 1 (0,25).

☞ Présence sov. *(avant 1989)* 62 000 à 65 000 h., 27 146 véhicules militaires (860 chars, 600 pièces d'artillerie autopropulsées et 1 500 transports de troupe blindés), 560 000 t de matériel (230 000 dangereuses). *Retrait : avril 1989 à avril 90 :* 10 000 h. *mai 1990 au 31-6-91:* 49 700 militaires et 50 000 civils (fermeture de 60 casernes et de 6 bases aériennes).

Fêtes nationales. 15-3 (fête de la Révol. de 1848), 20-8 (fête de St Étienne), 23-10 (fête de la Révol. de 1956). Drapeau. Adopté 1848 : couleurs datent du IXe s, emblème de la Rép. ajouté 1848, enlevé 1849, ajouté 1918, enlevé 1919, ajouté 1946, remplacé par celui de la Rép. pop. 1949, remis 1956, remplacé par celui de la Rép. pop. (modifié 1957). Emblème traditionnel le + ancien (avec la Ste-Couronne) remis 1990.

Premiers ministres. **1918** *31-10* Mihály Károlyi (1875-1955). **19** *11-1* Dénes Berinkey (1871-1948). *5-3* Cte Gyula Károlyi (1871-1947) *(Chef du Gouvernement contre-révolutionnaire d'ARAD). 21-3* Sàndor Garbai (1879-1947) *(Pt du Présidium de la Rép. des Conseils). 1-8* Gyula Peidl. *7-8* István Friedrich (1883-1951). *24-11* Károly Huszár (1882-1941). **20** *15-3* Sándor Simonyi-Semadam (1864-1946). *19-7* Cte Pál Teleki (1879-1941). **21** *14-4* Cte István Bethlen (1874-1947). **31** *24-8* Cte Gyula Károlyi. **32** *1-10* Gyula Gömbös († 6-10-1936). **36** *12-10* Kálmán Darányi (1886-1939). **38** *14-5* Béla Imrédy (1891-1946). **39** *16-2* Cte Pál Teleki (1879-1941). **41** *3-4* László Bárdossy (1890-1946). **42** *9-3* Miklós Kállay (1887-1967). **44** *22-3* Gal Döme Sztójay (1883-1946). *29-8* Gal Géza Lakatos (1890-1967). *-16-10* Ferenc Szálasi (führer) (1897-1946). *22-12* Béla-Dálnoki Miklós (1890-1948). **45** *15-11* Zoltán Tildy (1889-1961). **46** *4-2* Ferenc Nagy (n. 1903). **47** *31-5* Lajos Dinnyés (1901-1961). **48** *10-12* István Dobi (1898-1968). **52** *14-8* Mátyás Rákosi (1892-1971). **53** *4-7* Imre Nagy (1896-1958, exécuté). **55** *18-4* András Hegedüs (n. 1922). **56** *24-10* Imre Nagy. *4-11* János Kádár (22-5-1912/6-7-89). **58** *28-1* Ferenc Münnich (1886-1967). **61** *13-9* János Kádár. **65** *30-6* Gyula Kállai (1887-1967). **67** *14-4* Jenö Fock (n. 1916). **75** *15-5* György Lázár (15-9-24). **87** *25-6* Károly Grósz (n. 1931). **88** *24-11* Miklós Németh (24-1-48). **90** *3-5* Jozsef Antall (8-4-32).

■ Économie

■ PNB (91) 2 974 $ par h. (sous-évaluation probable). **Pop. active** (% et, entre par., part du PNB en %). Agr. 15 (13), ind. 40 (35), services 40 (45), mines 5 (7). En 1990, 4 800 000 actifs, dont agriculteurs 864 000, ind. 1 920 000, services 2 016 000. En 1992, 4 241 800 actifs. **Chômeurs :** *90:* 137 000. *Dep. 1-1-90* allocation chôm. 70 % du dernier salaire (8 400 forints en moy.), après un an de perte d'emploi 50 %. *93:* 800 000 à 900 000. **Croissance** (%) : *1985 :* – 0,3 ; *86 :* + 1,5 ; *87 :* + 4,1 ; *88 :* – 0,1 ; *89 :* + 0,2 ; *90 :* – 4 ; *91 :* – 12 ; *92 :* – 4 à – 5. **Inflation** (%) : *1987 :* 8,6 (17 en réalité) ; *88 :* 15,5 ; *89 :* 17 ; *90 :* 28,9 ; *91 :* 35 ; *92 :* 21,6. **Dette ext.** (milliards de $) *1985 :* 11,8 ; *90 :* 21 (nette 16) ; *91 :* 22,6 (14,6) ; *92 :* 21,9 (13,2). **Service de la dette** (1992) : 3,9 milliards de $. **Déficit budgétaire** (md de forints) : *1985 :* – 15,8 ; *86 :* – 45 ; *87 :* – 34 ; *88 :* – 10 ; *89 :* – 49 ; *90 :* – 1 ; *91 :* – 197 (3 % du PIB). *Solde des comptes courants* (md de $) : *1986 :* – 1,4 ; *87 :* – 0,58 ; *90 :* + de 0,14 ; *91 :* + 0,4. **Réserves de change** (janv. 93) : 5 à 6 milliards de $. **Répartition du revenu** (%, 1983) : national : secteur d'État 67,4, coopératif 23,1 ; *expl. agricoles :* auxiliaires 4,4, secteur privé 5,1. **Épargne** (nov. 1992) 250 md de forints (15 % du PNB). **Économie parallèle** (1992) 20 à 30 % du PNB. **Fraude fiscale.** 5 % du PNB (France 2).

Membre du FMI et de la Banque mondiale (dep. 1982). Secret des dépôts en devises étr., intérêts versés exonérés d'impôt.

Nota. – Programme Phare (Pologne-Hongrie, Aide à la reconstruction des écon.) lancé au sommet de Paris en juil. 89., par la CEE. assure alim., restructuration de la prod. agr. ; envir. ; amélioration de l'accès des exp. sur le marché européen ; aide à l'investissement ; formation prof. ; contribution financière de 24 pays dans le cadre d'aides bilatérales.

■ **Secteur privé.** *Dep. 1-1-1989,* les pers. privées peuvent fonder des Stés anonymes par actions, des SARL ou en commandite, de 500 pers. Les étrangers peuvent devenir propriétaires d'entreprises selon une procédure simplifiée. *1992 (sept.) :* Holding de l'État hongrois (SPHC) créée (160 stés, 40 % du total ind.) *But :* gestion d'entr. publiques privatisables à long terme. *1993 :* privatisation des banques, télécom., gaz et électr. *1994 :* privat. de masse.

Avant 1994, le secteur public doit passer de 90 à 40-45 % de l'écon. (43,5 en 1990), avec 30 % d'investissement étr. Sur 40 000 entreprises, les 2 000 + importantes sont à vendre, valeur 1 000 md de forints. *Bilan 1992 :* 450 entr. vendues (602 dep. 1990) [20 % du total ; 93 (obj.) : 45-50 %]. SARL : *1985 :* 50, *89 :* 15 000, *90 :* 23 000, *91 :* 41 206 (sur 46 000 entr. privées créées), *92 :* 50 000 (sur 69 386). *Bénéfices* (en millions de $). *1991 :* 500, *92 :* 870. *Part des capitaux étrangers* (%). *1991 :* 80 (58,68 md de forints), *92 :* 60 (96,23). *Poids du secteur privé* (1992) : 38 à 40 % du PNB (19 % en 1989), 36 % des salariés.

■ **Salaires** (en forints par mois, 1991). Ex. : *sal. min.* 10 000 ; moyen : 18 000 ; *hauts sal. :* Premier ministre 229 000, ministre 151 000, manager 80 à 300 000. *Sal. min. : 93 (avril) :* 12 000. *Impôt sur le revenu* (%, 92). 25 sur rev. annuel entre 100 001 et 200 000, 35 entre 200 001 et 500 000 (+ 25 000 forints), 40 au-delà de 500 001 (+ 130 000 f.). Env. 2 600 000 personnes vivent sous le seuil de pauvreté (– de 55 % du salaire moyen par mois).

■ **Agriculture.** *Terres* (%, 91) : SAU 69,4, forêts 18,9, t. non cult. 11,6 dont t. arables 50,7, prairies et pâturages 12,6, vergers et jardins 4,7, vignobles 1,5. **Effectifs** (1992) : 360 000 (50 % de 1990). *Production* (millions de t, 91). Maïs 4,3 (92), blé 3,4 (92), bett. à sucre 2,9 (92), fruits 1,4, p. de terre 0,9 (92), orge 1,4, raisins 0,9, œufs 0,26, vin 4 600 000 hl (3 millions, 85), lait 2,8 milliards de litres. **Forêts** 6 millions de m^3. **Structure** (en 1983, en % de la superficie agricole utilisée et, entre parenthèses, part de la production brute en %) : 131 fermes d'État : 15,2 (15,4) ; 1 399 coop. d'exploitation agr. : 70,5 (50,8) ; 600 000 expl. auxiliaires : 4,8 (18,6) ; 790 000 expl. individuelles : 7,1 (15,1). *Privatisations* (bilan 1992, en %) 39 fermes d'État sur 130 et 81 établies en 101 unités indiv. à privat. 4,7 millions d'ha (dont fermes d'État 17 %, coopératives[1] 68 %, privés 15 %). **Élevage** (millions de têtes, 91) poulets 39, porcs 6, ovins 1,81, canards 1,5, bovins 1,4, dindes 0,8, oies 1. **Pêche** 19 000 t (91).

Nota. – (1). Loi du 24-8-92 : vente aux enchères de 30 à 35 % des terres des 20 000 coop. Objectif : 20 % de la surface cultivable cédés à 55 000 nouv. propr.

■ **Énergie** (millions de t, 91). **Charbon** 9,9. **Lignite** 5,3. **Pétrole** 1,9 [5,5 millions de t importées d'URSS en 1990 (6,2 prévues)]. **Gaz** 5 milliards de m^3. **Électricité** (en milliards de kWh, 92). 29,8 dont (en %) nucléaire (centrale de Paks) 50, thermique 49, hydraulique 1. **Barrages** (affaire devant la Cour de La Haye) *1977* accord H.-Tchécosl. Construction en commun de 2 barrages sur le Danube : *Gabcikovo*, en aval de Bratislava, alimenté par un lac réservoir à cheval sur Slovaquie et H. (écluses géantes, 8 turbines, 720 MW) ; *Nagymaros*, en H., en amont de Budapest, 160 MW, à 200 km en aval de Gabcikovo, devait établir un bief navigable entre Bratislava et Budapest, sans risque d'inonder la plaine h. *1978* début du chantier slovaque. *1981* H. demande délai de 4 ans. *1988* manif. écologique contre (12-9-88/3-3-89). *1989*-13-5 H. décide d'abandonner. Slovaques imaginent un 2e barrage et un canal de dérivation en S. H. contre : menace d'inondation sur 25 km, assèche forêt alluviale et terres agricoles, constitue un déplacement de frontière. Si Gabcikovo est fait, Bratislava devient en saison de basses eaux terminus de vaisseaux à grand gabarit, descendant de la mer du Nord par le Rhin-Main-Danube. Vienne est détrônée. Sans Gabcikovo, les bateaux remontant de la mer Noire doivent s'arrêter à Budapest, qui devient le grand port du Danube. **Mines** (millions de t) : fer 0,3 (85). Bauxite 2 (91).

■ **Industrie.** Fonte, acier, alumine, machines-outils, camions, bus, engrais azotés, superphosphates, acide sulfurique, tissus de coton et de lamé, ciment. **Structure** *1983* (en % prod. et entre parenthèses main-d'œuvre employée) : entreprise d'État 92 (81), coopérative 5 (13), nouvelles petites entr. non privées 0,5 (3), entr. privées 1,5 (4). *1991 nombre de Stés :* privées 42 697, coopératives 7 764, d'État 2 233. [subv. supprimées pour énergie dom., prod. laitiers et service des eaux ; subv. aux transp. : + 20 % (16,9 milliards de forints) ; à la prod. : – 7 % (56,2) ; à l'agr. (34,1 dont exp. 26)]. **Automobiles.** *Import. 1991* 120 000 v. [prod. nat. : General Motors (*92 :* 15 000 Opel Astra, *93 :* 40 000 + 200 000 moteurs) ; Suzuki modèles Swifts (prév. 60 000 en 95)]. *Parc : 1987 :* 1 660 258, *91 :* 2 100 000.

Transports (km, 91). *Routes* 29 894, *ch. de fer* 8 072 (dont doubles voies 1 159, électrifiées 2 247), *voies navigables* 1 373 (dont permanentes 1 124), *pipelines* 7 107.

Tourisme (92). 33,5 millions d'entrées, 13 millions de sorties. Solde touristique : + 40 milliards de forints. Dep. 1-1-1988, les Hongrois vont librement à l'étranger (allocation en devises limitée à 300 $/an).

Commerce (milliards de forints, 91). **Exp.** 802 *dont* prod. semi-finis 307, prod. agric. 203, prod. man. 178, biens d'équip. 99, mat. 1res 14 ; *vers* CEE 374, pays de l'Est 152, AELE 118. **Imp.** 924 *dont* prod. semi-finis 350, prod. man. 211, biens d'équip. 180, mat. 1res 127, prod. agric. 54 ; *de* CEE 395, pays de l'Est 196, AELE 173. **Balances** (en millions de $) : *1981 :* – 434 ; *82 :* + 11 ; *83 :* + 27 ; *84 :* + 513 ; *85 :* + 42 ; *86 :* – 414 ; *87 :* – 2 ; *88 :* + 583 ; *89 :* + 7 ; *90 :* + 941 ; *91 :* – 1 ; *92 :* – 4,7.

Nota. – Dep. 1968, le commerce extérieur n'est plus monopole d'État. En 1991, la H. devait livrer à l'URSS pour 3,8 md de $ de produits, acheter pour 2,1 (pétrole, gaz, électricité). En 1992, accords d'imp. avec *Russie* (millions de t) : pétr. 2, dérivés 1, fer et acier 0,3 ; (milliards de kWh) : électr. 1,6 ; (millions de m^3) : gaz 4 800, bois 1 ; *Biélorussie* (milliers de t) prod. pétr. 100, engrais potassés 70, aciers, équip. ménagers, 1 500 tracteurs, *Komis :* bois, charbon.

Investissements hongrois à l'étranger (1992). 10 milliards de forints.

Investissements étrangers (en milliards de $). *1988 :* 0,73 ; *91 :* 2,8 [USA 25 %, All. 18, Autr. 17, *France 15*] ; *92 :* 3. **Joint-ventures** *1990* 5 693, *92 :* 13 000.

Rang dans le monde (91). 9e rés. lignite (86). 10e bauxite. 11e vin. 15e maïs, lignite. 17e porcins. 18e blé.

INDE

Carte p. 1028. V. légende p. 884.

Nom officiel. *Bharat* (Union indienne en hindi).

Situation. Asie. 3 287 263 km². N.-S. 3 214 km, E.-O. 2 977 km. **Frontières** 15 168 km avec : Birmanie 1 539, Bangladesh 3 950 (entourés par le territoire indien), Chine 3 862, Bhoutan 955, Népal 1 625, Pakistan 2 966. Séparée du Sri Lanka par le golfe de Manaar et le détroit de Palk. **Côtes** 5 686 km.

Zones. Himālaya (long. 2 400 km, larg. 240 à 320 km, 10 pics de + de 7 788 m. *Alt. max.* K-2 8 611 m, Kanchenjunga 8 598 m) ; **plaine indo-gangétique** [bassin de l'Indus : 2 414 km du N. au S., larg. max. 320 km (occupé en grande partie par Pakistan) ; alimenté par neiges de l'Himālaya ; s'appauvrit en descendant désert du Sind. Bassins du *Gange : Long.* en Inde 2 080 km, Bangladesh 141 ; *bassin* en Inde 768 000 km², Bangladesh 5 120. (à l'O.) et du *Brahmapoutre* (occupé en partie par Bangladesh) : 3 200 km de l'E. à l'O. ; alimentés par moussons ; *Gange :* 15 000 m³/s en moy., 75 000 en crue, 8 000 en période de sécheresse ; *Brahmapoutre :* min. 15 000 m³/s, à cause des neiges)] ; **plateau du Deccan** séparé de plaine indo-g. par collines (500 à 1 300 m) et flanqué par ghâts (escaliers, c-à-d. hauteurs en terrasses), orientaux (610 m) et occidentaux (915 à 2 440 m) [1/3 du plateau (600 000 km, à l'O.) formé de coulées basaltiques, les steppes du D.] ; **îles Laquedives** (mer d'Oman), **Andaman** et **Nicobar** (g. du Bengale).

Climat. *Vents dominants :* en août et sept. moussons. *8 régions climatiques : Rājasthān* et *Uttar* (désert du *Thar*) : arides, sans moussons (steppe poussiéreuse) (50 °C en juin, 9 °C en janv.). *Pendjab et seuil de Delhi* (queue de la mousson du Bengale) : pluies 500 à 700 mm par an, été chaud (Delhi 35 °C), hiver tiède (15 °C avec des minima de – 4 °C). *Cachemire et vallées himalayennes :* climat de montagne (hiver froid, été doux), neige nov. à avril. *Gange moyen, Bengale, Assam et Orissa :* touchés par mousson du Bengale, pluviosité forte (Tcherrapounji en Assam, 11 419 mm d'eau par an ; max. juin 20,1 °C, min. janv. 11,7 °C). *Deccan central* (isolé de la mousson de l'océan Indien occidental par chaîne côtière ; jungle médiocre, avec bambous et hautes herbes) ; temp. élevées même en hiver (Hyderābād 21 °C en janvier), 500 à 800 mm d'eau par an ; Mysore, climat doux toute l'année ; dépression de Bellary (max. mai 38 °C, min. déc. 29 °C), plateau de Coimbatore, semi-aride. *Région de Madras* (Tamil Nadu) : été chaud et long (max. 37 °C en juin ; min. 28 °C en déc.), max. pluvios. en fin de mousson (mini-mousson de l'océan Indien oriental : 308 mm en nov.). *Kerala :* subéquatorial (végétation : palmiers, cocotiers, hévéas ; en montagne : teck, santal), pluies abondantes toute l'année, sauf en janv. (Cochin 3 m d'eau en 3 mois, de juin à août) ; région des ghâts : 5 à 6 m d'eau par an (ghâts de l'O. 3 à 6 m). *Côte O. du Deccan* (de Goa au N. de Bombay) : pluies de juin à nov. (mousson de l'o. Indien occidental : 2 m à Bombay), temp. élevées (24 °C en janvier, 30 °C en avril, 26 °C en juillet) ; Gujerat sec et chaud (34,7 °C moyenne à Ahmadābād ; faibles pluies juillet et août, la mer d'Oman échappant au mécanisme des moussons).

■ DÉMOGRAPHIE

■ **Population. Nombre d'habitants** (en millions) *1901 :* 238,4, *31 :* 279, *47 :* 328, *51 :* 361,1, *61 :* 439,2, *71 :* 548,2, *81 :* 685,2, *91 (1-3, rec.) :* 843,9, *92 (est.) :* 844,3 (y compris Sikkim rattaché à l'Inde dep. 26-4-1975 et partie indienne du Jammu et du Cachemire) *v. 2000 (est) :* 1 000 ; *v. 2010 (est.) :* 1 172 ; *v. 2 040 (est.) :* 1 591 (+ que la Chine). En % : Aryas 72, Dravidiens 25, tribus de la montagne 2 (les Aryas, apparentés aux Européens, ont la peau claire, les Dravidiens sont noirs ; il y a eu des métissages. En général, peau + sombre vers le S. et dans les classes populaires). D *1901 :* 77, *51 :* 177, *81 :* 221, *91 :* 267. **Taux de croissance démographique** (‰ par an) *1901-21 :* 3, *21-31 :* 10, *61-71 :* 24,8, *71-81 :* 24,75, *86 :* 18, *89 :* 21. **Natalité** *1901 :* 52, *50-60 :* 40, *71 :* 40, *81 :* 33,3, *91 :* 29,9. **Mortalité** *1901 :* 47, *20-30 :* 40, *51 :* 27,5, *61 :* 24, *71 :* 14,8, *81 :* 16, *91 :* 9,6. *Infantile : 1988 :* 96. **Age** (%) *– de 15 ans :* 36,8 *+ de 60 a. :* 5,8. **Naissance** 50 par minute, 3 000 par h., 72 000 par j., 17 millions par an. *Nombre de couples suivant une méthode contraceptive* (en millions) *1980 :* 26,4 ; *88 :* 55 (35 % des Indiens). Beaucoup refusent la stérilisation (pour les hindous : une descendance nombreuse est une bénédiction). **Enfants** (en millions) 3,6 de – de 5 a., 260 de – de 14 a., 118 vivent dans la pauvreté, 163 n'ont pas accès à l'eau potable. 49 de 6 à 11 a. sont illettrés. *Nombre moyen par femme : 1961-71 :* 5,7, *76-81 :* 4,7, *89 :* 4,3. **Femmes** pour 1 000 h : *1951 :* 946, *91 :* 929.

Espérance de vie *1901 :* 23 a., *47 :* 32, *51-61 :* 41,2, *61-71 :* 52,6, *71-81 :* hommes 54, femmes 50, *86 :* h. 56, f. 57, *89 :* 58.

Santé (en millions) : lépreux 4 (contagieux 1), tuberculeux 8 (contagieux 2), filariose 10. *Autres maladies principales :* trachome, cancer (gorge, bouche, voies digestives), m. vénériennes, malaria, sida. *Dépenses sociales par h.* (88) 9 $.

■ **Villes** (en milliers, 91). *New Delhi (cap. dep. 1934)* 294, 1 485 km² (ville admin. construite par les Angl., à côté de Delhi 7 174 (agg. 8 375), ancienne cap. des Moghols), Calcutta 4 388 (agg. 10 916) [(à 1 430 km), ancienne cap. admin. des Angl. (jusqu'en 1912) ; centre industriel], Bombay 9 909 (agg. 12 571) [à 1 410 km ; port de la côte O. en relation avec canal de Suez ; commerce aux mains des Parsis], Madras 3 795 (agg. 5 361) [2 100 km ; port de la côte orientale, cap. intellectuelle], Bangalore 2 650 (agg. 4 086) (2 427 km, par Bombay), Hyderābād 3 005 (agg. 4 280) (1 400 km), Ahmadābād 2 872 (agg. 3 297) (900 km), Kānpur 1 958 (agg. 2 111) (427 km), Poona 1 559 (agg. 2 485) (1 475 km), Nāgpur 1 622 (agg. 1 661) (966 km), Lukhnour 1 592 (agg. 1 642) (494 km), Jaipur 1 454 (agg. 1 514) (270 km), Agrā 899 (agg. 955) (200 km), Vārānasi (ou Bénarès) 925 (agg. 1 026) [(780 km), ville sainte hindouiste], Indore 1 086 (806 km), Madurai 951 (agg. 1 093) (2 389 km), Jabalpur 739 (agg. 887) (963 km), Allāhābād 806 (agg. 642) (612 km). *Villes portuaires récentes :* Cochin 564 (agg. 1 139) et Kandla (côte O.) ; Haldia (port charbonnier, côte E.). **Pop. urbaine :** *1989 :* 28 %, *est. 2000 :* 30 à 50 % (dont 70 % dans des bidonvilles). En 1991, 4 689 villes et 600 000 villages.

■ **Français des comptoirs de l'Inde.** *1962,* la Fr. accorde la nationalité fr. aux 300 000 résidents des comptoirs cédés en 1954 à l'I. Une minorité accepte (en 1980, à Pondichéry 14 000, Karikal 1 500, Mahé 80, Yanaon 30, Chandernagor 4).

■ **Indiens à l'étranger** (1987, milliers). 12 697 dont Népal 3 800, Malaisie 1 170, Sri Lanka 1 028, Maurice 701, Guyana 300, USA 500, Trinité 430, Birmanie 330, îles Fidji 339, Émirats 240, Arabie S. 250, Singapour 100. *Émigrés en G.-B.* 789 000 (en majorité Sikhs). Sur 160 000 Indiens ayant une profession médicale, 1 sur 10 travaille hors de l'I. (7 000 USA, 3 000 Canada, 3 000 G.-B.).

■ **Langues. Officielles :** POUR LA FÉD. : *Hindi* prévue par la Constitution (devant l'opposition violente de la pop. du Sud notamment, une loi de 1967 a retiré l'obligation d'utiliser l'hindi dans l'ensemble de l'Inde). *Anglais* parlé couramment par 1 % de la pop., l. de l'ens. sup., l. véhiculaire de l'élite. DANS LES ÉTATS : 15 off. parlées par 87 % des Indiens. **Nombre total :**

1 652 langues, *4 familles : l. dravidiennes* (Sud, 23 % de la pop.), tamoul, kannada, telugu, malayalam (États : Tamil Nadu, Karnātaka, Andhra Pradesh, Kerala) ; *l. indo-aryennes* (Nord, 75 % de la pop.), hindi, rajasthani, gujarati, marathi, punjabi, bihari, bengali, assamais, oriya ; *l. austro-asiatiques ; l. tibéto-birmanes,* hindoustani (hindi ourdouisé à l'origine) (États : Himāchal Pradesh, Haryana, Rājasthān, Uttar Pradesh, Bihār, Madhya Pradesh), 30 % de la pop. (celle qui parle hindi) ; ourdou (majorité des musulmans). **Population selon la langue parlée** (en %, 1981) : hindi 39,9, bengali 7,8, telugu 8,2, marathi 7,5, tamoul 6,8, ourdou 5,3, gujarati 5, malayalam 3,9, kannada 4,1, oriya 3,5, punjabi 2,8, assamais 1,63 (81), kashmiri 0,3, sindhi 0,5.

■ Enseignement. **Analphabètes (%)** *1951 :* 81,7 ; *61 :* 71,7 ; 71 : 70,5 ; *81 :* 56 ; *1991 :* femmes 60,6 ; hommes 36,1 ; *max :* Karnataka 44, *min. :* Kerala 9,41. **Enseignement primaire :** obligatoire et gratuit pour les - de 14 ans (Constitution), mais + de 10 % n'y vont pas, et 50 % des élèves abandonnent au cours du primaire ; **supérieur :** diplômes univ. 5,6 millions : lettres 44 %, sciences 30 %, matières agr. 1 % (or 3/4 de la pop. vivent de l'agr.).

■ Religions (en millions). **Hindous :** 693 (82 %), **Musulmans :** 93 (11 %) (Uttar Pradesh, Bengale occidental, Bihār, Mahārāshtra, Kerala, Assam, Andhra Pradesh, Karnātaka, Gujerāt, Tamil Nadu, Rājasthān). **Chrétiens :** *Cathol.* (91) 14 [Kerala (car en 52 l'apôtre Thomas aurait débarqué à Muziris) Madhya Pradesh, Tamil Nādu, Andhra Pradesh ; prêtres 14 000, religieuses 60 000, séminaires 106, congrégations 217 ; rite latin, malabar et malinka (3 millions) ; séminaristes : 44 pour 100 000 cath. (en France 3), archevêques et évêques 124 ; 4 millions d'élèves]. *Mère Teresa :* Agnès Bajaxhiu (née 1910 Skopje, de parents allemands). Entre chez les sœurs de Loreto. *1950* fonde la congrégation des sœurs de charité. *1971* Prix de la paix-Jean XXIII. *1979* prix Nobel de la Paix. *Orthodoxes* 2 [dont Malankar 1,6 (fondée 52 par l'apôtre Thomas), Mar Thomas 0,5]. *Protestants* 9 (dont Église Unie des Indes du N. 1,5, du Sud 1, luthériens 1,5). *Chrétiens divers* 7. **Sikhs :** 15,2 (1,8 %, surtout dans le Pendjab), 14 % de l'armée soit 140 000 h. (25 % en 1947). Les combattants sikhs jurent de rester fidèles aux *5 K :* port des cheveux longs et de la barbe *(kesh),* du pantalon court *(kuch),* de l'épée *(kirpan),* d'un peigne d'acier *(kangha)* et d'un bracelet de fer *(karah).* **Bouddhistes :** 0,059 (0,7 %) (Mahārāshtra). **Jaïnistes** 3,6 (0,48 %) (Mahārāshtra, Rājasthān, Gujerāt). **Parsis :** 0,115. **Juifs :** 0,3.

☞ L'abattage des *vaches* (sacrées pour les hindous qui croient à la réincarnation des hommes dans les animaux) est mal vu (croyance adoptée par les Aryas indo-européens après un long contact avec les dravidiens animistes). De 100 à 150 millions d'Indiens sont végétariens. *Sépulture :* enterrement pour chrétiens, juifs et musulmans ; incinération pour sikhs et hindous (mais bébés enterrés) ; les hindous qui le peuvent vont mourir à Bénarès sur les bords du Gange, dans un cercle sacré de 60 km ; les parsis exposent les cadavres à Bombay sur les tours du silence (où les vautours les dévorent). Le *sati* (immolation des veuves sur le bûcher de leurs maris), a été interdit en 1829 et de nouveau en 1987 (peine de mort ou prison à vie pour quiconque l'encourage).

■ Castes (jati ou jat, du latin *castus :* pur). **Origine :** religion brahmanique (sharma-sutra, sharma-shastra). Introduites par les Aryens, il y a 3 700 ans. **Nombre :** 14 à 30 dont 4 principales : *Brahmanes, Kshatriya* ou *noblesse milit., Vaishya, Shudra ;* 10 à 30 autres. Chacune a ses rites, cérémonies, fêtes, régime alim., activités profess., façon de se vêtir. **Organisation** *gens « de classe »* (savarna), dont les *« deux fois nés »,* Brahmanes, Kshatriya, Vaishya, qui reçoivent une initiation entre 8 et 12 ans, et les Shudra, qui n'ont que leur naissance physique, *« sans classe »* (a-varna, *varna :* couleur en sanskrit) ; **Professions** réservées aux castes : *Brahmanes* (issues du trône du Créateur) : enseignement (pouvoir spirituel) ; *Kshatriya* (issus du bras du Créateur) : fonctions politiques et guerrières ; *Vaishya* (issus des cuisses du Créateur) : agric., élevage et surtout grand commerce ; *Shudra* (issus des pieds du Créateur) : serviteurs et artisans [actuellement agr., petits commerçants, artisans non impurs (forgerons, orfèvres, charpentiers, potiers, tailleurs)].

■ Hors castes (1989). 140 millions dont anciens **« Intouchables »** ou **Harijan :** « enfants de Dieu » (nom donné par Gandhi), 90 millions (20 en Uttar Pradesh), en majorité hindouiste ; de naissance impure, selon la religion brahmanique, ils sont tenus à l'écart de toute vie publique et exclus en fait des pratiques religieuses, n'ayant pas été admis parmi les Shudra (peut-être parce que d'origine dravidienne) ; ils exercent les métiers les plus impurs : tannage, manipulation des excréments. 50 % ont un revenu mensuel inférieur à 10 F ; 15 % sont alphabétisés et 65 % endettés (payent leurs dettes en jours de travail) ; 38 millions appartiennent aux tribus aborigènes (Gonds, Bhils, etc.). L'intouchabilité a été supprimée par l'art. 17 de la Constitution et des mesures législatives ont été prises en leur faveur (ouverture des temples et des puits à tous ; 15 % des emplois publics et 17 % des promotions, 1 siège sur 7 réservé aux parlements, 119 s. sur 542 au Congrès, distribution des terres). Cependant, en févr. 81, des émeutes ont eu lieu au Gujerat (25 †) pour leur interdire l'accès des universités de médecine [où I. Gandhi leur avait réservé 20 % des places (1975), puis 25 % (1978)]. **Parias :** mot portugais, venant du tamoul *Parayon,* signifiant « hors classe » (joueur de tambour ou homme de la dernière caste). A l'origine prédravidiens, non convertis à l'hindouisme et classés après les Intouchables, comme jugés inaptes à tout acte religieux. Puis en ont fait partie les hindous exclus de leurs castes (*maudits* et *excommuniés* réintégrables après expiations), les *repoussés,* (généralement enfants adultérins, incestueux ou nés d'un commerce hors caste) jamais réintégrés et condamnés à vivre en dehors des agglomérations. Vivent en communauté de 10 à 50, autour d'un gourou, ont leurs temples, leur déesse préférée (Maoubaratji). Principales ressources : prostitution, racket, mendicité. **Mendiants :** 6 000 000 (1 % de la pop.) ; 800 000 aveugles, 300 000 sourds et muets, 150 000 lépreux, 100 000 malades mentaux, 85 000 eunuques.

☞ Dep. la Constit. de 1949, le système des castes est aboli, les tribunaux de castes ont disparu et tous les citoyens indiens sont égaux. Pourtant le système persiste. On ne reçoit pas les gens d'une autre caste ; on se marie peu entre personnes de castes différentes. Un Indien exclu de sa caste cesse d'être invité aux cérémonies religieuses. Il y a des Brahmanes pauvres (gardiens des temples) et des Intouchables riches (industriels, commerçants, politiciens).

■ Histoire

Très confuse : il y eut plusieurs dizaines de tentatives d'hégémonie (capitales fondées, puis abandonnées et laissées en ruine). Seules 2 puissances ont réussi (temporairement) l'unification : les Moghols (XVIIe s.) et les Anglais (XIXe-XXe s.).

Période ancienne (1500 av. J.-C. - 320 apr. J.-C.)

I – Royaumes aryens (période védique : 1500-468 av. J.-C.). Du nom d'un des poèmes historiques et religieux qui formaient la base de la culture des Aryens, le *Rig Veda,* composé entre 2000 et 1500 av. J.-C. Les 3 autres védas : Sama, Yajour, Atharva (v. 1300) ; les Brahmanas (1000-800) ; les Upanishads (800-600). Les Aryens (en sanscrit *arya :* nobles), tribus indo-europ. ayant quitté les steppes caspiennes au XVIIIe s. av. J.-C., imposent leur culture aux autochtones de l'Inde, Moundas et Dravidiens, qui ont une civilisation plus évoluée (celle de l'*Indus,* voir Art indien p. 1027), mais se font dominer militairement et politiquement. **Principaux royaumes aryens ou indiens aryanisés :** *Pendjab* (1550-1000 av. J.-C.) ; *Kourous* et *Panchalas* [région de Delhi ; autochtones aryanisés (1000-800)] ; *Avanti* [vers le S.-O., capitale Ujjain (v. 900) : commerce maritime] ; *Mahārāshtra* [au S. des Mts Vindhya ; fondé par des Dravidiens aryanisés, les Asmakas et les Vidarbhas (v. 900)] ; *Kausala* (cap. Sravasti) et *Videha* [N.-E. ; centre de gravité de la civilisation védique apr. 800 av. J.-C. (800-600)]. Le ritualisme des brahmanes provoque des réactions [v. 600, ils sont supplantés à la tête des royaumes aryens par les guerriers *(Kshatriyas)*].

II – Réaction religieuse (v. 500-180 av. J.-C.). **V. 500,** le Bouddha Çakyamouni (563-483 av. J.-C.) fonde le bouddhisme, et le Māhāvira (540-468), le jaïnisme. Pour résister à ces 2 courants, le brahmanisme intègre des éléments dravidiens et devient l'hindouisme (culte de Vishnou et Çiva). **Principaux roy. proto-hindouistes :** *Kausala* (continuant celui de la période précédente, en Uttar Pradesh et en Madyah Pradesh ; le roi Prasenajit, contemporain de Bouddha, annexe le roy. de Kasi) ; *Magadha* [grand empire du N.-E. fondé v. 600 par Sisunaga ; affermi par Bimbisira (550-490) ; annexe le roy. de Videha v. 450 ; 1re puissance indienne v. 400 ; en 327-325 (roi : Nanda) possède 200 000 guerriers et résiste à Alexandre le Gd] ; *Maurya* [empire fondé 300-200 par Chandragupta Maurya (322/313-289) ; cap. Patalipoutra (act. Patna) ; propagation du bouddhisme, apogée sous le règne d'Asoka (264-227), petit-fils de Chandragupta, conquiert le Kalinga roy. au S. du Bengale (100 000 †, 150 000 bl.), se convertit au bouddhisme] ; disloqué 185 et remplacé dans le bassin gangétique par dynasties Sounga et Kanva.

III – Invasions indo-européennes (180 av. J.-C. - 320 apr. J.-C.). *1°) Grecs de Bactriane* (180-70 av. J.-C.), occupent Pendjab et Sindh v. 150 ; *2°) Scythes* (Kouchanes, 70 av. J.-C. -320 apr. J.-C.) ; règne de Kanishka (v. 150), expansion vers Asie centrale de la culture ind. sanskrite et bouddhiste ; composition du code, *les lois de Manou.* 1res images du Bouddha sculptées par les écoles du *Gandhara* et de *Mathura* [la partie S. de l'ancien Empire maurya résiste aux envahisseurs (Deccan central) : roy. *andhra* (dynastie dravidienne des Çatakarni, cap. : Amaravati), qui se maintient jusqu'au IVe s. apr. J.-C. ; célèbre par les 1res grottes d'*Ajanta* (peintures rupestres d'inspiration bouddhique)].

Période classique (320-713 apr. J.-C.)

I – Empire des Guptas (320-495). Dynastie fondée v. 290 par Sri Gupta, seigneur du pays de Magadha, vassal des rois scythes, et devenue souveraine en 320, sous Chandragupta Ier [cap. : d'abord celle des Maurya, Patalipoutra, puis Ayudhiyâ (Uttar Pradesh) quand l'empire va de la mer d'Oman au golfe du Bengale]. **320** point de départ de l'*ère des Guptas,* en chronologie ; **380-414** règne de Chandragupta II (âge d'or de la civilisation classique) assuré par les victoires, la sécurité, la prospérité matérielle ; nombreuses œuvres littéraires sanskrites [notamment le *Vedanta* (base de la philosophie moniste)] ; la science ind. est à son apogée. Les Guptas ne conquièrent pas l'I. centrale et méridionale, qui reste à la dyn. des *Vakatakas,* protectrice à son tour des grottes-monastères d'Ajanta. **V. 450** naissance du royaume dravidien des *Gangas,* futur État princier de Mysore (sud-ouest du Deccan ; langue : kannada).

II – Invasions des Huns (495-540). **420** 1res attaques (repoussées 75 ans par les empereurs guptas). **495** *Huns ephtalites* ou *Huns blancs* (chef Ye-ta-i-li-to, en chinois *Ye-ta*) battent l'empereur gupta Baladatya. **510** est restauré avec l'aide de Bhatarka (fondateur de la dynastie des Valabhis) ; mais le Hun Mihiragula devient « shah » dans le Cachemire. **540** Huns éliminés par Turcs.

III – Les Guptas postérieurs (540-670). L'empire gupta se remet mal des destructions causées par les Huns ; il se divise en 3 branches (Ayudhiya, Bénarès, Malava) qui végètent jusqu'en 670.

IV – Autres roy. de culture classique aux VIIe et VIIIe s. La dynastie des Kesari (Orissâ) fonde v. 600 le temple de Bhubaneswar (çivaïte) ; le roi *Harsha de Kanauj* (605-647) restaure la culture du N. de l'Inde ; les Chalukyas règnent sur le Deccan 500 ans [grottes d'Ajanta (3e époque) ; grottes çivaïtes d'Ellora] ; ils ont pour alliés les Gangas, et pour adversaires les Pallavas, puis les Cholas. Naissance des royaumes rajpouts dans le N. Renaissance brahmanique qui chasse le bouddhisme.

Période musulmane (713-1764)

I. – Arrivée des Musulmans (713-997). **713** Hajaj, vice-roi des provinces orientales du califat, conquiert le Sind, mais le déclin du califat abbasside et la difficulté des communications par le Baloutchistan l'empêchent de conquérir l'I. entière. Seul un roy. musulman (dynastie des Ghaznévides) se crée dans les montagnes de Ghazni.

II – Rivalités dynastiques indiennes (VIIIe-XIIe s.). **740** dans le N. les Gurjara-Pratiharas battent les musulmans et se maintiennent jusqu'en 1192 (région de Delhi). **765-1196** dynastie Pala au Bihar et Bengale. **836** Vijayalaya fonde l'Emp. chola à Tanjore, qui domine S. de l'I. et Malaisie. Les Cholas éliminent les Chalukyas, mais les alliés de ceux-ci, les Gangas, fondent le roy. Hoysâla, célèbre pour ses 80 temples (région de Mysore).

III – Conquête musulmane (1000-1192). **997** Mahmoud de Ghazni (971-1030) devient roi de Ghazni. **1000-1025** il lance chaque année un raid contre le rāja de Lahore, conquérant le Pendjab, et démoralisant les rois indiens. **1192** Mohamed de Ghor (?-1206), roi de Ghazni et du Pendjab, bat Prithvi Raj (roi d'Ajmer et de Delhi) à Taraori ; fonde sultanat musulman de Delhi.

IV – Islam indien avant les Moghols (1192-1526). **1211-35** règne d'Iltutmish établissant sur des bases durables sultanat de Delhi, 1er État musulman de l'I. [il y aura 33 sultans de Delhi de 1211 à 1565, notamment Mohamed ibn Tughlak (1325-51), qui conquiert Deccan (cap. : Deogir)]. *Difficultés musulmanes :* 1°) dissensions [morcellement : Bengale indépendant 1340, Bahmanis (Deccan) 1347, Gujerāt 1391 ; schisme religieux : fondation du sikkhisme par Nanak 1504]. 2°) agressions tartares (notamment raid de Tamerlan contre Delhi 1398). 3°) résistance hindoue. **1336** l'emp. de Vijayanagar (« ville de la victoire » fondée par les Télougous) s'établit dans le S. de l'Inde. **Après 1500 :** aide des Portugais (voir p. 1025 a).

V – L'Empire moghol (1526-1764). **1526** Bâbur (1483-1530), descendant de Tamerlan et de Gengis Khan, fondateur de la dynastie moghole, conquiert l'I. du Pendjab aux frontières du Bengale (vict. de

Panipat sur sultan de Delhi, 21-4). **1556-1605** règne d'Akbar, petit-fils de Bâbur [conquiert Rajpoutana 1561-68 (défaite du dernier roi hindou, Rāma rāya, à Talikota 1565 ; destruction de Vijayanagar), Gujerāt 1572-73, Bengale 1576, Cachemire 1586, Sind 1592, Kandahar 1594, Ahmednagar et Khandesh (Deccan) 1601 ; – essaye de rallier les hindous (1582) en créant une religion unique, la Foi divine (Dîn-i-ilâhi) : paix et unité dans le N. de l'I. ; *épanouissement de l'art indo-musulman :* mosquées, tombeaux, jardins, portraits et miniatures ; résidence royale à Agrâ (Delhi, cap. en titre) ; à sa mort, l'Inde est divisée en 15 provinces (100 millions d'hab.)]. **1627-58** règne de l'emp. moghol Shah Jahan, construction du *Tāj Mahal* à Agrā (1630-1652). **1658-1707** règne d'*Aurangzeb.* **1674** fondation de l'Empire **mahratte** (hindouiste), rival de l'Empire moghol, par Shivaji Bhonslé (1627-80) ; g. incessantes pour la conquête du Deccan. **1707** après la mort d'Aurangzeb, décadence de l'Emp. moghol (soumis 1764, supprimé 1856 sur décision de Lord Canning).

PÉNÉTRATION EUROPÉENNE (1497-1763)

Précurseur. Marco Polo (1254-1324), après séjour en Chine (1275-91), avec ses 2 compagnons vénitiens, passe de 1293 à 1295 en I., à Calicut (qu'ils appellent Elil) et Bombay (Tana). Rentrent en Eur. par bateau jusqu'à Ormuz, puis par terre.

Portugais. **1498**-*20-5* Vasco de Gama débarque à Calicut, ayant doublé le cap de Bonne-Espérance ; allié (contre Musulmans) du rāja hindou de Calicut. **1500** Pierre Cabral (1467-1525), chef de la 2e mission p., se brouille avec le rāja de Calicut et s'allie avec celui de Cochin. **1502** Vasco de Gama fonde le 1er comptoir européen à Cochin. **1503** Alphonse d'Albuquerque y construit un fort. **1505** Francisco de Almeida, 1er vice-roi port. des I. **1509** il détruit la flotte turco-égyp., obtenant la maîtrise de l'océan Indien (dès lors, les roy. hindouistes du S. de l'I. sont à l'abri des Musulmans). **1510** Albuquerque conquiert Goa, qui devient capitale de l'I. port. (très prospère jusqu'en 1640, puis concurrencée par Holl. et Angl.), restera port. jusqu'en 1962.

Anglais. **1600** création de la Cie angl. des I. orientales. **1612** Thomas Best détruit flotte port. à l'embouchure du Tapti. **1619** fondation de forts angl. à Surât, Agrâ, Ahmedabad, Broach. **1661** l'île de Bombay (port.) donnée en dot à Catherine de Bragance, épouse de Charles II. **1668** Charles II la donne à la Compagnie (devient le centre de ses activités). **1690** Calcutta fondée. **1717** alliance des Angl. et du Gd Moghol musulman (firman leur octroyant la liberté de commerce). **1739** Nadir Shah prend Delhi et massacre sa pop. pendant une semaine. **1757** les Angl. (bat. de *Plassey,* 23-6) mettent sur le trône un Gd Moghol à leur dévotion, Mir Jafar. **1761** vict. à *Panipat* des Moghols sur la conf. mahratte ; les Angl. annexent successivement les États mahrattes (*fin de l'Emp. mahratte* 1817, annexion des roy. confédérés 1850).

Hollandais. **1602** fondation de la Cie holl. des I. (en Indonésie) ; fait la g. aux Port. (à l'époque, sujets esp.). **1638-58** conquièrent Ceylan (Voir Sri Lanka). **Apr. 1658,** enlèvent comptoirs port. de Coromandel, du Gujarât et du Bengale [capitale de l'I. holl. Chinsura (Bengale), prise par Angl. 1759].

Français. **1664** création de la Cie des I. orientales. **1666-90** comptoirs de Surât, Pondichéry, Masulipatam, Chandernagor, Balasore et Kasimbazar fondés. **1701** Calicut fondé. **1721-39** acquisition du Karikal, Yanaon. **1722** comptoir fr. de Mahé fondé. **1732-38** Confédération mahratte, alliée des Fr. et rivale des Moghols musulmans, alliés des Angl., fondée. **1741** *Dupleix* gouverneur fr. **1746**-*6-9* conquiert Madras. **1748** *oct.* bat l'Angl. Boscawen à Pondichéry (les auxiliaires indiens des Fr. et des Angl. sont appelés *Cipayes*). **1754** Dupleix révoqué, Godeheu abandonne Madras aux Angl. ; sorte de protectorat français sur le Deccan ; victoire de l'Angl. Robert Clive à *Plassey* (1757). **1761**-*15-1* Fr. *Lally-Tollendal* capitule à Pondichéry le 8-5-1763 (sera exécuté 1766). **1763**-*10-2 tr. de Paris :* la Fr. renonce à ses possessions (la moitié du Deccan : 800 000 km², 20 millions d'h.) ; garde les comptoirs de Yanaon, Pondichéry, Chandernagor, Karikal et Mahé (perdus 1779, récupérés 1783, 1793-1816 pris par les Anglais, cédés à l'I. en 1950-55). **1781-83** campagne de Suffren.

L'INDE ANGLAISE (1764-1947)

1772-85 Warren Hastings gouverneur. **1786-93** lord Charles Cornwallis nomme les *zamindars* (percepteurs d'impôts moghols) propriétaires de leur village : tous les paysans deviennent fermiers *(Permanent Land Settlement).* **1793-98** sir John Shore gouv. **1798-1805** Richard Colley Wellesley, gouv., conquiert l'I. (Ceylan, S. de la péninsule, vallée du Gange et S. du Deccan). **1807-13** Gilbert Elliot Minto gouv. **1813-23** Francis Rawdon-Hastings gouv. **1818**

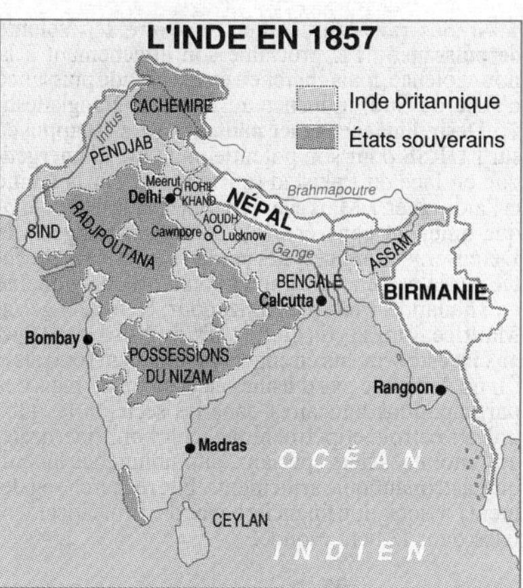

la Cie des I. (angl.) domine l'I. sauf Cachemire, Pendjab et Sind. **1827-35** William Bentinck gouv. **1836-42** George Eden Auckland gouv. **1842-44** Edward Law Ellenborough gouv. **1847-56** James Ramsay, marquis de Dalhousie, gouv. **1849** Sikhs se soumettent, remettent le Koh I Noor (diamant) aux Angl. **1856-62** Charles Canning gouv. **1857** *janv.-févr.* à Meerut *insurrection des Cipayes* le long du Gange (les Angl. avaient fourni aux supplétifs hindous du suif de bœuf et aux suppl. musulmans du suif de porc pour graisser leurs cartouches ; matée par sir Colin Campbell, déc. 1857). **1858** la Cie des I. cède l'I. à la Couronne brit. **1859** révolte des Cipayes. **1877** la reine Victoria devient impératrice des I. (ensemble comprenant également Birmanie et Ceylan). Les Angl. s'appuient sur les Pces, qui reconnaissent Victoria comme suzeraine, et sur les zamindars, qui lèvent et payent les impôts fonciers ; les fonctionnaires brit. sont surtout magistrats ou officiers ; l'économie est aux mains d'h. d'affaires privés (max. de 200 000 Angl. en I., soit 1 %). **Bilan économique de l'occupation anglais :** POSITIF (alphabétisation, formation d'une élite indienne, irrigation, réseau ferré, simplification administrative, exploitation minière, plantation de thé et d'hévéas) ; NÉGATIF (désorganisation de l'ind. textile artisanale ; misère du sous-prolétariat rural).

Création des mouvements nationalistes. *Brâhmo Samâj* (1828) Râm Mohan Roy (1772-1833) ; *Prârthanâ Samâj* (1866) Keshab Chandra Sen (1838-84) ; *Arya Samâj* (1876) Swami Dayânanda Saraswâti (1824-83). Expérience vécue de Râmakrishna Paramahamsa (1836-86). Swâmi Vivekânanda (1863-1902) révèle le message de *Râmakrishna* au « Parlement des religions » tenu à Chicago en 1893 et crée la Mission Râmakrishna. La Sté théosophique s'implante à Adyar, près de Madras, en 1886 : action d'Annie Besant (Angl. 1847-1933). Apparition de plusieurs mouv. réformateurs dep. 1876 : *Indian Nat. Conference* (1883) ; *Indian Nat. Congress* fondé 1885 par Allan Octavian Hume.

1900-1947 : 1905 le partage du Bengale, entre musulmans et hindous, marque la rupture entre Ind. et Angl. **1906** congrès à Calcutta, adopte le programme du *Svarâj* (gouv. autonome de l'I. sous suzeraineté brit.). **1915 Gandhi** [Mohandas Karamchand Gandhi (2-10-1869 à Porbandar Guparat, 1948, assassiné), surnommé le *Mahatma* (grande âme), fils du PM de la Pté de Porbandar, marié à 13 ans, 4 fils, étudiant en droit à Londres (1888-91), avocat à Bombay puis en Afr. du S. (1893-1914) où il défend les immigrés indiens ; 1907-22-3 commence la campagne de désobéissance civile] prend la direction du mouv. nat. **1919** Constitution accordée. *-13-4* arrivé à Amritsar, le Gal Dyer fait à Jallianwala tirer sur la foule (379 †) pour mater la révolte sikh. **1920** Gandhi lance le mouvement de non-violence et de non-participation. **1930-31** conférences de la Table ronde. **1934** tremblement de terre au Bihâr, 10 700 †. **1935** nouveau statut à caractère fédéral. **1942** *mai* Gandhi, arrêté pour la 6e fois, fait une longue grève de la faim (libéré 1944). *-8-8* action de masse décidée par le Congrès contre la coopération à la guerre ; Subhâs Chandra Bose (1897-1945) quitte l'I. pour organiser la lutte armée. **1943** lord Archibald Wavell (1883-1950) vice-roi. **Nov. 1945 à l'été 1946** nombreuses émeutes. **1946**-*16/19-8* Calcutta 10 000 †. **1947**-*31-3* lord Louis Mountbatten (1900-79) vice-roi.

INDÉPENDANCE

1947 *fin de l'Empire brit. des Indes :* Ceylan et Birmanie deviennent indép. ; les musulmans forment les 2 Pakistans [occidental et oriental (futur Bangladesh)] ; répartition sur des critères religieux (la moitié des Bengalis restent indiens ; les autres deviennent pak.). I. garde les plus grandes villes, richesses minérales, capitaux des Parsis, équipement indus., les 3/4 de la population. Pak. a la majorité des ressources alim. *Déroulement :* massacres et exécutions par milliers, maladies, famine (500 000 †). 5 à 7 millions de réfugiés mus. au Pak. ; 5 à 10 millions de réfugiés hind. en I. (il reste 80 millions de mus. en I.). *-14/15-8* l'I. devient indép. 624 maharadjahs deviennent de simples citoyens, voir p. 1026 c. **1948**-*30-1* Gandhi assassiné par Narayan Vinayak Godse. **1950**-*26-1* l'I. devient rép. **1954** I. reconnaît la souveraineté de la Chine sur le Tibet. **1956**-*25-11* visite de Zhou Enlai à New Delhi. **1959** donne asile au Dalaï-lama et à env. 5 000 réfugiés. **1962** North East Frontier Area (NEFA au N.), les Chinois, contestant la souveraineté indienne sur 90 000 km², avancent d'env. 18 km au-delà de la frontière, puis se retirent. **1965** *août au 22-9 g. avec Pak.* (20 000 †) ; cessez-le-feu imposé par ONU ; retrait des troupes des zones occupées. **1966**-*11-1* PM Lal Bahadur Shastri meurt après avoir signé avec Pak. *déclaration de Tachkent* (renonciation aux actions mil. ; engagement d'évacuer). *-19-1* Indira Gandhi PM. Sikhs du Pendjab ont autonomie. *-6-6* roupie dévaluée de 57 %. **1967** *janvier* I. Gandhi accorde droits pol. aux États et territ. du N.-E. *-15-2* élections gén. ; recul du Congrès. *Juin* tension sino-ind. ; soulèvement naxaliste (maoïste) dans N.-E. *-11-9* incident sino-ind. frontière du Sikkim. **1968**-*28-2* Auroville (ville appartenant à l'humanité, lieu de l'éducation perpétuelle) inauguré à 10 km de Pondichéry, inspirée des idéaux de Sri Aurobindo (1872-1950) construite à l'instigation de Mira Alfassa († 1973). **1969**-*12-11* I. Gandhi expulsée du P. du Congrès, scission. **1970** *août* 20 000 arrestations après occupation de terres. *Sept.* I. Gandhi supprime listes civiles des anciens princes ; la Cour suprême déclarera, en déc., la mesure inconstitutionnelle. *Déc.* Chambre basse dissoute après revers électoraux d'I. Gandhi. **1971** *mars* élections gén. ; victoire d'I. Gandhi. Crise au Pak. oriental (l'I. soutient les Bengalis). *-9-8* tr. d'amitié et coop. avec URSS. *3/17-12 g. indo-pak.,* création du Bangladesh. **1972**-*19-3* tr. fixant frontières I.-Bangladesh. *-11-12* compromis I.-Pak. sur ligne de cessez-le-feu au Cachemire. Création d'un ministère de l'Espace. **1973** des Telengana désirent province distincte en Andhra Pradesh. **1974** *janvier* émeutes (inflation) ; *mai* milliers de cheminots en grève arrêtés. *-16-5* 1re bombe atomique ind. **1975**-*12-6* tribunal d'Allahabad annule pour « irrégularités » l'élection, en 1971, d'I. Gandhi ; *-24-6* Cour suprême permet à I. Gandhi de demeurer PM. *-26-6* dirigeants de l'opposition arrêtés (sauf communistes prosoviét.), état d'urgence (34 630 détenus du 25-6-75 au 20-3-77). *-4-7* 26 partis interdits. *-6-8* Parlement annule accusations d'irrégularités contre I. Gandhi. *-14-10* servage pour dettes aboli. *-7-11* élect. d'I. Gandhi en 71 validée. **1976** *janvier* suspension de l'art. 19 de la Constitution sur droits du citoyen. *Juin* accentuation de la législation répressive. *-29-10* Parlement adopte un amendement réduisant le rôle du Pt de l'Union au profit de celui de PM. **1977**-*18-1* Ch. du peuple dissoute. *-16/20-3* législatives, I. Gandhi battue. *-21-3* levée état d'urgence. *-24-3* Morarji Desaï (Janata : P. du peuple) PM ; milliers de prisonniers pol. libérés. **1978** *janvier* scission au Congrès ; naissance du Congrès I. (Indira). *-1-1 :* 213 † dans Boeing d'Air India (attentat). *Févr.* élect. rég. : succès partiel d'I. Gandhi. *Mars* loi sur maintien de la sécurité interne (Misa) abolie. *Juillet* I. Gandhi et son fils Sanjay, inculpés pour violations de la législation électorale. *Oct.* I. Gandhi arrêtée (manif. 12 †). **1979** *juillet* inondations au N. : + de 6 millions de sinistrés. Desaï démissionne ; Charan Sing, PM. *-8-7* Front nat. mizo, séparatiste au Mizoram, illégal ; opération mil. contre Front à Aizawl. *Août* Ass. nat. dissoute. **1980**-*3/6-1 législatives :* Congrès I. 43 % des v. ; *-14-1* I. Gandhi PM ; *-23/27-1* Pt Giscard d'Estaing en I. *-14-4* attentat manqué contre I. Gandhi. *-18-7* 1er *satellite indien.* **1981**-*27-7* grèves interdites dans secteurs essentiels. *Nov.* I. Gandhi en Fr. **1982**-*19-1* grève gén. (env. 700 †). *-8-4* l'I. commande 40 Mirage 2000 à la Fr. *-17-5* reprise des négociations avec Chine. *Juin* élections (3 500 †). *-1-11* Pt pak. Zia Ul Haq en I. *-15-11* Acharya (maître) Vinoba Bhave (n. 1895, disciple de Gandhi) meurt. **1983** troubles Assam, Pendjab. **1984** *janv.* affrontements (9 †) partisans d'I. Gandhi/forces de l'ordre au Cachemire. Ravindra Mhatre, dipl., enlevé en G.-B. tué par l'Armée de lib. cachemirienne. *Févr.-juin* affrontements Sikhs/hindous (400 †). *Mai* Bombay hindous/musulmans (250 †). *Juin* mutinerie dans 3 régiments sikhs, 1 Gal hindou tué. Troubles au Pendjab. Voir p. 1027 b. *-2-8* attentat aérodrome de Madras (32 †). *Août,* Rama Rao (ancien acteur, destitué juill., rappelé sept.). *-27-9* armée évacue temple d'Or d'Amritsar. *-31-10* I. Gandhi assassinée par 2 Sikhs de son escorte pour avoir fait intervenir l'armée à Amritsar. L'un des assassins tué. Violences contre Sikhs (2 717 † dont 2 146 à Delhi). *-28-11* Percy L. Norris, vice-amb. brit. tué par musulmane. *-3-12* fuite de gaz toxique (méthylisocyanate), usine *Union Carbide à Bhopâl :* 3 600 †, 50 000 handicapés. l'I. demande 2 400 millions de $ de dédommagement, la Cour suprême en accordera 470 le 14-2-89. *-26-12 législatives,* succès de Rajiv Gandhi, fils d'I. Gandhi ; droite et gauche battues (Kerala : communistes perdent 13 s. sur 14). **1985** *janv.* attaché mil. adjoint fr. expulsé pour corruption et espionnage. Amb. fr. rappelé. *-12-5* attentats sikhs à Delhi et dans plusieurs États (80 †). *-6/10-6* R. Gandhi en Fr. *-7-6* affrontements entre castes (167 †). **1986**-*24-1* incendie Hôtel Siddarth, 38 †. *Janv.-févr.* rapprochement avec Pakistan [conflit à propos du glacier de Siachen (nord du Cachemire), plusieurs dizaines de † en quelques années]. *-1/10-2* Jean-Paul II en I. *-10-2* grève générale à Delhi. *-20-2* manif. à Delhi. *-14-4* à Hardwar, fête religieuse de Khum Mela, 50 † étouffés. *-10-8* Gal Vaidya (59 ans), ancien chef d'État-major, tué par Sikh. *-2-10* attentat d'un Sikh contre R. Gandhi. *-9-11* 50 † à Faizabad lors d'un pèlerinage. *-5-12* affrontements Sikhs/Hindous à Delhi, 7 †. **1986-87** différends frontaliers avec Chine. **1987**-*15-3* attentat contre un train, 60 † au Tamil Nadu. *-23-3* él. régionales : *Kerala,* 8 † dont 6 militaires du PC. Congrès (parti du PM) 61 (recule), communistes 75 s. sur 138. *Bengale occid.* succès de la gauche. *-4-5* lutte partisans de l'hindi/anglais : 10 †. *-30-5* 600 à 700 ouvriers agricoles massacrent 54 rajputs dont 28 femmes et enfants. *-1-6* Meerut : hindous tuent 140 mus. *-13-6* New Delhi, sikhs tuent 14 pers. *-17-6 Harryana :* parti Congrès I (R. Gandhi) perd 60 s. sur 63. *-6-7/10-7* + de 500 hindous tués par sikhs (dont 72 le 6-7). *-24-12* mort de M.G. Ramachadran (70 ans, ancien acteur, PM du Tamil Nadu dep. 1977). **1988**-*29-31-1* 71 † au *Tripura. Juill.* séparatistes gurkhas arrêtent lutte armée. *-21-8* séisme Est et Népal (1 000 †). *-3-11* intervention aux Maldives pour étouffer coup d'État. *-9-12* Sikhs tuent grand prêtre Balbir Singh. *-19/21-12* R. Gandhi en Chine. **1989**-*6-1* pendaison de 2 des assassins d'I. Gandhi. *-1-2* Pt Mitterrand en I. *-22-5* lancement d'un missile (portée 2 500 km). *-12-6* 7 † (bombe à Delhi). *Juill.* 106 députés (sur 140) de l'opposition protestant contre la corruption du gouv. démissionnent. *-29-7* début du retrait des soldats i. du Sri Lanka. *Automne* scandale Bofors [Sté suédoise ayant vendu (1986) 400 canons et versé env. 40 millions de $ à des politiciens]. *-29-11* R. Gandhi démissionne. *-1-12* V.P. Singh PM. **1990** Rajneesh Gouron (« pesant » 1 milliard de $, ayant 91 Rolls-Royce) meurt. *-25-1* armée i. occupe Srinagar (Cachemire). *-5-2* armée i. tire sur 4 000 Pak. ayant franchi la « ligne de contrôle » au Cachemire. *-1-3* él. locales (8 États et 1 territoire), défaite du parti du Congrès-I. Srînagar, mars. 30 †. *-7-3* Sikhs attaquent marché d'Abohar, 24 † (en un an, env. 2 000 † au Pendjab, violence sikh). *-21-5* Moulvi Mohammed Farouk, plus haut dignitaire musulman du Cachemire, assassiné (80 † à ses obsèques). *-15-7* PM Singh retire sa démission (déposée la veille et refusée par le Janata Dal). *Mi-août* essai de réformer le système des castes en réservant 27 % des emplois publics aux basses castes (22,5 % sont déjà réservés aux intouchables et tribus hors caste). Jusqu'à la fin de l'année, nombreuses manif. et suicides par le feu. *-23-10* Ayodhya (pour les Hindous, lieu de naissance de Rama (incarnation de Vishnou) ; en 1528 l'empereur moghol, Babur, rase le temple et le remplace par une mosquée), affrontement : les Hindous veulent récupérer le site et raser la mosquée. *Oct.-déc.* 136 000 trav. émigrés reviennent du Koweït. *Fin 1990 :* risque de g. nucléaire avec Pak. écarté par USA. **1991** *janv.-mai* violences. *-6-3* PM Shekhar démissionne. *-21-5* R. Gandhi tué par une femme (Dhanu, la bombe qu'elle portait la tue). *-16-6 législatives,* victoire du P. du Congrès. *-20-8* 2 suspects (Tigres tamouls) suspectés dans l'assassinat de R. Gandhi se suicident. *Sept.* Cachemire : 27 séparatistes musulmans †. *-16-10* Rudrapur (Uttar Pradesh) attentat 55 †. *-9-12* 10 militaires † embuscade Conseil nat. socialiste du Nagaland (NSCN). *-11-12* PM chinois Li Peng en vis. (1re visite dep. 1960). **1992**-*6-12* Ayodhya (Uttar Pradesh), pour construire un temple à Rama, des hindouistes détruisent la mosquée construite v. 1529 par Mir Baqi, G[al] de l'empereur mogol Babur (voir ci-dessus), 223 †, vague de meurtres contre les musulmans. Au *10-12,* 1 119 †. *-27-12* le gouv. décide d'acheter le site d'Ayodhya et de construire une mosquée et un temple hindou. **1993**-*6/16-1* émeutes à Bombay et Ahmedabad entre musulmans et hindous, 781 †. *-27-1* visite Boris Eltsine et signature d'un tr. russo-indien. *-26-2* état de siège à New Delhi pour empêcher une manif. du BJP. *-12-3* explosion de 12 bombes à Bombay, env. 300 † (mafieux impliqués, manipulés par l'Inter-Services Intelligence pakistanaise ?). *-16/17-3* attentat Calcutta, env. 60 †.

Famines. *1825, 1832-34, 1943* Bengale 3 à 4 millions de morts. *1966* Râjasthân, Kerala, Bihar, Gujarât. *1973* Mahârâshtra, Ândhra Pradesh, Râjasthân, Gujarât. *1974* Râjasthân, Tamil Nâdu. *1979* Uttar Pradesh.

Grands traits de la politique étrangère. 1°) Volonté de puissance : l'I. proclame son attachement à la non-violence, mais cherche à être la grande puissance d'Asie du Sud, influence au Népal et Bangladesh. **2°) Désir d'indépendance militaire :** l'I. s'est appuyée sur l'URSS pour son potentiel militaire et énergétique en face du Pakistan (qui s'appuie sur la Chine et l'aide amér.). Mais elle recherche l'aide technologique amér. et consacre 16,6 % de son budget à la Défense. **3°) Conquête des marchés extérieurs :** facilitée par la présence de population d'origine indienne en Thaïlande, Malaysia, Singapour, Kenya, Nigeria, Maurice, Émirats du Golfe, Afr. du Nord. **4°) Appel aux investissements étrangers (notamment français) :** l'I. ne demande pas d'usines clefs en main, mais des participations bancaires dans les secteurs les plus utiles : pétrole et pétrochimie, charbon, sidérurgie, automobile, aciers spéciaux, aluminium, aéronautique, astronautique, armements. Elle recherche également l'association financière avec des firmes occidentales dans le tiers monde.

■ Politique

Statut. République fédérale (25 États et 7 territoires), membre du Commonwealth. **Constit.** du 26-1-1950. **Pt** (élu pour 5 a. par le Parlement et les ass. des États, ne gouverne pas). **Vice-Pt** (de droit, le Pt du Conseil des États). **PM** (oblig. parlem.) responsable devant la Chambre du peuple (PM et cabinet nommés dans la majorité des ch. par le Pt). **Conseil des États (Rajya Sabha),** 245 m. max. dont 8 nommés par le Pt, renouvelables par tiers tous les 3 ans, élus pour 6 a. par l'ass. législative des États. **Ch. du peuple (Lok Sabha),** 545 m. élus p. 5 a. au suffr. univ., pas plus de 17 représentants des territoires, possibilité pour le Pt de nommer des m. **Fêtes nat.** 26-1 (naiss. de la Rép. indienne), 15-8 (Indép.), 2-10 (Gandhi).

Élections 1991. Inscrits en millions 488,4. Votants en %, nombre de sièges entre par. : *Total* 56,6 (511) ; *INC* 36,4 (227) ; *Bharatiya Janata P.* 20,2 (119) ; *Janata Dal* 11,5 (56) ; *PC marxiste de l'Inde* 6,3 (35) ; *Indép.* 3,9 (1) ; *Janata P. Secular* 3,3 (5) ; *TDP* (parti régional) 2,9 (13) ; *PC de l'Inde* 2,4 (14) ; *Congrès soc. ind.* 0,3 (1) ; *Lok Dal* 0,07 (0) ; *Autres* 13,9 (39).

Président de l'Union. 1950 Dr Rajendra Prasad (1884-1962). **62**-*12-5* Dr Sarvepalli Radha Krishnan (n. 5-9-1888). **67**-*10-5* Dr Zakir Hussain (1897-1969). **69**-*21-8* Varah Venkata Giri (n. 1894). **74**-*24-8* Fakhruddin Ali Ahmed (1905-77). **77**-*25-7* Neelam Sanjiva Reddy (n. 13-5-1913). **82**-*25-7* Giani Zail Singh (n. 5-5-1916). **87**-*16-7* Ramaswami Venkataraman (n. 1910, Tamoul). **92**-*16-7* Shankar Dayal Sharma (n. 19-8-18).

Premiers ministres. 1946-*2-9* Jawaharlal Nehru (1889-1964) dit le Pandit (en sanskrit : homme savant). **64** Lal Bahadur Shastri (1904-66). **66**-*19-1* Pryadarshini (dite Indira) Gandhi (1917-84, voir encadré). **77**-*25-3* Morarji Desaï (29-2-1896). **79**-*29-7* Charan Singh (n. 1902). **80**-*14-1* Indira Gandhi. **84**-*31-10* Rajiv Gandhi (1944-91) son fils. **89**-*1-12* Vishwanath Pratap Singh (n. 25-6-31), fils du raja de Daiga, adopté à 5 ans par le raja de Manda. **90**-*9-11* Chandra Shekhar (n. 1-7-1927) Janata Dal. **91**-*20-6* P.V. Narasimha Rao (n. 28-6-21) Congress I.

■ **Indira Gandhi** (19-11-1917/31-10-1984). Fille de Nehru. Études à Oxford. *1942* épouse en Inde un étudiant, Feroze Gandhi (non parent du Mahatma) ; emprisonnée 13 mois. *1950 à 64* proche de son père. *1959* Pte du Parti du Congrès. *1960* mort de son mari (crise cardiaque) dont elle était séparée dep. plusieurs années. *1966* Pte du groupe parlementaire du Congrès (355 voix contre 169 à Morarji Desaï). *-19-1* PM. *1969* (12-11) le Congrès ayant dénoncé sa dictature, l'expulse ; elle crée une scission qui devient majoritaire. *1971* mène la campagne « halte à la pauvreté ». *1975* son élect. étant annulée dans l'Uttar Pradesh, elle modifie rétroactivement la loi électorale et le 26-6 déclare l'état d'urgence. *1977* lève l'état d'urgence mais est battue aux élect. (mars). *1978 janvier* le Congrès I. s'impose. *1980* victoire électorale, I. redevient PM. *1984-31-10* assassinée par 2 Sikhs de son escorte.

■ **Enfants. Rajiv Gandhi** (29-8-1944/21-5-1991). Étudiant en mécanique en G.-B. *1968* marié à une Italienne (Sonia, connue à Cambridge, 2 enfants), pilote à l'Indian Air Line. *1981 mai* démissionne. *-15-6* député d'Uttar Pradesh après la mort de son frère. On l'appelle Mr. Clean (Propre). *1984-2-2* élu un des 5 secr. gén. du Parti du Congrès Indira. *-31-10* PM à la mort de sa mère. **1989**-*29-11* démissionne. **1991**-*21-5* tué dans un attentat à Sriperumbudur (Madras), bombe posée par un m. des Tigres de libération de l'Eclam Tamoul (LTTE).

Sanjay Gandhi (1946-80). *1975* entre au Parti du Congrès. *1980-24-6* pilote amateur, se tue, à 33 ans, lors d'une acrobatie manquée. Sa femme *Menaka* (fille d'un off. sikh, n. 1956) fera campagne contre Rajiv, rompra début 1983 avec sa belle-mère et fondera son parti. 1 fils, Rashtrya Sanjay Manch.

Partis politiques. *Janata Party* (JP, P. du peuple) : fondé 18-1-1977 (officiellement le 1-5), inspirateur Jaya Prakash Narayan (1902-79), alliance de partis de droite ou du centre pour lutter contre état d'urgence, Pt Subramanian Swamy. Regroupe : *Indian National Congress (Organization)* dit *Congrès I* pour Indira (f. 1-1-1885, I. Gandhi en avait été exclue en déc. 69, une partie des m. avait fait sécession en 1964, Pt Sarat Chandra Sinha), *Bharatiya lok dal* ou BLD (Brigade du peuple indien, Pt Charan Singh qui quitte alliance juill. 79), *Socialist Party* (quitte l'alliance sept. 79), Pt George Fernandes, *Bharatiya jana sangh* ou Indian People's Union (quitte l'alliance avril 80), *Congress for Democracy* (groupe dissident du centre, f. févr. 1977, joint l'alliance mai 77, Pt Jagjivan Ram). *Indian National Congress* ou *Congress I* (f. 1978, par Indira Gandhi, Pt Narasimha Rao dep. 29-5-91). *Communist Party of India* (CPI, f. 1925, secr. gén. Indrajit Gupta, 482 622 m. en 91). *Communist Party of India-Marxist* (CPI-M., f. 1964 par des dissidents du CPI, secr. gén. E.M. Sankaran Namboodiripad, 564 000 m. en 90). *All-India Forward Block* (f. 1940, Pt P.D. Paliwal). *Bharatiya Janata Party* (P. du peuple ind., f. avril 1980, scission du Janata, anciens m. du Jana sangh, Pt Lal Krishna Advani et Murli Manohar Joshi). *Lok Dal* (f. 1984, une partie rejoint le Janata en 1988, Pt Deri Lal). *Sanjay's All India Congress* (f. 1983 par Menaka Gandhi, veuve de Sanjay) 140 000 m. *Samajwadi Janata Dal* (P. dém. du peuple) (f. 15-8-1988), Secr. g[al] V.P. Singh, fusion des Lok Dal, Janata, Congress, Jan Morkha.

■ États

Origine. En 1877, à la proclamation de l'Empire des Indes, il y avait 629 États vassaux [dont 189 princiers dans la seule presqu'île de Katiawar (grande comme la Belgique) et une centaine dans le Gujarât]. 420 étaient d'autonomie restreinte, 70 d'aut. intermédiaire, 140 de pleine aut. 400 n'avaient pas plus de 30 km² [certains étaient minuscules : Bilbari (3 km², 30 h.) ; Katodiah (grand comme la place de la Concorde)]. **Titres :** *maharadjah* (grand roi), *nizam* (organisateur ; titre porté à l'origine par le nabab du Deccan), *nawab* (gouverneur), *râja* (chef d'État), *rao* (duc souverain), *sirdar* (comte ou baron souverain), *thakur* (seigneur radjpoute), *zaumidir* (seigneur de fief héréditaire), etc. **Traitement, rang et protocole :** « Altesse grandissime » (Exalted Highness) pour le nizam de Haïdarâbâd et « Altesse » pour les 112 souv. *Coups de canon* (règlement 1861) : *21* pour Haïdarâbâd, Mysore, Baroda, Jammu et Cachemire, Gwalior, Bhopal ; *19* p. Travançore, Kolhapur, Udaipur (Mewar), Indore ; *17* p. 12 États (dont Jaïpur, Patiala, Jodhpur) ; *15* p. 17 États (dont Kapurthala) ; *13* p. 13 États ; *11* p. 30 ; *9* p. 30 ; *0* p. env. 517 États. L'Agha Khan, ayant rang de chef d'État (sans territoire) comme chef de la secte des Ismaéliens, avait dep. 1877 traitement d'Altesse et droit à *11 coups.*

A l'indépendance (1947). Tous les États devaient être intégrés dans l'Inde ou le Pakistan. Sur 565 États princiers (30 % du territoire et 25 % de la pop.), 3 refusèrent de choisir, mais l'armée ind. détrôna fin 1947 le nawab de Junagadh, en 1949 le nizam de Haïdarâbâd, et le maharadjah de Cachemire vit son territoire partagé après l'invasion pask. d'oct. 1947.

Les princes indiens conservèrent leur droit au titre (le maharadjah de Kapurthala possède 37 titres ajoutés à son nom), 10 % de leurs revenus comme liste civile et quelques honneurs et privilèges fiscaux.

Évolution. En 1971, le 26e amendement à la Constitution a supprimé titres, pensions et privilèges garantis dep. 1947 en contrepartie de l'intégration des principautés dans l'Union ind. [les pensions non imposées étaient calculées au prorata du revenu des États princiers en 1947, soit entre 115 F et 1 560 000 F (majorité entre 60 000 et 500 000 F)]. Certains maharadjahs sont encore très riches, notamment les héritiers du nizam de Haïdarâbâd. Certains sont devenus hommes d'aff. (Gaehkwar de Baroda), exploitants agr. (famille de Patiala, mah. de Dhrangadhra), d'autres ont converti leurs palais en hôtels. Certains ont été élus au Congrès.

Pouvoirs actuels des États. Chacun possède un gouverneur, nommé par le Pt de l'Union, un gouvernement et un parlement [2 chambres (dans les 7 États A) ou 1 (14 États B)] qui légifère en matière de justice, éducation, santé, police et 62 autres matières énumérées dans la Constitution de 47. Les autres matières (dont plans économiques) dépendent à la fois des États et du gouv. central.

LISTE DES 25 ÉTATS

Légende. – Superficie (km²), population (1991) langue principale, villes (dont capitale en italique).

Ândhra Pradesh. *Créé* 1-10-1953, devint l'A. P. en 1956, quand on y ajouta le Telangana (du Haïdarâbâd). 275 068 km². 66 354 559 h. D 241. *Langues :* telugu et urdu. *Villes : Haïdarâbâd* 3 005 496 h., Eluru 212 918 h., Guntur 471 020 h., Kakinada 280 000 h., Kurnool 206 700 h. (81). *Forêts* 23,3 %.

Arunachal Pradesh. *1972* territoire (avant constituait la North-East Frontier Agency ou Nefa) (les 2/3 sont revendiqués par la Chine). *1984 août* troubles, 23 †. *1986 déc.* État. 83 743 km², 858 392 h. D 10. Catholiques env. 60 000. *Ville : Itanagar.* Zone sensible interdite aux étrangers jusqu'en 1993 (permis spécial pour Indiens).

Assam. *1826* terr. brit. *1874* adm. séparément. *1905-12* associé avec une partie du Bengale. *1947* district de Sylhet (sauf une partie du Karimganj rattachée au Bengale or. pakistanais). *1970-2-4* création de l'État autonome du *Mehgalaya,* comprenant 2 districts de l'A., Khasi-Jaintia et Garo Hills. *1971-72* troubles. *1980-5-4* troubles (départ souhaité des immigrés). *1982 juin* bombe à Gauhati, 19 †. *1983 févr.* massacre d'immigrés bengalis (musulmans) pour qu'ils ne participent pas aux él. locales [3 000 † (dont 2 400 à Delhi), 90 % d'abstentions aux él.]. Le gouv. accepte d'exclure du scrutin 1 000 000 d'immigrés dep. 1971. *1992-13-10* 2 bombes explosent dans un train, 24 †. 78 438 km², 22 294 562 h. dont (%) Assamis 60, Bengalis 20, montagnards 20. D 284. *Langues :* assamais [57 %, indo-européen, mélangé de tibétain : les Assamais réclament une culture particulière. Dep. 1987, rébellion des Bodos (1 300 000 pers.). *Villes : Dispur,* Gauhâti 577 591 h. *Forêts* 22 % de la sup. *Product.* 60 % du thé indien (30 % du thé mondial), 50 % du gaz et du pétrole, 30 % du jute.

Bengale occidental. 87 852 km². 67 982 732 h. D 766. *Langue :* bengali. *Villes : Calcutta* 4 388 262 h. (ag. *1900 :* 850 000 ; *70 :* 7 000 000 ; *91 :* 10 916 272), Durgapur 415 986 h. Le GNLF (Front de Lib. nat. gurkha) réclame un territoire. *1966* émeutes de la faim. *1968 févr.* contrôlé par Delhi.

Bihâr. 173 877 km². 86 338 853 h. D 497. *Langue :* hindi. *Villes : Patna* 916 980 h., Bhagalpur 255 000 h., Bihar 200 976 h., Jamshedpur 461 000 h., Ranchi 598 498 h. Un des États les plus riches en minerais. *1971-72* troubles, *1992-févr.* 33 h. de haute caste tués par Naalistes (8 000 † dep. 1990).

Goa. *Créé* 30-5-1987 (au Portugal dep. 1510, constituait, avec Damân et Diu, l'I. portugaise). 3 702 km², 1 168 622 h. Cathol. env. 30 %. D 316. *Langues :* konkani (off), marathi et hindi. *Ville : Panaji* 76 839 h (81).

Gujarât. *1960-1-5 formé* par la partie nord de l'État de Bombay. 196 024 km². 41 174 343 h. D 210. *Langues :* gujarâti et hindi. *Villes : Gandhinagar* (ancienne Ahmedâbâd) 121 746 h. (agg. 2 872 865), Baroda 1 021 084 h., Bhavnagar 400 636 h., Jamnagar 325 000 h., Rajkot 556 137 h., Surat 1 496 943 h. *1974* troubles séparatistes. *1985-9-6* troubles, 200 †. *-17/18-7* émeutes à Ahmedâbâd, 7 †. *1986-13-7* affrontements hindous-musulmans, 40 †. *1990 avril* idem, 61 †. *1992-2/3-7* idem, 10 †.

Haryana. 44 212 km², 16 317 715 h. D 369. *Langue :* hindi. *Ville : Chandigârh* 502 992 h. *Formé* 1-11-1966 d'une partie du Pendjab.

Himâchal Pradesh. *Créé* 1948. 55 673 km², 5 111 079 h. D 92. *Langues :* hindi et pahari. *Ville : Simla. Forêts* 38,3 % de la sup.

JAMMU — CACHEMIRE

Jammu-Cachemire. 222 236 km². 7 718 700 h. *Langues :* kashmiri, dogri, gojri, urdu, balti, dardiro, pahari, ladhaki. *Revendiqué* par Pakistan qui en occupe une partie (*Cachemire Azad* comprenant Baltistan 78 218 km² et Hunza). Partie occupée par la Chine dep. 1962 (42 735 km² dont une partie du Ladakh, l'*Aksaï-Chin*). *Villes : Srînagar* 594 775 h. à 1 768 m., Jammu 155 249 h (81). *Principal mouv. indépendantiste :* Front de lib. du Jammu-C. De janv. 1986 à déc. 91, 3 600 † dus à l'insurrection. Le **Ladakh** (terres cultivées 0,17 %, analphabètes 81,6 %, taux de mortalité infantile 62,23 ‰) a été ouvert aux étrangers en 1974. *Religion :* musulmans 70 %. *Chefs de gouvernement : févr. 1974 à sept. 82 :* Cheikh Mohammed Abdullah. *1983 à 2-7-84 :* Farouk Abdullah, son fils, renversé. *Juill. 84 :* Mohammed Shah, son beau-frère. *1990-19-1* administré par Delhi. *-20-1* manif. de séparatistes musulmans, 32 †. *Janv.-juin* 600 †. *1992-4-8* le Hezbul Mudjahidin interdit le C. aux Israéliens. *-4/5-9* affrontements musulmans/police, 22 †. *-27-10* grève gén. *-30-10* 3 actions terroristes, 40 †. *1993-6-1* 40 tués par des militaires.

Karnâtaka (ex-Mysore). *Formé* 1956, 191 791 km². 44 806 468 h. D 234. *Langue :* kannada. *Villes : Bangalore* 2 650 659 h. (ind. de pointe dont aéronautique), Mangalore 273 000 h., Devangere 121 018 h. (81), Shimoga 178 882 h. *1986 déc.* troubles religieux, 17 †.

Kerala. 38 863 km². 29 032 828 h. dont (en millions) chrétiens 7 (cathol. 5). D 747. *Langue :* malayalam. *Alphabétisation :* 90,59 %. *Villes : Trivandrum* 523 733 h., Kozikhode 420 000 h. *Créé* 1956. 1er État qui a eu un gouvernement communiste.

Madhya Pradesh. 443 446 km². 66 135 862 h. D 149. *Langue :* hindi. *Villes : Bhopâl* 1 063 662 h., Jabalpur 739 961 h., Bilaspur 190 911 h., Burhanpur 172 809 h. *Formé* 1-11-1956.

Mahârâshtra. 307 690 km². 78 748 215 h. D 256. *Langue :* marathi. *Villes : Bombay* 9 909 547 h., Nagpur 1 622 225 h., Poona 1 559 558 h., Sholapur 603 870 h. *Formé* 1-5-1960 d'une partie de l'État de Bombay.

Manipur. *1949 (15-10) à 1957* État de cat. C, puis territoire, 22 327 km². 1 826 714 h. D 82. *Langue :* manipuri. *Ville : Imphâl* 155 639 h (81).

Meghâlaya. 22 429 km². 1 760 626 h. D 78. *Langues :* khasi, jaintia, garo. *Ville : Shillong. Formé* 2-4-1970. Indép. janv. 72, avant, partie de l'Assam.

Mizoram. 21 081 km². 686 217 h. D 33. *Langues :* mizo et anglais. *Ville : Aizawl. Religion :* chrétiens 94 %. *1966-87* guérilla pour l'indép., 1 500 †. *1972-21-1* territoire (ancien district de l'Assam). *1987-16-2* él., succès du Front nat. mizo (Laldenga). *-20-2* État.

Nâgaland. 16 579 km². 1 215 573 h. D 73. *Ville : Kohîma. Formé* 1-1-1963 (le gouv. est celui de l'Assam). *1971-72* troubles. *1974* troubles séparatistes.

Orissâ. 155 707 km². 31 512 070 h. D 202. *Langue :* oriya. *Villes : Bhubaneshwar* 411 542 h., Rourkela 398 692 h. *Formé* 1-4-1936.

Pendjab. 50 362 km². 20 190 795 h. (dont 53 % de sikhs). L'Akali Dahl voudrait un État sikh, le Kalistan. D 401. *Langue :* pendjabi. *Villes : Chandigârh* 502 992 h., Ludhiana 1 012 062 h., Jullundur 296 102 h. (91), Patiala 253 000 h. **1792** Ranjat Singh (1780-1839) puissant fédérateur. **1849** Sikhs soumis aux Angl. *1931* comprend (%) musulmans 53, hindous 30, sikhs 14. **1947** partition 80 % au Pakistan ; 20 % à l'I. (62 % d'hindous, 35 % de sikhs). **1966** mars découpage en 3 États : 2 de langue hindi (Haryana et Himâchal Pradesh) et le nouveau Pendjab (langue off. pendjabi) ; services adm. dans capitale commune : Chandigârh (construite par Le Corbusier, devenue provisoirement terr. de l'Union, constituée en État, étant prévu qu'elle reviendrait plus tard au seul Pendjab). **1982** *Sant Harchand Singh Longowal* réclame la reconnaissance d'Amritsar (ville sainte des Sikhs), du sikhisme (religion indépendante ; diffusion sur les ondes de passages de leur livre saint), de Chandigârh (capitale du seul État du P. ; retour au P. des droits sur les eaux des rivières Ravi et Beas détournées vers Haryana et Rajasthan). *Sant Jarnail Singh Bhindranwale,* leader extrémiste, revendique l'indépendance complète (ce serait le *Kalistan*). **1983**-*7-10* état d'urgence. *Déc.* Sant Jarnail occupe le Temple d'or à Amritsar et pousse à la violence. **1984,** *févr.* PM du P. démissionne, l'État est placé sous l'autorité directe de Delhi. *-6-6* armée prend Temple d'or à Amritsar (Harmindar Sahib, origine 1589, plusieurs fois détruit, toit recouvert de plaques d'or 1802 par Ranjit Singh, reconstruit 1874) où se sont réfugiés 5 000 Sikhs. + de 1 000 † (dont 30 femmes et 5 enfants, 92 militaires). *-26-7* accord avec Sikhs modérés ; Chandigârh revient au seul P. *-31-10* 3 Sikhs assassinent I. Gandhi, émeutes (2 000 Sikhs tués). **1985**-*26-1 au 30-4* séparatistes occupent Temple d'or. *-31-7* affrontements au Temple d'or. *-20-8* Longowal tué. *-25-9* élections rég. : Akali Dal 73 s. (avant 37), Congrès I. 31 (avant 63). **1989**-*18-5* fin du siège du Temple d'Or (50 †). **1992**-*19-2* élections : abstentions 72 % (en raison des menaces de mort) ; Parti du congrès 85 s. sur 117 s. **1993** *janv.* élect. pour Panchayats, abstentions 17,7 %. Fournit à l'Inde 60 % du blé. **1983-91** env. 15 000 † [dont 1991 : 2 176 rebelles (dont le Gal Gurjant Singh dirigeant du Front de lib. du Khalistan) et 3 595 victimes des rebelles].

Râjasthân. 342 239 km². 43 880 640 h. *Langues :* rajasthani, hindi. D 128. Catholiques env. 30 000. *Villes : Jaïpur* 1 454 678 h., Kotah 536 444 h., Udaipur 308 000 h.

Sikkim. Entre Népal et Bhoutan. 7 096 km² (*avant l'arrivée des Brit.,* le S., qui venait de perdre du terrain au profit de ses voisins, s'étendait jusqu'à la plaine du Bengale et comprenait ce qui est devenu le district des Collines, avec Darjeeling et Kalimpong. Darjeeling, puis le reste de la région, furent annexés et le S. transformé en protectorat. Les Angl. favorisèrent l'implantation de Népalais). 405 505 h. dont Népalais 72 %, Lepchas 17, Bhotias 11. D 57. *Ville : Gangtok* 36 768 h (81). *Langues :* anglais *(off.),* bhotia, lepcha, népalais. *Rel. off. :* bouddhisme tibétain ; majorité hindoue. *1974-4-9* État associé à l'I. (avant, lié par tr. spécial). *1975-10-4* (de facto rattaché à l'I.) le Chogyal (maharadjah) Wangchuk Namgyal (n. 1952) n'a qu'un pouvoir honorifique.

Tamil Nâdu (ex-Madras). 130 058 km². 55 638 318 h. D 428. *Langue :* tamoul. *Villes : Madras* 3 795 208 h., Madurai 951 696 h., Salem 363 934 h., Tiruchirapalli 386 628 h., Dindigul 127 406 h. *1976-31-1* sous contrôle fédéral.

Tripura. État dep. 21-1-1972 (de catégorie C du 15-10-49 au 1-11-56, puis territoire), 10 486 km². 2 744 827 h. D 262. *Langue :* tripuri, proche de l'assamais. *Ville : Agartala.* Les VNT (Volontaires nationaux du T créés 1978) réclament l'indépendance et le départ des immigrés Bengalis (70 % de la pop.). *1980 juin* émeutes, 400 † (cause : départ des originaires du Bangladesh). *1984 oct.* attentats.

Uttar Pradesh. 294 411 km². 139 031 130 h. D 471. *Catholiques :* env. 60 000. *Langue :* hindi. *Villes : Lakhnau* 1 592 010 h., Varanasi (Bénarès) 925 962 h., Shahjahnanpur 373 904 h. *1968-fév.* contrôlé par Delhi. *1978-avril* émeutes, centaines de †.

■ ART INDIEN

Préhistoire. *IVe millénaire av. J.-C.* poterie peinte, usage du métal au N. (Baloutchistan). *2500-1200* civilisation de l'Indus (Harappa et Mohenjo Daro) ; urbanisme développé ; statuettes : terre cuite, pierre, bronze ; sceaux en stéatite (art animalier avancé).

Inde ancienne. *IIe-Ier s. av. J.-C.* période ancienne ; architecture : sanctuaires [*chaïtyas* (temples souvent en bois) ; *viharas* (monastères)], grottes à Bhaja ; dans les Mts Ajanta, à Ellora ; *stupas :* monuments funéraires ou commémoratifs hémisphériques de brique ou de pierre (à Bharhut, Sanchi, Bodera Gaya) ; sculptures : terre cuite, bas-relief narratif [sur les *vedikas* (balustrades entourant les stupas et leurs portes)]. *Ier s. av. J.-C.-IVe apr.* période de transition. Apparition de l'image de Bouddha. École gréco-bouddhique (N.-O.), sculptures en schiste et stuc. École de Mathura, ville sainte du N., grès rouge (IIe-IIIe s.). École d'Amaravati [site portant le nom de la résidence d'Indra (IIe-IVe s.), S.-E.], bas-relief en marbre blanc. Perspective. *IVe-VIIIe s.* art indien classique. *IVe-VIe s.* art de la dynastie Gupta. Sanctuaires rupestres avec piliers et murs décorés ; arts brahmanique et bouddhique. Peintures murales (Mts Ajanta). *VIe-VIIe s.* art post-Gupta ou pallava : goût du colossal. Hauts-reliefs [rochers du Mahabalipuram (VIIe s.), Ellora (VIIe-VIIIe s.)]. *VIIIe-XIIe s.* style salassera (2 dynasties du Bengale), tendance au conventionnel.

Moyen Age. Inde du Nord. *VIIIe-XIIe s. :* développement de l'iconographie bouddhique (vallée du Gange) ; apparition et développement de l'art hindouiste : temples à Çikhaja (tour-sanctuaire à arêtes curvilignes) et architecture sculptée ; Purî, Bhubaneshwar, Kanarak, Khajuraho. **I. de l'Ouest :** coupoles sur pendentifs, encorbellements ; temples jaïns du mont Abu (*XIe-XIIIe s.)* et de Ranakpur (*XVe s.*) dans le Râjasthân. **I. du Sud :** art *chola* (*Xe-XIIIe s.*) : ronde-bosse en bronze ; temples-villes avec hautes tours d'entrée ; Tanjore, Crîrangam, Tiruvan-mâki, Chidambaram, Madurai. *Art Hoysala* (*XIe-XIVe s.*) : temples avec frises horiz. aux thèmes variés ; Halebîd, Behir, Samnâthpûr.

Période musulmane. Arts musulman (mosquées, tombeaux, palais ; décoration géométrique) et indien (motifs floraux). *XIIIe-XVe s.* mosquées à minarets (Qutub Minar de Delhi). *XVIe-XVIIIe s.* emp. moghol, inspiration persane ou indo-persane, grès rose et marbre blanc ; Agrâ (Tâj Mahal), Fatehpur Sikri (palais), Delhi (tombeau d'Humayûn, Fort rouge). Peinture d'albums : thèmes brahmaniques (au Rajputana, au Bengale, au Deccan) ou jaïns. Influence européenne, architecture style indo-portugais sur la côte O. (Goa) ; franç. à St-Louis de Pondichéry. Les miniaturistes moghols copient les gravures occidentales et adoptent également la perspective occidentale.

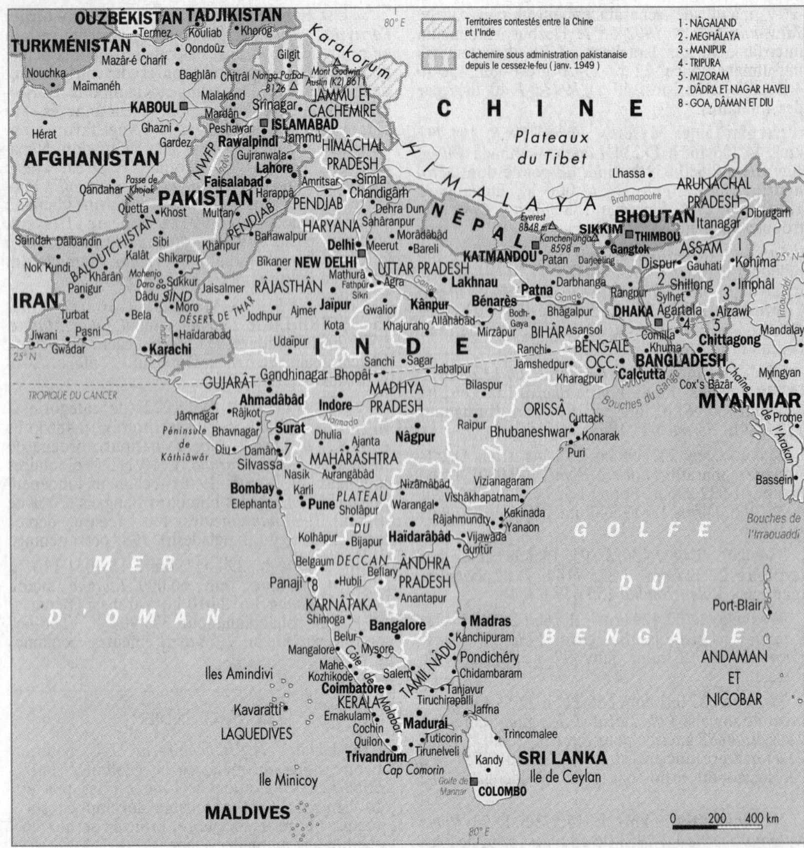

Liste des 7 territoires de l'Union

Andaman et Nicobar (îles). 8 249 km². 279 111 h. D 34. A 1 287 km de Calcutta ; **îles Andaman** 6 475 km², 204 îles et îlots, dont 4 de grande taille : au N., A. du Nord, A. du Centre, A. du Sud, séparées par des chenaux étroits et formant ensemble la « Grande A. » ; au S., la Petite A. : formée de 2 groupes principaux, l'archipel Ritchie et les îles du Labyrinthe. **Iles Nicobar.** 1 645 km², 19 îles dont 7 habitées. *Capitale : Port-Blair* 115 133 h (81).

Chandigârh. 114 km². 640 725 h. D 5 620. *Ville : Chandigârh* 502 992 h.

Dâdra et Nagar Haveli. 491 km². 138 401 h. D 288. *Ville : Silvassa.* Ancien terr. portugais dans l'Union dep. 11-8-1961.

Damân et Diu. 101 439 h. **Damân** : 72 km², 61 951 h. ; **Diu :** 38 km², 39 488 h. *Langue :* gujarâti. *Villes :* Daman 21 003, Diu 8 020. Portugais dep. 1510 avec Goa. Envahis par Inde le 18-12-1961, souveraineté Inde reconnue par Port. le 31-12-1974.

Delhi. 1 483 km². 9 370 475 h. D 6 319. *Langues :* hindi, urdu, pendjabi. *Ville : New Delhi* (agg.) 5 729 283 h.

Lakshadweep (îles Laquedives, Minicoy et Amindives). 26 îles dont 10 habitées. 32 km², 51 681 h. D 1 615. *Langues :* malayalam, mahl. *Ville : Kavaratti.* Terr. dep. 1956.

Pondichéry. 492 km². 807 045 h. D 1 605. *Langues :* tamoul, français. *Fondé* 1674 par la Fr., siège indien de la Cie des Indes orientales. *1693* pris par Holl. *1699* rendu à la Fr. *1761* pris par Angl. *1765* rendu. *1778* repris. *1785* rendu. *1793* repris. *1814* rendu. *1940-7-9* rallié à de Gaulle. *1951-2-2* Chandernagor est cédé à l'I. *1954-1-11* adm. transférée par la Fr. à l'Inde. *1956-28-5* Pondichéry, Karikal, Mahé, Yanaon cédés à l'I. *1962-16-8* ces 2 traités sont ratifiés. **Pondichéry** (290 km², 607 600 h.) forme avec **Karikal** (161 km², 145 723 h.), **Mahé** (20 km², 33 425 h.) et **Yanaon** (9 km², 20 297 h.) un seul territoire. *Cap. : Pondichéry.*

■ Économie

■ **PNB** (est. 91). 355 $ par h. *Prévisions* (1989-90, millions de t) : pétrole 20, charbon 226, acier 12, aluminium 0,5, gaz nat. 14,4 (milliards de m³). **Croissance (%)** *1962-75 :* 3,2 ; *75-84 :* 4,4 ; *85-86 :* 4,8 ; *86-87 :* 4,8 ; *87-88 :* 0,5 (sécheresse) ; *88-89 :* 5 ; *90 :* 4,3.

■ **Pop. active** (% et, entre par., part du PNB en %) agr. 63 (30), ind. 11 (25), services 22 (40), mines 4 (5). *Pop. active totale* (en millions, 1981) : 247 (dont 27 ayant travaillé - de 183 j dans l'année) dont ruraux 198, urbains 49 (hommes 181, femmes 66). Chaque année, 5 millions de nouveaux demandeurs d'emplois, dont 10 % trouvent du travail. Le reste demeure sous-employé dans le secteur rural (74 % de la main-d'œuvre). *Chômeurs recensés :* 35 millions (avril 91). *Salaire* (89) : ouvrier 300 à 600 F/mois, *ingénieur* 1 200 F. **Enfants au travail : 45 000 000 p.** surtout dans la confection de tapis (dep. la loi de 1986, min. légal 14 ans).

■ **Inflation** (%). *1985 :* 5,6 ; *86 :* 8,7 ; *87 :* 8,5 ; *88 :* 9,4 ; *89 :* 6,4 ; *90 :* 12 ; *91 :* 17 ; *92 (mars) :* 14. **Dette extérieure** (milliards de $) *1985 :* 35 ; *89 :* 62,5 ; *90 :* 70,2 ; *91 (déc.) :* 79 ; *92 (mars) :* 72. **Budget fédéral** (en milliards de roupies, 1992-93) recettes 1 145,1, dépenses 1 283,9. *Déficit : 1983-84 :* 18,2 ; *84-85 :* 39,8 ; *85-86 :* 35,5 ; *87-88 :* 57 ; *89-90 :* 130,4 ; *90-91 :* 130. *Dépenses de défense : 1987 :* 125 ; *88 :* 132 ; *89 :* 130 ; *91 :* 168. *Engrais subventionnés :* 12. **Contribuables** 4 000 000 (75 % des revenus imposables échappent illégalement à l'impôt ; l'économie parallèle représente 20 % du PIB). **Réserves en devises** (fév. 92) 4 milliards de $. **Prêts Banque mondiale** (1991) 11,7 milliards de $. **Politique économique** (de 1985 à 1989, années Rajiv Gandhi), libération de l'économie, croissance + de 5 %, pouvoir d'achat + élevé pour classes moyennes (dep. juin 1991), libéralisation, ouverture plus large aux investissements étrangers (les multinationales pourront détenir 51 % du capital des Stés ind.), réduction du déficit budgétaire, baisse des échanges avec ex-URSS (qui était le 2e partenaire après USA).

Investissements étrangers (en milliards de roupies, 92). *Total* 388,75 dont USA 123,15, Suisse 68,98, Japon 61,02, G.-B. 11,77, P.-Bas 9,68, It. 8,94, All. 8,63, Australie 7,76, Hong-Kong 5,71, Malaisie 7,44, Singapour 6,02.

Style de vie. En 1992, 410 millions d'h. (38 % de la pop.) vivent en dessous du seuil de pauvreté (- de 30 $ par mois), 120 à 150 appartiennent à la middle class, 30 à 50 ont un pouvoir d'achat important.

■ **Agriculture. Terres** (milliers d'ha) : arables 175 955 (85), forêts 67 157 (85), eaux 31 440, pâturages 11 800, cult. en permanence 3 930, divers 48 589. 27,4 % des t. sont irriguées (43 040 000 ha en 89). 51 % des t. sont cult., mais 40 % sont régulièrement ensemencées. **Conditions :** sols médiocres. Climat instable obligeant à prévoir des stocks difficiles à conserver. Surpeuplement d'où sous-emploi, exploitations exiguës (0,43 ha en moyenne). Redevances lourdes (20 à 25 % de la récolte, parfois plus pour la location). Mépris des besognes manuelles, entraves des castes, respect de la vie animale qui favorise ravages des singes, sauterelles ou rats qui détruisent env. 50 % des céréales. **Récoltes :** principale (kharif) à la fin de la saison humide [en général riz (repiquage encore peu pratiqué), millet, jute, coton)] ; l'autre (rabi) fin de la saison sèche (blé, orge, colza). Irrigation ancienne sur des surfaces restreintes. Puits tubés et profonds. Barrages-réservoirs : Bhakra sur la Satlej (Pendjab indien), N.-E. du Deccan, la Damodar a été aménagée. Engrais : variétés nouvelles, rendements élevés. Une classe nouvelle d'agriculteurs bien équipés apparaît. L'I. exporte du blé vers l'URSS (mais 45 % des I. ne peuvent acheter assez de céréales pour leurs besoins).

Production (millions de t) : *canne à sucre* (en partie consommée sur place, jus non consommé) *1989 :* 200. *Céréales : 1964 :* 60 ; *74 :* 100 ; *83-84 :* 139 (grâce à la révolution verte) ; *89-90 :* 170 ; *90-91 :* 177 ; *91-92 :* 167. *Riz* (E. de la plaine du Gange, Bengale, deltas de la côte E., bordure O. du Deccan) *89-90 :* 74 ; *90-91 :* 75 ; *91-92 :* 74. *Blé* (Pendjab, O. de la plaine du Gange [*1955 :* 9, *70 :* 20, *84 :* 40] *89-90 :* 49 ; *90-91 :* 54,4. **Divers** *(91-92) : P. de terre* 15 *(90-91). Sorgho* 8,3. *Maïs* 7,9. *Millet* (sols pauvres du Deccan) 4,6. *Arachides* 7. *Pois chiches* 4,1. *Orge* 1,6. *Jute* (bordure humide de l'Himâlaya, côte E.) 8,8. *Coton* (suffit à peine aux usines, fibres assez grossières, alluvions du Pendjab et de la plaine gangétique, terres noires du N.-O. du Deccan) 9,8. *Thé* 0,7. *Tabac* 0,45 (90-91). *Sésame. Colza. Canne à sucre* 249.

■ **Forêts** (90). 266 300 000 m³ : *teck, santal, palissandre, ébène, déodar.* **Élevage** (millions, 90). Volailles 270, bovins 197,3, chèvres 110, buffles 75, moutons 54,5, porcs 10,4, chameaux 1,4, ânes 1,4, chevaux 0,9, mulets 0,13, volailles 310. Jusqu'à ces dernières années, pour des raisons religieuses, seuls moutons et chèvres fournissaient un peu de viande. Les bovins fournissent du travail (mais sont chétifs) et du lait (moy. env. 658 l par an mais 60 % sont improductifs). Les bouses séchées servent de combustible. Exportations de cuirs et peaux. **Pêche** (91-92). 4 036 900 t.

■ **Énergie. Charbon** nationalisé 1973 ; *réserves* 83 673 millions de t, bassin de la Damodar, couches épaisses, export. vers Japon et Europe, port charbonnier : Haldia ; *prod. 1946 :* 30 ; *70 :* 736 ; *83 :* 136 ; *90 :* 199,5 ; *91 :* 211,6. *Lignite* 14. **Pétrole** (millions de t) : *réserves 1991 :* 1 095 (Assam et Région de Bombay) ; *prod.* (91) 32,6, 92 (est.) 30,3 (*1946 :* 0,3 ; *70 :* 6,8 ; *83 :* 23) ; *consom. 1986 :* 36 ; *91 :* 42 ; *en 89-90 :* 19,5 millions de t importées. **Gaz** (milliards de m³) : *réserves* 709 ; *prod. 90-91 :* 11,26. **Électricité** (milliards de kWh) potentiel 280 ; *prod.* 230 [insuffisante : nombreuses coupures ; - de 35 % des villages ont l'électricité]. **Combustibles utilisés par 80 % de la pop.** (en millions de t) bouse de vache 200, bois 230,2 (87).

■ **Mines** (millions de t, 90-91). *Zinc* 137,6. *Plomb* 44,8. *Fer* [réserves 10 milliards de t d'hématite à 55 %, 5 milliards de t de magnétite, vers Goa et Karnâtaka (Mysore)] 54,2 (minerai). *Pierre à chaux* 68,4. *Sel* 12,6. *Cuivre* 5,2. *Bauxite* 4,6. *Mica* 3,6. *Dolomite* 2,4. *Gypse* 1,5. *Manganèse* 1,3 (minerai). *Chrome* 0,9. *Craie* 0,4. *Kaolin* 0,6. *Or* 2 005 kg. *Diamants* 18 010 carats.

■ **Industrie.** *États les plus industrialisés :* Mahârâshtra, Bengale O., Tamil Nâdu, Gujarât, Uttar Pradesh, Bihâr, Ândhra Pradesh, Karnâtaka et Madhya Pradesh. Coton, jute, sucre, ciment, papier et pâte à papier, papier pour films et photos, fer, acier, mach.-outils, automobiles, app. élec., engrais, prod. chimiques et pharm., pétrochimie.

Problèmes écologiques

Déforestation : la loi prévoit que 23 % du territoire doivent être destinés aux forêts, il n'en reste que 10 à 12 %. **Inondations :** 40 millions d'ha menacés (surtout plaines du Gange et Centre-Est). **Stérilisation** (manque d'irrigation) : sur 10 à 20 millions d'ha, mauvais systèmes entraînant salinisation des sols, remontée de la nappe phréatique, réapparition des moustiques et de la malaria, recrudescence de filariose, diarrhées, cancers. Peu de restitution des matières organiques (bouse utilisée comme combustible par manque de bois). Culture de t. marginales (érosion). En 80, 40 millions d'ha sur 140 n'auraient pas dû être cultivés. *Eau :* pollution de 70 % de l'eau utile ; la capacité d'auto-épuration du Gange est dépassée (symbole de pureté et lieu de purification). Chaque année, 6 000 000 de personnes s'y baignent car il a la vertu de guérir tous les maux physiques et moraux. Les hindous orthodoxes ne boivent que l'eau du Gange. Chaque année, les restes de 35 000 corps y sont immergés après avoir été incinérés, mais on y jette beaucoup de cadavres à demi consumés. Dans les villes, 1/3 des hab. n'ont pas de W.-C., l'eau est souvent impure (cause d'hépatite).

Grands groupes privés : *Tata :* famille parsie de Bombay, d'origine iranienne, réussit dans l'ind. cotonnière (fin XIXe s.) ; crée 1911 les 1res usines sidérurgiques, puis prod. d'électricité, hôtellerie, huileries-savonneries, ind. chimiques, méc. et élec. Aujourd'hui, chiffre d'affaires : 29 milliards de F ; employés : env. 250 000 ; contrôle env. 98 sociétés, dont les 2 plus grandes Stés ind. privées [Tata Iron and Steel (2 millions de t d'acier, 65 000 employés) et Tata Engineering and Locomotives (camions et autobus, 35 000 employés)].

Birla : Hindous marwaris (du Râjasthân), commerçants et financiers, lancés dans la grande industrie après la g. de 1914-18 (jute et coton), puis ind. légères (sucre, papier) en gardant import-export. Après 1947, ind. aluminium. Aujourd'hui, contrôle 200 Stés dont Gwalior Rayon Silk (textiles artif., 15 000 employés) et Hindustan Motors (auto.).

3 AUTRES GROUPES : *Bangur, J.K.* (les 2 Marwari) et *Thapar* (Penjabi) intégrés financièrement, *Mafatlal* (Gujarati) et *Shriram* (Penjabi) : coton, chimie (textiles synthétiques, colorants), mécanique. 526 000 petites usines, ateliers et fabriques représentent 40 % de la prod. ind. privée.

Secteur public : 60 % du cap. ind., 1/4 de la valeur ajoutée par l'ind. spécialisée dans les secteurs lourds (planifiés). *Budget 1985-90 :* 500 milliards de $. *Industrie spatiale :* 13 000 employés. *Armement :* 50 % fabriqué sous licence, 75 % d'origine russe.

Taxe sur la fortune : seuil 250 000 roupies, taux max. 2 %, 640 assujettis, rapporte 1,72 milliard de roupies par an.

■ **Transports. Routiers** *Routes* 1 970 000 km dont 960 000 recouvertes (90). *Véhicules* 16 605 000 (90) dont 10 800 000 motocyclettes et 2 391 000 voitures privées, 289 000 bus, 1 107 000 camions et 1 995 000 divers. Le + fort taux d'accidents en ville du monde (New Delhi, 75,5 accidents et 12 † pour 10 000 véh.). **Chemins de fer** *1873 :* 9 161 km, *83 :* 17 000, *93 :* 29 782, *1900 :* 39 838, *90 :* 70 000. *En 1989-90 :* 3 653 000 passagers et 310 000 000 t de fret.

■ **Tourisme.** 1 867 651 dont (91) G.-B. 212 052, USA 117 322, All. 72 019, Sri Lanka 70 088, *France 69 346.* (*1985 :* 33 609 chambres d'hôtel, *est. 90 :* 59 000).

Principaux lieux touristiques. Inde du Nord : Agrâ (Taj Mahal, mosquée de Perle), Ahmedabad, Bénarès, Bhubaneshwar, Bikaner, Bodhgaya, Delhi (Fort rouge, mosquée Jama Masjid, Qutub Minar), Fatehpur Sikri, Gwalior (forteresse), Jaïpur (palais des Vents, Sanganer), Jaisalmer, Jodhpur, Khajuraho, Konarak, Mont Girnar, Palitana, Puri, Ranakpur, Sanchi, Udaïpur, Ujjain (mosquée). **Du Centre et Sud :** Aiholi, Ajanta, Aurangabad, Badami, Bangalore, Bijapur, Bombay, Cochin, Covelong, Elephanta, Ellora, Goa, Hampi, Hassan, Kanchipuram, Madras, Madurai, Mahabalipuram, Mysore, Pattadakal, Tanjore, Tiruchirapalli, Trivandrum.

■ **Commerce** (milliards de roupies, 91-92). **Exp.** 439,7 *dont* p. pierres précieuses 67,5, vêtements 54,1, prod. d'engineering 39 (90-91), prod. chim. 36,7, cotonnades 32 *vers* (90-91) URSS 52,6, USA 47,9, Japon 30,2, All. 25,3, G.-B. 21,2. **Imp.** 478,1 *dont* fuel et lubrifiants 131,2, mach. non élect. 66,6 (90-91), perles et p. précieuses 48,2, fer et acier 21,5, mach. élec. 17,4 (90-91) *de* (90-91) USA 52, All. 34, Japon 32, G.-B. 29,1, Arabie Saoudite 28,9.

Déficits balance commerciale *1987-88* 92,96 ; *88-89* 140,02 ; *89-90* 130, **des comptes courants** *87-88* 62,93 ; *88-89* 104,29 ; *89-90* 110 (30,6 % des exp.).

■ **Rang dans le monde** (91). 1er bovins, thé. 2e canne à sucre, riz. 4e blé, bois, céréales, coton, charbon. 5e ovins, fer. 6e maïs, p. de terre, bauxite. 7e pêche, réserves de charbon. 13e café, porcins, 17e orge, réserves de pétrole. 20e pétrole.

INDONÉSIE

Carte p. 1030. V. légende p. 884.

Noms. A été appelée : Archipel malais ou malaisien, indien, asiatique, des Grandes Indes néerlandaises. René Lesson (Fr. 1794-1849) a parlé en 1825 de Notasie (du grec *notos* « sud »). Langue appelée aussi nousantarienne, du malais *nusantara* « archipel » ou « les îles entre » (2 continents).

Situation. Asie du S.-E. avec l'Irian. 1 919 317 km² dont Timor oriental 14 874 km². 7 900 000 km² de zone écon. maritime. *Volcans :* nombreux, 128 encore en activité (dont Kerinei, Rinjani, Semeru, Sumbing et Merapi). *Alt. max. :* Puncak Jayawijaya (mont Carstensz en Irian Jaya) 5 030 m. *Iles :* env. 13 677 sur 5 159 km d'E. en O. et 2 000 km du N. au S. (3 000 habitées). *Prof. de la mer :* 200 m à 7 500 m. **Lacs** nombreux : Toba (90 km de long à Sumatra), Singkarak, Maninjau, Tempé, Towuti à Sulawesi, Sidenreng, Matana, Tondano, lacs aux 3 Couleurs (3 lacs dans le cratère du Kelimutu à Flores).

Climat. Tropical et équatorial. *2 moussons :* de l'E. (sèche mai-oct.), O. (humide nov.-avril). *Pluies* en mm : Kupang 1 400, Jakarta 1 800, Balikpapan 3 000. *Temp.* moy. 26 à 28 °C.

Faune. Singes, cerfs, serpents, crocodiles. **Ouest :** éléphants (Sumatra), rhinocéros (Sumatra, Java, Kalimantan), tigres et panthères (Sumatra, Java), ours et tapirs (Sumatra, Kalimantan), buffles sauvages (Java, Kalimantan), orangs-outangs, paons, faisans (Kalimantan). **Est :** marsupiaux, grande variété d'oiseaux [perroquets, cacatoès, pigeons huppés, calaos, oiseaux de paradis (en Irian Jaya)]. Anaoa (buffle nain), babiroussa (sanglier à 4 défenses longues et recourbées) Sulawesi. Komodo (lézard géant, peut atteindre 3 m) île de Komodo. Crabes, chaque année 120 millions migrent par l'île de Christmas Island.

Population (millions). *1900 :* 50 ; *39 :* 70 ; *91 :* 179,3. *92 (est.) :* 193 (70 % concentrés sur 7 % du territoire). *2000 (prév.) :* 225. **Age** – *de 15 a. :* 39,2 %, + *de 60 a. :* 5,3 %. **Ethnies :** Javanais 45 %, Sundanais 13,6 %, Chinois 2,3 %. **Étrangers :** env. 45 000 dont 11 000 Amér., 10 000 Jap., 5 000 Australiens, 4 000 Brit., 4 000 All., 3 000 Hollandais, 3 000 Français. D 93 (Java central 834). **Villes** (85) : *Jakarta* 7 829 000, Surabaya 2 345 000, Medan 2 110 000, Bandung 1 613 000, Semarang 1 269 000, Palembang 903 000, Ujung Pandang 888 000, Yogyakarta 428 000. **Taux d'accroissement** *1967-70 :* 2,08 % par an ; *70-80 :* 2,34 % ; *80 :* 1,9 % ; *85 :* 2,9 % ; *89 :* 1,9 %.

Langues. Bahasa indonesia (*off.*) [fondée sur le malais, parlée depuis des s. dans l'archipel dit « des Indes » comme « lingua franca » ; fut adoptée comme l. nat. en 1928], javanais, sundanais, balinais, bugis, minang, nombreux dialectes. Au total, 400 langues et dialectes, et + de 200 groupes ethniques env.

Religions. La Constitution oblige chacun à adopter une foi monothéiste (islam, christianisme, bouddhisme). Hindouisme et certaines religions traditionnelles à tendance syncrétique sont tolérés. *Musulmans* sunnites 89 % (40 à 45 % pratiquent) soit env. 156 millions (l'I. est le 1er pays musulman du monde) ; implantation datant du XVe s. à Java, Sumatra et Kalimantan ; du XVIe s. au Sulawesi ; récente en N.-Guinée, annexée à l'I. *Chrétiens :* 8 % [dont 5 000 000 (91) catholiques] plus particulièrement à Minahasa et en pays Toraja (Sulawesi du N. et du S.), en pays Batak (Sumatra du N.), aux Moluques et aux petites îles de la Sonde orientale (Flores et Timor) ; 36 évêques, 5 000 religieux et 1 800 prêtres. *Hindouistes :* 2 % à Bali, montagnes de Tengger (Java E.). *Animistes :* intérieur de Kalimantan, Sulawesi et quelques autres régions.

Histoire. *Peuplement très ancien* (*pithécanthrope* de Java, découvert en 1891 à Trinil, env. 1 million d'années). **Age de la pierre** (néolithique) et **âge du bronze** (3 000 à 500 ans av. J.-C.) : pop. austronésiennes émigrent du S. de la Chine vers l'archipel, expulsent les h. (Papous, Mélanésoïdes) ou se mêlent à eux. **Age du bronze** participe à la civilisation de Dong Son (Tonkin), qui recouvre l'Asie du S.-E. ; mais les populations restent proches des Mélanésiens. **78** Adji Çaka 1er roi indien à s'installer en Indonésie. États hindous indonésiens se constituent : Kutai à Kalimantan (l'an 400), Taruma Negara à Java O. (450), Sriwijaya (Sumatra + Java O.) (670-1370) (les temples de Kalasan, Prambanan et Borobudur datent des VIIIe et IXe s.) ; Kadiri (XIIe-XIIIe s.) : Java, Bali, îles de la Sonde, O. de Bornéo et S. Sulawesi ; et Majapahit à Java de l'E. (1292-1528), Airlangga (vers 1010) et Hayam Wuruk (vers 1350) avec son PM Gajà Mada. **XIIIe s.** islam introduit par des marchands venus du Gujarât (Inde), de Malaisie et du golfe Persique. Des États islamiques s'établissent : Aceh et Pasai (N. de Sumatra), Banten, Cirebon [(O. de Java) et région de Surabaya (E. de Java) ; lieu de sépulture de Malik Ibrahim (un des 9 Wali Songo propagateurs de l'Islam dans l'Archipel)], Demak (centre de Java) qui, d'abord vassaux, renversent ensuite les roy. hindous indonésiens. L'emp. majapahit s'écroule et ceux qui restent fidèles à l'ancienne civilisation s'enfuient dans les montagnes (Tengger) et à Bali. Après plusieurs g. entre nouveaux États, le sultanat de Mataram à Java central arrive à l'hégémonie et atteint son apogée sous le sultan Agung (1613-45).

XVIe s. arrivée des Portugais (1509) et Espagnols (1521) ; ils occupent Philippines et Moluques, mais n'entament pas les sultanats. **1595** 1re expédition de la Cie holl. Van Verre. **1600** les Anglais créent l'*English East India company* et fondent le comptoir de Banten (détroit de la Sonde). **1602**-*20-3* les Holl. créent la Cie holl. des Indes orientales. **1619** le gouverneur Jan Pieterszoon Coen obtient la souveraineté sur Jakarta qu'il nomme Batavia (du nom des 1res tribus germaniques de Hollande, les Bataves). **1602-1800** développement des sultanats, notamment Sumatra et Makassar. Seule, Amboine échappe à la suzeraineté musulmane et est assimilée culturellement. **1800** g. contre la G.-B. Le gouv. holl. succède à la Cie des Indes dans les comptoirs côtiers. **1811-15** occupation brit. Napoléon Ier ayant annexé les P.-Bas, l'I. était juridiquement sous contrôle fr. Lord Thomas Stanford Raffles (1781-1826) gouverneur. **1824**-*17-3* tr. de Londres, retour des Holl. **1816-30** conquête de Java (arrière-pays) par les Holl. **1860-1908** conquête des autres îles ; révoltes de Thomas Matulessy (Patimura, rév. des Moluquois 1816-18), du Pce Diponegoro (g. de Java, 1825-30), de Teuku Cik Ditiro, Teuku Umar (g. d'Aceh, 1873-1903), Tuanku, imam Bonjol [« djihad » (g. sainte musulmane, de Padri à Sumatra Ouest, 1830-37)], Si Singamangaraja (g. de Batak, 1907). **1883** éruption du Krakatoa (voir Index). **1908**-*20-5* formation de la 1re organ. nationaliste Budi Utomo. **1916**-*16-12* Conseil du peuple créé (moitié des m. nommés ; 1re réunion 18-5-1918, consultatif jusqu'en 1927, ensuite faible rôle législatif). **1920** PCI créé (1er parti communiste d'Asie). **1922** I. intégrée au roy. des P.-Bas. **1927** P. nat. indonésien du Sukarno créé. **1928** serment de la jeunesse (une patrie : l'Ind., une nationalité : ind., une langue : l'ind.). **1942**-*28-2*-**45** occupation jap.

1945-*17-8* nationalistes avec **Sukarno** et Hatta proclament indép. *Oct.-nov.* bataille de Surabaya entre républicains ind. et troupes anglo-holl., plusieurs milliers de †. **1946**-*28-1* début du rapatriement troupes jap. *Nov.* cessez-le-feu. *-27/7-9/8* lutte interrompue sur intervention Onu. Soulèvement du Darul Islam (Java de l'O.). *-15-11 Accord de Linggajati,* les Holl. reconnaissent de fait la rép. d'Ind., désapprouvé par guérilla. Union I. (3 États : Ind., I. de l'Est et Bornéo) et P.-Bas envisagée, échoue. **1947**-*20-7* 1re « opération de police » holl. pour reconquérir l'Ind. Pression anglo-améric. pour la paix. **1948**-*17-1* cessez-le-feu signé sous contrôle Onu sur le navire US *Renville. Janv.* soulèvement du Darul Islam (Java de l'O.). *Mars* États Unis d'Ind. créés (confédération de 15 États). *Sept.-oct.* répression de la rébellion communiste à Madiun, 8 000 †. *-18-12* 2e « opération de police » holl. *-31-12* cessez-le-feu signé. **1949**-*23-8/2-11* table ronde à La Haye. *-27-12* accord, libération de 12 000 prisonniers ind., indépendance accordée par Pays-Bas sous réserve de la création d'un état fédéral (conservent la N.-Guinée occidentale).

1950 *fév.* fuite du cap. holl. Raymond Westerling (n. 31-8-1919) après avoir tenté d'assassiner des min. *-25-4* Rép. des Moluques du S. proclamée à Amboine (juill.-nov. : anéantie par l'armée, 30 000 réfugiés aux P.-Bas). *-17-8* rép. unitaire et indép. proclamée. **1954**-*10-8* union avec P.-Bas dissoute. **1955**-*18/24-4* Conférence afro-asiatique de Bandung (voir Index). **1956**-*20-7* démission vice-Pt Hatta, en désaccord avec Sukarno. *-5-12* nationalisation des biens holl., 46 000 Holl. expulsés. **1957**-*14-3* loi martiale. **1958**-*10-2* début rébellion à l'O. de Sumatra et au N. des Célèbes (matée en mai). **1959**-*5-7* décret rétablissant const. de 1945. **1962**-*15-8* accords avec P.-Bas sur la N.-Guinée occ. **1963**-*18-5* Sukarno Pt à vie. **1964-65** incidents avec Malaisie (l'I. tente d'annexer Sarawak à Kalimantan). **1965** *janv.* quitte l'Onu. *-30-9* complot communiste pro-chinois réprimé (700 000 arrestations, 500 000 †, 430 dirigeants du PC exécutés [plusieurs en 1985 (3), 86 (10), 87 (2), 88 (2), 90], exilés ; PC interdit (il avait 3 millions d'adhérents et 20 millions de sympathisants). **1966**-*11-3* sous la pression des parachutistes de Sarwo Edhie, Pt Sukarno donne pleins pouvoirs au Gal Suharto. *-11-8* I. reconnaît Malaisie, revient à l'Onu.

■ **1967**-*12-3* **Gal Suharto** (n. 8-6-1921) Pt intérimaire. *Mai* Sukarno relevé de ses fonctions par le Parlement, Suharto Pt en exercice. *-8-8* Asean créée. Rupture avec Chine. **1968**-*27-3* Suharto nommé Pt. **1969**-*17-8* rattachement N.-Guinée occ. **1970**-*21-6* Sukarno meurt. **1972**-*17-8* nouvelle orthographe de la Bahasa Indonesia. **1973** 1res élections dep. 16 ans. Les partis d'« opposition », créés pour l'occasion (PDI et PPP), sont contrôlés par le pouvoir. Scandale de la Sté pétrolière Pertamina, plusieurs centaines de millions de $ détournés. **1974**-*15-1* manif. antijap. à Jakarta, 8 †. **1975**-*7-12* invasion du Timor-Or. (voir Loro Sae p. 1030 b). **1976**-*2-12* des Moluquois du S. prennent un train en otage aux P.-Bas pour obtenir l'indép. des Mol. (il y a env. 60 000 M. du S. aux P.-B.). **1977-79** 16 000 prisonniers pol. libérés (100 000 détenus). **1978** émeutes étudiants. **1980** *déc.* émeutes antichin. à Java, 8 †, nombreux magasins et usines détruits. **1983** crise (chute des exp. non pétrol., baisse du prix du pétrole) ; attentats dont *-21-1* à Borobudur (statues et stupas endommagés). *-1-4* roupie dévaluée de 28 %. *Sept.* combats à Timor. *D'avril à déc.* 3 000 délinquants tués par « escadrons de la mort ». **1984**-*12/13-9* émeutes à Jakarta ; 23 à 400 †. **1986**-*11-1* Gal Hartono Dharsono (arrêté nov. 84) condamné à 10 ans de prison pour

subversion. *-12-9* roupie dévaluée de 31 %. *-17-9* Pt Mitterrand en I. **1988**-*2-10* dernier sultan Hameng Kubuwono IX (n. 1912), anc. min. de l'Écon., vice-Pt en 1973, meurt. **1989** *juin* aide internationale de 4,65 milliards de $. *-12-9* Pt Suharto en URSS. **1990**-*8-8* visite du PM chinois. **1991** *janv.* répression à Aceh, plusieurs centaines de †. *Août-sept.-oct.* incendie forêts à Kalimantan et Sumatra (100 000 ha). *Nov.* Timor Est : répression (voir Loro Sae, ci-contre).

Statut. Rép. **Constit.** du 18-8-1945. **Pt** élu pour 5 ans par le Congrès du peuple. **Vice-Pt** Gal Try Sutrisno (dep. mars 93). **Congrès du peuple** (Majelis Permusyawaratan Rakyat) : 1 000 m. dont 500 nommés par le Pt et les 500 m. de la Ch. des représentants. **Chambre des représentants** (Dewan Perwakilan Rakyat) : 400 m. élus à la proportionnelle pour 5 a. et 100 m. nommés par le Pt de la Rép. **Politique :** 5 principes *(Pancasila)* la définissent dep. 1945 : la foi en un dieu, le nationalisme, la justice sociale, un gouvernement représentatif de la souveraineté du peuple, l'humanisme. **Fête nat.** 17 août (Indépendance). **Drapeau.** « Sang-Merah-Putih » (rouge et blanc). **Devise :** « Bhinneka Tunggal Ika » (Unité dans la diversité). **Armoiries :** 1°) oiseau mythique « Garuda » symbolisant l'énergie créatrice. Les 17 plumes de chaque aile et les 8 de la queue rappellent la date de l'indépendance (17-8-45). 2°) bouclier symbolisant la lutte et la défense : au centre, une étoile (omnipotence divine et croyance en Dieu) ; en haut à gauche, le taureau (démocratie, souveraineté du peuple) ; à droite, un banian « waringin » symbolisant la conscience nat. 3°) devise. **Elections du 23-4-1987 à la Ch.** (nombre de sièges et, entre parenthèses, en 1982) : *Golkar* 299 (246), *PPPI* 61 (94), *PDI* 40 (24). **9-6-1992** *Golkar* 282 s. PPPI 62, PDI 56.

Partis principaux. Golkar (Golongan Karya : groupe fonctionnel) : *fondé* 20-10-1964 ; *Pt :* Gal Wahono, *secr. gén. :* S. Rachmat Witoelar. **Partai Demokrasi Indonesia :** *fondé* janv. 1973 ; *Pt :* Suryadi, fusion des 4 anciens p. catholique, protestant, nationaliste et prolétaire. **Partai Persatuan Pembangunan** (P. de l'unité pour le développement) : *fondé* janv. 1973 ; *Pt :* Ismail Hasan Metareum, regroupe les anciens p. musulmans. Ces 2 derniers forment la Grande Alliance de l'opposition dep. 15-5-90.

■ Divisions

L'Ind. se compose des *îles de la Sonde* (Sumatra, Java, Kalimantan et Sulawezi), des *Petites îles de la Sonde* (entre Bali et Timor), des *Moluques* (entre Sulawezi et Irian Jaya) et d'*Irian Jaya,* et comprend 24 provinces et 3 territoires.

Légende : population et villes.

Java et Madura. 132 186 km². *Long.* 1 000 km, *larg.* 180 km. *Alt. max.* Semeru 3 676 m. 107 574 000 h. (91). D 814. *Villes : Jakarta* [appelée *début XIe s. :* Sunda Kelapa ; *1527 :* Jayakarta (de jaya « victoire », et de karta « prospère, paisible ») ; *1619-1945* Batavia (par les Hollandais)] (cap.) 8 254 000 h. (91), Surabaya 2 500 000 h. (à 793 km), Bandung 2 000 000 h. (180 km), Bogor 1 800 000 h. (60 km). Tangerang 1 500 000 h., Semarang 1 000 000 h. (485 km), Malang 560 000 h. (85) (882 km), Solo 500 000 h. (71) (585 km), Yogyakarta 2 913 000 h. (91) (565 km), *Java* compte 59,99 % de la pop. totale sur 7 % du territoire, 80 % des ind. Le 4e plan quinquennal (1984-88) prévoyait le transfert annuel de 500 000 familles javanaises vers les autres îles (1 400 par j), mais la pop. de Java s'accroît de 1 800 000 par an. Les ressources alim. et énergétiques s'épuisent.

Irian Jaya (N.-Guinée occid.). 421 981 km² [Alt. max. Mt Carstensz (Puncak Jayawijaya) 5 030 m.] 1 641 000 h. (91). D 4. *Cap. : Jayapura* (ex-Hollandia, puis Kotabaru, puis Sukarnapura). Partie indonésienne de l'île de Bornéo. 130 000 h. *1947-62* N.-Guinée néerlandaise. *1953* appelée Irian Barat (occidental). *1963* province ind. *1965* résistance armée de Papous. *1969* rattachement à l'I. *1971*-22-6 gouv. révol. provisoire en exil au Bénin ; Pt Seth Rumkoren (n. 5-6-33). *1977* succès de l'OPM (Organisation Papua Merdeka, séparatiste). *1978* contre-offensive ind. (bombardements aériens), luttes au sein de l'OPM. *1980* paix.

Kalimantan (partie de Bornéo). 539 460 km². 9 110 000 h. (91). D 17. *Cap. : Banjarmasin* 450 000 h.

Moluques (env. 1 000 îles ou groupes d'îlots). 74 505 km². 1 856 000 h. (91). D 25. *Ville :* Amboine (Ambon), 200 000 h. [îles dispersées dans la mer des Moluques, mer de Halmahera, mer de Céram et mer de Banda ; autrefois, îles aux Épices ou des Épices. **Principales îles ou groupes d'îles :** *Halmahera* (ex-Jailolo), *Sula, Obi, Buru, Seram, Amboine* (Ambon), *Kai, Aru, Tanimbar, Babar* et *Barat Daya*].

Sonde (les petites îles de la) (Nusa Tenggara). Bali : 5 561 km² (long. 130 km, larg. 80 km). 2 778 000 h. (91). D 500. *Cap. : Denpasar* 300 000 h., 18 000 temples. *1515* chassés par les musulmans, des milliers de Javanais se réfugient à B. Les Holl. instaurent l'esclavage (1 Balinaise vaut 100 Noires). *1906* révolte, intervention holl., chefs et guerriers b. se suicident par centaines. SONDE-EST : *cap. :* Kupang (sur Timor) dont **Komodo** 1 000 000 h. D 70, *ville :* Maumere 35 000 h., **Solor, Alor** (ex-Ombai) **Sumba** et partie O. de **Timor.** SONDE-OUEST : *cap. :* Mataram (sur Lombok) dont **Lombok** 4 700 km², *alt max.* Rinjani 4 055 m, 2 200 000 h., D 470, *ville :* Mataram ; **Sumbawa** 14 500 km², long. 300 km, larg. 90 km, *alt. max.* Mt Tambora 2 850 m, 315 000 h. (71).

Loro Sae (ex-Timor, dite Tim-Tim). 33 925 km² (long. 500 km, larg. 60 km). Portugaise en 1586 puis partagée : 1°) **ouest :** à la Holl. puis à l'I. (19 000 km², 2 737 166 h.) ; 2°) **est :** au Portugal jusqu'en 1975. (14 874 km², 748 000 h. en 91, D 50) avec territoire d'Ambeno (Oecussi) et îles de Pulo Kambing et Pulo Jako (archipel malais). *XVIe s. :* île découverte par Portugais contrôlant la partie orientale malgré pression hollandaise et révoltes indigènes. *1912 :* soulèvement du souverain Don Boaventura (Manufahi), réprimé ; milliers de victimes. *1974-25-4 :* révolution des œillets au Portugal. 3 partis politiques : Fretilin (Front révolutionnaire pour indépendance de Timor est), veut obtenir indép. ; UDT (Union démocratique Tim.), pour maintien de liens avec Portugal ; Apodeti (Association populaire et dém. Tim.), demande rattachement à l'I. *1974-75 :* montée en puissance du Fretilin (au détriment de UDT, Apodeti quasiment disparue). *1975 août :* UDT, encouragée par l'I., tente de prendre pouvoir. Fretilin s'y oppose : g. civile (3 000 † en 1 mois). Portugais abandonnent l'île. *Sept.* Fretilin administre Tim. oriental en appelant les Portugais à assumer le processus d'autodétermination. 3 partis (UDT, Kota et Trabalhista) demandent l'intégration à l'I. *-28-11* le Fretilin, procommuniste, proclame l'ind. (Rép., Pt Xavier de Amoral). *-30-11* déclaration d'intégration à l'I. de 4 partis (UDT, Kota, TRABALHISTA et APODETI). *-7-12* invasion i., intégration à l'I., accès aux étrangers interdit. Fretilin organise résistance et contrôle l'intérieur du pays. *-14-12* l'I. annexe l'enclave d'Oecussi-Ambeno. *1976-17-7* T. devient le 27e gouvernement d'I. *1977-78 :* armée dévaste cultures au défoliant et interne population dans camps de regroupement ; famine. *1979-3-1* Nicolas Lobato, Pt du Fretilin, assassiné. *1982* tous les hommes mobilisés pour opération militaire ind. Récoltes perdues. 2e vague de famine [env. 250 000 † (+ d'1/3 de la pop.)]. *1983 mars* négociations Ind./résistance. Cessez-le-feu : 5 mois. *1984-91* succession d'opérations mil. Guérilla se transforme en résistance civile (pop. participe). *1989-18-3* Lisbonne, « Convergence nationaliste » créée entre UDT/Fretilin. *Oct.* Jean-Paul II en I. et Tim. oriental. *1991-12-11* à Dili, armée ind. tire sur des manif., 100 †. *1992-20-11* José Xanana Gusmano, chef du Fretilin, arrêté. *1993-21-5* condamné à la prison à vie. *Centre* (y compris îles Banggai), *Nord* (y c. îles Sangihe et Talaud), *Sud, S.-E.* (y c. îles Buton et île Muna). *Bilan de la répression* (1980-93) env. 100 000 †.

Sulawesi (Célèbes, 4 péninsules). 189 216 km². 12 522 000 h. (91). D 66. *Ville :* Ujung Pandang (ex-Makassar) 1 000 000 h.

Sumatra. 473 481 km². *Alt. max.* Mt Kerinci 3 805 m. *Lacs :* Toba (Nord, alt. 1 000 m, long. 90 km), au centre île de Samosir ; Singkarak, Maninjau (Centre). 36 455 000 h. (91). D 77. *Villes :* Medan 2 000 000 h., *Palembang* 1 100 000 h., Padang 800 000 h, Aceh (centre islamique). *1976* mouv. séparatiste FNLAS (Front nat. de libération Aceh Sumatra), leader Hasan Muhammad di Tiro. *1990 août* répression militaire (60 †). Dont : **Bangka** 205 000 h. (71) ; **Belitung** 248 km² ; 73 500 h. (71).

■ Économie

PNB (80). 490, (90) 522, (91) 550, (92) 570 $ par h. (15 % des I. ont un rev. sup. à 1 500 $). **Croissance** (% moyen annuel) **PIB :** *1960-70 :* 3,9 ; *70-81 :* 7,8 ; *87 :* 3,5 ; *88 :* 4,5 ; *89 :* 5,7 ; *90 :* 7,4. **Pop. active** (% et, entre par., part du PNB en %) : agr. 48 (20), ind. 15 (24), services 32 (42), mines 5 (14). 4 % de la pop. contrôlent 80 % de l'économie. Sous-emploi : 42 % de la pop. **Inflation** (en %) *1985 :* 4,7 ; *86 :* 5,8 ; *87 :* 8,7 ; *88 :* 5 ; *89 :* 6,5 ; *90 :* 10 ; *91 :* 9. **Aide extérieure**

Lieux touristiques. Bali : île des Dieux (fêtes sacrées), Kintamani, Mengwi, Sangeh, Besakih. **Sulawesi :** pays Toradja. Cérémonies funéraires (sacrifice de plusieurs centaines de porcs et de buffles). Rizières en étages. Statues à l'effigie des morts au flanc de falaises. **Sumatra :** Medan (mosquée, palais des sultans), lac Toba et île de Samosir, paysages région de Bukittinggi. **Java :** Candis (temples bouddhiques utilisés jusqu'au XVe s.), dont *Borobudur* (origine 800 ap. J.-C. Base 117 × 117 m, surmontée de stupas de 40 m. 504 bouddhas, 2 500 m² de bas-reliefs) : restauré 1980-83, coût 20 millions de $), Jakarta.

Musique. « *Gamelan* » : env. 70 instruments, 30 musiciens, 10 à 15 chanteurs. Le chef d'orchestre est le tambour. 2 gammes : le « slendro » (5 notes) et le « pelog » (7 notes). Instruments : « kendang » tambour à mains, « saron » métallophone, « gambang » xylophone de bois, « gong » en métal, « sesando » mandoline en feuilles de palmier, « contar » (Timor), « kledi » flûte (Bornéo). *« Angklung » :* orchestre d'instruments de bambou. *Musique populaire :* « kroncong » joué à la guitare (« ukulele »), flûte et contrebasse.

« Wayang ». Les plus connues : *wayang kulit* (marionnettes de cuir) pour le théâtre d'ombres et *wayang golek* (m. en bois peintes). Les ombres sont projetées sur un écran.

(en milliards de $, totale et entre par. venant des organisations internat.) *90* : 4,5 (2,5) ; *91* : 4,7 (2,8) ; *92* : 4,9 (3). **Dette publique extérieure** (Md de $) *80* : 24,5 ; *85* : 42,8 ; *90* : 51,8 ; *92 (juin)* : 56,3 ; *93* : 80. **Budget** (Md de roupies) *90-91* : 42 873 ; *91-92* : 50 555 ; *92-93* : 56 109. *Revenus du pétrole et du gaz 90-91* : 10 783 ; *91-92* : 15 008 ; *92-93* : 13 948.

Agriculture. Grâce à la « *Révolution verte* », production multipliée par 10 dep. 1950. Mais étant donné l'accroissement démographique, l'I. a dû importer du riz en 1991. *Terres* (millions d'ha, 90) : forêts 121,8, t. cultivables 14,2, pâturages 11,9, eaux 9,3, cult. en permanence 9 (85), divers 27,9. *Production* (millions de t, 91) : riz : *1987* : 40 ; *89* : 43,2 ; *90* : 45 ; *91* : 44,4 [rendement à Java : 6 t par ha (2 ou 3 récoltes par an)] ; canne à sucre 32,5 ; manioc 16,3 ; maïs 6,4 (2,6 millions d'ha) ; patates douces 1,9 ; fruits 4,1 ; légumes 4,1 ; huile de palme 1,94 (90) ; coprah 1,4 ; graines de soja 1,28 (90) ; arachides 0,9 ; caoutchouc 1,2 (Java, Sumatra, Kalimantan) ; thé 0,15 (de 300 à 2 200 m d'alt.) ; tabac 0,15 (Sumatra et Java) ; quinine, fibres de palmes, kapok, 0,06 ; café 0,41, cacao 0,21 (90) ; huiles essentielles (cananga, vétiver, ricin, citronnelle, patchouli), épices (en 90, girofle 0,06, vanille, poivres 0,05, muscade). **Élevage** (millions, 91). Poulets 590, canards 30, moutons 5,7, bovins 10,3, porcs 6,8, chèvres 11,3, buffles 3,5, chevaux 0,7. **Forêts** *superficie* (millions d'ha). *1990* : 80, *vers 2000* : 40. 176 000 000 m³ (91). Bois (ramin, meranti, snakeling, ébène, sapin, teck, bois de fer, santal), rotin, résines (damar, jelutung, copal, gutta-percha), bambous, kayu putih (huile d'eucalyptus, curative), graines de ricin (Kalimantan). **Pêche** (90). 3 080 500 t.

Énergie. **Pétrole** (millions de t) *réserves* 898 (dans Sumatra, Kalimantan, Java et Seram) ; *prod. 1981* : 79 ; *85* : 60 ; *86* : 64,9 ; *87* : 65 ; *88* : 62 ; *89* : 66 ; *90* : 72 ; *91* : 78,85 ; *revenus 1982* : 70 % des ressources budgétaires de l'État, *88* : 31 %. **Gaz** (milliards de m³) ; *réserves* 2 067 ; *prod. 89* : 40 ; *90* : 43 ; *91* : 48,7. **Charbon** (Sumatra) *réserves* 25 milliards de t (dont 4,4 exploitables) ; *prod.* 14,5 millions de t (91). **Électricité** (milliards de kWh, 88) 32 (dont hydraulique env. 10,3). **Centrales nucléaires** 12 prévues avant 2 015 [dont 1 de 600 MW (opérationnelle en 2000)]. **Mines** (t, 91). *Étain* (Bangka, Belitung, Singkep) 30 061 ; *nickel* (Sulawesi) 2 300 200 ; *manganèse ; cuivre* (Irian, Java) 656 250 ; *bauxite* 1 406 127 ; *or* 17 ; *argent* 89 ; *diamants* (Kalimantan) ; *asphalte ; uranium* (Kalimantan). **Industrie.** Liquéfaction de gaz, pétrochimie, aluminium, raffineries de pétrole.

Transports. *Voies ferrées* 6 370 km (dont 4 701 Java et 1 669 Sumatra) ; *routes* 250 314 km dont 107 029 asphaltés. **Tourisme.** *Visiteurs* (dont 2/3 vont à Bali) ; *1991* : 2 600 000.

Commerce (milliards de $ US, 90). **Exp.** 25,6 *dont* pétrole et gaz 14,6, contreplaqué 2,7, vêtements 1,6, tissus 0,9, caoutchouc 0,8 *vers* Japon 10,9, USA 3,3, Singapour 1,9, Corée du S. 1,3, Taiwan 0,8. **Imp.** 21,8 *dont* mach. et éq. de transp. 9,3, prod. man. 3,5, prod. chim. 3,3, fuel et lubrifiants 1,9, mat. 1res sauf fuel 1,8 *de* Japon 5,2, USA 2,5, All. 1,5, Taiwan 1,3, Singapour 1,2, Australie 1,1. **Balance** (Md de $). *Des paiements : 1988* : – 2,3 ; *89* : – 1,2 ; *90* : – 1,7. *Commerciale : 1988* : + 4,5 ; *89* : + 5,9 ; *90* : + 3,2.

Rang dans le monde (91). 3e café, riz, étain. 4e bauxite. 5e thé, nickel. 6e cacao. 7e bois, céréales, gaz. 8e canne à sucre. 10e pêche. 11e maïs. 13e réserves de gaz. 14e pétrole. 15e cuivre. 16e réserves de pétrole.

IRAN

V. légende p. 884.

Nom. *Perse* ou *Fars* en persan, province au S. de l'Iran, utilisé par les Européens ; les Iraniens disent *Iran.*

Situation. Asie. 1 648 000 km². **Frontières** avec Irak 1 515 km, Turquie 410, ex-URSS 2 000, Afghanistan 855, Pakistan 905. **Côtes :** mer Caspienne 300 km, golfe Persique, mer d'Oman 1 800 km. **Régions princ. :** *Provinces caspiennes :* Guilan, Mâzanderan, Gorgan [chaîne de l'Alborz (alt. max. Demavend 5 671)], Azerbaïdjan [ht plateau (févr. – 20 °C, juill. + 40 °C)], Khorâssân. *Zagros* (chaînes avec plaines intercalées), *Fars* (chaîne centrale), *Kavirs* (anciens lacs asséchés), *Seistan* (marais), *Mokran* (montagne), *Khouzistan* (plaine). **Climat.** Continental : étés secs et torrides, sauf sur les rebords extérieurs des montagnes côtières (pluies d'hiver méditerranéennes en Azerbaïdjan ; d'automne en Caspienne ; moussons d'été au S.) ; hivers froids en alt. (– 20 °C à Tabriz en janv.-févr.). Téhéran, pluies 9 à 45 mm/an.

Population (millions). *1900* : 9 ; *19* : 10 ; *39* : 15 ; *79* : 38 ; *91* : 57,73 ; *prév. 2000* : 65,55 [dont Azerbaïdjanais 5 (Turco-Persans) et Kurdes, Lours, Baloutches 10 (*1900* : 16)]. **Âge** – *de 15 ans* : 44 %. *+ de 65 a.* : 3 %. **Croissance (%)** 2,7. **Analphabètes** (86) 61,6 % de la pop. **Taux** (‰, 1985-90) natalité 42,4, mortalité 8. D 35. **Villes** (86) : *Téhéran* (et agg.) 6 022 078 (alt. 1 100 à 1 700 m) en 1992 : 12/14 000 000, Mashad (ou Mechhed) 1 466 018 (963 km de T., alt. 960 m), Ispahan 1 001 248 (418 km, alt. 1 620 m), Tabriz 994 377 (654 km, alt. 1 351 m), Chirāz 848 000 (901 km, alt. 1 569 m), Ahwaz 589 529 (897 km), Bakhtaran 565 544, Qom 550 630 (152 km), Orumiyeh 304 823, Recht 293 881, Ardabil 283 710, Karaj 276 600, Hamadan 274 274 (344 km, alt. 1 826 m), Kerman 254 786. **Pop. rurale** (86) 46 % (70 % en 56). **Émigrés** *avant 1978* : env. 150 000 ; étudiants et Iraniens aisés qui passaient une partie de l'année en Europe, et travailleurs saisonniers dans les pays du Golfe. *Dep. 1978* : 760 000 à 2 000 000 d'exilés (dont USA 250 000 à 900 000, *France 80 000*). **Opiomanes** 2 500 000 dont 600 000 réguliers. **Étrangers** (1990) 2 500 000 Afghans, 500 000 Kurdes irakiens, *avant 1978* : 27 000 Amér.

Langues (en %). *Groupe persan* 75 [dont farsi *(off.)* 50, kurde 5,5, luri 5,5, baluchi 2,3 : certaines terminaisons de verbes et d'adverbes, de nombreuses racines verbales et nominales ont encore des traits communs avec celles de parlers indo-européens occidentaux (grec, baltique, irlandais) ; *g. turc* 22 ; *minorités* 3 (dont arabe 2, arménien 0,6).

Religions. **Musulmans 99 % chiites** *(off.)* (80 %) [80 000 mosquées et sanctuaires ; 600 000 sayyeds (descendants de la famille du prophète) ; 500 000 charifs (descendants du prophète par la mère) ; 180 000 mollahs [religieux : rowzékhans (simples clercs), waezs (prédicateurs), pichnamâz (qui dirigent la prière), hojjat-el-eslam (qui donnent la preuve de l'islam), ayatollahs (qui guident vers Allah) (1 200)] ; 300 séminaires (70 000 élèves). Le clergé perçoit une taxe (*khom,* « cinquième ») sur bénéfices commerciaux et ventes de terres entre musulmans. *Villes saintes :* Méched, Qom (tombeau de Fatima, fille du prophète)]. **Sunnites** [19 % (Kurdes, Baloutchs)]. **Chrétiens** v. *1965* : 1 000 000 ; *1975* : 220 000 (dont arméniens 108 421, cath. chaldéens, assyriens (1986) 40 000 ; protestants 8 500. **Juifs** 30 000 (40 000 ont quitté l'I.). **Zoroastriens** (de Zarathoustra) 30 000. **Baha'is,** env. 300 000 (persécutés).

Histoire. **Av. J.-C. Ve-IIIe millénaire. Période proto-élamite :** Suse connaît la céramique v. 4500, le cuivre v. 4000, l'écriture v. 3000 ; relations avec Sumer. Ethnie : asianique. **IIe millénaire. Royaume d'Elam** (cap. Suse). Rois : Untash Hunban, Chutruk Nakhunte. Constr. de la ziggourat de Tchoga Zanbil. **1110** *Nabuchodonosor* prend Suse [renaissance néo-élamite (750-646) ; le roi d'Assyrie *Sardanapale* ou *Assurbanipal* détruit Elam (646)]. **XIIe s.** 3 peuples indo-européens venus des steppes ukrainiennes : Mèdes (S. de la Caspienne), Perses (N. du golfe Persique) et Parthes (à l'E. de Khorssan jusqu'au Tadjikistan). **VIIe au VIe s.** Mèdes soumettent Perse et créent un emp. (cap. Ecbatane). Principal roi : *Cyaxare* (633-524), conquérant de l'Assyrie et de l'Emp. anatolien. Art : d'Amlach (IXe-VIIIe s.), du Luristan (bronze). **559-331 Emp. perse achéménide :** *Cyrus II* (chef des Perses et roi d'Anzan) se révolte (559), dépose le roi mède *Astyage* 550, bat *Crésus,* roi de Lydie, v. 546, conquiert Asie Mineure, prend Babylone 539. *Cambyse II* (529-22), fils de Cyrus II, conquiert Égypte 525, *Darius Ier* (521-486), apogée de l'emp. (de l'Égypte au Pendjab) ; le divise en 20 satrapies (dirigées par des satrapes tout-puissants) mais est battu par Grecs à Marathon (490). *Xerxès Ier* (486-464), son fils battu par Grecs à Salamine (480), Platées (479). *Artaxerxès Ier* (464-423), *Xerxès II* (423), *Darius II* (423-404), *Artaxerxès II* (404-358), *Artaxerxès III* (358-338), *Arsès* (338-336), *Darius III* (336-330) battu par Alexandre à Arbèles (331). Art : ruines de Suse, de Persépolis – hypogée de Naqsh-é-Rostam. Palais avec grandes salles de réception, dites « apadanas », soutenues par des colonnes. **331-250 période hellénistique :** *Alexandre le Grand* fonde emp. de culture grecque, il retire aux satrapes leurs pouvoirs militaires ; à sa mort (323), Iran attribué à *Séleucos,* roi de Syrie. Mais les Séleucides sont chassés du plateau ir. par les *Parthes,* cavaliers indo-européens venus des steppes araliennes (v. 250). **250 av. J.-C.-224 apr. J.-C. période arsacide** (parthe) : *Arsace* fonde empire de la Caspienne au golfe Persique. 38 rois en 5 siècles, notamment *Mithridate* (171-138) conquérant de l'Asie Mineure ; *Orode* (57-39) vainqueur des Romains ; *Vologèse Ier* (52-80 apr. J.-C.) adversaire de Néron ; *Artaban V,* dernier des Arsacides (?-227) : rois hellénisés, répandant la culture grecque en I. **224-642 période sassanide :** dynastie fondée par *Ardashir,* petit-fils de Sassan ; anti-grec, renverse et tue Artaban V, rétablissant langue, culture, religion des Achéménides (zoroastrisme). Rois principaux : *Chapour Ier,* fils d'Ardashir, bat l'emp. Valérien (fait prisonnier avec 70 000 h.) ; *Chosroès Ier* (531-579) rival de l'emp. Justinien et conquérant du Yémen ; *Chosroès II* (590-628) conquérant de Jérusalem, renversé par son fils, après avoir déchiré la lettre de Mahomet l'invitant à adhérer à l'islam. *Palais :* Firouzabad, Nichapur, Ctésiphon ; tissus, orfèvrerie. Véramine (ville ancienne). Sculpt. de Tâq-é-Bostân.

637 Période islamique : Arabes prennent Ctésiphon. **642** Nehavend (*Fath al Futuh :* la victoire des victoires). Arabes prennent plateau ir. **656** *Yozdégard III* dernier roi sassanide, assassiné. **700** départ des zoroastriens vers l'Inde : l'I. est administré par des gouverneurs arabes dépendant du calife de Damas puis de Bagdad. **IXe s.** ils se proclament indépendants et fondent leurs propres dynasties : *Tahirides.* **820-73** se reconnaissent encore vassaux du calife. **871-901**

Art. Luristan (2500-1000 av. J.-C.) : bronzes, motifs mésopotamiens adaptés aux pièces de harnachement. – **Talyche** (1550-1200) : architecture *achéménide* (Persépolis) : monumentale, éclectique, influences grecques. – **Koban :** bord de la mer Noire ; tribus scythes (700-200 av. J.-C.) ; « art des steppes » : bijouterie en or, motifs végétaux et animaliers stylisés. – **Sassanide :** peintures murales, reliefs rupestres, d'inspiration parthe (conventions sévères). – **Islamique :** miniatures, calligraphie (Tabriz et Ispahan avec figures animalières, végétales et humaines). Mosquées de Tabriz, Ispahan, Chirāz, Mashad..., mausolées (Ispahan), pont-barrage d'Ispahan.

Saffarides (fondateur, Yakub, essaye de conquérir Bagdad). V. **876** *Samanides*. **899** prennent Turkestan. **932-1069** *Bouïdes* ou *Bouyides,* **977-1186** *Ghaznévides* [Turcs : soldats au service des Bouïdes (mamluks), ils les renversent, puis islamisent Afgh. et Pakistan], **1038-1195** *Seldjoukides* (Turcs : conquièrent Asie Mineure). **XIIIe s.** Invasions mongoles de *Gengis Khan* et *Tamerlan*. **1409** suzeraineté mongole.

1407-48 dyn. des *Moutons noirs*. **1468-97** des *Moutons blancs* (Turcomans). **1499-1732** dyn. *séfévide* dont **1499** *Ismā'īl* (1487-1544) réunit l'I., convertit l'État au chiisme. **1587** *Abbas Ier le Grand* (1571-1629) ; capitale : Ispahan. **1708** tr. avec France. **Dynastie Afshar 1732** règne de *Nadir Châh* (1688-ass. janv. 1747). Shah Rokh (son petit-fils ass. 1796) mais le pouvoir est aux Zend (Karim Khan dictateur 1747-79, Ali Murad, Loft Ali Khan dict. 1789-94). **1751-59** troubles.

1779-1925 dyn. Kadjar fondée par **Aga Mohamed Khan** (1742-1797) dit le Khan châtré. **1786** roi. **1794** victorieux, fait torturer et exécuter Loft Ali Khan. **1795** couronné. **1797** Fath Ali Shah (1771-1834) neveu. **1828**-*22-2* tr. de *Turkamantchâi* (Géorgie) après g. entre Russie, Perse, Géorgie et partie de l'Arménie (l'I. cède à la Russie les territoires situés au nord de l'Araxe : Arménie, Erivan, Nakhitchevan). **1834** Mohammad Shah (1807-1948) petit-fils de Fath Ali, porte uniforme à l'européenne. **1847** accord établit souveraineté ottomane sur Chatt el-Arab. **1848**-*sept.* Nasser ed-Din (17/18-7-1831/ass. 1-5-1896), fils de Moh., modernise l'I., vient en Fr. 1873, 78,89. **1896** Mouzaffer ed-Din (25-3-1853/8-1-1907), fils de Nasser. **1901**-*28-5* l'ingénieur et homme d'affaires anglo-australien, William Knox d'Arcy, achète 200 000 F or au châh à Mozzafar eddin, une concession de 60 ans. **1906**-*30-12* constitution. **1907** Mohammad Ali Shah (21-6-1872/1930) fils de Mouzaffer ; convention anglo-russe divisant l'I. en 2 zones d'influence. **1908**-*26-5* pétrole découvert à Masjad Solyman. **1909** Ahmad Mirza Shah (20/21-1-1898/Neuilly févr. 1930), fils de Mohammad Ali. Révolution libérale. *Anglo-Persian* (pétrole) fondée. *Anglo-Iranian Oil Cy* construit la 1re raffinerie d'Abadan. **1914** protocole de Constantinople modifie tracé du Chatt el-Arab. **G. de 1914-18** reste neutre ; l'amirauté britannique prend la majorité du capital de l'Anglo-Ir. **1917** exode des cadres milit. russes, remplacés par Anglais. **1919** Ahmad Shah en visite à Londres, refuse le protectorat anglais. **1920** gouvernement révolutionnaire au Guilan (chef comm. Koutchek Khan). **1921**-*26-2* coup d'État militaire : *Gal Rezā Khān* renverse les Kadjar, avec la brigade de cosaques de Hamadan. Insurgés demandent de nommer PM Seyed Zia-ed-Din qui arrête tous les notables. Ahmad Shah, avec l'accord de Rezā Khān, le destitue. Ghavam-os-Saltaneh nommé PM, gratifié en outre du titre de Sardar Sépah. Tr. avec Russie : Lénine renonce aux créances tsaristes et restitue les possessions russes en I. sauf pêcheries de la Caspienne. **1923**-*oct.* avant de quitter la Perse pour un voyage à Paris, Ahmad Shah nomme Rezā Khān PM et confie la régence à son frère, Mohammad Hassan Mirzā.

1925-1979 dyn. Pahlavi. 1925-*31-10* **Gal Reza** (16-3-1878/26-12-1944 ; père de petite noblesse rejeté par sa famille car marié à roturière) devient **Reza Ier**. -*nov.* nommé régent par le Madjlès (Parlement). -*12-12* élu roi héréditaire par une Ass. constituante. **1926**-*25-4* couronné. **1932**-*nov.* shah abroge concession de l'Apoc (Anglo Persian Oil Cy), plainte G.-B. à SDN. **1933**-*29-4* accord avec Apoc pour 60 ans. **1935** décret royal : la Perse devient l'Iran. Port du *tchador* aboli. **1937** compromis avec Irak sur Chatt el-Arab. **1941**-*25-8* occupation anglo-russe pendant 5 j (les Russes bombardent Tabriz, Qazvin, Recht, Bandar-Pahlavi et Machad). -*30-8* le nouveau PM, Foroughi, ordonne de déposer les armes et de coopérer avec Alliés contre l'Axe (qui avait fasciné Reza). -*16-9* Reza abdique (en faveur de son fils) et part en exil.

1941 Mohamed Reza Pahlavi (26-10-19/27-7-80), empereur, couronné avec Farah 26-10-67. Marié 1°) 16-3-39/17-11-48 Fawzieh (n. 5-11-21), sœur du roi Farouk d'Égypte (1 fille Chanaz, n. 27-10-40) ; 2°) 12-2-51/14-3-58 Soraya Esfandiari (n. 22-6-32) ; 3°) 21-12-59 Farah Diba (n. 14-10-38) (Reza fils 31-10-60, Yasmine Farahnaz fille 12-3-63, Ali Reza fils 28-4-66 [ép. 1986 Yasmine Etemade Amini ; 1 enf. Noor (n. 3-4-92)], Leila fille 27-3-70). L'emp. était appelé Chachinchah Aryameha, Roi des Rois et lumière des Aryens, l'impératrice la Chahbanou. **1942**-*29-1* tr. avec G.-B. et URSS garantissant intégrité et retrait des troupes dans les 6 mois suivant arrêt des hostilités. -*9-9* entrée dans la g. **1943** (28-11/1-12) *conférence de Téhéran* (Churchill, Roosevelt, Staline). **1945** le gouv. travailliste anglais propose à l'Anglo-Ir. de réduire ses dividendes, ce qui désavantage l'I. ; Azerbaïdjan, proclamation d'une Rép. dém., soutien du Toudeh. **1946**-*4-4* tr. soviéto-ir. sur pétrole (PM Ghavam Saltaneh). -*6-5 évacuation russe.* **1949**-*4-2* attentat contre châh, blessé joue et dos (Toudeh tenu pour responsable, mis hors la loi). **1950** 3 forces s'affirment : *nationalistes* (Front national de Mossadegh 1947) ; *communistes* (Toudeh) ; *religieux* [ayatollah Kashani entretenant des liens avec la confrérie Fedayan Eslam (combattants de l'Islam) de Navab Safavi, qui fait assassiner les dirigeants trop anglophiles]. La commission parlementaire des affaires pétrolières (Pt Mossadegh) ne ratifie pas l'accord Gass-Golshayan prévoyant un doublement des redevances versées à l'I., jugé insuffisant. **1951**-*7-3 Gal Ali Razmara* PM assassiné. -*11-3 Hossein Ala* PM. -*15-3* le Parlement se prononce pour la nationalisation du pétrole. -*27-4* Ala démissionne. -*28-4 Mohammed Mossadegh* (1881-1967) PM. -*1-5* défaite du Toudeh. -*2-5* le châh promulgue la loi des nationalisations. -*14/19-6* négociations avec Anglo-Ir. rompues. -*20-6* l'I. saisit installations pétr. -*31-7* raffinerie d'Abadan fermée. **1952** G.-B. menace d'arraisonner les « bateaux pirates » transportant du « pétrole rouge ». L'*Ente Petrolifere Italia Mediorente* conclut le 1er gros contrat avec la SNIP (achat 2 millions de t par an pendant 10 ans). Le *Mary Rose* (immatriculé en Honduras) effectue le 1er chargement. Arraisonné et mis sous séquestre à Aden (18-6). Mossadegh ne peut obtenir les pleins pouvoirs ; *Ghavam Sultane* PM. Front national lance ordre de grève gén., l'ayatollah Kashani appelle à la g. sainte ; Toudeh mobilise ses forces (22-7). Le *châh rappelle Mossadegh* qui obtient pleins pouvoirs et entame réformes. -*22-7* cour intern. de La Haye se déclare incompétente. -*16-10* conforté par le rapport de 2 Français (l'expert-comptable Henri Rousseaux et le juriste Charles Gidel) démontrant que bénéfices et malversations de l'Anglo-Ir. compensent largement la valeur des biens nationalisés, Mossadegh rompt relations dipl. avec G.-B., mais les Cies pétrolières poussent la production d'Arabie S., Iraq et Koweït et découragent les acheteurs de pétrole ir. Au 1er sem., échanges avec G.-B. diminuent de 65 %, avec URSS augmentent de 60 %. **1953** *févr.* émeutes. -*13-8* le châh nomme le *Gal Zahédi* PM et destitue Mossadegh qui s'échappe. -*15-8* échec d'un coup d'État d'off. monarchistes pour renverser Mossadegh. Le châh se réfugie à Bagdad puis à Rome le 16-8. -*19-8* Zahedi renverse Mossadegh. -*22-8* châh rentre (accueil triomphal). -*24-8* Mossadegh arrêté. *Sept.* aide amér. 45 millions de $. -*23-12* Mossadegh condamné à mort (peine commuée en 3 ans de prison). **1954**-*19-8* accord Anglo-Ir. avec G.-B. ; un consortium remplace l'Anglo-Ir. *Sept.* 8 Cies anglaises, amér. et holl. (fondées 1953) et dans lesquelles l'Anglo-Ir. a 40 % des parts, reprennent activités. L'I. percevra 50 % des bénéf. mais versera à l'Anglo-Ir. une indemnité de 25 millions de £ pendant 10 ans (à partir de 1957). **1963**-*26-1* référendum pour la charte de la *Révol. blanche ;* réforme agraire, nationalisation des forêts, pâturages, eaux ; vente des actions des usines gouv. pour garantir la réforme agr. ; participation des ouvriers aux bénéf. ; vote des femmes ; lutte contre analphabétisme, hygiène ; reconstruction ; maisons d'« équité » pour régler les litiges ; rénovation urbaine et rurale ; réforme de l'administration, déconcentration de l'État. *Avril* attentat contre châh. -*5-6* **ayatollah Khomeyni** (n. 1902, prof. de droit religieux, opposé aux réformes) tenu pour responsable, arrêté à Qom, exilé Turquie, puis Irak ; émeutes (5 000 †). **1965**-*26-1 Amir-Abbas* **Hoveyda** (1919-79) succède à M. Mansour (PM assassiné). **1967**-*6-3 Mossadegh meurt.* -*26-10* couronnement du châh. **1969** *avril* le châh dénonce l'accord de 1937 et refuse que les navires iran. soient conduits par des Irak. sur le Chatt el-Arab. **1971**-*15-10* Persépolis, *2 500e anniversaire de l'Empire perse. Nov.* relations avec Irak rompues. -*31-12* occupation des 3 îles du détroit d'Ormuz (Abou Moussa, les deux Tomb). **1971/73** revenus pétroliers passent de 5 à 24 milliards de $. **1973**-*24-5* l'I. s'assure la maîtrise de sa prod. pétrolière. **1974** arrivée des 12 premiers guérilleros ir. formés par l'OLP (9 h. et 3 f.) ; début de la crise, le pétrole se vend mal (– 31 %), exode rural, dépendance alimentaire. -*20/23-12* J. Chirac en I. **1975**-*2-3* parti unique instauré. -*6/17-3* accord avec Irak : fin des différends (Chatt el-Arab) et de l'aide iran. aux Kurdes. -*13-6* tr. avec Irak. **1976**-*18-3 :* 305 prisonniers graciés [il y aurait eu de 25 000 à 100 000 prisonniers pol. (selon Amnesty International), 300 exécutions en 3 ans]. **1977**-*7-8 Djamchid* **Amouzegar** PM. *Oct.* Pt Giscard d'Estaing en I. *Oct.-nov.* manif. contre châh. **1978**-*8-1* article dans « l'Helaat », quotidien de Téhéran, qualifiant Khomeyni d'inverti. -*9-1* Qom manif. pour Khomeyni (60 †). -*18/20-2* émeutes à Tabriz (100 †). -*17-3/7-5* troubles dans plusieurs villes. -*18-6* Khomeyni appelle à renverser le châh. -*22/25-7* émeutes à Mashad (200 †). -*11-8* (100 †), loi martiale. -*19-8* incendie par des militants islam. du cinéma Rex d'Abadan (377 †) ; les opposants accusent le gouv. -*27-8 Amouzegar* démissionne. *Charif Emami* PM. *Sept.* parti unique, Rastakhiz dissous. -*8/9-9* « Vendredi noir », 700 † à Téhéran. Loi martiale administrée par *Ali Gholam Oveyssi*. -*16-9* séisme (20 000 †, près de Tabas). -*6-10* Khomeyni expulsé d'Iraq arrive à Paris. -*10-10* s'installe à Neauphle-le-Château (Yvelines). -*16-10* deuil nat. (6 †), manif. quasi quotidiennes. -*18-10* raffinerie d'Abadan, arrêt prod. -*5-11* émeutiers occupent centre Téhéran. *Gal Gholam Reza Azhari* (chef de l'état-major) remplace PM Emami démissionnaire. -*5/6-11* Front national rallié à Khomeyni. -*7-11* heurts à Téhéran ; l'ancien chef de la Savak, Manutchehar, arrêté. -*9-11* Hoveyda, ancien PM, arrêté. -*10-11* manif. 1 million de pers. -*9-12* combats entre *homafars* (soldats de l'armée de l'air) prokhomeynistes, et *djavilan* (Immortels) unités d'élite de la garde impér. (600 †, 3 000 bl.) ; l'armée se rallie à la révol. -*22/28-12* émeutes à Téhéran. -*27-12* grèves, interruption des export. pétrol. -*31-12* Azhari démissionne. **1979**-*3-1 Chapour Bakhtiar* (1914-91) PM. -*14-1* conseil de régence. -*16-1* départ du châh pour Égypte, Maroc (15-2), Bahamas (30-3), Mexique (10-6), USA (22-10), Panamá (15-12), Égypte (23-3-80) où on lui enlève la rate le 28-3, et où il meurt le 27-7 d'un lymphome.

Période transitoire. 1979-*1-2* **Khomeyni rentre** accueilli par 3 millions de pers. *Gouv. provisoire.* -*3-2* Khomeyni crée *Conseil de la révol. islamique*. -*5-2 Mehdi Bazargan* (n. 1905) PM. -*9/10-2* après affrontement, l'armée se rallie à la révol. -*12-2* Bakhtiar quitte le gouv., part pour l'étranger. -*14-2 gouv. de « Front national ». Févr.* agitation au Kurdistan, incidents à Omurieh (Rezâyé). *Févr.-avr.* dizaines d'exécutions, Bazargan obtient provisoirement l'arrêt des procès. -*18-2* rupture avec Israël. -*8/16-3* manif. de femmes contre port obligatoire du tchador (voile). -*13-3* I. quitte Cento ; -*30/31-3* référendum pour abolition monarchie (90 % d'abstentions en Kurdistan).

République 1979-*1-4* proclamation de la Rép. islamique. [-*9-4* Gal Nassiri (ancien chef de la Savak), Hoveyda (ancien PM) et -*10-4* Pavrakan (ancien min., et fondateur de la Savak exécutés)]. *14-4* ayatollah Taleghani se retire de la vie publique pour protester contre abus ; démission de Sandjabi. -*1-5* ayatollah Motahari assassiné par *Forghan* (groupe clandestin ; « détenteur de la vérité du Coran », créé 75 par Akbar Goudarzi) ; manif. anticomm. -*13-5* châh et chahbanou condamnés à mort par contumace ; révoltes au Khouzistan. *Juin-juill.* banques, Cies d'assur., ind. modernes nationalisées. *Juill.-août* combats au Khouzistan. -*3-8 Ass. constituante* de 75 « experts » (majorité intégriste) élue. -*12/14-8* affrontements intégristes et laïques à Téhéran. -*17-8* loi sur la presse ; autorisation préalable obligatoire. -*3-9* armée prend Mahabad, place forte kurde. -*5-11* des étudiants ir. à l'ambassade amér. à Téhéran prennent 100 otages, dont 60 amér. ; extradition de l'ex-châh exigée. -*6-11*

Controverse. Le shah fut accusé d'avoir : *renié les valeurs islamiques* et abandonné les *traditions culturelles* ir., au profit des valeurs occidentales et étrangères à l'I., et de leur « modernisme sans âme » ; *sacrifié les intérêts du peuple* et du pays au profit des impérialistes (notamment américains) et d'une minorité d'ir. industriels et financiers, donc créé une société injuste ; *favorisé ou laissé se développer la corruption ; créé une bureaucratie* dévorante, un régime policier ; *utilisé la terreur* (emprisonnements massifs, tortures, assassinats et massacres lors de manif.) ; *ignoré la réalité du pays* et de ses besoins et possibilités, en essayant de brûler les étapes du développement écon. ; *constitué une armée dispendieuse* dépendant de l'aide américaine (10 % du PNB, + de 50 % des dépenses courantes du budget étaient consacrées aux forces armées) ; 10 milliards de $ de matériel (aéronautique) acheté aux USA de 1972 à 76. **Il s'appuyait** sur l'armée (500 000 h. bien équipés), la gendarmerie (75 000 h.), la police (60 000 h.), la Savak (500 000 agents et informateurs ?).

Défense : le châh voulait faire de l'I. une grande puissance et le sortir vite du sous-développement. Il entreprit la modernisation de la production ; développa transports et hôpitaux ; lutta contre l'analphabétisme (10 millions d'écoliers, 200 000 étudiants, 20 universités, 136 instituts...) ; éleva le niveau de vie au-dessus de celui de la plupart des pays du Moyen-Orient ; engagea des réformes (agraire, participation des ouvriers aux bénéfices des grosses entreprises). Il fut victime de son entourage (familial, politique), écran entre lui et son peuple, qui commit des excès. Sa politique d'industrialisation et de modernisation était trop ambitieuse pour une société traditionnelle qui n'y était pas préparée.

Fortune : selon le gouv. ir. 50 milliards de FF, selon le châh 0,25 à 0,5. Sa famille possédait des propriétés en Esp., Fr., G.-B., Suisse et USA.

Affaire Salman Rushdie

Né en 1947 à Bombay (Inde). Émigré en G.-B. à 14 ans. Études à Rugby et Cambridge. Nationalité : indienne et anglaise. Religion : musulmane, non pratiquant. Romancier : *les Enfants de minuit* (en 1983, Booker Prize) et *la Honte.*

1988. *Sept.* publie à Londres chez Viking Penguin un roman *les Versets sataniques. -5-10* un député indien obtient l'interdiction du livre en Inde. *-8-10* Londres, le journal *Al Chark Al Awssat* publie un appel de Manazer Ihsan, Pt des organisations islamiques de Londres, appelant à la guerre sainte contre le livre. **1989**-*12-2* Islamabad (Pakistan) la foule assiège le centre culturel américain, 6 †, 40 bl. *-14-2* Bradford (G.-B.), des fondamentalistes brûlent le livre en public. *-14-2 fatwa* (décret religieux) de Khomeyni condamnant Rushdie à mort pour blasphème contre Mahomet et demandant aux musulmans du monde d'exécuter l'auteur et les éditeurs du livre. *-15-2* l'hodjatoleslam Hassan Saneï précise que le meurtrier touchera 3 millions de $ s'il est iranien et 1 s'il est étranger ; s'il est tué pendant sa mission, il sera considéré comme martyr et sa famille assistée. *-18-2* R. présente ses regrets. *-20-2* les pays de la CEE rappellent leurs ambassadeurs à Téhéran en consultation. *-24-2* manif. à Bombay, 12 †, 50 bl. *-26-2* 1 500 manif. à Paris pour demander la mort de R. *-7-3* Iran rompt relations diplom. avec G.-B. *-29-3* Abdullah Ahdel, recteur de la Mosquée de Bruxelles, et son adjoint Saleh el Behir assassinés pour avoir dit que R. devait être jugé et se repentir. *-27-5* 20 000 manif. à Londres contre le livre. *-19-7* publication en France. *-22-7* le tribunal de Paris déclare irrecevable la demande de saisie du livre. **1990** *déc.* R. renie ses « blasphèmes ». **1991**-*3-7* traducteur italien blessé à Milan. *-12-7* traducteur jap., Hitoshi Igarashi, assassiné. *-15-11* Londres, R. reçoit prix littéraire (1re apparition publique dep. 1989), *déc.* se rend à New York. **1992**-*2-11* prime pour l'exécution augmentée. *-14-2* ayatollah Khamenei recondamne R. à mort. *-18-3* R. en France.

Guerre Iraq-Iran

Causes. *1971* l'Iran a occupé les îles du détroit d'Ormuz, le Chatt el-Arab doit selon l'Iraq retourner sous souveraineté arabe. *1985-87* l'Iran veut poursuivre la g. jusqu'à la chute d'Hussein et étendre l'influence chiite (l'Irak détient 3 villes saintes ch. : Najaf, Kazimeine, Karbala).

Forces. Au début Iraq : armée de terre 200 000 h., 2 100 chars et + de 1 800 pièces d'artillerie. Armement sophistiqué. **Iran :** armée de t. : 280 000 h., dispersée (notamment au Kurdistan), 1 600 chars et 1 000 pièces d'art. Aviation et marine (mieux équipées) : 440 avions modernes, flotte dotée de missiles ; les approvisionnements amér. ne reprennent qu'en 1986. **En 1988** *(juill. :* cessez-le-feu). **Iraq :** 1 million d'h., 4 500 chars, 4 000 blindés légers, 40 hélic., 180 missiles sol-air. Aviation supérieure. **Iran :** 654 500 h. (dont 300 000 pasdarans). 1 000 chars, 130 blindés légers.

Événements. 1979 *mai* accrochages au Kurdistan et Khouzistan. *-30-10* l'Iraq demande révision de l'accord d'Alger. **1980-82** Koweït et Ar. Saoudite soutiennent Iraq : 30 milliards de $, plus prêts en pétrole pour couvrir ses contrats d'exportations. **1980** *janv.-sept.* incidents frontaliers, attentats. *-17-9* Hussein dénonce accord d'Alger. *-22/26-9* offensive irak. en Iran. *-24-10* Khorramchar. *-12-11* échec bons offices de Kurt Waldheim. **1981** *janv.-sept.* g. de positions. *Sept.-nov.* Iran débloque Abadan. **1982** *mars* mission Onu (Olof Palme) échoue. *-29-4/24-5* Iran débloque Khorramchar. *-30-6* Iraq a évacué l'Iran. *-13-7* Iran pénètre en Iraq *-15-8* Iraq bloque Kharg. *-26-10* Iraq revient à l'accord d'Alger. **1983**-*5-2* la Fr. livre 29 Mirage F1 à l'Iraq. *-9-2, -13-4* offensive iran. *Oct.* la Fr. prête à l'Iraq 5 Super-Étendards équipés d'Exocet (rendus 1985) ; Iran menace de bloquer détroit d'Ormuz (par où transite 40 % du pétrole). **1984** Koweït prête 10 milliards de $ à l'Iraq. *-17-2* offensive iran. : g. des marais. *-2-3* Iran occupe îles Majnoun. 1er emploi par l'Irak d'armes chimiques. *-27-4* Iran tire sur pétroliers. *-7-6* aviation saoud. abat 2 avions iran. *-5-8* minage de la mer Rouge. *-14-12* médiation de la conférence islamique de Sanaa, échec. **1985**-*6-3* début g. des villes. *-17-3* offensive iran. dans marais. *-7-4* mission de conciliation Perez de Cuellar, échec. *Oct.* offensive iran. **1986** *févr.-mars* Iran prend Fao. *Mars* conseil de sécurité Onu condamne Irak pour armes chimiques. *-12-8 au 1-12* 6 missiles sur Bagdad. **1987**-*1-1 au 1-3* 30 000 à 40 000 † iraniens. *Du 8-1 au 8-4* Iran occupe 150 km² Irak. *-11 au 15-2* raids sur villes. *-28-2 au 19-3* Iran tire 125 missiles (dont 34 sur Bagdad), Irak 100 (Scud B) dont 90 sur Téhéran, 9 Qom, 2 Ispahan. *-29-2 au 10-3* 68 Scud B sur Téhéran, 21 sur Bagdad. *-22-7* des navires de g. amér. escortent pétroliers koweïtiens placés sous pavillon amér. *-30-7* groupe aéronaval français (avec le « Clemenceau » : porte-avions) part pour le Golfe. *-21-9* 2 hélico. amér. investissent un mouilleur de mines iran. **1988**-*28-2* 5e g. des villes (135 missiles irak. sur Téhéran). *-16-3* Iraq utilise armes chimiques contre Kurdes, 5 000 †. *Mars* Iran prend Halabja et Khormal ; attaque de pétroliers. *Avril* Iraq reprend Fao. *-14-5* Iran attaque super-pétroliers. *3-7* croiseur américain *USS Vincennes* abat par erreur Airbus Iran Air, 290 †. *18-7* Iran accepte cessez-le-feu (résol. 598 Onu). *-6-8* l'Irak accepte cessez-le-feu. *-20-8* contrôle Onu.

Bilan. *1980-88 :* Iran 400 000 †, Iraq 300 000. *Mai 1981-fin 87 :* env. 450 navires attaqués. 2 Exocet ont atteint une frégate amér. (37 †). *Bilan financier (milliards de $) :* Iran : destructions, surcroît en armes et manque à gagner 400, Iraq 193 : Cies d'assurances 2. *Reconstruction :* 100.

Positions étrangères. *USA :* soutiennent l'Iraq pour ne pas se couper Arabie S., Jordanie et Égypte, et Iran (une victoire de l'Iraq aurait gêné Israël) ; le 4-11-86 scandale de l'Irangate : les USA ont vendu des armes à l'Iran contre une promesse d'aide pour libérer les otages amér. *URSS :* soutient Iraq (l'Iran, victorieux, aurait aidé la résistance afghane ; mais l'Iraq, victorieux, aurait concurrencé la Syrie pro-sov.). *Israël :* soutient Iran mais si l'Iraq était vaincu, Iran et Irak lutteraient ensemble contre le sionisme. *Syrie :* soutient Iran, mais pas trop pour ne pas perdre l'aide fin. des États du Golfe et par crainte d'une vague chiite à Bagdad. *Arabie :* a voulu la défaite de l'Iran, mais a redouté un Irak puissant qui tenterait de prendre Koweït.

PM Bazargan démissionne. *-14-11* gel des avoirs ir. aux USA. *-17-11* 10 otages libérés : 7 femmes et 3 Noirs amér. *-24-11* I. refuse d'honorer les dettes étrangères de 28 banques privées nationalisées. *-25-11* 5 otages non amér. libérés. *-2/3-12* Constit. adoptée par référendum. *-6/10-12* Tabriz, soulèvement contre Khomeyni. *-7-12* amiral *Charyar Chafik,* neveu du châh (préparait pour le 9-12 un soulèvement de la marine) assassiné à Paris. **1980**-*1/4-1* démarche de Kurt Waldheim pour libérer otages. *-11/12-1* Tabriz, heurts madaristes/khomeynistes ; + de 19 †. *-12-1 :* 11 madaristes exécutés. 6 diplomates amér. cachés à l'amb. du Canada s'enfuient de Téhéran avec le personnel can. rapatrié.

1980 *(-25/28-1)* **Abol Massan Bani Sadr** (n. 1933) élu Pt. *-23-2/11-3* commission d'enquête de 5 m. de l'Onu à Téhéran repart sans publier de rapport sur le régime du châh, les otages n'ayant pas été libérés. *-7-4* USA rompent relations dipl. et aggravent embargo commercial. *-22/24-4* dizaines de † dans les universités. *-25-4* échec d'un commando amér. à *Tabas :* 3 hélicop. sur 8 en panne ; 8 † amér. *-9-5* Mme Parsa, ancien min. de l'Éduc. nat., fusillée. *-6-7* complot mil., 10 exécutés. *-18-7* attentat à Neuilly contre Chapour Bakhtiar (2 † 1 voisine, 1 policier, 3 bl.) 2 Libanais, dont Anis Naccache, 2 Palest., 1 Iran. arrêtés ; Naccache condamné à perpétuité (gracié 27-7-90). *-23-7* attentat à Téhéran, 6 † par Forghan. *-27-7* châh meurt au Caire. *-9-8 Ali Radjai* PM. *-4-9* 6 exécutés pour l'incendie du cinéma Rex d'Abadan (19-8-78). *-17-9* l'Irak dénonce accord de 1975 sur Chatt el-Arab, qu'il proclame iraquien. *-22-9* g. Irak-I. Voir ci-contre. *-3-11* étudiants islam. confient otages au gouv. *-4-11* 1er anniv. de la prise d'otages, 500 000 manif. **1981**-*20-1* à 18 h 15 Khomeyni fait libérer les otages (voir Quid 82 p. 1008). *-9-6 limoge Pt Bani Sadr* qui se réfugie dans la clandestinité. *-11-6* séisme (Kerman), 1 500 †. *-15-6* échec manif. pour Bani Sadr. *-20-6* émeutes, arrestations. *-21-6* Parlement destitue *Bani Sadr* (177 v. pour, 1 contre, 1 abst.) qui, alors qu'il avait signé une alliance avec le Moudjahidin du peuple, groupe d'extrême gauche, s'opposa violemment à Khomeyni. En juillet, échappant à la police, quittera l'I. pour la France, avec le chef Mas'ud Rajavi. Se brouillera avec les Moudjahidin lorsque ceux-ci, en 1983, choisiront le camp de de l'Irak. *-28-6* bombe au siège du P. rép. isl., 74 † dont l'ayatollah Behechti (chef du PRI), 4 min., 6 vice-min. et 20 dép. du PRI *-19-7* transfert des avoirs ir. déposés aux USA.

1981 *(-24-7)* **Mohamed Ali Radjai** élu Pt (88,12 % des v.). *-26-7* séisme (Kerman), 5 000 †. *-29-7* Bani Sadr et son futur gendre Massoud Radjavi chef des Moudjahidin réfugiés en Fr. *-1-8* 3 vedettes lance-missiles bloquées à Cherbourg peuvent gagner l'I. *-9-8 Mohamed Bahouar* PM. *-13-8* l'amiral Halibollahi détourne une des vedettes (*18-8* les 22 m. du commando et 4 m. d'équipage demandent l'asile pol. en Fr. *-28-8* ved. rendue à l'I.). *-30-8* Pt *Radjai* et PM *Bahonai* † dans un attentat. *-2-9 Mohamed Kani* PM. *-30-9* accident d'avion : min. Défense et principaux chefs militaires tués.

1981 *(-2-10)* **Ali Khamenei** (n. 1939) hodjatoleslam élu Pt par 96 % des v. *-29-10 Hossain Moussavi-Khamenei* PM. **1982**-*8-2* Moussa Khiabani (Cdt mil. des Moudjahidin khalq) † avec 22 m. de l'organisation. *Avril* 4 939 prisonniers amnistiés. *-10-4* Sadegh *Ghotbzadeh* arrêté (exécuté *15-9*). *-1-10* camion explose à Téhéran, centaines de †. *-10-12* Ass. de 83 experts religieux (146 candidats) élue au suffr. univ. pour remplacer Khomeyni en cas de †. **1983**-*9-2* leaders du Toudeh arrêtés. *Févr.-avril* 18 diplomates soviét. expulsés, pendaisons de Baha'is. *Mai* Toudeh interdit. **1984** Gal Oveissy et son frère tués à Paris. *-25-7,* 20 000 manif. pour tenue islamique des femmes. *-1-8* avion d'Air France détourné sur Téhéran. *-23-8* Téhéran, attentat 18 †. **1985**-*15-3* à l'univ. de Téhéran 6 †. *-4-5* voiture piégée à Téhéran (16 †). *-16-8* Ali Khamenei réélu (85,6 % des v., devant Mahmoud Mostafavi Kachani et Habibollah Asgar Owladi). *-24-11* l'ayatollah Ol-Ozma (grand ay.) Hossein *Ali Montazeri* (n. 1922) confirmé comme successeur de Khomeyni par Assemblée des experts. **1987**-*7-6* univ. d'Ispahan : 80 000 ouvrages incendiés par les Lloyas. *-14-7* nav. porte-conteneur fr. attaqué par 2 vedettes ir. *-17-7* rupture diplom. avec Fr. Wahid Gordji, agent de l'ambassade d'I. à Paris, soupçonné d'être lié aux attentats terroristes. *-28-9* Mehdi Hachemi (proche de Montazeri) exécuté pour « corruption ». *Déc.* échange Paul Torri (1er secr., ambassadeur de Fr. en Iran) contre *Wahid Gordji,* traducteur de l'ambassade d'Ir., soupçonné de terrorisme à Paris. **1988**-*26-4* Arabie S. rompt ses relations avec I. *-16-6* reprise relations dipl. avec Fr. *-6-8* cessez-le-feu I.-Ir. *-10-11* rapports G.-B./I normalisés. *Nov.* 11 religieux proches de Montazeri exécutés. *-25-11* Kazem Sami, anc. min. de Bazargan, assassiné. **1989**-*5/7-2* Roland Dumas à Téhéran : l'I. reproche à la Fr. de n'avoir pas libéré le terroriste libanais Anis Naccache, emprisonné à vie (v. 1980). *-20-2* Khomeyni ayant condamné à mort le Brit. Salman Rushdie, auteur des *Versets sataniques,* la CEE rappelle ses ambassadeurs (reviennent le 20-3). *-15-3* attentat ir. contre la femme du commandant du *Vincennes. -28-3* Montazeri démis par Khomeyni. *-25-5* Pt du Parl. Rafsandjani appelle Palestiniens à tuer des Occid. en représailles de la répression de l'intifada. *-10-5* Rafsandjani revient sur son appel au meurtre d'Occidentaux. *Juin* il va en URSS. *-3-6* Khomeyni meurt (89 ans) d'un cancer. *-6-6* obsèques (8 †, 500 bl.).

1988 *(-28-7)* **Ali Akbar Hachemi Rafsandjani** (Pt du Parlement dep. 1980), élu Pt avec 94,51 % des voix contre 3,91 à Abbas Cheibani (31,5 % d'abstentions). *-6-8* Khamenei réélu guide de la Rép. islamique par l'Ass. des experts. *-19-8* 79 pendus pour trafic de drogue. *-26-8* Chypre, Bahkman Djavadi, un des dirigeants du Komala, assassiné. *Sept.* Rafsandjani quitte son poste de commandant en chef de l'armée. *-2-11* Téhéran, émeutes de la faim, 5 †. *-6-11* USA décident de restituer 570 millions de $ (avoirs gelés dep. 1980). **1990**-*9-2* Khamenei renouvelle la condamnation à † de Rushdie (id. 5-6). *20-3* † à Paris de la Pesse Safiyed Firouz (87 ans). *Avril* la Fr. reconstruit le terminal de Kharg (1,28 milliard de F). *-24-4* Kassem Radjavi (frère de Masoud, chef des Moudjahidin du peuple) assassiné en Suisse. *-20/21-6* séisme (40 000-50 000 † et 500 000 sans-abri). *-3-7* ministres des Aff. étr. iranien et irakien se rencontrent à Genève (1re fois dep. le cessez-le-feu de 1988). *-27-7* Anis Naccache, gracié, retourne en I. **1991**-*5-8* port obligatoire du foulard dans les Stés étrangères. *-6-8 Chapour Bakhtiar* assassiné à Suresnes. *-7-8* Johan Guir Mehrani (n. 1948), homme d'affaires iranien, ass. à Paris. *Oct.* Fereshten Djahanbani (n. 1947), Iranienne vivant à Paris, et Amirolah Teimouri, chef de la sécurité d'Iran Air à Paris, arrêtés. *-22-10* juge Bruguière lance mandat d'arrêt contre Hossein Sheihkattar (n. 1949, conseiller de Mohamed Gharazzi, min. des Postes ir.), qui serait impliqué dans l'affaire Bakhtiar. *-23-10* I. dément. *-23-12* Zeyal Sarhadi (n. 1966), membre de la Savama (pol. secrète) ir., arrêté à Berne pour complicité (extrad. dem. 31-12). **1992**-*janv.* I. aurait acheté 3 missiles nucléaires auprès d'une rép. islamique de l'ex-URSS (4 têtes scud, dont 2 de 40 Kt), aurait commandé des armes à Russie (chars T-72), Corée du N., Argentine. *-26-1* Argentine suspend envoi de matériel nucléaire (contrat de 18 millions de $). *Avril-mai* émeutes dans les villes. *Août* I. refuse accès sur îles d'Abou Moussa et Tomb (annexées dep. janv. 91, avant coadmin. avec Émirats). *-15-8* 3 Brit. expulsés. *-27-8* Onu condamne I. pour violation des droits de l'H. *sept.* contrat de 2 réacteurs nucléaires russes de 440 MW. *-17-9* Berlin, 4 dir. du PDKI assass. *Attentats* : contre mausolée Khomeyni (10-10), à Téhéran (15-10 ; 27-10 : 3 †). **1993** Ayatollah Montazeri en résidence surveillée. *-13-3* raid aérien iranien contre Kurdes dans le N. de l'Iraq. *-16-3* Rome, Mohamed Hossein Naghdi (résistance ir.) assass. *-10-6* Rafsandjani réélu par 63 % des voix (abstentions 44 %) devant Ahmad Tavakkoli (24 %).

Statut. *République islamique* dep. 1-4-1979. *Constitution* du 4-12-1980 (adoptée par référendum, 99,5 % oui, abstentions 50 %). *Révisé* par référendum 28-7-1989 pour renforcer pouvoirs du Pt de la Rép. (responsable devant le Peuple, le Guide suprême et le Parlement) ; PM supprimé ; création d'un vice-pt (97,38 % de oui, 2,62 % de non). La Const. exclut « domination » du capital étranger, « monopoles » et profit « en tant que critère décisif de la prod. », ne mentionne pas le droit de grève, prévoit des « conseils ouvriers » qui participeront à la gestion des entreprises, fait du chiisme la religion d'État (liberté de culte pour juifs, chrétiens et zoroastriens, mais les baha'is ne sont pas mentionnés). **Tutelle du Guide suprême de la Révolution :** dirigeant religieux « velayat faguih » hodjatoleslam *Ali Khamenei* (n. 1939) dep. 4-6-89 (Pt de la Rép. dep. 2-10-81) [désigné par Ass. des experts (83 religieux élus au suffr. univ. pour 8 a.]. **Conseil de discernement :** créé 1988, 13 membres (dont les chefs des 3 pouvoirs) ; légifère par décrets sur questions urgentes. Vise à éviter le rejet des lois du Parlement par le *Conseil des gardiens* (12 hommes de loi dont 6 religieux traditionalistes nommés par le Guide). **Ass. nat. (Majlis)** : 270 m. élus pour 4 a. au suffr. univ. *Pt* Ali Akbar Natek Nouri dep. 8-5-92. **Pt** (élu pour 4 a. au suffr. univ.). **Vice-Pt** Hassan Ibrahim Habibi nommé 21-8-89. **Gardiens de la Révolution** (Pasdaran) : 400 000 h. Drapeau (1907). Bandes horiz. verte, blanche et rouge. Symbole combinant les mots « Il n'y a de Dieu qu'Allah », et texte proclamant la grandeur de Dieu, ajoutés en 1979.

Partis. *P. rép. islamique,* f. 1979 (hodjatoleslam Ali Khamenei), autodissous 1988. *Jama, P. de la libération de l'Iran* (Medhi Bazargan, n. 1905). *P. Toudeh,* f. 1941 (communiste, Ali Khavari), décimé dep. 1983. *Fedayin du peuple,* f. 1963 (marxiste-léniniste). *Front nat. démocratique* (mossadeghiste, f. 1979, Edmayatollah Matine-Daftari). *P. pan-iraniste* (extrême droite anticléricale). *P. rép. du peuple mus.* (Hossein Farshi, † 1986, 3 500 000 m.). **Répression.** *1979 à 1983* : 200 000 tués. *20-6-81 au 1-1-85* : 120 000 prisonniers pol. 40 000 exécutés (?). *1988 (août-déc.)* : 1 000 à 1 500 exécutions (selon Amnesty Int.). *1989-90* : 2 000. *1991* : 884. Torture courante. Trafiquants de drogue exécutés : env. 2 000 dep. loi 1989 (détention de + de 33 gr d'héroïne ou de 5 kg d'opium). Opposition en exil. *Conseil national de la résistance* (*Pt* : Massoud Radjavi, chef des Moudjahidin du peuple, réfugié en Fr. dep. 1981 ; à Bagdad dep. 1986). *Royalistes, Front national, Libéraux.*

PM. **1965** Amir Abbas Hoveyda (exécuté 9-4-79). **1977**-*7-8* Djamchid Amouzegar (25-6-23). **1978**-*27-8* Ja'far Charif Emami. *-5-11* Gal Gholam Reza Ashari. **1979**-*3-1* Chapour Bakhtiar (1904 – tué France 6-8-91). *-5-2* Mehdi Bazargan (n. 1905) démissionne 6-11. **1980**-*9-8* Ali Radjai (tué 30-8-81). **1981**-*9-8* Mohamed Djavad Bahonai († dans attentat 30-8-81). *-2-9* Mohamed Reza Mahdavi Kani. *-29-10* Mir Hossain Moussavi. **1989**-*28-7* poste supprimé.

Provinces (ostân). 24 [1]. (Sup. en km², entre parenthèses pop. en millions d'h. en 1986, et chef-lieu en ital.). **Guilan** 14 704 (2), *Recht.* **Mâzandaran** 47 375 (3,4), *Sari.* **Fars** 133 298 (3,2), *Chiraz.* **Kerman** 179 916 (1,6), *Kerman.* **Azerbaïdjan oriental** [1] 67 102 (4,1), *Tabriz.* **Az. occidental** 38 850 (1,9), *Orumiyeh.* **Bakhtaran** 23 667 (1,4), *Bakhtaran.* **Baloutchistan et Sistân** 181 578 (1,2), *Zahedan.* **Ispahan** 104 650 (3,3), *Ispahan.* **Khouzistan** 67 282 (2,7), *Ahwâz.* **Kurdistan** 24 998 (1), *Sanandadj.* **Khorâssân** 313 337 (5,3), *Machhad.* **Téhéran** 19 118 (8,7), *Téhéran.* **Boyer ahmadi et Kohkiluyeh** 14 261 (0,4), *Yasuj.* **Bushehr** 27 653 (0,5), *Bushehr.* **Chahar Mahal et Bakhtiari** 14 870 (0,6), *Shahr Kord.* **Hamadan** 19 784 (1,5), *Hamadan.* **Hormozgan** 66 870 (0,67), *Bandar-e-Abbas.* **Ilam et Poshtkut** 19 044 (0,3), *Ilam.* **Lorestan** 28 803 (1,4), *Khorramabad.* **Markazi** 39 895 (1), *Arak.* **Semnan** 90 039 (0,4), *Semnan.* **Yazd** 70 030 (0,5), *Yazd.* **Zanjan** 36 398 (1,6), *Zanjan.*

Nota. – Divisées en 195 départements (shahrestan). (1) Dep. 12-1-1993, divisé en A. or. (cap. Ardabil) et A. central (cap. Tabriz).

Économie

PNB (par tête, en $). *1971* : 450. *80* : 2 400. *84* : 3 689. *85* : 3 000. *86* : 3 100. *87* : 3 430. *88* : 3 500. *89* : 2 530. *90* : 2 450. *91* : 3 150. **Croissance** (%) *1989* : + 2,9, *90* : + 10,5, *91* : + 8. **Pop. active** (en % et, entre parenthèses, part du PNB en %) agr. 39 (18), ind. 12 (9), services 43 (48), mines 6 (25). *Chômage* (91) : 48 % de la pop. active. **Revenu annuel moyen** (1990, en milliers de rials). Famille urbaine 1 150, rurale 773.

Agriculture. *Terres* (millions d'ha) : forêts 18 (11,9 %), t. cult. 15,35 (10 %) dont cult. permanentes irriguées 3,55, non irriguées 4,1, jachères 11,35 ; t. non cult. susceptibles d'être mises en valeur 31 000 (18,8 %) ; prés permanents 10 000 (6,1 %). *Prod.* (milliers de t, 91) : blé 8 900, bett. à sucre 3 950, orge 3 600, canne à sucre 2 000, riz 2 100, p. de t. 2 500, légumineuses 309, coton, fibres 146, pistaches 170, maïs 7, thé 45, tabac 21, vigne, raisins secs. Élevage (milliers de têtes, 91). Moutons 45 000, chèvres 23 500, bovins 6 800, ânes 1 937, chevaux 270, buffles 300, canards 158 (82), mulets 134, poulets 165 000. Pêche. 250 000 t (est. 90). *Caviar* 160 t (80), 248 (84-85). Déficit alimentaire (88) 30 %.

Pétrole. **Histoire :** *1908* : découvert. *1913* : exploité (dont Khouzistan 92 %). *1951* : l'I. nationalise l'ind. pétrolière. *1954* : la National Iranian Oil Company (NIOC) (tout en gardant la propriété des gisements) concède pour 25 ans l'usage des installations et le droit d'extraction sur une zone de 250 000 km² à un consortium internat. regroupant les 8 principales Cies pétrolières mondiales. *1973* (21-3) : protocole donnera à la NIOC le contrôle total de l'ind. pétrolière et gazière en I. **Réserves :** 12,6 milliards de t. **Prod.** en millions de t (et revenus en milliards de $) : *1941* : 6,7. *45* : 17. *49* : 27,2. *60* : 52 (0,3). *65* : 94 (0,5). *70* : 192 (1,1). *74* : 299,7 (22). *75* : 267 (20,5). *76* : 294 (22). *77* : 282 (23). *78* : 255 (20,9). *79* : 148 (18,8). *80* : 65 (13,3). *81* : 65 (12,1). *82* : 120 (17,5). *83* : 123 (19). *84* : 110 (17). *85* : 110 (2). *86* : 93. *87* : 114. *88* : 112,4. *89* : 145 (12). *90* : 156 (16). *91* : 166 (16). *92* : 170 (16,4). *Terminal pétrolier* de l'île de Kharg (à 35 km de la côte ir.) aménagé à partir de 1960. *Est* : peut accueillir 10 pétroliers de 250 000 t ; *Ouest* : des 500 000 t. *Autre terminal prévu* : à Bandar Tahéri.

Gaz naturel. **Réserves :** 13,8 milliards de m³ (2e rang mondial) ; à Tang Bijar (près Irak), île de Qeshm, Khangiran, gisement marin au large de Bouchehr, Kangan. **Production** (milliards de m³) *1967* : 21,3 ; *75* : 45,4 ; *78* : 59,5 ; *79* : 44,3 ; *80* : 41,6 ; *81/82* : 15,7 ; *82/83* : 30,4 ; *83/84* : 27,8 ; *85* : 14,6 ; *86* : 15,2 ; *87* : 16 ; *88* : 20 ; *89* : 22 ; *90* : 24 ; *91* : 29,2.

Autres mines. **Charbon** (région de Kerman) *prod.* 0,8 million de t (87/88). **Cuivre :** *rés.* prouvées 400 millions de t ; *prod.* 92 millions de t (91-92). *Fer* : rés. prouvées 800 millions de t ; *prod.* 953 (87/88). **Plomb** (Nakhlak, Qanat, Mervan). **Manganèse** (Robat Karim). **Uranium,** prod. 5 millions de t (91-92).

Industrie. Nationalisée en 1979, privatisée en partie début 1992. Raffineries (Abadan, Ispahan, Chiraz, Tabriz), métallurgie, chimie min. non métalliques, ind. alim., textile, automobile, aluminium (70 000 t). *1980-82* : 40 % du potentiel ind. détruit. *1989* : ne tourne qu'entre 10 et 30 % de ses capacités. *92* : aux 2/3. Transports. *Routes* : 52 000 km dont 34 000 asphaltés. Tourisme. 143 000 vis. (89).

Budget (93-94). 23 m. de rials dont 15,7 pétr. *% des recettes pétrolières dans le budget de l'État* : *76-77* : 75,1 ; *81-82* : 53,7 ; *82-83* (est.) : 56,2 ; *92-93* : 67. **Frais de la guerre :** env. 0,5 milliard de $ par mois. *Part du budget 1993-94* : 0,85 Md de $ (1,5 % du PNB) (1). **Dette extérieure** (Md de $) *1980* : 20 ; *82* : 2 ; *83* : 8,4 ; *87* : 4 ; *92-93* : 40. **Inflation** (en %) *1989* : 50 ; *90* : 20 ; *91* : 50 ; *92* : 50. **Avoirs auprès des banques occ.** 5,1 Md de $ (mars 88). **Réserves en devises** (1992) 4 Md de $. **Aide américaine** (1953/61) 1 Md de $ [les barrages construits avec cette aide (Ara, Chah-Abbas, Dez) sont pratiquement inexploités]. **Valeur du rial** *1979* : 1 $ = 75 rials ; *88* : 1 $ = 930 à 1 200 (sur le marché parallèle 13 à 17 fois moins ; *92* : 70 (taux officiel) à 1 500 (taux du marché) [t. préférentiel (appliqué aux admin., cert. industries, ambassades) 600, flottant (pour étrangers) 1 450].

Nota. – (1). *Achats d'armes* : 2 à 3 Md de $ par an (dont Russie 110 avions, 2 à 3 sous-marins (600 millions de $; 1er livré 23-11). Selon CIA, Iran pourrait disposer de la bombe atomique en 2000 (assistance chinoise et nord-cor.). 1993 : taux unique prévu (env. 1 400 rials).

Commerce (milliards de $). **Exp.** *1978* : 22,4. *80* : 14,9. *81* : 12,6. *82* : 14 (dont pays ind. 16,6 ; pays en voie de dévelop. 5,7 ; p. de l'Est 0,2). *83* : 19,8. *84* : 22. *87* : 10,9. *90* : 11,4. *91* : 15,3. *92* : 15,9. **Imp.** *1978* : 19,5. *80* : 12,6. *81* : 12,6. *82* : 14 (dont p. i. 9,8 ; p.v.d. 2,4 ; p. de l'E. 1,8). *83* : 18. *84* : 14,5. *87* : 8,98. *90* : 12,8. *91* : 15,7 dont All. 4, Japon 2,5, Italie 1,8, G.-B. 0,9, *France 0,9,* USA 0,5. *92* : 21,17. **% de la consommation importée.** Riz 97, laitages 80, sucre 50, viande 45, blé 25. **Rang dans le monde** (91). 2e rés. gaz nat. 4e rés. pétrole., pétrole 6e ovins. 9e thé. 14e orge. 16e blé, gaz nat.

Contentieux franco-iranien. 1974 le Châh commande à Framatome, Alsthom et Spie-Batignolles 2 centrales nucléaires (1re : Karoun) ; prête 1 milliard de $ au CEA pour la construction, par consortium Eurodif, de l'usine d'enrichissement d'uranium du Tricastin ; commande à Eurodif de l'uranium enrichi. **1975** I. détient 40 % du cap. de Sodifir (actionnaire à 25 % d'Eurodif), donnant l'accès à 10 % de l'uranium produit. **1979** Khomeyni annule le projet et dem. remboursement du prêt. **1985** 1er arbitrage reconnaît préjudice subi par Eurodif (annulé mars 90). **1986**-*oct.* et **1988**-*janv.* France rembourse 630 millions de $. **1991**-*oct.* trib. arbitral de Lausanne condamne I. à verser 4,06 milliards de F à Framatome, Alsthom et Spie-Bat. (5 demandés) : 2 seront versés (reste déjà soldé par Coface). Cogema et Framatome devront verser à l'I. 550 millions de F pour non-livraison du combustible, et Eurodif 940 pour non-remboursement du prêt. *-29-12 accord franco-ir. signé définitivement* à Téhéran : France versera 1 milliard de $ à I. (550 millions dans les 48 h, 3 × 150 millions en 1992), 5 milliards de F à Eurodif (pour le préjudice dû à l'uranium non acheté), et 3,2 milliards à Alsthom, Framatome et Spie-b.

Iraq ou Irak

Carte p. 1035. V. légende p. 884.

Situation. Asie. 438 317 km² (+ 3 522 km² de zone neutre). *Frontières* avec Koweït 254 km, Arabie Saoudite 895, Jordanie 147, Syrie 603, Turquie 305, Iran 1 515. Régions. *Djézireh* (l'île) plateau entre Tigre et Euphrate, et Kurdistan, *delta* Tigre et Euphrate, *Iraq el-Arabi* au sud (ancienne Babylonie). *Alt. max.* Hasar Roste 3 607 m. Climat. Subtropical à tendance continentale, frais l'hiver (7,7 °C à Mossoul, 9,9 °C à Bagdad en janv.), très chaud l'été (33,6 °C et 45 °C en juill. à Mossoul et Bagdad). *Pluies* (l'hiver) : peu abondantes (Mossoul 361 mm, Bagdad 136) sauf dans montagnes kurdes, diminuent vers le S. *Au sud* : tropical désertique : 12,5 °C à Bassorah en janv., 34,4 °C en juill. *Saisons* : hiver (oct.-avril) et été (mai-sept.)

Population (en millions). *1927* : 3 ; *1957* : 6,3 ; *1972* : 10 ; *1990 (est.)* : 18,78 ; prév. *2000* : 24,93. En % : Arabes 70, Kurdes 15, Mésopotamiens 10, Iraniens 3,8. – *de 15 a.* 45,3 %, + *de 60 a.* 5,1 %. D 41,6. Villes (85) : *Bagdad* 3 844 608 (87), Bassora 616 700 (à 560 km), Mossoul 571 000 (79, à 408 km), Kirkoûk 500 000 (79, à 388 km). **Réfugiés** (1992) A. Saoudite 30 000, Syrie.

Langues. Arabe 70 % *(officielle),* kurde 18 %, araméen [l. sémitique occidentale, appelée « syriaque » (*off.* depuis 1970)] 10 %. **Analphabètes** env. 50 %.

Religions. **Musulmans** 95 % (religion d'État) dont sunnites 35 % (dont kurdes 25 %) ; chiites 60 % ; yezidis (d'origine kurde, 69 653 en 65). **Juifs** 300 (1948 : 130 000). **Chrétiens** 3 % *(pratiquants en milliers, en 1986 : (1) Catholiques. (2) Séparés de Rome.* 584,5 dont *cathol.* 393,1 [dont *Chaldéens* [1] 342,9 (11 évêques, 9 diocèses, 1 vicariat, 108 prêtres). *Nestoriens* [2] 124. *Syriaques* [1] 44,4 (2 év., 2 dioc., 27 pr., 1 monastère historique Marbehna). *Orthodoxes* [2] 42,8. *Latins* [1] 3,5 (1 év., 13 pr., 2 ordres relig., 7 églises). *Byzantins ou grecs* (Grecs [2] 3). *Arméniens* [1] 2,3 (orth. [2] 20)]. *Église réformée* : évangélistes 1,3, sabbathiens 0,3.

Histoire. Ancienne Mésopotamie, centre de nombreuses civilisations (sumérienne, babylonienne, assyrienne, etc.). **1°) Période moustérienne (40000)** grotte de *Shanidar* – période de chasse, **2°) Culture (10000)** *Kerim Shabir, Gird chai, Chomi.* **3°) Zarzien (8500)** *Shanidar* couche B2. **4°) Protomésopotamien (7000)** *Jarmu, Hassuna, Tell al-Sawan, Arpachia, Tepe, Gaivra* (N. de la Mésopotamie) ; *Ubaid, Warka, Kish* (sud) : vaisselle, idoles féminines en albâtre. **5°) Hassuna-Samarra (5000) :** 1res poteries, figurines d'albâtre. **6°) Halaf (4000)** *Tell Halaf* près de la Syrie : les villages s'organisent, céramique polychrome avec figures humaines et animalières. **7°) El Obeid (4500-3500)** civilisation puissante au S. (*Eridu, Ur, Uruk*), utilisation du tour de potier, objets en métal moulé, temples, ziggourats, poteries peintes. 1er exemple de navigation à voile (4500). **8°) Uruk (3500-3100)** *Uruk* (actuellement Warka), 1res tablettes pictographiques, précédant l'écriture cunéiforme. **9°) Djemdat Nasr (3100-2800)** 1res statuettes votives. **10°) Présargonique (2800-2470 av. J.-C.)** cités-États. *Villes* : *Eridu, Ur, Uruk* (cap. religieuse), *Lagash* (auj. Tello), *Oumma, Adab* (auj. Bismya), *Shourouppak* (Fara). Ruines : palais, temples, ziggourats en briques crues ou cuites. En 1936, on a découvert près de *Ctésiphon* une jarre de terre (de 2 500 ans av. J.-C.), fermée par un disque et un cylindre en cuivre, surmontée d'une baguette et d'un câble en fer. L'amér. Willard Gray a démontré qu'il s'agissait d'une pile électrique. La jarre était remplie de sulfate de cuivre arrosé d'un acide (citrique ou acétique ?). **11°) Empire d'Akkad (2470-2283)** fondé par le sémite *Sargon :* Lagash, Uruk, Ur, Nippur, Kish, Tell Asmar, Mari, Assur ; l'akkadien (langue sémitique orientale) remplace le sumérien (demeuré l. religieuse) ; région de Suse colonisée. **12°) Dynastie d'Ur (2150-2016 av. J.-C.)** connaissance des math., théories, codes. Quelques cités-États renaissent. *Ur Nammu* fonde un nouvel emp. de l. sumérienne ; sites : *Lagash* et *Ur.* Ziggourats et temples. Ur est détruite en 2035 par les Amorrites et, pendant 2 siècles, coexistence de 4 royaumes : *Sumérien, Akkadien, Élamite* et surtout *Amorrite* [cap. Mari : 25 temples, palais (+ de 3,5 ha) de 300 chambres du roi Zimri-Lim v. 1780]. **13°) Babylone (1894-1255)** 1re dynastie (1895-1595). **1894** un Amorrite, Soumou Aboum, roi de *Babylone.* **1757** son descendant *Hammourabi* (1792-50) détruit ville et palais de *Mari.* Principaux temples : Ischalli, Assur. Sculptures, fresques. *Code d'Hammourabi* (Louvre) : astronomie, algèbre, traductions en sémitique (araméen, akkadien) des livres sacrés sumériens. Dynasties rivales : Larsa, Assur. Les *Kassites* (1730-1170), originaires du Zagros (montagne de Mésopotamie), s'installent à Babylone. **1160** battus par les rois d'Elam, ils se réfugient au Zagros. Architecture : Aqarquf (temple et ziggourat de 60 m), Uruk (temple). Sculptures en diorite. **14°) Empire assyrien (1255-625).** *Dur Sharrukin* (« le palais de Sargon »), actuellement Khorsabad. Grands rois : *Tuqulti Ninurta Ier* (1255-18), *Assur-Nasirpal II* (883-59), *Salmanasar III* (858-24), *Teglath Phaleser III* (745-27), *Sargon II* (721-05). **689** *Sennacherib* (705-681) rase Babylone et déporte 208 000 Araméens. **671** *Asarhadon* (680-69) conquiert l'Égypte. *Assurbanipal* (668-26). **626** emp. assyrien détruit par Gal chaldéen *Nabopolassar*, qui rebâtit Babylone, se proclame roi et s'allie aux Mèdes et aux Scythes (indo-européens). Art : brillant aux IXe, VIIIe et VIIe s. : Assur : temples divers. Palais : Nimrud (Kalak) sous *Assur-Nasirpal II*, Khorsabad (713-709), Dur Sharrukin sous *Sargon II*, Quyuudjik (Ninive) sous *Assurbanipal.* Sculptures. Fresques (Tell Ahmar). **15°) Empire néo-babylonien ou chaldéen (625-539). 612** coalition médo-bab. reprend Ninive ; Chaldéens, Araméens et Bab. sont confondus en un seul peuple de langue araméenne (sém. occidentale), cap. Babylone. *Nabuchodonosor* (604-562) est le plus grand souv. **16°) Annexion à l'Empire achéménide (539-331). 539** *Cyrus*, Perse (Achéménide), prend Babylone ; jusqu'en 447, les emp. perses portent le titre de roi de Babylone [résidence d'hiver, jardins suspendus, temples, ziggourats (Marduk)]. **447** après révolte, *Xerxès Ier* annexe Babylone à l'empire. **17°) Annexion à la Syrie séleucide (321-129).** *Alexandre le Grand* conquiert Emp. achéménide 331, capitale Babylone, où il meurt en 323. **321** Mésopotamie attribuée au roi de Syrie *Séleucos* (hellénistique), qui fonde une cap. : Séleucie du Tigre. **170** Babylone cité de droit grec (*Antiochos III*). **129** Mésopotamie évacuée par *Antiochos IV* vaincu par les Perses.

Histoire après J.-C. 114-117 conquis par *Trajan* [2 provinces romaines : Assyrie (rive g. du Tigre), Mésopotamie (jusqu'au golfe Persique)]. **117** *Hadrien* rend les 2 prov. aux Parthes et fixe le *limes* sur l'Euphrate. **18°) Période parthe (139-226)** temples d'Hatra, murailles. **19°) Période sassanide (266-632)** conquis par *Ardachir* v. 230 et organisé comme marche contre Romains par Shabour Ier : Bassora et Kufa, 2 camps fortifiés. **20°) Emp. islamique (632-1300). 633** à *Qaddisieh* les Musulmans battent les Perses sassanides. *Omeyyades* (661-747) ; devenu calife, tué 750 en Égypte : ses parents et ses proches sont invités à un grand banquet de réconciliation où ils sont massacrés ; le seul rescapé, Abd al-Rahman, petit-fils de calife, fondera en Esp. un émirat indépendant) : siège du califat à Damas. *Abbassides* (747-1258 ; la dynastie s'éteindra en Égypte en 1517) : Bagdad (Cité de la Paix, f. 762 par le calife *Al Mansour*). Samarra (836-892, siège du califat). **750** Bagdad siège du califat. **786** Haroun-al-Rachid calife, règne sous le nom d'al-Rachid (le « Bien Guidé »). Crée la charge de grand cadi, lutte contre l'empereur romain. Irène, impératrice byzantine, lui paye tribut. Charlemagne leur envoie des ambassadeurs (pour la sonder sur une action concertée contre l'ennemi commun, l'émir de Cordoue ?). **1065** Turcs seldjoukides mettent le califat sous tutelle. **1169** Saladin, d'origine kurde, nommé vizir par le dernier des califes Fatimides. **1257** invasion mongole (Khan Hulagu, frère du grand Khan Möngké). **1258**-*17-1* troupes du calife battues, massacrées ou noyées dans le Tigre. *-10-2* Bagdad, population massacrée (100 000 à 2 000 000 † ?). *-20-2* le 37e calife Abbasside al'Musta'sim tué. **1401** Bagdad détruite par le mongol Tamerlan. **1533** *Soliman le Magnifique* annexe Ir. à l'Emp. turc. **1638** suzeraineté turque. **1643** 1er comptoir brit. à Bassora. **1831** adm. turque directe. **1914-18** conquête brit. (les Mésopotamiens araméophones prennent parti contre les Turcs). **1915** *janv.-août* massacres de la communauté araméophone (250 000 † sur 400 000) par Turcs et Kurdes. **1920** *mandat brit.* Insurrection contre Brit. **1921-33 Fayçal Ier** (arabe). **1932** *État indép.* **Août** massacres de centaines d'araméophones. **1933-39 Ghazi** *roi* (1912-39 ; fils de Fayçal). **1939-58 Fayçal II** roi (1935-58 ; f. de Ghazi), régence d'Abd Ul Ilah, son oncle. **1940** *Rachid Ali*, PM, pour All. contre Angl. **1941**-*30-1* doit démissionner à cause de l'opposition mésopotamienne ; *-3-4* reprend le pouvoir avec aide All. *-30-5* chassé par débarquement angl. **1943** g. contre All. : 4 800 Mésopotamiens forment la « Levée assyrienne ». **1948** *mai* participe g. contre Israël. **1955**-*23-2* pacte de Bagdad (voir Index). **1958**-*14-2* Union arabe avec Jordanie. *-14-7* coup d'État du Gal *Kassem*, Fayçal (23 ans) et le régent Abd Ul Ilah tués. PM Nouri al Saïd se suicide (ou est tué ?). Union arabe abolie. *Sept.* Aref arrêté. *Oct.* Barzani (exilé en Russie) rentre au Kurdistan. **1959** *févr.* Aref, condamné à mort, gracié. *Mars* échec coup d'État pro-nasserien ; gén. Nazem Tabaqjili exécuté. *-14-7* Kirkouk, lutte comm. et Turcomans 69 †. *Oct.* Kassem blessé dans attentat. **1961** (*sept.* à *févr.* 1962) affrontements avec Kurd. *Oct.* loi limitant droits des Cies pétrolières. **1963**-*19-1* reprise relations dipl. avec Fr. (suspendues 1956). *-8-2* coup d'Etat mil. du Cel Abdul Salam Aref aidé par parti Baas. *-9-2* Kassem exécuté. *-18-11* coup d'État du Pt *Aref* contre Baas. **1966** *avril* Gal *Abdul Rahman Aref* (n. 1916) succède à son fr. († 14-4 accident d'avion). **1967** rupture relations dipl. avec USA. **1968**-*17-7* Aref renversé, exilé. *-31-7* Gal *Ahmed Hassan el-Bakr* (1914-82) dissout gouv. et élimine du pouvoir les officiers non baasites. *-7-10* coup d'État déjoué ; nombreux condamnés à mort. **1969**-*26-1* procès de 16 opposants (dont 10 israélites) ; 14 exécutés le 27.

1970-*11-3* autonomie kurde, relative. *-22-4* droits culturels reconnus aux « citoyens parlant le syriaque » (chrétiens). **1972** *janv.* 60 000 Iran. expulsés. *Févr.* tr. d'amitié et coop. avec URSS. *-1-6* Iraq Petroleum Co. nationalisée. **1973** *juill.* complot déjoué (35 exécutions dont Cel Nazem Kazzar). *Oct.* participe à g. israélo-arabe (30 000 h.). *Déc.* 30 000 Kurdes expulsés de la région de Mossoul. **1974**-*11-3* les K. rejettent autonomie. *-24-3* Qala Diza (Kurdistan) bombardé. *-26-3* reprise de la g. *-30-4* prise de Zakho. *-30-11/2-12* visite J. Chirac. **1975**-*6/17-3 accord d'Alger avec Iran :* fin des différends frontaliers (Chatt al-Arab) ; l'Iran cessant son aide, effondrement de la résistance kurde [45 000 peshmergas (« ceux qui vont au-devant de la mort ») et 60 000 miliciens]. *-5-9* Saddam Hussein en Fr. *-18-11* contrat : la Fr. fournira une centrale nucléaire. **1976**-*25/27-1* visite J. Chirac ; investissements fr. de 15 milliards de F prévus. *-18-6* accord franco-ir., publié au JO. **1978** *juin* communistes exécutés dont 38 officiers ; guérilla kurde. *-11-7* Abdel Razzak el-Nayef (ancien PM) assassiné à Londres. *Sept.* Khomeyni, en exil à Nadjaf dep. 63, expulsé. **1979** *janv.* projet d'unification avec Syrie échoue. *-6-4* La Seyne-sur-Mer (Fr.) composants du réacteur Osirak prêts à embarquer détruits (explosion due au Mossad israélien ?). *Juill.* complot échoue. *-16-7* démission (raisons de santé) du Pt Mal Ahmed Hassan el-Bakr. *Saddam Hussein* élu Pt. *-8-8* tensions au Baas. *-9-8* 21 exécutés dont le vice-PM et min. du Plan Adnan Hussein. *-16-8* amnistie, 4 125 prisonniers libérés. *Déc.* l'Iran accuse l'I. d'avoir fait pénétrer son armée sur 5 km dans le Khouzistan. **1980** *fév.* 66 chiites exécutés dep. juillet 79. *Mars-avril* env. 100 exécutions (dont l'ayatollah Bagher Sadr le 9-4). L'Iran expulse vers l'I. env. 25 000 chiites. *-22-9* g. I.-Iran. **1981** Fr. envoie 14 kg d'U 235. *-7-6* « opération Babylone », 14 avions F-15/F-16 israél. détruisent réacteur *Osirak à Tammouz* qui aurait permis à l'I. de fabriquer une bombe atomique (1 Français †). **1982**-*21-2* Claude Cheysson (min. Aff. étr.) en I. La Fr. fournira 15 milliards de F d'armement. *-4-8* attentat à Bagdad, 20 †. **1978-82 :** 520 prisonniers pol. exécutés. **1983** 90 membres de la famille Al Hakim arrêtés (dont 16 exécutés). *-21-4 :* 2 attentats à Bagdad : centaines de † (?). *-28-5* action turque au Kurdistan. **1985** centaines de Kurdes exécutés. **1986**-*2-10* 7 exécutions pour prévarication (dont un ancien sous-secr. d'État). *-25-12* B 737 détourné, 62 † en Arabie S. **1987**-*5-7* raid turc contre Kurdes. **1988** *mars* I. utilise des armes chimiques à Halabja (5 000 Kurdes †). *-25-6* reprise des îles Majnoun. *-30-6* de la région de Mawat, au Kurdistan. *Juill.* cessez-le-feu avec Iran. *-6-9* amnistie pour Kurdes, excepté Jalal Talabani, chef de l'Union patr. *Oct.* Oudaï Hussein, fils du Pt, assassine un garde présidentiel (sera gracié) ; sur 50 000 réfugiés k., 25 000 resteraient en Turquie, 18 000 iraient en Iran et 2 500 en Iraq. **1989** *15/16-2* Conseil de Coop. arabe créé (Iraq, Égypte, Jordanie et Nord-Yémen). *-27-3* l'I. verse 27,3 millions de $ aux familles des victimes de la frégate amér. *Stark* (touchée par erreur en 1987 par avion mil. ir.). *-17-8* explosion dans usine d'armement (1 500 †). *-7-12* lancement d'une fusée à 3 étages (haut. 25 m, poids 48 t, poussée au décollage de 70 t). **1990**-*28-2* abolition des châtiments pour les hommes qui tueraient les femmes adultères de leur famille. *-15-3* Farzad Bazoft (n. 1958), journaliste anglais d'origine iran. (arrêté 15-9-89, condamné à mort pour espionnage) exécuté. *-11-4* pièces de canon de 52,5 m de long destiné à l'I. découvertes en G.-B. *Juillet* accord financier franco-i. (devant être signé 4-8 à Paris). *-2-8* invasion du Koweït voir p. 1 036.

1991-*17-1/28-2 guerre du Golfe* voir p. 1036. *-1-3* insurrection à Bassora, Nadjaf et Karbala à l'appel

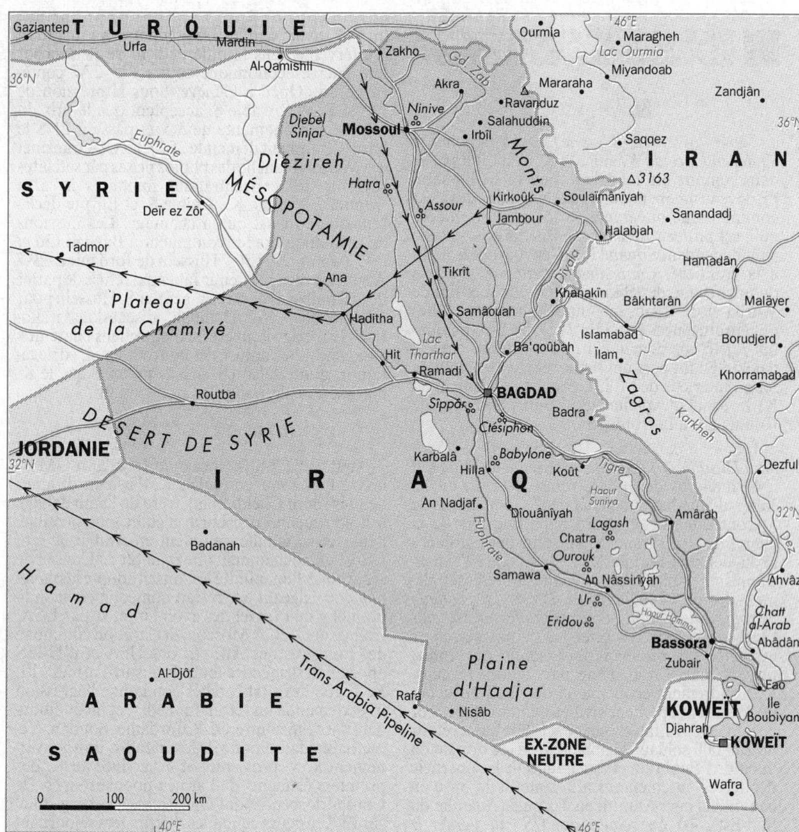

Guerre du Golfe

Origine

Causes lointaines. *Refus de l'Iraq de reconnaître l'indépendance du Koweït :* le K. ayant fait partie dans l'empire ottoman du « vilayet » de Bassora, l'I. devenu indépendant (1932) le réclame dès 1933 comme partie intégrante de son territoire (alors qu'il est protectorat anglais). En 1961, K. accède à l'indépendance quand l'Iraq envoie des troupes à la frontière. *Contentieux territorial :* l'I. n'a qu'une façade de 19 km sur le Golfe. Les îles de Warba et de Boubyane (au débouché du Golfe) ont été attribuées au K. En *1938,* les Britanniques ont rejeté une demande ir. de construire dans la baie de K. un port qui serait relié par chemin de fer à l'intérieur de l'I. L'I. conteste également au K. le droit d'exploiter le champ pétrolifère de Roumallah à la frontière.

Causes immédiates. **1°)** *Ambitions de Saddam Hussein.* **2°)** *La dette extérieure de l'Iraq* (30 à 40 milliards de $) et le refus de l'émir du K. Jaber al-Sabah d'annuler la dette (15 milliards de $) contractée à son égard par l'Iraq lors de la guerre contre l'Iran. (S. Hussein qui considère avoir défendu les intérêts arabes contre l'expansionnisme iranien réclame même un crédit supplémentaire de 10 milliards de $). **3°)** *La politique pétrolière du K. et des Émirats arabes* accusés par l'Iraq de ne pas respecter les quotas pétroliers et d'être responsables de la chute des cours, privant ainsi l'Iraq d'une part de ses revenus. L'effondrement économique de l'Iraq au début de 1990 (endettement civil et militaire supérieur au budget de l'État, chômage accéléré par le retour de 200 000 soldats démobilisés, baisse brutale du débit de l'Euphrate et diminution de la superficie des terres ensemencées à la suite de la mise en eau du barrage Ataturk en Turquie (Anatolie du Sud-Est). **4°)** *La volonté des USA de garder le contrôle des ressources pétrolières.* **5°)** *La volonté des Occidentaux de maintenir dans la région l'équilibre existant* (Iraq, Syrie, Iran) menacé par les ambitions de S. Hussein. **6°)** *La crainte de voir l'Iraq disposer de l'arme atomique.* **7°)** *Les pressions du « lobby juif »* (l'Iraq pays le plus menaçant pour Israël doit être mis hors d'état de nuire).

Positions françaises. *Contre la g. :* Maurice Allais, Jean-Pierre Chevènement, Claude Cheysson, Maurice Couve de Murville, Michel Debré, Max Gallo, amiral de Gaulle, André Giraud, Paul-Marie de la Gorce, Michel Jobert, Louis Pauwels.

Chronologie

1990-*24-2* S. Hussein au sommet du CCG (Conseil de coopération du Golfe) à Amman évoque le risque d'un contrôle total des USA sur le Golfe (suite au déclin de l'URSS) et la nécessité pour les Arabes de s'unifier. *-3-5* le ministre des Affaires étr. irakien Tarek Aziz (chrétien) dénonce, sans les nommer, les responsables de la surproduction pétrolière au sein de l'Opep (Koweït et Émirats arabes). *-17-7* S. Hussein accuse certains pays du Golfe de provoquer une baisse des prix du pétrole à l'instigation des « cercles impérialistes et sionistes ». Il annonce que « les guerres peuvent être déclarées pour des motifs économiques ». *-18-7* consultations interarabes (roi Fahd, Hussein de Jordanie, émir du K. et Pt du Yémen). L'I. réclame au K. 2,4 milliards de $ en compensation du pétrole « volé » depuis 1980 des puits de Roumallah (sur frontière). *-19-7* le Conseil national du K. rejette les accusations de l'I. et rappelle qu'il l'a soutenu dans sa guerre contre l'Iran. Envoi d'émissaires auprès des pays arabes pour expliquer la position du K., et au secr. gén. de la Ligue arabe d'un mémorandum rejetant les accusations de l'I. et proposant la constitution d'une « commission arabe » pour régler le problème des frontières avec l'I. Lettre au Secrétariat général de l'Onu pour l'informer. *-21-7* l'I. accuse le K. d'avoir refusé une solution purement arabe et de faciliter une intervention étrangère en ayant pris contact avec l'Onu. *-21/28-7* médiations égyptienne et saoudienne pour tenter de désamorcer la crise. Le Pt égyptien Moubarak reçoit à Alexandrie Tarek Aziz et Hussein de Jordanie, puis entreprend une tournée de bons offices à Bagdad, K. et Djeddah, S. Hussein assure qu'il n'a pas l'intention d'attaquer le K. *-24-7* l'I. rejette la proposition k. d'une commission arabe pour le règlement du conflit, sous le prétexte que le problème est « bilatéral » et masse 30 000 h. à la frontière. *-25-7* Mme April Glaspie ambassadeur amér. à Bagdad, convoquée par S. Hussein, lui fait savoir que les USA n'ont pas l'intention d'intervenir dans le différend, ni de déclencher une guerre économique contre l'I. *-27-7* conférence de l'Opep à Genève. Sous la pression de l'I., le K. et l'Arabie S. acceptent que le prix du pétrole soit augmenté de 3 $ et passe à 21 $ le baril (l'Iraq avait demandé 25 $). La CIA transmet à la Maison Blanche des photos prises par satellites révélant des concentrations militaires ir. à la frontière. Avertis, K., Arabie S. et Égypte déclarent que ce n'est qu'un chantage. Les missions de médiation arabes continuent à Bagdad (*26 et 27-7* Arafat, *29 et 30-7* Hussein de Jordanie). *-29-7* Arafat est reçu par l'émir Jaber qui refuse de parler des 10 milliards de $ réclamés par S. Hussein pour Roumallah. *-31-7* Djeddah, discussions irako-kow. L'I. exige l'ouverture d'entretiens bilatéraux à Bagdad. *-1-8* rupture des pourparlers. La délégation ir. quitte Djeddah sous le prétexte que le K. n'a pas fait de nouvelles propositions.

Invasion du Koweït

Août. *2 :* à 2 h (h. locale, le 1er à 23 h GMT), les troupes iraqu. entrent au K. Plusieurs dizaines de tués (dont Chekh Fahd, frère de l'émir Jaber). 4 h 45, aucune résistance n'étant plus possible, l'émir et sa famille s'enfuient en Arabie. A 6 h, USA et K. demandent une réunion du Conseil de sécurité. A l'unanimité le Conseil adopte la *résolution 660* exigeant « le retrait immédiat et inconditionnel » de l'I. Gel des avoirs ir. et k. par USA, France et G.-B. A Moscou, déclaration commune des ministres des Aff. étr. des USA et d'URSS appelant à suspendre toute livraison d'armes à l'I. La Ligue des États arabes condamne l'agression ir. et demande un retrait immédiat et inconditionnel (ont voté contre OLP, Jordanie, Soudan, Yémen). Bagdad annonce la formation d'un « gouvernement kow. provisoire ». *5 :* arrivée au K. des premiers éléments de l'armée populaire ir. *6 :* le Conseil de sécurité de l'Onu décide l'embargo total sur l'I. Plusieurs centaines d'étrangers séjournant au K. (notamment Britanniques, Amér. et Ouest-All.) commencent à être déplacés en I. Fermeture des oléoducs ir. dont les terminaux sont en Turquie (Yumurtalik) et Arabie S. (Yanbu). Le gouv. kow. provisoire proclame la « République du K. libre ». Exode de centaines de milliers de travailleurs arabes (Égyptiens surtout) et asiatiques (Philippins, Bangladesh) fuyant K. et I. *8 :* début de l'opération *« Bouclier du désert ».* Troupes et matériels sont débarqués à Dharan par de gros porteurs amér. La G.-B. rejoint la force multinationale dans le Golfe. *9 :* la France envoie le porte-avions « Clemenceau » mais ne s'associe pas à la force internationale. L'I. ordonne le transfert à Bagdad, avant le 24, des ambassades étrangères au K. et ferme ses frontières aux étrangers. *Conférence au Caire :* 14 chefs d'État et souverains de la Ligue arabe, Arafat et 5 délégations gouvernementales, S. Hussein est venu ainsi que les représentants du gouv. kow. en exil à Taef (Arabie), la Tunisie est absente. *10 et 12 :* les 21 membres rejettent l'annexion du K., approuvent l'embargo et votent l'envoi de troupes en Arabie ; 3 (Irak, Libye, OLP) votent contre ; Algérie et Yémen s'abstiennent ; la Jordanie ne prend pas part au vote ; S. Hussein appelle au « djihad » : il faut sauver la Mecque et les lieux saints de l'occupation étrangère. *12 :* S. Hussein déclare que la solution du conflit est liée au retrait israélien des territoires occupés, et syrien du Liban. *15 :* l'I. accepte de signer un traité de paix aux conditions de l'Iran et de partager le Chatt-al-Arab qui avait provoqué une guerre de 8 ans entre les 2 pays. *18 :* l'I. annonce son intention de retenir les « ressortissants des nations agressives » comme « hôtes de la paix » au K. et en I. Certains sont regroupés sur des sites stratégiques pour servir de « boucliers humains ». *21 :* conférence de presse du Pt Mitterrand. « Nous sommes dans une logique de guerre. » Envoi d'instructeurs et de 200 parachutistes à Abu Dhabi et convocation du Parlement pour le 27 en session extraordinaire. *22 :* Pt amér. Bush rappelle 40 000 réservistes. *24 :* les troupes ir. encerclent à Koweit City les ambassades qui ont rejeté l'ultimatum (à partir du 26, eau, électricité et moyens de communication seront coupés). *25 :* le Conseil de sécurité autorise l'emploi de la force pour faire respecter l'embargo. *28 :* l'I. annonce que le K. devient la 19e province ir. *31-8* début des bons offices du secrétaire général de l'Onu, J. Pérez de Cuéllar.

Septembre *1er :* env. 700 étrangers (femmes et enfants brit., français, améric. et jap.) peuvent quitter l'I. Env. 3 000 étrangers pourront partir jusqu'au 22, sauf les hommes dont près de 500 envoyés sur des sites stratégiques. *15 :* début de l'opération *« Daguet »,* envoi de 4 000 h. et de forces aériennes franç. : expulsion de Fr. de 41 Irakiens, dont 11 des 29 fonctionnaires de l'ambassade. *23 :* devant l'Onu le Pt Mitterrand propose un plan de paix et un règlement global des conflits du Moyen-Orient. 14 nav. de combat et de soutien français sont déployés dans la zone maritime de l'océan Indien, dont le porte-avions *Clemenceau* et le croiseur *Colbert,* soit 26 % des effectifs embarqués de la Marine nationale et 30 % du tonnage de surface. *Fin sept. :* la moitié de la population du K. a fui l'émirat. **Octobre** *17 :* + de 200 000 soldats amér. dans le Golfe. *29 :* l'I. annonce la libération des 327 Français encore détenus au K. et en I. **Novembre** *8 :* 200 000 soldats amér. en renfort. *18 :* l'I. annonce la libération de tous les otages entre le 25-12-90 et le 25-1-91. *29 :* le Conseil de sécurité autorise les États membres coopérant avec le K. à utiliser la force contre l'I. s'il n'a pas quitté le K. avant le 15-1-91. **Décembre** *6 :* l'I. libère les derniers otages. *16 :* Bush réaffirme que la force sera employée si le K. n'est pas évacué le 15-1-91. *24 :* S. Hussein répète qu'en cas de conflit, Israël sera le 1er objectif de l'I. **1991 janvier** *2 :* Bagdad : S. Hussein reçoit Michel Vauzelles, Pt de la commission des Aff. étr. de l'Ass. nat. *5 :* l'I. refuse une invitation de la CEE à venir au Luxembourg. *9 :* échec de la rencontre à Genève de James Baker et Tarek Aziz. Le Congrès amér. autorise Bush à faire usage de la force (Sénat 52 voix contre 47, Ch. des représentants 250 contre 183). *14 :* au Conseil de sécurité, les USA repoussent le plan de paix proposé par la France, qui prévoit la convocation d'une conférence internat. sur la question palestinienne et les problèmes du Moyen-Orient. *15 :* à minuit (h. américaine) ou 6 h (h. française) expiration de l'ultimatum. *16 :* Paris, le Parlement, en session extraordinaire, approuve la position du Pt Mitterrand dans la crise (Ass. nat. 574 voix contre 43, Sénat 290 contre 25).

Forces en présence

Positions de quelques pays

■ **N'ont pas pris part à la guerre. Algérie, Djibouti, Jordanie, Liban, Libye, Mauritanie, Somalie, Soudan, Tunisie, Yémen.**

Iran [ayant obtenu le 15-8 que S. Hussein accepte l'accord frontalier d'Alger (1975), reste neutre, refusera de restituer à l'Irak les avions réfugiés sur son territoire (115 selon Irak, 137 selon Amér.) et accueillera à la fin de la guerre des centaines de milliers de chiites fuyant l'Irak].

Israël (récuse tout lien entre la crise et la question palestinienne ; souhaite ne pas être impliqué dans le conflit, mais multiplie les mises en garde à l'égard de l'Iraq). Sous la pression des USA, adopte un « profil bas ». En échange, entend obtenir des garanties pour l'après-guerre et se prémunir contre des pressions amér. pour un règlement de la question palestinienne.

Palestiniens. *Répartition en juillet 1990 :* Jordanie 1 680 000, territoires occupés 800 000, Koweït 400 000, Arabie 180 000, Émirats 70 000, Iraq 50 000. Quoique l'OLP soit financée en grande partie par les dons des pays du Golfe (70 % du budget des écoles et hôpitaux pal. ; 1er donateur : l'Arabie avec 6 millions de $/mois), l'OLP, à l'instigation de Y. Arafat et sous la pression des masses, soutiendra l'Iraq. *Au 15-1-1991 :* la crise du Golfe avait déjà coûté à l'OLP env. 10 milliards de $. La communauté pal. au K. avait perdu 4,5 Md de $ (avoirs bloqués, biens saisis, salaires non versés) : les territoires occupés 1,5 Md de $ (transferts effectués par les Pal. du K., sommes allouées aux institutions et œuvres sociales et éducatives pal.) Enfin, les pays arabes avaient cessé de verser des contributions à l'Intifada.

■ **Coalition anti-irakienne.** 28 pays dont : **Arabie Saoudite :** 67 500 h., 550 chars M-60 américains et AMX-30 français, 1 840 blindés divers, 500 canons de 105 mm, des batteries Crotale et Roland de défense antiaérienne, 140 avions de combat F-15, Tornado et F-5. Sont également basés en Ar. Saoudite 4 000 Koweïtiens et 10 000 h. du CCG (Conseil de coopération du Golfe) dans 6 pays (Arabie, Bahreïn, Émirats arabes, Koweït, Oman et Qatar) et 4 000 h. de l'armée kow. **Argentine :** 300 h., 2 navires de g. **Australie :** 600 h., 3 nav. de g. **Bahreïn. Bangladesh :** 2 000 h. **Belgique :** 400 h., 5 nav. de g. **Canada :** 1 830 h., 26 avions de combat F-18, 3 nav. de g. **Corée du S. :** 150 h. d'une équipe médicale. **Danemark :** 1 patrouilleur et 1 éq. médicale de 30 personnes. **Égypte :** 35 600 h., 300 chars M-60, des blindés M-113 amér., des canons de 155 mm et des lance-roquettes de 122 mm soviét., des missiles antiaériens Crotale français, de l'artillerie sol-air ZSU soviét. [le Pt Moubarak est soutenu par l'opinion publique en raison du sort fait aux travailleurs d'Iraq (288 000 rapatriés d'urgence du 8 au 22-9-91 qui ont dû tout abandonner ; le grand mufti d'É. déclare que les musulmans doivent combattre l'Iraq et que le recours aux forces étrangères n'est pas contraire à la *chari'a ;* manif. marginales pro-iraqu. organisées par les Frères musulmans et le Rassemblement patriotique progressiste unioniste].

Émirats arabes unis : 40 000 h., 200 blindés, 60 avions. **Espagne :** 500 h., 3 nav. de g. (1 frégate, 2 corvettes). **États-Unis :** 515 000 h. (armée de terre 285 000, US marines 90 000, marine de g. 80 000, armée de l'air 55 000, garde-côtes 5 000), 2 000 chars (dont 1 000 Abrams M-I et M-I AI), 2 000 transports de troupes blindées, 1 300 avions de combat [F-15, F-117A (avions furtifs, ont atteint 60 % de leurs cibles), B-52 et F-16 de l'armée de l'air ; A-10 de l'armée de terre ; F-18, F-14 et A-6 de l'aéronavale], 1 500 hélicoptères (Cobra et Apache de l'armée de terre, Sea Knight et Super Stallion des US marines) ; des batteries Hawk, Patriot et Stinger de défense antiaérienne et antimissiles, une centaine de nav. dont 6 porte-avions avec leur groupe de combat embarqué et leurs bâtiments d'escorte (*Midway* dont c'est la dernière mission, *Saratoga, Independence,* etc) et le cuirassé *Wisconsin.* **France :** 19 000 h. [terre : 12 000 (division Daguet), marine : 2 400, air : 1 160] + 3 400 h. en réserve à Djibouti, 40 chars AMX-30, 650 blindés (dont une centaine AMX-10 RC), 18 canons de 155 mm, 120 hélicoptères, des batteries de missiles sol-air Crotale, Mistral et Stinger, 60 avions de combat (12 Mirage 2000, 24 Jaguar, 70 pilotes, 250 mécaniciens), 5 avions de ravitaillement en vol C 135 FR, 1 Transall avec équipement électronique de surveillance, 14 nav. de g. (escorteur d'escadre lance-missiles *Du Chayla,* frégate *Dupleix,* avisos *Commandant-Bory* et *Premier-Maître-L'Her,* bâtiment-atelier *Jules-Verne* et de soutien de santé *Rance,* transport de chalands de débarquement *Foudre,* etc.). **Grande-Bretagne :** 36 000 h. (terre 29 000, air 4 000, marine 3 000), 160 chars Challenger, 300 blindés légers, 80 hélicoptères, 76 canons de 155 mm, des batteries de missiles antiaériens Javelin et Rapier, 80 avions de combat Tornado et Jaguar, 23 nav. dont 5 chasseurs de mines. **Grèce :** 200 h., 1 frégate. **Hongrie :** 1 éq. méd. de 37 h. **Italie :** 1 300 h., 10 avions de combat Tornado, 5 nav. de g. **Maroc :** 1 200 h. (+ 5 000 à Abou Dhabi). **Niger :** 500 h. **N.-Zélande :** 1 éq. méd. de 40 h., 2 avions de transport C-130. **Oman :** 25 000 h., 50 chars, 60 avions. **Pakistan :** 10 000 h. **Pays-Bas :** 400 h., 2 frégates. **Pologne :** 130 h., 2 nav. de santé. **Qatar. Roumanie :** 360 h. d'un hôpital de campagne et 160 h. d'une unité de décontamination chimique. **Sénégal :** 500 h. **Sierra-Leone :** 200 h. **Suède :** 525 h. d'un hôpital de campagne. **Syrie :** 20 800 h., 300 blindés (dont des chars soviét. T-72, T-62, T-54, T-55). A menacé de changer de camp si Israël intervenait militairement ; sera l'un des bénéficiaires de la guerre : l'I. défait, devient la principale puissance militaire de la région et obtient d'avoir les mains libres au Liban. **Tchécoslovaquie :** 200 h. d'une unité de décontamination chimique.

Ventes d'armes à l'Iraq

De 1985 à 1990, l'Iraq a été le + gros importateur au monde de matériel militaire (10 % de toutes les armes disponibles dans le monde). Malgré le traité de non-prolifération des missiles balistiques et des technologies de fabrication signé à Rome en avril 1987 par 7 pays occidentaux dont la France, des Stés italiennes, all., amér. et fr. continuant à lui fournir du matériel de pointe à travers des Stés écrans.

Fournisseurs (de 1970 à 89) (en milliards de $ 1985 et, entre parenthèses en %). URSS 19,2 (61), *France 5,5 (18),* Chine 1,7 (5), Brésil 1,1 (4), Égypte 1,1 (4), Tchécosl. 0,7 (2), autres pays 2,2 (6). *Total 31,5.*

Ventes totales françaises de 1970 à 90. *Dassault* 328 Mirage ; *Aérospatiale* 121 hélicoptères, 4 248 missiles, dont 1 028 Exocets ; *Matra* 3 000 missiles ; *Giat* 548 chars AMX-30, 25 véhicules de combat ; *Panhard* 187 automitrailleuses, 143 blindés légers, 100 véhicules blindés VCR équipés de missiles franco-allemands Hot ; *Euromissile* (consortium franco-allemand) des missiles Roland II. *8 autres Stés* ont également fourni du matériel (Thomson-CSF des radars ; Snecma des réacteurs, etc.).

■ **Armée irakienne.** 700 000 h. (armée régulière, réservistes et miliciens 545 000, Garde rép. 140 000), 2 800 chars, 2 800 blindés divers, 1 900 pièces d'artillerie de 122 et 155 mm (avec obus chimiques), des missiles sol-sol Scud et Al-Hussein, des batteries de missiles sol-air SAM soviét., Crotale français et Hawk amér. (pris aux Kow.), des missiles sol-sol mobiles Frog 7 avec charges chimiques, 700 avions de combat, env. 200 hélicop. En fait 42 divisions, 362 000 h. ; pendant les raids aériens, pertes 179 000 (9 000 tués, 17 000 blessés, 153 000 déserteurs), 183 000 restent pour la phase terrestre (pertes 60 000 tués ou disparus, 63 000 prisonniers).

Arsenal chimique. 3 000 à 10 000 t. *Scuds à ogive chimique :* aucun n'a été lancé pendant la guerre, sans doute à cause de leur précision insuffisante (de l'ordre de 900 m) et de leur portée limitée (300 km). Les Iraquiens n'auraient pas réussi à maîtriser la stabilité et la résistance de la munition chimique aux accélérations. 1 Scud B ne peut d'ailleurs transporter que 400 livres, or 7 t d'agents chimiques seraient nécessaires pendant 24 h pour paralyser une base militaire.

Potentiel nucléaire : *Isis (Tammouz 2),* réacteur de recherche de 500 Kw livré par le CEA, *IRT-2 000,* réacteur de recherche (5 000 Kw) livré (1976) par les Soviét., une « maquette critique » (500/600 Kw, alimentée par une charge de 11,5 kg d'uranium enrichi à 93 %), 1 laboratoire de radiochimie fourni (1979) par l'Italie (capable de produire 8 kg/an de plutonium à partir de combustible nucléaire).

☞ *86 Scuds lancés* (47 vers Arabie, 39 sur Israël dont 13 les 4 premiers j de la g. blessant 115 pers., endommageant 2 700 appartements, 11 tuant 4 Isr., en blessant 174 et endommageant 9 303 appart., 15 tombés hors de la zone d'action des Patriots).

■ Opérations militaires

Janvier 1991. *16 :* 21 h à 23 h 50, 10 hélicop. amér. partis d'Arar vont détruire 2 sites radar près de Bagdad. *17 : déclenchement de l'opération « Tempête du désert » :* à 1 h (h. de Paris), Bush ordonne le bombardement des sites stratégiques ir. A 2 h 40 (h. locale), les forces aériennes alliées passent à l'attaque en I. et au K. L'aviation française participe à la 2e vague. 12 Jaguars attaquent la piste Al-Jaber au K. (4 J. touchés, 1 pilote blessé). *18 :* le Parlement turc ayant autorisé (par 250 voix contre 148) l'utilisation des bases aériennes turques par les Amér. : 25 chasseurs et bombardiers et 3 avions ravitailleurs décollent à l'aube d'Incirlik pour bombarder l'I. 1er tir de Scuds irakiens sur Israël (blessés légers). *19 :* le mauvais temps gêne les sorties aériennes (1 millier au lieu des 3 000 prévues). Scuds sur Tel-Aviv et Haïfa (une cinquantaine de blessés légers, 5 † par suffocation avec masques à gaz). Les USA livrent à Israël 2 batteries antimissiles Patriot (2 avaient déjà été livrées avant le début du conflit). *21 :* les USA rappellent 20 000 réservistes supplémentaires. *22 :* tirs de 10 Scuds sur Arabie S. 9 sont détruits en vol par des Patriots, 1 abîmé en mer. Scuds tirés sur Tel-Aviv (3 †, 96 bl.) ; Israël menace de répliquer. *23 :* 1er accrochage terrestre entre Ir. et Amér. à la frontière (2 blessés amér., 6 prisonniers ir.). *24 :* début d'une marée noire : l'I. a ouvert les vannes du terminal d'Al-Amahdi. *28 :* la nappe de pétrole (15 km de large, 50 km de long) dérive à 8 km/jour vers Iran, A. Saoud. et émirats dont elle menace les usines de dessalement d'eau. *30/31 :* bataille de *Khafji :* 3 bataillons ir. (1 500 h.) avec 80 chars et blindés pénètrent de 30 km en Arabie (jusqu'à Khafji). *31-1 : bilan après 15 j de guerre* (selon le Gal Schwarzkopf) : 30 000 sorties de l'aviation alliée, 31 cibles nucléaires, chimiques ou biologiques attaquées en 535 sorties, 50 % des installations détruites ou endommagées, 11 dépôts et 3 usines de produits chimiques détruits avec certitude, 25 % de la capacité de production électrique, 23 ponts sur 33, 25 dépôts de munitions détruits, 45 terrains d'aviation attaqués (9 ne sont plus opérationnels), 29 avions ir. abattus (89 réfugiés en Iran). Sur mer, les porte-avions ont déclenché 3 500 sorties aériennes et lancé 216 missiles Tomahawk ; 46 bâtiments ir. coulés.

Février. *1er :* la France autorise les B52 basés en G.-B. à survoler son territoire. Les bases amér. en Espagne sont également utilisées pour les raids sur l'I. *6 :* raids sur Bagdad, des avions ir. se réfugient en Iran, 17 000 marines acheminés vers le Golfe. *7 :* les Ir. incendient plusieurs puits de pétrole au K. La capacité de l'I. de ravitailler son corps expéditionnaire au K. a été réduite de 20 000 t/jour à 2 000 t ; cependant, 15 à 20 % seulement des capacités militaires de l'Iraq auraient été anéantis malgré les bombardements massifs (total des appareils ir. réfugiés en Iran : 147), 600 chars détruits sur 4 500 ; 1 354 soldats ir. se sont rendus. *12 :* Bagdad : 2 missiles détruisent 1 bunker abritant, selon les Alliés, un centre de commandement et de contrôle dans lequel s'étaient réfugiés des civils. Bilan annoncé : près de 400 † (en fait 94). *21 :* la base navale ir. installée dans l'île koweïti de Faylakah est rasée. 7 soldats US tués en Arabie S. (accident d'hélico.). *23 :* 20 h (h. locale), expiration de l'ultimatum du Pt Bush.

Bataille aéro-terrestre (24/28-2 : durée 100 h). *Dim. 24 :* à 2 h, offensive terrestre : *au N.O. :* 82e et 101e divisions aéroportées US (hélico. Apache) et Division Daguet (10 000 h. dont Force d'Action Rapide, chars AMX-30 B2 et AMX-10, hélico. Gazelle) progresseront le 1er j de 80 km. *Au Sud :* divisions blindées brit. et amér. (1 300 chars Abrams et Challenger, 350 hélico. Apache antichars) soutenues par lance-roquettes multiples MLRS avancent le long de la côte, contingents saoudiens et koweïtiens soutenus par des marines. *Dans le Golfe :* la force amphibie (20 000 marines) est destinée à faire croire à un débarquement massif. *25 : 5 h 10 :* les marines sont aux portes de K. City, la Division Daguet, en position défensive, a franchi 150 km depuis sa base de Rahfa et se trouve à 280 km de Bagdad. Les Brit. ont pénétré au K. *Le soir :* tirs de Scuds sur Israël (2 : pas de victimes), Dharan, Ryad et Bahreïn ; 1 missile tombe sur un campement amér. à Khobar, près de Dharan (28 †). *23 h 30 :* les Ir. annoncent que les forces ir. se retirent sur « les positions occupées avant le 1-8-1990 ». *27 : 4 h,* les troupes kow. entrent dans K. City abandonnée par Ir. *28 : 3 h,* Bush annonce une suspension des opérations offensives de la coalition à partir de 5 h GMT (6 h en France). *9 h,* LI annonce que les forces armées ir. ont reçu l'ordre de cesser le feu. **Efficacité américaine sur cibles :** *avions furtifs 7-117* 60 %, *Tomahawks* 50 %, *Patriots* (158 tirés à 6 millions de F pièce) 40 à 70 %.

Pertes

■ **Pertes militaires. Forces alliées. Pertes humaines :** *tués et blessés USA :* 30 † (4 au cours de l'offensive terrestre), 243 blessés. 28 † et 97 bl. dans le cantonnement de Dharan touché par un missile (voir ci-dessus). *G.-B. :* 6 †, 6 bl. *France :* 2 † (explosion d'une mine à As-Solman), 27 bl. *Contingents arabes :* 13 †, 43 bl. *Arabie :* 18 † (13 au cours de l'offensive terrestre), 20 bl. *Sénégal :* 8 bl. (bombardement missile sol-sol). Disparus : *US* 43. *Arabie* 10. *G.-B.* 8. *Italie* 1. *Koweït* 1. Prisonniers : *US* 9 (dont 1 femme soldat). *G.-B.* 2. *Italie* 1. *Koweït* 1. **Pertes en matériel :** *avions* 42, dont US 31, G.-B. 7, Arabie 2, Italie 1, Koweït 1. *Hélicoptères* US 15 (3 avions et 1 hélico. pendant l'offensive terrestre).

■ **Iraq. Pertes humaines :** tués et blessés d'après l'Irak, au 27-2. 20 000 †, 60 000 blessés. Selon alliés, + de 100 000 †. Prisonniers : 175 000. **Pertes en matériel :** *avions* 139 (+ 115 réfugiés en Iran), *hélicoptères* 8, *bateaux* 74 (coulés ou gravement endommagés), *chars* 2 085 (dont 400 au 3e j de l'offensive terrestre), *véhicules de transport* 856, *pièces d'artillerie* 2 140. La Division Daguet a détruit à elle seule 130 camions et 50 blindés, et s'est emparée de 102 pièces d'artillerie, 360 pièces antichars et 5 300 armes légères.

■ **Victimes civiles (bombardements et tirs de Scuds). Arabie :** 2 †, 76 blessés. **Israël :** 2 †, 304 bl. **Jordanie :** 14 †, 26 bl. (bombardements de camions sur la route de Bagdad).

Iraq : aucun chiffre officiel. 50 000 à 130 000 † (dont 30 000 dans la g. civile après le cessez-le-feu).

Haut commandement. USA : *Gal Colin Powell :* chef d'état-major interarmes, 53 ans, né à Harlem (1er Noir à la tête de la hiérarchie militaire) ; surnom : « Black Eisenhower ». *Gal Norman Schwarzkopf :* Cdt en chef de l'opération « Tempête du désert », 56 ans, 1,95 m, 110 kg, né à Trenton (New-Jersey), élevé en Iran (où son père, Gal, commandait la police du shah), surnom : « l'ours », a pris sa retraite en juillet 91. **France :** *Gal Michel Roquejeoffre :* Gal de corps d'armée. Cdt de la division Daguet, 56 ans, de la FAR depuis mai 1990. **Grande-Bretagne :** *Lieutenant-Gal sir Peter de La Billière :* 56 ans, cdt en chef des forces britanniques au Moyen-Orient. Officier le + décoré de l'armée britannique. **Iraq :** *Hussein Al-Takriti :* Gal de corps d'armée 3 étoiles et Cdt de la Garde républicaine, chef d'état-major, 48 ans, originaire du village de S. Hussein et beau-père de son fils aîné.

Coût du conflit

☞ 1 division blindée amér. (16 000 h.) consommait chaque jour jusqu'à 14 000 l de carburant, 100 000 l d'eau, 80 000 rations et près de 5 000 t de munitions.

Légende : Md de $: milliard de $.

■ **Pour la coalition** (en Md de $). **États-Unis** selon le Département de la Défense amér. (28-7-1991) 61,1 (dont transport aérien 3,2 ; maritime 5,8 ; soldes et allocations 7,7 ; frais médicaux, nourriture, uniformes 7,5). 43,1 ont été versés par les Alliés. Au 31-12-1990 : avant l'ouverture des hostilités, selon le Bureau gén. de la Comptabilité (GAO), le coût gén. hors conflit était de 1 Md de $ par jour dont 500 millions pour l'armée amér.

Ensemble des pays du Golfe (en Md de $) : fuite des capitaux : 60 (est.), pertes sèches pour les pays du CCG : 300. **Pays arabes** (1991) 670 (800 est.).

Arabie Saoudite : 60 Md de $ (+ de 50 % du revenu annuel) dont 0,4 à 0,5 million de $/mois sous forme de fourniture gratuite de carburant, eau et nourriture aux 700 000 soldats de la coalition. Sans compter les dépenses militaires et engagements pris pour l'avenir auprès des Alliés (Égypte, Syrie).

Égypte : 27 Md de $ dont perte pour secteur touristique et aviation : 2, canal de Suez : 1, pour reclassement des rapatriés : 5.

France : *coût total au 26-2 :* 1,2 Md de $ + perte des exportations fr. en Iraq (3). *Contentieux financier avec l'Iraq :* 29 milliards de F, dont 18 à la charge de l'État (15 d'échéances garanties impayées ou à venir pour le principal + 3 d'intérêts, soit l'équivalent de + de 1 000 km d'autoroute en Fr.).

Grande-Bretagne : 1,4 Md de £ (armée 0,615, pertes financières des entreprises 0,85).

■ **Pour l'Iraq. Réparations :** *destructions pour faits de guerre en Iraq* (guerre avec l'Iran et guerre du Golfe) : 500 Md de $ (destructions civiles 200, militaires 300). *Réparations dues au Koweït et à l'Iran :* 200 Md de $. *Dettes vis-à-vis des fournisseurs étrangers :* env. 50 Md de $. *Total :* 750 Md de $, soit 17 fois le PNB irakien (*1988 :* 44 Md de $). Sur la base d'un baril à 20 $, il faudrait 20 ans à l'Iraq pour les seules réparations dues au K.

■ **Israël.** *Au 2-2 :* la Banque d'Israël estimait à 3 Md de $ les pertes directes et indirectes (baisse de l'activité écon., chute du tourisme). *Aides versées* (en Md de $) : All. 0,6, USA 0,65.

■ **Jordanie.** 3 ou 4 Md de $.

■ **Koweït.** 20 Md de $ + manque à gagner pétrolier (8,5). *Coût de la reconstruction :* 20 à 30 Md de $ (dépense par puits 1,5 million de $).

■ **Turquie.** 7 Md de $. *Aides versées :* Koweït 1,2 ; Arabie 1,16 ; Émirats 0,1 ; Allemagne 0,07.

Contributions de la CEE *millions d'écus (1 écu = 7 F). Aide alimentaire* de 23,7 aux Palestiniens de Syrie, Jordanie et Liban dont 3,7 réservés aux territoires occupés. *Aide financière* à Égypte 175, Jordanie 150. Prêt sans intérêts à Turquie 175. *Aides bilatérales des États membres :* 1 Md d'écus.

Principales contributions (engagement pris et, entre parenthèses, montants versés au département du Trésor US à juillet 1991, en Md de $). Arabie 16,8 (17,7 versés), Koweït 16 (11,1), Japon 10,7 (9,4), Allemagne 6,6 (6,6), Émirats 4 (4), Corée du S. 0,38 (0,17), autres 0,02 (0,02). *Total* 54,6 (43,1).

Résolutions de l'Onu

En 1990, 12 rés. furent adoptées par le Conseil de sécurité de l'Onu, après l'invasion du Koweït (2-8-90). **Rés. 660** (2-8-90 ; 14 voix pour, le Yémen n'a pas pris part au vote : condamne l'invasion du K. et exige le retrait immédiat de l'Iraq). **661** (*6-8 ;* 13 v. pour ; 2 abstentions : Cuba et Yémen) « prône » des sanctions économiques (boycott financier, commercial et militaire de l'Irak, à l'exclusion des fournitures médicales, et, dans certains cas, de vivres). **662** (*9-8 ;* unanimité) l'annexion du K. est nulle et non avenue. **664** (*18-8 ;* unanimité) exige le départ des otages. **665** (*25-8 ;* 13 pour ; 2 abst. : Cuba et Yémen) autorise le recours à la force navale pour faire appliquer l'embargo. **666** [(*14-9 ;* 13 v. pour, 2 contre (Cuba, Yémen)] l'aide alimentaire envoyée à l'I. et au K. doit être acheminée et distribuée par Onu, CICR ou autres org. internat. **667** (*16-9 ;* unanimité) condamne le viol des ambassades et réclame la libération des étrangers enlevés dans les locaux diplomatiques. **669** (*24-9 ;* unanimité) demande au « Comité des sanctions » d'examiner les demandes d'assistance formulées par les pays éprouvant des difficultés écon. en raison de leur respect de l'embargo. **670** (*25-9 ;* 14 pour, 1 contre : Cuba) extension de l'embargo au trafic aérien. **674** (*29-10 ;* 13 pour, 2 abst. : Cuba et Yémen) rappelle à l'I. qu'en vertu du droit internat. il est responsable des dommages subis par K. ou pays tiers du fait de l'occupation illégale du K. **677** (*28-11 ;* unanimité) condamne les tentatives de l'Ir. pour modifier la démographie du K. et confie à l'Onu la garde d'une copie du registre d'état civil de ce pays. **678** (*29-11 ;* 12 pour, 2 contre : Cuba et Yémen, 1 abst. : Chine) exige que l'I. se conforme à la rés. 660 et autorise les états membres coopérant avec le K. à user de tous les moyens nécessaires pour la faire respecter si l'I. ne s'est pas retiré du K. au 15-1-1991.

En 1991. 686 (*2-3 ;* 11 pour, 1 contre : Cuba ; 3 abst. ; Chine, Inde, Yémen) après l'acceptation sans conditions par l'Ir. (27-2) de la rés. 660 et des 11 autres rés. : fixe les conditions de la fin définitive des hostilités. Les 12 résolutions demeurent applicables. L'I. doit revenir sur les mesures prises en vue de l'annexion du K., accepter sa responsabilité dans les dommages subis par le K. et des États tiers, libérer tous les ressortissants du K. ou de pays tiers qu'il détient, rendre les biens k. saisis, libérer immédiatement les prisonniers de g. et mettre fin à tout acte d'hostilité, fournir tous les éléments d'information pour identifier mines, pièges, matériels et armes chimiques au K. et dans les régions de l'Iraq et les eaux adjacentes où sont déployées les forces de la coalition. **687** (*3-4*) impose à Bagdad la destruction de ses armements non conventionnels et de ses fusées à moyenne et longue portée. **688** (*5-4 ;* 10 pour ; 3 contre : Cuba, Yémen et Zimbabwe ; 2 abst. : Chine et Inde) condamne la répression des pop. civiles iraq. et insiste pour un accès immédiat des organisations humanitaires aux pop. ayant besoin d'assistance. **706** [*15-8 ;* 13 pour, 1 contre, 1 abst. ; l'autorisant à vendre 1,6 milliard de $ de pétrole sur 6 mois pour acheter nourriture et médicaments et payer dommages de guerre (max. 30 % de la somme)]. **778** (*2-10*) saisie partielle des avoirs ir. à l'étranger.

Données diverses

■ **Ambassades (siège des).** *-23-8* l'I. ordonne aux ambassades et missions diplomatiques de fermer et de se replier à Bagdad. *Acceptent :* Jordanie, Inde, Brésil et Philippines. *-24-8* ultimatum aux Occidentaux pour la fermeture ; évacuation mais non fermeture de l'amb. d'URSS. *-25-8* un convoi évacue le personnel (non indispensable) de l'amb. de France. 7 diplomates restent sur place. L'armée ir. encercle amb. amér., brit., franç. *A partir du 26-8* elles sont privées d'eau, d'électr. et de moyens de communication. *-28-8* évacuation à Bagdad, sous la menace, des diplomates marocains. *-14-9* la résidence de l'amb. de Fr. et les missions des P.-Bas, Belgique et Canada sont saccagées. 4 Français sont emmenés, dont l'attaché militaire seul relâché ensuite. *-16-9* amb. de Tunisie envahie. *-7/9-10* amb. d'Italie fermée, amb. de Belg., P.-Bas et All. évacuées. *-Fin oct.* amb. USA, G.-B. et Fr. restent ouvertes. *-22-10* départ du chargé d'affaires Fr., amb. G.-B., réduite à l'ambassadeur et au consul, restera encore ouverte quelques j.

■ **Attentats.** *Du 17 au 20-1-1991 :* + de 600 alertes à la bombe à New York. 7 attentats dans le monde contre les intérêts amér. : Quito (Équateur), Bonn, Jérusalem, New-Delhi, Chili, Manille (1 Iraq. tué par sa bombe), Djakarta. *-27 et 28-1 :* Athènes, Adana (Turquie), Ankara, Liban. **France :** plan Vigipirate (200 000 policiers et gendarmes). Une centaine d'opérations antiterroristes en région parisienne. 46 expulsions (diplomates et autres). *-26-1-1991* Paris : bombe contre « Libération ». *-27-1* Marseille : bombe contre la Maison de l'Étranger.

■ **Butin pris au Koweït** (biens civils et matériels, en milliards de $). 3 ou 4 dont 1 en or et devises fortes (+ 0,48 soit 42 t pris dans le coffre de la Banque centrale).

■ **Embargo.** Décidé le 6-8-1990 (*résolution ONU 661,* voir ci-contre). *Boycottage financier* (gel des avoirs ir. à l'étranger et des avoirs kow. par crainte d'une main-mise iraqu.) ; *pétrolier* (fermeture des oléoducs transportant le pétrole iraq. à travers Turquie et Arabie) ; *alimentaire* (cessation des ventes à l'Iraq de céréales, aliments pour le bétail, fruits, légumes, viandes) ; *industriel* (interruption des ventes de pièces détachées nécessaires à la maintenance des usines) ; *militaire* (fin des ventes d'armes et de pièces détachées). *-25-8* Conseil de sécurité autorise l'emploi de la force pour le faire respecter. *-25-9* blocus aérien.

Efficacité : à la veille de la guerre, l'I. exportait 80 % de son pétrole et importait 70 % de sa consommation quotidienne en calories, dont 60 % de sa consommation en riz. *Pétrole :* pertes par j : 2,7 millions de barils, soit 70 millions de $. Le carburant est rationné, l'I. produisant du brut mais ne possédant pas de raffineries. *Vivres :* l'arrêt des import. est compensé par la saisie de stocks au K., la mise en place (3-9, renforcée en nov.) d'un rationnement et l'encouragement à l'exploitation des friches. Le marché noir se développe (prix décuplés). *Industrie :* à la veille de la guerre, 40 % des entreprises sont arrêtées faute de pièces de rechange. Départ de l'encadrement étranger. Disparition de produits vitaux comme les pneus de rechange. De nombreux biens matériels (voitures, réfrigérateurs) sont saisis au K. *Embargo militaire :* peu efficace en raison de l'importance des stocks d'armes de l'I. et d'une industrie locale d'armement.

☞ **Contrebande :** par Turquie, Iran et Jordanie. Il suffit à l'Iraq d'importer par jour 900 t de céréales (20 grands camions). + de 500 entreprises de 50 pays auraient violé l'embargo, dont une centaine de firmes allemandes.

■ **Otages. Quelques dates :** *18-8-1991* l'I. annonce que « les ressortissants des nations agressives » seront retenus « comme invités » au K. et en I. *19-8* propose leur libération contre l'évacuation des troupes amér. d'Arabie et le règlement interarabe du conflit. *20-8* annonce qu'ils seront « hébergés » sur des installations vitales. *23-8* S. Hussein à la télévision ir. entouré de ressortissants britanniques leur déclare « Vous n'êtes pas des otages ». *28-8* il autorise le départ des familles ; quelques h. plus tard, nouvelle apparition à la télé avec des otages, dont des enfants. *22-10* S. Hussein annonce son intention de libérer tous les otages français. Réponse au discours du Pt Mitterrand aux Nations unies le 24-9. *6-12* tous les étrangers encore retenus en I. ou au K. sont autorisés à partir.

Chiffres : *étrangers retenus (au 20-8-1990) :* G.-B. 4 600. USA 3 100. All. féd. 900. Japon 510. *France 480* (dont 230 au K., 175 en Iraq et 125 en transit en Irak ou au K. le 2-8, dont 75 passagers d'un vol British Airways). Australie 127. Égypte 250 000. Turquie 6 000. Pakistan 135 000. *Autorisés à quitter le pays :* URSS 8 710. Italie 490. Bangladesh 110 000.

Libérations d'otages : *-26-8* le chancelier Waldheim ramène de Bagdad 95 Autrichiens. *-2-9* le pasteur Jesse Jackson : 44 Amér., 2 députés all. *-3-10* le Pt de l'Association d'amitié franco-iraq. : 9 Français ; l'ancien PM Edward Heath : 33 Brit. *-12-10* l'émissaire de Gorbatchev Evgueni Primakov : 258 Soviét. *-8-11* le Japonais Nakasone : 106 dont 77 Jap., 35 Brit., 15 Ital., 4 All. ; l'ex-chancelier all. Willy Brandt : 174 dont 120 All. *-22-11* Jean-Marie Le Pen : 87 ; 1 délégation de parlementaires suisses : 36 dont 16 Suisses, 4 Irl., 4 Suéd., 4 All., 4 Néerl., 2 Belges, 2 Brit. Libération des otages français : *-30-10* rapatriement de 262 ex-otages, dont 210 retenus en I. (60 déplacés sur des sites stratégiques) et 52 au K. (4 sur des sites strat.). 38 choisissent de rester (24 au K. et 14 en I.) dont 21 Franco-Koweït. ou Franco-Lib., des religieux et 3 par solidarité avec autres otages occidentaux.

Au 6-12 : il restait env. 3 000 étrangers en Iraq ou au K. (Brit. + de 1 300) (+ de 50 % au K.). USA 1 080 à 1 100 (+ de 50 % au K.). Canada 42. Irl. 150 à 170. P.-Bas 27. Japon 231. Austr. env. 160. URSS 3 232 (civils et militaires, autorisés à partir). Tchécosl. 40. Roumanie 312. *Au 1-3-92 :* 2 101 de 17 nations.

■ **Pollution. Marée noire :** provoquée par l'ouverture (21-1-1991) par les Iraquiens du terminal de Sea-Island (Mina al-Ahmadi). Les 1res estimations (1,4 milliard de t de brut répandues) seront ramenées en avril à 100 000 t. Une 2e marée noire aurait été provoquée (30-11) par l'ouverture du terminal off-shore de Mina al-Bakr. *Conséquences :* nappe de 15 × 50 km, fragmentée ensuite : pollution des côtes saoudiennes, kow. et iraniennes ; menace sur les usines de dessalement (70 % de l'approvisionnement en eau douce de la région) ; menaces écologiques : le Golfe étant « fermé » et peu profond (25 à 30 m). Les mesures prises (bombardement du terminal pour limiter l'écoulement et incendier le brut répandu, mise en place de barrages flottants) limitent les dégâts.

Incendie des puits de pétrole koweïtiens : 732 incendiés sur 1 080. *Conséquences.* Sur ¼ du Koweït (au sud) fumée noire en suspension à env. 600 m du sol ; visibilité réduite de 25 km à 4,5 km ; chute de la température (jusqu'à – 10° C) et modification des conditions météo à 500 km à la ronde. Des traces de fumée auraient été retrouvées dans les neiges de l'Himalaya. *-6-11-1991* 732e et dernier puits éteint.

du Conseil suprême de la révol. islamique. *Mars* insurrection au Kurdistan. *-23-3/13-9* Saadoun Hammadi PM. *Juin* 18 généraux et officiers accusés de conspiration exécutés. *Juin* Massoud Barzani annonce accord sur autonomie du Kurdistan (non ratifié). *-6-7* dernière ogive balistique détruite. *Juill.* accord pour 6 mois (expire 31-12) sur intervention Onu et Ones pour aider personnes déplacées. *-17-9* multipartisme autorisé avec limites. *-3-10* tentative coup d'État (Hammadi impliqué), 76 officiers exécutés. *Oct.* Mohamed Hamza Zoubeydi PM. *-7-10* env. 60 militaires exécutés. *-24-10* l'I. refuse les résolutions 706 et 712 de l'Onu. *Nov.* Hussein Kamel Hassan, gendre de S. Hussein et min. de la Défense dep. 6-4-91 remplacé par Ali Hassan Majid, « boucher du Kurdistan ». *-13-11* Watban Ibrahim El Hassan, demi-frère de S. Hussein, min. de l'Intérieur. **1992**-*23-3* Bourse de valeurs inaugurée à Bagdad. *-19-5* Kurdistan, élection Ass. nat. (105 m. pour 3 ans) et Pt. *Él. lég.* : UPK et PKD 100 s., Mouv. dém. assyrien (ADM) 4, Peuple chr. du K. 1 ; *prés.* (1er tour) : Massoud Barzani en tête ; *chef de gouv.* : Fouad Massoum. *-6-7-* Mme Mitterrand échappe à attentat au Kurdistan. *-25-7* 42 commerçants exécutés pour enrichissement illicite. *-26-7* I. accepte inspection par experts de pays neutres. *-26-8* France, G.-B. et USA instaurent *zone d'exclusion aérienne* au sud du 32e parallèle pour protéger pop. chiites. *Oct.* offensive peshmerga contre PKK dans le N., 1 000 †. Combats entre chiites dans le S., 266 †. *-7-12* fleuve artificiel « Saddam Hussein » entre Tigre et Euphrate (long. 565 km), pour navigation, bonification des terres (12 500 ha sur 3 ans) et drainage des marais (lieu des rebelles). *-27-12* avion ir. abattu dans zone d'exclusion. **1993**-*6/8-1* ultimatum allié en vue retrait missiles ir. proches du 32e parallèle (effectué le 8). *-10/13-1* incursion 200 soldats ir. en civil au Koweït (pour récupérer armes cachées). *-13-1* raid aérien amér. et allié de nuit [112 avions (dont 40 bombardiers) dont 6 Mirage 2000 français] sur 8 sites de missiles sol-air au S. du 32e par. (19 † selon I.). *-15/19-1* 1 100 soldats amér. au K., missiles Patriot installés. *-17-1* site ind. de Zaafaraniyan (20 km de Bagdad) bombardé par missiles amér. (Thomawak tirés de 3 navires dans le Golfe et 1 en mer Rouge). *-18-1* raid aérien 75 avions (dont 7 Mirage 2000 français), de jour dans le S. au N. du 36e par. *-20-1* cessez-le-feu unilat. ir. *-21-1* attaque aérienne amér. dans le N. *Mars* selon Onu, centaines de chiites tués dans « camps de la mort ». *Avr.* Bagdad, échec rébellion chiite. *-18-4* avion amér. détruit station de radar ir. *-26-4* Abdoullah Rassoul chef de gouv. kurde. *-26-6* Amér. tirent (6 †) des missiles sur Bagdad en représailles tentative d'ass. de Bush en avr.

■ **Statut.** Rép. *Constitution* du 16-7-1970. *Pt* Saddam Hussein (n. 29-4-37) dep. 16-7-79 ; son fils, Odai, joue un rôle important. *Conseil du Commandement de la Révolution (CCR),* 9 m., qui élit le Pt. *1er Vice-PM* Taha Yassine Ramadan dep. 28-6-82. Influence des Takriti (originaires du Takrit comme le Pt). *Conseil nat.,* ass. provisoire 250 m., élue 1-4-89. *Ass. du Kurdistan* 50 m. élus pour 3 a. au suffr. univ. *Liwas* (provinces) 16 dirigées par un *moutessarif. Révolte kurde* (voir Index). **Fêtes nat.** 14-7 (instauration de la Rép. en 58) et 17-7 (prise de pouvoir par le Baas). **Drapeau** (1963). Bandes horiz. rouge, blanche (avec 3 étoiles vertes pour l'union avec la Syrie et l'Égypte) et noire.

☞ S'appuyant sur la résolution *688* (du 5-4-91) du Conseil de sécurité de l'Onu, condamnant la répression des populations civiles irakiennes, USA, G.-B. et France ont établi 2 zones d'exclusion aérienne. *1re (avr. 91) :* dans le N. de l'Irak (au N. du 36e parallèle, env. 10 000 km²), permet le retour de Turquie et d'Iran de centaines de milliers de réfugiés kurdes. *2e (27-8-92)* (au S. du 32e parallèle, env. 140 000 km²), pour protéger les chiites persécutés. *Bilan du contrôle du 15-5-91 au 31-7-92 :* 43 inspections, 500 sites visités. *Missiles balistiques :* 11 inspections, 151 missiles, 19 lanceurs, 76 têtes chim., 9 têtes convent. et 5 « supercanons » détruits (1 complet de 350 mm, 2 de 350 et 2 de 1 000 en construction). *Armes chimiques :* I. a reconnu posséder 15 000 obus chim. et 3 500 t d'armes div. (3e prod. mondiale selon experts). *Biologiques :* prod. non prouvée. *Nucléaires :* 3 projets d'enrichissement clandestins découverts. **Fonds secrets amér. affectés à la CIA pour renverser S. Hussein** *fin 1991 :* 15 millions de $, *1992 :* 40.

Partis. *Baas* (résurrection), avril 1947 par Michel Aflak († 23-6-89), leader : Saddam Hussein. *PC ir.,* f. 1934, 1er secr. Aziz Mohammed. *P. dém. kurde.* Mohammed Saeed Al-Atrushi. Dep. juill. 1973, Baas, PC et PDK forment le *Front national progressiste,* secr. gén. Naim Haddad. **Opposition. Mouvements chiites** *P. Daoua* (P. de l'appel islamique), f. v. 1958 par Mohammed Bakr al-Sader (exécuté avril 80), *Pt* cheikh Mahdi al-Assefi (en exil à Qom en Iran). *Amal,* organisation de l'action islamique, f. 1975, *Pt* ayatollah Mohammed Shirazi. *Mouvement des moujahiddines,* f. 1979 par Seyid Abdel Aziz al-Hakim. *Conseil suprême de la révolution islamique,* f. 17-11-1982, en exil à Téhéran, *Pt* Seyid Mohammed Baker al-Hakim. *Comité central à Londres : Pt* Arif Abdul Razak. **Mouvements kurdes** *Front du Kurdistan,* f. 1988, réunit P. démocratique du K. (*Pt* Massoud Barzani) et Union patriotique du K. (f. 1975, *Pt* Jelal Talabani). *P. socialiste du K., Pt* Mahmoud Osman. *P. popul. démocr. du K., Pt* Sami Abder Rahman. *Pasok,* pour l'indépendance. *PC du K.*

■ Économie

PNB *1980 :* 2 900 $ par h. ; *86 :* env. 2 415 ; *89 :* 2 000 ; *90 :* 1 750 ; *91 :* 800. **Pop. active** (% et part du PNB en %) agr. 40 (15), ind. 22 (15), services 34 (45), mines 4 (25). **Inflation (%)** *1986 :* 4 ; *87 :* 15 ; *88 :* 20 ; *89 :* 25 ; *90 :* 25. **Aide des pays du Golfe** (milliards de $) *1980 :* 35 ; *82 :* 10 ; *88 :* 5. **Avoirs dans les banques occ.** 4,3 milliards de $ (févr. 93). **Dette extérieure** *1989 :* 70 milliards de $, dont pays occid., URSS et tiers monde 40 [*France 4,* pays du Golfe 30 (dette que l'I. considère comme un tribut, pour les avoir protégés de l'Iran)]. **Situation écon.** (1993) inflation (riz + 15 000 %) et monnaie dépréciée. Chômage 80 à 90 % dans le N.). **Industrie** fonctionne à 12 % de sa capacité. **Importations** troc avec Turquie (par pétrole, gaz). **Reconstruction** [organisme off. : Org. d'industrial. mil. (OIM), dir. par Gal Hussein Kamel, gendre de S. Hussein). Selon les sources : 110 à 120 ponts sur 133, 33 stations de radiodiffusion, 12 raffineries (80 % du total, fonctionnant à 65 %), 45 bâtiments gouv. Seraient rétablies : électricité (90 % à Bagdad), syst. de purification de l'eau (sauf dans le S.), téléphone (à Bagdad), réseau routier (à 70 %). **Bilan de l'embargo** (1993). **Extérieur** pétrole exp. vers Jordanie et Liban. **Intérieur** *besoins alim. :* couverts par le gouv. à 60 %. *Santé* manque de médicaments (10 % des imp. avant la guerre) ; 170 000 morts directs ou ind.

Agriculture. *Terres* (km²) : désert 167 000, t. arables 75 365, forêts 17 700, pâturages 8 750. *Production* (milliers de t, 91) : blé 525, orge 520, pastèques 520, dattes 370, raisins 360, riz 125, maïs 74, millet, sésame, coton 12, tabac. **Élevage** (millions de têtes, 91). Volailles 50, moutons 7,8, chèvres 1,3, bovins 1,4, chevaux 0,04, chameaux 0,04, ânes 0,35, mulets 0,02, buffles 0,03. **Pêche.** 14 000 t (est. 90).

Pétrole (millions de t). **Réserves** (91) : 16 643 (5 milliards de barils). **Prod. :** *75 :* 110 ; *80 :* 130 ; *81 :* 47 ; *82 :* 50 ; *83 :* 49 ; *84 :* 59 ; *85 :* 70 ; *86 :* 84 ; *87 :* 102 ; *88 :* 128 ; *89 :* 138 ; *90 :* 100 ; *91 :* 15. *Barils/j 1987 :* 2,4 millions ; *89 :* 2,8 ; *90* (juillet) : 3 ; (août) : 0,4 ; *91* (nov.) : 1,6 ; *92* (mai) : 2 ; *93* (mars) : 3,2 (2,7 exp.). *Revenus pétroliers* (milliards de $) *80 :* 26,6 ; *81 :* 10,6 ; *82 :* 9,72 ; *83 :* 9,67 ; *84 :* 10 ; *85 :* 11,3 ; *86 :* 7,16 ; *87 :* 11,5 ; *88 :* 13 ; *89 :* 15,4 (embargo 90-92 : pertes 26,5 à 32). **Champs pétroliers en projet :** Halfaya, Majnoon, Nahr-Umr et West-Qurna (prod. prévue de 1,62 million de barils/j entre 1994 et 96 ; investissement de 2 à 3 milliards de $ financé par Stés jap.). **Compagnies :** *Iraq Petroleum Company* (IPC, créée 1927, nationalisée 1-6-72), dans laquelle la Cie fr. des pétroles détenait 23,75 % des parts, est devenue *l'Inoc* (Iraq National Oil Cie). *Mosul Petroleum Cy* et *Basrah Petroleum Cie :* l'État perçoit 50 % des bénéfices. *Cie nat.,* fondée 1967. **Oléoducs** *fermés :* Kirkoûk-Haïfa (Israël) ; Kirkoûk-Banyas (Syrie) dep. 10-4-1982. *En service :* 2 irako-turcs ITP 1 et ITP 2 (capacité 1,5 million de barils/j) ; Ipsa 1 de Rumeila à la Pétroline (Arabie S.), 500 000 barils/j ; stratégique (de Roumeilah à Haditha puis à Kirkoûk, 1 million de barils/j) ; dep. mai 1992, ol. Fao-Mina-al-Bakr (50 km). *En projet :* Ipsa 2 (en Arabie S. prolongera Ipsa 1 jusqu'à la mer Rouge, cap. supplémentaire de 1 150 000 barils/j). **Gaz.** *Réserves* 2 690 milliards de m³. **Asphalte. Soufre. Industrie** raffinage, pétrochimie, engrais.

Tourisme. *Visiteurs (1982) :* 2 020 000 ; *(87) :* 678 000. *Lieux touristiques :* Ctésiphon, Kazimein (mosquée XVIe s. à coupole d'or, pèlerinage chiite), Kerbela, Babylone (festival), Hatras, Nimroud.

Commerce (milliards de $, est. 87). **Exp.** 11,8. **Imp.** 7,2. *Principaux partenaires :* USA, G.-B., Japon, Turquie, ex-All. féd., Italie, *France.* **Rang dans le monde** (91). 2e rés. pétrole.

Irlande

Carte p. 1113. V. légende p. 884.

Nom. *Eire :* Irlande du S. en irlandais, *Ireland* en anglais. *Ulster :* ancienne prov. d'Irlande comprenant 9 comtés, dont 6 forment l'Irlande du Nord (les 3 autres appartiennent à la rép. d'Irlande).

Glossaire. *Ard-ri :* roi suprême avec pouvoirs religieux (avant la conversion), honorifiques. *Brehons :* juristes celtes. *Derbfine :* assemblée constituée par les descendants mâles d'un arrière-grand-père commun. *Mac :* désigne le fils (MacCarthaig : fils de Carthaig). *Mor :* grand, branche aînée d'une famille. *O' :* petit-fils (ex. : O'Brian : petit-fils de Brian). *Ri-ruirech :* roi des 5 (puis des 4) royaumes : Ulster, Meath, Connacht, Leinster et Munster. Suzerain des Ruini (rois supérieurs, suzerains de plusieurs tuath). *Tanist :* héritier du roi. *The :* avec une majuscule devant un nom propre : chef d'une famille.

Situation. Europe. Séparée de la G.-B. par la mer d'Irl. (largeur min. 17,6 km, max. 320). 70 282 km² (84 421 km² avec les 6 comtés appartenant à la G.-B.). *Frontière* avec I. du N. 483 km. *Lac principal :* Lough Neagh 396 km². *Fleuve le plus long :* Shannon 370 km. *Alt. max.* Carrantuohill 1 040 m. *Long. max.* 486 km. *Larg. max.* 275 km. *Côtes* 3 172 km. **Climat** tempéré et humide. Mois les + froids (janv.-févr. 4 à 7 °C), les + chauds (juill.-août 14 à 16 °C), les + ensoleillés (mai-juin 5 1/2 à 6 1/2 h par j).

Population (en millions). *1650 :* 0,5 ; *1700 :* 2 ; *1800 :* 4,5 ; *1814 :* 6 ; 1841 (île 8,17) : 6,53 ; *1845 :* 8 ; *1851* (île 6,55) : 5,1 ; *1926 :* 2,97 ; *1981 :* 3,4 ; *1991 :* 3,52 ; *2000 (prév.) :* 4,25. **Age** *– 15 ans :* 30,5 %, *+ 65 a. :* 15 %. **D** 50,1. **Taux** (en ‰) *natalité* 15 ; *mortalité* 8,9, *infantile 8,2.* **Émigration** *1780-1845 :* 2 000 000 ; *45-60 :* 2 150 000 ; *60-70 :* 3 800 000 (dont *66-71 :* 53 906) ; *71-79 :* 106 000 ; *1971-81 :* 103 889 ; *81-86 :* 72 000. **Taux de migration** (1992) + 2 000 personnes. **Villes** (91) : *Dublin* (Baile Atha : ville du Gué des Claies en irlandais) 478 389, Cork 127 024 (à 257 km), Dun Laoghaire 55 540 (13 km), Limerick 52 083 (196 km), Galway 50 842.

Langues. Irlandais : *1971 :* 789 429 h. le parlaient, *86 :* 1 042 701 h. ; anglais. **Religions** (81). Catholiques 3 204 476 (91 % des cath. pratiquent, 97 % des Irl. croient en Dieu), Église d'Irlande 95 366, presbytériens 14 255, méthodistes 5 790, divers 12 970. *Appartenance des terres aux catholiques 1641* 60, *1688* 22, *1703* 14, *1778* 5.

Histoire. V. 3000 av. J.-C. 1ers monuments mégalithiques, + de 1 200 érigés [dont dans le tumulus de Newgrange, le *grand cairn* (diam. 85 m, haut. 12 m)]. **VIIIe-Ier s. av. J.-C.** arrivée des Celtes. **Ier s.,** ère divisée en 7 roy. **432** convertie au christianisme par St Patrick (389-461). **795** 1ers raids des Vikings (attirés par les trésors des monastères). **841** Dublin fondée. **1014** Clonstar, victoire des Irl. sur Scandinaves (roi Brian Boru meurt). Couronne d'ard-ri disputée entre O'Neill, O'Brien (descendant de Boru), Eoghan (ou MacCarthy) et O'Connor (roi du Connacht). **1169** début invasions anglo-normandes, Henri II envoie des barons gallois. **1171** sur les instances du pape, Henri II d'Angl. conquiert l'I. Les Irl. demandent l'appui du roi d'Écosse, les Angl. se retranchent au S. **1175** *tr. de Windsor :* le dernier roi, Rory O'Connor, reconnaît la suzeraineté anglaise. **1366** *Statuts de Kilkeny* (but : freiner l'assimilation des Anglais, abrogés 1613). **1541** parlement de Dublin reconnaît Henri VIII roi d'Irl. **1591** Trinity College (université) créé. **XVIe s.** Henri VIII rompt en **1536** avec Rome. **1541** H. VIII étend la réforme à l'I. et se proclame roi. **1556** 1re colonie angl. de peuplement (plantation). Élisabeth Ire combat Esp. appelés à la rescousse ; rébellion dans le N. : campagnes d'extermination. **1594** rébellion des comtes O'Neill et O'Donnell. **1601** I. et Esp. écrasés à Kinsale. **1607** « fuite des comtes ». **1609** nouv. « plantations » : peuplement intensif sur terres confisquées (v. 1650 + de 100 000 colons anglais et écossais). **1641** massacre de milliers de colons par I. **1642** gouv. central à Kilkenny (conféd. cathol.). **1649** Olivier Cromwell, qui a triomphé des Stuarts en Angl. et en Éc. se raffermit en Irl. pour contrer toute restauration des Stuarts catholiques ; ses troupes mettent à sac *Drogheda.* **1652** Gallway prise, après siège 9 mois ; nombreuses déportations Antilles et Virginie ; quelques bandes de rebelles dits tories (bandits de grand chemin restent) ; nouveau plan de colonisation. **1689** Jacques II Stuart, chassé d'Angl., débarque en Irl. et assiège Derry, que sauve Guillaume d'Orange. Les I. se rallient à la cause jacobite (Jacques II). **1690**-*12-7* Guillaume bat Jacques II à *la Boyne ;* exode de soldats i. en France. Les mercenaires i. combattant dans les armées d'Europe continentale du XVIIe au XIXe s. sont appelés « oies sauvages » (wild geese). Les Anglais s'arrogent terres et richesses. **1695** lois pénales déniant tout droit aux I. **1739-40** 1re grande famine, env. 400 000 †. **1782** indép. législative. **1795** l'ordre d'Orange lutte contre les idées de l'avocat prot. Wolfe Tone (1763-98) qui fonde 1791 la Soc. des I. Unis (union entre cath. et prot., indép. de l'île ; origine de l'*IRA :* Irish Republican Army). **1798** Tone, qui fait de Paris le siège du Directoire des I. Unis, se suicide après échec d'une insurrection (19-11) et d'une intervention française (22-8 au 15-10). **1800**-*7-6* acte d'union à G.-B. supprime Parlement de Dublin. **1803**-*23-7* soulèvement de Robert Emmet (capturé en août et exécuté). **1823** Association catholique fondée par Daniel O'Connele (1775-1847). **1829**-*13-4* Parlement anglais vote l'Acte d'émancipation des cathol. **1846-50** famine due à maladie de la p. de terre et au régime foncier (propriétaires absents), 1 600 †, 1 300 000 émigrés (surtout vers Amér., où seront créées la Fenian Brotherhood et l'Irish Republican Brotherhood (IRB) en 1958. **1848 et 1867** 2 insurrections échouent. PM anglais Gladstone retire ses privilèges à l'Église anglicane d'I. **1870**-*1-9* mouvement pour le Home Rule (autonomie interne) fondé par Isaac Butt (n. 1813). **1874** mouv. fédéraliste a 60 sièges aux élect. **1879**-*21-10* Michael Davitt fonde Ligue agraire. **XIXe s.** troubles fomentés par les *Fenians* (Sté secrète révol. c.) ; Charles Stewart Parnell (1846-91, protestant, élu à la Ch. des communes 1875), chef de la Ligue agraire et du P., revendique le *Home Rule* (= autonomie, adopté 1912, doit être appliqué en 1914 ; suspendu à cause de la g.). Guerre agraire (1er † cap. Boycott). **1881** loi reconnaissant aux paysans un droit de copropriété sur leurs terres. **1882** tr. de Kilmainham devant mettre fin au terrorisme agraire. *-2-5* Parnell libéré oct. 1881. *-6-5* lord Frederick Cavendish, secrétaire d'État pour l'Irl., et son adjoint, T. H. Burke, assassinés dans Phenix-Park par Fenians extrémistes. **1891**-*6-10* Parnell (attaqué par l'Église cathol. pour une ancienne liaison) meurt. **1903** Wyndham Act : réforme agraire. **1912**-*avril* nouveau projet de Home Rule ; les Unionistes d'Ulster créèent la Ulster Volunteer Force (UVF). **1913** *juill.*-**1914** *févr.* grande grève de Dublin. *Nov.* création de la Citizen Army par la 1re armée communiste d'Europe.

1916 *24-4* (Pâques, lundi de) les *Sinn Fein* (« nous seuls ») proclament la rép. à Dublin, 500 † (300 civils, 132 des forces de l'ordre, 76 insurgés), 16 rebelles exécutés, dont Pearse, Connolly, Clark, Ceant, Plunkett, Mc Donagh, McDermott, 2 500 incarcérés. **1918** élect. Sinn Fein gagne 73 s. sur 105, sécession des députés i. qui forment une Dail Eireann (ass. nat.) à Dublin. **1919-21** g. d'indépendance. **1920** *déc.* attaque d'un convoi anglais par Ira à Cork (17 †) ; centre ville incendié en représailles. Le maire de Cork, Terence Mac Swiney, meurt en prison après grève de la faim de 74 j. *-23-12* PM Lloyd George fait voter le *Government of Ireland Act* qui donne l'autonomie interne aux 6 comtés du N.-E. et aux 26 comtés de l'I. du Sud. **1921**-*6-12 tr. de Londres*, État libre d'I. devient *dominion,* sauf les 6 comtés du N.-E. ; l'Ira, n'admettant pas cette partition, lance une g. civile (22-6-1922/mai 23). G.-B. conserve plusieurs bases maritimes (rendues à l'I. le 25-4-38). **1922**-*22-8* Michael Collins (nationaliste) tué. Constitution, Irl. langue nat. **1922-23** g. civile. **1926** *Fianna Fail* fondé. **1932** De Valera PM. **1938**-*8-12* l'état-major de l'Ira s'est constitué en « gouvernement de la République irl. ». **1939-45** état d'urgence, neutralité. **1939**-*12-1* ordre de retirer toutes les forces britanniques stationnées en Irl. *-16-1* n'ayant reçu aucune réponse, l'Ira fait exploser plusieurs bombes à Londres, Birmingham, Manchester, Liverpool... **1949**-*18-4* République ; quitte Commonwealth. **1965**-*14-1* rencontre des PM irl., Sean Lemass (1899-1971) et capitaine O'Neil, l. au château de Stormont (1re fois, dep. 1922, qu'un « sudiste » rencontre un « nordiste »). **1972**-*30-1 Bloody Sunday* à Londonderry Belfast : para. brit. tirent sur cathol. (13 †). *-10-5* référendum pour adhésion à CEE 1 041 890 oui (83 %), 211 891 non (17 %). *-7-12* suppression de la position spéciale de l'Église cath. (référendum : 721 003 v. pour, 133 430 contre, 50 % d'abstentions) et droit de vote à 18 ans. **1973** entre dans CEE. *-8-12 accord de Sunningdale* entre G.-B., Dublin et Belfast [entérine le partage du pouvoir entre les 2 communautés d'Ulster, prévoit un conseil de l'I. composé d'un conseil des ministres (7 m. du gouv. de Belfast et 7 du gouv. de Dublin), d'une représentation parlementaire et d'un secrétariat permanent], pas appliqué. **1974** *févr.* bombes à Dublin. **1975** De Valera meurt. **1976**-*21-7* Christopher Ewart-Biggs, amb. de G.-B., tué à Dublin. *-17-8* Mairead Corrigan et Betty Williams créent mouvement des femmes pour la paix (auront prix Nobel de la Paix 1976). *-22-10* Pt C. O'Dalaigh démissionne. **1977**-*5-10* Seamus Costello (38 ans, Pt du PS rép.) assassiné. **1979**-*27-8* Lord Mountbatten, oncle d'Elisabeth II, assassiné, à Mullaghmore, par l'Ira provisoire. **1983** *janv.* Armée nat. de libération irl. (Inla) interdite. *-7-9* référendum (67 % pour un amendement à la const. interdisant l'avortement). Forum pour I. nouvelle avec G.-B. **1985**-*15-11 accord de Hillsborough* avec G.-B. établissant une conférence intergouvernementale (I. et G.-B). **1986**-*8-4* rapt de Mme Guinness (libérée 16-4, ravisseurs arrêtés). *-26-12* référendum pour législation du divorce (non 935 843, oui 538 279). **1987**-*21-1* parlement dissous. *-17-2* él. lég. *-26-5* référendum : pour ratification de l'Acte unique européen (oui 755 423, non 324 977). *-9-11* attentat à Enniskillen (11 †). **1988**-*25-2* Pt Mitterrand en I. **1990**-*7-11 présidentielles.* **1991** *févr.* réforme fiscale. 2 tranches au lieu de 3 : 27 % (29 avant) et 48 % (52 avant) ; TVA passe de 12,5 % à 16 %. **1992**-*26-2* Cour suprême casse arrêt de la Haute Cour ayant interdit à une adolescente de 14 ans, victime d'un viol, d'avorter en G.-B. [avort. clandestins en 1990 : 7 000 (4 064 off.)]. *-25-5* visite Mary Robinson à Paris. *-18-6* 68,7 % des Irl. votent pour tr. de Maastricht. *-25-11* législatives et référendum sur l'avortement (l'information et le fait de se rendre à l'étranger sont autorisés, l'avort. thérapeutique interdit).

Statut. *Rép.* **Constit.** 1-7-1937, révisée 1972. **Pt** *(Uachtaran* élu p. 7 ans au suffr. univ.) âgé d'au moins 35 ans. **PM** (art. 2 et 3 revendiquent les 6 comtés d'Ulster) (*Taoiseach* désigné par le Pt). **Parlement** *(Oireachtas) : Ch. des députés (Dail Eireann,* 166 m. élus p. 5 a. à la repr. proport.) ; *Sénat* [*Seanad Eireann,* 60 m. (dont 11 nommés par PM, 43 désignés par l'organisation socio-prof., 6 représentants des universités) pour 5 a.]. **Comtés :** 26. **Fête nat.** 17-3 (St-Patrick). **Drapeau.** 1848 comme emblème révolutionnaire par Thomas Francis Meagher. Vert (symbolise l'élément gaélique de la pop.), orange (l'élément protestant soutenant à l'origine Guillaume d'Orange), blanc (trêve durable entre les 2 éléments précités). *Symboles :* harpe et trèfle.

Élections. Chambre des députés [25-11-92 (sièges, entre parenthèses au 15-6-89)] : *Fianna Fail* (guerriers du destin, parti rép., f. 1926, Albert Reynolds) 68 (77) ; *Fine Gael* (combattants d'Irl., f. 1933, John Bruton, 43 ans, dep. nov. 1990) 45 (55) ; *Démocrates progressistes* 10 (6) (scission de Fianna Fail, Desmond O'Malley) ; *Labour* (f. 1912 par les syndicats, Richard Spring) 33 (15) ; *Sinn Fein* 0 (0) ; *Workers'Party* (f. 1905) 4 (7) ; Indépendants 6 (6) [dont *Green Party* 1 (1)]. **Sénat** (17-2-1993) : *Fianna Fail* 25 s., *Fine Gael* 17, *Labour* 9, *Indépendants* 6 ; *Dém. progr.* 2, *Gauche dém.* 1 ; 11 m. nommés par PM.

Présidents de la République (Uachtaran). 1938 Dr Douglas Hyde (1860-1949). **1945** Sean Tomas O'Ceallaigh (1882-1966). **1959** Eamon de Valera (1882-1975). **1973** Erskine Childers (1905-74). **1974**-*19-2* Cearbhall O'Dalaigh (1911-78). **1976**-*3-12* Patrick Hillery (2-5-23), réélu 3-12-83. **1990**-*7-11* Mary Robinson (n. 1944) : 2,4 millions d'électeurs, gauche lib., avocate dep. 1967, élue Pte de la Rép. (51,9 % des voix) contre 46,4 % Brian Lenihan (Fianna Fail).

Chefs du gouvernement (Taoiseach). 1922-*6-12* William Thomas Cosgrave [1] (1880-1965). **32**-*9-3* Eamon De Valera [2] (1882-1975). **48**-*18-2* John Aloysius Costello [1] (1891-1976). **51**-*13-6* De Valera [2]. **54**-*2-6* Costello [1]. **57**-*20-3* De Valera [2]. **59**-*23-6* Sean Francis Lemass [2] (1889-1971). **66**-*10-11* John Lynch [2] (15-8-17). **73**-*14-3* Liam Cosgrave [1] (13-4-20). **77**-*5-7* John Lynch [2]. **79**-*11-12* Charles James Haughey [2] (26-9-25). **81**-*30-6* Garret Fitzgerald [1] (9-2-26). **82**-*9-3* C. J. Haughey [2]. *-14-12* G. Fitzgerald [1]. **87**-*10-3* C. J. Haughey [2] (29-6-89, démissionne). *-12-7* renommé. **92** *-11-2* Albert Reynolds [2] (3-11-32).

Nota. – (1) Fine Gael. (2) Fianna Fail.

Économie

PNB (91). 12 290 $ par h. **Pop. active totale (91)** 1 334 000 (37,8 % de la pop. ; peu de femmes travaillent). **Pop. active (% et entre par. part du PNB** en %) agr. 13,7 (14,8), ind. 28 (27,7), services 57,7 (56,7), mines 0,6 (0,7). *Chômage* (%). *1991 :* 15,6 ; *92 :* 16,7. **Inflation** (%) *1985 :* 5,4 ; *86 :* 3,9 ; *87 :* 3,2 ; *88 :* 2,1 ; *89 :* 4 ; *90 :* 3,4 ; *91 :* 3,2 ; *92 :* 3. **Dette extérieure.** *1991 :* 8,9 milliards de £. **Déficit budgétaire.** *1991 :* 0,30 (1,24 % du PNB).

Agriculture. *Terres utilisées pour l'agr.* (milliers d'ha, 91) 4 442 dont récoltes, fruits et horticulture 392, fourrage ensilé 765, foin et pâturages 2 643, pâturages naturels 642, rivières et lacs 139 (86). *Production* (milliers de t, 90) : orge 1 380, bett. à sucre 1 480, p. de terre 633, navets 471, blé 625, avoine 104, choux 98.

Élevage (millions de têtes, 91). Volailles 12, moutons 8,8, bovins 6,9, porcs 1,3, chevaux 0,6. **Pêche** (89). En mer 187 677 t. Saumons (90) 575 t.

Énergie. Charbon (91) 2 378 t, tourbe. **Gaz** *réserves (déc. 91)* 85,4 milliards de m³, *production (91) :* 2 380 millions de m³. **Électricité** (91) 14,99 milliards de kWh (*1982 :* 10,79, *83 :* 11,04, *84 :* 11,42, *85 :* 11,9, *86 :* 12,5). **Mines** (t, 91) : zinc 187 535, plomb 39 868, nitrate, argent 10 947 kg. **Industrie.** Alim., électron., prod. chim. **Tourisme.** 2 997 000 vis. (91).

Commerce (millions de £, 91). **Exp.** 15 024, *dont* mach. et équip. de transp. 4 417, prod. alim. 3 035, prod. chim. 2 657, prod. man. divers 2 246, prod. man. 1 205 ; *vers* G.-B. 4 007, All. 1 909, *France 1 426,* USA 1 309, P.-B. 996. **Imp.** 12 853, *dont* mach. et équip. de transp. 4 460, prod. man. 1 933, prod. man. divers 1 860, prod. chim. 1 707, prod. alim. 1 229, fuels et lubrifiants 754 ; *de* G.-B. 4 824, USA 1 921, All. féd. 1 058, P.-B. 562, *France 559.*

Islande

Carte p. 969. V. légende p. 884.

Situation. Europe (à 287 km du Groenland, 798 de l'Écosse, 970 de la Norvège, 435 des îles Féroé, 550 de l'île de Jan Mayen). 102 950 km². *Long.* max. 500 km. *Larg.* max. 300 km. **Relief :** *plateau* (alt. 600 à 800 m) avec saillies de pics volcaniques et plateaux moins étendus (1 200 à 1 800 m, mais point culminant à l'Oeraefajökull 2 119 m). *Côtes* 6 000 km (fjords et criques compris) bordées de falaises qui créent des ports naturels profonds. *Grande plaine* le long de la côte sud. *Glaciers* (12 000 km², env. 11,5 % du pays) (dont le Vatnajökull, le plus grand d'Europe : 8 400 km², épaisseur 1 000 m par endroits). *Volcans* 200 actifs, 1/3 de la prod. mondiale de lave pendant les 500 dernières années [1963-14-11 naissance de l'île de Surtsey, 1970 réveil de l'Hekla, 1973 d'un nouveau v. de Heimaey, l'Eldfell, 1975-81 : 8 éruptions région de Leirhnukur près de Krafla (v. Histoire), 1980 ér. de l'Hekla]. Les laves postglaciaires couvrent 10 % de la superficie du pays. *Sources chaudes* (moy. 75 °C) : env. 800, Deildartunguhver produit 150 l d'eau/s à 100 °C. **Principales îles.** *Vestmannaeyjar* 4 743 h., à env. 12 km de la côte S. de l'Is. (éruption volc. 1973), *Hrisey* 276 h., *Grimsey* (à 41 km au N.) 114 h. **Climat.** Tempéré sur la côte par le Gulf Stream à l'O. et au N. Courant polaire au N.-E. *Temp. moy.* Reykjavik 5 °C (janv. – 4 °C, juill. 11,2 °C), Akureyri 3,9 °C (janv. – 1,5 °C, juill. 10,9 °C). *Max.* 30 °C, *min.* – 30 °C. Gel intense rare. *Pluies :* surtout S. et S.-E. (Kvisker 3 000 mm). *2 saisons. Pas de nuit* de mai à juill., été (frais, rarement 20 °C), période sombre (3 à 4 h par j de soleil) de mi-nov. à fin janv. *Limite des neiges* 1 000 à 1 500 m. **Végétation.** Bouleau et sapin. **Faune.** Renard arctique (ou bleu), souris, rat, vison, renne (amené de Norvège au XVIIIe s.), 300 espèces d'oiseaux (dont 75 nichant sur place). Depuis 1924, chiens interdits à Reykjavik (sauf autorisation spéciale).

Population [*v. 1100 :* 70 à 80 000 ; *1703 (1er rec.) :* 50 000 ; *1709 (variole) :* 35 000 ; *1785 (famine) :* 40 000 ; *1801 :* 47 240 ; *1901 :* 78 470 ; *1925 :* 100 000 ; *1960 :* 177 000] ; *1991 (est.) :* 259 000 ; *prév. 2000 :* 262 000. Presque 4/5 du pays sont inhabités. **Age** – *de 15 a. :* 25,5 %, *+ de 65 a. :* 14,4 %. D 2,5. **Origine** Vikings norvégiens mêlés d'immigrants écossais et irlandais (nom de famille composé du prénom du père + *son* « fils de » ou *dottir* « fille de » et changeant à chaque génération). **Étrangers** (88) : 4 829 (1,9 %) dont 1 154 Danois, 816 Américains et leurs familles non compris les militaires, 527 Anglais, 337 Norvégiens, 318 Allemands, 242 Suédois, 73 Canadiens, 98 Français. **Nationaux à l'étranger :** 13 838 (88). **Émigration :** *1880 à 1914 :* 12 000 (v. Amér. du N.). **Villes** (90) : *Reykjavik* (en norvégien, baie de la fumée) 97 569 [ag. avec Hafnarfjördur 115 151, Kópavogur 16 186, Gardabaer 6 954]. Keflavik 7 525 (à 51 km), Akureyri 14 174 (à 448 km), Akranes 5 230 (à 108 km), Vestmannaeyjar 4 926, Selfoss 3 915 (à 50 km), Isafjördhur 3 498 (à 511 km), Husavik 2 503 (à 540 km), Siglufjördhur 1 815 (à 462 km), Seydhisfjördhur 981, Neskaupstadhur 1 738.

Langue. Islandais *(off.).* Proche de l'ancien nordique commun aux langues scandinaves (surnommée le « latin de Scandinavie »). **Religions** (% en 88). Église d'Islande 93,1, autres luthériens 3,7, cath. romains 0,7, autres 2,5. *St Patron :* Thorlakur (1133-93, évêque canonisé par le Parlement en 1198, proclamé officiellement en août 1985 par Jean-Paul II).

Histoire. VIIIe s. installation de moines irlandais. **870-930** colonisation par des Vikings païens dont Norv. Ingolfur Arnarson. **930** Alting (Parlement) et Rép. fondés. **930-1030** période des Sagas. **985** Éric le Rouge découvre Groenland. **1000** conversion au christianisme. Leif Eriksson (fils d'Éric. le R.) découvre Amér. du N. (appelée Vinland). **1030-1120** paix. **1120-1230** période littéraire. **1230-1264** période du Sturlung (troubles internes). **1241** Snorri Sturluson (écrivain, n. 1179, Pt de l'Ass. suprême 1215) tué. **1262-64** possession norvég. **1387** danoise. **1402-04** peste noire (66 % de †). **1540-50** Réforme. **1602** monopole royal du commerce. **1662** absolutisme renforcé. **1783-85** éruption de *Lakagigir* (coulée de lave de 650 km², gaz et cendres empoisonnent les pâturages). 50 % des troupeaux sont décimés, famine : 9 000 † (20 % de la pop.). **1787** liberté du commerce pour sujets danois. **1800** Althing remplacé par Cour nationale. **1809**-*25-6/22-8* l'aventurier danois *Jörgen Jörgensen* prend le pouvoir. **1843** Althing rétabli comme ass. consult. **1854** libération du commerce extér. **1874** 1re Const. **1879** *Jón Sigurdsson* (n. 1811, autonomiste) meurt. **1902** droit de vote accordé aux femmes (plan local). **1904** autonomie interne. **1911**-*17-6* Université d'I. à Reykjavik. **1915** droit de vote accordé aux femmes (plan national). **1918**-*30-11 indépendance* (le roi de Dan. est r. d'Isl.).

1940 occupation brit., **1941** amér. (avec accord Is.) (rôle : lutte anti-sous-marine, escale des convois alliés vers URSS). **1944**-*25-5 référendum pour séparation* avec Danemark. -*17-6* Rép. instituée à Thingvellir. **1946** entrée à l'Onu. **1947** *mars* éruption de l'*Hekla* (13 mois, colonne de fumée de 30 000 m, lave sur 65 km²). **1949** entrée à l'Otan. **1951** accord de défense Is./USA. Base amér. (Otan) à Keflavik : 3 000 h. **1952** zone de pêche portée à 4 milles. **1955** Halldor Kiljan Laxness prix Nobel de litt. **1958** zone de pêche à 12 milles. **1970** entrée à l'Aele. **1972** zone de pêche à 50 milles : dissensions avec G.-B. Rencontre Nixon-Pompidou à Reykjavik. **1973**-*13-11* accord mettant fin à la « g. de la morue » avec G.-B. **1974**-*27-7* Cour de La Haye refuse à l'Is. le droit d'interdire ses eaux territoriales à G.-B. **1975**-*15-10* zone de pêche à 200 milles, nouvelle « g. de la morue » avec G.-B. **1976**-*19-1* ultimatum is., G.-B. retire ses navires de g. **1983**-*12/15-4* Vigdis Finnbogadottir en Fr. **1985**-*24-10* grève des femmes (gagnent 40 % de moins que les h.). **1986**-*11/12-10* rencontre Gorbatchev-Reagan à Reykjavik. *Nov.* 2 baleinières coulées à Reykjavik par l'organisation écologiste Sea Shephard. **1988**-*9-5* prohibition de la bière (dep. 1915) abolie. Alcools forts restent taxés à 1 000 %. **1990**-*29/31-8* visite du Pt Mitterrand.

■ Politique

Statut. Rép. **Constit.** du 17-6-1944. **Pt** élu pour 4 ans au suffr. univ. **Parlement** (*Althing* datant de 930, le plus vieux du monde) 63 m. (42 Ch. Basse, 21 Ch. Haute), 49 élus pour 4 a. (37 dans les 7 circons. de province, 12 pour la capitale), 11 représentants des partis répartis au plan national. **Départements :** 16 administrés par des chefs de districts. **Villes :** administrées par des maires. **Armée :** pas. *Base américaine* à Keflavik (3 000 h.). **Fête nat.** 17 juin (1944 fondation de la Rép.). **Drapeau.** Adopté 1918 : croix rouge et blanche sur fond bleu (bleu : ciel, mer et chutes d'eau, blanc : glaciers et montagnes, rouge : éruptions de lave).

Partis. *Indépendance* f. 1929 (David Oddsson). *Du Progrès* f. 1916 (Steingrimur Hermannsson). *Social-dém.* f. 1916 (Jon Baldvin Hannibalsson). *Alliance du peuple* f. 1956. (Olafur Ragnar Grimsson). *Liste des femmes. Affiliation à un syndicat :* obligatoire. Si une grève est décidée, le salarié qui travaille commet un délit.

Élections. Législatives du 20-4-1991 : votants 157 746. % des voix et nombre de sièges (entre par. : 1987) : *P. de l'Indépendance* 38,6 %, 26 s., (27,2 %, 18 s.), *P. libéral* (ex-P. des citoyens) 1,2 %, 0 s. (10,9 %, 7 s.), *Alliance du peuple* 14,4 %, 9 s., (13,3 %, 8 s.), *P. du Progrès* 18,9 %, 13 s., (17, 3 %, 10 s.), *P. social-dém.* 15,5 %, 10 s., (15,2 %, 10 s.), *Alliance des femmes* 8,3 %, 5 s., (10,1 %, 6 s.), *autres partis* 3,1 %, 0 s.

Chefs d'État. 1918-*1-12* Christian X (1870-1947) ; roi d'Islande et Danemark. **41**-*17-6* Sveinn Bjornsson (1881-1952) ; régent puis Pt de la Rép. **52**-*7-8* Asgeir Asgeirsson (1894-1972) id. **68**-*1-8* Kristjàn Eldjarn (1916-82) id. **80**-*30-6* Mme Vigdis Finnbogadottir (15-4-30) ; 1re au monde à être élue Pt au suffrage univ. ; réélue 1984, 25-6-88 avec 92,7 % des suffrages (Sigrun Thorsteinsdottir seule autre candidate obtient 3 %). **92**-*27-6* sans vote (seule candidate).

Premiers ministres depuis 1971. 71-*14-7* Olafur Johannesson (1-1-13) ; progr. **74**-*29-8* Geir Hallgrimsson (16-12-25) ; indép. **78**-*1-9* O. Johannesson. Progr. **79**-*15-10* Benedikt Grondal (7-7-26) ; social-dém. **80**-*8-2*-Gunnar Thoroddsen (1910-83) ; indép. **83**-*26-5* Steingrimur Hermannsson ; coal. Progr. **87**-*8-7* Thorstein Pálsson ; indép. **88**-*28-9* S. Hermannsson, Coal ; progr. **91** David Odsson ; indép.

■ Économie

PNB (91). 24 320 $ par h. 20 % du PNB vient de la mer. **Pop. active.** (% et entre par. part du PNB en %) agr., pêche 10,3 (16), ind. 36,8 (36), serv. 52,9 (48). *Chômage : 1987 :* 0,5, *88 :* 0,7, *89 :* 1,7, *90 :* 2,3 ; *91 :* 1,6. **Inflation** (%) *1987 :* 18,8 ; *88 :* 25,5 ; *89 :* 20,7 ; *90 :* 15,5 ; *91 :* 6,8. **Finances** couronne isl. dévaluée 3 fois en 1988 (12 % en mai) et en janv. 89 (6 %), en raison des prob. de la pêche.

Agriculture. *Terres.* 60 % improductifs, 25 % couverts de végétation permanente. T. cultivées 1 000 km², cultivables 20 000 dont 15 500 à moins de 200 m d'alt., couvertes de végétation 23 805 dont 13 718 à moins de 200 m d'alt., prairies 20 000, glaciers 12 000, lacs 3 000, lave 11 000 (plus grande étendue d'un seul tenant : 4 500 km²), sables 4 000, autres terres infertiles 52 000. *Production* (91) : p. de terre 15 131 t, navets 643 t, carottes. Serres chauffées à l'eau chaude dep. 1924. *Nombre de fermes* (88) : 4 200. **Élevage** (milliers de têtes, 91). Moutons 510,7, bovins 77,6, chevaux 74, porcs 3,3, volailles 197,1. **Pêche.** Zone de pêche 200 milles, 758 000 km². *Production* (milliers de t, 90) : 1 501 dont capelans 694, poissons blancs 589,2, harengs 90,4, crustacés 31,6 ; *91 :* 1 042. *Au 31-12-89 :* 967 bateaux de pêche (127 339 tx), 6 300 pêcheurs.

Énergie. Géothermie : capacité (GWh par an) exploitée 5 000, mesurée 64 000. 81 % de la pop. l'utilise pour se chauffer. **Hydraulique :** capacité (GWh par an) exploitable techniquement 64 000, économiquement 45 000, exploitée (89) 4 200. **Électricité produite** (milliards de kWh, 89) : 4,4 (dont hydroélec. 4,2, géothermie 0,2, thermique 0,005). **Industrie.** *Aluminium* (86 700 t en 90). *Ind. alim.* (viande, cuirs et peaux, lait). *Engrais.* **Pêche** (surgélation, salage, séchage, farine, conserveries, huile). **Transports** (km). *Routes* (90) 12 537, pas de *chemins de fer, flotte* (sauf pêche, 88) : 39 bateaux. **Tourisme.** *Visiteurs :* 141 718 (90). Déserts volcaniques, glaciers, fjords, solfatares.

Commerce (millions de $ US, 91). **Exp.** 1 552 *dont* prod. alim. 1 282 (poissons 1 232), prod. man. de base 198 (aluminium 137) *vers* (millions de couronnes) All. 13 238, USA 13 100, G.-B. 8 374, Danemark 3 853, *Fr. 3 667*. **Imp.** 1 765 *dont* mach. et éq. de transp. 630, prod. man. de base 301, prod. man. divers 295, fuel et lubrifiants 143, prod. chim. 142 *de* (millions de couronnes) USA 13 950, All. 13 238, P.-Bas 10 204, Danemark 8 713, Suède 7 717. **Rang dans le monde** (90). 16e pêche.

■ Israël
V. légende p. 884.

Situation. Asie. 21 946 km² dont 445 km² d'eau ; 27 552 km² [*annexés* (Golan et Jérusalem-Est) ou *t. administrés* (Gaza et Cisjordanie)]. *Long. max.* 426 km. *Larg. max.* 112,9 km (19 km au nord de Tel-Aviv, 10,5 à Eilat). **Frontières** (lignes d'armistice 1949) : 961 km (avec Jordanie 531, Égypte 206, Liban 79, Syrie 76, Gaza 59). Dep. 1967, avec l'apport des territoires occupés 650 km. **Côtes :** 254 km (dont Méditerranée 188, mer Morte 56, mer Rouge 10,5). **Alt. :** Mt Hermon (Golan) 2 810 m, Méron (Galilée) 1 208 m, Ramon (Néguev) 1 035 m, Canaan (Safed) 960 m, des Oliviers, Jérusalem 835 m, Tavor (Galilée) 588 m, Carmel (Haïfa) 546 m. **Néguev :** 60 % de la surface : - de 200 mm d'eau par an. **Golfe d'Eilat :** long. 160 km, larg. max. 17, prof. 1 600 à 1 800 m, temp. + 21 °C, salinité 41 ‰. **Mer Morte :** dans une dépression (prof. max. - 720 m). Niveau actuel : - 403 m. De 1972 à 81 a perdu 20 % de sa superficie. Il y a des dizaines de milliers d'années - 18 m ; le lac Lisan, couvrant la mer Morte, allait au N. jusqu'à la mer de Galilée et au S. jusqu'à la vallée de l'Arava. Composition chimique de l'eau interdisant la vie (v. 1930, Elazari Volcani trouva cependant des micro-organismes à la surface et dans les sédiments du fond). **Climat.** Méditerr. *Temp.* moy. (°C) Jérusalem janv. 4-11, août 17-28 ; Eilat janv. 9-21, août 25-39.

■ Démographie

■ **Définitions. Juif :** nom donné dep. l'exil (IVe s. av. J.-C.) aux descendants d'Abraham. **Hébreu :** nom primitif du peuple j. **Israélite :** descendant d'Israël personne appartenant à la communauté et à la religion j. **Lévirat :** obligation de la loi de Moïse qui impose au frère d'un défunt d'épouser sa veuve sans enfant (très peu pratiqué actuellement). **J. ashkénazes** (- de 50 %) : originaires d'Europe centrale, parlaient yiddish, 3 % d'analphabètes, 33 % atteignent l'ens. sup. revenu 35 % plus élevé que les séfarades. **Les séfarades** [origine du mot : Eskenaz se trouve sous la forme Ashkmaz chez Jérémie. Achkouza, en persan, désignait le pays scythe (sud de la Russie et de l'Ukraine), terme repris par le rabbin Gerchom de Metz (960-1028) pour désigner les juifs de Russie plutôt que ceux d'Allemagne]. **Séfarades ou orientaux** (+ de 50 %) : orig. d'Espagne (Sefarad : Esp. en hébreu moderne) expulsés en 1492, parlaient latino (judéo-esp.) ou d'Orient [origine du mot : Sefarad désigne dans la Bible la ville de Sardes, capitale de la Lydie (en Turquie actuelle). Ultérieurement, le terme de Sardes-Sefarad a fini par désigner, pour les israélites, tout lieu d'émigration et, plus tard encore, l'Espagne, principale contrée de peuplement juif au Moyen Age]. **Yishouv** (population) : communauté j. de Palestine avec la création d'I.

Évolution avant 1948. Xe s. av. J.-C. Royaume juif, 750 000 à 1 500 000 h. **A la naissance de J.-C.** 3 000 000 (en outre, en Perse 1 000 000 j., dans le reste de l'Empire romain 4 000 000). **XIIIe s. apr. J.-C.** 225 000. **1348** 150 000 (après la peste noire). **1800** 275 000 (dont 7 000 Juifs). **1850** 50 000 à 100 000. **1890** 532 000 (43 000 J.). **1914** 690 000 (94 000 J.). **1931** 1 033 000 (174 000 J.). **1920 à 1935** attirés par

l'essor économique dû aux sionistes, des Ar. des pays voisins affluent. **1934** les Anglais imposent des quotas pour les J. et transplantent + de 30 000 Syriens, chassés du Hauran par sécheresse. **1936-45** 100 000 Ar. immigrent en Pal. pour y trouver un travail.

■ **Population. 1992 :** 5 191 200 dont 4 247 500 juifs (82 %). [Nés en I. (*sabras*) 2 542 000 (62 %), nés à l'étranger 1 558 000 (soit 38 %) dont (%) en Europe ou Amérique 23, Afr. ou Asie 15], non-juifs (surtout dans le N. en basse Galilée) 943 700 dont 700 000 musulmans (14 %), 120 000 chrétiens (2,4 %), 85 000 druzes et divers (1,7 %). **2005 (est.)** 6 300 000 dont 5 000 000 juifs, 1 100 000 musulmans, 157 000 chrétiens, 121 000 druzes. D (91) 219,7. **Age** *(% 1991). - de 14 ans :* juifs 28,7, non-juifs 41,3 *+ de 65 ans :* juifs 9,1, non-juifs 3,1. **Origine (1991) :** 741 600 juifs étaient originaires d'Asie (dont 474 100 nés en I.), 828 900 d'Afrique, essentiellement d'Afr. du N. (dont 492 300 nés en I.), 1 644 800 d'Europe et d'Amérique (dont 610 900 nés en I.). *Ex. pays d'origine :* Irak 260 200 (dont 172 100 nés en I.), Maroc 499 900 (310 500 n. en I.), URSS 616 900 (121 000 n. en I.). **Proportion d'hommes** *(1991) :* 986 h. pour 1 000 femmes (chez les juifs 979, musulmans 1 030, chrétiens 944, druzes 1 044).

Accroissement (%, 1990) : musulmans 3,4 druzes 2,9 juifs 6,2 (1,6 en 89) chrétiens 7,2 (1,9 en 89). **Naissances** (1990) : 103 349 (73 851 juifs, 24 515 musulmans). **Décès** (1990) : 28 721 (25 759 j., 2 160 m.). **Taux mortalité infantile** (‰, 1990) : juifs 9,9 musulmans 15,7. **Fertilité moyenne des femmes** (1990) : musulmanes 4,70 druzes 4,05 chrétiennes 2,37 ; juives 2,31. **Espérance de vie** (1985-89) : hommes 73,8 ans, femmes 77,4.

Réfugiés palestiniens (en milliers) : **1947** (rec. brit.). 560 Arabes vivaient dans la partie de la Palestine occidentale sur laquelle allait s'édifier Israël. **1948**-*16-9 :* rapport du Cte Bernadotte : 360 « déplacés » à la suite du conflit ; 141 Ar. restent en I. I. accuse les États arabes d'avoir grossi le nombre de réfugiés pour obtenir plus de rations alimentaires de l'Unrwa [750 réfugiés (rapport Cilento) ; **1949** *juill.* 1 000 (rapport W. de St-Aubin)]. 715 à 730 (selon l'Onu) 590 à 650 (selon I.). **1967** (g. des 6 j) : 525 réfugiés supplémentaires (dont 175 ayant fui une 2e fois et 100 autres réf. du Golan). **1981**-*1-1 selon l'Onu :* Cisjordanie 318 (80 dans camps), Gaza 363 (201 d. c.) *selon Israël*, Cisjordanie 105 (65 d. c.), Gaza 205 (171 d. c.). **1991** Territoires occupés 1 700 (Cisjordanie 1 100, Gaza 600), Jordanie 1 500,

Liban 600, Syrie 300, Arabie S. 200, Koweït 170 (400 avant la guerre du Golfe). **2 000 (prév.)** env. 3 000 pour 4 000 de J. [soit 43 % de la pop. du Grand Israël (frontières de 1967)].

Attitude d'Israël : I. a offert en 1949 de reprendre 100 000 réf. (offre rejetée), mais a refusé d'en reprendre plus (pour ne pas compromettre son équilibre). Selon I., les pays ar. auraient pu installer 600 000 réf. puisque I. (beaucoup moins étendu) avait accueilli 500 000 J. des pays ar. (après 1945, la Finlande avait absorbé 350 000 Allemands, l'All. féd. 9 000 000 de réfugiés de l'Est, Inde et Pakistan avaient échangé 15 000 000 de réfugiés). I. remarque que les Pal. de Gaza, devenus Égyptiens de 1949 à 1967, avaient été interdits de séjour en Ég. proprement dite et volontairement maintenus dans des camps.

Population juive. % de la population juive vivant en Israël : *1948 :* 6 *55 :* 13 *70 :* 20 *82 :* 26 *85 :* 27 ; *88 :* 28 ; *91 :* 32. **Colons juifs** (92) : Cisjordanie 189 800, à Gaza 3 800.

Diaspora juive (millions). Mot d'origine grecque, désigne la dispersion j. hors de Palestine. *1975 :* 10. *1987 :* 9,5 dont [USA 5,8 (soit 2 % de la pop. amér.) dont 1,3 à New York et sa région, 0,5 % à Los Angeles)] (URSS 2,5). *2000 :* 7,4 à 8. *2025 :* 5 à 6. La baisse vient d'un taux de natalité faible et du % élevé des mariages mixtes (URSS jusqu'à 45 %, USA : 25 à 30 %).

Nota. – La France est, après I., le pays qui a absorbé le plus de J. (Français de religion j.) depuis 1945 (*1945 :* 130 000 J. en Fr., *1976 :* 700 000) en raison notamment de l'exode des J. d'Afr. du N. à la fin de la guerre d'Algérie.

Population juive dans les pays arabes : en *1974* et, entre parenthèses, en *1947* Algérie 1 000 (140 000), Égypte 400 (75 000), Irak 450 (120 000), Liban 1 400 (7 000), Libye 20 (30 000), Maroc 20 000 (250 000), Syrie 4 500 (15 000), Tunisie 7 000 (110 000), Yémen N. et S. 500 + 2 000 nomades au N. (50 000) voir aussi Index.

Immigration en Israël (alyah). *Selon la loi du retour (juil. 1950). Art. 1er :* Tout Juif a le droit d'immigrer en Israël. *Art. 2 :* Le visa d'immigrant est accordé à tout J. qui exprime le désir de s'installer en I., sauf si le ministre de l'Intérieur est convaincu que le requérant 1) œuvre contre le peuple j. ou 2) est susceptible de mettre en danger la salubrité publique ou la sécurité de l'État ou 3) a un passé criminel susceptible de mettre en danger l'ordre public. *La loi sur la nationalité (1952)* accorde la nat. isr. à chaque immigrant (olim) dès son arrivée. On est ou devient également isr. par : 1°) naissance (tout enfant né de père ou de mère isr.). 2°) voie de résidence en I. (concerne les Arabes isr.). 3°) naturalisation.

Vagues : 1re (1881-1903) premiers pogroms russes. 2e (1904-14) pogroms stimulés par l'échec de la révolution russe de 1905, 3e (1919-23) encouragée par la déclaration Balfour, 4e (1924-30) restrictions économiques imposées aux J. de Pologne, 5e (1933-39) antisémitisme nazi.

Évolution. 1882-1914 : 55 000-70 000 **1919-32 :** 126 349 **1933-39 :** 215 232 **1940-43 :** 26 524 **1944 au 14-5 1948 :** 84 042 **15-5-1948 à 1975 :** 1 569 875 (dont **1950 :** 60 000 du Yémen, **1951 :** 100 000 d'Irak, **1956-65 :** 86 000 du Maroc) **1976 :** 17 092 **77 :** 18 641 **78 :** 26 394 **79 :** 37 222 **80 :** 20 428 **81 :** 12 599 **82 :** 13 273 **83 :** Europe de l'O. 4 289, Amér. du N. 3 663, Amér. du S. 2 917, Éthiopie (Falachas) 2 213 **84 :** Europe de l'O. 2 958, Amér. du N. 2 270, Amér. latine 1 853, URSS 350, Éthiopie (Falachas) 7 907 **85 :** 11 298 (d'Occident 2 343, Falachas 2 000, Amér. lat. 1 563, URSS 345) **88 :** 23 850 ; **89 :** 24 650 (URSS 12 887, USA 1 636, Roumanie 1 500, *France 1 044,* Argentine 1 930, G.-B. 473, Afr. du Sud 286). **90 :** 199 516 (URSS 184 602, Éthiopie 4 137, Argentine 2 025, Roumanie 1 457, USA 1 248, Bulgarie 855, *France 655*). **91 :** 176 100 (URSS 147 839, Éthiopie 20 014). **92 :** 77 032 (ex-URSS 65 079).

Entrées et sorties : de 1948 à 1990. *Entrées en I. :* 39 060 000 y compris touristes. *Sorties :* 26 350 000. *Solde :* + de 1 400 000. *Nombre total d'immigrants :* 1 990 000 (90). *Seraient repartis :* 300 000.

Juifs d'URSS. En 1980, 2 500 000 à 3 500 000 Soviétiques portaient en URSS la mention « nationalité juive » sur leur passeport. *Arrivées : 1971 :* 12 832. *72 :* 31 652. *73 :* 33 477. *74 :* 17 373. *75 :* 8 351. *76 :* 7 274. *79 :* 51 303. *81 :* 1 770. *82 :* 2 692. *84 :* 908. *85 :* 1 140. *86 :* 914. *87 :* 11 000. *88 :* 20 000. *89 :* 12 887 (30 % de non J. ?). *90 :* 184 602 (dont déc. 35 629). *91 :* 140 000. *92 :* 65 079 [(1 million d'arrivées jusqu'en 1995 ?)] [1]. **Émigrés choisissant un autre pays qu'Israël** [2] (%) : *jusqu'en 1972 :* 1. *73 :* 4,5. *74 :* 18,7. *75 :* 37. *76 :* 50. *79 :* 66 (sur 50 000, 33 000 vont aux USA ou Canada et 17 000 en Israël). *85 :* 30,5. *88 :* 90. Dep. le 19-6-1988, passent par Bucarest et non plus par Vienne pour éviter les défections.

Nota. – (1). Coût de l'intégration : 25 milliards de $. (2). Selon un sondage de nov. 1991, 30 % souhaiteraient vivre ailleurs qu'en I. (10 % en Eur/ de l'O., 7 % aux USA, 7 % dans d'autres pays. 5 % retourner en U.) contre 71 %. 10 000 dem. de passeport.

Juifs d'Éthiopie (Falachas). Descendraient de la tribu de Dan, une des 12 tribus d'I. dont on était sans nouvelles, exilée à Coush (Éthiopie) en 722 av. J.-C., ou de j. émigrés d'Éléphantine (Égypte), ou de j. qui auraient au xe s. av. J.-C. suivi Ménélik (fils de Salomon et de la reine de Saba). *Arrivées : 1977-84 :* départs semi-clandestins env. 4 000. *1984 (21-11) au 1985 (6-1) :* opération Moïse 8 664 dont 55 % de – de 18 ans arrivent). *1991 (mai) :* 14 400. *1992 (avr) :* 1 500. Reconnus dep. 1985 par le Grand Rabbinat comme « membres à part entière du peuple j. », ils ne sont pas astreints au bain rituel qu'on voulait leur imposer. *Coût* de leur installation 400 millions de $.

☞ **Aide aux immigrants. Russes :** 9 000 $ pour un couple avec un enfant. **Éthiopiens :** prise en charge dans des centres d'adaptation pendant 1 an.

Druzes. Secte religieuse, même origine ethnique que les autres Palestiniens. Mais à force de se marier entre eux, les D. ont créé une ethnie particulière [Syrie 250 000, Liban 150 000, Israël 72 000 (85) autres pays env. 300 000]. Les D. isr. ont combattu avant 1948 dans l'Irgoun et la Haganah, et ont créé, en 1955 avec les Tcherkesses, l'Unité militaire des minorités, dans laquelle ils font leur service (conscription obligatoire, comme pour les J.). Env. 13 000 D. vivent sur le Golan occupé dep. 1967 et annexé en déc. 1981.

■ **Capitale** (dep. 23-1-1950). *Nom : Yeroushalaym* pour les J., *Jérusalem* pour les chrétiens, *Al Qods* pour les musulmans (à 63 km de Tel-Aviv qui se trouve sur la côte). Les puissances étrangères ont leur ambassade à Tel-Aviv, car elles ne reconnaissent pas Jér. comme capitale (sauf Salvador et Costa Rica). *De 1948 à juin 1967,* Jér. était divisée entre : Israël (195 700 h. nouvelle ville et tombeau de David) et Jordanie (70 000 h. ville ancienne, Calvaire, St-Sépulcre, mosquée d'Omar, mur des Lamentations). **Population** (milliers) : *1844 :* 15,51 (juifs 7,12, musulmans 5, chrétiens 3,39). *1870 :* 22 (J. 11, M. 6,5, C. 4,5). *1913 :* 75,2 (J. 48,4, M. 10, C. 17). *1931 :* 90 (J. 51, M. 20, C. 19). *1948 :* 165 (J. 100, M. 40, C. 25). *1967 :* (M. 60). *1987 :* 475 [J. 340 dont 80 à Jér.-Est, Palestiniens 135 (dont 25,4 % musulmans, 3 % chrétiens)]. *1991 :* 530 [J. 381 dont 125 à Jér.-E., Pal. 150 (dont 26 % mus., 2 % chrét.)]. *1992 :* 557,7 (J. 401).

■ **Autres villes** (en milliers, est. 92). Tel-Aviv 357,8 (400 en 1960) (dont 343,2 J.) (à 63 km), Haïfa 250,8 [183 en 1961, 230 en 1980] (dont 286,6 J.) (à 51 km), Holon 163,5, Petah Tiqwa 151,1, Bat Yam 146,4, Rishon Le Zion 150,5, Netanya 142,3, Beersheba 134,2, Ramat Gan 124,4, Bene Beraq 124,1, Ashdod 96,4, Rehovot 83,5, Herzlia 81,6, Kefar Sava 64,9, Ashkelon 66,6, Nazareth 49,8 en 91 (à 169 km), Ramla 52,5, Lod 29,1, Akko 44,3, Qiryat Atta 41,3.

■ **Langues.** *Officielles :* hébreu et arabe. Définis en 1781 par l'All. Auguste-Louis de Schloezer (1737-1809) comme « sémitiques », de *Sem,* 2e fils de Noé, dont les descendants, selon la Bible, ont peuplé le Moyen-Orient. (Voir p. 95) *1re langue étrangère obligatoire :* anglais. En 1989, 300 000 à 500 000 personnes parlaient le français, en 1992, 20 % le russe.

Alphabet hébreu. Variété de l'alphabet phénicien 22 lettres s'écrit de droite à gauche. *Jusqu'au* VIIIe s. av. J.-C., Phéniciens, Moabites et Hébreux parlaient le « sémitique commun » (même langue, même écriture). *VIIIe et VIIe s.,* la langue des inscriptions commence à se différencier, mais l'alphabet reste identique. *IIIe s. av. J.-C.,* les Moabites commencent à utiliser les caractères « en carré », que les Hébreux adopteront au Ier siècle av. J.-C., créant ainsi leur alphabet caractéristique. Éliézer Ben Yéhouda (1858-1922), arrivé en 1881, a forgé de nouveaux termes, rédigé le 1er dictionnaire de l'hébreu moderne, fondé un journal (1884), créé le Comité pour la langue hébraïque (1890).

Lettres	Nom	Valeur	Lettres	Nom	Valeur
א	*alef*	'	ל	*lamed*	l
ב	*bet*	b, v	מ (ם)	*mem*	m
ג	*gimel*	g	נ (ן)	*nun*	n
ד	*dalet*	d	ס	*samekh*	s
ה	*he*	h	ע	*ayin*	'
ו	*vav*	v, u	פ (ף)	*pe*	p, f
ז	*zayin*	z	צ (ץ)	*ṣade*	ṣ
ח	*ḥet*	ḥ	ק	*qof*	q
ט	*tet*	t	ר	*resh*	r
י	*yod*	y, i	ש	*shin*	sh, s
כ (ך)	*kaf*	k, kh	ת	*tav*	t

■ Religions

Juifs (en milliers, 91). 3 946,7 (81,85 %). (92) 4 247 500. En 1980, *Séfarades* d'Asie 738,3 (dont nés à l'étranger 303,4), d'Afrique 736,7 (336,5) *Ashkénazes* d'Europe 1 252,5 (740,2), d'Amér.-Océanie 95,6 (67,4) *nés en I. de père né en I.* 459,6. **Karaïtes** 10 000 (rejettent la tradition et les lois rabbiniques, ne reconnaissent que la Bible). **Samaritains** 500 (origine : les israélites non exilés à Babylone en 721 et fusionnés avec les soldats assyriens ne reconnaissent que le Pentateuque, vénèrent Josué). VIE RELIGIEUSE (sondage 1988 : sur 602 adultes citadins) : 10 % observent la tradition « dans tous ses détails », 18 % « la plupart du mitsvot », 40 % « en partie », 32 % « rien ».

Musulmans (91). 677 700 (14,06 %), surtout sunnites. **Druzes** (91) 82 600 (1,71 %) [musulmans chiites dissidents, disciples du calife fatimide Al Hakim (996-1021), considéré comme une incarnation divine supérieure à Mahomet religion mystique et ésotérique les initiés *(uqqal)* forment 15 % de la pop. et mènent une vie ascétique. Croyance en la réincarnation : tout druze se réincarne en un nouveau-né druze].

Baha'is. Quelques centaines. *Cap. relig. :* Haïfa.

Chrétiens (91). 114 700 (38 %) (presque tous arabophones) dont (1986) : 1°) **Catholiques** (57 %) 52 000 [dont 23 000 de rite latin (clergé : + de 400 prêtres et moines, env. 1 200 religieuses env. 45 ordres et congrégations]. A la tête : patriarche de Jérusalem. Les franciscains établis en Terre sainte au XIIIe s. sont chargés de la défense et de la garde des Lieux saints) *Maronites* (3,3 %) : 3 000 *Uniates* (26,6 %) : 24 000 *Grecs catholiques* (11,1 %) : 10 000, en majorité dans le diocèse de St-Jean-d'Acre, en Galilée (patriarche d'Orient : archevêque Georges Hakim) *Arméniens, Syriens, Chaldéens :* quelques centaines]. 2°) **Orthodoxes** (35 %) *Grecs :* 32 000 en I. (avec territoires adm.), leur patriarche a la préséance sur les chefs spirituels de Terre sainte 14 archevêques jouissent de droits et de privilèges (réglés par *statu quo*) provoquant des chicanes dues aux rites différents se déroulant au même moment dans les chapelles différentes d'un même sanctuaire. *Russes :* 1 mission dépendant du patriarcat de Moscou. Dans les terr. adm. un certain nombre d'églises et de couvents reconnaissent la seule autorité de l'Église russe en exil (centre à New York). 3°) **Égl. non chalcédoniennes** (5 %) dont *Arméniens :* 1 patriarche 2 000 fidèles. *Coptes* 1 000 et *Syriens* 1 000, chacun 1 archevêque. *Éthiopiens* 1 000 env., 1 évêque. Droits particuliers dans les principaux sanctuaires chrétiens. 4°) **Anglicans et protestants** (3 %) env. 3 000.

■ Histoire

Av. J.-C. 10000-7000 civil. paléolithique natoufienne (du Wadi Natuf) : cueillette, chasse. Villages en pierre : Mallaha (Eynam), Jéricho. **7000-5000** sécheresse, pays abandonné. **V. 5000** repeuplé. **V. 4000** néolithique (agric., élevage). Voir Judaïsme, p. 535.

V. 1008-1001 le roi *David* fait de Jérusalem la capitale du roy. d'I. et de Juda et y transfère l'arche. David soumet Moabites puis Ammonites et Édomites. **V. 969-930** règne de *Salomon.* Entreprend la *construction du Temple* de Jérusalem. **V. 930-881** incertitude. **V. 881-841** dynastie d'*Omri.* Capitale à Samarie. **V. 841-749** dyn. de *Jéhu.* **722** l'Assyrie prend Samarie, 27 290 Israélites déportés. I. devient province assyrienne. **722-587** *fin du roy. de Juda.* **588**-*15-1 Nabuchodonosor* met le siège devant Jér. qui tombe le 29-7-587. Répression (destruction des principaux édifices : temple, palais royal, murailles déportation des habitants à Babylone). **587-538** exil à Babylone. **539**-*29-10* le roi perse Cyrus entre dans Babylone. **538** édit de Cyrus ordonnant aux exilés de rentrer dans leurs pays et de reconstruire le Temple de Jér. (aux frais du trésor royal). **515** 2e Temple inauguré. **445** *Néhémie,* gouverneur de Juda, fait reconstruire la muraille de Jér. en 52 j. **332** fin de la domination perse, Alexandre le Grand prend Samarie et Judée. **323-281** *g. des Diadoques* (généraux d'Alexandre se disputant sa succession), influence de l'Égypte. **V. 285-200** domination *lagide.* **IVe-IIIe s.** développement de la diaspora dans l'Empire hellénistique. **200-167** domination *séleucide.* **167-142** *Antiochus* ayant décrété une hellénisation systématique (pillage de Jér., autel païen dans le Temple, mort pour les fidèles israélites, livres de la Loi détruits), révolte *des Maccabées,* dirigée par Mattathias l'Hasmonéen (prêtre qui refusa de sacrifier devant l'envoyé du roi) et ses 5 fils, env. 6 000 h. **164** reprennent Jér., purifient le Temple et le réinaugurent le 14-12. **142-63** dynastie hasmonéenne. **63** *Pompée* prend Jérusalem, Judée rattachée à l'Empire romain. **40** roi *Hérode* construit la citadelle (tour de David) et embellit le Temple. **37 av. J.-C.-66 apr. J.-C.** dynastie hérodienne. **66-74** révolte des J. contre gouvernement romain. **70** Romains (Titus) détruisent Jérus. et le Temple (30-8). Voir p. 537 a. Ce qui prive Israël des assises de son unité nationale et religieuse car les J. tiennent, en effet, Jérusalem pour leur capitale nationale et leur ville sainte. Ils s'y rendent 3 fois par an, à l'occasion des fêtes de pèlerinage et acquittent un impôt cultuel au Temple. La reconstruction du Temple est désormais liée à l'avènement du Messie, dont l'attente domine la vie j. **70-73** 1 000 J. (hommes, femmes, enfants) s'enferment à *Massada.* Ils résistent 3 ans aux assauts romains, puis, vaincus, se suicident sauf 2 femmes. **132-135.** 2e révolte contre les Romains conduite par Bar-Kokhba échoue. + de 500 000 soldats †, 985 villages détruits. Jérusalem rasée remplacée par ville romaine (Aelia Capitolina) Judée disparaît sous-préfecture romaine (Syrie-Palestine) population dispersée *(Diaspora).* 10 000 J. restent, notamment en Galilée (cap. religieuse Bet Shearim jusqu'en 352) la législation byzantine leur est hostile. **394** les J. peuvent revenir à Jérusalem. Devant le triomphe du christianisme, le judaïsme se transforme en religion non missionnaire, n'enregistrant plus que quelques rares conversions de groupes (comme certaines tribus berbères d'Afrique du N. et la caste dirigeante du royaume khazar, qui forme du VIIIe au XIIe s. un « État juif » s'étendant du Caucase à la Volga).

Ve-VIe s. peuplement progressif par des Arabes, venus du désert. **614** conquise par Perses sassanides. **637** par Arabes musulmans. **691** sultan omeyyade Abd el-Malik fait de Jér. une ville sainte *(Al Quds)* et construit *dôme du Roc* sur l'emplacement du Temple. **V. 710** Al Walid construit mosquée Al Aqsa sur l'ancienne esplanade du Temple. **743** califat arabe constitué ; les J. y ont le statut de *dhimmis* soumis à la loi coranique. **1099** (croisades) Palestine fait

TERRITOIRES ADMINISTRÉS OU ANNEXÉS PAR ISRAEL DEPUIS 1967

■ **Judée-Samarie (Cisjordanie)** 5 678 km^2. **Population** *1967:* 596 000 h. ; *83:* 772 000 (dont 45 000 j.) ; *87 :* 868 000 (dont 60 000 j.) ; *88 :* 916 000 ; *90:* 1 000 000 (100 000 j.) : 91 (août) : (112 000 j.). **Réfugiés** 365 000, dont 92 500 vivent dans 19 camps et 272 500 hors des camps. **Implantations juives** 146 (91), dont 9 ont un statut « urbain ». (30 000 logements en 91). Ma'aleh Adumim (15 000 h.), Ariel (6 500), Kiryat Arba (4 500), Emmanuel (4 000). **Terres** sous « contrôle » direct (41 %) ou indirect (11 %) d'I. 4 % « affectés » aux implantations juives. Total contrôlé (1991) 60 % [Du 1-4 en 9-5, 73 dununs confisqués (1 d. = 7,3 ha)]. **Villes** Jéricho 64 000, Bethléem 58 819, Hébron 7 178, Naplouse 5 232, Djénine 4 891, Tulkarem 4 725, Ramallah 3 903.

■ **Gaza** 373 km^2, long. 40 km × 12. **Population** *1967 :* 390 000 h., *87 :* 565 000 (dont – de 2 000 J. dans 18 implantations), *91 :* 750 000 à 800 000 (4 000 dans 15 impl.). D 2100. **Réfugiés** 435 000, dont 240 000 dans 8 camps et 195 000 en dehors (57 000 dans Gaza ville). **Terres** 35 % sous « contrôle » isr.

■ **Golan** 1 150 km^2, 70 km sur 25 km, au N.-E. d'I., position stratégique, plateau surplombant la Galilée du lac de Tibériade aux sources du Jourdain. Château d'eau de la région. **Population** *avant 1967* env. 100 000 Syriens, *1981 :* 13 000 Druzes et quelques centaines d'Alaouites et de Circassiens, 6 000 colons isr. *1991:* 200 000 (dont 14 000 Druzes groupés en 5 bourgs ; 12 000 Isr. dans 8 kibboutz et 24 localités, dont Katzin 4 000 h ; 15 000 Syriens).

■ **Transformation économique et sociale.** Création d'une zone industrielle (N. de Gaza) ; augmentation du PNB en Cisjordanie de 13 % par an dep. 67. Actifs allant chaque jour travailler en I. *93 :* 73 000 (de Cisjordanie), 42 000 (de Gaza). Écart des salaires moyens, entre I. et Cisjordanie, env. 1/3. Les Palestiniens sont le plus souvent agriculteurs ; ils vendent leurs produits sur place, en I. et en Jordanie (trafic libre entre les 2 rives du Jourdain). Aide des Palestiniens du Golfe (avant la g. du Golfe) : 450 millions de $ par an. *Chômage* Gaza 20 à 40 % (Israël 11 %).

■ **Statut.** Des lois d'avant juin 1967 demeurent en vigueur, et les pop. locales jouissent de l'autonomie pour affaires municipales, judiciaires et culturelles. **Sanctions prises** *contre les Arabes faisant partie de réseaux terroristes :* dynamitage des maisons ; expulsion vers la Jordanie.

partie du roy. de Jérusalem (le Normand Tancrède, seigneur de Galilée). **1187** Palestine conquise en partie par Saladin, sultan d'Égypte (après sa victoire de Hattin). **XIIIe s.** les hordes kharezmiennes et mongoles exterminent une bonne partie des hab. **V. 1250** sous l'autorité des Mamelouks (musulmans turco-tartares) qui sauvent in extremis les J. de l'anéantissement. **1267** communauté j. de Jérus. reconstituée sous l'impulsion de l'érudit Moïse Ben Nachman (Nachmanide, le « Ramban »). **1517-1917** domin. des Turcs ottomans (1517 Jérus. enlevée aux Mamelouks par sultan turc Selim Ier qui a reconstitué région administrative de Syrie-Palestine et encourage les J. à s'installer en Palestine).

Communauté J. de Babylone avait la direction spirituelle du judaïsme. A la mort (1033) du dernier des Grands Gueonim (autorité religieuse), le centre spirituel passa en Europe près de Cordoue (tradition babylonienne, dite *Sepharadi*) et en Rhénanie (trad. palestinienne dite *Askhenazi*). **Communauté j. d'Espagne.** **1391** décimée par chrétiens. **1492** expulsée [200 000 partent pour Afr. du N., Italie et empire turc (notamment Palestine : *1845* 12 000 J. sur 350 000 h. ; *1880* 25 000 J. sur 500 000 h.)].

XIXe s. l'ouest de la Palestine (actuel Israël) presque entièrement désertique ne constitue pas d'entité autonome. **1835** l'étudiant *Moritz* fonde à Prague une société pour le retour en P. **1838** *Moïse Montefiore* propose la création d'un État j. **1847** *Disraeli (1804-81)* écrit « Tancred » (préconisant théocratie judéo-chrétienne sur le monde). **1861** « Mishkénot Sha'ananim », 1er quartier j. hors des murailles de Jérusalem. **1862** *Moïse Hess* publie « Rome et Jérusalem ». **1863** *Havatzélet*, 1er périodique en hébreu. **1870** Mikvé Israël, 1re école agricole j., près de Jaffa. **1878** J. de Jérus. fondent Pétah Tikva. **1882** *Léon Pinsker* (1821-91) publie « Auto-émancipation » à Odessa. Création près de Jaffa 1re colonie agricole j. **1891-96** des pionniers de l'Alliance israélite univ. et les Amants de Sion fondent 17 colonies agricoles ; le *Bon Edmond de Rothschild* (1845-1934) encourage le *sionisme* (du nom du Mt Sion, une des collines de Jérusalem, qui symbolise le pays d'Israël). **1896** *Theodor Herzl* (1860-1904) reprend les idées de Pinsker dans « l'État des juifs », puis dans un roman, « Altneuland » (1902) ; il propose de créer un État j. garanti par le droit public, réunit le 1er congrès sioniste à Bâle (29-8-1897), fonde la banque nat. juive (1898) et le Fonds national juif (1901), négocie avec le sultan l'achat de la Palestine (1902, échec). **1903** la G.-B. propose aux J. l'Ouganda pour créer un État. **1903-14** 40 000 J. s'installent en P. **1904** Herzl envisage de fonder un foyer j. en Ouganda (le VIIe congrès sioniste refuse). **1909** 1er *kibboutz* en Palestine, Degania. **1914-18** les Ar. palestiniens sont loyaux à l'égard de la Turquie. **1915** accords *Hussein-Mac Mahon* Sir Henry, haut-commissaire brit. au Caire : les Anglais constitueront après la g. un grand royaume arabe dont le souverain serait le cherif de La Mecque, *Hussein* (pour le récompenser de son action contre les Turcs : quelques centaines de combattants, opérations de razzia). *-24-10* lettre de Mac Mahon disant : « Les deux districts de Mersine et d'Alexandrette et les parties de la Syrie se trouvant à l'ouest des districts de Damas, Homs, Hama et Alep ne peuvent pas être dits purement arabes et doivent être exclus des limites demandées. » Plus tard, les Arabes soutinrent que la Palestine entrait dans les territoires promis, les Anglais tenant pour le contraire. **1916**-*3-1* accord secret sir Mark *Sykes-François-Georges Picot* (France/G.-B. ratifié mai) pour partage de la Terre sainte : l'ouest du Jourdain est exclu des territoires destinés à l'indépendance arabe. **1917** 1er réseau clandestin j. en Palestine, « Nili », lutte contre l'empire ottoman. *-2-11* poussée par *Chaïm Weizmann* [(1874-1952), chimiste qui isola l'acétone, qui rendit des services pour l'armement angl.], la G.-B. publie la *déclaration* du min. des Aff. étr., *Arthur Balfour,* promettant l'établissement d'un foyer national j. en Pal. (Weizmann avait assuré, en échange, au PM angl. Lloyd George que les J. amér. pousseraient les USA à entrer en g.). L'armée angl. (Gal Allenby) attaque en Pal. ; à Noël entre à Jérusalem. **1918**-*4-4* Weizmann installe à Tel-Aviv le comité exécutif sioniste *Vaad Leumi.* *-26-9* Pal. conquise. **1919**-*3-1* lors de la Conférence de la Paix, à Paris, l'émir Fayçal, fils du roi Hussein de Hedjaz, délégué arabe principal, et Weizmann signent un accord confirmant la déclaration Balfour, et reconnaissant la Pal. comme distincte du roy. arabe (prévu par les accords Hussein-Mac Mahon) et le droit des J. à la souveraineté sur cette région ; le texte organise leur coopération avec les États arabes qui naîtraient du démembrement de l'empire ottoman. Les propositions j. admises par la délégation arabe incluent, dans les territoires dévolus à l'État j., la Judée-Samarie (ou Cisjordanie) et une partie (20 000 km^2) de la Jordanie actuelle. **1920** *Histadrout* (Conf. gén. des synd. en Erez Israël) fondée ; 1ers groupes de défense de la *Haganah.* Vladimir Zeev Jabotinski (Odessa 1880-1940), chef de l'exécutif de l'organisation j., prévoit que « le transfert de millions de J. en Eretz Israël entraînera automatiquement la création d'un État hébreu dans les frontières bibliques (soit 111 500 km^2), conformément aux termes initiaux du mandat sur la Palestine (avant le Livre blanc de Churchill de 1922). *Avril Conférence de San Remo* confirme Déclaration Balfour, le mandat sur la Pal. sera exercé par la G.-B. pour la SDN. **1921** *mars* création de l'émirat de Transjordanie ; les Arabes attaquent les colons j. *-22-7* Lloyd George et Balfour affirment à Weizmann que la G.-B. a entendu se prononcer pour un futur État juif.

1922-*24-7* SDN ratifie mandat donné à G.-B. sur Pal. : l'art. 4 prévoit une *Agence j.,* émanation de l'Organisation sioniste, qui représenterait les J. auprès de l'administration brit. Celle-ci facilitera l'immigration j. (art. 6) et mettra en place un système agraire visant à promouvoir la colonisation et la culture intensive des terres (art. 11). Toute modification des termes du mandat devra être soumise à l'approbation du Conseil de la SDN (art. 27) ; prescription que la G.-B. violera lorsque, par le Livre blanc de 1939, elle interdira aux J. l'entrée dans leur Foyer national. Le mandat impose la mise à la disposition des sionistes des terres publiques (7/10 des terres), mais la G.-B. assurera aux Arabes le monopole des biens fonciers. 27 % des terres achetées par les J. leur seront vendues par des propriétaires ne résidant pas en I. La G.-B. détache la Pal.-Orient. (84 000 km^2) à l'E. du Jourdain et ne s'engage que pour la Pal.-Occid. (27 000 km^2) (mesure ratifiée par la SDN le 16-9-22). La G.-B. confie la Pal.-Or. (où vivent les 2/3 des Arabes pal.) à l'émir Abdallah (frère du roi Fayçal) qui appelle son État Transjordanie (1922) puis roy. de Jordanie (1946). **1922-27** 370 000 J. (surtout Polonais) immigrent officiellement, protestations des Arabes de Pal. et des États ar. voisins. **1925** lord Wedgwood préconise un État j. *N. Jabotinsky* fonde mouvement révisionniste qui conteste la pol. angl. en Pal. [crée une organisation para-mil. vers 1930 et un mouvement de jeunesse (le *Bétar*)]. **1927** *Agence j.* fondée pour colonisation des terres achetées par le Fonds national (1944 : 173 000 ha, 15 % des t. cultivables de Pal., 6 % du terr.). **1929** incidents à Jérusalem entre J. et Ar. Massacres à Hébron. **1931** fondation de l'*Etzel* (Irgoun Tzvaï Léoumi). **1933** Haïm Arlozoroff, chef du département polit. de l'Agence j., assassiné à Tel-Aviv ; les socialistes accusent les révisionnistes (en fait il a été tué par 2 agents ar. de l'All. sur ordre de Goebbels). *-30-1* Hitler au pouvoir en All. 37 000 J. all. émigrent en Pal. **1934** Ben Gourion et Jabotinski veulent fondre leurs 2 mouvements dans le *Mapaï,* mais Ben Gourion est désavoué. 45 000 J. all. émigrent ; 30 000 Syriens chassés du Hauran (sécheresse) émigrent en Pal. **1935** l'Union des sionistes-révisionnistes, fondée et dirigée par Jabotinsky, quitte l'Organisation sioniste mondiale et crée une nouvelle Org. sioniste (révisionniste). 66 000 J. all. émigrent. **1935-39** actions antisionistes ar. (1936 : « révolte ar. », G.-B. envisage partage de la Pal.). 10 000 incidents, 211 Angl. †, 300 J. †, 2 000 Ar. †. **1936** Jabotinski (à l'encontre de la politique de non-violence de l'Agence j. et des socialistes pal.) ordonne à la branche militaire de son mouvement, l'*Irgoun tzvaï léoumi* (organisation milit. nat.) de riposter par la force au terrorisme ar. **1936-45** 100 000 Ar. viennent des pays voisins. **1936** 30 000 J. all. émigrent. **1937** rapport de la Commission royale dirigée par lord Peel : constatation que la Pal., traditionnellement terre d'émigration ar., est devenue un pays d'immigration ar., du fait du développement économique du secteur j. ; recommande le partage de la Pal. occid. en 2 États, j. et ar. (les J. auraient un État de 7 655 km^2, les Ar. refusent). **1938** commission Woodhead propose État j. réduit à Tel-Aviv (1 275 km^2), les Ar. refusent. – de 15 000 J. allemands émigrent ; à partir du 2e semestre : immigrants illégaux se raréfient (la flotte angl. arraisonne de nombreux bateaux de réfugiés ; les occupants sont renvoyés vers leur port d'embarquement. **1939**-*30-1* Hitler menace en public de détruire la race j. en Europe. *-17-5* Livre blanc anglais (mémorandum MacDonald) ; un contingent de 75 000 J. serait admis en Pal. « à titre humanitaire » pendant 5 ans. Après, toute immigration j. serait rigoureusement prohibée (les Ar. des États voisins pouvant par contre continuer à émigrer). Les J. détiendraient env. 1/3 des postes. Actions terroristes de l'Irgoun contre Anglais. **1939-45** *shoah* (catastrophe) génocide des J. (voir Index). **1940** l'Irgoun se range aux côtés Angl. et France contre Allem. mais *Abraham Stern* (1907-42, tué par Angl.) s'y refuse et constitue avec 200 membres le *groupe Stern* [plus tard Lohamei hérouth Israël, combattants de la liberté d'Isr., en abrégé Lehi dirigé par Nathan Yelin-Mor (1913-80)]. Jabotinski meurt. **1943** *Menahem Begin,* chef de l'Irgoun. **1944**-*1-1* reprend le combat en I. contre l'administr. angl. : perceptions, quartiers centraux de la police et offices d'immigration. *-15-10* le v.-

Pt américain préconise immigration j. illimitée. *-6-11 Lord Moyne* (ministre brit. au Proche-Orient), qui s'était opposé au plan de sauvetage des J. hongrois proposé juin 1944 par Yoël Brand (échanger 1 000 000 de J. hongrois en instance de déportation contre 10 000 camions), est assassiné sur ordre d'Itshak Shamir au Caire par 2 membres du Stern (qui sont arrêtés). Les J. socialistes aident la police brit. à traquer les « rebelles ». Ben Gourion et la majorité des responsables soc. croyaient que la G.-B. accepterait pacifiquement de satisfaire les aspirations du sionisme, une fois la g. finie [Churchill avait promis de donner aux J. le « gros morceau » en Palestine (Pal. occ. et une partie de la rive or. : Jordanie actuelle), et les Travaillistes prévoyaient un État j. plus étendu que celui revendiqué par les sionistes eux-mêmes]. **1945** *juill.* les Travaillistes anglais, au pouvoir avec Atlee, oublient leurs promesses : l'abandon des Indes oblige la G.-B. à s'appuyer sur les monarchies ar. Répression en Pal. ; les J. se dressent contre G.-B. **1945** *sept.* à **1946** *juin* front commun ; la *Haganah* (Défense), branche militaire du sionisme officiel, lutte aux côtés de l'*Irgoun* et du *Groupe Stern* (destructions d'avions, attaques de convois milit., dynamitages de ponts et voies ferrées) ; la G.-B. (avec 100 000 h.) ne peut triompher du terrorisme malgré arrestations massives et déportations vers Érythrée. *-13-11* Bevin, min. angl. des Aff. étr., invite USA à prendre en main la question pal. **1946**-*29-6* les Angl. arrêtent les dirigeants modérés j. ; la Haganah dépose les armes (ordre de Weizmann). *-17/18-6* Irgoun fait sauter 10 ponts du Jourdain. *-22-7* fait sauter le King David Hotel à Jér. (110 † angl. : le quartier gén. angl. n'ayant pas été évacué malgré une alerte par tél.). La G.-B. décide de donner l'indép. à la Transjordanie. **1947**-*31-1* évacuation des femmes et enfants angl. *-14-2* la G.-B. fait examiner la question à l'Onu. *-11-7* le *Pt Warfield* (commandé par Ike Aronowicz 23 ans), quitte Sète avec 4 530 J. (1 561 hommes, 1 282 femmes, 655 enfants, 1 017 adolescents, 36 marins). *-17-7* rebaptisé en mer *Exodus 1947* (en hébreu Yetziat Europa 5707, soit Sortie d'Europe 5707). *17/18-7* attaqué à 17 milles de la Palestine par le destroyer anglais *HMS Childers,* 4 † (3 réfugiés, 1 soldat brit., 200 bl.). *-18-7* arrivée à Haïfa ; 4 493 réfugiés repartent sur 3 bateaux « cages » pour Port-de-Bouc. *-22-8* repartent pour Hambourg où ils sont débarqués le 9-9 (en 1952, l'*Exodus* a brûlé à Haïfa). *-31-8,* 3 terroristes j. pendus par Angl. ; 2 sergents angl. pendus par Irgoun (en représailles, des synagogues sont brûlées à Londres), mais l'opinion publique pousse la G.-B. à se retirer de Pal. (200 Angl. ont été tués par attentats). *-29-11* vote à l'Onu d'un *plan de partage :* résolution 181 : *État juif* 56,47 % de la Palestine (hors Jérusalem) 498 000 Juifs, 325 000 Arabes. *État arabe* sur 43,53 %, 807 000 A., 10 000 J. Régime de tutelle internationale pour Jérusalem, 100 000 J., 105 000 A. Garantie des droits des minorités et des droits religieux, y compris le libre accès aux Lieux saints et leur préservation. Union économique entre les 2 États : union douanière, système monétaire commun, administration unique des principaux services, accès égal aux eaux et sources d'énergie. Période de transition de 2 mois à compter du 1-8-1948, fin du mandat et évacuation des troupes britanniques (33 pays pour, dont USA, URSS, Fr. ; 13 contre dont 11 musulmans, Cuba et Grèce ; 10 abstentions dont G.-B.). *-30-11* Ligue arabe déclare qu'elle s'opposera par la force à l'établissement d'un État j.

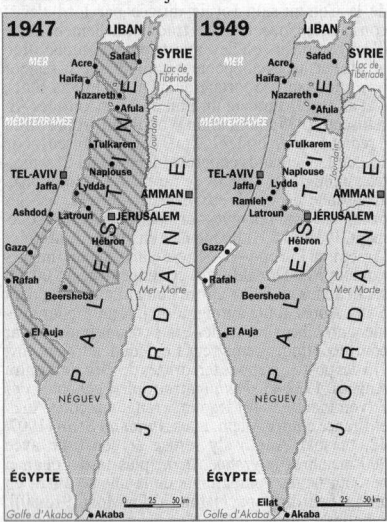

1947 : plan de partage de la Palestine adopté 29-11-47 par Ass. gén. de l'ONU. Israël avait 14 400 km². **1949 :** lignes de démarcation de 1949. Israël a 20 700 km².

Bilan (1939-45)	Pop. j. 1939	Morts et disparus	Pertes en %
Pologne	3 300 000	2 800 000	84,8
URSS [3]	2 100 000	1 500 000	71,4
Roumanie	850 000	425 000	50
Hongrie	404 000	200 000	49,5
Tchécosl.	315 000	260 000	82,5
France [1]	*300 000*	*90 000*	*30*
Allemagne	210 000	170 000	81
Lituanie	150 000	135 000	90
Pays-Bas [1]	150 000	90 000	60
Lettonie	95 000	85 000	89,5
Belgique [1]	90 000	40 000	44,4
Grèce	75 000	60 000	80
Yougoslavie	75 000	55 000	73,3
Autriche	60 000	40 000	66,6
Italie [1]	57 000	15 000	26,3
Bulgarie	50 000	7 000	14
Divers [2]	20 000	6 000	30
Total	*8 301 000*	*5 978 000 [4]*	*72*

Nota. – (1) Y compris réfugiés. (2) Danemark, Lux., Norvège, Estonie, Dantzig. (3) Zone occupée. (4) Variante fournie par *l'Encyclopaedia Judaïca* (1974) : Aire polono-soviétique *4 565 000* (sur 7 005 000), Hongrie (avec Transylvanie du N.) *402 000,* Tchécoslovaquie *277 000,* Allemagne *125 000,* Pays-Bas *106 000,* France *83 000,* Autriche *65 000,* Grèce *65 000,* Yougoslavie *60 000,* Roumanie *40 000,* Belgique *24 000,* Italie *7 500,* Norvège *760,* Luxembourg *700. Total : 5 820 960* (morts dans les camps, env. 3 millions ?).

Source : « Le IIIe Reich et les Juifs » de L. Poliakov et J. Wulf, Gallimard.

Les Allemands appelaient NN (*Nacht und Nebel,* nuit et brouillard) les camps dont les détenus étaient voués à l'extermination.

Guerre de 1948-49. Ar. et J. essayent de s'emparer du matériel de g. angl. Évacuation de 350 000 à 400 000 Ar., encouragés à partir à l'abri par leurs chefs (beaucoup étaient des émigrés récents venus pour trouver du travail). *Forces en présence. Arabes :* 40 000 Égyptiens, 21 000 Irakiens, 8 000 Syriens, 6 000 Jordaniens, Légion ar. commandée par Sir John Bagot dit Glubb Pacha († 1986), quelques milit. libanais alliés à 50 000 Ar. de Pal. (Garde nat. levée par le mufti de Jérusalem) attaquent milices j. *Juifs :* [Haganah (créée officiellement 1936) : 40 000 soldats (10 000 fusils), 16 000 policiers, 2 000 commandos (*Palmakh*)]. **1948** *avril* les J. élisent un Comité exécutif de 13 m. *-14-5* son Pt *David Ben Gourion* proclame l'indépendance d'I. 8 h avant l'expiration du mandat brit. (15 mai à 0 h) ; il ne précise pas les frontières. La légion ar. attaque des colonies j. 350 civils j. tués à Goush Etsion et 88 médecins et étudiants j. brûlés vifs sur le mont Scopus. *-9-4* combats de *Deir Yassin* (254 femmes, enfants, vieillards ar. †) entre irréguliers ar. et 80 soldats de l'Irgoun et 40 du groupe Stern. *-14-5* Jérusalem choisie comme capitale. *-15-5* début de la g. *-17-5* URSS reconnaît I. *-28-5* Jérusalem aux mains des Arabes. Cte Folke Bernadotte, Suédois, nommé médiateur de l'Onu en Palest. *-11-6* levée du siège de Jérusalem. *Juin* Ben Gourion fait mitrailler l'*Altalena* qui amenait 900 h. et des armes pour l'Irgoun. *-11-6/8-7 1re* trêve, puis offensive des 10 j ; *-19-7/15-10 2e* trêve, 500 000 Ar. se réfugient en Transjordanie, Liban et Syrie (68 000 Ar. sur 70 000 quittent Haïfa). *-17-9* Bernadotte tué, 6 balles dans le cœur (avec André Sérot, colonel fr. observateur de l'Onu, 17 balles dans la tête et la poitrine) par Yeoshua Cohen († 1986) considéré comme « antisémite et proar. » parce qu'il n'avait pas fait libérer des J. lors de sa négociation d'avril 1945 avec Himmler [les 3 et 4-7, I. et la Ligue ar. ayant refusé la constitution d'un État fédéral (État j., État ar. et Transjordanie) et la démilitarisation de Jérusalem et de Haïfa, Bernadotte revenu à Rhodes avait proposé : partage de la Pal. (Néguev aux Ar., Galilée occid. aux J.), internationalisation de Jérusalem et des Lieux saints, retour des réfugiés en Isr., mais Ar. et J. étaient contre]. *-18-9* arrestation de 200 m. et sympathisants du groupe Stern. *-20-9* Stern et Irgoun hors la loi. *-15-10* Égyptiens repoussés dans le Néguev. *Déc. 1948/janv. 49* I. s'installe dans le Néguev, qui lui revenait d'après le plan de partage. **Armistice** demandé par Égypte (signé *24-2*-à Rhodes), Liban *(23-3),* Jordanie *(3-4),* Syrie *(20-7).* L'Irak retire ses troupes sans négocier. **Pertes isr.** 6 500 †. **Territoire** + 6 300 km².

1949-56-*11-5* I. entre à l'Onu. La résolution 273 III lui enjoint de mettre en œuvre les principales résolutions des *29-11* et *11-12-48* (I. doit rapatrier les réfugiés qui le désirent ou indemniser ceux qui renonceraient). *-13-12* transfert de la capitale à Jérusalem annoncé. Égypte interdit trafic venant ou allant en I. à travers canal de Suez. **1950**-*24-4* Transjordanie devient roy. hachémite de Jordanie en annexant les zones de Pal. qu'elle occupait. **1953** *Mossad* (service secret) créé. **1950-56** *Pertes isr. :* 15 000 † (sabotages, incursions de commandos ar.).

Guerre de 1956. *Été* accord secret de Sèvres entre G.-B., Fr. et I. pour attaquer l'Ég. (qui a nationalisé le canal de Suez). *-29-10 :* opération Kadesh, 3 colonnes blindées (avec Gal Moshe Dayan) envahissent Sinaï. *-30-10* Fr. et Angl. enjoignent aux Égyptiens et I. de retirer leurs troupes à 16 km de part et d'autre du canal de Suez. I. accepte, l'Ég. refuse. *-4-11* occupation des îles de Tiran et Sanapir. *-5/6-11* une force fr.-angl. intervient à partir de Chypre (parachutages sur Port-Saïd et Port-Fouad puis débarquement, 1 000 Fr.). Zone du canal occupée sur 36 km entre Port-Saïd et El-Kantara. *-6-11* intervention diplomatique russo-amér. contraignant Anglo-Fr. et I. à cesser le feu. *-4/22-12* Angl.-Fr. évacuent l'Ég., remplacés par forces de l'Onu. **1957** *-1-3* I. évacuent Gaza et Charm al-Chaykh, remplacés par Onu. **Pertes.** *Tués :* Ég. 650 (?), I. 189, Angl. 22, Fr. 10. *Prisonniers :* Ég. 15 000. I. 1.

Après 1956, blocus ar. renforcé, la Ligue ar. tentant d'empêcher les Stés étrangères de travailler avec I. **1960**-*23-5 Eichmann* enlevé en Argentine par des agents i. (procès ; exécuté 1-6-62). **1965**-*1-1* relations dipl. avec All. féd. **1966**-*15-8* bataille aérienne i.-syr. au-dessus de Tibériade. I. annonce qu'il exercera droit de suite en Syrie.

Guerre des Six Jours 1967. *-10-5* I. informe Conseil de séc. (Onu) qu'il réagira aux agressions de Syrie. *-18-5* Ég. demande retrait des 3 400 Casques bleus (Onu) stationnés dep. 1956 en Ég. et à Gaza. *-19-5* U Thant, secr. gén. Onu, accepte. *-21-5* retrait effectué. *-22-5* Ég. interdit golfe d'Akaba aux navires i. et aux matériaux stratégiques destinés à I. (bloque détroit de Tiran). *-31-5* accord de défense jord.-ég. après visite du roi Hussein au Caire. *-4-6* l'Irak y adhère. *-5/10-6 g. éclair* menée par Gal Rabin (Gal Moshe Dayan (1915-80) étant min. de la Défense) ; I. avait déclaré qu'il considérerait comme un casus belli le blocus d'Akaba. I. détruit au sol env. 400 avions, capture ou détruit 700 à 800 chars ég., 110 chars jord., 3 sous-marins ég., occupe Sinaï, Gaza (le 7-6, Cisjordanie et Jérusalem-Est, à la Jordanie), et hauteurs du Golan (Syrie). *-8-6* cessez-le-feu, respecté 2 j plus tard. (**Pertes :** *Jordanie* 6 094 † et disparus, *Syrie* 445 †, 1 898 bl., *Ég.* 20 000 † ; I. 872 † dont 200 à Jér.) *I.* (13 000 km²) contrôle 42 000 km². 200 000 Pal. (dont 100 000 des camps de Jéricho) quittent Cisjordanie occupée par Jordaniens.

1967 *-28-6* Knesset vote annexion partie ar. de Jér. (condamné par l'Onu). *-24-9* le gouv. décide d'installer des kibboutzim en Cisjordanie et sur le Golan. *-21-10* escorteur *Eilath* détruit par missiles ég. *-22-11* **résolution 242** adoptée à l'unanimité par le Conseil de séc. de l'Onu [retrait des forces i. des terr. occupés (le texte off. angl. dit « occupied territories », c.-à-d. *de* territoires occupés, sans préciser lesquels, et non de tous les terr. comme l'ont confirmé les 2 auteurs du texte original, le min. brit. des Aff. étr., lord George Brown et l'amb. angl. à l'Onu, lord Caradon), respect et reconnaissance de la souveraineté, de l'intégralité territ., de l'indép. et du droit de vivre en sécurité de chaque État de la région].

1968-*21-3* représailles (après attentat contre autobus d'écoliers) contre camp de Karameh (Jordaniens 61 †, 31 chars perdus ; Palestiniens 128 †, 150 prison-

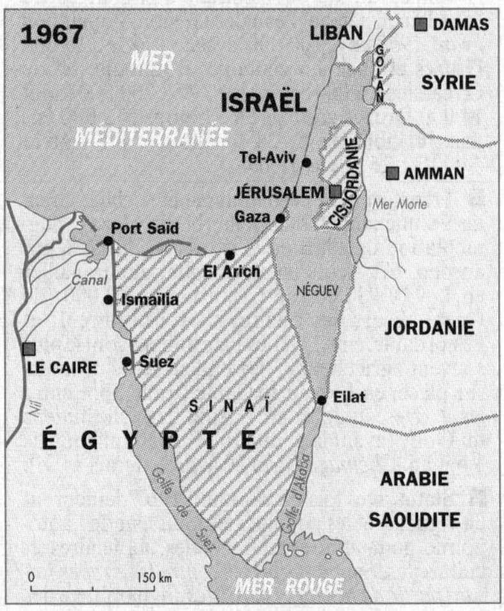

1967 (juin) : lignes de cessez-le-feu. Israël a 39 859 km².

niers ; I. 28 †, 11 chars et 1 avion perdus). *-8-7* duel d'artillerie le long du canal. *-8-9* idem. *-31-10* raid i. en Ég. à 23 km d'Assouan. *-26-12* Athènes att. contre avion El Al (1 †). *-28-12* raid i. sur l'aérodrome de Beyrouth. **1969**-*2-1* la Fr. impose l'*embargo* sur livraisons mil. à I. *-9-3* duel d'artillerie le long du canal. *-21-6* raid i. contre station de radar à 10 km au S. de Suez. *-23-7* début de la g. d'usure sur canal. *-25-12* raid i. sur des rampes de lancement ég. : une station radar emportée. À 2 h 30 5 *vedettes* commandées et payées par I. aux Constructions mécaniques de Normandie (Félix Amyot), qui restaient d'une commande de 12 et étaient bloquées par l'embargo, quittent *Cherbourg* clandestinement pour I. (arrivent 31-12). **1970** représailles contre Liban. *-7-1* 1er raid en profondeur de l'aviation i. *-12-2* bomb. i. d'une usine (70 †). *-15-3* attaque i. en Syrie. *-19-6 plan Rogers* (1° reconnaissance mutuelle de la souveraineté, de l'intégrité terr. et de l'indép. pol. entre Ég. et Jordanie, d'une part, et I., d'autre part. 2° retrait d'I. des terr. occupés en 1967) ; accepté par Ég., I., Jordanie ; rejeté par OLP, Irak, Syrie. *-7-8* cessez-le-feu sur canal (reconduit *4-11* puis *4-2-71*, non reconduit *7-3-71*). **1971**-*25-5* mission du Suédois Gunnar Jarring (Onu) mise en veilleuse. **1972**-*15-2* accord avec Fr. sur remboursement des 50 Mirage-5 achetés par I. en 1966 et mis sous *embargo* en 1967. *-28-3* élect. mun. en Cisjordanie, votants : 84 % des 12 000 électeurs. *-30-5* attentat à *Lod* (27 †). *-21-6* bombardement sur Liban (48 †). *-15-8* Fouad Assad al-Chamali, Libanais, 36 ans, « cerveau » de Septembre noir, meurt. *-5-9* assassinats (11 athlètes) aux J.O. de Munich par Septembre noir. *-8-9* raid i. contre Liban et Syrie (200 †). *-1-11* contre Syrie : 100 †. *-21-11 :* 6 Mig syriens détruits. [*Du 10-6-67 à oct. 72, pertes isr. :* 827 †, 3 141 bl., 27 avions abattus ; *fedayins :* 3 335 †, 550 prisonniers, 145 avions ar. abattus ; 3 117 Pal. internés en I. (1 949 condamnés par trib. mil., 331 internés « administrativement », 837 non encore jugés).] **1973**-*8-1* raids i. en Syrie : + de 150 † civils. *-10-4* raid à Beyrouth, 3 dirigeants pal. tués. *Juin* chancelier Brandt visite I. *-13-9*, 13 Mig-21 syriens, 1 avion i. abattus *-29-9* l'Autriche ferme centre de transit de Schoenau (par lequel étaient passés 100 000 J. dep. 1963) après prise de 4 otages par commando pal. dans train autr. *Sept.* échange de 3 pilotes i. contre 43 officiers syr. et 10 soldats lib.

Guerre du Kippour. **1973**-*6-10* à 14 h attaque ég. (222 bombardiers, 1 500 chars, 5 divisions franchissent le canal) et syrienne (3 divisions blindées, 1 000 chars, 20 bataillons d'engins, 27 compagnies d'artillerie) sur le Golan. *-7-10* bataille de blindés à Koms (I. 1 700, Syrie 1 600, Ég. 2 000). *-9-10* Irak et Jordanie renforcent Syriens. *-10-10* Arabes prennent Mt Hermon et ville de Qunaytra. Isr. remportent une bataille de chars, réduisent aviation syr. et s'avancent sur Damas bombardée [raffinerie de Homs (Syrie)]. *-11-10* offensive sur front nord. Tartous, Lattaquié et aérodromes de Damas bombardés. *-12-10* reprennent Qunaytra. *-15/16-10* front sud : I. (gén. Ariel Sharon) passent le canal et établissent 1 tête de pont (100 blindés i. franchissent canal au Déversoir). *-17-10*, 11 pays ar. cesseront livraisons (pétrole) aux amis d'I. (USA, P.-Bas, Portugal, Afr. du S.) si I. ne quitte pas les terr. occupés. *-22-10 résolution* 338 du Conseil de sécurité votée à l'unanimité (moins Chine qui refuse de prendre part au vote) confirmant la *rés.* 242 (du 22-11-67) et prônant négoc. entre belligérants, « sous des auspices appropriés, en vue d'une paix juste et durable ». *-23-10* trêve à 17 h.

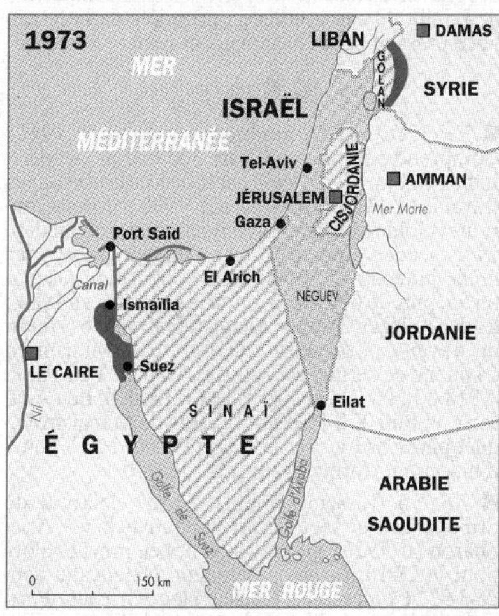

Lignes de cessez-le-feu après la guerre d'oct. 1973 : les Égyptiens occupent 2 portions d'env. 10 km de large sur la rive orientale du canal (en blanc). Les Israéliens occupent, sur la rive africaine du canal, la bande de terrain (en noir) et une bande de terrain le long du Golan en Syrie.

I. et Ég. acceptent cessez-le-feu. *-24-10* Syrie accepte cessez-le-feu. L'Irak refuse toute discussion. 3e armée ég. encerclée à l'E. du canal. Pendant ces 18 j, 2 000 chars égypt. (valeur totale 3 milliards) ont été détruits par armes portatives légères *ATGW* et *RPG-7*. *-25-10* cessez-le-feu définitif. Le Conseil de sécurité décide d'envoyer un corps internat. (arrive 26-10). Alerte des bases amér., l'URSS ayant annoncé qu'elle enverra des troupes, ce qui ne sera pas fait. *Oct.* résolution 338 du Conseil de sécurité de l'Onu réaffirme nécessité de l'application de la résolution 242. *Nov.* 241 I. échangés contre 8 301 Ég. et 3 Irak. *-4-11* 1er dimanche sans voiture aux P.-Bas (embargo pétrol.). *-7-11* USA-Ég. reprennent relations diplom. *-11-11* accord ég.-i. au km 101. (*Pertes :* 3 000 † i., matériel militaire 1 milliard de $.) *-17-12* attentats à *Fiumicino* (Italie). Boeing de la Panam détruit (31 †). Un avion Lufthansa détourné vers Koweït. *-21-12* conférence de Genève échoue (Pal. absents ; I. refuse égide Onu).

1974 *Mgr Capucci*, vicaire melchite de Jérusalem, condamné à 12 ans de prison (il a transporté des explosifs pour le Fath). *-10-1* mission Kissinger au Moyen-Orient. *-18-1* accord ég.-i. *mars* 2 I. échangés contre 65 Pal. *-15/19-5* prise d'otages à l'école de Maalot (26 I. tués, surtout des enfants), en représailles bombardement de 6 camps pal. et de 6 villages lib. (60 †). *-31-5* accord i.-syr. (cessez-le-feu, désengagement sur Golan, restitution à la S. de 663 km², zone démilitarisée, échange des prisonniers : *-1-6* 12 I. contre 25 Syr. et Marocains ; *-6-6* 56 I. contre 367 Syr., 10 Irak. et 5 Mar.). *-4-7* à Beyrouth, Haj Amine el Husseini (n. 1897), ancien grand mufti de Jér. meurt. *-4-8* URSS reconnaît OLP (bureau à Moscou). *-28-8* Pt Giscard d'Estaing *lève embargo français*. *-26/29-10* sommet de Rabat ; OLP seule représentante du peuple pal. *-21-11* Unesco refuse par 48 v. contre 33 (31 abst.) d'inclure I. dans une région du monde déterminée. *-22-11* Arafat à l'Onu qui accorde à OLP (89 v. contre 8, abst. 37) le statut d'observateur permanent et reconnaît le droit des Pal. à l'indép. **1975**-*23-3* échec mission Kissinger, mandat des troupes de l'Onu sur Golan sera prolongé. *-5-5* Tel-Aviv, hôtel Savoy pris en otage par Fatah (11 †). *-31-5* accord i.-syr. à Genève sur désengagement des forces dans Golan. *-2-6* réduction unilatérale des forces i. dans Sinaï. *-4-9* accord i.-ég. : renonciation à la g., maintien de la force Onu, passage par le canal des cargaisons non mil. de ou vers I., système de détection (5 stations dont 1 ég., 1 i., 3 US), l'Ég. récupère gisements de pétrole d'Abou-Rodeis, démilitarisation de la zone évacuée par I. (cols de Mitla et de Djidi...). *-14/20-10* accrochages sur Golan : 2 Syr. et 4 I. tués. *-2-11* cargaison pour I. franchit le c. de Suez (1re fois dep. 1948). *-14-11* I. évacue champs pétr. de Ras-Sudr. *-2-12* raids aériens i. sur camps de réfugiés pal. au Liban : + de 100 †. *-9-12* vict. du PC i. aux élect. mun. de Nazareth (ville ar.). *-15-12* Onu condamne attitude I. dans « terr. occupés » puis assimile sionisme au racisme. **1976**-*1/2-1* incendie du journal *Haaretz* (mafia). *-12-1* Onu invite OLP à participer au débat sur Pal. [11 v. pour, 1 contre (USA), 3 abstentions dont Fr.]. *-26-1* veto US au Conseil de sécurité contre résolution affirmant le droit du peuple pal. à créer un État (la Fr. vote pour). *Févr.* manif. pal. à Jérusalem (I. accusé de vouloir « judaïser » le mont du Temple). Fin de l'évacuation des cols du Sinaï. *Déb. mars* I. réquisitionne 2 000 ha de t. en partie ar. en Galilée. *-19-3* « journée de protestation d'El Aqsa » (mosquée) des Ar. *-30-3* manif. réprimée, 6 Ar. i. tués (en souvenir la *Journée de la Terre* sera célébrée chaque année). *-27-6/3-7* airbus d'Air Fr. détourné sur *Entebbe*, Ouganda (revendiqué par Septembre noir), intervention de sauvetage i. réussie. **1977**-*7-1 Abou Daoud* (accusé d'avoir organisé attentat de Munich), venu à Paris sous un nom d'emprunt pour assister aux obsèques de Mahmed Saleh (délégué de l'OLP, assassiné à Paris le *3-1*), est arrêté puis relâché. *-7-4* Itzhak Rabin démissionne (découverte d'un compte bancaire aux USA au nom de sa femme). *-17-5* élect., vict. du Likoud. (soutien sépharade) I. aide milices chrét. du Liban. Sadate en I. *-14-8* législation i. étendue aux territoires occ. *19/21-11* Pt Sadate à Jérusalem.

1978-*11-3* commando pal. (11 m.) entre Haïfa et Tel-Aviv (35 †, 82 bl.). *Mars* 1 conducteur de bulldozer échangé contre 76 terroristes. *-15-3/13-6*, 30 000 I. *occupent S.-Liban* jusqu'au fleuve Litani (plusieurs milliers de réfugiés au-delà). *-30-5* aéroport Ben-Gourion 26 †, mitraillage (FPLP). *-24-6* Begin rejette prop. du Pt Sadate de restituer terr. occupés. *-3-8* Ezzedine Kallak, représentant de l'OLP à Paris, assassiné (par Front du refus des apatrides ar.-pal.) ; bombe dans un souk (riposte à l'attentat du marché de Tel-Aviv). *-5/17-9* **Camp David I :** accords Sadate, Begin, Carter (1er) : paix au Proche-Orient, fondée sur autonomie administrative de Cisjordanie et Gaza pendant 5 a. ; I. ne crée pas de nouvelles colonies de peuplement, jusqu'à l'auto-gouv. des 2 régions ; 2e : conclusion d'un tr. de paix ég.-i. ; rétablissement de la souveraineté ég. sur tout le Sinaï ; recul de 70 km des I. au Sinaï, 3 à 9 mois après le tr. ; départ définitif d'ici à 2-3 ans. *-20/23-9* sommet ar. de la fermeté à Damas. *-3/5-11* sommet ar. élargi à Bagdad. *-11-11* compromis de Washington. *-8-12* Golda Meir meurt. *-10-12* Begin reçoit prix Nobel de la Paix à Oslo (Sadate, également prix Nobel, ne vient pas). **1979**-*22-1* Ali Hassan Salameh dit *Abou Hassan*, chef du Fath, meurt. *-21/25-2* **Camp David II.** *-14-3* 76 Pal. échangés contre 1 I. *-27-3 tr. de paix i.-ég.* signé à Washington par Sadate, Begin et Carter (« témoin »). *-3-6* imam de Gaza tué. *-24-7* Funu (Force d'urgence des Nations unies créée oct. 73) stationnée au Sinaï dissoute et rapatriée ; observateurs restent. *-25-7* I. évacue Sinaï d'El Tor à la Méditerranée (6 000 km², 110 × 50 km, 4 000 Bédouins). *-27-6* et *-24-9* combats au-dessus du Liban : 9 Mig-21 syr. abattus. *-28-7* Z. Mohsen, chef de la Saïka pal., tué à Cannes. *-25-9* I. évacue 6 400 km² du Sinaï, *nov.* évacue zone pétr. de A-Tour et monastère Ste-Catherine. Services secrets i. détruisent à *Toulon* 2 réacteurs destinés à Irak.

1980-*25-1* I. évacue partie du Sinaï *-26-2* échange d'ambassadeurs I./Ég. *-1-3* Conseil de sécurité condamne implantations j. en terr. occupés. *-2-3* Pt Giscard d'Estaing au Koweït évoque l'« autodétermination » des Pal. *-7-4* Misgav-am, prise d'otages d'enfants (3 † dont un bébé). *-2-5* Hébron (6 †, 16 bl.). *-30-7* Knesset adopte (69 v. pour, 15 contre, 3 abstentions) loi fondamentale Jérusalem réunifiée et « capitale éternelle d'I. ». *-30-7* Knesset proclame Jér. réunifiée cap. d'I. *-24-8* Jér. bombe (1 †). *-5-10* Givatayim (poste) colis piégé (3 †). *-17-10* accord USA-I. approvisionnement d'I. en pétrole garanti 10 ans. *-16-12* Gaza attentats : 3 †. *-19-12* raid au S.-Liban, 3 soldats syr. †. **1981** I. soutient milices chrét. du Cdt Haddad, au Liban ; nombreux raids aériens. *-1-6* Naïm Khader, représentant OLP, tué à Bruxelles. *-7-6* aviation i. détruit réacteur fr. Osirak à *Tammouz* (Irak). *-15/18-6* rassemblement mondial survivants de l'holocauste à Jérusalem, env. 10 000. *-20-7* début des tirs de l'OLP sur Galilée. *-7-8* plan de paix du Pce Fahd d'Ar. reconnaît à tous les États de la région le droit de « vivre en paix ». *-29-8* près de Jér., attaque d'un bus (1 †). *-10-10* Begin au Caire pour obsèques de Sadate. *-16-10* Moshe Dayan (n. 1915) meurt. *-3-11* Knesset rejette plan Fahd. *-14-12* vote (63 v. contre 21). Extension de la loi d'I. sur Golan (annexion). Manif. des Druzes du Golan contre annexion. **1982**-*3/6-3* Pt Mitterrand en I. (1er chef d'État fr. en I. dep. 1948). *-3-3* l'armée i. évacue colons de Yamit (Sinaï). *-30-3* grève gén. ar. contre répression en Cisjordanie. *-26-4* I. restitue à l'Ég. tout

Quelques actions terroristes hors d'Israel

De 1968 à 1972, voir Quid 1982, p. 1014bc.

1972-*3/5-9 Munich* (village olympique)[1], 7 Isr., 4 fedayins, 1 tireur all. tués. **1973**-*1-3 Khartoum*, ambassade d'Arabie S., 3 †. **1975**-*21-12 Vienne*[2], min. de l'OPEP pris en otages, 4 †. **1978**-*20-5 Paris*[2] vol El Al, 2 †. **1979**-*13-7 Ankara*[3], ambassade d'Ég., 3 †. **1980**-*27-7 Anvers*[2], grenades sur un groupe d'enfants j. (1 †). *-27-7 Bruxelles*, projet contre aéroport. *-3-10 Paris*, bombe devant synagogue rue Copernic, 4 †. **1981**-*22-6 Le Pirée* (Grèce)[2], agence de tourisme (2 †). *-29-8 Vienne* (Autr.), synagogue (2 †). *-31-8 Paris*, hôtel Intercontinental par Front palestinien (17 bl.). *-29-9 Limassol* (Chypre), bureau de la ZIM (Cie de nav. isr.), dégâts matériels. **1982**-*3-4 Paris*, assassinat du diplomate Yaakov Barsimantov. *-3-6 Londres*[4], ambassadeur d'I. Shlomo Argov blessé. *-9-8 Paris*[4], fusillade rue des Rosiers, restaurant Goldenberg, 6 †. *-19-9 Bruxelles*[4], synagogue, 4 bl. *-9-10 Rome*[4], synagogue (1 †). **1985**-*21-8 Le Caire*, diplomate isr. tué. *-3-9 Athènes*[4], hôtel, 18 †. *-24-9 Chypre*, 3 terror. i. tués. *-7-10 Achille Lauro*[2] pris en otage, 1 †. *-27-12* comptoirs d'El Al[4] *Vienne* (Autr.), 4 † dont 1 terr., 47 bl., *Rome* 15 † (dont 3 terr.), 75 bl. *-29-12 Fiumicino* (Italie) 15 †. *Vienne* 3 †. **1986**-*6-9 Istanbul*[4], synagogue, 24 †. **1988**-*11-7 City of Poros*[4] (nav. grec) 9 †.

Nota. – (1) Fatah. (2) FPLP. (3) Saïka. (4) Abou Nidal.

☞ **Terrorisme juif antiarabe.** Plusieurs attentats de 1980 à 85. **1981**-*30-8 :* 1 †, 14 bl. à Hébron. **82**-*11-4* un déséquilibré tire devant la mosquée de Jér. 4 †. **83**-*26-7 :* 4 † à Hébron, 1 † à Naplouse. *-5-10 :* 1 † à Hébron.

Pertes dans les guerres avec les pays arabes. *1948-49 :* 6 087 tués, *1956 :* 232, *juin 1967 :* 785, *guerre d'usure :* 1 414, *oct. 1973 :* 2 676, *1974-82 :* 1 936. **Liban.** *1982-85 :* 1 154, de *juin 85* au *30-4-87 :* 294.

le Sinaï. *Mars-avr.* Cisjordanie manif. contre colons j. *-3-6* ambassadeur i. blessé à Londres. *-6-6* représailles, I. bomb. Beyrouth. **« Opération paix en Galilée »** pour repousser OLP. Voir Liban p. 1067. *-6-9* combats aériens i.-syr. (aviation syr. anéantie). *-11-11* explosion au quartier gal i. de Tyr (S.-Liban), 89 † dont 75 soldats i. *Bilan : 6-6-1982 au 12-1-1983,* 456 † et 2 461 bl. isr. *Coût :* 3 milliards de $. **1983**-*7-2* Cour suprême : conclut à la responsabilité indirecte de l'armée i. pour n'avoir ni prévenu, ni arrêté à temps des massacres au Liban en sept. 82 (Sabra et Chatila). *-10-2* attentat à Jér., 1 †. *-11-2* Gal Ariel Sharon, min. de la Défense, démissionne. *-17-5* accord i.-lib. sur retrait des forces étr. au Liban. (opposition de la Syrie). *-25-5* échange 4 400 terroristes détenus au S.-Lib. et 100 pris en Jord. contre 6 soldats i. *-30-8* Begin démissionne, retrait du Chouf des forces i. au sud rivière Awali. *-15-9 Yitzhak Shamir* PM. *-11-10* shekel dévalué 23 %. *-13-10* projet d'alignement de l'écon. i. sur le $ amér. *Oct.* krach boursier (valeurs bancaires surévaluées), perte de 7 milliards de $. *-24-11* 4 500 Pol. et arabes échangés contre 6 I. *-6-12* attentat à Jér. : 4 †. **1984**-*2-4* att. à Jérusalem : 48 bl. *-29-4* réseau terroriste j. antiar. démantelé (la plupart, du Goush Emounim, Bloc de la foi, annexionniste). *-28-6* 311 Syr. échangés contre 6 I. *-24-7* él. générales. *Juill.* Leningrad, Ephraïm Katzir, ancien Pt, arrêté.

1985 *janvier* retrait partiel du Liban. *-11-2* accord Hussein (Jord.)-Arafat (Pal.) pour négocier conjointement ; envisagent confédération ar. Jord./Pal. *-20/21-5* échange 3 soldats i. contre 1 150 « prisonniers de sécurité » pal. et sympathisants (dont le Jap. Kozo Okamoto, seul survivant du commando auteur du massacre de Lod en 1972). *-10-9* 119 pris. libanais lib. (1132 au total). *-24-9 :* 3 touristes i. tués à Chypre. *-1-10* raid i. sur quartier gén. OLP à Borj-Cedria (à 25 km de Tunis), 60 †. *-5-10 :* 1 soldat ég. tue 7 touristes i. à Ras Barka (Sinaï). *-7-10* entre Le Caire et Port-Saïd l'*Achille Lauro* (paquebot it. : 24 000 t, 450 passagers, 300 h. d'équipage) détourné par FLP (1 passager amér. infirme, Leon Klinghoffer, est tué). *-9-10* terr. se rendent à Port-Saïd, remis à l'OLP. *-10/11-10* partent sur B-107 ég., mais leur avion est contraint par des chasseurs amér. de se poser à Sigonella (Sicile, base Otan) où ils sont remis à la justice ital. *-9-11 OLP* condamne opérations terroristes. *-29-12* att. 75 bl. et 4 terr. †. **1986**-*19-1* relations diplom. avec Esp. *-2-3* Zafer Al Masri, maire de Naplouse, tué par FPLP. *-21-7* Maroc, Shimon Peres, PM, reçu par Hassan II. *-18-8* discussions isr/sov. achoppent sur Juifs d'U. *-11/12-9* sommet Moubarak-Peres à Alexandrie. *-30-9* Mordechai Vanunu accusé d'avoir livré la preuve qu'I. fabriquait du plutonium (10 bombes A.) enlevé à Rome et rapatrié en I. *-15-10* att. à Jérusalem 1 †, 69 bl. *-16-10* raid i. au S.-Lib. ; 1 Phantom abattu, 1 pilote récupéré par hélico. *Déc.* en Cisjordanie 4 †. **1987**-*4-3* Jonathan Jay Pollard condamné à perpétuité aux USA pour espionnage au profit d'I. *-6/10-4* Pt Herzog 1er chef d'État i. en All. féd. *Avril* violences en Cisjordanie. *-8-6* le rabbin Meir Kahana exclu de la Knesset (serment de fidélité à l'État d'Isr. et à la Knesset). *Juil.* échange de missions consulaires avec URSS. *-1-11* Chirac en I. *-25-11* un ULM vient du Liban, 1 Pal. †, 6 soldats †. *-6-12* 1 poignardé à Gaza. *-7-12* Gaza 1 camion i. emboutit 2 voitures et tue 4 hab. *-9-12* une rumeur indique que l'accident serait un meurtre, manif. anti-isr., la troupe tire : 1 enf. (11 ans) tué et 16 bl. Début de l'**Intifada** (guerre des Pierres). **1988**-*5-1* Onu stigmatise déportations de Pal. ; troubles dans terr. occupés, 43 † jusqu'au 4-2. *-15-2* Limassol (Chypre) le *Sol-Phryne* (affrété pour rapatrier symboliquement 131 Pal. expulsés) est saboté. *-7-3* raid contre autobus i. : 6 † (3 civils + 3 terroristes). *-28-3* terr. occupés bouclés. *-9-4* Gorbatchev demande à Arafat de reconnaître I. *-2/4-5* intervention au Lib. *-15-6* Abba Eban (n. 1915) met fin à sa carrière politique. *Du 1-5 au 24-6* 600 incendies (revendiqués par l'OLP) ont détruit env. 14 000 ha de bois et cultures (5 % de la surface boisée et cultivée). *-28-7* mission diplom. en URSS (1re dep. 1967). *-29-9 enclave de Taba* (1,2 km^2) sur mer Rouge rendue 15-3-89 à l'Ég. contre 38 millions de $. *-17-10* Pt Haïm Herzog en I. *-19-10* Kfar-Fila S.-Lib. att. 7 soldats i. †, représailles 15 †. *-30-10* att. contre autocar, 4 †. *-7-11* Cisjordanie 1 soldat †. *-27-12* shekel dévalué de 5 %. **1989**-*1-1* de 8 %. *-12-1* équipe de basket i. invitée à Moscou. *-29-1* Fayçal Husseini, proche OLP, libéré. *-15-5* Parl. adopte plan Shamir (élec. dans les terr. occ.). *-22-6* shekel dévalué 4,9 %. *-6-7* att. contre autobus près Jér., 14 †. *-7-7* Moshe Kol, un des fondateurs d'I. †. *-22-7* Cisjordanie écoles rouvertes (fermées dep. févr.). *27/28-7* S.-Lib. commando i. enlève cheikh Abdel Karim Obeid (Hezbollah). *-9-11* Aiman Ruzeh, chef des Aigles rouges, tué. *-5-12* Néguev, commando venu d'Ég., 5 †. **1990** *-13-3* Shimon Peres limogé. *-15-3* PM Shamir (censuré par Knesset). *-20-3* Shimon Peres PM. *-7-4* Tel-Aviv 125 000 manif. pour réforme élect. *-26-4* 4 Pal. † et 120 bl. à Gaza. *-27-4* fermeture des Lieux saints de Jérusalem, Bethléem et Nazareth, et des églises de la vieille ville, pour protester contre l'installation de 150 colons juifs dans l'hospice St-Jean de Jér. *-13-5* saccage de 2 cimetières juifs à Haïfa (250 tombes). *-20-5* un faible d'esprit tue 7 Pal. à Rishon-le-Zion. *-28-5* att. Jér. (1 †, 10 bl.). *-30-5* commando pal. arrêté, 4 †. *-10-6* + de 70 tombes profanées au cimetière juif du mont des Oliviers. *-11-6* nouveau gouvernement Shamir. **Août 90-mars 91 Guerre du Golfe** (voir p. 1 036). *-6-8* 2 I. tués, banlieue de Jér. *-8-10* Jér., fusillade à la suite de jets de pierre sur pèlerins j., riposte armée, 22 †, 150 bl. *-3/4-11* 1 †, 200 bl. à Gaza. *-5-11* rabbin Meir Kahane, chef du parti Kach, tué par El Sayyid El Nosair (USA). *-25-11* près d'Eilat attaque contre véhicules is. par Égyp., 4 †, 23 bl. *Oct. -10-3* shekel dévalué de 6 %. *-14-12* assassinat de 3 I. par le groupe Hamas. **1991** *Avril* 1 000 Pal. libérés (fin ramadan). *Avril* I. présente son plan de paix pour le Proche-Orient aux USA. *Juil.* I. admis à la commission écon. des Nations unies pour l'Europe. *Août* 59 % des I. contre tout compromis sur Golan (38 % pour). Pts Bush et Gorbatchev parraineront conf. de paix en oct. *-12-9* Pt Bush demande au Congrès de différer de 120 j la garantie d'un prêt à I. de 10 milliards de $ (pour l'intégr. des immigrés sov.). *-2-10* 2 All. poignardées à Jérusalem (1 †). *-18-10* relations diplom. rétablies avec ex-URSS. *-28-10* autobus i. attaqué en Cisjordanie (2 †). *-29-10* 2 soldats i. tués dans zone de sécurité. **Conférence de paix de Madrid (30-10/4-11)** fondée sur la résol. 242 de l'Onu (1967). *3 phases. 1°) Réunion plénière :* présentation des positions des participants (USA, ex-URSS, I., Égypte, Jord., Liban, Pal., Syrie, CEE ; Onu, Cons. de coop. du Golfe et États du Maghreb : observateurs). *-30-10* séance inaug. : Pt Bush en faveur de compromis territ. *-1-11* accrochage I./Syrie. *2°) Négociations bilatérales* (sur conflits territ.) *-3-11* rencontre I./Pal., Jord., Syr. et Liban. *-4-11* désaccord I./Syr. *3°) Négociations multilatérales* (reportées). *-3/5-11* Tunis : conf. intern. pour « la définition des droits du Peuple pal. ». *-12-11* Parl. vote résol. excluant Golan de toute négociation avec pays arabes. *-16-12* résol. Onu de 1975 assimilant sionisme et racisme annulée. *-23-12* procès de *John Demjanjuk* (condamné à mort 25-4-88 pour « crimes contre l'humanité ») en appel (controverse sur identité). **1992** *Janv.* tempêtes de neige. Plus vieille mine du monde découverte à Tinma (désert du Néguev) : 1 500 av. J.-C. (abandonnée 650 apr. J.-C.). *-15-1* 3 soldats i. assass. dans camp de Galed (Tel-Aviv). *-16-1* raid héliporté i. sur Liban Sud (16 à 20 †, dont Cheikh Abbas Moussaoui, chef Hezbollah). *-20-1* combats armée i./Hezbollah. *Mars* I. soupçonné d'exporter technol. mil. ; USA proposent prêt de 10 milliards de $. contre arrêt colon. des terr. occupés. *-17-3* 2 Pal. de Gaza tuent 2 I. à Jaffa. *-18-3* Buenos Aires (Arg.), att. ambassade d'I. : 25 †. *-23-6* él. leg. *-7-4* Arafat survivant dans accid. d'avion (3 †). *14-8* incidents à l'université de Naplouse. *-24-8* 6e reprise de négociations i.-arabes de Washington. *Début sept.* libération d'env. 600 prisonniers de l'Intifada. *-10-9* Rabin annonce qu'il est prêt à négocier avec la Syrie un « retrait limité » du Golan. *-28-9* grève de la faim d'env. 3 000 détenus palestiniens (fin *15-10*). *-23-10* Shimon Peres au Vatican. *-25-10* attentat contre militaire au Sud-Liban, 5 soldats †, représailles. *-9/19-11* 7e session des négociations de paix de Washington. *-16-11* attentat vieille ville de Jérusalem, 1 †, 12 bl. *-25/26-11* visite Pt Mitterrand. *-7/17-12* 8e session. *-13-12* garde-frontière tué par islamistes du Hamas. *-17-12* bannissement pour 2 ans vers le Sud-Liban de 415 Palestiniens pro-Hamas de la bande de Gaza ; *-18-12* Israël condamné par l'Onu (résolution 799). **1993**-*1-1* test de dépistage du sida obligatoire pour tout visiteur séjournant plus de 3 mois, si positif, expulsion, la loi du retour ne pourra bénéficier aux séropositifs. *-19-1* loi de 1986 interdisant tout contact avec OLP abrogée par la Knesset (39 v. pour, 20 contre). *-29-1* Yaël Dayan (députée) reçue par Arafat. *-6-2* Cheikh Saad Eddine Al Alami, grand mufti de Jérusalem, †. *Fin mars* violences dans territoires occupés. *-1-7* Jérusalem attentat 3 †.

Bilan de l'Intifada du 9-12-1987 au 31-5-1993. *Palestiniens* tués 1 104 (dont 66 enfants de – de 12 ans), *Israéliens* 49 soldats, 44 colons (dont 3 enf.), 6 touristes, 47 civils (+ Palestiniens suspectés de collaboration aves Isr., 732 tués par activistes pal.).

Bannissements. *1967 à 78 :* 1 156, *85 :* 35, *86 :* 11, *87 :* 9, *88 :* 32 vers Liban, *89 :* 26 dont 25 vers Liban et 1 vers France, *90 :* 0, *91 :* 8 vers Liban, *92 :* 415 vers Liban, *1-2-93 :* 101 expulsés autorisés à rentrer en I., bannissement limité à 1 an des autres ; au 1-2, il en reste 396 (19 malades ou expulsés par erreur étant rentrés en I.) ; *-5-2* refusent.

☞ **Atterrissages de pilotes arabes.** *1964 :* égyp. avec Yak 2. *66* (16-8) : irak. (Mig 21). *68* 2 syr. (erreur de nav. Mig 17). *89* (11-10) syr. Mig 23.

■ Politique

Statut. Rép. **Déclaration d'indép.** du 14-5-1948. **Pt** élu p. 5 ans par la Knesset, à partir de 1996 au suffr. univ. **PM** nommé par le Pt. **Ch. des députés** (Knesset) 120 m. élus p. 4 ans au suffr. univ., à la proportionnelle intégrale, un tour, I. constituant une seule circonscription. *Électeurs* 18 ans. **Fête nat.** 5 Yar (indép. 15-5-1948). **Emblème officiel ;** *Menora* (chandelier à 7 branches), encadré par 2 branches d'olivier. **Hymne national :** *Hatikva,* écrit 1878 par Naphtaly Herz Imber ; titre originel « Tikvatenou » (Notre espoir). Musique 1882 de Samuel Cohen.

Élections. Législatives du 23-6-1992 : *Travaillistes* 44 sièges, *Meretz, Ratz, Shinoul et Mapam* 12, *Shas* 6, *Tsomet* 8, *Likoud* 32, *PC* 3, *P. dém. arabe* 2, *Moledet* 3, *P. nat. religieux* 6, *P. unifié de la Thora (Agoudat Israël et Degel Hatorah)* 4.

Présidents de la République. 1948-16-2 Chaïm Weizmann (1874-1952). **1952**-8-12 Itzhak Ben Zui (1884-1963). **1963**-21-5 Zalman Shazar (6-10-1889/6-10-1974). **1973**-10-4 Ephraïm Katzir (16-5-16). **1978**-19-4 Itzhak Navon (n. 1921). **1983**-5-5 Chaïm Herzog (17-9-18), réélu 23-2-88 par 82 voix sur 102. **1993**-13-5 Ezer Weizman (n. 1924) neveu de Chaïm ; pilote de chasse (à 18 ans), fonde Forces aériennes isr. Élu 24-3 par 66 voix contre 53 Dov Shilansky.

Premiers ministres. 1949-10-3 David Ben Gourion (nom : fils de lionceau) (D. Green, Plonsk, Ukraine 10-10-1886/1-12-1973, arrivé Palestine en sept. 1900). **1953** Moshe Sharett (1894-1965). **1955** David Ben Gourion. **1963**-17-6 Levi Eshkol (1895-1969). **1969**-15-12 Golda Meir (3-5-1898/8-12-1978). **1973**-31-12 Itzhak Rabin (1-3-22). **1977**-7-4 Shimon Peres (16-8-23) par intérim. -17-5 Menahem Begin [n. 16-8-13 à Brest-Litovsk (Biélorussie) ; à 15 ans membre du Betar. *1939 avril* commandant du Betar en Pologne, se réfugie en Lituanie ; *1940* condamné à 8 ans de goulag pour ses activités sionistes avant la g. ; *1941* libéré lors de l'attaque all. ; *1942* gagne la Pal. avec armée Anders ; *1943 oct./1948* Cdt en chef de l'Irgoun, puis, quand elle se transforme en parti politique (Herout, « liberté ») (*1946* caché à Tel-Aviv sous l'identité du Rabbin Sassover), Pt de celui-ci ; *1967 juin/1970 août,* ministre sans portefeuille ; *1977 juin* PM ; *1983-29-8* démissionne ; *1992-9-3* meurt]. **1983**-10-10 Itzhak Shamir (1915-92 ; 1943 m. du groupe Stern). **1984**-15-9 Shimon Peres. Gouv. d'Union nat. Maarakh, Likoud et petits partis religieux : majorité 95 dép. sur 120 (Peres PM 2 ans, Shamir PM adjoint, min. des Aff. étr.). **1986**-16-10 Itzhak Shamir. Gouv. d'Union nat. (sera PM 2 ans) (Shimon Peres, adjoint, min. des Aff. étr.) ; reconduit 14-11-1988 (coalition Likoud-Travaillistes). **1992**-2-7 Itzhak Rabin (n. 1-3-1922), travailliste, gouv. de coalition.

Relations diplom. Avec Afrique noire : rompues en 1973, rétablies avec Zaïre (mai 82), Liberia (août 83), Côte-d'Ivoire (déc. 85), Cameroun (août 86), Togo, Kenya (déc. 88), Éthiopie (déc. 89). **Pays de l'Est :** *rompues* dep. 1967, *rétablies* avec Hongrie (sept. 89), Tchécosl. (févr. 90), Pologne (mars 90), ex-URSS (18-10-91). **Espagne :** établies 17-1-1986. **Chine :** janv. 1992.

☞ **La 4e Convention de Genève** (non ratifiée par I.), interdit en territoires occupés : destruction de maisons, punitions collectives (couvre-feu), déportations indiv. ou massives, détentions de prison. hors du terr. occupé, immixtion dans le fonctionnement des trib. civils locaux (trib. civ. palest. incompétents dep. juill. 83 sur conflits de propriété de la terre), libre passage de médicaments et matériel médical.

■ Partis

■ **Maarakh** (l'Alignement) *constitué* 1969. Comprend : **Front travailliste** 300 000 m., leader : Itzhak Rabin, f. janv. 1968 par la fusion des 4 groupes travaillistes [**Mapaï** (p. trav. i., f. 1930 par Ben Gourion et Golda Meir, social-démocrate au pouvoir dep. 1945, leader Shimon Peres), **Mapam** (p. ouvrier unifié judéo-ar.) f. 1948, dans l'opposition jusqu'à fin 55, puis de 61 à 66 ; a quitté le Maarakh en 1984 ; leader : Elazar Granot. **Ahdouth Ha'avodah** (Union du travail : p. socialiste qui a quitté le Mapam en 54 quand ce dernier accepta des Arabes : Ygal Allon (1918-80), Israël Galili (1911-86) et Itzhak Ben Aharon) ; et **Rafi** (f. 1965 d'une scission du Mapaï provoquée par Ben Gourion, Dayan et Peres), dans le gouv. d'union nat. formé avant la g. de 6 j)].

■ **Likoud** (rassemblement). Front électoral de droite constitué sept. 73 sur l'initiative du Gal Ariel Sharon (n. 1928), en prévision des él. prévues alors pour le 28-10. *Leader :* Benjamin Netanyahu dep. 25-3-93. Comprend : **Gacha** (bloc Chérouth-Parti libéral). **Hérouth** (liberté) issu 1948 de l'Irgoun (Begin, chef historique). **P. libéral** [f. 1961 par fusion des sionistes généraux (droite) et des progressistes (centre)] ; dans l'opp. jusqu'en juin 67 ; *leader :* Itzhak Modaï (n. 1926).

■ Partis religieux. **P. nat. religieux (Mafdal)** f. 1956 : fusion du Mizrahi (f. 1901) avec son aile ouvrière, Hapoel Ha'mizrahi (f. 1921) ; *leader :* Avner Shaki. **Agoudat Israël** orthodoxes, f. 1912, a préconisé un grand I. englobant les terr. contrôlés en 1000 av. J.-C. par Salomon, *leader :* Moshe Feldman. **Degel Hathora** f. par des dissidents d'Agoudat I., orthodoxes, *leader :* Haim Epstein. **Poale Agoudat Israël** orthodoxe ouvrier (f. 1924), 39 000 m., 17 kibboutzim et moshavim. Construction de l'État d'I. selon la loi de la Torah. **Erza** (« international jewish youth movement ») *leader :* Kalman Kahane. **Shas** (assoc. séfarade des gardiens de la Torah) f. 1983 ; *leader :* rabbin Eliezer Shach. **Gush Emunin** (Bloc de la foi) extrême droite religieuse, *leader :* rabbin Moshe Levinger.

■ Autres formations. **Hadash** (Front démocratique pour la paix et l'égalité), f. 1977, alliance du **P. communiste d'I.** (Rakah) f. 1919, p. j. arabe marx. léniniste, des Panthères noires et d'autres groupes j. et ar. Pour la création d'un État palestinien à côté de celui d'Israël ; *leader :* Meir Vilner. 2 000 m. **Tehiya** (résurrection nat.) dénonce accords de Camp David ; *leader :* Yuval Neeman. **Tsomet** f. par dissidents de Tehiya, extrême droite, leader : Rafael Eytan. **Moledet (patrie)** extr. dr. ; *leader :* Gal Rahavam Zeevi. **Tami** (mouv. pour la tradition d'I.) f. 1981 par Aaron Abouhatzira, p. de séfarades et d'orientaux. **Ratz** (mouv. des droits civiques). **Shinui** (mouv. pour le changement). **Kach** (Ainsi) extr. dr. ; *leader :* rabbin Meir Kahane (tué nov. 90). **Yahad** (Ensemble) centriste ; *leader :* Ezer Weizman. **Ometz** (le courage de soigner l'économie) ; *leader* Ygal Hurwitz. **Liste progressiste pour la paix,** judéo-ar., plus favorable à un État pal., *leader :* Muhammad Miari. **P. démocratique ar.** f. par Abdel Darousheé, ancien député ar. travailliste contre la répression dans les territoires, *leader :* Abd al-Wahab Darawshah, f. 1988. **Front dém. pour la paix et l'égalité,** issu du PC isr., P. judéo-arabe. **P. Meretz,** P. réformiste de gauche, *leader :* Shulamit Aloni.

☞ **Centrale syndicale.** Histradout 260 000 m., possède ou contrôle 30 % de l'économie.

■ Mouvements palestiniens

■ ALP (Armée de libération de la Palestine). *Créée* 1964, 6 000 h. (surtout Syrie) ; juin 1983 : les divisions Khitin (dissidentes d'Arafat) incorporées à l'armée syr. ; Kadsiya, mise sur pied par Irakiens ; Ain Ghalit, créée par Égypte, mais contrôlée par Fatah, a perdu (tués ou blessés) 82 000 h. au Liban en 1982/83.

■ OLP (Organisation de libération de la Palestine). *Créée* 29-5-1964 à l'initiative de la Ligue arabe. Reconnue 14-10-64 par Onu comme représentant des Pal. *Pt* Yasser Arafat (n. 1929 marié févr. 92 avec Souha al-Tawil, n. 1963, Pal. orthodoxe) dep. 3-2-69, ancien Pt Ahmed Choukeiry (1908-80) jusqu'en 67. *Chef du dép. pol. :* Farack Kaddoumi. *Aide reçue des pays arabes* (en millions de $) : Arabie Saoud. 85, Koweït n.c., Libye 47, Irak 44, Émirats arabes unis 34,3. Alg. 20,4, Qatar 19,9. *Capital détenu :* 2 à 25 milliards de $. *Budget* (millions de $) *1985 :* 179,7, *86 :* 196,6, *87 :* 213,5, *88 :* 277,6, *89 :* 307,7, *90 (prév.) :* 199, *91 (prév.) :* 120. Taxe de 5 à 7 % sur le revenu de chaque Pal. *Regroupe* notamment **El Fath** (créé 1957, Pt Yasser Arafat, 15 000 m.), **FDPLP** (Front démocratique et populaire de libération de la Pal., Pt Nayef Hawatmé, séparé 1969 du FPLP), **El Saïka** (créée 1968, origine p. Baas pal., Pt Issam al Khadi, installée Syrie).

Assassinats de membres de l'OLP. 1973-*9/10-4* Beyrouth, *Abou Youssef* (Mohamad Najar, chef militaire du Fath) et sa femme, *Kamal Nasser* (porte-parole), *Kamal Adouane* (m. du comité central du Fath). **1978**-*4-1* à Londres, *Said Hamman* (représentant en G.-B.). *-15-6* Koweït, *Ali Yassine* (dir. du bureau). *3-8* Paris, *Ezzedine Kalak* (chef représentation palest.). **1979**-*22-1* Beyrouth, *Abdoul Hassan* (chef opérations spéciales du Fath). *-25-7* Cannes, *Zouheir Mohsen* (chef dép. milit.). *-15-12* Nicosie, *Samir Toukan* (2e secr. du bureau). **1981**-*1-6* Bruxelles, *Naïm Khader* (représentant). *-9-10* Rome, *Majed Abou Sharrar* (responsable information). **1982**-*17-6* Rome, *Kamal Hussein* (vice-Pt). *-23-7* Paris, *Fald Dani* (dir. adjoint du bureau). *-28-9* Liban, *Saad Sayel* (Aboul al-Walid, conseiller mil. d'Arafat). **1983**-*10-4* Portugal, *Issam Sartaoui* (cons. pol.), revendiqué par Abou Nidal. *-20-8* Grèce, *Maamoun Mreich* (collabor. d'Abou Jihad). **1984**-*29-12* Amman, *Fadh Kawashmed* (du comité exécutif, maire d'Hébron expulsé mars 1980) tué par prosyriens. **1985**-*1-10* bombardement QG de l'OLP à Tunis. **1986**-*10-6* Athènes, *Khaled Nazzal* (responsable des opérations dans les terr. occupés). *-21-10* Athènes, *Mondher Abou Ghazala* (du Fath). **1988**-*14-2* Limassol, 3 cadres mil. du Fath. *-16-4* Tunis, *Abou Jihad* (vrai nom Khalil al-Wasir, no 2 du Fath) et son adjoint tués par commando. **1991**-*15-1 Salah Khalaf* dit *Abou Iyad* (n. 31-8-1933, fondateur en 1959 avec Arafat du Fatah, 1967 chef de la sécurité, 1972 organisateur de l'attentat aux J. O. de Munich) et *Abou al-Hol* tués par Hamza Abou Zeid (exécuté nov. 91). **1992**-*8-6* Paris, *Atef Bsisou* (n. 1948), du Fatah.

Organisation. Conseil national palestinien (CNP) : *membres* mandatés pour 3 ans, élus ou désignés en fonction de leur contribution à la cause pal. *Géré* par bureau de la présidence et assisté de 8 commissions permanentes spécialisées créées 1984. **Conseil central :** *créé* janv. 1973 ; organe de liaison entre CNP et exécutif, choisi parmi les membres du CNP. Consultatif. **Comité exécutif :** *Pt* Yasser Arafat ; *Fonds national palestinien (FNP) :* finance activités de l'OLP en fonction du budget préparé par le comité exécutif et approuvé par le CNP. *Dép. politique :* représente l'OLP auprès des instances internationales. *Dép. des organisations de masse :* affaires sociales, éducatives, information, santé. *Dép. économique et Samed (Association du travail des fils des martyrs pal.).*

■ Autres mouvements. **FPLP (Front pop. de libération de la Pal.)** *créé* 1967, *Pt :* Dr Georges Habache, n. 1925). **FPLP dissident** *né* d'une scission de W. Haddad [ancien chef des opérations à l'étranger du FPLP, lors de sa rupture avec Habache en 1975 († 1978 empoisonné par les services secrets irakiens)] ; au Sud-Yémen, influence liban., responsable de détournements d'avions (ex. Entebbe et Mogadiscio). **FPLP-CG** (Ahmed Jibril). *Créé* 1968.

FLP (Front de libération de la Pal.) *né* d'une scission du commandement gén. de Jibril, dirigé par Tabaat Yaakoub († 17-11-1988), pro-irakien. *Leader :* Aboul Abbas.

FLA (Front de libération arabe) *créé* 1969. Baasite, pro-irakien ; Abd el-Wahab Kayyali.

FLPP (Front de lutte populaire pal.) *formé* Judée et Samarie déc. 1967. Rejoint Fatah 1971 puis fait sécession. *Chef :* Samir Ghocheh.

Septembre noir. Nom rappelant l'expulsion des Pal. de Jordanie, sept. 1970. Proche du Fatah, responsable du massacre aux J.O. de Munich en 1972. *Dirigé* par Khalil Wazir (Abou Jihad tué 16-4-88 voir encadré ci-contre).

Fatah – Conseil révol. *créé* par Abou Nidal, agit parfois sous l'étiquette d'Al-Asifa. Abou Nidal (de son vrai nom Sabri Khalil al-Banna, né 1937 Jaffa), exclu 1974 de l'OLP, condamné le 27-11 à mort par contumace par l'OLP pour abus de pouvoir et détournement de fonds). De 1976 à 1986 responsable de 98 attentats (dont 56 contre Pal.). Subventionné par Irak, Syrie et Libye. Les États du Golfe paient pour avoir la paix. *1970-80 :* sous le nom de *« Juin noir »* (mois d'entrée des troupes syr. au Liban), s'attaque à Syrie et Jordanie (en conflit avec Irak). *1980* Arafat renoue avec Irak, Hussein expulse Abou Nidal qui s'installe à Damas. *1984* en Libye. *1985* déc. responsable des attentats dans aéroports Vienne et Rome. *1986* probablement en Iran. *1988* à Tripoli.

Aigles de la Révolution pal. Agissent pour la Saïka et parfois d'une manière autonome. Responsables de l'attaque du restaurant univ. j. à Paris et de l'amb. d'Égypte à Ankara en 1979.

FSNP (Front de salut national pal.) *créé* 25-3-1985 contre la ligne déviationniste d'Arafat. Regroupe FPLP, FPLP-CG, FLPP, FLP, Saïka, tendance Abou Moussa.

Hamas. [*Harakat Al Moukawama Al Islamiya* (mouvement de la résistance islamique)]. Palestinien intégriste (non membre de l'OLP). Se fait connaître publiquement le 14-12-1987 après le déclenchement de l'Intifada. *1988*-18-8 charte publiée. *1989* déclaré illégal. Soutenu par Iran, Koweït, Ar. Saoudite. Installé dans les territoires occupés. Veut détruire Israël et imposer un État islamique en Palestine. *Chef :* Cheikh Ahmad Yassine (n. 1936), infirme dep. l'âge de 12 ans, professeur, 1989 mai arrêté, 1991 oct. condamné à la prison à perpétuité pour meurtre et incitation à la violence.

Position des Palestiniens. Charte palestinienne : élaborée en 1964 puis remaniée en 1968. *Art. 1* Le peuple pal. « fait partie intégrante de la nation ar. ». *Art. 2* La P., dans les frontières du mandat britannique, constitue une unité territoriale indivisible. *Art. 3* Le peuple ar. détient un droit légal sur sa patrie et déterminera son destin, après avoir libéré son pays, selon son propre gré et par sa seule volonté. *Art. 5* Les P. sont les citoyens ar. qui habitaient en permanence en P. jusqu'en 1947. *Art. 6* N'admet que la présence des J. « qui résidaient de façon permanente en Pal. avant le début de l'invasion sioniste » (soit en 1881, a précisé Arafat en 1974). *Art. 9* La lutte armée est la seule voie permettant la libération de la P. *Art. 19* Le partage de la P.... en 1947 et la création de l'État d'Israël sont nuls et non avenus... *Art. 20* Les prétentions fondées sur les liens historiques et religieux des J. avec la P. sont incompatibles avec les faits historiques. Le judaïsme étant une religion révélée, il ne saurait constituer une nationalité ayant une existence indépendante. De même, les J. ne forment pas un seul et même peuple. *Art. 21* Le peuple ar. pal., s'exprimant par la révolution pal. armée, rejette toute solution de remplacement à la libération totale de la P. et toute proposition visant à la solution du problème pal. ou à son internationalisation.

10 points de juin 1974 : « 1o L'OLP rejette la résolution no 242 du Conseil de sécurité qui ignore les aspirations patriotiques et nationales de notre peuple... 3o L'OLP lutte contre tout projet ou entité palestinienne dont le prix serait la reconnaissance de l'ennemi, la conclusion de la paix avec lui et le renoncement aux droits historiques de notre peuple à retourner chez lui. 4o L'OLP considère que toute mesure de libération n'est qu'un pas vers la réalisation de son objectif stratégique, à savoir l'édification d'un État pal. démocratique... »

Plan de Fès : adopté sept. 1982 (sommet ar. au Maroc). Pour la 1re fois, il a réuni un consensus des membres de la Ligue ar. et reconnu implicitement l'État d'I. : 1) Retrait d'I. de tous les territoires ar. occupés après la g. de juin 1967, y compris secteur ar. de Jér. 2) Démantèlement des colonies de peuplement établies par I. dans les territoires occupés après 1967. 3) Garantie de la liberté de culte pour toutes les religions dans les Lieux saints de Jér. 4) Réaffirmation du droit du peuple pal. à l'autodétermination et à l'exercice de ses pleins droits nationaux inaliénables sous la conduite de l'OLP, son représentant unique et légitime. 5) Cisjordanie et Gaza doivent être soumises à la tutelle de l'Onu pour une période transitoire ne dépassant pas quelques mois. 6) Création d'un État pal. indépendant ayant pour capitale Jér. 7) Le Conseil de sécurité Onu apporte des garanties de paix à tous les États de la région, y compris l'État pal. indépendant. 8) Garantie par le Conseil de sécurité Onu de ces principes.

1986-*4-9* Arafat déclare à Harare qu'il accepte la résolution 242 du Conseil de sécurité Onu, impliquant la reconnaissance d'I., dans le cadre d'un règlement global du conflit i.-ar. fondé sur l'acceptation de l'Onu sur la question pal. Les autres résolutions de l'Onu impliquent le retour d'I. aux frontières du plan de partage de 1947, l'internationalisation de Jér. Pour I., il s'agit donc de « propagande grossière ». **1988**-*13/14-9* visite d'Arafat au Parlement européen de Strasbourg. *-15-11* Alger, Arafat annonce au Conseil nat. la création d'un État avec Jér. comme capitale en se référant aux résolutions 181, 242 et 338 de l'Onu. *-19-11* reconnu par Égypte. *-22-11* par env. 50 pays (100 en 1991). *-16-12* à Tunis, 1re rencontre officielle OLP-USA. *Déc.* Arafat demande un couloir entre Gaza et Cisjordanie. **1989**-*2-4* Arafat confirmé à la tête de l'État Pal. *-2-5* Paris : visite off. Arafat ; déclare caduque Charte de l'OLP. *-12-5* OLP refusée comme membre de l'OMS (reste observateur). **1991** soutient l'Irak dans la g. du Golfe.

■ Économie

■ Finances. **Budget** *1990-91 :* (1-4) : 32 milliards de $ dont 5 pour le min. de l'Intégration, *1992 (prév.) :* 47 (dont 34,5 % remb. dette ext., 16 % défense, 15,5 % intégration). *Déficit budgétaire* (millions de $) : *87 :* 115, *88 :* 837, *91 :* 4 000, 6,9 % du PNB. **Aide américaine** (en milliards de $) *1981 :* 2,2 ; *82 :* 2,2 ; *83 :* 2,6. *84-85 :* 5 ; *85-86 :* 3,8 ; *87 :* 3 ; *88 :* 2,9 ; *89 :* 2,76 ; *90 :* 3,2 ; *91 :* 3,4 à 4,3 [1,8 mil., 1,2 civ. (+0,4 d'aide au logement des J. de l'ex-URSS)]. **Aide totale** *1949-91 :* 50,5 à 53 [*1967-91* (selon d'autres sources) : 77. dont 16,4 de 1974 à 1989)]. **Ressources diverses** (en millions de $) *1980 :* transferts de particuliers 300, organisations juives 400, réparations all. 400, bons du Trésor 200, *1991 :* héritage et dons div. 1 000, aide de la diaspora 500, répar. all. 500. **Réserve monétaire** *fin 1987 :* 5,3 milliards de $; *fin 1988 :* 4,1. **Monnaie :** *1980-82 :* le shekel remplace la livre (1 s = 1 000 £), *1985-4-4 :* nouveau shekel (= 1 000 anciens s.). *Dévalué 28-2-90 :* 6 %, *10-3-91 :* 6 %.

☞ **Aide américaine** (payée chaque début d'année) utilisée en partie par I. pour acheter bons du Trésor amér. (76,7 millions de $ d'intérêts par an) et rembourser la dette contractée au titre des emprunts militaires.

PNB (91). 10 270 $ par h. **Croissance** *1987 :* 4,6 %, *88 :* 2,5, *89 :* 1, *90 :* 4, *91 :* 7, *92 (prév.) :* 10, *95 (prév.) :* 6. **Pauvres** (90) 435 000 personnes vivent au-dessous du seuil de pauvreté (7 200 $ par an, pour un couple). **Revenu moyen d'une famille** 7 280 $ par an, 1 % dispose d'un revenu moyen de 100 000 $. **Logement**

LIEUX SAINTS. **Juifs.** *Jérusalem :* mur des Lamentations, dernier vestige du temple ; mont du Temple ; tombeau de Rachel. *Hébron :* tombeau des Patriarches (grotte de Machpela : Abraham et Sara, Isaac et Rébecca, Jacob et Léa). Tombeaux de Maïmonide (Rambam), de Rabbi Meir Ba'al Ha'Ness, Rabbi Shimon Bar, Yokhaï et d'autres. **Musulmans.** *Jérusalem* (3e lieu saint de l'islam) : Haram ash-Sharif, ensemble d'édifices sur le mont du Temple (mosquée du Dôme du Roc, d'Al-Aqsa), près de ce lieu, Mahomet est monté à la rencontre de Dieu sur sa jument al-Bourak. *Hébron :* tombeau des Patriarches. *Acre :* mosquée el-Djezzar. **Chrétiens.** *Jérusalem :* Cénacle, Via Dolorosa ; égl. du St-Sépulcre et autres sites de la Passion de Jésus et de la Crucifixion. *Bethléem :* égl. de la Nativité. *Mt des Béatitudes. Capharnaüm :* lac de Tibériade. *Nazareth :* fontaine de la Vierge, atelier de Joseph. **Bahaï.** Voir p. 548. **Druzes.** *Nébi Soueib ;* tombeau de Jethro, beau-père de Moïse, près des Cornes de *Hattin,* en Galilée.

☞ Les mosquées sont gérées par le Waqf (créé fév. 1979, administration des lieux saints islamiques d'al-Qods) supervisée par le roi de Jordanie. La secte religieuse juive d'extrême droite des *fidèles du mont du Temple* veut reconstruire le 3e temple sur l'esplanade pour hâter la venue du Messie (les ultra-orthodoxes ne le reconstruiront qu'après la venue du Messie). Ils veulent que la souveraineté is. s'y exerce. *1969* un australien essaie d'incendier al-Aqsa. *1982*-11-4 un déséquilibré tire, 4 †. *1984* janv. attentat pour faire sauter mosquées, déjoué. *1989* avril affrontements policiers et pal., 1 †, 3 bl. *1990*-8-10 voir p. 1 046 b.

AUTRES LIEUX. *Jérusalem :* Yad Vashem : mémorial des Déportés, cimetière militaire. Université hébraïque : musée d'I., manuscrits de la mer Morte. *Tel-Aviv :* vieille ville de Jaffa. *Césarée :* musée du livre, théâtre romain. *Ashkelon :* ruines. *Tibériade :* lac. *Safed :* anciennes synagogues. *Ber-Sheva :* puits d'Abraham. *Mer Morte. Massada :* lutte j. contre Romains (73 apr. J.-C.). *Ein Guedi :* Oasis. *Avdat :* ruines byzantines. *Eilat :* musée aquatique au fond de la mer. *Timna :* mines de cuivre, piliers du roi Salomon. Monuments romains, voir p. 1 050.

(mises en chantier) *1989 :* 20 000, *90 :* 40 000, *91 :* 100 000. **Pop. active** (% et entre parenthèses part du PNB en %) agr. 5 (9), mines 1 (1), ind. 35 (40), services 66 (50). **Chômage** (1%) *84 :* 5,9 ; *85 :* 6,7 ; *86 :* 7,1 ; *87 :* 6,1 ; *88 :* 6,4 ; *89 :* 8,9 ; *90 :* 9,6 ; *91 :* 10,9/en réalité 14 à 16 ; *92 (déc.) :* 11,2 ; *94 (est.) :* 22. **Inflation** (%) *1979 :* 78,3 ; *80 :* 131 ; *81 :* 116,8 ; *82 :* 120,3 ; *83 :* 145,7 ; *84 :* 373,8 ; *85 :* 304,6 ; *86 :* 48,1 ; *87 :* 19,9 ; *88 :* 16,3 ; *89 :* 20,2 ; *90 :* 17,2 ; *91 :* 18,5 ; *92 :* 9,4. **Dette extérieure** (Md de $) *85 :* 23,8 ; *86 :* 30,1 ; *87 :* 25,8 ; *88 :* 31,8 ; *89 :* 20, *91 :* 23,4 ; pratiquement consolidée par USA (et communauté j. mondiale).

Agriculture. *Terres cult.* (milliers d'ha, 90) : 4 371 dont 2 370 irriguées. *Production* (milliers de t, 90) : agrumes 1 506, légumes 1 095, pommes de terre 214, blé 291, avocats 48. **Élevage** (milliers de têtes, 90). Volailles 27 100, bovins 331, moutons 375, chèvres 110. **Pêche** 26 200 t (90).

Kibboutz (pl. : kibboutzim). Pris comme modèles de société par l'extrême gauche entre les 2 g. mondiales. « Groupes » c.-à-d. fermes collectives à économie socialiste ; les parents travaillent et les enfants sont en garderie ou à l'école. A 18 a., on choisit de rester ou de partir. *1er créé* 1909 à Degania Alaph. *1979 :* 229 (101 600 h., 35 % de la prod. agricole et 8 % de la prod. ind.). *1990 :* 270 (125 000 h.). **Moshav** village coopératif où chacun possède sa terre.

Énergie (90). **Pétrole :** 13 millions de litres (prod. interrompue dep. la restitution du Sinaï à l'Égypte). **Gaz** 33 millions de m3 (idem). **Mines** (90). *Phosphates* 2 472 000 t ; *potasse* 2 124 000 t. **Industrie.** Taille des diamants, armes, avions, textiles, électronique, alim., équip. élec.

Transports. *Routes* 13 181 km (90). *Automobiles privées* 803 021 (90). *Véhicules de commerce* 153 058 (90). **Chemins de fer** 574 km (90). **Projet** (en sommeil) **de liaison Méditerranée-mer Morte :** tunnel (diam. 5,5 m sur 100 km) qui utiliserait la différence de niveau (400 m) et alimenterait une station hydroélectrique de 600 MW sur la m. Morte dont le niveau remonterait.

Tourisme. Visiteurs (en milliers) 1 385,8 (janv.-nov. 92) dont USA 364, *France 131,* G.-B. 136, All. 151,8, It. 66. **Revenus :** 1,20 milliard de $ (90).

Commerce (en milliards de $, 90). **Exp.** 17 (91) *dont* diamants taillés 3,2, prod. chim. 1,7, machines 1,6 *vers* USA 3,6, G.-B. 0,8, Japon 0,8, All. féd. 0,7, Hong Kong 0,5, *France 0,5.* **Imp.** 20,8, (91) *dont* diamants bruts 3, machines 1,6, fuel et lubrifiants 1,5, *de* CEE 7,5, USA 2,7, Bénélux 2, All. féd. 1,8, Suisse 1,4, G.-B. 1,3. **Avec France** (en millions de F). *Exp. françaises vers Isr. 1986 :* 2 825, *87 :* 3 441, *88 :* 3 250, *89 :* 3 416, *90 :* 3 046, *91* (millions de $) : 716,4, *92* (millions de $) : 844,5. *Imp. françaises d'Isr. : 1986 :* 2 505, *87 :* 2 929, *88 :* 2 298, *89 :* 2 820, *90 :* 2 960, *91* (millions de $) 567,4, *92* (millions de $) 597,4.

Finances. Balance (milliards de $). **Commerciale** *1986 :* – 1,92 ; *87 :* – 3,81 ; *88 :* – 3,36 ; *89 :* – 1,82 ; *91 :* – 3,7. **Des paiements** *1972 :* – 1,1 ; *83 :* – 3,8 ; *84 :* – 5 ; *85 :* 1,9 ; *86 :* 1,37 ; *87 :* – 1 ; *88 :* – 0,6 ; *89 :* + 1,2 ; *90 :* + 0,6 ; *91 :* – 0,8. **Investissements isr. à l'étranger** (1991). 636 millions de $. **Avoirs boursiers à l'étranger** (milliards de $). *1990 :* 0,56, *91 :* 1,40. **Taux de couverture des importations par les exportations.** *1950 :* 11,7 ; *60 :* 42,6 ; *70 :* 51,2 ; *80 :* 67,2 ; *90 :* 76,8 ; *91 :* 67,2. *Déficit* comblé par les fonds des réparations allemandes (2,1 %, 120 à 140 millions de $ par an), fonds étrangers (17,9 %) et bons de l'État d'I. **Part du budget mil. dans le PNB.** *1981 :* 33 % (4,1 % en France), *85 :* 13, sans compter fournitures amér. (1,8 milliard de $), *87 :* 22, *90 :* 14.

Rang dans le monde (90). 7e potasse. 9e oranges. 11e phosphate.

ITALIE

Carte p. 1049. V. légende p. 884.

■ **Situation.** Europe. 301 278,74 km². *Long.* 1 200 km. *Larg.* continent 580 km ; péninsule max. 170, min. 54. **Frontières** 1 866 km (France 515, Suisse 718, Autriche 415, Youg. 218). **Enclave en Suisse :** Campione d'Italia 2,6 km², 2 051 h. **Côtes** 8 500 km dont 3 766 d'*îles.* **Alt. max.** Mt Blanc de Courmayeur 4 765 m.

■ **Régions. Italie continentale :** *O. et N. Alpes* (larg. 40-50 km), chute brusque sur la plaine ; massif principal : Grand Paradis (larg. 80 km) ; *à l'E. de l'Adda,* massifs larges : Bergamasque, Cadoriques (larg. 200 km ; comprennent les Dolomites) ; *à l'E. de la Piave,* alt. basses (max. Mt Cridola, 2 582 m) : A. vénitiennes et juliennes. *Au pied des Alpes :* collines et plateaux du Piémont (larg. 100 km à l'O. ; 50 km au N. avec lacs : Majeur, Côme, Iseo, Garde). *Centre :* plaines padane (bassin du Pô, 1er fleuve d'It., débit 1 600 m³/s., long. 675 km) et vénitienne [bassins : Adige (long. 410 km), Brenta (160 km), Piave (220 km). Alt. max. 1 000 m. 65 000 km² de terres arables (les 2/3 de l'It.)]. *Sud : Alpes de Ligurie,* à-pic dans la mer et prolongées S.-E. par Apennins.

Italie péninsulaire : *Apennins,* long. 1 000 km, en zigzag d'une côte à l'autre : longent Méditerranée de Gênes à La Spezia, Adriatique de Pesaro à San Severo, Méditerranée, du Vésuve au détroit de Messine. *N. :* Apennins ligures, peu élevés mais compacts. *Centre :* massif des Abruzzes, calcaire, dur et escarpé (Gran Sasso 2 912 m). *S. :* terrains anciens et volcaniques [Mts de Campanie (Vésuve) et de Calabre]. *Plaines côtières,* env. 30 000 km² de terres arables : 1°) entre Apennins et Méditerranée (N.-O.) : Étrurie (bassin de l'Arno, long. 250 km), campagne romaine (bassin du Tibre, long. 410 km), Campanie napolitaine. 2°) entre Apennins et Adriatique (S.-E.) : mollasses et plateaux calcaires non plissés de Tavolière, du Monte Gargano, des Pouilles ; basses côtes du golfe de Tarente.

Iles : Sicile 25 708 km², plateaux calcaires, massifs volcaniques (Etna) ; **Sardaigne** 24 090 km², massif ancien (Tyrrhénie), granites, porphyres, basaltes, alt. max. 1 834 m. ; **Ischia** 62 km² ; **Lipari** 114 km² ; **Elbe** 220 km² ; **Pantelleria** 83 km².

■ **Climat.** *Continental* au N. ; hivers froids (0° à Turin, 4° à Venise) ; étés chauds (25°), moussons d'été soufflant des mers Tyrrhénienne et Adriatique : 936 mm de pluie à Milan : rizières, maïs. *Méditerranéen* dans péninsule et îles : hivers doux avec pluies courtes et violentes (800 mm à l'O., 550 à l'E.), étés secs : 2 mois ½ en Toscane (paysage vert) ; 5 mois en Calabre (dénudé).

■ DÉMOGRAPHIE

Population (en millions). *1800 :* 18. *1850 :* 24,3. *1861 :* 26,3. *1871 :* 26,8. *1888 :* 29,78. *1900 :* 33,5. *1904 :* 33,2. *1939 :* 43,1. *1951 :* 47,5. *1961 :* 50,6. *1971 :* 54,1. *1981 :* 56,6. *1984 :* 56,9. *1991 (est.) :* 56,4 [dont : I. du N. 25,2, I. centrale 10,8, I. du S. 13,8, îles 6,6], prév. *2000 :* 58,1. **Age :** *– de 15 a. :* 17,8, *+ de 60 a. :* 19,4 ; *prévisions 2 000* + de 60 ans : 25 % (dont 1 700 000 de + de 80 a.). D 191,67. **Taux (‰)** *natalité : 1900 :* 33, *1964 :* 19,5, *1978 :* 12,5, *1983 :* 10,6, *88 :* 9,9, *91 :* 9,9 ; *mortalité : 88 :* 9,3, *91 :* 9,7 ; *infantile : 86 :* 10,1. *91 :* 8,2. *Accroissement* stoppé (lois sur divorce et avortement, vente libre des contraceptifs) ; reproduction *1991 :* 1,27 %. **Mariages** *1964 :* 420 000, *76 :* 354 000, *87 :* 306 364, *90 :* 312 585, *91 :* 319 711. **Divorces** *1982 :* 13 139, *1991 :* 27 350. **Urbanisation** 53 % habitent dans villes de + de 20 000 h.

Italiens (en millions). 130. **De nationalité italienne :** *Europe* 59,3 (dont Italie 57, ex-Allemagne féd. 0,57, *France 0,55,* Suisse 0,51, Belgique 0,29, G.-B. 0,23, Luxembourg 0,031, P.-B. 0,29, *Amér. latine* 1,98 dont Arg. 1,26 (82), *du Nord* 0,46, *Océanie* 0,28, *Afrique* 0,12, *Asie* 0,02. **Étrangère :** 31 et 37 de sang mêlé.

Émigration totale. *1860 à 1970 :* 21 000 000 (moyenne par an de *1860 à 1885 :* 160 000 ; *1885-95 :* 255 000. *1900-30 :* 370 000 ; (*1900 :* 352 782, *1904 :* 506 731, *1911 :* 533 844, *1912 :* 711 446) *1930-46 :* émigration interdite ; *1946-70 :* 125 000). *Dep. 1970 :* départs et retours s'équilibrent. **Étrangers présents.** 1 200 000 + 800 000 clandestins ; env. 300 000 musulmans.

Villes (est. 91). **Rome** (capitale) 2 693 383 (*Collines :* 7 rive gauche : Capitole, Palatin, Aventin, Quirinal, Viminal, Esquilin, Caelius ; 2 rive dr. : Vatican, Janicule). **Milan** 1 371 008 (à 575 km), **Naples** 1 054 601 (217 km), dont 350 000 analphabètes (81), **Turin** 961 916 (715 km), **Palerme** 697 162 (988 km), **Gênes** 675 639 (545 km), **Bologne** 404 322 (378 km), **Florence** 402 316 (280 km), **Catane** 330 037 (894 km), **Bari** 353 032 (467 km), **Venise** 308 717 (intra-muros 77 000, 176 000 en 1951) (539 km). Lagune 550 km² avec terres immergées, *murazzi :* môles de renforcement terminés 1782, endommagés par raz de marée 1825 puis inond. 1966 ; s'enfonce de 2 mm à 1 cm par an (la fermeture des stations de pompage des nappes phréatiques à partir de 1975 a fait remonter le niveau de 1,5 cm) ; 19 inondations dep. 1900 dont 1966, 1992 (avril) 122 cm [le 5-1-1981 baisse des eaux de 70 cm (vent d'O. le garbin)] ; projet de barrage, coût 2,5 milliards de $. **Messine** 274 846 (797 km), **Vérone** 258 946 (545 km), **Tarente** 244 033 (570 km), **Trieste** 231 047 (686 km), **Padoue** 218 186 (531 km), **Cagliari** 211 719, **Brescia** 196 766 (610 km), **Reggio de Calabre** 178 496 (742 km), **Modène** 177 501 (443 km), **Parme** 173 991 (498 km), **Livourne** 171 265 (315 km), **Prato** 166 688.

Langues. Italien *(off.),* français (100 000, Val d'Aoste), allemand [200 000, Ht-Adige (Tyrol du Sud)], slovène (120 000, Trieste, Gorizia), ladin (730 000, Tyrol du Sud, Trente), occitan (230 000), sarde, frioulan.

Religion. Cath. romains 99,6 % (28 % pratiquent, enfants : 50 % ne suivent pas le catéchisme), 43 000 prêtres (84 000 en 1901). *Accords du Latran* (11-2-1929) remplacés par le concordat du 18-2-1984.

■ HISTOIRE

■ **Origine critique. V. 1200 av. J.-C.** Latium peuplé de Ligures, qui connaissent la civilisation du bronze et occupent dans une île du Tibre une bourgade sur pilotis, Rome. Invasion d'Italiques (Indo-Européens occidentaux, proches des Celtes), notamment Latins dont Romains et Albains (leurs villes datent de la même époque) et Osco-Ombriens (dont Sabins ou Samnites). Les Italiques sont venus par la terre, dep. le Danube (ils ont pris leur nom en s'installant dans la péninsule, appelée Italia ou Vitalia, « terre des troupeaux », par les Ligures). **1152** selon la *tradition* (« l'Énéide » de Virgile) : des Troyens, avec Énée (fils d'Anchise et d'Aphrodite), s'installent à Lavinium (Latium). *Énée* épouse *Lavinia* et succède à Latinus (après avoir battu les Rutules). Ses enfants, dont Ascagne, fondent *Albe* (Albe serait ainsi la ville mère de Rome). **V. 1000 av. J.-C.** créent la civ. du fer *villanovienne* (de Villanova près de Bologne). **V. 900** *Étrusques* (Indo-Européens orientaux, du groupe illyrien, proches des Albanais) débarquent en Ombrie et au Nord-Latium, venant d'Asie Mineure par mer. **753** selon la tradition : *Romulus* et *Remus,* fils de Rhea Silvia (descendant d'Ascagne et du dieu Mars, abandonnés, allaités par une louve et sauvés par un berger), décident de fonder une ville sur le Palatin : le sort désigne Romulus comme roi (d'où le nom de *Rome*). Il trace un sillon marquant les limites de sa ville. Remus, vexé de ne pas être roi, franchit le sillon par défi. Romulus le tue. Il fait de sa ville un asile pour les hors-la-loi. Ceux-ci n'ayant pas de femmes vont enlever les *Sabines* (d'où une g. entre Romains et Sabins, terminée par la fusion des 2 peuples). **VIIe s.** début de l'expansion étrusque (ensemble des cités) : Veio, Faleri, Capena, Campanie (Pompéi, Capoue). **VIe s.** domination temporaire sur Rome. **474** *Cumes,* Syracusiens battent flotte étrusque. **IIIe s. 295** *voisinies* romains battent Étr. conquis par Rome, ils conservent leur langue et leurs mœurs jusqu'à l'âge d'Auguste. Art : nombreuses ruines (Tarquinia (nécropole découverte 1827), Cerveteri, Marzabotto), sculptures (chimère d'Arezzo,

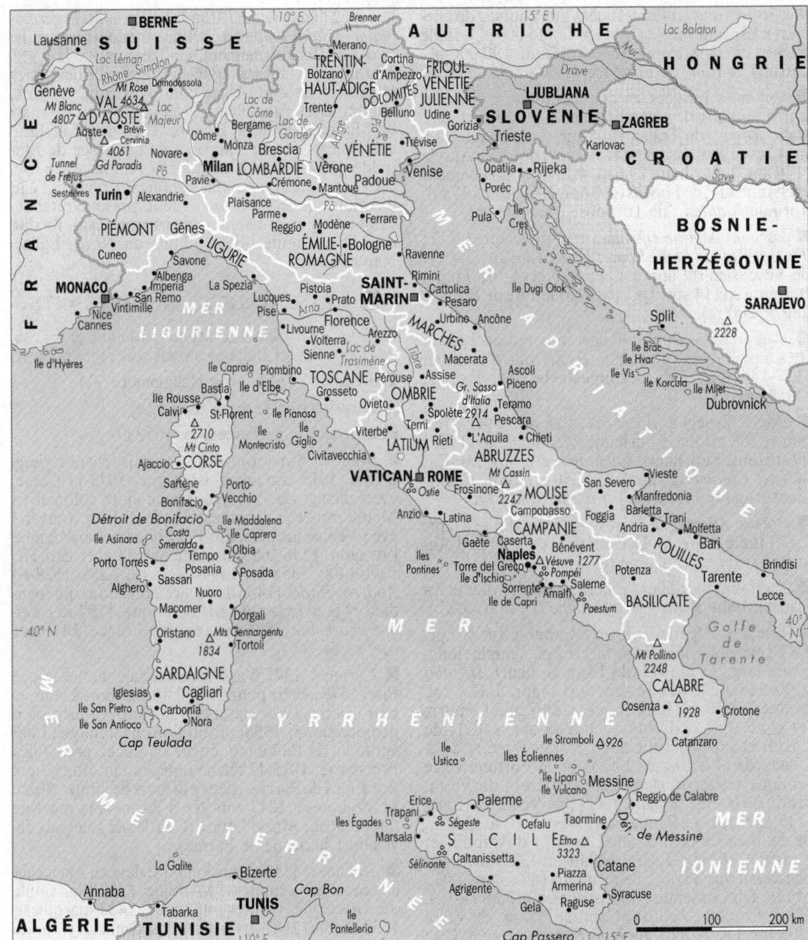

bronze découvert 1553), écriture variante du grec, a donné les Q, H, X, F. **V. 775** Grecs colonisent Ischia. **750** fondent Cumes (introduisent vigne ; hellénisation de l'I. du S.).

Période royale. *Numa Pompilius* (715-673 Sabin ; il possédait une nymphe, *Égérie,* et l'entretenait souvent en secret, à sa mort, Égérie versa tant de larmes que Diane la transforma en fontaine), *Tulius Hostilius* (673-642 Romain ; ses champions, les *Horaces,* battent ceux d'Albe, les *Curiaces*), *Ancus Martius* (640-616 Sabin), *Tarquin l'Ancien* (616-579, fils d'un émigré corinthien), *Servius Tullius* (578-534), *Tarquin le Superbe* (534-510) (Étrusques).

■ **République.** Fondée **v. 509** lutte des *Plébéiens* contre *Patriciens.* **V. 494-471,** création des *tribuns de la plèbe.* **Vᵉ-IIIᵉ s.** Rome domine l'I. après des g. contre peuples du Latium, Étrusques, Gaulois de la plaine du Pô, Samnites (*321* défaite rom. près de Caudium, aux *Fourches caudines*), villes grecques de l'I. du Sud (que Pyrrhus ne peut sauver *280-275*).

Guerres puniques contre Carthage. Causes : les Phéniciens de Carthage (en latin *Poeni,* d'où l'adj. *punique*) voulaient coloniser les côtes de Méditerranée occ. : Sicile (occasion de la 1ʳᵉ g.), puis Espagne (2ᵉ g.) ; les Romains, qui avaient achevé la conquête de la péninsule it. (prise de Tarente 272), voulaient s'agrandir outre-mer (Regulus débarque en Afr., 256 est battu). **Déroulement : 1ʳᵉ 264-241** *Carthage : Hamilcar Barca* (la « tempête », 290-228) défend la Sicile 6 ans (247-241), perd sa flotte, évacue l'île et conquiert Espagne. *Hannon,* amiral, vaincu aux îles Aegates (242) par Catulus (flotte détruite). *Rome : Atilius Regulus,* consul, tente un débarquement en Afrique (256), mais est vaincu et capturé. *Lutatius Catulus,* consul, vainqueur aux îles Aegates. **2ᵉ 218-201** *CARTHAGE : Hannibal* (247-183), fils d'Hamilcar, chef de la cavalerie sous les ordres de son beau-fr. *Hasdrubal* en Esp. (223-31), puis Gᵃˡ en chef, prend Sagonte (219) ; avec 40 000 h., traverse S. de la Gaule et Alpes, détruit l'armée rom. (le Tessin, la Trébie 218, Trasimène 217, Cannes 216), prend *Capoue* 215 (où son armée appréciant les plaisirs de la ville perd sa combativité) et hésite 13 ans à attaquer Rome ; rappelé par sénat carthaginois 203, battu à *Zama* (Afrique 202) s'enfuit chez roi de Syrie Antiochos, puis chez roi de Bithynie Prusias ; se suicide pour ne pas être livré aux Romains. *ROME :* Fabius Maximus Verrucosus *Cunctator* [le « temporisateur » (275-203)] résiste 13 ans à Hannibal, sans livrer bataille. *Marcellus* (268-208) enlève Syracuse à Archimède (212) ; plusieurs fois vainqueur d'Hannibal ; tué dans embuscade. *Scipion l'Africain* [Publius Cornelius Scipio (235-183)] débarque par surprise en Afrique (204), prend Utique, échoue devant Carthage ; se rembarque (203) ; redébarque et bat Hannibal à Zama (202). **3ᵉ 149** *Rome : Scipion Émilien* (185-129), fils de Paul Émile ; f. adoptif d'un Scipion, enlève Carthage en 146 (après 3 ans de siège) et la fait raser.

Autres guerres. Extérieures. 197 *Cynoscéphales :* Titus Quinctius Flaminius bat Macédoniens (Philippe V). **189** *Magnésie :* Lucius Cornelius Scipion l'Asiatique (fr. de Scipion l'Africain) † après 184 bat Séleucides. **168** *Pydna :* Paul Émile (227-160) bat Persée. **146** Grèce soumise. **133** roi de Pergame lègue son royaume à Rome ; prise de Numance et fin de la conquête de l'Espagne. **105** *Marius* (Caius 157-86, 7 fois consul entre 106 et 86) bat *Jugurtha,* roi numide. **102** repousse Germains Teutons. **101** repousse les Cimbres. **88-85** *Sylla* (138-78, consul 88, dictateur 82-79) bat Mithridate, roi du Pont, reconquiert Grèce et Asie Mineure. **80-73** *Sertorius* (123-72) soulève Espagne. **72** *Pompée* bat Sertorius. **64** conquiert Syrie. **61** *Arioviste* (chef germanique des Suèves, Gaulois d'origine) envahit Gaule. **Civiles. 133-123** réformes sociales des Gracques [les frères Tiberius (133) et Caius Gracchus (123) (tribuns de la plèbe)] : échec. **90** tous les Italiens deviennent citoyens romains. **73-71** révolte des esclaves avec le Thrace *Spartacus* (v. 95-71) [ancien gladiateur, il réunit 70 000 escl. fugitifs et pille l'Italie 2 ans ; vaincu et tué à Silare par Licinius Crassus (115-53) ; ses partisans sont exterminés]. **63** conjuration de *Catilina* [Lucius Sergius Catilina (108-62), aristocrate ruiné, battu aux élec. consulaires en 66, tente de rétablir le pouvoir des patriciens contre consul Cicéron (106-43), plébéien parvenu ; dénoncé par complices, s'enfuit de Rome ; vaincu et tué par Marcus Petreius, à Pistoia].

60 1ᵉʳ triumvirat. Pompée (Cneius Pompeius Magnus, 106-48) : ancien lieut. de Sylla ; pleins pouvoirs (67-66), vainqueur des pirates en Méditerranée (67), conquérant de l'Orient (66-62), épouse (60) la fille de César, quand elle meurt (53) se brouille avec César ; tué et vaincu par lui à Pharsale (49). **Crassus** (Marcus Licinius, 115-53) : enrichi grâce aux proscriptions de Sylla ; préteur (71) ; écrase révolte de Spartacus (71) ; consul avec Pompée (70), populaire par ses largesses ; gouverneur de Syrie (56), tué au cours d'une g. contre Parthes. **César** (Caius Julius Caesar, 100-44 ; de la gens *Julia* remontant aux Étrusco-Troyens émigrés en Italie IXᵉ s.), neveu de Marius, épargné par Sylla grâce à son habileté ; profite des largesses de Crassus (69-62), mais s'endette de plusieurs millions par des gratifications démagogiques (65) ; consul (59) ; proconsul de Gaule cisalpine (58-54), conquiert Gaule celtique et redevient très riche. Franchit (49) le *Rubicon* (fleuve marquant limite N. de l'Italie consulaire où il était interdit de faire entrer des troupes) en disant « Alea jacta est » (le sort en est jeté). Bat (49) les lieutenants de Pompée (Afranius et Petreius) à Lérida (Esp.) et (48) Pompée à Pharsale (Grèce) ; poursuit Pompée en Égypte (48-47), devient l'amant de Cléopâtre VII (69-30), reine d'Ég. Extermine Pompéiens à Munda, près de Cordoue (45), reçoit titre *d'imperator* (gén. en chef). Réorganise l'État, aménage le territoire (80 000 prolétaires transformés en paysans) ; crée le calendrier julien ; assassiné (44) par son fils adoptif Brutus (v. 82-42 suicidé), républicain, qui lui reprochait de vouloir être roi. [*Femmes de César :* 1° Cornelia, fille de Cinna, lieutenant de Marius (Sylla le somme de la répudier en 82, mais il refuse) ; 2° Pompeia, f. de Quintus Pompée et nièce de Sylla : répudiée après quelques mois pour adultère avec tribun Clodius.]

43 2ᵉ triumvirat. Octave (petit neveu de Jules César ; 63 av. J.-C. empoisonné 14 apr. J.-C.) prend Occident, deviendra Auguste v. ci-dessus, **Antoine** (Marc 83-30 suicidé, ép. 1° Octavie et la répudie, 2° Cléopâtre VII, reine d'Égypte), Orient après victoire de Philippe (42), et **Lepidus** († 13 ou 12 av. J.-C., Afrique). **31** Octave bat Antoine et Cléopâtre à Actium (promontoire rocheux sur la côte grecque).

Empereurs romains

Période impériale. Dynastie julio-claudienne : 27 av. J.-C. *Auguste Octave.* **9** apr. J.-C. Varus, chargé de conquérir Germanie (rive dr. du Rhin), écrasé avec ses légions (Teutobourg). *Tibère* (v. 42 av. J.-C.-assassiné 37 apr. J.-C.), s. f. adoptif. **37** *Caligula* (12-assassiné 41 par Cassius Chereas), pet.-neveu de Tibère, fou (38, fait mettre à mort sa femme Drusilla, nomme consul son cheval Incitatus). **41** *Claude* (10 av. J.-C.-empoisonné par Agrippine 54), oncle paternel de Caligula, épouse Messaline (n. v. 25, dont il eut Octavie et Britannicus, débauchée ; il la fit tuer en 48) puis Agrippine la jeune (v. 15 av. J.-C.-59 apr. J.-C.) fille d'Ag. l'aînée (v. 14 av. J.-C.-38 apr. J.-C.) petite fille d'Auguste, fille d'Agrippa et de Julie, épouse de Germanicus et mère de Caligula, mère de Néron ; ép. en 3ᵉ noces Claude. **54** *Néron* (15-12-37-suicide 68), s. f. adoptif. **64** (19/28-7) incendie de Rome (9-6), Néron accuse les chrétiens, les fait périr dans les tortures.

Emp. de la g. civile : 68 *Galba* (v. 5 av. J.-C.-ass. 69). **69** *Othon* (32-suicide 69). *Vitellius* (15-ass. 69 et déchiqueté par la foule).

Flaviens : 69 *Vespasien* (9-79). **70** Titus prend Jérusalem. **79** Pompéi détruite par éruption du Vésuve (15 000 †). **79 Titus** (39-empoisonné 81), s. f. **Iᵉʳ s.** Bretagne, Dacie, Assyrie, Mésopotamie occupées. **81** *Domitien* (51-ass. 96), s. f.

Antonins : 96 *Nerva* (26-98). **98** *Trajan* (53-117), s. f. adopt. **117** *Hadrien* (76-138) dont l'amant Antinoüs se noya dans le Nil en 130. **138** *Antonin* (86-161). **161** *Marc Aurèle* (121-180) [avec Verus (Marc Aurèle) jusqu'en 169]. **180** *Commode* (161-192), f. de Marc Aurèle.

Sévères. Bas-Empire : 192 début : l'armée impose ses empereurs, pression des Barbares. **193** *Pertinax* (126-ass. 193). **193** *Julien Iᵉʳ. Septime Sévère Iᵉʳ* (146-211). **211** *Caracalla* (188-ass. 217). **212** édit de Caracalla : tous les hommes libres de l'Empire deviennent citoyens romains. **217** *Macrin* (164-218). **218** *Héliogabale* (204-ass. 222). **222** *Alexandre Sév. II* (205/8-235).

Anarchie militaire. 225-284 division, empire des Gaules (258-273), roy. de Palmyre (260-273), avec reine Zénobie et son fils Voballath. **235** *Maximin Iᵉʳ* (173-238). **238** *Gordien Iᵉʳ* (v. 157-238). *Balbin* (178-ass. 238). *Pupien* († 238), avec Balbin. *Gordien II* (v. 192-238). *Gordien III* (224-244). **244** *Philippe l'Arabe* (v. 204-ass. 249). **249** *Decius* (201-251). **251** *Gallus* (ass. 253). **253** *Valérien* (exécuté 259 ou 260). **260** *Gallien* (v. 218-268), s. f. **268** *Claude II le Gothique* (v. 214-270). **270** *Aurélien* (v. 214-ass. 275). **275** *Florien* († 276). *Tacite* (v. 200-ass. 276). **276** *Phobus.* **282** *Carus* († 283). **283** *Carin* (ass. 285). *Numérien* (ass. 284), f. de Carus. **284** *Dioclétien* (245-313) (entre Empire d'Occident et Emp. d'Orient), abdique. Rétablit unité, prend un associé. Chacun est *« Auguste »* et choisit un héritier, le *« César »* (293 système de la *tétrarchie*). Abdique.

Guerres civiles. 305 6 emp. revendiquent le titre d'Auguste : Constantin, Sévère, Maximin, Galère,

Maxence et Maximien. *Constance Ier Chlore* (v. 225-306). **306** *Constantin Ier* (270/288-337), rétablit unité de l'Emp. **307** *Maxence* exécute Sévère. **308** *Constantin* exécute Maximien. **308** *Maximin II Daia* († 313). **311** *Galère* meurt ; remplacé par Licinius. **312** *Constantin* tue Maxence. **313** Constantin et Licinius accordent la liberté aux chrétiens (édit de Milan). Licinius tue Maximin, puis Valens, successeur de Maximin ; Constantin tue Martianus, successeur de Valens (323), puis Licinius (324). **324** Constantin fonde une 2e capitale à Constantinople. **337** *Constantin II* (317-340). *Constant Ier* (320-350). *Constance II* (317-361), règnent conjointement. **361** *Julien l'Apostat* (331-363), neveu de Constantin Ier, essaie de restaurer paganisme. **363** *Jovien Ier* (v. 331-364). **364** *Valentinien Ier* (321-375). **375** *Valentinien II* (v. 371-ass. 392). **379** *Théodose Ier* (v. 347-395). **381** édit : catholicisme rel. d'État. **391** ferme temples païens. **383** *Maxime* (ass. 388), empereur en Gaule et en Espagne. **392** *Eugène* (usurpateur), gendre de Valentinien Ier. **395** *Partage définitif de l'Empire* entre Arcadius et Honorius. L'emp. d'Orient (byzantin) durera jusqu'en 1453.

Empereurs romains d'Occident

☞ Empereurs romains d'Orient : voir Index.

Bas-Empire d'Occident (395-476). **395** *Honorius Ier* (395-423), fils de Théodose Ier. **400** Alaric, roi des Wisigoths, s'installe en Italie. **402** Stilicon bat Alaric à Pollenza. **404** Honorius transfère capitale à Ravenne. **410** Alaric pille Rome, mais Honorius décide Wisigoths à s'installer en Gaule et Esp. **423-54** *Aetius* : dictature militaire, maintient « diocèses » d'It., et Gaule contre envahisseurs, notamment les Huns (451-52). **425** *Valentinien III* (419-455), neveu d'Hon. par sa mère Galla Placidia. **455** *Maxime Pétrone Ier* (v. 395-ass. 455). *Avitus* († 456). **456** *Majorien Ier* (ass. 461). **461** *Sévère III* († 465). **467** *Anthemius,* fils de Procope. **472** *Olybrius* († 472). **473** *Glycerius* († 480). **474** *Julius Nepos.* **475** 31-10 *Romulus Augustule* (n. v. 461), fils d'Oreste, mercenaire hérule (germain). **476** *Invasions barbares.* Odoacre, chef des Germains Scyres, roi des nations, tue Oreste, chasse Romulus Aug. (23-8), renvoie à Constantinople les ornements impériaux, les sénateurs doivent accepter le transfert du siège de l'Empire. Fin de l'Empire d'Occident.

☞ **Fin des 115 empereurs romains, de César à Constantin V.** Morts naturellement 37, assassinés 54, empoisonnés 2, expulsés du trône 6, ayant abdiqué 6, enterré vivant 1, suicidés 5, frappés de la foudre 2, morts inconnues 2.

Art romain

Influencé surtout par art étrusque et art grec. Les Grecs ne connaissent que l'architrave pour franchir les vides ; les Étrusques, puis les Romains, utilisèrent l'arc. Apogée entre Auguste (30 av. J.-C.) et les Antonins (fin du IIe s. ap. J.-C.).

■ **Amphithéâtres ou arènes.** **Allemagne** *Trèves* (100 ans apr. J.-C.). **Espagne** *Italica* (206 av. J.-C. ; 40 000 pl.). *Tarragone. Mérida* (Ier s. av. J.-C. ; 14 000 pl.). **Israël** *Césarée* (22-9 av. J.-C. ; 5 000 pl.). *Beit Chean* (IIe ap. J.-C. ; 8 000 pl.). *Hamat Gader* (1 500 à 2 000 pl.). **Italie** *Rome :* le Colisée (Ier s. apr. J.-C. ; 187 × 155 m, 57 m de haut à l'extérieur, 49 m à l'intérieur, 527 m de tour, environ 50 000 pl.). *Vérone* (Ier s. apr. J.-C. ; 152 × 128 m, haut. ext. 32 m). *Capoue* (Ier s. apr. J.-C. ; 167 × 137 m). *Pompéi* (130 × 102 m). *Pouzzoles* (69 à 79 apr. J.-C. ; 149 × 116 m, 40 000 pl.). **Tunisie** *El Djem :* Colisée (148 × 122 m, 60 000 pl.). **Yougoslavie** *Pula* (31 av. à 14 apr. J.-C. ; 132 × 105 m, haut 32,5 m, 23 000 pl.).

■ **Aqueducs.** **Espagne** *Ségovie* (813 m ; haut. 28 m, Ier s.). *Tarragone* (Las Ferreras 217 m ; haut 28,7 m, 98-117 apr. J.-C.). *Mérida* (*Los Milagros,* 827 m ; haut. 25 m). **France** *Pont du Gard :* voir index. **Israël** *Césarée* (22-9 av. J.-C.). **Italie** *Rome :* Aqua Marcia (145 av. J.-C.) ; Virgo, A. de Claude (Ier s. apr. J.-C., 60 km, en ruine). **Tunisie** *Carthage à Zaghouan,* 90 km (76-138 apr. J.-C.). **Turquie** *Antioche* (Antakya).

■ **Arcs.** **Algérie** *Timgad :* de Trajan (IIIe s. apr. J.-C.). *Tébessa :* de Caracalla (11 m de côté). *Lambèse* (197-211 apr. J.-C.). *Djémila* (216 apr. J.-C.). **Espagne** *Bara* (IIe s. apr. J.-C.). *Medinaceli* (haut. 9 m ; IIe s. apr. J.-C.). *Mérida :* arc de Trajan (haut. 13 m). **Italie** *Rome :* de Titus (81 apr. J.-C.) ; de Septime Sévère (315 apr. J.-C.) ; de Constantin (315 apr. J.-C.) ; de Janus (IIIe s. apr. J.-C.) ; de Drusus (IIe s. apr. J.-C.) ; des Changeurs. *Ancône :* de Trajan. *Bénévent ;* de Trajan. **Maroc** *Volubilis* (217 apr. J.-C.).

■ **Basiliques** (cours de justice, autour du forum). **Algérie** *Timgad. Tipasa. Djémila.* **Italie** *Rome :* Æmilia (179, restaurée en 78 av. J.-C.) ; Julia (46 av. J.-C.) Ulpia (112 apr. J.-C.) ; Nova (313) ; Constantin et Maxence (306-313) ; Ste-Marie-Majeure (302). *Pompéi* (100). **Libye** *Leptis Magna.* **Maroc** *Volubilis.*

■ **Cirques** (enceintes destinées aux courses de chevaux). **Espagne** *Mérida* (8 av. J.-C. ; 15 000 pl.). **Italie** *Rome :* circus Maximus (645 × 124 m, 190 000 pl., détruit) ; cirque de Maxence (469 × 185 m ext.).

■ **Colonnes** (érigées en commémoration des victoires militaires). **Algérie** *Djémila* (IIe s. apr. J.-C.). **Italie** *Rome :* de Trajan (114 apr. J.-C. ; haut. 29,8 m, 42 avec soubassement et statue) ; de Marc Aurèle (176 apr. J.-C. ; haut. 29,6 m, 42 avec soubassement et chapiteau) ; de Phokas (608 apr. J.-C. ; haut. 17 m). **Turquie** *Istanbul :* de Théodose (haut. 15 m).

■ **Forums.** **Algérie** *Djémila* (IIe et IIIe s. apr. J.-C.) ; *Tipasa. Timgad.* **Italie** *Rome :* d'Auguste (2 av. J.-C.) ; de Vespasien (Ier apr. J.-C.) ; de Nerva ; de Trajan (terminé en 114 apr. J.-C. par Apollodore de Damas, 280 × 200 m).

■ **Palais.** **Italie** *Rome :* Palais impérial au Palatin (Ier s. apr. J.-C.), Curia Julia. *Tivoli :* villa d'Hadrien (127-134 apr. J.-C.). **Yougoslavie** *Split :* p. de Dioclétien.

■ **Ponts.** **Espagne** *Alcantara* (IIe s. apr. J.-C. ; restauré ; 188 m long, 54 m haut). *Mérida* (95 av. J.-C. ; 792 m long, 11 m haut). *Salamanque* (IIe s. apr. J.-C. ; 400 m). *Cordoue* (Ier ap. J.-C. ; 240 m). **Italie** *Rome :* Saint-Ange (pons Aelius). *Rimini. St-Martin.*

■ **Portes.** **Allemagne** *Trèves :* p. Noire (fin IIe s. apr. J.-C.) **Italie** *Aoste :* p. Decumana. *Pérouse ;* p. d'Auguste. *Turin :* p. Palatine (Ier s. apr. J.-C.).

■ **Portiques** (bordaient généralement les rues et les places). **Italie** *Rome :* p. d'Octavie (Ier s. av. J.-C.).

■ **Temples.** **Algérie** *Timgad :* Capitole (IIe s. apr. J.-C. ; enceinte ; long 90 m, larg. 62 m ; temple : long. 53 m, larg. 23 m ; col. de 14 m de haut). *Djémila* (t. de la famille des Sévères : IIe s. apr. J.-C. ; col. hautes de 8,40 m). **Italie** *Rome :* t. de Vénus Genitrix (Ier s. av. J.-C.) ; de Mars Ultor (2 apr. J.-C.) ; de Castor et Pollux (6 apr. J.-C., il reste 3 col.) ; de la Concorde (7 à 10 apr. J.-C.) ; de la Fortune virile (ionique tétrastyle et pseudopériptère) ; de Vesta, rond ; de la Paix (80 apr. J.-C.) ; de Vénus et Rome (135 apr. J.-C.) ; Panthéon (27 av. J.-C. à 124, 43 m de haut et de diamètre, rond) ; d'Antonin et Faustina (141 apr. J.-C.) ; de Saturne (320 apr. J.-C., ne restent que 8 col.) ; de Romulus (IVe s. apr. J.-C., rond) ; Dii Consentes (reconstruit en 367 apr. J.-C.). *Ostie :* Capitole. *Pompéi :* Capitole. *Tivoli :* de Vesta (205 apr. J.-C., rond). **Jordanie** *Pétra* (VIe s. av. J.-C.) ; t. Qasr Firaoun (Ier s.). **Liban** *Baalbek :* t. de Jupiter (87,75 × 47,70 m) ; de Bacchus (69 × 36 m ; col. de 19 m de haut). **Portugal** *Evora ;* périptère (IIe s. apr. J.-C.). **Syrie** *Palmyre :* t. de Bêl (dit autrefois T. du Soleil ; consacré en 32).

■ **Théâtres.** **Algérie** *Tébessa. Timgad* (IIe s. ap. J.-C.). *Djémila. Tipasa.* **Espagne** *Mérida* (5 500 pl). *Sagonte* (10 000 pl.). *Acinipo* près de Ronda. **Grèce** *Athènes ;* odéon d'Hérode Atticus ; d'Agrippine. **Italie** *Rome ;* théâtres de Pompée (20 000 pl.) ; de Marcellus (achevé en 13 av. J.-C.). *Herculanum. Pompéi. Ostie. Fiesole.* **Tunisie** *Dougga* (3 500 pl., diam. 63 m). **Turquie** *Termessus. Alinda. Aizani Aspendus.*

■ **Thermes.** **Algérie** *Timgad* (167 apr. J.-C.). **Allemagne** *Trèves* (IIe s. apr. J.-C.). **Espagne** *Italica* (v. 120 apr. J.-C.). **Italie** *Rome :* th. de Caracalla (206 av. J.-C. ; 120 000 m²) ; de Dioclétien (306 ; pour 3 000 baigneurs, 140 000 m², en ruines) ; de Constantin (détruits). **Libye** *Leptis Magna (Lebda).* **Maroc** *Volubilis :* th. de Gallien ; du Forum (début IIe s. apr. J.-C.) ; du Nord (fin IIe s. apr. J.-C.).

■ **Tombeaux.** **Italie** *Rome :* t. d'Hadrien (château St-Ange, 135 apr. J.-C.) ; de Cestius (Ier s. apr. J.-C., 27 m haut.) ; de Caecilia Metella (fin Ier s. av. J.-C.).

■ Du Ve au XIIIe siècle

Période germanique (476-774) *Odoacre* se fait reconnaître « patrice de Rome » par l'emp. d'Orient, Zénon. Proclamé roi par ses troupes, il gouverne l'Italie 17 ans (cap. Ravenne). **493** est tué à Ravenne par le roi des Ostrogoths, *Théodoric le Grand,* à qui Zénon a accordé l'Italie. **498** l'emp. Anastase envoie les insignes impériaux à Théodoric qui fonde un emp. ostrogoth arien. **535-53** reconquête du Gal byzantin *Bélisaire,* vainqueur de Vitigès, roi des Ostrogoths, (540), et du Gal byzantin *Narsès,* vainqueur de *Totila,* roi des Ostrogoths, (552) sous Justinien Ier, emp. d'Orient. Ravenne cap. et siège de l'exarque représentant l'emp. **568-72** invasion lombarde ; fondation de duchés lombards, centre Pavie (les papes deviennent « ducs de Rome »). **751** Byzantins chassés de Ravenne par Lombards (gardent Sicile et It. du Sud). **754-56** Pépin le Bref bat Lombards et donne au pape Étienne II l'ancien exarchat de Ravenne (voir Vatican à l'Index). **774** *Charlemagne,* couronné roi des Lombards, confirme donation de Pépin aux Papes. **800** couronné emp. d'Occident et successeur de Constantin. It. divisée en 3 : Lombardie, Église, Sud (byzantin). **888-962** Lombardie devient « roy. d'Italie ». **962** l'emp. *Otton Ier* fonde l'*Emp. romain germanique (« Saint Empire »),* réunissant couronnes d'It. et d'All. **1052** avènement, en Toscane, de la Ctesse Mathilde de Canossa (1046-1115), pupille des papes et protectrice du St-Siège contre les emp. Le parti anti-impérial s'appelle « *guelfe* », du nom du mari de Mathilde, Welf de Bavière. **1116** début de lutte entre papes et emp., au sujet de l'héritage de Mathilde. **1254** le pape Alexandre IV remplace le « roy. d'Italie » par un « vicariat pontifical » (vicaire : Ch. d'Anjou, roi de Naples) ; unité it. presque rétablie. **1294** l'emp. nomme un « vicaire impérial » (le duc de Milan) ; unité brisée : États du Nord, Église, Naples-Sicile.

■ États italiens indépendants

Nota. – En 1860, les rois de Sardaigne et les rois des Deux-Siciles étaient les seuls rois régnant en It.

■ **États de l'Église** (voir **Religions** p. 504).

■ **Étrurie** (voir **Toscane** p. 1052 c).

■ **Florence** (voir **Toscane** p. 1052 c).

■ **Gênes.** Autrefois aux marquis carolingiens d'Este. **1015** conquiert Sardaigne. **1078** la Corse, avec alliance de Pise, puis fonde emp. colonial en Méditerranée (notamment Chypre). En g. (navale) avec Venise jusqu'en 1381. **1296** cède Sardaigne à l'Aragon. **1396-1685** disputée entre Fr. et Esp. (fr. 1396-1409, 1458-64, 1499-1522, 1527-28). **1528-60** *Andrea Doria* (1466-1560) rétablit son indépendance ; gouvernement aristocratique. **1797** *République ligurienne.* **1805** annexée par France. **1815** par roy. sarde.

■ **Lucques.** **1342** place commerciale, annexée par Pise. **1370** achète pour 25 000 florins d'or, à l'empereur Charles IV, le statut de ville libre (Constitution démocratique). **1556** constitution oligarchique. **1805** agrandie de Piombino, érigée en duché pour Elisa Bonaparte. **1815-47** duché indépendant donné aux Bourbons de Parme, jusqu'à la mort de l'impératrice Marie-Louise. **1847** annexée à Parme à la mort de l'impératrice Marie-Louise (Charles de Lucques devenant Charles II de Parme).

■ **Mantoue.** **1115** comté lombard devenu souverain à la mort de la comtesse Mathilde. **1328** à la famille des *Gonzague,* vicaires impériaux. **1432** marquisat. **1530** duché. **1627** extinction des Gonzague ; g. de la succession de Mantoue. **1631** à la famille des Nevers. **1708** extinction des Nevers ; confisqué par l'emp. Léopold Ier (de Habsbourg). **1785** annexé au Milanais (autrichien dep. 1713).

■ **Milanais.** Milan, ancienne capitale des Lombards : **v. 1100** centre de résistance aux emp. all. (parti guelfe). **1166** Ligue lombarde créée. **1275** le « capitaine » de Milan reconnu par l'emp. **1294** *Matteo Visconti,* « capitaine » dep. 1287, nommé « vicaire impérial » pour l'It. **XIVe s.** les Visconti conquièrent toute l'ancienne Lombardie et It. centrale jusqu'aux États de l'Église. **1395** l'emp. Venceslas leur reconnaît le titre de duc de M. **1424-47** M., vaincu cède à Venise, Bergame et Brescia. **1447** dynastie des *Sforza* (Francesco Sforza avait épousé Bianca Maria, fille naturelle de Filippo Maria Visconti, duc de 1416 à 1447). **1505** *Louis XII* de Fr., fils de Valentine Visconti (fille de Gian Galeazzo V., duc de 1385 à 1402), devient duc de M. **1521** Charles Quint rétablit les Sforza. **1535** Sforza éteints : M. à l'empereur. **1556** à l'Esp. (Philippe II). **1714** autrichien ; au XVIIIe s., l'Autr. en cède la moitié à Savoie. **1796** M. capitale de la *République cisalpine.* **1798**-*12-5* 1re apparition du drapeau vert, blanc, rouge. **1848**-*18-3* révolte (cinq journées contre Autr.).

■ **Modène.** Marquisat lombard devenu indép. à la mort de la Ctesse Mathilde (1115). **1288** passe à la maison d'Este (ducs de Ferrare). **1453** érigé en duché. **1598** les Este, chassés de Ferrare par le pape Clément VIII, y mettent leur capitale. **1796** annexé à la Rép. cisalpine. **1814** rendu aux Este. **1848** François V, chassé par les *carbonari,* est rétabli par les Autr.

■ **Montferrat.** **1040** marquisat souverain. **1305** passe par mariage à la famille des Paléologue (byzantins). **1553** extinction des Paléologue ; passe aux Gonzague, ducs de Mantoue. **1574** érigé en duché (mantouan). **1627** principal enjeu de la g. de succession de Mantoue (convoité par la Savoie, qui en occupe une partie). **1708** extinction des Nevers ; attribué par l'emp. Léopold Ier à la Savoie, alliée de l'Autr. contre Louis XIV.

■ **Naples et Sicile.** **554** conquises par Byzantins. Récupérées en partie par Lombards et Carolingiens qui créent un *duché de Bénévent,* mais laissent côtes et îles aux Grecs. **IXe-XIe s.** Sarrasins (musulmans) enlèvent la S. aux Grecs (827 s'implantent, 878 prennent Syracuse, 902 occupent toute l'It.), et harcèlent It. du S. et États de l'Église. **1016** les papes chargent les Normands de Tancrède de Hauteville

Institutions romaines

■ **Structure sociale.** D'origine indo-européenne : une caste de guerriers, possesseurs de chevaux, occupe une ville fortifiée, Rome (entourée par une enceinte de 11 500 m, dite de Servius Tullius) et possède la terre environnante. Une caste de domestiques agricoles et de palefreniers est à son service et habite des villages non fortifiés dans la plaine. Rome, primitivement construite sur pilotis par les Ligures avait à sa tête le *Pontifex maximus* (« grand pontonnier »), chargé d'entretenir les pilotis. Le titre est resté. Puis une ville en pierre a été construite par les Étrusques qui ont mis leur citadelle *(arx)* sur le Capitole (une des 7 collines). La *roche Tarpéienne,* portant le nom de Tarpeia, jeune fille étrusque qui livra la citadelle aux Sabins (Italiques proche des Latins), d'où l'on précipitait les criminels, en était proche. **Habitants de Rome :** au début, 100 familles nobles (latines ou étrusques) possèdent chevaux et terres. Chacun de leur ancêtre éponyme (qui a donné le nom à la famille) est divinisé et fait l'objet d'un culte familial ; il est appelé le père *(pater).* Les descendants des 100 *patres* (pluriel de *pater*) sont les patriciens. Les patriciens ayant le même ancêtre éponyme forment une *gens* avec un même nom *(nomen gentilicium).* Chaque branche de la *gens* forme une famille ayant sa maison à Rome. L'ensemble de la *gens* possède un domaine à la campagne où sont élevés les chevaux et où vivaient primitivement les plébéiens. Seuls les patriciens ont, au début, des droits civiques (ils forment le Sénat et fournissent les magistrats).

■ **Évolution de la royauté.** Le roi (latin ou étrusque, les 2 ethnies ayant fusionné) est d'abord un patricien, élu par l'assemblée du peuple [les 30 *curies,* c'est-à-dire les groupes de guerriers *(co-viria)*]. Il est le chef de l'armée, de la religion, de la justice, du Sénat. Ses insignes sont ceux des divinités : manteau rouge, escorte de licteurs, char. Servius Tullius (578-34) rédige une Constitution, précisant les droits politiques des citoyens ; son gendre et successeur Tarquin le Superbe (534-09) qui veut se conduire en potentat est renversé ; les pouvoirs royaux sont répartis entre plusieurs magistrats, notamment les 2 *« préteurs »* qui deviendront les consuls.

■ **Évolution des plébéiens.** Primitivement les plébéiens sont les habitants d'un village d'agriculteurs et d'éleveurs, chargés de l'exploitation d'un domaine gentilice (*plebs* ; en celtique de Bretagne *plou*). Origine : 1°) serviteurs-palefreniers venus avec les Italiotes au XIIe s. ; 2°) Liguriens soumis par Italiotes. Dès la fondation de Rome, des plébéiens vivent intra-muros comme domestiques ou clients (domestiques oisifs) des maisons patriciennes, et comme artisans. Ils n'ont aucun droit civique et pas d'état civil ; mais ils sont libres et ont le droit de posséder. Certains s'enrichissent. En 578 av. J.-C., Servius Tullius décida que les plébéiens riches deviendraient *citoyens* avec les mêmes droits que les patriciens. Cependant, la noblesse restera longtemps indispensable pour réussir une carrière dans la magistrature ; les plébéiens riches qui, à partir du IIIe s., s'appelèrent les « cavaliers » *(equites),* forment plutôt une bourgeoisie d'affaires. En politique, on les appelle « hommes nouveaux » (c.-à-d. sans ancêtres). Le 1er consul plébéien date de 316 av. J.-C.

■ **Esclaves** (*servus,* étymologiquement « épargné »). Membres (hommes ou femmes) d'une tribu vaincue militairement et n'ayant pas conclu une soumission rituelle. Voués à l'extermination, les vaincus sont parfois épargnés mais deviennent des objets appartenant à leur vainqueur ; ils sont vendus sur les marchés. Le fils d'une esclave naît esclave (*verna,* mot étrusque). A partir du IIIe s. apr. J.-C., les esclaves sont si nombreux à Rome que la plèbe est dispensée de travailler : on lui distribue des vivres gratuits et on lui offre des jeux de cirque. *Affranchi :* esclave ayant obtenu ou acheté sa liberté : il reste jusqu'à la mort sous le « patronat » de son ancien maître ; mais ses enfants naissent libres et sont assimilés à des plébéiens.

■ **Organes de gouvernement.** *Pouvoir exécutif :* magistrats (élus chaque année par les *Comices,* c.-à-d. le peuple romain) ; *p. législatif ou de contrôle* (gouvernement d'assemblée) : Sénat (anciens magistrats ; les patriciens sont majoritaires). La République s'appelle SPQR *(Senatus populusque romanus) :* le Sénat et le Peuple de Rome.

■ **Carrières politiques.** *2 consuls* sont les premiers magistrats (chefs de l'armée, Pts du Sénat et des Comices). Ils donnent leur nom à l'année. Nul ne peut être consul sans avoir été auparavant : *questeur* (responsable des finances), puis *édile* (administrateur municipal), *préteur* (responsable de la justice). Parmi les anciens consuls, sont élus (pour 5 ans) *2 censeurs,* qui sont chargés de classer les citoyens d'après leur fortune. Le *tribun de la plèbe* (poste créé en 493 av. J.-C.) est chargé de défendre les non-nobles contre le patriciat.

Dictature et « principat ». Le *dictateur* est un ancien consul investi des pleins pouvoirs (cumulant toutes les magistratures, sauf celles de tribun de la plèbe). Il est désigné par l'un des consuls (tiré au sort) lorsque le Sénat a décrété l'état d'exception (durée de la dictature : 6 mois, renouvelables). *Sous l'empire,* le *« princeps »* [le « premier » (des sénateurs)] est appelé l'empereur (*imperator,* c'est-à-dire « général »). *Princeps* restant le titre officiel du chef de l'emp. romain dep. 27 av. J.-C. (Octave Auguste). L'*imperator* est un dictateur à vie, recevant chaque année la charge de tribun de la plèbe, et tous les 5 ans, celle de censeur. Il est également grand pontife et préteur à vie de toutes les provinces. Les autres charges subsistent (consuls, préteurs, questeurs, édiles, sénateurs, nommés par le *princeps* au nombre de 600), mais perdent leurs pouvoirs réels. Les emp. créent de hauts fonctionnaires : *préfets du prétoire* (armée intérieure et pouvoir exécutif), *préfets de l'annone* [ravitaillement (mot à mot : « récolte annuelle »)], des *vigiles* (sécurité), de *la ville* (police).

■ **Italie romaine.** Rome conquiert l'Italie entre le Ve et le Ier s. Elle y trouve des villes italiotes, étrusques ou gauloises organisées de la même façon qu'elle : *municipes* ayant leurs lois, leurs dieux, leurs magistrats et entourés d'une campagne où les nobles ont leurs domaines. Chaque cité conclut avec Rome un traité : les vaincus sont *stipendiaires* (payant un tribut ou *stipendium*), les alliés sont *fédérés,* etc. Il existe aussi des *colonies* fondées par des Romains et considérées comme des annexes de Rome. En 88 av. J.-C. toutes les villes d'Italie réclament le même statut que les colonies romaines, et l'obtiennent (guerre sociale). En 59, le *Rubicon* est désigné comme la frontière de l'Italie assimilée à Rome (tous ceux qui vivent au S. du Rubicon sont « citoyens romains »). En 49, la citoyenneté romaine est accordée aux Gaulois cisalpins (tous ceux qui vivent au S. des Alpes sont « citoyens romains »).

■ **Provinces romaines.** A partir de 227 av. J.-C., nom des territoires occupés hors d'Italie [les 2 premiers : Sicile (conquise 241) et Corse-Sardaigne (conq. 231)]. Il y en aura 17 (la dernière sera la Mésie (29 av. J.-C.). Chaque province est gouvernée par un *préteur* élu par les comices romains pour 1 an. Dep. 81 av. J.-C. tous les préteurs doivent être d'anciens magistrats. Les *cités provinciales* comme les anciennes cités it. sont sujettes ou alliées ; leurs habitants peuvent acquérir le titre de citoyens romains, en servant 25 ans *(emeritus)* dans l'armée romaine. A partir de 212 *(édit de Caracalla),* tous les habitants de l'emp. deviennent citoyens (*motif :* Caracalla veut pouvoir toucher l'impôt successoral de 1/20 qui frappe les biens des citoyens ; *conséquence :* les provinciaux cessent de s'engager dans l'armée ; il faut faire appel à des mercenaires.)

■ **Évolution de l'Empire.** *Création d'un colonat :* les plébéiens pauvres cessent en fait d'être des citoyens libres. Tout en gardant leurs droits civiques, ils sont attachés à un domaine (public ou privé) et perdent le droit de le quitter ; ils deviendront les *serfs.*

Famille impériale : à partir du IIIe s., le *princeps* (ou emp.) devient en fait un prince, avec des droits héréditaires : les membres de sa famille ont un statut princier et le titre de « très nobles » *(nobilissimi). Ordre sénatorial :* composé des anciens patriciens (et des descendants des anciens magistrats) ; titre : « très illustres » *(clarissimi). Ordre équestre :* riches propriétaires fonciers et hommes d'affaires ; titre : « très honorables » *(perfectissimi). Petites gens (humiliores) :* font partie héréditairement d'un artisanat qu'ils n'ont pas le droit de quitter.

Fonction impériale : à partir du IIIe s., l'armée (de métier), notamment celle de Rome et du S. du Rubicon (garde prétorienne), prend l'habitude de désigner l'emp. (depuis Auguste, elle était chargée off. de le nommer chaque année tribun de la plèbe et tous les 5 ans censeur). Après 235, les prétoriens, à Rome, mais aussi de nombreuses légions provinciales nomment « Auguste » (c'est-à-dire emp. à vie) leur Gal. D'où des g. civiles entre armées de différentes provinces.

Augustes distingués des Césars : dioclétien sépare les titres portés par le *princeps* romain : chaque emp. (Auguste) avait à ses côtés un adjoint (César). Le César est souvent le fils de l'Auguste, la dignité impériale devenant une monarchie héréditaire.

---

d'expulser Sarrasins et Grecs. Le roy. normand de Naples et Sicile devient vassal du St-Siège (il ne fera jamais partie de l'Emp. romain germanique). **1194** Constance, héritière des Hauteville, épouse l'emp. *Henri VI de Hohenstaufen ;* leur fils, *Frédéric II,* sera emp. et roi de Naples. **1264** pape Urbain IV attribue Naples et Sicile à *Charles d'Anjou,* frère de St Louis, qui bat les Hohenstaufen à Bénévent (1266). **1282** *Vêpres siciliennes* (lundi de Pâques *30-3 à fin avril :* env. 8 000 Fr. massacrés) ; le roi Pierre III d'Aragon enlève Sicile aux Angevins. **1435** Alphonse V d'Aragon enlève N. aux Angevins et réunit les 2 roy. (plus Sardaigne, annexée en 1296). **1594-1713** à la Couronne d'Esp. **1631** éruption du Vésuve (800 † à Naples). **1713** Esp. cède Sardaigne et Naples à Autr., Sicile à Amédée II de Piémont-Savoie qui devient roi. **1720** Autr. reçoit Sicile contre Sardaigne (Amédée II devient « roi de Sardaigne »). **1738** *tr. de Vienne :* N. et S. sont données à une branche cadette des Bourbons d'Esp. (« Roy. des Deux-Siciles »). **1806** Napoléon nomme son frère Joseph roi de Naples ; Sicile échappe à l'occupation fr. **1808-15** *Murat* roi de Naples (fusillé 13-10-1815). **1815-60** restauration des Bourbons.

Rois des Deux-Siciles de la maison de Bourbon. **1734** Charles (1716-1788), infant d'Esp., roi des Deux-S. (île de Sicile et terre ferme avec Naples) et de Jérusalem, investi par son père Philippe V roi d'Espagne (qui fut roi des D.-S. de 1700 à 1796 ; investi par le pape, car les 2 royaumes sont fiefs pontificaux) le 18-10-1738. Lorsqu'il devient Charles III, roi d'Esp., renonce en faveur de son fils cadet. **1759** Ferdinand IV (Naples) – Ier (Sicile, 1751-1825) s. fils infant d'Esp. Une loi du 8-12-1816 unifia Sicile et terre ferme à la suite du tr. de Vienne 9-6-1815 ; le numérotage des rois retomba à zéro ; le roi devint : Ferdinand Ier, roi du roy. des D.-S. et de Jérusalem, infant d'Esp. **1825** François Ier (1777-1830), roi, s. f. **1830** Ferdinand II (1810-59), roi, s. f. dit *re bomba* (roi bombe) car avait fait bombarder Messine. **1859** François II (1836-94), roi, son f., ép. Dcesse Marie-Sophie de Bavière (1841-1925), chassé par les révolutionnaires de Garibaldi, les Savoie, et un référendum truqué (1861) ; est exilé, sans postérité.

Prétendants. **1894** Alphonse Ier, Cte de Caserte (1841-1934), ép. Pcesse Antoinette des Deux-Siciles (1851-1938), son fr. **1934** Ferdinand III (25-7-1869-1960), duc de Calabre, son f., ép. Pcesse Marie de Bavière (1872-1954). A sa mort, le titre de chef de la famille des Deux-S. est revendiqué par les descendants de son frère, le Pce Charles [1870-1949, ép. 14-2-1901 l'infante Maria de las Mercedes, Pcesse des Asturies (1880-1904), infant d'Esp. et naturalisé esp.], qui renonça à ses droits successoraux en 1900. **1960** Alphonse II (1901-64), son f., prend le titre de duc de Calabre, déclarant nulle la renonciation de son père. Ép. 16-4-1936 Alice de Bourbon, Pcesse de Parme (n. 1917). **1964** Charles Ier, titré duc de Calabre, s. f. (né 16-1-38) ; Esp., réside à Madrid (reconnu chef de la famille roy. des Deux-Siciles par le roi d'Esp.). Ép. 12-5-65 Anne d'Orléans, fille du Cte de Paris, dont Christine (15-3-66), Marie Paloma (5-4-67), Pierre, titré duc de Noto (16-10-68), Inès (20-4-71), Victoria (1976). **1970** Rénier Ier (1883-1973), duc de Castro, officier esp., puis naturalisé français. Ép. 12-9-1923 Ctesse Caroline de Zamosc-Zamoyska (1896-1968). 2e fr. de Ferdinand III, il proclame irrévocable la renonciation de son frère Charles (1870-1949) en 1900 pour lui et ses descendants. **1973** Ferdinand IV, son f. (duc de Castro, titré également duc de Calabre), n. 1926, fixé en France, qui ép. 25-7-49 Chantal de Chevron-Villette (1925) dont 3 enfants : Béatrice (1950) ép. le prince Charles Napoléon (1951), Anne (1957) qui ép. Bon Jacques Cochin (1991) divorce, et Charles, titré duc de Noto (24-2-63).

■ **Parme.** Cité indépendante achetée en **1346** par Luchino Visconti, duc de Milan, et annexée au Milanais. **1511** cédée par Milan au St-Siège (Jules II). **1545** érigée en duché de Parme-et-Plaisance (souverain) pour Pierre Louis Farnèse, fils naturel du pape Paul III. **1731** héritée par Élisabeth Farnèse, reine d'Esp., qui la cède à son fils Charles ; quand il devient roi des Deux-Siciles, il la cède à son fr. cadet Philippe de Bourbon (1720-65). **1735** cédée à l'Autriche, en échange de Naples. **1748** rendue aux Bourbons d'Esp. **1802** annexée par Napoléon (duc de Parme : Cambacérès) et la branche de P. reçut le *roy. d'Étrurie* (1801-07). **1814** agrandie de Guastalla, donnée en viager à Marie-Louise, épouse de Napoléon. **1847**

L'unité italienne

■ **Ambitions de la maison de Savoie.** L'une des plus anciennes familles souveraines d'Europe, veut devenir aussi puissante que les Bourbons ou les Habsbourg. Jusqu'au XVIe s., cherche à agrandir ses domaines en Suisse et France. Au XVIIe s., songe plutôt à la Méditerranée (relevant le titre de rois de Chypre). A partir de 1713, ayant obtenu la dignité royale (rois de Sicile, puis de Sardaigne, 1718), elle projette d'accroître son influence en It. Conservatrice (cathol. et féodale), elle saura utiliser au XIXe s. l'idéologie unitaire de la gauche.

■ **Séquelles de la Révolution française.** De 1796 à 1815, l'It. est aux mains des révolutionnaires puis des bonapartistes français. *1°)* Ils y répandent les notions de *nation* et d'*unité nationale,* utilisées en France contre la monarchie capétienne ; en It., elles s'opposent aux dynasties locales, aux Autrichiens et au pape. *2°)* Napoléon s'est rendu populaire en It. en créant une administration de type français (départements et arrondissements ; préfets et sous-préfets), qui a réalisé des réformes efficaces. Pour des raisons de sécurité, il n'a pourtant pas réalisé l'unité it., gardant la péninsule divisée en 3 entités distinctes : départements français, roy. d'It. (vice-roi : Eugène de Beauharnais), roy. de Naples (roi : Joachim Murat). Celui-ci tente en 1814-15 de réaliser l'unité it. sous son autorité (mai 1815). Il est vaincu et fusillé en 1815, mais la gauche it., fidèle au souvenir des Bonaparte, compte sur leur appui pour réaliser l'unité. *3°) Récupération du carbonarisme par la franc-maçonnerie.* Les *carbonari* (charbonniers), à l'origine société secrète corporative, regroupant des charbonniers (échappant à la police, vivant dans les forêts), se transformèrent en groupe d'action directe entre 1807 et 1810, dans le roy. de Naples (contre le régime de Murat). Ils basculèrent dans le camp maçonnique, républicain et unitariste, sous l'influence de : Philippe-Michel Buonarroti (1761-1837, franc-maçon, disciple de Gracchus Babœuf, carbon.) et Giuseppe Mazzini (1805-72, avocat génois en 1827, fondateur à Marseille en 1831 du mouvement *Jeune Italie,* qui supplante le carbonarisme).

Déroulement. 1820-21 émeutes rép. fomentées par carbonari à Naples et au Piémont. **1821**-13-9 pape Pie VII condamne société secrète ; *l'unité italienne* signifie : fin des États de l'Église. **1821-30** la « charbonnerie » concentre ses efforts sur la France, où elle finit par provoquer la chute des Bourbons. **1831** devenue la *« Jeune Italie »,* elle reprend l'offensive en It. [**1831** émeutes rép. en It.-Romagne, auxquelles prennent part les 2 Bonaparte, fils du roi Louis (l'aîné, Napoléon-Louis, est tué ; le cadet, Louis-Napoléon, futur Nap. III, se réfugie en Suisse) ; leur appartenance au carbonarisme est probable]. **1834** Mazzini fonde à Genève la « Jeune Europe », qui regroupe les mouvements activistes révolutionnaires, notamment en Pologne. **1848-49** actions simultanées (mais non concertées) de la maison de Savoie et des rép. mazzinistes : *1°)* Charles-Albert Ier proclame le 4-3-48 un « statut constitutionnel » et déclare la g. à l'Autriche, pour conquérir le « roy. lombardo-vénitien », ce qui aurait donné à la Savoie toute l'It. du N. Vaincu à Custozza (18-7-48) puis à Novare (23-3-49) et contraint à abdiquer. *2°)* Giuseppe Mazzini (22-6-1805/10-3-1872) prend la tête des révoltés rép. à Naples (mars 48), à Livourne, puis à Rome, où il fonde une rép. (9-3-49) ayant à sa tête un triumvirat : Mazzini, Aurelio Saffi, Carlo Armellini. Ils sont vaincus et chassés par les troupes fr. envoyées par Louis-Nap. Bonaparte, Pt de la Rép. fr. (fin juin 49). Mazzini organise dep. Londres des putschs républicains, qui échouent : Mantoue 1852, Milan 1853, Gênes 1857, Livourne 1857. **1854-55** Felice Orsini (1819-58, guillotiné), lieutenant de Mazzini, organise de Londres un attentat contre Napoléon III (motifs : *1°)* le punir de son intervention à Rome en 1849 ; *2°)* lui rappeler ses devoirs de carbonaro : travailler à l'unité it. ; une bombe fait 12 † et 156 bl., N. III, indemne, se décide à agir pour l'unité it. mais, en accord avec la maison de Savoie, et contre les mazzinistes). **1859** Mazzini proteste contre l'alliance franco-piémontaise, négociée par Cavour ; pour lui l'It. unie doit être républicaine, mais ses partisans, notamment Garibaldi, se rallient à Victor-Emmanuel II et Cavour, ce qui leur permet de conquérir (en *1860*) toute l'It. moins le Latium. **1861**-17-3 V.-E. II proclamé roi d'It. par « la grâce de Dieu ». **1861-70** N. III (pour rassurer l'électorat catholique) s'oppose à la suppression des États de l'Église et préconise une confédération it., présidée par le pape. Mais V.-E. II, installé à Florence, veut Rome pour capitale. Les républicains (hostiles envers le pape) l'appuient. **1870** profitant de la défaite fr. en face de l'All., V.-E. II prend Rome. Il veut fonder une monarchie conservatrice et procathol., et s'allie aux Autr. (réconciliation avec le pape en 1929).

Garibaldi, Giuseppe (1807-82). Né français (Nice). *1815* sarde. *1826* officier de marine. *1833* carbonaro. *1834* condamné à mort après émeute à Gênes, il se réfugie en Am. du S. jusqu'en 1848, y combat contre l'Esp. *1848* combat dans l'armée sarde contre Autr. ; battu, il se réfugie en Suisse. *1849* combat contre la Fr. dans les États de l'Église ; battu, réfugié aux USA jusqu'en 1854. *1854-59* séjourne à Caprera (île entre Sardaigne et Corse) qu'il a achetée. *1859* combat contre Autr., proteste contre cession de Nice à la Fr. *1860* organise *l'expédition des « Mille »* qui enlève Sicile et Naples aux Bourbons ; reconnaît Victor-Emmanuel roi d'It. ; se retire à Caprera. *1866* campagnes contre Autr. et *1867* contre le pape [vaincu à Mentana (3-11)]. *1870* g. franco-allem., combat après Sedan à côté des Fr. avec volontaires. -18-11 son fils Ricciotti défait les All. à Châtillon-sur-S. et prend 1 drapeau (le seul de la g. pris aux All.). *1871* élu dép. à l'Assemblée nat. fr., -13-2 vient à l'Ass. à Bordeaux et démissionne ; retourne à Caprera. *1874* reçoit dotation annuelle de 100 000 lires.

rendue aux Bourbons de Parme. **1854** assassinat de Charles II (n. 1823) ; Robert (f. de Ch. II et de Louise de France, sœur du Cte de Chambord), dernier duc régnant.

Chefs de la maison de Parme. *Robert Ier* (1848-1907). *Henri Ier* (1873-1939), s. f. *Joseph Ier* (1875-1950), s. fr. *Élie Ier* (23-7-1880/1959), s. fr., ép. 1903 Marie-Anne d'Autriche (1882-1940). *Robert II* (1909-74), s. f. *François-Xavier* (25-5-1889/7-5-1977), s. oncle, ép. 12-11-27 Madeleine de Bourbon-Busset. *Charles-Hugues de Bourbon* (8-4-1930), s. f., ép. la P^cesse Irène des Pays-Bas, dont Charles (27-1-1970) P^ce de Plaisance, Jacques (1972), Marguerite (1972), Marie-Caroline (1974). *Frères et sœurs :* 1re Françoise (19-8-1928), ép. P^ce Édouard de Lobkowicz, citoyen amér., nat. français. 2e *Marie-Thérèse* (28-7-1933). 3e *Cécile* (12-4-1935). 4e *Marie des Neiges* (1937). 5e *Sixte Henri* (1940). Voir succession carliste p. 983.

■ **Piémont.** D'abord divisé entre marquisats de Suze, d'Ivrée, de Saluces et de Montferrat. **XIe s.** à la maison de Savoie. **1418** définitivement rattaché à la Savoie. **1796 à 1814** occupé par Français, forme 5 départements : Doire, Pô, Stura, Sesia et Marengo.

■ **Sardaigne. Avant J.-C. IIIe millénaire** habitée par une race venue probablement d'Afrique. **1400/1200** apogée de la civilisation de bronze. *Phéniciens* y établissent plusieurs comptoirs [Nora, Sulcis, Caralis (Cagliari), Tharros (Torre de San Giovanni)] ; se heurtent à la concurrence des *Phocéens* qui fondent Olbia (Terranova). **535** victoire punico-étrusque sur Phocéens ; influence carthaginoise. **259** Romains s'attaquent à l'île. **238** s'en emparent. **27** devient province sénatoriale.

Après J.-C. province impériale occupée par légions. **IIe/IIIe s.** lieu de déportation. **436** occupée par Vandales. **534** reconquise par Bélisaire. **VIIIe s.** Arabes s'y installent. **1022** Sardes, aidés de Pise et de Gênes, délivrent leur île. **1175** Génois et Pisans tentent de se partager la Sard., les premiers au N., les seconds au S. aidés par l'empereur Frédéric II. **1242** son fils, Enzio, proclamé roi de Sicile. **1284** *bat. navale de la Meloria :* Pise chassée par Génois. **1297** Boniface VIII attribue la souveraineté de la Sard. à l'Aragon. **1325** passe à l'Espagne. **1713** *tr. d'Utrecht :* donnée à l'Autriche. **1720** l'empereur Charles VI l'échange avec duc de Savoie contre Sicile. Ainsi furent constitués les **États sardes** ou **Royaume de Sardaigne,** qui réunissaient l'île et les possessions continentales de la maison de Savoie (v. Savoie). Dépouillés de leurs États de terre ferme par la Fr. révolutionnaire, les rois de Sard., Charles-Emmanuel II et Victor-Emmanuel Ier, se réfugièrent en Sard. où ils résidèrent de 1798 à 1814. **1861** intégrée au nouveau royaume d'Italie.

■ **Savoie.** Voir Savoie à l'Index. **Ducs de Savoie. 1416** AMÉDÉE VIII le Pacifique (1383-1451), f. d'Amédée VII, Cte de Savoie (1360-91) ; créé duc en 1416 par l'empereur Sigismond Ier ; antipape (Félix V) de 1439 à 1449. **1440** LOUIS Ier le Généreux (1413-65), s. f., ép. 1433 Anne de Lusignan. **1465** AMÉDÉE IX le Bienheureux (1435-72) béatifié 1677, s. f., ép. 1462 Yolande de Valois. **1472** PHILIBERT Ier le Chasseur (1465-82), s. f., ép. Blanche-Marie Sforza. **1482** CHARLES Ier le Guerrier (1468-90), s. fr., ép. 1485 Blanche de Montferrat. **1490** CHARLES II (1489-96), s. f. **1496** PHILIPPE II Sans Terre (1443-97), f. de Louis Ier., ép. 1472 Marguerite de Bourbon et 1485 Claudine de Brosse. **1497** PHILIBERT II le Beau (1480-1504), s. 3e f., ép. 1496 Violante de Savoie et 1501 Marguerite d'Autriche. **1504** CHARLES III le Bon (1486-1553), s. fr., ép. 1521 Béatrice de Portugal. **1553** EMMANUEL-PHILIBERT Tête de Fer (1528-80), s. f., ép. 1559 Marguerite de Valois. **1580** CHARLES-EMM. Ier Le Grand (1562-1630), s. f., ép. 1585 Catherine d'Autriche infante d'Espagne. **1630** VICTOR-AMÉDÉE Ier le Lion de Suse (1587-1637), s. f. **1637** FRANÇOIS-HYACINTHE Fleur de Paradis, s. f. **1638** CHARLES-EMMANUEL II l'Hadrien du Piémont (1634-75), s. fr. **1675** VICTOR-AMÉDÉE II (1666-1732), s. f. (roi de Sicile en 1713, tr. d'Utrecht). **1713** Royaume. **1720** prend le nom de « sarde » (Savoie-Sardaigne). AMÉDÉE II (1666-1732), roi de Sardaigne (tr. de Cambrai 1720). Abdique. **1730** CHARLES-EMMAN. III le Roi Laborieux (1701-73), s. f. **1773** VICTOR-AMÉDÉE III le Très Fidèle (1726-96), s. f. **1796** CHARLES-EMM. IV l'Exilé (1751-1819), s. f. Abdique. **1802** VICTOR-EMMANUEL Ier le Très Tenace (1759-1824), 3e f. de V.-Amédée III, abdique 1821. **1814** annexe Gênes. **1820-21** 31 soulèvements contre Autr. **1821** CHARLES-FÉLIX Ier (1765-1831), 5e f. de V.-Amédée III. **1831** CHARLES-ALBERT Ier le Magnanime (1798-1849), P^ce de Savoie-Carignan, descendant du 5e f. de Ch.-Emm. Ier. **1848-49** *avr.* Ch. Albert (avec 96 000 h.) déclare g. à l'Autr. (gén. Radetzky 82 a.), aide gouvernement révolutionnaire de Milan et Venise. *-24-7/4-8* battu à Custozza en Navarre 23-3-49, abdique. **1849** VICTOR-EMMANUEL II le Père de la Patrie (1820-78), s. f., voir p. 1053 a. **1852** Camillo Benso, Cte de CAVOUR (1810/mort en 1861 à 51 ans de surmenage). Ancienne noblesse piémontaise, off. sarde [*1831* quitte l'armée (idées libérales) ; propriétaire terrien à Cavour ; *1847* fonde journal *Il Risorgimento ; 1848* député ; *1850* min. de l'Agriculture]. **1854** confisque biens des couvents ; **1854-55** pour obtenir l'alliance de Napoléon III contre Autr., prend part à la g. de Crimée. Cavour fournit à N. une brillante maîtresse, la comt. de Castiglione ; **1859** g. franco-austro-sarde ; It. acquiert Lombardie. Garibaldi conquiert Sicile et Naples (*expédition des Mille* ou *Chemises rouges :* 1 098 h., dont 33 étrangers) ; *nov.* Cavour démissionne après tr. de Turin qui n'attribue pas Vénétie au roy. sarde ; **1860** Cavour, rappelé au pouvoir, cède Nice et Savoie à la Fr. ; en échange, Nap. III ferme les yeux sur l'annexion des 3 duchés (indépendants) de Parme, Modène, Toscane, et des 3 provinces (pontificales) de Romagne, Marches, Ombrie, qui ont voté leur rattachement au Piémont ; pour s'y rendre, Cavour viole le territoire des États de l'Église, et écrase le G^al français Lamoricière à Castelfidardo (18-9). Cavour étend aux territoires occupés les lois sardes sur les couvents. **1861**-*14-3* Victor-Emmanuel II roi d'It.

■ **Toscane.** De *Tusci,* autre nom des Étrusques. **IVe s.** province du diocèse d'Italie. **VIe s.** duché lombard. **774** marquisat franc de « Tuscie ». **Xe s.** les marquis mettent leur résidence à Lucques. **1030** héritée par la famille de Canossa (près de Modène) ; fusionnée à Modène, Ferrare, Reggio, Mantoue. **1052** héritée par Ctesse Mathilde (1046-1115), pupille des papes (résidences comtales et papales habituelles : Canossa et Florence). **1115** Ctesse Mathilde lègue ses possessions au St-Siège, mais les empereurs allemands refusent de reconnaître la validité de son testament. Les principales cités toscanes accèdent à l'indépendance : Lucques, Pise et Pistoia se rangent dans le camp gibelin, Florence incline vers les guelfes. **1197** *Florence,* tête de la ligue guelfe (anti-all.) et cité souveraine. **1250** gouvernée par collège de 12 bourgeois. **1251-1343** lutte entre aristocraties guelfe et gibeline. **1284** *bat. de la Meloria :* la T. passe sous l'hégémonie de Florence qui soumet Pistoia (1301), Volterra (1361), Arezzo (1384) et Pise [1405 (achat définitif au duc de Milan 1421)] ; Lucques et Sienne maintiennent leur indépendance (Sienne sera acquise en 1557, échangée à Charles Quint contre Piombino). **XVe et XVIe s.** *Médicis :* expulsés à 2 reprises (1495/1512 et 1527/30), ils se rétablissent. **1531** Charles Quint crée pour Alexandre de Médicis le duché de Florence. **1569** prend le nom de *grand-duché de Toscane,* par la faveur du pape Pie V. **1590** création du port de Livourne, pour remplacer Pise ensablé. **1737** extinction des Médicis, grand-duché donné, en compensation de la Lorraine (cédée à Stanislas Leszczyński), à François de Lorraine, époux de Marie-Thérèse. **1745** maison de Habsbourg-Lorraine, nouvelle maison d'Autriche (conserve la T.). François Ier (en T., François II) a pour successeur son fils Léopold Ier (1565/90) qui, devenu empereur en 1790, cède la T. à son fils Ferdinand III, chef d'une ligne cadette. **1799** occupée par la Fr., la T. se soulève. **1800** *oct.* à nouveau occupée par les Fr. après leur victoire de Marengo. **1801** érigée en *royaume d'Étrurie* par Bonaparte au profit de Louis Ier (duc de Parme, gendre du roi d'Espagne Charles IV) ; **1803** *Louis II,* son fils, roi à la mort de son père. **1807** absorbé dans l'Empire fr., forme 3 départements : Arno, Ombrone, Méditerranée. **1809** Napoléon nomme grande-D[esse] de T. sa sœur *Élisa Baciocchi.* **1814** elle doit se retirer devant *Ferdinand III* restauré. Grand-duché sous la domination des Habsbourg. **1824** *Léopold II.* **1859** *Ferdinand IV.* **1847** s'agrandit du duché de Lucques. **1848** despotisme paternaliste, se soulève. **1849** *févr.* Républ., avec triumvirat (Mazzini, Guerazzi et Montanelli). *Juillet* troupes autr. rétablissent *Léopold II.* **1859**-*27-4* doit se réfugier à Vienne. **1860** *mars* gouvern. provisoire vote réunion à Sardaigne.

Grands-ducs de Toscane de la maison de Habsbourg. 1738 François II [empereur François Ier de Lorraine (1708-65), époux de Marie-Thérèse de Habsbourg (1717-80)]. **1765** Léopold Ier, s. f. (puîné) (1745-92), devient empereur en 1790. **1790** Ferdinand III, s. f. (puîné) (1759-1829). **1829** Léopold II (1797-1870), s. f., abdique 1859. **1859** Ferdinand IV, s. f. (1835-1908), exilé en Autriche 1860, maintient ses droits. Ép. 1867 Alice de Bourbon-Parme (1849-1935), dont branche : *Archiduc Pierre-Ferdinand,* s. f., gd-duc de T. (1874-1948), chef de la maison à la mort de son père ; ép. 1900 Marie-Christine de Bourbon-Naples (1877-1947). *Arch. Godefroy,* gd-duc de T. (1902-85) ; ép. 1938 Dorothée de Bavière (n. 1920). *Arch. Léopold,* s. f., gd-duc de T. (n. 1942) ; ép. 1965 Laetitia de Belzunce d'Arenberg (n. 1941). *Arch. Sigismond* (n. 21-4-1966), gd-duc, héritier de T. *Arch. Gontran,* P[ce] de T. (n. 21-7-1967). *Branches cadettes :* issues de l'arch. Charles Salvator, P[ce] de Toscane (1830-92) [ép. 1862 Immaculée de Bourbon-Naples (1844-99)], par ses 2 f. Léopold-Salvator (1863-1931) et François-Salvator (1866-1939).

■ **Venise.** Territoire byzantin. **579** transformé en patriarcat en accueillant patriarche d'Aquilée. **697** élit chef militaire, *dux* ou *doge.* **912** indépendante de Byzance. **982** *tr. de Vérone :* paie tribut à l'emp. Otton. **1099-1297** principal partenaire des Croisades en Orient. **XIVe s.** possède un emp. en Méditerranée (notamment Eubée, Crète, Morée) ; rivalité contre Gênes. **XVe s.** possède Nord de l'It. jusqu'au Milanais (possessions de Terre Ferme). **Jusqu'en 1699** lutte contre Turquie ; reste le plus souvent neutre dans les g. europ. **1797**-*12-5* les sénateurs remettent leurs pouvoirs à Bonaparte, les Français font brûler les attributs du doge et le Livre d'or de la noblesse vénitienne. *-18-10* laissant la place aux Autr., armée fr. se retire avec un butin dont le tableau de Véronèse *les Noces de Cana* (9,90 m × 6,66 m) et le quadrige en bronze doré qui orne la basilique St-Marc (il sera rendu en 1815). **1806 à avril 1814** 2e occupation fr. Territoire vénitien constitué : 7 départements rattachés au royaume d'Italie. **1807** *déc.* Napoléon Ier y séjourne. Fait expédier à Paris le lion ailé de la piazzetta San Marco pour l'esplanade des Invalides. **1815** *déc.* Vénitiens récupèrent lion ailé et chevaux de Saint-Marc. **1848**-*23-3* chasse les Autr. Daniel Manin (13-5-1804/Paris 22-9-1857) organise la résistance. *-12-7* Autr. lancent 20 ballons porteurs chacun d'une bombe de 30 livres. Venise capitule. *-27-8* Manin part en exil.

■ **Royaume d'Italie. 1861** *(17-3)* **Victor-Emmanuel II** le Père de la Patrie (1820/9-1-1878). Ép. 1°) Marie-Adélaïde de Lorraine (1822-55), 2°) (mariage morganatique) Rosa Vercellana, Ctesse de Mirafiori († 1885). **1866** acquiert Vénétie. **1867** intervention fr. empêchant Garibaldi de prendre Rome. **1870**-*20-9 occupation* (libération) *de Rome* qui devient cap. en 1871. **1878 Humbert Ier** le Bon (1844-29-7-1900), s. f., assass. par l'anarchiste Bresci. Ép. Marguerite de Savoie-Gênes (1851-1926). **1885** *Massaouah* occupée, début de la conquête de l'Érythrée. **1892** des Fasci (associations de travailleurs) réclament violemment partage des terres. **1896**-*1-3* défaite d'*Adoua,* échec de la conquête de l'Abyssinie.

1900 *(9-1)* **Victor-Emmanuel III** (1869-28-12-1947), roi d'It. et d'Albanie, empereur d'Éthiopie, fils de V. E. II, abdique le 9-5-1946 ; se fait appeler Cte de Pollenzo. Ép. P[cesse] Hélène Petrovitch Njegosh de Monténégro (1873-28-11-1952). **1911-12** conquête sur la Turquie de la Tripolitaine et du Dodécanèse (annexion officielle : *tr. de Sèvres,* 1920). **1913** suffrage universel. **1914**-*5-10* des syndicalistes fondent un « faisceau révolutionnaire » d'action interventionniste. **1915**-*23-5*-**1918** participe à la g. contre All. et Autr. [territoires promis par les Alliés pour obtenir l'aide it. : Trentin, Ht-Adige, côtes E. de l'Adriatique, 1/4 de l'Anatolie turque ; *1917-24-10 : Caporetto,* All. battent Luigi Cadorna ; -8-11 congrès des Alliés à Peschiera-del-Garda ; *1918-28-10 : Vittorio-Veneto,* Armando Diaz (1861-1928 ; créé duc de la Victoire et maréchal 1924) bat Autr.]. **1919**-10-3 ; I. reçoit Trentin et Haut-Adige. *Benito Mussolini* (n. 25-7-1883) fils de forgeron socialiste, instituteur. *1902* va en Suisse pour échapper au service mil. *1904* revient le faire. Socialiste. *1914* (nov.) partisan de la g. contre All. et Autr., accusé d'être payé par la France, est exclu par socialistes. *1915* fonde Faisceaux d'action révolut. ; *-31-8* mobilisé. *1917* blessé et réformé. *1919-23-3* Mussolini fonde les « Faisceaux de combat » avec les Chemises noires (*effectifs du Parti :* oct. 1919 : 20 000, oct. 1921 : 310 000, 1924 : 790 000, 1931 : 1 000 000). Du *-12-9* **1919** *à déc.* **1920** Gabriele d'Annunzio (1863-1938) occupe Fiume avec ses légionnaires et y crée la *Reppublica des Carnaro* ou Quarnaro, nom du golfe de Fiume. Sera chassé (Noël sanglant) par le Gal Enrico Caviglia. Fiume devient une ville libre internationale. **1919-20** la g. a traumatisé l'It. (humiliée à Caporetto, elle n'a pas reçu tous les terr. promis, voit l'immigration restreinte), violences politiques et sociales se succèdent. **1919**-*23-3* Milan, Muss. réclame l'abolition de la monarchie, du Sénat, des titres nobiliaires ; les 1ers fascistes veulent une Constituante, la République, le vote des femmes, la nationalisation des ind. d'armement, la confiscation des biens de l'Église et profits illégitimes amassés pendant la guerre, l'expropriation des grands propriétaires et industriels, l'attribution des terres aux paysans. *-14-4* expédition contre l'*Avanti* (socialiste), 1re manif. violente fasc. **1920** soutenu par petite bourgeoisie et gros industriels, Muss. organise des expéditions punitives (des *squadre :* escouades fascistes) contre dirigeants de gauche (il y aura des milliers de †). *-12-11* reçoit Trieste et Istrie. **1921** création de syndicats fasc. qui briseront les grèves. *-7-4* Giolitti dissout la chambre. *-15-5* él. : 35 fascistes élus dont Muss. à Milan et Bologne. *-9-11* création du P. nat. fasciste. *1919* (oct.) 56 faisceaux, 17 000 m. *1920* (juillet) 108 300 000. *1921* (fin) 830 250 000. **1922** *juill.* Muss. exige principaux ministères. *-1-8* grève gén. déclenchée par soc. et brisée en 3 j par fasc. *-24-10* Muss. annonce une *marche sur Rome. -26-10* De Facta, Pt du Conseil démissionne.

1922-*29-10* **Mussolini** Pt du Cons. *-31-10* entrée triomphale des Chemises noires à Rome. Des journaux d'opposition sont mis à sac, des journalistes molestés. 7 † dans le quartier ouvrier de San Lorenzo. **1924**-*6-4* les fascistes ont 405 s. sur 535. *-10-6* Giacomo *Matteoti* (n. 1885), dép. socialiste, assassiné par la milice (qui a succédé aux Ch. noires) ; *-27-6* indignée, l'opposition (dite l'Aventin) quitte le Parlement, les dép. seront déchus de leur mandat le 9-11-1926, mais Muss. instaure la dictature. **1926**-*12-12* faisceau devient emblème officiel de l'État. **1929**-*11-2 accords du Latran* (voir p. 504). **1936** *mai* conquête Éthiopie. **1936-39** It. aide (troupes et matériel) franquistes en Espagne. **1938** *oct.* Ch. des faisceaux et des corporations remplace Ch. des députés. **1939** *avril* Albanie envahie. **1940**-*10-6* g. contre France. Muss. obtient du roi la délégation d'autorité pour commander l'armée. *-28-10* Grèce envahie. **1943**-*24-7* le Grand Conseil fasciste (par 19 v. contre 7) exige fin du pouvoir personnel de Muss. *-25-7* M[al] Badoglio (1871-1956) nommé chef du gouv. le fait arrêter sur ordre du roi. *-8-9 armistice avec Alliés, déclaration de g. à l'All. ;* le roi et Badoglio se rejoignent à Brindsi. *-12-9* Muss. interné dans hôtel des Abruzzes, délivré par *Skorzeny,* chef de commando SS. *-15-9* Milan Muss. proclame la Rép. sociale ital. (RSI, 8-9-43/25-4-45) dont le gouv. protégé par All. s'installe à *Salo* (lac de Garde). *Fin sept. :* Italie coupée par la ligne Gustave. *-28-9/1-10* Naples libérée. *-13-10* procès des traîtres du Gd Conseil. **1944**-*11-1* Cte Ciano (n. 18-3-1903, épouse 1930 Edda, fille de Muss., min. des Aff. étr. du 9-3-36 au 5-2-43, ambass. au Vatican, vote 24-7-43 au Gd Conseil fasciste contre Muss., arrêté 3-11-43) fusillé dans le dos ainsi que le Gal Emilio de Bono (n. 19-3-1866). *-23-4* attentat tue 33 jeunes SS. *-24-3* représailles, les SS du colonel Herbert Kappler fusillent 335 otages aux *Fosses ardéatines. -2-6* Rome prise. *-27-10* front stabilisé sur Apennins de Ravenne à Lucques. **1945**-*25-4* insurrection nat. *-27-4* Muss. et ses ministres arrêtés. *-27-4* min. fusillés. *-28-4* Muss. exécuté, avec sa compagne Clara Petacci (n. 1912) à Azzano di Mezzegra. Leurs corps seront exposés à Milan, pendus par les pieds. Sa femme (Rachele Guidi) est morte le 10-11-79. *-29-4* Venise prise.

1946 *(9-5)* **Humbert II** (1904-18-3-83), fils de V. E. III, ép. 8-1-30 P[cesse] Marie-José de Belgique (4-4-06), f. du roi Albert Ier. *1944-5-6* lt-gén. du royaume. **1946**-*2/3-6 référendum* pour la République (12 717 923 pour, 10 719 284 contre). *-12/13-6* coup d'État rép. d'Alcide De Gasperi. H. II s'exile sans abdiquer, sous le nom de Cte de Sarre (nom d'un château du Val-d'Aoste acheté par V.-Em. II). La Const. it. lui interdit de rentrer en It.

Héritiers. Enfants d'Humbert II : *Maria-Pia* (24-9-34) ép. 12-2-55 P[ce] Alexandre de Yougoslavie (13-8-24), f. du P[ce] Paul, réside en France, div. 1967 ; *Victor-Emmanuel* duc de Savoie, P[ce] de Naples (12-3-37), ép. 7-10-71 Marina Doria (n. 12-2-35), ancienne championne de ski, dont Emmanuel-Philibert (22-6-1972), P[ce] de Piémont et de Venise [on l'accuse d'avoir, la nuit du 17 au 18-8-78 à Cavallo, Corse, blessé par balle Dirk Hamer (All., † de ses blessures le 7-12), il fut incarcéré 55 j mais le 18-11-91 cour d'assises de Paris l'a déclaré non coupable le condamnant à 6 mois de prison avec sursis pour port de carabine de guerre] ; *Marie-Gabrielle* (24-2-40) ép. 16-6-69 Robert Zellinger de Balkany (4-8-31, divorcé de Geneviève François-Poncet) divorcés nov. 1990, dont 1 fille ; *Marie-Béatrice* (2-2-43) ép. 2-4-70 Luis Reyna-Corvallan y Dillon (1939), Argentin. Sœurs : *Yolande* (1901-86) ép. 9-4-23 Cte Carlo Calvi, Cte de Bergolo (1887-1977) ; *Mafalda* (9-11-02-Buchenwald 29-8-44) ép. 23-9-25 P[ce] Philippe de Hesse, landgrave de Hesse (1896-1977) ; *Jeanne* (13-11-07) ép. 25-10-30 Boris III, roi des Bulgares (1894-28-8-1943) ; *Marie* (26-12-14) ép. 23-1-39 P[ce] Louis de Bourbon, P[ce] de Parme (1899-4-12-1947) dont plusieurs enfants.

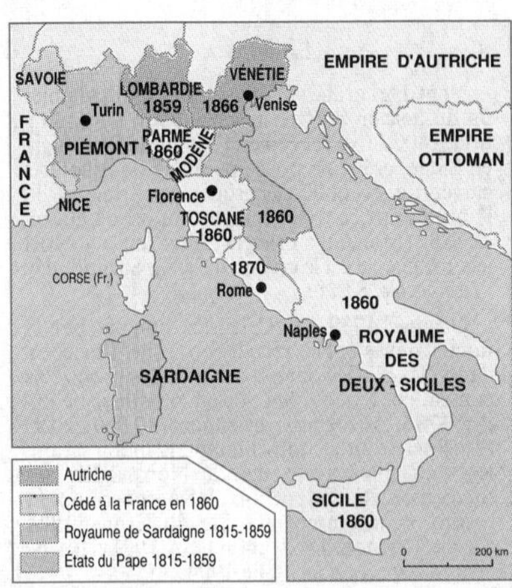

Branche Savoie-Aoste. Issue du P[ce] *Amédée de Savoie* [Aoste (1845-90), 1er duc, 2e fils de V.-Em. II, proclamé par les Cortès le 16-11-1870 roi d'Esp. Amédée Ier, dut abdiquer]. *Emmanuel-Philibert* (1869-1931) 2e duc, ép. Hélène de France († 1951). *Aimon* (9-3-1900/48) 3e duc, ép. 1939 P[cesse] Irène de Grèce, roi de Croatie (Tomislav II) en 1941. *Amédée* 4e duc d'Aoste (27-9-43) ép. 1°) 22-7-64 (mariage annulé janv. 87) P[cesse] Claude d'Orléans, fille du Cte de Paris, dont Bianca (1966), Aimon (1967) duc des Pouilles, Marie-Béatrice (1967), Mafalda (1969). 2°) 30-3-87 M[ise] Silvia Paterno di Spedalotto (31-12-53).

☞ **Titres du roi.** Sa Majesté N... roi d'Italie, de Sardaigne, de Chypre, de Jérusalem, d'Arménie, duc de Savoie, Cte de Maurienne, etc.

La Constitution du 27-12-1947 interdit aux anciens rois de la Maison de Savoie, à leurs épouses et à leurs descendants mâles d'entrer et de séjourner sur le territoire national. La reine Marie-José autorisée à rentrer dep. 23-12-1987. A réclamé, avril 1991, une pension de veuve d'officier.

■ **République italienne. 1946** (28-6) **Enrico de Nicola** (1877-1959) élu Pt 1er tour par 396 voix ; sans parti. **1947**-*10-2 tr. de Paris.* It. perd Dodécanèse (archipel, 2 663 km², 120 000 h., cédé à Grèce), Tende et La Brigue (616 km², cédés à Fr.), Dalmatie et Istrie (7 254 km², cédées à Youg.) et ses colonies (concessions de Tiensin ; Éthiopie, Somalie, Érythrée, Libye). *Mai* rentrant des USA, De Gasperi forme un gouv. dont les communistes sont exclus.

1948 *(11-5)* **Luigi Einaudi** (1874-1961), élu Pt au 4e t. 518 v. (s'opposa au fascisme, émigra en 1936 en Suisse). Libéral. *-14-7* tentative d'assassinat de Togliatti, chef du PCI, par l'étudiant Pallante, qui craignait de le voir entrer au gouv. **1954** *oct.* zone A (ville même) de Trieste transférée à l'It.

1955 *(29-4)* **Giovanni Gronchi** (1887-1978), 4e t. 658 v. D.-C. **1956** I. verse à Libye 5 milliards de lires de dommages et intérêts. **1958** loi Merlin interdisant les maisons closes.

1962 *(6-5)* **Antonio Segni** (1891-1972), 9e t. 443 v. Démissionne (raison de santé 6-12-64). D.-C.

1964 *(28-12)* **Giuseppe Saragat** (1898-1988), 21e t. 646 v. PSDI. **1966**-*3/4-11* hautes eaux à Venise (1,50 à 2 m). **1969**-*12-12* attentat à Milan : 16 †, 107 bl. [accusés : Pietro Valpreda (40 a., gauchiste), sera libéré en déc. 72 ; Giovanni Ventura et Franco Freda (extr. droite) inculpés le 30-9-72 ; Stefano Delle Chiaie et Massimiliano Fachini acquittés 20-2-89].

1971 *(24-12)* **Giovanni Leone** (3-11-1908). D.-C. ; 23e t. 518 v. sur 996 [Nenni (1891-1980) 408, Pertini 6, divers 25, bulletins blancs 36, nuls 3]. Au 1er t. (9-12) De Martino (soc.) avait eu 397 v., Fanfani (D.-C.) 384, Malagodi (lib.) 49, Saragat (social-dém.) 45, De Marsanich (MSI) 42. **1971** biens italiens confisqués par Libye. **1972**-*28-2* chambres dissoutes. *-7/8-5* élections. **1973**-*12-5* référendum pour maintien loi sur divorce (59,1 %). **1973** Berlinguer propose une alliance à la D.-C. (compromis historique). **1974** *juill.* plan de redressement écon. et fin. *-4-8* attentat

La Mafia

Nom. De l'arabe *mu'afah* protection des faibles ou du toscan *maffia :* misère. Autre interprétation : 1800, le roi de Naples, Ferdinand IV, réfugié en Sicile, crée une police parallèle pour contrecarrer un éventuel débarquement français ; il l'aurait appelée des 5 initiales du cri de guerre de 1282 (Morte alla Francia ; Italia anela, « Mort à la France ; c'est le cri de l'Italie »). Surnommée l'*Honorable Société.*

Origine. **1739** des Calabrais poussés par la famine dévastent les récoltes en Sicile. Les intendants (les *zii :* les oncles) des grandes propriétés constituent l'« Onorata Societá » pour se défendre. **1783** les Calabrais reviennent (40 000 sont †) et la Société lutte contre l'impôt, la mobilisation, les « carabinieri » venus du Nord. **XIXe** des Siciliens s'établissent aux USA, corrompent l'Adm. et instaurent une Sté du Crime. **1904** Cascio Ferro (n. 1862) enfui USA 1901, 1er *capo di tutti capi,* revient Italie 1904.

Organisation actuelle. *Sicile* En 1990, 142 familles et 3 564 mafieux identifiés par les carabiniers. Contrôle de : prod. agr., immobilier, jeux, paris clandestins, contrebande, rapts, vente d'armes, drogue ; avec ramifications : *Calabre (N'dranghetta). Naples (Camorra), USA (Cosa nostra)* modernisée 1931 par Lucky Luciano.

Bénéfices annuels. *Chiffre d'affaires combiné* (mafias sicilienne et américaine) 200 à 250 milliards de $ (dont USA 120 à 170). **« Employés »,** env. 1 000 000, et disposant d'un revenu annuel moyen d'une centaine de millions de lires (75 000 $), soit 4 fois plus que le revenu moyen par habitant.

Lutte récente. **1927-29** grands procès en Sicile (baisse de 75 % des assassinats). **1967** procès des 14. **1981** *Législation :* Loi Pio La Torre (député com. ass. 1982) qui autorise la *Guardia di Finanza* à enquêter sur l'origine des patrimoines douteux, des enrichissements illicites et même à geler les biens des mafieux présumés. **1979-82** rivalités de familles de la Mafia (Greco, Corlini, Marchese). **1982**-*13-9* art. 416 *bis* du Code pénal permet de poursuivre ceux qui ne peuvent faire la preuve du caractère licite de leur patrimoine. **1984**-*19/30-9* 366 mandats d'arrêt après révélations de don Masino [Tommaso Buscetta (56 a.) arrêté mai 83 au Brésil]. *-6-11* Vito Ciancimino, ancien min. dém.-chrétien de Palerme, arrêté pour participation à la Mafia. *-12-12,* 150 arrestations. **1986**-*10-2* Palerme procès : 474 inculpés (121 en fuite) (11-12-87 : 342 inculpés sur 456 condamnés). **1987**-*31-3* Turin : procès de 242 inculpés (17-4-88, 153 cond.). *-16-7* Palerme, 19 cond. à détention à perpétuité. **1988**-*11-5* Palerme, procès de 127 inculpés. *-30-7* démission du juge anti-mafia Giovanni Falcone et de 8 collègues. **1989**-*19-4* Palerme, 82 acquittements. *-17-5* excommunication automatique des mafieux. **1991**-*11-2* Cour de cassation libère 41 mafieux à cause de la lenteur de la justice. **1992**-*25-7* envoi en Sicile de 7 000 militaires pour contrôler le territoire. *-4-8* décret-loi anti-mafia. *-13-8* Liliana Ferraro remplace à la Direction des affaires pénales G. Falcone tué 23-5. *-12-9* 3 parrains de la Cosa Nostra arrêtés au Venezuela. **1993** arrestations : *-15-1* Palerme, Salvatore Riina (n. 16-11-1930) ; *-7-2* Rosetta Cutolo ; *-18-5* Nitto Santapaola ; *-1/2-6* Guiseppe Pulvirenti.

Meurtres célèbres de la mafia. **82**-*30-4* Pio La Torre, dép. communiste, et son chauffeur, tués en Sicile. *-3-9* Gal Alberto Dalla Chiesa (n. 1920), préfet de Palerme dep. 2-4-82, et sa femme Emanuela (n. 1950). **83**-*29-7* Palerme, juge Rocco Chinnici. **84**-*5-1* Giuseppe Fava, journaliste. **1992**-*12-3* Palerme, Salvo Lima (député). *-23-5* Palerme, 6 tués par explosion sur autoroute (juge Giovanni Falcone, sa femme, chauffeur et 3 policiers). *-19-7* Palerme, Paolo Borsellino, juge et 5 gardes du corps.

néo-fasciste d'Ordre noir dans l'express Rome-Munich : 12 † (fin du procès 20-7-83). *-3-10* PM Rumor démissionne. 50 j de crise ministérielle. *-22-11* gouv. Moro, faillite banque *Sindona.* **1975** centaines d'attentats, nombreux enlèvements. **1976**-*7-1* chute du gouv. Moro. *-18-1* chef des « Brigades rouges » arrêté. *-19-2* gouv. Moro (D.-C. homogène), démission. *-30-4. Janv.-mars* chute de la lire, scandales (CIA, Lockheed). *-9-6* Francesco Coco, procureur gén. de Gênes, assassiné. *-20-6* législatives (PC 34,4 % des v., D.-C. 33,8). Gouv. Andreotti (D.-C.). **1977** *févr.* insurrection étudiante à Rome et Milan (731 000 ét. en It. dont 24 % fréquentent les cours ; 50 % des diplômés de 1976 en chômage). *-25/26-7* programme commun des 6 partis constitutionnels (D.-C., PC, soc., soc.-dém., rép., libéral). *-30-6* Emilio Rossi, directeur du journal télévisé IG1, blessé aux jambes par B. rouges. **1978**-*16-3* Aldo Moro, Pt du conseil nat. de la D.-C., enlevé par B. rouges (5 escorteurs †) ; les comm. entrent dans la majorité gouv. *-9-5* cadavre d'A. Moro (tué 2-5) découvert (assassins arrêtés 14-3-81 et 4-4 Mario Moretti le « cerveau », semi-libéré janv. 93). *-11/12-6* référendum sur abrogation des lois sur l'ordre public (oui 23,13 %) et financement public des partis (oui 43,7 %), abstention 20 %. *-15-6* Pt Leone soupçonné de fraude fiscale, de spéculation immobilière et de complicité dans le scandale « Lockheed », démissionne.

1978 *(8-7)* **Alessandro Pertini** (1896-1990). Soc. Au 16e t. 832 v. sur 995. **1979**-*23-10* Pertini déjeune au Vatican avec le pape. **1980**-*2-8 attentat gare de Bologne :* 85 †, 203 bl. revendiqué par Ordine nuovo (14-6-86 : 19 inculpés dont l'un Pierluigi Paglia enlevé en Bolivie en oct. 82, 4-7-88 : condamnés à perpétuité, 18-7-90 : 13 acquittés, 4-4-91 : 2 des cond. à perpétuité acquittés). *Nov.* scandale des pétroliers (fraude fiscale de dir. de raffineries, 2 400 milliards de lires en 10 a., 2 000 personnes impliquées). *-23-11* séisme dans le S., 2 688 †. *-12-12* Brig. rouges enlèvent juge Giovanni d'Urso (libéré 15-1-81). *-28/29-12* mutinerie prison de Trani. **1981**-*26-5* PM Arnaldo Forlani démissionne [suite du scandale de la loge maçonnique P2 *(Propaganda due)*]. *-22-7* Mehmet Ali Agca, auteur de l'attentat contre le pape, condamné à prison à vie. *Oct.* manif. pacifistes à l'initiative du PC. *-10-11* rapt de la dépouille de Ste Lucie à Venise. **1982**-*26-4* mort de Frank Coppola. *-18-6* Roberto Calvi, P-DG de la banque Ambrosiano, retrouvé pendu sous un pont de Londres (étranglé sur ordre de la mafia pour avoir détourné des fonds de Licio Gelli maître de la Loge P2). *-13-9* Genève, Licio Gelli, grand maître de la loge P2, arrêté (s'évade 10-8-83). *-9-10* Rome, attentat devant synagogue 1 †. **1983**-*24-1* condamnation des assassins d'Aldo Moro : 25 réclusions à perpétuité, 7 prisons à vie et diverses autres peines. *5-5* Parlement dissous. *-26/27-6* élect. législ. D.-C. 39 % des voix (– 5 %), PC 29,9 %. *-4-8* Bettino Craxi, Pt Conseil (1er socialiste dep. 1946). **1984**-*15-2* Leamont Hernt, dipl. amér. ass. à Rome. *-11-6* mort de Berlinguer. *-25-9* banquier Michel *Sindona* (condamné à 25 a. de prison aux USA) « prêté » à la justice ital. pour témoigner (s'empoisonnera en prison mars 1986). *-23-12 attentat* train Naples-Milan, 16 † (25-2-89 ; procès, 11 condamnés). **1985**-*12-5* élec. (régions, provinces et communes), majorité 58,1 % (D.-C. 35,1, PSI 13,3), opposition 38,2 (PC 30,2). *-1-7* dévaluation 18,8 %.

1985 *(3-7)* **Francesco Cossiga** (26-7-1928) D.-C. élu 24-6 au 1er t. 752 v. sur 797. *-19-7* rupture barrage de *Tesero,* 220 †. *-27-12* Fiumicino, *attentat* palest. contre El Al, 16 †. **1986**-*3-6* lire « lourde » (1 000 anciennes lires). *-27-6* Craxi, en minorité, démissionne ; son gouv., le plus long dep. 1946, a duré 1 058 j. Après 35 j de crise, redevient Pt Cons. **1987**-*20-3* Gal Giorgieri (dir. des Armements aéronautiques) tué par Union des comm. combattants. *-9-4* Craxi démissionne. **1988**-*16-2* Licio Gelli (fondateur loge P2) ramené en It. *-12-4* libéré pour raison de santé. *-14-4* Naples attentat, 5 †. *-29 et -30-5* él. administratives. D.-C. 36,8 %, PC 21,9, PS 18,3. *-4-6* It. accepte d'héberger les 72 avions F – 16 de la base amér. de Torrejon (Espagne). *-15-6* levée de l'immunité parlementaire d'Elena Anna Staller (la *Cicciolina*) accusée de s'être promenée dénudée place St-Marc. Chaleur : algues à Venise (puanteur). *-14-10* vote secret aboli au Parlement. *-23-12* † de Carlo Scorza (n. 1896), dernier secr. fasciste survivant. **1989**-*18-6* él. eur. (parmi candidats, Maurice Duverger candidat sur liste PCI. Leonid Pliouchtch P. rad. transnat.) et référendum pour doter Parlement eur. de pouvoirs constituants (88,1 % de oui). *-26-10* 846 Libyens manif. à Naples (arrivés par bateau) pour concitoyens victimes du fascisme. **1990**-*7-1* tour de Pise fermée (dangereuse). *-29-1* Pt Cossiga en Fr. *-20-7* Vito Ciancimino, ancien maire de Palerme, condamné à 38 mois de prison (détournement de fonds publics). **1991**-*7-1* publication de la liste de 577 m. du réseau *Glaive* (gladio) mis en place dans les années 50 pour faire face à une éventuelle invasion de l'Est. *-6-2* libération anticipée de Mohamed Issa Abbas et Youssouf Ahmed Saad impliqués dans le détournement de l'*Achille Lauro. Févr.-mars* arrivée d'env. 20 000 réfugiés albanais. *-9/10-6* référendum pour réforme électorale : participation 62 %, oui 95,6 %. *-7/10-8* arrivée d'env. 20 000 réfugiés albanais ; rapatriés du 10 au 18-8. *-27-12* Giancarlo Parretti arrêté (fraude fiscale). **1992**-*1-1* le français n'est plus obligatoire pour devenir diplomate.

1992 *(28-4)* **Giovanni Spadolini** (21-6-1925) intérim. **1992** *(25-5)* **Oscar Luigi Scalfaro** (9-9-1918) D.-C. élu au 16e t. (672 v. sur 1 014). *31-7* suppression de l'échelle mobile des salaires (créée 1945). **1993**-*18/19-4* référendum, 8 questions : mode de scrutin pour l'élection du Sénat 82,7 %, financement des partis politiques 90,3, dépénalisation de la consommation de drogue 55,3, abolition du ministère de l'Agriculture 70,1, du min. du Tourisme 82,2, min. des participations d'État 90,1, responsabilité du contrôle de la pollution 82,5, nominations à la tête des caisses d'épargne 89,8. *-22-4* PM Amato démissionne. 3 min. PDS démissionnent de la Chambre refusant de lever l'immunité parlementaire de Craxi. *-27-5* Florence, attentat voiture piégée musée des Offices : 5 †, 2 tableaux détruits, 33 endommagés.

■ Politique

■ **Statut.** République. **Constitution** du 22-12-47. **Pt de la Rép.** élu p. 7 a. par Parlement et 58 délégués régionaux. Nomme le Pt du Conseil et son cabinet qui sont responsables devant le Parlement. **Sénat** 316 m. (1 pour 160 000 h.) élus au suffr. universel p. 5 a. + 2 sénateurs de droit (les anciens Pts de la Rép. Leone et Çossiga) et 9 sénateurs à vie, choisis par le chef de l'État. **Ch. des dép.** (1 pour 80 000 h.) 630 m., élus au suffr. univ. p. 5 a. **Fêtes nationales.** 25-4 (anniv. Libération), 1er dimanche de juin (fondation de la Rép.), 1-5 (travail).

Législatives (% de voix)	1953	1960	1976	1987	1992
DC	40,1	39,1	38,7	34,3	29,7
PCI	22,6	26,9	34,4	26,6	16,1
PSI	12,7	14,5	9,6	14,3	13,6
MSI	5,8	4,5	6,1	6,1	5,4
Ligues	–	–	–	–	8,7
Autres	18,8	15	11,2	18	26,5

Élections 5/6-4 1992 [1]	Chambre des députés		Sénat	
	Sièges	Variation [2]	Sièges	Variation [2]
Démocratie chrétienne (DC)	206	– 28	107	– 18
PDS (ancien PCI)	107	– 70	64	– 37
Refondation communiste	35	+ 35	20	+ 20
Parti socialiste (PSI)	92	– 2	49	+ 13
MSI (néofasciste)	34	– 1	16	=
Parti républicain (PRI)	27	+ 6	10	+ 2
Parti libéral (PLI)	17	+ 6	4	+ 1
Parti social-démocrate (PSDI)	16	– 1	3	– 2
Liste Pannella	7	+ 7	n.r. [3]	
Verts	16	+ 3	4	+ 3
Ligue lombarde	55	+ 54	n.r. [3]	
Ligue vénète	1	+ 1	n.r. [3]	
Ligue Nord	n.r. [3]		25	+ 24
Autres ligues	n.r. [3]		2	+ 2
Rete	12	+ 12	3	+ 3
PPST (Sud-Tyrol)	3	=	3	+ 1
Liste Val-d'Aoste	1	+ 1	1	+ 1
Liste autonomiste	n.r. [3]		3	+ 3
Fédération des retraités	1	+ 1	1	+ 1
TOTAL	630		315	

Nota. – (1) 12 000 candidats (54 partis et 477 groupes locaux). (2) Par rapport à 1987. (3) Non représenté. Municipales partielles (20-6-93) : Ligue lombarde en tête à Milan, PDS dans le centre.

■ **Partis. P. démocrate-chrétien** (DC). *Fondé* 1943 par Alcide De Gasperi (1881-1954) ; *Pt* Flaminio Piccoli (n. 1915), démissionne 16-11-84, Ciriaco De Mita (1928), Rosa Jervolino Russo (1936), *secr. gén.* Mino Martinazzoli (1931). *Leaders* Attilio Piccioni (1892-1976), Aldo Moro (1916-78 ass.), Amintore Fanfani (1908), Benigno Zaccagnini (1912-89), Paolo Emilio Taviani (1912), Mariano Rumor (1915-90), Giulio Andreotti (1919), Carlo Donat Cattin (1919-91), Emilio Colombo (1920), Vittorino Colombo (1925), Antonio Bisaglia (1929-84), Flaminio Piccoli (1915), Arnaldo Forlani (1925), Ciriaco De Mita (1928), Giovanni Goria (1943). *Adhérents* (1992) 1 600 000.

P. communiste (PCI). *Fondé* 1921 par Palmiro Togliatti (1893-1964). *Secr. gén. 1964 :* Luigi Longo (1900-88), *72 :* Enrico Berlinguer (1922-84), *84 :* Alessandro Natta (1917), *88 (21-6) :* Achille Occhetto (élu à bulletins secrets). *Adhérents : 1944 :* 501 960, *47 :* 2 252 716, *50 :* 2 112 593, *60 :* 1 792 974, *70 :* 1 507 047, *80 :* 1 751 323, *89 :* 1 450 000, *91 :* 1 300 000. *% des voix obtenues : 1976 :* 34,4 (élect. lég.), *79 :* 30,4 (lég.), *83 :* 29,9 (lég.), *85 :* 28,8 (él. région.), *87 :* 26,4 (lég.), *88 :* 21,1 (mun. partielles), *89 :* 27,6 (europ.), 26,6 (municip. à Rome), *90 :* 24 (rég.). Historique : *1921-21-1* formation. *1926 janv.* IIIe congrès de Lyon, la ligne modérée d'Antonio Gramsci (1891-1937, en prison) l'emporte. Au congrès suivant, clandestin en All., Togliatti présente le rapport qu'il dirige : il mène le parti depuis l'arrestation de Gramsci. *1945 juin* Togliatti min. de la Justice. *1956 déc.* T. déclare : « Le modèle soviét. ne peut et ne doit pas être obligatoire. » Mais le PCI s'aligne sur positions soviét. pour Pologne et Hongrie. *1960 nov.* conférence des comm. à Moscou, PCI affirme qu'on ne peut appliquer le même modèle à tous les pays. *1968 août* PCI désapprouve intervention sov.

■ Criminalité. **Attentats** *du 1-1-1969 au 1-1-87 :* 14 599 ; 415 † (*1979 :* 2 513 att. ; *80 :* 1 502 att., 125 †) ; *1986 :* 30, 2 bl. **Rapts** *1968 :* 2, *75 :* 63, *77 :* 78, *79 :* 80, *82 :* 50, *83 :* 39 [dont Anna Bulgari (copropr. de la joaillerie) et son fils. *-24-12* libérés contre 20 millions de F (ravisseurs : 5 bergers sardes arrêtés 5-1-84)], *84 :* 17, *85 :* 265, *86 :* 30 (1 † : maire de Florence, Lando Conti). (Rançon : 1,25 milliard de F, ¼ seulement des disparus retrouvés.). *1975-91 :* 25 enfants de 1 à 11 ans enlevés, durée env. 1 an, rançons 100 millions de F. **Meurtres** (mafia) de 1 000 à 1 500 par an dep. 1985. **Magistrats assassinés** *de 1967 à fin 1992 :* env. 25. **Mineurs incarcérés** *1929 :* 29 114, *91 :* 44 177.

■ Brigades rouges : fondées *1970* par Renato Curcio (n. 1945, docteur en sociologie, arrêté 1976) et sa femme Marguerite Cagol (tuée ensuite) ; *1973* séquestrent le dir. du personnel de la Fiat ; *1974* début des enlèvements (juge Mario Rossi, soumis à « un procès du peuple » le 21-4), puis tirent dans les jambes de cibles « choisies » ou les assassinent ; *1981-4-4* Mario Moretti, chef des B. r., arrêté. *-6-7* Giuseppe Taliercio tué par B. r. parce qu'elles sont boycottées par la presse ; *-3-8* Roberto Pecci, frère d'un brigadiste ayant collaboré avec la police, tué par B. r. ; *-17-12* Gal James Lee Dozier, vice-chef d'É.-M. logistique de l'Otan en Eur. du S., enlevé à Vérone ; *1982-2-1* Giovanni Senzani, chef B. r., arrêté. *-28-1* Dozier libéré par police à Padoue ; *-25-3* responsables de son enlèvement jugés : 2 à 27 ans de prison ; *1985-28-3* Ezio Tarantelli, prof. d'économie pol., tué par B. r. ; *1986-10-2* L. Conti, ancien maire de Florence, tué par B. r. Plusieurs brigadistes ont été arrêtés dont Carlo Fioroni 1975, Corrado Alluni 13-9-78, Prospero Gallinari 24-4-79, 7 membres en juin 88, 21 en sept. 88, Renato Curcio 1976 condamné déc. 91 à 16 a. de prison, semi-libéré 2-4-93.

■ Prima Linea [f. par Sergio Segio (n. 1956), arrêté 15-1-83 ; leaders Paolo Zambianchi et Liviana Tosi]. *1979* (11-12) des tueurs de Prima Linea ont blessé 10 cadres en stage à l'école de managers de la Fiat à Turin. *1983-10-12 :* fin du procès de 134 membres (enfermés dans des cages pendant l'audience). 9 condamnations à vie, 6 à plus de 30 ans... **Nuclei Armati Rivoluzionari.**

☞ Opération « mains propres » (mani-pulite). Commencée en fév. 1992 par le juge milanais Antonio di Pietro pour lutter contre la corruption des dirigeants pol. et écon. Bilan fév. 92-mars 93 : 900 présumés coupables interrogés dont Guilio Andreotti, ancien PM accusé par des repentis de la mafia, plusieurs anciens min., 150 parlementaires, 460 sous enquête, 192 administrateurs locaux et 198 chefs d'entreprises compromis (dont Pt de l'ENI arrêté 9-3-93). Coût de la corruption pour les entreprises env. 1,25 milliard de $/an.

en Tchéc. *1969 juin* confér. à Moscou, PCI refuse de condamner comm. chinois. *Nov.* gauchistes du groupe Manifesto exclus. *Début 1978* PCI participe au gouv. de 6 régions (Piémont, Ligurie, Émilie, Toscane, Ombrie, Lazio) sur 20, de 49 provinces sur 94, de 39 chefs-lieux de province (dont 21 à direction comm.) sur 95, de 870 communes de + de 5 000 h. sur 1 884 et de 1 886 communes de – de 5 000 h. sur 6 089. Il y a entente de programme avec lui dans 8 régions sur 14 et dans 21 provinces sur 45. *1982 janv.* rupture avec Moscou. *1983-22-7* mort de Franco Rodano (1920) théoricien du PC et auteur du « compromis hist. » avec la D.-C. *1991-3-2* devient le **P. dém. de Gauche** (PDS) (807 voix pour, 75 contre, 49 blancs, 322 abstentions). *1991-15-12* 150 000 dissidents fondent le **P. de la refondation communiste** (orthodoxes, *Pt* Armando Cossutta).

P. socialiste (PSI). *Fondé* 1892 par Filippo Turati (1857-1932). *Leaders* Bettino Craxi (24-2-34 ; secr. gén. ; 11-2-93 démissionne car accusé de corruption), Riccardo Lombardi (1901-84), Pietro Nenni (9-2-1891/1-1-1980), Giacomo Mancini (21-4-16), Claudio Martelli (24-9-1943 ; 11-2-93 démissionne car accusé de corruption), Giuliano Amato (13-5-1938), Carlo Tognoli (16-6-1938), Giorgio Benvenuto (n. 1937 ; secr. gén. dep. 12-2 au 20-5-93). *Adhérents 1946 :* 860 300 ; *50 :* 700 000 ; *60 :* 489 337 ; *70 :* 537 000 ; *80 :* 514 918 ; *87 :* 614 815. **P. social-démocrate** (PSDI), f. 1947 par Giuseppe Saragat (19-9-1898). *Leaders* Antonio Cariglia, Maurizio Pagani, Alberto Ciampaglia, Ivanka Corti, 200 000 m. **P. libéral ital.** (PLI), f. 1848 par Cavour ; Giovanni Malagodi (12-10-04) (Pt d'hon.). *Leaders* Aldo Bozzi (1909-87), Valerio Zanone (22-1-36), Agostino Bignardi (30-7-21), Antonio Patuelli (10-2-51), Paolo Battistuzzi, Renato Altissimo (4-10-40), Antonio Patuelli (10-2-51), 153 000 m. **Mouvement social italien-Droite nat.** (MSI-DN), f. 26-12-1946 par Giorgio Almirante (1914-88) (néo-fasciste). *Pt* Gianfranco Fini. *Secr. gén.* Pino Rauti, 400 000 m., ajoute le 18-1-73 le nom de « Droite nationale ». **P. républicain** (PRI), f. 1897. *Leaders* Bruno Visentini, Giovanni Spadolini (21-6-25), Giorgio La Malfa (1903-79) (secr. pol.) 110 000 m. **P. sarde d'action,** f. 1920 par Emilio Lussu (4-12-1890). **P. pop. sud-tyrolien, Sud Tiroler Volkspartei** (cathol., souhaite l'autonomie totale pour le groupe ethnique all. dans la province de Bolzano), f. 8-5-1945 par Erich Amonn. *Pt* Roland Riz. **P. radical,** f. 1955. *Pt* Emma Bonino et Domenico Modugno [avant Marco Pannella et Enzo Tortora dep. 3-11-85 (dénoncé par repentis de la mafia et emprisonné pour trafic de drogue)]. *Secr. fédéral* Sergio Stanzani. *Autres leaders* Adele Faccio (13-11-20), Jean Fabre (12-9-47, Pt) 5 000 m. **P. démocratie prolétaire,** f. 1974 : Massimo Gorla (4-2-33). **Démocratie nationale,** f. 1977 : De Marzio (19-8-10), Mario Tedeschi (9-9-24) (secr. gén.), Giovanni Roberti (3-2-08). **Ligue lombarde,** f. 1984, *leader* Umberto Bossi. **Mouv. pop. pour la réforme,** f. oct. 1992 par Mario Segni.

☞ Penta-parti : regroupement de D.-C., PSI, républicains, libéraux et sociaux-démocrates.

Premiers ministres

1861. *-17-3* Cte de Cavour (1810-61). *-12-6* Bettino Cte Ricasoli (1809-80). **62**-*4-3* Urbano, Bon Rattazzi (1808-73). *-9-12* Luigi Farini (1812-66). **63**-*24-3* Marco Minghetti (1818-86). **64**-*23-9* Alf. G^al La Marmora (1804-78). **66**-*17-6* Cte Ricasoli. **67**-*11-4* Urbano, Bon Rattazzi. *-27-10* Luigi Federico Cte Menabrea (1809-96). **69**-*12-12* Giovanni Lanza (1810-82). **73**-*10-8* Marco Minghetti. **76**-*25-3* Agostino Depretis (1813-87). **78**-*23-3* Benedetto Cairoli (1825-89). *-18-12* Ag. Depretis. **79**-*12-7* Ben. Cairoli. **81**-*28-5* Ag. Depretis. **87**-*8-8* Francesco Crispi (1818-1901). **91**-*9-2* Antonio Di Rudini (1839-1908). **92**-*15-5* Giovanni Giolitti (1842-1928). **93**-*10-12* Fr. Crispi. **96**-*10-3* Ant. Di Rudini. **98**-*24-6* Luigi, Gal Pelloux (1839-1924).

1900-*24-6* Giuseppe Saracco (1821-1907). **01**-*15-2* G. Zanardelli (1826-1903). **03**-*3-11* Giov. Giolitti. **05**-*27-3* Alessandro Fortis (1842-1909). **06**-*8-2* Giorgio, Bon Sonnino (1847-1922). *-20-5* Giov. Giolitti. **09**-*10-12* Bon Sonnino. **10**-*30-3* Luigi Luzzatti (1841-1927). **11**-*27-3* Giov. Giolitti. **14**-*21-3* Antonio Salandra (1853-1931). **16**-*19-6* Paolo Boselli. **17**-*30-10* Vit. Em. Orlando (1860-1952). **19**-*23-6* Francesco Nitti (1868-1953). **20**-*16-6* Giov. Giolitti. **21**-*4-7* Ivanoe Bonomi (1873-1952). **22**-*25-2* Luigi De Facta (1861-1930).

1922-*29-10* **Benito Mussolini** (1883-1945).

1943-*27-7* M^al Pietro Badoglio (1871-1956). **44**-*9-6* Ivanoe Bonomi, Pt du Gouv. provisoire. **45**-*21-6* Feruccio Parri (1890-1981). *-10-12* Alcide De Gasperi (1881-1954), coalition.

République. **1946** – A. De Gasperi. **53**-*17-8* Giuseppe Pella (1902-81), d.c. **54**-*18-1* Amintore Fanfani (1908), d.c. *-10-2* Mario Scelba (1901), coal. **55**-*6-7* Antonio Segni (1891-1972), coal. **57**-*19-5* Adone Zoli (1887-1960), d.c. **58**-*11-7* A. Fanfani, Coal. **59**-*15-2* A. Segni, d.c. **60**-*24-3* Fern. Tambroni (1901-63), d.c. *-26-7* A. Fanfani, d.c. **63**-*21-6* Giovanni Leone (3-11-08), d.c. *-4-12* Aldo Moro (1916-assassiné 2-5-78), coal. **68**-*24-6* G. Leone, d.c. **68**-*12-12* Mariano Rumor (1915-90), d.c. **70**-*6-8* Emilio Colombo (11-4-20), coal. **71**-*17-2* Giulio Andreotti (14-1-19), coal. **73**-*7-7* M. Rumor, coal. **74**-*22-11* A. Moro, coal. **75**-*19-2* A. Moro, d.c. **76**-*30-7* G. Andreotti, d.c. **79**-*22-2* Ugo La Malfa (1903-79), rép. *-22-3* G. Andreotti, d.c. *-11-8* F. Cossiga (26-7-28), d.c. **80**-*18-10* Arnaldo Forlani (8-12-25), d.c. **81**-*30-6* Giovanni Spadolini (21-6-25), rép. 1er PM non d.c. dep. 1945. **82**-*16-12* A. Fanfani, d.c. **83**-*4-8* Bettino Craxi (24-2-34) 1er PM soc. dep. 1945. **87**-*18-4* A. Fanfani, d.c., *-29-7* Giovanni Goria [n. 1943, le + jeune Pt du Conseil d.c. (démission 11-3-88)]. **88**-*13-4* Ciriaco De Mita (1928), d.c. (démissionne 19-5-89). **89**-*23-7* G. Andreotti, coal. (démissionne 24-4-92). **92**-*28-6* Giuliano Amato, coal.

Nota. – d.c. : démocrate-chrétien ; coal. : coalition ; rép. : P. républicain.

■ Provinces et Régions

Provinces. 94 avec préfet nommé par l'État (consiglio regionale), giunta regionale et Pt représ. la prov.

Régions. 20 prévues avec conseil régional (pouvoir lég. et régl.), giunta (exécutif) et P^t de la giunta : 15 *à statut ordinaire, 5 régions autonomes. Superficie et population* (91). *Piémont* 25 399 km² (4 356 227 h.), *Val-d'Aoste* 3 262 (115 996), *Ligurie* 5 416 (1 719 202), *Lombardie* 23 851 (8 939 429), *Trentin Ht-Adige* 13 613 (891 421 dont 290 000 All. 130 000 It. 15 000 Romanches), *Vénétie* 18 634 (4 398 114), *Frioul-Vénétie julienne* 7 845 (1 201 027), *Émilie-Romagne* 22 123 (3 928 744), *Toscane* 22 992 (3 562 525), *Ombrie* 8 456 (822 765), *Marches* 9 694 (1 435 574), *Latium* 17 203 (5 191 482), *Campanie* 13 595 (5 853 902), *Abruzzes* 10 794 (1 272 387), *Molise* 4 438 (336 456), *Pouilles* 16 348 (4 081 542), *Basilicate* 9 992 (624 519), *Calabre* 15 080 (2 153 656), *Sicile* 25 708 (5 196 822) (pont prévu détroit de Messine, 3 300 m, haut. 81 m), dont *Pantelleria* (à 100 km de Sicile), 83 km², 10 000 h., alt. max. 986 m, sans eau douce, vigne, *Sardaigne* 24 090 (1 664 373).

Le Mezzogiorno (« le Midi », c.-à-d. le S.). 6 régions 1/2 (S. du Latium, Abruzzes, Molise, Campanie, Pouilles, Basilicate, Calabre) et 2 régions autonomes (Sardaigne, Sicile). 131 000 km² (43,7 % du territoire) 21 millions d'hab. (37 % de la pop.). Dépend de la *Cassa per il Mezzogiorno,* « Caisse du Midi », créée 1950, chargée de son développement. *Problèmes. 1°) sous-développement :* agriculture peu rentable [coexistence de *microfundia* et de *latifundia,* techniques dépassées. Natalité forte (22 %), exode rural, sous-emploi, courant migratoire vers plaine du Pô]. *2°) difficultés géographiques :* (dep. XVIe s. ; dans l'Antiquité et Moyen Âge, vivait en économie fermée, et s'accommodait du cloisonnement régional ; la Sicile exportait du blé par mer). 85 % du terr. montagneux ; climat hostile (sécheresse, pluies dévastatrices). Éloignement des régions écon. fortes (au XIXe s., cabotage remplacé par transport ferroviaire : traversée N.-S. de la Péninsule longue et coûteuse). *Développement planifié :* crédits (venus surtout de la CEE) consacrés : a) à la réforme agraire (formation et assistance technique) ; b) à la création d'aires industrielles de développement et de noyaux d'industrialisation ; c) à l'amélioration des infrastructures : 400 000 ha de latifundia ont été distribués (prod. agricole doublée en 20 ans), mais la rentabilité ne s'est améliorée que dans les plaines riches et bien situées (pl. de Métaponte, près de Tarente : création de vergers). Dans les régions ingrates, la situation est pire (les transports ont accéléré l'exode rural). Pour l'ensemble, la plus-value agricole est inférieure au total des investissements. *3°)* le tourisme s'est développé mais a entraîné une dégradation des sites. *4°)* l'ind. a profité de la découverte de gaz naturel, de la création de 2 000 km d'autoroutes, de la modernisation des ports. Principales entreprises nées dans le Midi : Montedison (Brindisi), Italsider (sidérurgie) à Tarente et à Gioia Tauro, Alfa Romeo et Olivetti (Naples), Fiat (Bari). Le flot migratoire vers le N. ne s'est pas tari.

Trieste. **1919-20** à l'It. **1945**-1-5 occupée par forces de Tito. -2-5 le commandement allié en It. leur substitue des néo-zél. **1946**-3-7 les 4 Grands transfèrent à la Youg. partie du territoire anciennement it. (dont Pola en Istrie et Zara en Dalmatie). **1949**-10-2 terr. libre. Zone A avec ville 223 km², 300 000 h., confiée à It. ; zone B 516 km², 70 000 h., à Youg. à titre provisoire. **1953** *nov.* Zone A occupée par Brit. : insurrection contre Gal Winterton. *Dep. 1954,* les 2 zones sont incorporées à chaque pays. L'It. loue à Youg. quais et jetées. La Youg. a concentré son trafic sur Rijeka (Fiume) qui dépasse celui de Trieste.

■ Économie

■ PNB ($ par h.). *1985 :* 7 378, *86 :* 10 464, *87 :* 13 143, *88 :* 14 500, *89 :* 14 984, *90 :* 18 754, *91 :* 19 628. Pop. active. (%, entre parenthèses part du PNB en %) agr. 9,5 (3,3), ind. 29,1 (32,6), services 61,4 (64,1). Total (1992) 23 500 000 unités de travail. **Chômage** (%) *1980 :* 7,6 ; *85 :* 10,6 ; *88 :* 12,4 ; *89 :* 12,1 ; *90 :* 9,9 ; *91 :* 11,3 ; *92 (est.) :* 11,5 ; *93 (est.) :* 11,2. **Travail au noir** 20 % du PNB. 2 500 000 personnes. **Inflation** (%) *1980 :* 20,2, *81 :* 19, *82 :* 17,2, *83 :* 15,1, *84 :* 11,6, *85 :* 8,9, *86 :* 7,9, *87 :* 6, *88 :* 6,6, *89 :* 6,2, *90 :* 7,5, *91 :* 7,6, *92 :* 4,8, *93 (est.) :* 5. **Dette extérieure** (91) 150 941 milliards de lires (754,7 milliards de F). **Dette de l'État** (en milliards de lires) *1993 (1-1) :* 1 700 000 (6 000 Md de F) [% du PIB : *1897 :* 120 ; *1920 :* 125 ; *43 :* 118 ; *91 :* 101 ; *92 (juill.) :* 120]. **Déficit budgétaire** (milliards de lires) *1991 :* 152 000 [680 Md de F soit 10,8 % du PIB (en France : 2 %)] ; *92 :* 163 150 milliards de lires.

Déficit des administrations publiques (en % du PIB) *1981 :* 11,4 ; *85 :* 12,6 ; *90 :* 10,9. **Fraude fiscale :** en 10 ans, sur 670 000 contrôles 270 000 fraudeurs avaient dissimulé 12 414 milliards de lires.

■ Agriculture. **Terres** (milliers de km², 92) t. arables 89, pâturages 49, forêts 68, t. incultes 39, arbres fruitiers 30, eaux et divers 26. **Conditions :** peu de plaines, problèmes d'eau (il faut trouver où irriguer), surpopulation des campagnes. **Exploitations** (90) : 36,8 % des terres (surtout au *Mezzogiorno*) sont constituées par des *latifundia* (grandes propriétés) de + de 100 ha (8 362 000 ha), 1/3 par des *microfundia* de – de 10 ha (6 200 000 ha répartis en 2 600 000 exploitations). Les 3/4 des exploitations ont – de 5 ha ; 33 % ont - de 1 ha (moy. nationale 7,5 ha). Nombre moyen de parcelles par exploitation 3,21. Métayage en régression (58 % de la sup. en faire-valoir direct). *1982-90 :* suppression de 246 000 exploitations, 929 000 ha de terres cultivées abandonnées. **Production** (milliers de t, 91) bett. à sucre 11 975, raisin 9 397 (vin 59 788 000 hl), blé 9 416, maïs 6 308, soja 1 325, tomates 5 798, olives 3 946, agrumes 2 824, p. de terre 2 219, pommes 1 830, orge 1 793, riz 1 236, pêches 1 001, poires 706, endives, laitues, radis 917, pastèques 678, artichauts 565, choux 494, oignons 486, choux-fleurs 465, poivrons 377, fenouil 416, potirons 235, avoine 359, carottes 500, aubergines 296, melons 371, tabac 239, céleri 144, épinards 89. Forêts. 8 204 626 m³ (91).

■ Élevage (milliers de têtes, 91). Moutons 10 162, chèvres 1 314, porcs 8 549, bovins 8 004, chevaux 316, ânes 33, mulets 27, buffles 83. Surtout dans montagnes. Bovins à l'O., ovins à l'E. Importe bovins sur pied de France. Pêche (91). 481 880 t.

■ Énergie. **Électricité :** prod. 210,7 milliards kWh (89) dont (85) pétrole et charbon 51 % (2/3 dans les Alpes), hydroélec. 21 % (88). **Géothermie** (90) : 3,2 milliards de kWh/an. **Pétrole** (millions de t, 83) *réserves* 109, *prod.* 4 641 (91). **Gaz** (milliards de m³, 91), *rés.* 329, *prod.* 17,3. **Lignite :** *prod.* (90) 1 492 800 t. **Mines** (milliers de t, 90) pyrites 805,8, barytes 44,3, fluor 125,5, sulfure 5 (88), zinc 83 (minerai), fer 442,6 (84), plomb 23,3, bauxite 0,03, manganèse 3,8 (89).

■ Industrie. 52 % de la prod. ind. sont concentrés dans le triangle Turin-Milan-Gênes (58 000 km²). **Organismes d'État :** *Eni* [*Ente nazionale Idrocarburi,* fondé 1953 par *Enrico Mattei* (1906-62)], CA (1989) env. 50 883 Md de lires, effectifs 131 250 ; *IRI* [*Istituto per la Ricostruzione industriale* (créé par Mussolini en 1933)] pour l'ind. lourde, CA env. 4 566 Md de lires (91) ; *Efim* [(Office de financement de l'ind. manufacturière), regroupant 1 000 entreprises, effectifs 407 160] ; CA 27 000 Md de lires ; 55 % des grandes entreprises ital. appartiennent à l'une ou l'autre. Forte concentration financière [ex. Fiat (automobile), Olivetti (électronique), Pirelli (caoutchouc), Snia Viscosa (textiles synthétiques), Motta (pâtisserie ind.)]. **Métallurgie** (création récente) acier (millions de t) *1950 :* 3 ; *79 :* 23,9 ; *83 :* 21,6 ; *84 :* 23,8 ; *87 :* 22,8 ; *88 :* 23,7 ; *89 :* 23,4 ; *90 :* 23,2 ; *91 :* 23,6. Sur côtes (Gênes, Naples, Tarente). **Ind. mécaniques** [notamment auto. dont Fiat 90 %, 2 224 602 véhicules (89), 6ᵉ rang mondial, *90 :* 2 020 879, *91 :* 1 878 668.]. **Armement :** 5ᵉ exp. mondial, 4 300 milliards de lires en 1985. **Chimie** (lourde, créée récemment sur côtes ; légère, notamment textiles artif. et plastiques, dans grandes villes, *89 :* 694 594 t ; *90 :* 727 122 ; *91 :* 704 709). **Ind. alim. Cimenteries :** 39,69 millions de t (89), *90 :* 40,54 ; *91 :* 40,32.

■ Transports (km). Routes 302 403 (89), chemins de fer 19 595 (90) [210 000 pers. dont 1/3 en surnombre, recettes couvrent 19 % des dépenses (1972 : 41 %, 1980 : 29 %)]. Tourisme (90). 3ᵉ pays touristique eur., 4ᵉ du monde (après France, USA et Espagne) : 5,6% du tour. mondial. CA 80 milliards de $ par an (7,2 % du PNB it. intérieur). 270 000 firmes : 1 039 100 employés (7,7 % de la pop. active), dont hôt. et restauration 965 000. *Visiteurs :* 60 295 921 dont 20 862 965 excursionnistes et passagers en croisière.

■ Commerce (milliards de lires, 89). **Exp.** 193 *dont* mach. et éq. de transp. 71, prod. man. divers 44, prod. man. de base 43, prod. chim. 14, prod. alim. 9,9, *vers* All. féd. 32, *France 31,* USA 16, G.-B. 15, Espagne 9. **Imp.** 209 *dont* mach. et éq. de transp. 59,9, prod. man. de base 36, fuel et lubrifiants 24, prod. chim. 23, prod. alim. 23, *de* All. féd. 44, *France 30,* P.-Bas 11, USA 11, Benelux 10.

Balance commerciale (en milliards de lires). *Jusqu'en 1972 :* déficit de 600 par an, mais solde positif grâce aux transferts des émigrés (600) et au tourisme (1 000), d'où l'expression de « miracle italien ». *Dep. 1972,* import. supérieures aux export. (faiblesse de la lire, augmentation des besoins, concurrence jap. pour les prod. mécaniques). **Déficit :** *1983 :* - 11 448 ; *84 :* - 19 135 ; *85 :* - 23 086 ; *86 :* - 3 663 ; *87 :* - 11 474 ; *88 :* - 14 633 ; *89 :* - 17 113 ; *90 :* - 14 188 ; *91 :* - 16 022.

■ Rang dans le monde (91). 2ᵉ vin. 13ᵉ maïs. 14ᵉ blé. 15ᵉ gaz. 16ᵉ porcins. 18ᵉ céréales. 20ᵉ ovins.

JAMAÏQUE

Carte p. 967. V. légende p. 884.

Nom. *Xaimaca* (terre des bois et des eaux), nom donné par les Arawaks.

Situation. Ile montagneuse des Grandes Antilles, dans la mer Caraïbe. 10 991 km². *Alt. max.* Blue Mountain Peak 2 256 m. *Côtes* 891,2 km. Climat. Tropical humide (mer, alizés) ; moy. 30 °C. *Pluies :* 2 saisons : grosses (oct.), petites (mai) ; 2 200 mm par an.

Population. *1911 :* 831 383. *43 :* 1 246 240. *60 :* 1 624 400. *91 :* 2 366 067. *2000* (prév.) : 2 849 000. **Origine** afr. 74,7 %, métis 12,8, divers (Chinois, Hindous, Européens) 9 %. **Age** - *de 15 a. :* 33,7 %. + *de 60 a. :* 9,9 %. **Émigration** (91) 25 912 vers USA, Canada et parfois G.-B. (env. 2 000 000 émigrés). D 222. Villes (86) : *Kingston* (cap.) 641 500, Montego Bay 59 600 (82), Spanish Town 81 400 (82).

Langue *(officielle).* Anglais. Religions. *Anglicane (off.)* 20 %. *Réformée* 55 %. *Catholique* 5 %. *Caractère africain* 20 % [dont Rastafariens vouant un culte au négus, ex-empereur d'Éthiopie (son nom de règne était Ras Tafari) ; le chanteur Bob Marley en était membre ; prêchent le retour en Afrique ; env. 100000].

Histoire. **1494**-*4-5* découverte par Christophe Colomb, peuplée alors d'Indiens arawaks. **1509-1655** colonie espagnole. **1655-1962** col. anglaise. **1838**-*1-8* abolition de l'esclavage. **1865**-*11-10* rébellion de Morant Bay. **1907**-*14-1* Kingston détr. par tremblement de terre et incendie. **1962**-*6-8* indép. **1970-80** succès du reggae. **1972**-*2-3* Michael Manley, PM **1980**-*28-5* Edward Seaga PM, retour à l'économie libérale, crédits amér. pour crise éco. (cours de la bauxite en baisse). **1981**-*11-5* mort de Bob Marley, vedette du reggae (j de deuil national). **1988**-*12-9* ouragan Gilbert.

Statut. Monarchie parlementaire. État m. du Commonwealth. *Constitution* du 6-8-1962. *Chef de l'État* reine Élisabeth II. *Gouv. gén.* Howard Felix Hanlan Cooke dep. 1-8-91, proposé par le PM, nommé par la reine. *PM : 1989* 9-2 Michael Manley, PNP ; *1992* 30-3 Percival J. Patterson. **Sénat.** 21 m. désignés par gouv. général (13 sur avis du PM et 8 du chef de l'opposition). **Assemblée :** 60 m. élus au suffr. universel pour 5 a. Partis. *Jamaica Labour Party* (JLP), f. 1943, Edward Seaga (n. 28-5-30), *People's National Party* (PNP), f. 1938, Percival J. Patterson. Fêtes nat. 23 mai (travail), 1ᵉʳ lundi d'août (ind.), 3ᵉ lundi d'oct. (héros nationaux). Drapeau. Adopté 1962 : bandes jaunes croisées (ressources nat. et soleil) sur fond vert (agric. et futur) et noir.

■ Économie

PNB (90). 1 360 US par h., (91) 17 470 $ jamaïquain. **Taux de croissance** *1987 :* 5,2 % ; *88 :* 4 ; *89 :* 6,3 ; *90 :* 4,8 ; *91 :* - 0,2. **Pop. active** (%, entre parenthèses part du PNB en %) agr. 21 (7), ind. 27 (26), services 47 (60), mines 5 (7). **Actifs** (91) 907 900, *chômage 90 :* 15,7 %. **Aide** *américaine (1988) :* 0,08 milliard de $. 2ᵉ bénéficiaire par hab., après Israël. **Inflation** (%) *1985 :* 23,4 ; *86 :* 10,4 ; *87 :* 8,5 ; *88 :* 8,3 ; *89 :* 17,2 ; *90 :* 29,8 ; *91 :* 82,2. **Dettes** (milliards de $ US, 91) *extérieure* 3,8, *intérieure* 9,8.

Agriculture. *Terres* (milliers d'ha, 81). Forêts 305, t. arables 205, pâturages 205, cultivées en permanence 60, eaux 16, divers 309. *Production* (milliers de t, 91). Canne à sucre 2 775, sucre 239, bananes 58,1, agrumes, piment, coprah, cacao, café. Rhum 173 000 hl (88). Élevage (milliers de têtes, 91). Volailles 8 000, chèvres 440, bovins 300, porcs 250. Pêche (90). 10 400 t.

Mines (millions de t). *Bauxite 82 :* 14 ; *84 :* 8,7 ; *85 :* 2,3 ; *86 :* 6,8 ; *87 :* 7,6 ; *88 :* 7,4 ; *89 :* 9,4 ; *90 :* 10,9 ; *91 :* 11,6 ; *92 :* 11,3), *gypse* 0,136, *prod. alumine 90 :* 2,8 ; *91 :* 3 ; *92 :* 2,9.

Tourisme. **Visiteurs** (91) 1 340 506. **Revenus** *1986* 500 millions de $ (50 % du PNB + 56 % des revenus de l'État, 75 % des emplois), *88 :* 525 ; *89 :* 593 ; *90 :* 740 ; *91 :* 764.

Commerce (millions de $ J, 91). **Exp.** 13 069 *dont* mat. 1ʳᵉˢ sauf fuel 7 753, prod. alim. 2 156, prod. man. divers 1 313, mach. et éq. de transp. 861, boissons et tabac 200 *vers* (millions de $ US) CEE 361, Amérique du N. 354, EFTA 129, zone caraïbe 62,9, ECOWAS 41,7. **Imp.** 20 237 *dont* mach. et éq. de transp. 4 801, prod. man. 3 350, prod. chim. 2 496, prod. alim. 2 465 *de* (millions de $ US) Amér. du N. 986,3, CEE 242,9, LAIA 180,1, OPEC 92,7, Caraïbes (Tr. de Lomé) 67,5.

Rang dans le monde. (91). 3ᵉ bauxite. 4ᵉ alumine.

JAPON

Carte p. 1057. V. légende p. 884.

☞ Art japonais voir p. 385.

Nom. *Cipango* ou *Cipangu.* Donné par Marco Polo (1254-1324) après un séjour de 25 ans en Chine (1270-95). Son livre de voyage (1301) signale une île de *Cipangu* en face de *Cathay* (la Chine). Déformation du cantonais *Jih pen Kwok* (ch. mandarin *Jypen Khoue* « pays du Jipên », c.-à-d. du Japon) ; vient de formes dialectales jap. (telles que *Hip-hon* ou *Zip-hon*) ; jap. classique : *Nip-hon* [aujourd'hui *Nippon* (« soleil levant »)].

Situation. 377 801 km² dont (en %) agr. 13, forêts 67, landes 0,8, rivières 3,5, routes 2,8, habitats 3,9, divers 7,4. *Largeur max.* 272 km. *Longueur* 3 000 km du N.-E. au S. **Iles** 3 922 (95,7 % de la surface totale : *principales : Hokkaidō* (ex-Yeso) 83 519 km² au N., *Honshu* (la principale province, ex-Hondō) 231 051 km² au centre, *Shikoku* 18 804 km², *Kyushu* (les 9 provinces) 42 140 km². **Distance de la Corée :** Kitakyushu-Fusan 250 km, Tōkyō-Séoul 1 400 km. **Côtes** 33 287,3 km ; au large, près des îles Bonin, env. 9 800 m ; prof. mer du J. env. 3 600 m, mer Intérieure (entre Honshu et Shikoku) env. 38 m ; *courants* Kuroshio (chaud du J., direction S.-N. côte E.) et Oyashio (froid des Kouriles, N.-S. côte E.). **Relief** montagnes : 71 % ; 532 dépassent 2 000 m ; alt. max. mont Fuji 3 776 m (volcan dormant, dernière éruption 1707) ; 77 volcans en activité. *Plaines alluviales :* 29 % (la plus importante, Kanto à l'E. de Honshu, occupe 5 % de l'île, couverte de matières volcaniques). **Séismes** fréquents (dont 1923 Tōkyō, force 7,8. **Tsunami** raz de marée, voir Index.

Territoires du N. revendiqués (4 996 km², 1 600 h. en 1965). Comprennent les îles du groupe *Habomaï* [îlots inhabités dep. 1957, 102 km², Kaigara (la plus proche à 3,7 km du cap Nosappu), Hokkaidō], Suisho, Akihuri, Yuri, Shibotsu, Taraku, *Shikotan* [255 km², 7 000 h. (1991)], *Kunashiri* (1 500 km², en 1991 7 100 Soviétiques y vivent), *Etorofu* (3 139 km²). *Ressources :* pêche, bois, élevage, or, argent, soufre, fer, peut-être du pétrole... **1643** découvertes des îles *Habomaï* et *Shikotan* ainsi que *Kunashiri* et *Etorofu* (Kouriles du S.) par le Holl. Vries, et nommées Terre de la Compagnie et T. des États en 1767, occupées par le J. vers la 2ᵉ moitié du XVIIIᵉ s. **1855**-*7-2* tr. avec Russie, qui garde les *Kouriles* (au total 32 îles, 10 000 km², découvertes 1 714 par les Russes) du N. (au N. d'Étorofu). **1875** le J. cède Sakhaline et Karafuto à la Russie contre Kouriles du N. (d'Uruppu à Shimushu). **1905** *tr. de Portsmouth,* la Russie cède le S. de Sakhaline au J. **1945** l'URSS occupe terres du N. **1951**-*8-9 tr.* de *San Francisco,* le J. renonce au S. de Sakhaline et aux Kouriles. L'URSS refuse de ratifier le tr. **1956**-*19-10* relations dipl. reprises avec URSS. Un tr. de paix réglera la question des Ter. du N. : il n'a pas encore été signé et l'URSS occupe toujours ceux-ci (10 000 h contrôlent le détroit d'Okhotsk que la flotte russe devrait emprunter pour passer de Vladivostok et de la mer du J. dans l'océan Pacifique).

☞ La Chine revendique les *Senkaku* (Diaoyutai), îles inhabitées entre Okinawa et T'ai-wan, dont les fonds recèleraient du pétrole.

Îles Nansei. 2 196 km². 1 179 097 h. (85). D 447 [72 îles dont Okinawa (1 057 km², 758 777 h.) ; 48 inhabitées]. *Chef-lieu : Naha* 302 000 h. (83). Annexées par Jap. (1874). Adm. par USA, sous contrôle militaire (dep. 1945). Rendues au J. 15-5-1972. 87 bases mil. US (12 % du territoire, 42 000 mil.), « dénucléarisées » dep. 1972.

Climat. Maritime (pas de saison sèche, presque nulle part moins de 1 000 mm de pluie, mais plus humide à l'O. qu'à l'E.). Facteurs : altitude, latitude (15 °C de différence), courants marins, moussons. *N. de Honshu et Hokkaidō :* 3 à 4 m de neige l'hiver, la banquise borde les côtes N. ; *Honshu :* cl. tempéré ; *S. à Shikoku et Kyushu :* cl. subtropical ; mousson du Pacifique l'été (pluies, typhons), mousson sibérienne l'hiver. **Pluies :** juin-juil. (1 460 mm par an à Tokyo) : typhons sept.-oct. du S., S.-O. (Micronésie, Taiwan) et s'abattant surtout sur le S. du Jap. **Tempér.** (°C) (moy., max., min.) : *Hokkaidō* (Sapporo) janv. - 5,5, - 1,4, - 10,2 ; juil. 20, 25, 10 ; *Honshu* (Tōkyō) janv. 4,7, 9,5, 0,5 ; juil. 25,2, 28,9, 22,2 ; *Kyushu* janv. 6,6, 12, 1,8 ; juill. 26,8, 31,1, 23,4.

■ Démographie

Population (en millions d'h.). *1721 :* 26 ; *1872 :* 34,8 ; *1920 :* 56 ; *1937 :* 70,63 ; *1959 :* 83,2 ; *1970*[1] *:* 104,6 ; *1975*[1] *:* 112 ; *1980*[1] *:* 117 ; *1983 :* 119,45 ; *85*[1] *:* 121,04 ; *90 (1-10) :* 123,6 ; *91 (1-10) :* 124. *Perspectives : 1995 :* 125,4 ; *2000 :* 131,2 ; *2010 :* 136 ; *3000 :* 45 ? D 327. **Age** - *de 15 a.* 18 % + *de 65 a.* 17,7 % (*est. 2030* 23,1). **Répartition selon les îles** (millions d'h., 85) : Honshu 96,9, Kyushu 14,3, Hokkaidō 5,7, Shikoku 4,2, Okinawa 0,95. **Burakumins** (3 000 000 descendent des *etas* (bouchers, équarisseurs, tanneurs déclarés souillés congénitalement, car leurs métiers touchaient à la mort et au sang) ; émancipés 1871, longtemps encore parias (le mot *burakumin* est remplacé par *hisabetsu buraku no hitobito*)]. **Aïnous** [(sans doute premiers h. du J.) 25 000 (sud de

Sakhaline et Hokkaidō ; teint clair, système pileux développé ; culte des ours)].

Nota. – (1) Recensement.

Caractéristiques physiques (1981, à 25 ans). Homme 168,6 cm, 63 kg ; femme 155,4 cm, 51,3 kg ; peau mate, yeux bruns, cheveux souvent raides.

Natalité (taux ‰). *1870 :* 36. *1939 :* 32. *44 :* 34. *50 :* 28. *61 :* 17. *66 :* 14. *73 :* 20. *77 :* 15,4. *85 :* 11,9. *92 :* 9,8 (1 210 000 naiss.) (*1947* crainte de surpop. *1948* loi de protection eugénique, réaménagée 1952, libéralisant l'avortement, pilule contraceptive interdite.) *Nombre moyen d'enfants par femme : 1900 :* 5 ; *47 :* 4,5 ; *57 :* 2 ; *77 :* 1,8 ; *91 :* 1,7 ; *92 :* 1,53 (taux de renouvellement 2,08). Selon une croyance ancienne, les femmes nées l'année « cheval de feu » [qui revient tous les 60 ans (dernières : 1906-66)] tueraient leur mari ; elles ont donc, ces années-là, moins de chances de se marier.

Nuptialité (91). 6 % *(France 4,8).* **Age moyen au 1er mariage** (1988, entre parenthèses 1970) h. 26,9 (28,4), f. 24,2 (25,8). **Foyers** (1990) 41,1 millions (2,99 pers. par f.).

Espérance de vie *1991 :* hommes 76, femmes 82. *2010 (est.) :* h. 78, f. 86. **Centenaires** *1992 :* 4 152 (f. 80,2 %). **Mortalité** (taux ‰, 91) 6,7. *Causes de décès* (87) 1°) cancer (199 600), 2°) mal. cardio-vasc. (143 700 : la consommation de graisses croît). *Sida* (1992) : 2 400 † depuis le déb. de la maladie (405 en 1991). *Suicides* (87) : 23 800 connus ; *adolescents* (1988), *10-14 a. :* 77, *15-19 a. : 476.* **Psychiatrie :** hôpitaux 1 845 pour plus de 330 000 malades (5 millions de cadres j. seraient victimes de troubles mentaux et de dépressions ; 93 % seraient obsédés par des problèmes de travail ; 40 % montrent des tendances suicidaires).

Pop. urbaine (90) 77 %. **Villes** (millions d'h. 1991) Tōkyō 8 (agglomération 24), Yokohama 3,2 (à 24 km), Osaka 2,5 (à 515 km), Nagoya 2,1 (à 342 km), Sapporo 1,66 (à 1 100 km), Kōbe 1,45 (à 565 km), Kyōto 1,4 (à 489 km), Fukuoka 1,19 (à 1 150 km), Kawasaki 1,15 (à 21 km), Hiroshima 1,06, Kitakyûshû 1,02 (à 1 089 km), Sendai 0,90, Chiba 0,82. **Mégalopolis.** *Kantō* 4 ports (Tōkyō, Yokohama, Kawasaki, Chiba) 30 m. *Nagoya* (hauts fourneaux, raffineries et usines Toyota). 8 *Kansaï* (Osaka, Kobé) : Kyōto banlieue-dortoir d'Osaka. *Shimonoseki-Kitakyushu-Fukuoka* 3.

Étrangers (en milliers, fin 90). 1 075 dont Coréens 690 (2 000 en 1945), Chinois 150, Brésiliens 56, Philippins 49, Amér. 38, Anglais 10. Thaïs 6,2, Vietnamiens 6,2. Canadiens 4,2 (89), Malais 4 (89), Allemands 3,3 (89), *Français 2,9 (89).* En 1991, env. 160 000 clandestins. **Enseignement** (en 1991) 37 000 étudiants étrangers *(ryugakusei)* et 44 000 élèves en écoles spécialisées *(shugakusei).* **Refoulés** (1991) 20 729 dont Iraniens 7 315, Thaïlandais 5 876, Malais 3 802.

Japonais à l'étranger (1990 en milliers). 619,2 (+ 1 400 d'origine j.) dont Amér. du N. 263,3 (dont USA 213, Can. 20,6) ; du S. 130,6 (dont Brésil 109, Arg. 15,1) ; Eur. de l'O. 111 (dont R.-U. 37,3, All. 21,4, *Fr. 15*) ; Asie 86,9 (dont Thaïl. 13,1, Hong K. 11,7) ; Océanie 21,4 (Australie 12,3) ; Afrique 5,5 ; Moyen-Orient 5,1.

Langue off. Japonais, parler altaïque (proche du coréen, voisin du turc). Nombreux termes empruntés au chinois, et écrits en caractères d'origine chinoise. Langue agglutinante (conjugaisons et déclinaisons par agglutination de suffixes).

Éducation (1991). Obligatoire de 5 à 15 ans (établissements, et entre par. élèves/professeurs en milliers). *Maternelle* (2 007/101). *Primaire* (9 517/445). *Sec.* (10 643/573). *Collèges* techniques (53,7/6,4). *Supérieur* (2 710/277,8). *Écoles spéciales handicapés* 852 (93,5/44,8). **Niveau d'instruction** (%) : secondaire 99, sup. 24.

■ Religions

Shintoïsme et bouddhisme sont pratiqués simultanément.

■ **Shintoïsme** (91). Shinto : « le chemin des Dieux ». *Sanctuaires* 81 000. *Clergé* 101 000, *fidèles* 107 068 000. Sectes non officielles : 130. A la fois adoration de la nature, culte, adoration des héros et culte de l'empereur. Statut de religion d'État acquis en 1868, perdu en 1947 (arrêt des subsides) à la demande des Alliés.

■ **Bouddhisme** (87). *Sanctuaires* 84 445, *moines* 273 848. *Membres* 91 048 000. D'origine indienne, parvint au J., via Chine et Corée en 538 apr. J.-C. Grâce à l'appui impérial du Pce Shotoku (593-628) le bouddhisme s'est développé au Japon. **Nouveaux mouvements** à partir de 1946 : favorables au bouddhisme laïque, à des activités politiques et sociales ; ex. mouv. **Reiyukai. Rissho-Koseikai** (proche de

l'Église cath. ; fondateur Niwano Nikkzo, seul non-chrétien invité à Vatican II) ; 6,3 millions m. (92). **Soka Gakkai** ou **Association laïque des enseignements orthodoxes de Nichirén Daïshônin (1222-82)** [(fondée 18-11-1930), regroupe 8 050 000 familles au J. et 1 260 000 membres outre-mer, dans 115 pays. *Pt (honoraire) :* Daisaku Ikeda, Pt de la Soka Gakkai Internationale, et Eisosuke Akiya (Pt dep. 79), développe le mouvement de la paix, de la culture et de l'éducation basé sur l'idée du bouddhisme de Nichirén Daïshônin « pour la paix mondiale et pour le développement éternel de l'être humain »]. **Église Tenrikyo** (monothéiste) fondée milieu du XIXe s. par une paysanne mystique, Miki Nakayama (1798-1888). **Tenshokotaijingukyo** (danses). **Association de la Liberté parfaite** [P(erfect) L(iberty) Kyodan]. **Sekaikyuseikyo. Seicho no Iye.**

■ **Christianisme.** *1549* introduit par St François-Xavier (1506-52, jésuite). *1573* 1re égl. à Kyōto. *1580* 150 000 chrét. Fin XVIe s., banni comme subversif. *1597* 26 martyrs crucifiés près de Nagasaki. Milieu XIXe s., toléré ; installation de missionnaires catholiques fr. et protestants amér. *1927* 1er évêque jap. *1960* 1er cardinal. **« Vieux chrétiens »** ou **« chr. secrets »** (90) 10 000, descendant des 1ers convertis du XVIe s. **Protestants** (90) 201 500. **Catholiques** (91) 461 633, dont prêtres 1 807 [cardinal 1, diocésains 522 (étrangers 12), relig. prêtres 1 262 (étr. 844)] ; dont frères missionnaires et relig. postulants 430 (étr. 103) ; relig. et novices 7 107 (étr. 508) ; institutions d'éducation 875 (élèves 247 152) ; universités 13 (29 155).

Nota. – Évaluations malaisées des sectes qui se disent chrétiennes.

> **Hara-kiri (suicide rituel).** *Hara* (ventre) et *kiri* (coupure) étant considérés comme vulgaires, les J. disent *seppuku* (lecture chinoise des 2 mêmes caractères écrits). Jusqu'en 1868, exécution honorable des officiers et bushi (samouraïs) condamnés à mort. Le seigneur envoyait un billet poli, accompagné d'un poignard richement orné. Le condamné montait dans la cour de la demeure de celui qui le gardait et, sur une natte de paille épaisse (5 cm) à surface lisse, recouverte d'une peau tannée ou d'une pièce de drap rouge il se mettait à mort rituellement. Le poignard ensanglanté était alors envoyé au seigneur. Des nobles se faisaient parfois hara-kiri volontairement pour des raisons surtout patriotiques (mort d'un empereur, défaite militaire, échec politique). On composait un poème d'adieu (jisei no uta) avant de mourir.

■ Histoire

Paléolithique v. 500000 av. J.-C. : outils de pierre découverts 1992. Néolithique (culture proto Jômon **v. 5000-2000 av. J.-C.**, Jômon 2000-300 av. J.-C.). **V. 5000** chasse, cueillette, poterie cordée. **660** l'empereur Jimmu fonde la dynastie impériale. **Époque Yayoi (300 av. J.-C. à 300 apr. J.-C.).** Riziculture, usage des métaux ; J. et Corée du S. semblent être un seul royaume. **108 av. J.-C.** Chine prend Corée. **Apr. J.-C. 100** implantations massives de Coréens dans le J. occidental. Contacts avec Chine. Élaboration de la religion naturiste (les *Kami*). **200** l'impératrice JingoKogo prend Corée (effectivement v. 360). **285** adoption officielle de l'écriture chinoise (date réelle 405).

Époque Yamato (IIIe s. à 710). V. 300 début *période Kofun ;* fin des sacrifices humains. **V. 350** les Yamato achèvent l'unification du J. **V. 391** sériciculture, tissage et sciences chinoises, y compris écriture, pénètrent. **Ve s.** pouvoir des Yamato grandit. **538** (selon les sources chinoises, 552 selon le calendrier j. traditionnel) le bouddhisme arrive ; lutte pour savoir si on peut l'adopter comme religion nationale en plus du shintoïsme (conflit entre 2 clans, *Soga* et *Mononobe*). **552** début *période Asuka.* **562** perte des possessions j. en Corée (province de Mimana). **586** peste. Pour la conjurer, l'empereur Yomei fait le vœu de construire un grand sanctuaire au Bouddha guérisseur, le futur *Horyuji.* **587** les probouddhistes (Soga) triomphent des partisans du Shinto (Mononobe et Nakatomi). **604** le Pce Shotoku publie des injonctions appelées Constitution des 17 articles. **607** Ono-no Imoko en Chine pour s'informer de la civilisation. *Horyuji* construit à Nara (passe pour le plus ancien édifice en bois existant au monde). **645** les Nakatomi, convertis au bouddhisme, mettent fin à la dictature des Soga. **645-50** début *période Hakuko ; réforme de Taika* adoption des institutions de la Chine des T'ang, « nationalisant » les terres. **701** code de Taiho.

Époque Nara (710-794). 710 l'impératrice-régente Genmei fait de Nara la capitale permanente. **741** le gouv. établit des temples bouddhiques de style T'ang (Chine) dans tout le pays. **743** Todaiji construit. **770** l'impératrice Shotoku, dernière impératrice régnante, meurt ; bonze Dokyo, qui avait tenté d'usurper le trône, exilé. **Époque Heian (794-1185)** capitale à Kyōto. L'empereur Kanmu essaie de sauver le gouv. en le séparant de l'influence bouddhique. **805** secte bouddhiste Tendai introduite de Chine. **806** secte Shingon : les 2 soutiennent que chacun possède en soi-même la possibilité de devenir Bouddha (les sectes prédominantes jusqu'alors enseignaient que seule une minorité limitée le pouvait). **857** Fujiwara Yoshifusa (804-872) grand chancelier d'Empire. [866 1er régent *(sessho)* étranger à la famille impériale]. **939** Taira et Minamoto commencent à défier la cour impériale, et les samouraïs à exercer une forte influence politique. **941** Fujiwara Sumitomo exécuté pour piraterie. **961** le petit-fils de l'empereur Seiwa (858-876), Tsunemoto, prend le nom de Minamoto Tsunemoto et fonde le clan Minamoto. **1017** Fujiwara-no-Michinaga nommé PM. Famille *Fujiwara* à son apogée. **1086** les *Minamoto,* avec Yoritomo, s'imposent dans l'Est. Le gouv., par des Jokos, ou empereurs en retraite, va amener l'effacement de l'influence des Fujiwara. **1135** les *Taira* battent les pirates dans la mer Intérieure, leur influence augmente. **1156** g. civile (Hogen-no-ran). **1159** *Heiji-no-ran* les Taira battent les Minamoto. **1167** Taira-no-Kiyomori PM. **1175** secte bouddhiste Jodo fondée [chacun est sauvé de ce monde de maux et de souffrances en étant transporté au Jodo (Terre pure) par le Bouddha de la Lumière et de la Vie infinies]. **1180-1185** Minamoto-Yoritomo défait les Taira. **Époque Kamakura (1185-1338). 1191** doctrine Zen introduite de Chine. **1192** Minamoto-no-Yoritomo, nommé *shogun* (commandant militaire suprême de « Sci Taï Shogun » : Général soumettant les barbares), établit *shogunat* à Kamakura. **1213** influence des Minamoto s'éteint avec l'assassinat du 3e shogun, celle des Hojo s'étend. **1224** secte Jodo-shinshu (bouddhistes) formée. **1227** Sotoshu, secte Zen, introduite de Chine. **1253** secte bouddhiste Nichiren fondée. **1274 et 1281** échec d'invasions mongoles, la 2e grâce à un typhon dénommé *kami-kaze* (vent divin). **1333** chute des Hojo.

Époque Muromachi (1333-1573). **1334** régime impérial restauré. **1335** les *Ashikaga* commencent à défier la cour impériale. **1336** l'emp. *Godaigo* transfère sa cour à Yoshino dans le S. Un contre-emp., Komyo, est proclamé (cour à Kyōtō, dans le N.). **1338** Ashikaga Takauji nommé shogun soutient cour du N. **1378** le 3e shogun Ashikaga établit son shogunat dans le quartier Muromachi à Kyōtō. **1392** paix entre cours du N. et du S., réunification. **1467-1603** g. civiles chroniques, période des « Royaumes combattants » ou des « Principautés belligérantes » (Sengokujidai). **1483** le 8e shogun Ashikaga fait construire Ginkakuji (Pavillon d'argent). **1543** arrivée de navires portugais dans l'île de Tanegashima. Introduction d'armes à feu europ. **1549**-*15-8* St François-Xavier, missionnaire jésuite espagnol, arrive à Kagoshima. **1571** Nagasaki ouvert au commerce avec l'étranger par le daimyo local, Omura Sumitada (converti au christianisme 1562). **1573** Oda Nobunaga (1534-82) fait incarcérer le shogun Ashikaga Yoshiaki. Fin du shogunat Ashikaga. **Époque Azuchi-Momoyama (1573-1603). 1582** Edo fondé. **1582-1615** âge d'or art et architecture baroques. **1590** Toyotomi Hideyoshi achève d'unifier le J. **1592** il envahit la Corée avec 160 000 h. Trêve conclue entre J. et armées chin. **1597** 2e expédition en Corée. **1598** Hideyoshi meurt. Retrait de Corée. **1600** Tokugawa Ieyasu triomphe de ses rivaux à Sekigahara ; les daimyo ralliés à lui, avant, seront appelés *Fudai daimyo* (daimyo héréditaires, dits de l'intérieur), les autres : *Tozama daimyo* (d. de l'extérieur).

Époque Edo (1600-1868). **1603** Tokugawa Ieyasu (1542-1616), nommé shogun par l'empereur, quartier général à Edo, auj. Tōkyō. Théâtre *kabuki* fondé par la prêtresse shinto Okuni. **1605** T. Ieyasu transmet son titre de shogun à son 2e fils T. Hidetada qui exercera le pouvoir de 1605 à 1623. **1609** comptoir commercial hollandais dans l'île de Hirado. **1612-19** abolition officielle du servage qui subsiste en fait. **1613** 1er comptoir commercial anglais à Hirado. **1614** persécutions contre chrétiens. **1615** Ieyasu prend château fortifié d'Osaka où les descendants de Toyotomi Hideyoshi intriguaient. Fin de la famille Toyotomi. **1623** Anglais abandonnent leur comptoir d'Hirado. **1624** commerçants esp. expulsés. **1628** seuls Chinois et All. sont autorisés au commerce par Nagasaki et Deshima. **1635** le système de *sankinkotai* renforce le contrôle du shogun : féodaux divisés en 2 groupes dont chacun doit se rendre à Edo alternativement tous les 2 ans et y vivre 1 an : christianisme interdit. **1636** décret interdit aux J. d'émigrer. Ceux qui sont installés à l'étranger ne pourront regagner le J. **1637-38** 37 000 paysans chrétiens expulsés. **1638** commerçants portugais (accusés de complicité dans la révolte des paysans chrétiens) expulsés. **1639** seuls Hollandais protestants, et Chinois non chrétiens peuvent continuer le commerce à Nagasaki. **1640** exécution d'envoyés port. **1657** grand incendie de Edo. **1680** Tsunayoshi, 5e shogun. **1703** grand séisme de Kanto. **1707** éruption du Fuji-Yama. **1720** autorisation d'importer des ouvrages occidentaux sans rapport avec le Christ. **1792** envoyé russe demande l'ouverture de relations comm. ; shogun refuse et renforce déf. des côtes. **1837** révolte Osaka (« émeutes du riz »). **1852** visite des Russes à Shimoda. **1853** *juill.* le commodore amér. *Matthew C. Perry,* avec 4 vaisseaux, presse J. d'ouvrir ses portes au commerce amér., revient en **1854** *mars* avec escadre renforcée : un tr. permet aux Amér. de mouiller à Shimoda et Hakodate ; tr. similaires d'amitié avec G.-B. et Russie. **1855**-*11-11* Tōkyō, séisme 10 000 †. **1856** consul américain, Townsend Harris, à Shimoda. **1858** tr. du *29-7* (avec USA, exterritorialité) ; du *18-8* (P.-Bas) ; *19-8* (Russie) ; *26-8* (G.-B.) ; *9-10* (France) ; commerce avec USA, Russie, P.-Bas, G.-B. et Fr. mettent fin à l'isolement. **1862** 1re ambassade j. en Europe. **1863** J. tirent sur des neutres eur. engagés dans le détroit de Shimonoseki. *Août* escadre anglaise détruit Kagoshima, capitale de Satsuma. *Sept.* le shogun fait chasser de Kyōto les partisans de Choshu. **1864** les navires occidentaux (américains, anglais, français et holl.) démantèlent forts de Choshu à Shimonoseki. 1re expédition du shogun contre Choshu. **1865** l'emp. ratifie des tr. signés avec l'étranger. **1866** *mars* accord secret entre Choshu et Satsuma. *Août* 2e expédition du shogun contre clan Choshu. **1867** l'empereur Komei meurt, intronisation de l'empereur Meiji (Mutsuhito). Le 15e shogun, Tokugawa Keiki, restitue le pouvoir politique à l'empereur et met fin au *shogunat* institué 1192 par Minamoto Yoritomo. Fin du gouv. des Samouraïs.

Époque Meiji (« gouvernement éclairé ») (1868-1912). **1868**-*3-1* « restauration de l'ancienne monarchie » par des seigneurs provinciaux qui veulent restaurer le J. face à l'Occident en le modernisant. -*6-4* l'empereur **Mutsu Hito** (1852-1912) jure de respecter l'opinion publique, de développer des relations avec les pays étrangers et d'acquérir la connaissance universelle. Quitte Kyōto (« ville capitale ») pour Edo, qui devient Tōkyō (« capitale de l'Est »). **1869**-*5-3* les grands clans ou *han* (Satsuma, Choshu, Tosa, Hizen) restituent leurs domaines au trône. -*25-7* les anciens daimyo sont nommés préfets de leurs fiefs. 1re ligne télégraphique (Tōkyō-Yokohama). **1870** abolition des castes à 4 niveaux (guerriers, paysans, artisans, marchands) établies par les Tokugawa. Les guerriers entrent dans la noblesse ou deviennent *shizoku* [descendants de samouraïs (soldats)] et les autres deviennent *heimin* (peuple du commun). **1871** division administrative fondée sur domaines féodaux *(han)* abolie, pays divisé en préfectures *(ken).* Système postal moderne, monnaie nationale créée. L'empereur mange un bœuf mode (donnant ainsi aux J. l'autorisation de manger de la viande). -*2-9* scolarité obligatoire. **1872** 1er *chemin de fer :* Tōkyō-Yokohama. **1873**-*1-1* calendrier grégorien. Nouveau système de poids et mesures. Suppression des mesures d'exclusion frappant chrétiens. **1874** *mai* expédition de Formose en réponse au massacre de marchands okinawais. Indemnité chinoise. 1er éclairage au gaz à Tōkyō. Mode des combats de coqs. Soc. publique des patriotes (Aikoku Koto), 1er parti politique. **1875**-*14-4 Genro-in,* Sénat créé (supprimé oct. 1890). **1876**-*26-2* tr. d'amitié avec Corée. -*28-3* port du sabre interdit aux anciens samouraïs. **1877** *févr.-sept.* révolte du clan Satsuma. Université de Tōkyō fondée. **1878** bourse de Tōkyō ouverte. **1880** 1ers conseils municipaux. Itagaki fonde parti libéral *(Jiyuto).* **1884** nouvelle noblesse créée. Mode des sports athlétiques. **1885** 1er gouvernement de Cabinet (Ito Hirobumi). **1887** engouement pour la valse. **1889**-*11-2 Constitution Meiji* (modèle prussien). **1890**-*1-7* 1res élect. générales à la Diète (réunie 29-11). **1894**-*16-7* tr. de commerce et de navigation Aoki-Kimberley avec G.-B. qui renonce au privilège de l'exterritorialité. -*1-8* g. sino-jap. -*22-11* J. prend Port-Arthur. **1895** -*17-4 tr. de Shimonoseki :* reçoit Formose, Pescadores et Liao-toung. -*4-12* rend Liao-toung à la Chine après « démarche » de Russie, France et All. **1897**-*29-3* adopte étalon-or. **1900** intervention à Pékin contre Boxers. **1902**-*30-1* alliance avec G.-B. **1904**-*05* g. russo-jap. Voir encadré. **1909**-*26-10* Ito tué par Coréen. **1910**-*22-8* Corée annexée.

Époque Taisho (1912-26) empereur **Yoshi-Hito** (1879-1926). 1914 (23-8) g. contre All., 1919 le J. obtient possessions allem. (îles Carolines, Marianne, Marshall, Kiao-tcheou). **1918** *avril à oct.* *22* J. occupe Vladivostok. **1919** *mars-avril* révolte en Corée. **1920** entrée à la SDN **1921**-*4-11* Haratue PM. Hirohito va à l'étranger (1re fois qu'un membre de la famille impér. quitte le J. depuis 2 581 ans). -*25-11* Hirohito régent. **1922**-*10-1* † d'Okuma. *Juill.* fondation du PC. *Oct.* J. renonce au Chan-toung et à Kiao-tcheou. **1923**-*1-9* tremblement de terre du Kanto à Tōkyō, intensité 7,8 (bilan : 99 331 †, 43 476 disparus ; 128 266 maisons détruites, 126 233 partiellement détruites, 447 128 brûlées). **1925**-*21-1* le J. restitue le nord de Sakhaline à l'URSS -*30-3* suffrage universel masculin.

Théatre japonais

Nô. Conception religieuse et aristocratique de la vie ; se constitua vers la fin du XIIIe s., unissant 2 traditions : celle de *Kagura,* ou pantomime dansée, et celle des *chroniques* en vers récitées par les bonzes errants. Le drame nô, dont le protagoniste est couvert d'un masque, était joué, les j de fête, dans l'enceinte des grands sanctuaires. Ses acteurs, protégés par daimyo et shoguns, se transmettaient de père en fils les secrets de leur art. Les nô célébraient à l'origine la gloire du temple ou les illustrations de quelque ordre sacerdotal, et développaient les grands thèmes de la prédication bouddhiste. Ce sont des drames brefs : 5, de caractères différents, composent un spectacle. La scène procède du dispositif chinois : un quadrilatère à peu près nu, ouvert de 3 côtés entre les pilastres de cèdre qui en marquent les angles.

Kabuki. Fait alterner dialogues, chants et intermèdes de ballet. A emprunté à la fin du XVIIe s. la manière des spectacles de marionnettes. Les pièces que Tchikamatsu (1653-1724) composait pour eux ne diffèrent pas de celles que Takeda Idzumo (1691-1756) fit jouer par des acteurs humains avec des décors et costumes de plus en plus amplifiés. Les mêmes drames passent encore d'un répertoire à l'autre : histoires de conquêtes et de pirateries en 20 actes. Actuellement, répertoire classique (drames historiques et bourgeois) et réaliste (avec intermèdes burlesques).

Autres écoles. Bugaku, kyôgen, nigyô jôruori.

Guerre russo-japonaise (1904-05)

Causes. 1°) Angl. et J. tentent de limiter l'expansion russe en Extrême-Orient, notamment en Corée et Mandchourie (5-2-1904 : les Russes refusent de renoncer à leur implantation en Corée) ; 2°) la R. espère une victoire facile, qui rehaussera le prestige de la monarchie, menacée par les révolutionnaires. La Fr. alliée de la R., et possédant l'Indochine, peut assurer la victoire r. Mais le 8-4, l'Angl. signe avec elle une convention d'« Entente cordiale », laissant espérer aux Fr. une alliance éventuelle contre All. Dès lors, la Fr. refuse de livrer du charbon aux escadres r., et interne les équipages r. réfugiés au Tonkin. **Effectifs sur terre** R. 135 000 h., Jap. 850 000, dont 150 000 disponibles immédiatement (les R. ont en Europe 1 200 000 soldats de métier, mais le Transsibérien n'est pas achevé et ils doivent faire une partie du trajet à pied). **Sur mer** *Russie* 2 escadres en Extrême-O. (Port-Arthur ; Vladivostok, bloquée par les glaces) ; en tout : 28 unités, dont 1/3 modernes ; 1 escadre en Baltique (mettra 8 mois pour rejoindre le champ de bataille) ; *Japon* 50 unités modernes. **Chefs militaires** *Russie :* 1°) *terre :* amiral Eugène Alexeiev (1843-1917), vice-roi d'Extrême-O., révoqué oct. 1904 ; Gal Alexis Kouropatkine (1848-1921) après oct. 1904 (chef de la garnison de Port-Arthur : Anatol Stoessel, 1848-1915). 2°) *mer :* am. Serge Makarov (1848-1904, tué au combat), am. Vitheft (1850-1904, tué au combat) ; escadre de la Baltique : amiral Zinoveï-Rodjestvensky (1848-1909). *Japon :* 1°) *terre :* Mal Iwao Oyama (1842-1916). 2°) *mer :* amiral Heihachiro Togo (1847-1934).

Déclenchement. 1904-*7-2* J. prennent un croiseur r. au large d'Inchon (Corée). -*8-2* 10 torpilleurs jap. à Port-Arthur attaquent l'escadre par surprise (2 cuirassés, 1 croiseur cuir. coulés). -*10-2* J. déclare la g. **1°) g. terrestre :** les R. hésitent à combattre loin des lignes de chemins de fer, où est stocké l'approvisionnement et où les E.-M. ont leurs trains spéciaux ; dès que les J. font un mouvement tournant menaçant la ligne sur leurs arrières, ils reculent. **1904** *mars* débarquement j. en Corée. -*1-5* victoire j. sur le *Yalu.* -*5-5* déb. j. en Mandchourie et siège de Port-Arthur (déjà bloqué par mer). -*5-9* vict. j. de *Liao-Yang.* -*18-10* du *Cha-Ho ;* **1905**-*1-1* capitulation de *Port-Arthur.* -*21-2/10-3* vict. j. de *Moukden* (400 000 J. contre 325 000 R.). **2°) g. navale :** *févr.-mai* opérations autour de Port-Arthur (14-4 le *Petropavlovsk* est coulé, l'amiral Makarov tué : les troupes j. peuvent être transportées en grand nombre). -*14-8* l'escadre de Vladivostok (am. Jessen) est refoulée lors d'une tentative de sortie. **1905** *mai* arrivée en mer de Chine de Rodjestvensky (il avait par erreur canonné en oct. 1904 des bateaux de pêche angl. dans le Pas de Calais ; la médiation fr. avait permis de régler l'incident), après avoir été rejoint dans l'O. Indien par l'escadre de la mer Noire. Manquant de charbon, il ne peut rejoindre Vladivostok par le Pacifique et tente de forcer détroit de *Tsoushima.* -*27-5* il est écrasé par Togo (35 nav. perdus sur 38 ; Rod. prisonnier) ; **tr. de Portsmouth** (5-9-1905), le J. obtient le Liaotoung, Sud Sakhaline, et liberté d'action en Corée et Mandchourie.

Époque Showa (ou de la paix rayonnante) (1926-89). **1926** empereur **Hirohito** (1901-89). **1927** 1er métro à Tōkyō. **1928** 1res élections au suffrage universel. **1930** crise écon. et désordres discréditent le régime et favorisent le militarisme. **1931** *mars* complot de la Restauration Showa. *-18-9* incident de Mandchourie dégénère en conquête. **1932** *janv.* débarquement à Shanghai. *-18-2* État du Mandchoukouo créé. *-15-5* PM Inukai tué. **1933**-*24-2* SDN condamne le J. pour son action en Mandchourie. *-4-3* J. occupe le Jéhol. *-27-3* quitte SDN. **1934**-*1-3* Pou Yi devient empereur du Manchoukouo. Intervention en Mongolie. **1935** *mai* J. prend Hopei. **1936**-*26-2* putsch à Tōkyō : 2 anciens PM (Finances et Justice) et plusieurs off. assassinés. *-25-11* J. signe pacte anti-Komintern. **1937**-*7-7* incident du *pont Marco Polo :* début de la 2e g. sino-j. *Oct.* J. prend Shanghai. *-12-12* prend Nankin et massacre 42 000 à 200 000 Chinois. **1938** *juill.-août* bataille nippo-soviétique à Changkouteng (Mandchoukouo) : échec j. *Oct.* J. prend Canton et Hankéou. **1939** *-11-5* attaque J. en Mongolie (incident de Nomonham). *-3-7* J. repoussés sur le Khaklin-Gol (milliers de †) puis battus par Joukov en oct. (20 000 à 50 000 † et blessés, 700 avions et 200 camions détruits ou capturés). *Avril-juill.* combats nippo-sov. au Mandchoukouo : échec j. **1940**-*30-3* Nankin gouvernement pro-nippon, Pt Wang-Ching-Wei. *Juillet-août* partis politiques dissous. *Oct.* fusion avec Association nationale pour le service du trône ou *Taisei Yokusankaï. Août-sept.* J. occupe Indochine fr. *-27-9 alliance tripartite,* axe Rome-Berlin-Tōkyō. **1941**-*13-4* pacte de neutralité nippo-sov. *Juill.* embargo amér. sur commerce j. *Sept.* la Fr. accepte l'occupation de la base de Saigon. *-16-10* général Tojo PM. *-7-12 Pearl Harbor :* J. attaque la flotte amér. *-25-12* J. prend Hong Kong. **1942**-*15-2* J. prend Singapour. *-9-3* Java. *Mai* Philippines. *-5-5* bataille de la *mer de Corail. -4/5-6* bat. de *Midway* 1re vict. am. *-7-8* déb. am. à Guadalcanal. **1943** *août* indépendance de Birmanie. *Oct.* « indép. » Philippines. *-20/23-11* bat. de *Tarawa* (Iles Marshall). **1944** *juin-juill.* bat. de l'île de *Saipan. -18-7* Tojo démissionne. *-23/24-10* bat. du golfe de *Leyte* et déb. am. aux Philippines. *Nov.* 1ers raids aériens sur J. **1945**-*5-2* Amér. prennent Manille. *Avril* déb. à Okinawa. *-10-3* Tōkyō bombardé (de 0 h à 3 h du matin ; 300 avions portant chacun 7 à 8 t de bombes incendiaires, 197 000 † et disparus). *-17-3* Amér. prennent Iwo Jima. *-6-8* à 6 h 17 à *Hiroshima* 1re bombe atomique am., 157 071 † (au 6-8-1989) des suites de l'explosion (le commandement amér. calculait qu'il avait encore contre lui 2 500 000 soldats, 11 000 avions, 20 porte-avions géants, 23 cuirassés, 250 sous-marins, que la g. continuerait jusqu'au printemps 1946 coûtant des centaines de milliers de †). *-9-8* URSS déclare g. au J., envahit la Mandchourie (env. 200 000 † et 600 000 prisonniers). *-9-8* 2e bombe atomique sur Nagasaki (75 000 †). *-15-8* J. capitule. *-2-9* MacArthur reçoit capitulation officielle jap. sur cuirassé *Missouri* en rade de Tōkyō. *-27-9* pour la 1re fois, l'empereur sort de son palais pour se rendre à la convocation d'un étranger. *-15-12* shintoïsme n'est plus religion d'État. **1946**-*1-1* l'emp. renonce à son ascendance divine. *-21-10* réforme agraire. **1947** vote des femmes. *Nov.* Tojo, Hirota et des criminels de guerre exécutés. **1950**-*25-6* g. de Corée. *-10-8* une police nationale de réserve de 75 000 h. prend la place des troupes amér. appelées en Corée. **1951**-*8-9 tr. de paix de San Francisco,* signé par 48 pays (perte de Sakhaline et des îles Kouriles), entre en vigueur avril 52. Pacte de sécurité bilatéral avec les USA qui lèvent l'occupation (en vigueur le 28-4-52). **1952**-*28-4* le J. retrouve son indép. (traité ratifié par les 48). **1956**-*19-10* normalisation des relations nippo-sov. *-12-12* entre à l'ONU. **1958**-*2-5* profanation à Nagasaki du drapeau de la Chine comm. : rupture des relations commerciales. **1960** *mai-juin, Zengakuren* et *Sohyo* organisent émeutes contre tr. de sécurité avec USA qui entre en vigueur le 19-6. **1963**-*26-7* entre à l'OCDE. **1964** inauguration du *Tokaido.* 1re autoroute *(Meishin)* Nagoya-Kōbe (190 km). **1965** relations avec Corée du S. normalisées. **1968** *juin* J. récupère îles Bonin. *-21-6* révoltes étudiantes (Tōkyō). **1969** accord nippo-sov. sur mise en valeur de Sibérie. *-18-1* police reprend université de Tōkyō. *Avril pachinko* équipé de lance-billes à répétition, à nouveau autorisé (interdit dep. 1955). **1970**-*11-2 Osumi,* 1er satellite j. *-28-9* rupture avec T'ai-wan. **1972**-*15-5* USA restituent Okinawa et retirent armes nucléaires. *-29-9* reconnaissance de Chine pop. **1974** l'empereur se rend au sanctuaire d'Isé pour entretenir la déesse Amaterasu (son ancêtre) des problèmes de l'Empire (tradition interrompue dep. 1945). **1975** *sept.* plan de relance. *Nov.-déc.,* grève « illégale » dans chemins de fer et secteur nationalisé. **1976**-*27-7* Tanaka (ancien PM) arrêté [avait reçu de Lockheed 500 millions de yens]. **1978**-*20-5* aérodrome de Narita inauguré, manif. écologiste (4 †). *-23-10* tr. de paix et d'amitié sino-jap. *-29-11* législatives, victoire d'Ohira. **1981** *févr.* Jean-Paul II au J. **1982**-*14/18-4* Pt Mitterrand au J. **1983** *Avril* Tokyo Disneyland inauguré *-12-10* Tanaka condamné (4 ans prison, 500 millions de yens d'amende). *-18-12* législatives (après dissol.) : conservateurs, au pouv. dep. 45 a., perdent 36 s. et maj. absolue, Tanaka réélu. **1985**-*14/16-7* PM Nakasone en Fr. *-20-10* affrontements à Narita. *-29-11* sabotage : 3 200 trains perturbés (48 gauchistes arrêtés). **1986**-*4/6-5* sommet de Tōkyō. *-6-7* législatives *-22-7* Nakasone réélu PM par 304 voix sur 502. **1987**-*17-4* USA taxent à 100 % certaines importations j. *-1-7* direction de Toshiba accusée d'export. illégales vers URSS, démissionne. *-6-11* Noboru Takeshita élu PM par 299 voix sur 512. **1988**-*13-3* tunnel sous-marin Seikan Honshu/Hokkaidō ouvert (53,8 km). *-10-4* pont Seto Ohashi (13,1 km ; coût 1 056 milliards de yens) Shikoku/Honshu ouvert. *-16-11* réforme fiscale. *-22-9* empereur malade, régence du Pce héritier Akihito. *-9-12* min. des Fin. Kiichi Miyazawa impliqué dans scandale Recruit-Cosmos (délit d'initié en Bourse de 1984 dénoncé le 18-6-88) démissionne. *-18-12* Chevardnaze au J. **1989**-*7-1* Hirohito meurt.

Époque Heisei (accomplissement de la paix). **1989**-*8-1* commence à 0 h, l'empereur Hirohito étant mort le 7-1. **Akihito** (nom choisi par le gouv.) reçoit les 3 trésors sacrés (glaive, joyau, miroir), son avènement sera célébré après un an de deuil. *-14-1* loi obligeant les fonctionnaires à prendre 2 week-ends par mois; *1-2* Bourse, banques fermeront le samedi. *-24-2* obsèques de Hirohito : 10 000 invités, 35 000 policiers, coût 430 millions de F. *-4-3* 1res inculpations dans scandale Recruit-Cosmos. *-1-4* TVA (3 %) et suppression des taxes indirectes. *-25-4* PM Takeshita (impliqué dans Recruit-Cosmos) démissionne. *-26-4* suicide d'Ihei Aoki, son secr. *-17-5* Yano Pt du Komeito démissionne (aff. Recruit-Cosmos). *-4-8* 1re conférence de presse d'un empereur. *-25-8* Tokuo Yamashita, secr. gén. du gouv. démissionne (affaire de geisha), remplacé par Mayumi Moriyama (1re femme à un poste si élevé). *21/22-9* Sohyo (Conseil gén. des syndicats du J., créé 1950) fusionne avec Rengo plus modéré. *-14-10* Tanaka renonce à la politique [des propriétaires de pachinko (salles de jeux) ont versé des fonds au PM et à 6 min.]. **1990**-*2-1* PM Toshiki Kaifu en Fr. *-12-2* Akihito intronisé. *-22-2* Daijosai fête des prémices (budget 8,1 milliards de yens) : dans la nuit, Akihito partage avec la déesse le riz sacré et entre en communication avec elle. *-24-5* Akihito recevant Pt sud-coréen Roh Tae-Woo présente son « plus intense regret » pour les souffrances subies par les Coréens au cours de la colonisation jap., PM Kaifu exprime ses « profonds remords et excuses pour les actes commis par le Jap. sur la péninsule ». *-19/21-7* PM Rocard au Japon. *-29-8* près de 1 milliard de $ pour la force multinationale dans le Golfe. *-26/28-9* Shin Kanemaru en Corée du N. : promet excuses et dédommagements pour colonisation de 1910 à 45. *Oct.* émeutes contre corruption. *Nov.* avènement de l'empereur ; 2 cérémonies. *-12-11* intronisation officielle (Sokui-no-Rei), 2 500 invités, 60 millions de $. *Nuit du 22 au 23-11* cérémonie religieuse et privée (Daijosai), marque la 1re moisson de la nouvelle ère et consacre l'empereur dans ses fonctions, 20 millions de $ financés par l'État. *-27-12* Toshiyuki Inamura, ancien min., inculpé de fraude fiscale. **1991**-*24-1* aide J. à l'opération contre l'Irak fixée à 9 milliards de $. *-7-4* élections des gouv. et de 44 conseils gén. (conservateurs : 1 548 sièges sur 2 698). *-16-4* visite Gorbatchev. *-10-7* Ryutaro Hashimoto, min. des Fin., accepte sa responsabilité dans scandales boursiers en réduisant son salaire de 10 %. *-12-7* Hitoshi Igarashi, 44 ans, traducteur des « Versets sataniques », assassiné. *-14-7* décapitation symbolique d'une effigie d'Édith Cresson par extrémistes Issui-kai. *-26-7* Akihito en Thaïlande. *31-7* accord de limitation des exportations d'auto. vers CEE. *Août* secte Soka Gakkai aurait reçu 457 millions de yens (20,2 millions de F) de Kokusai Securities. Toyo Shinyo Kinko Bank reconnaît 2,5 milliards de $ de faux certificats de dépôts. *-5-8* mort de Soichiro Honda (n. 1907). *Oct.* PM Kaïfu démissionne. *-3-10* Ryutaro Hashimoto, min. des Fin., démissionne. **1992**-*9-2* él. sénat. de Nara : Yoshida (PSJ) 244 930 v., contre Enodi (PLD) 178 002. *-18-2* bombes explosent à Tōkyō et env. *-23/28-10* Akihito en Chine (1re visite d'un empereur j.) exprime ses regrets pour les souffrances infligées aux Chinois. **1993**-*18-6* PM Migazawa renversé. *-18-7* élections.

Noblesse

La restauration du pouvoir impérial en 1868 (qui abolit le shogunat, système des « maires du palais » qui exerçaient tout le pouvoir) entraîna, en 1871, la suppression des grandes seigneuries (daïmiats) et les 276 *daïmios* reçurent des indemnités. La noblesse impériale réorganisée en 1884 subsista jusqu'à la Constitution de 1947 qui supprima la noblesse, les titres et la Chambre des pairs. Outre les titres de *prince* (réservés aux membres de la famille impériale, et qui subsistent toujours), les chefs des principales familles « daïmio » avaient reçu des titres de *prince, marquis, comte, vicomte* et *baron.*

Selon la Constitution (abrogée) du 11-2-1889, le *Tenno* (chef) de la dynastie partageait l'exercice du pouvoir avec une Chambre des pairs comprenant 328 membres [les membres masculins majeurs de la famille impériale (12), les princes et marquis d'au moins 25 ans, 120 délégués de comtes, vicomtes et barons de l'Empire ayant 25 ans, élus pour 7 ans, 113 membres (min. 30 ans) nommés à vie par l'empereur et 45 (min. 30 ans) élus pour 7 ans par les 15 m. (habitants masculins) de chaque district les plus imposés], et une Chambre des députés.

Familles subsistant au 12-1-1988 : chef de famille portant le titre de : *Duc* 17, *Marquis* 38, *Comte* 105, *Vicomte* 351, *Baron* 378. Le titre de *baron* était réservé aux militaires, diplomates ou fonctionnaires pour services rendus.

■ Politique

■ Statut. **Empire. Constit. du 3-11-1946,** appliquée 3-5-1947. **Empereur** *(Tenno :* l'honorable fils du ciel ; *mikado* – signifiant empereur du J. – était autrefois employé par les étrangers). Symbole de l'État et de l'unité du peuple, il doit ses fonctions à la volonté du peuple, en qui réside le pouvoir souverain (la loi de 1889 disait : l'empire du J. est gouverné par un empereur, successeur à jamais de l'ancêtre divin en ligne directe) ; il n'a pas de pouvoirs de gouvernement, il ne peut exercer que les seules fonctions prévues par la Constitution en matière de représentation de l'État : investiture du PM (élu par la Diète) et nomination du Pt de la Cour suprême, promulgation des amendements à la Constitution, lois, décrets du Cabinet et traités, convocation de la Diète, dissolution de la Chambre des représentants, proclamation des élections gén. des membres de la Diète, attestation de la nomination et de la révocation des ministres d'État et autres fonctionnaires, en vertu de la loi, ainsi que des pleins pouvoirs et lettres de créance des ambassadeurs et ministres, attestation de l'amnistie, générale ou spéciale, de la commutation de peine, de la grâce et de la réhabilitation, décernement des distinctions honorifiques, attestation des instruments de ratifications et autres documents diplomatiques, dans les conditions prévues par la loi, réception des ambassadeurs et min. étrangers, représentation de l'État aux cérémonies officielles. La const. abolit titres de noblesse et privilèges.

Avant 1945 : l'article III de la Constitution de 1889 déclarait sa personne « sacrée et inviolable ». Nul n'avait le droit de lui donner son vrai nom ou de le regarder sans sacrilège. Tous ses sujets l'abordaient courbés et se prosternaient sur son passage. Lui seul, au J. possédait un cheval blanc et dessinait l'image du chrysanthème sacré à 6 pétales. Il ne se montrait jamais en public et ne parlait pas à la radio. Succession par primogéniture masculine. Le fils aîné est appelé *Kotaishi* et son propre fils *Kotaison.*

Nom du règne (système du gengo abandonné par la Constitution de 1945). Dep. 1868, adopte un seul nom d'ère par règne (auparavant, on en changeait selon les événements, heureux ou malheureux) ; redevenu légal : loi du 12-6-1979. Les documents civils (acte de naissance, permis de conduire, etc.) sont ainsi datés, le calendrier grégorien n'étant utilisé que pour les événements internationaux.

1412 Shoko (1401-28). **28** Go Hanazono (1419-70), ar.-p.-f. de Shoko (1334-98), emp. de 1349 à 1352. **64** Go Tsuchimikado (1442-1500), s. f. **1500** Go Kashiwabara (1469-1526), s. f. **26** Go Nara (1496-1557), s. f. cadet. **57** Ogimachi (1517-93), s. f. **86** Go Yozei (1571-1617), s. f. **1611** Go Mizuno-O. (1596-1680), s. 3e f. **29** Meisho, impératrice (1623-96), s. fille. **43** Go Komyo (1633-54), 3e f. de Go Mizuno-O. **54** Gosai (1637-85), 7e f. de Go Mizuno-O. **63** Reigen (1654-1732), 18e f. de Go Mizuno-O. **87** Higashiyama (1675-1709), s. f. **1709** Nakamikado (1701-37), s. 5e f. **35** Sakuramachi (1720-50), s. f. **47** Momozono (1742-62), s. f. **62** Go Sakuramachi, impératrice (1740-1813), fille cadette de l'emp. Sakuramachi. **70** Go Momozono (1758-79), s. f. **79** Kokaku (1771-1840), 6e f. de l'arrière-petit-f. de l'emp. Higashiyama. **1817** Ninko (1800-46), s. 4e f. **46** Komei (1831-66), 4e f. de Ninko. **67** Meiji (Mutsu-Hito) (1852-1912), s. f. cadet. **1912** Taisho (Yoshi-Hito) (1879/1926), s. 3e f. **26** (25-12) Showa (Hirohito) (29-4-1901/7-1-89) ép. 26-1-24 Pcesse Kuni [impératrice Nagako Kuni, du clan Fujirawa (n. 6-3-03)] régent dep. 1921. Empereur 62 ans 10 j. 7 enfants dont héritier : Pce Akihito, Pce Hitachi et 4 filles. **89** (7-1) Heisei Akihito (23-12-1933), 125e empereur, 1er empereur non divin, surnom Togusama (Pce du palais de l'Est) ou Harusama (Pce du printemps), héritier dep. 10-11-52 [ép. 10-4-1959 Michiko Shōda (n. 20-10-34), roturière, dont Pce Naruhito titré Hironomiya (Pce Hiro) (23-2-1960 ; 23-2-91 : intronisé héritier ; *9-6-93 :* ép. Masako Owada (29 a.), roturière, Pce Fumihito titré Ayanomiya (Pce Aya)

(30-11-1965), ép. 29-6-90 Kito Kawashima titrée Princesse), P[cesse] Sayako titrée Norinomiya (P[cesse] Nou) (18-4-69)]. En 1989, il paie 4,3 milliards de F de droits de succession.

Nota. – Le frère cadet d'Akihito, le P[ce] Hitachi, a épousé la P[cesse] Misaka en sept. 1964.

Diète. Pouvoir législatif exclusif. *Ch. des représentants* [512 m. élus pour 4 ans dans 130 circonscriptions (chacune élisant 2 à 6 dép. selon la pop.)]. *Ch. des conseillers* [252 m. élus pour 6 ans, renouvelables par moitié tous les 3 ans, 100 désignés à la proportionnelle selon les résultats des listes des partis, et 152 élus dans 47 circonscriptions départem.]. **PM** (obligatoirement civil) élu par Diète en son sein et responsable devant, forme un *cabinet* (20 min. max., la majorité doit être choisie dans la Diète). Si la Ch. des repr. adopte une motion de censure ou rejette une m. de confiance, le Cabinet doit démissionner, sauf si la Ch. est dissoute dans les 10 j. **Cour suprême** (1 Pt nommé par l'emp., 14 juges nommés par le Cabinet) assure le pouvoir judiciaire. Peut prononcer l'inconstitutionnalité de toute loi ou décision.

■ **Organisation administrative** (1990). *47 départements* dont 43 « ken », 1 « marche » ou « dô » (Hokkaidô), 2 métropoles, ou « fu » (Osaka et Kyôto). *3 255 municipalités :* 10 « villes spéciales », 655 villes « shi », 1 999 communes « chô », 591 villages « son ».

■ **Fête nat.** 23-12 (anniv. de l'emp.), 11-2 (fondation du J.). **Drapeau.** Disque rouge sur fond blanc. Utilisé dep. 1870, appelé Hi-no-Maru (rondeur du soleil), symbole du J. **Hymne nat.** Kimigayo (Long règne pacifique à notre empereur) créé 1880 par John William Fenton sur un texte du IXe s. et un air de Hiromori Hayashi.

■ **Partis. P. libéral démocrate (PLD),** *créé* nov. 1955 de la fusion du P. libéral et du P. démocrate. Au pouvoir dep. 36 ans (p. de cadres, électorat local et urbain). 2 900 000 m. *Pt :* Kiichi Miyazawa (8-10-19) dep. 27-10-91. *Secr. gén. :* Seiroku Kajiyama. **P. de la Renaissance** (Shinseito) f. juin 1993 par 44 dissidents du PLD : leader Tsutomu Hata. **P. social-démocrate** (ancien p. socialiste), *fondé* nov. 1945, nom actuel dep. 1-2-91. 128 000 m. (92) (soutenu par conf. syndicale Sohyo), implantation urbaine, 127 000 m (91). *Pt :* Sadao Yamahana dep. 19-1-1993. **P. communiste,** *fondé* juill. 1922 (légal 1945). *Pt du C.C. :* Kenji Miyamoto (17-10-08), *du Praesidium :* Tetsuzo Fuwa (26-1-30) ; + de 400 000 m. (92). **Komeito** (« p. du gouv. propre »), *fondé* nov. 1964, issu de la Sokagakkai (séparé off. dep. 1970), conservateurs 216 000 m. (92), *Pt :* Koshiro Ishida, secr. gén. Yuichi Ichikawa. **P. démocrate-socialiste (PDS ou Minshato),** *fondé* janv. 1960 après scission de l'aile droite du PS soutenu par confédération synd. Domei ; 72 000 m. *Pt :* Keigo Ouchi (1930) dep. 26-4-90. **Extr. gauche,** *Chukakuha* (noyau central) peut mobiliser 5 000 pers., *Sekigun* [Armée rouge fondée 1971 par Fusako Shigenobu (n. 1945)] responsable de l'attentat de Lod (1972, voir Israël). **Extr. droite,** Shokonjuku (lié à la pègre).

■ **Élections. Du 18-7-93** (sièges obtenus, entre parenthèses, sièges obtenus aux él. du 18-2-90). **Chambre des représentants :** PLD 223 (275), PSD 70 (136), P. de la Renaissance 55 (0), Komeito 51 (45), Nouveau P. du Japon 35 (0), Indép. 30 (21), PDS 15 (13), PC 15 (16), P. pionnier 13 (0), Union social-démocrate 4 (4). Abstentions 32,8 % (en 83 : 32,1 %, record dep. 1945). **Ch. des conseillers 26-7-92 :** PLD 106, PSD 73, Komeito 24, PDS 12, PC 11, Rengo 11, divers 15.

■ **Premiers ministres. 1945**-*17-8* P[ce] Naruhiko HIGASHIKUNI († 20-1-90 à 102 ans, qui épousa en 1916 une fille de l'Emp. Meïji) seul PM membre de la famille impériale. *Oct.* Kijuro SHIDEHARA (1872-1951). **46** *mai* Shigeru YOSHIDA (1878-1967). **47** *mai* Tetsu KATAYAMA (1887-1978). **48** *mars* Hitoshi ASHIDA (1887-1959). **48** *oct.* Shigeru YOSHIDA. **54** *déc.* Ichiro HATOYAMA (1883-1959). **56** *déc.* Tanzan ISHIBASHI (1884-1973). **57** *févr.* Nobusuke KISHI (1896). **60** *juill.* Hayato IKEDA (1899-1965). **64** *9-11* Eisaku SATO (1901-1975). **72** *5-7* Kakuei TANAKA (1918), PLD **74** *9-12* Takeo MIKI (1907-88), PLD démissionne. **76** *24-2* Takeo FUKUDA (14-1-05), PLD. **78** *7-12* Masayoshi OHIRA (1910-80), PLD. **80** *12-6* (intérim) Masayoshi ITO (1925). *17-7* Zenko SUZUKI (11-1-11), PLD. **82** *26-11* Yasuhiro NAKASONE (n. 1918). **87** *6-11* Noboru TAKESHITA (26-2-24). **89**-*2-6* Sosuke UNO (1923). -*9-8* Toshiki KAIFU (n. 1932). **91**-*5-11* Kiichi MIYAZAWA (8-10-19).

☞ Beaucoup d'hommes politiques cités ou impliqués dans des scandales avant ou pendant leur présence à un poste important purent cependant revenir au pouvoir : Kakuei Tanaka, Hayato Ikeda, Eisaku Sato, Yasuhiro Nakasone.

■ ÉCONOMIE

Causes du succès japonais. Réforme agraire après la défaite (partage des grandes propriétés) ; dissolution des Zaïbatsu (combinats financiers) et organisation d'un système moderne de syndicats ; haut niveau d'investissement (jusqu'à 20 % du PNB de 1960 à 70) ; taux élevé d'épargne (+ de 20 % du revenu net de 1960 à 70) ; adoption des techniques modernes occidentales ; haut niveau d'éducation (31 % jusqu'à l'université en 1989) ; entente des partenaires sociaux ; politique de crédit adaptée ; faibles dépenses de défense (env. 1 % de 1989 à 91) ; facteurs psychologiques et culturels nombreux.

■ **Taux de croissance moy.** (%). *1963-72 :* 10,5 ; *73 :* 8 ; *74 :* – 1,2 ; *75 :* 2,6 ; *76 :* 4,8 ; *77 :* 5,3 ; *78 :* 5,1 ; *79 :* 5,2 ; *80 :* 4,4 ; *81 :* 3,9 ; *82 :* 3 ; *83 :* 3,2 ; *84 :* 5 ; *85 :* 4,2 ; *86 :* 2,4 ; *87 :* 4,2 ; *88 :* 4,2 ; *89 :* 4,7 ; *90 :* 6,4 ; *91 :* 5,5 ; *92 :* 1 ; *2000 (prév.) :* 2,9.

Nota. – *Booms. économiques :* « Iwato » (1958-61), « Izanagi » (1965-70), « Heisei » (1986-90 ; apogée déc. 89). Dep. nov. 91, récession (cause : chute des marchés boursiers, et immobiliers).

■ **PNB** (91). *Total* (Md $) 3 363 ; *par hab.* 27 120 $ (+ 4,5 %) (91). **PNB** (au prix du marché) (Md de yens, 90). *Total* 428 667,5 dont dépense nationale 422 687,4 (dépenses des consommateurs 244 211,3, dép. courantes de l'État 38 841,8, formation brute de capital fixe 137 173,7, variation des stocks 2 460). Solde commercial 3 048,1, solde des facteurs ext. 2 932. **PIB** (91) 446 400,4 milliards de yens (92) 473 000 Md yens dont consommation privée 271,1, publique 42,5, formation brute de capital fixe 142,6, variation des stocks, 3,5, exportations 47,8, (– importations 38,1).

■ **Inflation** (%). *1980 :* 8 ; *81 :* 2,9 ; *82 :* 2 ; *83 :* 1,5 ; *84 :* 2,25 ; *85 :* 2,0 ; *86 :* 0,6 ; *87 :* 0,1 ; *88 :* 0,7 ; *89 :* 2,3 ; *90 :* 3,1 ; *91 :* 3,3 ; *92 :* 1,6 ; *93 (prév.) :* 2,5.

■ **Budget central** (en Md yens, entre parenthèses Md $). *1991-92 :* 70 350 (541).

Crise (1991-92). *Conjoncture :* baisse de la production industrielle 6,2 %, des profits 15 % (45 % à 85 % dans l'électronique) pour les 1 600 sociétés cotées en Bourse ; recul des ventes de 5 à 8 % pour sidérurgie, automobile et machines-outils ; 1 164 scandales ou faillites (2 fois plus qu'en 1990-91) ; baisse de l'immobilier des terrains et de la Bourse (de janv. au 18-8-92 : –40 %, puis remontée de 45 % du 18-8 au 15-4-93) ; encore excédents commerciaux élevés (ralentissement des importations liés à la baisse d'activité). Obligations convertibles (+ de 250 Md de $) remboursables à l'échéance (dont 80 pour 1993), faute de conversion par les porteurs dissuadés par les cours actuels (d'où de nombreux emprunts pour se refinancer). Les banques doivent accroître leurs provisions pour créance douteuse (prêts garantis par des actifs dévalués de 30 à 50 %) sans pouvoir mobiliser leurs valeurs immobilières et boursières qui se sont effondrées. Afin de soutenir la Bourse, l'État a fait transférer 2 800 Md de yens de dépôts postaux pour acheter des actions. *Plan de relance annoncé : sommes investies par l'État (en Md de $) août 92 :* 91,4 ; *avr. 93 :* 94,3. *Investissements publics :* 10 620 Md de yens (94 Md de $) dont travaux d'équipement publics (routes, ponts...) 4 170 (37), invest. sociaux (éducation, recherche, santé) 1 150 (10), dépenses par les seules collectivités locales 3 500 (31), prêts au logement 1 800 (16). *Aide à l'invest. privé* (prêts d'organismes financiers parapublics) : 2 430 (21) dont mesures pour les PME 1 910 (17), promotion de l'invest. privé en biens d'équipement 520 (4,6). *Mesures pour l'emploi :* 28 (0,2). *Réductions d'impôt :* 150 (1,3). *93-94 :* 72 355 [*recettes :* fiscales 61 303 (– 1,9 %), non fiscales 2 735 (+ 23 %), emprunt 8 130 (+ 11,7 %) ventes d'actions NTT 187 ; *dépenses :* générales 39 917 (+ 3,1 % dont sécurité soc. 13 110, taux publics 9 948 soit + 4,8 %, défense 4 550), finances locales 15 620 (– 1 %), service de la dette 15 440 (–6,1 %)] avec priorité à l'investissement public (relance). *Réserves en devises* (Md $) *86 :* 49 ; *88 :* 97,6 ; *89 :* 84,8 ; *90 :* 77,05 (USA *fin 90 :* 84,9) *91 :* 68,9 (USA 75,9) ; *92 :* 72 ; *en or : 1989 :* 1,1 ; *90 :* 1,2.

Épargne privée (1990) 746 500 Md yens (double du PNB). [Taux : 14,5 % (*Fr. 12 %,* USA 5,3)].

Déficit de l'administration centrale en % du PNB (nominal) *1973 :* 0,6 ; *80 :* 6 ; *84 :* 4,3 ; *91 :* 1,2 (USA 3,5, All 2,6, *France 2*) ; *92 :* 3,1.

■ **Endettement public** (Md $). *1990 :* 1 059. **Investissements** (Md $). *1986-91 :* 3 000 (600 recherche et dev.) ; *92 :* 60,9 % du PIB.

■ **Placements du Japon à l'étranger** (en Md $). *Investisseurs institutionnels jap. :* achats nets de titres *1985 :* 59,77 ; *86 :* 102,1 ; *87 (1-4) :* 105,97. *Investissements directs des entreprises jap. à l'étranger* (implantations industrielles et invest. immobilier) : *1981 :* 9,85 ; 12,21 ; *86 :* 22,32 ; *87 :* 33,36 ; *88 :* 47 ; *89 :* 67,5 ; *90 :* 56,9 ; *91 :* 41,5 dont (%) USA 45, Europe 22, Fr. 2 %, Asie 14 ; *92 :* 34,1. **Montant cumulé au 31-3-1990, en Md $:** 253,8 dont *Amér. du N.* 109 (USA 104,4, Canada 4,6), *Europe 44,9* (G.-B. 15,8, P.-B 10, Luxembourg 5,4, All. 3,4, France 2,9, Espagne 2,5), *Asie* 40,5 *Amér. latine* 36,8, *Océanie* 13,9 (Australie 12,4), *Afrique* 5,2, *Moyen-Orient* 3,4.

Banques Épargne totale (dont assurance et prévoyance) 5 975 milliards de $ dont 62 % en dépôt dans les banques en déc. 90. Dépôts (en milliards de $ 92) : 1re Dai-ichi Kangyô 343 ; 2e Sakuva Bank 321, Poste 95. En 1991, les 11 premières banques ont eu 15 milliards de $ de créances douteuses. **Taux d'escompte** *1989 (mai) :* 2,5 ; *90 (août) :* 6 ; *91 (janv.) :* 5, *(déc.) :* 4,5 ; *92 (avril) :* 3,75 ; *93 (fév.) :* 2,5. **Bourse** *1990 :* – 45 %, *91 :* – 37. *91* (1er trim.) – 25. **Variation du nombre de titres échangés** (%) *90 :* – 43 ; *91 :* – 31. **Capitalisation boursière** (mars 93) : 2 800 milliards de $. **Masse monétaire** (31-12-1991) 1 042 milliards de $. **Faillites** *1991 (déc.) :* 1 342 (+ 69 %) (10 723 dep. 1985). **Dettes totales** (milliards de $) *1985 :* 34 ; *91 :* 64 (+ 309 % en 1 an).

Entrée nette de capitaux étrangers au Japon (en milliards de $) *1985 :* 17,27 ; *86 :* 0,548. **Achats de Stés japonaises.** *91 :* 1,37 ; *92 :* 0,5.

Avoirs extérieurs nets *1990 :* 370 milliards de $. (600 dep. 85), *91 :* 36,6 rapatriés, *95 (prév.) :* 700.

Aide extérieure (milliards de $) *1988 :* 9 134 ; *89 :* 8 960 ; *90 :* 9 222 (0,31 % du PNB) [USA 10,2, *France 6,6* sans DOM-TOM (9,4 avec)] *1991 :* 11 [1er en valeur, 12e en % du PNB (0,32)].

Nota. – Aide gratuite de 30 millions de $ au Pérou (mars 1992). **Contribution à la guerre du Golfe :** 13,5 milliards de $.

■ **Pop. active** (91). 65,05 millions (hommes 38,54). *% par secteur, et entre parenthèses part du PNB en % :* agr. 8,3 (3), ind. 32,8 (39,6), services 57,9 (56,4), mines 1 (0,5). *Par secteurs* (millions, 91) : ayant un emploi 63,7 dont services 17,1, fabrication 15,5, commerce 14,3, BTP 6, agric. forêt, pêche 4,27, transport et com. 3,8, adm. générale 2, eau énergie 0,3, autres 15, sans emploi 1,36. *Par statuts (86) :* employeurs 9 ind. 15,1, trav. famil. 9,06, salariés 75 (91). Au 1-1-89, les immigrants du tiers monde représentaient 1 % de la pop. active. **Chômage** (%) *1960 :* 2,3 ; *70 :* 1,1 ; *1980 :* 2,2 ; *85 :* 2,6 ; *86 :* 2,8 ; *87 :* 2,8 ; *90 :* 2,1 (1 343 000 p.) ; *93 :* 2,3 (1er trim.). Les entreprises sont en sureffectif permanent d'au moins 1 200 000 salariés, le licenciement étant encore contraire aux usages jap. La crise contraint cependant de + en + d'entreprises à des plans de licenciement.

Conditions de travail. *Congés payés* (total en j. ouvrables + fériés) 25 (All. 42, *Fr 36,* G.-B. 35, USA 23). **H. supplémentaires autorisées :** femmes 6 h par sem., hommes aucune limite ; payées 25 % de +. [moy. annuelle 254 h (419 h dans l'automobile)] **Retraite :** 60 ans mais 40 % s'arrêtent avant. **Temps de travail par mois :** *1970 :* 186,6 h (dont h suppl. : 16,7), *75 :* 172 (10,6), *86 :* 175,2, *91 (avril) :* 44 h/semaine. *Annuel 1986 :* 2 150 h ; *90 :* 2 124 (G.-B. 1 953, USA 1 948, *France 1 646,* All. 1 598), *91 :* 2 016, *92 :* 1 957. 10 000 J. meurent chaque année de surmenage (Karoshi). **Temps moyen passé dans les transports** *dans les 2 sens (région de Tōkyō)* 1 h 56 min (13 min de + qu'en 1980).

Nota. – 1 J sur 2 travaille + de 49 h par sem., 1 sur 4 + de 60 h. ; 80 % des J. trav. + de 1 900 h par an et 30 % des h. + de 2 500 h.

Syndiqués (% de la main-d'œuvre) *1949 :* 55,8, *1955 :* 39,1 : *70 :* 35,4 : *80 :* 30,8 ; *91 :* 27. Système du *shunto* (négociation patronat-syndicat par branche et chaque printemps) mis en place en 1954-55.

Nota. – En juin 1991, 71 685 syndicats et 12 400 000 syndiqués dont 7 600 000 à la Rengo née en 1987 de la dissolution de la Domeï-Kaïgi et de la Churitsu-Roren.

■ **Salaire. Moyen annuel** *1990 :* 188 000 F. **Coûts salariaux** (charges sociales) 19,95 % *(France 45,1 %)* dont sous-traitants 14,5 %, saisonniers 1,5 %.

Nota. – En pouvoir d'achat par h de travail, le salaire jap. est inférieur de 1/3 au salaire américain.

■ **Impôt. Sur le revenu :** max. 50,2 % (célibataire), 48,2 (couple avec 2 enfants). **Sur les successions :** 75 % au-dessus de 20 millions de F. **Prélèvement public** 29,6 %. **Gros contribuables** (+ de 420 000 F). 176 000 pers. dont 99 députés dont le PM Miyazawa 527 000 F (74e).

■ **Paris** (Md yens 1991). Courses (chevaux, hors-bord, vélos) 20 000 (dont 50 % clandestins).

■ **Geisha.** *Nombre 1900 :* 88 000 ; *1991 :* 2 000. Mizu-age (cérémonie de défloration) : coût 400 000 à 500 000 F.

■ **Structure de la consommation** (dépenses en %, en 1990, entre parenthèses 2000). Nourriture 19,3

(22,2), logement 3,9 (11,1), élect., chauffage 4 (3,5), mobilier et app. ménagers 3,1, habillement 5,8 (8,3), diverses 70 (54,9), santé et soins méd. 2 (3,4), transports 8 (8,3), éducation, culture et loisirs 16,6 (10,0). Autres 21,9 (33,2).

■ **Équipement des ménages** (%, mars 90). Lave-linge 99,5, TV couleur 99,4, aspirateurs 98,8, réfrigér. 98,2, appareils photo 87,2, voitures de tourisme 77,3, fours à micro-ondes 69,7, magnétoscopes 66,8, climatiseurs 63,7, chaînes hi-fi 59,3, téléph. à touches 39,6, lecteurs disques compacts 34,3, pianos 22,7, ordinat. pers. 10,6.

■ **Agriculture. Terres** (milliers d'ha, 89) forêts 25 290 (par endroits touchés à 80 % par les pluies acides), t. arables 5 243 (90), pâturages 190, cult. en permanence 581 (81), eaux 1 310, divers 4 300. **Conditions :** très petites exploitations (40 % ont – de 50 ares) comparables à du jardinage. Culture intensive avec souvent mélange de plantes qui fournissent 4 récoltes échelonnées par an. *Paysans à plein temps (91) :* 3,9 millions. *Subventions :* 1 337 milliards de yens (5,6 milliards de $) en 1984. **Production** (91, en milliers de t.). *Riz brun :* 45 % des t. cultivées (91), dont 300 000 ha de terrasses en montagne ; 49 % du revenu des agr. Rendement : 5,69 t/ha ; prod. 12 910. *Blé* 860, *orge* 268. *Pommes de t.* 3 700 (Hokkaidō), *patates douces* 1 460 (Kyushu). *Légumes verts* (10 % des t. cultivées), surtout au N. et au N.-E. de Honshu ; *choux* 3 000 ; *oignons* 1 299. *Légumineuses :* soja (2 % des t. arables, 260), cult. traditionnelle, surtout à Honshu (O.), en régression. *Arbres fruitiers* (cult. récente en progression : 7 % des t. cultivées), surtout dans le S. de Honshu : pommes 1 046 ; mandarines 2 040. *Betteraves* (3 750) et *fourrage* (12 % des t. cultivées) ; *canne à sucre* 2 200. *Tabac* 71. *Cultures arbustives* traditionnelles : thé 90 sur 60 000 ha (S.), mûrier à soie (130 000 ha, 61 000 t en 83), centre-E. de Honshu. *Horticulture.* **Forêts.** 68 % de la surface totale ; 168 espèces d'arbres (contre 85 en Europe) : Hokkaido (résineux 70 %) ; Honshu (érables, cyprès, pins) ; Kyushu (chênes verts, camphriers) ; Shikoku (pins, magnolias, bambous nains). Bambou nain prolifique (fléau pour l'agriculture). *Production :* env. 29 781 000 m³ (90). Reboisement en cours. **Élevage** (milliers de têtes, 91). Poulets 335 000 (90), porcs 11 330, bovins 4 860, ovins 66, moutons 32, chevaux 24, lait 8,1 millions t. (91). **Pêche.** *Handicap :* création des zones économiques exclusives des 200 milles (40 % des prises antérieures). *Production* (millions de t, 90) 10,3 (env. 12 % de la prod. mondiale) soit 90 kg/hab. dont Pacifique 9,8, eaux intérieures 0,2, Atlantique 0,23, océan Indien 0,054. *Capture de baleines* (91) : 23 400. Poissons et crustacés représentent ¼ de la ration alimentaire.

Autosuffisance alimentaire (en %). *En valeur :* dont riz 109, légumes 95, lait et prod. laitiers 86, viande 80, prod. de la mer 80, fruits 73, céréales 34, blé 9, légumes secs 9. *En calories : 1960 :* 79 ; *83 :* 52. Bois 37.

■ **Énergie. Consommation :** env. 422 millions de TEP (90) dont 90 % importés. *Origine* (%, 84) pétrole 59,7, charbon 17,7, barrages 5,5, gaz 9,1, nucléaire 8,5, divers 0,1 (sources intérieures 8,8, étrangères 19,2). Le J. cherche à réduire sa consommation d'au moins 3 % et a imaginé plusieurs mesures pour éviter une utilisation massive des climatiseurs (les fonctionnaires ne sont plus astreints à la cravate...). **Pétrole** (millions de t) : *consommation 1978 :* 201 ; *85 :* 165 ; *90 :* 244. *Production : 1985 :* 0,534 ; *90 :* 0,540 ; *91 :* 0,88. *Importations : 81 :* 230 ; *85 :* 197,2 ; *86 :* 187,9 ; *87 :* 158 ; *88 :* 165 ; *89 :* 178 ; *90 :* 194 (en Md $) *80 :* 52,8 ; *85 :* 34,6 ; *88 :* 19,3 ; *89 :* 20,9, *90 :* 22,8. **Charbon** (millions de t) : *réserves* 8 580 ; *prod. 37 :* 45,7 ; *80 :* 18 ; *85 :* 16,4 ; *90 :* 8,2 ; *91 :* 8. *import. 82 :* 78,5. **Gaz :** *prod.* 2,14 milliards de m³ (91). **Nucléaire :** *capacité* (millier de MW). *1983 :* 17,3 (24 centrales), *87 :* 28 ; *90 :* 60 (soit 27 % de la prod.) 40 centrales ; *2010 :* 80 (45 %). **Électricité :** *prod.* 850 (90) Md kWh dont thermique 60,3, nucléaire 30 % (91, 17 sites, 38 réacteurs + 13 en construction) (36 % en 1995), hydraulique 10,7 %.

■ **Mines** (milliers de t, 1991). *Zinc* 133. *Fer* 31. *Pierre à chaux* 206 840 (90). *Chromite* 9 508 (90). *Cuivre* 12 . *Plomb* 272,6. *Or* 8. *Silice* 18 477.

■ **Industrie. Localisation :** côte (zone ind. de 1 000 km de long sur 10 de large) pour profiter des transports maritimes à bas prix. *Unités :* aciéries Shin Nittetsu à Muroran ; papier à Hokkaidō ; chimie lourde à Kyushu ; microprocesseurs, surtout dans Kyushu (surnommée « île de Silicone ») et dans le N. de Honshu. *Productions* (%, 81) : Tōkyō-Yokohama-Chiba (Keihin & Keiyo) 17,6, Osaka-Kōbe (Keihanshin) 14, Nagoya (Chukyo) 11,8, N. de la région du Kanto (comprenant Utsunomiya, Mito, Nikko) 11,5, mer Intérieure 7,4, Kitakyushu 2,7. **Véhicules automobiles** (en millions) : *production : 1985 :* 7,65 ; *90 :* 9,9 ; *91 :* 9,75. *Productivité* (heures/véhicules, 1991) : 16,8 (Europe 35,5, USA 35,3, transplants jap. 20,9). *Exp. : 85 :* 4,4 ; *90 :* 5,83 (dont USA 2,52, Europe 1,75) ; *92 :* 5,68. *Imp. : 1985 :* 0,05 ; *89 :* 0,195. *Auto. vendues au J. 1992 :* 6 970 000. **Autres véhicules** (prod. 91 en millions) camions 3,43 ; motos 3. **Chimie** (CA 1991) : 19 400 milliards de yens (3ᵉ rang m.). **Fonte** (millions de t.) *1986 :* 75,6 ; *90 :* 80,2 ; *91 :* 81. **Acier brut** (millions de t.) : *1943 :* 7,6 ; *56 :* 11,1 ; *60 :* 22,1 ; *65 :* 41,2 ; *70 :* 93,3 ; *73 :* 120 (470 000 ouvriers) ; *81 :* 101,7 ; *85 :* 105,25 ; *90 :* 110,3, *91 :* 109,6 (capacité 150). **Chantiers navals :** *lancement* (millions de t.) *1960 :* 1,7 ; *75 :* 18 ; *80 :* 6,2 (dont tankers 3,4), *82 :* 8,9 ; *83 :* 6,5 tjb. *84 :* 9,4. (concurrence coréenne) ; *87 :* 4,2 ; *89 :* 5,3 tjb ; *91 :* 7,4 tjb. **Autres productions** (91, en millions) : Télévisions 13,4 (dont 4,1 export. en 92). Calculatrices 69,4. Vidéodisques 1,29. Caméras 17,7. Montres 477. Magnétoscopes 29 (dont 17,8 export. en 1992).

☞ **Pègre** [11 familles principales, 3 300 boryokudan (groupes violents), 90 000 yakusa (membres actifs) dont 50 % appartiennent aux 3 grands syndicats] dont le Yamagushi-gumi (chef Yoshinori Watanabe, 26 000 m.), région d'Osaka fédérant 400 bandes (21 000 yakusas, CA env. 20 Md F), Sumiyoshi-rengo-kai (8 000 m.) et Inagawa-kai (Tōkyō, 7 400 m., chef Kakuji Inagawa). **CA** (225 Md F). 41 % des patrons de grandes entreprises ont été rackettés par des m. de la mafia. Nouvelles lois : antigang (1-3-92) ; antiblanchiment (juin 93).

■ **Transports** (km) **routes** (89) 1 109 981 dont nationales 46 805 dont pavées 45 847, autoroutes *1987 :* 4 400, *1992 :* 6 000. **Chemins de fer** 25 346 (89). La *JNR* (Japan National Railways), créée 1872, (dette 195 milliards de $) a été privatisée (7 Stés) le 1-4-1987. *Tunnel* sous-marin Hokkaidō-Honshu ouvert en 1988. *Revenus* (milliards de yens) : 3 734, *dépenses :* 5 582, *déficit :* 1 848. **Parc véhicules** (millions) tourisme *73 :* 14,5 ; *86 :* 28,6 ; *90 :* 34,9. Commerciaux *73 :* 10,5 ; *86 :* 19,3 ; *90 :* 22,5. Bus *90 :* 0,25. **Aérien :** Japan AirLines (JAL) fondé 1953, privatisée en 87 (63 Boeing 747). All Nippon Airways. **Maritimes :** Grands ports : Tōkyō, Yokōama, Kōbe, Osaka, Nagoya, Chiba, Kawasaki, Hakodate. **Flotte march.** (en millions de tjb, 90) 25,2 (7 668 navires de + de 100 tjb) dont pétroliers 7,6 (1 209 nav.), cargos 1,23 (2 408 nav.), navires à passagers 1,36 (714 nav.). **Trafic** (90/91). **Passagers** (millions). *Fer* national 8 358, privé 13 581. *Avion* 68,8 (94 821 millions de pass.-km). **Fret** (millions de t-km) *fer* national 26 728, privé 468. *Avion* 5 590. *Bateau* (millions de t.) chargé 81,8, déchargé 704,1 ; *entrées* 46 000 navires.

■ **Tourisme. Sites :** *Tōkyō :* jardin du palais impérial, temple Asakusa Kannon, sanctuaire Meiji Jingu, quartiers commerçants de Ginza, Shinjuku, Shibuya et Ueno ; *Nikko :* temple et pagodes, sanctuaire Toshogu dans la montagne ; *Kamakura :* grand Bouddha en bronze (Daibutsu) ; *Hakone :* parc national au pied du Mt Fuji, lac Ashinoko ; *Kyōto :* foyer de la culture j. traditionnelle, Pavillon d'or, ancien palais impérial et plus de 2 000 monuments historiques ; *Nara :* 1ʳᵉ capitale historique du J., temple Todaiji, la plus grande construction en bois du monde abritant le plus grand Bouddha en bronze du monde, sanctuaire Kasuga Taisha (milliers de lanternes de pierre et fer) ; *Divers :* Sapporo, Sendai, Yokohama, Osaka, Toba, Okayama, Kurashiki, Hiroshima, Matsuyama, Takamatsu, Beppu, Nagasaki, Miyazaki, Mt Aso. **Statistiques** (en milliers) : *touristes j. à l'étranger 1960 :* 76 ; *70 :* 663 ; *80 :* 3 900 ; *85 :* 4 900 ; *90 :* 11 000 ; *91 :* 11 000. *Visiteurs 1960 :* 212 ; *70 :* 854 ; *80 :* 1 317 ; *90 :* 3 235 ; *91 :* 3 533 [dont (%) Corée 24,4, Taiwan 18,6, USA 15,4, G.-B. 6,2]. **Balance du tourisme** (en milliards de $) *1970 :* – 0,08, *75 :* – 1,11, *80 :* – 3,9, *84 :* – 3,6, *85 :* – 3,7, *90 :* – 21,3, *91 :* – 20,5.

■ **Quelques problèmes. Avec ex-URSS :** le « lobby » de la pêche veut récupérer les Kouriles du S. annexées par l'U. en 1945 ; l'U. fait des difficultés pour les investissements en Sibérie (1,4 Md $ depuis 1970) : refus de la concession du gaz de Yakoutie, rejet d'un projet de 3 Md de $ pour l'oléoduc de Tyoumen. « Rachat » des Kouriles envisagé pour 3 Md de $; mais le voyage de B. Eltsine au J. le 13-9-92 pour accord est annulé. **Avec Asie du S.-E. :** le J. est accusé de colonialisme par Asean (Philippines, Thaïlande, Indonésie, Malaisie, Singapour), car il importe les matières premières et n'exporte pas sa technologie. **Avec le tiers monde :** 11 Md $ en 91 (0,3 % du PNB). **Avec « zone économique du Pacifique » :** autres États riverains industrialisés s'effraient de l'expansion écon. du J. **Avec l'Occident développé :** excédent commercial important surtout avec USA (*1990 :* 37,9 Md de $, *91 :* 38,4, malgré l'accord de réduction SII, Structural Impediment Initiative) ; accusé de protectionnisme, surtout agricole (import. de riz interdites) et sanctionné par les USA, le J. a accepté de s'autolimiter. Seul à pouvoir risquer des mesures de relance économique mondiale, il les a acceptées. **Stratégie :** le J. renforce sa présence en Asie (surtout Chine, Thaïlande, Hong K., Singapour, Malaisie, Indonésie). Commerce avec Chine en Md $: *1991 :* 23 ; *92 :* 25 (* 2 si on tient compte de Hong K.).

■ **Commerce extérieur. 1°) Jusqu'à 1979** *a) Faible par rapport au PNB ; de 1975 à 79,* les export. fr. sont égales aux export. jap. (et même supérieures). *b) Coûts élevés par suite de la surévaluation du yen.* En 1978 les salaires j. sont au niveau des s. fr. et amér. (contre ¼ des salaires fr., 1/10 des amér. en 1958). La concurrence sur les prix ne joue plus. **2°) A partir de 1985** la hausse du yen par rapport au $ (+ 63 % en 2 ans) provoque une baisse des export. (– 3,5 %) et une relance des import. (+ 19 %) en volume, mais un excédent en dollars en dépit de l'effort des exportateurs pour baisser leurs prix. **3°) Caractéristiques permanentes.** *a) Dépendance faible* (export 9,7 % et import 7,4 % du PNB contre env. 20 % pour pays développés). *b) Protectionnisme « psychologique » :* le consommateur j. se méfie des produits étrangers (d'où l'impossibilité de conclure des accords antiprotectionnistes avec d'autres pays). *c) Commerce triangulaire :* le J. compense son déficit avec les vendeurs de matières 1ʳᵉˢ (Australie, Malaisie, Opep) en vendant des produits finis aux pays industrialisés.

Commerce (milliards de $). **Exp. :** *1980 :* 126,7 ; *85 :* 182,6 ; *86 :* 209,1 ; *87 :* 229,22 ; *88 :* 264,92 ; *89 :* 286,9 ; *90 :* 287,3 ; *91 :* 314,5 dont machines et électronique 221,14 (dont mat. de transport 77,91 ; mat. élec. et électron. 73,72 ; mécanique 69,5) ; autres produits manufacturés 28,5 (dont mat. scient., montres et photo 28,4) *vers* USA 91,53 ; All. 20,6 ; Corée 20,06 ; Formose 18,25 ; Hong Kong 16,31 ; Singapour 12,21 ; G.-B. 11,03 ; *France 20,6.* **Imp. :** *1980 :* 124,7 ; *85 :* 129,5 ; *86 :* 126,4 ; *87 :* 149,4 ; *88 :* 187,4 ; *89 :* 210,8 ; *90 :* 235,4 ; *91 :* 236,73 dont alimentation 30,73 ; produits énergétiques 54,75 (dont produits pétroliers 37,81 ; gaz 10,48) ; mécanique et mat. de transport 39,46 ; produits semi-finis 31,95 (dont métaux non ferreux 9,58) ; produits alim. 30,74 ; matières 1ʳᵉˢ 26,68 (dont métaux 8,78) ; produits manufacturés 25,87 ; chimie 17,41 *vers* USA 53,32 ; Chine 14,22 ; Australie 13 ; Indonésie 12,77 ; Corée 12,34 ; All. 10,74 ; Émirats 10,52 ; Arabie S. 10,08 ; *France 6,12.*

Échanges (en milliards de $). *Export. jap. et import. jap.,* entre parenthèses *solde :* **Japon/USA** *1960 :* 1,1/1,6 (– 0,45) ; *70 :* 5,9/5,6 (0,4) ; *75 :* 11,1/11,6 (– 0,46) ; *80 :* 31,4/24,4 (7) ; *85 :* 65,3/25,8 (39,5) ; *86 :* 80,5/29,2 (51,3) ; *87 :* 83,6/31,5 (52,1) ; *88 :* 89,6/42 (47,6) ; *89 :* 92,9/48,1 (44,8). **Échanges Japon/CEE.** *60 :* 0,2/0,2 (– 0,03) ; *70 :* 1,3/1,1 (0,2) ; *75 :* 5,7/3,4 (2,3) ; *80 :* 16,6/7,8 (8,8) ; *85 :* 20/8,9 (11,1) ; *86 :* 30,1/13,9 (16,8) ; *87 :* 37,7/17,7 (20) ; *88 :* 46,9/24,1 (22,8) ; *89 :* 47,7/28 (19,6). **Rapport franco-japonais** (en milliards de F). **Exp. fr.** *1981 :* 5,5 ; *85 :* 10,7 ; *90 :* 21,9 ; *91 :* 24,5 ; *92 :* 22,1. **Imp. fr.** *81 :* 14,9 ; *85 :* 26,9 ; *90 :* 50,8 ; *91 :* 53,6 ; *92 :* 51,7.

Présence japonaise en France : 25 000 Jap. immatriculés (dont env. 1 500 artistes peintres), 90 usines représentant 61 sociétés (6 000 salariés), 9 banques, 12 représentations de Stés de commerce et bureaux de brokers, 78 restaurants.

Investissements (en millions de $). **Français au Japon :** *1989 :* 25 ; *90 :* 74 ; *91 :* 51. Total annulé : 352. **Japonais en France.** *1989 :* 1 136 ; *90 :* 1 290 ; *91 :* 817. Total cumulé : 4 973.

■ **Sociétés. 1ʳᵉˢ entreprises** (CA en milliards de $, en 1986/87). Toyota Motor 77,8 [1]. Tokyo Electric Power 35 [1]. Nomura Securities 30. NTT 413. Cnupu Electric Power 22,4. Kansai Electric Power 17,8. Daiwa Securities 17,3. Bank of Japan 16,5. Fuji Bank 15,9. Dai-ichi Kangyo Bank 14,8. Nikko Securities 14,7. Le *keidanren* est la principale organisation patronale.

Nota. – (1) 1991.

Sogo Shosha (maisons de commerce général). *Chiffres d'affaires* (en milliards de $, 1989). Total, entre parenthèses au Japon. 962 (371) dont C. Itoh 155,5 (73), Mitsui 150 (52), Sumitomo 158 (60,5), Marubeni 135 (51), Mitsubishi 123 (54), Nissho Iwaï 111, Tomen 47 (23), Nichimen 43 (13), Kanematsu-Gosho 40,7 (18).

■ **Balances** (milliards de $). **Commerciale** *1985 :* + 46 ; *86 :* + 82,7 ; *87 :* + 79,7 ; *88 :* + 77,5 ; *89 :* + 64,3 ; *90 :* + 52,1 (dont 38 avec USA) ; *91 :* + 103,1 ; *92 :* + 107 (dont USA 43,7, CEE 31,2, Hong Kong 18,7, T'aiwan 11,7 ; Singapour 9,9 ; All. 9,6 ; G.-B. 7,4 ; *Fr. 0,2)* [année fiscale 92/93 : 136,1 (export. 335,4, import. 199,3)]. **Paiements courants** *1985 :* + 49,2 ; *86 :* + 85,85 ; *87 :* + 87,01 ; *88 :* + 79,46 ; *89 :* + 56,9 ; *90 :* + 35,9 ; *91 :* + 72,9 ; *92 :* + 117 (année fiscale 92/93 : 126).

Capitaux à long terme *1987:* - 136,53, *89 ;* - 89,25 ; *90 :* - 43,43 ; *91 :* 79,5. **A court terme** *1989 :* 20,81 ; *90 :* 21,37.

Balance globale *1989 :* - 12,7 ; *90 :* - 6,6 ; *91 :* - 6,6.

■ Rang dans le monde (90). 1er constr. nav., constr. autom., semi-conducteurs, camions et bus. 2e prod. globale acier (1er exportateur), fibres synthétiques, ciment, résines. (91) 3e pêche. 8e riz, thé. 11e p. de terre, porcs. 13e zinc. 15e argent. 19e bois.

JORDANIE

V. légende p. 884.

Situation. Asie. 97 740 km² (dont mer Morte 1 015, territoires occupés par Israël 5 900). *Côte :* 25 km (golfe d'Akaba). *3 régions :* plateau plat et désertique à l'E. ; partie montagneuse avec 2 plateaux ; fossé descendant jusqu'à 300 m au-dessous de la mer (le Ghor, fossé de la mer Morte). Désert 80 % du territoire. Climat. Méditerranéen sec à l'O. d'Amman, désertique à l'E. *Pluies :* 600 mm (htes terres), 200 (fossé), - de 50 (désert). *Temp. moy. :* htes terres (7 °C l'hiver à 33 °C l'été), vallée (14 à 40 °C). *Alt. max.* s. du Djebel Rom 1 754 m.

Population. *1991* 4 200 000 h. [*1989 :* 2 800 000 en Transjordanie (dont 1 680 000 réfugiés palestiniens) 800 000 en Cisjordanie occupée] dont Arabes, Bédouins, Kurdes circassiens ; réfugiés du Golfe (300 000) ; *prév. 2000 :* 6 400 000. **Age** - *de 15 a.* 48,1 %, + *de 65 a.* 4 %. D 46. **Pop. urb.** 70 %. Villes (91) : *Amman* 2 000 000, Zarqa 600 000 (à 23 km), Irbid 300 000 (à 88 km), Salt 160 000, Akaba 50 000, Mafraq 27 780 (86). **Émigration** 800 000 en 87 dont 330 000 actifs dont 85 % (au 1-1-90, 280 000) dans les pays du Golfe, All. féd. **Immigration** 200 000 (87) dont 120 000 Égyptiens ; Pakistanais, Syriens, Libanais, Philippins, Sri Lankais. **Étrangers** (1990) 8 000.

Langue. Arabe *(off.),* anglais 30 %. Religions. Musulmans sunnites 93,6 %, chrétiens 5 % (env. 120 000 en Transjordanie). Partie de la Terre sainte (*Mt Nebo :* où mourut Moïse, *Jourdain :* où Jésus fut baptisé, *Makaur :* où Hérode fit décapiter Saint Jean-Baptiste).

Histoire. **XVIIe av. J.-C.,** pays des Amonites (Sémites araméens proches des Hébreux), cap. Rabbath Ammon (Amman). **V. 1100** conquis par Séhon, roi des Amorrhéens (Sémites chananéens). **Xe s.** par Hébreux qui installent 3 tribus sur la rive g. du Jourdain : Manassé, Gad et Ruben (plateau de Galaad). Les Ammonites resteront en guerre contre les Hébreux jusqu'en 70 apr. J.-C. **V. 400** Nabatéens (Sémites proches des Hébreux) fondent Pétra. **312** le roi gréco-égyptien Ptolémée II annexe Amman qui est appelée Philadelphie. **105 apr. J.-C.** Trajan annexe le pays, qui devient prov. d'*Arabie Pétrée* (cap.Pétra). Une voie romaine relie Pétra à Gerasa (Djerach). **395-620** archevêché byzantin. **620-1100** occupation arabe, désertification. **1100-1150** « Principauté » (principauté) chrétienne d'Outre-Jourdain (Pétra devient Val Moïse ; Kérak nommé Pétra). **XVIe s.** contrôle ottoman. **1916** soulèvement contre Turcs grâce au Cl Lawrence (1888-1935). **1920** séparée du mandat de Palestine, devient émirat de Transjordanie, avec Abdullah ibn Hussein pour émir. **1924** reçoit région de Maan et d'Akaba (relevant avant du Hedjaz). Indépendance sous mandat brit. (15-5-1923/22-3-1946). **1930** émir Abdullah (1880/20-7-1951) annexe rive occ. du Jourdain. **1945**-*22-3* est un des 7 États fondateurs de la Ligue arabe. **1946**-*25-5* Adbullah couronné roi. **1948**-*14-5* G.-B. renonce au mandat sur Palestine ; g. d'Israël (V. Index). La J. incorpore les régions palest. tenues par Légion arabe et devient *Roy. hachémite de J.* **1950** après élections gén. *(24-4)* annexion définitive de Cisjordanie. **1951**-*20-7* Abdullah qui s'est proclamé le 1-12-50 souverain de l'unité palestino-jordanienne assassiné par Palestinien dans la mosquée Al-Aksa ; *-5-9* son fils Talal (1907-72) lui succède. **1952**-*11-8* Talal déposé pour maladie mentale, remplacé par son fils Hussein.

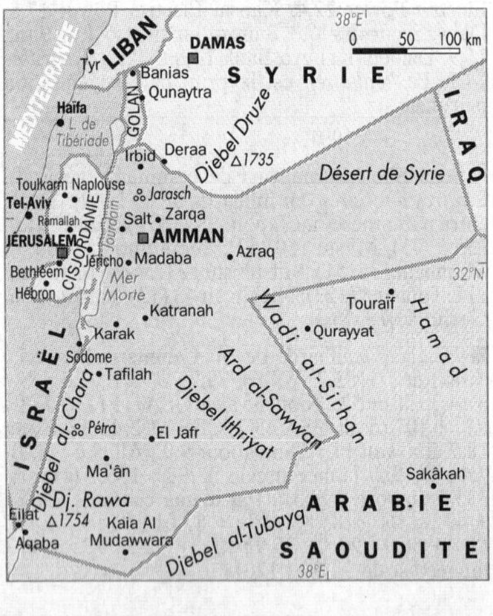

1956-*2-3* Glubb Pacha [Sir John Bagot, Gal angl. (1898-1986)], fondateur de la Légion arabe, créée par le cap. Peake en 1923, renvoyé ; tr. anglo-j. abrogé. **1957** attentat manqué contre roi Hussein [« putsch de Zarka », par Ali Abou Nouwwar (1924-91), Cdt de l'armée, qui tente avec des « officiers libres » de proclamer la Rép.)]. **1958**-*14-2* Féd. arabe avec Iraq (dénoncée par Iraq en *juill.).* **1967** *juin, g. des 6 j. avec Israël,* qui occupe secteur j. de Jérusalem et Cisj. (200 000 nouveaux réfugiés pal. en J. 10 000 † j. sur 55 000 soldats engagés). **1970** affrontement fedayins/armée j. *Juin et 17-9/6-10 (septembre noir) :* 3 400 †. *-13-10* accord Hussein-Arafat. *Nov.-déc.* affrontements. **1971**-*13-1* accord. *Févr.-mars* affrontements. *Avril* fedayins quittent Amman. *Juill.* les troupes j. les contraignent à abandonner le N. ; plus de résistance armée en J. ; Syrie, Iraq et Algérie rompent relations dipl. avec J. *-28-11* Wasfi Tall, PM, assassiné au Caire (par des fed. de Septembre noir). **1972**-*15-3* plan Hussein : « Royaume ar. uni », féd. Pal. et J. ; refus des fed., de pays ar. et d'Israël. **1973** *sept.-oct.* relations dipl. avec Égypte, Syrie, Tunisie et Algérie rétablies. *G. du Kippour :* oct. la J. envoie brigade blindée sur front syrien mais refuse d'ouvrir un 3e front. **1974**-*26-10* sommet de Rabat : OLP seul représentant palestinien. Chambre suspendue. **1975**-*11-6* rencontre Hussein-Assad (Pt Syrie). **1978**-*22-9* Hussein-Arafat (OLP) à Mafraq. **1980**-*30-7 Chambre dissoute.* **1982** *janv.* des volontaires j. aident Iraq contre Iran (brigade Yarmouk). *-1-9* Pt Reagan pour un autogouvernement des Pal. de Cisjordanie et de Gaza avec J. *-6-10* amnistie pour 136 Pal. condamnés 1970. **1984**-*9-1* reprise vie parlementaire. *-9/11-7* Pt Mitterrand en J. *-13-7* accord avec Irak pour construction oléoduc de Haditha (Iraq) à Akaba (500 000 barils/j puis 1 000 000) ; (plus tard l'Iraq renonce). *-9/11-10* Pt égypt. Moubarak en J. **1985**-*11-2* accord avec OLP. (voir Index). **1986**-*7-7* fermeture de 25 bureaux de l'OLP. **1987**-*20-4* OLP abroge l'accord du *11-2-85 ; 11-11* sommet arabe extraordinaire d'Amman. **1988**-*31-7* Hussein rompt liens légaux et administratifs avec Cisjordanie (indemnité 30 millions de $ par an aux 24 000 fonctionnaires, aide au développement de 80 millions de $, bénéfice de la citoyenneté j.). **1989** *janv.* Arafat et Hussein inaugurent ambassade de Pal. *-18/22-4* émeutes vie chère (8 †). *Juil.-août* rééchelonnement dette (dont 200 millions de $ sur 2 ans envers URSS). *Nov.* dinar j. a perdu 50 % en 1 an. *-9-11* législatives Mourad député nationaliste [ancien terroriste condamné 1969 pour attentat contre El Al à Athènes (1 †)]. *-23-11* Leila Sharaf 1re femme sénateur (avait démissionné 1984 de son poste de min. de l'Information). **1990**-*17-11* Abdelatif Aralyat (m. des Frères musulmans) élu Pt de l'Ass. **1991** *janv.* guerre du Golfe, (voir Irak) 250 000 rentrent du Koweït : embargo sur pétrole (doit s'approvisionner en Iraq). *-6/15-2* accord rééchelonnement dette avec URSS, France et Autriche. *-31-3* attentats contre British Bank et Centre culturel français à Amman. *-25-11* 6 intégristes condamnés à mort pour attentats de janv. **1992**-*12-11* amnistie générale à l'occasion de l'anniversaire du roi.

Statut. Monarchie islamique. **Roi** Hussein Ier (14-11-35) dep. 11-8-52. Ép. 1° (19-4-55) Sharifa Dina Abdel Hamid al-Aun (1929) divorce 1957, dont [1 fille : Alya (13-2-56) mariée 1977 à Nasr Wasfi Mirza (1951) dont : 1 fils Hussein (1981) ; divorce 1983, mariée à Mohammed Farid al-Saleh]. 2e (25-5-61) Mouna al-Hussein (rêve d'Hussein) [Antoinette Avril Gardner (Angl. 1941)] divorce 1972, dont [2 fils : Abdallah (30-1-62), Fayçal (11-10-63 ; marié août 87 à Alia al-Tabba ; 1 fille Haya) et 2 filles jumelles (26-4-68) : Zein (mariée août 89 à Majdi al-Saleh) et Ayeshia]. 3e (24-12-72) Alia Bahia Eddin Toukan (1948-9-2-1977 accident d'hélicoptère), dont [2 filles : Haya (3-5-1974), Abir (1972, adoptée 1976), 1 fils : Ali Ibn Hussein (23-12-1975)]. 4e (15-6-78) Noor (fille de lumière) [Elizabeth Halaby (Amér. 1951, père d'or. liban.)] dont [2 fils : Hamzeh (29-3-80), Hashem (10-6-81) et 2 filles : Iman (24-4-83), Raya (9-2-86)]. **Pce héritier** Hassan (3e fils de Talal et frère de Hussein n. 1-4-48) dep. 1-4-65. **PM 1985**-4-4 Zaïd Rifai (n. 1936). **1989**-4-12 Moudar Badrane. **1991**-19-6 Taher Masri - 21-11 Mal Zeid Ben Chaker (cousin du roi). **1992**-*29-5* Abdel Salam Magali. **Sénat** 40 m. nommés par le roi. **Chambre des députés** 80 m. élus pour 4 a. **Conseil national consultatif** créé 24-4-78, 70 m. nommés par le roi pour 2 ans, dissous en janv. 84. Partis dissous dep. 1957 (1953 pour le P. communiste légalisé 17-1-1993 ; *Frères musulmans* [considérés comme une association, tolérée (soutien du trône dans les années 50), aidés par pays du Golfe]. Élections *de 1967 à 1989* pas d'él. générales. *1989 (8-11)* chambre des dép. (scrutin uninominal à 1 tour). Candidats officiellement sans appartenance politique ; femmes autorisées à voter pour la 1re fois (droit obtenu en 1974). Électeurs 876 000, abstention 47,7 %. Sièges : formations proches monarchie 47, opposition 33 dont islamistes 31 (frères musulmans 20, indépendants 5), P. populaire démocr. (branche du FDLP de Nayef Hawatmeh) 1, FPLP 1. Drapeau (1921). Bandes noire, blanche et verte ; triangle rouge avec étoile blanche à 7 branches (1ers versets du Coran).

Nota. - La J. a vécu sous des mesures d'urgence (dep. 1935) et de la loi martiale (de 1967 au 1-4-1992).

■ ÉCONOMIE

PNB (91). 1 054 $ par h. **Pop. active et entre par. part du PNB** (%) services 73 (75), ind. 18 (13), mines 2 (7) agr. 7 (5) - (91) 801 900 pers. (280 000 expatriés). **Trav. immigrés** *1989 :* 48 000 ; en sit. irrégulière 132 000 (90). **Chômage** *1989 :* 11 ; *93 :* 20 à 30. **Inflation** (%) *1985 :* 3 ; *86 :* 0 ; *87 :* 0 ; *88 :* 17,3 ; *89 :* 30,3 ; *90 :* 16,2 ; *91 :* 6,85. **Revenus rapatriés par les émigrés** (millions de $) *1989 :* 623 ; *90 :* 462 ; *91 :* 1 169 (dont 819 émigrés du Golfe) ; *92 :* 454. **Aide arabe** (millions de $) *1989 :* 430 ; *90 :* 320 ; *91 :* 0. **Dette ext.** (milliards de $) *1991 :* 7,2. **Budget** (millions de dinars) *1993 :* dépenses 1 280, recettes (92) 882. **Déficit** *1991 :* 356,7 ; *92 :* 396 ; *93 (est.) :* 48.

Agriculture. **Terres** (milliers d'ha, 86) arables 1 190, cult. 680 (89), pâturages 100, forêts 73 (89), eau 56, divers 8 113. **Terres cult.** (milliers d'ha). *1990 :* 450 ; *91 :* 273 dont céréales 108, maraîchage 29, arboriculture 55, forêt 80. Le désert représente env. 80 % de la superficie. **Prod.** (milliers de t, 91) tomates 276, melons 17,4, pastèques 76,8, blé 61,8 (10 en 84 : sécheresse), aubergines 61,1, olives 40,5, concombres 55,3, citrons 35 (90), orge 39,9 (50 en 84), courges 26, lentilles (85) 4,1, p. de terre 62, raisin 39,1, bananes 26,3, agrumes 147,3. Forêts. 9 000 m³ (90). Élevage (milliers, 91) volailles 47 000, moutons 2 500, chèvres 400, bovins 58,8, ânes 19, chameaux 32, mulets 3, chevaux 3,2. Pêche. (90) 62 t.

Électricité. *Production :* 3,724 milliards de kWh (1991) (à partir du pétrole, pour 91,3 %). Pétrole. *Prod. :* 130 000 barils (90) (13 puits dont Hamzeh). **Schistes bitumineux** *réserves :* 1,1 milliard de t (inexploitées). Gaz (milliards m³). *Réserves :* 15, *prod. (90) :* 0,34. Phosphates. *Réserves* 1,2 milliard de t ; *prod.* (92) 5 200 000 t. Potasse (92). 1 300 000 t (capacité de production 7 000 000 t). Industrie. *Engrais* phosphatés à Akaba (91) 1 550 000 t ; *prod. alim. ; cigarettes ; cuir ; ciment* (91) 1 660 000 t. Place financière. Depuis la guerre du Liban.

Transports (km, 91). *Routes* 6 124 dont 2 550 d'autoroutes et routes nationales ; *chemins de fer* 618, 248 000 véhicules ; *port* d'Akaba 13,2 millions de t en 91 (contre 14,5 en 90). Tourisme. *Visiteurs* (91) : 2 600 000. *Revenus (91) :* 316 millions de $ US. *Sites :* Amman, Pétra (tombeaux, chapelles funéraires, temples, palais découverts) à 235 km au S. d'Amman, Aqaba, Djerach, Madaba (mosaïque), Kerak (forteresse), Mt Nebo, monuments romains, voir p. 1050.

Commerce (millions de $ US, 91). **Exp.** 1 130 *dont* phosphates 185, potasse 145, engrais 130, prod. alim. 130, prod. pharmaceutiques 52, ciment 39. *Vers* Inde 165, Irak 85, Chine 49, Iran 45, Émirats arabes unis 39, Indonésie 36. **Imp.** 2 499 *de* Irak 280, USA 265, All. 200, *France 110,* It. 110, Turquie 86.

Balance commerciale *1990 :* - 1 200, *91 :* - 1 369. **Services** *1990 :* 170 ; *91 :* 174 ; + transferts unilatéraux *90 :* 400 ; *91 :* 495. **Paiements** *1990 :* - 630 ; *91 :* - 217.

Commerce franco-jordanien (1991, en millions de F). *Exp. françaises (entre par., imp.).* 670 (44,6) dont prod. ind. 375,8 (36), agroalim. 263 (8,1), énerg. 29,9, divers 1,3 (0,3). Solde : 625,4.

Rang dans monde (91). 4e phosphate. 8e potasse.

KAZAKHSTAN

Carte p. 1124. V. légende p. 884.

Situation. Asie 2 717 300 km². 2e étendue des ex-rép. sov. 1 900 km de la Volga à l'O, aux monts Altaï à l'E. (frontière avec la Chine) ; env. 1 300 km de la Sibérie au N. (Féd. de Russie) aux frontières avec Turkménistan, Ouzbékistan et Kirghizistan. *Côtes* 2 320 km sur la mer Caspienne. *Alt. max. :* Khan Tengri 6 995 m (frontière chinoise), *min. :* Chevtchenko près de la Caspienne, - 132 m. *Lac* Balkhach 17 700 km². *Mer d'Aral :* voir p. 62 a. Climat. Continental. Moy. janv. N. - 18 °C (Sud - 3 °C, juill. N. 19 °C (Sud 28-30 °C). *Précipitations* montagnes 1 600 mm, déserts - de 100 mm.

Population. 16 538 000 h. (en % Russes 37,5, Kazakhs 36, Allemands 6, Ukrainiens 5,4, Tatars 2,1 ; total, une centaine d'ethnies, les Kazakhs étant minoritaires dans leur propre pays). D 6. **Capitale :** *Almaty (ex-Alma-Ata)* 1 128 000 h. **Régions.** 19.

Langue. *Kazakh* (d'origine turque) nationale. Alphabet latin remplacé dep. 1940 par cyrillique ; arabe traditionnel dep. 1929. **Religions.** Chrétiens orthodoxes (Slaves) et musulmans sunnites (islam introduit au XIXe s.). 170 mosquées. Un parti extrémiste (*Alach*) prône la solidarité musulmane contre les non-Kazakhs et le panturquisme.

Histoire. **1920**-*26-8* Rép. soc. de Kirghizie. **1925** devient Kazakhstan. **1936**-*5-12* devient Rép. soc. sov. **1986**-*16-12* émeutes à Alma-Ata centre, nomination d'un Russe à la tête de la Rép. Plusieurs †. **1989** *juin* violences contre minorités venues du Caucase. **1990**-*24-4* création d'une présidence. *-26-8* proclame sa souveraineté, la supériorité de ses lois sur celles de l'Union, la propriété de ses ressources nat., l'interdiction des essais nucléaires. **1991** *avril* Pt du Parlement Noursoultan Nazarbaev signe l'accord des 9 + 1 (voir ex-URSS). *-1-12* élu Pt du K. avec 98,8 % des voix (candidat unique). *-16-12* proclame indép. **1992**-*29-2* demande adhésion à CEI. *-2-3* entrée Onu. *-25-5* tr. d'amitié avec Russie qui s'engage à aider le K. à dénucléariser (2 000 têtes nucléaires au K., dont 1 000 sur vecteurs, propriété de l'ex-armée sov.). *-25-9* Pt Nazarbaev en France ; tr. de coopération et accord garantissant investissements.

Statut. Rép. membre de la CEI. **Pt** Noursoultan Nazarbaev, ex-1er secrét. du PC du K. **PM** C. A. Terechtchenko. **Parlement** 360 députés. Selon la future constitution, doit prendre le nom turc de *Mejlis*. **Partis.** P. socialiste (ex-PC, dissous 7-9-91). Congrès du Parti du peuple du K. (écologiste et antinucléaire). P. républicain du K. (nationaliste).

Économie. **PNB** (1990) 1 035 $. **PNB total** 3,2 milliards de $. **Pop. active (%)** agr. 23, ind. 31, tertiaire 46.

Agriculture. Élevage, moutons (caracul fournissant l'astrakan), chevaux, chameaux ; céréales, coton, riz, bett. à sucre, vignobles et vergers. **Charbon. Pétrole** 100 millions de t/an. **Gaz** (bassin d'Emba) 7,9 Md de m^3/an.

Mines. Chrome (60 % du monde), cuivre, fer, manganèse, métaux rares (or), plomb, zinc. **Centre spatial** de Baïkonour. **Centre d'essais nucléaires** de Semipalatinsk.

Transports. *Routes* 164 000 km dont 96 000 bitumés, *voies ferrées* 14 460 km (5,4 km pour 1 000 km^2) dont 3 000 électrifiés.

Commerce (91). **Exp.** (en %) : métaux 38, combustibles et minéraux 24, prod. chimiques 21. *Investissements étrangers* 1re Rép. ex-sov. à adopter une loi sur les inv. étr. (7-12-90). **Privatisations en cours** (en %) : biens de l'industrie 50, agriculture 40, logements 100. **Récession de l'économie** *91 :* – 11 %, *92 :* – 12,1 (rupture des liens écon. entre Rép. ex-sov. et libération des prix en Russie répercutée sur la zone rouble).

Rang dans le monde. 1er chrome.

KENYA

V. légende p. 884.

Situation. Afrique. 582 646 km^2 dont eaux intérieures 13 395, parcs nat. 25 335, divers 543 917. *Frontières* 3 146 km : Tanzanie 706, Ouganda 680, Soudan 240, Éthiopie 820, Somalie 700. *Alt. max.* Mt Kenya 5 199 m. **Climat.** Équatorial tempéré par l'alt. *Mois les plus chauds :* déc. à mars (20 à 30 °C) ; *les plus frais :* juin à août (10 à 18 °C). *Saison des pluies :* avril à juin (long rains), oct.-déc. (short rains). **Régions.** *Côte* 608 km : plages de sable et cocotiers, alt. moy. 17 m, 22 à 30 °C, pluies 1 000 à 1 250 mm/an ; *Ouest :* alt. moy. 1 157 m, 18 à 34 °C, pluies 1 000 à 1 300 mm/an ; *Rift Valley* (du lac Turkana 6 405 km^2 au N. de l'océan Indien) : hauts plateaux (alt. moy. 1 600 m), monts Aberdares et Kenya, région agricole la plus riche, 20 à 26 °C, 750 à 1 000 mm/an ; *N. et N.-E. :* semi-désertique, alt. moy. 128 m, 255 à 5 109 mm/an.

Population (en millions). *1962 :* 8,6, *69 :* 10,9, *79 :* 16,14, *90 :* 24,3, *91 :* 25,2, *93 (est.) :* 27,2, *2000 (est.) :* 32. *Principales tribus* (en %) Kikuyu 21, Luhya 14, Luo 13, Kamba 11, Kalenjin 11, Kisii 6, Nijikenda 4,5. Étrangers 180 000 (dont Africains 70 000, Asiatiques 40 000, Européens 25 000, Arabes 20 000). **Taux (%)** *croissance :* 3,7 ; *natalité* 5,5, *mortalité* 1,7. **Âge** – *de 15 a. :* 51,2 %, *+ de 60 a. :* 3,4 %. D 42. **Analphabètes** *(1976-79)* 65 % ; *(1985) :* 41 % ; *(1991) :* 49 %. **Espérance de vie** *hommes :* 59 ans, *femmes :* 63. **Villes** (91) : *Nairobi* 2 000 000 (1 661 m d'alt., 500 km de la côte), Mombasa 600 000 (à 494 km de Nairobi), Kisumu 201 100 (à 338 km, sur le lac Victoria), Nakuru 124 200 (à 156 km). *Taux d'urbanisation :* 20 % (91). **Langues.** Swahili (*off.* dep. 1974), anglais (off.). + de 250 tribus regroupées en 16 groupes ethniques parlent leur propre langue. **Religions** (en %). Chrétiens 50 [catholiques : 25 % de la pop., 1 800 prêtres (dont 700 K.), 2 500 religieux, protestants 25], animistes 25, musulmans 10, sectes hindoues 1, divers 14.

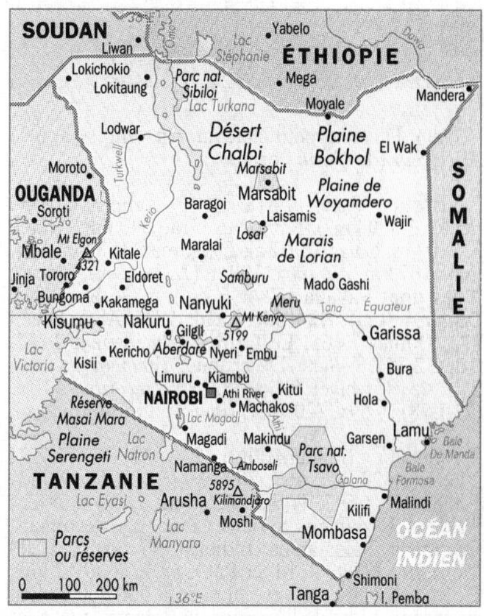

Histoire. **VIIe s.** côte occupée par Arabes. **1498** Vasco de Gama établit à Matindi col. portugaise pendant 2 s. (**XVIe-XVIIe s.**), chassée par Arabes après la chute de Fort-Jésus à Mombasa. **1888** concession de territoires à la British East African Cy. **1895** transfert à la Couronne brit. **1952**-*20-10*/**1956** *oct.* révolte des Mau-Mau (Sté secrète recrutée parmi les Kikuyus : chacun fait serment de tuer un Blanc au signal convenu) ; + de 13 000 † (Mau-Mau 11 500, Kikuyus loyalistes 2 000, civils européens 30, Indiens 19, forces de l'ordre 500). **1956**-*21-10* Dedan Kimathi, dernier chef capturé (pendu 13-2-57). **1960** *mai* formation du KANU. **1961** *août* Iomo Kenyatta libéré. **1963**-*12-12* indépendance. **1964**-*12-12* Rép., Kenyatta Pt. **1967** Gal Barre, Pt de la Somalie, renonce à toute revendication sur N.-E. du K. **1969** Tom Mboya assassiné. Partis d'opposition interdits, seul autorisé : KANU. **1975**-*2/3-3* J.M. Kariuki (ancien assistant ministre) assassiné. *-4-3* attentat à Nairobi (27 †). **1977** *mars* fermeture frontière avec Tanzanie (soutenue par Pékin). **1978**-*1-1* attentat hôtel Norfolk, 13 †. *-22-8* mort du Pt Mzee (« l'Ancien ») Jomo Kenyatta (« le javelot flamboyant », 1890-1978). **1982**-*9-6* amendement instituant parti unique. *-1-8* coup d'État (aviation) échoue, 200 à 500 †, 3 000 arrestations (le chef, Ochuka, sera pendu le 9-7-85), env. 200 millions de $ de dégâts (mise à sac des magasins de Nairobi). **1984** *juill.* Pt Arap Moi en Somalie (1re visite d'un chef d'État k. au S.). **1985**-*11/18-8* 43e Congrès eucharistique mondial (le 1er en Afr. noire). **1987** *déc.* incidents de frontière avec Ouganda, plusieurs †. **1988**-*13-4* 192 tués par voleurs de bétail venus du Soudan. **1989**-*5-6* détenus pol. libérés. *-6-7*, 2 touristes français tués par braconniers dans une réserve. *-18-7* K. détruit ses réserves d'ivoire (12 t). *-21-8* Georges Adamson (n. 1906), spécialiste des lions, assassiné par braconniers. **1990**-*16-2* Robert Ouko, min. Aff. étr., tué (off. suicide), en enquêtant sur affaires de corruption. Nicholas Biwott, min. de l'Énergie, sera en 91 mis en cause 19-11, arrêté 26-11, libéré 24-12. *-7/12-7* émeutes (22 †). *-14-8* évêque anglican Alexander Luge tué (menacé de mort par le min. du Travail Peter Okondo). *-3/4-12* réforme envisagée avec maintien monopartisme. **1991**-*1-3* naufrage de réfugiés somaliens (175 †). *-10-12* multipartisme autorisé. **1992** *mars/nov.* affrontements ethniques Bukusu/Sabast Kalenjin : 700 † env. *Au 1-6* env. 283 000 réfugiés éthiopiens et somaliens. *-29-12* élect. (1res dep. 26 ans) présidentielles, Daniel Arap Moi réélu avec 33,6 % des voix et législatives. **1993**-*19-1* gouv. demande au HCR de rapatrier 416 000 réfugiés responsables de l'insécurité. *-27-1* Pt Moi suspend travaux du parlement après une journée. *-30-1* déraillement train Nairobi-Mombasa, 117 †, 180 disparus.

Statut. Rép. membre du Commonwealth. *Constit.* de 1963, révisée 69. *Pt* (élu pour 5 a. au suffrage univ.) Daniel Toroich Arap Moi (n. sept. 1924, ethnie Kalenjin) dep. 10-10-78. *Ch. des repr.* élue p. 5 a. 200 m. élus au suffr. universel, 12 désignés par le Pt, 2 m. mandants ex officio. **Provinces :** 8. **Partis.** *KANU* (Kenya African National Union, modéré) f. 1960, unique de 1982 à 1991. *FORD-Kenya* (Forum pour la restauration de la dém., ethnie luo) f. août 1991 par Jamaragi Oginga Odinga (n. 1911, 1er vice-Pt du K. indép. ; *1966* chef de la Kenya People's Union), *FORD-Asili*, scission 1992, leaders : Kenneth Matiba et Martin Shikuku. *KDP* (Kenya Democratic P.), f. 1992, leader : Mwai Kibaki. *KNC* (Kenya Nat. Congress), f. 1992. *Mouv. Mwakenya* (gauche), *porte-parole* (dep. 1982) Ngugi wa Thiongo (écrivain en exil). **Fêtes nat.** 1-5 (travail), 1-6 (Madaraka Day), 1er j. du Ramadan, 10-10 Moi Day (jour du Pt). **Drapeau.** (1963) Bandes noire, rouge (avec lisérés blancs) et verte ; bouclier masaï et lances croisées représentent la défense de la liberté.

ÉCONOMIE

PNB ($ par h.). *1982 :* 390 ; *85 :* 290 ; *90 :* 333 ; *91 (est.) :* 318. **Croissance** (en %) *1990 :* 4,5 ; *91 :* 2,2 ; *92 :* 2. **Pop. active** (%, entre parenthèses part du PNB en %) agr. 76 (29,3), ind. 20 (13,8), services 14 (56,9). **Chômage** *1990 :* env. 12 %. **Inflation** (%) *1989 :* 10,5 ; *90 :* 15,8 ; *91 :* 19,6 ; *92 (est.) :* 28. **Dette ext.** 6,8 milliards de $ (fin 92). **Remises de dettes** (en millions M) *1988 :* Canada 109 M US $, G.-B. 70 M £, Pays-Bas 20 M US $; *89 :* ex-All. féd. 800 M DM, France 924 M F ; *90 :* France (1,33 milliard de F d'avant 31-12-88). **Aide** env. 800 millions de $ par an. Suspendue dep. nov. 91. **Avoirs à l'étranger** (92). 2,8 milliards de $.

Nota. – En 1991, suite aux affaires de corruption, plan de développement rural danois et programme énergétique de la Banque mondiale de 100 millions de $ ont été bloqués.

Agriculture. *Terres* (milliers d'ha, 81). Pâturages 3 760, forêts 2 500, t. arables 1 830, eaux 1 340, cult. 486, divers 48 349. *Production* (milliers de t, 91). Canne à sucre 5 350, maïs 2 250 (60 % des terres arables), manioc 650, patates douces 600, p. de t. 300, blé 210, thé 204, sorgho 140, pyrèthre 120 (86) (70 % de la production mond., utilisé pour insecticides), tomates 31, mangues 38, fruits 16, oignons 21, tabac 10, café 90, millet 63, riz 60, coton, sisal 39. **Forêts.** 36 650 m^3 (90). **Élevage** (millions de têtes, 91). Volailles 25, bovins 18,9, chèvres 8,1, moutons 6,5, porcs 0,1, chameaux 0,80. **Pêche.** 144 445 t (89).

Mines (milliers de t, 91). Cendre de soude 220, gypse-chaux 40, sel 32, fluor 77, or 17 kg (88). **Hydroélectricité.** Autosuffisance (1988) avec barrage de Kiambere (140 MkWh). Celui de Turkwell opérationnel 1992 (500 MkWh). **Industrie.** Alimentaires ; raff. de pétrole.

Transports (km). *Routes* 54 820 (conduite à gauche), *chemins de fer* 2 720. **Tourisme.** 805 000 vis. (91), 230 hôtels (91). **Réserves :** Masaï-Mara (créée 1961, 1 792 km^2, dont 512 de réserve), Samburu et Buffalo Springs (385 km^2), Olambwe Valley, Maralal. *Parcs nationaux :* Aberdare (créé 1949, 384 km^2), Amboseli (380 km^2), Marsabit (360 km^2), Meru (870 km^2), Mont-Elgon (360 km^2), Mont-Kenya (384 km^2), Nairobi (1947, 117 km^2), Rudolf (1 570 km^2), Tsavo (20 767 km^2). Parc marin de Malindi (coraux). *Lacs :* Baringo, Bogoria, Naivasha, Nakuru (46 km^2), Turkana (6 405 km^2), Victoria 3 755 km^2 (dont îles 2 145 km^2 dont au Kenya 212). *Ile :* Lamu (20 mosquées). **Animaux** (1991). Éléphants 17 000 (*1969* 24 000, *1988* 4 327), girafes 60 000, buffles 48 000, zèbres 220 000, antilopes et ngus plusieurs centaines de milliers, rhinocéros quelques dizaines (*1970* 600, *1988* 30), hippopotames milliers.

Commerce (millions de $, 1990). **Exp.** 1 026 (est. 92) dont (en %) café, thé, prod. pétr., cuirs et peaux, fleurs, fruits et légumes, carbonate de soude, haricots, sisal *vers* G.-B. 144, ex-All. féd. 90,9, Pays-Bas 46, Ouganda 42, USA 28, Tanzanie 21, *France 20.* **Imp.** 2 045 (est. 92) *de* G.-B. 308, Émirats 224, Japon 151, ex-All. féd. 132, *France 93,5*, Italie 79. **Balances** (millions de $, est. 92). **Commerciale** – 1 018. **Paiements courants** – 301.

Rang dans le monde (91). 4e thé. 17e bois, café.

KIRGHIZISTAN

Carte p. 1124. V. légende p. 884

Situation. Asie. 198 500 km^2. Enclavée (Kazakhstan, Ouzbekistan, Tadjikistan, Chine). *Montagne* jusqu'à 7 000 m, chaîne des Tian-Chan, *plaines et vallées* 1/5e. *Glaciers :* env. 8 000 km^2. **Climat.** Continental. Moy. dans vallées : janv. – 18 °C, juill. + 28 °C. **Faune.** Ours, chevreuil, renard, martre, ondatra, animaux à fourrure.

Population. 4 372 000 h. au 1-1-90 (en % Kirghizes 50, Russes 21,5, Ouzbeks 12, Ukrainiens 3,1, Ouïgours, Kazakhs, Tadjiks, Allemands de la Volga, déportés en 1941). D 21. **Capitale :** *Bichkek (Frounzé* de 1926 à 1991) 626 900 h. dont 25 % de Kirghizes seulement. Régions. 3. Langue nationale. Kirghize (groupe des dialectes turcs méridionaux) ; remplace le russe dep. sept. 89. Écriture arabe remplacée 1928 par alphabet latin, remplacé 1940 par cyrillique. Religion. Islam (sunnites). 60 mosquées (dont 18 ouvertes en 1991).

Histoire. **1870** annexée. **1924**-*14-10 région aut. de Kara-Kirghizie.* **1925**-*25-5 de Kirghizie.* **1926**-*1-2 rép. aut. soc.* **1936**-*5-12* adhère à l'U. **1990** *févr.* émeutes à Frounze *-12-2* proclame sa souveraineté et abandonne les termes socialiste et soviétique ; *mai* incidents Kirghizes-Ouzbeks : 78 †. *-6-6* affrontements interethniques (36 †) ; *juin* bilan : 186 †. *-25-10* création d'une présidence de la Rép. **1991**-*19/20-8* échec d'une tentative de coup d'État soutenu par le PC. *-31-8* proclame son indépendance et dissout le PC. Le Mouvement démocratique devient la 1re force politique (mais sur 350 députés, 335 sont des ex-communistes). *-12-10* Askar Akaiev, seul candidat, élu Pt avec 95 % des voix. *-13-12* adhère à CEI.

Statut. Rép. membre de la CEI. *Pt* Askar Arkaev. *PM* Toursoubek Tchynguychev.

Économie. **PNB total** (1991) 3,6 milliards de $ (par hab. 744 $). **Pop. active (%) :** agr. 34, ind. 27, tertiaire 39.

Agriculture. Arboriculture fruitière, viticulture, plantes industrielles (kénaf, chanvre méridional, pavot médicinal), coton 74 000 t (89), tabac, céréales 1 654 000 t (89). 1 million d'ha irrigués autour de Bichkek et dans la cuvette du Ferghana. Élevage. Bétail à cornes ; chevaux de race, moutons (10 millions).

Énergie. Charbon, gaz naturel, pétrole. Export. d'énergie électr. au Kazakhstan. Industrie. Mécanique et moteurs électriques. Mines. Antimoine, mercure, plomb, uranium, zinc.

Transports. *Routes* 28 400 km ; *voies ferrées (90)* 370.

KIRIBATI (prononcer Kiribas)

Carte p. de garde. V. légende p. 884.

Situation. Pacifique. 861 km² dispersés sur une zone maritime de 3 500 000 km². 72 298 h. (90). D 89,2. Micronésiens. **3 groupes d'atolls** (33) de corail. Étendue : E.-O. 3 780 km, N.-S. 2 050 km. **16 îles Gilbert :** 295 km², 67 471 h. (90) dont *Makin* 1 762 h., *Butaritari* 3 786 h., *Marakei* 2 863 h., *Abajang* 5 314 h., *Tarawa N.* 3 648 h., *S.* 25 154 h., *Maiana* 2 184 h., *Abemama* 3 218 h., *Kuria* 985 h., *Aranuki* 1 002 h., *Nonouti* 2 766 h., *Tabiteuea N.* 3 275 h., *S.* 1 325 h., *Beru* 2 909 h., *Nikunau* 2 048 h., *Onotoa* 2 112 h., *Tamana* 1 396 h., *Arorae* 1 440 h. **8 îles Phénix :** 55 km², pas de pop. permanente ; *Birnie, Rawaki, Enderbury, Canton* 45 h., *Manra, Orona, Mc-Kean, Line.* **8 des 11 îles de la Ligne :** 329 km². 4 827 h. en 90 (les 3 autres dépendant des USA) dont 3 habitées : *Teraina* 936 h., *Tabuaeran* 1 309 h., *Kiritimati* 2 537 h. **Une île volcanique :** *île Océan ou Banaba,* 5 km², 284 h. Capitale : Tarawa-City 25 134 h. (90). Langues. Anglais *(off.)* 75 %, gilbertais. Religions. Catholique, protestante.

Histoire. **1606** découvertes par l'Espagnol *Quiros,* appelées îles du Bon-Voyage. **1892** protectorat brit. **1915** colonie. **1938** *mars* Canton et Enderbury réclamées par USA. **1939**-*6-4* 3 îles de l'archipel Phénix (Canton, Enderbury et Hull) passent sous administration américano-brit. **1942** occupation jap., massacre des habitants d'Océan. **1943** Tarawa ravagée par combats. **1945-48** Christmas utilisée par Brit. et Amér. pour expériences nucléaires. **1971**-*31-12,* îles Gilbert, Ellice et Line, séparées du Ht-Commissariat du Pacifique occidental résidant à Honiara (Salomon). **1975**-*7-10,* îles Ellice (Tuvalu) font sécession. **1979**-*12-7* indép. sous le nom actuel. *-20-9* tr. G.-B.-USA et Kiribati pour Canton et Enderbury (ancienne base aéronavale inhabitée dep. 12-2-1968).

Statut. République. Membre du Commonwealth. *Const.* du 12-7-79. *Pt* Teatao Teannaki, dep. 3-7-91 [avant Ieremia Tabai (n. 16-12-50) dep. 12-7-79]. *Assemblée* 41 m. dont 39 m. élus pour 4 a. Drapeau (1979). Frégate (oiseau) survolant le soleil et la mer.

Économie. **PNB** (90) 760 $ par h. Agriculture. *Production* (milliers de t) noix de coco 110 (90), coprah 14,4 (88), bananes 5 (88). Élevage (90) porcs 10 000, poulets. Mines. Phosphates (mines épuisées dep. 79 sur Banaba et 88 sur Christmas). Pêche (89) 33 073 t. Vente des droits de pêche au Japon et à l'ex-URSS. Tourisme. Artisanat.

Commerce (millions de $ austr., 90). **Exp.** 3 *dont* coprah 1, pêche 0,9. **Imp.** 34,4 *dont* prod. alim. 30 %, *de* Australie, N.-Zél., G.-B., Papouasie, Fidji.

KOWEÏT

Carte p. 916. V. légende p. 884.

Nom. De *kout,* petit château. Au XVIIIe s., appelé *Al Qorein* (de *Qarn,* corne).

Situation. Asie. 17 818 km² (y compris la zone neutre 2 300 km²). *Frontières :* Iraq 240 km, Arabie S. 250 km. *Côtes :* 290 km. *Long.* max. 198 km, *larg.* max. 167 km. *Alt. max.* 300 m (Jal-Al Zour 145 m). 9 îles dont Faïlaka (12 × 6 km), 5 826 h. (1985). *Distances* (km) : Riad 556, Bagdad 833, Abou Dhabi 872, Damas 1 465, Le Caire 2 129, Sana'a 2 222, Aden 2 741. Climat. Désertique. *Température :* été 25 à 45 °C ; hiver 8,1 à 18,9 °C ; *records :* 51 °C (27-7-78), – 6 °C (20-1-64). *Pluies :* 115 mm par an.

Population (milliers d'h.). *1910 :* 35, *39 :* 75, *57 :* 206, *61 :* 322, *65 :* 467, *70 :* 739, *75 :* 995, *80 (rec.)* 1 358, *85 :* 1 697, *90 :* 2 142 (dont 1 316 non-K. : Irakiens, Jordaniens, Syriens, Libanais, Palestiniens, Égyptiens, Pakistanais, Indiens), *91 (est.) :* 1 200 (dont 700 K., 40 Jord. et Pal.), *prév. 2000 :* 2 969. Exilés pendant la g. env. 30 % dont 500 000 étaient en vacances lors de l'invasion. « **Bidun** », apatrides sans droit de résidence permanente. **Âge** – *de 15 a. :* 40,2 %, + *de 60 a. :* 2,3 %. D 120,2 (90). *Taux de croissance (85) :* Koweïtiens 3,80 %, non-K. 5,11 %. Villes (85) : *Koweït* (cap.) 58 456, Hawalli (à 7,5 km) 145 215, Salimiya (à 12 km) 153 220, Farwaniya 68 665, Abraq Kheetan 45 109, Jahrah (32 km) 111 000. Langue off. Arabe. Religion. Islam *(off.) ;* chiites 15 à 30 %.

Histoire. **2500 av. J.-C.** sites archit. de Faïlakah. **XVIe s.** présence côtière portugaise. **V. 1672** ville de K. fondée. **V. 1711** famille Al-Sabah arrive au K. **V. 1752** Sabah Bin Jaber, élu 1er souverain de K. **1896** cheikh Moubarak « le Grand », († 1915), défait tribus rivales à la solde des Turcs. **1899**-*23-1* tr. avec G.-B. : protection et contrôle brit. **1914** protection brit. **1920** K. bat Ikhwans, guerriers wahhabites. **1922** 10 000 pêcheurs de perles (800 bateaux). **1934** concession pétrolière à une Sté anglo-amér. (Kuwait Oil Cy). *-7-12* pluies torrentielles. **1936** *févr.* découverte du pétrole. **1946** début des export. pétr. **1961**-*19-6 indépendance.* **1965** *7-7* partage de la *zone neutre* entre K. et Arabie Saoudite. **1975** *mars* Kuwait Oil nationalisée. **1981**-*23-2* élections. **1982** *févr.* Parlement refuse le droit de vote aux femmes. *Juillet-août* krach boursier (125 milliards de $). **1983** ouverture du pont de Bubiyan. *-12-12* attentats (contre amb. US et Fr. et objectifs civils) 7 †. **1985**-*25-5* contre l'émir. *11-7* contre 2 cafés par bridages révol. arabes (11 †). *Déc.* 17 arrêtés. **1986** *juin* sabotages dans stockage à Ahmadi (7 mois après, 11 K. chiites arrêtés). **1987** *été* plusieurs missiles iran. sur K. Sac de la mission dipl. k. en Iran. *-15-10* 1 pétrolier touché par missile ir. dans les eaux territ. k. *-22-10* plateforme pétr. touchée par missile iranien. **1988** *mars* incident avec Iran. **1990**-*8* et *27-1* manif. *-2-8* invasion iraquienne. *-5-8* gouvernement koweïti (9 militaires, dirigé par le colonel Ala'a Hussein Ali). *-8-8* fusion « totale et irréversible » avec Irak. K. devient la 19e province ir. Guerre du Golfe, voir Iraq. **1991**-*4-3* Cheikh Saad, Pce héritier, nommé administrateur de la loi martiale, revient au K. *-26-6* fin de la loi martiale ; condamnations à mort commuées en peines de prison à vie (450 pers. inculpées de collab., 29 condamnées à mort). *-27-7* 1er livr. de brut par tanker dep. la lib. (261 000 t). *Août* boycottage de fait d'Israël arrêté. Iraq commence à restituer or volé (42 t atteints, valant 480 millions de $). *-6-11* 732e et dernier puits en feu éteint. *-12-12* emprunt intern. de 5,5 milliards de $. **1992**-*12-1* levée de la censure de la presse. *Janv.* Iraq restitue œuvres d'art de la collection Al Fayad. *Mars* 2 101 pris. kow. en Irak, selon gouv. [1 887 h., 214 f. (1 000, selon org. indép.)]. **1993** *janv.* plusieurs incursions iraq. pour récupérer armes et matériel. *Avril* Bush au K. (tentative d'assass. échoue).

Statut. Émirat *(cheikhat)* ind. **Constit.** 11-11-1962, suspendue partiellement dep. 29-8-76. **Émir** Cheikh Jaber al-Ahmad al-Jaber al-Sabah (n. 29-6-28), dep. 31-12-77. *Pce héritier* (dep. 31-1-78) et *PM* (dep. 8-2-78) Cheikh Saad al-Abdallah al-Salem al-Sabah (n. 1930). **Ass. nat.** 50 m. élus p. 4 a. au suffr. univ. [*él. du 20-2-85,* 56 846 électeurs (peuvent voter ceux qui peuvent prouver que leur famille résidait au K. avant 1920 ; femmes exclues, bédouins 23 s., citadins 21 s., chiites 4 s.) et 12 m. de droit]. Dissoute 3-7-1986. *Él. 5-10-92 :* 80 000 électeurs, opposition 32 s. Dep. 1990, **Conseil national** 75 m., dont 50 élus au suffrage universel et 25 désignés par l'émir. Dissous 1992. Partis. Pas de p. officiels, mais des « rassemblements ». **Gouvernorats** 5. Fêtes nat. 25-2, anniv. de l'intronisation de l'émir Abdallah et de l'indép., 26-2, jour de la lib.

Zone neutre (4 650 km²), possédée administrativement par K. et Arabie S. dep. 1922, partagée 1965 entre les 2, l'exploitation du pétrole et des autres ressources est assurée conjointement ; l'A. bloque le projet de pipe-line du port saoudien de Yambu, et refuse au K. d'utiliser le gaz des champs pétroliers de la zone. L'Iraq remet en cause accord frontalier de 1963, non ratifié (gêne son accès à la haute mer) et veut contrôler îles de Bubiyan et de Warba commandant l'accès de son port Oum-el-Qasr en les louant pour 99 ans pour y construire un port pour superpétroliers, ou en recevant un don de 10 milliards de $ pour ratifier l'accord). Le K. projette une ville, Subiya (100 000 h. v. 1995), proche des îles.

ÉCONOMIE

PNB (par h.). *1982 :* 19 610 $, *85 :* 14 265, *88 :* 13 672, *89 :* 15 200, *90 :* 10 000, *91 :* 14 000. **Pop. active** (%, entre par. part du PNB en %) agr. 2 (1), ind. 28 (10), services 68 (54), mines 2 (35). **Inflation** (%) *1985 :* 1,5 ; *86 :* 1,2 ; *87 :* 0,8 ; *88 :* 1,5 ; *89 :* 3,3. **Croissance** *1985 :* – 9,6, *86 :* + 18,5, *87 :* – 1,5 ; *88 :* 0 ; *89 :* + 12,3 ; *90 :* – 30. **Déficit budgétaire** (milliards de $) *1989-90 :* 5,12 ; *91-92 :* 14. **Réserves** (1990, milliards de $). *Montant* 95 (45 en 91) dont fonds de réserves pour les générations futures (créé 1976, non utilisable avant l'an 2000) 60 ; fonds de rés. gén. 35 ; revenus nets procurés 3,5. **Aide aux autres pays :** pays arabes de la « confrontation avec Israël » (milliards de $) : *dep. 1978 :* 956/an. **Investissements à l'étranger** (milliards de $, 1991). 200 dont 2 en France (revenus 9 en 1990). L'État y consacre 10 % des revenus pétroliers (gérés par le Kuwait Investment Office). Certaines années, les revenus des placements étrangers dépassent les recettes pétrolières. *Rendement net annuel :* 4 à 7 %. **Prêts bancaires internationaux** (1992, milliards de $) USA 2, Japon 1, P.-B. 1, *France 1,* G.-B., Canada 0,44. **Dette** (milliards de $). *Janv. 93 :* env. 30.

Agriculture. *Terres* (milliers d'ha, 81) arables (150 000 ha cultivables, 1 200 cultivés), pâturages 134, forêts 2, divers 1 645 (désert). *Production (milliers de t, 90) :* tomates 34, oignons 20, melons 5, dattes 1. Élevage (milliers, 90). Volailles 21 000, chèvres 25, moutons 200, bovins 18, chameaux 6. Pêche. 7 700 t (89). Énergie. **Pétrole :** *réserves* 12,9 milliards de t (9 % des r. mondiales). *Production* (millions de t) : *1974 :* 148,3 ; *80 :* 81 ; *81 :* 58 ; *82 :* 42 ; *83 :* 54 ; *84 :* 58 ; *85 :* 53 ; *86 :* 70 ; *87 :* 61 ; *88 :* 73 ; *89 :* 91 ; *90 :* 60 ; *91 :* 9,5 ; *92 (prév.) :* 75 à 80 ; *93 (prév.) :* 100. **Gaz :** *réserves* 1,51 milliard de m³, *prod.* (91) 0,44 milliard de m³. Industrie. Raffinage [(milliers de b/j) *1990 (15-7) :* 180, *92 (janv.) :* 230, *(nov.) :* 400], prod. chim. (ammoniaque, urée), dessalement de l'eau de mer (5 usines produisant 536 000 m³/j). Transports. *Pont* de 2,4 km (Koweït/Bubiyan). *Routes* 3 800 km (dont rapides 310). *Voitures* 585 000 en 1988.

Commerce (millions de dinars K, 1988). **Exp.** 3 378 (89) *dont* prod. pétroliers 1 783 *vers* Japon, P.-Bas, Italie, Taiwan, Pakistan. **Imp.** 1 849 (89), *de* Japon, USA, ex-All. féd., G.-B., Italie. **Ventes françaises au Koweït** (millions de F). *1989 :* 1 349 (4 % des achats), *91 :* 622, *92 (10 mois) :* 1 384. Rang dans le monde (91). 4e réserves pétrole. 15e pétrole. 19e gaz.

Bilan de la guerre. **Pertes humaines civiles** 1 082. Contribution (milliards de $) : 22 ; soutiens aux K. exilés (+ de 400 000) et moratoire sur les dettes des particuliers 4. **Dommages causés :** 500 milliards de $ estimés au moment de la lib. *Pertes du secteur pétrolier (1991)* 80 à 100 (30 à 40 selon d'autres sources) ; 820 millions de t perdues. Arrêt activité pétrolière pendant 210 j d'occupation 8,5 ; pertes ultérieures (puits incendiés, 60 % des puits non réexploitables) 0,04 à 0,12 par j [220 000 t parties en fumée libérant 5 000 t de polluant par j (850 000 t en fumée selon d'autres sources)] ; pluies noires jusqu'à 2 400 km (émirat dans l'obscurité en plein jour) ; dommages des usines pétrochimiques 7,8, autres secteurs 12 (électricité 1, ports et aéroports 2, télécom 1, parc auto 5, dégradation bâtiments 3,7, vol d'or 0,5 + dégâts hôpitaux, écoles, magasins pillés) ; pertes civiles par engins explosifs 400 en 1991 [500 000 à 5 millions de mines ir. nécessitant 20 ans de déminage]. **Reconstruction :** 10 ans. *Coût :* 20 à 30 milliards de $. **Travaux d'extinction des puits :** 6 zones [Bangladesh, Égypte, France (1 750 km²), G.-B., Pakistan, USA] ; 9 000 pers. [27 équipes intern. de pompiers (8 en juill. 91) dont 1 française : Horwell, filiale de l'Institut fr. du pétr.]. *Méthode Red Adair :* inondation des puits, extinction par souffle d'explosifs, forage parallèle avec injection de boue ou ciment (peu utilisée) ; *hongroise :* moteurs de Mig 21 montés sur tanks (effet de souffle).

Kurdistan

V. légende p. 884.

Situation. Asie. 530 000 km^2. N'est pas un État, mais correspond à une identité de race sur un territoire défini (montagnes et hauts plateaux répartis principalement entre Turquie, Iran, Irak, Syrie).

Population (millions). 25,30 dont Turquie 12, Iran 6,5, Irak 4, Syrie 1,3, ex-URSS 0,7, pays occid. 0,6, Liban 0,2. **Tribus les plus importantes :** *Irak :* Baban, Barzani, Hamavend, Herki ; *Iran :* Chichak, Moukri, Ardalan, Djaff, Kerlhour, Lour, Bakhtyar ; *Syrie :* Berazi, Milli, Miran ; *Turquie :* Hakkari, Hartouchi, Zirikan, Djalali, Heyderan. **Langues.** Kurdmandji (Nord) parlé par les 2/3 ; zaza ; sorani (Sud) ; lorifaïli parlé par Lours et Bakhtyars. **Religions.** Musulmans sunnites (80 %), chiites (20 %, dont quelques dizaines de milliers extrémistes « Ali Illahi »), Yézidis (5 % avec les zoroastriens), chrétiens orthodoxes et juifs (3 %).

Histoire. **V. 1000 av. J.-C.** Indo-Européens venus de Russie, parlant des dialectes médiques. **612 av. J.-C.** arrivée d'une tribu « turan », ou de 2 tribus consanguines, Cirtes et Mardes, après la chute de Ninive. **XIIe s.** après l'apparition des Mongols, les K. se retirent dans leurs montagnes. **XVIe s.** Sélim Ier, sultan des Ottomans, entreprend la conquête du K. **1804** ère des révoltes, les Russes encouragent K. contre Turquie. **XXe s.** mouvement séparatiste k. dirigé par le mollah Moustapha Barzani (Irakien, 1902-79) ; lutte en Irak sur env. 35 000 km^2 (env. 1 million d'h.). **1945** rép. indépendante k. à Mahabad. **1972** appui des USA (16 millions de $ entre août 72 et mars 75) pour contrer la pénétration soviétique. **1975**-*6-3* réconciliation Irak-Iran : l'Iran cesse son aide au K. -*30-3* Barzani se réfugie en Iran, la rébellion s'effondre. Voir **Iran** et **Irak.**

Laos

Carte p. 951. V. légende p. 884.

Situation. Asie. 236 800 km^2. *Frontières* 4 351 km (avec Thaïlande 1 635 km, Viêt-nam 1 693, Cambodge 404, Chine 391, Birmanie 228). *Alt. max.* Pou Bia 2 850 m. *Haut Laos :* montagnes, plateaux et quelques vallées, forêts et bambous. *Bas Laos :* plaines du Mékong et de ses affluents, dominées par la cordillère Annamitique, comprenant le Khammouane (plateau calcaire) et les Boloven (plat. volcanique). **Climat.** Subtropical au N., tropical au S. *Saisons :* sèche (10 à 20 °C) nov.-mars, des pluies (28 à 35 °C) avr.-oct.

Population. *1991 (est.) :* 4 262 000, *prév. 2000 :* 6 213 000. Laos (et assimilés) 67 %, Proto-Indochinois 27 %, Hmongs-Miens (chinoisants) 5 %, Tibéto-Birmans 1 %. **Mortalité** *infantile :* 117 ‰. **Âge** – *de 15 a. :* 50 %. *+ de 65 a. :* 3 %. *Espérance de vie :* 50 ans. D 18. 1 médecin pour 3 000 h. **Villes** (73) : *Vientiane* (cap.) 377 409 (85), Savannakhet 50 690 (à 450 km), Pakséé 44 860 (677 km), Louang Prabang (ancienne cap. royale) 44 244 (336 km). **Émigration** 400 000 (vers Thaïlande) dep. 1975, dont 65 000 Hmongs. **Langues.** *Off. :* laotien (famille thaïe) ; *autres :* français, vietnamien, chinois (cantonais), anglais. **Éducation** 80 % d'enfants scolarisés (50 % ne finissent pas les ét. primaires). **Religions.** *Off. :* bouddhisme (90 %) theravadin (Petit Véhicule). Proto-Indochinois et Hmongs-Miens sont généralement animistes ou peu christianisés. Vietnamiens sont souvent catholiques (en 92, 27 600).

Histoire. **IVe-Ve s.** occupé par « Proto-Chinois » de langue môn-khmère, venus de Chine. **VIIe-XIe s.** plusieurs roy. môn, dont celui de Srigotapura (Sikhottabong, entre Vientiane et Thakhek) ; roy. indianisés et bouddhisés par l'intermédiaire des môn de Birmanie (Dvaravati). **XIe-XIIIe s.** occupation khmère du centre, routes et hôpitaux ; influences religieuse (non bouddhiste) et culturelle peu importantes. **A partir du XIIe s.** des Thaïs animistes, les Laos, venus de Chine, implantent de petites principautés autonomes (Muong Soua, qui deviendra Louang Prabang, Vientiane, Xieng Khouang, Champassak) vivant dans l'orbite d'Angkor ; les Laos se convertissent au bouddhisme et les Proto-Indochinois (Môn) adoptent la langue lao. **1340-53** le Pce Fa-Ngoum, Pce de Muong Soua, aidé du roi du Camb., réalise l'unité lao [roy. de *Lan Xang* (pays du Million d'éléphants)]. **1479** résiste à une attaque de l'emp. d'Ancelle et, v. **1499** à celle du Siam. **1548-55** extension territoriale. **1556** roi de Birmanie prend Chieng Mai. **1560** tr. d'alliance avec Siam : Vientiane cap. **1566** le roi Setlhathirath y installe le Phra Keo, Bouddha d'émeraude. **1574** invasion et tutelle birmane. **XVIIe s.** règne prospère de Souligna Vongsa, visites d'Européens. **1694** querelle de succession. **1707-21** division du *Lane Xang* en 3 roy. : *Louang Prabang, Vientiane* et *Champassak.* **1713-37** (1er roi Nokasat), tombe peu à peu sous protectorat siamois, dure un siècle ; conquis par Siam, détruit, vidé de ses h. **1753** Birmans envahissent roy. de Louang Prabang. **1778** *oct.* Siamois prennent Vientiane ; suzeraineté siam. **1827** invasion siam. et sac de Vientiane. **1885** occupation partielle siam. **1887** consulat de France à Louang Prabang confié à Auguste Pavie (1847-1925). **1893**-*3-10* Siam reconnaît *protectorat fr. sur le L.* **1907**-*23-3* tr. franco-siam., L. renonce rive droite du Mékong (sauf prov. de Champassak et Sayabouri). **1941** Siam allié du Japon annexe terr. à l'O. du Mékong (tr. de Tōkyō). **1945**-*9-3* les Jap. prennent le pouvoir, mouvement d'ind. nat. [*Lao-Issara* (Laos libre fermé)]. -*3-8* capitulation jap. **1946** gouv. Lao-Issara exilé en Thaïlande. -*17-8* *modus vivendi* franco-Lao., reconnaissant autonomie interne du L. **1947**-*11-5* monarchie constitutionnelle. **1949**-*19-7* indép. dans l'Union franç. **1950** État associé de l'Union fr. *Néo-Lao-Issara* [« Front des Laos libres » (P.-L.)] (procommuniste) et « Gouv. du *Pathet-Lao* » (« État lao ») fondés. **1953**-*19-4* invasion viêt-minh, à Sam Neua, résistance du P.-L. -*22-10, indép. complète.* **1954**-*21-7* accords de Genève : fin de la g. d'Indochine. Troubles. **1957** *nov.* gouv. de coalition. **1958** *févr.* intégration combattants P.-L. dans armée royale. *Juill.* droite renverse gouv. de coalition, arrête ministres P.-L. **1959** *mai* coup d'État de droite. -*29-10* Sri Savang Vatthana (n. 13-11-07) roi. **1960** *janv.* coup d'État de droite. -*9-8* coup d'É. neutraliste du cap. Kong Lé ; une moitié de l'armée (Gal Phoumi) établit à Savannakhet un comité anticoup d'État avec Pce Boun Oum (1-12-1911/† en Fr. 17-3-1980), descendant des rois Champassak). **1961** (début) Pce Souvanna Phouma (7-10-1901/11-11-1984) PM et cap. Kong Lé établissent leur PC à Khang Khay. -*16-5* conf. des 14 pays à Genève. **1962**-*23-6* (accords du Hin Heup du *8-10-61*), plusieurs forces restent en présence : droite (Gal Phoumi, Boun Oum) ; neutralistes (Souvanna Phouma) ; P.-L. (Pce Souphanouvong, n. 12-7-09, son demi-fr.). -*23-7* accords de Genève consacrant neutralité du L. **1964** P.-L. ravitaillé par N.-Viêt. entretient l'insécurité. **1970**-*3-2* com. prennent plaine des Jarres. L. contrôlé en partie à l'Est par Souphanouvong, procom. et son Néo-Lao Hakxat (NLHX) (Ft patriotique lao), ancien « P.-L. » ; en partie par Souvanna Phouma, soutenu par USA qui bombardent la zone rouge NLHX où passe la « piste Hô Chi Minh » (par laquelle le N.-Viêt. ravitaille le S.-Viêt.), tenue par 50 000 N.-Viêt., des irréguliers du P.-L. et une « Armée pop. de Lib. » (f. 20-1-46) et entretiennent 25 000 h. des forces spéciales du Gal Van Pao, + 25 000 Thaïl. et 3 000 mil. **1971**-*8-2* attaque sud-v., appuyée par av. amér., contre piste Hô Chi Minh repoussée par N.-V. **1973**-*21-2* cessez-le-feu (fin des bomb. amér.). -*14-9* nouveau cessez-le-feu. **1974**-*3-4* Souphanouvong rentre à Vientiane. -*5-4* GPUN (gouv. prov. d'Union nat.) formé. -*10-7* Ass. nat. dissoute. **1975** *mai* P.-L. occupe le S., manif. anti-amér. (évacuation des Amér., fuite des minorités ethniques en Birmanie et Thaïlande). -*23-8* P.-L. prend le pouvoir. -*1-12* roi Savang Vatthana abdique. Souphanouvong Pt. -*2-12* GPUN et comité pol. nat. de coalition dissous ; rép. pop. dém.

République. **1977**-*12-3* Vatthana arrêté (meurt dans un camp ?). Rébellion méo. Intervention viêt. (100 000 à 170 000 h. ?), transferts de pop. 200 000 (?), env. 30 000 fonctionnaires, officiers, petits-bourgeois et intellectuels en camps de concentration, persécution religieuse, 25 000 bonzes défroqués. -*18-7* tr. d'amitié L.-Viêt. **1978** *févr.* centres culturels étrangers fermés. Présence de 30 000 à 60 000 Vietnamiens. 70 000 Chinois expulsés. Pékin rappelle 2 500 techniciens. -*23-8* relations diplom. rompues avec Fr. **1986**-*29-10* Phoumi Vongvichit, Pt. **1989** retrait 55 000 soldats viet. prévu. Relations reprises avec Chine. **1990** privatisations. **1991**-*29-3* Souphanouvong démissionne du PPRL. -*14-8* nouv. Constit. (le stupa remplace symboles commun. : étoile rouge, faucille et marteau ; PPRL maintenu parti unique ; économie de marché, droit à la propriété et invest. privés autorisés). -*15-8* Kaysone Phomvihane (1920-92) Pt. Réduction présence sov. et croissance des investissements thaïlandais. **1992**-*25-11* Nouhak Phoumsavanh Pt.

Statut. Rép. démocratique populaire dep. 2-12-1975. *Constitution* du 14-8-91. *PM* Khamtay Siphandone dep. 15-6-91 [avant Kaysone Phomvihane dep. 2-12-75]. *Assemblée suprême du peuple* (Pt Samane Vignaket dep. 20-2-93) : 85 m. Élections 20-12-92. *Villages (Ban)* 11 424. *Communes (Tassèng)* 950. *Districts (Muong)* 112. *Provinces (Khouèng)* 17. **Partis.** *PPRL (Populaire révolut. lao),* f. 1955, communiste, *Pt* Khamtay Sipandone dep. nov. 92. *Front lao pour la reconstruction nat.* f. 1979, Pt Souphanouvong. **Fête nat.** 2-12 (proclamation de la Rép.). **Drapeau** (1975). Bandes rouges (unité et objectifs du peuple), bleue (le Mékong), cercle blanc (la Lune).

Économie

PNB (91). 260 $ par h. **Croissance** (1990) 5 %. **Pop. active** (% et entre par. part du PNB en %) agr. 74 (61), mines 1 (1), ind. 6 (8), services 19 (30). **Inflation** (%) *1987 :* 100, *88 :* 25, *89 :* 60, *90 :* 18, *91 :* 15. **Aide étrangère** (millions de $) *1983 :* 82 (org. intern. 13, pays soc. 53, occid. 16), *86 :* 48, *92 :* aide occ. env. 110.

Agriculture. **Terres** (milliers d'ha, 81) forêts 12 900, t. arables 865, pâturages 800, eaux 600, t. cult. 20, divers 8 495. **Production** (milliers de t, 90) riz (75 % des t. cult.) 1 491 (déficit annuel 250), légumes et melons 268, patates douces 218, canne à sucre 96, manioc 100, p. de terre 58, maïs 67, légumineuses 34, café 5, tabac 5, fruits 195, thé ; 1987-88 : sécheresse. **Exploitations** fermes d'État 44 (5 000 ha), coopératives 3 200 (200 000 ha), cultures de paysans libres 600 000 ha. **Forêts.** (90). 4 139 000 m^3 dont bois de chauffage 3 823 000. Potentiel : bois d'ébénisterie, benjoin. **Élevage** (milliers, 90). Poulets 8 000, porcs 1 372, buffles 1 072, bovins 842, chèvres 139, chevaux 44. **Pêche.** 20 000 t.

Mines. Étain (276 000 t, 89), gypse, charbon, fer, cuivre, or, plomb. Peu exploitées. **Transports.** *Routes* 12 380 km (86) ; 90 % des villages sans accès routier. Pont en construction sur Mékong reliant L. à Thaïlande.

Commerce (millions de $ US, 89). **Exp.** 97 *dont* bois, électricité, café, étain *vers* Chine, URSS, Thaïlande, Singapour. **Imp.** 230 *de* URSS, Thaïlande, Japon, Singapour, *France,* Suède.

Lesotho

Carte p. 886. V. légende p. 884.

Situation. Afrique, enclavé dans Rép. sud-afr. 30 355 km^2. Plateau volcanique découpé par l'Orange et ses affluents. *Alt. max.* Mt aux Sources 3 299 m ; *min.* 1 381 m. **Climat.** Tempéré, pluies oct.-avr.

Population. 1 801 000 h. (est. 91) dont (90) 700 000 en Afr. du S. (Sothos ou Basothos 85 %, Ngunis 15 %). Chassés au XIXe s. par les Boers de leur territoire originel, Basothos venant de l'État d'Orange et Ngunis du Natal, *prév. 2000 :* 2 282 000. **Âge** – *de 15 a. :* 42,3 %, *+ de 60 a. :* 5,7 %. D 57. Eur. 2 000. **Capitale :** *Maseru* 109 382 h. (est. 90). **Langues.** *Off.* anglais, sesotho (l. des Basothos). **Alphabétisés** 62 % hommes, 84 % femmes. **Religions** (%). Catholiques 40, prot. 35, anglicans 7, divers 18.

Histoire. **1833**-*28-6* missionnaires prot. français Arbousset, Casalis et Gosselin viennent à la dem. du roi des Basothos, Moshesh. **1862** missionnaires cath. franç. (oblats de Marie Immaculée) Allard et Gérard s'installent. **1868**-*12-3* protectorat brit. *(Basoutoland).* **1965**-*5-7* Leabua Jonathan (1914-87) au pouvoir. **1966**-*4-10* indép. **1970** état d'urgence. Élect. générale : Jonathan garde le pouvoir grâce à un coup d'État, suspend Constitution et réduit pouvoirs du roi. Élect. promises n'auront jamais lieu. Mokhehele fonde Armée de libération du L. (LLA) soutenue par Afr. du S. (coups de main et attentats). -*3-4/4-12* exil du roi en Hollande. **1973** Ass. nat. **1974** tentative d'insurrection. **1981** *sept.* nombreux attentats. **1982** -*9-12* expédition sud-afr. contre bases de l'African National Congress. **1985**-*20-12* attentat LLA : 9 exilés sud-afr. assassinés. **1986**-*20-12* Jonathan renversé par Gal Justin Lekhanya. **1989** *mars* roi en exil à Londres. -*15-9* visite Jean-Paul II : autobus avec 71 pèlerins détourné : 4 †. LLA soupçonné. **1991**-*30-4* Lekhanya renversé. *Conseil militaire* Col. Elias Pishona Ramaema. -*10-5* partis pol. autorisés. -*23/29-5* émeutes anti-asiatiques (34 †). -*8-6* échec coup d'État. **1992**-*19-7* roi rentre d'exil. -*28-11* él. prévues. **1993**-*28-3* él. succès BCP.

Statut. Royaume. Membre du Commonwealth. *Const.* de 1966 suspendue janv. 1970. **Roi** *(Motlotlehi)* Mohato Seeisa roi Letsie III (17-7-63) dep. 12-11-1990 [dépose 6-11-90 son père Moshoeshoe II (2-5-1938) roi dep. 4-10-66]. *Reine régente* Maomato. *PM* Ntsu Mokhehle (BCP) dep. 2-4-93. *Ass.* (60 m. élus au suffr. univ.). *Sénat* (33 m. dont 22 chefs et 11 m. nommés par le roi). **Drapeau** (1966). Bleu (la pluie) avec emblème (coiffe de femme trad.) ; bandes verte (le pays), rouge (l'avenir).

Partis politiques. *Basotho National P.,* f. 1958, Evaristus Sekhonyana ; *Basotho Congress P.,* f. 1952, Ntsu Mokhehle ; *Marema Tlou Freedom P.,* f. 1962, *Pt* Bennett Makalo Khaketla ; *Lesotho United Democratic P.,* f. 1967, Charles Mofeli. *Basotho Democratic Alliance,* f. 1984, S.C. Ncojane ; *National Independ. P.,* f. 1984, Anthony Manyeli. *United Democratic P.,* f. 1967, *Pt* M.J. Lephoma ; *Popular Front for Democracy,* f. 1991 ; *Lesotho Labour P.,* f. 1991, *Pt* M. Majoro.

Économie

PNB ($ par hab.). *1982 :* 510 ; *85 :* 370, *91 :* 520. **Pop. active** (%, entre par. part du PNB en %) agr. 24 (18,4), ind. 26,2 (33,2), mines 0,2 (0,5), services 49,6 (47,9). **Émigrés** 190 000 mineurs en Afr. du S. [salaires envoyés au pays 164 millions de $ en 90 (60 % du revenu nat.)]. **Inflation** (%) *1989 :* 14,6 ; *90 :* 11,6 ; *91 :* 17,7.

Agriculture. Confiée aux femmes et aux enfants, les hommes travaillant en Afr. du S. (28 % de la pop. active soit env. 250 000 personnes). *Terres* (milliers d'ha, 81). Pâturages 2 000, t. arables 298, divers 737. *Production* (milliers de t, 90) maïs (40 % des terres cult.) 111, sorgho 28 (18 en 91), blé 20, légumineuses 7, légumes 26, fruits 18. Élevage (milliers de têtes, 90). Moutons 1 475, chèvres 1 465, volailles 1 000 (88). Bovins 530, ânes 130, chevaux 122, porcs 74, mulets 1 (88). Mines diamants 42 000 carats (82), prod. arrêtée. **Projet hydraulique** des hauts plateaux (fleuve Orange) pour alimenter en eau l'Afr. du S. (2 milliards de t par an). 1991-2017, 6 barrages, 240 km de tunnel. 1re phase, 1991-96 barrage de Katze (H : 182 m, l : 700 m) et 3 tunnels (82 km), prod. 72 MW (donne l'indépendance énergétique au L.).

Commerce (millions de malotis). **Exp.** (88) prod. manuf. divers 77,2, alim. 22,6, manuf. de base 5,4. **Imp.** (86) 892,5. Partenaire principal : Afr. du S.

Lettonie

Carte p. 969. V. légende p. 884.

Situation. Europe. 64 589 km². Population (89) : 2 681 000 h. (en % Lettons 51,8, Russes 33,8, Biélorusses 4,5, Polonais 2,3, Ukrainiens 3,4). Capitale *Riga* 917 000 h. D. 41,5. Pop. urbaine (86) 71 %.

Langue off. Letton dep. 1988. Religion. Église luthérienne de L., 600 000 m. (1956).

Histoire. **IXe s.** occupée par des Indo-Européens, les *Latgals* ou *Latviens* (d'où le 2e nom de la Lettonie : Latvie). Langue proche du lituanien. **XIIe s.** Conquête et christianisation par l'ordre des Porte-Glaives : voir Estonie. **1558** attaquée par Ivan le Terrible. **1561** divisée en Courlande, duché autonome, et Livonie, intégrée à la Pologne. **1581** Riga annexée à la Pologne. Diffusion de la Bible en letton par des pasteurs suédois, et enseignement letton par Jésuites. **1621** conquise par Suédois. **1721** tsar Pierre Ier à Riga et en Livonie. **1762** Russie annexe Livonie au 1er partage de la Pol. **1793** R. annexe Courlande (3e partage). **XIXe s.** les 2 prov., devenues r., sont administrées par des gouverneurs nommés par le tsar (presque tous des barons baltes). **1861** loi agraire permettant à quelques paysans lettons d'accéder à la propriété. **1905** révolution dirigée par Parti social. démocrate letton. **1915** 355 000 déportés en R. lors de l'offensive all. **1917** *mars* autonomie proclamée à Riga ; *-3-9* All. occupent Riga. **1918** 3 forces se disputent le pouvoir : un gouvernement provisoire de coalition qui proclame l'indépendance (*18-11*) ; la minorité allemande appuyée sur le Landeswehr, force militaire ; les bolcheviks. **1919** 3 occupations de Riga par bolcheviks. **1919-20** reconquête par troupes hétéroclites (« Russes blancs », All., Anglais, volontaires lettons, Polonais). **1920**-*11-8 tr. de Riga :* l'URSS reconnaît l'indép. **1922**-*15-2* constitution d'une démocratie parlementaire. **1936** dictature du Gal Ulmanis. **1940**-*17-7* occupation militaire par URSS. *-21-7* rép. soc. *-5-8* incorporée à l'URSS. **Après 1945** russification des services publics, déportations, immigration russe (50 % de la population). **1987**-*14-6* manif. pour un monument aux victimes du stalinisme. **1990**-*15-2* Parlement vote l'indép. par 177 voix contre 48 (nombreux russophones favorables). *-1-5* Congrès des citoyens (élu par 700 000 Lettons) demande retrait des forces sov. *-3-5* Anatolis Gorbunovs réélu Pt du Soviet suprême de L. (153 voix sur 196) devant Anatoli Alexeïev, Pt du mouvement Interfront (pour maintien de la L. dans URSS.) 20 v. *-4-5* Parlement vote l'indép. avec transition (138 pour, 58 abst.). *-14-5* décret de Gorbatchev annulant l'ind. *-20-5* anti-indépendantistes créent Comité de protection des droits des citoyens sov. *-27-7* la L. ne participera pas à l'élaboration d'un nouveau tr. de l'Union. *-8-9* Pt Gorbunovs quitte PC. *-19-11* l'URSS s'oppose à la participation des min. baltes des Aff. étr. au sommet de la CSCE à Paris. **1991**-*2-1* Omon (forces sov.) investissent imprimerie du Parti occupée par indépendantistes. *-7-1* arrivée de renforts sov. *-9-1* appel à refuser la conscription forcée. *-14-1* un Comité de salut nat. de L. favorable au maintien de la L. dans URSS exige démission du gouv. et du Parlement letton. *-15-1* Gorbatchev met en garde la L. *-16-1* 1 tué par Omon. Refus des indépend. de lever barricades érigées dep. le 13. *-19-1* l'agence Tass annonce prise du pouvoir par un Comité de salut nat. *-20-1* Omon attaquent min. de l'Intérieur : 5 †. *-21-1* Parlement crée unités d'autodéfense. *-3-3* « sondage d'opinion », en fait, référendum sur indép. + de 70 % de oui. *-21-8* indép. (109 voix sur 201). *-23-8* 1er secr. du PC, Alfred Rubiks, arrêté, PC interdit. *-6-9* indép. reconnue par URSS. *-17-9* entrée à l'Onu *-22-11* la Fr. restitue l'or confié entre 1926 et 1937. **1992** *nov.* retrait des troupes russes suspendu (impossibilité de reloger soldats et familles en Russie). La Russie demande le maintien de 3 bases en L. *Mai* rouble letton. *-17* visite Pt Mitterrand. **1993** *mars* lats remplace le rouble.

Statut. Rép. dep. avril 1918. **Constitution** du 15-2-1922 rétablie en mai 91. *Pt de la Rép.* Guntis Ulmanis (n. 1940) dep. 8-7-93. *PM* Ivars Godmanis. **Parlement** (Saeima) 201 m : Pt : Anatolis V. Gorbunovs (n. 1942). **Élections législatives 5-6-93** *Voie lettonne* (coalition) 36 s. (34, 2 % des v.), *P. pour l'indép. de la Let. (LNNK)* 15 (13,4), *Harmonie pour la Let.* 13 (12), *U. des paysans* 13 (10,6), *Égalité des droits* 7 (5,8) ; ont + de 4 % : *Patrie et Liberté, Démocratie du centre, U. paysanne dém. ; Front pop.* (PM I. Godmanis) a – de 4 %.

Économie

Agriculture. 15 % de la pop. *Terres cult.* (89) 39 000 000 ha. *Production* (milliers de t, 89) grains 1 410, bett. à sucre 470, lin 4,7, p. de terre 1 127, légumes 210, fruits 47, viande 334, lait 1 976. Œufs 920,3 millions. La L. produit 1,4 % de la prod. agricole totale de l'URSS. Élevage (milliers de têtes, 89). Bovins 1 467, porcins 1 710, ovins et caprins 160, volailles 12 197. Forêts (86). 2 400 000 ha.

Industrie (milliers de t, 90). Acier 490, métaux 681, engrais 169, plastique 31,3, fils 57,9, papier 99. Chimie et pétrochimie, ind. du livre, contr. méc., usinage des métaux, constr. navale. Transports (km, 90). *Routes* 58 600 ; *ch. de fer* 2 400.

Commerce. **Imp.** ex-URSS 90 % du fioul domestique, 100 % de son essence, 50 % de son électricité. **Exp.** tramways vers ex-URSS, cyclomoteurs, équipements de traitement du lait, réfrigérateurs (10 à 15 % seraient aux normes occidentales). **Déficit commercial avec ex-URSS :** 115 millions de roubles.

Liban

V. légende p. 884.

Situation. Asie. 10 452 km². *Long.* 210 km, *larg.* 25 à 60 km. *Côtes* 240 km. *Frontières* avec Syrie 278 km, Israël 79. *Alt. max.* 3 090 m (al-Qurna al-Sawda). *Plaines* côtières (doux et pluvieux en hiver, chaud en été) ; steppe (alt. 900 m) traversée de cours d'eau permanents, localement irriguée par sources entre *chaînes du L. et Anti-L.* (alt. 2 600 m).

Population (milliers). *1922 :* 628,8 h. (chrétiens 330,4, musulmans 229,7, divers 68,7). *1932* dernier recensement officiel : 785 dont (en %) chrétiens 51,2 (maronites 28,8, Grecs orthodoxes 5,9, G. catholiques 5,5, autres chr. 6,8, sunnites 22,4, chiites 19,6, Druzes 6,8), musulmans 48,8. *1991 (est.) :* 3 000 (dont 800 déplacés) *prév. 2000 :* 3 617. *Français : 1975 :* 10, *86 :* 6 (dont 80 % ont la double nationalité). D 259. **Émigrés** (milliers) 5 000 dont USA 500, Canada 200, Amér. latine 250, Afr. 500, Australie 400, *France 120* en 1990 dont 60 à Paris (imm. récente), G.-B. 40. **Immigrés** 780 [*Syriens* 350, *Palestiniens* 350 (vague de 1948 : assistés 300 dont camps 92, hors camps 120 ; intégrés 100 dont naturalisés 50 ; de 1970 : 100 dont armés 5). Européens 30)]. **Âge** – *de 15 a.* 37 %, *+ de 60 a.* 7,9 %. Villes (64 % de la pop.) : *Beyrouth* (est. 91) 1 100 000 (ville en 1984 474 870 ; en 1922 : 95 000 h.), Tripoli (est. 91) 240 000 (à 90 km de Beyrouth), Saïda (Sidon) (est. 88) 38 000 (45 km), Zahlé (est. 88) 45 000 (53 km), Jounieh 100 000 (20 km), Jbeil (Byblos) 25 000 (35 km), Tyr (est. 88) 45 000 (85 km), Aley 20 000, Bhamdoun 20 000 (25 km), Baalbeck 14 000 (90 km). Langues. Arabe (*off.* dep. 1943), français, anglais, arménien. Universités *maronite* (St-Esprit, fr., arabe, 2 000 ét.), *cath.* (St-Joseph, jésuite, fr., 5 000 ét.), *amér.* (4 500 ét.), *arabe* 12 000 à 15 000 ét., *liban.,* seule univ. d'État, gratuite, arabe et fr., 45 000 ét., *grecque-orthodoxe* (Balamond, ar. et angl.), *grecque-cathol.* (St-Paul, ar. et fr.), *sunnite* (Al-Maqassid, ar. et angl.).

Religions

Musulmans. Chiites 25,8, sunnites 22,8. **Druzes** 5,2 (% établis au L. depuis le Moyen Age, confession fondée XIe s. par Darazi, croyance en la réincarnation : 150 000). Chrétiens (51 % 1981 : 1 814 000). **Catholiques orientaux** 9 Églises, 36 évêques (« Assemblée des patriarches et évêques catho. du L. » constituée en 1957). En 1960, plus de 800 prêtres catho., 600 religieux ; 3 000 religieuses dans 40 instituts d'origine étrangère et 11 congrégations syro-libanaises. *Grecs ou « melkites » catholiques* (rattachés à Rome 1734), 200 000. *Nestoriens. Catholiques romains. Arméniens* 24 500, arrivés en 1918 (évacuation de la Cilicie par les Fr.) et 1939 (annexion du sandjak d'Alexandrette par Turquie) pour fuir massacres. *Chaldéens. Maronites* (St Maron 410) 750 000. *Syriens.* **Orthodoxes** *grecs ou « melkites »* (ont rompu avec Rome en 1054, pour Constantinople) 300 000. *Syriens* (jacobites). **Protestants** Égl. évangélique du Liban constituée au XIXe s. (tendance presbytérienne) 30 000. Juifs. *1958 :* 6 600 ; *après 1968 :* 500 ; *1986 :* 100.

☞ La religion figure sur les cartes d'identité.

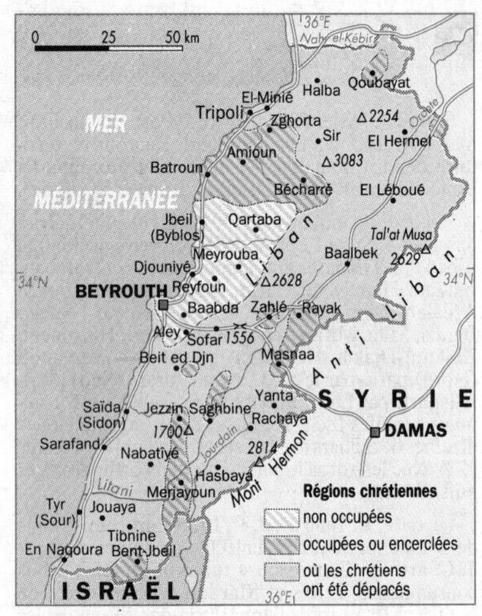

Histoire

■ Av. J.-C. **Civilisation phénicienne. V. 4000** Beyrouth fondée. Sémites établis au pays de Chanaan fondent Byblos (5000), Sidon (3500), Tyr (2750), et colonisent pourtour méditerranéen. Inventent un alphabet à l'origine de la plupart des al. actuels (22 signes). **Jusqu'à 333** chaque cité maritime est autonome malgré occupations hittite (v. 1200), assyrienne, égyptienne et perse achéménide. **969** Hiram, roi de Tyr. **332** Alexandre le Grand détruit Tyr ; la côte devient une annexe des roy. hellénistiques : Syrie des Séleucides au N., Égypte des Lagides au S. **13** province de Phénicie.

■ Après J.-C. **64** partie de l'emp. romain. **287** divisée en Phénicie maritime (cap. Tyr) et Phénicie ad Libanum [cap. Émèse (Homs)]. **200** école de droit de Béryte (Beyrouth) fondée, temple du dieu Soleil (Jupiter héliopolitain) à Héliopolis, ancien centre phénicien de Baalbeck. **395** dépend de l'emp. d'Orient (cap. Constantinople), puis de l'emp. byzantin. **410** l'ermite Maron, resté fidèle à Byzance, meurt. **555** séisme à Beyrouth. **635** Arabes prennent Damas. **763** arrivée des Tannoukh. **1096** 1re croisade. **1120** arrivée des Maan. **XIIe s.** fiefs de Terre sainte : Comté de Tripoli, au N. (1102-1289) avec Tortose et le krak des Chevaliers ; Roy. de Jérusalem, au S. (1099-1291) avec Beyrouth, Sidon, Tyr, château de Beaufort. Maronites se rallient à Rome. **1289** Mamelouks prennent Tripoli. **1320** arrivée des *Chéhabs.* Conquête ottomane. **1516-1697** dynastie des émirs druzes Maan. **1516** Fakhredine Ier, émir. **1535** 1res capitulations. **1586** collège maronite de Rome fondé. **1590** Fakhredine II (fils de Korkmâz) émir (1572-13-4-1635) bat les Banoû Saifa, soumet les Harfoûch, conquiert Galilée, s'allie au gd-duc de Toscane. **1613** Ahmed Hafez, pacha de Damas, envahit le L. à la demande du sultan. Fakhredine abandonne le pouvoir à son fils aîné, Ali, et à son frère Younès, et gagne la Toscane. **1618** le sultan l'autorise à rentrer. **1623** étend à nouveau ses domaines, bat le nouveau pacha de Damas à Anjar et le renvoie comblé de présents. **1634** bat les Turcs dans la région de Tripoli. **1635** battu à Wâditayn ; ses deux fils Ali et Younès sont tués. Emmené à Stamboul, Fakhredine est exécuté le 13 avril. **1697** avènement des Chéhabs (musulmans sunnites jusqu'à Youssef, 3e émir, qui se convertit au christianisme. **1749** Beyrouth devient le port du L. **1788** Bechir II Chéhab se dit officiellement chrétien, émir. Allié des Turcs, arbitre les différends des pachas. Exilé en Égypte après une brouille avec le sultan. Pardonné, reprend ses troupes fidèles et châtie son vassal et ami Béchir Joumblat qui l'avait trahi ; le bat à Moukhtara et le fait étrangler. **1831** engage ses troupes aux côtés de l'armée égyptienne composée d'Albanais et de Barbaresques que commandent Ibrahim-pacha, fils de Mehemet Ali, et le Français Soleiman-pacha (colonel Sève). **1832** soulèvement quand Méhémet conquiert Syrie. **1840** révolte contre Méhémet *-8-6* à Antélias, 12 délégués des révoltés des différentes communautés se jurent fidélité. Angl. chassent ses troupes égyptiennes. Bechir II se rend aux Anglais, exilé à Naples (1840) puis Istanbul (1841) où il meurt (1850) à 87 ans. **1841** troubles (Druzes poussés par agents anglais attaquent maronites. Béchir III abdique. 2 districts (Caïmacamats): N. (maronites) S. (Druzes). **1860** Druzes avec complicité des Turcs massacrent 22 000 chrétiens (75 000 déplacés, 360 villages détruits, 560 églises, 42 couvents, 28 écoles et 29 établ. fr. incendiés). France chargée par les puissances de rétablir l'ordre ; troupes du Gal Beaufort d'Hautpoul débarquent (6 000 marsouins). **1861** autonomie du Petit-L. (Mt Liban) administré par gouv. chrétien (le mutasarrif), assisté d'une ass. **1864** protocole international confirmant l'autonomie du Mont-L. et abolissant féodalité. **1916** intervention fr. (la Turquie étant alliée de l'Allem.). **1918**-*8-10* un corps franco-anglais entre dans Beyrouth. *-12-10* les marins fr. débarquent à Tripoli. **1920**-*10-8 tr. de Sèvres,* qui détache L. et Syrie de la Turquie. La Fr. a un mandat de la SDN et proclame le Grand-L. (10 400 km²). *-1-9* Beyrouth. Gal Gouraud proclame officiellement l'indép. du L. **1922** *-24-7* SDN confirme mandat fr. précisant qu'une union économique réunira L. et Fédération syrienne. **1926**-*26-5 Constitution* (suspendue 1939). **1932** crise politique ; le haut-commissaire suspend la Constitution. **1936**-*13-11* tr. devant mettre fin au régime mandataire rejeté par Parlement fr. **1941**-*8-6/14-7* g. de Syrie (voir Index). *-7-10* Riad Solh (sunnite) PM. *-25-12* Gal Catroux, commandant Forces fr. libres du Levant, proclame indépendance de Syrie et L. **1943** élections : succès des chambres nationalistes qui modifient la Constitution, en retranchant tout ce qui prévoit encore l'intervention de l'autorité de tutelle. *-10-11* le délégué général de la Fr. fait arrêter Pt de la Rép. Béchara El-Khoury, Pt du conseil, Riad Solh et plusieurs min. Gouvernement de résistance dans la montagne. *-23-11* le gouvernement fr. fait libérer Pts et min. Pacte entre le maronite Béchara El-Khoury Pt de la Rép. (renonçant à rechercher des appuis occidentaux) et le musulman sunnite Riad Solh (écartant un recours auprès du monde arabe) (jamais écrit ni proclamé oralement) entérine le partage du pouvoir entre chrétiens et musulmans. **1945**-*22-3* adhère à Ligue arabe (m. fondateur). **1946** *mars à déc.* évacuation des troupes fr. **1948** g. de Palestine 120 000 réfugiés pal. **1948-50** la Syrie rompt l'union écono. et douanière. **1949**-*8-7* Antoun Saadé (fondateur du Parti populaire syrien en 1932, voulant faire revivre une « Grande Syrie » comprenant Liban, Syrie, Palestine, Transjordanie, Sinaï, Iraq et Chypre ; il avait lancé ses partisans dans une série d'attentats sanglants) exécuté. **1951**-*16-7* Amman, Riad Solh assass. sur ordre du PPS. **1952** fin tr. avec Syrie. **1953** amélioration des relations avec Syrie. **1958**-*7/8-5* Nassib Metni, dir. du *Telegraph* (communiste) assassiné (causes privées) déclenche l'émeute : insurrection contre Pt Chamoun, g. civile entre partisans et adversaires de la RAU (plusieurs centaines de †) ; *-15-7* débarquement des troupes amér. plage de Khaldé à la demande du Pt Chamoun. *-31-7 Gal Chehab,* élu Pt, gouv. de coalition. **1964**-*18-8 Charles Hélou* élu Pt. **1967**-*5-6* g. des Six Jours (Israël), affaire des réfugiés palestiniens env. 450 000. **1968**-*29-12* raid israélien sur aérodrome de Beyrouth (13 avions détruits) ; activités des fedayins palestiniens entraînent des représailles isr. au L. **1969** *avr.-mai* affrontement armée-Pal. *-3-11* **accord du Caire ;** les Pal. peuvent aménager des bases d'entraînement, mais ne peuvent approcher la zone frontalière ni effectuer des raids à partir du L. **1971** *juill.* après combats en Jord. (env. 3 000 Pal. †, bases détruites), le L. reste un des seuls pays arabes où les Pal. gardent une liberté d'action. **1973**-*10/23-4* Beyrouth, plusieurs responsables pal. assassinés par commandos isr. *-20/23-5* combats armée l./Pal. (dizaines de †) à Chtaura ; accord de Melkart (nom de l'hôtel où il fut signé) entre L. et Yasser Arafat, réglant droits et devoirs des Pal. au L. *Nov.-déc.* ratissage isr. près frontière. **1974**-*16-5* attaque isr. sur des camps (300 †) en représailles du raid de Maalot (voir Israël). **1975**-*7-1* rencontre Pt Frangié-Assad *-26-2/1-3* Saïda affrontements civils/milit. *-13-4* chrétiens devant l'église d'Aïn-Remmaneh mitraillés 4 † ; représailles : tirs sur un car pal. 27 †.

■ **Guerre du Liban. De 1975 à 1977. 1re phase (1975) :** *armée lib. s'oppose aux Palestiniens. -15-5* PM Solh démissionne. *-23/25-5* gouv. milit. du Gal Rifaï. *-29-5* PM Rachid Karamé. **2e phase (1975) :** *milices chrétiennes se battent contre progressistes. -28-8/1-9* à Zahlé (26 †). *Sept.* à Tripoli et Zghorta (+ de 100 †). *-10-9* armée crée zone tampon. *-12/14-9* des Pal. (de Habache et Hawatmeh) tuent des chrétiens (à Beit-Mellat). *Nov.* échec mission Couve de Murville. *Déc.* combats d'artillerie à B. ; centaines de †. *-5-12,* 4 jeunes chrétiens dont les 2 fils de Joseph Saadé tués dans montagne. *-6-12* représailles phalangistes : 110 mus. † à B. *-12-12 Samedi noir,* 200 (ou 370 ?) civils mus. exécutés. **3e phase (1976) :** *les Pal. appuient les progressistes.* Kataëbs détruisent camp de la Quarantaine ; + de 100 †. Pal. prennent Damour : 300 à 500 †. *Janv.* combats à B. : 300 † en une semaine (163 † le 16) ; *-18* Karamé démissionne après échec du 20e cessez-le-feu ; entrée des Syriens ; *-22* Lt Ahmed el-Khatib fonde près frontière syr. armée du L. arabe ; Syrie garantit cessez-le-f. ; *-24* Karamé PM ; *-27* Pal. s'engagent à respecter souveraineté l. ; *-31* Front de la liberté et de l'homme regroupe droite chrét. *Févr.* plan de réforme du Pt Frangié (égalité des sièges au Parlement entre chrétiens et mus., élection du P[t] du conseil par l'Assemblée à la maj. relative, maj. des 2/3 pour votes « vitaux », répartition confessionnelle des présidences maintenue) : *« IIe Rép. libanaise » ;* désertions dans l'armée. *-11-3* brigadier-général Aziz Ahdab (mus.) somme Pt Frangié de démissionner : refus ; *-14* vote de défiance du Parlement contre Frangié ; *-15* Syrie s'oppose à l'éviction de Frangié par la force : l'Armée de lib. de la Pal. bloque accès du palais prés. (dizaines de †) ; *-21* gauche prend hôtel Holiday Inn. **4e phase (1976) :** *Syriens appuient chrétiens.* Entrée des troupes syriennes au L. à la demande des phalangistes. *Avr.-mai* combats syr.-Pal. *-8-5 Élias Sarkis* élu Pt. *-12-8* camp pal. (30 000 personnes) de Tall el-Zaatar tombe apr. 52 j de siège (7 000 chrétiens) ; au moins 2 000 †. *-18-10 accords de Riyâdh. -26-10 du Caire :* Syrie fait endosser par les pays ar. son intervention [les forces syr. deviennent la « force ar. de dissuasion » (casques verts. 6 000 h.)]. **5e phase (fin 76-début 77) :** *la Syrie avec la Saika (pal. pro-syr.) appuie dans le Sud les Pal. contre les chr. -17-3* Kamal Joumblatt (leader de la gauche) assassiné. *Mars* représailles druzes : 147 chrétiens du Chouf † ; en fait, Joumblatt a été tué par des agents syr. **6e phase (avril 77) :** *combats entre Syr. et Pal. du Front du refus. Sept.* l'armée isr. aide milices conservatrices près de Marjayoun. *-9-11* bombard. isr. (60 † à Azziyé).

7e phase [intervention Israéliens et Onu] (1978) : *-14-3* en représailles d'un attentat pal. (35 †) les Isr. envahissent L. et chassent Pal. au-delà du Litani (700 † pal. et lib.). *-19-3* Finul (Force intérimaire des Nations unies au L.) s'implante (4 000 h. dont 700 Français). *-21-3* cessez-le-f. dans zone occupée par Isr. (1 500 km²). Beyrouth combats chrétiens Syr. (150 †). *-11-4/-13-6* évacuation isr.

8e phase (développement des luttes entre chrétiens) : 1978-*13-6* Tony Frangié, sa femme, sa fille et 30 partisans tués par kataëbs ; représailles : 33 chrétiens de la Bekaa tués à El-Kaa, à l'instigation des Syr. alliés de Frangié. *-1-7* début des affrontements à Beyrouth Syriens/milices chrét. *-31-8* disparition en Libye de l'imam *Moussa Sadr,* chef des chiites. **1979**-*18-1* raid isr. au Sud-Lib. *-18-4* C[dt] Saad Haddad (chef des milices chrét. du S.) déclare indép. Sud-L. (800 km², 40 000 h.). Pal. bombardent enclaves chrét. du S. (30 000 chr. et 60 000 chiites résistent). **1980** *févr.* affrontements kataëbs et partisans de l'ex-Pt Frangié soutenus par Syr. *-23-2* fille de Bechir Gemayel tuée (attentat). *-9-4* Isr. établit des positions de défense avancées au Sud-L. après attentat contre kibboutz de Misgav-Am. *-6/9-7 « g. des Chrétiens »* entre milices de Gemayel et de Chamoun. *-9-7* Chamoun capitule, 100 à 200 †. *-10-11* double attentat à B., 10 †. **1981**-*20-4* Isr. bombardent Saïda et Tyr. Pal. lancent roquettes en H[te]-Galilée. *Avr.-juin* combats syro-pal. contre Lib. à Zahlé (1-4 au 30-6, 100 †) et à Beyrouth (env. 400 †). *Juill.* raids isr. contre bases pal., B. bombardé (700 †). *-24-7* cessez-le-f. *-4-9* Louis Delamare (n. 12-11-21) ambass. de Fr. à B. assassiné (Syrie mise en cause). *Fin août-début sept.* voitures piégées (1-10 à B., 100 kg de TNT, 83 †, 225 bl.). *-15-11* 4 attentats contre bâtiments fr. à B. revendiqués par Arméniens. **1982**-*23-2* 2 voitures piégées, 13 †. *-15-42* diplomates fr. tués. *-24-5* voiture piégée devant amb. de Fr. (11 †). *-26-5* P. Mauroy au L. *-4-6* après attentat (3-6) contre son ambassadeur en G.-B., Isr. bombarde camps pal. à B. et au Sud-L. (200 †).

Occupation israélienne 1982-*6-6* invasion isr. du L. (opération *« Paix en Galilée »*). *-7-6* prend château de Beaufort, Tyr, Hasbaya et Nabatîyé. *-11-6* cessez-le-f. isr.-syr. *-18-6* Isr. exige départ de B. des Pal. et forces syr. du L. *-25-6* B.-O. bombardé. *-30-6* affrontements druzes-kataëbs : 17 †. *-3-7* B.-O. encerclé. *-15-7* refus syrien « définitif » d'accueillir Pal. *-18-7* ultimatum isr. aux Pal. : départ de B.-O. d'ici « moins d'un mois ». *-24/28-7* Isr. bombardent B.-O. (247 †). *-28-7* cessez-le-f. *-1-8* Isr. prend aéroport. *-12-8* 11e cessez-le-f. *-18-8* L. accepte *plan Habib* (retrait Pal. de B. surveillé par force internationale). *-19-8* Isr. accepte. *-22-8/-3-9* départ de 15 000 combattants pal. surveillé par force multinationale d'interposition (2 130 soldats dont 800 Fr., 800 Amér., 530 Ital.) dont la mission se terminera le 13-9 (500 000 à 600 000 Pal. restent dans les camps). *-23-8 Bechir Gemayel* (avocat, leader des Forces lib.) élu Pt (57 v., 5 blancs, env. 30 abstentions). *-14-9* assassiné (20 † à Ahrafieh, siège des kataëbs, 200 kg de TNT, auteur Habib Chartouni). *-15-9* Isr. entrent à B.-O. *-16/18-9* massacres de *Sabra* et *Chatila* par kataëbs [460 † (selon armée lib.), 700 à 800 † (selon armée isr.), 3/3 500 (selon Kajeliouk)]. *-21-9 Amine Gemayel* (frère aîné de Bechir) élu Pt par 77 v. contre 3 blancs. *-23-9* fin du mandat du Pt Sarkis. *-24-9* force multinationale de sécurité créée (3 300 h. dont 1 200 Amér., 1 100 Fr., 1 000 It.).

Bilan de l'opération Paix en Galilée (1982). **Pertes syriennes :** 300 chars et unités équipées de T-62 sov. détruits, rampes de lancement dans la Bekaa détruites, 85 Mig abattus (1/4 de l'aviation). **Israéliennes :** *de 82 à 85 :* 615 † (3 500 bl.) dont *été 82 :* 274 †, 23 disp., 1 114 blessés, 1 prisonnier. **Prisonniers faits par Israël :** 149 Syr., 5 000 Pal.

1983 *janv.* affrontements sporadiques. *-5-2* explosion du Centre de recherche pal. à B. (20 †). *-18-4* attentat amb. amér. de B., 63 †. *Mai-juin* affrontements au sein du Fatah (C[el] Abou Moussa). *-17-5* accord lib.-isr. prévoyant retrait des troupes étr. du Lib. non ratifié. *-23-7* front de l'opposition (W. Joumblatt, S. Frangié et R. Karamé). *-4-9* armée isr. quitte le Chouf et se retire sur le fleuve Awali (30 km au S. de Beyrouth). *-6-9* encerclement des chrét. et occupation druze (Chouf) ; *sept.* 1 200 à 1 500 maronites, orthodoxes, melkites massacrés par druzes. 145 000 chrét. quittent le Chouf, 111 villages rasés, 85 églises chrét. et quelques sanctuaires druzes incendiés. *-31-8* et *15-9* envoi de 1 200 puis 2 000 marines US au large de B. *-7-9* résidence des Pins, QG de la force fr. bombardée (2 †). *-23-10* camion piégé (1,2 kg TNT) contre quartier gén. des marines amér. à Beyrouth et 0,3 t TNT contre « le Drakkar » fr. 241 marines †, 58 paras. fr. †. *-24-10* Pt Mitterrand à B. *31-10 au 4-11* conférence de réconciliation nat. lib. à Genève. *-4-11* camion piégé contre QG isr. à Tyr (62 † dont 30 Isr.). *-17-11* raid isr. fr. sur Baalbek (caserne des chiites pro-iraniens) 2 †. *-4-12* 2 avions amér. abattus par batteries syr. *-20-12* 4 000 Pal. encerclés par Syr. quittent Tripoli sous protection Onu. *-21-12* attentat contre forces fr. (1 soldat †, 16 bl., 14 Lib. †).

Bilan de la bataille de Beyrouth-Ouest (6-6 au 15-8-83). 6 775 † [5 675 civils et 1 100 combattants : (45,6 % avaient des cartes de réfugiés pal., 37,2 % Libanais, 10,1 % Syriens et 7 % divers)]. 29 112 blessés (11 448 graves).

1984-*14-1* C[dt] Saad Haddad (n. 1937), chef de l'Armée chr. du L. libre, meurt. *-4-2* PM Chafic Wazzan démissionne. *-6-2* Amal contrôle B.-O. *-14-2* PSP prend axe Ain-Ksour-Damour, jonction avec Amal. *-18-2* Syrie rejette plan établi par L., USA et Arabie Saoud. pour résoudre crise. *-26-2* marines quittent L. après Brit. et Ital. de la force multinationale, seuls les Fr. restent à B. ; veto soviétique à l'envoi de force Onu à B. *Fin mars* forces fr. évacuées (2 000 h.) relayées par 81 observateurs fr. *-5-3* tr. du 17-5-83 avec Israël déclaré nul. *-30-4* Rachid Karamé, sunnite du Front de salut national (opposition) PM, *gouv. d'union nat.* dont Camille Chamoun, Pierre Gemayel (maronites), Nabih Berri (chiite) et Walid Joumblatt (druze). *-9-7* aéroport de B. rouvert (fermé dep. 6-2). *Août* Tripoli, lutte entre intégristes musul. et pro-syr., 105 †. *-20-8* Pierre Gemayel meurt. *-26-9* attentat contre amb. amér. 24 †. *-21-12* att. devant école druze 5 †. **1985**-*16-2 début du retrait isr.* (3 étapes jusqu'en oct.). 1/3 des miliciens de l'Armée du Sud désertent. *-19-2* Cdt Rhodes 5e Fr. observateur tué. Guérilla chiite au Sud L., représailles isr. *Février* attentats (*1-2 :* 8 †, *10-2 :* 6 †, *18-2 :* 5 †, *25-2 :* 7 †). *-4-3* dans mosquée 12 †. *-8-3* voiture piégée à B. contre Hezbollashis 72 †. *-10-3* voiture piégée 12 mil. isr. †. *Mars* plusieurs enlèvements. Samir Geagea suscite dissidence parmi chrétiens. *Avril* Isr. met en place un couloir chrétien dans le Sud pour protéger ses frontières. Combat chrét./musulm., exode de milliers de chrét. *-9-5* Élie Hobeika, chef du comité exécutif des mil. chrét. (avant, Samir Geagea). *Mai* Pal. massacrés à Sabra et Chatila par Amal (+ de 500 †). Combats druzes/chrét. du Sud : centaines de chrét. †, villages rasés, bétail massacré ; milliers de chrét. fuient. *-21-5* att. dans quartier chrétien de B. (55 †). Cessez-le-f. entre Amal, Front de salut nat. pol. et Front nat. démocr. ; retour aux positions du 19-5. *-10-6* armée isr. se retire, mais conserve une « zone de sécurité ». *-2-8* Amal a fini d'évacuer Sabra et Chatila. *-6-8 Front d'unité nat.* (Fun) autour du P. socialiste progressiste (druze) de W. Joumblatt et du mouvement chiite Amal de Nabih Berri : une douzaine de partis ou organisations, notamment P. comm. lib., Baas, P. nat. social syrien, Conseil pol. de la ville de Saïda. Sous égide syr. : mouvements rassemblant ennemis des Kataëbs (dont est issu le Pt Amine Gemayel), sauf mouvements chrét. *-17-8* voiture piégée à Antélias

(Beyrouth) 54 †. *-30-9* 4 dipl. soviét. enlevés ; 1 tué (2-10), 3 libérés (30-11). *-15-9/15-10 bat. de Tripoli :* 2 000 h. [intégristes, Rassemblement islamique (chef de file : MUI, Mouvement d'unification isl., de Cheikh Saïd Chaabane)] contre 2 500 h. [milice alaouite, P. arabe démocratique, liés à Syrie, et 2 autres milices prosyr. le PSNS (P. social nat. syr.) et P.C.], 300 †. *-19-11* Isr. abat 2 Mig syr. au-dessus du L. *-20/24-11 g. du drapeau* entre chiites et druzes, 65 † à B. *-28-12 accord inter-milices* à *Damas* (10e dep. 1975) : un nouveau gouv. devra décréter un cessez-le-feu global et immédiat avec appui de la Syr. Système confessionnel aboli après période transitoire (dont la fin sera adoptée par majorité des 2/3 à la 1re Chambre élue, de 55 % dans la 2e législature, absolue dans la 3e). Coordination avec Syr. pour pol. étrangère et relations bilatérales, questions milit., écon., sécurité, éducation et information. Combats 200 †. **1986**-*15-1* Élie Hobeika, chef des Forces lib. (milices chrét. unifiées) évincé. *-21-1* voiture piégée à Beyrouth 30 †. *-10-4* id. 11 †. *-17-4* 3 otages brit. tués (représailles après raid amér. sur Libye). *-21-6* 2 journalistes d'A2 libérés après le départ de l'Iranien Massoud Radjavi (7-6). *-5-9* 3 casques bleus fr. tués. *-18-9* colonel Gouttière tué par Hassan Tleisse, chiite. *-10-11* Marcel Coudari et Camille Sontag libérés par OJR. *-24-12* Aurel Cornea libéré par OJR. *Dep. déc.* siège des camps Chatila par Amal. **1987**-*7-1* attentat contre Chamoun. *-11-2* voiture piégée, 15 †. *Févr.* combat druze, 200 † (en 1 semaine). *-17/19-2* Pt Gemayel en France. *-22-2* occupation syr. à B.-O. (7 000 à 13 000 h.) ; *-24-2* 23 du Hezbollah tués par Syr. *-4-5* PM Karamé démissionne. *-1-6* tué en hélicoptère dans attentat. *-19-6* la Syrie obtient la réconciliation de Nabih Berri (chef d'Amal) et Walid Joumblatt (chef druze). *-20-6* Ali Adel Osseirane, fils du min. de la Défense l. enlevé avec journaliste amér. Charles Glass. *-15-7* Tripoli, voiture piégée, 75 †. *-7-8* Camille Chamoun, ancien Pt (87 ans), meurt. *-5-9* raid isr., 46 †. *-24-9* Père André Masse, jésuite enseignant, tué. **1988**-*4-1* Amal lève le siège du camp pal. (de Rachidiyeh) qu'il encerclait (en 3 ans la g. des camps a fait 1 600 †). *-Avril* combats Amal/Hezbollah. *-11-5* Hezbollah prend 95 % de la banlieue sud de Beyrouth à la milice Amal. *-27-5* l'armée syr. entre à B.-O. *-30-5* voiture piégée à B.-Est, 20 †. *-30-4 au 22-6* 70 † à B. *-18-8 élection prés. :* Soleiman Frangié, prosyrien, n'a pas la maj. *-22-9* fin du mandat du Pt Gemayel qui confie le gouv. au *Gal Aoun,* Cdt en chef. A.B.-O., Salim Hoss PM par intérim (gouv. dit d'« union nat. » démissionnaire dep. plusieurs mois ; seul min. chrétien, le gendre de S. Frangié). **1989**-*29-1* accord de paix Hezbollah/Amal (429 † dep. avril 88). *-10-2* armée et milice lib. se disputent le contrôle du camp chrét. : env. 80 †. *-20-2* combats (75 †), armée/milices lib. accusées de prélever 420 000 $ par j de taxes illégales et d'avoir la mainmise sur les ports. *-8-3* Pt Assad déclare que les peuples lib. et syr. ne font qu'un. *-17-3* voiture piégée (12 †). *-14-3* Syr. bombardent puis, *-21-3* blocus du réduit chrét. (1 500 km², 800 000 hab.) 35 000 soldats syr., dont 15 000 dans la ville (100 chars, 100 à 150 canons, dont obusier sov. de 240 mm) n'acceptant pas qu'Aoun ait fermé les ports illégaux (où transite la drogue de la Bekaa).

Guerres du Gal Aoun (1989-90). **1989**-*15-2* Aoun attaque les Forces lib. *-14-3* proclame la « g. de libération » contre Syrie. *-28/29-3* cessez-le-feu lib. à la demande de la Ligue arabe. *-11-4* Bernard Kouchner, à B. : aide fr., refusée par musulmans, acceptée par Syrie : navire-hôp. *Rance* et pétrolier *Penhors* (ravitaillement centrale de Zouc). *-20-4* liaison mar. avec Chypre interrompue. *-11-5* cessez-le-feu sous égide Ligue arabe. *-17-8* à la demande d'Aoun, la Fr. envoie 8 bateaux au large de Beyrouth dont le porte-avions *Foch* (rentrent à Toulon 26-9). *-22-9* Aoun accepte un plan de paix de la Ligue Arabe préparé par Algérie, Maroc, Arabie S. ; *-23-9* cessez-le-feu (entre mars et sept. 1 058 †, 4 777 bl., 1 milliard de $ de dégâts). *-24-9* aéroport international de Beyrouth réouvert. *-27-9* Aoun revient en partie sur son accord. *-30-9* réunion à *Taef* (Arabie S.) des 62 députés lib. pour élire un Pt (sur 99 élus 1972 dont le mandat a été prorogé, 73 vivants). *-22-10 accord de Taef* prévoit la diminution des pouvoirs du Pt au profit de ceux du PM et du Pt de l'Ass. et le regroupement des forces syr. dans certaines régions. *-4-11* Parlement dissous (trop conciliant avec Syrie). *-5-11* Kleat (aéroport milit. gardé par Syr.), 58 députés élisent *René Mohawad* Pt (52 pour, 6 blancs). *-13-11 Sélim Hoss* PM chargé de former un gouv. d'union nationale. *-22-11* Pt *Mohawad* assassiné à B.-O. *-25-11* à Chtoura, *Elias Hraoui* élu Pt (47 pour, 5 blancs). *-28-11* Hraoui limoge Aoun qui se proclame Pt du Liban libre ; 33 parlementaires français viennent le soutenir à B. *-8-12* Hraoui laisse 2 semaines à Aoun pour quitter le palais de Baadba. **1990**-*29-1* le P. Kataeb refuse de participer au gouv. Hoss. *-30-1* Aoun ordonne la dissolution des Forces Lib. de Geagea. *-31-1* les attaque à B.-E. *-16-2* leur reprend plusieurs villes. *5/6/7-4* cessez-le-feu pour pouvoir vacciner les enfants. *-26-5 plan du Vatican* mettant fin à la g. des chrétiens qui a fait 1 200 † et 3 200 bl. *-21-8* révision des accords de Taef rééquilibre pouvoir des musulmans. *-21-9* le Pt annonce l'avènement de la *IIe Rép. libanaise. -28-9* blocus des forces du Gal Aoun, la Syrie soutient le Pt. *-12/13-10* assaut des forces gouv. et de l'armée syr. *-13-10* reddition armée Aoun (lui se réfugie ambassade de Fr., asile politique ; arrive à Marseille le 30-8-91 et est autorisé en févr. 92 à résider à Crécy-la-Chapelle, S.-et-M.). La guerre a fait env. 2 500 † en 90.

Après-guerre. **1990**-*21-10* Dany Chamoun, sa femme Ingrid et 2 de ses enfants assassinés. *-24-10* le gouv. décide de reprendre le Grand Beyrouth avec l'armée. *-3-12* retrait des Forces lib. de Beyrouth. *-25-12* Phalange et Forces lib. refusent de participer au gouv. du PM Omar Karamé. **1991**-*1-5* début de la dissolution des milices et du ramassage de leurs armes (doit être terminé le 30-9), sous contrôle de l'armée. *Mai* les 67 députés restant de l'Ass. nat. élue en 1972, en application avec les accords de Taef, autorisent le gouv. à nommer 41 dép. *-22-5* Damas : tr. consacrant la tutelle syr. (coopération dans tous les domaines). *-1/4-7* déploiement de l'armée dans S., combats avec Palestiniens. *-9-11* attentat université amér. de B., 2 †. *-30-12* voiture piégée à Basta (quartier mus. de B.-O.), 22 †. **1992**-*16-2* Cheikh Abbas Moussaoui (no 2 du Hez bollah) tué par raid isr. *-21-5* raid isr. 13 †. *-16-7* nouvelle loi électorale. *-24-7* l'armée récupère les biens d'État occupés par milices. *-23-8/11-10* législatives, nombreuses grèves générales contre celles-ci qualifiées de « mascarade ». *-20-10* Nabih Berri élu Pt du parlement. *-17-12* Israël expulse vers Liban (qui les refuse) 415 Palestiniens (voir Israël).

Bilan de 1975 à 1990. **Morts** 150 000 (officiels, déclarés) pour env. 3,5 millions d'h. (Libanais et réfugiés palest. inclus) soit 1 mort pour 24. **Blessés** 197 506. **Disparus** 7 415. **Voitures piégées** 3 641 ont fait 4 386 † (dont 316 Américains et 58 Fr.) et 6 784 bl. **Émigrés : 350 000. Destructions :** 20 milliards de $. *Logements détruits : avant 1982 :* 40 000, *1982-84 :* 72 000. **Perte cumulée** *production et revenus :* 24 milliards de $. *Baisse du pouvoir d'achat :* – 50 %. *Recul du PIB :* – 5 % par an.

Français tués depuis mars 1978 (voir Onu à l'Index).

Otages occidentaux : *de 1982 à fin 89 :* 57 rapts dont 13 Français et 8 Anglais. *De 1984 à 91 :* 99 otages. Le 1er : David Dodge (USA, vice-Pt de l'université amér., pris le 19-7-82, libéré le 20-7-83). 10 sont morts en captivité. Responsables : 33 groupes dont l'Organisation de la justice révolutionnaire. **Allemands :** Rudolf Cordes, 17-1-87 au 12-9-88. Alfred Schmidt, 20-1-87/7-9-88. Heinrich Struebig (m. d'ASME Humanitas), 16-5-89/18-6-92. Thomas Kemptner (m. d'ASME Humanitas), 16-5-89/18-6-92. **Américains :** J. Levin, 84/13-12-85. William Buckley (chef de bureau CIA), 16-3-84/exécuté 85. B. Weir, 84/14-9-85. Peter Kilburn (bibliothécaire université), 3-12-84/exécuté 17-4-86. L. Jenco, 85/27-6-86. Terry Anderson (journaliste), 16-3-85/4-12-91 (2 454 j). David Jacobsen 85/2-11-86. Thomas Sutherland (prof. université), 9-6-85/18-11-91 (2 353 j). Frank H. Reed, 9-9-86/30-4-90. Joseph James Cicippio (comptable), 12-9-86/2-12-91 (1 908 j). Edward Austin Tracy (libraire), 21-10-86/11-8-91 (1 758 j). Allan Steen (professeur), 24-1-87/3-12-91 (1 774 j). Jesse Truner (professeur), 24-1-87/21-10-91 (1 731 j). Robert Pohill (prof.), 24-1-87/22-4-90. William Higgins (militaire), 17-2-88/ exécuté 31-7-89. **Anglais :** Alec Collett (journaliste), 25-3-85/ exécuté 17-4-86. Dennis Hill (professeur), 27-5-85/ exécuté 29-5-85. Brian Keenan (enseignant), 11-4-86/24-8-90. John McCarthy (journaliste), 17-4-86/8-8-91 (1 943 j). Leigh Douglas (professeur), 28-3-86/ exécuté 17-4-86. Philip Padfield (professeur), 28-3-86/ exécuté 17-4-86. Terry Waite (émissaire archev. Cantorbéry), 20-1-87/18-11-91 (1 763 j). Jack Mann (gérant cabaret), 12-5-89/24-9-91 (865 j). **Belges :** Emmanuel, Godelieve, Laurent et Valérie Houtekins, 8-11-87/10-4-90. **Français :** Marcel Fontaine (diplomate), 23-3-85/4-5-88. Marcel Carton (diplomate), 22-3-85/4-5-88. Jean-Paul Kauffmann (journaliste), 22-5-85/4-5-88. Michel Seurat (chercheur CNRS), 22-5-85/exécuté fin 85 ou janv. 86 (annoncé 5-3-86). Marcel Coudari, 2-3/11-11-86. Jean-Louis Normandin (éclairagiste TV), 8-3-86/27-11-87. Aurel Cornea (ingénieur du son), 8-3-86/24-12-86. Philippe Rochot (journaliste), 8-3/20-6-86. Georges Hansen (caméraman TV), 8-3/20-6-86. Camille Sontag, 7-5/10-11-86. Roger Auques (journaliste), 13-1/27-11-87. Jacqueline Valente, Fernand Houtekins (Belge) et Sophie, 8-11-87/10-4-90. Marie-Laure et Virginie Betille, 8-11/29-12-87. Claude Girard, 3-10-89/22-9-90. Jérôme Leyraud (m. de Médecins du Monde), 8-8/11-8-91. **Italien :** Alberto Molinari, 11-9-85/ sans nouvelles. **Hollandais :** Nicholas Kluiters (prêtre), 14-3-85/ exécuté 1-4-85. **Suisses :** Emmanuel Christen (orthopédiste), 6-10-89/8-8-90. Elio Erriquez (orthopédiste), 6-10-89/13-8-90. **Soviétique :** Arkady Katkov (diplomate), 30-9-85/ exécuté 2-10-85. **Divers :** M. Singh, 87/3-10-88.

■ Politique

■ Statut. Rép. **Const.** 23-5-1926 amendée en 27, 29, 43, 47 et 90, **Pt** élu par l'Ass. pour 6 a., non rééligible (toujours maronite). **PM** musulman sunnite. **Pt de l'Ass. nat.** musulman chiite. **Assemblée nat.** élue pour 4 ans, 128 m. : 64 chrétiens (6 Arméniens, 14 Grecs melkites orthod., 8 Grecs cathol., 34 maronites, 1 protestant) et 64 musulmans (2 alaouites, 27 chiites, 27 druzes, 27 sunnites) Pt Nabib Berri. **Élect. 1992** (des 23-8, 30-8, 6-9, 11-10) nombreuses irrégularités. **Mohafazats** (gouvernorats) 6 divisés en 26 districts. Les charges de l'État, du gouv., du Parlement, de la fonction publique sont réparties (proportion de 6 pour chrétiens et 6 pour musul.). Fête nat. 22-11 (Indép. en 1943). Drapeau (1943). Couleurs de la Légion lib. pendant la 2e G. mond. 2 bandes rouges, 1 blanche avec un cèdre (symbole du L.).

■ Partis (en général). **Al-Kataeb** (Phalanges) f. 1936 par Pierre Gemayel (1905-84) ; libéral, 15 000 m., devenu parti v. 1964 (ont appelé en 1977 les Syriens pour repousser les Pal. progressistes). *Pt :* Georges Saadé (n. 1928), *secr. gén. :* Karim Pakradouni dep. 13-7-92. **Bloc national** f. 1943 par l'anc. Pt Émile Eddé (1881-1949) ; pour le partage des pouvoirs et contre l'immixtion des milit. dans affaires civiles (leader : Raymond Eddé, n. 15-3-13). **P. national libéral** f. 1958 par l'anc. Pt Dory Chamoun ; mêmes principes. **P. socialiste-nationaliste syrien** (Antoun Saàda) a succédé au **P. populaire syrien** f. 1932, interdit de 62 à 69, leader : Inaam Raad ; milite pour la reconstruction de la Syrie géographique. **Al-Baas,** f. en Syrie 1940 par Michel Aflak (1909-89), leader : Abdullah Al-Amin ; doctrine unioniste arabe. **An-Najjadés** f. 1936 par son leader Adnane Mustafa Al-Hakim ; unioniste. **Al-Harakiyines Al-Arab** f. 1948 par Georges Habache (n. 1926) ; proche du marxisme. **P. socialiste progressiste** f. 1-5-1949 par Kamal Joumblatt (1917-77) ; progressisme pacifiste et libéral ; leader Walid Joumblatt, 16 000 m. **Ad-Dustour** f. 1943 par l'anc. Pt Béchara El-Khoury ; p. de cadres ; leader Michel El-Khoury (n. 1926). **P. comm. lib.** f. 1924 par Nicolas Chawi (dissous 48 et interdit jusqu'en 71) (leader : vacant). **Fédération révol. arménienne (FRA)** f. 1890, socialiste. **P. démocrate** f. 1969 par Joseph Mughaizel, libéralisme social, laïc.

■ Mouvements chiites. **Amal** en arabe « espoir » et contraction de « détachements de la résistance libanaise ». Nabih Berri (avocat). Parti et milice. Issu du mouv. f. 1974 par l'imam d'origine iranienne Moussa Sadr, « disparu » en Libye en 1978. A chassé l'armée nat. de Beyrouth-O. en févr. 1984, s'oppose aux partisans d'Arafat. **Amal islamique** né 1982 d'une scission d'Hussein Moussaoui. Implanté à Baalbek. Renforts iraniens (700 h. en août 1985). A établi un « État islamique » sous surveillance syr. **Hezbollah** « Parti de Dieu » lié à Amal islamique. Lutte pour un État islamique mondial anti-américain et antisioniste. Responsable de nombreux attentats. Utilise le « label » Djihad islamique (g. sainte islamique). **Courant du cheikh Hussein Fadlallah** né 1925 à Najaf, Irak, revenu au Liban 1966. Banlieue sud chiite de B. (Bir-Abed). **Mouvement islamique lib.** Cheikh Abbas Moussaoui anticommuniste. **Rassemblement des oulémas musulmans** Cheikh sunnite Maher Hamoud. **Conseil supérieur chiite** Cheikh Mahdi Chamseddine rallie des mécontents dont Amal.

■ Mouvements sunnites. **Tawhid** Liban du Nord (Mouv. de l'unification islam.). Formé 1982 à Tripoli autour du cheikh intégriste Saïd Chaabane qui a soutenu Arafat avant de se rapprocher de la Syrie. Proclame : « Le Liban n'existe pas ! Seul compte l'Islam qui résout tous les problèmes et libère l'homme même s'il n'admet pas le pluralisme. » **Fédér. des oulémas** f. 1980 par Cheikh Abdelaziz Kassem. **Féd. des associations islam.** Saadeddine Houmaydi Sakr. **Makasseds** « les bien intentionnés ». Réseau d'écoles, de centres sociaux. Patronné par Tamam Salam. **Rencontre islam.** Cheikh Muhammad Qabbani, « mufti de la République » **Courant du cheikh Ali Jouzou. Parti de la libération islam.** f. 1952 par cheikh pal. Takieddine Nabbahi († 1977) dirigé par cheikh Abdelkader Zaloum, Kurde venu de Palestine. Réclame : « Un État islam. dirigé par un calife et au sein duquel Syrie et L. seraient unis. » **Congrès populaire des forces lib. islam. nationales** créé 1981 par Kamal Chatila.

■ Présidents. **1926** Charles Debbas (1861-1935). **34** Habib As-Saad (1866-1946). **36** Émile Eddé (1881-1943). **41** Alfred Naccache (1887-1978). **43** *mars* Ayoub Tabet (1882-1947) ; *juill.* Pédro Trad (1873-

1948). Béchara El-Khoury (1890-1964) démissionne 19-9-52. **52**-*23-9* Camille Chamoun (1900-87). **58** Gal Fouad Chehab (1902-73). **64** Charles Hélou (1912). **70** Soleiman Frangié (1910/23-7-92). **76** *23-9* Elias Sarkis (1924-85). **82** *23-8* Bechir Gemayel (10-11-47/14-9-82 attentat). *23-9* Amine Gemayel (1942), son frère aîné. **88** *2-9* présidence vac. **89** *5-11* René Mohawad (1925/22-11-89 attentat). **89** *22/24-11* Elias Hraoui (1926).

■ **Premiers ministres.** Noms dep. l'indépendance (1943) : Accari Nazem (1902-85), Chehab Fouad (1902-73), Khaled (1892-1977), Daouk Ahmad (1893-1979), Hoss Salim (n. 1929), Hafez Amine (n. 1926), Karamé Abdulhamid (1890-1947), Rachid (1921-87), Munla Saadi (189?-1972), Oueyni Hussein (1900-73), Salam Saeb (n. 1905), Solh Rachid (n. 1926), Riad (1893-1951), Sami (1890-1973), Taqieddine (1907-88), Yafi Abdallah (1901-87). **Dep. 1980 : 1980**-*25-10* Wazzan Chafic (1925) **84**-*30-4* Karamé Rachid (1921-assassiné 1-6-1987). **87**-*2-6* Hoss Salim (n. 1929). **88**-*23-9* Aoun Michel (n. 1935). **89** *25-11* Hoss Salim. **90**-*24-12* Karamé Omar (n. 1935). **92**-*13-5* Solh Rachid (n. 1926). *-22-10* Hariri Rafic (n. 1943).

☞ *La Syrie a reconnu le L. comme État indépendant :* 1°) le 7-10-1944 en signant le Pacte d'Alexandrie dont une annexe garantit formellement l'indépendance et l'intégrité du L. ; 2°) le 23-3-1945 en étant (avec le L.) cofondatrice de la Ligue arabe dont le pacte est expressément conclu entre « pays indépendants ».

■ Économie

PNB (91). 1 200 $ par h. **Pop. active** (%, entre parenthèses part du PNB en %) agr. 11 (10), ind. 20 (15), services 69 (75). **Chômage** (%) *1970 :* 8,1 ; *75 :* 15/20 ; *85 :* 62. **Inflation** (%) *1985 :* 70 ; *86 :* 162 ; *87 :* 904 ; *88 :* 30 ; *89 :* 80 ; *90 :* 21 ; *91 :* 50 ; *92 :* 100. *Salaire minimal* ($) *1980 :* 185 ; *87* (nov.) : 20. **Balance commerciale** (en milliards de $) *1983 :* – 0,93 ; *84 :* – 1,35 ; *85 :* + 0,38 ; *86 :* – 0,12 ; *87 :* + 0,12 [équilibrée par les services, transferts des expatriés, subventions étrangères aux Palestiniens (fonds arabe et UNRWA) et aux diverses factions (Irak, Syrie, Libye, Israël)]; **des paiements** *1991 :* + 1 ; *92 :* – 0,65. Pendant la g. apport d'argent aux diverses factions (Irak, Syrie, Libye, Israël). **Livre libanaise** (nombre pour 1 $ au 31 déc.) *1974 :* 2,3 ; *75 :* 2,43 ; *76 :* 2,73 ; *77 :* 3 ; *78-79 :* 3,25 ; *80 :* 3,64 ; *81 :* 4,63 ; *82 :* 3,82 ; *83 :* 5,49 ; *84 :* 8,89 ; *85 :* 18,10 ; *86 :* 98 ; *87 :* 450 ; *88 :* 529 ; *91 :* 890. En milliards de $ **Budget** (92) 2,5 (déficit : 40 %). **Dette extérieure** *(92) 0,5.* **Réserves** banque centrale Or 4 ; devises 0,8 ; avoirs à l'étranger (92) 15 à 18. **Dette publique** intérieure 2 500 milliards de livres lib.

Agriculture. *Terres* (milliers d'ha, 81) T. arables 240, t. cult. 110, forêts 72, pâturages 10, divers 591. *Production* (milliers de t, 90). Raisins 218, oranges 280, mandarines 53, pamplemousses 50, p. de t. 237, tomates 210, pommes 199, oignons 55, citrons 68, blé 52, olives 62, maïs 6 (83), bett. à sucre 93, orge 19, tabac, soie. **Trafic de drogue de la Bekaa.** De 0,5 à 1 milliard de $ de CA en 1988. **Forêts** pins, cèdres, quelques centaines à Bécharré et dans le Chouf, certains ayant 1 500 ans. **Élevage** (milliers, 90). Poulets 12 000, chèvres 410, moutons 210, bovins 60, porcs 49, ânes 12, mulets 4 (88). **Pêche** (89). 1 800 t.

Mines. Peu exploitées : fer, cuivre, schistes bitumineux, asphalte, phosphates, céramique, sable (pour le verre), sel. **Industrie.** Raffineries pétrole (Tripoli, Zahrani) ; artisanat ; aluminium. **Place financière.** Déclin (100 banques en 80) ; assurances. *Trafic de voitures européennes volées :* 2 500 en 1988 (1 000 à 3 000 $ pièce).

Transports (km). *Routes* 7 100, *chemins de fer* 417. **Tourisme.** *Visiteurs (1974)* (avant la g. civile) 3 008 391, *(87)* 133 800. Monuments romains, voir Italie p. 1050.

Commerce (milliards de $). **Exp.** *1975 :* 0,6 ; *80 :* 1,22 ; *83 :* 0,6 ; *84 :* 0,4 ; *85 :* 0,3 ; *86 :* 0,16 ; *87 :* 0,25 ; *90 :* 0,4. **Imp.** *1975 :* 1,66 ; *80 :* 2,9 ; *83 :* 3,4 ; *84 :* 2,3 ; *85 :* 1,4 ; *86 :* 1,9 ; *87 :* 1,25 (d'Italie 10,7 %, *Fr. 8,10) ; 90 :* 2,4.

■ Liberia

V. légende p. 884.

Nom. Vient de *liberty.*

Situation. Afrique. 97 754 km². *Côtes* 560 km. *Alt. max.* Mt Nimba 1 513 m. **Climat.** Équatorial, pluies mai à oct. 21 à 32 ° C, min. 20,4 ° C. *Pluies* moy. Monrovia : 5 588 mm (max. 24 h : 362).

Population. *1991* 2 730 000 h. dont 22 ethnies (Kpelle 400 000, Bassa 250 000, Dan 124 000, Kru 121 000, Glebo 115 000, Mano 108 000). *Prév. 2000:*

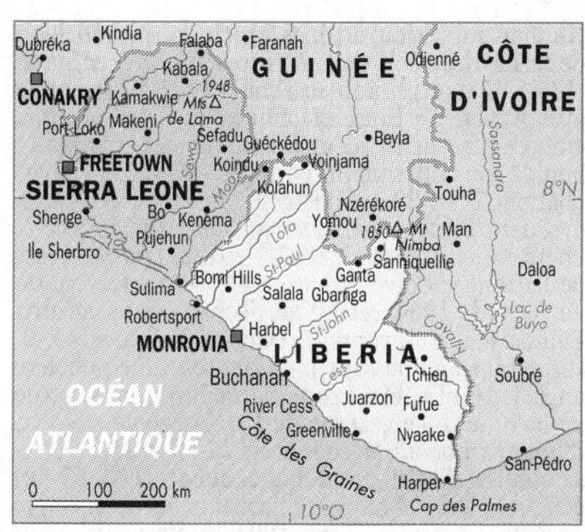

3 564 000. *Congos :* descendants d'afro-amér. 80 000. *Réfugiés* (1990) de janv. à sept. : 500 000. *Libanais* (1985) : env. 8 à 10 000. **Âge** *- de 15 a. :* 46,8 %. *+ de 60 a. :* 4,9 %. D 26,7. **Villes** *Monrovia* (nom donné en 1825 en l'honneur du Pt Monroe) 465 000, Buchanan 25 000 (à 151 km). **Langues.** Anglais *(off.),* dialectes africains. **Religions** (%). Animistes 75, musulmans 15, chrétiens 10.

Histoire. 1816-*28-12* des philanthropes amér. dont le révérend Robert Finley fondent l'American Colonization Society qui veut créer une « colonie de Noirs libres » en Afrique occidentale. **1818** *avril* projet d'installation dans l'île de Sherbro (conseillé par Thomas Clarkson). **1820**-*31-1* à New York, embarquement de 30 familles (90 pers.) sur l'*Elizabeth* pour Sherbro, échec de leur installation. **1821**-*23-1* départ de 33 émigrants sur le *Nautilus,* s'installent sur 60 km² au cap Mesurado contre tribut annuel de 300 $ qui ne seront payés qu'une fois. **1822**-*7-1* **à 1892** 22 120 immigrés noirs (16 400 du S. des USA et 5 700 de navires angl. ou amér.). **1847**-*26-6* décl. d'indépendance ; il y a alors 6 500 imm. noirs. **1912** réorganisation armée par des officiers noirs amér. **1915** *sept.* soulèvement de la côte Krou (S. du pays), 67 leaders Krou tués. **1926** Firestone s'implante au L. ; des millions d'acres lui sont concédés pour 99 ans, influence des « dix familles ». **1931** affrontements Krou-pouvoir central à Sasstown. **1934** début de production de caoutchouc. **1941 Pt William Tubman** (1895-1971). **1943**-*8-6* dollar amér. remplace la livre angl. d'Afr. occ. **1944**-*27-1* déclaration de g. à l'Axe. *-10-4* membre de l'Onu. **1971**-*23-7* **William Richard Tolbert** (1913-80) Pt. **1971-80** crise (concurrence caoutchouc synthétique, mévente du fer dep. 1961, crise pétrolière). **1979**-*14-4* manif. (au moins 32 †, cause : augmentation du riz). **1980**-*12-4* Pt Tolbert tué par caporal Harrison Pennue (promu colonel, deviendra com. gén. adjoint des forces armées), sergent **Samuel Doe** (1951-89) chef d'État. Constitution suspendue. *-22-4* 13 min. et hauts dignitaires fusillés. **1981**-*août* coup d'État échoue. Weh Syen et 3 membres du PRC (Conseil de rédemption du peuple) exécutés. **1983**-*nov.* « Complot » du Gal Quiwonkpa, chef de l'armée ; il s'exile. **1984**-*3-7* référendum pour nouvelle const. (en vigueur début 1986). *-21-7* Assemblée nat. intérimaire (Ina) après dissolution du PRC. *-26-7* activités polit. autorisées. **1985**-*1-4* tentative d'assass. du Pt Doe. *-18-7* rupture avec URSS *-15-10* élect. (l'opposition demande annulation). *Pt élu :* Samuel K. Doe 51,05 % devant Jackson Doe (LAP) 26,39 %. *Sénat* et entre parenthèses *Ch. des Représentants :* NDPL 21 s. (45), LAP 3 (3), UP 1 (4), LUP 1. *-12-11* putsch manqué du Gal Thomas Quiwonkpa (tué) 1 500 †. **1986** *janv.* régime civil, seconde république. **1989**-*24-12* début rébellion de Charles Taylor. **1990**-*6-1* rebelles font 500 † à Butuo. *Mars* conseillers militaires amér. au Nimba *-20-5* rebelles FNPL contrôlent 2/3 du pays. *-30-5* attaquent bâtiment de l'Onu à Monrovia (1 †, 30 personnes enlevées). *-4-6* USA évacuent 1 100 Amér. Elmer Johnson tué (conseiller militaire des rebelles). *-5-6* plusieurs centaines de Khran (ethnie du Pt Doe) et de Mandingos à Buchanan pris par rebelles. *-7-6* USA évacuent 1 400 Amér. et diplomates soviét. *-18-6* amnistie générale des rebelles. *-20-6* arrêt des poursuites pour détournement de fonds contres Charles Taylor. *-27-6* reprise des combats. *-3-7* rebelles dans Monrovia. *Janv.-juill.* 5 000 à 10 000 †. *-27/28-7* Taylor annonce le « gouv. de l'ass. nat. patriotique de reconstruction ». *-29-7* 600 tués par soldats gouvernementaux dans église luthér. de Monrovia. *-5-8* débarquement de 225 marines et évacuation de 300 Amér. *-7-8* la Cedeao envoie une force (Ecomog) de 2 500 h. (Nigeria, Ghana, Guinée, Gambie, Sierra Leone, Sénégal, Mali). *-9-8* évacuation des Français. *-2-9* gouv. intérimaire d'unité nat. créé. *-9-9* Pt Samuel Doe (n. 1951) capturé et tué *-10-9* par forces de **Prince Johnson** qui se déclare Pt intérimaire. *-25-12* le *Santa-Rita* affrété par la France débarque 2 000 t de riz et embarque 3 067 réfugiés. *-22-11* gouv. intérimaire **Dr Amos Sawyer.** *-28-11* Taylor accepte cessez-le-feu. Envoi de 7 000 à 10 000 casques blancs. **1991**-*13-2* cessez-le-feu. *-15-3* début de la Conférence nat. *-19-4* Sawyer réélu Pt intérimaire par la Conférence nat. *-30-10* Taylor accepte que l'Ecomog prenne le contrôle du pays (lui-même en contrôlant 90 %). **1992**-*7-4* Genève, accord Sawyer/Taylor pour rétablir la paix. *-7-9* 7 000 casques blancs de l'Ecomog regagnent Monrovia. *Oct.* env. 100 000 réfugiés à Monrovia. *Mi-oct.-mi-nov.* siège Monrovia par FNPL, défendus par 12 000 casques blancs, env. 3 000 †. *Mars* offensive de l'Ecomog contre FNPL. *-6-6* FNPL massacre 300 réfugiés.

Statut. Rép. dep. 26-7-1847. *Const.* du 20-7-1984 (avant : 26-7-1847) suspendue. [*Pt et vice-Pt* élus au suffr. univ. p. 6 a. *Ch. des représentants* (64 m. élus p. 6 a.). *Sénat* (26 élus p. 9 a. 2 par comité)]. *Ass. nat.* intérimaire dep. janv. 91, 28 m. **Partis.** *Mouv. uni de libération pour la démocratie* (ULIMO), f. 1991 par anciens militaires Krahn. *Front nat. patriotique du L.* (FNPL), f. 26-12-1989, Charles Taylor. *Front nat. patriotique indép. du L.* (FNPIL), f. 1990, Prince Johnson. *Front révol. uni* (FRU), f. 1991, Foday Sankoh. **Fêtes nat.** 12-4 (rédemption), 26-7 (indépendance). **Drapeau** (1847).

■ Économie

PNB (90). 250 $ par h. **Pop. active** (% et entre par. part du PNB en %) agr. 55 (35), ind. 10 (10), services 20 (35), mines 15 (20). **Inflation** (%) *1985 :* – 1 ; *86 :* 3,6 ; *87 :* 5, *88 :* 9,4. **Aide amér.** (millions de $) *1985 :* 90 ; *86 :* 43 ; *87 :* 38, *88 :* 31 ; *90 :* 70. **Dette ext.** (milliards de $) *1989 juin :* 1,7.

Agriculture. *Terres* (milliers d'ha, 81) t. arables 126, t. cult. 245, pâturages 240, forêts 3 760, eaux 1 505, divers 5 261. *Prod.* (milliers de t, 90) manioc 300, riz 150 (110 en 91), canne à sucre 225, bananes 80, légumes et melons 71, plantain 33, patates douces 18, café 5, ananas 7, oranges 7, cacao 1. Hévéas [plantations de Firestone] (caoutchouc 70 000 t en 90). **Forêts.** 5 889 000 m³ (88), 5 960 000 m³ (89). **Élevage** (milliers de têtes, 90). Poulets 4 000, moutons 240, chèvres 235, canards 233 (82), porcs 140, bovins 42. **Pêche.** 17 000 t (89). **Mines. Fer :** gisement des Mts Nimba, *réserves* 1,5 milliard de t : *prod.* (millions de t) : *1980 :* 15,2 ; *83 :* 10,1 ; *84 :* 11,4 ; *85 :* 14,3 ; *86 :* 8,7 ; *87 :* 8,6 (teneur : 67 %, 1er rang mondial ; jusqu'à 28 % du PNB), *88 :* 8. **Diamants** *(89)* naturels 68 000 carats, ind. 100 000 carats. **Or** *(89)* 700 kg. **Baryte, bauxite, manganèse, kyanite. Flotte de commerce** (pavillon de complaisance). Nombre de vaisseaux *88 :* 1 507 ; *89 :* 1 455 ; *90 :* 1 688.

Commerce (millions de $, 85). **Exp.** 396 (88) *dont* fer 270, caoutchouc 77,1, café 27,3, bois 25,2, diamants 4,7, *vers* All. féd. 140,7, USA 83,8, Italie 68,7, *France 38,7,* Belg.-Lux. 25,8, P.-Bas 19. **Imp.** 272 (88) *de* USA 73,8, All. féd. 26, Japon 23,8, G.-B. 21,1, P.-Bas 18,6. **Rang dans le monde** (91). 11e fer.

■ Libye

Carte p. 1070. V. légende p. 884.

Situation. Afrique. 1 775 500 km². *Frontières :* Égypte 1 080, Algérie 1 000, Tchad 1 000, Tunisie 480, Soudan 380. *Alt. max.* env. 900 m. *Côte* 1 820 km. *Longueur* 2 000 km. **Régions :** *plaine côtière* (bordée d'une ligne d'oasis), la Djeffara, larg. max. 120 km ; *région montagneuse* au nord (alt. max. 968 m) ; *désert* (99 % du territoire) et montagne de l'intérieur (plateau s'élevant à 1 852 m) pour les 3/4 du pays ; *oasis.* **Pluies** – de 200 mm par an ; en Cyrénaïque : 500 mm (rares, torrentielles).

Population (millions). *1964 :* 1,30 h., *91 (est.) :* 4,35 h., *prév. 2000 :* 6,07. **Age** *- de 15 a.* 45 %, *+ de 60 a.* 3,8 %. *Par région : Tripolitaine* (335 000 km², cap. Tripoli) : 72 %, *Cyrénaïque* (885 370 km², cap. Benghazi) 23 %, *Fezzan* (665 000 km², cap. Sebha) 5. **Pop. urbaine** 64 %. Nomades 14,6 %, Fezzan et Sahara libyque. D 2,5. **Villes :** *Capitale : Aljofor* (650 km au S. de Tripoli) dep. fin 86, avant, *Tripoli* (du grec Tripolis, « les trois villes », qui étaient dans l'Antiquité Leptis Magna, Oea et Sabrata, nommée autrefois Tripoli de Barbarie) 1 200 000, Benghazi [« fils de conquérant », chef-lieu de la Cyrénaïque, capitale de la Libye (de 1951 à 1963), conjointement avec Tripoli] 750 000 (à 1 050 km), Misourata 360 000 (210 km), Zawia 300 000, Khoms 200 000, El Beida (cap. de 1964 à 1969). **Étrangers** *1985 :* 549 600 dont 60 000 à 70 000 ressortissants de l'Est, 15 000 Ital., 1 500 Amér. (selon d'autres sources 6 000 à 8 000 dont 2 000 dans Cies pétrolières). *1992* (mars) 10 000 Européens dont 4 000 Brit., 1 550 Ital., + de 1 000 Amér. *En 1990 : conseillers milit. soviét.* 19 000, *est-allem.* 6 000. **Langues.** Arabe *(off.),* anglais,

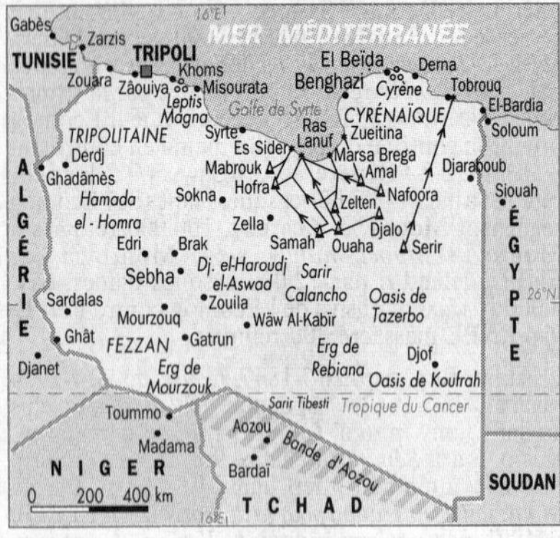

italien. Religions. Musul. sunnites 97 % (rel. off.), chrétiens 2,5 (env. 40 000 catholiques en 92).

Histoire. Siège de comptoirs phéniciens et grecs, conquis par Romains, Vandales, Musulmans (VIIe s.), Byzantins et au XVIe par Turcs ; dynastie des Beni-Mohammed au Fezzan, dépend. de Tripoli, puis ind. **1711-1835** dynastie Qaramanli. **1801-05** combats contre marine américaine. **1835** reconquise par Turcs. **1911** *oct.* conquête Tripoli (4 000 Arabes †). **1912** col. italienne après g. italo-turque. **1915** soulèvement *(rép. de Misourata)*, les Ital. évacuent Tripolitaine sauf Tripoli et Khoms. **1916** Turcs reviennent, base sous-marine allem. à Misourata. **1922-31** résistance armée d'Omar al-Moukhtar. **1932** occupation it. complète. **1934** Libye, après fusion Cyrénaïque, Tripolitaine et Fezzan. **1939** annexée par Italie (env. 500 000 It.). **1941** combats anglo-allem. **1942**-*23-10* victoire d'*El-Alamein* ; Angl. occupent Cyrénaïque, prennent Tripoli (*23-1*-43), Fezzan (1941-43) passe sous contrôle français après occupation Gal Leclerc. **1951**-*24-12* indépendance avec roi Mohammed Idris El Mahdi Es-Senoussi (1890-1983). **1953**-*29-7* tr. anglo-l. : droit de stationnement et de libre déplacement des troupes brit. contre redevance. **1954**-*9-9* accord avec USA : sur base aérienne de Wheelus Field contre 46 millions de $, payables en 20 ans. **1955**-*29-7* tr. avec Fr. qui évacuera Fezzan (Gouv. Mendès France). **1956** Italie verse 2,75 millions de lires en règlement de ses comptes coloniaux. **1958-59** découverte de pétrole. **1964** *janv.* rupture du contrat avec USA pour Wheelus Field. **1967** *juin* g. des 6 j en Israël, émeutes antisionistes.

1969-*1-9* roi Idris déposé [le Pce hér. était le Pce Kadhafi Hassan Reda (n. 1928)], Conseil de commandement de la révol. (CCR) dirigé par Kadhafi *-27-12* union L.-Soudan-Égypte. **1970**-*28-3* évacuation des forces angl. d'El-Adem et Tobrouq. *-11-6* des forces amér. *-22-7* expulsion de 15 000 Italiens. *-27-11* Syrie rejoint l'union de 1969 (qui ne prendra jamais forme). *-25-12* pacte de Tripoli avec Ég. et Soudan ; la Fr. livrera 116 Mirages à la L. **1971**-*17-4* féd. RAU, Libye, Syrie (approuvée par référendum *1-9)*. **1972**-*30-5* parti unique. *-2-8* union avec Ég. décidée (aurait dû prendre effet le 1-9-73). **1973**-*15-4* révol. populaire. *-18-7* marche de l'unité vers Le Caire, arrêtée. *-20-7* les marcheurs rentrés en L. demandent à Kadhafi, qui a démissionné, de reprendre le pouvoir. *-23-8* proclamation de l'union par étapes. *-1-9* union avec Ég. repoussée. Nationalisation à 51 % des Stés pétrolières. *-5-10* L. non associée à l'attaque d'Ég. et Syrie contre Israël. *-1-12* rupture union avec Ég. **1974**-*12-1* union avec Tunisie (sans suite). *-22-4* Kadhafi laisse ses fonctions polit. et adm. au Cdt Jalloud, PM. *Août* révélation, la L. a livré des Mirages à l'Ég. **1975** complot d'El Mehichi (membre du CCR) : la moitié des m. du CCR en fuite. **1976**-*début* rencontre Kadhafi-Boumediene. *Févr.-mars* milliers de Lib. expulsés, d'Ég. et Tunisie. *-22-3* accords fr.-l. après visite PM Jalloud en Fr. *(10/12-2)* et J. Chirac en L. *(20/22-3)*. *Mai-août* différend avec Tunisie sur pétrole du golfe de Gabès. **1977**-*2-3* CCR supprimé ; le peuple, réuni en congrès pop. de base, prend toutes les décisions, démocratie directe. *-21/24-7* conflit avec Ég. **1977-79** Kadhafi soutient musulmans du « front Moro » (Philippines), Palestiniens, « autonomistes » français. **1978** Fr. livre 32 Mirages Fl. **1979** intervention en Ouganda (2 000 h.), au Tchad. *-1-5* K. demande aux ouvriers du monde d'appliquer les slogans du *Livre vert*, t. 2 : « Associés pas salariés » (autogestion), « La maison à celui qui l'habite » (nationalisation des appartements). *-3-12* ambassade amér. à Tripoli saccagée.

1980-*7-1* rupture avec Fatah. *-27-1* attaque de Gafsa (voir Tunisie). *-4-2* amb. de Fr. à Tripoli saccagée ; 10 opposants à l'étranger exécutés. 2 000 off. et fonctionnaires arrêtés. *-15-5* échange des billets de banque, on rend 15 000 F par famille, surplus placé en épargne *-27-6* avion inconnu (amér. ?) abat DC - 9 civil en Méditerranée (81 †) [visait peut-être Kadhafi qui se trouvait dans le secteur]. *-6-8* rébellion de garnison de Tobrouk. *-1-9* projet fusion avec Syrie. *-14/15-12* intervention au Tchad. **1981**-*6-1* fusionne avec Tchad : « États islamiques du Sahel ». *Mars* embargo fr. sur 10 vedettes commandées par la L. ; liquidation opposants à l'étranger. *-19-8* 2 F-14 amér. abattent 2 SU-22 l. dans golfe de Syrte. *-3-11* Lib. évacuent Tchad. *-7-12* Boeing l. détourné à Zurich ; libéré à Beyrouth *9-12*. **1982**-*7-10* tous les opposants de l'étranger doivent rentrer. **1983-84** intervention au Tchad. **1984** retrait du Tchad après accord Dumas-Kadhafi, rupture relations dipl. avec G.-B. (tir depuis l'ambassade l. à Londres : une policière angl. †, 10 bl.). *Mai* Front Nat. pour la sauvegarde de la L. attaque caserne de Bab Aziziyya. *13-8* tr. d'union arabo-afr. avec Maroc. *12-11* tentative d'assassinat d'Abdelhamid Bakckouche (PM 67-68) échoue. **1985**-*4-6* milliers d'instruments de musique occidentale brûlés. *Sept.* 100 000 étrangers, dont 30 000 Tunisiens, expulsés. *-24-11* Cel Hassan Eskhal (beau-fr. de Kadhafi) opposant tué. USA et Italie accusent L. de soutenir terroristes qui ont détourné l'*Achille Lauro* ; USA prévoient sanctions écon. *-27-12* 2 att. contre aéroports (Vienne et Rome 19 †), Reagan accuse L. **1986**-*7-1* rupture relations écon. amér. avec L. *Février/mars* rapprochement avec Alg. *-24 et 25-3* marine amér. manœuvre dans golfe de Syrte. Tirs l., (2 Scud sur île ital. de Lampedusa, qui abrite une base amér. Bombard. de missiles SAM 5 et 4 vedettes, 44 †), 1 F 111 amér. perdu. *-15-4* raid amér. sur Tripoli et Benghazi, 37 † dont fille adoptive de Kadhafi. *Août* tr. d'union arabo-afr. rompu avec Maroc. **1987** Tchadiens prennent Aozou, reconquise 22-8. *-5-9* base de Matten détruite. *-11-9* cessez-le-feu. **1988**-*28-3* rouvre frontière avec Ég., *-4-4* avec Tunisie. *-12-6* Charte des droits de l'Homme adoptée. *Août* 20 résidents afr. exécutés pour refus de s'enrôler dans légion islamique. *-31-8* armée et police remplacés par milice pop. *-6-9* décentralisation des ministères. *-29-9* Kadhafi accuse ses comités rév. d'avoir assassiné des opp. pol. et les supprime. **1989**-*4-1* F-14 amér. abattent 2 Mig l. *-5-1* USA accusent L. de construire une usine d'armes chim. à Rabta. *-16-2* tr. de l'Union du Maghreb arabe. *-28-6* embargo sur armements fr. levé partiellement. *-30-8* accord de paix avec Tchad. *Oct.* Kadhafi reconnaît avoir soutenu le terrorisme. **1990**-*14-3* incendie dans l'usine de Rabta. *-27-8* L. soupçonnée pour attentat du DC-10 d'UTA du 10-9-89 (170 † au-dessus du Niger). *-16-10* levée embargo français sur 3 avions bloqués dep. 1986 (reportée le 12-12). **1991**-*8-12* Tripoli, début procès de 2 agents responsables de l'attentat de Lockerbie (Boeing amér.). *-2-4* ambassades Venezuela et Russie dévastées en raison menaces Onu. **1992**-*15-4* Conseil de sécurité Onu impose à L. embargo aérien et militaire. Kadhafi n'ayant pas livré aux justices américaine et britannique 2 agents tenus pour responsables de l'attentat contre un Boeing de la Panam (270 † le 21-12-88), au-dessus de Lockerbie (Écosse). L'attentat aurait été à l'origine « commandé » par les Iraniens aux services spéciaux syriens pour venger l'attaque d'un avion des Iranian Airways au-dessus du Golfe pendant la guerre Iraq-Iran. La mission avait été confiée au FPLP-CG. Mais une arrestation fortuite de terroristes palestiniens en Allemagne avait conduit Syriens et Iraniens à faire appel aux Libyens. Les familles des victimes réclament env. 7 milliards de $ à la Panam. *-13/23-6* Congrès gén. du peuple condamne le terrorisme internat., supprime l'Association de l'Appel de l'Islam et le Fonds du Jihad pour la Palestine. *-3-9* loi sur la privatisation. *-24-10* découpage du pays en 1 500 communes autogérées.

Statut. **Nom officiel :** dep. 12-3-1977 *Djamāhīriyya* (État des masses ou populocratie) arabe populaire et socialiste (dep. 1986 Grande Djam., dep. 1992 Djam. libyenne) « *Déclaration de remise du pouvoir au peuple* » tenant lieu de constitution (Sebha, 2/28-3-1977). *Échelon de base : Congrès populaire* [base territoriale ou sectorielle (producteurs)]. *Sommet : Congrès général du peuple* composé de délégués des secrétariats de chacun des Congrès pop. Des *Comités révolutionnaires* jouent le rôle d'un parti unique. **Membre** de l'Union du Maghreb arabe (févr. 1989) (Égypte, Syrie, Soudan, Libye). **Leader-maître :** colonel Mu'ammar al-Kadhafi (n. sept 1942) dep. 1-9-1969. *Secr. gén. du Congrès général du peuple :* Abdel Raziq El Saossa. *Secr. gén. du Comité gén. du peuple* (CPG) (gouv.) Abou Zezdomar Doareda. *Signataire* de la Charte de Tripoli. **Municipalités :** 14. Fête nat. 1-9 (Révolution). Drapeau (1977). Vert (foi islamique et rév. agric.).

Nota. – Dep. 1974, la Libye revendique partie du golfe de Syrte au sud du parallèle 32°30 (longueur 482 km, largeur max. 278 km) comme eaux intérieures ; les eaux territ. (12 milles soit 22 km) seront comptées au-delà.

La Libye revendique *la bande d'Aozou* (au nord du Tchad et du Niger), riche en uranium et pétrole, cédée à l'Italie 7-1-1935 par accord Laval-Mussolini, rendu caduc par tr. franco-l. du 10-8-1955 ; *projet libyen :* fédérer l'Afrique saharienne et musulmane de la Mauritanie à l'Érythrée.

Dynastie Senoussi. **1951-69** *Mohammed Idris El Mahdi Es-Senoussi* (1880-1983), déposé 1-9-1969 par Khadafi. *Héritiers : Hassan Ridha Es-Senoussi*, neveu d'Idris, (1928-92), exilé en G.-B. dep. 1988. *Mohammed El Hassan Es-Senoussi,* son fils.

■ ÉCONOMIE

PNB (91). 6 600 $ par h. **Pop. active** (%, entre parenthèses part du PNB en %) agr. 14 (3), ind. 16 (5), services 60 (20), mines 10 (72). *Total actifs :* 1 061 800 (dont étrangers 36,1 %), dont femmes 99 700. **Dette extérieure** (89) 7 milliards de $. **Inflation** (89) 25 %. **Réserves** (milliards de $) *1980 :* 13 ; *87 :* 6 ; *88 :* 3,7 ; *90 (est.) :* 25.

Agriculture. *Terres* (milliers d'ha, 81) t. arables 1 758, t. cult. en permanence 327, pâturages 13 100, forêts 610 (4 100 millions d'arbres plantés en 10 ans), divers 160 159. 95 % de désert. Plan de fertilisation de 700 000 ha (150 000 ha par an). *Production* (milliers de t, 90) tomates 218, blé 230, olives 125, p. de terre 118, dattes 108, orge 130, citrons 24, oranges 78, raisins 24, amandes 13,5. Élevage (milliers, 90). Volailles 38 000, moutons 5 850, chèvres 975, bovins 250, chameaux 193, ânes 73 (82), chevaux 14 (82). Pêche. 7 800 t (89). Eau (millions de m³). Ressources annuelles renouvelables 700 (consommation ann. 1985 : 2 120 dont 1/3 dessalement, 1/3 réserves non renouvelables, 1/3 r. renouvelables). *Grand fleuve artificiel* (sept. 91) 750 millions de m³ par an apportant au littoral l'eau douce pompée dans le désert à 300 m de prof., eau fossile constituée lors de la dernière période pluviale au Sahara, se renouvelle très faiblement par les précipitations ou 1 000 m de prof. destiné à 86 % à l'irrigation de 180 000 ha. 1991-28-8 : inauguration de la 1re tranche.

Énergie. **Pétrole :** *découvert* 1959 à Zelten par Esso. *Réserves :* 3,1 milliards de t. *Stés principales :* à capital mixte et opérant sous la surveillance de la Noc (National Oil Cy) : Oasis (40 %), Agip (seule Cie étr. propriétaire de 50 % des puits), Occidental, Mobil. *Production* (millions de t) : *1980 :* 88 ; *81 :* 55 ; *82 :* 58 ; *83 :* 54,5 ; *84 :* 54 ; *85 :* 50 ; *86 :* 49 ; *87 :* 47,8 ; *88 :* 50,4 ; *89 :* 53 ; *90 :* 66 ; *91 :* 74. **Électricité :** puissance : 5 615 MW, prod. (86) 2,1 milliards de kW. **Gaz** (milliards de m³) *réserves :* 550, *production : 1979 :* 23 ; *82 :* 12,1 ; *86 :* 6,3 ; *87 :* 6,7 ; *88 :* 5,4 ; *89 :* 6,7 ; *91 :* 6,7. Industrie. Prod. alim., textiles, tapis, tabac, chimie, pétrochimie, mat. de constr. Transports. *Routes* (86) 25 675 km, *chemin de fer :* projet : 1 292 km. Tourisme. *Sites :* ruines romaines [Leptis Magna (à 123 km de Tripoli), ville morte la + vaste et la mieux conservée du monde ; Sabratha (67 km) + grand théâtre romain du monde ; Tolemaid (Ptolémaïs) (200 km de Benghazi)], sites archéol. (Tobrouq et Shehat, ancienne Cyrène, à 140 km de Benghazi), Soussa (Apollonia), oasis de Ghadamès, Fezzan, citadelles turques (Alhambra à Tripoli). Voir Italie p. 1 050. *Visiteurs (80)* 126 000.

Commerce (milliards de $, 87). **Exp.** 8,7 *dont* fuel et lubrifiants 8,5, prod. chim. 0,28 *vers* It. 3,55, *Fr. 0,8,* P.-Bas 0,6, Espagne 0,6, Benelux 0,5. **Imp.** 4,72 *dont* mach. et éq. de transp. 1,6, prod. man. de base 0,9, prod. man. divers 0,7, prod. alim. 0,7, prod. chim. 0,3 *de* It. 1,1, All. féd. 0,8, G.-B. 0,7, Japon 0,3, *Fr. 0,2.* Une partie importante du brut était vendue à l'URSS en paiement de livraisons de matériel militaire (plusieurs milliards de $ par an) ou livrée à d'autres clients de l'URSS.

Déficit de la balance des paiements courants (milliards de $) *1988 :* – 2,2 ; *89 :* – 1 ; *90 :* + 2,2.

Rang dans monde (91). 11e rés. pétrole. 17e pétrole.

■ LIECHTENSTEIN

Carte p. 1155. V. légende p. 884.

Situation. Europe. 160 km². *Frontières* 76 km (Suisse 41,1, Autriche 34,9). *Alt. max.* Grauspitz 2 599 m ; *min.* 433 m. Partagé entre montagne et plaine du Rhin. Climat. Doux (fœhn soufflant du Sud) : été : 20-28 °C ; pluies 1 000 à 1 200 mm.

Population. *1990 :* 28 877 dont 10 218 résidents étrangers, *prév. 2000 :* 34 000. **Âge** - *de 14 a.* 20,1 %, *+ de 60 a.* 11,6 %. D 180,5. Villes (90) : *Vaduz* 4 870, Schaan 4 978, Balzers 3 700, Triesen 3 506, Eschen 3 082, Mauren 2 820, Triesenberg 2 380, Ruggell 1 480, Grampin 952, Schellenberg 812, Planken 297. Langues. Allemand *(off.) ;* dialectes alémaniques ; *walser,* importé par des Valaisans du XIIIe au XVIe s., parlé à Triesenberg. Religions (90, en %). Cath. romains 87, prot. 7,9, divers et sans 5,1.

Histoire. Formé de la seigneurie de Schellenberg (achetée le 19-1-1699) et du comté de Vaduz (acheté le 22-2-1713), qui appartiennent dep. **1699** et **1712** à la maison de Liechtenstein, originaire de la forteresse de L. près de Vienne et connue dep. Hugues de L. (1135-56), vassale des Habsbourg (ducs d'Autriche). **1719**-*23-1* érigé en principauté immédiate du St Empire par l'emp. Charles VI. **1805** le Pce Jean-Joseph de L., Gal autr., prisonnier par Napoléon à Ulm. *Tr. de Presbourg* (26-12), Bavière annexe Tyrol. Le L., isolé de l'Autr., fait partie de la Confédération du Rhin. Jean-Joseph abdique en faveur de son fils Élisée et continue à servir dans l'armée autr., comme feld-maréchal, puis généralissime. **1815** Jean-Joseph redevient Pce du L. **1815 à 66,** fait partie de la Conf. germanique. **1818**-*9-11* constit. accordée par Pce Jean Ier. **1866** l'Aut. est expulsée de la Conf. germ., le L. n'a plus de frontière commune avec l'All. **1871** reste en dehors de l'emp. all. (indépendant de fait). **1917** projet all. d'en faire un État pontifical, le pape abandonnant le Vatican (échec). **1921** union postale avec Suisse. **1923** union douanière. **1924-28** législation sur sociétés domiciliées et privilèges fiscaux. **1971**-*28-2* droit de vote refusé aux femmes. **1973**-*11-2* id. (référendum : 2 126 non, 1 675 oui, 86,01 % de votants). **1976** *août* loi autorisant les 11 communes à accorder aux femmes droit de vote et éligibilité en matière communale. **1984**-*29-6/1-7* droit de vote accordé aux femmes au niveau national. **1986**-*2-2* législat., les femmes votent pour la 1re fois. **1990** entre à l'Onu. **1991**-*1-9* m. de l'AELE. **1992**-*13-12* référendum pour entrée dans Espace Écon. Européen (55,81 %).

Statut. Monarchie. La seule des principautés relevant autrefois du St Empire romain germanique qui subsiste. *Constitution* du 5-10-1921.

Princes. **1836**-*20-4* ALOYSE (26-5-1796/12-11-1858). **1858**-*20-4* JEAN II (5-10-1840/11-2-1929). **1929**-*22-7* FRANÇOIS (28-8-1853/26-7-1938). **1938**-*26-7* FRANÇOIS-JOSEPH II (16-8-1906/13-11-1989, le 1er monarque établi à demeure au L.), son neveu, fils aîné du Pce Aloys de et à L. (1869-1955) et de la Pcesse n. arch. Élisabeth d'Autr. (1878-1960). Ép. 7-3-43 Ctesse Georgina de Wilczek (1921-89). 5 *enfants : Hans Adam* (14-2-45), voir ci-dessous ; *Philippe* (19-8-46) ép. 11-9-71 Isabelle de L'Arbre de Malander (24-11-49), *dont :* Alexander (19-5-72), Venceslas (12-5-74), Rudolf (7-9-75) ; *Nicolas* (24-10-47) ép. 20-3-82 Margaretha de Luxembourg (15-5-57) dont : Jean (†), Maria Anunciata (12-5-85), Marie-Astrid (26-6-87), Josef Emanuel (7-5-89) ; *Nora* (31-10-50) ép. 16-6-88 Vicente Marques de Mariño ; *Venceslas* (1962-91). **1989**-*13-11* **Hans-Adam II** (14-2-45) Pce souverain de et à Liechtenstein, duc de Troppau et Jagerndorf, Cte de Rietberg ; ép. 30-7-67 Ctesse Marie Aglaé Kinsky (14-4-40) dont Aloïs (11-6-68), Maximilian (16-5-69), Constantin (15-3-72), Tatjana (10-4-73). Les Pces réclament 1 340 km² de Tchécoslovaquie (ont été dépossédés en 1945).

Chef du gouv. Markus Büchel dep. 26-5-93.

Landtag (25 m. élus au suffr. univ.). **Élections** (7-2-93) : FBP 12 s., VU 11, liste libre 2. **Pas d'armée.** 11 **communes. Partis.** *P. des citoyens progressistes (FBP)* (f. 1918, Pt Hansjörg Marxer). *Union patriotique* (VU) (f. 1936, Dr Otto Hasler). *Freie Liste* (liste libre f. 1985), écologistes. **Justice.** Peine de mort abolie 21-5-1981. Aucune exécution dep. 1785. Prison : 24 places. **Fête nat.** 15-8. **Drapeau.** Bandes horiz. bleue et rouge datant du début du XIXe s. Couronne dorée ajoutée 1937 pour éviter confusion avec drapeau d'Haïti de l'époque.

ÉCONOMIE

PNB (90). 34 000 $ par h. **Pop. active.** 57 % dans le secondaire (record du monde). **Agriculture.** *Terres* (km², 90) t. arables et pâturages 38,9, pâturages alpins 25,1, forêts 55,6, espaces improductifs et bâtiments 40,4. *Production* (t, 87) maïs d'ensilage 27 880, p. de t. 1 040, blé 460, orge 416, maïs 403 (85), avoine 4. Vigne. **Élevage** (90). Bovins 6 228, porcs 3 784, moutons 2 373, chèvres 125, chevaux 131. **Industrie.** Métall., mach. et appareils textiles, céramique, ind. chim. et pharm., aliment. Couches minces. Meubles. **Électricité** (90). Prod. nationale 25 % (54,7 millions de kWh) ; importée de Suisse 75 %. **Transports** (km). *Routes* 250, *ch. de fer* 18,5. **Tourisme** (90). 77 735 vis. **Finances.** Siège d'env. 70 000 Stés (avantages fiscaux) ; timbres. **Statistiques** comprises dans celles de la Suisse.

Commerce (millions de F suisses, 90). **Exp.** 2 213,2 *dont* (%) AELE 20,9 (Suisse 15,4), CEE 42,7, divers 36,4.

Rang dans le monde. 1er producteur de dents artificielles.

LITUANIE

Carte p. 969. V. légende p. 884

Situation. Europe 65 200 km². 4 000 lacs. **Population** (en millions). *1897* 2,6 ; *1923* 2,62 ; *39* 3,08 ; *78* 3,12 ; *89* 3,7 ; *92* 3,76 [en % en 1989 : Lituaniens 79,6, Russes 9,4, Polonais 7 (18 à Vilnius), Juifs 0,3]. Entre 1945 et 1959, env. 230 à 270 000 déportés, 250 000 quittent la L. (Polonais, Allemands partent dans leur pays d'origine), + de 225 000 personnes viennent en L. (quittant d'autres républiques). *Lituaniens aux USA :* 850 000. *Pop. urbaine* (89) *68,5 %.* **Espérance de vie** H. 68 a., F. 77 a. **Villes :** *Vilnius* (Vilna) capitale 592 500 h. (en 89, L. 50,5 ; Russ. 20,2 ; Pol. 18,8 ; Biélorus. 5,3) ; Klaïpeda (ex-Memel). D 56,6. **Langue.** *Off.* lituanien dep. 1918. **Religion.** Catholique (80 %).

Histoire. Nation baltique (indo-europ.). Résiste aux chevaliers teutoniques et demeure païenne jusqu'au XIVe s. **1239-63** Mindaugas Ier (baptisé 1251) 1er Gd-duc de L. **1315** Gediminas fonde dynastie des Jagellon, qui crée une puissante principauté lit. [conquiert Biélorussie et Ukraine jusqu'à la Crimée ; capitale Vilnius, fondée 1323]. **1386** Jagellon ép. la reine Hedwige de Pol., **1387** accepte le baptême catholique et unit Pol. et L. **1410** défaite de Tannenberg. Langue off. : biélorusse jusqu'au XVIe s., puis pol. **XVe s.** La L. s'étend de la Baltique à la mer Noire. **1565** *Union de Lubin* avec Pol. **1579** université de Vilnius fondée. **1667** tr. d'Androussovo : Smolensk cédé aux R. **1793-95** 2e et 3e partages de la Pol., *rattachée à la R.* **1840** code r. remplace code l. **1864** presse lit. interdite. **1880** naissance d'une intelligentsia lituanophone. **1915**-*18-9* All. occupent la Lit. **1917**-*22-9* organisent un congrès qui réclame la restauration d'un royaume. **1918**-*16-2* indép. proclamée. *-11-7* la couronne est offerte à Guillaume, duc d'Urach, Cte de Wurtemberg, fils du 1er duc Guillaume et de Florestine, Pcesse de Monaco. *-2-11* Guillaume refuse, la L. *devient rép.* **1919**-*5-1* armée sov. prend Vilnius : le gouv. se replie à Kaunas : *-20-4* Pol. de Pilsudski prennent Vilnius, annexée à la Pol. (Wilno). **1921-23** querelle avec Pol. sur Vilnius. **1923**-*32* la SDN tranche en faveur de la Pol. ; la L. refuse de reconnaître sa décision. **1926** coup d'État d'Antanas Smetova. **1939**-*22-3* Hitler prend Memel (Klaïpeda) ; *août* la L. confie à la Banque de Fr. 2,2 t d'or ; *-10-9* les R. rendent Vilnius à la L. en échange de bases mil. **1940**-*15-6* ultimatum, et occupation sov. *-21-7* rép. soc. *-3-8* adhère à l'U. **1941-44** fait partie de l'*Ostland* hitlérien (installation de 4 700 colons all.) ; env. 300 000 Lituaniens †. **1944**-*13-7* reconquête sov. (resp. du parti : Souslov) : 80 000 Lit. se replient en All. **1945-49** env. 250 000 Lit. déportés en Sibérie. **1984** 500e anniv. de la mort de St-Casimir. *-10-3* pape nomme 2 arch. et 1 évêque. **1987** 600e anniv. de baptême de la L. **1988** *sept.* création d'un Conseil du mouv. Sajudis. **1989** *janv.* lituanien langue officielle. *-16-2* L. pour autodétermin. *-26-3* Sajudis majorité des sièges de la L. au Soviet suprême de l'URSS. *23-8* anniversaire du pacte germano-sov. de 1939. 200 000 personnes dans la rue. *Oct.* 1-11 et 25-12 reconnus j de fête. *-7-12* rôle dirigeant du PC aboli. Le PC lit. se sépare du PC de l'URSS. **1990**-*11/13-1* Gorbatchev en L. *-7-2* PC l. déclare illégale l'annexion de 1940. *-24-2* législatives, vict. indépendantistes. *-7-3* coût de l'indép. selon Gorbatchev : 21 milliards de roubles (210 milliards de F) payables en devises, dont 17 pour invest. directs et 4 pour marchandises non livrées ; fin des livraisons de mat. 1res à prix réduit, désorganisation des fournitures d'énergie, du système postal et téléphonique.

■ **1990 République indépendante.** *-11-3* Parlement l. proclame indép. à l'unanimité (6 abstentions). Landsbergis, Pt Cons. suprême. *-13-3* Gorbatchev déclare indép. illégale. *-23-3* mesures mil. d'intimidation. *-19-4* L. privée de gaz et pétrole (1 gazoduc sur 4 en service : 3,5 millions de m³ au lieu de 19). *-23-4* raffinerie de Mazeïkiaï (37 000 t/j ; prod. 11,5 millions de t/an) fermée. *Mai* Pt Landsbergis demande médiation franco-all. *-10-5* PM Kazimiera Prunskiene en France ; *-14-5* décret annulant l'indép. ; Gorbatchev propose séparation L./U. dans 2/3 ans, contre suspension de la déclaration d'indép. (29-5 suspension pour 100 j). *-18-7* loi sur formation mil. **1991**-*7-1* troupes sov. envoyées dans pays baltes pour contraindre appelés baltes à rejoindre leurs régiments. *-8-1* manif. russes enfoncent portes du Parlement ; Pt Landsbergis appelle la pop. à le défendre. *-11-1* Soviétiques prennent département de la Défense, imprimerie. *-12-1* 2 bâtiments de la police. *-13-1* télévision (14 †). *-5-2* décret, Gorbatchev annule par avance le sondage d'opinion. *-9-2* sondage (en fait référendum sur indép. ; participation 84,4 %, oui 90,4 %). *Mai* opérations des Omon contre postes de douanes entre L. et Lettonie. *-4-5* Vilnius, 100 000 manif. contre occupation sov. *-13-5* Vilnius assaut spetsnatz (forces spéciales) contre télé : 14 †. *-18/19-5* 1 garde frontière l. et 1 policier biélorusse †. *-29-7* tr. d'amitié L.-Russie, signé par Landsbergis et Eltsine (reconnaissance de la L. dans ses frontières actuelles et garantie des droits de la minorité russophone). *-31-7* KGB attaque un poste douanier sur frontière avec Biélorussie. 6 gardes lit. tués. *-23-8* interdiction PC l. et manif. de masse. *17-9* entrée Onu. *-22/29-11* Banque de France restitue l'or confié par la L. (2 246 kg, valeur 208 millions de F). **1992**-*23-5* référendum régime présidentiel : votants 57,5 %, oui 39,8 % mais il fallait 50 %. *-8-9* accord pour retrait total des troupes sov. (35 000 h. avant 31-8-1993). La L. financera le logement de 10 000 soldats dans la région de Kaliningrad, la R. lui remettra des équipements et navires de la flotte de la Baltique. *-25-10* et *15-11* législatives : PDLT (Pt : Akgirdas Brazauskas) 47 % des voix ; Sajudis (Pt : Vitautas Landsbergis) 22 ; PDC 12 ; SD 6. *-25-10* nouvelle constitution. *-25-11* Brazauskas Pt du Soviet Suprême (remplace Landsbergis). *-29-12* départ des derniers soldats russes de Vilnius. **1993**-*14-2* présidentielles au suffrage universel. Brazauskas (soutenu par minorités pol. et russes) élu devant Stazys Lozoraitis (indép. soutenu par nationalistes, 40 % des v.), Kazimieras Antonovicius.

Statut. République. Constitution du 25-10-1992. *Pt de la rép.* Akgirdas Brazauskas dep. mars 93, ex-Secrétaire du PC. *PM* Adolfas Slezevicius (n. 1942). **Parlement** 141 m. Élections législatives du 25-10-92. PDLT 73 sièges sur 141, Sajudis 30, PDC 17, SD 8. **Partis.** *Sajudis* (pro-indép.) f. 1988 ; Pt Vytautas Landsbergis. *Parti Démocratique Lituanien du Travail* (PDLT) (PDLT divisé, majorité détachée du PC en déc. 89), *Parti Démocrate Chrétien* (PDC), *Sociaux Démocrate* (SD). *Edinstvo* (opposé à l'indép.), 230 000 m., dont Russes 75 %, Lituaniens 4 %, Polonais, Biélorusses et Ukrainiens. Reconstitution des p. politiques de l'entre-deux-guerres et apparition d'autres partis (Verts, P. de l'indép., P. libéral).

Nota. – La Biélorussie revendique certains territoires cédés à la L. en 1939-45, et Moscou menace de rattacher le territoire de Klaïpeda à la région de Kaliningrad (déclarée zone franche en déc. 91) que la L. pourrait revendiquer.

ÉCONOMIE

PNB. *1991 :* 5,6 milliards de $ (par hab. 1 514 $). **Actifs** (en %) agr. 18, mines et ind. 30, services 52. **Chômeurs** 20 %. **Inflation** (%) *1991 :* 392, *1992 :* 1 163. **Privatisations en cours** maintien d'une gestion centralisée de l'État. **Libération des prix** industriels 75 % et de détail (avec marge max. 20). **Investissements étrangers** (%). CEI 47,4, Norvège 20, USA 13, Suisse 7,1, Pol. 7, G.-B. 4,2, All. 4,1, *France 0,2.*

Agriculture. 18 % de la pop. *Terres* (%) arables 49,1, cultivées (1986) (4 600 000 ha), pâturages 22,2, forêts 16,3 (1 550 000 ha), improductives 12,4. *Production* (milliers de t, 89) : grains 3 272, bett. à sucre 1 075, lin 15,1, p. de terre 1 926,6, légumes 325,7, viande 534,4, lait 3 234,9. Œufs 1 330,7 millions. **Élevage** (milliers 89). Bovins 2 434,6, porcins 2 705, ovins et caprins 78,6.

Énergie. Importée de l'ex-URSS [avant 1990 : 90 % (gaz, pétrole), dep. 54 % (réduction due à l'endettement l)]. *Électricité :* centrale d'Ignalina de 1 600 MW de type RBMK (comme Tchernobyl) ; 60 % de la prod. élec. du pays. *Pétrole :* [26 puits, 1 en exploitation : Kretinga (15 t brut/j), possibilité max. de 460 t/j]. **Prod. ind.** (milliers de t, 89). Papier 117, plastique 109, fils 14,4, acide sulfurique 512, engrais 632. Tourbe, ambre, chimie, constr. navale, métallurgie. **Transports** (km, 89). *Routes* 42 500 ; *chemins de fer* 2 007.

Commerce *(en %, 1991).* **Imp.** ex-URSS 84, Ouest 9, Est.-Let. 6,5. **Exp.** ex-URSS 87, Est.-Let. 8, Ouest 4,5. 3 points de passage terrestres seulement vers l'O. (Pol. 1, Biélorussie 2). Pas de connexions ferroviaires avec le réseau occ., installations portuaires de Klaïpeda insuffisantes.

LUXEMBOURG

Carte p. 928. V. légende p. 884.

Nom. Lucilinburhuc, petit château (en 963).

Situation. Europe. 2 586,36 km². *Frontières* 356 km (avec France 73, Allemagne 135, Belgique 148). *Alt. max.* Wilwerdange 559 m, *min.* Wasserbillig 130 m. *Long. max.* 82 km. *Larg. max.* 57 km. **Régions naturelles :** *Oesling* au N. (plateau ardennais boisé, climat rude) 828 km². *Gutland* (Bon Pays) au S. 1 758 km². **Climat.** Moy. (1951-90) janv. 0,8° C, juillet 17,5° C. *Pluies* 782,2 mm/an. *Ensoleillement* 1 430 h.

Population. *1821 :* 134 100, *1871 :* 204 000, *1922 :* 261 600, *1970 :* 339 800, *1992 (est.) :* 389 800. **Âge** *– de 15 a. :* 17,7 %, *+ de 65 a. :* 13,6 %. Indicateur conjoncturel de fécondité (91) : 1,6. Étrangers (92 est.) 114 700 (29,4 %) dont : Portugais 40 400, Italiens 19 800, *Français 13 100,* Belges 9 700, Allemands 8 800, Néerlandais 2 900 (81). D 148,6. **Communes** (1-3-91) : *Luxembourg* 75 377 (aggl. 123 000) [ancienne forteresse (23 km de souterrains) siège : Secrétariat du Parlement eur., Cour de justice dep. 1968, Banque eur. d'investissements dep. 1977, Fonds monétaire eur., Eurostat et autres adm. eur.], Esch-sur-Alzette 24 012 (à 18 km, alt. 290 m), Differdange 15 699, Dudelange 14 677, Echternach 4 221 (procession dansante en l'honneur de St Willibrord).

Religions (%). Catholiques 97, protestants 1, juifs 0,2, divers 1,8. Le chef de l'État est catholique. Traitements et pensions des ministres des cultes reconnus (cath., prot., juif) sont à la charge de l'État. Langues. *Luxembourgeois (Lëtzebuergesch) :* l. nationale, surtout parlée, dialecte moyen-all., avec de nombreux mots français. *Français et allemand :* l. administratives.

Histoire. **V. 265 apr. J.-C.** Gallien fortifie le rocher du Bock, emplacement de L. **963** Sigefroid, Cte de la maison d'Ardenne, achète le fortin de L. à l'abbé de St-Maximin de Trèves et en fait un fief comtal. **1136** à la maison de Namur, puis **1247** à celle de Limbourg (8 souv. dont 4 emp. du St Empire) ; les plus illustres : Henri VII (emp. 1308), Jean l'Aveugle (roi de Bohême), Charles IV (qui érige le L. en duché, 1354). Le 3e fils de Charles IV, Jean duc de Goerlitz, n'eut qu'une fille qui porta le duché à son mari Antoine de Bourgogne, duc de Brabant. **1441** veuve et sans appui, elle vend son duché à Philippe le Bon, duc de Bourgogne. **1443** révolte, ville investie par les Bourguignons ; sous domination des ducs de Bourgogne, réunion aux P.-Bas. esp. **1506** la citadelle devient le plus grand dépôt d'artillerie d'Europe. **1554** explosion des poudres qui détruit une partie de la ville et incendie l'autre. **1659** *tr. des Pyrénées,* le régime esp. (Philippe IV) perd partie sud qui revient à la France. **1684** Vauban agrandit la forteresse. **1697**-*20-9 tr. de Ryswick,* retour à l'Esp. **1698**-*28-1* troupes fr. évacuent la forteresse. **1711** à la Bavière. **1713-14** *tr. d'Utrecht, Rastadt* et *Bade* attribuent L. aux Habsbourg. **1794** *nov.* à **1795**-*1-10* forteresse capitule devant Fr., devient département fr. des Forêts. **1797** *tr. de Campo Formio,* l'Autriche cède Belgique et L. à la Fr. **1798** introduction de la conscription (insurrection en Ardennes). **1814** évacuation fr. **1815**-*3-1 tr. de Vienne :* gd-duché souverain dans Conf. germanique, cédé à titre personnel à Guillaume Ier, roi des P.-Bas ; ville de L. forteresse fédérale ; rives est de la Moselle, la Sûre et l'Our cédées à la Prusse. **1831** *tr. des 24 articles :* L. francophone devient province belge **1839**. *-19-4 tr. de Londres* signé par G.-B., Russie, France, Autriche, Belg., P.-Bas ; naissance du gd-duché (ratification 1839). **1841** Constitution. **1842** adhésion à l'union douanière allemande (*Zollverein,* dénoncée 30-12-1918). **1848** constitution libérale. **1867** *Convention du 21-3 :* Napoléon III veut acheter pour 5 millions de florins le L. à Guillaume III. *-1-4* Bismarck refuse de l'évacuer malgré la dissolution de la Conf. germanique en 1867. *-11-5 tr. de Londres :* indépendance et neutralité perpétuelle sous la garantie collective des puissances signataires, départ de la garnison prussienne, démantèlement de la forteresse. **1868** révision de la Constitution. **1890** le duc Adolphe de Nassau succède à Guillaume III, décédé sans descendance mâle. **1914-18** occupation all. **1919** révision constitutionnelle. Droit de vote pour les femmes ; 77,8 % des él. sont pour le maintien de la monarchie. **1921**-*1-5* union économique avec Belg. (UEBL) ; un référendum avait donné 60 123 voix pour une union avec la Fr. et 22 252 pour une union avec la Belg. mais après accord secret conclu avec Belg. le 9-6-1917, la Fr. se désintéresse du L. **1929**-*11-5* création de la Bourse. **1940**-*10-5* invasion all., Gde-D[chesse] et gouv. partent en exil (France, Portugal, USA puis Londres) ; annexion all. de fait. **1944** formation du Benelux. **1945**-*14-4* Gde-D[chesse] rentre. **1948** *avr.* abandon de la neutralité (qui avait cessé d'exister en fait dep. 10-5-40). **1949** membre de l'Otan. **1951** de la Ceca (L. devient siège provisoire). **1957** de la CEE **1967** service militaire aboli. **1975** siège de la cour des Comptes européenne. *-5-4* 1re grève gén. dep. 1942. *-9-11* attentat aéroport, radar détruit. **1988** *déc.* 1er satellite eur. TV directe (Astra). **1992**-*2-7* députés approuvent tr. de Maastricht (51 v. pour).

■ Politique

■ Statut. Monarchie const. *Constit.* du 17-10-1868 révisée 1919, 48, 56, 72, 79, 83 et 89. Le Gd-Duc choisit son gouvernement. *Ch. des députés* (60 m. élus p. 5 a.). *Conseil d'État* (21 m.). 3 *districts* (Luxembourg, Grevenmacher, Diekirch), 12 *cantons,* 118 *communes* admin. par un bourgmestre.

■ Partis. **P. chrétien-social (PCS),** p. populaire, f. janv. 1914. *Pt* Jean-Claude Juncker. *Secr. gén. :* Camille Dimmer. *Pt d'honneur :* Jean Spautz. **P. ouvrier soc. lux. (POSL)** f. 1902, Pt Ben Fayot, secr. gén. : Raymond Becker. **P. démocratique (DP),** f. 1904 *Pt :* Charles Gœrens, *secr. gén. :* Carlo Wagner. **P. communiste (PC),** né d'une scission avec P. socialiste au congrès de Differdange (janv. 1921, *Pt :* Aloyse Bisdorff). **P. vert alternatif (GAP),** f. 1983, secr. Abbes Jacoby. **Initiative vert écologiste (GLEI),** f. 1989, écologiste. **Comité d'action.** *Pt :* Robert Mehlen. Fête nat. 23-6 (veille de la St-Jean, prénom du chef de l'État). Drapeau. Bandes rouge, blanche et bleue, couleurs des armes des anciens comtes de Lux. du XIIIe s. Identique au drapeau holl., mais plus long, et bleu plus brillant.

■ Élections. **18-6-1989 :** votants 191 332. Sièges et, entre parenthèses, résultats 84 : *P. chrétien social* 22 (25). *P. ouvrier socialiste lux.* 18 (21). *P. démocratique* 12 (14). *Aktiouns Komitee 5/6 Pensioun* 3 (0). *P. Vert alternatif* 2 (2). *Initiative Vert Écologiste* 2 (0). *P. com.* 1 (2).

■ Chefs d'État. La règle de succession écartant les femmes et Guillaume III (n. 1817, roi dep. 1849), roi des P.-Bas, époux en secondes noces d'Emma de Waldeck-et-Pyrmont, étant mort le 23-11-1890 sans enfant mâle (ses 3 fils issus de son 1er mariage étant décédés avant lui), le Gd-Duché revint à la branche aînée de la maison de Nassau, descendante de Walram II, Cte de Nassau (v. 1220-v. 1280). Dep. le changement de dynastie, les femmes peuvent régner.

1890 Adolphe de Nassau (1817-1905), f. de Guillaume, duc de Nassau (1792-1839) et de Louise de Saxe-Altenbourg (1794-1825).

1905 Guillaume IV (1852-1912), s. f. Ép. 21-6-1893 Marie-Anne de Bragance (1861-1942), infante du Portugal, régente de 1908 à 1912.

1912 Marie-Adélaide (1894-1924), s. f. Sans alliance. Doit abdiquer (jugée pro-allem.), devient carmélite.

1919 (15-1) **Charlotte** (23-1-1896/9-7-1985), duchesse de Nassau, sa sœur. Ép. 6-11-19 P[ce] Félix de Bourbon, P[ce] de Parme (28-9-93 † 8-4-1970) devenu P[ce] consort fut naturalisé et titré P[ce] de Lux., 6e enf. du P[ce] Robert de Bourbon, duc de Parme (1848-1907) et de sa seconde ép. n. Maria-Antonia de Bragance, inf. du Portugal (1862-1959). Abdique en faveur de son fils.

1964 (12-11) **Jean** (5-1-1921), s. f. Seul Capétien encore sur le trône, avec Juan Carlos Ier (Espagne). Ép. 9-4-53 P[cesse] Joséphine-Charlotte de Belgique (11-10-27). **5 enfants :** *Marie-Astrid* [17-2-54, ép. 6-2-82 Christian de Habsbourg-Lorraine, 4 enfants, Marie-Christine (31-7-83), Imré (8-12-85), Christophe (2-2-88), Alexandre (26-9-90)], *Henri,* gd-duc héritier de Lux., P[ce] héritier de Nassau [16-4-55, ép. 14-2-81 Maria Teresa Mestre (22-3-56), 4 fils, Guillaume (11-11-81), Félix (3-6-84), Louis (3-8-86), Sébastien (16-4-92), 1 fille, Alexandra (16-2-91)], *Jean* [15-5-57 (a renoncé en sept. 86 à ses droits au trône), ép. 27-5-87 Hélène Vestur (31-5-58), 4 enfants, Marie-Gabriéle (8-12-86), Constantin (22-7-88), Wenceslas (17-11-90), Carl-Johann (15-8-92)], *Margaretha* [15-5-57, sa jumelle, ép. 20-3-82 Nicolas de Liechtenstein (24-10-47), 3 enfants, Maria-Annunciata (12-5-85), Marie-Astrid (6-7-87), Joseph-Emmanuel (7-5-89)], *Guillaume* (1-5-63).

Titres du Grand-Duc : S.A.R. Jean, Grand-Duc de Lux., Duc de Nassau, P[ce] de Bourbon de Parme, Cte Palatin du Rhin, Cte de Sayn, Königstein, Katzenelnbogen et Dietz, Burgrave de Hammerstein, Seigneur de Mahlberg, Wiesbaden, Idstein, Merenberg, de Limbourg et Eppstein. **Du P[ce] héritier :** S.A.R. Henri, Gd-Duc héritier de Lux., Pce héritier de Nassau, P[ce] de Bourbon de Parme.

■ Présidents du gouv. **1945**-*14-11* Pierre Dupong (1885-1953), PCS. **53**-*29-12* Joseph Bech (1887-1975), PCS. **58**-*29-3* Pierre Frieden († 23-2-59), PCS. **59**-*2-3* Pierre Werner (29-12-13), PCS. **74**-*19-6* Gaston Thorn (3-9-28), PD. **79**-*18-7* Pierre Werner, PCS. **84**-*18-6* Jacques Santer (18-5-37), PCS.

■ Économie

PNB (en $ par hab.). *1985 :* 11 300. *91 :* 23 685. **PIB** (91) 305,2 milliards de FL. **Croissance** *1990 :* 6,1 ; *91 :* 6,1. **Valeur ajoutée brute aux prix du marché par branche d'activité** (%, 91) ind. 33 (dont sidérurgie 7,6, constr. 7,1), services 65,5, agr. 1,6.

Emploi total (90) (%, entre parenthèses part du PNB en %) agr. 3,3 (2,4), mines 0 (0,1), ind. 31,5 (31,5), services 65,2 (64). *Chômage* (%) : *1991 :* 1,4. *Salariés* (91) : 179 600 dont agr. 1 500, ind. et constr. 56 200, services et admin. 121 900. *Frontaliers* (91) : 38 900 dont Fr. 18 300, Belges 13 600, All. 7 000.

Agriculture[1]. *Terres* (ha, 87) forêts 88 620 (89), cult. 125 469 [dont (91) % prairies à faucher 21,8, céréales 24,7, vignes 1]. *Exploitations* (91) : 3 146 de + de 2 ha (moy. 39,74 ha). Tracteurs (91) 8 627, ramasseuses-presses 2 508, épandeurs de fumier 2 363, moiss.-batteuses 1 290. *Production* (centaines de t, 91) : maïs 3 132, herbe 1 036, céréales 1 003, fourrage 597. Vins 151 000 hl (90-91). Bois 326 752 000 m³ (89). Élevage (91). Bovins 219 544, volailles 85 574 (89), porcs 66 592, moutons 7 726, chevaux 1 829.

Nota. – (1) Excédentaire pour : beurre, vin, viande bovine, poudre de lait écrémé. Mais doit importer : fruits, légumes, riz, viande de veau, de porc, fromage, blé.

Énergie. *Hydroélectricité* par barrages et pompages sur la Sûre, l'Our et la Moselle. *Prod.* (millions de kWh, 91) brute 1 389, dont thermique 622, hydroélec. 767 ; importée 4 718, totale disponible 5 382. Industrie (milliers de t, 91). *Acier* 3 379 [soc. Arbed : avant 1975 : 30 % du PIB, 29 000 salariés (50 % de l'industrie), 18 % de la pop. active ; payait 60 % de l'impôt sur les S[tés]. En 1992 : 8 360 sal. (dep. 1974, pas de licenciement, mais reclassement)], *laminés* 3 813, *fonte* 3 363, demi-prod. 451, *chimie, pneu* [Goodyear (dep. 1950) ; 1992 : 3 730 salariés], *mat. plastique, fils synth., engins de génie civil.*

Transports. *Routes* (91) : 5 091 km. Au 1-1-92, 240 983 véhicules venant de (en %) All. 44, *France 21,* Japon 16,5, Italie 5,9, G.-B. 2,4, USA 3,1, divers 7,1. *Chemins de fer* (91) : 271 km. *Aériens :* années 50 : le L. (sans compagnie nationale) accueille Icelandair. 1961 : Luxair créé. Années 70 : point d'embarquement des charters long-courriers. Tourisme. *Visiteurs* (arrivées, 91) 770 000 ; *curiosités :* cathédrale (1620-21) et palais grand-ducal de L., abbaye (XVIIIe) et basilique (XIe) d'Echternach, château de Vianden.

Finances (milliards de FL, 91). *État :* recettes budgétaires 109,1 *dont* r. ordinaires 109 (impôts directs 52,1, indirects 38,2), r. extraordinaires 0,1 (dont emprunts et bons du Trésor 0). Dépenses budgétaires 108,5 *dont* ordinaires 99,2, extraordinaires 9,2. Balance + 0,6. *Communes* (91) : recettes budgétaires 38,6 ; dépenses budg. 43,2, balance – 4,6. **Implantations bancaires :** place financière. *Oct. 1992 :* 194 banques, 15 962 employés ; *en 1991 :* 9 797 S[tés] holdings. 13,2 % du PIB (en oct. 1992, origine de 194 banques, par pays : All. 45, Ben. 24, *France 21,* P. scand. 23, Suisse 17, USA 10, Italie 13, Japon 9, autres 28). *Dépôts non bancaires* (en milliards de F) : *1970 :* 121, *91 (oct.) :* 5 324. *Organismes de placement collectif (OPC) : 1980 :* 76 (gérant 36,3 milliards de F), *91 :* 898 (4 157 millions de F). **Inflation** (%) *1985 :* 4,1 ; *86 :* 0,3 ; *87 :* – 0,1 ; *88 :* 1,4 ; *89 :* 3,4 ; *90 :* 3,7 ; *91 :* 3,1 ; *92 (1er semestre) :* 3,2. **Fiscalité directe :** *sur le revenu* progressivité rapide, taux max. pour les personnes physiques 50 % ; + 2,5 % pour le fonds de chômage ; 13,5 % du PIB. *Sur les S[tés] : 1987 :* 40 %, *91 :* 34,68 % + 2 % pour le fonds de chômage ; 69 % du PIB ; **indirecte :** TVA max. 15 %. **Avantages fiscaux :** pas de prélèvement à la source ou d'impôt sur le revenu pour fonds d'invest., dividendes des holdings, capital et invest. ; droit de timbre sur certificats de dépôts ; prélèvement à la source sur intérêts et coupons (sauf sur dividendes des Stés lux.) ; taxe sur réinvest. ; TVA sur l'or en numéraire ou en lingots ; taxe sur transactions boursières. Exonération de la retenue à la source des dividendes payés à une Sté de cop. résidant dans un pays-membre de la CEE ou si la Sté mère a détenu une participation directe de 25 % durant une période ininterrompue de 2 ans au moins au moment de la distribution.

Commerce (millions de FL, 91). **Exp.** 214,4 *dont* métaux 76,1, éq. élec. 27,2, plastiques 27,1, text. 12,8, prod. alim. 4,8 *vers* All. 63,4, *France 37,1,* Belgique 36,6, G.-B. 11, P.-Bas 11, Italie 9,4, USA 7,1. **Imp.** 277,1 *dont* éq. élect. 51,8, métaux 39, mat. de transp. 39, minéraux 33,1, prod. chim. 21,5, plastiques 13,4 *de* Belgique 108,6, All. 83, *France 33,* P.-Bas 11,4, Italie 5,7, USA 5,4, G.-B. 4,9.

Macao

Carte p. 951. V. légende p. 884.

Nom. *Ao-Men* en chinois.

Situation. Asie. 18 km². A 64 km de Hong Kong (env. 55 mn par jetfoil). Comprend la *ville de Macao* (péninsule sur estuaire de la rivière de Canton (riv. des perles) 6,54 km², 4 × 1,6 km ; 226 710 h.) et les *îles de Taïpa* (3,78 km², 5 202 h.) et *Coloane* (7,09 km², 1 870 h.) reliées par pont entre Macao et Taïpa, et chaussée de Coloane à Taïpa. *Alt. max.* 99 m. Climat. Moy. 22,3 °C ; humidité 75 à 90 % ; pluies 1 000 à 2 000 mm (mai-sept.). **Saison touristique :** oct. à déc.

Population. *1991 :* 355 693 h. (en % : Chinois 90, Portugais 3, divers 7). *Prév. 2000:* 388 000. D 19 761. **Taux** (‰, en 91) : *natalité* 19,5, *mortalité* 3,8. **Langues.** Chinois, portugais, anglais. **Religions** (en %). Bouddhistes 45,1 ; cathol. 7,4 ; protestants 1,3 ; sans confession 45,8.

Histoire. 1557 donnée au Portugal pour l'aide apportée contre le pirate Chang Tsé Lao. **1887**-*1-12* droits port. reconnus par Chine (les frontières ne seront jamais définies). **1966** *déc.* des gardes rouges, venus du continent, organisent des manif. contre le refus du gouverneur d'autoriser l'ouverture d'une école chinoise. Cède l'autorité pol. à la Chine mais conserve l'administration légale de la colonie à la demande de la Chine craignant qu'une rétrocession de M. n'ait des répercussions fâcheuses sur la santé financière de Hong Kong. **1975** *juill.* complot mil. échoue. *-30-12* départ de la garnison port. **1976**-*1-1* création d'une force de sécurité. *-17-2* statut organique accordé par Port. : autonomie interne. **1986** accord avec Ch. ; redeviendra chinoise (sous administration spéciale) le 20-12-1999.

Statut. Territoire chinois sous administration port. *Const.* statut du 17-2-76, révisé en 1990. *Gouverneur* (nommé par le Pt port. après consultation des autorités locales) Gal Vasco Rocha Vieira dep. 23-4-91. *Secrétaires adjoints* (7) nommés par le Pt port. *Conseil supérieur de sécurité* (12 m.). *Ass. législative* 23 m. en poste pour 4 a. (16 élus et 7 nommés). *Conseil consultatif. Partis :* aucun mais des associations civiques.

■ Économie

PNB (91). 8 700 $ par h. **Taux de croissance** (%) *1987 :* 12,4 ; *88 :* 8 ; *89 :* 6 ; *90 :* 6 ; *91 :* 6. **Pop. active** (% et entre parenthèses part du PIB en %) ind. et pêcheries 32,2 (46), construction 7,8 (11), commerce et tourisme 22 (tourisme-jeux 33), secteur de finance 4,7, autres services 33,1. **Chômage** *1989 :* 1 %, *91 :* 0,3 %. **Inflation** (%) *1988 :* 8,3 ; *89 :* 9, *90 :* 8, *91 :* 10.

Viande (91). Buffle 1 464 t, cochon 8 229,9 t. **Pêche** (91) 2 453 t. **Industrie.** Text., confection, explosifs, pétards, feux d'artifice, allumettes, transistors, optique, jouets, fleurs artif., électr., céramique, chaussures, art. de voyage.

Visiteurs et touristes (91). 6 080 300 dont Hong Kong 4 950 584, Japon 421 225, Sud-Est asiat. 168 485, USA-Canada 91 062, Eur. occ. 179 249, Austr.-N.-Z. 37 920. *Chambres* (91) : 4 915. *Nuitées dans hôtels et pensions* (91) : 1 769 692. **Jeux.** 8 casinos, 1 course de chevaux, 1 course de lévriers. *Recettes* (milliards de mops) : *88 :* 3,5 ; *89 :* 5,1 ; *90 :* 6,9 ; *91 :* 8,9.

Commerce (milliards de mops 91). **Exp.** 13,7 *dont* text. et confection 10, jouets 0,7, électronique 0,4, *vers* USA 4,2, All. 1,8, Hong Kong 1,7, *France 1,1.* **Imp.** 14,8 *dont* mat. 1res 8,2, devises 2,4, prod. alim. 1,2 *de* Hong Kong 5,1, Chine 3,1.

Macédoine

Carte p. 1183. V. légende p. 884

☞ État non reconnu officiellement par CEE et USA. La Grèce demande que le nom (donné en 1947 par Tito) soit changé, car elle y voit une revendication sur la M. grecque. *Proposition :* la M. serait admise à l'Onu sous le nom provisoire d'*Arym* (ancienne Rép. de M.) ; son nom définitif serait fixé par une commission d'arbitrage (M. du Nord, Haute-M. ou M. du Vardar).

■ **Situation.** Europe. 25 713 km² soit 39 % de la M. antique (Grèce 51, Bulgarie 9, Albanie 1). *Alt. max. :* Golem Korab 2 753 m. **Climat.** Continental, modéré, influence méditerranéenne par la vallée du Vardar. Montagnes, forêts, plaines fertiles.

■ **Population.** 2 110 000 h. (89) dont (%, en 81) : Macédoniens 67, Albanais 19,8, Turcs 4,5, Serbes 2,3 (85 % intégrés dans les villes), Roms 2,3, Yougo. 0,7. D 82. **Ville :** *Skopje* 504 932 h. **Langue écrite.** Slavo-bulgare, mélange de serbe et de bulg. mis en place par Tito pour créer « une conscience macédonienne ». Parlent un dialecte bulgare 75 %, albanais 22. **Analphabétisme** 10,9 %. **Religion.** Église autocéphale, instituée en 1947, non reconnue par le patriarcat de Serbie et les autres Églises orthodoxes.

■ **Histoire. VIIe s. av. J.-C.** roy. fondé ; peuple d'origine indo-eur. (apparenté aux Grecs et aux Illyriens) sous la dynastie hellénisée des Argeades. **338** Philippe II établit son hégémonie sur Grecs. **168 av. J.-C.** incorporé à l'Emp. romain après défaite de *Pydna.* Partie de l'Emp. d'Orient (cap. Salonique), puis de l'Emp. byzantin. **518** tribus slaves (chtokaviens èkaviens), originaires de la région du Dniepr, commencent à envahir Illyrie orientale ; occupent zone de Sar Planina, du Pinde à Ohrid et Salonique. **806** khan des Bulgares Krum commence conquête de la M. **IXe-Xe s.** Bulgares conquièrent successivement N., O., S. de la M. sous les règnes de Presiam (836-852), Boris (853-889), Siméon (893-927) ; slavisation des Bulgares. **863** Cyrille et Méthode traduisent livres saints en macédonien. **865** évangélisation (liturgie byzantine). **976-1014** État macédonien sous l'empereur Samuel : Zahumlje Bosnie, Dukla et Raška jusqu'à l'Épire et Thrace, capitale : Ohrid. **1018-1258** conquête byzantine. **1282** Ouroch II, roi de Serbie, conquiert M. centrale, dont Skopje, jusqu'à la Bregalnica, et Poreč, Kicevo et Debar en M. occid. **1349** Douchan (1331-55), couronné empereur des Serbes et des Grecs (son empire va jusqu'à Athènes), promulgue le code des lois. **1355** Empire serbe éclate : P[ce] Voukachine règne sur N. et Centre de la M., les Dèanovitch sur M. orientale. **1371** *Maritsa :* Turcs battent Voukachine, la M. devient vassale des Turcs (*1392* prise de Skopje). **1389** *Kosovo :* Turcs battent le tsar serbe Lazare. **XVe au XIXe s.** répartie entre vilayet de Monastir (slave et turc) et celui de Salonique (slave et grec). **1689-90** insurrection menée par Karpos, matée. **1878** *tr. de San Stefano,* attribuée par la Russie à la Bulgarie. *Congrès de Berlin* projette une M. autonome sous suzeraineté turque ; insurrection déclenchée par cette décision sans suite. **1903**-*2-8/2-11* insurrection de St-Élie (Ilinden vilayet de Monastir), 30 000 combattants contre 200 000 Turcs ; insurgés 1 000 †, Turcs 5 328 †, répression turque : 200 villages rasés, 4 866 †. **1912**-*8-10*/**1913**-*30-5* Bulgarie, Serbie, Grèce, Monténégro (648 000 h.) enlèvent Sandjkak de Novi Bazar, Kosovo et M. à la Turquie (368 000 h.) ; Bulgarie demande révision du tr. **1913**-*29-6/29-9* *2e g. balkanique :* Serbie, Grèce, Roumanie, Monténégro, Turquie battent Bulgarie (tr. de paix turco-bulgare 29-9). *-10-8 tr. de Bucarest :* 19 000 km² annexés par Grèce, 16 000 par Serbie, 4 000 par Bulgarie. Départ de la population bulgare. **1915** Alliés proposent M. à la Bulgarie contre son entrée en g. à leurs côtés. *-20-10* Bulg. entre en g. contre les Alliés, et prend M. « serbe ». **1919** *tr. de Neuilly :* Bulgarie rend partie de la M. conquise pendant la g. et région de Strumica au roy. serbe. **1919-24** en M. égéenne, la Grèce évacue 50 000 M. vers Turquie et 30 000 vers Bulgarie et installe des Grecs à leur place. **1941-44** occupation [M. « yougoslave » et E. de la M. égéenne par Bulgarie, O. par Italie (rattaché à l'Albanie), centre de la M. égéenne par All.]. **1945** République de la féd. youg. **1991**-*25-1* Parl. proclame sa souveraineté et son droit à la sécession. *-8-9* référendum pour indép. 90 % [participation : 75 % (boycottage des communautés albanaises et serbes)]. **1992** *janv.* reconnue par Bulgarie. L'Organisation révolutionnaire de libération de la M. (Orim) milite pour un rattachement à terme à la Bulgarie. **1993**-*8-4* entre à l'Onu.

Statut. Rép. *Pt* (élu par la Chambre) : Kiro Gligorov (LCM-PTD) dep. 9-12-90. *Chambre* unique : 120 m. élus au scrutin maj. **Élections** *11/25-11* et *9-12-90 :* 16 partis. P. nationaliste mac. (VMRO) 27,5 % des v., Ligue comm. de M.-P. pour la transformation dém. (LCM-PTD) 23,3 %, P. dém. pop. (souche alb.) 15,8 %. Mvt du Renouveau serbe.

■ Économie

PIB (par hab.). 3 330 $. **Crise.** Embargo imposé au nord à la Serbie et au Monténégro, blocus au sud, imposé par la Grèce.

Ressources. Primeurs et fruits, tabac (56 011 t en 1990), coton, pavot, riz, tournesol, betterave à sucre. Ovins, bovins et volailles. Fer, plomb, zinc, nickel, molybdène, wolfram, mercure, or. Aciéries de Skopje, ind. chimique.

Tourisme. Lac d'Ohrid, Sar Planina (montagne de Sara), parcs naturels de Mavrovo (73 088 ha), Galičnica (22 760 ha), Pelister (12 500 ha).

Madagascar

V. légende p. 884.

Situation. Ile de l'océan Indien. 587 041 km². *Long.* 1 500 km, *larg. max.* 600 km. *Alt. max.* Tsaratanana 2 879 m. *Côtes :* 5 000 km. **Régions :** *côte de l'E. :* exposée aux alizés et, en saison chaude, aux cyclones (95 en 40 ans), cl. de type équatorial. Collines, dunes et marécages (temp. 13,2 à 33,4 °C, pluies ann. 3 m). *Hautes terres centrales :* cristallines (de 1 200 à 1 500 m), cl. méditerranéen, temp. moins élevée, parfois 0 °C, moyenne 18,4 °C, pluies 1,20 m. *N.* et *N.-O. :* terrains sédimentaires, saison sèche de plus en plus longue vers le S., saison des pluies déc.-avril correspondant à la mousson (Mahajanga : 2 m de pluies). *S. :* plateaux calcaires et carapace argilosableuse ; très sec (Toliary 0,35 m de pluies).

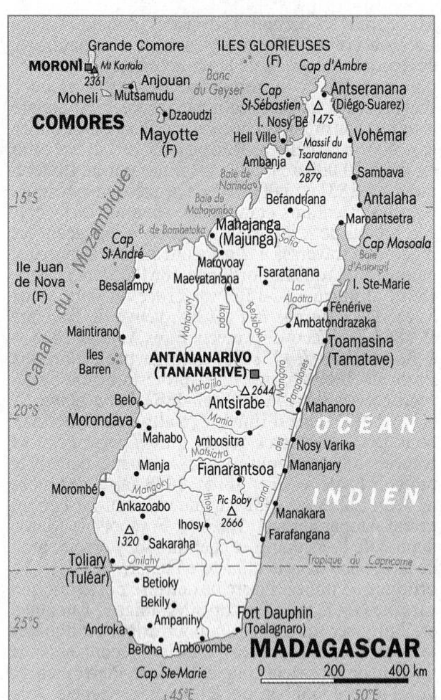

Faune : nombreux lémuriens (maki, mongoz, mococo, vari, aye-aye ; d'où le nom de Lémurie qui fut donné à M.) ; ni singes ni ongulés, carnivores rares.

Population (millions). *V. 1880 :* 3 à 8, *v. 1900 :* 2,2 dont 0,019 Européens (0,011 Français), *1911 :* 3,1 dont 0,018 Fr., *1926 :* 3,6 dont 0,018 Fr., *1951 :* 4,37 dont 0,052 Fr., *1985 :* 10 dont 0,018 Fr. (beaucoup d'origine comorienne), *1991 :* 11,5. *Prév. 2000 :* 15,5). D 19,2. **Taux** (‰) *natalité* 44, *mortalité* 16 (100 000 † en 1987 de paludisme), *mort. infantile* 110. **Âge** *-15 a. :* 44 %, *+ de 65 a. :* 3 %. **Malgaches** (1974) : Mérina ou Hova 1 993 000, Betsimisaraka 1 134 000, Betsileo 920 600, Tsiminety 558 100, Antaisaka 406 468 (en 72), Sakalava 470 156 (en 72), Antandroy 412 500, Tanala 249 418, Antaimoro 222 102, Bara 212 182, Antanosy 155 442, Sihanaka 143 450, Mahafaly 94 918, Makoa 67 749, Bezanozano 45 327. *Castes traditionnelles mérina :* andriana (nobles), hova (h. libres), andevo (serviteurs). **Étrangers** (*vasas* en malgache) (1982) : env. 50 000 dont 16 000 Français et 700 coopérants (5 000 personnes avec les familles). 25 000 Comoriens et Indo-Pakistan. [dits Karany (venus des Indes, musulmans souvent chiites), contrôlent avec d'autres Indiens 40 % du commerce]. **Malgaches en France** (1989) : 30 000. **Villes** (1990) : *Antananarivo* [la Cité des Mille (Guerriers)] (ex-*Tananarive*) (alt. 1 250 à 1 470 m) 802 390, Toamasina (ex-Tamatave) 145 431 (à 370 km), Fianarantsoa 124 489 (417 km), Mahajanga (ex-Majunga) 121 967, Antsirabé 99 000. Toliary (ex-Tuléar) 61 460 (960 km), Antseranana (ex-Diégo-Suarez) 54 418 (120 km).

Langues. Malgache *(off.),* français *(off.).* **Religions** (en %). Animistes 52 (culte des ancêtres ; la *famadihana,* changement de linceul, est l'occasion d'une fête), catholiques 20,5, protestants 20,5, musulmans 7. Fédération des Églises chrétiennes (FFKM) regroupe cath. et prot.

Histoire. Ier millénaire av. J.-C. peuplée par Africains et Indonésiens. **Moyen Age** arrivée de commerçants musulmans. **1500** découverte par le Portugais Diego Diaz. **1527** des marins dieppois abordent. **1642** le Fr. Pronis fonde au S.-E. Fort-Dauphin et l'île, baptisée île Dauphine, est théoriquement annexée (sous le nom de *France orientale*). **V. 1660** roy. sakalava créé par Andriandahifotsy. **1674** colons fr. massacrés ; les survivants se réfugient île Bourbon (Réunion). Ratsimilaho (1710-54) fonde Féd. betsimisaraka. Andrianampoinimerina (1787-1810) réalise unité du roy. mérina (débordant Ankaratra, N. du Betsileo, pays sihanaka). **1768-70** Cte de Maudave puis **1774** Cte de Benyowski échouent. **1804** Sylvain Roux occupe Tamatave. **1810-28** son fils Radama Ier (n. 1791) soumet Betsimisaraka, s'attaque aux Sakalava, conquiert, souvent de façon précaire, les 2/3 de M. S'appuyant sur l'alliance angl., il introduit christianisme, écriture, instruction. **1811** Angl. occupent Tamatave. **1817** Angl. soutiennent Hovas. **1825** les Fr. chassés de Foulpointe et Fort-Dauphin. **1832** Fr. réoccupent Ste-Marie. **1838** après la mort de Radama, sa femme *Ranavalona Ire* (1790-1861) chasse les missionnaires. **1841** Fr. prennent Nossi-Bé, tr. de protectorat avec souverains sakalava. **1845** Ranavalona Ire repousse expédition franco-angl. à Tamatave. **1857** les Fr. se retirent dans l'île de Ste-

Marie, puis les derniers Européens [dont le Fr. Jean Laborde (1806-78) venu à M. à cause d'un naufrage, deviendra architecte de la reine (palais), industriel, puis consul de Fr. (introduira coutumes fr. à la Cour). Il avait cru pouvoir aboutir à un protectorat malgré les efforts du missionnaire anglais Ellis]. Surnommée le « Néron femelle », Ranavalona Ire fait exécuter en moy. 20 000 à 30 000 personnes par an (notamment en 1831, 25 000 Sakalava prisonniers de g., femmes et enfants étant vendus comme esclaves) ; elle rétablit le « jugement de Dieu », obligeant les inculpés à traverser à la nage une rivière à caïmans, autant de fois qu'elle l'ordonne. **1861** *Radama II* (n.v. 1830) étranglé 13-5-1863 sur ordre du parti vieux hova. **1863** *Rasoherina* † 1868, veuve de Radama II. **1865**-*27-6* accorde protection aux Anglais. **1868**-*8-8 Ranavalona II* († 1883) accorde protection aux Français. **1869** se convertit au protestantisme, ce qui renforce ses liens avec Angl. **1883** *Ranavalona III* (1862-1917) reine d'Emyrne (plateau de l'Imérina). Sous ces 3 dernières reines, *Rainilaiarivony,* PM roturier qui les épouse successivement, détient le pouvoir (exilé à Alger 1895). **1878** saisie des biens de Jean Laborde. **1882** cap. de vaisseau Le Timbre prend Ampassimiena. **1883**-*8-2* François de Mahy, député de la Réunion et chef du lobby créole, min. de la Marine dans le ministère Fallières (21-1/16-2), ordonne à l'amiral Pierre de détruire postes merina sur côte N.-O., puis d'occuper Majunga et Tamatave et d'adresser un ultimatum pour exiger cession des territoires au nord du 16e parallèle et reconnaissance du droit de propriété pour les Fr. *Sept.* Pierre meurt ; *nov.* l'amiral Galiber, qui lui succède, négocie. A la chambre, l'expédition est approuvée par une très large majorité. **1884** *juill.* amiral Miot relève Galiber. **1885**-*10-9* offensive fr. repoussée. *-17-12* **tr. de « protectorat »** (sans que le mot figure) : Fr. obtient baie de Diégo-Suarez et indemnité de g. de 10 millions de F ; renonce à ses protectorats sur royaumes sakalava et au droit de propriété : la reine est reconnue souveraine de l'île tout entière. Mais Le Myre de Vilers, 1er résident gén., exige que la sécurité des ressortissants fr. soit partout garantie ; cela entraîne pour la reine de ruineuses expéditions de pacification. Des milliers de travailleurs et soldats désertent. L'armée merina s'épuise, l'insécurité gagne. **1890** la G.-B. reconnaît les droits de la Fr. Nouv. g. (Gal Duchesne). **1893-94** anarchie. **1895**-*30-9* Fr. prennent Tananarive. **1896**-*18-1* Laroche résident gén. Tr. de protectorat non respecté par la reine ; insurrection. *-20-6* annexion par la Fr. (votée 6-8 par l'Ass. par 329 voix contre 82). *-30-9 Gallieni,* gouv. gén. (jusqu'en 1905), mate l'insurrection. **1897**-*1-3* reine déchue (déportée à la Réunion puis à Alger, y meurt en 1917). Création des *Menalamba* (Étoffes rouges ; 1er mouvement nationaliste).

1905 fin de la pacification. Mouvements nationalistes (notamment, complot dit du VVS : Vy, Vato, Sakelika – fer, pierre, réseau – en 1915). **1905-10** *Jean-Victor Augagneur* (1853-1931) gouverneur. **1920-24** *Hubert Garbit* (1864-1934) gouverneur. **1915-16** arrestation, procès et condamnations de 41 Malgaches, dont Ravoahangy, pour menées anti-fr. **1915-17** mouvement des *Sadiavahe,* insurrection des Antandroy, Mahafaly et Karimbola du sud de l'île. **1924** condamnés de la VVS amnistiés. **1929** Ralaimongo fait campagne pour l'obtention des droits de citoyen. *-19-5* 1re manif. publique en faveur de l'indép. **1930** action de Ralaimongo, Ravoahangy et Dussac. **1937** droit syndical reconnu partiellement (totalement 1938). **1938** retour des restes de Ranavalona III à Tananarive. **1940** reste fidèle à Pétain. **1942** débarquement britannique. **1945** terr. au sein de l'Union fr. Joseph Ravoahangy (1893-1970) et Joseph Raseta (n. 9-12-1886) (Restauration de l'indép. malg.) élus députés contre P. dém. de M. **1946** *févr.* MDRM (Mouvement démocr. de la rénovation malg.) créé. *Juill.* PADESM (P. des déshérités de M.) créé. **1947**-*29-3* insurrection des Menalambas. Une liste dressée en 1950 par districts donne 140 Français, 1 646 Malg. tués par rebelles, 4 126 tués en opérations, 5 390 disparus ou morts de misère physiologique [certains ont parlé de 89 000 † (dont 1 900 Malg. tués par rebelles et 550 étrangers dont 350 milit.). 6 élus MDRM condamnés à mort (sentence non exécutée)]. **1957** *autonomie interne.* **1958**-*14-10* rép. autonome.

1960-*26-6 indépendance,* **Pt Philibert Tsiranana** (1912-78). **1971** *mars* grève générale étudiants. *Avril* troubles dans le S.-O. soutenus par p. gauchiste Monima (leader Monja Joana, arrêté). Plusieurs centaines de †. *Juill.* Resampa, secr. gén. du PSD, 2e vice-Pt du gouv., arrêté pour complot avec USA. **1972**-*30-1* Tsiranana réélu. *Mai* émeutes. *-13-5* armée tire sur la foule ; pleins pouvoirs au Gal Ramanantsoa. *Juin* amnistie pour révolte d'avr. 71, Resampa libéré. *Août* loi martiale. *-19-9* KIM (mouvement contestataire de mai) demande annulation des accords de coop. avec Fr. et instauration d'une 2e Rép. *-8-10* référendum sur maintien du gouv. d'unité nat., dep. 5 ans par Ramanantsoa (condamné par Tsiranana) : oui 96 %. *Déc.* émeutes. **1973** *févr.* manif. contre malgachisation. *Mars* arrestation de pers. de l'ancien régime, restructuration rurale : *Fokonolony* (gouv. par assemblée du village). *Juin* quitte Zone Franc. Accord de défense avec Fr. dénoncé. **1974** tensions côtiers/Mérinas. *-31-12* putsch Cel Rajaonarison échoue ; mutinerie GMP (groupe mobile de police). **1975**-*25-1* Ramanantsoa dissout cabinet. *-5-2* Col. Richard *Ratsimandrava* (21-3-31) pleins pouvoirs, *-11-2* est assassiné. *-12-2* Comité nat. de direction mil., Pt Gal Gilles *Andriamahazo.* Loi martiale. *-13-2* reddition des mutins. *-21-3,* 297 inculpés dont Tsiranana, Resampa, Rajaonarison (acquittés 12-6). *-17-5,* 260 amnistiés. *-14-6* directoire mil. dissous. *-15-6* **Didier Ratsiraka** chef de l'État (n. 4-11-36) ; confirmé 4-1-76, réélu 7-11-82 avec 80,19 % des v. devant Monja Jaona (du Sud) et, 12-3-89 avec 62,6 % des v. devant Manandafy Rakotonirina (MFM)) [19,8 % des votants]. *-16-6* banques et Stés d'ass. nationalisées. *-26-8* charte de la Rév. socialiste. *-31-8* sous-sol nationalisé. *-21-12* référendum : + de 94,7 % des v. pour Pt Ratsiraka et nouvelle Const. *-30-12 2e Rép. malgache.* **1976**-*11-1* Cel Joël Rakotomalala PM. *-19-3* création de l'Arema. *-26-6* Stés pétrolières nationalisées. *-30-7* PM meurt (accident hélicopt.). *-12-8* Justin Rakotoniaina PM. *-20/22-12* affrontements M.-Comoriens à Mahajanga (100 à 1 400 † ?). 15 000 Comoriens rapatriés aux Com. **1977**-*31-7* Pt Cel Désiré *Rakatorijaona* (n. 19-6-1934), PM. **1978**-*29/30-5* manif. lycéens (projet de réforme de l'ens.), 2 †. **1979**-*9-5* Ramanantsoa meurt. **1981**-*3/4-2* manif. lycéens à Antananarivo, 15 †. *-8/9-11* troubles à Antananarivo. **1982** 4 cyclones, île de Nossi-Bé détruite à 20 %. *-16-1* complots déjoués. Émeutes dans le N. env. 20 †. **1984** *avril* cyclone Kamisy détruit partiellement Antsiranana et côte N.-O. *Août* pratique du kung-fu interdite. *-5-9* adeptes kung-fu incendient anciens locaux du min. de la Jeunesse et des Sports et assaillent l'hôtel de police. *-4-12* règlement de comptes contre « TTS » (Tanora Tonga Saina, « jeunes ayant pris conscience d'eux-mêmes », hommes de main du pouvoir se livrant à des violences) retranchés au centre d'Antananarivo ; Kung-fu aidé par la population ; forces de l'ordre n'interviennent pas 50 †. **1984-85** influence soviét. et n.-coréenne. **1985**-*31-7/1-8* armée attaque quartier-gén. du Kung-fu (mouvement f. vers 1980), 20 † dont chef [Pierre Rakotoarijaona dit Pierre-Bé (le grand Pierre)] et 4 militaires. **1986** FMI préconise mesures de redressement. *Mars* cyclone Honorina (Taomasina sinistrée). *Mai* amiral Guy Sibon, min. de la Défense, † accident d'avion (attentat du KGB ?). *Nov.* émeutes à Taomasina. **1986-87** famine dans le S. (40 000 † ?). **1987**-*26-2* à Antsirabé. *-6-3* à Tuléar ; contre Indo-Pakist. (Karanas) 14 † (dont 11 des forces de l'ordre). *-22-6* Gal Lucien Rakotonirainy, chef d'état-major, assassiné à la tête du défilé de la fête nat. (on parle du KGB). **1988**-*12-2* Rakotoarijaona PM dep. 31-1-77 démissionne. *-7-3* procès du Kung-fu 245 inculpés, 18 condamnés à 2 ans de prison. **1989** *Avril* manifestation. *-28-5* législatives : 40 % d'abstentions, *Arema* vainqueur. *-24-9* él. locales : 51 % d'abstentions. **1990**-*13-5* coup d'État manqué, 5 †. *Mai* création de zones franches. *-14-6* Pt Mitterrand à M., annule 4 milliards de F de dette. *Juill.* troubles. **1991**-*22-3/19-4* forum nat. *-11 et 12-6* manif à Antananarivo. *-22-7* état d'urgence. *-28-7* Pt Ramahatra démissionne. *-10-8* « marche de la liberté » à Antananarivo, 400 000 pers. (30 à 140 †). *-1-11* Haute autorité de l'État mise en place pour 18 mois ; *Pt* Albert *Zafy.* **1992**-*20-3* forum nat. chargé d'élaborer la const. *-29-7* coup d'État militaire, échec. *-18/23-8* fédéralistes et mutins prennent Antsiranana. *-19-8* référendum sur const. (oui 75 %).

Statut. Rép. dém. (dep. 30-12-1975). *Const.* du 19-8-1992. **Pt** (élu pour 7 a. au suffrage universel) Dr Albert Zafy (n. 1936) proclamé 26-2-1993 [1er tour : 25-11-92 (8 candidats, Zafy 45,16 %, Ratsiraka 29,22 %) ; 2e tour : 10-2-1993 (Zafy 66,74 %, Ratsiraka 29,22 %)]. **PM** Guy Willy Razanamasy dep. 8-8-91. **Conseil suprême de la Rév. Provinces** (faritany) : 6, divisées en Fivondrona, Firaisam-Fokontany et en Fokontany (correspondant aux Fokonolony, communautés villageoises traditionnelles). **Ass. nat.** 143 m. élus au suffrage univ. pour 5 a. **Élections du 28-5-89** (% des voix et, entre parenthèses, nombre de sièges) Arema 66,8 (120), MFM 11 (7), Vonjy 9,7 (4), AKFM 4,2 (3), Monima 1,5 (1). **Fête nat.** 26-6 (J de l'indép.). **Drapeau** (1958). Bandes blanche, rouge (couleurs trad. Hovas) et verte (hab. de la côte).

Partis. **Front national pour la défense de la révolution** (FNDR) : *Arema* (Avant-garde de la Rév. m.), Didier Ratsiraka, fondateur 1976 et secr. gén., remplacé 1993 par l'*Avant-garde pour le redressement écon. et social.* AKFM ou **P. du Congrès de l'Indép. m.** (Antokony Kongresiny Fahaleovantenani Madagasikara), f. 1958, Pt Andriantiana Rakotouao secr. gén. Gisèle Rabesahla, prosoviét. **Vonjy-Iray-Tsy-Mikavy** (Élan pop. pour l'unité nat.), f. 1973, Pt Jérôme Razanabahiny-Marojama. **Union des démocrates-chrétiens m.** (UDECMA), f. 1976, Pt Norbert Solo Andriamorasata (n. 7-5-34). **Monima** (mouv. nat. pour l'indép. de M.), f. 1958, Pt Monja Jaona (n. sept. 1910). **Mouv. pour le pouvoir prolétarien** (MFM) f. déc. 1972, Pt Manandafy Rakotonirina (n. 30-10-38). **Vondrona Socialista Monima,** f. 1977, dissidents du Monima, Pt Tsihozony Maharanga.

☞ M. revendique îles Glorieuses, Juan-de-Nova, Europa et Bassas-de-India (à la Fr. dep. 1892, en tout 50 km² + 624 000 km² de zone économique ; en 1975, M. a porté ses eaux terr. à 12 milles et son plateau continental à 200 milles, englobant ces îles).

Économie

PNB ($ par h.). *1982 :* 320 ; *85 :* 217 ; *88 :* 150 ; *90 :* 242 ; *91 :* 200. *Taux de croissance (%) : 1987 :* – 2,2 ; *88 :* + 3,5 ; *89 :* 4 ; *90 :* 3,5. **Pop. active** (%, entre parenthèses part du PNB en %) agr. 75 (41), ind. 9 (15), services 15 (44), mines 1 (0). **Salaire min.** *1991 :* 120-130 FF. **Inflation** (%) *1987 :* 14 ; *88 :* 15 ; *89 :* 9 ; *90 :* 11,8. **Aide de la France** (a. publique, millions de F) *1981 :* 350 ; *85 :* 443 ; *dep. 90 :* 1 000 par an. **Dette ext.** (milliards de F MG) : *1980 :* 4 500 ; *91 :* 5 960.

Nota. – L'aide est détournée et M. est exportatrice de capitaux.

Agriculture. *Terres* (milliers d'ha, 81) t. arables 2 550, t. cult. en permanence 495, pâturages 34 000, forêts 13 300, eaux 550, divers 7 799. *Production* (milliers de t, 90) manioc 2 280, riz 2 400, canne à sucre 1 970 [export : *1985 :* 10,9 ; *88 :* 25 ; *89 :* 57], patates douces 485, bananes 220, p. de t. 271, maïs 170, café 89, noix de coco 84, letchis 35,3 (89), sisal 21, girofle 11,5 (87), vanille 1,8 (87), légumes et melons 300, oranges 78, mangues 196, pamplemousses 50. *Importation* de riz (milliers de t) : *1985 :* 135 ; *86 :* 200 ; *87 :* 500 ; *89 :* 42. M. a toujours importé du riz, tout en exportant du riz de luxe. **Élevage** (millions de têtes, 90). Ovins 0,7, volailles 32, bovins 10,2, porcins 1,4, caprins 1,2. **Pêche** (89). 99 600 t.

Mines. Bauxite, charbon, fer, nickel, chromite 165 397 t (89), graphite 14 565 t (88), quartz pour fonte, quartz piézo-électrique, mica, sel, pierres fines (topaze), p. d'ornementation, minéraux lourds, grès bitumeux. **Industries.** *Agroaliment.* (35 %) : sucre 106 216 t (89), coton 62 millions de m³ (87), papier 9 700 t (87), huiles aliment., bière, conserves, charcuterie, prod. lait., tapioca, farine. *Textile* (15 %) : 3 complexes de filature-tissage. *Cuir* et *chaussure. Pétrole* (raffinerie). *Cimenterie. Tabac. Bois. Artisanat.* **Transports** (km). *Routes* 49 800 dont bitumées 5 300 ; *ch. de fer* 883. **Tourisme** (90). 52 923 visiteurs.

Commerce (milliards de francs MG, 89). **Exp.** 506 dont café 116, vanille 67,5, sucre 38,6, girofle 51,4, poissons 56,4, *vers* (88) *France 133,8,* USA 47, Japon 44,2, All. féd. 26,6, Réunion 24,3, Italie 14,9. **Imp.** 548 *dont* (88) prod. min. 107,3, mach. 81,9, prod. chim. 73,1, véhicules 54,4, métaux 46,6 *de* (87) *France 126,3,* USA 37, All. féd. 36, Japon 14,5, Italie 13, G.-B. 12,4.

Rang dans le monde (84) 1er vanille. 2e girofle.

Malaisie

Carte p. 1075. V. légende p. 884.

Situation. Asie, à 200 km au N. de l'équateur. 329 758 km². *2 régions* (distantes de plus de 600 km) : *M. péninsulaire ou occ.* (de l'isthme de Kra au détroit de Johore) ; *M. or. :* Sarawak et Sabah sur la côte N.-O. de l'île de Bornéo. **Climat.** Équatorial : 21 à 32 °C toute l'année ; pas de saison sèche ; pluies fréquentes et courtes l'après-midi ; vents violents pendant la mousson sur la côte est. 2 moussons/an. *Pluies* 2 032 à 2 540 mm. *Humidité* 80 %. **Végétation.** *Forêt tropicale :* + de 70 % du terr., arbres de 35 à 45 m de haut. [diptérocarpacène (le plus important), cengal, palan merbau, kerwing, kapar, meranti, jelutong, kempas]. 15 000 espèces de plantes, 6 000 arbres. **Faune.** Tigre, panthère, léopard, éléphant, séladang (bovidé sauvage), tapir, rhinocéros (2 espèces protégées), orang-outang, pélandok (petit cervidé), singe à long nez, musaraigne des arbres, loris lent, tarsier, écureuil, cochon sauvage. Oiseaux : plus de 500 espèces, certains sont migrateurs.

Population (en millions). *1990 :* 17,86 h. dont (%) Malais [et autres dits Bumiputra (ou fils du sol)] 54, Chinois 35, Indiens et Pakistanais 10. *2000 (prév.) :* 20,61. **Réfugiés vietnamiens** 200 000 dep. 1975. D 54,1. **Âge** – *de 15 a. :* 39 %, + *de 65 a. :* 3,5 %. **Taux** (‰) natalité 30, mortalité 4,7 (infantile 13,2), accroissement nat. 25,3. **Villes :** *Kuala Lumpur* (cap.) 1 158 200 h. (89), créée 1859 (résidence royale).

Langues. Malais *(off.)* caractères arabes (limités) ou latins ; anglais (l. comm. et industrielle), chinois (cantonais, et dial. hakkas : haïnanais, fou-kienois), l. dravidiennes (tamoul, telugu malayalam), penjabi, hindoustani, gujerati, urdu. **Religions.** Islam *(off.)* env. 50 % de la pop. ; bouddhisme, hindouisme, taoïsme, 980 000 chrétiens (50 % catholiques).

Histoire. 1res sociétés politiquement organisées apparues dans le N. de la péninsule malaise. **V. 900 av. J.-C.** quelques-unes tombent sous l'influence de l'empire de Sri Vijayan établi à Palembang. **Fin XIIIe s. apr. J.-C.** empires de Majapahit et Thai supplantent la domination de Sri Vijayan. **1400** Malacca fondée par Parameswara, Pce hindou venu de Sumatra, qui recevra la protection de l'empereur de Chine. **1511** le Portugais Alfonso d'Albuquerque prend Malacca. **1641** établissement hollandais. **1786** comptoir brit. à Penang. **1819** Anglais achètent Singapour au sultan de Johore. **1824** échangent Bencoolen (île de Sumatra) contre Malacca (app. aux Holl.). **1826** Penang, Malacca, Singapour forment « établissements du Détroit ». **XIXe s.** immigration de Chinois venant travailler dans les mines d'étain. **1867** l'adm. des « établ. du Détroit » est confiée au min. des Colonies. **1874** *tr. de Pangkor :* Anglais prennent les fonctions jusqu'alors dévolues à l'aristocratie malaise (système des « résidents » nommés pour conseiller les sultans). **1876** introduction des hévéas du Brésil. **1895** Perak, Selangor, Négri Sembilan et Pahang constituent États malais fédérés. **1909** Siam reconnaît à G.-B. suzeraineté de Kedah, Perlis, Kelantan, Trengannu qui, en 1914, formeront avec le Johore les États m. non fédérés. **1910** introduction du caoutchouc. **1941**-*7-11*/**1945**-*13-9* occupation jap. **1946** création de l'Organis. nat. pour l'Unité mal. ; Singapour devient colonie de la Couronne ; *avr.* création de l'Union mal. (Malacca, Penang, et 9 États malais). **1948** fin de l'Union et accord pour une Fédération mal. (Féd. de Malaya) accordant plus grande autorité aux États et gouv. locaux. **1948-60** lutte contre communistes. **1957**-*31-8* indépendance de la Féd. de Malaya. **1963** Sabah, Sarawak et Singapour rejoignent la Féd., qui devient la Malaysia. **1965**-*9-8* Singapour la quitte et devient rép. ind. L'Indonésie, opposée à la formation de la M., soutient des guérillas, puis la reconnaît 11-8-66. **1969** *mai* émeutes raciales. **1971-72** guérilla comm. dans le N. **1974** *déc.* affrontements étudiants/policiers. **1975** crise pouvoir central et PM de Sabah (M. Mustapha) ; mouvement autonomiste. *-3-9* attentat à Kuala Lumpur (2 policiers tués). *-31-10* Mustapha démissionne. **1976** insécurité en province. Tension Malais/Chinois, sécheresse. **1978** *août* musulmans, battus aux élections, incendient temples hindous à Kerling. **1985** *avril* PSB (p. de l'unité de Sabah) dominé par chrétiens gagne les élect. *-19-11* émeutes au Kedah, 18 † (dont Ibrahim Mahmoud, chef musul.). **1986** *mars* émeute musul. au Sabah. *-7-5* parti chrétien 60 % des voix au Sabah. **1987** Mahathir PM s'appuie sur le courant nationaliste (Anwar Ibrahim). *Oct.-nov.* tensions raciales, arrestations. **1988**-*31-9* nouveau parti d'opp. UMNO 46 (Org. nat. de l'Union M.). **1989**-*février* Musa Hitam, anc. vice-PM, se rallie au PM Mahathir. *-2-12* communistes de Chin Peng (n. 1922) maoïstes (1 000 h.) cessent lutte armée ; seront placés dans le s. de Thaïlande ; dep. 1978, la Chine ne les aide plus. *-16/17-7* législatives au Sabah : parti Bersatu Sabah (PBS) 36 sièges sur 48. **1993**-*19-1* privilèges des sultans supprimés en partie.

Statut. Fédération de 9 sultanats et de 4 États non monarchiques. Membre du Commonwealth. 13 États (leurs chefs ou sultans sont chefs religieux). *Constitution* (31-8-1957, révisée 3-3-71). *Chef suprême* (Yang di-Pertuan Agong) élu p. 5 a. parmi les chefs d'État des 9 sultanats (les gouverneurs de Malacca, Penang, Sarawak et Sabah n'étant pas éligibles) : Azlan Muhibuddin Shah Sultan de Perak (n. 19-4-28) dep. 26-4-89. *PM* Dr Mahathir Mohamad (n. 1926) dep. 18-7-81. *Sénat (Dewan Negara)* 70 m. [30 élus, 40 nommés par le chef de l'État]. *Chambre des représentants (Dewan Rakyat)* 180 m. élus pour 5 a. (Malaisie occ. 132, Sarawak 27, Sabah 21). **Fête nat.** 31-8 (indép.). **Drapeau** (1963). 14 bandes horiz. blanches et rouges représentant les 13 États et Kuala Lumpur. Rectangle bleu avec croissant et étoile (symboles islamiques).

Élections. Chambre des représentants *(20/21-10-1990) : Front nat.* (coalition de 11 partis) 127 s. ; *P. de l'Action dém.* (f. 1966, Dr Chen Man Hin) 20 s. ; *P. Bersatu Sabah* (f. 1985, Pt Joseph Pairin Kitingan) 14 s. ; *Semangat' 468* s. ; *P. islamique panmalaisien* (f. 1951, Pt Dato Haji Mohamed Asri Bin Haji Muda) 7 s. ; *Indép.* 4 s.

■ États

Malaisie péninsulaire occidentale

Situation. 131 598 km² (long. 751 km, larg. 250) du N. au S. montagne boisée. *Alt. max.* Gunung Tahan 2 190 m. **Climat.** *Mousson* du N.-E. oct.-févr., S.-O. mi-mai-sept. *Temp.* diurne : 21 à 32 °C. **Population.** 14 667 000 h. (90) dont (88) Malais 8 050 000, Chinois 4 435 000, Indiens 1 414 000, divers 90 000. D 111,4.

Territoires fédéraux. Kuala Lumpur (cap. de la Féd., 244 km²) 1 232 900 h. (90) (à 394 km de Singapour) ; **Labuan** 91 km², 35 000 h dep. 16-1-1984. **États. Johor Darul Takzim** 18 986 km², 2 106 500 h. (90) *Johore Bahru* (capitale) 406 871 h. ; relié à Singapour par viaduc ; *monuments :* Istana Besar (palais dit « de la Colline sereine »), mosquée Abu Bakar, mosquée nationale (minaret 73 m ; 48 dômes semblables à ceux de La Mecque ; d. principaux 50 m de diam. en forme d'étoile à 18 pointes), chutes de Kota Tinggi et Mersing. **Kedah Darul Aman** 9 426 km², 1 412 800 h. (90) *Alor Star* (cap.) 279 567 h. Langkawi [archipel de 100 îles, à 40 km], « bol de riz » de la M. ; villégiature. **Kelantan Darul Naim** 14 930 km², 1 116 400 h. État le + pauvre *Kota Bahru* (cap.) 275 886 h. ; centre de culture m. traditionnelle ; « songkets » (passementeries), « batiks » (étoffes peintes). **Malacca** 1 650 km², 583 500 h. (90) *Malacca* (cap.) 88 073 h. à 148 km ; ville la plus ancienne de M. **Negeri Sembilan Darul Khusus** 6 643 km², 723 800 h. (90) *Seremban* (cap.) 202 790 h. ; musée, parc (Lake Gardens), sources d'eau chaude de Pedas ; Port-Dickson, à moins de 30 km, stations balnéaires. **Pahang Darul Makmur** 35 964 km², 1 054 800 h. (90) *Kuantan* (cap.) 170 573 h. ; Pekan, ville « royale » à 45 km de Kuantan ; Cameron Highlands 2 000 m, Fraser's Hill 1 300 m, Taman Negara (parc national 44 000 ha et réserves d'animaux). **Perak Darul Ridzuan** 21 005 km², 2 222 200 h. (90) *Ipoh* (cap.) 293 849 h. ; ville « royale » Kuala Kangsar, à 50 km ; temples grottes ; Pangkor, île à 80 km d'Ipoh, villégiature. **Perlis Indera Kayangan** 795 km², 187 700 h. (90) *Kangar* (cap.) 12 956 h. ; Padang Besar. **Pulau Penang** et **Prov. de Wellesley** 1 031 km², 1 142 200 h. (90). *Georgetown* (cap.) 248 241 h. ; Tarping ; « Perle de l'Orient » de la M. ; villégiature, plages ; Kek Lok Si [temple du Paradis, temple aux Serpents (serpents vivants, funiculaire)]. **Selangor Darul Ehsan** 7 956 km², 1 978 000 h. (90). *Shah Alam* (cap.) 19 041 h. ; Klang, ville royale, à 6 km ; Port Klang port le plus important du pays ; Petaling Jaya plus grande « ville satellite » de M. **Trengganu Darul Iman** 12 955 km², 752 900 h. (90). *Kuala Trengganu* (cap.) 180 296 h. ; pêcheurs, artisanat.

Ressources. Forêts 71 %, terres arables 29 %. Caoutchouc naturel (1er du monde, 89 : 1 420 000 t), étain (1er du monde, 89 : 32 000 t, 60 % dans le Perak, vallée de Kinta, 30 % dans le Selangor), h. de palme 5 000 000 t (1er exp. du monde), bois tropicaux 36 993 000 t (87), fer, bauxite, ananas 207 000 t (87), riz 1 697 000 t (90), cacao 255 000 t (4e du monde), thé, coprah (4e du monde).

Malaisie orientale (île de Bornéo)

Situation. *Insulinde :* quart N.-O. (montagneux) de Bornéo : 208 847 km² sur 736 000 (Mt Murud 2 271 m, Mt Kinabulu 4 175 m), bordé d'une plaine côtière alluviale (30 à 60 km de large), plateaux (alt. moy. – de 1 000 m) recouverts par forêt pluviale (mangrove) (Sarawak : 70 %). **Climat** (équatorial). *Sarawak :* mousson N.-E. oct.-févr., pluies du S.-O. avr.-juill. (orages) ; *Sabah :* mousson du N.-E. oct.-nov. à mars-avr., S.-O. mai-août. Temp. diurne 21 à 32 °C, humidité 80 %.

Histoire. **1840** James Brooke visite Kuching, dépendance de l'empire de Brunei, déjoue une révolte contre le vice-roi du sultan de Brunei. **1841**-*24-9* il est fait « rajah ». **1877-78** cession aux Anglais des régions N. et E. de Bornéo. **1882** « Cie brit. du N.-Bornéo » acquiert terr. cédés. **1888** Sarawak, Brunei et N.-Bornéo deviennent protectorats brit. **1941**-*16-12* occupation japonaise.

1°) Sarawak. 124 449 km². **Population** 1 669 000 h. (90) dont (88) Chinois 463 170, Dayaks de la côte : Ibans 471 073, Malais 329 613, Dayaks de l'int. 133 253 (dits « coupeurs de têtes », les jeunes hommes devant rapporter un trophée sanglant pour être admis dans la tribu, villages formés d'une seule maison sur pilotis, la « long house » (parfois 300 m), culture itinérante sur brûlis du « ladang »). Melanaus 91 704, indigènes 85 822, divers 18 465. D 13,4. **Villes** (88) : *Kuching* 152 000, Sibu 111 000, Miri 86 000. **Statut : 1888** protectorat. **1946**-*17-5* colon. de la Couronne. **1963**-*16-9* rejoint Féd. de M. *Gouverneur* (Yang Dipertua Negeri) nommé par le Yang di-Pertuan Agong : Datuk Haji Ahmad Zaidi Adruce bin Mohamed Noor. *PM* Datuk Patinggi Amar Haji Abdul Taib bin Mahmud. *Conseil suprême* 9 m. *Conseil Negri* 48 m. *Divisions administr.* 9. **Ressources** bois (42 % du budget local ; 14 millions de m³ exp. en 1990), sagou (palmier dont est tirée de la farine), caoutchouc, abaca, pêche, poivre. Bauxite, or, phosphates, pétrole. **Tourisme** musée de Kuching, Astana (palais du gouverneur), Fort Marguerita, caves de Niah, parcs nat. de Bako et Mulo.

2°) Sabah (ex-Bornéo du N.). 73 620 km². **Population** 1 498 698 h. (90), dont Kadazans 238 046, Chinois 191 100 (87), Bajaus 109 108, Malais 49 937, Muruts 39 282, indigènes 176 777, divers 189 925. D 20,3. **Villes** (80) : *Kota Kinabalu* (ex-Jesselton) 108 725, Tawau 113 708, Sandakan 113 496. **Statut : 1881-1946** administrée par British North Borneo Co. **1946**-*15-7* colonie de la Couronne avec Labuan (75 km²). **1963**-*16-9* rejoint Féd. de Malaisie. *Gouverneur* (Yang Dipertua Negeri) nommé par le Yang di-Pertuan Agong : Tan Sri Mohamed Said Keruak dep. 26-6-78 réélu 1-1-87. *PM* Datuk Joseph Pairin Kitingan, Pt du P. Bersatu Sabah (inculpé de corruption 5-1-91). *Ass. lég.* 48 m., 6 nommés. **Ressources :** pêche, forêts 80 % [bois (50 % du budget local ; 20 millions de m³ exp. par an), caoutchouc, pétrole, cuivre, tabac, cacao (principal prod. de M.), charbon, fer, or. *Industries* (installées dep. l'indép.) cotonnades, chaussures, bière, emballages carton, literie, métal. *Tourisme*].

JOHORE — KEDAH — KELANTAN — MALACCA — NEGERI SEMBILAN — PAHANG — PENANG — PERAK — PERLIS — SABAH — SARAWAK — SÉLANGOR — TERENGGANU

■ Économie

PNB (91). 2 500 $ par h. **Croissance** (%) *1987 :* 5,2 ; *88 :* 7,4 ; *89 :* 8,5 ; *90 :* 9,8 ; *91 :* 8,6 ; *92 :* 8,5. **Pop. active** (%, entre parenthèses, part du PNB en %) agr. 31 (18), ind. 17 (25), services 47 (45), mines 5 (12). **Chômage** (%) *1989 :* 7 ; *91 :* 5,5. **Inflation** (%) *1989 :* 2,8 ; *90 :* 2,1 ; *91 :* 4,5. **Salaire horaire** (OS) 1,1 $. **Dette extérieure** (90) 13 milliards de $.

Réserves en devises (1993) : 20 milliards de $. **Place financière.** 650 milliards de $ par j.

Investissements étrangers (1960-86) : 2,66 milliards de ringgits (dont Japon 18,3). Les Chinois contrôlent 80 % de l'économie (95 % en 1970).

Agriculture. *Terres* (milliers d'ha, 83) t. arables et t. cult. 4 335, pâturages 27, forêts 22 150, eaux 120. *Production* (milliers de t, 90) hévéa (1 819 000 ha plantés) 1 260 (92), huile de palme 6 300 (92), de palmiste 575 (87), de noix de coco 56 (87), riz 1 650, coprah 93, bananes, ananas, thé, poivre 25, cacao 250, tapioca, canne à sucre en développement. Bois tropicaux. 50 000 000 m³ (92) : 19 millions de F de recettes d'exp. (90). Élevage (milliers, 90). Porcs 2 380, chèvres 310, bovins 652, buffles 185, moutons 150. Pêche. 609 000 t (89).

Mines (en milliers de t, 91). *Étain* 23 (contenu dans les sables alluvionnaires en général peu profonds : on utilise des dragues se déplaçant sur des lacs artificiels, ou des pompes). *Fer* 176,6. *Ilménite 538 (90). Bauxite* 185. *Or.* Énergie. **Pétrole :** *réserves* (millions de t) 400, *prod. 1980 :* 13,1 (24,3 % des exp.) ; *85 :* 20,2 ; *90 :* 29 ; *91 :* 30,2. **Gaz** (milliards de m³) : *réserves* 1 500 *prod.* (91) 24,2. Industrie. Caoutchouc, ciment, tabac, alim., automobiles (Proton Saga), électronique (1er pays exp. de puces).

Transports. *Routes* (86) 39 068 km ; *voies ferrées* (88) 1 672 km. Tourisme. *Visiteurs :* 7 079 107 (90). *Sites :* colline de Penang (830 m), Bukit Larut (anc. Maxwell Hill 1 450 m ; à 360 km de Kuala Lumpur), Genting Highlands (+ de 1 500 m), Cameron Highlands (2 000). Grottes de Batu (272 marches pour y accéder), Niah (à 320 km de Kuching, ramassage des « nids d'hirondelles » et de guano).

Arts et sports. *Danses traditionnelles :* Ronggeng (Mak Inang, Changgong), Hadrah, Zapin, Tari Piring. *Théâtre :* Wayang Kulit (th. d'ombres), Makyong et Menora (pièces de th. originaires de Thaïlande). *Berdikir Barat :* confrontation d'équipes (8 pers. au min.) rivalisant par des couplets et des poésies. *Sports :* football, badminton, Sepak Raga, Main Gasing (les toupies peuvent atteindre 7 kg), Wau (cerf-volant), Bersilat (art d'autodéfense).

Commerce (milliards de $ malais/ringgits, 90). **Exp.** 79,5 *dont* mach. et équip. de transp. 28,4, mat. 1res sauf fuel 11,4, huiles vég. et anim. 5,6 *vers* Singapour 18,1, USA 13,4, Japon 12,6, Corée du S. 3,6, G.-B. 3,1, All. féd. 3. **Imp.** 79,1 *dont* mach. et équip. de transp. 39,7, prod. man. de base 12,5, prod. alim. 4,6 *de* Japon 19, USA 13,3, Singapour 11,8, G.-B. 4,4, Taiwan 4,4.

Rang dans le monde (91). 1er caoutchouc, huile de palme. 3e cacao. 4e étain. 10e bois. 13e rés. gaz nat. 16e gaz nat. 22e pétr.

■ Malawi

Carte p. 1188. V. légende p. 884.

Situation. Afrique. 118 484 km², 25 % occupés par le lac Malawi, long. 800 km, larg. 100 à 180 km. Littoral le plus proche : océan Indien au Mozambique (140 km). Climat. 3 saisons : froide, mai-août ; chaude, sept.-oct. ; pluies nov.-avril.

Population. *1991 :* 8 556 000 h., *prév. 2000 :* 11 669 000 [Angonis, Nyanjas (15 %), Chewas (43 %), Tumbukas]. 12 000 Asiates, 7 400 Blancs dont 7 000 Brit. *Réfugiés mozambicains :* 1 000 000. **Âge** - *de 15 a.* 47 %, *65 a. et +* 3 %. D 72. **Accroissement** 3,2 % par an. **Pop. urbaine** env. 12 %. Villes (88) : *Lilongwe* (cap.) 254 000, Blantyre 300 000, Mzuzu 48 700, Zomba 45 000.

Langues. Anglais *(off.)*, chichewa. Religions. Animistes 3 000 000, catholiques 1 200 000, protestants 1 200 000, musulmans 700 000 (12 %).

Histoire. **1858-63** exploré par David Livingstone (4 voyages). **1875-76** missions protestantes antiesclavagistes. **1891**-*15-5* protectorat britannique du *Nyassaland.* **1896** missions cathol. **1907** fait partie de l'Afrique centrale brit. **1953-63** fédération avec les 2 Rhodésies. **1963**-*1-2* autonomie. **1964**-*6-7* indépendance. **1966**-*6-7* république. **1971** alliance avec Afr. du S. (aide financière, envoi de travailleurs m. dans le Rand, fourniture d'armes). **1979** fait partie de SADCC, regroupant les États noirs hostiles à l'Afr. du S. mais reste allié à l'Afr. du S. **1991** *mars* inondations (700 à 1 000 †). **1992**-*17-4* Pt Banda dissout Parl. -*7-5* manif., 50 †. -*20-10* Orton Chirwa (n. 1922), opposant détenu dep. 1981, meurt. **1993**-*12-6* Chakufwa Chihana (52 a.), chef opposition, libéré. -*14-6* référendum sur multipartisme (63 % pour).

Statut. Rép. membre du Commonwealth. 3 *régions,* 24 *districts. Pt* élu par le *Parlement :* Dr Hastings Kamuzu Banda (14-5-1906) dep. 6-7-66 (réélu *Pt à vie* 6-7-71). *Parlement* 151 m. (dont 10 nommés par Pt). *Parti* (unique jusqu'au 14-6-93) : Malawi Congress Party (MCP), f. 1959. Fête nat. 6-7 (indép.). Drapeau (1964) : bandes noire (liberté) avec soleil rouge (nouvelle ère), rouge et verte.

■ Économie

PNB (91). 216 $ par h. **Croissance** (91) : 7 %. **Pop. active** (% et, entre parenthèses, part du PNB en %) agr. 70 (37), ind. 15 (18), mines et services 15 (45). **Dette ext.** (89) 1,4 milliard de $ soit 44 % du PNB (en 88). **Inflation** (%) *1990 :* 11,6. Agriculture. 37 % du PIB, 90 % des export. *Terres* (milliers d'ha, 87) : arables 5 300, exploitées 3 000, eaux 2 400, forêts 5 600. *Production* (milliers de t, 90) : sucre 174,9 (88), maïs 1 343, coton 18, thé 39, arachides 180, tabac 91, noix 10 (84), riz 43, sorgho 15, p. de terre 340, manioc 145, café. Forêts. 8 215 000 m³ (90). Élevage (milliers de têtes, 90). Volailles 9 000, bovins 1 100, chèvres et moutons 1 220, porcs 270. Pêche. 74 100 t (90).

Industries. Sucre, bière, cigarettes, ciment, textile. Tourisme. 116 000 vis. (89).

Commerce (millions de kwachas, 89). **Exp.** 743,2 *dont* (en %) tabac 62, thé 13, sucre 9 *vers* G.-B., All. féd., Zimbabwe, USA, P.-Bas. **Imp.** 1 398,8 *de* Afr. du S., G.-B., biens d'équip. 33, Japon.

Rang dans le monde (91). 11e thé.

■ Maldives (les)

Carte p. de garde. V. légende p. 884.

Nom. Du sanskrit *mālā* « guirlande, série » et *dvipa* « île ». Les Maldiviens se disent *Dhivehin* (insulaires) et appellent leur pays *Dhivehi Raajje* (le pays des îles).

Situation. Asie. 302 km², à 450 km au S. du Deccan. *Longueur* 800 km, *larg.* 131 km. 26 atolls (du maldivien *atolhu*), crêtes d'une chaîne montagneuse sous-marine, 1 196 îles, dont 203 habitées. Divisées en 19 atolls portant chacun le nom d'1 ou 2 lettres de l'alphabet maldivien, dans l'ordre des lettres de celui-ci allant du N. vers le S. *Alt. max.* 4 m. Population *1990 :* 214 139 h., *prév. 2000 :* 254 000. D 710. **Capitale :** *Malé* 56 060.

Langue *(off.).* Maldivien *(divéhi)* (écriture, le « tana », apparentée à l'arabe ; alphabet de 24 consonnes). Religion. Musulmans sunnites *(off.).*

Histoire. **Jusqu'au XIIe s.** bouddhisme, religion la plus répandue. **1153** adopte Islam (influence des marchands arabes). **1558**-*7-3* occupation portugaise. **1752** les Moplas de la côte indienne de Malabar prennent Malé, emprisonnent le sultan et détruisent son palais. Ghazi Hassan Izzudin les repousse et fonde une dynastie (jusqu'au XXe s.). **1783** Port. repoussés (par Mohammed Thakurufaanu le Grand). **1887** protectorat brit. **1887-1948** dépend de la colonie de Ceylan. **1952** républi. **1954-68** sultanat restauré. **1965**-*27-5* indépendance **1968**-*11-11* républ. **1980** et **1983** coups d'État. **1988**-*3-11* 400 séparatistes Tamouls venus de Sri Lanka tentent coup d'État; 1 500 soldats indiens interviennent. -*6-11* Indiens arraisonnés, 46 Tamouls arrêtés (dont chef Abdullah Lutufi, proche de l'ancien Pt Nasir) et 20 otages libérés. **1989** 17 participants au coup d'État condamnés à mort.

Statut. Rép. *Constitution* de 1968. *Pt* (élu p. 4 a.) et *PM* Maumoon Abdul Gayoom (n. 29-12-37) dep. 11-11-78 ; réélu 11-11-83 et 23-9-88 (a 96,3 % des v.). *Parlement* (Majilis) 48 m. dont 8 nommés par le Pt et 40 élus p. 5 a. *Partis :* aucun. Drapeau (1965). Rouge, rectangle vert avec croissant blanc ajouté 1980.

PNB (91). 700 $ par h. **Dette** (89) 6 millions de $. **Pop. active** (% et, entre parenthèses, part du PNB en %) agr. 40 (35), ind. 15 (14), services 45 (51). Agriculture. *Terres* (milliers d'ha, 81) : t. arables 3, pâturages 1, forêts 1, divers 25. *Prod.* (90) : noix de coco 15 200 t, coprah, fibres de coco. Pêche (91). 80 700 t, bonites, tortues pour les carapaces.

Tourisme. *Visiteurs : 1972 :* 1 096 ; *84 :* 83 814 ; *91 :* 195 156. *Recettes :* 48 millions de $.

Commerce (millions de $, 91). **Exp.** 53,7 *dont* poisson 19 (88). **Imp.** 151 *dont* (88) biens man. 45,7, prod. intermédiaires et biens d'équipement 38,2, fuel et lubrifiants 6,5, tabac et alcools 3,1 (87).

■ Mali

V. légende p. 884.

Nom. Littéralement « lieu où vit le roi ».

Situation. Afrique 1 241 231 km². Enclavé Bamako à 1 290 km de Dakar. *Alt. max.* Mt Hombori 1 155 m. Plateaux latéritiques et plaines (N.). Delta du Niger (long. 450 km, larg. 130 km, 30 000 km²) ; falaises de Bandiagara (long. 200 km, haut. 200 à 400 m). Climat. 3 zones du N. au S., *saharienne* (précipitations nulles, Sahara a progressé de 400 à 500 km dep. le Moyen Âge), *sahélienne* (Sahel : rivage en arabe, 100 à 400 mm), (steppe), *soudanaise* (savane, pluies juin à oct. : 700 mm).

Population. *1992 :* 8 464 282 h., *prév. 2000 :* 12 363 000. 23 ethnies dont Mandigues (Bambaras) 1 750 000, Malinkés 200 000, Khassonkés et Djoulas ; Sarakollés (Soninkés à l'Ouest) 350 000, Songhaïs (boucle du Niger) 300 000, Dogons (plaine voltaïque) 250 000, Bozos (rives du Niger) et Somonos ; Sénoufos-Maniakas 375 000, Bobos 100 000, Mossis et Markas (au Sud) ; Peuls (boucle du Niger) 600 000, Toucouleurs ; Touaregs (N. et E. du Niger) 300 000 à 400 000, Maures 60 000 et Arabes (etc.). Bambaras, Songhaïs, Dogons, Bobos, Sénoufos : cultivateurs. Malinkés, Dioulas et Sarakollés : commerçants et grands voyageurs. Bozos et Sorkos : pêcheurs. Peuls : nomades. **Âge** - *de 15 a.* 46 %, + *de 65 a.* 3 %. **Espérance de vie** 56 ans. **Mortalité infantile** 102 ‰. **Alphabétisation** 17 %. D 6,8. Villes (87) : *Bamako* (cap.) 800 000, Mopti 74 771 (644 km), Ségou 88 135 (236 km), Sikasso 73 859 (376 km), Gao 55 266 (1 214 km), Kayes 50 993 (410 km), Tombouctou 31 962 (1 018 km), San 30 772 (435 km).

Langues. 10 sont nationales : français *(off.)*, bambara (parlé par 60 % de la pop.), malinké, dialectes : [tamasheq, langue berbère (Touaregs), hassanya, dialecte arabe (Maures), fulfude (Peuls), songhaï (Sorkos et Bozos)]. Religions. Islam 94 %, animisme 2, christianisme 4.

Histoire. De puissants empires se sont succédé. **VIIe-XIe s.** Ghana. **VIIIe s.** 1res conversions à l'islam. **IXe s.** Djenné fondé. **1325** Kirina Maghan Soundiata bat Soumangourou, roi du Sosso ; fonde l'empire du Mali (mandingue), qui s'étend de l'Atlantique au Niger. Alimente en or l'Occident et tire profit du commerce transaharien (sel, kola, esclaves). **XVe s.** Tombouctou détrône Oualata et Djenné (12 000 chameaux chargés de sel y arrivent chaque année et en repartent chargés d'or ; centre d'études coraniques) puis déclin de puissance mandingue. **Fin XVe s.** Sonni Ali Ber (Ali le Grand) édifie l'empire du Songhaï. Mohammed détrône son successeur et prend le titre d'askia (empire de l'Atlantique à l'Aïr et aux cités haoussas de Kano et Katsina). **1591** fin de l'empire, Tondibi battu par Marocains (Tombouctou pillé). **Fin XVIe s.** Gao plus grande ville d'Afrique occidentale (7 626 concessions, 80 000 hab.). **XVIIe-XIXe s.** Ségou capitale d'un des 2 empires bambaras. **1819** Hamdallay fondé, capitale du roy. peul du Macina. G. saintes de Cheikou Ahmoudou et d'El Hadj Omar. **1862** Omar prend Ségou et Hamdallay. **1880-95** conquis par Joseph-Simon Gallieni, appelé *Soudan.* **1913** sécheresse. **1958**-*24-11* Rép. soudanaise au sein de la Communauté. **1959**-*17-1 fédération du Mali* (groupant Soudan et Sénégal). **1960**-*20-6* indép. -*20-8* Sénégal se retire. -*22-9* Soudan devient Mali. **1968**-*19-11* Modibo Keita (1915/8-5-1977, Pt dep. 61) renversé. **1969-74** sécheresse, famine (bétail †, centaines de milliers de têtes). **1974** *nov.*-**1975** *juin* différends frontaliers avec Burkina sur 160 km². **1978** Kissima Doukara (min. de l'Intérieur) éliminé.

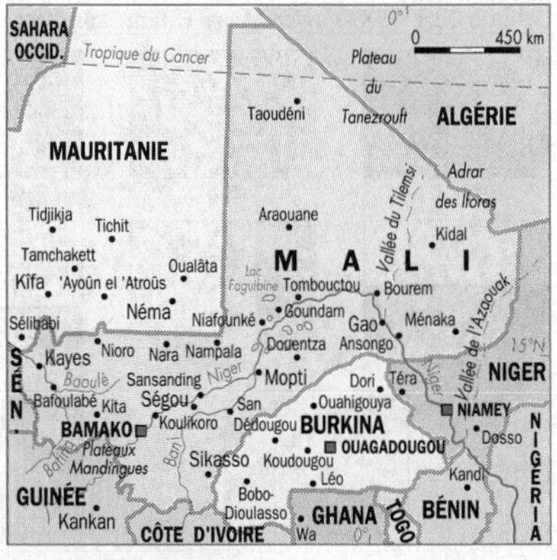

1980 manif. étudiantes, plusieurs †. **1984-85** sécheresse, famine. **1984**-*17-2* rejoint Union monétaire ouest-afr. (Umoa) : franc CFA remplace franc malien, instauré 1962 (1 F CFA = 2 F maliens). **1985** retour des pluies, *-25-12* conflit frontalier avec Burkina. **1986**-*17/18-11* Pt Mitterrand au M. **1987**-*2-1* cour de La Haye résout conflit avec Burkina. *-5-12* 9 condamnés à mort pour corruption [loi : peine de mort pour tout détournement de + de 10 millions de CFA (200 000 FF)]. **1990** *-10/12-8* affrontements avec Touaregs. **1991**-*20/22-1* émeutes. *-22/25-3* émeutes, env. 100 à 150 †. *-26-3* coup d'État milit. Conseil de réconciliation nat. (Pt et 16 m). dissous en avril. Constitution suspendue. *-26-3* mutinerie ; 1 468 droit commun évadés (19 † détenus). Gal Moussa Traoré (n. 25-9-36) Pt dep. 19-11-68 arrêté [a transféré à l'étranger 12 milliards de F (dont 6 en Suisse)]. *-31-3* lieut.-cel Amadou Toumani Touré (43 ans), chef de la junte nommé Pt du Comité de transition pour le salut du peuple (CTSP, 25 m.). *-6-4* attaques Touaregs (Tessit). *-27-4* émeutes à Bamako. *-15-5* création d'une 8e région touareg dans le N. *Août* coût rébellion touareg : 150 milit. †, 34 millions de F dépensés, 60 % du mat. détruit. *-16-12* Conf. spéciale sur le Nord. *-18-12* accord. **1992**-*22-2* 15 dép. élus sur 129 (Adema 10) ; 14 partis contestent les résultats. *-8-3* 2e tour : Adema 76 s. (partic. 21 %). *-12-4 pacte national* gouv./Touaregs. *-12/26-4* présidentielles. *-8-5* Tounoussi Touré (n. 1941) PM. **1993**-*12-2* Traoré condamné à mort. *Avr.* manif. à Bamako. *-9-4* gouv. démissionne.

Statut. Rép. *Constit.* du 12-2-1992 adoptée par référendum (99,76 % des v.). *Pt de la Rép.* (élu pour 5 a. suffr. univ.). Alpha Oumar Konaré (2-2-46) élu 26-4-92 (69 % des v.). *PM* Abdoulaye Sekai Sow (n. 1931) dep. 12-4-93. *Ass. nat.* 129 m. élus pour 4 a. **Partis.** 48, dont : Alliance pour la dém. au Mali (Adema). P. pour la dém. et le progrès (PDP). **Régions administratives** 8. **Rébellion touareg.** Armée rév. de lib. de l'Azawad (ARLA), *Chef* : Abderhamane Ag Ghala. *Bilan* : 1 000 à 3 000 †, 100 000 réfugiés (dont Mauritanie 30 000 à 50 000, Algérie 30 000, Burkina 15 000). **Fête nat.** 22-9. **Drapeau** (1960). Vert, jaune, rouge (couleurs panafric.).

Économie

PNB (91). 295 $ par h. **Pop. active** (en % et, entre parenthèses, part du PNB en %) agr. 73 (53), ind. 6 (11), services 20 (34), mines 1 (2). **Aide :** *France* env. 500 millions de F (1990). **Salaires des émigrés** en *Fr.* et C.-d'Ivoire. **Dette extérieure** (91) 2,2 milliards de $. Nord sous-développé.

Agriculture. *Terres* (milliers d'ha, 84) t. arables 11 380, t. cult. en permanence 3, pâturages 30 000, forêts 8 640, eaux 2 000, divers 81 307. Crise, sécheresse en 1983-84. Déficit céréalier (*1984* : 330 000 t, *85* : 480 000 t), puis excédent (*1989-90* : 500 000 t). *Production* (milliers de t, 91) millet et sorgho 1 268, riz 282, canne à sucre 260 (89), arachides 180, coton 276, maïs 197, légumes 247 (89), manioc 0,2, haricots, patates douces et ignames 28, karité, kapok, gomme, tabac, dah (chanvre), fruits 12. **Forêts.** 5 589 000 m³ (90). **Élevage** (millions, est. 90). Volailles 22, moutons 5,8, chèvres 5,8, bovins 5 (91), ânes 0,5, chameaux 0,2, chevaux 0,06. **Pêche.** 71 800 t (89). **Irrigation.** Barrage de Markala (40 km au N. de Ségou). 57 000 ha mis en culture (coton, canne à sucre) ; possibilité de 1 million d'ha produisant 3 millions de t de céréales. **Mines.** *Or* (Kalana et Siama) 0,5 t (91), *sel* 5 000 t, *fer.* **Industries.** Agroalimentaire, tabac, chimie, ciment, textile, mach. agric., mat. plastiques. **Transports** (km). *Routes* 14 704 ; *chemins de fer* 645. **Tourisme.** 51 720 vis. (89).

Commerce (millions de F CFA). **Exp.** *1991* : 96 (coton 46). **Imp.** *1991* : 190 (mach. et véhicules 57). **Rang dans le monde** (81) 6e millet.

Malte et Gozo
V. légende p. 884.

Nom. Vers 500 av. J.-C. Melite ou Melitaie. Phéniciens : Malta ou Malithah. Puniques : Aunn. Romains : Malte.

Situation. Europe (Méditerranée, Sicile à 93 km, Afrique à 293 km). 316 km² [*Malte* 246 km², 27 × 14 km, côtes 137 km ; 308 209 h., *prév. 2000* : 419 000. *Gozo* (à 6,4 km de Malte, N.-O.) 67,4 km², 14 × 7 km, côtes 43 km. *Comino* 2 km²], ni montagnes ni rivières mais collines, champs, ports, baies et plages. *Alt. max.* 233 m. **Climat.** Hiver (nov.-avr.) doux (13,7 °C) et humide, été (mai-oct.) chaud et sec (moy. 22,6 °C). *Pluies* : 559 mm en moy. par an.

Population. *1901* : 186 398 h. ; *31* : 241 621 ; *90* : 354 900. *Émigrants* (89) : 399 ; *immigrants* (89) : 722. *Maltais à l'étranger* (88) : 800 000. **Villes** (89) : *La Valette* (cap.) 9 196, Birkirkara 20 963, Qormi

19 072, Hamrun 13 651 (88), Sliema 13 541, Zabbar 13 338 (88), Victoria (avant 1897 : Rabat) sur Gozo 6 025 (88).

Langues. *Off.* Maltais et anglais (langue sémitique, d'origine phénicienne, influencée par l'arabe, et ayant adopté de nombreux mots siciliens, anglais et français). Italien parlé. En 1986, 20 000 étudiants apprenaient l'arabe (20 en 1989). **Religion.** Catholicisme *(off.)*. (98 %) 1ers chrétiens d'Europe occ. (naufrage de st Paul dans l'île), 350 églises, 954 prêtres et religieux.

Histoire. 800 av. J.-C. dépendance phénicienne, **600 av. J.-C.** carthaginoise, **218 av. J.-C.** romaine, **870 apr. J.-C.** arabe, **1090** sicilienne. **1530** (cédée par Charles Quint contre 1 faucon maltais) à l'ordre de St-Jean de Jérusalem (expulsé de Rhodes 1522). **1565** attaque turque (siège de La Valette) : des milliers de Maltais emmenés comme esclaves. Construction de fortif. sur instruction du Gd Maître Jean Parisot de La Valette. **1789** 400 chevaliers sur 600 sont de langue française, et 580 000 livres sur les 1 300 000 des revenus de l'Ordre viennent de Fr. **1798** partant pour l'Égypte, Bonaparte s'y arrête. Faible résistance puis négociation. Ville et forts sont remis à Bonaparte, l'Ordre cède à la Rép. fr. ses droits de souveraineté et de propriété sur l'archipel. Le Gd Maître recevra une pension de 300 000 F, les chevaliers français pourront regagner leur pays et toucheront également une pension. Le trésor de l'Ordre (3 millions en or et en argent), armement et vaisseaux sont confisqués. **1800**-*5-9* britannique. **1802** tr. d'Amiens, la G.-B. doit rendre M. à l'Ordre de St-Jean, mais le *15-6* le Congrès national reconnaît le roi d'Angl. comme souverain. **1816** annexée par G.-B. **1939-45** base navale souvent bombardée, 16 000 t de bombes (2 000 †). **1947** élection : victoire travailliste. **1950 :** gouv. nationaliste et travailliste. **1955** victoire travailliste. **1956** référendum : 44,2 % des voix pour intégration à G.-B., beaucoup d'abstentions. **1961**-*24-10* autonomie. **1962** victoire nationaliste. Dr George Borg Olivier PM. **1970**-*5-12* associée à CEE. **1964**-*21-9* indépendance. **1974**-*13-12* république ; Sir Anthony Mamo (9-1-09), 1er Pt. **1979**-*31-3* base brit. évacuée (loyer annuel était de 60 millions de $). **1980**-*15-9* accord avec Italie (neutralité de M. garantie au besoin militairement, aide 16 millions de $ sur 5 a. et prêt 15 millions). **1981** *oct.* accord avec URSS qui pourra utiliser anciennes citernes de l'Otan. **1984**-*19-4* 30 000 manif. contre mesures à l'encontre de l'enseignement rel. et des biens du clergé. *-18-11* tr. de coop. avec Libye (échange d'informations militaires). *-22-12* Dominic Mintoff, PM, démissionne. **1986**-*21-11* accord financier avec Italie. *-26-11* accord commercial pour 4 ans avec URSS. **1987** *mai* dénonce accords passés (notamment militaires). *-9-10* accord pour un institut des Nations unies pour les personnes âgées. **1989**-*1-7* ouverture zone franche. **1990**-*16-7* demande adhésion à CEE.

Statut. République. *Constit.* de 1964 révisée 13-12-74, 27-1-87, 28-7-89. Membre du Commonwealth. *Présidents 1974* (13-12) Sir Anthony Mamo (n. 9-1-09) ; *76* (27-12) Dr Anton Buttigieg (1912-83) ; *82* (16-2) Mme Agatha Barbara (n. 11-3-23) ; *87* (16-2) Paul Xuereb (n. 21-7-23) par intérim ; *89* (4-4) Censu Tabone (n. 1913). **PM** Edward Fenech-Adami (n. 7-2-34) dep. 12-5-87 [avant, Karmenu Mifsud Bonnici (n. 19-7-33) dep. 22-12-84]. **Chambre des repr.** 65 m. (élus pour 5 ans à la représentation proportionnelle). **Fête nat.** *31-3* j de liberté. *-7-6* « Sette Giugno ». *-8-9* j de victoire. *-21-9* (départ Anglais), indépendance. *-13-12* République. **Drapeau** (1964). Bandes blanche et rouge (ordre de St-Jean de Roger de Normandie), croix de St-Georges (1942) ajoutée pour l'héroïsme de l'île.

Élections. 22-2-1992. Inscrits 249 000, votants 96,08 %. *Travaillistes* (f. 1920, leader K. Mifsud Bonnici) 46,50 % des v., 31 s. (34 en 87). *Nationalistes (démocrates-chrétiens)* [leader Edward Fenech-Adami] 51,77 % des v., 34 s. (35 en 87).

Économie

PNB (91). 7 500 $ par h. **Pop. active** (% et entre parenthèses part. du PNB en %) agr. 4 (4), ind. 36 (31), services 60 (65). *Secteur public* : 44 % des salariés (obj. : 20). **Chômage** (90) 4,1 %. **Inflation** (%) *1989* : 0,8 ; *90* : 0,3 ; *91* : 2,5. **Déficit commercial** (janv.-sept. 90) 134 millions de livres maltaises. **Salaire minimum** (hebdom.) 31 livres m. (600 F). **Aide de la CEE** (en millions d'écus). *1989-93* : 38.

Agriculture. *Terres* (milliers d'ha cultivés, 82/83) céréales et primeurs 6 213, légumes 5 422, fruits 580, fleurs et graines 24. **Élevage** (milliers, 90). Volailles et lapins 1 612, porcs 101, bovins 21, chèvres 5, moutons 5, ânes, mulets, chevaux. **Pêche.** 891 t (89).

Industrie. Textile, chaussures, plastiques, mat. élect. Centre financier off-shore ; port franc (Malta Freeport). Privatisations (chantiers navals).

Tourisme (90). *Visiteurs* 900 000. *Sites* temple de Tarxien, grottes de Ghar Dalam, catacombes de Victoria, grotte Bleue, La Valette, Ta'qali, Mdina.

Commerce (millions de livres malt., 89). **Exp.** 294,5 *dont* mach. et équip. de transp. 146,3, produits manuf. divers : 96,3, prod. man. de base 29,3, fuel et lubrifiants 5,3 *vers* Italie 89,3, All. féd. 66,1, G.-B. 31,5, *France 15,7,* Libye 14,4. **Imp.** 515,8 *dont* prod. man. de base 114,4, mach. et équip. de transp. 200,4, fuel et lubrifiants 32,6 *de* Italie 155,8, G.-B. 82,4, All. féd. 66,5, *France 28,6,* P.-Bas 14,8.

Maroc
Carte p. 1078. V. légende p. 884.

Situation. Afrique. 710 850 km². *Alt. max.* Djebel Toubkal 4 165 m. **Régions et climat.** *M. oriental* ou méditerranéen (plateaux, plaines, climat sec, – 200 mm de pluies) ; *M. atlantique* (plaines littorales : étés tempérés, hivers doux ; plateaux et montagnes : Rif, Moyen Atlas, Ht Atlas, temp. allant jusqu'à – 20° C en haute alt. en hiver, pluies de 800 mm au N. à 400 mm au S.) ; *M. présaharien et saharien* (plateaux et vallées : climat plus sec vers le S.) ; *côtes* 3 446 km, dont Méditerranée 512, Atlantique 2 934. **Frontières** *avec* : Algérie 1 350 km, Mauritanie 650 km, Espagne 12,5 km (Ceuta 1, Melilla 11,5).

Population (en millions). *1906* : 4,34 à 4,6 ; *1926* : 4,22 ; *1960* : 11, 63 ; *1971* : 15,32 ; *1982* : 20,42 ; *1993* : 26 ; *2000 (prév.)* : 36 ; *2025* : 60 à 68. **Taux** (86) *natalité* : 43 ‰, *mortalité* : 13,4 ‰ (enfants de – de 5 a. : 116 ‰). **Âge** *- de 15 a.* : 46 %, *+ de 60 a* : 3 %. **Étrangers** (81) 112 000 [*Français 1926* : 74 558, *57* : 310 000, *64* : 150 549, *75* : 54 948, *82* : 37 636, *91* : 27 000, *Espagnols 1973* : 28 500]. **Marocains à l'étranger** 1 800 000 (en *1985* : 1 045 578, France 575 000 (90) [278 535 hommes, 119 554 femmes, 207 622 enf.], Italie 200 000, Belgique 120 000, Espagne 30 000). D 35,1. **Population urbaine** (91) : 12 298. **Villes** (91) : *Rabat* (cap. avec Salé) 1 494 000 (*1926* : 38 044), Casablanca 2 990 000 (*1926* : 106 608) (ag. 600 000), Fès 719 000, (*1926* : 81 172), Oujda 646 000 (*1926* : 19 976), Marrakech 644 000 (*1926* : 149 263), Tétouan-Larache 484 000, Meknès 484 000, Agadir 420 000, Tanger 410 000. **Wilayas** (1990, en milliers d'h.) : Gd-Casablanca 1 615 km², 3 000, Rabat-Salé 1 275 km², 1 345, Fès 5 400 km², 960, Meknès 3 995 km², 718, Marrakech 14 755 km², 1 455. **Préfectures et provinces** (91) superficie et entre parenthèses pop. (en milliers d'h.) : Agadir : 5 910 km² (782), Béni Mellal : 7 075 (907), El Jadida : 6 000 (912), Kénitra : 4 745 (899), Laâyoune : 39 360 (137), Ouarzazate : 41 550 (638), Oued Ed-Dahab : 50 880 (26), Oujda : 20 700 (955), Safi : 7 285 (835), Smara : 61 760 (24), Tan-Tan : 17 295 (55), Tanger : 1 195 (553), Taroudant : 16 460 (649), Taza : 15 020 (706), Tétouan : 6 025 (848).

Langues. *Off.* : arabe (65 %) ; *autres* : berbère (33 %), hassania, français, espagnol. Analphabètes 60 %.

Religions. Musulmans (*off.*, sunnites ; rite malékite) 99,95 % (le roi Hassan II est commandeur des croyants « Amir el-Mouminin »). **Israélites** *1950* : 300 000 ; *1984* : 10 000. *Émigration juive* : *1948-57* : 100 670 en Israël. *1957/22-5-61* : 10 000 (clandestins), *été 61 à fin 64* : 130 000 partent légalement dont 100 000 pour Israël. **Chrétiens** et autres (1 % en majorité étrangers, catholiques 40 000 baptisés, protestants 2 à 3 000).

Histoire

■ **Préhistoire.** Populations *capsiennes* (Capsa : Gafsa, Tunisie), comme dans tout le Maghreb, et *mouilliennes* (Mouillah : frontière algéro-mar.). **V. 2000 av. J.-C.** colonisation berbère (ou « libyque ») par immigration, ou par évolution des Capsiens (?). **XIe-IIIe s. av. J.-C.** colonisation phénicienne près des côtes : *Liks* (Larache), *Tingi* (Tanger), *Tamuda* (Tétouan). Les Berbères sont proches parents des Ibères qui occupent la péninsule Ibérique. Leur capitale porte un nom ibérique : Volubilis (Buruberri, le

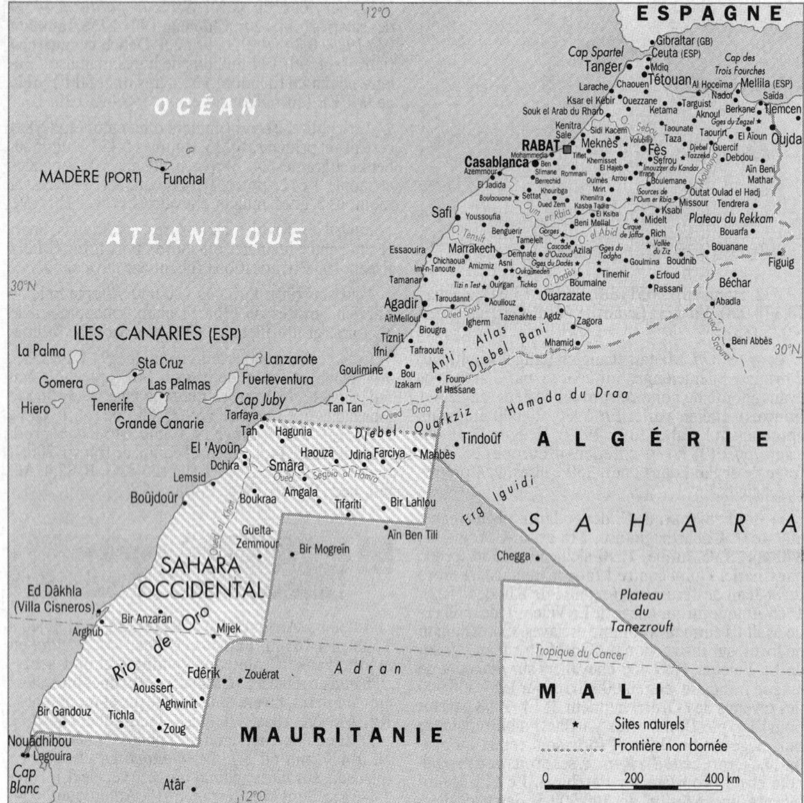

« bourg neuf »), leur roi le plus célèbre est Juba II (25 av. J.-C.-23 apr. J.-C.) ; les Romains les appellent « Maures » et les distinguent des Numides (en Algérie) qui parlent la même langue. **40-42 apr. J.-C.** annexion rom. du roy. maure organisé en Mauritanie tingitane ; associée à la Maur. césaréenne (Cherchell) jusqu'en 285, puis à la Bétique (vicariat d'Hispanie ; cap. Hispalis, Séville), car il n'y a pas de voie terrestre entre les deux Mauritanies. Les Romains n'occupent ni le Rif ni l'Atlas, laissés aux rebelles maures. **281** Volubilis évacuée. **429** invasion vandale en Maur. césaréenne épargne Maur. tingitane, qui reste hispanique sur les côtes et berbère à l'intérieur. **523** Byzantins d'Esp. occupent Tanger et Ceuta, qui deviennent les bases de la lutte contre les Wisigoths. **683** débuts de la conquête arabe. **739** Berbères, bien qu'islamisés, se révoltent. **788** *dynastie idriside* dans le N. **1068-1146** Marrakech fondée par Y. Ibn Tachfine qui crée l'Empire *almoravide* comprenant le sud de l'Esp. **1132-1268** *dynastie almohade ;* s'étend jusqu'en Libye.

XIIIe s. morcellement, fin des Almohades ; 1268-1359 époque de Yaacoub Ibn Abdelkader ; El Marini fonde la *dynastie mérinide* [24 souverains d'origine Sijil Massa (Sahara) et maîtres de la Tunisie unifient le Maghreb]. **1472-1554/1492-1609** reflux d'Andalous et de Morisques d'Esp., époque des Wattassides [7 souverains (Fès et Tlemcen)]. **XVe s.** Portugais puis Esp. occupent ports. **1557-1630** époque saadienne (origine Sakiet el-Hamra et région du Draa). G. sainte proclamée par marabouts et dynastie saad. contre Européens (rupture des relations commerciales, isolement du M.). **1578-1603** Ahmet IV al-Mansur bat Portugais à Alcazarquivir. **1591** armée mar. conquiert boucle du Niger. **1603** morcellement (après la mort d'al-Mansur). **1631**-*17* et *24-9* tr. de voisinage avec Fr.

1640 Moulay Rachid (1631-72), descendant du cousin du prophète Ali Ibn Taleb (origine Hedjaz) fonde *dynastie chérifienne alaouite.*

1678-1727 Moulay Ismaïl (1646-1727) récupère Tanger, fonde Meknès.

1729 Moulay 'Abd Allah (1694-1757).

1757 Muhammad III Ibn 'Abd Allah († 1790), son fils. **1765** Mogador fondée. **1767**-*28-5* tr. de paix et de commerce avec Esp.

1790 Moulay Yazid (1750-92), fils de M. III.

1792 Moulay Sulayman (1760-1822).

1822 Moulay 'Abd Al-Rahman (v. 1790-1859). **1825**-*28-5* tr. avec la Fr. qui obtient la clause de la nation la + favorisée. **1844**-*14-8 Isly* Bugeaud bat le sultan, allié d'Abd el-Kader. **1845** *convention de Lalla-Marnia.*

1859 Muhammad IV († 1873), fils de Moulay 'Abd Al-Rahman. Expédition fr. pour contrôler est du pays. *Oct.* invasion esp., Tétouan occupée ; l'Angl. oblige Esp. à s'arrêter. **1860**-*26-4* paix, Tétouan sera rendue par Esp. moyennant 100 millions de pesetas (1re échéance 28-12). **1862**-*2-5* Tétouan libérée, paiement de la moitié de la rançon.

1873 Moulay Hassan Ier (1830-94), fils de Mohammad V. **1880** convention de Madrid accordant à plusieurs puissances le traitement de la nation la plus favorisée. **1890**-*5-8* convention franco-angl. : l'Angl. reconnaît la zone d'influence de la France au sud de ses possessions méditerranéennes (l'Algérie), jusqu'à une ligne de Say sur le Niger (près de Niamey) à Barruve (Barroua) sur le lac Tchad lui permettant d'occuper le Sahara central et notamment le Touat, le Gourara, le Tichkelt, qui relevaient alors de l'autorité du sultan marocain. **1893** troubles à Melilla, intervention milit. esp.

1894 Moulay 'Abd Al-Aziz (1878 ou 81-1908), fils d'Hassan Ier. **1895**-*24-2* M. reconnaît à nouveau présides esp. **1901**-*20-7* protocole, et 20-4-1902 accord avec la Fr. ratifié par M. 16-12-1902. **1903** Jacques Lebaudy débarque au cap Juby, tente d'implanter un « empire » : échec. **1904**-*8-4* accords fr.-brit. et -*31-10* fr.-esp. : Fr. et Esp. peuvent s'établir au M. **1905**-*31-3* emp. d'All. Guillaume II à Tanger. **1906** *janv./avr. conférence d'Algésiras* (12 puissances eur. et USA), internationalisation écon. du M. ; droits spéciaux de Fr. et Esp. pour la police des ports. **1907** *mars* massacre de Français, mouvements xénophobes. -*31-7* Lyautey occupe Oujda. *Août* Gal Drude débarque à Casablanca (6 000 h.), commence conquête de la Chaouïa. Moulay renversé.

1908 Moulay Hafid (1875-1937), son frère aîné. Gal d'Amade pacifie Chaouïa. **1909**-*9-2* convention fr.-all. partage écon. **1911** *mars* soulèvement berbère contre sultan ; assiégé dans Fès, *mai* délivré par les Fr. -*1-7* l'All. opposée à l'intervention fr. envoie devant Agadir le *Panther* (bateau de g.). -*4-11 tr. de Berlin,* l'All. reconnaît le protectorat fr., mais reçoit partie du Congo. **1912**-*30-3* **Convention de Fès, protectorat fr.** (accepté par Moulay Hafid). M. divisé en zones d'influence : Tanger (z. internationale), de la Méditerranée au sud de Larache (z. esp.), sud de Larache à Sidi Ifni (z. fr.), Sidi Ifni à Rass Al Abyad (z. esp.) [**Superficie occupée par les Fr.** (en km^2) : *1912-1-1* : 88 000, *1914-1-1 :* 163 000, *1917-1-1 :* 235 000]. **1912**-*28-4* Lyautey (1854-1934) résident général. *12-8* Moulay abdique.

1912 Moulay Yusuf (1881-1927), demi-fr. de M. Hafid. **1914-18 :** 5 régiments de tirailleurs mar. combattent en Fr. (34 000 †). **Guerre du Rif** (1920-26) *Abd el-Krim* (1882-1963) proclame la g. sainte (Jihad) contre Esp. **1921**-*21-7* bat Gal esp. Sylvestre à Anoual. **1923**-*18-12* statut international de Tanger. **1924** après le retrait des Esp. sur la côte, il menace Fès et Tanger. **1926**-*29-5* après unification du cdt mil. esp. et fr. (Mal Pétain, 1856-1951), il est battu et se soumet [déporté à la Réunion, s'échappera d'un navire le ramenant en Fr. (1947) et mourra en Égypte].

1927 Mohammed V ibn Yusuf (1909-61) (en berbère Mohammed V ben Youssef) fils de Moulay Yusuf. **1930**-*16-5 Dahir* berbère établi par le protectorat pour diviser les Marocains en Arabes et Berbères. **1934** soumission des derniers dissidents. Un comité d'action demande l'abolition du protectorat [scission en 1937 : une tendance forme *l'Istiqlal* avec Allal el-Fasi (1943), une autre le *Parti démocratique de l'indép.* (1946)]. **1937** Franco promet l'autonomie au M. esp. **1940**-*14-6*/**45** l'Esp. occupe Tanger (ville internat.). **1942**-*8-11* débarquement allié. **1943** *janv.* conférence de Casablanca (Anfa) (Roosevelt-Churchill). **1944**-*11-1* manifeste de l'Istiqlal réclamant l'indép. -*29-1/3-2* émeutes à Rabat, Casablanca, Fès après arrestations de chefs nationalistes. **1946**-*2-3 Erik Labonne* (résident) s'entoure d'un adversaire du sultan (colonel Lecomte) et d'un ultra (Philippe Boniface). **1947**-*7-4* Casablanca, troubles : 65 tués par Sénégalais. -*10-4 discours de Tanger,* le sultan fait l'apologie de la Ligue arabe et se pose en chef suprême du nationalisme. -*14-5 Gal Juin* remplace Labonne. **1950**-*10-10/5-11* sultan à Paris. -*26-12* Juin demande au sultan de désavouer l'Istiqlal. Les Berbères du Glaoui, pacha de Marrakech, menacent Rabat et Fès. **1951**-*12-2* sultan refuse de désavouer l'Istiqlal. -*19-2* Juin rompt avec lui. -*25-2* sultan (poussé par la Fr.) désavoue l'Istiqlal. -*9-4 pacte de Tanger,* les nationalistes s'engagent à lutter pour l'indép. -*28-8 Gal Guillaume* remplace Juin. **1952**-*21-3* lettre du sultan au Pt Auriol demandant la révision du protectorat. -*16-10* à l'Onu, les USA soutiennent les nationalistes. -*6/9-12* émeutes à Casablanca (env. 40 †). **1953**-*26-2* début de la campagne animée par la Résidence demandant la déposition du sultan. -*15-8* M. V destitué.

1953 Muhammad ibn 'Arafa (1890-1976), oncle de M. V, proclamé sultan par Oulémas de Fès. -*20-8* Gal Guillaume arrête M. V, qui refuse d'abdiquer, l'exile avec sa famille (Corse puis Madagascar). Influence de *Si Thami el-Glaoui* (1875/21-1-1956), pacha de Marrakech. *Sept.* création de *Présence française* (« ultra » animée par 2 médecins radicaux-soc. : Dr Eyraud et Causse). -*24-12* bombe au marché de Casablanca (17 †). **1954**-*2-2* 1er attentat contre-terroriste (contre Me Benjelloun). -*20-5 Francis Lacoste,* résident gén. -*30-6* Eyraud assassiné.

1955 Mohammed V, rappelé en 1955, reconnu en 1956 comme sultan, en 1957 comme roi. *Juin* + de 800 attentats. -*11-6* Jacques Lemaigre-Dubreuil (libéral) assassiné. -*21-6 Gilbert Grandval* résident gén. réclame l'abdication des 2 sultans et la formation d'un gouv. marocain représentatif avant 20-8-1955. -*14-7* bombe à Casablanca, nombreuses victimes, entraîne des « ratonnades ». -*21-7* émeutes à Marrakech. -*25-7* à Meknès. -*20-8* à *Oued Zem* (49 Fr. †), répression, plusieurs centaines de †. -*22-8* Grandval démissionne. -*22/28-8* Aix-les-Bains, les 5 membres du comité interministériel [Edgar Faure, Pierre July, Robert Schuman (min. Justice), Antoine Pinay (Aff. étr.), Gal Koenig (Défense)] consultent représentants des Français du M. et de toutes les tendances marocaines ; plan en 5 points : abdication de Ben Arafa, institution d'un Conseil gardien du trône, formation d'un Gouv. d'union nationale, nécessité d'obtenir la caution de l'ancien sultan et de le ramener en Fr. -*31-8 Gal Boyer de La Tour* résident gén. -*5/9-9* Gal Catroux voit M. V à Antsirabé. -*1-10* Arafa abdique. -*17-10* Conseil du trône composé de 3 membres (1 représentant de chaque sultan et 1 neutre) installé. -*25-10* le Glaoui demande restauration de M. V. -*31-10* M. V à Paris. -*5-11 accords de La Celle-St-Cloud* entre M. V revenu d'exil et Pinay (Pt du Conseil) ; la Fr. accepte l'indép. -*9-11 préfet Dubois* résident gén. -*16-11* Mohammed V rentre à Rabat.

1956 fin des protectorats (-*2-3* français, -*7-4* esp.). -*25-5* tr. d'alliance et d'amitié avec Fr. **1957**-*26-8* statut intern. de Tanger aboli (sera port franc 1962). *Août* Mohammed V prend le titre de roi du M. *Déc.* le M. prend Tilouine (Ifni). **1958** récupère province de Tarfaya (sous domination esp.). **Bilan français** (opérations du *1-6-53* au *31-12-58*). *Effectifs engagés :* 400 000. *Morts :* 1 031 dont armée de terre : 839 (dont 531 combat ou attentat, 76 accidents, 232 maladie, suicide ou noyade) ; de l'air 192 (dont 66 opérations et acc. aériens, 90 acc. divers, 36 maladie). *Blessés :* 5 600. *Disparus :* 109.

1961-*26-2* **Hassan II** (9-7-29), fils de M. V, roi, 35e descendant du Prophète en droite ligne, 17e souverain alaouite. Intronisé 3-3. **Enfants.** Pce héritier Sidi Mohammed (21-8-63), Lalla Meryem (26-8-62 ép. sept. 84 Fouad Ibn Abdellatif), Lalla Asma (29-9-65 ép. 7-6-87 Khalid Bouchentou), Lalla Hasna (19-11-67), Moulay Rachid (20-6-70). **1962**-*nov.* 1re Const. **1963** *mai* élect. lég. *Juil.* répression contre UNPF. **1964**-*14-3* accusé de complot *Medhi Ben Barka* (1920-65, secr. de l'Union nat. des forces pop., coordinateur des mouvements rév. du tiers monde) condamné à mort par contumace. *Oct.* conflit frontalier avec Alg. **1965**-*23-3* émeutes, plusieurs †. *-7-6* état d'urgence, roi prend en main législatif et exécutif. *-29-10* Ben Barka enlevé à Paris ; jamais retrouvé. **1966**-*20-1* mandat d'arrêt international lancé contre Gal Oufkir et Cel Dlimi. *19-10* Dlimi (1931-83) porté disparu se livre à la justice fr. (acquitté juin 1967) ; Oufkir accusé d'être l'instigateur de l'enlèvement de Ben Barka [condamné à perpétuité par contumace (ainsi que 4 truands, dont 3 réfugiés du Maroc seront liquidés)]. **1969**-*4-1* rattachement au M. du territoire d'*Ifni* (1 920 km², 50 000 h.), concédé 1860 à l'Esp. qui l'occupa complètement en 1934, constitution en province esp. en 1958. **1970** *juill.* 2e Const. **1971**-*10-7 coup d'État milit. à Skhirat* échoue (plus de 200 † dont 138 insurgés, l'amb. de Belg., des ministres, le Pt de la Cour suprême) 2 promotions de l'École milit. royale de sous-off. d'Ahermoumou, dirigées par Cel Ababou, Cdt de l'école, et Gal Medbouh, chef de la maison milit. du roi impliqués qui sont tués). *-13-7* : 10 off. dont 4 généraux fusillés. **1972**-*29-2* fin du procès des 1 081 offic. et cadets (affaire de Skhirat) : 74 condamnations dont 1 à mort [l'aspirant Raïs, seul à avoir avoué un meurtre sera gracié)]. *-1-3 référendum* pour nouvelle Constit. (oui 98,75 %). *-12-6* fin du conflit algéro-m. *-15-6* accord avec Alg. sur zones contestées de Tindouf Saoura, Tidikilt et Touat (Istiqlal contre l'accord). *-16-8* attentat aérien contre Hassan II : 6 chasseurs F-5 de l'armée maroc. venus à la rencontre du B 727 d'Hassan II rentrant de Fr., et tirent dessus ; le B 727 atteint, atterrit à Rabat ; le roi rentre seul à son palais de Skhirat ; les F-5 reviennent attaquer l'aéroport (8 †, 50 bl.) et le palais royal de Rabat ; suicide du Gal Oufkir, min. de la Défense et chef occulte du complot (11 des 220 inculpés exécutés 13-1-73). *-20-9* distribution de 90 000 ha d'anciennes terres de colonisation (24 ha par bénéficiaire). Reprise annoncée de 200 000 ha agr. détenus par des étr. (150 000 par des Fr.) pour les redistribuer. **1973**-*3-3* complot déjoué (15 exécutés 3-11 ; 7 le 27-8-74). *-6-3* eaux territoriales portées à 70 milles. **1974-75** revendications sur Sahara esp. et enclaves de Melilla et Ceuta (voir Index). **1975**-*3/6-5* Pt Giscard d'Estaing au M. Tension avec Esp. et Alg. *-8-6* les Esp. prennent 45 militaires m. au Sahara occ. *-1-8* : 114 millions de F d'indemnisation aux agriculteurs fr. dépossédés. *-6/9-11 « marche verte » vers Sahara occ.* : 350 000 volontaires franchissent la frontière et repartent. *-14-11* accord Esp., M. et Mauritanie sur Sahara occ. *-28-11* combats avec Polisario. *-11-12* entrée des troupes m. à El-Aïoun (S. occ.). *-18-12* O. Benjelloun, de l'USFP, tué. *Déc.* 30 000 M. expulsés d'Algérie. **1976**-*27/29-1* combats alg.-m. au Sahara occ. (à Amgala) ; repli alg. *-12-2* M. occupe Mahbès. *-14/15-2* combats à Amgala. *-26-2* Esp. remet ses pouvoirs au M. et à la Mauritanie au Sahara occ. *-7-3* M. et Mauritanie rompent relations diplom. avec Alg. *Avril* envoi de troupes au Zaïre. **1977** 1res législatives dep. 1963. *Févr.* 173 opposants condamnés dont 44 à perpétuité (dont 39 par contumace). **1978**-*11-3* accord avec URSS pour phosphates (3 milliards de $). **1979**-*16/17-1* affrontements au S.-E. 600 †. **1980**-*2-4* Hassan II visite Jean-Paul II. *-23-5* référendum sur majorité royale de 18 à 16 ans et modification du Conseil de régence (oui : 99,71 %). *-20-12* zone maritime portée à 200 milles. **1981** *janv.* rel. dipl. rompues avec Iran. *-1-4* Polisario attaque Zag ; pertes m. : 13 †, 10 disp. *-20-6* émeutes à Casablanca, grève contre augmentation des prix (66 †). *-26-6* sommet OUA à Nairobi, Hassan II accepte principe d'un référendum sur autodétermination du Sahara. *Juin* achèvement du mur Zag El-Aïoun pour protéger Sahara utile. *Sept.* l'USFP dénonce la prédisposition du pouvoir à la résignation, voire à l'abandon des provinces sahariennes. Abderrahim Bouabid, secr. gén. de l'USFP, condamné à 1 an de prison ferme (gracié févr. 1982). *-13-10* Polisario attaque Guelta-Zemmour. *-25-11* conf. de la Ligue arabe à Fès, suspendue le 27. **1982**-*8-1* Polisario attaque Ras el-Khanfra. *-10-1* attaque Kreybichet. *Févr.* Rép. ar. sahraouie admise à l'OUA. **1983**-*25-2* † du Gal Ahmed Dlimi ; accident de voiture. *-27/29-1* Pt Mitterrand au M. *-26-2* Hassan II rencontre Pt alg. Chadli. *-2/3/9-9* combats avec Polisario : région de Smara 37 †, *-19-12* gouv. d'Union nat. (6 min. d'État représentant les 6 principaux partis). **1984**-*19-1* émeutes dans le N. contre augmentation des prix (29 †). *-3-3* paysans exonérés d'impôts jusqu'à l'an 2000. *-13-8 tr. d'Union arabo-afr.* (M./Libye). *29-8* Pt Mitterrand au M. (visite privée), en part le 31. *-31-8* référendum pour accord M.-Libye (99,97 % pour) ; Pt Mitterrand revient après fermeture des bureaux de vote. Combats avec Polisario : *-16-10* (37 Mar. †, 176 Pol. †) ; *-28-11* (14 Mar. †, 144 Pol. †). *-20-12* Pol. abandonne Mahbès. **1985**-*12-1* combat avec Pol. (25 Mar. †, 66 Pol. †). *-15-1* fin du 4e mur de défense du Sahara. *-19-8* Jean-Paul II au M. *-23-10* cessez-le-feu unilatéral au Sahara occid. *-12-11* M. quitte OUA. *Déc.* Organisation de l'action démocratique et populaire (OADP), ancien mouvement du 23 mars, se rallie au système des partis. **1986**-*3-3* fête du Trône (25e anniversaire de l'intronisation du roi), visite du roi d'Espagne. *-27-6* Hassan II propose à Alg. et Tunisie une Assemblée maghrébine. *-23-7* reçoit Shimon Peres (PM israél.) à Ifrane. *-26-7* quitte la présidence du sommet de la Ligue arabe (qu'il occupait dep. sept. 1982). *-29-8* rompt tr. d'union du 12-8-84 avec Libye. *-31-8* 4 terroristes arrêtés. *-30-10 Al-Bayane*, quotidien du PPS suspendu. **1987**-*25-2* attaque Polisario entre Farsia et Mahbès. *-16-4* mur du Sahara atteint côte atl. *-25-5* échange de prisonniers : 102 Alg. 150 M. *-20-7* candidature à la CEE (refusée oct.). *-2-7/8* attaque Polisario (300 † ?). *-31-12* attaque Pol. (93 † m.). **1988**-*20-1* émeutes étudiants à Fès (1 à 6 †). *-30-1* attaque Pol. (180 † m.). *-27-2* glissement de terrain à Fès, 52 †. *-9-7* souscription : 3 milliards de dirhams [2 milliards de F versés par 12 millions de pers. pour la *mosquée Hassan II* à Casablanca (archit. français M. Pinseau), 150 000 m³ ; contient 20 000 pers., 60 000 sur l'esplanade ; minaret 172 m, le + haut du monde, avec laser vers La Mecque]. *-30-8* M. et Polisario acceptent principe d'un référendum sous l'égide Onu. **1989** *janv.* rencontre Hassan II/Polisario (1re dep. 13 ans). *-6-2* Pt algérien Chadli au M. (1re visite dep. 13 ans). *Mars* combats au Sahara occ. *-6-5* 238 détenus pol. amnistiés. *-6-8* ralliement de 6 dirigeants du Pol. dont Omar Hadrami. *-20-8* 347 détenus graciés. *-25-9* Hassan II en Esp. *Nov.* attaque Pol., 132 † dont 45 m. *13-11* Hassan II gracie Mohammed Idrissi Kaitouni, dir. de « l'Opinion », et *19-11*, Mohammed Ait Kaddour (USFP) arrêté en mars après 17 ans d'exil consécutifs à sa condamnation à mort par contumace après l'attentat d'août 1972. *-1-12 référendum*, 99,89 % de oui pour repousser à 1992 él. générales prévues 1990, afin de permettre à l'Onu d'organiser référendum d'autodétermination au Sahara occ. Création de l'*Union du Maghreb arabe* avec Algérie, Tunisie, Libye, Mauritanie. **1990**-*8-4* Conseil consultatif des droits de l'Homme. *-14/8-4/9* envoi de 1 100 h. en Arabie Saoudite. *-14/15-12* émeutes, env. 170 † (officiellement 5). **1991**-*11-1* env. 2 000 détenus graciés. *-1-2* SMIG et SMAG relevés de 15 % (les syndicats demandaient 300 %). *-3-2* 300 000 manif. pour l'Irak. *-1-3* libération ou réduction de peines pour 2 268 prisonniers dont famille Oufkir. *-20-6* opposant Abdelmoumen Diouri [(n. 1944) 1964 condamné à mort ; 1971 entre en France ; 1977 réfugié pol.] expulsé vers Gabon. *-16-7* Diouri rentre en F. *Juil.* M. dépose à l'Onu liste de 120 000 Sahraouis autorisés à voter lors du référendum. *-13-9* opposant Abraham Serfaty (n. 1926) expulsé vers France. *Fin sept.* bagne de Tazmamart (haut Atlas) évacué (28 rescapés) et rasé. *Oct.* univ. d'Oujda : 3 †. *-16-12* rel. dipl. rétablies avec Iran. *-30-12* les 3 frères Bouquerat (détenus dep. 1973) graciés. **1992** *janv.* CEE suspend aide de 600 millions de $ *-3-3* selon le rapport du secrétaire général de l'Onu sur le Sahara occid., il y aurait eu 77 violations du cessez-le-feu (dont 75 attribuables au Maroc et 2 au Polisario). *-20-4* Noubi Amaoui (secr. gén. CDT) condamné à 2 ans de prison. *-11-8* Ibrahim Hakim, dir. du Polisario, se rallie au M. *-4-9* référendum : participation : 97,29 %, oui 99,96 % (*mesures :* roi nomme et met fin aux fonctions des min. sur proposition du PM ; commissions d'enquête parl. ; questions au gouv. ; Conseil constit. indép. ; droits de l'H. inscrits dans préambule). *-16-10* municipales : RNI 4 700 élus sur 22 282. **1993**-*11-1* 507 détenus graciés. *Fév.* grèves. *-25-6* él. Référendum d'autodétermin. au Sahara occ. avant fin 1993. *-30-8* Casablanca, mosquée Hassan II inaugurée (la + grande après la Mecque ; coût 2,4 milliards de F ?).

■ Politique

Statut. Monarchie. *Constitution* du 1-3-1972, révisée 80. **Roi**, chef spirituel et temporel [*Moulay :* titre porté par les sultans de la dynastie chérifienne : *Al Chérif* (pluriel Chérifs ou Chorfa) : nom donné aux descendants de Mahomet par Ali et Fatima. Appellation « Sa Majesté impériale le Sultan », puis (18-8-1957) « Sa M. le Roi »]. **PM** Mohamed Karim Lamrani (n. 1-5-1919) dep. 11-8-1992 [avant Azeddine Laraki (n. 1929), dep. 30-9-1986]. *Aff. étr.* Abdellatif el Filali dep. 17-2-85. **Provinces** 41 divisées en cercles. **Wilayas** 5 : Grand Casablanca (6 préfectures), Rabat-Salé (3 préf.), Fès (3 préf. + 1 prov.), Meknès (2 préf. + 1 prov.), Marrakech (3 préf. + 2 prov.). **Régions économiques** 7 créées 16-6-1971. **Fêtes nat.** 3-3 (fête du Trône), 9-7 (anniv. du roi et f. de la Jeunesse), 14-8 (récupération en 1979 de l'oued Eddahab), 6-11 (Marche verte de 1975), 18-11 (indép.).

Résidents généraux. **1912** Maréchal Hubert Lyautey (1854-1934). **25** Théodore Steeg (1868-1950). **29** Lucien Saint (1867-1938). **33** Henri Ponsot (n. 1877). **36** Marcel Peyrouton. Gal Charles Noguès (1876-1971). **43** juin Gabriel Puaux (1883-1970). **45**-2-3 Erik Labonne (1888-1971). **47**-14-5 Gal Juin (1888-1967). **51**-28-8 Gal Augustin Guillaume (1895-1983). **54**-20-5 Francis Lacoste (27-11-1905). **55**-20-6 Gilbert Grandval (1904-81). -31-8 Gal Boyer de La Tour (1896-1976). **55**-9-11 Préfet André Dubois (8-3-1903), rés. puis ambass.

Partis (dates de fondation), secrétaire général. *Istiqlal* [1944 par Allal el-Fassi (1910-74)], M'Hamed Boucetta (n. 1925), Ahmed Blafrej (1908-90). *Union nat. des forces pop.* (*UNFP*) [1959 par Mehdi Ben Barka (1920-65)]. Juill. 1972 2 tendances : Abdallah Ibrahim, proche de l'UMT, et Commission admin. d'Abderrahim Bouabid, dite groupe de Rabat. *Mouvement pop. constitutionnel démocratique,* scission 1967 du Mouv. pop., Abdelkrim al-Khatib. *P. du progrès et du socialisme* (*PPS*), 1974 ancien PC, créé 1943, Ali Yata. *Union soc. des forces pop.* (*USFP*) [1975, fondée par Abderrahim Bouabid (1921-92), scission de l'UNFP)] Abderrahmane el-Yousfi. *Rassemblement nat. des ind.* (*RNI*) (1978) Ahmed Osman (beau-frère de Hassan II). *Mouv. pop.* (*MP*) (1958, berbère) Laansar Mohand. *P. nat. démocrate* (*PND*) (1981, scission du RNI) Arsalane al-Jadidi. *P. de l'action* (1974) Mounadil Abderrahmane Sanhaji. *P. libéral progressiste* (1974) Agnouch Ahmed Oulhaj. *P. démocratique de l'ind.* Thami el-Ouazzani. *Union constitutionnelle* (*UC*) (1983) Maâti Bouabid. *P. du Centre social* (*PCS*), ex-*P. de l'unité et de la solidarité nat.* (1982, centriste) Mohamed Smar. *Organisation pour l'action démocratique et pop.* (1983, gauchiste) Mohamed Bensaid.

Nota. – Après le référendum de juill. 1970, Istiqlal et UNFP constituent une alliance : *Al Koutlah al Watania* (Front national).

Chambre des représentants. 333 m. dont 222 élus au suffr. direct, 111 au suff. indirect (par conseillers communaux 69, chartes professionnelles 32, représentants de salariés 10). **Élections en 1993.** *Directes pour 222 s.* le 25-6-1993. Participation 62, 75 %, élus : USPF 48, Istiqlal 43, MP 33, RNI 28, UC 27. *Indirectes* prévues dans les 2 mois.

Enseignement (1991-92). *Primaire :* inscrits 2 483 691 (dont 989 391 filles), écoles 4 052 (dont 366 privées), enseignants 91 346 (f. 33 779). *Secondaire :* inscrits 1 160 403 (f. 456 716), établissements 1 268 (188 privés), classes 41 546 (1 528 privées), enseignants 71 765. *Supérieur :* inscrits 225 001 (dont 80 949 étudiantes), universités 13 (206 725 étudiants), instituts et éc. sup. 24 (8 878 étudiants), établ. pédag. (9 398 étudiants), enseignants 7 713 (1 418 f. et 190 étrangers). 12 405 étudiants à l'étranger.

Santé (1991). *Centres* de santé et dispensaires 1 620 (91) ; de planification familiale 429, cliniques privées 102. *Médecins* (public) 3 088, (privé) 3 032. *Chirurgiens* 367. *Dentistes* 701. *Pharmaciens* 1 802. *Infirmiers* 23 495 (dont 14 057 brevetés). *Sages-femmes* 154 (86). *Aides sanit.* 177 (86).

■ Économie

PNB (92). Env. 1 000 $ par h. **Croissance (%)** *1988 :* 8 ; *89 :* 6,5 ; *90 :* 3,4 ; *91 :* 5,3 ; *92 :* – 3,5. **Pop. active** (en % et, entre parenthèses, part du PNB en %) agr. 39 (13), ind. 20 (23), services 38 (57), mines 3 (7). **Chômage** *1991 :* 20,3 %. **Inflation** (%) *1987 :* 2,7 ; *88 :* 2,4 ; *89 :* 3,1 ; *90 :* 6,1 ; *91 :* 8,2 ; *92 :* 5,5. **Salaire min.** (93) 1 400 dirhams (640 F), 40 % des Marocains en dessous du seuil de pauvreté.

Agriculture. *Terres* (milliers d'ha, 89) t. arables 8 661 (88), sup. cultivée 6 138 (0,1 % des propriétaires possèdent 10 %), pâturages 25 589 (82), forêts 8 269, eaux 25 (82), divers 18 541 (82). *Production* (milliers de t, 91) céréales 8 530 (*1992 :* 2 900, sécheresse), blé 4 990, betteraves à sucre 3 000, orge 3 250, canne à sucre 1 000, oranges 1 468, légumineuses 4 485, olives 400 (89), maïs 402 (90), clémentines 362 (89), fèves 203, raisins 260, arachides 20, citrons 34 (89), riz 24, coton 21, sorgho 15, pomelos 10 (82). **Forêts.** 2 074 000 m³ (88). Thuya, chêne-liège, cèdre. **Élevage** (milliers de têtes, 91). Poulets 38 000 (89), moutons 16 268, chèvres 4 980, bovins 3 438, chameaux 33. 30 à 40 % des bêtes ont été tuées par la sécheresse. **Pêche** (91). *Côtière :* 775 331 t, *hauturière :* 147 838 t.

☞ **Drogue :** Cannabis dans le Rif (30 000 à 50 000 ha, *CA : 11 milliards de F*). Lutte gouv. dep. fin 1992 (saisies records).

Énergie (91). **Charbon** 550 800 t. **Pétrole** prod. 11 800 t. **Gaz** 36,5 millions de m³. **Électricité** (91) 8 085 millions de kWh dont centrales hydraul. 1 266, thermiques 7 397. Le M. ne couvre que 17 % de ses besoins en énergie. **Schistes bitumineux** [réserves 210 milliards de t : 10 à Timahdit (90 km de Meknès) pourraient être exploités en carrière (30 à 40 millions de t/a., donnant 3 millions de t de pétrole brut) et 200 dans région de Tarfaya (300 km d'Agadir)]. Mines (milliers de t, 91 et, entre parenthèses, exportations). *Phosphates* 75 % des réserves mondiales, 18 (9) [le M. a quadruplé les prix en 74], *manganèse* 59,3 (45 [3]), *plomb* 103,4 (31 [3]), *barytine* 400 (359), *pyrrhotine* 76 (en 87) (81 [1]), *fluorine* 74,6 (89,5 [1]), *sel* 144 (17,6 [1]), *fer* 98,7 (87 [3]), *cuivre* 39 (38 [2]), *anthracite* 530 (8,7 [2]). Industrie. Engrais, textiles, raffineries de pétrole, ciment, tapis, sucre, conserveries, jus de fruits, cuivre. La couronne posséderait 1 500 000 ha (sa fortune serait de 40 milliards de $). Le roi détiendrait 18,18 % de l'ONA (Omnium nord-africain, créé 1919), 1er groupe privé afr., 15 000 sal., chiffre d'affaires (1992) 12 milliards de F.

Nota. – (1) 1988. (2) 1989. (3) 1990.

Privatisations (1993-95) 112 entreprises, 40 000 sal. *Bénéfice attendu :* 13 Md de F, affectés à l'éducation, la santé et au logement social.

Transports (91). **Routiers :** routes revêtues principales 10 907 km, secondaires 9 367 km, tertiaires 39 178 km. Autoroute Rabat-Casablanca. **Ferroviaires :** 1 893 km dont 246 en double voie. **Aériens :** 19 aéroports, 3 394 476 passagers, fret 42 247 t. **Maritimes :** *flotte marchande* (85) : 60 navires, capacité 660 000 t. *Ports :* trafic (91) : marchandises 53,2 (millions de t), dont Casablanca 14,9, Safi 7,3, Mohammedia 6,4, Agadir 2,2 ; *voyageurs* (91) : Tanger 1 062 485, Casablanca 1 521 ; *de pêche :* Agadir, Safi, Essaouira (80 % des débarquements) ; *autres :* Jorf Lasfar (El Jadida) phosphates, Mohammedia (pétrole), Kénitra et Agadir (agrumes et poissons), Tanger (port franc), Nador (complexe sidérurgique).

Tourisme. *Visiteurs* (en milliers, 1991) *étrangers* 3 239 (dont *Fr. 291,* Esp. 193, All. 109, Anglais 58, Amér. 48) ; croisiéristes 49. *Lits* (1991) hôtels classés (533) : 92 934, non classés (1990) (867) : 21 698 lits, hébergement social : 5 à 6 000 (1987), camping : 31 000 (1987). *Recettes* (en Md de $) *91 :* 1 ; *92 :* 1,3. Téléphone (91) : 497 000 abonnés.

Commerce (milliards de dirhams, 91). **Exp.** 37,3 *dont* prod. aliment. 10,4, demi-prod. 9,4, prod. finis 6,7 (90), miniers 5,2 *vers (%) France 31,8,* Espagne 8,8, All. 4,9, USA 2,5. **Imp.** 59,7 *dont* demi-prod. 15,2, biens d'équip. 16,2, énergie et lubrifiants 8,3 *de (%) France 24,2 (90),* Espagne 8,3, Italie 7, All. 5,9. **Déficit** *commerce extérieur* (milliards de $) : *88 :* – 0,75, *89 :* – 1,68, *90 :* – 2,7, *91 :* – 2,7, *92 :* – 3,4. **Droits de douane** moyenne (%) *83 :* 400 ; *93 :* 40.

Budget. **Recettes** (milliards de dirhams, 91) 57,5 dont *ordinaires* 46 dont : fiscales 44,3 (impôts directs 13,5, indirects 17,3, droits de douane 12,9, enregistrements et timbres 2,6), domaines 0,12, monopoles et exploitations de l'État 2,6 [dont (84) dividendes de l'Office des phosphates 0,3], produits divers 1,7. *Recettes d'emprunts* recettes nominales 5,3. **Dépenses** 46,2 dont dép. en capital 17,3 (90), charges de la dette 15, personnel 24,6. *Coût de la guerre du Sahara :* 2 milliards de $ par an. **Déficit** (en % du PIB) *83 :* 12 ; *91 :* 3,1. **Balance des paiements courants** (milliards de $) *85 :* – 0,89, *86 :* – 0,21, *87 :* + 0,18, *88 :* + 46,7, *91 :* – 0, *92 :* – 0,55. **Aide française** (milliards de F, 1986-87) 1,3. **Aide CEE** (1992-96) 463 millions d'écus. **Investissements étrangers** (1992) 530 millions de $; **français** (milliards de F) *87 :* 0,16 ; *88 :* 0,22 ; *93 :* 0,58 entr. (20 % de la prod., 40 % des inv. étr.). **Rapatriement des salaires des émigrés** (1er poste en recettes de la bal. des paiements) *84 :* 7 milliards de dirhams (dont *4 de France*). *90 :* + 40, *92 :* env. 50. **Dette extérieure** (92) 22 milliards de $ (dont 9 envers la France en 87, 3,5 en 89). (92) Dette rééchelonnée. **Réserves en devises** (milliards de $) *1982 :* 0,05 ; *92 :* 3,5. **Capitaux étrangers** (milliards de $) *1986 :* 0,01 ; *91 :* 0,4.

Rang dans le monde (91) 3e phosphates. 12e argent. 16e ovins.

MARSHALL (îles)
Carte p. de garde. V. légende p. 884

Situation. Pacifique. 2 groupes d'atolls, dont **Bikini, Eniwetok :** 182 km², 45 563 h. (90) ; coprah. **Ile Marcus :** 10 km² ; guano. Capitale : *Majuro* 20 000 h. (90). Langues. Anglais et dialecte.

Histoire. **1899** possession esp. (avec Mariannes et Carolines), vendue à l'Allemagne 25 000 000 de pesetas ; **1914-18** conquise par Jap. ; **1919** mandat jap. ; **1946** expériences atomiques ; Bikini présente maintenant moins de radioactivité que le continent amér. (2 micro-röntgens contre 10 et 20) ; les 167 h. évacués en mars 1946 [dans l'île de Kili (S. des Marshall)] y sont retournés avec leurs descendants (en tout 550 h.)] ; **1947** tutelle USA ; **1980**-31-10 semi-indépendant ; **1982**-30-5 accord avec USA qui, pendant 15 ans, assureront la défense, utiliseront les bases mil., fourniront une aide de 2 milliards de $ [dont une partie pour indemniser les hab. des expériences nucléaires réalisées à *Bikini* et *Eniwetok* (Marshall) (1946-58)] ; **1983**-13-9 plébiscite pour pacte de libre association avec USA.

Statut. Rép. *Constit.* du 1-5-1979. *Pt* (élu pour 4 a.) : Amata Kabua dep. 1980. *Ass.* (Nitijela) : 33 m. élus pour 4 a. *Sénat* 12 m.

MAURICE (ILE)
V. légende p. 884.

Situation. I. volcanique de l'océan Indien à 210 km de la Réunion, 800 de Madagascar, 1 800 de l'Afrique, 4 000 de l'Inde, 5 800 de l'Australie. 1 865 km² (2 040 km² avec dépend.). *Long.* 65 km, *larg.* 48. *Alt. max.* Piton de la Rivière-Noire 827 m. *Côtes* 280 km. **Régions** Port-Louis (cap.) et districts de Plaines-Wilhems, Moka, Flacq, Pamplemousses, Rivière du Rempart, Grand-Port, Savanne, Rivière-Noire. Climat. Subtropical, varie suivant l'alt. ; *cyclones* possibles nov.-avril, surtout en janv. et fév. *Temp.* hiver (été en Europe) 13 à 19 °C, été 19 à 25 °C (max. 35 °C en févr.), mois les plus agréables : avril, mai, juin, sept., oct., nov. *Pluies* 5 080 mm (terres exposées aux vents dominants), 1 016 mm (régions basses), surtout janv.-mai. Faune. *Indigène* 9 espèces (dont des pigeons). *Mammifères :* singe introduit de Ceylan par Portugais 1528 ; cerf par Hollandais 1639 ; sanglier, chèvre sauvage de l'Inde ; lièvre, lapin de Java 1639 ; rat, mangouste 1900, « tandrac », chauve-souris. *Reptiles :* tortue venant des Seychelles, lézard (10 esp.), caméléon introduit 1865, couleuvres et serpents (inoffensifs). *Insectes :* 3 000 esp., araignées (60 esp.). *Crustacés :* 200 esp. *Mollusques :* 3 000 esp. (2 400 marines).

Population. *1846 :* 158 462. *1901 :* 371 023. *1944 :* 419 185. *1952 :* 501 415. *1962 :* 681 619. *1972 :* 826 199. *1984 :* 980 000. *1992 :* 1 078 072. *Prév. 2000 :* 1 298 000. **Age** – *de 15 a.* 29,7 %, *+ de 60 a.* 8,1 %. **Répartition** (%) origine indienne 68 dont Hindous 52, Mulâtres et Blancs 29, Musulmans 16, Chinois 3. D 528,4. Villes (est. 91) : *Port-Louis* 142 000 h., Beau-Bassin (à 9,4 km), Rose Hill (11,3 km) 93 000, Vacoas (20 km), Phoenix (17,1 km) 89 800, Curepipe (21,9 km) 73 500, Quatre-Bornes (14,7 km) 70 400. **Émigration** (88) : 2 492. Langues. *Créole :* langue de communication ; *français :* compris par la majorité de la population ; *anglais (off.)* : peu utilisé hors l'administration ; *indien :* bhojpouri, hindi, ourdou, tamil, etc. ; *chinois.* Religions (%). Hindous 52, catholiques 32, musulmans 16 (dont chiites 5 067). 10 % de mariages mixtes (45 % issus de familles musulmanes en 1987).

Histoire. Visitée sans doute par les Arabes au M. Age. **1511**-*28-12* découverte par le Port. Domingo Fernandez qui l'appelle Ilha do Cirne. **1598** les Holl. la baptisent Mauricius en l'honneur de Maurice de Nassau (elle est alors déserte). **1638** fondent un établissement (les colons hollandais et leurs esclaves ne dépassèrent jamais 300 personnes). **1710** l'abandonnent au profit du Cap. Ont introduit canne à sucre et cerf. **1715**-*20-9* capitaine Guillaume Dufresne prend possession de l'île, baptisée « Isle de France ». **1721** 1ers colons. **1722 à 1767** administrée par la Cie française des Indes. Parmi les gouverneurs : François Mahé de La Bourdonnais (1735-1746) qui réintroduit canne à sucre. **1767** cédée au Gouvernement royal. Arrivée des cadets de famille. *Quelques noms :* l'intendant Poivre (épices), l'abbé de La Caille, astronome, séjour de Bernardin de Saint-Pierre (1767-70), visites de La Pérouse. **Révolution** autonomie. **Consulat et Empire** harcèlement contre Anglais. **1810**-*août* bataille du Grand-Port, seule victoire fr. navale des g. napoléon. *-3-12* Angl. prennent île et s'engagent à respecter langue, lois, coutumes et traditions. **1814**-*15-10* Fr. la cède à G.-B. (tr. de Paris), reprend le nom de Maurice. **1827** anglais, langue off. **1835** esclavage aboli « contre indemnité ». Les émancipés se refusent à travailler en dessous de certains salaires, on a des « coolies » indiens (hindous, musulmans, tamouls). **1958** suffrage univ. **1965** autonomie. **1968**-*12-3* indépendance. La reine est représentée par un gouv. gén. *1968* Sir John Rennie, *1969* Sir Leonard Williams, *1974* Sir Raman Osman, *1978* Sir Dayandranath Burrenchobay, *1983* (28-12) Sir Seewoosagur Ramgoolam (PM 1968-82 ; † 15-12-83), *1986* (17-1) Sir Veerasamy Ringadoo (n. 9-9-20). **1990**-*12-2* visite Pt Mitterrand. **1992**-*1-3* devient une Rép. Ringadoo Pt.

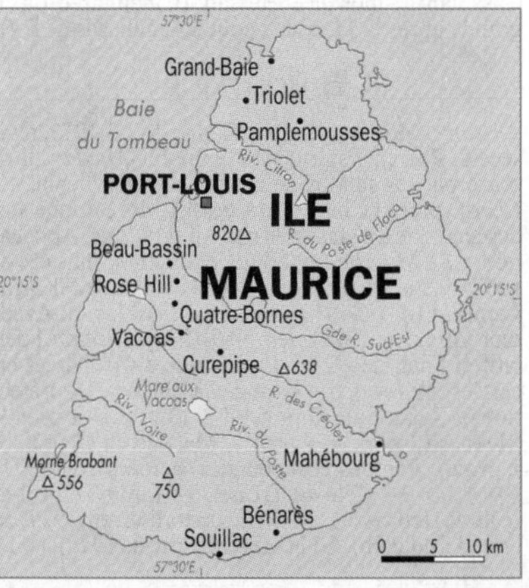

Statut. République. Membre du Commonwealth, associé à la CEE (code Napoléon conservé). *Pt* Cassam Uteem (22-3-41) dep. 30-6-1992. **Ass. législative** (70 m.). **PM** Aneerood Jugnauth (29-3-30) dep. 15-6-82. Elections **du 15-9-91** Alliance gouv. (MMM/MSM) 57 s., OPR 2 s., Alliance de l'opp. 3 s. Fête nat. 12-3 (indép.). Drapeau. (1968). Rouge (lutte pour l'indép.), bleu (oc. Indien), jaune (futur), vert (végétation).

Partis. *P. travailliste* (PT), f. 1936 par Dr Curé, Emmanuel Anquetil, Pandit Sahadeo, leader Dr Navin Ramgoolam. *P. social-démocrate (*PMSD), f. 1955 par Jules Koenig, leader Xavier Duval [avant, Sir Gaëtan Duval (n. 1932, arrêté 23-6-84)]. *Mouv. militant.* (MMM), f. 1969 par Paul Bérenger. *Organisation du peuple rodriguais* (OPR), leader Serge Clair. *Mouv. soc. militant* (MSM), f. 1983 par Aneerod Jugnauth, scission du MMM.

Dépendances. Rodrigues à 563 km à l'E., circonscription 104 km². 37 782 h. (90). **Religion** cath. à 98 %. **Histoire** *1725* colons français lui donnent le nom d'un navigateur portugais, Diego Rodriguez. *1809* devient brit. pour 150 ans. **1989** *oct.* visite Jean-Paul II. **1991** cyclone Bella. **Économie** maïs, manioc, haricots. **Transports** 1 vol par j. (1950 : cargo tous les 2 mois). Agalega-et-St-Brandon. à 935 km au N. 71 km². 500 h. (90) dont à St-Brandon 50 pêcheurs relevés tous les 6 mois.

☞ Iles revendiquées. Iles détachées de M. en 1965 par la G.-B. **Peros Banhos, Salomon, Diego Garcia** [aux USA (base mil.) ; de 1969 à 73, 1 200 h. rapatriés à M. et indemnisés (accord 1982) ; loué 1973 par G.-B. pour 50 ans]. **Trois-Frères, archipel des Chagos** [*le territoire britannique de l'océan Indien* (450 km², 2 000 h.), colonie créée 1965, comprenant l'archipel des Chagos, Aldabra (célèbre par ses tortues géantes), Farquhar et Desroches, a fait retour aux Seychelles en juin 1976]. **Tromelin** à 556 km au N.-O., appartient à la France.

ÉCONOMIE

PNB (92). 2 700 $ par h. **Ressources** noix de coco, melons, phosphates. **Croissance** (%) *1990 :* 7,1 ; *91 :* 4,7 ; *92 :* 6,4. **Pop. active** (%, entre parenthèses part du PNB en %) agr. 16,6 (10,4), ind. 38,4 (23), services 45 (66,6). *Main-d'œuvre importée :* 3 000 à 5 000. *Chômage* (%) *1985 :* 17,3 ; *91 :* 3 ; *92 :* 2,6. Budget (millions de roupies, 92-93). *Recettes :* 15 321, *dépenses :* 14 375.

Inflation (%). *1990 :* 13,6 ; *91 :* 7 ; *92 :* 5 (10 à 15 en fait). **Dette extérieure** (millions de $) *1990 :* 385 ; *91 :* 871.

Agriculture. *Terres* (milliers d'ha, 88) t. arables et cult. 106, pâturages 7,4, forêts 57, eaux 1,2, divers 14,9. *Production* (milliers de t, 90) canne à sucre 5 621 (91), sucre 624,3 [578 exportées ; 12,6 % du PIB (98 % en 1979), en 91 : 605], thé 31 (91), p. de terre 17,6, oignons 2,6, maïs 2,3, arachides 2, safran, fleurs, vanille, tabac 0,9 (91), bananes 6,1. Forêts. 27 000 m³ (90). Élevage (milliers, 90). Poulets 3 900, bovins 33, moutons 7, chèvres 95, canards 25 (85). Pêche. 15 872 t. Industrie. Sucre, mélasse, rhum, alcool, bière, allumettes. Tourisme. *Visiteurs (en milliers) 1991 :* 298,5 (dont en % Réunion 25,9, *France 18,3,* Afr. du S. 15) (15 % du PIB ; *91 :* 305). *Recettes* (milliards de roupies) *1991 :* 3,9. *Zone franche* (créée 1970, 558 entreprises, 86 950 employés, 2,5 à 3 milliards de roupies de recettes, 65 % des export. (80 % textile) ; 12,1 % du PNB).

Commerce (milliards de roupies, 91). **Exp.** 19,3 dont (90) vêtements et textiles 9,5, sucre et mélasse 6,2, horlogerie 0,6 *vers* (%) G.-B. 35,7, *France 19,9,* USA 11,8. **Imp.** 24,7 *de* (%) *France 13,3,* Afr. du S. 11,5, Japon 7,2, G.-B. 6,8, All. 5,5. **Balance commerciale** et entre parenthèses **des paiements.** *1985 :* – 1 (0,3), *86 :* 0,2 (1,7), *87 :* – 1,4 (2,1), *88 :* – 3,6 (2,4), *90 :* – 6 (+ 2), *91 :* – 5,4, *92* (est.) *:* – 5,3.

Rang dans le monde (82). 11e thé.

MAURITANIE

V. légende p. 884.

Situation. Afrique. 1 030 700 km². *Côtes* 600 km. *Frontières* 4 600 km (Mali 2 300, Maroc 1 050, Sénégal 800, Algérie 450). *Alt. max.* Kediet ej-Jill 917 m. *4 zones : vallée du Sénégal* (bonnes terres cult., notamment en mil) ; *région occidentale* (sablonneuse) ; *centrale* montagneuse (oueds avec palmeraies) ; *orientale* (formations dunaires). 90 % de désert. **Climat.** Chaud et sec, plus tempéré dans zone sahélienne et sur côte (vents alizés) ; 6 ou 7 mois de grosses chaleurs dans vallée du Sénégal. *Pluies :* juill. à sept., 600 mm au S. ; 63 mm à Fdérik-Zouerate.

Population. *1991 (est.) :* 1 995 000, *prév. 2000 :* 2 999 000. *En % :* Maures 70 [Noirs (Haratines) 40, Blancs (Beydanes) 30], Négro-africains 30 (dont Toucouleurs 55, Peuls 16, Ouolofs et Sarakolés 29). 30 % éleveurs nomades, 70 % cultivateurs sédentaires. Environ 8 000 Eur., dont 4 000 Français. **Age** - *de 15 a. :* 46,4 %. *+ de 60 a. :* 4,6 %. **Mortalité** *infantile :* 132 ‰. D 2. **Villes** (87) : *Nouakchott* (cap. créée 5-3-1958) 450 000 à 500 000 h., Nouâdhibou (ex-Port-Étienne) 57 000 (à 410 km), Rosso 30 000 (à 200 km), Kaédi 29 700 (à 300 km), Fdérik-Zouerate (ex-Fort-Gouraud) 26 089 (à 700 km), Atâr 20 000 (à 460 km). **Langues.** Arabe *(off.), langues nat. :* pular, soninké, hasania. **Religion.** Islam (off.) malékites (99,5 %).

Histoire. Néolithique déjà peuplée. Habitée par des Noirs bafours. **VIIIe s.** islamisée ; peu à peu envahie par des pasteurs, Berbères, Zénètes et Sanhadjas et dominée par les Arabes Ma'qil. Occupation d'Arguin. **1443** Portugais. **1638** Holl. **1665** G.-B. **1668** Holl. **1678** France. **1690** Holl. **1724** France. **1902** Xavier Coppolani (assass. 1905) conquiert pacifiquement intérieur du pays Chinguitt et lui donne le nom de Mauritanie. **1903** protectorat. **1907-09** Gouraud brise résistance de l'Adrâr. **1911** Tichitt prise. **1912**-*16-1* émir Ahmed Ould Aïdah pris. **1913** raid sur Smara. **1920** colonie (rattachée ensuite à l'A-OF). **1933-34** voyage d'Odette du Pingaudeau (1894-1991). **1934** fin de la résistance des Regueibat et Ouled bou Sba. **1936** occupation fr. totale. **1946** Tom. **1956** autonomie interne. **1957-62** révoltes, opér. fr.-esp. conjointes. **1958**-*28-11* Rép. autonome après référendum. **1960**-*28-11* indépendance. Pt Moktar Ould Daddah (n. 25-12-24). **1961**-*27-10* entrée Onu. **1969** *sept.* Maroc reconnaît M. (et ses frontières en juin 1970). **1969-74** agitation étudiante. **1973** *janv.* négociations pour quitter zone franç. *Oct.* membre Ligue arabe. **1974**-*28-11* nationalise Miferma (mines de fer). **1975**-*14-11* accord avec Esp. et Maroc sur Sahara occ. *-3/5-12* Pt Ould Daddah en Fr. *-10/19-12* combats avec Polisario. **1976**-*26-2* prend Sahara occ. qui lui revient, région de Dakhla qui devient la XIIIe région m. sous le nom de Tiris el-Gharbia. *-7-3* rompt rel. diplom. avec Alg. *-1-5* raid Polisario à Zouerate. **1977**-*23-12* libération de 8 Fr. enlevés par Polisario à Zouerate (6 le *1-5-76* et 2 le *25-10-77*). **1978**-*25-3* sabotage voie ferrée Zouerate-Nouâdhibou. *-27-5* lieut.-col. Ahmed Ould Bonceif PM tué (accident avion). *-10-7* Pt Ould Daddah renversé par coup d'État (Lt-col. Ould Saleck). *-1-10* cessez-le-feu Polisario-M. **1979**-*6-4* col. Ahmed Ould Bousseif PM après coup de force. *-31-5* tué accid. d'avion. Lt-col. Ould Louly chef de l'État *-5-8* accord d'Alger avec Polisario. M. renonce au Tiris que le Maroc a occupé dep. 1-10-78. *-4-10* O. Daddah libéré. **1980**-*4-1* Louly destitué, remplacé par Lt-col. Khouna Ould Haidalla (n. 1940). *-3-6 charia* (loi islamique) adoptée. *-5-7* abolition esclavage des Haratine (env. 400 000 Noirs dont 150 000 encore esclaves). **1981**-*16-3* coup d'État mil. (pour lutter contre influence Polisario et Libye) ; échec : 4 exécutés, rupture rel. dipl. avec Maroc *26-3*. *Avril* refus union avec Libye. **1982** « structures d'Éducation de masse », nouveau parti unique. *-9-2* coup d'État échoue. *Mai* Pt Mitterrand en M. **1984**-*27-2* reconnaît Rép. arabe sahraouie. *-12-12* Pt Ould Haidalla remplacé. **1987**-*22-10* complot mil. toucouleur déjoué. **1988**-*7-9* Tène Youssouf Guène (écrivain, n. 1928) meurt en prison. *-14-9* 13 opp. condamnés. *Oct.* procès de Ireida (complot baassiste). **1989** *avril* affrontements avec Sénégalais. *Juil* dep. avril, 100 000 à 140 000 M. d'origine sén. expulsés vers Sén. ; M. vivant au Sén. rapatriés : 120 000 à 200 000. **1990**-*26/27-9* attaque des Flam (60 †). *-2-12* coup d'État manqué. **1991**-*6/13* législatives, victoire PRDS. *-12-7* référendum : nouvelle const. (97,9 % de oui). *-25-7* lois autorisant la création de partis pol. sauf islamiques et instaurant la liberté de la presse. *-21-8* selon Amnesty International, 339 tués en détention dont 140 arrêtés entre nov. 90 et mars 91 (surtout des Peuls). *-24-8* 1er parti autorisé. **1992**-*15-3* législatives, vict. PRDS. *-28-3* manif. étudiantes. *-4-4* sénatoriales, vict. du PRDS.

Statut. Rég. islamique. *Constitution* du 12-7-1991, *Pt :* Col Maaouya Ould Sid'Ahmed Taya (n. 1941, PM dep. 12-12-84). Élu 24-1-92 [62,65 % des v. devant Ahmed Ould Daddah (32,75 %) qui parle de fraude]. *PM :* Sidi Mohamed Ould Boubacar dep. 18-4-92. *Ass. nat.* (élue p. 5 ans) et *Sénat* (élu p. 6 ans). 9 *régions écon.* **Partis** *P. du peuple m.* (*PPM* ou Hizb Chaab), f. 1965, dissous dep. 78, unique jusqu'en 91, devenu *P. rép. démocratique et social (PRDS, Pt :* Sid Ahmed Ould Baba). *Rassemblement pour la démocratie et l'unité nat. (RDUN, Pt :* Ahmed Ould Sidi Baba). *P. mauritanien du renouveau (PMR, Pt :* Moulay el-Hassan Ould Jeyid). *Union pop. socialiste et dém.* (*UPSD,* Pt : Mohamed Mahmoud Ould Mah). *Union des forces dém.* (*UFD,* Pt : Hadrami Ould Khattry). *Syndicat unique* (gouv.). **Opposition :** *Forces de lib. afr. de M. (Flam),* mouv. clandestin de lutte des Négro-M. **Fête nat.** 28-11.

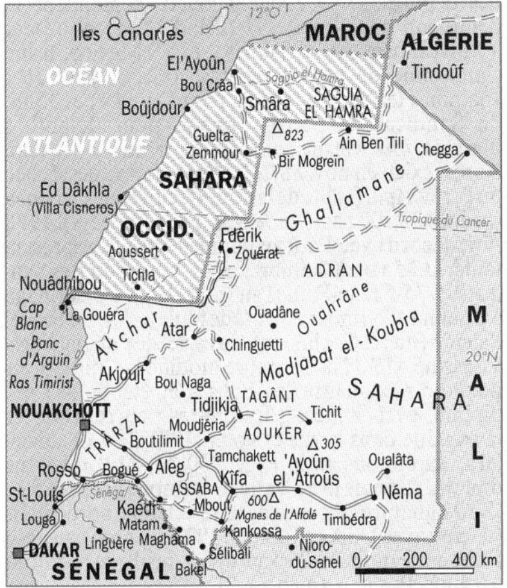

ÉCONOMIE

PNB (91). 488 $ par h. **Pop. active** (%, entre parenthèses part du PNB en %) agr. 67 (38), ind. 5 (12), services 23 (43), mines 5 (7). **Inflation** *1988 :* 1 ; *89 :* 13 ; *90 :* 9. **Dette ext.** (milliards de $). *88 :* 2,11, *89 :* 1,98. **Aide de la France** (en millions de F) *1983 :* 130 ; *84 :* 300.

Agriculture. *Terres* (milliers d'ha, 81) t. arables 205, t. cult. en permanence 3, pâturages 39 250, forêts 15 134, eaux 30, divers 48 448. *Production* (milliers de t, 90) dattes 13, riz 52, millet et sorgho 49, légumineuses 20, patates douces 3, maïs 3, arachides 2. **Forêts.** 615 000 m³ (79). **Élevage** (milliers de têtes, 90). Bovins 1 263, chèvres 3 320, moutons 4 200, volailles 4 000, chameaux 820, ânes 151, chevaux 18. En raison de la sécheresse, 60 à 80 % des troupeaux nomadisent au Sénégal, Mali. **Pêche.** 600 000 t (90), principalement exp. Dep. 1980, zone de 200 milles (potentiel 520 000 t/an). Au moins 1 million de t/an pêché illégalement.

Mines. *Fer* (Fdérik, capacité 200 millions de t d'hématite à 63-68 %) 7 500 000 t (90), métal cont. transporté par le chemin de fer Zouerate-Nouâdhibou (650 km ; train 2 km de long., 200 wagons, 2 000 t, le + long du monde ; port minéralier de Cansado). *Cuivre* (Ajoujt réouverture 1991). *Gypse* (N'Ghamcha), 10 000 t (89). *Sel gemme. Phosphates* (dep. 82, gisement à ciel ouvert ; réserves 100 millions de t). **Transports** (km). *Routes* 8 900 (dont 1 520 bitumées) ; *chemins de fer* 691 ; *port* en eau profonde (de l'Amitié) 500 000 t par an.

Commerce (milliards d'ouguiyas, 90). **Exp.** 31,6 *dont* poissons 26,3, fer 11,3 *vers France,* Espagne, Italie, Japon. **Imp.** 18,4 (89). **Rang dans le monde** (91). 12e fer.

MEXIQUE

Carte p. 1082. V. légende p. 884.

Situation. Am. N. 1 958 201 km². *Alt. max.* Citlaltépetl ou pic d'Orizaba 5 569 m. *Long.* 3 080 km. *Larg. max.* 2 070 km, *min.* 215 km. *Frontières* avec USA 3 114,7 km, Guatemala 962, Belize 259,2. *Côtes* avec Atlantique 2 756 km, Basse-Californie 3 280,5, Pacifique 3 866,5. **Climat.** N. (50 % du territoire) : semi-aride, hivers froids, étés chauds, faibles pluies (500 mm). Façade maritime : tropical humide, pluies abondantes, températures élevées. Centre : haut plateau, pluies abond. (mai à oct.), sécheresse le reste de l'année, temp. modérées.

Population (millions). *V. 1500 :* 10 à 25 ; *v. 1540 :* 1,5 à 2,5 ; *1804 :* 5,84 (dont Esp. 1,13, autres Européens 0,07, Indiens 2,23, Métis 2,4, Noirs 0,007) ; *1850 :* 7 ; *1873 :* 8,28 ; *1890 :* 11,4 ; *1900 :* 13,55 ; *1910 :* 15,12 ; *1921 :* 14,33 ; *1930 :* 16,4 ; *1940 :* 19,65 ; *1950 :* 25,56 ; *1960 :* 34,92 ; *1970 :* 48,38 ; *1982 :* 73,01 ; *1990 (rec.) :* 84,2 ; *2000 (prév.) :* 113 dont (%) : Métis d'Esp. ou de Noirs 80, Indiens 10, Blancs (ascendance esp.) 10. **Indiens** (millions) *1970* (est.) 3,1 (dont Nahuas 0,8, Mayas du Yucatán 0,45, Zapotèques 0,28, Mixtèques 0,23, Otomis 0,22, Totonaques 0,12) ; *1983* (est.) 5. D 41,4. **Taux** (‰ en 88) *accroissement* 24 *mortalité* 6 (infantile 50), *natalité* 30. **Enfants** *par famille* 4 (87). **Naissances** *illégitimes* 40 %. **Age** (88) - *0 à 11 a. :* 29,9 %, *12 à 64 a. :* 66,5 %, + *de 64 a. :* 3,6 %. **Pop. urbaine** (90) 72 %. **Analphabètes** (88) 3 % des + de 15 a. **Espérance de vie** *1940 :* 41,5 ans ; *50 :* 49,7 ; *60 :* 58,9 ; *70 :* 62,5 ; *89 :* 68. **Mexicains aux USA** (appelés *Chicanos* de Mexicanos) (millions) *1960 :* 1,74 ; *82 :* 2,5 ; *90 :* 15. 500 000 à 800 000 clandestins (Braceros ou Wetbacks : ils franchissent le Rio Grande à la nage) y émigrent par an.

Villes. Mexico *1928 :* 1 000 000 h. ; *1990 :* 8 236 960 (agg. 15 à 18 000 000). (1 000 pers. de + par j). POLLUTION : ville la plus polluée du monde. *Causes :* alt. 2 300 m (l'air contient 30 % d'oxygène en moins qu'au niveau de la mer) ; cernée de volcans : peu de vent ; inversion thermique (couvercle d'air chaud recouvrant la vallée, masses d'air inférieures, plus froides, ne parvenant plus à s'échapper) ; rejets par j à l'air libre : 5 millions de t de polluants dont 11 000 t de poussières toxiques, 750 t de matières fécales. *Origine :* automobiles 75 % (3 millions de véhicules), industrie 20 %, mauv. cond. d'hygiène 5 %. *Retombées :* visibilité max. 400 à 500 m, 70 % des enfants nés à M. contaminés par le plomb ; infections respiratoires (l'air respiré serait aussi toxique que de fumer 2 paquets de cigarettes par j), irritation des yeux ; 100 000 † par an, prématurés ; cause : pollution. *Mesures (exemples)* mars 1992, à 2 reprises : fermeture des écoles, interdiction de circuler pour 1 000 000 de véhicules sur les 2 500 000 immatriculés et réduction de 75 % des activités des 200 industries considérées comme les plus polluantes (80 % du parc industriel du pays, soit plus de 30 000 usines, est installé dans la capitale). **Autres villes** (90). Guadalajara 1 628 617 (agg. 2 846 720) (à 708 km), Nezahualcoyotl 1 259 543, Monterrey 1 064 197 (agg. 2 521 697) (à 951 km), Puebla 1 054 921, León 872 453, Torreón 804 000, Ciudad Juárez 797 679, Tijuana 742 686, Aguascalientes 719 650, Mexicali 602 390, Mérida 557 340, San Luis Potosí 525 819, Tampico 271 636, Chihuahua 530 487, Veracruz 490 000, Morelia 489 756, Acapulco 592 187, Culiacán 602 114.

Langues. Espagnol 88,32 % *(off.) ;* indien nahuatl et maya 7 %. **Religions.** Cathol. 90 %, protest. 5 à 7 %. Selon la Constitution de 1917 (pas appliquée strictement), chacun des États de la Fédération (et non les évêques) déterminait le nombre de ministres du culte. Ceux-ci devaient être mex. de naissance. Ils ne pouvaient voter ni être candidats à des élections, ni hériter, sauf de proches parents, ni porter la soutane. Aucune congrégation religieuse ne pouvait fonder ou diriger des écoles primaires. Les ordres monastiques étaient interdits ; les exercices du culte ne pouvaient avoir lieu qu'à l'intérieur des églises (propriété de l'État). En 1991, seule interdiction maintenue : un min. du culte ne peut occuper une fonction politique, mais il peut voter.

HISTOIRE

Civilisations. Olmèques (golfe de Veracruz, 300 av. J.-C.-300 apr. J.-C.) : techn. avancées (boussoles d'hématite magnétique flottant dans cuve de mercure) ; **Toltèques** (à Tula, Teotihuacán, 300 apr. J.-C.-600 apr. J.-C.) ; **Zapotèques** (à Monte Albán, Mitla, 400-700) ; **Mayas** *classiques* (à Palenque, au Guatemala, au Honduras, 400-850) ; *récents* (au Yucatán, 950-1300) ; **Chichimèques** (à Texcoco, 1300-1500) ; **Aztèques** (à Mexico, 1400-1500). Aucune métallurgie avant 900 apr. J.-C. (outillage en pierre fine). Élevage : chiens comestibles, dindons. Cultures vivrières sur brûlis (d'où érosion du sol, à l'origine de la dispersion des Mayas) : maïs, haricots noirs. Connaissances astronomiques développées. **1325** Tenochtitlán fondée 1400. **1519**-*10-7* Hernán Cortés (1485-1547) débarque et fonde Veracruz. *-8-11* 1re rencontre Cortés-Moctezuma. *-9-11* entrée Esp. à Tenochtitlán ; l'empereur aztèque Moctezuma (1466-1520, assassiné) les accueille, les prenant pour des messagers des dieux ; Cortés bat Narvaez ; son rival, Alvarado, massacre nobles et prêtres ; révolte. **1520**-*30-6* déf. des Esp. à Mexico (la Nuit triste). **1521**-*13-8* fin de la résistance mex. avec Cuauhtémoc Tlatoani (n. 1497-pendu 1529, dernier aztèque). **1522**-*15-10* Cortés capitaine général de la Nlle-Espagne. **1523**-*30-8* débarquement des missionnaires (franciscains) et début de l'évangélisation. **1527**-*13-12* création de l'*Audiencia* (tribunal et conseil administratif) de Mexico. **1535**-*17-4* vice-royauté esp. 1er titulaire : Antonio de Mendoza (v. 1490-1552). **1539**

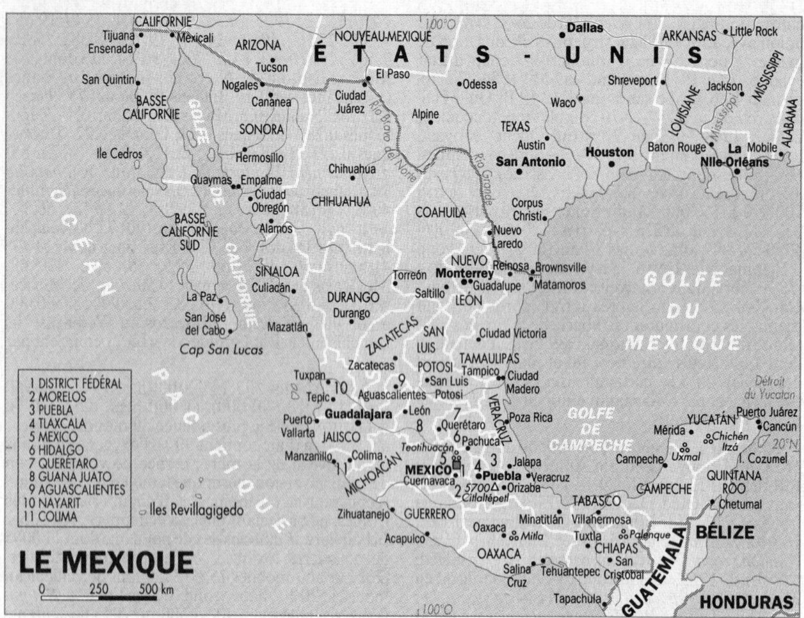

Art du Mexique précolombien

Préclassique. Sédentarisation v. 2500 av. J.-C. avec découverte et culture du maïs. 1ers temples en dur, le plus souvent ronds. Terre cuite : figurines anthropomorphes (dieux de la vie quotidienne). Apparition de la *civilisation olmèque* (État de Tabasco) : figurines de jade, têtes colossales en basalte (thème de l'homme-jaguar, visages à grosses joues et bouche lippue).

Classique. Architecture religieuse colossale (pyramides). *La plus vieille :* île de la Venta (S.-E. du Mex.), olmèque, 800 av. J.-C., hauteur 30 m, base 130 m. Débuts de l'architecture civile. Masques mortuaires en pierre (Teotihuacán). *Civilisation zapotèque :* urnes funéraires en céramique surchargées (représentations humaines) ; *maya :* stuc, bijoux et masques en jade (pectoral), terres cuites peintes de l'île de Jaina (Campeche).

Postclassique ancien. *Civilisation toltèque* à Tula. Fresques liées à la guerre, représentation de dieux guerriers. Céramique (peu recherchée). Palais à atlantes et colonnes.

Récent. *Empire aztèque :* sculpture sur pierre (représentations divines, objets liés au sacrifice humain). *Civilisation maya* au S. ; *mixtèque :* vallée d'Oaxaca : céramique, peinture (manuscrits), travail de l'or.

Religion précolombienne

Aztèques. Xipe Totec : dieu de l'Ouest ; renouveau et végétation ; couleur : rouge. **Huitzilopochtli :** dieu du Sud ; guerre, chasse, soleil, maître du monde ; on lui offre régulièrement des victimes humaines ; bleu. **Quetzalcóatl :** dieu de l'Est ; vie et jumeaux, planète Vénus, vent, artisanat, inventeur du calendrier ; blanc. **Tezcatlipoca :** dieu du Nord ; ciel, providence, inventeur du feu ; noir. **Tlaloc :** dieu de la Pluie, de la Foudre. **Coatlicue :** déesse de la Terre et mère de Huitzilopochtli. **Xochiquetzal :** fleurs. **Xochipilli :** beauté.

Mayas. Hunab : créateur du monde. **Itzamma :** fils de Hunab ; dieu du Ciel ; donne écriture, codex, calendrier. **Kinch Ahau :** dieu solaire, souvent associé à Itzamma. **Chaak :** dieu de la Pluie ; serpentiforme, long nez (nom déformé de l'aztèque *Tlaloc*). **Yumtaax :** dieu du Maïs, jeune homme portant des épis dans sa chevelure. **Kukulcan :** dieu du Vent (de l'aztèque *Quetzalcóatl*). **Ah Puch :** dieu de la Mort, crâne décharné et sonnettes. **Ek Chuah :** dieu de la Guerre, associé avec Ah Puch. Tous les phénomènes naturels avaient leurs dieux.

imprimerie introduite. **1579** début de la construction de la cathédrale de Mexico. **1810**-*16-9* « cri de l'indépendance », soulèvement fomenté, à Dolores, par le curé Miguel Hidalgo (1753-1811, fusillé). *-6-12* Hidalgo abolit l'esclavage. **1812-15** son successeur est le curé José Maria Morelos (1765/21-12-1815, fusillé). **1813**-*6-11* indépendance proclamée. **1814**-*22-10* Constitution. **1817**-*5-4* débarquement des libéraux esp., commandés par Francisco Javier Mina [(1789-1817) chef de guérilleros esp. (navarrais) contre Français (1808-13), rejoint insurgés mex., tué par Esp. 11-11-1817]. **1821** *févr.* accord d'Iguala entre Iturbide, Gal « loyaliste », et Guerrero, chef des insurgés. *-27-9* Iturbide rentre à Mexico. Adoption du drapeau des 3 garanties du plan d'Iguala : religion, indépendance, union sans distinction de races. **1822**-*19-5* le Congrès (réuni par lui) le proclame empereur constitutionnel. *-21-7* couronné. Faveurs accordées à l'Église et mauvaise gestion provoquent opposition du Congrès qu'il renvoie. Soulèvement républicain de Santa Anna. **1823**-*19-3* Iturbide abdique et quitte M. *-16-12* République. **1824**-*19-7* Iturbide, rentré pour reprendre pouvoir, est fusillé. *-4-10* constitution de la Rép. (18 États fédérés). **1825**-*15-11* capitulation de la dernière garnison esp. à St-Jean-d'Ulloa. **1829** *juill.-sept.* nouvelle offensive esp. (Gal Isidro Barradas) : échec. **1835**-*7-11* sécession du Texas, noyauté par colons amér. **1837** refus d'indemniser planteurs et industriels français spoliés (notamment un pâtissier de Veracruz). **1838**-*27-11* bombardement fr. de St-Jean-d'Ulloa ou g. des « gâteaux ». **1839**-*9-3* tr. de paix franco-mex. **1845**-*16-7* *g. avec USA* après leur annexion du Texas (1-3-45). **1847**-*13-9* défense héroïque de Chapultepec par cadets. *-14-9* prise de Mexico. **1848**-*2-2 tr. de Guadalupe :* M. cède aux USA, Nouveau-M. et N. de la Californie contre 15 millions de $. **1854**-*1-3* révol. libérale (anticléricale). **1856**-*25-6* aliénation des biens de l'Égl. **1857**-*5-2* devient conféd. d'États. **1859** législation anticathol. de Benito Juárez, couvents fermés, biens confisqués. **1861-67** g. du M. (voir ci-dessous). **1862** rupture diplomatique avec Vatican.

Guerre du Mexique

Causes. **1852** Gaston de Raousset-Boulbon (Avignon 1817-54), aventurier, obtient du M. concession de la vallée de la Sonora. **1853** il y installe 250 Fr., refuse la nationalité m., conquiert Hermosillo, capitale du Sonora, y installe une colonie fr., mais pris par Pt Santa Anna, est fusillé. **1855** sa biographie, publiée, répand l'idée d'une colonisation fr. **1857** séparation de l'Église et de l'État, rel. diplom. rompues avec Vatican. **1859** banquier suisse Jecker (qui a été commanditaire de Raousset-B.) prête 79 millions de F-or au Pt mexicain Miramón. **1860** Miramón renversé par Juárez. **1861**-*17-7* M. suspend le paiement de sa dette. Jecker propose au duc de Morny de faire intervenir la Fr. ; si le M. rembourse, Morny touchera 30 %, soit 26 millions. Morny accepte, donne la nationalité fr. à Jecker, et charge de l'affaire son ami Dubois de Saligny, ministre de Fr. au M. (lui-même porteur d'une grosse somme en bons Jecker). On a dit que Morny ambitionnait pour lui-même la couronne du M. Esp. et Angl. contactés par Dubois de Saligny (beaucoup ont des bons) décident d'intervenir avec la Fr. **1862** Miramón, exilé à La Havane, veut reconquérir le pouvoir ; il envoie à l'impératrice Eugénie le Gal Almonte, qui la convainc que les catholiques doivent intervenir contre Juárez, antichrétien. Elle trouve un candidat : Maximilien de Habsbourg (frère de l'emp. d'Autr. François-Joseph) dont la femme, Charlotte, ambitieuse et psychologiquement déséquilibrée, rêve d'un trône. Napoléon III accepte : a) il espère se réconcilier avec l'Autriche, humiliée par Solferino et Magenta ; b) il compte avoir une base militaire et politique pour appuyer les Sudistes américains contre les Nordistes (début de la g. de Sécession, 1861) ; c) il songe à un canal transocéanique qui passerait par l'isthme de Tehuantepec.

Principaux faits. **1861**-*14-12* débarquement esp. à Veracruz ; Fr. et Angl. suivent. **1862**-*9-4* Angl. et Esp. se retirent de l'Alliance ; sous l'influence d'Eugénie, la Fr. continue la g. *-5-5* défaite fr. à Puebla. **1863**-*19-5* Gal Forey prend Puebla après 62 j de siège (11 500 h. se rendent). *-7-6* prend Mexico. **1864** Bazaine, com. en chef. *-10-4 tr. de Miramar :* Maximilien reçoit la couronne impériale. *-12-6* entre à Mexico. **1864-66** pol. libérale, brouille avec conservateurs, les guérilleros lib. de Juárez harcèlent troupes de Bazaine. **1866**-*18-12* Bazaine rembarque.

1867-*19-6* Maximilien fusillé, *Juárez* rétablit la Rép. **1876**-*26-11*/**1911**-*25-5* Gal Porfirio Díaz autoritaire : restauration écon. avec capitaux privés amér. **1910** révolution (Doroteo Arango, n. 1877, Pancho Villa, hors-la-loi soutiendra Madero et deviendra Gal, assassiné par parents et amis 23-7-1923). **1911**-*7-7* Madero rétablit régime libéral. *-27-11* interdiction de réélire Pts de la Rép. et gouverneurs d'État (4 a. max. d'une magistrature). **1913**-*22-2* Madero assassiné. **1914**-*21-4* Amér. bombardent Veracruz et l'occupent jusqu'en nov. 19 † Amér., 126 Mex. † en représailles, des marines ayant été arrêtés à Tampico le 9-4. **1916** Pancho Villa mène une guérilla dans le Chihuahua et fait de fréquentes incursions aux USA pour se ravitailler. *-9-3* 17 Amér. tués. *-15-3* expéditions punitives améric. (Gal Pershing avec 15 000 h). **1917**-*5-2* Constitution de Querétaro. **1924** Pt Calles décide d'appliquer strictement la Const. et de priver de droits civiques cathol. (prêtres et laïcs) parce qu'obéissant à un souverain étranger ; expulse nonce, prêtres et religieux non mex. ; applique l'art. 130 de la Const. (interdisant aux prêtres de critiquer le gouv.) ; interdit les congrégations enseignantes ; 20 000 églises ferment. **1926** soulèvement des paysans cath. du Jalisco écrasé par aviation. **1927/29**-*1-9* g. de 3 ans des *cristeros* (soldats du Christ-roi) contre armée m. **1927**-*9-10* insurrection de Veracruz écrasée. **1928** exécutions de prêtres. *-17-7* Gal Obregón assassiné par cath. **1929**-*3-3* soulèvement cath., terminé en juin ; culte cath. autorisé, évêques nommeront prêtres qui devront être enregistrés par le gouv. (cath. de Mexico réouverte 15-8-30). **1934-39** distribution d'env. 1/3 des terres. **1938**-*18-3* pétrole nationalisé. **1942**-*28-5* M. déclare g. à l'Allem. et à l'Italie. **1960**-*27-9* électricité nationalisée. **1964** De Gaulle au M. **1968** *oct.* émeutes étudiantes avant JO (nuit de Tlaltelolco, + de 100 †). **1974** guérilla des Forces révolut. armées du peuple (FRAP). *-8-9* combat au Guerrero (paysans : 30 †). **1979** *janv.* Jean-Paul II au M. *-3-6* au *23-3,* marée noire d'Ixtoc-1 (500 000 t, coût 600 millions de F, Texas demande 2 milliards de F de dommages et intérêts). **1981** *oct.* Pt Mitterrand au M. **1982**-*1-9* nation. des banques. **1983** *janv. Contadora* (initiative de paix pour l'Amér. centrale) lancée par Colombie, Mexique, Panamá et Venezuela ; rejointe en 1985 par un groupe de soutien (Argentine, Brésil, Pérou, Uruguay). *Mars* dénationalisation partielle des banques. **1984**-*19-11* incendie à Mexico 500 †, 3 000 bl. **1985**-*28-6* peso dévalué de 33 % (1 $ = 300 pesos). *-7-7* législatives. *-19/20-9* séisme à Mexico : 10 000 à 20 000 †, + de 1 million de sinistrés (dégâts : 300 millions de $). *-2-11 :* 21 policiers tués par trafiquants de drogue. **1986**-*17-3 :* 236 des 840 Stés d'État seront privatisées ou mises en liquidation. *Juill.* adhésion au GATT. **1987**-*3-3* 200 000 à 300 000 manif. contre polit. écon. *-10-9* Carlos Salinas déclaré Pt élu par la Chambre des députés. *-15-9* 200 000 manif. demandent sa démission pour fraude. *-1-12* Fidel Castro présent à l'investiture du Pt Salinas. *-13-12* Mexico, usine clandestine de pétards explose (62 †). **1989**-*10-1* Joaquín Hernández Galicia (« la Quina ») et 35 m. du Syndicat du pétrole arrêtés pour détention d'armes. *Mai* Mexicana Airlines privatisées (2e dep. Aeromexico en nov. 88). *-2-7* élections locales, échec du P. rév. *Août* faillite de la mine de cuivre de Cananea (prod. 122 500 t soit 45 % de la prod. du pays). **1990** *févr.* accord avec Vatican pour échange de représentants. *-13-5* vote Chambre : reprivatisation des banques. *6/15-5* Jean-Paul II au M. **1991**-*13-2* pèlerinage à Chalma 42 † (mouvements de foule). *-10-10* Manuel Salcido (dit : el Cochiloco), du cartel de Guadalajara, assassiné. *-18-11* la Chambre modifie la Const. pour pouvoir reconnaître les Églises et établir des rel. diplom. avec Vatican ; les prêtres pourront porter la soutane dans la rue et voter. **1992**-*24-4* Guadalajara, explosions gaz, + de 200 †. *-21-9* relations diplom. reprises avec Vatican (rompues dep. 1857). *-7-10* signature l'Accord de libre-échange nord-amér. (Alena) avec USA et Canada. **1993**-*1-1* nouveau peso (3 zéros de moins). *-26-5* aéroport, fusillade : 7 † dont cardinal Posadas (méprise ?).

POLITIQUE

Statut. *Rép. fédérale* : 31 États, 1 district féd. (Mexico City). *Constitution* de 1857, révisée 1917, 29 et 53. *Pt* élu p. 6 a. au suffr. univ. ; non rééligible. *Ch. des députés* 500 m. élus p. 3 a. (300 au scrutin majoritaire, 200 à la proportionnelle) (1 p. 200 000 h.). *Sénat* 64 m. élus p. 6 a. (2 par État et 2 pour le District fédéral), renouvelé par moitié tous les 3 ans. Fête nat. 16-9 (indépendance). Drapeau (1968). Couleurs de 1821 : verte, blanche (avec aigle symbole aztèque), rouge.

Partis. *Partido Revolucionario Institucional (PRI),* f. 1946 par Miguel Alemán ; Pt : Ortiz Arano [antécédents : *P. Nacional Revolucionario,* f. 1929 par F. Calles, *P. de la Revolución Mex. (PRM)* f. 1938 par Cardenas]. *P. Revolucionario Dem. (PRD),* f. mai 1989 par Cuauhtémoc Cardenas, fils du Pt L. Cardenas. *P. de Acción Nacional (PAN),* f. 1939 ; Pt Luis H. Alvarez. *P. Demócrata Mexicano (PDM),* f. 1975 ; Pt Victor Atilano Gómez. *P. Socialista Unificado de M. (PSUM,* avant *PCM),* f. 1981 ; Pt Pablo Gómez Alvarez. *P. Mex. de los Trabajadores (PMT),* f. 1971 ; Pt Heberto Castillo. *P. Revolucionario de Trabajadores (PRT),* f. 1981 ; Pt Pedro Peñaloza. *P. Autentico de la Revolución Mex. (PARM),* f. 1954 ; Pt Carlos Enrique Cantu Rosas. *P. Social Demócrata (PSD) ;* Pt Manuel Moreno Sánchez. *Front démocratique nat. (FDN),* regroupe 3 partis de gauche : P. authentique de la révolution mexicaine (PARM) ; socialiste (PPS) f. 20-6-1948 par Vicente Lombardo Toledano (1894-1968) sous le nom de P. Popular (devenu PPS 1960). *Front cardéniste* [ancien P. socialiste des travailleurs : *P. Socialista de los Trabajadores (PST)],* f. 1975 ; Pt Rafael Aguilar Talamantes.

Élections. **18-8-1991.** *Chambre :* PRI 320 s. PAN 89, PRD 41, PFCAN 23, PARM 15, PPS 12. *Sénat :* PRI 61, PRD 2, PAN 1.

CHEFS D'ÉTAT DEPUIS L'INDÉPENDANCE

Empire. **1821** Gal Agustín DE ITURBIDE (1783-fusillé 1824), Pt du Conseil de régence, puis empereur Agustín Ier (19-5-1822, abdique 19-3-1823).

République. **1823** *Triumvirat :* Gal Nicolás BRAVO (1785-1854) ; Gal Guadalupe VICTORIA (Manuel-Félix Fernández, 1786-1843) ; Gal Pedro-Celestino NEGRETE [v. 1770-1827 ; il avait 3 « substituts » : Mariano MICHELENA, Miguel DOMINGUEZ (v. 1780-1830), Gal Vicente GUERRERO (1784-1831, fusillé)]. **24** *2e triumvirat :* Gal N. BRAVO ; Gal Miguel DOMINGUEZ ; Gal V. GUERRERO. *3e triumvirat :* Gal G. VICTORIA ; Gal N. BRAVO ; Gal M. DOMINGUEZ. *Pt de la République :* Gal G. VICTORIA. **29** Gal V. GUERRERO ; *Pt intérimaire :* José-Maria de BOCANEGRA. *4e triumvirat :* Lucás ALAMÁN (1792-1853) ; Gal Luis QUINTANAR ; Pedro VÉLEZ ; *Pt de la Rép. :* Gal Anastasio BUSTAMANTE [1780-1853 (vice-Pt de GUERRERO)]. **32**-*14-8 intérim :* Gal Melchor MURQUIZ (1790-1844) ; *-15-12 dictateur :* Manuel GÓMEZ-PEDRAZA (1789-1851). **33** *Pt de la Rép. :* M. GÓMEZ-PEDRAZA ; Valentín GÓMEZ-FARIAS [1781-1852 (Vice-Pt de GÓMEZ-PEDRAZA)] ; Gal Antonio LÓPEZ DE SANTA ANNA [1790-1877 (dictateur de fait ; plusieurs alternances avec GÓMEZ-PEDRAZA)]. **35** *dictateur :* Gal Miguel de BARRAGÁN (1789-1836). **36** *Pt :* José-Justo CORRO. **37** Gal Anastasio BUSTAMANTE. **39**-*18-3 dictateur :* Gal A. LÓPEZ DE SANTA ANNA ; *-10-7 intérim :* N. BRAVO ; *-17-7 Pt :* Gal A. BUSTAMANTE. **41** *intérim :* Francisco ECHEVERRIA (1797-1852) ; Gal Nepomuceno ALMONTE (1804-69). **42** *dict. de fait (avec titre présidentiel) :* Gal A. LÓPEZ DE SANTA ANNA ; *intérim :* Gal N. BRAVO. **43** *Pt (dict. de fait) :* Gal A. LÓPEZ DE SANTA ANNA ; *-2-10 Pt « substitut » :* Gal Valentin CANALIZO. **44**-*3-6 Pt :* Gal A. LÓPEZ DE SANTA ANNA ; *sept. Pt non confirmé par Congrès :* Gal V. CANALIZO ; *-10-12 intérim :* Gal José-Joaquín HERRERA (1792-1854). **45** *nov. Pt de la Rép. :* Gal J.-J. HERRERA. *-30-12 dictateur :* Gal Mariano PAREDES Y ARCILLAGA (1797-1849). **46**-*2-1 intérim :* Gal M. PAREDES Y AR-CILLAGA ; *-4-8 intérim :* Gal N. BRAVO ; J.-M. de SALAS ; Valentin GÓMEZ-FARIAS. **47** *dictateur :* Gal A. LÓPEZ DE SANTA ANNA ; *avril intérim :* Gal Pedro-Maria ANAYA (1795-1854) ; *mai Pt :* Gal A. LÓPEZ DE SANTA ANNA ; *-13-9 intérim. :* Manuel DE LA PEÑA Y PEÑA (1789-?). **48**-*30-5 Pt :* Gal J.-J. HERRERA. **51** Gal Mariano ARISTA (1802-55). **53** *janv. intérim :* Juan-Batista CEBALLOS ; *-7-2* Gal Manuel-Maria LOMBARDINI ; *-20-4 dict. à vie :* Gal A. LÓPEZ DE SANTA ANNA. **55** *intérim :* Gal Martin CARRERA (1807-?) ; Gal Juan ALVAREZ (1790-1867) ; *« substitut » :* Ignacio COMONFORT (1812-63). **58** *janv. dict. :* Gal Félix ZULOAGA (n. c.) ; *mai Pt revendiquant la succession de Comonfort (à Veracruz) :* Benito JUÁREZ (1806-72) ; *-23-12 intérim (à Mexico) :* Gal Miguel MIRAMÓN [1832-67, fusillé (rétablit Zuloaga, puis est confirmé Pt intérimaire)]. **59** *avril Pt reconnu par USA* (à Veracruz) : B. JUÁREZ. **61** *janv. Pt unique :* B. JUÁREZ (entré à Mexico après vict. de San Miguel 22-12-60).

Empire. **1864** MAXIMILIEN (6-7-1832-67) (Ferdinand-Joseph de Habsbourg, arch. d'Autriche, frère cadet de l'emp. François-Joseph, fusillé). Empereur. Ép. 27-7-1857 Charlotte de Saxe-Cobourg-Gotha et de Belg. (1840-† folle 19-1-1927).

République. **1867** Benito JUÁREZ (1806-72). **72** Sebastián LERDO DE TEJADA (1827-89). **76** Gal Porfirio DÍAZ (1828-1915). Gal Juan N. MENDEZ (1820-94). **77** Gal P. DÍAZ. **80** Gal Manuel GONZÁLEZ (1815-93). **84** Gal P. DÍAZ. **1911**-*25-5 intérim :* Francisco LEÓN DE LA BARRA ; *-17-10 Pt :* Francisco MADERO (1873-1913, assas.). **13**-*18-2 intérim :* Gal Victoriano HUERTA (v. 1850-1916). **14**-*16-7 intérim :* Francisco CARBAJAL ; *-16-8* Gal Eulalio Martín GUTIERREZ ; *sept.* Roque GONZÁLEZ GARZA ; *-10-10 Pt unique,* reconnu par USA, Brésil, Chili, Bolivie, Uruguay, Guatemala : Venustiano CARRANZA (1859-1920, assas.). **17** *janv. Pt selon la nouvelle Constitution :* V. CARRANZA. **20** *janv. 5e triumvirat :* Gal Alvaro OBREGÓN (1880-1928, assas.) ; Gal Plutarco Elias CALLES (1877-1945) ; Adolfo DE LA HUERTA (1881-1955) ; *avril intérim :* A. DE LA HUERTA ; *-1-12* Gal A. OBREGÓN. **24**-*1-12* Gal Plutarco Elias CALLES. **28** Emilio PORTES GIL (1891-1958). **30** Pascal ORTIZ RUBIO (1877-1963). **32** Gal Abelardo L. RODRIGUEZ (1890-1967). **34** Gal Lazaro CÁRDENAS dit le Père de la Nation, (1895-1970 ; Mexico 118 rues portent son nom). **40** Gal Manuel ÁVILA CAMACHO (1897-1955). **46** Miguel ALEMÁN VALDÉS (1905-83). **52** Adolfo RUIZ CORTINES (1890-73). **58** Adolfo LÓPEZ MATEOS (1910-69). **64** Gustavo DÍAZ ORDAZ (1911-79). **70** Luis ECHEVERRIA ALVAREZ (17-1-1922). **76** José LÓPEZ PORTILLO (16-6-20). **82** (1-12) Miguel de la MADRID HURTADO (12-2-34) PRI élu Pt avec 71,63 % des v. ; entrée en fonctions le 1-12-82. **88** *6-7,* Carlos SALINAS DE GORTARI (n. 3-4-1948) PRI, élu Pt avec 50,7 % des voix [contre Cuauhtémoc Cardenas (FDN) 31,12 %, Manuel Clouthier, † accident le 1-10-89, 17,07 %] ; entrée en fonctions le 1-12-88.

ÉCONOMIE

PNB ($ par h.). *1982 :* 2 740 ; *86 :* 1 503 ; *91 :* 3 070. **Pop. active** (%, entre parenthèses part du PNB en %) agr. 36 (9), ind. 18 (18), services 38 (58), mines 8 (15). *Chômage* : 18 %, sous-employés env. 50 % de la pop. active. **Inflation** (%) *1985 :* 57,7 ; *86 :* 86 ; *87 :* 159 ; *88 :* 51,7 ; *89 :* 19,7 ; *90 :* 30. *91 :* 18,8 ; *92 :* 11,9. **Croissance** (%) *1986 :* – 4,3 ; *87 :* 1,1 ; *88 :* 0,4 ; *89 :* 2,5 ; *90 :* 4,4 ; *91 :* 3,6 ; *92 :* 2,6. **Dette extérieure** (milliards de $) *1970 :* 5 ; *82 :* 85 ; *88 :* 107 ; *93 (1-1) :* 77. *% du PIB, 1989 :* 60 % ; *92 (prév.) :* 18 à 32. **Dette publique intérieure** *1989 :* 25 % du PIB, *91 :* 18. **Avoirs mex. aux USA** (milliards de $) 65 à 120. **Réserves de change** (90) 12 milliards de $. **Déficit budgétaire** *1991 :* 1,8. 20 % du PIB. **Salaires des émigrés** (est. 83) 23 milliards de $. **Investissements étrangers** (milliards de $) *1989 :* 0,7 ; *90 :* 8,4 ; *91 :* 19. **Nombre d'entreprises publiques** *1982 :* 1 155 ; *93 :* 217. Part des dépenses publiques dans le PNB *1982 :* 44,5 %, *92 :* 26.

Agriculture. *Terres* (millions d'ha, 81) arables 21,9, t. cultivées 1,5, pâturages 74,5, forêts 47,9, eaux 4,9, divers 46,4. *Prod.* (millions de t, 90) canne à sucre 36 (91), maïs 13,35 (91), sorgho 6,2, blé 3,8, tomates 1,7, haricots 0,9, bananes 1, oranges 2,2, café 0,25 (91), coton 0,28, riz 0,37, orge 0,47, patates douces 0,05, arachides 0,4, noix de coco 1, coprah 0,1, sésame 0,05, avocats 0,3 citrons 0,6, raisin 0,5. Forêts. 22 629 000 m³ (89). Élevage (millions de têtes, 90). Volailles 247, bovins 26,7 (91), porcs 15,9 (91), chèvres 9, chevaux 6,1, moutons 6 (91), mulets 3,1, ânes 3,1, Pêche. 1 333 700 t (90).

Énergie. **Pétrole** (30 % dans le Tabasco), *réserves* (millions de t) prouvées 7 121 (92), potentielles 35 000 ; *production : 1981 :* 120 ; *85 :* 152 ; *90 :* 147 ; *91 :* 155,4 ; *revenus pétrole :* 10 milliards de $ (1990). **Gaz** (milliards de m³) : *réserves* 2 166, *prod. 90 :* 26,7 ; *91 :* 27. **Charbon** (83) : 7 300 000 t. Divers (milliers de t, 91) : fer 6 390, soufre 1 791, zinc 301, cuivre 267, fluor 324, argent 2,2, or 8 000 kg, plomb 158,8, antimoine 2,7, mercure, arsenic 4,9, graphite 30, molybdène, phosphate 624 (89), manganèse 79,2, baryte 191,9, opale. Industrie. Raffinage du pétrole, artisanat. *Maquiladoras :* usines d'assemblage sous douanes qui importent leurs mat. 1res et réexportent leur production. 500 000 employés payés 1,5 à 2 $ l'h (légal 4 $).

Transports (km). *Routes* 242 294 (91) *chemins de fer* 26 510 (89). Tourisme. *Visiteurs : 1990 :* 6 600 000 dont Américains 80 % ; *91 (est.) :* 6 500 000. *Revenu* (milliards de $) *1986 :* 1,8 ; *90 :* 3 ; *91 :* 3,6.

Commerce (milliards de $ US, 90). **Exp. :** 30,4 *dont* prod. ind. 18, pétrole 9,8 *vers* (est. 89) USA 15,8 ; Japon 1,3 ; G.-B. 1,1 ; *France 0,48 ;* All. 0,36. **Imp.** 29,8 *de* (est. 89) USA 15,8, All. féd. 1,3, Japon 1, *France 0,56,* Canada 0,42. **Balance** (milliards de $) *1982 :* + 6 ; *83 :* + 13,7 ; *84 :* + 12,8 ; *85 :* + 8,4 ; *87 :* + 8,4 ; *88 :* + 2,4 ; *89 :* + 5,4 ; *90 :* + 5,2 ; *91 :* – 11,1 ; *92 :* – 20,6.

Nota. – Protections douanières abaissées de 40 % à – de 10 % dep. 1986.

Rang dans le monde (91). 1er argent. 2e café, maïs. 5e pétrole. 6e canne à sucre. 7e zinc. 8e bovins, porcins, réserv. de pétrole. 10e coton, gaz. 12e cacao, cuivre, réserv. de gaz. 13e céréales, fer. 17e pêche.

MICRONÉSIE

Carte p. de garde. V. légende p. 884.

Situation. Îles du Pacifique, partie des Carolines. 800 km à l'E. des Philippines. 707 km². *Long.* 2 900 km. Climat. Temp. annuelle moy. 26,7 C°. Population. 111 500 h. (91). Pohnpei 52 000 h., Chuuk 31 000 h., Kosrae 16 500 h., Yap 12 000 h. D. 157. **Capitale :** *Palikir* ou *Kolonia* (Pohnpei). Langues. Yapese, ulithian, woleaian, pohnpeian, nukuoran, kapingamarangi, chuukese et kosraean. Religion. Chrétiens.

Histoire. **1947** tutelle US. **1986**-*3-11* État librement associé.

Statut. *Const.* du 10-5-1979. Fédération dep. 31-10-1980. *Congrès* 14 m. *Pt* Bailey Olter (dep. 21-5-91). *4 États :* Pohnpei (Ponape av. 1984 ; 163 îles, 344 km²), Chuuk (Truk av. 1990 ; 294 îles, 127 km²), Yap (145 îles, 119 km²) et Kosrae (5 îles, 100 km²). Défense. Assurée par USA.

Économie. *PNB* (90) 2 000 $ par hab. Noix de coco, manioc, coprah. Pêche (thon). Aide US. Tourisme (90). 20 475 vis.

MOLDAVIE (Rép. de)

Carte p. 1109. V. légende p. 884.

Situation. Europe 33 700 km² (0,2 % du territoire) à l'O. du Dniestr, jusqu'au Prout (Bessarabie N.) : 27 000 ; à l'E. (Transnistrie) : 6 700. *Frontières :* Ukraine, Roumanie. Climat. Hivers assez doux (janv. – 4 °C), étés long et chauds (juill. 21 °C).

Population. 4 341 000 h. [en % Moldaves, autochtones d'origine roumaine 64, Ukrainiens 13,8, Russes 12,9, Gagaouzes 3,5 (turcophones chrétiens, env. 150 000) juifs 2]. D 128,8. Capitale : *Chisinau* (appelée Kichinev en 1940 au 27-8-1991). 665 000 h. Langues. Moldave (off., roumain écrit en caractères cyrilliques), gagaouze (turc non osmanli, écrit en caractères grecs). Religion. Chrétiens orth. en majorité.

Histoire. **1367-1944** la rive O. du Dniestr, jusqu'au Prout, est appelée Bessarabie (Bessarab, dynastie moldave). **XVe s.** conquête turque (unie à province moldave tributaire), à l'O. du Prout. **1812** conquête russe (tr. de Bucarest). **1856** partition (N. : russe ; S. : moldo-valaque). **1878** tout entière russe. **1918** *janv.-mars* indépendance puis tout entière roumaine. **1924**-*12-10* rive E. du Dniestr érigée en « Rép. autonome de la M. », dépendant de la Rép. fédérée d'Ukraine. **1940**-*2-8* annexion de Bessarabie (rive O.) ; nouveau découpage = Bessarabie N. + Transnistrie = rép. autonome de M. ; – Bessarabie S. annexée à Ukraine. **1941-44** Roumanie récupère Bessarabie et annexe unilatéralement Transnistrie. **1944** retour au découpage de 1940, mais la M. devient Rép. fédérale, indép. d'Ukraine. **1989** *été* création d'un Front pop. *-27-8* 400 000 manif. à Kichinev. *-31-8* adoption du roumain, langue off. comme le russe, de l'hymne et du drapeau roumains. *-10-11* incidents police/manif. ; démission du secr. du PC mold. **1990**-*23-6* proclame souveraineté. *Sept.* Russophones réclament autonomie pour la rép. du Dniestr (Transnistrie) les Gagaouzes pour leur région. *-26-10* état d'exception dans le Sud. *-30-10* Parlement prive de leurs mandats députés gagaouzes. *-2-11* Doubossary, heurts russes et mold. : 6 †. *-25-11* législatives dans minorité russophone. *-23-12* ultimatum de Gorbatchev pour rétablir l'ordre. **1991**-*19-2* Parlement mold. refuse d'organiser référendum du 17-3 (184 v. contre, 66 pour, 29 abst.) *-28-5 Valerin Tudor Muravski Pt. -27-8* proclame indép. (étape avant la réunification avec la Roumanie). *-3-9* décrète le passage sous son contrôle de ses postes douaniers et frontières. *Sept.* manif. séparatiste des russophones. *-8-12 Mircea Snegur,* Pt du Soviet suprême, élu Pt (98 %). **1992** *mai-juin* combats Moldaves/Russophones dans région de Bendery. *-21-7* accord de paix russo-moldave. *-6-11* accord M.-Roumanie. Création d'un comité de coordination entre les 2 Parlements et politique d'intégration éc. *Déc.* adhère à CEI.

☞ Env. 15 % de la population étaient, fin 1991, pour la réunification avec la Roumanie.

GAGAOUZIE. 1 800 km². 200 000 h. Langue : turc. Chrétiens dep. XVe s. Capitale : Komrat 27 500 h.

1990-*19-8* se déclare Rép. indép. (illégalement selon U. et Mold.). *-26-10* se dote d'un Parlement et d'un Pt (Stepan Topal). *-22-12* décret de Gorbatchev dissolvant la rép. **1991**-*1-12* se prononce à 83 % pour l'indépendance. Favorable à une Féd. moldave reconnaissant son identité. **Population** (%) Moldaves 47, Ukrainiens 28, Russes 25.

République de la rive gauche du Dniestr (Transnistrie). **1990**-*3-9* créée par Russes de M. Non reconnue par M. **1991**-*1-12* vote pour l'indépendance. Igor Smirnov (Russe) élu Pt. **1992** affrontements russophones-mold. (70 † au 15-5). Russophones soutenus par XIVe armée russe. *-19-3* M. propose : statut de « district séparé », une zone économique libre, report de la loi imposant le moldave. *-28-3* état d'urgence. *-20/26-6* à Bendery, plusieurs cent. de †. Soutien ukr. aux séparatistes. Roumanie dénonce « agression russe ». *-21-7* accord russo-mold. (statut particulier pour Transnistrie et droit à l'autodétermination en cas de rattachement de la M. à la R.). Envoi d'une force d'interposition de la CEI.

Statut. Rép. **Pt** Mircea Snegur dep. 8-12-91. **PM** Andreï Sangheli. **Parlement** 366 députés. Partis. PC seul off. reconnu. Front populaire moldave coordonne les groupes non off. reconnus (dont le Mouvement démocratique m. pour la perestroïka). Drapeau. 3 bandes verticales bleue, jaune, rouge, avec au centre armoiries du pays.

Économie. **PNB** (91) : 4,3 milliards de $ (par hab. 1 116 $). **Pop. active** (%) agr. 38, ind. 20, tertiaire 42.

Agriculture. Fruits (15 % de la prod. de la CEI), plantes à parfum, raisin, tabac, tournesol. Élevage.

Industrie. Alim., constr. d'app. de précision, de machines, articles de bonneterie, chaussures. Transports. *Routes* (90) : 20 000 km ; *chemin de fer* 1 150 km.

Monaco

V. légende p. 880.

Situation. Enclave dans les Alpes-Maritimes. 1,95 km² (dont 0,40 gagné sur la mer). *Frontières :* 4,5 km. *Long.* 3 km, *larg.* 200 à 300 m. *Côtes* 5,16 km. *Alt. max.* chemin des Révoires 161,51 m. Climat. Moy. janv. 10,3 °C, pluies 62 j par an.

Population. 29 876 h. (juill. 90) dont 6 200 nationaux. Étrangers (83) dont *12 655 Français,* 4 457 Italiens, Grecs, Suisses, Brit. 29 712 (est. 91). D 15 321. Villes (82). *Monaco* (rocher alt. 60 m) 1 234 h., Monte-Carlo 13 154, La Condamine 12 675.

Langues. Français *(off.),* monégasque (dialecte ligurien, mots : 70 % ligures, 30 % provençaux, français et italiens), italien. Religion. Catholique.

Histoire. Habitat préhistorique (Cromagnon), grotte de l'Observatoire (Paléolithique supérieur), puis peuplades ligures. Colonie phénicienne, grecque, puis romaine. **1162** possession génoise. **1215** création de la forteresse. **1297** prise par François Grimaldi. **1512** Lucien Grimaldi, seigneur de M., obtient des lettres patentes de Louis XII, alors seigneur de Gênes. **1524** tr. de Burgos et de Tordesillas avec Charles Quint, emp. des Romains : y met une garnison esp. jusqu'en 1641. **1604**-*21-11* Hercule Ier assassiné. **1641** tr. de Péronne : la France reconnaît à Honoré II : Menton, Roquebrune et duché de Valentinois. **1715** Pcesse Louise Hippolyte ép. Jacques-François de Goyon-Matignon. **1789** Valentinois perdu (nuit du 4 août) et inclus dans la Drôme. **1793** M. réuni à la Fr. Honoré III et sa famille sont emprisonnés ; sa belle-fille, Thérèse de Choiseul-Stainville, condamnée à mort par un trib. révol. est guillotinée le 9 thermidor. **1814** tr. de Paris : les Grimaldi recouvrent M. **1815**-*20-11* tr. de Stupinigi organisant protectorat sarde. **1848** roi de Sardaigne occupe Menton et Roquebrune. **1858** ordre de St-Charles créé. **1860**-*18-7* garnison : Sard. évacue M. **1861**-*2-2* tr. avec Fr. établissant union douanière ; Menton et Roquebrune vendus à la Fr., 400 millions de F. M. reste indépendant. *-7-3* tr. de délimitation avec roi de Sard. **1863**-*18-2* casino ouvert. **1865**-*9-11* convention relative à l'union douanière et aux rapports de voisinage. **1866**-*1-6* ordonnance créant Monte-Carlo. **1876** bat monnaie. **1878-79** opéra construit (Garnier). **1885** timbres monégasques. **1906** Institut océanographique de Paris créé par le prince Albert Ier. **1910** Musée océanographique par le prince Albert Ier. **1911**-*5-1* 1re Constitution. **1918**-*11-6* tr. avec Fr. confirmant union douanière et reconnaissant au Pce de M. le droit à une repres. diplomatique internat. **1937** Office des émissions de timbres-poste créé. **1942**-*nov.* occupation ital. **1943** allemande. **1953** 1er immeuble-tour. **1963**-*18-5* nouvelle convention avec Fr. (suppression de privilèges fiscaux des Fr. y vivant dep. 13-10-1957). **1964-73** terre-plein de Fontvieille (22 ha) conquis sur la mer. **1988** *oct.* André Saint-Mleux et Jacques Seydoux de Clausonne, dir. de la SBM, démissionnent (affaire boursière portant sur 30 millions de F).

Statut. Principauté indépendante. *Tr. franco-mon. du 11-6-1918 :* la succession à la couronne « par l'effet d'un mariage, d'une adoption ou autrement » ne pourrait être dévolue qu'à une personne mon. ou fr. agréée par le Gouv. fr. (pour éviter alors l'accession éventuelle de la maison allemande d'Urach Wurtemberg). Le 28-6-1919, les signataires du tr. de Versailles (art. 436) reconnurent avoir pris connaissance du tr. La succession au trône, revendiquée sur le plan hist. par la maison de Caumont-La Force, ligne cadette masculine issue d'Honoré III, n'a plus, du fait de ces textes, de fondement juridique.

Constitution du 17-12-1962. *Pouvoir législatif* partagé entre le *Pce* et un *Conseil nat.* (18 m. élus p. 5 a. au suffr. univ. direct). *Exécutif* exercé sous l'autorité du Pce par un *ministre d'État* (Jacques Dupont) français, assisté de 3 conseillers de gouv. (finances et écon., intérieur, trav. publics et aff. sociales). *Conseil communal* élu. [*Maire :* Anne-Marie Campora dep. 17-2-91 (avant, Jean-Louis Médecin, dep. 1971)]. *Monnaie* franc français et pièces divisionnaires monégasques. *Police* 400 m. (95 % de Français). *Archevêché* dep. 30-7-1981 dépendant du Vatican. Fête nat. 19-11 (fête Pce Rainier III). Drapeau (1881). Rouge et blanc (couleurs du Pce). Élections. **24-1-88** *au Cons. nat. :* inscrits 4 244, votants 2 985, exprimés 2 830. *Union nat. et démocratique* (f. 1962, leader : Jean-Charles Rey) 18 s.

Ascendance. Rainier III descend par les femmes de Rainier Ier Grimaldi, amiral de France, seigneur de Cagnes (v. 1267-1314). **1662 Louis Ier** (1642-1701) ; ép. 1660 Charlotte-Catherine de Gramont (1639-1678), reconnu 1688 Pce de Monaco par Louis XIV son parrain. **1701 Antoine Ier** (1661/20-2-1731) son fils ; ép. 1688 Marie de Lorraine, fille de Louis d'Harcourt-Armagnac (1674-1724). **1731 Jacques-François de Goyon-Matignon** (1689-1751), Cte de Thorigny, son gendre, ép. 1715 la Pcesse héritière Louise-Hippolyte (1697-1731) ; prend nom et armes des Grimaldi. **1731 Honoré III** (10-9-1720/95) son fils ; succède 29-12-1731 à sa mère sous la tutelle de son père ; ép. 1751 Marie-Catherine de Brignoles-Sale, fille d'un doge de Gênes. **1814 Honoré IV** (17-5-1758/16-2-1819 à Paris, tombé dans la Seine) son fils ; ép. 1777 Louise d'Aumont, duchesse de Mazarin (1759-1826), div. 1798 ; entré au service de Napoléon, Grand Écuyer de l'impératrice Joséphine, il fut créé baron d'Empire. **1819 Honoré V** (mai 1778/2-10-1841) son fils ; pair de France en 1814, célibataire. **1841 Florestan Ier** (10-10-1785/20-6-1856) son frère ; chanteur d'opéra ; ép. 27-11-1816 Marie-Louise-Caroline Gibert de Lametz (18-7-1793/23-11-1879) qui fut danseuse. **1856 : Charles III** (8-12-1818/10-9-89) son fils ; ép. 28-9-1846 la Ctesse Antoinette de Mérode-Westerloo (1828/10-12-64). **1889 Albert Ier** (13-11-1848/26-6-1922) son fils ; ép. 1°) 21-9-1869 Marie-Victoire (1850-1922), fille du duc de Hamilton & Brandon et de Marie Élizabeth Caroline, Pcesse de Bade (fille de Stéphanie de Beauharnais), dont Louis II (mariage annulé). 2°) 30-10-1889 Marie-Alice Heine (1858-1925, veuve d'Armand, duc de Richelieu) div. 30-5-1902 ; à partir de 1869, navigateur (recherches océanographiques). **1922 Louis II** (12-7-1870/1949) son fils ; ép. 25-7-1946 Ghislaine Dommanget (1900-91), actrice, divorcée d'André Brûlé, Pcesse douairière 1949, reprit quelque temps son métier (dernière apparition sur scène en 1960 dans l'opérette « Rose de Noël »). De Juliette Louvet (1867-1930, blanchisseuse de son régiment en Algérie), Louis II avait eu une fille *Charlotte Louvet* (30-9-1898/16-11-1977) qu'il reconnut (reconnaissance approuvée et confirmée par Albert Ier 15-11-1911), titrée Melle de Valentinois et reconnue apte à succéder au trône (selon l'usage m., les sujets d'Albert Ier, assemblés dans la cour du palais princier, reconnurent Charlotte comme la fille du Pce Louis, et comme leur Pcesse, et le 30-10-1918, Albert Ier modifia les règles de succession au trône) ; le 16-3-19 Louis l'adopta en présence du Pt fr. Poincaré à Paris ; 20-5-19 duchesse de Valentinois ; 1-8-22 Pcesse héréditaire de M. ; 19-3-20 ép. Cte Pierre de Polignac (24-10-95/10-11-64) naturalisé monégasque la veille sous le nom de Grimaldi, créé Pce Pierre de Monaco (elle divorcera 1933) dont : Rainier III et Antoinette. En 1944, elle renonça à ses droits en faveur de Rainier.

1949 (9-5) Rainier III (n. 31-5-23) ; ancien résistant, termine la g. comme lieutenant à Berlin, croix de guerre, légion d'honneur à titre militaire ; ép. 18-4-56 Grace Patricia Kelly (actrice) (12-11-29/† 14-9-82 des suites d'un accident de voiture). **3 enfants :** *Pcesse Caroline* (23-1-57) ép. *1°)* 28-6-78 Philippe Junot (19-4-40), divorcée 9-10-80, mariage annulé par la Rote 20-6-92 ; *2°)* 29-12-83 Stephano Casiraghi (1960/† 3-10-90 accident offshore), dont : Andrea (8-6-84), Charlotte (3-8-86), Pierre (5-9-87). *Pce héritier Albert,* Mis des Baux [1] (14-3-58). *Pcesse Stéphanie* [1-2-65 dont Louis Ducruet (26-11-92) fils de Daniel Ducruet].

Sœur de Rainier. Pcesse *Antoinette,* titrée baronne de Massy ép. 1°) 1-12-51 Alexandre Noghes dont 3 enfants, divorcée 10-5-54 ; 2°) 2-12-61 Jean-Charles Rey, div. 1974 ; 3°) 28-7-83 John Brian Gilpin, † 5-9-83.

Titres du Pce. Son Altesse sérénissime N, Pce de Monaco, duc de Valentinois [1], Mis des Baux, Cte de Carlades, Bon de Buis, seigneur de St-Rémy, sire de Matignon, Cte de Thorigny, Bon de St-Lô, de la Luthumière et de Hambye, duc d'Estouteville, de Mazarin et de Mayenne, Pce de Château-Porcien, Cte de Ferrette, de Belfort, de Thann et de Rosemont, Bon d'Altkirch, seigneur d'Isenheim, Mis de Chilly, Cte de Longjumeau, Bon de Massy, Mis de Guiscard.

Nota. – (1) Des héraldistes français ont contesté que les Pces de M. puissent porter ou disposer de ce titre (relevant du droit des titres en Fr., ils ne sont transmissibles ni par les femmes ni par bâtardise).

Prétendants. **Descendance de Florestine** (22-10-1833/24-4-97) sœur de Charles III, ép. 16-2-1863 Guillaume de Wurtemberg (1810-69), 1er duc d'Urach, dont : Guillaume (n. 3-3-1864), 2e duc d'Urach, qui eut 9 enfants. Le 4-10-1924, il écrivit au Cte Aymard de Chabrillan, lui cédant tous ses droits sur M. pour lui, son frère et ses descendants. **Branche de Chabrillan,** descendance de Joseph (1767-1816) fils d'Honoré III et frère d'Honoré IV ; ép. 1782 Thérèse de Choiseul-Stainville [1767-guillotinée 9 thermidor (26-7-1794)] dont : Honorine (1784-1879) qui ép. 1803 René Mis de La Tour du Pin Chambly de La Charce (1779-1832) dont : Joséphine (1805-65) qui ép. 1826 Jules de Moreton, Cte de Chabrillan (1796-1863) dont : Fortuné (1828-1900) dont : Aymard (1869-1950) Cte puis Mis de Chabrillan dont : Robert (1896-1925) sans postérité, Anne-Marie (1894-1983) Ctesse de Caumont La Force, prétendante (dont : Jean), Ctesse Henri de Mortemart (1897-1938).

PNB (90). 23 000 $ par h. **Budget** (en millions de F, 90) *recettes :* 2 939 [dont TVA 55 %, jeux 4 % (1887 : 97 % des recettes ; 1939 : 30)]. *Dépenses :* 2 933. *Monopoles :* exploités par l'État (tabac, téléphone, timbres, etc.) 324 (86), concédés (Casino, SBM, Radio Monte-Carlo) 115 (86). Douanes (en millions de F, 86). 97. *Transactions commerciales* 1 429. *Bénéfices commerciaux* 119.

Tourisme (92). *Visiteurs :* arrivés dans hôtels 245 592 (689 047 nuitées), musée océanographique 1 031 811, jardin exotique 475 298, musée national 43 570. *Chambres :* 2 400. *Restaurants :* 140.

Société des bains de mer et du Cercle des Étrangers à Monaco (SBM). *Créée* 1856, reformée 2-4-1863 par Charles III, afin de développer les jeux d'argent sur le modèle des villes thermales allemandes ; en donne pour 50 ans la concession à François Blanc (1816-77), qui fera construire le casino de Monte-Carlo, l'hôtel de Paris et l'Opéra. *Capital :* 90 millions de F en 1 800 000 actions cotées à la Bourse de Paris [dont 69 % détenus par *l'État* (Onassis en était principal actionnaire)]. Apport dans le budget de 4 %, 1er employeur (2 669 salariés). 4 casinos, 4 hôtels (dont l'H. de Paris 1 864, l'Hermitage, le Mirabeau et le Monte-Carlo Beach), Opéra, 18 restaurants, cabaret, café de Paris, 2 discothèques, clubs (Monte-Carlo Country Club, M.-C. Sporting Club et M.-C. Golf Club), Monte Carlo Beach, piscines des Terrasses. *Patrimoine foncier :* 1/12 de la superficie de Monaco. *CA* (91-92) : 1 702 millions de F [dont jeux 1 198 (dont jeux europ. 484, amér. 290, automatiques 424)]. *Bénéfices* (91-92) : 165,3.

Mongolie

Carte p. 951. V. légende p. 884.

Situation. Asie. 1 564 600 km². Hautes plaines et montagnes. *Alt. moy.* 1 580 m ; *max.* Pic du Tavan Bogd 4 374 m (Altaï mongol) ; *min.* 560 m (lac Khoekh nouour). *Frontières :* Chine 4 673 km. Ex-URSS 3 485 km. Au N. taïga. Au centre steppes et pâturages. Au S. désert de Gobi (1/3 du terr.). Env. 1 500 lacs dont Oubs Nour 3 350 km², Khubsugul 2 620 km² et 4 000 rivières. Climat. Continental (+ 35 °C en été, – 40 °C en hiver), *pluies* 250 mm/an.

Population (millions). *1993 :* 2,2 h. [dont (%) Khalkhas 77,5, Kazakhs 5,2, Derbets 2,9, Bouriates 2,5, étrangers : Russes env. 0,6 (92), divers 4,7 (surtout Chinois)], *2000 (prév.) :* 3,9. **Âge** *– de 15 a. :* 42 %. *+ de 65 a. :* 3 %. D 1,4 (3,9 au centre). **Pop. urbaine** (91) 58 %. **Immigration :** Russes (en 90 : 60 000 techniciens, en 91 la plupart sont partis et 5 divisions quittent la M. en sept. 92), Chinois (2 000 à 3 000 demeurent en 92). Villes (91) : *Oulan-Bator* (cap.) 575 000, Darkhan 90 000 (à 250 km), Erdenet 58 200 (à 300 km), Tchoibalsan 31 300 (87) (à 500 km), Soukhe-Bator. Langues. Mongol : dialecte khalka (*off.*, parlé par 77,5 % de la pop., 26 lettres, écrites verticalement, originaires de Phénicie, remplacées par cyrilliques de 1940 à 90, doit redevenir officiel en 1994) ; autres dialectes : kazakh (parlé par 5,3 % de la pop.). Religion. Lamaïsme jaune adopté XVIe s. (importé du Tibet par Altan Khan, descendant de Gengis). *Début XXe :* 100 000 lamas, 2 000 temples et monastères. *1936 :* purges (30 000 lamas † ; en oct. 91 charniers découverts). 700 lamasseries détruites. *1990 :* renouveau autour du monastère de Gandan (env. 100 lamas), les autres étant devenus des musées. Chef spirituel : Grand Lama Damdinsmen (n. 1918) dep. 1991. Chrétiens 200 (92).

Histoire. Tribus d'éleveurs nomades de Sibérie (haut Amour), proches des Turcs et peu éloignées des Huns. **1155 (1162** ou **1167)** naissance de Gengis Khan. **1189-1205** unification des Mongols, soumission ou ralliement des peuples de la steppe. **1206** Empire m. **1207** début des conquêtes, achèvement du regroupement des peuples turco-m. (soumission Sibérie). **1209** 1re campagne contre les Tangut (Xi Xia). **1211** invasion Chine du Nord (Jin) ; destruction de l'empire des Kara Kitai (Xi Liao). **1215** prise de Pékin (Zhongdu). **1218** conquête Turkestan oriental. **1219** expédition en Corée. **1219-21** conquête et destruction de l'Empire du Khwarazm, mise à sac de Boukhara, Samarkande, Urgenč, Merv. **1221-23** expédition des généraux m. Jebe et Sübödei à travers Azerbaïdjan, Géorgie, Crimée, S. Russie (défaite princes russes sur la Kalka), cours de la Volga jusqu'à l'embouchure de la Kama (Khanat bulgare). **1225-27** 2e campagne contre Tangut, destruction de l'Empire Xi Xia. **1227**-*18-8* Gengis Khan meurt, ses fils se partagent ses domaines et continuent les conquêtes. **1234** conquête Chine du N. achevée jusqu'au fleuve Jaune, empire des Jin détruit. **1235-39** conquête de Transcaucasie. **1236-38** 1re campagne en Russie (Riazan, Moscou, Vladimir, échec vers Novgorod). **1239-40** 2e campagne (Pereiaslavl, Cernigov, Kiev). **1241-42** invasion Pologne, Hongrie, Moravie. **1244** conquête Turquie. **1252** conquête Iran (début) ; début des campagnes contre dynastie Song chinoise. **1253** St Louis envoie les franciscains André de Longjumeau et Guillaume de Rubrouck à la cour du Grand Khan expliquer le catholicisme. **1258** Bagdad prise ; soumission définitive de Corée. **1267-79** destruction finale des Song, Chine soumise totalement. **1274-81** expéditions navales infructueuses sur côtes jap. **1275-93** expéditions visant à la soumission des roy. d'Asie du S.-E. **1287** Tibet conquis. **1292** Iran conquis. **1293** expédition navale à Java. **1280-1368** unie à la Chine, gouvernée par descendants de Kubilaï. **1368** Chinois chassent la dynastie m. et fondent dyn. des Tsing. **XIVe-XVIe s.** Ming construisent la Grande Muraille pour se protéger des M. (qui dominent hauts plateaux jusqu'au lac Balkash). **XVIIe-XIXe s.** princes m. orientaux, dont les États forment la « M. Intérieure » (sinisée), reconnaissent la suzeraineté des empereurs mand. ; princes de « M. Extérieure » restent indép. ; Russes conquièrent Sibérie (au N.-O.). **1911**-*16-12*-**1919** gouv. autonome de Bogdo Ghéghen. Rejette domination mandchoue. **1912** princes de M. Int. se rallient à la Rép. chinoise. **1913**-*23-10* autonomie reconnue par Chine. **1915** princes de M. Ext. signent *tr. de Kiakhta* avec Russie et Chine, reconnaissant ind. de la M. sous protection russe (chef d'État : le Bouddah vivant, Djibdsun Damba Khutukhtu). **1919-21** province autonome chin., après dénonciation par Chine du tr. de Kiakhta. **1921**-*31-3* indép. *-11-7* révolution dirigée par Soukhe Bator ; partage des troupeaux et terres, annulation des dettes envers étrangers, monopolisation du com. ext. *-5-11* tr. d'amitié avec URSS, ind. **1924**-*11-7* † du dernier roi, Bodg Javzandanba. *-26-11* Rép. populaire à la mort du khan Bogdo Ghéghen. URSS reconnaît souveraineté chin. sur M., mais celle-ci reste virtuelle en raison de la g. civile en Chine et de la g. sino-jap. **1933-41** purges, 100 000 †. **1936**-*12-3* protocole d'assistance mutuelle avec URSS. **1937-52** Horloogiyn Tchoibalsan PM. **1941** PM Amar tué en URSS. **1946**-*5-1* Chine renonce à ses droits après plébiscite (20-10) pour *indép.* *-27-2* tr. d'amitié et d'assistance mutuelle avec URSS. **1952-84** Youmjaguin Tsedenbal au pouvoir (1916-91). **1959** achèvement de la collectivisation. **1961**-*28-10* admise Onu. **1962** membre du Comecon. **1984**-*23-8* Tsedenbal limogé, Jambiyn Batmonh le remplace. **1988** introduction de la semi-propriété coopérative. **1989** relations dipl. avec CEE. **1990**-*14-1* 3e manif. à Oulan-Bator. UDM (Union dém. mongole créée déc. 1989, 60 000 m. en janv. 90) réclame élections libres et référendum sur l'écon. de marché. *-21-1* manif. UDM. *-25-1* Tsedenbal exclu des jeunesses comm. à 73 ans. *-18-2* manif. *-12-3* dirigeants PC démissionnent. *-15-3* Tsedenbal exclu du PC. *-21-3* art. 82 de la Const., garantissant au PC le monopole du pouvoir, aboli. *-26-3* relations dipl. avec Corée du S. rétablies. *-20-4* Tsedenbal perd ses titres de héros de la Rép. pop., de héros du travail et son rang de maréchal. *-15-5* au *1-8* retrait prévu de 26 000 soldats sov. *-2-8* secr. d'État amér. James Baker en M. (accord d'assistance). **1991**-*20-4* Tsedenbal † (exilé à Moscou). *-3-9* loi interdisant cumul fonction officielle et appartenance à un parti. *-10-9* Pt Ochirbat démissionne du PPRM. *-18-10* manif contre corruption. **1992**-*4-4* relations diplom. avec Vatican. *-6-6* Pt Ochirbat réélu au suffr. univ. par 60 % des voix devant Lodongiyn Tudev.

Statut. Rép. *Const.* du 13-1-1992. *Pt* Punsalmaagyn Ochirbat (n. 1942) dep. 3-9-90 (avant Pt du Praesidium du Grand Khoural pop. dep. 21-3-90, réélu 6-6-93 pour 4 ans). *Parlement* (Grand Khoural d'État) 76 m. élus pour 5 ans ; élections du 28-6-92 : participation 95,6 %, PPR 70 s., P. du progrès nat. 1, PDM 1, P. soc. dém. 1, P. unifié 1, divers 2. *PM* Puntsagiin Jasray élu par l'ass. 16-6-92, en fonction dep. 20-7-92. *Provinces* 18 (aïmags) divisées en 255 soums et 3 municipalités. Fête nat. 11-7(Naadam, Révolution). Drapeau (1992) rouge, bleu, rouge. *Symbole :* soyombo (liberté), étoile dorée du PC supprimée 1992.

Nota. – Dep. oct. 1992, le Petit Khoural n'est plus une chambre mais le comité central du PPRM, 169 m.

Partis. *Part. révol. populaire mongol* (PPRM), f. mars 1921 par Soukhe Bator et Horloogiyn Tchoibalsan, abandonne marxisme fév. 91 (80 000 m. en 92). *Pt :* Bûdragchaagiin Dash-Yondon dép. fév. 91. Opposition : *P. nat. et dém.* né oct. 92 de la fusion du P. du progrès nat., PDM et P. unifié.

ÉCONOMIE

PNB (91). 200 $ par h. **Pop. active** (%, entre parenthèses part du PNB en %) agr. 32 (29), ind. 24 (19), services 34 (34), mines 10 (12). 683 000 actifs (87) dont agriculteurs 313 000. **Chômage** (92) 55 500. **Inflation** *1987 à 89 :* 0 ; *92 :* 250. Dep. 1990, arrêt de l'aide de l'URSS (env. 50 % du PNB). **Dette envers URSS** (90). 14 milliards de roubles.

Agriculture. *Terres* (milliers d'ha, 87) cultivées en céréales 622,9, fourrage 160,8, légumes 16,4. *Production* (t, 91) foin 852 400, fourrage 307 600, céréales 493 000 (92), p. de terre 131 100 (92), légumes 16 400 (92). Élevage (nomade ou semi-nomade, milliers de têtes, 93). Moutons 14 347, chèvres 5 598, bovins 2 814, chevaux 2 200, chameaux 615. Viande, cuirs, peaux, laine. Mines (91). Charbon et lignite 7 009 300 t, fluor 250 800 t, cuivre 257 400 t, molybdène, wolfram, tungstène, nickel, fer, étain, or, argent, pierres précieuses. Industries. Minière, légère, alimentaire. Chemins de fer. 1 807 km. Tourisme (90). 250 000 vis.

Commerce (millions de $, 92). **Exp.** 368 *dont* (%, 88) biens de consom. 16, fuel, minéraux, métaux 41,7, mat. 1res pour ind. alim. et prod. pour l'ind. 39, matériels 3,5. **Imp.** 1 400 *dont* (%, 88) mach. et équip. 30,2, fuel, minéraux, métaux 33,5, biens de consom., prod. pour l'ind. 18,5, prod. alim. et mat. 1res pour l'ind. alim. 10,8, prod. chim. 7. **Avec ex-Comecon** (92, en %) : **exp.** 78,9, **imp.** 68,6.

Rang dans le monde (85) 1er fluor. 7e chevaux. 9e chameaux. 16e cuivre (91). 23e ovins (91).

MONTSERRAT

Carte p. 847. V. légende p. 884.

Situation. Ile de l'archipel Sous-le-Vent (Antilles). 102,6 km² (2/3 montagneuse). *Côtes* 45 km. *Alt. max.* Chance Peak 914 m. Climat. Tropical (pluies déc. à févr. 3 870 mm), ouragans juill.-oct., moy. 28 °C.

Population. 11 935 h. (90). D 119. **Capitale :** *Plymouth* 3 500. Langue. Anglais *(off.)*. Religions (80) 3 676 anglicans, 2 742 méthodistes, 1 368 catholiques, 1 503 pentecôtistes, 1 041 adventistes, autres 285.

Histoire. **1493** découverte par Christophe Colomb. **1632** colonisée par des Anglais et Irlandais venus de St-Christophe. **1664** arrivée des 1ers esclaves. **1783** possession brit. controversée par la France ; confirmée à la G.-B. par tr. de Versailles. **1816-34** colonie avec Antigua-et-Barbuda. **1834** esclavage aboli. **1871-1956** partie de la Fédération des îles Sous-le-Vent. **1956** colonie séparée lors de la dissolution de la Féd. **1958-62** m. de la Féd. des Indes occid. **1967** vote pour rester col. brit. **1989** ouragan Hugo (10 †).

Statut. Colonie brit. *Const.* du 1-1-1960, révisée 1989. **Gouverneur** David G.P. Taylor dep. 22-5-90. *PM* Reuben T. Mead dep. 8-10-91. **Conseils exécutif** 7 m. dont 4 élus ; **législatif** 12 m. dont 7 élus. Élections. **8-8-91 :** NPP (National Progressive P., f. 1991, Pt : Reuben Meade) 4 s., NDP (National Development P., f. 1984, Pt : Dave Fenton) 1 s., PLM (People's Liberation Movement, Pt : John Osborne) 1 s., Indépendants 1 s.

PNB (90). 4 000 $ par h. Agriculture. *Terres* 6 % cultivés. Oignons, carottes, tomates, p. de terre, citrons, poivre, coton. Élevage (milliers, 88) volaille 50,5, ovins 11, bovins 3, porcs 1. Pêche. Tourisme. 35 000 vis. (90). Commerce (millions de $ EC, 90). **Exp.** 4,3 *dont* bétail, coton, légumes *vers* Guadeloupe, G.-B., Antigua, Trinité. **Imp.** 118 *de* G.-B., USA, Trinité, Canada, P.-Bas.

MOZAMBIQUE

Carte p. 1086. V. légende p. 884.

Situation. Afrique orientale. 799 380 km². *Côtes* 2 795 km. *Frontières :* 3 980 km, avec Tanzanie 600, Malawi 1 200 (dont lac Nyassa 280), Zambie 400, Zimbabwe 1 150, Afr. du S. 630, Swaziland. *Alt. max.* Mt Binga 2 436 m. *Régions principales :* littoral, plateaux moyens, hauts plateaux, montagnes. Climat. Tropical humide et chaud.

Population (millions). *1991 :* 16,1 h. (surtout Africains d'ethnie bantoue), *2000 (prév.) :* 22. **D** 20. **Taux** (%, 92) croissance 2,6, natalité 4,6, mortalité 2, m. infantile 15,9. **Espérance de vie** 49 a. **Âge :** *- de 15 a. :* 44,1, *+ de 60 a :* 4,3. Villes : *Maputo* (ex-*Lourenço Marques*) 1 500 000, Beira 300 000, Nampula 250 000, Lichinga 65 000, Inhambane 50 000. **Étrangers :** en 75 (avant l'indép.) env. 250 000 Européens dont 60 000 soldats portugais. *1991 :* 20 000 Portugais. **Émigration** ouvriers mineurs en Afr. du S. *1975 :* 118 000 ; *85 :* 44 000 ; *92 :* 50 000. **Réfugiés** 1993-96 : l'Onu en rapatriera 1 300 000 des pays voisins. **Déplacés :** 3 500 000.

Langue. Portugais *(off.)*, l. autochtones, bantoue. Religions (%). Animisme 60, christianisme 30, islam 10.

Histoire. **1425** État du Monomotapa fondé. **1498** découvert par Vasco de Gama. **1505** colonie port. **1869** esclavage aboli. **1951** province port. **1964** début de guérilla dans le N. **1969** *févr.* Eduardo Mondlane, fondateur du Frelimo, assassiné, remplacé nov. par Marcelino Dos Santos et Samora Machel. **1973** *janv.* nouveau statut. **1974**-*7-9* accord Port. Frelimo sur indép. Troubles à Lourenço Marques 100 †. *-22-10* attentat par rebelles port. 40 †. **1975**-*25-6* indépendance (pertes du Frelimo en 10 ans de g. contre Port. : 2 057 †). *-17-12* putsch avorté. **1976**-*3-2* habitations, médecine et éducation nationalisées. *-3-3* « état de g. » avec Rhodésie ; M. ferme ses frontières. **1977** traité d'amitié et de coopération avec URSS pour 20 ans. *Nov.* raid rhod. au M. 1 200 nation. rh. †. **1980** dénationalisation des petits commerces. *-3-4* Dos Santos, min. du Plan (no 2 du régime) prosoviét., secr. du Comité central. **1981**-*30-1* Maputo raid sud-afr. contre 3 bases de l'ANC (anti-apartheid). **1982** RNM étend son influence au Centre. **1983**-*23-5* raid sud-afr. près de Maputo contre ANC (64 †). **1984**-*3-4* *accord de N'Komati,* tr. de non-agression avec Afr. du Sud. **1985** *déc.* guérilla reprend. **1986** famine (années de sécheresse, puis cyclones). *-19-10* Pt Samora Machel (n. 29-9-33), Pt dep. 25-6-75, † dans accident d'avion. **1987** programme de réhabilitation écon. (libéralisation, privatisation). *-18-7* à Homome, 383 † par RNM. *Oct.* 211 †. *-12-9* rencontre Pt Chissano/Botha. *-14-9* Jean-Paul II au M. *-28-9* Pt Chissano en Fr. demande aide milit. **1989** *févr./24-7* offensive RNM. Frelimo abandonne toute référence au marxisme-léninisme. **Bilan de la guerre civile :** *tués* 900 000, *déplacés* 3 millions (dont 1,5 à l'étranger) ; *destruction* sur 75 % du M. : 2 600 écoles primaires, 820 centres de santé, 44 usines, 1 300 tracteurs, camions ou autobus. **1990** retrait Soviétiques et All. de l'E. Retour de 15 000 M. d'All. dém. **1991**-*1-10* province de Gaza, 60 civils tués par Renamo. *-13-11* Rome, accord gouv.-Renamo sur activité des partis. *-10-12* 61 civils et 10 assaillants † : attaque Renamo. **1992**-*4-10* Rome, accord de paix gouv./Renamo. *-17/20-10* violant accord de paix, Renamo prend 4 villes. **1993** *janv.-févr.* Onu envoie à Onumoz 7 000 casques bleus (pour superviser la paix). *-3-3* arrivée des premiers casques bleus. *Oct.* élections prévues.

Statut. Rép. dep. 1-12-90. *Constitution* du 30-11-90. *Pt* Joaquim Alberto Chissano (n. 22-10-39) dep. 6-11-86. *PM* Mario Fernandes Da Graça Machungo. *Ass.* 250 m. élus au suffr. indirect. Partis. *Frelimo* (Front de lib. du M.) f. 25-5-1962, marxiste-léniniste créé 3-2-1977, juill. 89 abandonne marxisme, leader Pt Joaquim Chissano, 175 000 m. *Resistencia Nacional Moçambicana* (RNM ou Renamo), f. nov. 1976, Pt Alfonso Dhlakama, 20 000 combattants, financés par Afr. du Sud. *PCN* (P. de la convention nat.). *Unamo* (Union nat. M.). *Monamo-PMSD* (Mouv. nationaliste m. - P. m. social dém.). *Fumo-PCD* (Front uni du M. - P. de convergence dém.). Drapeau (1975,

revu 1983). Symboles agric. (bande verte et houe), peuple (noir), paix (liserés blancs), sous-sol (jaune), lutte pour l'indépendance (triangle rouge et fusil), éducation (livre) et internationalisme (étoile jaune).

Économie

PNB (92). 85 $ par h. **Pop. active** (%, entre parenthèses part du PNB en %) agr. 60 (30), ind. 20 (40), services 20 (30), mines 0 (0). **Inflation** (%) *1990 :* 47, *91 :* 35, *92 (est.) :* 47 ; *de 1987 à 90 :* 9 dévaluations. **Aide** 1 milliard de $ par an et 1 000 000 de t d'aide alim. **Dette ext.** *90 :* 5,3 Md de $.

Agriculture. *Terres* (milliers d'ha, 81) arables 1 650 (90), t. cult. 250 (90), pâturages 44 000, forêts 15 340, eaux 1 750, divers 15 989. *Crises : 1978 :* inondations ; *80/84 et 87/92 :* sécheresse ; *84 :* cyclone, échec des coopératives. *Prod.* (milliers de t, 91) céréales 50 (89, 800 nécessaires), manioc 3 400, canne à sucre 250, sucre (20, contre 100 en 80), noix de coco 2,3 (89), maïs 90, sorgho 2,4 (89), coprah 25, légumineuses 35, riz 40, coton 40, thé 2, arachides 7, p. de terre 70 (90), patates douces 55, noix de cajou 32, sisal 25, tabac 4,8, haricots 15,2, tournesol 1,5, millet, huile 5 (20 en 80 ; 15 nécessaires). **Forêts.** Bois tropicaux (précieux et ind.) 16 036 000 t (90). **Élevage** (milliers de têtes, 90). Poulets 22 000, bovins 1 370, canards 580 (82), chèvres 385, porcs 170, moutons 122, ânes 20. **Pêche** 35 100 t (89), surtout crevettes.

Mines. *Charbon* (123 000 t en 90), *pétrole* (prospection), *gaz, tantalite, marbre, p. semi-précieuses, gaz* (réserves 320 milliards de m³), *bauxite, cuivre, sel, or* (270 kg en 91). **Hydroélectricité.** *Barrage de Cabora-Bassa* sur Zambèze, construit 1970-74, potentiel 2 075 MW, dont partie sera vendue à l'Afr. du S. (réseau de 1 400 km, env. 7 % de la consom.). 1991 prod. 71 millions de kWh, fonctionnait à 1 % de sa capacité (car saboté par RNM). **Transports** (km). *Routes* 26 000 (91) ; *chemins de fer* 3 843 (91). Port de Maputo (millions de t) : *1973 :* 6,8 ; *74 :* 14 ; *85 :* 0,9 ; *88 :* 2,3 ; *90 :* 2,9 (Beira 2,5, Nacala 0,3).

Commerce (millions de $ US, 91). **Exp.** 162,3 *dont* (89) crevettes 39,3, cajou 20,1, coton 7,5, sucre 5,3, citrons 3,3, langoustes 1,9, coprah 1,9, produits pétroliers 9,5 *vers* Espagne, USA, Japon, Portugal, All. dém., Afr. du S. **Imp.** 898,7 *d'*Afr. du S., URSS, USA, Portugal, Italie, Japon, France.

Rang dans le monde (91). 3ᵉ cajou.

Myanmar (Union de)

(ex-Birmanie) V. légende p. 884.

Nom. Adopté 25-5-1989 ; englobe toutes les races du pays (60 minorités), la Birmanie se référant à la race birmane. D'après la légende, des esprits favorables (Bya Ma) auraient créé un pays merveilleux (Myan Ma). Les Anglais ont déformé ce nom, en en faisant Burma (traduit en français Birmanie).

Situation. Asie. 676 577 km². *Frontières* 6 480 km, avec Chine 2 347, Thaïlande 2 115, Inde 1 539, Bangladesh 244, Laos 235. *Côtes :* 1 385 km. *Long. max.* 2 051 km, *larg.* 582. *Alt. max.* Mt Hkakabo Razi, 6 330 m. **Régions :** O. montagnes (Mts Patkai, 4 à 5 000 m), S.-O. chaîne de l'Arakan, N. montagnes, Centre-E. plateau Shan (1 000 à 1 200 m), S. Tenasserim, côte abrupte, bassin de l'*Irraouaddi* (1/3 de la superficie du pays). **Fleuves :** Irraouaddi 1 992 km (1 653 navigables), Salween 1 280 (112 nav.), Chindwin 1 021. **Climat.** Avril-début mai très chaud (jusqu'à 40 °C), 15 mai-15 oct. mousson. *Hiver :* Rangoun 24 °C, Mandalay 21 °C. *Saison tourist. :* déc. à févr.

Population (en millions). *1991 (est.) :* 42 h. ; *2000 :* 55,19 h. dont (%) Birmans 68, Karens 4, Shans 7, Kachins 3, Chinois 2, Indiens 3. La maj. de la pop., d'ethnie birmane, est regroupée dans la plaine de l'Irraouaddi ; régions frontalières peuplées par minorités. *Pop. active :* 39,2 % ; *rurale :* 85 %. **Age** – *de 15 a.* 41,2 %, + *de 60 a.* 6 %. **Taux (‰) mortalité** 13 (39,3 en 1962) ; *infantile* 103. **Espérance de vie** 61. D 63. **Immigration en B.** 110 750 (Indiens 60 000, Chinois 45 000, divers 5 750). **Villes** (1983). *Rangoun* (capitale) 3 000 000 h. (est. 91), Mandalay 532 895 (à 695 km), Moulmein 220 000 (à 301 km), Pagan (ancienne cap. royale, milliers de temples) (à 684 km). Les habitants portent le *longyi,* ressemblant au *sarong.*

Langues. Birman (80 %, *off.*) ; l. des minorités ethn. : karen 20 %, môn 12, shan 7, kachin 5, chin 3, kayah 2, arakan 2. **Religions** (%). *Bouddhistes* 85 (Petit Véhicule), *chrétiens* 10 (dont 400 000 cath. ; 14 évêques, 300 prêtres, 800 rel.), *musulmans* 4, *juifs* (nasusras descendants de la tribu de Manossi, plusieurs milliers), *divers* 1. Liberté rel. garantie par la Const., mais droit de vote interdit aux religieux.

Histoire. Peuplement de Mongols, indianisation au début de l'ère chrétienne. **1044 ap. J.-C.** roy. de Pagan fondé. **XIVᵉ s.** roy. de Pégou fondé. **1511** Portugais arrivent. **1531-72** dyn. Toungou. **1613** agents brit. **1752-85** dyn. Alaungpaya. **1824-26** occupation brit. partielle, par les côtes. Mandalay, cap. Économie fermée et export. de riz interdites. **1825** *tr. de Yandabo* avec G.-B. **1852** occupation du delta de l'Irraouaddy et du Sittang : essor démogr. et écon. Rangoun cap. **1886** occupation complète ; province annexée à l'Inde. **1923** autonomie administrative partielle. **1920-30** chute du prix du riz, mainmise sur terres par prêteurs-usuriers indiens (25 % du Delta). **1937** colonie de la Couronne, séparée de l'Inde. **1938** émeutes anti-indiennes (entre 1852 et 1937, 2,5 millions d'I. ont émigré en B., dont 1 million de résidents). **1939** Aung San (n. 13-2-1915) fonde le PC. **1941** recrute 30 compagnons qu'il va initier au sabotage pour préparer l'invasion jap., le Jap. devant accorder l'indép. *Déc.* invasion jap. **1942** *août* gouv. fantoche de Ba Maw projap. **1942** départ de 50 % des Indiens. **1943**-*1-8* gouv. proclame l'indép. **1945**-*25-3* l'armée nat. birmane d'Aung San se soulève contre Jap. -*3-5* Angl. reprennent Rangoun. **1947**-*27-1* accord avec G.-B. pour indép. -*19-7* Aung San assassiné avec 6 membres du Conseil exécutif (on accuse Usaw, ancien PM, d'être l'instigateur, il sera pendu ; les Karens accusent U Nu et Ne Win, aidés de militaires brit. ; Aung San aurait été prêt à accorder des concessions aux populations du N.). **1948**-*4-1* indépendance. U Nu PM. Nouvel exode indien. **1949-55** rébellion comm. 30 000 †. **1958**-*28-10*-**60** Gᵃˡ Ne Win (n. 4-5-11) PM. **1960**-*6-2* élections, U Nu (n. 1907) PM. **1962**-*2-3* coup d'État renverse U Nu, *Conseil nat. rév.* (17 m.) présidé par Gᵃˡ Ne Win. Guérillas procommunistes dans le N. (État Shan, tribu Kachin), révoltes dans le S. des Karens et Mons. *Juin* la marine tire sur dockers (22 †). La B. refuse toute aide et se ferme aux investissements étrangers. **1964**-*28-3* partis pol. dissous. **1966** U Nu libéré, réfugié à Bangkok pour diriger le Front uni de libération nat. **1967** *juin* émeutes anti-chinoises. **1974**-*5/11-12* émeutes (étudiants), -*12-12* loi martiale. Libéralisation de l'économie. **1975** *juin* combats dans le N. contre communistes. **1976**-*5-7* complot mil. du min. de la Défense Tin Un (condamné à 7 ans de prison). **1977** *mars* Cᵉˡ U Maung Maung Kha, PM. **1978** *févr.* représailles contre Arakans (ethnie des Rohingyas) ; env. 200 000 s'enfuient au Bangladesh. **1980** *juill.* U Nu rentre à Rangoun. **1981**-*9-11* Gᵃˡ San Yu Pt du Conseil d'État. **1983**-*9-10* Rangoun, attentat d'un commando nord-coréen contre délégation sud-cor. (21 †). Gᵃˡ Tinoo condamné pour concussion à réclusion perpétuelle. **1985**-*24-7* attentat contre train (61 †). **1987** *févr.* l'armée reprend Kiuhknok au PCB. -*5-7* guérilla, les minorités insurgées s'allient au maquis comm. -*5/6-9* émeute d'étudiants après démonétisation des billets de banque (la 4ᵉ dep. mars 1962 ; 1 en 1964, 2 en nov. 1985). **1988**-*16-2* attentat, 12 †. -*16/3-30/6* manif. étudiantes, 200 †. -*21-6* couvre-feu à Rangoun. -*23-7* Ne Win, Pt du parti unique birman, démissionne. -*27-7* Gᵃˡ Sein Lwin (n. 1924) chef du parti et chef de l'État. Tun Tin élu PM par l'Assemblée. -*2-8* manif. (étudiants). -*3-8* état d'urgence et loi martiale à Rangoun. -*8-8* la police tire sur manif. -*10-8* 3 policiers décapités par manif. -*12-8* Sein Lwin démissionne. *Bilan des émeutes :* + de 3 000 †. -*19-8 Dr Maung Maung Kha* chef de l'État. -*26-8* grève générale : 700 000 manif. à Rangoun, + de 500 000 à Mandalay. -*29-8* ligue pour la démocratie et la paix : 1ʳᵉ org. d'opp. dep. 1962. [Pt Mahn Win Nu (véritable chef : U Nu, dernier PM démocratiquement élu)]. -*9-9* U Nu se proclame PM et nomme Win Maung, 1ᵉʳ Pt de la Rép., chef de l'État provisoire. -*18-9* coup d'État mil. du Gᵃˡ Saw Maung et de 18 officiers (au service du Gᵃˡ Ne Win). *Bilan officiel des émeutes :* 342 †, 1 107 arrest. Saw Maung, PM. *Oct.* offensive comm. dans villes du N.-E., avec aide chinoise (interrompue dep. 1978). *Oct.* la B. abandonne la dénomination de Rép. soc. -*30-11* code des inv. étrangers promulgué. **1989** -*2-1* + de 100 000 manif. pour funérailles de Daw Khin Kyi (veuve d'Aung San). -*19-7* écoles rouvertes après 1 an (collèges et univ. restent fermés). -*30-12* combats contre Karens : 242 mil. et 204 rebelles †. **1990**-*27-5* législatives (1ʳᵉˢ dep. 1962, l'ass. ne s'est jamais réunie). *Sept.* Bangkok gouv. en exil formé. -*11-12* fermeture universités (suite de manif.). Bombe à Mandalay, 2 †. **1992** *févr.* Arakan, persécutions des 2 000 000 de Musulmans Rohingyas, 250 000 se réfugient au Bangladesh. -*24-8* universités rouvertes. -*10-9* couvre-feu, dep. sept., levé. -*26-9* loi martiale, dep. sept. 88, levée. *Déc.* 5 000 Rohingyas rentrent. **1993**-*9-1* convention chargée de préparer une constitution. -*17-2* Bangkok, 13 prix Nobel de la Paix demandent la libération d'Aung San Suu Kyi.

Statut. Rép. *Constit.* du 3-1-1974, dep. 18-9-1988 *Junte militaire* (Slorc, State Law and Order Restoration Council), *chef* Gᵃˡ Than Shwe (n. 1933) dep. 23-4-92. *Ass. constituante* 485 m. élus 27-5-90. LND 392 s. **Partis.** *Parti de l'Unité nat.* jusqu'en sept. 1988 [avant Lanzin Party, *f.* 1962 (ex.-p. unique) ; leader U Tha Kyaw]. *Ligue nat. pour la démocratie* [(LND), *f.* 24-9-1988, leader Mᵐᵉ Aung San Suu Kyi (fille d'Aung San, assassiné 1947, ép. du tibétologue angl. Michael Aris en résidence surveillée à Rangoun dep. 20-7-89), la plupart des autres dirigeants ont été arrêtés ; a reçu le 23-7-91 le prix Sakharov et le 14-10-91 le prix Nobel de la Paix (remis à ses 2 fils le 10-12)]. **Fête nat.** 4 janv. (indép.). **Drapeau.** Rouge avec carré bleu, avec, depuis 1974, 14 étoiles (les États) entourant une roue dentée et un plant de riz (union de l'ind. et de l'agr.).

États (1983). *Arakan* (Sittwe) 36 778 km², 2 045 559 h. *Chin* (Falam) 36 019 km², 368 949 h. *Kachin* (Myityina) 89 041 km², 904 794 h. *Karen* (Pa-an) 30 383 km², 1 055 539 h. *Kayak* (Loikaw) 11 733 km², 168 429 h. *Mon* (Moulmein) 12 297 km², 1 680 157 h. *Shan* (Taunggyi) 155 801 km², 3 716 841 h. **Divisions** *Irraouaddi* (Bassein) 35 138 km², 4 994 061 h. *Magwe* (Magwe) 44 820 km², 3 243 166 h. *Mandalay* (Mandalay) 37 024 km², 4 577 762 h. *Pégou* (Pégou) 39 404 km², 3 799 791 h. *Rangoun* (Rangoun) 10 171 km², 3 965 916 h. *Sagaing* (Sagaing) 94 625 km², 3 862 172 h. *Tenasserim* (Tavoy) 43 343 km², 917 247 h.

Révoltes ethniques [Karens (en majorité chrétiens), Kachins, Arakanais, Môns et Karennis et autres minorités nationales]. **Organisations mil. politiques** *communistes du « drapeau rouge »* (prosoviét., a disparu dep. l'arrestation de son chef Thakin Soe

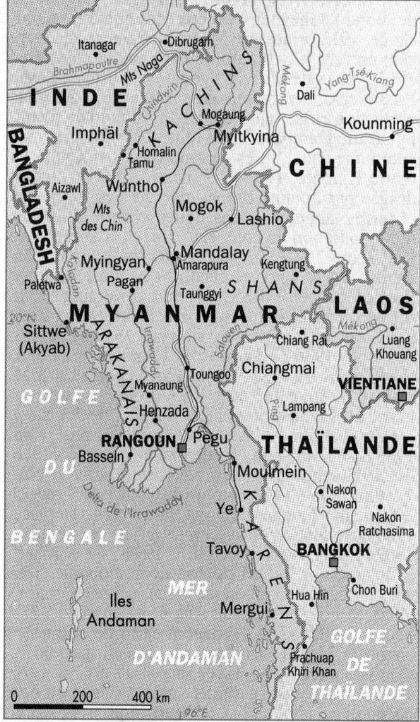

en 1970) ; du *« drapeau blanc »* (prochinois - influents dans le N.-E.). **État Shan :** plusieurs armées (celle de Shan Shifu, la plus importante) ; trafic de drogue. **État Kachin** (chrétiens) : armée indép. (5 000 à 6 000 h.).

ÉCONOMIE

PNB. *1960 :* 670 $ par hab. ; *84 :* 173 ; *89 :* 207 ; *91 :* 240. **Taux de croissance (en %)** *1987 :* - 4,3 ; *88 :* 0,2 ; *89 :* 7,4 ; *90 :* 5 ; *91 (est.) :* 5. **Pop. active** (% et, entre par., part du PNB en %) agr. 56 (32), ind. 9 (9), serv. 32 (53), mines 3 (6). **Inflation** *1985 :* 6,8 ; *86 :* 7 ; *87 :* 25 ; *88 :* 17 ; *89 :* 27,2 ; *90 :* 35 ; *91 :* 36. **Dette extérieure** (milliards de $) *1992 (est.)* 4,7. Japon (1er pays donateur : 4 milliards de $ dep. l'indépendance) et USA ont suspendu leur aide.

Agriculture. *Terres* (milliers d'ha, 79) 67 655 dont arables 9 579, cultivées en permanence 449, pâturages 361, forêts 32 169, eaux 1 881, divers 23 216. *Production* (milliers de t, 90) riz 13 965, blé 124, maïs 186, sucre de canne 2 205, arachides 459, coton, sésame 207, tabac, jute, caoutchouc, millet, légumes 2 149, fruits 958. Opium [2 200 t (soit l'équivalent de 220 t d'héroïne), dont États Shans, dans le Triangle d'Or 155 000 km² ; Nord Thaïlande (hauts plateaux du Laos), État Kachin 178 t]. Forêts. 22 287 000 m³ (89) dont 63 % de teck. Élevage (en milliers, 90). Bovins 9 150, buffles 2 020, porcs 2 600, moutons 275, chèvres 1 050, poulets 27 000, canards 4 000. Pêche. 702 700 t (89). Pétrole (en millions de t, 91). *Prod.* 0,658, *réserves :* 7. Gaz nat. 1 milliard de m³ (91). Mines. Étain, charbon, plomb, zinc, argent, cuivre, antimoine, tungstène, rubis, saphir. Hydroélectricité. Barrage de Kinda (0,26 milliard de kWh en 90).

Transports. *Chemins de fer* 4 621 km (90), *routes* 23 252 km (87), *navigation fluviale.* Tourisme. *1991 :* 8 061 vis. *Rangoon :* pagode Shwedagon, reliques du Bouddha. Au sommet du stupa (100 m de haut) seinbou (globe en or de 25 cm de diam. incrusté de 4 433 diamants, rubis, saphirs, topazes, émeraudes). Marché de *Taunggyi.* Lac *Inlé. Mandalay :* pagodes, Maha Muni (statue du Bouddha assis), ancien palais royal, pagode Kouthodo. Anciennes capitales : *Ava, Amarapura, Sagaing, Pégou, Pagan, Heho, Kalaw.*

Commerce (millions de kyats, 88). **Exp.** 2 007 (89) dont teck 504, métaux et minerais 301 (83), haricots et légumes secs 139 (83), riz 71 *vers* (%) Asie 59 (Japon 5), CEE 7, Afrique 7. **Imp.** 3 464 (89) *de* (%) Asie 48 (Japon 40), CEE 36, autres pays occid. 10, Eur. Est 3. **Contrebande :** 40 % du PNB ; finance les rebelles : Karens, Môns et Kachins, Shans, les communistes, avec le trafic de drogue dans le Triangle d'Or.

Balance (en millions de $). **Commerciale** *1990 :* - 400 ; *91 (est.) :* - 600 ; *92 (est.) :* - 800. **Des paiements** *90 :* - 400 ; *91 (est.) :* - 500 ; *92 (est.) :* - 600. **Problèmes :** baisse du cours du riz et du teck, épuisement des gisements de pétrole. Rang dans le monde (91). 7e riz.

NAMIBIE (Sud-Ouest africain)

Carte p. 886. V. légende p. 884.

Nom. Appelé par les pionniers *Transgariep.* Rebaptisé *Namibie* (du peuple Nama) par Onu en 1968. Situation. Nord-O. de l'Afr. du S. 823 100 km² (sans Walvis Bay 1 124 km²). *Côtes* (appelées par les marins *côte des squelettes*) 1 250 km. *Frontières :* Angola 1 550 km. **Régions** 3. *Namib* (1/5 du territoire, désertique, 80 à 130 km de large, + hautes dunes du monde), *plateau central* (1/2 de la superficie, 1 000 à 2 000 m d'alt.), *Kalahari* (désert au N. et à l'E.). Climat. Pluies S. et O. - de 100 mm par an, Centre 200 à 400 mm, N. et N.-E. + de 400 mm (seules régions de végétation dense).

Population. *1960* (rec.) : 516 012 h. ; *76* (r.) : 732 260 ; *81* (r.) : 1 033 196 ; *89 :* 1 300 000 ; *90 (est.) :* 1 372 000 dont Ovambos 578 000, Kavangos 120 000, Hereros 84 500, Damaras 94 000, Blancs 82 000, Namas 55 700, Métis 52 000, Capriviens 44 600, Bochimans 36 000, Basters 37 000, Tswanas 8 200, autres 12 000 ; *91 (est.) :* 1 520 000 ; *prév. 2000 :* 2 383 000. **Âge** - *de 15 a. :* 44 %, *+ de 65 a. :* 3 %. **D** 1,8. Villes : *Windhoek* (lieu du vent, 1 800 m d'alt.) 114 500 h. (capitale : ville noire Katatura), Swakopmund, Lüderitz, Tsumeb. Y compris *Walvis Bay* 24 500 h. (16 500 Métis, 8 500 Blancs), partie de l'Afr. du S. adm. depuis 1922 comme si elle faisait partie du S.-O. afr., puis le 1-9-77 rattachée à nouveau à l'Afr. du S. Langues. Afrikaans, allemand, anglais, l. indigènes. Religions. Chrétiens 30 %, luthériens 50 %.

Histoire. Région peuplée par des Bantous. Principales tribus (90 %) : Nasubia et Mafue. **XVe-XVIIIe s.** explorations des Européens : Diogo Cão (1486) et Bartolomeu Dias (1488). **XIXe s.** g. entre tribus. **1878**-*12-3* G.-B. annexe Walvis Bay et des îles le long de la côte (qui sont rattachées à la colonie du Cap). **1884** *tr. de Berlin* Allemagne protège régions acquises par l'All. Adolphe Lüderitz (1834-86), puis étend son domaine. **1890** Cte de Caprivi obtient pour l'All. une bande de territoire. **1898** rétablit la paix entre tribus. **1903-06** révoltes des tribus contre All. (nombreux morts, pertes de bétail). **1908** diamants découverts près de Lüderitz. **1915** *juill.* occupation par Union sud-afr. à la demande des Alliés. Reddition all. à Khorab. **1919**-*17-2* mandat de la SDN accordé à G.-B. **1920** à Union s.-a. **1948** 6 députés bl. représentent la N. au Cap. **1949** annexion par Union s.-a. **1966** *-27-10* mandat retiré par Onu, guérilla (notamment dans bande de *Caprivi*). Opposition. Conv. nat. dirigée par Clemens Kapuuo [chef des Hereros, Pt du Nudo (Organisation dém. de l'unité nat.)] pour un syst. fédéraliste. **1967** fondation à l'Onu d'un conseil pour le S.-O. afr. **1971** *juin* Cour de La Haye déclare illégal mandat Afr. du S. **1975**-*1-9* Conférence de la Turnhalle sur avenir N. **1976**-*18-8* fixe indépend. au 31-12-78. **1977**-*27-4* négociations avec Afr. du S. *Sept.* Swapo intensifie guérilla et refuse de négocier. **1978** min. de la Santé Ovambo tué ; rapt de 119 écoliers vers Angola. *-27-3* Kapuuo tué. *-25-4* Afr. du S. accepte plan de règlement de Groupe de contact occidental. *Mai* Swapo accepte de négocier. *-29-9* résol. 435 Onu réclamant indép. N. *-4/8-12* élection Ass. constituante (50 m.). Abstentions 19,7 %. Alliance démocratique de la Turnhalle (DTA) 41 s. Front nat. de N. (FNN) et Swapo refusent d'y prendre part. Onu ne reconnaît pas le scrutin. Autonomie interne. **1979** *mars* raids sud.-afr. *-21-5* Ass. législative instituée. *-11-7* abolition discrimination raciale. **1980**-*1-7* Ass. nationale investie du pouvoir exécutif. Institution d'un Conseil des min. **1981**-*7/14-1* échec conférence de Genève. *-24-8* et *1/20-11* raids sud-afr. en Angola. **1982**-*13-3, août* idem. **1983**-*10-1* Dirk Mudge PM démissionne. *-18-1* Ass. dissoute, Afr. du S. reprend contrôle de l'administration. *Févr.* offensive Swapo. *-31-10* raid sud-afr. en Angola, 160 †. *-12-11* conférence multipartite (MPC). **1984**-*11-1* Swapo accepte de négocier. *-17-6* gouv. de transition pour l'Unité nationale 62 m. ; cabinet ministériel (8 m. + 8 adjoints). **1988**-*19-2* attentat à Oshakati, 27 †. *-8-8* accord de Genève (Angola, Cuba et Afr. du S.) prévoit cessez-le-feu. *-22-12* accord à New York : N. sera indépendante. Les 50 000 Cubains se retireront d'Angola avant le 1-7-91. **1989**-*27-1* début retrait sud-afr. (6 000 h. prévus au 1-4). *-1/5-4* Swapo (env. 1 770 m.) pénètre en N., viole cessez-le-feu (339 †, dont Swapo 312). *-15-4* 1 900 maquisards rapatriés en Angola. *-9-4* déclaration du mont Etjo (entre Angola, Cuba et Afr. du S.) rétablit cessez-le-feu. *-12-9* Anton Lubowski, dirigeant Swapo, qui serait un agent sud-afr., assassiné. *-14-9* Nujoma rentre d'exil (après 28 ans). *-26-9* Katatura affrontements Swapo/DTA. *-21-11* ouverture Ass. constituante. *-23-11* départ derniers soldats sud-afr. **1990**-*21-3* indépendance. *-11-7* adhère Union douanière sud-afr. *-25-9* adhère FMI et Banque mondiale. *-29-11* accord avec Angola pour construire centrale élec. sur la Kunene. **1992** sécheresse.

Bilan de la guerre (de 1967 au 1-1-88). + de 20 000 † [dont Swapo 11 000 (dont *1985 :* 599, *86 :* 645, *87 :* 747)]. *Coût par an* (milliards de F) : *Afr. du S. :* dépenses militaires 2,6 à 3,25 ; aide 3,64.

Statut. République. *Constitution* du 21-3-90. *Pt* Samuel Daniel Nujoma (n. 12-5-1929), élu 17-2-90 (pour 5 a. au suffr.univ.). *PM* Hage G. Geingob. *Assemblée :* 72 m.

Partis. *Action Christian National (ACN),* f. 19-3-89, Pt vacant. *Christian Democratic Action for Social Justice (CDA),* f. 1982, Pt Peter Kalangula. *Democratic Turnhalle Alliance (DTA),* f. 1977, Pt Mishake Muyongo ; coalition de 11 partis. *Federal Convention of N. (FCN),* f. 1988, Pt Johannes Diergoardt. *Namibia Nat. Democratic P. (NNDP),* f. 12-6-89, Pt Paul Helmuth. *Namibia Nat. Front (NNF),* recréée 1989, Pt Reinhardt Rukoro. *National Patriotic Front (NPF),* f. 1989, regroupe *ANS, CANU* et *SWANU (South West Afr. Nat. Union),* Pt Moses Katjiuongua. *South West Africa People's Organization (SWAPO),* f. 1960 par Samuel Nujoma (n. 12-5-1929, Ovambo) (env. 150 000 m., comité exécutif à Dar es-Salaam, en Tanzanie). Recrutés surtout chez Ovambos (45 à 50 % de la pop. nam.). Soutenue par URSS et satellites. *SWAPO-Democrats,* f. 1978, Pt Andreas Shipanga. *United Democratic Front (UDF),* f. 25-2-89, Pt Justus Garoëb.

Élections. **Du 7 au 11-11-1989 :** (Ass. constituante) (sièges et, entre parenthèses, % des voix) : inscrits 701 000, participation 97 %, suffrages exprimés 670 830. Swapo 41 (57,3), DTA 21 (28,5), UDF 4 (5,6), ACN 3 (3,5), FCN 1 (1,6), NPF 1 (1,5), NNF 1 (0,8), Swapo-D 0 (0,4), CDA 0 (0,3), NNDP 0 (0,1).

ÉCONOMIE

PNB (91). 1 377 $ par h. **Pop. active** (%, entre parenthèses part du PNB en %) agr. 35 (16), ind. 8 (11), services 45 (54), mines 12 (19). **Chômage** (90) 25 %. **Inflation** (%) *1989 :* 15,1, *90 :* 12, *91 :* 11,9. **Dette extérieure** (Md de rands) *1979 :* 0,03 ; *82 :* 0,6 ; *88 :* 0,9 ; *91 :* 0,7. **Budget** (Md de R, 1991-92) *recettes :* 2,9, *dépenses :* 3. *Part financée par Afr. du S., 1989 :* 0,008 *(1986 :* 0,5). Dep. 1966, l'Afr. du S. aurait versé 4,5 Md de rands, dont 50 % de 1984 à 88. **Aide amér.** (1990) 450 millions de $.

Agriculture. *Terres* (milliers d'ha, 81) arables 655, t. cult. 2, pâturages 52 906, forêts 10 427, eaux 100, divers 18 339. *Production* (milliers de t, 90) : tubercules 270, millet 65, maïs 65, légumes 32, blé 4,9 (88), laine 1 (89), sorgho 0,5 (86), coton 0,14 (88). En 82, guerre et sécheresse ont entraîné la perte des 4/5 des récoltes, et 1/4 des fermiers blancs sont partis. Élevage (milliers, 90). Moutons 6 680, bovins 2 072, chèvres 2 608, volailles 1 000, ânes 68, chevaux 51, porcs 50. Élevage extensif. Viande (91 261 t en 88) vendue à l'Afr. du S. Cuirs et peaux (moutons karakuls donnant de l'astrakan, en 88 1 721 t de laine et 623 800 peaux). Vente des peaux (millions de rands) *89 :* 25, *90 :* 13,8, *91 :* 15. Pêche. 690 000 t (92).

Mines. 36 exploitant env. 30 minerais, 73 % des export. *Production* sel 124 000 (90), zinc 68 000, cuivre 32 000, uranium 2 500, la plus grande mine du monde à Rössing ; diamants 1 186 000 carats (91) dont 90 % valables pour la joaillerie. Plomb 33 t, cadmium 51 t (90), étain 1 097 t (90), argent 91 t, or 1 851 kg (91). Charbon et gaz non expl. Industrie. Affinage des métaux.

Tourisme. *Visiteurs* (85) : 65 000. *Sites :* désert du Namib (dunes de + de 320 m de haut), Fish River Canyon (161 km), parc nat.d'Etosha (22 270 km², le plus grand du monde). Transports (km). *Routes* (91) : 41 815 dont 4 572 asphaltées ; *chemins de fer* (91) : 2 382 (écartement 1,065 m).

Commerce (millions de rands, 91). **Exp.** 3 263. Minerais 1 975, prod. man. 709, diamants, poissons 324, bétail (15 à 20 % vers l'Afr. du S.). **Imp.** 3 410 (65 à 80 % de l'Afr. du S., dont 80 % pour l'alim., 100 % pour le pétrole). Rang dans le monde (90) 6e uranium.

NAURU

Carte V. p. de garde. V. légende p. 884

Situation. Atoll du Pacifique, N.-E. des îles Salomon. 21,3 km². Périmètre 19 km. Alt. max. 70 m. A 2 080 km au N.-E. de l'Australie. Climat. Tropical, moy. 24,4 °C à 33,9 °C. Pluies nov.-févr.

Population. 9 350 h. (est. 89) dont 5 600 autochtones, 2 134 originaires d'autres îles (83), 682 Chinois (83), 262 Eur. (83). D 439. **Espérance de vie** H 50 a., F 55 a. (nombreux diabètes sucrés). **Capitale :** Yaren. Langues. Nauruan *(off.),* anglais. Religions. Protestants et catholiques.

Histoire **1798** découverte par Anglais. **1888** *oct.* annexée par Allemagne. **1914** occupée par Australiens. **1920**-*17-12* sous mandat SDN (adm. par Australie, G.-B. et N.-Zél.) **1942-45** occ. jap. **1947**-*1-11* adm. commune : Australie, N.-Zél., G.-B. **1968**-*31-1* indépendance. Statut. *Rép.* (la + petite du monde) membre du Commonwealth. *Pt* Bernard Dowijogo dep. 12-12-89 [avant Hammer De Robürt (n. 25-9-22) dep. 11-5-78]. *Ass.* 18 m. élus pour 3 a. Aff. étrangères et défense assurées par Australie. Drapeau (1968). Bleu avec étoile blanche à 12 branches (12 tribus de l'île) sans bande jaune au-dessous de l'Équateur.

Économie (89). **PNB** 12 800 $ par h. **Ressources** phosphates (1 500 000 t, épuisés 1995). Ni sources, ni cours d'eau (eau importée d'Australie et N.-Zél.). Noix de coco 2 000 t, poulets 4 000 (82), porcs 3 000.

NÉPAL

Carte p. 1088. V. légende p. 884.

Situation. Asie. 147 181 km². *Frontières* 2 810 km dont Inde 1 625, Chine 1 185. *Long.* 880 km, *larg.* 145 à 190 km. **Altitude** - de 1 000 m : 35 % ; 1 000 à 2 000 m : 25 % ; 2 000 à 5 000 m : 30 % ; + de 5 000 m : 10 %. Régions. **Plaine du Teraï au S.** (200 m en moy., altitude min. 60 m, mousson juin-sept., large 25 à 50 km, 17,5 % de la superficie). **2 chaînes de montagnes parallèles (O.-E.) :** *Siwalik :* 600 à 2 000 m, entrecoupée de vallées : les *duns ; Mahabharat :* 3 000 m, avec bassins de Katmandou (1 300 m) et Pokhara (900 m). Hiver : nuit + 2 °C, journée 16 à 22 °C. Mai-juin 36 °C. **Plateau central :** *Pahar.*

Himālaya : 26 °C ; mousson d'été juin-oct., hiver froid mais ensoleillé, *chaîne au N.* dans centre et est de la ligne de partage des eaux et la frontière. 10 sommets de + de 8 000 m : *Everest* 8 848 m, du nom de George Everest, chef de la Mission cartographique britannique de 1852 (l'un de ses adjoints indiens, Radhanath Shikhadar, établit le premier que le sommet jusque-là appelé « Peak XV » était en réalité le plus élevé de la Terre) ; en népali, « Sagarmatha » (le sommet dont la tête touche le ciel) ; en tibétain, « Chomolungma » (Déesse-mère du monde) ; *Kanchenjunga* 8 586 m, *Lhotse* 8 516 m, *Yalong-Kang* 8 505 m, *Makalu I* 8 463 m, *Lhotse Shar* 8 400 m, *Cho-Oyu* 8 201 m, *Dhaulagiri I* 8 172 m, *Annapurna I* 8 091 m, *Manaslu* 8 063 m. **Région transhimalayenne :** au centre-ouest, chaînes de l'*Annapurna*, du *Dhaulagiri* et du *Kanjiroba*, 25 000 km², à l'abri de la mousson, arides, alt. 3 000 à 4 500 m ; peu peuplée. **Cols :** une vingtaine entre 1 800 et 5 700 m dont le *Nangpa-La* (5 711 m), *Gya-La* (5 255 m), *Rasua Ghari* (1 830 m).

Arbres. *Région tropicale (300-1 000 m) :* plaine et savanes ; jungle domine. *Subtropicale (1 000-2 000 m) :* collines (Siwalik et Mahabharat) ; châtaigniers, chênes, aulnes. *Tempérée (1 700-3 000 m) :* chênes, châtaigniers, conifères, magnolias, rhododendrons géants (15 m, jusqu'à 4 000 m d'altitude), 34 variétés, fleurissent mars à mai. *Alpine : 3 000-5 000 m :* conifères ; *vers 4 000 m :* limite végétation forestière (broussailles), genre bruyère et rhododendrons nains, *berberis* (feuilles rouge vif en automne). Oiseaux. 1 000 espèces. Mammifères. 100 espèces. Tigres royaux (30), rhinocéros unicornes (300 à 400), ours jongleurs et ours bruns, ours noirs (féroces en montagne), yaks, dauphins d'eau douce, sauriens (2 espèces de crocodiles). Ont disparu : marco-polo et ibex. *Yéti* (en tibétain, mi-gueu, mi-té ou encore chu-ti) : ses empreintes montrent un pouce (ou un gros orteil) préhensile.

Population. 18 900 000 h. (est. 93) dont Indo-Népalais 6 123 000, Tamang 950 670, Tharu 721 264, Newar 591 570, Magar 536 350, Rai 500 600, Gurung 357 560, Limbu 306 480, Sherpas 51 075. *Divers* Dolpo, Manangi, Lo-pa et ethnies proches des Tibétains 46,30 % ; *prév. 2000 :* 23 048 000. D 124,3. **Répartition géogr.** (%) : Teraï 46,6, collines 45,5, région himalay. 7,8. **Pop. urbaine** 9,1 %. *Accroissement* 2,1 %. **Âge** – *de 19 a. :* 48 %, *+ de 60 a. :* 5,3 %. **Mortalité** *infantile :* 12 ‰. Villes (89) : *Katmandou* (cap.) 500 000 h. (district 735 000), Patan 182 000 (à 4 km), Bhadgaon 128 000 (à 13 km), Biratnagar 130 000 (à 250 km). **Népalais à l'étranger :** Inde 6 000 000, Bhoutan, Birmanie. **Indiens au Népal** 200 000. **Réfugiés : tibétains** (90) : 14 000.

Langues (%). Népali *(off.)* 51, maithili 12, bhojpuri 6, tamang 5,5, awadhi 4,7, tharu 4,3, newari 4, gurung 1,7, sherpa 0,9. *Analphabètes* 10 millions. Religions (%). Hindouistes (rel. d'État jusqu'en 1990) 82, bouddhistes 15 (en majorité disciples du mahayana et lamaïstes), musulmans 2, divers 1.

Histoire. **VIIIe-VIe s. av. J.-C.** règnes des dynasties Gopal et Ahir, venues du N. de l'Inde et installées dans la Vallée. Apparition des Kirat, guerriers venus du Tibet. **544-556 ou 566 av. J.-C.** naissance de Gautama Siddharta, fils du roi de Kapilavastu, du clan des Cakya, à Rummindei (futur Bouddha historique). Dynastie des Soma (1er roi : Nimisha). **58-57 av. J.-C.** ère Vikram. **500 ap. J.-C.** dynastie des Licchavi. **Fin VIe s.** roi Shiva Dev qui donne sa fille en mariage à son PM Amshuvarman (ethnie noble des Thakuri), qui prend le titre de Maharajadhiraj (roi des rois), puis la place de son souverain. **640** Amshuvarman donne sa fille Brikuti en mariage à Sron Tsan Gampo, roi du Tibet. Brikuti et Weng Ch'en (2e femme de Sron Tsan Gampo) convertissent leur mari au bouddhisme. Elles sont ensuite canonisées sous le nom de Tara blanche (Weng Ch'en) et Tara verte (Brikuti) (fait controversé). **879-880** début de l'ère Nepal Sambat.

1200-1768 dynastie Malla (fondateur : Ari Dev). **1482** roi Yaksha Malla partage son roy. entre 4 de ses 7 enfants (Banepa, Bhadgaon, Katmandou, Patan). **1482-1768** 11 rois Malla se succèdent dans le roy. de Bhadgaon dont Bhupatindra Malla (1692-1722) surnommé le « Louis XIV du N. ». **V. 1600** unification des royaumes de Patan et Katmandou. **1646** passage à Katmandou des jésuites Grueber et d'Orville. **1768-69** env. 80 principautés unifiées par Prithvi Narayan Shah (1722-75). **1778-85** soumission des Chaubisi (clan des 24 petits souverains de la région de Gorkha), puis annexion de l'O. du pays. **1788-92** conflit avec Tibet. **1814-15** conflit avec la Cie des Indes. **1815**-*28-11 tr. de Seghauly :* partage du Teraï, l'Angl. paiera des indemnités aux Nép. ; résident brit. à Katmandou. **1846**-*15/16-9* massacre de Kot. Jung Bahadur Rana (1817-77), PM, rend ce poste héréditaire, prend le titre de Maharajah ; proclame le Pce Surendra Bikram Shah régent du roy. **1850**-*22-1*/**1851**-*8-2* Jung en G.-B. (1er dirigeant n. se rendant plus loin que l'Inde). En Fr. du 21-8

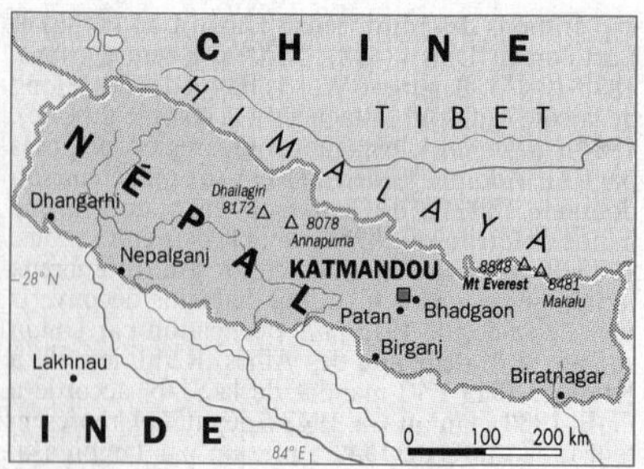

au 8-10-1850. **Jusqu'en 1951** PM héréditaire : la famille Rana.

1920 rite du *suttee* aboli (immolation des veuves sur le bûcher de leur mari). **1924** servage aboli. **1925** égalité de tous devant la loi. **1926** 1er hôpital. **1931** un jour férié par semaine, le samedi. **1934** séisme, 20 000 †, 350 000 maisons détruites. **1950** tr. de commerce et de transit favorables aux N. (liberté d'import. et d'export.). *-6-11* le roi Tribhuwan, qui voulait reprendre le pouvoir à la famille Rana, s'enfuit en Inde avec sa famille. Le PM Mohan Shumshere Rana fait proclamer roi un petit-fils du roi, Gyanendra (2 ans). **1951**-*16-2* retour du roi à Katmandou (facilité par l'Inde). *-18-2* Mohan se soumet.

1955 Mahendra Bir Bikram Shah (1920-72). **1959** *févr.* 1res élections au suffr. univ. à l'Ass. lég.

1972 *-31-1* **Birendra Bir Bikram Shah Dev** (28-12-45), ép. févr. 70 Aishwarya Rajya Laxmi Devi Shah (7-11-49), couronné 24-2-75 (2 garçons, 1 fille).

1974 opération contre les Khampas (env. 4 000 Tibétains) au N.-*14-9* Ghai Wangdi, leur chef, est tué. **1978** accords avec Inde officiellement caducs. **1979** *mai* manif. d'étudiants. **1980**-*2-5* référendum, 54,8 % pour maintien du Panchayat (système de démocratie). **1981**-*9-5* élections à l'Ass. **1985** création de la South Asia Association for Regional Cooperation (SAARC), regroupant Inde, Pakistan, Bangladesh, Népal, Bhoutan, Maldives et Sri Lanka. **1988** N. achète des armes à la Chine. *-1-1* 86 pays (dont *France,* USA, sauf URSS et Inde) acceptent la proposition du roi, du 25-2-75, de proclamer le N. « zone de paix ». *-23-5* manif. 1 000 arrestations. *-20-6* 5 bombes à Katmandou (7 †, 20 bl.). *-21-8* séisme 450 †. **1989**-*23-3* blocus écon. de l'Inde. **1990** N. achètera ses armes à l'Inde et n'exigera plus de permis de travail des Indiens vivant au N. : *-9-2* 350 arrestations. *-18-2* police tire sur manif. (11 †). *-1-4* roi limoge 9 ministres opposés à la répression. *-2/3-4* Katmandou, émeutes (8 †). *-6-4* 200 000 manif. (22 à 50 † dont 3 étrangers). Lokendra Bahadur Chand PM. *-8-4* autorise partis pol. Lève couvre-feu. *-16-4* dissout parlement ; démission du gouv. 15 000 manif. à Katmandou. *-19-4* Krishna Prasad Bhattarai (n. 1924) PM (a passé 14 ans en prison) ; gouv. de coalition. *Avril* affrontements (18 †). *-8-6* levée du blocus indien. *Nov.* affrontements 56 †. *-9-11* roi accepte nouvelle Const. abolissant celle du Panchayat (qui interdisait les partis pol.). **1991**-*12-5* él. lég. (1res dep. 1959) 1 345 candidats, 20 partis : P. du Congrès 110 sièges sur 205, PC-UML 69, P. de gauche 13, de droite 10, Indép. 3. **1992** *accidents d'avions -31-7* Airbus thaïl. 113 †, *28-9* Airbus pakist. 167 †. **1993**-*25/30-6* émeutes 30 †.

Statut. Royaume. *Const.* 9-11-1990. **PM :** *1986 (13-6)* Marich Man Singh Shrestha, *1990 (19-4)* Krishna Prasad Bhattarai (n. 1924), *1991 (26-5)* Girija Prasad Koirala (n. 1925). **Chambres** *des représentants* (Pratinidhi Sabha) : 205 m. élus au suffr. univ. p. 5 a. ; *des États* (Rashtriya Sabha) : 60 m. dont 10 nommés par le roi et devant comprendre au moins 3 femmes, 3 m. des castes basses et 9 de groupements ethniques ou sociaux défavorisés. **Conseil d'État :** ne se réunit que pour désigner un souverain en cas de décès ou d'incapacité de celui en place. Fête nat. 28 ou 29-12 (choisi par astrologues ; anniv. du roi Birendra). Drapeau (1962). Seul drapeau national non rectangulaire. 2 parties, à l'origine séparées, représentant sur fond rouge avec bordure bleue un croissant de lune et un soleil blancs, jointes au XIXe s. **Emblème** fasianidé vivant à + de 3 500 m. **Calendriers** *off.* (Bikram Sambhat, an 1 en 57 av. J.-C.), *grégorien* (toléré), *communauté newar* (ère Népali, an 1 en 879 apr. J.-C.), *comm. tibétaines* [propre, cycles de 60 ans de 12 noms d'animaux combinés avec 5 éléments (pas d'an 1)]. **Régions de développement** 5. **Zones** 14. **Districts** 75 [dont le **Mustang** (du tibétain Lo Mantang, « steppe des prières »). *Cap. : Jomosom.* Nord interdit aux étrangers ; étudié 1952 par Toni Hagen puis 1964 par Michel Peissel. Son roi Jigme Palbar Bista n'a plus de pouvoir. Jusqu'en 1974, des Khampas (Tibétains réfugiés luttant contre les Chinois) parcouraient la région frontalière]. Partis (interdits de 1972 à 1990). *Front uni de la gauche (ULF)* communiste. *P. du Congrès népalais* [dirigeants historiques : Ganesh Man Singh et B.P. Koirala (†) ; secr. gén. G.P. Koirala (son frère)], 14 factions communistes [dont la + importante UML (Union marx.-lén.)]. 2 p. « démocr. du centre ».

Défense. 100 000 à 200 000 soldats népalais ou d'origine nép. (Gurkhas), incorporés dans les armées brit. et indienne.

Économie

PNB (93) 180 $ par h. **Croissance** (90) 2 % (au lieu de 5,3 %) ; (91) : 3,2 % ; (92) : 2 %. **Pop. active** (%, entre parenthèses, part du PNB en %) agr. 90 (70), ind. 3 (5), services 7 (25). **Inflation** *90-91 :* 21 % *92-93 :* 15 à 20 % ; (millions de $) *91-92 :* 186,6, *92-93 :* 229,5 (prêts 207,1 dons 92,4). **Aide** (millions de $) *91-92 :* 186,6 ; *92-93 :* 229,5 (prêts 207,1, dons 92,4) représentant 46 % des recettes de l'État. *Donateurs (%) :* Japon 25, Inde 21, G.-B. 15, USA, Chine, RFA 11, Suisse 5, Canada 1.

Agriculture. *Terres* (km², 91). Forêts 55 334 (29 % contre 40 % en 68), t. cult. 26 533, neige, rocs et glace 22 463, pâturages et friches 19 785, t. arides 18 033, eau, routes et zones construites 5 033. *Production* (milliers de t, 91) : riz 3 502, maïs 1 231, canne à sucre 1 106, blé 836, p. de terre 738, millet 232, graines oléagineuses 92, jute 16, orge 28, tabac 7. Forêts. 17 388 000 m³ (88). Élevage (milliers, 91). Bovins 6 254, porcins 591.

Hydroélectricité. Potentiel 91,4 millions de kWh, production annuelle 319 000 kWh (vendue en partie à l'Inde). Mines. Magnésite, zinc, plomb, fer, cuivre, mica, magnésium, pierre à chaux, nickel. Industrie. Alim., tabac, cuir, ciment, briques, tissus, tapis.

Transports (km, 91). *Routes* 7 330 dont asphaltées 2 958, terre 2 714, graviers tassés 1 658. *Chemins de fer* (marchandises) 77. *Téléphériques* 42 (25 t/h). Tourisme. *Visiteurs 1962 :* 6 179. *70 :* 45 970. *80 :* 122 205. *92 :* 293 000 [dont (91) 86 637 Indiens, *28 420 Français*]. **Revenus** (88) 75 millions de $. **Meilleure saison :** oct.-avril. **Édifices :** *pagode,* à toits superposés ; *shikara,* tour aux arêtes convexes ; *stupa,* base ronde, dôme surmonté d'une tour carrée, ornée sur ses 4 faces d'une paire d'yeux de Bouddha. Les édifices bouddhistes s'élèvent au centre d'une cour (bahi, bahal ou vihara). Les temples de la Vallée datent du XVIIe au XIXe s. (sauf quelques stèles dont certaines remontent au VIe s.).

Commerce (en millions de $ US, est. 92-93). **Exp.** 278,8 dont (en %) effets d'habillement « prêt à porter » 24, peaux et cuirs 4, obj. d'artisanat et souvenirs 0,87, joaillerie 0,79 *vers* (%) All. 39, Inde 27, USA 20. 90 % du commerce n. passent par l'Inde. Les entreprises n. réservent au moins 30 % de leurs marchandises à la contrebande avec l'Inde (ex. : en 1989, 400 000 TV couleur achetées par N. pour un parc de 15 000 appareils). **Imp.** 659 *dont* (en %) machines et véhicules 26,7, prod. man. 26,5, pétr. 12,4, mat. 1res 11,3, prod. chim. 10,2, *de* (en %) Inde 39, Singapour 18, Japon 16, N.-Zél. 6,3, Chine 5,8, *France 3,8,* Corée du S. 2,7, All. 2. **Rang dans le monde** (86). 6e buffles.

Nicaragua

Carte p. 1016. V. légende p. 884.

Nom. En langue nahuatl, chef de tribu cacique Nicarao-Cali.

Situation. Amérique centrale. 130 000 km² dont 40 % représentent le Yapti Tasba (terre mère des Miskitos). 25 volcans. *Alt. max.* (Mogotón) 2 107 m. *Côtes :* Pacifique 305 km, Atlantique 405. *Frontières* avec Honduras 530 km, Costa Rica 220. **Régions :** plaine fertile sur Pacifique, chaîne de volcans ; montagnes au Centre et au N. ; forêt tropicale marécageuse de la plaine de l'Atlantique. Climat. 2 saisons : sèche (oct.-mai), humide (juin-oct.). *Pluies* 4 m (côte Atlantique). *Temp.* moy. à Managua 28 °C (mai 29,4 °C, déc. 26,1 °C).

Population. *1990 :* 3 870 000 h., *prév. 2000 :* 5 261 000. **Âge** – *de 15 a. :* 47 %, *+ de 65 a. :* 3 %. En % : Métis 71, Blancs 17, Noirs 9, Indiens 3 [145 000 en 89 : Miskitos, Sumus, Ramas]. Env. 9 000 Cubains (83). D 30,1. Villes (est. 81) : *Managua* (cap.) 1 000 000 h. (est. 86), León 248 704 (à 88 km), Jinotega 127 159 (160), Granada 113 102 (45), Chinandega 228 573 (123), Masaya 149 015 (25), Matagalpa 220 548 (105). **Mortalité** *infantile* 69 ‰ (87). **Pop. urbaine** 60 %. **Réfugiés aux USA** *ou* **Honduras** (90) 500 000 dep. 79 (dont 50 % de médecins), dont *au Honduras :* 35 000 Miskitos. Langues (%). Espagnol *(off.),* anglais 25, miskito et sumuama 5. **Analphabètes** 13 % (85). Religions (%). Catholiques 90, protestants (baptistes, moraves, mormons) 10.

Histoire. **1522** exploration de Gil González de Ávila. **1821** indépendance. **1821-39** N. fait partie de la Fédération d'Am. centrale. **1854** l'aventurier Guillaume Walker (1793-1867) essaye de s'emparer du N. **1848-1860** côte des Mosquitos forme roy. autonome sous protectorat brit. (cédé au N. en 1860). **1912-33** occupation amér. **1916** USA obtiennent l'exclusivité pour construire canal interocéanique pour doubler Panamá. **1927-33** résistance dirigée par Gal Augusto Cesar Sandino (1895, assassiné 16-2-34). **1931** Managua détruite par séisme. **1936**-*8-12 Tacho Somoza* Pt (abattu par un sandiniste le 21-9-1956, † le 29), sa fortune s'élevait au moins à 150 millions de $. **1956** Luis son fils, vice-Pt. **1957** devient Pt élu. **1963** *René Schick* Pt († 66). **1966** *Lorenzo Guerrero* Pt. **1967** *Anastasio Somoza* (6-12-1923) dit Tachito, frère de Luis, Pt. **1972** remet pouvoir à junte pour 30 mois. *Sept.* Constit. abolie. *-23-12* séisme, Managua détruite, 9 000 † ; 800 millions de $ de dons internat. détournés par Somoza. **1974**-*27-12* commando sandiniste prend 17 otages (dont min. des Aff. étr., 4 autres min.), obtient rançon de 5 millions de $ et libération de 20 pris. pol., part en avion pour Cuba. **1978**-*10-1* Pedro Joaquín Chamorro, Pt de l'Union démocrate de la libér., directeur de « la Prensa », assassiné. *-12-1* ses obsèques tournent à l'émeute. *-3-2* les sand. attaquent casernes. *-22/28-2* insurrection à Masaya écrasée. *-9-3* Gal Raynoldo Perez Vega, chef d'é.-major de la Garde nat., assassiné. *-20-7* Managua, attaque des bâtiments de la Garde nat. *-22-8* Managua, palais nat. occupé ; parlementaires pris en otage par sand. (FSLN) dirigés par Cdt Eden Pastora. *-25-8* grève. *-8-9* insurrection en province. *-20-9* Garde nat. (14 000 h.) reprend Esteli (massacre femmes et enfants) ; exode (16 000 réfugiés au Costa Rica et au Honduras) : bombardements civils. *-7-12* état de siège levé. *-10-2* assistance mil. amér. supprimée. *Avril* soulèvements à Esteli, León. *-1-5* 300 000 pers. acclament Somoza. *Juin* gouv. provisoire du FSLN. *-4-6* grève gén. *-8-6* Managua soulèv. **1979**-*24-6* OEA demande départ de Somoza. *-17-7* Pt Somoza part pour Miami (fortune de sa famille au Nord : 600 millions de $).

Époque sandiniste. **1979**-*19-7 Francisco Urcuyo Maliano* Pt par intérim, nommé *16-7*, démissionne [aurait voulu rester au pouvoir jusqu'en 1981 : ordonne à l'armée de poursuivre le combat, mais soldats fuient vers Honduras, tuant des paysans pour prendre leurs vêtements]. *-20-7* JGRN (Junte de Gouv. de Reconstruction nationale) Moises Hassan, Daniel Ortega, Sergio Ramirez, Violeta Chamorro, Alfonso Robelo). *-24-7* état d'urgence. *-25-7* banques nationalisées. *-21-8* lois fondamentales rétablissant libertés, peine de mort supprimée. *-17-10* Cies d'assur. et *-3-11* ind. minière nation. **1980**-*19-4 Violeta Chamorro* et *Alfonso Robelo* démissionnent (refusent mainmise du FSLN sur le Conseil d'État), remplacés (21-8) par 2 modérés : *Rafael Cordoba* et *Arturo Cruz*. *-17-9* Somoza assassiné au Paraguay. **1981**-*23-1* crédits amér. suspendus à cause de l'ingérence des sand. au Salvador (Pt Carter avait accordé 156 millions de $, dont 75 payés). *-4-3* JGRN passe à 3 membres : Rafael Cordoba, Sergio Ramirez et Daniel Ortega (coordinateur). *-9-7* Eden Pastora (dit Cdt Zéro, ancien vice-min. de la Défense) quitte N. *-19-7* réforme agraire. *-30-9* lois d'urgence écon. et sociale. **1982**-*14-1* frontière avec Honduras zone mil., 8 500 Miskitos installés à l'intérieur ; 10 000 au Honduras sous encadrement somoziste et hond. *-15-3* état d'urgence, tentative d'invasion somoziste, 200 †. *Mai* Jean-Paul II au N. *-3-6* gouv. en exil formé. **1983**-*19-7* 200 000 ha remis aux coopératives et petits propr. *-10-10* Corinto bombardé. **1984**-*11-4* CIA suspend minage des ports. *-30-5* Pastora blessé. *-4-11* **Daniel Ortega Saavedra** n. 11-11-45 ; [*1967* condamné à 7 ans de prison pour assassinat d'un policier. *1974* échangé après enlèvement d'un homme d'affaires. *1977* crée à Cuba tendance tercériste du FSLN (soc.-dém.)] élu Pt avec 67 % des v. [candidat d'opposition, Arturo Cruz, s'étant retiré à cause du climat d'insécurité créé par les « turbas » (sandinistes fanatisés)]. *-10-12* Père Fernando Cardenal, min. de la Culture, exclu des Jésuites (6-2-85), suspendu *a divinis* pour avoir refusé d'abandonner ses fonctions. **1985**-*1-5* embargo amér. commercial total. *-15-9* incidents avec Honduras. **1986** gouv. tente de rallier Miskitos en leur offrant autonomie. *-6-10* Eugen Hasenfus, mercenaire amér., condamné à 30 ans puis libéré 17-12. **1987**-*30-6* cessez-le-feu prorogé. *-11-7* ambassadeur USA expulsé pour ingérence. *-7-8* accord centre-amér. à *Esquipulas* (Guatemala). **1988**-*3-2* Congrès amér. refuse nouvelles aides aux Contras. *-14-2* 1 nouveau cordoba = 1 000 anciens. *-17-3* USA envoient 3 200 h. au Honduras après incursion sandiniste, repartent 28-3. *-23/24-3* cessez-le-feu. *1er accord à Sapoa*, gouv. provisoire/Contras. *Avril* négociation gouv./Contras. *Juin* avec Miskitos rompue. **1989**-*15-1* 5 000 manif. antisand. à Managua. *Févr.* soutien pop. du Front sand. estimé à 25 % (70 % en 1984). *-17-3* 1 900 détenus pol. libérés. *-24-3* USA ne fourniront aux Contras qu'une aide humanitaire. *Juin* 3 dévaluations. *-7-8 accord de Tela* signé par 5 chefs d'État centramér. (Contras devront remettre leurs armes avant fin 89 à une commission intern. d'appui et de vérification créée par Onu et OEA). *-28-9* Brooklin Rivera et Steadman Fagoth, dirigeants miskitos, rentrent au N. après 8 ans d'exil. *-3-10* URSS confirme arrêt de ses livraisons d'armes. *-1-11* cessez-le-feu suspendu. **1990**-*1-1* 20 diplomates amér. expulsés. *-9-2* 1 190 détenus pol. (de la Contra) libérés. *-21-2* 300 000 manif. acclament Ortega.

Époque démocratique. **1990**-*25-2* élections. 86,3 % de part. *Violeta Chamorro* (Uno) élue Pte de la Rép. devant Daniel Ortega (1er changement de gouv. dep. 1821 sans violence). *-28-2* cessez-le feu. *-6-3* amnistie. *-20-3* Ass. nat. vote (83 v. contre 3) immunité à vie Ortega et Chamorro. *-21-4* Myriam Arguello élue Pte du Parlement (par 28 v. contre 23). *-25-4* V. Chamorro prend ses fonctions ; Gal Umberto Ortega, frère de Daniel, reste chef des armées. *-11-5* réforme agraire sand. annulée. *-2-7* grève générale. *Juill.* émeutes à Managua. 800 soldats ajoutés pendant 2 mois aux 260 de l'Onuca [observateurs de l'Onu dès 7-11-89 (assurent démobilisation de la Contra) : du 8-5 au 27-6-90]. *Août* Danto 91, Mouv. d'action rév. (Mar) et Mouv. sand. Pedro-Altamirano créés pour combattre ex-contras (recontras) en rébellion dep. mars. *-23-8* loi expropriant 6 000 sand. *-1-10* Violeta Chamorro en France. *-18-11* pacte de non-agression recontras/sand. *-27-11* affrontements (5 †). **1992** *janv.* combats dans le N. *Sept.* raz de marée 300 †. **1993** *janv.* combats dans le N. 11 †. *-10-1* cordoba dévalué de 20 %. *Mars* embuscade 11 †. *-11-3* 3 ministres sand. au gouv. *-25-4* 50 000 manif. à Managua. *Avril* bilan dep. 16 mois selon centre nic. des droits de l'H. : 490 assass. pol. (anciens contras 269, sand. 73).

Statut. Rép. *Constitution* du 9-1-1987. *Pt* Violeta Barrios de Chamorro (n. 1930, ép. 1950 Pedro Joaquín Chamorro, dir. de « la Prensa », assass. 10-1-78) dep. 25-4-90. **Vote** à 16 ans. **Fête nat.** 19-7 (anniversaire chute de Somoza). **Drapeau** (1808).

Élections. **4-11-84.** *Ass. constituante* (90 s.), % des voix : FSLN 68, PCD 10, PLI 10, PPSC 5. Abstentions 20. **25-2-90.** *Parlement* (92 s.) % des voix. UNO 54,7 (51 s., majorité absolue 56), FSLN 41 (39).

Partis. *Front sandiniste de libér. nat.* (*FSLN*) : *fondé* 1961 par Carlos Fonseca, Silvio Mayorga et Tomas Borge. *Mouv. d'action pop. marx.-lén.* (*MAP-ML*) : f. 1972. *P. conserv. dém.* (*PCD*) : f. 1956, issu du P. conservateur. Pt : Clemente Guido. *P. comm. du N.* (*PCDN*). *P. libéral constitutionnaliste* (*PCL*) : f. 1968 scission du P. libéral de Somoza. *P. libéral indép.* (*PLI*) : f. 1944 par dissidents du P. libéral. *P. social chrétien* (*PSC*) : f. 1959. *P. pop. social chr.* (*PPSC*) : f. 1976 scission du PSC. *P. socialiste N.* (*PSN*) : f. 1944, marxiste-lén. **Indiens** ANTIGOUVERN : *Misurasata, Misura, Yatama* : f. 1987 (mais divisés), PROGOUVERN. *Misatán. P. social-dém.* : f. 1979. *Union nic. d'opposition* : f. mai 1986. *Alliance rév. dém. (ARDE)* : au Costa Rica ; *leaders* : Alfonso Robelo, Alfredo Cesar, a rompu en 1984 avec Robelo.

■ **Guerre civile.** **Forces en présence. Armée populaire sandiniste. 1990 :** 70 000 à 77 000 h. + réservistes, et miliciens 80 000 h. + troupes du min. de l'Intérieur 15 000 h. ; **91 :** 21 000 h. *Aide de Cuba* (suspendue 1990) 800 conseillers (220 médecins).

Nota. – **FPI (Forces punitives de gauche)** (1992-93). « Escadrons de la mort » sandinistes. *Chef* : Lt-Col. Frank Ibarra.

Contra : regroupée en mai 1987 dans la RN (Résistance nic.) 12 000 h., dont 8 000 au N. et 500 au Honduras. Anciens sandinistes, paysans ayant fui collectivisation, répression et service militaire (imposé dep. 1983). Accepte en mars 1990 de démobiliser. Combats repris mars 1991. **FND (Forces dém. nicarag.)** *leader* : Adolfo Calero.

Bilan : 45 000 à 54 000 †, 354 000 pers. déplacées. *Coût pour l'État* : 4 milliards de $ (pour l'URSS : 5, soit 50 % de l'aide dep. 1980).

■ Économie

PNB (91). 360 $ par h. (300 selon experts occid.) [1348 en 77]. **Croissance écon.** (%) *1986* : – 9,2, *87* : – 1, *88* : – 8, *89* : – 5,2 [% du budget de la défense dans le budget ramené en 89 de 50 à 36 %), *90* : – 1, *91* : – 0,4, *92* : 1. **Pop. active** (%, entre parenthèses, part du PNB en %) agr. 31 (23), ind. 17 (24), services 51 (52), mines 1 (1). **Chômage** (1993) 60 %. **Inflation** (%) *80* : 35,3. *81* : 88,3. *82* : 24,8. *83* : 31. *84* : 35,7. *85* : 219,5. *87* : 1 500. *88* : 36 000. *89* : 1 789. *90* : 13 490. *91* : 36 000. **Dette extérieure** (milliards de $) *1979* : 1,1, *90* : 11, *91* : 9. **Transfert des N.** travaillant aux USA : 0,3 Md $ par an. **Aide extérieure** (Md $) *1989* : 0,72, dont pays socialistes 0,54, *93* : amér. 50 (sur 104 gelés dep. mai 92). **Aide française** (millions de F) *1992* : 10.

Agriculture. *Terres* (millions d'ha, 1981) arables 1 085, t. cult. 171, pâturages 4 940, forêts 4 480, eaux 1 309, divers 2 459. *Production* (milliers de t, 1990) canne à sucre 2 645, coton 55, café 43, tabac 2,8 (82), maïs 258, haricots 55, sorgho 99, riz 97. **Élevage** (milliers, 1990). Volailles 7, bovins 1,6, porcs 0,69, chevaux 0,2. **Mines** (88). Or 878 kg, argent 1 t. **Industrie.** Huiles, sucre, prod. chimiques, ciment, textile.

Transports (km). *Routes* 24 100 (en tout temps 8 150) ; *chemins de fer* 373. **Tourisme.** *Visiteurs* (1991) 158 000.

Commerce (millions de $ US, 1990). **Exp.** 321,2 *dont* café 67,6, viande 64, coton 36,6, bananes 23 *vers* (88) Japon 9, All. féd. 5, USA 48, *France 4*, Espagne 26. **Imp.** 770 *dont* biens de consom. 187,5, mat. 1res 133, capitaux 128 *de* USA, URSS, Mexique, Cuba, Espagne.

■ Niger

V. légende p. 884.

Situation. Afrique. 1 189 000 km² (1 267 000 selon l'Onu). *Frontières* 5 500 km. *Alt. max.* 2 022 m. **Régions** : *zone soudanienne ou sud-sahélienne* 200 à 300 m d'alt., pluies 800 à 900 mm, préc. (autour de Gaya, savane arborée et arbustive), *z. centre-sahélienne* (750 à 350 mm, cultures) et *n.-sahélienne* (350 à 200 mm, élevage), *z. sahélienne désertique* (au N., erg de Ténéré, montagne de l'Aïr), *z. fluviale du Niger* : env. 500 km, fleuve permanent sauf à de rares exceptions en étiage en mai/juin, quelques rivières affluentes semi-permanentes et lacs permanents (l. Tchad à la frontière Sud-Est). **Climat.** Sahélien (saison sèche oct.-juin, humide juin-oct., max. 46 °C à l'ombre. Désertique au N.). **Distance** (km) Cotonou 1 100, Lagos 1 450, Lomé 1 350.

Population. *1990* (rec.) : 7 490 000 h., *2010 (prév.)* : 14 000 000. **Ethnies** (%, en 85) Haoussas 56, Zarma-Songhai 22, Peuls 10, Touaregs 8, Kanouris 4. **Français** env. *5 000.* D 6. **Âge** – *de 15 a.* : 47 %, *+ de 65 a.* : 4 %. **Taux** (‰) *natalité* 51 ; *mortalité* 20 ; *infantile* 141. **Villes** (87) : *Niamey* (cap.) 420 000 h., Zinder 100 000, Maradi 80 000, Tahoua 60 000, Arlit 28 000, Agadès 27 000 (82). **Langues** (%). Français *(off.)* 8, haoussa 60, djerma ou songaï 25, tamahek 10 (écr. tifinar), foulfouldé 10, kanouri ou béri-béri 9, toubou, gourmantché. **Religions** (%). Musulmans 85, animistes, chrétiens.

Histoire. **1590** domination marocaine. **1780** Touaregs installent capitale à Agadès. **1891** occupé par Fr. **1901** création du territoire du N. **1920** pacifié. **1922**-*23-10* colonie dans l'AOF. **1956** *juin* autonomie interne. **1958**-*18-12* rép. autonome. **1960**-*3-8* indépendance. **1974**-*15-4* coup d'État milit., élu gén. *Seyni Kountché* dépose Pt *Diori Hamani* (1916-89), son épouse est tuée. Constit. suspendue. **1976**-*15-3* échec coup d'État organisé par Bayère Moussu (exécuté 21-4-76). **1982**-*19/20-5* Pt Mitterrand au N. **1983**-*6-10* échec coup de force. *-14-11* gouv. exclusivement civil. **1986** Pt Kountché en Fr. **1987**-*14-4* ex-Pt Diori libéré († 23-4-89 à Rabat). *-10-11* Kountché meurt, Cel Ali Saibou (n. 1940) Pt du Conseil milit. **1989**-*10-12 Ali Saibou* élu Pt ; législatives. **1990**-*10-2* Niamey incidents étudiants/policiers (3 †). *-16-2* Niamey 5 000 manif. *-5-3* Cel Amadou Seyni Maiga, numéro 2 de l'État, démissionne. *Mai* Touaregs attaquent sous-préf. à Tchintaba Raden : 31 †. Répression mil. : 63 †. *Nov.* multipartisme autorisé. **1991**-*29-7 Conférence nat.* (1 204 délégués. Pt André Salifou). *-10-9* gouv. dissous. *Oct.* 3 000 réfugiés tchadiens quittent le N. *-29/30-10* massacres tribaux 98 †. **1992** rébellion touaregs *-28/29-2* mutinerie militaire, occupation radio nat. et prise en otage de resp. gouv., dont André Salifou (réclament paiement solde dep. déc. et libér. du cap. Boumeira, resp. de la répression de mai 90). *-1-3* manif antifrançaise ; mil. reprennent radio. *-3-3* retour au calme. *-26-12* référendum constit. (prévu 4-10, reporté 28-11). **1993**-*14-2* législatives : AFC élu (50 s.) devant MNSD (29 s.). *-27-2* présidentielles : 1er tour : participation 32,6 %. *-19-3* trêve gouv./FLAA (Front de lib. de l'Aïr et de l'Azawak) touareg. *-27-3* prés. : 2e tour : participation 35 %. *-23-4* Niamey, 900 prisonniers s'évadent.

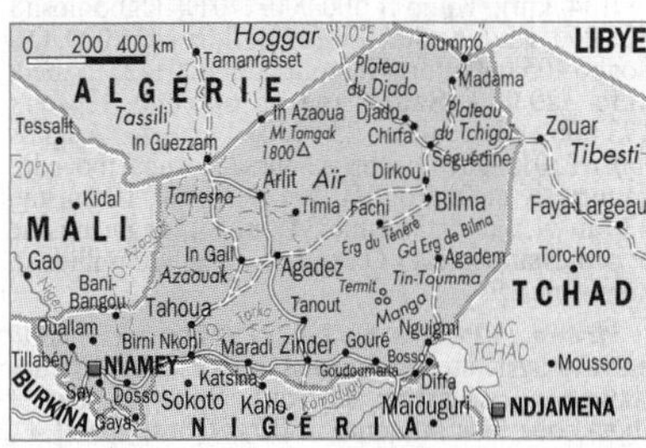

Statut. Rép. *Const.* 26-12-1992 adoptée par référendum avec + de 90 % des voix. *Pt* Mahamane Ousmane (n. 20-1-1950), élu 2e tour 27-3-93 avec 54,42 % des v. (devant Mamadou Tandja 45,57 %). *PM* Mahamadou Issoufrou (n. 1952) dep. 17-4-93. *Assemblée* 83 m. **Départements :** 7. **Partis.** *Mouv. nat. pour une soc. de dév.* (*MNSD*) fondé 1989, lib., ex-parti unique. *Pt* Mamadou Tandja (n. 1938). *Mouv. nigér. des comités rév.* (*MOUNCORE*) f. 1988, opposition. *Alliance des forces du changement (AFC)* coalition de 9 partis [dont *Convention dém. et sociale (CDS),* f. 1991, *Pt* Mahamane Ousmane, *P. nat. pour la dém. et le soc. (PNDS),* Pt Mahamadou Issoufrou]. **Fête nat.** 3-8 (indép.), 18-12 (Rép.), 15-4 (coup d'État de 1974). **Drapeau** (1959). Bandes orange (Sahara), blanche (bonté, pureté et fleuve Niger) avec disque orange (soleil), et verte (herbe du Sud).

ÉCONOMIE

PNB ($ par h.). *1984 :* 185 ; *87 :* 360 ; *89 :* 260 ; *90 :* 300 ; *91 :* 280. **Pop. active** (% et, entre parenthèses, part du PNB en %) agr. 70 (27), ind. 5 (12), services 20 (36), mines 5 (5). **Inflation** (%) *1984 :* 8 ; *85 :* - 0,9 ; *86 :* - 3,2 ; *87 :* - 6,7 ; *88 :* - 1,4 ; *89 :* - 2,8 ; *90 :* - 0,8 ; *91 :* - 7,8. **Budget** (1992, Md F CFA). 68 dont fonds propres 50, Taiwan 12,3, *France 5,* Nigeria 0,6. **Dette extérieure publique** 45 milliards de F (53 après rééchelonnement). **Aide de la France** 0,34 Md de F par an.

Agriculture. *Terres* (milliers d'ha, 81) 126 700 dont arables 3 450, pâturages 9 668, forêt 2 840, eaux 30. *Production* (milliers de t, 90) millet 1 333, sorgho 415, c. à sucre 140, légumineuses 368, manioc 213, arachides 60, oignons 80, riz 73, patates douces 35, coton 2. Sécheresse en 1984. **Élevage** (milliers, 90). Volailles 18 000, chèvres 7 617, bovins 3 609, moutons 3 539, ânes 512, chameaux 420, chevaux 302. Les peaux de chèvres rousses de Maradi, après tannage, donnent du daim. **Pêche.** 4 800 t (89).

Énergie. Uranium *réserves* (région de l'Aïr) 230 000 t, *prod.* 4 500 t (81), 2 980 t (89). *Prix du kg* (en milliers F CFA) *1974 :* 5,4 ; *79-80 :* 24,5 ; *81 :* 20 ; *85 :* 30 ; *89 :* 30 ; *91 :* 19 ; *92 :* 17. *Part dans le budget* (%) *1979 :* 40, *92 :* 8. **Cassitérite** 60 t/an. **Charbon** 164 000 t (Anou). **Fer** 650 millions de t (Araren). **Phosphate** 500 millions de t. **Marbre. Kaolin. Pétrole** (peu). **Industrie.** Brasserie, textile, ciment, savon.

Transports. *Routes* 20 000 km (88) dont 3 161 bitumées, 2 440 en latérite de bonne qualité. **Tourisme.** Ténéré et Aïr ; parc régional.

Commerce (Md F CFA, 86). **Exp.** 93,9 (87) *dont* uranium 93,5, bétail 9,9, niébé 5,8, cuirs et peaux 0,9, divers 8 *vers* (85) *France 62,* Nigeria 12,9, Japon 5,7, Espagne 5,4. **Imp.** 154,8 (87) *de France 49,7,* Nigeria 18,4, Algérie 10, Bénin 6,4, Pakistan 6,1, USA 5,1, All. féd. 5, P.-Bas 3,8, Japon 3,4, Italie 2,9, C.-d'Ivoire 1,5.

Rang dans le monde (90). 7e uranium.

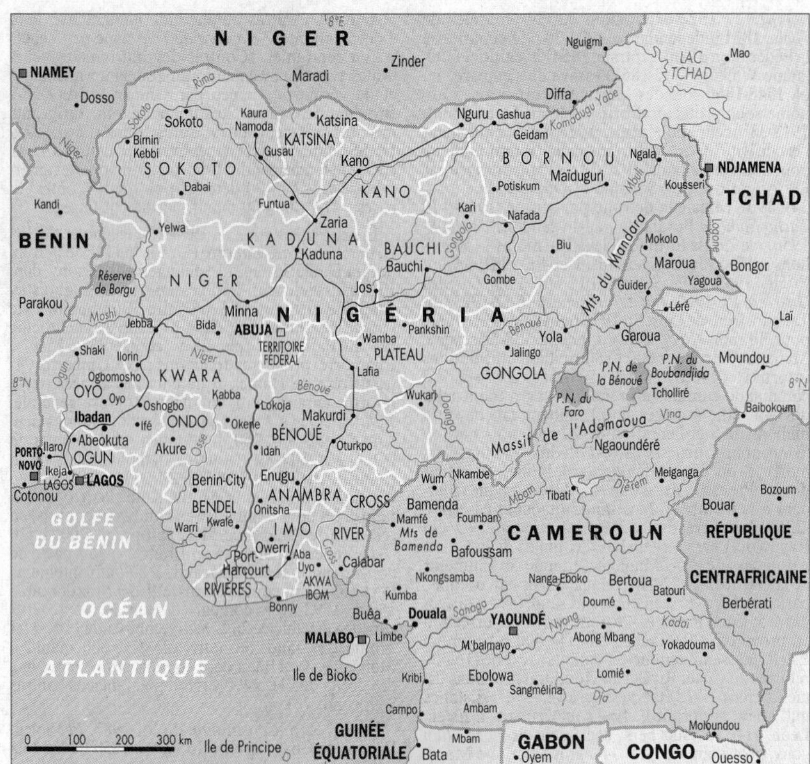

NIGERIA
V. légende p. 884.

Situation. Afrique. 923 768 km². *Frontières :* Cameroun 1 500 km, Niger 1 500 km, Bénin 750 km (lac Tchad 95). *Côtes* 800 km (Atlantique). *Régions :* delta du Niger et plaine côtière au S. ; plateaux centraux s'inclinant au N. vers Niger et Tchad. *Alt. max. :* Pic Vogel 2 040 m à l'E. **Climat.** Tropical humide, temp. élevées, max. 40 °C au N. ; *pluies :* au S. 2 500 mm, N. et N.-E. 500 mm.

Population (en millions, et entre parenthèses estimation de l'époque). *1911 :* 22,32 (16,05) ; *21 :* 24,66 (18,72) ; *31 :* 27,24 (20,06) ; *52 :* 37,24 (30,40) ; *73 :* 56,45 (79,76) ; *85 :* 76,32 (95,69) ; *91 :* 88,51 (88,51) [Haoussas-Fulanis (N.) 32 %, Yorubas (O.) 18 %, Ibos (E.) 18 %]. *2000* (est. faite en 1989) 161,9 h., *2025* 380. *Croissance* 3,4 % par an. **Mortalité** *infantile :* 130 à 160 ‰. **Âge** - *de 15 a.* 47 %, + *de 65 a.* 2 %. D 95,8. **Urbanisation** 46 %. **Villes :** *Abuja* [en cours d'installation à 793 km de Lagos 20 000 (91)], *Lagos* 8 à 10 000 000 (est.), Ibadan 4 000 000 (est.) (à 134 km), Kano 1 500 000 (701), Ogbomosho 525 000, Kaduna 500 000 (553), Ilorin 425 000, Oshogbo 405 000, Port-Harcourt 400 000 (427), Abeokuta 320 000. **Santé** sidéens 600 000, lépreux 193 000, tuberculeux 250 000. **Langues.** Anglais *(off.),* 250 langues locales (haoussa, yoruba, ibo, edo, kanuri, tiv et foulfoudé). **Religions** (%). Islamisme 43 (au N.), christianisme 34 (au S.), anglicanisme et protestantisme à l'O., cathol. à l'E. (10 millions), animisme 19.

Histoire. VIe-IIIe s. av. J.-C. N. (Haoussas) habité par des agriculteurs connaissant fer, étain, art des statuettes (civilisation de Nok) ; Sud (Yorubas et Ibos) sous leur influence. **VIIIe-XIIIe s. apr. J.-C.** montagnes de Bornou (au N.) sont le centre d'un emp. haoussa, musulman, dit emp. de Kanem qui occupe O. et E. du lac Tchad, jusqu'au Soudan. **XIVe s.** l'empire s'effondre, Bornou se transforme en émirat musulman qui rayonne sur Sahara (anéanti par les Peuls en 1808). **XVe-XVIe s.** les non-musulmans du S., Yorubas et Ibos, fondent 2 roy. : Oyo et Bénin qui ressuscitent la civilisation de Nok. Centre culturel : Ife (statuaire laiton et terre cuite). **1452** Portugais entrent en contact avec Bénin sur les côtes ; **apr. 1500** organisent commerce des esclaves. **1553** Anglais détruisent comptoirs port. et monopolisent traite des Noirs. **1713** abandonné par Port. aux Angl. **XVIIe-XVIIIe s.** roy. yoruba d'Oyo s'étend à l'O. jusqu'au Dahomey et Togo (détruit par Peuls 1835) ; roy. du Bénin se maintient. **1861-1900** acquisition par Brit. **1914** colonie brit. **1922** élections directes à Lagos et Calabar. **1946, 1951** Constitution. **1953**-*15/19-5* émeute de Kano. **1957** régions Est et Ouest autonomes. **1959** région du N. autonome. **1960**-*1-10* indépendance. **1961**-*1-6* plébiscite : N.-Cameroun (ex-brit.) s'intègre au Nig. du N. **1963**-*1-10* Rép. Constitution fédérale. **1964** *déc.* él. fédérales : affrontement N.-S. **1965**-*7-1* Azikiwe, Pt de la Rép., nomme PM sir Abubakar Tafawa Balewa ; révolte tiv réprimée (3 000 †). **1966** 2 coups d'État mil. : *-15-1* putsch Ibo : Gal Ironsi (PM Balewa, Festus Okotié Eboh min. des Finances, sir Ahmadou Bello et Akintola assassinés) ; *-25-5* régions seront remplacées par des provinces. Partis dissous. Réaction nordiste, des centaines d'Ibos égorgés dans le N. *Fin juin* des centaines de milliers d'Ibos fugitifs regagnent le S. *-29-7* Ironsi tué par nordistes. *-31-8* Gal Yakubu Gowon (n. 19-10-34) PM suspend décret d'unification. *Août-sept.-oct.* 30 000 Ibos tués dans le N., plus d'un million fuient vers l'E. **1967**-*4-1* conférence d'Aburi (Ghana) sur répartition des revenus pétroliers (258 millions de $ en 1966) entre régions prod. et gouv. central : échec. *-25-5* 12 États remplaceront les 4 régions (*N. :* Haoussa Foulani ; *O. :* Yoruba ; *Centre-O. :* Edo ; *E. :* Ibo), les limites de 3 États sont calculées pour empêcher les Ibos de profiter des revenus du pétrole : État des Rivières [(cap. Port-Harcourt) 1 000 000 d'Ijaws et 1 000 000 d'Ibos] produit 63 % du pétrole nig. ; État du S.-E. [(cap. Calabar), 2 500 000 Ibibios et Efiks, 2 000 000 d'Ekois et 8 autres ethnies], le + mal desservi et le + pauvre ; État du Centre-E. [(cap. Enugu) 7 000 000 Ibos], produit 3 % du pétrole nig. *-30-5* Lt-Cel Emeka Ojukwu (n. 4-11-33) proclame ind. de l'E. sous le nom de *Biafra* [(75 000 km², 14 000 000 h. Ibos 2/3, Ibibios, Efiks, Ekois, Ijaws). *Villes : Owerri, Enugu, Port-Harcourt, Aba.* Devient rép. ind., reconnue par Côte-d'Ivoire, Gabon, Haïti, Tanzanie, Zambie]. **1967**-*6-7* **début de la g. du Biafra. 1970**-*12-1* (1 000 000 de † dont beaucoup d'enfants morts de faim) ; Ojukwu exilé en Côte-d'Ivoire. **1973** *févr.*/**1974** *févr.* agitation étudiante. **1975**-*29-7* Gal Gowon renversé, exilé ; Gal Murtala Mohammed (Haoussa, musul.) lui succède. *-6-8* gouv. sous autorité du Conseil mil. sup. *-24/25-11* affrontements dans S.-E. : 13 †, 7 000 sans-abri. **1976**-*3-2* création de 7 nouveaux États. *-12/13-2* coup d'État du Lt-Cel Dimka et de jeunes off. : échec ; Pt Mohammed tué. *-14-2* Gal O. Obasanjo Pt. *-31-3* 32 putschistes de févr. exécutés. **1979**-*31-7* avoirs BP nationalisés. *-1-10* armée rend pouvoir aux civils. **1980**-*14/31-12* troubles religieux à Kano, affrontements partisans de Mallam Mohammed Marwa avec armée, 4 117 †. **1981**-*10-7* émeutes à Kano. **1982**-*12/17-2* Jean-Paul II au N. *-18-5* Ojukwu gracié. *Oct.* émeutes de Maiduguri, 300 †. **1983**-*17-1* étrangers clandestins expulsés (2 000 000 : vers Ghana 800 000 à 1 000 000, Bénin 200 000 à 500 000, Tchad 700 000, Niger 150 000 à 200 000, Cameroun, Togo). *Août à oct.* élections + de 100 †. *-20-8* sénatoriales (Ojukwu élu). *-5-12* retour triomphal du Gal Gowon. *-31-12* Gal Mohammed Buhari renverse Shagari (incapable de lutter contre corruption, crise éco.). **1984**-*27-2* au *-5-3* émeutes religieuses à Yola (N.-E.), 1 000 †. *-2-10* Ojukwu libéré. **1985** *avril-mai* expulsion clandestins (700 000). *-26-4* émeutes musulmans « Maitatsine » dans N.-E., 11 † : *-27-8* coup d'État milit. *-20-12* complot milit. déjoué. **1986**-*5-3* officiers comploteurs fusillés (dont Gal Mamman Vatsa). *-5-7* Shagari libéré. *-26-9* naira dévalué de 70 %. **1987** *mars* heurts chrétiens/musulmans, 15 †. **1988**-*16-4* émeutes, 6 †. *-14-12* ex-Pt Buhari libéré (en prison dep. 27-8-85). **1989**-*31-5/-2-6* émeutes à Lagos (plus. diz. de †). **1990**-*11-1* manif. contre islamisation du N. *-26-2* Pt Bagangida en Fr. *-22-4* coup d'État déjoué (le Col. Usman K. Bello tué). *-27-7* 42 comploteurs du 22-4 fusillés. *-13-9* 27 autres fusillés. **1991**-*19-4* émeutes religieuses : 200 † ; couvre-feu (levé 1-5). **1992** affrontements tribaux (1 800 †). **1993**-*12-6* él. présid. : Moshood Abiola (55 a., Yoruba SDP) élu Pt devant Bashir Tofa (46 a., de Kano, NRC). *-26-6* scrutin annulé. *-6-7* Lagos émeutes 12 †.

Statut. Rép. fédérale membre du Commonwealth. *Constit.* du 1-10-1979, suspendue 31-12-1983. Nouv. prévue 1993. *Pt* assisté d'un *Conseil de transition. Ass.* dissoute (de 1983 à 92) 589 m. *Sénat* 89 m. **États** 30. **Fête nat.** 1-10 (Rép. 1963). **Drapeau** (1960). Bandes vertes (forêts), b. centrale blanche (paix).

Partis. Interdits janv. 84-mai 89. En mai 1990, autorisés dans le cadre de 2 formations : *P. social-dém. (SDP),* f. 1989, Pt Tony Anenih et *Convention rép. nat. (NRC),* f. 1989, Pt Hamed Kusamoto. **Élections.** *Sénat* (4-7-92) : SDP 52 s., NRC 37 s. *Chambre des représ.* (4-7-92) : SDP 314 s., NRC 275.

Présidents. 1963-*2-10* Dr Nnamdi Azikiwe (n. 16-11-04). **66** *janv.* Gal J.T. Aguiyi Ironsi (tué 29-7-66) ; *août* Gal Yakubu Gowon (n. 19-10-34). **75** *juill.* Gal Murtala Mohammed (1937-tué 13-2-76). **76**-*14-2* Gal Olusegun Obasanjo (n. 5-3-37). **79**-*1-10* Alhaji Shehu Shagari (n. 25-5-25) [élu avec 5 688 000 v. (33 %), Awolowo 4 916 000 v., Azikiwe 2 822 000 v.,

Kano 1 732 000 v., Ibrahim 1 686 000 v.]. **84**-*1-1* Gal Mohammed Buhari (41 ans). **85**-*27-8* Gal Ibrahim Babangida.

■ Économie

PNB (par h.). *1980* 1 100 $, *92* 250. **Pop. active** (%, entre par. part du PNB en %) agr. 47 (32), mines 8 (18), ind. 8 (7), services 37 (43). **Inflation** (%) *1987:* 10,2 ; *88:* 38,3 ; *89:* 50 ; *90:* 20 ; *92:* 50. **Aide française** (1992) 100 millions de F. **Dette extérieure** (milliards de $) *(fin 92)* officiellement 27,6 dont 17 au Club de Paris, *juin 93* 30 à 34 ?. **Revenus de l'État** (milliards de $) *86-87 :* 22 à 25 ; *88 :* 6,2 ; *89 :* 5,4 ; *90 :* 6,7 ; *92 (est.) :* 10,6.

Agriculture. *Terres* (milliers d'ha, 82) arables 27 900, t. cult. 2 535, pâturages 20 920, forêts 15 200 (84), eaux 1 200 (84), divers 25 400. *Prod.* (milliers de t, 90) manioc 26 600, racines et tubercules 22 000, céréales 11 270, sorgho 4 000, millet 4 000, légumineuses 1 463, plantain 1 257, canne à sucre 1 400, maïs 1 832, arachides 1 166, cacao 155, caoutchouc 80, huile de palme 900, riz 1 900, noix de coco 105. Forêts. 107 732 000 m³ de bois (90). Élevage (milliers, 90). Volailles 165 000, chèvres 22 000, bovins 12 200, moutons 9 000, porcs 1 100, ânes 700. Pêche. 259 500 t (89).

Énergie. **Charbon** (millions de t) *réserves* 650 ; *prod.* 118. **Gaz** (milliards de m³) *réserves* 2 600 (92) ; *prod.* 4 (90). **Pétrole** (millions de t) *réserves* 2 442, 2 800 prévus (35 ans de prod.) ; *prod.* (entre parenthèses revenus en Md $) *1965:* 14 (0,2) ; *70:* 54 (0,7) ; *74 :* 113 (8,6) ; *79 :* 115 (25) ; *80 :* 103 (25) ; *81 :*72 (17,2) ; *82 :* 75 (12,8) ; *83 :* 62 (10) ; *84 :* 70 (116) ; *85 :* 75 (12,2) ; *86 :* 73 (6,4) ; *87 :* 66 (6,7) ; *88 :* 72 (6,5) ; *89 :* 85 (8,9) ; *90 :* 91 ; *91 :* 96,3. Mines. **Étain** (90) 10. **Colombite** (80 % de la prod. mondiale) 46,8 t. **Pierre à chaux. Marbre. Fer. Zinc. Or.** Industrie. Ciment, tôle, coton, détergents, prod. alim., boissons gazeuses, bière, sucre, textile, montage de Peugeot [7 500 par an (35 000 en 80)], Volkswagen. Transports. (km) *Routes* 129 000 (dont 42 156 asphaltées), *chemins de fer* 4 195, *voies navigables* 6 000. Tourisme 341 000 vis. (88).

Commerce (milliards de $, 88). **Exp.** 9,7 (89) *dont* pétrole 96 % (92) *vers* USA 5,2, All. 0,7, *France 0,5,* Italie 0,5, G.-B. 0,3. **Imp.** (89) 7,4 *de* All. 0,53, G.-B. 0,5, *France 0,4,* Japon 0,3, Italie 0,3. **Solde commercial** (Md $) *1987 :* + 1 ; *88 :* +1,9 ; *89 :* + 2,5 à 4 ; *90:* + 8,7. Rang dans le monde (91). 5e cacao. 8e bois. 11e rés. gaz nat. 12e rés. pétrole, pétrole. 18e bovins. 21e ovins.

■ Norvège

Carte p. 969. V. légende p. 884.

Nom. Vient de *Nordvegr* la route vers le N. En norvégien : Norge (officiel) ou Noreg.

Situation. Europe (Scandinavie). 386 963 km² dont *Norvège* 323 883 et îles *Svalbard* 62 700, *Jan Mayen* 380, *Pierre-Ier* 249,2, *Bouvet* 58,5. *Zone économique* des 200 milles marins : 900 000 km². *Long.* 1 752 km. *Larg.* 6,3 à 430 km. **Frontières** 2 542 km dont Suède 1 619, Finlande 727, Russie 196. **Alt. max.** Galdhøpiggen 2 469 m, Glittertinden 2 465 m, *moy.* 500 m. **Côtes** 2 650 km (21 347 avec fjords et baies). Périmètre des îles : 35 662 km. **Fjord** le plus long : Sognefjord 204 km. *Iles :* 50 000 (dont 2 000 hab. ; la plus grande habitée 2 198 km², Hinnoy). **Glaciers** nombreux (le plus étendu : Jostedalsfossen 486 km²). **Lacs** nombreux [Mjosa 368 km², Hornindal (prof. 514 m, le plus profond d'Europe)]. **Cascades** nombreuses [Skykkjedalsfossen 300 m (record d'Europe)] ; Voringsfossen (182 m). **Régions :** N. (Finnmark) : plateaux et collines peu élevés, fjords profonds. S. : montagnes et vallées. **Ville la plus au N. du monde :** Hammerfest, 70° 39′ 46″ lat. N. ; 23° 48′ longitude E. (7 135 h.). **Soleil de minuit** (disque solaire vu en entier) au cap Nord : 13-5/29-7 ; période d'obscurité : 18-11/24-1. **Temp. moy.** (Oslo) 5,9 °C, mois le plus froid : janv. – 4,7 °C ; le plus chaud : juill. 17,3 °C.

Population (en millions). *1769 :* 0,72, *1801 :* 0,88, *1825 :* 1, *1900 :* 2,24, *1930 :* 2,81, *1950 :* 3,28, *1960 :* 3,6, *1970:* 3,87, *1992:* 4,26. *2000* (prév.) : 4,23. 20 000 Lapons, 10 000 descendants d'émigrés finlandais. **Age** – *de 15 a. :* 21 %, + *de 65 a. :* 15 %. **Caractéristiques :** 80 % ont des yeux bleus et cheveux blonds ; *taille moy.* (en cm) : homme 179,2, femme 163. **Immigrants** (1-1-91) 143 304 dont 72 858 Européens, 42 092 Asiatiques, 18 005 Amér., 9 400 Africains. **D** 13,1. Villes (1-1-92) : *Oslo (cap.* ; appelée Christiania du XVIIe s. à 1925) 467 090 h., Bergen [ancienne cap. (à 490 km)] 215 967, Trondheim (Trondhjem) (à 553 km) 139 660 (la + grande église du Moyen Age de Scand.), Stavanger (à 590 km) 99 764, Kristiansand 66 398, Tromsø 52 459, Drammen 52 062, Sandnes 45 749, Skien 42 210, Bodø 37 382, Sandefjord 36 348, Alesund 36 117, Ringerike 27 433, Fredrikstad 26 473, Narvik 18 736 (port d'embarquement du minerai de fer suédois).

Langues. *Bokmaal* (riksmaal ; c.-à-d. l. administrative ; variété norv. du danois ; seule l. off. pendant 400 a. ; 1re l. enseignée à 80/85 %) et *nynorsk* (« nouveau norv. », variété écrite et modernisée du landsmaal, « l. de campagne », héritière du norv. parlé avant la conquête danoise). Les 2 l. sont officielles, mais le nynorsk ne supplante pas le riksmaal. On a essayé de créer une 3e l., le *samnorsk* (norv. commun).

Religions (%, 80). Égl. de Norvège (luthérienne, d'État) 87,8, autres 3,8, sans 3,2, non désignée 5,2.

Histoire. **Vikings** [on appelle ceux qui opèrent à l'Ouest « vikingr », à l'Est « voeringr » (varègues)]. **800 à 1090** incursions lointaines nombreuses (ramènent des richesses). Petites communautés agricoles norv. s'organisent en régions administratives et militaires. **V. 875** colonies vikings dans les Hébrides, île de Man, Shetland et Orcades, en Angl., Irlande et Normandie. **V. 900** unification du royaume. Bataille de Hafrsfjord. Roi Harald « aux beaux cheveux », 1er souverain à régner en N. **V. 1000** Leiv Eriksson découvre Groenland et Amérique. Conversion au christianisme. Conquise plusieurs fois par Danois. **1030** *Olav Haraldsson,* roi, tué par Danois à la *bat. de Stiklestad* (canonisé : St Olav, patron de la N.). *Magnus le Bon* (1035-47) règne sur Danemark de 1042 à 1047, monarchie consolidée. **1066** *Harald le Sévère* (1047-60) perd Danemark et meurt à Stanford Bridge ; il cherchait à conquérir l'Angl. (dernière expédition viking). **1130-1240** double système de l'hérédité et de l'élection au trône conduit aux g. civiles. **1163** *Magnus V* couronné. L'Eglise a tout pouvoir de trancher entre prétendants. **1194** roi *Sverre Sigurdsson* excommunié. **1217-63** fin des g. civiles. Apogée : Islande et Groenland appartiennent à la couronne de N. **1274-76** *Magnus le Législateur* promulgue la 1re loi valable pour tout le pays. **1319-60** union personnelle avec Suède. **1349-50** peste noire. **1380** union avec Dan., jusqu'en 1814. **1397** *union de Kalmar :* Suède (quitte 1521), Dan,, N. **1468-69** Orcades et Shetland remises au roi d'Écosse. **1563-70** g. de 7 Ans. **1807-14** g. contre Angl. et Suède. Blocus et famine. **1811** 1re université.

1814 Christian, P[ce] de Danemark [(1786-1848) petit-fils du roi de D. Frédéric II, roi de D. 1839] ; *-17-5* élu roi sous le nom de Christian-Frédéric. *-14-8* les autres États n'ayant pas reconnu cette élection, une convention proclame l'indépendance de la N. en union personnelle avec la Suède (les rois de S. devenant également rois de N.).

1814-1905 union avec la Suède. **1837** autonomie communale. **1866-73** + de 100 000 émigrants, surtout vers USA. **1884** système parlementaire. **1892** Magnus Andersen traverse Atlantique sur une réplique de drakkar. **1898** suffrage universel pour hommes. **1905** *tr. de Karlstad. -7-6* union avec Suède dissoute. Indépendance. *12/13-11* référendum (pour royaume 259 563, rép. 69 264).

1905 Haakon VII (1872-1957), P[ce] Carl de Danemark, 2e fils du roi de Dan. Frédéric VIII (1843-1912) et fr. de Christian X (1870-1947) roi de D., ép. 1896 P[cesse] Maud de G.-B. et d'Irl. (1869-1938), f. du roi Édouard VII. *-18-11* élu roi par le Storting. **1913** suffrage universel pour femmes. **1914-18** neutre pendant la g., sa flotte marchande subit des pertes. **1920** partage mer de Barentz avec URSS (ratifié en N. 14-8-1925). **1925** Svalbard sous souveraineté n. **1928** PM Hornsrud (1er gouv. social démocrate). **1933** arbitrage Cour de La Haye : Groenland reste danois. **1940**-*9-4* invasion all. *Juin* gouv. exilé à Londres. *-28-5* Anglo-Fr. reprennent Narvik. *-3/7-6* rembarquent pour G.-B. **1942** *févr.* gouv. nazi, PM Vidkun Quisling (1887-exécuté 24-10-45). **1945**-*8-5* libération. **1952** Conseil nordique (Dan., Finlande, Islande, Suède).

1957 *-21-9* **Olav V** (1903/17-1-91), P[ce] Alexander de Dan., fils de H. VII. Ép. 21-3-29 P[cesse] Martha de Suède (28-03-01/5-4-54), f. du P[ce] Ch. de S. duc de Westrogothie (1861-1951) et sœur d'Astrid de Belg. *3 enfants : Ragnhild* (9-6-30), ép. 1953 Erling Lorentzen (armateur) et perd le prédicat d'Alt. roy. *Astrid* (12-2-32), ép. 12-1-61 Johan Ferner (homme d'affaires) et perd le prédicat d'Alt. roy. *Harald V* (qui suit). **1971** exploitation pétrole mer du N. **1972**-*25-9* référendum (contre adhésion à CEE 53,9 %, pour 46,5 %). **1973** accord commercial avec CEE. **1977**-*1-1* zone écon. 200 milles. Négociation avec URSS sur partage mer de Barentz (seul accès à l'Atlantique non pris par les glaces pour la flotte soviét. de Mourmansk). **1981**-*15-1* manif. contre centrale hydroélectrique sur l'Alta. **1984**-*14/15-5* Pt Mitterrand en N. **1986**-*11-5* dévaluation 12 %. **1989**-*1-8* Reiulf Sreen, Pt du Parlement, démissionne (scandale).

1991-*17-1* **Harald V** (21-2-37) ép. 29-8-68 Sonja Haraldsen (4-7-37). *Enfants : Martha Louise* (22-9-71) et *Haakon Magnus* (20-7-73). *-21-10* 8 diplomates sov. expulsés. **1992**-*3-7* Arne Treholt, ancien haut fonctionnaire, condamné en 1985 pour espionnage à 20 ans de prison, gracié. *-19-11* Parl. approuve demande d'adhésion à CEE par 104 v. contre 55. *-25-11* demande déposée. *-10-12* couronne n. décrochée de l'écu pendant 30 j.

Statut. Royaume : État confessionnel. *Constitution* du 17-5-1814 *(Grunnlov). Parlement : Storting* (165 m. élus p. 4 a.) comprenant *Lagting* et *Odelsting.* Le roi ne peut dissoudre le Parl. *Comtés (fylker)* 19. Fête nat. 17-5 (Constit.). Drapeau (1821) utilisé officiellement 1894 : basé sur drapeau danois : croix bleue et blanche sur fond rouge.

Élections (% des voix et, entre parenthèses, sièges). **10/11-9-1989 :** abstentions 19,8 %. Travaillistes 34,3 (63), Conservateurs 22,2 (37), Progrès 13 (22), Socialistes de gauche 10,1 (17), Centristes 6,5 (11), Chrétiens populaires 8,5 (14), Travaillistes dissidents (Régionaux) 0,3 (1). Les 3 partis de centre-droit disposent de 62 sièges sur 165.

PM **1981** (14-10) Kaare Willoch (3-10-28). **1986** (9-5) Mme Gro Harlem Brundtland (n. 1938) travailliste. **1989** (16-10) Jan P. Syse (n. 25-11-30) conservateur. **1990** (3-11) Mme Gro Harlem Brundtland.

Partis. *P. travailliste :* f. 1887, Thorbjörn Jagland. *P. conservateur :* f. 1884, Kaci (Karin Cecilie) Kullmann Five. *P. chrétien-populaire :* f. 1933, Kjell-Magne Bondevik (3-9-47). *P. centriste :* f. 1920, Anne Enger Lahnstein. *P. socialiste de gauche :* f. 1975, Erik Solheim. *P. libéral :* f. 1884, Havard Alstadheim. *P. du Progrès :* f. 1973, Carl I Hagen.

Dépendances

Iles Svalbard (Spitzbergen, île Blanche, île du Roi-Charles, île Hope, île aux Ours) [Arctique]. Archipel 62 700 km². Population *1983 :* 4 012 h. dont 2 550 Russes et 12 Polonais, *1989 :* 3 544, dont 2 407 Russes, 1 055 Norv. (88) et 12 Pol. (88). **Capitale :** *Longyearbyen.*

Histoire. **1194** découvertes par Norv. **XVIIe-XVIIIe s.** rivalité N.-Angl.-Holl. pour chasse à la baleine (ensuite épuisée). **1920**-*9-2* tr. de Paris (41 signataires : droits égaux pour exploration et exploitation des ressources minières). Souveraineté norv. off. reconnue. **1925**-*14-8* sous la juridiction norv. **Ressources :** charbon (prod. en 90 : 2 gisements norv. 303 000 t et 2 russes 528 900 t).

Ile Jan Mayen (Arctique) rattachée à la N. dep. 27-2-30. 380 km². 25 h. Station radio et météo.

Ile Bouvet (Atl. S.) 58,5 km². Station météo. A 2 500 km du cap de Bonne-Espérance. **1739** découverte Jean Bouvet de Lozier (Fr.). **1825** occupée par G.-B. **1900** redécouverte par la « Valaivia » (navire de l'exp. armée). **1927** occupée par N. **1930**-*27-2* déclarée norv.

Ile Pierre-Ier (Antarct.) 249,2 km². **1929** visitée par N. **1931**-*1-5* déclarée norv. Inhabitée.

Terre de la reine Maud (Antarct.). Entre le 20° O. et le 45° S. **1957** déclarée norv. Inhabitée.

■ Économie

PNB (91). 25 350 $ par h. **Taux de croissance** (%) *1988 :* 2,6 ; *89 :* 5,7 ; *90 :* 2 ; *91 :* 2 ; *92 (1er trim.) :* 2,5 ; *93 (prév.) :* 1,3. **Pop. active** (%, entre parenthèses part du PNB en %) agr. 6,7 (5), ind. 23 (20), services 66,3 (61), mines 4 (14). *Chômage* (%) *1985 :* 2,3 ; *90 :* 5,3 ; *92 :* 6,2. **Inflation** (%), *1988 :* 5,5 ; *89 :* 4,6 ; *90 :* 3,7 ; *91 :* 3,4. **Dette extérieure** (milliards de $) *1985 :* 94.

1992-*1-1* RÉFORME FISCALE : *Particuliers* réduction des taux. 35,8 % au lieu de 48,3 (dont t. de base 28 % du revenu brut, prélèvement Séc. soc. 7,8 %). *Impôt sur les Stés* 28 % (avant 50,8).

Agriculture. *Terres* (milliers d'ha, 79) t. arables 937, pâturages 108, forêts 6 660, divers 29 462. *Production* (milliers de t, 86) foin 2 881, fourrages 1 136, céréales et pois secs 1 107,3 [blé 224 (90), orge 740 (90), avoine 601 (90)], p. de terre 484 (90), betteraves 223, légumes 144,5, paille 79,2 (85), fruits 56,6, baies 41,7. Forêts. 11 354 000 m³ (89). Bois, pâte à papier. Élevage (milliers de têtes, 90). Poules pondeuses 4 029 (87), moutons 2 211, bovins 960, porcs 713, chèvres 61, chevaux 19. Pêche (milliers de t, 89). 1 788 dont hareng 269, merlan 233 (85), colin 207 (85), morue 186,5, maquereau 143, cabillaud 108, crustacés 64 (crevettes 56).

Énergie. **Pétrole** (en millions de t) *réserves :* 1 495 (91) ; *prod. 1975 :* 9,2 ; *80 :* 24,4 ; *85 :* 38 ; *90 :* 81 ; *91 :* 92,2 surtout gisement d'Ekofisk exploité dep. 71. **Gaz** (milliards de m³) *réserves* 2 379 ; *prod. : 88 :*

29,8 ; *89* : 30,6 ; *90* : 25,4 [Frigg 16,5, réserves 175), Odin (2,5 à 3,2), Frigg N.-E. (1), Frigg-Est (1,4) ; *91* : 27 ; *92* : 25 ; *2000 (prév.)* : 65. **Part du pétrole et du gaz :** *dans le PNB* (en %) *85* : 19 ; *88* : 12 ; *les recettes de l'État : 1985* : 19 ; *88* : 5,5 ; *les exp.* 31 % (88). **Électricité :** 119,2 milliards de kWh en 1989 (dont 118,7 hydraulique). Divers (milliers de t, 90). Charbon 358, fer 2 081, cuivre 19,7, zinc 17,5, molybdène, pyrite, tungstène, antimoine, titane, plomb.

Industrie. Raffineries, aluminium, métallurgie, pétrochimie, chimie, papier, ciment, construction navale, électron., alim.

Transports. *Marine marchande* (1990). 1 886 navires (88 : 3 415 000 tjb dont tankers 2 267 000). *Routes* (km, 91) : 88 800 dont goudronnés 62 101. *Chemins de fer* (km, 91) 4 044 dont électrifiés 2 426, à double voie 91. Tourisme (91). 6,10 millions de nuitées.

Commerce (milliards de $, 90). **Exp.** 33,8 *dont* combustibles, lubrifiants, électr., etc. 16,1 (dont pétrole 13,5, gaz 2,4), prod. man. 6, mach. et mat. de transp. 4,7, prod. chim. 2,2, prod. alim. et animaux vivants 2,2 (dont poissons et préparations de poisson 2), mat. brut (combustibles exclus) 1,1 *vers* (%) G.-B. et Irlande du N. 26,1, Suède 11,3, All. féd. 10,9, *France 7,5*. **Imp.** 27,1 *dont* mach. et mat. de transp. 11,3, prod. man. 4,5, prod. divers 4,2, prod. chim. 2,2, mat. brut (combustibles exclus) 2,1, prod. alim. et animaux vivants 1,3, combustibles, lubrifiants 1,2 *de* (%) Suède 15,2, All. féd. 13,5, G.-B. et I. du N. 8,8, USA 8,8, Danemark 6,4, Japon 4,1, *France 3,5*.

Rang dans le monde (91) 4e flotte marchande (86). 11e gaz nat., rés. gaz nat. 13e pêche, rés. pétrole, pétrole.

NOUVELLE-ZÉLANDE

V. légende p. 884.

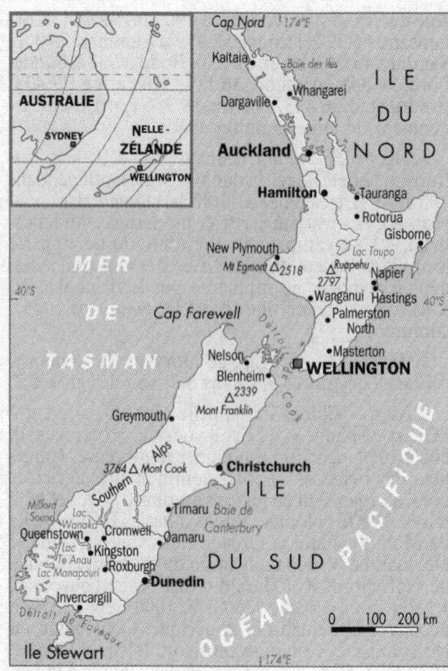

Nom. Baptisée *Staten Land* par Abel Tasman, devenue *Nieuw Zeeland* au XVIIe siècle. *Aotearoa* en maori (la terre du long nuage blanc).

Situation. Océanie. 268 112 km^2 (avec dépendances sauf Tokelau et Ross) dont *Ile du Sud* 153 374 km^2 (y compris *île Stewart*), 865 469 h. (86), *Ile du Nord* 114 738 km^2, 2 439 100 h. (85 est.), à 1 600 km au S.-E. de l'Australie. **Côtes** 15 000 km. **Alpes de N.-Z.** dans l'I. du S. avec une vingtaine de pics de + de 3 000 m. **Alt. max.** Mt Cook 3 754 m (dep. avalanche du 14-12-91). **Volcans** (Ruapehu 2 797 m) et *geysers* dans l'île du N. **Glaciers** (Tasman 29 km). **Fjords** (Milford Sound) le long de la côte S.-O. **Lacs** nombreux dont Taupo (le + grand, 606 km^2) et Manapouri (le + profond, 443 m). **Cours d'eau principal :** Waikato 425 km. Climat. Subtropical dans l'extrême N., alpin en montagne, océanique tempéré ailleurs (juillet moy. 5 à 11 °C, janv. 15 à 20 °C). *Pluies* : moy. 600 à 1 500 mm. *Soleil* : + de 2 000 h/an, sauf dans l'extrême S. *Flore* : surtout arbres à feuilles persistantes : rimu, totara, matai, miro et kauri.

Population (en millions). *1885* : 0,5 ; *1930* : 1,5 ; *1940* : 1,64 ; *1950* : 1,9 ; *1961* : 2,415 ; *1971* : 2,86 ; *1981* : 3,2 ; *1992* : 3,45 dont env. 500 000 Maoris (10 à 15 % pop.), *prév. 2001* : 3 814 000. **Age** – *de 15 a.* 23 %, + *de 65 a.* 11 %. D 12,9. **Pop. urbaine** 85 %. Villes (91) : *Wellington* 325 682 h., Auckland 885 571, Christchurch 307 179, Dunedin 109 503, Hamilton 108 625, Palmerston North 70 951, Tauranga 70 803, Hastings 57 748, Rotorua 53 702, Napier 52 468, Invercargill 51 984, New Plymouth 48 519, Nelson 47 391, Whangarei 44 183, Wanganui 41 213, Gisborne 31 484, Timaru 27 637. **Émigration** *1986-87* : 15 730, *87-88* : 24 153 (diff. écon., revendications Maoris), *89* : 12 275. **Maoris :** 90 % dans l'île du Nord et 80 % en zone urbaine ; pop. d'origine polynésienne, arrivée au XXe s. Réclament 70 % des terres au nom du tr. de Waitangi (1840). Droits de pêche et fonciers commencent à être reconnus [23-9-92 : État leur offre 150 millions de $ pour acheter 50 % de la Sté Sealord (25 % de la pêche nat.)]. Langues. Anglais, maori (off. dep. 1987). Religions (%, 86). Anglicans 24, presbyt. 18, cath. 15,2, méthodistes 4,7, baptistes 2,1.

Histoire. **Dep. 950** migration des Maoris des îles polynésiennes. **1642** découverte par Abel Tasman (1603-59). **1769-77** explorations par James Cook. **1814** missionnaires anglicans dans baie des Iles. **1839** tentative de colonisation fr. Louis-Philippe crée une Cie nanto-bordelaise pour coloniser le pays ; le gouv. angl. dépêche le capitaine William Hobson (1858-1940) pour prendre les Fr. de vitesse. **1840**-*6-2 tr. de Waitangi* : souveraineté brit., annexion à l'Australie pendant 1 an. 1ers pionniers français à Akaroa. **1852** gouv. local, découverte d'or au Coromandel. **1860-70** g. maories. **1876** suppression du système fédéral. **1887** 1er parc national (Tongariro). **1893** 1er pays à instaurer vote des femmes. **1898** loi instituant la retraite-vieillesse (1re au monde). **1907** dominion. **1984** succès travailliste, David Lange (n. 1942). **1985** *févr.* quitte l'Anzus (alliance militaire avec USA et Australie). *-11-7 Rainbow Warrior*, bateau de Greenpeace, coulé (explosion) (1 †). Après procès, les faux époux Turenge : Cdt Alain Mafart et capitaine (femme) Dominique Prieur condamnés et emprisonnés ; libérés en juill. 86 mais assignés à résidence sur l'atoll de Hao pour 3 ans. **1986**-*6-5* D. Prieur (enceinte) revient en Fr. Le *Rainbow Warrior* a été coulé dans la baie de Matauri pour devenir un habitat de vie sous-marine. La France a dû présenter des excuses publiques, verser 2,3 millions de F à la famille du photographe portugais tué, 9 millions de $ à la N.-Z. pour récupérer les faux époux Turenge, et 8,1 millions de $ à Greenpeace. La N.-Z. a décidé de ne pas réclamer l'extradition de Gérald Andriès, ancien agent de la DGSE, arrêté en Suisse le 23-11-91 alors qu'il était sous le coup d'un mandat d'arrêt international. **1987** travaillistes réélus. *Déc.* Cdt Mafart rentre en France. **1990**-*6-2* 150e anniversaire du tr. de Waitangi en présence d'Elisabeth II (manif. de Maoris). *-27-10* législatives, succès Parti national. **1991**-*29-4* visite PM Rocard. *-28-10* PM Bolger en France. **1992**-*19-9* référendum sur mode de scrutin. 48 % de part. 84,5 % pour abolition scrutin uninominal maj. à 1 tour et 70,3 % pour proport. **1993** *oct.* 2e référendum sur mode de scrutin et él. lég.

Statut. État membre du Commonwealth. *Gouv. gén.* : Dame Kath Tizard dep. 11-85 ; représente la reine Elisabeth II. *Cons. des min.* (20 m.) nommé par PM mais responsable devant Ch. *Chambre* 97 m. [93 Europ., 4 Maoris (les Maoris peuvent voter dans une circonscription européenne ou maorie)], élus p. 3 a. (27-10-90 : PN 67 s., PT 29, NPT 1). Fête nat. 6-2 (Waitangi Day). Drapeau (1917). Étoiles rouges et blanches (Croix du Sud) sur fond bleu ; drapeau anglais dans l'angle.

PM. **1975** Robert Muldoon dit « Piggy » (1921-93). **1984** David Lange (n. 1942) trav., démissionne 8-8-89. **1989** *août* Geoffrey Palmer (n. 1945) trav. **1990** *sept.* Mike Moore (n. 1949). *-27-10* James Bolger (n. 1935) PN.

Partis. *P. travailliste* (PT), f. 1916 (Mike Moore). *P. national de N.-Z.* (PN) f. 1936 (James Bolger). *P. communiste de N.-Z.* (prochinois), 300 m., f. 1921 (Grant Morgan). *P. socialiste unifié* (était prosoviétique) f. 1966 (Marilyn Tucker). *P. démocratique de N.-Zél.*, f. 1985 (John Wright). *P. Mana Motuhake* (Maori) f. 1980 (Matiu Rata). *Nouveau P. travailliste*, f. 1989 (Jim Anderton). *P. vert d'Aotearoa*, f. 1990 (Jeanette Fitzsimons).

ÉCONOMIE

PNB (91). 12 300 $ par h. **Croissance** (93, est.) 2,9 %. **Pop. active** (%, entre parenthèses part du PNB en %) agr. 10,5 (9), ind. 23 (19), mines 1,5 (2), services 65 (70). **Chômage** (%) *1980* : 2,9 ; *85* : 4 ; *90* : 7,4 ; *92* : 10. **Inflation** (%) *1987* : 17 ; *88* : 6,4 ; *89* : 5,7 ; *90* : 6,1 ; *91* : 2,8. **Dette extérieure** (90) 20,1 milliards de $ NZ (84 % du PIB en 92). **Déficit budgétaire** *1990* : 1,7 % du PIB ; *92* : 3,7.

Agriculture. *Terres* (millions d'ha, 89) arables et pâturages 14,4, forêts 7,4, eaux 0,3, divers 5. *Production* (milliers de t, 91) orge 382, blé 181, pois 65, p. de terre 262 (90), fruits divers 216 (89), maïs 183. Forêts (89). 7,4 millions d'ha en partie englobés dans 12 parcs nationaux, 21 parcs forestiers et près de 4 000 réserves qui couvrent + de 5 millions d'ha (soit 18,5 % du pays) ; *production* (92) 14 231 000 m^3.

Élevage (millions, 91). Ovins 56,1 dont brebis 1, bovins 4,6 dont vaches laitières 3,4, daims 1,2, porcs 0,4 ; *production* (milliers de t, 91) : viande 1 108, laine 305, beurre 269, lait 7 077 millions de litres. Pêche 549 100 t (91).

Énergie (91). **Charbon :** 2 684 000 t. **Lignite :** 159 000 t (90). **Pétrole** (90) : *réserves* 1 155 millions de t ; *prod.* essence 1 733 000 t, diesel 1 331 000 t, fuel oil 390 000 t. **Gaz :** *réserves* 145 milliards de m^3, *prod.* 2 milliards de m^3. **Électricité** (91) : 30 858 millions de kWh dont hydraulique 75 %, thermique 18,3, géothermique 6,7. Mines (milliers de t, 91). *Chaux* 3 107, *sables ferrugineux* 2 265, or 6,7 t.

Transports (km, en 1989). *Routes* 92 974 ; *chemins de fer* 4 790. Tourisme (vis. 91). 967 062. *Sites* : Champagne pool (bassin d'eau pétillante, parc de Waiotapu), Rotorua (vapeurs sulfureuses), Whakarewarewa (village maori reconstitué), vallée de Waimangu, Mataury Bay, Arthur's Point, mont et lac Tarawera (volcan de 1 111 m), lac Wakatipu (prof. 380 m).

Commerce (millions de $ NZ, juin 92). **Exp.** 17 873 *dont* viande 3 006, prod. forestiers 1 715, laitiers 1 244, laine 1 082, fruits 891 *vers* Australie 3 387, Japon 2 729, USA 2 289, G.-B. 1 164, Malaisie 471. **Imp.** 14 221 *dont* minéraux et mat. plast. 3 630, mach. et mat. élec. 3 471, auto. et aéronaut. 2 102, prod. manuf. 1 218, prod. alim. 1 056 *de* Australie 3 163, USA 2 599, Japon 2 161, G.-B. 874, All. 592.

Nota. – La France n'est que le 15e client de la N.-Z. (1,1 % des exp., 2,2 des imp.).

Rang dans le monde (91). 1er kiwi, 2e laine, 4e ovins.

DÉPENDANCES

■ **Iles Kermadec.** A 1 000 km au N.-E. d'Auckland, 34 km^2, annexées 1887, 12 h. à la station météo. **Iles Tokelau** à 500 km au N. des îles Samoa, 3 atolls (*Atafu, Nukunonu, Fakaofo*). 10 km^2, 1 690 h. (86), D 169, annexées à N.-Z. en 1948, administrées dep. 1925 par min. des Aff. étrangères (annexées par G.-B. 1916, puis adm. avec îles Gilbert et Ellice), coprah, fruits. **Ross Dependency** (Antarctique) à 2 300 km au S. de la N.-Z., 414 400 km^2, glaces, base scient. dep. 1957, env. 12 h, adm. dep. 1923 par N.-Z. **Campbell** (île) à 600 km au S. de l'île Stewart, 106 km^2, 10 h. **Chatham** (île) à 850 km à l'E. de Christchurch. 963 km^2, 751 h. (81) ; *ch.-lieu : Owenga.* **Bounty** (îles) (lat. 47°43' S., long. 179°0,5' O.) à 784 km à l'O. de l'île Stewart, 13 km^2, inhabitées. **Snares** (îles) à 104 km au S.-O. de l'île Stewart, 3 km^2, inhabitées. **Auckland** (îles) à 400 km au S. de Bluff Harbour. 612 km^2, inhabitées. **Antipodes** (îles) (lat. 49°41' S., long. 178°43' O.) à 750 km au S.-E. de l'île Stewart. 10 km^2, inhabitées.

■ Pays associés (autonomie interne mais citoyenneté commune). **Iles Cook** Polynésie. 237 km^2, 19 000 h. (91). 15 îles en 2 groupes (86) : au S., *Rarotonga* (67 km^2, 9 281 h., volcanique et fertile, alt. max. Mt Te Manga 653 m, avec la cap. : *Avarua*, à 3 000 km au N.-E de la N.-Z.), *Aitutaki* 18 km^2, 2 400 h., *Mangaia* 52 km^2, 1 270 h., *Atiu* 27 km^2, 1 040 h., *Mauke* 18 km^2, 693 h., *Mitiaro* 22 km^2, 265 h., *Manuae et Takutea* 211 km^2 ; au N., *Penrhyn, Pukapuka, Manihiki, Rakahanga, Nassau, Palmerston et Suwarrow.* D 80. CLIMAT : tropical. Moy. à Rarotonga 22 à 26 °C. Pluies 2 000 mm/an. HISTOIRE : *1773-77* James Cook découvre plusieurs îles du S. *1823* missionnaires anglicans. *1888* protectorat brit. *1901*-11-6 rattachement à N.-Z. *1965*-4-8 autonomie interne. STATUT : membre du Commonwealth. *Chef de l'État* : Reine Elisabeth II. *PM* Geoffrey Henry. *Ass. législative* (22 m. élus au suff. univ.). *Fête nat.* : 4 août (Constitution Day). RESSOURCES : agrumes, ananas, nacre, coprah, tomates. Banques (secret des transactions : 20 % des recettes budg.) ; *tourisme* (90) : 34 218 vis.

Niue (Ile) 262 km^2. Corallienne isolée à 2 640 km au N.-E. d'Auckland. 2 267 h. (89). D 8,8. **Capitale :** Alofi. Annexée par N.-Z. 1901. *Autonome* dep. oct. 1974. *PM* Robert R. Rex. **Ressources :** coprah, patates douces (kumaras), miel, fruits de la passion, citrons verts.

COOK (îles)

NIUE

TOKELAU

Oman, Sultanat d'Oman

Carte p. 916. V. légende p. 884.

Nom. Du chef Oman Ben Kahtan (IIe s. apr. J.-C.) qui émigra à Oman après la destruction du barrage Maareb. Jusqu'en 1970, Mascate et Oman.

Situation. Asie. 300 000 km² (y compris les îles de Kuria Muriya 78 km², cédées par la G.-B. à O. le 30-11-67) dont Dhofar 100 000 km². *Frontières* 1 600 km, avec Yémen 300 km, Arabie Saoudite 800, Émirats arabes unis 400 env. *Côtes* 1 700 km. *Alt. max.* Jabal al-Akhdar (la Montagne verte) 3 075 m. **Climat.** Chaud et sec, temp. extrêmes 13 à 43 °C ; *pluies :* 100 mm/an. *Terrains :* montagnes (+ 400 m) 45 000 km², plaines côtières inhabitées 9 000 km², oueds et zones désertiques 246 000 km².

Population (millions). *1990 :* 2, *prév. 2025 :* 6,67. **Age** – *de 15 a. :* 45 %, *+ de 65 a. :* 1,9 %. **Mort.** *infantile :* 117 ‰. **Travailleurs étrangers** Indiens 200 560, Pakistanais 48 112, Bengalis 42 116, Égyptiens 30 012, Anglais 5 960, Sri Lankais 5 900. **Villes :** *Mascate* (cap.) 100 000 h. (agg.), Salalah 50 000 (agg.), Matrah 14 000. D 6,6. **Langues.** *Off.* arabe, *nationales :* arabe, swahili, farsi, *d'enseignement :* arabe, anglais. **Religions.** Islam 100 % (mus. ibadites 75 %, sunnites 25 %).

Histoire. VIIIe s. 1er *imamat* ibadite (Julanda ibn Masud). **IXe s.** création des wilayas. Invasion perse. **1505-1665** domination des ports par Portugais. **1650** imans Ya'Ariba reprennent Mascate, puis côtes. **1665** prise de Mombassa, départ des Port. **1747** avènement des Al Bû Sa'îd lors de l'expulsion des Perses par Ahmad ibn Sa'îd. Mascate, 1er port commercial du golfe. Expansion omanaise sur la côte. Zanzibar, 2e capitale d'Oman. **1798** 1er tr. avec G.-B. (confirmé 1891). **1807-56** sultan Sa'îd ibn Sultân crée 1re plantation de girofle à Zanzibar. **1856** à sa mort, 2 roy. indép. : Mascate et Zanzibar. **1890** Zanzibar protectorat brit. **1897** abolition de la traite à Pemba et Zanzibar ; difficultés écon. **1913** restauration de l'*imâmat* ibâdite, shaykh Sâlim ibn Râshid al-Kharûsi élu : scission en 2 États : Mascate et Oman. **1920** tr. de Sib entre sultan Tay mur ibn Faysal, souverain sur la côte, et l'imam (qui garde à l'intérieur une certaine indépendance). **1924** 1re concession pétrolière. **1949-55** « dispute de Buraymî » : sur concessions pétrolières. **1957** tentative de restauration de l'*imâmat.* Sultan Sa'îd reprend le contrôle du pays. Tâlib ibn Ali, avec l'Oman Revolutionary Movement, attaque sultan. Bânî Riyam rejoint les rebelles. Armée brit. aide sultan. **1963-64** rébellion au Dhofâr. **1965** Dhofâr Liberation Front devient 1968 « Popular Front for the Liberation of the Occupied Arabian Gulf », soutenu par Yémen du S. **1969** contrôle 2/3 du Dhofâr. **1970** sultan Sa'îd destitué. *-23-7* son fils Qabous sultan. « National Democratic Front for the Lib. of O. and the Arabian Gulf ». Dans le N. attaque de Nizwâ et Izki. **1971-75** offensive du sultan assisté par Iraniens (3 000 h.) et Brit. **1976**-*11-3* cessez-le-feu Oman/Y. du S. **1983**-*27-10* relations diplomatiques avec Y. du S. **1989**-*30-5/-2-6* Sultan Qabous en Fr. **1992**-*27-1* visite Pt Mitterrand.

Statut. Monarchie absolue. *Sultan* Qabous bin Saïd bin Taymour (n. 18-11-40) dep. 23-7-70, fils de Saïd bin Taymour (1910-72, sultan dep. 10-2-32, déposé). *Conseil d'État consultatif* dep. oct. 81 (55 m. nommés). *Partis pol. :* aucun. *Conseillers britanniques* 2 000. Régions (wilayas) 59. **Fête nat.** 18-11 (anniv. sultan). **Drapeau** (1970). Bandes blanche et verte sur fond rouge ; armes off. (épées et poignard).

Économie

PNB (91). 8 000 $ par h. **Croissance** (%). *1990 :* 26 ; *91 :* 15. **Pop. active** (%, entre parenthèses part du PNB en %) agr. 58 (3), ind. 7 (8), services 32 (39), mines 3 (50).

Agriculture. *Terres* (km²) wadi déserts 246 000, montagnes 45 000, plaines côtières habitées 9 000. En 92, 60 000 ha cult. *Production* dattes 154 000 t (91), luzerne, citrons, oignons, blé, bananes, mangues 9 000 t (90), tabac, sorgho, patates douces, noix de coco. **Élevage** (milliers, 90). Chèvres 720, moutons 250, bovins 137, chameaux 87, ânes 25. **Pêche.** 118 639 t (90). **Énergie. Pétrole :** *réserves* (91) 589 millions de t ; *prod.* (millions de barils et, entre par., revenus en millions de rials omani) *1970 :* 121,3 (44,4) ; *1975 :* 124,6 (373,1) ; *1980 :* 103,3 (831,2) ; *1986* : 204,3 (1 221) ; *1987 :* 212,5 (1 335) ; *1988 :* 226,6 ; *1989 :* 237,2 (1 197) ; *1990 :* 255,5 (1 701) ; *1991 :* 273. **Gaz** *réserves* (91) 260 Md de m³ ; *prod.* (91) 3,5 Md de m³. **Divers. Cuivre** (expl. dep. 83) 12 015 t. **Chrome** (86) 5 000 t. **Industrie.** Alim., text., métall., chim., ciment. **Transports.** *Routes* 25 806 dont 4 995 asphaltés. **Tourisme** (1989). 8 900 vis.

Commerce (en millions de Rials Omanis, 90). **Exp.** 2 005 *dont* pétrole 1 828, cuivre, limes, dattes, poissons, *réexportation* 107,4 *vers* (84) Japon 40, Singapour 22, P.-Bas 6,5, All. féd. 6,3, USA 5,5, *France 3,1.* **Imp.** 1 031 *dont* mach. et équip. transport 373, prod. manuf. 167, prod. alim. et animaux 163 *de* Émirats arabes 239, Japon 175, G.-B. 119, USA 96, All. féd. 50, *France 44.*

Rang dans le monde (91). 19e pétrole.

Ouganda

V. légende p. 884.

Situation. Afrique. 241 038 km² (dont 44 081 km² de lacs et de cours d'eau). *Frontières :* 2 500 km env. avec Kenya, Soudan, Zaïre, Rwanda, Tanzanie. **Relief :** plateau central 1 100 m d'alt. moyenne, interrompu à l'O. par un fossé d'effondrement (lacs Albert et Édouard), s'abaisse au S. et forme une cuvette (lac Victoria), bordé à l'O. par le massif du Ruwenzori (alt. max. Margherita Peak 5 118 m) et dominé à l'E. par la masse volcanique de l'Elgon (4 321 m). **Climat.** Tropical, tempéré par altitude : Mt Ruwenzori (au-dessus de 2 500 m), moy. 7 °C ; sec et chaud au N., moy. 33 °C (extr. 21 °C à 44 °C), saison chaude avr. à nov., pluies faibles ; moy. 20 °C (extr. 33 °C) sur les rives des lacs et au S. de la dépression formée par ceux-ci, pluies abondantes (1 500 mm/an de févr. à avr. et sept. à oct.). **Éléphants :** *1948 :* 92 000 ; *80 :* 200.

Population (en millions). *1991 :* 16,59 [dont *(1985)*: Gandas 2,5, Sogas 0,94, Nyankoles 0,85, Kigas 0,64, Toros 0,57, Itesots 0,57, Langis 0,5, Acholis 0,47, Gis 0,42, Nyoros 0,35], *prév. 2000 :* 26,77. **Age** – *de 15 a. :* 48 %, *+ de 65 a.* 3 %. **Mortalité** *infantile :* 108 ‰. **Sida** 1 500 000 séropositifs déclarés, + de 110 000 † (cumulées). **Émigration** 30 000 au Kenya. **Immigration** (en majorité des réfugiés) du Rwanda 70 000, Soudan 70 000, Zaïre 35 000. **Européens :** Anglais 1 000 (90) (7 000 en 72), Italiens 600, Russes 400 (85), Allemands 220, Français 130. D 67. **Villes (91) :** *Kampala* (cap.) 773 500 h., Jinja 60 979 (à 96 km), Mbale 53 634 (à 200 km), Masaka 44 070, Gulu 42 841, Entebbe 41 638 (69) (à 34 km). **Langues.** Anglais et kiswahili *(off.).* Dialectes les plus utilisés : luganda, lusoga dans la prov. centrale, runyankole, rukiga, runyoro dans l'O., luo dans le N. **Religions.** (%) Catholiques 47, protestants 30, musulmans 10, animistes 13.

Histoire. V. 1825-30 Suna II (v. 1800-1857) : apogée. **1857** Mutesa (v. 1837-1884), s. fils, accueille les explorateurs Speke et Stanley et crée une armée moderne. **1879** il envoie une ambassade à la reine Victoria. *Févr.* 1er missionnaire cathol. **1886**-*3-6* 22 jeunes chrétiens brûlés (canonisés 18-10-1964). **1894** protectorat brit. **1962**-*9-10* indépendance. **1963**-*9-10* nouveau statut : un Pt, une assemblée. **1966**-*22-2* coup d'État du PM Milton Obote. *-2-3* Mutesa II (n. 19-11-24, roi dep. 1939, exilé 30-10-53/19-10-55) s'enfuit en G.-B. († 21-11-1969) ; 700 †. **1967**-*8-9* République, Obote Pt. **1971**-*25-1* *Gal Idi Amin Dada* (n. 1926, ancien champion de boxe, musulman, deviendra Mal et Pt à vie) renverse Pt Obote. Const. suspendue. Parlement dissous. P. politiques interdits. *Août* 63 000 Asiatiques expulsés. **1972** *juill.* rupture relations dipl. avec Israël, révolte d'exilés échoue. **1974** *mars* coup d'État réprimé. **1975** *avr.* coopérant brit. (Dennis Hills) arrêté ; condamné à mort juin ; libéré juill. *-10-6* attentat contre A. Dada. *Nov.* rupture rel. dipl. avec URSS ; centaines d'experts sov. rapatriés. **1976**-*4-7* *raid israélien sur Entebbe* pour délivrer otages détenus sur aéroport par commando palestinien (et européen) qui a détourné avion d'Air France. *-28-7* G.-B. rompt relations dipl. **1977** *févr.* tribus Langi et Acholi persécutées ; archevêque anglican d'O. et 2 ministres tués (officiellement accident). *Juin* l'O. n'est pas invité à la Conférence du Commonwealth. **1978**-*1-11* l'O. envahit Tanzanie (1 800 km²), jusqu'au lac Kagera (considéré comme frontière naturelle O.) ; A. Dada invite Nyerere à régler conflit sur ring de boxe... *-28-11* plusieurs milliers de soldats tanz. pénètrent en O. (juin 79, fin du conflit). **1979** *mars* conf. de l'Unité à Moshi (Tanzanie), exilés fondent l'*Uganda National Liberation Front* (UNLF). *-11-4* Kampala libérée par armée tanz. et UNLF. *Avr.* malgré aide libyenne (2 000 soldats), A. Dada renversé (bilan du régime : env. 200 000 †). *-13-4* *Yusufu Lule* (1911-85), chef de l'État ; *-19-6* démissionne, remplacé par *Godfrey Binaisa* (plusieurs † *21-6*). *Août-oct.* meurtres politiques. **1980**-*12-5* Pt Binaisa destitué par « Commission mil. » présidée par *Paul Muwanga. Fin mai Obote* rentre d'exil. *Juill.* famine dans Karamoja *-10/11-12* él. légis. avec UPC. *-15-12* Obote Pt. **1981**-*6-2* début guérilla NRA (Armée nat. de résistance de Museveni). *-30-6* départ des derniers soldats tanz. **1982**-*23-2* maquisards attaquent casernes à Kampala. Représailles (23-2 au 10-4 env. 2 000 tués par armée). **1983** *mai* armée tue 200 civils. **1984**-*28-8* selon Paul Semogerere (dép. démocrate) 300 000 à 500 000 tués dep. 1980 ; selon Eliott Abrams, sous-secr. d'État amér. 100 000 à 200 000 en 3 ans. **1985**-*27-7* Obote déposé (réfugié Zambie). *-29-7* *Gal Tito Okello* chef de l'État (ethnie Acholi). *Bilan dep. 1971 :* 800 000 tués. **1986**-*25-1* NRA (10 000 h.) prend Kampala. *-8-3* prend Gulu. **1986-87** 7 000 rebelles tués ou capturés (mouvement « Esprit Saint » dirigé par Alice Lakwena, illuminée de 27 ans, arrêtée Kenya 30-12-87). *-2-8* Robert Ekinu, vice-min. des Transports, otage de guérilleros dep. déc. 87, tué pendant l'assaut de l'armée. **1989** *janv.* A. Dada expulsé du Zaïre. **1991**-*23-3* affrontements dans mosquée de Kampala, 4 policiers †. **1993**-*5/8-2* visite Jean-Paul II. *-24-7* (prév.) Ronald Mutebi (f. de Mutesa) restauré roi du Buganda. **1994** él. prés. et nouv. Constit.

Statut. Rép. membre du Commonwealth. *Chef de l'État* Yoweri Museveni (« le Jeune ») dep. 29-1-86. *Constit.* du 8-9-1967 suspendue fév. 1971 (avant, *Fédération de 4 roy. :* Buganda, Bunyoro, Ankole, Toro et terr. de Busoga). *Ass.* Conseil nat. de la résistance ; 210 m. élus, 68 choisis par le Pt. **Parti.** *National Resistance Movement.* **Fête nat.** 9-10 (indépendance). **Drapeau** (1962). Noir (peuple), jaune (soleil), rouge (fraternité) ; emblème central (grue huppée).

Élections. Lég. des 10/11-12-1980 : *Uganda People's Congress* (UPC, f. 1960, Milton Obote trav., nordiste et protestant) 74 s., *Parti démocratique* (DP, f. 1953, Paul Semogerere dém.-chr., sudiste et cath.) 51 s., *Mouvement patriotique oug.* (UPM, f. 1980, Yoweri Museveni) 1 s.

Économie

PNB (91). 210 $ par h. **Croissance** (%) *1990 :* 5 ; *91 :* 4. **Pop. active** (%, entre parenthèses part du PNB en %) agr. 80 (81), ind. 5 (4), services 15 (15). **Inflation** (%) *1987 :* 242 ; *88 :* 180 ; 89 : 82,4 ; *90 :* 35,3 ; *91 :* 32. **Dette extérieure** (90). 1,90 milliard de $. **Aide Banque mondiale** (1992) 0,07 Md de $.

Agriculture. *Terres* (milliers d'ha, 81) t. arables 4 120, t. cult. 1 640, pâturages 5 000, forêts 6 010, eaux 3 633, divers 3 201. *Production* (milliers de t, 90), plantain 7 420, manioc 3 200, patates douces 1 670, canne à sucre 640, maïs 550, sorgho 350, p. de terre 200, tabac 4, millet 620, haricots 350, café 168, thé 8,3 (91). **Forêts.** 15 142 000 m³ (90). **Élevage** (milliers, 90). Poulets 18 000, bovins 4 200, chèvres 2 300, moutons 1 800, porcs 470. **Pêche.** 240 000 t (89).

Mines. Cuivre, tungstène, étain, béryl, cassitérite. **Industrie.** Alim. (thé, tabac, sucre), ciment, bois. **Transports.** *Routes* 7 937 km ; *chemins de fer* 1 286 km (86). **Tourisme.** 37 000 vis. (87).

Commerce (millions de $ US). **Exp.** 277 (89) *dont* café vert, coton brut, thé, cuivre *vers* G.-B., USA, Kenya et Tanzanie, Japon, All. féd. **Imp.** (millions de $ US) *de* Kenya et Tanzanie, G.-B., Inde, All. féd., Italie. **Rang dans le monde** (90) 6e café.

Ouzbékistan (Rép. d')

Carte p. 1124. Voir légende p. 884.

Situation. Asie. 447 400 km². 1 500 km E.-O. (largeur moyenne : 300 km). *Frontières :* Kazakhstan, Turkménistan, Kirghizistan, Tadjikistan, Afghanistan. *Alt. max. :* 4 000 m (monts de l'Alaï) ; *min.* 53 m (mer d'Aral). Déserts à l'O. **Climat.** Continental. *Juill.* moy. 32 °C, jusqu'à 40 °C ; *hiver* jusqu'à – 38 °C.

Population. 19 906 000 h. (en % Ouzbeks 70, Russes 8 (1959 : 14), Tatars 4, Kazakhs 4, Tadjiks 4, Karakalpaks 1,9, Coréens 1,1). D 44,5. **Villes.** *Cap. Tachkent* 2 073 000 h., Samarkand 371 000 h., Boukhara 204 000 h. **Langue nat.** ouzbek (Turcophones). L'alphabet latin a remplacé (92) le cyrillique. **Religion.** Islam (sunnites).

Histoire. **1868** reconnaît suzeraineté russe. **1924**-*27-10* Rép. soc. -*3/4-5* affrontements Ouzbeks/Turcs (71 †). **1989** *juin* pogroms contre Meshks chiites. -*6-9* Normankhanmadi Khoudaïberdiev, ancien PM, condamné à 9 ans de camp pour corruption. **1990**-*24-3* présidence créée. -*20-6* déclare sa souveraineté. **1991**-*31-8* proclame indép. -*13-12* rallie la CEI bien qu'ayant soutenu le putsch. Référendum sur l'indépendance : 98 % de oui. **1992** *mars* rapprochement diplomatique avec Turquie. -*27-6* des partisans du Pt attaquent le chef du mouvement d'opposition Bierlik. *Août* expulsion de 60 mollahs saoudiens. -*30-9* tr. d'amitié et coopération avec Kirghizistan.

1 rép. autonome : Karakalpakie. 165 600 km². 1 214 000 h. **Cap.** *Nukas* 169 000 h. *10 prov.* Rép. aut. 20-3-1932, partie de l'O. dep. 5-12-1936.

Statut. Rép. membre de la CEI. **Pt** Islam Karimov (ex-secrétaire du PC O.), élu 29-12-91 par 80 % des v. **PM** Abdoulkhachim Moutalov. **Parlement** 550 députés, presque tous membres du Parti démocratique du peuple (ex-PC O.). Mouvement d'opposition *Erk* (Liberté), 20 députés.

■ Économie

PNB (91). 13,2 Md de $ (par hab. 650 $). PNB total 13,2 Md de $ (2ᵉ + pauvre Rép. de la CEI). **Pop. active** (%) : agr. 38, ind. 24, tertiaire 38. Collectivisation des terres maintenue.

Élevage (astrakan). **Mines.** Pétrole, gaz naturel, cuivre (région d'Almalyk), minerais polymétalliques, or, bauxite, kaolin, charbon (bassin de l'Angren), gypse, marbre, potassium ; soufre, sables ; sel. **Irrigation.** Détournement des fleuves pour irrigation, responsable de l'assèchement de la mer d'Aral. **Transports** (km). *Routes* (91) 73 100 ; *chemins de fer* 3 460.

Rang dans le monde. *Coton* 3ᵉ du monde.

■ Pakistan

Carte p. 1028. V. légende p. 884.

Nom. Créé 1933 à Cambridge par un étudiant musulman en combinant les lettres des provinces [*P*endjab, *A* pour la province frontalière du N.-O. (à l'époque la province afghane), *K* pour Kashemir, *S* pour Sind, *Tan* fin de Baloutchistan]. Appelé aussi « pays des purs ».

Situation. Asie. 803 943 km². *Alt. max.* (Mt Godwin Austin ou K2) 8 670 m. *Frontières* 5 355 km, avec Inde 2 380 (dont contestées 820), Afghanistan 1 840 (passage principal : passe de Khyber, alt. 1 150 m ; larg. 80 km ; dominée par des falaises de 200 à 500 m), Iran 905, Chine 330.

Climat. Continental, saison froide (13 °C en janv.), chaude (40 °C en été) ; point le + chaud du globe à Jacobabad (Sind). *Pluies* – de 500 mm par an.

Régions. **NWFP (North West Frontier Province) :** plaines de Peshawar et Bannu à l'O. de l'Indus ; plateau érodé du Pothowar à l'E., Mts Suleiman, Indū Kūch (passes de Khyber, de Bolan) 11 100 000 h. **Pendjab :** plaine alluviale fertilisée par irrigation au S. du Pothowar 47 100 000 h. **Sind** (au S. du Pendjab) : désert irrigué, comprend vallée de l'Indus et désert du Thar. Alphabétisation : 1 à 2 % dans certains secteurs. 70 à 100 femmes tuées chaque semaine pour avoir parlé à des hommes extérieurs à la famille (code *karo-kari*). Les grands propriétaires terriens (zamindars), comme la famille Bhutto qui possède 5 000 ha, décident du vote de nombreux métayers (haris). Affrontements fréquents entre Sindhis et réfugiés musulmans (mojahirs) venus de l'Inde en 1947, pathans, baloutches et biharis (Bangladesh) 19 000 000 h. **Baloutchistan** (à l'O.) : plateau aride, env. 50 % du P., 4 332 000 h. (dont Pathans et Brahouis 40 %) ; s'étend aussi en Iran et Afghanistan. *Cap. : Quetta.* **FATA (Terr. de la cap. féd.) :** 2 200 000 h.

Nota. – Le P. administre une partie du Cachemire (C. libre, Azad Kashmir, cap. Muzaffarabad 80 000 h., et les zones du Nord).

Population (millions). *1961 :* 49,9 ; *72 :* 64 ; *84 :* 96,2 ; *92 :* 117 ; *prév. 2000 :* 156, *2010 :* 210,4 à 263,7. D 145. **Natalité** *1991 :* 3,4 %. **Age** – *de 15 a. :* 45 %, + *de 65 a. :* 4 %. **Croissance dém.** (%) *1990 :* 3,1. **Mortalité** *infantile (‰)* 120 (65 % de la pop. sans eau potable). **Analphabétisme** 75 %. **Villes** (est. 89) : *Islāmābād* (cap. fondée 1961) 340 000 h. (81) (agg. Rawalpindi 928 000), Karāchi 8 000 000 [*1901 :* 136 297, *1941 :* 435 887], Lahore 3 000 000 [*1901 :* 202 964, *1941 :* 671 659] (à 270 km), Faisalabad 1 092 000 (81) (à 300 km), Hyderābād 795 000 (81), Multān 730 000 (81), Gujrānwāla 597 000 (81), Peshawar 2 000 000 (y compris réfugiés afghans) (à 150 km), Sialkot 296 000 (81), Quetta 285 000 (81). **Réfugiés** *afghans. 1989 :* env. 3 200 000, *93 :* env. 1 500 000. **Émigrés** 3 000 000 dans les pays du golfe dont Biharis musulmans 250 000 installés au P. Oriental en 1947, inclus dans le Bangladesh en 1971, attendent de pouvoir retourner au P. *Mojahers* immigrés de l'Inde 4 % de la pop. en 1947, 47 % en 1989. **Drogue** 700 000 héroïnomanes (1989).

Langues. Anglais (*off.* ; 2 %), ourdou (*nat.* ; 20 %), pendjabi (64 %), sindhi (12 %), pashto, baloutche. **Religions** (%). Musulmans 97 [dont sunnites 74 (Pendjab), chiites partisans de l'imam-calife Ali 26 % (env. 20 millions, notamment dans le Sind : Karachi 15 %), comprenant 2 millions d'ismaéliens (chef spirituel : Karim Aga Khan) ; membres : officiers sup., commerçants (Fancy, Chinoÿ, Rahimtoulas), anc. chefs d'État Iskander Mirza, Yahya-Khan, famille Habib (banque) ; quotidiens : Dawn (angl.), Jang (ourdou), The Muslim] ; *divers* 3 [dont, en millions : chrétiens 1,3 (majorité de parias reconvertis, dont cath.), hindous 1,2, ahmadis (secte fondée 1889 par l'écrivain Mirza Gholam Ahmed (1838-1908), du Pendjab, qui voulait créer une religion universelle rassemblant islam, christianisme et hindouisme) 0,1 (considérés comme hérétiques dep. A. Bhutto), sectateurs de Mirza, alphabétisés à 100 %, parsis 10 000, héritiers des zélateurs de Zoroastre]. L'islam fait l'unité du pays. **Distances d'Islāmābād** (km). Karāchi 1 140, Hyderābād 1 033, Multān 435, Peshāwar 150, Quetta 690, Sialkot 285.

Histoire. Considéré **jusqu'en 1947** comme une partie des Indes (son fleuve, l'Indus, a donné son nom au sous-continent). **2500-1500 av. J.-C.** apogée et déclin de la civilisation de la vallée de l'*Indus*, dont les capitales étaient *Mohenjo-Dāro* (au Sind) découverte en 1922 [il faudrait 16 millions de $ pour la sauver (murs attaqués par cristaux de sel)] et *Harappā* (au Pendjab) : tissage (coton et laine), travail des métaux (cuivre, bronze, or, argent), bijoux en pierres semi-précieuses (jade, cornaline, lapis-lazuli), poterie peinte ou vernissée, porcelaine. L'écriture n'a pu être déchiffrée. **1500-1000 av. J.-C.** invasion des Aryens nomades d'Asie centrale ; le Rig Veda, qui contient les plus anciens hymnes sacrés hindous, est composé. **500-300 av. J.-C.** les Perses contrôlent N.-O. de l'Inde ; **326** Alexandre le Grand arrive sur l'Indus. **180-70 av. J.-C.** invasion grecque ; dynasties grécomacédoniennes dans l'ancien empire perse et dans le N. de l'Inde (Pendjab et vallée de l'Indus) ; invasion Parthe, venue de Perse ; puis Scythe, venue de Bactriane. **200-700** rattaché à Afghanistan où règne dynastie Kushan. **713-1000** arrivée des Arabes et conversion à l'islam. **1000-1200** le Turc Mahmûd de Ghazni conquiert Pendjab et annexe roy. arabe de Sind, mais Mohammed de Ghûr et ses successeurs prennent ses possessions et les annexent à Afghanistan. **1200** annexé au sultanat de Delhi. **1526** à l'emp. des Moghols. **1605** Sikhs, ennemis des musulmans, prennent pouvoir. **1761-1834** g. Sikhs du Pendjab/musulmans afghans. **1845-49** g. Sikhs/Anglais. **1849**-*2-4* Pendjab et Sind annexés à Inde angl. **1885** parti du Congrès créé.

1906 musulmans du P. et du Bengale or. (futur Bangladesh) fondent « ligue des Musulmans ». **1930** idée d'un État musulman séparé lancée par poète Muhammad Iqbal (1873-1938). **1940** le « Muslim League » réclame, en cas de départ des Angl., un État musulman indépendant. **1947**-*14-8* séparé de l'Inde, dominion comprenant Baloutchistan, Pendjab, NWFP, Sind, Bengale or. (futur Bangladesh), Pendjab occidental. 7 millions de musulmans déplacés vers le P. occ. ; 10 millions d'hindouistes et de Sikhs vers l'Inde. **Oct. 1947 au 1-1-49** conflit avec Inde pour Cachemire (cessez-le-feu, imposé par Onu, territoire disputé entre les 2 pays). **1965**-*22-8* conflit avec Inde. Suspension de l'aide US. **1966**-*10-1 accords de Tachkent.* **Début 1969** émeutes, menaces de scission. -*25-3* Pt Ayub Khan remet pouvoirs à l'armée. Loi martiale, Gᵃˡ Yahya Khan Pt. Revendications autonomistes au Sind et au P. oriental. **1970** *déc.* él. ; victoire de la Ligue Awami (auton.) du cheikh Mujibur Rahman au P. oriental (151 s.), du People's Pak Party (PPP) d'Ali Bhutto au Sind (18 s. sur 27) et Pendjab (61 sur 82), du National Awami Party (NAP) de Khan Abdal Wali Khan au Baloutchistan (3 sur 4) et dans provinces frontières. **1971**-*25-3* troubles au P. or. *Déc.* g. indopak. (v. Bangladesh et Inde). Aide US suspendue. -*16-12* P. capitule à Dacca. -*20-12* Bhutto Pt. P. or. indépendant (devient Bangladesh). **1972**-*30-1* P. quitte Commonwealth (G.-B. ayant reconnu Bangladesh). Réformes (nationalisations, réf. agraire, enseignement). -*2-7 accord de Simla* avec Inde. *Été* troubles linguistiques à Karāchi, + de 100 †. **1973** nouvelle Constit. : Bhutto PM, Fazal Elahi Pt. Nationalisations (banques, assurances, transp. marit.). *Févr.* Baloutchistan rébellion (tribus mengal et marri) (55 000 s'opposent + de 4 ans à 70 000 soldats pak. aidés par Iran : 5 000 Bal. et 3 000 mil. †) ; échanges de pop. avec Bangladesh, le P., voulant récupérer 70 000 pris. de g. et 20 000 civils détenus en Inde, accepte certains Biharis du Bangl. (musulmans qui avaient fui le Bihar indien lors de la partition de 1947).

1974 *avril* accord avec Inde et Bangl. (reconnu comme État 22-2). -*24-9* Hunza (roy. himalay.) annexé, intervention armée au Baloutchistan. -*28-12* séisme au N. (5 000 †). **1975** *févr.* arrestation des dirigeants du Nap interdit. -*20/21-10* Bhutto en Fr. **1976**-*1-1* adm. directe du Baloutchistan. -*9-4* hiérarchie féodale des Sardars abolie. -*14-5* reprise relations dipl. avec Inde. **1977**-*11-4* opposition protestant contre truquage des élect. appelle à la désobéissance civique. Émeutes. -*5-7* Bhutto PM renversé par coup d'État mil. *Déb. juill.* loi martiale. -*28-7* Bhutto libéré, -*17-9* arrêté. -*1-10* élect. ajournées. **1978**-*18-3* Bhutto condamné à mort (accusé d'avoir organisé un attentat pol. en 1974). **1979** *févr.* loi coranique devient loi suprême [adultère puni de mort (lapidation en place publique) pour femmes mariées et faux témoins, 100 coups de fouet pour célibataires, 80 coups pour musulm. consommant de l'alcool, main droite ou pied coupé pour voleurs] ; prêt à intérêt sera supprimé. *Mars* Gᵃˡ Zia ul-Haq renvoie M. Faiz Ali Chisti, resp. du coup d'État. -*4-4* Bhutto pendu. *Nov.* sac de l'ambassade amér. (6 †) ; suspension aide US. **1980** 800 000 réfugiés afghans au P. -*4-7* 100 000 chiites demandent que certaines mesures de la loi coranique ne leur soient pas appliquées. **1981**-*16-2* attentat à Karāchi contre Jean-Paul II (1 †, 2 bl.). *Févr.* campagne de désobéissance civique. -*9-3* entrée de civils au gouv. -*2-3* avion détourné par groupe révol. *Al-Zulfikar* fondé par fils de Bhutto. 200 pass. libérés contre lib. de 54 prisonniers pol. ; Benazir Bhutto, fille de Bh., en prison. -*15-6* aide écon. et mil. amér. 3 milliards de $ sur 6 ans. **1983** *mars* agitation religieuse. *Août* agitation dans le Sind pour la démocratie (200 †). *Sept.-oct.* désobéissance civique du MRD (Mouv. pour Rétablissement de la Démo.). **1984** B. Bhutto expulsée. *Mars* Gᵃˡ Zia ul-Haq limoge Gᵃᵘˣ Ibal Khan et Sawar Khan. -*19-12* référendum sur islamisation (abstentions 38 %, oui 97,7 % des votants) ouvrant mandat du Gᵃˡ Zia ul-Haq pour 5 ans. **1985** B. Bhutto rentre mais doit repartir en exil. -*11-2* Maqbool Butt, leader du JKLF, exécuté pour le meurtre de 2 fonctionnaires indiens. -*25 et 28-2* élect. Ass. nat. et provinciales, sans participation des partis alors interdits. *Mars* constitution de 1973 restaurée. **1986**-*10-4* B. Bhutto revient au P., accueillie à Lahore par milliers de gens et *1-5* à Multān par 400 000. *Juillet* 9ᵉ amendement à la Constit. : tribunaux peuvent abolir toute loi non conforme à l'islam. *Août* B. Bhutto arrêtée. -*13-8* troubles dans le Sind. -*5-9* Boeing Pan-Am détourné à Karāchi par groupe incontrôlé ; assaut police, 21 †. *Oct.* troubles Pathans/Baloutchis à Quetta puis, *nov.* à Karāchi. *Déc.* troubles Mohajirs (du Bihar)/Pathans (157 †). **1987** *mars* agitation à Quetta. -*5-7* bombes à Lahore : 7 †. *Juill.-août* troubles à Karāchi, attentat 14-7 (80 †), affrontements Tourri/Mengal, entre Iraniens à Karāchi. *Nov.* élect. locales, victoire partielle ligue musulmane (au pouvoir). *Déc.* 3 bombes à Islāmābād (2 †). Karāchi, victoire des Mohajirs aux él. **1988**-*20-1* Ghaffar Khan (dit le « Gandhi de la frontière ») meurt à 98 ans. -*10-4* Islāmābād, dépôt munitions explose, 100 à 300 †. -*29-5* Gᵃˡ Zia ul-Haq limoge PM Mohammad Khan Junejo et prend tous les pouvoirs. -*15-6* la charia (loi islamique) devient loi suprême de l'État. *Juin* femmes manif. contre charia à Karāchi et Lahore. -*17-8* Gᵃˡ Zia ul-Haq meurt [accident d'avion, enquête concluant à un sabotage (par Inde ou URSS ?), 29 † dont ambass. amér. au P.] ; Ghulan Ishaq Khan, Pt de l'Ass., Pt intérim. -*20-8* à Islāmābād, funérailles : 500 000 pers. *Oct.* affrontements dans le Sind Mohajirs/Sindhis (250 †). -*3-10* Cour suprême condamne dissolution du Parl. du 29-5-88, autorise partis pol. à présenter candidats aux él. du 16-11. -*16-11 élections :* victoire du PPP. -*2-12* B. Bhutto PM. -*29-12* R. Gandhi au P. (1ʳᵉ visite off. du PM indien dep. 1960). **1989**-*28-1* PPP perd él. partielles, émeutes à Karāchi (3 †). -*13-2* manif. attaquent centre culturel amér. (contre la publication des « Versets sataniques » aux USA, 5 †). -*23-3* mère de B. Bhutto, Nusrat Bhutto, min. d'État sans portefeuille. Vice-PM (3 autres femmes au gouv.). *Juill.* Mirza Baig, homme d'affaires et trafiquant de drogue, arrêté. -*17-8* Islāmābād 100 000 à 200 000 manif. (anniv. de la mort Zia ul-Haq). **1990**-*5-1* accident chemin de fer 350 †. -*25-1* Srinagar occupée par armée ind. -*26-1* Karāchi, 1 000 000 manif. contre corruption et incompétence du gouv. -*19-2* Pt Mitterrand 1ᵉʳ chef d'État fr. au P. -*26-5* manif. pacifistes, police tire : 60 †. -*6-8* B. Bhutto PM destituée, pour corruption et népotisme (10-9 inculpée d'abus de pouvoir).

Ghulam Mustafa Jatoi, PM par intérim. *-1-10* état d'urgence ; aide amér. (577 millions de $ en 1990) suspendue, à cause d'activités nucléaires présumées militaires. *-27-10* él. provinciales, échec du PPP (47 % des sièges). **1991**-*26-1* Congrès amér. vote 208 millions de $ d'aide. *-1-2* tremblement de terre : 300 à 500 †. *-27-3* Singapour, fin d'un détournement d'avion par des P., 4 pirates tués. *-5-5* Asif Ali Zardani, mari de B. Bhutto, accusé d'escroquerie (en prison dep. 10-10-90), acquitté. *-8-5* Rawalpindi attentat contre dirigeant du Cachemire : 9 †. *-13-5* B. Bhutto accusée de détournements de fonds. *-16-5* Ass. adopte charia (loi islamique). *-27-5* mandat d'arrêt contre Nusrat Bhutto. *Été* « scandale des coopératives ». *-27-11* 500 à 700 militants du PPP arrêtés. *-10-12* femmes manif. contre le viol de Vina Hayat, proche du PPP et amie de Benazir Bhutto (commandité par Jam Sadiq Ali, PM du Sind ?). *-19-12* affrontements police/ partisans Bhutto (campagne contre Irfanullah Marwat, gendre du Pt Ishaq Khan). *-28-12* élections locales au Pendjab : 14 †. **1992**-*14/19-1* PM Sharif en France. *-11/12-2* partisans du JKLF tentent de franchir la frontière indienne (16 †). *-30-3* échec d'une 2e marche pour l'indép. du Cachemire. Affrontements sunnites-chiites *juin* Gilgit 12 †, *-12/15-7* Peshāwar, 13 †. *-17-8* Karāchi, attentat 3 †. *-28-8* frontière fermée aux réfugiés afghans. *Sept.* inondations 2 000 à 3 000 †. Combats entre Pachtounes 50 †. *-18-11* B. Bhutto assignée à résidence. *-20-11* 200 opposants arrêtés. *Déc.* mention de la religion obligatoire sur carte d'identité. *-2-12* P. reconnaît pouvoir construire des armes nucléaires (7 selon sénateur amér.). *-7/8-12* affrontements musulmans/hindous après destruction mosquée d'Ayodhya (Inde) : 30 †. **1993**-*23-1* attentats dans le Sind 22 †, *avril* à Karāchi. *-17-4* Pt Khan révoque PM Sharif pour mauvaise administration, corruption, népotisme et dissout Ass..

Statut. Rép. islamique. *Constit.* 10-4-1973 amendée 74, 75, 76, 77, 78, 79, 80, 81, réinstaurée avec levée loi martiale (30-12-85). **Parlement islamique** *Assemblée nationale :* 217 m. [207 élus (20 sièges réservés à des femmes, et 10 à non-musulmans, dont minorité chrétienne 4, hindouistes 4, ahmedias (secte musulmane non reconnue comme telle par le pouvoir) 1, autres minorités (Parsis, Bouddhistes, Sikhs, etc.) 1] ; *Sénat :* 83 m. (élus par Ass. prov.). **Assemblées régionales** 536 (Pendjab 260, Sind 144, NWFP 87, Baloutchistan 45). **Élections (24-10-1990) Assemblée :** IDA 105 s., PPP 45, MQM 15, indép. 21, divers 20. **Membre** de : CENTO (1955-74), OTASE (1954-72), OIC (organisation des pays islamiques), SAARC (South Asian Association of Regional Cooperation), Commonwealth (retour fin 89). **Prisonniers politiques :** 400 condamnés sous la loi martiale. **Fêtes nat.** 23-3 (journée du P., adoption de la résolution souhaitant une patrie séparée pour les musulmans du sous-continent), 14-8 (indép.). **Drapeau** (1947). Vert avec croissant et étoile musulmans, bande blanche pour autres religions et minorités.

Partis. *P. populaire pak. (PPP)*, f. 1967 (symbole flèche), leader Bégum Nusrat Bhutto et sa fille Benazir. *Alliance démocratique islamique (IDA)* (coalition de 9 p. proches de l'ancien Pt Zia), leader Nawaz Sharif (symbole bicyclette). *Alliance nat. pak.* (coalition de 9 p. d'opp.), f. 1977. *Mouv. pour la restauration de la démocratie (MRD). P. nat. démocrate (NDP)* Khan Abdul Wali Khan. *Jamiat Ulema e Islami* Maulana Fazlur Rahman. *ANP* Abdul Wali Khan (fondateur Khan Ghaffar Khan). *P. pop. nat. (NPP),* scission du PPP, Ghulam Mustafa Jatoi. *P. démocratique popul. (PDP),* Nawabzada Nasrullah Khan. *Mouv. Muhajirs Qaumi (MQM)* f. 1986 par Altaf Hussein. *Front de lib. du Jammu-Cachemire (JKLF),* Amanullah Khan.

Gouverneurs. **1947**-*14-8* Quaid i-Azam Muhammed Ali Jinnah (1876-1948), gouv. général. **48**-*14-9* Khawaia Nazimudin. **51**-*19-10* Ghulam Muhammed. **55**-*17-8* Iskander Mirza (n. 13-11-99), gouv. puis Pt (6-10-55).

Présidents. **1958**-*7-10* Gal Muhammed Ayub Khan (1907-74). **69**-*25-3* Gal Yahya Khan (1917-80). **71**-*20-12* Zulfikar Ali Bhutto (1928, condamné à mort, pendu 4-4-1979). **73**-*14-8* Fazal Elahi Chaudry (1904-85). **78**-*16-9* Gal Zia ul-Haq (1924/17-8-1988 accident d'avion) réélu févr. 85, 5-7-77 administrateur de la loi martiale, chef d'état-major. **88**-*12-12* Ghulan Ishaq Khan (20-1-1924) élu par 233 voix contre 39 à Nawabza da Nasrullah Khan par collège prés. formé par Ass. nat., Sénat et les 4 ass. provinciales (**93**-*18*-7 démissionne).

PM. **1988**-*2-12* Benazir Bhutto [(n. 21-3-1953), ép. Ali Zardari (en prison, accusé d'avoir été l'instigateur du meurtre de 29 pers., lib. 6-2-93), 1 fils Bilawal (n. 21-9-1988, 8 semaines avant l'élection), 1 fils (n. 25-1-90), 1 fille (n. 3-2-93) (1er cas pour un chef de gouv. des temps modernes)], 1re femme PM en pays musulman. **1990**-*6-8* Ghulam Mustafa Jatoi (intérim). *-6-11* Nawaz Sharif. **1993**-*22-4* Balakh Sher Mazari. *-26-5* Nawaz Sharif. *-18*-7 Moin Qureshi.

Économie

PNB (92). 415 $ par h. **Taux de croissance** (91/92) 6,4 %. **Pop. active** (91/92) 30,8 millions dont en % (et entre parenthèses part dans le PIB en %) agr. 51,2 (26,3), énergie 0,6 (3,1), industries et mines 16 (24), BTP 6,4 (4,1), services et administration 31 (49,7). **Inflation** (%) *1985 :* 5,8 ; *86 :* – 5,4 ; *87 :* 7 ; *88 :* 18 ; *89-90 :* 5,7 ; *91 :* 7,6. **Dette extérieure** 16,4 milliards de $ (au 30-6-92), ratio du service de la dette 22,6 %. **Transferts des émigrés** 1,8 Md de $ (est. 89). **Aide extérieure** 2,5 Md de $ (88-89). 1988-93 : aide amér. 2,2, de l'Opep [main-d'œuvre exportée (mécaniciens, pilotes, cadres tech.) vers p. de l'Opep], chinoise, OCDE. **Réserves en devises** 800 millions de $ au 1-10-92. **Avoirs à l'étranger** (92) 38 Md de $. **Aide militaire** (89) USA 1,8 Md de $, susp. dep. oct. 90. **Budget** (92-93) *recettes* 196 milliards de roupies ; *dépenses* 196. Service de la dette 93,1 (42,6 %), armée 82,1 (37,5 %), personnel 25, éducation 4 (– de 2 %). *Déficit* 100 (92), 8 % du PIB.

Agriculture. *Terres* (milliers d'ha, 85) t. arables 31 290 (2/3 sont irriguées soit 16 000 000 ha), t. cult. 20 690 (89), pâturages 4 640, forêts 3 070, eaux 2 522 (81), divers 49 741 (81). *Production* (millions de t, 90), canne à sucre 35,5, blé 14, riz 4,7, coton 1,4, maïs 1,2, sorgho 0,2, millet 0,2. 65 % de la prod. dans le Pendjab (riz 97 %). Autosuffisance pour riz, sorgho, millet, légumes secs ; déficit en blé les années sèches ; exportation de coton (solde agricole en équilibre). *Forêts* (90). 26 587 000 m³. *Conséquences de la sécession du Bangladesh : défavorable :* perte des exp. de jute (source de devises) ; *favorable :* arrêt des livraisons de céréales qui peuvent être exportées en Inde et Afghanistan. **Élevage** (millions, 90). Volailles 184, chèvres 35,4, moutons 29,2, bovins 17,5, buffles 14,6, ânes 3,2, chameaux 0,9, chevaux 0,4, mules 0,06. **Pêche.** 445 300 t (89).

Nota. – Prod. d'opium (t). *1990 :* 150 ; *91 :* 450.

Énergie. **Charbon** (et lignite) : 2,73 millions de t. **Pétrole :** *réserves* 11 millions de t ; *prod.* 3 360 000 t (91). **Gaz :** *réserves* 550 milliards de m³, *prod.* 15 milliards de m³ (91). **Hydroélec.** (projet barrage de Tarbela, sur l'Indus, capacité 2 900 MW, prod. 12,5 milliards de kWh par an). **Nucléaire :** projet avec aide technologique française (centrale de 900 MGW, coût 12 milliards de F) et chinoise (centr. de 300 MGW).

Mines (milliers de t, 89-90). Chaux 7 736, gypse 491, sel 735, marbre 216 (88), pierres fines, phosphates, chrome, sulfates. **Industrie.** Cuir, filés de coton, artisanat (tapis, matériel sportif). **Transports** (km). *Routes* 112 137 (88) ; *chemins de fer* 8 775 (90).

Tourisme. *Visiteurs* (91) : 415 529. **Sites :** Mohenjo-Dāro, Harappā (v. Histoire), Taxila (vestiges gréco-bouddhiques de Gandhara, 600 av. J.-C.), Mansura (7 apr. J.-C.), vallées de Swat, Kaghan, Kalash, Gilgit, Hunza, villes anciennes de Lahore, Multān, Thatta, Peshāwar, Hyderābād.

Commerce (en milliards de $, en 1991-92). **Exp.** 7,1 *dont* coton, fils et filés, art. en coton, en osier, riz, cuir, tapis 1,6. *vers* (%) USA 13,1, Japon 8,2, All. féd. 7,5, G.-B. 6,7, Hong Kong 6,2. **Imp.** 9,5 *dont* mach. non élec., pétrole et dérivés, mat. de transport, huiles végétales, mach. élec., fer et acier, engrais, médicaments, *de (%)* Japon 14,1, USA 11,3, All. féd. 8, *France 5,4,* Arabie S. 5. **Balance des paiements courants** (91/92) 2,8 milliards de $.

Rang dans le monde (90). 5e coton à graine. 7e canne à sucre. 10e blé, ovins. 14e riz, bovins.

Panamá

Carte p. 1016. V. légende p. 884.

Situation. Amérique centrale. 77 082 km² (dont 1 432 occupés par la zone du canal). *Largeur :* 81 à 193 km. *Frontières :* avec Colombie 263 km, Costa Rica 245 km. *Côtes :* Atlantique 1 160 km, Pacifique 1 697 km. Mer des Antilles + de 1 000 îles [dont 332 dans l'archipel de Las Mulatas ou de San Blas (Indiens Kunas)] ; Pacifique 495 (dont Coiba la plus grande, 494 km²). *Alt. max.* volcan Baru 3 475 m. **Régions :** terres chaudes (0 à 700 m ; 87 % du terr.), tempérées (700-1 500 m ; 10 %) et froides (1 500-3 000 m ; 3 %). **Climat.** Chaud et humide ; saison sèche janv. à avr. pluies mai à déc., 2 000 mm par an. *Temp. moy.* 25 à 35 °C.

Population. *1990 (rec.) :* 2 329 329, *2000 (prév.) :* 2 893 000. **Age** – *de 15 a. :* 38 %, + *de 65 a. :* 4 %. En % : Métis 62, Noirs 15, Blancs 18, Mulâtres 5. **Taux** (‰) *natalité* 29, *mortalité* 3,7 ; *accroissement* 2,5 %. **Pop. urbaine** 55 %. **Espérance de vie** 70 a. D 30,2. **Émigration** (82) 536 200. **Villes** (90) : *Panamá* 413 505 h., St-Miguelito 157 063 (80), David 65 763 (à 450 km), Colón 54 654 (à 90 km). **Langue.** Espagnol *(off.)*. **Alphabétisation** 89 %. **Religions** (%). Cathol. 93, protestants 6.

Histoire. **1501** découvert par Rodrigo de Bastidas. **1513** Vasco Nuñez de Balboa traverse isthme et atteint Pacifique. **1671** pirate Henry Morgan détruit ville de P. **1821** indépendance et réunion avec Colombie. **1855** chemin de fer transisthmique (commencé 1849 par l'Amér. William H. Aspinwall ; 12 000 †). **1880-89** 1re Cie (française) entreprend canal voir Index ; USA rachètent ses droits (40 000 000 $). **1903**-*3-11* P. indépendant. *-6-11* USA le reconnaissent. *-18-11* accord Hay-Bunau-Varilla : USA ont l'usage de la zone limitée aux besoins du canal (100 km sur 16 km, 5 milles de chaque côté, 1 432 km²), contre 10 000 000 $ et une redevance annuelle de 250 000 $ (portée 1936 à 430 000 et 1955 à 1 930 000 $). **1914**-*3-8* ouverture de 79,6 km de voie d'eau. *-15-8* vapeur SS Ancon effectue 1re traversée. **1915** inauguration du canal. **1920-24** 3e période présidentielle de Belisario Porras. **1931** coup d'État du Mouvement d'action communale. **1940-41** Arnulfo Arias (1901, † en exil 88) Pt ; renversé par Amér. et exilé Nicaragua. **1941-45** Amér. construisent route transisthmique. **1947** controverse sur bases mil. amér. **1948-51** Arnulfo Arias Pt ; renversé par mil. **1964** émeutes anti-amér., 22 †. **1968**-*1-10* Arnulfo Arias réélu Pt. *-11-10* coup d'État, junte provisoire. **1969** *déc.* nouvelle junte Demetrio Lakas (25-8-1925) Pt, investi pour 6 a. **1972**-*11-10* nouv. Constitution. Gal Omar Torrijos († 31-7-81 accident d'avion). **1974** accord de principe sur restitution de la zone du canal à P. **1977**-*7-9 tr. Torrijos-Carter* sur canal : remplace tr. de 1903 ; valable jusqu'en 1999 [P. assurera le contrôle du canal et recouvrera sa souveraineté sur la zone du canal (1 432 km² dont lac Gatun 492 km², 57 000 h. dont 27 000 Amér. en 81) sauf 6 bases militaires] ; l'admin. amér. sera remplacée par une admin. amér.-p. (dirigée par un P. élu administrateur 1-1-90, avec accord du Pt amér.), USA retireront leurs bases. Le P. percevra pendant la transition 30 cents par tonne de transit et 10 millions de $ sur droits de péage. En 2000, neutralité du canal assurée par USA et P. (qui pourra seul garder forces militaires dans la zone) ; USA peuvent intervenir militairement si P. ne peut assurer la sécurité de la zone. Ratifié à P. par référendum (67 % pour) et aux USA par Sénat (amendements non acceptés par P.). **1978**-*11-10* Aristides Royo élu Pt. **1979**-*1-10* entrée en vigueur du tr. P. étend sa souveraineté. **1981** Pt Omar Torrijos tué. **1982**-*2-8* Ricardo de la Espriella Pt. **1983**-*8-1* naissance du *groupe* (Colombie, Mex., Venez.) *de Contadora* (réunion dans cette île où l'on comptait autrefois les pièces d'or). **1984**-*6-5* Nicolas Ardito Barletta (Union nat. démocrate officialiste) élu Pt [1 713 v. de majorité sur 650 000 v.) devant Arnulfo Arias (Alliance dém. d'opp.)], (*11-10* en fonction). **1985**-*28-9* Eric Arturo Delvalle, Pt. **1987** *juin* émeute. *-10/15-6* émeutes pour obtenir la démission du Gal Manuel Noriega (n. 11-2-36, dit « Face d'ananas », accusé de trafic de drogue). *-30-6* manif. anti-amér. (plusieurs ministres y participent). *-24-7* aide amér. (25 millions de $ dont aide écon. 20, milit. 5) suspendue. **1988**-*14-2* 2 tribunaux de Floride inculpent Noriega (trafic de drogue). Pt Delvalle le destitue. *-26-2* Noriega fait destituer Pt Delvalle par l'Ass. nat. ; USA gèlent fonds dans banques. *Mars* suspendent paiement des droits de passage et transit sur canal. *-16-3* échec complot milit. *Fin mars* grève gén., crise écon. *-4-4* renforts amér. (1 300 h.). *Mai* Noriega rompt accord avec USA prévoyant son départ en exil contre abandon des poursuites amér. pour trafic de drogue. **1989**-*2-3* 160 000 manif. à Panamá. *-7-5* présidentielles : Carlos Duque (cand. off.)/Guillermo Endara. *-10-5* violences (5 †) : Endara et Guillermo Ford, candidat à la vice-présidence, blessés (garde du corps tué). Annulation des élections. *-11-5* renfort amér. : 2 000 h. pour renforcer les 10 000 h. dans la zone du canal. *-15-5* Bush appelle armée et peuple p. à renverser Noriega. *-17-5* l'OEA envoie mission de médiation. *-20-7* min. des Aff. étr. OEA fixent au 1-9 date limite de transfert démocr. du pouvoir. *-3-10* coup d'État mil. échoue. *-15-12* Ass. nat. proclame Noriega « chef du gouv. », il déclare « état de guerre » avec USA. *-17-12* officier amér. tué. *-19-12* sous-off. p. tué. *-19/20-12* combats *-20-12* intervention amér. « Juste Cause », 26 000 h. mobilisés (dont 15 000 des USA), G. Endara chef de l'État ; canal fermé pour la 1re fois dep. 1914. *-23-12* envoi de 2 000 h. amér. supplémentaires. *-24-12* Noriega réfugié à la nonciature du Vatican. *-26-12* USA veulent saisir 10 milliards de $ d'avoirs bancaires de Noriega. **1990**-*1-1* P. assure pour la 1re fois dep. 1914 la gestion du canal. *-3-1* dizaines de milliers de manif. demandent reddition de Noriega, qui se livre aux Amér. (part pour USA le *4-1*.) **Bilan de l'intervention amér. :** tués : 23 Amér., 300 à 400 Pan. (dont 230 civils dont beaucoup de pillards et de paramilitaires). *Coût :* 163,6 millions de $. *-1-3* Pt Endara commence grève de la faim pour obtenir aide amér. (besoins : 2 milliards de $). *-31-5* USA rendent base de Rio Hato. *-20-12* 10 000 manif. contre présence amér. **1992,** Miami, Noriega condamné à 40 ans de prison pour trafic de drogue. *-15-9* référendum sur abolition de l'armée. **1993**-*1-2* guérilleros de l'Avant-garde patriotique enlèvent 3 missionnaires amér.

Statut. Rép. *Constitution* oct. 1972 modifiée par référendum du 24-4-1983. *Pt* (Guillermo Endara) et *Vice-Pt* élus pour 5 a. par assemblée législative (comprenant des membres élus par postulation des partis et par vote pop. direct. ; actuellement 67 députés). **Provinces** 9. Fête nat. 3-11. Drapeau (1903). Carrés bleu (Conservateurs), rouge (Libéraux), blancs (paix) avec étoiles bleue (honnêteté publique), rouge (loi et ordre).

Partis. *P. révolutionnaire démocratique,* f. 1979, Pt Gerardo Gonzalez. *Front pop. large,* f. 1978, Pt Renato Pereira. *P. d'action pop.,* Pt Carlos Ivan Zuniga. *P. du peuple de P.,* f. 1943, Pt Ruben Dario Sousa. *P. démocrate-chrétien,* f. 1960, Pt Ricardo Arias Calderon. *P. libéral,* Pt Roderick Esquivel. *P. panaméiste,* f. 1938, Pt Luis Gaspar Suarez. *P. libéral authentique,* f. 1983, Pt Arnulfo Escalona Rios. *Mouv. libéral rép. nat.,* Pt Alfredo Ramirez. *P. panaméiste authentique,* f. 1982, Pt vacant. *P. nat. du peuple,* f. 1982, Pt Olimpo Saez. *P. socialiste des travailleurs,* f. 1982, Pt Renan Esquivel. *P. travailliste,* 1982, Pt Carlos Eleta Almaran. *P. républicain,* f. 1982, Pt Eric Arturo Delvalle. *P. révolutionnaire des travailleurs,* f. 1983, Pte Josefina Dixon Caton.

Zone libre de Colón (hors douane). *Créée* 1947 sur Atlantique ; transit. (2e du monde en CA, soit 9,1 milliards de $ en 92), 1 600 entreprises.

Armée. 20 000 h. Abolie 11-2-90 et remplacée par une Force publique « neutre » de 11 000 h.

■ Économie

PNB (en $ par hab.) *1987 :* 2 150 ; *90 :* 1 790 ; *91 :* 1 991. **Croissance** (1992) : 7,5 %. **Pop. active** (% et, entre parenthèses, part du PNB en %) agr. 29 (10), ind. 16 (17), services 55 (73). *Fonctionnaires* 133 000. *Chômage* 35 % (92). **Inflation** (%) *1992 :* 3,1. **Balance des paiements** (91) 570 millions de $. **Dette extérieure** (en milliards de $) *1984 :* 3,7 ; *91 :* 6,9 ; *92 :* 4,8. **Salaire moyen** 375 $. 54 % de la pop. en dessous du seuil de pauvreté.

Agriculture. *Terres* (milliers d'ha, 90) t. arables 465, t. cult. 153,7, pâturages 1 163, forêts 4 080, eaux 110, divers 1 718. *Production* (milliers de t, 90), canne à sucre 1 488, bananes 1 267, riz 236, maïs 90. Cacao, citrons, oranges 36, p. de terre, fruits exotiques. Élevage (milliers, 90). Poulets 7 400, bovins 1 438, porcs 235. Pêche. 118 383 t (91). Exp. de crevettes et de langoustes.

Canal (voir Index). Flotte. Pavillons de complaisance. 49 000 000 tjb. Industrie. Conserveries de poissons, sucre, ciment, alcools, cigarettes. Centre financier. 116 banques ; actifs : 21 Md de $ (exemptions fiscales). 365 000 Stés enregistrées.

Transports (km). *Routes* 9 700 (90) ; *chemins de fer* 77 ; *oléoduc* transisthmique ouvert 1981 (pétrole Alaska vers Floride : 12 millions de t transportées en 1990). Tourisme. *Visiteurs* (92) : 310 000. *Sites :* « Panamá Viejo », église San José, forts de « Portobelo » et « San Lorenzo », îles Taboga et Contadora (Pacifique à 50 km de Panamá), archipel des Perles, San Blas (Indiens Kunas), Natá, canal de Panamá, lac Madden, Boquete (« la petite Suisse »), Darien (Indiens Chocoes).

Commerce (millions de $, 91). **Exp. :** 452 *dont* (90) bananes 80, crevettes 66, café 15, sucre non raffiné 30 *vers* (%) CEE 40,9 (All. féd. 25,6), USA 29,4, Amér. latine 20,7 **Imp. :** 1 695 *dont* (90) prod. man. 250, chim. 180, pétrole 163, alim. 130 *de* (%) Amér. latine 40, USA 35,3, CEE 7,2, Japon 6,7.

Rang dans le monde. 2e flotte marchande, 6e bananes.

■ Papouasie-Nouvelle-Guinée

Carte p. 1030. V. légende p. 884.

Nom. Du malais *pupawa,* « crépu ».

Situation. Océanie. 462 840 km², 600 îles (88). Climat. Chaud et humide (moy. min. 21 °C, max. 32 °C à Port Moresby). *Pluies* abondantes sur la côte (moy. 2 000 mm). Population (millions) *1988 :* 3,56 ; *90 (est.) :* 3,8 ; *2000 (prév.) :* 5,29. **Age** *- de 15 a. :* 42 %, *+ de 65 a. :* 2 %. D 8,2. 98 % de Mélanésiens, 23 000 Australiens, Européens et Chinois. 1 000 ethnies. Langues. 740 env. ; vernaculaire : pidgin english. Religions. Protest. 59 %, cath. 28 %, animistes 10 %.

■ Papouasie. 234 498 km². Partie S.-E. de la N.-Guinée (sup. totale 845 700 km²), annexée 1906. *Alt. max.* Mt Wilhelm 4 706 m. 692 132 h. (71) dont 14 377 (66) non-indigènes. D 3. *Port Moresby* (à 3 000 km de Sydney) 193 000 h. (1990). **Dépendances :** Iles d'*Entrecasteaux* (dont Fergusson 1 345 km², Normandy 1 036 km²) 40 000 h., *Trobriand, Woodlark,* archipel des *Louisiades.*

■ Nouvelle-Guinée. 240 870 km², 1 800 000 h. dont quart N.-E. de l'île (N.-Guinée proprement dite 180 523 km²). Villes (90) : *Rabaul* 17 022 h., Lae 80 000 h. **Archipel Bismarck** [288 000 h., *New Britain* (ex-N.-Poméranie) 37 812 km², 120 000 h., New Ireland (ex-N.-Mecklembourg) 7 252 km², ch.-lieu : Kairen 5 000 h. ; *Lavongai* (N.-Hanovre) 1 190 km², 6 000 h., *îles de l'Amirauté* 1 717 km², *île du duc d'York* 57 km²], colonie all. de 1884 à 1914, adm. par Austr. en 1921. **Salomon septentrionales** 10 618 km², 154 500 h. (86), moitié méridionale : à l'All. de 1889 à 1914, puis adm. par Austr. ; autre moitié, ex-col. brit. adm. par Austr. [dont îles *Bougainville* 10 000 km², 50 000 h. (cuivre, mine de Panguna (la + imp. du monde à ciel ouvert) 40 % des export., 20 % du budget, fermée 15-5-1989), cap. : Kieta 2 402 h. ; *Buka, Nuguria, Nissan, Kilinailau* 18 000 h. ; *Tavu, Nukumanu*].

Histoire. **1565** Ortiz Retes découvre côte N.-O. de la N.-G. **1606** Torres découvre côte S. **1884**-*6-11* protectorat brit. sur S.-E. **1888** annexé couronne brit. **1905** sous contrôle Austr. (revendiqué dep. 1883) ; N.-E. (N.-Guinée orientale), possession all. dep. tr. d'avril 1885. **1914-21** mandat austr. **1973**-*1-12* autonomie. **1975**-*16-3* P. indépendante. *-12/13-5* émeutes mines de cuivre Bougainville. *-1-9* Bougainville devient Rép. de Salomon du N. (*16-9* indép. *Oct.* fin sécession). **1988** *avril* revendications foncières contre Boug. Copper Ltd (BCL). **1989** *janv.-mai* combats armée papoue/guérilla de l'Armée révolutionnaire de Boug. (chef Francis Ona) 30 †. **1990** *janv.* troubles 29 † (60 à 100 dep. début du conflit). *-25-2* gouv. renonce à intervention milit., cessez-le-feu (retrait, libération séparatistes le 12-3). *-13-3* Boug. contrôlée par rebelles. *-2-5* blocus écon. de l'île. *-17-5* République de Boug. se déclare indép., reconnue par aucun État. *-5-8* accord de l'« Endeavour » prévoyant restauration du pouvoir gouvernemental à Boug. *Sept./oct.* l'armée nat. reprend le contrôle de Buka. *Bilan des violences pol. :* 1 500 †, du blocus : 3 000. **1991**-*23-1* déclaration d'Honiara : paix à Boug. *Août* avec autorités tribales (N. de l'île puis S. en déc.). *-2-10* gouv. sir Serai Eri démissionne pour avoir protégé vice-PM Ted Diro accusé de corruption. **1992** *oct.* armée contrôle Boug. (bilan 150 † dep. 1989).

Statut. État membre du Commonwealth. *Const.* du 16-9-75. *Gouverneur* sir Wiwa Korowi (n. 1948). *PM* Paiis Wingti (n. 1951) dep. 17-7-92 [avant Rabbie Namaliu (n. 1947) dep. 4-7-88]. *Ass. lég.* 109 m. élus pour 5 a. Élections **(13/27-6-92) :** Pangu Pati (gouv.) 22 s., PDM 15, People Action's Party 13, People Progress Party 10, Alliance mélan. 9, League for Nat. Advancement 5, P. National 2, Front uni mélan. 1, Indépendants 31. Provinces. 20. Drapeau (1971). Oiseau de paradis papou doré sur fond rouge, les 5 étoiles de la Croix du Sud en blanc sur fond noir.

■ Économie

PNB (91). 1 040 $ par h. **Croissance** (%) *1990 :* – 3,7 ; *91 :* +8,5. **Pop. active** (% et, entre parenthèses, part du PNB en %) agr. 56 (25), ind. 15 (15), services 22 (35), mines 7 (25). **Inflation** (%) *1988 :* 5 ; *89 :* 5 ; *90 :* 6,9 ; *91 :* 7. **Dette extérieure** (90) 2 310 millions de $. **Aide ext.** (1991) 200 millions de $ (d'Australie).

Agriculture. *Terres* (%) forêts 95, t. arables 1. *Production* (milliers de t, 90), bananes 1 200, noix de coco 900, patates douces 510, canne à sucre 430, racines et tubercules 255, légumineuses 210, huile de palme 159, coprah 116, café 55, cacao 40. Forêts. 8 231 000 t (88). Élevage (milliers 90). Poulets 3 000, porcs 1 840, bovins 103, chèvres 14. Pêche. 25 240 t (89). Mines (90). Cuivre 196 000 t, argent 101,4 t, or (mine de Porgera) 3e mond. 36,5 t (92) (60 en 1994-95, 100 en l'an 2000).

Transports. *Routes* (85) 19 736 km. Tourisme (90). 40 747 vis.

Commerce (millions de $, 89). **Exp. :** 1 150 *dont* cuivre 658, café 131, bois 96, or 58 *vers* (en %) Japon 37,2, CEE 32,3 (dont All. féd. 24 %), Australie 10,5, Corée du sud 9. **Imp. :** 1 137 *dont* (en %) Australie 53,8, Japon 18,6, USA 8,8, CEE 8, Singapour 5,9, N.-Zélande 3,5.

Rang dans le monde (91). 8e or. 9e cuivre. 11e cacao.

■ Paraguay

Carte p. 917. V. légende p. 884.

Nom. Dû au fleuve (1 262 km).

Situation. Amérique du S. 406 752 km², à 2 000 km de toute mer. *Frontières :* 3 484 km, avec Argentine 1 668, Brésil 1 021, Bolivie 795. *Alt. max.* Cerro San Rafael (dans Cordillera de Caaguazu) 850 m. **Régions.** *Occidentale :* à 1 600 km de la côte la plus proche, 100 000 h., 246 925 km², plane, inhospitalière, sans fleuve, boisée au N., couverte de prairies au S., élevage extensif (continuation du Chaco argentin). Pluies 800 mm/an en moy. *Orientale :* 159 827 km², plate ou peu vallonnée, affluents du Paraguay et du Paraná, pluies jusqu'à 2 000 mm/an ; forêt partiellement défrichée dominant dans le N. et l'E. *Savane* avec culture intensive et élevage dans le S. Climat. Subtropical. *Saisons :* 2 : hiver mars-sept. ; été sept.-mars. *Pluies* violentes. *Temp. moy.* 22 °C ; max. 40 °C ; min. 0 °C et parfois moins.

Population (millions). *1865 :* 0,525 ; *1886 :* 0,3 ; *1991 :* 4, en % : Métis (d'origine esp. et guarani) 90, Blancs 8, Indiens 2 ; *prév. 2000 :* 5, 4. **D** 10,8 (Chaco 1, P. oriental 24,4). **Age** *- de 15 ans* 41 %, *+ de 65 a.* 4 %. **Analphabètes** env. 40 %. **Taux de croissance** 2,9. **Émigration** 476 000 de 1945 à 71, diminution à partir de 1970, actuellement retours d'Arg. 1 500 000 Par. vivent à l'étranger. **Pop. urbaine** 43 %. Villes (91) : *Asunción* (cap.) 1 296 974 h. (aggl.), Ciudad del Este 128 289, Pedro Juan Caballero 71 761, Encarnación 68 161, Conceptión 66 466, Coronel Oviedo 65 361. Langues off. Espagnol (75 %) et guarani (90 %). Religion. Catholiques 97 %.

Histoire. **1528-31** exploration de Sébastien Cabot. **1604** établissements jésuites : P. Diego de Torres fonde « Province de P. » qui englobe Argentine, Chili, Uruguay, Sud Brésil ; au centre 48 « réductions du Paraná, du Gaia et de l'Itatin » (villages d'Indiens convertis, établis pour les protéger contre tentatives des colons de les réduire en esclavage). **1639** 26 réd. détruites par Brésiliens. Philippe IV autorise les jésuites à armer la pop. **1649** devient un État. **1707** organisation des 30 réductions définitives avec 144 252 h. Les jésuites y sont curés, maires et administrateurs agricoles. **1750** Brésil annexe 7 réductions (tr. de Madrid Esp./Port.). **1756** victoire des Guaranis sur Port. **1767** fin de la Rép. guarani, jésuites expulsés, sur l'ordre de Charles III. **1768** suppression de l'ordre des jésuites en Europe ; missionnaires doivent remettre villages aux gouverneurs civils du P. **1811**-*14-5* Rép. indép. gouv. par 2 consuls. **1814-40** dictature de José Francia. **1844-62** Carlos Lopez Pt ; essor écon. **1848**-*7-10* décret déclarant Indiens citoyens à part entière. **1862** Gal Francisco Solano Lopez, son fils, Pt. **1865-70** g. contre Triple-Alliance (Brésil, Uruguay, Arg.). **1870**-*1-3* Pt Lopez tué à Cerro Cora. Le P. a + de 300 000 tués (sur 525 000 h., il en reste 221 000 dont 28 764 mâles). **1900-54** 30 coups d'État. **1928**-*5-12* P. prend fort bolivien de la Vanguardia. Bolivie investit plusieurs garnisons. **1929** Bol. et P. éditent chacun une série de timbres repoussant les frontières du voisin bien au-delà de son propre territoire. **1932-35** *« g. du Chaco » :* Bol. 60 000 h. commandés dep. 1926 par G[al] all. Hans Kundt (en 3 ans de g. 250 000 Bol. mobilisés), P. 50 000 h. commandés par Gal Estigarribia. **1935** *avril* embargo. *-12-6* armistice, Chaco partagé [P. récupère partie du Chaco (120 000 km²)] ; bilan : P. 50 000 †, Bol. 80 000 †. **1938** tr. de paix définitif fixant frontière. **1954-54** désordres. **1954**-*3-12* coup d'État du *Gal Alfredo Stroessner* (n. 3-11-12). **1958** Stroessner élu Pt. **1962** complot mil. échoue. **1967** élect. **1980**-*17-9* Asunción Somoza, ex-dictateur nicarag., assassiné. **1987** état de siège (décrété 1947) levé. **1988**-*16/18-5* Jean-Paul II au P. ; canonisation de 3 jésuites assassinés 1628. **1989** *janvier* Stroessner nomme son fils Gustavo (col. d'aviation), futur vice-pt. *-3-2* renversé par Gal Andres Rodriguez (n. 1923) (20 à 300 † ?). *-5-2* se réfugie au Brésil. Droits d'expression rétablis, partis proscrits légalisés. *-23-3* Stroessner inculpé d'enrichissement illicite. *-1-5 Gal Rodriguez* (Colorado) élu Pt (avec 74,18 % des voix) devant Domingo Laino (PLRA) (20 %). **1991**-*28-5* él. municipales libres : Colorado 43 % dans 24 des 206 circ. *-1-12* él. à l'Ass. constituante, vict. de l'ANR. **1993**-*9-5* él. présid. : *Juan Carlos Wasmosy* (54 ans, Colorado) élu Pt (opposition : Chambre 25 s. sur 45, Sénat 42 sur 80). Él. lég. : 39,9 % des v. devant Domingo Laino (lib.) 32,13 %.

Statut. Rép. *Constit.* du 25-8-1967, révisée 1978, 20-6-1992. *Pt* (élu p. 5 a. au suff. univ.). *Ch. des dép.* 80 m. et *Sénat* 45 m. élus suff. univ. dir. p. 5 a. Drapeau (1842). Rouge, blanc et bleu ; au recto Étoile de mai (libération du joug espagnol), au verso sceau du Trésor. Seul drapeau à 2 faces différentes. Fête nat. 14/15 mai (indép.).

Partis. *Asociación Nacional Republicana (ANR)* f. XIXe s., Pt Blas N. Riquelme. *P. liberal radical auténtico (PLRA),* Pt Juan Manuel Benitez Florentin. *P. revolucionario febrerista (PRF)* f. 1951, Pt Euclides Acevedo. *P. democrata Cristiano (PDC)* f. 1960, Pt Jeronimo Burgos. *P. des travailleurs (PT),* f. 1989, Pt Eduardo Arce *P. comunista paraguayo (PCP)* f. 1928, interdit 1947, autorisé 1989, secr. gén. Ananias Maidana. **Armée** 22 000 h., 49 généraux.

Économie

PNB (1991). 1 200 $ par h. **Taux de croissance (%)** *1989 :* + 5,5 ; *90 :* + 3,5 ; *91 :* 2,5 ; *92 :* 2,4. **Pop. active** (%, entre parenthèses part du PNB en %) agr. 45 (27), ind. 20 (26), services 35 (47). *Chômage* (90) 16 %. **Inflation** (%) *1985 :* 24,8 ; *86 :* 31,7 ; *87 :* 34,8 ; *88 :* 31,2 ; *89 :* 35 ; *90 :* 44 ; *91 :* 11,8 ; *92 :* 17,8. **Dette extér. :** 1,3 milliard de $ (92).

Agriculture. *Terres* (milliers d'ha, 81) forêts 20 550, pâturages 15 650, t. arables 1 640, eaux 945, t. cult. 300, divers 1 590. – de 1 % des exploitants possèdent 77 % des terres. *Production* (milliers de t, 91) : canne à sucre 2 817, manioc 2 585, soja 1 300 (92), maïs 400, blé 290 (92), coton 500 (92), riz 33, haricots 40, maté 62, quebracho. Élevage (milliers 91). Bovins 7 627, porcs 1 004, moutons 357, chevaux 320, chèvres 102. Pêche (89). 10 000 t.

Hydroélectricité. **Barrage d'Itaïpu** construit avec Brésil sur Paraná. 1983 : 1re des 18 turbines mise en service. *Capacité* 12 600 MW. *Coût* 12 milliards de $. *Production (milliards de kWh) : 1986 :* 19,31 ; *87 :* 33,11 ; *88 :* 49,70 ; *89 (prév.) :* 66,23 ; *90 (prév.) :* 72. **2 barr.** construits avec Argentine sur Paraná : *Yacireta* (3 000 MW ; coût 1,2 milliard de $) et *Corpus* (projet, 4 400 MW). La moitié de la prod. d'Itaïpu et d'Yacireta = 30 fois les besoins du P. Excédent revendu (Argentine et Brésil).

Industrie. Alim., conserveries de viande, textile, peaux, ciment (Vallemi : capacité 600 000 t, consommation nationale 180 000 t). Transports. *Routes* (90) 27 233 km (r. asphaltées 2 500) ; auto. : 186 000 dont 60 % imp. illég. ; *chemins de fer* (87) 441 km. Tourisme. *Visiteurs* (92) : 274 000.

Commerce (millions de $). **Exp.** *1986 :* 275 ; *88 :* 511,9 ; *89 :* 1 009 ; *90 :* 950,6 ; *91 :* 630 ; *92 :* 595,8 *dont* coton 198,7, soja 132, 2 585, bois 46, huiles végétales 48, cuirs 37, viande 26,3, *vers* (92) Brésil 168, P.-Bas 131,3, USA 33,9, It. 22,5, All. 18,8. **Imp.** *1986 :* 848 ; *88 :* 574 ; *89 :* 800 ; *90 :* 1 193 ; *91 :* 922 ; *92 :* 1 162,3 (CIF) *dont* moteurs et machines 231,8, véhicules 124,7, hydrocarbures 99,7, boisson 89,4, prod. chim. 58,2 *de* (92) Argentine 501, Brésil 369,8, Algérie 143,4, USA 31,6.

Pays-Bas

Carte p. 928. Voir légende p. 884.

Nom. **Pays-Bas** (traduction de *Nederland,* « basse terre »). **Hollande** (de *Hol-land,* « pays creux », ou plutôt *Holt-land,* « pays du bois »).

Situation. Europe. 41 864 km² (dont 4 872 récupérés sur la mer). *Côtes* 1 200 km. *Frontières* 1 080 km, avec All. 584, Belg. 496. *Alt. max.* Vaalserberg 321 m, *min.* Prins Alexanderpolder – 6,7 m. 27 % du terr. est au-dessous du niveau de la mer, 60 % de la pop. y vit. *Longueur* 300 km, *largeur* 150 à 200 km. Climat. *Moy.* hiver + 4,5 °C, été 18,1 °C. *Pluies* 661 mm par an.

Polders. **700 av. J.-C.,** la mer commence à pénétrer à l'intérieur des terres (parcelles de tourbières arrachées par la mer). **V. 1250 apr. J.-C.** Zuiderzee atteint dim. max. **XVIIe s.** assèchement de quelques lacs en utilisant l'énergie des moulins à vent (puis au milieu du **XIXe** s. par des pompages à vapeur) : polder du Haarlemmermeer au S.-O. d'Amsterdam. Dans les îles du S.-O. et du N., on utilisait dep. le XIIIe s. l'envasement provoqué par flux et reflux de la mer ; une fois les terres dépassant le niveau de la mer, les habitants construisaient une digue. **XIXe s.** pour accélérer l'envasement (N. Groningue et Frise) on construit des digues basses pour que sable et vase puissent se déposer et rester. **1927-30,** 1er polder du *Zuiderzee* (le Wieringermeer) asséché, pompes électriques et diesels. **1932** l'Afsluitdijk (digue de fermeture, 32 km) sépare de la mer des Wadden, le Zuiderzee [devenu l'IJsselmeer (ou lac d'Yssel)]. **1940-70** 4 sur 5 des grands polders prévus asséchés, 1 650 km² (5 %). Autres zones plus petites : le *Lauwerszee* (côte N. entre Frise et Groningue), la *Maasvlakte* (S. de l'embouchure du Nieuwe Waterweg pour l'agrandissement de la zone ind. de Rotterdam-Europort). **Plan Delta** (1958-87), suite à l'inondation de 1953. *Coût :* 30 milliards de F. Initialement, surélévation des digues et fermeture des bras de mer, pour ne laisser que 2 voies de navigation (pour ports de Rotterdam et d'Anvers) ; côtes réduites de 800 à 80 km. 1964 : plan modifié pour que l'Escaut oriental garde accès à la mer ; fermeture de 5 bras de mer dans le S.-O., contre les marées, dont l'Escaut oriental (barrage anti-tempêtes Oosterscheldedam, achevé 1986) ; 52 vannes laissent les eaux salines pénétrer dans le bassin isolé de la mer.

Terres conquises (en km²). *XIIIe s. :* 350, *XIVe :* 350, *XVe :* 425, *XVIe :* 710, *XVIIe :* 1 120, *XVIIIe :* 500, *XIXe :* 1 170, *1900-86 :* 1 650. O. et zones N. basses (50 % des P.-B.) sont constitués par des polders (plusieurs centaines). **Polder le plus grand :** Flevoland de l'Est (540 km²). **Surface totale** *de l'étendue d'eau douce (IJsselmeer) :* 1 262 km². **Coût annuel.** 2,2 Md de F.

On a renoncé à achever le *Markerwaard* (après avoir construit la digue commencée en 1957 reliant l'île de Marken au continent) (plan initial 1957, polder de 60 000 ha réduit à 41 000). On a renoncé aussi à poldériser le *Waddenzee* (100 000 ha de laisses) : 1°) vases et boues découvertes à marée basse sont utiles pour la survie de certaines espèces, notamment les oiseaux de mer ; 2°) bassins d'eau salée et saumâtre permettent élevage d'huîtres et de moules. En 1993, plan de remise en eau de 10 % des polders (raisons : normes agric. eur., surprod. maraîchère et florale, seuil critique de pollution).

Nota. – Il y a env. 200 « wateringues » (2 600 en 1950) [organismes de droit public dépendant des administrations provinciales chargés de la gestion et du contrôle du régime des eaux, des routes, voies navigables, et de la protection de la nature].

Démographie

Population (en millions). *1830 :* 2,61 ; *1900 :* 5,1 ; *20 :* 6,83 ; *30 :* 7,83 ; *40 :* 8,83 ; *50 :* 10,03 ; *60 :* 11,41 ; *70 :* 12,96 ; *80 :* 14,09 ; *85 :* 14,45 ; *90 :* 14,94 ; *92 (1-1) :* 15,12 ; *prév. 2000 :* 15, 86. **Age** – *de 19 a.* 25,2 %, + *de 65 a.* 12,9 %. **Émigration** (90) 57 344 (vers CEE 26 151, Asie 5 238, USA 4 804, Afrique 4 102, Antilles néerl. 3 310, Turquie 2 447, Océanie 1 913, Surinam 1 604, Suisse 1 413, Canada 1 256, divers 5 106) ; *de 1945 à 1971 :* 476 000 (vers Canada 168 000, Austr. 141 000, USA 86 000, Afr. du S. 41 000, N.-Zélande 27 000, Brésil 6 000, divers 7 000). **Population étrangère** (1-1-91 en milliers). 692,4 dont Turcs 203,5, Marocains 156,9, All. de l'O. 44,3, Anglais 39, Belges 23,6, Surinamiens 19,3, Espagnols 17,2, Italiens 16,9, Youg. 13,5, Amér. 11,4, Indonésiens 8,5, *Français 8,9,* Portugais 8,3, Chinois 6,5, Vietnamiens 5,1, divers 109,3. **Demandes d'asile** *1987 :* 13 460. *88 :* 7 486. *89 :* 13 898. *90 :* 21 208. **D** (1-1-92) 446 [Hollande N. et S. : 1 028]. **Pop. urb.** (1-1-92). 68,9 %. Villes (agg. 1-1-92) : *Amsterdam* (cap.) 1 079 702, Rotterdam 1 060 379 (à 75 km), La Haye 692 581 (55 km), Utrecht 539 471 (40 km), Eindhoven 388 355 (120 km), Arnhem 305 906 (100 km), Heerlen/Kerkrade 269 070, Enschede/Hengelo 252 989, Nimègue 245 583, Tilburg 233 693, Haarlem 214 376 (20 km), Dordrecht/Zwijndrecht 210 440, Groningue 208 474 (190 km).

Provinces (au 1-1-1992)	Sup. en km² (¹)	Pop. (× 1 000)	Dens. km²
Groningue	2 348	555,2	236
Frise	3 357	601,8	179
Drenthe	2 655	445,6	168
NORD	8 360	1 602,7	192
Overijssel	3 340	1 032,4	309
Flevoland	1 412	232,8	165
Gueldre	5 015	1 828,8	365
EST	9 766	3 094	317
Utrecht	1 359	1 037,3	763
Hollande sept.	2 666	2 421,7	909
Hollande mérid.	2 871	3 271,5	1 140
Zélande	1 796	359,2	200
OUEST	8 693	7 089,7	816
Brabant sept.	4 948	2 225,3	450
Limbourg	2 169	1 115,5	514
SUD	7 118	3 340,8	469
TOTAL (²)	33 937	15 129,1	446

Nota. – (1) Non compris voies et plans d'eaux de + de 6 m de large. (2) Y compris personnes sans domicile fixe, inscrites au registre central.

Langues. Néerlandais *(off.) :* dérive de 2 dialectes « thiois », bas-francique (à l'O.) et bas-saxon (à l'E.). Le n. de l'O. (bas-francique) est devenu langue nationale (parlée, écrite et publiée) à partir du XVIe s. ; 21 000 000 néerlandophones dans le monde, dont les Flamands (Belgique) et les Afrikaanders (Afr. du S. 4 000 000). Frison : anglo-saxon et allemand, du groupe germanique occidental ou westique ; parlé jusqu'au XVe s. des bouches du Rhin à la Baltique, pratiqué par 2,9 % de la pop. (région de Leeuwarden, îles Frisonnes occid. et Schleswig dano-allemand).

Religions (%, est. 90, personnes âgées de 18 a. et +). Catholiques 32 (21 % vont à la messe chaque semaine, 41 % au moins une fois par mois ; ordinations *1961-65 :* 1 391, *1981-85 :* 105). Protestants (Nederlands Hervormd) 17 (35 % vont à l'office au moins 1 fois par mois), protestants (réformés) 8. Autres religions 5. Sans religion 38.

Histoire

Période préromaine. Les Nerviens belges occupent S. de la Meuse ; les Germains frisons occupent E. de IJssel jusqu'à l'Ems ; entre les 2, tribu germano-celtique batave occupe l'*Insula Batavorum.* *Principales* villes : *Lugdunum* (Leyde), *Noviomagus* (Nimègue). **57 av. J.-C.** César atteint Rhin. **15 apr. J.-C.** Drusus franchit Rhin et occupe *Insula Batavorum* jusqu'au lac Flevo (Zuiderzee) ; Bataves deviennent *socii* de l'Emp. romain. **69** ils se soulèvent avec Julius Civilis, puis se soumettent, fournissant à Rome cavaliers et marins. **V. 250 apr. J.-C.** Francs occupent terres des Bataves et fusionnent avec eux. **695** évêché d'Utrecht fondé, christianisation du pays (St Willibrord). **V. 800** Frisons soumis par Charlemagne. **843** *tr. de Verdun* partie de Lotharingie (puis de Basse-Lorraine, apr. 954). **954-1406** 11 seigneuries, dont 3 duchés : Brabant, Gueldre, Clèves. **1406** Brabant échoit à la maison de Bourgogne, qui va réunifier le pays.

Maison de Bourgogne. **1419 Philippe III le Bon** (1396-1467), duc de Bourgogne, ép. 1°) Michelle de Valois († 1422), 2°) Bonne d'Artois († 1425), 3°) Isabelle de Portugal († 1472). **1467 Charles le Téméraire** (10-11-1433/5-1-1477), fils de Ph. III et d'Isabelle ép. 1°) Catherine de Valois († 1446), 2°) Isabelle de Bourbon († 1465), Marguerite d'York († 1503). **1473** devient duc de Gueldre ; fixe à Malines capitale des P.-B. **1477**-*5-1* tué près de Nancy. **1478 Marie** (13-2-1457/27-3-1482), fille de Ch. le Téméraire et d'Isabelle, ép. 18-8-1477 Maximilien Ier d'Autriche, f. de l'emp. Frédéric III. **1477** P.-B. séparés de la Bourgogne ; passeront par héritage dans la maison de Habsbourg. **1482**-*27-3* Marie meurt des suites d'une chute de cheval.

Maison de Habsbourg. **1482 Philippe Ier le Beau** (2-7-1478/25-9-1506), fils de Marie et de Maximilien. **1482-94** Maximilien régent. **1496** ép. Jeanne la Folle (1479-1555), fille de Ferdinand d'Aragon et d'Isabelle de Castille, héritière d'Esp. **1504** roi de Castille à la mort d'Isabelle. **1506 Charles Quint** (Gand 24-2-1500/Esp. 21-9-1558), ép. Isabelle de Portugal (1503-39). **1506** régence de Marguerite d'Autr., sa tante. **1515**-*5-1* émancipé par États généraux. **1516**-*14-5* proclamé à Bruxelles (Ch. Ier), roi des Espagnes et des Deux Siciles. **1519**-*28-6* élu empereur. **1521** annexe Tournai. **1523** Frise. **1528** terr. d'Utrecht et l'Overijssel. **1530** Marie de Hongrie nommée par Ch. Quint, son frère, gouvernante gén. Mouvements *anabaptistes* autour de *Menno Simonis* (1505-61). **1536** annexe Drenthe et Groningue. **1543** duché de Gueldre et Cte de Zatphen. **1549** pragmatique sanction déclare les *Dix-Sept Provinces* (des P.-B.) un tout indivisible et impartageable. **V. 1540** début du protestantisme ; un de ses chefs est Guillaume de Nassau (le Vieux), seigneur de Breda, dont le fils hérite en 1544 de la principauté d'Orange (Guill. le Taciturne). **1553** *Édit de Marie,* condamnant tous les hérétiques à mort. **1555**-*25-10* Ch. Quint abdique pour les P.-B. (16-1-1556 pour l'Espagne, 12-9 pour l'Empire). **1555 Philippe II** (21-5-1527/13-9-1598), fils de Ch. Quint. Guillaume le Taciturne nommé gouverneur de Holl. **1556** Philippe II roi d'Espagne. **1559** Guillaume Stadhouder de Holl. et Zélande. **1559-65** gouvernés par Marguerite d'Autr., demi-sœur de Ph. II et par le card. Antoine de Granvelle (1517-86), arch. de Malines. **1566** *compromis de Breda :* ligue anti-espagnole des seigneurs néerl. protestants, dirigée par Guill. le Taciturne. **1567-73** g. indécise entre « Gueux » de Guillaume et troupes esp. du duc d'Albe ; répression du duc et du *Conseil des Troubles.* **1571** *synode d'Emden* (Frise) : organisation de l'Église des P.-B. sur le type calviniste. **1573-76** G[al] esp. Requesens perd N. des P.-B., notamment Leyde, où protestants fondent une université. **1573-79** Don Juan d'Autr., puis P[ce] Farnèse reconquièrent Bruxelles, Anvers, Gand.

Maison d'Orange-Nassau. Issue de Dedo, Cte de Laurenbourg (1093-1117) ; ses descendants sont C[tes] de Nassau au XIIIe s. La maison des P.-Bas descend d'Othon († v. 1290), Cte de Nassau-Siegen [f. cadet de Henri Cte de Nassau († 1251)], et la maison grand-ducale de Luxembourg du fils aîné, Walram II de Nassau. Les descendants d'Othon héritent au XVe s. des seigneuries de Lecke et Breda, sont Burgraves d'Anvers 13-5-1487, et reçoivent en héritage la principauté d'Orange (Vaucluse, Fr.) à la suite du mariage du Cte Henri (1483-1538) avec Claude de Châlon († 1521), sœur et héritière du dernier P[ce] d'Orange de la maison de Châlon († 3-8-1530). La P[té] d'Orange sera cédée à la Fr. le 11-4-1713, mais le titre de Cte d'Orange sera confirmé par tr. conclu avec roi de Prusse 16-6-1732.

1573 Guillaume Ier de Nassau, dit **le Taciturne** (16-4-1533/10-7-1584), ép. 1°) Anne d'Egmont-Buren, 2°) Anne de Saxe, 3°) Charlotte de Bourbon († 1582), 4°) Louise de Coligny (1555-1620). – **1573** stadhouder, devient calviniste reconnu par provinces calv. de Zélande et Hollande. **1576** stadhouder des 17 provinces, mais ne peut se maintenir dans les prov. cath. du S. **1579**-*23-1* les prov. du N. forment la Rép. des Provinces-Unies *(Union d'Utrecht).* **1581** se séparent de l'Espagne. **1584**-*10-7* G. Ier assassiné par fanatique cathol.

1584 Maurice de Nassau (**Pce d'Orange**) (13-11-1567/23-4-1625), fils de G. Ier et d'Anne de Saxe, stadhouder (célibataire). **1590** prend aux Esp. Breda. **1591** Nimègue. **1594** Groningue. **1595-1609** g. navale contre colonies esp. et port. Fondation des 1ers comptoirs coloniaux holl. en Indonésie et aux Moluques. **1600**-*2-7* bat. arch. Albert à Westende. **1609**-*9-4* trève de 12 ans ; indép. reconnue par Esp. **1618** *synode de Dordrecht :* condamnation des *Arminiens,* adversaires de la prédestination (calvinistes atténués). **1619** Batavia fondée. **1621** g. contre Esp.

1625 Frédéric-Henri (29-1-1584/14-3-1647), demi-frère de Maurice (f. de G. Ier et de Louise de Coligny), stadhouder, ép. Amélia Van Solms. **1629** prend aux Esp. Bois-le-Duc et Wessel. **1632** Maëstricht. **1637** Breda.

1647 Guillaume II (1626/6-11-1650), fils de Fréd., stadhouder, ép. Marie Stuart (1631-60), f. de Charles Ier d'Angleterre. **1648** *tr. de Münster :* P.-Bas cessent de faire partie de l'Emp. all.

1653 Jean de Witt (24-9-1625/20-8-1672), grand pensionnaire, ép. Wendela Bickers. **1654** paix de compromis avec Angl. **1665-66** g. avec Angl. (rivalité économique). **1667** Acte d'exclusion contre maison d'Orange. *Juill. tr. de Breda,* perd Nelle-Amsterdam (New York). **1668** tr. de Triple Alliance avec Angl. et Suède, tr. d'Aix-la-Chapelle. **1672** Louis XIV envahit Holl.

1672 Guillaume III (14-11-1650/8-3-1702), fils posthume de G. II. **1672**-*24-7* Cornelis de Witt, frère de Jean, arrêté (accusé d'avoir voulu assassiner G. II). *-4-8* Jean de Witt démissionne. *-20-8* va voir son frère en prison, les 2 sont assassinés par la foule. **1674** élu stadhouder. **1677** ép. Marie (1662-94), fille du futur Jacques II d'Angl. **1678** g. de Holl., terminée par le *tr. de Nimègue.* **1688-97** g. de la Ligue d'Augsbourg. **1688** *nov.* G. III inquiet du penchant de son beau-père pour les cathol., appelé par les protestants angl., débarque avec une petite armée en Angl. **1689**-*21-4* est proclamé roi (G. III) et sa femme reine (Marie II). **1701-13** g. de la Succession d'Esp.

1702-47 Oligarchie. **1740-48** g. de la Succession d'Autr. (contre Fr.).

1747 Guillaume IV (1-9-1711/22-10-1751), fils de Jean-Guillaume le Frison, Pce d'Orange, stadhouder à titre héréditaire des 7 Provinces, ép. Anne de Hanovre, f. du roi Georges II d'Angl. (1709-59).

1751 Guillaume V Batave (8-3-1748/9-4-1806), fils de G. IV, stadhouder, ép. Frédérique-Sophie de Prusse, nièce de Frédéric II. **1756** neutre pendant la g. de Sept Ans. **1780-83** alliés de Fr. contre Angl. dans la g. d'Indépendance amér. **1785** G. V doit s'enfuir en Angl. (rétabli par les Prussiens **1787**). **1795** chassé par les Français.

République batave 1795-1806, vassale de la France. Les Angl. prennent Le Cap et Ceylan. **1799**-*27-8* débarquement angl. au Helder (chassés par Brune ; capitulation d'Alkmaar, *18-10*). **1801**-*6-10* référendum sur nouvelle Constitution imposée par Bonaparte [52 000 non, 16 000 oui, 350 000 abstentions (considérées comme des « oui ») ; 1 corps législatif, 1 conseil de régence de 12 m.]. **1802** Angl. rendent Le Cap pour se concilier la Rép. batave.

Royaume de Hollande. **1806**-*5-6* **Louis Bonaparte** (1778-1846) voir Index. *Déc.* adhère au Blocus continental (catastrophe écon. : pratique de la contrebande). **1810**-*9-7* Louis abdique ; annexé à l'*Emp. fr.* (10 dépts : Ems occ., Frise, Bouches de l'IJssel, IJssel sup., Lippe en partie, Roer, Meuse inf., Bouches du Rhin, Bouches de la Meuse, Zuiderzee).

Royaume des Pays-Bas. 1815 Guillaume Ier, **gd-duc de Lux.** (24-8-1772/12-12-1843), fils de Guillaume V, ép. 1-10-1791 Frédérique-Wilhelmine (1774-1837), f. de Frédéric-Guillaume II. **1815**-*16-3* roi des P.-B. et duc du Luxembourg. *-9-6* gd-duc de Lux. *Congrès de Vienne.* **1830** Belg. s'en détache (voir p. 928 c). **1839** G. Ier reconnaît son indép. **1840**-*7-10* abdique (à cause de son remariage avec Henriette d'Oultremont).

1840 Guillaume II, **gd-duc de Lux.** (6-12-1792/17-3-1849), fils de G. Ier, ép. 21-2-1816 Anne Pavlovna (1795-1865), demi-sœur du tsar Alexandre Ier. **1848** Constitution révisée [inspirée par Thorbecke (1798-1872)] (2e chambre désormais élue, min. responsables).

1849 Guillaume III, **gd-duc de Lux.** (19-2-1817/23-11-1890), fils de G. II, ép. 1°) 18-6-1839 Sophie de Wurtemberg (17-6-1818/3-6-1877), 2°) 7-1-1879 Emma de Waldeck-Pyrmont (2-8-1858/20-3-1934). **1870-1916** colonisation de l'Indonésie. **1887** suffrage censitaire aboli.

1890 Wilhelmine (31-8-1880/28-11-1962), fille de G. III et d'Emma. **1890 au 31-8-1898** régence de sa mère Emma. **1901**-*7-1* ép. duc Henri de Mecklembourg, Pce consort des P.-B. (1876-1934). **1914-18** neutre (à partir de mars 1915, les Alliés interd. toute importation pouvant être réexpédiée en All. ; P.-Bas livrent aux All. alim. contre du charbon : restrictions alim. aggravées ; 1 million de réfugiés belges). **1917** suffrage universel, femmes éligibles. **1919** vote des femmes. **1940**-*10-5* invasion all. *-15-5* capitulation, la reine et le gouv. partent pour l'Angleterre. **1941** *févr.* grève générale contre persécutions antijuives (de nouveau avr.-mai 1943). **1944**-*3-9* grève générale des chemins de fer ; répression all. ; échec d'une libération rapide ; bataille d'Arnhem. **Hiver 1944-45** famine (30 000 †). **1945**-*5-5* capitulation all. et retour de la famille royale. **1948**-*4-9* reine abdique, prend le titre de Pcesse Wilhelmine des P.-B.

1948 Juliana (30-4-1909), Pcesse d'Orange, s. f. ép. 7-1-37 Pce Bernhard de Lippe-Biesterfeld (29-6-1911) titré Pce des P.-Bas avec le prédicat d'Alt. roy. après sa naturalisation néerl., antérieure au mariage, f. du Pce Bernhard de Lippe-Biesterfeld (1872-1934) et de la Pcesse Armgard (1883-1971). Abdique 30-4-80. *4 enfants : Beatrix* (voir ci-dessous). *Irène* (5-8-39) ép. 29-4-64, sans le consentement du Parlement comme le prévoit la Constitution, le Pce Charles-Hugues de Bourbon-Parme ; privée ainsi que ses descendants des droits à la succession au trône ; divorcée 1981, demande annulation de son mariage à Rome ; 4 enf. : Carlos-Javier (27-1-70), Jaime Bernardo et Margarita Maria Beatriz (13-10-72), Maria-Carolina (23-6-74). *Margriet* (19-1-43) ép. 10-1-67 Pieter Van Vollenhoven (4-4-39). 4 enf. : Maurits (17-4-68), Bernhard (25-12-69), Pieter-Christiaan Michiel (22-3-72), Floris Frederik Martijn (11-4-75). *Christina* (18-2-47) ép. 28-7-75 Jorge Guillermo, professeur cubain. Enfants : Bernardo (17-6-77), Nicolas (6-7-79), Juliana (8-10-81). – **1948**-*1-1* Benelux (élargi 1958-60). **1949**-*27-12* Indonésie indépendante. **1953**-*31-1/-1-2* rupture des digues (160 km) ; 260 000 ha de terres submergés, 50 000 maisons détruites, 1 865 †. **1962**-*15-8* renonce à N.-Guinée néerl. **1965** des provos contestent société bourgeoise et indust. **1974**-*13-9* 3 m. de l'Armée rouge jap. prennent 11 otages à l'amb. de France, dont l'ambassadeur ; obtiennent un Boeing 707, 300 000 $ et libération d'un terroriste jap. détenu en Fr. *-2-12 :* 6 Moluquois attaquent un train près de Beilen ; 56 otages, 3 †. (*-14-12* reddition). *-4-12 :* 7 Mol. attaquent consulat d'Indonésie ; 52 otages, 1 †. (*-19-12* reddition). **1975**-*25-1* Surinam indép. **1976** Pce Bernhard, impliqué dans scandale Lockheed, démissionne de ses fonctions officielles (inspecteur gén. des Forces armées). *-11-6* 50 otages détenus dans train de Glimmen dep. 19 j par 10 terroristes mol., libérés par fusiliers marins (2 ot. et 6 terr. tués). **1978**-*14-3,* 72 otages détenus par Mol. à la préfecture de Drenthe (libérés par fusiliers marins). **1980**-*30-4* Juliana abdique.

1980-*30-4* Béatrice (Beatrix) (31-1-38), ép. 10-3-66 Claus Georg van Amsberg (6-9-26), titré Pce des P.-B. avec prédicat d'Alt. roy., f. de Claus von Amsberg et de son ép. née Bonne Gosta Julia von dem Bussche-Haddenhausen ; 3 enf. : Willem Alexander (27-4-67), Johan Friso (25-9-68), Constantijn (11-10-69). **1981**-*21-11,* 350 000 manif. à Amsterdam contre armement nucléaire. **1983**-*7-10* ratification fr. du tr. de 1976 (réinjection dans le sous-sol alsacien et non plus dans le Rhin, des déchets salins). *-29-10 :* 550 000 manif. à La Haye, et 100 000 à Amsterdam contre missiles de croisière. **1986**-*28-2* Parlement ratifie (79 v. contre 70) tr. américano-néerl. sur installation de 48 missiles de croisière de l'Otan aux P.-B. *-19-3* municipales, 350 000 étrangers admis à voter, poussée socialiste. **1989** *janv.* Postes et Télécom. privatisées : divisées en 3 soc. distinctes, mais détenues à 51 % par l'État. **1990**-*28-2* 2 658 kg de cocaïne saisis (record d'Europe). **1991**-*4/6-3* reine Beatrix en France. **1992**-*28-11* ancien nazi Jacob Luitjens (n. 1919) extradé du Canada, incarcéré (condamné à vie par contumace en 1948. **1993** *avril* plan Lubbers d'économies budg. (35 Md de F en 1993-94) : privatisation des PTT (12 Md), gel des prestations sociales et des salaires des fonctionnaires, baisse de 25 % de leurs effectifs (40 000 en 1998 au lieu de 150 000).

■ Politique

■ **Statut.** Roy. formé des P.-Bas, des Antilles néerl. et d'Aruba, régi par le *Statut* (loi du 29-12-1954) qui prime la Const. *Constitution* 29-3-1814 révisée 1983 (maj. électorale, liste civile de la reine). *Chef de l'État :* la Reine ; le trône est héréditaire, le souverain inviolable. *États généraux* (Staten-Generaal) : *2e ch.* 150 m. élus au suffr. univ. direct pour 4 a. (repés. proportionnelle), *1re ch.* 75 m. élus par États provinciaux pour 4 a. *Ministres* responsables dev. les É. gén., nommés par chef de l'État sur proposition d'un formateur qui devient le plus souvent le chef du gouv. *Conseil d'État :* organe consultatif suprême (Pte, la reine, 1 vice-Pt, 20 m.). **Fête nat.** 30-4 (j de la reine). **Drapeau.** Remplace milieu XVIIe s. le drapeau de Guillaume d'Orange.

Capitale. Amsterdam (La Haye : siège du gouvernement, de la Cour et du corps diplomatique). **Administration locale. Provinces :** 12 dirigées par *États provinciaux* (élus au suffr. univ. direct), *députation provinciale, commissaire* de la reine (+ un greffier). **Communes :** 647 adm. par conseil municipal élu pour 4 a. au suffr. direct, présidé par bourgmestre [nommé par la couronne pour 6 a., il a voix consultative et est responsable de l'exécution des décisions ; est aussi président du collège du bourgmestre et des échevins (élus pour 4 ans parmi les membres du conseil municipal)]. *1986* mars, droit de vote accordé aux étrangers aux él. municipales.

■ **Élections. 1re et 2e chambres** (% des voix et, entre parenthèses, nombre de sièges, par parti). **2e ch.** (6-9-1989) : CDA 35,3 % (54 s.), PVDA 31,9 (49), VVD 14,6 (22), Dém. 66 7,9 (12), Grœn Links 4,1 (6), SGP 1,9 (3), GPV 1,2 (1), RPF 1 (1), CD 0,9 (1), divers 1,3. **1re ch.** (27-5-91) : CDA (27), PVDA (16), VVD (12), Dém. 66 (12), Grœn Links (4), SGP (2), RPF (1), GPV (1).

Provinciales *(6-3-1991).* 748 sièges, 41,9 % d'abst. ; à la chambre des dép. : CDA 51 s. (avant 54), PVDA 32 (49), VVD 24 (22), Verts-Gauche 8 (6), Dém. 24 (12). **Municipales** *(20-3-1990).* Abst. 38,1 %. CDA 32,7, PVDA 24,8, VVD 14,7, D. 66 12,5, Verts-gauche 6,9.

☞ *Depuis 1986,* les émigrés, hab. les P.-Bas dep. 5 ans sans interruption, peuvent voter aux municipales [*élus 1986 :* 46 dans 35 communes, *1990 (21-3) :* 36 (18 Turcs, 11 Surinamiens, 2 Marocains, 1 Youg., 1 Ital. pour 300 000 voix ; abstention Turcs 50 %, Marocains 70, Surinamiens 75)].

Partis. *Appel démocrate chrétien (CDA)* f. 1980, W.G. Van Velzen (15-1-43). *P. du travail (PVDA)* f. 1946, Felix Rottenberg (1958). *P. libéral (VVD)* f. 1948, Frits Bolkestein (4-4-33). *Démocrates 66* (D. 66) f. 1966, Hans Van Mierlo (18-8-31). *P. de l'État réformé (SGP)* f. 1918, B.J. Van der Vlies (29-6-42). *Fédération pol. réformiste (RPF)* f. 1975, M. Leerling (11-1-36). *Union pol. nat. réformée (GPV)* f. 1948, G.J. Schutte (24-5-39). *Démocrate du Centre (CD)* f. 1986, JHG Janmaat (3-11-34). *Arc-en-ciel (écologiste)* f. 1983 (Europ. 1989, 7 %, 2 s.). *Verts-gauche* (Grœn Links) f. 1989, *MBC* Beckers-de-Bruijn (2-11-38).

Premiers ministres depuis 1945

1945 *23-2* Pieter S. Gerbrandy (1885-1961) ; *24-6* Willem Schermerhorn (1894-1977). **46** *3-7* Louis J.M. Beel (1902-77). **48** *7-8* Willem Drees (1886-1988). **58** *22-12* Louis J.M. Beel. **59** *19-5* Jan E. de Quay (1901-85). **63** *24-7* Victor G.M. Marijnen (1917-75). **65** *14-4* Joseph M.L. Th. Cals (1914-75). **66** *22-11* Jelle Zijlstra (29-8-1918). **67** *5-4* Petrus J.S. de Jong (3-4-1915). **71** *6-7* Barend W. Biesheuvel (5-4-1920). **73** *11-5* Johannes M. Den Uyl (1919-87). **77** *19-12* Andries A.M. Van Agt (2-2-1931). **82** *4-11* Rudolphus F.M. Lubbers (7-5-1939).

■ Architecture

Gothique (1200-1500). ABBAYE : *Middelburg* salle capitulaire). CHATEAUX : *Haarzuilen* (reconstr. 1890). *Zuylen* (1300). ÉGLISES : *Amsterdam :* Oude Kerk (goth. et Ren.). *Bois-le-Duc :* cathédr. reconstruite (1525). *Delft :* Nouvelle Église (1383), Vieille Église (1300). *Dordrecht, Haarlem :* Grande Église. *Utrecht :* cathédrale (1254-1517). HÔTELS DE VILLE : *Middelburg* (1512, les Keldermans, beffroi 55 m). *Veere* (1474-77). **Renaissance (1500-1650).** *Amsterdam :* Palais royal, reconstruit apr. incendie de 1618 (1648-55, J. Van Campen et B. Stalpaert), rue de Haarlem. *Delft :* hôtel de ville (beffroi, XIVe s.). *Haarlem :* marché de la viande (1603, C. de Vriendt). *La Haye :* Mauritshuis (1630), Huis ten Bosch (1645, Pieter Post). *Leeuwarden :* chancellerie (1566-71, B. Jansz). *Leyde :* hôtel de ville (1579). **1750-1830.** *Groningue :* hôtel de ville (1787-1810).

Époque moderne. *Amsterdam :* Bourse (1892-1903, H.P. Berlage), gare (1889, Cuypers, style Renaissance), Rijksmuseum (1876-85, Cuypers), école de plein air (1930, Duiker), orphelinat (1959, Van Eyck). *Haarlem :* cathédrale St-Bavon (1895-1930, J. Cuypers et J. Stuit, style roman). *La Haye :* palais de la Paix (1913, J. Cordonnier), palais des Congrès (1969, Oud). *Hilversum :* H. de ville (Dudok), sanatorium (1937, Bijvoet et Duiker). *Rotterdam :* théâtre (1940, Dudok), hôtel de ville (1914-20, H. Evers), poste (1941, J.-F. Staal), musée Boymans (1935, A.

Van der Steur), rue piétonne (1949-53, Van den Broek et Bakema). *Utrecht :* poste (1918-24, H. Van der Velde), maison de Schröder (1924, Rietveld).

■ ÉCONOMIE

PNB (91). 18 940 $ par h. **Croissance** (en %) *1990 :* 2,4, *91 :* 2, *92 :* 1,6. **Pop. active** (%, et entre parenthèses part du PNB en %) agr. 4,9 (5,1), mines 4,2 (2,7), ind. 21,3 (31), services 69,6 (61,2). *Chômage (%) 1980 :* 5,9 ; *84 :* 17,3 ; *85 :* 15,9 ; *88 :* 8,3 ; *89 :* 5,7 (base de calcul différente) ; *90 :* 4,9 ; *92 :* 5,6 ; *93 (est.) :* 5,9. **Inflation** (%) *1987 :* – 0,5 ; *88 :* 0,7 ; *89 :* 1,1 ; *90 :* 2,5 ; *91 :* 3,9 ; *92 :* 3,7. **Dette publique** (90) 1 000 milliards de F (75 % du PNB). **Déficit budgétaire** (% du PNB) *1991 :* 3,5 *92 :* 4 ; *93 (est.) :* 3,75 ; *94 (obj.) :* 3. **Prélèvements obligatoires** 53,6 % du PNB. **Investissements** (Md florins) : *étrangers aux Pays-Bas :* 7,5 dont USA 2,8, CEE 2,5 (Benelux 2,2, All. 0,6, *France 0,4,* Italie 0,031, autres 0,1), pays dév. 1,4, Japon 0,8 ; *hollandais à l'étranger :* 20,5 vers CEE 13,6 (G.-B. 5,3, Benelux 3,2, *France 1,6,* All. 1,2, Italie 0,3, autres 1,9), pays dév. 2,8, USA 2,2, Japon 0,3, autres 1,5.

Agriculture. *Terres* (milliers d'ha, 92). Pâturages 1 070, t. arables 805, cours d'eau 341 (88), forêts 300 (88), divers 694 (88). *T. de culture* (%, 88) : 64,2 dont pâturages 54,2 (91), grande cult. 39,2, horticulture 7,3 (91). *Forêts et t. incultes* 8. *Superficie moy. des exploitations* 15,8 ha. *Production* (milliers de t, 91) : p. de terre 5 261 (92), bett. à sucre 8 251 (92), maïs fourrager 2 685 (89), blé 944, oignon 381 (90), orge 238, avoine 18, lin 35, seigle 34. Horticulture : cultures maraîchères (laitue, concombre, tomate), fleurs (11 exploit., 70 000 emplois, 70 % de la prod. mond.), bulbes de fleurs (prod. 1,6 Md florins, dont 91 % exp.), plantes d'ornement. *Rendements agricoles :* les 1ers du monde (blé 80 qx/ha). 100 ha de SAU nourrissent 731 personnes (France 162). 130 000 agriculteurs assurent l'alimentation du pays (sauf pour céréales) et 25 % de l'exportation. *% de la prod. agr. en valeur ;* élevage 61, horticulture 31, grande cult. 8. Élevage (milliers de têtes, 91). Poules 94 000, porcs 13 196, bovins 5 057, moutons 878, chevaux 77. Rendement annuel par vache à lait : 5 921 l. Viande, lait, fromage. Pêche. 416 300 t (89). *Ports :* IJmuiden, Scheveningen, Urk. Harengs (consommation nationale importante), poisson frais et congelé, moules, crevettes (exportés).

Énergie. **Gaz naturel** de Groningue dep. 1960. *Réserves* 2 400 milliards de m³ (au 1-1-92) dont 360 offshore ; *prod.* (92) 83,3 (dont 34 export. en 90) ; *consommation* (91) 46,5. *Revenus* (milliards de florins) : *1985 :* 23,8 ; *87 :* 13 ; *88 :* 7,5 ; *91 :* 7,5. **Pétrole** *prod. 92 :* 3,3350 millions de t (7 % de la consomm. en 89, 8 % de la capacité des raffineries). **Houille** (exploitation terminée dep. 1975). **Électricité** surtout thermique (5,5 % nucléaire en 89) ; prod. (Twh) *87 :* 68,4 ; *88 :* 68,6 ; *92 :* 77,9. Mines. **Sel** [saumure dans E. et N.-E., traité à Hengelo (sel) et Delfzijl (soude)] *prod.* (millions de t) *85 :* 3,98, *87 :* 4,98, *88 :* 4,1. Marne. ciment, engrais potassique.

Industrie. 4 grandes multinationales (Royal Dutch Shell, Unilever, Philips, Akzo). Au XVIIe s. transformation des mat. premières importées : blé, bois, prod. tropicaux et subtropicaux dans les régions de Haarlem, Dordrecht, Zaan. **Régions ind. :** canal de la mer du N. (min. de fer importé), le long du Nieuwe Waterweg (pétrole brut). Groningue et Limbourg méridional : ind. agricoles, chimie. S.-O. (le long de l'Escaut occ.). N.-E. (rivière de l'Ems) en dehors de la Randstad. *Métallurgie* (Velsen) avec min. de fer importé. *Électrotechnique* (Eindhoven). **Secteurs :** *constr. navales* (Rotterdam et chantiers de Rijn-Schelde-Verolme, Amsterdam, Flessingue et E. de la prov. de Groningue). *Ind. alim. :* mat. 1res importées (h. végétale, café, thé, cacao, tabac) ; prod. laitiers (Frise), sucre de betterave (Groningue, Amsterdam, Breda), viande (Oss, rég. de Deventer), volailles (S.-E. de l'IJsselmeer). *Textile :* rég. trad. de la Twente (Enschede), centre du Brabant (Tilburg, Helmond), fibres synth. (Limbourg mér.), confection (Amsterdam, Rotterdam, Groningue, Limbourg méridional).

Transports (km, 89). *Routes* 100 900 ; *chemins de fer* 2 810 dont 1 957 électrifiés. *Voies d'eau* 4 370.

PORT DE ROTTERDAM. 1er port mondial. 1,5 % du territoire national. 9 % de la pop. 14 % du PNB. Sans écluse, sans ponts, desservi par un réseau de communications dense et par le Rhin, que les chalands remontent jusqu'à Bâle (Suisse). Sera relié au Danube par le Main quand le canal Rhin-Main-Danube sera terminé. Dispose ainsi d'un hinterland de 170 millions d'h., vivant dans l'une des plus importantes régions ind. du monde. *Superficie d'eau* 2 213 ha. *Long. des quais* 37 410 m. *Hangars et magasins* 1 577 004 m². *Frigos* 88 616 m³. *Silos à grains* 448 300 t. *Marchandises sèches en vrac* 18 800 000 t. *Tankage* 32 290 000 m³. *Élévateurs flottants* 18, fixés sur quais 21. *Ponts portiques* 20. *Grues* 315, flottantes 31. *Remorqueurs* 46. *Porte-containers* 33. *Appontements* 15. *Plate-forme ind. :* raff. de pétrole [56 par an (85)], complexe pétrochimique, sidérurgie. *Escale :* 450 lignes de navig. Débouché artificiel dep. 1872 : Nouvelle Voie maritime (Nieuwe Waterweg) ; et dep. 1970 bassins creusés près de la mer du Nord, l'Europort accessible à des pétroliers de 365 000 t (avec tirant d'eau de 74 pieds). **Trafic :** *navires de mer* (91) : 33 377 [marchandises 291 millions de t dont (1990) pétrole brut 102 (30,7 % du trafic), minerais 41,7, dérivés pétr. 29,3, charbon 21,3, céréales et dérivés 20,3, autres pondéreux 28,3]. *Navires fluviaux :* 180 000. **Tarifs portuaires (1992) :** 850 millions de F.

Tourisme (1990, clientèle hôtelière). 3 900 000.

Commerce (milliards de florins, 91). **Exp.** 248 (92) *dont* mach. et équip de transport 58,5, prod. alim. et animaux vivants 43, prod. chimiques 40,1, prod. man. de base 35, fuel et lubrifiants 24,6 *vers* ex-All. féd. 73,3, Belg.-Lux. 35,5, *France 26,5,* G.-B. 23,2, Italie 15,9. **Imp.** 231 (92) *dont* mach. et équip. de transport 74,6, prod. man. de base 38,9, prod. chimiques 24,4, prod. alim. et animaux vivants 24, pétrole et prod. pétroliers 22,3 *de* ex-All. féd. 60,2, Belg.-Lux. 33,3, G.-B. 20,4, USA 18,3, *France 17,8.* **Balance commerciale** *86 :* 12,2 ; *87 :* 10,6 ; *88 :* 7,4, ; *92 :* 22.

Rang dans le monde (91). 4e gaz nat. 7e p. de terre. 9e porcins. 14e rés. gaz nat.

■ PÉROU

Carte p. 960. Voir légende p. 884.

Situation. Amérique du S. 1 285 216 km². *Frontières* 7 099 km, avec Brésil 2 822, Équateur 1 528, Colombie 1 506, Bolivie 1 047, Chili 196 ; *côtes* 3 079 km. *Alt. max.* Huascaran 6 768 m.

Régions. **Costa,** côte aride (sauf 150 km au N.) 11 % de la sup., 35 % de la pop. Malgré une pluie très fine (garua) de mai à nov., température basse (le *courant froid de Humboldt* longe la côte) (extrêmes à Lima + 12 °C, + 28 °C). Vers Noël, certaines années, le courant d'*el Niño* [l'Enfant (Jésus)], réchauffement des eaux, normalement froides de l'Équateur au S. du Pérou, fait fuir les anchois (ex. : 1972, les pêches tombent de 4 à 1,5 million de t). El Niño s'accompagne généralement de pluies torrentielles. En 1100, des inondations détruisirent le système de canaux d'irrigation du peuple chimu qui, affamé, ne put ensuite résister aux conquérants venus du Sud. **Sierra,** montagnes de 6 000 m et hauts plateaux (Puna) de 4 000 m, 25 % de la sup., 55 % de la pop. (« Tache indienne » constituée par l'Ancash, Huancavelica, Ayacucho, Apurimac, Cuzco et Puno et habitée par les Indiens), climat sec. **Selva** (forêts vierges), piémont oriental des Andes et plaines de l'Amazonie, 60 % de la sup., 10 % de la pop. ; tropical, humide, pluies déc. à mars. **Puna, hauts plateaux andins** (3 500 à 4 500 m) dans le S. **Lac Titicaca** entre Pérou et Bolivie, 8 030 km² dont Pérou 4 340, Bolivie 3 690, altitude 3 850 m, prof. 304 m.

Population (en millions) *V. 1530 :* 9 ; *v. 1580 :* 1 ; *1875 :* 2,6 ; *1900 :* 4,6 ; *40 :* 7 ; *50 ;* 8,5 ; *60 :* 10,4 ; *70 :* 13,5 ; *80 :* 17,7 ; *90 :* 23,33 dont (%) Indiens 46 [Ashaninkas (« Ceux qui sont des hommes ») de l'Ené 50 000 à 70 000, Jivaros (« guerriers », Shuar en indien) 30 000 (1910 : 120 000), Lamistas, Campas d'Amazonie], Métis 38, Blancs 15, divers (Asiatiques, Noirs) : Japonais 300 000, Chinois 700 000, *prév. 2000 :* 27,95. D 16,1. **Age** *– de 15 a. :* 41 %, *+ de 65 a. :* 4 %. **Cholo :** croisement d'un Métis et d'une Indienne, en fait catégorie sociale (Indiens urbanisés et évolués). **Pongo :** Indien serf, jamais rémunéré (n'existe plus dep. réforme agraire, 1969). **Pop. urb.** 77 %. **Mortalité** *infantile (1988) :* 69 ‰ (zones indiennes 250 ‰). **Espérance de vie** (89) 61 ans, 45 ans à Cuzco. 83 % de la pop. manque du min. vital en calories et protéines. **Villes** (en millions) : *Lima* 6 à 10 (*1614 :* 0,025, *34 :* 0,028, *2 000 (prév.) :* 14) [500 bidonvilles (barriadas) regroupant 2 500 000 h., taux d'humidité sup. à 90 %], Arequipa 0,8 (1 030 km), Callao 0,5 (à 30 km, son débouché naturel sur le Pacifique), Trujillo 0,4 (570 km). Cuzco 0,3 (1 165 km ; à 3 360 m d'alt.)

Nota. – **Épidémies :** choléra (1993) 600 000 cas en 2 ans (10 % de †) ; tuberculose (août 90), causes : malnutrition, échec du programme de vaccination ; paludisme, dengue, lèpre blanche. *Trafic d'enfants :* achetés 100 à 300 $, vendus 15 000 $.

Langues. *Off. :* espagnol, quechua 40 %, aymara 5 %. Langues aborigènes 7 %. [r. *1940* 2 millions parlaient quechua (3 millions en 1970). 800 000 bilingues]. **Analphabétisme** 15 %. Religion. Catholiques romains 95 % *(off.).* XVIe et XVIIe s., les jésuites sont les + gros propriétaires fonciers. XIXe s., l'Église, privée de la dîme et d'autres tributs, s'appauvrit. Fin XIXe s., perd ses privilèges. XXe s., activités sociales importantes. **Ste Rose de Lima :** 1586-20-4 naissance d'Isabelle de Flores (10-8-1606 : tertiaire dominicaine sous le nom de Rose de Ste-Marie, † 24-8-1617), béatifiée 1668, déclarée patronne des Amériques et Philippines, canonisée 12-4-1671.

Histoire. **Périodes : archaïque 8000-1250 av. J.-C.** agriculture apparaît v. 4000 ; maïs et poterie v. 1500 ; **agricole 1250-800 av. J.-C.** civilisation de Chavin de Huantar (grands édifices, culte du jaguar, céramique noire polie, métallurgie) ; **développement 850 av. J.-C. à 400 apr. J.-C.** civilisation de la péninsule de Paracas (vie urbaine, petits États guerriers, agriculture intensive en terrains irrigués) ; **jusqu'à 900 apr. J.-C. civilisation Mochica (côte N.)** vases, portraits à anse en étrier (2 tons, génér. marron/blanc) ; **civil. Nazca (côte S.)** vases polychromes à motifs zoomorphes : dragons, poissons, oiseaux et animaux divers ; **période expansionniste 1000** Tiahuanaco, Nazca, Huari : civ. des Indiens Quechuas et Aymaras : tumulus, rectangles tracés au sol de 850 × 110 m (peut-être utilisés pour la mise en place des fils de tissage) ressemblant à des pistes d'atterrissage, configurations au sol (silhouette humaine, animal stylisé) [pour rites religieux et funèbres (?)], céramique, polychrome ; s'éteint v. 1100. **Énigme de Nazca :** des lignes droites de 15 km de long, des dessins en forme d'animaux (singes, poissons, oiseaux) si vastes qu'on ne peut distinguer leurs contours qu'à env. 5 000 m d'altitude ont été repérés. Certains ont vu là des pistes d'atterrissage pour engins interstellaires, d'autres (Paul Kosoc et Maria Reiche) des repères astronomiques, mais il s'agirait plutôt de pierres, destinées à dévider des fils longs de plusieurs dizaines de km. Les civilisations précolombiennes ne connaissant pas l'usage de la roue, et ne sachant pas enrouler les fils, les faisaient passer d'une pierre à l'autre, sur des distances considérables. **Période côtière 1100.** États organisés des *Chimus,* sur côte N. : métallurgie, tissage, céramique noire anthropomorphe ou zoomorphe ; vases en étrier (généralisation de l'usage du moule) et des *Chinchas* sur côte S.

■ Empire des Incas. Société hiérarchisée avec un système avancé d'échanges de services et de redistribution sociale. *Religion* fondée sur le culte du Soleil. *Architecture :* taille parfaite des blocs de pierre. *Sites notables* Cuzco, Machu Picchu (aurait servi de position de repli après la conquête esp.), Ollantaitambo, Limatambo, Pachacamac, Sacsahuamán. *Objets* bois (gobelets), métallurgie (bijoux, outils), vases et petites lames en argent, ponchos. *Tissus* de Paracas, céram., orfèvreries. *Connaissances* ignoraient la roue ; avaient peut-être une écriture ; employaient des cordes « quipus » pour la comptabilité.

XIe s. 1er empereur inca (titre des emp. régnant sur une confédération de Quechuas et Aymaras) : *Manco Capac Ier.* **1438-71** Gd Empire Inca. *Pachacuti Inca Yupanqui.* **1471-93** *Tupa Inca Yupanqui.* **1493-1527 (?)** *Huayna Capac.* **1513** Balboa découvre Pacifique. **1526** Panamá, association Fr. Pizarro, Diego de Almagro et Hernando de Luque. **1527-28** voyage exploratoire jusqu'à Tumbez. **1528-32** g. civile Huascar/Atahualpa. **1531** *janv.* Fr. Pizarro vogue vers Équateur avec ses 4 frères.

■ Conquête espagnole. **1532**-*16-5* Fr. Pizarro (v. 1475-1541) quitte Tumbez et marche vers Cordillère. *-16-11* (avec 180 soldats et 37 chevaux) rencontre l'Empereur Atahualpa (n. 1 500) auquel le père dominicain Vicente Valverde offre sa Bible mais Atahualpa la jette à terre et reproche aux Esp. leurs destructions. Arrêté devant son armée, il sera exécuté le 29-8-1533 quoiqu'une énorme rançon d'or et d'argent ait été versée. **1533** *Diego de Almagro* (1475-1538) arrive à Cajamarca. *-15-11* Espagnols entrent à Cuzco. *Déc. Manco Inca II* (frère d'Atahualpa) couronné par Esp. **1534** Généraux d'Atahualpa vaincus. **1535** *janv.* Fr. Pizarro fonde Lima. **1536** insurrection de Manco. Esp. assiégés à Cuzco. *Août* échec indien devant Lima. **1537** *Avr., Almagro,* revenu du Chili, prend Cuzco et emprisonne frères Pizarro. *Paullu Inca* intronisé par Almagro. Manco se réfugie à Vilcabamba. **1538**-*26-4* Las Salinas, Hernando Pizarro (v. 1508-apr. 1560) bat Almagro (exécuté). **1539** *avr.-juill.* Gonzalo Pizarro (1502-48) investit Vilcabamba. Manco s'échappe. Paullu Inca se soumet aux Pizarro. **1540** Valdivia pénètre au Chili. **1541**-*26-7* Fr. Pizarro tué à Lima par almagristes. **1542** à Chupas, Vaca de Castro bat Diego Almagro le Jeune (exécuté). **1544** *oct. Manco* assassiné. *-28-10* G. Pizarro, gouverneur, entre à Lima. **1546**-*13-1* à Anaquito, G. Pizarro bat Nuñez de Vela, vice-roi dep. mai 1544 (exécuté). **1547** Pedro de la Gasca au Pérou. **1548-55** *Mendoza* (v. 1540-1617) rétablit l'ordre parmi les conquistadores. **1548**-*9-4* à Xaquiguana, G. Pizarro battu (décapité 10-4). **1549** Paullu Inca meurt. **1556** *Sayri Tupac* (successeur de Manco à Lima) meurt. Son successeur à Vilcabamba est *Titu Cusi* (qui accepte le baptême). **1561** H. Pizarro, emprisonné dep. 1539 en Esp., libéré, se fixe à

Différend avec Équateur. 1542 les 3 provinces contestées par l'Éq. (Tumbes, Jaén et Maynas) font partie de la vice-royauté du P. **1717** transférées à la vice-roy. de Santa Fe ou de Nouvelle-Grenade. **1723** gouv. esp. révoque cette décision. **1739** reviennent à la vice-roy. de N.-Grenade. **1784 et 1802** réintégrées à la vice-roy. du P. **1821** ces 3 provinces envoient leurs représentants au Congrès pér. Les 2 États acceptent pour définir leurs limites : le principe de l'« uti possidetis » (conserver les territoires selon les titres et les possessions que les colonies avaient au moment de l'émancipation) et celui de la libre détermination de leurs peuples à s'intégrer à la nation à laquelle ils se sentaient unis par une plus grande affinité et les liens les plus étroits. **1832** tr. ratifié par les 2 parties reconnaissant les possessions exercées à cette date jusqu'à la conclusion d'un arrangement sur les frontières. **1904-10** arbitrage auprès du roi d'Esp. suspendu lorsque l'Éq. sait qu'il sera défavorable ; proposition du P. de recourir à la Cour internationale de justice repoussée. **1941** incidents de frontière : l'Éq. provoque le conflit et accuse P. d'être l'agresseur (le P. répond qu'il exerçait normalement sa souveraineté sur les 3 prov. réclamées par l'Éq.). L'Éq. perd la guerre. **1942**-*29-1* protocole souscrit à Rio de Janeiro en présence des représentants de l'Argentine, du Chili, du Brésil et des USA qui garantissent la bonne exécution du traité. **Dep. 1951** démarcation des limites (sur 1 600 km, 78 km restent à borner). Quelques incidents frontaliers.

Trujillo. **1569** arrivée du vice-roi Francisco de Toledo. **1571** Titu Cusi meurt. *Tupac Amaru* Inca. **1572** *sept.* exécuté à Cuzco. **1686** Lima : séismes. XVIIIe s. : Lima, 36 000 h (dont 6 000 moines). **1780** soulèvement inca (avec *Túpac Amaru II* † 1781) réprimé.

■ **Indépendance. 1821-24** lutte pour indépendance. **1824**-*9-12* victoire d'*Ayacucho* sur les Esp. **1836-39** féd. avec Bolivie. **1866** g. avec Esp., flotte esp. de Valparaiso et de Callao bombardée (motifs : *1863* le P. refuse de payer des dettes datant de la g. d'indépendance ; des Esp. sont brutalisés à Talambo ; *1864* une escadre esp. occupe l'archipel des Chinchas ; *1865* alliance P.-Chili). *-27-4/8-5* Esp. bombardent et bloquent Callao, *-9-5* se retirent aux Philippines. **1879**-*14-8* tr. de paix à Paris. **1879-84** *g. du Pacifique,* P. allié à Bolivie contre Chili, battu, perd Tacna, Arica et Iquique (*tr. d'Ancon* 8-3-1884). **1911** l'Amér. Hiram Bingham découvre le Machu Picchu. **1929** P. récupère Tacna *(tr. de Lima)*. **1931**-*déc.* **Luis Sánchez Cerro** Pt (assassiné). **1933**-*avril* **Oscar Benavides** Pt. **1939**-*déc.* **Manuel Prado y Ugarteche** Pt (1889-1970). **1941** guerre éclair avec Éq. P. reprend 200 000 km² (Voir encadré ci-dessus) **1945**-*juill.* **José Bustamente y Rivero** Pt. **1948**-*oct.* **Gal Manuel Odria** (1897-1974) Pt ; assisté par Odristas, persécute « Apristes ». **1950**-*21-5* Cuzco endommagé à 90 % par séisme. *-juin* **Zenon Noriega** Pt. *-juill.* **Manuel Odria** Pt. **1956**-*juill.* **Manuel Prado y Ugarteche** Pt. **1962**-*18-6* (coup d'État) **Gal Ricardo Pérez Godoy** (9-6-05) Pt. **1963**-*mars* **Gal Nicolas Lindley López** Pt. *-28-7* **Fernando Belaunde Terry** (7-10-13) Pt. Découverte des ruines del Abiseo (Gran Pajaten) du V-VIe s. **1964**-*déc.* match de football Argentine-P., l'arbitre refuse un but ; émeute, 300 † ; rupture diplom. entre les 2 pays. **1968**-*3-10* (coup d'État) **Gal Juan Velasco Alvarado** (1910-77) Pt : nationalisations, rapprochement avec ex-URSS, code minier, grands travaux, ébauche d'autogestion. **1969**-*24-6* réforme agraire. **1970**-*31-5* séisme (50 000 †). **1973**-*7-6* adhère au groupe des pays non-alignés. *-24-7* rupture diplom. avec France (cause : essais atomiques fr. dans Pacifique). **1975**-*5-2* troubles à Lima (86 †). *-25/30-8 conf. des non-alignés* à Lima. *-29-8* coup d'État : **Gal Francisco Morales Bermudez** (4-10-21) Pt. **1976**-*janv.* grèves. *-13-7* état d'urgence. **1977**-*19-7* grève gén. (10 †). *-30-8* levée de l'état d'urgence. **1978**-*15-5* troubles (plusieurs †). *-18-6* él. Ass. constituante, présidée par *Victor Haya de la Torre*. **1980**-*18-5* **Fernando Belaunde Terry,** Pt [contre Armando Villanueva (Apra) (850 000 Indiens analphabètes votent), début de la guérilla du *Sentier lumineux* (voir encadré)]. **1982**-*12-10* état d'urgence Ayacucho. **1983**-*26-1* 8 journalistes tués à Uchuraccay (Ayacucho). *-13-11* élec. municipales (%) Apra 33,13, IU 28,9, AP 17,44, PPC 13,89. **1985**-*23-7* **Alan García Pérez** (n. 1948) Pt. *-15-8* FMI refuse tout crédit au P. *-10-9* : 8 généraux, 118 colonels limogés. *-28-10* MRTA (Mouv. révol. Tupac Amaru) reprend guérilla urbaine. **1987** *févr.* troubles à l'université. *-26-6* Guillermo Larco Cox remplace PM démissionnaire, Luis Alva Castro. *-21-8* manif. (100 000) contre projet de nationalisation des banques. *-8-10* guérilla (MRTA) dans le N.-E. *Déc.* Inti dévalué de 39,4 %. **1988**-*14-5* armée tue 50 paysans. *-19-7* grève gén. : 1000 pers. arrêtées à Lima. *-7-8* incendie de réserve

Sentier lumineux *(Sendero luminoso)*. **1970** fondé par Abimael Guzmán (n. 1931, membre du PC, prof. de sociologie à Ayacucho), dit Pt Gonzalo, engageant à suivre le sentier lumineux des écrits de José Carlos Mariategui (1894-1930) qui proposait un retour aux communautés paysannes indiennes incas parlant le quechua. **1976** s'affirme maoïste et contre Den Xiaoping, essaiera plusieurs fois de dynamiter l'ambassade de Chine à Lima. **1980**-*17-5* à Chuschi, un groupe brise l'urne électorale et brûle les listes élect. *-18-5* début de la lutte armée. Exécute voleurs de bétail, usuriers, commerçants, métis et propriétaires, puis dirigeants syndicaux qui s'opposent au démantèlement des coopératives ; interdit aux paysans de produire des excédents, ferme les marchés locaux. **1981** *(fin)* 600 attentats pour se procurer : fonds dans les banques, armes dans les postes de police et explosifs dans les mines ; assassinats de notables et cadres locaux ; actions spectaculaires (bombes dans le palais présidentiel, coupures répétées de courant dans Lima). **1982**-*2-3* attaque prison d'Ayacucho (300 prisonniers libérés), violences, répression, guérilla s'étend à Huamuco (collabore avec trafiquants de drogue). **1983** exécute hauts fonctionnaires. *Janvier* tue publiquement 67 « traîtres ». *-22-3* au *7-8* offensive répression *-3-4 :* tue 80 paysans *-18-4* tue 2 instituteurs devant leurs élèves. *31-4* affrontements dans les Andes 100 †. *30-5* état d'urgence. *-22-8* nouvelle attaque, 42 †. *nov.* coupe les phalanges de ceux qui ont voté aux municipales (et portent une marque de tampon sur le doigt) ; activités en milieu urbain. *-4-11* MRTA dérobe épée et étendard de Simón Bolívar dans le musée de Haura. **1984**-*20-1* appel à l'armée, état d'urgence dans 10 provinces (sur 146) ; *août* offensive du Sentier 2 000 †. **1985**-*14-4* tue Luis Aguilar, député de l'Apra. *Mai :* + de 20 explosions à Lima ; 4 500 arrestations. *-9-6* explosion palais présidentiel (1 bl.). *-10-7* tue gouverneur d'Ayacucho. **1986**-*4-2* attentats à Lima. *-8-2* état d'urgence. *-20-6* mutineries du Sentier dans prisons (+ de 350 †). *-25-6* Cuzco attentat contre « train des touristes » : 8 †, 35 bl. **1987** *Mai* Lima, attentats. *-7-6* Uchiza, Sentier lum. (50 †) attaque police (6 †). **1988**-*1-5* 200 sendéristes défilent à Lima. *-13-5* tirent sur hôtel de la ville. *-14-5* attentat déjoué contre pape. *juin* 1re victime étrangère : Amér. Constantin Gregory, de l'AID. *-12-6* Osman Morote Barrionuevo, dit Camarade Remigio, no 2 du Sentier l., arrêté. *-29-7* avocat du Sentier tué par escadron de la mort. *-4-12* 2 agronomes français du CICDA tués.

Plusieurs dirigeants arrêtés. 1990-*5-3* Julio Cesar Mezzich, chef mil. **1992**-*12/13-9* Abimael Guzmán et adjointe Elena Iparraguirre. *-7-10* Guzmán, condamné à perpétuité (détenu sur île de San Lorenzo, au large de Lima ; transféré à la base navale de Callao). *-18-10* Oscar Alberto Ramirez, no 3 du S. **1993**-*2-3* Margot Dominguez (« Édith »), resp. mil. du S.

Depuis 1989, poursuite des attentats, combats avec l'armée de Tupac Amaru (oct. 91) ; plusieurs personnalités tuées (*23-11-1990 :* Javier Puigros Planas, Pt du Parti pop. chrétien, tué ; *mars 92 :* 14 maires en 4 j ; *12-4-92 :* R. Luywu, député ; *10-4-93 :* maire de Santiago) ; *plusieurs Français tués (oct. 1989 :* 3 ; *13-1-90 :* 2) ; *plusieurs prêtres tués (août 91 :* 2 missionnaires polonais et 1 prêtre italien). *-16 au 23-7-92 :* 50 † à Lima (dont 20 par voiture piégée le 16). **Zones d'influence :** Ayacucho (bases opérationnelles), puis Haut-Huallaga : contrôle 200 000 ha de coca (50 % du marché amér.) ; 10 % des revenus perçus pour bases aériennes et achat d'armes. Tête de pont à Huancayo. **Effectifs** *1991 :* 2 000 à 7 000 adeptes. *1992 :* 25 000 (dont 3 000 à 5 000 à temps complet, 6 000 à 10 000 miliciens) ; 40 000 à 60 000 h. mobilisables. Dep. 1989, Indiens ashaninkas embrigadés de force ou persécutés [25 000 retranchés dans la brousse puis protégés par mil., 10 000 prisonniers du Sentier (50 % lib.). 8 000 tués].

MRTA (Mouvement révolutionnaire Tupac Amaru). Dep. l'année 1984, attentats urbains, ex. Lima 1991-12-8 ; 24-11 palais résidentiel attaqué à la grenade. Combat l'armée et le Sentier lumineux, surtout présent dans la vallée du Huallaga. *Arrestation récente. 18-4-92 :* Peter Cardenas Shulze, no 2 de Tupac Amaru (arrêté 1989, évadé juill. 90 avec 48 fidèles par un tunnel de + de 300 m). *5-5-93 :* Miranda Lucero Cumpa (évadée juill. 90, reprise, réévadée).

Bilan de la violence. *Urbaine 1990 :* 1 891 †. *Politique 1980-92 :* 26 000 dont *1980 :* 3, *81 :* 4, *82 :* 170, *83 :* 2 807, *84 :* 4 319, *85 :* 1 359, *86 :* 1 268, *87 :* 697, *88 :* 1 986, *89 :* 3 198, *90 :* 3 452 (civils 1 584, rebelles 1 542, forces de l'ordre 258, narcotrafiquants 68), *92 :* 2 162 (par Sentier lumineux et Tupac Amaru 1 769, forces de l'ordre 311, escadrons de la mort 36). *Coût :* 20 milliards de $. *Attentats (1990) :* 1 227 (522 à Lima) ; *(1992) :* 1 571. *Enfants (1980-91) :* tués 1 000, mutilés 3 000, orphelins 50 000.

Machu Picchu. *-6-9* plan d'urgence de 120 j. contre inflation. *-29-12* P. renoue avec FMI. **1989**-*6-1* Inti dévalué de 28,5 %. *-21-1* tentative d'assassinat contre Mario Vargas Llosa (n. 1936), écrivain, candidat du Front dém. dep. 18-12. *-27-4* député de la Gauche unie assassiné. *-6-5* député de l'Apra tué. *-3-6* commando attaque escorte prés. à Lima (8 †). *-20-6* Aguaytia 35 † dont 15 milit. *-28-6* Gal Reynaldo López Rodriguez condamné à 15 ans de prison pour trafic de cocaïne. *-5-7* marins soviét. blessés (attentat à Callao). *-6-7* incidents avec guérilleros, 22 †. **1990**-*3-3* Julian Huamani, candidat aux législ., tué. *-23-3* José Salvez Fernández, leader du Front démocr. tué. *Mars* 500 000 P. sont partis en 6 mois pour USA avec visas falsifiés. *-8-4* 1er tour présidentielle Mario Vargas Llosa 33,8 % des voix, Alberto Fujimori (28-7-1938), surnommé « el Chinito » (le Petit Chinois) 30,7 %. *-10-6 :* 2e t., Fujimori 58 %, Vargas Llosa 42 %. *-8-8* hausse de 3 000 % du prix de l'essence : 165 % d'inflation. *-16-9* 70 guérilleros tués dans attaque manquée d'un pénitencier. **1991** rapprochement avec Équateur, Bolivie (zone franche à Ilo qui lui procure un accès à la mer) et avec Chili. *-1-7* nouvo sol remplace l'inti (1 NS = 1 000 000 intis). *Août* État perd monopole pétrolier. *-24-11* Pt Garcia inculpé (400 000 $ détournés en 10 ans). *-3-12* disculpé (non-lieu le 27). *-23-12* affrontements armée/Tupac Amaru 47 †. **1992**-*11/12-2* attentat contre résidence de l'ambass. amér. *-5-4* Pt Fujimori dissout Parlement, destitue 500 magistrats et suspend garanties constit. Aide écon. amér. arrêtée. *-10-4* Carlos García (pasteur), Vice-Pt élu dans la clandestinité Pt par 102 dép. sur 181 et 33 sénateurs sur 30 (Vice-Pt Maximo San Román nommé « Pt constitutionnel »). *-9/10-6* Victor Polay (Cdt « Rolando ») condamné à vie 3-4-93. *Juill.* terroristes passibles de la peine de mort. *-12/13-11* échec coup d'État mil. contre Fujimori. *-18-12* Pedro Huillca (46 a.), secr. gén. de la CGT, assass. **1993**-*29-1* él. munic. échec du Pt Fujimori.

Statut. Rép. *Constitution* du 12-7-79. *Pt* élu au suffr. univ. dir. pour 5 a. et non rééligible. 12 soulèvements militaires en 30 ans, dont 5 réussis ; 8 Gaux Pts de la Rép. en 18 ans ; sur 4 Pts civils en 30 ans, 1 seul a accompli tout son mandat. *Congrès constituant dém.* [80 m. élus 22-11-92 : dont Nouv. Majorité-Changement (prés.) 44 (37 % des v.) ; P. pop. chrétien 8 (7,5) ; Front moralisateur 7 (5) ; Rénovation (Rafael Rey) 6 (5,4) ; abstentions et votes blancs ou nuls 50 %] de janv. 1993 à juill. 1995 [avant *Sénat* 60 m. élus pour 5 a. par les régions (11). *Chambre des dép.* 180 m. élus au suffr. univ. dir. pour 5 a.]. *Départ.* 24 divisés en 164 *provinces.* **Fête nat.** 28-7 (indépendance). **Drapeau** (1825). Bandes rouges et blanche centrale (choisies après le passage d'un vol de flamands au-dessus des troupes rév. en 1820).

Premiers ministres

1983 Manuel Ulloa (1923-93). **1984**-*9-4* Sandro Mariategui. *-oct.* Luis Percovich Roca. **85**-*juil.* Luis Alva Castro. **87**-*26-6* Guillermo Larco Cox. **88**-*16-5* Armando Villanueva. **89**-*8-5* Luis Alberto Sánchez (n. 1901). **90**-*28-7* Juan Carlos Hurtado Miller. **91**-*16-2* Carlos Torres y Torres Lara (n. 1941). *-6-11* Alfonso de los Heros Pérez-Albela. **92**-*6-4* Oscar de la puente Raigada.

Partis (date de fondation et leader). *Action pop.* (1956) Fernando Belaunde Terry. *Alliance populaire révol. américaine (Apra)* f. 1924 par Victor Haya de la Torre (1895-1979), Alán García dep. oct. 82. *Front nat. des travailleurs et paysans (Frenatraca)* f. 1978, Dr Roger Cáceres Velásquez. *Gauche unie* (IU) f. 1980, rassemble 5 partis : *P. communiste pér.* (PCP), *Front ouvrier, paysan, étudiant et popul. (Focep), Union nat. de la gauche révolut. (Unir), Mouvement d'affirmation soc.* (MAS), *Action pol. soc.* (APS). *Mouv. Liberté* f. 1987, regroupé avec AP et PPC dans le *Front démocrat. (Fredemo)* aux él. de 1990. *Gauche soc.* (IS) f. 1990. *Mouv. Changement 90* f. 1990, Alfredo Fujimori. *P. unifié mariateguiste* (PUM). *P. pop. chrétien* (PPC) f. 1966.

■ Économie

PNB. *1982 :* 1 260 $ par h. ; *84 :* 864 ; *90 :* 1 160. **Pop. active** (%, et entre parenthèses, part du PNB en %) agr. 30 (12), ind. 14 (16), services 48 (57), mines 8 (15). *Chômage* (90) 7,5 % ; sous-emploi 86,3 %.

Inflation (%) *1980* : 59,2 ; *81* : 72,7 ; *82* : 72,9 ; *83* : 125,1 ; *84* : 111,5 ; *85* : 158,3 ; *86* : 62,9 ; *87* : 114,5 ; *88* : 1 723 ; *89* : 2 777 ; *90* : 7 658 ; *91* : 185,4 ; *92* : 57. **Croissance (%)** *1986* : 8,7 ; *87* : 8 ; *88* : – 8,4 ; *89* : – 11,4 ; *90* : – 4,5 ; *91* : + 2. **Part de l'économie clandestine** (%) PIB 50, h. de travail 60, commerce 42, ind. 25, transp. 12, services 11, construction 6 (Banque parallèle : 12,5 milliards de $). **Revenu moyen par hab.** 50 $ par mois (70 % des hab. vivent dans la pauvreté, 1,2 million d'enfants de – de 13 a. travaillent dans des conditions inhumaines. *Revenus réels : juillet 91* : – 85 % par rapport à 1974. *Salaire moyen des fonctionnaires* (1990) – 63 % par rapport à 1980. 5,3 % de la pop. active perçoit le min. légal (30 $ par mois en 1990) ; 10 % des Pér. détiennent 55 % de la richesse nat. **Fiscalité** 1,5 % de la pop. paie l'impôt sur le rev. (300 000 pers. pour 21 millions d'hab.) contre 43,2 % au Chili, 0,7 % paie l'impôt sur les ventes (32,2 % au Chili). *Part des revenus fiscaux* (en % du PIB). *1982* : 15 ; *92* : 4. **Déficit budg.** (92) 2,6 Mds de $. **Dette extér.** *1980* : 9,6 ; *90* : 20 (dont Club de Paris 6,8, banques 5,6, org. intern. 2,6, pays ex-soc. 1,2) ; *91* : 23 (*18-9* : 8 Md rééchelonnés sur 10 à 15 ans) ; *93* : 20 (dont Club de Paris 8 qui accepte rééchelonnement de 3,1 sur 15 a.). **Aide** *1991* : 0,7 ; *92* : 2 (aide am. 0,2, suspendue).

Politique économique. *1976-80* : libéralisme tempéré et croissance de la dépense publique. *1981-85* : libéralisation des changes, politique monétaire et fiscale restrictive, reconstitution des réserves de change. *1985* : relance, stimulation de la consommation (hausses des salaires, subventions aux produits de 1re nécessité). *1986-87* : hausse de la croissance par le refus de consacrer + de 10 % du montant des exp. au remb. de la dette ext. (26 % en 87). *1988* : crise, perte de pouvoir d'achat de 50 % sur un an. Investisseurs étr. délaissent le P. Raisons : multinationales expropriées (amér. Belco en 1986), blocage des bénéfices (levé juill. 88). *Dep. 1990* : libéralisation, privatisations, dérégulation, lutte contre l'inflation. *1990* : sécheresse. *1991* : terres privatisées. Produits non traditionnels dével. sur les côtes [petits paysans (parceleros) partent au profit de salariés des plantations mal payés], communautés de la Sierra (protégées par loi du Gal Alvarado) marginalisées. Droits de douane réduits, invest. et capitaux étrangers favorisés, fonctionnaires réduits d'env. 1 million (1991-92 100 000), ports privatisés, licenciements facilités (47 000 ouvriers en 92).

Agriculture. *Terres cult.* 3 %. *Production* (milliers de t, 90) canne à sucre 6 965, pommes de terre 1 190, maïs 621, riz 966, manioc 330, plantain 580, oranges 165, p. douces 140, orge 80, oignons 145, café 80, coton 239, citrons 130.

Nota. – Projet d'irrigation de Majes. Conçu 1950, commencé 1970, non achevé. *But* : amener les eaux des rivières de la sierra de Arequipa jusqu'à la côte désertique. *Coût par ha.* 106 000 $ (8 000 ha irrigués sur 60 000 prévus).

Coca : *surfaces cultivées* (est.) : 150 000 à 300 000 ha. *Revenus* (milliards de $) : *88* : 1,5 à 2 dont 0,6 à 0,8 restent au P. Police insuffisante (300 pol. antidrogue sur 70 000) et corrompue (mal payée : 25 $ par mois).

Élevage (milliers, 90). Poulets 59 000, moutons 13 000, bovins 4 000, porcs 2 350, chèvres 1 700, chevaux 660, ânes 490, mulets 220. Pêche (90). 68 000 t. Guano.

Énergie. **Charbon** : *réserves* 2 300 000 t. **Pétrole** (millions de t, 91) *réserves* 52 (1/5 exploré), *production* (91) : 7 (130 000 b/j en 89, contre 195 000 en 80), import. de 1963 à 78, puis dep. 1988 : 100 millions de $, 89 : 360. **Gaz** gisement de Camisea (rés. de 3 milliards de barils). Autres mines (milliers de t, 90). Fer 3 246, argent 1 781, zinc 585, cuivre 318, plomb 188, or 6,8 kg, bismuth, molybdène, tungstène. Industrie. Raffineries de pétrole, transformation des métaux.

Transports (km). *Routes* 65 000 ; *chemins de fer* (86) 3 451 (jusqu'à 4 829 m, record du monde).

Tourisme. *Visiteurs* (90) : 278 300. **Sites** : Lima (palais du gouv., cath., musées), Arequipa (couvent Sta-Catalina), Cuzco, Machu Picchu, Pachacamac, Nazca (alignements), Sacsahuamán, Pisac, Ollantaitambo, Ica (musée), îles Ballestas ou Guanos, Chinchero (marché), Puno (lac Titicaca), Iquitos, Marcahuasi (cité sacrée).

Commerce (millions de $ US, 91). **Exp.** 3 330 *dont* cuivre 739 (22,2 %), poisson 467, zinc 324, pétrole 169, plomb 162, café 119 *vers* (88) USA 1 712, Japon 182, USA 435, All. féd. 67, Venezuela 61. **Imp.** 3 899 *dont* mat. 1res div. 1 597, biens d'équip. 934, autres biens de consomm. 638, blé 92, riz 75 *de* (88) USA 613, Argentine 191, ex-All. féd. 190, Brésil 184. *Balance 1985* : + 1 098, *86* : – 20, *87* : + 603, *88* : + 116, *90* : 391, *91* : + 55. Rang dans le monde (90). 2e argent. 6e pêche. 8e cuivre. 17e café. 21e ovins.

PHILIPPINES

V. légende p. 884.

Nom. Donné 1543 par esp. Ruy López de Villalobos en l'honneur du futur Philippe II d'Espagne.

Situation. Asie. 300 439 km². *Côtes* 17 500 km. Montagneux. *Alt. max.* Mt Apo 2 955 m. Climat. *Saisons : sèche et douce* nov.-fév., *sèche et chaude* mars-mai (26,9 à 28,1 °C ; mois les plus chauds avril-mai ; été officiel, avril à juin) ; *humide* juin-oct. (25,4 à 26,5 °C) ; sept. (23,5 °C). *Pluies* : 2 336 mm/an. *Sud du Mindanao*, équatorial, pas de saison sèche ; *rég. occ.*, tropical, sèche nov. à mars, pluies d'été (Manille 2 280 mm/an) ; *côte orientale*, pl. d'été, d'hiver (alizé du N.-E.).

Population **(millions)**. *1799* : 1,7 ; *1887* : 5,5 ; *1903* : 7,6 ; *20* : 10,3 ; *39* : 16 ; *50* : 19,2 ; *60* : 27 ; *70* : 36,6 ; *81* : 48 ; *92* : 62,7. *2 000 (prév.)* : 75,2. *Majorité* : origine malaise. *Minorités* : Negritos 30 000, Gonotes 150 000 dans montagnes, Moros (musulmans) côtes des îles du Sud 150 000, Bontoc 57 708, Ifugao 180 000, Buid 36 000, Mandaya 210 000, Talaandig 9 000, T'bolis Tagbanua 60 000, Ubos 5 000, Batangan, Maguindanao 550 000, Maranao 450 000, Badjao (archipel de Sulu, pêcheurs de perles), Jama Mapin, Yakun, Taosug, Samal 619 000. En 1971, découverte d'env. 28 Tesadays, peuplade primitive. **Age** – *de 24 a.* : 59,6 %, + *de 50 a.* : 10,8 %. D 208,6. **Taux de croissance** 2,6 %. **Émigrés** *USA, G.-B., ex-All. féd., Italie* 1 400 000, *pays du Golfe* 500 000 (dont Arabie S. 150 000), *Malaisie* 100 000 (Sabah). **Étrangers** (1984) Chinois 23 796, Américains 4 916, Indiens 657, Britanniques 432, Espagnols 219. **Urbanisation** : 42,2 %. Villes (1990) : *Manille* 1 598 918 (agg. 8 000 000), *Quezon City* 1 666 766 (cap. légale de 1948 à 80, à 15 km de Manille), Davao 849 947, Cebu 610 417, Iloilo 309 505.

Iles. 7 107 dont 2 773 ont un nom. : *Luçon* (104 687,8 km², 15 299 790 h. D 105), *Mindanao* (94 630,1 km², 5 814 164 h. D 30), *Negros* 12 709,9 km², *Samar* 13 080 km², *Panay* 11 515 km², *Palawan* 11 785,1 km² (400 km × 20 km), *Mindoro* 9 735,4 km², *Leyte* 7 214,4 km², *Cebu* 4 422 km², *Bohol* 3 864,8 km², *Masbate* 3 269 km², *Archipel de Jolo* 2 618 km². *Kalayaan (Spratleys)* 227 000 km², dont 225 000 submergés, à 500 km des Ph., 600 du Viêtnam ; chef-lieu : Pagasa (Thitu) ; revendiquées par plusieurs états ; intérêt mil.

Langues. 87 langues et dialectes. 3 l. nationales : anglais 40 %, tagalog (base de la l. off. qui s'appellera le philippin) 21 %. *Dialectes l. maternelle* (en %, 1980) : visayan (Cebuano) 24,1, tagalog (Filipino) 21, ilocano 11,7, panay hiligan 10,4, bicolano 7,8, visayan (Samar et Leyte) 5,5, pampango 3,2, pangasinan 2,5. Religions (%). Catholiques romains 85, protestants 3, aglipayans (cath. phil., fondé par G.G. Aglipay 1902) 4, Iglesia ni Kristo 2, musulmans (Moros) 4.

Histoire. **Jusqu'au XVIe s.**, culture autonome ; contacts avec Chine, Inde, Arabie. **1521** découvertes par Magellan. Colonie esp. **1896**-*avril* révolution, *-12-6* indépendance, *-10-12 tr. de Paris* : Esp. cède Ph. aux USA pour 20 millions de $, anglais langue de l'enseignement ; combats pour ind. jusqu'en 1902. **1935** Commonwealth des Ph. (indép. prévue dans les 10 ans). **1941**-*8-12* invasion jap. **1944** débarq. de MacArthur à Leyte. Bataille aéronavale de Leyte. **1945** libération, restauration du Commonwealth. **1946**-*23-2* Gal Tomoyuki Yamashita exécuté [le trésor (+ de 1 000 t d'or) laissé par les Jap. sera longtemps cherché]. *-4-7 indépendance*. Rép.

1961 Diosaldo Macapagal Pt. **1964** Marcos rejoint parti nationaliste.

1965-*9-11* **Marcos** élu Pt (accusé de fraude par Macapagal). **1968**-*1-5* Muslim Independent Movement (MIM) déclare l'indép. des îles de Sulu, Palawan et Mindanao. **1969** Pt Marcos réélu (climat de violence). **1971**-*24-8* bombe dans meeting libéral, 8 †. *-25-8* habeas corpus suspendu. **1968 à 1972** 480 incidents violents, action des Ilagas (chrétiens) contre musulmans. **1972**-*21-9* loi martiale. *Oct.* rébellion mus. à Mindanao (FNLM : Front nat. de libération Moro) ; après conf. islamique de Kuala Lumpur, rebelles réclament autonomie régionale complète. **1974** prennent île de Jolo (Lupah Sug à 90 % mus.), ville rasée. **1974-75** combats (env. 3 000 †). **1975** *avr.-nov.* reddition de milliers de reb. mus. *Juin* rel. dipl. avec Chine, Marcos à Pékin. **1976** *nov.* référendum sur prolongation de la loi martiale. *-23-09* accord de Tripoli : cessez-le-feu dans le S. [*dep. 1968* : 50 000 civils et 4 000 mil. †, 1/3 de la pop. moro sinistrée ou déplacée, 200 à 300 000 réfugiés au Sabah (qui jusqu'aux él. de 76 a soutenu le FNLM)]. **1977**-*25-3* autonomie de 13 provinces du S.-O. *-17-4* référendum

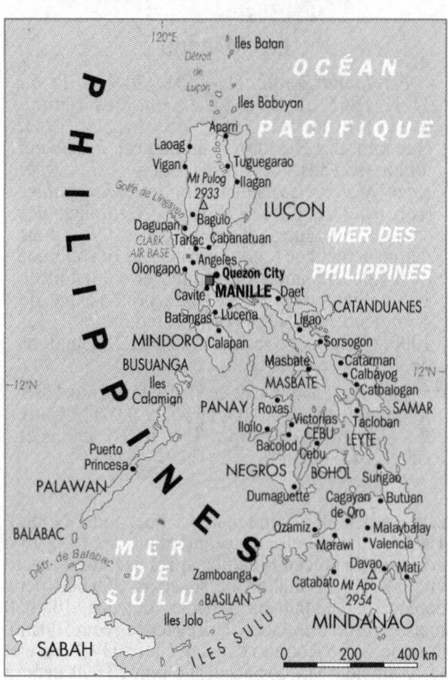

en prov. puis création de gouv. rég. autonomes. *Sept.* combats reprennent. *-17-10* MNLF tue Gal Bautesta et 32 off. **1980** *mars* attentats (52 † et env. 100 bl.). *Mai* Benigno Aquino (n. 27-11-32) (leader du Laban) libéré. *Août-oct.* Manille, attentats [mouvement « Libération du 6 avril » (chrétien progressiste)]. *Oct.-déc.* procès des dirigeants de l'opposition (pas de verdict). **1981**-*17-1* loi martiale levée (800 peines de mort de 1972 à 81 mais non appliquées). Pt conserve pouvoirs exceptionnels. *-17/21-2* Jean-Paul II aux Ph. *-7-4* référendum pour élect. du Pt au suffr. univ. *-16-6* Marcos réélu (88 % des voix, fraudes). **1982**-*févr.-mars* recrudescence activité du FNLM et de la NAPC (Nouvelle Armée du peuple communiste). *-27-8* complot éventé. **1983**-*21-8* B. Aquino tué à son retour d'exil. *-31-8* : 2 000 000 manif. pour ses obsèques. *Oct.-nov.* manif. contre Marcos. **1984**-*14-5* législatives (violences). *-21-8* : anniv. mort Aquino, 500 000 à 900 000 manif. **1985**-*3-11* Marcos annonce él. présidentielle anticipée sous pression des USA. *-11-12* : 10 min avant clôture du dépôt des candidatures, Cory Aquino conclut accord avec Salvador Laurel, chef de l'Unido (parti d'opposition), et brigue présidence. **1986**-*7-2* él. ; pendant campagne 57 †. *-15-2* Marcos proclamé Pt par 10,8 millions de voix et 9,29 pour C. Aquino. 900 000 manif. à Manille où C. Aquino prône « désobéissance civile ». *-17-2* le Reform Army Movement appelle soldats à refuser tout recours à la force contre civils contestant résultats de l'élec. *-21-2* C. Aquino forme un « cabinet fantôme » ; la *Pravda* écrit : réélec. de Marcos satisfait le Kremlin. *-22-2* Juan Ponce Enrile (min. de la Défense) et Fidel Ramos (chef d'état-major) se retranchent au min. de la Défense et soutiennent C. Aquino. *-25-2* Marcos et sa famille abandonnent. *-26-2* **Cory (Corazón) Aquino** (25-1-1933) veuve de Benigno Aquino prête serment. *-25-3* Constitution provisoire, C. Aquino a pleins pouvoirs. *-9-5* cessez-le-feu avec FNLM. *-6-7* échec coup d'État d'Arturo Tolentino. *-2-11* Rolando Olalia, Pt du PNB, assassiné. *-22/23-11* coup d'État milit. manqué grâce à Fidel Ramos ; Gal Rafael Ileto remplace chef d'E.-M. Juan Ponce Enrike, min. de la Déf. *-30-11* cessez-le-feu de 60 j avec PCP. **1987**-*23-1* manif. paysanne, 12 †. *-26/29-1* rébellion milit. momentanée. *-2-2* référendum 76,29 % pour Constitution. *-9-2* reprise guérilla communiste. *-Avril* mutineries matées. *-22-7* réforme agraire sur 5,4 millions d'ha. *-2-8* Jaime Ferrer, min., tué. *-28-8* échec putsch du Cel Gregorio Honasan (30 †). *Sept.* nouveau gouv. sans la gauche. *Oct.* 4 Amér. tués. **1988** *janv./févr.* guérilla comm. *Janv.* élec. locales, + de 100 †. *Juillet* attentats contre personnalités de gauche, création de milices civiles armées. *Août* milliers d'arrestations dep. janv. : PCP, soldats de la Nap, activistes. *-12-11* Romulo Kintanar, chef de la Nap s'évade. **1989**-*28-3* municipales, 6 candidats et 2 militants tués. *-21-4* col. amér. tué à Manille. *-25-6* communistes attaquent temple protestant, 37 †. *-11-7* C. Aquino en Fr. *-15-8* 21 tués dans une prise d'otages. *-28-9* F. Marcos meurt à Hawaii. *-29-9* drapeau en berne sur bâtiments officiels. *-4-11* 50 000 manif. pour retour du corps (refusé par C. Aquino). *-30-11/2-12* coup d'État ; bilan : 24 †. **1990**-*27-2* Juan Ponce Enrile, arrêté pour rébellion. *-4-3* gén. tué par une tentative de rébellion. *Fin mars* 59 Nap tués. *-16-7* séisme (1 500 †). *-28-9* 16 militaires (dont Gal Luther Custodio) condamnés à prison à vie pour meurtre de B. Aquino. *-3/5-10*

Les Marcos

Ferdinand Edralin (11-9-1917/28-9-89) Pt du 31-12-1965 au 25-2-86. *Imelda* [sa femme (n. 1930), épousée 1954, Miss Manille 1953, élue min. des Ressources humaines]. *Ferdinand* junior (son fils, dit « Bong Bong »). *Elizabeth Keon Marcos* (sa sœur). *Benjamin Romualdez* (son beau-fr., dit « Kokoy »). Assuraient des charges politiques. Poursuivis aux USA pour détournement de fonds (transfert de 103 millions de $ appartenant à l'État phil. et extorsion de 165 millions de $ à 3 org. fin. pour l'achat de 4 immeubles à New York). Condamnés 27-12-1990, en Suisse, à restituer aux Ph. 330 millions de $ (déposés à Fribourg et Zurich).

Fortune (en milliards de $) : 10 dont 3 aux USA (immeubles 0,11 à 0,35, tableaux 0,01), 1,5 aux Ph. (143 titres de propr., 81 voit., 31 avions et hélic., 14 bateaux).

échec rébellion à Mindanao (C^el^ Alexander Noble). **1991**-*févr.* combats armée/guérilla : 56 †. -*9/15-6* éruption du volcan Pinatubo après 611 ans d'inactivité : 875 †, 1 million de sinistrés, 200 000 pers. déplacées, 385 000 ha agricoles détruits, 108 000 maisons touchées, base Clark évacuée ; coût 500 millions de $. -*5-8* Romulo Kinatar, chef du PCP, arrêté. -*4-11* Imelda Marcos accueillie par 10 000 pers. à Manille. -*5-11* tempête Thelma 6 500 †. **1992**-*29-1* I. Marcos arrêtée quelques h. -*11-5* **Gal Fidel Ramos** (n. 1928) élu avec 23,5 % devant Miriam Defensor Santiago 20 % et Eduardo Cojuanco 18 %. -*1-9* dépouille de F. Marcos rapatriée (obsèques le 11).

Statut. Rép. *Constit.* du 9-2-1987. *Pt* (élu 6 ans pour un seul mandat), *vice-Pt/PM* Joseph Estrada (dep. 30-6-92). *Chambre des représentants* 250 m. (dont 200 élus au suffr. univ., 50 nommés par le Pt). *Sénat* 24 m. **Élections** *11-5-1992* : LDP 89 s., NPC 42, coalition Ramos 33, LP/PDP-Laban 15, nation. 7, KBL 2, autres 11. **Drapeau** (1890 adopté 1946). Bandes bleue et rouge, triangle blanc orné d'un soleil à 8 rayons (pour les provinces révoltées contre l'Espagne 1898) et de 3 étoiles (princ. îles). **Fête nat.** 12-6 (indépendance).

Partis. *P. de la lutte pour des Phil. dém. (LDP)* f. 1988, P^t^ Neptali Gonzales. *P. libéral (LP)* f. 1946, Pt Jovito Salonga. *Parti communiste ph. (CPP)* f. 1968 par José Maria Sison (enfermé 1977-mars 86), légalisé sept. 92, 30 000 m. [forme, avec la *Nouvelle Armée du peuple (NPA)* f. 1969, *le Front démocr. nat. (NDF)* clandestin, fondé 1973 (Pt présumé Saturno Ocampo, arrêté 1989, lib. sept. 92)]. *Partido ng Bayan (NPA)* P. du peuple, f. août 1986, 2 000 000 m. *Bisig* f. mai 1986. *Front de libér. islam. Moro (FLIM)*. *PDP-Laban* f. 1983, Pt Juanito Ferrer. *Coalition pop. nationaliste (NPC)* f. 1991, Pt Isidro Rodriguez. **Guérilla.** *1988* : 25 800 h., *93* 11 000 h. *Bilan officiel 1979-85* : 16 250 † ; contrôle 20 % des villages. *1985-92* : plusieurs milliers d'enlèvements. Missionnaires, Sino-Philippins (« Tsinoys ») [*sept. 92-févr. 93* : 140].

Bases américaines. (les + imp. à l'étranger) : *Subic Bay* (7 500 ha ; escale VIIe flotte, relais IIe et IVe fl., 200 bâtiments de surface, 44 sous-marins, 7 000 h.), *Clark Field* (QG de la 3e escadre aérienne de l'US Air Force) : 14 000 ha ; 40 000 h. font vivre 500 000 pers. et apportent 450 millions de $ par an. Contrôle circulation mar. et aérienne en Asie (passage de 70 % du pétrole pour le Japon). URSS a proposé en sept. 88 de démanteler sa base de Cam Ranh (Viêt-nam) contre celui des bases amér. aux Ph. -*17-10-88* accord sur maintien des bases jusqu'au 16-11-1991 (limite du bail conclu 1947) : USA verseront 481 millions de $ d'aide écon. chaque année. Avions et navires à capacité nucléaire autorisés (contraire à la Const. phil.). **1991**-*17-3* Pte Aquino pour maintien des bases US 7 ans, contre 825 millions de $ par an. -*27-8* nouv. traité (Clark, endommagée par volcan Pinatubo, sera fermée en 1992 ; Subic Bay maintenue 10 ans contre 2,2 milliards de $). -*10-9* Ass. rejette traité (Sénat le 16, par 12 v. sur 23). **1992** Subic Bay fermée 24-11 (deviendra port franc), Clark en déc.

Économie

PNB ($ par h.). *1983* : 760 ; *85* : 600 ; *86* : 542 ; *87* : 594 ; *88* : 650 ; *89* : 732 ; *91* : 766. **Pop. active** (% et, entre parenthèses, part du PNB en %) agr. 45 (24), mines 2 (3), ind. 18 (30), services 35 (43). **Chômage** (91) 9 %. 50 % de la pop. dans la « pauvreté absolue ». **Croissance** *1980* : 7,7 ; *84* : – 5,3 ; *85* : – 4,5 ; *86* : + 1,5 ; *87* : 5,7 ; *88* : 6,6 ; *89* : 5,6 ; *90* : 3,1 ; *91* : 0. **Inflation** (%) *1983* : 10 ; *84* : 50 ; *85* : 23 ; *86* : 0,8 ; *87* : 7,4 ; *88* : 8,8 ; *89* : 10,6 ; *90* : 12,7 ; *91* : 17,7 ; *92* : 8,9. **Dette extérieure** (92) 30,4 milliards de $. Rachat en 1989 de 1,3 milliard de la dette commerciale (sur 12 dont 7,5 à moyen ou long terme). Dette réduite de 1,5 Md de $ en 1992. Le 24-7, accord avec banques sur réduction de la dette pour 4,8 Md $. **Déficit budgétaire** (en % du PNB) *1989* : 3,2, *90* : 4,9, *91* : 0,6. **Évasion de capitaux** (1984-85) 27 milliards de $. Moins de 200 familles possèdent l'essentiel des terres [dont familles Marcos (terres sous séquestre), Romualdez (famille de Mme Marcos), Cojuanco (C. Aquino est née Cojuanco)]. **Aide extérieure** (Md $, 1989) Japon 1, USA 0,5, FMI 0,5. – En *1990-91*, retour d'une partie des 500 000 Philippins du Proche-Orient (ils rapportaient 3 Md $ par an).

Agriculture. *Terres* (milliers d'ha, 81) arables 7 050, cult. 2 890, pâturages 1 050, forêts 12 100, eaux 183, divers 6 727. *Réforme agraire (1988)* : concerne 30 millions de pers. (1978 : 10 % possèdent 90 % des terres) : 5 ha max. par pers., 3 autres par enfant héritier travailleur. Coût : 10 à 15 milliards de $: compensation : 37 000 pesos l'ha. *Production* (millions de t, 90) : canne à sucre 18,6, noix de coco 11,9, riz (Palay, non traité) 9,3, maïs 4,8, bananes 2,9, coprah 2, manioc 1,8, patates douces 0,7, légumes 0,8, café 0,13, tabac, abaca, kapok, coton, mangue, ramie, caoutchouc. **Forêts.** 1946 : couvrent 75 % du pays ; dep. déforestation (1 430 km² par an) 34 % en 1965, 21 % en 1987 ; *prod.* (90) 38 559 000 m³. **Élevage** (millions de têtes, 90). Poulets 70, porcs 7,9, canards 7, buffles 2,7, chèvres 2,2, bovins 1,6. **Pêche** (90). 2 211 000 t. ; concurrence pirate jap. et taiwanaise dans les eaux territoriales.

Énergie (sources) (1992, en %). *Locale* 46 (dont biologique 13, hydraulique 10, géothermique 9, pétrole 8, charbon 6). *Importée* : 54 (dont pétrole 49, charbon 5). **Électricité** (1991) : *capacité installée* : 6 537 MW. *Production* : 26 326 GWH (90). **Pétrole** : *prod.* (millions de t) *1979* : 1,2, *81* : 0,25, *85* : 1,7, *88* : 0,44, *89* : 0,28. **Mines** (milliers de t, 90). Charbon 1 008, sel 490, cuivre 182, chrome 95,7, nickel 15,8, argent 47,5 t, or 29,2 t.

Nota. – Énergie privatisée en 1994 (Cie d'électricité National Power Corp., raffinerie Petron et filiales).

Transports (km). Routes 160 560 (90), ch. de fer 805. **Tourisme.** Visiteurs (milliers, 1991). 952 (dont en 89, USA 254, Japon 216, Hong K. 132, Taiwan 90, Austr. 51, *France 9,5*).

Commerce (millions de $, 91). **Exp.** : 8 840 *dont* vêtements 1 860, électronique 1 751, huile de coco 298, meubles et art. de bois 291, crevettes 269, cuivre métal 222, pièces détachées pour voitures 177, prod. pétr. 174, concent. de cuivre 174, *vers* USA 3 066, Japon 1 763, All. 502, Hong Kong 392, G.-B. 372, P.-Bas 338, Singapour 229, Corée du S. 228. **Imp.** : 12 051 *dont* prod. pétr. 1 784, électronique 1 406, mach. et équip. 1 201, textile 1 052, machines élect. 752, métaux 729, équip. de transport 679, prod. chim. 437, plastiques 326, céréales 226 *de* USA 2 425, Japon 2 347, Taiwan 825, Arabie S. 643, Corée du S. 609, Hong Kong 596, All. 465. **Déficit commercial.** *1984* : 679, *85* : 483, *86* : 202, *87* : 1 017, *88* : 1 085, *89* : 2 597, *90* : – 4 000. **Rang dans le monde** (91). 9e riz. 10e or. 11e canne à sucre, pêche. 12e café. 13e nickel. 14e cuivre. 16e bois.

Pitcairn (Iles)

Carte p. 851. V. légende p. 884.

Situation. Pacifique. 49 km². *4 îles* : Pitcairn (4,6 km²) et 3 inhabitées (Henderson 31,1 km², Ducie 3,8 km² + 4,4 km² de lagune et Oeno 5,1 km²). *Haut. max.* : Lookout Ridge, 338 m. A 2 220 km de Tahiti. Falaises de 200 à 300 m.

Population. *1990* 52 h. (1900 : 126) D 1,2 (Pitcairn uniquement). **Capitale** : *Adamstown.* **Langue.** Anglais (mélangé de tahitien). **Religion.** Adventistes du 7e jour dep. 1886, mais la rel. chrétienne (ens. par J. Adams) demeure la base de la vie sociale.

Histoire. Habitées par des Polynésiens à une époque indéterminée (vestiges d'art). **1767** découvertes (désertes) par le navigateur brit. Carteret. **1790**-*23-1* après la mutinerie du *Bounty* (bateau anglais commandé par le cap. Bligh), 9 mutins anglais, 12 Tahitiennes, un bébé, 6 Noirs y débarquent ; v. 1800, il ne reste qu'un des mutins anglais Alexandre Smith (appelé plus tard John Adams) ; les autres sont morts (dans des querelles ou de maladie). **1808** redécouverte par un nav. amér. **1829** Adams (le chef de la communauté) meurt. **1831** transfert d'habitants à Tahiti (surpopulation). **1832** reviennent. **1838** colonie brit. **1839**-*29-11* rattachée officiellement à la Couronne brit. **1856** nouveau transfert de 194 h. dans l'île de Norfolk. **1858** 16 reviennent. **1863** 30 reviennent. **1897** établissement brit. **1898** juridiction du haut-commissaire pour le Pacifique O. **1902** annexion de Ducie, Oeno, Henderson. **1952** transférées au gouv. des îles Fidji. **1970** *oct.* sous l'autorité d'un gouv. désigné par le haut-comm. de N.-Zélande.

Statut. Colonie brit. *Gouverneur* David Moss (ht-commissaire brit. en N.-Zélande). *Magistrat de l'île et Pt du Conseil* Jay Warren (élu pour 3 ans). *Conseil* 10 m. dont 1 *ex officio,* 4 élus tous les 25-12, 5 nommés. A conservé son statut et ses « lois » instituées par John Adams ; la répartition des terres est celle établie par Fletcher Christian en 1790. Pas d'impôts. C'est le plus petit groupement humain du monde ayant son propre statut constitutionnel interne. **Ressources.** Pêche, timbres-poste, fruits, légumes, artisanat. **Importe** farine, sucre, conserves, tissus.

Pologne

Carte p. 1103. V. légende p. 884.

Nom. Tribu slave des Polanes qui habitait l'actuelle Pologne, nommée alors *polé,* « la plaine ».

Situation. Europe. 312 683 km² (388 634 en 1938). *Frontières* 3 010,8 dont Russie 209,7, Lituanie 102,4, Biélorussie 407,5, Ukraine 526,2, Slovaquie 517,7, Rép. tchèque 785,7, All. 461,6. *Côtes* 524 km (mer Baltique). *Alt. max.* Mt Rysy (Tatry) 2 499 m, *moy.* 174, *min.* Raczki Elblaskie – 1,8 m (voïvodie d'Elblag). 75 % du terr. en dessous de 200 m d'alt., 20 % de 200 à 500 m, 5 % à + de 800 m. **Régions :** *frontière S.* : montagnes [*à l'E.* Beskides (chaînes des Carpates, anciennes ; alt. 1 400 m) ; une partie des H^tes^ Tatras slovaques (type pyrénéen), à l'extrême S., se trouve en P. (station hivernale de Zakopane) ; *à l'O.,* monts des Sudètes, chaîne de 300 km (hauteurs de Lusace, massif des Géants), anciens (alt. 1 600 m)]. *Au pied des montagnes* : terrasses étagées, couvertes de lœss (plateaux de Lublin à l'E., de Sandomierz au centre, de Silésie à l'O.) : croupes boisées 611 m au centre (Mts de la Ste-Croix), 256 m à l'O. (hauteur de Trzebnica), dépression centrale drainée par Oder (854 km dont 742 en P.), Vistule (1 047 km) et leurs affluents (Bug, Warta) dont la direction ancienne était E.-O. (captés ensuite vers le N.) ; plaines fertiles : blé, betteraves et pommes de t. [Petite P. (S.-E.), Mazovie (centre N.), Grande P. et Posnanie (O.)]. *Ceinture baltique* : morainique (sables, dunes, cailloutis, landes, marais) ; alt. max. 316 m à l'E. de la Vistule (Mazurie) ; 331 m à l'O. (Poméranie). Vallées de la Vistule et de l'Oder encaissées et fertiles. Lande aux 2/3 boisée en résineux ou convertie en prairies et champs de seigle. **Sols :** montagneux 2,21 %, podzoliques 72,5 %, bruns 4,67 %, tchernozioms (humus) 0,74 %, noirs 1,14 %, marécageux 4,4 %. *Qualité* : très bons 4 %, bons 24/27 %, moyens 55/60 %. **Lacs.** 9 300 de plus de 1 ha (1 % de la superficie, 3 200 km²) dans le N. (Mazurie 2 500), en Poméranie, Gde Pologne, Cujavie et le long du littoral ; *les plus grands* : Sniardwy (113,8 km²), Mamry (104,4 km²) ; *les plus profonds* : Hancza (108 m), Drawsko (79,7 m) ; *120 artificiels* (dont en km² : Zegrze 33, Goczalkowice 32, Otmuchowskie 23,5, Glebinowskie 22, Solina 21). **Sources** *d'eau minérale.* **Parcs nationaux** 13 (116 000 ha), **réserves naturelles** 643. **Climat.** Continental. *Moy.* : janv. – 3,16 °C, juill. + 18,5 °C (extrêmes : janv. – 27,1 °C, juill. + 35,1 °C). *Pluies* : 500 à 600 mm (plaines), + de 800 mm (montagnes). *Carpates* : climat de montagne. *Le plus froid* : – 42 °C (Nowy Targ). *Gel* : 25 j au bord de la mer, 60 au N.-E., 130 en montagne.

Population (millions). *1816* : 7,25 (230 800 km²) ; *50* : 10,7 (311 730 km²) ; *1900* : 25,1 (389 700 km²) ; *21* : 27 ; *32* : 32,1 ; *38* : 34,8 ; *46* : 23,9 (311 730 km²) ; *50* : 24,8 (316 277 km²) ; *60* : 29,6 ; *70* : 32,5 ; *80* : 35,6 ; *90* : 38,18 ; *92* : 38,4, *2000 (prév.)* : 41,39. **Age** – *de 15 ans* 25,7 %, *+ de 60 a.* 14,1 %. **Taille et poids moy :** hommes 169 cm, 68 kg ; femmes 157 cm, 61 kg. **Par origine :** Polonais 98 %. *En 63* : Ukrainiens 180 000, Biélorusses 165 000, Juifs 31 000, Allemands 23 000, Slovaques 21 000, Russes 19 000, Tchèques 12 000, Lituaniens 10 000, Grecs 5 000, Macédoniens 5 000, Tsiganes 12 000, Bohémiens. **Émigration** récente : *1988* : 600 000, *89* : 26 600. **Polonais à l'étranger** (millions) 15 [USA 10, ex-URSS 1,17 à 2,5 (dont Lituanie 0,3), France 1, Brésil 0,84, Canada 0,32, G.-B. 0,14, ex-All. féd. 0,13, Australie 0,1]. **Pop. urbaine** (91) 60 %. **D** 121,7. **Villes** (91) : *Varsovie* (cap.) 1 655 000 (*1875* : 261 000, *1894* : 515 000, *1904* : 800 000). Łódź 848 200 (à 133 km de la cap.). Cracovie (cap. de la Petite Pol., plusieurs fois cap. de la Pol. entre le XIe et le XVIe s.) 750 500 (à 294 km). Wrocław (ex-Breslau) 643 200 (à 348 km). Poznań (ex-Posen, ancienne cap. de la Posnanie, cap. de la Grande Pol.) 590 100 (à 303 km). Gdańsk : **ex-Dantzig** [ville devenue libre et placée sous la protection de la SDN. *1919-28-6* tr. de Versailles (art. 100 à 108) complété par la convention du 9-11-1920.

1 966 km². 60 km de largeur moyenne ONO-ESE sur 40 km de profondeur moy. à partir de la côte. *Population* 410 000 h. : Allemands 96 %, protestants 65 %, catholiques 35 %. *Statut* ville libre, sénat (exécutif), diète (législatives) ; rattachée à la P. au point de vue maritime, douanier, postal, ferroviaire et diplomatique). Le gouv. polonais est représenté par un commissaire général, et le contrôle international assuré par un haut-commissaire de la SDN. *1933* dirigée par nationaux-socialistes. Pt : Greiser. *1939-1-9* devient allemande et capitale du Gau Dantzig-Prusse occidentale. *1945-29-3* prise par Russes, incluse dans État polonais restauré (Gdańsk). Le couloir « de Dantzig » désignait le corridor de Gdynia, reliant Pologne à Baltique] 465 100 (à 343 km). Szczecin (ex-Stettin, cap. de la Poméranie occid.) 413 400 (à 516 km). Bydgoszcz (ex-Bromberg) 381 500 (à 161 km). Katowice (Stalinogród 1953-56) 366 800 (à 285 km). Lublin 351 400 (à 161 km).

Religions. **Catholiques** 35 758 318 (86) (94 % baptisés, 78 % pratiquants) ; *séminaristes : 1981 :* 6 714, *87 :* 9 038, *89 :* 8819 (dont 5 499 diocésains et 3 320 religieux) ; *ordinations : 1981 :* 688, *85 :* 964, *89 :* 1 152 (dont 826 diocésains et 326 religieux) ; *prêtres : 1981 :* 20 676, *87 :* 23 432 (dont 5 706 religieux) ; *séminaires* 46 ; *ordres masc.* 59 (9 805 moines), *fémin.* 102 (25 333 nonnes) ; *diocèses* (1992) 40 ; *églises, chapelles* 13 519 ; *paroisses* 8 636 ; *catéchisation* 19 737 points ; *catéchistes* 15 792 ; *pèlerinages* de Częstochowa (prononcer : Tchinstokova), voir Index. **Orthodoxes** 400-600 000. **Protestants** 117 000 dont 5 000 méthodistes. **Polonais cathol.** 30 000. **Mariavites** 25 000. **Juifs** 20 000 (*1939 :* 3 500 000).

☞ *En 1939* (en %) : cath. 75,2 ; orthodoxes 11,8 ; juifs 9,8 ; protestants 2,6.

Carmel d'Auschwitz. 1984 l'État cède à l'Église cath. le « Théâtre » près du camp d'Auschwitz qui sert d'entrepôt pour le gaz zyclon B et les objets récupérés sur les cadavres. *Oct.* 8 religieuses s'y installent. **1985** *Oct.* à la suite d'une collecte, de nombreuses réactions. **1986**-*22-7* à l'initiative de Théo Klein, responsable du Crif (Conseil représentatif des institutions juives de Fr.) et du cardinal Lustiger, 1re rencontre à Genève avec le cardinal Macharski, archevêque de Cracovie. **1987**-*22-2* accord à Genève : dans les 2 ans les religieuses rejoindraient un autre centre. **1989**-*22-2* Mgr Ducourtray demande un nouveau délai de 5 mois. -*11-7* une parcelle est acquise et le permis de construire délivré. Les travaux seront faits dans 4 ou 5 ans. -*14-7* des j. américains venus protester à la porte du carmel sont violemment repoussés par des ouvriers et des voisins. -*10-8* le card. Macharski dénonce la « violente campagne d'insinuation » organisée par les communautés j. -*26-8* le card. Glemp dénonce « l'antipolonisme » de certains j. -*2-9* il demande une renégociation de l'accord de févr. 87. **1993**-*1-3* déménagement prévu.

Histoire

☞ s.f. : son fils ; sa f. : sa fille ; s. fr. ; son frère.

V. 1000 av. J.-C. les Paléoslaves se différencient des Germains et des Celtes entre Vistule, Pripet et Carpates. *Ier millénaire* Vislanes, Polanes et Mazoviens remplacent Germains dans bassin de la Vistule. **Apr. J.-C.** Obotrites et Poméraniens (Kachoubes) colonisent côtes de la Baltique au Ier millénaire.

■ Dynastie des Piast. **Ducs de Pologne : Ziemomysl** († 963). **960 Mieszko Ier** (v. 922-992), son fils ; baptisé sur instances de son ép. Dubrawka de Bohême ; christianisa la P. (966). *Capitale* Poznań. **966** Mieszko Ier réunira, avec son fils P., Silésie et Mazovie.

■ Rois de Pologne (dignité catholique qui permet l'indépendance de l'État vis-à-vis de l'Empire et le droit de nommer les évêques). **993 Boleslas Ier le Vaillant** (967-1025), son fils. **1025 Mieszko II l'Indolent** (990-1034), s. f. **1031 Bezprym** (986-1031), s. fr. **1034-1038** interrègne. **1038 Casimir Ier le Rénovateur** (1016-52), f. de Mieszko II. **1058 Boleslas II le Hardi** (v. 1039-81) s. f. (fait exécuter St Stanislas, à la tête d'une révolte de la noblesse ; excommunié et chassé 1079).

■ Ducs de Pologne (l'excom. de Boleslas II entraîna la perte de la dignité royale, ses successeurs reprirent le titre de « ducs de Pologne » d'origine). **1079 Ladislas Ier Herman** (v. 1043-1102), s. fr. **1102 Zbigniew** († 1112), s. fr. (bâtard). **1107 Boleslas III Bouche-Torse** (1086-1138), f. de Ladislas Ier. **1138** division en 4 duchés. **Ducs de Cracovie** (Cracovie étant la capitale, il suffisait de tenir cette ville pour accéder à la fonction suprême dans l'État et la dynastie). **1138 Ladislas II l'Exilé** (1105-52), s. f. **1146 Boleslas IV le Crépu** (1125-73), s. fr. **1173 Mieszko III le Vieux** (1126-1202), s. fr. **1177 Casimir II le Juste** (1138-94), s. fr. **1190 Mieszko III le Vieux** (2e règne). **Casimir II le Juste** (2e règne). **1194 Leszek le Blanc** (1186-1227). **1198/99 Mieszko III le Vieux** (3e règne). **1201 Leszek le Blanc** (2e règne). **Mieszko III le Vieux** (4e règne). **1202 Ladislas III Jambes-Grêles** (1161-1231), s. f. **Leszek le Blanc** (3e règne). **1226 Konrad Ier**, duc de Mazovie, fait venir les Chevaliers teutoniques pour exterminer Prussiens et Lituaniens. **1228 Ladislas III Jambes-Grêles** (2e règne). **1229 Konrad Ier** (1187-1247), f. de Casimir II. **Henri Ier le Barbu** (1167-1238), f. de Boleslas le Haut, duc de Silésie (1129-1201), f. de L. II l'Exilé ; ép. Ste Hedwige de Méranie, canon. 1267. **1238 Henri II le Pieux** (1191-1241), s. f. **1241** invasion tartare. **Konrad Ier** (2e règne). **1243 Boleslas V le Honteux** (1226-89), f. de Leszek le Blanc ; ép. Ste Cunégonde de Hongrie, béat. 1690. **1279 Leszek le Noir** (1240-88), f. de Casimir Ier duc de Couïavie (v. 1229-66), lui-même f. de K. Ier. **1288 Henri IV le Probe** (v. 1257-90), f. d'H. III duc de Silésie (v. 1229-66), lui-même f. d'H. II le Pieux.

■ Rois de Pologne (rétablissement de la dignité royale). **1295 Przemysl II, duc de Poznań** (1257-96), f. de Przemysl Ier, duc de Poznań (1220-57) (gendre d'Henri II le Pieux), f. de Ladislas, duc de Poznań (v. 1190-1239), f. d'Odon, duc de Poznań (v. 1141-94), lui-même f. de Mieszko III le Vieux.

■ Maison royale de Bohême (Piast indirects). Élue par bourgeois de Cracovie. **1300 Wenceslas Ier** (II de Bohême) (1271-1305), ép. 1303 Ryxa-Élisabeth de Pol. (1288-1355), f. de Przemysl II. **1305 Wenceslas II (III de Bohême)** (1289-1306), s. f.

■ Rétablissement des Piast directs. **1305 Ladislas Ier le Bref** (1260-1333), fr. de Leszek le Noir ; ép. v. 1293 Hedwige de Gde Pol. (v. 1266-1339), f. de Boleslas duc de Kalicz, ép. de Ste Yolande de Hongrie, béatifiée 1827, lui-même fr. de Przemysl Ier duc de Poznań. **1320 Lasdislas I,** dit « Petite Coudée », couronné roi à Cracovie, réunifie la P. **1333 Casimir III le Grand** (1310-70), s. f. ; son testament désigne pour succ. 1°) **Louis Ier** s. neveu, 2°) **Casimir IV duc de Slupsk**, s. p.-f. Cède Poméranie aux Teutoniques mais conquiert Ruthénie (capitale Lwów). **1349** année de la mort noire, massacre de presque tous les Juifs. **1364** université de Cracovie fondée.

■ Maison d'Anjou (Capétiens). Piast en ligne féminine et successeurs à ce titre : **1370 Louis Ier le Grand,** roi de Hongrie (1326-82), f. de Charles Ier Robert, roi de Hongrie († 1342), et d'Élisabeth de Pol. (sœur de Casimir III le Gd). **1384 Hedwige Ire** (1373-99), sa f., ép. 1386 Ladislas (voir ci-après).

1386 Ladislas II Jagellon, Gd-Duc de Lituanie (1351-1434), roi de P. avec sa femme 1386, confirmé par élection [il descendait de Pukuwer († 1296), gd-duc de Lituanie (1292) ; Gedymin (1275-1341, gd-duc 1316 après la mort de son fr. Witenes) ; Jewnurt-Twan († 1366) ; Olgierd († 1377)]. Union de P., Lituanie et partie de l'Ukraine. **1401** garde le titre de grand-duc souverain de Lit. mais confie le gouv. de la Lit. à des Pces de sa famille avec titre de gd-duc [*1401* Witold-Alexandre (1352-1430), f. de Kiejstut, duc de Triki († 1382). *1430* Swidrygiello-Boleslas († 1452), fr. de Ladislas. *1432* Sigismond († 1440), fr. de Witold-Alexandre.] **1410**-*15-7* Grünwald *(Tannenberg) :* Ladislas bat Teutoniques. **1413** union P.-Lituanie.

■ Dynastie Jagellon. Rois de Pologne-grands-ducs de Lituanie. **1434 Ladislas III** (1424-44) [roi de Hongrie (L. V), 1440] s. f. **1445 Casimir IV** (1427-92), s. fr. ; ép. Élisabeth de Habsbourg (desc. du roi Casimir III le Gd par Élis. s. de Casimir IV, duc de Slupsk). **1466** 2e *paix de Torun* après g. de 13 ans contre teutoniques. L'ordre t. restitue Poméranie et se reconnaît vassal des Jagellon en Prusse orient. **1492 Jean Ier Olbracht** (1459-1501), s. f. **1501 Alexandre Ier** (1461-1506), s. fr. (hérite de son épouse, Hélène Paléologue, les droits sur l'Empire byzantin). **1506 Sigismond Ier le Grand** (1467-1548), s. fr. **1525** ordre sécularisé. S. Ier règne aussi sur Prusse or. **1548 Sigismond II Auguste** (1520-72), s. fr. **1569** *« Union de Lublin ».* Royaume de P. et gd duché de Lituanie deviennent une Rép. (« Respublica »). Trône électif.

■ Rois élus. Principes de droit successoral au trone : 2 catégories d'héritiers : 1°) *dits « de nécessité »,* fils du prédécesseur ; 2°) *« hypothétiques » :* filles du prédécesseur, leurs époux, leurs descendances des 2 sexes ; l'ensemble des collatéraux masculins et féminins du prédécesseur égaux entre eux.

Le principe de la primogéniture n'était pas obligatoire. Le prédécesseur pouvait désigner son successeur parmi ses fils et les « hypothétiques ». Le nombre des « hypothétiques » allant en s'élargissant, on en vint à une monarchie élective (cependant on s'attachait à ce que les rois élus soient issus des Piast ou Jagellon, excepté pour Jean III, Auguste II et III).

1573 Henri III de Valois (1551-89), fiancé à Anne Jagellon (1523-96), sœur de Sigismond II. Élu 9-5, amoureux de Marie de Clèves, Pcesse de Condé, part 2-12, forcé par son frère, Charles IX, roi de Fr. ; **1574**-21-2 couronné ; 15-6, apprend mort de Ch. IX (le 30-5) ; devenu roi de Fr. à son tour, s'évade (galopant 30 h pour échapper aux Pol. qui veulent le retenir).

1576 Étienne Báthory, Pce de Transylvanie (1533-86), ép. 1576 Anne Jagellon (1523-1596).

■ Maison Wasa. **1587 Sigismond III,** roi de Suède (1566-1632), f. de Jean III Wasa, roi de Suède (1592) et de Catherine Jagellon (1526-83), elle-même sœur de Sigismond II Auguste. G. dynastiques contre Suède et Russie. **1596** Varsovie capitale. **1632 Ladislas IV** (1596-1648), s. f. **1648 Jean II Casimir** (1609-72), s. fr. Ukraine, révolte des cosaques du Dniepr. Révolte de Bogdan Khmelnitski, cosaque ukrainien dressé contre la Pologne. **1648-49** massacres : centaines de communautés juives détruites. **1652** *liberum veto,* la diète doit prendre ses décrets à l'unanimité. **1655-56** Charles X Gustave de Suède envahit P. **1669 Michel, Pce Korybut-Wisniowiecki** (1640-73), desc. en ligne mâle de Korybut-Dymitri Pce de Nowogrod-Siewierz († 1404), fr. de Ladislas II Jagellon. **1673** Sobieski bat Turcs à Chocim *(Hotin).* **1674 Jean III Sobieski** (1624-96), ép. Marie-Casimire d'Arquien (1643-1716). **1683** les arrête à Vienne et les chasse de Hongrie. **1697 Auguste II le Fort,** Frédéric Auguste Ier él. de Saxe (1670-1733). Battu, la P. passe sous l'influence de Pierre le Grand. **1704 Stanislas Ier Leszczyński** (1677-1766) descendant en ligne féminine des ducs de Silésie-Raciborz, dyn. des Piast. **1709 Auguste II le Fort** (2e règne) (1670-1733). Chassé par Russes. **1733 Stanislas Ier Leszczyński** réélu (2e règne). **Auguste III,** Frédéric Auguste II él. de Saxe (1696-1763), f. d'A. II. **1733-38** g. de succession de P. ; à la mort d'A. II la Fr. reconnaît Auguste III, candidat d'Autr. et Russie. **1736** Stanislas rechassé par Russes. **1764 Stanislas II Auguste Poniatowski** (1732-98), desc. du fr. de Ladislas II Jagellon. Ne peut rétablir l'indép. **1768-72** *Confédération de Bar* (union de patriotes pol.) contre Russie, échec. **1772 1er partage de la P.** *(Autr. :* Galicie. *Russie :* E. de la Biélorussie. *Prusse :* Poméranie). **1791** St. II promulgue la Constitution du 3-5 (monarchie héréditaire dans la M^on^ de Saxe) annulée suite à la confédération de Targowica (1792), conduite par Stanislas-Félix, Cte Potocki. Dernier roi légitime.

1793-*23-9* **2e partage** *(Russie :* Ukraine, O. de la Biélorussie. *Prusse :* G^de^ Pologne). **1794** soulèvement de Kościuszko (1746-1817). **1795 3e part.** *(Prusse, Russie, Autr. :* la P. disparaît). **1807** *7 et 9-7 tr. de Tilsit.*

Duché de Varsovie. Créé par Napoléon Ier. **1807 Frédéric-Auguste Ier,** roi de Saxe (1750-1827), duc de V., p.-f. d'Auguste III. **1807-13** Dantzig ville libre (sous occupation française). **1809** paix avec Autr. à Schönbrunn.

■ **Royaume.** Créé au congrès de Vienne, 1815 (P. du congrès) au profit des tsars de Russie d'Alexandre Ier (1777-1825) à Nicolas II (1868-1918). Autonomie apparente ; Cracovie ville libre. **1830** soulèvements empêchant le tsar d'envoyer son armée réprimer la révol. à Paris, autonomie abolie. **1846** Autr. annexe Cracovie. **1848** insurrection de la G^de^ P. **1863-64** soulèv. antirusse réprimé. **1914** invasion all.

■ **Conseil de Régence (partie de la P. russe). 1915** Régents : Cardinal Kakowski (archevêque de Varsovie, Primat de P. ; de droit régent en cas de vacance de la Couronne) ; P^ce^ Zdzislaw Lubomirski (1865-1941) cousin d'Alexandre II (1876-1966) héritier de la couronne de P. ; Ostrowski. Dissous 1918 à l'arrivée du M^al^ Piłsudski. **1916**-*5-11* All. et Autr. proclament indép. de la P. sans préciser frontières ni Constitution. **1918**-*6-11* Lublin gouv. provisoire pop. [Pt Ignacy Daszynski (socialistes et populistes)]. *-11-11* **indépendance.**

■ **République. 1918 M^al^ Joseph Pilsudski** (1867-1935) devient chef de l'État. Capitulation all. à Varsovie. **1919**-*28-6 tr. de Versailles :* la P. est reconnue. **1919-20** g. avec URSS. **1920** *avr.* tr. de coopération avec Petlioura, chef du nouvel État ukrainien. L'armée p. entre à Kiev et y installe Petlioura. Les Russes repoussent l'armée p. jusqu'à Varsovie et l'a. uk. à Zamosc. Piłsudski aidé de Weygand (conseiller mil. en P.) repousse attaque russe. **1921** nouvelle Constitution républ. *-18-3 tr. de Riga :* un territoire plus grand que celui délimité par la ligne « Curzon » [frontière proposée par G.-B. le 11-7-1920 à l'Un. Soviet. et imaginée en 1919 par Lord Curzon (1859-1925) suivant les rivières Bug et San] est accordé à la P. Galicie et partie de la Hte-Silésie lui sont restituées. **1922** *déc.* Piłsudski démissionne.

1922 Gabriel Narutowicz (1865-assassiné déc. 1922). **Stanislas Wojciechowski** (1869-1953) démiss. mai 1926. **1926 Ignace Moscicki** (1867-1946), Pt en titre, *mai* Vincent Witos PM (droite). *-12/14-5* putsch du *M^al^ Joseph Piłsudski,* 379 †. Élu Pt de la Rép., démissionne 3 j après, n'acceptant pas sa fonction (dictateur avec le titre de ministre des Aff. militaires et inspecteur gén. des forces armées). **1932** pacte de non-agression avec URSS. **1934**-*26-1* avec All. **1935** *avr.* Constitution. *-12-5* Piłsudski meurt (cancer). **1937** *déc.* le C^el^ Josef Beck demande à Yvon Delbos, ministre français des Aff. étr., s'il serait d'accord pour faire déporter tous les Juifs pol. à Madagascar. **1938**-*2-10* la P. occupe Teschen (en Tchéc.) que les Tchèques ont occupé en 1919-20 pendant la g. pol.-soviét. **1939**-*28-8* pacte germano-soviét. prévoyant partage de la P. *-1-9* invasion all. (1 500 000 h. et 2 700 avions contre 750 000 h. et 300 av.). *-17-9* invasion sov. qui rejoint troupes all. *-18-9* gouv. p. et Ht-Commandement passent en Roumanie avec quelques unités. *-27-9* Varsovie capitule. *-28-9* All. et URSS se partagent la P. *-29-9* Pt Moscieki, interné en Roumanie, démissionne.

■ **Gouvernement polonais en exil. Président. 1939**-*30-9* **N. Raczkiewicz** (1885-1947) ; siège à Angers (France) jusqu'au 12-6-1940 ; puis à Londres à partir du 20-6-1940. *-28-10* Gal Wladyslaw Sikorski (1881-1943), chef du gouv.

Pologne occupée. All. organise sa zone, annexe une partie, et forme un gouv. général (à Cracovie) dans une autre sous son protectorat. URSS prend 200 000 km², 13 millions d'h. dont 5 500 000 Pol. ; organise des él. à candidat unique. Les Ass. votent pour le rattachement à la Rép. d'Ukraine et à la Russie blanche. *Oct.* mesures discriminatoires antijuives. **Hiver 1939/40** déportation d'env. 1 500 000 P. en Russie et Sibérie. **1940** *mars-avril* massacre de 4 143 off. pol. à **Katyn** près de Smolensk ; 6 295 exécutés à Kalinine, 4 403 à Kharkov, et 10 000 dans un lieu inconnu, transportés des camps de Starobielsk et Kozielsk ; attribué par les Soviétiques aux All., par les All. aux Soviétiques (qui ne le reconnaîtront qu'en 1990). (15 000 Pol. prisonniers le 17-9-39 ont disparu après mai 1940, peut-être noyés dans la mer Blanche). *Avril-mai* fermeture des camps de prisonniers de g. p. en URSS : Kozielsk, Starobielsk, Ostachkov. *Mai-juin* une armée p. participe à la bataille de France et aux combats de Narvik, et rallie après la G.-B. *-12-10* ghetto (403 hectares) créé. *-16-11* les All. enferment 1 550 000 Juifs dans le **ghetto de Varsovie** (100 000 meurent de faim et d'épidémie, 300 000 seront déportés, principalement à Treblinka, et mourront). **1941**-*22-6* All. attaque URSS et occupe toute la P. *Juillet-août* 1res libérations de prisonniers et de déportés p. en URSS. *Déc.* accord Sikorski-Staline. Démarches p. pour retrouver les officiers perdus et les P. retenus en camps sov. **1942** naissance du Parti ouvrier p. (PPR) ; formation en URSS d'une armée p. (Gal Anders) qui rejoindra le M.-O. et l'Italie. *-14-2* Armée de l'Intérieur (AK), 350 000 h. *-17/18-4* des SS fusillent + de 50 Juifs dans le ghetto. **1943**-*avr.* les All. découvrent le charnier de **Katyn.** *-19-4* devant le refus sov., la Croix-Rouge intern. renonce à envoyer une commission d'experts à Katyn. *-26-4* Moscou rompt relations dipl. avec le gouv. p. de Londres. *-19-4/10-5 ghetto de Varsovie,* attaqué par All., insurrection des 40 000 survivants : 200 reçoivent une arme ; *-10-5,* 80 s'échappent par les égouts, 50 d'entre eux seront tués les j suivants ; la plupart des 30 autres mourront au cours de l'insurrection de Varsovie d'août et sept. 1944 ; Marek Edelman (cardiologue à Łódź) restait en 1993 le seul survivant. *Mai* division Tadeusz Kościuszko formée en URSS. *-4-7* Sikorski, tué (accident d'avion). Stanislas Mikołajczyk Pt du gouv. en exil. Conseil nat. de l'Unité (RJN) créé. *-26-9* Armée rouge reprend région de Katyn. **1944**-*1-1* création du Conseil nat. du peuple (clandestin, pro-soviét.) et de l'Armée populaire (AL). *-21-7* Comité pol. de libération nat. créé à Lublin. *-22-7 Rép. pop. de P. -1-8 insurrect. de Varsovie* (63 j), env. 60 000 insurgés, échoue (3-10) faute d'aide extérieure (l'armée soviét. arrêtant le 1-8 son offensive en direction de Varsovie), 18 000 †. *-31-12* gouv. provisoire (Edward Osobka-Morawski) formé à Lublin par Comité nat. de libération reconnu par URSS [différent du gouv. libre de Londres (Mikołajczyk) reconnu par USA, France (de Gaulle) et G.-B.]. **1945** Russes prennent Varsovie (17-1), Cracovie (18-1), Poznań (27-1), Torun (1-2), libèrent la P. des Nazis (mars). La g. a fait 6 028 000 † dont 3 000 000 de Juifs morts en camps d'extermination. Prisonniers de g. pol. : sur 230 000 faits par l'Armée rouge, 82 000 sont revenus vivants. Civils déportés en camp de travail : 1 600 000 dont 600 000 morts de froid et de malnutrition. 2 901 m. du clergé tués par All. **1945**-*28-6* gouv. de coalition (majorité communiste). *-5-7* Mikołajczyk devient 2e vice-Pt d'un gouv. unifié à Varsovie. *Août* nouvelles frontières : la P. perd 180 000 km², annexés à l'E. par URSS en 1939, et reçoit 102 000 km² de l'All.

■ **République populaire. 1945-47** g. civile : tués : 22 000 comm., 28 000 opposants. **1946** *janv.* élections ; industrie nationalisée. *-30-6* référendum (truqué) sur suppression du Sénat (oui 68 %), réformes agraires [déjà faites (oui 77 %), restitution des territoires de l'E. (oui 91 %)]. *-30-9* tribunal militaire de Nuremberg ne retient pas le meurtre de Katyn à charge contre les criminels de g. nazis. *Fin 1946,* 429 condamnés à mort pour motifs polit. **1947**-*9-6* **Auguste Zaleski** (1883-1972) Pt en exil. **1947-52 Boleslas Bierut** (1892-1956) Pt du Comité de Lublin en 1944. **1947**-*19-1* él. faussées : 9 000 000 de voix au Bloc démocratique (dominé par communistes) ; gouv. de Jozef Cyrankiewicz. Mikołajczyk s'échappe. *Janv.* 150 000 prisonniers polit. *Oct.* 1 500 000 P. rapatriés d'URSS, 400 000 Ukrainiens rentrent en URSS. **1948** *déc.* soc. et comm. forment Parti ouvrier p. unifié. *Wladyslaw Gomulka* (1905-82, 1er secr. de déc. 45 à juill. 48) limogé, puis expulsé du parti, 1951, et emprisonné (1951 à déc. 1954). *Déc.* 1er secrétaire *Boleslaw Bierut* (1892-1956). **1949**-*17-8* tr. avec URSS ; le nord, autour de Königsberg-Kaliningrad, forme une *oblast* (région administrative) de 13 000 km² séparée de la Lituanie et directement rattachée à la Rép. de Russie. **1952**-*20-11* **Alexandre Zawadzki** (1899-1964) Pt du Conseil d'État. *-22-7* Constitution. **1953**-*26-9* card. *Stefan Wyszyński* (1901-81), primat de P., arrêté. **1956**-*28-6 émeutes de Poznań,* Edward Ochab (1er secr. du PC), ordonne au G^al^ russe Rokossowski, min. de la Défense, de tirer (113 †). *Gomulka,* réhabilité, élu 21-10 1er secr. du Parti. *-28-10* card. Wyszyński libéré. 87 % des terres rendues aux petits propriétaires (l'État garde le monopole de la commercialisation des prod. agric.). **1964**-*12-8* **Edward Ochab** (1906-89) Pt du Conseil d'État. **1967**-*6/12-9* De Gaulle en P. **1968**-*11-4* **M^al^ Marian Spychalski** (1906-80) Pt du C. d'État. *-30-1* « les Aïeux », pièce du poète Adam Mickiewicz, interdite. *-8-3* émeutes d'étudiants. *-8-4* Ochab démissionne. **1970**-*23-12* **Joseph Cyrankiewicz** (1911-89) Pt du C. d'État. *-7-12 tr. P.-All.* sur normalisation de leurs relations. *-15/19-12* émeutes (Gdańsk et autres villes) après hausse des prix alim. de 30 %, 45 †, 1 165 bl., 3 000 arrestations, 19 immeubles et 220 magasins incendiés. *-19-12* Gomułka démissionne, *Edward Gierek* (ancien mineur en France et Belg. 1930) le remplace ; hausse des prix annulée. PM Piotr Jaroszewicz. **1972 Stanislas Ostrowski** Pt en exil. *-28-3* **Henryk Jablonski** (27-9-1909) Pt du C. d'État. Vatican reconnaît frontière Oder-Neisse. *Mars* pénurie alim. **1975**-*17/20-6* Pt Giscard d'Estaing en P. *-28/29-7* Pt Ford en P. **1976** *févr.* Constitution amendée (rôle dirigeant du Parti et amitié obligatoire avec URSS). *-21-3* élections. *-25-6* grèves à Ursus, Zeran, Swierk, Plock, émeutes à Radom après augm. des prix alim. (+ 60 %), hausse annulée. **1977**-*10-11* loi permettant de louer des magasins d'État (boucheries, joailleries, vins et liqueurs) à des personnes privées qui pourront avoir 3 ou 4 employés. Décision de faciliter la vente de terres de l'État à des particuliers (non appliquée). **1978**-*18-10* Jean-Paul II, 1er pape pol. [cardinal Wojtyła (n. 1920), archevêque de Cracovie]. *-6-11* 60e anniversaire gouv. de Lublin. *-11-11* 60e ann. de l'Ind. célébré par l'Église. **1979 Edward Raczynski** (n. 1891) Pt en exil. *-13-5 :* 900e anniv. de la mort de Stanislas (symbole de l'affranchissement Église/État). *Juin* Jean-Paul II en P. **1980** *févr.* Gdańsk, 1re grève chantiers. *-11/15-2:* 8e congrès du Poup, *Edward Babiuch* (n. 1927) remplace Piotr Jaroszewicz (PM, exclu du Parti en 1981 ; assassiné à 82 ans avec sa femme en août 1992), équipe Gierek renforcée, tension Parti, Église et opposition. *Juill.* grèves contre hausses de prix. *-16-8* création d'un comité de grève interentreprises. *-16/31-8* Gdańsk : grève chantiers. *-24-8* Edward Babiuch PM démissionne, remplacé par *Jozef Pin-*

La ligne Oder-Neisse (Odra-Nysa)

Frontière occidentale dep. les accords de Potsdam (tr. P.-All. dém. 6-7-1950 ; P.-All. féd. 7-12-1970). **Silésie :** *1327* passe de la suzeraineté p. à celle de l'emp. roi de Bohême, de la dynastie de Luxembourg ; *1748* tr. d'Aix-la-Chapelle, prise aux Habsbourg (successeurs des Lux. sur trône de Bohême) par Frédéric II, roi de Prusse. **Poméranie** *« propre »* (seule est actuellement pol. l'Est de l'ancienne principauté) ; *1180* suzeraineté de l'emp. all. Frédéric Barberousse ; *1231* aux P^ces^ ascaniens de Brandebourg, duché all. autonome ; *1648* annexée par Frédéric-Guillaume, électeur de Brandebourg et duc de Prusse (sauf Stettin, ville suédoise dans l'Empire jusqu'en 1720). **Prusse orientale :** *XIIIe s.* conquise par Chevaliers teutoniques sur Prussiens, peuple païen de langue lituanienne ; *1466* paix de Torun : vassale du roi de Pol. jusqu'en 1657 ; *1525* sécularisée ; *1618* duché de Prusse passe aux Hohenzollern du Brandebourg ; *1701* devient roy. **Poméranie ultérieure** ou **Pomérélie :** *1107* détachée de la Poméranie ; attribuée à un duc résidant à Gdańsk ; *1295* devient pol. ; *1308* annexée (non occupée) par Chevaliers teutoniques (appelée « Prusse occidentale ») ; *1466* redevient pol. sous le nom de « Prusse royale » ; *1772* Frédéric II l'annexe au 1er partage de la Pol. (sans Dantzig) ; *1793* Fréd.-Guillaume II annexe Dantzig ; *1807* D. ville libre ; *1813* défendue 11 mois (janv.-déc.) par Gal Rapp ; *1814* Prusse récupère D. ; *1919* tr. de Versailles : D. ville libre ; le reste de la Pomérélie (le *« corridor polonais »*) est, après 147 ans de domination pruss., rendu à la Pol. qui crée port artificiel de Gdynia. *1939* All. reprend D.

1943 *nov. conférence de Téhéran.* Churchill propose un tracé suivant le cours de l'Oder et de son affluent de rive gauche, la Neisse orient. (Neisse de Glatz). La Silésie minière revenait à la Pologne, la Silésie agr. restait à l'All. **1945**-*4/11-2 Yalta,* la décision finale est reportée. *Juillet* conférence de *Potsdam* entérine le choix de Staline : la Neisse occidentale (ou Neisse de Lusace). Churchill accepte pour éviter que Silésie et Poméranie ne deviennent une nouvelle Alsace-Lorraine. On incorpore ainsi dans la Pol. des terres allemandes depuis le XIIIe s. et qui n'avaient été véritablement p. qu'à la fin du Xe s.

kowski. -*26-8* cardinal Wyszyński lance un appel à la fin de la grève. -*28-8* grèves s'étendent. -*30-8* Gdańsk : accord MKS de *Lech Wałęsa*/négociateur Jagielski, sur création de syndicats « autogérés ». -*5-9 Stanislaw Kania* 1er secr. -*14-11* : 1re entrevue Kania et Wałęsa. -*16-12* Gdańsk, monument aux ouvriers de la Baltique tués en 1970 (3 croix d'acier de 42 m de haut et 3 ancres de marine crucifiées, 134 t) inauguré. **1981**-*10 et 24-1* grève pour samedi libre (prévu par accords de Gdańsk). -*13-1* Wałęsa à Rome. -*10-2 Gal Wojciech Jaruzelski* (min. de la Défense) PM. -*1-7 Mgr Jozef Glemp,* év. de Warmia (n. 18-12-28), primat de P. -*14/20-7* 9e congrès du Poup. Gierek exclu. -*18-7* Kania réélu 1er secr. [(1 311 v. sur 1 939) devant Kazimierz Barcikowski (568 v.)]. -*25-7* marche de la faim à Kutno. -*27-7* à Łódź. -*29-7* grève des transports à Varsovie. -*3/5-8* transporteurs bloquent le centre de Varsovie. -*15-8* Jaruzelski et Kania voient Brejnev en Crimée. -*5/10-9* 1re partie du congrès de Solidarité à Gdańsk, 912 délégués. -*26-9/7-10* 2e : Wałęsa réélu Pt. -*15-10* accord gouv.-Solidarité sur prix alim. -*18-10* Jaruzelski, élu (par 104 v. devant Kania 79) 1er secrét. du Poup, reste PM et min. de la Défense. -*13-12 état de g. proclamé.* Conseil militaire de salut nat. (Pt Jaruzelski, 15 généraux et 5 colonels), 100 000 interpellations, 5 906 arrêtés dont *Wałęsa interné ;* plusieurs †. -*14-12* grèves, en particulier dans les mines. -*16-12 :* 324 bl. à Gdańsk. -*17-12* à Wujek, Silésie, 7 † (ou 66?), 200 en tout en Silésie. -*23-12* armée et police évacuent grévistes des aciéries de Huta-Katowice. -*28-12* fin grève des mineurs de Piast (Silésie). -*30-12* travail oblig. pour hommes de 18 à 45 ans. **1982**-*4-1* zloty dévalué de 71 %, prix augmentent de 300 %. -*17-2* 145 000 interpellés. -*26-2* bilan : 6 647 arrêtés. -*12-4* 1re émission de Radio-Solidarność. -*28-4 :* 1 000 libérés dont le Pt de Solidarité rurale. -*1/3-5* manif. anniversaire de la Constitution de 1791, 1 372 arrêtés. -*4-5* troubles à Szczecin, couvre-feu à Varsovie et dans plusieurs voïvodies. -*5-5 :* 597 personnes jugées (amendes pour 356, prison 115). *13-5* manif. Solidarité. *7-6* Pt Reagan voit Jean-Paul II au Vatican [selon Carl Bernstein, début d'une entente Église/USA (CIA, syndicats, AFL-CIO) pour renverser communisme, notamment en aidant Solidarité : matériel (ordinateurs, photocopieurs), fonds]. -*13-6* manif. à Wrocław et Cracovie, 238 arrêtés. -*14-6* levée couvre-feu à Szczecin, 257 libérés. -*16-6* troubles à Wrocław. -*28-6* milliers de manif. à Poznań. -*1-7* levée du couvre-feu à Varsovie. Création du Mouvement patriotique de renaissance nat. -*31-8* manif. dans 66 villes, 5 †. -*1/3-9* incidents à Lublin. -*6/9-9* l'Armée patriotique révolut. p. prend 13 otages à l'ambassade de P. à Berne. -*13/15-9* affrontements à Wrocław. -*8-10* loi sur syndicats, dissolution des organisations suspendues pendant l'état de g. (dont Solidarité) ; grèves. -*10-11* grève générale échoue. -*12-11 Wałęsa libéré, 14-11* rentre à Gdańsk. -*31-12 suspension de l'état de g.,* libération des internés sauf 7 de Solidarité ; reste 3 600 emprisonnés dont 700 doivent être graciés. **1983**-*6-1* Mgr Glemp, cardinal. -*16/23-6* Jean-Paul II en P. -*5-10 Wałęsa prix Nobel de la paix* (sa femme le recevra pour lui le 10-12). *Déc.* loi permettant un « état d'exception » en cas de « calamité naturelle » ou de « menaces contre l'ordre social ». **1984**-*17-6* élect. locales, 40 % d'abstentions. -*20-7 amnistie,* 652 libérés. *20-11* la P. quitte l'OIT qui lui reproche ses atteintes à la liberté. **1985**-*7-2* procès à Torun des assassins du père *Popieluszko* (tué 19-10-84) (1 colonel condamné à 25 ans de prison, 1 capitaine et 2 lieutenants à 15 et 14 ans). -*6-11* **Gal Wojciech Jaruzelski** (6-7-1923) Pt du C. d'État. -*4-12* Jaruzelski reçu à sa demande par Pt Mitterrand. -*7-12* Willy Brandt à Varsovie pour 15e ann. du tr. germ.-pol. **1986 Kazimierz Sabbat** Pt en exil. -*1-2* 7e dévaluation du zloty dep. 1982. -*7-3* rééchelonnement de la dette. -*31-5* Zbigniew Bujak, responsable clandestin de Solidarité, arrêté. -*15/16-6* Wiktor Kulerski le remplace. -*11-9 amnistie* polit. -*10-10* conseil provisoire de Solidarité (constitué 30-9), déclaré illégal. **1987**-*13-2* Jean-Paul II reçoit Jaruzelski à Rome. *Févr.* USA lèvent dernières sanctions. -*30-3* hausse prix 20 à 51,9 %. -*9-5* Constitution modifiée : des référendums pourront être organisés. *8/14-6* Jean-Paul II en P. -*29-11 référendum,* abstentions 32,68 % ; approuvent les réformes écon. 42,28 % (des inscrits (66,04 des v.), la démocratisation 46,29 % (69,03 des v.). **1988**-*1-2* dévaluation de 15,8 %. *mai* grèves. -*13-6* Jaruzelski reconnaît échec politique des prix et salaires. -*17-6* suppression du serment de fidélité à l'armée soviét. pour les conscrits. -*19-6 municipales,* abstentions 44 %. *Août* grèves Silésie et côte balte. -*19-9* PM Zbigniew Messner démissionne. -*4-11* Mme Thatcher en P. rencontre Wałęsa à Gdańsk. -*11-11/-13-12* manif. -*1-12* Gdańsk, chantiers fermés. *10/13-12* Wałęsa en Fr. -*23-12* lois sur activité écon. et investissement étranger. -*25-12* message de Noël de Mgr Glemp (1re fois dep. 1945). **1989 Ryszard Kaczorowski** Pt en exil. -*18-1* Poup adopte résolution sur pluralisme syndical. -*21-1* Père Stefan Niedzielak battu à mort. *Févr.* mort du Père Stanislaw Suchowolec. -*14-2* PM Rakowski en Fr. -*20-2* dévaluation de 7,45 %. *Févr.* env. 100 opposants arrêtés. *Mars* ouverture de bureaux de change libres. -*5-4* table ronde dep. 6-2 (57 m. pouvoir, opposition, Église). Pt de la Rép. élu ; entrée de l'opposition au Parlement, rétablissement du Sénat, légalisation de Solidarité, indexation des prix sur salaires. -*17-4* USA accordent aide de 1 milliard de $. -*18-4* rencontre Jaruzelski-Wałęsa. -*4/18-6* élections à la Diète et au Sénat (Solidarité : 90 s. sur 100 au Sénat, 160 dép. sur 161 auxquels elle avait droit). -*14/16-6* Pt Mitterrand en P. -*1-7* blocage prix et salaires pour 30 j.

■ **République polonaise. 1989**-*19-7* **Gal Wojciech Jaruzelski** élu par le Parlement (à 1 voix de majorité compte tenu du quorum requis ; 270 v. pour, 233 contre, 34 abst., 7 v. nulles, 15 élus étaient absents). -*1-8* libération prix agroalim., grèves. -*2-8 Gal Czeslaw Kiszczak* (n. 1925) PM (Solidarité refuse de participer au gouv.) ; -*14-8* démissionne. -*17-8* Jaruzelski accepte principe d'un gouv. de coalition. -*18-8 Tadeusz Mazowiecki* (n. 17-4-27) PM, non communiste investi 24-8 (1er PM non communiste de l'Europe de l'Est, dep. 1945), démissionne 14-12-90. -*12-9* Diète approuve nouveau gouv. (402 pour, 0 contre, 13 abst.). -*23-9* Andrzej Drawicz, m. de Solidarité, nommé Pt de la radio-tv. -*17-11* Varsovie, statue de Félix Dzerjinski (d'origine p., fondateur de la Tchéka russe) déboulonnée. -*7-12* amnistie 17 000 délinquants. -*29-12* Diète abolit rôle dirigeant du Poup, adopte écon. de marché (plan de Leszek Balcerowicz, vice-PM et min. des Finances). -*30-12* Constitution votée. **1990**-*1-1* dévaluation de 46 %. *Fév.* Club de Paris accepte rééchelonnement dette pour 9,4 milliards de $. *Mars* privatisation de la Bank Inicjatyw Gospodarczych. -*5-4* décision de privatiser chantiers de Gdańsk (420 millions de $ en 400 000 actions). -*7-4* P. demande à URSS 4,5 milliards de roubles pour le travail de 2 000 000 de déportés pendant la g. -*24-6* rupture au sein de Solidarité, l'entente du Centre soutient Wałęsa. -*13-7* loi sur privatisations (328 v. pour, 2 contre, 38 abst.), 7 600 entreprises concernées. -*18-9* Jaruzelski accepte de réduire la durée de son mandat. Wladyslaw Ciaston, Zenon Platek et Miroslaw Milewski arrêtés et inculpés pour meurtre du père Popieluszko. -*11-12* prête serment devant la Vierge noire de Częstochowa. Jaruzelski présente des excuses publiques pour la loi martiale (il avait déclaré auparavant que l'URSS l'aurait menacé d'intervention s'il ne supprimait pas Solidarité). -*12-12* Tyminski au Canada (accusé de diffamation envers PM Mazowiecki, doit payer caution de 100 000 zlotys). -*14-12* PM Mazowiecki démissionne. -*15-12* Jan Olszewski, avocat de Solidarité, chargé de former nouveau gouv. (renonce le 18).

1990-*22-12* **Lech Wałęsa** [*25-11* (1er tour) Lech Wałęsa (47 ans) 39,96 %, Stanislaw Tyminski (42 a., milliardaire ayant fait fortune au Pérou et au Canada) 23,1, Tadeusz Mazowiecki (63 a.) MOAD 18,08, Wlodzimierz Cimoszewicz (42 a.) Soc.-dém. 9,21, Roman Bartoszcze (44 a.) PSL 7,15, Leszek Moczulski (60 a.) RPN 2,5. -*9-12* (2e t.), 53 % de taux de part. : Wałęsa 74,25 % (élu), Tyminski 25,75]. -*22-12* Wałęsa investi au château royal de Varsovie : pouvoirs remis par M. Ryszard Kaczórowski, Pt exilé à Londres en 1940, qui lui remet les insignes de l'État (scellés, drapeau et Const. de 1935 emportés lors de l'invasion all.). **1991**-*12-1* Jan Bielecki (n. 1951), PM, investi par Diète (272 v. pour, 4 contre, 62 abst.). -*14-3* Tyminski fonde le parti « X ». -*8-4* Polonais autorisés à se rendre dans les pays signataires de la convention de Schengen. -*9-4* Wałęsa en France. -*3-5* bicentenaire de la Constit. de 1791. -*12-5* Mazowiecki fonde l'Union démocratique. -*17-5* Diète demande d'abroger loi de 1956 autorisant l'avortement (500 000 et 1 million de cas par an). -*20-5* Wałęsa en Israël. -*1/9-6* Jean-Paul II en P. -*17-6* tr. de coopération et de bon voisinage avec All. -*1-7* dissolution du Pacte de Varsovie. -*13-9* loi supprimant monopole d'État sur radio et TV. -*27-10* législatives. -*26-11* adhère au Conseil de l'Europe. -*16-12* tr. d'association avec CEE. -*19-12* Wałęsa retire son projet d'amendement visant à augmenter les pouvoirs du Pt. -*24-12* Jan Olszewski (n. 1930) PM ; accord avec ex-URSS sur livraison de 8 milliards de m3 de gaz et 5 millions de t de pétrole contre médicaments, alim. et textile. **1992** -*13-1* grève gén. de 1 h contre hausse électricité (20 %) et gaz (70 %). -*18-5* tr. d'amitié et de coopération avec Ukraine ; -*22-5* idem avec Russie. -*5-6* Waldemar Pawlak (n. 1959) PM. -*29-6* cendres du Pt Ignacy Ian Paderewski († 1941 à New York) rapatriées. -*2-7* Pawlak PM démissionne. -*10-7 Hanna Suchocka* (n. 3-4-46) PM. -*18-8* grève gén. -*28-10* fin du retrait des unités de combat de l'armée russe. -*16-12* accord d'association entre Pol.-Hongrie et Tchéc. avec CEE signé, instauration en 10 ans d'une zone de libre-échange. **1993**-*22-1* PM demande au Parlement de pouvoir gouverner par décrets. -*16-3* IVG interdite (sauf viol, inceste, vie de la mère en danger, anomalies graves). -*12-5* loi sur privatisations de masse (600 entreprises d'État). -*28-5* gouv. renversé. -*19-9* él. législatives prévues.

■ Politique

Statut. Rép. République populaire avant le 28-12-1989. **Constitution** *30-12-89* (votée par la Diète par 374 v. contre 1 et 11 abst.) : la P. devient un État démocratique de droit (était avant un État socialiste), loi fondamentale mentionnant le « rôle dirigeant » du Poup qui introduit la liberté de formation de partis pol., assure la liberté économique et la protection de la propr. privée. Le parquet est placé sous la tutelle du min. de la Justice ; auparavant, relevait de la présidence de la Rép. 1-8-1992, amendements formant *la Petite Const.*, Const. provisoire précisant les relations entre Pt, gouv. et Parlement pour éviter la paralysie des institutions (renforce les pouvoirs du PM) ; entrée en vigueur 7-12-92. **Congrès :** *Sénat* supprimé 1948 ; rétabli 7-4-89 ; 100 m. (2 par voïvodie et 3 pour ceux de Varsovie et Katowice) ; élus au scrutin libre. *Diète (Sejm)* 460 m. élus pour 4 ans au suffr. univ. 1 représentant pour 60 000 h. **Pt de la Rép.** élu pour 6 ans au suffr. univ. **PM** élu par Diète.

Élections. Congrès (27-10-91). 1res totalement libres. **Diète :** électeurs, 27 516 166, votants 11 887 949 (43,2 %), exprimés 11 218 602, blancs et nuls 669 347. *Sièges et, entre par., % des suffrages exprimés :* Union dém. (UD) 62 (12,31), Alliance de la gauche dém. (SLD) 60 (11,98), Action catholique (Wak) 49 (8,73), PSL (p. paysan ancien satellite des communistes) 48 (8,67), Conféd. pour une P. indép. (KPN) 46 (7,50), Alliance du centre (Poc) 44 (8,71), Congrès des libéraux (KLD) 37 (7,48), Solidarité rurale (PL) 28 (5,46), Syndicat Solidarité 27 (5,05), Les Amis de la bière (PPPP) 16 (3,27), Minorité allemande 7 (1,17), P. démocrate-chrétien 4 (1,11), P. X 3 (0,47), Divers 29. **Sénat** (sièges) : UD 21, Solidarité 11, Poc 9, Wak 9, PSL 7, KLD 6, Solidarité rurale 5, SLD 4, divers 28.

Voïvodies. 49 (dont 3 villes autonomes : Varsovie, Łódź, Cracovie). **Fête nat.** 3-5 (Const. de 1791). **Emblème de l'État :** aigle blanc sur fond rouge. Dep. déc. 89, de nouveau surmonté d'une couronne (supprimée par les comm.). **Drapeau.** Adopté 1919.

Partis. Env. 200 partis ou organisations enregistrées. *P. ouvrier unifié polonais* (Poup), f. 1948, 2 015 000 m. en 89 (de juillet 81 à mars 84 perte de 1 000 000 m., démissions et limogeages). 28-1-90, XIe et dernier congrès du Poup, 1 129 délégués sur 1 637 votent sa transformation en *P. social-démocrate p.* (SDRP), *Pt* Aleksander Kwasniewski (35 ans), *secr. gén.* Leszek Miller (44 ans). *Union social-démocrate p.* (USDPR), f. janv. 90 par 106 dissidents du SDRP, *Pt* Tadeusz Fiszbach. *P. socialiste p.* (PPS) f. 1987, leader Jan-Josef Lipski. *P. uni des paysans* (PPU), f. 1949, Roman Malinowski (n. 26-2-35), 500 000 m. (1-1-86). *P. démocratique,* f. 1939, Zbigniew Adamczyck, 80 000 m. (91). *Mouv. démocr. pour un renouveau nat.,* f. 1982. *Conféd. pour une P. indép.* (KPN), f. 1979 ; principaux dirigeants arrêtés sept. 80, condamnés en 82 à 7 ans de prison, libérés 84 ; l. Leszek Moczulski. *Action démocratique* (Road), f. 1990 par dissidents de Solidarité, l. Zbigniew Bujak. *Accord Centre,* f. 1990, l. Jaroslaw Kaczynski. *Union dém.,* f. 1990, l. Tadeusz Mazowiecki. *P. national,* f. 1990, m. 8 000. *P. nat. p.,* f. 1990, m. 4 000. **Syndicats. Alliance des S. polonais** (*OPZZ*) f. 1984 (4 500 000 m., leader Ewa Spychalska). **Solidarité** (*NSZZ Solidarność*). Indép. autogéré. *1980-22-9* créé. *1981-13-12* suspendu. *1982-8-10* dissous. *1989-5-4* légalisé (2 500 000 m., leader Marian Krzaklewski). **Solidarité rurale** *1981-19-3* créé. -*10-5* sous le nom de Syndicat ind. et autogéré des agr. individuels-Solidarité (NSZZRI-Solidarność), leader Jan Kulaj. -*13-12* suspendu. *1982-8-10* dissous. *1989-5-4* légalisé. Leader : Joseph Slisz. **Union indép. des étudiants** (NSZ) *1981-19-2* reconnue par gouv. (accord de Łódź). *1982 janv.* dissoute. **Comité d'autodéfense sociale** (KOR) f. 1976 par des intellectuels pour défendre les ouvriers poursuivis après les émeutes de Radom et Ursus. *1981-31-2* dissous. Presse clandestine puis syndicale avec Solidarité.

■ Économie

■ **PNB** (91). 2 180 par h. *Baisse du PNB (%) : 1990 :* – 11,6 ; *91 :* – 9. **Pop. active** (%, et entre par., part du PNB en %) agr. 28 (18), ind. 40 (45), services 25 (29), mines 7 (8). **Chômage** *93 (mai)* 14,2 % (2 600 000). **Déficit budgétaire** (milliards de $) *1991 :* 2,7. **Inflation** (%) *1980 :* 10 ; *81 :* 25 ; *82 :* 30 ; *83 :* 25 ; *84 :* 16 ; *85 :* 15 ; *86 :* 17,5 ; *87 :* 26 ; *88 :* 60 ; *89 :* 740 ; *90 :* 250 ; *91 :* 60 ; *92:* 46. **Dette publique** (au 31-12-91) 3 Md $. **Revenus salariaux moyens par hab.** *1989* 20 ; *90* 100 ; *91* 150 ; *92* 200. **Dette extérieure à l'égard des pays de l'O.** (en Md $) *1975 :* 6,9 ; *76 :* 10,2 ; *80 :* 21 ; *85 :*

31,2 ; *90 :* 46 ; *91 :* 48,4 ; *92 :* 40 [dont 33 du club de Paris (créanciers publics)] **Principaux pays créanciers** (part en Md $, 1990) All. 5,92 ; *France 5,10 ;* Autriche 3,67 ; USA 3,50 ; Brésil 3,36 ; Canada 2,88 ; G.-B. 2,74 ; Italie 1,62 ; Japon 1,26. *15-3-1991 :* annulation de + de 50 % de la dette (70 % de celle due aux USA, + de 50 % de celle due à la France, soit 13 à 15 Md F sur 25). **Aide** (millions de $) *alimentaire de la CEE* (déc. 80 et 23-3-81) : 358. *De l'URSS* (sept. 80) : 155 et 260 de crédits sur 10 ans. *Des USA* (1989) : 100. *Du Japon* (oct. 89) : 80. *De l'All. féd.* (oct. 89) : 3 Md DM. **Investissements français** 400 millions de F en 1991. **TVA dep. 5-7-93 :** 22 % (et 7 %).

■ **Agriculture.** *Terres* (milliers d'ha, 91). Surfaces agr. 18 673,7 (dont terres arables 14 359,5, cult. permanentes 276,3, prairies 2 446,9, pâturages 1 591), forêts 8 781,2, divers 3 813,4. **Exploitations :** *1939 :* 43 % des t. polonaises appartenaient à de grands propriétaires. *1945 :* 6 000 000 d'ha redistribués, + de 800 000 exploitations attribuées à des petits paysans. *1986 :* secteur socialisé 3 546 sur 5,3 millions d'ha, privé 2 729 000 sur 13,6 m. d'ha. 78,6 % des exploit. ont en moyenne 5,5 ha. 1 700 000 fermes de – de 5 ha. 284 240 fermes de + de 5 ha. **Production** (millions de t, 91) bett. à sucre 11,4, colza 1,2 (90), p. de t. 29 (22,5 en 92), blé 9,3, seigle 5,9, orge 4,26, avoine 1,87, pommes 0,8 (90), choux 1,7 (90), oignons 0,5 (90), fraises 0,2 (90), groseilles 0,1 (90). **Forêt.** 27 % des terres (au XIIe s.). Pins et sapins à 80 %. 17 617 000 m³ (90). **Élevage** (milliers, 91). Porcs 21 868, bovins 8 844, moutons 3 234, chevaux 939, poulets 50 202, canards 7 412, oies 1 021, dindes 808, ruches 1 699 (89). **Pêche** (milliers de t 91). Poissons de mer 410, d'eau douce 51.

■ **Énergie primaire** (1990, en millions de t d'équivalent pétrole). *Production :* 98,5 (dont charbon 93,9, gaz 2,4, hydroélectricité, autres 2, pétrole 0,2). *Import. :* 25 (dont pétrole 16,9, gaz 6,8, électricité 0,9, charbon 0,4). *Export. :* – 21,5 (dont charbon – 19, pétrole – 1,5, électricité – 1). *Besoins totaux d'énergie :* 101,2 (dont charbon 75,2, pétrole 15,2, gaz 8,9, hydroélectricité, autres 2, électricité – 0,1).

En 1992, la Russie a livré 8 millions de t de pétrole à la P. (qui remboursera avec 2 000 000 de t de houille à coke, 2 000 000 de t de coke, 100 000 t de soufre et 134 millions de $ de médicaments). La Russie livrera également 7,1 milliards de m³ de gaz, en échange de wagons-citernes.

■ **Mines.** **Charbon :** *réserves* (8es du monde), 45 Md de t (Silésie, bassins de Lublin) ; *prod.* (millions de t) *1988 :* 193 ; *89 :* 178 ; *90 :* 147,7 ; *91 :* 140. **Lignite :** *réserves* 14,8 Md de t ; *prod.* (millions de t) *1988 :* 73,5 ; *89 :* 71,8 ; *90 :* 67,6 ; *91 :* 69,4. *En milliers de t :* **Fer :** *1986 :* 8,8 ; *87 :* 6,3 ; *88 :* 6,3 ; *89 :* 7,4 ; *90 :* 2,4 ; *91 :* 0,1. **Pétrole :** *1987 :* 145 ; *89 :* 159 ; *90 :* 163 ; *91 :* 158. **Sel :** *1988 :* 6,1 ; *89 :* 4,6 ; *90 :* 4 ; *91 :* 3 800. **Soufre :** *1987 :* 4 967 ; *88 :* 5 004 ; *89 :* 4 864 ; *90 :* 4 660 ; *91 :* 3 935. **Cuivre :** *1989 :* 390 ; *90 :* 346 ; *91 :* 378. **Plomb. Magnésite. Nickel. Argent. Zinc. Gaz :** *prod.* (millions de m³) *1989 :* 5 377 ; *90 :* 5 475 ; *91 :* 4 702. **Industrie** (%). Électronique 31, légère 12, énergie 14, chimie, alim., métallurgie. **Transports (km).** *Routes* (89) : 159 000 ; *chemins de fer* (91) : 23 852 dont 11 510 électrifiés. **Tourisme.** *Visiteurs* (en milliers) : *89 :* 1 500 *(Français 74), 90 :* 2 400 *(156), 91 :* 36 845 *(197).*

■ **Réformes économiques.** **1990** plan Balceroing ; libéralisation (installation, commerce, propriété) et privatisation de l'économie [loi du 13-7 : transformation de 7 600 entreprises (80 % de l'économie) en Stés par actions détenues par le Trésor, puis privatisations de 500 grandes entr. par des offres publiques d'achat]. Système bancaire (80 établissements au lieu de 9), Bourse de Varsovie ouverte en avril, création de 500 000 à 1 million de PME. 130 000 Pol. ont acheté 4,33 millions d'actions pour 350 milliards de zlotys (demande supérieure à l'offre). *Secteur privé* [35 % du commerce de détail, 60 % du transport routier, prod. + 17 % (entreprises d'État – 20 % à 25 %), subventions : 20 % des dépenses budg. (avant 60). *Monnaie :* zloty dévalué 1-1-90 de 46 % (1 $ = 9 500 Z), suppression du marché noir]. Mai 1991 (15 %), 25-2-92 (12 % : 1 $ = 13 800 Z). **1991** industrie, production : – 11,9 %. Investissements dans industrie : – 30 %, agriculture : – 50 %. *Privatisation :* recettes (millions de $) *1991* 107 (945 étaient prévus), *92* 195 (378 prévus). **1992** *secteur privé :* 50 000 entreprises, 9 200 000 travailleurs (*public :* 6 700 000), 45 % du PNB. % dans agriculture 90, commerce de détail 80, construction 76, transports 70, agroalimentaire 40, production industrielle au sens strict 28. Rétablissement des subventions à l'agriculture et de certains prix garantis (lait, blé). Introduction de l'impôt sur le revenu. **1993** introduction de la TVA.

■ **Pollution.** 27 régions (sur 49) fortement menacées, 4 au seuil d'une véritable catastrophe écologique (dont Hte-Silésie).

Commerce (Md de zlotys, 91). **Exp.** 157 716 *dont* électromécanique 35 338, métallurgie 25 129, chimie ind. 18 273, énergie 16 804, prod. de cons. 15 762 *vers* All. 46 428, ex-URSS 17 312, G.-B. 11 211, P.-Bas 8 172, Autriche 7 162, It. 6 466, *France 5 970.* **Imp.** 164 259 *dont* électromécanique 61 802, énergie 30 922, chimie ind. 20 626, prod. de cons. 17 016, métallurgie 6 587 *de* All. 43 597, ex-URSS 23 193, Autriche 10 336, P.-Bas 8 115, It. 7 323, G.-B. 6 531, *France 5 951.* **Balance** (en Md $). **Commerciale** *1990 :* + 3,8 ; *91 :* – 0,2 ; **des paiements courants** *1990 :* + 0,7, *91 :* – 13,6.

Rang dans le monde (91). 2e p. de terre. 5e lignite. 6e porcins. 7e argent, charbon, réserv. de lignite. 8e cuivre, réserv. de charbon. 10e orge. 12e céréales, zinc. 13e blé.

■ PORTO RICO

Carte p. 967. V. légende p. 884.

Nom. Officiel dep. 17-5-1932 (port riche).

Situation. Grandes Antilles. 4 îles dont 3 petites à 129 km de la Rép. Dominicaine, 74 km à l'O. de St-Thomas. 8 897 km² (160 sur 55 km). *Côtes* 450 km. *Alt. max.* pic Cerro de la Punta 1 341 m. **Climat.** Tropical très humide ; 17 à 36 °C.

Population. *1991 :* 3 566 000, *2000 prév. :* 4 212 000. Blancs 80 %, Noirs 20 %. **Age** *– de 15 a. :* 30 %. *+ de 65 a. :* 8 %. D 393,1. *Émigrés* 2 000 000 de PR aux USA, surtout à New York (le *Barrio :* quartier en espagnol). **Villes** (90) : *San Juan* 437 745, Bayamón 220 262, Ponce 187 749, Mayaguez 100 371. **Langues** (off). Espagnol (seule off. du 5-4-1991 à nov.92), anglais (env. 529 000 bilingues en 70). **Religion.** 85 % cath.

Histoire. Habitée par Indiens arawaks (clans dirigés par un cacique). **1493**-*19-11* découverte par C. Colomb [nommée « San Juan Bautista » ; Ponce de León débarquant 11 ans plus tard se serait écrié : « Que puerto rico ! » (quel port riche !) d'où le nom actuel de l'île]. **1508** espagnole. **1511** révolte indigène réprimée par Esp. ; Arawaks décimés et remplacés par des Noirs africains. **XVIe s.** incursions Indiens caraïbes, pirates français, anglais ou holl. [échecs des Angl. Francis Drake *(1595),* G. Clifford *(1598),* du Holl. B. Hendrik *(1625)*]. Centre important de contrebande (surtout à partir de **1736**). **1736** café introduit. **1797** échec de l'Anglais Ralph Abercromby. **1865** libéraux exigent abolition de l'esclavage. **1868**-*sept.* révolte échoue. **1873** esclavage aboli. **1897** autonomie partielle (gouverneur, 2 chambres). **1898** g. hispano-amér. *-10-12* tr. de Paris, USA reçoivent PR. **1900**-*1-5* loi Foraker, fin du contrôle militaire. **1909**-*15-7* « Olmsted Act » laissant au Pt des USA et au Conseil exécutif de grandes responsabilités. **1917**-*2-3* « Jones Act » : PR est terr. américain ; PR ont la citoyenneté amér. **1938** création du Parti pop. démocr. par Luis Muñoz Marín († 1980). **1946** nomination d'un gouverneur PR Jesus Piñero. **1948**-*2-11* gouv. est élu par les PR (Luis Muñoz Marín). **1950**-*1-11* tentative d'assassinat du Pt Truman par 4 nationalistes p.r. **1952**-*25-7* État libre associé. **1967**-*23-7* plébiscite, 425 081 (60,5 %) pour statut actuel, 273 315 (38,9 %) p. devenir 51e État US, 4 205 (0,6 %) p. indépend. **1975**-*17-12* projet d'autonomie élargie. **1981**-*10-1* attentat : 11 avions détruits. **1982**-*31-12* New York, att. FALN. **1983**-*sept.* Macheteros volent 7 millions de $ aux USA (arrêtés août 85, procès 87). **1986**-*31-12* incendie criminel hôtel Dupont-Plaza 96 †. **1992**-*8-12* référendum, 55 % de non à l'autodétermination.

Statut. État libre associé aux USA. *Const.* 25-7-1952. *Sénat* (27 m.) et *Ch. des représ.* (53 m.), élus au suffr. univ. pour 4 a. Les PR ont la citoyenneté amér. Ils peuvent bénéficier de la plupart des subventions auxquelles peuvent prétendre les 50 États fédérés. Les PR ne participent pas aux élections au Congrès ou à la présidence des USA, mais ils sont exonérés de l'impôt fédéral sur le revenu. **Gouverneur** (élu pour 4 a.) Pedro Rosello (PNP) élu 3-11-92. **Pt du Sénat** élu pour 4 ans au suffr. univ. (Miguel Hernández Agosto). PR est représenté au Congrès par un *Resident Commissioner* élu pour 4 ans qui n'a pas le droit de vote. **Élections du gouv.** (8-11-88). PPD 48,7 % ; PNP 45,8 % ; PIP 5,5 %. **Drapeau** (1952). Date de 1895 (mouv. rév.). **Partis.** *P. de l'indép. p. (PIP)* fondé 1946, Pt Ruben Berrios Martinez. *P. néo-progressiste (PNP),* f. 1967, Pt Carlos Romero Barcelo. *P. pop. démocr. (PPDC),* f. 1939, Pt Miguel Hernández Agosto. *P. communiste p. (PC),* f. 1934. *P. de la Rénovation nat. (PRN),* f. 1983. *P. socialiste p. (PS),* f. 1971, Pt Carlos Gallisa.

Dépendances. Iles Mona 40 km², Culebra 28 km², 1 265 h. (80), Vieques 43 km², 7 628 h. (80).

■ ÉCONOMIE

PNB ($ par h.). *1982 :* 3 720 ; *83 :* 2 890 ; *84 :* 4 200 ; *91 :* 6 310. **Pop. active** (%, entre parenthèses part du PNB en %) agr. 4 (2), mines 0 (0), ind. 24 (38), services 72 (60). *Chômage* (91) 16 % de la pop. **Inflation** (%) *1989 :* 4,5 ; *90 :* 6,3 ; *91 :* 1,4. **Aide fédérale améric.** 30,7 % du PIB. 50 % des h. vivent au-dessous du seuil de pauvreté.

Agriculture. *Terres* (%) 14,2 arables 1,6 dont cult. 48 (38 pour le café), pâturages 22,42, forêts 25,28. *Production* (milliers de t, 91) canne à s. 1 261 (89), bananes 80, sucre 73,9, ananas 65,6, café 12, tabac 4,6 (86). Mélasse 5 236 000 gallons (91). Doit importer 90 % de son alim. **Élevage** (millions de têtes, 90). Poulets 11,02, bovins 0,6, porcs 0,2. **Pêche** (89). 1 953 t. **Mines.** Cuivre, sel, marbre, nickel. **Industrie.** Ciment, électricité, raffineries de pétrole (capacité 14 millions de t), constr. mécan., textile, prod. alim. (rhum). Siège de sociétés (exemptions fiscales). **Tourisme** (91). 3 517 400 visiteurs dont 1 842 200 des USA.

Commerce (en millions de $ US. 90-91). **Exp.** 21 322 (*vers* USA 18 484). **Imp.** 15 904 (*des* USA 10 739).

■ PORTUGAL

Carte p. 1107. V. légende p. 884.

Situation. Europe. 92 072 km² dont continent 88 944, Açores 2 247, Madère 794. *Long.* 561 km. *Larg.* max. 218 km. *Alt. max.* Torre dans le massif de la Serra da Estrela 1 993 m. *Côtes* 832 km (dont 660 km à l'O. et 172 km au S.). Le cap de la Roca (côte O.) est l'extrémité la + occidentale de l'Eur. continentale. *Frontières* (les + anciennes d'Eur.) avec Esp. 1 215 km. **Régions** délimitées par le Tage : *Nord* plateaux et montagnes (alt. 400 à 900 m), *Sud :* plaines (alt. 160 m) ; étroite bande côtière (sable et falaise) puis l'alt. augmente vers l'intérieur. **R. touristiques :** côte Verte, c. d'Argent, montagnes, c. de Lisbonne, Alentejo, Algarve (c. sud, sable fin, plages abritées, temp. moy. en été + 25 °C, en hiver + 15 °C). *Plages :* Nazaré, Estoril, Costa da Caparica, Praia da Rocha, Albufeira. **Climat.** Océanique, mois les + chauds et les + secs : juill.-août (max. 17 à 31 °C, min. 7,5 °C à 13 °C). *Pluies :* N. du Tage 700 mm/an (1 355,8 mm en 77 à Porto), au S. 500 mm/an.

Population (millions). *1864 :* 4,2 ; *1900 :* 5,4 ; *1920 :* 6 ; *1940 :* 7,7 ; *1960 :* 9,1 ; *1970 :* 9 ; *1990 :* 10,5 ; prév. *2000 :* 11. **Age** *– de 15 a. :* 22,7 % ; *+ de 60 a. :* 17,4 %. D 112. **Villes** (88) : *Lisbonne* 830 500 (agg. *89 :* 2 128 000), Porto 350 000 (à 307 km, agg. *89 :* 1 683 000), Amadora 95 518, Setúbal 76 812 (40), Coimbra 77 885 (200). **Portugais à l'étranger** (1-1-1993) 4 531 870 dont Brésil 1 200 000, *France 798 840,* Afr. du S. 600 000, Canada 523 000, Venezuela 400 000, USA 379 350. **Émigration** *1890-1940 :* 1 200 000 (dont 83 % au Brésil). *1966-88 :* 845 459 vers *France 305 406,* USA 158 843, All. féd. 117 681, Canada 102 032, Venezuela 58 483, Brésil 22 296, Australie 14 946, Afr. du S. 12 571, G.-B. 6 036, divers 47 165. La plupart venaient des régions les + déshéritées à l'E. d'une ligne passant du district de Vila-Real à Faro (Bragança a perdu 23 % de sa pop., Beja 25 %)]. Les h. de Madère émigrent vers l'Amér. du S. (Venezuela) ; les h. des Açores vers le Canada. **Étrangers au P.** (est. 91) 110 000. **Rapatriés :** 650 000 (Blancs ou de couleur) des possessions d'outre-mer devenues indép. (dont 90 % de l'Angola).

Langues. Portugais *(off).*, français (l'enseign. du fr. n'est plus obligatoire dans les lycées), anglais. **Analphabètes** 20,3 % **Religions.** Catholiques 95 %. En fév. 93, 31 évêques pour 20 diocèses. *Prêtres* (92) diocésains 3 435, religieux 1 025. *Grands séminaristes : 1970 :* 666 ; *78 :* 377 ; *92 (janv.) :* 412. *Religieuses : 1970 :* 6 005 ; *78 :* 7 479 ; *86 :* 7 252. *Pratique (%) :* Braga 60, Viana do Castelo 50, Porto 35, Lisbonne 11, diocèses du Sud 3 à 8. Pèlerinage de Fátima, voir Index. **Juifs** 600 à 1 000.

■ HISTOIRE

Antiquité occupé par tribus ibères (Lusitaniens). **Ier s.** province romaine. **V^e-VIe s.** envahi par Vandales, Suèves, Wisigoths. **VIIe s.** par Arabes. **Xe s.** nommé Terra Portucallis, de Portus Calle (nom romain de la ville de Porto). **1094** Henri de Bourgogne (Capétien) reçoit du roi de León une partie du P. **1128 Alphonse Ier** [(1109-85), fils d'Henri ; roi 1139]. **1143** tr. de Zamora, indép. **1185 Sanche Ier** (1154-1211), s. f.

1211 Alphonse II le Gros (1185-1223), s. f. **1223 Sanche II** (1207-48), s. f. **1248 Alphonse III** (1210-79), s. fr. **1279 Denis Ier** (1261-1325) s. f. **1325 Alphonse IV le Brave** (1291-1357), s. f. **1357 Pierre Ier** [1320-67, s.f. (marié secrètement 1345 à Inés de Castro, assassinée par ordre d'Alphonse IV 1355 ; reconnue reine

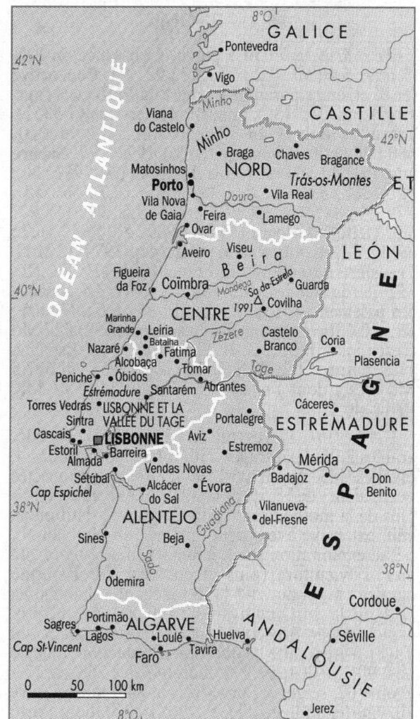

à titre posth. 1357)]. **1367 Ferdinand Ier** (1345-83), s. f. **1383** Béatrice (v. 1368-v. 1410), s. f., reine de Castille (ép. du roi Jean Ier de C.).

■ Maison d'Aviz (1385-1590) (capét.). **1385 Jean Ier le Grand** (1357-1433), s. demi-fr. **1433 Duarte Ier l'Éloquent** (1391-1438), s. f. **1438 Alphonse V l'Africain** (1432-81), s. f. **1481 Jean II le Parfait** (1455-95), s. f. **1495 Manuel Ier le Grand** (1469-1521), s. cous. germ. **1521 Jean III le Pieux** (1502-57), s. f. **1557 Sébastien Ier** (1554-78), s. pt.-f. **1578 Henri le Cardinal** (1512-80), 3e fils de Manuel. **XVe s. et XVIe s.** expéditions coloniales au-delà de l'Équateur, Tanger et Arzila (1471), Le Cap (Dias 1486-1487), Indes (Vasco de Gama 1497-99), Brésil (Cabral 1500), Chine (1518), Japon (1542). **1578** *-24-6* avec une flotte de + de 800 bateaux, le roi Sébastien débarque au Maroc pour secourir l'émir saoudien Moulay Mohamed (chassé de son trône par son oncle Abdelmalik). *-4-8-* A El-Ksar-el-Kébir (S. de Tanger), armée port. écrasée par celle du sultan maroc. Abd al-Malik. Les 3 souverains meurent dans la bataille. Sébastien n'ayant pas d'héritier direct, Philippe II d'Esp. devient, 2 ans plus tard, roi du Port. **1580 Antoine** (1 531-Paris 1595), fils naturel de l'infant don Luis, duc de Béja, compagnon de Sébastien ; rentré à Lisbonne, est installé sur le trône, mais en est rapidement chassé par Ph. II.

■ Maison d'Autriche (1580-1640). **1580 Philippe II d'Espagne** [Ph. Ier du P. (1527-98)]. **1580-1640** réuni à l'Esp. **1595** rumeur de survie de Sébastien († 1578) [Philippe fait revenir le corps présumé et le fait inhumer à l'église Santa Maria de Belém (*imposteurs : 1584* jeune homme, peau basanée ; condamné aux galères à perpétuité. *1585* ermite, arrêté juin, supplicié en place publique 16-6-1587. *1597 à 1603* Sébastien de Venise, sous la torture, avoue son imposture et est pendu après avoir eu le poing droit coupé)]. **1598 Philippe III d'Esp.** [II du P. (1578-1621)], fils de Ph. II. **1621 Philippe IV d'Esp.** [III du P. (1605-65)], fils du Ph. III.

■ Maison de Bragance (1640-1853) (capét.). **1640 Jean IV le Fortuné** (19-3-1604/6-11-1656), duc de Bragance, fils de Théodore II, descendant de Jean Ier par Alphonse (fils naturel de celui-ci, fait duc de Br. en 1442). **1641** reconnu par les Cortes. **1644** bat Esp. à Montijo. **1656 Alphonse VI** (21-8-1643/12-9-1683), fils de J. IV, malade et faible d'esprit, roi sous la régence de sa mère Louise. Ép. Marie de Savoie. **1667** déposé par son frère Pierre qui devient régent (restera enfermé jusqu'à sa mort). **1668** Pierre fait annuler le mariage d'Al. et épouse sa femme Marie. L'Esp. reconnaît indép. du P. **1683 Pierre II** (26-4-1648/9-12-1706), 3e fils de Jean IV, frère d'Al. VI. **1703** influencé par lord Methuen, signe avec lui un traité plaçant le P. sous influence angl. **1706 Jean V le Magnanime** (12-10-1689/31-7-1750), fils de P. II et de Marie-Anne d'Autriche. **1707** battu par Français à Almança. **1709** à Caia. **1713** tr. d'Utrecht. **1750 Joseph Ier Emmanuel** (6-6-1714/24-2-1777), fils de Jean V, s. f. **1755** abandonne le gouv. à Sébastien Mis de Pombal (1699-1782 ; règne du despotisme éclairé). *-1-11* séisme. **1759**-*3-9* Jésuites expulsés. **1776** *régence* de sa femme Marie-Anne de Bourbon (1727-85). **1777 Marie Ire de Bragance** (17-12-1734/Rio 20-3-1816), fille de Jos. Ier, partage le trône avec son mari Pierre III (1716-86, 4e fils de J. V), qui est son oncle. **1781** Pombal, mis en jugement ; banni de la Cour. **1792** M. Ire folle. **Régence de Jean**, son 2e fils. **1801** *mai* « guerre des oranges » Esp./P. *-29-5* Esp. décide de conserver place forte d'Olivença et son territoire jusqu'au Guadiana, dont la rive gauche sera la frontière entre les 2 pays, dep. 7 km au-delà de Badajoz jusqu'au moment où le fleuve entre au P., peu après Cheles. *-7-6* tr. de Badajoz entre P./Fr./Esp. **1807**-*29-10* tr. franco-esp. de Fontainebleau prévoyant partage du P. : N. à Marie-Louise, f. de Charles IV (en échange du roy. d'Étrurie, donné à Elisa Bacciochi), S. à Godoy, favori de Charles IV, Centre, avec Lisbonne, à Napoléon. *Nov.* l'armée fr. (Junot) occupe le P., la Cour se réfugie au Brésil où Jean prend le titre d'empereur. **1814**-*30-5* tr. de Paris entre Angl. et puissances alliées/Fr. (P. non représenté mais intérêts défendus par Angl.) : les puissances reconnaissent comme nul tr. de Badajoz de 1801. **1815**-*8-6* congrès de Vienne : Olivença reste au P. Esp. refuse de le lui rendre. L'ambassadeur anglais Beresford gouverne le P. **1816 Jean VI le Clément** (13-5-1767/10-3-1826). M. Ire, sa mère, étant morte, Jean prend le titre de roi de P. **1821** revient au P. après avoir sanctionné la Constitution votée par les Cortes, et nomme son fils Pierre régent du Brésil. **1822**-*12-10* Brésil indépendant. **1825** Jean donne à son fils Pierre la couronne du Brésil. **1826 Pierre IV** (12-9-1798/24-9-1834), fils de J. VI ; empereur du Brésil, il y reste et le 2-5-1826 abdique en faveur de sa fille Marie.

Marie II de Gloria de Bragance (4-6-1819/15-11-1853), fille de P. IV. **1826** reine sous la régence de son oncle dom Miguel (Michel), auquel on la fiance. **1828** *juin* il va usurper le trône. **Michel Ier** (26-10-1802/14-11-1866), 3e fils de J. VI. Persécute les Libéraux. **1831**-*7-4* Pierre (le père de Marie), emp. du Brésil, abdique au Brésil en faveur de son fils Pierre II. **1832** *juin* ayant levé des troupes en France et Angl., revient pour restaurer sa fille. **1833** *juill.* **Marie II** (4-4-1819/15-11-1853), restaurée. *-23-9* rentre à Lisbonne. **1834**-*26-5 tr. d'Evora ;* Michel Ier battu après g. civile, abdique et s'exile en All. (épousera 1851 Adélaïde de Löwenstein). Marie II ép. *1835*-26-1 Auguste, duc de Leuchtenberg († 28-3-1835), *1836*-9-4 Ferdinand de Saxe-Cobourg-Gotha (20-10-1816/13-12-1885) qui, en 1837, prend le nom de roi Ferdinand II, et dont elle eut 11 enfants. Luttes violentes absolutistes/constitutionnels.

■ Maison de Saxe-Cobourg-Gotha. **1853 Pierre V** (16-9-1837/11-11-1861), fils de Marie et Ferdinand. **1861 Louis Ier** (31-10-1838/19-10-1889), 2e fils de Marie et de Ferdinand II, frère de P. V. **1889 Charles Ier** (28-9-1863/1-1/1908), fils de L. Ier ép. 1886 Marie-Amélie d'Orléans, fille du Cte de Paris. Soutient la dictature de João Franco. **1908**-*1-2* Ch. Ier et Louis-Philippe, Pce héritier, tués par Républicains. **Manuel II** (15-11-1889/Twickenham, Angl. 2-7-1932), fils de Ch. Ier, déposé en 1910.

Nota. – Une réconciliation entre les 2 maisons de Saxe-Cobourg-Gotha et de Bragance eut lieu en 1920 et en 1932 à la mort sans postérité de Manuel II. L'héritier était *dom Duarte Nuno, duc de Bragance* (23-9-07/24-12-76), pt-f. du roi Michel Ier [2e f. du prétendant Michel, duc de Bragance (1853-1927) ; son frère aîné, Michel, duc de Viseu (1878-1923) ayant épousé une roturière amér., Anita Stewart (n. 1909), avait renoncé à ses droits]. Ép. 1942 Pcesse Françoise d'Orléans et Bragance (1914-68), f. du Pce Pierre d'O. et B. et de la Pcesse, née Elisabeth Dobrzensky de Dobrzenicz, sœur de la Ctesse de Paris, 3 enfants : *Édouard-Pie* (Dom Duarte Pio) duc de Guimarães (15-5-45), duc de Bragance (1976), *Miguel* (3-12-46), *Henri-Jean* (6-11-49).

☞ **Titres du roi du Portugal.** Sa Majesté très fidèle N... roi du Portugal et des Algarves en deçà et au-delà des mers, en Afrique, seigneur de Guinée, de la conquête, de la navigation et du commerce de l'Éthiopie, de l'Arabie, de la Perse et des Indes, etc. Le roi devait être catholique.

■ République. **1910**-*5-10* exil de Manuel II jusqu'au 28-5-1911. **Teófilo Braga** Pt du gouv. provisoire.

1911 Manuel de Arriaga (1840-1917). *Mars* Gal Pimenta de Castro dictateur. *-28-5* Assemblée constituante. *-29-5* Arriaga démissionne. *-3-9* Constitution.

1915 Teófilo Braga (24-2-1843/24-1-1924). *Août* **Bernardino Luis Machado** (29-3-1851/29-4-1944) élu Pt. **1916**-*9-3* Allemagne déclare g. au P. **1917**-*janv.* départ des 1ers contingents, soulèvement, victoire du germanophile Sidonio Pais : « *Nouvelle République* ». *-13-5 à 13-10 Fátima :* 6 apparitions de la Vierge, voir Index. *Déc.* Machado renversé.

1917 Cardoso da Silva Pais (n. 1872/14-12-1918), assassiné. **1918 Am. João de Canto e Castro** (1834-1924). **1919 António José de Almeida** (1843-1929). **1921**-*19-10* « Nuits sanglantes » : assassinat de plusieurs personnalités républ. (du 19-10-21 au 28-5-26, il y aura 7 Parlements, 9 chefs de l'État et + de 50 gouvernements). *-28-5* soulèvement mil. à Braga : Gal Gomes da Costa devient PM en juin. *Juillet* remplacé par Gal Carmona (coup d'État). Parlement et partis dissous. Presse censurée. **1923 Manuel Texeira Gomes** (1860-1941), démissionne 1925. **1925** *déc.* **Bernardino Luis Machado** (1851-1944) **1926**-*28-5* déposé. *1-6 au 29-11* **Mendes Cabecadas, Gal Gomes da Costa, Mal Oscar Carmona** (24-11-1869/18-4-1951), gouv. prov. **1927**-*7-2* révolution mil. réprimée. **1928** *mars* **Gal Carmona** (candidat unique) élu Pt. *-27-4 Antonio de Oliveira Salazar* (28-4-1889/27-7-1970) *min. des Finances.* **1932**-*5-7* devenu PM, établit une dictature, fonde l'État nouveau et crée l'Union nat. (parti unique : association civique). Rébellions mil. à Nadire et aux Açores. **1933** plébiscite pour un État corporatif. Police de Vigilance et de Défense de l'État (PVDE) créée. **1935** Gal Carmona, candidat unique, réélu Pt. **1936** fondation des Jeunesses p. et de la Légion p. Les *Viriatos* (volontaires fascistes portugais) participent à la g. d'Espagne (6 000 †). **1939**-*18-3* tr. de non-agression et d'amitié avec Esp. **1940**-*7-5* concordat avec St-Siège (interdit le divorce). **1942** P. et Espagne créent Bloc péninsulaire. **1943**-*18-8* facilités accordées aux Alliés aux Açores. **1945** l'opposition peut participer aux élections. Pide (Police intérieure et de défense de l'État) créée. *-4-5* demi-journée de deuil national lors de la mort de Hitler. **1946** révolte mil. à Porto. Plan Marshall : 51,3 millions de $ au P. **1949** Gal Carmona (Union nationale) réélu Pt. Mesures de sécurité. *-4-4* entrée à l'Otan. **1950**-*16-1* terr. d'O.-M. deviennent prov. d'O.-M. (Angola, Cap-Vert, Macao, Mozambique, São Tomé et Príncipe, Guinée et Timor).

1951 Gal Craveiro Lopes (1894-1964). **1955** entrée à l'Onu. **1956** mesures de sécurité relâchées. **1958 Amiral Américo Tomás** (1894-1987), Union nat., élu Pt [Gal Humberto Delgado (1906-65) (opposition) 25 % des voix]. **1959** Constitution révisée : Pt élu par un collège (Ass. nat., des représentants des municipalités et prov. d'O.-M.). **1960** adhère à l'AELE. **1961**-*22-1 :* 70 h. avec cap. *Henrique Galvão* arraisonnent sur côte E. du Brésil, paquebot *Santa-Maria* (4-2 obtiennent asile polit. à Recife). *-2-2* début de rébellion en Angola. *-17-2* Inde envahit Goa, Damao et Diu. **1962** révolte mil. à Beja. Possessions des Indes perdues. **1963**-*23-4* début de rébellion en Guinée. **1964**-*25-9* au Mozambique. **1965**-*13-2 Gal Delgado* assassiné en Esp. **1967** Paul VI au P. **1968**-*17-9* Salazar (hémorragie cérébrale) quitte ses fonctions. *-27-9* Marcelo Caetano, PM. *L'État social* remplace l'É. nouveau. **1969** *nov.* él. à l'Ass. nat. (seuls les candidats de l'Union nat. sont élus). La Pide devient DGS (Dir. gén. de la Sûreté). **1970**-*1-7* le pape reçoit 3 combattants ang. (prenant parti contre le P., il exigera en mai 1971 le rappel des Pères blancs d'A.). *-27-7 Salazar* meurt. L'Union nat. devient Action nat. pop. (unique). **Dep. 1971** attentats de l'Ara (Action révolut. armée) et des Bra (Brigades révolut. armées). **1974**-*14-3 Gal Costa Gomes* et son adjoint le *Gal de Spinola* destitués (désaccord sur politique afr.). *-18-3* mutinerie régiment de cavalerie ; échec militaire du MFA (Mouv. des forces armées). *-25-4* **coup d'État mil.,** 6 † ; Pt de la Rép. Tomás et PM Caetano renversés ; prisonniers pol. libérés, censure abolie.

1974-*26-4* **Gal Antonio de Spínola** (11-4-1910) Pt de la Junte. *-6-5* offre de cessez-le-feu aux nationalistes afr. *-15-5* Spínola Pt. Gouv. civil provisoire. Adelino da Palma Carlos (ind.) Pt. *-9-7* démissionne. *-12-7* Vasco Gonçalves PM avec 7 min. milit., Alvaro Cunhal (communiste) et Mário Soares (socialiste). *-30-9* Spínola (désaccord avec MFA et gauche) démissionne.

1974-*30-9* **Gal Costa Gomes** (n. 30-6-14) Pt. *-28-10* Conseil sup. du MFA (C. des Vingt). **1975**-*21-1* loi sur unicité syndicale (opposition des soc.). *-8-2* pouvoirs législatifs pour junte de salut national. *-11-3* putsch mil. échoue ; Spínola part pour l'Esp. *-12-3* MFA organe supérieur de la rév. ; à sa tête, Conseil de la rév. *-13-3* nationalisation banques, dizaines d'arrestations. *-15-3* Spínola se retire au Brésil. *-18-3* 3 partis suspendus : Dém. chrét. (droite), Mouv. p. la réorganis. du prolétariat (maoïste), Alliance ouvrière et paysanne (marxiste-lénin.). *-25-3* nouveau gouv. : comm., soc. et p. pop. dem. (PPD) restent. *-25-4 él. Ass. const.,* soc. 37,9 % des voix ; PPD 26,4 ; PC 12,5 ; CDS 7,6 ; MFA 7 ; MDP/CDE 4,1. *-21-6* programme d'action pol. du MFA agréé par Conseil de la rév. *Juin-juill.* affaires du journal Republica (opposition soc.-comm.) et de Radio-Renaissance (opposition Église-MFA). *-12-7* min. soc. démis, *-26-7* **triumvirat mil.** [Gaux : Costa Gomes, chef de l'État ; Vasco Gonçalves, PM ; Otelo de Carvalho (n. 1936), chef du Copcon]. *Août* agitation anticomm. dans le N. *-18-8* paysans attaquent siège PC à Ponte de

Lima : 1 † ; aux Açores sièges PC, MDP et MGS incendiés. *-25/26-8* attaque siège PC à Leiria ; 2 † par l'armée. *-27-8* des unités du Copcon occupent siège de la 5e div. ; manif. extrême g. à Lisbonne. *-29-8/-5-9* amiral Pinheiro PM (Gal Gonçalves chef état-major gén.). *-13-9* compromis PS, PPD, PC. *-19-9* 6e gouv. prov. [4 min. PS, 2 PPD (centre), 1 PC, indépendants et milit.]. *-29-9* armée occupe radio et télé. à Lisbonne ; les évacue le 1-10. *8-10* manif. (métall. en grève à Lisbonne), mutineries armée (Porto) contre la « restauration de la discipline ». *Fin oct.* milliers de soldats d'unités « indisciplinées » démobilisés. *-6-11*-affrontement ouvriers, agric. pro-comm. et propriétaires terriens au N. de Lisbonne : 2 †. *-7-11* paras dynamitent Radio-Renaissance. *-9-11* manif. pour gouv. à Lisbonne ; incidents. *-12/14-11* milliers d'ouvriers du bâtiment assiègent Ass. et résidence du PM (hausse des salaires). *-16-11* manif. d'extr. g. (appui PC) à Lisbonne. *-20-11* gouv. refuse de travailler et somme Pt de rétablir l'autorité. *-21-11* Carvalho accepte, puis refuse d'abandonner le command. de la région milit. de Lisbonne. *-25-11* Conseil de la révol. remplace Carvalho par *Gal V. Lourenço* ; rébellion de paras à Tancos ; état d'urgence, puis de siège partiel, combats près du palais de Belém ; rebelles arrêtés. *-2-12* état de siège levé. *-12-12* MFA reconnaît la supériorité du pouvoir pol. *-27-12* accord constit. signé par MFA et partis. **1976**-*1-1* manif. à Porto (3 †). *-11-1* 10 000 petits et moyens propriétaires et fermiers du N. manif. contre réforme agraire à Braga. *-19-1* Carvalho arrêté. *-21-1* manif. d'extr. g. à Lisb. (1 †). *-28-1* journal *Republica* rendu à son adm. « légale ». *-8-2* meeting de droite à Lisb. (25 000 pers.). *Févr. pacte constitutionnel* : suprématie du pouvoir pol. *-5-3* Carvalho en liberté provisoire. *-2-4* Constitution votée. *-25-4 él. Ass. législative* (PS 35 % des voix ; PPD 24,35 ; CDS 16 ; PC 14,6). *-6-7 Mário Soares* PM.

1976-*14-7* **Gal Antonio (dos Santos Ramalho) Eanes** (25-1-35), élu Pt 27-6 (60,8 % des voix). *-10-8* Spínola rentre à Lisb. *Sept.* restitution de 600 000 ha à des propr. *-12-12* PS 32 % des v. aux él. locales. **1977**-*25-2* escudo dévalué de 15 %. *-28-3* demande d'adhésion à CEE. *-8-12* chute du gouv. Soares (159 voix contre 100). **1978**-*23-1* Soares PM (gouv. de coalition PS-CDS), destitué 27-7. *-28-8/14-9 Alfredo Nobre da Costa,* indépendant, PM. **1980**-*3-1 Francisco Sá Carneiro* PM, sans militaires (1re fois dep. 25-4-1974). **1981** sécheresse. *Juin* dénationalisation des banques, assurances, engrais et ciments votée par Parlement. *-18-7* veto du Conseil de la révol. *-7-12* Pt Eanes réélu par 56,4 % des voix (appuyé par PS) devant Gal Soares Carneiro (PPD/PSD, CDS) 40,23 ; Cdt de Carvalho (extrême gauche) 1,49 ; Gal Galvão de Melo (indép.) 0,84 ; Col. Pires Veloso (indép.) 0,78 ; Aires Rodrigues (POUS/PST) 0,22, abstentions 15 %. Spínola et Costa Gomes nommés maréchaux. **1982**-*1-5* Porto, manif. pro-comm. 2 †. *-13-5* Jean-Paul II au P. (500 000 pèlerins à Fátima). **1983**-*10-4* Islam Sartaoui OLP tué à Lisb. *-9-6 Soares* PM, allié au PSD centriste. **1984** *juin* Carvalho arrêté. **1985** attentats du FP 25 (Forces popul. du 25 avril ; extr. g.). *-25-6* PM Soares démissionne. *-12-7* Parlement dissous. *-6-10* élect., succès PRD. **1986**-*1-1* adhésion CEE.

1986-*9-3* **Mário Soares** (n. 7-12-24) élu Pt [*26-1,* 1er tour : abstentions 24,6 %, Freitas do Amaral, soutenu par CDS et PSD, 46 % des v. ; Soares (PS) 25,4 ; Salgado Zenha (soc.), soutenu par PRD et PC, 20,8 ; Lourdes de Pintasilgo (gauche) 7,2. *-16-2,* 2e tour : abstentions 21,7 %, Soares 51,35 %]. *-13/14-7* attentat Lisb., 2 †. **1987**-*28-4* Ass. lég. dissoute. *-20-5* Carvalho condamné à 15 ans de prison pour actions liées au terrorisme. *-28-11* cond. à 18 ans. **1988**-*29-6* réforme propriété agricole. *-19-7* législatives. *-25-8* incendie du magasin Grandela détruit Vieux Lisbonne (XVIIIe s.) sur 10 000 m^2 (magasin du Chiado, café Ferrari), 1 †. Coût : 50 milliards d'esc. (2,15 milliards de F.). *-14-10* accord PS/PSD pour révision const. (entr. nationalisées 1974 et 1975 pourront être privatisées). **1989** *févr.* 1re privatisation dep. 1974. Réforme agraire assouplie. *-16-10* Pt Soares en Fr. *-17-12* municipales, succès socialiste (36,6 % des voix ; PSD 37,3 ; CDU 14,1 ; CDS 10,5). **1991**-*13-1* Soares réélu Pt par 70,35 % des voix (appuyé par PS et PSD) devant Basilio Horta (CDS) 14,16, Carlos Carvalhas (PCP) 12,92, Carlos Marques (UDP) 2,57, abstentions 38. *-10/12-5* Jean-Paul II à Lisbonne et à Fátima (pour le 10e anniversaire de son attentat ; la balle qui l'avait blessé a été sertie dans la couronne de la Vierge). **1992**-*6-4* escudo dans SME. *-10-12* Parlement ratifie tr. de Maastricht.

Statut. République dém. *Const.* du 21-2-1976, votée 2-4-76, révisée 24-9-82 et 24-5-89. *Nouvelle Const.* du 8-8-89 (sans référence au socialisme). *Pt de la Rép.* élu pour 5 a. au suffr. universel. *As. législative* 230 m. élus pour 4 a. au suffr. universel. **Fêtes nat.** 10-6 (jour de Camões, dep. env. 1910), 5-10 (procl. de la Rép.), 1-12 (indép. recouvrée), 25-4 (jour de la liberté). **Drapeau** (1910). Rouge (sang de la lutte pour l'indép.) et vert (mer) ; armoiries (rôle du P. dans les grandes découvertes).

Élections. *Sièges : droite et, entre parenthèses gauche :* **Assemblée constituante : avr. 1975 :** 98 (152) ; **Législative : déc. 76 :** 102 (148) ; **déc. 79 :** 128 (122) ; **oct. 80 :** 134 (116) ; **25-4-83 :** 105 (145) ; **6-10-85 :** 110 (140) ; **19-7-87 :** *sièges et, entre parenthèses voix (%) :* PSD 145 (50,5) ; PS 60 (22) ; CDU 31 [(coalition avec PC, écologistes, dissidents du MDP) 12 (PC *1985 :* 15,5 % ; *83 :* 18 %)], PRD 6 (4,5), CDS 4 (4,5). **6-10-91 :** abstentions 31,8 %. *Voix (et %) :* PSD 135 (50,6) ; PS 72 (29,14) ; CDU (coalition conduite par le PC) 17 (8,8), CDS 5 (4,43) ; PSD (Parti de la Solidarité nat.) 1 (1,67).

Élect. européennes. **18-6-89** (% des voix). PSD 33,25 ; PS 28,5 ; CDS 14,25 ; CDU 14 ; divers 10.

Partis. *P. social-démocrate (PSD)* fondé 6-5-1974, Pt Anibal Cavaco Silva, 130 000 m. ; *P. du centre démocr. et social (CDS)* f. 1974, Pt Manuel Monteiro, 100 000 m. ; *P. popul. monarchiste (PPM),* f. 1974, Pt Gonçalo Ribeiro Teles ; *Mouv. démocr. p. (MDP-CDE)* f. 1969, Pt José Manuel Tengarrinha ; *PC port. (PCP)* f. 1921, légalisé 1974, secr. gén. Carlos Carvalhas, 199 275 m. (88) ; *P. socialiste (PS)* f. 1973, secr. gén. Antonio Guterres, 100 000 m. ; *Union démocr. popul. (UDP)* f. 1974, Pt Mario Tomé ; *P. rénovateur démocr. (PRD)* f. 24-2-1985 par Gal Eanes, Pt Herminio Martinho, 8 000 m., autodissolution en oct. 1991 ; *Os Verdes* (Écologistes) f. 1981, Pt Maria Santos.

Premiers ministres. **1931** Antonio de Oliveira Salazar (1889-1970). **69**-*9-5* Marcello Caetano (1906-80). **74**-*15-5* Adelino da Palma Carlos. *-17-7* Gal Vasco Gonçalves (n. 1921). **75**-*19-9* Amiral Pinheiro de Azevedo (1917-83). *-23-7* Mário Soares (n. 7-12-24). **78**-*28-8* Alfredo Nobre da Costa (n. 1927). *-21-11* Mota Pinto (1936-85). **79**-*31-7* Maria de Lourdes Pintassilgo (n. 10-1-30). **80**-*3-1* Francisco Sá Carneiro (1934, 4-12-80 † accident d'avion). *-4-12* Diogo Freitas do Amaral (vice PM) (n. 21-7-41). **81**-*5-1* Francisco Pinto Balsemao (n. 1-9-1937), démissionne 20-12-82. **83**-*9-6* Mário Soares (n. 7-12-1924). **85**-*6-11* Anibal Cavaco Silva (n. 11-7-1939).

DÉPENDANCES

Iles de Madère. Atlantique. **Découvertes** début du XVe s. par Port. A 978 km de Lisbonne. **Gouvernement autonome** (semi-indép.). *Ass.* locale. 817 km^2 (50 km × 23 km) : îles 7 dont *Madère* 740 km^2, alt. max. Pico Ruivo 1 861 m, *Porto Santo* 42 km^2, 3 740 h., îlots déserts des *Désertes* et des *Sauvages* 33 km^2. **Population.** 275 000 h. (90) [Blancs d'origine port.]. D 323,9. *Catholiques. Émigrés* 1 000 000 (dont en Afr. du S. 300 000), qui envoient 9 à 10 milliards d'esc. par an. **Villes** (89) : *Funchal* 44 111, Machico 10 905. RESSOURCES : maïs, canne à sucre, fruits tropicaux, bananes, p. de terre, vin [*Sercial* (ceps rhénans), *Boal* (c. bourguignons), *Malvoisie* (v. doux), *Verdelho* (demi-sec)], bovins, pêche (conserveries), broderies (30 entreprises, 1 500 pers., 30 000 à domicile) ; articles en osier. **Tourisme.** *Visiteurs : 87 :* 425 700, dont 77 700 Brit., 60 000 All. ; lits 13 000, 25 000 prévus).

Açores. Atlantique. A 1 200 km de Lisbonne, 3 401 km de New York. **Découvertes** par Port. entre 1431 et 1464. **Gouv. autonome** (semi-indép. dep. 25-7-1980). *Iles 9* et des îlots : *São Miguel* 750 km^2, alt. max. Ponta do Pico 2 351 m, *Santa Maria* 103 km^2 ; *Terceira* 399 km^2 ; *Graciosa* 64 km^2, séisme le 1-1-80 ; *São Jorge* 241 km^2 ; *Pico* 436 km^2, alt. max. de l'archipel 2 345 m ; *Flores* 152 km^2 ; *Corvo* 20 km^2 ; *Faial* 170 km^2. Les « caldeiras » (cratères des volcans) forment des lagunes (la plus grande : Caldeira das Sete Cidades, 12 km de périmètre, 70 m de prof.). **Districts** 3 autonomes : 2 344 km^2. **Population.** 252 000 h. (90). D 107,6. *Catholiques. Émigrés :* 350 000 (en Amér. du N.). **Villes** (89) : *Ponta Delgada* (San Miguel) 137 700 h., Angra do Heroismo (Terceira) 55 900, Horta (Faial) 16 300. RESSOURCES : ananas, maïs, tabac, betteraves, thé, laitages, pêche, conserves de poisson, huile de cachalot, broderies, dentelles, fruits *(Pico).* Le Front de libération des Açores revendique l'indépendance.

Macao (voir p. 1072).

■ **Colonies devenues indépendantes.** Brésil 7-9-1822 ; Goa annexée par Inde 14-3-1962 ; Guinée-Bissau 10-4-74 ; Mozambique 25-6-75 ; Cap-Vert 5-7-75 ; São Tomé et Príncipe 12-7-75 ; Angola 11-11-75 ; Timor annexée par Indonésie 17-7-76.

AÇORES

MADÈRE

ÉCONOMIE

PNB *(1991).* 7 030 $ par h. **Croissance du PIB** (%) *89 :* 5,4 ; *90 :* 4,2 ; *91 :* 2,7 ; *92 :* 1,1. **Pop. active** (en % et, entre parenthèses, part du PNB en %) agr. 19 (9), ind. 34,3 (39), mines 1 (1), services 47,5 (51). **Travail « noir »** 25 % de l'écon., 1/7 du PIB, 660 000 actifs. **Chômage (en %)** *1992 :* 5,7. **Salaire min.** (91) 40 100 esc./mois. **Inflation** (%) *1981 :* 20 ; *82 :* 22,4 ; *83 :* 25 ; *84 :* 30,9 ; *85 :* 17,7 ; *86 :* 9,1 ; *87 :* 9,4 ; *88 :* 9,5 ; *89 :* 12,7 ; *90 :* 13,6 ; *91 :* 11 ; *92 :* 8,9. **Dette extérieure** (Md$) *1980 :* 8,9 ; *85 :* 16,7 ; *89 :* 17,7. **Dettes du secteur public** (dep. 1974) 13 Md$. **Transferts des émigrés : de France** (MdF) *1977 :* 3,62 ; *82 :* 7,8 ; **du monde** (Md$) *1985 :* 2,1 ; *89 :* 3,4. **Balance des paiements** (Md$) *85 :* 0,41 ; *86 :* 0,5 ; *87 :* 0,5 ; *88 :* – 0,6. **Investissements étrangers** (1992) 587 Md d'escudos dont en % G.-B. 22,8, *France 14,1,* Espagne 11,8, autres 51,3. **Aide de la CEE** *(1986-90)* 697,5 Md d'esc. dont Feder 273, Feoga 271, FSE 148, Pedip 40,1.

Agriculture. Terres (milliers d'ha, 1981) cult. 585, arables 2 965, pâturages 530, forêts 3 641, eaux 44, divers 1 443. Avant avril 1974, 80 % des propriétés occupaient – de 18,5 % de la surface cultivable ; 1,1 %, plus de la moitié des t. cultivables au S. (latifundia, cult. extensive avec prédominance du blé) ; au N., petite exploitation sur t. irriguées [maïs, vigne, olivier, sylviculture (pins et eucalyptus)]. **Réforme agraire** : la loi du 25-4-1975 touchant 1 300 000 ha (1/4 de la surf. cultivable), 100 000 devant être exploités par des coopératives (surtout au S. du Tage), a été remise en question. **Production** (milliers de t, 90) : p. de terre 999, maïs 643, blé 268, riz 153, avoine 62, seigle 77, orge 62, vin 845, huile d'olive 30, vins (en milliers d'hl, est. 90) 10 000 [dont Porto distribué 686 (90)], liège (50 % de la prod. mondiale). **Forêts** (89). 10 342 000 m^3. **Elevage** (millions de têtes, 90). Volailles 19, moutons 5,3, porcs 2,4, bovins 1,3, chèvres 0,7, ânes 0,1. **Pêche** (89). 331 795 t.

Mines (milliers de t, 88). Pierre de calcaire 15 418, granit 7 701, marbre 672, anthracite 241 (88), kaolin 92 (85), tungstène 2,2 (85), cuivre 159 (90), uranium 0,144 (85), fer (minerai) 0,013 (85), or, étain. **Electricité** (88). 22,5 milliards de kWh dont 12,3 par hydroélectricité. **Industrie** (88, part en % de la production). Alimentation et tabac 11,8, textiles et tannage 15,7, vêtements et chaussures 4,5, bois et liège 5,3, papier 4,6, chimie 14,4, minerais non métal. 7,8, métallurgie 3,5, prod. métal. 6, machines non électr. 2,9, machines et matériels électr. 5,3, mat. de transport 7,3, ind. d'extraction 2,5, électricité et gaz 8,4.

Transports (km). *Routes* 22 375 (87) ; *chemins de fer* 3 061 (89). **Tourisme** (91). *Visiteurs* 19 641 329 ; *lits d'hôtels* 188 501 ; *monuments romains,* voir Italie, p. 1 050.

Commerce (milliards d'escudos, 91). **Exp.** 2 346 (2 400 en 92) *dont* prod. man. divers 808, prod. man. de base 546, mach. et éq. de transp. 460, mat. 1res sauf fuel 174, prod. chim. 109 *vers* All. 448, Espagne 350, *France 338,* G.-B. 253, P.-Bas 134. **Imp.** 3 766 (4 040 en 92) *dont* mach. et éq. de transp. 1 364, prod. man. de base 712, prod. chim. 344, prod. man. divers 359, prod. alim. 395 *de* Espagne 596, *France 558,* Italie 450, All. 386, G.-B. 283.

Rang dans le monde (91). 7e vin. 17e cuivre.

QATAR

Carte p. 916. V. légende p. 884.

Situation. Asie (golfe Arabique). 11 437 km^2. Péninsule. Plat, collines (côte occid.), désert calcaire et sel mélangés de 10 000 km^2. Petites îles. **Climat.** Frais déc. à mars (env. 20 °C), chaud et humide mai à sept. (45 °C en juin). *Pluie :* 50 à 150 mm par an.

Population. *1953 :* 20 000 h., *87 :* 384 970, *90 :* 420 139 [dont *est. v. 1986/87 :* 150 000 Pakistanais et Indiens, 80 000 Arabes (Palestiniens, Égyptiens, Libanais), 60 000 autres Asiat. (Sri Lankais, Bengalis, Philippins), 70 000 Qataris, 5 000 Européens (dont 3 500 Angl.)], *91 (est.) :* 504 154. **Age** – *de 15 a. :* 34 % ; *+ de 65 a. :* 3 %. D 36,9. **Villes** (91) : *Cap. Doha (al-Dawha)* 296 821 h., Rayyan 125 665, Wakrah 32 352, Umm Salal 15 246 h. (*distance de :* Bassora 563 km, Ormuz 498 km). **Langues.** Arabe *(off.),* anglais. **Religion.** Islam *(off.)* (wahhābites 98 %).

Histoire. Vassal de Turquie. **1916**-*3-11* protectorat britannique. **1935** 1re concession pétrolière (Anglo-Iranian Oil Co). **1940** pétrole découvert. **1949** exploitation. **1953** Shell et Qatar Oil Co (Japon) en concurrence. **1960** Cheikh héritier Khalifa Bin Hamad al-Thani s'impose. **1971**-*3-9* indép. **1972**-*22-2* Cheikh Bin Ali (1917-77) destitué par son cousin. **1974** contrôle total du capital des Stés. **1992**-*17-4* décret fixant les eaux territoriales à 12 milles plus une bande de 22 milles où Q. se réserve la possibilité d'exercer ses droits. *-27-4* Bahreïn conteste les 22 milles. *-6-6* Q. et B. s'en remettent à la Cour internat. de justice. *-30-9* incidents frontaliers avec Arabie S. *-5-10* Q. retire son contingent de la force du Conseil de coopération du Golfe.

Statut. Émirat. *Chef de l'État et PM* Cheikh Khalifa Bin Hamad al-Thani (n. 1932) dep. 22-2-72. *P^ce^ héritier* son fils aîné Cheikh Hamad Bin Khalifa al-Thani dep. 21-5-77. *Const.* de juill. 1970. *Cons. des min.* et *cons. consultatif* (30 m.). *Partis :* aucun. **Drapeau** (XIXe s.). Adopté 1971 : blanc et marron, effet de soleil sur la bannière rouge.

ÉCONOMIE

PNB ($ par h.). *1983 :* 21 850 ; *90 :* 12 900 ; *92 :* 19 700. **Pop. active** (en % et, entre parenthèses, part du PNB en %) agr. 1 (1), mines (pétrole) 9 (34), ind. 25 (18), services 65 (47). **Inflation** *1989 :* 4,5 ; *90 :* 5.

Agriculture. *Terres cult.* 5 200 ha. *Production* (en milliers de t, 90) : fourrage vert 87,6 (89), légumes 23, fruits 3, dattes 5, céréales 3. **Élevage** (milliers, 90). Moutons 128, chèvres 78, chameaux 24, vaches 10, chevaux 1. **Pêche.** 4 374 t (89).

Énergie. Pétrole (millions de t) : *réserves :* 509 (92) ; *production et,* entre parenthèses, *revenus* en milliards de $: *1963 :* 9 (0,059) ; *71 :* 20,2 (0,198) ; *79 :* 25 (3) ; *80 :* 23,6 (5,6) ; *88 :* 17 (1,5) ; *89 :* 19 (2,2) ; *90 :* 19 ; *91 :* 19,09. **Gaz :** *réserves* 4 616 milliards de m³. Gisement de North Field (un siècle de réserves, à 80 km en mer ; découvert 1971 ; 1,2 à 1,6 Md$ investis). Fournit 90 % de l'énergie du Q. [*1992 :* 1re tranche produisant 8 Md de m³ par an (pour électricité, dessalinisation de l'eau, ind.) et 4 000 t/j de condensat.] ; *prod.* (Md de m³), *90 :* 6,3 ; *91 :* 8,36. **Industrie.** Pétrochimie, sidérurgie, engrais. Projet : fonderie d'aluminium et usine de liquéfaction de gaz à Ras Laffan. **Routes.** 946 km. **Tourisme** (87). 100 761 vis.

Commerce (milliards de $, 89). **Exp. :** 3,9 (90) (dont pétrole brut 71 %) *vers* Japon, *France.* **Imp. :** 1,7 (90) (dont mat. 1res, prod. ind. de base 29,4 %) *de* (%) Japon 18,8, G.-B. 11,7, USA 8,8, Italie 7,8, All. féd. 7,2, *France 4,7.* **Balance commerciale** (Md$) *1982 :* + 2,5 ; *83 :* + 1,8 ; *84 :* + 2,2 ; *85 :* + 1,9 ; *88 :* + 0,94 ; *89 :* + 1,4 ; *90 :* + 2,1.

Rang dans le monde (91). 5e rés. gaz. nat. 18e rés. pétrole (86). 28e pétrole.

ROUMANIE

V. légende p. 884.

Situation. S.-E. de l'Europe. 237 500 km² *Long. max.* (E.-O.) 720 km ; *larg. max.* (S.-N.) 515 km. *Côte* sur mer Noire 234 km. *Frontières* 3 181,7 km, avec Ukraine 639,4, Moldavie 681,3, Hongrie 444,8, Yougoslavie 544,3, Bulgarie 631,3. *Forêts* 28 %. **Grandes provinces historiques :** *Valachie* (formée de Munténie, Olténie et Dobroudja), *Moldavie, Transylvanie* (y compris Banat, Crisana et Maramures). **Relief :** montagnes 31 % [chaîne des Carpates, formant un arc de 1 000 km de long, au centre : 10 sommets supérieurs à 2 500 m (au S.) ; alt. max. pic Moldoveanu (massif du Fagaras) 2 544 m] ; plateaux 36 % [à l'O. (dans l'arc des Carpates) : de Transylvanie (alt. 400-700 m) ; à l'E. : moldave ; au S.-E. : de la Dobroudja] ; plaines 33 % [à l'O. : frange de la plaine de l'O. ; au S. : entre Carpates et Danube (2 zones : Piémont gétique ; plaine roumaine) ; au N.-E. : moldave]. **Fleuves** (long. en R. en km et, entre parenthèses, long. totale) Danube 1 075 (2 857, delta 5 050 km² dont 4 345 km² en R.), Prut 716 (950), Mureş 768 (803), Olt 736 (736), Siret 596 (706), Ialomita 410 (410), Somes 388 (435). **Lacs** 3 500 dont 2 300 naturels (Razim 415 km², Sinoe 171, Golovita 119). **Climat.** Continental [tempéré (de transition) à l'O. (faibles infl. océaniques) et au S.-O. (infl. méditer.) ; excessif au N.-E. ; modifications locales dues à l'alt.] : hiver long, printemps très court, été très chaud, automne long, moy. annuelle 9 à 11 °C [hiver : – 3 °C ; été : 22/24 °C ; min. absolu : – 38,5 °C (à Bod, dépression de Braşov 25-1-1942) ; max. abs. : + 44,5 °C (à Ion Sion, au Bărăgan 10-8-1951)], pluie 359 à 1 346 mm [moy. 637 mm/an (max. : Htes Carpates ; min. : Bărăgan, Dobroudja, Danube inférieur)].

Population (millions). *1834 :* 2,1 ; *59 :* 8,6 (3,9 sur 130 000 km²) ; *99 :* 6 (id.) ; *1900 :* 11,1 (237 500 km²) ; *12 :* 12,8 (7,2 sur 130 000 km²) ; *30 :* 14,3 ; *41 :* 16,1 ; *48 :* 15,9 ; *56 :* 17,5 ; *60 :* 18,4 ; *75 :* 20,3 ; *80 :* 20,2 ; *85 :* 22,76 ; *92 :* 22,76 ; *prév. 2000 :* 24. **D** (91) 97,6. **Espérance de vie** *1980 :* 70 a. *91 :* 69,76. **Mortalité** *infantile* (91) 22,7 ‰, *maternelle :* 16 pour 1 000 naissances. **Age** – *de 15 a. :* 24,7 %, *+ de 60 a. :* 14,4 %.

Nationalités : (rec. 1930) 18 millions dont (%) Roumains 71,9, Magyars 7,9, Allemands 4,1, Juifs 4, Ukrainiens 3,2, Russes 2,3, Bulgares 2, Tsiganes 1,5, Turcs et Tatars 1, Polonais 0,3, Serbo-Croates 0,3. (92) Hongrois 1 620 199 (surtout en Transylvanie), Allemands 119 436 (*1944 :* 800 000, *77 :* 359 109 ; surtout en Transylvanie), Ukrainiens 66 833, Tsiganes 409 723, Russes lipovéniens 38 688, divers 145 479. D 98. **Réfugiés** (91) 33 500 dont All. 15 410, Roumains 14 673, Hongrois 2 848, autres 569. **Villes** (92) (agg.) *Bucarest* (cap.) 2 064 474, Constanţa 350 476 (à 265 km), Iaşi (91) 342 994 (411), Timişoara 334 278 (571), Cluj-Napoca 328 008 (433), Galaţi 325 788 (246), Braşov 323 835 (171), Craiova 303 520 (299), Ploieşti 252 073 (60), Brăila 234 706 (216), Oradea 220 848 (585), Bacău 204 495 (287), Arad 190 088 (546), Piteşti 179 479 (114), Sibiu 169 696 (272), Tîrgu Mureş 163 625 (347), Baia Mare 148 815 (594), Buzău 148 247 (113), Satu Mare 131 859 (650), Botoşani 126 204 (475), Piatra-Neamţ 123 175 (345), Drobeta-Turnu Severin 115 526 (336), Suceava 114 355 (432), Rîmnicu Vîlcea 113 356 (180), Tîrgovişte 97 876 (75), Reşiţa 96 798 (502).

Langues. Roumain *(off.)* (issu du latin parlé dans les prov. rom. de Dacie et Mésie, et ne dérivant pas du parler urbain de Rome, mais de dialectes ruraux italiens) ; hongrois, allemand.

Religions (%, 92). **Orthodoxes** roumains 86,8 (12 500 prêtres, 11 000 paroisses, 2 000 moines et moniales). **Catholiques romains** 5, **gréco-catholiques** 1 [pour partie de rite latin ; origine : All. ou Hongrois de Transylvanie ; en 1948, le gouv. supprima 5 diocèses sur 7 ; les cath. uniates (de rite grec), qui existaient dep. 1687 en Transylvanie et avaient été reconnus off. en 1930, ont dû rentrer dans l'Égl. orthodoxe de 1948 (ils étaient alors env. 2 000 000 en 1990)]. 13 juridictions dont rite latin 6, byzantin 5, arménien 1. **Protestants** 3,5 (700 000 Hongrois calvinistes). **Penticostales** 1. **Divers** 2,7 dont **Juifs** (*1939 :* 900 000 dont 500 000 périrent dans les provinces cédées à l'URSS et la Hongrie en 1939-40 ; *1977 :* 24 567 ; *1983 :* 32 000 ; *1992 :* 9 107.

Nota. – Sur les 365 églises de Bucarest, le régime Ceauşescu en a détruit 130 dont 70 classées monuments historiques.

Politique vis-à-vis des minorités (avant 1990). Juifs : *dep. 1948,* 350 000 à 400 000 sont partis pour Israël. Chaque visa était payé 5 000 à 7 000 $ (dep. 1979, env. 1 500 départs par an). **Allemands :** *1957* accord avec All. féd. permettant à 20 000 All. de quitter la R. en 10 ans. *1978* nouvel accord sur 10 000 puis 15 500 départs par an. Prime : 3 400 à 5 400 $ par personne. *1988* env. 12 000 départs. **Gitans :** trafic à la frontière (env. 7 000 lei par personne pour sortir).

Histoire. Av. J.-C. 2000 immigration de tribus de Daces ou Gètes, venues des steppes de la Caspienne ; appartenant au groupe central des Indo-Européens, les Thraco-Illyriens ou Thraco-Cimmériens, qui colonisent Balkans et N. de l'Anatolie. Langue voisine de l'étrusque et de l'albanais moderne. Civilisation empruntée aux Celtes (métallurgie, agriculture) et aux Scythes (cheval). **VII-VIe s.** fondation de colonies grecques sur la mer Noire (Histria, Tomis, Callatis). **V. 300** 1er roi gétodace attesté : Dromichaitès. **70-44** roy. centralisé de Burebista. **Apr. J.-C. 101-106** conquête par l'emp. romain Trajan. **106-271** prov. romaine. **IIIe-XIIIe s.** invasions Goths, Huns, Gépides, Avares, Slaves, Tatars, venus du N. et de l'E. **XIV-XVIIe s.** division en États indépendants : Munténie ou Valachie *(1330),* Moldavie *(1359)* et Transylvanie [conquise par Hongrie : principauté autonome, elle sera *(1699)* incorporée à l'Autr.-Hongrie jusqu'en *1918*]. **Princes les plus renommés : Valachie :** Mircea le Vieux (1386-1418) lutte contre Turcs. Vlad Tepeş [l'Empaleur, n. 1430, Dracula, chevalier de l'ordre du Dragon (« dracul » : dragon et démon en roumain) dont la légende a fait un Cte roumain du XIXe s, vampire, dep. le roman de Bram Stoker (Irl.) paru 1897] avec l'aide de Jean Hunyadi, assassin de son père, s'allie à Hongrie mais veut récupérer certains fiefs occupés par Saxons ; mate marchands allemands et turcs ottomans. 1462 les Saxons obtiennent son emprisonnement par le roi de Hongrie après qu'il eut arrêté les Turcs avec 30 000 h. ; accusé à tort de trahison ; libéré par Hongrois, se bat contre Turcs, tué déc. 1476 ou janv. 1477. Habitait châteaux de Tirgoviste et Poienari ; Michel le Brave (1593-1601), vainqueur des Turcs, qui réalise pour un an (1599-1600) l'unité des 3 principautés ; Mathieu Basarab (1632-54) ; Constantin Brâncoveanu (1688-1714). **Moldavie :** Alexandre le Bon (1400-32) ; Étienne le Grand (1457-1504), surnommé le Prince de la Chrétienté (sanctifié 1992) ; Dimitrie Cantemir (1710-11). **1699** Habsbourg annexent Transylvanie. **Princes régnants grecs :** nommés par Turcs [dits *Phanariotes* (du *Phanar :* phare, quartier d'Istanbul)]. *1711-1821* en Moldavie, *1716-1821* en Valachie. **1746** (Valachie) et **1749** (Moldavie) *P^ce^ Constantin Mavrocordato* libère les serfs ; accentuation de l'influence fr. notamment au début XIXe s. **1806-12 et 1828-34** occupation russe. **1821** mouvement de Tudor Vladimirescu. **1834-42** *Alexandre Ghika* (1795-1862) Pce de Valachie. **1842-48** *Georges Bibesco* (1804-48), hospodar de Valachie, abdique. [*Successeurs :* **1849-53** *Barbu Ştirbei.* **1853-54** *Dimitri Bibesco* (1801-69), fr. de Georges. *Grégoire Ghika* (1807-67), Pce de Moldavie, essaya de réunir Mol. et Valachie]. **1848-49** révolution bourgeoise-démocratique. **1854-56** *Barbu Ştirbei.* **1856** *Convention de Paris :* autonomie des 2 provinces. *Févr.* esclavage des Tziganes aboli. **1858-***24-1* rangs et privilèges des boyards abolis.

■ **Roumanie** (Union des principautés). **1859**-*24-1* union Moldavie et Valachie qui deviennent la R. avec le *P^ce^ Alexandre Ioan Cuza* (1820-73) élu 5-1 par Assemblée de Moldavie et 24-1 par celle de Valachie. Union reconnue par Turquie en sept. **1861**-*20-11* firman du sultan unifiant gouv. de Valachie et Moldavie. **1863** *déc.* nationalisation des monastères. *-2-5* coup d'État, Ass. dissoute. **1864** *août* 500 000 familles se répartissent 2 000 000 ha. **1866**-*23-2* il abdique sous la pression des boyards (propriétaires terriens hostiles à ses réformes). *-23-5* *P^ce^ Charles (Carol) de Hohenzollern-Sigmaringen* (sans doute branche aînée des Hohenzollern ; séparée dep. XIIIe s. de la branche prussienne cath., donna des Pces au St Empire, qui régnèrent jusqu'en 1849 sur les Ptés de Hohenzollern-Hechingen et Hohenzollern-Sigmaringen) le remplace. **1877** g. russo-turque. **1878**-*13-7 tr. de Berlin, indépendance* (proclamée *9-5-1877*) reconnue ; les R., alliés aux Russes, perdent 3 départ. de la Bessarabie (Cahul, Bolgrad, Ismaïl), gagnent Dobroudja.

■ **Royaume. 1881**-*22-5* **Carol Ier** de Hohenzollern-Sigmaringen (20-4-1839/11-10-1914) 1 fille morte jeune de son mariage (15-11-1869) avec Pcesse Élisabeth de Wied (en littérature : Carmen Sylva, 29-12-1843/2-3-1916). Roi et Pces de la Maison royale doivent être élevés dans la religion orthodoxe orientale. **1907** *févr.* révolte paysanne, répression du Gal Averescu, env. 10 000 †. **1913 à févr. 1918** *Jean Brâtianu* (1864-1927) PM. **1913**-*29-6* g. contre Bulgarie ; alliée à Grèce et Serbie, la R. reçoit au tr. de Bucarest un terr. du S. de la Dobroudja.

1914 Ferdinand Ier (24-8-1865/20-7-1927) neveu de C. Ier (adopté) ép. 10-1-1893 Marie de Saxe-Cobourg et Gotha, Pcesse de G.-B. et d'Irlande (29-10-1875/18-7-1938). **1916**-*14/27-8* la R. entre en g. ; vaincue par All. puis victorieuse avec l'aide de la Fr. 238 000 † au combat et 300 000 civils † du typhus. **1918**-*1-12* union de tous les Roumains en un seul État. **1919** *juin* suffrage universel ; ancien Parti conservateur déconsidéré par son orientation pro-allem. se morcelle. *10-9* tr. de St-Germain. **1920** *mai* gén. Averescu (Parti du peuple) PM. *-4-6 tr. de Trianon :* réalise son unité en recevant Bessarabie, Transylvanie (avec Banat), Bucovine. **1920-21** *Petite Entente* appuyée par Fr. (alliance avec Pol., Tchéc., Youg.). **1921** réforme agraire. **1922-28** parti national-libéral domine [clan Brătianu : Ion (1864-1927), ses frères Constantin et Vintila, son fils Gheorghe (1898-1954)]. **1923**-*28-3* Constitution ; selon la loi salique, les femmes ne peuvent régner. R. est un État national unitaire ; conquêtes sociales (droit de grève et d'association, mutualisme, suffrage universel masculin). **1924** le PC créé 1921 est interdit ; vit au travers des associations telles que le Secours rouge (au max. 1 000 membres et sympathisants jusqu'en 1944). **1925** Ferdinand oblige Carol, son fils, à choisir entre le trône et sa maîtresse ; il renonce au trône en faveur de son fils Michel et part avec Magda Lupescu pour l'étranger d'où il prend l'engagement de ne pas rentrer avant 10 ans. **1927-28** Nicolas Titulesco (1883-1941) min. des Aff. étr. (Pt Ass. 1930-31, artisan de la Petite Entente, voulant rapprocher la R. de l'URSS. 1936 éloigné par Tataresco, se retire en Fr. 1941-17-3 meurt à Cannes).

1927-*20-7* **Michel Ier** (25-10-1921) pet.-fils de Ferdinand (son père Carol II ayant renoncé au trône le 28-12-25 et vivant en exil). Conseil de régence dirigé par son oncle le Pce Nicolas de R. comprenant le patriarche Miron Christea et George Buzdugan, Pt du Sénat. **1930**-*5-6* Carol quitte Bellême pour Munich où il prend l'avion.

1930-*8-6* *Carol II* (16-10-1893/4-4-1953) père de Michel Ier reprend le pouvoir. Sa renonciation est annulée. Michel devient Pce héritier avec le titre de Grand Voïvode d'Alba Iulia. Carol avait épousé 1o) morganiquement le 31-8-1918 Jeanne Constantinovna Lambrino (1898-1953), mariage annulé 8-1-19, dont 1 fils : Mircea-Grégoire de Hohenzollern [(8-1-20) appelé Mircea-Grégoire Lambrino jusqu'en 1955 ; reconnu légitime 1955 par tribunal portugais, 1963 par trib. fr. ; porte le titre princier de son propre chef, dep. 1959 (non reconnu par Michel Ier) qui aura 1 fils : Paul Lambrino (se fait appeler Hohenzollern-Roumanie) n. 13-8-48]. 2o) 10-3-21 Pcesse Hélène de Grèce (1896-1982) f. du roi Constantin Ier, mère du roi Michel (divorce 21-6-1928). Quand Carol devint roi, titrée reine de Roumanie elle dut s'exiler et vécut en France. A terminé sa vie à Florence. 3o) 8-7-47 civilement et 19-8-49 religieusement Hélène (dite Magda) Wolf (le loup), nom roumanisé en Lupescu (1902-77) d'une famille juive de Iassy, divorcée du lieutenant Tampeano et dep. 1928 sa compagne, titrée Pcesse Hélène de Hohenzollern. **1930**-*6-6* retour *-8-6* proclamé roi. **1933**-*29-12* PM *Ion Duca* tué par la Garde de fer. **1934**-*févr.* Entente balkanique (avec Turquie, Grèce, Youg.). **1938**-*févr.* dictature du roi Carol II qui supprime la Constitution et fonde le P. du Front de la Renaissance nat. Corneliu Z. Codreanu (1899-1938) fondateur de la Garde de fer fasciste exécuté. **1939**-*21-9* PM *Armand Călinescu* (n. 21-5-1893) tué par la Garde de fer. **1940**-*26-6* URSS, après ultimatum, occupe Bessarabie (45 650 km²) et Bucovine du N. (10 432 km²) [env. 4 000 000 h.], Carol II cède et, ignorant que l'URSS agit conformément au protocole secret signé avec l'All. le 23-8-39, laisse faire le rapprochement avec l'All. *-4-7* gouv. *Ion Gigurtu,* profasciste. Conquêtes sociales de 1923 abolies. *-30-8* l'All. oblige la R. à céder N. de la Transylvanie à Hongrie (43 492 km², 2 667 000 h.). *-2-9* manifestation contre la monarchie. *-6-9* coup d'État du Gal *Antonescu* (1882-1946), appuyé par Garde de fer : Carol abdique pour son fils Michel et quitte la R. le 8-9.

1940-*6-9* **Michel Ier** (25-10-1921) restauré. Ép. 10-6-48, à Athènes, Pcesse Anne (18-8-23) fille du Pce René de Bourbon, Pce de Parme, et de la Pcesse n. Pcesse Marguerite de Danemark (1895-1992) [1950-54 en G.-B. 1954-57 en Suisse, devient pilote d'essai. 1958-66 crée entreprise d'électronique et vend des avions]. 5 *enfants :* Marguerite (25-3-49), Hélène (17-11-50, 1 fils Nicolas), Irène (28-2-53), Sophie (28-10-57), Marie (13-7-64). *-7-9* S. de Dobroudja (quadrilatère) cédé à Bulgarie. *-23-11* la R. adhère au pacte tripartite (All., Italie, Japon). *-18-12* syndicats interdits. **1941**-*21/23-1* putsch (légionnaires de la Garde de fer) contre Gal Antonescu, 500 lég. exécutés. *Juin* pogrom de Jassy, 12 000 †. *-22-6* R. entre en g. contre URSS, engage 780 000 soldats (350 000 mil. †, 270 000 civils †). **1944** à partir de Stalingrad, Antonescu et l'opposition clandestine cherchent à conclure un armistice séparé ; Ştirbei, émissaire de l'opposition, accepte les conditions alliées laissant le libre passage à l'Armée rouge ; il obtient la garantie des frontières de 1939 et de la démocratie parlementaire selon la Constitution de 1923 et rejoint le camp allié. *-23-8* gouv. d'Union nat. avec sociaux-dém. et comm. Antonescu arrêté (procès du 6 au 17-5, condamné à mort, exécuté 1-6-1946), la R. se retourne contre l'All., engage 540 000 soldats (170 000 †, + 80 000 † civils). *-28-8* Armée rouge à Bucarest. *-12-9* convention d'armistice (à Moscou) ; Bessarabie et Bucovine cédées à URSS, Transylvanie du N. cédée par Hongrie ; paiement de 300 millions de $-or en 3 ans et d'une taxe en nature. *-25-10* libération complète. *-5-12* Gal Radescu PM. **1945**-*6-3* après 3 semaines de manif. anticomm. (provoquées par l'installation par la force des comm. dans mairies et préfectures) écrasées par l'Armée rouge, le gouv. est « démissionné » par Vychinsky, min. soviét. des Aff. étr. et remplacé par un gouv. prosoviét. avec *Petru Groza,* propriétaire terrien. *-23-3* réforme agraire. *-8-11* manif. en faveur du roi. **1946**-*19-11* élections (la plupart des bureaux de vote sont tenus par les comm.), bloc paysans libéraux et sociaux-démocr. a 79,8 % des voix. **1947**-*10-2 tr. de Paris :* la R. perd Bessarabie, Bucovine du N. cédées à URSS, Dobroudja du S. à Bulgarie et regagne Transylvanie. *-30-12* roi Michel abdique (sinon Groza menace d'exécuter 1 000 étudiants) et s'exile.

■ **Rép. populaire. 1947 Constantin Parhon** (1874-1969) Pt provisoire, puis 1948 Pt de la Grande Ass. nat. **1948**-*21/23-2* communistes et sociaux-dém. forment le Parti ouvrier r. *-28-3* victoire comm. aux élec., Constitution suspendue. *-11-6* nationalisations, économie planifiée, socialisation de l'agr.

1952 Petru Groza (1884-1958) Pt de la Grande Ass. nat.

1958 Ion Gheorghe Maurer (1902) Pt de la Grande Ass. nat. *Juin* troupes soviét. se retirent.

1961 Gheorghe Gheorghiu-Dej (1901-65) Pt du Conseil d'État. **1962** socialisation de l'agr. achevée. **1964** collabore avec tous les pays, quelle que soit leur structure pol. **1965**-*19-3* Gheorghiu-Dej meurt ; Ceauşescu secr. du P. ouvrier (juillet) devient PC.

1965 Chivy Stoïca (1900-75) Pt du Conseil d'État.

1967-*9-12* **Nicolae Ceauşescu** (26-1-1918/25-12-89) id. puis Pt de la Rép. dep. 28-3-74. Secr. gén. du PC dep. 22-3-65 (dit le « Génie des Carpathes » ou le « Danube de la pensée »). Sa femme Elena (académicien, Dr et ingénieur en chimie) 1er vice-PM dep. 29-3-80 (7-1-1919/25-12-89). Son fils, Nicu, min. de la Jeunesse et 1er secr. du départ. de Sibiu (considéré comme successeur de son père, condamné le 3-6-91 à 16 a. de prison, libéré 24-11-92 pour raisons de santé) ; *frères* Ilie vice-min. de la Défense et Ion 1er vice-Pt de la Commission du Plan ; Marin, dir. de la mission commerciale r. à Vienne, se suicide 28-12-89 ; Nicolae-Andruta, Gal, condamné à 15 ans le 2-4-90 ; *beau-frère* Neculai Agachi se suicide 31-7-91. Valentin libéré 17-8-90. Zoïa libérée 18-8-90. **1968**-*17-2* réorganisation administrative. *-28-8* refuse de participer à l'intervention en Tchéc. *Juill.* De Gaulle en R. **1974** loi de « systématisation du territoire » pour 300 000 ha de t. cultivables. Raison off. : gain de place pour l'agr. Objet officieux : déplacement de la minorité hongroise de Transylvanie, comme l'a été la minorité all. **1975** *juillet* Jacques Chirac PM en R. **1977**-*4-3* séisme : 1 541 † identifiés dont 1 391 à Bucarest. Début des destructions de monuments historiques. *Août* grève des mineurs du Jiu. **1978**-*24-7* Gal Ion Pacepa demande asile pol. à l'ambassade amér. à Bonn. **1979** *mars* Pt Giscard d'Estaing en R., F. Mitterrand (1er secr. du PS) en R. **1980** *juil.* Ceauşescu en Fr. **Dès 1981** *alimentation scientifique* (rationnement) : 160 g de pain par personne et par j ou 150 g de farine par mois ; par mois : 1/3 de litre d'huile, 350 g de sucre, 500 g de bœuf, porc ou volaille. **1981** début de la politique de remboursement accéléré de la dette extérieure. *Déc.* manif. pacifistes non spontanées contre nucléarisation de l'Europe. **1982** Virgil Tănase (écrivain réfugié en Fr.) disparaît 3 mois (protégé par DST contre attentat éventuel). **1984** temp. max. dans les habit. fixée à 14 °C. *-1-4* Paris, Nicolae Iosif (menuisier) poignardé et jeté par la fenêtre de l'ambassade de R. *-26-5* canal Danube-mer Noire inauguré. *-25-7* destruction du centre historique de Bucarest. **1985**-*17-3* législatives : 2,27 % des voix contre les candidats du Front de l'unité et de la dém. soc. de R. **1986**-*30-8* séisme. *23-11* référendum sur réduction de 5 % des dépenses milit. du Pt Ceauşescu : 99,9 % de participation. **1987**-*juin* Rideau de fer le long de la Hongrie (300 km construits de juin 87 à juin 88). *-15-11* 10 000 manif. à Braşov contre réduction des salaires et pénurie aliment. **1988**-*3-3* Ceauşescu parle de la systématisation : 7 000 sur 13 000 villages doivent être détruits (en fait 5 le seront), pop. regroupée dans 600 « agrovilles ». *-14-4* arrêt des emprunts à l'étranger. *-24-4* CEE rompt négociations commerciales. **1989** *août* Front de salut nat. (FSN) fondé par Brucan, Bîrlădeanu, Iliescu, Mazilu et Militaru. *-23-11* Ceauşescu annonce purge pour résoudre les insuffisances écon. et dénonce l'accord de 1940 ayant entraîné la perte de la Bessarabie. *-16-12* 25 000 manif. à Timişoara pour empêcher le déplacement du pasteur László Tökes, défenseur de la minorité hongr. La radio hongr. annonce que l'armée a chargé la foule. Manif. à Arad. *-17-12* 10 000 manif. à Timişoara, bâtiments off. pris d'assaut, livres et portraits de Ceauşescu brûlés. *-18/20-12* Ceauşescu en Iran. *-18-12* Radio Free Europe et la radio hongr. parlent de « massacres ». On annonce 4 632 † (la radio hong. parle de 70 000 ; en fait, 150). L'armée contrôle Timişoara, Oradea et Cluj-Napoca. Incidents à Curtici *-20-12* à 20 h Ceauşescu annonce à la TV que l'armée est intervenue à Timişoara, proclame l'état d'urgence et traite les manifestants de « hooligans ». *-21-12* la foule le conspue. La TV interrompt la retransmission. L'armée tire sur les manif., certains sont écrasés par les blindés. Insurrection à Bucarest. *-22-12* Bucarest, affrontements. État d'urgence dans toute la R. La radio annonce le suicide du Gal Vasile Milea, min. de la Défense (sans doute exécuté pour refus de faire tirer sur la foule). A Bucarest, armée et manif. fraternisent. A 12 h, la radio annonce que Ceauşescu abandonne le pouvoir (fuite en hélicoptère de l'immeuble du PC organisée par Gal Stănculescu). Front de salut nat. prend le pouvoir. L'armée se rallie, mais des éléments de la *Securitate* (police politique) continuent le combat. 15 h 30, la radio annonce l'arrestation à Tîrgovişte (70 km de Bucarest) de Ceauşescu et sa femme, Elena ; 16 h 10, de leurs fils Nicu à Sibiu (n. 1951, 1er secr. du PC local) et Valentin (n. 1948, chercheur en physique atomique). 17 h 50, gouv. démissionne. La Suisse bloque les comptes de la famille Ceauşescu (est. 400 millions de $ en or). FSN prend le pouvoir (Pt : Ion Iliescu).

Comité [1/3 de dissidents, 1/3 de milit. et 1/3 de dirigeants du PC limogés par Ceauşescu ; *dirigé* par Corneliu Mănescu (n. 8-2-1916, min. des Aff. étr. de 1961 à 72). *Membres importants :* Doïna Cornea (dissidente, prof. de français à l'université de Cluj-Napoca, démissionne 22-1-90), László Tökes, Mircea Dinescu (écrivain), Gal Nicolae Militaru (min. de la Défense, limogé 84, condamné à † mais pas exécuté), Silviu Brucan (démissionne 4-2-90)]. *-23-12* combats à Bucarest, Jean-Louis Calderon, journaliste de La Cinq, écrasé par un char. *-24-12* combats. Zoïa Ceauşescu arrêtée (libérée 18-8-90). *-25-12* procès des époux Ceauşescu organisé par Gelu Voican Voiculescu à Tîrgovişte. Tribunal militaire présidé par Gal Georgică Popa (Pt du tribunal milit. de Bucarest dep. 1987, se suicide 1-3-90 par crainte des représailles). Condamnés à mort (pour : génocide d'env. 60 000 personnes, noyautage de l'État par actions armées contre le peuple et le pouvoir d'État, vol et destruction de biens publics, mainmise sur l'écon., tentative de fuite pour récupérer des fonds déposés dans des banques étrangères) ; Ceauşescu et Elena sont exécutés (*25-12* un officier affirme que Ceauşescu est mort d'une crise cardiaque lors d'une séance de torture visant à obtenir les nos de ses comptes bancaires à l'étranger). *-26-12* Pt par intérim *Ion Iliescu.* *-27-12* min. de la Santé annonce 766 † dep. le 22-12. *-30-12* Gelu Voican (géologue de formation) nommé vice-PM. Dissolution de la Securitate (*-31-12* Gal Julian Vlad, son chef, arrêté ; condamné 21-7-91 à 9 ans de prison).

Bilan officiel de la révolution (déc. 89) 1 033 † (Bucarest 640, Timişoara 96, Sibiu 90, Braşov 66, Cluj-Napoca 26), 2 198 blessés (dont Bucarest 1 040).

1990 *janv. Petre Roman* PM (1969-74, Dr de l'Institut de mécaniques des fluides de Toulouse). *-12-1* manif. à Bucarest, Timişoara et Cluj-Napoca. Décrets rétablissant la peine de mort et interdisant le PC (annulés *13 et 17-1*). *-18-1* Pcesses Marguerite et Sophie de R. (filles du roi Michel) en R. *-24-1* Bucarest, 1 000 manif. devant siège du Conseil du FSN contre sa décision de présenter des candidats aux élections. *-27-1* tribunal mil. : procès d'Emil Bobu (no 3 du clan Ceauşescu), Ion Dincă (vice-PM),

Tudor Postelnicu (min. de l'Intérieur et de la Securitate) et Manea Mànescu (vice-Pt du Conseil d'État) condamnés le 2-2 à perpétuité. *-28-1* manif. à Bucarest contre FSN. *-1-2* **Conseil provisoire d'Union nationale** (CPUN) [créé : 253 membres dont FSN 111, différents partis 111, représentants des minorités 27, *Pt :* Ion Iliescu]. *-16-2* Gal Nicolae Militaru, min. de la Défense, démissionne. *-18-2* manif. saccagent siège du gouv., molestent un vice-min., l'armée intervient. *-5-3* Bucarest, statue de Lénine abattue (12 t en bronze). *-14-3* pape nomme 12 évêques ; de rite latin 7, grec 5. *-20-3* à Târgu Mureş affrontements R./Hongr. : 4 †. *-1-4* Bucarest, 3 500 à 4 500 manif. contre Ion Iliescu. *-12-4* gouv. annule visa de l'ex-roi Michel Ier. *-13-4* Bucarest, manif. de protestation. *-24-4* Bucarest, 10 000 manif. anticomm. Ion Raţiu, candidat du PNP chrétien-dém. aux présidentielles, attaqué par partisans d'Iliescu. *-28-4* Alliance nat. pour la déclaration de Timişoara créée par opposition, but : éliminer le communisme. *-29-4* manif. contre Iliescu dans plusieurs villes de province. *-11-5* PNP se retire du CPUN.

1990 *janv.* les biens de Ceauşescu (21 palais, 41 villas et 22 pavillons de chasse) et ceux du PC [Office économique central Carpati (entreprise d'import-export, 48 000 employés, CA 12 milliards de F), 55 000 ha de terres agr. regroupés en 545 unités (18 000 employés)] sont transférés à l'État. *-20-5* **Ion Iliescu** (n. 3-3-1930) élu par 85 % des voix (ancien secr. du Comité central du PC, limogé 197-1). Radu Câmpeanu (n. 1922, P. nat. libéral) 10,64 %. Ion Raţiu (n. 6-6-1917, P. nat. paysan) 4,29 %. *-13-6* police évacue la place de l'Univ. à Bucarest. *-15/16-6* mineurs « rétablissent l'ordre » à Bucarest (6 †, 542 bl.). *-13-7* 10 000 à 50 000 manif. pour libération du dirigeant étudiant Marian Munteanu, détenu dep. 18-6. *-2-8* est libéré. *-9-9* réconciliation mineurs/étudiants. *-1-11* prix des prod. intermédiaires libérés. *-15-11* dizaines de milliers de manif. contre gouv. *-19-11* 5 000 manif. à Bucarest contre reconstitution du PC sous le nom de PS du travail. *-25-12* Michel Ier reconduit en Suisse après quelques h. passées en R. (visa délivré par « erreur »). **1991** *janv.* il recouvre sa citoyenneté. *-20-2* loi sur privatisation des terres. *-1-4* prix des prod. de base libérés. *-12-4*, Bucarest, 100 000 manif. réclament démission d'Iliescu. *-30-4 Roman* PM. *-10-5* manif. monarchistes. *-20-5* 20 000 manif. à Bucarest. *-14-8* loi privatisation des entreprises commerciales. *-25/28-9* Bucarest, les mineurs de Jiu veulent la démission du PM. *-28-9* PM Roman démissionne. *-8-12* référendum pour constitution. *-16-12* Timişoara, 40 000 manif. **1992**-*23-2* municipales, FSN battu. *-20-4* 21 membres encore en vie du comité polit. exéc. du PC condamnés en « appel extraordinaire » à 8 à 16 ans de prison pour répression de Timişoara en 1989. *-21-4* Michel Ier autorisé à revenir pour la pâque orthodoxe (26-4), env. 500 000 partisans. *-4-5* prix de base libérés. *-27-9* élections (voir ci-contre). *-19-11* investiture du gouv. Vacaroiu (260 v. contre 203).

■ Politique

■ **Statut avant 1990.** Rép. socialiste. *Const.* du 21-8-1965, amendée mars 74 ; oct. 86, pour autoriser les référendums (seule Const. des pays de l'Est à le faire). Une *Grande Assemblée nationale* (369 m. élus pour 5 ans) élit Conseil d'État, Conseil des ministres et *Pt de la Rép. Départements* 40. Municipalité de Bucarest. *Villes* 237 (260 en 93). *Communes* 2 705 (2 688 en 93). *Villages* 13 123 (prév. 6 000 ?). **Statut depuis 1990.** République. Constitution 21-11-1991, approuvée par référendum 8-12-1991 (77,3 % oui). **Pt** élu au suffrage universel pour 4 a. **Sénat** 143 membres. **Assemblée** 328 m. **Fête nat.** *1-12* (union de tous les R. en un seul État en 1918). **Drapeau** (1948). Modifié 1965 : bandes bleue à la hampe, jaune et rouge (couleurs de Moldavie et Valachie) ; emblème ressources nat. avec étoile comm. (enlevé lors de la révol.).

Partis P. Démocrate (nom pris 29-5-93) par FSN *(Front de salut national)* f. déc. 1989, 500 000 m., Pt Petre Roman (n. 1946). *P. social-démocrate,* f. 1893, Pt Sergiu Cunescu. *P. national libéral,* f. 1875, Pt Mircea Ionescu-Quintus (n. 20-3-1915). *P. national paysan,* f. 1926 fusion du P. paysan fondé 1918 par Ion Mihalache (1882-1965) et du P. national r. de Transylvanie, Pt Corneliu Coposu (n. 20-5-1916). *Union démocratique des Magyars de R.* (UDMR), f. 1990, Pt Marko Bela dep. janv. 93, 600 000 m. *P. socialiste du travail* (PST), ex-PC roumain [f. 8-5-1921 (*membres : 1944* 800 000, *1987* 3 800 000)], f. nov. 1990, Pt Ilie Verdet, 400 000 m. *P. de la démocratie sociale de R.* (PRSR) nouveau nom dep. 10-7-93. *Front démocratique de salut nat.* (FDSN), f. 30-4-1992, dissidents du FSN, Pt Ion Iliescu. *P. de la Grande Roumanie (Romania Mare)* (PRM), f. 1991, Pt Corneliu Vadim Tudor dep. 7-3-93. *P. de l'unité nat. roum.* (PUNR), Pt Gheorghe Funar. *Convention dém.*, alliance de 18 partis et associations d'opposition formée en 1992 pour les élections. *P. dém. agrarien des R.* (PDAR). *P. écologiste de R.* (PER).

■ **Élections. Présidentielles.** 27-9 et 11-10-92. *1er tour :* 11 898 856 suffrages exprimés. Ion Iliescu (FDSN) 47,60 %, Emil Constantinescu (Convention dém.) 31,24, Gheorghe Funar (PNUR) 10,88, Caius Traian Dragomir (FSN) 4,75, Ioan Manzatu (P. rép.) 3,05, Mircea Druc (indépendant) 2,75. *2e tour :* Iliescu 61,43 %, Constantinescu 38,57 %.

■ **Législatives. Sénat** et entre par. **Ass.** (27-9-92) FDSN 49 (117), PNT-CD 21 (42), FSN 18 (43), PUNR 14 (30), UDMR 12 (27), PAC 7 (13), PRM 6 (16), PSM 5 (13), PDAR 5, PNL-CD 4 (2), PNL-AT 1 (11), PSDR 1 (10), PER 0 (4), minorités 0 (13).

Premiers ministres. 1961 *mars* Ion Gheorghe Maurer (23-9-02). **73**-*26-3* Manea Mànescu (9-8-16). **79**-*30-3* Ilie Verdeţ (10-5-25). **82**-*21-5* Constantin Dàscàlescu (2-7-23) écarté à la suite de la révolution de 89, démissionne 22-12-89. **90** *janv.* Petre Roman (22-6-1946), fils de Walter Roman († 1983), m. du Comité central, créateur de la Securitate. **91**-*16-10* Theodor Stolojan (23-10-1943). **92**-*4-11* Nicolae Vacaroiu (5-12-43).

■ Économie

PNB (91). 2 700 $ par h. En 1992, 400 000 sociétés privées contribuent à env. 25 % du PIB. **Croissance** (90) – 15 %. **Pop. active** (%, entre parenthèses part du PNB en %) agr. 27 (20), ind. 39 (45), services 29 (20), mines 10 (15). **Chômage** (fin 1991) 400 000 à 500 000 ; (déc. 92) 1 089 619 (9 %). **Productivité** (88) 2,1 %. **Inflation** (%) *1988 :* 0 ; *89 :* 0 ; *90 :* 10 ; *91 :* 200 ; *92 :* 200. **Dette extérieure** (milliards de $) *1976 :* 2,7 ; *81 :* 10,5 ; *85 :* 7 ; *88 :* 3 ; *89 :* 0 ; *92 :* 2,05. *En 1987 :* 2,9 % du PNB a servi à rembourser la dette ; *88 :* 6,3 %.

Situation économique. 1989 Part du secteur d'État (%) industrie 99,7 ; forêts 100 ; agriculture (selon la sup. agricole) 90,7 ; transports de voyageurs 100 ; commerce extérieur, banques, assurances 100. **1991** début de privatisation (agriculture et services). Investissements en baisse de 26 %, productivité de 13,3 % et PIB de 13,7. Fuite des cerveaux (20 000 ?). En 1992-93, sur 6 300 entreprises privatisables, 15 vendues. 1-5-93 libération des prix, suppression des subventions aux produits de base. Coût estimé de la g. du Golfe : 3 milliards de $. **Investissements étrangers** (90) : 1 500 entreprises créées pour un montant de 150 millions de $, dont All. 22,4, Italie 16, P.-Bas 11, Grèce 10, Suisse 9, *France 6.* **Salaires** (4-5-93) min. 28 950 lei (251 F), en nov. 92 28 456, moyen 57 000 (494 F).

Agriculture. *Terres* (milliers d'ha, 91) SAU 14 798,3 dont arables 9 423,5, cult. 9 197,3, pâturages 3 309,8, forêts 6 253, eaux 903,64, divers 1 481 (90). *Arables* (%, 91) : céréales à grains 65,77 ; plantes fourragères 16,88 ; pl. industrielles 9,91 ; p. de terre 2,55 ; légumes 2,12 ; melons 0,52 ; légumineuses 0,88 ; autres 1,37. *Irriguées* 3 197 171 ha (91). Propriété privée 5 000 m² min. 28,3 % des t. agr. sont en propriété privée (69,8 % en 91). 411 entreprises agr. d'État avec 2 092 700 ha ; 3 172 coopératives agr. de prod. avec 8 963 700 ha ; 573 entr. pour la mécanisation de l'agr. (89) 28,5 % de la pop. active. *Céréales* (production en millions de t) : *1980 :* 20, *88 :* 19, *89 :* 18 (60 selon Ceauşescu), *90 :* 17,6, *91 :* 19,3, *92 :* 12,3. 60 % de la prod. était exporté vers URSS. *Production* (91) blé et seigle 5,5, orge 2,9 maïs 10,4, bett. à sucre 4,7, p. de terre 1,8, tournesol 0,6, raisins 0,8, lin et chanvre 0,7, légumes 2,2, fruits 1,1, vin. **Forêts** (91) 15 287 000 m³. **Élevage** (millions, 92). Moutons 14, volailles 106, porcs 10,9, bovins 4,3. **Pêche** (91). 113 600 t.

Énergie. Charbon (millions de t) *1990 :* 40,8 ; *91 :* 35,2 dont lignite 27,9 (*réserves lignite* : 3 860). **Pétrole :** exploité dep. 1857 (en millions de t) : *réserves* 130 ; *prod. 1921 :* 1,1, *30 :* 8,4, *84 :* 11,5 ; *89 :* 9,2 (38 consommés) ; *90 :* 7,9 ; *91 :* 6,8. **Gaz** (milliards de m³, exploitation ind. du méthane dep. 1857) : *réserves* 120 ; *prod. 1984 :* 40 ; *87 :* 25,3 ; *88 :* 36,8 ; *89 :* 32,9 ; *90 :* 28,3 ; *91 :* 24,8. **Électricité** 56,9 milliards de kWh (91) [60 % d'origine nucléaire]. **Mines** (milliers de t, 91). *Sel* 3 255, *fer* (métal) 1 461. **Industrie** (milliers de t, 91). Acier 7 110, laminés 5 161, fonte 4 525, aluminium 167, caoutchouc synthétique 55, pétrochimie. Tracteurs 22 453, véhicules auto. 84 000 dont tout terrains 10 000.

Transports (km, 91). *Routes* 72 816 dont 16 905 modernisés, *chemins de fer* 11 365 (électrifiés 3 680). *Principaux ports :* Constanţa, Mangalia, Sulina (maritimes) ; Giurgiu, Drobeta-Turnu Severin, Călărasi, Brăila, Galaţi, Tulcea (fluviaux). **Tourisme.** *Visiteurs :* 5 359 000 (91). *Régions :* Bucarest, mer Noire, vallées de la Prahova, de l'Olt, monastères au N. de la Moldavie, delta du Danube, le Maramureş, Mts Apuseni, N. de l'Olténie, Transylvanie, Dobroudja, Carpates.

Commerce (en milliards de lei, 91). **Exp.** 323,7 *dont* (%) métaux communs et art. de métaux communs 15,38, prod. minéraux 14,32, mach. et appareils 13,32, mat. de transp. 9,8, prod. chim. 6,9, divers 9,5 *vers* ex-URSS 73,2, All. 38,1, P.-Bas 18,2, It. 17,7, *France 13,7.* **Imp.** 432,4 *dont* (%) prod. minéraux 48,18, mach. et app. 13,06, prod. chim. 7,5, prod. végétaux 6,8, prod. alim., boissons et tabac 6,57 *de* ex-URSS 74,3, All. 45,1, Iran 34,1, It. 19,8, Arabie S. 17,7, Égypte 17,2, *France 15,2.* **Balance commerciale** (en milliards de $) *1988 :* + 4, *90 :* – 1,2 ; *91 :* – 1,35 ; *92 :* – 0,938.

Rang dans le monde (91). 9e gaz. 10e maïs, lignite. 12e p. de terre, porcins. 14e réserves de lignite. 15e blé, orge. 17e ovins. 19e céréales.

■ Royaume-Uni

Carte p. 1113. V. légende p. 884.

■ Géographie

Situation. Europe. Archipel de 244 157 km² (dont G.-B. séparée du continent vers 7000 av. J.-C. 229 983 ; 3 218 km² eaux intérieures). *Longueur* 960 km, *largeur max.* 480 km. Aucun point du pays n'est à plus de 120 km de la mer ou d'un cours d'eau remonté par la marée. **Alt. max.** *Angleterre :* Scafell 978 m. *Écosse :* Ben Nevis 1 342 m. *Galles :* Snowdon 1 085 m. **Plus longues rivières** (en km) : Severn 354, Tamise 346, Trent 298, Aire 259, Great Ouse 230, Wye 217, Tay 188, Nene 161, Clyde 159, Spey 158. **Plus grands lacs** (en km²) : Lough Neagh 381,74, Lower Lough Erne 105,08, Loch Lomond 71,22, Loch Ness 56,64 (long. 36 km, prof. max. 213 m, connu pour son « monstre », voir Index.), Loch Awe 38,72, Upper Loch Erne 31,73, Loch Maree 28,49, Loch Morar 26,68, Loch Tay 26,39, Loch Shin 22,53. **Plus grandes chutes d'eau** (en m) : Eas Coul Aulin 201, Chutes de Glomach 113, Pistyll y Lyn 91, Pistyll Rhaeadr 73, Ch. de Foyers 62,5, de la Clyde 62,2, de la Bruar 61, Caldron Snout 61, Grey Mare's Tail 61, Ch. de Measach 46.

Régions. 1°) N. (au N.-O. d'une ligne Exeter-Newcastle) : massifs très anciens, morcelés en blocs par des effondrements et travaillés par les glaciers (cirques, vallées en auge, firths, profonde pénétration de la mer) ; prolongé vers N.-O. et N. par des archipels : Hébrides, Orcades (Orkney) [dont Mainland la + grande et Unst la + au N.]. Shetland, subdivisé en 3 sous-régions (du N. au S.) : Hautes Terres du N. (Highlands) ; Basses Terres (Lowlands), couloir d'effondrement ; Hautes Terres du S. (Southern Uplands). **2°) O. et S.-O :** massifs anciens peu élevés : a) moitié N. : chaîne Pennine, orientée N.-S., alt. max. Cross Fell 893 m ; b) moitié S. : 2 chaînes orientées E.-O. : Galles, Cornouailles ; c) dépressions : plaine du Cheshire (entre Pennine et Galles) ; golfe de Bristol (entre Galles et Cornouailles). **3°) E. et S.-E :** bassin sédimentaire de Londres : terrains secondaires en pente vers l'E. (drainés par la Tamise). 3 sous-régions : plaine argileuse au centre ; côtes calcaires de l'O. (Costwold Hills, jurassiques ; Chiltern Hills, crayeuses) et de l'E. (les Downs crayeuses, à pic sur la mer).

Climat. Océanique froid (à la limite des masses d'air polaires). La côte orientale, abritée des vents d'O. par les montagnes, est plus « continentale », gelées hivernales, chaleurs d'été, 550 mm de pluie. **Ensoleillement moyen annuel** N. : 1 000 h ; S. : 1 600 h. **Temp. moy.** 4,4 °C janvier, 15,6 ° juill. [à Lerwick (Shetland) 4 ° déc., janv., févr. ; 12 ° juin, juill., août : Wight, 5 ° hiver, 16 ° été]. *Endroits les plus chauds :* St-Hélier (Jersey) 11,9 (moy. ann.), Penzance et îles Scilly (ou Sorlingues, Cornouailles) 11,5 ° ; *les plus froids :* Bracmar (Aberdeenshire) 6,5 ° ; **Pluies** 200 j par an (Angl. 854 mm ; îles 1 016 mm dont Mts Snowdon et Ben Nevis 5 080 ; S.-E. de l'Angl. 508) ; *le plus sec :* Stretham (île d'Ely).

■ Démographie

Population (en millions). *1750 :* 7,5 ; *1801 :* 11,9 ; *1811 :* 13,4 ; *1821 :* 15,5 ; *1841 :* 20,2 ; *1861 :* 24,5 ; *1871 :* 27,4 ; *1891 :* 37,7 ; *1901 :* 41,4 ; *1911 :* 42,1 ; *1921 :* 44 ; *1931 :* 46 ; *1951 :* 50,2 ; *1961 :* 52,7 ; *1971 :* 55,5 ; *1991 :* 55,5. **Pop. urbaine** 92 % (40 % dans des villes de + de 1 000 000 h.) (sans îles de Man et de la Manche). D 236,7. **Age** – *de 15 a.* 19,2 %, + *de 60 a.* 20,7 %.

Émigration. De 1820 à 1913 env. 10 000 000 d'h. vers les pays de langue angl. *Moyennes annuelles (millions) : 1913 :* 389 ; *1920-22 :* 219 ; *23-30 :* 155 ; *31-38 :* 30 ; *47-54 :* 143 ; *55-79 :* 200 dont, *vers USA* (%) : *1912 :* 70 ; *19 :* 7 ; *23-30 :* 74 ; *31-38 :* 81 ; *47 :* 81 ; *54 :* 87. *88 :* 237 ; *89 :* 205 ; *90 :* 231.

Immigration. Moyennes annuelles (en milliers) *1923-30 :* 58, *31-38 :* 54, *47-54 :* 66, *60 à 62 :* 338, *85 :* 232, *86 :* 250, *87 :* 212, *88 :* 216, *89 :* 250, *90 :* 267 *dont* du Commonwealth 111 (Australie 29, N.-Z. 18, Bangladesh, Inde et Sri Lanka 13, Afrique 15, Pakistan 9, Canada 7, Caraïbes 7), CEE 37, USA 18, Amér. latine 11. **Étrangers** (en milliers, 90) 3 500 dont 969 d'origine européenne, non-Européens (85) Inde 790, Antilles-Guyane 510, Pakistan 350, Chine 160, Afrique 92, Bangladesh 83, Arabes 69. **Non-blancs** *1989* (officiellement) 2 600, *1991 (est.).* 4 000 (dont Indiens 729, Jamaïquains, Trinidadiens et Antillais 482, Pakistanais 433, Chinois 132, Bangladais 112). **Demandeurs d'asile** (en milliers) *1988 :* 5, *90 :* 30, *91 :* 46. **% des immigrés dans quelques villes** (82) Londres 29 [47 % de couleur], Birmingham 15, Coventry 9,5, Manchester 7,8, Glasgow 2,5. **Législation** *1948,* tout citoyen du Commonwealth a droit d'entrée en G.-B. (le C. est alors composé principalement d'États blancs). Ils jouissent des mêmes droits que les Brit. : allocations familiales, Séc. soc., égalité de salaire, droit de vote (parfois, priorité pour le logement). *1962,* loi permettant de limiter l'entrée des ressortissants du C. incapables de subvenir à leurs besoins ou sans emploi. *1968,* loi étendant le contrôle de l'immigration aux citoyens du R.-U. et de ses colonies sans liens étroits avec lui (d'une manière générale, ceux qui ne sont ni nés, ni naturalisés, ni adoptés, ni inscrits au R.-U. ou dont aucun parent ou grand-parent ne l'a été). *1971,* entrée possible des personnes à charge ou ayant liens de parenté avec des immigrés déjà installés. *1973 (30-1)* droit de s'installer librement en G.-B. étendu aux cit. du Commonwealth « blancs » ayant 1 grand-parent cit. brit. (avant : père ou mère). *1976,* loi contre la discrimination raciale ; la CRE (Commission pour l'égalité raciale), chargée de veiller à son application, est devenue un groupe d'action anti-Blancs et sa suppression a été demandée en juin 1980. *1983,* 3 catégories de citoyenneté : brit., citoy. des territoires sous administration brit. et brit. d'outre-mer [4 millions concernés (de Hong Kong et de Malaisie d'origine chinoise) ; la nationalité ne confère pas le droit de résider en G.-B.]. *1990-19-4* Parlement attribue passeport brit. à 50 000 chefs de famille de Hong Kong (env. 225 000 personnes).

Taux annuels (‰ de la pop.). Natalité *1861-80 :* 35,3 ; *1881-1900 :* 31,2 ; *1901-10 :* 27,2 ; *10-14 :* 24,2 ; *35-39 :* 14,9 ; *40-45 :* 15,6 ; *46-50 :* 18 ; *51-55 :* 15,3 ; *64 :* 18,8 ; *74 :* 13,3 ; *80 :* 13,5 ; *82 :* 12,8 ; *90 :* 13,9. **Mortalité** *1851-60 :* 23,3 ; *1901-10 :* 16 ; *21-30 :* 12,1 ; *80 :* 11,8 ; *90 :* 11,2. **Accroissement** 0,84.

Prénoms les plus fréquents : *filles :* Alice, Charlotte, Sophie, Emma, Emily, Lucy, Katherine, Harriet, Alexandra, Sarah. *Garçons :* James, Thomas, William, Alexander, Edward, Charles, Oliver, Nicholas, Christopher, Henry/Robert. **Noms les plus fréquents :** Smith, Jones, Williams, Brown, Taylor, Davies/Davis, Evans, Thomas, Roberts, Johnson.

Langues. Anglais (*off.* dep. 1399). **Brittonique** [Gallois (Welsh) 21 % du pays de Galles, Cornouaillais (Cornish) quelques centaines]. **Écossais** 88 000 (Highlands et rég. côtières de l'O.) [en 64]. Au pays de Galles, le « Welsh Language Act » affirma en 1967 l'égalité des l. anglaise et galloise dans la conduite de la justice et des aff. publiques. **Irlande du N. :** quelques familles parlent le « gaélique » irlandais. **Île de Man** et **Cornouailles :** le celte n'a plus qu'un intérêt culturel. **Îles anglo-normandes :** un patois normand-français subsiste. *A Jersey,* le français est la l. off., mais l'angl. domine dep. 1945. *A Guernesey,* l'angl. est utilisé dans presque toutes les procédures offic. L'argot londonien est le cockney.

Histoire de l'anglais. : *VIe-VIIe s.* les conquérants anglo-saxons introduisent la langue germanique occidentale (81 % du vocabulaire quotidien est germ.) en G.-B. celtophone. *XIe-XIVe s.* la noblesse normande introduit le dialecte d'oïl normand-picard (important vocabulaire, simplification de la syntaxe, transformation de l'orthographe et de certains sons) ; le clergé introduit des mots savants empruntés au latin. *Après le XVe s.,* anglais moderne : la prononciation se différencie des sons germaniques [multiplication des voyelles (longues, brèves, diphtonguées, entravées, non entravées, accentuées, atones), due aux influences française et celtique (l'accent tonique reste plus fort qu'en allemand)]. Fusion des vocabulaires germanique et latino-fr. (des préfixes et suffixes latino-fr. sont adaptés). Plus de 100 000 mots non germaniques existent en anglais moderne, mais en dehors des termes courants.

Celtiques : 1°) *Le goïdel,* introduit en Irlande et en Écosse v. 1700 av. J.-C. et formant un groupe à part (irlandais, mannin, gaélique d'Écosse) ; langue indo-européenne ayant gardé le *kw* primitif (réduit actuellement à k). 2°) *Le brittonique* (cornouaillais et gallois), dit improprement gaélique, du même groupe que les langues gauloises (où le *kw* de l'indo-europ. est devenu un p). Exporté en Armorique (Bretagne) aux VIe et VIIe s., proche des parlers bretons.

Religions [membres par communauté en milliers (85)]. **Chrétiens :** *anglicans* (voir index) 7 323 dont *protestants* 5 008 : épiscopaliens 2 058, presbytériens 1 483, méthodistes 485, baptistes 226, divers 756, *catholiques romains* 2 315. **Églises non trinitaires :** 349 dont mormons 102, témoins de Jehovah 92, spiritualistes 53, scientologistes 45, christadelphiens 20, scientistes 14, unitariens 9, théosophes 5, divers 9. **Autres religions :** sikhs 175, hindous 140, musulmans 900 à 2 000, juifs 111, Krishna 50, bouddhistes 20, mouvement Ahmadiyya 12, École de la méditation 6, divers 110.

Nota. – Dep. le 1-9-1990, le Conseil des Églises pour la G.-B. et l'Irlande remplace le Conseil brit. des Églises et les catholiques en font partie.

Un « Parlement musulman » a été créé en oct. 1991 (1re réunion 4/5-1-92) et reconnu par une partie des musulmans de G.-B. 2 chambres. 150 m. désignés par 40 groupes. *Leader :* Dr. Kalim Siddiqui, directeur de l'Institut musulman de Londres. Veulent que les 90 écoles privées islamiques reçoivent les mêmes aides que les écoles anglicanes ou juives, sinon désobéissance civile.

Statistiques cathol. *Angleterre* 5 provinces, 21 diocèses, 45 évêques, 2 666 paroisses. *Écosse* 1 province, 8 diocèses, 9 évêques. Pratiquant (allant à la messe au moins une fois par mois) : 45 % ; ne pratiquant pas : 30 %. 66 % des mariages cath. se font avec des non-cath.

Histoire

Période préceltique. Nombreuses colonies d'*Ibères* venus d'Espagne et de *Ligures* venus des régions rhénanes ou des côtes S. de la Manche. **1700 av. J.-C.** des *Celtes, Goidels* et *Pictes* débarquent dans le S.-E. Les Goidels colonisent l'Irlande, puis une de leurs branches, les Scots, occupent l'Écosse ; les Pictes développent en G.-B. la civilisation du Bronze. **Entre 500 et 300 av. J.-C.** *les Bretons* (civilisation de La Tène) développent l'agriculture ; langue gauloise. *Principales tribus :* Brigantes (York), Ordovices (Chester), Iceni (Fens), Dobuni (Devon), Domoni (Cornouailles), Cornovii (Galles). **V. 200 av. J.-C.** débarquement de tribus *belges :* Cantii (Kent), Durotriges (Dorchester), Silures (S.-Gallois), Catalauni (Chiltern Hills), Trinobantes (Colchester). **55 av. J.-C. à 410 apr. J.-C.** **Période romaine.** César ne fait que 2 raids rapides en *55 et 54 av. J.-C.* (combats contre les Cantii). Conquête systématique **après 43 apr. J.-C.** (Claude). **78-85** gouvernement d'Agricola. **130** mur d'Hadrien (long. 112 km ; de la Tyne à la Salway : rempart continu, avec fossé et forts détachés, au N.). **138** mur d'Antonin [130 km plus au N., de la Forth à la Clyde (58 km), avec 19 forteresses isolées.] **304** martyre de St Alban. *Principales cités :* Eburacum (York), Camulodunum (Colchester), Londinium (Londres), Aquae Sulis (Bath), Venta Belgarum (Winchester), Dubris (Douvres). **430** début des *invasions : Angles, Saxons* et *Jutes* se répandent dans l'île à partir des côtes E. et S.-E. **446** dernier appel des Celtes à l'aide romaine (pas de réponse) ; Celtes refoulés vers p. de Galles, Cornouailles et Cumberland. *Heptarchie* (7 roy.) : Wessex, Essex, Sussex (Saxons), Kent (Jutes), Est-Anglie, Mercie, Northumbrie (Angles) unifiés par Egbert. **597** début de l'évangélisation (St Augustin).

■ **Rois saxons. 802 Egbert** (v. 775-839) roi de Wessex puis de toute l'Angleterre. **839 Ethelwulf** († 858) s. f. **858 Ethelbald** († 860) s. f. **860 Ethelber** († 866) 3e f. d'Ethelwulf. **866 Ethelred Ier**, St († 871) 4e f. d'Ethelwulf. **871 Alfred le Grand** (v. 848-901). **899 Édouard l'Ancien** († 924) s. f., roi du Wessex. **925 Athelstan** (895-940) s. f. **939 Edmond Ier** (v. 922-assassiné 946) 3e f. d'Édouard l'Ancien. **946 Edred** († 955) 4e f. d'Éd. l'Ancien. **955 Edwy** (940-59) f. d'Edmond. **959 Edgar le Pacifique** (944-75) 2e f. d'Edmond. **975 Édouard le Martyr** (962-assassiné 18-3-978 au château de Corfe) s. f. **979 Ethelred II** (968-1016) s. fr. **1016 Edmond II Côtes de Fer** (v. 988-1017) s. f.

■ **Rois danois. 1017-42 1017 Canute le Danois** (995-1035) roi par conquête et élection. **1035 Harold Ier** (1017-40) s. f. illégitime (lutte de 1035 à 37 avec Hardicanute) élu. **1040 Hardicanute** (1018-42) f. de Canute. **1042 Édouard le Confesseur**, saint (v. 1002-5-1-1066), fils d'Ethelred II, par sa mère Emma petit-fils de Richard Ier duc de Normandie, demi-frère d'Hard. **1045** ép. la fille du comte Godwin. Antagonisme entre son entourage normand et la noblesse saxonne groupée autour de Godwin. **1051** Godwin banni, semble avoir promis sa succession à Guillaume, duc de Normandie, quand celui-ci est en voyage en Angleterre, mais choisit comme successeur Harold, fils de Godwin. **1064** Guillaume fait prisonnier Harold qui a fait naufrage sur la côte normande, le relâche contre la promesse qu'il le soutiendra. **1066 Harold II** (1022 ?-Hastings 1066) beau-fr. d'Edeverd.

■ **Maison de Normandie. 1066 Guillaume Ier le Bâtard** ou **le Conquérant** [Falaise ? v. 1027-Rouen 7-10-1087, f. illégitime du duc de Normandie Robert Ier le Diable et d'Arlette (fille d'un peaussier de Falaise)]. *-29-9* débarque à Pevensey (Sussex). *-14-10* bat Harold à Hastings. *-25-12* couronné à Westminster. **V. 1070** début construction de Windsor. **1072** force Malcolm III, roi d'Écosse, à lui rendre hommage. **1082** G. Ier ép. Mathilde de Flandres. **1087** révolte Normandie : Robert II Courteheuse allié à Philippe Ier roi de Fr. Guillaume blessé à Mantes meurt à Rouen le 7-9. **1087 Guillaume II le Roux** (v. 1056-1100) 3e f de G. **1089** bat à Rochester son frère Robert II qui lui dispute le trône. **1096** prend la Normandie quand Robert est en croisade, après lui avoir engagé le duché pour 10 000 marcs d'or. Exactions fiscales, conflit avec St Anselme et l'Église. **1100**-*2-8* tué accidentellement à la chasse par W. Tyrel. **1101 Henri Ier Beauclerc** (1068-1-12-1135 ; 4e fils de G. Ier. Ép. Mathilde d'Écosse, puis Adèle de Louvain, 24 enfants) prend le trône quand son frère aîné Robert II est en croisade. **1101** R. II envahit l'Angl., repoussé. **1105** H. Ier tente de prendre Normandie. **1106**-*28-9* bat R. II à *Tinchebray* (R. II mourra en prison à Cardiffen 1134). Donne une charte à ses barons. **1107** conflit avec St Anselme sur investitures. **1135 Mathilde** (1102-Rouen 10-9-1167) ; fille d'H. Ier, ép. 1°) *1114* Henri V (1081-1125), emp. allemand ; 2°) *1128* Geoffroy Plantagenêt (1113-51).

1135 Étienne de Blois Cte de Boulogne (1097-oct. 1154) 3e fils d'Étienne, Cte de Blois et d'Adèle, f. de G. Ier. Ép. Mathilde de Boulogne, usurpe le trône de Mathilde. **1141** Mathilde, aidée des Angevins et de son frère naturel Robert (v. 1090-1147), Cte de Gloucester, prend Étienne. **1147** Gloucester meurt et Étienne remonte sur le trône. **1135** Eustache, son fils unique meurt ; Ét. reconnaît pour héritier le fils de Mathilde (futur Henri II).

■ **Maison des Plantagenêts. 1154 Henri II** (Le Mans 5-3-1133-Chinon 6-7-1189), [fils de Geoffroy Plantagenêt et de Mathilde. *1150* duc de Normandie. *1151* Cte d'Anjou. *1152* duc d'Aquitaine par son mariage avec Aliénor d'Aqu. (divorcée 21-3-1152 du roi de Fr. Louis VII)]. **1154** roi d'Angleterre. **1164** *Constitutions de Clarendon* restreignant la juridiction des tribunaux ecclésiastiques ; opposition du conseiller royal Thomas Becket, archevêque de Cantorbery (assassiné 1170 par des gentilshommes croyant qu'H. II voulait sa mort). **1171** Irlande conquise ; nombreuses rébellions encouragées par la reine et son fils, Jean sans Terre (en 1188-89), et par Philippe Auguste, le roi de Fr. H. II meurt de chagrin.

1184 Richard Ier Cœur de Lion (8-9-1157-6-4-1199), 3e fils d'H. II. Élevé en Poitou et Aquitaine, ne passe jamais une année complète en Angl., d'une force extraordinaire. **1189-90** prépare une croisade. **1191** prend Chypre. Ép. Bérengère de Navarre (sans postérité). *-13-7* prend St-Jean-d'Acre. *-7-9* bat Saladin à Arsuf. *Déc.* et *été* **1192** échoue devant Jérusalem. *Août* trêve de 3 ans conclue avec Saladin (Jérusalem reste musulmane, mais les Chrétiens peuvent y venir en pèlerinage). **1193** *mars* fait prisonnier et livré à l'empereur Henri VI, importante rançon. **1194** *mars* rentre en Angl., Gautier de Coutances remplace le régent Guillaume Longchamp. **1198**-*28-9* bat Philippe Auguste à Courcelles et lui impose une trêve. **1199**-*6-4* tué par une flèche au siège de Châlus (Limousin), enterré à Fontevrault.

1199 Jean Sans Terre (24-12-1167-19-10-1216) [5e fils d'H. II, ép. Isabelle de Gloucester puis I. d'Angoulême ; préféré d'Aliénor sa mère, paresseux, débauché. Ne reçoit pas d'apanage. *1189* soutient Richard Cœur de Lion contre H. II. *1193* prend le pouvoir en Normandie avec la complicité de Philippe Auguste pendant la captivité de Richard en All., Richard étant libéré, achète son pardon en trahissant les Français et en massacrant la garnison fr. d'Évreux]. **1199** *avril* prend le titre de roi au détriment d'Arthur de Bretagne, fils de son frère aîné Geoffroy, soutenu par Philippe Auguste. **1200** épouse Isabelle d'Angoulême, fiancée à Hugues de Lusignan ; grand seigneur du Poitou. Celui-ci avec de nombreux seigneurs poitevins excédés fait appel à leur suzerain, Phil. Auguste. Jean condamné pour usurpation par la cour des pairs de France et dépouillé de ses fiefs fr. (Normandie, Anjou, Maine, Touraine, Poitou). **1202** Jean s'empare de son neveu Arthur à Mirebeau près d'Angers. **1203** Arthur est assassiné à Rouen (étranglé par Jean, ivre ?). **1204** Philippe Auguste prend Château-Gaillard puis Rouen ; la Normandie, le Maine, l'Anjou, la Touraine, le Poitou. **1208**-*23-3* Innocent III jette l'Interdit sur le royaume, car Jean refuse la nomination d'Étienne Langdon comme archev. de Canterbury. **1209** excommunié, confisque les biens du clergé. **1213** le pape autorisant Philippe Auguste à conquérir l'Angl., Jean capitule. *Convention de Douvres,* se déclare vassal du St Siège et retrouve son fief. **1214** expédition avec l'empereur germanique Otton IV contre Philippe Auguste. Otton est écrasé à Bouvines. Jean est mis en fuite à La Roche-aux-Moines en Anjou. **1215**-*24-5* barons révoltés occupent Londres. *Juin* le roi doit accepter la *Grande Charte.* **1216** barons donnent la couronne à Louis, fils de Philippe Auguste.

■ **Maison des Capétiens. 1216 Louis** (5-9-1187/8-11-1226), f. de Philippe II Auguste (futur Louis VIII). **1216** *mars* appelé par des barons anglais, occupe le S. de l'Angl. ; sans être sacré roi à Londres, qu'il détenait, se fait prêter serment. **1217** battu à Lincoln ; tr. de Kingston, renonce à ses droits contre forte somme.

■ **Maison des Plantagenêts. 1217 Henri III** (1-10-1207/16-11-1272), petit-fils d'H. II, **1216** roi à la mort de son père Jean sans Terre, régence de Guillaume, duc de Pembroke, qui élimine le prétendant fr. Louis et soumet les barons. Ép. Éléonore de Provence. **1242** renvoit son conseiller Hubert de Burgh. Ne peut réussir à reprendre les domaines fr. enlevés à Jean sans Terre, battu à *Taillebourg* et *Saintes.* Essaie de placer son fils Edmond, duc de Lancastre, sur le trône de Sicile. **1258** *Provisions d'Oxford* (réformes imposées) par les barons dirigés par Simon de Montfort. **1259** *tr. de Paris* conserve littoral de Gascogne. **1261-65** H. III refuse de les appliquer. *Guerre des barons.* **1264** Simon de Montfort vainqueur des troupes royales à *Lewes,* contrôle de gouv., le roi doit confirmer la *Grande Charte.* **1265** *janv.* convocation du parlement (bourgeois représentés pour la 1re fois). *Août Evesham,* Montfort tué, pouvoir assumé par le futur roi Édouard.

1272 Édouard Ier (17-6-1239/7-7-1307), fils d'H. III. **1265** met fin à la révolte des barons. Ép. Éléonore de Castille. **1277-83** soumet Pays de Galles. **1290**-*12-7* expulse Juifs sous 3 mois. **1297** trève avec France. Ed. Ier ép. Marguerite, sœur de Philippe le Bel. G. pour soumettre l'Écosse. **1298** *Falkirk,* victoire royale. **1300** nouveau soulèvement, il ravage le pays, Wallace livré au roi et tué en 1305.

1307 Édouard II dit E. de Carnavon (25-4-1284/21-9-1327) fils d'Ed. Ier ; faible, débauché, homosexuel. 1er héritier à porter le titre de P^{ce} de Galles, ép. Isabelle de France (1295-1358), fille Philippe le Bel). **1314** perd l'Écosse après défaites de *Bannockburn* et *Blackmor* (1321), reconnaît Robert Bruce, roi d'Éc. **1325** reine Isabelle délaissée par Ed. s'enfuit en Fr. avec son fils. **1326** Reine Isabelle et son amant Roger de Mortimer (1287-1330) débarquent en Angl. aidés de son beau-frère Edmond, frère du roi. **1327** *janv.* Ed. abdique ; emprisonné, assassiné sur ordre d'Isabelle (fer rouge dans les entrailles).

1327 Édouard III (13-11-1312/26-6-1377), fils d'Ed. II, ép. Philippine de Hainaut. 1er roi à parler anglais). Proclamé roi du vivant de son père. **1327** Parlement se divise en 2 chambres (Lords et Communes). **1327-30** sous l'influence de sa mère et de Mortimer. **1330** pour venger son père, fait pendre Mortimer (29-11) dont les barons ne voulaient plus et enfermer sa mère dans un château fort (y mourra 28 ans + tard). **1333** vict. à *Halidon Hill* mais ne peut récupérer l'Écosse. **1337-96** *1re période de la g. de Cent Ans* [*1340* vict. nav. de l'Écluse, *1346* de Crécy, *1347* prise de Calais, *1356* de Poitiers, P^{ce} Noir fait prisonnier roi de Fr. Jean le Bon, *1359* tr. de Londres, *1360* tr. de Brétigny récupérant S.-O. fr. (confié au Prince Noir), *1396* Angl. conservent seulement Bayonne et Bordeaux]. **1348-49** *peste noire* tue 1/3 de la pop. (1 500 000 †), révoltes paysannes, agitation religieuse de John Wyclif. **1373** *tr. d'amnistie perpétuelle avec Port.* Anglais substitué au normand dans actes publics. **1349** créé ordre de la Jarretière.

1377 *juin* **Richard II** (6-1-1367/14-2-1400 ; fils du P^{ce} Noir [Édouard P^{ce} de Galles dit P^{ce} Noir à cause de la couleur de son armure (15-6-1330/8-6-1376) fils d'Éd. III 1363-72 P^{ce} d'Aquitaine] et de Jeanne de Kent. Ép. 1°) Anne de Bohême, 2°) 1396 Isabelle de France, fille de Charles VI ; sujet de la tragédie de Shakespeare, *Richard II.* Régence de son oncle Jean de Gand (1340-3-2-1399 ; 4e fils d'E. III duc de Lancastre). Soutenu par la noblesse, mais détesté par clergé et peuple. **1381-82** fiscalité oppressante (guerre en France, dépenses de la cour) : révoltes dont celles de John Ball et Watt Tyler. Progrès des lollards et du wyclefisme. **1383** départ de Jean de Gand. **1387** Henri de Lancastre (son fils) banni (biens confisqués 1399). **1388** départ de plusieurs favoris sous la pression de Thomas de Woodstock (1355-97 ; 7e fils d'Éd. III), duc de Gloucester et du parti des barons. **1397** *juill.* R. II fait arrêter 3 lords dont Gloucester qui est assassiné en prison (à Calais) (*9-9*). Nombreux lords emprisonnés ou bannis. **1399**-*4-7*

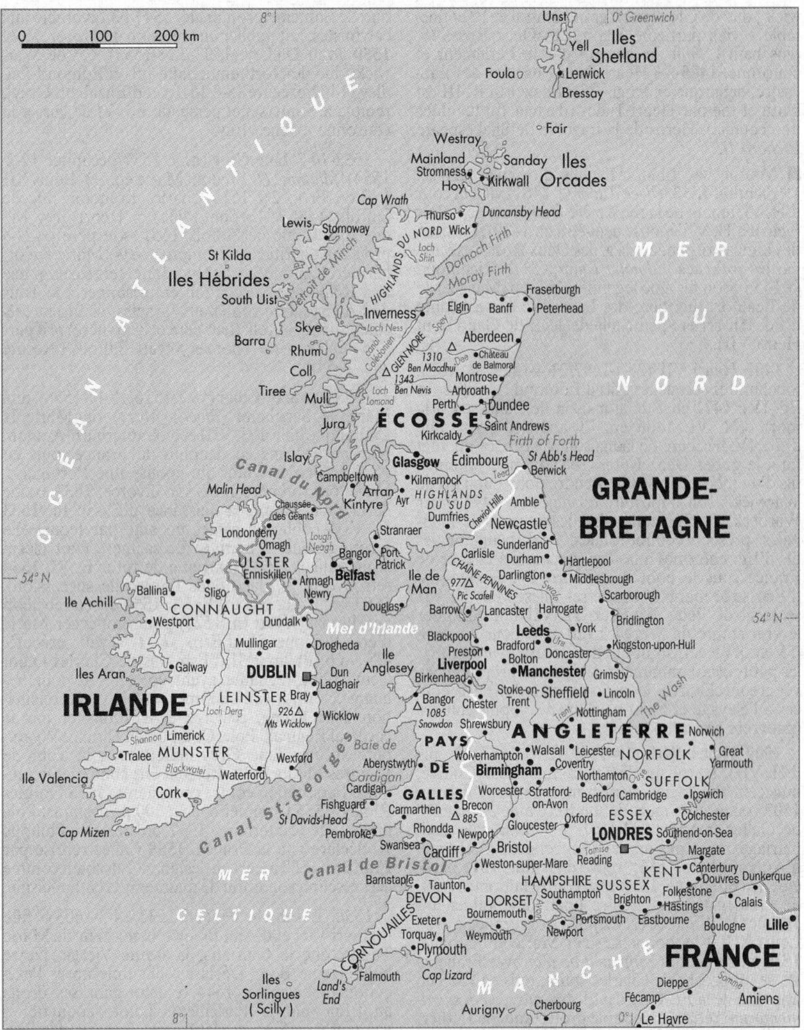

Henri de Lancastre, fils de Jean de Gand, débarque en Angl. pendant que R. II est en Irlande ; R. II doit abdiquer. Enfermé à la Tour de Londres, condamné à la détention perpétuelle, meurt 14-2-1400 au château de Pontrefact (assassiné sur ordre d'H. IV ? ou se laisse mourir de faim).

■ **Maison de Lancastre. 1399 Henri IV** [4-4-1367/20-3-1413 ; fils de Jean de Gand (4e fils d'Éd. III et de Blanche de Lancastre) ; ép. 1°) Marie Bohun, 2°) Jeanne d'Angleterre]. **1399**-*29-9* monte sur le trône. Assoit son pouvoir grâce à ses vict. sur Écossais, Gallois et Henry Percy (*Shrewsbury* 1403).

1413 Henri V (29-8-1387/31-8-1422) ; fils d'H. IV. Luttes contre le Gallois Owen Glendower et les Percy. Réprime l'agitation des Lollards. **1415** rouvre la g. de Cent Ans en affirmant ses droits au trône de France. Débarquement à Harfleur. *Oct.* vict. d'Azincourt. Conquiert Normandie avec l'appui d'Isabeau de Bavière et du duc de Bourgogne. **1420**-*21-5 tr. de Troyes* (approuvé 6-12 par les États généraux et janv. 1421 par le Parlement de Paris) qui lui donne pour femme (2-6) Catherine de Valois, fille de Charles VI (roi de Fr.), le titre de régent de Fr. et le désigne comme héritier à la place du dauphin Charles VII. Meurt prématurément. Héros du drame de Shakespeare *Henry V.*

1422 Henri VI (6-12-1421/21-5-1471), roi à moins d'un an, de 1422 à 61 et 70 à 71. Régence de ses oncles Humphrey duc de Gloucester (1391/13-2-1447), 4e fils d'H. IV) pour l'Angl. et Jean de Lancastre (20-6-1389/19-9-1435, 3e fils d'H. IV, duc de Bedford 1415) pour la France. **1428-29** échec des Anglais devant Orléans, mais succès de Bedford contre Charles VII. **1431**-*30-5* Jeanne d'Arc brûlée à Rouen. *-17-12* Henri VI sacré roi de France à Notre-Dame de Paris. **1445** ép. Marguerite d'Anjou qui détient le pouvoir après le début de la maladie mentale du roi. **1447** Gloucester arrêté, † en prison. **1450** duc de Suffolk tué. **1453**-*5-4* Richard « protecteur ». Fin de la guerre, les Angl. gardent Calais jusqu'en 1558. **1455-85** *G. des Deux Roses* (Blanche : maison d'York, Rouge : de Lancastre). Richard, duc d'York, petit-fils d'Edmond de Langley (5e fils d'Ed. III, titré duc d'York 1385), prétendant au trône d'Angl. en raison du mariage de son père Richard avec Anne Mortimer (arrière petite-fille de Lionel, duc de Clarence, et 2e fils d'Ed. III, alors que les Lancastriens descendent de Jean de Gand 3e fils d'Ed. III), veut gouv. au nom du roi et de son neveu Richard Neville Cte de Warwick (1428-71, dit le « Faiseur de rois »). *-22-5* St-Albans, H. VI battu par Richard d'York ; est fait prisonnier à Northampton. Richard se fait désigner comme son héritier. **1460**-*30-12* Wakefield : vict. reine Marguerite, Richard d'York tué. **1461**-*29-3* Towton, Édouard, fils de Richard d'York, bat Lancastriens, se fait couronner sous le nom d'Éd. IV. Reine se réfugie en France. **1464** Lancastriens battus à Hexham. **1465** H. VI fait prisonnier. **1467** Warwick perd son poste de chancelier et se réfugie en Fr. auprès de Louis XI. **1470** Warwick et reine Marguerite rentrent avec armée. H. VI rétabli. Éd. IV s'enfuit en Hollande. **1471**-*14-4* Barnet, Warwick battu et tué ; Tewkesbury, Marguerite battue (mai 1471), est enfermée à la Tour de Londres où H. VI est prisonnier (il y meurt assassiné ainsi que son fils Édouard).

■ **Maison d'York. 1471 Édouard IV** [28-4-1442/9-4-1483 ; fils de Richard, duc d'York ; ép. 1464 Elisabeth Woodville (1437-7 ou 8-6-1492, veuve de Sir John Grey of Graby, chevalier lancastrien)] dispute la couronne à H. VI (v. plus haut). **1475** débarque à Calais pour aider Charles le Téméraire contre la France ; Louis XI achète son départ. **1478** tue George, duc de Clarence, son frère accusé de haute trahison. A la fin de sa vie, laisse gouverner Jane Shore, sa favorite.

1483 Édouard V (2-11-1470/6-7-1483, fils d'Ed. IV). **1483** *avril* régence de son oncle Richard, duc de Gloucester. *Juin* Richard fait enfermer à la Tour de Londres Ed. IV et son frère, Richard, duc d'York (n. 1472), les fait déclarer de naissance illégitime (des prêtres déclarent qu'Ed. IV avait épousé Éléanor Butler avant d'ép. leur mère Elisabeth Woodville) et les fera assassiner par James Tyrell dans leur lit pendant leur sommeil.

1483 Richard III [2-10-1452/22-8-1485 ; fils cadet de Richard d'York ; ép. Anne Neville, fille de Warwick ; duc de Gloucester, grand amiral et 1er connétable à vie ; participe à la g. des Deux Roses (v. plus haut)]. *Juin* désigné roi par le Parlement et couronné. **1485**-*7-8* Henri Tudor, héritier des Lancastre, débarque en Angl. *-22-8* Bosworth R. III est battu et tué par Henri Tudor (dernier roi tué dans une bataille). Héros de la tragédie de Shakespeare *Richard III.*

■ **Maison des Tudors.** Famille d'origine galloise. 1re mention 1232. *Owen Tudor* († 1461) vit à la cour d'H. VI, amant de la reine mère Catherine de Valois (veuve d'H. V, l'épouse peut-être en 1429). Partisan des Lancastre pendant la g. des Deux Roses, exécuté par les yorkistes. *Edmond Tudor,* Cte de Richmond († 1456), son fils aîné légitimé 1453, ép. Marguerite de Beaufort, héritière des Lancastre (descendante d'Ed. III, arrière-petite-fille de Jean de Gand dont Henri VII).

1485 Henri VII (28-1-1457/21-4-1509, 1er roi à toucher des écrouelles ; fils d'Edmond ; s'exile sous Ed. IV). **1471** chef de la maison de Lancastre à la mort d'H. VI. **1486** ép. Elisabeth d'York, fille d'Ed. IV, héritière de la maison d'York, ce qui met fin à la g. des Deux Roses. **1487** Lambert Simnel, fils d'un menuisier, se fait prendre pour Édouard de Warwick : son imposture est déjouée. **1491** Peter Warbeck, fils d'un comptable des douanes de Tournai, se présente comme le duc d'York, benjamin des fils d'Ed. enfermés à la tour. Accueilli à la cour de France sous le nom de Richard IV. Jacques IV d'Écosse le marie à une de ses filles. Mais H. VII se saisit de Peter Warbeck. H. VII fait décapiter le vrai comte de Warwick (20 ans) pour... raison d'État. **XVIe s.** Institutions des clôtures *(enclosures) :* les pâturages communaux deviennent propriété privée et sont clôturés ; les petits paysans doivent renoncer à l'élevage et n'ont plus que des lopins cultivés (pauvreté générale).

1509 Henri VIII (18-6-1491/28-1-1547 ; 2e fils d'H. VII), 1er roi appelé « votre majesté ». Cultivé, musicien, théologien, parle français, espagnol, latin. **1509** roi après la mort de son frère aîné Arthur Pce de Galles (marié 14-11-1501, † 4 mois plus tard, mariage non consommé). *Juin* épouse Catherine d'Aragon (1485-1536), veuve d'Arthur. **1511** participe à la Ste-Ligue. **1512-13** g. contre la France (vict. de Guinegatte) et l'Écosse (vict. de Flodden où Jacques IV d'Écosse est tué). **1514** se réconcilie avec Louis XII et lui donne sa sœur Marie en mariage. **1520** entrevue du *Camp du drap d'or* avec François Ier, se rapproche de Charles Quint, puis en **1525** de nouveau de la Fr. **1521** dans l'*Assertio septem sacramentorum* réfute la doctrine protestante de Luther, *oct.* le pape Léon X lui donne le titre de « défenseur de la foi ». **1522** Ann Boleyn (v. 1507-36 ; avait 3 seins et 11 doigts ; dame d'honneur de la reine) devient sa maîtresse. **1527** ayant eu 5 enfants de Catherine d'Aragon (dont seule Marie Tudor survit), décide de divorcer et demande au pape Clément VII d'annuler son mariage, Catherine ayant été la femme de son frère. Le pape, prisonnier de Charles Quint (neveu de Catherine) refuse. **1529** *automne* H. VIII consulte universités européennes ; de nombreux avis favorables font pression sur le clergé brit. pour qu'il soit reconnu comme chef suprême de l'Église d'Angl. **1533**-*15-1* H. VIII ép. secrètement Ann Boleyn. *-23-5* Cranmer, nouvel archev. de Cantorbery, déclare son mariage avec Cath. d'Ar., invalide. Fait couronner Ann Boleyn. *-11-7* H. VIII excommunié par Clément VII. **1534** *Acte de suprématie* du Parlement, confirme le schisme de l'Église anglaise et retire au pape tout pouvoir religieux. H. VIII fait exécuter les catholiques fidèles au pape [Thomas More et Jean Fischer (1535)]. Dissout les monastères et confisque leurs biens (1536-39). **1536** union complète avec Pays de Galles. *-18-6* Ann Boleyn, accusée d'adultère (avec 5 personnes de la cour, dont son propre frère, condamnée à mort par tribunal où siège son père), exécutée. H. VIII ép. 19-6 *Jane Seymour* (n. 1509/ morte en couches 23-10-1537 après avoir donné naissance au futur Édouard VI).

1539 *Bill des 6 articles* (maintien de la totalité du dogme catholique sous menace de peines sévères). **1540**-*6-1* sur les conseils de Thomas Cromwell (v. 1485/28-7-1540, Cte d'Essex, lord du sceau privé, souhaite un rapprochement avec Pces luthériens ; ép. *Anne de Clèves* (22-9-1515/16-6-1557 ; répudiée juill. 1540, annulé 6 mois après) ; *juill.* H. VIII ép. secrètement *Catherine Howard,* décapitée pour adultère ainsi que 2 amants, un cousin et un secrétaire. **1542** vict. de Solway Moss contre Écossais. **1543**-*12-7* H. VIII ép. *Catherine Parr* (1512-7-9-1548, déjà 2 fois veuve, qui lui survit et se remarie en 1547 avec Thomas Seymour, frère de Jane). **1544-46** g. contre la France, prise de Boulogne. **1545** prise et incendie d'Édimbourg.

1547 Édouard VI (12-10-1537/6-7-1553), fils d'H. VIII et de Jane Seymour. **1547** roi sous la tutelle d'un conseil de régence dirigé par Edward Seymour, duc de Somerset, son oncle. **1547-53** favorable aux calvinistes, fait publier une révision du *Prayer Book.* **1550** John Dudley (1502/22-8-1553), Cte de Warwick, duc de Northumberland [fils d'Edmond Dudley (1462/exécuté 18-8-1510) et d'Elizabeth Grey], remplace Somerset et persuade Ed. VI de laisser la couronne à Jane Grey.

1553-*10-7* **Jane Grey** (n. v. 1537/décapitée 12-2-1554) [*filiation : H. VII* dont Marie ép. 1°) Louis XII (roi de Fr.) ; 2°) 1515 Charles Brandon, duc de Suffolk (1484-1545) dont 1 fille (ép. Henri Grey, Mis de Dorset, duc de Suffolk 1551, son père)]. *-21-6* proclamée héritière présomptive. *-19-7* Marie Tudor, héritière légitime fait détrôner Jane (sera surnommée la « Reine de 9 j »), la fait emprisonner à la Tour de Londres avec son époux [graciés, ils furent exécutés quand Suffolk (leur père et beau-père) prit part à la rébellion de Thomas Wyatt Suffolk (exécuté 23-2-1554)].

1553 Marie Ire Tudor (18-2-1516/17-11-1558), dite Marie la Sanglante (*Bloody Mary*) ou Marie la Catholique [fille d'H. VIII et de Catherine d'Aragon. Fiancée à 2 ans au dauphin de France, puis en 1522 à Charles Quint qui épouse une Portugaise. Exilée par son père après son divorce. **1533** exclue de la succession à la naissance d'Élisabeth. **1533** H. VIII l'oblige à signer un acte par lequel elle reconnaît que le mariage de sa mère était illégal et incestueux. **1537** marraine du futur E. VI. **1544** retrouve la 2e place dans l'ordre de succession]. **1553** reine à la mort d'E. VI. **1554** échec rébellion de Thomas Wyatt (n. 1520) pour empêcher Marie d'ép. Philippe II d'Esp. *-11-4* Wyatt exécuté. *-25-7-* ép. Philippe II d'Esp., fils de Charles Quint (seule reine régnante ayant ép. un souverain régnant). *-30-11* catholicisme rétabli et réconciliation avec Rome, célébrée à Westminster par le cardinal Reginald Pole. Complot de Thomas Wyatt ; fait exécuter Jane Grey, enfermer à la Tour de Londres Élisabeth Ire. Rétablit lois contre les hérétiques. Persécution contre protestants. **1555** fait tuer Ridley, **1556** Cranmer et env. 300 protestants. Pole archev. de Canterbury. **1557** pressée par Philippe II, déclare g. à la France. **1558** Calais reprise par Français. **1558** meurt en désignant Élisabeth comme successeur à condition de maintenir le catholicisme.

1558 Élisabeth Ire (7-9-1533/24-3-1603), fille d'Henri VIII et d'Ann Boleyn, demi-sœur de Marie Tudor, dite la Gloriana, la Reine Vierge, Notre bonne reine Bess. Déclarée illégitime après l'exécution de sa mère, 1544 rétablie dans ses droits au trône par le Parlement. Laide, coquette et vaniteuse, parle et écrit latin, grec, français et italien. 1554 malgré sa loyauté catholique, impliquée dans le complot de Thomas Wyatt et emprisonnée. Se retire ensuite de la cour à Hatfield House. 1558 reine à la mort de Marie Ire. **1559** *Acte d'uniformité* qui rétablit l'église anglicane. Refuse la main de Philippe II d'Espagne. **1570** excommuniée par le pape Pie V. Persécution contre catholiques. Lutte contre puritains et leur influence aux Communes. Gouverne personnellement (conseillers : Cecil, Burleigh, Walsingham). Convoque rarement le Parlement. **1571** *Confession des 39 articles* définit la religion anglicane. **1584** Raleigh fonde Virginie. 1587 jugement et exécution de Marie Stuart qui a comploté contre Éli. **1588** Drake détruit l'*Invincible Armada* espagnole (130 vaisseaux, 10 000 matelots, 19 000 soldats) assurant la suprématie maritime angl. Rivalité avec sa cousine Marie Stuart qui, après son abdication, se réfugie en Angl. où Élisabeth la considère comme sa prisonnière. **1600** Cie des Indes orientales créée. **1601** fait exécuter son favori Robert d'Essex. *Sous son règne (époque élisabéthaine)* essor culturel. Développement de l'élevage, institution des *enclosures* (pâturages communaux deviennent propriétés privées et sont clôturés ; petits paysans doivent renoncer à l'élevage et n'ont plus que des lopins cultivés), essor de l'ind., du textile, des mines, de la construction navale, du commerce (Bourse de Londres) ; désigne comme successeur Jacques, roi d'Écosse.

■ **Maison des Stuart.** Famille royale qui règne sur l'Écosse (1371-1714), puis toute la Grande-Bretagne (1603-1714). Descend du chef normand Alan Titzflaad († v. 1114) auquel Henri Ier donne le château et les terres d'Oswestry (Shropshire). William Fitzalan, son fils aîné, reste en Angl. (maison des comtes d'Arundel et des ducs de Norfolk). Le cadet Walter Fitzalan († 1177) se met au service de David Ier d'Écosse qui lui donne des terres et le titre de *stewart* ou sénéchal d'Écosse (devient ensuite héréditaire et sert de patronyme ; *stuart* en est la forme francisée et fixée par la reine Marie en 1452).

1603 Jacques Ier (19-6-1566/27-3-1625), fils de Marie Stuart, reine d'Écosse, et de Darnley. Roi d'Écosse à un an sous le nom de J. VI. Régents : Morey, puis Lennox, Mar et Morton. Lutte entre parti catholique pro-français et p. protestant pro-angl. 1589 ép. Anne de Danemark (12-12-1574/2-3-1619). 1603 succède à El. Ire comme roi d'Angl. (plus proche héritier ; son grand-père J. IV avait épousé Marguerite, fille d'H. VII), union personnelle des 2 royaumes. Pour l'anglicanisme, persécute catholiques et puritains. Agitation des *non-conformistes ; presbytériens* voulant que l'Égl. soit gouvernée par une hiérarchie de corps constitués ; *indépendants* ou *congrégationalistes* insistant sur l'autonomie de la paroisse, société de croyants ; *baptistes* réservant le baptême aux adultes convertis. **1605**-*5-11* découverte de la *Conspiration des poudres* pour tuer J. Ier en faisant exploser des barils de poudre dans le Parlement (Guy Fawkes 1570-exécuté 1606). Expulsion des Jésuites. Favoris ont pouvoir : Robert Carr, Cte de Somerset, puis George Viliers, duc de Buckingham. **1610, 14, 21** et **24** conflits avec Parlement qui refuse des subsides. **1620** 1er exode des puritains en Amérique sur le *Mayflower.*

Marie Stuart (1542-87). **1542**-*14-12* reine des Écossais, à la mort de son père. **1543**-*9-9* couronnée à Stirling. **1548** élevée en France car fiancée au dauphin François (futur roi François II). **1558** ép. François II. **1560** 1er veuvage, regagne l'Écosse ; fin de la régence en Écosse de sa mère la Pcesse Marie de Guise. **1565**-*29-7* ép. son cousin germain Henry Stuart, lord Darnley (1545-67), créé à l'occasion de son mariage Cte de Ross puis duc d'Albany et associé au trône. **1566** *mars* Darnley assassine à Holyrood House le favori de Marie, Rizzio. **1567**-*10-2* Darnley assassiné par des conjurés dont James Hepburn (v. 1536/78), 4e Cte de Bothwell, à Kirk O'Fields à Édimbourg. *-15-5* Mary épouse Bothwell, créé duc d'Orkney ; ce mariage provoque une révolte. *-24-7* Mary abdique en faveur de son fils Jacques VI. Elle s'était aliéné presbytériens et noblesse par son catholicisme intransigeant. **1568-87** réfugiée en Angleterre et prisonnière. **1587**-*8/18-2* décapitée de 3 coups de hache au château de Fotheringay après découverte d'un complot, fomenté en son nom contre Élisabeth Ire, par les catholiques.

1625 Charles Ier (19-11-1600/30-1-1649), fils de J. Ier. Roi de G.-B. et d'Irlande, jamais couronné car reste catholique. Dernier souverain à entrer à la Chambre des Communes. Ép. Henriette-Marie de France, fille d'Henri IV et de Marie de Médicis (21-11-1609/10-9-1669). Absolutiste, garde Buckingham ce qui indispose le peuple. **1625 et 26** dissout le Parlement qui lui refuse des subsides. **1628** *mars* convoque un 3e parlement après l'échec de la flotte angl. à La Rochelle, contraint de souscrire à la *Pétition des droits.* **1629** *mars* 4e parlement dissous. **1629-40** *Tyrannie des 11 ans*, gouv. personnel du roi. **1637** révolte de la cathédrale d'Édimbourg car on veut imposer une nouvelle liturgie basée sur le *Book of common prayer.* **1638** *Covenant* (union de l'opposition presbytérienne). **1638-39 et 40-41** *G. épiscopales.* **1641** *févr. Triennal Bill* (le roi doit convoquer le Parlement au moins tous les 3 ans). *Mai* exécution du min. Strafford. *Mai* renonce au droit de dissoudre le Parlement actuel sans l'accord de celui-ci. **1642**-*4-1* le roi ordonne l'arrestation de 6 chefs de l'opposition parlementaire, se réfugient à la Cité de Londres qui refuse de les livrer. Début de la g. civile des *Cavaliers* (partisans du roi) contre les *Têtes rondes* (parlementaires, bourgeois et petits propriétaires) qui portent les cheveux courts, dirigés par Cromwell. **1645**-*14-6* Ch. Ier vaincu à Naseby, **1646** *mai* se réfugie en Écosse, **1647** *janv.* livré par les Covenanters écossais au Parlement. **1647** Cromwell. *-3-6* fait amener Ch. Ier à son quartier général et négocie avec lui mais Ch. Ier s'évade et gagne l'île de Wight et l'Écosse en nov. **1648** *août* Preston Cromwell bat royalistes. Reddition de l'armée écossaise. *Oct.* Cromwell entre à Édimbourg. S'empare du roi. *-7-12* fait purger le Parlement par le Cel Pride et obtient du reste des députés (*Parlement croupion* ou *Rump Parliament*) la mise en jugement de Ch. Ier. **1649**-*27-1* condamné à mort. *-30-1* exécuté.

■ **Commonwealth (1649-19-5-1653) et Dictature.** **1653 Oliver Cromwell** (25-4-1599/3-9-1658). 1640 député. Adversaire de l'épiscopalisme et du pouvoir royal. *-10/11-9* pour réduire l'Irlande (« bastion papiste ») massacre la garnison de Drogheda près de Dublin. 1650 *printemps* Irlande soumise. *-3-9* bat les conventaires écossais qui avaient reconnu Ch. II à Dunbar puis 1651-*3-9* à Worcester. *-9-10 Acte de navigation,* protectionnisme. *-15-10* Ch. II part pour la France. **1653**-*20-4* Parlement croupion dispersé par la troupe, remplacé par une ass. de 140 m. désignés par armée, constitution (*Instrument of government*) créé une dictature et donne à Cromwell le titre de *Lord protector*. Créé un Parlement unique pour Angl., Écosse et Irlande fusionné en *Commonwealth.* **1654** tr. de Westminster. **1655** *janv.* Parlement dissous. **1655-57** gouverne avec l'armée. **1657** nouvelle chambre, renvoyée en févr. 1658. Cromwell refuse le titre de roi et accepte de pouvoir nommer son successeur (*Humble Petition and Advice*). Alliance avec Fr. et P.-Bas contre Espagne. Inhumé à Westminster, mais lors de la restauration cadavre retiré et pendu au gibet de Tyburn.

1658 Richard Cromwell (4-10-1626/12-8-1712). **1658** *sept.* succède à son père comme *lord protector*. Débordé par rivalité armée/parlement. **1659** *mai* abandonne ses fonctions. Se réfugie sur le continent, reviendra après 20 ans d'exil.

■ **Restauration des Stuart. 1660 Charles II** (29-5-1630/6-2-1685 ; fils de Charles Ier) [*1646* réfugié en France. *1649* roi d'Écosse à la mort de son père car il a accepté le *Covenant*. *1651* couronné à Scone]. **1660**-*29-5* restauré, grâce au Gal Georges Monck (1608-70). **1661**-*23-4* couronné. **1662** ép. Catherine de Bragance, sans enfants, mais nombreux bâtards de ses maîtresses. **1665** Grande Peste, 75 000 † sur 460 000 Londoniens. **1666**-*2-9* grand incendie de Londres, 13 200 maisons détruites, 87 églises, cathédrale St-Paul, 6 †. **1664-67** et **1672-74** allié à la France, g. contre Hollande. **1673** *Test Act* imposé par opposition parlementaire. **1674** tr. de paix. **1679** *Habeas Corpus* interdit toute arrestation ou détention arbitraire. Roi absolutitste, catholique (ne rallie pas officiellement, mais reçoit les derniers sacrements sur son lit de mort). *Sous son règne :* au Parlement, création de groupes tories et whigs ; développement commerce, colonisation, puissance navale ; à la cour, vie brillante, spirituelle et frivole.

1685 Jacques II (14-10-1633/5-9-1701), frère de Ch. II [*1643* duc d'York. Ép. Ann Hyde. *1648* réfugié en Hollande, puis en France jusqu'à la restauration (1660). *1660* grand amiral. *1672* converti au catholicisme. *1673* ép. Marie de Modène. *1678* banni après l'affaire Titus Oates]. **1685** malgré l'opposition du Parlement qui veut l'exclure de la succession, roi d'Angl. et d'Irlande et d'Écosse (J. VII). Mate révolte du duc de Monmouth. Absolutiste, protège catholicisme, allié de Louis XIV. Pour éviter l'instauration d'une dynastie catholique et absolutiste, l'opposition s'allie avec Guillaume de Nassau, gendre protestant de J. II. **1688** Guillaume débarque en Angl. avec une petite armée (inquiet de l'attirance de J. II pour le catholicisme et l'alliance française). *Nov.* oblige J. II à se réfugier en France. **1689** J. II essaie, avec l'aide de Louis XIV, de se rétablir en Irlande. **1690** battu à La Boyne, s'installe à St-Germain-en-Laye. Ses descendants revendiquent le trône jusqu'en 1801.

■ **Interrègne** du 11-12-1688 au 13-2-1689.

■ **Maison d'Orange. 1689 Guillaume** III (14-11-1650/8-3-1702 chute de cheval) fils de G. II de Nassau, Pce d'Orange et de Henriette-Marie Stuart, fille de Ch. Ier d'Angleterre [*1677* ép. sa cousine Marie, fille de J. II et d'Ann Hyde (30-4-1662/28-12-1694). *1674* stathouder des Provinces-Unies]. **1689** G. III et Marie II proclamés roi et reine. *Déc.* G. III reconnaît le régime constitutionnel par la Déclaration des Droits (Bill of Rights). **1690**-*11-7* bat J. II soutenu par Louis XIV sur La Boyne (Irlande). **1692** participe à la g. de succession du Palatinat contre la Fr. *-29-5* vict. navale de La Hougue. *-3-8* G. III battu à Steinkerque. **1693**-*29-7* battu à Neerwinden. **1697** *Paix de Ryswick,* Louis XIV reconnaît G. III roi d'Angl. **1701** *Acte d'Établissement* assure la succession au trône à un protestant ; Louis XIV reconnaît Jacques François Stuart (dit) (10-6-1688/2-1-1766), fils de J. II, le chevalier de St-Georges, comme roi d'Angleterre.

■ **Maison des Stuart.** Marie II, voir Guillaume III ci-dessus. **1702 Anne** (6-2-1665/12-8-1714), 2e fille de J. II. *1683* ép. George Pce de Danemark. Gouverne sous l'influence de Malborough. Soutient les whigs. **1707** *Acte d'union,* Angl. et Écosse deviennent un seul roy. **1710** soutient les tories. **1713**-*11-4 tr. d'Utrecht,* l'Angl. acquiert Gibraltar, Minorque, Terre-Neuve et Acadie ; Louis XIV renonce à rétablir les Stuart catholiques.

■ **Maison de Hanovre. 1714 George Ier** (28-3-1660/22-6-1727) [fils d'Ernest-Auguste, 1er électeur de Hanovre et Sophie, petite-fille de Jacques Ier d'Angl. *1682* ép. sa cousine Sophie-Dorothée de Zell (divorce en 1694 car soupçonnée d'adultère, enfermée dans une forteresse jusqu'à sa mort en 1726). *1698* électeur de Hanovre à la mort de son père. *1705* hérite le duché de Lüneburg]. **1714** roi de G.-B. et d'Irlande en vertu de l'Acte d'établissement de 1701 (plus proche héritier dans la ligne protestante). **1715** acquiert duché de Brême. *Déc.* Jacques François Stuart débarque en Écosse ; rejeté, se retire en Italie. **1719** acquiert duché de Verden. N'apprend pas l'anglais, réside très peu en Angl. S'appuie sur les whigs, fait gouv. par ses ministres, Stanhope (1717-21) et Walpole (1715-17 et 21-42). Participe à la Triple Alliance (1717) et à la Quadruple alliance (1718).

1727 George II [10-11-1683/25-10-1760 ; fils de G. Ier. ép. 1705 Caroline d'Anspach (1683-1737)]. **1727** électeur de Hanovre et roi de G.-B. et d'Irlande. Conserve Walpole et le pouvoir aux whigs. **1739** organisation des Églises méthodistes : réveil suscité par John et Charles Wesley, Whitefield (min. anglicans). **1742** renvoie Walpole. Se déclare pour Marie-Thérèse et contre la Fr. dans la g. de Succession d'Autriche [1743 Français battus à Dettingen. 1745 Anglais battus à Fontenoy et 1747 à Lawfeld. **1748** *tr. d'Aix-la-Chapelle*]. **1745** *août* bat *Ch.-Édouard Stuart* (31-12-1720/Rome 31-1-1788 ; dit le Prétendant et le Cte d'Ablessy), surnommé Bonnie Pce Charlie ; débarque en Corse. *-17-9* prend Édimbourg et les indépendantistes écossais à Culloden. **1746**-*16-4* battu à Culloden par duc de Cumberland (revient en Fr., expulsé en 1748, se réfugie en Italie). **1752** calendrier grégorien adopté (le 2-9 devient le 14-9, année commune 1-1 et non plus 25-3). G. de Sept Ans, perte de Hanovre. Conquêtes aux Indes et en Amérique.

1760 George III (4-6-1738/29-1-1820 ; petit-fils de G. II.) **1760** électeur de Hanovre et roi de G.-B. et d'Irlande. 1er roi vraiment anglais. **1761** ép. Charlotte-Sophie de Mecklembourg-Strelitz. **1761** se détache des whigs et renvoie Pitt, place Bute son favori. **1763**-*10-2 tr. de Paris* prépondérance aux Indes et en Amérique. **1768** mesures autoritaires, émeute. **1770-82** lord North min. **1774 et 80** fait élire ses partisans (King's Friends) au Parlement. **1777** force les whigs à le quitter. **1779** Ned Ludd (simple d'esprit du Leicestershire) aurait détruit des machines à fabriquer des bas en coton [début du *luddisme* (lutte contre mécanisation ind.), soulèvements entre 1810 et 19]. **1783**-*3-9 tr. de Versailles* indép. des États-Unis reconnue. **1783-1801 et 1804-06** 2e Pitt min. (autorité renforcée par les accès de démence du roi (1765, 1788-89, 1803-04, 1810 sombre dans la folie). **1787** 1re colonie brit. en Afrique (au Sierra Leone). **1793-1815** g. Angl. contre Fr. **1800**-*15-2 Acte d'union* avec Irlande : *Roy.-Uni créé.* **1807** traite des esclaves abolie sous l'impulsion de Wilberforce. *-13-7* Henry IX Stuart [(n. 5-3-1725) ; fr. de Ch. Édouard, duc d'York, dit le cardinal d'York, meurt à Frascati, lègue au Pce de Galles, futur G. IV, les diamants de la couronne emportés par J. II en 1688]. **1813** *Bill de Tolérance* pour unitariens (sociniens). **1814** *tr. de Vienne,* Angl. garde Malte, Trinité, Le Cap, Maurice, Ceylan. **1815**-*18-6* vict. de *Waterloo* (Wellington). *-26-9* participe à la Ste Alliance. **1811** régence créée en faveur de George IV. **1814** roi de Hanovre.

1820 George IV [12-8-1762/25-6-1830, fils de G. III ; jeunesse débauchée et scandaleuse ; *15-12-1785* ép. secrètement et illégalement Marie-Anne Fitzherbert (1756-1837, veuve, catholique)]. *8-4-1795* ép. officiellement sa cousine, Caroline de Brunswick (1768-1821 ; dont Charlotte), en 1820 lui intenta un procès en adultère). *1811* régent. **1820** roi. Comme prince de Galles était à la tête de l'opposition whig, roi confia le pouvoir aux tories (Castlereagh † 1822, Canning, Wellington). **1829** *Bill d'émancipation* des catholiques.

1830 Guillaume IV (21-8-1765/20-6-1837), 3e fils de George III. Ép. 1818 Adélaïde de Saxe-Cobourg-et-Meiningen. **1830** Roi de G.-B., Irlande et Hanovre. **1832** réforme électorale : abolition des *bourgs pourris* (circonscriptions où, en vertu de privilèges anciens, les députés étaient élus malgré l'absence presque totale d'électeurs). **1833** *Mouvement d'Oxford :* rapprochement avec doctrines et liturgie romaines ; fondation de l'anglo-catholicisme (Edward Pusey, 1800-82) ; esclavage aboli dans les colonies brit. Dernier roi à renvoyer son PM. **1834** *nov.* impose le min. Peel. A sa mort, sa nièce Victoria devient reine de G.-B. et Ir. et son frère Ernest-Auguste, duc de Cumberland, roi de Hanovre (les femmes ne pouvant y régner).

1837-*25-6* **Victoria** (24-5-1819/22-1-1901), fille d'Édouard, duc de Kent (4e fils de G. III, † 1820). **1838**-*28-6* couronnée. **1840**-*10-2* ép. malgré l'avis de sa mère, son cousin le Pce Albert de Saxe-Cobourg-et-Gotha (26-8-1819/14-12-1861, Pce consort en 1857, 4 fils et 5 filles). Garde lord Melbourne comme PM jusqu'en **1841**, puis Peel, Disraeli, Palmerston et Gladstone. **1840** abrogation des *Corn Laws* protectionnistes ; autonomie accordée au Canada. *-9-9* flotte brit. bombarde Beyrouth. *-10-10* s'en empare. **1851** grande exposition (Crystal Palace). **1852**-*8-3* avec Fr. déclare g. à Russie (g. de Crimée). **1860**-*23-1* tr. Colden/Chevalier. **1867** réforme élect. donnant droit de vote à la petite bourgeoisie et aux ouvriers aisés. Canada devient le 1er dominion. **1868** fondation du Trade Union Congress. **1875**-*25-11* achat d'actions de Suez. **1876**-*1-5* Victoria, *impératrice des Indes.* Union des non-conformistes angl. et des presbytériens écossais d'Angl. au sein de l'Église presbytérienne d'Angl. (calviniste). **1882** occupe Égypte. **1885** suffrage universel. **Fin XIXe s.** acquisitions coloniales en Afrique. **1889** différends sur pêcheries en mer de Béring avec USA qui prétendent qu'il s'agit d'une mer intérieure et saisissent 16 nav. brit. **1890**-*1-7* accord avec All. sur Heligoland. **1893** arbitrages à Paris ; USA versent 473 000 $ de dommages à G.-B. **1897**-*28-6* Jubilé avec revue navale à Spithead. **1898**-*2-9* bataille d'Ondurman ; *sept.-nov.* crise à Fachoda (voir Index). **1899-1902** g. des Boers (Afr. du Sud). **1900** Australie dominion.

■ **Maison de Saxe-Cobourg. 1901 Édouard VII** [9-11-1841/7-5-1910 ; fils de Victoria ; ép. 1863 Alexandra (6-5-1844/21-11-1925) fille aînée du roi Christian IX de Danemark]. Figure de la vie parisienne, francophile. **1901** roi à 60 ans. **1902**-*30-1* tr. anglo-jap. (renouvelé 12-8-1905). **1903** *mai* visite off. d'Édouard VII à Paris ; *-6-7 ;* Pt Loubet et Delcassé à Londres. **1904**-*8-4 Entente cordiale* avec Fr. (dep. 1888). *-21-10* incident du Dogger Bank, voir Index. **1907** N.-Zélande dominion. **1910** 2 élections.

■ **Maison de Windsor.** Depuis le 17-7-1917, les descendants de la reine Victoria, qui sont sujets britanniques, ne peuvent user de leurs titres allemands et ont adopté le patronyme de Windsor. George V ayant limité le droit de ses descendants au titre princier, plusieurs d'entre eux s'appellent Lord ou Lady Windsor. Les descendants de la reine Élisabeth et du Pce Philippe ont le patronyme de Mountbatten-Windsor, (acte du 8-2-1960).

1910 George V [3-6-1865/20-1-1936, mort par euthanasie ? ; 2e fils d'Éd. VII, héritier en 1892 à la mort de son frère aîné le duc de Clarence ; ép. 6-7-1893 Marie de Teck (26-5-1867/24-3-1953)]. **1911**-*août* pouvoir de la Ch. des Lords réduit, le roi crée des pairs libéraux. **1914-18** participe à la 1re G. mondiale. **1918**-*28-12* femmes de + de 30 a. obtiennent droit de vote. **1919**-*28-11* Nancy Astor, 1re femme élue. **1922** Irlande autonome. **1925**-*3-4* retour à l'étalon-or. **1926** Afr. du S. dominion. *-13-5* grève générale. **1929**-*3-1* crise économique. Margaret Bondfield, 1re femme min. *-3-10* relations dipl. reprises avec URSS. **1931**-*21-9* abandon de l'étalon-or. *-11-12 Statut de Westminster* (création du Commonwealth). **1932**-*21-7/28-8* conférence d'Ottawa : constitution de la *zone sterling*. *-1-10* Sir Oswald Mosley (1896-1981) crée le parti fascite angl. (ministre en 1929 de Mac Donald, a quitté le Parti travailliste en 1931).

1936-*20-1* **Édouard VIII** (23-6-1894/28-5-1972), fils de G. V. Très populaire comme Pce de Galles. **1936**-*20-1* roi de G.-B. et d'Irlande. Crise entre le gouv. conservateur de Stanley Baldwin et le roi car il veut épouser une femme divorcée. *-11-12* Abdique. Devient le duc de Windsor. Ép. 3-6-1937 au chât. de Candé (Fr.) Bessie Wallis Warfield (1896-1986) divorcée 2 fois [1927 du Cte Winfield Spencer et 1936 (27-10) d'Ernest Aldrich Simpson, ses 2 maris vivant encore], ce qui rendait difficiles les relations avec l'Église anglicane. 1940-45 Gouverneur des Bahamas.

1936-*11-12* **George VI** [14-12-1895/6-2-1952) ; son frère. Ép. 26-4-1923 Lady Elizabeth Bowes-Lyon, des Ctes de Strathmore et Kinghorne (4-8-1900)]. **1939**-*27-4* conscription militaire. **1939-40** participe à la 2e G. mondiale. Après la défaite de la France, en juin, Hitler essaie d'obtenir une paix négociée avec G.-B. (projet d'enlever le duc de Windsor), mais le PM Winston Churchill rejette toute négociation ; le duc de Windsor rejoint les Bahamas (dont il sera gouverneur durant la g.) ; *la Bataille d'Angl.* (aérienne, *juill.-nov. 1940*, summum : 15-9), privées par les All., le débarquement all. ne peut avoir lieu. Blitz : bombardement all. (Londres en partie détruite). **1943-48** fondements de l'État-providence (séc. sociale, soins médicaux gratuits...). **1946**-*5-3* Fulton (Missouri) discours de Churchill sur le rideau de fer. **1946-50** nationalisations. **1947** *15-8* indépendance de Ceylan, Inde, Pakistan, Birmanie. **1948** chemins de fer nationalisés. *Avril* centrales électriques. *-14-5* fin de mandat sur Palestine. *Juill.* Bevan inaugure service nat. de santé. **1949** *sept.* livre dévaluée de 4,03 $ à 2,80. **1950** Klaus Fuchs [All. (n. 1912, † 28-1-1988)] arrêté pour espionnage, condamné à 14 ans, réduits à 9 ans, part pour All. dém. (réfugié en G.-B. 24-9-33, naturalisé Anglais 7-8-42, ayant travaillé à la mise au point de la bombe A amér. en 1943). **1951** *févr.* sidérurgie nationalisée. *-25-5* Guy Burgess et Donald Maclean, espions, fuient URSS (autres espions : Kim Philby, Sir Anthony Blunt, John Cairncross). *-2-10* 1re bombe A brit.

1952-*6-2* **Elisabeth II** (21-4-26) fille de G. VI. Ép. 20-11-47 Pce Philippe de Grèce et de Danemark (10-6-21) (Alt. roy.), le 28-2-47 devient sujet brit. et s'appelle Philip Mountbatten (f. du Pce André de Grèce et de Danemark et de la Pcesse n. Alice de Battenberg), titré 20-11-47 duc d'Édimbourg, Cte de Merioneth et Bon Greenwich, et créé 22-2-57 Pce du Roy.-Uni de G.-B. et d'Irl. du N. (régent éventuel par une loi de 1953), Prince Consort. *Oct.* élect. : succès conservateurs ; *Churchill* PM. **1952** *déc.* smog sur Londres, 4 000 †. **1953**-*2-6* couronnement ; sidérurgie dénationalisée. **1955**-*4-4* Churchill démissionne. *Avril* Eden PM. *Mai* élect. : succès conservateurs. **1956** *nov.* expédition anglo-franco-israël. *de*

Suez contre Égypte (Anthony Eden, PM, menacé par USA d'une vente massive de livres sterling, retire ses troupes après 24 h de combat). **1957** *janv.* Mac Millan PM. **1958**-*3-7* dernière présentation des débutantes à la Reine. **1959** *oct.* élect. : succès conservateurs. **1960-70** décolonisation : 22 pays deviennent indépendants. **1962**-*21-12 Nassau* (Bahamas) rencontre Mac Millan-Kennedy : USA livrent à G.-B. des missiles Polaris. **1963**-*14-1* de Gaulle s'oppose à l'entrée de la G.-B. dans la CEE. -*18-1* Hugh Gaitskell, leader travailliste, meurt. -*17-6* John Profumo, min. de la G., démissionne (son nom avait été associé à celui d'une call-girl, Christine Keeler, qui avait des relations avec des diplomates soviét.). *Oct.* Douglas Home PM. -*8-8* 2,5 millions de £ volés par Ronald Arthur Biggs dans train postal. **1964** *oct.* élect. : succès travaillistes ; Wilson PM. **1965** peine de mort par pendaison abolie. Rhodésie se déclare indép. **1966** *mars* élect. : succès travaillistes. **1967** renationalisation partielle de la sidérurgie. *Mai* nouvelle demande d'entrée CEE : rejetée. Loi sur l'avortement. *Nov.* livre dévaluée. **1968**-*7-10* Irl. du N., début des troubles. *Nov.* nouvelle demande d'entrée CEE rejetée (voir Index). **1970** *juin* élect. législ. : victoire conservateurs, *Heath* PM. **1971** *févr.* système monétaire décimal. *19/20-5* rencontre Heath-Pompidou à l'Élysée. -*28-10* Communes approuvent principe de l'adhésion à la CEE : pour 356 (282 conservateurs, 69 travaillistes, 5 libéraux), contre 244 (39 conserv., 204 trav., 1 lib.), abstentions 21 (2 conserv., 19 trav.). **1972** 30 000 Asiatiques de nat. brit. expulsés d'Ouganda. **1973**-*1-1* entrée dans CEE. Terrorisme irl. Grèves des mineurs. *Mai* Lord Lambton, sous-secr. à la Défense, et Lord Jellicoe, leader de la Chambre des Lords, démissionnent pour affaire de call-girls. **1974**-*7-2* Parlement dissous. -*10-2* grève gén. des mineurs. -*25-2* élect. : succès trav. (gouv. minoritaire) ; Wilson PM. -*17-6* bombe aux Communes (11 bl.). -*17-7* à la Tour de Londres (1 †, 32 bl.). -*10-10* élect., les trav. gagnent 15 s. mais n'ont que 3 voix de majorité aux Communes. *Oct.-nov.* attentats dans pubs : Guilford (7-10 : 5 †), Woolwich (7-11 : 2 †) et Birmingham (21-11 : 21 †, 162 bl.). -*25-11* bombes dans 2 gares de Londres (20 bl.). *Déc.* dans grands magasins, boîtes aux lettres et centraux téléphoniques (dizaines de bl.). -*23-12* bombe chez l'ancien PM, Edward Heath. **1975**-*20-1* abandon du tunnel sous la Manche. -*6-6 référendum sur maintien dans la CEE* [oui 67,2 % des voix]. -*11-7* accords gouv.-syndicats sur politique des revenus. -*9-10* bombe à Piccadilly (1 †, 17 bl.). -*23-10* Kensington (1 †). -*12-11* Mayfair (1 †, 15 bl.). -*27-11* éditeur assassiné par l'IRA prov. à Londres. **1976**-*16-3* PM Wilson démissionne. -*5-4* J. Callaghan PM (élu par P. travailliste : 176 v. contre 137 à Michael Foot). **1977** recul trav. aux él. partielles. -*7-6* jubilé d'argent de la reine. -*10-8* la reine en Ulster. **1978**-*3/5-5* él. locales, avance des conserv. sur trav. : 2 %. -*28-9* bombe sur Grand-Place à Bruxelles contre fanfare milit. brit. (2 bl.). **1979** *janv.* grèves. -*1-3* référendum pour certaine autonomie en % : [*Galles :* oui 11,91 ; non 46,9 ; abst. 41,2. *Écosse :* oui 32,85 ; non 30,78 ; abst. 36,33 ; 3 régions ont voté non, 3 oui]. Il fallait 40 % de oui pour mise en vigueur. -*28-3* gouv. trav. renversé par 311 voix contre 310. -*30-3* député conservateur Airey Neave tué (voiture explose). -*3-5* élect. : victoire conserv. **Mme Thatcher** PM. -*27-8* Lord Mountbatten of Burma, Pce de Battenberg (n. 1900, oncle du Duc d'Édimbourg, vice-roi des Indes 1947-48) et son petit-fils tués par bombe sur leur bateau près de l'Eire ; bombe en Irl. du N. 18 soldats †. -*23-10* contrôle des changes aboli (en vigueur dep. 25-8-39). **1980** *févr.* le gouv. vend des participations (BP notamment). **1981**-*10/12-4* émeutes raciales à Brixton. -*3/14-7* émeutes immigrés et chômeurs à Londres, Liverpool, Leicester, Derby, Manchester, Birmingham, Newcastle, nombreux bl., importants dégâts. *Oct.-nov.* dénationalisation partielle téléphone et pétrole. -*10-10/14-11* 5 attentats à Londres : 3 † et plusieurs bl. **1981** grève de la faim des rép. irlandais de la prison de Maze. Bobby Sands et 9 autres †. **1982**-*2-4* Argentine occupe *Falklands,* envoi d'une force navale brit. (voir Index). -*28-5/2-6* visite du pape. -*3-6* S. Argov, ambassadeur d'Israël, blessé dans attentat. -*9-7* M. Fagan pénètre dans la chambre où dort la reine, à Buckingham (acquitté 19-7). -*20-7* attentats Ira : à Hyde Park (voiture piégée) et Regent's Park (bombe sous kiosque à musique) : 8 †, 60 bl. **1983**-*1-1* panique à Londres près de Big Ben, 3 †, 500 bl. *Juin* élect. : succès conservateurs. -*17-12* attentat Ira devant magasin Harrods à Londres (5 †, 91 bl.). **1984** *mars à mars 85* grève de mineurs [en partie financée par Libye ? et URSS (Arthur Scargill sera en 1990 accusé d'avoir détourné + de 1 million de £ venant des quêtes de solidarité des mineurs sov.)] contre Mme Thatcher. -*12-10* Ira (Patrick Magee reconnu coupable 10-6-86) : *bombe* au Grand Hôtel de Brighton au congrès conservateur 5 †, 30 bl. -*23 au 26-10* Pt Mitterrand en G.-B. **1985** grèves BBC et presse. -*29-1* l'Université d'Oxford par 738 voix contre 319 refuse titre de docteur Honoris Causa à Mme Thatcher « à cause des dommages causés par son gouv. à l'enseignement et à la recherche scient. ». -*9-9* émeutes à Handworth près de Birmingham, 3 † ; -*28-9* à Brixton ; -*1-10* à Toxteth ; -*6-10* à Tottenham, 1 policier †, 220 bl. -*12/16-9* 31 diplomates soviét. expulsés. -*31-12* G.-B. quitte Unesco. **1986** *janv.* démission de plusieurs ministres, suite de l'affaire Westland (constructeur d'hélicopt.) ; *avril* roi d'Esp. en G.-B. ; 320 Libyens expulsés. -*7-5* des extrémistes protestants tuent une jeune femme prot. ayant épousé un cath. -*8-5* élect. locales et partielles, revers conservateurs. *Juill.* accord avec URSS sur remboursement dette tsariste. *Sept.* émeutes à Bristol. -*24-10* rupture relations dipl. avec Syrie (après condamnation du terroriste Hindawi). -*27-10* informatisation de la Bourse. Jeffrey Archer, vice-Pt du parti conservateur, démissionne (affaire de mœurs). **1987** *févr.* émeutes à Wolverhampton. *Fin mai* Mme Thatcher en URSS. -*18-5* dissolution. -*11-6* élect. : succès conservateurs. -*18-11* incendie dans métro King's Cross, 31 †. **1988** *janv.* grève des infirmières, *févr.-juin* des marins, *sept.-oct.* des postiers. -*7-6* Communes votent contre rétablissement de la peine de mort (341 contre, 218 pour). -*22-8* pubs autorisés à ouvrir de 11 à 23 h (15 h le dimanche). Dep. 1915, ils devaient fermer de 15 à 17 h. *Oct.* la reine en Espagne. -*7/11-11* Pce Charles en Fr. -*21-12 Lockerbie* (Écosse), 1 Boeing de la Pan Am explose en vol. **1989** *mars* scandale Pamela Bordes. -*7-3* rupture relations dipl. avec Iran : affaire Salman Rushdie, voir Index. -*10-5* P. travailliste renonce au désarmement unilatéral. *Juill.* sécheresse, 500 000 Londoniens privés d'eau. -*13-9* York, bombe devant librairie Penguin (éditeur des *Versets sataniques*). 3 autres bombes désamorcées. *Oct.* réhabilitation des 4 de Guildford après 14 ans de prison. **1990**-*18-1* réforme impôt local (dep. XVIIIe s., payable par maison selon taille et confort) : la *poll tax* (exigible en Écosse dep. avril 89) applicable à partir du 1-4 en Angl. et Galles. Payable par les + de 18 ans (les assujettis passent de 12 000 000 à 35 000 000 de personnes) ; en moyenne, 3 500 F/an/personne. 132 bl. dont 58 policiers. -*4-3* Peter Walker, secr. d'État au P. de Galles démissionne. -*14-3* remise en liberté des 6 de Birmingham après 16 ans de prison (condamnés à perpétuité en 1975 pour attentats du 21-11-74). -*31-3* 200 000 manif. à Londres contre *poll tax*. -*1-4* mutinerie prison de Manchester. -*3-5* élect. locales (5 327 conseillers municipaux) : travaillistes + 300, conservateurs − 200). -*16-5* bombe contre 2 mil. brit. à Londres. *Mai* réhabilitation famille Maguire condamnée 1976 pour avoir fabriqué des explosifs. -*20-7* bombe Ira à la Bourse, dégâts (pas de victime). -*30-7* député conservateur, Ian Gow, tué par Ira. *Août à mars 91* participation à la g. du Golfe (voir Index). -*18-9* att. Ira contre Sir Peter Terry, ancien adjoint du Cdt suprême de l'OTAN et ancien gouv. de Gibraltar. -*9-10* Livre dans SME. -*1-11* Sir Geoffrey Howe, vice-PM démissionne. -*22-11* PM Margaret Thatcher démissionne. -*28-11* Major PM. -*18-12* Communes votent contre le rétablissement de la peine de mort. **1991**-*7-2* 3 obus de mortier tirés contre le 10 Downing Street ; 1 camionnette explose près du ministère de la Défense. -*18-2* Londres, att. (Ira) dans 2 gares : 1 †, 43 bl. -*19-3* TVA sera augmentée de 15 à 17,5 % et la *poll tax* diminuera jusqu'à sa réforme (avril 93). -*30-4* PM réunit unionistes, protestants et nationalistes pour parler de l'avenir de l'Ir. du N. -*2-5* élect. de 12 370 conseillers locaux et municipaux (travaillistes 38 %, conservateurs 36 %). -*25-7* la Cour de Luxembourg condamne G.-B. pour protectionnisme en matière de pêche (dep. 1988, il faut être brit. ou résider en G.-B. pour pouvoir pêcher dans les eaux terr.). -*4-9 et 9/10-9* émeutes à Oxford, Cardiff, Birmingham et North Shields. -*3-10* Allan Green, procureur gén., démissionne pour avoir « dialogué avec une prostituée » (infraction dep. 1985). -*17-10* annulation de 2/3 de la dette de 20 pays pauvres (1,3 milliard de $). -*28-10/1-11* 1res manœuvres mil. conjointes avec ex-URSS dep. 1945. -*15-11* explosion (Ira) banque de St-Albans (N. de Londres) 2 †. *Nov. poll tax* remplacée par impôt local calculé sur la valeur du logement et le nombre d'occupants. -*14-12* smog à Londres. -*17-12* métro Marble Arch, bombe Ira. -*1/16-12* 75 bombes incendiaires. **1992**-*10-1* attentat Ira *quartier de Whitehall* à Londres. -*22-1* la G.-B. va rembourser l'or des pays baltes saisi en 1940 (900 millions de F). -*10-3* bombe, gare de Wandworth. -*10-4* Londres voiture piégée Ira 3 †, 90 bl. ; gros dégâts (10 milliards de F) ; sièges Baltic Exchange Commercial Union, BERD endommagés. -*9/12-6* Reine en France. -*7-7* 1re réunion de négociations dep. 1922 entre représentants de l'Ulster et de la Rép. d'Irlande à Londres. -*16-7* émeutes à Bristol. -*16-9* L. quitte le SME. -*24-9* David Mellor, min. du Patrimoine, démissionne pour scandale (infidélité conjugale). -*12-10* à Londres, début d'une vague d'attentats de l'Ira. -*25-10* à Londres, 100 000 manif. contre la politique Major. -*30-10* explosion d'une voiture près de Downing Street. -*3-12* Manchester, bombes Ira, 64 bl. -*10/11-12* sommet européen à Edimbourg. -*16-12* Londres, 2 bombes Ira. **1993**-*5-1* pétrolier *Braer* (85 000 t de brut) s'échoue sur la côte sud des Shetland. -*6-1-* 4 bombes incendiaires explosent à Londres. -*27-2* à Londres, bombe de l'Ira, 18 bl. *Mars* Livre dévaluée. -*20-3* à Warrington, double attentat à la bombe de l'Ira, 2 †, 56 bl. -*1-4 Council tax,* impôt local assis sur la valeur du logement. -*24-4* à la City, bombe de l'Ira, 1 †, 47 bl., 300 à 400 millions de £ de dégâts. -*1-6* sondage : 21 % font confiance à Major.

■ POLITIQUE

■ **Statut.** Monarchie constitutionnelle remontant au IXe s. (la plus ancienne du monde) : Royaume-Uni de Grande-Bretagne, Écosse et Irlande du N. *Pas de Constitution* écrite, mais une tradition de lois fondamentales (Gde Charte 1215, lois de 1628, 1700, 1707, 1832, 1911, 1942, 1949).

■ **Souverain.** *Titres :* Sa Majesté Elisabeth II par la grâce de Dieu reine du Royaume-Uni de Grande-Bretagne et d'Irlande du Nord et de ses autres royaumes et territoires, chef du Commonwealth, défenseur de la Foi. De 1340 à 1802, signe aussi « roi de France ».

N'a pas le droit de vote. Il ne règne directement que sur Angleterre, pays de Galles, Écosse. En Irlande du N., dans les petites îles de l'archipel brit. (Man, îles anglo-normandes), dans les monarchies du Commonwealth et dans les « dépendances », les fonctions royales sont assurées par un gouverneur général (ou un *gouverneur*, un lieutenant-gouverneur, commissaire, administrateur ou résident), généralement nommé sur la recommandation du pays intéressé. Ils agissent conformément à la pratique constitutionnelle de ces pays et sont indépendants du gouv. brit. Les autres pays du C. ont chacun leur propre chef d'État. On distingue la personne du souverain et la *Couronne* dont les fonctions sont exercées par le Cabinet, responsable devant le Parlement.

Actes gouvernementaux exigeant la participation du souverain : adresse lue au Parlement ; prorogation et dissolution de la Ch. des Communes ; octroi de l'assentiment royal aux textes de lois passés par les 2 ch. du Parlement ; nomination à tous les postes importants de l'Administration : ministres, juges, officiers, gouverneurs, diplomates et hauts dignitaires de l'Église anglicane ; collation des titres de noblesse, de chevaliers et des autres décorations (la plupart des décorations accordées le sont sur avis du PM ; quelques-unes sont laissées au choix personnel du souv. : Ordre de la Jarretière, du Chardon, du Mérite et Ordre royal de Victoria). Droit de grâce partielle ou totale pour crimes de droit commun. Le souv. choisit le PM (traditionnellement le leader du parti ayant la majorité à la Ch. des Communes). Il peut déclarer les guerres, conclure les traités de paix, les accords internationaux, reconnaître les États et régimes étrangers, annexer ou céder des territoires.

Sauf quelques rares exceptions, ces actes ainsi que tous les actes impliquant l'exercice de la « prérogative royale » sont accomplis par un gouvernement responsable devant le Parlement et peuvent être remis en question pour certaines de leurs dispositions. La loi n'exige pas que le Parlement donne son autorisation avant que les actes soient accomplis, mais il peut changer cette législation et restreindre ou même abolir le droit de prérogative.

Succession à la Couronne. Réglée par une loi de 1701, applicable à l'Écosse en 1707 et aux pays du Commonwealth en 1931. Sont héritiers, par rang d'âge : les fils du souv. ou, s'il n'y a pas de fils, ses filles. Seuls les descendants protestants de la Pcesse Sophie (électrice de Hanovre, petite-f. de Jacques Ier) peuvent accéder au trône. Chaque souverain doit appartenir à l'Égl. anglicane, s'engager à maintenir la religion anglicane en Angleterre et l'Église presbytérienne en Écosse. L'héritier du trône ne peut se marier sans le consentement du souverain et des 2 Ch. du Parlement. Il lui est interdit (loi de 1701) d'épouser une cath. ; comme futur chef de l'Égl. anglicane, il doit également renoncer à épouser une divorcée.

Ordre de succession au trône. *1er* Pce de Galles, *2e* Pce Guillaume de G., son fils, *3e* Pce Henry de G. son fils, *4e* Duc d'York (Pce Andrew), *5e* Pcesse Béatrice d'York sa fille, *6e* Pcesse Eugénie d'York, *7e* Pce Édouard, *8e* Pcesse Anne, sœur du Pce de Galles, *9e* Master Peter Phillips, *10e* Miss Zara Phillips (enfants de la Pcesse Anne). *11e* Pcesse Margaret (sœur de la reine).

Famille royale. Depuis 1714, les descendants en ligne mâle du souverain sont appelés Pces et Pcesses de G.-B. et d'Irlande du Nord. Les enfants et leurs fils sont altesses royales ; les arrière-petits-fils du souverain sont altesses.

Enfants de la Reine. Pce *Charles* (n. 14-11-48) créé 1958 Pce de Galles (intronisé 1-7-69), Cte de Chester, duc de Cornouailles, duc de Rothesay, Cte de Carrick, Bon Renfrew, Lord des Isles et Pce et Grand Steward d'Écosse 1952, ép. 29-7-81 Lady Diana Frances Spencer [(1-7-61), f. d'Edward John 8e Cte Spencer (1924-92) et de Mrs Shandkyad Frances Roche (1936) divorcés] 1re fois dep. 1659 que le Pce héritier épouse une Anglaise, séparés 9-12-92. 2 enf. : Guillaume (21-6-82), Henry (15-9-84) ; Pcesse *Anne* (15-8-50) Pcesse royale ép. 1°) 14-11-73 lieut. Mark Phillips (22-9-48), séparés dep. 30-8-89, divorcés 23-4-92, 2 enf. : Peter (15-11-77) ; Zara (15-5-81) ; 2°) 12-12-92 Timothy Laurence (1-3-55) ; Pce *Andrew* (19-2-60), duc d'York, Cte d'Inverness, Bon Killy leagh (1986) ; ép. 23-7-86 Sarah Ferguson (15-10-59), séparés en mars 1992, 2 enfants : Béatrice (8-8-88), Eugénie (23-3-90) ; Pce *Édouard* (10-3-64).

Sœur de la reine. Pcesse *Margaret* (21-8-30) ép. 6-5-60 Anthony Charles Armstrong-Jones (7-3-30) [f. de Ronald Owen Armstrong et d'Anne Messel (divorcés 1934)], photographe, titré (oct. 61) Cte de Snowdon. Divorcés mai 78, 2 enf. : *David* (3-11-61) Armstrong-Jones Vte Linley, Lady *Sarah* (1-5-64) Armstrong-Jones. Lord Snowdon s'est remarié le 15-12-78 avec sa secrétaire Lucy Lindsay-Hogg, 1 enf.

Autres enfants de George V. Pcesse Mary (25-4-97/28-3-1965) ép. (28-2-22) Vte Henri Lascelles, 6e Cte de Harewood (1882-1947), 2 enf. : George (7-2-23), Gerald (21-8-24). **Henry, duc de Gloucester, Cte** d'Ulster, Bon Culloden (31-3-1900/10-6-74) ép. 6-11-35 Lady Alice Montagu-Douglas-Scott (25-12-01). 2 enf. : Pce *Guillaume* (18-12-41/28-8-72) et Pce *Richard* (26-8-44), ép. 8-7-72 Brigitte Van Deurs (20-6-46) [3 enf. : Alexandre (24-10-74), Cte d'Ulster, Davina (19-11-77), Rose (1-3-80)]. **Pce George, duc de Kent** (20-12-02 – tué 25-8-42 dans un accident d'avion). Ép. (29-11-34) Pcesse Marina de Grèce et de Danemark (1906-68) f. du Pce Nicolas de G. et de D. et de la Grande-Desse Hélène Wladimirovna de Russie (1882-1957). *3 enf. :* Pce *Édouard* duc de Kent, Cte de St-Andrew, Bon Downpatrick (9-10-35) [ép. 8-6-61 Katharine Worsley (22-2-33), 3 enf. : George Cte de St-Andrews (26-3-62, ép. 9-1-88 Sylvana Tomaselli, 1 fils : Edouard Bon Downpatrick n. 2-12-88, 1 fille n. 30-9-92), Lady Helen (28-4-64) ép. 18-7-92 Timothy Verner Taylor (août 1963), Lord Nicolas Windsor (25-7-70)]. Pcesse *Alexandra* (25-12-36) [ép. 24-4-63 l'Honorable Angus Ogilvy (14-9-28) dont 2 enf. : James (29-2-64, ép. 30-7-88 Julia Rawlinson, n. 28-10-64), Marina (31-7-66) ép. 2-2-90 Paul Mowatt, 1 fille : Zenouska n. 26-5-90]. Pce *Michel* (4-7-42) [ép. 30-6-78 Bonne Marie-Christine von Reibnitz (15-1-45), 2 enf. : Lord Frederick 6-4-79, Lady Gabriella 23-4-81].

Fortune de la reine. Origine constituée dep. Victoria (qui, à son avènement, devait faire face à 50 000 £ de dettes laissées par son père). **Montant (1992) :** 5 à 15 milliards de £ (55 à 165 milliards de F) dont env. 107 000 ha de terres et forêts, 2 centres commerciaux, 140 ha au centre de Londres, tous les cygnes du royaume, toutes les épaves, les 3 plus gros diamants du monde : 2 Étoiles d'Afrique (530 et 310 carats) et Koh-I-Noor (108 c.), jouissance du duché de Lancastre (réuni à la Couronne en 1413, env. 20 000 ha, 3 000 000 de £ par an) ; importante collection d'œuvres d'art dont les 2/3 des dessins de Léonard de Vinci (800 env.). **Revenus** 0,1 à 0,5 milliard de £. Tous les *cygnes* du pays (autrefois gibier royal) appartiennent à la Couronne, sauf, par un privilège accordé en 1473, certains cygnes de la Tamise, qui peuvent appartenir aux corporations des teinturiers et des marchands de vin (les ailes des jeunes cygnes royaux de la Tamise sont rognées au cours d'une cérémonie annuelle). Les *« poissons du roi »* – esturgeon, dauphin, marsouin et baleine – doivent être offerts en cadeau au souverain s'ils sont pêchés dans les eaux territoriales (pour la baleine, le roi a droit à la tête, la reine à la partie postérieure ; le cas ne s'est jamais produit sous le règne d'Élisabeth II). Cependant, les esturgeons pêchés en amont du London Bridge appartiendraient au lord-maire.

Nota. – A partir du 6-4-1993, la reine paie des impôts sur ses revenus personnels et prend en charge les dépenses de la famille royale (sauf celles de sa mère, de son mari et de son fils Andrew).

☞ **La famille royale coûte** env. 35 centimes par an et par habitant. **Liste civile** créée en 1689 par Guillaume d'Orange : 70 000 £. Fixée dep. 1937 à 410 000 £ (mais une loi de 1952 a permis d'indexer ce montant, et mis au compte du budget de nombreuses dépenses de fonctionnement). Dep. 1760, les revenus fonciers de la Couronne étaient collectés en Angleterre et au pays de Galles sur les comptes publics, lorsque George III y renonça et reçut un traitement annuel fixe en liste civile. Jusqu'en 1972, le montant alloué par année était établi pour un règne. Le système fut alors transformé en un traitement annuel fixe pour 10 ans, mais dep. 1975, l'inflation élevée rendit nécessaire une révision annuelle. On revint toutefois à la pratique précédente le 1-1-1991. *Montant (en milliers de £, 92) :* reine 7 900, reine-mère 640, Pce Philippe (duc d'Édimbourg) 360, duc d'York 250, Pcesse royale (Anne) 230, Pcesse Margaret 220, Pce Edward 100, Pcesse Alice, Dchesse de Gloucester 90, duc de Gloucester, duc de Kent et Pcesse Alexandra 630. *Le Pce Charles,* héritier du trône, ne reçoit pas d'indemnité mais dispose, en tant que duc de Cornouailles (duché fondé 1337 par Édouard III en faveur de son fils le Pce Noir), des revenus (nets d'impôts) de 52 000 ha situés dans le sud-est de l'Angleterre (dont 35 000 à Dartmoor) et 18 ha à Londres (2 millions de £, mais il fait un don d'env. 50 % au Trésor) ; il aurait aussi un capital boursier d'env. 40 millions de £.

Résidences royales. 1°) **5 châteaux de la Couronne** entretenus sur le budget public (ministère de l'Environnement) : **Buckingham Palace** (construit 1703 par le duc de Buckingham, rés. de la reine à Londres depuis 1837, 600 pièces, 1 000 fenêtres, 9 km de corridors ; bât. du XVIIIe s., modifié 1825 ; façade refaite en pierre 1913) ; **Windsor Castle** [à 35 km de Londres, rés. principale dep. 850 ans ; construit par Guillaume le Conquérant (1066-87), agrandi XIVe et XVe s., restauré par George IV (1820-30)] incendié en partie (projecteur enflamme rideau) 20-11-1992, dégâts 800 millions de F ; **Holyrood House** (rés. officielle de la reine comme souveraine d'Écosse, construite XVIIe s. sur l'emplacement d'une abbaye) ; **St James's Palace** à Londres (construit 1552 par Henri VIII, rés. officielle de 1698 à 1837, d'où l'expression de *« Cour de St James »,* en vigueur dans les milieux diplom.) ; **Kensington Palace** à Londres (rés. de la Pcesse Margaret). 2°) **2 châteaux personnels de la reine** entretenus sur son budget personnel : **Balmoral** (acheté 1852, château construit 1855 par le Pce Albert, époux de la reine Victoria) et **Sandringham** (acheté 1863 par le futur Édouard VII et reconstruit 1871).

■ **Gouvernement.** Appelé « Gouvernement de Sa Majesté », car il gouverne le pays au nom de la reine (mais les actes gouvernementaux importants exigent toujours la participation de la reine). La reine doit choisir comme PM le chef de la majorité à la Chambre des Communes (Lord Salisbury fut le dernier PM pris parmi les pairs en 1902). A l'origine la responsabilité du gouv. s'est traduite par d'éventuelles poursuites (le poursuivant était la Chambre des Communes et le juge la Chambre des Lords). Cette procédure d'*impeachment* permettait aux Communes de se débarrasser d'un cabinet avec lequel elles étaient en conflit, mais elle était lourde et les conséquences graves car, à partir de l'Acte d'Établissement, il fut interdit au roi de gracier l'individu condamné à la suite d'une procédure d'*impeachment.* Alors apparut la responsabilité politique. Celui que menaçait la procédure d'*impeachment* pouvait l'esquiver en démissionnant. Lord Walpole (1742) et Lord North (1782) se retirèrent ainsi. La pratique devint coutume (la dernière tentative d'accusation, visant Lord Melville, date de 1804). **Origine du Cabinet :** de 1714 à 1830, 4 rois hanovriens se succèdent, les 2 premiers parlent mal l'anglais et ne peuvent suivre les débats des min. George III est aveugle et devient fou, George IV est ivrogne et paresseux. L'équipe des min. se détache du roi et siège, en dehors de lui, dans une petite pièce, « le cabinet » qui lui donnera son nom. Les min. sont ensuite reçus par le roi, mais bientôt un seul l'approche. Le cabinet travaille en dehors du monarque. La pratique devient coutume ; en 1837 quand Victoria devient reine, le conseil lui refuse de participer aux délibérations. **Résidence du PM :** 10 *Downing Street* (donné à Sir Robert Walpole en 1735 par George II) (Sir George Downing, soldat et diplomate, fut membre du Parlement de Morfeth 1660-89 ; au 11 : résidence du Chancelier de l'Échiquier ; au 12 : bureau des Whips ; *Chequers :* maison de campagne Tudor (Buckinghamshire, 50 km de Londres) léguée 1921 par Lord Lee of Fareham pour offrir au PM un moyen de délassement). **Gouvernement** formé 28-11-90, remanié 11-4-92. *PM, 1er lord du Trésor et fonction publique* John Major (n. 1943). *Intérieur* Michael Howard. *Lord chancelier* (justice) Lord Mackay of Clashfern (n. 1927). *Affaires étrangères* Douglas Hurd (n. 1930). *Chancelier de l'Échiquier* (finances) Kenneth Clarke (n. 1940). [Norman Lamont (n. 1942), remplacé 28-5-93]. *Défense* Malcolm Rifkind (n. 1946). *Industrie et Commerce* Michael Heseltine (n. 1933). *Lord président du conseil* (cons. privé de la reine) Tony Newton (n. 1937).

■ **Parlement (House of Parliament). Ch. des Lords (House of Lords) : présidée** par Lord Chancelier. **Membres** (au 9-7-92) : 1 205 pairs [dont 758 par succession, 382 à vie (loi 1958), 20 à vie (loi 1876), 19 héréditaires (1re création), 26 archevêques et évêques]. Le dernier repr. irl. est mort en janv. 1961. En 1963 [après une campagne menée par Tonny Benn (n. 1925) qui, forcé de quitter son siège des Communes pour succéder à son père († 1960), voulait revenir aux Communes] il a été admis qu'un Lord quitte la Ch. des Lords et se fasse élire aux Communes en renonçant à la pairie ; Sir Alec Douglas Home devint ainsi PM. **Sessions :** les Lords sont convoqués par une ordonnance. Ils siègent env. 140 j par an. En moy., 270 m. présents les j de grands débats. **Pouvoirs :** ils examinent, amendent si nécessaire les projets de lois renvoyés à la Ch. des Communes et ne peuvent que retarder l'entrée en vigueur des mesures gouvernementales. *Droit de Veto :* rendu temporaire en 1911 et limité en 1949 à 2 sessions successives, avec une durée d'un an. Depuis 1911 les Lords n'ont plus de pouvoir sur les projets de lois à caractère financier. **Salle :** 24,40 m de long, 13,50 m de large, 13,50 m de haut. Commencée 1840, terminée 1860, utilisée pour la 1re fois en 1847, construite sur le site du palais de Westminster par Édouard le Confesseur, incendié 1834 (le Westminster Hall fut sauvé), reconstruit 1840-67. Plans de Sir Charles Barry et Augustus Welby Pugin. De 1941 à 51, utilisée par la Chambre des Communes, ses bâtiments ayant été détruits, les Lords se réunissant dans l'Antichambre de la Reine. *Trône* dessiné par Pugin, surmonté d'un dais représentant le Drap d'État ; devant, sac de laine contenant des échantillons venant d'Angleterre, pays de Galles, Écosse, Irlande et pays du Commonwealth sur lequel siège le grand chancelier qui est aussi ministre et chef du pouvoir judiciaire. 2 autres sacs de laine et la Table de la chambre se trouvent devant le sac. On appelle côté spirituel la partie réservée au parti au pouvoir et côté temporel celle de l'opposition.

Ch. des Communes (House of Commons). Membres : 651 élus au suffr. univ. direct pour 5 ans [Angl. 523, Écosse 72 (sa population ne devrait lui donner droit qu'à 57 m.), Galles et Monmouthshire 38 (leur pop. ne devrait leur donner droit qu'à 31 m.), Irl. du N. 17]. **Siège** env. 175 j par an (5 j par semaine). **Speaker,** membre de la Chambre proposé par le Gouv. après consultation de l'opposition. Élu au début de chaque nouveau Parlement pour présider la Chambre et faire respecter les règlements. Après

Élections a la Chambre des Communes (sièges et % des voix)

Élections	Nombre total des sièges	Conservateurs	Libéraux	Travaillistes	Autres
1931 (27-10)	615	521 (60,5)	37 (7)	52 (30,6)	5 (1,7)
1935 (14-11)	615	432 (53,7)	20 (6,4)	154 (37,9)	9 (2)
1945 (5-7)	640	213 (39,8)	2 (9)	393 (47,8)	22 (2,8)
1950 (23-2)	625	298 (43,5) [1]	9 (9,1)	315 (46,4)	3 (1,3)
1951 (25-10)	625	321 (48) [2]	6 (2,5)	295 (48,7)	3 (0,7)
1955 (25-5)	630	344 (49,8) [2]	6 (2,7)	277 (46,3)	3 (1,2)
1959 (8-10)	630	365 (49,4) [2]	6 (5,9)	258 (43,8)	1 (0,9)
1964 (15-10)	630	303 (43,4) [2]	9 (11,1)	317 (44,2)	1 (1,3)
1966 (31-3)	630	253 (41,9) [2]	12 (8,5)	363 (47,9)	2 (1,7)
1970 (18-6) [6]	630 [3]	330 (46,4) [4]	6 (7,5)	288 (43)	6 (3,1)
1974 (28-2)	635	297 (38,2)	14 (19,3)	301 (37,2)	23 (5,3)
1974 (10-10)	635	277 (35,8)	13 (18,2)	319 (39,9)	26 (6,6)
1979 (3-5)	635	339 (43,9)	11 (13,8)	268 (36,9) [5]	17 (5,4)
1983 (9-6)	635	397 (42,4)	23 (24,6)	194 (27,6)	21 (4,6) [7]
1987 (11-6)	650	376 (42,3)	22 (22,6)	229 (30,8)	23 (4,1)
1992 (9-4)	651	336 (41,8)	20 (17,8)	271 (34,1)	24 (6,1)

Nota. – (1) Y compris lib. nat. (2) Y compris associés. (3) Y compris 1 nat. écossais, 5 ind. et le speaker. (4) Y compris les unionistes d'Ulster. (5) Ulster 10, SNP 2, Plaid Cymru 2, divers 3. (6) Ulster 11. (7) Dont P. nat. écoss. 3 (1,3), Plaid Cymru 3 (0,4), Unionistes officiels nord-irl. 9, démocratiques nord-irl. 3, populaires nord-irl. 1, sociaux-dém. et travaillistes nord-irl. 3, Sinn Fein 1, Speaker 1.

Armoiries. Depuis Richard Cœur de Lion (v. 1200), elles sont celles des ducs de Normandie : 3 léopards d'or sur champ de gueules (rouge). En 1339, Édouard III (qui revendiquait la couronne de France) écartela son écu avec les fleurs de lys d'or semées sur champ d'azur (réduites à 3, pour imiter les rois de Fr., à partir du XVe s.). A partir de 1603, les armes d'Écosse (un lion de gueules, dans un cadre également de gueules, sur champ d'or) et celles d'Irlande (une lyre d'or sur champ d'azur) sont jointes aux 2 précédentes. Guillaume III y rajoute en 1688 lion et billettes de Nassau. En 1801, on enleva les fleurs de lys de Fr., mais on rajouta un écusson de prétendance avec les armes du Hanovre, que la reine Victoria supprima en 1831. Depuis, les armoiries royales sont écartelées en 1 et 4 d'Angleterre, en 2 d'Écosse et en 3 d'Irlande.

Devise. *« Dieu et mon Droit »,* prononcée en 1190 par Richard Cœur de Lion à la bataille de Gisors. L'orthographe correcte serait plutôt « Dieu *est* mon Droit » (les Plantagenêts sont ducs de Normandie « par la grâce de Dieu » et non par concession des rois de Fr.).

Drapeau. Dit Union Jack à cause du roi Jacques Ier qui l'a dessiné ou parce que sur les navires de g., il est obligatoirement le pavillon de beaupré (en angl. : *jack*). Superposition des *croix de St-Georges* (Anglet., rouge sur fond blanc, adoptée XIIIe s.), *St-André* (Écosse, blanche sur fond bleu, ajoutée 1707), *St-Patrick* (Irlande, rouge sur fond blanc, ajoutée 1801). Seul le bâtiment de l'amiral de la flotte le porte au grand mât. Les autres navires de guerre y arborent l'« enseigne blanche » de la Royal Navy (croix de St-Georges, avec petit Union Jack, case 1). **L'étendard royal,** qui indique la présence de la reine dans un bâtiment ou sur un navire, représente les armoiries écartelées des 3 royaumes, sans leurs supports (lion couronné et licorne), sans devise et sans crête (heaume avec couronne royale, surmontée d'un lion couronné).

Symboles floraux. Rose d'Anglet., chardon d'Écosse, trèfle d'Irlande, poireau et jonquilles du pays de Galles.

☞ **John Bull.** Personnage tiré d'une satire politique de John Arbuthnot (1712).

■ **Souverains nés hors des îles Britanniques.** *Guillaume le Conquérant* (Falaise, Normandie, 1027). *Guillaume le Roux* (Norm. r. 1051-60). *Étienne de Blois* (Blois, v. 1096). *Henri II* (Le Mans, 1133). *Richard II* (Bordeaux, 1367). *Édouard IV* (Rouen, 1442). *Guillaume III* (La Haye, 1650). *George Ier* (Osnabrück, 1660). *George II* (Hanovre, 1683).

■ **Age de l'accession au trône. Les plus jeunes :** *Marie,* reine d'Écosse 6 ou 7 j en 1542, *Henry VI :* 269 j en 1422, *Henry III :* 9 ans et 1 m., *Édouard VI :* 9 a. 3 m., *Richard II :* 10 a. 5 m., *Édouard V :* 12 a. 5 m. **Les plus vieux :** *Guillaume IV :* 64 a. 10 m. en 1830, *Édouard VII :* 59 a., *George IV :* 57 a., *George I :* 54 a., *Jacques II :* 51 a.

■ **Souverains ayant vécu le plus longtemps.** *Victoria :* 81 ans 243 j, *George III :* 81 a. 239 j, *Édouard VIII :* 77 a., *George II :* 76 a., *Guillaume IV :* 71 a.

■ **Règnes les plus longs.** *Victoria Ire :* 63 ans 216 j (1837-1901). *George III :* 59 a. 96 j ; sa femme *Charlotte* (1761-1818) 57 a. 70 j (1760-1820). *Henri III :* 56 a. 1 m (1216-72). *Édouard III :* 49 a. 9 m. (1327-77). *Élisabeth Ire :* 44 a. 4 m. (1558-1603). **Les plus courts.** *Jane Grey :* 13 j (1553). *Édouard V :* 77 j (1483). *Édouard VIII :* 325 j (1936).

■ **Enfants légitimes d'un roi.** *Le plus :* Edward I (1277-1307) 18. *D'une Reine régnante :* Victoria (1819-1901) 9, *consort* Eleanor (1244-90) et Charlotte (1744-1818) 15.

■ **Prétendants possibles au trône d'Angleterre.** 1°) **Albert de Bavière** (n. 3-5-1905), héritier des Stuarts (voir p. 1114). La succession du souverain aurait pu être : *Jacques III* († 1766) fils de J. II (mort en exil). *Charles III* († 1788) son fils, sans postérité légitime. *Henri IX* († 1807) cardinal-duc d'York, dernier des Stuarts, son frère *Charles-Emmanuel IV* (1751-1819) roi de Sardaigne (1796-1802) (descendant de Henriette, sœur de Jacques II, ép. de Philippe, duc d'Orléans). *Victor-Emmanuel Ier* (1759-1824), roi de Sard. (1802-21), s. fr. *Marie-Béatrice de Savoie,* sa f., ép. son oncle François IV (1775-1840), duc de Modène ; archiduc d'Autriche-Este. *François V* († 1875), son f., duc de Modène. *Marie-Thérèse d'Autriche-Este* († 1919) sa nièce, ép. Louis III, roi de Bavière. *Pce Robert* (Ruprecht) de B. († 1955). *Duc Albert de B.* son f. 2°) **Pcesse Élisabeth de Bourbon-Parme** (n. 1904 sans alliance). Si l'on considère que la descendance de Marie-Béatrice de Savoie n'est pas dynaste (car elle avait épousé son oncle) la lignée s'établirait ainsi : *Marie-Thérèse de Savoie* (1824-79) sœur cadette de Marie-Béatrice, ép. Charles II (Louis II de Bourbon), roi d'Étrurie, duc de Lucques puis de Parme. *Robert Ier,* duc de Parme (1879-1907) son petit-f., *Henri* (1907-39) son f., *Joseph* (1939-50), son fr., *Élie* (1950-59) son fr. ; *Robert II* (1959-74) son f., *Élisabeth,* sans alliance, sœur de Robert Ier. 3°) **Duc de Buccleuch** (n. 28-9-1923 Walter Francis John Montagu Douglas Scott, 9e duc), le plus important propriétaire terrien d'Europe. Descendant de James Scott, duc de Monmouth, fils naturel aîné de Charles II et de Lucy Walter (exécuté par son oncle Jacques II, qu'il avait tenté de renverser). 4°) **Archiduchesse Robert d'Autriche-Este** (n. 1930). Née Pcesse Margherita de Savoie-Aoste, héritière des droits d'Élisabeth, reine de Bohême, fille aînée du roi Jacques Ier. 5°) **Lady Kinloss** (n. 1944). Héritière des droits de Jane Grey, descendant de la sœur de celle-ci, Catherine, ép. d'Édouard Seymour, Cte de Hertford, transmission conforme au testament d'Henri VIII. 6°) **Ctesse de Loudoun** (n. 1919) si l'on considère comme illégitimes les enf. nés d'Édouard IV et d'Élisabeth Woodville. Héritière de Marguerite, *Ctesse de Salisbury,* et des rois Plantagenêts.

son élection, il doit se montrer impartial. **Dissolution** fréquente avant la fin du mandat. **Composition (11-4-92) :** conservateurs 336 (369, Chambre sortante), travaillistes 271 (229), démocrates libéraux (alliance centriste) 20 (22), unionistes nord-irl. 13 (13), catholiques modérés nord-irlandais (SDLP) 4 (3), nationalistes gallois 4 (3), écossais 3 (5).

Nota. – *Big Ben* (18,54 t) a été placée en 1858 dans la tour de l'horloge des Communes.

■ **Lois.** La plupart sont applicables à la G.-B. ou à tout le Roy.-Uni, mais dans certains cas, on vote, pour l'Angl. et le P. de Galles d'une part et l'Écosse d'autre part, des lois séparées qui tiennent compte de la différence des institutions, des coutumes et des conditions. L'Irlande du N. a son propre gouvernement et son parlement qui légifèrent sur les questions relatives aux affaires intérieures (voir p. 1119).

Nombre d'électeurs (en millions). *1831 :* 0,435 ; *32 :* (après le Reform Bill) 0,652 ; *66 :* 1 ; *69 :* 2 ; *83 :* 2,6 ; *85 :* 4 ; *1918* (suffrage universel) : 21 ; *28* (l'âge devient le même pour les femmes) : 29.

■ **Partis. P. conservateur** (à l'origine *tory* = maquisard catholique d'Irlande) : f. 1870, représentant alors les propriétaires fonciers, devient en 1830 le parti conservateur. *Membres :* 1 500 000. *Leader :* John Major (1943) dep. 27-11-1990 [élu 1990 (1er tour, 20-11 : Mme Thatcher 204 v., Michael Heseltine (n.1933) 152 v. ; 2e t. : Mme Thatcher ne se représente pas) 185 v. ; John Major devant Michael Heseltine 131 v. et Douglas Hurd 56 v. qui se retirent ; pas de 3e t.]. *Pt :* Norman Fowler. **P. travailliste** (Labour Party) : *origine : 1900* Labour Representation Committee, *1906* Labour Party, *1909 statuts* soutenus par Trade Unions [5 126 125 m. dont 261 233 m. individuels] ; entretenait des relations étroites avec l'URSS notamment lors de la grève des mineurs de 1984. *Leaders : 1945* Clement Attlee, *1959* (déc.) Hugh Gaitskell, *1963* (févr.) Harold Wilson, *1976* (mars) James Callaghan, *1980* (nov.) Michael Foot (23-7-13), *1983* (2-10) Neil Kinnock (28-3-42), démissionne 13-4-92 (départ effectif juin 92), *1992* (18-7) John Smith. **Gauche dém. :** dep. 1991 (avant : **P. communiste :** f. 1920) ; *secr. gén. :* Nina Temple 1 600 m., en partie financé avec des fonds secrets soviét. de 1958 à 1979. **P. des démocrates libéraux** (LD) : f. 3-3-1988, 110 000 m., *leader* Paddy Ashdown (n. 1941) dep. 1988. *Leader à la Chambre des Lords* Lord Jenkins of Hillhead. *Pt* Charles Kennedy. 82 000 m. Regroupe le **P. social-démocrate** (SDP) : f. 26-3-1981, par 19 m. des Communes dont Roy Jenkins, David Owen et Shirley Williams et 59 pairs, issus du P. travailliste ; *Pt :* Ian Wrigglesworth, env. 6 000 m. (se saborde le 3-6-90) et le **P. libéral** [à l'origine, parti *Whig* (*whiggamore* = maquisard presbytérien d'Écosse)] : f. 1877 par W. Gladstone, représente le monde des affaires et défend le libre-échange. A sa gauche, les partisans de réformes deviendront les libéraux (à partir de 1815). En 1931, il se divisa en *Samuelistes* [Sir Herbert Samuel (1870-1963)], continuant la tradition libérale, et *Simonistes* [Sir John Simon (1873-1954)], abandonnant le libre-échangisme puis rejoignant les Conservateurs. *Leaders : 1945 :* Clement Davies (n. 1884). *1956 :* Jo Grimond (n. 1913). *1967 :* Jeremy Thorpe (n. 1929). *1976 :* David Steel (n. 1938). *1988 :* Paddy Ashdown (n. 1941). Obtint 6 000 000 de voix en 1992 (17,8 %), 20 m. Ch. des Com., 60 m. Ch. des Lords. **P. Vert,** f. 1973. *1987 :* 1,4 % (5,9 % aux él. locales), *1989 :* europ. 14,99 %, *leader :* John Bishop.

■ **Syndicats** (Trade Unions). **Affiliés** (millions) *1979 :* 12 ; *84 :* 10 ; *85 :* 9,8 ; *88-89 :* 8,7 ; *92 :* 7,5. *Taux de syndicalisation* (%). *1969 :* 44 ; *79 :* 54 ; *85 :* 43,5. Dep. 1906, les synd. ne sont pas tenus pour responsables des délits du travail commis par leurs membres. Jusqu'en 1980, ils pouvaient, par ex., mettre des piquets de grève dans les usines étrangères à un conflit du travail, pour paralyser une concurrence gênante (droit supprimé en 1980). Beaucoup les ont rendus responsables de la ruine de l'industrie brit. 1°) ils se sont opposés à l'adoption des techniques nouvelles entraînant des suppressions d'emplois ; 2°) ils ont déclenché de nombreuses grèves, souvent pour des motifs futiles (*1979 :* 29 millions de journées perdues ; *1980 :* 12 millions) ; 3°) ils empêchaient tout licenciement pour faute professionnelle grave, grâce à des recours devant les « tribunaux du travail », qui absolvaient les syndiqués. Leur influence politique a décliné dep. 1981 notamment dep. l'échec de la grève des charbonnages déclenchée contre le plan de restructuration pour 1984-85 (réduire la production de 100 à 96 millions de t, supprimer 20 000 emplois par départs volontaires, moyennant de généreuses indemnités de licenciement) qui s'était terminée sans que le gouv. cède après 51 semaines, du 12-3-84 au 3-3-85. La grève qui n'avait jamais été totale (30 000 mineurs du Nottinghamshire ne s'y sont jamais associés) avait coûté 2 976 millions de £ dont subventions aux centrales électriques utilisant des hydrocarbures 1 624 et aux charbonnages 733 ; police 155, aides sociales aux familles 64, pertes impôts non payés par mineurs 370, de productivité des mineurs ayant continué à travailler 30.

Police (1991) 146 500 policiers (surnom : bobbies de Bobby, diminutif de Robert Peel qui fonda la police métropolitaine en 1828) dépendant de 52 autorités régionales, ne portant en général pas d'armes à feu. A Londres, 2 510 sur 28 000 en portent (soit 1 sur 11).

■ Premiers ministres

☞ *Légende.* – (1) Coalition. (2) Conservateur. (3) Libéral. (4) National Government. (5) Tory. (6) Whig. (7) Labour.

1721 *Sir Robert Walpole* (1676-1745) [6] 1er lord de la Trésorerie et chancelier de l'Échiquier. **42** *Cte de Wilmington* (1673-1743) [6]. **43** *Henry Pelham* (1696-1754) [6]. **54** *Thomas Pelham* [6]. *Duc de Newcastle* (1693-1768), fr. du précédent. **56** *Duc de Devonshire* (1720-64) [6]. **57** *Duc de Newcastle* (1693-1768) [6]. **62** *Cte de Bute* (1713-92) [5]. **63** *George Grenville* (1712-70) [6]. **66** *Mis de Rockingham* (1730-82) [6]. **66** *Cte de Chatham* (1708-78) [6], avant, *William Pitt l'Aîné.* **68** Duc de Grafton (1735-1811) [6]. **70** *Lord North* (1732-92) [5]. **82** *Mis de Rockingham* [6]. *Cte de Shelburne* (1737-1805) [6]. **83** *Duc de Portland* (1738-1809) C. 19-12 *William Pitt le Jeune* (1759-1806) [5].

1801 *Henry Addington, Vte Sidmouth* (1757-1844) [5]. **04** *William Pitt le Jeune* [5]. **06** *Lord Grenville* (1759-1834) [6]. **07** *Duc de Portland* (1738-1809) [5]. **09** *Spencer Perceval* (1762-1812) [5]. **12** *Cte de Liverpool* (1770-1828) [5]. **27** *George Canning* (1770-1827) [5]. *Vte Goderich* (1782-1859) [5]. **28** *Duc de Wellington* (1769-1852) [5]. **30** *Cte Grey* (1764-1845) [6]. **34** *Vte Melbourne* (1779-1848) [6]. *Duc de Wellington. Sir Robert Peel* (1788-1850) [5]. **35** *Vte Melbourne* [6]. **41** *Sir Robert Peel* [5]. **46** *Lord John Russell* (1792-1878) [6]. **52** *Cte de Derby* (1799-1869) [5]. *Cte d'Aberdeen* (1784-1860) Peelite. **55** *Vte Palmerston* (1784-1865) [3]. **58** *Cte de Derby* [2]. **59** *Cte Palmerston* [3]. **65** *Cte Russell,* avant Lord John Russell [3]. **66** *Cte de Derby* [2]. **68** *Benjamin Disraeli* (1804-81) [2]. *William Ewart Gladstone* (1809-98) [3]. **74** *Benjamin Disraeli* [2], devint Cte de Beaconsfield en 1876. **80** *W. E. Gladstone* [3]. **85** *Mis de Salisbury* (1830-1903) [2]. **86** *W.E. Gladstone* [3]. *Mis de Salisbury* [2]. **92** *W. E. Gladstone* [3]. **94** *Cte de Rosebery* (1847-1929) [3]. **95** *Mis de Salisbury* [2].

1902 (12-7) *Arthur James Balfour* (1848-1930 Cte en 1922) [2]. **05** (5-12) *Sir Henry Campbell-Bannerman* (1836-1908) [3]. **08** (5-4) *Herbert Henry Asquith* (1852-1928) [3] puis (25-5-1915) [1]. **16** (7-12) *David Lloyd George* (1863-1945) [1]. **22** (23-10) *Andrew Bonar Law* (1858-1923) [2]. **23** (23-5) *Stanley Baldwin* (1867-1947 Cte Baldwin de Bewdley) [2]. **24** (22-1) *James Ramsay MacDonald* (1866-† en mer 1937) [7]. (4-11) *Stanley Baldwin* [2]. **29** (5-6) *J.R. MacDonald* [2]. **31** (23-8) *J.R. MacDonald* [4]. **35** (7-6) *Stanley Baldwin* [4]. **37** (28-5) *Neville Chamberlain* (1869-1940) [4]. **40** (10-5) *Sir Winston Churchill* (1874-1965) [4] puis (23-3-45) [2]. **45** (26-7) *Clement Attlee* (1883-1967, Cte en 1955) [7]. **51** (26-10) *Sir Winston Churchill* [2]. **55** (avril) *Sir Anthony Eden* (1897-1977, Cte d'Avon en 1961). **57** (10-1) *Harold MacMillan* (1894-1986) [2], démissionne 11-10-63 (1984 : créé Cte de Stockton). **63** (18-10) *Sir Alec Douglas-Home* (1903) [2]. **64** (16-10) *Harold Wilson* (1916) [7]. **70** (19-6) *Edward Heath* (1916) [2]. **74** (4-3) *Harold Wilson* [7], démissionne 15-3-76. **76** (5-4)

Churchill, Sir Winston Leonard Spencer-C. (1874-1965). Fils de Lord Randolph Spencer, lui-même fils du 7e duc de Marlborough. Mère américaine. **1895** sous-lieutenant de hussard. **1898** combattant à Omdurman. **1899-1900** journaliste, correspondant de g. en Afr. du S. **1900** député (conservateur) aux Communes [considéré comme roturier, le titre de lord de son père (fils de duc) n'est pas héréditaire]. **1911** 1er lord de l'Amirauté. **1915** rendu responsable de l'échec des Dardanelles et forcé de démissionner. **1916** colonel d'infanterie sur le front français. **1917** ministre des Munitions. **1918** de la Guerre. **1921** des Colonies. **1924-29** chancelier de l'Échiquier. **1940** PM et min. de la Défense. **1941** signe la Charte de l'Atlantique. **1945** à Yalta, tente de s'opposer à la politique russophile de Roosevelt. **1945** échec des conservateurs aux élections : perd le pouvoir. **1945-64** député conservateur (de Wood Ford). **1951** PM. **1953** prix Nobel de Littérature. **1955** démissionne : raison de santé ; sur la Côte d'azur, peint. **Œuvres** *romans : Madame Solario* (1956 ; publié sans nom d'auteur), *Savrola* (1897).

James Callaghan (27-3-1912) 7. **79** (4-5) *Margaret Thatcher* [(13-10-1925, anoblie : baronne (non héréditaire) de Kesteven en déc. 1990) ; fille d'épicier ; ép. 1951 Denis Thatcher [dont elle a des jumeaux : Mark et Carol (21-8-1953) ; études de chimie et droit ; *1951 :* avocate ; *1959 :* député ; *1975 :* leader du Parti]2. **90** (28-11) *John Major* [(1943), le plus jeune PM)] 2.

Premiers ministres qui furent le plus longtemps en fonction : *Sir Robert Walpole* 20 ans et 10 mois, *William Pitt le jeune* 18 a. 11 m. (2 fois) (17 a. 45 j en 1 fois), *Cte de Liverpool* 14 a. 8 m., *Mis de Salisbury* 13 a. 9 m. (2 f.), *William Gladstone* 12 a. 4 m. (4 f.), *Lord North* 12 a. 2 m., *Margaret Thatcher* 11 a. 2 m. (au 1-7-90) (1 f.), *Vte Palmerston* 9 a. 5 m. (2 f.), *Herbert Asquith* 8 a. 8 m. (1 f.), *Winston Churchill* 8 a. 8 m. (2 f.), *Harold Wilson* 7 a. 9 m. (2 f.). Le moins longtemps : *Bonar Law* 1 a. 7 m. (1 f.) ; *Douglas-Home* 1 a. (1 f.) ; *Eden* 1 a. 9 m. (1 f.). Le + court ministère : 22 j : *Duc de Wellington* (17-11/9-12 1834). Le + jeune PM : *William Pitt* (1759-1806) PM le 12-12-1783 à 24 a. 205 j. Le + vieux : *Vte Palmerston* (1784-1865) le 6-2-1855 à 70 a. 109 j.

■ NOBLESSE

■ I. La Pairie (peerage). *Titres qui la confèrent :* duc (duke), marquis (marquess), comte (earl), vicomte (viscount), baron (baron). Les pairs siègent à la *Chambre des Lords* à titre héréditaire (sauf les pairs barons ou baronesses créés à vie depuis 1958). Depuis son avènement, la reine Élisabeth II a créé chaque année une dizaine ou plus de nouveaux pairs. Elle n'a pas créé de pairs héréditaires de 1965 à 1982 mais en a créé 2 (vicomtes) en 1983 et 1 en 1984 [Cte de Stockton : l'ancien PM Mac Millan]. En 1969, pour la 1re fois, un Noir (Sir Learie Constantine) a été nommé pair à vie. *Dep. 1963, les pairs peuvent renoncer à leur pairie :* ils perdent alors leur titre qui passe à leur successeur immédiat, lequel pourra, à leur mort, siéger à la Chambre des Lords. Celui qui renonce ne peut pas recevoir une nouvelle pairie héréditaire ; ainsi l'ancien PM Sir Alec Douglas-Home, qui a renoncé en 1963 au titre de Cte de Home, fut nommé en 1979 pair à vie comme Lord Home of the Hirsel (the Hirsel : son château familial) et son fils aîné ne deviendra qu'à la mort de son père Earl of Home. Les *pairs d'Irlande* n'ont pas le droit de siéger à la Chambre des Lords (de 1800 à 1921, ils pouvaient élire 28 représentants). Les *pairs d'Écosse* ne purent siéger de 1707 à 1963, mais dep. 1963, chaque pair d'Écosse en a le droit. Quelques « *Law Lords* », barons à vie nommés Lords of Appeal in Ordinary dep. 1876, exercent la plupart des pouvoirs de la Chambre en tant que cour d'appel. Les *Lords Spiritual* [archev. de Canterbury et York, évêques de Londres, Durham et Winchester, et 21 autres év. les plus anciens (par date de consécration)] sont qualifiés « Lords » mais ne sont pas pairs. Les aînés des ducs et marquis portent le 2e titre de leur père, titre dit de courtoisie (ex. : le fils du duc de Bedford est Mis de Tavistock). Les autres enfants sont appelés ainsi : Lord Edward, Lady Caroline. Les aînés des Ctes portent le 2e titre de leur père, les autres fils sont appelés l'Honorable John, et les filles Lady Elizabeth... Les enfants des vicomtes et des barons ne portent aucun titre distinct et sont appelés l'Honorable Robert, l'Honorable Mary.

En 1988, le grand rabbin du Royaume-Uni, né en Prusse orientale, est devenu Baron Jakobovits of Regents Park. Il avait été fait chevalier 7 ans plus tôt. Il n'a pas prêté un serment d'allégeance à la reine sur « l'Ancien Testament », mais a simplement présenté une déclaration de loyauté à « Sa Majesté, ses héritiers et ses successeurs ».

■ II. La Nobility. 1°) **Baronet.** Titre héréditaire instauré en 1611 pour combler l'écart entre pairs du royaume et chevaliers beaucoup plus nombreux. Sous Jacques Ier et Charles Ier ce titre fut parfois vendu (700 livres en 1619, 220 en 1622). Les *baronets* (env. 1 364) sont qualifiés de « Sir » (prénom et nom). 2°) **Chevaliers (knights) :** *a) membres d'un ordre de chevalerie :* conféré par la reine [ordres de la Jarretière, du Chardon ; et ayant 2 classes de chevaliers (Knight Grand Cross et Knight Commander) : o. du Bain, de St-Michel et St-George, Royal Victorien, de l'Empire britannique] : leur titre n'est pas héréditaire (sauf 3 chev. en Irlande). Leur nom est précédé de « Sir » et suivi des initiales indiquant l'ordre auquel ils appartiennent (ex-KCB Knight Commander of the Bath. KG Knight of the Garter). Le 14-6-1989, la reine a élevé Ronald Reagan au titre de chevalier honoraire. N'étant pas britannique, il n'est pas appelé *sir. b) Knights bachelors :* descendants des anciens chevaliers. 3°) **Certains chefs de clans** des Highlands en Écosse et quelques chefs de famille. « Mac » indique « fils de » ; un chef s'appelle sans prénom (ex. The MacKintosh). En 1990 il y a 121 membres du « Standing Council of Scottish Chiefs » dont 23 portent le terme « Mac » dans leur patronyme. 4°) **Noblesse non titrée** (Écuyers, Gentilshommes : la « gentry »). Les armoiries légitimes sont enregistrées chez les Rois d'Armes (au Collège d'Armes de Londres ou à la Cour Lyon à Édimbourg, et jadis au château de Dublin pour l'Irlande (aujourd'hui Londres pour le N. de l'Irlande). Environ 5 000 familles.

☞ Seule la noblesse a droit aux armoiries. En 1800, on comptait 50 000 à 60 000 nobles pour 6 millions d'h. L'abolition des fiefs a été décrétée en 1656, et confirmée en 1661. La tenure militaire a été alors abolie, mais le droit de basse justice (assez restreint) a été maintenu dans chaque manoir. La tenure dite « copyhold » (soumise au cens du manoir, de plus en plus faible) a continué jusqu'en 1925, et le droit de tenir la « Cour baron » du manoir jusqu'en 1976. Actuellement, les possesseurs de fiefs n'exercent plus de droits territoriaux, fiscaux ou judiciaires sauf sur les duchés de Cornouailles et de Lancastre. *Les lords of the manoir* (les seigneurs du manoir) subsistent et possèdent sous cette dénomination des droits sur les terrains publics qui ne dépassent pas, dans certains cas, quelques mètres carrés. Ces appellations se vendent comme des biens privés avec les droits et archives y afférents. Elles n'ont aucun caractère nobiliaire. Le titre de *Seigneur de Sercq* (féminin « Dame » de Sercq), île Anglo-Normande, est resté attaché à l'exercice de prérogatives seigneuriales féodales, tant judiciaires que fiscales, comme au XVIe s.

Nombre de titres. **Prince :** titre n'existant que dans la famille royale. **Ducs** *royaux :* 6 : Édimbourg créé (1947), Cornouailles (1337, porté par Charles), Rothesay (1398, idem), York (1986), Gloucester (1928), Kent (1934). *Autres ducs :* 24 (date de création et titre décerné) : 1868 Abercorn (Irlande). 1701 Argyll (Écosse et R.-U.). 1703 Atholl (Écosse). 1682 Beaufort. 1694 Bedford. 1663 Buccleuch (and Queensberry ; 1706) (Écosse). 1694 Deyonshire. 1900 Fife. 1675 Grafton. 1643 Hamilton (Écosse). 1766 Leinster (Irlande). 1719 Manchester. 1702 Marlborough. 1707 Montrose (Écosse). 1483 Norfolk. 1766 Northumberland. 1675 Richmond (and Gordon ; 1876). 1707 Roxburghe (Écosse). 1703 Rutland. 1684 Saint-Albans. 1547 Somerset. 1833 Sutherland. 1814 Wellington. 1874 Westminster. **Archevêques :** 2 Canterbury (1991), York (1973). **Marquis :** 38. **Comtes :** 211. **Vicomtes :** 136. **Barons** 719 héréditaires, 371 à vie.

■ RÉGIONS

GRANDE-BRETAGNE

■ Angleterre. 130 478 km². *Long. max.* 590 km. *Larg. (base)* 510. Aucun lieu n'est à plus de 125 km de la mer. Population (millions). *Fin XIe s.* env. 2. *fin XVIIe s.* 5,5. *1801 :* 8,89. *31 :* 13,9. *61 :* 20,07. *91 :* 29. *1921 :* 37,89. *51 :* 43,76, *90 :* 47,8. *D* 366,6. Villes (est. 90) : *Londres* agg. 6 794 400 h., Birmingham 992 800 (à 177 km), Leeds 712 200 (314), Sheffield 525 800 (274), Liverpool 468 800 (309), Bradford 462 900 (325), Manchester 446 700 (264), Bristol 375 500 (187), Kirklees 374 300, Wirral 335 300, Wakefield 319 400, Wigan 315 800, Coventry 310 400 (148), Dudley 306 500, Sandwell 296 200, Sefton 299 600, Sunderland 295 000, Doncaster 294 000, Stockport 290 000, Newcastle 278 000 (465), Leicester 277 800 (166), Nottingham 274 900 (205), Walsall 263 900, Kingston upon Hull 246 700 (320), Bolton 266 900, Plymouth 254 500 (348), Rotherham 252 800, Wolverhampton 249 400, Stoke 245 300 (250), *1987 :* Southampton 199 100 (126), *1986 :* Portsmouth 186 900 (116), Canterbury 127 700, Oxford 116 200 (92), York 106 600, Cambridge 99 800 (87). **Comtés** 45 (ou shires) + Greater London avec 309 **districts** (découpage de 1974).

☞ Les 5 ports (Douvres, Hastings, Hythe, New-Romney et Sandwich) jouissaient de certains privilèges. Nés avant la conquête normande, Guillaume le Conquérant leur accorda une juridiction particulière, abolie en 1855, excepté pour l'Amirauté. Peu après la conquête de l'Angleterre, Winchelsea et Rye reçurent les mêmes privilèges. Autres membres de la Confédération (Limbs) : Lydd, Faversham, Folkestone, Deal, Tenterden, Margate et Ramsgate. Les barons des 5 ports ont le privilège de s'occuper de la cérémonie de couronnement. *Gouverneurs des 5 ports 1941 :* Winston Churchill. *1965 :* Robert Menziès. *1978 :* reine-mère Élisabeth.

■ Principauté de Galles et Monmouthshire. Au Moyen Age appelée Cambria. Rattachée à la Couronne par l'Acte d'Union de 1535. 20 766 km². Le titre de Pce de G. est donné traditionnellement au Pce héritier (le + ancien connu est Édouard II, début XIVe s.). Population (millions) *1871 :* 1,22 ; *1901 :* 1,71 ; *31 :* 2,16 ; *51 :* 2,17 ; *86 :* 2,82 ; *91 :* 2,79. D 138,8. Villes (86) : *Cardiff* 287 200 (est. 90) (à 232 km de Londres), Swansea 187 000, Newport 129 800. Langues *(off.).* Anglais, et gallois (1re langue pour 70 % de la pop. dans l'O. du pays). **Comtés** 8 et **districts** 37. Des *lords-lieutenants* repr. la reine. Partis. *Plaid Cymru* (prononcé « plaïd coummri », P. nat. gallois).

■ Écosse. 78 789 km². *Largeur min.* 50 km. Population (millions) *1801 :* 1,6 ; *41 :* 2,6 ; *1921 :* 4,48 ; *31 :* 4,83 ; *51 :* 5,1 ; *90 :* 5,10. D 66,1. **Émigrés :** 1 850 000 Écossais ont émigré entre 1841 et 1921. 390 000 entre 1921 et 1931. Langues. Anglais, gaélique, écossais et braid scots (dialecte anglo-écossais des Lowlands ou *lallans*). En 1961, env. 1 079 h. parlaient seulement gaélique et 76 587 gaél. et angl. ; tous les lallandophones sont bilingues. Villes (est. 90) : *Édimbourg* 434 500 (à 629 km de Londres). Glasgow 689 200 (à 642 km de L., 70 km d'Éd.), Aberdeen 211 100 (surnom : Granite City). Dundee 177 700 (86). 5 villes nouvelles implantées depuis 1965 dans les Lowlands : Irvine, Cimbernauld, East Kilbride, Glenrothes, Livingstone (+ de 200 000 h.). Statut. 1 603 couronnes unies [Jacques VI d'Écosse devient roi d'Angl. (J. Ier)], rattachée à l'Angl. par l'Acte d'Union de 1707. Le cabinet brit. comprend dep. 1885 un secr. d'État pour l'Écosse qui coiffe 4 départements (agriculture et pêcheries, éducation, santé, intérieur). Auld (ancienne). Alliance (avec Fr.). Régions. 9 dep. 1975 (comprenant 54 districts). **Iles** 3 *(Orkney, Shetland, îles Occidentales).* Holy Loch sur la Clyde (dep. 1961 base de sous-marins nucléaires amér.). Parti. *Parti nat. écossais* (SNP, Scottish National Party) demande indépendance et possibilité de profiter du tr. d'alliance avec France (1346), voix : févr. 74 : 21 % (7 dép.), oct. 74 : 30,4 % (11 dép.). En 1991, selon un sondage du *Scotsman,* 77 % des É. veulent changer leurs rapports avec Londres ; 41 % pour autonomie (*devolution*), 22 % pour indép.

IRLANDE DU NORD (ULSTER)

■ Situation. 14 121 km², frontière 412 km (avec Eire). Population (millions) *1986 :* 1,57 ; *88 :* 1,58 ; *89 :* 1,583 ; *90 :* 1,589 ; *91 :* 1,570. D 111,2 (86). Villes : *Belfast* 303 700 (est. 90), Derry 214 900 (83), Bangor 35 000 (68). Religions (%, 1981 et, entre par., 1971). Cath. 28 (31,4), presbytériens 22,9 (26,7), Church of Ireland 19 (22), méthodistes 4 (4,7), divers 7,6 (5,8), non spécifié 18,5 (9,4) ; en 1992, protestants 42,8 %, catholiques 38,4 %. Statut. Avant 1972, *gouvernement* dirigé par un *gouverneur* nommé par la reine. Dep. 1972 (démission du gouv.) administration directe : un secrétariat d'État pour l'Irl. du N. assume les fonctions de gouv., en répercutant sur les autres min. brit. les affaires les concernant. *Secr. d'État :* Sir John Wheeler dep. 25-6-1993. **Comtés** 6 avec 26 **districts** urbains et 27 ruraux. *Représentés* à Westminster (Ch. des Communes) par 12 m. (10 UUUC, 1 SDLP, 1 indép.). **Assemblée d'Ir. du N.** 78 m. élus 20-10-82, dissoute juin 1986. **Forces brit.** maintiennent l'ordre dep. 1969 [effectif *1980 à 82* env. 12 000 h., *1984* 9 000 h. + 7 000 auxiliaires (Ulster Defence Regiment) *1992* 11 100 + 6 000]. **Police :** *Royal Ulster Constabulary* (RUC), 90 % de protestants. De 1970 à 92, env. 300 policiers †, de 1973 à 85, 22 suicides.

■ Histoire (IN = Irlande du Nord). **XVIIe s.** les conflits entre rois Stuart et Parlement prennent en Irl. la forme d'une lutte opposant catholiques et protestants. **1690** Jacques II Stuart battu par Guillaume d'Orange, ses troupes ne peuvent prendre *Derry* malgré un long siège (2-8), définitivement battu à *La Boyne* près de Drogheda (12-8) et à Aughrim ; capitule à *Limerick.* **1770** 50 % de la pop. se compose de colons (protestants de l'Église établie, et dissidents) ; privés de divers droits civiques, catholiques et dissidents réclament l'indépendance. **1798** soulèvements au N. et au S. échouent. **1800** *loi d'Union* Irl. G.-B., suppression du Parlement indépendant irl. **1803** soulèvement à Dublin échoue. **1829** mouvement de réforme. **1870** séparation d'Église pro-

50 États membres date du statut actuel	Statut	Superficie (en km²)	Population
Antigua et Barbuda (1981)	Monarchie	442	63 880 (91)
Australie (1901) (1931)	Monarchie	7 682 300	17 410 000 (92)
Bahamas (archipel) (1973)	Monarchie	13 939	254 685 (90)
Bangladesh (1972)	République (1972)	143 998	118 700 000 (93)
Barbade (La) (1966)	Monarchie	431	257 082 (90)
Belize (1981)	Monarchie (1981)	22 965	190 792 (92)
Botswana (1966)	République (1966)	582 000	325 291 (91)
Brunei (1984)	Monarchie indigène	5 765	250 000 (92)
Canada (1867) (1931)	Monarchie fédérale	9 215 430	27 200 000 (92)
Chypre (1960 et 1961)	République (1960) .	9 251	710 000 (92)
Dominique (1978)	République (1978)	750,6	81 600 (89)
Gambie (1965)	République (1970)	11 295	874 000 (91)
Ghana (1957)	République (1960)	238 537	15 400 000 (91)
Grenade (1974)	Monarchie	344	91 000 (91)
Guyana (1966)	République (1970)	214 969	739 553 (91)
Inde (1947)	Rép. fédérale (1950)	3 287 263	844 300 000 (92)
Jamaïque (1962)	Monarchie	10 991	2 366 067 (91)
Kenya (1963)	République (1964)	582 389	25 200 000 (91)
Kiribati (1979)	République (1979)	717	72 298 (90)
Lesotho (1966)	Monarchie indigène	30 355	1 801 000 (91)
Malaisie (1957 puis 1967)	Monarchie élective	330 434	17 860 000 (90)
Malawi (1964)	République (1966) .	118 484	8 556 000 (91)
Maldives (îles) 1982, m. spécial (1985)	République (1968)	298	214 139 (90)
Malte (1964)	République (1974)	316	354 900 (90)
Maurice (île) (1968)	République (1992)	1 865	1 078 072 (92)
Namibie (1990)	République (1990)	823 100	1 520 000 (91)
Nauru (1968) membre spécial	République (1968)	21,3	9 350 (89)
Nigeria (1960)	Rép. fédérale (1963)	923 768	88 510 000 (91)
N.-Zélande (1907) (1931)	Monarchie	268 112	3 450 000 (92)
Ouganda (1962)	République (1967)	241 139	16 592 700 (91)
Pakistan (1972) (1989)	République (1956)	803 947	117 000 000 (92)
Papouasie-N.-Guinée (1975)	Monarchie	462 840	3 800 000 (90)
Royaume-Uni Grande-Br. (1931)	Monarchie	244 103	55 500 000 (91)
Saint-Christopher-Nevis (1983)	Monarchie	269,4	41 870 (90)
Sainte-Lucie (1979)	Monarchie	616	151 300 (90)
Saint-Vincent et Grenadines (1979), m. spécial (1985)	Monarchie	389,3	113 951 (89)
Salomon (1978)	Monarchie	27 556	318 000 (90)
Samoa occidentales (1962) (1970)	République (1962)	2 831	159 862 (91)
Seychelles (îles) (1976)	République (1976) .	308	69 988 (91)
Sierra Leone (1961)	République (1971)	71 740	4 151 000 (90)
Singapour (1965)	République (1965)	621,7	3 002 800 (90)
Sri Lanka (Ceylan) (1948)	République (1972)	65 610	17 600 000 (91)
Swaziland (Ngwane) (1968)	Monarchie indigène	17 363	760 000 (89)
Tanzanie (1961 et 1963)	République (1962)	945 087	24 802 000 (89)
Tonga (1970)	Monarchie indigène	748	90 485 (89)
Trinité-et-Tobago (1962)	République (1976)	5 128	1 234 388 (90)
Tuvalu (1978) membre spécial	Monarchie	26	9 000 (91)
Vanuatu (1980)	République (1980)	12 189	143 000 (90)
Zambie (1964)	République (1964)	752 614	8 020 000 (91)
Zimbabwe (1980)	République (1980)	390 759	10 400 000 (92)

États associés et colonies	Statut	Superficie (en km²)	Population
Afrique			
Sainte-Hélène (île)	Colonie	122	5 645 (89)
Amérique			
Anguilla	Colonie	90,6	8 960 (92)
Bermudes	Colonie	53	60 565 (91)
Caïmans (îles)	Colonie	259	28 100 (92)
Falkland (îles)	Colonie	12 173	2 121 (91)
Montserrat	Colonie	102,6	11 935 (90)
Turks et Caicos (îles)	Colonie	430	12 500 (89)
Iles Vierges britanniques	Colonie	153	16 749 (91)
Antarctique			
Antarctique britannique Chagos (Archipel)	Colonie	1 222 480	Pas de pop. permanente
Asie			
Hong Kong (jusqu'en 1997)	Colonie	1 067,65	5 693 600 (91)
Europe			
Gibraltar	Colonie	5,86	30 861 (90)
Océanie			
Pitcairn	Colonie	49	52 (90)

Nota. – **Brunei** (Asie) a des relations spéciales avec la G.-B. (voir Index), **les îles Cook et Niu** ont un gouv. autonome et sont associées à la Nlle-Zélande. **Ont quitté le Commonwealth :** République d'Irlande (1949), Afrique du S. (1961), Fidji (1987). **N'ont pas rejoint le Commonwealth au moment de l'indépendance :** Birmanie et Palestine (1948), Soudan (1956), Somalie brit. (1960 forme avec la Som. ital. la Rép. de Somalie), Cameroun du S. (1961), Iles Maldives (1963, 1982 juill. deviennent m. spécial), Aden (1967).

test./État, interprétée comme une victoire accordant des libertés aux cath. **Fin XIXe s.** l'autonomie *(Home Rule)* apparaissant possible, la majorité des hab. du N.-E. s'oppose à l'établissement d'un Parlement irl. à Dublin où ils seraient une minorité menacée. **1968**-*16/17-8* émeutes à Londonderry. **1969**-*16/17-8* émeutes : 8 †. *-20-8* accord Wilson-Chichester Clark (PM d'IN). Londres assume la réalité du pouvoir en IN. **1971** *févr.* 1er soldat brit. † à Belfast. **1972**-*30-1 Bloody Sunday* à Londonderry, l'armée tire sur des cath. manif. contre l'internement administratif : 14 †. *-24-3* IN administrée directement de Londres à cause des troubles. *-8-3* référendum sur maintien dans Roy.-Uni : 591 820 pour (57,6 % des inscrits), 6 463 contre, 41,4 % d'abstentions. *-6/9-12 accord de Sunningdale* G.-B./IN et chef de l'exécutif de Belfast : prévoit un conseil de l'Irl. (7 min. du S. et 7 du N.), formation d'un exécutif avec cath. et protest. en IN. **1978**-*17-12* 12 civils † dans restaurant. **1982** *Avr.* plan Prior pour autonomie progressive. *Oct.* élect. à l'Ass. régionale d'IN : protestants 47 s., SDLP 14, Sinn Fein (= Nous seuls, aile extrémiste de l'Ira provisoire) 5. *-7-12* attentat à Ballykelly, 18 † (dont 7 soldats). **1985**-*28-2* 9 policiers (attaques au mortier d'un commissariat). *-20-5* attentat Ira à Newry, 4 policiers tués. *Mai* élect. locales, Sinn Fein 12 %, P. Unioniste 29 %, P. Unioniste dém. 24 %. *-2-11* fondation du *Front union des loyalistes de l'Ulster* regroupant P. unioniste officiel, P. unioniste démocratique et paramilitaires protestants de l'Ulster Defense Association (UDA). *-15-11 accord de Hillsborough* G.-B./Irl. sur IN (ratifié G.-B. 27-11 par 473 v. contre 47) ; création d'un secrétariat permanent et d'une conférence intergouvernementale. **1986**-*23-1* élect. partielles pour remplacer 15 députés unionistes ayant démissionné. *-3-3* grève des protestants. *-15-11* violence, 2 † à Belfast. **1987**-*8-5* 8 membres de l'Ira † en attaquant police. *-30-10* marine franç. intercepte cargo *Eksund* chargé de 200 millions de F d'armes fr. pour l'Ira (150 t). *-8-11* att. à Enniskillen, 11 † devant monument aux morts. **1988**-*6-3* 3 mil. Ira tués à Gibraltar. *-8-3* manif. à Belfast. *-16-3* lors d'un enterrement, un protestant tue 3 cath. (65 bl.). *-19-3* 2 soldats brit. lynchés à Belfast lors d'un enterrement. *-30-4* 3 soldats brit. tués aux P.-Bas. *-15-6* attentat à Lisburn (6 soldats brit. †). *-1-8* att. contre caserne au N.-O. de Londres, 1 †. *-30-8* 3 m. Ira tués par équipe du SAS. **1989**-*19-3* un catholique tué par balles. *-20-3* 2 chefs de la police †. *-22-9* Walmer (Kent), att. Ira contre caserne de la musique de la marine, 10 militaires †. *-18-11* att. Ira 3 paras †. *-13-12* attaque poste frontière, 2 †. **1990**-*9-4* 4 soldats brit. †. *-24-7* bombe Ira, 3 policiers et une religieuse †. **1991**-*3-6* 3 militants de l'Ira † à Coagh. *-11-8* 15 000 manif. à Belfast pour l'anniversaire grèves de la faim de 81 et des internements sans procès de 71. *-2-11* att. Ira contre hôpital de Belfast, 2 †. *-13/14-11* 3 att. Ira, 4 †. *-12-12* camion piégé Ira 66 bl. **1992**-*17-1* att. Ira contre car d'ouvriers 8 †. *-12-3* 1 catholique † à Belfast (34e victime dep. 1-1-92). *-2-4* 1 Sinn Fein et 1 prot. tués par extrémistes protestants. *-21-9* à Dublin, réunion pour la 1re fois dep. 1921 des unionistes N.-irl. et du gouv. rép.

Troubles récents. *Août 1969-août 1992 :* 3 000 † (2 082 civ., 633 mil.). *1992 :* 84 †.

■ **Économie.** L'Irl. du N., qui reçoit des subsides du reste du R.-U. (2 375 millions de £ en 84), est + prospère que la Rép. d'Irl. Le revenu par h. dans le N. est 25 % + élevé que dans le S. **Chômage** (88) 17,4 %. *Vivent en dessous du seuil de pauvreté : 25 %.*

■ **Partis politiques.** *P. unioniste de l'Ulster* (UUP) [(fondé 1905, protestant, leaders : 1943 B. Brook (Vte Brookeborough, 1952), 1963 T.M. O'Neill, 1964 J. D. Chichester-Clark, 1971 A.B.D. Faulkner, 1974 H. West, 1979 J. Molyneaux)]. *P. unioniste démocrate* (DUP f. 1971, prot., Dr. Ian Paisley). *P. travailliste et social-démocrate* (SDLP, f. 1970, cath., John Hume). *P. de l'Alliance* (f. 1970, intercommunautaire, John Alderdice). *Ulster Liberal Party et Ulster Progressive Unionist Party* (protestants modérés). *Sinn Fein* (f. 1905, branche politique de l'Ira provisoire, Gerry Adams).

Autres organisations (interdites). **Extrême droite :** *Volunteer Political Party* (protestant extrémiste), organisation paramilitaire ; *l'Ulster Volunteer Force* (f. 1966). **Centre :** *Unionist Party of Northern Ireland* (UPNI) (f. 1974, transfuges de l'UUP, leader : Ann Dickson). **Gauche :** *Northern Ireland Labour Party* (f. 1927 associé au Labour brit.), *People's Democracy* (f. 1968, socialiste révolut.). **Divers pour l'indépendance :** de l'Ile entière réunifiée : *Irish Independance Party* (f. 1977, cath. républicain) ; de l'Irl. du N. à part : *New Ulster Political Research Group* (NUPRG).

■ **Organisations paramilitaires. Irish Republican Army** (Ira), catholique. Issue des mouv. révol. du XIXe s. et en particulier de la Fraternité rép. irl. fondée 1860. 2 tendances : *1°) : Officials* (400 militants, mouvement *Sinn Fein,* dir. Thomas McGiolla, Cathal Goulding et Roy Johnston à Dublin) ; *2°) : Provisionnals* (Ira « provisoire », fondée 1970) qui ont quitté le Sinn Fein pour reprendre la lutte armée (issus de la scission de la section de l'Ira de Belfast, aidée par Américains d'origine irl. sous le couvert d'une aide charitable, dont l'Irish Northern Aid Committee). Les 2 combattent l'armée brit. ; mais les « Officials » veulent créer une « rép. des travailleurs des 32 comtés » (toute l'Irl.), et veulent réformer le Stormont avant de réunifier les 2 Irl. ; les « Provisionnals » accordent la priorité à la lutte armée, veulent supprimer le Stormont et réunifier rapidement les 2 Irl. (cellules composées de 500 militants). *Financement* (millions de F/an) : 60 dont extorsion de fonds et « protection » 13, bars privés et mach. à sous 10, fraude fiscale 10, vidéos pirates et contrebande 10, activités légales 10, taxis 6, contribution de l'étranger et divers 1. **Armée nat. de libér. irl.** (INLA), créée 1975 par dissidents de l'*Ira.* **IPLO** *(organisation de libération du peuple irl.),* interdite. **Ulster Defence Association** (UDA) f. 1971, protestant, 10-8-92 déclarée illégale par le gouv. ; 5/10 000 membres. **Ulster Freedom Fighters** (UFF), créé 1973, clandestin. **Ulster Volonteer Force** (UVF), créée 1966. Interdite.

Ile de Man

■ **Situation.** 572 km². **Population.** 69 788 h. (91). D 122. *Cap. :* Douglas 22 214 (91). *Langue :* manx. parlé en 1978 par 150 h. **Statut.** Dépendance de la Couronne (autonomie reconnue 1765), n'envoyant pas de députés à la Ch. des Communes. *Lord of Man :* reine Elisabeth II ; son conseil privé promulgue les lois manuines. *Gouv.* nommé par elle : Air Marshal Sir Laurence Jones. *Parlement* (Tynwald) : *Conseil législatif* (10 m.) et *House of Keys* (24 m.). *Justice :* pratique encore les châtiments corporels (coups de verge) pour auteurs de violences et voleurs. *Impôt* sur le revenu 21,25 %. Pas de droits de succession.

Iles Anglo-Normandes

■ **Situation.** 194,6 km². **Climat.** Très doux (il ne gèle presque jamais). *Temp. moy. :* année 14,3 °C ; févr. 8,1 ; août 20,6 ; *max. :* année 36 ; févr. 17 ; août 36. *Ensoleillement :* 1 915 h par an. **Population.** 137 196 h. (86). Détachées du continent par un mouvement de terrain entre 6500 et 5000 av. J.-C. **Histoire.** Seule partie du duché de Normandie gardée par Angl. [au tr. de Paris 1258, le roi d'Angl. renonça au duché, mais resta seigneur des îles (que les négociateurs avaient oubliées)]. **1284-1468** 7 tentatives fr. de reconquête. **1483-1689** neutralisées, par décret du pape. **1689** base navale angl. **1779/81** 2 attaques fr. **1799-1800** reçoivent une garnison russe de 17 000 h., commandée par Charles de Viomenil (Gal fr. émigré). **1941-45** occupées par All. **Statut :** *Dépendances* (pour défense et diplomatie) de la Couronne, ne faisant pas partie du Roy.-Uni et n'envoyant pas de députés à la Ch. des Communes. *Lieutenants-gouverneurs,* 1 à Jersey, 1 à Guernesey et dépendances (Aurigny, Burhou, Sercq, Herm, Jethou, Lihou), personnages d'apparat nommés par la Couronne. *Parlements* (États) à Jersey, Guernesey et Sercq. *Chefs de gouv. :* les 2 *baillis* de Jersey et de Guernesey, nommés par la Couronne, et relevant séparément du Conseil privé qui promulgue les lois votées par les Parlements. Pas de douane, de droits de succession, ni de TVA. Impôt sur le revenu (taux de 20 %). *Loi civile* résulte de l'ancienne coutume de Normandie (influencée auj. par le droit anglais) ; l'usage a longtemps prévalu que les 2 baillis aient étudié à l'université de Caen. **Langue** *français* (occasions officielles) supplanté par l'*anglais,* seule langue connue de l'ensemble de la population.

■ **Jersey.** A 25 km de la France (autrefois, presqu'île). 116,2 km². 18 km sur 9. *Côtes* 76 km. 84 082 h. (est. 91). D 712,6. **Chef-lieu :** *St-Hélier* 28 123 h. **États :** 12 sénateurs, 12 constables, 29 députés (tous élus au suffr. univ.). **Lieutenant-gouverneur et Cdt en chef :** Air Marshal Sir John Sutton. **Langues :** français (off.), *anglais* (dominant), *jerriais* (patois anglo-normand). **Ressources :** pommes de t., primeurs, fleurs, élevage, 2ᵉ aéroport d'Angl., sièges de sociétés (avantages fiscaux), tourisme (1 329 647 vis. en 92 dont 327 423 continentaux). **Dépendances :** îles des *Minquiers,* et les *Écrehous* disputés entre France et G.-B., attribués à la G.-B. en 1953. **Écrehous** *1203* Pierre de Preaux, seigneur des Iles de La Manche pour le compte du Roi Jean Sans Terre, les donne en franche-aumône aux moines cisterciens de Val-Richer. **Statut :** seigneurie autonome, 3 à 4 ha de superficie, une dizaine d'habitants, capitale Marmotier.

■ **Guernesey.** A 25 km de la France et 130 km de la G.-B. 65 km². 58 867 h. (est. 91). **Chef-lieu :** *St-Peter Port.* **Lieutenant-gouv. et Cdt en chef :** Sir Michael Wilkins. **États :** bailli, 12 conseillers, 33 députés, 10 représentants des Douzaines, 2 repr. d'Aurigny. **Langue off. :** anglais. **Ressources :** tomates, fleurs, banque, finance.

Dépendances : Aurigny (Alderney) 7,9 km². Long. 6 km, larg. 1,8. 2 000 h. (85). *Chef-lieu : Ste-Anne. Pt* J. Kay-Mouat. *États* (9 m.). **Grand Burhou, Sercq (Sark)** 5,5 km² (Petite S. 0,9 km², Grande S. 4,2 km²). 604 h. (86). *Histoire : 1368* invasion espagnole. *1460-63* inv. française de la moitié de l'île. *1565 (6-8)* Élisabeth Iʳᵉ d'Angl. donne l'île à Sir Hélier de Carteret, seigneur de Jersey, qui s'engage, lui et ses descendants, à verser une redevance de 50 louis d'or à la Couronne brit. *1730* les Carteret, ruinés, vendent S. à dame Susan Le Pelley (née Le Gros), originaire de Jersey. *1842* ruinés, les Le Pelley cèdent S. à Mᵐᵉ Mary Collins née Allaire, arrière-grand-mère de dame Sybil Hathaway (1884-1974, 21ᵉ seigneur de 1927 à 1974, grand-mère du 22ᵉ seign. actuel, J.M. Beaumont). *Statut.* Seigneurie féodale. *Parlement :* 40 fermiers (tenants) et 12 députés élus, présidé par un sénéchal. *Pas d'impôts :* les 40 « tenants » de l'île doivent 10 % de leurs récoltes et les non-propriétaires 2 j de corvée par an pour réparer les chemins (ou 30 anciens shillings, soit 15 F). Pas de « voitures à moteur » (sauf tracteurs). Pas de divorce, ni de criminalité (les habitants sont gendarmes à tour de rôle). Il est interdit, sous peine d'amende, de tirer sur des mouettes (« leurs cris indiquent la présence des rochers aux navigateurs »), d'élever des pigeons (« ils s'attaquent aux grains de semence »), de posséder une chienne dep. 1689 (seul le seigneur peut en avoir une : une chienne mordit la main de la petite-fille de Sir Charles de Carteret). *Langues :* anglais, dialecte normand français. *Touristes :* 40 000 vis. par an. **Petit Burhou, Ortach, Brechou** (ou île des Marchands). 0,3 km², **Herm** 1,29 km², 100 h., *tenant :* A.G. Wood, **Jethou** 0,18 km², **Lihou** 0,15 km².

■ **Wight.** 381 km². 119 800 h. « Communauté insulaire ». N'a pas d'autonomie interne.

■ **Lundy** (canal de Bristol). 4 km². 10 h. résidents. Autonome, appartient dep. 1969 au National Trust ; comté distinct dep. 1-4-1974 : détaché du comté de Hampshire. Refuge de nombreux oiseaux. Pas d'impôts sur les revenus gagnés dans l'île.

■ Commonwealth

■ **Nom.** Terme forgé au XVIIIᵉ s. pour traduire le latin *res publica* (avec le sens d'« État ») ; depuis la dictature de Cromwell (1649-53) prend le sens de « république » : titre officiel des États de Kentucky, Massachusetts, Pennsylvanie, Virginie et de Puerto-Rico. Utilisé en 1900 pour désigner la confédération des États australiens, puis en 1917 une association internationale groupant Royaume-Uni, Canada, Australie, Nouvelle-Zélande, Afrique du Sud et Terre-Neuve (alors dominion jusqu'en 1933 avant de devenir 10ᵉ province canadienne en 1949) et officiellement l'Irl. dans le traité anglo-irlandais de 1921.

■ **Statut.** *Statut de Westminster,* voté par le Parlement de Londres le 11-12-1931 reposait sur la libre coopération de ses membres. Il n'évoquait pas le droit de sécession. Lorsque, plus tard, Irlande et Afrique du Sud l'ont revendiqué, il leur a été accordé à l'unanimité. En 1947, la Ch. des Communes décida que le C. pourrait admettre Inde et Pakistan, puis en 1957 les pays d'Afrique.

Libre de sa politique intérieure et extérieure, chaque État membre est responsable individuellement de ses obligations internationales. Les échanges de vues, sans caractère officiel diplomatique, permettent de coopérer dans des domaines divers : radio et télévision, médecine, échanges de savants, énergie nucléaire, recherche spatiale, commerce ou aide économique bilatérale. Il y a chaque année une rencontre des min. des Finances, et tous les 2 ou 3 ans des rencontres des chefs de gouv., des min. de la Santé, de l'Éducation, de la Justice.

Composition. 1°) *une association libre de 49 États indépendants souverains* dont 4 membres : Maldives, Nauru, Tuvalu et St-Vincent ont un statut spécial ; 2°) *1 État associé* (la G.-B. assurant la défense et les Aff. étr.) ; 3°) *quelques territoires* (en majorité des petites îles). La plupart des États membres sont des démocraties parlementaires.

Chef. Tous les pays du C. reconnaissent la reine Élisabeth II comme chef du C. Elle est en outre chef de l'État pour Antigua, Australie, Bahamas, Barbade, Belize, Canada, Fidji, Grenade, Jamaïque, Maurice, Nouvelle-Zélande, Papouasie-N.-Guinée, Royaume-Uni, St-Kitts, Ste-Lucie, St-Vincent et Grenadines, Salomon, Tuvalu.

■ **Production du Commonwealth en % de la production mondiale.** Thé 71 [1]. Nickel (minerai) 60 [2]. Étain (minerai) 53 [2]. Bauxite 50 [2]. Zinc (minerai) 35. Riz 29. Plomb (min.) 28. Zinc (métal) 24. Plomb (métal) 23. Sucre (canne) 22. Beurre 22. Manganèse 21. Diamants 16 [3]. Charbon 13 [5]. Blé 11. Pétrole brut 1 [4]. L'interdépendance économique entre la G.-B. et ses anciennes colonies s'est réduite.

Nota. – (1) Sauf Chine, URSS. (2) Sauf Chine, URSS, Tchéc. et Viêt-nam. (3) Sauf URSS, Chine, Liberia, Indon. (4) Sauf Chine. (5) Sauf URSS.

■ Économie

■ **PNB** (91). 17 470 $ par h. **Pop. active** (% et, entre par., part du PNB en %) agr. 2,1 (2), mines 4 (10), ind. 25,4 (28), services 68,5 (60). *1990 :* 28 700 000 actifs. **PIB** (milliards de £) *1985 :* 355,3 ; *90 :* 555,8. *Croissance* (en %). *87 :* 4,7 ; *88 :* 4,5 ; *89 :* 2,1 ; *90 :* 0,6 ; *91 :* – 2,4 ; *92 :* – 0,5. En 1991, 11 000 000 de personnes vivent en dessous du seuil de pauvreté. Sans-abri à Londres : *1975 :* 250 ; *90 :* 3 000. **Chômage** (%) *1985 :* 11,6 ; *90 :* 5,9 ; *92 (déc.) :* 10,5 ; *93 (janv.) :* 10,6 *(mars) :* 10,5. : *En millions : 1925 :* 1,56 ; *26 :* 1,76 ; *27 :* 1,37 ; *28 :* 1,53 ; *29 :* 1,5 ; *30 :* 2,38 ; *31 :* 3,25 ; *32 :* 3,4 ; *33 :* 3,1 ; *34 :* 2,6 ; *35 :* 2,43 ; *36 :* 2,1 ; *37 :* 1,8 ; *38 :* 2,2 ; *79 :* 1 ; *84 :* 3 ; *91 :* 2,1 ; *93 (janv.) :* 3,06 ; *(mars) :* 2,9. **Grèves** (1991) env. 800 000 j de travail.

Inflation (%) *1985 :* 6,1 ; *86 :* 3,4 ; *87 :* 4,1 ; *88 :* 4,9 ; *89 :* 7,8 ; *90 :* 9,3 ; *91 :* 4,5 ; *92 :* 2,6. **Balance commerciale** (en Md £) *1988 :* – 24,9 ; *89 :* – 27,6 ; *90 :* – 23,2 ; *91 :* – 10,3 ; *92 :* – 13,8. **Des paiements courants** *1988 :* – 15,3 ; *89 :* – 21,7 ; *90 :* – 17,03 ; *91 :* – 6,38 ; *92 :* – 11,91 ; *93 (est.) :* – 17,5. **Avoirs bruts à l'étranger** 1980 Md £. **Budget** (en Md de £, années se terminant le 31-3) RECETTES : *1990 :* 206,4 ; *91 :* 218,6 ; *92 (est.) :* 222,1 ; *93 (est.) :* 229,8. DÉPENSES : *1990 :* 194,3 ; *91 :* 212,7 ; *92 (est.) :* 236,5 ; *93 (est.) :* 258,5. **Excédents et déficits budgétaires. Avec privatisations**, entre parenthèses **sans priv.** (en milliards de £) *1988-89 :* 14,7 (7,6) ; *89-90 :* 7,9 (3,7) ; *90-91 :* 0,5 (– 4,9) ; *91-92 :* – 13,9 (– 21,7) ; *92-93 :* – 37 (– 40). **Endettement des ménages.** *Janv. 1988 :* 38 Md £. **Pauvreté** 12 millions d'Anglais vivent au-dessous du seuil (défini par la Com. eur.) de 1 270 F par semaine.

Logement 67 % de Brit. propriétaires. **Saisies immobilières** *1980 :* 3 500 ; *90 :* 44 000 ; *91 :* env. 80 000 ; *92 (est.) :* 100 000.

Indicateurs (en % du PIB). **Exportation de biens et services** *1985 :* 28,9 ; *90 :* 25,3. **Imp.** *1985 :* 27,9 ; *90 :* 27,4. **Balance des paiements courants** *1985 :* 0,9 ; *90 :* – 2,8. *91 :* – 2,1. **Dépenses publiques** *1987 :* 39,8 ; *88 :* 37,7. **Prélèvements publics** *1989 :* 36,7. **Déficit public** *1987 :* 1,5 ; *88 :* – 0,9 ; *89 :* – 0,8.

Investissements japonais en G.-B. (milliards de $). *1981 :* 1,2 ; *82 :* 2,1 ; *83 :* 2,3 ; *84 :* 2,4 ; *85 :* 2,8 ; *86 :* 3,1 ; *87 :* 4,1.

Fiscalité. Impôts sur le revenu, taux max. *1978 :* 83 % au-dessus de 24 000 £, *79 :* 60 % si + de 25 000 £, *86 :* 60 % si + de 41 200 £, *88 :* 40 %. **Sur les sociétés** *1978 :* 50 %, *86 :* 35 %. **TVA** *1978 :* 8 ou 12,5 %, *79 :* 15, *91 :* 17,5. **Droits de succession** taux max. unique 40 %.

Crise économique. *Industrie :* début XXᵉ s. : la G.-B. importait des mat. 1ʳᵉˢ et exportait des prod. manufacturés. De nouveaux pays ind. l'ont supplantée avant qu'elle ait modernisé ses installations. *Énergie :* déclin du charbon supplanté par le pétrole importé. *Débouchés :* perte de l'Empire, d'où important chômage, chute de l'ind., hypertrophie du tertiaire et baisse du niveau de vie. Crédit trop cher, chute des investissements.

Faillites *1980 :* 10 651 ; *85 :* 20 943 ; *88 :* 16 652 ; *89 :* 18 163 ; *90 :* 24 442 ; *91 (Angl. et Galles) :* 21 827.

■ **Agriculture.** *Terres* (milliers d'ha, 89) utilisées pour l'agriculture 18 553, dont arables 6 736, pâturages 5 251, pâturages non entretenus 4 710, bosquets 347, divers 273 ; forêts et divers 6 496 (81), eaux 322 (81). L'urbanisation enlève chaque année environ 15 000 ha (0,2 %). **Régions agricoles :** *montagnes* (Highlands, Cheviot, Centre gallois, chaîne pennine, Dartmoor) : ovins en plein air ; vallées : élevage naisseur de veaux ; embouche : Devon, Leicestershire, Aberdeen. *Produits laitiers :* plaines de l'O., Lowlands écossais. Angl. moyenne (1ʳᵉ ressource agricole angl.) ; œufs : Lancashire, S. gallois ; culture maraîchère : Cornouailles, Devon. *Région de l'E. :* terres arables (plateau de l'E. Angl. 70 %) : orge, blé, p. de terre et betteraves ; régions côtières, légumes (polder du Fen, 1ᵉʳ district légumier) ; conserves de petits pois. Kent : houblon, pommiers, framboisiers. Élevage industriel des volailles dans les terres à orge. *Côtes de la Manche :* culture en serre (fleurs, concombres, tomates) ; golfe du Wash : tulipes. EXPLOITATIONS : 258 000 (57 % faire-valoir direct), 296 000 paysans (80 000 à temps partiel), 365 000 salariés (205 000 à temps complet). 83 % ont + de 50 ha (dont 65 % + de 100 ha). **Production** (millions de t, 90) blé 14,3, orge 7,7, avoine 0,6, p. de t. 6,7, bett. à sucre 8, légumes, pommes, poires, prunes.

■ **Élevage** (millions de têtes, 91). Bovins 11,85, moutons 29,95, porcs 7,38, volailles 127 (89). **% de la consommation** *(couvert par la production)* œufs, lait, porcs et volailles 100, bœufs 75, moutons 55, bacon 35, fromages 40, beurre 8 ; orge, avoine, p. de t. 100, fruits 33, sucre 30, blé 50.

■ **Pêche.** *Production* (milliers de t, 90) 621,5 dont poisson 528,4 (morue 60,4, haddock 71,9 (89), maquereau 146,6, sole 38,3, merlan, hareng 98,8, pilchard), crustacés 93,1. *Principaux lieux :* mer du Nord Long Forties 40 %, Dogger Bank 13 % ; mer d'Écosse 15 % ; mer d'Irlande 4 %. *Principaux ports :* Grimsby (200 nav. de grande pêche), Hull (160), Yarmouth, Milford Haven, Aberdeen, Fleetwood. 35 % des prises sont destinées à la conserve ou au surgelé.

■ **Énergie. Charbon :** à l'origine, base de l'ind. brit. 35 % de l'énergie (record de la CEE). *Principaux bassins :* Clyde, Newcastle, Lancashire, Yorkshire, Cardiff. *Réserves :* 44,9 milliards de t dont 5 exploitables. *Prod.* (millions de t). *1913 :* 292 (dont 75 exportés), *1947* (année de la nationalisation, 958 puits) : 240 ; *1956 :* 220 ; *72 :* 140 ; *83 :* 100 ; *84 :* 51 (grève) *85 :* 94 ; *86 :* 106 ; *87 :* 101,6 ; *88 :* 101,4 ; *89 :* 103 ; *90 :* 93. *Effectifs : 1913 :* + de 1 000 000, *1947 :* 750 000 ; *1976 :* 246 000 ; *1984 :* 186 000 ; *1992 :* 53 000 (dans 50 puits). *Plan :* réduire la production à 40 millions de t, et les effectifs à 30 000. *Prix de revient de la t* (92) 43 £ (charbon importé : env. 31,5). **Pétrole** (mer du N) : *réserves :* 1,2 milliard de t. *Prod.* (millions de t) *1975 :* 1,5 ; *80 :* 79 ; *85 :* 128 ; *86 :* 128,5 ; *87 :* 123 ; *88 :* 114 ; *89 :* 92 ; *90 :* 93 ; *91 :* 91,5. *Revenus pétroliers* (milliards de £) *: 1985-86 :* 11,4 ; *86-87 :* 10,3. *1988 juill.* baisse de la prod. de 10 % (explosion plate-forme), *déc.* de 10 % (rupture d'un pipe-line), *1991* 5,57. **Gaz** (mer du N. en milliards de m³) : *réserves :* 946. *Prod. : 1985 :* 42 ; *86 :* 45 ; *87 :* 48 ; *88 :* 45 ; *89 :* 44 ; *90 :* 49 ; *91 :* 55. **Électricité :** *prod. 1989 :* 314,4 milliards de kWh ; origine (%) thermique charbon 75, nucléaire 59 (86), pétrole 7, hydraulique 7 (86). **Fer** (prod., 90) 55 000 t. *Principales mines :* N.-E., entre Tyne et Tees, East-Midlands, Sheffield-Rotherham, Coventry.

■ **Industrie.** RÉGIONS : *Londres :* transformation, articles de luxe (pas de textile) ; *Midlands ou Pays Noir :* ind. lourde, textile, poterie ; *Yorkshire :* laine, aciérie ; *Lancashire :* coton en régression, sidérurgie, chimie ; *S.-Gallois :* charbon, petite mécanique ; N.-E. : constr. navale, petite ind. ; *Centre Écosse :* charbon, constr. navale ; *Belfast :* constr. aéronautique. Structures et infrastructures anciennes. 3,2 millions d 'emplois supprimés entre 1971 et 1986.

■ **Nationalisations.** *Avant 1945 :* aviation civile. *46 févr. :* banque d'Angl., *juill. :* charbon, électricité, transports terrestres. *48 :* gaz. *51 févr. à 67-22-3 :* sidérurgie (soit 200 entreprises et 90 % du secteur). *75 :* British Leyland. *77 :* ind. aéronautique, chantiers navals, pétrole de la mer du N. **Dénationalisations** (recettes nettes en millions de £). *80 :* National Enterprise Board. *81 févr. :* British Aerospace (390), *oct. :* Cable et Wireless (1 021), National Freight Corporation (5), British Sugar. *82 févr. :* Amersham (isotopes radioactifs) (64), *nov. :* BNOC et Britoil (1,053). *79 oct. et 83 sept. :* BP (6,137). *83 févr. :* Associated British Ports (97), British Rail Hotels, International Aeroradio. *84 :* Sealink, Entreprise Oil (384), Jaguar, Inmos, chantiers navals militaires,

British Telecom. (3,685 déc. 84, 51 % du capital, effectifs 240 000 employés, le plus gros employeur, 3 milliards d'actions). *85 :* British Airways (854), British Gas (5,23), aéroports, Rolls-Royce (1,028), arsenaux, manuf. d'armes (prévues). *88 : mars* Rover, *déc.* British Steel (2,418). *89 : nov.* Cies des Eaux (10 sociétés). *90-91 :* Central Electricity Energetic Board (sauf nucléaire). *91 :* National Power, Power Gen. *91-92 :* British Coal. *Après les élections :* British Rail. *Date indéterminée :* BBC. **Montants** (en milliards de £) : *86-87 :* 4,7, *87-88 :* 5 ; *88-91 :* électricité 37.

■ **Transports.** Marchandises transportées par ch. de fer, *1955 :* 48 %, *82 :* 14 %. **Tourisme.** *Visiteurs* (91) *monuments historiques* Tour de Londres 1 923 520, Cathédrale St-Paul 1 500 000 *, Château d'Edinburgh 973 620, Bains romains et salle des pompes, Bath 827 214, Ch. de Warwick 682 621, Ch. de Windsor et App. royaux 627 213, Stonehenge 615 377, lieu de naissance de Shakespeare 516 623, Palais Blenheim d'Oxfordshire 503 328, Palais Hampton Court 502 377 ; *jardins :* Parc Roundhay de Leeds 1 062 654, J. Hampton 1 000 000, J. Kew 988 000, J. botaniques royaux d'Edinburgh 765 909, J. Wisley, Surrey 630 000, Stapeley 437 500, J. botanique, Belfast 350 000, J. botanique, Glasgow 350 000.

■ **Commerce** (milliards de £, 91). **Exp.** 104,8 *dont* mach. et éq. de transp. 43,6, prod. man. 15,5, prod. chim. 13,7, prod. man. divers 13,1, fuel et lubrifiants 7,1, prod. alim. 4,7, boissons et tabac 3, mat. 1res sauf fuel 1,9 *vers* All. 14,6, *France 11,5,* USA 11,3, P.-Bas 8,2, It. 6,1, Benelux 5,8. **Imp.** 118,8 *dont* mach. et éq. de transp. 43,1, prod. man. 20,5, prod. man. divers 17,5, prod. chim. 10,9, prod. alim. 10,3, fuel et lubrifiant 7,5, mat. 1res sauf fuel 4,6, boissons et tabac 1,9 *de* All. 17,7, USA 13,7, *France 11,* P.-Bas 9,9, Japon 6,7, It. 6,3, Benelux 5,4.

■ **Rang dans le monde** (91). 6e gaz nat. 7e orge. 8e p. de terre, charbon. 9e ovin, rés. de charbon. 10e étain, pétrole. 11e blé. 15e céréales, rés. de pétrole. 18e bovins, porcins.

RUSSIE (FÉDÉRATION DE)

Carte p. 1124. V. légende p. 884

■ **Nom.** Viendrait de Ruotsi [nom donné par les Finnois à la Suède, d'où venaient les Varègues, du vieux norrois rodsmen (ceux qui rament) ou rus' (roux)]. État se présentant en successeur de l'URSS (engagements internationaux, depuis le 24-12-1991 membre permanent du Conseil de sécurité de l'Onu, responsabilité nucléaire), mais en rupture politique et idéologique avec celui-ci. Le traité de la Fédération de Russie a été signé le 31-3-1992 par 86 entités [18 républiques, 6 territoires (Kraï), 49 régions (oblast), 2 villes (Moscou et St-Pétersbourg), 11 entités autonomes]. N'ont pas signé : la Rép. autonome des Tchétchènes et la Tatarie.

■ **Superficie.** 17 075 400 km² (11 fuseaux horaires, 76 % de la surf. totale de l'ex-URSS). Équivalente à celle de la Russie après la conquête de la Sibérie (XVIIe s.), tout en ayant perdu à l'ouest les territoires aujourd'hui intégrés à l'Ukraine et la Biélorussie.

■ **Population totale (en millions).** **1719 :** 15,4 (dont serfs 9,9, paysans libres 3,5, bourgeois 0,6). **1800 :** 35,5 ; **1850 :** 68,5 ; **1897 :** 126,4 (1er rec. national, dont Russie d'Europe 93,4, Pologne 9,4, Caucase 9,3, Asie Centrale 7,7, Sibérie 5,8.) ; **1913 :** 159,2 ; **1992 :** 149,4, + de 100 nat. et ethnies dont (en 89) : Russes 81,5 %, Tatars 3,8 %, Ukrainiens 3 %, Tchouvaches 1,2 %. Soit env. 30 millions d'allogènes. D 8,8 hab./km². 1 Russe sur 5 (env. 25 millions) vit hors de Russie dans les anciennes rép. sov., en particulier Ukraine et Kazakhstan. **Espérance de vie :** 64 ans. **Réfugiés.** *Au 15-2-1992 :* 222 824 (dont Arméniens 47 683, Azéris 7 428, Turcs-Meskètes 48 710, Russes 43 481) ; *1-7-1993 :* 600 000.

■ **Villes** (en milliers d'hab., 1-1-92). *Moscou* 8 801, St-Pétersbourg 4 467, Novossibirsk 1 446, Nijni-Novgorod (ex-Gorki) 1 445, Sverdlovsk (ex-Iekaterinbourg) 1 375, Samara 1 257, Omsk 1 166, Tcheliabinsk 1 148, Rostov-sur-le-Don 1 127, Kazan 1 107, Perm 1 100, Oufa 1 097, Volgograd (ex-Tsaritsyne, puis de 1925 à 1961 Stalingrad) 1 007, Krasnoïarsk 924, Saratov 911, Voronej 900, Simbirsk 667, Togliattigrad 654, Izhevsk 646.

■ **Langues.** Env. 162. *Slaves :* russe [off. ; en 1979, l. maternelle de 153 500 000 h. dont 137 200 000 Russes et 16 300 000 d'autres nationalités ; 2e l. de 61 300 000 h. ; parlent couramment : 82 % de la pop. tot. 62 % des non-Russes], ukrainien, biélorusse.

■ **Allemands de la Volga.** *1764-1773 :* appelés dans la région de la basse Volga (gouvernements de Saratov et de Samara) par Catherine II (Pcesse all. d'Anhalt-Zerbst, ép. du tsar Pierre III). *1921 :* 75 000 émigrent aux USA. *1924 :* forment une République [28 212 km² ; 587 700 h dont (%) All. 66,5, Russes 20,4, Ukrainiens 11,9]. *Cap. :* Pokrowsk (avant Engels). *1941 :* déportés (47 % au Kazakhstan), République dissoute. *1964* (29-8) réhabilités par décret. *1987 :* env. 11 000 émigrent en All. féd. *Fin 91 :* 280 000 attendus, 5 000 émigrés à Königsberg, enclave russe (15 000 km²) entre Pologne et Lituanie, devenue soviétique le 4-7-1946. Proposition de créer à Königsberg une 4e république balte, Kantgrad (Kant y est né en 1724).

■ **Place de la Russie en ex-URSS** (en %). Territoire 76. Population 51. Production agric. 50,3, indust. (% de la valeur ajoutée) 63,7. Pétrole 91,3. Gaz 74,8. Charbon 54,6. Bois 81. Prod. agricole 47,3. Céréales 51. Blé 52. P. de terre 54. Viande 49,9. Lait 51. Poisson 74,3. Prod. ind. 54,5. Ciment 60. Acier 58. Revenu en % de la moyenne nationale 110. Répartition de l'emploi en % de la population active : agr. 14, ind. 42, tertiaire 44.

RÉGIONS

■ **Région de Moscou.** MOSCOU : *(8 801 000 h.) alt. :* Moskova 115 m, Mt Lénine 195 m. *Température moy. :* déc. : – 7,8 °C, janv. : – 10,5 °C, févr. : – 9,7 °C, mars : – 4,7 °C, avril : + 4 °C, mai : 11,7 °C, juin : 16 °C, juillet : 18,3 °C, août : 16,3 °C, sept. : 10,7 °C. *16-3* neige commence à fondre. *12-4* Moskova brise ses glaces. *2-5* 1er orage éclate. *24-5* pommiers fleurissent. *26-8* 1res feuilles tombent. *14-9* 1ers gels nocturnes. *28-10* 1re chute de neige. *18-11* Moskova gèle. *23-11* couche de neige s'installe. **Histoire :** 1re mention écrite en 1147. Construite sur 7 collines. Groupée autour du Kremlin, d'abord château féodal, puis ensemble de palais et de cathédrales. Les boulevards concentriques correspondent aux anciens remparts. Depuis le XIXe s., s'agrandit : vers le N. et N.-O. (habitations), S.-O. (quartier universitaire), E. et S.-E. (industries) ; actuellement, le long des grands axes à l'intérieur d'un cercle d'environ 20 km de rayon constitué par une autoroute circulaire. KREMLIN (CITÉ) : a brûlé 15 fois (dont 1331, 1626, 1701, 1737), triangle irrégulier de 27,5 ha, ceinturé de 2 235 m de murs (hauteur 15 à 20 m, épaisseur 3,5 à 6,5 m), 20 tours (1485-95) ; au XVIIe s., tours exécutées sous forme de tentes et galeries. Étoiles de rubis placées au sommet de 5 des tours (1937). *Tour du Sauveur* (avec étoile de 3,75 m de diamètre) 71 m., *t. de la Trinité* (1495) 80 m. *Clocher « Ivan-le-Grand »* (1505-08), surélevé en 1600, haut. 81 m. *Cath. :* de l'Assomption (1475-79), l'Annonciation (1484-89), l'Archange-St-Michel (1505-08), des 12 Apôtres (1484-89). *Palais :* p. à Facettes (env. 500 m², 1487-91), P. de Terem (1635-36), p. des Amuseurs (1651-52), Arsenal (1702-36), p. des Armures (1844-51), Conseil des min. de l'U. (ancien Sénat 1776-87), Grand Palais (1839-49) : long. 125 m, haut. 45 m (salle Catherine 21 × 14 m, haut. 7 m, salle St-Georges 61 × 20,3 m, haut. 17,5 m), p. des Congrès (1959-61, 800 salles dont 1 de 6 000 places). *Tsar Pouchka* (tsar des canons 1586, 40 t, long. 5,34 m, calibre 890 mm, n'a jamais tiré) ; *tsar Kolokol* (cloche-reine 1734-35, 200 t dont 1 morceau cassé 11,5 t, haut. 6,14 m, diam. 6,6). *Place Rouge* 70 000 m², 695 m × 130 m (larg. max.). Cath. Basile-le-Bienheureux (église de l'Intercession, haute de 57 m), Goum (magasin universel d'État construit 1893, reconstruit 1953 ; galeries marchandes 2,5 km de long ; fait partie d'une chaîne de 20 magasins Goum en cours de privatisation avec le concours du Trésor français et du CCF) ; mausolée de Lénine ; tombe du Soldat inconnu. Le long du mur, tombes, urnes avec les cendres des personnalités sov. et étrangères en vue (dont Clara Zetkin, Sen Katajama, John Reed, Fritz Heckert), fosses communes des morts d'oct. 1917 et de la g. civile. ENVIRONS. *Arkhanguelskoïé* à 23 km (palais XVIIe), *Koskovo, Ostankino* [château (1792-97), tour de télé 533 m], *Zagorsk* (à 71 km monastère).

Ressources énergétiques : charbon de Toula, utilisé en partie sur place pour électricité thermique et ind. chimique ; usines hydroélectriques de la haute Volga ; pétrole du Nouveau Bakou et gaz naturel amenés par conduites. **Communications fluviales :** la Moskova, affluent de l'Oka, tributaire de la Volga, reliant Moscou à la région ind. de Gorki et par un canal moderne à la haute Volga. **Industries :** légères diverses créées fin XIXe s., *textile* : lin des régions baltes, laine des steppes, coton du Turkestan ; artificiels, au N. et au N.-E. de M. jusqu'à la Volga (à Ivanovo, Iaroslavl et Kalinine), *mécanique* (outillage, mat. ferroviaire, auto.) Moscou, vallée de l'Oka (Riazan), bassin de Toula et villes de la Volga : Gorki (confluent Oka Volga, ancien centre commercial), *chimique* lourde sur le bassin de Toula et à Moscou (engrais) ; de transformation (produits pharm.) plus dispersée.

■ **Nord-Ouest. Saint-Pétersbourg** [2e ville du pays (4 467 000 h.)] : *temp. moy :* janv. : – 9,3 °C, juillet : 17,7 °C ; *nuits blanches :* 20-5 au 20-6. *Fondée* par Pierre le Grand, en 1703, sur 42 îles de la Neva [appelée *Petrograd* de 1915 à 1924, *Leningrad* du 31-1-1924 à 1991 (référendum populaire, 54 % pour le retour au nom historique, décision du Soviet suprême de Russie 6-9-1991)]. *Capitale* de 1712 au 11-3-1918. *Assiégée* du 8-9-1941 au 27-1-1944 (900 j). Plus de 50 *musées* dont Ermitage (400 salles), 26 *théâtres*, 300 *ponts* dont 21 à tablier mobile, 420 *édifices religieux* (80 disparus depuis 1917), 86 *rivières, colonne Alexandre* (monolithe granit rouge, 47,5 m, 600 t). *Statue de Pierre le Grand* (Falconet). *Cath. St-Isaac* (haut. 101,5 m, long. 111,2 m, larg. 97,6 m). *St-Pierre et St-Paul* (haut. 120 m). *Perspective Nevski :* long. 4,5 km, larg. 25 à 60 m. *Centre industriel :* bois, textile (lin), aluminium, constr. méc. ; *port maritime,* le plus actif de Russie. **Environs :** Palais : *Pavlosk* à 35 km, *Petrovdorets* (ex-Peterhof) à 30 km, *Pouchkine (ex-Tsarkoïeselo)* à 25 km. **Région N.-O. :** *bas plateaux* (alt. max. : 350 m) et *plaines* marquées par l'empreinte glaciaire : vastes marais et nombreux lacs reliant haute Volga à Baltique et Leningrad, elle-même reliée à la mer Blanche. *Climat* continental avec influences atlantiques : amplitudes thermiques plus faibles et précipitations plus abondantes. *Végétation :* au nord du 60e parallèle (lat. de St-P.), forêt sauf un liséré de toundra en bordure de l'océan Arctique ; au sud du 60e parallèle, forêt et clairières de plus en plus nombreuses et vastes, cultures adaptées au climat humide et froid et à la médiocrité des sols forestiers : pommes de t., seigle ; lin 2/3 du total mondial ; bovins près des agglomérations.

■ **Oural.** Montagne peu élevée (alt. max. mont Narodnaya 1 894 m), aisément pénétrable (larges dépressions transversales). **Villes principales :** *Sverdlovsk* 1 375 000 (91), *Tcheliabinsk* 1 148 000 (91), *Magnitogorsk* (fondée 1928) 421 000 h. (84). **Ressources énergétiques :** charbon près de Sverdlovsk, pétrole à l'O. entre Perm et Oufa (surnommé le « 2e Bakou »), hydroélectriques ; *minérales :* or, cuivre, manganèse, nickel, zinc, fer surtout dans le S. entre Tcheliabinsk et Magnitogorsk (tout près se dresse la Magnitnaïa, « montagne aimantée »). **Industrie :** *ancienne :* forges établies dep. Pierre le Grand : armes, outillage, quincaillerie étaient vendus dans les grandes foires de : Kazan, Nijni-Novgorod (Gorki de 1936 au 23-10-1990), foire créée en 1817, supprimée en 1930. *Récente :* développée 1939-45, la R. d'Europe étant alors en partie occupée : à partir du minerai de l'Oural et du charbon amené d'autres régions : combinat *Oural-Kouzbass,* trop vaste (environ 2 000 km entre fer et charbon), supplanté auj. par le combinat *Oural-Karaganda.* On utilise aussi de plus en plus le charbon de l'Oural lui-même ; *constr. méc. :* matériel ferroviaire, tracteurs, machines-outils, armement, dans l'Oural : Nijni-Taguil, Sverdlovsk, Tcheliabinsk, qui assurent de 30 à 40 % des ind. méc. ; *chimie :* utilisant les sous-produits de la métallurgie (Magnitogorsk) et potasse et phosphates du bassin de la Kama (région de Perm).

■ **Kamtchatka.** 31 000 km². **Capitale :** *Pallana,* petit port de pêche sur la mer d'Okhotsk. **Histoire :** *1697* découvert par 60 cosaques agissant pour le compte d'un négociant en fourrures d'Irkoutsk, Vladimir Atlasov. *1701* rattaché à l'empire r. par Pierre le Grand. Les indigènes (Kamtchadales), surmontant leurs rivalités, résistèrent 30 ans. Il en subsiste environ 9 000 : 3 000 Selcups et 6 000 Koriaks, éleveurs de rennes et pêcheurs groupés dans le district national des Koriaks, au N.

■ **Ile de Sakhaline.** 76 000 km². 948 km de long, du N. au S. Latitudes comparables à la France et à l'Irlande, mais climat sibérien (toundra, rennes). 700 000 h. dont 50 à 70 000 d'origine coréenne. **Capitale :** *Loujno Sakhalinsk* (10 417 km de Moscou, 100 000 h.) (85). **Histoire :** *1643* le Hollandais De Vries la découvre et la prend pour une presqu'île. *1782* La Pérouse l'identifie comme île. *1805* explorée par les R. *1856* par les Jap. (au S.) ; entièrement r. (le Jap. cède le S. contre les Kouriles). *1875* annexée à la Russie. *1905* les Jap. reprennent le S. (jusqu'au 50e parallèle). *1923* gouv. bolch. veut vendre Sakhaline au Jap. contre 1 milliard de yens en liquide (équivalent du budget annuel du Jap.). *1945* Yalta : attribuée entièrement à l'U., ainsi que les Kouriles, contre la promesse soviétique d'entrer en guerre contre le Jap. 3 mois après la défaite de l'All.

Kouriles du sud. 4 îles : *Habomai, Shikotan, Etorofu, Kunashiri ;* les 2 premières inhabitées. Rattachées administrativement à Sakhaline. Le Japon réclame leur restitution. Celles d'Habomai et Shikotan étaient prévues dans une déclaration soviéto-jap. de 1956. *1991* proposition jap. de subordonner l'aide à la Russie d'un crédit de 25 milliards de $ à la restitution. *1992-30-11* par décret, Eltsine transforme les K. en « zone franche » et autorise les investisseurs étrangers à louer les terres pour 99 ans.

Le Jap. proteste. Projet d'exploiter les algues brunes du littoral (produirait 22,2 milliards de $ de médicaments par an).

■ **Régions arctiques.** Climat continental : hiver long, très rude (– 47 °C en janvier à Verkhoïansk) ; été très court, précipitations médiocres, de plus en plus faibles vers l'E. La région autour de Mourmansk, au N.-O., bénéficie de l'influence adoucissante de la dérive nord-atlantique (prolongement du Gulf Stream). Sol perpétuellement gelé en profondeur (la *merzlota,* à l'O. de l'Oural, au-delà du cercle polaire), à l'E., beaucoup plus loin vers le S. Obstruction des embouchures des cours d'eau (gigantesques débâcles dans le cours moyen). Toundra : limitée par le cercle polaire à l'O. de l'Oural, s'élargit progressivement vers l'E. ; au-delà de la Lena, s'étend sur toute la Sib. orientale et le Kamtchatka, entre océan Arctique, océan Pacifique et mer d'Okhotsk. Élevage nomade du renne. **Villes** rares : Mourmansk 412 000 h., Arkhangelsk 403 000 h. **Mines :** nickel, presqu'île de Kola (région de Mourmansk), nickel et cuivre (Norilsk, delta du Ienisseï), métaux précieux de la vallée de la Lena (région de Iakoutsk), fer (presqu'île de Kola), houille (bassin de Vorkouta), lignite (vallée moyenne de la Lena) et houille (Toungouska, affluent de droite du Ienisseï). **Difficultés :** approvisionnement alimentaire (en dépit des progrès de l'agriculture arctique), relations difficiles, par chemins de fer (3 lignes en Europe, aboutissant à Mourmansk, Arkhangelsk et Vorkouta), voie d'eau en été, mer (« voie maritime du Nord », 13 000 km d'Arkhangelsk à Vladivostok), avion.

■ **Sibérie.** 12 800 000 km² (57 % de l'U.) sur 8 000 km de l'Oural au Pacifique et 3 000 km de l'Arctique à la Chine. **Population** (en millions) : *1926 :* 6,5 ; *59 :* 17 ; *70 :* 25 (pour la 1re fois, plus de 10 % de l'U.) ; *83 :* 29,6. **Ressources :** 60 à 90 % des ressources naturelles de la Russie (58 % des ressources mondiales). *Production* (1982 et, entre parenthèses, est. 1990) : pétrole 353 (1 000) millions de t, gaz 231 (1 000) milliards de m³. *Agriculture :* 30 millions d'ha défrichés entre 1955 et 77. Mais le rendement des nouvelles cultures reste insuffisant (4 h 1/2 de travail pour 1 quintal de blé, contre 1 h aux USA). Obstacles principaux : climat (7 mois de gel) ; distances, rareté des hab. (densité de 2,3 par km²) ; pauvreté des sols (tchernoziom 10 % de sup. ; sols marécageux, sablonneux, siliceux et montagneux 90 %). *Actions entreprises :* utilisation massive des engrais ; mise en culture du désert, notamment Kazakhstan (irrigation, lutte contre l'érosion due aux vents ; utilisation de machines spéciales travaillant le sol sans ôter la couche végétale) ; création d'une agric. polaire (serres chauffées et éclairées) ; peuplement systématique (d'abord forcé, puis encouragé par primes appels au patriotisme ; la plupart des points d'implantation en Sibérie sont tenus par des jeunes ; avantage : dynamisme accru ; inconvénient : instabilité, forte proportion de départs). Le Congrès interrégional des 19 territoires de Sibérie (Tomsk 16/17-2-93) a réclamé une + grande indépendance économique et dénoncé la corruption des intermédiaires. **Transports :** hélicoptères, avions, ferroviaires (voies sur pieux de béton de 12 m de haut, enfoncés dans le sol gelé). Navigation polaire (convois précédés d'un brise-glace ; ouverture du port de Norilsk à l'embouchure du Ienisseï, permettant l'acheminement du matériel lourd par la m. de Barents). Transports par gazoducs, oléoducs.

■ Histoire

■ **Protohistoire. V. 4000 av. J.-C.** steppes de la Russie du S., du Dniepr au Ht Ienisseï, occupées par Indo-Européens qui créent civilisation de Kurgan (russe : « tertre ») : aristocratie militaire occupant les buttes fortifiées ; villages d'agriculteurs dans les plaines, élevage du cheval. **V. 2000 av. J.-C.** cavaliers indo-européens conquièrent vaste domaine de l'Iran à l'Atlantique ; les steppes au N. de la Caspienne restent occupées par une de leurs tribus, les *Cimmériens.* **V. 1000 av. J.-C.** les *Scythes,* Indo-Européens de la moyenne Volga, conquièrent domaine cimmérien et créent Empire cimméro-scythe qui durera jusqu'au IIIe s. apr. J.-C. (détruit par les *Huns,* venus de Sibérie centrale) ; *à la même époque* tribus indoeur. des *Slaves* (agriculteurs) se différencient des Celtes et Germains entre Carpates, Vistule et Pripet. Pendant 1 500 ans, progresseront lentement dans le bassin du Dniepr. Les communautés villageoises (*mirs,* « terre » ou « paix ») possèdent les terres réparties tous les 3 ans entre les familles de cultivateurs (chacune néanmoins possède un lopin inaliénable). **200-375** steppes scythiques traversées par les *Goths* (Germains) venus de Baltique ; ils laissent le terrain aux nomades sibériens *Huns,* puis *Avars* et *Khazars* qui conquièrent les plaines de la mer Noire à l'Oural. **Conquête slave : du Ve au VIIIe s.** les *Slaves Polians* occupent l'Ukraine ; les *Severians,* le haut Donetz ; les *Radimitches,* la Biélorussie [autres tribus du même groupe (« Slaves orientaux ») : Drevlians, Slovènes, Krivitches, Dregovitches, Viatitches, Ouglitches, Tivériens] ; ils fondent des villes : Kiev, Beloozero, Novgorod, Ladoga, Polotsk, Smolensk. **IXe s.** Novgorod et Kiev sont organisées en principautés militaires par des Varègues venus de Suède.

■ **Princes de Novgorod et de Kiev. 862 Rurik** (ou Riourik) **Ier** (v. 800-74) fils de Haffdarne margr. de Frise. **874 Igor** son fils († 891). **879 Helgi** ou **Oleg Ier** cousin germain de Rurik Ier († 880). **882 Helgi** ou **Oleg II** (912) s. f. ; il unifie les 2 principautés, créant la voie commerciale Baltique-Byzance par le Dniepr et s'emparant de Byz. en 907 (accord commercial 911).

■ **Grands-ducs de Kiev. 912 Igor II** (v. 875-945) neveu de Helgi II ?, tué. **940-44** nouvelles g. contre Byz. **945 Sviatoslav Ier** (v. 936-72) fils d'Igor II tué ; sa veuve Olga convertie 957, future sainte. **973 Iaropolk Ier** (951-80) s. f., tué. **980 Vladimir Ier le Grand** dit l'Ardent Soleil (n. v. 956/† 15-7-1015 ; canonisé 1 203 ; bâtard d'Igor Ier, établi à Novgorod). **980** prend Kiev, devient Gd-Prince de Kiévie et fait exécuter Iaropolk. **988** relègue sa femme Rogneda au couvent, se convertit pour épouser Anne, sœur de Basile II, emp. de Byzance. **XIe s.** colonisation intensive (90 fondations de villes). Sté féodale régie par un code, la « vérité russe ». **1017 Sviatopolk Ier** (980-1019) fils de Iaropolk Ier. **1019 Iaroslav le Sage** (978-1054) fils de Vladimir Ier. **1049**-*4-8* Reims, *Anne de Kiev,* fille de Iaroslav, épouse roi de Fr. Henri Ier ; g. contre nomades, notamment Petchenègues et Polovtses. **1054 Iziaslav Ier** fils de Iaroslav (1025-78), détrôné. Kiévie se sépare de Rome avec Byzance ; s'étend de mer Noire au lac Onega. **1069 Venceslas,** s. nev. († 1101), détrôné. **1069 Iziaslav Ier,** restauré. **1073 Sviatoslav II** son frère (1027-76), tué. **1075 Iziaslav Ier,** restauré. **1078 Vsevolod Ier** (1030-93) fr. d'Iaroslav Ier. **1093 Sviatopolk II** (1050-1113) f. d'Iziaslav Ier. **1113 Vladimir II Monomaque** (1053-1125) f. de Vsevolod. Kiev se révolte. **1125 Mstislav Ier Harald** (1076-1132) s. f. **1132 Iaropolk II** (1082-1139) s. fr. **1139 Viatcheslav Ier** (v. 1083-1146) s. fr. **1139 Vsevolod II** (v. 1085-1146) pt-fils de Sviatoslav II. **1146 Igor III** s. fr., détrôné puis tué (1147). **1146 Iziaslav II** (1100-54) f. de Mstislav, détrôné. **1149 Georges Ier Dolgorouki** (1090-1157) f. de Vladimir II. **1150 Iziaslav II. 1150 Georges Ier Dolgorouki,** restauré. De sa mort (1157) à 1249, 22 grands-ducs, dont 11 chassés et rappelés plusieurs fois, se succèdèrent à la tête du grand-duché de Kiev. La suprématie revint vers cette époque aux grands-ducs (puis grands-princes) de Vladimir. **Fin XIe s.** se désagrège en plusieurs États féodaux, notamment Rép. féodale de Novgorod (au N.) ; le plus puissant est Rostov-Souzdal [Russie centrale (apogée avec *Iouri Dolgorouki,* 1115-57, qui fonde Moscou en 1147)].

■ **Grands-ducs puis grands-princes de Vladimir. 1157 André Ier** (v. 1110-1174) f. de Georges Ier. **1175 Iaropolk** († 1196) s. nev. **1175 Michel Ier** (1151-76) fr. d'André. **1200** fusion des Ptés de Vladimir et de Galicie. **1212-17** *Anarchie de la « Grande Nichée ».* **1217 Constantin Ier** (1185-1218) f. de Vsevolod III. **1218 Georges II** (1189-tué 1238) s. fr. **1223** *invasion des Mongols* de Gengis Khan qui battent les Russes sur la rivière Kalka. **1238 Iaroslav II** (1190-1246) s. fr. **1240** Mongols, commandés par le fils de Gengis Khan, le khan Batou, pillent Vladimir, Moscou, Kiev. Kiévie disparaît, remplacée au N.-O. par Moscovie qui lutte contre Mongols venus du S.-O. et catholiques romains venus de Baltique. *-15-7* Pce Alexandre de Novgorod bat Suédois sur Neva d'où son surnom de *Nevski.* **1242**-*5-4* bat Chevaliers teutoniques sur la glace du lac Peïpous. Mongols créent l'État de la *Horde d'Or* dans la basse Volga et font payer tribut à tous les princes russes. Ils décernent le titre de Prince de toutes les Russies au prince de leur choix. **1246 Sviatoslav II** (1196-1258) frère de Iar. II, déposé. **1248 Michel II** († 1249) fils de Iar. II, tué. **1249 André II** (1222-64) s. fr. **1250** rôle de Moscou grandit (capitale à partir de 1300). **1252 Alexandre Ier** dit Nevski (1220-63) fils de Iar. II. **1263 Iaroslav III** (v. 1230-71) s. fr. **1272 Vassili Ier** (1236-76) s. fr. **1276 Dmitri Ier** (v. 1254-94) f. d'Alexandre Nevski. **1294 André III** (v. 1255-1304) s. fr. **1304 Michel II** (1271-1319) f. de Iaroslav III, tué. **1319 Dmitri II** (1299-1325) f. de Michel III. **1327 Alexandre II** (1301-39) s. fr. (dernier grand-duc de Vladimir).

■ **Grands-princes de Moscou. 1317 Georges III** (1281-1325) petit-f. d'Alexandre Nevski [f. de Daniel (1261-1308), Pce de Perciaslav, 4e f. d'Alexandre]. **1325 Ivan Ier Kalita** (« à la Bourse ») (v. 1304-41) s. fr. **1328** obtient des Mongols titre de Gd-Pce. **1341 Siméon l'Orgueilleux** (1316-53) s. f. **1353 Ivan II le Doux** (1326-59) s. fr. **1359 Dmitri III l'Usurpateur** (1323-89) f. de Constantin de Souzdal. **1363 Dmitri IV Donskoï** (1350-89) f. d'Ivan II. **1380**-*8-9* bat l'empereur mongol Mamaï à Koulikovo, mais est battu à son tour (1382). **1389 Vassili II** (1371-1425) s. f. 1er Gd-Pce couronné sans l'autorisation des Mongols. **1425 Vassili III l'Aveugle** (1415-62) s. f. **1433 Georges IV l'Usurpateur** (1374-1434) s. oncle. **1434 Vassili III,** restauré. **1462 Ivan III le Grand** (1440-1505) s. f. **1480** unifie la R. ; allié au khan de Crimée, bat la *Horde d'Or* et prend Novgorod. **1497** Code rural, autorisant les paysans à changer de domaine, dans la semaine du 19 au 26 nov.

■ **Grands-princes de Russie. 1505 Vassili IV** (1479-1533) s. f. **33. Ivan IV le Terrible** s. f. qui suit.

Tsars

1547 Ivan IV le Terrible (1530-84) le titre de tsar lui est accordé par le Sénat. **1534-84** lutte contre Tatars de Khazan (construction de la ligne fortifiée Kalouga-Toula-Zaraïsk), boïars (grands seigneurs russes), chevaliers Porte-glaives et Polonais ; conquiert Sibérie. **1550** création des *Streltsy,* corps d'arquebusiers, servant de gardes au tsar. **1556** conquête d'*Astrakhan :* les colons r. y pratiquent une forme plus ancienne du *mir,* dû aux immenses réserves de terrain ; chaque famille choisit librement chaque année les champs qu'elle veut cultiver. **1565** cr. des *opritchinas* (territoires gouvernés milit., où les gardes du corps pouvaient confisquer les terres des boïars). **1580** crise du servage : de nombreux villages r. sont devenus la propriété d'un noble *(barine) ;* les paysans doivent lui payer des redevances en nature *(barchtchina)* ou en argent *(obrok) ;* **après 1581,** certaines années, ils ne peuvent quitter librement le domaine.

1584 Fédor Ier (1557-98) s. f.

Le temps des troubles

1598 Boris Godounov (1551-1605) s. beau-fr., élu tsar. **1605 Fédor II** (1589-1605) s. f., tué par les nobles. **1605 Dmitri V** (1580-1606), imposteur, tué. **1606-10 Vassili V Chouiski** (1553-1612), descendant de Rurik, déchu. **1607** code des lois (Oulojenié) interdisant aux maîtres de libérer leurs serfs. **1607-10 Dmitri** (André Nagii) († 1610), tsar de Touchino, ép. Marina Mniszech, veuve de Dmitri V. **1610** Polonais prennent Moscou. **1611 Ivan le Petit Brigand** (1607-11) s. f., pendu. **3e faux Dmitri** (le moine Sidone) († 1612, empalé). Interrègne, *tsars éphémères,* révoltes pop. (la plus importante, conduite par le marchand Minine et le Pce Pojarski, libère le pays). **1612**-*27-10* Moscou libéré.

Dynastie des Romanov

1613 *(févr.)* **Michel III** Romanov (1596-1645) fils du patriarche Philarète, petit-nev. de la tsarine Anastasie, ép. d'Ivan IV ; élu par les nobles ; ép. 1626 Eudoxie Streeschnev (1608-45).

1645 Alexis (19-3-1629/8-2-76) fils de M. III, ép. 1°) 1648 Marie Miloslawski (1629-69), 2°) 1671 Nathalie Narichkine (1651-94). **1654** conquête de l'Ukraine sur les Pol. 1er livre russe imprimé. **1667-71** révolte armée des paysans (Stéphan Razine).

1676 Fédor III (9-6-1661/7-5-1682) fils d'Alexis et de Marie, ép. 1°) 1680 Agraphia Grouschewski (1665-81), 2°) 1682 Marfa Apraxin (1664-1716).

1682 Ivan V (27-8-1666/29-1-1696) frère de Fédor, déposé, ép. 1684 Praskovia Soltykov (1664-1723).

1682 Pierre Ier le Grand (9-6-1672/8-2-1725) demi-fr. d'I. V, fils d'Alexis et de Nathalie Narichkine, ép. 1°) 1689 Eudoxie Lapoukine (1672-1731), 2°) 1707 Catherine v. 1725. **1682** à 10 ans, il est associé au trône de son demi-frère Ivan V, mais écarté par sa demi-sœur *Sophie, régente,* il fréquente le faubourg « allemand » de Moscou. Passe sa jeunesse au milieu des étrangers, notamment le Genevois Francis Lefort (1656-99) et l'Écossais Patrick Gordon (1635-99) qui l'initient, tous deux, au métier d'officier [doué d'une force colossale (il mesurait 2 m)]. **1688** (a 17 ans) il renverse Sophie (qui sera enfermée dans un couvent) et Ivan et prend le pouvoir. **Projets politiques : 1°)** accroître la puissance éc. et mil. de la R. par l'occidentalisation ; **2°)** utiliser cette puissance pour agrandir le territoire. **Réalisations : 1°)** *L'occidentalisation : 1er voyage en Europe (1697-98).* But : se former aux techniques modernes : travaille comme charpentier aux chantiers navals d'Amsterdam ; fait des stages aux laboratoires de Londres ; visite académies et musées (Angl., Hollande, All.) ; à Vienne, essaye d'entraîner l'empereur Léopold à une croisade contre les Turcs. **2°)** *Réformes politiques et sociales :* **1698** dissout le corps d'armée des *Streltsy* (arquebusiers), opposés à toute réforme ; prend des mesures brutales contre les traditionalistes russes (notamment interdit la barbe chez les nobles, maniant lui-même les ciseaux, impose l'usage du tabac et le calendrier julien). **1700** supprime le patriarcat, faisant administrer les biens de l'Église par des fonctionnaires laïcs (d'où sa réputation d'impie, cause de nombreuses révoltes). **1703** fonde St-Pétersbourg.

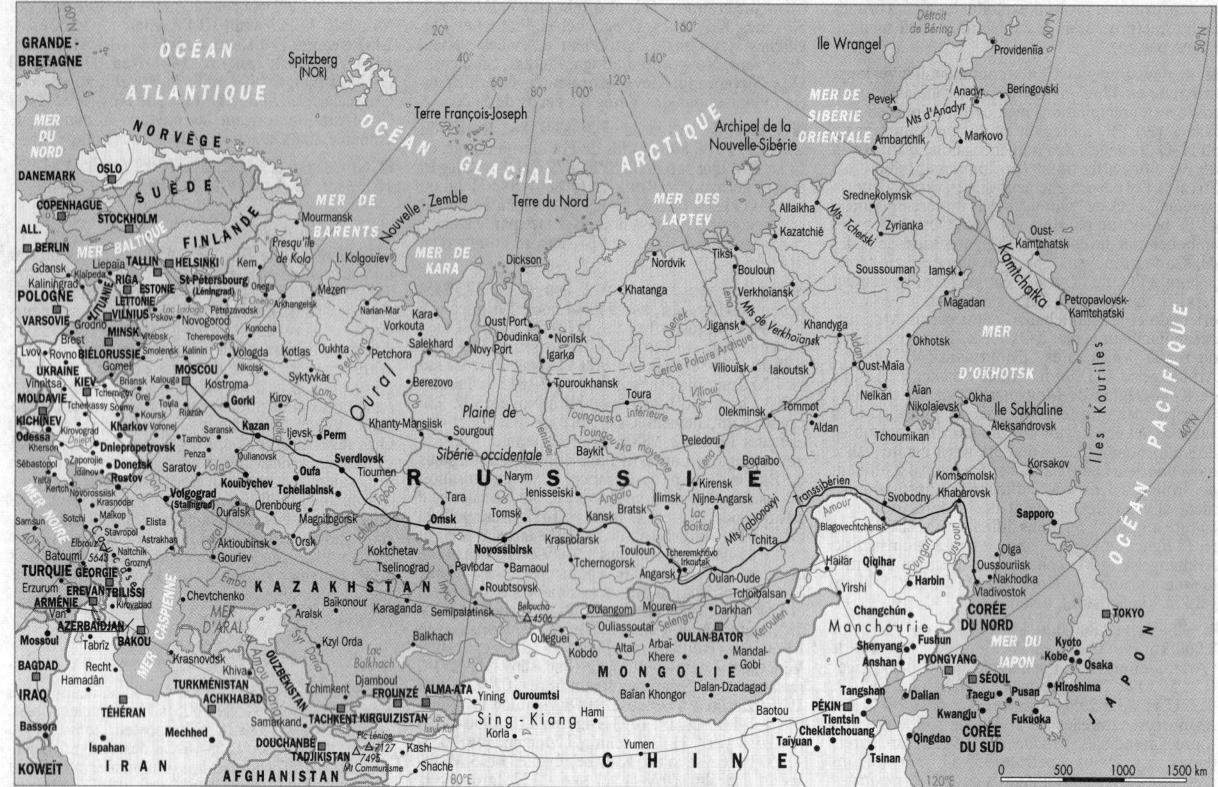

1711 crée un Sénat, remplaçant la Douma des Boïars. Protection accordée à la classe des marchands ; les bourgeois riches sont admis à l'anoblissement ; les nobles sont invités à servir comme militaires ou administrateurs. **Politique militaire (1701-21) :** constamment en g. contre révoltés de l'intérieur ou étrangers (Suédois, g. du Nord, voir p. 1152 c, Turcs), combat comme soldat ou officier subalterne, sous les ordres de ses généraux. **1711** évite d'être capturé par les Turcs grâce à sa femme Catherine (la future Catherine Ire), qui corrompt le grand vizir. **1716-17** voyage officiel en Europe occidentale (notamment rend visite à Louis XV enfant à Versailles). **1718** fait torturer à mort son fils le tsarévitch Alexis, chef de l'opposition religieuse et traditionaliste. **1721** titre d'empereur conféré par le Sénat. **1722** crée une noblesse de fonction. **1725** crée l'Académie des Sciences de St-Pétersbourg. Meurt quelques jours après, usé par la débauche. *Bilan :* administration centralisée (corps de fonctionnaires), flotte militaire (29 navires basés à St-Pétersbourg), armée de 130 000 h., industrie minière de l'Oural (centre : Iekaterinbourg, créé 1721 ; 86 usines métallurgiques), 15 fabriques de draps, 14 de cuir, 15 de laine, 9 de soie, 6 de coton, scieries, poudreries, verreries.

1725 *(28-1)* **Catherine Ire** (1684/17-5-1727), née Marthe Rabe (fille de Jean Rabe ou de Samuel Skavronski, paysan lituanien), appelée Martha Skavronskaïa jusqu'à sa conversion à la rel. orthodoxe ; ép. 1°) 1703, soldat prussien Kruse, † déporté en Sibérie apr. 1710, 2°) en secret 1707 Pierre Ier. Influence du Pce Menchikov (Alexandre Danilovitch, 1672-1729).

1727-30 Pierre II (23-10-1715/29-1-30), fils d'Alexis et petit-fils de P. le Grand.

1730-40 Anne [(25-1-1693/28-10-1740) fille d'Ivan V ; favori : Ernest Johann von Bühren, dit *Biron* (1690-1772), qu'elle fait duc de Courlande], ép. Frédéric-Guillaume, duc de Courlande (1692-1711). **1732** rend les provinces de la Caspienne aux Turcs et annexe l'Alaska. **1734** contrôle l'Ukraine.

1740 Ivan VI (24-8-1740/5-12-1764) fils de la grande-duchesse Anna Leopoldovna (f. de Catherine Ire) et d'Antoine Ulrich de Brunswick, petit-nev. d'Anne. **1741**-*6-12* détrôné, emprisonné à partir de 1756. Étranglé par 2 officiers d'Élisabeth (qui suit).

1741 Élisabeth (29-12-1709/5-1-1762) fille de P. le Grand et de Cath. Ire, ép. 1742 Alexis Razoumosky (1709-71). **1741** traite avec Suède. **1743** reçoit partie de la Finlande. **1755** 1re université russe. **1760/1756-63** g. de Sept Ans (contre Prusse), occupe Berlin.

1762 *(5-1)* **Pierre III** (21-2-1728/17-7-1762) fils d'Anna (1708-28), sœur d'Élisabeth et mariée à Charles-Frédéric, duc de Holstein-Gottorp [maison issue d'Egilmar, Cte d'Aldenbuch († 1090), qui possédа les duchés de Schleswig et de Holstein et dont une branche a donné la maison royale de Danemark, puis celles de Grèce et de Norvège], son véritable père aurait été Saltykoff, gentilhomme de la Cour. Épouse en 1745 Catherine (qui suit). **1762**-*5-5* admirant Frédéric II, signe la paix, lui rend Poméranie et Prusse orientale, et s'allie avec lui contre l'Autr. Dispense la noblesse du service obligatoire ; luthérien, persécute Égl. orthodoxe ; révoltes paysannes. *-9-7* sa femme Catherine, pour éviter la répudiation justifiée par ses adultères, renverse (avec l'aide de la garde, dont 2 officiers, les fr. Orlov, sont ses amants) Pierre III. *-10-7* Pierre abdique. *17-7* est étranglé par Orlov.

1762 Catherine II la Grande (2-5-1729/17-11-1796) fille de Christian Auguste, Pce d'Anhalt-Zerbst, et de Jeanne de Holstein. Appelée Sophie-Augusta-Frédérique d'Anhalt-Zerbst (son nom de Catherine lui a été donné lors de son baptême orthodoxe en 1744). Fille d'un prince au service de la Prusse, est élevée à la française par des huguenots. *1743* choisie par l'imp. Élisabeth comme fiancée du Pce héritier Pierre, dont elle est la cousine germaine (sa mère était Pcesse de Holstein). *1745* sacrée à la cathédrale de Moscou. En réaction contre le duc de Courlande (son 1er mari, allemand et prussophile), apprend le russe et se pose en défenseur de l'orthodoxie. Prend de nombreux amants et reste sans rapports avec son 2e mari (le futur tsar Paul Ier n'était sans doute pas le fils de Pierre). *Principaux favoris : Stanislas-Auguste Poniatowski* (1763-1813), *Grégoire Orlov* (1734-83), *Grégoire Alexandrovitch, Pce Potemkine* (1739-91), *Platon Alexandrovitch, Pce Zubov* (1767-1817). Règne en « despote éclairé », protégeant les « philosophes » fr. comme Voltaire et Diderot. **À partir de 1763** attire en Russie 27 000 All., en leur promettant immunité fiscale et dispense de service armé. Création de petites ind. : métall. ouralienne (au bois), centres textiles de Moscou, Ivanovo, Vladimir ; transformation de la fonte anglaise à St-Pétersbourg (n'évolue pas jusqu'en 1830). **1764** sécularise les biens de l'Église (2 millions de paysans deviennent serfs de l'État). **1767** convoque une commission législative. **1768-74** lutte contre Turcs, vict. navale de Tchesma, Crimée prise (annexion définitive : *1770). **1772** 1er partage de la Pol.* **1773-75** révolte de *Pougatchev* (cosaque du Don, ayant soulevé les serfs ; exécuté 21-1-75). **1775** *2e partage de la P.* **1785** *avril* transforme la Russie en État nobiliaire (publication de la Charte de la noblesse). **1787** voyage officiel dans la « Nouvelle Russie » (terres enlevées aux Turcs). **1790** prend parti contre la Révol. fr. et mène une politique réactionnaire (condamnation de l'écrivain libéral Radichtchev). **1795** *3e partage* et disparition de l'État pol.

1796 Paul Ier (1-10-1754/23 ou 24-3-1801) 2e fils de P. III et de Cath. II, ép. 1°) 1773 Pcesse de Hesse-Darmstadt (1755-76), 2°) 1776 Pcesse Dorothée de Wurtemberg (1759-1828). **1796** chasse les favoris de Cath. II, arrête guerre contre Iran, veut s'appuyer sur le peuple. Entre dans la coalition contre la France. **1799**-*15-8* victoire de Souvorov à Novi ; *-23-9* défaite de Souvorov et *27-9* de Korsakov à Zurich. **1800** forme ligue des Neutres contre Angleterre, crise économique. **1801**-*23-3* assassiné par des officiers [complot ourdi par le Cte Bennigsen (1745-1826, général)] : Nikita Cte Panine (1770-1837, vice-chancelier dep. 1799), Peter Cte Von der Pahlen (1745-1825, min. des Aff. étr.) et le Pce Yaschvill. Son fils, Alexandre, a pris part à la conjuration (il voulait sans doute éviter l'exécution, mais a eu la main forcée par Pahlen).

1801 Alexandre Ier (23-12-1777/1-12-1825) fils de P. Ier, ép. Élisabeth, Pcesse de Bade (1779-1826). Élevé à la française par le colonel suisse La Harpe (idées libérales). *Déc.* donne le droit de remontrance au Sénat, permet la libération des serfs. **1803** serfs rachetés de 1803 à 1858 : 1,5 % ; encourage le projet Speranski de Const. avec Parlement élu. **1804-13** g. contre l'Iran (*tr. de Gulistan, 1813* Azerbaïdjan du N. et Daghestan annexés). **1805-07** s'allie à Autr. puis Prusse contre Nap. [*1805-2-12* déf. d'*Austerlitz ; 1807-7-2* demi-vict. d'Eylau ; *14-6*-déf. de Friedland. *-7-7 tr. de Tilsit*]. **1808-09** s'allie à Fr. contre Angl. et Suède, enlevant Finlande aux S. *(tr. de Fredrikshavn,* 17-9-09). **1812**-*28-5 tr. de Bucarest :* les Turcs abandonnent l'alliance avec Napoléon ; *-23-6* la Grande Armée de Nap. (600 000 h.) franchit le Niémen. *-7-9* bataille de *Borodino* (à 124 km de Moscou), 28 000 † chez les Fr. et + de 45 000 chez les Russes. *-14-9/19-10* les Fr. occupent Moscou. *-28/29-11* défaite fr. à la Bérézina. **1812** pol. autocratique. **V. 1814**, sous l'influence d'une mystique, Barbara Juliane von Vietlinghoff, baronne de Krüdener (1764-1824), se convertit à une sorte de méthodisme (Sté biblique). **1818** affranchit les serfs des provinces baltes. **1820** revient à une pol. antirévol. (à l'extérieur : Ste Alliance ; à l'intérieur : déportation sans jugement des serfs en Sibérie). **1825** envoie son aide de camp le Gal Cte Michaud de Beauretour auprès du Pape Léon XII pour l'avertir de son désir d'abjurer l'orthodoxie et de ramener l'Égl. de Russie dans l'Égl. romaine. *-1-12* meurt au cours d'un voyage en Crimée. En 1866, sa tombe sera ouverte et retrouvée vide (A. Ier se serait retiré pour vivre en ermite sous le nom de Fédor Kousmistch, † janv. 1864).

1825 Nicolas Ier (7-7-1796/2-3-1855), frère d'A. Ier, ép. 1817 Charlotte de Prusse (1798-1860). **1825**-*14-12* révolte des officiers « décembristes » réprimée. **1829** *tr. d'Andrinople* avec Turquie ouvrant les détroits et libérant la Grèce. **1831** insurrection pol. réprimée. **1833**-*8-6 tr. d'Unkiar-Skelessi* signé par Orlov avec la Porte, dépendance de la Turquie vis-à-vis de la Russie. **V. 1835** modernisation de l'industrie textile (200 000 ouvriers dont 90 000 dans l'ind. cotonnière) ; adoption à Moscou de la teinture chimique des laines (famille Goutchov) ; création de l'ind. sucrière ukrainienne (les ouvr. sont dits serfs de possession ; juridiquement libres, mais ne peuvent pas quitter leurs usines). Mais la métallurgie stagne (2,5 fois moins que la Fr., 10 fois moins que la G.-B.) ; le charbon est peu exploité (50 000 t contre 67 000 t en G.-B.). *Causes :* insuffisance du marché, dépenses militaires excessives, indifférence des autorités, insuffisance des banques. **1834-59** *soulèvement du Daghestan* [*chef rebelle :* Samuel Chamil (1797-1871) ; vaincu à Gunib (1859)]. **1845** *déc.* relations dipl. avec Vatican. **1848** la R. aide l'Autr. contre Hongr. **1851** 1re liaison ferroviaire St-Pétersbourg/Moscou. **1854** début g. de Crimée.

Guerre de Crimée (1854-55)

Causes. 1°) Lointaines. Désir de l'Angl. de contrer les ambitions russes au Caucase et au Moyen-Orient ; désir de Nap. III de remporter des victoires contre les coalisés de 1815 (en s'alliant avec les uns contre les autres) ; désir de l'Église cath. de ne pas perdre le protectorat des chrétiens de Turquie, que le tsar orthodoxe cherche à acquérir. **2°) Immédiates 1853** a) *9/14-1* Nicolas Ier parle à l'ambassadeur anglais sir Hamilton Seymour de la Turquie comme d'un « homme malade » dont il faut se partager l'héritage : l'Angl. est prête à sauver l'Empire turc, même par les armes. b) *févr.* sur les conseils de l'ambassadeur anglais Redcliffe, le sultan repousse une ambassade de Menchikov venu lui réclamer le protectorat des orthodoxes de Turquie (10 millions d'h.). c) Nap. III persuade (20-3) les Anglais d'envoyer une escadre fr.-angl. en mer Égée : Menchikov quitte Constantinople en lançant un ultimatum. d) les Russes occupent (3-7) les principautés roumaines (ils ont contre eux les Autrichiens, alliés aux Prussiens, qui essayent en vain de les convaincre de reculer).

Causes de la défaite russe. 1°) Infériorité maritime de la Russie : Angl. et Fr. : 2 premières puissances maritimes du monde, peuvent attaquer la R. par toutes les mers à la fois. **1854**-*22-4* bombardement d'Odessa, puis des ports r. du Caucase ; *-16-8* débarquement aux îles Aaland (Baltique), destruction de Bomarsund. **1855** bombardement de Sveaborg (Baltique), Solovetski (mer Blanche), des arsenaux de Petropavlosk et des forts de l'Amour (mer d'Okhotsk). **2°) Hostilité de toute l'Europe :** les Autrichiens, sans déclarer la g. à la R., mais avec l'appui de la Prusse, occupent les « principautés danubiennes » (roumaines), que les R. évacuent après le débarquement anglo-fr. en Crimée. **3°) Désorganisation de l'armée et de la marine russes :** les forces anglo-fr. sont plus disciplinées, mieux équipées, mieux encadrées (défaite terrestre de l'Alma, *20-9-1854* ; sabordage de l'escadre russe à Sébastopol, *oct.* 54). À partir de nov. 1854 les Russes se réorganisent, grâce à l'ingénieur Todleben et aux équipages de la flotte (15 000 h.), servant comme artilleurs de forteresse. **4°) Réveil de l'opposition en Russie :** les défaites de l'Alma (devant les Anglo-Fr.) et de Silistrie (devant les Turcs) déchaînent une violente opposition contre le régime tsariste : nombreux pamphlets anonymes, qui démoralisent le tsar Nicolas Ier (qui meurt le 2-3-1855). **5°) Difficultés logistiques des Russes :** ils ont à lutter à l'extrémité de leur territoire (l'armée de terre se déplace à pied : un convoi maritime fr. venu de Marseille arrive à Sébastopol avant un régiment r. parti à pied d'Odessa). **6°) Crise financière en Russie :** après l'évacuation de Sébastopol par Alexandre II (8-9-1855), les R. annoncent leur volonté de résister à outrance au N. de la Crimée, mais les caisses sont vides (les banques payent en papier ; le public refuse la monnaie-papier du gouvernement). **7°) Menace d'intervention suédoise :** 1855-21-11 la Suède signe avec la Fr. un tr. qui laisse prévoir une offensive combinée en Baltique. Alexandre II craint un débarquement à St-Pétersbourg. **8°) Compensation d'amour-propre en Arménie :** les R. prennent Kars après un long siège ; 1855-21-11 le Gal russe Mouraviev oblige l'Angais Williams à capituler. Alexandre II présente ce succès comme une revanche de Sébastopol, lui permettant d'ouvrir des négociations. Kars sera rendu aux Turcs contre des conditions de paix avantageuses (aucune cession de territoire).

Soulèvements des serfs de 1826 à 1854 : *1826-29 :* 85 ; *1830-34 :* 60 ; *1835-39 :* 78 ; *1840-44 :* 138 ; *1845-49 :* 207 ; *1850-54 :* 141 ; *1855-61 :* 474 (notamment dans le bassin de Moscou, vers Kiev, et Kherson). **Causes :** esclavage total, même judiciaire [dep. 1767, les serfs ne peuvent faire appel au tsar contre la justice seigneuriale (peines prononcées : knout, prison, déportation) ; dep. 1800 env., ils peuvent être vendus ou hypothéqués comme du bétail : en cas de faillite, ils sont vendus d'office ; les oukases de 1833 et 1841, interdisant de vendre les parents sans les enfants, sont souvent tournés].

1855 *(2-3)* **Alexandre II** (29-4-1818/assassiné 13-3-81 par Russakov) fils de N. Ier, ép. 1°) 1841 Marie, Pcesse de Hesse (27-7-1824/22-5-1880) ; 2°) secrètement Pcesse Catherine (dite Katia) Dolgorouki (1847-Nice 1922), 1880 titrée Pcesse Yourievskaïa dont 1 fils † 1913 et 2 filles (Pce et Pcesse Yourievski). **1856**-*30-3* tr. de Paris ; fin de la g. de Crimée. **1858** recensement : Russes dans le servage 22 700 000 (42 %), paysans libres (dans les mirs) 20 050 000, serfs de domaines privés 20 173 000, domaines impériaux 2 019 000 (1 500 000 serfs sont domestiques chez leurs propriétaires). **1861**-*19-2* abolition du servage ; influence de Dimitri Alexeievitch, Cte Milioutine (1816-1912). Création des *zemstvos* (assemblées régionales) et distribution aux serfs libérés de lopins de terre (réforme mal appliquée : les lopins sont petits et chers ; 500 000 moujiks en acquièrent et y vivent dans la pauvreté ; 300 000 restent sur les domaines seigneuriaux comme domestiques agricoles). **1863** insurrection polonaise. **1866** extension aux 18 000 000 d'anciens serfs des domaines de la Couronne de la loi agraire de 1861. **1867** *Alaska vendu aux USA* pour 7 200 000 $. **1869** création à St-Pétersbourg du 1er cercle révolut. **1874** service militaire universel (intégration des paysans et allogènes). **1875** annexion de Sakhaline. **1876** création de la société terroriste *Zemlia i Volia.* **1878**-*3-3 tr. de San Stefano* avec Turquie, puis *13-7 de Berlin* avec puissances europ. reconnaissant l'influence r. au Caucase, Turkestan et sur l'Amour. Acquisition de Kars, Batoum et de la Bessarabie. Michel Tarielovitch Tainov, comte Loris Melikov (1826-88), min. libéral, prépare des réformes. **1881** *13-3* Alexandre II assassiné ; création de l'*Okhrana* (« défense »), police politique tsariste.

1881 Alexandre III (16-3-1845/2-11-94), fils d'A. II, ép. 1866 Marie Fedorovna, Pcesse Dagmar de Danemark (1847-1928). Restaure l'autocratie. *Tr. commercial avec Fr.* (signé juin 1893), avec tarif douanier protectionniste ; **1891** *Transsibérien* commencé (achevé 1917).

1894 Nicolas II (8-5-1868/16/17-7-1918) son fils, ép. 26-11-1894 Alexandra Fedorovna, Pcesse Alix de Hesse et du Rhin (6-12-1872), dont 4 filles : les grandes-duchesses Olga (15-11-1895), Tatiana (10-6-1897), Marie (26-6-1899), Anastasia (18-6-1901), 1 fils le gd-duc Alexis (12-8-1904) tsarévitch, hémophile. Tous assassinés la nuit du 16/17-7-1918 dans la maison Ipatieff à Iekaterinbourg (auj. Sverdlovsk). En 1977, Boris Eltsine, alors 1er secr. du parti à Sverdlovsk, fait détruire la maison. En 1978, les corps ont été retrouvés par un géologue, mais laissés sur place. En 1991, sur l'ordre d'Eltsine, les restes exhumés de la famille impériale ont été identifiés par leurs empreintes génétiques (comparées à celles de membres actuels de la famille dont le duc d'Édimbourg). Marge d'erreur estimée à 1 % ; 2 corps manquaient sur les 11 enterrés : le tsarévitch et l'une des filles (Anastasia ?) d'après l'analyse des ossements [Mme Anderson, alias Tchaikovski, mariée en 1969 au Dr Manahan, morte 12-2-1984, s'est présentée comme Anastasia qui aurait été sauvée ; certains ont assuré la reconnaître, mais elle ne put faire établir ses droits par la justice : 1er procès en 1938, 2e en 1957 à Hambourg, 3e en 1967 appel perdu, 4e le 18-2-1969 le trib. féd. de Karlsruhe rejette son pourvoi en cassation. On a soutenu aussi que Tatiana avait été sauvée grâce à l'Intelligence Service et serait morte secrètement en Irlande. Plusieurs faux tsarévitch se manifestèrent pendant la g. civile.]. Nicolas II éduqué à la fr. (notamment par Gustave Lanson). Faible et indécis, est influencé par sa femme (qui, à partir de 1905, fait appel à un pseudo-guérisseur, *Raspoutine* voir p. 1126 c. **1892-1903** Cte *Serge Witte* (1849-1915) développe l'économie [1897 libre circulation de l'or ; 1900 rattrapage du niveau fr. pour charbon, fonte, acier, construction méc. (prod. ind. sextuplée entre 1860 et 1900)]. **1900** Lénine crée le journal marxiste clandestin *Iskra,* « l'Étincelle ». **1904** *févr.* g. russo-jap. *-28-7* PM Viatcheslav *Plehve* (n. 20-4-1846) assassiné. L'intelligentsia réclame des institutions de type occidental ; les ouvriers réclament la propriété collective de leurs usines, les paysans le partage des terres. *Nov.* N. II autorise un congrès de zemstvos (états généraux des seigneurs et des paysans).

Guerre russo-japonaise (1904-05)

Causes. 1°) Lointaines. a) *Désir de l'Angleterre d'affaiblir la Russie en Asie.* N'ayant aucun allié asiatique militairement valable en Perse et Asie centrale, elle mise sur le Japon en Extrême-Orient, et s'allie avec lui par traité en 1902. b) *Rivalité russo-jap. en Chine du N.-O. :* les R. veulent annexer la Mandchourie (avec Port-Arthur), qui leur permet de faire aboutir le Transsibérien dans une mer non gelée en hiver (leur port Vladivostok, plus au nord, est obstrué l'hiver) ; les Jap. cherchent à annexer la Corée. **2°) Proches.** a) *L'Angl., pour isoler la R., signe avec la Fr. le 30-4-1904* un accord naval l'empêchant d'aider les R. en Extrême-Orient. Malgré l'alliance fr.-russe, les forces fr. d'Indochine ne feront rien pour empêcher la victoire jap., ce qui pousse le J. à attaquer. b) *Le PM russe Plehve est convaincu que la g. contre le J.* sera « courte et victorieuse », ce qui renforcera le prestige du régime tsariste. c) *Le secr. d'État russe Bezobrazoff, chargé des questions d'Extrême-Orient,* est en même temps dir. de la Sté Bezobrazoff qui exploite forêts, mines et chemins de fer de Mandchourie. Il refuse d'exécuter l'accord russo-jap. de 1902, prévoyant l'évacuation de la Mandchourie par les R., de la Corée du N. par les Japonais.

Déroulement. 1904-*26-1* le J. remet une note à Moscou, réclamant l'évacuation de la Mandchourie (pas de réponse) ; *-8-2* l'amiral jap. Togo Heihachiro (1847-1934) attaque par surprise Port-Arthur ; coule 7 navires r. et bloque la rade ; *févr.-mai* attaque générale jap. contre la péninsule de Kouang Tong, pour isoler Port-Arthur du gros des forces terrestres r. *Commandant en chef :* Mal Oyama Iulao (1842-1916). Hésitations du commandement r. : 1°) amiral Alexeiev veut sauver Port-Arthur en forçant le goulet de Kouang Tong ; 2°) Gal Kouropatkine (1848-1925), ministre de la G., puis Cdt en chef veut se replier au N. de la Mandchourie pour attendre des renforts, et reconquérir ensuite le terrain. Les J. ont l'initiative et refoulent les R. Victoires jap. : *-14-6* Wafangou ; *-26-8/3-9* Leao Yang ; *-10/8-10* Cha-ho ; *-15-10* les R. décident d'envoyer par Le Cap et l'océan Indien leur escadre de la Baltique [amiral Rojdestvenski (1848-1909)], rejointe en route par l'escadre de la mer Noire, pour débloquer Port-Arthur ; mais elle va mettre 8 mois à faire la traversée. **1905**-*2-2 Port-Arthur* capitule. *-20-2/-9-3 Moukden :* [(310 000 R. contre 310 000 J.), front de 65 km, pertes : R. 100 000, J. 70 000], les R. se retirent en bon ordre à 100 km au N. *-27-5* bataille navale de *Tsoushima :* amiral Togo attaque par surprise l'escadre r. de la Baltique alors qu'elle arrive dans la mer de Chine : sur 8 navires de ligne, 8 croiseurs et 9 torpilleurs, seuls échappent 1 croiseur et 2 torp. (réfugiés à Vladivostok ; 3 torp. internés à Manille). *-23-8 tr. de Portsmouth* après médiation américaine du Pt Theodore Roosevelt : cède P.-Arthur et partie de Sakhaline.

Conséquences. 1°) *1re victoire des Asiatiques sur les Eur.* (les Anglais ont pavoisé lors de la victoire de leurs alliés j. à Tsoushima, mais c'est le début de la fin de la suprématie blanche en Asie). **2°)** *Détérioration de l'alliance fr.-r. :* tombés dans le piège de l'accord naval angl., les Fr. ont laissé battre leurs alliés, alors que l'escadre fr. d'Indochine aurait facilement débloqué Port-Arthur. Guillaume II, qui a soutenu les R. à cause de ses idées sur le « péril jaune », passe pour le meilleur ami du tsar. Les Fr., pour maintenir l'alliance r., doivent se racheter : ils souscrivent un emprunt de 2,5 milliards de F-or, soutiennent le régime tsariste lors du « dimanche rouge » et de la révolution de 1905. **3°)** *Le régime tsariste, ébranlé par la défaite, tombe dans la répression* (Raspoutine devient tout-puissant).

A l'époque les contemporains n'ont pas compris l'importance de cette g. : 1°) *Tactique et stratégique :* tranchée, fil de fer barbelé, mitrailleuse, gros effectifs ont renouvelé l'art de la g. Les All. ont tenu compte de cet enseignement (qu'ils ont fait passer à l'armée turque qui battra les Bulgares à Andrinople en 1913). Les Fr. l'ont ignoré. 2°) *Diplomatique :* les Fr. n'ont pas su voir que la défaite r. venait de la corruption et de la désorganisation de l'administration tsariste. L'état-major all. l'a compris, et a perdu sa crainte du « rouleau compresseur r. » ; il envisage avec plus de confiance une g. sur 2 fronts, jugeant l'armée r. incapable de l'attaquer efficacement pendant sa campagne contre la Fr. 3°) *Pour Anglais et Américains,* la défaite r. est un coup d'arrêt à l'expansion r. en Extrême-Orient. Ils sont persuadés qu'ils vont profiter eux-mêmes de la victoire jap. (le J. ayant été, croient-ils, un instrument entre leurs mains). Ils ne sont pas conscients du sentiment triomphal éprouvé par le peuple et les militaires jap.

1905 révolution provoquée par les contre-réformes et l'abandon des mesures libérales. *-9/22-1 « dimanche rouge »* à St-Pétersbourg, manif. pacifique de 100 000 ouvriers sans armes conduits par le moine *Gapone* (agent secret de la police, n. 1870, tué 28-3-1906), l'armée tue 1 000 pers., 5 000 blessés (3 millions d'ouvriers font grève pour protester). *-4-2* gd-duc Serge [(gouv. de Moscou, cousin germain d'Alexandre III), n. 1857] assassiné par bombe lancée par Ivan Kaliaev. *-3-3* N. II charge le min. de l'Intérieur de créer une Assemblée représentative. *-14/25-6* révolte du cuirassé *Potemkine* à Odessa. *-30-10* N. II signe un manifeste mettant fin à l'absolutisme et annonçant une constitution. *Déc.* soulèvement réprimé, notamment à Vladivostok. *-7-12* grève générale à Moscou. *-9/19-12* insurrection armée à

Moscou. **1906**-*10-5 1re Douma* [ass. consultative élue ; elle prétend continuer les anciens Zemskii Sobor (états généraux), supprimés sous Pierre le Grand]. Les KD (cadets) libéraux sont en majorité, grève générale à Moscou réprimée dans le sang (décembre). *Juillet* Piotr Stolypine (n. 1862) PM. *-9-11* oukase : les paysans pourront quitter leur communauté rurale. **1907**-*5-3 2e Douma,* conflit avec Stolypine, PM, dissolution. *Nov. 3e Douma* réactionnaire s'appuie sur Stolypine ; réorganisation de l'armée, reconstruction de la flotte ; refonte de l'administration ; statut des peuples allogènes. **1911**-*18-9* P. Stolypine assassiné au théâtre par l'anarchiste Bagrov, devant Nicolas II et la cour. **1912** le tsar mène une politique réactionnaire ; décidé à intervenir militairement en Europe, pour restaurer le prestige de la R. (assez lié avec son cousin germain Guillaume II, il cherche à éviter la g. avec l'All.). *4e Douma,* sera empêchée d'agir par l'état de guerre. *-4-4* massacre des ouvriers en grève des mines d'or de la Lena. *-22-4* 1er numéro de la *Pravda.* **1914**-*19-7* déclaration de g. de l'All. (voir p. 666). **1914-15** Nicolas II laisse le commandement au gd-duc Nicolas. **1915-17** destitue Nicolas et prend lui-même le commandement, mais se révèle incapable. **1917**-*15-3* abdique, sans tenter de résister, en faveur de son fr. Michel (qui refuse la couronne).

■ **Révolution de février 1917** (mars d'après le calendrier grégorien). **Causes lointaines :** *1°) Inadaptation aux nouvelles conditions sociales :* la *Douma* créée en 1905 n'a pas permis aux nouvelles forces sociales : paysannat, prolétariat urbain, intelligentsia libérale, de se faire représenter. Le régime électoral favorise l'aristocratie terrienne (absentéisme : les grands seigneurs, richissimes, vivent à l'étranger). *2°) Faiblesse de Nicolas II.* Il est indifférent aux problèmes politiques (quand on lui annonce le désastre de Tsoushima en 1905, il n'interrompt pas sa partie de tennis). *3°) Méfiance des aristocrates envers le tsar.* À cause de la présence de Raspoutine haï et méprisé.

Causes proches : 1°) *La g. et les défaites.* La g. a permis de juguler l'opposition (arrestation des 5 députés bolcheviks de la Douma), mais déconsidère les chefs milit. incapables de résister aux Allemands (seul Broussilov, en 1916, fait figure de vainqueur, mais ses succès sont sans lendemain). En nov. 1916, Milioukov (KD) tente de faire donner à son parti la responsabilité de l'effort de g. ; les chefs mil. complotent pour l'élimination de Nicolas II (avec l'aide des industriels). 2°) *La famine et la misère.* Elles sont dues à la baisse de la prod. agricole (10 millions de paysans mobilisés), à la désorganisation des transports (voies ferrées réquisitionnées). Les villes ne sont plus ravitaillées, les prix triplent. 3°) *Généralisation des grèves.* À partir de janv. 1917, les ouvriers réclament une adaptation des salaires au coût de la vie, notamment à Petrograd (usines Poutilov, tramways) ; les bolcheviks encadrent les grèves et organisent des manif. de femmes contre la pénurie.

Déroulement : *-8-3* défilés de femmes et d'ouvriers sans travail criant : « du pain, à bas la g. » ; *-9-3* grève quasi générale (drapeaux rouges ; cris « à bas l'autocratie ; vive la Rép. ») ; *-10/12-3* tsar envoie troupe contre manif. : elle obéit mal ; *-12-3* régiments de la garde fraternisent avec insurgés, entraînant toute la garnison de Petrograd. *Prise de l'arsenal et du Palais d'Hiver.* À 18 h 30, démission du gouv. Galitzine ; insurgés maîtres de la ville. *-13-3* formation de 2 gouv. provisoires : 1°) *la Douma* constitue un comité provisoire à majorité KD (*Pt :* Pce Lvov ; *Aff. étr. :* Milioukov ; *Justice :* Kerenski). Régime souhaité ; monarchie parlementaire ; 2°) *un Soviet,* imité de celui de 1905, élu par ouvriers et soldats, s'installe à Petrograd et réclame une Rép. socialiste. *-14-3* tsar dissout Douma ; son comité provisoire fusionne avec Soviet. *-15-3* délégation du comité se rend près du tsar à Pskov, exigeant son abdication ; il abdique en faveur de son fr. Michel, qui refuse. Une Rép. de fait s'installe.

POLITIQUE INTÉRIEURE RUSSE DE 1825 À 1904

De 1825 à 1905. Idéologie conservatrice : Nicolas Ier : 1825 dès le 1er j de son règne, écrase la révolution des *décembristes,* et défend l'autocratie. Crée la classe des bourgeois-notables ; ajourne l'affranchissement des serfs ; nomme le général Prolassof administrateur du St-Synode de l'Église. Crée un cordon sanitaire policier et douanier pour isoler la R. de l'Europe ; refuse de relier les chemins de fer r. au réseau européen ; crée des enseignements secondaire et supérieur entièrement r., pour éviter le recours aux maîtres étrangers. Interdit de quitter la R. pour plus de 5 ans (nobles) ou 3 (roturiers). Remplace l'enseignement de la philo dans les universités par la théologie. Renforce la censure : seul journal non inquiété : *le Moscovite* (organe des *slavophiles ;* – programme à l'extérieur : coopération des peuples slaves ; dans l'empire : unité de la culture r.). **Alexandre II** est plus libéral. **1861**-*10-2* affranchit les serfs (23 millions sur 42 millions de R.). **1862-65** libéralise le système judiciaire (débats publics, jury d'assises, juges d'instruction, tribunaux d'arrondissement remplacent la justice seigneuriale, cours d'appel, etc.). **1881** accorde une *Constitution,* est assassiné le jour où le texte part à l'imprimerie. **Alexandre III,** son fils, revient, par réaction, à l'autocratie (sous l'influence du Gal Ignatief). **1882** loi sur la presse. **1887** limitation de l'accès aux universités. **1889** les chefs de canton remplacent assemblées locales de serfs affranchis.

■ **État politique de la Russie avant 1914.** Les *Doumas* [mot médiéval : conseil au souverain (mot à mot : pensée)] sont élues au suffrage restreint, et la composition du corps électoral peut être modifiée par décret. Le tsar reste souverain absolu, et gouverne au moyen d'un puissant corps de fonctionnaires, surnommés les *tchinovniki* (les « hommes du tchin » : le tchin était le tableau d'avancement qui divisait le corps des fonctionnaires en rangs hiérarchiques). **Principaux groupes politiques :** *Bund,* parti social-démocrate ouvrier juif ; *Cent-Noirs,* extrême droite (terme provenant de la sotnia cosaque, groupe militaire) ; *KD,* constitutionnels démocrates ; *Narodniki,* populistes (narod : peuple) ; *Octobristes,* modérés, partisans de la charte d'octobre 1905 ; *SD,* socialistes démocrates (m. du POSDR, Parti ouvrier soc. dém. russe), divisés en bolcheviks et mencheviks dep. 1903 ; *SR,* socialistes révolutionnaires ; *Zemlia i volia,* gr. terroriste issu des narodniki. **Principaux groupes sociaux-ruraux :** *batrak,* ouvrier agricole ; *biedniak,* paysan pauvre ; *koulak,* paysan riche ; *seriednak,* exploitant moyen ; **urbains :** *koupet,* riche marchand ; *koustar,* artisan ; *mechtchanin,* cat. intermédiaire, marchand-artisan. **Principales divisions administratives :** *goubernija,* « gouvernement » ; *ouezd,* « district » ; *volost,* « canton ».

État financier : la R. a 3 budgets : 1°) *ordinaire,* publié off. pour influencer les prêteurs étrangers, mais inappliqué. 2°) *extraordinaire,* en progression (12 % de dépenses productives sur 7 milliards annuels) ; en déficit dep. 1880 (1911 : dette nationale : 9 milliards de roubles). 3°) *« administratif »,* alimenté par les emprunts contractés en Fr., sert aux dépenses de la Cour et au maintien de l'ordre.

Rôle de l'alliance française : par la promesse de mettre l'armée r. à la disposition de la Fr. dans une g. franco-allemande (reconquête de l'Alsace-Lorraine), la R. obtient le droit d'emprunter sur le marché financier l'argent dont elle a besoin pour son budget « administratif ». En principe, l'or fr. alimente dépenses militaires et infrastructure stratégique (ch. de fer biélorusses et polonais). En fait, le coulage est tel dans l'armée r. que son sous-équipement lui enlève une grande part de sa valeur.

Rôle de Raspoutine : Grégoire Yefimovitch (1872-1916) surnommé le Starets (« le saint »), paysan sibérien souvent considéré comme un moine (il appartenait à une des nombreuses sectes mystiques florissant en Russie, sans être religieux). Il avait un pouvoir de magnétiseur-guérisseur, et 2 fois (1907, 1908), il sauva la vie du tsarévitch Alexis (1904-18), hémophile et atteint d'hémorragies internes infectées. La tsarine Alexandra lui vouait une confiance absolue et l'avait comme directeur de conscience, malgré ses orgies connues de tous, auxquelles il mêlait des dames de la haute société de St-Pétersbourg. Il influençait également le tsar en matière politique (intervenant notamment dans les nominations de fonctionnaires). S'étant opposé à la g. de 1914, estimant qu'elle se terminerait tragiquement pour la Russie impériale, il passa dès lors pour un agent de l'All., et fut objet de plusieurs attentats. En 1916, il recommanda au tsar de se montrer plus souvent aux troupes, de préparer la paix, de décider une réforme agraire favorable aux paysans, d'être plus tolérant à l'égard des Juifs, des nationalités (notamment les Tatars) et des musulmans. La haine du peuple pour Raspoutine a contribué au discrédit de la famille impériale. Le *30-12-1916* il fut abattu (à coups de revolver) par le prince Youssoupov, le grand-duc Dimitri Pavlovitch, le député d'extrême droite Pourichkevitch (une tentative d'empoisonnement ayant échoué). Son corps jeté dans la Neva fut repêché 3 j plus tard. Youssoupov se réfugia en 1919 en France, où il mourut le 27-9-67.

POLITIQUE EXTÉRIEURE (1815 À 1917)

☞ **Expansionnisme.** Au XVIIIe s. pour Pierre le Grand et Catherine II, l'empire r. ne doit pas cesser de s'agrandir, s'il ne veut pas rétrograder. Au XIXe s. principaux objectifs : a) **Constantinople et les Détroits** (en r., Constantinople se dit *Tsarigrad,* « la ville des tsars ») ; b) **Europe orientale :** constitution d'une double fédération, qui serait sous la protection de la R. : α) *féd. des nations slaves* [Polonais (catholiques), Tchèques (protestants), Bulgares, Serbes (orthodoxes), Bosniaques (musulmans), Croates (catholiques), etc.] ; les Slaves sont dans l'ensemble russophiles, sauf les Pol., antirusses ; β) *féd. des nations orthodoxes,* quelle que soit leur race : Roumains (latins), Grecs ; ethnies balkaniques diverses (surtout slaves) ; églises arabes du Proche-Orient ; c) **Régions caspiennes :** depuis le tr. de *Tourkmantchaï* (22-2-1828), les R. ont progressé en Géorgie, Arménie, Azerbaïdjan jusqu'à l'Araxe. Il leur faudrait conquérir l'Iran (ou l'Afghan.) pour accéder au golfe Persique ; d) **Asie centrale :** s'agrandir aux dépens des nomades asiat. ; e) **Extrême-Orient :** acquérir des provinces maritimes, au littoral dégagé des glaces, pour accéder au Pacifique.

■ **Angleterre.** Nicolas Ier la considère comme un adversaire pour des raisons relig. et pol. (libéralisme, protestantisme, accord avec les libéraux fr.). **A partir de 1841** elle est la principale rivale à l'expansion r. vers Méditerranée et mers chaudes de l'Asie. L'Angl. veut : 1°) empêcher le démembrement de la Turquie, qui livrerait à la flotte r. Constantinople et l'accès vers la Méditerranée ; 2°) écarter les R. de Perse et d'Afghanistan, d'où ils pourraient couper ses communications avec l'Inde ; 3°) empêcher leur hégémonie en Extrême-Orient. Elle ne fera la g. qu'une fois (*g. de Crimée,* avec l'alliance fr. et turque 1854-55, voir Index), mais s'opposera à la R. par tous les moyens jusqu'à 1914 (voir plus loin). **1895** l'Angl. impose à la R. une frontière laissant à l'Afghanistan une bande de 20 km de large le long du fleuve Oxus (ainsi, pas de frontières communes R.-Inde). **1896** les R. obtiennent la concession d'une voie ferrée en Perse de la Caspienne au golfe Persique, et le monopole des nav. de g. en Caspienne ; ils créent la *Banque des prêts de Perse* qui leur assure la maîtrise financière de l'État persan. L'Angl. se fait attribuer les recettes douanières des ports du golfe Persique. *Affaire de Transchinois :* Nicolas II veut organiser à partir de Moukden et de Port-Arthur un réseau ferré lui assurant le monopole du commerce chinois. Il constitue une Sté r.-fr. puis une Sté r.-belge. L'Angl. fait donner par la Chine la concession aux Américains. **1902**-*30-1* alliance anglo-japon. **1904-05** l'Angl. entreprend de faire battre la R. par le Japon. **1904**-*8-8* l'Angl. détache la Fr. de la R. (car l'escadre fr. d'Extrême-Orient est inférieure à la marine jap.), en signant avec la Fr. un accord naval. *-21-10* incident du *Dogger Bank* en mer du Nord, la flotte russe rejoignant Port-Arthur tire sur des chalutiers anglais (1 coulé, 2 †), les prenant pour des torpilleurs jap. ; une g. russ.-angl. est évitée (arbitrage à La Haye). **1907**-*31-8* accord naval anglo-r. : l'Angl. appuie la R. contre l'All. (son réarmement naval voulu par Guillaume II en fait l'ennemi no 1). *-24-9* accord avec Angl. sur Perse, Afghanistan, Tibet. **1914** *août* l'Angl. laisse les 2 cuirassés all. *Goeben* et *Breslau* rejoindre la mer Noire et renforcer la flotte turque. **1915** elle monte (avec les Fr.) l'opération des Dardanelles, pour occuper Constantinople et renégocier sa remise à la R., puis abandonne l'attaque des Dardanelles alors que la résistance turque est à bout (manque de munitions). **1916** l'Angl. reconnaît à la R. le droit d'annexer Constantinople.

■ **Autriche. Jusqu'en 1848** l'Autriche conservatrice est une alliée privilégiée [intervention armée pour sauver François-Joseph (1848-49) des libéraux germanophones et nationalistes hongrois : impose le statu quo de 1815]. Mais en **1854** l'Autr. s'oppose à l'annexion des principautés roumaines par la R. [elle voudrait acquérir le bassin du Danube jusqu'à la mer Noire, alors que les R. suivent un axe N.-S. d'Odessa vers la mer Égée (de cette rivalité naîtra la g. de 1914-18)]. *-20-4* l'Autr. s'allie avec la Prusse : la R. doit renoncer à l'annexion des principautés ; *juin,* la Turquie autorise l'Autr. à les occuper provisoirement jusqu'à la fin de la g. Pressée par les Anglo-fr. d'entrer en g. contre la R., elle reste neutre (2-12-1854) et adhère seulement à leurs propositions de paix. La R., dès lors, soutient ses sujets slaves et orthodoxes en perpétuelle rébellion. **1856** (congrès de Paris), l'Autr. s'oppose à la réunion en un seul État des 2 principautés roumaines (voulue par la R.). **1878** (*congrès de Berlin*), l'Autr. s'allie à l'Angl. et obtient d'occuper la Bosnie-Herzégovine, ce qui fait d'elle une puissance balkanique (ennemie de la Serbie pro-r.) et sera la cause directe de la g. de 1914. **A partir de 1880,** les pangermanistes autr. mènent la même politique expansionniste que les All., alliés aux Hongrois, anti-r., anti-roumains, anti-serbes. Il n'y a plus d'accord possible avec la R. **1914** l'armée russe porte ses coups les plus violents contre l'Autr. (1 328 000 prisonniers autr. en 3 ans).

■ **Éthiopie.** Assimilant les coptes à des orthodoxes, la R. s'y est intéressée. **1889** un aventurier russe, Achinoff, tente avec des mercenaires de conquérir l'Éthiopie ; il échoue, mais laisse de nombreux missionnaires. **1893** Églises orthodoxes et éth. signent des accords de coopération (en 1900 le Gal russe Leonteoff sera nommé gouverneur gén. des possessions équatoriales de l'Éthiopie). **1898** lors de l'affaire de Fachoda, les Russes d'Éthiopie collaborent avec Fr. du Soudan ; mais la Fr. recule devant la g., et la R. n'insiste pas.

■ **France. 1827-30** Nicolas Ier est l'allié de Charles X (opérations contre Turquie) ; il s'oppose à Louis-Philippe, considéré comme un chef révol. (l'apparition du drapeau tricolore sur l'amb. de Fr. à Varsovie a déclenché le mouvement pol. de 1830-31), l'empêche d'annexer la Belg. en 1832, décrète un deuil off. de 21 j lors de la mort de Charles X (1836). **1830-49** elle est d'abord une ennemie, car libérale sous Louis-Philippe et républicaine en 1848-49. **1849-54** avec Napoléon III, la Fr. redevient conservatrice et Nicolas Ier lui accorde sa sympathie. **1854-55** N. III s'allie à Angl. et Turquie (g. de Crimée). **1870-71** par ressentiment, Alexandre II laisse écraser la Fr. par la Prusse. **A partir de 1881,** l'alliance fr. devient indispensable au tsar pour des raisons financières : pour la Fr., le « rouleau compresseur r. » permettra de vaincre l'All. et de récupérer l'Alsace-Lorraine. Les Fr. investirent ainsi 16 milliards de F-or en R. jusqu'à 1911 ; mais l'or fr. profite essentiellement au commerce all., les R. achetant leurs biens d'équipement en All. (les révolut. r. jugent la Fr. complice des excès tsaristes ; *1917* ils refuseront de rembourser l'argent prêté, le considérant entaché de crimes contre les droits de l'homme). **1911** *déc.* après avoir aidé la Fr. à s'installer au Maroc, Nicolas II réclame aux Fr. de prendre position en faveur de l'occupation par la R. du Bosphore et des Dardanelles. La Fr., craignant l'Angl., ne cédera qu'en 1915, une fois la Turquie entrée en g. aux côtés de l'All.

■ **Prusse.** Indifférence tant que l'All. se désintéresse de la question d'Orient. **1848** Nicolas Ier sauve la monarchie prussienne. Il la croyait conservatrice, alors qu'elle était protestante, anticatholique, décidée à remplacer la Confédération de 1815, conservatrice, par un empire novateur, empêchant une coalition d'États conservateurs de lui casser les reins. **1863**-*8-3* convention avec Bismarck pour réprimer militairement la subversion pol. russo-all. **1875** querelle Gortchakoff-Bismarck [Bismarck voudrait attaquer la Fr. (simple bluff). Gortchakoff le hait et le méprise ; Alexandre III interdit à Bismarck de menacer la Fr.]. **1878** *tr. de Berlin,* Bismarck se rapproche de l'Angl. après les victoires r. sur la Turquie, et fait annuler le tr. de San Stefano, avantageux pour les R. **1879,** quand Bismarck satisfait de victoires à l'O., a joué la carte autrichienne (expansion du germanisme vers le bas Danube et la Turquie), la Pr. devient une ennemie en puissance (exception : en Pol., la prussianisation est bien vue, elle affaiblit le polonisme). **1881** l'All. est considérée comme une ennemie en puissance, comme l'Autr., d'où rapprochement avec la Fr. Cependant, Nicolas II et Guillaume II étaient amis et parents (cousins germains par alliance, la tsarine étant cousine germaine de G. II). **1905**-*24-7* à *Björkö* Guillaume arrache à Nicolas un tr. d'alliance défensive, séparant la R. de la Fr. hostile à l'All., mais le ministre russe Lansdorf le fait annuler. D'ailleurs, à cette époque, les « pangermanistes » all. songeaient à enlever à la R. les plaines à blé de l'Ukraine (*« Drang nach Osten » :* marche vers l'E.).

■ **Turquie.** La R. cherche à conquérir Constantinople et les détroits (accès vers la Méditerranée). **1676** 1re g. de conquête. **1687-1792** 6e g. : avance du Donetz au Dniestr et au Caucase. **1798-1806** alliance militaire (unique) ; les escadres r. franchissent librement les détroits et conquièrent les bases françaises de l'Adriatique. **1806-12** 8e g. : la R. atteint le Danube (annexion de la Bessarabie 1812), mais perd l'Adriatique. **1828-29** offensive r. : Balkans (Andrinople pris) et Arménie (Kars et Ezzeroum pris, marche sur Trébizonde) ; **1829**-*14-7 tr. d'Andrinople ;* la R. annexe bouches du Danube et littoral oriental de la mer Noire jusqu'à la baie de St-Nicolas. **1833**-*8-7 tr. secret d'Unkiar-Skelessi :* alliance défensive et offensive pendant 8 ans ; en échange, la T. ferme les Dardanelles à tout navire de g. étranger. **1841**-*13-7* l'Angl. intervient pour substituer le *tr. de Londres* à celui d'Unkiar-Skelessi. Une garantie internationale remplace le protectorat r. : détroits neutralisés et interdits à tout navire de g. **1853-56** Mentchikoff réclame le protectorat des orthodoxes de T. (10 millions d'h.) ; le sultan est soutenu par l'Angl. et la Fr. (qui avait le protectorat des chrétiens de Terre Sainte dep. 1740). **1853**-*4-11* la T. déclare la g. et, grâce à la victoire fr.-angl. de Sébastopol, s'en tire aux moindres frais : les principautés roumaines sont placées sous le protectorat de l'Europe ; la mer Noire est démilitarisée (avantage pour la T.). **1877-78** g. déclarée par la R., par suite de représailles t. contre les orthodoxes des Balkans (Bulgares, Serbes, Monténégrins). Conquête de Bulgarie et Thrace. Prise de San Stefano, près de Constantinople, mais l'arrivée d'une escadre angl. dans la mer de Marmara sauve Constantinople. **1878** *mars tr. de San Stefano :* une « Grande Bulgarie » (protectorat r.) menace Const. ; *août tr. de Berlin :* les R. sont spoliés de leur victoire ; leurs alliés roumains, bulgares, serbes et monténégrins obtiennent quelques satisfactions. **1912** g. contre les Turcs par États (balkaniques) interposés, qui arrachent des concessions aux T., et finiront par les chasser des Balkans. Mais les R. les avertissent : Constantinople est un domaine réservé aux tsars. **Après 1913,** les manœuvres r. pour enlever Constantinople sont, en fait, dirigées contre l'Autr. : le tsar sait qu'il ne pourra réussir qu'à la faveur d'une g. europ. **1914-16** la R. en g. obtient des Angl. et Fr. la cession de Constantinople. L'Angl. a cédé, par crainte d'une défection r. La défaite r. de 1917-18 empêche la réalisation du projet russe.

Titres du tsar

Sa Majesté N..., empereur et autocrate de toutes les Russies, tsar de Moscou, Kiev, Vladimir, Novgorod, Kazan, Astrakhan, de Pologne, de Sibérie, de la Chersonèse taurique, de Géorgie, Seigneur de Pskow, gd-duc de Smolensk, de Lithuanie, Volhynie, Podolie et Finlande, pr. d'Estonie, Livonie, Courlande et Seingalle, Samogitie, Bielostok, Carélie, Tver, Yougorie, Perm, Viatka, Bolgarie, et d'autres pays, etc.

Chefs de la maison impériale

■ **1924-92. Vladimir** (Borgä, Finlande 30-8-1917/Miami 21-4-1992) fils du grand-duc Cyrille (1876-1938) qui se proclama « curateur du trône » 26-7-1922, empereur 31-8-1924, petit-f. d'Alexandre II et cousin germain de Nicolas II, bien qu'il fût exclu de la succession par N. II pour avoir, malgré son interdiction, épousé 1905 l'ex-épouse du frère de l'impératrice, la Gde-Dcesse Victoria Fedorovna (n. Pcesse Victoria de Saxe-Cobourg et Gotha, 1876-1936). Ép. 15-8-1948 Pcesse Leonide Georgievna Bagration-Moukhransky (23-9-1914) ; fille du Pce Georges A. B.-M., veuve en 1res noces de Summer Moore Kirby dont 1 fille Marie. Fixé en France à St-Briac (C.-d'Armor). Études au lycée russe de Neuilly, puis à Londres, transféré par les Allemands en All. en 1944. 1er voyage en Russie du 5 au 8-11-1991, à l'invitation du maire de Saint-Pétersbourg, Anatoli Sobtchak. Funérailles 29-4 à St-Pétersbourg. Enterré dans la chapelle de la forteresse St-Pierre et St-Paul.

Sœurs. *Marie* (1907-51) ép. 1925 Charles, Pce de Leiningen (1898-1946) ; *Kyra* (1909) ép. 1938 Pce Louis-Ferdinand de Prusse (Voir Index).

■ **1992. Marie** (n. 23-12-53), f. de Vladimir, qui ép. 22-9-76 François-Guillaume de Hohenzollern, Pce de Prusse (3-9-43), qui par décret du grand-duc Vladimir a été admis dans la maison impériale de Russie comme grand-duc Michel avec qualification d'Altesse impériale ; 1 fils *Georges* (14-3-81), futur chef de la maison imp. à sa majorité.

☞ Succession dynastique contestée par le Pce Nicolas Romanov (n. 1922), aîné des Romanov survivants et descendant de Nicolas (1831-91), frère cadet d'Alexandre II par Pierre (1864-1934), marié à Pcesse Militza de Montanegro), puis Roman (1896-1978, marié 3-11-1921, mariage de naissance inégale à Prascovia Ctesse Cheremetieff).

Noblesse russe

■ **Origine.** *Dvorianstvo* (noblesse territoriale) constituée des descendants des anciens compagnons des Pces varègues d'origine normande, IXe s., des chefs militaires venus de Pologne, Lituanie, Hongrie, All., Italie avec leurs armées, des Begs tartares vaincus par les Russes et passés au service de la Moscovie, et de quelques Russes purs (commerçants, artisans, et surtout agriculteurs).

Les nobles ou *dvorianes* recevaient du Pce des domaines ou *pomestias* et devaient en retour des contingents en cas de guerre. Ils ne portaient pas de titres, sauf celui de Pce dans les familles des maisons régnantes inféodées par les Pces de Moscou (ex. Bariatinsky, Galitzine, Dolgorouky, Gortchakoff), mais ce titre ne leur donnait aucun privilège. Certaines familles formaient autour du trône une oligarchie, les *boyards* (dignité non héréditaire). Les grands-Pces, puis les tsars, choisissaient leurs épouses dans les familles des Pces boyards ou dvorianes. Pierre le Grand recruta dans le *dvorianstvo* la plupart des jeunes qu'il envoya à l'étranger. Il ne nomma plus de boyards (le dernier, le Pce Ivan Troubetzkoy, mourut en 1750). Ayant établi une nouvelle échelle fondée sur les services rendus à l'État, il se forma autour du trône une caste de courtisans et de fonctionnaires. Pour récompenser certains, le tsar demanda des brevets de titres étrangers à l'Empereur d'All. (St-Empire) : ex. baron, comte, prince.

■ **Titres. Maison impériale.** *Titres portés* (ukase des 2/14-7-1886). **Grand-duc :** titre réservé aux fils, filles, frères et sœurs du tsar, à ses petits-fils et petites-filles, avec traitement d'*Altesse impériale.* **Prince :** Pce de Russie avec le traitement d'*Altesse :* arrière-petits-enfants des tsars et le fils aîné de chaque arrière-petit-fils, avec le traitement d'Altesse Sérénissime reconnu aux autres descendants du sang impérial dans la ligne masculine, sous réserve d'être issus d'un mariage égal en naissance, et non d'un mariage morganatique. Le titre de prince se transmettant en Russie à tous les membres de la famille, il y avait au moins 2 000 princes *(Kniaz).*

Autres familles titrées. Prince : *avant Pierre le Grand,* 20 à 30 Ptés médiévales et de nombreuses Ptés grandes ou petites. En 1911, sur 19 familles de cette ancienne noblesse, 11 étaient issues de boyards. *A partir de Pierre le Grand,* titre donné pour services rendus (1er Pce, Menchikov 1705). **Comte :** conféré à partir de Pierre le Grand (en 1706) parfois à de puissantes familles nobles non princières (anciens boyards). Ex. Cheremetiev (1er titre en 1706), Golovine, Tolstoï, Apraxine. **Baron :** conféré à partir de Pierre le Grand. Rarement donné à des Russes (1er titré, Chavirov 1717). Surtout donné à des étrangers [banquiers, industriels (Dimsdale, médecin de Catherine II et de Paul Ier)] et même à des Juifs de haut mérite, ce que critiquait la noblesse balte en Russie, issue des chevaliers Teutoniques. Il n'y eut pas de titres russes de duc, marquis, vicomte.

■ **Noblesse non titrée.** La noblesse dite héréditaire remontait, pour quelques familles, à l'époque des premiers souverains qui régnèrent sur la Russie. Elle comptait de grands noms, souvent d'origine boyarde, tels que les Cheremetiev qui n'étaient pas tous comtes, les Narychkine d'où était issue la mère de Pierre le Grand, les Golovine, les Pouchkine. Les vieilles familles non titrées, illustres surtout par l'ancienneté, étaient nombreuses.

■ **Noblesse administrative.** Le *katalogos* des rangs fut importé en 1472 lors du mariage de Sophie Paléologue (venue de Byzance) et d'Ivan IV, et transformé par Pierre le Grand en *Table des rangs (le Tchin).* Un étudiant figurait au 14e rang, un lieutenant et un secrétaire du gouvernement au 12e, un colonel ou un conseiller de collège au 6e, un général ou un conseiller privé au 2e, le feld-maréchal et le chancelier de l'Empire au 1er. On était vraiment considéré comme noble à partir du 8e rang. Cela représentait environ 200 000 personnes. Le père de Lénine y figurait comme directeur de collège. Chaque rang avait son traitement : Votre Haute Excellence, Votre Haute Origine, Votre Haute Noblesse, Votre Noblesse, etc.

■ **Classification de la noblesse.** La législation nobiliaire subit des modifications à chaque changement de règne. Cependant, le statut de Catherine II du 21-4-1785 resta en vigueur jusqu'en 1917. Les nobles étaient divisés en 6 groupes, inscrits distinctement dans le registre généalogique de la noblesse, tenu dans chaque province russe, sous l'autorité d'un *maréchal de la noblesse*, assisté de députés élus de la province. 1re, noblesse récente (anoblie par lettres patentes ou décrets), 2e, n. militaire, 3e, n. acquise dans les services civils, 4e, n. étrangère, 5e, n. titrée (princes, comtes, barons créés par lettres patentes), 6e, « n. ancienne » constituée par les n. pouvant prouver la possession de l'état noble avant 1685, c'est-à-dire les anciens nobles dont les ancêtres avaient été inscrits sur le registre de velours rouge institué par Ivan III, et continué par Ivan IV, de 1462 à 1533.

■ **Nombre de nobles.** *1762 :* 560 000 pour 21 millions d'h. ; *1795 :* 600 000 après les 3 partages de la Pologne, avec une partie de la noblesse polonaise ; *1917 :* 1 900 000. **Familles titrées :** env. 850 [dont 250 portant le titre de prince (1/6 issu de Rurik ou de Guedimine ; beaucoup d'origine géorgienne), 300 comtes, 250 barons, 1 duc [1], 4 marquis [1]].

Nota. (1) Titres étrangers. Les titres ont été abrogés dep. le 25-11-1917. Cependant A. Tolstoï (1883-1945), écrivain rallié au régime, fut toujours désigné, même par Staline, comme « comte Tolstoï ». Les grands-ducs décernèrent quelques titres en exil.

Gouvernement provisoire

1917 *(15-3)* **Pce Georges Lvov** (2-11-1861/6-3-1925). Ancienne noblesse ; gouverneur de Toula jusqu'en 1905, puis député à la Douma (aile droite du *kadet*, parti constitutionnel libéral). *1914-17* responsable de la Santé militaire, se rend très populaire. *1917*-14-3 élu Pt du Conseil ; évincé par Kerenski au bout de 2 mois, démissionne le 25-7. Prisonnier des bolcheviks, s'échappe, se réfugie à Neuilly.

1917 *(5-8)* **Alexandre Kerenski** (4-5-1881/-10-6-1970). Avocat à Petrograd, *1912* élu député à la Douma (officiellement socialiste, mais en réalité membre du P. socialiste révolutionnaire clandestin) ; remarqué comme orateur de gauche. **1917**-*17-3* min. de la Justice dans le ministère Lvov, *5-5* min. de la Guerre (avec tous les pouvoirs), et monte l'offensive Broussilov en juin. *-25-7* Pt du Conseil (pouvoirs dictatoriaux) ; attaqué par la droite (Kornilov) et la gauche (Lénine) ; rév. d'octobre ; se réfugie auprès des cosaques du général Krasnov, tente de reprendre Petrograd, s'échappe déguisé (exil en Europe, puis aux USA 1940-70). Crée 1949 une Union pour la libér. du peuple russe.

Révolution d'Octobre 1917

(Novembre, d'après le calendrier grégorien).

Causes lointaines. 1°) *Le Gouvernement provisoire* rép. est paralysé par la désagrégation de l'administration ; par l'agitation autonomiste (notamment en Ukraine) ; par l'opposition entre ses membres modérés et extrémistes. Il décide la poursuite de la guerre (impopulaire) et en compensation décrète l'amnistie générale (libération des agitateurs bolcheviks). Les problèmes politiques et sociaux sont renvoyés à plus tard (théoriquement en décembre : élection d'une Constituante). 2°) *Les Soviets* s'installent partout (révocation de fonctionnaires, distribution des terres aux paysans, occupation des usines, prise du commandement par les hommes de troupe). *-16-6* 1er Congrès panrusse des Soviets (s'arroge le pouvoir souverain et désigne un comité exécutif).

Causes proches. 1°) *Action de Lénine* (rentré à Petrograd le *17-4*, en profitant de l'amnistie générale : les Allemands l'ont autorisé à passer de Suisse en Suède, d'où il est venu par chemin de fer). *-18-4* Lénine rejette toute collaboration avec le gouv. provisoire. Dans son programme *(« thèses d'avril »)*, il exige la nationalisation des banques, le contrôle ouvrier sur les usines, la terre aux paysans, la paix immédiate, le transfert du pouvoir aux Soviets [plan d'opération : insurrection armée renversant le gouv. provisoire (*-16-7* échec d'une 1re tentative ; le Gal Kornilov dégage Petrograd ; Lénine s'enfuit en Finlande)]. 2°) *Affaiblissement du gouvernement provisoire.* Après l'échec du putsch du *16-7*, les ministres KD se retirent ; Kerenski, chef du gouv., est combattu à la fois par Kornilov (échec d'un putsch d'extrême droite, *15-9*) et les ouvriers (gagnés au bolchevisme). 3°) *Action de Trotski.* Élu Pt du Soviet de Petrograd le *6-10*-1917. Il entreprend le noyautage des Soviets par les bolcheviks, pour avoir la majorité au IIe Congrès panrusse convoqué pour nov. Il crée une milice révolutionnaire, la *Garde rouge* (recrutée parmi les ouvriers), et il contrôle la garnison grâce au CMR (comité militaire révolutionnaire).

Déroulement. **1917**-*5-11* (23-10 du calendrier russe) Lénine revient de Finlande et décide avec Trotski de déclencher l'insurrection le 6-11, veille de la réunion du IIe Congrès panrusse des Soviets (où les bolcheviks doivent normalement être majoritaires). Trotski s'assure l'appui de la garnison en lui faisant croire que Kerenski veut l'envoyer au front. Nuit du *6/7-11 :* Garde rouge et unités de la garnison, sous la direction du CMR, s'emparent des édifices publics (gares, centraux télégraphique et électrique, ministères, etc.). La population ne participe pas à l'action. *-7-11* (25-10) à 18 h, *bombardement du palais d'Hiver* par l'*Aurora,* venu de Cronstadt. Kerenski s'enfuit, à 20 h 40. Réunion du IIe Congrès panrusse des Soviets (majorité bolchevik : 390 sièges sur 650). Il désigne un Conseil des commissaires du peuple (Sovnarkom), entièrement bolchevik (*Pt :* Lénine ; *Aff. étr. :* Trotski ; *Nationalités :* Staline). *-8-11* (26-10) paix immédiate et inconditionnelle, offerte à tous les belligérants ; distributions des terres aux paysans, accomplies par les Soviets au cours de l'été, homologuées. *-14-11* Soviets d'entreprises reçoivent autorité de gestion. *-15-11* nationalités allogènes obtiennent autodétermination. *Fin nov. et déc.* grandes villes enlevées à l'administration menchevik, coups de main des gardes rouges et des garnisons bolchevisées (ex. : à Moscou, action de Boukharine). *-15-12 armistice avec empires centraux. -20-12* Tchéka (commission extraord. créée). **1918**-*18-1 Ass. constituante élue* majorité menchevik (il n'y a que 2 500 bolcheviks en Russie), (les SR avaient 58 % des voix) ; elle siège 1 j et est dispersée par la force ; presse d'opposition supprimée. *-23/31-1* IIIe Congrès des Soviets (proclamation de la Rép. socialiste fédérative soviétique de Russie, « déclaration des droits du peuple travailleur et exploité », ratification de la paix). *-8-2* démobilisation décidée. *-18-2* All. rompent armistice et reprennent marche sur Petrograd. *-1-3* pourparlers reprennent à *Brest-Litovsk. -3-3* tr. signé. *-5-3* accord, les Sov. acceptent de céder Pologne, Ukraine, Russie blanche, Pays baltes, Finlande, Géorgie, Arménie. *9-3* intervention occidentale. *-12-4 gouv. Lénine* (dictatorial) s'installe à Moscou et prend le nom de *Politburo* (5 membres : Lénine, Trotski, Staline, Kamenev, Boukharine). *25-5* nationalisation industrie et commerce. *-10-7 Constitution de la RSFR* (République socialiste fédérative de Russie). *-16/17-7* tsar, tsarine et leurs enfants exécutés à Iekaterinbourg ; voir p. 1125 b et c ; grand-duc Michel (fr. du tsar) exécuté à Perm. *Juill.-août* révolte opposants d'extrême gauche. *-30-8* Fanny Roid Kaplan (socialiste révolut.) blesse grièvement Lénine. *Septembre* SR sont liquidés par léninistes.

Guerre civile de 1918-22

■ **Causes.** A) OPPOSITION TSARISTE : **Gal Antoine Denikine** (1872-1947), commandant en chef sous Kerenski, participe au putsch manqué de Kornilov ; puis commande *l'armée blanche d'Ukraine* [formée à Novorosiisk, armée par les Anglo-Fr. (matériel payé par des envois de blé russe en Fr.)], et avance jusqu'à 300 km de Moscou ; battu, il fusionne ses troupes avec celles de Wrangel. **Amiral Alexandre Koltchak** (1874-1920), chef de la flotte impériale de mer Noire. Le 18-11-1918, prend le titre de *régent,* installe un gouv. antirévolutionnaire à Omsk (Sibérie occid.) et prend le commandement suprême des armées blanches. Maître de la Sibérie et de l'O. de l'Oural jusqu'à la Volga. Ayant dû battre en retraite, il est pris par les Rouges à Irkoutsk et exécuté le 7-2-1920. **Gal Laurent Kornilov** (1870-1918). Après son putsch manqué contre Kerenski (9-9-1917), tué au combat à Krasnodar en Ukraine (13-4-1918). **Gal Nicolas Ioudenitch** (1862-1933), généralissime sur le front de Turquie. Rejoint les côtes baltes sur un navire anglais et s'avance en juin 1919 jusqu'aux faubourgs de Petrograd. Abandonné par les Anglais, il part pour l'exil et y meurt. **Gal Pierre Wrangel** (1878-1928), commande l'armée d'Ukraine en 1919-20 (victoires sur le Dniepr et au Kouban). Abandonné par les Français, se rembarque en nov. 1920. B) OPPOSITION POPULAIRE : surtout en Sibérie, hostile au pouvoir central (Koltchak aurait gagné la partie s'il avait proclamé l'indépendance de la Sibérie et s'il n'avait pas tenté de reconquérir la R. d'Europe). Les Cosaques, religieux et monarchistes, fournissent des unités combattantes. C) ACTION DES TCHÈQUES : ils ont une « légion » de 45 000 h. en Sibérie. D) INTERVENTION DES ALLIÉS qui voient dans les Sov. des alliés des All. (exception : quand les pourparlers de Brest-Litovsk sont rompus, momentanément du 18 au 26-2-1918, les Fr.-Anglais acceptent de fournir vivres et munitions à Lénine). **1918**-*11-3* (8 j après Brest-Litovsk), les Angl. débarquent à Mourmansk ; *-20-7* rompent avec le gouv. sov., favorisant la création de l'armée Denikine, qui s'engage à reprendre l'Ukraine aux All. ; *-2-8* occupent Arkhangelsk ; *-13-8* débarquent à Bakou, Am. pénètrent en Sibérie ; *-25-10* blocus des côtes déclaré. À partir de nov. les Alliés ne voient plus dans les Sov. des partisans de l'All. (ils déclarent nulle la paix de Brest-Litovsk et les annexions austro-all. et turques), mais leur reprochent leur messianisme révolutionnaire. Ils craignent notamment que les communistes r. prennent en main le communisme all. *-6-11* amiral fr. Janin à Arkhangelsk. *-20-11* une flotte fr.-angl. pénètre en mer Noire ; en déc., les Fr. débarquent à Odessa. Dès lors, les Alliés envisagent de constituer des protectorats : les Anglais convoitent les pétroles de Bakou et les pêcheries des mers polaires ; les Fr. espèrent récupérer l'Ukraine, appuyée au S. sur la Crimée occupée, et au N.-O. sur la Pologne alliée (les richesses de l'Ukraine serviraient de gage aux emprunts r. de l'avant-guerre) ; les Jap. espèrent coloniser l'Extrême-Orient r. et la Sibérie. *Impérialismes secondaires :* les Polonais en Ukraine ; les Turcs au Turkestan (action d'Enver Pacha), les All. dans les pays baltes (tentatives pour créer des États baltiques indépendants, mais germanisés). E) FORCES CENTRIFUGES : en principe, Lénine accorde aux populations allogènes de l'empire le droit à l'autodétermination. Celles-ci veulent s'émanciper de Moscou pour adopter des régimes non socialistes et indépendants. Font dissidence : Finlande, Estonie, Lituanie, Russie blanche, Ukraine, Crimée, Géorgie, Arménie, Azerbaïdjan qui se rallient aux armées blanches.

■ **Déroulement.** **1918**-*21-1* Trotski crée l'Armée rouge ; *mai-juin* divisée en 12 armées locales de 8 000 à 15 000 h. (sauf la Xe Armée : 40 000 h., 240 canons, 13 trains blindés), tient tête à l'armée cosaque du Don (ataman Krasnov) à peu près aussi forte et aux 2 armées du Caucase septentrional (100 000 h.) ; total des troupes ralliées aux Blancs 1 million d'h. ; *déc.* la Xe Armée réoccupe le bas Dniepr et s'avance sur le Don jusqu'à Rostov. **1919** *juin-août* avec l'aide de la flotte fr.-angl., l'armée blanche de Denikine prend Kertch, puis Odessa. *Sept.* Trotski réunit 189 000 h. contre lui. *Déc.* les Angl. exigent de Denikine la reconnaissance des États polonais et roumain (agrandi de la Bessarabie ex-russe). *Mai* Denikine ne peut établir la liaison avec Koltchak, sur la Volga. *Juin* les Rouges reprennent Oufa à Koltchak. *Août* Koltchak est écrasé et rejeté derrière l'Oural. *Sept.* les Angl. évacuent Arkhangelsk. *-21-10* Ioudenitch battu devant Petrograd. *-15-11* Koltchak perd Omsk. **1920**-*1-1* Trotski déclenche une contre-offensive contre Denikine. *-15-1* Koltchak démissionne. *-16-1* levée du blocus par les Alliés. *-2-2* Koltchak pris et fusillé à Irkoutsk. Wrangel remplace Denikine. *Mai-juin* Polonais occupent Kiev (7-5 au 11-6) mais sont rejetés (armistice de Riga 12-10). *-17-6* Wrangel écrase XIIe Armée rouge à Mélitopol. *-14-10* est battu à Nikopol. *Oct.* le baron Ungern-Sternberg, successeur de Koltchak en Sibérie, se réfugie avec son armée en Mongolie (il y proclame un empire indépendant). **1921**-*28-2/8-3* soulèvement des *marins de Cronstadt* qui réclament le retour aux sources du pouvoir soviétique et rejettent la dictature ; écrasé par l'Armée rouge (Trotski et Toukhatchevski) [épuration pol. (social-révol. de droite, de gauche et mencheviks)]. *Juin* Ungern-Sternberg vaincu par une Armée rouge et fusillé. *-29-10* proclamation à Tchita (Sibérie orientale) d'une *Rép. d'Extrême-Orient* (prosov.) ; *nov.* Rouges forcent les lignes de Perekop et conquièrent Crimée ; armée Wrangel (130 000 h.) évacuée sur Constantinople par flotte anglo-fr. **1922**-*14-11 l'Armée rouge réoccupe Vladivostok,* la Rép. de Tchita est rattachée à la Russie sov. La Mongolie extérieure devient un protectorat.

■ **Causes de la défaite des Blancs.** a) **Corruption des cadres :** négligence, paresse, goût de la *dolce vita.* En Sibérie, à l'arrivée de Koltchak, il y avait 196 états-majors sans troupes. De nombreux régiments blancs comptaient 2 ou 3 officiers pour 1 seul homme. Une grande partie du matériel fourni par les Alliés était revendue au marché noir, et en fin de compte, rachetée par les Rouges. b) **Trahison des Tchèques de Sibérie :** anciens prisonniers de g. autrichiens, réarmés contre l'Autr., ils avaient rejoint Koltchak après la paix de Brest-Litovsk, les Allem. ayant exigé qu'ils leur soient livrés. Pris en main par une mission militaire française (Gal Janin qui cependant ne leur donna pas l'ordre de délivrer Koltchak encerclé), ils devaient être le noyau de la reconquête de la Russie d'Europe, à partir de l'Oural. Mais le gouv. tchèque (Bénès) leur interdit d'agir contre les Rouges. Ils s'organisent donc en « grandes compagnies », occupant la ligne du Transsibérien, et accaparant le matériel ferroviaire (qui transporte leur butin). Ils se replient lentement (4 ans) vers Vladivostok, négociant leur retraite avec les Rouges : ils arrêtent Koltchak à Irkoutsk et le livrent aux Bolcheviks. c) **Mésentente entre les Alliés :** chacun des Alliés cherche à profiter de la g. civile pour favoriser ses propres intérêts : les Anglais poussent en avant Koltchak qui leur a promis des avantages en Oural et au Caucase. Le Gal français Janin décide de faire soutenir Koltchak en nov. 1918 par l'armée jap. (inutilisée) qui aurait été transportée par le Transsibérien jusqu'à l'Oural. Wilson met son veto, craignant de voir les Jap. s'incruster en Extrême-Orient russe. Les Anglais ont gêné l'action de Denikine, puis de Wrangel, car ils voyaient en eux des créatures de l'état-major fr. (projet d'un protectorat fr. en Ukraine et Russie du S.) ; ils ont abandonné Ioudenitch, pour ne pas favoriser l'établissement des All. dans les pays baltes, etc. d) **Habileté diplomatique des Soviets :** ils ont compris qu'il fallait faire des concessions aux nouveaux États, pour les amener à se retirer de la lutte ; ils ont accordé l'indépendance ou fait d'importantes concessions territoriales à : Finlande, Estonie, Lettonie, Lituanie, Pologne, Roumanie, États transcaucasiens, Extrême-Orient, Boukhara. Une fois la paix rétablie, ils ont récupéré les territoires abandonnés en Asie (les concessions faites en Europe seront reprises en 1940 et 1944). e) **Valeur militaire de l'Armée rouge :** les combattants sont motivés : ouvriers communistes formant la Garde rouge ; paysans décidés à acquérir des terres ; les officiers, anciens sous-off. ou soldats, espèrent monter en grade, malgré leur roture (ce qui était impossible dans l'armée tsariste). Trotski se révèle un bon chef de g. : sens de l'organisation, volonté de vaincre, intelligence stratégique. f) **Affaiblissement de l'esprit de croisade anticommuniste :** vers 1921-22, les nations occidentales craignent de passer pour réactionnaires si elles luttent contre le bolchevisme [effet de la propagande menée auprès des mouvements ouvriers occidentaux par le Komintern (créé mars 1919)]. Épisode marquant : *la muti-*

La Nep

Définition. *Novaïa Ekonomitcheskaia Politika* (Nouvelle Politique économique). Décidée par Lénine le *16-3-1921,* après les désordres de févr. 1921 (notamment la mutinerie de Cronstadt, qui réclamait : liberté de parole et de presse ; élection des soviets au scrutin secret ; liberté d'action pour socialistes, anarchistes, syndicats ; libération des détenus politiques ; liberté de production pour les artisans non employeurs ; suppression des réquisitions ; égalité du rationnement).

Causes. 1°) *Le Comité central craint que la révolte des marins n'entraîne la paysannerie,* excédée par les prélèvements (quadruplés entre 1917 et 1920). 2°) *La révolution vient d'échouer en All. :* Lénine, qui, pendant 2 ans, avait compté sur l'adhésion au bolchevisme d'une All. industrialisée, comprend qu'il ne peut plus compter sur les biens d'équipement all. ; il faut donc faire prendre patience au peuple.

Déroulement. 1°) *21-3-1921, loi supprimant le prélèvement automatique* des récoltes [total des prélèvements de céréales prévus pour 1921 : 240 millions de pouds (contre 423 en 1920), le reste pourra être vendu par les prod. qui auront le droit de se procurer eux-mêmes les produits dont ils ont besoin]. 2°) *Autres mesures économiques :* les entreprises de l'État sont tenues à une gestion capitaliste (investissements, bénéfices) ; certaines propriétés agr. de l'État sont cédées à bail ; la circulation monétaire redevient libre ; la monnaie est stabilisée par l'émission de *tchervonets* (10 roubles-or) et roubles du trésor (1 rouble-or, équivalant à 50 milliards de r. papier). 3°) *Mesures sociales :* l'outillage collectivisé est rendu aux paysans, les entreprises de – de 10 ouvriers (avec force motrice), 20 (sans force motrice) sont dénationalisées ; retour à la hiérarchie des salaires ; autorisation de créer de nouvelles entreprises privées. 4°) *Accords avec l'étranger.* Lénine décide de faire venir en R. des techniciens étrangers, il passe des accords commerciaux avec l'Allemagne (Rapallo 16-4-22), avec paiements stipulés en tchervonets (un accord analogue signé avec l'Angleterre se heurte au veto américain).

Résultats. 1922, la production agricole remonte à l'indice 100 (*1913 :* 100) et la prod. industrielle à l'indice 50 ; les prix agr. baissent ; mais, l'État maintient des prix ind. élevés, pour pouvoir investir (« crise des ciseaux »).

Conséquences sociales. Naissance d'une classe sociale de petite et moyenne bourgeoisie : ruraux (*koulaks,* ou gros paysans) ; citadins (nepmen, ou petits patrons). Seuls certains Occidentaux (notamment Lloyd George) ont cru que la Nep prouvait le pragmatisme de Lénine : avec l'expérience du pouvoir, il deviendrait un politicien de la vieille école. Mais la Nep n'était qu'un repli tactique dans la marche vers la Révolution mondiale.

---

nerie des marins fr. de la mer Noire, les marins fr. apprennent (*10-4-1919* à Odessa) le succès de la manif. parisienne le 6-4 (150 000 contre l'acquittement de Raoul Villain, l'assassin de Jaurès : 2 †, 10 000 arrestations) et croient à la vict. de la révolution communiste à Paris. *16-4* mutinerie du *Protet,* en pleine mer [chefs : André Marty (1886-1956), Badina] ; *20-4* en rade d'Odessa, de la *Justice,* la *France,* du *Jean-Bart,* du *Waldeck-Rousseau.* L'escadre française doit être ramenée à Toulon, ce qui affaiblit les armées blanches de Denikine.

■ Conséquences de la guerre civile. a) **Renforcement de l'État dictatorial :** le 30-12-1922, *création de l'URSS,* comprenant Russie et les territoires reconquis depuis la fin de la g. civile : Turkestan, Sibérie occidentale, Biélorussie, Ukraine, Fédération transcaucasienne. La *Constitution* (promulguée 31-1-1924) reprend les grands traits de la Const. de l'État russe de juillet 1918 : Congrès des Soviets souverain ; comité exécutif central de 2 chambres (Conseil de l'Union et Conseil des nationalités). Praesidium de 21 membres élu par le conseil exécutif, chef d'État collectif, aux pouvoirs illimités ; désignant notamment le Politburo (composé en 1924, après la mort de Lénine, de Trotski, Zinoviev, Kamenev, Staline, Tomski, Boukharine). *La Tcheka* est remplacée le 6-2-1922 par l'*O. Guépéou,* qui, par le moyen des tribunaux révol., liquide l'opposition SR, et tient en main l'administration de chaque Rép. fédérée ; il ne dépend que de son chef, à Moscou [1922-24 : *Dzerjinski,* dir. adjoint Beria (23 ans)]. Il arrive à faire du parti comm. officiel un parti unique. b) **Expansion du communisme :** la IIIe Internationale réunie à Moscou en août 1920 dicte aux partis nationaux qui la composeront 21 conditions, notamment : discipline rigide, alignement sur les positions du Komintern, refus des compromis, promotion de la Révolution, soutien à l'URSS. Trotski fera de l'expansion du communisme à l'extérieur l'objectif n° 1 de l'URSS. Il se heurtera à Staline (partisan du repliement provisoire sur l'URSS) et sera éliminé. c) **Difficultés économiques :** Lénine a dû improviser : répartition socialiste (le dirigisme étatique tolère provisoirement la petite entreprise privée) ; – travail obligatoire avec égalité des salaires ; – nationalisation des banques, du commerce extérieur, des transports et des entreprises utilisant + de 5 ouvriers (avec force motrice) ou + de 10 (sans force motrice) ; – réquisition des récoltes (on laisse à chaque famille paysanne de quoi se nourrir pendant 1 an) ; – cours forcé de la monnaie (en 1923, 1 rouble-or vaudra 50 milliards de roubles-papier, inflation comparable à celle de l'Allemagne). Réaction de défense des populations : les ouvriers travaillent au ralenti ; les paysans ne produisent plus que pour leurs besoins (leurs surplus étant réquisitionnés pratiquement pour rien) ; niveau de la production 1921 (1913 : indice 100) : industrie 18 ; agriculture 65. La famine de 1921 nécessite l'intervention du comité Nansen (1 million de †). Les révol. non bolcheviks déclenchent des émeutes. d) **Morts dues à la révolution** (en millions) : selon le démographe Maksudov : *entre 1918 et 1928 :* 10,3 [g. civile, répression, famine et grandes contagions favorisées par les troubles (typhus, etc.)] ; *en 1933-34:* 7,5 (famine provoquée par la collectivisation, exécutions et déportations au « goulag » ou ailleurs) ; *de 1939 à 45 :* militaires 7,5 ; civils 9 à 11 d'exécutions et déportations (nationalités allogènes, anciens prisonniers de guerre, etc.). *Total pour 40 ans :* 42,3 (60 selon d'autres auteurs).

L'URSS après Lénine

1°) Application des idées de Lénine.

– *Établissement d'un parti au pouvoir dictatorial,* capable de structurer le prolétariat (maintien du Guépéou devenu le NKVD ; identification du parti et de l'État ; nomination aux postes clefs d'exécutants disciplinés) ;

– *Poursuite de la lutte révolutionnaire à l'étranger* (la IIIe Internationale a permis à de nombreux partis communistes locaux de prendre le pouvoir et de créer des États marxistes) ;

– *Collectivisation et socialisation de l'économie* (le XVe Congrès du PC, en décembre 1927, a mis fin à la Nep). La propriété privée des moyens de production est abolie, la terre devient propriété de l'État (la *« dékoulakisation »* de 1930 élimine 8 millions de propriétaires moyens, déportés ou exécutés), ainsi que forêts, mines, usines, banques ; un secteur privé [exploitations collectives (coopératives) ou privées et indiv., paysannes ou artisanales, fondées sur le travail personnel] subsiste ; la propriété privée édifiée avec les revenus du travail est possible. Les 3 plans quinquennaux (1928-41) qui aboutissent à stabiliser une économie socialiste veulent mettre en exploitation le continent soviétique, en vertu d'un plan établi, et non pour la recherche du profit individuel.

2°) Divergences entre léninisme et stalinisme.

a) *L'État stalinien est resté fidèle au panrussisme tsariste.* Bien que géorgien, Staline n'a guère appliqué les idées libérales de Lénine en matière de nationalités. Il a favorisé la russification de l'URSS (emploi généralisé du r. comme langue de travail, implantation de R., Biélorusses, Ukrainiens dans les États allogènes). b) *La coexistence pacifique est surtout conçue comme favorable à la défense nationale :* l'URSS doit jouer des rivalités entre ses adversaires pour accroître sa propre puissance (et aider les nations comm. à accroître la leur). c) *Le stalinisme est moins favorable aux Juifs que le léninisme.* Lénine, d'accord avec Trotski, voyait dans les Juifs un élément international, utile pour le triomphe d'une société socialiste mondiale. Staline voit dans les Juifs une nationalité à part, peu assimilable : les Juifs sont éliminés : Trotski, Kamenev, Zinoviev, Radek, Joffe, ainsi que Frounze, etc. d) *Le culte de la « personnalité » :* Lénine avait pris parti, de son vivant, pour Trotski, contre Staline et, dans son « testament », il s'est montré nettement antistalinien. Pour les trotskistes, Staline a fait dévier la révolution vers une dictature réactionnaire n'ayant plus rien à voir avec le socialisme (réponse des staliniens : vivant à l'époque des fascismes, Staline a pu triompher de Hitler et de Mussolini en les battant sur leur propre terrain ; Trotski aurait perdu la partie contre eux et aurait amené la ruine du socialisme en voulant défendre à tout prix la non-personnalité du pouvoir dirigeant). e) *Banalisation du « communisme de guerre ».* La terreur policière (Tcheka, Guépéou) et la mise en veilleuse des droits de l'homme étaient pour Lénine une nécessité momentanée, à laquelle on ne devait avoir recours que dans des circonstances exceptionnelles, pour empêcher l'échec de la révolution. Pour Staline, au contraire, le respect des droits de l'homme n'est pas une valeur en soi. La suppression des libertés fondamentales de l'individu peut être envisagée sans limite de temps. f) *L'idéologie internationaliste est mise en veilleuse.* L'URSS stalinienne a créé une sorte de ligue d'États communistes, étroitement solidaires, mais fidèles aux patriotismes locaux. La mentalité internationaliste est mal vue : c'est le capitalisme qui n'a pas de patrie (l'épithète « multinational », quasi synonyme d'« international », a pris un sens péjoratif).

Effectifs de la Tcheka. *1921 :* 283 000 [dont troupes intérieures et sécurité militaire 126 000, troupes de la section spéciale (garde des camps) 17 000, personnel civil 90 000 ; non compris les indicateurs. En 1913, l'Okhrana avait 15 000 h.]. *Exécutions par la Tcheka :* 50 000 (insurgés pris les armes à la main exclus) à 200 000 pour la période 1918-fin 1922. Les tribunaux tsaristes ont condamné à mort 14 000 pers. de 1861 à 1917 (dont env. 4 500 en 1906-07).

1922-23 Trotski et Staline s'opposent sur « l'exportation de la révolution et la politique économique » ; la 1re *troïka* (attelage à 3 chevaux, au figuré : triumvirat) : Staline, Kamenev, Zinoviev, a le pouvoir. *-27-3/2-4* XIe Congrès nomme Staline secr. gén. du parti. *-16-4* accord de *Rapallo* relations diplom. avec Allemagne rétablies. *-1-5* 1re ligne aérienne intern. soviét. Moscou/Berlin. *-19-5* création des Jeunesses comm. *-30-12 fondation de l'URSS.* Voir p. 1129 b.

1924-*21-1* **Lénine meurt.** *-31-1* 1re Const. de l'URSS. *-2-2 relations diplom.* avec G.-B., puis avec It., Autriche, Norvège, Suède, Chine, Danemark, Mexique [France : *28-10* (gouvernement Herriot)]. *-20-8* Boris Savinkov (ancien min. de la G. du gouv. Kerenski) rentre avec un faux passeport, arrêté, condamné à 10 ans ; se suicidera (?) en prison. **1925** création du prix Lénine. *-15-1* Trotski cesse d'être commissaire à la Guerre. *-10-4* Tsaritsyne devient Stalingrad. *-24-4* tr. de neutralité et de non-agression entre All. et URSS. **1926** Pie XI envoie le jésuite Michel d'Herbigny pour sacrer des évêques clandestins. *Oct.* 2e *troïka* (d'opposition) : Trotski exclu du Bureau pol. [il forme avec Lev Borissovitch Rosenfeld, dit Kamenev (1883-1936, fusillé), et Grigori Ievseïevitch Zinoviev (1883-1936, fusillé) une *troïka* d'opposition]. **1927** le Code pénal définit comme « contre-révol. » toute action ou « inaction » tendant à l'affaiblissement du pouvoir. *-12-5 rupture des relations anglo-soviét. Nov.* impôt en nature remplacé par i. en argent. **Trotski éliminé ;** trop populaire pour être exécuté, il est déporté à Alma-Ata (Kazakhstan), puis expulsé en Turquie (févr. 1929).

1928 *1er plan quinquennal* pour l'industrie lourde (adopté au congrès des Soviets de 1929). *-18-5* procès des saboteurs de Chakhty. **1929**-*21-6* un arrêté « sur les mesures relatives à la consolidation du système kolkhozien » marque le début de la collectivisation forcée. *-18-9* 1re *moissonneuse-batteuse* sov. *-5-11* création *d'Intourist.* **1930** disgrâce de *Rykov* et de *Boukharine, dékoulakisation :* les paysans riches (ou *koulaks*) sont dépossédés. École primaire obligatoire. **1931** 1re locomotive à vapeur sov. **1932** *juill.* famine en Ukraine, Volga et Kazakhstan. *Nov.* passeport intérieur. *-29-11 pacte de non-agression franco-sov. Déc.* collectivisation achevée. Main-d'œuvre concentrationnaire utilisée massivement. **1933** *août* canal Staline ouvert entre mer Blanche et Baltique. *-16-11* relation diplom. avec USA. **1933-34** 15 millions de paysans chassés de leurs terres, déportés en Sibérie, 6 millions de † (1 000 000 d'exécutés et famine en Ukraine). **1934**-*26-1* *2e plan quinquennal. 18-9* entrée à la SDN. *-27-10* le NKVD qui remplace Guepeou (dep. juill.) a toute autorité sur les camps de travail et les institutions de tr. correctif. *-1-12* Sergheï Mironovitch Kostrikov, dit Kirov (n. 1886 ; membre du Politburo et proche collab. de Staline) assassiné par Leonid Nicolaïev. Coupables non découverts, mais prétexte à des épurations sanglantes et massives ; plusieurs milliers de fusillés sans jugement ; sur 139 membres et suppléants du comité central, 98 sont « liquidés ». *-5-12* pacte franco-sov. entre Laval et Litvinov. *Déc.* début de la grande terreur.

1935-*25-1* Kouïbychev meurt subitement (empoisonné ?). *-7-4* une loi autorise la condamnation à mort des enfants à partir de 12 ans. *-2-5 tr. d'assistance mutuelle franco-sov.* (Pierre Laval). *-15-5* 1re ligne du métro de Moscou (11 km). *-30-8* Alexei Stakhanov abat au marteau-piqueur 102 t de charbon en 1 j, soit 14 fois la norme. **1936**-*19/24-8* procès du « contre-terrorisme-trotskiste-zinovievien ». Principaux accusés (dont Kamenev et Zinoviev) condamnés à mort. *-5-12 Constitution* approuvée par un congrès

ÉTAT DE L'URSS EN 1940

■ **Population en 1913 et, entre parenthèses, en 1937, en %.** *Urbanisée :* 18 (33) ; *active :* secteur primaire 75 (56) ; secondaire 9 (24) ; tertiaire 16 (20). *Niveau de vie :* pouvoir d'achat des salaires + 10 % par rapport à 1913, mais de façon inégale (cadres, membres du parti, techniciens bénéficiant de prestations diverses) ; développement de l'instruction primaire (ens. second. et supérieur encore peu dispensé : 1,4 million d'élèves).

■ **Économie. Plans quinquennaux** *(piatiletka).* Élaborés par branches, régions écon., rép. Discutés et adoptés aux congrès du Parti. Les projets de plan des rép. sont soumis au Comité du Plan d'État (Gosplan) du Conseil des min. de l'U. Les *1er* (1929-32) et *2e* (1933-37) *Plans* ont été exécutés avant terme. Le *3e* (1938-42) a été stoppé par la guerre. Le *12e plan* couvrait la période 1986-90. **Croissance dep. 1913** (en %) : *prod. agricole :* 57 (céréales 32, betteraves sucrières 98, coton 281). *Industrielle :* 714. *Biens de consommation :* en retard. **Causes du progrès :** *formation de cadres techniques. Aide étrangère :* + de 20 000 techniciens et spécialistes étrangers (All., Amér.). *Rationalisation* du travail avec les *oudarniks* (ouvriers de choc), émules de l'ouvrier mineur *Stakhanov.* Alexei Stakhanov (1906-77) réussit, la nuit du 30 au 31-8-1935, à extraire 105 t de houille (la norme étant de 7 t) et fit extraire, le 19-9-1936, 227 t. [en 1990 la Komsomolskaïa Pravda révélera que Stakhanov était aidé secrètement par 2 assistants (Borisenko et Chigolev)]. Son nom fut donné à une méthode au rendement encouragée par Staline. Les dirigeants syndicaux critiqueront cette nouvelle exploitation ouvrière entraînant la formation d'une classe d'ouvriers privilégiés, avec une priorité quantitative et non quantitative. Leurs critiques expliquent en partie la sanglante épuration qu'ils subirent entre 1936 et 1938. **Agriculture. Collectivisation :** pratiquement achevée. **Production** (millions de t, 1913 et 1940) : *céréales* 80 (96) ; *betterave à sucre* 10 (21) ; *coton* 0,7 (2,3) ; *bovins* (M. de têtes) 60 (60). **Surfaces cultivées** (millions d'ha) 105 (137). **Industrie. Production** (millions de t 1913 et 1940) : *charbon* 29 (166) ; *pétrole* 9 (31) ; *électricité* (milliards de kWh) 2 (48) ; *acier* 4 (19). *L'ind. du caoutchouc* – à peu près inexistante jusqu'en 1928 – couvre 50 % des besoins [plantes à latex acclimatées (saphys, glaïeul du Mexique) et c. synthétique]. **Transports. Fluviaux :** réseau amélioré par les canaux Baltique-mer Blanche, ouvert 1933, Moskova-Volga achevé 1937 faisant de Moscou un grand port fluvial. **Voies ferrées :** *Transsibérien* entre Omsk et Tcheliabinsk doublé puis triplé ; liaisons Moscou et Leningrad avec Donbass-Arkhangelsk-Moscou doublées, lignes Moscou-Kharkov reconstruites ; Turksib, lignes Oural-Kouznetz, Karaganda-Balkach et Oural-Karaganda réalisés ; liaison Baïkal-Pacifique projetée.

■ **Rang dans le monde.** 3e puissance industrielle (2e d'Europe) sans avoir aliéné son indépendance au profit de créanciers étrangers, mais le niveau par habitant est très bas. 2e fer, pétrole, or ; 3e énergie électrique (40 milliards de kWh en 1938 contre 2,5 en 1928), fonte, acier, coton ; 4e houille, moteurs d'automobile. Commerce et industrie privés sont éliminés. **Dans le commerce mondial.** *1932 :* 2,3 % ; *37 :* 1,3 % [0,8 % de la prod. nationale est disponible pour l'exportation (11,6 en 1913)], les produits manuf. représentent 68,1 % des export.

■ **Situation militaire. Effectifs** (1940) : 151 divisions d'inf., 32 de cav., 38 brigades motor., 4 flottes et 3 flottilles (mais la marine est très en retard). Mais les *purges de 1937* ont désorganisé l'armée. Si les effectifs sont restés stables (1 750 000 h.), l'encadrement a été décapité. Il reste 2 maréchaux sur 5 ; 2 gén. d'armée sur 15 ; 28 de corps d'armée sur 85 ; 85 de division sur 195 ; 186 de brigade sur 406. Les cadres nommés après la purge manquent d'expérience, notamment dans la coordination entre les différentes armes et dans la logistique (transports par voie ferrée ; peu de moyens motorisés). En déc. 1939 l'URSS ne peut pas aligner contre la Finl. plus de 9 div., d'où son échec contre une armée 12 fois inférieure en nombre (les All. en ont tiré la conclusion erronée de la nullité militaire de l'U.). Armement (usines créées v. 1930 par les All.) : *artillerie* (la meilleure du monde) : obusiers de 203 mm, canon antiaérien de 76 mm, antichar de 45 mm ; artillerie lourde à longue portée ; fusées (batteries lance-roquettes légères ou Katioucha, uniques au monde) ; *blindés* (1941) 20 000 : 6 types dont le T 34 avec un canon de 76 mm (le meilleur char du monde, 115 ex. en 1940, 1 475 en 1941) ; *avions :* 12 000 [dont Yak et Iliouchine (production 4 400 par an)].

extraordinaire. **1937-38** arrêtés 7 000 000, exécutés 1 000 000, décédés dans les prisons et camps 2 000 000. Pop. des camps : 8 000 000 (dont 1 000 000 de pris.). **1937**-*23/30-1* procès du « centre antisoviétique trotskiste » ; parmi les accusés et condamnés : Piatakov, Radek. *-16-6* exécution du M^al^ Mikhaïl Nikolaïevitch *Toukhatchevski* (n. 1893) et de nombreux chefs de l'Armée rouge (4 maréchaux sur 5, 75 m. du conseil militaire sur 80, 14 gén. d'armée sur 16, 60 de corps d'armée sur 67, 136 de division sur 199, 221 de brigade sur 397, les 8 amiraux, les 11 commissaires politiques d'armée, 35 000 officiers supérieurs et subalternes). *Raison :* provocation montée à l'aide de faux documents par les services secrets hitlériens (dans le but de décapiter l'Armée rouge) et dont le Pt tchèque Bénès s'était fait involontairement le complice. **1938**-*2/13-3* procès du « bloc antisoviétique des droitiers et trotskistes ». Parmi les accusés et condamnés : Boukharine, Rykov (ancien chef du gouv.). Épuration des cadres techniques et administratifs (déportés en camps 20 000 000). *Juill.-août* agression jap. repoussée près du lac Khassan. *Déc.* Yejov destitué.

1939-*10-3-18e Congrès :* 1 108 délégués sur 1 996 du précédent Congrès fusillés. *-23-8 pacte de non-agression germano-sov.* (8 j avant la g. de Pol.) protocole secret plaçant dans la sphère d'influence soviétique : Pologne orientale, Bessarabie roumaine, Estonie et Lettonie. *-17-9* Armée rouge entre en Pologne. *-27-9* partage de la Pol. avec l'All. (Ukraine et Biélorussie pol. réunies aux RSS de même nom). *-29-9* protocole secret ajoutant Lituanie dans sphère sov. et programmant une étroite coopération écon. et militaire avec l'All. *30-11-***39**/*12-4-***40** *g. de Finlande* (qui perd Carélie et partie de la Laponie) ; URSS exclue de SDN. **1940**-*26-6* après ultimatum, la Roumanie cède à l'U. Bessarabie (45 650 km²) et Bukovine (10 432 km²). *-14/18-6* occupation des pays baltes, incorporés à l'U., élections gén. sous contrôle des Sov. **1941**-*6-5* Staline (secr. du parti) devient chef du gouv. *-22-6 invasion all.* (Voir g. germano-russe p. 676). Staline pris au dépourvu, quoique averti dès le 1-6, préparait lui-même une attaque pour le 7-7 (Opération Orage) et avait démantelé ses défenses ; Hitler, sans préparatifs le devança, craignant que l'URSS ne le coupe du pétrole roumain. *-30-6* formation d'un Comité d'État à la Déf. (chef : Staline). *-28-8 :* 800 000 All. de R. (dont 400 000 de la Rép. all. de la Volga) sont déportés au Kazakhstan. *Fin sept.*, après 3 mois de g. l'All. contrôlait le Donbass (60 % du charbon sov., 75 % du coke, 50 % du fer, 20 % de l'acier) et espérait très vite prendre possession d'un territoire de 100 millions d'h. du lac Ladoga à la Caspienne, englobant Moscou, Leningrad, les réserves minières et agricoles de l'Ukraine, 90 % des ressources pétrolières de l'URSS mais Leningrad ne céda pas, en dépit d'un blocus de 900 j. **1941-42** 1 360 grandes entreprises ind. (10 millions d'ouvriers) sont déplacées vers Oural, Volga, Sibérie. **1944**-*8-8* URSS (48 h après Hiroshima) déclare g. au Japon qui capitule *2-9.* **1945** libération. *-8-5* M^al^ Joukov (1896-1974) reçoit la capitulation all.

■ L'URSS DE 1945 A 1991

■ **Destructions dues à la g.** 1 710 villes, 70 000 villages, 65 000 km de voies ferrées, 1 135 mines de charbon (production : 130 millions de t) ; 7 millions de chevaux, 17 millions de bêtes à cornes, etc. 25 millions de sans-abri. *Retard du programme de développement :* 9 ans. *Valeur totale* des destructions (30 % des richesses nationales) : 2 560 millions de roubles, soit 7 années de travail (supérieures aux pertes de 1914-21). **Pertes en hommes :** 27/28 000 000 (dont milit. 8 668 000).

☞ 900 000 Soviétiques ont combattu du côté de l'Allemagne : Russes 300 000, Ukrainiens 220 000, Turkmènes 110 000, Caucasiens 110 000, Cosaques 82 000, Tatars 35 000, Lituaniens 27 000, 3 divisions SS de Lettons, 2 autres d'Estoniens, 1 de Biélorusses, 2 escadrons de Kalmouks. Le Gal Vlassov (1900/1-8-1946), encerclé plusieurs semaines par All., et ayant le sentiment que ses troupes étaient volontairement sacrifiées par le Ht-Commandement soviet., se rend en août 1942, accepte de recruter armée de libération russe parmi les prisonniers. Forme le Comité national russe, mars 1944, Hitler et Himmler envisagent de lui confier une armée russe de 650 000 h. En fait, Vlassov n'eut que 3 divisions dont 1 (18 000 h. du Gal Bunichenko) s'installe à Prague en févr. 1945 ; aidera, en mai, la résistance tchèque à neutraliser les SS. Le 7-5, Vlassov se rend aux Américains qui le livrent avec ses troupes aux Russes. *1-8* Vlassov est exécuté. De 1945 à 1947, les Occidentaux livrent 2 000 000 de réfugiés soviétiques à l'URSS (dont la France 102 481).

■ **Agrandissements territoriaux. Territoires acquis dep. 1939** (en km², et, entre parenthèses, pop. 1939 en millions). 682,8 (22,7) dont provinces finlandaises 44,1 (0,5), prov. polonaises 178,7 (11), roumaines : Bessarabie 44,3 (3,2) et Bucovine septentrionale 10,4 (0,5). États baltes : Estonie 47,4 (1,1), Lettonie 65,8 (1,9) et Lituanie 55,7 (2,9), Tannou-Touva 165,7 (0,06), Prusse orientale 11,6 (0,3), Tchécoslovaquie (Ruthénie) 12,7 (0,72). Sud de Sakhaline 36 (0,4) et îles Kouriles 10,2 (0,02) perdues 1905.

A *Yalta,* l'U. a obtenu la reconnaissance des agrandissements de 1940 (Finlande, Roumanie), plus la Pologne orientale et la Bucovine. Elle dut renoncer à annexer une partie de l'Iran (S. de l'Azerbaïdjan), mais étendit, en revanche, son influence sur les États « satellites », Pologne, Hongrie, Tchéc., Roumanie, Bulgarie, et (plus tard) All. de l'E., dont économies et armées furent intégrées aux siennes.

■ **Déportations de nationalités.** All. de la Volga 380 000 (dont env. 50 % meurent en route), Karatchaïs 75 000, Kalmouks 124 000, Tchétchènes 408 000, Ingouches 92 000, Balkhars 43 000, Tatars de Crimée 300 000 installés en Ouzbékistan et remplacés par des Slaves (Biélorusses, Russes, Ukrainiens) [la Rép. tatare de Crimée (qui avait collaboré avec All.) est supprimée]. *Ont été rétablis dans leurs régions : 1957 :* Tchétchènes, *1960 :* Ingouches, *1958 :* Kalmouks – Karatchaïs – Balkhars. Expulsés des États baltes : voir Estonie, Lettonie, Lituanie à l'Index.

1948-*20-6* début du *blocus de Berlin. -28-6* la *Youg. est exclue du Kominform.* **1949**-*25-1* création du *Comecon* (voir p. 871 b). *-11-5* fin du blocus de Berlin. *-14-7* 1re bombe atomique sov. **1950**-*14-2* tr. d'amitié sino-sov. **1952**-*5/14-10* au XIXe Congrès, Staline prépare un important remaniement de la direction du parti. **1953**-*13-1 complot des blouses blanches* [visant Beria : il aurait constitué une équipe de 9 méd. (dont 6 juifs, « associés à la juiverie internationale ») chargés de faire mourir discrètement les personnalités sov. ; ils auraient tué Chtcherbakov en 1945 et Jdanov en 1948]. *-5-3* **Staline meurt** (après 14 h sans soins, sur ordre de Beria).

1953-55 Malenkov (1902-88) chef du gouvernement. *-9-3* enterrement de Staline (10 à 500 † étouffés). *-28-3* décret d'amnistie (les méd. du « complot des blouses blanches » sont libérés) ; révision du Code pénal. *-10-7* Beria arrêté (exécuté 23-12-53). *-20-8* communiqué sur l'expérimentation de la bombe H. *-3-9 Khrouchtchev,* 1er secrétaire, critique la politique agricole stalinienne. 1953-58 *Boulganine* (1895-1975) Pt du Conseil en 55, puis à la Défense. **1954**-*17-8* décret sur mise en valeur des terres vierges (env. 1 million de volontaires). *-14-9* bombe A sov. larguée sur troupes en manœuvres (ni morts ni blessés, mais aucun suivi des radiations).

1955-58 Boulganine remplace Malenkov à la présidence du gouv. *-14-5 pacte de Varsovie. -26-5/2-6* Khrouchtchev à Belgrade. **1956**-*14/25-2 XXe Congrès,* dans son rapport secret, Khrouchtchev dénonce fautes et crimes de Staline (motivation de la « déstalinisation » : absoudre les compagnons de Staline qui lui succèdent au pouvoir). *Sept.* 1er vol d'un avion de ligne à réaction, le TU-104. *-22-10* l'U. accepte le retour de Gomulka à la tête du PC polonais. *-4-11 intervention armée à Budapest.* **1957** *le Docteur Jivago* de Boris Pasternak paraît en Italie. *-31-1* réhabilitation de 18 victimes des purges de 1936 dont Toukhatchevski. *-22/29-6* le comité central exclut les membres du « groupe antiparti » Molotov, Malenkov, Kaganovitch, etc., qui ont voulu destituer Khrouchtchev. *-4-10 1er spoutnik. -15-10* accord atomique secret avec Chine. *-27-10* M^al^ Joukov cesse d'être min. de la Défense ; sera exclu de la direction du parti. *-5-12* 1er brise-glace à propulsion nucléaire *Lénine.*

1958-64 Khrouchtchev (1894-1971) remplace Boulganine à la direction du gouv. [déstalinisation ; suppression des livraisons obligatoires à l'État ; parcs de MTS (stations de machines et tracteurs) vendus aux kolkhozes ; défrichement des terres vierges : création de 105 sovnarkhozes (de Sovietnarodnoie Khozaistvo) (mai 1957), conseils écon. régionaux, puis de 17 grandes régions ind. (60) ; plan de 7 ans (1959-65)]. *-31-3* U. suspend essais nucléaires. *-4-11* Khr. demande révision du statut de Berlin-O. qui devrait être transformé en « ville libre ». **1961**-*12-4 vol de Gagarine. -4-5* en G.-B., George Blake, agent double, condamné à 42 a. de prison (s'évadera 22-10-66 et passera en U.). *-3-6* rencontre Khr.-Kennedy à Vienne. *-17/31-10 XXIIe Congrès :* reprise des attaques contre Staline. Différend avec Chine rendu public. Rupture avec Albanie qui accuse U. de révisionnisme. **1962** *oct.-nov. affaire de Cuba* (retrait des fusées sov.). *Réconciliation avec Tito.* **1963**-*13-5* espion Oleg Penkovski, fusillé. *-16-5 Valentina Tereshkova,* 1re femme dans l'espace. *-5-8 pacte de Moscou* (avec G.-B., USA et la plupart des nations sauf Fr. et Chine) interdisant expériences nucléaires (sauf souterraines). Khrouchtchev remplacé par *Brejnev*

(1er secr.) et Kossyguine (PM) (1904-81) (opération préparée par A. Chelepine) [reproches : échec agricole, 1963 pour la 1re fois achat de blé étranger, politique intern. (échecs : Cuba, rapports avec Chine, décoration de héros de l'Union sov. donnée à Nasser en 1956)].

1964-80 Brejnev Réforme des entreprises ; stimulants écon. (bénéfices) prévus. **1965** suppression des sovnarkhozes créés en 1957-58, les ministères industriels sectoriels étant reconstitués. **1966** *mars XXIIIe Congrès* consacre changements décidés lors de la chute de Khrouchtchev. Brejnev, secrétaire gén. du comité central. *Sept.* comité central approuve réforme de Kossyguine qui accroît pouvoirs des gestionnaires. **1967** *juin* rencontre Johnson-Kossyguine à Glassboro (New Jersey, USA). **1968**-*20/21-8 intervention en Tchéc.* **1969** *mars* incidents avec Chinois sur l'Oussouri. L'U. envisage un bombardement nucléaire des installations nucléaires chin. **1970**-*12-8 tr. avec All. féd. de non-recours à la force. Déc.* procès à Leningrad de 9 juifs qui ont voulu détourner un avion de l'Aeroflot, 2 condamnés à mort ; peines commuées en 15 a. de détention. **1971** *déc.* soutien à Inde et Bangladesh contre Pakistan. **1972**-*23/30-5* Nixon à Moscou. Accords U./USA : partiel sur limitation des armements stratégiques (acc. Salt) ; pour éviter incidents entre navires de g. en haute mer ; sur expérience spatiale commune en 1975 ; de coop. médicale, scient., technol. ; tr. maritime ouvrant 40 ports d'U. et des USA aux cargos de chacun des pays ; contrat de livraison à l'U. de 750 millions de £ de céréales et règlement des dettes de g. sov. aux USA (commerce entre les 2 pays passera de 200 millions à 2 milliards de $ par an) ; *prévisions :* achat de 20 millions de m³ par an de gaz naturel sov. pour 25 ans, à partir de 1980. *-17-7* Égypte expulse conseillers soviétiques. **1973** fusée Cosmos explose (9 †). **1974**-*23-2* Soljenitsyne expulsé [1er Sov. expulsé depuis Trotski (1929)]. *-9-6* reprise (après 56 a.) relations dipl. avec Portugal. *-27-6/3-7* Nixon à Moscou. *-23-11* à Vladivostok, accord de principe Brejnev-Ford sur armements. **1975**-*15-1* dénonciation du tr. de com. signé en 72 avec USA. *Août* la revue *Kommunist* condamne les PC qui ne s'opposent pas au maoïsme. *-9-11* mutins détournent destroyer *Storojevoï* (3 575 t, équipage 240 h.) vers Suède ; attaqué par aviation sov., doit stopper : on parle alors de 50 tués par l'aviation (dont 35 sur un destroyer du même type bombardé par erreur) (pas de † sur le *Storojevoï* d'après les *Izvestia* en 1990, un officier mutin sera fusillé). *-17-12 :* 4 artistes dissidents autorisés à quitter l'U. *Déc.* controverses entre *Pravda* et *Humanité* à propos des camps de travail en U. **1976** *janv.* Brejnev « cliniquement mort » après attaque ; pénurie de pain (récolte céréales 1975 : 140 millions de t sur 215 prévus). *-20/23-1* visite de Kissinger : accord de principe sur Salt (voir Index). *-24-2/25-3 XXVe Congrès* (débat entre U. et eurocommunistes). *Nov.* Trofim Lyssenko, biologiste, meurt à 79 ans. **1977**-*8-1* Moscou, attentat dans métro, 7 †. *-16-6* Podgorny destitué ; Brejnev le remplace.

1977-82 Brejnev (1906-82). Intervention en Angola et Éthiopie. **1977**-*7-10* nouvelle Const. *-13-11* Somalie expulse les R. **1978**-*30-12* Sverdlosk, incendie centrale nucléaire. **1979**-*31-1 :* 3 dissidents arméniens accusés d'attentat dans le métro sont fusillés. *-27-5* les Juifs sont autorisés à émigrer. *Juin* rencontre Brejnev-Carter à Vienne. *Déc.* intervention mil. en Afghanistan. **1980**-*4-1* embargo américain sur livraisons de céréales. *Mars* fusée Vostok explose au cours du remplissage des réservoirs (50 †). *-19-7* Jeux Olympiques. *-10-11* l'historien Andreï Amalrik (n. 1938) † en Espagne (accident voiture). **1981**-*24-4* embargo américain sur céréales levé. *-23/25-10* émeutes à Ordjonikidze. *Nov.* au Caucase. *-1-12* arrêt de travail d'1/2 h à Tallin (Estonie) à l'appel du Front nat. et démocratique de l'Union soviét. (demande rappel des troupes d'Afghanistan, non-ingérence en Pologne, fin des exportations alim. en particulier vers Cuba, libération des détenus pol., diminution de la durée du service milit.). **1982**-*26-1* Mikhail Souslov (n. 1903) meurt. *-15-6* Gromyko annonce que l'URSS s'engage à ne pas utiliser en premier l'arme nucléaire. *-10-11 Brejnev meurt.*

1983-84 Andropov (1914-84). **1983**-*5-4 :* 47 diplomates sov. expulsés de France. *-5-6* naufrage sur Volga, 170 †. *-1-9* la chasse sov. abat un Boeing sud-coréen survolant par erreur l'U. (269 †). *-2/11-11* manœuvres secrètes de l'Otan (Able Archer) ; l'U. croit à une guerre. **1984**-*9-1 Andropov meurt.*

1984-85 Tchernenko (1911-85) élu secr. gén. du comité central du PC. **1984**-*11-4* élu Pt du Praesidium du Soviet suprême. *-8-5* U. boycottera JO de Los Angeles. *Mai* Juan Carlos Ier en U. (1er voyage off. d'un chef d'État esp. en U.). *13-5* explosion base de Severomorsk (mer de Barents), env. 200 † et 200 bl. ; 1 000 missiles détruits. Incendie : 5 j. *-20/23-6* Pt Mitterrand en U. *Juill.* Molotov, min. des Aff. étr. de Staline en disgrâce dep. 1957, réadmis dans le PC à 94 ans. *Mi-déc.* explosion dans usine travaillant pour la défense en Sibérie, centaines de †. *-19-12* Mal Oustinov, min. de la Défense, meurt. *-22-12* Mal Sokolov le remplace. **1985**-*10-3 Tchernenko meurt.*

1985 Gorbatchev. *-17-5* mesures contre l'alcoolisme (vente après 14 h, âge min. 21 ans, amendes). *-2-7* Gromyko élu Pt du Praesidium du Soviet suprême ; remplacé aux Aff. étr. par Edouard Chevarnadze qui entre au Politburo dont Grigori Romanov est évincé. *-2/5-10* Gorbatchev à Paris. *-19/21-11* rencontre Gorbatchev-Reagan à Genève. **1986** radar de Krasnoïarsk terminé. *-4-2* 43 dissidents libérés. *-25-2 XXVIIe congrès* du PC. *-28-3/-1-4* Mme Thatcher en U. *-15-4* condamnation du raid amér. en Libye. *-26-4* accident nucléaire à *Tchernobyl :* coût de 170 à 215 milliards de roubles (1 600 à 2 000 milliards de F jusqu'à l'an 2000). (Voir Index). *-25/-27-5* Gorbatchev en Roumanie. *-27-5* U. expulse 119 ressort. amér. *-18-8* Sov. et Israéliens se rencontrent à Helsinki (1re consultation off. dep. 1967). *-31-8* paquebot *Amiral Nakhimov* coulé mer Noire par cargo (426 †). *-20-9* échec détournement d'avion 6 †. *-22-9* l'or de l'*Edimbourg,* bât. anglais coulé pendant la 2e g., est remonté et partagé entre G.-B. et U. *-30-9* Nick Danilov, journaliste inculpé d'espionnage, rentre aux USA, en échange de Guennadi Zakharov, fonctionnaire sov. à l'ONU, arrêté pour espionnage en août 86 à New York. *-10/13-10* rencontre Gorbatchev-Reagan à Reykjavik. *-19-10* U. expulse 55 dipl. amér. *-19/21-10* USA expulsent 80 dipl. sov. *-19-11* loi sur le travail individuel. *-8-12* Anatoli Martchenko (n. 23-1-38), ouvrier devenu écrivain, un des fondateurs du Comité pour la surveillance de l'application des accords d'Helsinki, meurt en prison. **1986** *déc.* à **1987** *févr.* env. 200 dissidents libérés. **1987** manif. à Moscou pour Iosseip Begun (mathématicien juif arrêté nov. 82, condamné oct. 1983 à 7 ans de réclusion + 5 de relégation pour « propagande et agitation anti-sov. »). *-23-1* Begun libéré. *-24-4* Anatoly Koryaguine, médecin condamné à 7 ans de camp en 1981 pour avoir dénoncé l'utilisation des hôpitaux psychiatriques à des fins politiques, autorisé à émigrer. *-28/3-1/4* Mme Thatcher en U. *-6-5* Moscou, manif. de *Pamiat. -28-5* Moscou, *Mathias Rust* (Ouest-All., 19 ans) atterrit place Rouge avec Cessna 172 ; (condamné, 4-9-87, à 4 ans de prison, relâché 3-8-88). *-30-5* Gal A. Koldounov, Cdt en chef des forces de défense aérienne et Gal Sergueï Sokolov, min. de la Défense, remplacés. *-18-6* amnistie partielle. *-6-7* Tatars manif. place Rouge. *-18-8* Démétrios Ier, 1er patriarche de Constantinople à venir à Moscou dep. 4 siècles. *-23-8* pays Baltes, milliers manif. contre l'anniversaire de leur rattachement à l'U. *-9-9 :* 6 dissidents juifs dont I. Begun, autorisés à émigrer. *Oct.* Zalman Apterman, refuznik de 99 ans, obtient visa de sortie. *-3-10* Ida Nudel, « mère des refuzniks », autorisée à émigrer. *-11-11* Boris Eltsine démis pour « excès de réformisme » de la direction du PC de Moscou ; remplacé par Lev Zaïkov. *-8/10-12* Gorbatchev à Washington. Tr. de démantèlement des forces nucléaires intermédiaires. **1988**-*1-1* loi sur l'autonomie des entreprises. Hôpitaux psychiatriques rattachés au ministère de la Santé. 1ers chèques en U. *-13-1* accord U./Suède sur partage des zones écon. en mer Baltique (Suède obtient 75 % de la zone en litige). *-28-1* ville et arrondissement de Moscou, appelés du nom de Brejnev, retrouvent leurs anciens noms. *-19/22-1* emprunt internat. de 100 millions de F suisses auprès de banques eur. et jap. *-9-2* réhabilitation de 20 condamnés du 3e procès de Moscou de 1938 dont Boukharine et Rykov (10 avaient déjà été réhabilités). *-14-2 bibl. de Leningrad :* 396 000 livres brûlés, 3 600 000 endommagés par l'eau. *-8-3* détournement d'avion Aeroflot échoue (13 †). *-14/18-3* Gorbatchev en Youg. *-14-4* accords à Genève sur Afghanistan. *-27-4* suicide de Valeri Legassov (académicien). *-11-5* Kim Philby (n. 1912), espion anglais, réfugié à Moscou en 1963, meurt. *-15-5 début du retrait d'Afghanistan. -26-5* loi sur coopératives. *-29-5/2-6* Reagan à Moscou. *-6-6* concile orthodoxe à Zagorsk (1er dep. 1917). *-6/11-6* millénaire de l'évangélisation de la Russie. *-9-6* Gorbatchev reçoit Mgr Casaroli. Iouri Koroliev, chef de section au secrétariat du Praesidium suprême, reconnaît le trucage des élections en U. *-28-6/2-7* 19e conférence nat. du PC (n'avait pas été convoquée dep. 1941). 5 000 délégués (1 pour 3 780 adhérents) « au scrutin secret » (4 991 présents). Création d'un poste de chef de l'État élu au scrutin secret par un nouveau Congrès des députés du peuple. Projet de « Mémorial » dédié aux victimes de Staline. *-27-7* destruction du 1er SS-20 en présence d'Américains. *-29-7* Gorbatchev propose des baux à long terme pour paysans (25, 30, 50 ans). *Sept.* allégement des restrictions sur l'alcool. *-12/16-9* tournée houleuse de Gorbatchev en Sibérie. *-9-9/-1-10 Gorbatchev élu chef de l'État* par Soviet suprême ; *-24/27-10* visite du chancelier Kohl. *Nov.* construction de 6 centrales nucléaires arrêtée. *-29-11* fin du brouillage des émissions en russe des radios occ. *-1-12* Soviet suprême adopte définitivement amendements à la Const. *-2-12* autorisation d'acheter les appartements d'État. Détournement d'un avion vers Israël ; extradition des 5 auteurs. *-3-12* violoniste Yehudi Menuhin retourne en U., après 10 ans d'interdiction. *-6-12* rencontre Gorbatchev, Reagan and Bush à New York. *-16-12* nouveau Code pénal. *-29-12* suppression des noms de Brejnev et Tchernenko dans dénominations off. *Déc.* dévaluation de 50 % du rouble officiel au 1-1-90 et suppression du contrôle sov. dans les Stés mixtes (joint-ventures).

1989-*7-1* Pravda annonce la réhabilitation collective des victimes du stalinisme. *-22-1* Moscou, 1er concours de beauté : miss Charm 89. *-15-2 fin du retrait d'Afghanistan. -16-2* Lituaniens se prononcent pour autodétermination. *-17-2* 1er ambassadeur auprès de CEE. *-28-2* manif. à Erevan (1er anniversaire de Soumgaït). *Du 22-11-88 au 7-2-89 :* 141 000 Azéris ont fui l'Arménie et 158 800 Arméniens l'Azerbaïdjan. 43 800 Arméniens et 4 100 Azéris sont rentrés chez eux. *Fév.* report de la réforme des prix. *-3-3* la ville d'Andropov reprend son nom de Rybinsk. *-8-3* l'U. reconnaît la compétence de la Cour intern. de La Haye pour la protection des droits de l'homme. *-18, 22* et *25-3,* manif. pour Eltsine. *-26-3* 1er tour des élect. au Congrès des députés du peuple (2e t. 9-4, 3e t. 14-5). *Mars* U. émet à Francfort 750 millions de marks d'obligations. *-5-4* Gorbatchev à Londres. *-7-4* naufrage d'un sous-marin nucléaire en mer de Norvège (court-circuit), 27 rescapés, 42 †. *-25-4 :* 110 cadres du plénum du Comité central démissionnent. *Avr.* rapport Khrouchtchev publié. *-1-5* sucre rationné : 2 kg par mois et par pers. ; confitures : 3 kg l'été. Sucre utilisé clandestinement pour faire de l'alcool (dep. restriction de la vodka en 1985). *-5-5* Mgr Lustiger à Moscou abrège son voyage. *-16-5* Pékin, rencontre Gorbatchev/Deng Xiaoping. *-20-5 :* 200 000 manif. à Erevan, demandent libération des dirigeants arm. *-21-5* 14 Brit. expulsés (dont 8 dipl. et 3 journalistes). 100 000 pers. à Moscou à meeting pour la dém. *-25-5 Congrès élit Gorbatchev chef de l'État* (2 123 v. pour, 87 contre). *-27-5* Congrès élit Soviet suprême (libéraux écartés, Eltsine élu). Charnier découvert à Minsk. *Juin* Gorbatchev en All. féd. 1ers plans exacts de Moscou disponibles. *-4-7* Gorbatchev à Paris. *-4-7* après avoir volé une heure sans pilote, un Mig-23 s'écrase en Belgique (1 †). *-11-7* grève de 12 000 mineurs de l'Oural. *-17-7* messe de requiem pour le tsar Nicolas II célébrée à Moscou (la 1re dep. 1918). *-18-7* pour obtenir l'arrêt des grèves, Gorbatchev annonce 100 milliards de F d'importations de biens de consommation. *-31-7* la propagande antisoviétique ne sera plus un crime contre l'État. *Août* Soljenitsyne à la TV sov. Egor Ligatchev blanchi des accusations de corruption. *-3-8* Nikolai Vorontsov (biologiste, 55 ans) min. pour la Protection de la nature, 1er membre du gouv. n'appartenant pas au PC. *Sept.* U. accepte de démanteler le radar de Krasnoïarsk. *-22/23-9* U. renonce à lier l'accord Start à l'abandon par USA du projet de « g. des étoiles ». *-6/7-10* Gorbatchev en RDA. *-9-10* loi réglementant le droit de grève (jusqu'alors interdit dans secteurs clés). *Oct.* canonisation du 1er patriarche Job et de Tikhon, 1er patriarche après le rétablissement du patriarcat en 1918. 1re messe au Kremlin dep. 1918 (400e anniv. du patriarcat). *-23-10* U. propose de supprimer pour l'an 2000 toutes bases militaires à l'étranger. *-24-10* Soviet suprême propose l'élection des Pts des Républiques au suffrage universel. *-30-10* manif. devant KGB. *-1-12* Rome, Gorbatchev rencontre Jean-Paul II. *-2-12* Gorbatchev-Bush à Malte. *-6-12* Kiev, rencontre Gorbatchev-Mitterrand. *-24-12* Soviet Suprême déclare « nuls et non avenus » les protocoles secrets du pacte Hitler-Staline.

1990-*31-1* 1er McDonald à Moscou place Pouchkine. 1re manif. homosexuelle (5 à 10 % de la pop.). *-4-2* Moscou 100 000 manif. pour la démocratie. *-27-2* Pt Havel à Moscou. *-28-2* loi sur la terre autorisant les baux à vie. *-4-3* législatives dans les républiques. 1 026 députés. *-14-3 Gorbatchev élu Pt de l'URSS. -3-4* loi sur les modalités de sécession des républiques, principe constitutionnel affirmé par l'art. 72 qui, jusque-là, n'était organisé par aucun texte. *-13-4* agence Tass reconnaît que *Katyn* a été un « grave crime de l'époque stalinienne ». *-23-4 accord sur le tr. de l'Union entre les 9 + 1* (9 républiques et 1 fédération) ; 6 rép. voulant leur autonomie ou leur indép. refusent d'y participer (6 baltes, Arménie, Estonie, Géorgie, Lettonie, Lituanie, Moldavie). *-1-5* défilé organisé pour la 1re fois par syndicats (et non PC) : Gorbatchev, hué par 10 000 à 30 000 opposants, quitte la tribune. *-5-5* U. participe à la réunion ministérielle de l'Otan sur unification allemande (Conférence 2 + 4). *-15-5 Gorbatchev élu Pt de l'Union. -16-5* U. obtient statut d'observateur au Gatt. *-25-5* Pt Mitterrand en U. *Juin* film *l'Aveu* présenté à Moscou. *-29-5* Eltsine élu Pt du Parlement. *-8-6* Congrès des dép. proclame primauté des lois et const. russes sur celles de l'U. par 544 v. contre 271. *-9-6* élec. des 252 dép. au Soviet suprême de R. *-12-6* déclaration de souveraineté (907 v. pour, 13 contre, 9 abst.). *-13-6* Soviet suprême approuve principe de l'*« économie de marché contrôlée »* (dénationalisation de la propriété d'État, réforme agricole, financière et bancaire). *-15-6 Ivan Silaiev* (60 a.) PM. *-22-6* 1er Congrès du PC russe, Ivan Polozkov élu 1er secr. *-15-7* restitution de la citoyenneté aux personnes déchues de 1966 à 88. *-19-7* bombe dans un train (4 †). *-20-7 plan « Eltsine »* de privatisations et de libération des prix. *-30-7* relations diplom. avec Albanie (rompues dep. 1961). *-1-8* censure pol. supprimée. *-9-8* création d'un fonds des privatisations. *-9-9* Moscou, père Alexandre Menn assassiné. *-16-9* 50 000 manif. pour démission du PM Nikolaï Ryjkov. *-30-9* relations consulaires avec Israël officielles. *-1-10* loi sur liberté de conscience. *-12-10* Constitution adoptée. *-31-10* Parlement vote le contrôle de toutes les ressources. *-7-11* Alexandre Chmonov tire 2 coups de feu sur Gorbatchev. *-18-11* Gorbatchev au Vatican. *-24-11 Traité de l'Union* définit les structures d'une « U. des Rép. Souveraines (URS) » et permet à chaque Rép. d'agir en tant qu'État souverain sur son propre territoire, l'État féd. étant chargé de la coord. des politiques étr., écon. et de défense. *-29-11* U. vote résolution 678 de l'Onu autorisant le recours à la force en Irak. *-2-12* Boris Pougo ministre de l'Intérieur. Revirement conservateur. *-11-12* Congrès demande au Pt de l'U. de ne plus impliquer l'armée dans conflits ethniques. *-20-12* Chevardnadze, min. des Aff. étr. dep. 1985, démissionne pour protester contre « l'avancée de la dictature ». *-24-12* loi obligeant les 15 Rép. à organiser un référendum sur leur appartenance à une « Union sov. rénovée », suivi d'un autre référendum sur la propriété de la terre (602 v. pour, 369 contre, 40 abst.). *-27-12* révision constit. : cabinet min. resp., vice-Pt, conseil de sécurité, cour suprême d'arbitrage et conseil de la féd. *-29-12* décret applicable au 1-1-1991 créant TVA à 5 % sauf sur alimentation.

1991-*14-1 Valentin Pavlov,* PM. *-20-1* Moscou 500 000 manif. à l'appel d'organisations réformatrices. *-26-2* Moscou, 100 000 manif. pour Eltsine. *Mars-avril* grève des mineurs. *-17-3* référendum sur « maintien de l'Union des rép. soc. sov. en tant que fédération renouvelée de rép. souveraines et égales en droits ». Sur 15 rép., 6 (Arménie, Estonie, Géorgie, Lettonie, Lituanie, Moldavie) refusent de voter, 4 (Biélorussie, Kirghizie, Turkménistan, Tadjikistan) posent la question exacte, 5 posent une question différente (ex. au Kazakhstan État et non rép.) ou ajoutent une question (ex. Russie : pour ou contre l'élection du Pt de Russie au suffr. universel direct ; 75,09 % des électeurs donnent leur avis : oui 69,86 %). 1 059 circonscriptions. Participation 80 % : 148 574 606 votants : oui 76,4 %, non 21,7, nuls 1,9. *Résultats officiels* (participation en % et, en italique % de oui) : RSFSR 75,4 ; *71,3.* Ukraine 83,5 ; *70,2.* Biélorussie 83,3 ; *82,7.* Ouzbékistan 95,4 ; *93,7.* Kazakhstan 88,2 ; *94,1.* Azerbaïdjan 75,1 ; *93,3.* Kirghizie 92,9 ; *94,6.* Tadjikistan 94,4 ; *96,2.* Turkménistan 97,7 ; *97,9.* Bachkirie 81,7 ; *85,9.* Bounatie 80,2 ; *83,5.* Daghestan 80,5 ; *82,6.* Kabardino-Balkane 76,1 ; *77,9.* Kalmykie 82,8 ; *87,8.* Carélie 75,8 ; *76.* Komi 68,2 ; *76.* Mari 79,6 ; *79,6.* Mordovie 84,3 ; *80,3.* Ossétie du N. 85,9 ; *90,2.* Tatarie 77,1 ; *87,5.* Touva 80,6 ; *91,4.* Oudmourtie 74,3 ; *76.* Tchétchènes-Ingouches 58,8 ; *75,9.* Tchouvachie 83,1 ; *82,4.* Iakoutie 78,7 ; *76,7.* Karakalpakie 98,9 ; *97,6.* Abkhazie 52,3 ; *98,6.* Nakhitchévan 20,6 ; *87,3. -1-4* hausses de prix. *-9-4* début du retrait des troupes sov. de Pologne. *-15-4* Eltsine à Strasbourg et Paris. *-16-4* Gorbatchev au Japon. *-6-5* fin grève mineurs (9 semaines), accord avec gouv. central transférant mines à la R. *-9-5* Chine et U. déclarent qu'ils ne sont plus une menace l'un pour l'autre. *-12/19-5* 1re visite d'un secr. général du PC chinois (Jiang Zemin) dep. 1957. Accord sur tracé frontière orientale. *-12-5 destruction du dernier SS-20. -20-5* Moscou, 15 000 manif. pour Eltsine. *-22-5* U. demande à l'Occident 100 milliards de $ pour sauver la perestroïka. *-22-5* loi instaurant régime présidentiel (690 v. pour, 121 contre, 87 abst.). *-5-6* Gorbatchev à Oslo pour recevoir Prix Nobel de la Paix 90. *-12-6* présidentielles : participation 75 %. *-1-7* agences de chômage ouvertes et lois sur privatisation des entreprises. *-4-7* Chevardnadze (ancien min. des Aff. étr.) démissionne. *-25/26-7* plénum du Comité central du PCUS. Gorbatchev y propose l'abandon du principe de la lutte des classes. *-25-7* † de Lazare Kaganovitch (98 a.) *-4-8* vacances de Gorbatchev (mer Noire). *-16-8* Alexandre Iakovlev, 1er conseiller de Gorbatchev, démissionne du PC. Il dénonce la menace d'un coup d'État.

Coup d'État des conservateurs

1991-*19-8* Constitution d'un Comité d'État pour l'état d'urgence (CEEU) : Guennadi Ianaev (n. 26-8-1937) vice-Pt, Valentin Pavlov (n. 1937) PM, Vladimir Krioutchkov (n. 1924) Pt KGB, Oleg Baklanov (n. 1932) 1er vice-Pt du Conseil de Déf., Boris Pougo (n. 1937) min. de l'Intérieur, Mal Dimitri Iazov (n. 1923) min. de la Déf., Vassili Starodoubtsev (n. 1931) Pt de l'Union des paysans, Alexandre Tiziakov Pt de l'Association des entreprises d'État. Le comité déclare Gorbatchev incapable pour « raisons de santé » d'exercer ses fonctions de Pt, et le place en résidence surveillée, Guenaiev prend ses fonctions. État d'urgence pour 6 mois, restauration de la censure et message du CEEU au peuple soviétique (le pays est menacé d'un danger militaire). Concentration de chars à Moscou. Eltsine déclare illégales les actions du CEEU. 100 000 manif. à Leningrad, 60 000 à Kichinev (Moldavie). *-20-8* 60 000 manif. devant le Parlement à Moscou. La direction russe exige le retrait des troupes de Moscou, la dissolution du CEEU et de pouvoir rencontrer Gorbatchev qui devra être examiné par des médecins. *-21-8* affrontements autour du Parlement (3 † faits « héros de l'Union soviétique »). Devant le Parlement réuni en session extraordinaire, Eltsine annonce qu'il prend le commandement des forces armées. Le ministre sov. de la Défense ordonne le retrait de l'armée. Réunion du Praesidium qui juge illégaux la destitution de Gorbatchev et le transfert de ses pouvoirs au vice-Pt. *Nuit du 21 au 22-8* Gorbatchev rentre à Moscou. Il annonce à la TV qu'il reprend ses fonctions « dans les 24 h ». *-22-8* putschistes arrêtés, sauf Pougo et le Gal Akhromaiev qui se suicident. Moscou, la foule déboulonne la statue de Djerzinski (fondateur de la Tcheka). *-23-8* sont nommés : Vadim Bakatine, chef du KGB ; Victor Barannikov, min. de l'Intérieur ; Gal Evgueni Chapochnikov, min. de la Défense ; Gal Lobov, chef d'état-major. Eltsine révèle : « Les putschistes devaient exécuter 12 personnalités libérales ».

-20/24-8 Eltsine reconnaît indépendance Estonie et Lettonie. Le Parlement ukrainien proclame indépendance Ukraine. Gorbatchev demande au Comité central du PC de se dissoudre, il interdit par décret l'activité du PC dans l'armée, au sein du KGB et au ministère de l'Intérieur ; il démissionne de son poste de secr. gén. du PC de l'Union soviétique. Il interdit par décret la « Pravda ». L'ancien drapeau blanc, bleu, rouge devient drapeau officiel de Russie. *-26-8* Moldavie proclame son indépendance. Nombreuses statues de Lénine déboulonnées. *-25/26-8* Biélorussie proclame son indépendance. *-27-8* Parlement proclame indép. Moldavie. Gorbatchev menace de démissionner si les républiques remettent en cause le tr. de l'Union et défend Eltsine. *-29-8* le Soviet suprême suspend l'activité du PCUS sur l'ensemble du territoire et décide de se dissoudre. *-30-8* l'Azerbaïdjan proclame son indépendance. *-31-8* indépendance du Kirghizistan et de l'Ouzbékistan. *-2-9* les députés arméniens du Ht-Karabakh et du district de Chaounian proclament l'indépendance de leur région. Inculpation officielle des putschistes. *-2/5-9* session extraordinaire du Congrès des députés suspend la Constitution (révisée 12 et 13-3 et 27-12-1990), adopte par 1 682 voix contre 43 et 63 abstentions sur 2 250 dép. un système provisoire ; Déclaration des droits et des libertés de l'homme adoptée par 1 724 voix contre 4, 13 bulletins blancs et 37 abst. *-4-9* déclaration de souveraineté du Soviet de la rép. de Crimée. Nouveau Conseil d'État reconnaît l'indépendance des rép. baltes. *-6-9* le représentant géorgien annonce au Conseil d'État que la Géorgie coupe tout lien avec le Centre qui n'a pas reconnu son indépendance. *-8-9* combats en Arménie entre Arméniens et Azéris (6 †, 25 blessés). *-9-9* Tadjikistan indépendant. *-21-9* Arménie indépendante. *-27-9* Congrès extraordinaire des Komsomols, qui se sabordent. *-1-10* Alma-Ata, 12 rép. sur 13 approuvent projet de tr. économique. *-3-10* Nicolas Riabov, ex-membre du PC, remplace le Pt du conseil de la Rép. russe Vladimir Issakov, démis par les députés.

> **Institutions transitoires.** Mises en place le 5-9-1991 par le Congrès des députés. **Pouvoir exécutif.** *Conseil d'État :* composé d'un Pt élu pour 5 ans par les citoyens de l'Union (mandat renouvelable 1 fois) + Pts des différentes républiques acceptant l'Union dans un nouvel ensemble. **Pouvoir représentatif.** 2 chambres : *Soviet des républiques :* 20 députés par rép. + 1 par entité nationale autonome (la Fédér. de Russie a ainsi 52 députés) ; principe de vote : 1 rép., 1 voix. *Soviet de l'Union* (Chambre des Nationalités) : constitué par des députés choisis dans l'ancien Congrès selon les quotas de nationalité précédemment en vigueur, mais avec l'approbation des organes suprêmes des rép. fédérées. **Pouvoir économique.** *Comité économique interrépublicain :* composition paritaire ; Pt nommé par le Cons. d'État. Les grands ministères (Défense, Aff. étr., KGB) subsistent sous l'autorité directe du Cons. d'État dont le Pt de l'URSS n'est que le représentant.

-11-10 KGB dissous. *-18-10* Moscou, 8 rép. signent ce tr. *-23-10* 1re session du nouveau Parlement, en présence des députés de 7 rép. seulement (Biélorussie, Kazakhstan, Kirghizistan, Ouzbékistan, Russie, Tadjikistan, Turkménistan). *-27-10* Turkménie indépendante. Des 15 anciennes rép. soviét., seuls Russie et Kazakhstan n'ont pas déclaré leur indépendance. *-6-11* dissolution du PCUS en Russie. *Eltsine se nomme chef du gouv. russe* (garde direction min. de la Défense, de l'Intérieur et du KGB de la Féd. de R.) *-7-11* pour la 1re fois, pas de défilé militaire sur la place Rouge. Manif. de communistes devant la statue de Lénine. *-14-11* Gorbatchev présente un projet d'*union des États souverains* (UES). *-25-11* les dirigeants des 7 rép. se réunissent à Novo-Ogarevo, près de Moscou, dans la datcha de Gorbatchev. Signature du projet de l'UES repoussée. *-28-11* loi restituant la citoyenneté russe aux soviét. russes déchus contre leur gré (dont 175 écrivains et artistes, et 400 000 juifs émigrés en Israël). *-8-12 Communiqué commun Russie-Biélorussie-Ukraine à Minsk, constatant que l'Union des rép. soviétiques cesse d'exister en tant que sujet du droit international et en tant que réalité politique.* Décide de créer une « Communauté d'États indépendants » (CEI) à laquelle pourront librement adhérer d'autres rép., de coordonner leur politique économique et bancaire, et de conserver un commandement unifié de l'espace commun militaro-stratégique et un contrôle unifié de leurs armes nucléaires. *-17-12* rencontre Eltsine-Gorbatchev et accord sur la fin de l'existence de l'U. à la fin de l'année. *-21-12* Alma-Ata, conférence réunissant 11 des 12 présidents des ex.-rép. soviétiques (pays Baltes exceptés), en l'absence de la Géorgie. Consacre la fin de l'URSS et envoie à Gorbatchev un message annonçant « la suppression de l'institution de la présidence de l'U. ». *-25-12* Gorbatchev annonce sa démission à la TV : « Le pire dans cette crise est l'effondrement de l'État ». A minuit, le drapeau de l'U. soviétique est amené et remplacé par le drapeau russe sur le Kremlin.

Politique extérieure depuis 1917

Responsables de la diplomatie. 1917-18 Trotski. **1918** *mars*-**30** Georges Vassilevitch Tchitcherine (1872-1936). **1930-39** Litvinov (Wallach Finkelstein) (1876-1951). **1939-45** Molotov (Viatcheslav Skriabine, 1890-1986). **1957-85** Gromyko (n. 6-7-1909). **1985-90** Chevarnadze (n. 1928).

Guerre contre les puissances capitalistes. 1917 *nov.* Lénine proclame le décret sur la paix, l'idéal révol. étant incompatible avec l'état de g. Mais les All. refusent de mettre fin aux hostilités sans conditions : lançant une offensive contre Petrograd, ils obligent les bolcheviks à signer un tr. classique de vaincus (Brest-Litovsk, 3-3-1918). Trotski forge l'Armée rouge qui, après l'effondrement austro-all. de nov. 1918, mènera la g. contre les Alliés, antibolchevistes et protecteurs des tsaristes, ou Russes blancs. **1918-20** l'Angl. mène de nombreuses opérations en mer Noire contre les bolcheviks et occupe l'Azerbaïdjan (afin de contrôler les champs pétrolifères du Caucase). **1919** la Russie s'oppose à la remise de Constantinople aux Grecs. Les bolcheviks reconquièrent les parties russes de l'Empire tsariste, mais font des concessions (Finlande, pays Baltes, Pologne orientale, Roumanie). **1919-22** g. r.-turque, la R. fait des concessions en Arménie. La question de Constantinople est moins importante pour elle [progrès de la navigation dans les autres mers (Baltique, océan glacial Arctique, Pacifique) ; régime plus libéral des Détroits].

Concessions aux capitalistes. Tchitcherine rétablit des relations commerciales avec nations capitalistes. Motifs : *a)* les investissements étrangers sont indispensables. En 1931, les USA exportent 60 % de leurs machines vers l'URSS, et en 1932 la G.-B. 80 %. Sans les transferts occidentaux de techniques, d'usines clés en main et de spécialistes, les grands travaux staliniens n'auraient pu être réalisés ; les aciéries de Magnitogorsk (1er complexe mondial du genre) ont été fournies par MacKee Corporation, le barrage hydroélectr. du Dniepr avait comme maître d'œuvre Hugh Cooper, les raffineries du 2e Bakou furent construites par l'Universal Oil Products, la Badger Corporation et la Lummus Company, les Amér. construisirent le barrage de Dnieprostroï ; *b) l'Armée rouge* a besoin de la technologie militaire all. (après l'accord de Rapallo le 16-4-1922 avec l'All., les All. utilisent des terrains de manœuvre en URSS).

Expansionnisme révolutionnaire. Le *Komintern* soutient les révolutionnaires de tous les pays, notamment en Chine, Indochine, Mexique, aussi les relations pol. avec les États occid. restent-elles tendues malgré les bonnes relations commerciales et financières.

Rapprochement apparent avec les démocraties (1934-36). Staline prend apparemment parti contre Hitler (mais la coopération mil. avec l'All. n'est pas interrompue). **1934** l'URSS entre à la SDN. **1935** accord limité avec Fr. (Pierre Laval), *mai* accord avec Tchéc. (aide mil. sov. reste subordonnée à l'accord de Roum. et Pol.). **1936** accord secret avec Fr. pour faire passer des armes à l'Esp. rép. **1939** la victoire de Franco en Espagne persuade Staline que les démocraties sont incapables de résister au fascisme.

Préparation de la 2e g. mondiale (1936-41). Hitler veut conquérir la R. **1936** Staline, manœuvré par les services secrets nazis, anéantit les cadres de l'Armée rouge (affaire Toukhatchevski, voir p. 1130 b). *-25-11* Hitler signe avec Japon puis avec l'Italie (*6-11-1937*) le *pacte anti-Komintern.* Staline l'interprète comme une manœuvre de propagande pour mobiliser, en faveur de l'All., l'idéologie antibolchevique (en fait, le Jap. n'a pas soutenu Hitler contre l'URSS en *juin 1941,* et Mussolini a fait très peu ; seule la Hongrie, ayant adhéré en *avril 1939,* a pris le pacte au sérieux). **1939** Molotov (révolutionnaire réaliste) remplace Litvinov (tendances occidentales) : Staline croit qu'une guerre entre puissances « capitalistes » renforcera sa puissance. *-23-8 pacte germano-sov.* [Staline veut récupérer les territoires perdus en 1920-23 (objectif atteint entre sept. 1939 et oct. 40) et refaire son armée désorganisée par les purges de 1936]. **1941**-*22-6* agression all., l'URSS ne cherche qu'à résister, avec l'aide des Alliés.

Expansionnisme soviétique après 1944. Staline estime possibles de vastes annexions en Europe et en Extrême-Orient, et organise une Europe centrale communiste soumise à son influence. L'aide aux mouvements révolut. dans le tiers monde (Viêt-nam, Cuba, Afrique) devient très active, sauf dans la zone atlantique où les accords de Yalta ont reconnu la suprématie amér. (abandon de la révol. portugaise, *1974*). Coût de l'établissement en Éthiopie d'un régime marxiste-léniniste 3 milliards de $; fournitures d'armes aux pays africains, 7 milliards de $; entretien de Cuba 6 millions de $/j (en 1979). Intervention en Afghanistan (voir p. 885).

Guerre froide (1946-63)

Origine. **1946**-*5-3*-à Fulton (Missouri) Churchill parle de « rideau de fer » (fermeture des frontières entre États satellites et Europe occid.). **1947**-*12-3* Truman proclame sa « doctrine » (à propos des visées sov. sur Grèce et Turquie) promettant une aide écon. et mil. à tout pays menacé par l'U. *Avr.* conférence sur l'All. à Moscou, échec : les zones d'occupation occid. et sov. restent séparées ; aucune paix définitive en vue. *Mai,* communistes exclus des gouv. fr. et it.

1947-*5-6* le Gal américain *Marshall* met au point son plan de sauvetage des pays européens ; la Chine de Tchang Kaï-chek semble perdue ; les Am. veulent conserver l'aide prévue par la doctrine Truman aux États eur., y compris l'Allemagne ; ils espèrent attirer les pays de l'E., par l'espoir d'une aide économique. *-2-7* les pays de l'E. refusent. *-5-10* l'URSS crée le *Kominform,* remplaçant le Komintern (créé 1919, dissous 1943) et chargé de coordonner, en politique extérieure, l'action des États et des partis communistes.

1948 *févr.* la Tchéc. tente de quitter le camp du « rideau de fer », mais un coup d'État policier pro-comm. *(« coup de Prague »)* la remet dans le camp sov. Les Occidentaux décident, en compensation, de relever l'All. de l'O. Riposte sov. : *blocus de Berlin* (juin 1948/mai 1949). Les Occid. ravitaillent B. par avion. *Juin* la Youg. quitte le bloc sov., sans rejoindre le bloc occidental (titisme = non-engagement).

1949 *avr.* création de l'Otan. *Mai/oct.* proclamation de 2 États all. : occidental (RFA), communiste (RDA). *Sept.* les comm. achèvent la conquête de la Chine. 1re bombe atomique sov. Les Russes mettent au pas l'armée polonaise (Mal Rokossovski, soviétique d'origine pol., ministre de la Défense en Pol.).

1950 g. de Corée (Staline teste la volonté de résistance am.). L'Onu soutient la C. du S, la g. froide semble dégénérer en g. mondiale. Mais l'URSS sait que les USA n'interviendront pas contre elle si elle ne prend pas part directement au conflit : elle n'envoie pas de troupes officielles et remporte un succès moral. **1953**-*5-3* Staline meurt. La tension diminue : *juill.* armistice en Corée. *-12-8* 1re bombe thermonucléaire sov. **1954** *oct.* les Fr. rejettent la CED, d'où réarmement de l'All. occ. **1955** *mai : pacte de Varsovie* (alliance mil. des pays de l'E.). *Juill. Conférence de Genève :* Russes et Américains se rencontrent à Genève ; ils n'aboutissent à aucun accord sur le désarmement mondial, mais la tension diminue.

1956 *févr.* Khrouchtchev proclame la déstalinisation au XXe Congrès du Parti. *Oct.-nov.* les Hongrois se révoltent contre l'U. ; au même moment les Français (mollement soutenus par les Angl.) ont attaqué le canal de Suez pour faire tomber Nasser. L'URSS exige le retrait des Fr.-Brit., la Fr. accepte et laisse l'URSS écraser la révolte hongroise. Le prestige de Khrouchtchev est renforcé. **1957**-*4-10* lancement du Spoutnik. L'équilibre pol. et écon. semble rétabli entre les 2 « Super-grands » et la g. froide perd sa raison d'être. **1958** *conférence de Genève* sur l'arrêt des essais nucléaires. **1959** rencontre Eisenhower-Khrouchtchev. **1960** *mai* Khrouchtchev lance la doctrine de la *« coexistence pacifique »* et accepte une conf. à 4 à Paris [mais un U2, avion espion am. (pilote Gary Powers) ayant été abattu en U., il quitte la conf.]. **1961** *août construction du mur de Berlin* pour empêcher les All. de l'Est d'émigrer en All. féd. **1962** les R. *installent des fusées à Cuba,* mais les retirent dès le 1er ultimatum de Kennedy (oct.) (les Amér. retirent leurs fusées de Turquie). **1962-63** rupture entre URSS et Chine. **1963** *juill.* renonçant à la g. froide voulue par la Chine, l'URSS signe avec USA *l'accord de Moscou* sur l'arrêt des essais nucléaires. Le rapprochement entre Fr. et Chine crée une sorte de 3e force, niant la bipolarisation du globe.

Liste non exhaustive des conflits régionaux où des militaires soviétiques ont combattu depuis 1950. Afghanistan (22-4-1978/30-11-79, puis intervention officielle 1979-89), **Angola** (nov. 75-nov. 79), **Corée** (50-53), **Égypte** (18-10-62/31-3-63 ; 1-10-69/16-7-72 ; 5-10-73/31-3-74), **Éthiopie** (9-12-77/30-11-79), **Syrie** (5 au 13-6-67 ; 6 au 24-10-73).

Relations franco-soviétiques

Après la Révolution de 1917 la Fr. tentera de récupérer ses investissements en Russie. **1918-20** avec l'aide de la Pologne francophile, et s'appuyant sur ses bases navales d'Odessa et de Crimée, elle protège le gouv. dictatorial du chef cosaque Petlioura en Ukraine, qui reconnaît pratiquement son protectorat et lui accorde la mainmise sur l'ind. du Donetz comme garantie de la dette contractée par les tsars. La défaite de Petlioura consacre la liquidation des avoirs fr. en R. **Après 1921,** les bolcheviks joueront contre la France la carte allemande.

1924-*28-10 la Fr. reconnaît l'URSS* **1932**-*29-11 pacte de non-agression.* **1934**-*5-12* tr. sur l'intéressement mutuel dans la conclusion d'un pacte régional oriental. **1935**-*2-5 pacte d'assistance mutuelle Staline-Laval.* **1941**-*30-6* relations dipl. rompues par Vichy. *-26-9 l'U. reconnaît le Gal de Gaulle chef de la Fr. libre.* **1944**-*2/10-12 visite du Gal de G., tr. d'alliance et d'assistance mutuelle pour 20 a.* **1955**-*7-5* l'U. dénonce le pacte ; cause : ratification fr. des accords de Paris avec l'All. féd. **1956**-*6-11* tension à propos de Suez. **1960**-*23-11/3-12 Khrouchtchev à Paris,* accord économique. **1964**-*30-10* accord commercial pour 1965-69. **1966**-*20-6/1-7 de Gaulle en U.* **1969**-*26-5* accord écon. pour 5 a. **1970**-*6/7-10* Pt Pompidou en U. **1971**-*25/30-10* Brejnev en Fr. **1973**-*10-7* programme décennal de l'approfondissement de la coop. écon. et ind. *-23-7* scient. et techn. **1974**-*12/13-3* rencontre Pompidou-Brejnev à Pitsounda (Géorgie). *Déc.* Giscard d'Estaing-Brejnev à Rambouillet. **1975**-*19/24-3* PM J. Chirac en U. *-14/18-10* Giscard d'Estaing en U. ; rencontres périodiques au sommet prévues ; 5 contrats écon. (2 455 milliards de F). **1976**-*16-7* accord sur arme nucléaire. **1977** déclaration sur détente. **1980** *mai* rencontre Brejnev-Giscard d'Estaing à Varsovie. **1982** contrat d'achat de gaz sov. **1983**-*5-4* 47 dipl. sov. expulsés de Fr. **1984** *juin* Pt Mitterrand en U. **1985** *oct.* Gorbatchev en Fr. **1986**-*7/10-7* Pt Mitterrand en U. **1987**-*14/16-5* PM Chirac en U. **1988**-*25/26-11* Pt Mitterrand en U. **1989** *4/7* Gorbatchev en Fr. *-6-12* Pt Mitterrand à Kiev. **1990** *-25-5* Pt Mitterrand en U. *-28/29-10* Gorbatchev à Paris. *-29-10* traité franco-sov. d'entente et de coopération signé à Rambouillet.

Quelques personnages

Andropov, Youri (15-6-1914/9-2-84). Père cheminot. Télégraphiste, projectionniste, techn. en navigation fluviale. *1939* entre au parti. *1940-44* envoyé par Staline en Carélie. *1951* CC. *1953-56* ambass. en Hongrie. *1957* chef de section au comité central. *1961* élu au CC. *1962* secr. du CC. *1967 mai/1982-24-5* Pt du KGB. *1967 juin* m. du Politburo (suppléant). *1973 avril* m. du Politburo. *1982-24-5* m. du secr. du CC, remplace Souslov. *-12-11* secr. gén. du Parti. *-23-11* m. du Présidium du Soviet suprême. *1983-16-6* Pt du Présidium.

Boulganine, Nicolas (11-6-1895/25-2-1975). Ingénieur, *1917 entre au Parti. 1917-22* chef de la police secrète. *1922-27* m. du Conseil supérieur de l'éducation. *1938* directeur de la Banque d'État. *1939* m. du comité central. *1941* responsable civil de la défense de Moscou. Gal de division. *1944* Gal d'armée. *1947* Mal, min. des Armées. *1949* remplacé par Vassilevski, devient vice-Pt du Conseil des min. (ami influent de Staline). *1953* forme une « troïka » à la mort de Staline, avec Malenkov et Molotov. *1955-8-2* Pt du Conseil des min., conflit avec Khrouchtchev. *1958* accusé d'activités antiparti, limogé (Pt du conseil provincial de Stavropol). *1960* retraite à Moscou.

Brejnev, Leonid (1906-82). Fils d'ouvriers métallurgistes ukrainiens. *1923* entre au Komsomol. *1931* membre du Parti. *1935* ingénieur métallurgiste. *1938* secrétaire du comité régional de Dniepropetrovsk. *1944-45* général de brigade (direction politique de l'armée). *1946* 1er secrétaire du comité régional de Zaporojié. *1947* de Dniepropetrovsk. *1950* 1er secrét. en Moldavie (met fin à l'agitation pro-roumaine). *1952* membre du comité central. *1953* disgracié à la mort de Staline (envoyé au Kazakhstan). *1956* réintégré par le XXe congrès. *1957* membre titulaire du Présidium. *1960-7-5* Pt du Présidium ; remplace Vorochilov comme Pt. A partir de 1960 diminué physiquement. *1964* laisse son poste à Mikoyan et travaille à la chute de Khrouchtchev (le remplace comme 1er secr. général du parti) ; *-14-10* « secr. gén. du comité central du PC », titre qui n'avait pas été attribué dep. la mort de Staline. *1973-1-5* prix Lénine de la Paix. *1976-8-5* maréchal ; *-19-12* héros de l'U. sov. *1977-16-6* remplace Podgorny à la tête du Présidium suprême (fonction cumulée avec le secr. gén., par suite d'une modification de la Constitution). *1978-20-2* reçoit l'ordre de la Victoire (retiré sept. 89 par Présidium du Soviet suprême). *1979* prix Lénine de littérature. *1982-10-11* meurt, inhumé dans le mur d'enceinte du Kremlin. *1988-30-12* son gendre Youri Tchourbanov (3e mari de Galina) ancien 1er vice-min., arrêté 3-2-86, condamné à 12 ans pour corruption.

Chvernik, Nicolas (1888/24-12-1970). *1905* à Petrograd, membre du parti clandestin local. Chargé de l'agitation à Toula et à Samara ; plusieurs fois en prison et exilé. *1917* leader nat. des ouvriers des ateliers d'artillerie. *1921-23* Pt du comité des syndicats de la métallurgie du Donetz. *1923* membre du Présidium, commissaire du peuple (RSFSR) pour l'Inspection ouvrière et paysanne. *1942* Pt de la commission d'enquête sur les crimes nazis. *1946* Pt du Présidium. *1953* élu à Vienne vice-Pt de la féd. mondiale des synd.

Gorbatchev, Mikhaïl (2-3-1931 à Privolnoïe, territoire de Stavropol). Ép. *1953* Raïssa Maximovna (n. 1934) prof. à l'université *1957-61. 1971* membre du comité central. *1980 oct.* m. du Politburo. *1985-11-3* secr. gén. du PC. *1988-1-10* Pt du Présidium. *1989-25-5* Chef de l'État, seul candidat élu par le Congrès des dép. du peuple par 2 123 v. contre 87 et 11 abst. *1990-15-3* élu par le Congrès des dép. du peuple par 1 329 v. contre 495 et 54 abstentions. *10-7* réélu secrétaire général du PCUS. *1991-25-12* démission après 2 481 j au Kremlin.

Gromyko, Andreï (18-7-1909/2-7-89). *1943* ambassadeur aux USA. *1946* à l'Onu. *1949* 1er vice-min. des Aff. étr. *1952* amb. à Londres. *1953* 1er vice-min. des Aff. étr. *1957 avril-1985 juill.* min. Aff. étr. *1973-85* au Politburo. *1983* 1er vice-Pt du gouv. *1985-2-7* Pt du Présidium.

Guennadi, Ianaev (n. 1937), élu (sous la pression des conservateurs) 27-12-1990 au 2e tour par 1 237 v. contre 563. Vice-Pt de l'URSS. Membre du bureau politique du PCUS depuis juil. 90. *1991-19-8* prend les fonctions de Pt. de l'URSS à la faveur d'un coup d'État. Arrêté le 22 avec les autres putschistes.

Kalinine, Michel (19-11-1875/3-6-1946). Fils de paysans, ouvrier dans une usine de munitions ; *1898* membre du Parti social-démocrate. *1899* 10 mois de prison. *1904-05* déporté en Sibérie. *1908-13* banni de Petrograd, ouvrier-paysan à Tver. *1913* déporté, évadé, clandestin à Petrograd. *1917* combattant de la rév. d'Octobre. *1919* membre du comité central. *1922* Pt du Tsik (comité central des Soviets). *1930* membre du conseil de la police sov. *1937-4-6* Pt du Présidium.

Khrouchtchev, Nikita (Kalinovka 17-4-1894/11-9-1971). Fils d'un mineur ukrainien. *1909* ajusteur à la mine ; v. 20 ans apprend à lire. *1918* m. du PC. *1921* sa 1re femme meurt (famine). *1924* épouse Nina Petrovna. *1929* étudiant à l'Académie de Moscou. *1932* 2e secrét. du Comité du Parti (région de Moscou). *1934* (janv.) au Comité central. *1938-49* 1er secrét. PC ukrainien (*1939* membre du Politburo). *1949* secrét. du Comité central du Parti. *1953* remplace Malenkov comme 1er secr. *1954-64* ouverture sur l'étranger (nombreux voyages). *1958-27-3* Pt du Conseil des min. *1964* renversé par Brejnev, se retire dans une datcha, près de Moscou. Ses Mémoires, parus en Occident avant sa mort, ont été contestés.

Kossyguine, Alexis (20-2-1904/18-12-80). *1919* volontaire dans l'armée Rouge à 15 ans. Ingénieur textile. *1927* au Parti. *1938* maire de Leningrad. *1939* commissaire de l'Industrie textile. *1948-53* membre du Politburo. *1960* vice-1er min. de Khrouchtchev. *1964-15-10* le remplace comme PM. *1980-22-10* démissionne.

Lénine, Vladimir Illitch Oulianov (22-4-1870/21-1-1924). D'une famille de bourgeoisie anoblie. *1887* son frère Alexandre exécuté (attentat contre le Tsar). *1894* instructeur dans les cercles ouvriers. *1895 juill.-août* contacts en Suisse avec le groupe de Plekhanov, puis visite Paris ; *nov.* création de « l'Union de lutte pour la libération de la classe ouvrière » ; *-21-12* arrêté. *1897* déporté à Chouchenskoïe (Sibérie), il est rejoint par sa mère et par Nadejda Kroupskaïa [(1869-1939) ; ép. 22-7-98]. *1900-10-2* libéré ; *-28-7* quitte la Russie, *1902 avril* exil à Londres, travaille au British Museum. *1903-25-6* et *1904-23-2,* juil. voyages à Paris. *1905 avr.* convoque à Londres le congrès du parti ouvrier (les mencheviks l'emportent) ; *nov.* rentre à Saint-Pétersbourg. *1908-20-1* exil à Genève. Exil à Paris (4, rue Marie-Rose, XIVe). *1911* ouvre une école du Parti à Longjumeau. *1912-14* séjour à Cracovie (Pologne autrichienne). *1914-17* en Suisse (conférence de Zimmerwald 1915 ; de Kienthal 1916). *1917-16-4* autorisé par les All. à traverser l'All., *-25-10* (c.-à-d. -7-11) rédige *l'appel aux citoyens de Russie* et renverse le régime tsariste ; chef du gouvernement. *1917-18* finance les activités révolutionnaires du Komintern avec la fortune personnelle du tsar (482 millions de roubles-or distribués). *1918-30-8* blessé dans un attentat (balle dans le cou). *1921* tombe malade (artériosclérose), se retire aux env. de Moscou. *1923-6-3* rupture avec Staline (incident entre Staline et Nadejda Kr.) ; *-9-3* attaque d'apoplexie : demeure aphasique jusqu'à sa mort (version officielle ; en réalité, mort dément, cerveau atteint par la syphilis) ; mausolée, place Rouge. *Œuvres:* Matérialisme et Empiriocriticisme (1909), l'Impérialisme, stade suprême du capitalisme (1917), l'État et la Révolution (1917), Manifeste aux ouvriers du monde (1921), Testament (1922). L'effigie de Lénine sur les billets de banque russes a été supprimée en 1992. Proposition d'un consultant russe : exhiber dans le monde la momie de Lénine, à 50 $ le ticket. (Mais rongée par la moisissure ; seule tête et mains en bon état).

Le mausolée de Lénine est gardé 24 h sur 24 par la 1re compagnie du régiment du Kremlin. Les gardes d'honneur (taille exigée 1,75 m à 1,82 m), relevés toutes les heures, assurent 4 à 5 services par jour. Formation spéciale pour apprendre à rester debout totalement immobiles. Pour 25 services, 1 soldat a droit à une permission en ville ; 50 services, une permission et des félicitations ; 100 services, 10 j de congé. Les gardes ont aussi droit à une ration supplémentaire : 3 biscuits, 4 morceaux de sucre, 30 g de saucisson et du beurre.

Malenkov, Georges (8-1-1902/14-1-88). *1918-20* dans l'armée Rouge. *1920* étudiant à l'école technique de Moscou. *1925* secr. particulier de Staline. *1935-38* responsable des purges des procès de Moscou. *1939* secr. du comité central. *1941-45* chargé de la production aérienne. *1946* au Politburo, 2e secr. du Parti. *1952* au comité central. *1953-6-3* Pt du conseil des min. *1955* renversé par Khrouchtchev. *1957* exclu du Présidium, puis du Parti.

Mikoyan, Anastase (25-11-1895/1978). Arménien. *1908* au séminaire. *1913* révolutionnaire, dans la clandestinité à Bakou. *1918* arrêté en Arménie par les Anglais, évite de justesse l'exécution. *1922* au comité central. *1926* suppléant au bureau politique (titularisé 1934). *1927* commissaire du peuple au Commerce (nombreux voyages d'études à l'étranger). *1956* un des leaders de la déstalinisation. *1962* mission à Cuba (rapprochement avec Fidel Castro). *1964-17-5* à *1965-9-12* Pt du Présidium.

Molotov, Viatcheslav Skriabine (dit) (9-3-1890/10-11-1986). Origine bourgeoise (cousin du compositeur Scriabine). Étudiant à l'école polytechnique de Saint-Pétersbourg. *1906* militant clandestin sous le nom de Molotov « marteau ». Plusieurs déportations en Sibérie ; collaborateur de Staline à la *Pravda. 1917* m. du comité rév. de Petrograd, 2e secr. du Parti. *1930-41* chef du gouv. *1939* min. des Aff. étr. (signature du traité germano-sov. *-23-8-*1939). *1941* vice-Pt (Pt : Staline). *1949-53* laisse les Aff. étr. à Vychinsky. *1956* les laisse à Chepilov. *1957* éloigné en Mongolie (ambassadeur). *1964* exclu du parti.

Podgorny, Nikolaï (18-2-1903/11-1-83). Fils d'un métallurgiste ukrainien. *1918* ouvrier, membre du Komsomol. *1930* du parti, étudiant à l'université ouvrière de Kiev. *1931* ingénieur. *1939* commissaire du peuple à l'Alimentation (Ukr.). *1945* représente Ukr. au conseil des ministres. *1950* 2e secr. du Parti (Ukr.). *1957* 1er secr. du Parti (Ukr.). *1958* suppléant au bureau politique. *1960* titularisé. *1964* renverse Khrouchtchev ; rivalité avec Brejnev et Kossyguine pour le secrétariat gén. du Parti. *1965-9-12* renonce au secr. gén., accepte la présidence du Présidium. *1977* destitué.

Rykov, Alexis (25-2-1881/14-3-1938, exécuté). Militant révolutionnaire à Saratov ; *1902* arrêté (troubles du 1er Mai) ; *1905* reprend son activité. *1917* collaborateur de Lénine. *1918* directeur du ravitaillement de Moscou. *1921* vice-Pt du Conseil des commissaires du peuple. *1924* succède à Lénine comme Pt. du Conseil des min. *1930* accusé de déviationnisme de droite, fait son autocritique. *1936* compromis (procès de Moscou) avec Boukharine. *1988* réhabilité.

Staline, Joseph Vissarionovitch Djougatchvili (dit) du mot russe *stal* (acier) (n. à Gori, Géorgie 21-12-1879/5-3-1953, taille 1,65 m), ép. *Nadejda Allelouïeva* (suicide 9-12-1932), dont *Svetlana Allelouïeva* [*1970* en exil volontaire (privée de citoyenneté), *1984-3-11* rentre en U. avec sa fille Olga, elles retrouvent leur nationalité sov. *1988 mai* reperd nat. pour être retournée aux USA], *Vassili* († 1945, aviateur), *Jacob* († 1962 ; eut 1 fils, Vassili, † nov. 1972). *1889* agitateur à Tiflis (Géorgie). *1893-99* séminaire de Tiflis. *1902, 08, 10-11, 12* déporté en Sibérie et évadé. *1912* coopté au comité central du p. bolchev. *1917* libéré de son exil à Krasnoiarsk par la révolution, rédacteur en chef de la *Pravda. 1917-22* commissaire du peuple aux Nationalités. *1922* secr. gén. du Parti. *1924* chef du triumvirat ou « Troïka » avec Zinoviev (1883-1936, exécuté) et Kamenev (1883-1936, exécuté). *1941-7-5* commissaire à la Guerre ; Pt du Conseil des commissaires du peuple. *1943* maréchal sov. *1945-1-5* généralissisme. *1953-5-3* meurt d'une hémorragie cérébrale (ou assassiné par des proches redoutant une nouvelle purge ?). Inhumé dans le mausolée de Lénine, transféré clandestinement au pied du Kremlin (nuit du 30 au 31-10-1961) sur ordre du Parti.

Sverdlov, Jacques (1885-1919). *1901* militant révolutionnaire depuis *1901* (Parti social-démocrate), plusieurs fois déporté en Sibérie *1912,* rallié à Lénine en *1912. 1917* chef du mouvement bolchevik en Oural, y prend le pouvoir avant la rév. d'Octobre. *-21-11* Pt du comité exécutif central à Moscou. *1918 juillet* fait approuver par le peuple le massacre de la famille impériale. *1924* son nom est donné à Iekaterinbourg où avait eu lieu ce massacre (Sverdlovsk).

Tchernenko, Constantin (24-9-1911/10-3-85). *1929* chef de service de la propagande des komsomols. *1930* volontaire dans l'armée Rouge. *1933* garde-frontières. *1943* études à l'École sup. des organisateurs du Parti. *1945* secr. du comité du Parti de Penza. *1948* chef du département de propagande et d'agitation du CC du Parti de Moldavie. *1956* chef du secrétariat du service de l'Agitprop. *1960* à la tête du secrét. du présidium du Soviet suprême. *1965* chef du service général du CC. *1966 à 1971* membre suppléant du CC. *1971 mars* membre du CC. *1976 mars* secrét. du CC. *1977* suppléant au Politburo. *1978* député au Soviet suprême. *1984-12-4* Pt du Conseil des min.

Tikhonov, Nicolas (n. 30-10-1906). Ukrainien, m. du Parti dep. *1940.* Ingénieur métallurgiste. Ministre. *1979-27-11* m. du Politburo. *1980-23-10* au *2-7-1985* Pt du Conseil des min.

Trotski, Léon (7-11-1879/21-8-1940). Leiba Bronstein, dit Lev Davidovitch. Origine bourgeoise et juive. *1898* (19 ans) déporté en Sibérie. *1902* s'évade, et vit en Angleterre avec un faux passeport au nom de Trotski. *1905* rentré en Russie, arrêté, déporté, de nouveau évadé. *1905-17* en exil en Suisse, France, Espagne, USA. *1917 juill.* rejoint Lénine à Petrograd ; *oct.* min. des Aff. étr. *1918-25* commissaire à la G., vainqueur des armées blanches. *1924 oct.* publie *les Leçons d'octobre,* pamphlet antistalinien. *1925 janv.* écarté du ministère de la G. *1926 oct.* chassé du Politburo. *1927 nov.* exclu du parti. *1928 janv.* relégué au Kazakhstan. *1929-20-1* expulsé, conduit à frontière ukr. *1929-33* exilé en Turquie, *1933-35* en France (expulsé par Laval). *1937-40* au Mexique (*1938* y fonde la IVe Intern. dont il est Pt) ; *1940-21-8* y est assassiné par un agent stalinien espagnol, Ramón Mercader del Río (pseudonyme Jacques Monard ou Jacson, n. 1904, libéré 1960, inhumé à Moscou 1979) ; il y avait eu 3 autres tentatives d'assass. (la 1re menée par le peintre Siqueiros).

Vorochilov, Clément (23-1-1881/3-12-1969). Fils d'un cheminot ukrainien. *1897* ouvrier mineur à 16 ans. *1903* membre du Parti social-démocrate, se lie avec Lénine au congrès de Stockholm. *1907-14* prison et déportation. *1917* chargé par Lénine du commandement militaire de l'Ukraine. *1918* adjoint de Staline pour la défense de Tsaritsyn. *1919* membre du conseil de la guerre et du Politburo. *1920* Gal. *1921* membre du Comité central. *1935* Mal (le 1er de l'Union soviétique). *1937* épure l'armée. *1940* vaincu en Finlande, destitué. *1941* commandant du front du N. *1945* négociateur des armistices finlandais et hongrois ; gouverneur de Hongrie. *1953-6-3* Pt du Présidium.

Fédération de Russie

Généralités

Histoire depuis 27-12-1991. *-27-12* décret autorisant la vente de terres dans certaines conditions (concerne 40 000 fermiers cultivant 2,3 millions d'ha contre 531,8 millions d'ha alloués aux kolkhozes et sovkhozes). **1992**-*1-1* début de la « privatisation accélérée » des entreprises étatiques et municipales (décret du 29-12). *-26-1* budget d'austérité. *-31-1* la R. succède à l'URSS au Conseil de sécurité de l'Onu. *-5/6-2* Eltsine en France (1re exécution de l'hymne impérial russe dep. 1917). *-16-3* Eltsine se nomme min. de la Défense à titre « intérimaire » et décide la formation d'une armée nationale. *-19-4* Moscou, manif. pour Eltsine. *-7-5* décret créant « armée russe ». *Juin* Eltsine à Washington. *-15-6* Egor Gaïdar chef du gouv. *-4-10* Gorbatchev, qui refuse de témoigner au procès du PCUS, se voit interdire de quitter le territoire russe (17-10 autorisé à se rendre aux obsèques de Willy Brandt). *-9-10* par décret, Eltsine fait saisir les locaux de la fondation Gorbatchev. *-21-10* décret plaçant sous la tutelle de la Féd. de R. la radio-télévision de St-Pétersbourg tenue par les conservateurs. *-28-10* par décret, E. prive le Parlement du contrôle de la garde parlementaire (8 000 h). *-7-11* interdiction aux communistes et nationalistes de se réunir place Rouge pour l'anniversaire de la révolution d'Octobre (- de 10 000 manifestants). *-25-11* Union civique obtient la promesse d'un ralentissement dans les réformes libérales et le limogeage du responsable de la TV ultra-réformateur. *-1-12* ouverture VIIe Congrès des députés du peuple (Parlement élargi). E. renonce à demander la prolongation de ses pouvoirs spéciaux en matière éc. mais réclame de nommer seul les ministres, à l'exception du PM. Pour le Parlement, les ministres doivent être nommés par le Soviet suprême et être responsables devant lui. *-10-12* les députés votent contre la nomination de Gaïdar comme PM., Eltsine appelle à un référendum le 24-1 et à des élections législatives en avril pour trancher entre lui et le Congrès. *-12-12* compromis prévoyant un référendum le 11-4 sur nouvelle Constitution. **1993**-*23-2* « Journée des Forces armées ». 20 000 communistes et militants d'extrême droite, dont de nombreux officiers, réclament un gouvernement de salut national. *-7-3* E. menace de prendre des mesures « pas très conformes aux lois » si aucun accord n'est trouvé entre Congrès et exécutif. *-10-3* ouverture du VIIIe Congrès extraordinaire sur « le respect de la Constitution par le chef de l'État ». *-11-3* les députés conservateurs rejettent le référendum du 11-4, par 560 voix contre 276, et refusent un compromis sur le partage du pouvoir. *-12-3* E. menace de faire appel au peuple en organisant un plébiscite le 25-4. *-16-3* Pt Mitterrand en R. *-20-3* E. annonce l'instauration d'un régime « d'administration directe » du pays jusqu'au référendum. *-21-3* les députés dénoncent ce « coup d'État » et saisissent la Cour constitutionnelle. Manifestations pour et contre E. à Moscou, St-Pétersbourg, en Crimée. *-22-3* arrêt de la Cour : la décision d'E. est inconstitutionnelle ; il peut organiser un référendum-plébiscite mais non sur la réforme de la Constitution. *-28-3* vote sur destitution d'E., 72 voix manquent à la majorité requise des 2/3 (617 députés pour destitution sur 1 033). *-29-3* Congrès approuve l'organisation d'un référendum de confiance à E. mais impose 4 questions (confiance au Pt, approbation de la pol. éc. et sociale du Pt et du gouvernement depuis 1992, pour ou contre des élections présidentielles et législatives anticipées). Une réponse favorable de plus de 50 % des *inscrits* (soit 50 millions de voix) est exigée. *-3/5-4* sommet russo-américain à Vancouver. *-25-4* référendum : électeurs 107 310 374, votants 64,5 % ; % des voix : font confiance à Eltsine 58,7 % (non 39,2), approuvent réformes des entreprises 53 (non 44,6), sont pour des présidentielles anticipées 31,7 (non 30,2), des législatives anticipées 43,1 (19,3). *-1-5* Moscou, émeutes, 600 blessés (1 policier blessé † 5-5). *-18-5* procès des 12 putschistes de 1991 reporté *sine die. Juillet* région de Sverdlovsk se proclame *Rép. de l'Oural,* voudrait fédérer 2 millions de km², 17,5 millions d'h.

Statut. **Constitution** du 12-10-1990, amendée 320 fois depuis. **Pt** élu pour 5 a. au suffrage universel. **Parlement. Congrès des députés du peuple de Russie :** 1990 : 1 068 m. élus dont 889 répartis en une quinzaine de partis ou factions, 626 appartenant à un bloc constitué. Parmi les partisans pro-Eltsine (ex-coalition des réformateurs, pour une rupture totale avec l'ancien système) : 241 non-inscrits, 48 Russes démocrates, 50 « démocrates radicaux ». **Centre :** *Centre démocratique :* 167, *Forces créatrices* (+ à droite) : Union civique d'Alexandre Volski (dont Relève-Nouvelle Politique 46, Union des industriels 70, Union ouvrière 41, sans partis 39, Centre gauche 53, Russie libre 58). **Droite** (nationalistes et néo-communistes opposés aux réformes) : *Union russe :* 303 (dont Union agraire 148, communistes de Russie 55, groupe Russie 46, groupe Rodina ou Patrie 54). *Anciennes autonomies :* représentants des républiques et régions autonomes de R., sans coloration politique particulière. **Soviet suprême : 400 m.**

Pt : **Boris Nikolaïevitch, Eltsine** (10-7-91) (n. 1931). *1961* m. du PC. *1976* 1er secr. du comité régional de Sverdlovsk. *1981* m. du Comité central. *1985-avril* départ. de la Construction au Comité central, *déc.* comité du Parti de Moscou. *1985-juill. à 86-fév.* m. suppléant du bureau pol. *1987* vice-min. de la Construction, *nov.* perd son poste de 1er secr. du Parti de Moscou. *1989-26-3* dép. de Moscou au 1er Congrès des dép. sov. (89,4 % des v.). *1990-mars* dép. de Sverdlovsk au Parlement de Russie, *mai* Pt du Parlement de Russie (élu au 3e tour par 535 v. devant Alexandre Vlassov 467 v.) élu avec 57,3 % des v. devant Nicolai Rijkov 16,8, Vladimir Jirinovski 7,8, Vadim Barakine, Albert Mikachov. **Vice-Pt : Cel Alexandre Routskoï. PM : Viktor Tchernomyrdine** (14-12-92) (n. 1938). *1978-82* responsable de l'Ind. lourde au Comité Central du PC. *1985-1989* min. de l'Industrie du Gaz *1989-92* Pt de l'entreprise d'État Gazprom. Proche de l'Union civique et des « Industrialistes », hostile à une libéralisation accélérée de l'éc. **Pt du Parlement de Russie : Rouslan, Khasboulatov** (n. 1942, Tchétchène) dep. 29-10-91. A milité dans les Jeunesses communistes, département « Agit-Prop ». *1990* député. Conservateur néo-communiste et principal opposant de l'exécutif. Soupçonné de corruption, il a acquis pour presque rien l'ancien appartement de Brejnev à Moscou (250 m²).

Cour constitutionnelle (indépendante de l'exécutif). *Créée* déc. 1991. *Membres :* 13 élus pour 10 ans par le Congrès. *Pt* Valeri Zorkine.

Partis. **Parti socialiste des travailleurs** (PST) *créé* déc. 1991 ; *membres :* 6 000 ; *organisations régionales :* 65. **Parti communiste bolchevik (PCB). Comité moscovite de l'Union des jeunesses communistes** (héritiers du komsomol). **Parti démocrate de Russie** (PDR) *créé* mai 1990 ; *membres :* 50 000 ; *dir. :* Nikolaï Travkine. **Mouvement chrétien démocrate de Russie** (MCDR) **et Parti constitutionnel-démocrate (« cadet »)** (PCD). **Parti populaire de la Russie libre** (PPRL) *créé* par Alexandre Routskoï, vice-Pt de la Fédération de Russie, à partir du mouv. « Les Communistes pour la démocratie » ; *membres :* 100 000. **Front national patriotique, Pamiat** (« Mémoire ») ultra-nationaliste. **Parti libéral démocrate** (PLD), fascisant de Vladimir Jirinovski qui appelle à la renaissance de l'Empire grand-russe ; *ennemis :* influence américaine et sionisme. **Parti de l'économie libre** *créé* 11-6-92 par Constantin Borovoï (mathématicien devenu milliardaire, Pt de la Bourse des marchandises de Russie). **Front du Salut national** (regroupe ultra-nationalistes, communistes, monarchistes, antisémites), *constitué off.* 24-10-92, dissous quelques j plus tard par Eltsine (décret annulé par Cour constitutionnelle). *Leader :* Alexandre Prokhanov ; rédacteur en chef du journal antisémite et raciste *Dien.* **Union civique** (bloc centriste d'opposition) *créée* par Arcadi Volski, Pt dep. juin 1990 de l'Union des industriels et entrepreneurs de Russie (1 500 grandes entreprises d'État, 39 associations professionnelles) ; soutenu par le vice-Pt Alexandre Routskoï, les chefs des industries d'État, les dir. de sovkhozes et kolkhozes et les syndicats les moins progressistes. Défend les intérêts du bloc militaro-ind., l'interventionnisme étatique et une réforme économique très progressive.

■ Fonctionnement des institutions. **Le Pt de la Féd. de Russie,** chef suprême de l'armée, nomme les ministres, gouverneurs de régions, chefs des administrations (préfets) et des « représentants personnels » dans les provinces ; il gouverne par décret *(oukhazes)* ; est assisté : d'un *Conseil de sécurité* (créé mars 1992 ; compétent en matière de politique intérieure et extérieure, de problèmes stratégiques de sécurité économique, sociale et militaire) ; d'un *Conseil présidentiel* (organe consultatif élaborant des propositions en politique int. et ext.) ; d'un *Conseil des chefs des Rép.* (créé oct. 92, composé des Pts des Parlements des 18 Rép. de la Féd.) ; *Conseil des chefs d'administrations provinciales.*

Le Parlement : *Congrès des députés du peuple* élit les m. de la Cour constitutionnelle et de la Cour suprême ; avalise la nomination du PM, des ministres et des administrateurs des provinces ; il élit un *Praesidium* et un *Soviet suprême,* une assemblée restreinte siégeant entre les sessions du Congrès (2 chambres : Soviet de la République + Soviet des nationalités : 72 députés pour 32 rép. ou régions « autonomes » et 63 députés pour 57 régions et territoires). Le Congrès des députés a l'initiative législative.

■ Armoiries. **La Russie a conservé la faucille et le marteau soviétiques.** Une proposition d'adopter l'aigle bicéphale des tsars, surmonté de 3 couronnes, a été repoussée par le Parlement [479 voix contre (communistes et représentants des Rép. intégrées à la Russie), 464 pour].

■ Traité de la Fédération de Russie. Signé le 31-3-1992 par 18 Rép. souveraines (ex-« autonomes »), 68 régions et territoires de la Féd. et les villes de Moscou et St-Pétersbourg. Devait servir de base à une nouvelle Constitution rejetée par le Congrès en avril 92. Reconnaît aux membres de la Féd. le contrôle de leurs richesses naturelles et l'indépendance de leurs relations pol. et éc. internationales, mais laisse à Moscou la direction de la pol. extérieure et de défense, des pol. monétaire, fiscale et budgétaire. Non signé par le Tatarstan et la Tchétchénie qui ont proclamé leur indépendance. En juin 1993, on considérait que la Fédération de Russie comprenait 90 « sujets » : 21 Républiques portant le nom d'un peuple non russe (dont l'une a déclaré son indépendance totale, la Tchétchénie ; une autre, le Tatarstan, a proclamé son indép. moins complète), 6 territoires (qui veulent une autonomie égale à celles des Rép.), 49 régions, 11 districts autonomes, la région autonome juive du Birobidjan, Moscou et St-Pétersbourg (qui jouissent du statut de « villes d'importance fédérale »).

Républiques souveraines de la Fédération de Russie

☞ Population des villes en 1991.

Adyghées (Rép. autonome des) (*Maikop* 149 000). 7 600 km². 437 400 h. dont env. 120 000 Tcherkesses. *1922-27-7* région autonome.

Bachkortostan (Bachkirie) (*Oufa* 1 097 000 h.). 143 600 km². 3 983 900 h. (dont Bachkirs 25 %, Russes 40, Tartars 25). *1557* annexée , rép. aut. *1919-23-3. 1990-12-10* proclame souveraineté ; Rép. s'appelle Rép. soc. sov. bachkire.

Bouriatie (*Ulan-Udé* 353 000). 362 400 km². 1 056 000 h. (Bouriates 23 %, Russes 72). *1689 :* tr. de Nerchinski et tr. de *1727* Kyakhta : cédée par la Chine. *1920-1-3* fondée, *1923-30-5* Rép. autonome.

Carélie (*Petrozavodsk* 270 000). 172 400 km². 799 400 h. (Caréliens 11 %, Russes 71). Annexée à la Russie ; *1920-8-6* fondée en tant que commune de travail ; *1923-25-7* Rép. aut. *1990-10-8,* proclame sa souveraineté.

Daghestan ou *Pays des montagnes* (*Makhatchkala* 315 000) 50 300 km². 1 854 200 h. + de 30 peuples dont (en %) : Avars 25,7, Darguines 15,2, Koumyks 12,4, Lezuiens 11,6, Russes 11,6. 80 % de musulmans. Env. 30 langues. (*1723* cédée par Perse, *1859* annexée ; *1921-20-1* Rép. aut.). *1991-16-5* proclame sa souveraineté.

Gorno Altaïsk (*Gorno Altaïsk* 40 000). 92 600 km². 196 600 h. *1922-1-6* région Oirot, *1948-7-1* rebaptisée, *1990-25-10* République autonome.

Iakoutie (*Iakoutsk* 187 000). 3 103 200 km². 1 108 600 h. (Iakoutes 39 %, Russes 51). XVIIe s. conquise ; *1922-27-4* Rép. aut. Réclame statut de Rép. fédérée.

Iamalo-Nénetz **(District autonome des)** (*Salékharde* 23 000). *1930-10-12* fondé. Bassin inférieur de l'Ob et du Nadim. 750 300 km². 492 600 h.

Ingouchie (voir **Tchétchénie).**

Kabardie-Balkarie (*Naltchik* 235 000). 12 500 km². 777 700 h. (Kabardes 45,6 %, Russes 35,1, Ingouches et autres peuples caucasiens 8,1). *1557* annexée, *1921-1-9* région aut. des Kabardes ou Kabardins (Tcherkesses orientaux), *1922* région aut. de Kabardino-Balkarie, *1936-5-12* Rép. aut. *1991-30-12* référendum pour Rép. de Balkarie. Congrès du peuple restaure l'État de Kabardie. *1992-26-9* Naltchik manif. anti-russe, après arrestation du Pt de la « Confédération des peuples montagnards du Caucase ».

Kalmoukie (*Elista* 81 000). 76 100 km². 328 600 h. (Kalmouks 40 %, Russes 40). (1991) *Déb.* XVIIe *s.* dominée par Russes, *1920-4-11* région aut., *1935-20-10,* rép. aut., *1990-19-10,* proclame sa souveraineté.

Karatchaïo-Tcherkessie (*Tcherkess* 113 000). 14 100 km². 427 100 h. dont 100 000 Tcherkesses. *1922-12-1* région autonome. *1992* Rép. fédérée divisée en 5 sous-républiques (des Karatchaï, de Tcherkessie, d'Abasinsk, de Zelentchoukso-Ouroupsk, des Cosaques de Batalpachinsk).

Khakassie (*Abakan* 154 000). 61 900 km². 577 100 h. *1930-20-10* région autonome.

Komis (Rép. des) (*Syktyvkar* 233 000). 415 900 km². 1 264 700 h. (Komis 25 %, Russes 60). XIVe s. annexée, *1921-22-7* Rép. aut.

Koriakz (Rép. des) (*Palana* 3 000). *1930-10-12* fondée. Région du Kamtchatka. 301 500 km². 39 600 h.

Mariis (Rép. des) (*Iochkar Ola* 242 000). 23 200 km². 758 000 h. (Maris 45 %, Russes 45). *1552* annexée, *1920-4-11,* Rép. aut.

Mordovie (*Saransk* 347 000). 26 200 km². 964 100 h. (Mordoves 36 %, Russes 59). XVIe s. occupée par les Russes, *1930-10-1* région aut., *1936-20-12* Rép. aut.

Nénetz (Rép. des) (*Narian-Mar* 17 000). *1929-15-7* fondée. Région d'Arkhangelsk, comprend îles Kolgouïev et Vaïgacth. 176 400 km². 54 900 h.

Ossétie du Nord (*Vladikavkaz ex-Ordjonikidze* 300 000). 8 000 km². 642 500 h. (Ossètes 66 %, Russes 22). Ingouches, Géorgiens, Arméniens. Majorité musulmans. XVIIIe *s.* annexée, *1918-4-3,* Rép. aut. *1921-20-1,* Rép. aut. des Montagnes, *1924-7-1* région aut., *1936-5-12,* Rép. aut. *1991 avril* combats Ossètes et minorité ingouche revendiquant souveraineté pour leur région d'origine (est du l'O.). *1992-12-6* état d'urgence. *Nov.* 35 000 Ingouches (90 % de la minorité en O.) se réfugient en Ingouchie.

Oudmourtie (*Ijevsk* 646 800). 42 100 km². 1 628 300 h. (Oudmourtes 33 %, Russes 58). XVe *et* XVIe *s.* annexée, *1932* région aut. de Votsk, *1934-28-12* rép. aut.

Russie (Moscou 8 801 000). 7 969 100 km². 122 368 300 h. Voir p. 1122.

Tatarstan (*Kazan* 1 107 000). 68 100 km². 3 679 400 h. (Tatars 48 %, Russes 44). Les Tatars dits « T. de la Volga » ou « de Kazan » sont 1 536 000, soit 1/4 de la pop. tatare d'URSS (5 931 000). Autres groupes importants : T. d'Astrakhan (divisés en Koundroffs et Karagachs) et T. de Crimée. *1552* conquise. *1920-27-5* région aut. *1921-13-10/1944-26-6,* rép. aut. de Crimée faisant partie de la Rép. d'Ukraine ; *1941-44* collabore avec All. et Roumains, déportations ; Rép. supprimée. Incorporé à l'Ukraine, repeuplé de R. et d'Ukr. Actuellement, les Tatars vivent en Ouzbékistan (574 000) et Kazakhie (288 000) ; sont « citoyens ayant autrefois habité la Crimée ». Musulmans ont gardé des attaches avec les Turcs (autrefois maîtres de la Crimée). Revendiquent retour dans leur prov. d'origine. *1992-20-3* référendum sur création d'un État souverain (oui 60,4 %). A refusé de signer le tr. de la Fédération.

Tchétchénie-Ingouchie (*Grozny* 401 400). 19 300 km². 1 306 800 h. [Tchétchènes (ou Nochkuos) 53 %, Ingouches (ou Galgaïs) 14, Russes 13]. *1850-60* conquise, *1921-20-1* la RSSA de Gorskaja (Rép. autonome des Montagnards) rassemble Balkars, Tchétchènes, Ingouches, Kabardes, Karachai, Ossètes. *1922-30-11* région aut. des Tchétchènes, *1924-7-7* région aut. d'Ingouchie, *1934-15-1* région aut. de T.-I., *1936-5-12* rép. aut. *1944* déportés, accusés de collaboration avec All., *1946* Rép. dissoute. *1957* Tchétchènes et Ingouches réhabilités mais ne peuvent récupérer leurs terres données à l'Ossétie du Nord. *1991-27-10* élection au suffrage universel (les Ingouches n'ont pas pris part au vote) du Parlement et du Pt (Gal Djokhar Doudaev, élu Pt du Comité exécutif du Congrès national du peuple tchétchène). Scrutin annulé par Parlement de Russie comme illégal. *-8-11* Eltsine impose état d'urgence et mise sous administration directe. *1992-7-3* Parlement de Tchétchénie rétablit alphabet latin (adopté 1927 à la place de l'arabe et remplacé 1938 par le cyrillique). A refusé de signer le tr. de la Fédération. *-31-3* coup de force échoue. *-3-4* prend le contrôle des troupes ex-soviét. (env. 2 000 h.). *Oct.* proclame unilatéralement indép. ; blocus financier par la Russie et anarchie croissante en Tchétchénie. 3 régions ingouches proclament la *Rép. autonome d'Ingouchie* dans la Féd. de R. ; reconnue par Moscou bien que n'ayant ni Parlement, ni frontière définie avec Tchétchénie. *-10-11* état d'urgence, entrée de troupes russes. *1993-28-2* Gal Rouslan Aarchev élu Pt d'Ingouchie. *-17-4* Pt Doudaev dissout le Parlement.

Tchoutchkes (Rép. des) (*Anadyr* 8 000). *1930-10-12* fondée. Région de Magadan. 737 700 km². 153 700 h.

Tchouvachie (*Tcheboksary* 449 300), 18 300 km². 1 346 200 h. (Tchouvaches 70 %, Russes 20). *1552* dominée par Russes, *1920*-14-6 région aut., *1925-21-4* Rép. aut.

Touva [*Kyzyl* 75 000 (en 85)]. 170 500 km². 306 600 h. (Touvas 60 %, Russes 36). *1914* protecto-

Peuples du Caucase. Env. 12 millions d'h, 9 grandes ethnies, 70 ethnies secondaires, depuis toujours en lutte entre elles ou contre le pouvoir central. Pour y mettre fin, 7 nations furent déplacées après 1947 et un nouveau découpage territorial effectué. Aujourd'hui, 9 régions ou rép. autonomes (6 en Russie méridionale, 3 en Géorgie) revendiquent l'indép. ou le regroupement. Les Cosaques, autorisés depuis juin 92 comme « association culturelle », réclament « l'autonomie administrative » dans leurs 11 districts traditionnels (entre Don, Kouban et rivière Terek).

rat russe, *1921-14-8* rép. populaire de Tahnou-Touva, *1926* Rép. pop. de Touva, *1944-13-10* région aut., *1961-10-10* Rép. aut.

Districts autonomes de la Féd. de Russie

☞ Population en 1978.

Aguinski-Bouriatski (*Aguinskoïé* 8 000). *1937-26-9* fondé. Partie de la région de Tchita. 19 000 km² 77 800 h.

Khanty et Mansis (D.A. des) (*Khanty-Mansiisk* 25 000). *1930-10-12* fondé. Bassin central de l'Ob. 523 100 km². 1 314 200 h.

Oust-Ordynski Bouriatski (*Oust-Ordynski* 11 000). *1937-26-9* fondé. Région d'Irkoutsk. 22 400 km². 138 300 h.

Taïmyr (*Dolgano-Nénetz, Doudinka* 20 000). *1930-10-12* fondé. Terr. de Krasnoïarsk. 862 100 km². 53 700 h.

Régions autonomes de la Fédération de Russie

Evenks (D.A. des) (*Toura* 4 000). *1930-10-12* fondé. Terr. de Krasnoïarsk. 767 600 km². 25 100 h.

Juive (*Birobidjan* 80 000 en 1986). 36 000 km². 220 200 h. (dont 128 000 Russes, 15 000 Juifs en 70, 10 000 en 80, 14 000 Ukrainiens). *1934-7-5* créée pour utiliser, en faveur de l'Extrême-Orient soviétique, l'esprit « pionnier » des sionistes. *1934-37* 20 000 Juifs d'URSS occidentale s'installent au B. *1936-29-8* décret créant un territoire nat. juif ; yiddish : langue officielle à égalité avec le r. *1945-48* immigration reprend [survivants des persécutions nazies (max. de la pop. j. *1948* : 30 000)]. *1948* mesures antisémites de Staline (notamment abolition de la culture yiddish en B.), la pop. décroît. *1983* campagne pour inciter à l'émigration dans cette région.

Komis-Permiaks (*Koudymkar* 26 000). *1925-26-2* fondé. Région de Perm. 32 900 km². 161 100 h.

Ex - URSS (Union des Républiques socialistes soviétiques)

■ **Situation.** 22 402 200 km², env. 1/6 des terres habitées (16 831 000 en Asie et 5 571 000 en Europe) y compris mer Blanche 90 000 km² et mer d'Azov 37 300 km². Env. 15 % des terres émergées. 8 980 km d'E. en O. 4 490 km du N. au S.

Frontières : + de 60 000 km (1 fois 1/2 circonférence terr.) ; avec Finlande 1 269 km, Norvège 156, Pologne 1 000, Tchécoslovaquie 110, Hongrie 215, Roumanie 800, Turquie 560, Iran 2 675, Afghanistan 2 000, Chine 4 800, Mongolie 3 200, Corée 50. **Littoral** (y compris les îles) 106 360 km. **Alt.** *max.* : pic du Communisme (Pamir) 7 495 m, *min.* : dépression de Karaghé – 132 m (E. de la mer Caspienne).

■ **Cours d'eau.** *Les plus importants* : Ob (5 410 km), Ienisseï, Lena, Amour (2 800 km), Volga (3 530 km). *Débit total* 4 714 km³. *Fleuves navigables* : voir p. 1143 a.

■ **Lacs.** *Nombre* : 2 800 000 (dont 14 ont plus de 1 000 km², 30 000 plus de 1 km²). **Surface totale :** 490 000 km² dont 2 *mers intérieures* : **Caspienne** 371 000 km². *V. 1950* : 68 000 km², prof. moy. 16 m. volume d'eau 1 100 km³, alimenté par Amou-Daria (41 km³/an) et Syr-Daria (13 km³), salinité 10 à 11 g/ml, pêche 48 000 t/an. *1990* : 35 000 km², baisse du niveau de 12 m, volume d'eau 450 km³, alimenté par 1 km³/an, salinité 30 g, pêcheries fermées 1979, polluée car fleuves détournés pour irrigation. **Baïkal** [âge : 25 millions d'années, 31 685 km² dont 23 000 d'eau potable, long. 636 km, larg. 25 à 79 km (moy. 46), prof. (le + prof. du monde) 1 647 m, 20 % des réserves mondiales d'eau douce (potable), 80 % des réserves sov. ; 7 km de sédiments au fond ; contient 1 300 espèces préhistoriques, dont 70 % inconnues ailleurs (notamment le *golomiaka,* qui supporte la pression de 1 700 m d'eau, mais se dissout près de la surface) ; alimenté par 336 rivières, a un seul déversoir : l'Angara (7 000 m³/s, alimentant la centrale d'Irkoutsk)]. **Ladoga** (18 400 km²). **Balkhach** (18 200 km²). **Onega** (9 610 km²). **Issyk-Koul** (6 280 km², 1 609 m au-dessus du niveau de la mer). **Taïmyr** (4 560 km²). **Khanda** (4 400 km²). **Tchoudsko-Pskovskoie** (3 550 km²). **Sevan** (1 360 km², 1 905 m).

■ **Irrigation.** Env. 1 000 retenues d'eau de + de 1 000 000 m³ et 150 de + de 100 000 000 m³. *Irkoutsk* lac Baïkal (Angara) 31 685 km² (48,5 km³), *Svir* supérieur lac Onega (Svir) 9 930 (260), *Kouibychev* (Volga) 6 448 (58), *Boukhtarma* (Irtych) lac Zaïssan 5 500 (53), *Bratsk* (Angara) 5 470 (169,3), *Rybinsk* (Volga) 4 580 (25,4), *Volgograd* (Volga) 3 117 (31,5), *Tsymliansk* (Don) 2 700 (23,9), *Krementchoug* (Dniepr) 2 250 (13,5), *Kakhovka* (Dniepr) 2 155 (18,2), *Krasnoïarsk* (Ienisseï) 2 000 (73,3). La majeure partie de l'eau circule au printemps et se gaspille en inondations ; abandon en 1986 des projets de transférer l'eau excédentaire du N. et de Sibérie vers Volga, mer Caspienne, Kazakhstan et mer d'Aral.

Démographie

■ **Population totale** (en millions). *1940* : 194,1 ; *46* : 167 ; *50* : 181,7 ; *59* (rec.) : 208,25 ; *70* (rec.) : 241,7 ; *79* (rec.) : 262,08, dont 52,4 % de Russes ; *89 (rec.)* : 286,7, dont 50,8 % de Russes ; *90 (est)* : 288,8 ; *prév. 2000* : 314. **Nationalités :** *nombre* : env. 100 reconnues dont 70 de – de 1 million d'hab. *Principales* (en millions) : *1979* : Russes 137,4, Ukrainiens 42,3, Ouzbeks 12,5, Biélorusses 9,5, Kazakhs 6,6, Tatars 6,3, Azerbaïdjanais 5,5, Arméniens 4,2, Géorgiens 3,6, Moldaves 3, Tadjiks 2,9, Lituaniens 2,9, Turkmènes 2, Allemands 1,9, Kirghiz 1,9, Juifs 1,8, Tchouvaches 1,75, Lettons 1,439, Bachkires 1,37, Mordves 1,2, Polonais 1,15, Estoniens 1. *1989* : Russes 147,3, Ukrainiens 51,7, Ouzbeks 19,9, Kazakhs 16,5, Biélorusses 10,2, Azerbaïdjanais 7, Géorgiens 5,4, Tadjiks 5,1, Moldaves 4,4, Kirghiz 4,3, Lituaniens 3,7, Turkmènes 3,5, Arméniens 3,2, Lettons 2,6, Estoniens 1,5. *Effectifs les + faibles (en unités)* : Outches 2 600, Saames 1 900, Oudèghes 1 600, Esquimaux 1 500, Itelmènes 1 400, Orotches 1 200, Kètes 1 100, Nganassans 900, Ioukaguirs 800, Tofalars 800, Aléoutes 500, Neguidaliens 500.

Densité : 12,9 h./km². *Russie d'Europe* : région de Moscou + de 100, Ukraine du S. et région de Kiev + de 80, Moldavie, Géorgie et Azerbaïdjan + de 100, reste de la Russie d'Europe 25 à 70. *Au-delà de l'Oural* : peuplement discontinu sauf le long du Transsibérien jusqu'au Kouzbass, 10 à 50. *Asie centrale* : oasis, régions de piedmont, vallées fluviales parfois + de 200. *Reste de l'URSS* : – de 5. **Répartition (%)** hommes 47,3, femmes 52,7. **Ages** (87) – de 15 a. : 26 % (18 % en 1913), + de 65 a. : 9 % (19 000 centenaires). **Taux d'accroissement (%)** *1979 à 89* : 9,3 (Tadjiks 34,5, Ouzbeks 29,3, Turkmènes 28, Kirghiz 22, Azerbaïdjanais 16,6, Kazakhs 12,6, Moldaves 10, Lituaniens 8,6, Géorgiens 8,6, Arméniens 8,3, Russes 7,1, Biélorusses 6,7, Ukrainiens 4). *Minorités russophones hors Russie* : 25 millions dont, en % de la population des États : Kazakhstan 39, Lettonie 33, Estonie 28, Kirghizistan 26, Ukraine 21, Turkménistan 13, Moldavie 13, Biélorussie 12, Ouzbékistan 11, Tadjikistan 10, Lituanie 9, Azerbaïdjan 8, Géorgie 7, Arménie 2. Officiellement, il y avait 280 000 rapatriés en Russie en juin 92. **Natalité** 1,99 % (5 000 000 par an), max. 3,78 % (Tadjikistan). **Mortalité infantile** (‰) *1971* : 22,9 ; *74* : 28 % ; *81* : 36 ; *89* : 24,7 [max. 58,2 (Turkménistan)]. **Avortements** + de 7 millions par an dont env. 35 % illégaux (7 à 8 par naissance dans la partie occid.). **Suicides** *1987* : 54 000. **Sida** *1994 (prév.)* : séropositifs 600 000, malades 6 000 ; *2000* : s. 15 000 000, m. 200 000. **Espérance de vie** *1897* : 32 ans ; *1931* : 47 ; *1972* : h. 64, f. 74 ; *1980* : h. 63, f. 74 ; *1986* : h. 64, f. 73. **Pop. urbaine** 66 %. **Famines** *1918-22* : 5 000 000 † ; *1932-34* : 6 000 000 †. **Drogués** 123 000 (nov. 87). **Résidents à l'étranger** 150 000.

■ **Alcoolisme.** 1 Soviétique sur 6 naît débile ou atteint d'une tare héréditaire due à l'alcoolisme. **Buveurs** (1988) : 150 à 160 millions dont 20 à 30 abusent de boisson, dont 5 à 6 sont alcooliques. *Consommation de vodka* : *1952* : 51 litres par an et par hab., *83* : 30. **Méfaits :** 1 million de morts par an. L'alcoolisme est à l'origine de 85 % des meurtres, viols, actes de banditisme et vols. En 1986, 1 million de conducteurs ivres arrêtés. **Bouilleurs de cru punis** *1985* : 80 000 ; *86* : 150 000 ; *87* : 397 000.

Nota. – Samogone : vodka clandestine à base de sucre.

■ **Émigration. 1918-20** *nombre* : + de 1 000 000 de civils de toutes conditions et une partie de l'Armée blanche (145 673 partirent avec le Gal Wrangel le 11-11-1920) ; à peine 10 % des évêques et 0,5 % des prêtres partirent. **1945** « personnes déplacées », prisonniers de guerre, déportés (env. 500 000). **1970-77** contestataires ; juifs. Entre oct. 72 et avril 73, les émigrés devaient payer une taxe selon leur niveau d'instruction [ex. : diplômés de l'Institut des Sc. humaines 4 500 roubles (+ de 5 000 $), docteur ès sciences 19 400]. **Émigration juive :** voir ci-dessous. **Nombre d'émigrés en France** *1931* : 71 928 ayant un passeport Nansen, plus beaucoup de clandestins ou en partance pour Amér., pays balkaniques (Yougoslavie), Constantinople, Angleterre, Belgique. *1950* : 75 000 dont 30 000 nouveaux.

■ **Voyages à l'étranger.** Pour sortir d'URSS, il fallait un passeport, un visa et une invitation venant de l'étranger. Une loi du 20-5-1990 (applicable le 1-1-93) a légalisé la liberté de voyager et d'émigrer. Env. 20 millions de citoyens de Russie, Ukraine et Kazakhstan songeraient à émigrer en Eur. occ. ou aux USA.

Religions

L'art. 52 de la Const. garantit la liberté de conscience et de religion (loi du 1-10-1990). En 1989, selon le min. des Cultes, 25 % des Sov. étaient croyants. **1990**-*1-10* loi sur la liberté de conscience. Elle supprime tout lien entre État et athéisme et autorise l'éducation religieuse et la création d'écoles confessionnelles. Le Parlement accorde à l'Église orthodoxe le droit d'enseigner dans les écoles d'État faute de locaux, et aux pacifistes pour motifs religieux de faire un service alternatif.

■ **Orthodoxes.** 86 millions (30 %). 85 % des paroisses sont uniates. *Patriarches* : *1971* (2-2) Pimène (Serge Izvekov 1911/2-5-90) ; *1990* (7-6) Alexis II (n. 23-2-29). *Prêtres* : *1914* : 117 000 (77 000 églises ; 1 000 monastères, 95 000 moines) ; *1917* : 77 676 ; *54* : 20 000 à 30 000 ; *61* : 8 252 ; *74* : 5 994 pour 7 500 églises ; *86* : 7 500 pour 5 800 égl. (voir Index) ; *1989* : 8 100 (9 374 paroisses, 35 monastères). *Nombre de baptisés* : *1985* : 640 000 ; *1989* : 1 600 000. *Nombre d'églises réouvertes* : *1985* : 3 ; *86* : 10 ; *87* : 16 ; *88-90* : 4 000, 121 monastères. *1991* : 108 évêques, 10 000 prêtres, 12 000 paroisses. *1992* (7-1) 1re célébration officielle du Noël orthodoxe depuis 74 ans. Noël et Pâques rétablis fêtes civiles. 7 églises rendues au culte en Russie dont les cathédrales de l'Assomption au Kremlin et Basile-le Bienheureux sur la place Rouge. *Budget du Patriarcat* (en millions de roubles, sept. 89) : *recettes* 7,83 ; *dépenses* 14,7. *Sergianisme* du nom du métropolite Serge, le 1er à collaborer (1927) avec le régime pour sauver la foi chrétienne en URSS. Selon une commission d'enquête parlementaire, 80 % des responsables orth. (mais également cath. et prot.) auraient collaboré avec le KGB.

■ **Église apostolique arménienne.** 1 000 000 (?).

■ **Catholiques.** *De rite latin* : 12 000 000 (les 3/4 dans les républiques baltes ; le reste, communautés récemment reconnues en Russie, Biélorussie, Kazakhstan). *1991 avril* nomination d'évêques à Moscou, diocèse comprenant Moscou, 60 000 cath. dont 2/3 de Polonais, St-Pétersbourg, Kaliningrad 50 000 cath., la communauté de la Volga 50 000), *fin mai* 2 cardinaux et 29 évêques dans l'ex-URSS (pays baltes compris). L'Égl. orthodoxe accuse l'Égl. catholique de prosélytisme. *1992-8-2* relations diplom. St-Siège-Ukraine rétablies. Tension Vatican-Égl. orthodoxe provoquées par la restitution aux catholiques uniates d'Ukraine de leurs églises confisquées en 1946 et données par Staline aux orthodoxes.

■ **Protestants.** Égl. évangélique luthérienne 675 000, adventistes 35 000, baptistes 300 000, pentecôtistes 120 000, témoins de Jéhovah 40 000, mennonites 8 000, mormons 150.

■ **Juifs. Nombre :** *1897* : 5 200 000 ; *1904-16* : 1 100 000 partent pour USA, 24 000 pour Palestine fuyant les pogroms (60 000 †) ; *39* : 3 000 000 (sur 7 millions de déportés en 36-39, il y eut 600 000 Juifs) ; *40* : 5 235 000 dont 2 170 000 devenus Soviétiques avec annexion partie Pologne et Pays Baltes ; *41-45* : 3 200 000 tués par les All. (dont 200 000 au combat), *41* : + de 30 000 assassinés à Babi Yar (Kiev) ; *85* : 2 à 3 000 000 dont 380 000 ont demandé à partir ; *1990* : 1 700 000. **Émigration :** *1921-26* : 21 000 + 34 000 rapatriés en Pologne. *1922* : accord entre la Sté d'Émigration Unie Juive (Emigdirek, Berlin) et la Commission Publique Juive de Russie. Il ne dure qu'1 an. *Août* : installation de « l'émigration par expulsion », mesure administrative appliquée aux Juifs condamnés pour activités antisoviétiques. Retour à l'émigration individuelle. *1931-36* : – de 2 000 émigrés, moyennant une rançon de 130-150 £ sterling payée par leurs parents vivant en Occident. *1945* : plusieurs centaines de milliers rapatriés en Pologne, Hongrie, Tchéc., Roumanie, Bulgarie. *1952-71* : 43 133 ; *72* : 32 021 ; *73* : 34 818 ; *75* : 13 731 ; *78* : 28 864 ; *79* : 51 333 (dont 60 % vers USA) ; *80* : 21 471 ; *81* : 9 447 ; *82* : 2 688 ; *83* : 1 314 ; *84* : 896 ; *85* : 1 140 ; *86* : 914 ; *87* : 8 068 ; *88* : 22 000 (dont 2 300 en Israël) ; *89* : 71 196 [dont 12 900 en Israël (USA quota de 40 000 à 50 000 dep. oct. 89)] ; *90* : 200 000 en Israël ; *91* : 400 000 ; (92-95, *prév*) : 1 million au total en Israël.

Nota. – En 1989, un Juif quittant l'URSS devait payer 800 $ pour renoncement à la nat. sov., 140 $ les visas israéliens (délivrés par l'Amb. des P.-Bas à Moscou) ; pouvait emporter 150 $ et 2 valises et prendre le train pour Vienne (via Varsovie) d'où 10 % gagnaient Israël et 90 Ladispoli près de Rome, où ils attendaient un visa pour un autre pays.

Croyants (%) : *1920-30* : 80 ; *35* : 50 ; *78* : 15 à 20 (chez les adultes, diminution d'env. 10 % par an) ; *80* : 2 à 3 pour les – de 20 ans, 8 de 20 à 30 ans. La mention *juif* figure obligatoirement sur les passeports. **Langue :** *yiddish,* parlé par 19,6 % des Juifs sov. qui le déclarent comme langue maternelle ou 2e l. ; n'est plus enseigné (sauf dep. 1980 au Birobidjan « région autonome juive » créée 1934 en Extrême-Orient, au confluent de la Bira et du Bidjan ; 14 000 Juifs seulement). **Synagogues :** *1926 :* 1 103 ; *80 :* 91 (dont env. 60 en activité). *Moscou :* 2 pour env. 250 000 J. ; *Karkov :* 0 pour 75 000 J. **Enseignement rabbinique :** *Yeshiva* (éc. sup. rabbinique) à Moscou : aucun rabbin n'en est sorti dep. sa réouverture en 1974 ; ens. en hébreu dep. 1990. *Dep. 1948,* il n'existait plus d'école où l'ens. était donné dans une langue j. bien que la Const. sov. garantisse l'ens. « dans la langue maternelle ». *1990* création d'une chaire d'hébreu à l'univ. de Moscou. Aucun des actes de la vie juive ne pouvait avoir lieu avant 1990 : circoncision, bar-mitsva, mariage relig. ou enterr. *1993*-24-2 Ier congrès des organisations j. russes et élection d'un grand rabbin (Adolf Shaievitch).

Antisémitisme : *Lénine* le dénonce et impose aux Juifs l'assimilation. A partir de 1928, poursuite de la politique d'assimilation et répression antisioniste. *Staline ;* antisémitisme d'État et thème d'une conspiration sioniste (complot des blouses blanches). Les Juifs (10 % du Comité central en 1939, 2 % en 1952) sont écartés des hauts postes. La CEI a abandonné l'antisémitisme officiel, désormais le fait d'organisations privées. Le Front national patriotique *(Pamiat)* réclame ainsi l'expulsion des Juifs et l'interdiction aux Russes des mariages avec « des races étrangères ». L'Union des écrivains russes (ex-communiste) dénonce une conspiration « judéo-maçonnique ».

■ **Musulmans (ex-URSS).** *1990 :* 47 000 000 (18,5 %) : 88 % sunnites, chiites 200 000, ismaéliens 100 000, bahaïs 50 000, yézidis 25/50 000 ; *prév. an 2000 :* 66/75 000 000 (22 à 24 % de la pop. totale). Auj. 80 % des populations des rép. d'Asie centrale se déclarent musulmanes. *Mosquées : 1917 :* 26 000 ; *86 :* 400 ; *90 :* 1 400 (dont Russie 200). 500 construites et financées par Arabie S. qui a aussi offert pour 7 millions de $ de Corans. *Merdesas* (écoles de formation théologique) *1980 :* 2 ; *92 :* 12. *Pèlerins à la Mecque :* 25 par an en moyenne dans les années 80 ; 5 000 en 91. Bourses de voyage offertes par l'Arabie S. En 1943, Staline crée 4 directions spirituelles (inspirées de celles de Catherine II) : Tachkent ; Oufa ; Makhatchkala, Daghestan ; Bakou. Actuellement alignement des hiérarchies religieuses sur les divisions territoriales.

■ POLITIQUE INTÉRIEURE DE L'URSS

DIRIGEANTS DE LA RUSSIE SOVIÉTIQUE DE 1917 A 1991

Présidents du Présidium du Soviet suprême. **1917** Jacques Sverdlov (1885-1919). **1937** Michel Kalinine (19-11-1875/3-6-1946). **1946** Nicolas Chvernik (1888/24-12-1970). **1953**-6-3 Clément Vorochilov (23-1-1881/3-12-1969). **1960**-7-5 Leonid Brejnev (1906-82). **1964**-17-5 Anastase Mikoyan (25-11-1895/1978). **1965**-9-12 Nikolaï Podgorny (18-12-1903/11-1-1983). **1977**-16-6 Mal Brejnev (1906-82). **1982**-10-11 Vassili Kouznetsov (1900-90). **1983**-16-6 Youri Andropov (15-6-1914/9-2-1984). **1984**-12-4 Constantin Tchernenko (24-9-1911/10-3-1985). **1985**-2-7 Andreï Gromyko (18-7-1909/2-7-1989). **1988**-1-10 Mikhaïl Gorbatchev (2-3-1931). **1990**-15-5 Anatoli Lioukanov (n. 1931).

Président de l'URSS. **1990**-15-3 Mikhaïl Gorbatchev.

Présidents du Conseil des ministres. **1917** Vladimir Illitch Oulianov Lénine (22-4-1870/21-1-1924). **1922** Alexis Rykov (25-2-1881/14-3-1938, exécuté). **1930** Viatcheslav Skriabine dit Molotov (9-3-1890/10-11-1986). **1941**-7-5 Joseph Staline (21-12-1879/5-3-1953). **1953**-6-3 Georges Malenkov (8-1-1902/14-1-1988). **1955**-8-2 Nicolas Boulganine (Mal) (11-6-1895/25-2-1975). **1958**-27-3 Nikita Khrouchtchev (17-4-1894/11-9-1971). **1964**-15-10 Alexis Kossyguine (20-2-104/18-12-1980). **1980**-23-10 Nicolas Tikhonov (n. 30-10-1906). **1985**-2-7 Nikolaï Ryjkov (n. 1929). **1991**-14-2 Valentin Pavlov.

■ **Statut de l'URSS.** Fondée le 30-12-1922, elle « est un *État multinational fédéral uni,* constitué selon le principe du fédéralisme socialiste, par suite de la libre autodétermination des nations et de l'association librement consentie des Républiques socialistes soviétiques égales en droits » (art. 70). Elle comprend *15 Rép. fédérées souveraines* qui peuvent faire sécession (art. 72), mais il faut (loi du 3-4-1990) un référendum avec majorité des 2/3 des inscrits et l'approbation du Parlement féd.

Républiques fédérées : chacune a sa Constitution (établie sur la base de la Constit. de l'U. et qui tient compte de ses particularités nationales) ; possède ses organes supérieurs du pouvoir d'Etat : Soviet suprême, Praesidium du Soviet suprême, Conseil des min., Cour suprême, soviets des députés, des travailleurs et leurs comités exécutifs, législation civile et criminelle, du travail, de la famille, hymne, drapeau, armes et capitale. Chacune a le droit d'entrer en relations directes avec un État étranger, de signer des accords, d'échanger des représentants diplomatiques et consulaires, de sortir librement de l'U. Certaines Rép. féd. comprennent des Rép. autonomes.

Républiques autonomes (20 dont RSFSR 16, Géorgie 2, Ouzbékistan et Azerbaïdjan 1) : chacune est une formation politique qui fait partie intégrante de la Rép. féderée [possède une Constitution et des organes supérieurs du pouvoir (Soviet suprême : 1 seule chambre élue pour 5 ans, Conseil des ministres)]. Son territoire ne peut être modifié sans son consentement.

Régions autonomes (8 dont RSFSR 5, Géorgie 1, Azerbaïdjan 1, Tadjikistan 1) : formations nationales et territoriales qui bénéficient de l'autonomie administrative. Le Soviet des députés des travailleurs de la région autonome en est l'organe du pouvoir d'État.

Districts autonomes (13 dont RSFSR 10, Géorgie 1, Azerbaïdjan 1, Tadjikistan 1) : réservés aux minorités.

■ **Fêtes nationales.** 7-8/11 (révolution d'Oct.) ; 9-5 (j de la victoire) ; 7-10 (j de la Constit.). Noël et Pâques rétablis fêtes civiles 2-1-92.

■ **Hymne soviétique.** Joué pour la dernière fois le 23-12-1991 pour l'accréditation de l'ambassadeur d'URSS à Jérusalem.

■ **Constitution de l'URSS du 7-10-1977** amendée le 1-12-1988 (modifiant celle du 5-12-1936). « État socialiste du peuple entier » (art. 1). L'*État socialiste,* au cours de son développement, traverse *2 étapes historiques :* 1°) **passage du capitalisme au socialisme** jusqu'à la victoire totale et définitive de ce dernier ; l'État soc. est alors un État de *dictature du prolétariat,* forme particulière selon Lénine de l'alliance des ouvriers et des paysans conclue en vue de renverser complètement le capital et d'instaurer et de consolider le socialisme. La classe ouvrière en tant que classe la plus avancée et politiquement la mieux organisée joue le rôle dirigeant. 2°) **après la victoire définitive du socialisme,** réalisée en U., l'État est devenu un État du peuple tout entier exprimant la volonté et les intérêts de l'ensemble du peuple soviétique, et non plus les intérêts et la volonté d'une classe déterminée. L'État agit en fonction de l'idéal communiste : le libre développement de chacun est la condition du libre développement de tous. « Tout le pouvoir appartient au peuple » qui « exerce le pouvoir d'État par l'intermédiaire des Soviets des députés du peuple, qui constituent la base politique de l'U. Tous les autres organes d'État sont soumis au contrôle des Soviets... et responsables devant eux » (art. 2). « L'organisation et l'activité de l'État... se conforment au principe du centralisme démocratique : tous les organes du pouvoir d'État... sont élus et doivent rendre compte de leur activité au peuple, les décisions des organes supérieurs sont exécutoires pour les organes inférieurs » (art. 3), « Les questions les plus importantes de la vie de l'État sont soumises à la discussion populaire ainsi qu'au référendum » (art. 5). « L'orientation fondamentale du développement du système politique... est l'approfondissement continu de la démocratie socialiste. »

Amendements. **Du 1-12-1988 :** ils instituent une *présidence de l'État,* un *Soviet suprême* issu du Congrès des députés du peuple, une *nouvelle loi électorale* et un *comité de surveillance constitutionnel* (composé d'un Pt, d'un vice-Pt et de 21 m. élus pour 10 ans par le Congrès des députés du peuple « parmi les spécialistes de la politique et du droit » et incluant des représentants de chaque Rép. fédérée). **Du 13/15-3-1990 :** ils abrogent le rôle dirigeant du PC. **27-12-1990.** *Créations : cabinet ministériel* directement soumis au chef de l'État, responsable devant lui mais aussi devant le Soviet suprême à la majorité des 2/3, *Conseil de sécurité,* placé auprès du chef de l'État, *vice-Pt de la Rép., Cour suprême d'arbitrage, Conseil de la Fédération* (35 m. représentant des 15 Rép. féd. et de Rép. autonomes).

■ **Propriété.** La *base économique* de la société sov. est la propriété socialiste des moyens de production. 1°) **propriété socialiste,** appartient au peuple en entier (terre, richesses du sous-sol, forêts, eaux, principaux moyens de production, ind. du bâtiment et agricoles, banques, moyens de transport et de communication, institutions scientif. et culturelles, biens des entreprises commerciales, services communaux, la majeure partie des fonds locatifs urbains et autres entrepr. organisées par l'État, les autres biens nécessaires à la réalisation des tâches de l'État) ; 2°) **propriété kolkhozienne,** *coopérative* (machines, bâtiments, entreprises et bétail collectif, production) qui appartient aux diverses collectivités de travailleurs (seuls les membres de la coopérative ont le droit de la gérer). 3°) **propriété personnelle,** fondée sur les revenus issus du travail ; terre remise aux kolkhozes en jouissance perpétuelle et gratuite. *Peuvent être propriété personnelle* les objets d'usage, de commodité et de consommation personnelle, les biens de l'économie domestique auxiliaire, une maison d'habitation, et les épargnes venant du travail. La propriété personnelle des citoyens et le droit de l'hériter sont protégés par l'État. Les citoyens peuvent avoir *en jouissance* des lots de terre qui leur sont accordés selon les modalités établies par la loi, pour pratiquer l'économie auxiliaire (incluant bétail et volaille), le jardinage et la culture potagère, ainsi que pour construire des habitations individuelles. Les biens en propriété personnelle ou donnés en jouissance aux citoyens ne doivent pas être utilisés pour en tirer des revenus ne provenant pas de leur travail, ni au préjudice des intérêts de la société (art. 13). La loi autorise les métiers individuels artisanaux, agricoles et de services, fondés sur le travail accompli personnellement par leur possesseur, sans exploitation du travail d'autrui.

☞ **Loi du 15-3-1990 :** reconnaît la propriété privée (votée au Congrès du peuple par 1 771 voix contre 164 et 76 abst.).

■ **Droits et libertés du citoyen.** *Droit au travail,* le principe : « De chacun selon ses capacités, à chacun selon son travail » est réalisé. *Droit au repos,* à *l'instruction,* à *bénéficier des acquis de la culture ; liberté de création* scientifique, technique et artistique ; *droit de participer* à la *gestion des affaires* de l'État et des organisations sociopolitiques, de *faire des suggestions et des critiques* aux organes de l'État et des organisations sociales ; *liberté* d'expression, de presse, de réunion, de meeting, de défilé et de manifestation dans la rue ; *droit de se grouper* en organisations sociales ; liberté de conscience ; *égalité de l'homme et de la femme,* et droit aux allocations familiales ; *inviolabilité* de la personne, du domicile et de la correspondance ; *droit à la protection de la justice,* de porter plainte contre les fonctionnaires. Les *libertés* doivent s'exercer dans l'intérêt des travailleurs et afin de consolider le régime socialiste, et seule l'éducation communiste est reconnue. **Devoirs.** *Travail consciencieux, respect de la Constitution* et des lois, de la propriété socialiste, d'autrui, des nationalités et ethnies, de la nature, *sauvegarde des intérêts de l'État, service militaire, éducation des enfants, internationalisme.*

■ **Présidence de l'Union.** Poste créé par le Soviet suprême le 27-2-1990 par modification de la Constit. *Pt :* élu pour 5 ans par le Congrès des députés du peuple [loi du 13-3-1990 (votée par 1 817 voix contre 133, 61 abst. et 11 refus de vote), à partir de 1995 (au suffrage univ.) 65 ans max., renouvelable une fois]. *Pouvoirs :* droit de légiférer par décret, de recourir au référendum, de veto et de déclarer la guerre. Pt assisté de *2 organes consultatifs :* Conseil présidentiel et Conseil de la fédération (où siégeront les dirigeants des Républiques).

■ **Conseil des ministres** (appelé Conseil des commissaires du peuple avant le 16-3-1946) assurant avant 1989 l'exécutif, responsable devant le Soviet suprême, ou, entre les sessions, devant le Praesidium du Soviet suprême. *Composition* fixée par le Soviet suprême ou son Praesidium : *Présidium du C. des M. :* 14 m., Pt, 1ers vice-Pts, vice-Pts ; *ministres* 87.

■ **Conseil présidentiel.** Créé 23-3-1990. *Membres :* Edouard Chevardnadze, Youri Maslioukov, Vladimir Krioutchkov, Dmitri Yazov, Aleksander Yakolev, Stanislas Chataline, Albert Kaouls, Veniamine Yarine, Valentin Raspoutine, Tchinguiz Aitamov, Vadim Bakatine, Valery Boldine, Youri Osipian.

■ **Parlement de l'URSS.** **Avant 1989 :** **Soviet (conseil) suprême** comprenait env. 1 500 m. élus pour 5 a. et répartis dans 2 chambres : le **Soviet de l'Union** (750 m. élus par circonscription selon la population, 1 pour 360 000 hab. ; s'occupant des intérêts généraux) et le **S. des nationalités** (32 dép. par Rép. féd., 11 par Rép. aut., 5 par région aut., 1 par district autonome, soit 750 m., exprimant les particularismes). **Les élections** avaient lieu au suffrage univ., égal et direct, et au scrutin secret. Droit de vote et éligibilité à partir de 18 ans. *Dernières élections le 4-3-84 :* 184 006 373 électeurs (99,99 % des inscrits). Élus : 1 071 communistes et 428 sans parti ; 492 femmes ; 527 travailleurs manuels ; 242 kolkhoziens. Le *praesidium du Soviet suprême* était élu à la séance commune des 2 chambres avec son Pt (chef de l'État), son 1er vice-Pt, 15 adjoints (un pour chaque Rép. féd.), le secr. du Praesidium et 21 m. Le Soviet suprême lui déléguait entre les sessions (2 par an) l'exercice du pouvoir exécutif. Les lois étaient adoptées à la simple majorité des voix ou par référendum organisé sur sa décision.

Déc. 1989 à 91 : **Congrès des députés du peuple :** créé par l'amendement du 1-12-1988. 2 250 m. *750 députés du peuple* représentant la pop. sov., élus au suffrage universel dans des circonscriptions territoriales, 1 pour env. 257 000 électeurs. *750 représentants des nationalités* représentant les 15 Rép., élus au suffrage univ. dans des circonscriptions nationales territoriales, par Rép. fédérée 32, Rép. autonome 11, région autonome 5, district autonome 1. *750 repr. des organisations légales* (ex. PC 100, syndicats 100, Union des femmes 75, Jeunesses comm. 75, Académie des Sciences 25, Écrivains 10, Comité pour la paix 7, Union des philatélistes), élus avant ou après le 26-3-89 par les m. des organisations. *Pouvoirs :* constituant : adoption et révision de la Const., élection du *Soviet suprême*, Pt du Soviet suprême, adopte ou peut révoquer les lois votées par le Soviet suprême. **Élections du 26-3-1989** *participation* 89,8 %. Sur 2 250 dép., 2 044 élus dont (en %) femmes 17,1 ; ouvriers 18,6 (– 10,2 %) ; kolkhoziens 11,2 (– 6,5 %) ; m. du PC 87,6 (20 % des dir. battus). Ils appartiennent à 60 nationalités. **1er tour** 1 264 dép. élus. **-9-4 2e tour** dans les circonscriptions où un candidat n'a pas atteint la majorité (64 circ. sur 1 500). **-14-5 3e tour,** 192 circ. où aucun cand. n'avait eu 50 % (Egor Ligatchev, chef des conservateurs, élu député de Leningrad avec 60 % des voix).

■ **Soviet suprême.** Élu par le Congrès du peuple. Comprend 542 membres répartis en 2 chambres Soviet de l'Union 271 et Soviet des nationalités 271. Nomme le Pt du Conseil des min. et gouv. (responsables devant lui). 2 sessions ordinaires par an de 3 ou 4 mois. Pour la 1re fois, l'ex-URSS se dote d'un Parlement permanent (doit siéger en 2 sessions de 7 à 8 mois par an). Chaque année, ses effectifs doivent être renouvelés afin qu'à l'issue des 5 ans de la législature, tous les 2 250 députés de l'ex-URSS aient siégé au Soviet suprême. **Président** Anatoly Loukianov élu 14-3-90.

■ **Comité de contrôle institutionnel.** (Loi du 31-12-1989). Élu pour 10 ans par le Soviet suprême, désigné parmi des juristes originaires des diverses Républiques fédérées, doit contrôler l'application des lois et des décisions prises.

■ **Soviets locaux. Avant 1989 :** 5 000. **Élections : du 20-6-1982 :** 2 288 885 députés (ouvriers 44,3 %, kolkhoziens 24,9, femmes 50,1, – de 30 ans 34, sans-parti 57,2) ; **des 21-6 et 5-7-87 :** apparition de candidatures multiples dans 4 % des circonscriptions.

■ **Parti communiste de l'Union soviétique (PCUS). Fondé** 1903 par Lénine (terme bolchevik abandonné en 1952). Rassemblait 14 PC des Républiques sov., 6 organisations du Parti régionales, 150 organisations du P. départementales, 4 384 organisations du P. urbaines et d'arrondissement, et plus de 141 000 cellules de base constituées selon l'appartenance aux unités de production. Un bureau ou un comité sont élus au scrutin secret, à chaque niveau. **Adhésion :** dep. 1966, il fallait avoir 23 ans et être parrainé par un membre depuis plus de 5 ans dans le Parti. Les – de 23 ans adhéraient d'abord aux Komsomols. **Membres :** *1917 janv. :* 23 600, *avril :* 100 000, *août :* 240 000, *oct. :* 350 000, *39 :* 2 300 000. *52 :* 6 700 000 ; *66 :* 12 500 000 ; *86 :* 18 309 693 ; *90 (1-10) :* 17 742 634 [dont (en %) : ouvriers 27,6, kolkhoziens 7,6, salariés 40,5. Inactifs 17,4]. *Août 91 :* 15 000 000. **Rôle :** *avant 1990 :* seul parti légal ; « Force qui dirige et oriente la société soviétique, c'est le noyau de son système politique, des organismes d'État et des organisations sociales. Existe pour le peuple et au service du peuple. Il définit la perspective générale du développement de la société, les orientations de la politique intérieure et étrangère de l'ex-URSS. Il dirige la grande œuvre créatrice du peuple sov., confère un caractère organisé et scientifiquement fondé à sa lutte pour la victoire du communisme ». *A partir du 15-3-1990* « Le Parti participe à la direction du pays », mais « n'assume pas toute l'autorité gouvernementale » (le multipartisme est adopté). « Son rôle est d'être leader politique, sans prétention particulière sur la société inscrite dans la Constitution. »

Organes suprêmes. Congrès : au moins une fois tous les 5 a. (XXVIIe : 1986, XXVIIIe : juill. 1990 ; voir liste des congrès dans Quid 1982, p. 1 115 c), env. 5 000 participants. *Comité central* élu par le Congrès pour 5 a. à bulletin secret [au 25-4-89 : 249 m. (en mai 1988 : dont *+ de 70 ans :* 13,7 %, *60 à 70 :* 36,8, *50 à 60 :* 42, – de 50 : 6,5), 115 m. suppléants, dirige toute l'activité du Parti, réunions plénières 2 fois/an], **Commission de révision** (70 m.), **Bureau politique ou Politburo :** dirige les travaux du Parti entre les plénums du Comité central (au moins 2 fois par an). Politburo et secrétariat se réunissent chaque semaine. Le secrétaire du Parti ne peut modifier le Bureau politique, ni lui imposer une nouvelle politique. Sur 27 personnalités qui ont siégé au Politburo de 1917 à oct. 1962, 15 au moins ont péri de mort violente (assassinat, exécution, suicide). *Composition (juillet 1991) 24 m. 2 de droit :* Gorbatchev (1931), secr. du CC ; Ivachko (58 a.) ; *7 élus par le CC ; 15 de droit, 1ers secr. des Rép. fédérées ; 7 sans resp. dans les Rép.* **Secrétariat du Politburo** (18 m.) : *Secr. gén.* (élu à main levée) : *1922-(4-4)* Joseph Staline (1879-1953). *1953-(13-11)* Nikita Khrouchtchev (1894-1971). *1964-(14-10)* Leonid Brejnev (1906-82). *1982-(12-11)* Iouri Andropov (1914-84). *1984-(13-2)* Constantin Tchernenko (1911-85). *1985-(11-3)* Mikhaïl Gorbatchev (n. 2-3-31).

Nota. – On appelle *apparatchiks* les membres permanents du Parti (400 000 à 500 000 salariés à temps complet) et *nomenklatura* toute l'élite officielle, politique, administrative ou intellectuelle dont la nomination à ces postes dépend du Parti, des syndicats ou des Soviets (leur liste constitue une nomenclature). Russes, Biélorusses et Ukrainiens représentent 80 % des membres du PC, et 82 % des membres du Politburo.

Effondrement du PCUS. 1991-*23/25-8* 2 décrets suspendent l'activité des PC russe et soviét. et les exproprient : *6-11,* décret d'interdiction. La Cour constitutionnelle de Russie, nouvellement créée, est saisie simultanément par 37 députés de l'ex-PCUS, et par le Gouvernement russe qui lui demande de déclarer inconstitutionnelles les activités du PC. Convoqué par la Cour comme témoin, Gorbatchev refuse de comparaître. *-29-8* suspension de l'activité du PCUS dans entreprises et administrations, entraînant la mise au chômage d'environ 150 000 personnes. Sur 19 millions d'adhérents, 4 quittent le PC en quelques mois. Personnalités démissionnaires : Edouard Chevarnadze, Alexandre Iakovlev, Cel Routskoï (vce-Pt de Russie), les maires de Moscou et Leningrad, Gavriil Popov et Anatoli Sobtchok. **1992**-*30-12* arrêt de la Cour ; l'interdiction des organes centraux du PC est légale, celle des cellules de base illégale ; la confiscation des biens commu-

Soviétiques expulsés pour activités indésirables

Du Bangladesh : *1983 :* 33 diplomates. **Bolivie :** *72* (avr.) : 49. **Chine :** *74 :* 3 dipl. **Colombie :** *72* (août) : 8. **Danemark :** *83* (févr.) : 1. **Égypte :** *72 :* 17 000 experts. *81 :* l'ambassadeur, 249 dipl. et conseillers divers. **Espagne :** *dep. 1977 :* 14. **France :** *65* (févr.) : directeur de l'Aeroflot à Paris. *70 :* 5 dipl. *73 :* attaché de l'air adjoint. *77* (11-2) : 1 fonctionnaire de l'Unesco. *78 :* attaché militaire adjoint. *80* (9-2) : 1 membre du consulat, 1 consul à Marseille. *83* (5-4) : 47 dipl. *86* (1-2) : 4 dipl. **G.-B. :** *71* (sept.) : 105 dipl. et fonctionnaires sur 500 ; *de 72 à 84 :* 9 autres ; *85* (avril) : 5 dipl. (sept.) 25 dipl. ; *89* (mai) 14 dipl. **Grenade :** *83 :* 49 dipl. **Iran :** *83 :* 18. **Italie :** *82 :* 2 dipl. **Pays-Bas :** *81* (avr.) : correspondant de Tass. **Portugal :** *82 :* 7. **Suisse :** *83* (début) : 3. **USA :** *77 :* correspondant de Tass. *78 :* 3 dipl. *86 :* 80 dipl. **Zaïre :** *63 :* toute l'ambassade (15 pers.).

Opposition avant 1990

■ **Opposition intellectuelle** (*samizdat :* « auto-édition » d'œuvres clandestines, mot forgé par analogie avec la Gossizdat, « édition d'État »). Œuvres littéraires, rapports politiques, scient., sociologiques, histor. ; traductions d'auteurs étr. interdits officiellement. Tirages limités, mais les exemplaires circulent de la main à la main. *Principaux centres de diffusion :* les universités de Moscou et Leningrad. Le KGB intervenait ponctuellement, voulant éviter les procès, mal vus par l'opinion.

■ **Goulag** [de Glawnoje OUprawlenie LAGUereï (direction principale des camps de travail forcé)]. Les camps ont été créés en 1918 pour bourgeois, opposants, antibolcheviques, et v. 1928 pour les paysans hostiles à la collectivisation des terres et les victimes des purges. D'abord établis dans les îles Solovki (mer Blanche), d'où l'expression « l'Archipel du Goulag » de l'écrivain Soljenitsyne, les camps étaient dans les années 80 situés en majorité en Russie d'Europe, et le long de la voie ferrée Baïkal-Amour, en Extrême-Orient soviét. Certains étaient réservés aux femmes (elles gardaient avec elles leurs enfants jusqu'à 2 ans). Certains regroupaient les enfants d'âge scolaire, les adolescents (10 ou 14 ans à 18 ans). Les personnes étaient affectées à des travaux publics, miniers, agricoles. Par crainte de représailles, le KGB a décidé de ne pas ouvrir les archives des goulags. A Kolyma, il y aurait eu 3 millions de morts (froid, famine, épuisement ou exécutions massives). Près de Minsk (Biélorussie), on a découvert un lieu d'exécutions massives de 10 à 15 ha avec 510 sépultures collectives. + de 102 000 condamnés y auraient été exécutés à l'époque stalinienne.

Nombre de détenus (en millions). *1930 :* 1,5. *33 :* 3,5. *36 :* 6,5. *38 :* 11,5. *41 :* 13,5. *85 :* 4 (2 000 camps, 20 000 † par an). *89 :* 0,8 (selon le min. de l'Intérieur). *92 (7-2)* libération des 10 derniers prisonniers politiques détenus au dernier goulag (camp de Perm-35, Oural). **Détenus étrangers :** plusieurs milliers ont disparu dans les camps soviét. : communistes idéalistes partis en ex-URSS dans les années 20, déportés de camps nazis libérés par l'armée Rouge et dont certains furent envoyés en Sibérie, Alsaciens et Lorrains enrôlés de force dans la Wehrmacht et ayant déserté vers les lignes russes (10 à 15 000). Ces derniers ont été détenus au camp de Tambov, à 600 km au sud-est de Moscou. Officiellement, 1 352 Français y sont morts, mais 7 000 y ont disparu. *Américains :* selon les Russes, 39 Américains (13 femmes, 26 h.) libérés en All. par l'armée Rouge en 1945, furent déportés en ex-URSS. Des Amér. faits prisonniers en Corée ou au Viêt-nam y auraient aussi été détenus. (Présence non confirmée et nombre inconnu). **Détenus « économiques » :** près de 10 000 personnes condamnées dans l'ex-URSS pour « crimes économiques » (spéculation ou opérations en devises étrangères aujourd'hui légalisées) seraient toujours emprisonnées en Russie.

■ **Peine de mort.** Abolie en 1917, 1920 par Lénine et 1947, rétablie en 1950 : 18 crimes en sont passibles en temps de paix, dont : trahison, assassinat, contrefaçon, corruption, vol. Env. 100 condamnations à mort sont prononcées chaque année.

■ **Contestataires (Quelques). Vladimir Boukovski :** *1971*-5-1 cond. à 7 a. de privation de liberté, *1976*-18-12 échangé contre le Chilien Luis Corvalán. **Valery Chalidze :** physicien, *1972* à *1990*-15-8 privé de liberté. **Anatoli Chtaranski** (n. 1948) : *1978*-10-7 condamné, *1986*-11-2 échangé contre espions émigrés en Israël. **Youri Daniel :** *1988*-30-12 émigré. **Gal Grigorenko** († 22-2-87) : *1969* interné dans clinique psychiatrique, *1974*-26-6 libéré, privé de lib. jusqu'à *1978*-10-3. **Alexandre Guinzbourg :** *1978*-10-7 condamné, *1979*-24-2 échangé (en même temps que les autres dissidents Kouznetsov, Dymchitz, Moroz et Vins) contre 2 espions (Enger, Tcheriviev) condamnés aux USA. **S. Kovaliev :** biol., *1975*-12-12 cond. à 7 a. de camp et 3 a. d'exil. **Jaurès Medvedev :** biol., *1973* privé de liberté. **E. Neizvestny :** sculpteur, *1976*-10-3 quitte l'ex-URSS. **Leonid Pliouchtch :** math., autorisé à quitter l'ex-URSS. après 3 a. d'hôpital psychiatrique, *1976*-11-1 exilé à Paris. **Rostropovitch et son épouse** (cantatrice **Galina Vichnievskaïa**) : *1974* exilés, *1978*-15-3 déchus de leur citoyenneté, *1989*-8-2 réintégrés dans l'Union des compositeurs, *1990*-16-1 retrouvent leur nationalité. **Andreï Sakharov** (1921/14-12-89), savant nucléaire : père de la 1re bombe H sov., académicien (*1969* prix Staline), fonde Comité pour la défense des droits de l'Homme. *1970* (veuf dep. 1969) épouse Elena Bonner (médecin). *1975* (prix Nobel)-12-11 visa refusé pour Oslo. *1980*-22-1 exil à Gorki avec sa femme. *1981*-22-11/-8-12 avec elle, grève de la faim pour que leur fille puisse rejoindre aux USA son mari Alexei Semionov (fils d'un 1er mariage d'Elena), *1983* on lui refuse la possibilité d'émigrer car détient des secrets d'État, *1985*-7-12 Elena va se faire soigner aux USA. *1986*-24-12 libéré revient à Moscou, *1988*-20-10 élu au praesidium de l'Ac. des Sciences, *Nov.* 1er voyage à l'étranger, *1989*-20-4 élu au Congrès des députés du peuple par l'Ac. des Sciences (806 voix sur 1 101). **André Siniavski :** *1966* condamné à 12 a. de travaux forcés, *1973* émigre en France, *1989*-4-1 autorisé à rentrer en ex-URSS. **Soljenitsyne :** *1974*-12-2 arrêté, *-23-2* expulsé, *1990*-15-8 nationalité rendue, 16-9 autorisé à rentrer en Russie. **Valery Tarsis :** écrivain, *1966* à *1990*-15-8 privé de liberté. **Alexandre Zinoviev :** philosophe, *1978* sept. déchu (le *6-8-78* avait été autorisé à se rendre 1 an à l'univ. de Munich).

Réhabilités (Quelques). 1987-*19-2* Boris Pasternak († 1960) écrivain. **1988**-*9-2* 20 condamnés du 3e procès de Moscou de 1938 dont Boukharine et Rykov (10 avaient déjà été réhabilités). *-21-3* Boukharine et Rykov réintégrés à titre posthume par Politburo. *-13-6* Zinoviev, Kamenev, Piatakov et Radek. *-10-7* Zelinski, Ivanov, Zoubarev, Grinko, Krestinski, Ikramov, Charangovitch et Khodjaev réintégrés dans PC (ainsi que Boukharine, Rykov, Rozengolts, Tchernov, Boulanov, Maximov-Dikovski, Rakovski réhabilités pénalement en février). Pour Tomski (suicidé avant d'être condamné), son appartenance est confirmée au Parti dep. 1904. *-9-9* la « Pravda » reconnaît pour la 1re fois le rôle de Trotski dans la rév. **1989**-*28-4* historien Roy Medvedev réadmis au PC. *Août* « groupe de Zinoviev » réintégré dans PC.

nistes venant des ressources de l'État est légale, non celle des avoirs constitués à l'origine par les militants.

Fortune. Actifs évalués officiellement (21-8-91) à 4 milliards de roubles (env. 12 milliards de F) ; en fait 980 milliards de F. Le PCUS possédait 5 234 bâtiments administratifs, 3 583 organes de presse, 23 maisons de repos. Le parquet de Russie a saisi 14 milliards de $ en liquide et gelé 3 milliards de $. Selon le parquet, + de 170 milliards de $ auraient été placés à l'étranger (près de 7 000 comptes numérotés en France, Amérique latine, Iran, sociétés mixtes, trusts, SARL). 100 t d'or auraient été écoulées clandestinement. A côté des entreprises officielles du PCUS, des sociétés privées auraient bénéficié de capitaux « blanchis » du parti. Ex. Menatep, holding créé en 88 avec le concours du ministère soviétique des Finances et de la Banque d'État.

☞ Le PC aurait détourné 55 à 180 milliards de $ et aurait, de 1981 à 90, versé 250 millions de $ aux partis amis (dont 26 au PCF de 1979 à 90 et 21,2 au PC amér.).

Archives. Évaluées à 40 millions de documents. Env. 30 millions, classés « confidentiels » (période 1952-92), sont accessibles au public dep. le 2-3-92.

Presse du PCUS. La *« Pravda »* (« vérité », f. 1912, tirage env. 11 000 000 ex.). Ne paraît plus que 3 fois par semaine à partir du 3-3-92 en raison de la crise économique ; cesse de paraître 1 semaine plus tard. *« Sovietskaïa Rossia », « Sotsialistitcheskaïa indoustria », « Selskaïa jizn », « Sovietskaïa koultoura »,* hebdo *« Ekonomitcheskaïa gazeta ».* Revues *« Kommunist »* théorique politique (1 000 000 ex.), *« Aguitator », « Partiïnaïa jizn », « Polititcheskoié samoobrazovanié ».* Editions *« Pravda », « Editions de littérature politique », « Plakat ».* Les partis communistes des Rép. fédérées ont leurs propres éditions et publications.

■ **Union des jeunesses communistes léninistes de l'ex-URSS, ou Komsomols** (Koummounistitcheskyi Soyouz Molodioji). 40 000 000 m. (1987). *Fondée* 1918, regroupant les jeunes de 14 à 28 ans. Autodissoute en Congrès extraordinaire (27-9-91).

■ **Syndicats.** *Membres* 140 000 000 (1987) ouvriers, kolkhoziens, employés et ét. (env. 99 %). 731 000 organis. de base groupées en 31 synd. sectoriels (ex. synd. de l'automobile). *Organis. synd. kolkhoziennes et sovkhoziennes* 91 605 groupant 28 000 000 de m. Congrès par branche tous les 5 a. Dans l'intervalle, le Conseil central des synd. sov. (CCSS, Pt A. Chibaev) assure la direction. Les syndicats ont le droit d'initiative législative, gèrent la Sécurité sociale, le contrôle de l'application de la législation du travail et de la sécurité du travail. Comités d'entreprise (690 000 en 75) signent chaque année des conventions collectives avec l'administration. Presse : Troud (18 700 000 ex.), Syndicats soviétiques (600 000 ex.).

■ **Partis. Parti démocratique des communistes russes :** PC réformiste créé 2-8-1991 par Alexandre Routskoï, vce-Pt russe, pour lutter au sein du PC pour des réformes politiques et éc. **Mouvement pour les réformes démocratiques :** *fondé* août 1991. Pour un socialisme humain et démocratique. *Leaders :* Mikhaïl Gorbatchev, Alexandre Iakovlev, Andreï Gratchev, Leonid Abalkine, Nikolaï Petrakov, Abel Aganbegian, Fedor Bourlatski, Alexandre Bovine, Vitali Korotitch. **Plate-forme démocratique :** *fondée* 1990 (janv.), tendance du PCUS. Radicalisation des réformes, démocratisation du PCUS, renoncement au marxisme-léninisme, fondation d'un nouveau parti. *Leaders :* Boris Eltsine, Youri Afanassiev, Anatoli Sobtchak. **Radicaux-réformateurs** (groupe interrégional du Congrès des députés du peuple) : marché, démocratie parlementaire, nouvelle politique sociale, pour une démocratisation à l'occidentale. *Leaders :* Gavril Popov, Nikolaï Chmeliov, Tatiana Zaslavskaïa (Andreï Sakharov en était membre). *2 courants :* libéral et social-démocrate. **Réformateurs autoritaires :** *leaders :* Igor Kliamkine, Andronik, Migranian. **Mouvements démocratiques informels :** démocratie, autogestion, écologie, marché, droit des peuples à l'autodétermination. *Organisations :* fronts populaires de Moscou, Leningrad, Tcheliabinsk, de l'Oural, etc. qui se regroupent tous les trimestres au sein de l'Assoc. interrégionale des organisations et mouv. démocratiques (Mado). **Verts :** écologie, soutien aux réformes et aux nationalismes traditionalistes. Nombreuses organisations. **Mouvements ouvriers favorables aux réformes :** *organisations :* Union interrégionale des comités de grève (Kouzbass, Donbass, Vorkuta, Karaganda), Syndicat officiel des mineurs, Association des syndicats socialistes (Sotsprof). **Mouvement « mémorial » :** cherche à faire la lumière sur la terreur stalinienne (réhabilitation des prisonniers pol.). **Organisations anticommunistes radicales :** Union démocratique, Dignité civique, Union populaire du travail (NTS) composée d'héritiers des Solidaristes jadis collaborateurs des nazis. **Sociaux-démocrates :** *organisation :* Association social-démocrate (leader : Oleg Roumiantsev). **Libéraux :** P. lib. dém., P. dém. **Démocrates-chrétiens. Mouv. chrétien-dém. de Russie. Gauche socialiste :** comité des nouveaux socialistes (leader : Boris Kagarlitsky). **Autres partis.** P. des démocrates constitutionnels, P. constitutionnel dém. (P. de la lib. pop.) issu du précédent, P. dém. de Russie.

Forces du socialisme d'État. Conservateurs : *leaders :* Egor Ligatchev, Nina Andreeva (se suicide en oct. 91). **Étatistes socialistes :** modernisation sans libéralisme, défense des valeurs nationales, défense de l'empire. *Leaders :* Alexandre Prokhanov, Piotr Proskurine. Influents au sein de l'armée et du KGB. **Mouvement ouvrier antiréformateur :** *organisations :* Front uni des travailleurs de Russie (OFT), fronts internationaux (Interfront) rassemblant Russes immigrés dans pays Baltes, P. ouvrier marxiste.

Nationalismes. Traditionalistes : restauration des valeurs religieuses et paysannes (chez certains monarchiques). *Leaders :* Alexandre Soljenitsyne, Valentin Raspoutine, Vasili Belov, Viktor Astafiev. *Organisations :* Assoc. d'écologie et de restauration des monuments anciens, mouvance Pamiat (Mémoire) disputée par divers groupes ultras, antisémites et fascisants dont le Front patriotique (dirigé par Dimitri Vassiliev), Front antisioniste et antimaçonnique, opposé à la Perestroïka, qui serait un complot juif ; interdit 1980 (Emelianov), groupe Russie (Sytchev), Patrie (Sverdlovsk, Tcheliabinsk), Fidélité à Irkoutsk, Parti constit. monarchiste de Russie (leader : Sergueï Iourkov-Engelgardt), P. pop. rép. de Russie.

Nota. – Il existe également une sensibilité populiste (justice sociale, lutte contre la mafia et la corruption).

Services de renseignements

■ **KGB** (Komitet Gosudarstvennoy Bezopasnosti, comité pour la sécurité de l'État). **Siège :** édifice de la Loubianka, place Dzerjinski. **Origine :** 1917 *Tcheka* ou *Vetcheka* (Tcherezyvytchainaja Komissija, commission extraordinaire panrusse pour la lutte contre la contre-révolution et le sabotage), fondée 20-12-1917, chef Félix Dzerjinski (1877-1926) jusqu'en 1926 ; *GPU* ou *Guépéou* (Gosudarstvennoe polititcheskoe upravlenie, administration politique de l'État), f. 1-3-1922, directeur adjoint Beria (22 ans) ; *OGPU* ou *Oguépéou* à partir de 1923 ; *NKVD* (Narodnij kommissariat vnutrennykh del, Commissariat du peuple aux Affaires intérieures), f. juill. 1934 ; *NKGB-NKUD* de 1941 à 46 ; *MGB-MVD* (Ministervo vnutrennykh del, ministère de l'Intérieur), f. 1946 ; *KGB* dep. 13-3-1953. **Missions :** sécurité intérieure et extérieure de l'ex-URSS. 6 directions : centre de formation des cadres, gardes-frontières, police secrète, technique, contre-espionnage et étranger (dont section D : désinformation). **Employés** 700 000 agents (dont 250 000 gardes-frontières), 6 000 000 de correspondants, 70 % des diplomates travaillent pour le KGB. **Directeur :** Vadim Bakatine, réformiste, nommé (24-8-91) en remplacement de Vladimir Krioutchkov, l'un des putschistes. **Transformations :** *11-10-91* décret : KGB dissous, remplacé par 4 agences : renseignements extérieurs [1re direction principale ; dir. : Evgueni Primakov (1er civil nommé chef de l'espionnage soviétique)], contre-espionnage, protection et surveillance des communications, comité d'Etat pour la défense des frontières (gardes-frontières). Les activités de police (lutte contre grand banditisme et mafias) relèvent du ministère de l'Intérieur. 60 000 hommes des troupes spéciales de l'ex-KGB sont transférés à l'armée. *Janv. 1992* le décret de fusion KGB-min. de l'Intérieur est annulé par la Cour constitutionnelle.

■ **VKP** (Voïenno-Promychlennaïa Komissia, commission du présidium du Conseil des ministres pour les questions d'industr. militaire). Technologie occidentale acquise par espionnage (%) : américaine 61,5, ouest-all. 10,5, française 8, britannique 7,5, japonaise 3. *Pt :* Leonid Smirnov, vice-Pt du Conseil des min.

■ **GRU** (Glavnoe razvedivatelnoe oupravlenie : Service de renseignement et d'action militaire). *Employés* 30 000 dont 4 000 officiers en U. et dans pays de l'Est, ou en service extérieur. Contrôle les *Spetsnaz* (unités d'élite pour commandos, terrorisme et sabotage).

Nota. – Selon le G[al] du KGB Alexandre Karbanov, les polices secrètes sov. auraient exterminé 5 millions de Sov. de 1917 à 1954 (1,2 par l'Oguépéou et le Guépéou, 3,5 par le NKVD), et 4 millions de « contre-révolutionnaires » auraient été condamnés sous Staline ; 30 espions, dont 2 agents du KGB, ont été arrêtés en ex-URSS. de 1985 à 90 et 29 exécutés.

■ **Échecs économiques. Causes :** prod. agricole trop soumise au climat. Progression des dépenses militaires. Endettement croissant vis-à-vis de l'Occident. Accroissement du coût des mat. I[res], à cause de la mise en valeur des terres orientales. Mauvais fonctionnement du système. Problèmes des entreprises, de la planification. **Productivité :** – 30 % par rapport à l'Occident. *Causes :* absentéisme élevé, alcoolisme, mobilité élevée (1/5 des ouvriers changent d'emploi chaque année, durée moy. pour trouver un nouveau travail 20 à 25 j), mauvais entretien des machines (insuffisance des pièces détachées ; part excessive du matériel en réparation) ; ruptures de stocks fréquentes ; mauvaises habitudes de gestion (les directeurs déclarent une faible productivité pour disposer de plus de personnel) ; pertes et vols très importants dans les entreprises ; retard considérable en informatique ; manque d'ouvriers qualifiés ; cadres non motivés.

■ Économie

☞ De l'aveu même des Soviétiques depuis 1985 statistiques économiques sujettes à caution. *Exemples. PNB sov. (par rapport au PNB amér.) :* 50 % officiellement (en fait 14 %, ou 33 % selon CIA) rang mondial : 2e (en fait 8e) ; production de viande (en millions de t) : 19 (en fait 11 à 12) ; *dépenses militaires (en milliards de roubles) :* 70 (en fait 200 soit près de 25 % du PNB et non 15 à 17 % ; *prod. de matériel de guerre* 32 (en fait 70 à 80).

PNB (88). 6 270 $ par h. **Taux de croissance** (%) *1966-70 :* 41. *71-75 :* 28. *76-80 :* 21. *81-85 :* 16,5. *89 :* 2,4 à 3. *90 :* – 1,6. *91 :* – 17. *92 :* – 18. **Population active** (%, entre parenthèses part du PNB en %) agr. 17 (12) ; ind. 34 (39) ; services 44 (34) ; mines 5 (15). **Emploi** (en millions, en 1985). 117,7 dont ind. 38,1, agr. 12,2, construction 11,4, transp. 10,9, commerce 10, éducation 9,8, santé-sports-assistance sociale 6,7, services communaux et logement 4,8, science 4,5, fonctionnaires d'État, des coopératives et des organismes publics 2,6, communication 1,6, emplois productifs divers 1,6, culture 1,3, crédit-assurances 0,68, forêts 0,46. **Chômage :** était censé ne pas exister (il y avait 500 000 « parasites et vagabonds »). *1989 :* 6 700 000 avoués. *1991*-1-7 avec création d'un Fonds de solidarité pour le travail.

Économie parallèle. 145 milliards de $ (plusieurs milliers de millionnaires clandestins).

Baisse de la production (en %, en 1992). Prod. ind. – 14 (*prév. 1993 :* – 10 à – 15), ind. métallurgique – 22, pétrole et charbon – 10, gaz naturel (*août*) – 3, commerce extérieur – 30, intérieur – 40. La valeur des biens produits est inférieure à celle des matières 1res si elles étaient exportées et vendues aux prix internationaux.

Coopératives. *1987 (oct.) :* – 8 000 (88 000 coopérateurs et salariés). *88 (janv.) :* 14 100. *89 (janv.) :* 77 500 (1 400 000). *90 (janv.) :* 193 400 (4 855 400). *91 (janv.) :* 245 356 (6 098 200).

Magasins en devises. Beriozkas ou magasins d'État, magasins à participation étrangère, magasins privés et filiales de maisons de production ou commerce étrangères. Clientèles étrangère et russe (dont les paysans autorisés à vendre leurs surplus de production à l'État en devises convertibles). *Nombre de magasins :* St-Pétersbourg 230, Moscou 203 [villes moyennes : 20 à 50 ; « zones économiques libres » : env. 100 (Vladivostock, Kaliningrad, St-P.)]. Total : de 70 000 à 75 000.

Rang dans le monde (1989). 1er p. de terre, orge, pétrole, gaz, fer, potasse, réserves de charbon, lignite et gaz, acier, bauxite, plomb, manganèse, nickel, tungstène, zinc. 2e blé, lait, ovins, porcins, électricité, lignite, or, diamant, phosphates, industrie chimique, construction mécanique. 3e coton, bovins, céréales, argent, charbon, cuivre. 4e thé, maïs. 5e vin, rés. pétrole.

Données financières

■ **Budget** (1990, en milliards de roubles). *Dépenses* 510 ; *recettes* 452 ; *déficit* 58,1. **Budget militaire :** *1989 :* 15,6 % du PNB dont armement 32,6, entretien des troupes 20,2 ; spatial 6,9, dont mil. 3,9, navette Bourane 2,1.

Déficit budgétaire (en % du PIB) : *1992 :* 10 (*91 :* 20). Pour le limiter à 5 % (le plafond exigé par le FMI pour l'octroi de crédits) les salaires des fonctionnaires ont été indexés à 50 % sur l'inflation au lieu des 70 % promis.

Masse monétaire en circulation : *1-1-1991 :* 135 milliards de roubles ; *fin 1991 :* env. 260 ; *janv. 1993 :* 7 100. Les banquiers tablent sur 13 400 en mai (3 100 de + que le plafond prévu par le plan de stabilisation du gouvernement). La Banque centrale a émis des billets de 200, 500, 1 000 et 2 000 roubles. En 1993, billets de 5 000 roubles et pièces d'or de 25 000 et 50 000 roubles prévues par le gouv.

Pénurie de moyens de paiement et crise de liquidités : *dette de l'État : 1992 août :* 220 milliards de roubles. Apparition du paiement en nature (salaires, retraites avec des « livres de crédit » sur les commerçants) ; impossibilité pour les particuliers de retirer l'argent de leurs comptes bancaires et même disparition des kopecks, le cuivre dont ils sont fabriqués valant 20 fois leur valeur nominale. *Dettes inter-entreprises : 1992 juill. :* 3 000 milliards de roubles (elles augmentaient de 25 milliards/j).

■ **Monnaie** (cours du $). *Nov. 1989 :* 1 $ = 0,622 officiel, 6,26 r. touristiques (10 r. au marché noir) ; *1992-mai :* 80,2 r., *juill.* 125 r. ; *1993* (31-5) : 1 024. La Banque centrale envisage la création d'un fonds de stabilisation du r. et l'instauration d'un cours pivot autour duquel le r. pourrait fluctuer de 3 % à 5 %. *Rouble transférable :* monnaie d'échange entre les pays du Comecon, supprimé le 1-1-1991 (suppression du Comecon 28-6). *Convertibilité externe du rouble* reportée à 1993.

☞ *Dep. 26-7-93,* retrait et échange des roubles imprimés avant 1993.

■ **Ventes d'or** (ex-URSS). Le rouble n'étant pas une monnaie convertible, l'ex-URSS réglait en or (elle est le 2e producteur). Elle a ainsi vendu en grande partie dans le cadre d'accords de *swap,* en *1988 :* 260/270 t (3,7 milliards de $) ; *89 :* 290/300 t (4,5) ; *90 :* 360 t (4,5) ; *91 :* 320. **Réserves d'or** (ex-URSS) : *1953 :* 2 500 t ; *88 :* 2 300 ; *89 :* 850 ; *91 :* 240 (+ 374,5 t détenues par la banque centrale, et 110 t mises en dépôt dans des banques occidentales).

Avoirs russes illégaux à l'étranger : 26 milliards de $ (en févr. 92). **Fuite des capitaux :** *1992 :* 20 milliards de $.

■ **Dette brute extérieure** (en milliards de $). *1985 :* 24 ; *86 :* 43 ; *87 :* 37,5 ; *88 :* 40,8 ; *89 :* 48 ; *90 :* 58 ; *91 :* 70/80 (dont 2/3 garantis par les États, 1/3 dette privée) dont + de 30 dus aux pays du G-7. *92 :* 80. *Service de la dette* (en Mds de $) : *1985 :* 5,2 ; *86 :* 7,8 ; *87 :* 8,8 ; *88 :* 8,2 ; *89 :* 9,4 ; *90 :* 13,4 ; *91 :* 15,5 ; *92 :* 13. **Arriérés de remboursement** (en milliards de $ au 31-12) : *1989 :* 0,5 ; *90 :* 5 ; *91 :* 5 ; *92 (31-3) :* 7,2 *(30-6) :* 9,4. 1er créancier, Allemagne : + de 75 milliards de DM dont : Banque d'État 17,6, crédits commerciaux 36 (11 au titre des intérêts). L'All. a également accordé un moratoire sans intérêt de 8 ans sur les factures impayées dues à l'ex-RDA, et 15 milliards de DM pour le rapatriement des troupes ex-sov. *France* (en milliards de F) : *fin 1992 :* encours publics 20 ; de banques (*juin 92*) 23,82. Échéances de remboursement de l'ex-URSS à la Coface (*en 1993*) : 6. **Répartition par Républiques** (en milliards de $ et, entre parenthèses, en % des exportations extérieures) : Russie 37,1 (182), Ukraine 11,3 (269), Ouzbékistan 3,3 (397), Kazakhstan 3,3 (663), Biélorussie 2,5 (240), Azerbaïdjan 1,4 (583), Géorgie 1,2 (500), Moldavie 0,91 (505), Tadjikistan 0,84 (467), Kirghiztan 0,74 (1 233), Arménie 0,68 (1 133), Turkménistan 0,62 (310). **Gestion de la dette** assurée par la Russie. Après avoir reconnu (nov. 91) leur responsabilité conjointe dans le service de la dette extérieure de l'ex-URSS, les Rép. ont accepté que la R. rembourse cette dette, Moscou conservant en échange tous les avoirs de l'ex-URSS. L'Ukraine qui avait accepté de prendre en charge 16,37 % de la dette, a proposé (janv. 93) d'en prendre 20 % à condition que Moscou lui fournisse auparavant un inventaire des actifs sov. à l'étranger. **Moratoire de la dette :** accord de Moscou (21-11-91) entre G7 et 8 Rép. de l'ex-URSS sur 12 (refus de l'Ukr.) sur le rééchelonnement partiel de la dette soviétique. Report au 31-12-91 et au 31-12-92 des remboursements en capital dus par Moscou, soit 3,6 et 7,2 milliards de $. La Russie a menacé (mars 1993) de ne pas assurer le service de la dette sov. s'il n'y avait pas un nouveau rééchelonnement (réclamant un moratoire de 2 ans).

☞ **Époques d'emprunts russes. 1895 :** 275 millions de roubles (financement Transsibérien et guerre russo-jap. de 1905). **1905 :** 2 250 millions. **1990 :** voir ci-dessous.

■ **Aide extérieure.** En oct. 1991, Gorbatchev estimait à 100 milliards de $ l'aide nécessaire, dont 14,7 pour l'aide alimentaire d'urgence pour le 1er semestre 92. *Estimation du FMI :* pour 4 ans (*avril 1992 à 96*) : 100 [*dont 1992 :* 44 dont Russie 24 (dont 6 pour créer un fonds de stabilisation du rouble), autres Rép. 20] *1993,* Russie seule 22.

La Russie et 13 Républiques ont été admises en mai 1992 au FMI. L'ex-URSS souscrit 4,76 % du capital (la Russie 3).

Aide occidentale (en milliards de $) : *Promise en 1991-92 :* 80, dont ex-RFA 50, USA 10, Canada-Japon 5, CEE 4, Italie 4, France 3, G.-B. 1, autres CEE 3 ; la majeure partie sous forme de crédits bilatéraux. *Déboursements effectifs en 1991-92 et prévus pour 1993 :* – de 40 (*91 :* 16,9 ; *92 :* 12 ; *93 :* 10). Certains crédits à court terme n'ont pas été utilisés faute de projets d'investissements ; de même pour 6 milliards prévus pour un fonds de stabilisation du rouble, faute d'une politique monétaire crédible à Moscou ; les promesses enfin prennent en compte les différés de paiement de la dette extérieure (7). *Aide USA* (en milliards de $, en 1993) : 1,6 de crédits supplémentaires promis (le 4-4) pour renforcer la position d'Eltsine avant le référendum. Crédits céréaliers 0,7, aide humanitaire et assistance médicale 0,19, soutien au secteur privé 0,05, démocratisation (création d'un « Corps de la démocratie ») 0,025, réinstallation des officiers russes 0,006, énergie et environnement 0,038, commerce et investissements 0,009, assistance à la sécurité nucléaire 0,215.

Aide promise à la Russie (en juin 1992, en milliards de $) : 24 dont aide bilatérale (crédits garantis + aides humanitaires) 11, FMI et Banque mondiale 4,5, rééchelonnement de dettes 2,5, fonds de stabilisation du rouble 6.

Aide de la CEE [hors aide bilatérale des États membres, en milliards d'écus (à 7 F), 1991] *aide directe :* dons 0,85, prêts ou crédits garantis 1,7. *Aide humanitaire :* 0,25, garanties de crédits : 0,5. *Assistance technique :* 0,4. *Total de 1990 à 93 :* 71,7 dont 0,335 à la seule Russie en 1991-92 au titre de l'assistance technique en matière d'énergie, transports,

Réformes

1979 primes allant jusqu'à 50 % du salaire pour récompenser les initiatives ; renforcement de la responsabilité et de la discipline (méthode Zlobin : expérience de 1979 dans la brigade de Nicolas Zlobin qui s'engage à faire un travail dans certains délais, à un coût déterminé, parfaitement fini ; en échange elle est autonome et se partage salaires et primes). **1985-88 Perestroïka** (restructuration, refonte). Système écon. de gestion et de direction préconisé par Gorbatchev ; se caractérise par la **glasnost** (transparence de l'information), transformation de la planification, modernisation des échanges int. et ext., défis scient. et techn. mais aussi refonte du système de rémunération, « dév. de la démocratie dans l'entreprise comportant l'élection des cadres à tous les niveaux et ultérieurement l'autogestion ». **1986**-*19-11* loi sur le « travail individuel » rétablit partiellement à compter du 1-5-1987 l'initiative économique privée dans le commerce, l'artisanat et les services. **1987**-*1-1* syst. de contrôle de la qualité dans 1 500 entreprises. Gorbatchev se prononce pour la réforme du système des prix et l'abandon des subventions. *-30-6* loi sur l'entreprise d'État prévoit pour 1988 la mise en place progressive d'une autonomie de gestion dans tous les secteurs d'activité. **1988** *-1-1* entrée en vigueur de la loi sur l'autonomie des entreprises (production et gestion), 1re application de la politique de restructuration. Principal obstacle : le maintien du système d'approvisionnement planifié des entreprises et la fixation des prix. **1989**-*19-12* Soviet suprême adopte un plan visant à instaurer par étapes une « économie socialiste de marché » d'ici à 1995.

1990-*14-4* plan d'accélération des réformes économiques. 2 étapes : 1°) à partir du 1-7-90 : programme de dénationalisation (70 % des Stés d'État) ; 2°) début 91 : libéralisation des 2/3 des prix. Mais aucune rupture de fond avec le système centralisé soviétique (ni reconnaissance explicite de la propriété privée, ni engagement sur la convertibilité du rouble). *Juillet* mise au point par le gouvernement de Russie d'un *plan « des 500 j »* ou plan Eltsine (privatisations et libération des prix). Rejeté par Gorbatchev comme s'opposant au plan d'ensemble pour l'ex-URSS. *-Oct.* Soviet suprême de l'ex-URSS vote « orientations d'ensemble fondamentales pour la stabilisation de l'économie et la transition vers une économie de marché ». **1991**-*janv.* rapport commun FMI, Berd, BM et OCDE critiquant le bilan de la pol. économique de Gorbatchev (réformes partielles et désordonnées) et conditionne l'aide extérieure à une réforme radicale (stabilisation financière, privatisation, démonopolisation, restructuration du secteur financier, reconversion du secteur militaire et mesures de protection des catégories sociales démunies). *-Juill.* Gorbatchev annonce pour la fin 92 la privatisation de 80 % du commerce de détail et des services, la possibilité pour les Stés étrangères et les banques d'acquérir des actions et propriétés en ex-URSS, une loi sur les investissements étrangers autorisant la création d'entreprises détenues à 100 % par des étrangers. *-14-6 Russie,* loi-cadre sur « les fondements du système économique de la République » qui sera soumis aux seuls mécanismes du marché. *-12-8* décret créant un Fonds de privatisation. **1992** multiplication des programmes économiques dans les Républiques. Russie, libération par étapes des prix de gros et de détail. *PM* Egor Gaïdar lance un programme libéral exigé par le FMI. Contraction des dépenses publiques, resserrement monétaire et unification du taux de change du rouble. Encouragement à la libre entreprise. Allègements fiscaux pour entreprises et particuliers (bénéfices des Stés taxés jusque-là à 32 %). Convertibilité partielle du rouble pour encourager l'investissement privé. Ouverture du marché russe aux investisseurs étrangers. Coopération du gouvernement avec le système bancaire, y compris privé. Privatisation de 30 % du patrimoine de l'État dans 2 à 3 ans, de 60 à 70 % dans 10-15 ans. Transformation des grandes et moyennes entreprises en Stés par actions ou holdings. *-13-8* néo-communistes réclament aide massive aux entreprises d'État (1 000 milliards de roubles), le gel des prix et salaires, un contrôle du prix des produits de base, un retour aux commandes d'État, un cours du rouble artificiellement soutenu. **1993**-*1-1* PM Viktor Tchernomyrdine décide de rétablir le contrôle des prix sur des produits de base. Eltsine promet la stabilisation des prix pour 93. *-18-1* annulation du décret de contrôle des prix, qui ne s'appliquera qu'aux entreprises monopolistes. *-25-2* plan anti-inflationniste (abaissement du déficit budgétaire de 15 % du PIB à 5 % et limitation de l'augmentation de la masse monétaire en circulation à 5 à 10 % par mois).

Difficultés. Complexe monopoliste, habitué à un centralisme administratif ; manque d'expérience du comportement de marché chez les entrepreneurs ; dislocation du PC, seule structure capable de mettre en œuvre les décisions du gouvernement ; dépendance de sources d'approvisionnement en situation de monopole ; inadéquation du système monétaire et financier ; impossibilité d'appliquer dans le même temps des mesures immédiates (libération des prix et des salaires par ex.) et à long terme (privatisations, effacement du déficit budgétaire).

Investissements étrangers. Freinés par désorganisation, inflation et instabilité politique. Quelques grands groupes (Elf-Aquitaine, Générale des Eaux), banques ou investisseurs privés s'y risquent. Le CIC privatise le fabricant automobile Zil, le CCF, le Goum. La Russie a proposé aux pays du G7 d'échanger leurs créances sur l'ex-URSS (70 à 85 milliards de $ en juill. 92) contre des actifs russes.

Petites privatisations. Au *30-11-1992,* 14 000 magasins et kiosques avaient été désétatisés (+ de 3 % des entreprises de commerce de détail), 14 000 cantines et restaurants (7 %), + de 12 000 ateliers de confection et réparation (14 % des entreprises de services de proximité).

Grande privatisation. Concerne les grandes et moyennes entreprises (5 000 à 7 000) qui devaient être transformées avant le 1-10-1992 en Stés par actions ou holdings. L'entreprise garde une majorité de contrôle, 49 % pouvant être cédés, y compris à des étrangers. Salariés et retraités reçoivent gratuitement 25 % des actions de l'entreprise (mais sans droit de vote) et peuvent acheter avec un rabais de 30 %, le reste étant vendu aux enchères. A partir d'oct. 1992, les actions ont été mises sur le marché, avec possibilité d'être échangées contre des « coupons de privatisations » *(vouchers)* distribués du 1-10 au 31-12-92 aux 150 millions de Russes (y compris enfants) moyennant une somme symbolique de 25 roubles (30 centimes). Valeur nominale des coupons : 10 000 roubles (120 F). En principe, ces coupons (1 500 milliards de roubles) représentent 1/3 de la valeur des actifs des entreprises concernées. *Possibilités offertes jusqu'au 31-12-93 :* les possesseurs de coupons peuvent 1°) les vendre, 2°) les placer dans un fonds de privatisation en échange d'actions du fonds, 3°) les échanger contre des actions lors des ventes aux enchères. *1res ventes aux enchères (déc. 92) :* la confiserie moscovite Le Bolchevique et la cimenterie de Zelonogork, 1 coupon s'échangeant en moyenne contre 2 à 3 actions. *1res grandes entreprises privatisées :* Kamaz, constructeur automobile (automne 90). Grand magasin Goum à Moscou, transformé en Sté par actions le 6-12-90. *En cours :* le combinat métallurgique de Novolipetsk (45 000 employés).

Secteurs exclus : énergie, mat. 1res, défense et situations monopolistiques, mais les 70 aéroports dépendant d'Aeroflot y figurent. *1res ventes à grande échelle (8-2-93,* à Volgograd) : 350 000 actions proposées au public pour 20 entreprises.

formation. **Aides bilatérales** (des pays membres de la CEE) : 49. *Aide alimentaire (en 1992)* : 0,2 (Moscou, St-Pétersbourg, Cheliabinsk, Nijni-Novgorod, Saratov). **Aide multilatérale** de G7 (annoncée le 15-4-93) : 43,4 (mais comporte, en fait, plusieurs programmes déjà annoncés, ainsi que des promesses de crédit).

Aide de la France (en milliards de F, 1991) : + de 12 dont : protocoles financiers franco-sov. 7, crédits commerciaux pour l'achat de biens d'équipement et de produits alimentaires, opérations de compensations, dons et aides alimentaires. Participation à l'effort de la CEE.

■ **Banques françaises** (engagements en 1991, en milliards de F). BNP 5,5. Crédit Lyonnais 5. Sté Générale 3. Paribas 0,6. CIC-BUE 0,6. Indosuez 0,6. Autres banques env. 4. *Total* : env. 19. Jusqu'à 60 % de ces crédits pourront être déduits des bénéfices imposables. *Coût pour le budget* : entre 1 et 2 milliards de F. Les crédits consentis en févr. 1992 à la Russie sont garantis à 95 % par la Coface.

■ **Banques nouvelles** : + de 1 500 créées en 3 ans (banques d'investissement surtout).

■ **Bourses. De valeurs** : 4 en Russie fin 91, dont 3 à Moscou, 1 à St-Pétersbourg. **De commerce** : en cours de création sur tout le territoire (*Ex.* : bourse pour les grains à Odessa). **D'échanges et de marchandises** : dues à l'initiative privée. Les marchandises y sont mises aux enchères et une commission est prélevée au passage.

■ **Prix.** *Avant les réformes* : théoriquement, l'inflation n'existait pas (à une hausse d'un produit correspondait la baisse d'un autre), mais les produits nouveaux n'intervenaient pas dans l'indice des prix, la baisse concernait souvent des produits désuets ou introuvables. Pour la 1re fois en juill. 79, les prod. de luxe avaient augmenté de 50 %, les voitures de 18 %, les meubles importés de 30 %, les restaurants et cafés de 25 à 30 %, mais il n'y eut pas de baisse sur les articles démodés. **Taux d'inflation** (en %) : *1984* : – 3,4 ; *85* : – 1,6 ; *88* : + 5 à 7 ; *91* : 650 (alimentation 182) ; *92* : 2 000 à 2 700. *Dépense moyenne pour une famille de 5 personnes pour se nourrir* : *1985* : 2 roubles/j ; *91* : 18,5 (555 roubles/mois) ; *92 (1er trim.)* : 40 à 50 (1 200 à 1 600). Le salaire moyen étant de 5 $ au taux de change courant, le revenu minimum fixé à 342 roubles en prévision de la libération des prix a dû être porté à 550, et la TVA ramenée au 1-1-93 de 28 % à 20 et 10 % pour certains produits alimentaires. 80 % de la population pourraient se retrouver au-dessous du seuil de pauvreté. **Évolution des prix** : *ticket de métro (de 1930 à 91)* : 5 kopecks, *(avril 1991)* : 15, *(1-3-1993)* : 50 ; *pain (déc. 1991)* : 0,15 roubles, *(oct. 1992)* : 20. *Téléviseur fabriqué en R.* × 10 ; *allumettes* × 300 ; *sel* × 200 ; *vêtements* × 10 à 50 ; *savon* × 10 ; *chemins de fer* × 10 à 20 ; *loyers* × 10.

■ **Salaires mensuels** (en roubles). **Salaire minimal** : *1992* : *janv.* 342, *avr.* 640, *mai* 900. *1993* : *janv.* 2 250, *mars* 4 500 (7 $ au taux officiel) ; **moyen** 12 000 (20 $). *Prof. d'université* 15 000. *Policier* 12 000 à 15 000. *Prostituée* jusqu'à 17 000/heure. **Taux d'imposition des revenus** : *1992* : 67 % ; *93* : pas + de 55 (50 % des revenus d'un particulier ou d'un industriel ne seront plus imposés si réinvesti dans projet ind. à long terme, logement ou construction).

AGRICULTURE, PÊCHE, FORÊTS

■ **Terres** (millions d'ha, 1976). Disponibles 2 200, cultivables 606 (dont arables 227, pâturages 329,2, foin 42,8). 60 % des t. labourées se trouvent dans la zone d'agriculture « risquée » (elle est de 1 % aux USA) [le sol est trop humide dans les Rép. baltes, en Biélorussie, dans les rég. centrales de la RSFSR ; par contre l'Ukraine, les rég. de la Volga, du Kazakhstan (principales rég. productrices de l'ex-URSS) sont très sèches (tous les 3 ou 4 ans, elles souffrent d'une grande sécheresse) ; sur 40 % des labours : – de 400 mm de précipitations par an]. *Surface totale des terres dotées d'un réseau d'assèchement et des terres irriguées* (en millions d'ha) : *1985* : 36,3 (20,8 irriguées, 15,5 asséchées) ; *1969 à 89* : 22 cultivées abandonnées.

Kolkhozes (*kollektivnoïé khozaïstvo*, exploitations collectives ou coopératives) : créées 1922, multipliées à partir de 1929-30, avec la collectivisation forcée. A partir de 1960, importance moindre au profit des sovkhozes. Disposaient de la terre qui appartenait à l'État et leur était concédée gratuitement et à perpétuité, possédaient instruments de production (bâtiments, machines...) et bétail ; gérées par un bureau élu par leurs membres. Ceux-ci, rémunérés selon travail et qualification professionnelle, pouvaient posséder individuellement maison, jardin, enclos, porcherie, basse-cour. Un ko. moyen avait : 6 500 ha dont 3 600 ha labourés, 4 600 bêtes, 41 tracteurs, 11 moissonneuses, 19 camions. *Nombre de kolkhozes* (1985) : 26 200 (+ 400 ka de pêche). Les ko. fournissaient env. 60 % des prod. agricoles, 80 % des céréales.

Sovkhozes (*sovietskoïé khozaïstvo*) : exploitations agricoles appartenant à l'État (terre, moyens de production). Directeur nommé par l'État. Un s. moyen avait 16 300 ha dont 5 300 ha labourés, 6 200 bêtes, 57 tracteurs, 18 moissonneuses, 25 camions. *Nombre de sovkhozes* (1987) : 22 867.

■ **Avant 1992. Statistiques.** *Nombre* (1985) : 26 200 kolkhozes (+ 400 ko. de pêche) et 22 687 sovkhozes. *Surface exploitée* (1980, en millions d'ha) : ko. 175,3, so. 372,5, jardins privés 3,7. *Élevage* (%) : bovins : ko. 43,2, so. 35,8, j. p. 21. Porcs : ko. 43,2, so. 34,5, j. p. 22,3. Moutons : ko. 36, so. 46,5, j. p. 17,5.

■ **Depuis 1992.** La Russie a décidé (3-1) de démanteler Sovkhozes et kolkhozes, et de les réorganiser en Stés par actions, associations, coopératives ou fermes individuelles. Sovkhozes et kolkhozes travaillant à perte (10 %) ont été déclarés en faillite et démantelés dès janvier 1992.

Propriété privée de la terre : kolkhoziens, ouvriers et employés des sovkhozes disposaient de terrains individuels (0,5 ha en moy.) prélevés sur les fonds des kolkhozes et sovkhozes (8 100 000 ha au total). Ils pouvaient vendre leur surplus au cours du marché ou par l'intermédiaire de la coop. de consommation, le *tsentrosoyouz*. Fin 1990, 7 millions de paysans (5 % de la main-d'œuvre agricole) travaillaient dans des exploitations en coopératives privées. Fin 1991, 1/3 de l'agriculture travaillait au contrat-bail (exploitation et jouissance de la terre sans en être propriétaire). Il existait 40 000 fermiers privés, dont 13 000 en Russie sur 604 730 ha.

Privatisation des terres : dep. le 7-1-1991, la jouissance d'une terre peut être accordée par les fermes collectives ou les autorités locales à tout individu ou collectif d'État ou privé (coopératives) pour des usages personnels (construction de logements) ou agricoles. Les droits de jouissance sont transmissibles aux héritiers directs ou collatéraux. Un individu ou un collectif peut également louer des terres pour usage agricole. Les terres peuvent devenir propriétés privées et être revendues sous certaines conditions (délai de 10 ans en Russie, mais seulement aux soviets locaux ou à des représentants de l'État). En Russie, les terrains en zone rurale sont attribués gratuitement ; moyennant un paiement dans les zones urbaines (terrains constructibles). La propriété des équipements, bâtiments, matériel et stocks de biens (y compris bétail) des anciennes fermes collectives est attribuée gratuitement aux fermiers en fonction de leur travail.

■ **Équipement.** *Tracteurs en milliers et, entre parenthèses moissonneuses-batteuses* : *1940* : 531 (182) ; *60* : 1 122 (497) ; *70* : 1 977 (623) ; *80* : 2 562 (722) ; *84* : 2 735 (815).

■ **Production** (en millions de t, en 1989 sauf indication). *Blé* 91 (en 1991, Russie 55), *seigle* 17,6, *orge* 53, *avoine* 17, *maïs* 14,5 (Russie 90, 10), *millet* 3, *riz* 3, *bett. à sucre* 89 (Russie 91, 24), *p. de terre* 72 (Russie 91, 34), *coton* 4,9, *lin* 0,4 (87), *tournesol* 6,5, *pois secs* 8,5, *sorgho* 0,1 (87), *légumineuses diverses* 10, *raisin* 5,4, *thé* 0,14, *tabac* 0,33, *légumes et melons* 28,3 (81), *fruits* (sauf melons) 15 (81), *vin* 19 millions d'hl.

Pénurie agricole : *causes* : insuffisance des investissements ; subventions excessives (1989 : 100 milliards de roubles, soit 20 % du budget) ; prélèvements de l'État, fixation arbitraire des prix d'achat de la production. Semences médiocres, mécanisation insuffisante (mauvaises pièces de rechange, 60 % du matériel inemployé), manque de personnel (20 % des moissonneuses-batteuses sans conducteur), manque d'engrais, récolte mal dirigée (25 % reste sur place), stockage déficient (parfois 40 % de la récolte se détériorent), spéculation (27,3 millions de t de céréales seulement vendues à l'État par les producteurs, contre 43,5 en 1990), distribution mal coordonnée.

Pertes (en %) : *céréales* 28 % (récolte 14, stockage à la ferme 3, stockage en silo 2, transformation 5, transport 4, boulangerie 1). *P. de terre* 50 (récolte 7, stockage des germes 10, stockage pour l'alimentation 17, transformation 9, transport 2, commercialisation 1).

Importations de céréales (en millions de t) : *1984-85* : 55,4 ; *90-91* : 27, soit 18 % des échanges mondiaux (l'ex-URSS avait cependant connu sa meilleure récolte historique : 108 millions de t, soit 14 % du commerce mondial, et 118,3 millions de t de céréales secondaires) ; *91-92 (prév.)* : 37 à 42.

Programme agricole. *Part d'invest. dans l'agr. par rapport au total des invest. dans l'éco.* (entre parenthèses en milliards de roubles) *1961-65* : 20 % (48) ; *76-80* : 27 (171) ; *85-88* : (88) ; *86-90 (prév.)* : 33,35. *Fourniture d'engrais minéraux à l'agr.* (en millions de t). *1913* : 0,18 ; *50* : 5,3 ; *83* : 22,8 ; *85* : 26,5 ; *90* : 30/32.

■ **Élevage. Cheptel** (millions de têtes) **1913** : bovins 58, porcins 23, moutons 90, chevaux 33. **51** : b. 59, p. 27, m. 108, c. 15,4. **61** : b. 82, p. 67, m. 137. **88** : bovins 118,8, porcs 77,7, moutons 139,5, chèvres 6,5, buffles 0,31, volailles 1 160. **Production** (millions de t, 89) : viande 19,6 [dont bœuf et veau 8,8, porc 6,4, volaille 3,2, mouton et chèvre 0,8, divers 0,11], lait 107,3, laine 0,48, beurre 1,7, margarine 1,5, sucre 7,8 (85). Le manque de fourrages a décimé le cheptel et entraîné des restrictions de viande (800 g par mois par hab. dans certaines villes).

■ **Pêche. Lieux** : 47 000 km de côtes + pêche dans les eaux internationales. **Flotte** : la plus importante du monde (50 % du tonnage) représentant 22 % des bateaux de pêche mondiaux et 80 % des navires frigorifiques et usines. **Quantités pêchées** (millions de t) *1938* : 2 ; *60* : 3 ; *80* : 8,9 ; *82* : 10 ; *83* : 9,6 ; *84* : 10 dont Arctique et Atlantique 3,1, Pacifique 6,1, eaux intérieures 0,8, Méditerranée et mer Noire 0,4, océan Indien 0,06 ; *85* : 10,7 ; *86* : 11,3 ; *87* : 11,1. *Prise de baleines* 3 220 (87).

■ **Consommation** (1984, en kg par an par hab. et, entre parenthèses, norme recommandée par la diététique). Viande 60 (82), lait 317 (405), œufs (unités) 256 (292), poisson 17,5 (18,2), sucre 44,3 (40), légumes et cucurbitacées 103 (146), fruits et baies 45 (113), pain 135 (110).

■ **Forêts.** 49,6 % de la superficie. Bois d'œuvre (1990) Russie 350 millions de m³ (ex-URSS 382).

MINES (EX-URSS)

L'essentiel des richesses du sous-sol se situe en Russie (Sibérie, 1er prod. mondial d'or et de pétrole). L'Ukraine produit la majeure partie du ferro-tungstène (2e prod. mondial) et le Kazakhstan 70 % du zinc, du titane et du magnésium, 90 % du phosphore et du chrome, 65 % de l'argent produits dans la CEI.

■ **Fer. Réserves** considérables (60 % en Europe, assez près des gisements de charbon). **Production** (millions de t de fer contenu, et entre parenthèses % du total mondial) *1913* : 4,7 ; *46* : 11,2 (15) ; *55* : 41,7 (24) ; *70* : 106 (25,2) ; *80* : 147,5 (27,7) ; *82* : 131,9 ; *85* : 152 ; *86* : 150 ; *87* : 150,6 ; *88* : 143,5. **Gisements** : *Krivoï-Rog* (riche assez profond, superficiel assez pauvre, teneur 30 à 40 %, 1/3 de la prod.). Anomalie magnétique de Koursk (exploité dep. 1959, assez profond). *Presqu'île de Kertch* (pour sidérurgie locale sur littoral de la mer d'Azov). *Carélie* et *Kola* (pour l'usine de Tcherepovetz). *Azerbaïdjan* (pour Roustavi en Géorgie). *Oural*, faible teneur, petits gisements, parfois associés à des métaux non ferreux comme vanadium, chrome ; épuisement progressif des plus riches (magnétites de Magnitogorsk). *Kazakhstan* (Temirtau), *Altaï, Monts Saian et Angara* pour sidérurgie du Kouzbass.

■ **Autres minerais. Bauxite** St-Pétersbourg (Tikhvin), Oural, Sibérie, Kazakhstan. **Cuivre** : Oural (Sverdlovsk, Tchéliabinsk, Orenburg), Kazakhstan (lac Balkach), Ouzbékistan, Arménie, Oudokan (près du lac Baïkal). **Plomb et zinc** Oural, Caucase, monts Altaï, monts Iablonovoï, Kazakhstan. **Manganèse** Ukraine (Nikopol), Géorgie (Tchiatura), Oural, Sibérie, Extrême-Orient. 37,5 % des rés. mondiales. **Nickel** péninsule de Kola, Sibérie centrale, Yakoutie. **Or** prod. (en t) : *1970* : 202 ; *80* : 311 ; *85* : 271 ; *86* : 330 ; *87* : 275 ; *90* : 290. **Diamants** prod. (en millions de carats) : *1970* : 7,8 ; *85* : 11,8 ; *87* : 10,8 ; *90* : 14 (env. 20 % de la prod. mondiale). Dep. 25-7-90, diamants commercialisés par De Beers pendant 5 a., contre crédit de 1 milliard de $. **Chrome, magnésium, titane, nickel** Oural, Kazakhstan (Khrom-Taou). **Apatites** presqu'île de Kola (1er gisement mondial). **Phosphorites** bassin de la Kama-Viatka et Kazakhstan. 50 % des rés. mondiales. **Sels potassiques** Lvov, haute Kama. 1res rés. du monde (33 %). **Soufre** Kouibychev, Oural, Asie centrale. **Sel** rives de la Caspienne. **Sel gemme** Oural, Berezniki.

ÉNERGIE (EX-URSS)

Production (en % de la prod. totale de la CEI, 1990). *Russie* : pétrole 91, gaz naturel 80, électricité (en grande partie d'origine nucléaire) 63, charbon 55. *Rép. d'Asie Centrale* (Kazakhstan, Azerbaïdjan, Turkménistan, Ouzbékistan) : gaz naturel 18, pétrole 8. *Ukraine* : électricité + de 35 de la capacité nucléaire, charbon près de 25, pétrole et gaz naturel (en régression). **Couverture des besoins pour la production intérieure** (en %) : Turkménistan 650, Russie 146, Kazakhstan 127, Azerbaïdjan 104, Ouzbékistan 84, Kirhizstan 52, Ukraine 48, Tadjikistan 40, Biélorussie 11,5, Arménie 4,3, Moldavie 1,5. **Consommation totale d'énergie primaire dans la CEI** : 4,7 TEP par hab. (CEE 3,4 TEP). Une diminution de 30 % permettrait à la CEI d'exporter 120 à 200 millions de t de pétrole par an (17 à 28 milliards de $ en 92).

■ **Charbon. Réserves** (milliards de t) : *charbon* 6 789 (58 % du monde), *lignite* 1 702 (68 %). **Production** [millions de t (Mt), de charbon et, entre parenthèses de lignite] *1913 :* 28 (1) ; *28 :* 32 (3) ; *29 :* 41 ; *40 :* 140 (26) ; *50 :* 187 (74) ; *60 :* 380 (130) ; *70 :* 433 (145) ; *85 :* 726 (159) ; *86 :* 512 (150) ; *87 :* 589 (166) ; *88 :* 602 (170) ; *89 :* 740 ; *90 :* 693,7 ; *91 (est.) :* 686 (Russie 353). **Gisement :** OCCIDENTAUX fournissent : *1940 :* 72 % de la prod. ; *60 :* 64 % ; *80 :* 42 %. *Donbass* 225 Mt par an. *Toula,* en déclin, alimente des centrales thermiques. *Vorkouta* fournit du coke aux hauts fourneaux de Tcherepovets et de l'Oural. Petits gisements géorgiens : 2 Mt. ORIENTAUX (Oural compris) : 90 houillères à ciel ouvert (40 % de la prod. tot.). Prix de revient 4 à 5 fois moins cher. *Kouzbass* haut pouvoir calorifique, 45 % de la prod. (155-160 Mt) exportés ; 1990-91 : prod. en baisse de 5 millions de t. *Oural* gisements dispersés, faible pouvoir calorifique, peu cokéfiable. *Karaganda* env. 48 Mt. *Gisements de l'avenir* Ekibastouz en exploitation, cendreux et médiocre, 67 Mt (en 80), 90 (en 85). Kansk-Atchinsk, en projet 8 centrales thermiques de 8 400 MW. Yakoutie du S. réserves importantes dont 98 % cokéfiables. *Gisements divers* intérêt local ; Sakhaline, Bouréia, Tcheremkovo, Tchita.

■ **Électricité. Production** (milliards de kWh) *1913 :* 2 ; *28 :* 5 ; *32 :* 13,5 ; *38 :* 36,2 ; *40 :* 48,6 ; *45 :* 43,3 ; *50 :* 91,2 ; *55 :* 170 ; *60 :* 292 ; *70 :* 741 ; *78 :* 1 202 ; *80 :* 1 294 (dont nucléaire 72,9) ; *82 :* 1 367 (100) ; *85 :* 1 545 (167) ; *88 :* 1 705 (216)) ; *89 :* 1 772. **Centrales. Thermiques classiques :** capacité installée (80) 212 000 MW. Localisation sur les gisements de lignite (Toula, Ekibastouz), tourbe (Biélorussie, Pays baltes), charbon (Donbass, Oural, Kouzbass, Tcheremkovo), hydrocarbures ou près des oléoducs, près des centres de consommation. Dep. 1990, nombreuses centrales fermées pour raison « écol. ». Conséquence : besoin en eau chaude pour le chauffage des villes n'est plus assuré qu'à 80 %. **Hydroélectricité :** 1/10 actuellement utilisé. 2/3 du potentiel en Sibérie et Extrême-Orient. *Europe,* équipement du Dniepr (6 centrales, 12 milliards de kWh), Don, Volga (7 c., 40 Mds de kWh), Kama (4 c. dont 2 en projet). Importantes possibilités en Transcaucasie (prod. actuelle 15 Mds de kWh). *Asie,* Ob et Irtych (2 c.), Ienisseï (2 centrales, puissance installée : 6 millions de kWh), Angara (3 c. : 14 millions de kWh) ; Léna, Amour et affluents ne sont pas utilisés. *Asie centrale,* centrales sur le Piémont ou dans les hautes vallées (Nourek). **Énergie nucléaire :** *1re centrale* entrée en service près de Moscou, à Obninsk en 1954. **Nombre de tranches en exploitation au 1-1-1992** (capacité en MWe bruts). *VVER* 24 (19 400), *RBMK/GLWR* 20 (17 060).

Dep. la catastrophe de *Tchernobyl* en 1986, la construction de 40 tranches (type VVER et RBMK) a été interrompue (dont 4 tr. terminées mais non mises en service). 25 commandes ou projets ont été annulés dans CEI et États baltes. Les annulations représentent une capacité de 100 000 MWe. 13 ans seraient nécessaires pour remplacer les réacteurs démodés (dont env. 15 réact. RBMK de type Tchernobyl) par des centrales à gaz sûres. Coût de la remise à jour des 32 réacteurs les + modernes de la CEI : 10 milliards de $. Aide occ. prévue : 0,5. Un projet américain envisage de réutiliser dans des centrales nucléaires civiles l'uranium militaire retraité (dilué avec de l'uranium 235 naturel pour obtenir un mélange enrichi à 3 %). Russie et Ukraine continuent cependant à donner la priorité à l'énergie nucléaire.

Retraitement : en 1992, la Russie aurait retraité + de 8 000 t de déchets radioactifs venant en partie de l'étranger. Bénéfice : + de 100 millions de $.

Nota. – Le transport de l'électricité pose des problèmes à cause des distances, pertes en ligne de 8 à 15 % de la prod. 80 % des ressources énergétiques sont situées à l'est de l'Oural alors que la partie europ. en consomme 80 %.

■ **Gaz. Réserves prouvées :** 45 milliards de m^3 soit 40,2 % des rés. mondiales. **Production** (milliards de m^3 et, entre parenthèses, en % de la prod. européenne sans l'Oural) *1929 :* 2,3 ; *40 :* 3,2 ; *55 :* 9 (90) ; *60 :* 45,3 (93,5) ; *65 :* 28 (82) ; *70 :* 198 (70) ; *75 :* 269 (64) ; *80 :* 435 ; *85 :* 643 ; *87 :* 727 ; *88 :* 772 ; *89 :* 796 ; *90 :* 815 ; *91 :* 816 (dont Russie 643). **Gisements :** OCCIDENTAUX : au pied du Caucase, *Stavropol* (dep. 1949) et *Krasnodar* (dep. 1956), 9 % de la prod. 2e Bakou, le gaz accompagne le pétrole vers Volgograd et Oufa, 8 % de la prod. Ukraine, g. de Datchava et Chebelinka, 18 % de la prod. ORIENTAUX et OURAL : en Sibérie occid., gisements considérables de *Berezovo, Yamal* (1960), *Tioumène, Medvezdye* (1974), *Urengoï* (1978), *Yambourg,* + de 60 % des réserves dont 6 000 milliards de m^3 à Urengoï. Yamal 240 milliards de m^3/an jusqu'en l'an 2000. Exploitation difficile : épaisseur du permafrost (sous-sol gelé en permanence ; en russe, *merzlota*). ASIE CENTRALE : G. d'*Ouzbékistan* (Gazli-Moubarek) et *Turkménie* (Dauletabad, 1974, 61 milliards de m^3 en 79) représentent 20 % de la prod. S. de l'Oural, Orenburg (1974, réserves 2 000 milliards de m^3), 10 % de la prod. *Yakoutie* (réserves 800 milliards de m^3), pas encore exploité. **Gazoducs** (en km) *1971 :* 70 000 ; *80 :* 135 000 dont le Sojuz (Orenburg-Europe orientale, 2 677 km) en service dep. 79. Urengoï (Sibérie, gisement de Yamal) à la frontière tchèque, env. 5 000 km (ouvert 1985-86). **Export.** (1991) 104 milliards de m^3 vers 33 pays de l'E. et 27 d'Europe occid. (20 % de la consommation).

■ **Pétrole. Réserves** *potentielles* 10 milliards de t, *prouvées* 7,9 (5,8 % des réserves mondiales de brut). **Production** (millions de t et, entre parenthèses, en % de la prod. mondiale) *1917 :* 8,8 ; *28 :* 11,6 ; *29 :* 13 ; *42 :* 22 ; *45 :* 19,4 ; *50 :* 38 (8) ; *55 :* 70,8 (9,2) ; *60 :* 148 (13,6) ; *65 :* 243 (15,6) ; *70 :* 353 (15,2) ; *75 :* 490,8 (18,1) ; *80 :* 603 (18,7) ; *86 :* 615 (21,4) ; *88 :* 630 ; *89 :* 615 ; *90 :* 575 ; *91 :* 520 (dont Russie 450) ; *92 :* Russie 393 (– 15 % par rapport à 1991 ; total 448) [baisse due à la désorganisation et à la vétusté des équipements (30 % des pipelines seraient hors d'usage, 35 à 36 000 puits inactifs en Russie faute de pièces détachées ; 21 millions de m^3 de gaz et env. 400 000 t de pétrole perdus près de Tiouren en 1990 : accidents dus à vétusté)] ; *2000 (prév.)* 525. **Gisements :** *1913,* 4 gisements (Bakou, découvert 1873, Grosnyi, Maïkop et Emba) fournissent env. 25 % de la prod. mondiale, mais sont dominés par des intérêts étrangers (Shell, Nobmazout). *Après 1917,* pétrole délaissé au profit du charbon. *Dep. 1950,* en expansion. *Perspectives :* les *gisements découverts avant 1930* (Bakou, Grosnyi, Maïkop) sont en voie d'épuisement. *« 2e Bakou »* (exploité dep. 1940), groupe 3 bassins (au N., Perm, au centre Tartarie et Bachkirie, au S., champs de Kouibychev, Saratov, Volgograd, Orenburg), mais dep. 1950 leur prod. décline. *Capacité d'épuisement : 1969 :* 27 ans, *1980 :* 15, *1990 :* 13. *Gisements moyens récents :* Biélorussie env. 10 millions de t, Ukraine 13, Asie centrale et Kazakhstan (Mangychlak, Tenghiz : réserves évaluées à 25 milliards de barils/j) découverts en 1963, 40 millions de t. *Sibérie occidentale et 3e Bakou,* prod. dep. 1965 représentent env. 40 champs le long de l'Irtych, de la Chanda et de l'Ob (dont Chaïm-Surgut, Fjodorovak et Samotlor 143 millions de t), 48 % de la prod. (Sibérie 60 %, contre 10 en 1960). Nouv. gisement découvert en 1990 en Sib. occ. (Ourengoï, 300 t par j). *Arctique,* mer de Barents et de Kara, env. 21 millions de t par an. Le plateau continental (6 millions de km^2) offre 70 % de chances d'y trouver des hydrocarbures. *Gisement secondaire,* Sakhaline. Des contrats d'exploration-production ont été signés avec des Cies pétrolières étrangères.

Exportations (millions de t) *1989 :* 127,3 ; *90 :* 115 (55 % des recettes en devises) (dont Tchécosl. 13, ex-All. dém. 12, Pologne 9,7, Bulgarie 7,8, Hongrie 4,8, Roumanie 3,4) ; *92 (prév.) :* 80 ; *2000 (prév.) :* 242. **Consommation** *1990 :* env. 500, *vers 2000 :* 283 (utilisation + rationnelle). **Oléoducs** (en km) *1965 :* 27 000 ; *70 :* 35 000 ; *81 :* 70 800. Vers régions consommatrices : Bakou relié à Ukraine et Moscou ; « 2e Bakou » à Irkoutsk, Moscou, Pologne, All. dém. (centre de raffinage de Schwedt) et Tchécoslovaquie. **Raffinage :** capacité insuffisante.

INDUSTRIE (EX-URSS)

■ **Métallurgie. Acier** (millions de t) *1913 :* 5 ; *30 :* 6 ; *39 :* 17 ; *46 :* 13,3 ; *50 :* 27,3 ; *55 :* 45,2 ; *60 :* 65,3 ; *65 :* 85 ; *70 :* 116 ; *80 :* 148 ; *85 :* 155 ; *86 :* 161 ; *87 :* 162 ; *88 :* 163. **Non-ferreux** [production, en milliers de t, en 1987, entre parenthèses, en % de la prod. mondiale 86 (métal contenu sauf bauxite) et, entre crochets, prod. métallurgique (en 83)] : *bauxite* 4 600 (5) [2 420 (15) ; tonnage d'aluminium exporté (en milliers de t) *1989 :* 300, *90 :* 430, *91 :*870, *92 :* 820], *chrome* 3 600 (21,6 [1]), *cuivre* 630 (11,6) [1 150 (14,5)], *manganèse* 2 800 (33 [1]), *nickel* 185 (21) [170 (25)], *plomb* 440 (15) [780 (14,3)], *zinc* 810 (13,3) [1 060 (17,2)].

Nota. – (1) 1980.

Métallurgie lourde. Combinats (v. Index). **Principaux centres :** *Donbass-Krivoï-Rog,* reconstruit après la g., + du 1/3 de l'acier (env. 30 millions de t). *Oural-Kouzbass,* créé 1927. Les distances (2 000 km) rendant difficile le fonctionnement, ce combinat s'est morcelé, Magnitogorsk utilisant davantage le charbon de l'Oural, et le Kouzbass utilisant un gisement de fer découvert au pied de l'Altaï (dissous 1960, après la découverte du charbon de Karaganda). *Oural-Karaganda :* fer de l'Oural et charbon de Karaganda (1 200 km). Combinats moins importants à Moscou et en Asie (Irkoutsk-Tcheremkovo : Extrême-Orient). **Métallurgie de transformation :** *Moscou, St-Pétersbourg* et *Donbass-Krivoï-Rog,* centres anciens fabriquant surtout matériel ferroviaire et automobile, machines textiles et armes. *Vallée de la Volga* (Gorki et Kazan au N., Saratov et Volgograd au S.) : autos, tracteurs, machines-outils. *Oural* (Nijni-Taguil, Sverdlovsk, Tcheliabinsk) : outillage, armes, autos. *Turkestan* (Tachkent) : machines agric. *Sibérie* (Novosibirsk, Irkoutsk et centres du Kouzbass) : outillage, matériel agricole et ferroviaire. **Électroménager et biens de consommation :** ind. récente (créée plan de 7 ans, 1959-65) : insuffisante dans beaucoup de domaines. **Commerce ext. :** l'ex-URSS doit importer certains matériels (locomotives él. fr., machines-outils allemandes, etc.), mais exporte vers Europe et certains pays d'Asie.

■ **Textile.** Lin, coton, laine, soie. *Avant 1914 :* région centrale de la R. d'Eur., autour de Moscou. *Depuis 1919 :* textiles bruts se développent : lin (terrains humides de Biélorussie) ; laine (steppes asiatiques) ; coton [irrigation en Turkestan et Ferghana (haute vallée du Syr-Daria)]. Électrification des anciennes régions manuf., notamment St-Pétersbourg et Moscou (avec env., notamment Ivanovo), qui travaillent lin de Biélorussie, coton du Turkestan, laine des steppes. Textiles artif. surtout en Eur. (Moscou, St-P., Kiev). *Depuis 1945* bonneterie, confection restent localisées de préférence en Eur. (majorité des consommateurs).

■ **Industrie chimique** (en millions de t, 1987) Engrais minéraux à 100 % 37,1 (88), pesticides 0,6 (86), soude caustique 3,3, acide sulfurique 28,5, fibres et fils chimiques 1,6 (88), pneus (unités) 67,8, détergents synthétiques 1,2 (86), papier 6,2, ciment 139 (88).

■ **Construction mécanique. Machines énergétiques et électrotechniques** (puissance totale des turbines fabriquées) 28 600 000 kW en 1987 ; générateurs pour turbines en 87 : 12 800 000 kW ; moteurs élec. à courant alternatif en 87 : 54 600 000 kW. **Construction de matériel roulant :** locomotives élec. et Diesel 7,3 millions de CV. **Ind. automobile** (prod. totale et, entre parenthèses, voitures de tourisme, en milliers) *1929 :* (8) ; *46 :* 74,7 (5) ; *55 :* 445,3 (107,8) ; *65 :* 616,3 (201,2) ; *75 :* 1 964 (1 201) ; *79 :* 2 173 (1 314) ; *86 :* 2 230 (1 330) ; *87 :* 2 232 (1 332). **Moissonneuses-batteuses** (1987) 112 000. **Deux-roues** (en millions) *motocyclettes et scooters :* 0,98 (88), *bicyclettes, vélomoteurs et cyclomoteurs :* 5,6 (88). **Téléviseurs** (en milliers) *1955 :* 495 ; *60 :* 1 726 ; *65 :* 3 655 ; *70 :* 6 682 ; *79 :* 7 271 ; *85 :* 9 000 ; *88 :* 9 600 ; *95 (obj.) :* 13 600. **Réfrigérateurs** (en milliers) *1955 :* 151 ; *60 :* 529 ; *65 :* 1 675 ; *70 :* 4 140 ; *79 :* 5 954 ; *81 :* 5 700 ; *85 :* 5 900 ; *88 :* 6 200. **Machines à laver** (en milliers) *1955 :* 87 ; *60 :* 895 ; *65 :* 3 430 ; *70 :* 5 243 ; *79 :* 3 661 ; *84 :* 4 110 ; *88 :* 6 100.

■ **Complexe militaro-industriel (VPK).** + de 14 millions d'employés et près de 80 % de l'ind. russe. Env. 6 000 entreprises. + de la moitié du PNB. L'industrie de défense proprement dite représente 20 % du revenu national et env. 7,5 % du PIB (mais 47 % des dépenses publiques). **Secteurs de reconversion** prévus dep. 1985 lasers, cosmonautique, génie biologique. A Krasnoïark, 3 grandes usines (9 à 10 000 employés) de fabrication de matériel militaire de radiocommunication, fabriquent aujourd'hui des équipements civils de radiodiffusion et des stations au sol pour télécommunications par satellites. *Coût de la reconversion :* 12,64 milliards de $. En 1991, 300 000 salariés ont perdu leur emploi du fait de la reconversion d'usines d'armement, 76 % l'ont retrouvé une fois l'usine reconvertie. *Fin 1992 :* près de 150 fermetures d'usine, le budget militaire ayant diminué de 68 % par rapport à 1991 ; 1 800 000 salariés en moins. **Ventes d'armes** (Mds de $; *88 :* 7,2 ; *89 :* 7 ; *90 :* 4,3) *1993 :* renversement de tendance ; les investissements de l'État dans l'ind. de l'armement augmentent de 13 %, la vente d'armes étant indispensable pour financer la reconversion civile d'une partie du complexe militaro-ind. *Clients :* les pays pouvant payer cash : *Iran* (3 sous-marins de combat, 1 000 chars T 72, Mig 29 pour 3,5 milliards de $) ; *Chine* (missiles sol-air S 300, chasseurs SU-27, moteurs de fusée, systèmes de guidage de missiles) ; *Émirats Arabes Unis, Syrie* (bombardiers SU 24 MR). Ils remplacent les clients traditionnels (Éthiopie, Cuba, Corée du N., Afghanistan, Europe de l'E.). La Chetex, Sté créée par des chercheurs atomistes d'Aeamas-16, propose des explosions nucléaires à fins civiles (grands travaux).

■ **Trafic d'armes.** Il s'est développé avec le retrait des troupes sov. des pays du pacte de Varsovie. Au 2e semestre 1992, 25 000 armes à feu ont disparu en Russie, dont 21 000 au Caucase. 6 ogives nucléaires ont été volées, dont 3 au Kazakhstan. **De matériaux nucléaires ou radioactifs :** 2,6 kg d'uranium d'Ukraine ont été retrouvés en Hongrie ; 1,2 kg en All., 140 capsules de plutonium destinées à l'Irak en Bulgarie. En 92, il y a eu en All. 120 affaires liées au trafic de produits radioactifs venant de l'ex-URSS.

■ **Téléphone.** Nombre de lignes principales en milliers et, entre parenthèses, pour 100 hab. (en 1990). *CEI* 32 142 (117. CEE 44). Russie 20,201 (13,6). Biélorussie 1 393,6 (13,6). Ukraine 6 733,7 (13). Kazakhstan 1 471,8 (8,8). Moldavie 377,3 (8,6). Azerbaïdjan 475,7 (6,7). Arménie 187 (5,7). Turkménistan 170 (4,7). Kirghizstan 173,4 (4). Tadjikistan 203,9 (3,9). Ouzbékistan 754,6 (3,7).

Transports (ex-URSS)

■ **Trafic intérieur. Marchandises** (milliards de t/km, 1985) : 6 901 *dont* ferroviaire 3 854 (87), fluvial 261, automobile 477, oléoduc 1 312, gazoduc 1 130. *1913 :* 114 ; *40 :* 484 ; *68 :* 3 422 ; *81 :* 6 307. **Passagers** (1985) : 1 018 milliards de pass.-km.

■ **Aviation. Réseau :** + de 1 000 000 de km (88) de lignes dont 250 000 internat. (88). **Aéroports :** 140. *1990.* Passagers transportés sur les lignes domestiques 139 millions. *Destinations* 3 600 sur 11 fuseaux horaires. **Avions :** + de 10 000 hélicos et petits avions, 3 600 avions de ligne (70 % hors d'âge). **Accidents** LIGNES DOMESTIQUES 18,62 pour 1 million de vols (Lufthansa 0,20, Air France 0,60). *Nombre* (91) 36 accidents, 252 †. LIGNES INTERNATIONALES : sécurité et maintenance comparables à celles des grandes compagnies étrangères. **Aeroflot :** avait le monopole du transport aérien en ex-URSS. Depuis l'éclatement de celle-ci apparition d'environ 70 nouvelles S[tés] de transport, les États ayant accaparé les aéroports sur leur territoire et les avions qui y étaient rattachés. Aeroflot conserve les lignes internationales au départ de Moscou et St-Pétersbourg, et les vols intérieurs de la Fédération de Russie (68 % de vols de l'ex-URSS). **MAK :** Comité aéronotique inter-états, organisme de coordination créé janv. 1992. 14 membres (rép. de l'ex-URSS, Lituanie exceptée). A repris les accords signés par Aeroflot avec 113 pays.

■ **Chemins de fer. Cheminots :** 3 500 000. **Réseau** (milliers de km) *1913 :* 69,7 ; *40 :* 100 ; *84 :* 143,6 dont 46,8 électrifiés ; *86 :* 144,9 ; *87 :* 146,1 ; *89 :* 146,7. Densité (km pour 1 000 km²) Russie, Pays baltes, Biélorussie, Ukraine, Moldavie 26 à 40, Centre et Volga 16 à 26. Asie, densité faible, 0,9 à 15. Nombreuses lignes à voie unique. 51 700 km électrifiés en 87, dont le Transsibérien entre Moscou et Irkoutsk (en 85, électrifié jusqu'à Khabarovsk). **Matériel** (prod., 1981) : locomotives diesel 3 730 000 CV, électriques 3 500 000 CV, wagons 61 000. **Vitesse** (km/h) : *trains de marchandises 1971 :* 33,8 ; *81 :* 31 ; *de voyageurs* 60 à 80 en moy., 160 sur Moscou-St-Pétersbourg (bientôt 200). **Équipements :** 1/3 des ouvrages devrait être refait d'urgence. 1/4 du matériel roulant serait hors d'usage. En 1990, adoption d'un plan décennal de modernisation : 1,3 Md de F. **Transsibérien :** construit à partir de 1891. Moscou-Vladivostok, 7 600 km, 96 stations, électrifié sur 5 000 km, diesel du Baïkal au Pacifique, 2 voies, 1/6 du trafic soviétique, 9 % du trafic mondial, fréquence : vers l'Est, 1 train toutes les 5 min, vers l'Ouest, 1 tous les 1/4 d'h (20 trains de voyageurs par j à Irkoutsk). Moyenne de chaque train, 4 500 t. *Embranchements principaux :* Novossibirsk vers Turkestan ; Irkoutsk vers Pékin (Transmongol ; à Tchita vers ex-Mandchoukouo et Port-Arthur). *Transsibérien du Sud* ou *Yousib* double la voie principale sur 4 000 km en Sibérie. *BAM* (Baïkal-Amour-Magistral) ou *Transsibérien du Nord (Sevsib)* construit 1959-84 pour doubler le Transsibérien oriental et relier Ust-Kut à Sovietskaïa Gavan, 3 145 km. **Transcaspien** (de Moscou à Tachkent avec traversée de la mer Caspienne entre Bakou et Krasnovodsk). **Transsteppique** (ou Transaralien). **Turksib** [du Turkestan (Tachkent) à la Sibérie (Novossibirsk)]. **Transcaucasien :** projet de liaison sous le Caucase, 188 km, 11 tunnels dont 1 en haute montagne (24 km de long). Durée des travaux : 15 ans.

■ **Transports fluviaux. Réseau navigable :** 550 000 dont 150 000 km exploités dont 20 700 de canaux artificiels. **Sibérie :** fleuves facilement navigables [*Ienisseï* 3 400 km, *Ob* 3 600, *Lena* 4 100, *Irtych* 3 700, *Amour* 2 800 (sur 4 314), *Angara* 1 500], mais l'embâcle dure 180 à 240 j. **Europe :** fleuves bien aménagés et reliés entre eux par le système des 5 mers (*Caspienne, Azov, mer Noire, mer Blanche, Baltique*) ; 63 écluses, passage de navires de 3 000 t et 3,50 m de tirant d'eau, comprend : lac *Onega, canal de la mer Blanche,* voie *St-Pétersbourg-lac Onega, canal Volga-Baltique* (490 km), *Volga moyenne* (2 350 km), *basse Volga* (600 km), *canal Volga-Don,* partie navigable du *Don* (480 km), *canal Moscou-haute Volga* (320 km), navigable 6 à 7 mois par an (la *Volga* est accessible en hiver grâce à des brise-glace), assure environ les 2/3 du trafic, intérêt militaire (possibilité de faire transiter de la Baltique à la mer Noire de petits navires en 18 j). *Dniepr :* accessible jusqu'à Kiev à des bateaux de 3 500 t, 2e transversale en direction de la Pologne. **Projets :** *canal de l'Ob* à l'Ienisseï pour relier le lac Baïkal à l'Irtych. **Parc :** 15 000 bateaux de marchandises (17 200 000 t en 86).

■ **Transports maritimes. Cabotage :** surtout mer Noire, Caspienne et Baltique (des brise-glace maintiennent la voie ouverte 3 mois l'été). **Flotte marchande** (milliers de tonneaux) *1955 :* 2 500 ; *60 :* 3 400 ; *70 :* 14 800 ; *80 :* 23 450 ; *86 :* 28 145. 2/3 des bateaux ont – de 10 ans. Beaucoup de nav. récents, souvent achetés à l'étranger (Pologne, ex-RDA, pays scandinaves, CEE, Japon). Peu de grosses unités, car l'ex-URSS n'a pas de grands ports en eau profonde. **Ports** mal équipés. 2 peuvent recevoir des bateaux de 100 000 t p. l. (Klajpeda sur la Baltique et Novorossisk en mer Noire), capacité de chargement et déchargement insuffisante. Saturation au-dessus de 28 millions de t par an.

■ **Routes. Réseau** (1984) 1 516 700 km dont 1 097 100 revêtus. **Transport :** 30 % du fret total (France, Italie 65 à 70 %). **Parc :** *camions* insuffisant (900 000 produits par an) soit 9 camions pour 1 000 hab. (45 en France, G.-B., All. Italie) ; *véhicules spécialisés* (citernes, bennes) trop peu nombreux ; *voitures de tourisme* env. 1 200 000. 55 pour 1 000 hab. (France 400). **Accidents** *1988 :* 47 000 †. *1989 :* 58 460 †.

Commerce extérieur (ex-URSS)

Évolution. Avant 1914 exportation de matières 1res vers Eur., de prod. man. vers Asie, importation de machines, café, vins, etc. **A partir de 1917,** volonté d'autarcie (à peu près complète en 1932). Au cours des années 20, USA, All., It. et France ont fourni l'essentiel des importations sov. en machines et en matériel. **1945 à 1960** (g. froide), aide au tiers-monde, utilise Comecon. **Après 1960,** échanges par contrats bilatéraux avec Eur., Japon et (1972) USA (en général : produits bruts contre biens d'équipement de technologie avancée). Simultanément, décroissance du commerce avec Comecon qui ne peut fournir ces produits, et avec tiers-monde qui n'a que des produits bruts (souvent concurrentiels) et ne peut payer en devises fortes. **1974 à 1982** l'ex-URSS accumule des « créances stériles » : 15 milliards de $ pour le commerce avec l'Europe et l'Est (25 env. avec l'ensemble du CAEM). Cependant, par le jeu des prix, l'ex-URSS paraît gagnante.

A partir de 1990, récession puis effondrement des échanges. Troc utilisé à cause de la crise et de l'absence de monnaies fiables. En 1991, 1/3 des échanges a été effectué sous forme de troc : coton, métaux, uranium, bois contre des denrées alimentaires.

Échanges commerciaux (en % du produit national avec l'étranger et, entre parenthèses, intra-ex-URSS en 1990). Russie 9,4 (12,9). Ukraine 7,1 (26,9). Turkménistan 4,6 (37,6). Tadjikistan 6 (37,7). Ouzbékistan 6,6 (34,1). Moldavie 6,4 (45,9). Khirgiztan 6 (39,7). Kazakhstan 4,7 (29,5). Géorgie 5,9 (37,9). Biélorussie 7,4 (44,6) Azerbaïdjan 6 (35,4). Arménie 5,8 (47,9).

Montant. Exportations et, entre parenthèses, importations (en milliards de roubles) *1938 :* 0,2 (0,3) ; *50 :* 1,6 (1,3) ; *60 :* 5 (5) ; *70 :* 11,5 (10,5) ; *80 :* 49,6 (44,4) ; *81 :* 57,1 (52,6) ; *82 :* 63,2 (56,4) ; *83 :* 67,9 (59,6) ; *84 :* 74,4 (65,3) ; *85 :* 72,4 (69,1) ; *86 :* 68,3 (62,6) ; *87 :* 68 (60) ; *88 :* 67 (65) ; *89 :* 68,6 (72,1) ; *90 :* 119,8 (137,6) ; *91 :* 81,4 (79,2).

Principaux échanges de l'ex-URSS (en milliards de roubles et, entre parenthèses, part de la Russie en %, 1991). **Export.** Gaz 15,5 (92,8), pétrole brut 12,22 (93,5), produits pétroliers 9,5 (85,3), métaux non ferreux et produits (dont cuivre, aluminium) 5,75 (54,2), produits métallurgiques 3,73 (70,3), bois (dont rondins, bois de sciage) 2,85 (73,4), voitures de tourisme (1 000 unités) 1,52 (73,3), coton et articles en coton (dont fibres de coton) 1,25 (80), avions et hélicoptères (unités) 0,6 (33,2), **Import.** Sucre brut 3,76 (80,3), produits métallurgiques 3,73 (77,5), blé 3,43 (71,4), maïs 3,06 (48,9), viande et produits carnés 2,83 (57,4), chaussures de cuir 1,7 (68,2), cigarettes 1,65 (80), confection en tissu 1,37 (77,8), en maille 1,1 (83,5), wagons de passagers (unités) 0,9 (86,7). *Total* 77,3 (57,8).

Commerce extérieur de l'ex-URSS (en milliards de $. Exportations et, entre parenthèses, importations). **Montant global** *1990 :* 85,6 (98,3), *91 :* 45,23 (44,1). **Solde** *1990 :* – 12,71, *91 :* + 1,17. **Par pays** (1991) *pays socialistes :* Bulgarie 1,25 (2,08), Chine 1,6 (1,7), Corée du N. 0,17 (0,16), Cuba 0,85 (1,87), Hongrie 1,68 (1,28), Mongolie 0,31 (0,21), Pologne 2,24 (1,93), Roumanie 0,95 (0,87), Tchéc. 2,82 (0,49), Viêt-nam 0,25 (0,22), ex-Youg. 1,41 (1,19). *Pays occidentaux :* All. 5,9 (7,73), Autriche 1 (1,3), Belgique 1,15 (0,52), États-Unis 0,7 (3,7), Finlande 1,8 (0,75), *France 2,15 (1,4),* G.-B. 2,3 (0,67), Italie 2,83 (2,53), Japon 2,1 (2,34), P.-Bas 2,42 (0,7), Suisse 1,11 (1). *Pays en développement :* Afghanistan 0,34 (0,065), Algérie 0,11 (0,25), Arabie Saoudite 0,13 (0,006), Corée du S. 0,32 (0,25), Égypte 0,22 (0,24), Inde 0,65 (0,86), Syrie 0,09 (0,25), Turquie 0,9 (0,7).

Commerce extérieur de la Russie. *En 1991 :* elle a réalisé 80 % des export. et 60 % des imp. de l'ex-URSS. *Principales exp.* (en % du total). Combustibles 39, métaux et prod. métall. 15, véhicules entre 6 et 9, prod. chimiques, pierres, métaux précieux 5, armes et munitions 0,04. *Importations* (%). Machines et équipements 26, matières premières agricoles 13, prod. alim. transformés 11, prod. chimiques 10, textiles 7,5. **Montant (en milliards de $).** *Import. 1991 :* 44,7, *92 :* 35. *Export. 91 :* 56,5, *92 :* 45. **Solde** *1991 :* + 11,8, *92 :* + 10 (– 8,6 en tenant compte du troc). **Balance des comptes courants de la Russie** (en milliards de $) *1991 :* + 9, *92 :* – 5.

Communauté d'États Indépendants (CEI)

Union libre d'États indépendants regroupant 10 des 15 anciennes républiques soviétiques.

Républiques membres. Arménie, Biélorussie, Kazakhstan, Kirghiztan, Moldavie, Turkménistan, Ouzbékistan, Russie (Fédération de), Tadjikistan, Ukraine. **Population totale :** 280 millions. **Histoire : 1991**-*8-12* créée à Minsk (Biélorussie) par un communiqué commun Biélorussie-Russie-Ukraine constatant la fin de l'ex-URSS en tant que réalité politique. -*13-12* ralliement des 5 rép. d'Asie centrale (Kazakhstan, Kirguiztan, Ouzbékistan, Tadjikistan, Turkménistan). -*21-12* Alma-Ata, conférence ; ralliement de 8 autres Rép. dont certaines souhaitent le maintien d'un centre et de structures fédérales comme contrepoids à une hégémonie russe. Décision de créer un *conseil des chefs d'État* qui se réunirait 2 fois par an (présidence tournante), un *conseil des chefs de gouvernement* (réunion 2 fois par an) et des *conseils interministériels* (Aff. étr., Défense, Économie et Finances, Transports et Communications, Protection sociale, Aff. intérieures). Biélorussie, Kazakhstan, Russie, Ukraine acceptent un commandement nucléaire unifié temporaire (Russie). -*23-12* la CEE reconnaît la Russie en tant qu'État successeur de l'ex-URSS et se déclare prête à reconnaître les autres Rép. de la CEI dans la mesure où elles appliqueront les traités et accords conclus par l'ex-URSS. -*31-12* Minsk, réunion des dirigeants des 11 Rép. de la CEI. **1992**-*20-3* Kiev réunion ; échec : opposition Ukraine-Russie.

Principaux problèmes. Militaires : contrôle des armes nucléaires stratégiques (Ukraine hostile au contrôle russe), sort des missiles nucléaires tactiques, délimitation des pouvoirs militaires de la CEI (Azerbaïdjan, Biélorussie, Moldavie, Ukraine veulent des armées nationales), création d'une force d'interposition pour le réglement des conflits internes (décidée le 18-7-92). **Politiques :** hostilité de certaines Rép. (Ukraine) à la création d'organes centraux de la CEI et de structures de coordination de politique étrangère. **Économiques et monétaires :** divergences sur le partage de la dette soviétique et des ressources et compétences écon. (ex. le Tatarstan veut conserver ses ressources pétrolières) ; définition d'une politique monétaire commune et d'une zone rouble avec les Rép. acceptant d'en faire partie ; la Banque centrale de Russie serait le seul organe central d'émission du rouble, le quota attribué aux banques centrales des autres États membres de la zone rouble étant fonction de leur part dans le PNB de l'ex-URSS en 1990 ; politique monétaire et réglementation bancaire seraient décidées à Moscou, le « conseil de coordination des banques centrales n'ayant qu'un rôle consultatif ; hostilité de la plupart des rép. de la CEI qui veulent créer des monnaies nationales.

Conflits interethniques. *1918-22* Staline, alors commissaire aux nationalités, crée des entités nationales artificielles (1919 Bachkirie, 1920 Tartarie ; une vingtaine de peuples, jusque-là noyés dans l'empire russe, reçoivent un statut d'autonomie). *1921* rattachement à la Géorgie d'une partie de l'Abkhazie, le reste étant toujours rattaché à la Russie ; *1936* division de la Transcaucasie en 3 rép. et rattachement à l'Azerbaïdjan du Nagorny-Karabakh peuplé d'Arméniens. *1944* + de 1 200 000 personnes déplacées, déportation en Asie centrale des petits peuples du Caucase, du N., Tchétchènes, Ingouches, Balkars, des Meshkètes (Turcs géorgiens), Tatars de Crimée, Allemands de la Volga. Division de l'Ossétie en O. du Nord (russe) et O. du Sud (Géorgie) ; de la Bessarabie en Bessarabie Nord (Moldavie) et Bessarabie Sud (Ukraine). *1956* rattachement à l'Ukraine de la Crimée russe. *1990-93 affrontements :* russophones et Moldaves en Moldavie, Arméniens et Azerbaïdjanais au Haut-Karabakh, Tchétchènes et Ingouches en Tchétchénie, Kirghizes et Ouzbeks au Kirghiztan. + de 80 conflits déclarés ou latents. *Tendances centrifuges dans la Fédération de Russie de certaines rép.* (Tatarstan, Tchétchénie, Iakoutie), ou *régions* autonomes (Belgorod, Kamtchatka) qui ont refusé de signer le traité de la Fédération et réclament le statut de Rép. fédérées.

Exportations et importations des républiques de la CEI (en millions de $, 1991). Arménie 68,4 (791),

Force d'interposition de la CEI. Formée de volontaires des armées nationales des États indép., elle n'intervient qu'à la demande des parties impliquées, après en avoir informé le Conseil de sécurité de l'Onu et la CSCE. Elle ne doit pas prendre part aux combats sur le terrain mais créer les conditions d'un règlement pacifique.

Azerbaïdjan 319 (807), Biélorussie 1 660 (1 957), Géorgie 210 (1 470), Kazakhstan 775 (1 647), Kirghiztan 45,6 (558), Moldavie 155 (603), Ouzbékistan 648 (1 325), Russie 36 776 (25 570) Tadjikistan 278 (457), Turkménistan 95,8 (400), Ukraine 4 789 (6 653). **Opinion des citoyens de la CEI sur la situation économique** (sondage févr. 1993, CEI + Géorgie). *l'éc. de marché est-elle une bonne chose pour l'avenir du pays ?* Oui 36 %, non 45 %, sans opinion 19 %. *La situation est-elle meilleure avec le régime actuel ?* Oui 41 %, non 36 %, sans opinion 23 %. SONDAGE FIN 1992 (Russie) : *qui est responsable du désastre présent ?* Gorbatchev, les communistes 54 %, l'actuel gouvernement 9 %, Boris Eltsine 5 %, les démocrates 2 %, les entrepreneurs privés 1 %.

☞ Voir suite de Russie, p. 1189 c.

RWANDA

Carte p. 940. V. légende p. 884.

Situation. Afrique. 26 338 km². *Frontières* avec Ouganda, Tanzanie, Burundi, Zaïre. *Alt. max.* Mt Karisimbi (volcan, 4 507 m), *moy.* 1 600 m (hauts plateaux). **Climat** Équatorial tempéré par l'alt. 18 °C en moy. 4 *saisons :* sèche (mi-déc.-janv.), pluies (févr.-juin), sèche (juin-sept.), pluies (mi-sept.-mi-déc.).

Population. 7 336 000 h. (90), [prév. *2000 :* 10 000 000] : Bahutus, agriculteurs, 89,8 % ; Batutsis, pasteurs d'origine nilotique (250 000 à 500 000 ont émigré depuis l'indép.), 9,8 % ; Batwas, chasseurs pygmoïdes, premiers hab. du pays, 0,4 %. **Taux** *fécondité* 8,6 ; *mort. infantile* 122 ‰. **Personnes déplacées** *1990-92 :* 350 000, *93* fin : 900 000. **Étrangers** (1993) 1 500 dont 400 Français. **Pop. urbaine** 8 %. D 290 (la plus forte d'Afrique). **Villes** (90) : *Kigali* 363 607 h. (28 % de 20 à 40 a. séropositifs en 1988), Butare 38 964 (à 136 km), Ruhengeri 32 332, Gisenyi 21 560 (à 179 km). **Langues.** Kinyarwanda *(nat.)* et français (12 %) *(off.)* ; kiswahili et anglais. **Religions** (%). Catholiques 50, animistes 30, protestants 12, musulmans 8.

Histoire. **1890-1914** partie de l'Afr. orientale all. **1922** forme avec Burundi le Rwanda-Urundi, confié sous mandat à la Belgique (Usumbura capitale). **1925** uni au Congo belge. **1959** *nov.* séparation ; soulèvement des Bahutus contre monarchie féodale batutsi. **1961**-*28-1* renversement du roi (le *Mwami* Kigeli V). *-25-9* Rép. autonome. **1962**-*1-7* indép. Bahutus prennent le pouvoir. Milliers de Batutsis massacrés. **1963** les Batutsis réfugiés dans les pays voisins veulent reconquérir le pouvoir et sont refoulés. **1964** 10 000 à 20 000 Batutsis †. **1973** *févr.* incidents raciaux (300 †). *-5-7* coup d'État militaire, Pt Grégoire Kayibamda (1924-76 ; dep. 26-10-61) déposé. **1982** *oct.* arrivée de réfugiés ougandais. *-7-10* Pt Mitterrand au R. **1984**-*10-12* passage du Pt Mitterrand. *-20-12* M. Gatabazi condamné à 5 a. de prison. **1988** *août* Burundais réfugiés au R. après massacres. **1990**-*7-9* visite de Jean-Paul II. *-30-9/-1-10* 2 000 à 3 000 h. du Front patriotique rw. (Tutsis venant d'Ouganda) attaquent Kigali (chef Fred Rwigyema tué). France, Belg. et Zaïre envoient 300, 480 et 500 soldats. Départ de 300 Belges. 150 à 335 †. *-10-10* cessez-le-feu. *-27/28-10* nouveaux combats. *-1-11* départ soldats belges. **1991-93** combats. **1993**-*7-3* cessez-le-feu : retrait français et force intern. neutre sous égide Onu. *Fin mars* accords gouv./FPR pour armée commune.

Statut. Rép. *Const* du 10-6-1991. *Pt* Major-Gal Juvénal Habyarimana (n. 8-3-37) dep. 5-7-73, élu pour 5 a. 24-12-78, réélu 19-12-83 (99,97 % des voix) et 19-12-88. *PM* Agathe Uwilingiyimana 17-7-93. *Ass.* 70 m. élus pour 5 a. **Partis.** *Mouv. rép. nat. pour la dém. et le dév.* (MRND) parti unique de 1975 à 1991, sous le nom de Mouv. révol. pour le dév. *Mouv. dém. rép.* (MDR). *P. dém. chrétien* (PDC). *P. libéral* (PL). *P. social-dém.* (PSD). *Rébellion. Front patriotique rwandais* (FPR). 15 000 Tutsis. *Préfectures* 11. *Communes* 145. **Fête nat.** 1-7 (indép.). **Drapeau** (1962).

ÉCONOMIE

PNB (91). 230 $ par h. **Pop. active** (%, entre parenthèses, part du PNB en %) agr. 82 (37), ind. 6 (22), services 11 (40), mines 1 (1). **Inflation** (%) *1989 :* 1 ; *90 :* 4,2 ; *91 :* 19,6. **Aide militaire française** (1991) 7 millions de F. **Militaires envoyés 1992**-*10-6* 150, **1993**-*20-2* 240 (total 600), *mars* 300 départs.

Agriculture. *Terres* (milliers d'ha, 88) *espace cultivé :* 1 102 ; *en 82 :* arables 705, cult. 256 (0,8 ha par famille), pâturages 484, forêts 275, eaux 139, divers 775. *Production* (milliers de t, 90) plantain 2 098, manioc 500, patates douces 900, p. de terre 190, café 37, thé 12, haricots secs 200, sorgho 155, maïs 110, pois 25, coton. **Forêts.** 5 842 000 m³ (88). **Pêche.** 1 500 t (89). **Élevage** (milliers, 90). Poulets 1 223 (83), chèvres 1 119, bovins 630, moutons 373, porcs 100. **Mines** (t). Béryl 27, wolfram 4,7, cassitérite 2, colombo-tantalite 0,6, or (kg) 16.

Commerce (Md de F rwandais, 89). **Exp.** 8,4 dont café 56 % ; *vers* (valeur en FOB en millions de FRW) ex-All. féd. 1 502 (dont café 1 495,2), Belgique 958,9 (dont café 745,3, thé 3,7), P.-Bas 944,4 (dont café 890,7, thé 4,1), USA 348,7 (dont thé 49,07). **Imp.** 26,7 *de* ex-All. féd., Italie, P.-Bas.

SAHARA OCCIDENTAL

V. légende p. 884.

Situation. Afrique. 286 000 km². **Régions :** 1°) *septentrionale* 92 000 km² (Saguia et Hamra), *El-Ayoun* f. 1932, 50 000 h., Smara 7 280 h. 2°) *méridionale* 194 000 km² (Oued Eddahab), *Dakhla* (ex-Villa Cisneros) 5 424 h. Un mur protège le nord du Sahara occ. des incursions du Polisario, abritant 220 000 h. + 120 000 militaires. **Climat.** Désertique.

Population. *1976 :* 72 487 h., *1989 :* 170 000 [selon le Polisario : 1 000 000 dont 400 000 h. au N. de la Mauritanie, 250 000 dans la région de Tan-Tan et Tarfaya (80 000 à 100 000 dans des camps de réfugiés mar.)] ; selon rec. mar. de 1988 (camps de Tindarf) : 47 000. **Langues.** Espagnol, arabe, dialecte hassaniya. **Religion.** Musulmane.

Histoire. **1491** bande côtière, possession esp. **1884-86** Emilio Bonelli occupe le S. (Rio de Oro). **1912**-*27-11* tr. franco-esp. établissant frontière. **1934** Esp. occupe le N. (Saguia el-Hamra). **1957** l'armée esp. recule devant armées sahraouie et marocaine. **1958**-*10-2* armée mar. écrasée par opération franco-esp. *-1-4 accords de Cintra,* les 2 territoires forment une province contrôlée par Esp. qui rétrocède zone de Tarfaya au Maroc sous protectorat esp. **1970**-*17-6* soulèvement à El-Ayoun (préparé par l'Organisation sahraouie de libér. du Sahara, créée 1967), échec. **1973**-*10-5 Front Polisario* (Front pop. pour la libération du Saguia el-Hamra et Rio de Oro, leader Mohamed Abdelaziz), créé. **1974** *juill.* administration interne. *-20-8* Hassan II s'oppose à tout référendum pouvant entraîner l'indép. *-17-9* saisit la Cour intern. de La Haye. **1975**-*14-10* Onu recommande référendum sous son contrôle. *-16-10* Cour de La Haye favorable à l'autodétermination. *-6/9-11 « marche verte »* mar. (350 000 personnes) au S. occ. *-14-11 accord de Madrid* (Esp., Maroc et Maur.) : Esp. se retirera 28-2-76. *-20-11* Alg. dénonce l'accord. *-28-11* entrée officielle des troupes mar. *-3-12* Conseil nat. provis. sahraoui créé à Alger. *-19-12* Maur. prennent La Guera (plus de 100 †). *-31-12* départ armée esp. **1976**-*11-1* Maur. entrent à Dakhla. *-19-1* Polisario enlève 2 Français, libérés 27-12. *-27/29-1* à Amgala combats Mar.-Alg. : Alg. (200 †, 100 prisonniers) se retirent. *Févr.* Maur. contrôle partie du Oued-Eddahab (ex-Rio de Oro) qui lui revient. *-12-2* Mar. occupe Mahbès (capitale du Polisario) ; 50 000 Sahraouis se réfugient en Alg. *-14/15-2* Amgala, combats. *-26-2* départ des Esp. ; S. partagé entre Maroc (au N.) et Maur. (au S.). *-27-2 Rép. arabe sahraouie démocr. (RASD)* créée. *-5-3* PM Mohamed Lamine Ould Ahmed. **1977**-*1-5* Zouerate, raid Polis. (Maur.), 6 Français enlevés, libérés déc. 78. **1978-79** négociations Mar.-Maur. **1978**-*10-7* coup d'État en Maur., cessez-le-feu avec Polis. *Nov.* Bamako, 1re rencontre Mar.-Polis. **1979**-*5-8* Maur. reconnaît Polis. et renonce au S. *-11-8* Mar. prend Dakhla. *-14-8* le S. administré auparavant par Maur. devient la province mar. Oued-Eddahab (ex-Tiris-El-Gharbia). **1981** *juin* mur d'env. 400 km de Zag à El-Ayoun pour protéger Maroc. Référendum sur autodétermination (Maroc). *-13-10* Polis. attaque Guelta-Zemmour, que Maur. évacue 9-11. **1982**-*25-2* RASD entre à l'OUA. *-10-7* Maroc reprend exploitation des phosphates de Bou Craa (interrompue dep. 1975-76). *-3/19-7* attaques Polis. repoussées. **1984**-*19-4/10-5* 3e mur de 320 km en bordure du Zag (80 000 soldats mar.). Hassan II vient à El Aïoun (Laayoune). **1987** *févr.-mars-nov.* attaque Polis. **1988**-*30-8* Maroc et Polis. acceptent plan de paix Onu (cessez-le-feu et référendum d'autodétermination pour la pop. sahraouie recensée 1974, soit 74 000 pers.). *-16-9* attaque du Polis. 50 †. *-11-12* Polis. abat par erreur avion amér. **1989**-*4-1* rencontre Hassan II/dir. du Polis. *-13-1* Hassan II propose au Polis. un plan de régionalisation. *-7-10* attaque Polis. (190 Mar. †). **1990** *janv.* attaque Polis. échoue (15 Mar. et 94 Polis. †). **1991** *-12-7* Maroc remet liste de 75 000 pers. considérées comme sahraouis. *-20-7* nouv. liste de 45 000 pers. *Août* reprise des combats. *-26-8* armée mar. détruit Bir Lahlou. *-6-9* cessez-le-feu. *-22-10* + de 1 000 observateurs de la Misurno (48 nation.). *Oct.* selon Polis., 35 000 Mar. transférés au S. (170 000 attendus en nov.) [120 000 selon Maroc]. *Nov.* Onu autorise 40 000 votants de + . *-20-12* Johannès Manz, représ. Onu, démissionne. **1992** *janv.* référendum prévu reporté.

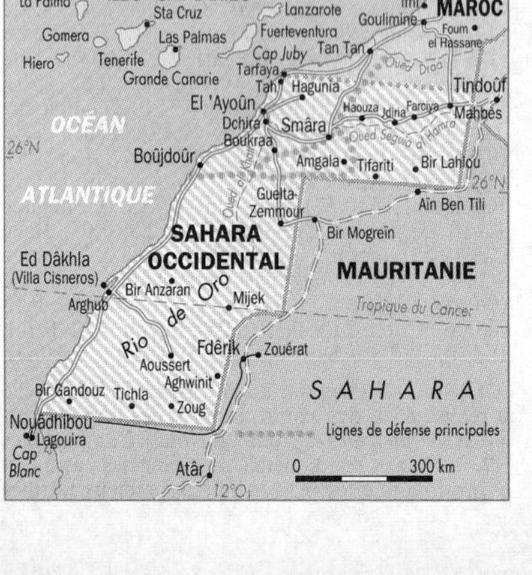

Statut. Administré par le Maroc mais une république arabe sahraouie a créé un gouv. en exil reconnu par 72 pays. *Pt* Mohamed Abdelaziz dep. 16-10-1982.

Ressources. Orge, ovins, dromadaires, phosphates (réserves 1,7 milliard de t en 73), pêche, pétrole offshore, cuivre, fer.

ST CHRISTOPHER (ST KITTS) AND NEVIS

Carte p. 847. V. légende p. 884.

Situation. Iles Sous-le-Vent (Antilles). 261,6 km². 41 870 h. (90), *prév. 2000 :* 68 000. D 160. **2 îles : St Christopher,** 168,4 km², 36 087 h. (83), *Basseterre* (cap.) 14 161 h. (80). **Nevis,** 93,2 km², à 3 km au S.-E. de St-Chr., 9 620 h. (83), *Charlestown* 2 000 h.

Histoire. **1493** découvertes par Christophe Colomb. **1623** colonisation anglaise de St-Kitts, **1628** de Nevis. **1871-1956** membre de la fédér. des Iles Leeward, **1958-62** de la féd. des Indes occid. **1967**-*27-2* autonomie. **1967** sécession Anguilla (légal. 19-9-80). **1983**-*19-9* indépend. *-23-9* entre Onu.

Statut. Fédération. État associé au Commonwealth. *Ass.* 13 m. (9 élus, 3 nommés, 1 de droit). *Gouv.* Clement Athelston Arrindell dep. 19-9-83. *PM* Kennedy Alphonse Simmonds (n. 12-4-36) dep. 19-9-83. **Drapeau** (1983). Vert (fertilité) et rouge (lutte pour l'indép.), jaune (soleil), noir (héritage africain), 2 étoiles (espérance, liberté).

ÉCONOMIE

PNB (89). 3 090 $ par h. **Budget** (92 en millions de $ EC) recettes 113, dépenses 111,4. **Prod. agricoles** (milliers de t, 90) canne à sucre 219, sucre 19,4 (92), mélasse 5,7, fruits et légumes 3, noix de coco 2, coton, coprah, sel, homards. **Élevage** (têtes, 89). Moutons 1 766, porcs 1 411, bovins 701, chèvres 621, volailles 13 (83). **Pêche** 1 700 t (89). **Tourisme** (91). 136 737 séjours et 52 834 passagers de croisière. **Commerce** (millions de $ EC, 90). **Exp.** 65,8 *vers* USA 34,5. **Imp.** 299 *de* USA 130,5.

SAINTE-HÉLÈNE

Carte (voir planisphère, fin du volume). V. légende p. 884.

Généralités. Ile de l'Atlantique S. (à 1 950 km de l'Angola), d'origine volcanique. 122 km². *Alt. max.* Diana's Peak 820 m. **Climat.** Doux. **Population.** 5 645 h. dont 200 expatriés (87). D 46,2. **Chef-lieu** *Jamestown* 1 413 h (87). **Langue.** Anglais. **Religion.** Anglicane.

Histoire. **1502** découverte par le Portugais João da Nova Castella. **1633** annexée par Hollande. **1659** prise par Cie des Indes orientales angl. **1834** cédée à Couronne brit. (après avoir été louée au gouv. pour l'exil de Napoléon du 16-10-1815 au 5-5-1821).

Statut. *Colonie brit. Gouv.* Alan Hoole dep. 1991. *Conseils exécutif* (7 m. et le gouverneur) et *législatif* (12 m. élus, 2 m. de droit et le gouv.).

Agriculture. Bananes, légumes. **Élevage** (88). Moutons 1 513, chèvres 1 354, bovins 1 134, porcs 599, volailles 10 931, ânes 312. **Forêts. Pêche** (90). 351 t. **Commerce** (milliers de £, 89-90). **Exp.** 129 *dont* poissons 128. **Imp.** 4 970. *Partenaires com. :* G.-B., Afr. du S.

Dépendances

Ascension. 88 km². A 1 131 km au N.-O. de Ste-H. 1 099 h. (déc. 91) dont St-Héléniens 765, Brit. 222, Amér. 102, autres 10. Découverte 1501, le j. de l'Ascension, inhabitée 1815 à 1922. Annexée par G.-B. 1922. *Chef-lieu : Georgetown. Administr. :* Brian N. Connelly. *Tortues* vertes. *Base* US. *Relais* télécom.

Tristan da Cunha. 98 km². 300 h. (90). A 2 600 km à l'O. du Cap, 4 000 de Montevideo, 2 120 de Ste-Hélène ; volcanique (alt. max. 2 060 m). **1506** *mars* découverte par le Portugais Tristão da Cunha. **1816**-*14-8* annexée par G.-B. -*28-11* occupée par garnison (5 off., 36 sous-off. et soldats, avec familles) par crainte d'un enlèvement de Napoléon. **1821** mort de Napoléon, garnison évacuée ; 3 militaires reviennent. **1825** 25 hab. N'ayant pas de femmes, ils font venir des Noires de Ste-Hélène. **1880** 109 h. (métis). **1927** 135. **1938**-*12-1* dépendance de Ste-Hélène. **1961**-*10-10* les 280 h. sont évacués en G.-B. (crainte d'éruption volcanique), reviennent (1963-67). Langoustines. *Administr. :* Bernard E. Pauncefort. **Dépendances : Ile Inaccessible** (10 km², pingouins), **Ile Nightingale** (2 km²), **Ile Gough** (91 km²), station météo.

Sainte-Lucie

Carte p. 847. V. légende p. 884.

Situation. Ile des Antilles. 616 km². **Climat.** Doux ; temp. moy. 26 °C. Pluies de juin à nov. **Population.** 151 300 h. (90), [prév. *2000 :* 158 000] dont (%) Noirs 90,3, Métis 5,5, Indiens 3,2, Blancs 0,8, divers 0,1. **Age.** – *de 20 a.* 49,6 %, + *de 60 a.* 7,7 %. D 279. **Capitale** *Castries* 60 000 h. (91) **Langues.** Anglais, patois français (Kweyol). **Religions** (%). Cathol. 90,5, anglicans 3,4, adventistes 2,4, baptistes 1,1, méthodistes 0,9, divers 0,1.

Histoire. **1502**-*15-6* découverte par Christophe Colomb. **1605-38** établissement anglais. **1650** devient française. **1814** tr. de Paris : cédée par France à G.-B. **1838** esclavage aboli. **1958-62** membre de la Féd. des Indes occid. **1967**-*1-3* État associé des Indes occid. **1979**-*22-2* indép. **1980-81** troubles politiques. **1983** *sept.* cyclone.

Statut. État m. du Commonwealth. *Const.* du 22-2-1979. *Chef de l'État* reine Élisabeth II. *Gouv.* Sir Stanislas James dep. 1988. *PM* John Compton dep. 7-5-82. *Sénat* 11 m. dont 6 sur avis du PM, 3 du leader de l'opposition et 2 nommés par le Gouv. *Ass.* 17 m. élus pour 5 a. **Élections** du 6-4-92 : UWP 11 s., SLP 6. **Partis** *P. travailliste St-Lucien* (SLP), f. 1950, Pt Julian R. Hunte. *P. travailliste progressiste* (PLP), f. 1981, George Oldum. *P. uni des travailleurs* (UWP), f. 1964, John Compton.

Économie

PNB (91). 1 980 $ par h. **Pop. active** (%, entre parenthèses part du PNB en %) agr. 30 (24), ind. 20 (26), services 50 (50). *Chômage* 27 %. **Agriculture.** *Terres* (%) agricoles diverses 35, bois 31, pâturages 15, urbanisées 10, bananes 9. *Production* (milliers de t, 90) bananes 92, mangues 46, noix de coco 29, tubercules 11, coprah 5, ignames, manioc. **Élevage** (milliers, 90). Moutons 16, bovins 13, porcs 12, chèvres 12, volailles 200 (82). **Pêche** (89). 945 t. **Tourisme** (91). 318 763 vis., 115 millions de $ (90). **Commerce** (millions de $ EC, 91). **Exp.** 105,4 *dont* bananes 183 (88), huile de coco, papier, vêtements *vers* (89) G.-B. 42,5 %, Jamaïque 13 %. **Imp.** 267,3 *d'*USA (89) 36,7 %, G.-B. 12,3 %.

Saint-Marin

Carte p. 1049. V. légende p. 884.

Nom. Du diacre Marino qui fonda St-M. en 301.

Situation. Enclave en Italie, à 20 km de Rimini, dans les Apennins. 60,5 km². *Alt. max.* Titano 749 m. *Frontières :* env. 70 km. **Climat.** Continental (été max. + 33 °C, hiver min. – 10 °C). **Population.** 23 748 h. (92) (12 500 citoyens vivent au-dehors : It., Fr., USA, Belg.). D 392,5. **Villes** (91) : *San Marino* 4 200 h. **Langue.** Italien. **Religion.** Catholique.

Histoire. **301** fondé par Marino, diacre dalmate. **1000-1100** institué en commune. **1295-1302** 1er statut de la Rép. **Vers 1440-63** république. St-M. participe aux g. du côté de Montfeltro et des ducs d'Urbino contre les Malatesta seigneurs de Rimini ; **1463** pape Pie II reconnaît l'autonomie de St-M. **1627** tr. de protection avec St-Siège. **1739-40** pape Clément II refuse l'annexion de St-M. préparée par le card. Alberoni, légat de Romagne. **1849** Garibaldi réfugié politique. **1862**-*22-3* tr. de bon voisinage avec It. **1943** accueille 100 000 réfugiés. **1957** crise polit. dénouée après intervention discrète des USA et blocus de l'armée it. au profit des dém.-chrétiens et soc.-démocrates. **1968** tr. révisé avec It. **1971** retrouve droit de frapper monnaie. -*10-9* suppression des termes « amitié protectrice » dans la Convention it.-St-M. du 31-3-1939. **1986**-*26-8* gouvernement de compromis : démocrates chrétiens/communistes. **1991**-*16-12* coopération et union douanière avec CEE. **1992**-*2-3* admis Onu.

Statut. Rép. (la plus ancienne du monde). *Const.* d'oct. 1600. *Grand Conseil* (Parlement, 60 m. élus p. 5 a.) qui élit tous les 6 mois 2 capitaines régents, qui exercent le pouvoir exécutif avec le *Congrès d'État* (Gouvernement, 10 m.). **Élections.** *29-5-88 :* dém.-chrétiens 27, com. 18, soc. unit. 8, soc. 7. **Fêtes nat.** 3-3 (St Marin), 5-2 (Ste Agathe). **Drapeau.** Bandes bleue (ciel) et blanche (montagnes enneigées).

Économie

PNB (90). 20 000 $ par h. *Terres* arables 6 000 ha, forêts 5 000, causses. Blé, vin. *Philatélie. Industrie* (text., habill., ciment, cuir, papier, céramique, tuiles, caout. synth.). *Union douanière* avec Italie. **Tourisme.** 2 917 061 vis. (88).

Saint-Vincent et les Grenadines

Carte p. 848. V. légende p. 884.

Généralités. Ile des Antilles dont dépendent certaines Grenadines [Bequia, Moustique (achetée vers 1960 par l'Angl. Colin Tenant au gouv. de St-Vincent), Canouan, Mayreau, Prune, Petit-St-V., Union (10 km²)], 389,3 km² dont St-Vincent 344. *Alt. max.* volcan de la Soufrière 1 245 m (1979 éruption, destruction de 70 % de la prod. de bananes, 1 178 †). **Climat.** Tropical chaud. 20 à 32 °C. *Saison touristique* décembre à mars. **Population.** 113 951 h. (est. 89) (avec dép.), Noirs 65,5 %, Métis 23,5, Indiens 5,5, Blancs 3,5, Amérindiens 2. D 292,7. **Capitale** (est. 89) : *Kingstown* 19 345 h. **Langue.** Anglais. **Religions** (%). Chrétiens (protestants 81, cathol. 13, autres 6).

Histoire. **1498**-*22-1* découverte par C. Colomb. **1783** colonie brit. **1969** *oct.* État associé. **1979**-*27-10* indép. -*5-12* élections : Labour Party (leader Vincent Beache) 11 s., -*7-12* tentative de rébellion. **1981**-*29-7* échec coup d'État. **1984**-*25-6* él. NDP (New Democratic Party) 9 s., Labour 4 s. **1989**-*16-5* él. NDP 21 s.

Statut. Rép. ind., État membre du Commonwealth dep. 27-10-1979. *Const.* du 27-10-1979. *Chef de l'État* reine Élisabeth II. *Gouv.* David Jack dep. 20-9-89. *PM* James F. Mitchell. *Ass.* 21 m. (15 élus, 6 nommés). **Fête nat.** 27-10 (indépendance). **Drapeau** (adopté 1979). Bandes bleue, jaune avec liserés blancs, verte ; armes de l'île et feuille d'arbre à pain.

Économie

PNB (90). 1 610 $ par h (dont en %) agriculture 28, industrie 22, services 50. **Pop. active** (%, 90) agr. 35, ind. 15, services 50. **Agriculture.** *Terres cult.* 53 %. *Prod.* (milliers de t, 90) bananes 68, patates douces 3, plantain, noix de coco, coprah, cacao, café, marante. **Élevage** (milliers, 89). Moutons 15, bovins 7, porcs 9, chèvres 5, poulets 153 (83). **Tourisme** (91). 168 633 vis.

Commerce [millions de EC $ (East Carribean $), 89]. **Imp.** 344,1. **Exp.** 201,2 dont bananes 89,9, légumes 45,2 (88), tabac 0,5.

Salomon (Iles)

Carte p. 1177. V. légende p. 884.

Situation. Pacifique (1 600 km à l'E. de la N.-Guinée ; 2 575 km au N.-E. de l'Australie). 28 530 km². **Climat.** Moy. 26 °C. Pluies 3 000 à 3 500 mm. **Population.** *1990 :* 318 707 h. [dont (%) Mélanésiens 94, Polynésiens 4, Gilbertiens 1, Européens 1] ; *prév. 2000 :* 457 000. D 11,6. **Age** - *de 15 a.* 48,4 %. **Langues.** Anglais *(off.),* pidgin english, env. 87 langues indigènes. **Religions.** 95 % de chrétiens (anglicans 35 %, catholiques 19 %, évangélistes 17 %, United Church 11 %, adventistes 10 %). **Capitale :** *Honiara* 35 288 h. (90). 10 GRANDES ÎLES dont **Guadalcanal** (6 475 km², alt. max. Mt Makarakombou 2 330 m) 40 000 h., **Malaita** (4 900 km²) 80 000 h., **San Cristobal** (3 230 km²), **New Georgia** (5 024 km²), **Santa Isabel** (4 122 km²), **Choiseul** (3 294 km²), **Shortland** (340 km²), **Mono** ou **Trésor** (80 km²), etc. et 4 groupes de petites îles.

Histoire. **1568** découvertes par Alvaro de Mendana. **1885** conquête allemande. **1893-99** *protectorat brit.* **1942** occ. jap. *Août* débarquement US à Guadalcanal. **1960** création d'un conseil ex. et lég. **1973** élections (Mamaloni chef du People's Progressive Party devient PM). **1976**-*2-1* autonomie interne. **1978**-*7-7* indépendance.

Statut. Monarchie. Membre du Commonwealth. *Const.* du 7-7-1978. *Reine* Élisabeth II. *Gouverneur* sir George Lepping dep. 21-6-88. *PM* (élu parmi les m. du Parlement) Salomon Mamaloni (n. 21-1-43) dep. 1986, réélu 28-3-89. *Chambre :* 38 m. élus pour 4 a. **Drapeau** (1978). Bleu (mer), vert (pays), jaune (soleil) ; 5 étoiles (4 districts + émigrés).

Économie

PNB (90). 580 $ par h. **Pop. active** (%, entre parenthèses part du PNB en %) agr. 74 (64), mines 1 (1), ind. 5 (5), services 20 (30). **Inflation** (%) *89 :* 14,9 ; *90 :* 8,7 ; *91 :* 15,1. **Aide extérieure** (90) 23 millions de $. **Agriculture.** *Terres cult.* 2 %. *Production* (milliers de t, 90), noix de coco 230, coprah 45, huile de palme 21, riz 2 (87), cacao 2 000, patates douces, ignames. **Élevage** (90). Cochons 53 000, bovins 13 000. **Pêche.** 57 000 t (89). Coquillages, peaux de crocodile. **Forêts** (88). 589 000 m³. **Mines.** Phosphate, bauxite, or, argent. **Tourisme** (89). 12 846 vis.

Commerce (millions de $, 90). **Exp.** 80 *dont* poisson 32, bois 15, coprah 6,2, huile de palme 5,5, cacao 2,7, or 1,8, *vers* (%) Japon 36,7, Thaïlande 22,4, G.-B. 8,6, Australie 4, All. féd. 3,2. **Imp.** 107,8 *de* (en %) Australie 40,4, Japon 17,1, Singapour 8,2, Nouvelle-Zélande 7,7, G.-B. 4,2.

Salvador (El)

Carte p. 1016. V. légende p. 884.

Nom. Donné en l'honneur du Très Saint Sauveur.

Situation. Amér. centrale. 21 040 km² dont lacs intérieurs 247 km². *Long.* 175/225 km, *larg.* 75/110 km. *Côtes :* 321 km. *Frontières :* avec Honduras 341 km, Guatemala 147. Plaines basses 12 %, le reste est montagneux (90 % du sol d'origine volcanique). **Régions** *sierra caliente* (0 à 800 m) 22 à 28 °C ; *terra templada* (800-1 200 m) 19 à 22 °C ; *terra fria* (1 800-2 700 m) 16 à 19 °C. **Climat.** Tropical, 1 saison sèche (nov.-avr.) et 1 humide (mai-oct.). Humidité de l'air 71 à 81 %.

Population (en millions). *1950 :* 1,86 ; *61 :* 2,51 ; *71 :* 3,55 ; *90 :* 5,25 dont (en %) Métis 90, Indiens 5, Blancs 5 ; *prév. 2000 :* 8,7. **Age** - *de 15 a.* 46 %, + *de 65 a.* 4. D 249,6. **Taux** (85-90, ‰) *natalité* 36,3, *mortalité* 8,4 (infantile 57,4). **Villes** (89) : 262, dont *San Salvador* 1 179 011 (88), Santa Ana 239 043 (à 66 km), San Miguel 191 847 (à 138 km), Zacatecoluca 95 823 (en 88, à 41 km). **Analphabètes** (85) 28 %. **Émigrés** 1 500 000 ? (dont 1 000 000 aux USA). **Réfugiés** 400 000, dont du Honduras 40 000, Nicaragua 20 000, Costa Rica 10 000, Belize 1 000. **Langues.** Espagnol *(off.),* nahuatl, potom (– de 3 %). **Religions.** Catholiques (96 %), d'origine protestante (mormons, témoins de Jéhovah).

Histoire. **1523** conquis par l'Esp. Alvarado. **1821**-*15-9* indép. **1821-39** fait partie de la Féd. d'Amér. centrale. **1932** révolte paysanne réprimée par Gal Martinez (30 000 †). **1961-64** membre du Marché commun centraméricain. **1969** *juill.* g. de 5 j avec Honduras (suivant l'expulsion de Salvadoriens vivant au H. 5 000 †). **1970** zone démilitarisée entre S. et Hond. -*25-3* coup d'État du Cel Benjamin Mejia échoue (env. 200 †). **1972**-*mai* élect. truquées. *Juin* José-Napoléon Duarte (1925-90) exilé. **1977**-*20-2 Gal* Carlos Humberto Romero élu Pt ; l'opposition dénonce les irrégularités ; 6 † (200 selon l'opposition). **1977-78** luttes sociales ; milices privées. **1979**-*20-1* 5 †. -*1-2* attentat (ERP), 16 †. -*4-5/1-6* prise en otage de l'ambassadeur de Fr. par le BPR (Bloc pop. révol.). -*15-10* coup d'État milit. Gal C.H. Romero renversé. -*28-11* amb. d'Afr. du S. enlevé. **1980**-3-1 junte milit. dém.-chrét. -*11-1* Fapu (LP-28), BPR et UDN s'unissent. Amb. de Panamá et Costa Rica enlevés. -*22-1* commémoration de la révolte de 1932 : 21 † ; fusillade (env. 67 †). -*5-2* prise d'otages à l'amb. d'Esp. par des paysans. -*6-3* état de siège : réformes agr. -*7-3* nationalisation banques, café et sucre. -*23-3* Mgr Oscar Romero, archev. de San S., lance un appel aux milit. : un soldat n'est pas obligé d'obéir à un ordre de tuer. -*24-3* Mgr Romero tué par terroristes de droite. -*30-3* obsèques, fusillade (50 †). -*30-10* paix avec Honduras. **1981** *janv.* offensive gén. de la guérilla : + de 1 000 † ; *-1-10* nouv. offensive gén., échec. **1982**-*28-3* élect. Constituante : Démocratie chrétienne 24 s., Coalition d'extr. droite du major Roberto d'Aubuisson 36 s. (dont Arena 19 s.). *Déc.* Pt provisoire remplace Pt José Napoléon Duarte. **1983**-*6-1* mutinerie du lt-col. Sigfrido Ochoa-Perez dans le N. *Mars* offensive antiguérilla région de Guazapa. *-6-3* visite de Jean-Paul II. *-28-3* él. Constituante : (Dém.-chrét. 24 s., Arena 19, P. Conciliation nat. 14, Action dém. 2, P. pop. salv. 1). *Déc.* guérilla attaque et prend caserne El Paraiso (100 soldats †). **1984**-*6-5 Duarte élu Pt. -15-10* La Palma, rencontre Pt Duarte/Guérilla (Guillermo Ungo, Ruben Zamora). *-30-11* 2e rencontre. **1985**-*5-1* Pedro René Yanès conseiller du Pt tué par extrême droite. *-24-10* Inès Duarte, fille du Pt, libérée 44 j après enlèvement en échange de guérilleros invalides et 22 prisonniers pol. **1986**-*10-10* séisme 1 000 à 1 500 †. **1987**-*31-3* guérilla tue env. 100 soldats (à El Paraiso). **1989**-*24-1* guérilla propose de participer à l'él. prés. (y renonce 10-3 et demande boycott 16-3). *Févr.* Roberto d'Aubuisson mis en cause dans assassinat Mgr Romero. *-19-3* él. prés. : 45 à 50 % d'abstentions ; dans 10 % des communes, vote empêché par affrontements : 43 † (29 rebelles, 10 mil. et 4 civ.). Nombreux combats, notamment *nov. 89:* 3 000 † (guérilla 1 600, soldats 400, civils 1 000), la guérilla occupe le Sheraton de S. Salvador quelques j., 6 jésuites esp. tués par milit. (16-11). *-15-4* Madeleine Lagadec, infirmière fr., assassinée. **1990**-*12-1* Hector Oqueli, secrétaire gén. adjoint MNR, assassiné au Guatemala. *Nov.* guérilla (100 †). **1991**-*1-1* hélicoptère amér. abattu (3 †). *-2-3* guérilla attaque barrage (capitale privée d'élect.). *-10-3* législatives : Arena perd maj. absolue. *Mai* négociation gouv./guérilla. *-10/14-7* offensive guérilla. *-13-9* trêve du FMLN sous égide Onu. *-26/28-9* procès des mil. resp. de l'assass. des 6 jésuites (chef : Cel Guillermo Benavides reconnu coupable, condamné 24-1-92 à 30 a. de prison). *-17-12* trêve rompue. *-19-12* FMLN abat hélic. hondurien (9 †). **1992**-*16-1* accords de paix (traité de Chapultepec) : forces armées (55 000 à 63 000 h.) réduites à 50 % (sur 2 ans) et structure mil. du FMLN démantelée (du 1-2 au 31-10), armes rendues devant observ. Onu. *-23-1* accord gouv./guérilla sur amnistie gén. *-11-9* différend avec Honduras (sur accès au Pacifique) réglé. *-15-12* fin officielle de la guerre civ. **1993**-*6-2* armée réduite de 62 000 à 31 500 h. *-23-3* amnistie des mil. accusés d'atrocités (votée par 47 v. sur 84). Selon Onu, 106 assass. de juin 92 à janv. 93.

Bilan de la guerre. De 1980 à 1992: 80 000 † (dont *1980-81 :* 33 000 †, 7 000 disparus). Déplacés 350 000 à 1 000 000. Dégâts 2 milliards de $.

Statut. République. *Const.* du 20-12-1983. *Pt* Alfredo Cristiani (Arena) (n. 22-11-47) élu 19-3-89 avec 53,8 % des voix, Fidel Chavez Mena (dém.-chr.) 36,9 %, PCN 4,21 %, Guillermo Ungo (CD) 3,2 %. **Fête nat.** 15-9. **Drapeau** (1912). Bleu, blanc et bleu, avec devise « Dieu, Union, Liberté », ou armoiries. **Élections. 20-3-1988 :** Arena 31 s., PDC 23, PCN 6. **10-3-1991 :** (84 s.) : Arena 39, PDC 28, PCN 9, CD 8.

Partis. *P. de l'action démocratique* (PDA), f. 1981, Pt Ricardo Gonzalez Camacho. *Alliance républic. nation.* (Arena), f. 1981 par Roberto d'Aubuisson (1944-92) dirigeant présumé des escadrons de la mort, Pt Armando Calderon Sol. *De conciliation nationale* (PCN), f. 1961, Pt Ciro Zepeda. *P. démocrate-chrétien* (PDC), f. 1960 par José Napoléon Duarte (1925-90), Pt Rodolfo Castillo Claramount, 150 000 m. *P. d'orientation pop.* (POP), f. 1981, Pt vacant. *P. popul. sal.,* f. 1966, Pt Francisco Quinonez Avila. *Mouv. nat. rév.* (MNR). *Mouv. pop. social chrétien* (MPSC), Pt Ruben Zamora. *P. social-démocrate* (PSD), Pt Reni Roldan. Depuis 1987, MNR, MPSC et PSD sont regroupés dans la *Convergence Démocratique* (CD), coordinateur Ruben Zamora.

Guérilla (1980-92). *Front Farabundo Marti de libération nat. (FMLN),* f. 1980, Pt Guillermo Ungo († 1991). Devient parti en 1992. 20 groupes, 8 000 combattants env. (démobilisés : **1992**-*30-6* 1 600, *-30-10* 1 860 ; **1993**-*12-2* dernières armes conv. détruites) ; *Armée révol. des peuples ERP* (4 000 h. Joaquin Villalobos), *Forces popul. de libér. (FPL)* 3 000 h., *Forces armées de résistance nat. (FARN)* 2 000 h., *Parti révolut. des trav. d'Amér. centrale (PRTC), Forces armées de libér. (FAL,* nom de guerre PC), *Front démocratique révolut. (FDR),* regroupe p. de gauche, « organisations pop. » liées à guérilla, associations, syndicats, etc. FMLN et FDR coordonnent en principe leur action avec une Direction révolutionnaire unifiée (DRU).

Économie

PNB (91). 1 200 $ par h. **Croissance** (%) *1989 :* 1 ; *90 :* 3,4 ; *91 :* 3,5. **Pop. active** (%, entre parenthèses part du PNB en %) agr. 50 (16), ind. 18 (22), services 32 (62). **Chômage** 40 %, 50 % sous-employés. **Inflation** (%) *86 :* 40 ; *87 :* 24 ; *88 :* 19,8 ; *89 :* 23,5 ; *90 :* 19 ; *91 :* 14,4. **Dette extérieure** (90) 2,2 milliards de $ (39 % du PIB). Service de la dette (89) 0,4 Md de $ (4 % des export.). **Aide américaine** (Md de $) *1980-89 :* 3 Mds de $; *89-92 :* 4.

Agriculture. *Terres* (milliers d'ha, 80) arables 560, cult. 165, pâturages 610, forêts 134, eau 32, divers 603. *Production* (millions de quintaux, 90) maïs 13,1, café 3,2, millet 3,6, canne à sucre 3, riz 0,8, haricots 1, coton 0,1. **Élevage** (milliers de têtes, 90). Bovins 1 193, porcs 450, chevaux 93, mulets 23, chèvres 15, poulets 5 000. **Pêche** (89). 11 600 t. **Mines.** Or, argent, mercure, zinc, sel (0,1 % du PNB). **Industrie.** Agroalimentaire. **Transports** (km). *Routes* 12 000 ; *chemins de fer* 602. **Tourisme** (89). 131 000 vis.

Commerce (millions de $, 90). **Exp.** (91) 600 *dont* café 261,4, prod. manuf. 180, sucre 31,9, *vers* USA (en %) 32,8, Guatemala 17,3, All. féd. 16, Costa Rica 8,2. **Imp.** 1 384 *dont* prod. interm. 629, biens de cons. 399, d'équip. 234,5, pétrole 121,8, *de* (en %) USA 38,8, Guatemala 10,5, All. féd. 4, Japon 3,2.

Rang dans le monde (91). 10e café.

Samoa Occidentales

Carte p. 851. V. légende p. 884.

Situation. Océanie, au S. des îles Phoenix. 2 831 km². 2 îles principales : Savaii 1 708 km² et Upolu 1 123 km², et d'autres îles dont Manono, Apolina. *Alt. max.* 1 876 m. **Climat.** *Temp. moy.* 26,3 °C ; *pluies :* 2 852 mm/an. **Population.** 159 862 h. (91) dont (%) Polynésiens 88, Métis 10, Européens 2. D 59,3. **Capitale :** *Apia* sur Upolu 32 196 h. (86). **Émigration** importante. **Langues** *(off.).* Anglais, samoan. **Religions** (%). Protestants 70, catholiques 20.

Histoire. 1722 découvertes par le Hollandais Roggeveen. **1830** évangélisation. **1880-1914** colonie puis protectorat all. **1899** division des Samoa en 2 sphères d'influence : *occ.* infl. all., *orientale* amér. **1920** mandat néo-zélandais. **1962**-*1-1* indép. **1991** droit de vote aux + de 21 a.

Statut. Royaume. État membre du Commonwealth. *Chef d'État* (O le Ao O le Maló) : roi Malietoa Tanumafili II (n. 4-1-1913) dep. 1-1-62, à sa mort, la royauté sera abolie et son successeur élu par l'Ass. *PM* Tofilav Eti Alesana. *Const.* du 28-10-1960. *Ass. lég.* 49 m. [47 élus par les collèges des chefs (*matai* ; total : 25 000 votants) et 2 au suffr. univ., pour 5 a.]. **Élections** (avril 91) P. des droits de l'homme 30 s., P. du dev. nat. 16 s, Indép. 1. **Drapeau** (1948). Modifié 1949 : rouge, carré bleu, avec 5 étoiles (Croix du Sud).

Économie

PNB (91). 650 $ par h. **Pop. active** (% et, entre par., part du PNB en %) agr. 58 (30), ind. 10 (12), services 32 (58). **Agriculture** *Terres cult.* 42 %. *Production* (milliers de t, 90) noix de coco 190, taro 41, bananes 24, coprah 26, cacao 1. **Élevage** (milliers de têtes, 90). Porcs 55, bovins 27, chevaux 3, volailles 1 000 (84). **Pêche** (89). 3 500 t. **Tourisme** (91). 39 414 vis. **Inflation** (%). *1990 :* 15,2 ; *91 :* – 1,4. **Aide extér.** (90) 57 millions de $.

Commerce (millions de talas). **Exp.** 18,8 (91) *dont* prod. alim., coprah., taro et taamu, cacao, *vers* USA, Nlle-Zél., Australie, All. féd. **Imp.** 237,2 (91) *dont* pétrole (absorbe 99 % du revenu des exp.), *de* Nlle-Zél., Australie, Japon, Fidji, Chine.

Sao Tomé et Príncipe

V. légende p. 884.

Situation. Afrique 964 km² (dans le golfe de Guinée à 200 km de la côte). 2 îles : *São Tomé* 836 km², *Príncipe* 128 km², et quelques îlots. *Alt. max.* Pic de São Tomé 2 024 m. Jungle montagneuse et cultures. **Climat.** Chaud et humide (moy. 27 °C). **Population.** 116 000 h. (est. 89) dont Forro (São Tomé), Monco (2 000, Príncipe), Angolar (10 000, Angola-Congo), Tonga (métis Forro-immigrés) et Capverdiens. D 120. **Capitale :** *São Tomé* 25 000 h. (est. 84). **Langue.** Portugais *(off.).* **Religion.** Catholique (82 %).

Histoire. Nom *St Thomas :* découverte 21-12-1471 (j. de la St Thomas) par Pedro Escobar et Joao Gomes. *Principe* (île du Prince) : donné en l'honneur du Pce Alphonse, futur roi du Portugal (Al. V). **1522-1974** Colonie puis TOM portugais. **1973** *mars* création d'une Ass. législative. **1974**-*25-11* accord avec Port. pour l'indép. **1975**-*12-7* indép. **1990**-*22-8* 72 % de oui au référendum sur nouv. Const. instaurant multipartisme. **1991**-*20-1* 1res élect. multipartis. *-3-3* élect. prés. *-31-12* départ des derniers soldats angolais (présents dep. 1978). **1993**-*22-4* PM Daniel Daio limogé.

Statut. Rép. dém. *Const.* du 10-9-1990. *Chef d'État* Miguel Trovoada dep. -3-4-91 [avant Manuel Pinto da Costa (n. 1940) dep. 12-7-1975, réélu 30-09-85, exilé en Angola de 1991 à 93]. *Ass.* 55 m. élus pour 4 a. **Partis.** *P. social-dém.* (PSD, EX-MLSTP, Mouv. de lib. de São Tomé et P., f. 1972, parti unique jusqu'en 1990) Pt Carlos da Graça. **Fêtes nat.** 15-9 (déclaration de l'indépendance), 5-11 (1er cri d'indépendance). **Drapeau** (1975). Bandes vertes et jaune avec 2 étoiles noires (les 2 îles) ; triangle rouge.

☞ **Tentatives de coup d'État.** 1978, 1979 et 8-3-1988 (2 †). Influence soviétique jusqu'en 1990.

Économie

PNB (91). 380 $ par h. **Pop. active** (% et entre par. part du PNB en %) agr. 82 (70), ind. 3 (5), services 15 (25). **Agriculture.** *Terres cult.* 37 %. *Production* (milliers de t, 90), noix de coco 35, cacao 4 (en 75, 10) (soit 60 kg par h., record du monde), coprah 4, bananes 3, café. **Élevage** (milliers 90). Chèvres 2, bovins 4, porcs 3, moutons 2, poulets 100 (83). **Pêche.** 3 000 t (89). **Dette extérieure** (91). 215 millions de $. **Aide** (92) 22,8 millions de $.

Sénégal

Carte p. 1147. V. légende p. 884.

Nom. Du fleuve [adj. latin mod. *senegale,* tiré de Zenaga ou Sanhadja, nom des Berbères sahariens ou de Sunu Gaal (en wolof : notre pirogue)].

Situation. Afrique. 196 722 km². *Alt. max.* 581 m. *Côtes :* 700 km. **Régions** *côtière* large 100/120 km ; *Casamance* au S. de l'enclave de la Gambie, plus humide ; [28 350 km², long. 300 m, 975 722 hab. ; div. dep. 1984 en Basse Casamance (Ziguinchor), 300 252 h. (Diolas 60,7 %, Mandingues 9,3, Peuls 8,8, Wolofs 4,8) et Haute C. (Peuls 31 %, Diolas 29, Mandingues 14, Wolofs 3,4)]. *Centre-N.* très sec (plaines du Ferlo, brousse très claire à épineux) ; *S.-E.* plus vallonné ; *vallée du Sénégal,* longue, étroite, décrue. **Climat.** Tropical, saison des pluies, chaude (juill.-oct.) ; sèche (nov.-mai). Dakar : 23,8 °C (janv. 21,1 °C, juill. 27,3 °C).

Population (millions). *1988* (27-5) 6,92 h. ; *91 :* 7,33, *prév. 2000 :* 10,04. D 37,4. **Age** *- de 20 a.* 57,7%, *+ de 60 a.* 5 %. Dont en % : Wolofs 43,7 (fonctionnaires, instituteurs, cultivateurs, commerçants ; surtout dans les régions de Dakar et du bassin arachidier : Diourbel, Louga), Toucouleurs (rive gauche du Sénégal entre Podor et Matam) et Peuls (gardiens de troupeaux, agriculteurs) 23,2, Sérères 14,8 (agriculteurs, régions de Thiès, Fatick et Kaolack), Mandingues 5, Diolas 8, Bainouks et Balantes 3 (81) (régions de Ziguinchor et Kolda), Lébous (région de Dakar, pêcheurs), Sarakollé, Bambaras, Maures, Bassaris, Coniaguis. **Mortalité** *infantile :* (88) 135 ‰. **Émigration en France** (1-1-84) 35 000 (en situation régulière). **Immigration** Guinéens 220 000, Mauritaniens 130 000 en 1990 (200 à 300 000 avant avril 89), Français 16 000 (88), Libanais 30 000. **Pop. urbaine** (88) 39 %. **Villes** (ag., 84) *Dakar* 1 150 000 (85), Thiès 160 000 (70 km), Kaolack 120 000 (192 km), Saint Louis 108 000 (264 km), Ziguinchor 100 000 (454 km), Diourbel 73 000.

Langues. Français *(off.),* wolof (80 %). **Analphabètes.** 73 % (92). **Religions** (%). Musulmans 84 (plusieurs confréries : mouridisme, tidjanisme ou Niassene, Khadria, Layenne), catholiques 6 (300 000), animistes 7.

Histoire. Xe s. siège du roy. de Tekrour ou Tokoror (francisé en Toucouleur). **XIe s.** Toucouleurs deviennent musulmans. Nar Diabi fonde (dans le Fouta) dynastie des Mannas qui, après 3 siècles, sont renversés par les Tondions, amis vassaux des Mandingues. **XIVe s.** *apogée de l'empire mandingue.* **XVe s.** les roy. sérère et wolof se détachent du Tekrour, d'autres divisions surviennent (1559 le Cayor quitte l'empire wolof). **1445** le Portugais *Gadamosto* découvre cap Vert et s'installe à Gorée. **V. 1638** des Français fondent St-Louis et s'installent à Gorée et en Casamance (traite des Noirs et trafic de gomme arabique). **1814** tr. de Paris accorde à la Fr. monopole du commerce avec le S. **1854-65** *Faidherbe* soumet l'intérieur (repousse Maures au N. du fleuve Sénégal et Toucouleurs d'El Hadj Omar). **1857** Protet fonde Dakar. **1886**-*12-5* accord franco-port. **1888**-*22-4* Fr. prend possession de Ziguinchor. **1898** conquête achevée. **1903** sécurité établie. **1924** Casamance pacifiée. **1943** Alinsitoe Diatta (employée de maison) cristallise la résistance diola à Cabrousse en Casamance, *-28-1* se livre († 22-5-44 ? déportée près de Tombouctou). **1958**-*25-11* Rép. autonome. **1959**-*4-8* adhère à Fédération du Mali. **1960**-*4-4* accords d'indépendance signés à Paris.

-26-4 accord France/Port. sur frontière maritime avec Guinée-Bissau.

1960-*5-9* **Léopold Sédar Senghor** (n. 9-10-06 connu aussi comme poète) Pt. *-20-6 indép. en union avec Mali. -20-8 quitte Féd. du Mali.* **1962**-*11-12* coup d'État échoue ; Pt du Conseil Mamadou Dia (n. 1910) arrêté. **1964** dissol. du FNS. **1966** UPS parti unique. **1968** *mai* manif. étudiants (29-5 : 1 †). **1969**-*11-6 au 23-6* état d'urgence. **1974** *mars* M. Dia libéré. *Août* pluripartisme rétabli. **1976** *déc.* UPS devient PS. **1978**-*26-2* Senghor réélu Pt (82,02 % des v.) contre Abdoulaye Wade (PDS) (17,38 % des v.). **1980**-*31-12 Senghor démissionne.*

1981-*1-1* **Abdou Diouf** (7-9-35) Pt. *-30/31-7* intervention en Gambie sur demande du Pt gambien. *-17-12 confédération de Sénégambie* avec Gambie créée. **1981-83** Habib Thiam PM. **1982**-*24/25-5 visite Pt Mitterrand. Fin juin-début juill.* mise à sac de campements originaires de Guinée-Bissau par paysans de Casamance : 15 †. *-26-12* Ziguinchor Manif. Casamance indép. **1983**-*27-2* Diouf élu Pt. *mai* Senghor élu à l'Académie française. *-18-12* Casamance combats armée/séparatistes (24 †). **1987** *févr.* agitation étudiante. *Avril* rébellion policière, 6 000 pol. mis à pied. **1988**-*28-2* Diouf réélu Pt (73,2 % des v. devant Abdoulaye Wade 25,8 %). *-29-2* Wade arrêté. *-1-3* état d'urgence (levé 18-5) ; *mai* Wade condamné à 1 an de prison avec sursis. **1989** *avril* pillages et meurtres au Sén. de Mauritaniens, en Maurit. de Sénégalais (env. 600 †). Rapatriements croisés : 150 000 pers. *-22-5* relations dipl. rompues avec Maurit. (revendications communes de souveraineté sur rive droite du Sén.). *-24/26-5* 3e sommet francophone (Mauritanie absente). *Mai/juin* exode de Mauritaniens noirs au Sén. *-19-6* Abdul Ahad Mbacké, calife général de la confrérie soufie des mourides, meurt. *-31-7* conflit de frontière maritime avec Guinée-Bissau. *-30-9 Conféd. Sénégambienne dissoute.* **1990** incidents police maurit./Noirs voulant s'infiltrer en Maur. : 5 à 10 † par semaine. *Sept.* affrontements armée/séparatistes en Casamance (40 †). *-14-11* manif. à Dakar. *-25-11* él. munic. et rurales **1991**-*7-4* Habib Thiab PM. Entrée de l'opposition au gouv. *-31-5* cessez-le-feu en Casamance (bilan 150 † dep. 1 an). *-23-12* 1 député et 1 conseiller rural tués en Casamance. **1992**-*19/23-2* Jean-Paul II au S. *-25-3* camion d'ammoniaque explose 80 †. **1993**-*21-2* Diouf réélu Pt (58,4 % des v. devant Abdoulaye Wade 32 %). *Avril-juin* 300 † en Casamance. *-15-5* Babacar Seye, vice-Pt du Conseil Constitutionnel, tué par « Armée du peuple ». *-8-7* cessez-le-feu en Casamance (1000 † en 1 an).

Statut. Rép. présidentielle. *Constit.* 7-3-1963, révisée 22-2-70, 21-9-91. *Pt* élu p. 5 a., au suffr. univ. en même temps que Ass. nat. *PM* Habib Thiab dep. 7-4-91. *Ass. nat.* 120 m. élus pour 5 a. (scrutin majoritaire et proportionnel). *Conseil suprême de la magistrature. Cour suprême. 10 régions dep. 24-3-1984* (30 départements) : Dakar, Diourbel, Fatick, Kaolack, Kolda, Louga, St-Louis, Tambacounda, Thiès, Ziguinchor (Kolda et Ziguinchor ont remplacé l'ex-région de la Casamance). **Fête nat.** 4-4. **Drapeau** (1960). Bandes verte, jaune et rouge ; l'étoile verte.

Élections. Présidentielle du 21-2-93 : part. 51,46 % ; Abdou Diouf 58,4 %, Abdoulaye Wade 32,03, Landing Savané 2,91, Abdoulaye Bathily 2,41, Iba Der Thiam 1,61, mador Diouf 0,87, Mamadou Lô 0,85, Bacabar Niang 0,81. **Législatives du 24-5-1992 et,** entre parenthèses, **du 28-2-1988.** Participation : 40,74 % (58) ; PS 84 sièges (103 s.), PDS 27 s. (17 s.), Ligue démocr. 3 s., Japoo (« Unissons-nous ») coalition 3 s., P. de l'indép. et du trav. 2 s., Union dém., sén.-Rénovateurs 1.

Partis. *P. socialiste* (PS) (UPS), créé 1958, leader A. Diouf. *P. démocr. s.* (PDS) (opposition libérale), créé 1974, secr. gén. Abdoulaye Wade, marié à une Française. *P. africain de l'indép.* (PAI) (marxiste-léniniste), légalisé août 1976, Majhemouth Diop. *Mouv. rép. s.* (conservateur), créé 1977 vacant. *Rassemblement nat. dém.* (RND) créé 1976, légalisé 1981, Ely Madiodio Fall. *And Jef* ou *Mouv. révol. pour la dém. nouvelle,* Landing Savané. *Mouv. dém. pop.,* Mamadou Dia. *Ligue dém.-Mouv. pour le parti du trav.,* Abdoulaye Bathily. *Union pour la dém. pop.,* l. Hamadine Racine Guissé. *P. pop. s.,* l. Dr Oumar Wone. *Organisation socialiste des trav.,* f. 1982, P. Mbaye Bathily. *Ligue communiste des travailleurs,* f, 1982, l. Doudou Darr. *P. africain pour l'indép. du peuple,* f. 1982, l. Aly Niane. *Union dém. sén.,* f. 1985, l. Mamadou Fall. *Mouv. des forces dém. de la Casamance (*MFDC) créé 1947, secr. gén. Augustin Diamacoune Senghor (prêtre).

■ Économie

PNB ($ par h.). *1982 :* 490 ; *84 :* 342 ; *90 :* 665 ; *91 :* 650. **Croissance** *1990 :* 3 ; *91 :* 1 ; *92 :* 3. **Pop. active** (%, entre parenthèses part du PNB en %) agr. 70 (22), ind. 12 (24), services 15 (52), mines 3 (2). **Chômage** 38 %. **Inflation** (%) *1985 :* 13 ; *86 :* 6,4 ; *87 :* – 4,3 ; *88 :* – 1,8 ; *89 :* + 0,4 ; *90 :* 0,3 ; *91 :* – 1,8. **Dette publique** (92) 540 millions de FF. **Aide extérieure** (France) 1,5 milliard de FF en 92. **Dette extérieure** (88) 16,7 milliards de FF, dus aux org. multilatérales 38 %, gouv. 38 %, banques 10 %. Rééchelonnée déb. 89 par les 11 créanciers publics du S. France annule 1/3 des échéances et accorde remboursement des 2/3 sur 14 ans ; 4 pays (dont USA et Belg.) décident rééchelonnement aux taux du marché sur 25 ans (formule n° 2) ; 5 (dont G.-B.) optent pour un taux réduit de 3,5 % sur 14 ans ; 1 pays retient formules 2 et 3.

Agriculture. *Terres* (milliers d'ha, 81) arables 5 225, cult. 5, pâturages 5 700, forêts 5 318, eaux 419, divers 2 957. (L'arachide occupe 21 % des terres cult., le millet 15 %.) *Production* (milliers de t, 90), arachides 698, canne à sucre 700, millet et sorgho 661 (1 177 en 75-76), riz paddy 156, maïs 133, manioc 69, coton 16, patates douces, légumes. **Élevage** (milliers 90). Moutons 3 920, bovins 2 740, chèvres 1 200, porcins 500, ânes 310, chevaux 400, volailles 14 000. **Pêche.** 268 800 t (89). Conserveries.

Mines. *Phosphates* de chaux et d'alumine (1 950 000 t à Taïba en 1991), *sel marin, fer* (750 000 t à Falémé), *pétrole* (prospection au large de la Casamance, gisement de Dome-Flore). *Tourbe* (Saloum, Casamance). *Gaz* (Diam-Nadio) *Titane* (10 000 t). *Or* (13 t à Sabodala). **Industrie.** Alim. (huileries), filature, tissage, cuir, engrais, pesticides, mat. de constr., ciment. Raffinerie de pétrole à Mbao.

Transports (km). *Routes* 14 500 ; *chemins de fer* 1 186. **Tourisme** (1988). *Arrivées* 300 000 ; *nuitées* 1 180 000 ; *recettes brutes* (milliards de F CFA, 90) 39,8.

Commerce (milliards de F CFA, 87). **Exp.** 226,5 *dont* produits arachidiers 34,9, phosphates 23,6, produits pétroliers 13,8, de la pêche 51,5, autres 85,7, *vers France 63,6,* Mali 13,6, Côte-d'Ivoire 7,3, Inde 5, G.-B. 3. **Imp.** biens intermédiaires 101,5, produits alim. 84 (dont riz 10,1), biens d'équip. 50, produits pétroliers 39,7, autres produits de consomm. 68,4, *de France 97,4,* C.-d'Ivoire 16, USA 14,9, Espagne 16, Algérie 3,6.

Rang dans le monde (90). 1er arachides (88). 9e phosphates.

■ Seychelles

V. légende p. 884.

Nom. Donné 1756 en l'honneur de l'intendant Jean Moreau de Séchelles.

Situation. Océan Indien. Archipel (115 îles). A 1 100 km de Madagascar et 1 760 km de Mombasa. 308 km² (455 avec le lagon). *Alt. max.* Morne Seychellois 905 m. *Côtes* 400 km. *Sol :* granite et corail. *Temp.* moy. 29,8 °C. *Pluies* 2 184 mm. Humidité 80 %. *Tortues* géantes (1,50 m de haut, 300 kg).

Population (91). 69 988 h. dont plus de 62 000 dans Mahé [Noirs ou Métis, grands Blancs, vieux Bl., Bl. rouillés, Mulâtres, Indiens (Lascars ou Malabars) 2 %, Chinois], *prév. 2000 :* 85 000. **Age** - *de 20 a.* 45 %, + *de 60 a.* 9 %. D 148. **Villes :** *Victoria* (capitale) [24 325 h. dans Mahé (87)]. 115 îles sur 150 000 km², 46 habitées. *Principales :* GRANITIQUES : 32 îles *Mahé* (nom de Mahé Cte de la Bourdonnais donné 1744) 144 km² ; *Praslin* [nom de Gabriel de Choiseul (1712-85), duc de Praslin, min. de la Marine, donné 1768] 45 km², 4 400 h. ; *Silhouette* 15 km², 390 h. ; *La Digue* 15 km², 1 911 h. CORALIENNES (ou éloignées) 60 dont *îles Amirante* ou *de l'Amiral* (en l'honneur de Vasco de Gama qui les découvrit en 1502, venant d'être nommé amiral) ; *î. Farqhuar* (nom du 1er gouverneur brit. de l'île Maurice, sir Robert Farqhuar, compre-

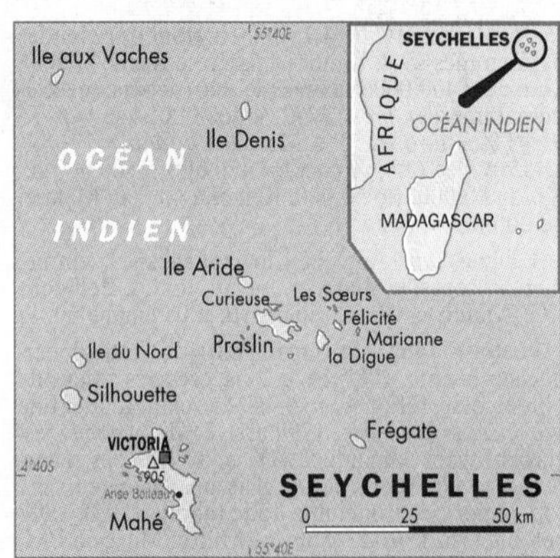

nant également île Providence) ; *î. Aldabra* (de l'arabe Al Khadra, la Verte) comprend les îles Cosmoledo ; *Frégate* 2 km², 25 h. **Langues** (%). Créole 95 *(off.),* anglais 45 *(off.),* français 37 *(off.).* **Religions (%).** Cathol. 92, anglicans 6.

Histoire. XVIe s. découvertes par des Portugais. **1742-44** explorées par le Fr. L. Picault ; deviennent « La Bourdonnais ». **1756** propriété de la Cie des Indes ; deviennent « Seychelles ». **1770** premiers colons sur l'île de Ste-Anne. **1792** Jean-Baptiste Quéau de Quinssy adm. **1810** occupées par Anglais. **1814** colonie brit. rattachée à Maurice. **1888** création d'un poste d'administrateur. **1897** gouverneur. **1903** *nov.* colonie autonome. **1970** *nov.* Constitution. **1976** *juin* G.-B. rend îles Aldabra, Farquhar et Desroches qui dépendaient du Terr. brit. de l'océan Indien. *-29-6* indép. **1977**-*5-6* révolution : Pt James Mancham (n. 1930) renversé. **1981**-*25-11* échec coup d'État de 49 mercenaires sud-afr. dirigés par Mike Hoare. **1982**-*17-8* mutinerie échoue, 7 †, 23 bl. **1985**-*29-11* Gérard Hoareau, opposant assass. à Londres. **1986**-*sept.* complot déjoué. **1990** *juin visite* Pt Mitterrand. **1991**-*3-12* multipartisme. **1992** *juill.* Comm. constituante élue. *-15-11* référ. constit. : non 53,7 %. **1993**-*18-6* nouveau référ. : oui 73,6 %.

Statut. République. État membre du Commonwealth. *Const.* du 18-6-1993. *Pt* France Albert René (n. 16-11-1935) dep. 5-6-77, élu 27-6-79, réélu 17-6-84 et 12-6-89 (97 % des voix). *Ass. populaire* 24 m. dont 22 élus (1991) et 2 nommés. **Partis.** Front progressiste du peuple s., f. 1978 (18 000 adhérents), unique jusqu'en 1991. **Fête nat.** 5-6 (libér.). **Drapeau** (1977). Bandes rouge, blanche ondulée (O. Indien) et verte.

■ Économie

PNB (91). 4 670 $ par h. **Pop. active** (%) agr. 11, ind. 26, services 63. **Inflation (%)** *1989 :* 1,5 ; *90 :* 3,9 ; *92 (sept.) :* 3,1. **Dette extérieure** (91) 1,2 Md de roupies. **Aide française** (millions de F). Dons 25, prêts 40.

Agriculture. *Terres* (milliers d'ha, 81) terres 4, forêts 5, eau 1, divers 17. *Prod.* (t, 90) noix de coco [le coco de mer (vallée de Mai à Praslin) donne des noix de 30 kg, parfois ressemblant à une anatomie féminine] 11 000, coprah 2 000, bananes 2 000, cannelle 71, thé 219. **Élevage** (90). Porcs 15 000, chèvres 4 000, bovins 2 000, volailles 130 000 (81). **Pêche** (90). *Thon* 2 763 000 t transbordées à Port Victoria ; *pêche artisanale :* 4 500 t. **Guano. Industrie.** Bière, tabac, conserveries (dont 1 de thons), jus de fruits.

Tourisme. *1991 :* 90 050 (*Français 27 915,* Angl. et Irl. 20 711, Italiens 18 910).

Commerce (millions de roupies S, 91). **Exp.** 86 *dont* cons. de thon 63,1, poisson frais et congelé 17,7, écorce de cannelle 0,97, coprah 0,94. **Imp.** 911,8 *dont* prod. manuf. 247,7, équipement et transport 210,4, prod. pétrol. 199,3, produits alimentaires 155,3, prod. chim. 54,8, boissons, tabacs 20,3, *de* Afr. du S. 117,7, Singapour 106,4, G.-B. 105, Bahreïn 96,1, *France 80,2. Réexport. (prod. pétroliers) (90) :* 148,9.

■ Sierra Leone

Carte p. 1069. V. légende p. 884.

Nom. Signifie « montagne du lion » en espagnol *(sierra)* et italien *(leone).*

Situation. Afrique, au S. de la Guinée. 71 740 km². *Côtes* 644 km. Zone basse au S.-O., plateaux et montagnes à l'intérieur, au N. et à l'E. **Climat.** Plus humide au S.-E. (végétation trop., pluies mi-juin-mi-sept.) qu'au N.-E. (savane). *Temp.* Freetown 23,7 °C à 29,4 °C ; *pluies* 3 015 mm par an.

Population *(1990).* 4 151 000 h. dont (%) Mendes 31, Temmes 29,8, Limbas 8,5, Créoles env. 40 000, Guinéens 400 000, Libanais 25 000 (détiennent 60 % du commerce), *prév. 2000 :* 4 868 000. **Age** - *de 15 a. :* 41 %, + *de 65 a. :* 3 %. **Mortalité** *infantile :* 176 ‰. D 55. **Villes** (85) : *Freetown* 470 000 à 500 000 h., Koidu 80 000, Bo 50 000, Kenema 40 000, Makeni 30 000.

Langues *(off.)* Anglais, krio lingua franca, temme, mende, soussou, malinké, foulah, lokko. **Religions** (%). Animistes 30, chrétiens 10, musulmans 60.

Histoire. **1462** le Portugais Pedro da Cintra débarque sur la côte. **1787** 1ers colons, esclaves amér., de Nlle-Écosse, réfugiés en G.-B. et voulant fonder une *province de la liberté.* **1790** arrivée de *marrons,* esclaves fuyant Jamaïque. **XIXe s.** arrivée des *recaptives,* esclaves repris par Anglais aux navigateurs fr., esp. et port. continuant la traite (abolie 1807). **1808** colonie brit. **1961**-*27-4 indép.,* Milton Marguai PM. **1964** *avr.* son frère, Albert Marguai PM. **1967** *mars* législatives, succès d'opposants (Siaka Stevens). Putsch : une partie de l'armée (Gal David Lansana) tente de maintenir le PM au pouvoir ; contre-coup d'État. *-24-4* Lt-col. Juxon-Smith instaure conseil de réforme mil. **1968**-*18-4* coup d'État du Cel David Bangura ; Siaka Stevens PM († 29-5-88). **1971**-*23-3* empêche un putsch du Gal Bangura. *-19-4* république *-29-6 Gal* Bangura exécuté. **1974** *oct.* état d'urgence. **1977**-*31-1* manif. étudiantes. **1985**-*28-11 Pt* Major-Gal Joseph Saidu Momoh (n. 26-1-37) élu 1-10-85 au suffrage universel, réfugié en Guinée. **1987**-*22/23-3* putsch échoue. **1989** 6 exécutions (pour tentative coup d'État 1987). **1991** *mai* 3 000 à 5 000 civils tués par rebelles du Front patriotique du Liberia dep. mars. *-17-5* 50 000 pers. fuient en Guinée. *-4-6* projet de loi sur multipartisme. **1992**-*29-4* putsch. *-29-12* putsch échoue. *-30-12* 26 putschistes exécutés. **1993**-*5-7* vice-Pt cap. Solomon James Musa limogé.

Statut. Rép. Membre du Commonwealth. *Const. du 3-9-1991* (suspendue). **Junte mil.,** chef : cap. Valentine Strasser (n. 1972) dep. 29-4-92. *PM* Alusine Fofana dep. 5-7-93. **Parlement** 127 m. dont 105 élus, 12 chefs élus et 10 nommés par le Pt. Dissous 29-4-92. *Parti unique de juin 78 à sept. 91 :* All People's Congress (APC), f. 1960, Pt Joseph Saidu Momoh. **Fête nat.** 27-4 (indép.). **Drapeau** (1961). Bandes verte (agriculture), blanche (paix) et bleue (O. Atlantique).

■ Économie

PNB (91). 155 $ par h. **Pop. active** (%, entre parenthèses part du PNB en %) agr. 65 (40), ind. 5 (6), services 20 (41), mines 10 (13). **Inflation** (%) *1987 :* 194 ; *88 :* 30 ; *89 :* 60 ; *90 :* 111 ; *91 :* 102,7. **Aide extérieure** (92) : 100 millions de $.

Agriculture. *Terres* (milliers d'ha, 86) arables 1 620, cult. 146, pâturages 2 204, forêts 2 060, eaux 12, divers 1 132. *Production* (milliers de t, 90) riz 450, manioc 118, cédrat 70 (86), huile de palme 50, café 9, maïs 12, cola 7 (86), tabac, gingembre 0,004 (86), noix de coco, bananes, millet, caoutchouc. **Forêts** (90). 3 088 000 m³. **Élevage** (milliers, 90). Poulets 6 000, bovins 330, moutons 330, chèvres 180, porcs 50. **Pêche** (89). 53 000 t. **Mines** (89). Diamants 75 000 carats, bauxite 1 562 000 t, rutile 144 000 t, platine, or 2 914 onces (85), fer, chrome.

Commerce (millions de leones, 89). **Exp.** 8 235, *dont* rutile 3 867, bauxite 1 498, diamants 1 220, cacao 539 *vers* USA 2 194, G.-B. 1 837, P.-Bas 972, All. féd. 710, Suisse 206. **Imp.** 10 901 *de* (%, 86), G.-B. 13,3, USA 9,9, All. féd. 9,7, Nigeria 9, *France 6,7.*

Rang dans le monde (91). 6e diamants, 12e bauxite.

■ Singapour

Carte p. 1075. V. légende p. 884.

Nom. Du sanskrit Singha Pura (la cité du Lion). XIVe s. nom malais de Temasek (la ville de la mer). Appelée Syonan (la lumière du sud) pendant l'occupation japonaise 1942-1945.

Situation. Asie 639 km². 59 îles [dont Singapour (580,6 km², 42 km sur 23 km), *alt. max.* Bukit Timah Peak (165 m) *côtes* 150,5)] et petites îles, en malais : Pulau (45,6 km²) dont Tekong Besar 23,88 km², Ubin 10,19 km², Sentosa 3,30 km². Bukum Besar 1,45 km², Merlimau 0,55, Ayer Chawan 1,69. Séparées de la Malaisie par le détroit de Johore (larg. 640 m à 914 m) mais il y a une digue des îles Riau à l'Indonésie par le détroit de Sing. **Climat.** Équatorial chaud et humide (24 à 31 °C). *Saison* relativement sèche févr. à juillet, *mousson* septembre à janvier. *Pluies :* 2 359 mm.

Population. *1860* 80 792 (dont Chinois 62 %) ; *1990* (30-6) 3 002 800 h. (dont 2 762 700 résidents en 91) dont (%) Chinois 77,7, Malais 14,1, Indiens 7,1, divers 1,1 ; *prév. 2000 :* 2 930 000. **Age** - *de 15 a.* 23,2, + *de 60 a.* 9,2 %. D 4 250. **Urbanisation** 95 %. **Ville :** *Singapour* (80) 1 049 591 h., 97,4 km². **Langues** *(off.).* Malais, chinois, tamoul, anglais. **Religions.** Taoïstes et bouddhistes 58,9 %, musulmans 15 %, chrétiens 12,6 % (cathol. 4), hindouistes 3,6.

Histoire. **1511** 1ers missionnaires portugais. **1819** fondation par sir Thomas Stamford Raffles (1781-1826), colonie brit. **1941**-*8-12* attaque jap. **1942**-*15-2* capitulation angl. (pertes, tués et blessés : jap. 9 000 ; brit. 9 000 + 100 000 prisonniers). **1945** *sept.* retour des forces brit. **1959**-*3-6* autonomie. **1963**-*16-9* indép., adhère à Féd. de la Malaisie. **1965**-*9-8* s'en sépare. *-22-12* républ. **1985** *nov.* crise boursière. **1991**-*14-8* Parlement dissous. *-31-8* élect. lég. **1992**-*3-1* chewing-gum interdit pour raison de propreté.

Statut. Cité-État. *Const.* de 1958. Membre du Commonwealth. *Pt* (élu pour 4 a. par le Parlement) Wee Kim Wee (n. 4-11-15) dep. 2-9-85. *PM 1959 (5-6)* Lee Kuan Yew (n. 16-9-23). *1990 (29-11)* Goh Chok Tong (n. 20-5-41). *Parlement* (81 m. élus pour 5 a. au suffr. univ. + 1 m. non électeur et 2 m. nommés). *Él. lég. du 31-8-91 :* PAP (People's Action Party) 77 s. (61 % des voix), Singapore Democratic P. 3 s. (12 %), Singapore Workers P. 1 (14,3 %). **Fête nat.** 9-8 (Indép.). **Drapeau** **(1959).** Bandes rouge (fraternité humaine) et blanche (pureté). Croissant blanc, ascension de la nation, guidée par 5 étoiles (démocratie, paix, progrès, justice, équité).

■ Économie

PNB (91). 12 500 $ US par h. **Croissance** (%) *1987 :* 8,8 ; *88 :* 11,1 ; *89 :* 9,2 ; *90 :* 8,3 ; *91 :* 6,7 ; *92 :* 5,6. **Pop. active** (%, entre parenthèses part du PNB en %) agr. 1 (0,4), ind. 34,5 (28,5), services 58 (63,5), constr. 7,7 (6,7). *Totale* (1990) : 1 485 800. **Chômage** (91) 1,2 %. **Inflation** (%) *1989 :* 2,4 ; *90 :* 3,4 ; *91 :* 3,4. **Salaire moyen** (90, $ US par mois) ouvrier 805, dirigeant 2 600. **Dette extérieure publique** (90). 38 millions de $ US. **Taux d'épargne** (% du PNB, 91) : 46,9 (1er mond.).

Agriculture. *Terres* (km², 90) agglomération 311,6, agricoles 10,8, forêts 28,6, marécages 15,7, autres 266,4. **Élevage** (en millions, 90). Poulets 2,5, canards 0,5, porcs 0,4. **Pêche** (90). 11 400 t. **Industrie.** Équip. de transport, constr. électrique, électronique, prod. en acier, raffineries et produits pétroliers, prod. chimiques et gaz industr., vêtements, peinture, prod. pharmac., etc. **Transports** (km, 90). *Routes* 2 882 ; *chemins de fer* 67 ; *trafic portuaire :* (1992 : 1er port mond.) 81 200 bateaux, 238 millions de t. de marchandises. **Tourisme** (91). *Visiteurs* 5 414 700 ; *chambres d'hôtel* (90) 23 807. **Place bancaire.** 134 établissements (91). **Investissements étrangers** (1990, milliards de $). 1,41 dont USA 0,59, Japon 0,4, Europe 0,24.

Commerce (milliards de $ S., 91). **Exp.** 101,9 *dont* mach. et équip. de transp. 51,7, prod. pétr. 17,3, art. manuf. divers 9,2, produits chimiques 6,6, *vers* USA 20,1, Malaysia 15,2, Japon 8,8, Hong Kong 7,3, Thaïlande 6,4 All. féd. 4,2. **Imp.** 114,2 *de* Japon 24,3, USA 18, Malaysia 17,4, Arabie S. 5,8, Chine 3,8, All. féd. 3,6, Thaïlande 3,6.

■ Slovaquie

Carte p. 1163. V. légende p. 884.

Situation. Europe. 49 036 km². Montagnes Htes et Basses Tatras. *Frontières* avec Ukraine 196 km, Pologne, Autriche, Hongrie. *Alt. max. :* pic Gerlach 2 655 m dans les Htes Tatras. **Climat.** Tempéré presque continental : – 1,6 °C en janvier, + 21,1 °C en juill. (Bratislava). *Pluies :* 400 mm à 1 700 mm dans les montagnes. *Été* froid et pluvieux (si vents d'O.), sec et chaud (si vents d'E.).

Population (en millions d'h.). *1900 :* 2,78 ; *20 :* 3 ; *40 :* 2,45 (sup. 37 853 km² de par annexions hongroises) ; *50 :* 3,46 ; *61 :* 4,17 ; *70 :* 4,53 ; *80 :* 4,99 ; *91 (3-3) :* 5,27 [dont (%) Slovaques 85,6, Hongrois 10,8 (566 741), Tsiganes 1,5 (80 627), Tchèques 1 (53 422), Ruthènes 0,3 (16 397), Ukrainiens 0,3 (13 847), Allemands 0,1, Moraviens 0,1, Polonais 0,1, autres 0,1, non déclarés 0,1)]. *Slovaques en Tchéquie :* 310 000. **Croissance** (%) *1961-70 :* 0,86 ; *70-80 :* 0,97 ; *80-91 :* 0,53. **Taux** (1990, ‰) : natalité 15,1, mortalité 10,3. D 107,2. **Villes** (janv. 90) : Bratislava (ex-Presbourg) 440 629 h., Kosice (ex-Cassovie) 235 729.

Langues (%). Slovaque 90, autres 10.

Religions. Église catholique romaine, cath. grecque, orthodoxe, slovaque, chrétienne réformée, juive.

■ Histoire

☞ Voir Quid 1993 p. 1105 à p. 1107.

Av. J.-C. XVe-IIIe s. occupée par Celtes. **179** légions romaines avec Marc Aurèle à Trenčin. **Ap. J.-C. IVe s.** Marcomans remplacés par Quades (Germains orientaux) ; invasion des Huns dans la région danubienne. **Ve s.** Lombards repoussent Celtes vers l'O. Expansion des Slaves en Europe centrale. **567-595** invasion des Avars. **VIe-VIIe s.** les Slovaques, peuple slave, s'établissent. **IXe s.** Ptés de Morava en Moravie du S. et de Nitra en Slovaquie de l'O. forment Empire de Grande Moravie. **840** Pribina dirige les 2 Ptés unies en 1 État chrétien (converti par Sts Cyrille et Méthode 863-65). **894** Germains et Magyars provoquent chute de l'empire slave. **905-907** Arpad, roi des Magyars, écrase Gde Moravie et assujettit tribus slov. (ou vivant sur territoire slov.). **XIe s.** domination hongroise. **1355** Slov. intégrée au roy. de Hongrie (Hte-Hongrie). Langues littéraires : latin et tchèque. Paysans continuent à parler dialectes slovaques. **1465** Academia Istropolitana à l'orientation humaniste à Presbourg (Bratislava), 1er établissement universitaire en Hongrie. **1536** Presbourg (Bratislava) devient capitale de Hongrie (Budapest étant occupée par Turcs). **1627** contre-réforme en Hte-Hongrie. **1635** université Paymany à Trnava, imprimerie. Slov. de l'O. devient centre culturel du pays (XVIIe-XVIIIe s.). **1762** 1er essai de codification du slovaque (de Slovaquie de l'O.) comme langue littéraire (A. Bernolak). **Début XXe s. :** mouvement autonomiste réapparaît avec abbé Hlinka. **1827** Presbourg (Bratislava), association tchécosl. fondée par des étudiants. **1843** codification du slovaque (de Slovaquie centrale) comme langue littéraire (L. Stur). **1848** *mai* langue littéraire codifiée par un pasteur protestant, Ljudovit Stur, qui prend la tête de ceux qui élaborent revendications slov. *Sept.* Slov. aident troupes croates à réprimer révolution magyare, Kossuth ayant refusé aux Slov. une certaine autonomie. **1849** 30 députés slov. vont demander au nouvel empereur, François-Joseph, statut de pays de la Couronne pour la Slov. **1863** Mätica slovenska à Martin (slov.) : établissement culturel et scientifique défend culture slov. **1867** compromis austro-hongrois : Slov. mécontents (pouvoir accru des autorités hongroises sur Slov., province de Transleithanie). Politique de magyarisation. **1867-1918** pauvreté ; 750 000 Slov. émigrent vers USA ou Canada. **1915**-*22-10* tr. de Cleveland signé par Association nationale tchèque et Ligue slov. aux USA sur État fédératif de la nation tchèque et slovaque ; autonomie slov. garantie. Tomas Masaryk, chef de la résistance anti-autr., crée gouvernement tch. en exil à Paris avec Milan Rastislav Stefanik (Gal de l'armée fr. d'origine slov.) et Édouard Benès. **1918**-*30-5* tr. de Pittsburg (USA) complète et corrige tr. de Cleveland. Tomas Masaryk, chef de l'émigration tchécosl., promet autonomie interne dans le nouvel État tchécosl. *-30-10* un Conseil national slov. se forme et adhère à la Rép. tchéco-slov. L'armée tchèque se déploie en Slov. ; son anticatholicisme révolte les campagnes. **1919**-*4-5* Stefanik [Slov., ministre de la guerre (défense) de la Rép. tch.] tué dans accident d'avion (inexpliqué). *Août* l'abbé Hlinka remet à la Conférence de la Paix (Versailles) un memorandum : « La Slov. est devenue une colonie de la Bohême... Nous sommes des Slovaques ». A son retour, est incarcéré. **1920**-*29-2* constitution ; la Tchécosl. est un État unitaire. **1938** minorité allemande (All. des Carpates) : 128 000 personnes, adhérant au nazisme (« Deutsche Partei » : 60 000 membres env.). Le régime s'appuie sur *parti HSLS (Hlinkova slovenska ludova strana),* parti populaire slov. de Hlinka ; *organisation paramilitaire Hlinkova garda (HG) ou Garde Hlinka,* créée été 1938, comparable à la SA allemande (en 1942, les Gardes Hlinka sont maîtrisés, leur activité baisse) ; réapparaissent en 1944 dans les groupes en état d'alerte (POHG), chargés d'une besogne de répression ; *Église catholique* (clergé à la tête de la HSLS) ; *armée :* 2 divisions (50 000 h.) ; *agents de l'économie nationale :* l'aryanisation du commerce et de l'artisanat se révèle efficace. Industrie contrôlée par banques et entreprises all. *Sept.* accords de Munich. *-6-10* Mgr Josef Tiso (13-10-1887/18-4-1947) obtient, avec l'appui de l'All., l'autonomie interne (19-11), et forme un gouvernement à Bratislava. *-20-10* Slov. du S. cédée à Hongrie. **1939**-*9-3* Mgr Tiso destitué par gouv. de Prague. *-13-3* Hitler convoque Mgr Tiso à Berlin : Tiso doit choisir entre dépècement de la Slov., protectorat all. ou indépendance. *-14-3* Diète slov. ; proclame indép. *-21-7* République sous protection all. *Sept.* participe à campagne contre la Pologne. **1940-45** régime « modéré » : 2 200 arrestations par la Centrale de sécurité d'État (dont env. 1 500 pour activité communiste illégale), 3 595 condamnés pour délits politiques par les tribunaux régionaux (verdicts jusqu'à l'automne 1944 : assez cléments). **1940** *nov.* adhère au pacte tripartite. **1941** g. contre URSS (2 div. de 50 000 h.). *Avr.* camps de travail. Persécution contre Juifs (4 % de la pop.)

(éliminés du commerce, industrie, professions libérales et fonction publique). Le Juif converti a les mêmes droits que l'« aryen ». *Sept.* Diète vote « code juif ». **1942** *mai* loi sur déportation des Juifs : env. 58 000 Juifs slov. envoyés pour « travailler en Pologne » (en fait dans des chambres à gaz). Le gouv. slov. a versé aux All. 500 reichsmarks pour chaque Juif « réinstallé » en Pologne. *Automne* déportation cessent (sur intervention du Vatican auprès des autorités slov.). **1944** Allemands envahissent Slov. Insurrection : 25 000 † (partisans communistes, patriotes et cadres du régime de Mgr Tiso). *Mai* Diète vote loi interdisant « transports » de Juifs (seront internés dans des camps slov.). *-25-8* soulèvement contre All. *Sept.-oct.* armée all. occupe territoire slov. **1945** *janv.* Slov. orientale libérée par Russes. Tchécosl. reconstituée. **1946** institutions autonomes (Conseil National, Conseil des Commissaires). **1947**-*18-4* Mgr. Tiso est pendu. **1954** Gustav Husak (stalinien de Prague) monte contre les communistes Slov. qui se sont prononcés pour une fédération entre Tchèques et Slovaques, un procès pour « nationalisme bourgeois slovaque ». **1960** constitution abolit embryon d'autonomie accordé en 1945. **1968** Dubcek (Slovaque réformateur) remplace Novotny (Tchèque) à la direction du PC tchécosl. *-27-10* constit. (entrée en vigueur 1-1-1969) fait du pays fédération de 2 Rép. socialistes, Tchèque et Slov. (disposant chacune d'un gouv. et d'une assemblée). **1969** Tchécosl. devient État fédéral. **1988**-*25-3* manif. « aux bougies des chrétiens slov. » à Bratislava réprimée : 32 arrêtés. **1989**-*19-11* Havel et 12 mouvements indépendants constituent Forum civique à Prague ; à Bratislava, constitution de son homologue slovaque : Public contre la violence. *-20-11* Bratislava, rassemblement étudiants (70 000). *-10-12* Husak, Pt de la Rép., démissionne. 150 000 hab. de Bratislava marchent vers Mainburg (Autriche), coupent des barbelés et érigent une statue. **1990**-*25-2* suicide Viliam Salgovic, ancien Pt du conseil nat. slov. *-30-3* Bratislava, Mouv. pour l'indépendance de la Slov. : 2 000 manif. *-21/22-4* Jean-Paul II à Prague, Velehrad (Moravie) et Bratislava. *-8/9-6* législatives : victoire Public contre la violence et mouvement chrétien démocrate (Slov.). **1991**-*13-3* Bratislava, manif. nationaliste slov. *-23-4* Vladimir Meciar, PM slov., démis de ses fonctions par Conseil nat. de Bratislava (qui s'inquiétait de ses tendances nationalistes). Remplacé par Jan Carnogursky (n. 1-1-1944). *-24-4* 50 000 manif. Meciar fonde mouvement d'opposition. **1992**-*23-3* parlement slov. rejette motion indépendantiste. *-5/6-6* législatives parti Vladimir Meciar a la majorité. *-20-6* accord Vaclav Klaus-Vladimir Meciar sur partition (prévue le 30-9). *-23-6* Ivan Gaparovic élu Pt du parlement slov.

Statut. Rép. *Constit.* du 1-9-1992. *Pt* Michael Kovac (n. 1931) dep. 15-2-1993. *PM* Vladimir Meciar (n. 26-7-42) dep. 24-6-92. *Ass. Conseil nat.* élu pour 5 a. : 150.

Partis. *Mouv. pour une Slov. dém.* (HZDS), f. 1991, *Pt* Vladimir Meciar. *Mouv. chrétien-dém.* (SKDH), *Pt* Jan Carnogursky, 300 000 m. *P. nat. slov.* (SNS), f. mars 1990, *Pt* Jozef Prokes, 2 000 m. *P. de la gauche dém.* (SDL), *Pt* Peter Weir, 42 000 m. *Public contre la violence* (ODU-VPN), f. nov. 89, *Pt* Jozel Kucerak. *P. dém.* (DS), f. 1944 (1948 P. de la renaissance slov., recréé déc. 1989), *Pt* Jan Holcik. *P. comm. de S.* (KSS), f. mars 1991, *Pt* Juius Fejes, 10 000 m. **Armée** 35 000 h.

■ Économie

PNB (92). 5 960 $ par hab. **PIB** (92) 10 milliards de $ (dont export 37,1 %). **Croissance** *1992 :* – 2,4 %. **Inflation** (93, est.) 40 %. **Chômage** (92) 12,7 %. **Dette extérieure** 3,2 Md de $. **Réserves en or** (oct. 92) : 86 millions de $. **Banque** d'émission dep. 1-1-93. **Coût de la division** 20,7 Md de couronnes (4 Md de F).

Énergie. Dépendant de la Rép. tchèque pour charbon et électricité. Centrale hydro-électr. de Gabcikovo en service dep. 20-10-92. **Industrie** métallurgie, prod. semi-finis et armement (chars russes). Peu diversifiée et ancienne. Part du secteur privé (%) 0,8. **Privatisations** (milliards de cour.) *1992 :* 166 ; *93 :* 210.

Commerce. *Solde :* – 75 millions de $.

■ Slovénie

Carte p. 1183. V. légende p. 884

Situation. Europe.20 251 km². *Alt. max. :* Triglav 2 864 m. **Population.** 2 110 000 h. (89) dont (81, en %) : Slovènes 90,5, Croates 2,9, Serbes 2,2, Musulmans 0,7, Hongrois 0,5, Italiens 0,1. 100 000 réfugiés, M. de Bosnie-Herzégovine. Statut de « Communautés nationales » reconnu aux Hongrois et Italiens mais non aux Serbes et Croates. D 96. *Analphabétisme :* 0,8 %. **Capitale :** *Ljubljana* 323 291 h. (91). **Religion.** Catholique.

Histoire. Fin VIe-début VIIe s. Slovènes occupent Alpes orientales, entre Danube moyen et golfe de Trieste. **VIIe s.** raids en Bavière, N. de l'Italie et Istrie. **VIIIe s.** chefs nationaux (Knez) sous suzeraineté bavaroise. **VIIIe-Xe s.** christianisation par évêché de Salzbourg et patriarcat d'Aquilée. **788** Carinthie incorporée avec Bavière au royaume franc. Maintien des chefs nationaux jusqu'en 820. **907-955** domination hongroise. **955-1260** inclus dans l'Empire all. **XIe-XVe s.** division en duchés et comtés (Styrie, Carinthie, Carniole) gouvernés par patriarches d'Aquilée et dynasties allemandes : Babenberg, Andechs-Meran, Spanheim, Sanneck Ctes de Cilli, Ctes de Goritz. Réunis peu à peu par Habsbourg, sauf Frioul et Istrie, qui sont conquis par Venise. **XVe-XVIIe s.** colonisation all. **1809-13** *partie des provinces illyriennes françaises :* Sl. s'appuient sur Fr. contre culture all. **1813** retour à l'Autriche. **1814 :** 2 provinces autr., capitales Laybach (Ljubljana) et Trieste. **1918**-*29-10* indép. des territoires sl., croates et serbes de l'Autr.-Hongrie. *-3-11* Goritsa, Gradiska, Istrie et Trieste, Carniole du S.-O. occupés par Italiens, Britanniques, Français.

1918-*1-12* incluse dans *roy. des Serbes, Croates, Slovènes.* **1919**-*12-8* reçoit région du Prekomurje (« au-delà de la Mura »). *-10-9 tr. de St-Germain :* vallée de Mezica et Jezersko en Carinthie inclus avec le S. de la Styrie (devenue Yougoslavie 1929). **1920**-*13-10* plébiscite en Carinthie du S.-E. (Slaves 70 %, Allemands 30 %) : 59,14 % votent pour union à Autriche. *-12-11 tr. de Rapallo :* anciens comtés de Goritsa et Gradiska, Trieste et S.-O. de la Carniole cédés à l'Italie. **1941-45** partagée entre All. et Italie. **1947**-*10-2 tr. de paix italo-youg. de Paris :* partie de la Vénétie Julienne et de l'Istrie (N. inclus à la Sl., Sud à la Croatie) reviennent à Y. (zone B en 1954). **1988**-*21-11* 15 000 manif. à Ljubljana pour droits de l'homme. **1989**-*11-1* création d'un groupe pol. indép. du PC. **1990**-*8-4* élections. *-2-7* S. déclar. d'indép. *-23-12* référendum : 88,2 % pour l'indép. (condamné par prés. féd. le 18-12). **1991**-*20-2* résolution sur la « dissociation de la Youg. en 2 ou plusieurs États souverains ». *-25-6* Sl. proclame son indép. et cesse tout versement au budget féd. (12 % du total). *-10-7* par 189 voix contre 11, le Parlement sl. entérine l'accord de Brioni suspendant pour 3 mois la déclaration d'indép. *Guerre civile. -26-6/18-7* la Serbie se résigne à l'indép. de la Sl. jugée « à part » dans la Féd. *-18-7* retrait de l'armée féd. Voir p. 1184 b.

Indépendance. 1992-*20-1* la CEE reconnaît l'indép. (déjà reconnue par une trentaine de pays, dont l'All.). *-6-12* élections législatives et présidentielles.

Statut. Rép. *Pt :* Milan Kukan élu 8-4-90 avec 58,3 % des voix contre 41,7 % à Joze Pucnik (Demos) réélu 6-12-92. *Parl. Élections du 6-12-92.* **Partis.** P. libéral-démocrate. Chrétiens-démocrates. P. de la rénovation social-démocrate (ex-Ligue des communistes).

■ Économie

PNB. En % : industrie 56 (41 % de la population), agriculture 4,5 (18 % de la pop.). **Par hab. :** 7 150 $ (en termes de pouvoir d'achat 12 250 $). **PIB** (%) *1991* – 7 ; *92* – 20. Élevage, fruits, vignes. Ind. électrique, chimique, caoutchouc, papier, métaux, alim. *1992* crise économique consécutive à l'indép., au passage à l'économie de marché et à la guerre civile en Y. (débouché naturel pour les produits de la S.). **Monnaie** (créée fin 91). *Tolar,* basé sur l'écu avec un taux de change flottant. **Inflation** (%) *1991* 242 ; *92* 110. **Chômage** *1991* 90 000 ; *92* 115 000. **Tourisme.** Littoral, lacs Bled et Bohinj, Pohorje, Kranjska gora. *Parcs naturels :* Triglav (84 800 ha).

Commerce. Exp. : 57,9 % vers CEE (All. 22,2, Italie 19, *France 9,8,* Autriche 8,5), ex-URSS 13,3, USA 4,6. **Imp. :** 58,3 % venant de CEE (All. 23,2, Italie 15,8, *France 9,* Autr. 9), ex-URSS 6,4, USA 4. En ex-Y. principaux échanges avec Croatie (exp. 52,4 %, imp. 53,9 %), Serbie (23,2 et 24,8), Bosnie-Herzégovine (6 et 4,5). En 92, la part des exp. vers la Y. est passée de 60 % à 15 %.

■ Somalie

Carte p. 1005. V. légende p. 884.

Noms. *Terre de Punt ou Pouanit* (Égyptiens), *Terre des Aromates* (Romains), *Barral agiab* (terre des étrangers, Arabes), *Biladu somal* (terre des Somaliens). *Somalie* vient de *soo mal* (« va traire », en somali, pour offrir du lait aux hôtes) ou *zumal* (en arabe, « peuple riche en bétail »).

Situation. Afrique. 637 657 km² (Corne de l'Afrique formée de Somalie ex-ital. 462 539, Somalie ex-brit. 176 118). *Frontières* 2 500 km env. dont Éthiopie 1 540 km, Kenya 700 km, Djibouti 80 km. *Côtes* 3 200 km. *Alt. max.* 2 500 m. Plaine (au S.), haut plateau (500 à 1 000 m), savane, montagne au N. **Climat.** Chaud et sec, *temp. moy.* à Mogadiscio : janv. 25,6 °C, juill. 26,1, à Berbera : 42 de juin à sept. *Pluies* mars à juin, et sept. à déc., 32 à 50 mm/an dans le S., 410 mm/an à Mogadiscio.

Population. *1991 :* 7 691 000 h. (75 % pop. nomade) ; *prév. 2000 :* 7 079 000. **Age** *- de 15 a. :* 45 %, *+ de 65 a. :* 4 %. **Mortalité** *infantile* (88) : 137 ‰. **Espérance de vie** (1992) : 46 a. D 11,2. **Réfugiés** 445 000 (1990) (dont 340 000 veulent rester en S.). *1992 :* 1 000 000 (dont 300 000 au Kenya). **Villes :** *Mogadiscio* (cap.) 900 000 h. (90), Kismaayo 90 000 (à 500 km de la cap.), Hargeysa 90 000 (à 1 400 km), Berbera 70 000 (à 1 350 km, base navale), Merka 62 000, Burco, Baydhabo. **Langues.** Somali, arabe *(off.),* italien, anglais. **Religions.** Musulmans sunnites (99,5 %), minorité chiite, 2 000 catholiques (Italiens), animistes.

Histoire. V. 1400 sultanat de Harrar. **V. 1500** Ahmed Ibrahim Gurey, le Gaucher, réorganise le pays et interdit de payer tout tribut au négus d'Abyssinie. **1506** bombardements portugais (Zeilah, Brava, Mogadiscio), Ahmed Gurey tué. **XIXe s.** accords pour partage en zones d'influence [**1884** Angl.-Ital., **1888** Angl.-Fr. sur Côte des Somalis, **1889** Éthiopie-It., **1891** Angl.-Ital., **1897** Fr.-Éthiop. Côte fr. des Somalis] ; la Fr. occupe la Côte fr. des S., la G.-B. le N. *(British Somaliland)* et au S. le Jubaland, l'Italie le S. (*Somalia Italiana,* colonie adm. en 1899 par G.-B. de 1941 à 1949, confiée sous mandat à l'It. du 1-4-1950 au 30-6-1960). **1948** G.-B. cède à l'Éthiopie Ogaden et « Reserved Area ». **1954** région du haut et reste de la Res. Area (ce terr. aurait dû se trouver sous administration fiduciaire de l'It. sur mandat de l'Onu). **1960** indép. de l'ex-British Somaliland *(26-6)* et de l'ex-Somalia Italiana *(1-7)* qui fusionnent en rép. de Somalie. **1969** *oct.* Dr Ali Shermake Pt assassiné. *-21-10* coup d'État mil. **1974**-*14-2* adhère à Ligue arabe. **1975** facilités accordées aux Soviétiques à Berbera et dans îles Bajuni ; construction base aérienne à Wanle-Weyn (à 80 km de Mogadiscio). Aide mil. sov. : 130 millions de $ par an. **1976**-*1-7* constitution du P. socialiste révolut., dissolution du Conseil suprême de la Rév. (créé 21-10-69). **1977** participe à g. de l'Ogaden, mais battue (voir Éthiopie). *Nov.* expulsion des conseillers sov. **1978**-*9-4* coup d'État mil., échec : 20 †. *Oct.* 17 officiers condamnés à mort. **1979** *févr.* l'opposition [Front d'Action Dém. (FAD) responsable du coup d'État du 9-4-78] réorganisée en « Front de Salut s. » (FSS) avec appui éthiopien (2 000 h. : secr. général Mustapha Haaji Nuur). *-23-12* facilités offertes aux Américains à Berbera. **1982** *févr.* troubles à Hargeisa. *-5-7* combats éthiopiens en S. **1982-83** troubles (Centre et Nord) : opposition soutenue par Éthiopie. **1986**-*23-12 Pt Barré* (seul candidat), élu (99,93 % des voix). **1987**-*24-1* des rebelles enlèvent 10 Français « Médecins sans frontières » (libérés 6-2). **1988**-*19-7* rebelles du SNM atteignent Berbera (après l'attaque de Hargeisa en mai). *Août* 3 000 Som. par j. se réfugient en Éthiopie et Djibouti. **1989** *-9-7* Mgr Salvatore Colombo, év. de Mogadiscio assassiné. *-14-7* émeutes à Mogadiscio (24 † officiellement, à 1 500 ?). *Juill.-oct.* mutineries dans l'armée. **1990**-*6-7* émeute stade de Mogadiscio 60 †. *-12-12* rebelles attaquent Mogadiscio. *-24-12* multipartisme autorisé. **1991**-*21-1* Omar Arteh Ghaleb PM. *-27-1* rebelles prennent palais présidentiel. Syaad Barré se réfugie dans le Sud (Burumbuh). *-29-1 Ali Mahdi Mohamed* chef de l'État. *-30-1* rebelles prennent Berbera. *Févr.* 600 réfugiés éth. tués par rebelles (sur 75 000). *Mai* rebelles USC prennent Kismaayo (70 000 réfugiés). *-17-5* MNS proclame *Rép. du Somaliland* dans le N. *-21-7* conf. nat. : accord entre 6 grands partis (partage des fonctions et projet de Constit.). *Nov.* Pt Mohamed renversé ? *-17-11* combats entre factions hawiyés 3 000 †. **1992** *août* 1 500 000 pers. menacées de famine. *-4-8* Mogadiscio, 1er bateau fr. (2 000 t de vivres). *-19/29-8* pont aérien fr. (200 t de nour.) permettant de nourrir 35 000 pers. par j. *-21-8 opér. amér. « Provide Relief »* [*28-8* pont aérien (85 000 t prévues 1992, 143 000 en 93)]. *-14/29-9* 1er contingent de 500 casques bleus pakistanais de l'*Onusom* (Opération des NU en S., 4 219 prévus). *-20-10* France, opération « Du riz pour la Somalie » (5 824 t). *-3-12* résolution 794 votée à l'unanimité pour *opération « Restore Hope » :* 36 000 mil. [*Unitaf :* Force d'interv. des NU, *Cdt en chef :* Gal Robert Johnston (USA), 20 pays part.] dont 28 150 Amér. ;2 120 Français (opér. « Oryx »), 2 000 Italiens, 1 200 Marocains, 900 Canadiens, 587 Belges, 750 Égyptiens, 700 à 900 des Émirats, 300 Mauritaniens, 300 à 400 Turcs. *-8-12* Kismaayo 100 †. *-9-12* Mogadiscio, 1 800 marines amér. débarquent (contrôlent aéroport et port) et 130 Français. *-26-12* accord de paix Aïdid/Mahdi. **1993**-*4-1 Militaires déployés :* 28 870 dont 20 515 Amér., 2 454 Fr., 2 150 It. Mogadiscio, combats Marines/Somaliens : *-7-1* 7 †.

-26/27-3 résolution 814 (à l'unanimité) : *Onusom II* [28 000 h. de 22 pays (*Cdt en chef :* Gal Cevik Bir, Turq.), *coût prévu :* 1,5 Md de $ sur 1 an]. *-26-4* Mogadiscio, marines remplacés par troupes Onu. *-5-6* 24 Casques bleus pakistanais tués par rebelles du Gal Aïdid. **Pertes mil. occid.** Amér. 6, 4 Belges (dont 3 acc.), Fr. 2 (acc. de la route).

Statut. *Rép.* dém. *Const.* du 2-12-1984, remplacée par Const. temporaire du 6-10-90. *Chef de l'État* Ali Mahdi Mohamed dep. 29-1-91 [avant *Secr. gén. PM* et *Pt de la Rép. :* Gal Mohamed Syaad Barré (n. 1919) dep. 26-1-80]. **Régions** 15, statut spécial pour Mogadiscio. **Districts** 64. **Ass. nat.** 171 m. élus 5 ans au suffrage univ. et 6 m. nommés. **Fête nat.** 21-10 (Révolution). **Drapeau.** (1954). Bleu avec étoile blanche (5 branches pour 5 régions).

Partis. *Front démocratique de salut de la S.* (FDSS, clan majertein), f. 1981 (fusion du Front de salut de la S., Front dém. de la SP des travailleurs som.), Pt Hassan Ali Mireh. *Mouvement nat. som.* (MNS, clan nordiste issak), f. 1981 à Londres, Pt Abderrahman Ahmed Ali, dans la guérilla dep. 82. FDSS et NMS ont créé 8-10-82 : *Front commun. Somalia First,* f. 83, Pt Mahmud Shaykh Ahmad. *Mouv. dém. som.* (SDM, agric. sudistes), f. 1991. *Congrès de la S. unifiée* (CSV, clan sudiste hawiyé), f. 1989. *P. socialiste révol. du S.,* p. unique de 1976 à 1991.

Clans armés (1992). *Alliance nat. somalienne* (SNA), *Chef :* Gal Mohammed Farah Aïdid (clan Habr Gedid), 10 000 à 20 000 h. Contrôlait Mogadiscio et Sud du pays (QG Bardera). *Clan Ogadeni* (Cel Omar Jees, allié au Gal Aïdid), contrôlait Kismaayo. *Clan Darod* Gal Hersi Morgan (gendre de Siyad Barré).

■ ÉCONOMIE

PNB (90). 150 $ par h. **Pop. active** (%, entre parenthèses part du PNB en %) agr. 65 (64), ind. 8 (10), services 27 (26). **Inflation** (%) *1986 :* 35,8 ; *87 :* 28,3 ; *88 :* 81,9 ; *89 :* 149. **Dette extérieure** (milliards de $) *1982 :* 1 ; *89 :* 2,52. **Transferts des émigrés du Golfe :** 30 % du PNB. **Aide extér.** (millions $) *1985 :* 370 ; *86 :* 610 ; *87 :* 600.

Agriculture. *Terres* (milliers d'ha, 83) arables 8 150, pâturages 28 850, forêts 8 800, eaux 1 032, brousse 6 197, divers 26 765. *Production* (milliers de t, 90) canne à sucre 240, sorgho 250, maïs 315, bananes 110, sésame 50, légumes 57, pamplemousses 29, fruits, haricots 21 (86), arachides 2, riz 15, coton 2, tabac, kapok. *Céréales 1992-93 :* 200 (besoins 700). Myrrhe, encens. **Élevage** (millions, 90). Chèvres 21, moutons 13,8, chameaux 6,8, bovins 5,1, ânes 0,02, mulets 0,02. Viande, cuirs et peaux. **Pêche.** 18 200 t (89).

Mines. Non exploitées : fer, plomb, étain, manganèse, lignite, sépiolite, gypse, uranium, thorium. Recherches pétrole. **Industrie** inexistante.

Commerce (millions de shillings s., 88). **Exp.** 9 914 *dont* bananes 3 992, animaux vivants 3 806, cuirs et peaux 492, *vers* Arabie S., Italie, URSS, G.-B., Yémen. **Imp.** 11 545 *de* G.-B., Italie, All. féd., Chine.

Rang dans le monde (91). 1er chameaux.

■ SOUDAN

V. légende p. 884.

Nom. Autrefois, on appelait *« Nubie »,* « le pays de l'or » en langue indigène, le N. du Soudan (entre 6e et 1re cataractes) et le Soudan « *Royaume de Méroé* » puis *« Roy. de Sinnar »* de 1605 à 1821 et *« Soudan Anglo-Égyptien ».*

Situation. Afrique. 2 505 813 km², 1,7 % de la surface terrestre du globe, plus grand pays d'Afr. (8,3 % du continent). *Frontières* (km) : Éthiopie 2 210, Tchad 1 300, Égypte 1 260, Rép. centrafricaine 1 070, Zaïre 660, Ouganda 460, Libye 380, Kenya 240. *Côtes :* 870 km (mer Rouge). *Alt. max.* Mont Kete 3 187 m. **Régions :** *N. et E. :* désert de Nubie ; centre : plaine du Nil ; *O. et S. :* plateaux avec montagnes. **Climat.** Tropical continental, équatorial au S. *Records :* – 2 °C et + 52,5 °C (Khartoum 31 en janv., 23 en juill.). *Pluies :* 0,1 à 1 500 mm/an (Khartoum 161 mm/an). *Saison touristique :* hiver.

Population (millions). *1991* 25,3 ; *prév. 2000 :* 32,9. Age – *de 15 a. :* 45 %, + *de 65 a. :* 3 %. *Mort. infantile :* 112 ‰. 572 ethnies. En % : Noirs 58, Arabes 33, Éthiopiens 3. D 10. 80 % d'analphabètes. *Réfugiés* (90) 953 000 (834 000 Éthiopiens, 11 000 Tchadiens, 5 000 Ougandais, 4 000 Zaïrois). *Émigrés* 1 000 000 (pays du Golfe et Libye). **Villes** (90) : *Khartoum* (en arabe : Al Khurtum « la trompe d'éléphant » à cause de la configuration du confluent des 2 branches du Nil Bleu près duquel la ville est située). Omdurman

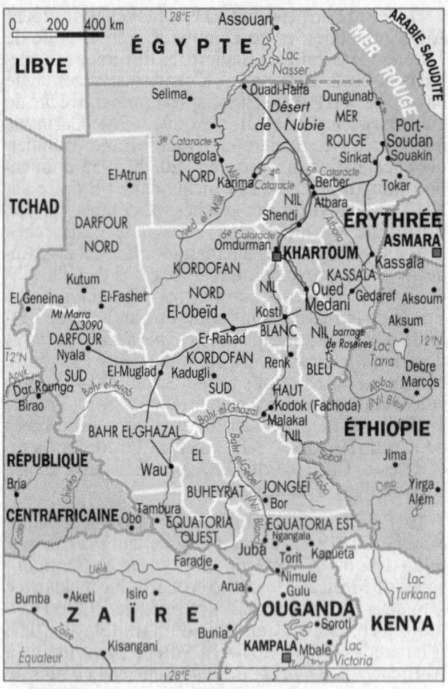

et Khartoum North 4 800 000 h., Wad Medani 1 029 700 (183 km), Port-Soudan 987 200 (à 1 200 km par route), El Obeïd 823 400 (à 690 km), Fasher 639 000, El Atbara 576 000 (à 326 km par route), Juba 320 000. **Langues** arabe *(off.),* anglais, dinka, env. 200 dialectes. **Religions** (%) musulmans sunnites (70), coptes, cathol. (2 024 500) et protest. dans le N. christianisés (9) et fétichistes, animistes (18) dans le Sud.

Histoire. Siège de l'ancien roi de Nubie et de la civilisation du fer à Méroé, le S. a connu de nombreuses g. intestines. **XIVe s.** islamisation. **XVIe s.** roy. de Sinnar. **1820-21** conquête par Mehemet Ali. **1830** Khartoum fondée. **1880** Mohammed Ahmed Ibn Abdoullah († 1885) mystique se proclame mahdi (le bien guidé) et, avec ses Ansars (disciples), s'oppose aux Égyptiens impurs et aux Chrétiens. **1885** prend Khartoum. **1885-99** règne du Khalifa Abdullahi Ibn Mohamed. **1896-98** expédition anglo-ég. ; affaire de Fachoda (v. Index). **1899** condominium anglo-égyptien. **1914-18** les Anglais se rapprochent des Ansars. Abdel Rahman fils du mahdi devient un fidèle des Anglais. **1924** révolte de la Ligue du drapeau blanc. **1938** tr. anglo-ég. redéfinit condominium. **1941** la confrérie Khatmiya proche des Égyptiens fonde son parti Al Achikka (Frères). **1945** Ansars fondent parti Oumma. **1948** élections législ. organisées par Britanniques ; parti Oumma vainqueur, les Archikkas (pour les Ég.) boycottent él. **1951** Farouk se proclame roi d'Ég. et du S. **1953** élections : parti Oumma vaincu (22 s. sur 97). **1955** Ansars s'allient au Parti comm. (f. 1946 comme Mouv. de libér. nat.) ; parviennent à imposer l'indépendance.

République, 1956-*1-1*-Rép. indép. ; g. civile. **1958**-*17-11* coup d'État mil., dictature du *Mal Abboud.* **1964** renversé. **1969**-*25-5* coup d'État du *Gal Mohammed Gaafar Nemeyri* (1-1-1930). **1970**-*9-11* alliance RAU, Libye-Soudan. **1971**-*19-7* coup d'État procommuniste du Cel Hachem el-Atta, échec. Répression. *-12-10* Nemeyri élu Pt. **1972**-*26-2* accord d'Addis-Abeba entre gouv. et Cel Joseph Lagu (22-11-31), chef de l'Anyanya Liberation Front, mettant fin dans le Sud à la g. menée dep. 19-8-55 par 4 000 000 d'animistes ou christianisés (500 000 †). *Juill.* relations dipl. avec USA reprises. Refus d'adhérer à l'Union des rép. arabes. **1973**-*25-1* complot contre Nemeyri découvert. *Mars* 8 terroristes tuent 3 diplomates (ambassadeur et conseiller US, chargé d'aff. belge) dans l'amb. saoudienne. *Août* constitution. **1974**-*20-10* émeutes dans le S. **1975**-*5-9* coup d'État du Lt-Cel H.H. Osman, échec. **1976**-*3-1* 6 officiers auteurs du coup d'État exécutés. *-2-2 :* 10 autres exécutions. *-2-7* putsch échoue (env. 1 000 †). *-15-7* pacte de défense commune avec Égypte. **1977** *avril* Nemeyri réélu Pt. **1979** *mai* Nemeyri maréchal. **1981** *mars* complot : échec. Nombreux raids libyens. **1982** *janv. et déc.* manif. contre hausses de prix. *-2-7* vice-Pt Abdel Magia Khalil démis, remplacé par Joseph Lagu. **1983**-*16-5* seconde guerre civ. : rébellion mil. à Bor. Cel Garang envoyé sur place prend le maquis. *Sept.* loi islamique (charia) en vigueur (nombreuses amputations). *-29-9* 13 000 amnistiés. **1984** recrudescence guérilla dans le Sud. Sadek el Mahdi chef des Ansars libéré. *Avril* loi martiale. **1985**-*18-1* Mahmoud Mohamed Taha (chef du mouvement islamique des « frères rép. », 76 ans), exécuté. *-27-1 :* 4 otages (dont 2 Fr.) pris 10-2-84 libérés par ALPS contre rançon (20 millions de F ?) ; famine ; aide améric. *-27/28-3* émeute de la faim, 8 †.

1985-*6-4* **Gal El Dahab** renverse Nemeyri, qui revenant des USA est prévenu au Caire et ne rentre pas au Soudan. *Bilan famine dep. 1983 :* 250 000 †. **1986**-*1/12-4* élections. *-16-8* Fokker civil abattu dans le S. (63 †). **1987**-*28-3* 1 000 Dinkas (noirs) tués par Rizagats (arabes) à Ed Dai'en au Sud. *-11/12-8* 250 à 600 civils tués à Wau par armée. **1988** famine (centaines de milliers de †). *Mai* FNI (Front nat. islamique) entre au gouv. *-16-11* accord guérilla/PUD pour arrêt des combats. *-29-12* manif. contre hausse des prix. PUD se retire du gouv. de coalition. **1989**-*28-1* rebelles prennent Nasir. *-1-2* Hassan Al Tourabi, chef du FNI, min. des Aff. étr. *-16-2* rebelles prennent Liria. *-12-3* gouv. dém. *-3-4* Parl. approuve par 128 v. contre 23 accord de paix. *-17-4* rebelles prennent Bor. *-23-5* affrontements Arabes et Fours (453 †). *-30-6* coup d'État. *-6-7* Sadek el-Mahdi (PM renversé, arrêté, libéré 10-1-90).

1989-*10-7* Gén. Omar Hassan el Bechir, *chef du Conseil de la République. Déc.* 2 hommes d'affaires, Mahjoub Mohamed (accusé de détention illégale de devises), et Saïd Ahmed Gaballah (coupable de trafic d'héroïne), exécutés. *-21-12* avion de Médecins sans frontières abattu (4 † dont 3 Français). **1990** *Févr.* APLS assiège Juba. *-25/28-3* Darfour, lutte opposants tchadiens et armée tch. *-23-4* coup d'État échoue. *-24-4* 28 officiers fusillés. *Sept.* forces Tchad occupent au Darfour Al Geneina, Kutum et Zalengei. **1991**-*22-3* nouveau code pénal, fondé sur la charia, dans les régions à maj. musulmane. *-1-4* Combats dans le S. **1992**-*18-5* dinar remplace £ soud. (1 D = 10 £S soit 0,10 $). *-18-7* pont aérien humanitaire interrompu. **1993** *janv.* épidémie de leishmaniose (parasite) 40 000 †. *-3-2* accord sur rapatriement de 300 000 Éthiopiens. *-10-2* Jean-Paul II à Khartoum. *-18-3* trêve rebelle. *-20-3* cessez-le-feu gouv. *Avril* 800 000 déplacés autour de Khartoum. *26-4* négoc. de paix.

Statut. République *Const.* oct. 1985, suspendue juin 89. *Assemblée nat.* de transition (dep. fév. 92) 300 m. *Divisions :* capitale nationale (Khartoum) et 8 *régions : 5 :* dirigées par un gouverneur et des ministres nommés par le gouv. (Darfour, Kordofan, Est, Nord et Centre), 3 constituées en région autonome du S. (cap. Djauba) (Bahr el-Ghazal, Ht-Nil, Équatoriale). Pas encore dotées de Pts nommés par le Pt fédéral et d'un parlement élu au suffr. univ., comme prévu 1982. **Élections.** **26-4-86.** P. Oumma (de Sadek, El Mahdi) 99 sièges, PUD (P. unioniste dém. de El Mirghani) 63, FNI (Front nat. islam.) 51. **Fête nat.** 1-1 (indép.). **Drapeau.** Bandes rouge (lutte pour l'indép.), blanche (islam et paix), noire (nation), triangle vert (prospérité et agriculture).

Guérilla dans le Sud. MPLS [Mouv. pop. de libération du Soudan appuyé par Éthiopie et Kenya, dir. par le Cel John Garang (chef de l'APLS) qui demande l'abrogation de la loi islamique]. Razzia des Misseyas (musul.) chez les Dinkas (chrétiens). *Bilan (1983-93) :* 600 000 †. *Coût :* 1 million de $ par jour.

■ ÉCONOMIE

PNB (91). 150 $ par h. **Pop. active** (%, entre par. part du PNB en %) agr. 72 (37), ind. 9 (15), services 18 (48), mines 1 (0). **Inflation** (%) *1985 :* 45,4 ; *86 :* 26,4 ; *87 :* 21,2 ; *88 :* 64,7 ; *89 :* 63,5 ; *92 :* 200 %. **Dette extérieure** 17 milliards de $ (91). **Apport des salaires des émigrés** dans les pays du Golfe. **Revenu mensuel moyen** (1989) *sud :* 125 £ soudanaises, *nord :* 325. **Aide** américaine : 50 milliards de $ par an, suspendue mars 1990.

Agriculture. *Terres* (milliers d'ha, 81) arables 12 390, cult. 55, pâturages 56 000, forêts 48 630, eaux 12 981, divers 120 522. *Production* (milliers de t, 90) canne à sucre 4 300, sorgho 1 502, arachide 136, millet, sésame 66, blé 409, coton 125 (687 en 70), mangues 127, dattes 130, manioc 6. Gomme arabique, bananes. **Élevage** (millions, 90). Poulets 33, bovins 21, moutons 20,3, chèvres 14,8, chameaux 2,8, ânes 0,6. **Pêche.** 24 000 t (89).

Mines. Fer, manganèse, mica blanc, quartz, marbre, cuivre, or, chromite, sel, magnésite. **Pétrole.** *Réserves* 1,5 milliard de t ; *pipe-line* 1 440 km jusqu'à la mer Rouge ; *prod.* 50 000 barils par j. **Industrie.** Prod. alim., tissage du coton. **Transports** (km). *Routes* 6 600 ; *ch. de fer* 4 786 (87). **Tourisme** (83). 22 000 visiteurs.

Commerce (millions de £ soud., 87). **Exp.** 1 497 *dont* coton 455, gomme arabique 267,1, millet et sorgho 248 *vers G.-B.* 122,5, All. féd. 109,3, Japon 94,5, *France 59,8.* **Imp.** 2 613 *dont* pétrole 483,4, blé 199, camions 125, voitures 101, *de* G.-B. 273, USA 271, Japon 193, All. féd. 190, *France 90.*

Rang dans le monde (91). 11e coton. 13e bovins. 14e ovins.

Sri Lanka (Ceylan)

V. légende p. 884.

Nom. Primitif : *Sri Lanka* (île resplendissante) ; adopté 22-5-1972. Vers le IIe s. av. J.-C., nom sanskrit *Tamraparni,* « feuille de cuivre » (les Grecs, puis les Romains en ont fait *Taprobane*). *Ceylan* vient du pali *Sinhala* ou *Sihala,* « lion », abréviation de *Sihaladvipa* (« l'île des lions »). Le mot *Sihala* était lui-même tiré de *Sihabahu,* « le bras de lions », père de Wijaya, 1er conquérant du pays.

Situation. Asie. Ile tropicale de l'océan Indien. 50 km de l'Inde (détroit de Palk). 65 610 km² (long. max. 435 km, larg. 225). *Côtes :* 1 400 km env. Pidurutalagala 2 538 m. **Relief** *centre :* montagnes (913 à 2 697 m), plateaux (304 à 936 m), forêts denses. *Littoral :* mangrove. **Climat.** Tropical, tempéré. *Temp. :* 26,6 à 27,7 °C (10 °C entre le matin et le soir). *Soleil :* 2 900 à 3 100 h/an. *Humidité* relative : 70 % le jour, 90 à 95 % la nuit, 60 % dans les zones les plus sèches. *Pluies* Colombo 2 480 mm/an. *4 saisons :* mousson du S.-O. (mai à sept.), inter-moussons (oct. et nov.), mousson du N.-E. (déc. à fév.), inter-moussons (mars et avril).

Population (millions). *1871 :* 2,4 ; *1911 :* 3,6 ; *1971 :* 12,7 ; *1983 :* 15,4 ; *1991 :* 17,6. *prév. 2000 :* 20,8. D 268. *1988 : Cinghalais (de Cingha,* lion) 12,2 (74 %). *Tamouls* autochtones 2,08 (12,6 %), maj. dans le N., 43 % dans l'E. (Cinghalais 26 %, Mus. 31 %) ; immigrés (venus au XIXe s., pour les plantations de thé) *81 :* 0,8 (5,6 %), doivent être rapatriés en Inde (450 000 rap. fin 1987). *Musulmans* (venus vers le Xe s.) 1,2 (7,1 %). *Autres* 0,13 (0,8 %). En moy. 2 † par j. par piqûre de serpent. 30 % de la population vit en dessous du seuil de pauvreté. *Émigration :* 0,89. *Pers. déplacées* (1993) 600 000. *Réfugiés* (1993) 400 000 (200 000 en Inde). **Age** – *de 15 a. :* 35 %, *+ de 65 a. :* 4 %. **Villes** (90) : *Colombo* (cap.) 615 000 h., Dehiwala-Mount Lavinia 196 000 h., Moratuwa 170 000 h., Jaffna 129 000 h., Kotte 109 000, Kandy 104 000 h. (115 km) [*alt.* 558 m ; moy. 25° C, centre du bouddhisme : Maligawa ou temple de la Dent (relique) ; Fêtes juill.-août], Galle 82 000 h.

Langues. Cinghalais *(off.)* 72 %, tamoul 20,5 % (off. dep. 1977) et anglais *(off. dep. 1983).* **Religions** (%, 88). *Bouddhistes* 69,3 (cinghalais à 90 %), *hindouistes* 15,5 (dont tamouls 80 %), *musulmans* 7,5, *chrét.* 7,5 (dont cingh. 700 000, tam. 300 000).

Histoire. **Avant J.-C. VIe s.** colonisée par des h. du N. de l'Inde. **V. 450** roi Vijaya fonde dynastie des Sinhala. **V. 350** Anuradhapura fondé. **V. 250** roi Mahatissa ; bouddhisme introduit. Tissamaharama, capitale dans le S. lors d'invasions de Damilas (Tamouls). **100 ou 101** roi cinghalais Datta-Gamundi chasse les Damilas du roi Pandya de Madurai, Ellara. **Vers 60** invasion dravidienne : Dambulla capitale, roi Vattagamini Abhaya. **Après J.-C. 41 à 50** relations maritimes avec Empire romain. **V. 200** roi Vihara Tissa : introduction du sanscrit. **V. 240** roi Vija Indu, prince brahmaniste. **V. 260** roi Sangabo Abhaya, soutien du Bouddhisme. **V. 330** développement du culte des Maitreya. Arrivée de la « Dent ». **350-XIe s.** essor puis apogée de la civ. cinghalaise, capitale Anuradhapura. **V. 360** roi Buddha-Dasa. **480** roi Dhatu-Sena libère Lanka des envahisseurs tamouls. **V. 490** révolte de Kassyapa, Dhatu-Sena assassiné, capitale créée à Sigiriya. **Entre 490 et 510** guerre civile. **V. 772-777** invasion tamoule, Polonnaruwa devient la capitale cinghalaise. **V. 800** roi lettré Dapula II. **831-851** Tamouls pillent Anuradhapura. **851-885** Sena II chasse Tamouls. **XIe s.** population commence à se retrancher vers le S. [instabilité politique (invasions sud-indiennes)]. **V. 1000** Sous Mahinda V, pillage d'Anuradhapura. **1032** Mahinda V meurt. **1055-1110** roi Vijaya Bahu I libère S.L. des Tamouls. **1153-86** Parakrama Bahu J., restaure Bouddhisme. **1186-96** roi Nissam Kamala : raids tamouls. **1215-40** N. occupé par armées tamoules du roi Pandya Narasimba II. Nouvelle capitale : Dambadeniya. **1240** Parakrama Bahu II chasse Tam. **1273** nouvelle capitale à Yapahuwa. **1285** Tam. prennent Yapahuwa et emportent la « Dent » à Madurai. **1286** Parakrama Bahu III se reconnaît vassal des rois Pandyas. **1290-1327** Parakrama Bahu IV se révolte contre Tam. nouvelle capitale : Kurunegala. **1347** invasions tam. : roi Buwanaïké Bahu I ; Gampola capitale. **XVe s.** début de domination europ. **Vers 1410** Vira Alekeswara : Kotté capitale. **Vers 1430** Parakrama Bahu VI. **1505** le Portugais Francisco de Almeida débarque et domine le pays sauf roy. de Kandy. Catholicisme introduit (5 % de la pop.). **1518** Portugais à Colombo. **1534** 3 rois à Ceylan : *Kotté :* Buwanaïké VII (1534-42) ; *Sitavaka :* Mayadunné (1534-81) ; *Jaffna :* roi tamoul. **V. 1550** 4 rois : *Kotté :* Dharmapala (1542-97) ; *Sitavaka :* Mayadunné (1534-81) ; *Kandy :* Vikrama Vira (1542-89) ; *Jaffna :* roi tamoul. **1602** arrivée du capitaine holl. Joris Spilberg. **1604-36** Sénerat : alliance entre Kandyens et Holl. **1658** Holl., grands commerçants : favorisent commerce, construction de canaux, culture de la cannelle. **1672** Amiral Blanquet de la Haye occupe la baie de Trincomalee : traite avec Rajah Sinha II ; « fort du Soleil » français pendant quelques mois. **1687-1739** Wimala Dharma Suriya II résiste aux Holl. et favorise catholiques à Kandy. **1796** côtes annexées par Angl. **1802** colonie brit. **1815** roy. de Kandy annexé. **1815 et 45** rébellions contre Brit. **1817** révolte Cinghalais (10 mois). Britanniques prennent la « Dent ». Colonie de la Couronne. **1828** café introduit. **1848** révolte. **1850** Britanniques restituent la « Dent » aux moines de Kandy. **1867** thé introduit. **1876** hévéa d'Amazonie introduit. **1880** cocotier.

1948-*4-2* indépendance (Ceylan État laïque). **1956** État bouddhiste, sri lankais langue off. Tam. accusés de vouloir détruire le bouddhisme, protestent contre l'établissement de Cinghalais dans l'est. **1957**-*25-7* compromis entre PM *Salomon Bandaranaike* et parti fédéral : langue tamoule reconnue minoritaire et employée dans l'administration des provinces du N. et de l'E. ; certaine autonomie accordée. **1958** *avril* pacte annulé par clergé bouddhiste. **1959**-*25-9* PM S. Bandaranaïke assassiné. **1960** sa femme est *PM* (1re f. au monde à être PM), poursuit sa politique : diminuer l'influence des élites occidentalisées, mieux répartir les richesses nationales et favoriser l'accès à l'école et à l'université (taux d'alphabétisation de 93 %). **1964** accord avec Inde, en 15 ans 600 000 Tamouls indiens regagneront l'Inde (de 1964 à 75, 75 000 repartiront). **1965** Conservateurs au pouvoir. **1970** Jaffna, création d'un mouvement étudiant tam. (MET), qui dresse le FPL contre Tam. Réforme constitutionnelle : le pays devient bouddhiste ; Mme Bandaranaïke PM. **1971**-*5-4* insurrection du JVP réprimée. *Mai* 15 000 à 20 000 †. Aide soviét. (armement et experts) pour lutte anti-terroriste. Le parti communiste (PC PS, prosoviétique) et le Lanka Sama Samaja parti (LSSP, trotskiste), accusent le FPL de révolte « raciste et fasciste ». *Juin* aide chinoise. **1972** avec Chine opposés à l'Inde.

1972 William Gopallawa († 1981) Pt. *Mai* Ceylan devient Sri Lanka, bouddhisme religion d'État, fusion parti fédéral et Congrès tamoul [Tamul United Front (TUF)]. Création des NTT *(Nouveaux Tigres tamouls).* **1975**-*27-7* Prabhakaran (NTT) et 2 complices tuent maire tam. de Jaffna. **1976** NTT deviennent les LTTE *(Liberation Tiggers of Tamil Eelam).* **1977**-*16-2* état d'urgence dep. avril 71 levé. *-19-2* PC quitte gouv. *Juill.* défaite électorale de Mme Bandaranaïke, *J.R. Jayawardene* (conservateur) PM, puis Pt en 78. *Août* affrontements Tam.-Cinghalais. 4 Tamouls ayant été tués par police à Jaffna, 40 000 T. se réfugient au N.

1978-*4-2* Junius Richard Jayawardene (16-9-06) Pt. **1980**-*16-10* Mme Bandaranaïke déchue pour 7 a. de droits civiques par le Parlement (droits rendus 1-1-86). **1981**-*4-6*/*17-8* état d'urgence. **1982** *août* affrontements à Galle. **1983** *mai* affrontements à l'université Peradeniya à Colombo. *-18-5* état d'urgence. *-1-8* fin des combats (470 à 1 000 †, 79 000 sinistrés). *-4-8* 6e amendement constit. : interdit aux députés de défendre tout séparatisme (démission des 14 députés du TULF). Inde entraîne guérilla tam. **1984** bonzes lancent campagne de guerre totale contre Tam. Tigres recrutent 10 000 h. (guérilla contre l'armée et l'Olet) ; dans le Nord, plusieurs centaines de †. *Mai* Israël (relations rompues depuis 1970) ouvre une « Section of Interest » dans l'ambassade américaine pour l'entraînement anti-terroriste du NIB (services secrets). *Oct.* 7 bombes à Colombo. *-30-11* 70 Tigres tués. **1985**-*14-5* pour se venger Tam. tuent 148 personnes à Anuradhapura. **1985** *sept.* 3 des 5 députés tam. kidnappés. **1986**-*20-4* digue rompue 2 500 †. *-3-5* attentat Colombo 22 †. *-13-7* négociations échouent. **1987**-*6-4* Colombo bombe, 117 †. *-21-4* Colombo attentat, 127 †. *-17-4* 122 passagers d'autocar tués par Tam. *-3-5* attentat contre avion, 17 †. *-4-6* Inde parachute 25 t de vivres et médicaments à Jaffna. *Juill.* FPL forme branche armée (Front patriotique populaire). *-23-7* 500 suspects arrêtés. *-29-7* accord Inde/Sri L. sur régionalisation de la partie tam. L'Inde, garante de la paix, doit désarmer Tigres et guérill. dans les 72 h. FPL refuse l'accord et appelle les étudiants à la guerre. *-5-8* force de paix indienne FPI (6 000 h.) à Jaffna. *Août* rivalités entre Tam. : dizaines de tués. *-18-8* attentat contre Pt Jayawardene au Parlement (1 min. †, plusieurs bl.). *Sept.* FPI renforcée. *-10-10* reprend Jaffna aux « Tigres ». *-10-11* attentat, 32 † Colombo. **1988**-*30-6* nouvelles concessions aux Tam. *-22-5* Jayawardene (82 ans) provoque en duel Wijeweera dirigeant du JVP. *Juill.-août* FLP et Tigres organisent grèves. *Sept.* fusion administrative des provinces du N. et de l'E. *-26-9* min. de la reconstruction assassiné. *-19-11* él. provinciales : 65 % de votants malgré l'opposition des Tigres. FPRLE a tous les sièges au N. *-10-12* JVP attaque prison de Bogambara et *-13-12* prison de Colombo (225 détenus lib., 30 †).

1988-*19-12* élect. présid. 55 % de participation. **Ranasinge Premadasa** (1924-93) élu Pt, 50,43 % des voix, Mme Bandaranaïke 44,9 %, Ossie Abeygoonseka (gauche) 4,5 %. **1989**-*11-1* état d'urgence levé. *-5-2* attentat Mme Bandaranaïke blessée. *-15-2* législatives P. tamouls participent, sauf TLET (+ de 700 † en 7 semaines). *-12-4* cessez-le-feu d'une semaine. *-13-4* Trincomalee bombe (41 †). *-1-6* Pt Premadasa demande retrait FPI pour 29-7. *-29-6* Inde refuse d'appliquer cessez-le-feu avec Tam. *-13-7* Appapillai Amirthalingam, chef du FULT assassiné. *Du -25-6 au -15-7* 542 assassinats polit. *-25-8* attentat contre Pt Premadasa échoue. *Oct.* 35 tués dans université. Tigres prêts à arrêter guérilla si retrait total FPI et annulation des élect. de nov. 1988. *-13-11* Wijeweera, chef du JVP tué. **1990**-*24-3* départ derniers soldats ind. (zones reprises par Tigres). *-16-6* cessez-le-feu. *-19-6* reprise guerre civile. *-3-8* + de 140 musulmans massacrés dans 2 mosquées. **1991**-*2-3* Ranjan Wijeratne, min. de la Défense, assassiné. *Mai* entre 500 000 à 800 000 réfugiés (région de Manmar). *-11-5* él. locales : UNP 190 s. sur 237, SLFP 36. *-23-5* TLET suspecté dans l'assassinat de Rajiv Gandhi. *-10-8* combats armée/tamouls 2 200 † en 1 mois. *-30-8* Pt Premadasa suspend le Parl. devant une menace de destitution. **1992** *Bilan* 4 000 † (2 876 F., 1 157 mil.). **1993**-*23-4* Lalith Athulathmudali, Pt Front nat. dém. uni, assass. *-1-5* Pt Premadasa tué dans attentat (24 †). *-7-5* Dingiri Banda Wijetunga (71 ans, PM) UNP élu pour les 19 mois (fin du mandat de son prédécesseur en déc. 94).

Statut. Rép. dém. socialiste dep. 1978. *Constit.* du 7-9-1978. Membre du Commonwealth. **Pt** (élu p. 6 a. au suffr. univ.). **Ch. des représentants** 225 m. élus p. 6 a. au suffr. univ. **Élections.** *15-2-89* (précédentes juill. 77 ; le référendum du 22-12-83 avait prolongé le mandat des députés de 6 a.). *Sièges :* UNP 125, SLFP 67. *Sénat :* aboli déc. 1971. *Provinces* 29, *districts* 24. **Fête nat.** 4-2. **Drapeau** (1848). Modifié 1951, 1972 : lion jaune (anc. royaume bouddhiste) sur fond brun, bandes verte (musulmans) et orange (tamouls) sur fond jaune.

☞ Les Tamouls revendiquent au N. un État tamoul indépendant : l'**Eelam.** Appellent les Sri Lankais « mlechchas » (impurs). En 1992, ils disposent de 20 000 combattants et de 40 000 mobilisables (contre 75 000 soldats gouvernementaux). En mai 1985, 3 groupes armés sur 5 se réunirent dans le **Front de libération de l'Eelam Tamoul (Flet),** puis l'**Organisation de libération de l'Eelam (Olet),** *fondée* 1973 par des étudiants, dont Thangathurai (condamné à mort 1982, mais tué en prison par ses codétenus) les a rejoints, soutenus par l'Inde, prosoviétiques. **Tigres libérateurs de l'Eelam tamoul (TLET)** (tigre symbole du royaume de Jaffna du XVIIIe s.) qui a succédé aux Nouveaux Tigres Tamouls (NTT), leaders : Anton Balasingham, Prabhakaran Velupillai, dit Thamby (« petit frère ») [1987 perd une jambe ; réfugié en Europe] et Sathasivam Krishnakumar (dit Kittu) [† 16-1-93] ; 15 000 combattants, dont 2 000 femmes, levée de l'impôt et conscription obligatoire. Déb. 1992, contrôlaient Jaffna au N. **Front révolut. de libér. du peuple de l'Eelam (FRLPE),** *fondé* 1981, marxistes, leader Varatharaja Terumal, dirige Conseil provincial du N. et de l'E., armé par l'Inde pour lutter contre Tigres. **Organisation révolut. de l'Eelam (Eros),** *fondé* 1975 à Londres par Aliathamby Ratnasabathy (marxiste). **Organisation de libér. du peuple tamoul de l'Eelam (OLPTE),** n'a pas rejoint le front, f. 1980, scission du TLET, leader Sidthadthan, marxiste. **Armée nationale tamoule** (TNA), financée par l'Inde pour contrer les Tigres.

Extrémistes cinghalais. Rohana Wijeweera (renvoyé 1964 de l'université de Moscou pour opinions maoïstes, condamné à prison à vie 20-12-74, lib. 1977, tué 23-11-89) *fonde* en 1964 **Janatha Vimukti Peramuna (JVP),** Front populaire de libération (FLP). Marxiste, puis nationaliste. 2 000 m. (jeunes, venus du Sud), infiltré dans clergé bouddhiste, adm., armée et police. Peut à tout moment paralyser la vie économique du pays (Organisation démantelée en 1989). **Milices privées.** Black Cats, Grey Tigers.

Partis. *P. ceylanais pour la liberté* (SLFP), fondé 1951, leader Mme Sirimawo Bandaranaïke (n. 1926) (centre gauche). *P. national unifié* (UNP), f. 1947, Ranasinghe Premadasa (tué 1-5-93). M.C.M. Kaleel (centre droite). *Lanka Sama Samaja Party* (LSSP), f. 1935, Bernard Soysa. *P. communiste* (CP), f. 1943, K.P. Silva (léniniste). *Tamoul United Liberation Front* (TULF) né 1976 après fusion 1972 du *P. fédéral tamoul* (FP), f. 1949, Amirthalingam avec *Congrès tam.* (f. 1944, S.R. Kanaganayagam), leader Murugesu Sivasithamparam. *Ceylon Worker's Congress,* f. 1940, Savumyamoorthy Thondaman. *Democratic Worker's Congress,* f. 1978, 1. V. P. Ganesan. *P. du peuple de Sri Lanka,* scission de l'aile gauche du SLFP, f. 1984, Vijaga Kumaranatunga, tué 16-2-88. *Congrès des musulmans de Sri L.* (SLMC), f. 1980, Pt M.H.M. Ashraff. *Front démocratique national unifié* (DUNF) créé 1991.

Force de Paix indienne (FPI). *1987 :* 3 000 h., *88 :* 70 000 à 100 000 h. Retrait du 1-1-89 au 23-4-90. *Coût de l'engagement (1989) :* 900 millions de F. **Bilan de la guérilla.** *1983-93 :* 25 000 à 50 000 † (?).

■ Économie

PNB (92). 470 $ par h. **Croissance** (%) *1988 :* 2,3, *90 :* 6,2, *91 :* 4,8, *92 :* 4,7. **Pop. active** (%, entre parenthèses part du PNB en %) agr. 54 (27), ind. 13 (26), services 31 (46), mines 1 (1). **Chômage** *1992 :* 16 %. **Inflation** (%) *1986 :* 8 ; *87 :* 6,5 ; *88 :* 14 ; *89 :* 11,6, *90 :* 21,5, *91 :* 15, *92 :* 12,5. **Dette extérieure** *1989 :* 5,25 milliards de $, *90 :* 4,2, *91 :* 4,8. **Aide ext.** 0,82 Md de $ par an. **Déficit budgétaire** (milliards de $) *1992 :* 8,8 % du PIB.

Situation économique. *1970-77 :* socialisation (*1972 :* 110 000 ha sur 242 000 des plantations de thé nationalisés.). *1983-88 :* ralentissement économique (budget de la Défense : *1983 :* 3,5 %, *86 à 88 :* 15 %). *1988 :* Pt Premadasa promet 2 500 roupies aux 1 400 000 familles pauvres (coût estimé à 40 milliards de roupies, soit 3/4 du budget, ramené à 10, pour seulement 300 000 familles). *1989 :* 500 entreprises étrangères acceptées (117 000 emplois créés) dans l'électronique, jouets, textiles (350 usines). *1990 :* guerre du Golfe (perte en millions de $: salaires des émigrés 30 à 40, embargo sur le thé 24). *1991-92 :* reprise des exportations textiles qui compensent baisse du thé, privatisations (plantations). **Investissements étrangers** libérés (millions de $). *1989 :* 40 ; *90 :* 50 ; *91 :* 334.

Agriculture. *Terres cult.* 33 % (dont riz 38 %, thé 12 %, caoutchouc 18 %). *Production* (milliers de t, 90), riz 2 220, noix de coco 2 128, canne à sucre 868, manioc 430, thé 233, caoutchouc 109, patates douces 86, café 7. **Élevage** (milliers 90). Poulets 10 000, bovins 1 839, buffles 983, chèvres 522, porcs 100, moutons 30. **Pêche** (89). 205 300 t. **Mines.** Graphite, mica, sable, silice, quartz, sel, pierres précieuses (Ratnapura), kaolin, fer. **Industrie.** Thé, caoutchouc, sucre, coton, noix de coco, raffinerie de pétrole. **Transports** (km 88). *Routes* 25 466 ; *chemins de fer* 1 453.

Tourisme. *Visiteurs étrangers (millions) 1980 :* 400, *88 :* 183, *90 :* 297, *91 :* 407, *92 :* 318. *Sites :* Anuradhapura (IIe s. av. J.-C.-VIIe s. apr. J.-C.) : stupas (reliquaires monumentaux) et restes de palais. Aukana : bouddha colossal. Mihintale : stupas. Sigiriya : palais-forteresse et fresques. Polonnaruwa (XIe-XIIe s.) : stupas, restes de palais, statues colossales de Bouddha (Gal Vihara). Thuparama Dagoba : reliquaire (Ve s.). Mediri giriya : vatadage (68 piliers entourant 4 bouddhas). Régions Centre-N. et S.-E. : vastes réservoirs d'irrigation antiques. Plage de Hikkaduwa (S.-O.).

Commerce (millions de roupies, 90). **Exp.** 76 624 *dont* tissus et vêtements (n. c.), thé 18 587, pierres précieuses ou semi-pr. 6 617, caoutchouc 2 966, noix de coco séchée 1 423, huile de noix de coco 294 *vers* USA 19 731, All. féd. 5 074, G.-B. 4 612, Japon 4 102, Iran 2 592. **Imp.** 105 559 *dont de* Japon 13 035, Iran 8 904, USA 8 321, G.-B. 5 846, Corée du S. 5 122, Chine 4 856, Inde 4 730.

Rang dans le monde (90). 3e thé. 6e caoutchouc (88).

■ Suède

Carte p. 969. V. légende p. 884.

Nom. *Sverige,* « roy. des Suiones », l'une des 3 ethnies primitives ; le souvenir des Goths (Gota) et Vénèdes [nom donné à une tribu slave (« Venda »), qu'on retrouve dans Wendes], s'est perdu au XIIIe s.

Situation. Europe. 449 964 km² (dont 38 459 d'eaux intérieures), *long.* 1 574 km, *larg.* 499 km. *Laponie Sud.* 165 000 km². *Frontières* 2 205 km (avec Norvège 1 619, Finlande 586). *Côtes :* 2 390 km. 96 000 lacs. **Régions** *N.-O.* sommets élevés : Kebnekaise 2 111 m, Saretjakko 2 090, Sulitelma 1 860, vallées glaciaires (Torne, Lulevatten, Hornavan, Storuman) ; *Norrland et Dalécarlie :* plaines et plateaux du golfe de Botnie aux monts Kölen, coupés de vallées profondes où les fleuves (älv) ont un cours rapide ; *Svealand et région des grands lacs* (entre Baltique et le Skagerak) : plaines et lacs (en km²) (Vänern 5 585, Vättern 1 912, Mälaren 1 140) ; *Småland :* plateau, marécages, lacs ; *Scanie et îles* Öland 1 344 km² et Gotland 3 001 km² ; *littoral* découpé de baies profondes [fjord (bras de mer) (14 000 menacées de pollution), vik (baie)]. **Climat.** Rude mais influencé par le Gulf Stream ; moy. janv. – 14 °C (extr. N.) à – 1 °C (S. méridionale), juill. 13 à 17 °C [à *Stockholm :* janv. + 3,2 °C, juill. 15 à 17 °C ; *pluies* 385 mm. Soleil 1 700 h (lever : *21-6 :* 3 h 28, *21-12 :* 8 h 37 coucher : *21-6 :* 20 h 52, *21-12 :* 15 h 36). *Soleil de minuit :* 2 mois env., au-delà du cercle polaire.

■ Démographie

Population (millions). *1750 :* 1,78, *1800 :* 2,35, *1850 :* 3,5, *1900 :* 5,14, *1939 :* 6,34, *1950 :* 7,04, *1960 :* 7,49, *1970 :* 8,07, *1982 :* 8,32, *92 :* 8,66, *prév. 2000 :* 8,9, *2025 :* 9. **Âge** – *de 15 a.* 18 %, + *de 65 a.* 18 %. **Espérance de vie** (90) H. 77, F. 83. **Taux** (‰, 1990) : natalité 14,4, *mortalité* 11,1. **Lapons** env. 17 000 (Norvège 40 000, Finlande 4 000). 90 % vivent dans le N. (Laponie Sud). **Émigration** *1840 à 1910 :* 600 000 ; *1984-90 :* 158 151 ; *91 :* 24 846. **Étrangers** (en milliers) *1981 :* 414, *84 :* 399 (+ 400 naturalisés) ; *91 :* 493 dont Finlandais (beaucoup ont le suédois comme langue maternelle) 115, Youg. 41, Iraniens 40, Norv. 37, Danois 28, Turcs 26, Chiliens 19, Polonais 16, All. 13 (90). Les immigrés estoniens sont aujourd'hui citoyens suédois. *Immigration nette totale : années 70 :* 155 000, *1981-85 :* 40 600, *1988 :* 51 092 dont 14 097 Nordiques. *1990 :* 60 048 immigrants dont 18 094 Nordiques, *91 :* 49 806 dont 8 908 nordiques. *Étrangers en % de la pop. 1950 :* 1,8, *60 :* 2,5, *70 :* 5,2, *80 :* 5,1, *90 :* 5,6. **Villes** (91) : *Stockholm* 679 364 h. (ag. 1 503 098), Göteborg 432 112 (ag. 734 310) (à 478 km), Malmö 234 796 (ag. 479 702) (604 km), Uppsala 170 743 (90 km), Linköping 124 352 (208 km), Orebro 122 042 (215 km), Norrköping 120 756 (165 km), Västeras 120 354 (115 km), Jönköping 112 277 (338 km), Helsingborg 109 907 (578 km), Borås 102 387 (531 km), Kiruna 26 149 (1 352 km).

Langue. Suédois *(off.).* **Religions.** *Luthériens* 92 %, l'Égl. luth. d'État (instituée en 1527) est religion d'État. Le roi doit professer la doctrine de la Confession d'Augsbourg. *Cath.* 130 000. *Orthodoxes* de rite oriental 106 000. *Musulmans* 50 000. *Juifs* 16 000.

Sainte Patronesse : Brigitte Birgerdotter (1303-73) canonisée 7-10-1391 ; mère de Ste Catherine de Suède (1331-81 ; can. 1474).

■ Histoire

V. 2500 av. J.-C. populations agricoles, néolithiques ; climat chaud et sec. **V. 1400 av. J.-C.** civilisation du Bronze introduite par des germaniques, venus du sud de la Baltique et du Jutland. **V. 1000 av. J.-C.** (âge du fer) certaines tribus germ. du N. (Goths, Vandales, Burgondes) émigrent vers l'Ukraine, sans doute en raison d'un changement climatique. Leurs régions d'origine (Gotland, Vendel, Bornholm) restent encore habitées. **IXe s. apr. J.-C.** Vikings suédois se dirigent de préférence vers : Lettonie, Pologne, Russie. La sous-tribu des Varègues colonise les côtes de la mer Noire. **829 et 853** échecs de tentatives d'évangélisation par St Anschaire, év. de Hambourg. **V. 980** Vikings suédois s'allient aux Danois ; **Éric le Victorieux** († 994) roi du Danemark et de la Westrogothie suédoise. **1016-35 Knut le Grand,** roi chrétien d'Angl. et de Dan., a de nombreux vassaux suédois. **V. 1020** il charge le missionnaire angl. St Sigfrid d'York de christianiser la S. Sigfrid fonde évêché de Wexiow et baptise le roi Olof, fils d'Éric. **XIe-XIIIe s.** g. civile entre descendants d'Éric (Westrogothie) et de Stenkil (Ostrogothie), d'abord païens, puis partisans des missionnaires immigrés contre le prêtre suédois des Ériquistes. **1130-56** roi **Sverker l'Ancien** fait venir des Cisterciens qui fondent plusieurs monastères. **V. 1250** Birger Jarl fonde Stockolm. **1275-90 Magnus Birgersson,** roi de S. **1319-63 Magnus Eriksson,** roi de S. et Norvège. Ép. Blanche de Namur (1335). **1397-1521** union de Calmar avec Norvège et Danemark.

■ **Dynastie Vasa. 1523 Gustave Ier Vasa** (1496-20-9-1560). **1518** otage de Christian II de Dan. **1519** s'évade. **1521** prend Upsal. **1523** Calmar, chasse Danois. *Juin* élu roi par le Riksdag de Strängnäs. **1527**-*6-6* Église nationale s. (luthérienne). **1560 Éric XIV** (13-12-1533/tué en prison 26-11-1577) fils de G. Ier/ **1561** occupe Estonil. **1563-68** lutte entre Dan., Pologne, Lubeck. **1568** détrôné par ses frères pour des meurtres commis ; emprisonné, sera tué sur ordre de Jean III. **Jean III** (21-12-1537/17-11-1592) 2e fils de Gustave Ier, frère d'E. XIV. **1570** tr. de Stettin avec Dan. **1583** prend Carélie et Ingrie après g. contre Russie. **1587** fait nommer son fils Sigismond roi de Pol. **1592 Sigismond III Vasa** (20-6-1566/30-4-1632) fils de J. III (roi de Pol. 1587-1632), détrôné 1599. **1595** *Paix de Teusina.* Narva et Estonie deviennent s. La S. contrôle golfe de Finlande. **1599** déposé (car favorise cathol.). **Charles IX** (4-10-1550/30-10-1611) fils de G. Ier, régent puis roi 1604, décrète luthéranisme seule religion tolérée en S. Royauté héréditaire soumet Finlande. **1605** à Kirkholm, Polonais battent Suédois. **1611 Gustave II Adolphe** (19-12-1594/ tué à Lützen 16-11-1632) fils de Ch. IX. **1613** tr. de Knäred avec Dan. **1617** *tr. de Stolbova* avec Russie : possession d'Estonie, Ingrie et Carélie confirmée à la S. **1628** entrée en g. contre l'empereur. *-10-8* le *Vasa* [long. 69 m, larg. 11,7 m, hauteur quille au sommet du Gd mât 52,5 m, tirant d'eau 4,8 m, voiles (10) 1 275 m², 64 canons, le + beau bateau de l'époque] chavire à sa 1re sortie dans le port de Stockholm (renfloué 24-4-1961). **1629** paix d'Altmark avec Pol. : S. garde grande partie de la Livonie. **1630** alliée à la Fr., envahit Brandburry. **1631-32** bat Tilly. **1632**-*16-11* bat Wallenstein à Lützen mais est tué. **1632 Christine** (8-12-1626/Rome 19-4-1689) fille de G. II. Influencée par l'ambassadeur fr. Pierre Hector Chanut (1604-77), elle décide de s'entourer de penseurs et artistes fr. **1654**-*6-6* abdique. **1656** 1er séjour en Fr. *-29-7* dite l'Amazone du Nord, arrive au château d'If. *-8-9* arrive à Paris. **1657-58** 2e séjour (Fontainebleau), y fait le 10-11-1657 assassiner son grand écuyer et amant, Giovanni, marquis de Monaldeschi (à cause de ses infidélités ou d'un libelle calomnieux). **1660** tentative pour redevenir reine de S. **1667** aspire à la couronne de Pol., se fixera à Rome (amant : cardinal Azzolino). **1632-44** régence d'Axel Gustafsson Oxenstierna (1583-1654), chancelier. **1634** Constitution. *-5/6-9* S. battus à Nördlingen. Oxenstierna invite la Fr. à entrer dans la g. *-1-11* tr. de Paris : les places d'Alsace conquises cédées provisoirement à Louis XIII. Hugues de Groot, Hugo Grotius, légiste hollandais, représente Oxenstierna en Fr. **1643-45** g. contre Danemark. *Tr. de Brömsebro :* Dan. perd Gotland, Oselec et Halland. **1648** *tr. de Westphalie ;* S. reçoit Poméranie, Stettin, Wismar, Brême, Verden.

Dynastie palatine. 1654 Charles X (8-11-1622/25-2-1660) pet.-fils de Ch. IX, cousin de Christine. **1655** envahit Pologne et Lituanie. **1656** occupe Pologne du roi Jean-Casimir, et attaque Dan. **1657** g. contre Brandebourg. **1658** Ch. X occupe Jutland et menace Copenhague. *-27-2 Tr. de Roskilde :* Dan. cède à S. Scanie, Bornholm et provinces norvég. du Bohuslän et de Trondheim. **Août** Ch. X reprend les armes. **1659** médiation franco-anglo-holl. Pourparlers de Copenhague entre Dan. et S. et d'Oliva avec Pologne, Brandebourg et Autriche. **1660 Charles XI** (24-11-1655/5-4-1697) fils de Ch. X. *-3-5 tr. d'Oliva :* Jean-Casimir de Pol. renonce au trône de S. La S. voit la possession de Poméranie confirmée. *-6-6 tr. de Copenhague :* S. rend Bornholm au Danemark. **1661** *juill. paix de Cardis* entre S. et Russie. S. gagne Livonie. **1661** reçoit de Fr. des subsides. **1668** adhère à la Triple Alliance contre Louis XIV. **1672** Ch. XI gouverne lui-même ; *tr. franco-s.* de Stockholm, négocié par Pomponne, contre Provinces-Unies, visant à fermer la Baltique au commerce holl. † de Jean-Casimir Vasa (fils de Sigismond), roi détrôné de Pol. ; enterré à Paris, Saint-Germain-des-Prés. **1675** S. battue à Fehrbellin par Grand Électeur de Brandebourg. **1676-79** g. de Scanie. **1679** paix de Lund avec Dan. **1681** adhère à coalition Hollande-Espagne-Empereur contre France. **1692** diète de Verden proteste contre édits de réduction dépouillant barons baltes. Révolte de Reinhold Patkul.

1697 Charles XII (27-12-1682/11-12-1718) fils de Ch. XI. Il n'a que 15 ans. Le tsar, les rois de Pologne et Danemark veulent profiter de sa jeunesse pour reprendre les provinces baltiques. **1698** *tr. franco-s.* d'alliance défensive. **1699** *nov.* accord secret russo-danois de Préobrajenkoé contre S. Accord semblable avec Auguste II de Saxe-Pologne et Baltes révoltés. **1700** *été* début de la « guerre du Nord » : S. contre coalisés. Frédéric IV envahit Schleswig-Holstein, dont le duc est un beau-frère de Ch. XII et assiège

Tœnningen. Ch. XII bat Danois à Copenhague *(8-8)*, Russes à Narva *(30-11)* (nombr. off. français dans l'armée suédoise). Incendie du château royal. **1701-07** Ch. XII conduit campagne de Pologne et Saxe. **1701**-*18-7* bat Saxons à Kockenhusen. **1702** *mai* prend Varsovie. *-19-6* bat Auguste II à Klissow. Cheremetiev bat S. à Erestfer et Hummelshof. Apraxine les bat à Ingrishof et Pierre le Grand prend Notéborg. Pays baltes ravagés. **1703**-*1-5* Ch. XII bat Pol. à Pultusk. Capitulation de Thorn. Stanislas Leszczynski élu roi de Pol. sous pression s. **1704** *août* Stanislas fuit Varsovie. Ch. XII repousse Saxons au-delà de l'Oder. Pierre le Grand prend Narva, Dornat et conquiert Livonie et Estonie. **1705** *nov.* alliance Pol.-S. contre Russie. **1706**-*24-9* paix d'Altranstädt avec Auguste II. **1708** *févr.* Ch. XII prend Grodno. *-13-7* S. vainqueurs à Hollosin. Ch. XII marche sur Ukraine pour rejoindre Mazeppa, révolté contre tsar. **1709**-*8-7* à Poltava S. battus. **1709-14** Ch. XII réfugié en Turquie. **1709** *oct. tr. de Thorn :* entre Saxe et Russie ; *tr. de Copenhague :* entre Russie et Dan. **1713** tsar prend Helsingfors, les Prussiens Poméranie, Danois Verden, Brême et Wismar. **1714** Ch. XII s'échappe de Turquie. *-22-11* arrive à Stralsund (Scanie). **1715**-*3-4* tr. d'alliance de Versailles avec Fr. *-22-12* Ch. XII fait appel à des subsides fr. (600 000 écus par an). **1717** *tr. d'Amsterdam ;* Fr. médiatrice entre S. et Russie. **1718** *janv.* congrès russo-s. des îles d'Aland. *-11-12* a presque reconquis Norv. sur Dan. mais est tué d'une balle à Fredrikshald. **1719** *sept. tr. de Stockholm :* avec Hanovre (George Ier d'Angl.) ; S. abandonne Brême et Verden.

1719 Ulrique-Éléonore (23-1-1688/24-11-1741) sœur de Ch. XII (**1713-14** régente. **1715** ép. Frédéric de Hesse-Cassel. **1719** élue reine. **1720** abandonne la couronne à son mari).

1720 Frédéric Ier de Hesse-Cassel (27-4-1676/25-3-1751) mari d'Ulr.-Éléonore. Rivalité du parti francophile des « Chapeaux » et du parti nationaliste des « Bonnets ». *-21 janv. tr. de Stockholm :* Prusse obtient Stettin et Poméranie Occid. *Mai* débarquement russe en S., tsar demande médiation de la France. *-9-6 tr. de Stockholm :* avec Dan. **1721**-*18-9 tr. de Nystad* avec Russie : S. perd Livonie, Estonie, île d'Ösel, Ingrie, partie de Finlande et de Carélie, Vyborg. **1727** tr. d'alliance avec Fr. **1737** expéd. de Maupertuis en Laponie. A. Celsius y participe. **1743**-*17-8 tr. d'Abo :* perte d'une autre partie de Finl.

■ **Dynastie Holstein-Gottorp. 1751 Adolphe-Frédéric** (14-5-1710/12-2-1-71) ép. Louise Ulrique de Hohenzollern, sœur de Frédéric le Grand. **1743** désigné comme héritier grâce à l'influence russe ; élu. **1751-71** rivalité [les *« Chapeaux »* (avec Ch. XII), 1er parti pol., voulaient la restitution des terr. pris par les Russes, souhaitaient une politique plus mercantiliste et s'opposaient aux partisans de Horn (les *« Bonnets »*) à qui ils reprochaient une politique digne de « bonnets de nuit »]. **1757** tr. de Stockholm (contre la Prusse). **1760** Pierre-Hubert Larchevêque (1721-78), appelé en S. pour remplacer Jacques-Philippe Bouchardon († 1753), dirige 1768-76 Académie royale des Beaux-Arts. **1767-68** Kerguelen Trémarec en Laponie. **1771 Gustave III** (24-1-1746/21-3-1792) fils d'Ad.-Fr. Despotisme éclairé. **1772**-*19-8* coup d'État. G. III amoindrit les pouvoirs de la Diète et de la noblesse ; réformes. **1773**-*nov.* Axel de Fersen le jeune (1755-1810) va en Fr. (**1774**-*30-1* fait la connaissance de Marie-Antoinette, se lie intimement avec le couple royal. **1780** souhaitant une diversion, s'embarque sous les ordres de Rochambeau pour la g. d'Amérique). **1784** va en France sous le nom de Cte de Haga. *-23-6* expérience aérostatique de Pilâtre de Rozier, à Versailles, en sa présence. *-19-7* tr. d'alliance avec Fr. qui augmente les subsides (6 millions de livres pendant 5 ans). **1785**-*7-3* la Fr. remet à la S. Saint-Barthélemy, Antilles, à 197 km au N.-O. de la Guadeloupe. **1791-92** G. III tente d'organ. une coal. contre la France révol. **1792**-*16-3* G. III, assassiné dans un bal masqué, J. J. Anckarström ayant tiré sur lui (1762-92, armé par la coalition aristocratique, † 29-3). **1792 Gustave IV** (1-11-1778/7-2-1837) fils de G. III. **1792-94** régence du duc Charles de Sudermanie. **1795** S. reconnaît Fr. rép. Tr. défensif avec Fr. **1795-96** voy. de Louis-Philippe d'Orléans en Laponie. **1805-07** G. IV adhère à la 3e coal. contre Napoléon. **1807** perd Poméranie suédoise occupée par les Fr. **1808** cède Finl. aux Russes ; est déposé par coup d'État militaire. **1809 Charles XIII** (7-10-1748/5-2-1818) fils d'Ad.-Fr., oncle de G. IV. **1809**-*6-6* Constitution. Cède Finlande à Russie. **1810** paix avec Fr ; conquiert Norv. Ch. XIII n'ayant pas d'enfant, la coalition fait choisir par la Diète son héritier présomptif, le P[ce] danois Charles-Auguste d'Augustembourg qui commande la Norvège, mais il meurt. *-20-6* obsèques de Ch.-Aug. d'Aug. Fersen (Grand Maréchal du Roy.), que l'opinion rend responsable de sa mort est massacré par la foule. Le lieutenant Carl Otto Mörner fait à Paris une démarche auprès de Bernadotte, le maréchal fr. le mieux apprécié en S. dep. 1806, populaire pour avoir été gouverneur du Jutland et des villes hanséatiques en 1808-09. D'autres démarches faites par le consul général de S. à Paris, Elof Signeul, et Joseph-Antoine Fournier, agent consulaire fr. à Gothemborg. *-26-7* comité secret se prononce pour le prince d'Augustembourg, frère de Ch.-Aug. *-21-8* élection : Bernadotte élu à l'unanimité. **1814** intervention contre Nap., puis contre Dan. *-14-1 Tr. de Kiel :* S. reçoit Norv. du Dan. et renonce à Poméranie.

■ **Dynastie Bernadotte. 1818 Charles XIV** ou **Charles-Jean** (Pau 26-1-1764/Stockholm 8-3-1844) ép. 1798 Désirée Clary (1777-1860), belle-sœur de Joseph Bonaparte ; maréchal de France 1804 ; P[ce] de Ponte-Corvo 1805 ; élu P[ce] héritier de Suède (f. adoptif de Ch. XIII) 21-8-1810. **1844 Oscar Ier** (1799-1859) s. f. ép. 19-6-1823 Joséphine de Leuchtenberg. **1859 Charles XV** (1826-72) s. f. régent dep. 1857 ép. 19-6-1850 reine Louise d'Orange (1828-71). **1872 Oscar II** (1829-1907) s. fr. ép. 6-6-1857 P[cesse] Sophie de Nassau (n. 1836). **1905** sécession de Norv.

1907 Gustave V (16-6-1858/29-10-1950) fils d'O. II, ép. 20-9-1881 P[cesse] Victoria de Bade (1862-1930). **1909** *août* « grande grève », affrontement entre patronat (SAF) et syndicats (LO), échec pour les synd. ouvriers. **1914-18** S. reste neutre. **1918-21** suffr. univ. pour hommes et femmes. **1919** journée de travail de 8 h. **1938** accords de Saltsjöbaden entre SAF et LO. **1939-45** S. reste neutre.

1950 Gustave VI Adolphe (11-11-1882/15-9-1973) s. f., ép. 1°) 1905 Marguerite de Saxe-Cobourg-Gotha (1882-1920), 2°) 1923 Louise de Battenberg (Lady Mountbatten 1889-1965). **1967**-*1-9* conduite auto à droite. **1969** *déc.* grève sauvage des mineurs de Kiruna. **1971** début du Parlement d'1 chambre.

1973 Charles XVI Gustave (n. 30-4-46) s. petit-f. Fils de *Gustave-Adolphe, duc de Västerbotten* (22-4-06, † accident d'avion 26-1-47) ép. 1932 P[cesse] Sibylle de Saxe-Cobourg-Gotha, duchesse de Saxe (18-1-08, † 28-11-72), ép. 19-6-76 Silvia Renate Sommerlath (All. n. 23-12-43). *Enfants* Victoria (n. 14-7-77), Charles-Philippe (n. 13-5-79), Madeleine (n. 10-6-82). **1976**-*19-9* sociaux-démocrates battus aux élec. (1re fois dep. 1932). Plan d'austérité. **1980**-*23-3* référendum : 58,2 % pour la mise en service d'un maximum de 12 réacteurs nucléaires et leur fermeture avant 2010. *Mai* grève de 1 000 000 de salariés pour relèvement des salaires. **1981**-*27-10* sous-marin soviét. échoue dans archipel Karlskrona. **1982**-*19-9* sociaux-démocr. reprennent pouvoir. *Oct.* 6 sous-marins russes (?) près de la base mil. de Muskö. *-8-10* dévaluation de 16 %. **1984**-*16/18-5* Pt Mitterrand en S. (1re vis. off. d'un Pt fr. dep. celle de R. Poincaré en 1914). **1985**-*15-9* élect., sociaux-dém. gardent le pouvoir. **1986**-*28-2* PM Olof Palme assassiné. **1989**-*1-7* contrôle des changes supprimé. *-27-7* Christer Pettersson, accusé du meutre d'O. Palme, condamné à prison à vie, *-12-10* acquitté. **1990**-*15-2* plan d'austérité rejeté (190 voix contre 153). *Avril* TVA portée off. à 25 %. *-13-6* réforme fiscale (en vigueur 1-1-91) ; 9 contribuables sur 10 ne paieront plus qu'un impôt communal de 31 % environ ; les revenus de + de 180 000 couronnes par an payeront 20 % d'impôt d'État supplémentaire. **1991** *janv.* programme de 3,8 milliards de couronnes (3,5 milliards de F) pour sauvegarder ressources énergétiques. *-17-5* couronne suédoise liée à l'Écu (marge de fluctuation de 1,5 %). *Juill.* dem. d'adhésion à la CEE (prévue 1995). *-15-9* élect., défaite sociaux-dém. *-6-10* Charles XVI au Vatican (1re visite d'un souv. suédois) ; assiste à une célébration œcuménique (Jean-Paul II, primat de l'Égl. luth. suéd. et primat de l'Égl. luth. finl.). **1992**-*7-3* anc. min. Gunnar Strang (n. 1907), un des pères du « modèle suéd. », meurt.

Sœurs du roi. *Marguerite* (31-10-34) ép. 30-6-64 John K. Ambler, homme d'aff. brit., *Brigitte* (19-1-37) ép. 30-5-61 P[ce] Jean-Georges de Hohenzollern (31-7-32), 6e enfant du P[ce] Frédéric-Victor de H., chef de la maison princière de H., *Désirée* (2-6-38) ép. 5-6-64 baron Nicolas Silfverschöld (31-5-34), *Christine* (3-8-43) ép. 15-6-74 Tord Magnusson (7-4-41). **Oncles et tantes du roi.** 1°) *Sigvard, duc d'Uppland* (7-6-07) titré Cte Bernadotte (5-6-54) et Cte Bernadotte de (af) Wisborg par la Gde-Duchesse de Luxembourg. Par suite de son mariage 1° en 1934 avec Erika Patzeck, div. 1943, puis 2° en 1943 avec Sonia Helina Robbert, div. 2e fois, et 3° 1961 avec Gullan Marianne Lindberg (1924), perd ses droits de succession et n'appartient plus à la maison roy. Il a eu de son 2e mar. le Cte *Michel* Sigvard Bernadotte de (af) Wisborg (1944). 2°) *Ingrid* (28-3-10) ép. 24-5-1935 Frédéric IX de Danemark, alors P[ce] héritier. 3°) *Bertil, duc de Halland* (28-2-1912) ép. 7-12-76 Lilian Marie Davies (div. Craig) (n. 30-8-15), actrice galloise. 4°) *Charles-Jean, duc de Dalécarlie* (n. 31-10-16) titré Cte par la Gde-Duchesse de Luxemb. le 2-7-51 [Cte Charles-Jean *Bernadotte de (af) Wisborg*] ; ép. 1° (1946) Kerstin Elin Wijkmark (1910-87), 2° (1988) Ctesse Gunilla Marta Louise Wachtmeister (n. 12-5-23), perd ses droits de succession et n'appartient plus à la maison royale.

■ POLITIQUE

Statut. Royaume. Pays neutre. *Constitution* du 1-1-1975 abrogeant celle de 1809 (la plus ancienne d'Europe) ; réformes réduisant les pouv. du roi dep. 1968-69. Dep. 1975, le roi ne désigne plus le *PM* (c'est le Pt du Parlement qui le fait) et ne préside plus le Conseil des m. La responsabilité gouv. repose sur le parti de la majorité au *Parlement* ou *Riksdag* (310 m. élus au suffr. univ. dir. et 39 m. au suffr. proportionnel p. 3 a.). Dep. le 1-1-1980, le 1er enfant du roi (fils ou fille) est l'héritier de la couronne (même s'il s'agit d'une fille qui a un frère après elle). 24 *départements.* **Fête nat.** 6-6 (élect. de Gustave Vasa en 1523 et Constitution de 1809). **Drapeau** (1906, origine XVIe s.). Croix jaune sur fond bleu venant d'armoiries représ. 3 couronnes dorées sur fond bleu (1364).

Partis. *P. social-démocrate des travailleurs* (SAP), f. 1889, au pouvoir de 1932 à 1976 et dep. 1982 ; 300 000 m. (91) ; Pt Ingvar Carlsson. *P. du centre,* f. 1910, avant 1957, p. agrarien ; Pt Olof Johansson ; 220 000 m. *P. libéral,* f. 1902 ; Pt Bengt Westerberg ; 46 000 m. (87). *Rassemblement modéré,* f. 1904, issu de l'ancienne Organisation nat. de la droite, devenue ensuite le P. conservateur ; 140 000 m. (92) ; Pt Carl Bildt. *P. de gauche* (VP), f. 1917, dev. PC en 1921, 12 000 m. (92) ; Pt Gudrun Schyman. *P. chrétien-démocr.* (KDS), f. 1964 ; 27 000 m. ; Pt Alf Svensson. *P. écologiste* (Miljöpartiet de Gröna), f. 1981. *Démocratie nouvelle* (NYD), f. 1991, Pt Ian Wachtmeister.

Élections au Parlement du 15-9-1991. Votants 86,7 %. (sièges.) : Sociaux-dém. 138 s. ; Conserv. 80 s. ; Libér. 33 s. ; Centristes 31 s. ; KDS 26 s., NYD 25 s. ; Comm. 16 s.

RÉPARTITION EN % DES ÉLECTEURS

Année	*Conserv.*	*Libér.*	*Centre*	*Soc.-dém.*	*KDS*	*Comm.*	*Divers*
1932	23,1	12,2	14,1	41,7		8,3	
1940 [1]	18	12	12	53,8		4,2	
1948	12,3	22,8	12,4	46,1		6,3	
1956	17,1	23,8	9,4	44,6		5	
1958 [2]	19,5	18,2	12,7	46,2		3,2	
1964	13,7	17	13,2	47,3		5,2	3,6
1968	12,9	14,3	15,7	50,1		3	4,1
1970	11,5	16,2	19,9	45,3	1,8	4,8	0,5
1973 [3]	14,3	9,4	25,1	43,6	1,8	5,3	0,5
1976	15,6	11,1	24,1	42,7	1,4	4,8	0,4
1979	20,3	10,6	18,1	43,2	1,4	5,6	0,8
1982	23,6	5,9	15,5	45,6	1,9	5,6	3,8
1985	21,3	14,2	10	44,7	2,4	5,4	2
1988	18,3	12,2	11,3	43,2	2,9	5,8	6,2
1991	21,9	9,1	8,5	37,6	7,1	4,5	11,3 [4]

Nota. – (1) Furent considérées comme un vote de confiance pour le PM social-démocrate. (2) Él. extraordinaires sur la question des pensions, après dissolution du Parlement. (3) Depuis 1976, les immigrés peuvent voter aux élections départementales et communales. (4) NYD 6,7 %, Verts 3,4 %.

Premiers ministres (depuis 1932). **1932** Per Albin Hansson (soc.-dém.) **45**-*31-7* Tage Erlander (1901-85, soc.-dém.). **69**-*14-10* Olof Palme (30-1-27, soc.-dém. assassiné 28-2-86). **76**-*19-9* Thorbjörn Fälldin (24-4-26, P. du centre). **78**-*18-10* Ola Ullsten (23-6-31, libéral). **79**-*11-10* Thorbjörn Fälldin (24-4-26, P. du centre). **82**-*5-10* Olof Palme (1927-86, soc.-dém.). **86**-*12-3* Ingvar Carlsson (9-11-34, soc.-dém.). **91**-*15-9* Carl Bildt (15-7-49, P. modéré).

De 1932 à 1976 (avec interruption en 1936), les sociaux-démocr. ont gouverné seuls ou en coalition : de 1936 à 1939 avec Parti agrarien, de 1939 à 1945 en coalition quadripartite, et de 1951 à 1957 avec agrariens. En 1976, les 3 partis « non socialistes » [rassemblement des modérés (conservateurs), P. du centre et P. libéral] ont obtenu la majorité et formé le 1er gouvernement exclusivement « bourgeois ». (Fälldin). Ce gouv. a éclaté (dissensions au sujet du nucléaire). Le P. libéral a formé un gouv. minoritaire avec Ola Ullsten. Après élection de 1979, les non-socialistes ont formé un gouv. tripartite Fälldin. En 1981, le Rassemblement des modérés a quitté le pouvoir (dissensions sur système fiscal) puis les 2 partis du centre ont formé un gouv. Fälldin. Aux élec. de 1982, les sociaux-démocr. ont reconquis le pouvoir avec Olof Palme, puis l'ont perdu en 1991.

■ ÉCONOMIE

PNB (91) 27 700 $ par h. **Croissance** (%) *1989 :* 2,1 ; *89 :* 1,7 ; *90 :* 0,6 ; *91 :* – 1,3 ; *92 :* – *0,3.* **Pop. active** (%, en 88, entre parenthèses part du PIB en %) agr. 3,8 (3,4), ind. et mines 21,1 (24,4), services 68,8

(64,4), bât. 6,3 (7,8). 1 325 000 fonctionnaires (86) (32 % de la pop. active). **Chômage** (%) *91 :* 2,7, *93 (prév.) :* 6. **Absentéisme** 27,7 j. par an. **Taux de syndicalisation** (%) *1987 :* 84, *91 :* 81.

Inflation (%) *1988 :* 6,5 ; *89 :* 7,4 ; *90 :* 10,4 ; *91 :* 7,5 à 8,1 ; *92 :* 3,2 ; *93 (mars) :* 4,9 sur 1 an. **Dette extérieure** (91) 73,6 milliards de couronnes. **Dévaluation** *1981 :* 10 %, *oct. 82 :* 16 %. **Impôts 1991** *sur revenu :* taux max. 50 % ; *sur fortune :* 3 % (+ 28 % d'augmentation au 1-1-91). Pour des raisons fiscales, 14 % des travaux ne seraient pas déclarés, soit un chiff. d'aff. de 30 à 40 milliards (5 à 8 % du PNB), 100 000 mariages seraient simulés. **1993** abattement de base réduit de 2 500 cour. **Prélèvements obligatoires** (% par rapport au PNB). 56,4 en 1991. **Déficit budgétaire** (% du PNB) *1982-83 :* 13,1, *85-86 :* 7,2, *89-90 :* 0, *91-92 :* 0,2, *92-93 :* 14. **Aide au tiers monde** 1 % du PNB (14,5 Md de cour. en 92). **Réforme fiscale** (1992-93) baisse de TVA (1-1-92) de 25 à 18 % (sur alim. [ramenée à 21 % le 1-1-93], hôtel, restauration, tourisme, voyages) ; taxes sur plus-values de cessions d'actions et revenus de placements de 30 à 25 % ; droits de succession 60 à 30 %. Projet de suppression de l'impôt sur fortune en 1994.

Balance (en milliards de SEK). **Commerciale et, entre parenthèses, des services et transferts** *1989 :* 20 (– 48,2), *90 :* 22,4 (– 59,9), *91 :* 30,2 (– 55,3), *92 (fév.) :* 36,6 (– 56,5). **Des comptes courants** *1989 :* – 28,2, *90 :* – 37,5, *91 :* – 25,1, *92 (fév.) :* – 19,9.

Finances publiques (en milliards de SEK). **Budget annuel** (1993-94). Revenus de l'État 358,4, dépenses 520,7, déficit du budget 162,3, service de la dette 95. **Dette publique** (1993) total 900 dont emprunts à l'extérieur 74 (91).

Agriculture. *Terres* (%) : forêts 52,2, t. incultes 29,4, cult. 7, eaux 8,5. *Production* (milliers de t, 89) bett. à sucre 2 654 (90), orge 2 123, blé 2 143, avoine 1 584, pommes de t. 1 175, plantes oléifères 417, seigle 335. **Bois** 52,75 millions de m³ (88). La S. exporte 50 % des prod. de l'ind. forestière : pâte à papier. Élevage (milliers de têtes, 90). Poulets 6 588, porcs 2 077, bovins 1 718, moutons 405, chevaux 51 (81). Animaux à fourrure. Rennes 292. Pêche (91). 226 000 t.

Électricité (1990). 155 milliards de kWh, dont 65 nucléaire (49 % de la consomm. en 1988 ; 12 réacteurs au sud assurent env. 50 % de la prod.), projet de démantèlement de 2 unités (coût : de 21 à 46 Md de F), programme condamné à terme (1995 repoussé à 2010). 12 sociétés de prod. (Vattenfall, entr. pub., 11 000 agents, 50 % de la prod.), 304 entr. de distr. (2 000 en 1969). *Prix du kWh* 25 à 40 cent., hausse des prix. **Dépendance énergétique** (%) *1973 :* 78, *90 :* 55.

Mines (milliers de t, 1989) *Fer* [(teneur 65 %, la plus grande mine du monde à Kiruna (à ciel ouvert), Laponie)], minerai 21 578, lingots 2 638 (réserves 2,7 milliards de t), *pyrite* 429 (88), *zinc* 204, *plomb* 83 (88), *cuivre* 70, *argent.* Industrie. Mécan. [Volvo (90) 376 100 voitures], équip. élec., constr. navales, sidérurgie, ind. du bois, papier et pâte à papier, agroaliment. ind. chim.

Transports (km). *Routes* 415 000, *chemins de fer* 11 202 dont 7 395 électrifiés. Tourisme (89). 36 219 vis.

☞ **Répartition de la propriété des entreprises ind.** (en % : État coop. de consommation en italique, privé entre parenthèses ; effectif). *Mines :* 50 (50) ; 11 853. *Métall. et constr. méc. :* 3 *1,* (96) ; 457 340. Ind. extractives ; carrières, mat. de constr. : (100) ; 34 000. Ind. forestières : 3 *2* (95) ; 170 800. Ind. alim. : 4 *8* (88) ; 87 500. Ind. textiles : 1 (99) ; 36 683. Ind. chim. : 2 *3* (95) ; 79 300. Toutes industries : 4 *2* (94) ; 931 000. **Privatisations** (1992). 35 entr. (250 milliards de SEK). *Gain :* 10 milliards de SEK. *Secteurs :* élec., domaines, forêts doman., entr. publ. : groupes LKAB (mine de fer), NCP (bois-papier), Procordia et SSAB (sidérurgie, dont l'État détient 47,8 % du cap. et 60,4 % des droits de vote).

Expatriations de sociétés. De 1965 à 84, auraient fait perdre à l'État s. les 3/4 des sommes attendues avec l'impôt sur la fortune. *Exemples :* Ikea au Danemark, Tetra Pak en G.-B., financier Fredrik Lundberg en Suisse dep. 1985.

Commerce (Md de SEK, 90). **Exp.** 340 *dont (%)* machines et équip. de transp. 43,2, papier et carton 10,9, prod. manuf. divers 8,7, prod. chim. 7,4, acier et fer 5,9, pâte à papier 3,3, bois 3,3, prod. alim. 1,7 ; *vers* (%) All. féd. 13,8, G.-B. 10, USA 8,5, Norvège 8,2, Danemark 6,7, Finlande 6,7, *France 5,4,* P.-Bas 5,2. **Imp.** 323 *dont (%)* machines et équip. de transp. 38,3, prod. chimiques 9,4, *de* (%) All. féd. 19,3, USA 8,6, G.-B. 8, Norvège 7,9, Danemark 7,6, Finlande 6,8, Japon 5, *France 5,* Italie 4,2, P.-Bas 4.

Rang dans le monde (91). 9e bois, fer. 11e argent. 17e orge, cuivre.

SUISSE

Carte p. 1155. V. légende p. 884.

Nom. De Schwyz, un des cantons fondateurs. **Nom officiel** confédération suisse (mais le sigle CH Confederatio Helvetica est agréé pour plaques minéralogiques et codes postaux).

Situation. Europe. 41 293,2 km². **Frontières** 1 881,8 km enclaves comprises, avec Italie 741,3, *France 571,8,* All. 362,5, Autr. 164,8, Liechtenstein 41,1. **Long.** N.-S. 220,1 km. **Larg.** E.-O. 348,4 km. **Alt. max.** Pointe Dufour 4 634 m, *min.* Lac Majeur 193 m. **Village le plus élevé** Juf (Gr.) 2 126 m, **le plus bas** Ascona (Ti.) 196 m.

Lacs. **Naturels :** 1 600. **Artificiels :** 50. **Léman :** 582 km² (dont à la Suisse 343,4, France 239) [*grand lac :* 503 km², *petit lac :* 79. *Périmètre des rives :* 167 km dont nord 95, sud 72, rive française 54. *Larg. max. :* entre Amphion et baie de Morges : 13,8 km. *Long. :* axe Villeneuve-Genève : 73 km. *Altitude :* niveau de base : pierres du Niton (rive gauche du Rhône) 373,6 m au-dessus de la mer. Dep. 1892, régulé par le barrage du pont de la Machine à Genève : 372 m. *Prof. max. :* 309,7 m entre Évian et Ouchy. Petit lac : 78 m ; moyenne : 152,7 m. *Bassin d'alimentation :* 6 830 km². *Volume des eaux :* 88,9 milliards de m³ (dont petit lac 3,3). *Iles artificielles* (hauts-fonds consolidés) : îles Laharpe, 5 000 m², de Peilz 77, la Roche-aux-Mouettes 1 600. *Seiches :* rapides variations de niveau, quelques minutes à une heure ; quasi quotidiennes, dues à une brusque dépression causée par vent ou à l'augmentation de la pression atmosphérique comprimant la nappe. L'eau s'abaisse, une onde se forme qui traverse le lac jusqu'au bord opposé, où le niveau monte ; haut. exceptionnelle (20-8-1890) : 0,63 m. *Marées :* semi-diurnes de quelques mm, aux extrémités de la nappe. *Brouillard :* 19 j/an à Genève, 15 à Lauzanne. 1953 : du 9-11 au 16-12. *Niveau :* jusqu'en 1713 : nappe à écoulement libre. XVIIIe s. : Genève établit des barrages pour alimentation en eau et pour force motrice pour industrie textile, d'où procès opposant cantons de Vaud et du Valais (1877 et 84) ; construction des barrages à rideaux mobiles du pont de la Machine. *Régime :* max. normal 372 m, min. 371,7 m (371,5 m dans les années bissextiles). *Frontière :* passe par le milieu du lac. *Convention franco-suisse :* 25-2-1953. *Bateaux à moteur :* + de 26 000 embarcations immatriculées, 11 617 points d'amarrage (Suisse 9 877, France 1 736). *Mouvements des eaux : couche profonde ou hypolimnion* 200 m de prof. env. jusqu'au fond (15 % du volume total des eaux, renouvellement en 20 ans), *moyenne ou métalimnion* entre 50 et 200 m de prof. (55 % de la masse liquide, renouvellement en 10 ans), *supérieure ou épilimnion* 50 m à la surface, la plus agitée sous l'effet des vents, des variations brusques de température et de l'évaporation. *Vagues :* dues aux vents, except. : 2,50 m entre crête et creux (moy. : 1,50 m en eau profonde pour une vitesse de 5 m). *Température :* (20 à 30 m de prof. dans le grand lac) *été* (juillet-août) 20 °C en moy. ; *hiver* env. 4 °C].

Autres lacs : Constance 541 km² (profondeur max. 252 m), Neuchâtel 218 (153), Majeur 212 (372), Quatre-Cantons 114 (214), Zurich 90 (143), Lugano 49 (288), Thoune 48 (217), Bienne 40 (74), Zoug 38 (198), Brienz 30 (261), Walenstadt 24 (144), Morat 23 (46).

Glaciers. 140 (1 556 km²) dont Aletsch 117,6, Gorner 63,7, Fiesch 39.

Cours d'eau (long. en Suisse, en km). 42 000 dont Rhin 375, Aar 295, Rhône 264, Reuss 159, Linth-Limmat 140, Sarine 129, Thur 125, Inn 104.

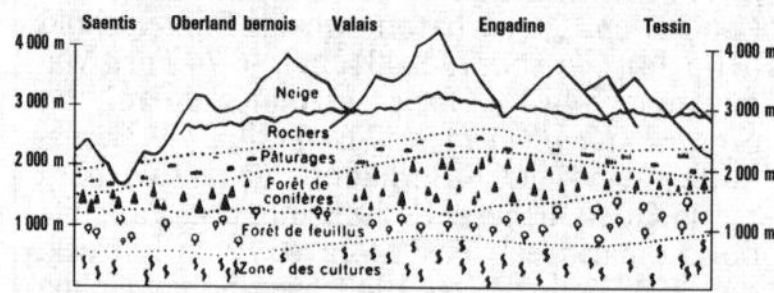

Régions. **Alpes** (70 %) séparées par vallées du Rhône et du Rhin supérieur, en 2 chaînes : N. (Dents du Midi, Alpes bernoises, des Quatre-Cantons et glaronaises) et S. [Mt Blanc, Alpes valaisanes, tessinoises, groupe de l'Adula prolongé vers l'E. par 2 chaînes de l'Engadine N. et S., de part et d'autre de la vallée de l'Engadine (long. 90 km, larg. 2 km)].

Jura (10 %, alt. max. Mt Tendre 1 679 m) : altern. de synclinaux et d'anticlinaux parallèles et réguliers (monts et vaux) coupés par des vallées transversales (combes).

Plateau suisse (Mittelland, entre Alpes et Jura). Non plissé au N. (dépôt de mollasses du Miocène), plissé au S. (collines préalpines ; altitude maximale Napf 1 408 m).

Climat. Tempéré ; méditerranéen au S. des Alpes ; semi-méd. avec influence océanique autour du Léman ; continental au N.-E. ; semi-cont. avec infl. océanique au N.-O. La temp. moy. diminue de 0,59 °C par 100 m d'altitude (1 °C pour 177 m d'alt.). Une grande partie du territoire peut être classée comme de climat *alpestre.* Le *fœhn* venu de l'Adriatique, frais et humide sur les pentes S. des Alpes, devient sec et chaud en redescendant les pentes N., par suite d'un phénomène de compression ; il contribue à élever la température moyenne dans les régions montagneuses de Suisse et d'Autriche. Il souffle en moy. 34 j par an (hiver 9, printemps 11, été 4, automne 10).

■ DÉMOGRAPHIE

Population (en millions). *1600 :* 1,1, *1930 :* 4,05, *1950 :* 4,69, *1980 :* 6,37, *91 :* 6,87, *prév. 2000 :* 6,81, *2005 :* 6,88. **Age** – *de 19 a. :* 24 %, + *de 65 a. :* 15 %. **Espérance de vie** 78 a. D 166 (250 en ne tenant compte que du terr. habité de façon permanente). **Taux** (‰, 1991) *naissances* 12,7 ; *décès* 9,2 ; *mariages* 7 [Suisse-Suissesse 29 939, Suisse/Étr. 9 156, Étr./Étr. 4 625, Étr./Suissesse 3 847]. *Divorces* (91) 13 627.

Étrangers (en milliers). *1880 :* 211 (7,5 % de la pop.), *1910 :* 552 (14,7), *30 :* 356 (8,7), *50 :* 285 (6,1), *60 :* 585 (10,8), *64 :* 1 065 (16,8), *71 :* 1 000 (17), *85 :* 940 (14,6 ; 22,3 % de la pop. active), *91 :* 1 191 (17,3) dont (% : Italiens 32, Youg. 14,5, Espagnols 9,7, Portugais 8,5, Allem. 7,2, Turcs 6, *Français 4,4,* Autrichiens 2,4, Anglais 1,6, Hollandais 1, Américains 0,9, Grecs 0,7, Vietnamiens 0,6, Belges 0,5, Polonais 0,5, Tchèques 0,5, autres pays 2,6), actifs 947 (frontaliers 183). **Demandes d'asile** (milliers) *1988 :* 30, *89 :* 40 106, *90 :* 57,9 (90 % des demandeurs rentrent clandest.), *92 (prév.) :* 100. **Acquisitions de la citoyenneté suisse** *1985 :* 14 393, *86 :* 14 416, *87 :* 12 370, *88 :* 11 356, *89 :* 10 342, *90 :* 8 658, *91 :* 8 757 dont naturalisations 5 346 (dont ordinaire 4 994, réintégrations 67, facilitées 285), reconnaissances de citoy. 225, mariages avec citoyen suisse 2 647, adoptions 539.

Mesures prises. 1977, par référendum, les Suisses repoussent par 1 182 820 v. contre 495 904 un projet proposant de réduire le % d'étrangers vivant en Suisse à 12,5 %. La limitation à 4 000 par an des naturalisations est aussi rejetée. *Dep. 1980,* la S. cherche à stabiliser le nombre des étrangers. Certains ont une autorisation de séjour à l'année, d'autres une autorisation d'établissement (pouvant alors résider en S. pour une durée illimitée et exercer librement une activité lucrative). **1988** (déc.) permis annuels 238 600, d'établissement 753 400, saisonniers 76 200, frontaliers 142 300, fonctionnaires internat. 26 200. Référendum : limitation de l'immigration rejetée par 67,3 % des voix.

☞ Naturalisation ordinaire : justifier de 12 ans de séjour en Suisse, dont 3 au cours des 5 années qui précèdent la requête (les années entre 10 et 20 ans comptent double). Il sera également examiné si le requérant s'est intégré à la communauté s. et s'est accoutumé au mode de vie et aux usages s. Dep. le 1-1-1992, l'étranger n'acquiert plus automatiquement la nationalité suisse par mariage. Les enfants d'un Suisse ou d'une Suissesse sont suisses dès leur naissance, quelle que soit la nationalité de l'autre parent (procédure éteinte en 1992).

Suisses établis à l'étranger (89). 456 025 [dont 306 133 avec double nationalité, 149 892 avec nationalité suisse seulement], dont en Europe 276 778, Amér. 127 142, Australie et Océanie 19 512, Afrique 17 864, Asie 14 729. *De 1850-88 :* 290 000 Suisses ont émigré ; à partir de 1890, le mouvement se renverse.

Env. 1 000 000 de soldats s. servant à l'étranger sont morts au combat de la fin du Moyen Age aux g. napoléoniennes (voir Index). Le régiment des gardes suisses joua un rôle capital au début de la Rév. fr. Des gardes suisses assurent depuis des siècles la protection du Vatican.

Villes [en 1990 et, entre parenthèses, agg. en 86]. *Berne* 135 543 h. (301 316), Zurich 345 215 (840 313) (à 95 km), Bâle 171 888 (363 029) (67 km), Genève 169 491 [382 000 (85)] (127 km), Lausanne 124 746 (262 217), Winterthur 86 143 (107 812), St-Gall 74 136 (125 879), Lucerne 60 035 (160 594), Bienne 52 736 (82 544), Thoune 38 124 (77 536), La Chaux-de-Fonds 36 272, Köniz 35 925, Schaffhouse 34 327 (53 902), Fribourg 34 322 (56 839), Neuchâtel 33 060 (66 142), Coire 30 975.

Langues **(en %).** *Nationales :* allemand 65, français 18,4, italien 9,8, romanche 0,8. *Autres* 6. **Langues parlées :** *allemand* 4 140 901 (dont Suisse 3 986 955), *français* 1 172 002 (1 088 223), *italien* 622 226 (241 758), *romanche* 51 128 (52 238), *autres* 379 203 (53 812).

Nota. – La limite du français et de l'allemand, qui était sur l'Aar au Ve s., a reculé sur la Sense au IXe s.,

la Sarine au XIIIe s., la Thielle au XVIIIe s. Dans la hte vallée du Rhône, Brigue est devenue germanophone au IXe, Raron et Visp au XIIIe, Loèche et Sion (enclave) au XVIIIe. On distingue 12 patois *franco-suisses* dont aucun n'est une langue écrite et publiée (sauf pamphlet et satire) et 6 dialectes *germano-suisses* (alémaniques) utilisés, notamment dans la presse (80 % des germanophones utilisent couramment un dialecte local). Depuis 1945, une langue suisse alémanique commune, le *Schwyzerdütsch,* s'impose à côté des 6 dialectes locaux.

Le *romanche* est un parler « rhéto-roman » divisé en romanche proprement dit (Grisons) et en *ladin* (Engadine). Les tribus de la Rhétie étaient en grande partie celtiques et le romanche moderne est une langue celto-latine, avec une phonétique voisine tantôt des langues d'oïl, tantôt des langues d'oc (différente des dialectes italiens de Lombardie). Le vocabulaire a emprunté de nombreuses racines aux anciens parlers indo-européens des Rhètes (groupe illyrien, proche de l'albanais moderne).

Religions (1980). *Protestants* 2 822 266 (dont Suisses 2 730 111) (44,3 %) ; *Catholiques romains* 3 030 069 (2 364 670) (47,6 ; Appenzell Rhodes-Intérieures 90) ; *non romains* 16 571 (15 675) (0,3). *Israélites* 18 330 (12 201) (0,3). *Autres* 478 724 (298 329) (7,5).

Histoire

V. 12000 av. J.-C. présence de chasseurs magdaléniens [faible densité, sauf dans l'Appenzell, très giboyeux (grottes de Wildkirchli)]. **De 2000 à 1000 av. J.-C.** des Ligures (bûcherons) construisent de nombreux villages sur pilotis (palafittes, dits à tort « cités lacustres »). **Après 1000** les Celtes (civilisation de Hallstatt, 1er âge du Fer) se mêlent aux Ligures : les guerriers occupent des éperons rocheux fortifiés, leurs fiefs, des villages enclos au pied des collines. **500-100** civilisation de *La Tène* (2e âge du Fer), village s., au bord du lac de Neuchâtel, péage gaulois (tribu des Séquanes). **105** les Helvètes chassés du bassin du Main (All.), par les Germains, tentent de s'installer en Aquitaine, à la suite des Cimbres et Teutons. Après la défaite de ceux-ci, se fixent sur le Plateau s. qui prend le nom d'*Helvétie ;* la région du Main est nommée « Désert des Helvètes ». **58** 363 000 (?) Helvètes quittent la S. pour coloniser la Saintonge. Battus par César à Bibracte chez les Éduens, ils sont refoulés sur le Plateau s., réduits à 110 000.

57 av. J.-C.-407 après J.-C. période romaine : le Plateau s. forme la cité des Helvetii, cap. Aventicum (Avenches). Au N.-E., cité des Rauraci, cap. Vindonissa (Windisch). Bâle (Basilea) fondée. Au S.-E., dans les montagnes, province celto-illyrienne de Rhétie, cap. Curia (Coire). **381** 1re mention d'un évêque suisse, Théodore, év. d'Octodurum (Martigny). **Après 407** Alamans occupent Helv. orientale jusqu'à l'Aar (les 2/3). **443** Burgondes installés comme colons en Helv. occidentale (1/3). **496** Francs, maîtres de l'All., battent Alamans et annexent Helv. alémanique à Franconie. **532** roy. des Burgondes annexé à Francie occidentale (reste romanophone). **614** St Gall (Irlandais) fonde l'abbaye de ce nom, future principauté. **843** *tr. de Verdun,* Helv. alémanique fait partie du duché d'Alémanie (roy. germ.) ; Burgondie, de la Lotharingie. **888** démembrement de l'Empire carolingien : partie lotharingienne de la S. appartient au roy. de « Bourgogne Transjurane » de Rodolphe, Cte d'Auxerre, puis (933) au roy. d'Arles. **934** Rodolphe II achète roy. d'Arles, et englobe Bourg. Transj. dans roy. de Bourg.-Provence.

1033 emp. Conrad II hérite du roy. de Bourg.-Pr., désormais rattaché à l'Empire germ. **1097** ducs de Zaehringen deviennent recteurs de Bourg. **1191** Berthold V fonde Berne. **1205** l'abbé de St-Gall P^ce^ d'Empire ; son fief comporte l'Appenzell. **1218** extinction des Zaehringen : leurs fiefs bourg. et alémaniques (50 % de la Suisse, du Léman au lac de Constance) passent aux C^tes^ de Kybourg, puis, par mariage, aux Habsbourg. Berne, Zurich et Soleure obtiennent l'immédiateté impériale (c.-à-d. le privilège de relever directement de l'emp.) ; Genevois et Bas-Valais sont aux C^tes^ de Savoie. **1231** vallée d'Uri reçoit l'immédiateté impériale, échappant à la suzeraineté des Habsbourg. **1240** emp. Frédéric II accorde immédiateté impériale à Schwyz. **1273** Rodolphe de Habsbourg devient emp. et remet en cause immédiatetés suisses. **1291**-*1-8 serment du Grutli :* alliance perpétuelle des pays d'Uri et de Schwyz (immédiats) avec moitié de l'Unterwald (Nidwald), non immédiat, fief des Habsbourg. Plus tard, l'autre moitié de l'Unterwald (Obwald), non immédiat, s'y joint. Combat contre les Habsbourg pour maintenir immédiateté de Schwyz et Uri, et la faire obtenir à Unterwald. **1298** Bernois vainqueurs des vassaux habsbourgeois (notamment milices de Fribourg) à Donnerbühl et près d'Oberwangen ; Petite Alliance entre Berne, Bienne, Morat et Soleure.

1307-*10-11* épisode de *Guillaume Tell* [milicien condamné par le bailli habsbourgeois Gessler (pour avoir refusé de le saluer) à faire tomber d'un coup de flèche une pomme placée sur la tête de son fils ; même anecdote racontée par les sagas norvégiennes (XIe s.) ; reconnu légendaire, cet épisode a été retiré des manuels d'histoire en 1901]. **1309** l'emp. élu Henri VII de Luxemb. accorde immédiateté à Unterwald (sous forme d'un pseudo-« renouvellement »). **1310-14** Schwyzois prennent bailliage autr. d'Einsiedeln. **1315**-*15-11* victoire des Confédérés à Morgarten. *-9-12* renouvellement de l'alliance (à Brunnen). **1323** 1re alliance de Berne avec Unterwald pour 3 a. **1332**-*7-11* Lucerne entre dans la Confédération. **1339** *g. de Laupen :* la noblesse bourguignonne et Fribourg essaient de freiner l'accroissement de Berne. Ils sont battus par Rodolphe d'Erlach le *21-6.* **1342** Cte de Savoie acquiert Sion ; Ht-Valais reçoit un comte-évêque savoyard. **1343** *« Nuit sanglante »* de Lucerne ; parti des Habsbourg anéanti. **1350** *« Nuit sanglante »* à Zurich. Occupation de Rappers-wil par Zurichois. **1351** Zurich, entrée le 1-5 dans la Confédération, assiégée par duc Albert. **1352**-*4-6* Glaris admis avec droits restreints dans la Conf. ; Zoug le *27-6.* **1353**-*6-3* Berne entre dans Conf. comme 8e membre (sans s'allier avec Zurich ni Lucerne). **1354** nouveau siège de Zurich. **1355** *paix de Ratisbonne.* **1367** soulèvement des Grisons contre Cte-évêque de Coire (fondent Ligue de la Maison-Dieu *1367,* transformée en Ligues grisonnes *1395,* élargie *1424*). **1375** les *« Gouglers »,* entrés dans le pays à la suite d'une querelle d'héritage avec l'Autr., sont battus à Buttisholz, Fraubrunnen et Anet. **1382** g. contre les Kybourg : Jean Roth déjoue coup de main contre Soleure. **1383** Bernois assiègent Berthoud et l'achètent aux Kybourg **(1384). 1384-1425** soulèvements dans le Valais contre occupation savoyarde et absolutisme des C^tes^-évêques de Sion. Obtention de chartes communales. **1386** *g. de Sempach* [à Sempach (9-7) le duc d'Autriche, Léopold, est tué avec 110 seigneurs suisses pro-habsbourgeois]. Zurichois attaquent Rapperswil, Schwyzois prennent Einsiedeln. **1388** *massacre de Weesen ;* vict. des Glaronnais à Næfels. **1389** paix de 7 a. avec Autr. : transformée en paix de 20 a. en 1394, de 50 a. en 1412, perpétuelle en 1474 : reconnaissance comme État souverain dans l'Emp. de la « Ligue des 8 cantons » [Zurich accepte d'abord l'alliance avec Berne ; puis son maire, Schöno, quitte la Ligue et s'allie avec l'Autriche *(1393-95),* réintègre la *Ligue (1395)*]. **1393** *« Convenant de Sempach »,* 1re loi milit. suisse, assurant la protection des civils.

1401-29 *g. d'indép. de l'Appenzell* [alliance avec la ville de St-Gall (1401) contre le P^ce^-abbé ; victoire des Appenzellois à Vögelinsegg (1403), au Stoss (1405) ; déf. de Bregenz (1408) ; entrée dans la Conf. comme État protégé (1411) ; indép. reconnue par P^ce^-abbé (1429)]. **1403-40** *politique du Gothard :* g. contre duc de Milan et conquête de la Léventine et du Val d'Ossola (1426) malgré la déf. d'Abedo (1422). **1405** *grand incendie de Berne.* **1414-18** concile de Constance met un terme au schisme d'Occident. **1415** Frédéric de Habsbourg, partisan du pape schismatique Jean XXIII, mis au ban de l'Emp. : les confédérés envahissent Argovie autr. **1436** Ligue des Dix Juridictions fondée à Davos (8-6). **1436-50** 1re g. de Zurich [Alter Krieg, « vieille g. » (par opposition à celles de 1529-31)] : l'héritage du Cte de Toggenbourg oppose Zurich aux autres cantons. Ses troupes sont battues en **1443** à St-Jacques-sur-la-Sihl. **1444** massacre de Greifensee. *-26-8* déf. de St-Jacques-sur-la-Birse : le dauphin (futur Louis XI) appelé par les Autr. au secours de Zurich assiégée, écrase Confédérés, puis signe avec eux une alliance. Zurich délivrée réintègre la Conf. **1450** paix (répartition entre cantons des fiefs Toggenbourg). **1451** le P^ce^-abbé de St-Gall entre dans la Conf. **1460** profitant de la querelle entre pape et duc Sigismond, les Conf. prennent Thurgovie (annexée **1468**). **1474-77** Berne entraîne Conf. dans g. de Bourgogne. **1474** paix perpétuelle avec Autr. ; bailli Hagenbach exécuté. **1475**-*13-10* vict. de la Planta : Savoyards chassés du Valais. **1476** Charles le Téméraire vaincu le *-2-3* à *Grandson,* le *22-6* à *Morat ;* tombe devant Nancy en **1477. 1478** expédit. vict. contre Bellinzone. Milanais battus à Giornico. **1481**-*22-12* entrée de Fribourg et de Soleure dans Conf. **1498** Grisons, hostiles au Tyrol, deviennent pays allié. **1499** *g. de Souabe,* après le refus des Suisses de reconnaître la Chambre imp. de justice et de payer le denier commun. Vict. de Bregenz, Luziensteig, Bruderholz, Schwaderloh, Frastenz, Calven et Dornach. - *22-9 tr. de Bâle :* cantons cessent de dépendre des tribunaux et des services fiscaux de l'Emp. (indépendance de fait).

1501 Bâle et Schaffhouse entrent dans la Conf. : neutralité dans la g. d'Italie (Frédéric II/Louis XII). **1511** Matthieu Schinner, év. de Sion, conclut alliance pape et Conf. pour chasser Fr. de Milan. **1512** conquête de Milan ; duc Sforza se met sous le protectorat des S. et leur donne Tessin et Valteline. **1513** vict. de Novare. Appenzell devient 13e canton. **1515** défaite Suisses à Marignan imposent leur neutralité ; Mulhouse s'allie à la Conf., tout en restant ville impériale. **1516** *paix perpétuelle avec Fr.* **1519** Zwingli commence à prêcher à Zurich. **1523** 67 thèses de Zwingli : Réforme introduite à Zurich ; **1524** en Thurgovie, à St-Gall (P^ce^-abbé chassé), Bâle, Schaffhouse, Soleure et Berne. **1527** sac de Rome : mort héroïque de la Garde pontificale suisse. **1528** Berne, Glaris, St-Gall, Schaffhouse adoptent Réforme. **1529** *1re g. de religion (g. de Cappel :* paix de compromis entre cath. et zwingliens). **1531** *2e g. de Cappel,* provoquée par Zwingli, réclamant droit de prêcher dans cantons cath. ; mort de Zwingli ; 2e paix nat. [cath. maintiennent leurs positions (P^ce^-abbé de St-Gall rétabli)]. **1536** Calvin introduit Réforme à Genève ; Jean-Fr. Nageli conquiert canton de Vaud. **1541** Calvin fonde à Genève un régime politico-religieux d'une grande austérité. **1555** l'Aragonais Michel Servet, antitrinitaire, exécuté. **1569** *tr. de Thonon :* Savoie renonce au Valais. **1584-86** *alliance perpétuelle* (Genève, Berne et Zurich). **1586**-*5-10* la *Ligue Borromée,* ou *Ligue d'Or* réunit les 7 cantons cathol. [nom du card. Charles Borromée (1538-84), archev. de Milan, qui avait eu le Tessin sous sa juridiction]. **1597** Appenzell partagé en 2 demi-cantons (Rhodes-Extér. prot., Rh.-Int. cathol.).

1620-39 *g. de la Valteline* [épisode de la *g. de Trente Ans (1618-48)*: **1620** conquête par les Esp. ; massacre des prot. (600 †) ; **1624-27** : conquête par les Fr. (alliés des Grisons) ; **1627-31 :** reprise par Esp. et troupes pontificales. **1635-37 :** reconquise par Fr. ; **1639** attribuée aux Grisons (condition : maintien du catholicisme)]. **1647** « Défensional de Wil », Constitution milit. suisse complétée en 1668. **1648** paix de Westphalie, l'indép. des cantons vis-à-vis de l'Emp. all. est reconnue juridiquement ; Neuchâtel érigé en principauté souveraine, mais le Pce-abbé de St-Gall devient Pce suisse ; Mulhouse, cessant d'être ville impériale, devient, de fait, une rép. suisse. **1653** *g. des paysans :* Nicolas Leuenberger et Christian Schybli exécutés. **1656** *1re g. de Villmergen :* cantons cath. conservent leurs positions. **1663** alliance de cantons conf. avec Louis XIV. **1685** révocation de l'édit de Nantes : huguenots affluent.

1707 principauté de Neuchâtel attribuée à la maison de Prusse. **1712** *2e g. de Villmergen* (troubles du Toggenbourg) : influence des cantons prot. ; dans les bailliages communs, principe de la parité. **1715** *« Trucklibund » :* alliance des cantons cath. avec Fr. [modifié en 1777 par Vergennes (*tr. de Soleure*) : tous les cantons (cath. et prot.) alliés.] **1721-84** soulèvements contre patriciats : **1721** paysans du Werdenberg contre Glaris ; **1723** Major Davel à Lausanne ; **1740** Pierre Péquignat à Porrentruy ; **1749** « Bürgerlärm » à Berne (Samuel Henzi) ; **1754** en Léventine ; **1781** révolte des paysans fribourgeois (Chenaux). **1729-84** luttes pour le pouvoir à Zoug, Lucerne, Schwyz, Appenzell, Rhodes-Int. **1792**-*10-8* défense de la Garde suisse aux Tuileries. *-19-11* Rép. rauracienne (Porrentruy). **1793**-*10-3* son Assemblée vote pour la réunion à la Fr. **1794-95** Affaire de Stäfa. Réconciliation avec abbaye de St-Gall. **1797** Pierre Ochs, César de La Harpe et Mengaud travaillent au renvers. de la Conf. Bonaparte occupe Valteline et l'incorpore à la *Rép. cisalpine,* fait occuper l'évêché de Bâle. **1798** Fr. annexent Mulhouse et occupent pays de Vaud, Soleure et Fribourg. Dernière diète à Aarau. *-5-3* chute de Berne (Neuenegg, Fraubrunnen, Grauholz) : écroulement de l'ancienne Confédération. **1798-1803** *Rép. helvétique* (État unitaire) : lutte contre la résistance des cantons montagnards. **1798**-*9-9 « Jour d'horreur »* dans le Nidwald. Pestalozzi à Stans. **1799** révoltes contre gouv. helvétique. La S., théâtre des g. européennes.

1802 Gal suisse Andermatt fait bombarder Zurich ; gouv. helvétique expulsé après la *« g. des Bâtons » (Stecklikrieg).* Luttes entre unitaires et fédéralistes. **1803** Acte de Médiation : Conférence des 19 cantons avec Bonaparte comme médiateur (St-Gall devient canton laïque ; le dernier Pce-abbé, Pancrace, exilé à Muri). **1804** *G. du Bocken* (troupes féd. contre paysans révoltés d'Affoltern et Horgen). **1810** Napoléon annexe Valais à la Fr. **1812 :** 8 000 Suisses meurent dans la retraite de Russie (Berezina). **1813** suppression de l'Acte de Médiation. **1814-15** *« Longue Diète de Zurich »* et nouveau pacte fédéral : rétablissement des pouvoirs aristocratiques et de l'ancienne conf. d'États. **1815** *Congrès de Vienne :* Genève, Valais et Neuchâtel [qui demeure fief personnel du roi de Prusse (statut mixte)] entrent dans la Conf. Reconnaissance de la neutralité s. Perte de Valteline, Mulhouse et val d'Ossola. Genève annexe 6 communes fr. (Pays de Gex) et obtient la franchise douanière dans une zone d'env. 2 000 km² au Pays de Gex et en Hte-Savoie. L'ancien évêché de Bâle intégré au canton de Berne (Jura bernois). **1816** *tr. de Turin.* Genève annexe 16 communes savoyardes. **1830** le Mémorial de Küsnacht réclame « la souveraineté populaire par la représentation populaire » : renversement des patriciats [Thurgovie, Zurich (journée d'Uster), St-Gall, Lucerne, Soleure, Schaffhouse, Argovie, Vaud], nouvelles Constitutions libérales. **1831** frères Schnell convoquent l'assemblée pop. de Münsingen ; patriciens bernois cèdent la place à un gouv. libéral. Troubles à Bâle, qui se sépare en 2 demi-cantons. **1839** affaire Strauss et putsch de Zurich ; gouv. et Gd Conseil zur. remplacés par des libéraux conserv. **1841** Lucerne se donne une Constitut. conservatrice. Suppression des couvents d'Argovie et expédition de « corps francs » contre Lucerne, alliance des cantons conservateurs. **1844** combat du Trient : le Ht-Valais cons. dirige le canton. Lucerne rappelle les jésuites. **1845** 2e expédition des corps francs contre Lucerne, soutenue par les cantons libéraux (déf. de Malters : 104 †, 1 800 pris.). Alliance de la S. primitive avec Fribourg et Valais. **1847** Diète à Berne : réforme du Pacte fédéral, suppression du Sonderbund, expulsion des jésuites. Gal Henri Dufour (100 000 h.) termine en 26 j la *g. du Sonderbund* contre Gal de Salis-Soglio [85 000 h. (pertes : fédérales 78 †, 260 bl., séparatistes 24 †, 116 bl.)]. **1848** nouv. Constitut. fédérale acceptée. Soulèvement et victoire des républicains dans la principauté de Neuchâtel. **1856** coup de main des royalistes prussiens à Neuchâtel ; contre-attaque des rép. La Prusse menace d'entrer en g. ; Napoléon III intervient. **1857**-*26-5* roi de Prusse renonce à ses droits (tr. de Paris). **1856-70** mouvements pop. contre libéraux-radicaux (*1856,* Soleure ; *1861-64* Genève, renvers. de la dictature Fazy ; *1864* Bâle-Campagne, où pour la 1re fois le référendum obligatoire et le droit d'initiative sont introduits ; *1867* Zurich ; suivent jusqu'en *1870 :* Thurgovie, Argovie, Soleure, Lucerne, Berne ; plus tard, référendum obligatoire ou facultatif, droit d'initiative et élection directe du gouv. sont également adoptés par autres cantons). **1859** interdiction du service mercenaire. **1860** malgré le tr. de 1564 et les revendications suis., la Savoie est rattachée à la Fr. ; la zone franche savoyarde (Chablais et Faucigny) est maintenue sous régime français. **1862** accord avec la Fr. sur la vallée des Dappes. **1864**-*22-8 1re Convention de Genève* (12 États signataires, but : amélioration de la cond. des mil. blessés). **1868** 1re grève en S. (Genève). **1870-71** g. franco-all. : troupes s. occupent frontière. Internement de l'armée fr. de Bourbaki (100 000 h.). **1871** *Kulturkampf* [ou « combat pour la civilisation », anticatholique de Bismarck, en All., influence en Suisse (Berne, Soleure, Genève)] : un régime conservateur remplace le gouv. libéral à Lucerne puis au Tessin en 1875. **1874** nouvelle Const. féd., favorable à un renforcement de la centralisation, acceptée. **1875** tribunal féd. créé à Lausanne. **1883** fin du *Kulturkampf.* **1890** soulèvement au Tessin contre conservateurs : intervention de la Conf. et introduction du système proportionnel. **1893-95** g. douanière avec Fr. [la Chambre des dép. fr., gagnée au protectionnisme, rejette le tr. de commerce (conclu en juill. 1892) détaxant certains produits s. La S. riposte en surtaxant les produits fr.].

1909-*11* séparation de l'Égl. et de l'État à Genève et à Bâle-ville. **1914-18** mobilisation sous les ordres du Gal Wille. **1918** grève gén. **1919**-*8-11* système proportionnel pour élect. au Conseil nat. ; semaine de 48 h dans entreprises industrielles. **1920** entre à la SDN [référendum (416 870 oui, 323 719 non)] ; principe de neutralité confirmé par la *déclar. de Londres.* **1921** création de l'Office du travail. **1924** convention arbitrale avec Fr. au sujet des zones franches de Savoie. **1925** fondation de *Migros* (transformée en coopérative en 1940) par Gottlieb Duttweiler (1888-1962). **1929** adhésion au pacte Kellog : renonciation au recours à la g. **1931** la Cour intern. de La Haye soutient la plainte suisse au sujet de la Savoie. **1932**-*9-11* émeute à Genève : 13 † (la droite avait organisé un meeting contre 2 révolutionnaires genevois : Léon Nicole et Dicker ; les socialistes les attaquent, la police tire ; Nicole est arrêté). **1936** dévaluation du franc. **1939-45** mobilisation sous les ordres du Gal Guisan (1874-8-4-1960). **1940** internement de troupes fr. et polon. **1943** 1er conseiller féd. socialiste : Ernest Nobs. **1945** fin 2e g. mond., démobilisation ; la S. ayant été déçue par la SDN et s'estimant empêchée par son statut de neutre, renonce à organiser un référendum sur une entrée éventuelle à l'ONU. **1950** adhésion à l'OECE. **1959** adh. provisoire au GATT ; vote des femmes adopté (Vaud, puis 1960 Neuchâtel et Genève). **1960** adhésion à l'AELE. **1961** à l'OCDE. **1963** au Conseil de l'Europe. **1971**-*7-2 référendum pour vote des femmes* en matière d'él. et de votation féd. (621 109 oui, 323 882 non) ; Uri, Schwyz, Obwald, Glaris, St-Gall, Appenzell ont une majorité de non. *-30/31-10* les femmes votent aux législatives. *-3-12* référendum sur l'accord de libre-échange pour prod. ind. avec la CEE : votants 52,9 %, 1 344 994 pour, 509 465 contre. **1972**-*22-7* signature accords avec CEE (*3-12* approuvée par vote). **1974**-*20-10* référendum sur projet de loi visant à ramener en 3 a. de 1 million à 500 000 le nombre d'étrangers en S. : double rejet par 1 691 632 voix (65,79 %) contre 878 739 (34,21 %) et les 22 cantons. *Mai* à Zurich, contestation des jeunes (origine : protestation contre une subvention de 150 millions de F à l'Opéra) ; bagarres chaque week-end jusqu'à mars 81. **1977** référendum : peuple et cantons adoptent, 976 839 voix contre 504 924, le recours au référendum pour certains traités importants. **1978**-*24-9 création du canton du Jura.* **1979** *référendum :* rejet du droit de vote à 18 ans au niveau fédéral (au lieu de 20).

1980 *mars* référendum refusant séparation Église/État. **1981**-*5-4* réf. rejetant par 83,8 % de non un projet de réforme du statut des immigrés. *-14-6* réf. acceptant projets sur l'égalité entre hommes et femmes et la protection des consommateurs. **1982**-*6-6* réf. rejetant projet de loi sur travailleurs étrangers. **1983**-*14/16-4* visite du Pt Mitterrand (1re visite off. d'un Pt fr. dep. Fallières les 15/16-8-1910). **1984**-*28-2* réf. sur projets : relatif aux objecteurs de conscience (64 % non) ; *-20-5* limitant secret bancaire (73 % non) ; *-12/17-7* Jean-Paul II en S. *-23-9* réf. antiatomique et énergétique (55 % non) ; *-2-10 Elisabeth Kopp* (n. 1936), radicale 1re femme élue conseillère féd. (124 v. contre 95 à Bruno Hunziker). Devient min. de la Justice, démissionnera le 12-12-88 (aurait averti son mari d'enquête sur le « blanchiment » de 1 million de $ venant de la drogue) et devra renoncer au poste de vice-pte de la Confédération prévu en 1990 ; sera acquittée (simple amende) le 2-2-90. *-2-12* réf. concernant assurance maternité (84 % non). **1985**-*1-1* Conseil fédéral limite vitesse à 120 km/h sur autoroute et à 80 sur route pour 3 ans (définitif en 1987). Réf. sur *-10-3* nouvelle répartition des tâches entre Conféd. et cantons [2 acceptés, 1 repoussé (les bourses d'études ne seront pas exclusivement cantonales)] ; *-9-6* projet « droit à la vie » (contre l'avortement) (69 % non) ; *-22-9* garantie des risques à l'innovation (57 % non), nouveau droit du mariage (55 % oui) ; *-1-12* suppression de la vivisection (70 % non). **1986** réf. sur *-13-3* adhésion à l'Onu (1 591 150 non, 511 713 oui) ; *-28-9* culture (projets repoussés) et formation prof. (82 % non) ; économie sucrière (62 % non) ; *-7-12* protection des locataires (oui 2/3). **1987**-*5-4* droit de référendum en matière de crédits d'armement (non 59,4 %), de restrictions à la loi d'asile (67,4 % oui). *-18-10* élection du Conseil national. Possibilité de voter simultanément oui à l'initiative et au contre-projet (62 % oui) ; *-6-12* développement des transports Rail 2000 (57 % oui), révision assurance-maladie et maternité (71 % non), protection des marais (58 % oui). Abaissement de l'âge de la retraite de 65 à 62 ans pour les hommes, et de 62 à 60 ans pour les femmes : 65 % non. **1988**-*4-12* initiative sur semaine de travail de 40 h. (68,5 % non), sur limit. de la spéculation foncière (69 % non). **1989**-*26-11* référendums : 1°) suppression de l'armée rejetée [68 % de participation : non 64,4 %, oui 35,6 % (Genève 50,4 %, Jura 55,5 %)] ; les partis s'y opposent, sauf socialistes (pas de mot d'ordre), extrême gauche et Jeunesses socialistes (si accepté : licenciement de 20 000 employés et 1 800 instructeurs et 625 000 citoyens-soldats libérés des obligations militaires. Économie : 1/5 env. du budget de la Confédération). 2°) relèvement des limitations de vitesse de 120 à 130 km/h sur autoroute et de 80 à 100 sur route. **1990**-*29-4* réf. *Sept.* pétitions pour entrée dans CEE (partisans 68,8 % en Suisse romande, et 39,3 en S. alémanique). *-23-5* hold-up à l'Union des banques suisses à Genève (31,3 millions de FS volés). *-29-5* auteur arrêté. *-23-9* réf. sur le nucléaire [52,9 % pour son maintien (18 cantons sur 26), 65 % contre (à Genève), 54,6 % pour un moratoire de 10 ans sur la construction de nouvelles centrales (69,2 % à Genève, 22 cantons pour), 52,8 % pour l'interdiction des détecteurs de radars et le retrait du permis pendant 2 mois minimum pour refus de prise de sang]. *-26-9* crucifix interdit dans les écoles (contraire à la neutralité constit.). *Déc.* fermeture des parcs pour drogués (Platzspitz de Zurich et Kleine Schanze de Berne). **1991**-*3-3* référendum : 72,8 % pour le droit de vote à 18 ans (au lieu de 20, uniquement au niveau fédéral). *-2-6* 3e référendum (après 1977 et 79) sur TVA (pour remplacer impôt sur chiffre d'affaires, au même taux, 6,2 %) 32,3 % de part., « non » 54,3 %. *-23-9* réf. sur nucléaire [(21 cantons sur 26) maj. contre l'abandon et moratoire de 10 ans sur nouv. centrales]. *Oct.* sondage, 53,3 % des Suisses pour entrée dans CEE. **1992**-*17-5* référendum pour entrée au FMI et Banque m. 55,8 %. *-18-5* demande d'adhésion à CEE. *-26-8* Conseil nat. vote tr. sur Espace écon. eur. *-6-12* référendum : 50,3 % contre EEE. part. 78,3 %. **1993**-*7-3* réf. 72,4 % pour réouverture casinos (fermés 1928).

■ Politique

■ **Statut.** Rép. État *fédératif.* **Constitution** de 1848 révisée 1874. Il faut au moins 100 000 électeurs pour en demander la révision (totale ou partielle). **Fête nat.** 1-8 (serment du Grutli en 129). **Drapeau** (1848). Croix blanche sur fond rouge (origine XIVe s.).

■ **Législatif. Assemblée fédérale** formée de : **Conseil des États :** 46 m. (2 par canton, 1 par demi-canton). Élection au système majoritaire sauf Confédération, le canton du Jura (él. se déroulant à la proportionnelle). **Conseil national :** 200 m. élus p. 4 a. *Grands cantons :* Zurich 35 sièges, Berne 29 ; *petits :* Uri, Nidwald, Obwald, Glaris et Appenzell Rhodes-Intér. 1 [él. avec système majoritaire (dans les 21 autres, él. à la proportionnelle avec méthode du quotient)].

Élections. Du Conseil national (20-10-1991) : *électeurs inscrits* 4 510 784, *votants* 2 076 886 (46,04 %), *nuls* 16 514, *blancs* 16 263, *valables* 2 044 109. *% des voix, et sièges entre parenthèses* P. radical démocratique 21 (44) ; P. socialiste 19,1 (40) ; P. démocrate-chrétien 18,2 (36) ; Union démocratique du Centre 11,9 (25) ; P. écologiste 7 (7) ; P. des automobilistes 5,1 (8) ; Démocrates suisses (ex-Action nat.) 3,4 (5) ; Alliance des indépendants 3 (5) ; P. libéral 3 (10) ; P. évangélique populaire 1,9 (3) ; Ligue des Tessinois 1,4 (2) ; Union démocratique féd. 1 (1) ; P. du travail/Organisations progressistes 0,9 (4) ; P. chrétien social 0,4 (1) ; Femmes, faites de la politique ! 0,3 (1) ; Divers 2,4 (8). **Genève. él. au Grand Conseil** (Parlement cantonal) **(15-10-89) :** sur 100 sièges : Parti libéral 22 (+ 3 par rapport à 1985), P. socialiste 21 (+ 3), P. suisse du travail 8 (– 1), écologistes 13 (+ 5), P. radical-démocr. 13, P. Vigilance 9 (– 10). **Municipales (24-3-91)** (sièges et, entre parenthèses, sièges en 1987) : partis de « l'Entente bourgeoise » (droite) 40 (40), PLS 21 (17), Alternative-1991 (soc.) 15 (14), PST 14 (10), écol. 11 (11), Vigilance 0 (9).

■ Exécutif. **Conseil fédéral :** 7 m. élus p. 4 a. par les 2 autres Conseils réunis. Ils élisent le Pt pour 1 a., le vice-Pt lui succède. Sur 7 s., 2 ou 3 sont normalement réservés à des représentants des minorités de langues française et italienne. La réélection, après 4 ans, est généralement assurée. Les membres sont égaux en droit. Le Pt n'agit qu'en tant que « primus inter pares », à côté de diverses obligations de représentation. Les membres du gouv. ne font pas partie du Parlement, ils disposent d'un droit d'intervention (mais pas de décision) [à l'origine d'un seul parti (radicaux), de plusieurs dep. 1891 (dep. 1959 : 2 rad., 2 soc., 2 dém.-chr., 1 dém. du centre)].

Premiers chanceliers : *1848 (16-12)* Johann Ulrich Schiess (1813-83). *1881 (14-12)* Gottlieb Ringier (1837-1929). *1909 (16-12)* Hans Schatzmann (1848-1923). *1918 (11-12)* Adolf Steiger (1859-1925). *1925 (26-3)* Robert Kaeslin (1871-1934). *1934 (22-3)* Georges Bovet (1874-1946). *1943 (15-12)* Oskar Leimgruber (1886-1976). *1951 (13-12)* Charles Oser (n. 1902). *1967 (14-12)* Karl Huber (n. 1915). *1981 (11-6)* Walter Buser (n. 1926). *1991 (12-6)* François Couchepin (n. 1935).

■ Neutralité. Depuis Marignan (1515), la S. a cessé de prendre part aux conflits européens, sa *neutralité* a été reconnue par le Congrès de Vienne en 1815. De nombreuses organisations internationales ont établi de ce fait leur siège en Suisse (ex : Comité international de la Croix-Rouge, BIT, Office européen des Nations unies, UPU, UIT, Org. eur. pour la recherche nucléaire, BRI). La S. est membre de l'Unesco, mais non de l'Onu.

■ Initiative et référendum. **Initiative populaire :** permet de faire valoir des idées politiques sous forme de projets d'articles constitutionnels, qui sont ensuite soumis au vote du peuple et des cantons. Pour qu'elle fasse l'objet d'un scrutin, ceux qui l'ont lancée doivent recueillir en 18 mois au moins 100 000 signatures d'électrices et électeurs. **Référendum :** permet de demander l'organisation d'un vote populaire sur une loi fédérale nouvelle ou révisée. Il faut recueillir au minimum 50 000 signatures en 3 mois.

■ Femmes et politique. *Droit de vote.* Dep. 1971. Appenzell Rhodes-Intérieures : dep. 27-11-1990 (jugement du tribunal féd.) (28-4-91 : 1re participation). *Conseils fédéraux :* 1 élue le 2-10-84 Elisabeth Kopp (n. 16-12-36) (a démissionné 12-1-89) ; *Nationaux :* 33 (sur 200) ; *des États :* 4 (sur 46).

Hymne national suisse

Sur nos monts, quand le soleil
Annonce un brillant réveil,
Et prédit d'un plus beau jour le retour,
Les beautés de la patrie
Parlent à l'âme attendrie ;
Au ciel montent plus joyeux
Les accents d'un cœur pieux.

Lorsqu'un doux rayon du soir
Joue encore dans le bois noir,
Le cœur se sent plus heureux, près de Dieu.
Loin des vains bruits de la plaine,
L'âme en paix est plus sereine ;
Au ciel montent plus joyeux
Les accents d'un cœur pieux.

Lorsque dans la sombre nuit
La foudre éclate avec bruit,
Notre cœur pressent encor le Dieu fort ;
Dans l'orage et la détresse,
Il est notre forteresse.
Offrons-lui des cœurs pieux
Dieu nous bénira des cieux.

Des grands monts vient le secours,
Suisse, espère en Dieu toujours !
Garde la foi des aïeux, vis comme eux !
Sur l'autel de la patrie
Mets tes biens, ton cœur, ta vie !
C'est le trésor précieux
Que Dieu bénira des cieux.

Présidents

1970 Hans Peter Tschudi (22-10-1913). **71** Rudolf Gnaegi (1917-85). **72** Nello Celio (12-2-1914). **73** Roger Bonvin (1907-82). **74** Ernst Brugger (10-3-1914). **75** Pierre Graber (6-12-1908). **76** Rudolf Gnaegi. **77** Kurt Furgler (24-6-1924). **78** Willy Ritschard (1918). **79** Hans Hürlimann (1918). **80** Georges-André Chevallaz (7-2-1915). **81** Kurt Furgler. **82** Fritz Honegger (25-7-1917). **83** Pierre Aubert (3-3-1927). **84** Léon Schlumpf (3-2-1925). **85** Kurt Furgler. **86** Alphonse Egli (8-10-1924). **87** Pierre Aubert. **88** Otto Stich (18-7-1927). **89** Jean-Pascal Delamuraz (1-4-1936). **90** Arnold Koller (29-8-1933). **91** Flavio Cotti (18-10-1939). **92** René Felber (14-3-1933). **93** Adolf Ogi (10-1-1942) [Vice-Pt Otto Stich (10-1-1927)].

Partis

Alliance des indépendants (I). *Origine : 1925* Gottlieb Duttweiler (1888-1962) fonde la Migros (principes nouveaux de vente directe). Soutient les candidats sans parti, favorables à ses thèses. *1935* fonde son propre mouvement. *Rayonnement :* Grisons, Neuchâtel, Soleure, Thurgovie, Vaud, Zurich, Berne, Bâle-ville et B.-campagne, Appenzell, Schaffhouse, Lucerne, St-Gall, Argovie. *Volonté :* pour une démocr. réelle et non seulement formelle. *Slogan :* « Écologie, Solidarité, Liberté. » *Pt* Monika Weber. *Membres* 4 000.

Démocrates suisses. *Fondé 1961.* Entend maintenir une S. libre, nation vivante et résolue, ce qui implique la réduction de l'emprise étrangère. *Pt* Rudolf Keller.

Lega dei Ticinesi. *Fondée 1991. Pt* Giuliano Bignasca.

Organisations progressistes (POCH). *Fondée 1973. Slogan :* « La vie plutôt que le profit. » Programme : prendre des thèses alternatives. *Secr. gén.* Georges Degen.

Parti des automobilistes. *Fondé* 1985. *Pt* Jürg Scherrer.

Parti démocrate-chrétien (PDC). *Origine : 1848* les vaincus du Sonderbund, conserv. cathol., ont 8 députés. *1880* Union conservatrice s. *1894* P. populaire cathol. *1912-22-4* P. pop. conservateur s. *1957 févr.* P. cons. chrétien-social. *Déc. 1970* nom actuel. *Rayonnement :* national, sauf Neuchâtel. *Tendance :* p. pop. du centre, aile chrétienne sociale, conservatrice et progressiste. *Principes :* liberté, resp. indiv. solidarité, subsidiarité et justice. *Slogan :* « Des défis, de l'audace » (romand) « Zukunft für alle » (além.). *Pt* Carlo Schmid. *Membres* 60 000.

Parti écologiste suisse. *Fondé 1983. Rayonnement :* Argovie, Bâle-ville et B.-campagne, Berne, Fribourg, Genève, Glaris, Jura, Lucerne, Neuchâtel, St-Gall, Schwyz, Soleure, Thurgovie, Tessin, Valais, Vaud, Zarg, Zurich. *Pt* Verena Diener. *Membres* 8 000.

Parti évangélique (PEV). *Fondé 1919. Rayonnement :* Argovie, Bâle-ville et B.-campagne, Berne, Schaffhouse, Soleure, St-Gall, Thurgovie, Zurich. *Objectifs :* indép. de toute Église particulière, tend à créer une société personnaliste d'inspiration chrét. *Pt* Otto Zwygart.

Parti libéral suisse (PLS). Successeur de l'Union libérale dém. s., f. 1961. Évolue vers le centre, puis la droite au début XXe s. *Rayonnement :* Bâle-ville, Vaud, Neuchâtel, Genève, Fribourg, Bâle-campagne, Valais, Berne, Zurich. *Tendance :* défend le fédéralisme et la liberté d'action individuelle, opposé à toute ingérence exagérée de l'Etat. *Pt* François Jeanneret dep. 20-2-93. *Membres* 15 000.

P. radical-démocratique (PRD). *1848* rôle principal. *1878* groupe créé au parlement fédéral. *1894* p. nat. rassemblant partis cantonaux. *Rayonnement* national, sauf en Appenzell (Rhodes-Int.). Centriste, défenseur des libertés et de l'économie de marché. *Slogans :* « Les radicaux : du cran et du cœur. » « Plus de liberté et de responsabilité – moins d'État. » « Les r. : les optimistes réalistes ». *Pt* Franz Steinegger. *Membres* 150 000.

Parti républicain suisse. *Fondé 1971 avec le Parti Vigilance* de Genève (f. 1965). *Pt :* Franz Baumgartner. *Dissous* 22-4-1989.

P. socialiste suisse (PPS). Organisation nat. *1880* Union syndicale s. *1888* fondation. *1920-10/12-12* scission (refus d'adhérer à la IIIe Internationale). *Rayonnement* nat. sauf Obwald, Nidwald, Uri, Appenzell R.-I et R.-E. *Tendance* sociale-démocr. et réformiste. *Slogans :* « Le PS, la force sociale », « Moins d'armée pour une sécurité globale », « Pour une Europe sociale ». *Pt* Peter Bodenmann. *Membres* 42 000.

Parti suisse du travail (PST). *1920* 1re scission du p. socialiste. *1921* mars P. communiste s. *1939* sections vaudoises et genevoises exclues du *PSS* en raison de l'attitude de Léon Nicole envers l'URSS. *1940-45* interdit par Conseil fédéral. *1944* oct. fondation du P. *Rayonnement :* Genève, Neuchâtel, Vaud, Jura, Tessin, Bâle, Berne, Zurich. *Tendance :* socialisme. *Slogan :* « Vivre mieux et autrement. » *Pt* Jean Spielmann.

Union démocratique du centre (UDC). *Origine :* opposition au libre-échange. *1897* Union s. des paysans. *1937* P. s. des paysans, artisans et bourgeois. *1971* sept. fusionne avec p. démocr. *Rayonnement :* Argovie, Bâle-campagne, Bâle-ville, Berne, Fribourg, Glaris, Grisons, Lucerne, Schaffhouse, Saint-Gall, Soleure, Thurgovie, Tessin, Vaud, Zug, Zurich, Genève, Schwyz, Appenzell Rhodes-Extér., Jura. *Tendance* pour un État politiquement fort ; pour la sauvegarde du fédéralisme. *Slogan :* « Avec courage vers l'avenir. » *Pt* Hans Uhlmann. *Membres* 83 000.

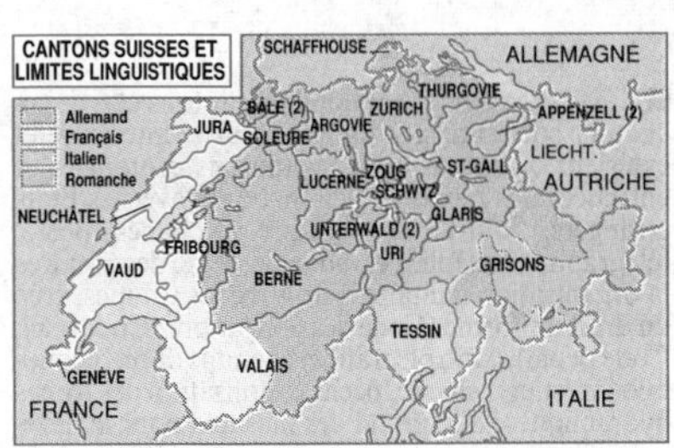

Union démocratique fédérale. *Fondée 1991. Pt* Womer Scherrer.

Vigilance (extrême droite). *Fondé* 1964. *Pt.* Alexis Botkine, *secr. gén.* Jacques André, Paul Passer. *Voix obtenues à Genève él. municipales : 1985 :* 21 % ; *87 (avr.) :* 11 ; *(oct.) :* 7 ; *91 :* négligeable ; *Membres sympathisants :* 5 300.

■ Cantons

Liste

Nom abrégé, date d'entrée dans la Ligue ou la Confédération, superficie et population (1991), densité, langue, capitale (agglom. au 1-1-87).

Appenzell [1] **(Rhodes-Extérieures)** (AR 1513) 243,2 km² 52 400 h. D 216. Allemand. *Herisau* 14 160 h. (80). Appenzell [1] **(Rhodes-Intérieures)** (AI 1513) 172,1 km² 13 900 h. D 80. Allem. *Appenzell* 5 300 h. (80). Argovie **(Aargau)** (AG 1803) 1 404,6 km² 503 900 h. D 359. Allem. *Aarau* 15 788 h. (80).

Bâle-ville [1] **(Basel Stadt)** (BS 1501) 37,2 km² 194 300 h. D 5 251. Allem. *Bâle* 171 888 h. (ag. 363 029). Bâle-campagne [1] **(Basel Land)** (BL 1501) 428,1 km² 231 700 h. D 541. Allem. *Liestal* 12 158 h. (80). Berne **(Bern)** (BE 1353) 6 049,4 km² 957 700 h. D 158. Allem. et franç. *Berne* 135 543 h. (ag. 300 316).

Fribourg **(Freiburg)** (FR 1481) 1 670 km² 211 700 h. D 127. Allem. et franç. *Fribourg* 34 322 h. (ag. 56 839).

Genève **(Genf)** (GE 1815) 282,2 km² 380 400 h. D 1 352. Franç. *Genève* 169 491 h. (ag. 384 507). Glaris **(Glarus)** (GL 1352) 684,6 km² 38 500 h. D 56. Allemand. *Glaris* 5 800 h. (80).

Grisons **(Graubünden)** (GR 1803) 7 105,9 km² 181 100 h. D 25. Allem., ital., rom. *Coire* 30 975 h.

Jura [2] **(Jura)** (JU 1979) 837,5 km² 66 800 h. D 80. Franç. *Delémont* 11 682 h. (80).

Lucerne **(Luzern)** (LU 1332) 1 492,2 km² 325 500 h. D 218. Allem. *Lucerne* 60 035 h. (ag. 160 594).

Neuchâtel **(Neuenburg)** (NE 1815) 796,6 km² 163 100 h. D 203. Fr. *Neuchâtel* 33 060 h. (ag. 66 142).

Saint-Gall **(St-Gallen)** (SG 1803) 2 014,3 km² 427 400 h. D 211. Allem. *Saint-Gall* 74 136 h. (ag. 125 879). Schaffhouse **(Schaffhausen)** (SH 1501) 298,3 km² 72 700 h. D 243. Allem. *Schaffhouse* 34 327 (ag. 53 302). Schwyz (SZ 1291) 908,2 km² 113 300 h. D 125. Allem. *Schwyz* 12 100 h. (80). Soleure **(Solothurn)** (SO 1481) 790,6 km² 230 000 h. D 291. Allem. *Soleure* 15 778 h. (80).

Tessin **(Ticino)** (TI 1803) 2 810,8 km² 293 200 h. D 104. Italien. *Bellinzona* 16 743 h. (80). Thurgovie **(Thurgau)** (TG 1 803) 1 019 km² 210 500 h. D 212. Allemand. *Frauenfeld* 18 607 h. (80).

Unterwald [1] Nidwald (NW 1291) 275,8 km² 33 500 h. D 121. Allem. *Stans* 5 700 h. (80). Unterwald [1] Obwald (OW 1291) 490,7 km² 29 900 h. D 61. Allem. *Sarnen* 7 200 h. (80). Uri (UR 1291) 1 076,5 km² 34 400 h. D 32. Allem. *Altdorf* 8 200 h. (80).

Valais **(Wallis)** (VS 1815) 5 225,8 km² 258 300 h. D 49. Français et allem. *Sion* 22 877 h. (80). Vaud **(Waadt)** (VD 1803) 3 219 km² 596 900 h. D 186. Français. *Lausanne* 124 749 h. (ag. 262 200).

Zoug **(Zug)** (ZG 1352) 238,6 km² 86 400 h. D 362. Allemand. *Zoug* (80) 21 609 h. (ag. 52 200). Zurich (ZH 1351) 1 728,6 km² 1 163 000 h. D 673. Allemand. *Zurich* 345 215 h. (ag. 840 313).

Nota. – (1) 3 cantons sont divisés en demi-cantons : Unterwald (dès les origines) ; Appenzell (dep. 1597, à la suite de la Réforme) ; Bâle (dep. 1833, à la suite d'une g. civile). (2) Détaché du canton de Berne en 1978, à la suite de campagnes menées par les séparatistes francophones depuis 1914. Gouvernement en fonctions le 1-1-1979.

Statut

■ **Confédération.** Comprend 20 cantons et 6 demi-cantons souverains. Assure la sécurité intérieure et extérieure, garantit les Constitutions cantonales et entretient des rapports diplomatiques avec les États étrangers. Sont de son ressort : douanes, poste, télégraphe et téléphone, monnaie, régie des poudres et organisation militaire. Elle arme les troupes, crée un droit uniforme (Code des obligations, Code civil, Code pénal), contrôle trafic et chemins de fer, économie forestière, chasse, pêche et utilisation des forces hydrauliques. Elle prend des mesures pour le développement économique du pays (protection de l'agric., par ex.) et de la prospérité générale (assurances sociales, etc.).

■ **Cantons.** **Ayant une assemblée populaire annuelle** ou **Landsgemeinde :** *origines : Gerichtsding* (cours de justice des citoyens libres) et gestion commune des biens fonciers. *1309* pour les cantons primitifs. *1387* Glaris. *1389* Zoug. *1403* Appenzell. Les jeunes âgés de 16 ans (parfois 14) avaient le droit de voter. *1623* Glaris introduit une *Landsgemeinde* catholique, une réformée, une collective (dissoutes 1836). *1848* Schwyz et Zoug suppriment les Land. *1928* Uri. *État actuel :* les Land. ont encore lieu dans 5 cantons ou demi-cantons le dernier dimanche d'avril [Appenzell, Rhodes-Intérieures (les citoyens se rendent à l'ass. annuelle avec leur épée), Rhodes-Extérieures ; Unterwald (Obwald et Nidwald)] ou le 1er dimanche de mai (Glaris). Au XVIIIe s., on comptait par ailleurs 9 démocraties souveraines et 17 régions ayant une constitution. **Cantons n'ayant pas de Landsgemeinde :** *Grand Conseil (Grosser Rat, Kantonsrat),* élu généralement p. 4 ans, exerce le pouvoir lég., désigne les titulaires de certaines charges et contrôle les actes du gouvernement. *Conseil d'État (Regierungsrat),* collège exécutif de 5 à 9 membres, dispose du pouvoir réglementaire et prépare la majorité des projets de loi.

Le droit de révocation des autorités (analogue au *recall* amér.) subsiste théoriquement dans une dizaine de cantons, mais il est rarement appliqué ; l'initiative populaire constitutionnelle et législative, le référendum législatif (obligatoire dans 16 cantons) et financier figurent dans les Const. locales, qui fixent le nombre des signatures nécessaires pour valider la demande. Les cantons peuvent conclure entre eux des accords ou « concordats » sur des objets précis et limités, avec l'approbation et l'aide de la Confédération (ainsi l'assistance au lieu de domicile en 1960 ; la coordination scolaire entre cantons en 1970).

■ **Communes.** **Nombre :** 3 022. **Les plus vastes :** Bagnes (Valais) 282,3 km², Davos (Grisons) 254,2, Zermatt (Valais) 242,9. **Les plus petites :** Ponte Tresa (Tessin) 0,28 km², Kleingurmels (Frib.) 0,30 km², Roveredo (Tessin) 0,31 et Rivaz (Vaud) 0,32. **Les moins peuplées :** Landarenca (Grisons) et Goumoëns-le-Jux (Vaud) 20 h.

■ Architecture

Époque romaine. *Augst* (Bâle), *Avenches, Martigny, Windisch.* **Paléochrétienne-préromane.** *Riva San Vitale* (baptistère), *Münster-Müstair* (fresques), *St-Maurice* (fouilles, trésor). **Romane.** Abbayes et prieurés : *Romainmôtier, Payerne, Grandson, St-Pierre-des-Clages, St-Sulpice, St-Ursanne, Spiez, Amsoldingen, Giornico, Schaffhouse* (cloître). Cathédrales : *Bâle, Coire.* Collégiales : *Neuchâtel, Zurich.* Paroissiale : *Zillis* (plafonds peints sur bois).

Époque gothique. Cathédrales et collégiales : *Genève, Lausanne, Fribourg, Sion, Berne.* Abbayes : *Königsfelden* (vitraux), *Wengenetti* (cloître), *Hauterive, Bâle* (Cordeliers). Châteaux : *Chillon, Grandson, Hallwil, Oron, Nyon, Lenzbourg, Kyburg, Bellinzona, Tarasp, Vufflens, Aigle, Thoune, Burgdorf, Champvent.* Hôtels de ville : *Berne, Bâle, Sursee, Zoug.* Ensembles urbains : *Berne, Fribourg, Morat, Lucerne, Stein am Rhein, Werdenberg.*

Époque Renaissance. Cathédrales et collégiales : *Lugano* (façade), *Lucerne.* Église paroissiale ou chapelle : *Stans, Riva San Vitale* (S. Croce). Fortifications : *Schaffhouse, Soleure.*

XVIIe-XVIIIe s. Cathédrales, abbatiales et collégiales : *Arlesheim, Muri, Disentis, Rheinau, St-Urban, Bellelay, St-Katharinental, Einsiedeln, St-Gall. Soleure.* Églises des jésuites : *Lucerne, Soleure.* Paroissiale : *Schwyz.* Temples protestants : *Berne* (St-Esprit), *Morges, Genève* (Fusterie). Hôtels de ville : *Zurich, Neuchâtel.* Maisons, palais, maisons de corporations : *Zurich* (Meise), *Bâle* (Blaues et Weisses Haus, Kirschgarten), *Berne* (von Erlach, von Wattenwyl), *Neuchâtel* (du Peyrou), *Genève* (rue des Granges). Châteaux, maisons de campagne : *Berne* (Hindelbank, Thunstetten, etc.), etc.

Époque moderne. *Bâle :* École des arts et métiers, église St-Antoine. *Berne :* gare, cité du Tscharnergut, Éc. des arts et métiers, palais Fédéral (1902). *Cointrin :* aéroport. *Corseaux :* maison Le Corbusier. *Genève :* maisons Le Corbusier (« Clarté »), cité du Lignon. *Kloten-Zurich :* aéroport. *St-Gall :* université. *Vevey :* bâtiment Nestlé. *Winterthur :* hôtel de ville (1868). *Zurich :* université, centre Le Corbusier. *Lausanne :* Laboratoire école polytech.

Économie

PIB (1990). 33 340 milliards de $ par h. *Croissance PIB 1987 :* + 2,3 %, *88 :* – 3, *89 :* – 3,5, *90 :* + 2,8, *91 :* – 0,1, *92 :* – 0,6. **Pop. active** (en 1991, en %) agr. 5,5, ind. 34,4 (dont construction 27,1, machines outils 12,8, métaux 8,5, alimentation, boissons, tabac 6, chimie 6, textile, habillement 4,6, horlogerie 3, autres 31,7), tertiaire 60. **Chômage** (%) *1985 :* 1, *90 :* 0,5, *91 :* 1,3 (dont 3,6 à Genève), *92 :* 3. *Demandeurs d'emplois : 1990 :* 17 000, *92 (fév.) :* 60 000, *93 (mars) :* 151 000. 1 salarié sur 3 travaille + de 45 h par sem.

Agriculture. *Terres* (milliers d'ha, 85) arables 391, cult. 20, pâturages 1 609, forêts 1 052, eaux 152, divers 905. Sauf pour la région du lac Léman au canton de Schaffhouse, les conditions naturelles conviennent davantage aux fourrages. EXPLOITATIONS AGRICOLES (90) : 108 000 *dont – de 1 ha :* 21 000, *1 à 5 ha :* 20 000, *5 à 10 ha :* 15 000, *10 à 20 ha :* 31 000, *20 à 30 ha :* 14 000, *+ de 30 ha :* 7 000). PRODUCTION (milliers de t, 90) pommes de terre 760, bett. à sucre 965, blé 520 (89), orge 340, avoine 57, seigle 19, pommes 320, poires 72, raisin 152 (89). *Vigne* (coteaux ensoleillés du lac Léman, Neuchâtel, Bienne, Zurich, vallées du Rhône, du Rhin, Tessin) : 0,62 % de la sup. arable et alpestre exploitée, 1,25 % de la SAU, rend. moyen 95 hl de moût/ha.

Forêts (en %). Jura 17,5, Préalpes 16,2, Plateau 20,5, Alpes 31,2, S. des Alpes 14,4 ; forêt publique (90) 73 dont communes et corpor. de droit pub. 68,4 ; cantons 4,7, f. privée 26,9. *Conifères* (surtout sapins) 61. *Feuillus* 39 (hêtres 19). *Bois :* 4 542 000 m³ (89). **Élevage** (milliers, 90). Bovins 1 860, poulets 6 521, porcs 1 784, moutons 399, chevaux 42. *Productions* (en milliers de t) lait 3 795, viande 486, fromage 131, beurre 37, œufs 44. **Pêche.** 4 850 t (88).

Énergie. **Charbon :** importé d'All. féd. 413 000 t (91), exporté 8 000 t (91). **Nucléaire :** centrales à Beznau I et II, Mühleberg, Gösgen et Leibstadt. **Pétrole :** importé par pipe-lines de Gênes, Lavéra et Ferrare ou par voie fluviale ; raffineries. Part du pétrole dans la consommation : 64 % (91). **Gaz :** extrait du pétrole ou importé de Hollande par gazoduc ; part du gaz dans la consommation : 9,1 % (90). **Électricité** (prod. 1991) 54 milliards de kWh dont *hydroélectricité* 33 (457 usines, puissance 11,4 millions de kWh) ; *nucléaire* 21,6. *Exp.* d'électr. 24 milliards de kWh. *Part de l'électr.* dans la cons. 20,7 % (91). *Imp.* d'énergie complémentaire 19,6 (90). *Consommation d'énergie (%, 91) :* produits pétroliers 64 (dont combustibles 33, carburants 31), électricité 21, gaz 10, bois de chauffage 2, charbon et coke 1, déchets 1.

Nota. – Projet d'énergie à l'hydrogène « Shee-Tree » (Solar Hydrogen and Electrical Energy-Trans European Entreprise) de l'ingénieur Gustav Grob : 1 400 km² de capteurs solaires au Sahara, pipe-line pompant dans la Méditerranée 4 millions de l. d'eau à l'heure, dont l'électrolyse produirait 50 milliards de m³ d'hydrogène par an, gazoduc de 3 300 km traversant l'Italie qui alimenterait la Suisse en carburant. *Coût :* 220 milliards de FS (840 Md de F).

Industrie. Industrie à forte valeur ajoutée. 33 % exportés. 1°) MÉTALLURGIE DE TRANSFORMATION : (machines, équipement él. et élect., matériel scient., instr. de précision, machines-outils, machines text.), dont Zurich est la métropole ; *grandes firmes :* Asea-Brown-Boveri, Alusuisse, Sulzer, Ascom, Landis + Gyr, Oerlikon-Bührle. 2°) CHIMIE : (80 % est. export., 21 % des exp., 70 000 employés), notamment à Bâle. *Ciba-Geigy, Hoffmann-La-Roche, Sandoz :* 10 % des médicaments, 15 % des colorants fabriqués dans le monde. 3°) HORLOGERIE : *effectifs (1990) :* 33 600 (Jura, Genève, Bienne, Granges et Schaffhouse). Groupe Swatch (Nicolas Hayek) leader mondial. Concurrence jap. et amér. *Exp.* (milliards de FS) : *1982 :* 3,5, *90 :* 6,8 (dont électronique 3,5), *Vers* CEE 2,44, USA 0,9, Japon 0,62, Singapour 0,4, Moyen-Orient 0,3. 4°) TEXTILE : au N.-E. : Bâle, St-Gall (capit. broderie), Zurich (text. chim.). 5°) AGROALIM. : Nestlé, Jacobs-Suchard, Lindt et Sprüngli (prod.), Migros, Coop (prod. et distr.). Chocolat (1988) : prod. 104 208 t, 1,071 milliard de FS, consom. nat. 66 008 t (11,1 kg/hab.).

Activités financières. 1er rang mondial pour le chiffre d'aff. par hab. 3e centre bancaire du monde (3 % de la pop. active, 9 du PNB). Fournit 8 milliards impôts. *Nombre d'établissements (1991) :* 592. *Total du bilan (1991) :* 1 114 milliards de FS. *Épargne bancaire par hab. :* 41 271 FS (89). 1 207 hab. par point bancaire. *Revenu des capitaux étrangers placés en Suisse :* 1re source de revenu national, avant le tourisme. Entre 1977 et 1980, pour décourager l'afflux des capitaux, le gouv. fédéral a fixé un intérêt négatif. *Origine des fonds :* déficit de la balance des paiements des USA ; marché de l'or (rôle d'intermédiaire dans les ventes du pétrole du Proche-Orient). *Transactions quotidiennes des banques :* 250 000 ordres de paiement (100 à 400 milliards de FS). *Argent de la drogue blanchi :* 1,4 milliard de FS en 1988.

Nota. – *Multinationales et holdings :* nombreuses implantations dans les pays de l'OCDE en priorité. Assises diversifiées dans principaux pays du tiers monde. *Canton de Zoug* (loi de 1928 visant à attirer les sociétés de capitaux) : paradis fiscal, 10 000 holdings, un des 1ers centres mondiaux de commerce du pétrole.

Transports (km, 89). *Routes* 70 926 ; *chemins de fer* 5 021. *Navigation rhénane :* Bâle [trafic env. 11,3 millions de t (dont entrées 85 %) ; redistribue les marchandises importées]. Grâce au grand canal d'Alsace, la navig. est possible toute l'année. *Flotte maritime :* 367 673 tx basée principalement à Gênes, Marseille, Rotterdam. *Navires :* 23.

Tourisme (91). *Visiteurs (89) :* 7 666 600 (prov.) dont étrangers 3 593 800. *Nombre de lits* (90) : 274 000. *Lits recensés (en milliers) :* 1 133 (dont hôtels 267, cures 6,5, chez l'habitant 360, camping-carav. 265, autres 235). *Recettes* des touristes étrangers en % des exp. (90) : 13,5. *Nuitées* (en millions, 91) 77,8 (dont hôtels 35,3, cures 1,7, parahôtels 40,8). *Hôtes en % du pays :* All. 19,6, USA 9, G.-B. 5, *France 4,2,* Italie 3,8, P.-Bas 2,5, Belg. 2,5.

Principales entreprises en Suisse (vente consolidée en milliards de FS, 1991). Nestlé 50,6, Marc Rich Group 44, Asea-Brown Boveri 41, Metro Intern. 33,9, Ciba-Geigy 21, Migros 14,7, Michelin 13,6, Sandoz 13,4, Markant 13, PTT 11,5, Hoffmann-La Roche 11,5, Maus Frères 11,5, Coop 10,4, Danzas 10,1, Dow Chemical 8,4, André 8, Richemont 7,4, Sulzer 6,5, Alusuisse-Lonza 6,3, Tetra Pak Group 6,2, Swissair 6,1, Jacobs-Suchard 6, Holderbank 5,9, SBB 5,8, Kühne et Nagel 4,7, Elektrowatt 4,5, Liebherr 4,1, ABB 4,1, Adia 4, Schindler 4.

Finances publiques fédérales (milliards de FS, 1992). **Recettes :** 35,7 dont *impôts* 31,8 [imp. de la consommation 17 (dont chiffre d'aff. 10,7, droits sur les carburants 3,2, droits d'entrée 1,2, imp. sur tabac 0,9, autres 1), imp. sur le revenu et la fortune 14,8 (dont fédéral direct 8,1, anticipé 4,6, droits de timbre 1,9, taxe d'exemption du service militaire 0,1)], autres 3,9. **Dépenses :** 37,7 dont prévoyance sociale 8,5 (dont assurances soc. 4,6 (91)), défense nationale 6,3, trafic 5,7, agriculture 3, dépenses du service financier 5,2, enseignement et formation 2,9, relations avec l'étranger 2,1, administration générale 1,3, protection et aménagement du territoire 0,6, autres 1,7. **Comptes de la Confédération, des cantons et des communes** (1991, en milliards de FS) *solde :* – 3,8 dont Confédération recettes 33,9, dépenses 33,8, solde 0,07 ; cantons r. 41,6, d. 44,5, s. – 2,9 ; communes r. 30,1, d. 31, s. – 1. *Déficit budgétaire* (milliards de FS) *1992 (prév.) :* 5, *95 (obj.) :* 1,2.

Inflation (en %). *1970 :* 3,6, *74 :* 9,8, *78 :* 1, *81 :* 6,5, *82 :* 5,7, *83 :* 2,9, *84 :* 2,9, *85 :* 3,4, *86 :* 0,8, *87 :* 1,4, *88 :* 1,9, *89 :* 3,2, *90 :* 5,4, *91 :* 5,9. **Balance des comptes courants** (en milliards de FS). *1987 :* 11,3, *88 :* 13,2, *89 :* 12,2, *90 :* 11,9, *91 :* 14,6 [marchandises – 8, services + 12,6 (dont tourisme 2,8), rev. du travail – 7,6, des capitaux + 213, contributions extér. au PNB 15,2 (90), transferts unilat. – 3,7].

Place financière (en milliards de FS, 1991). *Banque nationale suisse :* réserves monétaires 37,74, encaisse or 11,90, devises 40,23, billets en circulation 29,21.

Commerce (en milliards de FS, 91). **Exp.** 87,9 *dont* biens d'équip. 30,5, mat. 1res et prod. semi-ouvrés 29,5, biens de cons. 27,7, *vers (%)* All. féd. 23,8, *France 9,6,* Italie 8,7, USA 8,7, G.-B. 6,6. **Imp.** 95 *dont* biens de consom. 34,4, mat. 1res et prod. semi-ouvrés 32,2, biens d'équip. 23,9, prod. énergétiques 4,3, *de (%)* All. féd. 32,8, *France 10,9,* Italie 10, USA 7,3, G.-B. 5,5, Japon 4,3. **Déficit commercial** (Md de FS). *1980 :* 11,25, *88 :* 8,3, *89 :* 10,94, *90 :* 8,3, *91 :* 7, *92 :* 0,2.

■ Surinam

Ancienne Guyane hollandaise.

Carte p. 846. V. légende p. 884.

Situation. Amérique du S. 163 820 km². A 400 km de Cayenne. *Frontières :* env. 500 km avec Guyane française. **Climat.** Chaud et humide. *Températures moy. :* sur la côte jour 27 °C, nuit 23 °C ; max. sept. 32 °C, min. févr. 22 °C. *Pluies :* côte 2 200 mm, intérieur 300 mm ; max. mai et juin 300 par mois.

80 % d'humidité en moy. Ouragans. 4 *saisons :* assez peu pluvieuse déc. à févr., assez sèche févr. à avril, pluies avril à mi-août, sèche mi-août à déc.

Population *1990 (est.).* 402 631 h. dont (%) Créoles 34,70, Hindous 33,49, Japonais 16,33, Bushnegrœsen tribus 9,55, Indiens en tribu 1,79, Chinois, 1,55, Amérindiens 1,31, Européens 0,44, divers 0,84; *prév. 2000 :* 423 000. **Âge** – *de 15 a. :* 41 %, + *de 65 a. :* 6 %. **Taux** (‰) natalité 24, mortalité 6,9. **Espérance de vie** 64,5 ans. **Émigration** vers Hollande (200 000 S. y vivaient en 1982), *Guyane fr.* [10 000 en 1992 (avril-oct. : plan de retour)]. D 2,4. **Villes :** *Paramaribo* (cap.) à 32 km de la mer 246 000 h. (89), Wanica 68 582, Nickerie 36 896.

Langues. Néerlandais *(off.)* anglais, espagnol ; l. de chaque ethnie, sranang tongo, chinois, javanais, sarnami, hindi. **Religions** (71). Hindouistes env. 100 000 (86), catholiques 70 175, musulmans 74 078, frères év. 51 868, réformés et luthériens 3 911, bouddhistes.

Histoire. 1498 découv. par Espagnols. **1594**-*23-4* Domingo de Vera en fait une possession esp. **1614** établissement anglais fondé par le capitaine Charles Leigh. **1630** échec colonisation française de Maréchal. **V. 1640** installation de Noailly et de quelques Français. **1650** établissement des Anglais Francis Willoughby et Laurens Hide. **1664** arrivée de Juifs de Cayenne avec David Nassy. **1667** le Holl. Abraham Crÿnssen prend S. aux Angl. ; tr. de Breda : S. reste holl. (Guyane holl. 1668). **1683** États de Zélande vendent le S. à la Cie des Indes Occid., la ville d'Amsterdam et la famille Van Sommelsdijck. **1765-93** rébellions d'esclaves (dirigées par Joli Cœur, Baron et Boni). **1804-16** domination angl. **1808** esclavage aboli [sur 315 000 esclaves, il y a alors 37 000 escl. importés au S. Beaucoup se sont réfugiés à l'intérieur. Leurs descendants (Marrons) habitent encore à l'intérieur]. **1816** redevient holl. (convention de Londres). **1850** 1ers immigrés chinois (total de 3 000). **1863**-*1-7* abolition offic. de l'esclavage. **1873** 34 000 immigrés de l'Inde Brit. (ouvriers sous contrat sur les plantations) ; 2/3 restent. **1890** immigrés de l'Inde holl. surtout de Java (total 33 746 dont 2/3 restent). **1922** partie de territoire du Roy. des P.-Bas. **1948** règlement intérimaire ; suffrage universel. **1954**-*29-12* autonomie interne. **1973** *févr.* grèves et troubles politiques. *Oct.* élect. gagnées par Créoles et Javanais (NPK et PNR) devant P. hindoustani (VDP). **1975** *mai* troubles Créoles-Hindoustanis.

1975-*25-11* indépendance ; 130 000 Sur. ont quitté le S. pour les P.-Bas avant l'indép. **1980**-*25-2* soulèvement mil. *-31-3 Chin A Sen* PM *-13-8* coup d'État, les procastristes éliminés de l'équipe dirigeante. *-14-8* Chin A Sen chef d'État et PM *-20-11* Constitution (suspendue 25-2-80). **1981**-*15-3* coup d'État (Sergent Hawker), échec. **1982**-*4-2* coup d'État mil. *Fred Ramdat Misier* P^{t} de la Rép. *-11-3* coup d'État par l'ex-lieutenant Ramboçus, échec. Hawker libéré, sera repris et exécuté. *-31-3* Neyhorst PM. *-8-12* coup d'État. Gouv. démissionnaire. *9-12* P^{t} Bouterse fait exécuter 15 opposants. Arrêt de l'aide apportée par P.-Bas, suspension par USA de tous liens économ. et financiers. **1983**-*28-2* Alibux PM. *-1-11* expulsion conseillers et diplomates cubains. **1984**-*9-1* Alibux démissionne. **1986**-*24-3* cap. Étienne Boerenveen (2e homme du régime), accusé de trafic d'héroïne, arrêté à Miami. *Juillet* guérilla des « Bushnegroes » (Ronny Brunswijck, puis Michel Van Rey). **1987**-*30-9* référendum. **1989** *juill.* accord de paix guérilla/Gouv. signé à Kourou, inappliqué (opposition de l'armée). **1990** *juin* combats armée/guérilla ; Brunswijck arrêté, puis libéré 20-6 pour « raison d'État », assigné à résidence 21-6 à Paris. Guérilla chassée de ses bases (bastion de Moengo). *Bilan des combats dep. 1986 :* 500 †. *-24-12* coup d'État mil. (inspiré par Desi Bouterse). *-27-12* Pt Ramsewak Shankar démissionne. *Johan Kraag* nommé Pt par l'Ass. **1991**-*16-9 Ronald Venetiaan* Pt. **1992**-*23-6* tr. de coopération avec P.-Bas. *-20-11* Desi Bouterse, chef de l'armée, démissionne.

Statut. Rép. *Const.* 1987 (adoptée par référendum 30-9 avec 94 % de oui). *Ass. nat.* 51 m. *Pt* Ronald Venetiaan (n. 1936) dep. 16-9-91. *Vice-Pt et PM* Jules Ajodhia dep. 16-9-91. **Élections. 25-5-91 :** participation 68 % « Front nouveau pour la démocratie » 30 s. (54,2 %) ; NDP (Nat. Democratic Party, f. 1987 à l'initiative du Cdt Bouterse) 12 s. (21,7 %) ; DA 91 9 s. (16,6 %). **Fête nat.** 25-11 (indép.). **Drapeau** (1975). Bandes vertes, blanches et rouges ; étoile jaune (unité et avenir doré de la nation).

■ Économie

PNB (91). 3 350 $ par h. **Pop. active** (%, entre parenthèses part du PNB en %) agr. 20 (11), ind. 20 (19), services 55 (65), mines 5 (5). **Chômage** *juin 1990 :* 18 %. **Inflation** (%) *1987 :* 53 ; *88 :* 7,3 ; *89 :* 0,7 ; *90 :* 21,7. **Aide des Pays-Bas** suspendue dep. 1982, rétablie 12-7-89 (200 millions de florins/an).

Agriculture. *Terres* (milliers d'ha, 80) arables 40, cult. 12, pâturages 10, forêts 15 530, eaux 180, divers 555. *Production* (milliers de t, 90) riz 196 (92 % des t. cult.), canne à sucre 48, bananes 32,4 (87), noix de coco 11, huile de palme 7,7, citrons 14, légumes 18. **Drogue.** Fournit 30 % de la cocaïne des P.-Bas (transite parfois par Guyane). **Forêts** (90). 149 000 m^3. **Pêche** (89). Poissons 2 810 t, crevettes 710 t. **Élevage** (milliers, 90). Bovins 92, chèvres et moutons 19,2, porcs 32, volailles 7 176. **Bauxite.** Expl. dep. 1900 ; minerai (90) 3 267 000 t ; aluminium 3 434 t + 80 % des revenus d'export., 60 % des rentrées fiscales, 6 % des emplois en 1985. **Hydroélectricité.** 1,3 milliard de kWh (permet de transformer la bauxite). **Transports** (km). *Routes* 1 335 ; *chemins de fer* 120. **Tourisme.** 11 246 vis. (89).

Commerce (millions de florins sur., 89). **Exp.** 964,1 *dont* alumine 718,5, aluminium 92,7, crevettes 57,1, riz 56,7, bananes 18,2, bauxite 0,5 (88) *vers* Norvège 282,6, P.-Bas 241, USA 129,4, Brésil 59,7, Japon 50,4. **Imp.** 790,7 *dont* mat. 1res et prod. semi-finis 355, mach. et équip. de transp. 162, prod. pétr. 118 *de* USA 346,3, P.-Bas 159, Trinité-et-Tobago 74,6, Antilles néerl. 58, Brésil 40,3, Japon 33.

Rang dans le monde (91). 6e bauxite.

Swaziland

Carte p. 886. V. légende p. 884.

Nom. Ancien royaume de *Ngwane.*

Situation. Afrique. 17 363 km^2. D'O. en E. : haut Veld (1 200-1 300 m), région montagneuse ; moyen Veld (500-700 m), larges vallées ; bas Veld (150-300 m), plaine ; plateau (Lebombo) (500-900 m). **Climat** plus humide en altitude ; savane des régions basses.

Population. *1990 :* 768 000 dont 2,1 % de Blancs, *prév. 2000 :* 1 041 000. **Âge** – *de 15 a. :* 46 %, + *de 65 a. :* 3 %. **Mort.** *infantile :* 129 ‰. D 44,2. **Villes :** *Mbabane* (cap.) 40 000 h. (88), Manzini 38 000 h. (86). **Réfugiés** 70 000 du Mozambique. **Langues.** Anglais, swazi *(off.),* afrikaans, zoulou. **Religions** (%). Chrétiens 77, animistes 23.

Histoire. XVIIIe s. migration des Swazis vers S. du Swaziland actuel. **1881 et 1884** conventions de Pretoria et Londres, décident de l'indép. et des frontières du S. **1894**-*10-12* administration confiée à la rép. du Transvaal. **1899** début de la g. des Boers, le Tr. retire ses administrateurs. **1902** la régente demande protection brit. **1903** droits du Tr. transférés au gouv. mil. brit. du Tr. **1906** au haut commissaire brit. pour Basutoland et Bechuanaland. **1922** Sobhuza II roi (22-7-1899, † 21-8-1982, 112 femmes légitimes, env. 600 enfants). **1967**-*25-4* autonomie. **1968**-*6-9* indép. **1982** accord avec Afr. du S. pour accès à la mer (100 000 ha, + env. 800 000 h. de l'ethnie swazi), pas encore appliqué. *-21-8* Sobhuza II meurt. **1983**-*10-8* reine Dzeliwe régente, déposée, remplacée par reine Ntombi, mère de Mswati III. **1986** *févr.* P^{ce} Msanasibili arrêté.

Statut. Royaume. Membre du Commonwealth. *Const.* du 13-10-78. *Roi* Mswati III prince Makhosetiwe (n. 1968) dep. 25-4-86 (gouverne dep. 1989). *PM* Obed Dlamini dep. 12-7-89. *Ass.* à base tribale (40 m. élus et 10 nommés). *Sénat* 10 m. élus, 10 m. nommés. Partis interdits. **Drapeau** (1968). Repris sur celui du Swazi Pioneer Corps (2e G. mond.). Bandes bleues, jaunes et marron (avec emblème de 1890 ; bouclier en cuir de bœuf, 2 sagaies et un bâton de combat).

■ Économie

PNB (91). 850 $ par h. **Croissance** 8 à 9 %. **Pop. active** (%, entre parenthèses part du PNB en %) agr. 49 (27), ind. 18 (27), services 32 (44), mines 1 (2). **Inflation** (%) *1989 :* 9,4 ; *90 :* 14,2 ; *91 :* 10. **Apport des salaires des émigrés :** env. 20 % du PNB.

Agriculture. *Prod.* (milliers de t, 90) : canne à sucre 475, agrumes 72, maïs 90 (88), coton 26, ananas 39, riz. **Forêts** (88). 2 223 000 m^3. **Élevage** (milliers de têtes, 90). Bovins 662, poulets 834 (86), chèvres 325, moutons 35, porcs 23, ânes 14. **Mines** (milliers de t, 90). Charbon (réserves 5 milliards de t) 152, fer, amiante 36, or, étain, argent, mica. **Industrie.** Pâte de bois (89) 147 412 t, raffineries de sucre, agroalim., textile, chimie. **Transports** (km). *Routes* 2 750 ; *chemins de fer* 370. **Tourisme** (casinos). 201 438 vis. (88).

Commerce (millions d'emalangeni, 89). **Exp.** 1 217 *dont* sucre 389, boissons 233, bois et prod. en bois 161, fruits et légumes 83, prod. miniers 58, coton brut 28. **Imp.** 1 524. *Partenaires :* Afr. du S., G.-B. **Rang dans le monde** (91). 11e amiante, 15e rés. charbon.

Syrie

V. légende p. 884.

Situation. Asie. 185 180 km^2. *Frontières* 2 413 km (avec Turquie 845, Iraq 596, Jordanie 356, Liban 359, Golan occupé 74). *Côtes* 183 km. *Alt. max.* Mt Hermon 2 814 m. **Régions :** *littoral* étroit (petites plaines dominées par les monts de Lattaquié) humide ; *fossé* étroit. N.-S. du Ghab, arrosé par l'Oronte entre monts de Lattaquié et djebel Zawiya ; *plateaux et vallées* (200 mm de pluies par an) ; *steppes* ; à l'E. désert (Djezireh au N., Chamiya au S.). **Climat.** Continental et sec à l'intérieur, maritime et humide sur le littoral, très froid de déc. à avril. Été jusqu'à 45 °C. *Saison touristique :* automne. *Pluies :* env. 200 mm à Damas.

Population (millions). *1970 :* 6,3 ; *87 :* 10,9 ; *88 :* 11,3 ; *92 :* 12,9 ; *2000 (prév.) :* 16,8. **Âge** – *de 15 a. :* 49,2 %, + *de 65 a. :* 4,3 %. D 65. Arabes 88 %. **Taux** (‰) *natalité* 11,6, *mortalité* 4. **Minorités** Kurdes 6,8 %, Arméniens 2,8, Tcherkesses 40 000, Assyriens (réfugiés mésopotamiens araméophones) 30 000, Juifs 5 200 (40 000 en 1948). **Émigrés** 400 000 (surtout dans le Golfe). **Villes** (92) : *Damas* 1 500 000 h. Alep 1 750 000 (à 362 km), Homs 650 000 (167 km), Hamā 350 000 (214 km), Lattaquié 350 000 (477 km), (Damas-Beyrouth 109 km). **Pop. urbaine** (88) 40,3 %. **Occupé par Israël :** Golan (1 250 km^2) 15 000 h.

Langues (%). Arabe *(off.)* 90, circassien (tcherkess), arménien 2, araméen. **Analphabètes** 17 %. **Religions.** *Musulmans :* sunnites 6 850 000 (74 % de la pop.), chiites (10 %, secte alaouite ; région côtière de l'Ansarieh) 550 000 (très influents), druzes 120 000. *Chrétiens non cath. :* grecs orthodoxes (melkites arabes) 172 783, syriens jacobites 53 000, protestants 15 000, nestoriens 12 000, arméniens grégoriens 11 648. *Catholiques :* melkites cath. 57 344, syriens cath. 32 000, arméniens cath. 24 000, Chaldéens 18 000, maronites 17 000, latins 6 880. *Juifs 1990 :* 4 300 à 5 200 (40 000 en 1948), *93 (mars) :* 1 450 (avant avril 1992, ne pouvaient émigrer que pour raisons médicales sous caution 15/20 000 $; depuis, nombreux départs vers USA).

Histoire. 3000-1000 av. J.-C. établissement de peuples sémites : Cananéens, Amorrhéens et Araméens. **2400-2250** royaume d'Ebla (actuelle Tell-Mardikh) ; pop. sémite. **IIe millénaire** la S. est disputée entre Égyptiens et Hittites. **Ier millénaire** la S. est soumise aux Emp. assyrien, babylonien, perse. **VIe s.,** les Perses fondent une satrapie. **331** conquête par Alexandre. **312-05** attribuée à *Antigonos,* à la mort d'Alexandre. **305** *Séleucos Ier Nikator,* satrape de Babylonie, annexe Syrie, y installe sa capitale [Antioche, avec comme port Séleucie de Piérie (bouches de l'Oronte)], fonde la dynastie des *Séleucides* (20 rois en 240 ans : Séleucos Ier à VII et Antiochos Ier à XIII). **64** Pompée dépose Antiochos XIII et son rival Philippe, et transforme la S. en province romaine. **274 apr. J.-C.** Aurélien détruit royaume de Palmyre, fait prisonnière la reine *Zénobie.* **V. 390-près d'Antioche 459** Siméon (styliste), voir à l'Index. **395-640** rattachée à Byzance, accueille hérésies chrétiennes antibyzantines : nestorianisme, monophysisme, monothélisme. **611-22** annexée par roi perse Chosroès. **622-40** récupérée par emp. byzantin Héraclius. **640** Byzantins capitulent à Césarée devant Arabes ; libération de la domination byzantine. **641** Moawiya Ier (La Mecque v. 603-Damas 680), gouverneur de S. sous califats d'Omar et d'Othman. **656** Othman assassiné. M. refuse de reconnaître Ali comme calife. **657** à Siffin, combat indécis M./Ali. **660** M. se proclame calife. **661** Ali tué à Koufa. **Dynastie omeyyade** : règne à Damas de 661 à 750 (14 califes héréditaires) et à Cordoue de 756 à 1 031. **730** Jean Damascène (Damas 676-749), vizir, deviendra moine (docteur de l'Église 1890). **750** Mawan II vaincu et tué avec sa famille (1 s'échappe et gagne

l'Esp.). Damas fondée capitale de l'Emp. arabe. **IXe s.** morcellement politique. **850-900** reconquête byzantine partielle. **1141-1270** Hama fief des assassins. **XIIe-XIVe s.** Croisés fondent des principautés franques (Pté d'Antioche et Cté d'Édesse). **XIVe-XVe s.** souveraineté des Mamelouks. **1516-17** invasion turque de Selim Ier. **1799** échec à St-Jean-d'Acre de la tentative d'invasion de Bonaparte. **1833** Turquie cède S. à l'Égypte de Méhémet-Ali. **1841** la reprend. **1860** intervention de la France (après massacres des chrétiens). **1916-18** Arabes se révoltent contre Empire ottoman ; proclament l'indépendance. Damas devient le centre du mouvement. **1918** constitution du Congrès national et d'un gouv. nat. **1918-19** intervention angl. en Palestine (Gal Allenby entre à Damas oct. 1918) et fr. en S. (Gal Gouraud, Ht commissaire de Fr. en Syrie et Cilicie, en exécution de l'accord Sykes-Picot). **1919** commission King-Crane (Américains envoyés par Pt Wilson), recommande État unifié réunissant Palestine et Liban (autonomie). **1920**-*8-3* Congrès nat. refuse mandat fr., proclame émir *Fayçal ben Hussein* roi de S. *Juin* intervention fr. (Gal Gouraud), bataille de Maissaloun. *-25-7* Fr. bombarde Damas et y rentre, Fayçal (devient roi d'Irak) et son gouv. chassés. *-1-9* Gouraud proclame « Grand Liban », y rattache des territoires musulmans (Bekaa, Tyr, Tripoli), puis crée l'*État d'Alep* [avec régime spécial pour le *Sandjak d'Alexandrette* : 4 700 km², 220 000 h. en 1937 (80 000 Turcs, 90 000 Arabes, 25 000 Arméniens, + Kurdes, Circassiens, divers) ; 3 langues off. : arabe, français, turc], l'*État de Damas*, le *territoire des Alaouites* (promu État 1922) et, en mars 1921, l'*État du Djebel druze*. **1923** Catroux en S. : fédération s. regroupe Damas, Alep et Alaouites. **1924** État alaouite séparé à nouveau. **1925-27** insurrection partant du Djebel druze dirigée par sultan Pacha el-Atrache (1891-1982), matée par Gal Sarrail. **1930**-*14-3* Chambre dissoute. **1932** Méhémet-Ali Abed élu Pt de la Rép. **1933**-*21-11* Fr. propose alliance mais maintient États druze et alaouite en dehors. Nationalistes refusent. **1934** Chambre dissoute. **1935** agitation. **1936**-*9-9* accords Pierre Vienot (secr. d'État) ; tr. prévoyant indép. après 3 ans. **1939**-*23-6* Fr. cède Alexandrette à Turquie. *-7-6* Pt S. démissionne. *-10-7* Fr. dissout la Chambre, suspend la Constitution et nomme un Conseil gouvernant par décrets. **1941**-*8-6* intervention des troupes brit. et des forces du Gal Catroux ; Gal Dentz (vichyste) capitule ; « au nom de la Fr. libre », Catroux proclame que Liban et Syr. seront « des peuples souverains et indépendants » qui pourront « se constituer en États séparés ou s'unir ». Dans les 2 cas, indépendance et souveraineté seraient garanties par un traité négocié avec la Fr. *-28-9* il réaffirme l'indép. de la S. **1945-46** armée brit. oblige Fr. à évacuer S., puis part à son tour. **1946**-*7-4* évacuation des troupes fr. achevée.

1946-*17-4* **indépendance** complète. **1948** *mai*-**1949** *avr.* g. avec Israël. **1949** 3 coups d'État : *Husni Zaim, Sami Hinnawi* et *Adib Chichakli* qui devient Pt de la Rép. *(juill. 1953)*, puis est exilé *(févr. 1954)*. **1955** pacte mil. avec Égypte et Arabie S. signé. **1958** *févr.* RAU [Rép. arabe unie (S. s'en sépare sept. 1961)]. **1963**-*17-4* projet de fédération RAU, Iraq et S. abandonné après répression putsch pronassérien à Damas *(18-7)*. **1967**-*5/10-6 g. contre Israël* qui prend le Golan. **1970**-*27-11* adhère au pacte de Tripoli (alliance Égypte-Libye-Soudan).

1971-*12-3* **Hafez el-Assad** (n. mars 1930, Alaouite) dep. 12-3-71, réélu 8-2-78, 10-2-85 (99,97 %) et 2-12-91 (99,98 %). *-17-4* membre de l'Union des Rép. arabes (Ura : S., Libye, Égypte). **1972**-*4-3* à Tripoli (Liban) Gal Amran, anc. min. Défense, assassiné. **1973** *janv.* émeutes relig. et pol. *Sept.* réconciliation avec Jordanie (sommet du Caire Assad-Hussein). *-6-10 g. contre Israël*, libération de Kuneita. **1975** *avril* différend avec Iraq (utilisation des eaux de l'Euphrate). **1976**-*21-1* intervention au Liban (V. Liban). *-4-10* Pt Sadate chef de l'Ura [Le Caire cap. (n'a pas eu d'existence réelle : divergences Ég./Libye)]. *-1-6* intervention au Liban. **1978**-*10-2* S. et Iraq se réconcilient contre Égypte. *-24-10* Pt Assad à Bagdad. *-26-10* charte commune. **1979**-*16-6* : 60 off. tués (école d'artillerie d'Alep). **1980**-*16-1* Abdelraouf Kassem PM. 2 000 conseillers soviétiques (dont 800 techniciens pour barrage sur l'Euphrate). *-29-1* attentat amb. de S. à Paris (1 †). *Juin* capitaine Ibrahim Youssef, « cerveau » du massacre de l'école d'Alep 16-6-79, tué. *-26-6* attentat manqué contre Pt Assad (plusieurs centaines de fusillés). *-21-7* Salah Eddin Bitar (n. 1912), ancien PM, assassiné à Paris. *-7-8* reddition d'env. 300 frères mus. **1981** *avr.* incidents avec frères mus. à Hâmâ. *-3-9* explosion voiture piégée à Damas (20 †). *-4-9* Louis Delamare, amb. de Fr., tué au Liban (par services secrets syr. ?). *-29-11* voiture piégée idem (60 † et 135 bl.). *Nov.* législatives, pour la 1re fois. Pas d'élus communistes. Attentat islamiste au siège des serv. de renseign. à Damas (200 †). **1982**-*2/17-2* complot de 150 off. sunnites, répression (10 000 à 25 000 †), destruction de Hama, 500 millions de $ de dégâts. *Mars Alliance nat. pour la libération de la S.* (Frères mus. et Front islamique) pour lutter contre régime. *-8-4* frontière fermée avec Iraq. *-10-4* oléoduc Kirkouk-Banias (Iraq-Syrie) fermé. *-6-6 g. du Liban* (voir Liban) ; pertes (80 avions, 20 batteries missiles sol-air, 200 chars). **1984** *mars* visite Pt liban. Gemayel, accord israélo-liban abrogé. *Juin-nov.* exil « forcé » de Rifaat el-Assad, frère du Pt. *-26/28-11* Pt Mitterrand en S. **1985**-*28-12* accord de Damas avec milices liban. (chiites, druzes, chrétiens). **1986**-*6-4* attentats islamistes 140 élèves officiers †. **1986-87** intervention à Beyrouth. **1987** *févr.* coup d'État échoue (49 pilotes exécutés). **1988**-*24-4* Arafat à Damas. **1989**-*13-4* hélic. syriens tirent par erreur sur navires sov. *-28-12* relations diplom. rétablies avec Égypte. **1990**-*28-4* Pt Assad en URSS. *-2-5* Pt Moubarak en S. **1991** *mai* traité s.-liban. : S. reconnaît indép. du Liban pour la 1re fois, mais estime que les 2 pays appartiennent à une même nation. Investissements privés encouragés. *-15-10* Alois Brunner (n. 1912) accusé de la mort de 120 000 juifs, et réfugié à Damas dep. 1954, disparaît. *Déc.* 2 800 à 3 000 pris. pol. libérés. **1992** *avril* Juifs obtiennent liberté d'immigrer. *-4-6* Monzer al-Kassar, impliqué dans attentat de Lockerbie, arrêté. *-29-6* nouv. Gouv. *Juill.* Rifaat el-Assad revient d'exil. *-2-8* accord avec Turquie sur partage des eaux Euphrate. *-2/3-12* Noureddine el-Atassi, Pt de 1965 à 70, meurt après 22 ans de détention.

☞ Selon le Département d'État améric., la S. a été de 1983 à 86 impliquée dans 50 attentats (500 †) imputables à des organisations comme Abou Nidal, Septembre noir et Abou Moussa. Selon d'autres rapports, elle organise un trafic de drogue au Liban (rapport : 1 milliard de $ par an).

Nota. – S. et ex-URSS étaient liées par traité d'amitié et de coopér. dep. 1981. *Conseillers soviétiques. 1987 :* 2 240, *88 :* 1 240, *1990 (avril) :* 440.

Statut. Rép. Démocratie pop. socialiste. *Constitution* du 31-1-1973, soumise à référendum 12-3-73 (votants 88,9 %, oui 97,6 %). *Pt* (islamique élu pour 7 ans par référendum sur proposition de l'Ass.). 3 vice-Pts. *PM* Moahmoud Al Zou'bi. *Conseil du peuple* 250 m. élus p. 4 a. au suffr. univ. *Mohafazats* (préfectures) 14. **Élections** (23-5-1990). FNP 162 (Baas 134, PC 8). **Partis.** *Front national progressiste,* f. 1972, Pt Hafez el-Assad, regroupe : *P. socialiste arabe baath,* f. 1947, secr. gén. Hafez el-Assad ; *P. fédéral socialiste* Safwan Koudsi ; *P. socialiste unioniste,* Fayez Ismaïl ; *Mouv. unioniste socialiste,* Abdel Ghani Kannout ; *P. communiste de* Youssouf Faisal. **Prisonniers politiques.** 10 000 ; des milliers torturés (selon Amnesty Internat.) ; nombreux détenus sans jugement. **Fête nat.** 17-4 (départ des Français en 1946). **Drapeau** (1972). Bandes rouge, blanche et noire. 2 étoiles vertes au centre (avant, aigle).

Économie

PNB (91). 1 220 $ par h. **Pop. active** (%, entre parenthèses part du PNB en %) agr. 28 (13), ind. 25 (20), services 46 (49), mines 1 (18). **Inflation** (%) *1985:* 14 ; *86 :* 70 ; *87 :* 59 ; *88 :* 35 ; *89 :* 11 ; *90 :* 19,4 ; *91 :* 7,6 ; *92 (est.) :* 10 à 12. **Aide extérieure** (91) 1,1 milliard de $; *arabe* (depuis 86) : 500 millions de $/an. **Dette extérieure** (milliards de $) *1987 :* 4,67 ; *88 :* 4 + aide militaire ; *89 :* 16,9 ; *90 :* 16,4 ; *91 :* 15,3 (dont civile 3,4). **Budget militaire** (92) 43 % du budget total (armée 400 000 h. + service de sécurité 200 000 h.).

Agriculture. *Terres* (milliers d'ha, 91) pâturages 7 936, cultivables 6 079, cultivées 5 576, forêts 731, eaux 137, incultes 3 635. Le barrage de Tapka sur l'Euphrate permettra d'irriguer 640 000 ha en 2000 (la S. dispute à Turquie et Iraq l'utilisation du fleuve). *Production* (milliers de t, 92) : blé 3 045, orge 1 091, bett. à sucre 1 219, maïs 290, p. de terre 452, tomates 680, olives 461 (90), raisin 423 (90), coton 680, oignons 75 (90), lentilles 75, riz, tabac 13. Roseraies. **Élevage** (milliers, 91). Bovins 771, poulets 14 786, moutons 15 194, chèvres 963.

Énergie. Pétrole (millions de t) *réserves* 280, *prod. 1985 :* 9 ; *86 :* 9,2 ; *87 :* 12 ; *88 :* 14 ; *89 :* 16 ; *90 :* 20 ; *91 :* 23,5 ; *92 :* 25. *Revenus* (1992) : 1 000 millions de $. **Gaz** (milliards de m³) : *réserves* 100 à 230, *prod. 1991 :* 1 (grâce à de récentes découvertes, pourrait exporter 120 000 barils/j). **Électricité** (en Md de kWh, 91) 12,3 dont hydraulique 1,6 : barrage du 6-Octobre sur l'Euphrate (1989-1994), retenue 1,4 Md de m³ ; fournira 12,5 % de l'énergie électr. **Mines** (milliers de t, 91). Phosphates 1 470, sel 74, marbre, gypse 183, lignite, asphalte 71 (88).

Industrie. Raffineries de pétrole, cuir, cuivre, textile, tapis, agroalim., métallugie, BTP. **Transports** (km, 91). *Routes* 33 956 ; *chemins de fer* 2 238. *Oléoducs* de Syrie, Iraq et Ar. Saoudite. **Tourisme.** *Visiteurs 91 :* 1 570 151 dont 79 % de musulmans (pays du Golfe, Égypte, Liban), *92 :* 1 700 000. *Revenus* (millions de $) *92 :* 410. *Sites* Damas (mosquée des Omeyyades, tombeau de Saladin, palais Azem, chapelle de Ste-Honorine, Bab Charki, fenêtre de St-Paul, souks), krak des Chevaliers, Palmyre, Alep, Rasafa, Bosra (ruines), châteaux de Marqab et de Saladin, Ugarit (1er alphabet du monde), basilique St-Siméon.

Commerce (Md de LS, 91). **Imp.** 26,9 (90) *dont* (%) pétrole brut 55, fibres art. 8, bonneterie 8, coton brut 6, fruits et légumes 5,5 *de* (%) All. 20,7, ex-URSS 18,8, *France 17,7,* Liban 9,7, Italie 6,5. **Exp.** 47,3 (90) *dont* (%) prod. chim. 18, acier et prod. sid. 17, mach. et équip. 15, céréales 7, transp. et équip. 6,5 *vers* (%) All. 10,1, USA 9,3, Turquie 9, Italie 7,3, *France 6,7.* **Rang dans monde** (90). 11e coton (83). 24e ovins.

Tadjikistan

Carte p. 1124. V. légende p. 884.

Situation. Asie. 143 100 km². Frontières avec Ouzbékistan, Kirghizistan, Chine, Afghanistan. **Montagnes** 93 % : *Pamir,* « toit du monde », *Pic du Communisme* (7 495 m). **Glacier** le + long et le + profond du monde : *Fedtchenko* 71 km (épaisseur 550 m). **Climat.** Continental, sec et chaud. Moyenne janv. – 0,9 °C (en montagne, jusqu'à – 45 °C) ; juill. 27,4 °C.

Population. 5 200 000 h. (+ 3 % par an), (en % Tadjiks 63, Ouzbeks 23, Russes 7,6). D 35,7/km². En 1990, 23 000 personnes partent dont 14 500 Russes. **Villes :** *Douchanbe* (capitale) (ex-Stalinabad) 595 000 h. Khodjand (ex-Léninabad) 150 000 h, Kouliab. **Langue.** Tadjik apparenté au *farsi* (perse) ; également parlé en Chine, Afghanistan et nord du Pakistan. **Religions.** Islam (sunnites). Dans le Gorno-Badakhchan, ismaélites (chiites dont le chef est l'Aga Khan).

Histoire. 1917 rég. sov. procl. dans les régions sept. **1924**-*14-10* rép. soc. **1929**-*16-10* adhère à l'U. **1989**-*23-1* séisme 4 000 †. **1990**-*11/13-2* émeutes à Douchanbe (50 †). *-24-8* proclame sa souveraineté. *Sept.* Rakhmon Nabiev, chef du PC tadjik, élu Pt du Parlement remplace M. Aslonov accusé d'avoir suspendu les activités du PC (transformé en « parti socialiste »). *-23-9* état d'urgence. *-6-10* démission de Nabiev devant opposition démocratique.

1991-*9-9* **indépendance** proclamée. *-24-11* **Rakhmon Nabiev** (1931-93) élu Pt de la Rép. (58 % des voix). **1992**-*20-1* le « parti socialiste » reprend son nom de PC et exige la restitution de ses biens confisqués. *Mars-mai* manif. contre Nabiev. Le parti d'opposition Rastokhez (Renaissance islamique) revendique Samarkand et Boukhara (en Ouzbékistan). *Août* affrontements dans le sud pro-comm./islamistes. 180 †. *-31-8* démocrates et islamistes occupent palais présidentiel. Pt Nabiev disparaît. *-7-9* démission forcée de Nabiev. L'opposition (démocrates, islamistes modérés et fondamentalistes) l'emporte. Le Pt du Parlement **Eskanderov**, nommé Pt par intérim. *-28-9* + de 1 000 † dans le sud. La Russie envoie des renforts pour protéger ses garnisons et fermer frontière avec Afghanistan. *-2-10* Eskanderov demande aide à l'Onu. *-27-10* putsch néo-communiste échoue, 600 † en 2 j. *-17-11* Parlement réuni à Khodjand dans le N. Eskanderov démissionne. **Ali Rakhmanov,** protégé de Safarov († 1993), élu Pt du Parlement. *-27-11* cessez-le-feu comm./islamo-démocrates. *-14-12* milices pro-comm. (Kouliabis) de Safarov prennent Douchanbe. 50 000 islamo-démocrates se réfugient en Afghanistan, des dizaines d'opposants islamo-dém. assassinés. *Bilan de 9 mois de combats* 26 000 †, 500 000 personnes déplacées.

Statut. République. **1 région autonome : Gorno-Badakhchan.** 63 700 km². 161 000 h. *Capitale : Khorog* 15 000 h. (76). Région dep. 2-1-1925.

Économie

PNB par habitant (91) 615 $. *PNB total* 3,2 milliards de $ (la + pauvre des ex-rép. de l'URSS). Charbon, gaz, pétrole, plomb, zinc, aluminium, sel gemme, sources minérales ; ind. légères, alim., enrichissement des métaux ; coton, sériciculture, arboriculture fruitière (fruits secs), céréales. Élevage traditionnel (moutons, bovins, yaks). *Pop. active (%) :* agr. 38, ind. 24, tertiaire 38. **Monnaie.** Zone rouble. Monnaie nationale *(somon)* prévue. **Transports** (90). *Routes* 28 500 km dont 17 500 bitumés ; *voies ferrées* 480 km.

Tanzanie

Carte p. 1161. V. légende p. 884.

Nom. Vient de *Tan*ganyika et *Zan*zibar.

Situation. Afrique. 945 087 km² (dont 2 643 km² pour Zanzibar et Pemba). *Alt. max.* Mt Kilimandjaro

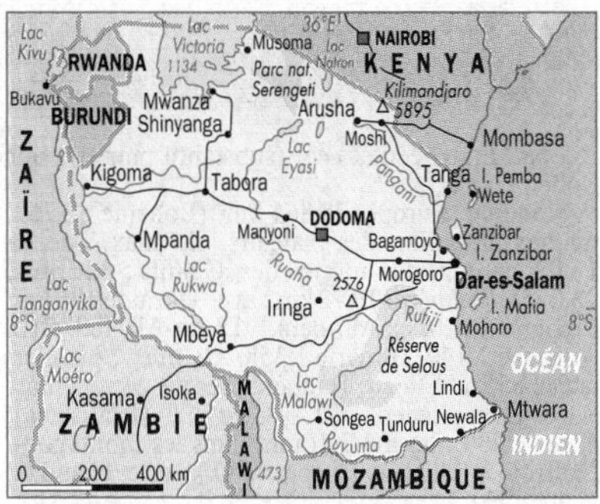

5 895 m. **Lacs** Victoria et Tanganyika. **Climat** très humide (côte et îles, 23 à 28 °C), chaud et sec (plat. central), semi-tempéré (montagnes). Grosses pluies avril-mai, petites oct.-nov. *Saisons :* chaude et sèche (janv.-mars), fraîche et sèche (juin-sept.).

Population. *1990 :* 26 635 000 h., prév. *2000 :* 40 000 000. Bantous 95 %, Sukumas 2 000 000, Chaggas, Makondes et Hayas 350 000, Masaïs 60 000 (env. 500 000 en 1990). **Âge** - *de 15 a.* 48 %, + *de 65 a.* 3 %. D 27,1. **Réfugiés** (92) 70 000 du Burundi. **Divisions :** *Tanzanie int.* 942 626 km², 24 972 000 h. Afr. 98 %. D 26,5. *Zanzibar* et *Pemba* 2 461 km², 663 000 h. D 269,4. **Régions** (78) Dodoma 971 845, Arusha 934 904, Kilimandjaro 910 823, Tanga 1 031 018, Morogoro 938 736, Dar es-Salaam 870 020, Zanzibar 270 736, Pemba 207 919, Mwanza 1 443 907. **Villes** (88) : *Dar es-Salaam* (cap. transférée en 1990 à *Dodoma*, 203 800 h.) 1 360 850 h. (aggl.), Mwanza 223 000, Tanga 187 600 (à 568 km), Zanzibar 157 600 (72 km), Arusha 88 155 (78) (841 km), Moshi 32 000 (78) (763 km). **Langues.** *Off. :* swahili (l. nat.), anglais (2ᵉ l.). **Religions** (%). Musulmans (sunnites, chaféites, ismaéliens) 30 ; chrétiens (cath. et prot.) 44 ; animistes 32.

Histoire. VIIIᵉ s. arrivée d'Arabes d'Oman. **XIᵉ s.** arrivée de Persans. **1000-1500** culture swahilie sur la côte. **XVIᵉ s.** installation portugaise sur la côte. **XIXᵉ s.** traite des esclaves développée. **1828** l'imam d'Oman Sayyid Said installe sa capitale à Zanzibar. **1871**-*10-11* Henry Morton Stanley (10-6-1841/10-5-1904), journaliste amér., envoyé par Gordon Bennett (dir. du *New York Herald*), retrouve David Livingstone (19-3-1813/1-5-1873), missionnaire et géographe perdu dep. 1866 (« Doctor Livingstone, I presume », dira-t-il). **1886** tr. Angl./All. reconnaissant autorité du sultan *Sayid Barghash Ben Saïd* (1833-88) sur îles de Zanzibar, Pemba, Mafia et Lamu et 5 à 10 miles de côte entre rivières Mniajani et Mogadishu. **1888**-*16-8* All. prend officiellement possession du Tanganyika. Sultan meurt. **1888-90** *Sayid Khalifa Ben Saïd* (1854-90), frère de Barghash. **1890-93** *Sayid Ali Ben Saïd*, dernier fils de Sayid Saïd Ben Sultan. **1911** Kattwinkel (All.) découvre fossiles humains dans la gorge d'Odulvaï (fouilles reprises par Louis et Mary Leakey). **1959** Mary découvre l'homme d'Arusha, *Homo habilis.*

Zanzibar et Pemba. 1856 sultanat indép. **1890**-*1-7* sous protectorat brit., reconnu par Fr. (contre Madagascar) et All. (contre Héligoland). Noirs tuent 5 000 Arabes. 10 miles de bande côtière aux Anglais. **1911-60** *Sayid Khalifa Ben Haroub* sultan. **Tanganyika. 1885-1919** terr. de l'Afr. orientale all. **1919** mandat brit. **1961**-*9-12* indép. **1962**-*1-12* républ. **Tanzanie. 1964** nom adopté 29-10 par la rép. unie de Z. et T. formée 26-4. *Julius Nyerere* (n. avril 1922) Pt. **1967** déclaration d'*Arusha :* socialisme, rôle prédominant des collectivités rurales (ujamaas) [1970-75 construction du « Tazara » (entre T. et Zambie), 1 859 km, 2 000 ponts et viaducs, 19 tunnels, 147 gares ; travaux effectués par 15 000 Chinois et 40 000 Afr.]. **1972**-*7-4* vice-Pt Cheikh Karumé (67 ans) assassiné. **1978** *nov.* invasion ougandaise. **1979** *mars* armée t. pénètre en Oug. (coût de la g. 500 millions de $). **1981** *mai* se retire d'Oug. **1983** *janv.* complot, env. 600 militaires et 1 000 civils arrêtés. **1985**-*31-11* **Ali Hassan Mwinyi** (n. 1925, musulman) élu Pt, réélu 7-10-90 avec 95,5 % des voix. **1990**-*20-7* Parlement dissous. -*1/4-9* visite Jean-Paul II. **1991** famine dans le N. **1992**-*1-5* multipartisme légalisé.

Statut. Rép. membre du Commonwealth. *Const.* de janvier 1985, amendée mai 1992. *Pt* (élu au suffr. univ. pour 5 ans) : *vice-Pt et PM* John Malecela, dep. 9-11-90. *Ass. nat.* 291 m. dont 216 élus pour 5 a. *Pt de Zanzibar* Salmin Amour élu 21-10-90 avec 97,7 % des v. Régions 25 (dont 5 à Zanzibar).

Partis. *Chama Cha Mapinduzi* (CCM, parti de la révolution, unique de 1965 à 92) f. 5-2-77, issu de l'Afro-Skirazi Party (ASP) (Zanzibar) et de la TANU (Tanganyika African National Union, f. 1954). *Pt* Ali Hassan Mwinyi, *vice-Pt* Rashidi Mfaume Kawawa. **Fête nat.** 26-4 (Union du T. et de Z.). **Drapeau** (1964). Vert (agriculture) et bleu (eau et Zanzibar), bandes obliques noire (peuple) et jaune (ressources minérales).

■ Économie

PNB (91). 140 $ par h. **Croissance** (est., %) *1989 :* 4,5 ; *90 :* 4,5 ; *91 :* 4,6. **Pop. active** (% et entre parenthèses part du PNB en %) agr. 83 (54), mines 1 (0,5), ind. 5 (6,5), services 11 (39). **Inflation** (%) *1985 :* 27 ; *86 :* 32,4 ; *87 :* 30 ; *88 :* 31,2 ; *89 :* 24 ; *90 :* 24 ; *91 :* 15,7. **Dette extérieure** (au 31-12-89) 5 Md dé $. **Aide** (Md de $, 90) 0,52.

Agriculture. *Terres* (milliers d'ha, 79) arables 4 110, cult. 1 030, forêts 42 260, pâturages 35 000, eaux 5 905, divers 6 204. *Production* (milliers de t, 90) : manioc 5 500, café 50, canne à sucre 1 320, maïs 2 445, mangues 186, patates 240, coton 59, sorgho 368, sisal 30, plantain 1 380, bananes 1 380, noix de coco 365, coprah 30, riz 740, millet 200, thé 20, cajou 20, tabac 15, pyrèthre. **Forêts** (88). 31 954 000 m³. **Élevage** (milliers, 90). Bovins 13 000, poulets 32 000, moutons 5 200, chèvres 8 500, canards 3 000, porcs 281, ânes 174. **Pêche** (89). 387 400 t.

Mines. Charbon (gisements importants, pas expl.). Fer, diamants, or, sel gemme, kaolin, étain, gypse, pierres semi-précieuses, écume de mer. **Transports** (km, 89). *Routes* 82 000 ; *chemins de fer* 2 600. **Tourisme** (87). 103 209 vis. **Sites :** *cratère* de N'gorongoro (6 500 m², amphithéâtre de 20 km de large, 600 m de prof.), *gorge* d'Olduvaï. *Parcs nationaux* (km²) : Serengeti 12 950, lac Manyara 314. Zanzibar, Stone Town : Beit el-Ajaïb, Maison des merveilles, fort du XVIIIᵉ s., musée.

Commerce (millions de $, 1987). **Exp.** 348 *dont* (%) café 53, produits manufacturés 11, coton 9, prod. pétroliers 8, minéraux 4, thé 4, tabac 4, noix de cajou 4, sisal 2, autres 8 *vers* (%) All. féd. 24, G.-B. 16, P.-Bas 6. **Imp.** 975 (en %) *de* G.-B. 14,4, RFA 12,4, Japon 11, Italie 9.

Rang dans le monde (91). 16ᵉ bovins.

Tchad

V. légende p. 884

Nom. Du lac que les explorateurs arabes appelaient *Lû sad* ou *Chad.*

Situation. Afrique. 1 284 200 km². *Frontières* 5 200 km env. ; avec Niger 1 250, Soudan 1 200, Libye 1 000 km, Rép. centrafricaine 1 000, Cameroun 800, Nigeria 200. *Alt. max.* Tibesti 3 415 m. **3 zones climatiques :** *désert* au N. 500 000 km², 250 000 h., *Sahel* au centre (région de N'Djamena) 1 500 000 h., *savane* soudanaise au S. à régime tropical semi-humide 400 000 km², 2 000 000 d'h. *Pluies* 20 mm au N., 300 à 800 au centre (juin-sept.), 800 à 1 200 (mai-oct.) au S. Dep. 1968, le désert a progressé de 50 à 70 km ; la partie N. du lac Tchad est sèche. **Port le plus proche** Douala au Cameroun (1 600 km). **Fleuves** *Chari* 1 200 km (débit 180 à 3 600 m³/s selon saison) ; *Logone* 970 km (55 à 900 m³/s). **Lac** *Tchad* côtes 100 à 250 km, 10 000 à 25 000 km² selon saison ; prof. 2,20 m.

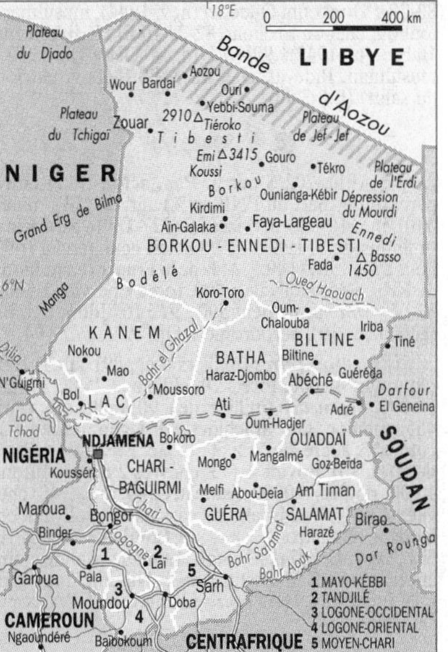

Population (millions). *1990 :* 5,5, *prév. 2000 :* 7,3. *Islamisés :* (Blancs) 1,5. Env. 5 000 Européens [dont 1 250 Fr. (*70 :* 6 500)], Libanais, Syriens. **Âge** - *de 15 a.* : 44 %, + *de 65 a.* : 2 %. **Mortalité** infantile 143 ‰. D 4,3. **Villes** (88) : *N'Djamena* (la ville où l'on se repose, ex-Fort-Lamy) 594 000 h., Sarh (Fort-Archambault) 113 400 (à 476 km), Moundou 102 000, Abéché 83 000 (756 km). **Langues** (off.). Français, arabe ; 169 langues et plusieurs dialectes. **Religions** (%). Musulmans 44 (dans le Dar-el-Islam au N.), animistes 23, chrétiens 33 [Dar-es-Soudan au S. (1ᵉʳˢ prêtres 1930, 1ᵉʳ évêque 1986)].

Nota. – Toubous : guerriers musulmans. *Saras :* cultivateurs ou fonctionnaires, animistes ou cathol.

Histoire. IVᵉ s. av. J.-C. au XVIIᵉ apr. J.-C. civilisation Sao. **VIIIᵉ s.** empires : *Kanem-Bornou* (fondé *800,* apogée XIIIᵉ s.) autour du lac Tchad ; *Baguirmi* (Tchad central XVIIᵉ-XIXᵉ s. ; devient vassal du Ouaddaï en **1870**) ; *Ouaddaï* (**XVIIᵉ au XXᵉ s.,** battu par les Fr. en **1909**) à l'Est ; *Bornou* (rôle important aux XIVᵉ s., XVᵉ s. Souverain représenté au Kanem par l'alifa Mao). **XIᵉ-XIXᵉ s.** islamisation. **1886-96** le Soudanais Rabbah (1845-1900) prend le Sud. **1897** Émile Gentil (1866-1914), explorateur fr., part au T. 1ᵉʳ tr. de protect. avec Gaourang, sultan de Baguirmi. **1899**-*21-3* accord franco-brit. plaçant Aozou au T. **1900**-*22-4* Kousseri, Cᵈᵗ François Joseph Lamy (1858-1900) bat Rabbah († tous les 2). -*5-9* création du T., protectorat fr. **1902** rattaché à l'Afr. équat. fr. **1906** incorporé à l'Oubangui-Chari. **1907** *juin* Abéché prise. **1908** évacuée. **1909** *juin* l'Ouaddaï se rend à la Fr. (sultan Doud-mourra). **1910**-*8-11* Cᵉˡ Moll encerclé par sultan de l'Ouaddaï et celui des Massalis, Moll et sultan mass. tués. **1913**-*9-10* à Faya, Cᵉˡ Étienne Largeau (1866-1916) bat khalife Achmed ech-Cherif. **1916** soumission du Borkou-Ennedi-Tibesti (BET). **1920** sous administration civile. **1922**-*26-8* colonie. **1928** introduction du coton. **1929** Fr. réoccupe Tibesti. **1935**-*7-1* tr. de Rome franco-it. ; tr. ratifié en Fr. 22-3 (Chambre par 555 voix contre 9 communistes) et 26-3 Sénat (295 voix contre 0), et en Italie par le Grand Conseil : rectification de frontière avec Libye (alors italienne), en vertu des promesses faites à Londres à l'It., en avril 1915, pour la décider à entrer dans la guerre ; l'It. obtient la bande d'Aozou [114 000 km² dont les oasis de Aozou, Yebbi Souma, Guezenti et Ouri ; minerais rares dont uranium bien que coût d'exploitation (isolement et climat)], la Fr. conserve oasis de Wour, Bardaï, Tekro et salines de Gouro. Mussolini, insatisfait, refuse d'occuper les territoires cédés. **1938**-*17-12* le Cᵗᵉ Ciano (min. Aff. étr. ital.) dénonce tr. car instruments de ratification non échangés. **1940** *juill.* ralliement à France libre ; Félix Éboué (Cayenne 1884-1944) gouverneur. **1946** Gabriel Lisette fonde P. pop. tch. (PPT). **1955**-*10-8* « tr. d'amitié et de bon voisinage » Fr.-Libye. Une annexe énumère la liste des actes internationaux (dont déclaration franco-brit. de 1899, convention franco-brit. de sept. 1919) en vigueur qui définissent les frontières de la Libye avec pays sous administration fr., plaçant Aozou au T. L'accord Laval-Mussolini n'y figure pas. **1956** loi-cadre élargit pouvoirs de l'Ass. terr. **1957** création de conseils du gouv. **1958**-*28-11* Rép. **1959** élections lég. : PPT vainqueur. **1960**-*11-8* indép. **1961** convention spéciale sur concours France pour maintien de l'ordre. **1962** 1 seul parti autorisé (PPT). **1963** *sept.* répression, env. 100 †. **1964** les Fr. évacuent le BET. **1965** *janv.* le N. (580 000 km²) contrôlé par l'armée fr. passe sous administration t. -*27-10* rébellion (région du Guéra et du Tibesti). **1966**-*22-6* Soudan, création Front de lib. nat. [Frolinat avec Ibrahim Abatcha (qui sera livré par ses soldats contre 3 millions de CFA et tué en 68) et Dr Abba Siddick (n. v. 1922)]. **1968** *févr.* interv. mil. fr. contre rébellion. **1971** *août* coup d'État, échec ; T. rompt relations dipl. avec Libye. **1972** *févr.* reprise des relations. *Août* Soudan n'aide plus les rebelles. *Sept.* fin de l'intervention directe fr. (au total, 39 militaires fr., 200 mil. et 400 civils tch., 2 000 « rebelles » tués dep. le début de l'intervention, qui a coûté env. 200 000 000 FF). -*28-8* Outel Bono (opposant) tué à Paris. *Oct.* combats : + de 140 †. **1973** Libye occupe bande d'Aozou que le Pt Tombalbaye lui aurait vendue (accord secret). **1974**-*21-4* Françoise Claustre, ethnologue fr., Dr Steawens (All., libéré 11-6-74 contre 4 milliards de F), sa femme († de ses blessures), Marc Combe (s'évadera 23-5-75) enlevés à Bardaï (Tibesti) par rebelles Toubous (chef Hissène Habré). Persécution des chrétiens refusant l'initiation aux rites du Yondo. **1975**-*12-4* Cᵈᵗ Pierre Galopin, négociateur, envoyé à la demande du gouv. tch., exécuté par rebelles. -*13-4* coup d'État du *Gᵉˡ Malloum ;* Pt Tombalbaye tué. *Sept.* la Fr. accepte de payer 10 millions de F pour F. Claustre. -*25-9* partie de la rançon remise à Habré, mais celui-ci exige des armes. -*27-9* le T. reproche à la Fr. d'avoir cédé à Habré et demande départ des troupes fr. *Oct.* elles évacuent Sarh. **1976**-*5/6-3* J. Chirac au T. : « réconciliation ». Accord de coop. mil. techn. -*13-4* attentat contre Malloum, échec. *-18-10* Habré se sépare de son adjoint Goukouni Oueddei (chef coutumier, dernier fils du *Derdei*) qu'il estime trop proche de la Libye ; retour progressif des troupes fr. **1977** Frolinat contrôle centre et E. ; Goukouni, soutenu par Libye, tient le Tibesti ; Habré, dans l'E., garde quelques hommes (et la rançon de F. Claustre). *-30-1* Françoise et Pierre Claustre (prisonnier dep. août 75) libérés par Frolinat. *-1-4* coup d'État, échec. *-20-6* offensive du Frolinat dans le N. La Fr. appuie Malloum. **1978**-*18-1* enlèvement d'un Fr. et d'un Suisse (libérés avril). *Févr.* Frolinat prend Faya-Largeau. *-30-4* conv. sur l'interv. d'hélicoptères français. Intervention fr. *Août* affrontements au sein du Frolinat (30 † à Faya-Largeau). *-29-8* Habré, *PM* du gouv. de « réconciliation nat. », ne veut pas intégrer son armée (Fan : 1 000 h.) dans l'armée nat. (ANT : 4 000 h.). **1979** *févr.* combats à N'Djamena Fan-ANT ; intervention fr. pour évacuer 3 700 Fr. *-10/11-2* gouv. de réconciliation nat. *-15-2* Habré contrôle capitale. *Mars* sudistes et Fat (Malloum) se réfugient au S. (Moundou et Sarh). Affrontements (625 †). *-14-3* accord de Kano (Nigeria) (sauf Frolinat du Dr Abba Siddick) pour « cessez-le-feu et réconciliation ». Malloum et Habré démissionnent. *-23-3* **Goukouni** Pt du Conseil d'État provisoire. Intervention lib. et nigériane. Massacres (10 000 † ?). *-21-8* accord de Lagos entre 11 factions. **1980** *févr.* il reste 1 200 mil. fr. ; *mars* reprise des combats. Fan contre Forces armées pop. (Goukouni, Forces armées t. du Cel Kamougué et Front d'action commune d'Ahmat Acyl). *-26-4* Goukouni démet Habré *-17-5* fin de l'évacuation fr. *-15-6* accord de défense Libye-Goukouni. *-6-12* offensive contre Habré. *-14-12* Habré s'enfuit au Cameroun (80 000 réfugiés). Intervention lib. : 5 000 mil. dont 3 500 lib. et 1 500 de la Légion islamique (mercenaires), env. 150 experts est-allem., des Cubains et des mercenaires ital. *-15-12* victoire Goukouni. **1981**-*6-1* accord fusion T.-Libye. *-14-1* résolution de Lomé, 12 pays afr. la condamnent. *-3-11* départ des Lib. (alors 10 000 h.). *Nov.* envoi (décidé 10/11-2 à Nairobi par OUA), d'une force interafricaine (4 000 h. du Zaïre, Nigeria, Sénégal), mission se terminant 30-6-82. *Déc.* offensive des Fan d'Habré. **1982** *févr.* ont reconquis 2/3 du pays. *-28-2* cessez-le-feu. *-7-6* Fan prennent N'Djamena. *-22-6* Goukouni, ex-Pt, s'exile en Algérie et fuit au Cameroun. *-19-7* mort d'Ahmat Acyl (soutien de Libye). *-4-9* Fan du S. reprennent pays tenu par Cel Kamougué (chef des Fat). **1983** *mai* combats dans le N. *-24-6* Goukouni reprend Faya-Largeau aidé par Lib. *-30-7* troupes gouv. reprennent Faya ; l'aviation lib. la bombarde. *-10-8* troupes gouv. l'évacuent. Opération *Manta :* 314 milit. fr. envoyés à N'Djamena. *-28-8* 8 avions de combat (Jaguar et Mirage) soutiennent les 3 000 h. des forces fr. **1984** *janv.* forces fr. s'installent dans une « zone rouge » à la hauteur du 15e parallèle. *-25-1* un Jaguar fr. abattu (1 †) et un Mirage touché. *-7-4* 9 paras fr. tués (imprudence). *-16-9* accord fr.-libyen sur retrait simultané. *Nov.* les Lib. ne se retirent pas. *-10-11* départ des derniers éléments de la force Manta (*Bilan* : 13 †, plusieurs bl.). **1984-85** rébellion dans le S. (les Codos). **1985**-*1-4* rencontre avortée Habré/Goukouni à Bamako. *Situation au 1-4 :* troupes lib. 5 000 h. dans le N., Gunt 4 000 h., ANL opposition. *Nov.* nombreux ralliements à Habré. **1986**-*10-2* offensive du Gunt et des Lib. au S. du 16e parallèle. *-16-2:* 11 Jaguar fr. détruisent piste d'aviation d'Ouadi-Doum contrôlée par Libye. *-17-2 :* 1 Tupolev lib. sur piste d'aviation de N'Djamena. *-17-3* bilan des combats dep. 10-2, selon les Fant : 235 † du Gunt et 2 Libyens, destruction du PC de la légion islamique, 186 prisonniers dont 5 lib. ; 200 véhicules récupérés. *Nov.* rapprochement Habré/Goukouni. *-18-11* Acheikh Ibn Omar remplace Goukouni à la tête du Gunt. *-11-12* Lib. attaquent Bardaï, Wour, Zouar. *-17-12:* 2 Transall français parachutent 16 t de vivres, munitions, carburants aux partisans de Goukouni dans le Tibesti. *-20-12* contre-offensive tchad. à Zouar (Lib. 400 †). **1987**-*2-1* à Fada (Libyens 784 †, 154 chars détruits ; Tchadiens 18 †). *-21-1* Zouar dégagé. *-22-3* Ouadi-Doum repris (1 269 Lib. †). *-23/26-3* Lib. évacuent Faya-Largeau. *-12/15-7* Habré en Fr. *-8-8* Tch. prend Aozou, 500 Lib. †, 100 Tch. †. *-28-8* Lib. reprennent Aozou. *-5-9* Tch. détruisent en Libye base de Maaten-es-Sarra, 1 713 Lib. †, 65 Tch. †, 22 avions détruits. *-7-9* 2 Tupolev 22 lib. vont vers N'Djamena. 1 est abattu par les Fr. ; 1 bombarde Abéché, 2 †. *-11-9* cessez-le-feu. *-21/22-11* combats près du Soudan avec légion islamique lib. **1988**-*7-3* attaque lib. à Karkour, 20 Lib. †. *-1-5* Goukouni forme nouveau gouv. d'union nat. de transition. Colonel lib. Aftar et 30 off. rejoignent Front nat. du salut lib. (opposition). *Août* Libye se proclame neutre dans le conflit tch. *-3-10* rel. diplom. T./Libye reprises. *-19-11* réconciliation gouv./Acheikh Ibn Oumar, chef du *Front nat. tchadien*. *-8-12* combats tch./légion isl. au S.-E. de Gozbeida (122 lég. et 8 Tch. †). *-25-12* 312 pris. tch. libérés. **1989** *janv.* dispositif *Épervier* allégé. *Mars* Acheikh Ibn Oumar min. des Rel. ext. *Avril* rébellion d'Idriss Déby, ancien Cdt des Fant. *-1-4* complot de Déby échoue. *-11-4* Hassan N'Djamous, vainqueur de la g. contre Lib., fait prisonnier au Soudan, meurt à N'Djamena. Idriss Déby s'échappe. Son frère Itno, min. de l'Intérieur † (tué en détention ?). *-21-7* Bamako, rencontre Kadhafi/Habré. *-31-8* accord ; passé 1 an, le « différend » sera porté devant Cour de La Haye. Retrait de 7 000 à 8 000 soldats lib. du N. du T., libération 2 000 prisonniers lib., 500 prisonniers dont 3 colonels sont dans l'opposition lib. en exil. *-16-10* combats dans le Darfour (O. Soudan) contre légion isl. (2 000 h. ou + ; chef : I. Déby) : 50 à 90 † selon T., + de 1 200 † selon maquisards. *-30-10* l'armée t. fait 600 †. **1990**-*31-1* Jean-Paul II au T. *-25-3* attaque légion d'I. Déby près de frontière soudan. *-4-4* victoire armée t. (légion isl. 330 †). *-2-7* él. législ. *-22-8* Rabat, rencontre Habré-Kadhafi. *-10, 15 et 25-11 Déby,* avec 2 000 h., bat 9 000 h. de l'armée. *-29-11* Abéché pris. *-1-12* Déby, entre à N'Djamena ; Habré fuit au Cameroun puis au Sénégal. *Déc.* cour criminelle créée pour juger Habré. *-7-12* armée amér. évacue 200 des 700 soldats lib. ralliés à Habré. **1991**-*11-2* Pt Déby en France. *-14-2* manif. à N'Djamena, 1 †. *-5-3* Jean Alingué Bawoyeu PM. *-11-6* Frolinat dissous. *Sept.* gouv. poursuit ex-Pt Habré, réfugié au Sénégal, pour crimes contre l'humanité (1982-90 : 40 000 pers. auraient été tuées), fait geler ses avoirs à Dakar (2 milliards de F CFA). *Oct.* N'Djamena, Zagawas (soutenant Déby) chassent Hadjerais. *-13-10* Maldoum Bada Abbas, min de l'Intérieur, arrêté après attaque par mil. d'un dépôt d'armes (40 †). *-22-12* offensive rebelle : Mouv. pour la dém. et le dév. (MDD), 3 000 à 3 500 h., dont partisans d'Habré (Goranes réfugiés au Niger, ex-soldats des Fant, chef Goukouni Guet) et Forces armées occ. (FAO, chef Brahim Malla). **1992**-*1-1* prennent Bol et Liwa. *-3 au 7-1* renforts français (450 h. du 8e Rpima et du 2e REI + 4 Jaguar). *-5-1* victoire armée tchad. *Bilan :* 400 rebelles et 25 mil. †. *-8/11-1* 50 pers. exécutées à N'Djamena (4 off.), dont dirig. du RDP (Rass. pour la dém. et le progr.). *-28-1/3-2* off. rebelle, échoue (250 †). *-16-2* Joseph Behidi, vice-Pt de la Ligue des droits de l'h., assass. *-18-2* grève gén. *-21-2* mil attaquent commissariat (13 †). *Mars* Goukouni Guet, chef du MDD, exécuté. *-15-4* branche du Frolinat rejoint MPS. *-20-5* Joseph Yodoyman PM. *-1/7-6* 164 rebelles tués. *-24-6* Libreville, accord Gouv./MDD. *-1-12* Goukouni à N'Djamena. *-15-12* Idriss Déby en Fr. *-19-12* Cameroun, Abbas Koty arrêté en voulant lancer offensive. **1993**-*23-1* putsch échoue. *-6-4* Fidel Moungar (n. 1948) PM.

☞ **Dispositif Épervier** (assistance française). Déc. 1990 : 2 500 h. [dont à N'Djamena : 1 500, à Abéché : 300 dep. 15-2-86 (suite à l'offensive lib.)]. *Matériel :* N'Djamena : 7 Mirage F 1, 4 Transall, 1 C-135, 4 hélic. Puma, missiles Crotale. Couv. aérienne retirée en avril 92 ; Abéché : blindés légers.

Statut. Rép. Charte nationale du 3-3-1991, amencée 1992. Charte de transition du 4-4-1993. *Conseil sup. de la transition CST,* 57 m., dep. 6-4-93. 5 *inspections territoriales.* 14 *préfectures.* **Fête nat.** 11-8 (indépendance). **Drapeau** (1959). Bandes bleue (ciel), jaune (soleil et désert), rouge (sacrifice nat.). La Libye revendique la bande d'Aozou (114 000 km²) ; procédure devant Cour de La Haye.

Présidents. **1960** François Tombalbaye (1918-75), Sara Madjingaye, protestant. **75**-*13-4* Félix Malloum (n. 13-9-32), chrétien, Sara Mbaye. **79**-*23-3* Lol Mahamat Shoua (n. 15-6-39), musulman, Kanembou. **80**-*29-4* Goukouni Oueddei (n. v. 1944), musulman, toubou, chef du Frolinat. **82**-*21-10* El Hadj Hissène Habré (n. 1942). **90**-*4-12* Idriss Déby (n. 1952), musulman, Bideyat, chef du MPS (Mouv. patriot. du salut) (f. 8-3-90).

Économie

PNB (91). 202 $ par h. **Pop. active** (% et entre parenthèses part du PNB en %) agr. 60 (54), mines 0 (0), ind. 10 (14), services 30 (32). **Dette extérieure** (millions de $, 1989) 429. **Déficit commercial** (millions de $, 1987) 149,5. **Aide de la France** (en millions de FF) *1986 :* aide civile 400, force Épervier 1 500 ; *87 (1er trim.)* armement 500 ; *91 :* 167 [dont nat. 67 (gendarm. 30), aérodrome 100] ; *92 (juill.) :* 94.

Agriculture. *Terres* (milliers d'ha, 79) cult. 3 150, pâturages 45 000, forêts 20 580, eaux 2 480, divers 57 190. *Production* (milliers de t, 90) millet et sorgho 455, manioc 330, arachides 80, légumineuses 63, coton 55, sucre 290, riz 60, tabac. **Élevage** (milliers de têtes, 90). Bovins 4 173, chèvres 2 800, moutons 1 900, poulets 4 000, chameaux 540, ânes 240, chevaux 200. **Mines.** Uranium, cassitérite, wolfram, or, bauxite, fer, natron. **Commerce** (milliards de F CFA, 88). **Exp. :** 41 867 *dont* coton, animaux, viande, cuirs et peaux, *vers* Cameroun, *France,* Nigeria, Centrafrique. **Imp. :** 124,9 *de France,* Cameroun, USA, Nigeria, Italie.

Rang dans le monde (89). 12e millet.

Tchèque (République)

Carte p. 1163. V. légende p. 884.

Nom. En tchèque *Cechy* (substantif pluriel) pour Bohême.

Situation. Europe. 78 864 km² (Bohême 52 769, massifs entourant des plateaux, alt. max. Snezka 1 602 m dans les monts des Géants ; Moravie 26 095). *Frontières* 3 472 km ; avec Ukraine 196 km, Pologne 2 620, ex-All. dém. 918, ex-All. féd. 712, Autriche 1 140, Hongrie 1 358. *Alt. max. :* pic Gerlach 2 655 m. **Climat.** Tempéré presque continental : − 1,6 °C en janvier, + 21,1 °C en juill. (Bratislava). *Pluies :* 400 mm à 1 700 mm dans les montagnes. *Été* froid et pluvieux (si vents d'O.), sec et chaud (si vents d'E.).

Ex-Tchécoslovaquie

Population (en millions). *1921 :* 8,1 (Tchèques 3,1, Allemands 3,1, Slovaques 2), *1989 :* 15,62 (Bohême 10,36, Slovaquie 5,26) [en %, *87 :* Tchèques 62,9, Slovaques 31,8, Hongrois 3,8, Polonais 0,5, Allemands 0,3, (Bohême 0,06, Slovaques 0,005), Ukrainiens (Ruthènes) 0,3, autres 0,4 ; *92 :* 0,1 à 0,4 Tziganes]. **Âge** – *de 15 a. :* 24 %, + *de 65 a. :* 11 %. **Espérance de vie** H. 67,5 a ; F. 74,9. **Mortalité** *infantile* 13 ‰. **Suicides** (1990) 2 109.

Langues (%). Tchèque 66,2, slovaque 18, hongrois 3,1, allemand 1,2, ukrainien (ruthène) 0,6, polonais 0,6. *Recensements suivant la langue maternelle* (en 1930, en %) Tchèques et Slovaques 66,91 %, Allemands 22,32, Hongrois 4,78, Ukrainiens (Ruthènes) 3,79, Juifs 1,29, Polonais 0,57.

☞ En 1992, 2 850 000 Allemands Sudètes [(ou descendants des expulsés de 1945-46) dont en RFA 2 700 000, ex-RDA 700 000, Autriche 150 000] estiment avoir perdu 260 milliards de marks (soit 1 000 milliards de F).

Population (de la République tchèque). *1991 :* 10 302 000 h.

Villes (janv. 90) : *Prague (capitale)* 1 214 885 h., *Moravie :* Olomouc 110 000, Hradec Králové (Königgrätz) 100 000, Ceské Budejovice 90 000, Karlovy Vary (Karesbad) 62 000.

Religions. *Église catholique romaine :* 6 000 000, 12 diocèses. *Vieille-cath. :* tradition hussite de Jan Rokycana († 1471), 2 000. *Orthodoxe :* 180 000 en 4 éparchies. *Tchécosl. hussite :* appelée hussite en 1972, fondée 1919 ; renoue avec les traditions utraquistes : communion sous les 2 espèces, liturgie en tchèque, pas de célibat chez le clergé [1 patriarche, 5 évêques, 300 pasteurs (40 % de femmes)]. *Évangélique des frères moraves :* 200 000 en Bohême-Moravie. *Silésienne c.A. :* 30 000 Polonais silésiens. *Union des frères :* 3 000. *Église des frères :* 9 000. *Baptistes :* 5 000. *Méthodistes :* 3 000. *Temples chrétiens* (mouvement) 5 000. *Adventistes du 7e jour :* 20 000. *Juifs :* 5 000 à 15 000. *De 1950 à 90, Égl. clandestine :* env. 260 prêtres (dont 80 mariés) et 20 évêques (dont 8 mariés) ordonnés clandestinement ; beaucoup (dont 1 femme évêque) ordonnés par Félix Davidek (n. 1921 ; *1945* prêtre, *1950-63* emprisonné, *1967* évêque cland., *1988-18-8* meurt).

Histoire

Av. J.-C. IIIe s. Régions tchèques et slovaques occupées par des Celtes (Boïens en Bohême) ; civilisation d'Unetice (bronze). **IIe s.** invasion des Marcomans (Germains occ.) ; Celtes se réfugient en Bavière (Boaria). **Apr. J.-C. IIe s.** contacts étroits entre Marcomans et Romains de Norique et Pannonie (guerres, puis échanges commerciaux). **IVe s.** Marcomans remplacés par Quades (Germains orientaux). **Ve s.** Lombards repoussent Celtes vers l'O. Tchèques occupent Bohême et Moravie. **VIe s.** Slaves chassent Lombards, duché slave (tch.). **627-662** Samo crée État slave indépendant. **IXe s.** Ptés de Morava et Nitra forment Empire de Grande Moravie. **840** Pribina de Nitra dirige les 2 principautés unies en un État chrétien (converti par Sts Cyrille et Méthode 863-65). **864** attaque de Louis le Germanique, allié aux Bulgares pris à revers par Byzance. Gde Moravie sous tutelle germanique. **869** Svätopluk, imposé par Germains, se retourne contre eux. **874** battu, reconnaît souveraineté de Louis le Germ. **880** obtient protection du pape (bulle *Industriae tuae)*. **894** Germains et Magyars provoquent chute Gde Moravie. **905-07** Arpad, r. des Magyars, écrase Moraves et assujettit tribus s. **905-21 Vratislav Ier** fonde dynastie bohémienne des *Prémyslides.* **924 Venceslas** (v. 907/28-11-929) duc vénéré depuis comme St patron. **955**-*10-8* poussée magyar arrêtée. **1086 Vratislav II** couronné r. de Bohême à titre viager

TCHÉCOSLOVAQUIE APRÈS MUNICH (30-9-1938/15-3-1939)

par l'emp. Henri IV. 1192 Ottokar Ier monarchie boh. devient héréditaire. **1212** Ottokar Ier († 15-12-1230) reçoit titre de r. de Frédéric II de Hohenstauffen (« bulle d'or » de Sicile) ; bien que non allemand est l'un des 7 électeurs du St-Empire. **1273** Rodolphe de Habsbourg élu emp. contre roi de Boh. : *Ottokar II.* **1278**-*26-8* défaite et mort d'Ottokar II à Dürnkrut en tentant de prendre Vienne. 1283 Venceslas II élu (1300 r. de Pologne), ne parvient pas à faire proclamer son fils r. de Hongrie, sous le nom de Ladislav V ; roy. prospère (mines d'argent de Kutna Hora). 1310-47 dyn. des Luxembourg (4 rois de 1310 à 1437). 1310 Jean de Lux. (1296-aveugle 1339, combat du côté fr. à Crécy où il est tué 26-8-1346), fils de l'emp. Henri VII, r. de Bohême par mariage avec Élisabeth, sœur de Venceslas. **1335** acquiert Silésie en échange renonciation au titre de r. de Pologne. **1338** bourgeois de Prague autorisés à construire un hôtel de ville. **1344** archevêché de Prague créé. 1346 Charles IV (1316-78), fils de Jean de L., emp. du St-Empire, roi de Bohême. Tch. devient langue off. **1348** université de Prague fondée. **1356** statut autonome du roy. de Bohême confirmé (bulle d'or de Charles IV), « Couronne de St-Venceslas ». 1363 Venceslas IV fils de Charles IV (1361-1419), couronné roi de Boh. du vivant de son père, élu emp. 1378 après la mort de celui-ci. **1410-15** réformateur (1368-1437) : *Jan Hus* (n. 1370-brûlé vif 1415). 1419 Sigismond frère de Venceslas IV, élu emp., roi de Bohême *-30-7 1re défenestration de Prague :* membres de la municipalité jetés par fenêtres hôtel de ville par peuple de Prague, mené par Jean Zelivsky, ancien moine lié aux millénaristes du mouvement Tabor. **1420-21-22-27-31** croisades du pape et de Sigismond contre Hussites (dont Jean Zizka, prêtre Procope le Grand). **1434** Lipany, défaite armées hussites. 1437 Albert II de Habsbourg (1397-1439), roi d'All. et de Hongrie, élu roi de Boh. **Jusqu'en 1471** insurrection contre noblesse et bourgeoisie en majorité all. Georges de Podiebrady (1458-71), partisan des Hussites, élu roi de Boh. (premier roi « national »).

Dynastie des Jagellon (polonaise ; 2 rois de 1471 à 1526). **1471 Ladislas II J.**, fils du r. Casimir de Pologne. **1485** paix religieuse de *Kutna Hora* (distingue foi rel. des fidèles de celle de leurs seigneurs). **1515** accords de Vienne Jagellon/Habsbourg. **1516 Louis II J** meurt à Mohacs (1526).

Dynastie Habsbourg (1526-1918) avec **Ferdinand Ier**, qui a épousé Anna Jagellon. **1547**-*7-7* défaite des États tch. ; villes perdent leur administration autonome. Fin autonomie Égl. calixtine. **1564** monarchie boh. héréditaire dans famille Habsbourg. **1618** *2e défenestration de Prague* (des 2 gouv. impériaux, allemands et cathol. par nobles et bourgeois tch. évangélistes) : début de *la g. de Trente Ans.* **1620**-*8-11* bat. de *la Montagne Blanche ;* Tch. vaincus, Bohême sera province de l'emp. d'Autriche et recatholicisée [de 90 % de protestants à moins de 10 % ; émigr. des nobles vers All. ; des intellectuels, notamment Comenius (1592-1670), vers P.-B.]. **1627** « Constit. du pays renouvelé » : égalité all./tch. **1648** *paix de Westphalie* maintenant Bohême et Moravie parmi États cath. **1784** 4 villes de Prague unifiées. **1838** Hist. de la Bohême de Palacky publiée. **1848**-*2/12-6* Prague, *1er congrès panslave. Juillet* Parlement élu au suff. univ. direct. *-7-9* droits féodaux abolis avec indemnisation. **1848-60** répression. **1860** *oct.* diplôme rétablissant constitutions particulières et régime censitaire. **1867** début émigration USA. **1869** firme *Skoda* créée. **1874**-*25-12* parti des Jeunes Tch. créé. **1876** début tentative magyarisation S. ; langue limitée à ens. primaire. **1878** parti ouvrier soc.-dém. créé. **1882** langue tch. même statut que all. (difficultés avec minorité all. : suspension) ; université tch. restaurée. **1896** émeutes. **1907**-*26-1* suffr. univ. en Bohême. **1911** él. : P. agrarien domine (P. social-dém. 37 % des v.). **1914-18** régiments tch. sur front russe et dans armées alliées. **1915** Thomas Masaryk, chef de la résistance anti-autr., crée gouv. tch. en exil à Paris (secr. gén. Edvard Beneš). **1917** recrute armée tch. dans les camps de prisonniers autr. en Sibérie. **1918**-*29-6* Fr. reconnaît conseil nat. tch. *-14-10* gouv. provisoire. *-18-10* proclame indép. à Washington. *-28-10* à Prague.

République 1918-*14-10* Tomás Masaryk (1850/14-9-1937). *-14-11* Rép. proclamée, assemblée et gouv. provisoires. *Déc.* Masaryk élu Pt de la Rép. ; sécession des All. des Sudètes réprimée (pop. en % : Tchèques et Slovaques 65,5, All. 23,4, Hongrois 5,7, Ukrainiens 3,4, d'origine juive 1,3, Polonais 0,6). **1919**-*27-4 à juillet* conflit avec Hongrie. *-8-5* a sous mandat l'Ukraine subcarpatique. *-28-9 (au 30-11-20)* légions tch. de Russie évacuent la R. **1920**-*29-2* Constit. : régime parlem. bicaméral (env. 20 partis pol.). *-4-6 tr. de Trianon* avec Hongrie. *-14-8* création de la *« Petite Entente »*, appuyée par Fr. 1922 [alliance avec Youg. (Roumanie adhère juin 1921, tr. de non-agression avec URSS. 4-7-1933, défection yougosl. 1936)]. **1924**-*25-1* accord franco-tch. (1925 : promesse d'assistance milit.). **1929-33** production industrielle : – 40 %. **1933** 1 200 000 chômeurs. **1935**-*16-5* alliance avec URSS.

1935-*18-12* Edvard Beneš (28-5-1884/3-9-1948). Pt de la Rép. **1938**-*29-7* territoire sudète habité par des All. (ralliés autour de Konrad Heinlein, nazi) cédé à l'All. après Munich (30 000 km², 3 000 000 d'h.). *29/30-9* conf. de Munich. *-1-10* Pologne prend Tesin (en all. : Teschen) (1 270 km², 28 600 h.). *-5-10* Beneš démissionne (26-10 part pour G.-B. puis USA ; 1939 revient en Fr. puis va à Londres). *-6-10* Slovaquie autonome [PM Mgr Joseph Tiso (1887-1947)]. *-8/26-10* Ruthénie autonome renommée Ukraine subcarpatique. *-20-10/2-11* Slovaquie du S. et S. de l'Ukraine sub. cédés à Hongrie. Arbitrage de Vienne au bénéfice de la Hongrie. La Tch. a perdu 41 098 km² et 4 876 000 h. dep. le 1-10.

1938-*30-11* Émil Hácha (12-7-1872/10-5-1945 en prison). Pt de la Rép.

1939-*14-3* la Diète slovaque proclame l'indép. de l'État slovaque, voir p. 1148. Hongrois occupent Ukraine subcarpatique. *-15-3* occupation all. : Hitler nomme Hachn Pt d'État du *protectorat de Bohême-Moravie* (créé Karl von Neurath et K.H. Frank). *-28-10* manif. fête nat. : 9 bl. (dont 1 étudiant : Jan Opletal † le 11-11 de ses blessures). *-17-11* universités fermées, 9 leaders étudiants exécutés, déportation de plusieurs centaines. **1940**-*9-7 Comité national,* reconnu par Paris et Londres en nov. et déc. 1939, assure continuité tch. en G.-B. **1941**-*18-7* tr. d'alliance Beneš/URSS *-27-9* Reinhardt Heydrich (n. 7-3-1904), protecteur du Reich remplaçant. Proclame état de siège ; répression. *-16-10* transport de Juifs de Prague à Lódz. **1942**-*27-5* Heydrich, blessé par partisans, meurt 4-6. *-10-6* massacre à Lidice (184 h. tués, 235 f. déportées). **1944**-*25-8* début du soulèvement national slovaque. **1945** *janv.* Russes libèrent Slov. orientale. *-4-4* gouv. de Front national présidé par le social-dém. de gauche Zdenek Fierlinger. *-21-4* Américains (du Gal Patton) entrent en Tch. *Avr.* cabinet Fierlinger, fusion du gouv. Beneš émigré à Londres en juill. 1940 et du mouv. émigré en URSS, 4 partis tch. représentés (socialiste, social-dém., communiste, populiste) et 2 p. slov. (dém., comm.). *-5-5* soulèvement de Prague 4 j avant arrivée des Russes. *-9-5* Prague libérée.

1945 Edvard Beneš rentre à Prague. Proclame la IIe Rép. *Juin* Pologne restitue Teschen. *-29-6* Ruthénie sub. (confiée en mandat en 1919) cédée à URSS (env. 750 000 h.). *-24-10* mines, industries, banques par actions, assurances et ind. alimentaire nationalisées. **1946**-*25-1* 1er transport d'All. : 2 170 000 seront expulsés de Tch. *-26-5* élect. Assemblée nat. constituante. *Pays tchèques :* PCT 40,17 % des voix, socialistes nationaux 23,66, populistes 20,23, sociaux-dém. 15,59. *Slovaquie :* P. dém. 61,43, PCS 30,48, P. de la liberté 4,2, P. du travail 3,11. Élus : communistes 114 s. sur 300. Gouv. de coalition formé par comm. Klement Gottwald (1896-1953).

1946-*18-6* Edvard Beneš (28-5-1884/3-9-1948) élu Pt de la Rép. **1947** *juill.* le gouv. accepte à l'unanimité le plan Marshall. Staline l'oblige à refuser. *Sécheresse :* récolte de 40 % moins abondante qu'avant guerre, rations alimentaires diminuées (beaucoup accusent les communistes qui détiennent la plus grande part du pouvoir). *Nov.* congrès du parti social-démocrate, Pt Zdenek Fierlinger et aile gauche battus. *Nouveau Pt :* Bohumil Lausman ; le PC renforce ses positions ; le min. de l'Intérieur et le min. de la Défense [Gal Ludvik Svoboda (officiellement « sans parti »)] sont comm. *1948-7-1* expropriation des terres au-delà de 150 ha cultivés. *-13-2* les min. social.-nat. et pop. demandent au min. de l'Intér. (comm.) d'annuler la nomination de 8 commissaires de pol. comm. *-17-2* les comm. font pression sur les démocrates (mouvements de masse). *-20-2* 12 ministres de 3 partis (social.-national, chrétien-dém. et dém.-slovaque) démissionnent. Il reste la majorité des sociaux-dém. et des « sans-parti » (14 en tout). *-21-2* manif. comm. *-24-2* grève générale de 1 h. *-25-2* **Coup de Prague :** Beneš, persuadé par les comm. qu'une guerre civile menacerait s'il refusait les démissions des min., accepte et approuve la composition d'un nouveau gouv. Gottwald (en maj. comm.), Jan Masaryk reste min. des Aff. étr. *-9-3* il tombe d'une fenêtre (suicide ?). *-28-4* nouvelles nationalisations (commerce en gros, construction, commerce extérieur et toute entreprise de + de 50 employés). *-9-5* nouvelle Const. *-30-5* élections : la liste gouv. unique obtient 89 % des voix. *-7-6* Beneš démissionne († 3-9-1948).

1948-*14-6* Klement Gottwald (23-11-1896/14-3-1953) Pt Zápotocký. Pt du Conseil. – Nombreuses personnalités rel. condamnées. **1949**-*1-1* 1er plan quinquennal. *Juin* pour détruire l'influence de l'Égl. cath. (archev. Mgr Beran), le gouv. fonde comité d'action cath. *-20-6* pape excommunie supporters des comm. **1950** nombreux procès [3 types : ennemis du peuple (Mme Horakova, Z. Kalandra) ; nationalistes slovaques (Clementis, Husák) ; agents du sionisme (Slánský)]. 12 exécutions [dont 3-12-52 Slansky (vice-Pt, PM), Vladimir Clementis (min. Aff. étr.)]. **1953**-*14-3* Gottwald meurt.

1953-*21-3* Antonín Zápotocký (1884/17-11-1957). *-7-8* émeutes contre réforme monétaire.

1957-*13-11* Antonín Novotny (10-12-1904/1975). *-17-11* Zápotocký †. **1961** difficultés écon. **1962** Slansky et Clementis réhabilités ; Barak, min. de l'Int., incarcéré. Restes de Gottwald transférés hors de son mausolée (Mt Vitkov) de Prague. **1963** conférence de Liblice : œuvre de Kafka réhabilitée.

1968-*6-4* Gal Ludvík Svoboda (1895-1979) élu Pt. Oldrich Cernik PM : **« printemps de Prague »,** programme libéral. *-5-1* Alexander Dubček, 1er secr. du PC, remplace Novotny. *-22-3* Pt Novotny démissionne sur ordre de l'Ass. nat. *-30-5/30-6* manœuvres du pacte de Varsovie, dernières troupes sov. partent *3-8. Juill.* pression sov. sur Dubček pour restreindre libéralisme. *-29-7* Politburo sov. arrive à Cierna. *-9/11-8* Tito et *15-8* Ceauşescu en Tch. pour soutenir Dubček. *-21-8* membres du comité central et du gouv. arrêtés et emmenés à Moscou ; intervention étrangère (20 000 h. puis 650 000 Sov., Pol., Hongr., All. de l'Est, Bulg.). Les représentants des 5 États du tr. de Varsovie constatent que la « contre-révolution » en Tch. menace le rég. soc. et qu'il est impossible de résoudre le problème en ayant seulement recours aux moyens pol. [Sur 90 PC du monde, 11 approuvent URSS (URSS, Pol., Hongr., All. dém., Bulg., N.-Viêt-nam, Corée du N., Mongolie, Colombie, Chili, Syrie), le PCF désapprouve]. *-27-8* Dubček et Pt Svoboda vont à Moscou pour obtenir la libération des ministres prisonniers, en échange de concessions : stationnement « temporaire » en Tch. des troupes russes, annulation de plusieurs réformes. *-13-3* censure préventive. *-16-10* accord sur stationnement des troupes étr. **1969**-*1-1* Tch. *devient État fédéral* (sigle CSSR) regroupant État slov. et État tch. (Bohême et Moravie). *-16-1* Jan Palach (étudiant, n. 11-8-48) s'immole par le feu sur place Venceslas pour protester contre occupation sov. *-19-1* obsèques. *-25-1* manif. d'unité nationale ; Jan Zajic, étudiant, s'immole par le feu. *-21-3 :* 1re victoire de l'équipe tch. sur URSS aux championnats du monde de hockey sur glace à Stockholm, explosion de joie. *-28-3 :* 2e vict. : enthousiasme (Prague, bureau Aeroflot mis à sac). *-6-4* présidium du PC « blanchit » 10 anciens dirigeants accusés de collaboration et de trahison dep. l'intervention : Bilak, Barbirek, Kolder, Piller, Rigo, Svestka, Lenard, Kapek, Indra et Jakes. *-17-4* comité central du PC remplace Dubček (Husák 1er secr.). *-3-6* Lubomir Strougal, Pt du bureau du PC pour Bohême et Moravie, devient off. le dauphin de Husák. *-19 au 21-8* manif. lors du 1er anniv. de l'intervention : 4 †, 424 blessés et 2 174 arrestations en Bohême et Moravie. *-22-8* champion d'échecs Ludek Pachman arrêté. *-3-9* présidium du PC slov. annule sa résolution d'août 1968 condamnant intervention étr. Tous les organes du PC feront de même. *-25-9* comité central révoque Dubček de la prés. du Parlement (et l'exclut du présidium) ; Josef Smrkovsky, de la prés. de la Ch. du Peuple (et l'exclut du comité central avec 9 autres, 19 démissionnent). Épuration du parti. *-9-10* interdiction des voyages en Occident et Youg. *-16-10* épuration au Parlement, qui proroge ses pouvoirs jusqu'en janv. 1971. *-17-12* Smrkovsky démissionne. Parlement crée des délits « contre l'écon. soc. », etc., permettant de sanctionner n'importe quoi. *Réfugiés tch. dep. l'intervention soviét. :* 50 000 [12 000 admis en Suisse, 7 300 au Canada, 8 000 en All. féd. (voir Quid 1971, p. 863)]. **1970**-*28-1* Strougal PM.

1975-*29-5* Gustáv Husák (Slov. 10-1-1913/18-11-1991) emprisonné pour « déviationnisme » (1951-60) démissionne 10-12-89. *-12/14-11* Strougal en France : accord de coop. écon. (p. 10 ans). **1977**-*5-1* 242 intellectuels signent la *« Charte 1977 »,* « afin de permettre à tous les Tch. de travailler et de vivre comme des êtres humains » [rédacteur : Jean Patocka, créateur du cercle philosophique de Prague (1907-mars 77, † après interrogatoire policier)]. **1979**-*11-2* Jaroslav Sabata, porte-parole de la « Charte », emprisonné. *-23-10* procès de la Charte 77 (4 accusés : Václav Havel, Jiri Dienstbier (n. 1937, journaliste, dramaturge), Petr Uhl (n. 1941, journaliste), Václav Benda (n. 1946, mathém., philosophe). **1980**-*13-1* Jiri Lederer, journaliste, signataire de la Charte 77, libéré après 3 ans de prison († 12-10-83 en exil). *Juill.* Rudolf Battek, membre du Vons (Comité de défense des personnes injustement poursuivies) et porte-parole de la Charte 77, condamné à 7 ans de prison. **1982**-*29-1* accord Tch.-G.-B.-USA prévoyant restitution de 18,5 t d'or volées par nazis et récupérées par alliés en échange de l'indemnisation des émigrés tch. en G.-B. et USA. **1986**-*9-11* mort à Londres d'*Artur London* (juif, n. 1915, membre du PC, ancien des brigades intern. en Esp., résistant en Fr., déporté, vice-min. des Aff. étr. en Tch., arrêté 1951, jugé nov. 1952, gracié, auteur de *l'Aveu,* nov. 1970, déchu de la nation. tch.). **1988**-*1-1* 1res *mesures de privatisation* et de rentabilisation de l'économie prennent effet. *-21-8* 4 000 manif. à Prague pour anniv. de l'invasion soviét. (+ grande manif. dep. 1969), 77 arrêtés. *-27-10* amnistie. *-28-10* manif. pour anniv. de la fond. de la Rép. *-31-10* 200 opposants arrêtés, dont écrivain Václav Havel (lib. -1-11). *-8/9-12* Pt Mitterrand en Tch. *-10-12* 1re manif. autorisée dep. 20 ans (3 000 pers.). *-15-12* Vasil Bilak (n. 1917) démissionne de la dir. du PC. **1989** *16/21-1* manif. à la mémoire de Jan Palach. Arrestations, dont dir. de la Charte 77 et Václav Havel. *-21-8* manif. pour 21e anniv. de l'intervention soviét. (376 arrêtés). *-29-9* Prague, 2 500 All. de l'E. réfugiés dans ambassade All. féd. Prague (place Venceslas), 10 000 manif. pour 71e anniv. de la fondation de la Rép. (355 arrestations). *-28-10* dissidents arrêtés (dont Václav Havel). *-17-11* Prague, 50 000 manif. pour anniv. du soulèvement étudiant contre nazis : répression voulue par services secrets soviét. et tch. [561 bl. dont 1 étudiant (Martin Smid) passé pour mort (en fait un agent des serv. secrets : lieutenant Ludek Zifcák) : but, remplacer Miloš Jakeš et Miroslav Stepan, discrédités par cette « bavure » par un proche de Gorbatchev, Zdenek Mlynar (signataire de la Charte 77, vivant en exil à Vienne) ; mais Martin Smid dément sa mort et Mlynar déclina l'offre du KGB]. **Révolution de velours :** *-18-11* 200 000 manif. *-19-11* Havel et 12 mouvements indépendants constituent Forum civique. *-21-11* Adamec (PM) rencontre délégation du Forum civique. *-23-11* Bratislava, Dubček parle devant 200 000 pers. *-24-11* manif. *-25-11* Prague, 750 000 manif. sur plaine de Letna ; démission du secr. gén. du PC, Miloš Jakeš (remplacé par Karel Urbanek) et des m. dirigeants. *-26-11* Adamec rencontre Havel et Dubček. *-27-11* grève générale. *-29-11* articles 4 (rôle dirigeant du Parti) et 16 (référence au marxisme-léninisme) de la Constitution abandonnés. *-30-11 ouverture frontière avec Autr. -3-12* Adamec forme *gouv. de coalition* (5 non-comm.). *-4-12* visas de sortie supprimés. Sommet du pacte de Varsovie à Moscou condamne intervention d'août 68. *-5-12* commission d'enquête parlementaire sur répression du 17-11 désigne Jakeš et Miroslav Stepan (resp. du PC à Prague) comme principaux « responsables ». *-6-12* 28 m. de l'Académie des sciences de Tch. démissionnent, 14 anciens m. réintégrés. *-7-12* PM Adamec démissionne ; Jakeš exclu du PC. *Pacem in terris* (f. 1970) dissous. *-9-12 Marian Čalfa* (PC sortant) forme nouveau gouv. d'entente nat. (10 PC sur 21 m.). *-10-12 Husák, Pt de la Rép., démissionne. -17-12 fin officielle du rideau de fer Tch./Autriche. -20-12* Adamec Pt du PC (59,2 % des v.), Vasil Mohorita 1er secr. (57 % des v.).

1989-*29-12* Václav Havel (n. 5-10-35) *élu Pt de la Rép.* par 323 m. de l'Ass. féd. [réélu 5-7-90 pour 2 ans par 234 v. contre 50. Fils de riches entrepreneurs ; ne peut faire d'études ; obtient ses diplômes par cours du soir en travaillant le j dans un laboratoire de produits chimiques et une brasserie. *1968* collabore au théâtre d'avant-garde de la Balustrade. *1969* signe Manifeste en 10 points ; ses textes et pièces de th. sont interdits. *1977* cofondateur de la Charte 77. *1979-83* emprisonné. *1989-21-2* condamné à 9 mois pour hooliganisme. *-17-5* libéré. **1990**-*janv.* couronne dévaluée de 18,6 % (1 $ = 17 couronnes au cours commercial et 38 au cours touristique). Amnistie *-6-1* nouveau comité central du PC élu (80 pers.). *-28-1* Olomouc, 20 000 manif. pour départ rapide des troupes soviét. *-30-1* 120 nouveaux députés élus au Parlement (138 comm. sur 350). *-26-2* retrait 2 500 soldats soviét. (73 500 partirent d'ici mai 1991). Havel en URSS : fin du tr. d'amitié, de coopération et d'assistance mutuelle. *-3-3* fin des « syndicats révol. » officiels, nouvelle confédération constituée. *-4-3* Dubček à Paris. *-21/22-4* Jean-Paul II à Prague. *-9-5* rapport sur événements de nov. conclut à la responsabilité du KGB [Gal Alois Lorenc (vice-min. de l'Intérieur et chef des services secrets) et Gal soviét. Victor Grouchko (vice-Pt du KGB)]. *-23-5* suicide d'Antonin Kapek, ancien m. du bureau pol. du PC. *-8/9-6* législatives. *-12-6* Marian Čalfa maintenu PM. *-14-6* Josef Bartoncik, chef du Parti pop., suspendu pour avoir été 17 ans un agent de police secrète. **1990**-*5-7* Havel réélu Pt. *-3-7* seul candidat, *1er tour :* voix obtenues de la partie slovaque de la Chambre des nations 22 (il en fallait 45), tchèque 47, Ch. des peuples 79 (il en fallait 90) ; *2e tour :* de la partie slov. 18 (il en fallait 38), tch. 45, de la Ch. du peuple 80 (il en fallait 75). *-13-9* visite Pt Mitterrand. *-23/24-11* élect. locales : victoire Forum civique. **1991**-*21-2* Tch. entre au Conseil de l'Europe. *-21-2* loi sur l'indemnisation des biens nationalisés de 1945 à 48. *-23-2* scission du Forum civique. *-26-5* Pt Havel contre la publication des noms de l'ancienne Státní Bezpecnost (police pol.). *-1-10* Pt Havel en France. *-1-5-10* tr. d'amitié et de bon voisinage avec All. *-17-10* loi d'épuration. *-18-11* Husák meurt. *-11-12* loi interdit la propagation du comm. (passible de 1 à 5 ans de prison). **1992** *-28-1* Ass. refuse d'élargir pouvoir du Pt Havel. *-16-4* vote restitution biens confisqués aux 25 000 Tch. d'origine all. et hongr. (25 millions de $). *-21-4* Bourse de valeurs autorisée (1993 : 2 000 à 3 000 Stés par actions prévues, valant 33 milliards de $). *-5/6-6* législatives. *-20-6* accord Václav Klaus-Vladimir Meciar sur partition (prévue 30-9). *-20-7* Havel démissionne. *-23-7* nouvel accord de partition Klaus/Meciar. *-4-8* cardinal Frantisek Tomasek (n. 30-6-1899) meurt. *-1-10* Ass. féd. rejette partition. *-5-12* Jiri Svoboda (n. 1945), secr. gén. PC, blessé par attentat. *-7-11* Alexander Dubček meurt (après accident de voiture 1-9). *-11-11* Prague, 4 000 mineurs manif. contre privatisations. *-18-11* Ass. féd. rejette la partition (manque 3 voix). *-25-11* Ass. féd. vote pour la partition.

1993-*1-1* **Rép. tchèque.** *-26-1* **Václav Havel** élu Pt par 109 voix sur 200. *Janv.* TVA introduite. *Avr.* nouv. monnaie. *-30-4* négociations Klaus/Meciar sur partage biens féd. *Mai* tentative d'attentat contre Havel ?

■ Politique

Statut. Rép. *Const.* du 11-7-1960 amendée en 68, 71 et 75. *Assemblée* 2 Ch. : Ch. du peuple, 200 m., et Ch. des nations, 150 m. élus pour 5 ans ; élit le *Pt* pour 4 a. Celui-ci désigne le Pt du gouvernement responsable devant l'Ass. Droit de vote à 18 ans, éligibilité à 21 ans. **Drapeau** (1920). Bandes blanche et rouge (Bohême), triangle bleu (Moravie). **Fête nat.** 28-10 (proclamation de la Rép. tch. en 1918).

Parti communiste. *Fondé* 1921. *Membres 1987 :* 1 717 016 ; *91 :* 760 000 ; *92 :* 150 000 ?. **Secr. gén. :** *1948* (févr.) *Klement Gottwald* (1896-1953), *53* (mars) *Antonin Novotný* (1904-75), *68* (5-1) *Alexandre Dubček* [(n. 27-11-1921, Slovaquie, † 7-11-1992). Ouvrier chez Skoda, 1951 député, 1955-58 école sup. du PC sov. à Moscou, 1968 (5-1) chef du PC, 1969 (17-4) démissionne. Pt de l'Ass. nat. (15-12), ambassadeur en Turquie, 1970 (janv.) démissionne du comité central du PC, (26-6) exclu du PC, 1988 (13-11) Dr honoris causa de l'univ. de Bologne (1er sorti à l'ouest dep. 18 ans), 1989 (29-12) Pt du Parlement fédéral, 1990 (17-1) reçoit prix Sakharov du Parlement européen], *69* (17-4) *Gustáv Husák* (1913-91), *87* (17-12) *Miloš Jakeš* (12-8-22), *89* (25-11) *Karel Urbanek* (22-3-41), (20-12) *Vasil Mohorita* (19-9-52), (4-11) *Pavol Kanis, 91 Jiri Svoboda,* cinéaste (Tch. et M.), *Jiri Weiss* (Sl.). En mars 92, éléments conservateurs, dont Miroslav Stepan, exclus.

Autres partis. *Forum civique* (OF) f. nov. 1989, *Pt :* Václav Klaus. Scindé 23-2-91 en Parti dém. civique (ODS, Václav Klaus) et Mouv. civique (OH, Jirí Dienstbier). *Union civique dém.* (ODU-VPN), liée à l'ex-OF. *Public contre la violence* (VPN) f. 1989, *Pt :* Fedor Gal. *P. pop. tch.* (f. 1919 : 90 000 m., *Pt :* Josef Lux), *P. chrétien-dém.* (KDH) (f. 1989, *Pt :* Václav Benda). *Mouv. autonomiste morave* (MORSL), *Pt :* Boleslav Barta.

Pt du gouv. Tchèque Václav Klaus (19-6-41) dep. juill. 92.

Pts du gouv. fédéral. 1946 (juillet) Klement Gottwald (1896/14-3-1953). **1948** (juin) Antonin Zápotocký (1884/17-11-1957). **1953** William Siroky. **1963** (sept.) Joseph Lenárt (3-4-23). **1968** (6-4) Oldrich Cernik (27-10-21). **1970** (janv.) Lubomir Strougal (19-10-24). **1988** (oct.) Ladislav Adamec (10-9-26). **1989** (9-12) Marian Čalfa (n. 1946). **1992** (10-7) Jan Strasky (n. 1941).

Chancelier de la présidence (dirigeant le cabinet du Pt de la Rép.). Dep. juill. 1990 Pce Karl von Schwartzenberg [Cte de Sulz, duc de Krummau (n. 1937), exilé 1948, installé à Vienne et adopté par un oncle, héritier d'une des plus grosses fortunes d'Autriche].

Élections. Ass. fédérale 5 et 6-6-1992 : nombre de sièges. **Chambre du peuple :** 150 s. (dont 101 tchèques et 49 slovaques). Parti civ. dém. Parti chrét. dém. 48. Mouv. pour une Slov. dém. 24. Bloc de gauche 19. Parti de la gauche dém. 10. Parti soc. dém. tchécosl. 10. Rass. pour la Rép. Parti rép. tchécosl. 8. Union chrét. dém. Parti du peuple tchécosl. 7. Union soc. lib. 7. Parti nat. slov. 6. Mouv. chrét. dém. 6. Mouv. chrét. dém. hongrois-parti du peuple Együttéles-hongr. 5. **Chambre des nations :** 150 s. (dont 75 t. et 75 slov.). Parti civ. dém. Parti chrét. dém. 37. Mouv. pour une Slov. dém. 33. Bloc de gauche 15. Parti nat. sl. 9. Mouv. chrét. dém. 8. Mouv. chrét. dém. hongr. Parti du peuple Együttéles-hongr. 7. Parti soc. dém. tchécosl. 6. Union chrét. dém. Parti du peuple tchécosl. 6. Rass. pour la Rép. Parti rép. tchécosl. 6. Union soc. lib. 5. Parti soc. dém. slov. 5.

■ Économie (Tchécoslovaquie)

PNB (90). 5 600 $ par h. **Pop. active** (% et entre parenthèses part du PNB en %) agr. 9 (9), mines 3 (3), ind. 57 (56), services 31 (32). **Chômage** *1991 :* 7 % ; *92 (est.) :* 12 %. **Inflation** (%) *1980 :* 2,9 ; *81 :* 0,8 ; *82 :* 0,8 ; *83 :* 0,9 ; *84 :* 0,9 ; *85 :* 2,3 ; *86 :* 0,3 ; *87 :* 0,3 ; *88 :* 0,5 ; *89 :* 1,5 ; *91 :* 55 ; *92* (*est.*) : 10.

Dette extérieure brute (92). 10 milliards de $. **Balance des paiements courants** (91). 0,2 milliard de $.

☞ En 1945, niveau de vie comparable à celui de l'All., en 1990 inférieur de 40 à 60 % à celui de la RFA.

Entreprises privées (1990). 150 000. *Privatisation :* loi 1-1-1991 (100 000 petits commerces, artisans ; *bilan :* 20 000 ventes pour 900 millions de $), loi 26-2-1991 [4 200 grandes entreprises (sauf secteurs chemin de fer, télécom, énergie) *dont* 3 500 en Rép. tchèque ; 1re vague (1992-93) : 2 170 (dont 988 par coupons, valeur 40 milliards de F ; 40 % vendus en févr. 93) ; 2e vague (1993-94) : 1 300 (dont 500 par coupons)]. **Investissements étrangers** (milliards de $). *1991 :* 0,065 ; *92 :* 1,2 (dont 65 % par privat.). **Origine** (%) : All. 40, USA 21, *France 14,6,* Autriche 6,6, Belgique 5,8.

Agriculture. *Terres* (milliers d'ha, 82) agricoles 6 843 (arables 4 809, jardins 12, vignes 47, pâturages 1 672), forêts 4 584, étangs 53. *Production* (en milliers de t, 89) blé 6 200, orge 3 700, seigle 420, maïs 1 170, bett. à sucre 7 750, p. de terre 3 688, raisin 229, lin 16, houblon 12, tabac 5, navette 387, fruits et légumes. **Forêts** (89). 18 026 000 m³. **Élevage** (en milliers, 89). Bovins 5 075, porcs 7 384, moutons 1 080, chevaux 42, chèvres 51, poulets 46 000. **Pêche** (89). 21 574 t.

Charbon (milliards de t, 90). *Réserves* 11, *prod.* 0,025. **Lignite.** *Réserves* 9,8, *prod.* 0,003. **Électricité nucléaire** (milliards de kWh). *1980 :* 5,3 ; *89 :* 89. *En janv. 1991,* l'Autriche a réclamé la fermeture des 2 1res tranches de la centrale nucléaire de Jaslovske Bohunice (à 100 km N.-O. de Vienne) mettant en cause son système de refroidissement, et proposé en échange de fournir gratuitement de l'électr. à la Tch. pour 3,5 milliards de schillings. **Mines** (89, milliers de t). *Fer* 1 780, *magnésite* 642, *zinc* 14, *cuivre* 20.

Industrie. Métallurgie développée ; acier (millions de t, 1989) *brut :* 15, *laminé :* 11 ; aluminium : 0,03 ; prod. alim. ; bière (Pilsner de Plzen) ; ciment (millions de t, 1989) 10 ; textile ; chaussures ; voitures (Skoda) (tourisme, 1989) 188 600 dont 2/3 exp. ; cristalleries (Bohême) ; bijoux en verre ; céramique ; chimie. **Transports** (km, 89). *Routes* 73 444, dont autoroutes 550 ; *chemins de fer* 13 103. **Tourisme.** 83 000 000 de vis. (92) dont 90 % d'All. *Recettes :* 1,4 Md de $.

Commerce (milliards de Kcs, 89). **Exp.** 217,5, *dont* mach. et équip. de transp. 96, prod. manuf. 48,8, prod. manuf. divers 21, prod. chim. 17,6, fuel et lubrifiants 11,3, prod. alim. 10 *vers* URSS 66,4, Pologne 18,4, All. féd. 18, All. dém. 14,2, Autriche 9,9, Hongrie 8,6. **Imp.** 214,7 *dont* mach. et équip. de transp. 79,3, fuel et lubrifiants 37,1, prod. manuf. 22,3, mat. 1res sauf fuel 18,8, prod. alim. 14,9, prod. manuf. divers 13,2 *de* URSS 63,8, All. féd. 19,9, Pologne 18,4, All. dém. 16,8, Autriche 11,8.

Rang dans le monde (91). 4e lignite. 8e réserves de lignite. 11e réserves de charbon. 12e orge. 14e p. de terre. 17e blé.

THAÏLANDE

V. légende p. 884.

Nom. *Siam* (employé officiellement de 1856 au 24-6-1939 et de 1945 à 1946). *Muang Thai,* nom populaire, encore usité.

Situation. Asie. 513 115 km². *Frontières* 3 720 km dont Cambodge 600 km, Laos 1 200, Birmanie 1 500, Malaisie 420. *Longueur* 1 700 km. *Larg. max.* 770. *Alt. max.* Doi Inthanon 2 590 m. *Côtes* 2 613 km (golfe de Thaïlande 1 874, océan Indien 739). **Régions :** *plaine de la Chao Phya* orientée N.-S. comprenant le bassin de Bangkok et la plaine sup. de la Ménam ; *chaîne continentale,* bordant la Th. à l'O., orientée N.-S. ; *plateau de Korat ; régions côtières du S.-E. ; péninsule de Malaisie.* **Rivière la + longue :** Moon River 675 km. **Climat.** Tropical humide. *3 saisons :* chaude (mars-mai), pluvieuse (juin-oct.), fraîche (nov.-févr.). *Moy.* 25 à 30 °C. *Pluies* 500 mm (Korat) à 3 000 mm (péninsule).

Population (millions) *1911 :* 8,3 ; *19 :* 9,2 ; *29 :* 11,5 ; *56 :* 20,1 ; *92 :* 57,6, *prév. 2000 :* 66,1. **Âge** - *de 15 a. :* 34 %, *+ de 65 a. :* 3 %. D 112,2. **Taux** (‰, 91) *natalité* 20, *mortalité :* 7 (*Sida, prév.* 2000 : 7 millions de séropositifs). **Ethnies** *Thaïs* 94 % [Thaï, Thaï Korat, Lao (Yuan, Kao, Wieng, Poan, Song), Shan ou Ngio, Lu, Putai, Yaw, Yuai, Sanam] ; *Mon-Khmers* (Sakai, Lawa de Chiang Mai, Kamuk ou Puteung, Chaobon, Chawang, So, Saek, Kaleung, Ka Brao, Ka Hinhao, Sui ou Kui, Khmer, Mon, Annamite) ; *Chinois* 4 % (venus du S., avant la fondation du 1er roy. thaï ; commerçants, ils s'établirent dans les villes côtières. Le roi Mongkut (fin XIXe s.) encouragea leur immigration ; *Tibéto-Birmans* [Lahu (Musser), Akha (Ee-Kor), Lisu (Lisor), Karen (Karian), Méo

(Maeo), Yao, Tin ou Ka-Tin, Kha Tong Leung (Phi Tong Leung), Lawa de Kanchanaburi] ; *Negritos* (Semang) ; *Austronésiens* [Malay, Chao Nam (gitans de la mer)]. **Capitale :** *Bangkok* 5 876 000 h. (90) (agg. 9 300 000 en 91) ; nom usuel : Phra Nakhon « sainte cité » ; nom officiel : Krungthep Maha Nakhon. **Provinces** *(chefs-lieux et pop.) :* Nakhon Ratchasima 2 392 234 (à 265 km), Ubol Ratchathani 1 946 891 (à 967 km), Udon Thani 1 840 153 (à 728 km), Khon Kaen 1 688 333 (à 618 km), Nakhon Si thamnaraj 1 433 215 (à 845 km), Chiang Mai 1 382 130 (à 900 km au N. de Bangkok, alt. 310 m), Buriram 1 392 747, Sri Saket 1 348 265, Surin 1 272 597, Roi Et 1 194 174, Nakhon Sawan 1 081 502, Songkhla 1 073 586, Chaiyaphum 1 042 763, Chiangpai 1 027 647. **Pop. urbaine** 30 %. **Réfugiés** (vietnam. et cambodg.) : *1991 :* 359 072 Khmers. 250 000 rapatriés prévus en 1992. **Prostituées** 200 000 à 2 000 000 (dont mineurs 100 000 à 250 000). **Séropositifs** 300 000 à 400 000.

Langues. Thaï *(off.)*, chinois, malais, anglais (l. des affaires). **Religions** (%). Bouddhistes Theravâda (rel. *off.*) 94, musulmans 4, chrétiens 1,5, divers 0,5. 150 000 moines (bikkhus). Les jeunes gens passent au min. 3 mois comme novices (samanens).

Histoire. Pénétration lente des Thaïs venus du Yunnan vers la péninsule indochinoise au commencement de l'ère chrétienne ; *Chiengsaen* (cap. f. XIIe s.), puis *Sukhotai* (1238-1378, annexion par le roi Boramaraja d'Ayutthaya), période d'*Ayutthaya (ou Ayuthia)* (fondée 1350 par un Pce d'U-Thong, 1350-1767). **1578** Birmans chassés du Siam. **1605** arrivée des Holl. à Ayutthaya. **1608** échanges d'ambassadeurs : Port., Malacca, P.-Bas. **1612** arrivée Angl. à Ayutthaya. **1613** 1er comptoir holl. **1634** 1re amb. du Japon. **1662** *arrivée missionnaires français. Louis XIV envoie ambassadeur.* **1684** *amb. siamois à la cour de Louis XIV.* **1685-87** *amb. fr. à Ayutthaya.* **1687** garnisons fr. à Bangkok et Mergui. **1688** soulèvement xénophobe. **1758** Suriyamarin († 1767), dernier roi. **1767**-*7-4* Birmans prennent et détruisent Ayutthaya. **1767-82** interrègne. Gal Taksin chasse Birmans et gouverne depuis Thonburi, comme roi du Siam.

Dynastie Chakri. 1782 Rāma Ier (Phra Buddha Yod Fa Chulalok) (1737-1809). Gal Chao Phya Chakri bat Cambodgiens. **Dep. 1782** roy. du Siam : Bangkok capitale. **1809 Rāma II** (Phra Buddha Lert La Nobhalai) (1768-1824), fils de R. Ier. **1824 Rāma III** (Phra Nang Klao) (1788-1851), fils de R. II. **1851 Rāma IV** (Phra Chom Klao ou Mongkut) (1804-68), demi-fr. de R. III. **1851-68** modernisation. Tr. d'amitié et de commerce avec G.-B., USA., Fr., etc. **1852** G.-B. annexe partie de la Birmanie. **1868 Rāma V** (Phra Chula Chom Klao ou Chulalongkorn) (1853-1910). **1882** France conquiert Annam. **1888** T. cède territoires à la Fr., au N.-E. du Laos, puis **1893** cède la rive gauche du Mékong (Luang Prabang). **1896** *reconnaît protectorat Fr. sur Cambodge.* Accord fr.-angl. reconnaissant intégrité du T. **1905-07** T. cède d'autres territoires provinces de Battambang, de Siemréap (Cambodge). Cède à G.-B. en Malaisie, États de Kelantan, Trenganu, Kedah et Pérak.

1910 Rāma VI (Vajiravudh) (1881-1925). **1917** se joint aux Alliés dans la g. **1925 Rāma VII** (Phra Pok Klao ou Prajadhipok) (1893-1941), frère de R. VI, abdique. **1932**-*24-6* coup d'État de Pridi Bhanomyong (1901-83) (fin de monarchie absolue). **1935 Rāma VIII** (Ananda Mahidol) (1926-46, mort accidentelle), neveu de R. VII. **1940** *sept.* **1941** *mars conflit avec Fr. qui cède partie du Cambodge.* **1941**-*8-12* occupation jap., Th. déclare g. à G.-B. et USA. Mouvement thaï libre résiste contre Jap. (dirigé par Pridi Bhanomyong). **1943**-*25-10 pont de chemin de fer de la rivière Kwaï* inauguré [construit par les Jap. dans des conditions dures (40 000 prisonniers du camp de Kanchanaburi †)]. **1945** fin de la g.

1946 (9-6) **Rāma IX** [Bhumibol (« force de la Terre ») Adulyadej] frère de R. VIII (5-12-27), ép. 28-4-50 Pcesse Sirikit Kitiyakara (12-8-32). *4 enf. :* Pcesse Ubol Ratana 5-4-51, Pce (héritier) Vajiralongkorn 28-7-52 (ép. 3-1-77 Somsawali Kitiyakara), Pcesse Maha Chakri Sirindhorn 2-4-55, Pcesse Chulabhorn 4-7-57. *-1-1* abandon des territoires cédés par la Fr. *-9-6* Ananda Mahidol tué accidentellement, son frère Bhumibol Adulyadej lui succède. **1947**-*9-11* gouv. renversé et remplacé par des civils conservateurs. **1948** *Mal Pibul Songgram* redevient PM, dictature mil. **1949** *févr.* coup d'État, échec. **1951** Constitution de 1932 restaurée. **1958** *oct. Gal Sarit Dhanarat* élu forme gouv. de droite avec Gal Thanom Kittikachorn (n. 1911), PM adjoint. **1959** Const. provisoire. **1963**-*9-12* mort du Gal Sarit ; *Kittikachorn* PM. **1968**-*20-6* nouvelle Const. **1971**-*7-11* loi martiale. **1973**-*13-10* émeutes à Bangkok (100 †), Mal Kittikachorn démissionne et s'enfuit. **1974** *juill.* émeutes à Bangkok (dizaines de †) ; état d'urgence. **1975** *janv.* législatives : droite milit. 40 % des sièges, civile 35, centre gauche 11, gauche 9. *-17-1* réforme agraire (maïs). Retrait partiel des Amér. Violence (manif., meurtres). *-28-2* secr. gén. du P. soc., B. Punyodhaya tué. *-1-4* él., *Seni Pramot* (n. 26-5-05) PM. *-20-7* départ dernier soldat amér. (7 bases aériennes et 44 406 h. étaient en Th.). *-17-8* Mal Prapass, rentré d'exil, expulsé vers T'ai-wan. *-19-9* Mal Kittikachorn rentre et se fait bonze. *-24-9* Seni Pramot PM. *-29-9* étudiants exigent départ du Mal Kittikachorn. *-6-10* droite attaque université Thammasat (41 †, 3 000 ét. arrêtés). *Coup d'État mil.* (un accord tacite du roi à l'amiral Sagnad, min. de la Déf.) soutenu par le *Krating Daeng* [(Buffles sauvages rouges), paramil. regroupant dep. déc. 1974 étudiants des collèges et centres techn. contre l'extrême g.]. Parlement dissous. **1977** *janv.* raids Khmers rouges ; Mal Prapass rentre. Lutte contre musulm. du S. *-26-3* coup d'État manqué du Gal Chalard Hiranyasiri (exécuté 21-4) ; Gal Arun Thavatsin tué. *Oct. coup d'État* du Gal Kriangsak Chomanan qui démissionne en déc. **1980** *janv.* rébellion comm. dans le S. recule. *-3-3* Gal Prem Tinsulanonda PM. *Oct.* **80**-*mars* **81** ralliement d'intellectuels (3 000 à 5 000) ayant pris le maquis en oct. 76 aux côtés du PC. *-31-3* avion détourné à Bangkok par 5 Indonésiens (tués). *-1-4 coup d'État mil.,* Prem (PM) démissionne, son adjoint *Gal Sant Chitpatima* (n. 1921) le remplace. *-2-4* Prem et famille royale se réfugient au N.-E. *-3-4* Prem reprend pouvoir. *Mai* 180 000 Khmers expulsés (30 000 vers USA, 104 000 au Cambodge, 66 000 vivant le long de la frontière et non considérés comme réfugiés). Accès interdit aux *boat people.* **1982** *avr.* 15 000 Laotiens expulsés. *-17/30-12 :* 64 000 Khmers expulsés. **1983** *févr.* reddition d'env. 1 000 guérilleros communistes. **1985**-*9-9* putsch avorté. **1986**-*1-5* Assemblée dissoute. *-23-6* écologistes incendient usine de tantale à Phuket. **1987**-*22-12* suicide de Chaleronchai Buathong, responsable du sceau royal, impliqué dans scandale des décorations. **1988**-*18-2* cessez-le-feu avec Laos (après combats dep. 15-12-87 pour une zone de 75 km²). *-29-4* Chambre dissoute. *-24-7* législatives : victoire coalition (p. Chart Thai, p. démocr., p. de l'adm. sociale Rassadorn, p. dém. uni). *-2-8 Chatichai Choonhavan* (n. 1922) PM (1er civil dep. 1966). *Nov.* inondations dans le S. (+ de 1 000 †). **1991** *févr.* camion de dynamite explose (171 †). *-23-2 coup d'État* du *Gal Sunthorn Kongsompong*. *-24-2* loi martiale. *-26-2* roi Bhumibol soutient la junte. *-2-3 Anand Panyarachun* (n. 1932) PM. *-22-3* législatives : victoire du Samakki Tham. **1992**-*17-3 Gal Suchinda Kraprayoon* (n. 6-8-33) PM. *Mai* manif. : répression 42 † off. (jusqu'à 450 ?). *-21-5* couvre-feu levé. *-24-5* PM Kraprayoon démissionne. *-10-6 Anand Panyarachun* PM. *-9-7* pouvoirs spéciaux de l'armée abolis. *-1-8* chefs de l'armée destitués. *-13-8* attentat : 3 †. *-13-9* législatives : vict. du P. dém. *-23-9 Chuan Leekpai* (n. 1938) PM. *-7-10* Parl. abroge amnistie couvrant émeutes de mai. **1993**-*10-5* incendie dans usine de poupées, 141 †.

■ **Statut.** Royaume (en 60 ans, 17 coups d'État). *Constitution* du 9-12-1991, amendée 10-6-92. *Junte mil.* dep. 23-2-91, dirigée par Gal Sunthorn Kongsompong. *Ass.* 360 m. élus au suffr. univ. pour 4 a. *Sénat* 263 m. nommés par le gouv. *Changwad* (provinces) 73 avec un *gouverneur*, divisées en *amphur* (districts), *tambol* (sous-districts) et *muban* (villages). Fête nat. 5-12 (anniv. du roi). Drapeau 2 bandes rouges et 2 blanches (emblème trad. sur les éléphants), et bande bleue ajoutée 1917 en solidarité avec les Alliés.

Élections. **Ass. intérimaire du 15-3-91 :** 149 militaires sur 292. **22-3-92 :** Partis pro-mil. 195 s., Samakki Tham 79, Chat Thai 74, NAP 72, Social Action P. 31, Prachakorn Thai 7. **13-9-92 :** P. dém. 79 s., Chart Thaï 77, Chart Pattana 60, NAP 51, Palang Dharma 47, Social Action P. 22, Solidarité 8, Seri Tham 8, Muan Chon 4, Prachakorn Thaï 3, Rassadorn 1. *Participation :* 62 %.

Partis. *Samakki Tham* (Justice et unité) : f. 1991, Pt Narong Wongman (n. 1925). *P. de l'aspiration nouv.* (NAP) : f. 1990, Gal Chaovalit. *Palang Dharma :* Chamlong Srimuang. *Chart Thai Party* (P. de la nation thaï), Chatichai Choonhavan. *Democrat P.* f. 1946, Bhichai Rattakul. *National Democracy P.* f. 1981, Kriangsak Chomanan. *New Force P.* f. 1974, Chatichawal Chompudaeug. *Pracha Rasdr :* Sira Pattamakom. *Prachakorn Thai* (P. des citoyens tch.) Samak Sundaravej. *Social Action P.* f. 1981, Kukrit Pramoj. *Liberal P.* f. 1981, Col. Narong Kittikachorn. *Democratic Labour P.* f. 1988, Prasert Sapsunthorn. *Mass P.* f. 1985, Chalerm Yubamrung. *Pra chaseri* Wattana Khieovimol. *Pra cha thai P.:* Thawee Kraikupt. *Progress P.* Uthai Pimchaichon. *Saha Chart* Pattana Payaknithi. *Siam Democratic P.* Shirdsak Sanvieses. *Puangchon Chao Thai* (ex-*Thai People's P.)* f. 1981, Gén-Arthit Kamlang-Ek. *Community Action P.* f. 1981, Boonchu Rojanastien.

Architecture

Périodes. *Môn (Dvaravati)* (VIe ou VIIe-XIe), *Srivijaya* (VIIIe-XIIIe), *Lopburi* (XIe-XIIIe), *Chiengsaen* (v. XIe-XVIIIe), *U-tong* (v. XIIe-XVe), *Sukhotai* (XIIIe-XIVe), *Ayudhya* (XIVe-XVIIIe), *Bangkok* (fin XVIIIe-début XXe).

Matériaux employés. *Bois:* charpentes, décoration (dorées ou incrustées de mosaïque de verre) ; *mosaïque* de verre : décor des pignons, piliers (dorée, rouge foncé, noire) ; *feuilles d'or ; porcelaine, terre cuite vitrifiée* (anciens temples), morceaux brisés (période de Bangkok) : revêtement des monuments en briques ; *stuc :* portes, fenêtres, etc. ; *laque :* portes et fenêtres (dessins dorés, fond en laque noire).

Quelques termes. *Wat :* groupe de bâtiments religieux (correspond aux monastères). *Bot* (ou *Ubosoth*) : sanctuaire consacré limité par des bornes, utilisé pour certaines cérémonies (ordination de bonzes...). En certaines occasions, les femmes n'y sont pas admises. *Sima :* bornes déterminant l'aire consacrée. *Viharn (Vihara):* sanctuaire pour communauté des moines. *Stupa ou Phra Chedi* (dit aussi *Prang* si de forme allongée dérivée du style khmer comme pour le Wat Arun) : abritait autrefois les reliques du Bouddha et plus tard les cendres des rois et des religieux éminents. *Kuti:* résidence d'un bikkhu (bonze, moine bouddhiste). *Mondop:* bâtiment carré abritant en général une empreinte du pied du Bouddha (Prabat). *Sala:* pavillon ouvert servant aux réunions, sermons et parfois à des débats. *Sala Kan Parian:* pièce commune où les laïcs viennent apprendre les principes du bouddhisme. *Ho Rakhang :* beffroi formé de 4 mâts surmontés d'une structure en forme de temple.

Ornements symboliques. *Naga* (ou *Nak*) : serpent céleste, pourvoyeur de pluie (souvent représenté comme ornement de toit ou balustrade). *Cho Far* (ou tête de Naga) : orne le pignon des toits. *Thevada :* être céleste. *Garuda :* oiseau mythique devenu le symbole royal de la Th. *Kinaree :* femme-oiseau.

Principaux monuments. TEMPLES : 23 474 temples bouddhiques *(Wats)* dont 381 à **Bangkok** Wat Arun (temple de l'Aurore), restauré par roi Taksin (1767-82), tour principale 74 m ; Wat Phra Kaeo (temple du Bouddha d'Émeraude), chedi doré, peintures murales et incrustations de nacre décorant les portes ; Wat Rajabopit, recouvert de tuiles chinoises vitrifiées ; Wat Saket, sur colline artificielle (mont d'Or ou Phu Khao Thong) ; Wat Suthat (monastère céleste du dieu Indra), un des plus grands temples de Bangkok ; sur la place le Si-Kak Sao Ching Cha (balançoire géante), brahmanique, portique de teck laqué rouge ; Wat Pho (t. du Bouddha couché, statue : h. 12 m, long. 49 m) ; Wat Benchamabophit (t. de Marbre), Bouddha couché (h. 15 m, long. 45 m) ; Wat Trimitr Bouddha (1238-78, or pur, 5,5 t, h. 3 m) ; Wat Yannawa base en forme de jonque chinoise. **Nakorn Pathom :** Chedi Phra Pathom, le plus ancien et le plus grand recouvert de faïence dorée (h. 115 m) ; **Chiengmai** Wat Phra That Doi Suthep, XIVe et XVIe s. à 1 050 m d'alt., surmonté d'un chedi de 22 m ; Wat Suan Dork (Jardin de Fleurs) ; Wat Phra Singh ; **Lop Buri** Wat Phra Sri Ratana Maha That, monastère (XIIe) ; **Sukhothai** Wat Sra Sri, Wat Phra Badh Noi ; Wat Chetupon. **Nakhon Si Thammarat** Wat Mahathat Xe s., chedi, flèche en or massif (400 kg), h. 78 m. **Ayutthaya.**

PALAIS. **Bangkok** P. royal ; P. Dusit (P. de l'Ass. nat.) ; P. Suan Pakkad ; P. Petchaburi. **Lop Buri :** P. Naraï. **Ayutthaya :** P. Chandrakasem.

☞ **Triangle d'or.** Confins de : Birmanie, Thaïlande, Laos. *Production d'opium* (Birmanie 2 000 t, Laos 200, Thaïlande 35), soit 130 à 150 t d'héroïne. *Intoxiqués* 600 000 (90). *Peines prévues pour les trafiquants* transportant 1 à 25 g : 10 à 20 ans de prison ; au-dessus, perpétuité ou la mort.

Économie

PNB (93). 2 000 $ par h. **Taux de croissance** (%) *86 :* 5 ; *87 :* 9,5 ; *88 :* 13,2 ; *89 :* 12 ; *90 :* 9,3 ; *91 :* 7,5 ; *92 :* 8 (1960-70 : 8 %). **Pop. active** (% et entre parenthèses part du PNB en %) agr. 59 (21), mines 3 (1,5), ind. 10 (25,5), services 28 (52). **Chômage** (%) *1990 :* 4,9 ; *91 :* 3 ; *92 (est.) :* 3,1. **Inflation** (%) *1987 :* 2,5 ; *88 :* 3,8 ; *89 :* 5,4 ; *90 :* 6 ; *91 :* 5,7, *92 :* 4,5 ; *93 (est) :* 5. **Dette extérieure** (milliards de $) *1981 :* 4,9 ; *85 :* 12,8 ; *91 :* 13,7. **Réserves en devises** (oct. 92) 21,4 Md de $. **Salaires des émigrés** dans le golfe Persique (89) 1 milliard de $.

Agriculture. *Terres* (milliers d'ha) (arables 19 321, cult. 1 785, pâturages 145, forêts 14 664, eaux 223, divers 17 289). *Production* (milliers de t, 90) canne à sucre 48 400 (92) (9 % de la val. aj. agr.), manioc 21 200 (92), riz (49 % des t., 1er exp. mondial) 39 500 (92) (22 % de la val. aj. agr.), maïs 4 950 (91), bananes 1 610 (89), ananas 1 900 (89), caoutchouc 1 395 (92), patates douces 368 (88), sorgho 230, haricots 652, kenaf et jute 192 (91), coton 100 (92), coprah 65 (89). Riz, caoutchouc, maïs, manioc et jute : 30 % des exp. (85 % en 1970). Forêts. *Surface* (dans le Sud) (%). *1961 :* 50 ; *85 :* 21. 500 000 ha détruits par an. *Prod. 87 :* 2 149 000 m³ (dont 38 100 m³ teck) ; *88 :* 1 900 000 ; *89 :* 2 048 000. Depuis 1975 l'export. de troncs bruts, grumes est interdite. Élevage (milliers, 90). Poulets 108 000, canards 17 000, buffles 5 300, bovins 5 669, porcs 4 900, chevaux 18, chèvres 121, ovins 162. Env. 3 390 éléphants domestiqués et travaillant dans les forêts. Pêche (89). 2 822 500 t.

Mines (milliers de t, 89). *Étain* 20,3, *lignite* 7 273 (88), *fer* 179,3, *manganèse* 11, *plomb* 58. Gaz naturel (91). *Réserves* 365 milliards de m³, *prod.* 7 milliards de m³. Pétrole (millions de t, 90). *Réserves* 32 ; *prod.* 1,6. Industries. Agroalim., textile, sucre, ciment (89) 15 millions de t, acier (89) 689 000 t, 10 % de croissance par an. Transports (km, 89). *Routes* 151 200, *chemins de fer* 4 452. Tourisme (91). *Visiteurs (91)* 5 086 899 (dont *France 172 945*) ; *revenus :* 4 milliards de $.

Commerce (milliards de bahts, 91). **Exp.** 985 (92) *dont* textile 86,7, mat. inform. et composants 46,6, pierres précieuses et bijouterie 35,7, riz 30, crevettes 26,6 *vers* USA 154,4, Japon 131, Singapour 61,6, All. 37,5, Hong Kong 34,4. **Imp.** 1 054 (92) *dont* équip. non électr. 181,8, équip. électr. 118,1, fer et acier 71,4, prod. chim. 67, pierres précieuses 51,8 *de* Japon 282,8 ; USA 103,8 ; Singapour 77 ; All. 53,9 ; Taiwan 45,7. **Déficit commercial** (Md de bath et entre parenthèses Md de $, 1991) 247 (11). **Investissements thaïlandais à l'étranger** (en Md de $) *1989 :* 0,05 ; *90 :* 0,17. **Étrangers en T.** (Md de baths, 1960-91). Japon 38,8 ; Taiwan 8,5 ; USA 5,7 ; Hong Kong 5,2 ; G.-B. 3,2 *(France 2 %)* (Md de $). *1990 :* 2,5 ; *91 :* 2.

Rang dans le monde (91). 2e manioc, latex. 6e riz. 7e canne à sucre. 9e pêche. 15e bois. 16e céréales.

Togo

Carte p. 1009. V. légende p. 884.

Situation. Afrique. 56 785 km². *Long.* 600 km. *Larg.* 50 à 150 km. *Frontières* 1 700 km ; côtes 50 km (érosion très importante, recul de 140 m par endroit en 6 ans). *Alt. max.* Mt Agou 984 m. **Régions :** maritime 6 100 km² (927 753 h.) ; plateaux 15 540 (662 873) ; centrale 20 000 (357 208) ; Kara 4 490 (280 697) ; savanes 8 470 (311 254). Climat. 3 *régions : N.* (sécheresse nov.-avril), *Centre* (transition), *S.* (2 saisons de pluies mars-juin et oct.).

Population (millions). *1958 :* 1,44 ; *70 :* 1,95 ; *80 :* 2,52 ; *90 :* 3,5 ; *prév. 2000 :* 4,75. 37 ethnies. En % (81) : Ewé 20,76 ; Kabyè 13,89 ; Ouatchi (Ewé) 11,95 ; Losso 5,97 ; Mina 5,83 ; Cotocoli 5,07 ; Moba 4,79 ; Gourma 4,38 ; Akposso 2,78. D 61,6. **Âge** – *de 15 a.* 44 %, *+ de 65 a.* 3 %. **Mort. infantile :** 117 ‰. Villes (81) : *Lomé* 375 000 h. (89), Sokodé 48 098 (à 350 km), Kara 28 480 (428 km), Kpalimé 27 669 (121 km), Atakpamé 24 377 (167 km), Tsévié 20 247 (35 km), Bassar 17 764, Dapaong 17 476 (662 km), Aného 14 272 (45 km), Vogan 11 087. Langues. Français *(off.)*, l. nat. (ewé, kabié). Religions (%). Animistes 50, cathol. 26, musul. 15, protestants 9.

Histoire. **1884**-*5-7* colonie allemande, explorée par Nachtigal. **1894-1914** protectorat all. **1897-1900** pacification. **1914**-*26-8* occupation franco-angl. **1919** *-19-7* mandat confié à Fr. (Togo fr., 55 000 km²) et G.-B. (Togoland, 30 000 km²). **1933**-*24/25-1* émeutes à Lomé et en province causées par fiscalité. **1956**-*26-6* fin du mandat angl. *-30-8* T. fr. devient Rép. autonome. **1957** T. brit., après plébiscite, intégré à la Côte de l'Or (Ghana) ; peuple Ewé se trouve ainsi divisé.

1960-*27-4* **indépendance. 1963**-*13-1* **Pt Sylvanus Olympio** (1902-63) tué. *-15-5* **Nicolas Grunitsky** élu Pt. *-10-7* accord de défense avec France. **1967**-*13-1* renversé par militaires († 1969).

1967-*14-1* **Gal Gnassingbe Eyadema** (26-12-37) réélu 1979, 1986. **1974**-*24-1* Eyadema réchappe à un accident d'avion. *-2-2* nationalisation phosphate. **1976**-*23-3* accord de coop. technique avec France. **1979**-*30-12* Constitution (référendum 1 293 872 pour, 1 693 non) ; législ. 96 % des voix pour RPT. **1980**-*13-1* IIIe Rép. **1982**-*23-9* frontière avec Ghana fermée : cause contrebande (café et cacao). **1983**-*13-1* Pt Mitterrand au T. (un complot aurait dû éclater le même j). **1985**-*24-3* législ. (77,45 % de participation). *-4-12* attentat, 1 †. **1986**-*24-9* commando attaque Lomé, 26 à 200 †. **1990** législ. Manif. à Lomé (5 † le 5-10 ; 2 † en nov.). **1991** émeutes. *-16-3* 11 †. *-5-4* 2 †. *-9-4* couvre-feu. *-10-4* gouv. admet multipartisme. *Juin* émeutes. *-8-7/28-8 Conférence nationale. -13-7* élit Pt **Mgr Sanouko Kpodrzo** (n. 1930), évêque d'Atakpamé. *-27-8* nomme Joseph Kokou Koffigoh (n. 1948) PM, vote dissolution du RPT, élit Ht Conseil de la Rép. (organe législatif de transition) et adopte loi fondamentale prévoyant régime semi-prés. *Oct.* émeutes ethniques, 16 †. *-1 et 8-10* putsch échoue. *Déc.* 300 mil. français au Bénin. *-3-12* PM arrêté. *-30-12* Koffigoh à nouv. PM. **1992** *janv.* attentats. *-31-5* référendum constitution et élect. locales. *-5-6* Gilchrist Olympio, opposant, blessé (attentat). *-21-6* et *5-7* législatives. *-29-7* Tavio Amorin, dir. du P. soc. panafricain, meurt après attentat 23-7. *-31-7* Lomé, grève générale. *-27-9* référendum : Constit. adoptée par 98,11 % des v. *Bilan des violences :* + de 80 †. *-22-10* militaires prennent en otage HCR (libéré 23-10 contre 130 millions de F). *-22-11* 150 000 manif. *-23-11* Lomé, grève générale. *-25-11* fusillade, 3 †. **1993**-*19-1* manif., env. 100 †. *Mars* 130 000 réfugiés au Bénin, 100 000 au Ghana. *-24/25-3* putsch échoué, 2 †. Purge dans l'armée (dizaines d'exéc.). *25-8* présidentielles prévues.

Statut. Rép. *Const.* du 27-9-92. *Pt* (élu pour 7 a. au suffr. univ.). **Haut Conseil de la Rép.** (HCR) 39 m. **Régions adm.** 5. **Préfectures** 21. Partis. *Rassemblement du peuple togolais* (RPT) f. 1969 par Gal Eyadema. *Union des forces de changement* (UFC), coalition de 10 partis. Fêtes nat. 13-1 (libération), 24-1 (libération écon.), 24-4 (indépendance), 21-6 (journée des Martyrs), 23-9 (agression). Drapeau (1960). Bandes vertes (agric.) et jaunes (ressources minérales), étoile blanche (pureté nationale) sur fond rouge (effusion de sang et combat).

Économie

PIB (91). 410 $ par h. **Pop. active** (% et entre parenthèses part du PNB en %) agr. 67 (30), mines 5 (8), ind. 10 (15), services 18 (47). **Inflation** (%) *1988 :* 2 ; *89 :* 0,8 ; *90 :* 1 ; *91 :* 1. **Dette extérieure** (milliards de F CFA) *1975 :* 41 ; *84 :* 320,5 ; *92 :* 300. **Balance des paiements** (millions de $) *1988 :* – 124, *89 :* – 27,8, *90 :* – 29,5.

Agriculture. *Production* (milliers de t, 90) manioc 475, maïs 220, millet et sorgho 156, coton 100, riz 6, arachides 28, café 12, cacao 9, ignames 420, palmistes 226,9 (88). Élevage (milliers de têtes, 90). Volailles 6 000, moutons et chèvres 2 800, porcs 500, bovins 250. Pêche. 16 500 (89). Forêt (90). 910 000 m³. Mines. Phosphates 2 455 401 t en 90, prod. en baisse ; fer, marbre. Industrie. Ciment, prod. alim., boissons. Transports (km, 90). *Routes* 7 870, *chemins de fer* 550. Tourisme (89). *Visiteurs* 123 550 (dont 23 969 Français), *recettes* 6,9 milliards de CFA. *Sites :* Lomé, Boulomdé, Keto, Fazao, Kpalimé, Tamberma. *Châteaux :* Temberma, Kéran, Malfakassa. *Parc nat.* de Fazao (200 000 ha).

Commerce (milliards de F CFA, 89). **Exp.** 78,2 *dont* (88) phosphates 35,8, coton 12,5, café 6,6, cacao 6 *vers (%)* Canada 12,5, *Fr. 8,7,* Espagne 7,7, Italie 7,5, P.-Bas 6,2, G.-B. 5,5. **Imp.** 150,6 *de (%) France 29,6,* P.-Bas 11,8, All. féd. 7,7, USA 5,7, G.-B. 4,2, Japon 4,2. **Balance commerciale** (millions de $) *1988 :* – *27,5 ; 89 :* – 12,9 ; *90 :* – 105,4.

Tonga ou des Amis (îles)

Carte page de garde. V. légende p. 884.

Situation. Polynésie, 650 km à l'E. des îles Fidji. 748 km². 150 îles, 3 archipels. *Groupe des Tongatapu* dont : Tongatapu 257 km², Elua 87 km² ; *gr. des Ha'apai,* 36 îles principales, 118 km² dont : Tofua 46,6 km², Kao 12,5 km² ; *gr. des Vava'u,* 34 îles principales, 115 km² dont Vava'u 89 km², Okoa 0,5 km², Utungake 1,9 km² ; *gr. des Fonulei-Tuku,* à 64 km N.-O. de Vava'u, 32 îles ; *gr. des Niuatputapu-Tafahi,* à 240 km N. de Vava'u ; *Niuafo ; Minerva Reefs,* à 500 km au S.-O. de Tongatapu. **Volcans** actifs 106 à 1 433 m (Mt Kao). **Zone économique** 700 000 km². **Temp.** moyenne annuelle : Vava'u 23,5 °C, Tongataou 21 °C. **Pluies** Niuatoputapu 2 500 mm, Vava'u 2 000 mm, Tongatapu 1 500 mm.

Population. 90 485 h. (89). **Origine** polynésienne. D 121. **Âge** - *de 15 a.* 44,4 %. **Émigrés** 2 % de la pop. (vers N.-Zél. et USA). Achat de terres interdit aux étrangers. **Capitale** : *Nukualofa* (sur Tongatapu) 21 283 h. (86). **Religions** (%). Méthodistes 78, catholiques 15. **Langues.** Anglais, tongan.

Histoire. **1616** reconnues par le Holl. Jacob Le Maire. **1643** nouveaux contacts avec Hollande (Tasman). **1767** arrivée de l'Angl. Wallis, suivi par Cook qui nomme les îles « îles des Amis ». **1797** arrivée de missionnaires de la London Missionary Society. **Début XIXe** s. g. civiles. **1834** conversion de Taufa'Ahau (futur roi George Tupou Ier) au méthodisme qui s'impose face à minorité cath. (missionnaires fr.). **1850** indépendant. **1886** neutralisé (déclaration de Berlin). **1893** Tupou II. **1918** Tupou III (1900-1965) (Pcesse Salote). **1900** protectorat angl. **1958** autonomie. **1970**-*4-6* indépendance.

Statut. Royaume membre du Commonwealth. *Const.* du 4-7-1875. *Roi* Taufa'Ahau Tupou IV (4-7-18 ; 160 kg) dep. 15-12-1965 [ép. 1947 Pcesse Halaevalu Mat'aho Ahomée (n. 1926) ; a déshérité en 1980 son fils aîné, le Pce Tupouto'A (4-5-48) pour s'être marié sans son autorisation]. *PM* Baron Vaea dep. août 91 [avant Pce Fatafehi Tu'ipelehake (7-1-22) dep. 16-12-65]. *Conseil privé :* Roi, Cabinet et Gouverneurs de Vava'u et de Ha'apai. *Assemblée législative :* 21 membres (nommés par le roi 7, élus par leurs pairs 7, le peuple 7). **Drapeau.** Adopté 1875.

Nota. – *Tabou* vient du polynésien *tapu* (sacré).

Économie

PNB (91). 1 200 $ par h. **Pop. active** (% et entre parenthèses part du PNB en %) agr. 50 (40), ind. 10 (12), services 40 (48). **Aide extérieure** (surtout G.-B.) 22 % du PNB. **Agriculture.** *Terres cult.* 79 %. *Production* (milliers de t, 90) noix de coco 40, coprah 2, patates douces 18, manioc 16, bananes 3, oranges 3, tomates 1. **Élevage** (milliers de têtes, 90). Porcs 83, chevaux 11, bovins 10, chèvres 14, volailles 131 (84). **Pêche** (89). 2 660 t. **Tourisme** (90). 38 823 vis. (26 % du PNB en 89). **Aéroport** dep. 1981 avec capitaux libyens. **Timbres-poste.** 8 % des revenus. Dep. 1987, le Tonga vend des passeports à Hong Kong (273 000 $ HK pièce).

Commerce (millions de $ Tonga, 91). **Exp.** 20,6 *dont* noix de coco, melons, vanille *vers* Australie 1,8, Japon 12,4, N.-Zélande 1,6, **Imp.** 77 *dont* prod. alim. 16,5, mach. et équip. de transp. 14,6, fuel et lubrifiants 12,1, prod. man. 11,9 *de* N.-Zélande 22,7, Australie 19,6, Fidji 11,9, USA 7, Japon 6,9.

Trinité-et-Tobago

Carte p. 847. V. légende p. 884.

Situation. Iles des Antilles à 35 km l'une de l'autre. 5 128 km². *Alt. max.* Mt Aripo 940 m. *Climat* tropical ; saison sèche de janv. à mai, humide de juin à déc., moy. 26 °C.

Population. *1990 :* 1 234 388 h. dont (%) descendants d'Africains 44, Indiens 44, mixtes 12 (Chinois 0,5, Blancs 0,9) ; *prév. 2000 :* 1 321 000. D 253. **Âge** - *de 25 a. :* 34 %, + *de 60 a. :* 6 %. **Villes** (90) : *Port of Spain* (cap.) 50 878, San Fernando 30 092, Arima 29 695. **Langues.** Anglais *(off.).* **Religions** (%). Catholiques 33,6, hindous 25, anglicans 15, musulmans 5,9, presbytériens 3,9, divers 16,6. **Iles Trinité** 4 827 km² (80 km du N. au S., 48 d'E. en O.) 1 184 106 h. **Tobago** 301 km² (41 km × 12) 45 000 h. **23 petites îles** dont Petite Tobago 1 km², Monos 4,1, Chacachacare 3,9, Gasparee 1,3, Huevos 0,8.

Histoire. **Trinité 1498** découverte par C. Colomb, **XVIe s.** occupée par Esp. **1797** conquise par Anglais. **1802** tr. d'Amiens leur concède l'île. **Tobago 1632** colonisée par Holl. *(Nieuwe Walcheren).* **1717** saccagée et laissée déserte par Esp. **1737** occupée par Angl. **1748** neutre. **1762** conquise par Angl. **1781-93** et **1801-03** française. **1834** esclavage aboli. **1889** rattachée à Trinité. **1958**-*3-11*/**1962**-*31-5* membre de la Fédér. des Antilles brit. -*31-8* indépendance. **1967**-*13-3* membre de l'OEA. **1973** m. du Caricom. **1976**-*1-8* Rép. **1990**-*27-7* coup d'État musulman, dirigé par Yasin Abu Bakr (20 †), qui prend en otage PM Arthur Ray Robinson (lib. 31-7). -*1-8* reddition.

Statut. Rép. Membre du Commonwealth. *Const.* du 1-8-1976. *Pt de la Rép.* Noor Hassanali (15-8-18) dep. 16-3-87, réélu 18-2-92. *PM* Patrick Manning (4-10-20) dep. 17-12-91. *Sénat* 31 m. nommés (Pt 9, PM 16, opposition 6). *Ass.* 36 m. élus p. 5 ans. **Fête nat.** 31-8 (indép.). **Drapeau** (1962). Bande oblique noire (force du peuple et ressources) et blanche (espérance et mer), sur fond rouge (chaleur et vitalité du peuple). **Élections.** **À l'Assemblée** (16-12-1991). PNM 21 sièges, UNC 13, NAR 2 sièges. **Partis.** *Nat. Alliance for Reconstruction* (NAR) (f. 1986), leader Carson Charles. *People's Nat. Movement* (PNM) (P. nat. du peuple, f. 1956), Patrick Manning. *Nat. Joint Action Committee* (f. 1971), Makandal Daaga. *United Nat. Congress* (UNC) (f. 1989), Basdeo Panday.

Économie. **PNB** (91) 3 620 $ par h. (6 500 $ en 1982). **Pop. active** (% et entre parenthèses part du PNB en %) agr. 9 (4), mines 8 (30), services 53 (53), ind. 30 (13). *Chômage* (91) 20 %. **Inflation** (%) *1988 :* 7,8 ; *89 :* 11,6 ; *90 :* 11,2. **Solde en millions de $: balance des paiements** *1988 :* - 62,5 ; *89 :* - 156,7 ; *90 :* - 200 ; **commerciale** *1986 :* + 16 ; *87 :* + 162 ; *88 :* + 252 ; *89 :* + 356 ; *90 :* + 794 ; **dette extérieure** (milliards de $) : *1990 :* 2,5. **Agriculture.** *Terres cult.* 31 %. *Prod.* (milliers de t, 90) sucre brut 110, agrumes 2,5, coprah 4, cacao 1,5, noix de coco 1,5, café 1, tabac 0,07. Rhum 4,5 millions de gal. (90). **Pétrole** (millions de t, 91). *Réserves* 73, *production* 7,6 (54 285 714 barils) (22 % du PIB). **Gaz** (milliards de m³). *Réserves* 470, *prod.* 8 (90). **Asphalte** (milliers de t). *Prod.* 35,7 (89). **Industrie.** Raffinage du pétrole, ammoniaque, ciment, acier, engrais, minéraux, urée, méthanol. **Tourisme** (92). 200 000 vis. (3 % du PIB en 88).

Commerce (milliards de $ US, 90). **Exp.** 2 *dont* (%) prod. pétroliers 67, prod. chim. 14, prod. finis 9, alim. 3,5, *vers* (%) USA 55, Barbade 3,5, Antilles n. 3, G.-B. 2,8, Jamaïque 2,7. **Imp.** 1,2 *de* (%) USA 40, Venezuela 7,5, G.-B. 7,5.

Tunisie

V. légende p. 884.

Situation. Afrique. 164 150 km². *Alt. max.* 1 544 m (Djebel Chambi), *moy.* 700 m. *Long.* 1 200 km. *Larg.* 280 km. *Côtes* 1 250 km. *Frontières* avec Libye (480 km), Algérie (1 050 km). **Régions** *N.,* plaines de la Medjerda (25 000 km²) entre montagnes de Kroumirie et collines des Mogods d'une part, la « Dorsale tunisienne » d'autre part (climat méditerranéen ; entre 400 et 1 534 mm pluie à Ain Draham) ; *centre,* hautes steppes et basses steppes (climat continental chaud ; entre 150 et 400 mm pluie) ; *S.,* plaine côtière de la Djeffara et plateau du Dahar (climat saharien, semi-désertique, 300 mm de pluie). **Temp.** Tunis, hiver 11 °C, été 26 °C ; Djerba, 12 °C à 28 °C.

Population. *1911 :* 1 904 551 h. [dont *Européens* 148 476 (Français 46 044, It. 88 082, Maltais 11 300, Grecs 696, Esp. 587, divers 1 767). *Tunisiens* 1 756 075 (musulmans 1 706 830, israélites 49 245)]. *1936 :* 2 608 313 [dont *Tun.* (musulmans 2 265 750, israélites 59 485), *mus. non Tun.* 69 873, *Européens* (Français 108 168, Italiens 94 289, autres 10 848)]. *1980 :* 6 392 300. *1992 :* 8 300 000, *prév. 2000 :* 9 725 000. **Français** *1880 :* 708, *91 :* 10 030, *1901 :* 24 201, *11 :* 46 044, *26 :* 71 020, *57 :* 180 440, *61 :* 62 400, *66 :* 16 700, *76 :* 16 000, *86 :* 12 500 (dont en % femmes fr. de Tun. 40, coopérants 25, cadres et tech. du secteur privé 20, autres 15). **Italiens** *1881 :* 11 000, *1911 :* 88 082, *31 :* 91 000, *51 :* 84 000, *56 :* 67 600, *61 :* 40 400, *66 :* 10 500, *70 :* 6 800, *86 :* 88 000. **D** 50,5. **Âge** - *de 15 a. :* 40 %, +*de 65 a. :* 4. **Taux** (‰, 90) *natalité* 25,4, *mortalité* 6,4, *accroissement net naturel* 1,90 % (92) (3 en 1966). **Contrôle de la croissance** *(87) :* âge min. mariage des femmes relevé à 17 ans, monogamie, alloc. fam. limitées à 4 enfants, puis à 3 en 89 (4 dinars, soit 30 F par enfant et par mois), contraception (par 51 % des T) dep. 1961, avortement (dep. 1965). **Émigration** 350 000 dont *France 250 000* (88) [dont 90 % du Sud (Djerba, Gabès, Tataouine...)], Libye 80 000 (l'été 1985, la Libye expulsa 22 000 T. et leurs familles), All. féd. 19 000, Italie 16 000, Algérie 10 000, Suisse 2 500.

Gouvernorats (90). Ariana 534 000, Béja 299 000, Ben Arous 307 000, Bizerte 412 700, Gabès 276 000, Gafsa 277 300, Jendouba 403 000, Kairouan 489 000, Kasserine 354 000, Kébili 115 000, Le Kef 270 000, Mahdia 312 000, Médenine 349 000, Monastir 327 000, Nabeul 530 000, Sfax 665 000, Sidi Bouzid 337 500, Siliana 243 000, Sousse 390 000, Tataouine 118 000, Tozeur 77 000, Tunis N. 825 000. **Villes** (90) : *Tunis* (capitale) 626 000 h. [*XIIe s. :* 100 000, *1911 :* 170 369 (dont 17 875 Français, 75 000 musulmans, 26 500 juifs, 5 986 Anglo-Maltais, 45 237 It., 1 381 Européens). *1956 :* 300 000], Grand Tunis 1 700 000. Sfax 227 000 (à 269 km), Ariana 137 000, Sousse 104 000 (141 km), Kairouan 96 000 (157 km), Djerba 95 000 (84), Bizerte 86 000 (64 km), Gabès 86 000 (364 km), Ben Arous 73 000, Gafsa 60 870 (400 km), Béja 55 000.

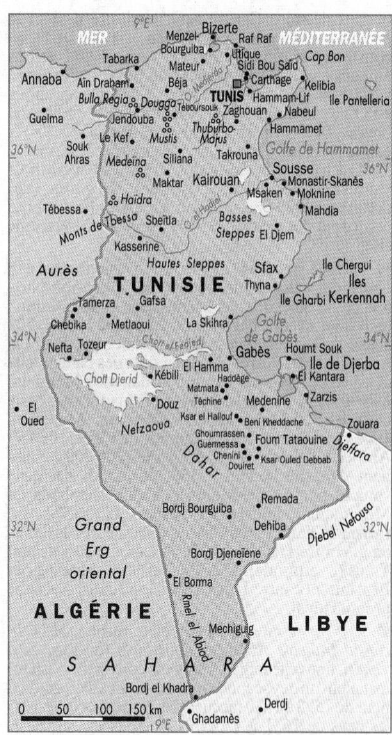

Langues. Arabe *(off.),* français (parlé). Dans quelques villages (Jebel, Matmata, sud de Djerba), berbère mais pop. bilingue. **Enseignement** (89-90) primaire 1 369 476 élèves, second. 485 090, sup. 62 658 + 8 000 (84) (en France). **Religions.** *Off. : Islamique :* (le chef de l'État doit être musulman, 85 % de rite malékite, 15 % de rite hanéfite) ; *catholiques* 13 000 (*1956 :* 60 000) ; *juifs : 1936 :* 59 485 ; *46 :* 7 097 (Tunis 34 193, banlieue 6 832, Djerba 4 294, Sfax 4 233, Sousse 3 574, Gabès 3 210, Nabeul 2 058, Bizerte 1 032, Zarsis 1 026, Béja 1 011), *56 :* 57 792 ; *60 :* 34 400 ; *65 : 21 700 ; 70 :* 10 000 ; *93 :* 10 000 (?) (env. 50 000 ont émigré en Israël).

Histoire

Période préromaine. **Av. J.-C. jusqu'au XIVe s.** habitée par les Capsiens (Capsa = *Gafsa,* « mangeurs d'escargots »). **XIVe s.** Phéniciens fondent Utique qui, avec Hippone (Algérie), est leur plus important comptoir africain. **Légende de Didon : 933 Ithoba'al** roi de Tyr. Sa fille, Jézabel, épouse le roi d'Israël, Achab ; et sa petite-fille, Athalie, le roi de Juda, Joram. Son petit-fils, Mattan (ou Mutto) devient roi de Tyr, il a 2 enfants, Pygmalion et Élissa (du grec *errer,* ou femme virile), future Didon [qui après avoir épousé le grand-prêtre Acherbas (Sychée, chez Virgile), monte sur le trône]. Pygmalion, pour s'emparer du pouvoir, fait assassiner son beau-frère. Élissa s'enfuit, fait escale à Chypre, repart et fonde Carthage (*Kart hadschath :* la « ville neuve ») en 814. A Byrsa (en grec : « la peau de bœuf »), Élissa, voulant acheter un terrain, on ne lui cède qu'autant de terre que couvrirait la peau d'un bœuf ; elle fit découper la peau en lanières, délimitant un espace de 4 km de circonférence. Élissa s'offre en sacrifice pour ne pas avoir à épouser le roi Hiarbas (ou meurt sur le bûcher en maudissant son amant Énée parti fonder Rome). **574** Tyr en Phénicie détruite ; Carthage capitale du monde phénicien ou punique (Afr. du N. et Espagne) ; g. navales contre Grecs, notamment Phocéens de Marseille (victoire d'une flotte étrusco-carth. à Aléria, Corse, 536). **480** à Himère, Grecs victorieux. Le roi carthaginois Hamilcar se jette dans le bûcher. **264-146** *g. puniques* contre Rome (voir Italie) avec *Hamilcar (v. 290-228), Hannibal* son fils *(247-183), Hasdrubal* frère d'Hannibal († 207). **238** g. des mercenaires.

Période romaine. **146** Carthage rasée par Scipion Émilien ; Caton disait : « Delenda est Carthago » (il faut détruire Carth.) ; son territoire devient la province d'Afrique (cap. Utique). **122** Carth. reconstruite (Colonia Junonia) (avec 6 000 colons amenés par Caius Gracchus). **46** César bat Pompée à *Thapsus* (Moknine) : la prov. d'Afrique agrandie, à l'O., de la moitié de la Numidie, à l'E. du littoral libyen. **14** Carth. redevient cap. **Apr. J.-C. 37 :** 2 capitales : Carth. (prov. proconsulaire) ; Hadrumète [Sousse (prov. bizacienne)]. **Dep. 220** métropole chrétienne (Tertullien, St Cyprien). **314** schisme des donatistes. **429-533** invasion Vandales (ariens) qui favorisent donatistes. **533-647** occupation byzantine (Bélisaire).

■ Période arabe. **647** débuts de l'invasion arabe. **670** Kairouan, ville sainte, fondée par Okba ibn Nafi. **698** chute de Carthage. Islamisation et arabisation ; le dernier évêque chrétien est Cyriaque (1073). **702** échec de la résistance berbère animée par Dihia la Kahena dans l'Aurès alg., les monts des Nementcha et ceux de Tebessa, et un peu dans les Matmata. **800-909** *dyn. des Aghlabides* (Kairouan) : apogée de la civ. isl. **910-73** *dyn. des Fatimides* (cap. : Mahdyia). **1045** rupture avec califat fatimide du Caire. **1050-57** Arabes hillaliens, venus d'Égypte (200 000), éliminent dynastie berbère. **1159** Normands de Sicile vaincus par Abd el-Moumen, sultan almohade du Maroc qui conquiert la T. (Ifrika). **1228-1574** *dyn. Hafside* à Tunis [**1268** Charles d'Anjou, roi de Sicile, en g. contre Hafsides. **1270** St Louis meurt devant Tunis (8e croisade). **1526-73** Hafsides, soutenus par Esp. luttent contre Turcs. **1573** Don Juan d'Autriche prend Tunis].

■ Période turque. **1574** conquête turque. **1577** *1er consul français.* **1590** les *Janissaires* (du turc *Yeni Tcheri,* nouvelle milice, chrétiens convertis à l'islam) installent un dey secondé par un bey. Les deys gouvernent de 1598 à 1630 (accueil des Andalous 1609-12) ; les beys de 1631 à 1702.

Beylicat héréditaire (dyn. hussaynite 1705-1957) fondé par **Hussyan ben Ali** [fils de Benedetto Orsini (n. Sartène 26-4-1642), enlevé 1661 par des Sarrasins, connu en T. comme Ali-Orsino]. **XVIIIe-XIXe s.** conquête de l'intérieur. **1735 Ali Pacha. 1741-42** *g. contre la Fr.* (reprise de Tabarka et du cap Nègre). **1756 Mohammed.** Algériens saccagent Tunis. **1759 Ali. 1769-70** *g. contre la Fr.* (cause : annexion de la Corse). **1782 Hammouda. 1814 Othman ; Mahmoud Pacha. 1824 Husseïn. 1835 Mustapha Pacha. 1837 Ahmed Pacha. 1842** Carthage, chapelle édifiée à la mémoire de St-Louis. **1846** esclavage aboli. **1855**-*30-5* **Mohammed** (1810/23-9-59), cousin d'Ahmed. **1859**-*23-9* **Mohammed Es-Sakok** (1813-82), frère de Moh. **1861** Constitution. **1861-68** révolte contre fiscalité (mauvaise récolte) ; épidémie. **1860-73** mauvaise gestion du PM Mustapha Khaznadar (chassé *1873*). **1864** Constitution partiellement abrogée. **1873**/*oct.* **77** *Khereddine* PM. [n. Caucase 1822, acheté par Bey Ahmed, 1853 général, 1857 min. de la Marine, 1861-67 mission diplom., 1868 aux Fin., 1870 min. dirigeant, 1877 juillet se retire à Vichy puis Istanbul (Gd Vizir, min. de la Justice), † janv. 1890]. **1878** *congrès de Berlin, l'Angl. laisse à la Fr. le champ libre en T.* contre la reconnaissance de son bail à Chypre.

■ Période française. **1881**-*12-5 tr. du Bardo* complété et précisé par *tr. de La Marsa (8-6-1883) :* protectorat fr. *Oct.* **Théodore Roustan** (1833-1906), résident. **1882**-*28-10* **Ali** (14-8-1817/11-6-1902), frère de M. Es-Sakok. *Nov.* **Paul Cambon** (1843-1924), résident. **1884** cathédrale de Carthage construite sur plateau de Byrsa (63 m). **1885** mouvement bourgeois de Tunis veut résister aux Fr. **1886** *nov.* **Justin Massicault** (1838-92), résident. **1892** *nov.* **Charles Rouvier** (1849-1915), résident. **1894** *nov.* **René Millet** (1849-1919), résident. **1896**-*28-9* convention franco-italienne. **1901** *déc.* **Stephen Pichon** (1857-1933), résident. **1902** *11-6* **Mohammed El-Hadi** (24-6-1855/11-5-1906), fils d'Ali. **1906**-*11-5* **Mohammed En-Nasr** (14-7-1855/10-7-1922), cousin de M. El-Hadi. **1907** *janv.* **Gabriel Alapetite** (1854-1932), résident. Création du *Parti révolutionnaire t.* (Jeunes T. ; leader : Ali Bach Hamba). **1909-10** naturalisation des juifs. **1911**-*7-11* affaire du cimetière de Jellaz (lieu vénéré que l'adm. milit. voulait immatriculer), incidents sanglants ; état de siège jusqu'en *1921.* **1918** *nov.* **Étienne Flandin** (1853-1922), résident. **1920** *déc.* **Lucien Saint** (1867-1938), résident. Création du *Destour* (parti libéral constitutionnel). **1922**-*10-7* **Mohammed El-Habib** (13-8-1858/12-2-1929), cousin de M. En-Nasr. **1923** Turquie renonce à ses droits. Loi sur la naturalisation. **1924** création d'une CGT t. (interdite 1925). **1929** *janv.* **François Manceron** (1872-1937), résident. *-12-2* **Ahmed** (1862/19-6-1942), cousin de M. El-Habib. **1930** congrès eucharistique de Tunis. **1933** *juill.* **Marcel Peyrouton** (1887-1983), résident. **1934**-*2-3* congrès de Ksar Hellal, Bourguiba fonde Néo-Destour, sera arrêté sept. 1934, libéré 1936, arrêté après émeute à Tunis le 9-4-1938 p. 5 ans. **1936** *mars* **Armand Guillon** (1880-1983), résident. **1938** *nov.* **Érik Labonne** (1888-1971), résident. **1940**-*3-6* **Marcel Peyrouton** résident. *-26-7* **amiral Jean-Pierre Esteva** (1880-1951), résident. **1940**-*3-10* à **1943** *mars* lois raciales (anti-juives). **1942**-*19-6* **El-Moncef** (1903/1-9-1948 à Pau en exil), fils d'Ahmed ; doit abdiquer. **1943**-*15-5* **El-Amina (Lamine)** (4-9-1881/Tunis 1-10-1962), cousin de El-Moncef ; il eut droit au titre de « Monseigneur » jusqu'à sa mort. 3 enfants : Chadli, Mohammed, Salah Eddine. **1942**-*8-11*/**1943**-*13-5* occupation all. ; campagne de Tunisie : Estéva forme une « légion africaine » pour combattre Alliés. Moncef nomme un gouvernement composé de nationalistes modérés. Les nationalistes accueillent favorablement les All. De nombreux chefs du Néo-Destour se compromettent avec eux (sauf Bourguiba). *Mai* 1943, Gal Giraud prend Tunis. Les nationalistes les plus compromis s'enfuient ou sont arrêtés. Moncef, accusé de collaboration, doit abdiquer. **1943**-*11-5* **Gal Juin** résident intérimaire. *-24-8* **Gal Charles Mast** (1889-1977), résident. **1945** *févr.* « manifeste du Front tunisien » réclamant autonomie interne. *Sept.* Grand conseil réorganisé en 2 sections : 1 française, 1 tunisienne. Élues pour 6 ans (Tun. au suffrage indirect). 1res élections boycottées par 80 % des inscrits. **1946**-*25-8* congrès clandestin ; les nation. réclament indép. **1947**-*21-2* **Jean Mons** (1906-n.c.), résident : suppression censure, réorganise Conseil des ministres en attribuant 6 ministères sur 12 aux Tunisiens (dont le poste de PM). *PM :* Mustapha Kaak. *Août* Sfax, grève organisée par Union générale des travailleurs tun. (UGTT) : 30 † (grévistes). **1949** *juin* projet de Constitution néo-destourien. **1950**-*10-6* Thionville, banquet donné pour Louis Périllier (1900-86), résident. R. Schuman parle d'indép. *-22-11 :* 7 grévistes tués à Enfidaville. **1951**-*8-2* décrets beylicaux : renforcent autorité gouv. Fait du PM le seul Pt du Conseil (subordonnant le secrétaire général qui démissionne). *-7-11* mémorandum du PM *Mohamed Chenik* sur autonomie interne. *-15-12* Maurice Schumann (sous-secr. d'État aux Aff. étr. du gouv. Pleven) répond : « La participation des Français de T. au fonctionnement des institutions pol. ne peut être écartée... Les rapports futurs de 2 pays ne peuvent être fondés que sur la reconnaissance du caractère définitif du lien qui les unit. » *-21-12* Néo-Destour, UGTT appellent à une grève générale de 3 j. *-24-12* Jean Cte de Hauteclocque (1893-1957), résident. **1952**-*18-1* Bourguiba arrêté. Incidents au Sahel. *-26-1* Edgar Faure propose reprise des négociations. Le bey refuse à cause du « ratissage » du cap Bon. François Mitterrand, ministre d'État, propose plan d'autonomie interne (accord double nationalité aux Français de T.) que Bourguiba juge acceptable. *-28-1/1-2* ratissage du cap Bon (200 †). *-29-2* le gouv. Fr. tombe. *-25-3* gouv. Chenik arrêté, envoyé dans le S. *-28-3 Salaheddine Baccouche* PM (gouv. de fonctionnaire). *-1-8* bey puis conseil des 40 refusent plan de réformes fr. La *Main rouge,* formée de colons, tente par des attentats d'étouffer la révolte. *-5-12 Farhat Hached* (syndicaliste) assassiné par Main rouge. *-15-12* grève du sceau du bey. Bey du camp Azzedine assassiné (avait assisté à la célébration du 14-7 à la résidence française). **1953**-*26-9* **Pierre Voizard** (1896-n.c.), résident. Attentats terroristes ; représailles de la Main rouge (*Hedi Chaker* tué *sept.*). **1954**-*4-3* programme de réformes repoussé par nationalistes. Fellaghas (2 500 en groupes mobiles de 15 à 30) entretiennent l'insécurité. *-21-5* Bourguiba transféré à Groix. *Juin* rébellion (Salah ben Youssef, instigateur). *-17-6* min. *Mohamed Salah Mzali* démissionne. *-30-7* **Gal Pierre Boyer de la Tour du Moulin** (1896-1976), résident (1955 devient Ht-commissaire). *-31-7* Mendès France, Pt du Conseil, accompagné du Mal Juin et de Christian Fouchet (min. des Aff. tun. et maroc.) proclame à Carthage principe de l'*autonomie interne. -2-8 Tahar Ben Ammar* PM. *-22-11*-appel à la remise des armes. *-30-11 au 10-12* 2 713 soumissions (2 105 armes remises). **1955**-*1-6* Bourguiba rentre à Tunis. *-3-6* convention franco-tun. ; autonomie interne (ratifiée par Ass. nat. 7-7). Salah ben Youssef, exclu du Parti destourien, veut continuer lutte armée pour l'indép. totale : terrorisme.

Opérations en Tunisie (du 1-1-1952 au 31-12-1957). **Effectifs engagés** français 250 000. **Pertes :** *armée de terre :* 199 † [dont 80 tués (combat ou attentat), 119 par maladie, suicide, noyade] ; *de l'air :* 47 † [dont 13 tués (opérations et accidents aériens), 26 accidents divers, 8 de maladie].

■ Indépendance. **1956**-*20-3* indépendance. *-28-7* Ben Youssef se réfugie au Caire. *Août* él. 95 % des voix (598 000 v.) pour le Front nat. animé par le Destour. *-11-4* Bourguiba Pt du Conseil. *-11-8* polygamie et droit de répudiation interdits. **1957**-*1-6* Bourguiba demande départ des troupes fr. *-25-7* bey destitué par l'Ass. constituante.

République. **1957**-*25-7* **Habib Bourguiba** (Monastir 3-8-1903) Pt dep. 25-7-57, surnom : « Combattant suprême » [ép. 1°) en 1927 Mathilde Lorrain (1892-1976), veuve, née Le Fras, divorcé 1961, dont Habib (9-4-27, ambassadeur en Italie 1957-58, France 1958-60, USA 1961, secr. prés. 1966, min. Aff. étr. 1970, min. Justice 1971, dir. banque 1971, hémiplégie 1977, au 6-1-86, conseiller spécial du Pt ; dep. Pt banque BDET), 2°) 12-4-62 Wassila Ben Ammar, divorcé 11-8-86], réélu 59, 64, 69, 74, Pt à vie dep. 18-3-75 (par 99,85 % des suffr. expr.). **1958**-*8-2* armée fr. bombarde *Sakhiet-sidi-Youssef* (75 †, 80 blessés, réfugiés algériens). *-17-6* accord prévoyant l'évacuation des troupes fr. sauf *Bizerte.* **1961**-*19-7* conflit fr.-tun. à *Bizerte,* la T. ayant tenté un coup de force pour accélérer son évacuation (en 3 j, 1 000 T. et 30 Fr. †). *-12-8 Salah Ben Youssef* tué à Francfort. *-30-9* 1er accord avec Fr. **1962** *août* relations dipl. reprises avec Fr. *Déc.* complot contre Bourguiba, 13 condamnés à †. **1963**-*13-12* Fr. évacuent Bizerte. **1964**-*12-5* loi nationalisant 400 000 ha appartenant à des étrangers (270 000 à des Fr.). Fr. suspend aide fin. et dénonce convention de 1959. **1968** Fr. rétablit aide financ. *Août* complot. **1970** accord avec Algérie, la frontière tracée en pointillé dep. 1929 (de Bir-Romane à Fort-Saint) partage la nappe pétrolifère d'El-Borma qu'exploitait la T. dep. 4 ans. *Mars Ben Salah* arrêté (ancien min. de l'Écon., partisan du collectivisme), condamné *24-5* à 10 ans de trav. forcés, s'évadera *5-2-73.* **1972**-*27/30-6* Bourguiba en Fr. **1974**-*12-1* Bourguiba et Kadhafi signent à Djerba projet de fusion T.-Libye (prévu par référendum, mais repoussé plusieurs fois). *-14-1* Chatti min. des Aff. étr. (remplace Masmoudi, artisan de la fusion). *-5/24-8 :* 202 accusés de complot. *-3-11* Bourguiba réélu (99,98 % des voix). **1975**-*4-10* Cour de sûreté condamne opposants (prison). *-7/8-11* Pt Giscard d'Estaing en T. **1976**-*21-3 :* 3 Libyens, accusés d'avoir voulu tuer Bourguiba et PM, arrêtés. Tension avec Libye. **1978**-*26/27-1* émeutes (50 à 100 †), arrestations de syndicalistes. *Oct.* procès de 30 synd. (dont Habib Achour, ancien secr. gén. de l'UGTT, condamné à 10 ans de trav. forcés). **1979**-*1-6 et -3-8* certains synd. graciés. **1980**-*26/27-1 :* 300 T. armés en Libye attaquent Gafsa. *-30-1 :* 3 bâtiments de g. fr. croisent dans le golfe de Gabès ; *-10/27-3* procès des conjurés de Gafsa (13 pendus 12-4). *-23-4 Mohammed M'Zali* (n. 23-12-25) PM [succède à Hedi Nouira (5-4-11/25-1-93), victime en février d'une hémorragie cérébrale]. *-10-11* Bourguiba gracie la plupart des synd. condamnés après émeutes du 26-1-78. **1982**-*23/27-2* Kadhafi en T. *-10-8* T. accueille Arafat et dirigeants OLP expulsés de Beyrouth. **1983**-*19-3* tr. d'amitié avec Algérie. **1983**-*29-12*-**1984**-*3-1* « révolte du pain » dans le Centre (Kasserine) et le Sud (Gafsa, Gabès), 99 †. *-16-6* Driss Guiga, min. de l'Intérieur, jugé responsable des émeutes, condamné à 10 ans de travaux forcés. *-19-6* 8 condamnés à mort graciés. **1985**-*12-5* municipales ; participation 92 %, boycott de l'opposition ; 3 450 cand. (dont 418 femmes) présentés par PSD élus. *-20-8* Libye expulse 253 T. accusés d'espionnage. *-26-9* rupture relations diplom. avec Libye. *-1-10* raid israélien contre QG OLP à Tunis. **1986**-*20-6* devant le faible % de candidats reçus au bac, Bourguiba annonce « session exceptionnelle » pour sept. *-8-7* Rachid Sfar, PM. *-24-9* accord Fr.-T. sur avoirs des Français ne résidant plus en T. *Oct.* accord pour débloquer avoirs de 12 471 Fr. (180 millions de F). *-2-10* M'Zali condamné à 1 an de prison par contumace pour franchissement illégal de la frontière le 3/4-9. *Déc.* fils et gendres de M'Zali condamnés pour mauvaise gestion. **1987**-*26-3* rupture rel. diplom. avec Iran. *-23-4* troubles à Tunis (étudiants islamiques). *-24-4* M'Zali (en Suisse) condamné à 15 ans de travaux forcés. *-2-8* attentats dans 4 hôtels (Sousse et Monastir) (12 touristes bl.) ; revendiqué *10-8* par Djihad islamique, groupe Habib Dhaoui (exécuté 31-7-86 pour attaques à main armée). *-10-8* Mohamed Ben Salah Ghodbani (participant de l'attaque de Gafsa en 1980) exécuté. *-27-9* 7 militants du MTI condamnés à † dont 5 par contumace, travaux forcés à perpétuité pour Rachid Ghannouchi. *-2-10 Zine El-Abidine Ben Ali* PM. *-8-10* Mehrez Boudegga et Boulbaba Dekhil exécutés. *-7-11* PM *Ben Ali destitue Pt Bourguiba* pour « incapacité ».

1987-*7-11* **Gal Zine El-Abidine Ben Ali** (n. 3-9-1936) *Hedi Baccouche* (n. 15-1-30), PM. *-23-11* annonce d'un complot contre Gal Ben Ali. *Déc.* 2 487 prisonniers et 791 détenus politiques graciés. *-25-12* Cour de Sûreté (créée 1968) supprimée. **1988**-*4-2* Kadhafi en T. *-18-3* 2 044 condamnés polit. et droit commun graciés, 1 275 réhabilités. *-11-4* Pt Ben Ali prend min. de la Défense. *-30-4* A. Ben Salah gracié (rentre 16-6), après 15 ans d'exil. *-14-5* Rachid Ghannouchi gracié. *11 et 12-6* 2 statues de Bourguiba déboulonnées à Kairouan. *-28-6* multipartisme autorisé. *-25-7* suppression de la présidence à vie. Pt (40 à 70 ans) rééligible 2 fois consécutives. *-6-8* Pt Ben Ali en Libye. *-11-8* Tunis, statue de Bourguiba déplacée (à La Goulette) ; avenue Bourguiba devient av. du 7-Nov. *-12-9* Pt Ben Ali en Fr. (visite Coëtquidan, où il fut formé). *-22-10* Bourguiba transféré à Monastir. *Tahar Belkhodja,* anc. min. de l'Inform., condamné à 2 ans de prison avec sursis et amende (détournement de fonds). **1989** *-18-3* 1 246 détenus graciés (9 696 dep. le 7-7-87). *-1-4* Pt Ben Ali réélu avec 49,27 %

des voix (candidat unique). *-9-4* amnistie gén. *Mai* 10 000 islamistes libérés et graciés dep. déc. 87 *-5/6-6* Pt Mitterrand en T. *Juin* gouv. refuse au mouvement Ennahdaa (islamiste) de créer un parti. *-27-9 Hedi Baccouche* PM et *28-9* Ismaël Khelil, min. de l'Économie, renvoyés. *-31-10* Tahar Belkhodja revient *-7-11* 1 354 remises de peines (dont Jelloul Azzouna, dirigeant du groupe dissident du PUP). **1990** *janv.* inondations Centre et Sud. Manif. : 30 †, 15 disparus (200 millions de $ de dégâts). *-10-6 él. municipales :* 79,37 % de partic. ; RCD : 3 774 candidats (dans 245 circonscriptions) contre 328 indépendants. *-11-9* g. du Golfe (voir Index) : la T. approuve les résolutions du Conseil de sécurité. *Déc.* liés au mouv. *Ennahdha,* 200 arrêtés. **1991**-*2-1* manif. réclament leur libération. *Mars* 93 % des Tunisiens prêts à soutenir l'Irak. *-29-3* Union gén. t. des étudiants suspendue. *-9-4* Pt Ben Ali institue comité sup. des droits de l'homme. *-9-5* Tunis, univ. : 2 étudiants †. *Fin mai* 300 impliqués dans tentative de complot islamiste (arrêtés). *-9-10* 3 islamistes pendus pour attaque en fév. d'une permanence du RCD. *-22-10* Habib Boularès Pt du Parl. **1992** *Mars* 8 000 islamistes arrêtés dep. 18 mois. *-19-3* 1 055 pris. graciés. *-9/10-7* procès des islamistes (171 de l'Ennahdha et 108 des « commandos du sacrifice »). *-28-8* 35 Ennahdha, *-30-8* 11 commandos condamnés à perpétuité. *-30-11* Paris, Habib Ben Ali (n. 1941), frère du Pt, condamné par défaut à 10 ans de prison (affaire de drogue). **1993** dinar convertible. *-6-1* contrôle des changes assoupli. *Févr.* privatisations. *-20-3* 2 282 détenus graciés. *1-4* Pt Ben Ali en Libye.

☞ **Biens immobiliers français :** concernent 2 800 familles. *1965* (sept.) convention franco-t. de réciprocité : T. et Fr. peuvent librement acheter, vendre et gérer des biens immobiliers dans l'autre pays. *1989* (4-5) accord : les biens immobiliers fr. à caractère social ou professionnel (95 % du total) ne pourront être vendus jusqu'en 1993 qu'à l'État t. pour un prix fixé sur ceux de 1956 majoré d'un coefficient de 2 à 4 selon l'état [accord rejeté par l'Adept (Association pour la défense des biens patrimoniaux), qui voulait un coeff. réaliste de 10 à 15)].

■ Politique

Statut. Rép. État islamique. *Const.* du 1-6-1959 (amendée 1988). En cas de carence du Pt, le Pt de l'Ass. assure l'intérim (avant PM) ; il ne peut se présenter à l'élection qu'il doit organiser dans les 6 mois. *Ass. nat.* 141 m. élus p. 5 a. au suffr. univ. *Gouvernorats régionaux* 23 divisés en *délégations, communes* et *cheikhats.* **PM** Hamid Karoui (n. 1927) dep. 27-9-89. **Fêtes nat.** 20-3 (indép.), 1-6 (retour du Pt Bourguiba), 25-7 (proclam. de la République). **Drapeau** (1835). Inspiré du dr. turc, rouge, avec croissant et étoile rouges dans cercle blanc.

Élections lég. 2-11-1981 Front national (PSD et UGTT) 136 s. (94,6 % des voix), MDS 3,28 %, MUP 0,81 %, PCT 0,78 %, Indépendants 0,35 %. Il faut au moins 5 % des voix pour être représenté. **2-11-86.** PSD 125 s. Protestant contre irrégularités, l'opposition a boycotté le scrutin. **2-4-89** inscrits 2 711 925, abstentions 23 % : RCD 80,48 % (141 s.), Indépendants (intégristes) 15 %, MDS 3,76 %.

Partis. *Rassemblement constitutionnel démocratique* (RCD), dep. 27-2-1988 [ex-*P. socialiste destourien* (PSD) (Destour : Constitution en arabe, référence à celle de 1861) dep. oct. 1964 ; ex-*Néo-Destour* f. 2-3-1934 par Bourguiba]. *Mouv. des dém. soc.* (MDS), Mohamed Mouada. *Mouv. de l'unité pop.* (MUP), f. Ahmed Ben Salah, 1973. *P. de l'unité pop.* (PUP), Mohamed Ben Hadj Amor. *Rassemblement soc. progressiste* (RSP) f. 1983, Nejib Chebbi. *P. communiste tun.* (PCT), f. 1934, interdit 1963, autorisé 18-7-81, devient *Mouv. de la rénovation-Ettajdid (*ME) dep. avril 1993, secr. gén. Mohamed Harmel. 30 000 m. *Union dém.-unioniste* (UDU), reconnu 26-11-88, f. Abderrahamane Tlili. *Mouv. de la tendance islamique (MTI),* f. janv. 1981, « émir » Rached Ghannouchi (n. 1941) intégriste, 5 à 6 000 m., interdit, se transforme en *Ennahdha (Renaissance),* intégriste, interdit ; leaders en exil en France : Rached Ghannouchi (dep. 1989, puis à Londres), Salah Karkar et Habib Mokni (dep. 1987) ; en Algérie : Mohamed Chemame (dep. janv. 91), Abdelffetah Mourou et Hamadi Jelabi. *P. social pour le Progrès* (PSP), f. 1988, Mounir Beji. Dep. 18-4-90, MDS, PCT et MUP forment une coalition. **Syndicats.** *Union gén. des trav. tun.* (UGTT), secr. gén. Ali-Serbahni (n. 1947), élu 11-4-89 (l'UNTT créé 19-2-1984, secr. gén. Abdellaziz Bouraoui, a fusionné avec elle en sept. 86).

■ Économie

PNB par h. ($) *1960 :* 230 ; *70 :* 380 ; *80 :* 1 310 ; *84 :* 1 080 ; *90 :* 1 560 ; *92 :* 1 650. 27,5 % des ménages vivent en dessous du seuil de pauvreté. **Taux de croissance du PNB** (%, 1990) : 6,5 ; *91 :* 3,5 ; *92 :* 8,4. **Pop. active** (% et part du PNB en %) agr. 32 (18), mines 4 (8), ind. 28 (24), services 36 (50). *Chômage* (93) 15,8 % (soit 350 000 pers.). **Inflation** (%) *90 :* 6,8 ; *91 :* 8,2. **Dette extérieure** (87) 4, 4 milliards de dinars. *Endettement (% du PIB). 1986 :* 59,5 ; *87 :* 55,5 ; *88 :* 58. *Service de la dette (% des exp.). 1987 :* 26,4. **Déficit des fin. pub.** *1986 :* 6,6 % ; *87 :* 5,8 % ; *commercial : 1987 :* 734,8 millions de dinars ; *de la balance des paiements (% du PIB). 1986 :* 7,4 ; *87 :* 1. **Apport du salaire des émigrés** (Fr., Libye) 2,6 milliards de F en 84. **Aide française** (milliards de F) *1956 à 86 :* 7 ; *88 :* 1 ; *89 :* 1,06 ; *90 :* 1 ; *91 :* 0,52 (dont aides-projets 0,23, aides-programmes 0,21). *Partenariat ind. : 1989-91 :* 0,1 par an.

Agriculture. *Terres* (milliers d'ha). Superficie labourable 4 826. Jachère 1 255. Autres terres 7 050. Parcours 3 365. Bois, forêts et autres terres non agricoles (y compris l'alfa) 982. Céréaliculture 1 190. Fourrages 302, annuels 202, pluriannuels 100. Légumineuses 112. Arboriculture 1 888. Secteur coop. et étatique : env. 450 000 ha de terres fertiles. *Production* (milliers de t, 90) : (millions de quintaux, 87) céréales 19 (sécheresse 88 : 2,8) olives 330 ; tomates 460 ; melons 245 ; orge 477 ; p. de terre 217, poivre 150 (87) ; agrumes 236 ; tabac ; artichauts ; amandes 45 ; dattes 73 ; alpha, seigle, raisin de table 45 (88) ; r. de cuve 133. Vigne (milliers d'hl) *1965 :* 1 850 ; *81 :* 554 ; *85 :* 580. **Élevage** (milliers, 90). Moutons 5 600, chèvres 1 144, chevaux et ânes 281, bovins 570, chameaux 187. **Pêche** (89). 95 100 t. Conserves, crustacés. **Autosuffisance alim.** 60 %.

Pétrole (millions de t). *Au S. en mer près de Djerba :* réserves 233, prod. 5,2 (91) ; *off-shore d'El-Bouri (1986) :* à 125 km de Tripoli, attribué à Libye par Cour de La Haye : 500 puits, prod. 10. La T. perçoit 10 % de la prod. **Gaz.** Cap Bon, El-Borma, îles Kerkenna, Zarzis (milliards de m³) *réserves* 88, *prod.* 0,25 (91). **Mines** (milliers de t., 89). *Phosphates* de chaux (à Gafsa, Kalaa-Djerba, Sehib) 6 600. *Fer* 280. *Sel* 480. *Zinc* 17,4. *Plomb* 2,7. *Mercure.* **Industrie.** Automobile, textile, vêtements, cuir, ciment 4,3 milliards de t, prod. alim., 267 000 hl vin, huile d'olive 130 000 t (90), artisanat (tapis, orfèvrerie), métallurgie, pétrochimie. **Transports.** *Routes* 19 074 km (89). *Chemins de fer* 2 190 km (89). *Gazoduc* Algérie-Italie traversant la T. inauguré 18-5-1983 (T. touche sur quantités transportées, soit en 1986 : 102 millions de $). *Aérodromes internationaux :* Tunis-Carthage, Monastir-Skanes, Djerba-Zarzis, Tozeur-Nefta, Sfax-El Maou.

Nota. - 1200 sociétés offshore (env. 4,5 milliards de F, 91 000 emplois créés).

Tourisme (90). *Visiteurs :* 3 203 800 dont Libyens 796 000, All. 479 400, Français 458 100, Algériens 435 200, Angl. 191 400, Italiens 189 500, Hollandais 96 800, Belges 74 400, Suisses 48 200, Danois 40 700 (87), Autrichiens 38 600, Suédois 28 600 (87), Moyen-Orientaux 23 800 (87), Marocains 12 300 (87), Américains 8 100, divers 148 800. *Employés :* temps complet 40 000 pers., indirectement 200 000. *Lits :* 120 000 (200 000 en 2 000). *Recettes* (Md de $) : *1987 :* 0,6 ; *88 :* 1,3 ; *90 :* 0,9 ; *91 :* 0,6. **Architecture.** *Berbère :* troglodytes de Matmata, Ksours (greniers des crêtes en limite du désert). *Punique :* Carthage. *Romaine :* colisée d'El Jem, maisons à étage, souterrain de Bulla Regia (*Monuments romains,* voir Italie p. 1050). *Judaïque :* synagogue de Jerba (la Ghriba). *Islamique :* Kairouan (grande mosquée), Sousse (Ribat), Zitouna (mosquée, Tunis), Sidi Bou Saïd.

Commerce (en millions de dinars, 90). **Exp.** 3 087 *dont* vêtements 781, prod. pétroliers 460, acide phosphorique 123, huile d'olive 107 *vers France 822,* Italie 653, All. 466, Bénélux 216, P.-B. 60,2 (88), USA 21,5 (88). **Imp.** 4 826 *dont* textiles 622, fer et acier 195, prod. plast. 138, *de France 1 345,* Italie 568, All. féd. 602, Bénélux 230, Espagne 139,3 (88).

Rang dans le monde (91). 6ᵉ phosphates.

Turkménistan

Carte p. 1124. V. légende p. 884.

Situation. Asie. 488 100 km². **Frontières** avec Ouzbékistan, Kazakhstan, Iran, Afghanistan, mer Caspienne. *Déserts (Karakoum)* sur les 3/4 du territoire. *Alt. max. : Kopet-Dagh* 2 942 m ; *mini.* rives de la Caspienne : – 28 m. **Climat.** Désertique et continental. Janv. – 4 °C (jusqu'à – 34 °C) ; juill. 28 °C (jusqu'à 50 °C dans le Karakoum). **Population.** 3 621 700 h. au 1-1-90 (en % Turkmènes 70, Russes 9,5, Ouzbeks 8,5, Kazakhs 2,9). D 7. Taux de mortalité infantile : 54,7 ‰. **Capitale :** Achkhabad 402 000 h. **Langue nationale.** Turkmène (turcophones). L'alphabet latin doit remplacer l'alphabet cyrillique. **Religion.** Islam (sunnites).

Histoire. 1860-80 contrôle russe. 1918-24 rattachée à la Rép. autonome du Turkestan. **1924**-*27-10* Rép. soc. **1941**-*28-4* l'avance des All. un décret supprime la rép. autonome sov. des All. de la Volga et ordonne le transfert au-delà de l'Oural de 700 000 sov. d'origine all., dont les familles étaient fixées au T. depuis le XVIIIᵉ s. **1990**-*23-8* proclame sa souveraineté. *-12-10* création d'une présidence. *Fin oct.* Saparmourad Niazov élu Pt. **1991**-*26-10* vote indépendance (94,1 % des votants). **1992**-*22-6* Niazov réélu Pt (99,5 %). *Juin* accord légalisant la présence de militaires russes (107 000 h), sous commandement de la Russie.

Statut. Rép. membre de la CEI. Constitution de mai 1993 prévoyant un Parlement composé d'élus et de membres de droit, et un « Conseil des Anciens ». **Pt** Sapourmourad Niazov, ex-secrétaire du PCT. **PM** Khan A. Akhmedov. **Parlement** *(Majlis)* Députés tous membres du P. démocratique du T. (ex-PCT).

■ Économie

PNB. Par hab. (1991) 889 $, **total** 3,2 milliards de $. **Pop. active (%)** agr. 41, ind. 21, tertiaire 38. **Agriculture.** Coton 1 381 000 t (89), irrigation à partir de l'Amou-Daria. **Énergie.** Pétrole (3ᵉ prod. de l'U.), gaz (3ᵉ exp. mondial ; production 84 Md de m³/an). **Industrie.** Transf. des métaux, ind. du gaz, chim., pétrochimie, constr. méc. Le 1-3-92, le T. a fermé le gazoduc alimentant Ukraine et Russie pour obtenir l'alignement sur les prix mondiaux. Projet de construction d'un gazoduc vers le G. Persique (financé par Iran) ou sous la mer Caspienne, vers Azerbaïdjan (financé par Turquie). **Transports.** *Routes* 22 600 km ; *voies ferrées* 2 120 km. **Réforme économique.** Droit de propriété de la terre et des moyens de production reconnu par la nouvelle Constitution. Exonération d'impôts pour Stés occidentales investissant sur des projets prioritaires, création de banques commerciales pouvant réaliser des opérations en devises.

Turks et Caicos (Îles)

Carte p. 967. V. légende p. 884.

Nom. *Turks :* cactus dont la fleur ressemble à un fez turc. *Caicos :* de l'espagnol pour *îlot.* **Situation.** Amérique, au S.-E. des îles Bahamas, 150 km au N. de la rép. Dominicaine. 430 km² (30 îles dont 8 habitées). *Alt. max.* 48 m. *Côtes* 35 km.

Population. 12 350 h. (89) dont 90 % de descendants d'Africains. D 28,7. **Capitale :** *Cockburn Town* sur Grand Turk, 3 761 h. **Langues.** Anglais, créole français (Haïtiens) 5 %. **Religions.** Anglicans, baptistes, méthodistes, catholiques.

Histoire. 1512 découvertes par Juan Ponce de León. **1670** cédées par Esp. à G.-B. **1776** agent brit. résident. **1838** abolition de l'esclavage. **1874-1965** annexées à Jamaïque. **1965-73** annexées à Grande Bahama. **1973** colonie séparée. **1985**-*6-3* PM Norman Saunders arrêté avec son min. du Commerce à Miami pour trafic de drogue. **Statut.** Colonie brit. *Const.* de mars 88. *Conseil législ.* (13 m. élus pour 4 a. ou nommés) et *exécutif* (8 m. élus ou nommés). *Gouverneur* Michael Bradley. **PNB** (90) 4 230 $ par h. Place financière. Pêche. Tourisme 55 000 vis. (91).

Commerce (millions $ US, 87-88) **Exp.** 4,1 (langoustes, crustacés, poissons, coquillages). **Imp.** 33,2. **Budget** (millions $ US, 90-91). 26.

Turquie

Carte p. 1170. V. légende p. 884.

Situation. Europe et Asie. 779 452 km² (*1910,* 2 969 500 km² ; *1939* 762 736 km²) dont Thrace 23 764, Anatolie 755 688. *Longueur max.* 1 565 km ; *largeur moy.* 550 km. *Alt. max. :* Mt Agri (Ararat) 5 165 m ; *moy. :* 1 131 m (terres au-dessus de 500 m : 80 %). **Côtes** 8 372 km dont Égée 2 805, Méditerranée 1 577, m. Noire 1 695, Marmara 927. **Frontières** 2 753 km dont Syrie 877, ex-URSS 610, Iran 454, Iraq 331, Bulgarie 269, Grèce 212. **Lacs :** 9 423 km² dont Van 1 713 km², Tuz Gölu 1 642, Beysehir 650, Egridir 486, Iznik 303. **Fleuves principaux** (km) *Kizilirmak* (Halys) 1 182, *Sakarya* (Sagaris) 824, *Seyhan* (Sarus) 560. **Îles** *Gökçeada* 279 km², *Marmara* 117 [archipel : îles d'*Avsa, Ekinik, Koyun, Pasalimani ;* autres îles de la m. de Marmara : *Imrali ;* archipel *des Princes* (îles de Burgaz, Büyük, Heybeli, Kinali, Sedef), *Bocaada* 40, *Uzunada* 25, *Alibey* 23. **6 zones :** *T. septentrionale* (côte mer Noire), plis et dépressions (660 à 3 500 m), pluies 879 mm/an. Hiver doux, été tempéré (Sinope : janv. 7,1 °C, août 21,2 °C), forêts, arbres fruitiers. *Des détroits* (Dardanelles, Bosphore) transition avec → *Zones égéenne* et *méditerranéenne* (côte), plaines riches au S., été très chaud et sec (27,6 °C en juill., max. 40 °C), bananiers, canne à sucre. *Taurus* (montagne + de 3 500 m). *Anatolie int.,* plateaux 800 à 1 500 m, bassins 100 à 300 m, massifs, été chaud et sec, hiver rude (400 mm pluie). *T. orientale,* montagneuse, suivant l'alt. : été très chaud et hiver rude (moy. hivernale : 0 °C, – 10 °C ; pluies 500 à 1 000 mm).

Zones sismiques : 91,4 % de la T. De 1925 à 76 : 23 séismes liés à l'activité de la *cicatrice anatolienne : Erzincan* (1939) 40 000 † (1992) 442, *Niksar-Erbaa* (1942) 3 000 †, *Tosya-Ladik* (1943) 5 000 †, *Bolu-Gerede* (1944) 2 831 †, *Varto* (1957) 2 394 † (1966) 2 934 †, *Lice* (1975) 2 385 †, *Erzurum* (1983) 1 330 †.

Population (en millions). *1910 :* 24 (dont Europe 6,5, Asie et Afrique 17,5), *14 :* 18,5, *23 :* 12,5, *27* (1er rec) : 13,6, *35 :* 16,1, *40 :* 17,8, *50 :* 20,9, *60 :* 27,7, *70 :* 35,6, *75 :* 40,3, *91 :* 57,3, *prév. 2000 :* 68,5, *2020 :* 100. D 73,5. **Taux** *natalité* 30 ‰ ; *mortalité :* 70 ‰ (infantile 60) ; *croissance* 2,3 % par an ; fécondité 3,6. **Âge** *-de 15 a.* 36 %, *+ de 65 a.* 4 %. **Ruraux** 41 % (23 millions, dont propriété nulle 3 ; propr. inférieure à 3 ha 16) ; *citadins* 59 %. *Exode rural moyen* 3 % annuel. **Analphabètes** 24 % (8 % offic.). **Ethnies** (%) Turcs 90, Kurdes 7, Arabes 1,2, Circassiens, Grecs, Arméniens, Géorgiens, Lazes (Caucasiens), Juifs. 100 000 (?) Kurdes irakiens réfugiés. **Bases américaines** env. 6 000 Amér. **Immigrants d'origine turque** (1923-75) 1 289 540 (Bulgarie 32,2 %, Grèce 31,7, Youg. 23,3, Roumanie 9,4) ; *1989 :* 320 000 réfugiés bulgares. **Travailleurs émigrés** (85) 1 071 000 [2 538 800 (89) avec familles et clandestins All. féd. 586 000 (1 400 000 avec fam.)], P.-B. 78 000 (180 000), *France 66 000 (+ de 200 000),* Belgique 31 000.

Villes (90). *Ankara* (capitales 1923 ; *Antiquité* Ancyre, *XIXe s.* Angora, *1930* nom actuel) 2 559 471 (*1910 :* 30 000 ; *27 :* 74 784 ; *28 :* 107 641 ; *55 :* 435 000), *Istanbul* (nom donné par les Turcs en 1453, officiel dep. 1930) (*VIIe s. av. J.-C.* fondée sous le nom de Byzance ; *330* appelée Constantinople ; variantes : Istamboul, Stamboul ; cap. jusqu'en 1923) *90 :* 6 620 241 (à 438 km d'Ankara) *1912 :* 1 125 000, *27 :* 673 000, *40 :* 793 949 (superficie : vieille ville 22,5 km² ; territoire municipal 240 km² ; agglomération 362 km²)], *Izmir* (Smyrne) 1 757 414 (595 km), *Zongouldak* 954 512 (80) (268 km), *Adana* 916 150 (486 km), *Bursa* (Brousse ; Antiquité : Pruse ; 1re cap. ottomane 1 327) 834 576 (427 km), *Gaziantep* 603 434 (697 km), *Konya* 513 346 (262 km), *Kayseri* (ancienne Césarée de Cappadoce) 421 632 (328 km), *Eski Sehir* 413 082 (236 km), *Erzurum* (Erzeroum) 242 391 (924 km), *Trabzon* (Trébizonde) 108 403 (80) (798 km), *Antioche* (Antakya) 70 000 (85) (679 km), *Pergame* 35 000 (85) (600 km).

Langue off. Turc (alphabet dep. 1928 : « c » prononcé « dj », « ç » pr. « tch » ; « e » pr. « é » ou « è » ;« l » sans point, pr. entre « i » et « é », très bref ; « ô » pr. « eu » ; « ş » pr. « ch » ; « u » pr. « ou » « ü » pr. « u).

Religions. *Musulmans* 98 % ; *autres* (recensement 1965) : orthodoxes 73 725, grégoriens 69 526, juifs 38 267 (26 000), catholiques 25 883 (16 000 en 88), protestants 25 853, autres chrétiens 14 768. Istanbul est le siège du patriarcat œcuménique.

■ Histoire

Avant J.-C. civilisations connaissent agriculture dep. 6500, cuivre 4300, bronze 2800 (fouilles d'Hacilar : objets de 7000 à 5400 av. J.-C.) ; **Çatal Höyük** (fresques les plus anciennes, la plus ancienne agg. connue), **Tell Halaf** (3800-3500), *Troie I* (fondée v. 3300, ancien nom : Wilusa ?). **V. 3000** invasions indo-europ. : **Hattiens** ou **Protohittites** (v. 3000), qui adoptent civilisation assyrienne entre *1905* et *1775.* **Apr. 1775 Hittites**, capitales Hattousha, puis Koushshar (cap. du roy. de Mourshil Ier, conquérant d'Alep et Babylone v. 1600), puis de nouveau Hattousha [cap. de l'Emp. hittite de Shouppilouliouma Ier (v. 1380-44) et de Mourshil II (v. 1344-10) titré Grand Hatti] ; occupent Cappadoce et régions continentales de l'E. anatolien ; créent la civilisation du fer v. 1400, qui leur confère suprématie militaire. **Proto-Illyriens archaïques** (à partir de 2200) occupent régions occid., aux bords des mers Égée et Méditerranée, seront appelés en 1190 *« peuples de la Mer » :* Dardaniens (sur les Dardanelles) ; Teucres, sous-tribu des Dardaniens, en Troade (fondent v. 1850 la ville de l'Iliade, Troie VI ou VII a selon archéologue Karl Blegen) ; Briges en Phrygie ; Sardes en Lydie [vallée du Pactole (Sarabat en turc) où vivra le roi Crésus à la fortune légendaire (origine : roi Midas condamné à transformer en or tout ce qu'il touchait, se baigna dans la rivière, qui devint aurifère)] ; Mésiens en Mysie ; Pélasges et Tyrséniens (cap. Tyrsa) sur côtes S. et dans les îles. **V. 1250** les « peuples de la Mer », qui ont adopté les civilisations crétoise, égéenne et mycénienne (bronze, commerce maritime), détruisent l'Emp. hittite, adoptent l'armement en fer et partent à la conquête du monde méditerranéen. *À la même époque,* des Mycéniens détruisent Troie VI (voir Grèce). **XIe au VIIe s.** Asie

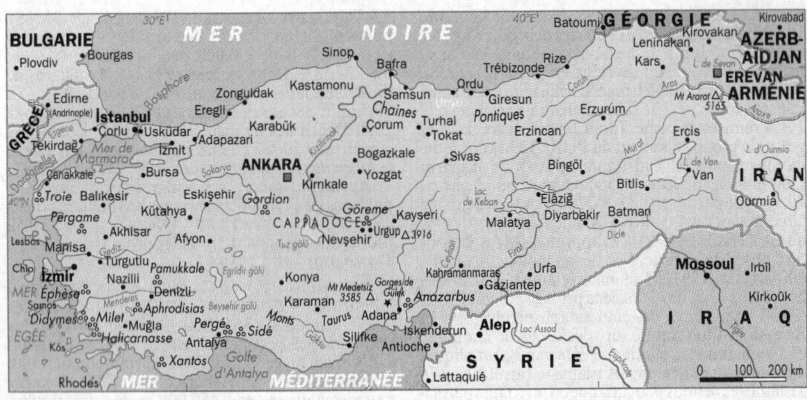

Mineure : *Occident :* roy. thraco-illyriens (Phrygie, Lydie, Lycie, Pamphilie, Mysie), de plus en plus soumis à l'influence culturelle grecque ; *centre et E. :* petits roy. « néo-hittites », sous influence assyrienne ; *extrême E. :* roy. *d'Urartu* (Anatoliens antérieurs aux Hittites) qui devient une puissance importante avec civilisation particulière ; résiste victorieusement aux Assyriens, mais est détruit par l'Emp. mède (indo-eur. du groupe partho-scythe) Cyaxare v. 610. Remplacé par Arménie (voir ci-dessous). **582** *Cyaxare* partage Anatolie avec Lydiens (frontière : fleuve Hayls). **551** *Cyrus II,* roi perse, prend l'Emp. mède ; incorpore toute l'Asie Mineure, y compris territoires hellénisés de l'O., dont il fait la IIIe satrapie de l'Emp. *achéménide* (que les Grecs appellent Emp. *mède*). **494** révolte des Grecs d'Asie Mineure (chef : Aristagoras, roi de Milet), matée par Perses ; Milétiens déportés sur le Tigre. **492-77** *g. médiques :* Perses chassés d'Europe, gardent Asie Mineure. **334** conquête macédonienne d'Alexandre, victorieux au Granique, à Issos (333) et Arbelles (331). À sa mort, rivalités ; 4 roy. hellénistiques : Cappadoce, Pont, Bithynie et Pergame, qu'Attale III lègue à Rome en 133. **123-63** *g. de Rome* contre *Mithridate VII,* roi du Pont, qui conquiert Cappadoce et Bithynie, mais est vaincu à Chéronée par Sylla en 86, Pompée en 68. **47** César bat Pharmace.

Après J.-C. puissance romaine consolidée par Hadrien (117-138), Marc Aurèle (161-180), Carus, qui repousse les Perses sassanides (v. 276-293). Après période d'anarchie, Constantin transfère la capitale de l'empire à Byzance (inaugurée 11-5-330). **395-610** l'Asie Mineure (entièrement hellénisée) est le bastion de l'empire romain d'Orient ; résiste aux Slaves (en Europe) et Perses (Emp. sassanide, Asie). **610** *Héraclius,* 1er *grand empereur byzantin.* Son rival est l'empereur sassanide *Khosroès.* **628** triomphe d'Héraclius, mais les 2 emp. se retrouvent épuisés devant l'Islam. **634-636** les Arabes prennent Syrie. **639-643** Égypte byzantine. **676-77 et 717-18** bloquent Constantinople et envahissent plusieurs fois Cappadoce. **867 à 1056** Byz. repousse Arabes et étend son contrôle en Syrie. **V. 1037** Tugrul Bey fonde *Empire seldjoukide* (tribu turque) en Iran, effectue de nombreuses incursions en Asie byz. **1071**-*26-10* désastre byz. de *Manzikert* (Malazgirt) ; Turcs colonisent les 2/3 E. de l'Asie Mineure. **1077** Gazi Souleïman fonde royaume seldjoukide d'Anatolie.

Croisades : 1096 cr. de Pierre l'Ermite écrasée. **1097** cr. des chevaliers : Byzance reprend Nicée, Bithynie et Ionie ; rivalise avec Francs pour territoires reconquis ; s'allie temporairement aux Turcs. **1176** Kiliç Arslan II (1155-92), Pce de Konya qui a pris le titre de sultan, bat Manuel Comnène. **1182** Latins de Constantinople massacrés. **1204** Croisés (4e croisade) prennent Constantinople (empire, 400 000 h.). Des Comnènes se réfugient à Trébizonde et fondent une dynastie qui dure jusqu'en 1461. *Théodore Lascaris,* époux d'Anne Lange, fille d'Alexis III, s'allie au sultan turc d'Ikonion et fonde État byz. en Lydie et Phrygie, avec Nicée comme capitale jusqu'à la reprise de Constantinople *25-7.*

Empereurs romains d'Orient (Byzance)

Dynastie des Constantins 306 *Constantin Ier* (Occident 270/288-307). **337** *Constance II* (317-61) avec *Constantin II* (317-340) et *Constant Ier* (320-50) Occident. **361** *Julien l'Apostat* (331-63) (Occident). **Jovien 363** *Jovien* (v. 331-64). **Valentiniens 364** *Valentinien Ier* (321-75). **364** *Valens,* son fr., associé à l'Empire (328-378). **375** *Gratien* (359-83) (Occident), f. de Valentinien. **Théodosiens 379** *Théodose Ier* le Grand (v. 347-95). **408** *Théodose II* le Jeune (401-50), s. f. **450** *Marcien* (v. 391-457). **Thrace 457** *Léon Ier* (411-474). **474** *Léon II,* s. pet.-f. **474** *Zénon l'Isaurien* (v. 426-91), 1er époux d'Ariadne, f. de Léon Ier. **491** *Anastase Ier* (v. 430-518), 2e époux d'Ariadne. **Justiniens 518** *Justin Ier* (v. 450-527). **527** *Justinien Ier* le Grand (482-565) ; collabore avec Justin Ier dep. 518. **565** *Justin II* († 578), s. nev. **578** *Tibère II* († 582). **582** *Maurice* (v. 539-602), s. gendre ; décapité avec s. f. **Phocas 602** *Phocas* (usurpateur) († 610), mis à mort par la foule. **Héraclides 610** *Héraclius Ier* (v. 575-641). **641** *Constantin III* Héraclius (612-41), s.f. **641** *Héraclius II* Héraclonas (618-45). **641** *Constant II* Héraclius (630-68), s. nev. **668** *Constantin IV* Pogonat (654-85). **685** *Justinien II* Rhinotmète (669-711). **695** *Léonce* (usurpateur). **698** *Tibère III* († 705), usurpateur exécuté par Justinien II. **705** *Justinien II* (669-711) restauré. **711** *Philippique Bardanès,* renversé par les militaires. **713** *Anastase II* († 716). **716-717** *Théodose III* († 722). **Isauriens 717** *Léon III* l'Isaurien (v. 675-741). **740** *Constantin Copronyme* (718-75), s. f. **775** *Léon IV* le Khazar (750-80), s. f. **780** *Constantin VI* (771-805), s. f., détrôné (797) par sa mère. **797** *Irène* (752-803), sa mère. **802** *Nicéphore Ier*, usurpateur († 811), assassiné à la tête de son

Sandjak (préfecture) d'Alexandrette (Iskanderun). (5 570 km² à la frontière de la Syrie et de la Turquie). Contient Antioche. **Avant J.-C. 300-**22-5 Antioikeia fondée par Séleucos, héritier d'Alexandre le Grand. **300-64** cap. du roy. hellénistique des Séleucides. **64** métropole de Syrie romaine (300 000 hab.). **Apr. J.-C. 341** métropole patriarcale de l'Orient chrétien (Église arienne, opposée à Rome). **526** séisme, 250 000 †. **VIIe-Xe s.** occupée par Arabes. **969-1084** réoccupée par Byzantins. **1084-98** occupée par Turcs Seldjoukides. **1098**-*3-6* conquise par croisés francs : principauté chrétienne. **1159** reconnaît suzeraineté byzantine. **V. 1200** fusionne avec roy. de Petite Arménie (Pce : Raymond Rouben, Franco-Arm.). **1268** conquise par Mamelouks ; dans l'Emp. turc jusqu'en 1920 (devient une bourgade de 6 000 h.). Les 3 dignitaires ecclésiastiques chrétiens portant le titre de « patriarche d'Ant. » (catholique, orthodoxe, jacobite), résident à Beyrouth, Damas, au Caire.

1895, 1909, 1915 massacres d'Arméniens. **1916** accords Sykes/Picot. Cilicie et Syrie littorale sont sous influence française. La Syrie alépine et damascène sous tutelle fr. **1918** *déc.* rapatriement des survivants arméniens décidé par Alliés, constitution d'une « Légion d'Orient » avec + de 4 000 Arm. Règlements de comptes : Mustafa Kemal revendique un territoire jusqu'à Alexandrette et Mossoul. **1919** Gal Allenby (Cdt en chef allié) impose à la Fr. une administration indirecte avec des fonctionnaires turcs (admin. en chef : Cel Brémond). **1920**-*5-8* Arméniens d'Adana proclament leur réplique. Brémond y met fin en quelques heures. *-10-8* tr. de Sèvres : frontière syro-turque ; donne à Turquie rive gauche du Ceyhan avec Tarse, Adana, Sis... **1921**-*21-2* Londres, conférence pour réviser tr. de Sèvres. Aristide Briand (Pt du Conseil) cède, ne laissant au mandat syrien que le sandjak. *-8-8* mandat français, une administration particulière (*mutassarif* et délégué du haut-commissaire) est prévue, à la demande de l'Angl. (Al. étant le débouché de l'Irak, sous mandat brit.). *-20-10* accord d'Ankara : confirme frontière de l'accord de Londres. **1922** 175 000 Arméniens émigrent en Syrie, Liban, France. *-20-11* conférence de Lausanne. **1923**-*23-3* rattachée à l'État d'Alep, avec régime économique international. *-26-7* tr. signé : entérine la Cilicie turque. **1925** à l'État de Syrie. **1936** la Fr. crée 2 républiques : Liban, Syrie (incluant le sandjak). **1937** *nov.* nouvelle loi fondamentale. **1938** république du Hatay. **1939**-*23-6* accord franco-turc. *-23-7* évacuation du territoire : chacun peut opter pour la citoyenneté syr. ou libanaise. 14 000 Arméniens s'exilent. La Syrie a renoncé à revendiquer la Cilicie, mais revendique toujours le sandjak.

armée. **811** *Staurace* († 811), s. f., associé dep. 803. **811** *Michel Ier* Rangabé († après 840), époux de Procapia, f. de Nicéphore Ier. **813** *Léon V* l'Arménien († 820). **820** *Michel II* le Bègue († 829). **829** *Théophile,* s. f. († 842). **842** *Michel III* l'Ivrogne (838-67), assassiné par Basile Ier. Macédoniens. **867** *Basile Ier* (v. 812-86). **886** *Léon VI* le Sage (866-912), f. de Michel III. **912** *Alexandre* (886-913), s. fr., associé dep. 871. **912-59** *Constantin VII* Porphyrogénète (905-59), s. f. **920-44** *Romain Ier* Lécapène († 944), usurpateur associé 919 à s. beau-père. **944-46** *Constantin,* s. fr., appelé par certains C. VIII, associé au trône de Constantin II. **959** *Romain II* (939-63), s. pet.-f. **963** *Basile II* le Bulgaroctone (957-1025) avec : *Nicéphore II* Phocas (913-69) emp. 963-69, *Jean Ier* Tzimiskès (925-76) emp. 969-76, empoisonné. **1025** *Constantin VIII* associé dep. 961 (v. 960-1028). **1028** *Théodora* (995 ?-1056) *et Zoé* Porphyrogénète (978-1050), s. filles, associées. Zoé évince Théodora et gouverne avec : *Romain III* Argyre (v. 970-1034), son 1er mari (1028-34), qu'elle assassine, *Michel IV* le Paphlagonien, s. 2e mari (1034-41), *Michel V* le Calfat, neveu de Michel IV, adopté par Zoé (1041-42), *Constantin IX* Monomaque, s. 3e mari (1042-55). **1055** *Théodora* (995?-1056) associée dep. 1042, sœur de Zoé. **1056-57** *Michel VI* Stratiokos († 1059), s. f., renversé. Comnène **1057** *Isaac Ier* (v. 1005 ?-1061) abdique. Doukas **1059** *Constantin X* Doukas (1007-67). **1067** *Eudoxie,* sa veuve, qui ép. 1068 *Romain IV* Diogène, général († 1071). **1067-78** *Constantin* (dit C. XII), le plus jeune fr. de Michel VII. **1071** *Michel VII* Doukas, f. de Constantin X. Usurpateur **1078** *Nicéphore III* Botoniate († après 1081), général élu par ses troupes révoltées contre Michel VII, relégué dans un couvent. Comnènes **1081** *Alexis Ier* (1048-1118), neveu d'Isaac Ier, ép. Irène Doukas. **1118** *Jean II* (1088-1143), s. f. **1143** *Manuel Ier* (v. 1122-80), s. f. **1180** *Alexis II* (1167-83), s. f., étranglé. **1183** *Andronic Ier* (1122-85), son oncle, tué. Anges **1185** *Isaac II* (v. 1155-1204) détrôné, petit-f. de Théodora Comnène (fille d'Alexis Ier, ép. de Constantin Ange de Philadelphie). **1195** *Alexis III* († 1210), s. fr. **1203** *Isaac II* (1155-1204) et s. f. *Alexis IV* (v. 1182-1204), assassinés par Alexis V, gendre d'Alexis III. Doukas **1204** *Alexis V* Murzuphle, usurpateur.

Empereurs latins

1204 *Baudouin Ier*, Cte de Flandre (1171 ; vaincu et fait prisonnier par les Bulgares, alliés des Byzantins en 1205 ; il serait retourné en Flandre. En 1225, certains le reconnurent dans un ermite réfugié dans une hutte près de Mortagne (Flandres) et le soutinrent 2 mois contre sa fille Jeanne, héritière du comté (démasqué, il avoua s'appeler Bertrand et être né à Reims) ; il fut pendu à Lille fin sept. 1225. **1206-16** *Henri Ier* de Hainaut s. fr. **1217** *Pierre de Courtenay* (v. 1167-1217), s. beau-fr. (ép. Yolande de Flandre et Hainaut). **1221** *Robert Ier* de Courtenay († 1228), s. f. **1228-61** *Baudouin II* de Courtenay (1217-73), s. f. **1268** l'emp. latin d'Orient (Constantinople et sa banlieue, et Thrace européenne) s'écroule après la prise d'Antioche.

☞ La femme de Baudouin II, l'impératrice Marie, marquise de Namur, vendit le marquisat de Namur en 1263 à Gui de Dampierre, fils de Marguerite de Flandre. Les droits à la couronne latine de C. seraient donc passés aux Dampierre, marquis de Namur : 7 tenants du titre jusqu'à Jean-Thierry ou Jean III, seigneur de Winendale (marquis de Namur en 1418, † 1429) qui en 1421, vendit son marquisat à Philippe le Bon, duc de Bourgogne, par lequel les droits passèrent à la monarchie espagnole. Néanmoins, Philippe, seigneur de Duy, fils naturel de Jean-Thierry et de Cécile de Savoie, est considéré parfois comme le véritable héritier de ces droits (ses descendants portent les titres de Vte d'Elzée et de Bon de Jonqueret).

Empereurs grecs de Nicée

1204 *Théodore Ier* Lascaris [couronné 1206 par Michel Autorianius († 1222)]. **1222** *Jean III* Doukas Vatatzès (1193-1254), s. gendre. **1254** *Théodore II* Doukas Lascaris (1222-58), s. f. **1258** *Jean IV* Doukas Lascaris (v. 1250-61), s. f. **1258-61** régence de Michel Paléologue.

1261-*25-7* Michel Paléologue reprend Constantinople qui redevient capitale.

Empereurs grecs de Constantinople

Paléologues **1261** *Michel VIII* (1224-82). **1282** *Andronic II* (1258-1332), s. f., avec de 1295 à 1320, *Michel IX* (1277-1320), s.f. **1328** *Andronic III* (1295-1341), s. f. **1341-54** *Jean V* (1332-91), s. f. Cantacuzène **1345-55** *Jean VI* (v. 1293-1383), usurpateur. Paléologues **1355-76** *Jean V,* restauré. **1376** *Andronic IV* (1348-85), s. f. **1379-91** *Jean V,* restauré. **1391** *Manuel II* (1348-1425), s. oncle, associé à Jean V s. père, avec, de 1399 à 1402, *Jean VII.* **1399-1402** *Jean VII* (1366-1420), f. d'Andronic IV, usurpateur. **1425** *Jean VIII* (1390-1448), f. de Manuel II. **1448** *Constantin XI* Dragasès (1405-53), s. fr. **1453** *Fin de l'Empire.*

☞ **En 1460** le dernier Pce régnant de la dynastie, Thomas Paléologue, despote de Morée (héritier de Constantin XI), chassé de Patras par les Turcs, se réfugie à Rome près de Pie II. Il y meurt en 1465. Son fils André, † 1502, lègue ses États aux Rois Cathol. Ferdinand d'Aragon et Isabelle de Castille. **En 1472** Zoé, fille de Thomas, épouse, grâce à une dot du pape, le grand-duc de Russie Ivan III Vassilievitch et transmet ses droits sur l'Empire à sa sœur Hélène, épouse *d'Alexandre Ier* Jagellon, roi de Pologne.

Les Ottomans

1290 les Ottomans supplantent les Seldjoukides avec Osman (dyn. des Osmanlis). **1299 Osman Ier** le Victorieux (1258-1324). **1326 Orhan** (1288-1360). **1354** début de la conquête des Balkans. **1357** Soliman prend Gallipoli ; Kosovo : bat Bulgares, Serbes et Bosniaques et prend Andrinople. **1359 Mourad Ier** le Souverain (v. 1326-89). **V. 1370** *janissaires* (*Geni Seri,* « nouvelle troupe ») créés par Mourad Ier. **1389 Bajazet Ier (Bayezid Ier) la Foudre** (1357-1403), fils de Mou. Ier. **1402**-*20-7* Ankara : battu par Tamerlan. Rivalités entre émirats turcs. **1402-13** interrègne. **1410 Soliman,** fils aîné de B. Ier, tué par son frère Mousa. **1413 Mehmet (ou Mehmed ou Mahomet) Ier le Seigneur** (1387-1421), fils de B. Ier. **1421 Mourad II** (v. 1402-51) fils de M. Ier. **1430** prend Salonique, bat Polonais à Varna et Hongrois à Kosovo **(1448). 1451 Mehmet II le Conquérant** (1432-81) fils de Mou II. **1453** prend Constantinople. **1461** Trébizonde. **1481 Bajazet II le Saint** (1452-1512), fils de M. II, abdique. **Apogée de l'Emp. ottoman.**

1512 Selim Ier le Terrible (1466-1520), fils de B. II. **1520 Soliman Ier le Magnifique** (1495-1566) fils de Sél. Ier. Annexion Algérie et Tunisie (Barberousse). **1517** conquête Égypte. **1520** Rhodes. **1521** Belgrade. **1526** vict. de *Mohacs* livre Hongrie. **1529** échec devant Vienne. **1533** Bagdad prise. **1538** Préveza : Barberousse bat flotte de Charles Quint et de ses alliés. **1541** Transylvanie soumise. **1566 Selim II l'Ivrogne** (1524-74) fils de Soliman. **1569**-*18-10* 1res *capitulations* franco-ottomanes avec Soliman. **1571**-*15-8* Famagouste prise (conquête de Chypre) ; *-7-10 Lépante :* don Juan d'Autriche bat flotte de S. II. Chypre conquise. **1574 Mourad III** (1546-95) fils de Sél. II. **1595 Mehmet III** (1566-1603) fils de Mou. III, prend le pouvoir en faisant tuer ses 19 frères. Assassiné.

1603 Ahmed Ier (1590-1617), fils de Mou III. **1617 Mustafa Ier** (1591-1639), frère d'A. Ier, déposé 1618. **1618 Osman II** (v. 1604-22), neveu de Mus. Ier, déposé, étranglé sur ordre de Mourad IV. **1622 Mustafa Ier** (1591-1639), déposé une 2e fois, étranglé sur ordre de Mourad IV. **1623 Mourad IV** (v. 1609-40), fils d'A. Ier. **1623-40** prise de : Azerbaïdjan, Géorgie, Mésopotamie. **1640 Ibrahim Ier** (1615-48). **1645** débarquement en Crète (mort du duc de Beaufort et capitulation de Candie *1669,* évacuation totale par les Vénitiens *1710*). **1648 Ibrahim Ier** déposé et étranglé. **1648 Mehmet IV** (1642-93), fils d'Ib. Ier. **1656-1710** la famille des Koprülü détient la charge de grand vizir. **1683** échec devant *Vienne,* sauvée par Jean Sobiesky. **1687 Soliman II** (1642-91), frère de M. IV, déposé. **1687** *Mohacs :* Charles V de Lorraine (1643-90) bat T. qui perd Hongrie. **1691 Ahmed II** (1643-95), frère de S. II. **1695 Mustafa II** (1664-1704), son neveu, fils de Mehmet IV. **1699** *tr. de Karlowitz* avec Autriche, Russie, Pologne et Venise : T. renonce à Hongrie, Transylvanie, Ukraine, Azov. **1703** M. II forcé d'abdiquer. **1703 Ahmed III** (1673-1736) frère de M. II. **1718** perd Belgrade, Albanie, Dalmatie, Herzégovine. **1730** A. III déposé. **1730 Mahmoud Ier** (1696-1754), neveu d'A. III, abdique. **1754 Osman III** (1699-1757), fils de Mustafa II. **1757 Mustafa III** (1717-74), cousin d'O. III. **1768-74** g. russo-turque.

1774 Abdülhamid (« serviteur de Dieu ») Ier (1725-89), frère de Mus III. **1774** *tr. de Kutchuk-Kaïnardji :* T. laisse à Russie droit de libre commerce en mer Noire ; Crimée séparée de l'emp. ottoman. **1788-92** g. russo-turque.

1789 Selim III (1761-1808) neveu d'Ab. Ier. **1791** *tr. de Svitchov* avec Autr. **1792** *tr. de Jassy :* territoire à l'E. du Dniestr et Crimée perdus. Paix avec France. **1796** fin des accueils humiliants des ambassadeurs; **1799** *janv. tr. de Constantinople* avec Russie. **1805** *déc. paix de Presbourg :* Autriche cède Vénétie, Istrie et Dalmatie à Napoléon. **1807** S. III déposé, sera tué 1808.

1807 Mustafa IV (1779-1808) fils d'Ab. Ier. **1807** hostilité russo-t. *août* Fr. réoccupe Sept-Iles et terr. dépendants (don Parza). **1808** *juill.* M. IV renversé.

1808 Mahmoud II (1785-1839) frère de Mus. IV. *Mars* Slobozia, accord avec Russie (non ratifié) sur évacuation des principautés par troupes russes, et passage des Détroits par la flotte du tsar. **1809** *janv.* conv. des Dardanelles avec G.-B. : Détroits fermés aux flottes mil. en temps de paix. **1812** *tr. de Bucarest,* T. cède Bessarabie à Russie mais garde Moldavie. **1815** M. II essaie d'obtenir de la Russie restitution de la Bessarabie. **1821** soulèvement grec (voir Grèce). **1826-56** *Tanzîmât* (Réformes). **1826** janissaires supprimés (dont cavaliers, *sipahî*). Révolte. *-14-6* palais du grand vizir pillé. Troupes royales bombardent casernes des janissaires. Bilan : 6 000 †, 18 000 déportés. **1827**-*20-10 Navarin :* flotte t. détruite par flotte internationale (Fr., G.-B., Russie). **1828** *avril* g. russo-t. **1829**-*14-9 tr. d'Andrinople* avec Russie. Grèce indépendante. « Bureau des traductions » adopte français comme langue diplomatique. **1830** Serbie autonome. **1831** 1er recensement de l'empire (but fiscal) : pop. masculine répartie selon religion et âge (arbitraire) ; jamais publié. **1832** 1er journal en langue turque à Istanbul. **1832-40** g. avec Mehmet Ali qui s'est imposé en Égypte et vient de Syrie. **1834** Poste publique créée (avant réservée au sultan). 1ers ambassadeurs stables à Paris, Londres, St-Pétersbourg, Vienne ; rôle de Rechid Pacha (1802-58). **1835** Moltke (Prussien) réorganise l'armée, les Brit. la marine. **1836** ministères Intérieur et Aff. étrangères créés. **1838** sultan adopte costume européen (fez). **1839**-*24-6* Nizib, Égyptiens battent Ottomans.

1839 Abdülmecit Ier ou **Abdul Medjid** (1823-61), fils de M. II. **1839**-*3-11 Khatt-i cherîf* de Gülkhâne (Maison des roses), [ou *Gülkhâne Fermani* (Édit de réorganisation)] : sujets sur pied d'égalité ; administration spécialisée pour chaque grand domaine (réforme achevée vers 1870) et Conseil d'État comprenant représentants des provinces, des métiers et des communautés non musulmanes. **1840** Code civil inspiré du C. Napoléon (puis C. pénal). *Déc.* Mehmet Ali quitte Syrie sous pression anglo-autr. **1841** *mai* Rechid Pacha quitte grand-vizirat, devient ambassadeur à Londres. **1843** loi de recrutement fondée sur égalité. **1845** réforme enseignement. **1853-56** *g. de Crimée.* T. alliée à France. Chrétiens de Crète demandent rattachement à la Grèce. **1856** *Khatt-i hümâyûn* (rescrit impérial) poursuit réformes dans l'empire (laïcisation). *-18-2 islahat Fermâni* (Édit de réforme) : égalité devant loi et impôt, liberté d'organisation des communautés (1863 règlement de la nation arménienne prévoit Ass. de 140 m.). *30-3 tr. de Paris,* indépendance t. garantie. **1861** Liban autonome.

1861 Abdülaziz (1830-76), frère d'Abdülmecit Ier. **1868** création des « Jeunes T. ». Lycée de Galata Saray ouvert avec aide fr. **1869** université d'Istanbul créée. Concession ferr. Vienne-Istanbul accordée au baron Hirsch, banquier bavarois. **1870** 1re école juridique. **1872**-*31-7 Midhat Pacha* (1822-84) Gd Vizir. **1875** emprunts T. pour 200 millions de livres £. *Juill.* insurrection Bosnie-H., Bulgarie. **1876**-*30-5* Abdülaziz abdique, *-4-6 assassiné.*

1876 Mourad V (1840-1904), neveu d'Abdülaziz, *-31-8* déposé (pour faiblesse mentale et assigné à résidence au palais de Tchiraghan).

1876 Abdülhamid II le Rouge (1842-1918) frère de Mou. V. *Mai-sept.* insurrection en Bulgarie. *-30-6* Serbie déclare guerre à T. *-2-7* puis Monténégro. *-8-7* accord du Reichstag (secret) Autr./Russie sur partage de T. l'Europe. *-24-8* Serbie demande armistice. *-1-11* T. (Ahmed Eyoub Pacha) bat Serbes (chef : Gal russe Tchernayev) à Alexinatz. *-5-12* tentative d'enlèvement de Mourad V (par 2 Turcs et 2 chrétiens déguisés en femmes) pour le faire fuir hors de l'Empire. *-19-12* Gd Vizir *Mehmed Ruchdu Pacha* démissionne, remplacé par *Midhat Pacha -23-12* Constitution *(Kanun-i Erasi :* loi fondamentale d'après Const. belge de 1831 [119 articles ; partage des pouvoirs entre Sultan (conserve l'essentiel) et Parl. (2 chambres ; contrôle faible), qui se réunit du 1-11-1876 au 13-2-1877 (dissous par sultan)].

1876-78 g. russo-turque [250 000 R. contre 135 000 T. dans les Balkans ; 70 000 R. contre 70 000 T. en Anatolie orientale]. **1877** Abdülhamid chasse Jeunes Turcs et restaure principes de gouv. islam. *-15-1* accord de Budapest Autriche/Russie (la 1re restera neutre en cas de g. russo-t. mais pourra occuper Bosnie-H.). *-5-2* Midhat Pacha exilé en Europe [à son retour, devient gouverneur ; mai 1881 arrêté, condamné à mort, gracié, déporté à Taëff (Arabie) et étranglé sur ordre d'Abdülhamid]. *-28-2* armistice avec Serbie. *-31-3* Protocole de Londres (rejeté par T. 12-4). *Avril* Abdülhamid ajourne session du Parl. (élu au suffr. ind., réuni 19-3 pour la 1re fois). *-24-4* Russie déclare guerre à T. ; Roumanie lui donne droit de passage sur son territoire. *-17-5* Russes occupent Ardahan. *-22-5* Roumanie proclame indép. *-26/28-5* Russes passent Danube et pénètrent en T. *Juill.-déc.* résistance t. à *Plevna* (30 000 R. †). *-18-11* Russes prennent Kars (2 500 R. †, 5 000 T. †, 10 000 pris). *-10-12* chute de Plevna après résistance d'Osman Pacha (« Gâzi », titre donné aux combattants victorieux). **1878**-*3-1* chute de Sofia. *-9-1 Senova* R. battent T. (36 000 T. pris).

-10-1 Monténégrins occupent Bar (Antivari). *-11-1* Ahmed Hamdi Pacha Gd Vizir. *19-1* Abdülhamid demande armistice par l'intermédiaire de la reine Victoria. *-20-1* chute d'Andrinople. *-23-1* flotte brit. passe Détroits. *-31-1* armistice avec Russie à Andrinople. *-2-2* Grecs entrent en Thessalie sans déclaration de guerre. *-4-2* Ahmed Véfik Pacha Gd Vizir. *-13-2* parlement suspendu. *-24-2* Roumains occupent Vidin. *3-3 tr. de San Stefano :* principauté bulgare vassale créée. Monténégro reçoit Bar, mais séparé de Serbie par *sandjak* de Novi Pazar (occup. autr.) ; Serbie reçoit région de Nis (375 km²) ; réformes en Bosnie ; Iran reçoit district de Hatur. Russie annexe Kars, Batoum, Ardahan et Bayazid (contre indemnité de guerre de 1,41 Md de roubles-or, ramenée à 400 millions) et Dobroudja (pourra être cédée à Roumanie contre Bessarabie) ; Abdülhamid refuse de livrer la flotte (3e du monde). *-18-4* Mehmed Sadik Pacha Gd Vizir. *-20-5* Ali Suavi tente d'enlever Mourad V pour le rétablir sur le trône. *-28-5* Mehmed Ruchdu Pacha Gd Vizir. *-4-6* Angl. menaçant d'envahir Chypre ; Abdülhamid signe accord secret : Angl. administrera l'île sous souveraineté t. (tribut annuel, mais soutien brit. en cas d'opér. militaires russes en Turquie d'Asie). Mahmed Essad Savfet Pacha Gd Vizir. *-13-7 tr. de Berlin :* Serbie et Roumanie indépendantes, Bulgarie et Roumélie orientale autonomes, promesse à la Grèce d'aménagement frontalier en Thessalie ; Bosnie et Herzégovine passent sous administration autrichienne mais restent sous domination t ; Angl. recevra Chypre ; réformes envers Arméniens dans 6 des vilâyets de l'Asie turque ; Russie conserve Kars, Ardahan et Batoum ; Fr. et Italie reçoivent assurance d'occuper Tunisie et Tripolitaine ; T. doit payer à Russie indemn. de 55 millions de £ t.-or. *Bilan :* T. perd 8 184 000 hab. et 237 298 km² ; 500 000 morts.

1878 *Mi-juil.* 3e tentative (maçonnique) d'enlèvement et de restauration de Mourad V (lui-même f.-m.). **1879**-*29-7* Ahmed Arifi Pacha Gd Vizir. *-4-9* Angl. et Fr. mettent sous contrôle Égypte (difficultés financières). **1880** *nov.* Égypte, soulèvement nationaliste d'Orabi Pacha. **1881**-*12-5* protectorat fr. en Tunisie. *-28-6* accord secret austro-serbe : neutralité en cas de guerre de l'autre partie contre 1 pays tiers. *-2-7* districts de Narda (Arta) en Épire et Thessalie remis à la Grèce. *-29-7* Midhat Pacha arrêté et jugé pour l'assass. d'Abdulaziz (cond. à mort puis gracié ; envoyé à Taëf). *-23-7* « Dette Publique Ottomane » créée. **1882**-*27-6* gouv. « national » en Égypte. *-11-12* ultimatum anglais : Alexandrie bombardée. *-15-12* débarquement anglais. *-13-9* troupes ég. battues à Tell el Kébir ; Ég. occupée. **1883** mission militaire all. (Gal Colmar von der Goltz). **1884**-*6/7-5* Midhat et Mahmoud Djélalédine Pacha assass. à Taëf. **1885**-*18-9* révolte en Roumélie or. pour union avec Bulgarie. *-13/19-11* Serbie déclare guerre à Bulgarie, qui l'emporte. **1886**-*1-2/-5-4* union Roumélie or./Bulgarie. *-3-3* accord de Bucarest Bulgarie/Serbie. *-20-8* coup d'État en Bulgarie. **1887**-*7-7* Ferdinand de Saxe-Cobourg Pce de Bulgarie. **1888**-*12-8* Orient-Express achevé (ligne Budapest-Istanbul). **1889**-*21-5* Parti de l'Union et Progrès créé. *-18-9* navire-école « Ertoughroul » pris dans typhon, coule sur rochers d'Oshima : 587 morts. Guillaume II à Istanbul. **1895**-*30-9* manif. arménienne à Istanbul. **1896**-*24-5* insurrection en Crète. T. lui accorde autonomie, après intervention europ. ; musulmans émigrent en Anatolie. **1897**-*2-2* insurrection en Crète. *-15-2* forces grecques débarquent ; attaques de bandes armées grecques aux frontières ottomanes. *-18-4* T. déclare guerre à Grèce. *-10-5* G. demande interv. des Puissances. *-17-5* victoire T. à Deuméké (Domakos). *-20-5* armistice T.-Grèce. *-4-11 tr. de Paris :* indemnité de guerre de 4 millions de £-or. *-18-12* Crète autonome ; départ des Turcs. *-21-12* Pce Georges de Grèce gouv. gén. de la Crète. **1898** *oct.* Guillaume II à Istanbul. **1899**-*25-11* futur chemin de fer de Bagdad attribué à All. **1900**-*14-12* accord franco-it. sur Tripolitaine et Maroc. Chemin de fer du Hédjaz (Istanbul-La Mecque, 1900-08). **1901**-*5-11* Français débarquent à Mytilène, demandant remboursement de 750 000 £ t. prêtées en 1876 par banquiers fr. Tubini et Lorenzo au gouv. t. (pour payer complot pour destituer Abdulaziz). T. règle 502 000 £. **1902** *fév.* Paris, 1er congrès des Jeunes Turcs. *-21-9* soulèvement en Macédoine. **1903**-*2-8* 2e soulèv. en Macédoine. **1904** accord T.-Bulgarie. *-29-8* Mourad V meurt. **1905**-*26-11* Autr. et Russie estimant réformes de la gendarmerie en Macédoine insuffisantes, demandent à T. commission financière ; devant refus, Angl., Autr., Fr, Angl., Italie et Russie envoient flotte et corps expéd. **1906** *oct.* crise du rattachement de la Crète à la Grèce. **1907**-*25-4* contre des réformes en Macédoine, T. obtient des Puissances hausse de 11 % des droits de douane (au lieu de 8). *-31-8* entente franco-russe sur partage d'influence en Perse, Afghanistan, et golfe Persique. **1908**-*9-6* Reval (Tallin), Edouard voit tsar Nicolas ; rumeur d'accord anglo-russe sur partage de T. *Juil.* révolte des Jeunes T. réclamant Const. de 1876 [dont Mustafa Kemal, s'inspirant du Comité d'Union et de Progrès, créé 1890 à Paris par Ahmed Riza (1859-1930)] ; commandants Niyazi Bey et Enver Bey de Salonique prennent maquis avec soldats mutinés. *-6-7* mutineries à Monastir. Sultan envoie 18 000 h. pour réprimer agitation en Macédoine, qui se rallie aux rebelles. Sultan rétablit Constit. *-4-8* Kâmil Pacha Gd Vizir. *Sept.* Russie permet à l'Autr. d'annexer Bosnie-Herzégovine contre ouverture des Détroits aux navires russes (interdite dep. 1841). *-5-10* Bulgarie indépendante. *-6-10* Autriche annexe Bosnie-Herzégovine. Serbie désapprouve. *-7-10* Crète proclame union avec Grèce. *Nov./déc.* élections : vict. d'Union et Progrès ; opp. lib. autour du Pce Sabâheddîn, neveu d'Abdülhamid, échoue ; ulémas dénoncent Jeunes T. comme mécréants influencés par Révol. fr. **1909**-*12-1* T. reconnaît annexion Bosnie-H. *-31-3* Serbie reconnaît le « fait accompli ». *-9-4* accord Autr., Bulg. et T. (qui reconnaît indép. Bulgarie contre indemnité et restitution par Autr. du sandjak de Novi Pazar). *-12/13-4* Istanbul, « contre-révolution » du 31-3 : réclame retour à la loi coranique ; quartier arménien et palais de Yildiz pillés. *-23/24-4* Chevket Pacha avec armée de Macédoine mate révolte et décrète loi martiale. *-27-4* Parl. dépose Abdülhamid, exilé à Salonique [selon fetva (décision interpr. de la loi cor.) du Cheikh ül-islam, aurait « brûlé des livres sacrés »].

Empire ottoman en 1914

■ **Statut.** Empire créé par Othan ou Osman, émir d'une tribu de Turcs orgouz (venue d'Asie centrale avec les Seldjoukides, et fixée en Anatolie sur le fleuve Sakarya, dans la région de Sögüt). Formait une monarchie absolue et théocratique. *Sultan* ou *padichah ;* titres religieux : *khalife* (successeur du prophète), *khadime* (khadim-ul-Hareméïn ech-Cherifeïn) [Serviteur des Deux Villes (Harems Illustres), La Mecque (maison d'Allah) et Médine (tombeau du Prophète)] et *Commandeur des croyants* (Emir el-Mouminin).

Résidence : palais de Topkapi (1465) résidence off. jusqu'en 1853, puis Yildiz (étoile, dahlia ; selon légende, nom d'une favorite du Sultan Abdülmecit, construit 1850 puis, après pillage de 1908, palais de Dolmabahce. *Épouses.* 4 premières : *Cadines,* suivantes : *ikbâl. Eunuques.* Seuls ceux chargés du service privé du Sultan avaient droit de lui parler ; uniquement Noirs. *Sultans sans barbe :* Selim 1er, Osman II, Mourad V, Mehmed VI. Sultan assisté pour les affaires politiques du *Grand Vizir* ou *Sadr Azam* (PM temporel ; nombreux d'origine non turque), et pour les affaires religieuses du *Cheikh ul-Islam* [(mufti d'Istanbul, ou « Gd mufti » ; créé par Soliman), nommé et révoqué par Sultan (communique décisions du khalife aux religieux, oulémas)]. *Divan,* conseil privé. A côté, constituant avec eux la *Sublime Porte* (gouv.), des ministres se répartissent les divers services.

Succession ottomane. Par ordre de primogéniture dans la ligne mâle directe jusqu'en 1687, puis par ancienneté d'âge dans la ligne mâle. Un cousin pouvait, s'il était plus âgé, succéder avant un fils [1].

Nota. – (1) Cette règle a permis parfois à de nombreux imposteurs de se prétendre chefs de la dynastie, surtout depuis la disparition du Sultanat et de l'Empire, qui entraîna la dispersion de la famille.

Princes impériaux [*chehzadé* ou *chahzadé* (fils de chah, d'empereur), qui précèdent le prénom suivi de *Efendi*] : avaient le titre de « prince héritier » dans l'ordre de leur âge (1er prince h., 2e...). *Princesses impériales* (sultanes) : filles de sultan ou de Pces impériaux [prénom précédant titre de *Sultane Efendi ;* maris considérés comme gendres (« Damad ») du souverain. Fils n'ayant pas droit de succession au trône ; titres : *Sultanzadé* (fils de Pce, Pcesse, Altesse) précédant prénom, suivi du titre de Bey]. *Filles : Hanoum Sultane* (Pcesse, Altesse, titre suivant le prénom). *Validé Sultane :* Sultane mère du sultan régnant, titre suivant le prénom, rang d'impératrice.

Prétendants. Depuis la mort du dernier calife à Paris le 23-8-1944. *38e chef :* Ahmed V Nikat (1883-1954), fils de Mehmed Selaheddin (1861-1915), petits-fils de Mourad V. *39e :* Osman V Fouad (1895-1973). *40e :* Abdulaziz II (1901-77), fils de Mehmed Seyfeddin, petit-fils de Abdulaziz 1er. *41e :* Ali Vassib (1903-83), fils d'Ahmed V Nikat. *42e et actuel :* Pce Mehmed Orhan, Kisil Toprak (27-3-14), fils de Mehmed Abdulkadir, petits-fils d'Abdülhamid II.

Divisions. *Vilayets ou provinces* (ex-*beylerbeylik ;* 36 en 1840) gouvernées par des valis nommés par le sultan (assistés dès 1840 d'un *medjilis,* conseil de notables comprenant des chrétiens). Divisées en *sandjaks* administrés par des *moutesarrifs* nommés par le sultan. Quelques sandjaks, à cause de leur importance ou pour des raisons politiques (au Liban, à Jérusalem, ...) étaient autonomes et relevaient directement du pouvoir central. Sous-divisions : kâzâ, nahiji.

Religions. Système des *Millets* [1], qui assure domination turque tout en reconnaissant aux chefs des Églises pouvoirs de juridiction et de police, et les oblige à lever l'impôt pour le sultan. Musulmans sous l'autorité du Cheikh ul-Islam. 1re Assemblée en 1876 : 16 langues et 14 rel. diff.

Nota. – (1) Non musulmans répartis en 5 *milleti khamse* (communautés) : grecque *(Rûm Millet),* arménienne (divisée dep. 1838 en Arméniens et A. unis, cath. rattachés à Rome), israélite, latine ou catholique.

Armée. 900 000 h. dont a. active (ou Nizam) 350 000, la territoriale (Rédif) 300 000, réserve de la terr. (Moustahfiz) 250 000. Tout musulman faisait un service de 3 ans, mais pouvait se racheter au bout de 5 mois contre 30 livres turques ; chrétiens et juifs, exemptés, payaient une taxe.

■ **Possessions directes.** 2 775 880 km², 22 600 000 h. dont **15 vilayets d'Europe,** 175 880 km², 5 800 000 h. *Kossovo, Monastir, Scutari, Janina, Salonique, Andrinople* et partie du vil. de Constantinople (cap. de l'Empire, env. 873 000 h.) ; **vil. d'Asie,** 1 800 000 km², 16 000 h. [Asie Mineure (503 608 km², 19 230 000 h.), *Anatolie or.* (187 000 km², 2 472 400 h.), *Syrie et Mésopotamie* (543 300 km², 4 667 900 h. dont Liban et Syrie), Arabie du Nord, act. Jordanie (450 000 km², 1 050 000 h.)] ; *Tripolitaine* 800 000 km², 800 000 h.

■ **Territoires unis par un lien de vassalité.** 3 500 245 km², 19 555 000 h. dont *Bulgarie* et *Roumélie or.* (unies dep. 1886, 96 660 km², 3 310 000 h.), *Bosnie-Herzégovine* et partie de *Novi-Bazar* (administrées par Autriche-Hongrie dep. tr. de Berlin et lui appartenant en fait, 58 500 km², 1 568 999 h.), *Crète* (autonome dep. 1898 sous un Pce grec, 8 614 km², 294 000 h.), *Samos* (const. dep. 1852, gouvernée par un Pce fonctionnaire ottoman, 471 km², 49 000 h.), *Égypte* (autonome dep. 1871, 1 036 000 km², 9 734 h.), *Hedjaz,* actuelle Arabie Saoudite (2 300 000 km², 1 000 000 h.), *Turquie* d'Europe.

1909 Mehmet V Resat (3-11-1844/2-7-1918) frère d'Abdülhamid II, réside au palais de Dolmabahce. **1910** Parlement : 147 Turcs, 60 Arabes, 27 Albanais, 26 Grecs, 14 Arméniens, 10 Slaves et 4 Juifs. **1911-12 g. italo-turque,** Tripolitaine perdue. T. reconnaît Albanie indép. **1912 1re g. balkanique :** *-17-10* Bulgarie, Serbie, Grèce décl. g. à T. *-5-11* bat. de Monastir (contre Serbes), 20 000 T. tués. *-6-11* armée grecque à Salonique. Abdülhamid revient à Istanbul (Palais de Beylerbey). **1913**-*22-1* Nâzim Pacha, min. de la Guerre, assass. par Union et Progrès ; Mahmoud Chevket Pacha Gd Vizir (assass. 11-6). *-13-3* Grecs prennent Janina, 30 000 T. prisonniers. *-26-3* Bulgares, Serbes prennent Andrinople, 60 000 T. prisonniers, 9 500 alliés †. *-30-5 tr. de Londres :* T. abandonne possessions europ., sauf presqu'îles de Chatalja et Gallipoli. **2e g. balkanique** entre Bulg., Serbie. T. en profite et réoccupe Thrace or. (Édirne) et Andrinople. **1914**-*2-8* tr. d'alliance avec All. *-9-9* T. abroge capitulations. *-15-9* amiral all. Souchon commande flotte t. **1914-18 1re G. mondiale.** *-20-10* Russie déclare g. à T. *-31-10* entre en g. Angl. prennent Bassorah. *-23-11* T. appelle au *jihad* (g. sainte) contre Triple Entente. **1915** *mars* Angl. et Fr. déb. aux Dardanelles, mais doivent évacuer en août devant résistance t. dirigée par Gal all. Liman von Sanders et Mustafa Kemal (214 000 Brit. et 27 000 Fr. hors de combat). *-25-4* australo-néo-zélandais déb. près de Çanakkale (bataille de *Gallipoli*). Enver Pacha (1881-1922) et des « Jeunes T. pantouraniens » (pour la restauration de l'empire des Steppes) considèrent que les Arméniens peuvent constituer un obstacle : national (ils ne sont pas T.), religieux (ils sont chrétiens) et milit. (certains servent dans l'armée tsariste). **1915-18** des centaines de milliers d'Arm. de T. massacrés. **1917** *tr. de Brest-Litovsk* rétablit frontières de 1876.

1918 Mehmet VI Vahdettin (14-1-1861 San Remo/16-5-1926 Ital.), frère de M. V. **1918**-*sept.* Bakou occupée. *-30-10 armistice de Moudros.* Occupation alliée. **1919-22 g. d'indépendance. 1920** Rép. arménienne fondée (voir Arménie p. 1174). Anglais occupent partie d'Istanbul, Mésopotamie et Samsun. *-16-3* Chambre dissoute. *-23-4* à Ankara une Ass. nat. élue délègue ses pouvoirs à un Conseil des min. présidé par Mustafa Kemal. *-30-5* armistice avec Fr. en Cilicie (la Fr. a reconnu implicitement Kemal et occupe Syrie.). *-10-8 tr. de Sèvres* (non ratifié par Sultan et Grande Assemblée) ; T. perd Syrie, Palestine, Arabie, Irak, Chypre ; des États kurde et arménien et la division de l'Anatolie en zones d'influence (Fr., It., G.-B.) sont prévus ; Italiens occupent Konya et Antalya. Smyrne est donnée aux Grecs qui revendiquent toute l'Anatolie occ. et attaquent T. **1921**-*20-1* loi fondamentale amendée 1-11-1922, 29-10-1923 et 3-3-1924. *-4-3* tr. avec Russie confirme restitution de Kars, Trébizonde et Ardahan par Arméniens. *-31-3* à *Inönü*, Ismet Pacha bat Grecs (il prendra le nom d'Ismet Inönü). *14-8/13-9* Kemal bat Grecs sur le Sakarya. **1922**-*30-8* à Doumloupinar. *-9-9* reprend Smyrne (en feu le 13-9). *-11-10* sur médiation franç. alors que Lloyd George envisageait une g. avec la T. *armistice de Moudania,* fin de la g. avec Grèce. *-30-10* (loi 1-11) *sultanat* aboli. M. VI garde le titre de calife. *-17-11* M. VI s'enfuit dans une ambulance britann. Son cousin *Abdülmecit II,* fils d'Abdülaziz (30-5-1868 Paris/23-8-1944 enterré à Médine) lui succède comme calife.

☞ Héritiers P^ce^ Mehmet Osmanoglu (84 ans) vit en Turquie.

République

1922-*23-10* Rép. proclamée.

1923 *juin/août* triomphe kémaliste. *-24-7 tr. de Lausanne :* Grèce éliminée d'Asie Mineure (1 350 000 Grecs seront échangés contre 430 000 T. de Grèce). Il n'est plus question d'Arménie ni de Kurdistan. Dardanelles démilitarisées. *-13-8* élec., victoire kémaliste. *-2-10* puissances de l'Entente évacuent Istanbul. *-6-10* armée kémaliste rentre à Istanbul. *-13-10* Ankara capitale.

1923-*29-10* **Gal Mustafa Kemal Atatürk** (Père de tous les Turcs) [Salonique 19-5-1881, mort 10-11-1938 d'une cirrhose du foie, né Mustafa Ali Rhiza, dénommé Kemal (« Perfection », à l'École militaire où il excellait en math. et finances), général, min. de la Guerre en 1911, 5-8-1921 titre Gazi (Combattant blessé au combat) par l'Ass. nat. avec pouvoirs dictatoriaux]. Ismet Inönü PM. Parti unique (P. rép. du peuple) [Symboles : 6 flèches *(altiok) :* républicanisme, populisme, étatisme, révolutionnisme, nationalisme et laïcisme]. **1924**-*3-3* califat aboli, transformant Cheïkh-ul Islam en Pt des Aff. religieuses. Ass. nat. dissoute. Loi d'exil pour les membres de la famille imp. (1952 femmes et descendants autorisés à rentrer ; 1974 hommes). Abdülmecit et les P^ces^ et P^cesses^ de la dynastie d'Osman sont conduits à la frontière bulgare (sans bagage). *-4-3/8-4* tribunaux religieux, écoles coraniques et « medersas » (collèges religieux) supprimés. Langue kurde interdite. *-30-4* Constitution. *Nov. Fethi Okyar* (1880-1943) PM. **1925**-*11-2/15-4* 1re grande révolte au Kurdistan turc (pour K. indép. et califat), capture de son chef Cheikh Saïd de Piran (50 exécutés 29-6). *-5-6* P. rép. progr. dissous. *Mars Ismet Inönü,* PM. *-25-11* loi impose aux Turcs port du chapeau (*shapaka*), interdit port du *fez* ou *tarbouch* (qui permet pendant la prière de frapper le front contre terre) [sous peine de prison, voire de mort ; émeutes à Erzurum (24-11), Rize (25-11) et Maras (27-11)]. *-30-11* dissolution des *tarikat* (ordres de derviches), fermeture des couvents, dervicheries et *türbe* (tombeaux de marabouts lieux de pèlerinage) ; mesures contre devins, chiromanciens et charlatans ; suppression des ulémas, imams, mollahs et muftis ; port du turban interdit. *-17-12* tr. alliance avec URSS. **1926**-*1-1* calendrier grégorien remplace cal. arabe. *-13-1* tr. anglo-t. de Bagdad ; T. renonce à Mossoul. *Juill.* émeutes pour le port du fez, sévère répression. *-1-7* code pénal (traduit de l'italien). *-4-10* code civil (tr. du suisse). **1927**-*19-6* loi autorisant le transfert des Kurdes vers l'O. de la T. Ligue nat. K. Xoybûn (Indép.) organise résistance. **1928** *avril* l'islam ne sera plus religion d'État. Alphabet latin phonétique adopté. *Mai* tr. avec Italie qui renonce à Smyrne, Adalia, Adana. **1929**-*29-8* enseignement de l'arabe interdit. **1930** *février* tr. avec France met fin au conflit au sujet de la Syrie. *-12-8* P. rép. lib. créé (chef :Fethi Okyar), dissous 17-11. *-10-9* chute de la rép. kurde de l'Ararat établie par Ihsan Nouri à la frontière iranienne, répression et déportation en masse. **1932** *juill.* T. entre à la SDN. **1933**-*6-2* appel à la prière en turc. **1934**-*15-11* mosquées inutilisées rendues à des fins civiles (Ste-Sophie musée 2-2-35). *-8-12* Droit de vote pour les femmes. Ordonnances obligeant tous les T. à prendre un nom de famille. **1936**-*20-7 Convention de Montreux* (T., G.-B., Fr., Russie et Roumanie) : T. assure défense des Dardanelles. **1937**-*5-9* révolte de Dersim écrasée au Kurdistan. *Nov. Celal Bayar* (1883-1986) PM. **1938**-*28-6* assoc. rel. interdites. *10-11* Kemal †.

1938-*11-11* **Gal Ismet Inönü** (Ismet Pacha 24-9-1884/25-12-1973). **1939** *Janv. Refik Saydam* (1881-1942) PM. *23-6* Fr. cède sandjak d'Alexandrette (Hatay). **1941**-*18-6* tr. d'amitié avec All. ; la T. reste neutre. **1942** *Juill. Sükrü Saracoglu* (1887-1953) PM. **1945**-*23-2* T. déclare g. à All. et Japon sans y prendre de part active. *-19-3* Staline rompt tr. d'amitié avec T. et réclame Kars et Ardahan. *Déc.* création du parti démocrate. Nouveaux partis pol. autorisés. **1946** *juill.* 1er scrutin direct et secret aux législatives ; P. démocrate entre au Parlement. *Août Recep Peker* (1889-1950) PM, **1947** *Oct. Hasan Saka* (1886-1960) (PRP) PM, **1949** *Janv. Semsettin Günaltay* (1883-1961) (PRP) PM. Catéchisme coranique rétabli dans les écoles. **1950** *mai* élect., P. démocrate (dissidents du PRP) 53,6 % des voix (PRP 40 %) ; troubles en province.

1950-*22-5* **Gal Celal Bayar** (1884-1986) Pt. *Adnan Menderes* (1899-1961) PM (P. démocrate ; rétablit l'appel à la prière en arabe). **1950-60** appel aux capitaux étrangers. **1952** adhère à l'Otan. **1954**-*25-2* des blocs de glace venus du Danube (– 2 °C à – 6 °C à Istanbul) permettent de traverser à pied le Bosphore (1re fois dep. 1 000 ans). **1955** *févr. pacte de Bagdad* (devenu Cento en 1958) réunissant T., Iran, Pakistan, G.-B., USA. *-6-11* émeutes à Istanbul contre minorités. **1957** *oct.* élect. anticipées, le P. dém. garde la majorité. L'opposition se durcit ; à Istanbul, heurts gr./t. *Déc.* lois répressives.

1960-*27-5* armée (**Gal Cemal Gürsel**, 1895-1966) prend pouvoir. P. dém. dissous. *-22-10* **Celal Bayar** Pt. **1961**-*13-7* Const. adoptée par référendum accordant droit de grève, liberté d'expression, réunion, association. *-17-9* Menderes (ex-PM) et 2 autres min. exécutés, Bayar emprisonné à vie. Puis amnistie générale. *-20-11* Ismet Inönü (PRP) PM : gouv. de coalition. **1962**-*22-2* coup d'État, échec. *Sept.* association avec CEE. **1963**-*21-5* putsch des off. de l'École de g. écrasé à Ankara. **1965**-*10-10* él. : *Süleyman Demirel,* n. 1924(Pt du P. de la justice) PM.

1966-*29-3* **Gal Cevdet Sunay** (1900-82) Pt. **1970** crises, bagarres. *Juin* état de siège partiel, livre t. dévaluée des 2/3. **1971** *janv.-mars* violences, crise écon. *-12-3 l'armée prend le pouvoir. Mars Nihat Erim* (n. 1912), populiste, PM. *-26-4* état de siège dans 11 dép. Répression (gauche et intellectuels). *-22-5* consul d'Israël, otage des gauchistes, assassiné. *-22-7* P. ouvrier interdit. **1972**-*26-3* gauchistes enlèvent 3 techniciens angl. qui seront tués *30-3. Mai* centaines de pers. de gauche arrêtées. *Mai Ferit Melen* (n. 1906), droite, PM.

1973-*6-4* **Gal Fahri Korutürk** (n. 1903) Pt. *-14-10* législatives. PRP 185 sièges, PJ 149, PSN (P. de salut nat.) 48. Fin état de siège. *Nov. Naim Talü* (22-7-19), indép., PM. **1974** *25-1 Bülent Ecevit* (28-5-24) (coalition PRP-PSN), PM. *Début juil.* culture du pavot, arrêtée en 72, autorisée. *-20-7* intervention à Chypre. Incidents sanglants dans univ. *-18-9* Ecevit démissionne. *Déc. Sadi Irmak* (15-5-04 indép.), PM. *Déc.* assistance milit. US, suspendue (pour intervention à Chypre), reconduite jusqu'au *5-2-75.*

1975-*31-3* gouv. de coalition *Demirel* après 6 mois de crise. *Juin* attaques armées extrême droite contre progressistes. *-26-7* arrêt du fonctionnement des bases US (25 bases, 8 000 soldats), en réplique à embargo sur armes. *Sept.* affrontements (étud. de gauche et de droite). **1976**-*13-10* Cours de sûreté de l'État créées 1973 supprimées (avaient jugé 3 244 personnes). *Nov.* univ. d'Ankara et Istanbul fermées. **1977**-*1-5* manif. (40 † à Istanbul). *-5-6* majorité de droite aux législatives. *1-8 Süleyman Demirel* (coal. PJ), PM. **1978**-*2-1 Ecevit,* PM (coal. PRP). Nombreuses arrestations. *-9-10* réouverture bases amér. *-24-12* affrontements à Karamanmaras entre Alevis (chiites) et sunnites (100 à 200 †). *-26-12* état de siège. **1979**-*14-10* él. partielles : PRP perd 11 s. au Sénat. *-24-10* Ecevit démissionne. *25-11 Süleyman Demirel* (coal. PJ) PM. *Déc.* état de siège maintenu dans 19 des 67 provinces. *-22-12* Paris, attaché de presse t. tué par Asala. **1980**-*24-1 politique libérale : -27-1* livre t. dévaluée de 33 %. Prix + de 30 à 200 %, taxe à l'importation ramenée de 25 % à 1 %. *-8/11-2* soulèvement à Izmir ; 1 000 gauchistes internés. *-21-3* présidentielles, Korutürk maintenu. *-12-9 coup d'État mil. (Gal Kenan Evren)* (2 000 † dep. 1-1-80). Constit. de 1961 abolie.

1980-*12-9* **Gal Kenan Evren** (n. 1918) Pt. *21-9 amiral Bülent Ulusu* (7-5-23) PM. *-26-9* Selluk Bakkalbasi, attaché d'amb., blessé à Boulogne-Billancourt par Asala. **1981**-*19-8* procès de 594 militants du P. d'action nation. (extrême droite) et de leur chef l'ancien vice-PM Alpaslan Türkes. *-16-10* partis dissous. *-3-11* Ecevit, ancien PM, condamné à 4 mois de prison ferme pour avoir critiqué le régime. **1982** *janv.* Parlement européen suspend relations avec T., Conseil de l'Eur. condamne régime milit. et atteintes aux libertés. *-4-5 Boston Orhan Gunduz* PM. *Juin* dépôt de bilan de banque Kastelli ; *-6-7* Ecevit, condamné à 2 mois 27 j de prison pour interview au *Spiegel. -14-7* vice-PM, Turgut Özal, démissionne. *-6-9* Istanbul, Djihad islamique attaque synagogue, 20 †. *Oct.* plus de 26 000 détenus pol. *-7-11 référendum sur Constitution,* oui 91 % (95 % de votants). **1983** *mars* nouveaux partis pol. autorisés ; interdits : anciens p., activité pol. de leurs dirigeants pendant 10 ans, références au marxisme, à une religion ou à l'extrême droite. *-7-3* coup de grisou (Zongouldak), 100 †. *Mai* opération contre Kurdes en Iraq. *-6-11* législatives *-13-12 Turgut Özal* (1927-93) PM. **1984** *mars* état de siège levé dans 13 provinces. *Mai* T. retrouve droit de vote au Conseil de l'Eur. *Août-oct.* guérilla Kurdistan. *-3-12* pont sur le Bosphore vendu au public 10 milliards de livres turques (env. 200 millions de F). **1985** *juin* barrage de Keban sur l'Euphrate (25 % de l'énergie élect. t.) vendu 880 millions de F. *-19-7* état de siège levé dans 6 départements et état d'urgence dans 6 autres. **1986**-*15-8* raid aérien en Iraq, 150 à 200 †. **1987**-*5-1* 1re zone franche à Mersin. *-4-3* raid en Irak contre Kurdes. *4 au 12-3* 0,80 m de neige à Istanbul. *Mars* différend gréco-t. sur zones de recherche pétrolière en mer Égée. *-14-4* candidature à CEE. *-18-6* Parlement européen reconnaît génocide des Arméniens. *-20-6* après raid kurde à Pinarcik, massacre : 30 †. *-6-9* référendum sur levée des interdictions pesant sur les anciens politiciens, oui 50,16 %. *-16-11* 2 dirigeants du PC clandestin rentrent d'exil. *-5-12* condamnés à 70 ans et 3 mois de prison chacun. *-29-11* législatives, vict. Anap du PM Turgut Özal. **1988**-*1-4* 20 militants du PT du Kurdistan et 3 soldats tués. *-1-6* Niyazi Adiguzel, Pt chambre de comm. d'Istanbul, assassiné. *-13/15-6* PM Turgut Özal en Grèce. *-18-6* attentat manqué contre Özal. *-23-6* glissement de terrain à Çatak près de Trébizonde, 300 †. *Sept.* 120 000 Kurdes irakiens réfugiés en T. **1989**-*4-1* Kaya Erdem, vice-PM, démissionne (scandale fin.) *-26-3 élections locales :* Anap 21,9 % des voix (perd 59 grandes villes) ; PSDP : 28,2, PJV : 25,6, P. islamiste 9,7. *-29-3* dép. tué au Parlement après dispute. *-24-6* Istanbul, 30 000 manif. contre arrivée de réfugiés bulgares (70 000 d'origine t.). *Août* 300 000 à 500 000 réfugiés en 3 mois. *-8/9-8* droits de douane réduits de 200 % à – de 40 %. *-14-8* livre convertible. *-16/17-8* attentats à la bombe. *-31-10 présidentielles.*

1989-*9-11* **Turgut Özal** (1927-93) [2e Pt civil après Celal Bayar et 1er hadji (musulman ayant fait le pèlerinage à La Mecque ; membre des Nakchibendin : *takirat islam)]* élu au 3e tour par 267 v. devant Feth Celikbas 14. *9-11 Yildirim Akbulut* (n. 1935)

Quelques problèmes

■ **Arménie** (voir p. 1174).

■ **Chypre.** *Position turque :* C. doit être un État indépendant fédéral, où les 2 communautés gr. et t. vivront en paix, chacune dans un secteur formant un territoire homogène ; le gouv. fédéral ne doit disposer que de pouvoirs limités, et tenir compte de la sécurité des populations. *Position cypriote grecque* (voir Chypre, p. 932).

■ **Détroits. Bosphore** (mer Noire/mer de Marmara, long. 4 km, larg. min. 760 m, max. 3 500 m ; dep. 1973 pont de 1 074 m), **Dardanelles** (long. 65 km, larg. min. 1 375 m, max. 8 275 m). **Régime juridique. 1774** *tr. de Kutchuk-Kaïnardji,* la Russie obtient le libre passage des navires de commerce. **1829** *tr. d'Andrinople,* droit étendu aux navires de commerce de toutes nationalités. **1833** *tr. d'Unkiar-Skelessi,* la R. obtient de la T. de fermer le détroit aux navires de g. étrangers. **1923** *Convention de Lausanne* liberté de passage, neutralisation, internationalisation (seule réserve : interdiction des nav. de g. étrangers). **1936 (20-7)** *Convention de Montreux* signée par France, G.-B., Japon, T., URSS, Yougoslavie, Grèce, Roumanie et Bulgarie [les USA ont signé à Ouchy (Suisse) un accord séparé avec la T.] ; confie la garde des Dardanelles et du Bosphore à la T. : Dardanelles, mer de Marmara et Bosphore sont ouverts constamment aux navires de g. de surface (sauf porte-avions) des riverains de la mer Noire, sauf s'ils sont belligérants, et aux navires marchands de tous les pays à l'exception de ceux en g. avec la T. Ils sont aussi ouverts à un tonnage déterminé des flottes des autres puissances si elles ne sont pas belligérantes et si la T. reste neutre. Les sous-marins doivent transiter de jour et en surface et les canons, par ex., ne peuvent pas dépasser 203 mm. Un État en g. n'a pas le droit de faire franchir à ses navires la mer de Marmara qui donne accès à la mer Noire, sauf en cas d'assistance prêtée à un État victime d'une agression en vertu d'un tr. d'assistance mutuelle engageant la T. et conclu dans le cadre du pacte de la SDN. **1945 (2-8)** *accord secret de Potsdam* USA, URSS, G.-B. décident une nouvelle procédure (URSS avançant que les interdictions de Montreux ne pouvaient jouer pour les navires allant de la mer Noire à la Méditerranée). **1956** (mission Chepilov au Caire), l'URSS déclare appliquer les accords de Potsdam. Pas de révision de la réglementation dep. ces accords.

■ **Mer Égée** (voir p. 983).

■ **Kurde** (voir Index).

PM. *Déc.* CEE refuse adhésion T. **1990** *janv.* zone de sécurité créée frontière Syrie-Irak. *-13-2* Pt Özal en France. *-29-7* affrontements kurdes : 43 †. *-6-10* Mme Bahriye Uciok, anc. dép., tuée par extrémistes musulmans. **1991**-*16-1* Gal Hulusi Sahin assassiné. *-5-4* 250 000 réfugiés kurdes iraqu. en T. *-6-4* Gal Memduh Unluturk assassiné. *-11-4* usage privé du kurde autorisé (interdit dep. 1983), articles réprimant délit d'opinion abrogés, lib. des détenus depuis plus de 10 ans (43 000 sur 46 000). *-23-5* Gal Ismaïl Selen assassiné. *-4-6* Pt Özal en France. *16-6 Mesut Yilmaz* (n. 6-11-47)PM *-7-10* dipl. turc assass. à Athènes par groupe 17-Nov. *-11-10* offensive contre Kurdes. *-20-10 législ.* : vict. PJV de Süleyman Demirel (*Baba*, père). *-21-10* PM *Yilmaz* dém. *-4-11* accord PJV, PSDP et PP sur destitution Pt Özal. *Nov.* Arabie S., Émirats et Koweït verseront 4,5 milliards de $ sur 5 ans pour l'aide donnée à la guerre du Golfe. *-30-11 Süleyman Demirel* PM (coal. PJV-PSDP) par 280 v. contre 164. *-4-12* attentat contre sous-préfet de police d'Istanbul (2 †). *-24-12* manif. kurde réprimée 10 †. *-25-12* Istanbul, attentat PKK dans magasin (11 †). *Déc.* répression kurde 7 000 † dep. 1988. **1992**-*3-3* grisou dans mine de Kozlu, 400 †. *-13-3* séisme à Erzincan, 442 †. *-13-4* Pt Mitterrand en T. *-16/18-4* attentats, 51 †. *-25-6* Istanbul, « Coopération écon. de la mer Noire » (CEN) créée : 11 pays : riverains (Turquie, Russie, Ukraine, Géorgie, Roumanie et Bulgarie), voisins proches (Albanie, Arménie, Azerbaïdjan, Grèce et Moldavie). *-16-7* visite Pt israélien Herzog (1re fois). *Juil./sept.* affrontements armée/PKK 200 †. *-20-9* écrivain kurde Musa Anter assass. *-22/26-10* off. mil. turque en Irak. 400 K. †. **1993** *mi-janv.* 150 Kurdes †. *-24-1* Ugur Muncu (51 a.), journ., †. *-25-3* 3 militants de Dev-Sol †. *Avril* radios privées interdites. *-17-4* Pt Özal meurt d'une crise cardiaque.

1993-*16-5* **Süleyman Demirel** (n. 1924) élu Pt au 3e tour par 244 v. sur 450. *14-6* Mme Tansu Ciller (n. 1946) PM. *-24-6* actions kurdes devant ambassade t. (Berne, 1 K. †). Consulats t. : prises d'otages (Munich 20 ; Marseille 3) ; attaques d'entreprises t. (comme Turkish Airlines), Copenhague, Stockholm, Londres, 20 villes allem. *-27-6* Antalya, attentat, 12 touristes bl. *-2-7* Sivas, violence relig. contre écrivain Aziz Nesin (qui avait écrit contre le coran), 37 †.

Violence politique. Selon Amnesty International, il y a eu + de 250 000 prisonniers politiques en 8 ans de 1980 à 1988. Selon l'Association des droits de l'homme, env. 150 sont morts de mauvais traitements de 1980 à 88 (en 87, 17 † après torture). **Bilan de l'état-major général.** **Incidents :** *78-79 :* 9 052 ; *79-80 :* 23 841 ; *80-81 :* 5 789 ; *81-82 :* 1 170. **Attaques ou affrontements armés :** *78-79 :* 2 080 ; *79-80 :* 7 010 ; *80-81 :* 630 ; *81-82 :* 132. **Tués :** *78-79 :* civils 869, membres des forces de sécurité 29, terroristes 37 ; *79-80 :* c. 2 677, m. 135, t. 109 ; *80-81 :* c. 227, m. 55, t. 174 ; *81-82 :* c. 63, m. 18, t. 44 ; *84-91 (PKK) :* 3 000 (c. 665, m. 164) ; *92 :* 2 323 (PKK 1172, c. 562, m. 589). **Terroristes arrêtés :** *80-81 :* 43 140 ; *81-82 :* 13 346. De 1978 à 87, à cause de la loi martiale, 500 condamnations à mort dont 50 exécutées dep. 1980 (21 pour délits de droit commun, 29 pour délits politiques avec actes de violence). Pas d'exécution dep. 1984. *1991-1-11* fin du procès de 1 243 m. de Dev-Sol (après 10 ans) : 582 acquittés, 553 condamnés de 33 mois à 20 ans, 66 non-lieu, 41 à perpétuité, 1 cond. à mort. Du 21-11-1991 au 24-6-1993, 3 929 † au cours d'incidents sanglants, 26 † sous torture, 538 † abattus, 9 disparus. **Affrontements contre Kurdes** (1-1 au 30-6-93) : 831 †, 104 gendarmes, 279 civils, 448 h. du PKK.

Politique

Statut. République. *Constitution* approuvée par référendum (91,5 %) 7-11-1982. *Pt de la Rép.* élu pour 7 a. par l'Ass. nat. *Conseil du Pt* comprend 4 m. du Conseil nat. de sécurité (commandants des 3 armes et de la gendarmerie). *Ass. nat.* 450 m. élus pour 5 a. au suffrage univ. **Vilayets :** 73 gouv. par un vali. **Loi civile :** celle du Code civil suisse (dep. 1926) : monogamie théoriquement obligatoire, mais la tradition islamique (4 épouses) se maintient parfois chez les notables ruraux. **Fête nat.** 29-10 (j de la Rép.). **Drapeau** (1923 ; origine 19e s.). Croissant blanc (symbole t. et islamique) et étoile blanche sur fond rouge. Le drapeau de la présidence porte en outre un soleil (la République t.) entouré de 16 petites étoiles évoquant les États de Hiong-Nou en Chine (Huns), Scythes, Huns orientaux, empire des Hephtalites (Turkestan et Afghanistan), États ou khanats des T'ou-kine orientaux, États t. d'Europe orientale et de la mer Noire (Avars, Petchenègues, Qipcak ou Coumans), grands États t. d'Asie centrale (khanat ouïgour, État des Kara-Khitaï, État des Khazars, État des Karbourg), Samanides, Ghaznévidés, Karakhanides, Seldjoukides de Perse et d'Anatolie, État du Khwarezm, État timouride (de Tamerlan), État de Babur (sultanat de Delhi et Empire moghol), empire ottoman.

Élections législatives. (% des voix et, entre parenthèses nombre de sièges). **29-11-87 :** PMP 36,3 (292), PSDP 24,7 (99), PJV 19,2 (59), PGD 8,5, PP 7, PON 2,9, PDR 0,8, divers 0,3. **20-10-91 :** PJV 27 (178), PMP 24 (115), PSDP 20 (88), PP 16,9 (62).

Partis politiques. Dissous 16-10-1981 (Voir Quid 1982 p. 1102), reconstitués 1983. *P. de la mère patrie* (Anap ou PMP) droite libérale f. 16-5-83. Mme Turgut Özal. *P. de la juste voie* (PJV) (droite agrarienne), f. 23-6-83, Mme Tansu Ciller dep. 13-6-1993 (avant : Süleyman Demirel). *P. de la gauche dém.* (PGD), f. 1985, Bulent Ecevit (dep. 13-9-87). *P. social.-dém. pop.* (PSDP) f. 1985, leader vacant, fusion du *P. pop.* (PP) (f. 1983, centre gauche, M. Gurkan) et du *P. social-dém.* Sodep f. 1983, Erdal Inönü). *P. de l'œuvre nationale* (PON) extr. droite nation., colonel Turkes dep. 4-10-87. *P. de la prospérité* (PP) : traditionaliste musulman, H. Erbakan. *P. dém. de la réforme* (PDR) : traditionaliste musulman, M. Edibaci. *P. des travailleurs du Kurdistan* (PKK) f. 1978, séparatiste, leader Abdullah Oçalan (Apo) (n. 1947 ; Branche armée : 10 000 h. Bases au Liban sous contr. syrien, Iran, Iraq). *P. populiste rép.* (CHP) : social-dém., f. par Mustafa K. Ataturk, interdit 1980, recréé 9-9-92, Deniz Baykal. *Islamistes terroristes :* Djihad, Mouv. de l'action islam., Voix noire (Cemalettin Kaplan vit en All.), Organisation de libération islam.

Économie

PNB (1991) 1 940 $ par h. (1 313 en 80). **Taux de croissance** (%) *1983-87 :* 6 ; *87 :* 7,4 ; *88 :* 6,5 ; *89 :* 1,1 ; *90 :* 9,2 ; *91 :* 1,5 ; *92 :* 5,5. **Pop. active** (% et entre parenthèses part du PNB en %) agr. 50,1 (15,4), mines 2 (2), ind. 18,5 (34,9), services 29,4 (47,7). *Chômage* (%) *1992 :* 14,5.

Inflation (%) *1979 :* 64 ; *80 :* 107 ; *81 :* 37 ; *82 :* 27 ; *83 :* 27,5 ; *84 :* 54 ; *85 :* 45 ; *86 :* 35 ; *87 :* 70 ; *88 :* 75,4 ; *89 :* 69,6 ; *90 :* 60,3 ; *91 :* 66 ; *92 :* 66. **Dette extérieure** (91) env. 50 milliards de $. **Service de la dette** (% du PIB) 5,4 (0,5 en 1980). **Dette intérieure** (89) 27 % du PIB (17 en 1980). **Transferts des émigrés** (milliards de $) *1982 :* 2,2 ; *85 :* 1,7. **Balance** (milliards de $) : **paiements** *1989 :* + 1 ; *90 :* – 2,6 ; *91 :* + 0,1 ; **commerciale** *90 :* – 10 ; *91 :* – 7 ; *92 :* – 7. **Déficit budgétaire** (% du PIB) *90 :* 10,5 ; *91 :* 12,6. **Commerce extérieur** (% PIB) *1980 :* 13,5 ; *87 :* 25,5. **Aide milit. amér.** 0,6 milliard de $ par an.

Nota. – Privatisations (millions de $). *1991 :* 223 ; *92 (prév.) :* 785 (ciment, télécom.) 50 % réalisés.

Agriculture. *Terres* (milliers d'ha, 90) cult. 18 850, forêts 20 200, vignes, jardins, vergers 3 600. *Irriguées : 1930 :* 18 ; *60 :* 170 ; *90 :* 3 000. *Production* (milliers de t, 91) blé 20 400, bett. à sucre 15 100, orge 7 800, tomates 6 200, raisins 3 500, melons 5 300, p. de terre 4 600, pommes 1 900, oranges 770, thé 150, riz 200, coton 616, tabac 243, fruits secs (noisettes, amandes, figues, raisins, pistaches), maïs 2 100, seigle. Opium. **Forêts.** 15 524 000 m³ (90). **Élevage** (millions, 90). Poulets 59, moutons 31,5, chèvres 13,1, bovins 11,6, ânes 1,20, chevaux 0,6, chèvres angoras 1,97, buffles 0,54, dindes 3, mulets 0,21. **Pêche.** 409 900 t (89).

Mines (milliers de t, 91). *Pétrole* 4 444, *lignite* 37 738, *charbon* 2 223, *fer* 5 358, *uranium, manganèse, sulfure, antimoine, chrome, zinc, borax, soufre, écume de mer, asphalte.* **Électricité** (1991) : 70 milliards de kWh. **Barrages :** Anatolie du S.-E. 22 prévus, produiront 22 milliards de kWh, permettant d'irriguer 1 700 000 ha. *Coût :* 25 milliards de $, dont barrage Atatürk (inauguré 25-7-1992) : 75 000 km², haut. 169 m, 2 tunnels d'irrigation diam. 7,62 m, long. 26,4 km), coût : 3,2 Md de $. **Industrie** (organismes étatisés : 250 complexes sidérurgiques, banques, textiles, bières, etc) 12 % des investissements globaux, 50 % des investiss. industr. ; déficit : 85 milliards de L.T. **Transports** (km, en 90). *Routes* 59 098 ; *chemins de fer* 8 429 dont 582 élec. **Tourisme.** *Visiteurs* 7 000 000 (92). *Recettes* (1992) 4 Md de $. *Monuments romains*, voir p. 1050 ; *grecs,* voir p. 1013.

Commerce (milliards de $ US, 91). **Exp.** 13,6 *dont* coton 4,6, fer et acier 1,4, fruits secs 0,9 *vers* All. 3,4, Italie 0,9, USA 0,9, G.-B. 0,6. **Imp.** 21 *dont* mach. 5,7, prod. pétr. 2,4, chim. 1,2 *de* All. 3,2, USA 2,2, Italie 1,8, *France 1,2.*

Nota. – Important commerce clandestin (par camions depuis Syrie et Irak ; par bateaux depuis îles grecques) : café, thé, cigarettes, or, drogue.

Rang dans le monde (91). 6e ovins, thé. 7e blé, coton. 8e orge. 9e lignite. 10e céréales, p. de t. 12e rés. lignite. 19e bovins.

Arménie

Situation. À cheval sur Turquie, ex-URSS et Iran. Hauts plateaux, montagnes (Alpes pontiques, Caucase, Taurus) et plaines. *Alt. max.* mont Ararat (5 172 m). *Fleuves* coulant vers des dépressions et non vers la mer (endoréisme). *Climat* continental.

Pop. arm. avant 1914 (sur le terr. de l'ancienne Arménie indép.). *Selon les Arméniens* 5 860 000 h. (en Turquie 3 788 000, Russie 2 072 000 dont 3 211 000 chrétiens, 2 308 000 musulmans, 341 000 de relig. diverses) ; en T. *selon le Livre jaune français (1893-97) :* 1 555 000 ; *l'Annuaire britannique (1917) :* 1 056 000 ; *les sources turques :* 1 295 000 dont 120 000 A. d'Istanbul ou d'Anatolie occid.

Diaspora (milliers). *1914* 4 470. *1988* (est.) 6 517 dont ex-URSS 4 570 (Arménie 3 100, Géorgie 550, Azerbaïdjan 500, Russie 300), Amérique 1 170 (USA 800, Canada 200, Argentine 100), Europe 414 (France 300, Istanbul 45), Proche-Orient 313 (Syrie 110, Liban 80, Iran 80), divers 50 (Océanie 20).

Histoire. **Av. J.-C. 610** parmi les vassaux du roi mède Cyaxare, qui détruit le royaume d'Urartu, se trouve une tribu thraco-illyrienne, les *Haïkans* (fondateur mythique : Haïk). Fixés par Cyaxare dans les montagnes de l'Urartu ; adoptent civilisation locale (anatolienne), fondent nation armén. **521** 1re inscription (trilingue) de l'Arménie. **480** vassaux de Xerxès, combattent à Marathon contre Grecs. **334-190** autonome dans l'emp. d'Alexandre, puis l'État des Séleucides. **322-215** *1re dynastie* Oronte Ier. **190** Gal grec Artaxias proclame l'indépendance de l'A. appelée *Artaxata* (haut bassin du fleuve Araxe). **V. 80** Tigrane le Grand (95-54), descendant d'Artaxias, conquiert rives de la Caspienne et prend titre de « roi des rois » ; capitale Tigranocerta. **69** protectorat romain. **Après J.-C. 114-117** province romaine (cap. Artaxata). **V. 135** Hadrien rétablit autonomie. **287** alliance Tiridate III, roi d'Arménie, et Romains contre Perses sassanides. **IIIe s.** christianisée par St Grégoire l'Illuminateur. **IVe s.** Grégoire, sacré évêque à Césarée, prend titre de *catholicos* de l'A. **301** christianisme, religion officielle. **354** 1er synode a. : polygamie et mariages consanguins interdits. **387** coupée en 2 : O. (Arsace II) byzantin, E. ou Persarménie (cap. Dwin) annexée par Perse. **405** Mesrob Matchots (361-440 Persarménien) invente l'alphabet. **411** 1er texte en langue a. publié. **491** Église a. se rallie à l'interprétation monophysite de la nature du Christ (rejette en fait concile de 451 tenu sans elle à Chalcédoine), se séparant de Byzance et de Rome. [L'Arménie indépendante a 250 000 km² (de la Cilicie au Caucase) ; 10 à 15 millions d'h.] **642** Arabes prennent capitale (12 000 A. tués, 35 000 pris.). **654** protectorat arabe. **IXe s.** dynastie nationale des *Bagratides.* **852** calife écrase Arménie. **885** calife accorde couronne royale au prince (?). **Xe s.** dynastie impériale des Porphyrogénètes. Évêchés d'Antioche et de Tarse. **1022** annexion à Byzance. **1071** invasion turque et exode des Arméniens vers Crimée, Pologne, Moldavie, Transylvanie, Hongrie, Chypre, Égypte, ports de la Méditerranée. Domination des Touraniens. **1137-1375** un royaume arm. de Cilicie ou Petite Arm. (cap. : Sis), allié des croisés de Terre sainte (Godefroy de Bouillon fait épouser à son frère la fille du souverain) et de Chypre, se maintient au bord de la Méditerranée (détruit par Mamelouks en 1375 ; dernier roi en 1374 : Léon VI de Lusignan). **1190** Henri VI (emp. germ.) remet à Léon II d'Arménie couronne royale. **1199** Léon II sacré par catholicos ; empereur byzantin envoie également couronne. **1293** Sis, siège du catholicossat. **1461** 1er patriarche arménien à Istanbul.

Grande Arm. XIIIe-déb. XIVe partagée entre émirats seldjoukides. **1236** joug mongol. **Fin XIVe** conquise par Tamerlan (4 000 pris. vivants enterrés) puis Turcomans. **1515** Selim 1er écrase chah de Perse et s'empare de l'A. **XVIIe s.** domination ottomane, Perses récupèrent partie est. **1828** N. de l'A. perse annexé par Russie (tr. de Turkmantchaï). **1859** 1re insurrection a. à Zeytoun. **1860**-*24-5 Constitution nationale* octroyée aux A. (sultan ratifie 17-3). **1875** *oct.* insurrection a. à Zeytoun. **1876-78** agressions turques contre A. **1877-78** *g. russo-turque* ; pop. des régions de Bayazid, Diadin, Alachkert exterminées. **1878**-*3-3 tr. de San Stefano :* Turcs promettent autonomie et cèdent Kars et Ardahan aux Russes. *-13-7 tr. de Berlin :* art. 61 promet des réformes admin. mais autonomie écartée. **1878-94** désarménisation de la Turquie. **1885** parti rév. a. Armenakan créé à Van. **1890** *juin* 1re révolte à Erzurum : env. 100 † ; émeutes à Istanbul. Au Caucase le comité Tasnaksutian veut fédérer les mouvements. **1892-94** émeutes à Kayseri, Yozgat, Tokat, Corum et Merzifon. **1894** *août* insurrection et massacres à Sassoun (après arrestation de Mihran Damadian, activiste) 3 500 à 6 000 † ? Double Alliance envoie commissaires, puis Fr., Russie et Angl. exigent réformes. **1894-96** massacres par T. **1895** 24 soulèv. arménien en Anatolie orientale. *Juil.* révolte à Zeytoun. Massacres en Arm. occ., soulèvement de Van. *-18-9* manif. à Bab Ali contre sultan. *-30-9* manif. armée des Arméniens pour occuper Sublime Porte (siège du gouv.) à Istanbul (172 A. tués). *-24-10* révolte de Zeytoun (Suleymanli) : A. refusant de payer impôts, comité Hentchak arme population (des milliers de †). *-25-12* 3 000 A. brûlés dans la cath. d'Ourfa ; env. 300 000 †, 50 000 conversions forcées. 1re émigration. **1896**-*28-1*- fin de la révolte de Zeytoun. Épidémies de typhus, dysenterie et variole. *-14-6* révolte à Van (préparée par Dachnak) : soldats turcs et musulmans attaqués. *-16-8* Istanbul, commando Dachnak occupe siège de Banque ottomane (f. 1863, capitaux fr. et anglais) et menace de la faire sauter si les puissances signataires du tr. de Berlin continuent d'ignorer son article 61 (exigent : haut-commissaire européen choisi par les 6 puissances qui désigneraient gouverneurs, sous-préfets et admin. de district ; milice, police et gendarmerie : autochtones commandés par officier européen ; réforme judiciaire selon modèle européen ; liberté de religion, d'ens. et de presse ; 3/4 des revenus nat. affectés aux besoins locaux ; arriérés d'impôts annulés ; 5 années d'impôts exonérées et 5 suivantes assignées à indemniser dommages dus aux désordres ; biens empiétés restitués ; retour des émigrés ; amnistie). Sur intervention russe, terroristes quittent T. pour Marseille, sans rien obtenir. *Fin août* troubles à Istanbul (milliers d'A. tués). **1897**-*20-5*- 2e révolte à Sassoun. **1903**-*12-6* gouvernement russe confisque des biens de l'Église. **1904** *-mars-avril* 3e révolte à Sassoun. **1905**-*21-7* attentat a. (Dachnak) contre Abdülhamid échoue (chef : anarchiste belge Édouard Joris gracié) : 26 ou 80 † (?). **1907** tuerie en Cilicie (milliers de †). **1909**-*1-4* massacres d'Adana (20/30 000 †). **1915** *janv.* soldats a. (250 000) désarmés, beaucoup sont fusillés. *-17-4* gouverneur de province assiège Van (50 000 h.) avec troupes kurdes et réclame 3 000 combattants. *-20-4* Van refuse et instaure gouvernement a. provisoire, Pt Aram Manouguian. Troupes du gouverneur pillent villages (50 000 morts ?). Intellectuels et notables (650) de Constantinople arrêtés. *-16-5* armée russe libère Van (*31-7* se retire en emmenant 200 000 A. sous sa protection). *Mai* début de la déportation des A. Meurtres en cours de route *selon les A.* 1 200 000 à 1 500 000 †, pour env. 2 000 000 départs ; *selon les T.* 300 000 †, voir ci-contre position turque. Pour le « Tribunal des peuples » qui a siégé à la Sorbonne (Paris) du 13 au 16-4-1984 : les A. ont été victimes d'un génocide (600 000 sur 1 800 000 en 1914 auraient survécu). *-27-5* loi t. favorisant l'extermination. *Juin-oct.* résistance a. à Chabine, Djebel Moussa, Durfa. **1916** corps de volontaires a. intégré aux unités régulières de l'armée du Caucase. **1917** *déc.* formation du corps a., puis armistice russo-turc. **1918** *févr.* reprise des hostilités avec T. *Avr.* le gouv. du Seim déclare la g. à T. ; **Rép. fédérative de Transcaucasie** proclamée. *Mai* éclate en 3 rép. indép. : Azerbaïdjan, Géorgie, Arménie. *-23/24-5* victoire a. de Sardarabad. *-28-5 Rép. indép. d'A.* (9 000 km^2, cap. Erevan) proclamée, revendique 67 000 km^2. *-4-6 tr. de paix arméno-turc de Batoum.* La T. (vaincue avec son alliée All.) reconnaît l'A. *Oct.-nov.* Fr. occupe Cilicie. *Déc.* conflit a.-géorgien ; les T. évacuent Cilicie. **1919** T. cède à Russie Kars et Ardahan. *Avr.* conflit a.-tatar ; blocus de la Rép. a. ; début de l'arrivée des secours amér. *Janv.-nov.* 20 000 A. rapatriés en Cilicie. **1919-75** les A. s'organisent notamment sur le plan religieux (patriarcat d'Antelias au Liban). **1920**-*28-1 Conseil supérieur allié reconnaît les 3 Rép.* : A. (85 000 km^2), Géorgie, Azerbaïdjan. *-31-5* Sénat amér. refuse mandat sur l'A. proposé par Wilson *-10-8 tr. de Sèvres* reconnaît l'A., État libre et indép. (Wilson fixe ses limites). A. dirigée par FRA (Dachnaktzoutioum) majoritaire, adopte une Const. T. rejette le tr. *-23-9* armée t. envahit Rép. a. *-15-11* SDN rejette demande d'admission de la Rép. a. *-29-11* Armée rouge envahit A. *-3-12 tr. d'Alexandropol* russo-t : T. récupère Kars et Ardahan. Proclamation de la *Rép. soc. soviét. d'A.* (29 800 km^2, 2 200 000 h., cap. Erevan). **1921** *fév.* révolte paysanne (Dachnak) renverse gouv. comm. et chasse Russes. *-2-4* Armée rouge rétablit l'ordre. *-15-3* Berlin, Soghomon Téhlirian tue Talaat Pacha, anc. min. de l'Int. ottoman (acquitté juin). *-28-7* Istanbul, Missak Torlakian tue Béhbou Khan Djivanchir, min. de l'Int. de l'Azerbaïdjan (acquitté nov.). *Oct. tr. de Kars* entre les 3 Rép. transcaucasiennes soviétisées et la T., fixant les frontières actuelles. *-20-10* accord franco-turc d'Ankara : Fr. évacue Cilicie. Nouvel exode arménien (vers Liban et Syrie). *5-12* Rome, Archavir Chirakian tue Saïd Halim Pacha, ancien Pt du Conseil turc. **1922**-*17-4* Berlin, Chirakian et Aram Yérganian tuent Djémal Azmi, resp. de massacres. *-25-7* Stephan Dzaghikian, Bédros Der Boghossian et Ardachès Kévorkian tuent Djémal Pacha, m. du triumvirat de l'Ittihad, à Tiflis (Géorgie). *-3-8* Enver Pacha abattu. **1923**-*24-7 tr. de Lausanne* abrogeant tr. de Sèvres. **1936**-*5-12* Rép. socialiste soviét. d'Ar. membre à part entière de l'URSS. Purge. **1946** Staline invite émigrés à regagner leur pays. **1965**-*24-4* cinquantenaire du génocide. Manif. dans la Diaspora et à Erevan. **1979**-*15-3* commission des Droits de l'homme de l'Onu saisie de la question a. (vote négatif, sur intervention t.). **1980**-*24-4* anniv. des massacres de 1915, manif. dans le monde (dont Paris et Marseille). **1983**-*20/24-7* IIe Congrès mond. a. à Lausanne, demande au gouv. t. de « reconnaître la réalité du génocide, prologue à l'ouverture d'un dialogue en vue de régler la question a. », invite URSS et Rép. soc. sov. d'A. à soutenir les efforts de la diaspora a. **1984**-*1-2* 4 Ar. qui avaient investi le 24-9-81 le consulat t. à Paris (1 †) condamnés à 7 ans de réclusion. **1985**-*29-8* rapport voté à l'Onu sur le crime de génocide (commission des Droits de l'homme).

Organisations. 3 PARTIS NATIONAUX : *Hintchak* (« Cloche »), social-démocrate f. 1887 à Genève (prosoviét.) ; *Ramgavar* (libéral, non marxiste mais reconnaissant l'A. soviét. comme partie de l'A.) ; *Dachnak* (« Fédération »), p. révolut. fédératif a. fondé 1890 à Tiflis (pro-occid.). ORGANISATIONS CLANDESTINES : *Armée secrète ar. de libération de l'A.* (Asala) f. 20-1-1975 siège à Beyrouth jusqu'en 1982, leader Hagop Hagopian. *Comité de défense de la cause a.* (CDCA) f. 1965. *Commando des justiciers du génocide a.* (CJGA) f. août 1975, affilié à la FRA *Armée révolut. a.* (ARA) f. juillet 1983.

Position turque sur le problème arménien. Sous l'Empire ottoman, la minorité a. vécut 6 siècles dans une liberté et une prospérité qu'elle n'avait pas connues jusqu'alors. Puis la situation se détériora à partir de la 2e moitié du XIXe s. Les puissances occidentales (France, G.-B., All., USA ainsi que l'URSS), voulant démembrer l'Empire ottoman, incitèrent les A. à s'insurger en leur promettant la création d'un « État » a. sous leur protection, sans tenir compte du fait que ceux-ci étaient en minorité dans toutes les provinces ottomanes. Au début, les missionnaires des collèges d'Istanbul, Trabzon, Beyrouth, puis toutes les églises et écoles appartenant à des A. tinrent lieu de quartiers généraux et de dépôts de munitions. Les consulats des puissances servirent de centres de propagande. Des comités terroristes comme Hintchak et Dachnak entraînés et équipés à l'étranger agirent. En *1914*, des bandes a. se constituèrent au-delà de la frontière turco-russe et se signalèrent par des massacres à Van, Mus, Bitlis, Erzurum, Erzincan, Kars, Hakkari, Maras, Adana, Urfa attaquant les arrières de l'armée t. Le tsar Nicolas II remercia même le comité a. de Van (avril 1915) pour son aide. Dans le journal a. *Gotchnak* (mai 1915), les A. se vantèrent de n'avoir laissé que 1 500 T. à Van (430 000 h.). A cette époque, les T. se battant sur le front de Galicie, des Dardanelles, d'Erzurum, de Palestine et d'Irak, les bandes a. avaient les mains libres. Le gouv. t. décidera ensuite de déporter les A. vers le Sud ce qui causa la mort d'env. 300 000 A. (sur une pop. à l'époque d'env. 1 300 000 pers. ; 700 000 quitteront la T., 180 000 resteront).

TUVALU (ÎLES)

Carte page de garde. V. légende p. 884.

Situation. Milieu Pacifique. 26 km^2 (anciennes îles Ellice). 9 atolls coraliens (8 habités) en km^2 : Nanumea 3,61, Niutao 2,26, Nanumanga 3,10, Nui 3,37, Vaitupu 5,09, Nukufetau 3,07, Funafuti 2,54, Nukulaelae 1,66, Niulakita 0,41 ; 580 km de long. *Eaux territoriales :* 1,3 million km^2. **Population** 9 000 h. (91). 2 000 travaillent à l'étranger (Nauru, Kiribati). **Capitale** *Funafuti* 2 120 h. Fangasale (centre adm.). D 346. **Langues** anglais et tuvaluan (polynésien). **Religion** Église de Tuvalu (congrégationalistes) 97 %.

Histoire. **1568** Mendana (Espagnol) découvre archipel. **XIXe s.** fournit main-d'œuvre pour mines du Pacifique, d'Australie et d'Amér. du S. ; missionnaires protestants. **1877** sous juridiction britannique. **1892** protectorat brit. **1916** rattachées aux îles Gilbert (voisines). **1972** typhon. **1974** référendum pour séparation. **1975**-*1-10* séparations effectives. **1977** autonomie interne ; prennent le nom actuel (« Huit unis ensemble »). **1978**-*1-10* indépendance. **Statut.** État membre du Commonwealth. *Const.* du 1-10-1978. *Ass.* 12 m. élus pour 4 a. au suffr. univ. *Chef de l'État* reine Élisabeth II. *PM* Bikenibeu Paeniu dep. sept. 89. *Gouverneur* Toalipi Lauti dep. 1-10-90. **Drapeau** (1978) : bleu clair avec Union Jack ; 9 étoiles jaunes pour les atolls.

Économie. *PNB* (90) 1 200 $ par h. Noix de coco, coprah, fruits et légumes. Pêche. Timbres. Devises des émigrés. *Aides austr. et G.-B.*

UKRAINE (RÉP. D')

Carte p. 1124. V. légende p. 884.

Nom. Appelée *Petite Russie dans la nomenclature byzantine* qui voyait dans la région de Kiev le berceau de la nation russe et le siège du métropolite (tandis que la *Grande Russie* était son extension dans les forêts du Nord), puis *Ukraine*, qui signifie « marche », « frontière ». **Situation.** Europe 603 700 km^2 (445 000 av. 1939), plus vaste pays d'Europe après la Russie. 2 massifs anciens, très usés, mais qui obligent Dniepr et Don à de longs détours. Prairies (*tchernizìom*, terres noires fertiles). Ont été attachées arbitrairement à l'Ukr., à l'O. la Ruthénie subcarpatique et une partie de la Galicie polonaise ; à l'est, la région de Kharkov (russophone), au sud la Crimée, détachée de la Russie en 1954. 25 provinces. **Climat.** Hiver doux - 6 °C à Kiev, - 3 °C à Odessa, étés chauds (respectivement 19 °C, 22 °C). **Population.** 51 704 000 h. (en % Ukrainiens 73,6, Russes 21,1, Juifs 1,3, Biélorusses 0,8, Polonais 0,5 Moldaves 0,6, Bulgares 0,5, Hongrois). D 85,6. Immigrés (ou descendants) : plusieurs millions en Amérique [dont Canada 1 000 000 (dont 50 000 partent régulièrement)]. **Langue off.** (dep. oct. 89, université, gouvernement, tribunaux). Ukrainien, langue slave parlée surtout dans les campagnes, l'élite parlant russe. **Religions.** Ukrainiens orthodoxes (indép. et auton. adm. reconnue en 1990) et Uk. catholiques uniates (+ de 5 millions de fidèles, interdits 1946 par pseudo-synode convoqué par NKVD, et rattachés de force en 1946-49 au Patriarcat de Moscou, puis autorisés en 1988). 1991 création de 10 évêchés. 900 églises attribuées par Staline aux orthodoxes ont été restituées de gré ou de force aux uniates, d'où tensions ; 350 aux autocéphales, une centaine aux orthodoxes dépendant du patriarcat de Moscou. **Villes :** *Kiev* (capitale) 2 602 000 h ; Kharkov, surtout industriel, 1 611 000 ; Dniepropetrovsk 1 179 000 ; Odessa 1 115 000 (port maritime et centre ind.). Donetsk 1 110 000 (bassin houiller).

Histoire. **IXe au XIIIe s.** principauté slave (capitale Kiev, qui forme un État jusqu'en 1240). **1341** détruite par une invasion tartare. **XIVe-XVIe s.** conquise par Lituaniens. **1569** rattachement au roy. de Pologne de presque toute l'U. (forme une Église uniate, dépendante de Rome). **1635** révolte des cosaques (du turc kazak : homme libre, rebelle) orthodoxes, mercenaires des Pol. **1648** alliés aux Tartares, ils battent Pol. à Jovti Vody et à Korsoun. **1652** vaincus, ils appellent à l'aide le tsar de Moscou, Alexis. **1667** tr. r.-pol. d'Andruszov : l'U. de l'E. (rive g. du Dniepr) devient Pté autonome des cosaques, sous protectorat des tsars. **1708** Mazeppa, chef des cosaques, se fait reconnaître indépendant par Charles XII de Suède. **1709** défaite des Suédois à Poltava, les cosaques redeviennent vassaux. **1772** 1er partage de la Pol. : la région de Lvow devient autr. **1775** 2e partage : Catherine II annexe majeure partie de l'U. et supprime autonomie des cosaques zaporogues à l'E. du Dniepr (leur terre est divisée en 3 gouv.). **XIXe s.** résistance culturelle à la russification [centre à Lvow (zone autr.)]. **1876** oukase interdisant usage et enseignement de l'ukr. **1914** *sept.* les R. prennent Lvow. U. unie et russifiée. **1917**-*25-12* rép. U. autonome antisoviétique, la *Rada* à Kiev (à Kharkov, les Rouges fondent un autre gouvernement u. prosoviétique). **1918** *janv.* large autonomie accordée aux juifs ; le gouv. ukr. comprend 6 min. juifs, 20 % des députés de la Rada sont juifs. *-9-2* tr. séparé de la Rada u. avec All. et Autr. à Brest-Litovsk ; *-24-4 proclamation de l'indép.* sous l'autorité de l'*Hetman* des cosaques *Pavlo Skoropadsky.* **1919**-*22-1* Rép. nationale uk. et Rép. nat. de l'U. occidentale (dépendante avant de l'Autriche) fusionnent en *Rép. nat. uk. Mai-sept.* le Gal blanc Denikine contrôle l'U. (prend Kiev, -1-9) ; *déc.* Denikine battu ; *-20-12* les Rouges reprennent Kiev ; *-28-12* Rakovsky, chef des communistes uk., signe avec Lénine l'union de l'U. et de la Russie. **1920**-*22-4* Simon Petlioura (1877-1926), chef des U. anticom., s'allie avec Mal pol. Pilsudski ; *-6-5* ils reprennent Kiev (a changé 7 fois de mains entre 1917 et 1920). **1920-21** défaite pol., Pilsudski abandonne Petlioura. **1921**-*18-3 tr. de Riga* entre Pol. et les 2 gouv. com. de Russie et d'U. : en échange de la Podolie et de la Volhynie, la Pol. reconnaît l'U. sov. Le chef des Uk. anticommunistes Andryi Livitsky forme un gouv. en exil à Paris (replié à Munich en 1945). **1922**-*30-12* l'U. devient rép. féd. de l'URSS (l'ukrainien est l'unique langue off.). **1928** fin de l'autonomie culturelle (le russe devient langue off.). **1932-33** famine, 7 millions de †. **1934-39** 500 000 tués (élites). **1938** 1er secr. du PCU est pour la 1re fois un Uk. (Khrouchtchev) ; de nombreuses organisations uk. antisov. sont fondées aux USA, Canada, Allemagne. **1939**-*17-3* annexion des provinces reprises à la Pol. **1941**-*30-6* les All. proclament à Luiv (ex-Lemberg) la restauration de l'État uk. mais l'U. est déclarée en déc. 1941 « pays colonial ». **1941-45** 6 à 8 millions de † et 50 % des pertes matérielles de l'URSS. Collaboration de certains avec All. : division de Waffen SS uk. (div. galicienne). Armée nationale ukr. (UNA) relevant de la Wehrmacht (quelques milliers d'h.) ; armée insurrectionnelle uk. [UPA de Stepan Bandera (assass. en All. féd. 15-10-59)] anticommuniste et antisémite luttera contre partisans soviétiques et continueront guérilla

+ de 5 a. dans forêts de l'Ukraine occidentale. *Oct. 43/juin 44* reconquête soviétique : 15 771 condamnations à mort. **1945**-*29-6* la Tchéc. cède la Ruthénie subcarpatique à l'Uk. ; *-16-8* la Pol. confirme la frontière du 17-3-39 ; l'U. entre à l'Onu. **1946** les indépendantistes uk. déclenchent une g. civile (contre URSS et Pologne) ; ils seront vaincus en 1950, mais combats continueront jusqu'en 1952 (pertes polono-sov. 100 000 †) ; 2 000 000 d'Uk. déportés en Sibérie. **1947**-*10-2* la Roumanie abandonne à l'U. Nord-Bukovine et Bessarabie. **1954** entre à l'Unesco. **1989**-*17-9* Lvov, 150 000 manif. contre entrée des Soviétiques en U. occid. en 1939. *-4-5* Vladimir Ivachko, chef du PC ukrainien, élu Pt de la Rép. d'Ukraine, par 278 voix contre 52 sur 450 députés. *-22-6* Stanislas Gourenko (n. 1936) élu 1er secr. du PC d'Ukraine. **1990**-*16-7* U. déclare sa souveraineté (355 v. pour, 4 contre, 1 abst.), déclare primauté des lois uk. sur celles de la Fédération, le droit de lever une armée, de frapper monnaie et de créer un système bancaire. *-1-10* 20 000 manif. à Kiev contre PM et Pt du parlement. **1991** *mai* Leonid Kravtchouk, Pt du Soviet suprême d'U. *-24-8* déclare indépendance (346 voix sur 450) ; interdiction du PC et adoption d'une loi sur l'indépendance économique de l'U. *-6-11* tr. avec Russie établissant le principe de relations directes entre les 2 Rép.

1991 République indépendante. *-1-12* référendum sur l'indépendance + de 90 % des voix pour (dont la majorité des russophones). **Leonid Kravtchouk** (n. 1934) élu Pt (62 % des voix). **1992** *janvier* introduction de coupons (imprimés à Périgueux), unité monétaire de transition d'une valeur nominale de 1 à 50 roubles. Projet de monnaie nationale, le *grivna*. *-12-7* Vladimir Lanovoy, min. de l'Économie ultra-libéral, remplacé par un ex-communiste. *-30-9* PM Vital Fokine démissionne sous pression des syndicats, des nationalistes et d'une partie des députés qui jugent ses réf. écon. trop timides. *-6-10* accord commercial Russie-U. *-13-10* Leonid Koutchma PM. *-3-11* accord russo-uk. sur dettes réciproques. *-18-11* pouvoirs spéciaux accordés au PM (refusés au Pt).

Statut. Rép. membre de la CEI. **Pt** Leonid Kravtchouk. **Parlement** 450 députés (dont 239 ex-communistes). **Partis.** *Rukh* (nationaliste, composé d'indépendantistes et de partisans de relations avec U.) 280 000 m. P. Uk. Républicain ; fondé 1990 ; pour la démocratie et l'économie de marché.

Contentieux avec la Russie. Militaire : *partage de la flotte de la mer Noire* (370 bâtiments, 151 avions, 80 000 h, officiers majoritairement russes, marins favorables à l'indépendance de l'U.). La R. veut en garder le contrôle. L'U. veut sa marine et réclame le contrôle administratif des bases et installations navales. Un accord (3-8-92) prévoit jusqu'en 1995 une gestion commune. *Désarmement Start* l'U. subordonne la ratification de Start 1 à l'octroi de compensations financières pour le démantèlement des 176 fusées ex-soviétiques sur son territoire. Elle demande à garder les matières fissiles ainsi produites, dont la vente à l'étranger financerait le combustible des centrales nucléaires uk. **Politique :** l'U. dénie à la R. le rôle de garant de la paix dans l'ex-URSS et proteste contre la demande par la R. d'un mandat à l'Onu (fév. 93). *Crimée.* Voir ci-dessous. **Économique :** l'U. accepte de payer sa part de la dette extérieure de la R. (16,37 % du total, soit 13 milliards de $), et de recevoir en contrepartie sa part des actifs de l'ex-URSS à l'étranger (or, diamants, immobilier, dont les ambassades sov. ; env. 16 % du total). La R. estime qu'héritière de l'URSS, elle doit contrôler tous ces biens et assumer seule la charge de la dette extérieure. *Gaz* 3e consommateur mondial, l'U. importe de R. les 3/4 de sa consommation. La R. menace l'U. d'interrompre ses fournitures si l'U. ne règle pas ses arriérés de paiement (env. 1,6 milliard de F en fév. 93). **Religieux :** l'épiscopat orthodoxe uk. réclame l'autocéphalie.

☞ **République autonome de Crimée.** 27 000 km². **Population :** 2 500 000 : Russophones 67 %, Ukrainiens 26 %, Tatars 7 % (*1888* : 88 % ; *1939* : 20 % ; *1944* : déportés par Staline). **Villes :** *Simferopol* (capitale) 331 000 h. Sébastopol 400 000 h. (dont 230 000 Russes, 80 000 Ukrainiens). **Histoire : 1783** État tatar conquis par Catherine II. **1954** détaché de Russie et rattaché à l'Ukr. par Khrouchtchev pour le 300e anniversaire de l'union de la R. et de l'Ukr. **1987** manif. de Tatars à Moscou pour réclamer le droit de retour en Crimée. **1991**-*4-9* proclame sa souveraineté. *-1-12* vote à 54 % l'indép. de l'Ukr. **1992**-*25-1* Parlement de R. décide d'examiner la constitutionnalité du transfert en 1954 de Crimée à l'Ukr. *-29-4* loi ukr. accordant large autonomie. *-6-5* Parlement de Crimée proclame indépendance (sous réserve de référendum). *-20-5* Parlement annule son vote du 6-5 (sur insistance de l'Ukraine). En Crimée, le RDK (Mouvement républicain de Crimée) nationaliste et soutenu par Moscou milite contre l'Ukr. et pour l'indépendance de la Crimée. *21-5* Parlement russe dénonce rattachement de la Crimée à l'U.

■ Économie

PNB par hab. (91). 1 251 $. PNB total 64,8 milliards de $. **Pop. active** (%) agr. 14, ind. 42, tertiaire 44. **Agriculture** (90, en millions de t). Blé 25, céréales 60, p. de t. 20, betteraves à sucre 5. **Industrie.** *Donbass* (Donetzkii basseïn, bassin du Donetz). Partie de la région éc. Don-Dniepr (21 000 km², 20 millions d'hab.), avec le district de Rostov (Russie), peuplé presque entièrement de R. et de russophones. *Charbon* : prod. (1990) : 180 millions de t (24 % de la prod. sov.), *électricité* : (90) 29,5 milliards de kWh (20 % de la prod. sov.), *fer* 60 millions de t (Krivoï Rog ; 60 % du fer sov.), *manganèse* (Nikopol), *mercure.* Métallurgie (40 % de l'acier russe, zinc, mercure, titane, zirconium), ind. de transf. (locomotives diesel, téléviseurs, chaussures), chimique. **Transports.** Réseau ferré dense et grandes voies navigables (liaison avec Moscou par canal Don-Volga). *Routes* (90) 227 000 km ; *voies ferrées* 22 730 km.

Réforme économique. Introduction progressive de l'éco. de marché. Privatisations, avec attribution aux Uk. de 30 000 roubles (env. 1 000 F) versés sur des comptes spéciaux. Déc. 92, libération partielle des prix. 17 % restent contrôlés par l'État. 25 % ne peuvent être augmentés par les producteurs en situation de monopole sans accord du gouv. **Crise** (fin 92). Le Karbovanetz (monnaie transitoire avant la mise en circulation de la grivna) a perdu 90 % de sa valeur en $ en 1992. Déficit budgétaire : 44 % du PIB. **Inflation** *1992* : 3 100 %. Chute du revenu national 11 % ; du PNB 19 % ; prod. ind. 19,7 % ; ind. alimentaires 17,5 %.

■ Uruguay

Carte p. 917. V. légende p. 884.

Situation. Amérique du S. 176 215 km². *Frontières* 2 120 km (avec Brésil 985, Argentine 500). *Côtes :* 670 km (sur l'Atlantique 220, les Rio de la Plata et Uruguay 450). *Alt. max.* (Sierra de las Animas) 513,6 m. **Climat.** Tempéré, très venteux. Forte humidité. Moy. hiver (juin-sept.) 11 à 15 °C, été (déc.-mars) 20 à 26 °C. *Pluies* irrégulières : 1 200 mm/an.

Population. 3 094 000 h. (90) dont (82) Blancs 85 %, Métis 10 %, Mulâtres 5 % ; *prév. 2000 :* 3 364 000. D 17,5. **Âge** – *de 15 a.* 27 %, + *de 65 a.* 11 %. **Natalité** 18 ‰ par an (le plus bas d'Amérique). **Nés à l'étranger** (en milliers) 135,1 dont Argentine 19,3, Brésil 15,3, Amér. latine 4,6, Espagne 45,1, Italie 22,7, Europe 24,2, divers 4,4. **Émigration** + de 500 000 h. vivent à l'étranger (Argentine, Brésil, Australie, Canada, USA, Espagne et France). 50 000 h par an quittent U. **Immigration** Espagne, Italie, Allemagne, France. **Villes** (85) : *Montevideo* (capitale) 1 500 000 (89), Salto 77 400 (498 km), Paysandu 75 200 (379 km), Las Piedras 61 300 (20 km). *Pop. urbaine :* 85 %. **Stations balnéaires** Punta del Este (140 km), La Paloma (220 km). **Langues.** Espagnol *(off.)* (français et anglais enseignés). **Religions (%).** Catholiques 66 % (pas de rel. d'État), israélites 2, protestants 2.

Histoire. 1516 découvert par Juan Diaz de Solis (Esp. † 1516), soumis par les Esp. **1519** expédition de Magellan. **1527** Sebastian Gaboto (Sébastien Cabot Vénitien 1476-1557) construit un fort à l'embouchure du Rio San Salvador. **1574** Juan Ortiz fonde San Salvador (auj. Dolores). **1624** jésuites fondent Santo Domingo de Soriano et commencent la colonisation. **1680-1778** rivalités Port. et Esp. **1726** Esp. fondent Montevideo. **1750** *tr. de Madrid :* ils reçoivent l'U. contre l'abandon des limites du tr. de Tordesillas (1494), qui leur attribuait les terres à l'O. d'une ligne N.-S. passant à 370 lieues des îles du Cap-Vert. **1776** création de la vice-royauté du Rio de la Plata dont fait partie l'U. **1806-07** installation des Anglais à Montevideo (l'Esp. alliée de Napoléon, ayant perdu sa flotte à Trafalgar, 1805). **1811** *Las Piedras* victoire de José Artigas (1764-1850) et des partisans de l'indép. **1814** Artigas chasse Esp. **1816** invasion portugaise. **1821** annexion au Brésil de la bande orientale. **1825**-*25-8 indép.* **1827** g. contre Brésil. **1830**-*18-7* Rép. **1835-39** g. civile entre *Colorados* (Rivera) et *Blancos* (Oribe). **1842-51** g. civile (guerra grande) avec aide de la G.-B. et de la Fr. **1865-70** alliance avec Arg. et Brésil contre Paraguay. **1903** *mars* **José Battle y Ordõnez** Pt. **1904** apaisement des luttes intérieures. **1907** *mars* **Claudio Williman** Pt. **1911** *mars*-**1916** *juill.* J. Battle y Ordõnez Pt. **1917** constitution, séparation Église/État ; nationalisations. **1913-33** et **1952-66** Pt remplacé par gouv. collectif. **1958** él. : Blancos battent Colorados (au pouvoir dep. 90 a.). **1963** début du MLN (Mouv. de libér. nat.) *Tupamaros* (du chef inca rebelle Tupac Amaru) créé par Raul Sendic (1925/27-4-89) contre impérialisme nord-amér. **1967** rég. présidentiel, **Pt Oscar D. Gestido,** puis, à sa mort, **Jorge Pacheco. 1971** consul du Brésil enlevé (libéré contre rançon en février), conseiller américain de la police (exécuté), ambassadeur brit. Geoffrey Jackson enlevé. **1972** attentats, répression et écrasement des Tupamaros (*-1-9* Sendic, arrêté, libéré 1985). **Juan Maria Bordaberry** Pt. **1973** *févr.* armée prend pouvoir mais garde Pt Bordaberry (accusé en mars d'avoir vendu secrèt. 20 % des réserves d'or du pays), *-27-6* Parlement dissous, remplacé par Conseil d'État (25 m.) ; milit. renforcent leur pouvoir. *Oct.* intervention milit. à l'université qui passe sous contrôle de l'État. *-9-11* partis et syndicats interdits. **1974**-*19-12* Tupamaros tuent attaché milit. à Paris. **1976** *janv.* arrestations, tortures. *-12-6* Pt Bordaberry déposé par junte, **Alberto Demicheli,** vice-Pt, assume présidence (12-6). *-14-6* **Aparicio Mendez** désigné Pt pour 5 a. **1980** pianiste Miguel Angel Estrella libéré. *-30-11* référendum constitutionnel, 57,81 % de non. **1981**-*1-9* **Gén. Gregorio Alvarez** (n. 26-11-25) élu Pt par Conseil de la Nation (c. d'État de 35 m. et junte des officiers généraux). **1982**-*28-11* élec. pour désigner dans les 3 partis autorisés des chefs de partis et des candidats aux présidentielles, victoire de l'opposition. **1983**-*25-8* concert de casseroles, 2 000 manif. *-27-11* : 300 000 manif. pour retour à « la démocratie exclusive ». **1984**-*mars* Gal L. Seregni (Frente amplio) libéré. *Août* accord du Club naval organise départ des mil. *-16-6* Wilson Ferreira Aldunate (leader blanco) arrêté le j. où il rentre après 10 a. d'exil (libéré 30-11). *-25-11* élections sous conditions : partiellement libres (candidats de gauche injustement invalidés, PC devant changer de nom). Acceptées pour hâter départ des mil. discrédités (échec écon. et violations des droits de l'homme). Les chefs mil. refusent tout procès car « on ne demande pas de comptes aux vainqueurs ». **1985**-*11-2* Gal Alvarez démissionne. *Bilan dep. 1973 :* 150 † ou disparus ; PNB – 19 % ; dette 4,7 milliards de $ (nulle en 1973). *-15-2* Parlement en fonction. *-1-3* 1er gouv. civil dep. 11 ans. *-8-3* amnistie. *-14-3* détenus pol. libérés. **1986**-*22-12* amnistie pour 300 militaires ayant violé droits de l'homme. **1987**-*oct.* Pt Mitterrand en U. **1989**-*16-4* référendum sur amnistie : 56 % pour. *-26-11* élections. [A rétabli les garanties et libertés, fait participer l'U. au Groupe d'appui à Contadora (avec Pérou, Argentine, Brésil), établi des relations diplom. avec Cuba et Chine pop.]. **1991** *Mars accord d'Asuncion* sur zone de libre-échange entre pays du cône Sud (Mercosur). **1992**-*13-12* référendum sur privatisations : 71,7 % contre.

Statut. République. *Constitution* de 1966. *Pt* Luis-Alberto Lacalle (n. 1941) dep. 1-3-90 (élu 26-11-89) avant Julio Maria Sanguinetti (n. 1936) dep. 1-3-85 (élu 25-11-84). *Sénat* 31 m. et *Ch. des députés* 99 m. élus pour 5 a. au suffr. universel. 19 *départements. Vote* obligatoire. **Partis.** *P. colorado,* f. 1836. modéré libéral, Pt José Luis Battle. *P. blanco,* f. 1836, nationaliste, Pt Carlos A. Vidal. *Union civica,* f. 1912, social-chrétien, Pt Juan Vicente Chiarino. *Frente amplio,* f. 1971, gauche (socialistes, communistes, Tupamaros). *Mouvement de lib. nat.,* rad.-soc., ex-Tupamaros, f. 1962, Pt José Mújica. **Élections. 25-11-84 :** Pt Sanguinetti (Colorado) élu par 744 999 v., devant Alberto Zumaran (Blanco) (634 166 v.), José Crottogini (Frente Amplio) (393 949 v.) ; *Sénat* et entre parenthèses *Chambre :* Colorado 13 (41), Blanco 11 (35), Frente Amplio 6 (21), Union Civica 2. **26-11-89 :** *votants:* 2 300 000. 1res él. réellement libres dep. 1973. Blancos et Colorados présentaient chacun 3 candidats sur des programmes se ressemblant : dette extérieure, hypertrophie de l'État (272 000 fonctionnaires sur 1 200 000 actifs), syndicats, privatisations, investissements étrangers. *Sénat* et entre parenthèses *Chambre : Blanco 13 (39), Colorado 9 (30), Frente Amplio 7 (21) Nuevo Espacio 2 (9).* **Fête nat.** 19-4 (débarquement des partisans de l'Indép.) ; 18-5 (bataille de Las Piedras) ; 19-6 (naissance de José Artigas) ; 18-7 (j de la Constit.) ; 25-8 (Indép.) ; 12-10. (j de la Race). **Drapeau** (1830).

Nota. – Pays de naissance de Lautréamont, Jules Laforgue, Jules Supervielle.

■ Économie

PNB (91) 2 656 $ par hab. **Taux de croissance (%)** *87 :* 5 ; *88 :* 2 ; *89 :* 1 ; *90 :* 0,5 ; *91 :* 3,1. **Pop. active** (% et entre parenthèses part du PNB en %) agr. 11 (11), mines 1 (1), ind. 31 (33), services 57 (55). *Chômage 1991 :* 8,5. **Inflation** (%) *1980 :* 63,5 ; *81 :* 34,1 ; *82 :* 19 ; *83 :* 51,5 ; *84 :* 66,6 ; *85 :* 83 ; *86 :* 71 ; *87 :* 57,3 ; *88 :* 59 ; *89 :* 90 ; *90 :* 129 ; *91 :* 84. **Dette extérieure** (milliards de $) *91 : (juin) :* 7,1.

Agriculture. *Terres* (milliers d'ha, 1981) cultivables 15 400 dont pâturages 12 350, t. cultivées 1 750 ; forêts 3 295 000 m³ (88). *Production* (milliers de t, est. 90) blé 420, riz 530, p. de terre 145, sorgho 69, maïs 101, avoine 75, orge 140, bett. à sucre 160, canne à sucre 600, lin 1. **Élevage** (millions, 90). Moutons

25,2, bovins 8,7, chevaux 0,5, porcs 0,2. Viande de bœuf 302 000 t (90). Laine : 97 000 t. **Pêche.** 121 600 t (89). Accord de pêche avec URSS.

Mines. Granit, marbre, chaux, dolomite, sable, argile, gravier, pierres semi-précieuses. Électricité hydraulique. Pas de pétrole. **Industrie.** Alim., text., cuir, caoutchouc, chimie, ciment 435 000 t. (88). **Transports** (km, 86). *Routes* 12 000, *chemins de fer* 3 000. **Tourisme.** *Visiteurs : 1983 :* 269 071 ; *86 :* 1 120 000 ; *88 :* 843 500.

Commerce (millions de $ US, 89). *Exp.* 1 702,2 *dont* textiles 485, prod. alim. 391,6, cuirs et peaux 235, prod. végétaux 168, *vers* Brésil 422,2, USA 177,4, All. Dém. 123, Argentine 77,7, Espagne 65,7. *Import.* 1 411 (90) *de* Brésil 308,2, Argentine 186,7, USA 115,2, All. féd. 74, Mexique 71, G.-B. 34.

Rang dans le monde (91). 7e laine. 12e ovins.

VANUATU

V. légende p. 884.

Nom. Anciennes Nouvelles-Hébrides. Dep. 30-7-1980, *Vanuatu*, l'île qui s'élève au-dessus de la mer. **Situation.** Archipel du Pacifique. 12 190 km², env. 80 îlots et îles (67 sont inhabitées) s'étendant sur 800 km [N.-Calédonie à 540 km, Auckland (N.-Zél.) 2 250, Sydney (Austr.) 2 550, Tahiti 4 500, Paris 21 000]. Sol d'origine volcanique, et corallienne dans les parties basses. *Alt. max.* Mt Tabwemassana (Santo) 1 879 m. Certains volcans encore actifs (Lopévi, Yasour à Tanna, Bembow, Marum à Ambrym). **Climat.** Tropical, janv.-juin chaud et pluvieux, juin-déc. relativ. sec et frais. *Temp.* 15 à 34 °C. *Pluies :* env. 2,30 m par an.

Population. 143 000 h. (90) : Mélanésiens 94 %, Européens 2 % ; *prév. 2000 :* 223 000 h. **Âge** *- de 15 a.* 57 %, *+ de 65 a.* 3 %. 105 600 Mélanésiens, hommes de la côte, souvent chrétiens, et de quelques noyaux de l'int. des îles (small nambas et big nambas, dernier roi éteint à Malekula en 1987), 690 Asiatiques, 1 470 originaires du Pacifique (Tahitiens, Wallisiens, Futuniens, autochtones néo-calédoniens, Fidjiens, Gilbertains), plus de 2 500 Eur. (dont 900 Français). D 12,2. **Villes** (89) : *Port-Vila* (île de Vate) 19 311, Luganville (Santo) 6 983.

Langues *(off.).* Français (40 %), anglais (60 %), bichlamar (déformation de l'anglais), 130 dialectes locaux. **Religions.** Chrétiens (dont en % catholiques 18, protestants 68, animistes 15). A Tanna, culte de John Frum.

Histoire. Hab. originaires Mélanésiens *(Canaques)* apparentés aux Papous, auxquels se sont ajoutés des Polynésiens, des Tonga et des Samoa. **1606**-*1-5* le Port. Fernandez de Queiros découvre l'I. d'Espiritu-Santo. **1768** Bougainville passe entre Santo et Mallicolo et découvre Pentecôte, Aoba et Maewo, qu'il appelle *Grandes Cyclades.* **1774** Cook établit 1re carte des N.-H. Autres navigateurs : Lapérouse (1788), d'Entrecasteaux (1793), Cap. Bligh (aux Banks 1793), Dumont d'Urville (1828), Belcher et Markham. **XIXe s.** fréquentées par baleiniers, acheteurs de santal et recruteurs de main-d'œuvre, qui ont maille à partir avec autochtones et missionnaires qui commencent à s'installer à partir de 1828. **1887**-*16-11* Fr. et Brit. instituent une Commission navale mixte constituée par Cdts et officiers des navires de g. faisant campagne aux N.-H. **1906**-*27-2 Convention de Londres,* ratifiée *20-10.* **1911**-*6-8* protocole franco-brit. (ratifié 18-3-1922), reconnaissant les N.-H. « territoire d'influence commune », placées sous un *régime de condominium.* **1954**-*28-3* pourparlers franco-brit. d'Honiara : les hab. participeront aux affaires publiques. **1957**-*4-4 Conseil consultatif* créé. **1975**-*18-1* réformes. *-10-11* législatives (vict. du National Party) ; annulées pour fraude, le Nat. Party refuse de participer à la vie pol. *-27-12* déclaration unilatérale d'ind. d'Espiritu-Santo par Jimmy Stevens (n. 1922) du mouvement Fédération Nayriamel. *-30-12* Fr. et G.-B refusent l'ind. **1976** *juin* conseil coutumier (Malfatu Mauri créé). **1977** *févr.* boycott de l'ass. par élus du VAP *-29-11* él. de 2 ass. [VAP ne présente pas de candidats ; parti modéré (francophone cath.) a tous les sièges], VAP crée gouv. pop. provisoire. **1978**-*11-1* 1er gouv. autonome (*Pt:* George Kalsakau, modéré). *-5-4* trêve entre les 2 partis. *-22-12* gouv. d'union nat. (*Pt :* Gérard Leymang, prêtre cath., modéré). **1979**-*19-9* projet de const. approuvé. *-14-11* él. au Parlement (VAP 26 s., divers 13 s.). *-29-11* gouv. du pasteur anglican Walter Lini ; modérés portent plainte (en vain) pour fraude électorale. *Nov.* tentative de sécession des îles francophones de Santo et Tana avec J. Stevens. **1980**-*30-4* négociations angloph. et francoph. échouent. *-28-5* francoph. dirigés par J. Stevens prennent Luganville, cap. de Santo. *-31-5* Brit. et angloph. de Santo évacués sur Vaté. *-2-6* Lini fait réoccuper Tana. *-3-6* la Fr. s'oppose à une réoccupation de Santo, tout en approuvant

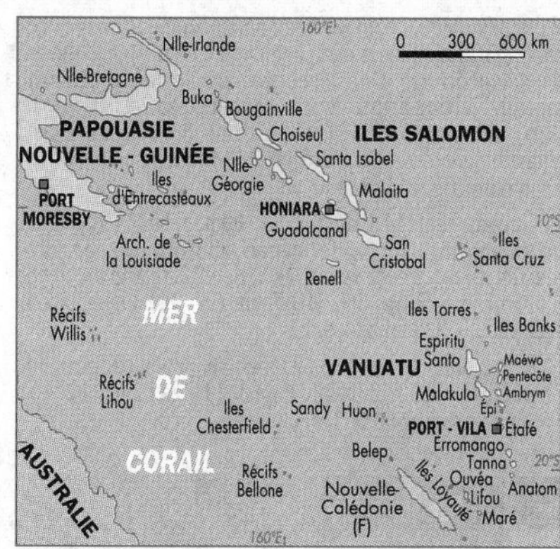

l'ind. *-5-6* J. Stevens forme gouv. à Santo. *-11-6* manif. francophiles à Tana, † du député Alexis Yulou, 25 bl. *-24-7* contingent mil. fr.-brit. doit rétablir l'ordre. *-30-7* indép. *-12-8* 24 Fr. et 2 Austr. expulsés. *-18-8* arrivée à Santo d'un contingent mil. de Papouasie-Nlle-G. après départ de la force fr.-angl. *-31-8* J. Stevens arrêté, condamné à 15 a. de prison, libéré 19-8-91, fin de la sécession de Santo. 2 274 arrestations dont 760 à Santo. **1981**-*2-2* expulsion de l'amb. de Fr. *Oct.* retour. **1983**-*10-3* débarquement temporaire sur îles Matthew et Hunter (inhabitées, à la Fr. et rattachées à la Nlle-Calédonie, importantes à cause de la zone des 200 miles). Amb. de Fr. rappelé. **1987** *févr.* cyclone Uma. *-1-10* Henri Crépin-Leblond, amb. de Fr. expulsé pour ingérence. **1988**-*16-5* manif. 1 †. *16-12* Pt Sokomanu dissout Parl. ; gouv. intérimaire (Barak Sope PM, Carlot vice-PM) ; *-19-12* PM Lini assigne à résidence Pt (lui conteste le droit de dissoudre le Parl. et de former un gouv.) ; Cour suprême donne raison au PM *-21-12* Pt et 26 pers. arrêtés pour incitation à la mutinerie. **1989** *avril* Pt Sokomanu, Barak Sope et Carlot acquittés et libérés. **1991**-*6-9* Walter Lini renversé. **1992** *janv.* expulsés de 1980 peuvent rentrer.

Statut. Rép. Membre du Commonwealth. *Const.* du 30-7-80. *PM* Maxime Carlot (n. 1941) dep. 16-12-91 [avant Donald Kalpokas (n. 1943) dep. 6-9-91 ; pasteur Walter Hadye Lini (n. 1943) élu nov. 79 (réélu 21-11-83)]. Pt (élu pour 5 a. par un collège électoral composé de l'ass. et des Pts des conseils régionaux), [Fred. Karlomuana Timakata (n. 1936), dep. 30-1-89 [avant *1980* (30-7) George Ati Sokomanu (n. 1938) démissionne 17-2-84, réélu 8-3-84, déchu janv. 89, condamné à 6 ans de prison 7-3-89, acquitté avril]. **Élections** (% des voix et, entre par., sièges) **2-11-83 :** VAP 56 (24 s.), UPM 44 (12), Nayriamel 2,8 (1), Namaki Anté 2,6 (1), F. Mélanésien 2,3 (1), VAP 3,9 (0). **30-11-87 :** VAP 47 (26), UPM (20). **2-12-91** UPM 30 (19), VAP 22 (10), NUP 20 (10), MPP1 5 (4), Tan Union 4 (1), Nagriamel 3 (1) Fren Malanesian P. 2 (1) **Drapeau** (1980) rouge et vert, triangle central noir et jaune, avec corne de sanglier.

Partis. *Vanuaaku Pati* (VAP, P. de notre terre), f. 1971, anglophone et protestant, ex-New Hebridean Culture Assoc., devenue New Hebrides National Party, *Pt* Donald Kalpokas. *Union des partis modérés,* f. 1979, Pt Serge Vohor (en majorité francophone). *National united pati,* f. 1991, Walter Lini. *Melanesian progressive party,* f. 1988, Barak Sope. *Tan union,* f. 1974, francophone, influent île de Pentecôte, Vincent Boulephone. *Fren melanesian party,* f. 1975, francophone protestant (surtout île de Santo), proche UMP, Albert Ravutia. *Nagriamel,* coutumier (surtout à Santo), Jimmy Stevens. *Vanuatu independant francophone,* f. 1991, Jean-Paul Batick. *New people's party* (NPP) f. 1986, Fraser Sine.

CIRCONSCRIPTIONS ADMINISTRATIVES

11 conseils de gouvernement locaux (1989). **Malicolo** 2 060 km², 19 298 h, chef-lieu : Lakatoro. **Iles Shepherds** 86 km², 3 965 h, Morua (chef-lieu). **Ambai/Maewo** *(Ambai* 383 km², 8 548 h ; *Maewo* 270 km², 2 354 h), chef-lieu : Saratamata. **Tafea** *(Tanna,* 550 km², 19 789 h + *Erromango* 975 km², 1 253 h + *Aniwa* 19 km², 361 h + *Futuna* 12 km², 430 h + *Anatom* 145 km²), 543 h, chef-lieu : Isangel. **Banks-Torres** chef-lieu : Sola (*Banks :* Iles *Vanua-Lava, Mota Lava, Gaua, Mota, Mere Lava, Ureparapara* 722 km², 5 521 h) ; (*Torres :* Iles de *Hui, Toga, Lo, Tegua,* 98 km², 464 h). **Paama** 33 km², 1 695 h, chef-lieu : Liro. **Ambrym** 663 km², 7 170 h, chef-lieu : Eas. **Epi** 455 km², 3 611 h, chef-lieu : Baie Rovo. **Santo/Malo** *(Santo* 3 712 km², 21 117 h ; *Malo* 180 km², 2 867 h), chef-lieu : Luganville. **Pentecôte** 439 km², 11 336 h, chef-lieu : Loltong. **Vate** 1 076 km², 30 422 h, chef-lieu : Port-Vila (comprend les îles *Nguna, Pole, Lelepa, Mosso).*

ÉCONOMIE

PNB (90). 1 640 $ par h. **Croissance PNB** (%) *1987 :* + 0,7 ; *88 :* - 0,9 ; *89 :* + 4,5 ; *90 :* + 5. **Pop. active** (%, entre parenthèses, du PIB) agr. 75 (25), ind. 2 (10), services 23 (65). **Inflation** (%) *1989 :* 7,7, *90 :* 6. **Aide ext.** (en millions de F, 91). G.-B. 50, Australie 47, *France 22* + 48 annulation de la dette, N. Zélande 11,5.

Agriculture. *Terres* (%) cultivables 41, cultivées 10. Forêts 90. *Production* (milliers de t, 90) coprah 45, cacao 2,1. **Élevage** (milliers 90). Bovins 129, porcs 82, chèvres 14, volailles 158. **Mines.** Manganèse (Forari, arrêté dep. 79). **Routes.** 1 630 km. **Tourisme** (90). 35 000 visiteurs (Australie 50 %, N.-Zél. 18 %). **Place financière.** (10 % du PNB). **Pavillons de complaisance.** 500 bateaux enregistrés.

Commerce (millions de vatu, 90). **Exp.** 2 202 *dont* coprah 598, viande bovine 368, cacao 248, bois 91, *vers* (%) P.-Bas 26, Japon 18, *France 15,* Australie 12. **Imp.** 11 288 *de* (%) Australie 37, Japon 12, *France 11,* N.-Zélande 10.

VENEZUELA

Carte p. 960. V. légende p. 884.

Nom. Petite Venise, donné par Amerigo Vespucci en souvenir de Venise, que lui rappelaient les huttes lacustres du lac de Maracaïbo.

Situation. Amérique du S. 912 050 km². *Alt. max.* pic Bolivar 5 007 m. *Côtes :* 2 816 km. **Iles :** 72 dont Chimanas, Plata, La Borracha, Margarita (+ Coche, Cubagua). Archipel de Los Roques. **Lac** *de Maracaïbo :* 14 000 km². *Lagune de Sinamaica.* **Frontières** 4 793 km ; avec Colombie 2 050, Brésil 2 000, Guyane 743. **Régions :** *côte* du N.-O. : température élevée, sèche, palmiers, cactus géants. *Cordillère de Merida* (alt. max. Pico Bolivar 5 007 m) : humide, plus froid ; chaîne côtière : sec et ensoleillé. *Plaine* (llanos) : bassin de l'Orénoque, tropical en saison sèche, savanes, forêt-galerie. *Guyane :* chaud, humide, tempéré sur plateaux (alt. 2 500 m), forêts, savanes. *Sites :* Canaïma, Salto Angel, « Grande Savane ». *Temp. moy.* Caracas : juin à oct. 17 à 30 °C, nov. à mai 12 à 25 °C, de 600 à 2 000 m d'alt. : 10 à 25 °C. *Saisons :* sèche nov. à avril, pluies mai à oct.

Nota. – Le V. revendique 161 000 km² de Guyana (ex-G.brit.), pris fin du XIXe s. par G.-B.

Population (millions). *1800 :* 0,78 ; *50 :* 1,37 ; *1920 :* 2,41 ; *50 :* 5,03 ; *71 :* 10,72 ; *85 :* 18,55 ; *92 :* 20. En % (85) : Métis 69, Blancs 20, Noirs 9, Indiens 2 ; 2 000 (prév.) : 27,20. **Âge (90)** *- de 15 a.* 37 %, *+ de 65 a.* 4 %. D 21,9. **Immigration** Colombiens + d'1 000 000, Espagnols 300/350 000, Italiens 250 000, Portugais 220 000. **Population urbaine** (85) 84 %. **Villes** (90) : *Caracas* 4 000 000 (92), Maracaïbo 1 400 643 (706 km), Valencia 1 374 354 (158 km), Maracay 956 656 (109 km), Barquisimeto 787 359 (453 km), Ciudad Guayana 542 707, Barcelona/Puerto La Cruz 455 309, San Cristobal 364 726 (816 km), Municipio Vargas 347 488, Ciudad Bolivar 285 978 (599 km), Maturin 276 747.

Langues. Espagnol (anglais : l. des affaires ; français : dans les classes cultivées). **Religions.** Catholiques 94,8 %, protestants 1 %, juifs 1 %.

Histoire. Peuplé de Caraïbes et d'Arawaks. **1498** découvert par C. Colomb à son 3e voyage. **1499** Alonso de Ojeda avec Vespucci explorent région de Maracaïbo. **1528** Charles Quint confie la colonisation à des banquiers augsbourgeois, les Welser. **1529-47** gouv. allemand **1546** expédition esp., depuis la N.-Grenade (Colombie) ; fin du régime de monopole all. **1560** rattaché au Pérou. **1567**-*25-7* Diego de Losada fonde la ville de Santiago de León de Caracas. **1731** création d'une capitainerie générale du Venezuela. **1777** rattachement à la capitainerie générale du V. des prov. de Cumaná, Maracaïbo, Guayana, et des îles de Trinidad et Margarita, détachées de la vice-royauté de Bogotá. **1810**-*19-4* autorités coloniales esp. déposées par les notables de Caracas. **1811**-*5-7* indép. **1812** Francisco Miranda (1752-1816) vaincu par les Esp. qui rétablissent leur pouvoir. **1819** *déc.* uni à N.-Grenade (Colombie) et Équateur, le V. s'en sépare en *1830.* **1821**-*24-6 bataille des Carabobo :* Esp. battus par Simon Bolivar (24-7-1783, d'origine basque/17-12-1830 meurt en exil, disant « J'ai labouré la mer ! ») ; indépendance. **1861-70** g. civiles. **1908-35** dictature de **Gomez. 1935-58** dictatures milit. **1945**-*20-10* **Rómulo Bétancourt** (1908-81). **1948**-*15-2* **Rómulo Gallegos** (1884-1969). **1952 Perez Jimenez** (1914), dictateur. **1958**-*23-1* rég. démocratique présidentiel. **1959**-*13-2* **Rómulo Bétancourt. 1964**-*11-3* **Raul Leoni** (1905/5-7-72). *-21-9* De Gaulle au V. **1969**-*11-3* **Rafael Caldera** (24-1-16), (social-chrétien). **1974**-*12-3* **Carlos Andrés Pérez** (17-10-22). (Action dém.) élu. **1975**-*1-1* nationalisation mines de fer. *-29-8* de l'ind. pétrolière. **1978**-*3-12* élections législ. et présid. (victoire du Copei). **1979**-*12-3* **Luis Herrera Campins** (4-5-25). **1980**-*24-12* expulsion 300 000 illégaux (90 % Colombiens). **1983**-*18-2* contrôle des changes. *-23-2* bolivar dévalué de 74 %. **1984**-*2-2* **Jaime Lusinchi** (27-5-24, soc.-dém.). **1987**-*1-12* fermeture universités après affrontements. **1989**-*4-12* **Carlos Andrés Pérez,** (dit CAP, « El Gaucho ») (n. 17-10-22), Action dém., élu 4-12-88 par 54,5 % des v. devant 22 candidats dont Eduardo Fernandez, Copei (le « Tigre ») 41,7 %, candidat soc. 2,7 % comm. 0,8 %. *-18-2* plan d'austérité : suppression du taux de change préférentiel (1 $ = 40 bolivars), liberté des prix et des taux d'intérêt (prix de l'essence, le + bas du monde, augmenté de 150 %), salaires + 30 %. *-27-2* émeutes suite au doublement des tarifs des transports : pillage de Caracas, répression [bilan off. : 246 † (500 à 1 200 selon certains)]. *-9/10-10* Pt Mitterrand au V. (pris d'un léger malaise). *-3-12* élections de 269 maires (700 candidats) et 20 gouverneurs (70 candidats) (avant, gouverneurs désignés par l'État, pas de maires) ; 70 % d'abstentions. **1990**-*20-2* pillages. *-20-3* accord sur réduction de la dette avec 400 banques. **1991**-*20-11* émeutes étudiantes à Caracas (3 †). **1992**-*3-2* tentative de putsch 19 † *-4-2* 1 089 mil. arrêtés. *-6-2* Noe Agosta, Pt de LCR arrêté. Pillages à Maracaïbo. *-Juin* accorde à des stés pétrolières étr. droits d'exploitation. *-17-9* Maracay, affront. manif./armée 1 †. *-23-9* attentat contre leader syndical. *-27-11* putsch : échec, 250 †, conseil de guerre pour 1 200 mil. *-6-12* élections de 232 maires et 2 118 conseillers, et 22 gouverneurs : recul AD. **1993**-*mars* Caracas, manif. étudiantes. *-14-5-* état d'urgence. *-21-5* Pt Pérez suspendu pour « malversations ». *-4/5-6* Ramon Velasquez (75 a.) élu Pt intérimaire par le congrès (205 voix sur 236 présents).

Statut. République féd. **Régions** 9. **États** 21. **District fédéral** 1. **Iles** 72 (dépendances féd.). **Const.** du 23-1-61. *Pt* élu au suffr. univ. pour 5 a. *Sénat* (49 m.) et *Chambre des députés* (201 m.) élus au suffr. univ. pour 5 a. Vote obligatoire. **Fête nat.** 5 juil. (indép. 1811). **Drapeau.** Bandes jaune (avec armoiries), bleue (avec 7 étoiles : provinces), et rouge.

Élections législatives. 4-12-1988 : AD 52,91 % (97 députés, 23 sénateurs). Copei 40,42 % (67 dép., 22 sén.). MAS-MIR 2,73 % (18 dép., 3 sén.). NGD (6 dép., 1 sén.). LCR (3 dép.). Autres (10 dép.).

Partis. *Action dém.* (AD) f. 1941 par R. Betancourt († 9-81, socialiste et nationaliste), 1 450 000 m., Dr. Gonzalo Barrios. *Com. d'org. pol. des élect. indép.* (Copei) f. 1946, dém.-chrétien, + de 800 000 m, Rafael Caldera Rodriguez, Luis Herrera Campins. *Mouv. vers le socialisme* (MAS) f. 1971, dém.-soc., Pompeyo Marquez. *Mouv. élect. du peuple* (MEP) f. 1967, 100 000 m, Luis Beltran Prieto Figueroa. *P. communiste du V.* (PCV) f. 1931 (1 % des suffr. en 1973, 4 000 m, Alonso O. Olaechea). *Union républ. démocr.* (URD) f. 1946 (Ismenia Villalba). *Mouv. d'intégration nat.* (MIN) f. 1977, Gonzalo Pérez Hernàndez. *Droite Emergente du V.* (DEV), f, 1989 ; Vladimir Gessen, Rhona Ottolina, Godofredo Marin. *La Causa Radical* (LCR) ; Andres Velasquez, Aristobulo Isturiz et Pablo Medina.

■ Économie

PNB (90). 2 450 $ par h. **Croissance** (%) *1987 :* + 3,2 ; *88 : - 1,8 ; 89 : - 8,6 ; 90 :* + 4,5 ; *91 :* + 10,4 ; *92 :* + 8,5. **Pop. active** (%, entre parenthèses part du PNB en %) agr. 11 (5,4), ind. 22 (19,7), services 50 (48), mines 7 (24). *Chômage* (%) *1985 :* 14 ; *88 :* 6,9 ; *90 :* 10 ; *91 :* 9,6 ; *92 :*7,5. **Inflation** (%) *1981 :* 16 ; *82 :* 9,8 ; *83 :* 6,4 ; *84 :* 18,32 ; *85 :* 11 ; *87 :* 36 ; *88 :* 35 ; *89 :* 81 ; *90 :* 36,5 ; *91 :* 30,7 ; *92 :* 7,5. **Dette ext.** (Md de $) *1991 :* 36 ; *92 :* 26 à 31. Seul pays d'Amérique latine à avoir remboursé sa dette (capital + intérêts) jusqu'en déc. 1988. **Aide extérieure** (89, en Md de $) FMI 4,6, Banque mondiale 0,75, Banque Centr. du V. 0,5. **Monnaie** (Bolivar) 1989 : 4,5 $; 91 : 65 $; 93 (mars) : 84,5 $. **Salaires** 75 % de la pop. vit avec – de 100 $ par mois.

Agriculture. *Terres* (%) forêts 39, pâturages 19,6, cult. 7,6. 2,2 % des familles rurales possèdent 89 % des terres cult., 61,5 %, 11 % des t. ; 11 % n'ont pas de t. *Production* (milliers de t, 90) canne à sucre 7 000, bananes 1 130, riz 400, maïs 1 150, manioc 350, oranges 427, p. de terre 226, tomates 195, noix de coco 173, café 70, cacao 16, sésame 38, tabac 16, épices, coton 53. **Élevage** (milliers, 90). Bovins 13 819, porcs 2 326, chèvres 1 530, moutons 525, volailles 52 000. **Pêche** (89). 327 100 t. Perles.

Énergie. Pétrole (millions de t) *réserves* 8 088 dans la ceinture de l'Orénoque, *prod. 1981 :* 115 ; *85 :* 89 ; *86 :* 97 ; *87 :* 98,2 ; *88 :* 94,4 ; *89 :* 96,7 ; *90 :* 113,8 ; *91 :* 122,4. *Revenus* (milliards de $) : *84 :* 19 (90 % des recettes d'expl.) ; *88 :* 8 ; *92 :* 11. **Gaz** (milliards de m³) *réserves* 2 690 *prod.* (91) 24. **Électricité.** Barrage de Guri (+ grand du monde). **Mines.** *Fer* 11,5 millions de t. (89), *or, diamants, cuivre, nickel, bismuth, vanadium, bauxite, manganèse, phosphates. Bitume,* réserves 300 milliards de t (région d'Orénoque). **Industries.** Raffinerie, chimie, engrais, prod. alim., ciment, métall., aluminium, cuir, mécanique. **Transports** (km). *Routes* 100 571 (86) dont 33 289 revêtus ; *chemins de fer* 400 (projet 2 000 km pour 2000). **Tourisme** (90). 551 900 vis.

Commerce (Md de $ US). **Exp. :** 19,7 (91) dont prod. manuf., fer, café, cacao, aluminium, or, diamants, prod. mét. *vers* (%) USA 22,1, Japon 20,6, Colombie 8. **Imp.** *91 :* 10,7, *de* (%, 90) USA, 45,4, All. féd. 9,9, Italie 4,8.

Rang dans le monde (91). 6ᵉ réserves de pétrole. 7ᵉ pétrole. 10ᵉ fer. rés. de gaz. 11ᵉ gaz nat. 12ᵉ or. 16ᵉ bovins, bauxite. 18ᵉ café.

■ Iles Vierges britanniques

Carte v. page de garde.
V. légende p. 884.

Situation. Iles des Petites Antilles. À 96 km à l'E. de Puerto Rico. 40 îles dont 11 habitées. 153 km². Toutes volcaniques et élevées, sauf Anegada qui est plate et corallienne. **Climat.** Subtropical, peu de pluies, fortes chaleurs, atténuées par les alizés. *Temp. moy. :*22-28 °C (hiv.), 26-31 °C (été). **Population** (91). 16 749 h. (majorité noire) dont Tortola (56,39 km²) 13 568, Virgin Gorda (21,37 km²) 2 495, Anegada (38,85 km²) 156, Jost Van Dykes (2 îles, 9,07 km²) 141, autres îles 130. D 109,4. *Capitale : Road Town* sur Tortola 3 976 h. (80). **Langue.** Anglais. **Religions.** Méthodistes, anglicans, catholiques, divers.

Histoire. 1493 découverte par C. Colomb. **1648** établissement hollandais. **1666** ét. anglais. **1774** constitution. **1816** colonie rattachée à St-Christophe, Nevis et Anguilla. **1834** abolition de l'esclavage. **1867** nouvelle association instituée. **1871** partie de la Fédération des îles Leeward. **1950** introduction d'un gouv. représentatif. **1956** quitte la Féd., devient colonie.

Statut. Colonie brit. *Const.* de 1977. *Gouv.* J. Mark Herdman. *Min. principal* H.L. Stoutt. *Conseil législatif* 9 m. élus pour 4 a., 1 d'office et 1 « speaker » élu en dehors du conseil. *Conseil exécutif* gouv., 1 m. d'office (procureur gén.), min. principal et 3 min.

■ Économie

PIB (90). 10 000 $ par h. Élevage. Pêche. **Tourisme** (90) 317 760 vis. **Commerce** (millions de $) **Exp.** *US* (90) 2,7 *dont* poisson, gravier, sable, fruits et légumes *vers* îles Vierges US. **Imp.** (89) 131 *de* USA et G.-B., pétrole *de* Trinité.

■ Viêt-nam

V. légende p. 884.

■ **Définitions. Indochine,** ensemble colonial français comprenant Viêt-nam, Cambodge, Laos, n'existe plus depuis 1954. **Viêt-bac** ou « Grand Nord », région mitoyenne de la Chine qui servit de base au Viêt-minh. **Viêt-cong** mouvement nationaliste et paracommuniste du Sud. **Viêt-minh** abréviation de Viêt-nam Dôc Lâp Dông Minh Hôi (Ligue ou Front pour l'indépendance du Viêt-nam). **Viêt-nam** ou « Sud au-delà », du S. de la Chine aux bouches du Mékong [de 1954 à 75 : 2 Viêt-nam (N. et S.) de chaque côté du 17ᵉ parallèle]. **Annam** ou « Sud Pacifié », nom donné par les Chinois au Viêt-nam, repris par les Français pour le centre du Viêt-nam (Nord : Tonkin ; Centre : Annam ; Sud : Cochinchine).

■ **Situation.** Asie du S.-E. 329 566 km², 3/4 de montagnes et de plateaux, plusieurs milliers d'îles. **Frontières :** avec Laos 1 650 km, Chine 1 150, Cambodge 930. **Côtes :** 3 260 km. **Long. :** 1 650 km. **Larg. :** 600 km (min. 50 km). **Archipels :** *Paracels* (occupés par les Chinois dep. 1974), *Spratley* 227 000 km² (225 000 submergés) (pétrole).

Nord (ancien V. du N.) : 158 750 km². *Alt. max. :* pic Fan Si Pan (Hoang Liên Son) 3 143 m. 23 000 km² de plaines dominées par des montagnes. *Climat :* tropical (mousson), avec saison fraîche (mousson du N.-E. : déc.-mars ; 16-17 °C) ; *temp. moy. :* à Hanoi 23,5 °C (janv. 16,3 °C, juill. 29,9 °C) ; *taux d'humidité* (en %) : 84 à Hanoi. **Sud** (ancien V. du Sud) : 170 906 km². *Alt. max. :* plateau du Lang Biang 2 267 m. *Plaines côtières du Centre V.-N.* (Trung Bô) : dominées par la cordillère Truong Son (4 m de pluies dans arrière-pays de Nha Trang), forêt tropicale sur le versant maritime, forêts et savanes sur le versant intérieur. *Hts plateaux du Centre. Plaine du S. V.-N.* (Nam Bô) : plaines et delta du Mékong, rizières, hévéas. *Climat :* de mousson : sec nov.-avril, humide mai-oct. ; *temp. :* 28 à 36 °C ; *pluies :* 1 678 mm/an à Hanoi.

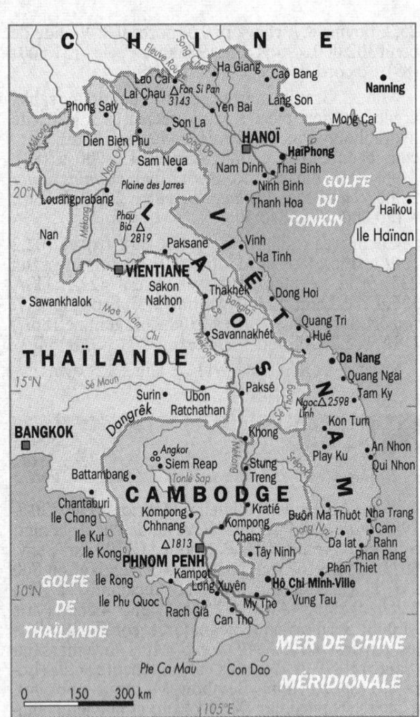

Cours d'eau (en km) : fleuves 41 000, canaux 3 100. *Fleuve rouge* 510 au V. (par an, débit 122,1 milliards de m³, apporte 80 millions de m³ d'alluvions, le delta gagne chaque année 100 m sur la mer) ; affluents : Da 543, Lô 277, Gâm 210, Chay 306, le Day (bras) 241. *Thai Binh,* formé de : Câu 290, Thuong 156, Luc Nam 178. *Ky Cung* 230. *Ma* 426. *Ca* 379. *Gianh* 155. *Bên Hai* 66. *Thu Bôn* 102. *Da Rang ou Ba* (290). *Dong Nai* 500. *Mékong* 4 220 dont 220 au V, source au Tibet ; delta en 9 branches (Cuu Long : 9 dragons), avançant tous les ans de 60 à 100 m dans la mer. Les deltas forment des plaines fertiles.

Principales plaines (superficie, milliers d'ha) : Hâu Giang 3 354, Tiên Giang 2 241, delta du fleuve Rouge et du Thai Binh 1 500, Thanh-hoa et Nghê Tinh 680 ha, Trung Bô méridional 610, plaine des Joncs 585, Binh Tri Thiên 200.

■ **Population** (en millions). *1901 :* 13 ; *13 :* 17 ; *21 :* 15,6 ; *31 :* 17,7 ; *36 :* 19 ; *39 :* 24 ; *43 :* 22,6 dont Bàc Bô (Tonkin) 9,8, Trung Bô (Annam) 7,2, Nam Bô (Cochinchine) 5,6 ; *55 :* 27,2 (Nord 13,6, Sud 13,6) ; *60 :* 31,6 ; *74 :* 46,2 ; *76 :* 49,9 ; *79 :* 52,7 (Nord 27,4, Sud 25,3) ; *83 :* 57,1 ; *88* (est.) : 63 ; *92 :* 71 ; *prév. 2000 :* 90 ; *2020 :* 121. **Natalité :** 3,4 ‰, **mortalité :** 10,2 ‰ (infant. 81). **Croissance démogr (%)** *1982 :* 2,5, *89 :* 2,13, *91 :* 3. Limitation des naissances (oct. 1988) : la mère doit être âgée de 22 ans au 1ᵉʳ enfant et le père de 24, 3 ans doivent séparer le 1ᵉʳ du 2ᵉ (taux de natalité doit passer de 2,5 % à 1,7 en 1990 et 1,1 en l'an 2000). **Age** *– de 19 a. :* 53,1 %. *+ de 65 a. :* 4 %. **Espérance de vie** 66 ans. **Ethnies** 54 dont Viêt 85 % (plaines et ag. urbaines). **Minorités** (dans hautes et moyennes régions, en 76) : Tay 742 000, Khmer 651 000, Thaï 631 000, Muong 618 000, Nung 472 000, H'mong 349 000, Dao 294 000, Gia Rai 163 000, E-dê 142 000, Ba Na 78 000, Cham 65 000, Co Ho 63 000, Rê 57 000, San Diu 53 000, Sodang 53 000. D 195,4 (1 000 dans les deltas). **Villes** (4-89) : *Hanoi* 2 937 800 h. (2 139 km²), 4 arrondissements, 11 districts ; 286 communes rurales ; *Hô Chi Minh-Ville* (*Saigon*) 3 667 600, dont Cholon (quartier chinois) 500 000 (à 1 738 km, 2 029 km²), 21 districts ; *Haiphong* 1 420 900 (1 503 km²), villes administrées directement par le gouv. ; *Da Nang* 370 670 ; *Huê* 270 000, *Nha Trang* 213 687, *Nam Dinh* 165 649, *Qui Nhon* 160 091.

Nota. – **Prostituées** *en 1992 :* 600 000. **Opiomanes** 300 000.

Réfugiés indochinois : env. 3 000 000 dep. 1975, soit 5 % de la pop. (V.-Nord 2 %, Laos 10, Cambodge 25 à 30). Beaucoup (450 000 ?) se sont noyés ou ont été massacrés par des pirates aux frontières. 1 102 793 ont été recensés par le HCR et accueillis entre 1975 et fin fév. 83 dans les pays de 1ᵉʳ accueil (dont Thaïlande 631 475, Malaisie 200 692, Hong Kong 105 563, Indonésie 90 356, Philippines 32 478, Singapour 25 577, Japon 7 555, Macao 7 097) + 276 000 d'origine chinoise, accueillis en Chine.

Nombre total d'émigrés vietnamiens (1989) : 1 500 000 dont USA 750 000, Fr. 150 000. *De 1977 à 1989 :* 1 060 285 V. sont arrivés par voie de mer dans les camps HCR de la région (*1987 :* 39 382,

88 : 61 043, *89* : 110 360). *Départs légaux : 1988* : 21 268, *89* : 30 000, *91* : 120 000. **1992** : 110 000 émigrés encore dans les camps d'Asie du SE [dont Hong-Kong 64 000 ; en 1991 début du rapatriement forcé des boat people (322 en nov.)].

■ Langues. Vietnamien, l. de la majorité viêt (ou kinh) *(off.)*, chinois, anglais, russe, français, l. des minorités ethniques. **Alphabétisation** 82,5 %. Religions. *Bouddhistes. Caodaïstes* (10 %). *Catholiques* (8 à 9 % de la pop.). *Culte des ancêtres. Protestants* (3/400 000). *En 1954*, 670 000 cath. avaient fui le N.-Viêtnam pour le S. *1990*, égl. édifiée à Hô Chi Minh-Ville (1re dep. 1975), création d'un séminaire à Cân Tho (3 en fonctionnement au V.). *Dep. 1976* : env. 20 ordinations au S. et 15 au N. *En 1989*, 230 prêtres et 3 000 bonzes détenus.

■ Provinces **(Du N. au S.)** (pop. 1989) : *Lai Châu* 17 142 km² (montagneux 90 %). 438 000 h. (Thaï 63,2 %. Viêt, Meo, Dao...), bois, oranges, pavot ; *Son La* 14 210 km² (forêts et montagnes), 682 000 h. (Thaï 61,4 %, Viêt 17,2 %, Meo 10 %), gomme laque ; *Hoang Liên Son* 11 852 km², 1 032 000 h. (Viêt 39 %), bois, plantes médicinales, apatite ; *Ha Tuyên* 13 632 km², 1 026 000 h., thé, bois ; *Cao Bang* 8 445 km² (montagneux 35 %), 566 000 h. (Nung, Thaï, Viêt, Dao, Meo), bananes, anis, tabac, bauxite ; *Lang Son* 8 180 km², 611 000 h. (Thal, Nung Han) ; *Bac Thaï* 6 503 km² (71,9 % montagneux), 1 033 000 h. (Viêt 64 %, Thaï, Nung, Dao, San diu, San chi), thé, fer, acier ; *Ha Son Binh* 5 792 km² (59 % de forêts), 1 840 000 h., bois, soie ; *Vin Phu* 4 569 km², 1 806 000 h ; *Ha Bac* 4 616 km² (41,8 % de forêts), 2 061 000 h. (Viêt en maj.), thé, ananas, pamplemousses, laque ; *Hai Hung* 2 555 km², 2 440 000 h., phosphates, marbre, fer, quartz, plaines fertiles (riz) ; *Quang Ninh* 5 938 km², 814 000 h., houille, pêche, forêts ; *Thaï Binh* 1 533 km², 1 632 000 h., riz ; *Ha Nam Ninh* 3 796 km², 3 157 000 h., textile, alim. ; *Thanh Hoa* 11 138 km², 2 991 000 h. (Viêt 85,9 %), chrome, artisanat, cannelle ; *Nghe Tinh* 22 491 km², 3 582 000 h. (Viêt 92,6 %), bois, poisson ; *Binh Tri Thien* 17 560 km², 1 995 000 h., poisson ; *Quang Nam-Da Nang* 11 981 km², 1 739 000 h., or, plomb, cuivre, zinc ; *Nghia Binh* 11 896 km², 2 288 000 h., noix de coco, cannelle, sel ; *Phu Khanh* 9 804 km², 1 463 000 h., riz, sucre de canne, corail ; *Gia Lai-Kontum* 25 596 km², 873 000 h., bois ; *Dac Lac* 19 800 km², 974 000 h., café, caoutchouc ; *Lam Dong* 10 173 km², 693 000 h., fruits, légumes, thé ; *Thuân Hai* 11 374 km², 1 170 000 h., forêts, élevage, pêche ; *Dông Nai* 7 585 km², 2 007 000 h., tabac, café, caoutchouc ; *Sông Bé* 9 546 km², 939 000 h., caoutchouc ; *Tây Ninh* 4 027 km², 791 000 h., caoutchouc ; *Long An* 4 338 km², 1 121 000 h., agriculture et pêche ; *Bên Tre* 2 246 km², 1 214 000 h., riz, cocotiers ; *Tiên Giang* 2 339 km², 1 484 000 h., riz (1re des prov. du V.), pêche, fruits ; *Hâu Giang* 6 161 km², 2 682 000 h., agriculture et élevage ; *Cuu Long* 3 857 km², 1 812 000 h., riz (90 % de la prov.), élevage ; *Dong Thap* 3 276 km², 1 337 000 h., agriculture et pêche ; *Kiên Giang* 6 213 km², 1 198 000 h., riz, fruits, pêche ; *An Giang* 3 423 km², 1 793 000 h., agriculture et élevage (bovins), pêche ; *Minh Hai* 7 775 km², 1 562 000 h., forêts (dont mangrove), riz, pêche.

■ **Hauts-commissaires en Indochine. 1945**-*16-8* amiral Georges Thierry d'Argenlieu (1889-1964). **47**-*5-3* Émile Bollaert (1890-1978). **48**-*20-10* Léon Pignon (1908-76). **50**-*9-12* Gal Jean de Lattre de Tassigny (1889-1952). **52**-*1-4* Jean Letourneau (1907-86). **53**-*3-7* Maurice Dejean (1899-1982). **54**-*3-6* Gal Paul Ély (1897-1975).

■ **Commandants en chef. 1945**-*18-8* Gal Leclerc (Philippe de Hauteclocque) (1902-47). **46**-*14-7* Gal Jean Valluy (1889-1970). **48**-*7-5* Gal Blaizot (n.c.). **49**-*6-8* Gal Marcel Carpentier (1895-1977). **50**-*6-12* Gal Jean de Lattre de Tassigny (1889-1952). **52**-*6-1* Gal Raoul Salan (1899-1984). **53**-*8-5* Gal Henri Navarre (1898-1983). **54**-*3-6* Gal Paul Ély (1897-1975).

■ **Bao Dai.** Né 22-10-1913, f. de l'emp. d'Annam Khaï Dinh. **1925** (12 ans) emp., appelé Vinh Thuy prend le nom de Bao Dai (grandeur retrouvée). **1927-32** lycée Condorcet puis Sciences po. à Paris. **1932-35** règne à Hué. **1945**-*11-3* se rallie aux Jap. ; *25-8* abdique en faveur du Viêt-minh et devient conseiller suprême du gouv. Hô Chi Minh ; se réfugie à Hong Kong avec l'accord de Hô Chi Minh. **1948**-*5-6* rétabli sur le trône par les Fr. Vivra souvent à Cannes (enrichi, dit-on, par trafic des piastres). **1955**-*25-10* déposé.

■ **Hô Chi Minh.** Nguyên That Thanh, dit Nguyên Ai Quoc [1890/2-9-1969 et non 3-9 comme on l'affirmait jusqu'en 1989 pour que la date de son décès ne coïncide pas avec la fête nationale), prit en 1941 le pseudonyme *Hô Chi Minh*, « celui qui donne la lumière ; qui est clairvoyant »]. Fils de magistrat révoqué par l'administration coloniale fr. **1911-17** photographe en Fr., membre du P. socialiste. **1920** au congrès de Tours, passe au PC. **1923-25** travaille au Komintern de Moscou. **1925-27** mission secrète en Chine. **1927-30** au Siam. **1930-31** emprisonné par Angl. à Hong Kong. **1931-40** missions secrètes du Komintern, notamment en Chine. **1941** *sept.* fonde Viêt-minh au V.-Nam. dans le Viêt-bac. **1942-45** lutte contre Jap. (voir suite ci-contre). D'après son testament, il voulait que ses cendres soient mises dans 3 vases en céramique enterrés dans le centre et le S. du V. sur 3 collines plantées d'arbres, refusait toute stèle ou statue et souhaitait que les paysans soient exonérés pendant un an de tout impôt avant la fin de la guerre contre le Sud-V. ; mais son corps a été embaumé (mal) et repose dans un cercueil de verre (mausolée place Ba-Dinh à Hanoi).

■ Histoire

Peuplement très ancien (500 000 a.). Un *Homo sapiens vietnamensis* a vécu au paléolithique à Yen Bai et à Ninh Binh. **Âge du bronze,** civilisation de Dông Son (Tonkin) qui rayonne dans S.-E. asiatique et Pacifique. **2000-258 av. J.-C.** royaume de Van Lang (15 tribus austro-asiatiques mettent en valeur delta du fleuve Rouge). **258-214 av. J.-C.** roy. d'Au Lac (aristocratie militaire). **IIIe s. av. J.-C.** fin des roy. austro-as. : au N., occupation chinoise et constitution de l'ethnie viet. ; au S., roy. indien, le *Champa,* qui résistera au Nord-V.-N. jusqu'au XVIIIe s. **939** victoire de Bach Dang, quasi-indépendance des rois viet. (investiture par emp. chinois et paiement d'un tribut symbolique). *Domination chinoise :* IIIe s. av. J.-C.-Xe s. apr. J.-C. *Invasions chin. :* XIe s. (Song), XIIIe s. (Mongols), XVe s. (Ming), XVIIIe s. (Tsing). La résistance consolide le Viêt. **Dynasties** Dinh **968-90,** Lê antérieurs **980-1009,** Ly **1009-1225,** Trân **1225-1413,** occupation chin. Dynastie des Lê postérieurs **1427-1527** et **1533-1789. Du Ier-XVIIIe s.** insurrections **40** des 2 sœurs Trung, **544** de Ly Nam Dê, **939** de Ngô Quyên, **1075** de Ly Thuong Kiêt, **1257-88** de Trân, de Hung Dao, **1418-27** de Lê Loi et Nguyên Trai, **1789** de Quang Trung qui a pu réunifier le pays divisé par une longue g. de sécession. **1802-20** Nguyên Anh (Gia Long) fonde dynastie des *Nguyên.* **1820-41** *Minh Mang* († 21-1-1841) persécute chrétiens (favorables à pénétration française) qui se soulèvent (Cochinchine 1833-36), impose protectorat au Cambodge (1834). **1841-47** *Thieu* Tri.

1848-83 *Tu Duc,* la Fr. intervient pour protéger ses missions et s'assurer des débouchés, attaque Da Nang. **1858-60** campagne de Cochinchine. Rigault de Genouilly. **1858**-*1/2-9* Tourane prise (par 5 canonnières de 1re classe). **1859**-10/17-2 Saigon prise. **1859** attaque Hanoi. **1861**-*17-2/13-8* My-Tho prise. *Avril à déc.* Cochinchine pacifiée. **1862**-5-6 Tu Duc, roi d'Annam, cède à la Fr. les 3 provinces or. du Nam-Ky (Basse-Cochinch.). **1873** et **1883** finit par imposer un protectorat. **1884** (au Tonkin ont été tués Francis Garnier 21-12-1873 par les Pavillons noirs, et Henri Rivière 19-5-1883). *-11-5 1er tr. de Tien-Tsin* que reconnaît la Chine, mais les combats reprennent. **1885**-*28-3* Fr. battus à Langson, puis la Chine renonce (9-6, 2e *tr. de Tien-Tsin).* **1886** Paul Bert (1833-86), gouverneur Annam et Tonkin, fait du Tonkin une vice-royauté. **1887** *création de l'Union indochinoise.* **1908** révolte du De Tham († 1913) au Tonkin. **1914-18** 43 430 mil. et 48 980 trav. Ind. en Fr. **1927** Nguyên Thai Hoc crée parti nationaliste du VN. **1930**-*3-2 conférence de Kowloon :* Hô Chi Minh fonde PC indoch. avec Vô Nguyên Giap et Pham Van Dông. *-9/10-2* soulèvement de 2 Cies de tirailleurs du Tonkin (Yên Bai) déserteurs (9/10-1), qui commettent attentats, 10 † ; jacquerie paysanne en Cochinchine et N.-Annam réprimée 10 000 morts. *-14-2* attentat à Mao Khé, troubles en Cochinchine. **1930** *mai*/**1931** *sept.* émeutes agraires « soviets du Nghe Tinh » provoquées par PCI. **1932** Bao Dai emp. d'Annam. **1935**-*27/31-3* congrès du PC. à Macao.

1940 (25 millions d'hab., 40 000 Fr.). *-26-6* Gal Catroux (qui a demandé appui de G.-B. et USA) destitué. L'amiral Decoux le remplace. *-22/29-9* autorise installation de bases jap. **1941**-*9-5* Siam obtient terr. au Cambodge et Laos. *Juill. protocole Darlan-Kato* la Fr. accorde au Japon utilisation d'aérodromes et stationnement de troupes sur tout le territoire. Le Jap. obtient riz et matières premières, mais s'engage à respecter souveraineté fr. *Sept.* Hô Chi Minh fonde *Viêt-minh.* **1944**-*22-12* création de l'Armée de libération. **1945**-*9-3* Jap. attaquent garnisons fr., occupent toute l'Indoch. (60 000 h.) et proclament indép. du Viêt-nam (11-3) [dont Annam par Baro Dai ; gouv. Trang Trong Kim], la domination fr. s'étant estompée du fait de l'occup. jap., les Amér. cherchent des remplaçants pour obtenir des renseignements sur la situation pol. et milit. de la région (l'Agas, service amér. chargé de secourir les pilotes abattus en Indoch., est en relation avec Viêt-minh). *-27-4* Hô Chi Minh rencontre en Chine le Cdt A. Patti [amér. à la tête de l'OSS (Office of Strategic Services) chargé des opérations dans le N. contre régime colonial fr.]. Repli dans le S. de la Chine des détachements des gén. Alessandri et Sabattier. Contacts entre QG avancé, fr. de Colombo (Ceylan) et groupes épars tenant le maquis. *Juin-juill.* équipe amér. du Cdt Allison K. Thomas, baptisée Deer Team, parachutée en zone v., initie pendant 4 semaines 200 combattants v. au maniement des armes amér. *-15-8* capitulation jap., Indoch. occupée au N. du 16e parallèle par Chine, au S. par Brit. (selon accords de Québec 1943 et Potsdam 1945). Hô Chi Minh convoque Convention nat. ; celle-ci, impressionnée par la photo dédicacée de C. Chennault (Cdt de l'escadrille des Tigres volants), la présence des Amér. et les armes qu'ils ont distribuées, élit un gouv. prov. dont Hô Chi Minh prend la tête. Le bruit court que les USA soutiennent le Viêt-minh (le Deer Team accompagne soldats du Gal Giap jusqu'à Hanoi). *-16-8* l'amiral Thierry d'Argenlieu nommé haut-commissaire pour rétablir souveraineté fr. *-19-8* révolution à Hanoi. *-20-8* Viêt-minh prend Hanoi. *-25-8* Bao Dai (empereur d'Annam) abdique. *-2-9* Rép. démocr. du V. fondée. *-12-9* troupes chin. arrivent au Tonkin. *-12/20-9* détachement anglo-indien et 150 Fr. arrivent à Saigon (2e DB et 9e div. d'inf. col. partis 8-9 de Marseille sur *Béarn*). *-24/25-9* massacres d'Européens cité Heyraud à Saigon. *Oct.* 1res troupes fr. avec *Gal Leclerc* reprennent peu à peu pays (évacuation chin.). **1946**-*6-1* élection de la 1re Ass. nationale de la Rép. dém. du V.-Nam *-26-2* accords franco-chinois (négociateurs fr. : ambassadeur de Fr. à Tchoung King et Gal Salan, commandant des troupes fr. de Chine et du Tonkin). Fr. renonce à ses droits particuliers fondés sur traités inégaux (concessions, terr. à bail, privilèges du chemin de fer du Yunnan) ; Chine reçoit avantages commerciaux à Haiphong et au Tonkin, et nouv. statut pour ses ressortissants en Indochine ; armée chinoise doit évacuer zone d'occup. avant 31-3 (reste jusqu'en juin). Négociations Sainteny-Hô Chi Minh à Hanoi (le 1er accepte mot « indépendance », contre retour de l'armée fr.). *-6-3 accords :* Fr. reconnaît rép. du V.-Nam comme « État libre ayant son gouv, son parlement, son armée et ses finances », et s'engage sur référendum sur réunion des 3 « Ky » (pays) viet. *Hô Chi Minh élu* Pt accepte que le V. soit, avec Cambodge et Laos, 1 des 3 États associés de la Fédér. ind., partie de l'Union fr. ; accepte retour armée fr. (accords du 3-4 : 2 775 soldats dans régions frontalières ; *Opération Bentré :* débarquement Fr. à Haiphong (accrochage avec Chinois 34 †) [accord annexe prévoyait relève par armée viet. sur 5 ans] ; négociations sur relations dipl. du V.-Nam, statut futur de l'Indochine et intérêts écon. et cult. fr. *-18-3* Leclerc entre à Hanoi. *-24-3* Ht-Commissaire Thierry d'Argenlieu (désapprouve accords) reçoit Hô Chi Minh sur navire dans baie d'Along. Réunit à Dalat conf. des territoires. ind. (désaccord sur Cochinchine) ; malgré son avis, V.-Nam obtient négoc. intergouv. en Fr. *-1-6* notables fr. proclament Rép. de Cochinchine (reconnue par d'Argenlieu) ; conférence de Dalat chargée d'organiser Fédér. avec Cambodge, Laos (redevenu protectorat fr. après départ Chinois et exil gouv. nationaliste Pathet Lao) et Sud-Annam. Incidents au S. et au N. Gal Valluy, succ. du Gal Leclerc, prépare plans offensifs. *-6-7/10-9 conf. de Fontainebleau ;* Hô Chi Minh est en visite off. à Paris le 22-6. *-12-7* conf. de presse ; *août* logé à Soisy-en-Montmorency chez les Aubrac ; réembarquera à Toulon le 15-9 ; modus vivendi (signé 13/14-9 après rencontre Thorez, incitant à la paix ; pense que la gauche, majoritaire en nov., sera favorable aux négoc.). Fr. (min. soc. de la Fr. d'outre-mer Marius Martet) refuse de laisser la Cochinchine au V.-Nam, promet seulement un référendum sur cette question, reconnaît unité monétaire et douan. de l'Ind. ; négociations de paix prévues janv. **1947**-*30-10* cessez-le-feu en Cochinchine. *Nov.* élect. PCF 1er parti ; Thorez candidat au poste de PM (51 v. manquent) ; gouv. Blum sans comm.

Guerre d'Indochine

■ Déroulement. **1945** *-23-5* 1ers accrochages Fr./Viêt-minhs du S. **1946** *-20/21-11* contrôle douanier du port ; Gal Valluy ordonne évacuation du Viêt-minh ; Haiphong : barricades viêt., tirs sur les Fr. *-21-11* cessez-le-feu du Gal Morlière, chef des troupes du Tonkin. *-23-11* désapprouvé par Gal Valluy ; les Fr. ripostent : 300 † (200 selon amiral Battet, 6 000 selon commandant Fonde, chef de la délég. fr. à la commission mil. mixte de Hanoi ; en *46* le Viêt-nam dira 3 000 puis en *66* 6 000) ; Fr. contrôlent la ville (documents saisis par Viêt-minh prouveraient intention du Gal Valluy de transformer « riposte » en « coup d'État »). Fortification d'Hanoi (entourée de tranchées gardées par milices, *tu vé*). *-19-12* Hô Chi Minh invite Sainteny ; Gal Morlière ordonne de consigner troupes ; coup de force viêt-minh à Hanoi (43 †) et dans d'autres garnisons : *début de la g. d'Ind.* [*Thèses sur coup de force : fr. (off.) :* perfidie du Viêt-minh ; *autres :* divergence entre partisans de la négociation (Hô Chi Minh) et partisans d'une attaque préventive (Vô Nguyên Giap, min. de la Défense) ; préméditation d'un coup d'État par amiral d'Argenlieu et Gal Valluy (selon P. Devillers), en prenant des initiatives provocatrices, et en désobéissant aux ordres d'apaisement ; juge vraisemblable que l'action des *tu vé* (déclenchée malgré contre-ordre de Giap) ait été celle de provocateurs infiltrés par Sûreté fr.]. Hô et Giap se réfugient dans les montagnes du N. PCF décide de fournir armement au Viet-minh (détourné des usines). **1947** budget mil. fr. (3 millards de F) voté par 411 voix contre 0 (abstentions comm). *Mars* PM Ramadier remplace amiral d'Argenlieu (indiscipliné et pro-de Gaulle) par Émile Bollaert (Leclerc et Juin ayant refusé). *-27-3* « Instructions » de Ramadier et Thorez (vice-Pt du Conseil) à Bollaert. Selon Ramadier et soc., art. 62 de la Constit. sur Union fr. (gouv. fr. maître de la pol. étrangère et de défense des terr. d'outre-mer) rend caduque l'accord du 6-3-1946. *-19-4* V.-minh propose négociations. *Mai* min. de la Guerre, Paul Coste-Floret, demande livraison des légionnaires conseillers du Viet-minh. [en 1949, Coste-Floret reconnaîtra que cette condition humiliante a fait échouer les négociations]. *-12-5* Hô repousse conditions fr. d'armistice. Guérilla continue au Tonkin. *-18-7* Bao Dai réfugié à Hong Kong dénonce dictature du Viêt-minh. *-27-8* Fr. décide de négocier avec Bao Dai. *-10-9* haut-commissaire en Indoch., Bollaert, offre au Viêt-nam, Cambodge et Laos la liberté (mot viet. « doc lap », signifiant aussi indép.) « dans les limites qu'impose l'appartenance de ces territoires à l'Union fr. ». Gal Valluy propose à Ramadier de provoquer guerre civ. en créant gouv. anticomm. *Oct.-déc.* Fr. attaquent réduit viêt-minh du Haut-Tonkin (opérations Léa et Ceinture) [triangle Taih Nguyên-bac Kan-Tuyen Quang ; Viêt-minh refuse combat « à l'européenne »]. *-7-10* défaite fr. à Sông Lô (Viêt-bac). *-6/7-12 entretiens, en baie d'Along,* Bollaert/Bao Dai (celui-ci obtient ralliement du Gal Xuan, chef du gouv. cochinch., qui forme en son nom un « gouv. central provisoire du V.-N. »). Sit. mil. : partage terr. en « peau de léopard » : Viêt-minh dans delta et montagnes, Nord-Annam et Sud-A. côtier (armes des Philippines et de Thaïlande par avions privés amér.), Cochinchine (bases camouflées du Mékong). **1948**-*5-6 accords de la baie d'Along.* La Fr. reconnaît indép. du V., droit à l'unité des trois KY (Tonkin, Annam, Cochinchine) et statut d'État associé. **1949**-*8-3* accords Bao Dai-Auriol : la Fr. reconnaît unité et indép. du V. dans le cadre de l'Union. *Sept.* conférence de Pau fixant modalités de transfert des pouvoirs de la Fr. aux « États associés » d'Indochine (V. unifié, Cambodge, Laos). *Nov.* Chine contrôle frontière du Tonkin. *-30-12* accords fr.-v. accordant au V., État associé, autonomie interne. **1950**-*18-1* Chine reconnaît Hô Chi Minh et l'aide. *-29-1* Ass. nat. ratifie accords conclus avec Viêt-nam, Cambodge et Laos par 401 voix contre 193. *-30-1* URSS reconnaît rép. du V. *-30-6* 1re livraison de matériel de g. amér. à l'armée fr. d'Indoch. *Sept.-oct.* attaque viet. de la RC 4. *Oct.* procès de Henri Martin [*1943* résistant. *1944 mai* FTP, *déc.* entre dans la marine. *1946* sert sur aviso Chevreuil à Haiphong. *1948 janv.* entre au PCF. Intègre groupe de propagande (60 militants dont 12 comm.) à l'arsenal de Toulon. *1949* distribue tracts pacif. *1950-14-3* dénoncé et arrêté (avec la moitié du groupe), accusé d'avoir saboté porte-avions Dixmude, relaxé (provoc. anticomm. ?) condamné à 5 ans (*1951-17-7* confirmé en cassation), interné au bagne de Melun. *1953-12-8* libéré.]. *-3-10* armée fr. évacue *Cao Bang* ; désastre fr., 2 000 †, + de 3 000 prisonniers *-19-10* évacue *Lang Son* (sans détruire stocks). *-6-12 Gal de Lattre de Tassigny haut-commissaire et Cdt sup. des troupes.* *-30-12* convention mil. fr.-v. : armée v. sous autorité Bao Dai. **1951** Mouv. viêt-minh dissous. *-13/17-1* bataille de Vinh-Yen, Gal Giap (n. 1912) perd 6 000 † et 500 prisonniers (l'aviation fr. utilise pour la 1re fois le napalm). *Fév.-mars* offensives viet. à Mao Khe et Ninh Binh. *Juin* de Lattre contrôle situation. *-24-9* obtient des USA aide mil. am. accrue. *-14-10/10-12* contre-offensive de Lattre, échec à Hoà Binh. *-10-11* Fr.-V. prennent Hoà Binh. **1952**-*11-1* de Lattre †. *-24-2* Fr.-V. évacuent Hoà Binh. *-12-4* gén. *Salan* Cdt en chef. *Oct.* offensive v. au Tonkin. Réaction fr. (bases à Na San, Lai Châu renforcées). **1953**-*janv.* off. en Annam. *Avr.* au Laos (défense de Muong Khoua pendant 36 j). *-8-5 Gal Navarre* com. en chef ; Gal Cogny remplace Gal de Linares. *-13-8* Fr. abandonnent camp retranché de Nasan. *-17-10* Bao Dai fait adopter par un Congrès national une motion demandant l'indép. « totale ». *-22-10* « tr. d'amitié et d'association entre Fr. et Laos » (devient indép. au sein de l'Union fr.). *-20-11 opération Castor: Diên Biên Phu* (cuvette de 20 km de long) reprise et occupée par 5 000 para du Cel Gilles, devient camp retranché de 16 000 h (4 500 parachutés) (décision du Gal Cogny). *-7-12* Cel Christian de Castries (11-8-1902/Juill. 91) commandant du camp (nommé général 15-4-54). *-10-12* Fr.-V. évacuent Lai Châu. *-25-12* offensive v.-minh au Laos atteint Mékong. **1954** *janv.* Pce Nguyen Phuoc Buu Loc († 27-2-90) PM. *-13-3* début offensive v.-minh contre Diên Biên Phu (forces fr. : 12 bataillons ; artillerie : 2 groupes de 105, 1 de 155, 3 Cies de mortiers lourds). *-13/14-3* en 7 h de tirs viet. : 1 canon fr. détruit sur 28. *-14/31-3* armement largué par avion : 120 t/j en moy. *-17-3* dernière évacuation sanitaire (Geneviève de Galard, convoyeuse bloquée). *-28-3* dernier avion se pose à Diên Biên Phu. *-31-3* Isabelle, 5 pièces sur 12 en état de tirer. *Fin mars* appui aérien en baisse (cond. météo, DCA viet). *Bilan* (20-11-1953/-6-5-54) 23 000 t larguées (munitions d'artillerie 4 000). *-26-4* ouverture *conférence de Genève* sur Corée et Indoch. *-28-4* « déclaration reconnaissant l'indép. totale du V. et sa souveraineté pleine et entière ». *-1-5* 7 obusiers de 105 mm, 2 de 155 en état de tirer à Diên Biên Phu, 7 de 105 mm à Isabelle. *-7-5 chute de Diên Biên Phu* à 17 h 30. Isabelle, point d'appui à 5 km cessera le combat le 8-5. Cel Piroth (resp. de l'artillerie) met fin à ses j, après chute de Béatrice et de Gabrielle. PERTES : *françaises :* sur 15 000 h. 1 600 †, 1 600 disparus, 1 161 déserteurs, 4 400 blessés et 10 000 prisonniers (dont 3 900 restitués après cessez-le-feu) ; *viêt-minh :* sur 50 000 h. (28 bataillons) (+ 20 000 de maintenance) 10 000 †. CRITIQUES : *site :* isolé, à portée d'aucune zone de combat et sans repli possible ; *camp :* puissance et défense insuffisantes (Gal Navarre n'obtient qu'1/4 de ses demandes), manque de moyens aériens ; *ennemi :* sous-estimation de l'artillerie (notamment DCA) et de sa neutralisation. *-3-6 Gal Ély Ht-commissaire et Cdt en chef.* *-23-6* entretiens Mendès France-Chou En-lai à Berne. *21-7 Accords à Genève :* hostilités cessent ; pays coupé en 2 zones par 17e parallèle (proche du mur de Dông Hoi construit 1631 pour séparer les Nguyên des Trinh) ; dans les 300 j les forces fr. se regrouperont au S. ; les V.-minh au N. Laos et Cambodge sont neutralisés. Indépendance, unité, souveraineté du V.-N. sont reconnues. Él. générales prévues en 1956 pour unifier les 2 zones (mais ces él. n'auront pas lieu) ; la Rép. dém. du V. s'installe au N. du 17e parall. (*PCVN :* Truong Chinh. *Pt :* Hô Chi Minh. *PM :* Pham Van Dông. *Min. de la Défense :* Vô Nguyên Giap) [le 6-6, à Paris, tr. d'indépendance et association signés avec Pce Buu Loc]. *-10-10* troupes v.-m. entrent à Hanoi. **1955**-*13-5*/**1956**-*28-4* troupes fr. évacuent V.-nam N. (Opér. Saumon) ainsi que 887 000 Viet.

■ **Forces en présence. Françaises et vietnamiennes :** CEFEO (Corps expéditionnaire français d'Extrême-Orient) *1946 :* 70 000 (85 000 en déc.) ; *47 (sept.) :* 115 000 ; *48 :* 120 000 (90 000 prévus) ; *50 :* 160 000, *51 :* 190 000 h. (armée de terre 175 000, aviation 10 000, marine 5 000) dont 69 000 Français. 53 000 autochtones, 30 000 Nord-Africains, 18 000 Noirs, 20 000 légionnaires, secondés par 55 000 supplétifs. **1954**-*mai* 470 000 h. dont 225 000 autochtones (150 000 réguliers et 50 000 supplétifs viet., 15 000 Laotiens, 10 000 Cambodgiens). 250 avions, 11 à 20 hélicoptères dont 5 en service en même temps.

Forces viêt-minh (au 1-1-1954) : 375 000 (150 000 réguliers, 150 000 miliciens, 75 000 régionaux).

■ **Dépenses militaires** (en milliards d'AF) *1945 :* 3,2 ; *51 :* 308. **Aide américaine** (en milliards d'AF) *1952 :* 196 (dont 86 en matériel), *53 :* 269 (dont 119 en mat.), *54 :* 475 (dont 200 en mat.), soit en 3 ans 940 (dont 405 en mat.) et 535 en devises. De 1951 à 1954, a représenté 80 % du coût de la guerre.

■ **Pertes militaires. Français** [*tués* et, entre parenthèses, *blessés.* (*Source :* J.O. 12-1-55)] : *autochtones réguliers du corps expéditionnaire* 26 700 (21 200) [des armées des États associés 17 600 (12 100)]. Français métropolitains 20 700 (22 000). Africains et Nord-Afr. 15 300 (13 900). Légionnaires 11 600 (7 200). *Prisonniers du Viêt-minh de 1945 à 54 :* 39 888 (non rendus par le Viet-minh 29 954) dont Français 4 995 (2 350), Légionnaires 5 349 (2 867), Africains, N-Afr. 6 080 (2 290), Autochtones du CEF 14 060 (13 200), des États associés 9 404 (9 247). Une nécropole accueillera à Fréjus (Var) 25 000 cercueils rapatriés. **Viêt-minh :** 9 000 pris. libérés en 1954. 500 000 tués (?). **Pertes civiles** 800 000 à 2 millions.

République du Viêt-nam Sud

1955-*23-10 Bao Dai* déposé par référendum (98 % votent contre lui) ; *Ngô Dinh Diêm* (cathol., n. 1901) Pt de la Rép. [autres frères : aîné tué par commun. en 1945 ; Thuc, prêtre cath., *1938* 1er Vietnamien et évêque (Vinh Long), *1961* archevêque de Hué ; Nhu et Can]. Lance progr. des hameaux strat. **1956**-*28-4* troupes fr. évacuent définitivement le V.-N. Sud (Saigon). *-26-10* le V.-N. Sud se retire de l'Union et adopte Constitution : aide américaine. *Nov.* soulèvement paysan dans le Nghe An réprimé par 325e div. US. **1959**-*8-7* conseillers mil. amér. attaqués à Bien Hoa (2 morts). **1960**-*12-12* création du Front national de libération soutenu par le V.-N. Nord surnommé Viêt-cong (« communistes vietnamiens »), leaders Nguyên Huu Tho (avocat), Huynh Tân Phat († 30-9-89) architecte, Trân Buu Kiêm, Mme Nguyên Thi Binh, etc. **1961**-*19-10* état d'urgence. **1963** bonzes lancent campagne contre Diêm *-8-5* répression d'une manif. bouddhiste (9 †). *Mai-juin* Pt et son entourage cath. (surtout son fr. Nhu et sa b.-sœur) persécutent bouddhistes et opposants. *-11-6* bonze Quang Duc (n. 1897) s'immole par le feu. *Juill.* pression amér. sur Diêm pour élargir bases du régime. *-21-8* attaque gouv. contre pagodes (1 400 arrest.). *Sept.-oct.* préparatifs de complot (Gal Duong Van Minh). *-1-11* coup d'État soutenu par CIA renversant Diêm (tué avec Nhu le 2-11) (ainsi que Chef de la Marine et Cel Le Quang Tung, Cdt des forces spéciales viet.). [Diêm ayant proposé de se rendre avec son frère à l'état-major, est emmené ; à un arrêt, l'aide de camp du Gal Minh les abat. L'état-major avait accepté de participer au coup d'État contre vie sauve de Diêm, mais Gal Minh craignait que Diêm ne se venge de lui.] **1964**-*30-1* Gaux Nguyên Khânh et Trân Thiên Khiêm renversent junte dirigée par le Gal Duong Van Minh. *-26-10* retour du pouvoir civil. *-1-11* Ass. nat. (élue 27-9-63) dissoute. **1965**-*27-1 Gal Nguyên Khânh* reprend pouvoir. *Fév.* tentative de coup d'État du Colonel Pham Ngoc Thao. *-21-2* Gal Trân Van Minh commandant en chef. *-20-6 Directoire mil.* Gal Nguyen Van Thieu (n. 1923) (Pt) et Gal Nguyên Cao Ky (PM). **1970** *mars* réforme agraire (1 003 325 ha distrib. de 3-70 à 3-73). **1971**-*26-9* él. lég. *-3-10* **Gal Thieu** élu Pt.

Guerre du Viêt-nam (4-8-1964 au 27-1-1973)

■ **Déroulement. 1964** *-2/5-8 incident du golfe du Tonkin :* l'armée pop. du N.-V. tire sur 2 destroyers amér. (Maddox et Turner Joy) ayant pénétré dans eaux territoriales du N.-V. : prétexte pour intervention amér. *-4/5-8* début des raids amér. au S. **1965-68** Gal William Child *Westmoreland* (n. 1914) commandant en chef amér. **1965**-*5-2* début des bomb. quotidiens amér. au N. *-8-3* 1er contingent de marines amér., à Da Nang. *-18-6* 1er raid des bomb. B-52. **1966**-*29-6* 1er bomb. de dépôts de carburants, à Hanoi et Haiphong. **1968**-*20-1* au *8-4* siège de Khé-Sanh, vict. US *-31-1 offensive du Têt :* principales villes investies, mais la pop. ne se rallie pas aux révolut. (12 000 à 15 000 civils †, 30 000 † viet-cong) *-16-3* massacre de *My Lai :* 120 GI de la 11e brigade d'infanterie légère tuent 500 paysans (Lt William Calley condamné à détention à perpétuité, gracié au bout de 3 ans par Pt Nixon). *-31-3* arrêt des raids amér. au N. du 20e parallèle. *-11-8* reprise. *-25-11* arrêt. **1969**-*25-1* ouverture de négociations à Paris. *Juin* Constitution du GRP (Gouv. Rév. provisoire) (Pt : Huynh Tan Phat). Mme Nguyên Thi Binh, min. des Aff. étr. *-3-9* mort d'Hô Chi Minh. **1971**-*26/31-11* bomb. massifs au V.-N. Nord. **1972** *avr.* début offensive des forces armées de libération. *-9-5* USA minent port d'Haiphong. *-18/30-12* raids massifs : 40 000 t de bombes sur Hanoi ; 1 318 †, 1 261 blessés n.-viets. *-30-12* fin bomb. amér. au N. du 17e parallèle. **1973**-*15-1* cessation de tout bomb. et minage au V.-N. *-27-1 accords de paix de Paris* par les 4 parties [V.-nam N., FNL (dep. juin 69 GRP), USA, V.-nam S.], les 4 participants à la conférence de Genève de 1954 (Chine, France, G.-B., URSS), les 4 m. de la commission de contrôle [Canada, Hongrie, Indonésie, Pologne] en présence du secr. gén. de l'Onu. Autodétermination de la pop., réunification sont prévues sous le contrôle de commissions milit. mixtes et d'une commission internat. *-28-1* cessez-le-feu prévu, non respecté. *Févr.* violents accrochages. *-28-3* retrait complet des troupes amér. ; derniers prisonniers amér. relâchés.

■ **Forces en présence. Viêt-nam Sud** *au 15-10-72 :* 1 100 000 h (dont 520 000 endivisionnés) ; **USA** *1961 printemps :* 400 conseillers ; *62 :* 9 000 ; *63 (fin) :* 16 000 ; *64 (15-7) :* 125 000, *déc. :* 185 000 ; *66 (déc.) :* 390 000 ; *67 (déc.) :* 510 000 ; *68 (déc.) :* 580 000 ; *69 (début) :* 549 000 ; *70 :* 415 000 ; *71 :* 239 000 ; *72 (févr.) :* 133 700. Au 1-2-1968, les Amér. avaient 2 900 avions, 2 560 hélicoptères, 850 tanks, 2 590 mortiers, 1 375 canons. Ils disposaient de plus du double des forces françaises pour un territoire 6 fois moins étendu, et la supériorité numérique était de 74 % sur l'adversaire (pour les Français, de 31 %). **Corée du S.** 39 000 h. **Australie** 6 500, **Thaïlande** 2 500, **Philippines** 2 000, **N.-Zélande** 400.

Viêt-cong et Viêt-nam Nord : FNL (viêt-cong) 80 000 dont 35 000 combattants (?) ; **Viêt-nam N.** 165 000 combattants (?) [dont en 1967 : 63 000 (?) au Sud V.-N.]. 65 avions (au N.), 20 tanks (?), 3 000 mortiers, 420 canons.

■ Pertes. **Viêt-nam Sud :** *militaires :* 200 000 † et 500 000 blessés (dont, en 1969, 24 000 † et + de 100 000 bl. et disparus) ; *civils* (de 1965 à avril 1973) : 450 000 † et 1 000 000 bl., 12 millions ont été déplacés dans le cadre du programme US d'urbanisation forcée. Selon les USA, de 1968 à fin 1972 : 48 511 incidents « terroristes » auraient fait chez les civils 24 218 † et 53 468 bl. 37 556 personnes (dont 13 752 en 1972) auraient été enlevées.

USA : *militaires* (du 1-1-61 au 27-1-73) : 300 000 blessés et 58 000 † dont Noirs 12 % [*1961-62 :* 42 ; *63 :* 78 ; *64 :* 147 ; *65 :* 1 369 ; *66 :* 5 008 ; *67 :* 9 377 ; *68 :* 14 589 ; *69 :* 19 414 ; *70 :* 4 221 ; *71 :* 1 381 ; *72 :* 300 ; *73 :* 219], morts pour d'autres causes 10 390. *Américains disparus* 2 273 off. (dont 1 112 †) ; *libérés 1973 :* 590, *75 :* 68. *Matériel* (de 1962 à 73) : avions 3 719 (+ 4 869 hélico.) dont DCA 2 140 (2 373), SAM 197 (7), Mig 79 (2), au sol 145 (205), divers 1 158 (2 282).

Viêt-cong et Viêt-nam-Nord : *militaires :* 737 000 tués (selon USA) dont 157 000 en 1969 ; *civils* (de 1965 à 73) : 50 000 † et 100 000 blessés.

Cambodge : *militaires :* 10 000 tués et 20 000 blessés ; *civils :* 150 000 † et 300 000 bl. *Réfugiés :* 8 millions (soit 50 % de la pop.).

Laos : *militaires :* 40 000 † et 80 000 blessés ; *civils :* 50 000 † et 100 000 bl. *Réfugiés :* 1 million (soit 1/3 de la pop.).

■ Coût de la guerre (milliards de $). *Dépenses USA* au V.-N. Sud : 108 (aide écon. non comprise). *Aide de l'URSS* au V.-N. Nord : 1,66, *de la Chine :* 0,67.

■ Dégâts. **Bombes déversées :** de 1965 à 1971, 6 300 000 t [V. du N. 600 000, V. du S. 4 000 000, le reste sur la piste Hô Chi Minh ravitaillant le Viêt-nam (Laos 2 300 000) et le Cambodge], et 7 000 000 t de munitions par bombardements terrestres et navals, presque tous sur le V. du S. qui aurait reçu 1 000 377 t de bombes par an (l'Europe de 1939 à 1945 avait reçu 1 540 000 t). *Napalm* au Viêt-nam (selon le Sipri) 372 000 t entre 1961 et 1972 (14 000 pendant la g. de 1939-45, 32 000 pendant celle de Corée). *Défoliant* (agent « orange ») 40 millions de litres entre 1965 et 1971 (5 % des forêts auraient été détruites et 50 % endommagées). *Au Sud,* destruction des villages [9 000 touchés (sur 15 000)], *au Nord,* destruction des centres industriels et des communications : urbanisation forcée de 10 millions de personnes. 10 000 000 ha cult. et 5 000 000 ha de forêts touchés par bombes ; 1 500 000 buffles et bœufs †.

GUERRE DE RÉUNIFICATION (1974-75)

1974 151 disputes avec Chine qui revendique archipels des *Hoang Sa (Paracels), Truong Sa (Spratley)* [depuis toujours rattachés administrativement au terr. vietnamien]. Combats (2 j). *-6-8* Pt Nixon démissionne, Congrès amér. supprime crédits au V.-N.-S. [aide amér. (millions de $) : *1972-73 :* 1 614 ; *73-74 :* 1 026 ; *74-75 :* 700] ; l'armée s.-v. qui atteignait 710 000 h. (dont 130 000 déserteurs du N. récupérés en 1973) voit sa puissance de frappe réduite de 60 %. *-28-8* offensive FNL près de Hué. Chinois occupent îles Paracels. **1975**-*janv.* Gal Tra (chef des maquisards au S. de 51 à 75) avec l'appui du secrét. gén. du PCV Lê Duan, surmontant les hésitations de l'état-major (qui prévoyait la grande offensive pour 1976), ordonne de prendre la province de Phuoc-long. *-6/8-1* GRP occupe celle-ci. *-9-3* offensive du GRP aidée des forces n.-viet. sur hauts plateaux (Banmethuot, Kontum, Pleiku) qui ouvre la route de Saigon. *-17/22-3* l'armée s.-v. abandonne hauts plateaux (1/5 du V.-S.), exode massif. *-27-3 Hué* prise ; G^{al} Ky forme à Saigon un « Comité pour le Salut national ». *-29-3 chute de Da Nang. -1-4* abandon de Qui Nhon et de Nha Trang ; plus de 50 % du terr. contrôlés par GRP. *-8-4* un pilote s.-viet. bombarde palais présidentiel à Saigon. *-21-4* Pt *Thieu* démissionne. 44 navires US évacuent Amér. et env. 70 000 V.-N. *-27-4* Gal *Minh* investi des pleins pouvoirs. Offre de négociations, GRP refuse. *-29-4* évacuation des derniers Américains. *-30-4 capitulation, Saigon* rebaptisée Hô Chi Minh-Ville ; la Chine cesse son aide mil.

VIÊT-NAM UNIFIÉ

1975-*juin* banque unique (autres banques supprimées). Une partie de la pop. de Saigon regagne les campagnes (on y comptait 200 000 prostituées, 150 000 drogués, 200 000 policiers. 500 000 pers. arrêtées, dont 100 000 policiers). Apparition de maquis. *-15/17-7* les 2 Viêt-nam posent leur candidature à l'Onu *-2-10* veto USA *-9-11* réunification des 2 V. décidée : sera précédée par des él. générales et le vote d'une Const. par la nouvelle Ass. *-13/21-11* confér. nat. sur la réunification. **1976**-*21-1* pouvoir civil remplace milit. *-12/13-2* affrontements à Saigon dans l'église de Vinh Son : 3 †. *-15-2* démantèlement d'un 2e réseau de dissidents (à Biên-Hòa). *-25-4* él. d'une Ass. nat. par le V.-N. et S. *-2-7 fondation de la Rép. socialiste.* Pham Van Dông (18-3-08 ; avant PM du Viêt-nam dep. 10-9-55), PM. Déc. IVe congrès du PCV. Lê Duan secr. gén. Des prochinois sont exclus du Comité central. Troubles à la frontière chin. **1975-77** inflation de 800 %, camps de rééducation. Tentative de mise en culture de terres nouvelles. **1977** incidents frontaliers avec Cambodge. Opposition bouddhiste. *Avr.* PM Pham Van Dông en Fr. **1978** *g. avec Cambodge.* Collectivisation des terres. *-25-3* grandes entreprises privées abolies au V.-S. *Mai* tension avec Chine (milliers de Ch. expulsés). *-27-6* rejoint Comecon. *-3-7* Chine interrompt son aide et rappelle experts. *-25-8* incidents de frontière (10 Ch. tués). *-17-10* Thich Thien Minh (dirigeant bouddhiste arrêté 13-4) meurt en prison. *Oct.* inondations (500 000 ha). *-3-11* tr. de coop. sov.-v. *-15-12* d'après Pékin il y a eu 1 100 incidents de frontière en 78. **1979**-*7-1* le Funsk soutenu par l'armée v. *entre au Cambodge,* prise de Phnom Penh. *-17-2 invasion ch.* (320 000 dont 170 000 au V.-N.) pour contrer invasion Camb. *-22-2* Ch. prennent Lao Cai et Cao Bang *-5/16-3* retrait Ch. *Bilan* Chinois 26 000 †, 37 000 bl., 260 blindés, 66 canons. N.-V. 30 000 †, 32 000 bl., 1 638 prisonniers, 185 blindés, 200 canons, 6 stations de missiles.

1980 150 000 soldats v. au Cambodge (voir p. 941). *-23-7* Soyouz 37, avec cosmonaute viêt., Pham-Tuan. *-18-12* Constit. **1981**-*26-4 législatives. -7-5* incidents de frontière avec Chine (300 †). *-4-7 Truong Chinh* (n. 1907) Pt du Conseil d'État. **1982** *juill.* construction d'un mur de 200 km à frontière camb. pour éviter infiltrations des Khmers rouges. *Fin 82* tentative de soulèvement mil. (?). **1983**-*16/17-4* Chinois bombardent positions v. Redistribution des terres. **1984** *déc.* Tran Van Ba (39 ans, de nationalité fr., non reconnue officiellement à Paris), Le Quoc Quan (43 a.), Ho Thai Bach (58 a.) accusés d'avoir voulu organiser une résistance armée, exécutés. **1986** *nov.* dévaluation de 92 %. *-18-12* 6e Congrès du PC Nguyên Van Linh secr. gén. ; début du Doi moi (renouveau) préconisé par l'économiste Nguyen Xuan Oanh (diplômé de Harvard, ancien vice-PM du Gal Nguyên Cao Ky). Truong Chin (secr. PC), Pham Van Dông (PM) Le Duc Tho (n. 14-10-1911) démissionnent. **1987**-*20-4 législatives. -17-6 Pham Hung* (1912/10-3-88) PM.

1987-*18-6* **Vo Chi Cong** Pt. *-17-8* Le Duc Tho et son frère Gal Mai Chi Tho, min. de l'Intérieur, s'opposent à libération des prisonniers pol. et à solution rapide du problème du Cambodge. *-2-9* 2 474 prisonniers pol. et 4 211 de droit commun libérés. *-7-9* Gal Nguyen Truong Xuan, commandant du port de Haiphong condamné à 20 ans de prison, et 20 de ses subordonnés à 15 ans pour prévarication. *-30-9* Industrial and Commercial Bank créée : 1re banque privée. Capital 7 millions de $ détenu par 829 actionnaires. *-1-12* dong dévalué de 78 %. *-31-12* loi sur investissements étrangers permet possession à 100 % d'une entreprise, rapatriement des bénéfices et nombreuses exemptions d'impôts. **1988**-*1-1* Code des investissements. *-21-1* accord avec USA 30 000 Amérasiens regagnent USA (3 500 étaient déjà rentrés de 79 à 86). *-17-2* 3 820 prisonniers pol. (dont 1 ancien min., 10 généraux, 25 aumôniers milit.) et 2 586 droit-commun libérés. *-10-3* PM Pham Hung meurt. *-11-3* Vo Van Kiet (n. 1922) PM. *-14-3* affrontements avec Chinois aux Spratley, 80 † viet. Famine dans le N. : 8 millions de personnes fuient vers le S. *-5-4 début de décollectivisation des terres. -10-5* 3 vice-PM démis. *26-5* le V. retirera 50 000 soldats vietnamiens du Cambodge d'ici à la fin de l'année. *22-6 Do Muoi* (n. 1917) PM (soutenu par Nguyên Van Linh). *-Juillet* paysans du S. dem. les terres redistrib. en 1983. *-Sept.* URSS propose de ne plus utiliser Cam-Ranh. Les Amér. quittent Philippines. *2-9* 5 083 prisonniers libérés, 9 657 remises de peine. *-8-11* paysans manif. à Saigon (1re fois dep. 1975). *Déc.* 12 000 (sur 50 000) soldats viet. rentrent du Cambodge. **1989** *févr.* presse avertie qu'elle doit rester au service du parti et ne pas remettre en cause le socialisme. *Fin 89* URSS retire avions de Cam-Ranh (10 restent). **1990** 75 000 pers. des entr. d'État licenciées, 500 000 milit. démobilisés en 2 ans. **1991**-*avril* Mme Duong Thu Huong, écrivain, exclue du PC et arrêtée. *-9-8* Vo Van Kiet PM. *-7-11* accords de coop. écon. avec Chine. **1992**-*20-4* nouv. Constit. : écon. libéralisée. *Mai* départ des derniers conseillers mil. ex-sov. (base aéronavale de Cam-Ranh – de 2 000 h). *-19-7 législatives :* 90 % m. du PCV (93 % en 1987). – *24-7* coulée de boue 200 †.

1992-*23-9* **Lê Duc Anh** (n. 1920) Pt. *Déc.* Gal Giap en résidence surveillée. *-14-12* embargo amér. assoupli : S^{tés} US autorisées à signer contrats comm. **1993**-*9/11-2* visite Pt Mitterrand (va à Diên Biên Phu). *Avril* complot d'exilés échoue (500 arrêtés).

■ POLITIQUE

Statut. Rép. socialiste. *Const.* du 20-4-1992. *Pt* (élu pour 4 a. par l'Ass. nat.). *PM* (élu par l'Ass. nat. : Vo Van Kiet. *Ass. nat.* 395 m. élus pour 5 a. au suffr. universel. 3 villes, 36 provinces, 1 région spéciale. Fête nat. 2 septembre. Drapeau. Utilisé par Hô Chi Minh dans sa lutte de lib. ; adopté par communistes 1945. Rouge avec étoile jaune.

Parti communiste du V.-N. *F.* 1976, 1 800 000 (88) dont Hô Chi Minh-Ville 69 000 (sur 4,2 millions d'h.). *Secr. gén. 1960* (10-9) : Lê Duan (1908-86). *86 (juil.)* : Truong Chinh (1907-88), *18-12 :* Nguyên Van Linh (n. 1-7-1915). *91* (26-6) : Do Muoi (n. 1917).

■ ÉCONOMIE

PNB (91) ; 250 $ par h. **Croissance** (%) *1991 :* 6, *92 :* 8,3 ; *93 (févr.) :* 7,5. **Pop. active** (% et entre parenthèses part du PNB en %) agr. 65 (48), mines 2 (2), ind. 13 (25), services 20 (25). Hô Chi Minh-Ville assure 30 % du PNB, 40 % des exp., produit 40 % des biens de cons. ; rev. moyen de 60 % sup. au reste du pays. **Chômage** (%) 20 à 40. Budget. **Déficit** (en milliards de $) *1989 :* 1,1 ; *1990 :* 0,5. **Part de la Défense** (91) : 50 %. **Inflation** (%) *1980 :* 30 ; *81 :* 50 ; *82 :* 80 ; *83 :* 55 ; *84 :* 50 ; *85 :* 160 ; *86 :* 700 ; *87 :* env. 1 000 ; *88 (off.)* 300 ; *89 :* 500 à 700 ; *90 :* 90 ; *91 :* 67,2 ; *92 :* 17,5. **Dette extérieure** (milliards de $, 88) URSS 6, pays occ. 2, FMI 0,1 (arrêt des paiements dep. 81). En 92 : 4,6 à 10 (envers Russie) [dont 1,5 FMI, Japon]. **Aide extérieure** (millions de $) *Chine :* très importante jusqu'en 79 (invasion du Cambodge) ; *URSS :* plan quinquennal *1986-90 :* 11,7 à 13,2 (80 % des camions et de l'acier, 75 % des engrais, 60 % de l'électr., 87 % du charbon, 40 % du ciment, 100 % du pétrole et du coton). *1991 :* aide sov. supprimée. *V. réfugiés à l'étranger* (88) : 0,5 milliard de $. *Onu* (88) : 100 millions de $. *Japon (92) :* 370 millions de $ (arrêtée dep. 1979). *Aide française (milliards de F) 1973-77 :* 1,6 (contre l'achat par le Viêt. de produits franç. pour 1,55 de 73 à 79) ; *81 :* 0,200 (suspendue dep. 82) ; *90 :* 0,045 ; *91 :* dons du Trésor 0,095 (infrastr. et formation), coop. cult. 0,045 ; *92 :* don 0,180 + 0,050 ; *93 :* env. 0,5. **Monnaie :** dong ; 1991 dévalué de 50 % par rapport au $.

☞ **Travailleurs vietnamiens dans pays de l'Est** *(1980-90) :* + de 290 000, dont URSS 70 000 à 125 000 (90 % de la pop. immigrée), All. dém. + de 60 000, Tchéc. 38 000, Pol. 30 000, Bulg. 25 000 à 33 000, Irak 16 000. *91 :* 80 000 rapatriés (60 000 en 90), dont les 2/3 des Viêt. de l'ex-All. dém. [15 000 encore sur place (27 000 en Tchéc., 72 000 dans l'ex-URSS)].

Conditions de vie. *Salaire mensuel moyen (en dongs) :* 15 000 (22,75 F). *Prix (en dongs)* de : 12 œufs : 2 000, pantalon : 25 000, bicyclette : 50 000 (300 000 si étrangère), 1 kg de riz : 900.

☞ Dans les régions du centre, des familles affamées vendent leurs enfants pour 1,5 kg de riz.

Agriculture. *Terres* (milliers d'ha, 85) arables 6 942, cult. 6 016, pâturages 4 870, forêts 26 620 (sup. officielle) [en fait, *1943* 14 millions (42 % de la superficie), *82* 7,8 (33 %), *75 :* 9,5, *91* 6,4 (20 %) ; 1961-74 : 5 % des forêts détruites, 50 % endomm. ; 200 000 ha perdus par an dep. 1975 ; 1992 : exp. de bois interdites ; reboisement (projet) : 200 000 ha par an], eaux 420, divers 11 271. Grands besoins hydrauliques (*1989 :* réseaux couvrent 2,4 millions d'ha et utilisent 400 grands barrages, 2 000 moyens et 4 000 petits). *Production* (millions de t) riz *1987 :* 15, *88 :* 17, *89 :* 18,2, *90 :* 19 [kg par hab. : *1975 :* 350, *85 :* 304, *87 :* 280, dont 1,5 à 2 exp. (en 90) ; rendement : 3,11 t/ha], céréales 17,1, manioc 2,9, canne à sucre 5,8, maïs 0,9, patates douces 2, fruits 3,9, légumes 3,1, arachides 0,3, café 0,01, thé 0,03 t, hévéa (dep. 1880 ; emploie 200 000 pers.) 0,06 t. Élevage (milliers, 90). Bovins 3 199, buffles 2 871, porcs 12 221, poulets 78 000, ovins 24, canards 26 000, chèvres 413, chevaux 143. Pêche (89). 868 000 t.

Nota. – 20 à 25 % des récoltes perdues par transports et stockages insuffisants.

Énergie. **Charbon :** *prod. 90 :* env. 6 000 000 de t, *réserves* plusieurs milliards de t. **Pétrole :** *prod.* (millions de t) *87 :* 0,27 ; *88 :* 0,70 ; *89 :* 1,49 [extrait du champ off-shore de Bach Ho (tigre blanc) (réserves : 42 millions de t) par la Sté mixte soviéto-viet. Viet-sovpetro] ; *90 :* 2,5 ; *91 :* 4 ; *92 :* 6. [nouv. gisement offshore de Dai-Hung (gros ours), à 250 km de Vung-Tàu ; rés. 112 millions de t ; coût 300 millions de $; exploité 1994-95] ; *92 :* 5,4 ; *2000 (est.) :* 10. **Gaz** (en mer). **Électricité :** 6,31 milliards de KWh (91). Projet hydro-élect. de la rivière Ma. Mines. Phosphates (600 000 t en 88), sel, tourbe, fer, chrome, étain, titane, cuivre, plomb, zinc, manganèse, or, mercure, uranium, thorium, bauxite. Industrie. Tourne à 50 % de ses capacités. Textiles 58 600 t.

Nota. – *Secteur public* (92). 20 % du PNB (57 % en Chine), 12 000 entr., 2,6 millions de pers. (7 %

des actifs). *Privé. Entreprises familiales.* 50 % des exp. (1 Md de $), 75 % du CA du commerce de détail, 350 000 ateliers artisanaux, 3 millions de pers., 300 à 350 millions de $ investis par an ; 500 à 600 provenant de la diaspora recyclés hors circuit bancaire (cantines pop., caisses privées de prêts, d'entraide de longévité, classes d'âge, covillageois et parenté). Forte fiscalité (30 à 50 %). *Croissance du secteur* (%). *1989 :* + 34 ; *91 :* + 11 ; *92 :* + 27.

Investissements étrangers (en milliards de $). *1991 :* 2,4 dont (entre parenthèses, projets au 31-10) Taiwan 0,5 (39), Hong Kong 0,3 (80), Australie 0,2 (17), *France 0,2 (26),* G.-B. 0,1 (9), URSS 0,1 (27), P.-Bas 0,1 (3), Canada 0,1 (11), autres pays 0,4 (84). *1992 :* 4,6 (555 projets) dont (au 30-6) Taiwan 0,75, Hong Kong 0,45, *France (déc.) 0,39* [0,48 en 92], P.-Bas 0,25, G.-B. 0,2, ex-URSS 0,1, Australie 0,1, Japon 0,1, Corée du S. 0,1, Canada 0,09. **Par secteurs** (%, 92). Pétrole et gaz 24,2, hôtellerie et services 23,5, agric. forêt pêche, 21,5, ind. 21, transp. 9, autres 0,8.

Transports. *Voies ferrées :* le Transvietnamien Hanoi/Hô Chi Minh-Ville (1 730 km, vitesse moy. 25 km/h). *Routes carrossables :* 347 243 km (83). *V. fluviales :* 10 783 km ; maritimes : 2 700 km.

Tourisme. *1988 :* 30 000 dont 300 Français. *90 :* 250 000. *93 :* 350 000 (en 14 semaines).

Commerce (millions de $ US, 90). *Exp.* 2 189 *dont* (87) charbon 12, hévéa 28, prod. marins 73, thé 16, café 28 *vers* URSS, Singapour, Hong Kong, Japon (pétrole 77 000 t. en 88, 280 000 t. en 89), Corée (charbon). *Imp.* 2 189 dont prod. pétroliers, engrais, riz, acier *de* (87) URSS (75 %), Japon, Australie, Hong Kong, France, Singapour. **Commerce avec France** (millions de F). *Exp.* (céréales, pharmacie, chimie, mach. et app. méc.) *1981 :* 402 ; *87 :* 224 ; *91 :* 610 ; *92 (30-6) :* 376. *Imp.* (agroalim., anthracite, huiles) *1981 :* 40 ; *87 :* 111 ; *91 :* 271 ; *92 (30-6) :* 578.

Rang dans le monde (91). 5e riz (3e exp. en 92). 10e porcins. 13e thé.

YÉMEN

Carte page 916. V. légende p. 884.

YÉMEN RÉUNIFIÉ

Nom. Yémen signifie la « droite » car le pays est situé à la droite de la « Kaaba », pierre noire sacrée de La Mecque.

Situation. Asie. 536 869 km². **Population.** *1992 :* 14 000 000 h., *2000 (prév. :* 20 000 000, *2020 (prév.) :* 50 000 000. D 26. **Capitale :** San'ā' 427 185 (86). (Aden, cap. écon. et comm. dans l'attente d'une zone franche). **Croissance** (91) : 3,5 %. **Mortalité infantile.** 107 à 124 ‰. **Nombre d'enfants par femme** 8,4 (août 91 : prog. de régulation des naissances). **Espérance de vie** (91) 47,5 à 52,7. **Analphabétisme** (%) H 62, F 74. **Rapatriés** 750 000 d'Arabie S. depuis guerre du Golfe (dont 250 000 dans des camps).

Religion. *Musulmans :* 98 % (Juifs *1948* 68 000, *1993* 3 000).

Histoire. **1988**-*4-5* accord entre les 2 Y. Exploitation pétrolière commune avec zone démilitarisée de 2 200 km² de chaque côté de leur frontière. **1989**-*30-11* accord d'Aden entre Pt Ali Abdallah Saleh (N.-Y.) et secr. gén. du P. socialiste Ali Salem al-Bidh (S.-Y.) pour un Y. unifié. **1990** *Juill.* affrontements dans le Nord. *Oct.* 500 000 Yém. quittent Arabie S. **1991**-*15/16-5* référendum sur Const. 98,3 % de oui. **1992** législatives. *-9-5* Ali Nasser Mohamed, ex-Pt du S.-Y., amnistié. *-14-6* Hachem al-Attas, frère du PM, assass. *Fin août* Maareb, accrochages tribus/police 18 †. *Déc.* émeutes de la faim 11 à 20 †. *-29-12* Aden, attentats contre hôtels (3 †). **1993**-*27-4 législatives :* 2 500 candidats (200 femmes). CPG 121 s., Al-Islah 62, PSY 56, divers 62.

Statut. Rép. *Const.* du 21-5-1990. *Conseil présidentiel (5 m) :* Ali Abdallah Saleh *(Pt),* Ali Salem al-Bidh *(vice-Pt.),* Abdulaziz Abdulghani, Salem Saleh Mohamed, Abdulakarim al-Arashi. *Pt du Parlement :* Yassin Said Noman Parl. (301 m.) composé des anciennes ass. du S. et du N. + m. nommés. *PM :* Haïdar Abou Bakr al-Attas, dep. 24-5-90. *Conseil consultatif :* 40 m. *Partis :* env. 40. *Congrès pop. gén.* (CPG), ex-parti off. du N., *Pt* Ali Abdallah Saleh. *P. soc. y.* (PSY), ex-parti off. du S. ; Ali Salem el-Beid. *Rass. y. pour la réforme* (Al-Islah), islamiste à caractère tribal. Influent dans le N. *Rass. unioniste* (opp. dém.). *Al Haq* (islam). **Fête nat.** 22-5 (unification).

Situation économique. **PNB** (90) 719 $ par hab. **PNB** (%) agr. 20, ind. 28, sect. man. 8, services 47. **Croissance** (%, 91) 3,5 %. **Inflation** (%) *1991 :* 45, *93 (prév.) :* 100 ? **Dette extérieure** (Md de $) *1988 :* 5, *90 :* 7,2 (dont ex-Y. du S. 4,3, du N. 2,8) dont ex-pays de l'Est 5 (ex-URSS 4,7), *92 (mars) :* 8,6 dont ex-URSS 4,7, instit. int. 1,9, pays arabes 1, USA et Eur. occ. 0,2. **Aide ext.** saoudienne (ex.-N.-Y.), sov. (ex.-S.-Y.), amér. (*1990 :* 22 millions de $, *91 :* 3). **Agriculture.** *Production* (milliers de t, 90) sorgho 500, blé 141, maïs 43, p. de terre 133, pastèques 236, raisins 137, coton 14, café 6. **Élevage** (milliers, 90). Chèvres 3 160, moutons 3 755, bovins 1 210, ânes 690, chameaux 144, chevaux 3. **Pétrole.** *Réserves :* 4,5 milliards de barils ; *prod. (b/j) 91 :* 170 000, *93 (est) :* 300 000 à 350 000 [nouveaux champs : Kharir ; Massilia (rés. 1 Md de b)].

Yémen du Nord.

Yémen du Nord. 200 000 km². *Alt. max. :* djebel Nabi Shuayb 3 760 m (point culminant de la péninsule arabique). **Régions :** mer Rouge, plaine côtière, la Tihāma ; moyens plateaux ; hauts plateaux au centre (basalte, granite, gneiss) ; zones volcaniques au centre et au N.-O. de San'ā' (dernière coulée connue 1256). **Climat.** Tempéré au centre, désertique sur la Tihāma et sur les plateaux de l'E. *Saisons :* petite s. des pluies mars-avr., pluies importantes de juin à sept. (Ta'izz 610 mm par an, Ibb 1 000, San'ā' 300, Tihāma 100 à 200). *Temp. max.* et *min. :* San'ā' 28 °C, – 5 °C ; Taiz 32 °C, 15 °C ; Tihāma (moy. an.) été 32 °C, hiver 23 °C.

Population (millions, 88) 8,74, *prév. 2000 :* 9,86. **Âge** – de 15 a. : 49 %, + *de 65 a.* : 3 %. **Mortalité** *infantile :* 135 ‰. D 43,7. **Émigration** (86) 1 000 000 (800 000 en A. Saoudite). **Travailleurs étrangers** 80 000 (dont 20 000 enseignants égyptiens, 5 000 occidentaux, 2 500 Chinois). **Villes** (86) : *San'ā'* (2 200 m d'alt.) 427 185 h., Ta'izz 150 000 (à 250 km), Hodeïda 170 000 (à 226 km), Ibb 48 806 (à 150 km), Dhamar 40 000. **Langue.** Arabe *(off.).* **Religions.** Musulmans zaïdites (50 % dans le N.) et chaféites (50 % dans le S.).

Histoire. Dans l'antiquité nommé « Arabie heureuse ». **Du XVe s. au IIe s. av. J.-C.** 5 roy. : Maïn, Saba, Qataban, Aoussane, Hadramut. **V. 615 av. J.-C.** construction d'une digue (Mareb détruite 572 apr. J.-C.). **V. 100 av. J.-C.** fusionne avec les Himyarites judaïques. **120 apr. J.-C.** 1re rupture de la digue de Mareb. **IVe s. apr. J.-C.** occupation éthiopienne. Pénétration christianisme et judaïsme. **525 à 575** domination abyssine. **575 à 628** sassanide. **628** islamisation. **893** dynastie zaïdite constituée à Saadah. **1173** Saladin envahit Y. **1232-1454** dynastie des Banî Rassul. **1515-29** conquis par Égyptiens. **1538-1630** occupation turque. **1630** indépendance. **1849-1918** occupation turque. **1904** imam Yahya se révolte contre Turcs. **1911** *tr. de Daan :* Turquie reconnaît *indép.* **1918** Roy. indépendant. **1934** *tr. de Taëf* (renouvelable tous les 20 ans) : Y. cède Assir (env. 80 000 km²), Najrane et Jizzane à Arabie S. **1945** adhère à Ligue arabe. **1947** membre Onu. **1948** *févr.* imam Yahya assassiné ; imam Ahmad succède. **1949** 50 000 Juifs partent pour Israël. **1958**-*8-2* s'associe à RAU : « États-Unis arabes », union dissoute 26-12-61. **1962**-*26-9 proclamation de la Rép. Imam Badr Bin Ahmed* (chef religieux zaïdite et temporel), déposé, soutenu par Arabie S., entretient lutte armée contre rép. soutenus par 70 000 Égyp. **1965**-*24-8* accord, Ég. et Arabie retirent leur concours (août 1967). **1967**-*5-11 Pt Sallal* (zaïdite) renversé ; *Conseil nat. rép.* [Pt Abdel Rahman El Iriani (chaféite)] ; Gal Al-Amri PM. **1970**-*25-3 fin de la g. civile.* *-23-7* Y. du N. reconnu par Arabie s. *-29-12* Const. **1971** *sept.* Al-Amri exilé. **1972** *renvoi des experts russes* (avant, jusqu'à 2 000 Chinois et 1 000 Russes). *Juill.* reprise relations dipl. avec USA et aide écon. amér. De 150 000 à 300 000 réfugiés du S., regroupés pour former Front national uni du S.-Y. (Pt Mekkaoui, anticommuniste). *-26-9* combats entre les 2 Y. *-28-11* accord sur fusion du N. et S. **1973**-*30-5* Cheikh Osman assassiné, lutte contre révolut. **1974**-*13-6* coup d'État mil. pro-saoudien. Cadi Abdul Rahman El Iriani renversé, remplacé par *lieut.-col.* IBRAHIM AL-HAMDI (n. v. 1940). Const. suspendue, parti unique dissous (Union yém.). *Juill.* Mohsen El Aïni PM. **1975**-*16-1* démis. *-25-1* nouveau gouv. *-22-10* Conseil consultatif et Ass. nationale dissous. **1977**-*11-10* Pt Al-Hamdi assassiné. **1978**-*24-6 Pt Ahmad Hussein al-Ghachemi* tué (mallette piégée). *Oct.* tentative coup d'État. **1979** *févr.* g. avec Y. du S. *-4-3* cessez-le-feu, retrait troupes du Y. du S. *-7-3* reprise combats. *-9-3* USA accorde 300 millions de $ de matériel mil. *-21-3* retrait des troupes. *Avr.* plan de réunification avec Y. du S. **1980** *aide mil. soviét.* **1981** *août* exécution de 12 officiers qui auraient tenté un coup d'État. **1982**-*3-4 :* 5e cessez-le-feu dep. 1981. *Mai* FND, soutenu par Aden, renonce à l'action armée. *-13-12* séisme près de Dhamar (3 000 †). **1988**-*5-5* législatives.

Statut. Rép. islamique. *Const.* provisoire du 19-6-74. *Pt de la Rép., secrét. gén. du Congrès gén. pop., Cdt en chef des forces armées* Cel Ali Abdallah Saleh (n. 1942) dep. 17-7-78, réélu 17-7-88. *PM* Abdul Aziz Abdulghani dep. 12-11-83. *Conseil consultatif* 159 m. dont 128 élus le 5-7-88 et 31 nommés par le Pt de la Rép. *Congrès général du peuple* 1 000 m. dont 700 élus en août 86. *Partis* interdits. **Provinces** 17 (liwâ, au pluriel alwiya), **Fête nat.** 26-9 (chute de l'imamat). **Drapeau** (1962).

PNB (88) 645 $ par h. **Pop. active** (%, entre parenthèses part du PNB en %) agr. 61 (20), ind. 10 (13), services 24 (54), mines 5 (13). **Transferts des travailleurs émigrés** dans les pays du Golfe (en Md de $) *1980-83 :* 1 ; *88 :* 0,3 [*entre 82 et 85 :* apport égal à 40 % du PNB]. **Aide** (Md de $) *1982 :* 0,47 ; *88 :* 0,2. **Dette extérieure** (Md de $) *1985 :* 6 dont 31 % à URSS ; *88 :* 2,9 (42 % du PNB.)

Agriculture. *Terres cult.* 14 % (dont 68 % en sorgho). *Irrigation :* 10 000 ha par barrage (long. 760 m. haut. 39) retenant lac artificiel de 30 km². *Production* (milliers de t, 89) sorgho 500, p. de terre 125, légumes 465 (88), maïs 55, légumineuses 47, orge 50, blé 150, café 5 (moka), coton 4, raisin 135, tabac 6, qāt (plante narcotique, *Cathula edulis*). **Élevage** (millions 88). Chèvres 1,7, moutons 2,7, ânes 0,5, volailles 25, bovins 1,08, chameaux 0,06. **Pêche** (88). 25 000 t.

Énergie. **Mines** (non exploitées). Nickel, fer, cobalt, marbre, zinc, cuivre. Sel. **Pétrole** *potentiel* 10,6 millions t/an. Gisement de Mareb-Djouf, découvert 1984. *Prod.* (89) : 165 000 barils/j. **Gaz** *réserves* 7/20 000 milliards de m³. **Industrie.** Peu développée [manque de main-d'œuvre (émigration), d'investissements], les Y. sont + commerçants qu'industriels. Prod. alim., chim., électricité, textile, ciment. **Transports** (km, 87). *Routes* 37 285, *pistes* 13 500 (82). **Tourisme** (89). *Visiteurs :* 55 000. *Lieux :* San'ā', Jiblah (60 mosquées), Ta'izz (souks), Mokha, Sebid, Mareb (capitale de la reine de Saba), Wadi Dhar, Manakha, Al Tawila, Al Mahwit.

Commerce (millions de rials, 90). **Exp.** 6 353 *dont* pétrole 5 800, peaux 169, café 86. **Imp.** 13 950 % de Arabie S. 9, *France 8,* USA 7,35, G.-B. 6,42, All. féd. 6,22, Australie 6,11. Contrebande avec Arabie S. : 1,5 Md de $ par an.

Yémen du Sud.

Yémen du Sud. 336 869 km². **Îles :** *Kamaran* dans la mer Rouge, *Périm* dans le détroit de Bab el Mandeb (la porte des pleurs en arabe), *Socotra* (ou Socotora) et *Abd al Koûrî* au sud du golfe d'Aden. **Côtes :** 1 200 km (de Ras-Murad à l'Oman). **Alt. max. :** 2 700 m. Plateau granitique et volcanique s'élevant d'E. en O. ; plaine côtière étroite au S. et à l'O. ; vallée intérieure (Wadi Hadramaout). **Climat.** Chaud, aride sur la côte, plus frais à l'intérieur et en alt. Aden : janv. 22 à 29 °C, juin 29 à 36 °C, chaud et humide mai-oct. (max. 41 °C).

Population (89). 2 398 000 h. Yéménites (75 %), faibles communautés somal. (8 %), ind. (11 %), pakist. D 7,1. **Villes :** *Aden* 343 000 (est. 80 y compris Mansourah et Sheik Othman), capitale dep. 1968. al-Mukallā 100 000, Seiyun. **Émigration** + de 2 millions (Indonésie, Koweït, Arabie Saoudite, Yémen du N., Éthiopie, Somalie, G.-B., USA mais l'Arabie a renvoyé + de 800 000 trav. Y. pour leurs sympathies irakiennes pendant la g. du Golfe). Avant 1986, il y avait entre 4 000 et 5 000 conseillers civils et mil. sov. et env. 2 000 Cubains et All. de l'E. **Langues.** Arabe *(off.),* + 6 langues sud-arabiques en voie de disparition dont Mehri et Soqotri. **Religions** (%). Musulmans chaféites 96 ; chrétiens 1 ; hindous 3.

Histoire. On distinguait la *colonie d'Aden* annexée le 19-1-1839 par l'Angl. (194 km², plus dépendances : île de *Périm* 13 km², occupée 1857, île de *Kamaran* 22 km², prise aux Turcs 1915, îles de *Kouria* et *Mouria* 28 km²), le *protectorat d'Aden* (287 490 km²) divisé en protectorat or. [229 667 km², 326 000 h ; comprenant 3 États (État Qu'aiti de Shihr et Mukalla, Kathiri de Saï'un et le sultanat Mahri de Qishn et Socotra (3 625 km², 6 000 h.)] et protectorat occid. [dont 6 émirats furent en 1959 le noyau de la *Féd. des émirats ar. du S.,* qui devint la *Féd. d'Ar. du S.* le 4-4-1962 (58 016 km², 820 000 h.)], comprenant 17 États (Lahej, Aqrabi, Aden, Haushabi, Alawi, Dalha, Muflahi, Shaïb, Ht-Yafa, Bas-Yafa, Fadhli, Audhali, Dathina, Beihan, Haut-Aulaqi, Bas-Aulaqi, Wahidi) qui ont fusionné). **1963** insurrection contre brit. **1967**-*30-11 indépendance* (sous le nom de Rép. populaire du Y. du S.). NLF (Front nat. de lib., f. 28-7-63) l'emporte sur FLOSY (Front de la lib. du Sud-Y. occupé, f. mai 1966). **1969**-*22-6* Pt Qahtan as-Shaabi (n. 1921), Pt dep. 30-11-67, remplacé par un *Conseil de la Présidence de la Rép.* de 5 m. **1970**-*8-11* proclamation de la RDPY (Rép. démocratique populaire du Y.), réformes, nationalisations, réforme agraire. **1978**-*27-6 Salem Rubayya Ali* (Pt du Conseil dep. *22-6-69*) exécuté, remplacé par Abdel Fatah Ismaïl. **1979** *févr.* g. avec Y. du N. *Avr.* plan de réunification avec Y. du N. *-25-10* tr. avec URSS. **1980** *Al Nasser Mohamed* Pt. **1981**-*16-2* tir de 2 roquettes contre l'ambassade y. à Paris. **1982** *mars* inondations, 482 †, 1 Md de $ de dégâts. **1985** relations rétablies avec Oman (après rupture due à l'aide du Y. à la rébellion du Dhofar). **1986**-*13-1* coup d'État manqué. *-24-1* Pt Ali Nasser Mohamed renversé. *-16/24-1 :* 6 832 étrangers évacués par mer. *-25-1* rébellion des partisans du Pt déchu (en fuite au Y. du N.), g. civile, env. 9 000 † dont ancien Pt Ismaïl (1978-80), anciens dirigeants du PSY : Ali Antar, Saleh Mouslah Kassem et Ali Chaya. 10 000 réfugiés au Y. du N. *Mars* amnistie proposée aux réfugiés. **1987**-*11-10* incident frontière oman., 8 †. *-12-12* Ali Nasser Mohammed, (exilé au Y. du N.) et 14 de ses partisans condamnés à mort. *-27-12* 11 peines de † confirmées. *-29-12* 5 condamnés exécutés. **1988** *mars* incident de frontière avec Y. du N. prospections pétrolières. *-29-10/1-11* Pt Haider à Mascate. **1989**-*26/28-11* élections conseils locaux des gouvernorats. **1990** rétablit liens avec USA.

Statut. Rép. démocr. et pop. dep. 30-11-1970. *Const.* du 30-12-70. *Pt du praesidium du Conseil suprême du peuple :* Haider Aboubaker al-Attas dep. 8-2-86. *PM* Yassine Said Noomane dep. 8-2-86. *Conseil suprême du peuple* 111 m. représentant les 20 émirats soumis autrefois à la G.-B. *6 gouvernorats* (en arabe mouhâfazah, au pluriel mouhâfazât). **Partis.** *P. socialiste yém.* (PSY) f. oct. 78, ancien NLF. *Secr. gén.* Ali Salem al-Bidh. **Fêtes nat.** 14-10 (1963 : 1re étincelle de la révol.) et 30-11. **Drapeau** (1967). Bandes rouge, blanche et noire ; triangle bleu avec étoile rouge (révolution).

☞ *1868* Cie Rabaud-Bazin de Marseille achète (50 000 F) le territoire de Cheikh Saïd (16,50 km²). *1870-7-7* tr. de Constantinople reconnaît la validité de cet achat. *1885* la Turquie en prend indûment possession. *1886-7-7* Rabaud-Bazin transfère son acquisition à la Fr. *1918* Y. chassent Turcs ; présence économique franç. maintenue. *1939* Fr. reconnaît souveraineté du Y.

PNB (88). 470 $ par h. **Pop. active** (%, entre parenthèses part du PNB en %) agr. 36 (10), ind. 18 (17), services 46 (72), mines 0 (1). **Aide** (88) 450 millions de $, soit 1/3 du budget [143 en 82]. **Base navale** utilisée par URSS. **Transferts des émigrés** *1984 :* 491 millions de $, *88 :* 253. **Dette** (Md de $, 88) 2,09 (199 % du PNB) dont 900 envers URSS.

Agriculture. *Terres cult.* 0,2 % des t., soit env. 600 km² (cultivables env. 2 000 km²), uniquement oasis et fonds des vallées. *Production* (milliers de t, 88) millet 85, blé 15, coton 10, sésame 3, orge 2, café. **Élevage** (milliers, 89). Chèvres 1 400, moutons 935, ânes 170, bovins 96, chameaux 81. **Pêche** (89). 50 200 t.

Pétrole. *Prod.* dep. 15-4-1987. Gisement de Chabwa 1,25 million de t (1990) ; *raffineries* à Aden. **Sel. Conserveries** de poisson.

Commerce (millions de $ US). **Exp.** 118 (89) *dont* prod. pétroliers 34, prod. alim. 14, coton 2,5 *vers* pays arabes 20, *France 12,* Japon 10, All. féd. 6. **Imp.** 600 (89) *de* URSS 100, G.-B. 50, Danemark 24, Australie 24, Japon 22, All. féd. 13.

Yougoslavie

V. légende p. 884.

Nom. Apparaît au XIXe s., calqué sur le mot *südslawisch* (slave du S.) créé par les linguistes pour les pop. des Alpes à la mer Noire. 1re Y. 1918-41, 2e Y. 1945-92, 3e Y. proclamée 24-4-1992, réduite à Serbie et Monténégro. Non reconnue par la communauté internationale en tant qu'État successeur de l'ex-Y.

Situation. Europe. 255 804 km². **Frontières** 2 969 km dont Hongrie 623, Roumanie 557, Bulgarie 536, Albanie 465, Autriche 324, Grèce 262, Italie 202. **Relief** 70 % du territoire dépasse 200 m d'alt. Montagnes au S. de la Save et du Danube, du N.-O. au S.-E. *Alt. max.* Mt Triglav 2 864 m. Plaines au N. en bordure du Danube, de la Drave, de la Save, de la Tisza de la Morava et du Vardar. Chaîne dinarique le long de l'Adriatique. **Côtes** 2 092 km (610 km à vol d'oiseau). **Îles** 1 269 dont Krk 405,3 km², Cres 405,7 km², Brac 395,7 km², Hvar 297,5 km², Pag 284,3 km², Korcula 271,7 km². **Lacs** 300 dont 19 ont plus de 10 km² de sup. **Cours d'eau** 1 850 de plus de 10 km de long représentant 118 000 km (3 bassins : Adriatique 20 %, mer Égée 10 %, mer Noire 70 %). *Danube :* 359 km en Youg. (sur 2 783 km), navigable sur toute sa longueur. *Save :* 945 km, affluent le plus important du Danube, nav. sur 653 km. **Climat.** Méditerranéen, continental et montagneux.

Population (en millions d'hab.). *1920 :* 12, *39 :* 15,7, *50 :* 16,3, *60 :* 18,5, *70 :* 20,3, *80 :* 22,4, *91 (rec.) :* 23,5. [*Républiques :* Serbie 5,75 (Serbes 85 %, Musulmans 3,5). Croatie 4,76 (Croates 78, Serbes 12,2). Bosnie-Herzégovine 4,37 (Mus. 43, Serbes 31, Cr. 17). Macédoine 2,03 (Macédoniens 67, Mus. 21 dont Albanais 19, Serbes 3,3). Slovénie 1,97 (Slovènes 90, Cr. 3, Serbes 2,3). Monténégro 0,61 (Monténégrins 68, Mus. 13, Alb. 6,5, Serbes 3,3). *Régions autonomes (est.) :* Vojvodine 2,01 (Serbes 56, Hongrois 22, Cr. 7). Kosovo 1,95 (Alb. 80, Serbes et Montén. 15)], *prév. 2000 :* 25,6. D 92. *Nationalités reconnues 1918 :* 3 (Croates, Serbes, Slovènes), *1946 :* 6 (Bosniens, Croates, Macédoniens, musulmans, Serbes, Slovènes) + une douzaine de minorités (Albanais, Allemands, Bulgares, Grecs, Hongrois, Italiens, Slovaques, Tchèques, Tziganes, Ukrainiens, Valaques). En 1988, Serbes 36,3 %, Croates 19,8 %, Bosniens 8,9 %, Slovènes 7,8 %, Albanais 7,7 %, Macédoniens 6,0 %, Monténégrins 2,6 %, Hongrois 450 000, 1,9 %. Autres ethnies (Turcs 100 000, Roms, Valaques, Ruthènes, Ukrainiens, Slovaques env. 30 000, Bulgares, Roumains env. 30 000, Tchèques, Italiens 100 000) moins de 1 % chacune. *1992* 2 nations : Serbes 10 000 000, Monténégrins 600 000, + minorités ethniques (Hongrois de Vojvodine 400 000, musulmans du Sandjak 300 000, Albanais du Kosovo et du Monténégro + de 2 000 000).

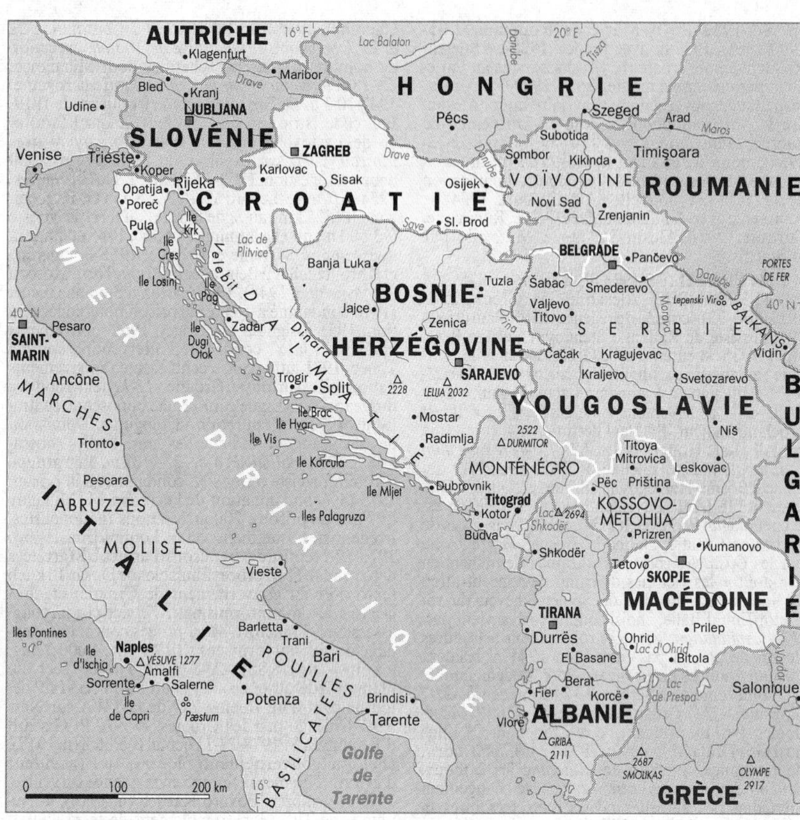

Nombre de nationalités : 24 au recensement de *1981*, outre ceux s'étant déclarés « yougoslaves », 27 à celui d'*août 1991*, 3 de plus : *Bunjevci* et *Sockci* en Vojvodine (originaires de Bosnie-Herzégovine, parlent le serbe mais utilisent les caractères latins), *Égyptiens* en Macédoine (env. 5 000 ; disent descendre d'Égyptiens de l'Antiquité amenés dans les Balkans comme forgerons par les Grecs).

Âge : *- de 15 a. :* 24 %, *+ de 65 a. :* 9 %. **Taux** (‰) *natalité* 16,5, *mortalité* 8,9. **Villes** (91) : *Belgrade* 1 553 854, Zagreb 930 753 (à 382 km), Sarajevo 525 980 (318 km), Skopje 504 392[1] (436 km), Ljubljana 323 291 (522 km), Novi Sad 264 533 (74 km), Split 206 559 (605 km), Rijeka 205 842 (571 km), Titograd 152 242 (450 km), Priština 148 656 [1] (358 km).

Nota. – (1) 1981.

Émigration aux XIXe et XXe s. : 1 500 000 émigrés y. vivent dep. 1945 à l'étranger, dont **Amér. du N.** 1 050 000, **Amér. centrale** 15 000, **Amér. du S.** 260 000, **Australie-N.-Zélande** 30 000, **Asie** 20 000, **Afrique** 9 000, **Europe** 200 000. Ils viennent de Croatie 840 000, Slovénie 350 000, Serbie et Vojvodine 160 000, Bosnie-Herzégovine 50 000, Macédoine 40 000, Monténégro 30 000.

Yougoslaves trav. à l'étranger : (81) 625 069 (+ 249 899 femmes et enfants) dont 24 % de Croatie, 22 % de Bosnie-Herzégovine, 9 % de Macédoine et 36,5 % de Serbie. En All. 324 000, Autriche 98 000, *France* (85) *36 000* (68 000 avec femmes et enfants), Australie 28 000. Une loi exonère partiellement ou totalement d'impôts et de droits de douane ceux qui rentrent avec machines ou outils pour installer un atelier, un café ou un restaurant.

Langues. *Serbo-croate* (la + répandue, langue de l'armée), *slovène* et *macédonien* sont à égalité. *Bosniaque :* parlé en Bosnie par 1 million, non reconnu officiellement.

Religions (est.). **Orthodoxes** 8 000 000 (Serbes), 36 % (150 à 200 monastères), **catholiques** 6 500 000 29 % (Croatie 70 %, Slovénie 83 %, Bosnie 20 %, ensemble Serbie, Monténégro, Macédoine 4,6 %), **musulmans** 3 000 000 (1981), 2 000 mosquées [dont Bosnie-Herzégovine 2 000 000 (Slaves de nationalité « musulmane », Croates et Serbes), Serbie (Kosovo) + de 1 million (m. albanais et turcs), Macédoine 100 000 à 200 000 (Macédoniens, Albanais et Turcs), Monténégro : quelques dizaines de milliers (surtout Alb.)], **protestants** 1 %, **juifs** *1941* 80 000, *45* 16 000, *87* 7 000, décimés en Croatie en 41, manifestations d'antisémitisme récentes avec l'émergence de mouvements d'extrême-droite croates ; **athées** 4 500 000, 20 %. La Constitution de 1946 garantit le libre exercice des cultes.

Histoire

■ **Illyrie.** **Xe s. av. J.-C.** habitée par Illyriens (région Dinarique), Pannoniens (région danubienne). **VIIe s.** relations avec monde grec. **IVe s.** début de colonisation de l'Adriatique par Grecs. **XIIe-IVe s. av. J.-C.** formation de plusieurs roy. illyriens. **385** le roi ill. *Bardylis* unifie le pays. **IIIe s.** les corsaires ill. font la g. de course contre les navires romains dans l'Adriatique. **219** conquête de l'Ill. par Rome. **168** organisation de la 1re province ill. **35 av. J.-C.** *prov. romaine* (la langue ill. disparaît, sauf en Albanie). **284 apr. J.-C.** coupée en 2 : Ill. occid. (dépendant de Rome) à l'O. de la Drina ; Ill. or. (dépendant de Salonique, puis **après 330** de Constantinople) à l'E. de la Drina. **VIe s. et VIIe s.** invasion des Slaves et des Avars, puis Serbes et Croates ; ils adoptent l'alphabet latin à l'O., l'alphabet glagolitique puis cyrillique à l'E. (voir Hist. Serbie, Monténégro).

■ **Yougoslavie.** **1918**-*29-10 indép.* des terr. slovènes, croates et serbes de l'Autriche-Hongrie ; *-23-11* congrès national à Zagreb. Proclame l'union des territoires croate et slovène avec les royaumes serbe et du Monténégro pour former le « roy. des Serbes-Croates-slovènes ». Les Monténégrins sont assimilés à des Serbes, ce que certains n'admettent pas ; l'élément serbe est politiquement dominant (95 % des hauts fonctionnaires).

1918-*1-12* **Pierre 1er** (11-7-1844/16-8-1921) roi des Serbes, Croates, Slovènes (avant roi de Serbie, voir p. 1186), son fils Alexandre est régent. **1919**-*25-2* réforme agraire. **1921** 1re Constitution. **1920-21** *Petite Entente* avec Tchéc. et Roumanie contre Hongrie (qui voulait la révision des tr. de Trianon et St-Germain). **Alexandre 1er** (17-12-1888/9-10-1934) 2e fils de P. 1er, son fr. Georges (n. 1887) ayant renoncé à ses droits ;

ép. 8-6-1922 P[cesse] Marie de Roumanie (3-1-1900/1961). **1927** tr. avec France. **1928**-*8-8* Stjepan Raditch député croate (n. 1871) assassiné au Parlement par un député monténégrin. **1929**-*6-1* Constit. suspendue, gouvernement provisoire du roi Alexandre Ier. *-3-10* adoption du nom Y. Un député de Zagreb, *Ante Pavelitch* (14-7-1889/Madrid 28-12-1959), anime à l'étranger les *Oustachis* (insurgés en Croatie), terroristes qui luttent contre l'unification de la Y. **1931** nouvelle Constitution. **1934** tr. commerce avec All. Entente avec Grèce, Roumanie, Turquie. *-9-10* Alexandre tué à Marseille par Oustachis.

1934 Pierre II (6-9-1923 fils d'Al. 1er) roi de Y. ; ép. 20-3-1944 P[cesse] Alexandra de Grèce (25-3-1921/30-1-93) ; conseil de régence du P[ce] Paul (1893-1976) assisté de Radenko Stankovitch et Ivo Perovitch. **1935-38** entente avec Grèce, Roumanie, Turquie ; alliance avec Bulgarie ; tr. avec Italie. **1941**-*25-3* P[ce] Paul signe à Vienne un pacte d'alliance avec l'All. *-26-3* soulèvement à Belgrade, Pierre II est proclamé majeur. P[ce] Paul destitué. *-6-4* Y. envahie par All., Ital., Hongr., Bulg., Alb. *-10-4 création d'un État croate indép.* (satellite de l'All. et de l'It.) qui annexe Bosnie-Herzégovine, Srijem et donne la Dalmatie à l'It. [Ante Pavelitch, revenu d'Italie, en est le chef *(poglavnik)* avec les *Oustachis*]. Massacres de Serbes en Croatie, Dalmatie, Bosnie-Herzégovine par les *Oustachis* (plusieurs dizaines de milliers en avr.-août + les victimes du camp de concentration de Jasenovac). Le duc de Spolète, neveu du roi Victor-Em. d'Italie, choisi comme roi, ne vient pas. *-17-4 capitulation,* gouv. et roi s'exilent à Londres (le roi ne pourra pas rentrer en 1945, il résidera quelques années en France) ; *-19-4* Y. démembrée. *-7-7* soulèvement en Serbie. *-13-7* Monténégro. *-21-7* Slovénie. *-27-7* Croatie ; Bosnie-H. *-11-10* Macédoine. *Avril* mouvement de résistance du C[el] (plus tard G[al]) Draja Mihailovic (1893-1946). *Juill.* mouv. de résistance communiste. *Automne* les 2 mouv. collaborent, mais les comm. exigent le changement immédiat des autorités civiles dans territoires libérés ; les partisans de Mihailovic veulent attendre la fin de la g. pour opérer des réformes par voie démocratique et constitutionnelle. Une lutte s'ensuivra entre les 2 mouv.

1942-*26/27-11* création de l'Avnoj (Conseil antifasciste de libération nationale de la Y.) où s'affrontent royalistes de Mihailovic et communistes de Tito. **1943**-*28-11/-1-12 conf. de Téhéran,* reconnaissance de l'armée de lib. nat. y. comme armée alliée, arrêt du soutien aux royalistes et à Mihailovic. *-29-11* l'Avnoj transforme le comité nat. en gouv. prov. dirigé par *Tito* (malgré l'opposition de Staline), décide que le nouv. État sera édifié sur une base fédérative et abolit monarchie.

1945-*7-3* Conseil de Régence charge Tito de former le gouv. Celui-ci est reconnu par les Alliés. La g. a fait 1 700 000 tués dont env. 50 % dans des luttes fratricides. En 1941, il y avait 80 000 partisans, 1944, 800 000. Ils tuèrent env. 450 000 ennemis ; plus de 300 villages de 300 à 7 000 h. furent rasés et leurs h. fusillés ; l'épuration (1945-50) a fait 300 000 victimes croates (dont 1 000 prêtres cathol.), 70 000 Allem., 12 000 Slovènes, 6 000 Monténégrins, 3 000 Serbes.

Chef de la maison royale (Karageorgevitch) : Mgr le P[ce] héritier (titre officiel) Alexandre de Youg. (n. 27-7-45). Fils unique du roi Pierre II (1923-70) et de la reine Alexandra [n. P[cesse] de Grèce (1921-93), f. d'Alexandre Ier, roi des Hellènes (1893-1920)]. Ép. 1°) (1972) P[cesse] Maria da Gloria d'Orléans-Bragance (n. 12-12-46), dont P[ce] Pierre (5-2-80), P[ce] Philippe et P[ce] Alexandre, jumeaux (15-1-81), div., 2°) (21-9-85) Katherine Clara Batis. Réside en G.-B. Venu en Y. pour la 1re fois le 5-10-91, à la demande de l'opposition (Mouvement du renouveau serbe et royalistes). Accueil triomphal.

Frères de Pierre II : Tomislav (9-1-1928) ép. 6-6-57 P[cesse] Margravine Marguerite de Bade, puis 1982 Linde Bonnay ; *André* (28-6-1929) ép. 2-8-1956 P[cesse] Christine de Hesse (10-1-1933), puis P[cesse] Kira de Leiningen (1930). *P[ce] Vladimir* (n. 1964), fils d'André, volontaire pour combattre en Slovénie aux côtés des Serbes.

■ **République.** **1945**-*29-11* proclamation de la République.

Josip Broz, dit **Tito** (pseudonyme pris 1934) (25-5-1892/4-5-1980). 7e enf. de Franjo Broz, paysan croate. Apprenti, puis ouvrier d'usine. *1914* dans l'armée austro-hongroise (prisonnier des Russes 25-3-1915). *1917-20* dans l'Armée rouge. *1919* adhère à la section youg. du PC soviét. *1923-28* agent du PC (clandestin) en Y. *1928-34,* 5 ans de prison en Y. *1934-36* au Komintern à Moscou. *1936-37* participe aux brigades intern. (g. d'Espagne). *Fin 37* chef du PC clandestin de Y. *1941* des partisans comm. *1943 nov.* maréchal. *1944*-25-5 échappe à un raid allemand, se réfugie île de Vis. *Août* accord avec Churchill. **1945 Tito** Pt. **1946**-*31-1 Constitution de la Rép. populaire et fédérative de Y. Juill.* exécution de nombreux chefs de Tchetniks dont Mihailovic. *-29-11 référendum pour la Rép.* et contre la royauté. **1947**-10-3 *tr. de Paris,* retour aux frontières de 1919, Ital. cède Istrie (presque entière), Zadar (Zara) et île de Lastovo (Lagosta). **1948**-*29-6 rupture avec Moscou,* la Y. est expulsée du Kominform. **1950** début autogestion. **1953**-*14-1* Tito Pt. Tito à Londres. **1954**-*5-10* après accord Y., Ital., USA et G.-B., reçoit zone B (525 km² au S. de la ville) du terr. de Trieste (73 500 h.) qu'elle administrait dep. 1945 et qui sera divisée entre Slovénie et Croatie. **1955** Boulganine et Khrouchtchev à Belgrade. **1956** *juin* Tito à Moscou (1re visite dep. 1948). **1960** Cardinal Stepinac meurt (1946 condamné à 16 ans de prison pour collaboration, 1951 assigné à résidence). **1968** mouvements étudiants : la Y. condamne l'intervention sov. en Tchéc. **1971** lutte contre centralisme : mouvements nationalistes surtout en Croatie. *-12-12* démission des dirigeants de la Ligue com. croate opposée au centralisme. **1972** *oct.* épuration idéologique. Démission des dirigeants de la ligue des com. serbes (libéralistes). **1974**-*mai Tito Pt à vie. 22-9:* 32 m. d'un groupe « kominformiste » pro-sov. condamnés à la prison. **1975** (4e) condamnation de l'écrivain M. Mihajlov (à 7 ans de prison). 200 arrestations (nationalistes, irrédentistes, staliniens ou « kominformistes »). **1976**-*12-1* reprise des livraisons d'armes US (arrêtées dep. 15 ans). *Févr.* procès à huis clos de Dusan Brkitch (ex-vice-Pt du gouvernement de Croatie) et de 3 accusés de « kominformisme ». *-7-2* vice-consul youg. assassiné à Francfort. *Mars* procès contre une trentaine de « kominformistes » (il y a env. 4 000 Youg. « kom » en URSS). *-28-8* Yvan Tuksor (secr. de l'Union fédéraliste croate) abattu à Nice. *-14-9* détournement d'un Boeing 727 de la TWA sur New York-Chicago par des Croates. *-6/7-12* Pt Giscard d'Estaing en Y. **1977**-*21-1* Djemal Bjeditch (n. 1917), chef du gouvernement fédéral, tué (accident d'avion). Tito met sa femme en résidence surveillée. **1979**-*10-2* mort d'Edvard Kardelj (n. 1910), « dauphin » de Tito. *Avr.* tremblement de terre, 200 †. **1980**-*4-5* Tito meurt après 4 mois d'agonie. Enterré dans le parc de sa villa de Belgrade, sa dépouille a été transférée dans un cimetière municipal à la demande de l'opposition nationaliste.

1980-*5/15-5* intérim de Lazare Kolichevski (n. 1914). *Juin* dinar dévalué de 30 %. *-24/25-6* Pt Carter en Y. **1981** intervention FMI. *-25-2* accord écon. avec CEE. *-11-3/4-4* émeutes des Albanais au Kosovo. Voir p. *1186* **b 1982**-*1/2-4* émeutes à Pristina (Kosovo). *-16-5* une femme, *Milka Planinc* (n. 1925) PM. *Oct.* dévaluation 20 % ; plan de stabilisation à long terme du FMI. **1984** *févr.* JO d'hiver à Sarajevo. **1987** *mars* grève ; loi prévoyant blocage ou diminution des salaires de 20 à 50 %. *-3-9* Paracin (Serbie), 4 militaires tués par conscrit albanais. *-12-9* Hamdija Pozderac († 6-4-88), vice-Pt de la Fédération, compromis dans scandale financier Agrokomerc, démissionne. *Nov.* dévaluation 24,6 %. *-2/3-12* Pt Lazar Mojsov à Paris. *-14-12* **Ivan Stambolic,** élu Pt de Serbie. **1988**-*14/18-3* Gorbatchev en Y. *-9/10-6* Club de Paris accepte rééchelonner dette y. sur 10 ans. *-Juin* grèves et manif. après loi du 15-5 sur encadrement des salaires. *-Nov.* révision partielle Const. adoptée (compromis autogestion et marché, contrôle possible de Serbie sur Kosovo). *-30-12* gouv. démissionne. **1990**-*20/23-1* XIVe Congrès extraordinaire de la LCY interrompu par départ de délégation slovène. *Avr.-déc.* 1res élections parlementaires libres dans les 6 Rép. Succès opposition en Croatie et Slovénie. PC de Serbie devient P. socialiste. *-28-5* possibilité acceptée pour certaines rép. de faire sécession, et pour la Y. de se transformer en confédération. *-15-5 Borisav Jovic,* repr. de la Serbie, élu Pt de la Féd. (Stipe Suvar, croate, vice-Pt). *-29-7* PM *Ante Markovic* crée parti réformateur. *-8-8* syst. d'autogestion supprimé officiellement. *-25/26-8* explosion mine de charbon à Kreka-Dobrnja (134 † ?). **1991**-*mars* blindés à Belgrade. *-15/16-3* démissions : Borisav Jovic (Pt),Nedad Bucin (repr. du Monténégro) etJugoslav Kostic (repr. de la Vojvodine). *-18-3* Parl. de Serbie limoge Riza Sapundzija, représ. du Kosovo à la prés. (celle-ci ne compte plus que les repr. de Slovénie, Croatie, Bosnie-H.etMacédoine). *-27-3* 50 000 manif. à Belgrade contre PM. *-4-4* gouv. condamne décision des Serbes de Croatie de se rattacher à la Serbie. *-Mai* dir. macédoniens et slovènes veulent retirer leurs recrues de l'armée féd. *-15/16-5 Stipe Mesic,* cand. croate à la présidence, n'obtient pas la maj. *-20-5* décide de passer outre. *-25-6* **Slovénie** et **Croatie déclarent leur indépendance** et leur « dissociation » de la Y. Intervention de l'armée féd.

■ **Guerre civile.** **1991** *mai* débuts des affrontements interethniques. *-25-6* le gouvernement féd. rejette indépendance de Croatie et Slovénie. *-27/30-6* intervention armée féd. en Slovénie pour contrôler postes-frontières. *-28-30* mission de conciliation de la CEE à Belgrade et Zagreb. Déclaration d'indépendance de Croatie et Slovénie suspendue pour 3 mois. *-2-7* combats armée féd./défense territoriale slovène. *-5-7* CEE décide embargo sur les armes et le gel de l'aide financière. *-7-7* entretiens à Brioni entre représentants CEE et dirigeants serbes, croates et slovènes. Cessez-le-feu et retrait de l'armée fédérale. *-22-7* Croatie, affrontements Croates/armée féd. à dominante serbe. *-16-8* ultimatum du Pt croate Franjo Tudjman aux autorités féd. : la souveraineté croate doit être respectée. 400 † depuis juin. *-7-9* La Haye, ouverture d'une conférence de paix. *-12-9* démission des ministres croates du gouvernement féd. *-15-9* **Macédoine indépendante.** Combats près de Zagreb. *-17-9* cessez-le-feu mais l'armée féd., proserbe, accentue son offensive en Croatie où les Croates bloquent les casernes. *-25-9* Conseil de sécurité vote embargo sur livraisons d'armes à la Y. *-29-9* reprise des combats. *-3-10* Serbie et Monténégro s'arrogent les pouvoirs du Parlement féd. avec l'appui de l'armée. Blocus des ports de Croatie et encerclement de Dubrovnik. *-7-10* Pt de la féd., *Stipe Mesic* (Croate), démissionne. *-8-10* 8e cessez-le-feu. 300 † croates après 3 mois de combats. *-15-10* résolution du Parlement de Bosnie-Herzégovine sur sa souveraineté. *-22-10* Serbie propose « petite Y. » comprenant les Rép. désirant y participer et les régions autonomes serbes de Croatie et Bosnie-H. *-28-10* Serbes rejettent ultimatum de CEE. *-8-11* sanctions économiques de CEE. *-13-11* cessez-le-feu à Dubrovnik et évacuation des civils. *-19-11* armée féd. et milices serbes prennent *Vukovar* (Croatie) assiégée dep. 3 mois. 2 000 à 5 000 †. *-23-11* 14e cessez-le-feu. *-6-12* sanctions des USA après le bombardement de Dubrovnik et Osijek. L'armée féd. tente de conquérir le maximum de terrain avant intervention Onu. *-19-12* proclamation de la *Rép. de Krajina,* enclave serbe en Croatie. *-23-12* l'Allemagne reconnaît l'indépendance de Slovénie et Croatie. *-28-12* Zagreb bombardée par armée féd. (missiles sol-sol). **1992**-*1-1* 15e cessez-le-feu, Cyrus Vance, émissaire de l'Onu, obtient déploiement de Casques bleus en Croatie. Les Serbes occupent 20 % du territoire croate. *-7-1* hélicoptère CEE abattu par armée féd. 5 observateurs tués. *-14-1* 50 observateurs Onu en Croatie. *-21-2* Conseil de sécurité décide à l'unanimité l'envoi de 14 000 Casques bleus. 500 000 personnes déplacées, dégâts 21 milliards de $. *-29-2/1-3* violences en Bosnie-H. à propos du référendum sur l'indépendance. *-6-4 CEE reconnaît indép. de Bosnie-H. -2/3-5* combats à Sarajevo, 250 †. *Juin* bilan dep. 1991 : 20 000 † (dont 5 000 en mai en Bosnie). *-14-7 Milan Panic,* h. d'affaires d'origine serbe mais de nationalité américaine, investi PM fédéral par 134 v. contre 26. *-27-7* Y. exclue des organisations internat. *-13-8* le Conseil de sécurité de l'Onu autorise la force pour protéger convois humanitaires et condamne pratiques « d'épuration ethnique ». *-26/27-8 Conférence de paix à Londres.* Lord Carrington, Pt, remplacé par lord Owen. Création d'une Conférence de paix permanente. *-30-9* Genève, accord : Pts Tudjman (Croate) et Y. Dobra Cosic (Serbe) signent sur normalisation de leurs relations. *-8-10* Conseil de séc. vote création d'une zone d'exclusion aérienne en B.-H. (violée à 300 reprises les 2 mois suivants). *-15-10* premiers Casques bleus sous le commandement du Gal Philippe Morillon (au total, 15 000 en Y, dont 4 500 Français). *-23-10* Sarajevo, réunion sous l'égide Onu des responsables militaires des 3 communautés en guerre. *-2-11* épreuve de force entre PM fédéral Panic et ultranationalistes groupés autour du Pt serbe Milosevic. Pression serbe sur Sarajevo. *-29-12* PM Panic, accusé de vouloir soumettre la Y. à « l'occupation étrangère », destitué par Parlement. **1993**-*13-1* CEE menace Y. d'isolement si les Serbes de B.-H. n'acceptent pas de discuter le plan Owen-Vance. *-27-1* violents combats Croates/Musulmans en B.-H. *-29-1* le gouvernement y. demande la prolongation du mandat de Forpronu en raison de « l'agression croate » en Krajina. *-5-2* négociations à New York sous l'égide du Conseil de sécurité. *-13-3* venu enquêter dans l'enclave musulmane de Srebenica, le Gal Morillon décide d'y rester pour s'opposer au nettoyage ethnique. *-17-3* négociations à New York, offensive serbe en B. orientale. *-19-3* 1er convoi humanitaire arrive à Srebenica. *-25-3* signature du plan Owen-Vance par Croates et Musulmans ; plan rejeté par Serbes. *-28-3* nouveau cessez-le-feu. *-8-4* Cour de la Haye ordonne à la Y. de cesser ses « actes de génocide ». *-12-4* entrée en action des avions de l'Otan pour faire respecter la zone d'exclusion aérienne.

Forces en présence. **Serbes :** *armée féd.* (JNA). En 1984, 180 000 h, dont 101 400 appellés, + 15 000 garde-frontières. Été 91, désertion de 50 % des effectifs (Croates, Slovènes, Macédoniens), remplacés par des réservistes serbes et monténégrins mobilisés. *Défense territoriale :* 860 000 réservistes. *Milice populaire,* force de sécurité du ministère de l'Intérieur, 25 000. *Milices serbes ;* force paramilitaire constituée en Krajina en 90 : env. 20 000. *Armement :* 1 600 chars, 2 000 pièces d'artillerie, 420 avions. *Forces du ministère de l'Intérieur :* 30 000. *Forces territoriales* (brigades de partisans) 80 000. *Total :* 200 000, dont 110 000 opérationnels. *Armement :* 150 chars, 150 VTT, artillerie de 105, missiles antichars et antiaériens. **Forpronu** [Force de protection de l'ONU : 25 000 h (dont 6 300 Français) en ex-Youg. ; chef : Gal Jean Cot (Fr., n. 6-4-34) dep. juin 1993]. QG à Sarajevo (Bosnie-H.). **Réfugiés et personnes déplacées** (déc. 92). Slovénie 51 000, Croatie 705 000, Bosnie-Herzégovine 810 000, Serbie 433 000, Monténégro 62 000, Macédoine 19 000.

■ **Statut (avant 1991).** Rép. socialiste fédérative comprenant 6 rép. et dans le cadre de la Rép. de Serbie 2 provinces. **Constitution** du 21-2-1974 révisée 9-6-1981 et 29-12-1987. PRINCIPES : socialisme, démocratie, travail librement associé et autogestion (supprimée le 8-8-90). *Assemblée youg. : Conseil fédéral* (220 délégués, élus pour 4 a., 30 par rép. et 20 par province ; définit la politique int. et ext., adopte les lois, le budget...). *Conseil des rép. et des provinces* (88 délégués, élus pour 4 a., 12 par rép., 8 par prov. ; adopte le plan social, s'occupe de l'économie, des finances...). *Présidence de la République,* collégiale, 8 m. représentant les rép. ou prov. élus pour 5 a. Le Pt de la présidence est élu parmi les 8 pour 1 a. *Vice-Pt* élu pour 1 a. parmi les 8, Pt intérimaire en cas de mort du Pt. *Conseil exécutif fédéral* élu pour 4 a. par les 2 conseils de l'Ass. dont il est l'organe exécutif. *Économie.* Les moyens de prod., qui étaient propriété sociale, peuvent être publics ou privés. **Pt de la présidence collective : 1989** (15-5) Janez Drnovsek, **1990** (15-5) Borisav Jovic, **1991** (20-5) Stipe Mesic, Croate. **Pt du conseil exécutif** (PM) : **1982** (16-5) Mme Milka Planinc (Croatie 21-11-24), **1986** (15-5) Branko Mikulic (Bosnie 1928). **1989** (15-3) Ante Markovic (Croatie, 25-11-24).

Pt de la nouvelle Yougoslavie (Serbie, Monténégro) : **1991** (15-5) Dobrica Cosic (n. 29-12-21, romancier), élu par le Parlement féd., réélu 15-6-92, destitué juin 93. **1993** (25-6) Zoran Lilic (40 a.) élu par le Parl. féd. **Parlement fédéral :** 2 chambres élues : *Chambre des Républiques* 40 m (20 par rép.), *Chambre des citoyens* 138 m (Serbie 108, Monténégro 30). **Élections : 1992** (31-5) boycottée par opposition démocr. ; (20-12) : P. socialiste (ex-Ligue communiste, Milosevic) 47 sièges, p. radical (ultranationaliste) 34, MDS 20. Ne siègent plus que soc. et ultranationalistes, l'opposition dém. s'étant retirée (28-1-93). **PM : 1992** (juillet) Milan Panie (h. d'affaires amér. d'origine serbe). **1993** (9-2) Radoj Kontic (n. 1937, Monténégrin).

Partis. **Ligue des communistes de Yougoslavie :** *f.* avril 1919. *Pt du praesidium* (23 m. du praesidium, 165 m. du comité central) Miomir Grbovic. *Secr.* Petar Skundric. 2 099 613 m. (juin 87). **Alliance Socialiste du peuple travailleur de Y.** (SAWPY) : *Pt du praesidium* (32 m., incluant 3 de chaque rép. et 2 par province) Jelena Milojevic. *Secr.* Josip Hrvatin (mai 88-mai 90). 14 151 135 m. (1981). **Féd. de la Jeunesse soc. y. :** *Pt* Branko Greganovic. **P. radical :** *f.* 1881, restauré 1990. **Alliance sociale-démocrate.** *f.* 1990. **P. des travailleurs :** *f.* 1990, *Pt* Milos Jovanovic. **P. démocratique :** *f.* 1990. **P. vert :** *f.* 1990.

Fêtes nat. 1-1, 1-5, 4-7. (j du combattant), 29-11 (fête de la Rép.). **Drapeau.** Couleurs serbes adoptées 1918 : bandes bleue, blanche et rouge (datent du XIXe s.). En 1946, armoiries remplacées par étoile communiste. En 1992 étoile supprimée.

■ RÉPUBLIQUES

MONTÉNÉGRO

■ **Nom** (apparu fin XIIe s.). Du mont Lovcen, dit aussi « Crna Gora » ou Montagne noire.

■ **Situation.** 13 812 km². Montagnes ; golfe des Bouches de Kotor très découpé. *Alt. max.* Bobotov kuk de la montagne. Durmitor 2 522 m. **Climat.** Méditerranéen sur littoral et en bordure du lac Skadar (369,7 km², le plus grand des Balkans) et du cours inférieur des rivières Moraca et Zeta ; au N. montagneux, cl. continental. **Population** (r. 1991). 615 267 h. dont (en %) Monten. 62, Musulmans 14,6, Albanais 6,6, Youg. 4,2, Serbes 9,3, Croates 1, autres 2,4. D 40. *Analphabétisme :* 9,4 %. **Capitale :** *Podgorica (ex-Titograd* ex-Cettigné) 118 059 h. (91).

■ **Ressources** 517 136 ha dont 186 079 cultivables ; céréales, vergers, oliviers, vignes, élevage. Bauxite, plomb, zinc, charbon, bois. Participait en 1991 pour 3,4 % aux export. de la Y. et pour 4,1 % au revenu national. 110 000 pers. en dessous du seuil de pauvreté. **Chômage.** 33 %. **PIB** par hab. : 1 810 $. **Tourisme.** Parcs : Biogradska Gora (5 400 ha), Durmitor (33 000 ha), Lovcen (2 000 ha). Littoral.

■ **Histoire.** **Antiquité** tribus illyriennes (Dioclééns, Labéates, Autoriates, etc.). **IIIe et IIe s. av. J.-C.** État illyrien (Risan, Scodra). **168** au pouvoir de Rome. **297** réorganisation de Dioclétien, fait partie de la Dalmatie supérieure (Prévalitane), puis, après la dislocation de l'Empire, de l'Emp. d'Orient puis de Byzance. **Fin VIe-début VIIe s.** Slaves s'installent en Duklja (Dioclée). **XIe s.** Duklja (Zeta) va de la Bojana et des Prokletije jusqu'à la Piva et Risan, et confine au N.-E. à la Raška. **970-1016** knez ou Pce Vladimir ; l'empereur Samuel de Macédoine envahit la Zeta, qu'il annexe à Byzance. **1035** 1re insurrection contre Byzance sous Vojislav (échec). **1042** 2e ins. (victoire et extension de l'État de Zeta). Sous Pce Bodin (1092-1101), l'évêché de Bar devient archevêché. **1189** le souverain de Serbie Stefan Némanya annexe la Zeta à la Raška. **1296** 1re mention de la Crna Gora (Tserna Gora) désignant originellement le territoire allant de Niksic et de Grahovo au lac de Skadar, et de l'est de Kotor à Danilov Grad. **1360-1421** après éclatement de l'empire serbe, dynastie des Balchitch (issus des nobles français « des Baux ») en Zeta [dans le N. (1402) et S. (1385) de l'Albanie]. **1421-39** despotat de Serbie annexe Zeta. **1439-99** dynastie orthodoxe des Crnojević (Tsernojevitch) régnant en Zeta, mention fréquente du « Monténégro ». **1479-81** Zeta occupée par Turcs. **1482** Cettigné fondée. **1482-99** Zeta agit indépendamment, mais envoie un otage à Constantinople (le fils d'Ivan Crnojević). Zeta est vassale privilégiée des Turcs, paie tribut au sultan. Lutte permanente pour libération complète. Assemblée indép. des représentants nationaux. **1499** perd indép. **1514-1697** certaine autonomie. **1697** Danilo Pétrovitch Niegoch élu prince-évêque (*vladika*) ; les neveux succèdent aux oncles jusqu'en 1860. **1711** alliance des princes-évêques et du tsar (Pierre le Grand) contre Turcs (subside annuel de 1 000 ducats). **1842 Pierre II Niegoch** († 19-10-1851) délimite frontières avec Autriche sans intermédiaire turc. **1852 Danilo II Niegoch** (25-5-1826/13-8-1860) neveu de P. II, renonce à l'épiscopat et se proclame Pce séculier (*gospodar*). Repousse invasion turque. **1853** *févr.* invasion t. arrêtée par Autrichiens. **1858** Turcs battus à Grahovo par le duc Mirko Petrović. **1859** frontières délimitées par commission internat.

1860-*14-8* **Nicolas Ier** (25-9-1841/Antibes 1-3-1921) neveu de D. Ier ; ép. 27-10-1860 Milena Voucotitch (22-4-1847/16-3-1923). **1862** Omer Pacha conquiert partie du M. jusqu'à Cettigné ; arrêté par intervention eur. *-8-9* tr. de Cettigné : le M. reconnaît suzeraineté turque. **1876** Nicolas Ier Niegoch attaque les T. (victoires 1876-78).

État indépendant. 1878 *tr. de Berlin : indép. reconnue par Turquie* avec débouchés sur Adriatique.

1896-*24-10* Hélène, fille de N. Ier, ép. Victor Emmanuel Pce de Naples (roi d'Italie le 29-7-1900). **1910** Nicolas devient roi (août). **1914** entrée en g. côté serbe contre Autriche. **1916** conquis par Autr. ; le roi se retire en Fr. **1918**-*13-11* Assemblée m. pour renverser dynastie, *incorpore M. au roy. de Serbie* en présence des troupes serbes.

■ **Chef de la maison royale** (Petrovitch Niegoch) : **1921**-*1-3* Danilo, fils de Nicolas (17-6-1871/1939) ép. 15-7-1899 Mileza duchesse de Mecklembourg (24-6-1880/1946) abdique. **1921**-*7-3* Michel (1-9-1908/1986) son neveu, ép. 1941 (div. 1949) Geneviève Prigent (1919-89). **1986** Nicolas (24-7-1944) ép. France Navarro (27-1-50) dont Altinaï (28-10-77) et Boris (20-1-80). Vit en France. Architecte. S'est rendu au M. pour le retour des cendres de son bisaïeul (accueil triomphal).

Royalistes : dits « les Verts » : les partisans de Nicolas 1er portaient cette couleur en 1918, les « pro-Serbes » étant les « Blancs ».

■ **Partie de la Yougoslavie. 1918** Église orthodoxe m. supprimée par décret. **1919**-*7-1* combat entre partisans de l'indép. et pro-serbes ; général français Venel met fin au combat et arrête indépendantistes. **1922** M. reçoit golfe de Kotor, partie de la Dalmatie province du royaume triunitaire croate. **1988**-*20-8* 20 000 manif. à Titograd contre situation au Kosovo. *-7/8-10* 50 000 manif. ; gouv. local démissionne, sauf dir. rég. du PC. **1989**-*11-1* 80 000 manif. ; dir. collégiales du PC et de la rép. du M. démissionnent. *-13-1* Parl. dissous. *-9-4* Nenad Bucin élu au suffr. univ. représentant à la présidence de la Y. *Oct.* Retour au Monténégro de la dépouille de Nicolas 1er inhumée à San Remo (Italie). **1991** combattent Croates aux côtés des Serbes (Dubrovnik). **1992**-*1-3* référendum sur le maintien du M. dans l'État y. Sur 66 % de votants, 95,94 % de oui [abst. : 33,96 % (partis d'opposition, Albanais, Musulmans)].

Statut. Rép. **Présidence** collégiale avec 4 vice-Pts élus au suffr. univ. maj. *Pt :* Momir Bulatovic (n. 1928), Parti démocratique socialiste (PDS, ex-PC du 9-12-90), réélu 20-12-92 au 2e tour (63,29 % des v.) devant Branco Kostic, dissident du PDS. **Chambre** 125 m, élus à la proport. **Élections** *(20-12-1992).* 5 partis dém. des soc. 16,5 %, Alliance lib. 15,3 %, P. rad. serbe 9,4 %, P. socio-dém. des réform. 4,7 %.

SERBIE

■ **Situation.** 88 361 km² dont 55 968 pour la République, sans les prov. autonomes. Partie centrale des Balkans. *Alt. max.* Djeravica 2 656 m. *Cours d'eau* 52 000 km (le bassin du Danube occupe 84 % de la sup. totale de la S.). **Population** (2-1991). 9 791 473 h., dont (%) : Serbes 65,7, Albanais 17,2, Youg. 3,2, Hongrois 3,5, Musulmans 2,4, Croates 1,1, Monténégrins 1,4, Romanis 1,4. D 104. **Réfugiés** (fin 92) 800 000, la plupart de Bosnie-Herzégovine et Croatie, + 250 000 clandestins. *Analphabétisme :* 11,1 %. **Capitale :** *Belgrade* 1 136 786 h. (91), + de 2 000 000 fin 92 (réfugiés). **Ressources** betterave sucrière, maïs, blé. Magnésite ; charbon 38 507 866 t. ; cuivre ; plomb, zinc ; antimoine ; gaz naturel ; énergie hydroélectrique 9 874 gwk. En 1991, confiscation des entreprises slovènes et croates sur le territoire serbe. **Tourisme.** Monastères, rapides de la Drina, Belgrade, montagne de Zlatibor. Parcs naturels de Derdap (64 000 ha), Tara (19 200 ha), Kopaonik (12 000 ha), Fruska Gora (22 460 ha). **Thermalisme.**

■ **Histoire.** **Ier s. apr. J.-C.** 1re mention des Serbes, installés N.-O. du Caucase, [ils seraient des Asianiques (non indo-européens), ayant parlé une langue alarodienne (du groupe vannique, près du lac de Van)]. **Fin IVe s.** s'installent en Saxe, entre fleuves Elbe et Saale, y fondent un État. **VIIe-VIIIe s.** Serbes ou Sorabes de Saxe, vassaux du roi des Francs. **638** une partie s'installe en Thessalie (635), puis entre Drina, Lepenica, Piva et Lipljan, le Lab et le massif Rudnik ; suzeraineté byzantine. **IXe s.** union tribale devient Pté de Ras (Raša, Raška), entre le Lim et la montagne Rudnik, s'étend au cours de luttes contre Byzance et Bulgares. **1166-1371** *dynastie Nèmanyitch.* **1180** après mort de l'empereur byzantin Emmanuel Comnène, indép. **Fin XIIe s.** extensions sous le règne de Stefan Nèmanyia (1168-96) : Zeta, Pirot, Kosovo. **1346** Stefan Douchan couronné « empereur des Serbes et des Grecs » ; 1re puissance des Balkans. Capitale : Skopje. **1389**-*20-6 Champs de Kosovo* victoire turque et mort du sultan Mourad Ier (Murat) : Serbie vassale des Turcs. **1392** Turcs soumettent principauté de Vuk Brankovitch (Kosovo). **1448** Kosovo **Mourad II** bat Jean Hunyadi (Hongr.). **1459** chute du Despotat, dernier État serbe. **1521** Turcs prennent Belgrade. **1718-39** occupation autrichienne dans le N. **1787-91** insurrection s. soutenue par Austro-Russes. **1791** *paix de Svichtovo* conclue par Autr., puis Russie ; *paix de Iassy* avec Turquie ; insurgés amnistiés.

1804 Djordje Petrovitch dénommé Kara-Djordje (Georges le Noir) (3-9-1752/24/25-7-1817), marchand de porcs, dirige insurrection contre Turcs. **1806** entre à Belgrade. **1808** *déc.* élu Pce héréditaire des Serbes. **1812** *tr. de Bucarest :* Russie cesse de soutenir insurgés (chute de Belgrade 1813). Kara-Djordje se réfugie en Autriche.

1813 Miloch Obrenovitch (19-3-1780/26-9-1860), éleveur de porcs illettré, dirige révolte contre Turcs. **1817** Kara-Djordje rentre en S., Miloch le fait tuer et envoie sa tête au sultan (24-7). Après négociations, Miloch obtient large autonomie de S. (ports d'armes, impôts, justice) comprenant 4 « nahiya » (districts). *-6-11* Miloch élu Pce de S. par la nation. **1827** reconnu Pce héréditaire par l'Ass. nat. serbe. **1830** *tr. russo-turc d'Andrinople : Miloch Pce héréditaire* sous suzeraineté turque. **1835** 1re Constit. **1839**-*13-6* en conflit avec la Skoupchtina (Assemblée), Miloch abdique en faveur de son fils aîné **1839**-*16-6* **Milan III** (2-1-1819/20-7-39). **1839**-*8-7* **Michel** (16-9-1823/assassiné 22-6-68) frère de Milan. **1842** chassé par révolte.

1842 Alexandre Karadjordjevitch (11-10-1806/3-5-85) fils de Djordje, rentré en S. en 1839. **1842**-*27-9* proclamé Pce des Serbes. **1848**-*27-6* reconnu par Turquie. **1849** aide Autrichiens contre Hong. **1856** *congrès de Paris :* accorde garantie intern. à S.

1858-*23-12* **Miloch Obrenovitch** revient au pouvoir. **1859**-*12-1* Miloch reconnu par Turquie. **1860**-*26-9* Miloch meurt.

1860 Milan IV (22-8-1854/11-2-1901, cousin et fils adoptif de Miloch) roi sous la régence de Ristitch. **1872** majeur. **1875** ép. Nathalie Kechko (22-5-1859/1934), fille d'un colonel russe. **1876-77** battu par Turcs.

■ **État indépendant.** **1878**-*3-3 Congrès de Berlin :* reconnaît *indép. S. ;* S. acquiert territoires (Nis, Pirot Vranje) ; influence autr. croissante. **1882**-*6-3* **Milan**, roi de S. **1885** g. contre Bulgarie : *Slivnitsa* S. battue, paix sans pertes territoriales. **1889**-*6-3* Milan Ier obligé d'abdiquer (trop autoritaire et divorce d'avec reine).

Alexandre Ier Obrenovitch (14-8-1876/10/11-6-1903, fils de Milan Ier) roi à 13 ans à l'abdication de son père. **1893**-*13-4* renverse régents et abroge Const. de 1889 ; rappelle Milan Ier qui devient chef de l'armée et instaure régime policier. **1900**-*4-8* ép. Draga Lougnevitza veuve Machin (n. 11-9-1867).

1903-*10-6* A. Ier et Draga tués par nationalistes de la « Main Noire » soutenant les Karadjordjevitch ; sont tués aussi le Pt du Conseil (Gal Zinzar Marcovitch), min. Guerre, min. Intérieur, 2 frères de la reine.

1903-*15-6* **Pierre Ier Karadjordjevitch** (11-7-1844/16-8-1921) fils d'Alexandre ; ép. 11-8-1883 P[cesse] Zorka de Monténégro (23-12-1864/16-3-90). *-15-6* élu roi par l'Ass. nat. ; roi de S., s'appuie sur Russie. **1912** *1re g. balkanique :* S., Bulgarie, Monténégro et Grèce contre Turquie. **1913** *2e g. balk. :* S., Monténégro, Grèce, Turquie et Roum. contre Bulgarie. *-10-8 tr. de Bucarest :* S. annexe Kosovo, Metohija, N. et Centre de Macédoine. **1914**-*28-6* la « Main Noire », dirigée par le C[el] Dragoutine Dimitriyevitch-Apis, chef du service de renseignements du haut état-major serbe, mêlée à l'*attentat de Sarajevo. Juillet* Alexandre (f. de P. Ier) régent. *-28-7* Autr.-Hongrie déclare g. à S. (soutenue par Monténégro et Russie). *-24-9* victoire s. sur le Tser. *-8-12* vict. de Roudnik. *-15-12* Belgrade reprise. **1915**-*15-12* Allem., Autr. et Bulg. battent S. ; retraite troupes et gouv. s. vers Corfou, à travers l'Albanie (pertes : 150 000 h.). **1918** *royaume des Serbes, Croates et Slovènes,* voir p. 1183 c.

1981 révolte albanaise (9 †, 1 000 à 2 000 arrest.). **1987** 4 soldats tués par Alb. **1988**-*22-9* 130 000 manif. pour soutenir minorité s. et montén. du Kosovo. *Oct.* réforme de la Const. de 1974 au Comité centr. de la Ligue : S. demande contrôle sur Kosovo et Vojvodine *-19-11* 1 million de manif. à Belgrade. **1989**-*28-3* nouvelle Constitution s. promulguée. *Mai* Borisav Jovic représentant de la S. à la présidence collégiale de Y. *-28-6* 1 million de S. assistent au 600e anniv. de la bataille de Kosov Polje. *Juill.* PC se transforme en P. socialiste. **1990**-*25-7* + de 100 000 manif. pour autonomie. *-28-9* nouv. Const. *-2-12* législatives. **1991**-*mars* manifs de l'opposition démocratique, réprimées par l'armée. **Guerre civile :** voir p. 1184 b. **1992** politique de conquêtes territoriales en Croatie et Slovénie pour une « grande Serbie ». *-9-3* anniversaire des manifs de 1991. A Belgrade, 50 000 personnes réclament l'élection d'une Assemblée constituante à la proportionnelle, la démission du Pt Milosevic, l'amnistie des « déserteurs » et la liberté des médias. *-27-4* constitue avec le Monténégro la Rép. fédérative de Y. *-30-5* Onu décide embargo commercial, pétrolier. *-13-8* S. reconnaît officiellement la Slovénie. *-10-10* boycotte à Zagreb réunion des représentants de la Y. et de la Croatie. *-19-10* la police s. tente d'occuper à Belgrade les locaux de la police fédérale. Le Pt Dobra Cosic et le PM Milan Panic réclament la démission de Milosevic. *-20-12* élection présidentielle. Panic se présente contre Milosevic qui tente de faire interdire sa candidature (prétexte sa nationalité amér.). **1993**-*11-3* Milosevic à Paris pour rencontrer les médiateurs Vance-Owen, promet d'user de son influence sur les Serbes de B.-H. *-2-6* Vuk Draskovic (dirigeant de l'opposition) arrêté.

■ **Statut.** Rép. *Const.* du 28-9-1990. *Pt* (élu au suffr. univ. maj. à 2 tours) : Slobodan Milosevic (n. 1941, Pt du P. soc. de Serbie) réélu 9-12-90 [65,34 % des v., devant Vuk Draskovic (Pt du P. du Renouveau serbe, nation.) 16,40 % et Ivan Duric (Alliance des forces réf.) 5,52 %, autres cand. 2 %]. Réélu 20-12-92 (56 % des voix contre 34 % à M. Panic selon la commission électorale de Serbie ; résultat contesté. **Chambre** 250 m. élus au scrutin maj. à 2 tours. **Élections** (20-12-1992). Parti socialiste (ex.-Ligue comm., Pt Milosevic) 101 sièges, Parti radical (ultranationaliste, Vojslav Seselj) 73, Coalition d'opposition (Depos) 49, Parti dém. (DS) 7.

■ **Provinces autonomes.** KOSOVO. 10 887 km². **Population :** (1990) 1 954 747 h. dont (en %) : Albanais 82,2 (60 en 1945), Serbes 10, Musulmans 3, Monténégrins 1, Romanis 2,2, Turcs 0,6. D 178. *Taux de natalité :* Serbes 2,02 ‰, Albanais 2,7 ‰. *Analphabétisme :* 17,6 %. **Langues** *(off.)* albanais et serbo-croate. **Capitale** *Pristina* 108 083 h. (81). **Ressources :** *agriculture* arriérée sur 581 885 ha, 69 % de terres cultivables et 31 % de pâturages. Blé, maïs, seigle, orge, avoine, tournesol, bett. à sucre, bovins, ovins. Nickel, zinc, plomb, cadmium, bauxite, chrome, manganèse. **Chômage :** 69 % (40 000 Alb. ont émigré pour travailler en Europe occ.). **PIB :** 1 520 $ par h.

Histoire. Basse Antiquité, établissement d'Illyriens ou de Thraces d'où descendraient les Alb. **Moyen Age,** établissement des Serbes. **1346** cœur de la Serbie médiévale où résidait, à Pec, le patriarche de l'Église orth. s. (1346-1463 et 1557-1766). **1389** domination turque. **1880** 1er gouv. provisoire alb. **1918** intégré à la Y. **1914-39** polit. d'assimilation et d'émigration forcée ; résistance armée alb. **1966** fin de la pol. répressive (destitution de Rankovitch, vice-Pt y. et min. des Aff. intérieures). **1968** Alb. nationalistes réclament statut de Rép. fédérée. **1974** Constitution youg. : large autonomie. **1981** Alb. réclament statut de rép. *-13-3/4-4* émeutes, 9 †. **Dep. 1981** départ de 30 000 Serbes. **1982**-*1/2-4* émeutes à Pristina. **1986** *avril* manif. **1988**-*20-10* 20 000 Serbes et Montén. manif. à Kosovo Polje contre « l'albanisation » du K. *-17-11 :* 100 000 Alb. manif. à Pristina. **1989**-*1-3* état d'urgence partiel. **1990**-*26-6* institutions propres au K. interdites. *-5-7* Parl. dissous par autorités serbes et accélération de la « serbisation » (fonction publique, écoles, etc.). *-7-9* ex-députés de souche alb. promulguent « Const. de la Rép. du Kosovo », fixent él. lég. au 28-11, j de la fête nat. alb. *-12-10* Rahman Morina, chef de la Ligue des comm. du K (LCK) †. **1991**-*18-3* Parl. de Serbie limoge Riza Sapundzija, représentant du K. à la prés. collégiale, et décide, par 211 voix, l'abrogation de la présidence de la province. Arrestation de membres du Front national albanais (organisation armée pour la sécession du Kosovo). *-21-10* la population alb. nomme Bujar Bukoshi « chef de gouv. alb. ». *Déc.* « serbisation » des rues de Pristina qui reçoivent des noms de héros serbes. **1992**-*24-5* élections législatives et présidentielles organisées par Alb., non reconnues par Belgrade. **Ibrahim Rugova,** chef du LDK (Ligue démocratique du K.) élu Pt. *-8-8* Parlement serbe vote un projet de colonisation du K. par Serbes et Monténégrins, financé par un prélèvement de 3 % sur les revenus bruts des commerces privés et agriculteurs du K. *-25/28-8* conférence de Londres sur paix en Y. ; les Alb. du K. réclament la souveraineté. *-13-10* manif. pour la reprise de l'enseignement en alb. *-20-12* élections anticipées ; boycottage alb. ; seulement 10 % des inscrits (Serbes) votent. Zelko Raznjatovic, dit Arkan, chef de bande et criminel de guerre, élu député. **1993** gouvernement du K. en exil à Stuttgart, résistance passive sur place.

VOJVODINE. 21 506 km². **Population :** (2-91) 2 125 517 h. dont (en %) : Serbes 57,2, Hongrois 17, Yougoslaves 8,4, Croates 3,7, Slovaques 3,2, Roumains 2, Monténégrins 2,2, Ruthènes 1. 24 nationalités. D 95. **Capitale :** *Novi Sad* 264 533 h. (91). **Langues** *(off.) :* serbo-croate, hongrois, slovaque, roumain, ruthène. *Analphabétisme :* 5,8 %. **Ressources :** *agriculture* terres cultivables 1 632 902 ha. Blé, maïs, bett. à sucre, tournesol, houblon, p. de terre, luzerne, tabac, porcins, bovins. **Pétrole** (1 million de t/an). **Gaz** (646 millions de m³/an). **Chômage :** 28 %. **PIB :** 6 790 $ par hab.

Histoire. 1918 rattachement à la Serbie. **1989**-*5/6-10* manif. à Novi-Sad pour rapprochement avec Serbie. Pression serbe sur minorités (restrictions au droit à l'enseig. dans la langue maternelle, usage obligatoire des caractères cyrilliques, serbisation des noms de villes et rues). Sur 140 000 réservistes de l'armée féd., 80 000 sont de Vojvodine. 100 000, dans des minorités, exilés pour échapper à la conscription. **1990** Autonome. **Statut.** Rép. Constit. du 28-9-1990. Pt Slobodan Milosevic (n. 1941). *Chambre* 250 m.

Sandjak de Novi Pazar. District montagneux (8 700 km²), enclavé entre Serbie et Monténégro. 440 000 hab., dont + de 250 000 musulmans et se considérant comme bosniaques. *1991 oct.* référendum pour (+ de 98 %) « l'autonomie territoriale et politique ». *1992 janv.* et *mars* élections clandestines pour désigner Parlement et gouvernement (dirigé par Rasim Ljajic, secrétaire d'Action démocratique). *12-2-92 au 1-1-93* 50 attentats anti-musulmans attribués aux milices serbes.

■ GRANDE SERBIE. Tito y était hostile. Réclamée par les nationalistes serbes (dès 1937, projet de « nettoyage ethnique » du Kosovo), réunissant en un seul État tous les Serbes de Y. que le redécoupage des frontières par Tito a divisés entre les rép. de la Fédération. Vidées des non serbes, les régions « serbes » des autres rép. (Krajina croate, Herzégovine orientale) seraient rattachées à la Serbie, ainsi que les terr. conquis pour assurer la continuité territoriale.

■ ÉCONOMIE

(Statistiques de l'ex-Yougoslavie avant 1992).

PNB. *1982 :* 3 100 $; *85 :* 2 070 ; *86 :* 2 300 ; *87 :* 2 480 ; *88 :* 2 250 ; *91 (est.) :* 2 211 par h. **Taux de croissance** (%) *1986 :* 3,7 ; *87 :* 2,7 ; *88 :* 1,7 ; *89 :* 1,5 ; *90 :* 5,4 ; *91 :* 4,9. **Pop. active** (% et, entre par., part du PNB en %) agr. 25 (13), ind. 30 (31), services 44 (53), mines 1 (3). **Chômage** *(1993), avril :* 25 % (env 800 000). **Monnaie :** Dinar lié au Deutschemark. *1992 :* 1 DM = 68 000 din. *93* (23-6 dévaluation) : 882 024 din. **Salaire** *mensuel moyen. 91 :* 625 $; *92 :* 75 $. + de 50 % de la population vit en dessous du seuil de pauvreté.

Inflation (%). *1980 :* 30 ; *81 :* 46 ; *82 :* 29 ; *83 :* 37 ; *84 :* 58 ; *85 :* 74 ; *86 :* 87 ; *87 :* 117 ; *88 :* 195 ; *89 :* 1 269 ; *90 :* 593 ; *91 :* 121 ; *92 :* 9 237 ; *93 :* en juillet 12 % par j.

Agriculture. *Terres* (milliers d'ha, 92) agricoles 6 228 dont cult. 4 866, pâturages 1 322. **Forêts.** 3 021. 80 % du sol appartient à la propriété privée. *Production* (milliers de t, 92) : blé 2 101, maïs 4 513, seigle 16, tabac 11, chanvre 10, bett. à sucre 2 763, p. de terre 807, tournesol 359, raisins 394, prunes 374, pommes 204. *Forêts* 15 186 000 m³ (88). **Élevage** (milliers de têtes, 92). Chevaux 82, bovins 1 991, moutons 2 752, porcs 4 092, volailles 23 293. **Pêche** (t, 92). Poissons d'eau douce 7 410, de mer 209, crustacés et coquillages 6 730. **Chasse** (92). Cerfs 976, biches 8 052, chamois 65, ours 22, sangliers 4 469, lièvres 129 715.

Énergie (millions de t, 92). **Lignite :** *réserves* 21 582, *prod.* 39,3. **Pétrole :** *réserves* 40, *prod.* 1,2. **Gaz :** 846 millions de m³. **Électricité :** projet abandonné de centrale à Bijli Breg de 82,48 milliards kWh. Un barrage menacerait le canyon de la Tara (le plus profond du monde, à 1 300 m, après celui du Colorado). Projet de 4 barrages sur Moratcha, dont un de 150 m de haut (lac de 26 km) ; monastères et Titograd menacés en cas de rupture (région sismique). **Mines** (milliers de t, 92). Fer (brut) 512, cuivre 23 085, plomb et zinc 804, bauxite 792, chrome, mercure, antimoine, manganèse, sel, baryte, argent, or. **Industrie.** Alumine (1 086 000 t, 90), ciment (2 036 000 t, 1992) acier (665 000, 1992) mat. d'équip., prod. chimiques, mat. de construction, métaux de base, papier, textile, prod. alim., cigarettes. En 92 : 134 165 entreprises employant 2 328 600 salariés et produisant (en 86) pour 9 544 165 millions de dinars. **Transports** (km, 91). Chemins de fer 3 947 dont 1 339 électrifiés, routes 122 571 (89). **Tourisme.** *Revenus* (milliards de $) : *1986 :* 1,3 ; *87 :* 1,7 ; *88 :* 2,02 ; *89 :* 2,2 ; *90 :* 2,6 ; *91 :* 0,25 ; *92 :* 87,8. *Visiteurs* (92) : 3 082 854 dont All. féd. 38 263, Italie 10 277, Autriche 3 950.

Prod. industrielle. Plus de statistiques officielles. *1990* – 5 % ; *91* – 20 % ; *92* – 50 %. Fin 92, 1/3 des sociétés industrielles avaient fait faillite.

Commerce (millions de $, 91). **Exp.** 4 704 *dont* mach. et mat. transp. 938, prod. man. 1 091, prod. chim. 435, prod. alim. prod. bruts 517, *vers* ex-URSS 834, Italie 663, Tchécoslovaquie 61, G.-B. 110. **Imp.** 5 548 *dont* mach., mat. de transport 1 291, prod. chim. 741, prod. man. 584, alim. et animaux vivants 426, *de* Italie 591, ex-URSS 713, Tchéc. 150, G.-B. 174.

Balance (en milliards de $). **Commerciale :** *1985 :* – 1,5 ; *86 :* 2,1 ; *87 :* 1,2 ; *88 :* 0,6 ; *90 :* – *4,5.* **Des paiements** *1990 :* – 2,35 ; *1991 :* 0,19. **Réserves de change** (milliards de $) *mars 92 :* 2,5. **Dette extérieure** *1991 :* 19,2 milliards de $ (part des Rép. en % : Serbie 24,4, Croatie 24, Slovénie 19,5, Bosnie-H. 12,4, Vojvodine 8,5, Macédoine 5,8, Kosovo 2,9, Monténégro 2,4). **Aide de l'Europe** *1991-95 :* 807 millions d'Écus. Dep. le 8-11-91, l'accord de commerce et coopération entre CEE et Y. est suspendu. Même politique de la part des pays de l'OCDE. La Y. a été radiée du FMI (15-12-92).

Blocus économique. Décrété 11-11-1991 par les 24 pays les plus riches, vise surtout Serbie-Monténégro (aide financière accordée par la CEE aux Rép. youg. coopérant avec médiateurs europ.). Embargo imposé à la Serbie et au Monténégro le 30-5-1992, renforcé 16-11, a favorisé le développement du marché noir (60 % de l'éc.), de la contrebande (côte Adriatique, frontières avec la Roumanie, la Bulgarie, la Macédoine) et d'un système bancaire parallèle.

Rang dans le monde (88). 5e maïs, 6e bauxite, charbon brun et lignite, 7e lignite, 8e flotte marchande (86), 8e blé, plomb (87), 9e fils de laine, 11e vin, 13e automobiles (87), 14e argent, 16e cuivre, 19e porcins.

■ ZAÏRE

Carte p. 1187. V. légende p. 884.

Nom. D'origine portugaise, désignait au XVIe s. le fleuve Congo. Indépendant sous le nom de Congo, prend le nom de Zaïre [en kikongo, *nzadi :* fleuve (déformation du mot)] le 27-10-1971.

Situation. Afrique. 2 344 885 km². *Alt. max.* 5 119 m (Pic Marguerite, Mts Ruwenzori). *Frontières* 9 165 km (moins de 40 km sur la mer). Bassin du Zaïre (Congo) ; plateaux à l'O., au S. et à l'E. **Climat.** *Équatorial* au centre [humide, chaleur uniforme (25 °C minimum), pluies réparties toute l'année (1 500 à 2 000 mm/an)] ; *tropical humide* au N. et au S. [à Kinshasa, alternance de saisons sèches (4 m. en tout) et humides ; à Lubumbashi, 6 m. de sécheresse relative] ; *d'altitude* à l'E. ; *océanique* à l'embouchure du Zaïre. *Temp.* max. 26 à 28 °C. Forêt humide (48 %), savanes, zone équatoriale. Le fleuve *Zaïre* (long. 4 700 km, débit 40 000 m³/s) forme avec ses affluents 14 000 km de voies navigables.

Population (millions). *1988 :* 33,46 ; *prév. 2000 :* 52,41 dont Bantous 15, Soudanais ou Nilotiques 3, Pygmées 0,1. *Ethn. :* 60 à 250 groupes. **Étrangers** (1974) 0,88 dont Angolais 0,4, Rwandais 0,3, Belges 0,04 [*1991 :* 0,01 Belges (*74 :* 0,04, *60 :* 0,09), 0,004 Français (0,0006 après les émeutes dont 180 coop., en instance de départ)]. **Zaïrois à l'étranger :** 1 000 000 à 1 500 000 au Congo. **Régions** (pop. en 1985 et dens. entre parenthèses) : Bandundu 4 644 758 (15,7), Équateur 3 960 187 (9,8), Kasaï occ. 3 465 756 (22), Kasaï or. 2 859 220 (16,9), Shaba (ex-Katanga) 4 452 618 (8,9), Kivu 5 232 442 (20,3), Bas-Zaïre (ex-Congo central) 2 158 595 (40), Haut-Zaïre (ex-Province or.) 5 119 750 (10,1), Kinshasa-Ville 2 778 281 (278,8). **Age** - *de 15 a. :* 46 %, + *de 65 a. :* 3 %. **Mortalité** *infantile* 103 ‰. D 14,2. **Pop. urb.** 39 %. **Villes** (1976) : *Kinshasa* (ex-Léopoldville) 3 500 000 (est. 85), Kananga (ex-Luluabourg) 704 211, Lubumbashi (ex-Elisabethville, à 2 403 km par voie fer.) 451 332, Mbuji Mayi (ex-Bakwanga) 382 632, Kisangani (ex-Stanleyville, à 1 734 km par fleuve) 339 210, Bukavu (ex-Costermansville) 209 051, Likasi (ex-Jadotville) 194 465 (84), Kikwit 172 450, Matadi 143 598 (à 366 km par voie fer.), Mbandaka (ex-Coquilhatville) 134 495.

Langues. Français *(off.) ;* nationales véhiculaires : swahili, tshiluba, lingala, kikongo ; il y a plus de 400 dialectes. **Religions.** Catholiques 14 341 691 (85) et 342 763 catéchumènes (85), protestants 8 000 000, kimbanguistes (Église du Christ fondée en 1921 par Simon Kimbangu) 700 000, animistes 1 000 000, musulmans 300 000 (1,25 %).

Histoire. **1874-78** exploré par Henry Morton Stanley (1841-1904) pour son propre compte, puis pour AIC. **1876** *sept.* Léopold II de Belg. organise Conf. géogr. intern. débouchant sur création de l'AIA (Association intern. afr.) chargée « d'ouvrir l'Afrique à la civilisation ; abolir la traite des esclaves ». **1878**-*30-10* accord Stanley/Léopold II : création de postes au Congo en concluant tr. avec chefs locaux au nom de l'AIA devenu CEHC (Comité d'études du Haut-Congo). **1883** devient AIC (Association intern. du Congo) présidée par Léopold II. **1884**-*15-11* Congrès de Berlin, AIC reconnue comme l'État indépendant du Congo (souverain : Léopold II, gouvernement à Boma puis à Léopoldville). Exploitation commence par commerce ivoire et caoutchouc de la région de l'Équateur ; création de la Compagnie du C. pour le comm. et l'indus., Cie du chemin de fer du C., Sté belge du Haut-C., etc. **1890-94** production de caoutchouc multipliée par 4. **1904**-*24-7* Commission intern. d'enquête créée sur pratiques utilisées (politique des mains coupées, prise d'otages) pour production du caoutchouc. **1906**-*27-2/2-3* accusations des parlementaires belges : scandale. *-13-12* annexé à l'État belge, Léopold II dépossédé. **1908**-*20-8* charte faisant du C. une colonie belge. **1959**-*4-1* émeutes à Léopoldville, 42 † et 250 bl. *-13-1* le roi admet l'indép. **1960**-*29-1* table ronde pol. b.-cong. *Février* table ronde éco.

1960 État indépendant. *-10/18-5* Parlement belge vote loi fondamentale du futur État. *-23-6 Patrice Lumumba* (n. 1925) PM, *Joseph Kazavubu* (1913-69) Pt. *-30-6* **indépendance,** confusion après départ des cadres b. ; g. civile. *-7-7* forces milit. b. interviennent pour protéger vie des B. et mater mutinerie de la force publique. *-11-7* **Katanga,** appuyé par les B. [Pt *Moïse Tschombé* (n. 1919-69)] se proclame indép. (jusqu'au 15-1-63) ; non reconnu, entre au sein du C. après intervention armée de l'Onu. *-5-2* Pt destitué. *-1-12* arrêté (sera exécuté 17-1-61). PM *Lumumba* avait demandé intervention Onu. **1960** *août*-**1962** *sept. Albert Kalondji* se proclame empereur des Balubas et chef de l'État autonome du sud *Kasaï.* **1964** *mars* convention C./Belgique, portefeuille de l'ancien C. belge (37 milliards de F B.) reste au C., dette contractée par Belgique au nom du C. divisée en 2. *-10-7* Tschombé, rappelé après reprise des révoltes, forme gouvernement de coalition. *-1-8* Constit. de type fédéral, multipartisme. *-7-9* Christophe Gbenye instaure rép. pop. à Stanleyville, soumise *avr.* **1965** Tschombé renvoyé *13-10.*

1965 Gal Mobutu renverse *24-11* Pt Kasavubu et PM Évariste Kimba et dénonce corruption C./B. **1966**-*2-6* Kimba et 3 anciens min. pendus. **1967**-*21-6* référendum constit. instituant un régime plébiscitaire. *-30-6* Tschombé kidnappé dans un avion privé, incarcéré en Algérie (y meurt 29-6-69). **1970**-*31-10* Mobutu élu Pt. **1972** *janv.* conflit avec catholiques, cardinal Malula expulsé. *Mai* Mobutu refuse présidence à vie. **1973** nationalisation grandes entreprises. **1974**-*22-5* protocole de coop. mil. avec France (assistance et formation). *Nov. nationalisation* des PME. **1975** soutient FNLA en Angola. *Juin* complot déjoué. *Août* fermeture chemin de fer Benguela ligne Lubumbashi-Lobito [2 000 km (1 300 en Angola), transportant prod. miniers du Shaba (30 % du cuivre exp., 80 % du mat. lourd imp.)] *-7/9-8* Pt Giscard d'Estaing au Z. **1977** *mars g. au Shaba* (ex-Katanga), *avr.* soutien marocain (transport sur Transall français) ; (soldats 2 †, 250 à 300 rebelles †) mais Shaba repris. **1978** *févr.* complot déjoué, 13 exécutions. *-11-5 :* 4 000 rebelles (anciens gendarmes katangais) venus d'Angola assiègent **Kolwezi** au Shaba ; des Europ. ont été massacrés. *-19-5* Parachutistes fr. du 2e REP (Légion) lâchés sur K. (700 Z. †, 91 étrangers †, 5 para. fr. †, 1 Belge †). *-21-5* Eur. rapatriés en Europe. *Juin* force inter-afr. (Maroc, Gabon, Sénégal, C.-d'Iv., Togo). *-15-7* chemin de fer de Benguela (fermé août 75) rouvert. *-19/20-8* rencontre Mobutu et Pt angolais Neto à Kinshasa. **1979**-*30-6* les Z. relèvent la force inter-afr. **1980** *avr.* Jean-Paul II au Z. **1982** *oct.* sommet franco-afr. à Kinshasa. **1984**-*1-12* Pt Mitterrand au Z. **1985**-*6-8 Philippe de Dieuleveult* et 6 coéquipiers français disparaissent en descendant le Zaïre. **1989** *janv.* Z. dénonce « accords léonins » le liant à la Belgique et exige réouverture du dossier du « contentieux b.-z. ». *-26-7* accord Z./B. : annulation de 11 milliards de FB de la dette z., renouvellement de la coopération b. **1990**-*26-4* fin du parti unique : 3 partis. *-7-4 Lunda Bululu* PM de transition. *-11/12-5* opposants tués à Lubumbashi. *22-6* 700 cogérants belges renvoyés. *-18-12* multipartisme. **1991**-*9-4 Mulumba Lukoji* PM. *-13/14/15-4* manifs à Mbuji Mayi (42 †). *-7-8* début de la Conf. nat. *-23/24-9* émeutes 117 †. *-25-9* interv. des troupes franç. [4 compagnies de légion. et d'infanterie de marine (600 h.), 4 comp. (600 h.) prélevées sur la FAR], et belges (opér. Blue Beam : 500 paras) pour évacuer ressortissants. *-1-10 Étienne Tshisekedi* (n. déc. 1932) PM. *-21-10* limogé. *-21/22-10* émeutes à Lulumbashi 10 †, 50 % des 1 000 à 1 400 Eur. évacués. *-23-10 Mungul Diaka* (n. 1933) PM. *-24-10* émeutes à Kinshasa. *-3/4-11* départ des troupes franç. et belges. *-25-11 Nguz Karl i Bond* PM. **1992** *janv.* Conférence nat. *-22/23-1* tentative de putsch (Conf. nat. suspendue) 2 †. *-24-15* † à Kinshasa. *-16-2* armée tire sur manif. 13 †. *-6-4* Conf. nat. reprend. *-15-4* se proclame souveraine. *-21-4* élit Mgr *Laurent Mosengwo* Pt. *-27-6* Kinshasa, pillages de l'armée. *-14-8 Étienne Tshisekedi* (n. 1933) PM. *Août/sept.* combats Shaba et Kasaï. *Déc.* PM démissionne. *-5-12* Haut Conseil de la République (HCR, 453 m.) (contrôle Pt et gouv., et remplace Parl.) ; Mgr Mosengwo Pt. *-18-12* manif. à Kinshasa 3 †. Pillages de l'armée. **1993**-*15-1* HCR accuse Mobutu de haute trahison. *-24/29-1* émeutes Kinshasa 1 000 † (*24:* ambassadeur de Fr. Philippe Bernard et un de ses collaborateurs tués dans son bureau). ; 1 300 étr. évacués. *-5-2-* PM Tshisekedi à nouv. limogé. *-19/27-2* Pt Mobutu séjour privé en France. *-22/23-2* émeutes à Kinshasa 10 †. *-17-3* Mobutu fait nommer Faustin Birindwa (n. 1943) PM (désavoué par HCR). *Avril* troubles au Shaba 8 †. *-2-4* Birindwa forme gouv. *-20-4* fortune de Mobutu (3,5 Mds de $) sous surveillance Belg., Fr. et USA. *-18-5* Kinshasa, attentats 10 †. *Juillet* 1 000 à 3 000 † au Kivu.

Statut. Rép. démocratique. *Const.* du 24-6-1974, révisée 78, 80, 81 et 91. Nouv. Const. doit être soumise à référendum. *Pt* (élu pour 7 a. au suffr. univ.) du Congrès, du Comité central, du Bureau pol., du Comité exécutif et du Conseil exéc. : M^al^ Mobutu Sese Seko Kuku Ngbendu Wa Za Banga (le coq qui chante victoire, le guerrier qui va de conquête en conquête sans que l'on puisse l'arrêter) (n. 14-10-30) dep. 24-11-65. *Haut conseil de la Rép. (HCR),* 453 m, remplace dep. 5-12-92 *Ass.* élue pour 5 a. au suffr. univ. (210 m., élus sept. 87). **Partis.** *Mouvement pop. de la révol. (MPR)* f. 1967, tout Zaïrois est membre de droit (unique 26-4-90). **Opposition** (réunie dans l'Union sacrée). *Union des Fédéralistes et rép. indép. (UFERI),* f. 1990, Pt Nguz Karli Bond. *Union pour la dém. et le progrès social (UDPS)* f. 1982, Pt Étienne Tshisekedi. *Rass. dém. pour la Rép. (RDR),* Pt Mungul Diaka. *P. dém. et soc. chrétien (PDSC),* f. 1990, Pt Joseph Ileo. *Union des dém. indép. (UDI),* Pt Thambwe Mwamba. *Front commun des nation. (FCN),* Pt Kamando Wa Kamando.

Fêtes nat. 30-6 (indép., 1960), 24-11 (anniv. du nouveau régime, 1965), 4-1 (j des Martyrs de l'Indép.), 24-6 (j du poisson), 14-10 (j de la jeunesse), 27-10 [j des 3 Z (pays-monnaie-fleuve)], 17-11 (Forces armées z.). **Drapeau** (1971). Vert avec emblème du Mouv. pop. : torche représ. l'esprit de la révolte et la vie des révolutionnaires morts.

■ Économie

PNB ($ par h.) *1982 :* 180 ; *85 :* 141 ; *90 :* 230 ; *91 :* 150. **Chômeurs** (91) 100 000 à 200 000. **Croissance** (%) *89 :* - 0,7 ; *90 :* - 2 ; *91 :* - 7. **Pop. active** (%, entre parenthèses part du PNB en %) agr. 57 (38), ind. 10 (8), services 28 (45), mines 5 (9). **Inflation** (%) *79 :* 87,7 ; *80 :* 42,1 ; *81 :* 34,9 ; *82 :* 37,2 ; *83 :* 76 ; *84 :* 52,2 ; *85 :* 23,8 ; *86 :* 46,7 ; *87 :* 85 ; *88 :* 82,7 ; *89 :* 104 ; *90 :* 264 ; *91 :* 2 154 ; *92 :* 4 333. **Dette extérieure** (milliards de $) *1983 :* 4,1 ; *93 :* + de 10. **Valeur de $** *en zaïres 1967 :* 0,52, *93* (juin) + de 4 millions de z. Rupture avec FMI dep. 1987 (baisse investissements étrangers et départ des multinat.). **Aide extérieure France** (millions de F) *1989 :* 995 (annulation de la dette) ; *90 :* 980 (remise de dettes 596) ; *91 (prév.) :* 100 (aide supprimée). **Belgique** *1990 :* 550 (suspendue). **All.** *1989 et 90 :* 553. **Salaire moyen** 66 F par mois.

Agriculture. *Terres* (milliers d'ha, 80) arables 5 800, cult. 552 (6 % du territoire en 88), pâturages 9 221, forêts 125 000 (90), eaux 7 781, divers 33 907. *Production* (milliers de t 90) manioc (30 % des t. cult.) 17 500, canne à sucre 1 180, palmier à huile 178 (89), maïs 870, riz 345, arachides 430, plantain 1 800, prod. maraîchers, légumineuses 270, coton 26, cacao 5, thé 3, café 98, tabac 3, hévéa. **Forêts** 33,7 millions de m³ (90). **Élevage** (milliers, 90). Bovins 1 550, porcins 820, bovins 913, caprins 3 060, volailles 20 000. Pêche (89). 166 000 t.

Énergie. *Charbon* (près de Kalémie, ex-Albertville, et Luena ; réserves 60 millions de t) 125 000 (89), *pétrole* 1 297 000 t (89), *colombotantalite, cassitérite, cadmium, gaz* (lac Kivu). **Barrage** *d'Inga* : I (terminé) 2 350 MW ; II (en construction) 1 272 MW ; III (projet) 1 200 MW. Mines *(en milliers de t.). Cuivre* (Shaba *88* : 470, *90* : 339, *91* : 222, *92* : 137) [mine de Kamoto vétuste ; prix de revient 118 cents/livre (104 moy. mond.)], *zinc* 72 (89), *cobalt* 0,009, *argent* 0,060 (89), *diamants* de Lubilash 5 593 000 carats, du Kasaï 6 175 000 (83) [prod. vendue au marché noir ; perte : 400 millions de $ par an], *étain, manganèse, or, wolframite, monazite.* Industrie. Prod. alim., ciment, textile. Transports (km, 88). *Routes* 160 000, dont goudronnées 3 000, *chemins de fer* (en cours de rénovation) 5 118, *voies navigables* 17 285. Tourisme. *Visiteurs* 109 000 (89). **Parcs nationaux :** *la Virunga* (ex-P[ce] Albert de la Rwindi), 8 000 km² (22 000 hippo., 35 000 éléphants, 20 000 buffles, 15 000 antilopes, 500 lions) ; *l'Upemba,* 11 730 km² (3 000 él., 1 000 antil. noires, 500 zèbres) ; *la Garamba,* 5 000 km² (5 000 él., 15 000 buffles, 15 000 antil., 150 lions, 580 girafes).

Commerce (milliards de zaïres). **Exp. :** 65,3 (86) *dont* cuivre, cobalt, café, diamants *vers* (%, 88) Benelux 43,4, Amér. du N. 19,4, All. féd. 11,4, Italie 8,2, *France 4,5.* **Imp. :** 32,7 (86) *dont* (%, 88) Benelux 16,2, *France 7,4,* Amér. du N. 5,5, Italie 5,5, All. féd. 5,2.

Rang dans le monde (91). 1er cobalt, diamant. 7e cuivre. 15e café. 18e bois.

ZAMBIE

V. légende p. 884.

Situation. Afrique. 752 614 km². *Alt. max.* Nyika Plateau 2 164 m. Plateaux (900-1 500 m), collines, lacs et plaines. Pays de savanes typique. Plateaux couverts de hautes herbes et d'arbres ; plus au nord, les arbres sont plus hauts et forment un vrai rideau ; dans les vallées : taillis. Climat. *3 saisons :* froide et sèche (mai à août ; temp. de 10 à 25 °C) ; chaude et sèche (sept. à nov.), chaude et pluvieuse (nov. à avr.) 25 à 32,2 °C. *Pluies :* + 1 270 mm au N., 508 à 762 mm au S., pouvant commencer en oct. et se terminer en mars.

Population (millions). *1991* : 8,02 ; *prév. 2000* : 11,80. D 10,6. **Age** – *de 15 a.* 47 %, + *de 65 ans* 3 %. **Mort.** *infantile* : 84 ‰. **Croissance** par an *1961-71* : 2,8 % ; *1971-81* : 3,2 % ; *1980-90* : 3,2 %. **Étrangers** *1969* : 54 175 (43 390 Eur., 10 785 Asiat.) ; *90* : 70 000. **Immigration :** Zimbabwe, Malawi, G.-B., Asie (les personnes qui immigrent viennent temporairement, souvent sous contrat). **Pop. urb.** 42 %. Villes (90) : *Lusaka* 1 207 980, Ndola 545 000 (321 km), Kitwé-Nkana 348 571 (à 359 km), *+ de 100 000 h :* Chipata, Mufilira, Chingola, Kabwe, Luanshya, Livingstone (chef-lieu de 1907 à 1935). Langues. Anglais *(off.),* dialectes (bemba, nyanja tonga, lozi, lunda). Religions. Chrétiens 75 % (dont catholiques 50 %, réformés, anglicans, méthodistes, presbytériens), animistes 25 %, quelques musulmans.

Histoire. **1890** 1ers colons. Territ. brit. de Rhodésie du N. **1899-1924** administré par British South Africa Co.

1964-*24-10* **indépendance,** prend nom de Zambie. **Kenneth David Kaunda** (28-4-24), Pt fils d'un pasteur malawite presbytérien ; appelé l'Inattendu ; *1953* secr. gén. du Congrès nat. afr. ; *1955* interné pour possession de littér. interdite ; *1958* fonde Congrès nat. de Z. (interdit 1959) ; *1964-22-1* PM. *Surnoms :* Libérateur, Moïse noir, Messie. **1973** *janv.* Rhodésie ferme frontière avec Z. (qui aide des guérilleros de Rh.). **1975**-*23-3* arrestation des dirigeants (50) du Zanu (Union nat. africaine Zimbabwe). **1976** *janv.* état d'urgence. **1978** grève de 300 techniciens blancs de « la ceinture de cuivre », contre crimes organisés par hindous (secte Thug), « les étrangleurs du Bengale », et exécutés par des Noirs. *Oct.* réouverture frontière avec Rhodésie ; raid rhod. (destruction de 12 bases de guérilleros partisans de N'komo). **1980**-*26-1* mort de l'ancien vice-Pt Simon Kapwepwe. *Oct.* échec coup d'État. **1982** sécheresse. **1982-85** mévente du cuivre. **1986**-*19-5* attaque sud-afr. contre ANC. *Déc.* émeutes de la faim (15 †). **1987**-*mai* rupture avec FMI. *-6-7* ferry-boat « Le Maria » heurte un rocher : 400 † (les crocodiles du fleuve Luapala déchiquetèrent les corps). **1989**-*3-5* Jean-Paul II en Z. **1990**-*30-6* coup d'État échoue. *-30-11* multipartisme autorisé. **1991** *oct.* choléra 321 †. *-31-10* élect. présid. et législ. **Frederick Chiluba** [n. 1943, père mineur ; *1974-91* Pt du Congrès zambien des synd. (ZCTU) ; *1981* emprisonné] élu par 850 587 voix (79 %) devant Kenneth Kaunda 470 767 v. **1992**-*24-6* Pt Chiluba en Fr. *Juill.* privatisations. *Oct./nov.* choléra.

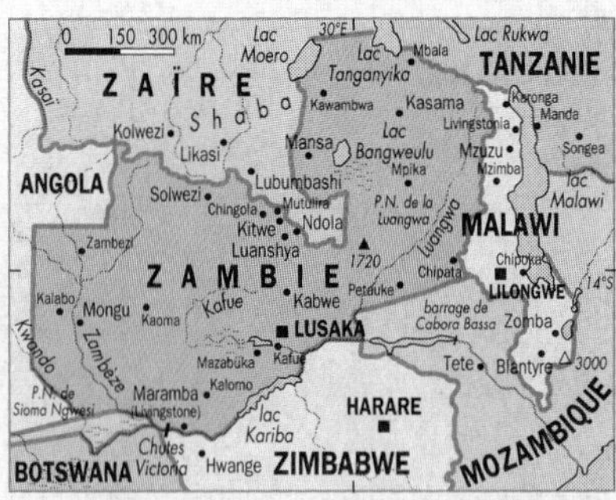

-17-11 émeutes à Lusaka. **1993**-*4-3* état d'urgence (complot ?). *-17-3* manif. à Lusaka.

Statut. Rép. membre du Commonwealth. *Constit.* du 24-8-91. *Pt* élu pour 5 a. au suffr. univ. *Ass.* 150 m. élus au suffr. univ. p. 5 a., plus 10 nommés par le Pt. Élections. *31-10-91.* MMD 125, Unip 25. *Ch. des chefs* 27 m. *Pt 1991* (31-10) Frederick Chiluba. Partis. *P. de l'Union nat. pour l'indép. (UNIP),* f. 1958, Kenneth Kaunda, p. unique de 1972 à 1990. *Mouv. pour le multipartisme et la démocratie (MMD),* f. 1990, Frederick Chiluba. 9 *provinces* divisées en districts. Fête nat. 24-10 (indép.). Drapeau (1964). Vert, aigle (liberté), 3 bandes orange (cuivre), noire et brune.

ÉCONOMIE

PNB (91). 300 $ par h. **PIB** (90) – 0,2 %. **Pop. active** (%, entre parenthèses part du PNB en %) agr. 65 (14), ind. 8 (24), services 16 (47), mines 11 (15). **Inflation** (%) *1989* : 75 ; *90* : 114 ; *91* : 92,6 ; *92* : 125. **Dette extér.** (91) 7,8 milliards de $ (dont, en 89, 1,3 envers FMI et Banque mond.) ; (92, juin) 6,5 (Club de Paris annule 50 % de la dette publique, soit 0,8 milliard de $. **Aide extér.** 15 à 18 % du PIB. *1992* : 1,7 milliard de F de la Banque mondiale.

Agriculture. *Terres* (milliers d'ha, 81) arables 15 000 (750 cultivés), pâturages 35 000, forêts 20 350, eaux 1 189, divers 13 564. *Production* (milliers de t, 90) canne à sucre 1 340, maïs 1 464 (92), manioc 260, millet 32, sorgho 20, arachides 25, tomates 29, coton 19, soja 27, blé 47, riz 5,5 (92), oignons 29, patates douces 25, tournesol 20, légumineuses 14. Tabac (92) 6 100 t. Forêts (90). 12 221 000 m³. Élevage (milliers, 90). Volailles 16 000, bovins 2 861, chèvres 565, porcs 200, moutons 85. Pêche (92). 54 000 t.

Cuivre (minerai en milliers de t). *1988* : 470, *90* : 339, *91* : 222, *92* : 80. **Autres mines** (1990 en t) : *charbon* 330 000 (90), *zinc* 10 600 (90), *cobalt* 4 615 (90), *plomb* 3 900 (90), *argent* 0,058 (90), *cadmium, gypse, manganèse, pétrole.* **Barrages :** Kariba sur Zambèze, à cheval sur Z.et Zimbabwe, 3,03 Mds de kWh (90) ; Kafue Gorge, 3,8 Mds de Kwh (90) et Victoria Falls, 0,64 (90). Industrie (milliers de t., 89). Prod. alim. (sucre) 130, cigarettes 1,5 milliard, engrais 12 (88), ciment 276, métaux.

Transports (km). *Routes* (90) 37 359 dont 6 387 goudronnées ; *chemins de fer* (88) 2 164 dont Tazara (Tanzania-Zambia Railway) [construit 1970-75 avec prêt chinois de 412 millions de $, 1 860 km (dont 891 en Z.)] de Ndola à Dar el-Salam (Tanzanie) ; voies 1,067 m, capacité 5 millions de t/an (2,5 dans chaque sens). Tourisme (90). 141 000 vis.

Commerce (millions de DTS, 89). **Exp.** 928 *dont* (%, 87) cuivre 84,7 (88), cobalt 5,8, zinc 1,6, plomb 0,2 *vers* (%, 85) Japon 23,1, G.-B. 7,3, USA 2,9. **Imp.** 500 *dont* (%, 84) pétrole 19,5, maïs 0,7 *de* (%, 85) Afr. du S. 18,7, G.-B. 15,3, USA 9,3. Rang dans le monde (91). 2e cobalt 5e cuivre.

ZIMBABWE

Carte p. 1189. V. légende p. 884.

Nom. Maison de pierre ou forteresse. Nommé 1923 *Rhodésie* [de Cecil Rhodes (1853-1902) qui fonda la British South Africa Company, dissoute cette année-là].

Situation. Afrique (entre Zambèze et Limpopo). 390 245 km². *Alt. max.* Mt Inyangani 2 592 m, *min.* 162 m, *moy.* 1 430 m. *Frontières :* Mozambique 1 200 km, Zambie 900, Botswana 800, Afr. du S. 200. Climat. Chaud et pluvieux : nov. à févr. ; plus frais : mi-mai à mi-août. *Moy. annuelle* (Harare) 17 à 19 °C. *Pluies* 831 mm.

Population (millions). *1890* : 0,5 ; *1962* : 4,1 ; *70* : 5,13 ; *74* : 5,9 ; *82* : 7,85 ; *92* : 10,4 (Noirs : 77 % de Shona et 18 % de Ndébélé) ; *prév. 2000* : 15,13. **Age** – *de 15 a.* : 48 % ; + *de 65 a.* : 3 %. **Européens** *1975* : 275 000 (dont nés en Rhodésie 93 000, venus d'Europe 6 700, d'Afr. du S. 50 000, de pays devenus indép. 13 000) *81* : 190 000 ; *83* : 130 000 ; *87* : 90 000 ; *89* : 100 000. **Métis** (1978) 23 600. **Indiens** (1978) 10 500. D 26,6. Villes [88 (et 78)] : *Harare* ex-Salisbury 910 000 [(alt. 1 480 m) (Eur. 117 500, Afr. 480 000, Asiat. 4 800, Métis 8 000)], Bulawayo 500 000 [à 441 km (Eur. 52 000, Afr. 294 000, Asiat. 3 000, Métis 9 000)], Gweru (ex-Gwelo) 85 000 (Afr. 58 000, Eur. 8 800), Mutare (ex-Umtali) 75 000 [à 262 km (Eur. 9 100, Afr. 51 000)], Kwekwe 55 000 (à 214 km), Kadoma 47 000, Masvingo (ex-Fort-Victoria) 32 000. **Mortalité** *infantile (‰)* 1978 : 130 ; *89* : 65. **Espérance de vie** 57 ans. **Immigration et émigration :** *1955-75* : *im.* 224 000, *ém.* 176 207. *1975-80* : *ém.* 81 728, *im.* 40 548. *1981* : – de 20 000 Européens. *83* : 19 076 (7 000 arrivants). Langues. Anglais, shona 70,8 %, ndébélé 15,8 %. Religions (%). Anglicans 36, cath. 15, presbyt. 12, méth. 9, animistes.

Histoire. **V. 10 000 av. J.-C.** peuples de « Bushmen » du désert de Kalahari. Des Bantous (du S. du Soudan et du bassin du Congo) repoussent Bushmen vers désert. **XVI** emp. Galla. **XVIII** emp. de Monomotapa. **1817** Mzilikazi († 1868), G[al] du roi zoulou Shaka, fonde v. 1840 roy. du Matabele. **1855**-*15-11* missionnaire anglais *David Livingstone* (1813-73) découvre chutes Victoria. **1859** Robert et John Moffat fondent 1er établissement permanent européen (mission Inyati). **1868** Adam Renders découvre ruines de Zimbabwe. **1888** Lobengula roi des Matabele. **1890**-*12-9* des pionniers, partis de Kimberley le *6-5,* atteignent le site de Harare. Administré par British South Africa Company. **1891**-*9-5* protectorat brit. sur Bechuanaland, Matabeleland et Mashonaland. **1893**-*9-6* g. contre Matabele. **1894** Lobengula meurt. **1895** Mashonaland et Matabeleland appelés Rhodésie. **1896**-*9-7* rébellion du Mashonaland. **1923** *autonomie* (Rhodésie du S.). **1953**-*15-12 féd. avec Rh. du N. et Nyassaland.* **1960** barrage de Kariba inauguré. **1963**-*31-12* féd. avec Nyassaland dissoute. **1964**-*14-6* Ian Smith PM. **1965**-*11-11 déclare indép. contre volonté de la G.-B.* qui désire des droits politiques plus importants pour les Afr. Embargo organisé par G.-B. et sanctions de l'Onu, mais soutient Afr. du S. et Portugal. **1966**-*9-5/25-8* négociations à Londres. **1967**-*22-4 ne reconnaît plus d'allégeance envers G.-B.* **1969**-*20-6* référendum. **1970**-*2-3 rép. -16-4* Clifford Dupont Pt († 28-6-78). Régime foncier : « zones blanches » (pénétration facile, près des grandes villes) et « zones noires », ou terres tribales (accès interdit aux étrangers sans autorisation du gouv.). **1971**-*24-11* accord anglo-rh. ; commission d'enquête (Lord Pearce). **1972** 1re insurrection armée. **1973**-*10-1* frontière avec Zambie fermée, réouverte *4-2.* **1974**-*12-12* libération des dirigeants nationalistes. **1975** *juin* combats à Harare Zapu/Zanu. *-25-8* 1re conf. constitutionnelle entre Noirs et Blancs (sur le Zambèze). *-15-12* nouvelle conf. **1976** *janv.-mars* guérilla accrue. *-14-1* John Whrathall († 31-8-78) Pt. *-3-3* Mozambique ferme frontières. *-5-3* I. Smith rompt négociations avec J. Nkomo. *-22-3* Callaghan (PM brit.) dit qu'un accord anglo-r. est subordonné à l'accession des Noirs au pouvoir dans les 2 ans. *-27-4* Kissinger annonce mesures contre Rh. si elle n'accepte pas les propositions brit. *-9-8* raid rh. contre camp de réfugiés à Nyazonia (Moz. : + de 300 †). *-28-10/14-12* conf. à Genève pour un gouv. de transition ; ajournée *sine die,* 2 des 6 ministres noirs du cabinet Smith quittent gouv. et forment le Zupo. **1977**-*24-1* Smith rejette plan brit. *-22-1* Chitepo, 2e vice-Pt du Conseil national afr., assassiné à Lusaka (colis piégé). *-30/31-1* 400 écoliers afr. enlevés par maquisards à Tuli. *Févr.* Zanu (?) massacre 4 religieuses et 4 jésuites à Musami. *-6-8* attentat (11 † et 60 blessés) à Salisbury. **1978**-*3-3* accord Smith et 3 modérés [Ndabaningi Sithole (aile intérieure de l'ANC), Jeremiah Chirau (Zupo), Abel Muzorewa (UANC : Conseil nat. afr. unifié)] rejeté par Onu et dir. du Front patriotique (Zapu et Zanu). *-20-3* gouv. de transition, Smith PM. *Juin* 8 missionnaires brit. et leurs 4 enf. massacrés. *-3-9* Viscount d'Air Rh. abattu par missile de Nkoma, 48 † (dont 10 massacrés). *Oct.* raid en Zambie et Moz. (1 560 †).

1979-*31-1* 84,4 % des Blancs approuvent Const. *-2-2* abolition des lois raciales. *-12-2* Sam-7 abat Viscount d'Air Rh. (59 †). *-22-2* raid en Angola (160 †). *-28-2* Parlement dissous. *-17-21/4 : 1res él. suffr. univ.* sous contrôle d'étrangers pour les 72 m. noirs. *-28-5* **Josiah Gumede** (Noir Ndébélé n. 1920) élu Pt par Sénat et Ass. *-1-6* **Abel Muzorewa** PM, gouv. d'union nat. Smith min. sans portefeuille. *-19-7* l'armée tue 183 « auxiliaires afr. » qui refusaient d'être transférés (accusés d'intimidation). *-5-8 accords de Lusaka.* *-10-9* début conf. de Londres (gouv. brit., rh., Front patr.). *-22-11* Muzorewa accepte plan brit. *-5-12* idem pour rebelles. *-11-12* Parlement dissous. *-12-12* Rh. *redevient (provisoirement)* **colonie brit. ; gouv. Lord Soames ;** Pt Gumede lui transmet ses pouvoirs. *-21-12 accord final de Londres* (Lord Car-

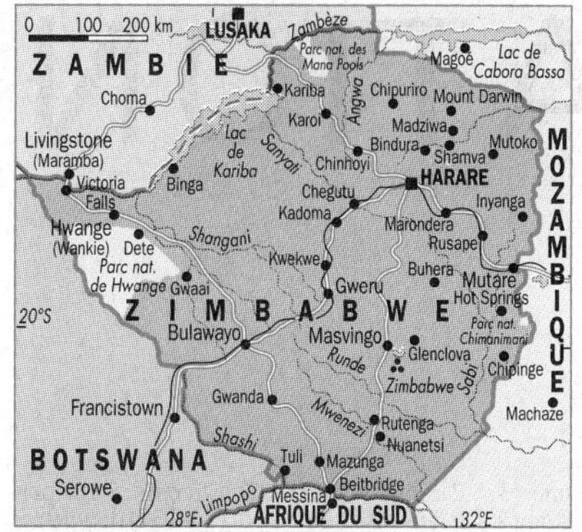

rington, Muzorewa, Nkomo, Mugabe). Onu lève sanctions éco. *-23-12* frontières avec Zambie et Moz. réouvertes. *-26-12* Gal Josiah Tongogara, chef. mil. de la guérilla meurt (accident). *-28-12* début cessez-le-feu. **1980**-*10-2* attentat manqué contre Mugabe. *-18-4* indépendance. *-31-7* Salisbury manif. abattent statue de Rhodes. *-5-8* Edgar Tekere, min. du Travail, arrêté pour meurtre d'un fermier blanc. *-17-9* Gal Peter Walls révoqué. *-9/10-11* Bulawayo affrontements Zanla Zipra, 38 †. **1981**-*11/14-2* affrontements, 300 †. *-8/9-8* arrivée de 600 instructeurs coréens. *-16-12* Salisbury, attentat siège Zanu 6 †. **1982**-*17-2* Nkomo éliminé du gouv. assigné à résidence. *Juill.* couvre-feu. *-26-7* sabotage de 12 avions à Thornhill. **1983** *févr.* 3 000 Ndébélés (Nkomo) tués au Matabeleland. *-8-3* Nkomo réfugié au Botswana, puis G.-B. *-16-8* rentre à Harare. *-31-10* Muzorewa, ancien PM, arrêté. **1984**-*4-9* libéré. **1985** Matabeleland troubles. **1986**-*22-10* manif. antiblancs à Harare. **1987**-*2-4* Smith suspendu pour 1 an du Parlement. *-26-11* 16 Blancs et 4 Noirs tués (ferme du Matabeleland). *-22-12* pacte Zanu/Zapu pour parti unique (vice-Pt Joshua Nkomo). *-31-12* **Robert Gabriel Mugabe** (n. 14-4-28), réélu 1-4-90. **1988** *mai* amnistie. *-11/13-9* Jean-Paul II au Z. **1989**-*19-12* création du Zanu-PF Mugabe réélu Pt (fusion Zanu/Zapu). **1990**-*28/29/30-3* él. générales, victoire du Zanu-PF : Mugabe réélu Pt (1er scrutin présidentiel au suffr. univ., 1re él. à la Chambre unique sur base non raciale). *-25-7* état d'urgence (en vigueur depuis 25 ans) levé. **1992**-*25-1* retour de Ndabaningi Sithole (ancien co-fond. du Zanu-PF) après 8 ans d'exil. *-27-1* mort de Sally Mugabe (n. 1933), femme du Pt (appelée « Mère de la Nation »). *-19-3* + de 50 % des terres nationalisées. *Avril* sécheresse, famine pour 4,6 millions de pers. **1993** *mai* projet de nationalisation de 70 exploitations appartenant à des Blancs (190 000 ha).

Bilan de la guérilla. De 1972 au 30-11-1979 : 14 469 † (dont forces de sécurité 1 146, civils blancs 473, Noirs 7 548, terroristes 10 273). *Conséquences écon. :* malaria, réfugiés au Mozambique ; 30 % du bétail africain mort. **De 1982 à mi -1988 :** 1 000 à 3 500 † dont 50 Blancs.

Statut. République dep. 18-4-1980. Membre du Commonwealth. *Const.* du 29-11-69. *Pt* élu pour 6 ans par le Parlement. *Assemblée :* 150 m., dont 120 élus, 12 nommés par Pt, 10 par les Chefs et 8 par les gouv. provinciaux. **Drapeau** (1980). Bandes verte (richesse agricole), jaune (richesse minérale), rouge (sang répandu par lutte armée) et noire, étoile rouge (idéal nat.) oiseau (emblème nat.) dans triangle blanc (paix).

Élections. Assemblée. 1/4-7-85. 80 s. réservés aux Noirs : Zanu (R. Mugabe) 64 s. (57 en 1980), Zapu (de J. Nkomo), 15 (20 en 1980), pasteur N. Sithole 1 ; 20 s. réservés aux Blancs (supprimés 21-8-87) : Alliance conserv. de I. Smith 15, indépendants 5. **28/29/30-3-90** (participation 55 %) : Zanu-PF 117 s., Zum 2, Zanu 1.

Partis. Européens : *Conservative Alliance of Zimbabwe,* f. 1962, leader Ian Smith (n. 8-4-19). *Rhodesia Party,* f. 1972. **Noirs :** *United African Council* (UANC), f. 1971, leader l'évêque méthodiste Abel Muzorewa (Shona n. 14-4-25), démissionne 12-11-85 ; secr. gén. Walter Mutimukulu. *Zimbabwe Democratic Party* (ZDP), f. 1979, scission de l'UANC, James Chikerema. *Z. African Nat. Union* (Zanu), f. 1977, Reverend Ndabaningi Sithole (n. 21-7-20). *Z. United People's Organization* (Zupo), f. 1976, chef Jeremiah Chirau (Ndabaningi). *United Nat. Federal Party* (UNFP), f. 1978, chef Kayisa Ndiweni (n. 16-7-16). *Zanu-PF,* f. 19-12-1989 [fusion du *Zimbabwe African People's Union* (Zapu), f. 1961, Joshua Nkomo (Ndebele, n. 1917), branche militaire [*Z. People's Revolutionary Army* (Zirpa)] opérait à partir de Zambie, et du *Z. African Nat. Union – Patriotic Front* (Zanu-PF), fondé 1963 : regroupe ethnie shona, Robert Mugabe. *Z. Unity Movement* (ZUM), f. 1989, Edgar Tekere.

■ Économie

PNB ($ par h.). *1985 :* 581 ; *89 :* 710 ; *90 :* 660 ; *91 :* 680. **Pop. active** (%, entre parenthèses part du PNB en %) agr. 45 (14), ind. 18 (31), services 30 (45), mines 7 (10). **Chômage** (91) 25 à 30 %.

Inflation (en %). *1988 :* 6 ; *89 :* 12,9 ; *90 :* 17,4 ; *91 :* 24,3. **Dette extérieure** (89) 2,75 milliards de $ (absorbe 20 % des exportations).

☞ Les Blancs (1 %) contrôlent l'économie.

Agriculture. *Terres* (milliers d'ha, 81) arables 2 678, cult. 78, pâturages 4 856, forêts 23 810, eaux 391, divers 7 323. *Production* (milliers de t, 90) canne à sucre 3 575, maïs 1 993, millet 143, blé 325, sorgho 90, arachides 119, tabac 139. Sécheresse en 82-84, redressement de la prod. en 85. 4 500 CFU (fermiers commerciaux dont env. 100 Noirs) cultivent 11,5 millions d'ha (28 % des terres arables) (6 300 expl. de 2 300 ha) (en 80, 5 200 CFU) et produisent 80 % des récoltes. 7 millions de Noirs dont 850 000 fermiers africains traditionnels cultivent 16 millions d'ha. **Forêts** (90). 7 893 000 m³. **Élevage** (milliers, 90). Bovins 6 711, moutons 721, porcs 244, chèvres 2 700, ânes 103, volailles 10 000. 35 000 éléphants (83). **Charbon** (millions de t, 90). *Réserves* 8 320 ; *prod.* 5,5. **Mines** (milliers de t, 90). Chrome 562, abeste 160, cuivre 14,8, nickel 11,6, cobalt, or 16 t (89), argent, cuivre, bauxite, fer, amiante (190 en 91), lithium. **Industrie.** Prod. alim., textile, tabac. **Transports** (km). *Routes* (88) 85 784, *chemins de fer* (87) 2 745. **Tourisme.** *Visiteurs : 1989 :* 504 000. *Sites :* chutes Victoria sur le Zambèze (parc national), ruines de Zimbabwe (XVIe ou XVIIe s.), Inyanga, Khami, Dhlo Dhlo, Nalatale, Nyahokwe ; lac artificiel de Kariba (sur le Zambèze, un des + grands lacs artif., voir Zambie) ; parcs : 44 680 km² dont Hwange (14 620 km²), Wankie (13 030 km²).

Terres réservées (Land Tenure Act partageant le terr. en 2 parties égales entre Blancs et Noirs, aboli en 79). Africains 181 940 km² dont Tribal Trust Land (maintenu) 162 240 ; Blancs 181 596 km² dont General Land 156 297 ; terres nat. 26 708 km².

Commerce (millions de $ Z,87). **Exp.** (89 : 727 millions $ US) 1 703 *dont* prod. man. 537,5, tabac 421, prod. alim. 326, mat. 1res (sauf fuel) 277 *vers* (90) All. féd. 426, G.-B. 395, Afr. du S. 321,6, USA 281. **Imp.** 1 741 *dont* (86) mach. et équip. de transp. 622, prod. chim. 260, pétrole 248, prod. man. 238 *de* Afr. du S. 902, G.-B. 521, USA 471, All. féd. 332, Japon 206.

Actuellement, 70 % du commerce transite par l'Afr. du S. et 30 % par Beira au Mozambique.

Rang dans le monde (91). 4e amiante. 5e chrome. 12e or. 13e argent. 14e charbon, rés. charbon.

Noms des dirigeants

Algérie : Zaïm. *Allemagne :* Chancelier (PM), Führer (guide, nom donné à Hitler). *Arabie :* Émir, Cheikh. *Buganda :* Kabaka (roi). *Burundi :* Mwami. *Égypte :* Raïs. *Espagne :* Caudillo (Franco). *Éthiopie :* Négus, Ras. *Inde :* Rajah. *Irlande :* Taoiseach (Pt), Sean O'Loinsigh (PM), Tanaiste (PM adjt.). *Italie :* Duce (guide, Mussolini). *Japon :* Tenno (empereur). *Luxembourg :* Grand-duc. *Malaysia :* Yan di Pertuan Agong. *Samoa occid. :* Ole Ao Ole Malo. *Turquie :* Sultan, Ghazi (Ataturk).

Archives de l'ex-URSS.

Elles représentent 75 millions de documents (le plus grand dépôt du monde, la Bibliothèque du Congrès à Whashington, 100 millions).

Archives du Comité central du PC : transférées à l'État russe après le putsch de 1991, conservées à Moscou par le CCAC (Centre de conservation des archives contemporaines) et accessibles aux chercheurs.

Fonds présidentiel : anciennes archives du Politburo, aujourd'hui sous l'autorité du président de la Féd. de Russie ; non accessibles au public.

Archives du ministère de la Sécurité de Russie : ex-archives du KGB, Tcheka, GPU, NKVD, MVD ; non accessibles au public. *Armée :* propriété du ministère de la Défense et gérées par l'Institut d'histoire militaire ; non accessibles au public.

Fonds étranger : comprenant des archives, de divers partis et mouvements ouvriers d'Europe occ., confiées dans les années 20 au Komintern, et des documents saisis en Allemagne, par l'armée sov., en 1945.

Archives secrètes françaises : + de 200 caisses et 20 t de documents. Doivent être restituées à la France (accord de nov. 92) par les Russes qui les avaient saisies en Tchéc. Y figureraient 2 à 5 t d'archives du 2e bureau du GQG (lettres secrètes de ministres et chefs militaires français en 1940), et 1 fichier de 15 000 à 20 000 noms de Français et étrangers suspects de collaboration.

■ Alphabet cyrillique

Créé IXe s., à partir des majuscules de l'alphabet grec par St Cyrille [l'al. plus ancien, glagolitique (du vieux slavon *glagol,* « verbe »), avait été créé pour certains dialectes slaves, à partir des minuscules grecques ; encore utilisé par les catholiques dalmates pour leurs livres liturgiques ; les rois de France prêtaient serment, à Reims, sur un évangile en caractères gl., attribué à St Jérôme]. Seules 18 majuscules grecques ont passé telles quelles dans l'al. russe (+ le *phi,* adopté comme un *f*). Les 17 autres caractères sont d'anciennes lettres glagolitiques, plus ou moins déformées. Au XVIIIe s., Pierre le Grand imposa une réforme de l'al. civil, désormais distinct de celui de l'Église.

Lettres majuscules (et minuscules) : prononciation approximative. А (а) : *a.* Б (б) : *b.* В (в) : *v.* Г (г) : *g* dur. Д (д) : *d.* Е (е) : *é* ; après consonne, *ié* (ex. : нет *niet*). Ë (ë) : *io.* Ж (ж) : *j.* З (з) : *z.* И (и) : *i.* Й (й) : *i* bref (ex. : Толстой *Tolstoï*). К (к) : *k.* Л (л) : *l* dur en finale ou devant *a, o, ou, y* ; *l* mouillé devant *ié, iou, ia.* М (м) : *m.* Н (н) : *n.* О (о) : *o.* П (п) : *p.* Р (р) : *r.* С (с) : *s* (ex. : совет *soviet*). Т (т) : *t.* У (у) : *ou.* Ф (ф) : *f.* Х (х) : *kh* (ex. : Хрущёв *Khrouchtchov*). Ц (ц) : *ts* (ex. : цар *tsar*). Ч (ч) : *tch* (ex. : Горбачёв *Gorbatchov*). Ш (ш) : *ch.* Щ (щ) : *chtch* (ex. : борщ *borchtch*). Ъ (ъ) : signe dur (ex. : подъезд *pod''ezd* « porte »). Ы (ы) : *y,* entre *i* et *u* français. Ь (ь) : signe mou, mouillure (ex. : день *dién'* « jour »). Э (э) : *è.* Ю (ю) : *iou.* Я (я) : *ia.*

L'INFORMATION

JOURNAUX

RECORDS

Journaux les plus vieux. Allemagne 1470 : brochure publiée à Cologne. 1609 : *Relation aller fürnemmen und Gedenk wüdigen Historien.* 1616 : *Frankfurter Oberpostamtszeitung.* 1660 : *Leipziger Zeitung* (1er quotidien). **Angleterre** 1621 : *Weekley News.* 1625 : *Mercurius Britannicus.* 1702 : *Daily Courant* (quotidien). **Belgique** 1605 : *Nieuwe Tydingen* (disparu). **Chine** *Tching Pao,* paru de 400 à 1934. **Espagne** 1641 : *Gaceta Semanal.* **Italie** Rome : *Acta Diurna Populi Romani* (journal gravé sur des tablettes). 1640 : *Gazzetta Pubblica.* **France** 1631 (janvier) : *Les Nouvelles ordinaires de divers endroits* : absorbées par *la Gazette* de Théophraste Renaudot (fondée 31-5-1631) qui devint *la Gazette de France* le 1-1-1762 et cessa de paraître le 30-9-1915. Tirage moyen au XVIIe s. : 1 200 ex., au XVIIIe s. : 12 000. 1650 : *La Muse historique.* 1777 (1-1) : *le Journal de Paris* (quotidien). **Suède** 1624 : *Hermes Gothicus.* 1645 : *Post och Inrikes Tidningar* fondé par l'Académie royale des lettres de Suède. **Suisse** 1610 : *Ordinari Wochenzeitung.*

Journaux publiés sans interruption depuis le plus longtemps. Angleterre *Berrow's Worcester Journal* (fondé 1690 et hebdo. dep. 1709). Pour les quotidiens le *Lloyd's List* (fondé 1734). Le *Times* a pour origine le *Daily Universal Register,* journal fondé 1-1-1785 (titre actuel depuis 1788). **France** *Journal de la Corse* (fondé 1815, encore tiré à 3 500 ex.). **Suède** *Post och Inrikes Tidningar* (fondé 1645).

Journaux les plus lourds. *Sunday New York Times* 6,35 kg (août 1987). *Vogue* amér., 828 pages, sept. 1987. *Bride's* amér., 1 034 p. (fév.-mars 1990). **Les plus grands** *The Nantucket Inquirer and Mirror* (hebdo. amér.) : 76 × 56 cm. *The Constellation* (imprimé par George Roberts aux USA 4-7-1859) : 130 × 89 cm. **Les plus petits** *Diario di Roma* (1829) 9 × 11 cm. *Daily Banner* de Roseburg (USA) 7,6 × 9,5 cm. *Le Petit Format* (Apt, Vaucluse) 7,5 × 10,5 cm.

Tirages les plus forts. Nombre d'exemplaires. **Quotidiens** ALL. FÉD. : *Bild Zeitung* 4 360 000 [4]. ANGLETERRE : *Sun* 4 050 000 [3]. CHINE : *Le Quotidien de l'Armée de Libération* 100 000 000 [2]. ÉTATS-UNIS : *Wall Street Journal* 1 990 000 [2]. FRANCE : *Ouest-France* 1 299 231 (16-8-1988) ; *Le Figaro* 970 577 (19-3-1991). Le 1er journal à avoir atteint un million d'ex. fut le *Petit Journal* en 1886 (il coûtait 5 centimes). JAPON : *Yomiuri Shimbun* 14 811 181 [6] (matin 9 969 321, soir 4 841 860), *Asahi Shimbun* [7] 8 256 000 (soir 4 750 000). Ex-URSS : *Trud* 15 400 000 ; *Pravda* 10 700 000 [1], *Komsomolskaïa Pravda* 22 000 000 [5], *Izvestia* 8 600 000 [1].

Périodiques. International *Reader's Digest* (mensuel). 41 éditions en 17 langues, 28 millions d'acheteurs. **Nationaux** ANGLETERRE : *The News of the World,* journal du dimanche 4 954 000 [3]. FRANCE (diffusion) : hebdo. : *Télé 7 jours* 3 700 000 (1990) et *Télé Poche* 1 768 511 ; mensuel : *Modes et Travaux* 1 132 461 [3]. JAPON : *Iye ho Hikari* 1 147 000 [3]. Ex-URSS : *Rabonitza* 13 300 000 [1].

Nota. – (1) 1983. (2) 1985. (3) 1986. (4) 1988. (5) mai 1990. (6) 1er avr. 1990. (7) 1991.

AGENCES DE PRESSE

GÉNÉRALITÉS

Nombre. 120 **dans le monde,** 5 touchent 99,8 % de la population mondiale.

Définition juridique en France (ordonnance du 2-11-1945 et loi du 19-10-1970). Organismes privés qui fournissent aux journaux et périodiques des articles, informations, reportages, photos et autres éléments de rédaction, et dont ils tirent leurs principales ressources. Les agences de presse peuvent donc vendre leurs services à d'autres organismes dans la mesure où la majeure partie de leur chiffre d'affaires est réalisée avec la presse. Il leur est interdit de faire « toute forme de publicité en faveur des tiers » et de « fournir gratuitement des éléments de rédaction aux journaux et périodiques ».

PRINCIPALES AGENCES

■ **Agence France-Presse0 (AFP). Siège :** 13, place de la Bourse, 75002 Paris. 150 bureaux dans le monde. **Origine : 1835** agence fondée par Charles Havas (1785-1858). **1857** devient aussi agence de publicité. **1859** accord avec Reuter et Wolf pour « partage du monde ». **1940** cède pour 25 millions de F sa branche information à l'État français qui en fait l'Office français d'information (42, av. des États-Unis, Clermont-Ferrand). **1944** 30-9 (ordonnance) l'OFI devient l'AFP. **Statut** (loi du 10-1-1957 et décret du 9-3-1957) : « organisme autonome doté de la personnalité civile et dont le fonctionnement est assuré suivant les règles commerciales ». **PDG :** élu par le Conseil d'administration en dehors de ses membres, pour 3 ans (renouvelables), et par 12 voix au moins aux 3 premiers tours. **Pt :** *1954 à avril 75 :* Jean Marin (Yves Morvan, n. 24-2-09). *1975* (13-6) Claude Roussel (n. 7-2-19). *1978* (29-5) Roger Bouzinac (28-7-20). *1979* (8-10) Henri Pigeat (13-11-39). *1987* (22-1) Jean-Louis Guillaud (5-3-29). *1990* (26-1) Claude Moisy (26-6-27). *1993* (1-1) Lionel Fleury (17-1-46). **Conseil d'administration :** 8 représentants des directeurs de quotidiens désignés par leurs organisations (par suite d'un accord entre elles, la Féd. nat. de la Presse franç. en désigne 5 et le Synd. nat. de la Presse quot. rég. 3 ; l'un de ces délégués est obligatoirement vice-Pt), 2 pour radio et télé nommés par le PM (porte-parole du Gouv.), 3 pour services publics usagers de l'agence (1 désigné par le PM, 1 par le min. des Aff. étr., 1 par le min. de l'Écon. et des Finances), 2 pour élus du personnel de l'agence (1 journaliste et 1 non-journ.). **Effectifs :** 1 000 journalistes et photographes + 2 000 pigistes. **Budget** (millions de F) : *Recettes 85 :* 711 ; *86 :* 739 ; *87 :* 769 ; *88 :* 801 ; *89 :* 856 ; *90 :* 905 ; *91 :* 963 dont abonnements de l'État 49,7 % ; *92 :* 1 062 ; *déficit 90 :* 50 ; *91 :* 36 ; *92 :* 28. **Clientèle :** *médias :* 100 agences, 7 000 journaux, 2 500 radios, 400 TV ; *autres :* env. 2 000 (administrations, entreprises, etc.). **Abonnés :** 12 500 dans 135 pays. **Principaux services :** généraux d'actualité par satellite 24 h sur 24, en 6 langues (fr., angl., espagnol, arabe, portugais, all.), photographique national et internat., écon., sportif, télématique, audio (services texte et sonores), infographie, magazine.

■ **Agence Reuter. Siège :** Reuters Holding PLC, 85, Fleet Street, EC4P 4A5, Londres (G.-B.) ; *Paris :* 101, rue Réaumur, 75002. **Fondée** 1851 par Paul-Julius Reuter (All. ; 1816-99, ancien collaborateur d'Havas). **Statut :** cotée à la Bourse de Londres et de New York. **Services aux médias :** nouvelles gén. mondiales en 4 langues (angl., all., arabe, esp.) et photos d'actualité ; **à la communauté financière :** services d'information en temps réel, transactionnels, systèmes de salles de marchés (Globex, Dealing 2 000-2), bases de données spécialisées. **Effectifs** (31-12-1991) : 10 810 dont 1 312 journalistes à plein temps, dans 78 pays. **Abonnés :** 20 000 utilisant 201 824 terminaux d'ordinateurs et 4 161 téléscripteurs, dans 158 pays. **CA** (milliards de £) : *1988* (profit net imposable 0,215) ; *92* 1,56 (383).

■ **Associated Press. Siège :** 50, Rockefeller Plaza, New York (USA) ; *Paris :* 162, rue du Fg-St-Honoré, 75008. **Fondée** 1848. **Statut :** Sté coopérative sans but lucratif. **Abonnés :** *USA* 7 000 stations radio et TV, 1 800 quotidiens ; *étranger* + de 15 000 quot. et radios, *en France,* 44 titres (75 % de la diffusion nationale) + radios et TV. **Services** dans 6 langues quotidiennement 17 millions de mots. **Budget** *annuel :* 378,2 millions de $ (1993). **Effectifs :** 3 123 personnes. **Dir. :** Louis D. Boccardi (26-8-37) dep. 1985. **Affilié :** AP-Dow Jones, info écon. et financières en anglais (plus de 2 000 abonnés dans le monde).

■ **Itar-Tass** (Telegrafnoe agentsvo sovietskoyo soïouza). Agence d'information télégraphique russe. **Créée** 22-1-1992, continue l'*agence Tass* fondée 1-12-1917. **Siège :** Tverskoï bulvar 10, Moscou (Russie) ; *Paris :* 27, av. Bosquet, 75007. Englobe certains services de l'ex-*Novosti.* L'agence d'information russe *Ria* reste indépendante. **Dir. gén. :** Vitaly Ignatenco. **Clients :** *Russie* 4 000 journaux, télévision et radio, *étrangers :* 1 300. Dans 115 pays. **S. Minitel :** 36-17 Tass.

■ **United Press International. Siège :** 1400, Eye Street N.W., Washington, DC 20005 (USA) ; *Paris :* 2, rue des Italiens, 75009. **Créée** mai 1958 (fusion United Press Association fondée 21-6-1907 par E.W. Scripps et International News Service fondé 1909 par le groupe Hearst). Appartenait au groupe Scripps-Howard ; achetée 1982 par Media News Corporation ; rachetée juin 1986 par Mario Vázquez-Raña, propriétaire du groupe El Sol, Mexico ; rachetée (12-5-92) 6 M$ (millions de $) (avec un passif de 60 M$ pour 18 M$ d'actifs) par le Révérend Pat Robertson puis par Middle East Broadcasting Center (chaîne de TV arabophone basée à Londres, aux capitaux saoudiens). **Dirigée** dep. 19-2-1988 par World News Wire Group Inc. cons. d'adm. : Dr Earl Brian ; **Pt :** Robert Kennedy. **Implantation :** 80 bureaux dans 90 pays. **Effectifs :** 450 employés (1 800 en 1985) (USA : 2 000 abonnés).

QUELQUES AUTRES AGENCES

Albanie *Agence télégr. alb. (ATA).* **Algérie** *Algérie Presse Service (APS).* **Ex-Allemagne démocratique** (Berlin). *Allgemeiner Deutscher Nachrichtendienst (ADN).* **Ex-Allemagne fédérale** (Hambourg). *Deutsche Presse Agentur (DPA), Bonn Deutscher Depeschen Dienst GmbH (DDP), Vereinigte Wirtschaftsdienste (vwd, Eschborn).* **Autriche** *Austria Presse Agentur (APA).* **Belgique** *Agence Belga. Agence Day. Centre d'information de Presse (CIP).* **Bulgarie** *Bulgarska Telegrama Agentzia (BTA).* **Chine** *Chine nouvelle.* **Danemark** *Ritzaus Bureau (RB).* **Espagne** *Agencia Efe* (1939). *Agencia Mencheta* (inf. sportives principalement). *Agencia Logos* (inf. catholiques, accord avec la Radio du Vatican). *Central Prensa. Colpisa. Europa Prensa. Europa Press de Catalunya* (1979). *Euskadi Prensa. Iberia Prensa. Multiprensa.* **États-Unis** *Central News of America* (New York). *Central Press Association* (Cleveland). *Dow Jones and Co. Inc.* (New York), publie 3 journaux. *Jewish Telegraphic Agency Inc.* (New York). *Newspaper Enterprise Association Inc.* (Cleveland). *North America Newspaper Alliance* (New York). **Finlande** *Oy Suomen Tietotoimisto (STT).* **France** *Agence centrale de Presse-Communication* (ACP-C), *créée* 1990 rachetée ACP [ACP fondée 1951 à l'initiative du *Provençal* de Gaston Defferre et de *Nord-Matin* (socialiste), *1986 :* rachetée (à 66,8 %) par Maxwell avec APEI Opéra Mundi. *1989-15-11* dépôt de bilan, *1990-29-3* mise en liquidation (passif 105 millions de F pour actif de 20)] ; 2-8, rachetée par Telpresse 51 % (Maxwell 34 %, Socoma 15 %). *1993-24-5* dépôt de bilan (déficit 60 millions de F pour CA de 75) *Pt :* René Tendron. *Agence générale d'informations* (f. 1980, succède à l'ag. Aigles f. 1967). *Agence Libération* (f. juin 1971 par M. Clavel et J.-P. Sartre). *Agra Presse. Presse Service. Sté générale de Presse.* **Grande-Bretagne** *Exchange Telegraph Company (EXTEL). Press Association (PA).* **Grèce** *Agence d'Athènes (AA).* **Hongrie** *Magyar Tavirati Iroda (MTI).* **Israël** *Agency of Associated Israeli Press. Jewish Telegraphic Agency. Mednews Agency. World Zionist Organization Press Service.* **Italie** *Agenzia Nationale Stampa Associata (ANSA).* **Japon** *Kyoto News Service. Jiji Press Service.* **Maroc** *Maghreb Arabe Presse (MAP).* **Norvège** *Norsk Telegrambyraa. Norsk Presse Service A/5.* **Pays-Bas** *Algemeen Nederlandsch Press-bureau (ANP).* **Pologne** *Polska Agencia Prasowa (PAP). Polska Agencia*

Interpress. **Portugal** *Agencia Noticiosa Portuguesa (ANOP). A. Europeia de Impresa Lda (AEI). A. Literaria Imprensa e Promoções Lda. A. de Representações Dias da Sila Lda (AOS). A. universal de Impresa Lda (Unipress).* **Roumanie** *Agerpress.* **Suède** *Internationella Press-byran (SIP). Svenska Nyhetsbyrån. Tidningarnas Telegrambyra (TT).* **Russie** *Agentstvo Petchati Novosti (APN.* ; f. 1961). **Suisse** *Agence télégraphique suisse (ATS).* **Syrie** *Syrian Arab News Agency (SANA).* **Ex-Tchécoslovaquie** *Ceskoslovenska Tiskova Kancelar (CTK).* **Tunisie** *Tunis Afrique Presse (TAP).* **Turquie** *Ak-deniz Haber Ajansi (Akajans). Anadolu Ajansi (AA* ; f. 1920 ; 200 abonnés, utilise turc, anglais, français). *Ankara Ajansi (ANKA). Hürriyet Haber Ajansi (HHA.). Türk Haberler Ajansi (THA).* **Vatican** *Agence Fides.* **Yougoslavie** *Tanyug (Telegrafska Agencija Nova Yugoslavija),* Belgrade. *UPA (Ujesnikova Press Agencija),* Zagreb.

Agences de photos françaises

Agences Générale d'Images (AGI). *Membres :* Gamma (fondée 1967), Stills, Explorer, Giraudon, F. Spooner. *CA 1992 :* 250 000 F.

Magnum Photos. *Fondée* 1947 par Henri Cartier-Bresson, Robert Capa, George Rodger, David Seymour. Coopérative internat. (38 photographes-membres propriétaires). *Bureaux :* Paris, New York, Londres, Tōkyō, Milan, Zurich. 14 agents à l'étranger. *CA 1991 :* 12 000 000 de F.

Sipa Press. *Fondée* 1973 par Göksin Sipahioglu (n. 1928). *Bureaux :* Paris, New York, Los Angeles, Moscou. 45 représentants dans le monde. 40 photographes à Paris, collabore avec 3 000 photographes dans le monde, 55 correspondants dans 33 pays. *CA 1992 :* 83 000 000 de F dont 35 % à l'export.

Sygma. *Fondée* 1973 par Hubert Henrotte (16-6-1934). Rachetée 1990 (à 51 %) par Oros Communication. 50 photographes exclusifs et 150 correspondants. *Bureaux :* New York, Los Angeles, Londres. *CA 1992 :* 122 000 000 de F (dont 60 % à l'exportation).

Presse étrangère

☞ *Légende.* – Date de fondation, tirage en milliers d'exemplaires. Quot. : quotidien ; hebdo. : hebdomadaire ; bimens. : bimensuel.

Premiers groupes mondiaux de communication. Chiffres d'affaires (en milliards de $, 1990) : Time Warner 7,6, Bertelsmann 10 (1991-92), New Corporation 6,4, Thomson Corporation 5,2, Hachette 5, Capital Cities ABC 4,9, Dun and Bradstreet 4,2.

Afrique du Sud

■ **Groupes. Argus :** 19 titres dont The Argus, The Daily News, Diamond Fields Advertiser, Natal Mercury, Post Natal, Pretoria News, Sowetan, The Star, Sunday Tribune. *CA (1991-92) :* 1,16 milliard de F. **Times Media :** 8 titres dont Business Day, Cape Times, Financial Mail, Eastern Province Herald, Evening Post, The Executive, MIMS, Sunday Times. *CA (1991-92) :* 611 millions de F. **Quot. indépendants :** Daily, Dispatch New Nation, South. Southern Cross, Weekly Mail. **Perskor :** 18 titres dont The Citizen, Imvo Zabantsundu, Die Transvaler. *CA (1991-92) :* 1,28 milliard de F. **Nasionale Media** Tydskrifte : 29 titres dont Beeld, Die Burger, City Press, Oosterlig, Die Volksblad. *CA (1992-92) :* 1,04 milliard de F.

■ **Quot.** (juill.-déc.). *City Press* (1982) 223,6. *Sowetan* (1981) 212,9. *Star* (1888) 206. *Citizen* (1976) 135,2. *Ilanga* (1903) 131,4. *Argus* (1857) 105. *Beeld* (1974) 101,5. *Daily News* (1878) 96,3. *Die Burger* (1915) 74,5. *Natal Mercury* 59,3. *Cape Times* (1876) 58,3. **Hebdo.** *Sunday Times* (1906) 510,6. *Huisgenoot* (1822) 505,8. *Rapport* (1970) 364,6. *You* (1990) 242,4. *Saturday Star* (1888) 156,9. *Sunday Tribune* (1947) 125,7. *W/E Argus* (1857) 117,1. **Bimensuels.** *Sarie* (1949) 227. *Rooi Rose* (1942) 154. *Fair Lady* (1965) 150. *Scope* (1966) 145. **Mensuels.** *M-Net TV Guide* (1986) 637. *Reader's Digest* 370,6 [1]. *Bona* 235 (1956) 56. *Your Family* 204,8. *Woman's Value* 146,3.

Nota. – (1) juill. 1991-juin 1992.

Albanie

■ **Quot. Tirana :** *Zëri i Popullit* (La Voix du Peuple, Parti socialiste) (25-8-1942) 20. *Rilindja Demokratike* (Renaissance démocratique, Parti démocr.) (5-1-1991) 18. **Bi-hebdo.** *Koha Jone* (Notre Temps, Parti socialiste) (mars 1989) 20. *Zeri i Rinise* (Voix de la Jeunesse) (28-8-1942) 12. *Republika* (Parti républicain) (11-1-1991) 10. *Alternativa* (Parti social-démocrate) (juill. 1991) 8. *Sporti* (1945) 8. *Sindikalisti* (Syndicats indépendants) (1991) 8. **Hebdo.** *Drita* (Lumière, Ligue des Écrivains) (1945) 10. *24 Ore* (24 Heures, Parti socialiste) (fév. 1992) 10. *Tribuna Ekonomike* (Tribune éco., indépendant) (1991) 5.

Algérie

☞ *Dep. oct. 1988 :* levée du monopole d'État ; le nombre de titres passe de 28 à 148. *Fin 1991 :* 14 quot. (8 indépendants : 1 million de lecteurs).

■ **Quot. Alger :** *Horizons* [2] (1985) 200. *Le Matin* [2] (1991, ind.) 110. *El Watan* [2] (1990, ind.) 100. *El Moudjahid* [2] (1962, FLN) 80. *Ashaab* [1] (1962) 50. *El Massa* [1] (1985) 45. **Constantine :** *Ennasr* [1] (1963) 60. **Oran :** *El Djoumhouria* [1] (1963) 20.

■ **Hebdo. Alger :** *Algérie-Actualité* [2] (1965, FLN) 235. *El-Mountakheb* [1] (1986) 120. *Révolution africaine* [2] 50. *El-Asr* [1] (1980) 21. *Révolution et Travail* [1,2] 10. *El-Moudjahid El Ousboui* (FLN) [1]. *Ethaoura oua El Fellah* [1]. *Adhwa* [1] (1983). **Constantine :** *El-Hadef* [2] 225. *El-Hadef Week-end* [2] (1989).

■ **Mens. Alger :** *Alouane* [1] 84. *Amal* [1] 24. *El Djazair-Réalités* [1,2]. *AfricSport* [2] (1985). *Afric/Eco* [2] (1985). *Actualité-Économie* [2] (1986). *Ethakafa* [1]. *1er Novembre* [1,2]. *Al Açala* [1]. *Parcours* [1,2] (1986). *Économie* [1,2]. *El Djazaira* [1]. *Tribune du petit commerçant et artisan* [1,2] (1987). *Développement et Wilayate* [1,2]. *Culture et Société* [1,2]. *Politique Internationale.*

Nota. – (1) En arabe. (2) En français.

Allemagne

☞ 395 quotidiens (24,7 millions d'ex.), 48 journaux le 7e jour (1,9 million d'ex.), 1 131 périodiques dont 356 magazines (95,3 millions d'ex.).

■ **Groupes. Axel Springer Verlag AG** (*fondé* par Axel Springer 1912/22-9-1985). *CA* (en milliards de DM) *1991 :* 3,7 (bénéfices : 0,025). *6 quot. :* Die Welt, Hamburger Abendblatt, Bild, Berliner Morgenpost, Elmshorner Nachrichten, Bergedorfer Zeitung, Berliner Zeitung. *3 j. du dimanche :* Die Welt am Sonntag, Bild am Sonntag, Berliner Zeitung am Sonntag. *Plusieurs mag. :* Hörzu, Funk Uhr, Journal für die Frau, Bild der Frau, Bildwoche, Auto-Bild, Sport Bild, TV Neu. *G.-B. :* Auto Express. *France :* Auto Plus. *Italie :* Auto Oggi. *P.-B. :* Auto Week. *Turquie :* Auto Show. *Dan. :* Auto Nyt. *Esp. :* Auto Guia, Prima, Greca, Complice, Nuevo Estilo. *Autr. :* News, Der Standard, Firoler Tageszeitung. *Hongrie :* Kiskegyed, Lakaskultura, TV rhet. *USA :* Medical Tribune. *Maison d'édition :* Ullstein Langen Müller.

Süddeutscher Verlag GmbH (Dir. : Reiner Maria Gohlke, Bernd M. Baldzuhn, Dr Gunther Braun, Manfred Winterbach), Süddeutsche Zeitung.

Jahreszeiten-Verlag GmbH (Propriétaire : Thomas Ganske), Für Sie, Für Sie Spezial, Petra, Zuhause, Vital, Selber Machen, Architektur + Wohnen, Feinschmecker, Schöner Reisen, Tempo.

Heinrich Bauer Verlag (Propriétaire : Heinz Bauer). *Fondé* 2-1-1875 par Louis Bauer (1850-1941). *CA* (Md de DM, 1991) : 2,5 dont étranger 18,5 %. *Magazines grand public :* TV Hören und Sehen, Neue Revue, Neue Post, Das Neue Blatt, Praline, Bravo, Bravo Girl, Fernsehwoche, Tina, Playboy, Wochenend, Bella, Neue Mode, Auto Zeitung, Selbst ist der Mann, Motorrad Reisen Sport, Das Neue, Kochen et Geniessen, Maxi, Auf einen Blick, Wohnidee, Wiener, Coupé, Mini, KFT, Bauidee, TV Movie. *France :* Marie-France, Maxi, Bravo Girl. *G.-B. :* TV Quick, Bella, Take a Break. *Espagne :* TV Plus. *USA :* Woman's World, First for Women. *Tchécosl. :* Neue Mode, Bravo.

Burda GmbH. *Fondé* par Franz Burda (1903-86), Dr Hubert Burda (n. 1940) ; *CA* (en Md de DM) *1991 :* 1,2. Bunte, Bild + Funk, Freizeit Revue, Glücks Revue, Freundin, Das Haus, Meine Familie Ich, Mein Schöner Garten, & Elle, Holiday, Focus, Forbes, Elle Décoration, Super Illu, Super TV.

Édition Aenne Burda. Burda Moden, Carina, Anna, Verena, Burda International.

Gruner + Jahr AG & Co KG (Propriétaires Bertelsmann AG, Constanze-Verlag, GmbH & Co.). **Activités :** *presse :* 395 quotidiens, 1 131 magazines ; *éditions :* 35 maisons, *imprimerie, édition musicale, cinéma :* UFA Film und Fernseh, Universum Film, Gruner + Jahr Film, *télévision :* 38,9 % de RTL Plus. *Employés :* 32 000. *Magazines :* Decoration, Stern, Geo, Geo Spezial, Art, Brigitte, Schöner Wohnen, Häuser, Capital, Saison, Impulse, Essen + Trinken, YPS, Eltern, Prima, Flora, Sports, Schöner Essen, P.M., Sandra. *Esp. :* Cosmopolitan (joint-venture), Dunia, Estar Viva, Geo, Mia, Muy interesante, Natura, Serpadres hoy. *France :* Ça m'intéresse, Capital, Cuisine actuelle, Femme actuelle, Géo, Guide Cuisine, Partance, Prima, Télé Loisirs, Voici. *G.-B. :* Focus, Prima, Best. *Italie :* Focus, Vera (joint-venture). *USA :* Parents, YM. *Détient à 100 % :* RFA : Ehrlich & Sohn (principal magazine : Frau im Spiegel) et Verlagsgesellschaft Neues Wohnen mbH (mag. : Neues Wohnen) : étranger : G+J Esp., G+J G.-B., G+J USA, Prisma Presse, Gruner + Jahr Italie. *Principales participations Presse :* RFA : quot. : Hamburger Morgenpost, Dresdner Morgenpost, FF, Magazin, Wochenpost, Berliner Zeitung, Berliner Kurier, Sächsische Zeitung, Marie Claire (50 %), Max (25 %), Manager Magazin, Der Spiegel (24,75 %). *CA* (Md de DM) *1991/92 :* 3,6 (1,44 hors d'All.) ; *92/93 :* 3,56 (bén. net 0,057). *Employés :* 12 663.

Bertelsmann. Groupe détenu à 90 % par la famille Mohn. 1er groupe médiatique europ., 2e mondial. *CA* (en milliards DM) *1983-84 :* 6,72, *87-88 :* 11,32. *91-92 :* 16 (résultat net : 0,57), *92-93* 17 (rés. net 0,58), *CA édition :* 9,7 dont club livres et disques 2,48, livre international 1,73, livres All., Autriche, Suisse 1,57, musique 3,92 ; *TV et média électronique :* 1,37 ; *imprimerie-industrie :* 3,07 ; *filiale magazine Gruner und Jahr :* 3,6. *Filiales en France :* France Loisirs, Encyclopédies Bordas, BMG. *Contrôle aux USA :* RCA Records, Doubleday. Voir Index.

■ **Quot. Augsbourg :** *Augsburger Allgemeine* (1945) 261,6. **Berlin :** *BZ* (1877) 37,5, *Berliner Morgenpost* (1898) 222,4. **Bonn :** *Die Welt* (1946) 212. **Cologne :** *Kölner Express* (1964) 304, *Kölner Stadt-Anzeiger* (1876) 288. **Dortmund :** *Ruhr-Nachrichten* (1949) 225. **Düsseldorf :** *Rheinische Post* (1946) 347, *Express* 126. **Essen :** *Westdeutsche Allgemeine* 1 197. **Francfort/Main :** *Frankfurter Allgemeine Zeitung* (1949) 386, *Frankfurter Rundschau* 189. **Hambourg :** *Hamburger Abendblatt* (1948) 308, *Bild* (1952) 4 358, *Hamburger Morgenpost Hamburg* 162. **Hanovre :** *Hannoversche Allgemeine Zeitung* (1949) 265. **Ludwigshafen :** *Die Rheinpfalz* (1945) 246. **Munich :** *Süddeutsche Zeitung* (1945) 392 (1992). *Abendzeitung* (1948) 249. *Münchener Merkur* (1946-69) 191. **Nuremberg :** *Nürnberger Nachrichten* (1945) 347. **Stuttgart :** *Stuttgarter Zeitung* (1945) 155,2 et *Stuttgarter Nachrichten* 62,2.

■ **Hebdo.** (vendu, mars 1992). **Hambourg :** *Die Zeit* (1946) 514. *Welt am Sonntag* (1948) 422. *Die Woche* (1993). **Stuttgart :** *Sonntag Aktuel* (1984) 874.

■ **Périodiques** (tirage vendu, mars 1992). *ADAC Motorwelt* 10 537, *Hör zu* 3 343, *Bild am Sonntag* 2 870, *Hören und Sehen* 2 758, *Fernsehwoche* 2 552, *Das Haus* 2 470, *Funk Uhr* 1 955, *Neue Post* 1 826, *Tina* 1 725, *Das Beste* 1 719, *Freizeit Revue* 1 390, *Stern* 1 345, *Burda Moden* 625, *Das Neue Blatt* 1 314, *Brigitte* 1 085, *Gong* 1 083, *Neue Revue* 922, *Bunte* 987, *Bravo* 1 582, *Bild und Funk* 950, *Der Spiegel* (f. 1946 par Rudolf Augstein) 1 160, *Bildwoche* 1 031, *Frau im Spiegel* 769, *Für Sie* 800, *Freundin* 742, *Meine Familie und Ich* 751, *Quick* 718 (arrêté 27-8-92), *Praline* 893, *Die Aktuelle* 716, *Wochenend* 827, *Eltern* 636, *Bella* 656, *Neue Mode* 391, *Das Neue* 591, *Geo* 542, *ACE Lenkrad* 540, *Goldene Blatt* 513, *Sport* 698, *Focus* (1993) 500. *Carina* 417, *Petra* 420, *Journal für die Frau* 460, *Wohnen* 363, *Frau im Leben* 287, *Echo der Frau* 454, *Frau Aktuel* 409, *Weltbild* 296, *Penthouse* 252, *Motor & Reisen* 362, *Essen & Trinken* 226, *Lui* 150, *7 Tage* 232, *Frau mit Herz* 218, *Gute Fahrt* 149.

Autriche

☞ *En 1992 :* 16 quotidiens (2,6 millions d'ex.).

■ **Groupes.** Bohmann Verlag, Mediaprint, Niederösterreichisches Pressehaus, Österreichischer Wirtschaftsverlag, Styria-Steirische Verlagsanstalt.

■ **Quot. Vienne :** *Neue Kronen-Zeitung* (1900) 1 080, *Kurier* (1954) 385, *Der Standard* (1988) 100, *Die Presse* (1848) 97, *Wiener Zeitung* (1703) 26. **Graz :** *Kleine Zeitung* (1904) 277, *Neue Zeit* (1945) 69. **Salzburg :** *Salzburger Nachrichten* (1945) 100. **Linz :** *Oberösterreichische Nachrichten* (1865) 125. **Innsbruck :** *Tiroler Tageszeitung* (1945) 100. **Bregenz :** *Vorarlberger Nachrichten* (1945) 74. **Klagenfurt :** *Kärntner Tageszeitung* (1945, soc.) 55.

Belgique

Source : Assoc. belge des éditeurs de journaux (20, rue Belliard, bte 5, 1040 Bruxelles) + Féd. Nat. des Hebdo. d'Info (FNHI).

☞ *Presse quotidienne en 1991 :* 21 entreprises de presse, 33 titres de journaux (dont édités en français 18, néerlandais 14, allemand 1). *Tirage total quot.* (1991) : 2 059 (dont quot. authentifiés par le CIM 1 987, non authentifiés par le CIM 72). *Investissements publicitaires dans les quot. belges :* 8 745 millions de FB (1991). *CA des entreprises de presse quotidienne :* 22 377 millions de FB (1990).

■ Titres (1993). **Anvers :** *De Antwerpse Morgen* (f. 1978), *Gazet Van Antwerpen* (f. 1891), *De Lloyd* (f. 1979)/*Le Lloyd* (f. 1858), *De Nieuwe Gazet* (f. 1897), *De Financieel Ekonomische Tijd* (f. 1968). **Arlon :** *L'Avenir du Luxembourg* (f. 1897). **Bruxelles :** *La Dernière Heure* (f. 1906, par Maurice Brébart) / *Les Sports* (f. 1907), *L'Écho* (f. 1881), *Het Laatste Nieuws* (f. 1886, par Julius Hoste), *La Lanterne* (f. 1944), *La Libre Belgique* (f. 1884), *De Morgen, De Nieuwe Gids* (f. 1944), *Le Soir* (f. 1887, par E. Rossel), *De Standaard* (f. 1914)/*Het Nieuwsblad* (f. 1928). **Charleroi :** *La Nouvelle Gazette* (f. 1878, par Lucien Giroul), *Le Rappel* (f. 1900), *Le Journal* (f. 1837) *et Indépendance* (f. 1944), *Le Peuple* (f. 1885). **Eupen :** *Grenz-Echo* (f. 1927). **Gand :** *De Gentenaar* (f. 1879), *Het Volk* (f. 1891). **Hasselt :** *Het Belang van Limburg* (f. 1879). **Liège :** *La Libre Belgique/Gazette de Liège* (f. 1840), *La Meuse* (f. 1855), *La Wallonie* (f. 1919). **Malines :** *Gazet van Mechelen* (f. 1896). **Namur :** *Vers l'Avenir* (f. 1918). **Tournai :** *Le Courrier de l'Escaut* (f. 1829). **Verviers :** *Le Jour-Le Courrier* (f. 1894).

■ Tirage des principaux groupes (1992). *De Standaard + Het Nieuwsblad + De Gentenaar* 374. *Het Laatste Nieuws + De Nieuwe Gazet* 288,5. *Le Soir* 182. *La Meuse + La Lanterne* 129. *La Nouvelle Gazette + La Province + Le Peuple + Le Journal et Indépendance* 107. *Het Volk + De Nieuwe Gids* 107. *Gazet van Antwerpen + Gazet van Mechelen* 189. *La Dernière Heure/Les Sports* 93. *La Libre Belgique/Gazette de Liège* 85. *Vers l'Avenir + Le Courrier-Le Jour + Le Courrier de l'Escaut + L'Avenir du Luxembourg + Le Rappel* 143. *Het Belang van Limburg* 106. *De Morgen + De Antwerpse Morgen + Vooruit* 43. *La Wallonie* 48 [1]. *L'Écho* 30. *De Financïeel Ekonomische Tijd* 38. *Grenz-Echo* 13 [1]. *De Lloyd/Le Lloyd* 10 [1].

Journaux gratuits. **Principaux groupes :** Rossel (a racheté Vlan, groupe de presse gratuite en 1981). Roularta : *titres :* 463, *exemplaires :* hebdo. 15 500 000, bimensuels 2 600 000, mensuels 585 000. Groupe AZ : 132 édit., 4 900 000 ex.

■ Hebdo. (tirage 1991). **Flamands :** *Blik* 164, *Dag Allemaal/Zondagnieuws* 339, *Kerk en Leven* 760, *Libelle Het Rijk der Vrouw* 235 [1], *De Bond* 339 [2], *T.V.-Story* 209, *Humo* 263, *TV Ekspres / TV Strip Zie Magazine* 181, *Flair* (fl.) 188, *Sport 90 magazine* 67, *Zondagsblad* 72, *Knack* 135, *Het Beste uit Reader's Digest* 90, *De Post/Panorama* 109, *Teveblad* 226, *Het Wekelijks Nieuws* 56 [1], *De Krant van West-Vlaanderen* 93, *Het Vrije Waasland* 21 [1], *De Voorpost* 23 [1], *De Rode Vaan* 3 [1], *Vlaams Weekblad* 39 [1], *Trends/Trends-Tendances* 58, *Jœpie* 129, *Kwik* 90, *TV Gids* 67. **Francophones :** *Dimanche* 444, *Télémoustique* 216, *Femmes d'Aujourd'hui Libelle* 169, *Le Ligueur* 136 [2], *Sélection du Reader's Digest* 98, *Le Soir illustré* 100, *Télépro* 162, *L'Instant* 63 [2], *L'Événement* 30 [1,2], *Le Marché / De Markt* 32 [1,2], *Dimanche-Presse* 10 [1,2], *Le Courrier* 15 [1], *La Semaine d'Anvers* 40 [1,2], *Le Courrier de Gand* 19 [1,2], *Le Courrier du Littoral et de Bruges* 13 [1,2], *Le Vif/L'Express* 93, *La Cité* 16,5 [1], *Flair* 61, *L'Hebdo au féminin* 53.

Nota. – (1) Tirage non contrôlé. (2) 1990.

Brésil

☞ *1988 :* 288 journaux.

■ Quot. *O Globo* (f. 1925) *350, O Estado de São Paulo* (f. 1875) 230, *Fôlha de São Paulo* 211,9, *O Dia* (f. 1951) 207, *Jornal do Brasil* (f. 1891) 200 (dim. 325), *Jornal da Tarde* (f. 1966) 120, *Zero Hora* (f. 1964) 115 (dim. 250), *Jornal A Tarde* (f. 1912) 54, *Diário de Pernambuco* (f. 1825) 31, *Correio Braziliense* (f. 1960) 30. Périodiques. *Veja* 800, *Claudia* 460, *Visão* 148,8, *Desfile* 120, *Manchete* 110.

Bulgarie

■ Sofia : *Douma* (Parole, successeur de Rabotnichesko Delo, Œuvre ouvrière 1927, dep. le 4-4-1990) 300. *Democratzia* (Démocratie 1990, n° 1 le 12-2-1990) 190. *Mladezh* (Jeunesse, successeur de Narodna Mladezh 1944, dep. 23-5-1990) 140. *Troud* (Travail 1946) 125. *Vetcherni Novini* (Informations du soir 1951) 120. *Zemya* (Terre, successeur de Kooperativno Selo 1951, dep. 1-8-1990) 105. *Otetchestven Vestnik* (Journal de la Patrie, successeur de Otetchestven Front, Front de la Patrie 1942, dep. 9-6-1990) 70. *Svoboden Narod* (1944, Peuple libre 1990, n° 1 le 1-2-1990) 50 à 100. *Zemedelsko Zname* (Drapeau agrarien 1902) 50. *Narodno Delo* (Armée populaire 1944) 44.

Canada

☞ 108 quotidiens (dont soir 80) (tirage total 5 553) en 1992.

■ Groupes : *Southam* 18 quotidiens, contrôle Daily Telegraph (Londres), Jerusalem Post (de l'American Publishing Cy et groupe de presse australien John Fairfax). *Thomson* 160 quot. en Amér. du N. (dont 40 au Can.). *Hollinger* (Conrad Black). *Quebecor* (Pierre Péladeau) Journal de Montréal. *Power Corp.* la plus importante chaîne de quotidiens du pays.

■ Quot. de langue française. Tirage moyen de la semaine (en milliers) et, entre parenthèses, tir. du dimanche (1992). *Quebecor Inc. :* Le Journal de Montréal (f. 1964) 300 (309), Le Journal de Québec (f. 1967) 102 (96). *Gesca :* La Voix de l'Est Granby (f. 1935) 16 (19), La Presse de Montréal (f. 1884) 213 (193), La Tribune Sherbrooke (f. 1910) 36. Le Nouvelliste Trois Rivières (f. 1920) 54. *Hollinger :* Chicoutimi Le Quotidien du Saguenay (f. 1973) 31, Le Soleil (Québec) (f. 1896) 103 (86), Le Droit (Ottawa/Hull) (f. 1913) 37. *Indépendants :* Le Devoir (Montréal) (f. 1910) 24 (27), L'Acadie nouvelle (Caraquet) (f. 1984) 17.

■ Quot. de langue anglaise. Tirage moyen de la semaine (en milliers) et, entre parenthèses, tir. du dimanche 1992. *Armadale Cie Ltd :* The Leader-Post (Regina) (f. 1883) 70 (70), The Star-Phoenix (Saskatoon) (f. 1902) 63. *Irving Newspapers :* The Fredericton Daily Gleaner (f. 1880) 30, The Moncton Times-Transcript (f. 1868) 45, The St John Telegraph-Journal (f. 1868) 33, The St John Evening Times-Globe (f. 1904) 33. *Quebecor Inc :* Winnipeg Sun (f. 1980) 46 (55), Sherbrooke Record (f. 1897) 6. *Hollinger :* Summerside Journal-Pioneer (f. 1865) 10. *The Toronto Sun Publishing :* The Toronto Sun (f. 1971) 272 (448), The Calgary Sun (f. 1980) 74 (96), The Edmonton Sun (f. 1978) 89 (124), The Ottawa Sun (f. 1988) 49 (51), The Toronto Financial Post (f. 1907) 97. *Southam :* The Gazette de Montréal (f. 1778) 169 (149), The Hamilton Spectator (Ontario) (f. 1846) 136, The Ottawa Citizen (f. 1843) 178 (156), Calgary Herald (f. 1880) 134 (121), Edmonton Journal (f. 1903) 170 (156), Vancouver Province (f. 1898) 181 (217), Vancouver Sun (f. 1886) 212, Whig-Standard Kingston (Ontario) (f. 1810) 35. *Thomson :* The Globe and Mail (Toronto) (f. 1844) 306, Winnipeg Free Press (f. 1874) 172 (152). Victoria Times Colonist (f. 1858) 78 (76). *Burgoyne :* The Standard (St. Catharines) (Ontario) (f. 1891) 43. *Indépendants :* Halifax Chronicle-Herald (f. 1844) 86, The Mail-Star (Halifax) (f. 1873) 52, The London Free Press (Ontario) (f. 1849) 117, The Toronto Star (f. 1892) 543 (509), The Daily News (Halifax) (f. 1974) 26 (37).

■ Périodiques. En milliers (janv. 1993). Reader's Digest (can., angl.) 1 614, Homemaker's 1 600, Châtelaine (fr., angl.) 888,5, TV Guide (angl.) 812, Maclean's 578, Canadian Living 573, Time (can.) 384, l'Actualité 242.

Chine

☞ *1989 :* 852 journaux et 6 078 périodiques.

■ Quot. **Pékin :** *Renmin Ribao* (Q. du Peuple) (f. 1948) 5 000. *Zhongguo Qingnian Bao* (Q. de la jeunesse) (f. 1951) 3 000. *Gongren Ribao* (Q. ouvrier) (f. 1949) 2 500. *Jingji Ribao* (économique) (f. 1983) 1 590. *Guangming Ribao* (Clarté) (f. 1949) 1 500. *Beijing Ribao* (f. 1952) 1 000. *Nongmin Ribao* (paysan) (f. 1980) 1 000. *Jiefangjun Bao* (Q. de l'armée de libération) (f. 1956) 800. *Beijing Wan-bao* (Q. du soir) (f. 1958) 500.

Danemark

☞ *Au 1-12-1992 :* 46 quot. (1 678 070 ex.).

■ Copenhague (tirage contrôlé, 1-12-1992) : *Ekstra Bladet* (1905, libéral) 183 (200 dim.). *BT* (1916, ind.-conservateur) 180 (214). *Politiken* (1884, libéral) 154 (207). *Berlingske Tidende* (1744, conservateur) 134 (192).

■ Jutland. *Mogenavisen Jyllands Posten* (1871) 144 (237).

Égypte

■ Quot. **Le Caire :** *Al Akhbar* (1952, ind.) 980. *Al Ahram* (1875, ind.) 900. *Al Gomhouria* (La République) (1953) 650. *Mayo* (parti national démocratique) 500. *Misr* (1977, parti socialiste arabe). *Al Misaa* (1956) 105. *Le Journal d'Egypte* (1936, français) 72. *Egyptian Gazette* (1880) 35. *Le Progrès égyptien* (1890, français) 21. *Phos* (1896) 20.

■ Hebdo. *Akhbar al-Yaum* 1 158. *Al Ahram Weekly* (en anglais) 200. *Akher Saa* 150. *Al Musawar* 130. *Al Kawakeb* (cinéma) 86. *Al Ahrar* (parti libéral socialiste-opposition droite). *Al Ahali* (Rassemblement). *Al Ahram al-Iqtisadi* 67. *Al Liwa Al Islami* (islam.) 30.

■ Mensuels. *October* 140. *Ad Doctor* 30. *Al Difaa* (défense). *Al Siyassa Al Dawliya* (géopolit.). *Computer & Electron. Al Magallat az Ziraia* (agric.) 30. *Al Shabab wa Ouloum al Mustakbal* (jeunesse). *Fosoul* (littér.). *Ibdaa* (littér.). *Alam al Kotob* (littér.).

Espagne

☞ *Nombre total de quot.* (1991) : 115 (12 nationaux à Madrid).

■ Groupes. **Zeta :** 7 [5] (3 048 [6]) 835 [7] ; (Periódico de Catalunya, de Aragon [1], Extremadura [1], La Voz de Asturias [1], Gaceta de Negocios [1] ; Tiempo [2], Panorama [2], Interviu [2], Man [3], Fortuna Sports [3], Quadrifoglio [4], Ronda Iberia [3], Novedades [4], Tiempo de Viajar [3], Conocer [3], Penthouse [3], Primera Línea [3], Estar Mejor [3], Ardi [4], Oro Visa [4]. **Grupo 16 :** 5,8 [5] (1 721 [6]) 213 [7] ; Diario 16 [1], Cambio 16 [2], Motor 16 [2], Inversión 16 [2] ; Historia 16 [3], Gran Auto 16 [3], Marie Claire 16 [3], Gentes y Viajes [3]. Hachette : 5 [5] (7 821 [6]) 1 958 [7] ; *Elle, Diez Minutos, Teleprograma, Fotogramas, Crecer Feliz, Ragazza, Elle Decoración.* **Prisa** (f. 1976) : *CA 1992 :* 2,5 milliards de F ; bénéfice net 0,25 (dont El País 1,57, bén. net 0,24). El País [1], Cinco Días [1], Edipaís, Progresa, Estructura, Revista Mercado [3], Distasa, Radio Cadena, SER (71 %), Canal Plus (25 %), Sogecable, Sodera (propriétaire de la radio fr. M40). **Prensa española :** ABC [1] ; Blanco y Negro [2].

Nota. – (1) Quotidien. (2) Hebdo. (3) Mensuel. (4) Bimens. ou trim. (5) Recettes pub. en millions de ptas. (6) Audience en milliers de lecteurs. (7) Diff. en milliers d'ex.

■ Quot. (diffusion moy. nat. et internat. en milliers d'ex. déc. 1992). **Madrid :** *El País* [1] (1976) 407 (862 jour férié). *ABC* (1903, mon., cath., ind.) 293 (547 j. f.) [1]. *As* (1967, sport) 151. *Diario-16* (1976, dr. lib.) 126 (177 j. f.) [1]. *Marca* 233. *El Mundo* 160 [1]. **Barcelone :** *La Vanguardia* [1] (1881, dr. lib., ind.) 211 (345 j. f.). *El Periódico* [1] (1978) 172 (357). *Avui* (1976, cath. ind.) 39. *El Correo Catalán* [2] (1876, dr. ind.) 30. *El Mundo Deportivo* (1904, sports) 55 [1]. *Sport* (1979) 70. **Bilbao :** *El Correo español-El Pueblo vasco* (1937, droite) 134. *Deia* (cons.) 57. *La Gaceta del Norte* (1901, ind.) 4 [1]. **La Corogne :** *La Voz de Galicia* 102. **Navarre :** *Diario de Navarra* 57 (dim. 68). **Oviedo :** *La Nueva España* (1937) 44. **Saint-Sébastien :** *El Diario Vasco* 92. *Egin* 46. **Saragosse :** *Heraldo de Aragon* 53. **Valence :** *Las Provincias* 57.

Nota. – (1) 1991. (2) 1984.

■ Hebdo. (déc. 1992). *Teleprograma* 1 061. *Super Télé* (1992) 1 000. *Pronto* 818. *Hola* 640. *Blanco y Negro* (1891) 553. *Ya* 40 [en 1992, Edica qui l'édite a été racheté 1 peseta par le groupe mexicain Editoriales del Sur qui fait partie du holding industriel Y Comunicaciones del Sur (ICS)]. *Diez Semana* (1942) 358. *Lecturas* 347. *Minutos* 317. *Mía* 291. *Clan TV* 265. *Interviú* (1976) 212. *Tiempo de hoy* 127. *Cambio 16* (1972) 71.

■ Mensuels (déc. 1992). *Reviste Cruz Roja* 320. *Muy interesante* 297. *Ronda Iberia* 210. *Commercio y Industria* 145[a]. *Labores del Hogar* 122. *Nuevo Estilo* 121. *Greca* 125[a]. *Ser Padres hoy* 101. *Natura* 70. *El Europeo* 25[a].

■ Bimens. *Super Pop* 340. *Villa de Madrid* 149[a].

Nota. – (a) 1987-88.

États-Unis

Source : Audit Bureau of Circulations.

☞ **Nombre de quotidiens :** *1945 :* 1 749 ; *86 :* 1 657 ; *90 :* 1 611 ; *91 :* 1 586 dont du soir 1 042 (60,7 millions d'ex. dont soir 19,2). **Hebdos :** 7 417 (54). 45 grandes villes (689 en 1910) ont plusieurs quot., ex. : New York en a 3 traditionnels + des quot. de quartier atteignant parfois de gros tirages.

■ Groupes (*CA* en milliards de $). **News Corporation** (Pt Rupert Murdoch). *C A 1984 :* 2,1. *Perte nette* (1990-91, en millions de $) : 308. *Dette* (est. 91) : 45 milliards de F. *USA :* The New York Post, The Chicago-Sun Times, The Boston Liberal, Daily,

New York Magazine, Star, European Travel and Life, 7 stations de télévision, 20th Century Fox (maison d'édition), Groupe Triangle (TV Guide, Seventeen Magazine, Daily Racing Form), Harperand Row. *G.-B.* : voir News Group. En mai 91, vend 9 titres 0,65 md $ à K III Holdings ; puis 3 titres à Emap Plc (10 millions de £ : New Woman, Car, Supercar and Classics). *Australie :* 14 journaux, dont The Australian, possède 4 maisons d'édition, Herald and Weekly Times. 1991 (3-10) fusion du Melbourne Herald et du Sun (Herald-Sun) à Melbourne, du Daily Telegraph avec le Daily Mirror (Daily Telegraph Mirror) à Sydney. **Newhouse Newspapers Group.** New York (Pt Samuel Newhouse), possède 26 quot., le New Yorker (dep. mars 1985). **Time Warner.** Créé par fusion 1989 de Time (familles Luce et Temple) et Warner. *CA (92) :* 13,07 milliards de $ [dont cinéma 3,45, musique 3,21, édition 3,12 (Life, Sports Illustrated, Fortune, Money, People, Washington Star, Southern living, Entertainment weekly), TV Cable 2,09 (7,1 millions d'abonnés), TV Cryptée [Home box office (HBO) et Cinémax] 1,44 (23,7 millions d'ab.)]. **Gannett :** 85 quot. rég., dont USA Today, 12 hebdo., 6 stations de télé., 16 radios, Institut de sondage Louis Harris (*CA :* 3,5). **Dow Jones** (*CA :* 1,7), Wall Street Journal. **Knight-Ridder** (*CA :* 2,3), 27 quot. dont Miami Herald, Philadelphia Inquirer. **New York Times** *(CA 1992 :* 1,77), 22 quot. (dont Boston Globe racheté 1 million de $ en 1993), 15 magaz. dont *Family Circle.* **Times Mirror** (*CA :* 3,6) 9 quot. **Los Angeles Times, Newsday,** cinéma, audiovisuel. **Washington Post** (*CA :* 0,9) 2 quot. **Newsweek** livres, édition, audiov., électronique. **Reader's Digest** (*CA :* 2,06).

■ Quot. Tirage moyen de la semaine sauf samedis (en milliers) et, entre parenthèses, tir. du dimanche (période de 6 mois finissant le 30-9-1991). **New York :** *NY Times* (f. 1851) 1 146 (1 742). *Daily News* (1947 : 4 500, racheté mars 91 par Maxwell) 777 (969). *Wall Street Journal* (f. 1889) 747. *NY Post* (f. 1801) 438 (366) [pertes annuelles 27 millions de $, racheté 30 millions de $ par Robert Murdoch (150 M$ perte en 12 ans), Peter Kalikov 1988, repris par Murdoch mars 1993]. **Chicago :** *Tribune* (f. 1847) 724 (1 110). *Sun Times* 528 (531). **Boston :** *Globe* 509 (812). *Herald* 331 (223). *Christian Science Monitor* (f. 1908 par Mary Baker Eddy, scientiste) 97. **Detroit :** *Free Press* 580. *News* 399. **Los Angeles :** *Times* (f. 1881) 1 147 (1 515). *L.A. Herald Examiner* (créé 1962, fusion L.A. Examiner f. 1903 par Hearst, et Herald f. 1877). Diff. *1977 :* 720 ; *88 :* 232 (174), fermé 1989. **Philadelphie :** *Inquirer* 502 (964). *News* 193 (114). **Saint Louis :** *Post Dispatch* (f. 1878 par John Pulitzer) 339 (559). **San Francisco :** *Examiner and Chronicle* (f. 1986) 579 (587). *Chronicle* (f. 1986) 451. *Examiner* (f. 1986) 128. **Washington :** *USA Today* 1 507 (1 928). *W. Post* (f. 1877) 802 (1 141).

☞ Le *New York Herald Tribune* a disparu en 1966. Une association entre le *Washington Post* (30 %), le *New York Times* (33 %) et la *Whitney Communication Corporation* ancienne éditrice du *New York Herald Tribune* (37 %) a décidé en 1967 de continuer l'éd. parisienne, lancée 1887 par J. Gordon-Bennett.

■ Périodiques. En milliers (période de 6 mois finissant le 30-6-1992). *Reader's Digest* 16 258 [1], créé 1922 par De Witt Wallace. *TV Guide* 14 920 [3]. *National Geographic Magazine* 9 787 [1]. *Better Homes and Gardens* 8 002. *Good House keeping* 5 101 [1]. *Family Circle* 5 038 [1]. *Ladies Home Journal* 5 003. *McCall's* 4 651. *Woman's Day* 4 521 [1]. *Time* (f. 1923 par Henry Luce et Briton Hadden) 4 159 [2]. *National Enquirer* 3 469. *Playboy* (f. 1954 par Hugh Hefner) 3 402 [1] (7 200 en 1972, 13 versions étrangères, 1 500 articles). *Redbook* 3 356 [1]. *Newsweek* 3 232 [1] (f. 1933). *US News and World Report* (f. 1933) 2 319 [2]. *Parent's Magazine* 2 077 [1]. *Money* 1 855. *Popular Science* 1 837 [1]. *Life* [2] 1 824. *Vogue* 1 312 [1]. *Penthouse* 1 250. *Business Week* (f. 1929) 898. *Fortune* (f. 1930) 859. *True Story* 750 [1]. *Mirabella* (f. 1989) 622. *New Yorker* [2] (f. 1925 par Harold Ross, † 1951) 628.

Nota. – (1) Mensuel. (2) Hebdomadaire. (3) Bihebdomadaire. (4) Bimensuel.

☞ *Look,* créé 1937, a disparu le 19-10-1971. Son tirage était passé de 2 500 000 ex. en 1946 à plus de 7 500 000. Il a disparu par manque de publicité, bien qu'il eût abaissé son tirage à 6 500 000 et diminué ses tarifs calculés d'après la diffusion. *Life,* créé 1936 par Henry Luce, a cessé de paraître fin 1972, bien qu'on ait réduit le tirage de 8,5 à 5,5 millions. Chaque nº était vendu au-dessous du prix de revient, les budgets publicitaires ayant diminué (une page couleur coûtant 64 000 $, soit 320 000 F, les annonceurs préféraient se payer 1 min de télé.).

☞ **Chiffre d'affaires des groupes de presse** (1985, en millions de $ et, entre parenthèses, de l'activité radio télé.). *Time* 3 067 (41) [1]. *Times Mirror* 2 959 (8,5) [2]. *Gannett* 2 209 (11,9). *Tribune* 1 938 (15,7) [3]. *Knight Ridder* 1 730 (3,8). *McGraw Hill* 1 491 (0). *New York Times* (84) 1 394 (5,6). *Washington Post* 1 079 (14,4). *Dow Jones* 1 039 (non significatif). *MacMillan* 677 (0). *Meredith* 475 (24). *Harper and Row* 204 (0). *Scripps Howard* n.c. (0). *Hearst* n.c.

Nota. – (1) *Time* ne possède pas de stations de radio ou de télévision. Il s'agit de la part du CA relative à HBO (télévision à péage) et American Television and Communications (gestion de réseaux câblés). (2) 16,9 % avec la gestion des réseaux câblés. (3) Y compris la gestion de réseaux câblés. CA 1985 de Scripps Howard Broadcasting : 134,5.

Chiffre d'affaires des réseaux (1985, en millions de $, dont entre parenthèses « Broadcasting », et, en italique « Édition »). ABC [1] 3 707 (3 304) *316.* CBS 4 755 (2 785) *710* [2]. RCA/NBC (2 647).

Nota. – (1) 1984. (2) La plus grande partie de l'activité d'édition a été vendue en 1986.

FINLANDE

■ Groupes et, en italique, quot. (1992) Sanoma Osakeyhtiö [*Helsingin Sanomat* (1904, indép.) 487. *Ilta-Sanomat* (1932, indép.) 209]. Aamulehti-yhtymä Oy [Iltalehti (1981, indép.) 116, Kauppalehti (1898, indép.) 84, Pohjalainen (1903, indép.) 65, *Aamulehti* (1881, conserv.) 140 (147 dim.)]. TS-yhtymä [*Salon Seudun Sanomat* (1919, indép.) 22, *Turun Sanomat* (1905, indép.) 128]. *Kaleva* (1899, indép.) 97.

■ Périodiques (1992). **Hebdos :** *Aku Ankka* (f. 1951) 300, *Seura* (f. 1934) 276, *Apu* (f. 1933) 251, *Anna* (f. 1963) 151. **Mensuels :** *Valitut Palat* (f. 1945) 349, *Kotivinkki* (f. 1983) 202, *Et-Lehti* (f. 1973) 198, *Nykyposti* (f. 1977) 152. **Bimens. :** *Kotiliesi* (f. 1922) 203, *Kodin Kuvalehti* (f. 1967) 178.

Quotidiens d'info. gén. en 1988	Nombre de titres	Exemplaires 1 000 hab.	Tirages (en milliers)
All. féd.	395 [2]	347	24 700 [2]
Belgique	31 [2]	219	2 130 [2]
Canada	108 [2]	225	5 654 [2]
Danemark	46 [2]	359	1 729 [2]
Espagne	115 [2]	75 [1]	2 967
Finlande	67	551	2 719
France	*96*	*193* [1]	*9 328*
G.-B.	99	421 [1]	22 730
Italie	95 [2]	105	6 005
Japon	125 [2]	566 [1]	72 523 [2]
Norvège	83	551	2 309
P.-Bas	46	314	4 606
Pologne	45	184	6 939
Suède	107	526	4 387
Suisse	120 [2]	504	3 280
URSS	723	474	133 979
USA	1 657 [1]	259 [1]	62 502

Nota. – (1) 1986. (2) 1991.

GRANDE-BRETAGNE

☞ La presse était en déclin à la fin des années 70. Les mesures prises en 1980 et 1982 ont atténué le caractère impératif de l'affiliation syndicale, réglementé la présence des piquets de grève en cas de conflits sociaux, permis d'adopter des techniques modernes et un retour au bénéfice.

■ Groupes. **Associated Newspapers plc** (Pt Viscount Rothermere) : *2 quot. :* Daily Mail (nat.), The Evening Standard, *14 quot. prov., 28 hebdo.* (dont The Mail on Sunday, nat.).

Guardian and Manchester Evening News plc (Pt H.J. Roche) : *2 quot. :* The Guardian (nat.). Manchester Evening News, *2 hebdo. :* Guardian Weekly, The Observer racheté avril 1993.

Maxwell Foundation (en liq. jud., administrateur jud. : cabinet Arthur Andersen) : *Ancien Pt :* Robert Maxwell (Jan Lodvik Hoch, n. Tchécoslovaquie 1923, arrivé G-B 1940, fonde Pergamon Press 1949, député travailliste 1964-70, + 1991) ; **MGN (Robert Maxwell Group).** 1º) **Mirror Group Newspapers (MGN)** 51 % possédés par Maxwell : Daily Mirror (nat.), Sunday Mirror, The People, Sunday Mail, Daily Record (écoss.), Sporting Life (nat.). Cecil King († 1987), avait dirigé de 1951 à 1968 l'IPC (International Publishing Corp.), groupe Mirror que Maxwell racheta en 1985. Aux USA, le Daily News (quotid.) racheté par Maxwell en mars 91. En Europe, The European (hebdo, fondé 90) *CA* et résultats en millions de £ : *91* 459,9 (47,3) ; *92* 466,1 (– 84). 2º) **MCC (Maxwell Communication Corporation) 68 %.** *CA 1988 :* 11 milliards de £ (en 1988 investit 2 milliards de £ pour racheter MacMillan et une partie de Dun et Bradstreet). *Nuit du 4 au 5-11-1991 :* au large des Canaries, Robert Maxwell tombe de son yacht (mort due à un arrêt cardiaque ; l'hypothèse d'un suicide ou d'un meurtre déguisé en accident est écartée ; pour certains il aurait été un agent soviétique de haut rang). *Déc. :* on découvre que les dettes du groupe s'élèveraient à 34 milliards de F (2 fois 1/2 le CA) et que 5,26 milliards de F, venant des 6 fonds de pensions de retraite de MCC et MGN, ont servi à rembourser les dettes des Cies privées du groupe ou à soutenir les cours de MCC et MGN (32 000 affiliés lésés dont 14 000 retraités). « Dépeçage » en cours en 1992 de MCC et MGN : *Daily News* repris par US News and World Report 26-10-92, mise en vente du *Daily Mirror,* cession des actifs britanniques de MCC avec vente de la filiale MBCG (Maxwell Business Corporation, 40 magazines) au groupe britannique Emar, vente de l'*European.*

News Corporation Ltd (Australia). En *Australie,* contrôle 60 % de la presse. *Pt :* Rupert Murdoch (Amér. d'origine austral. qui détient avec sa famille 40 % de son groupe). *Endettement* (au 1-1-92) : env. 7 milliards de $. *Aux USA :* 20 th Century Fox, Fox Television, le TV Guide et des journaux. *En Espagne :* 25 % du groupe Zeta achetés en 1989 375 millions de F. *En G.-B. :* 3 quot. : The Sun (nat.), The Times [racheté 1981, *CA* (milliards de $) *1984 :* 1,69 ; *88 :* 4,35], Today ; 1 hebdo. : News of the World (nat.). Possède 50 % de B Sky B.

Il a porté plainte devant la Commission européenne des droits de l'homme contre les montants versés pour des procès en diffamation (*juill. 87 :* 500 000 £ à Jeffrey Archer, vice-Pt du parti conservateur ; *nov. 88 :* 300 000 £ à Koo Stark, ex-amie du Pce Andrew, 450 000 £ à un officier de marine).

Pearson Longman plc (Pt Viscount Cowdray) : *1 quot. :* Financial Times (nat.) (possède 50 % de l'*Économiste) ; 11 quot. prov., 34 hebdo., 29 quot. gratuits,* a acheté en France Les Échos. *CA 1992* (millions de £) : presse 358. *Résultat d'exploitation :* 3. En *1993* achète Thames Television pour 830 millions de F.

United Newspapers plc (Pt Lord Stevens) : *3 quot. :* Daily Express, Daily Star, Yorkshire Post ; *5 quot. du soir ; 1 hebdo. :* Sunday Express ; *48 hebdo. prov. payants ; 72 hebdo. prov. gratuits ; 182 magazines dont 53 mensuels* publiés aux USA. A racheté en 1985 le groupe Express (Daily Express, Daily Star et Sunday Express) créé par Lord Beaverbrook (1879-1964).

The Telegraph plc (Pt Conrad Black) : *1 quot. :* The Daily Telegraph (nat.). *1 hebdo. :* The Sunday Telegraph (nat.). *1 magazine hebdo. :* The Spectator.

■ Principaux journaux. Moyenne des tirages vendus (janv.-juin 1991, en milliers). Entre parenthèses, date de fondation. (*Source :* ABC).

Quotidiens. **Matin. Populaires :** 12 065 dont *The Sun* [1] (1964 ; ex-*Daily Herald* f. 1911 racheté 1961 par Cecil King et 1969 par groupe Murdoch) 3 693. *Daily Mirror* [1] (1903) 2 956. *Daily Mail* [1] (1896 par Alfred Harmsworth puis Lord Northcliffe ; 1971 absorbe le Daily Sketch) 1 720. *Daily Express* [1] (1900 par Pearson, repris *1911* par Beaverbrook et *1964* par United Newspaper) 1 564. *Daily Star* (1978) 879. *Daily Record* 762. *Today* (1986) 490. *Morning Star* (ex-*Daily Worker,* f. 1930, communiste) 20, 125. **De qualité :** 2 595 dont *Daily Telegraph* [2] (1855) 1 074. *Guardian* [3] (1821, Manchester G. jusqu'au 24-8-1959) 431. *The Times* [1] [1785 1-1 Daily Universal Register lancé par John Walter ; 1788 1-1 devient le Times ; 1806 1res illustrations ; 1902 17-1 supplément littéraire ; 1908 mars racheté par Lord Northcliffe ; 1922 à la mort de celui-ci, racheté par Major Astor ; 1966 repris par Roy Thomson ; 1979-12-11 reparu après 50 semaines de grève (coût : 30 millions de F, mais augmentation de productivité de 30 %) ; 1981 repris par R. Murdoch] 406. *The Independent* (1986) 394. *Financial Times* [1] (1884 Financial News ; 1888-9-1 London Financial Guide ; 13-2 devient le Financial Times ; 1945-1-10 fusion du Financial News et du Financial Times) 289. **Sports :** *Sporting Life* (1859) 77. *Racing Post* 48. **Soir :** *Evening Standard* (1827) 519.

Journaux du dimanche. **Populaires :** 13 886 dont *News of the World* [1] (1843) 4 808. *Sunday Mirror* [1] (1915) 2 806. *The People* [1] (1881) 2 338. *The Mail on Sunday* (1982) 1 940. *Sunday Express* (1918 / 1961 contrôle le Sunday Dispatch ; 1989-9-4 dernier journal national imprimé à Fleet Street) 1 623. *Sunday Sport (1986)* 317. **De qualité :** 2 717 dont *Sunday Times* (1822) 1 176. *Sunday Telegraph* (1961) 576. *Observer* [1] (1791) 579. *The Independent on Sunday* (1990) 385.

Périodiques (janv.-juin 1991). **TV et Radio :** *Radio Times* (1923) 1 932. *TV Times* (1968) 1 913. *Viz* 1 000. **Féminins :** *Woman's Weekly* [4] (1911) 994. *Woman's Own* 1 (1913 puis 1932) 782. *Woman* [4] (1937) 806. *Prima* [5] (1986) 1 000. *Woman's Realm* [1,4] (1958) 460. *Woman & Home* (1926) 453. *Family Circle* [1,5] (1964) 406. *Cosmopolitan* [2,5] (1972) 450. *Good Housekeeping* (1922) 379. *Just Seventeen* (1983) 268. *She* (1955) 254. *Elle* 183. *Woman's Journal* (1977) 172. *Marie-Claire* 195. *Slimmer* 132.

Harper's and Queen [5] (1929) 92. **Divers :** *The Reader's Digest* 1 610. *Best* 1 526. *Peoples Friend* 680. *Weekly News* 479. *Smash Hits* 420. *The Economist* [2] (2-9-1843) 500. *The European* (1990) 223 (dont 111 en G.-B.) en j. 1992. *Mayfair* (1966) 332. *Fiesta* 229. *Ideal Home* 234. *Just Seventeen* 225. *Homes and Gardens* (1919) 190. *Private Eye (1962)* 196. *Vogue* 175. *Theatre Point* 148. *Shoot* (1969) 156. *Sky Magazine* 150. *House & Garden* [5] (1920) 140. *Look-In* 140. *Motor Cycle News* 138. *New Scientist* (1956) 105. *Jackie* 78. *Time Out* 86. *Tatler* 58. *True Story* 34. *Country Life* (1897) 51,6. *Parents* 53. *Spectator* 40. *Punch* (1841, cesse 8-4-1992) 33.

Nota. – (1) Indépendant. (2) Conservateur. (3) Libéral. (4) Hebdomadaire. (5) Mensuel.

GRÈCE

☞ *1989-90 :* 138 quotidiens, 959 magazines d'information.

■ Quot. **Matin.** *Acropolis* (modéré, 1881) 51, *Kathimerini* (indép., 1919) 35, *Rizospastis* (P. com., 1974) 29, *Dimo Kratikos Logos* (1986) 7, *Avghi* (P. com. de l'intérieur, 1952) 3. **Soir.** *Eleftheros Typos* (1983) 167, *Ta Neá* (1944 gauche) 133, *Eleftherotypia* (1974) 107, *Ethnos* (1981) 85, *Apogevmatini* (droite, 1881) 73, *Avriani* (1980) 51.

■ Hebdo. *To Vima* (libéral, 1922) 163.

HONGRIE

■ Quot. **Budapest :** *Népszabadság* (1942, Liberté du peuple) 320. *Népszava* (1873, Voix du peuple) 200. *Némzeti Sport* (1945, Sport national) 250. *Magyar Nemzet* (1938, Nation hongr.) 160. *Mai Nap* (1985, Aujourd'hui) 120. *Esti Hirlap* (1957, Journal du soir) 100. *Magyar Hirlap* (1968, Journal hongr.) 96. *Kurir* (1990) 70 matin, 30 soir. *Pesti Hirlap* 30. *Világgazdaság* (1960, Économie du monde) 17.

■ Hebdo. *Szabad Föld* (1945) 720. *Magyar Nök Lapja* (1949) 550. *Magyarország* (1964) 200. *Uj Ludas* (1990) 200. *Reform* (1988) 300. *Heti Világgazdaság* (1978) 141. *Élet ès Irodalom* (1957) 60.

INDE

☞ + de 25 000 publications en 19 langues.

■ Groupes. **Times of India Group :** *Times of India, Evening News of India, Navbharat Times, Maharashtra Times,* périodiques... **Indian Express Group :** *Indian Express, Loksatta, Dinamani Andhra Prabha Illustrated Weekly.* **Hindustan Times Group :** *Hindustan Times, Hindustan Times Evening News, Eastern Economist...* **Ananda Bazar Patrika Group :** *Ananda, Bazar Patrika, Business Standard, Hindustan Standard, Sunday...*

■ Nombre de journaux (déc. 1988) : anglais 4 458 dont 190 quotidiens, langues indiennes 21 078. **Quotidiens** (1986) : 1 609 dont hindī 554, urdu 182, anglais 138, marathi 132, malayalam 118, tamil 113, kannada 93, bengali 52, telegu 42, gujarāti 41. **Hebdo. :** 6 469 dont hindi 2 900, urdu 723, anglais 440, bengali 433, marathi 391, punjabi 192, gujarāti 177, kannada 173, telegu 167, tamil 134, malayalam 125.

■ Quot. (1991). **Ahmedabad :** *Gujarati Samachar* [1] 235,3. **Bombay :** *Times of India* [2] 315,5 ; *Lok Satta* [3] 221,3. **Calcutta :** *Anand Bazar Patrika* [4] 457,4. **Calicut :** *Malayala Manorama* [6] 199,6. **Delhi :** *Punjab Kesari* [5] 209,8 ; *Navbharat Times* [5] 198,8. **Jalandhar :** *Punjab Kesari* [5] 312,2. **Kottayam :** *Malayala Manorama* [6] 190,8. **New Delhi :** *Hindustan Times* [2] 323,5.

■ Hebdo. (1991). **Bangalore :** *Sudha* [7] 168,5. **Bombay :** *The Sunday Times* [2] 334,6 ; *Chitralekha* [1] 313,6 ; **Delhi :** *Sunday Times of India* [2] 168,6 ; *Lot Pot* [5] 126,9. **Kerala :** *Mangalam, Kottayam* [6] 1 003,4. **Kottayam :** *Malayala Manorama* [6] 1 140,5. **Madras :** *Vaarantari Rani* [8] 268,3. **Manipal :** *Taranga* [7] 151,6. **Vijayawada :** *Swati* [9] 116,8.

■ Mens. (1991). **Bombay :** *Readers Digest* [2] 383,8 ; *Meri Saheli* [5] 118,5. **Calcutta :** *Karama Sangathan* [4] 140,6. **Delhi :** *Nandan* [5] 204,8 ; *Filimi Duniya* [2] 119,5 ; *Filimi Kakiyan* [5] 109,7. **Gorakhpur :** *Kalyan* [5] 175,5. **Madras :** *Rani Muthu* [8] 122,9 ; *Mangaiyar Malar* [8] 109,7. **Mathura :** *Akhand Jyoti* [5] 343,2.

Nota. – (1) Gujarati. (2) Anglais. (3) Marathi. (4) Bengali. (5) Hindī. (6) Malayalam. (7) Kannada. (8) Tamil. (9) Telugu.

IRLANDE

■ Quot. (juil. à déc. 1992). **Belfast :** *Belfast Telegraph* 137 [2]. **Cork :** *Cork Examiner* (1841) 58 [1]. **Dublin :** *Irish Independent* (1905) 149. *Evening Herald* (1891, ind.) 95. *Irish Times* (1859) 92,8. *Evening Press* (1954) 46,5. *The Star* 61,7. *Irish Press* (1931) 50,4.

■ Hebdo. (juill. à déc. 1992). *Sunday Independent* (1906) 247,2. *Sunday World* (25-3-1973) 230,1. *Sunday Press* (1949, ind.) 179,9. *Dublin Tribune* (gratuit) 165 [3]. *Sunday Tribune* (1983) 102,3 [3].

Nota. – (1) janv.-déc. 1989. (2) juill.-déc. 1989. (3) janv.-déc. 1990.

ISRAËL

Nota. – La plupart des journaux sont en hébreu, les autres : arabe, anglais, français, polonais, hongrois, allemand, roumain, russe, bulgare et yiddish.

■ Quot. *Yediot Aharonot* (1939) 288. *Ma'ariv* (1948, ind.) 153. *Jerusalem Post* (1932, anglais) 80. *Ha'aretz* (1918) 45. *Letzte Nvess* (1949) 23. *Davar* (1925) 20. *Al-Hamishmar* (1943) 20. *Uj Kelet* (hongrois, 1919) 20. *Israël Nachrichten* (1974) 20. *Viatze Noastra* (1952) 18. *Hamodia* (1964) 15. *Hatzofel* (1937) 12.

☞ **Ma'ariv** (déc. 91) : 2 candidats pour le rachat des parts de Robert Maxwell (84%) : Conrad Black (canadien) et Yaacov Nimrodi (isr.).

ITALIE

☞ *Nombre de quotidiens : 1946 :* 136 ; *76 :* 77 ; *88 :* 69 ; *91 :* 95.

■ Groupes. **Benedetti :** *CA 1990 :* 2 350 milliards de lires, 14 quot. dont *La Repubblica ;* périodiques : *L'Espresso, Guida TV, Confidenze, Grazia, Dolly.* **RAI.** *CA 1989 :* 3 296 milliards de lires. **Fininvest** (frères Silvio et Paolo Berlusconi) : *CA 1991,* consolidé : 45,9 milliards de F. Contrôle Mondadori (89 %) et Il Giornale. **Rizzoli :** *Panorama, Epoca. CA 1990 :* 2 438 milliards de lires ; quot. *Il Corriere della Sera, La Gazzetta dello Sport.*

■ Quot. (diffusion par n°, 1992, en milliers). **Bari :** *La Gazzetta del Mezzogiorno* (1922) 82. **Bergame :** *L'Eco di Bergamo* (1880) 61. **Bologne :** *Il Resto del Carlino* (1885, ind.) 232. **Brescia :** *Giornale di Brescia* (1945) 59. **Cagliari :** *L'Unione sarda* (1889) 90. **Catane :** *La Sicilia* (1945) 65. **Florence :** *La Nazione* (1859) 200. **Gênes :** *Il Secolo XIX* (1886) 149. **Livourne :** *Il Tirreno* (1877) 101. **Messine :** *La Gazzetta del Sud* (1952) 73. **Milan :** *La Gazzetta dello sport* (1896) 411. *Il Corriere della Sera* (1876, ind.) 656. *Il Giorno* (1956) 180. *Il Sole 24 Ore* (1865, financ., ind.) 282. *Il Giornale* (1974) 155. *La Notte* (1952) 52. *Avvenire* (1968, cath.) 87. **Naples :** *Il Mattino* (1892) 61. **Palerme :** *Il Giornale di Sicilia* (1860) 70. **Rome :** *Il Corriere dello Sport-Stadio* (1924) 281. *La Repubblica* (1976) 673. *Il Messaggero* (1878, ind.) 254. *L'Unità* (1924, communiste) 127. *Il Tempo* (1944, ind.) 97. *Il Manifesto* (1971) 46. **Sassari :** *La Nuova Sardegna* (1891) 69. **Trieste :** *Il Piccolo* (1881) 52. **Turin :** *La Stampa* (1867, ind.) 405. *Tuttosport* (1945) 116. **Venise :** *Il Gazzettino* (1887, ind.) 140. **Vérone :** *L'Arena* (1866) 57. **Udine :** *Il Messaggero veneto* (1946) 48.

■ Périodiques (diffusion par n°, 1992). **Hebdo. :** *Sorrisi e Canzoni TV* 2 276. *Famiglia Cristiana* 1 086. *Gente* 859. *Telesette* 775. *Oggi* 775. *Grand Hotel* 438. *Topolino* 483. *Panorama* (1962) 487. *Guida TV* 345. *Novella 2000* 338. *Gioia* 411. *L'Espresso* (1955) 329. *Grazia* 364. *Più Bella* 363. *Confidenze* 273. *Cioé* 300. *Anna* 367. *Eva Express* 250. *Amica* 184. *Donna Moderna* 535. *Epoca* 127. *Il Giornalino* 156. *TV Radio Corriere* 168. *Telepiu* 474. *Visto* 342 **Mens. :** *L'Automobile* 1 225. *Messagero di S. Antonio* 959. *Quattroruote* 688. *Gente Motori* 249. *Sale & Pepe* 181.

JAPON

■ Quot. **Édition du matin et,** entre parenthèses, **du soir** (en milliers, janv.-juin 1992). *Yomiuri Shimbun* (1874) 9 770 (4 595), distrib. en France dep. 1-6-1992. *Asahi Sh.* (lumière du matin) (1879) 8 268 (4 677), distrib. en Europe dep. 1-1-1986, aux USA dep. 1-11-1987, en Asie dep. 1-10-1990. *Mainichi Sh.* (1872) 4 208 (2 023). *Nihon Keizai Sh.* (1876) 2 938 (1 738). *Chunichi Sh.* (1942) 2 231 (840). *Sankei Sh.* (1933) 1 924 (1 027). *Hokkaido Sh.* (1942) 1 162 (787). *Nishi-Nihon Sh.* (1877) 816 (206). **Tirage total des quotidiens** (1992) : 71 690 490 ex. dont matin 69 % (121 quotidiens, soit 1,69 journal par ménage), y compris les quot. sportifs, vente au numéro négligeable. Les journaux sont livrés à domicile, matin et soir, par des agences de distribution locales. La livraison des 2 éditions est comprise dans le prix de l'abonnement mensuel.

■ Périodiques (en milliers, janv.-juin 1992). *Ie no Hikari* (mens.) 1 023. *The Television* 989. *Josei Jishin* 763. *Josei Seven* 747. *Weekly Playboy* 708. *Shukan Post* 670. *Shukan Bunshun* 671. *Shukan Josei* 595. *Shukan Hoseki* 569. *Shukan Shincho* 544. *Shukan Gendai* 513. *Bisho* 440. *Shukan Asahi* 416.

LIBAN

■ Quot. **En arabe :** *An-Nahar* (1933) 85. *Al-Amal* (1939) 35. *Al-Anba* (1951). *An-Nida* (1959) 10. *Al-Bairaq* (1911) 3. *Al-Anwar* (1959) 75,2. *As-Safeer* (1951). *Al-Liwa* (1963), 79. *Ach-Chaab* (1961) 7. *Ach-Charq* (1945). *Ad-Diyar* (1941). *An-Nida* (1959) 10. *Al-Hayat* (1946) 31. *Ad-Dunya* (1943) 25. **En français :** *L'Orient-le Jour* (1924, fusion 1972) 23. *Le Réveil* (1977) 10.

■ Hebdo. **En arabe :** *Al-Ousbouh al'Arabi* (1959) 88,4. *Al-Afkar* (1938). *Assayad* (1943) 94,7. *Al-Hawadess* (1911) 85. *Al-Tadamum* (1982). *Al-Dustur* (1968). *Al-Hadaf* (1969) 40. *Sabah al-Khair* (1951). *Ash-Shira* (1950) 40. *Al-Kifah al-Arabi* (1957). *Al-Mustagbal* (1938). *Al-Watan al-Arabi* (1976). *Al-Massira* en fusion avec *Telegraf Beyrouth* (1982). *Al-Nahar al-Arabi wal Dawli* (1977). *Bayrut al-Massa* (1946). *Ar-Rayeh. As-Sayad. Ilal Aman. Lissan-Ul-Hal. Al Bilad. Al Hurriyahy* (1960) 30. *Ach-Chirah* 40. *Al-Awadess* (1911) 85. *Al Bina'a.* **En français :** *Le Commerce du Levant* (1929) 15. *La Revue du Liban* (1928) 22. *Nouveau Magazine* (1956) 18. **Magazines :** *Styx. La Coupe. La Lettre de Paris Beyrouth. Libanoscopie. Objectif. Public. An Nahar Arabe et International* (version fr.). **En anglais :** *Monday Morning* en fusion avec le *Sada Al-Janoub* (1972).

LUXEMBOURG

■ Quot. **En allemand et français :** *Luxemburger Wort* (1848, cathol.) 86. *Tageblatt* (1927, soc.) 26. *Letzebuerger Journal* (1948, lib.) 10. *Zeitung vum Letzebuerger Vollek* (1946, comm.) 8. **En français :** édition lux. du *Républicain lorrain* (1963, imprimé à Metz) 15. *Tirage* par jour (1990) : 144.

MAROC

■ Quot. **En arabe :** *Al Anbaa* (1970, gouvernemental) 20. *Al Alam* [1] (1946) 70. *Al Haraka* [7] (1977) 20. *Al Mithaq Al Watani* [4] (1977) 30. *Bayane El Youm* [2] (1975, RNI) 30. *Al Ittihad El Ichtiraki* [3] (1983) 70. *Assahra Al Maghribia* (1989, progouv.) 30. *Rissalat Al-Oumma* [6] (1983) 30. *Annidal Addimocrati* [5] (1984) 20. *Annoual* [8] (1983) 30. *Attakatoul Al Watani* [10] (1992) 30. *Arrai Al Aam Achouri* [11] (1992) 30. **En français :** *Maroc-Soir* (1971, progouv.) 40. *Le Matin du Sahara et du Maghreb* (1971, progouv.) 70. *L'Opinion* [1] (1965) 60. *Al Maghrib* [4] (1977) 30. *Al Bayane* [2] (1975) 30. *Libération* [3] (1976) 30. **En espagnol :** *La Mañana del Sahara y del Maghreb* (1990, progouv.) 20.

■ Hebdo. **En arabe :** *Assrar* (1988, Social) 25. *Al Ousboua Assahafi Wa Assyassi* (1988, social) 25. *Kachkoul* (1991, indép.) 20. *Al Kaafila* (1990, culture) 5. *Al Ousboua Addahik* (1987, satirique) 5. *Attarik* (1988, social) 5. *Al Mountakhab* (1988, sport) 5. *Studio* (1988, artistique) 5. *Arriyada* (1983, sport) 5. *Chououn Jamaiya* (1988, social) 5. *Al Hadaf Arriyadi* (1988, sport) 5. *Adimocratia al Oummalia* [9] (1980) 5. *Al Mouatine Assyassi* (1991, social) 5. *Al Mouslim Assyassi* (1991, social) 5. *Al Moultaka Arriyadi* (1988, sport) 5. *Al Alam Arriyadi* (1988, sport) 3. **En français :** *1re Heure* (1989, communication et loisirs) 25. *Cedies-Informations* (1988, éco.) 5. *L'Économiste* (1991) 30. *La Gazette du sport* (1990) 10. *Le Journal de Tanger* (1980, régions) 5. *Maroc Actuel* (1992, indép.) 20. *Maroc Hebdo* (1992, indép.) 20. *Maroc Magazine* (1971, progouv.) 20. *Le Message de la Nation* [6] (1983) 15. *Sport et loisirs* (1990) 5. *La Vie Économique* (1976) 30. *La Vie Industrielle et Agricole* (1980, éco.) 5. *La Vie Touristique* (1980, tourisme) 10. *Le Courrier informatique* 10.

■ Mensuels. **En arabe :** *Al-Assas* (1980, gauche) 15. *8 Mars* (1983, fémin-gauche) 5. *Al Majalla Assihiya* (1976, médecine) 5. *Daâwat Al Hak* (1975, religion) 5. *Al Idaa Wa Television* (1991, TV) 20. **En français :** *Al Assas* (1977, gauche) 15. *Le Contrat* (1990, communication) 5. *Enjeux* (1989, éco.) 20. *Info Magazine* (1991, informatique) 10. *Le Libéral* (1988, libéral) 20. *Maroc Informatique* (1991) 10. *Micro-Plus* (1988, informatique) 20. *Le Monde Agricole et la Pêche Maritime* (1986, éco.) 10. *Télé Plus* (1990) 30.

Nota. – (1) Parti de l'Istiqlal. (2) Parti du progrès et du socialisme. (3) Union socialiste des forces pop.

(4) Rassemblement nat. des indépendants. (5) P. nat. démocrate. (6) Union constitutionnelle. (7) Mouv. pop. (8) Organisation de l'action démocr. et populaire. (9) Conféd. démocr. du travail (10). Mouvement nat. pop. (11) P. de Choura et de l'Istiqlal.

Norvège

■ **Quot. (1992) Oslo :** *Verdens Gang* (1945) 374. *Aftenposten* (1860, cons.) 274 (matin) 197 (soir). *Dagbladet* (1869, lib.) 224. *Arbeiderbladet* (1884, trav.) 44. **Bergen :** *Bergens Tidende* (1868, lib.) 95. **Trondheim :** *Adresseavisen* (1767, cons.) 90. **Stavanger :** *Stavanger Aftenblad* (1893, lib.) 70.

■ **Hebdo** (1992) : *Se og Hør* (1978) 344. *Hjemmet* (1904) 281. *Norsk Ukeblad* (1933) 255. *Donald Duck* 196. *Allers* (1877) 159. *Familien* (1939) 165.

Pays-Bas

■ **Quot. (1992) Amsterdam :** *De Telegraaf* (1897, ind.) [2] 730. *De Volkskrant* (Journal du Peuple, 1920) [2] 346. *Trouw* (1943, calviniste) [2] 120. *Het Parool* (1940, ind.) [1] 101. *De Courant Nieuws van de Dag* (1923) [1] 56. **La Haye :** *Haagsche Courant/Het Binnenhof* (1883, ind.) [1] 161. **Rotterdam :** *Algemeen Dagblad* (1946, ind.) [2] 405. *NRC Handelsblad* (1970, ind.) [1] (Nieuwe Rotterdamse Courant 1844, Algemeen Handelsblad 1828) 250. *Rotterdams Dagblad* (1991) [1] (Het Vrije Volk 1945, Rotterdams Nieuwsblad 1878) 116.

Nota. – (1) Soir. (2) Matin.

■ **Périodiques.** (1992) *Kampioen* [2] 2 637. *Veronica* [1] 1 120. *Avro-bode* [1] 902. *Libelle* [1] 779. *Tros Kompas* [1] 635. *Vara TV Mag.* [1] 556. *Margriet* [1] 539. *Privé* [1] 493. *NCRV-gids* [1] 466. *Mikro-gids* [1] 418. *Story* [1] 417. *Het Beste* [2] 388. *Weekend* [1] 371. *Donald Duck* [1] 358. *Televizier* [1] 281. *Studio* [1] 262. *VPRO-gids* [1] 202. *Panorama* [1] 196. *Voetbal International* [1] 188. *VT Wonen* [2] 181. *Yes* [1] 174. *Nieuwe Revue* [1] 160. *Knip* [2] 160. *Ouders* [2] 157. *Marion* [2] 156. *Nouveau* [2] 155. *Kinderen* [2] 155. *Tip* [2] 138. *Viva* [1] 137. *Elsevier* [1] 123. *Tina* [1] 119. *Vrij Nederland* [1] 93.

Nota. – (1) hebdo. (2) mens.

☞ **Fusion Reed-Elsevier en 1992. Reed** fondé 1690 à Worcester ; *CA* 16 milliards de F dont (en %) journaux professionnels 25, grand public 24, livres 21, services liés au tourisme 15, salons, expositions 9, publications de référence 6 (profit opérationnel 2,7 milliards de F) ; *effectifs* 18 300 ; *filiales :* Cahners Publishing, IPC Magazines, U Tell, ABC World Airways Guide ; *principaux titres :* Datamation, Travel Weekly, Modern Bride. **Elsevier** fondé 1580 à Leyde ; *CA* 6 milliards de F dont (en %) publications scientifiques 36, grand public 28, juridiques et médicales 21, professionnels 15 (profit opérationnel 1,1 milliard de F) ; *effectifs* 7 400 ; *filiales :* Excepta Medica, Pergamon Press, Delta Communications, Greenwood Publishing Group ; *principaux titres :* The Lancet, Packaging Digest, NRC handelsblad, Algemeen Dagblad. **Reed-Elsevier :** *CA* 23 milliards de F, bénéfice avant impôts 4 ; *effectifs* 25 000.

Pologne

■ **Quot. Varsovie :** *Gazeta Wyborcza* (8-5-1989) 540, *Zycie Warszawy* (1944) 250, *Rzeczpospolita* (1982) 240/250, *Express Wieczorny* (1946) 140, *Nowy Swiat* (1991) 120, *Trybuna* (1990) 120, *Sztandar Mlodych* (1950) 110, *Super Express* (1990) 100/110 (13-10-92 : 690, ventes 480/500), *Europa* (1992) 108, *Slowo* (ex-Slowo/Powszechne, 1947) 100, *Glob 24* (1991) 100, *Kurier Polski* (1957) 60/80, *Polska Zbrojna* (1990) 50. **Katowice :** *Trybuna Slaska* (1945) 140/180. *Dziennik Zachodni* (1945) 100. **Lódź :** *Glos Poranny* (1945) 52, *Express Ilustrowany* (1923) 35. **Bydgoszcz :** *Gazeta Pomorska* (1948) 100. **Poznań :** *Glos Wielkopolski* (1945) 110. *Gazeta Poznańska* (1948) 80. **Cracovie :** *Gazeta Krakowska* (1949) 70, *Dziennik Polski* (1945) 70. **Gdańsk :** *Glos Wybrzeza* (1948) 37/50. **Szczecin :** *Glos Szczeciński* (1948) 60. **Wrocław :** *Gazeta Robotnicza* (1948) 70/105.

■ **Hebdo. Varsovie :** *Przyjaciólka* (1948) 1 300, *Nie* (1990) 705, *Kobieta i Mezczyzna* (1990) 700, *Kobieta i Zycie* (1946) 400, *Polityka* (1957) 320/350. **Katowice :** *Panorama* (1954) 200. **Cracovie :** *Przekrój* (1954) 180/200, *Tygodnik Powszechny* (1945) 70. **Poznan :** *Wprost* (1982) 250. **Mensuels.** *Jestem* (1968) 1 000, *Poradnik Domowy* (1991) 900, *Twoj Styl* (1990) 350.

Portugal

■ **Quot. Lisbonne. Matin :** *Diário de Notícias* [1] (1864) 59. *Jornal de O Dia* (1988), ex-*O Dia* (1975) 46. *Correio da Manhã* (1979) 85. *Público* (1990) 64. *Diário Economico* (1990). **Soir :** *A Capital* [1] (1968) 40. **Porto. Matin :** *Jornal de Notícias* [1] (1888) 70. *O Comércio do Porto* [1] (1854) 30. *O Primeiro de Janeiro* (1868) 50. *O Jogo* (1984) (sport).

■ **Périodiques. Hebdo. :** *Expresso* (1973) 160. *O Jornal* (1975) 64. *Semanário* (1983) 55. *Tal e qual* (1980) 58. *Sete* (1978) 54. *O Diabo* (1976) 46. *Jornal de Letras* (1981) 80. *Semanário Económico* (1987) 20. *O Independente* (1988) 80. *O Liberal* (1989). *Africa* (1984). *Sábado* (1988) 62. *Blitz* (1986). *Nova Gente* (1979) 80. *TV Guia* (1979) 257. *Volante* (1927). *Motor* (1963). *Autosport* (1977) 20. **3 x sem. :** *A Bola* (1945, sport) 180. *Gazeta dos desportos* (1984) 25. *Record* (1949, sport) 120. **Mens. :** *Africa Hoje* (1985) 30. Général : *Homen* (1989) 30. Éco : *Negocios* (1989) ; *Classe* (1988) ; *Exame* (1989). Femmes : *Elle* (1988) 40 ; *Máxima* (1989) 45 ; *Marie-Claire* (1989) 50 ; *Mulher Moderna* (1988) ; *Mulheres Magazine* (1989). Hommes : *Elan* (1986). **Trimestr. :** *Grande Reportagem* (1990).

Nota. – (1) Avec une intervention de l'État depuis la nationalisation des banques en 1975.

Roumanie

■ **Quot. Bucarest :** *Evenimentul zilei* (1992) 410. *Tine retul liber* (1989) 162. *Adevărul* (1989) 142. *România liberă* (1944) 120. *Libertatea* (1989) 110. *Curierul national* (1990) 90. *Azi* (1990) 80. *Cotidianul* (1900) 80. *Dimineata* (1990) 50. *Ora* (1992) 31. *Realitatea românească* (1990) 25. *Romániai Magyar Szó* (1948, langue hongroise) 23. *Neuer Weg* (1949, langue allemande) 7,5. **Rînnieu-Vîlcea :** *Curierul de Vîlcea* 18. **Brasov :** *Gazeta de Transilvania* 50. **Constanta :** *Cuget liber* 40. **Craiova :** *Cuvîntul libertàtii* 55. **Iasi :** *24 ore* 80. *Opinia* 70. **Satu Mare :** *Gazeta de Nord Vest* 45. **Sibiu :** *Tribuna* 20. **Suceava :** *Crai nou* 25. **Timisoara :** *Realitatea bànàteanà* 55.

■ **Périodiques.** *Panoramic RTV* 342. *Femeia* 340. *Magazin* 200. *Express* 175. *România Máre* (190) 150. *Magazinistoric* 125. *Românul* 65. *Stiintà si tehnica* 60. *Totusi iubirea* 51. *Tara* 50. *Zig-Zag* 32. *Flacàra* 32. *Week End* 11.

Suède

■ **Quot. Stockholm :** *Expressen* (1944, lib.) 555. *Dagens Nyheter* (1864, lib.) 390. *Aftonbladet* (1830, dém.) 375. *Svenska Dagbladet* (1884, cons.) 215. **Göteborg :** *Göteborgs Posten* (1958, lib.) 276. **Malmö :** *Sydsvenska Dagbladet* (1848, indépendant lib.) 118. *Arbetet* (1887, dém.) 110.

■ **Hebdo.** *Aret Runt* (1946) 303. *Hemmets Veckotidning* 290. *Hemmets Journal* 288.

Suisse

☞ *Nombre de titres :* 257 quotidiens. Env. 1 614 périodiques, 337 feuilles officielles ou d'annonces, 54 titres grand public. 600 000 ex./jour pour 1,3 million d'hab.

■ **Groupe Édipresse** (Lausanne). 2e en Suisse. 75 % à la famille Lamunière, 25 % au groupe Publicitas. *PDG :* Pierre Lamunière. *CA consolidé* (1992) : 600 MFS. *Publications en Suisse :* 24 heures, le Matin, le Nouveau Quotidien (70 %), Libération (10 %), La Tribune de Genève (75 %), Femina (hebdo.), Bilan (mens.), le Démocrate, le Nouvelliste. *France :* éd. Payot, Rivage. *Espagne :* Lecturas (quot. 345 000 ex.), Labores del Hogar (mens., 115 000 ex.), contrôle 75 % de Hymsa.

■ **Quot. francophones.** (18 quot., 600 000 ex. pour 1 300 000 francophones). **Bienne :** *Journal du Jura/Tribune Jurassienne* (1864, indép.) 13. **Délémont :** *Le Démocrate* (1877, indép.) 19. **Fribourg :** *La Liberté* (1871, ind.-chrét.) 41. **Genève :** *Tribune de Genève* (1879, ind.) 61. *La Suisse* (1898, ind.) 59 (semaine), 113 (éd. dimanche). *Le Nouveau Quotidien* (1991) 35. *Journal de Genève* [1826, lib., en 91 perte 6,9 millions de F, fusion avec la *Gazette de Lausanne* (1798, lib.) en 1992] 32. **La Chaux-de-Fonds :** *L'Impartial* (1880, ind.) 32. **Lausanne :** *24 heures* (1762, ind.) 95. *Le Matin* (1893, ind.) 59 (semaine), 182 (dimanche). **Neuchâtel :** *L'Express* (1738, ind.) 34. **Sion :** *Nouvelliste* et *Feuilles d'Avis du Valais* (1960, ind., chr.) 45.

■ **Quot. germanophones. Aarau :** *Aargauer Tagblatt* (1849, rad.) 59. *Badener Tagblatt* (1849, ind.) 45. **Bâle :** *Basler Zeitung* [1977 ; fusion du *National Zeitung* (1842) et du *Basler Nachrichten* (1845)] 118. **Berne :** *Berner Zeitung* [fusion du *Berner Nachrichten* et du *Berner Tagblatt* (1888, ind.)] 124. *Der Bund* (1850, ind. lib.) 62. **Bienne :** *Bieler Tagblatt* (1850, ind.) 34. **Brigue :** *Walliser Bote* (1840, cons.) 27. **Coire :** *Bündner Zeitung* (1876, ind.) 42. **Frauenfeld :** *Thurgauer Zeitung* (1798, bourg. lib.) 32. **Liestal :** *Basellandschaftliche Zeitung* (1832, bourgeois, ind.) 21. **Lucerne :** *Luzerner Zeitung* (1991, fusion de *Luzerner Tagblatt* et *Vaterland*) 92. *Luzerner Neueste Nachrichten* (1897, ind.) 59. **St-Gall :** *St-Galler Tagblatt* (1838, bourg. lib.) 71. *Die Ostschweiz* (1874, chrét.-dém.) 25. **Schaffhouse :** *Schaffhauser Nachrichten* (1862, bourgeois) 26. **Solothurn :** *Solothurner Zeitung* (1907, rad.-dém.) 48. **Spiez :** *Berner Oberländer* (1897, bourgeois) 20. **Stäfa :** *Zürichsee-Zeitung* (1845, rad.) 30. **Wetzikon :** *Der Zürcher Oberländer* (1961, rad.-dém.) 35. **Winterthur :** *Der Landbote* (1836, indép.) 42. **Zurich :** *Blick* (1959, ind.) 362. *Tages Anzeiger* (1893, ind.) 268. *Neue Zürcher Zeitung* (1780, rad.) 152.

■ **Quot. italophones. Lugano :** *Corriere del Ticino* (1891, ind.) 37. *Giornale del Popolo* (1916, cath.) 23.

■ **Périodiques.** *Touring,* édit. allem. [3] (1896) 724. *Schweizerische Beobachter* [3] (1927) 392. *Trente Jours* [1] (1949) 400. *Touring,* édit. fr. [3] (1936) 316. *Télé* [4] (1978) 285. *Das Beste* [1] (1948) 256. *Schweizer Familie* [4] (1894) 242. *Télé Top Matin* [4] (1988) 257. *Meyers Modeblatt* [4] (1924) 199. *Junior* [1] (1951) 234. *Schweizer Illustrierte* [4] (1911) 191. *Glückspost* 201. *Radio TV 8* [4] (1923) 152. *TR7* [4] (1973) 160. *Orella* [1] (1939) 104. *L'Hebdo* [4] (1981) 56. *Annabelle* (1930) [4] 105. *L'Illustré* [4] (1921) 99. *Illustrazione Ticinese* [1] (1929) 88. *Sélection* [1] (1947) 86. *Touring* [3] (1957) éd. ital. 79. *Sport* [4] (1926) 79. *Maky (anc. Tim/Rataplan)* éd. all. [1] 80. *Sonntag* [4] (1920) 50. *Automobil Revue* [4] 55. *Tip* [4] (1938) 35. *Schweizer Jugend* [4] (1924) 47. *Femme d'Aujourd'hui* [4] (1924) 105. *Revue Automobile* [4] (1905) 22. *Maky/Rataplan* [1] (1981) *(anc. Tim/Rataplan* [1] 1954) éd. fr. 12.

Nota. – (1) Mensuel. (2) 3 par semaine. (3) 2 ou 3 par mois. (4) Hebdomadaire.

Syrie

■ **Quot. Damas :** *Al Baas* (1940/3-7-1946) 65. *As Saoura* (1963) 60. *Al Thawrah al Ziraia* (1965, agr.) 7. *Techrine* (2-10-1975) 50. **Homs :** *Al-Oroubah.* **Hama :** *Al-Fida.* **Alep :** *Al-Jamahir.* **Lataquie :** *Al-Wahdah. Syrie Times* (1974, anglais) 10.

République tchèque

■ **Quot. Prague :** *Mladá fronta dnes* (1990, Front de la jeunesse d'aujourd'hui, ex-*Mladá fronta,* 1945) 391. *Rudé právo* (1920, Droit rouge, indép.) 370. *Zemedelské noviny* (1991, le Journal agricole) 260. *Svobodné slovo* (1945, Parole libre) 230. *Práce* (1945, Travail) 220. *Hospodářské noviny* (1957, économie) 152. *Lidová demokracie* (1945, Démocratie populaire) 100.

■ **Périodiques :** *Týdeník Televize* [1] (1965, TV) 550. *Vlasta* [1] (1947, féminin) 380. *Reflex* [1] (1990, social) 220. Zahrádkář [2] (1969, jardinage) 200. *Mladý svět* [1] (1958, mag. d'information) 190. *Dikobraz* [1] (1945, humoristique) 185. *Týdeník Rozhlas* [1] (1923, radio) 170. *Květy* [1] (1834, famille) 160. *ABC mladých techniků a přírodovědců* (1957) 135. *Čtyřlístek* [2] (1969, BD, enfants) 130. *Filip pro-náctileté* [2] (1991, adolescents) 125. *Československý profit* [1] (1990) 120.

Slovaquie

■ **Quot. Bratislava :** *Pravda* (1920, Vérité, indép.) 220. *Práca* (1946, Travail, synd.) 200. *Smena* (1947, Équipe, jeunesse indép.) 80. *Národná obroda* (1990, Renaissance nationale, indép.) 60. *Új Szó* (1948, Mot neuf, hongr.) 55. *Sport* (1946) 50. *Večerník* (1953, quot. du soir) 40. *Rolnícke noviny* (1945, journal paysan) 40. *Nový Slovák* (1990, Slovaque nouveau) 30. *Slovenský denník* (1990, mouvement dém.-chrétien) 27.

■ **Magazines. Bratislava :** (250 titres en 1991) : *Televízia* [1] (1971) 380. *Život* [1] (1951, Vie) 220. *Dorka* [3] (1965) 205. *Slovenka* [1] (1948, la Slovaque) 195. *Katolícke noviny* [1] (1849, journal catholique) 140. *Eva* [3] (1969) 120. *Express* [1] (1968) 100. *Zmena* [1] (1990, Changement) 60. *Slobodný piatok* [1] (1990, Vendredi libre) 45.

Nota. – (1) Hebdomadaire. (2) Bimensuel. (3) Mensuel.

Tunisie

■ Quot. **Tunis. Matin :** *La Presse de Tunisie* (1936, fr.) 60. *Assabah* (1951, ar., politique) 80. *Le Renouveau* (1988, Fr.) 40. *Al Amal* (1934, ar.). 50. *Le Temps* (1975, fr.) 30.

■ Périodiques. *Ach-Chaâb* (1963, ar.) 15. *Biladi* (1974, ar.). 90. *Le Sport* (1965, fr.). 20. *Dialogue* (1974, fr.) 50. *Tunis-Hebdo* (1973, fr.) 40. *Al-Oumma* (1977, ar.) 8. *El-Bayane* (1977, ar.) 100. *Ar-Rai* (1977, ar.) 20. *Démocratie* (1978, fr.) 5. *Le Phare* (1980, fr.) 8. *Al-Moustaqbal* (1980, ar). 20.

Turquie

■ Quot. (déc. 1992) **Ankara :** *Turkish Daily News* (15-3-1961, angl.) 39,5. **Istanbul :** *Sabah* (1985) 1 146. *Hürriyet* (1948) 1 046. *Milliyet* (1950) 919. *Türkiye* (1970) 377 [1]. *Foto Spor* (1989) 168 [1]. *Meydan* (1990) 116. *Bugün* (1989) 106. *Cumhuriyet* (1924) 51,6. *Dünya* (1981) 22. *Milli Gazete* (1973) 21. *Tercüman* (1961) 17. **Izmir :** *Yeni Asir* (1895) 56 [1].

■ Hebdo. **Istanbul** (janv. 1993). *Hibir* (1989) 75 [2]. *Gırgır* (1976, satirique) 50 [2]. *Aktüel* (1991) 41. *Tempo* (1989) 21. *Ekonomist* (1991) 14. *Nokta* (1983) 13. *2000 'E Doğru* (1987) 7. *Ekonomik Panorama* (1987) 5.

■ Mensuels. **Istanbul :** *Blue-Jean* (1987, mens.) 50. *Playmen* (1985) 70. *Playboy* (1986) 75. *Penthouse* (1992) 105. *Oto Haber* (1991) 52.

Nota. – (1) Déc. 1991. (2) Janv. 1992.

Russie

■ Quot. **Moscou :** *Pravda* (Vérité) (5-5-1912, parution suspendue 14-3-92) 58 en 93. *Komsomolskaïa Pravda* (1925) 3 650. *Selskaïa Jizn* (Vie à la campagne) (1918) 7 000. *Izvestia* (Nouvelles) (1917) 1 100. *Trud* (Travail, journal des syndicats) (1921) 4 200. *Sovietski Sport* (1924) 5 200. *Romiiskiïa gazeta* 600 (ab.). *Sport Express* (1991) 290. *Krasnaïa Zvezda* (journal des forces militaires) (1924) 224.

■ Hebdo. *Literatournaia Gazeta* (1830, trib. libre) 210. *Moskovskie Novosti* (1930, Nouvelles de Moscou) 720. *Spid Info* (hebdo) 2 700 (ab.). *Ekinimika i Jizn* (hebdo) 580.

■ Périodiques. *Argumenty i Fakti* (hebdo) 12 050. *Rabotnitsa* (1914, Travailleuse) 2 300. *Krestyanka* (1922, Paysanne) 2 800. *Zdorovie* (1955, Santé) 4 669. *Krokodil* (1922, trimensuel satirique, éd. par Pravda) 5 300. *Ogoniok* (Flambeau, 1923) 1 500. *Unost* (Jeunesse, 1955, mens.) 507. *Novy Mir* (Monde Nouveau, 1925, mens.) 2 413. *Nauka i Jizn* (1934, Science et Vie) 1 000. *Znamia* (Drapeau, 1931, mens.) 71,5. *Nach Sovremennik* (Le Contemporain, 1933, mens.) 882.

Vatican

■ Quot. *L'Osservatore Romano* (1861) 40.

■ Hebdo. en italien (1947), français (1949), anglais (1968), espagnol (1969), portugais (1969), allemand (1970).

■ Mensuel en polonais (1980).

Ex-Yougoslavie

■ Quot. **Belgrade :** *Večernje Novosti* (1952) 268. *Politika* (1904) 227. *Politika ekspres* (1963) 216. *Sport* (1945) 69. *Borba* (1922, soc.) 41. **Ljubljana :** *Dolo* (1950) 99. *Ljubljanski dnevnik* (1951) 58. **Novi Sad :** *Dnevnik* (1953) 41. *Magyar* Szo (1944) 23. **Pristina :** *Rilindja* (1945) 31. *Jedinstvo* (1945) 4. **Sarajevo :** *Večernje novine* (1983) 87. *Oslobodjenje* (1943) 56. **Skoplje :** *Vecer* (1963) 28. *Nova Makedonija* (1944) 25. **Titograd :** *Pobjeda* (1944) 21. **Zagreb :** *Večernji list* (1957) 223. *Sportske novosti* (1945) 101. *Vjesnik* (1945) 91.

La presse en France

Quelques dates

Ancien Régime

Fin XVe s. Feuilles volantes, sous forme d'*occasionnels* (récits d'événements politiques) ou de *canards* (événements extraordinaires, faits divers criminels ou merveilleux), de *libelles* religieux ou politiques qui avaient les caractéristiques de la presse sauf la périodicité. **1611-48** *Mercure Français* (annuel). **1631** *Janv. Nouvelles ordinaires de divers endroits,* 1er périodique fr. (idée du coiffeur parisien Louis Vendosme). *31-5* le médecin Théophraste Renaudot (Loudun 1586-1653) les rachète et en fait *la Gazette* (die Veniten Gazetta : petite monnaie), hebdomadaire (informations officielles sur la santé du roi), devient 1762 l'organe officiel du ministère des Affaires étrangères, sous le titre de *Gazette de France.* **1665** *Journal des Savants* créé par François-Eudes de Mézeray (1610-83) et Denis de Salho (notices bibliographiques publiant les *Nouvelles de la République des lettres* qui disparaissent en 1792). Pour la 1re fois, le mot journal est employé en Fr. **1672** *Mercure Galant* devenu *Mercure de France* fondé par Jean Donneau de Visé (1638-1710), *Nouveau Mercure Galant* (1724), puis *Mercure français.* Disparu en 1820 ; titre repris 1889 par une revue littéraire. **1777**-*1-1 Le Journal de Paris :* 1er quotidien fr. **1783** l'Académie obtient la suppression du *Journal de Monsieur,* rédigé par Geoffroy et l'abbé Royon, à cause du compte rendu insuffisamment respectueux de l'une de ses séances. **1787** env. 50 périodiques à Paris et 30 en province. Ex. : *Journal de Trévoux* (1701-67), *Nouvelles ecclésiastiques* (1728-1803), *Journal historique et politique* (1772-92), *Journal encyclopédique* (1756-1773).

De 1789 à 1814

1789-*19-5* autorisation de la publication de périodiques. **26-8** article XI de la Déclaration des droits de l'homme définissant la liberté de la presse. **Mai-déc.** + de 1 500 périodiques. *Journal des débats et décrets* fondé sept. 1789 par Baudouin (J. de l'Empire sous Napoléon Ier), paru jusqu'en 1944 ; *Moniteur universel ; Gazette de France* devenue *Gazette nationale ; Journal de Paris ; Feuille villageoise.* Nombreuses feuilles appartenant à des particuliers : *le Patriote français* (Brissot) ; *le Courrier de Provence* (Mirabeau) ; *le Journal politique et national* (Rivarol) ; *les Révolutions de France et de Brabant* (C. Desmoulins) ; *l'Ami du Roi* (Suleau) ; *les Actes des Apôtres* (Peltier) ; *l'Ami du peuple* (Marat) ; *le Père Duchesne* (Hébert). **1792**-*10-8* la liberté de la presse n'est plus respectée : nombreux journalistes exécutés. Fin des journaux royalistes puis girondins. C. Desmoulins puis Hébert sont exécutés. **1794** *(juill.)* des j. royalistes reparaissent : *la Quotidienne* (Michaud) ; *l'Orateur du Peuple* (Fréron) ; ainsi que *le Journal des Hommes libres* (jacobins) ; *le Tribun du peuple* (Babeuf). **1796** plus de 70 périodiques à Paris. Établissement de la censure. **1800**-*17-12* arrêté réduisant à 13 le nombre des j. parisiens et faisant du *Moniteur universel* l'organe off. du gouvernement. **1805** *le J. des débats* devient le *J. de l'Empire.* **1810** 1 j. par département. **1811** arrêté ne laissant que 4 j. à Paris et confisquant leur propriété ; en province les j. traitent la politique par extraits du *Moniteur.* **1814** parution du *J. de la Corse* d'Ajaccio, le plus ancien des j. français actuels.

De 1815 à 1914

Conditions générales

Développement des tirages, de la pub. Abaissement des prix de vente, progrès techniques. **1819** Lorilleux met au point l'encrage par rouleau. **1827** *25-3* loi (applicable à partir du 1-1-1828), multiplie par 2,5 les tarifs de la poste pour les journaux. Pour réduire la surcharge de cette taxe (uniforme quel que soit le format), les quotidiens parisiens augmentent leur format (de 23 × 36 cm à 33 × 45), passent à 3 colonnes et s'ouvrent plus largement à la publicité. **1832-35** fondation de l'Agence Havas. **1847** Marinoni met au point la presse à réaction qui imprime 8 000 numéros à l'h, puis en 1867 la rotative qui, en 1900, tire 50 000 ex. de 4 p. à l'h. **1852** Nicolas Serrière met au point le clichage qui permet la duplication. **Après 1870,** remplacement du papier à pâte de bois par du papier chiffon qui permit ensuite le papier en bobine pour les rotatives. **1874** le transcripteur Baudot transmet + de 5 000 mots à l'h. **1879** les journaux louent des fils à l'adm. des postes (télégraphe inventé 1845). **1881**-*29-7* loi assurant la liberté de la presse. **1884** *la Petite Gironde* installe un bureau de rédaction à Paris (grâce au télégraphe). **1886** Mergenthaler invente la composition mécanique (mais la linotype ne pénètre en France qu'au XXe s.). **1892** Hachette s'intéresse aux messageries de journaux.

Principaux journaux

■ Restauration. *La Quotidienne* et *la Gazette de France* soutiennent les conservateurs, *le Journal des débats* le gouvernement, *le Constitutionnel* (fondé 1815) les libéraux. *Le Temps* (fondé 1829 par J. Coste) paraîtra jusqu'en 1942. Les ordonnances de Charles X menaçant la liberté de la presse, *le National* (créé 3-1-1830 par Thiers, Mignet, Sautelet et Carrel) et *la Tribune* provoquent la Révolution de 1830.

■ Monarchie de Juillet. Presse plus libre. J. royalistes : *les Débats* (14 700 abonnés en 1831), *le Constitutionnel* (23 000 ab. en 1831), *la Presse, le Voleur* (fondé 1828 par Émile de Girardin), *la Mode* (fondé 1829 par Girardin), *l'Avenir* (de Lamennais : 1830-31, cathol.), *l'Univers* (de l'abbé Migne puis Louis Veuillot). J. d'opposition : *la Réforme* (de Ledru Rollin), *le Siècle, le National* (républicain à partir de 1832 ; 4 300 ex. en 1846). Légitimistes : *la Gazette de France. Journal des Connaissances utiles* (fondé 1831, 132 000 abonnés), *Musée des familles* (fondé 1833 par Girardin). Lancement le 1-7-1836 de journaux à 40 F d'abonnement par an au lieu de 80 F (*la Presse* de Girardin, *le Siècle* j. d'opposition de Dutacq), de journaux illustrés *(le Charivari, la Caricature),* de magazines illustrés [*l'Illustration* (5 293 numéros ; 1er numéro : 4-3-1843. *1845 :* 15-2 1re bande dessinée (hist. de M. Cryptogame). *1884 :* couleur apparaît (litho). *1885 :* 1re photo publiée (*1897* régulières), *1907 :* 1re photo couleur ; tirage *1847 :* 13 400 ex., *1848 :* 35 000, *1900 :* 52 000, *1915 :* 300 000. *1921 :* 98 000, *1929 :* numéro sur la mort de Foch 650 000, *1930 :* 210 000, *1938 :* 142 000, *1940 :* 220 000, *1944 :* 103 000 ; le n° 5076 du 15-6-1940 ne fut pas distribué ; dernier n° 5292-5293 ; *1944 :* procès contre les Baschet (non-lieu 12/19-8) et la Sté d'Illustration (condamnation 5-12) ; *la Petite Illustration* créée 1913 : *le Monde Illustré* (lancé 18-4-1857, absorbé 1938 par *Miroir du Monde,* sabordé 1940, reparu de févr. 1945 à 1948, fusionne avec *France Illustration* (n° 1 6-10-1945, qui devient mensuelle en 1953, disparaît en déc. 1955 et fusionne en 1956 avec *Femina*)], de revues savantes *(Revue des deux mondes).* En 1840, *la Liberté* d'Alexandre Dumas vendu 1 sou (5 c) est tiré à plus de 100 000 ex.

■ IIe République. Févr.-juin 1848 liberté presque absolue, 200 titres à Paris. Lois du 12-8-1848, 29-7-1849, 29-7-1850 liberté restreinte. Après le coup d'État du 2-12-1851 ne subsistent que 11 j. 23-2-1852 instauration du système des avertissements (imposant aux j. une autocensure).

■ Second Empire. **Empire autoritaire (1852-60),** Paris, j. gouvernementaux : *le Moniteur universel, le Pays, le Constitutionnel* et *la Patrie ;* catholiques : *l'Univers* (devenu ultramontain avec Veuillot, supprimé de 1860 à 1867 et remplacé par *le Monde*) ; *le Siècle* de Havin (le plus fort tirage, anticlérical) soutient la politique des nationalités. **De 1860 à 1868,** le gouv. ne pouvant plus contrôler les j. favorise les créations pour affaiblir leur audience [*l'Opinion nationale* de Guéroult en 1859, *le Temps* de Nefftzer en 1861, *l'Avenir national* de Peyrat en 1863, *la Liberté* acquise par Girardin en 1866, *le Figaro* hebdo. créé 1854 par Hippolyte de Villemessant (1810-1879) devenu bihebdo. en 1856, puis quot. en 1866]. *Le Petit Journal* (j. à 1 sou : 5 c) créé le 1-2-1863 par Moïse Millaud, non politique, de demi-format, 4 pages (6 en 1901) ; en 1870, + de 400 000 ex. **De 1868 à 1870,** la loi du 11-5-1868 supprime l'autorisation préalable et les avertissements. Des titres nouveaux apparaissent, ex. : *l'Électeur libre* de J. Favre et E. Picard, *le Réveil* de Delescluze, *le Rappel* inspiré par V. Hugo, *la Lanterne* (hebdo.) et *la Marseillaise* (quot.) tous deux d'Henri Rochefort.

■ IIIe République. J. légitimistes : *l'Union, la Gazette de France* et *l'Univers ;* bonapartistes : *l'Ordre, le Gaulois, le Pays* et *le Petit Caporal ;* orléanistes : *le Français, le Journal de Paris, le Soleil ; la Défense sociale et religieuse* (où Mgr Dupanloup soutenait Mac-Mahon), *le Journal des débats* modéré, *le Rappel* radical, *le Temps, le XIXe Siècle, le Petit Journal* (contrôlé par Girardin), *la France* et *la République française,* organe de Gambetta.

Tirages de quotidiens (1880). **Républicains :** *le Petit Journal* 583 820 (1 000 000 en 1895, antidreyfusard), *la Petite République* 196 372, *la Lanterne* 150 531, *l'Intransigeant* 71 601, *la Paix* 52 949, *le Petit National* 46 837, *la France* 43 753, *le Petit Parisien* (fondé 1879) 39 419, *le Rappel* 33 535, *la Marseillaise* 28 818, *le Nouveau Journal* 27 384, *le Temps* 22 764. **Conservateurs :** *le Figaro* (avec son supplément) 104 924, *le Petit Moniteur* 100 476, *le Soleil* 45 190, *le Petit Caporal* 25 051, *la Petite Presse* 22 629, *le Gaulois* 14 854, *la France nouvelle* 14 554, *le Moniteur universel* 13 872, *l'Univers* 10 367.

1900-1914. **Grand public.** *Le Petit Parisien* (relancé 1888 par Jean Dupuy ; *1896* 600 000 ; *1901* 850 000 puis 1 500 000 ex., le plus fort tirage du monde), *le Journal* (1er numéro 28-9-1892, de Fernand Xari puis Eugène Letellier) et *le Matin* (de Maurice Bunau-Varilla, créé 1883). **Presse de qualité du centre :** à 20 ou 15 c, tous moins de 100 000 ex., *le Figaro* conservateur, *le Gaulois* monarchiste, *le Journal des* *débats* lu pour ses chroniques, *le Temps* d'Adrien Hebrard, j. de référence, *Excelsior* (lancé 1910 par Pierre Laffitte). **Presse d'opinion : de droite :** *l'Écho de Paris* (f. 1844, organe off. de la Ligue des patriotes), *l'Éclair, la Libre Parole* (fondée 1892, par Édouard Drumont, antisémite), *l'Autorité* de Paul de Cassagnac antirép., *l'Action française* de Charles Maurras et Léon Daudet, quot. dep. 1908, *l'Intransigeant* (Rochefort, 1881) ; **religieuse :** *l'Univers, la Croix* [des Pères assomptionnistes f. 1883, 300 000 ex. (+ *Croix* locales 50 000)] ; **du centre :** *la République fr., la Patrie, la Presse, la Liberté, le Siècle, le XIXe siècle* plus ou moins de droite ; **radicale :** *le Rappel, la Lanterne, le Radical, le Voltaire, l'Action* (f. 1903, anticléricale), *la Justice* (f. 1880, inspirée par Clemenceau), *l'Aurore* (1897), *l'Homme libre* (1913) ; **socialiste :** *le Cri du Peuple* [de Jules Vallès (1883-86)], *la Petite République* (f. 1880, d'abord racheté, dirigé par Millerand 1893, Jaurès 1897-1904, Briand 1906), *l'Humanité* (f. 1904 par Jaurès) ; **féminine :** *Femina* (1901), *Petit Écho de la Mode* (1878, 300 000 ex. en 1900) ; **enfantine :** *le Petit Français illustré* (1889), *la Semaine de Suzette* (1905), *l'Intrépide* (1908), *l'Épatant ;* **intellectuelle :** *la Revue des Deux Mondes, le Correspondant, le Mercure de France, la Revue de Paris* (dirigée par Ernest Lavisse), *la Revue blanche* (des frères Natanson, 1891-1903), *la Nouvelle Revue Française* (1908), *Comoedia* (1907). **Divers :** *Gil Blas* (grivois), *le Vélo* (1er quot. sportif, f. 1891), *l'Auto* (f. 1900 par Henri Desgranges), *la Science et la Vie* (1913). **Province :** 242 quot. en 1914. Radicaux : *le Progrès* de Lyon (1859), *le Petit Marseillais* (1868) et *la Dépêche* de Toulouse. Plus modérés : *la Petite Gironde* de Bordeaux (1876), *l'Écho du Nord* (1868). Socialiste : *le Réveil du Nord* de Lille (1899). Dém.-chrétien : *l'Ouest-Éclair* (lancé 1899 par Emmanuel Desgrées du Lou et l'abbé Trochu).

Tirages en 1912. **Paris :** *le Petit Parisien* 1 295 000, *le Journal* 995 000, *le Petit Journal* 850 000, *le Matin* 647 000, *la Croix* 300 000, *Excelsior* 110 000, *l'Éclair* 77 000, *la Liberté* 77 000, *la Presse* 75 000, *l'Humanité* 63 000, *la Petite République* 47 000, *l'Intransigeant* 46 000, *la Patrie* 46 000, *le Temps* 45 000, *la Libre Parole* 44 000, *le Figaro* 36 000, *le Radical* 32 000, *la Lanterne* 28 000, *le Journal des débats* 26 000, *Paris-Midi* 24 000, *le Gaulois* 20 000, *le Paris-Journal* 18 000, *le Rappel* 14 000, *la Gazette de France* 5 000. **Province :** + de 200 000 : *le Progrès* (de Lyon), *Lyon Républicain, l'Ouest Journal* (Rennes), *la Petite Gironde* (Bordeaux), *la Dépêche* (Toulouse), *le Petit Marseillais ;* env. 100 000 : *l'Écho du Nord* (Lille), *la France* (Bordeaux).

De 1914 à 1945

■ 1914-18. Censure appliquée dep. le 2-8-1914.

■ 1919-39. *Le Petit Parisien* (tirage env. 1 500 000, jusqu'en 1935, ensuite concurrence de *Paris-Soir*). *Le Petit Journal* devient l'organe des Croix-de-Feu et décroît. *Le Matin* décroît. *Le Journal,* acquis par l'Agence Havas, reste à + de 400 000 ex. *L'Écho de Paris* disparaît en 1937. *L'Intransigeant,* le plus grand journal du soir des années 20, décroît après 1931 [Léon Bailby (1867-1945) fonde *le Jour*]. **Groupe Coty :** (François, parfumeur d'origine corse) achète *le Gaulois* qu'il fusionne avec *le Figaro* acheté 1922 et lance en 1928 *l'Ami du Peuple* (vendu 10 c au lieu de 25, boycotté par les Messageries Hachette et l'Agence Havas, tire cependant avec son édition du soir jusqu'à 700 000) ; le groupe fut dispersé en 1933. *Le Figaro* (avec Lucien Romier et Pierre Brisson) retrouve style et clients habituels. **Groupe Prouvost :** f. par Jean Prouvost (1885-1978, industriel du textile soutenu par le groupe sucrier Béghin) achète *Paris-Midi* en 1924, puis *Paris-Soir* (fondé 1923 par Eugène Merlot dit Merle) en 1930 qu'il fait monter de 60 000 à plus de 1 500 000 en 1934 ; crée en 1938 *Match* (illustré) et *Marie-Claire* (hebdo. féminin). **J. du centre :** *Le Figaro. Les Débats. Le Temps* (env. 70 000 ; en 1931 des participations de groupes du charbon et de la métallurgie le font pencher à droite). **Catholiques :** *La Croix* et les périodiques de la Maison de la Bonne Presse. *La Vie Catholique illustrée* (fondée 1924) et *l'Aube* (f. 1932 par les démocrates chrétiens). *Sept* (hebdo., 1934-37). *Temps présent* (1937-38). **De droite :** *L'Écho de Paris. L'Intransigeant. Le Petit Journal* (après 1937). *L'Ami du Peuple. L'Ordre. L'Écho national* (André Tardieu, 1919-34). *La Liberté* (reprise par Taittinger, puis 1937 organe de Doriot). *L'Action française* (condamnée par le Vatican en 1926). *Candide* (f. 1924, dirigé par J. Bainville, puis P. Gaxotte, + de 500 000 en 1937). *Je suis partout* [1er no 29-11-1930, dir. Pierre Gaxotte, 1936 racheté à Fayard, devient fasciste et antisémite, Robert Brasillach réd. en chef (26-6-1937/sept 43), suspendu mai 1940 (campagne contre Reynaud), reparaît févr. 941, j. collaborateur, atteint parfois 100 000 ex., dernier no 16-8-1944]. *Gringoire* (f. 1929, dirigé par H. de Carbuccia, 800 000 en 1937). **De gauche :** *Le Quotidien* (d'Henry Dumay, f. 1922, atteint 380 000, puis chute après 1926). *L'Œuvre* (+ de 200 000 ex., influencée par Marcel Déat après 1936). **Radicaux :** *l'Ère nouvelle, la République* et *la Dépêche de Toulouse.* **Communistes :** *l'Humanité* (1920 : 150 000, 1939 : 350 000), *le Soir* (f. 1937). **Socialistes :** *le Populaire* (dirigé par Léon Blum, important vers 1936), Hebdo : *le Canard Enchaîné* (1915). *Marianne* (1932, Gallimard, Emmanuel Berl, dir. janv. 1937, 150 000 ex.), *la Lumière* (1927), *Vendredi* (1935, Jean Guehenno, André Chamson ; organe de combat du Front populaire). **Satirique :** *Ric et Rac* hebdo (1935 : 340 000), *l'Os à Moelle* (1938, de Pierre Dac), *Rire.* **Grivoise :** *la Vie Parisienne, le Sourire, Frou-frou* (1923), *Séduction* (1933), *Vénus* (1936), *Ciné Magazine* (1920-33), *Ciné Miroir* (1922), *Mon film* (1923), *Film Complet* (1925), *Cinémonde* (1927).

Tirages en 1939. **Paris :** *Paris-Soir* 1 739 594, *le Petit Parisien* 1 422 401, *Le Journal* 411 421, *l'Humanité* [6] 349 587, *le Matin* 312 597, *Ce Soir* [6] 262 547, *l'Œuvre* [7] 236 045, *le Jour-L'Écho de Paris* [2] 183 844, *le Petit Journal* [5] 178 327, *le Populaire* [1] 157 837, *la Croix* [8] 140 000, *l'Intransigeant* 134 462, *Excelsior* 132 792, *Paris-Midi* 102 000, *le Figaro* 80 604, *l'Époque* [10] 80 000, *le Temps* 68 556, *l'Information* 50 000, *l'Action française* [9] 45 000, *la Liberté* [12] 30 000, *le Journal des débats* [2] 25 000, *le Peuple* [13] 15 000, *la République* [3] 15 000, *l'Homme libre* [2] 5 000, *le Petit Bleu* [2] 5 000, *l'Ordre* [14] 5 000. **Province :** *l'Ouest-Éclair* (Rennes) 350 000 [2], *la Petite Gironde* (Bordeaux) 325 000 [2], *l'Écho du Nord* (Lille) 300 000 [2], *la Dépêche de Toulouse* 260 000 [3], *le Progrès de Lyon* 220 000 [3], *le Réveil du Nord* (Lille) 200 000 [4], *le Petit Dauphinois* (Grenoble) 200 000 [2], *la France de Bordeaux* 180 000 [3], *le Petit Marseillais* 150 000 [2], *les Dernières Nouvelles de Strasbourg* 150 000 [2], *l'Est Républicain* (Nancy) 140 000 [2], *la Presse réunie* (12 q. alsaciens) 140 000 [1], *la Dépêche du Centre* (Tours) 140 000 [3], *l'Éclaireur de Nice* (+ édit. du soir) 130 000 [2], *le Nouvelliste de Lyon* 130 000 [1], *le Petit Provençal* 120 000 [3], *la Tribune républicaine* (St-Étienne) 120 000 [4], *l'Éclaireur de l'Est* (Reims) 100 000 [3], *le Courrier du Centre* (Limoges) 100 000 [2].

Nota. – (1) Démocrate. (2) Modéré. (3) Radicalisant. (4) Socialisant. (5) Devenu l'organe du PSF (Croix-de-Feu). (6) Communiste. (7) Radical de gauche. (8) Catholique. (9) Monarchiste. (10) Droite antimunichoise. (11) Socialiste. (12) PPF de Doriot. (13) Syndicaliste. (14) Indépendant antimunichois.

■ 1939-45. **Zone Sud :** la plupart des journaux se replient à Lyon *(le Figaro, l'Action française, le Journal, le Temps).* Sauf *l'Action française,* la plupart se saborderont en 1942 après l'invasion de la zone sud (*le Figaro* le 11-11, *le Temps* le 29-11). *La Croix* continuera à paraître à Limoges jusqu'au 21-6-1944, mais résistera le plus possible aux ordres de Vichy. *Paris-Soir* sabordé le 12-11, contraint à reparaître, disparaîtra le 25-5-1943 (édition de Toulouse en fin 1943). **Zone Nord :** les Allemands feront reparaître la plupart des grands régionaux et favoriseront à Paris la reparution de j. collaborationnistes [(*le Matin* dès le 17-6-40, *le Petit Parisien* le 8-10, *Paris-Soir* le 26-6, *l'Œuvre* (Déat) le 24-9, *le Cri du Peuple* (Doriot), *les Nouveaux Temps* (Jean Luchaire) le 1-11] et d'hebdomadaires comme *Signal* (traduit de l'allemand), *Au Pilori, Je suis partout* (300 000 ex. en 1944).

De 1945 à nos jours

L'ordonnance du 20-8-1944 interdit la publication de tous périodiques ayant paru sous l'occupation allemande. Ainsi, *l'Illustration* ne peut reparaître ; *France Illustration* lui succède en oct. 1945. *Réalités,* créé 1946, absorbe *Femina-Illustration* 1956, est absorbé par *Spectacles du Monde* 1980. L'ordonnance du 30-9-1944 interdit la reparution des quotidiens qui avaient continué de paraître en zone Nord après le 25-6-1940 et en zone Sud après le 26-11-1942. Cette date permettait d'empêcher la reparution du *Temps* qui avait cessé de paraître le 29-11-1942 et d'autoriser celle du *Figaro* (suspendu le 20-11-1942). 2 j. furent néanmoins autorisés à reparaître : *la Croix* (grâce aux appuis MRP) ; *la Montagne* (grâce aux appuis socialistes). De nombreux titres de la Résistance paraissent. Certains disparaîtront dès 1947.

Quotidiens ayant disparu : *l'Aube, Libération* (avec Emmanuel d'Astier de la Vigerie, paru de 1944 à nov. 64 ; sa veuve a cédé en 1973 le titre à l'équipe regroupée autour de Serge July, voir p. 1205), *le Matin, le Pays, le Soir, Franc-Tireur* [(f. 1942) racheté 1957 par Del Duca et devenu *Paris-Journal* puis *Paris-Jour ; diffusion 1960 :* 103 971, *65 :* 225 994, *70 :* 259 395, disparu depuis], *Combat* [(f. 1941, disparu 30-8-1974) 9 376 numéros publiés ; *diffusion 1947 :* 130 000, *50 :* 89 000, *60 :* 60 000 *74 :* 10 000 ; son Pt-dir. gén. Henri Smadja était mort le 15-7-74], *le Populaire, Paris-Presse* (f. 1944, disparu 12-7-70 ; *diffusion 1960 :* 88 868, *65 :* 58 974), *le Temps de Paris* (66 numéros, disparu 1956), *Vingt-Quatre Heures* (f. oct. 1965 par Marcel Dassault, disparu 1966), *la Nation* (gaulliste, tiré à 15 000 ex., diffusé à 3 000, disparu le 12-7-74), *l'Imprévu,* paru 11 j (du 27-1 à févr. 1975, lancé par Michel Butel et Bernard-Henri Lévy le 19-9-1977), *J'informe* (f. 19-9-1977 par Joseph Fontanet, disparu 17-12 après 77 numéros, passif 30 MF), *le Quotidien de Paris* (du 4-4-74 au 26-6-78, a reparu dep. 29-11-79), *Rouge* (quot. de la Ligue communiste révolutionnaire du 15-3-76 au 2-2-79, redevenu hebdo.), *Le Matin de Paris* (f. 1-3-77 par Claude Perdriel, a déposé son bilan le 6-5-87), *Forum International* (paru du 15-5-79 au 28-5-80), *Combat socialiste* (paru du 24-2 au 10-7-81), *Paris ce soir* (du 8-1 à févr. 84), *le Sport* (du 12-9-87 à juill. 88), *la Truffe* (lancé 30-9-1991, cesse après 6 semaines).

Quelques règles

■ Clause de conscience (Loi du 29-3-1935 instituant le statut des journalistes devenue l'article 761-7 du Code du travail). Un journaliste peut démissionner avec le bénéfice des indemnités de licenciement en 3 circonstances : cession du journal ou du périodique (« clause de cession ») ; cessation de la publication pour quelque cause que ce soit ; changement notable dans le caractère ou l'orientation du journal ou du périodique si ce changement crée, pour la personne employée, une situation de nature à porter atteinte à son honneur, à sa réputation ou, d'une manière générale, à ses intérêts moraux.

■ Délits de presse [2]. Peuvent être poursuivis ceux qui, par des écrits, des affiches, des films ou des discours, auront appelé à commettre un crime ou un délit (provocation, qu'elle soit ou non suivie d'effet). Il faut un lien direct entre la provocation et le délit ou le crime qui peuvent éventuellement être commis par des tiers ; la discussion publique des actes politiques du Pt de la Rép. est autorisée et s'arrête là où commence l'offense au chef d'État. Le ministre est libre de poursuivre qui il veut.

■ Dépôts. **Administratif** [2] **:** 10 ex. (quotidiens), 6 (hebdomadaires, bihebdomadaires et trihebdomadaires), 4 (publications mensuelles) au service juridique et technique de l'information (69, rue de Varenne, Paris) et à la préfecture ou à la sous-préfecture (autres départements). **Judiciaire :** 2 ex. au parquet du tribunal de grande instance. *Publ. pour la jeunesse :* 5 ex. au min. de la Justice. **Légal** [1] **:** 4 ex. à la Bibliothèque nationale, 1 au min. de l'Intérieur (publication éditée à Paris), ou à la préfecture (en dehors de Paris) [en outre, pour *l'imprimeur :* 2 ex. à la Bibliothèque nationale (si ses ateliers sont à Paris ou dans la région parisienne) ou à la bibliothèque municipale habilitée (autres départements)].

■ Directeur [2]. Doit être Français, majeur et ne pas être privé de ses droits civiques.

■ Droit de réponse [2]. Si l'on est mis en cause par un article, on peut répondre dans le journal. Le directeur doit insérer cette réponse dans les 3 j de sa réception ou, s'il ne s'agit pas d'un quotidien, dans le numéro suivant. Cette insertion gratuite peut atteindre la longueur de l'article auquel elle répond, avec un maximum de 200 lignes. Elle ne doit contenir aucun terme contraire à la loi, aux bonnes mœurs ou à l'honneur du journaliste qui a écrit l'article. Le refus injustifié d'insertion est un délit passible d'amende et de dommages et intérêts.

Nota. – (1) Loi du 21-6-1943, décrets du 21-11-1960 et 16-1-1982. (2) Loi du 29-7-1981.

■ Liberté de la presse. Fait partie du droit constitutionnel positif français ; le préambule de la Constitution de 1958 réaffirme les principes de la Déclaration des droits de 1789 et ceux de la loi du 29-7-1881 sur la liberté de la presse. Comporte le droit de publier ce que l'on veut. Mais *on doit publier :* 1°) *des mentions obligatoires* dans chaque numéro : nom du directeur, de la publication, nom et adresse de l'imprimeur, tirage, etc. 2°) *des insertions* résultant de jugements rendus par les tribunaux, ou de l'application du droit de réponse. La censure et l'exigence d'un cautionnement sont prohibées.

Dans ses décisions des 10 et 11-10-1984 et du 29-7-1986, le Conseil constitutionnel a précisé que le pluralisme des quotidiens d'information politique et générale est un objectif de valeur constitutionnelle.

Loi du 1-8-1986. Elle reprend les dispositions de l'ordonnance du 26-8-1944, relatives à l'interdiction du prête-nom, au caractère nominatif des actions et à l'agrément par le conseil d'administration de toute cession d'actions. On est tenu d'indiquer le nom du directeur de la publication et du responsable de la rédaction, du propriétaire ou du représentant légal de l'entreprise éditrice et de ses 3 principaux associés.

L'actionnaire majoritaire, s'il s'agit d'une personne physique, doit être le directeur de la publica-

Charte du journaliste. Adoptée en 1918 par le Syndicat national des journalistes et révisée en 1938. « Un journaliste, digne de ce nom, prend la responsabilité de tous ses écrits, même anonymes ; tient la calomnie, les accusations sans preuves, l'altération des documents, la déformation des faits, le mensonge pour les plus graves fautes professionnelles ; ne reconnaît que la juridiction de ses pairs, souveraine en matière d'honneur professionnel ; n'accepte que des missions compatibles avec la dignité professionnelle ; s'interdit d'invoquer un titre ou une qualité imaginaires, d'user de moyens déloyaux pour obtenir une information ou surprendre la bonne foi de quiconque ; ne touche pas d'argent dans un service public ou une entreprise privée où sa qualité de journaliste, ses influences, ses relations seraient susceptibles d'être exploitées ; ne signe pas de son nom des articles de réclame commerciale ou financière ; ne commet aucun plagiat, cite les confrères dont il reproduit un texte quelconque ; ne sollicite pas la place d'un confrère, ni ne provoque son renvoi en offrant de travailler à des conditions inférieures ; garde le secret professionnel ; n'use pas de la liberté de la presse dans une intention intéressée ; revendique la liberté de publier honnêtement ses informations ; tient le scrupule et le souci de la justice pour des règles premières ; ne confond pas son rôle avec celui du policier. » Déclaration des devoirs et des droits des journalistes : **Charte de Munich** approuvée 24/25-11-1971, adoptée, depuis, par la Fédération internationale des journalistes (FIJ), par l'Organisation internationale des journalistes (OIJ), et par la plupart des syndicats de journalistes d'Europe. **Devoirs :** les devoirs essentiels du journaliste dans la recherche, la rédaction et le commentaire des événements sont : 1 – Respecter la vérité, quelles qu'en puissent être les conséquences pour lui-même, et ce, en raison du droit que le public a de connaître la vérité. 2 – Défendre la liberté de l'information, du commentaire et de la critique. 3 – Publier seulement les informations dont l'origine est connue ou dans le cas contraire les accompagner des réserves nécessaires ; ne pas supprimer les informations essentielles et ne pas altérer les textes et les documents. 4 – Ne pas user de méthodes déloyales pour obtenir des informations, des photographies et des documents. 5 – S'obliger à respecter la vie privée des personnes. 6 – Rectifier toute information publiée qui se révèle inexacte. 7 – Garder le secret professionnel et ne pas divulguer la source des informations obtenues confidentiellement. 8 – S'interdire le plagiat, la calomnie, la diffamation et les accusations sans fondement, ainsi que de recevoir un quelconque avantage en raison de la publication ou de la suppression d'une information. 9 – Ne jamais confondre le métier de journaliste avec celui du publicitaire ou du propagandiste ; n'accepter aucune consigne, directe ou indirecte, des annonceurs. 10 – Refuser toute pression et n'accepter de directive rédactionnelle que des responsables de la rédaction. Tout journaliste digne de ce nom se fait un devoir d'observer strictement les principes énoncés ci-dessus. Reconnaissant le droit en vigueur dans chaque pays, le journaliste n'accepte en matière d'honneur professionnel que la juridiction de ses pairs, à l'exclusion de toute ingérence gouvernementale ou autre. **Droits :** 1 – Les journalistes revendiquent le libre accès à toutes les sources d'information et le droit d'enquêter librement sur tous les faits qui conditionnent la vie publique. Le secret des affaires publiques ou privées ne peut en ce cas être opposé au journaliste que par exception et en vertu de motifs clairement exprimés. 2 – Le journaliste a le droit de refuser toute subordination qui serait contraire à la ligne générale de l'organe d'information auquel il collabore, telle qu'elle est déterminée par écrit dans son contrat d'engagement, de même que toute subordination qui ne serait pas clairement impliquée par cette ligne générale. 3 – Le journaliste ne peut être contraint à accomplir un acte professionnel ou à exprimer une opinion qui serait contraire à sa conviction ou à sa conscience. 4 – L'équipe rédactionnelle doit être obligatoirement informée de toute décision importante de nature à affecter la vie de l'entreprise. Elle doit être au moins consultée, avant toute décision définitive, sur toute mesure intéressant la composition de la rédaction : embauche, licenciement, mutation et promotion des journalistes. 5 – En considération de sa fonction et de ses responsabilités, le journaliste a droit non seulement au bénéfice des conventions collectives, mais aussi à un contrat personnel assurant la sécurité matérielle et morale de son travail ainsi qu'à une rémunération correspondant au rôle social qui est le sien, et suffisante pour garantir son indépendance économique.

tion. Dans les autres cas, le représentant légal de l'entreprise éditrice est le dir. de la publication. Le dir. de la publication jouissant de l'immunité parlementaire européenne doit (comme les bénéficiaires de l'immunité parlementaire nationale) désigner un codirecteur sur lequel pèsent les responsabilités pénales et civiles.

Il est interdit de recevoir des fonds ou avantages d'un gouvernement étranger. Les prises de participations étrangères dans des publications en français existantes sont limitées. Les créations sont libres et sans restriction pour les publications en langue étrangère. Les situations existantes à la date d'entrée en vigueur de la loi ne sont pas remises en cause.

Loi du 27-11-1986. Elle complète la loi du 1-8-1986, à la suite de la décision du Conseil constitutionnel du 29-7-1986 déclarant non conformes à la Constitution certaines dispositions de la loi, concernant l'acquisition, la prise de contrôle ou la prise en location-gérance d'une publication quotidienne imprimée d'information politique et générale et l'abrogation de l'ordonnance du 26-8-1944 sur l'organisation de la presse française ainsi que la loi du 23-10-1984 visant à limiter la concentration et à assurer la transparence financière et le pluralisme des entreprises de presse. Le dispositif de la loi du 23-10-1984, estimé contraignant pour la liberté d'entreprendre, a été remplacé. Désormais, il est interdit d'acquérir, de prendre, en location-gérance ou sous son contrôle, une publication existante, au-delà d'une diffusion atteignant 30 % de l'ensemble de la diffusion des quotidiens d'information politique et générale. Ces dispositions n'empêchent pas de créer des titres nouveaux ou de développer la diffusion de publications existantes.

☞ *Ordonnance du 26-8-1944* sur la presse et l'affaire Hersant, et *loi du 12-9-1984* sur le pluralisme et la transparence de la presse. Voir Quid 1987, p. 1036.

■ **Limites.** Pour la plupart fixées par la loi du 29-7-1881. L'art. 27 réprime le délit de *« fausses nouvelles »* lorsqu'elles ont troublé ou sont susceptibles de troubler *« la paix publique »*. Un texte punit *« l'offense au président de la République »* et une loi particulière prévoit l'offense aux chefs d'État étrangers et aux diplomates. Il est interdit d'encourager la réalisation de crimes et de délits. La loi du 1-7-1972 a créé le délit de *« provocation à la haine ou à la discrimination raciale »* ; la loi réprime la négation du génocide. Les textes les plus appliqués concernent la diffamation et l'injure. L'écrit litigieux est presque toujours considéré comme condamnable, sauf si le journaliste parvient à prouver *« la réalité du fait diffamatoire »*. Si le journaliste brandit un procès-verbal de police ou un rapport confidentiel qui prouve la réalité de l'information publiée, le tribunal l'écartera en constatant qu'il est parvenu entre les mains du prévenu *« par des moyens inconnus du Code de procédure pénale »*. Si les phrases incriminées sont considérées comme diffamatoires, le journaliste peut revendiquer la bonne foi. Mais, contrairement au droit commun, la loi sur la presse exige que l'on fasse la preuve de son innocence.

■ **Pressions externes.** *Juridiques* (saisies, poursuites judiciaires, blocage avant distribution) ; *fiscales* (menace de modifier le régime fiscal du journaliste de manière défavorable) ; *financières* [amendes, préjudices des saisies, retrait des contrats de publicité d'État (Loterie nationale, emprunts, bons du Trésor, PTT), ou du secteur nationalisé, refus de facilités bancaires] ; *professionnelles* (raréfaction des informations, interdiction d'accès à certaines sources) ; *flatteuses* (décorations, invitations, sollicitations).

■ **Publications dangereuses.** Loi du 16-7-1949 sur les publications destinées à la jeunesse. Le min. de l'Intérieur peut interdire la mise en vente aux mineurs (1er degré d'interdiction), l'exposition à la vue du public et la publicité par voie d'affiches (2e degré), ou toutes formes de publicité (3e degré) à l'égard des publications présentant un danger pour la jeunesse en raison de leur caractère licencieux ou pornographique, ou de la place faite au crime ou à la violence, à la discrimination ou à la haine raciale, à l'incitation à l'usage, à la détention ou au trafic de stupéfiants. Interdictions *1988 :* 9 (dont *1er degré :* 4, *3e :* 5). *1989 :* 13 (*1er :* 10, *2e :* 1, *3e :* 1). *90 :* 19 (dont *1er :* 8, *2e :* 10). *1991 :* 8 (dont *1er :* 2, *2e :* 3, *3e :* 3).

■ **Publications étrangères.** Le min. de l'Intérieur peut interdire la circulation et la diffusion de journaux et livres étrangers (ou les faire saisir) ; les écrits « de provenance étrangère » rédigés en français et publiés en France.

■ **Régime fiscal.** Exonération de la taxe professionnelle. Dep. le 1-1-1982, les entr. de presse sont assujetties à la TVA (sauf pour les publications éditées par des assoc. et n'ayant pas un numéro de commission paritaire des publ. et agences de presse).

■ **Responsabilité.** *Juridique :* délits de presse. *Morale :* relève surtout de la conscience et de l'honneur du journaliste et de la morale professionnelle (déontologie). A l'intérieur du journal, le directeur, qui peut avoir à répondre de tout ce qu'il imprime, a le droit de s'opposer à certaines insertions dont il estime ne pouvoir porter le fardeau. Le directeur de la publication et le journaliste sont responsables de leurs écrits.

■ **Saisie.** *Administrative* (justifiée pour maintenir l'ordre public). *Dans le cadre de poursuites pénales. Pour la défense d'intérêts privés* (contrefaçon, atteinte à la vie privée). En cas d'infraction par voie de presse, une saisie judiciaire (sur 4 exempl.) peut être ordonnée par le juge d'instruction si le dépôt légal n'a pas été effectué. On peut saisir des écrits considérés comme dangereux, au-delà de 4 ex., même si le dépôt légal a été effectué : écrits attentatoires à la moralité publique, publications anarchistes ou contenant des « provocations » au vol, meurtre, pillage ou aux violences contre les personnes, incitant les militaires à la désobéissance.

En matière de crimes et délits contre la sûreté de l'État et, s'il y a urgence, en matière de saisie, les préfets ont les mêmes pouvoirs qu'un juge d'instr.

■ **Vente sur la voie publique.** Colportage, vente ou distribution sur la voie publique des journaux, livres, brochures et tracts, sont libres. Les colporteurs professionnels doivent faire une déclaration préalable à la préfecture (vente dans le cadre d'un département), sous-préfecture (arrondissement), mairie (commune). Ils reçoivent un récépissé. Préfet ou maire peuvent interdire la vente et la distribution en certains endroits. A Paris, un arrêté du 5-2-1929 et une ordonnance du 8-11-1948 les interdisent notamment près des établ. scolaires et des églises, et aux abords immédiats des marchés. Sont également interdites les ventes en groupe et les ventes immobiles qui provoquent des attroupements et gênent la circulation.

ORGANISMES

☞ **Fédération internationale des éditeurs de journaux (FIEJ).** *Créée* 1948, *regroupe* 44 associations d'éditeurs de 40 pays, 14 agences de presse, 15 000 publications. **Fédération nationale de la presse française (FNPF).** *Fondée* 1945. *Adhérents :* 7 organisations représentant 2 300 journaux et publications. *Pt :* Jean Miot (n. 1939) dep. 9-6-93 ; avant Claude Puhl (n. 16-9-30). **Féd. nat. de la presse hebdomadaire et périodique (FNPHP).** *Fondée* 1952. 3 synd. : publications d'informations générales ; spécialisées ; périodiques spécialisés. Env. 400 titres. 1,2 milliard d'ex. *CA cumulé* (1992) : 14 milliards de F. *Diffusion moyenne des titres :* 174 000 ex. *Pt :* Marc Demotte (7-7-1919). **Féd. nat. de la presse d'information spécialisée (FNPS).** *Fondée* 1974. 7 syndicats : presse agricole et rurale ; culturelle et scientifique ; des entreprises et des professionnels ; sociale ; écon., juridique et polit. ; d'informations spécialisées ; médicale et des prof. de santé. Représente 1 654 titres, 66,5 % de tous les titres syndiqués. *C.A. total* (1991) des revues adhérentes : 13 milliards de F (H.T.) dont recettes de ventes 40 %, publicitaires 60 %. *Papier utilisé :* 176 000 t. *Tirage total annuel :* 860 millions d'ex., diffusés à 73 % par la poste. *Tirage annuel moyen d'un titre :* 512 000 ex. *Périodicité (en %) :* quotidiens 1,5 ; hebdo, bi et trihebdo 12,1 ; mensuels, bi-mens. et décadaires 48,2 ; trimestriels, bimestriels 35,2, autres 3.

Syndicat de la presse hebdo. parisienne (SPHP). 110 titres. **Syndicat de la presse parisienne (SPP).** *Fondé* 6-11-1882, *recréé* 26-10-44. *Pt :* Jean Miot (dep. 1986). *CA 1989 :* 6,1 milliards de F. *Tirage moyen par jour :* 2 828 000 exemplaires (1989). *But :* étudie toutes les questions juridiques et économiques touchant à la presse, à la télématique et au monde de la communication. **Syndicat de la presse quotidienne régionale (SPQR).** *A fusionné* 11-6-1986 (Synd. nat. de la presse quot. régionale et Synd. des quot. rég. 40 titres. 450 éditions. 10 000 pages quot. 6,5 millions d'ex. par j. *Points de vente :* 55 000. *Lecteurs :* 20 millions. *CA* des journaux adhérents (1992) : 12,5 milliards de F. *Collaborateurs :* 25 000. *Pt :* Jacques Saint-Cricq. **Syndicat des quotidiens départementaux (SQD).** *Fondé* 1948. Représente 29 quotidiens départementaux dont 3 aux DOM, 14 radios locales privées, 15 serveurs télématiques de presse. *Tirage moyen par jour :* 1 million d'exemplaires. *CA :* 2,2 milliards F. *Pt :* Alain Gascon. *Dir. :* Agnès Rico.

Fédération de la presse périodique régionale (FPPR). 3 synd. : *Synd. de la presse hebdo. régionale (SPHR)* (180 adhérents, tirage : 3 000 à 70 000 ex.) ; *Synd. nat. des publications régionales (SNPR) ; Synd. de la presse judiciaire de province (SPJP). Origine :* Synd. nat. de la presse périodique de province, créé à la Libération, transformé 1973 dans les 3 syndicats ci-dessus, regroupés dans l'UNPPI créée 1970 entre le SNPPP et la Féd. fr. de la presse périodique, devenue la FPPR en 1992. 280 titres. *Tirage total :*

3 millions d'ex. par parution. *Pt :* Jean-Pierre Vittu de Kerraoul.

Journalistes

■ Prix de la presse. **Pulitzer** (USA), *créé* 1917 ; 14 distinctions : reportage, article de fond, correspondance, etc. *Lauréats 1993 :* John Burns (New York Times), Roy Gutman (Newsday) pour leur couverture de la guerre dans l'ex-Yougoslavie, Washington Post, Los Angeles Times. **International de journalisme** *décerné* par l'OIJ. **Albert-Londres** (voir p. 328 b). **De la Fondation Mumm pour la presse écrite,** *créé* 1985. *Lauréats 1993 :* Renaud Matignon (le Figaro), Daniel Schneidermann (le Monde), Josette Allia (le Nouvel Observateur), Patrick Forestier (Paris-Match). *Montant :* 50 000 F. **Pierre-Lazareff,** *créé* 1988 par Marcel Desvaux, Ladislas de Hoyos, Emmanuel de La Taille, parrainé par Moët et Chandon. *Montant :* 20 000 F. *Récompense* un journaliste de la presse écrite révélant dans le grand reportage des qualités et un talent fidèles à l'esprit du fondateur de France-Soir. *Jury :* env. 20 journalistes. *Lauréats 1988 :* Arnaud Bizot (le Journal du dimanche), *89* Christian Chaise (AFP), *90* Rémy Favret (le Figaro), *91* Olivier Weber (le Point), *92* Agathe Logeart (le Monde). **Stendhal,** *créé* 1990, *géré* par la fondation Adelphi, en coopération avec la Commission européenne et la Fédération internationale des éditeurs de journaux. *Pte jury :* Simone Veil. *Remise des prix :* 30 novembre à Lyon. *Lauréats 1991 :* meilleure couverture : Mondo Economico (Italie) ; meilleure une : Libération, le Point (Fr.) ; prix Économie Européenne : Handelsblatt (All.).

■ Statistiques. France *1960 :* 8 092 journalistes professionnels dont 1 161 femmes. *70 :* 11 493 (2 177 f.). *80 :* 16 619 (3 833 f.). *91* 27 382 (9 518 f.), env. 60 000 personnes pour la distribution. **Rapport du CCIJP** (en %, 1990) : *Femmes :* 30 (25 en 1981), 48,6 jusqu'à 25 ans. *Age :* jusqu'à 45 a. : 73,6 (71 en 1983). *Études :* sup. 69,8 (38 en 1966). *Pigistes :* 14,8 (9,6 en 1980). *Répartition dans la presse :* écrite 74,7 (spécialisée 22,2, régionale 21,8, technique et prof. 13,3, nationale 8,8, magaz. nat. 5,2, institutionnelle 3,4), audiovisuel 17, agences de presse 7,8. *Salaire moyen brut mens. :* 15 900 F.

Journalistes tués dans le monde dans l'exercice de leur profession : *1969-89 :* 715 (Amér. 393, Asie 171, Pr.-Orient 65, Europe 46, Afrique 40). *90 :* 42 dans 18 pays. *91 :* 65. *92* (selon Reporters sans frontières) : 61 (dont Turquie 12, ex-Yougoslavie 12, Colombie 5, Pérou 5) ; (selon Freedom House) : 82 (dont ex-Youg. 27, Turquie 12). **En prison** (au 1-1-93) : 123 dont Chine 30, Israël et Territoires occupés 10, Irak 9, Turquie 8, Maldives 8.

Carte de presse officielle d'identité des journalistes professionnels : *créée* par la loi du 29-3-1935, attribuée par une commission paritaire de 32 membres, 16 directeurs de journaux (dont 8 suppléants) et 16 journalistes professionnels (dont 8 suppl.). **Nombre attribué** (31-12-1992, entre parenthèses nombre de femmes) : c. titulaires 17 219 (5 758) ; c. stagiaires 2 980 (1 472) ; c. pigistes 2 597 (1 234) ; stag. pigistes 824 (399) ; reporters-photog. 788 (64) ; rep. photog-pigistes 612 (54) ; rep.-dessinateurs 36 (7) ; rep.-dess. pigistes 58 (4) ; sténo.-rédacteurs 212 (186) ; sténo. pigistes 4 (4) ; rep. d'images 657 (51) ; rédacteurs réviseurs 158 (86) ; traducteurs 86 (53) ; bénéficiaires de l'art. R 761-14, 1 041 (464) (dont 129 de 55 à 60 ans et 110 de + de 60 a.). Dir. (anciens journ.) 590 (71). Journalistes. *Total 27 862 (9 907)* dont Paris 17 257, province 10 605.

■ Syndicats de journalistes. **Synd. national des j.** 33, rue du Louvre, Paris 2ᵉ, autonome, *fondé* 1918. *1er secr. gén. :* François Boissarie. **Union synd. des j. français CFDT** 47, av. Simon-Bolivar, Paris 19ᵉ, *f.* 1886. *Secr. gén. :* Philippe Laubreaux. **Synd. nat. des j. CGT** 50, rue Édouard-Pailleron, Paris 19ᵉ, *f.* 1934. *Secr. gén. :* Gérard Gatinot. **Synd. gén. des j. CGT-FO** 8, rue de Hanovre, Paris 2ᵉ, *f.* 1948. *Pt :* Max Rolland. *Secr. gén. :* Marie Pottier. **Synd. des j. CGC** 64, rue Taitbout, Paris 9ᵉ, *f.* 1972. *Pt :* Daniel Pautrat. *Secr. gén. :* Claude Leturcq. **Synd. chrétien des j. CFTC** 11, rue Louise-Thuliez, Paris 19ᵉ, *f.* 1972. *Pt :* Bernard Vivier.

■ Syndicat d'ouvriers, d'employés et de cadres de presse. **Fédération des travailleurs du livre, du papier et de la communication Filpac-CGT,** 263, rue de Paris, 93100 Montreuil. *Origines :* Fédération française des travailleurs du livre, créée 1881, a fusionné avec celle des industries papetières en 1986. Les ouvriers du livre ont, dès le XVIᵉ s., formé une élite car ils devaient savoir lire et écrire ; ils ont toujours eu une tradition corporatiste, les maîtres imprimeurs étant de petits artisans. Regroupe 220 syndicats des travailleurs du livre (imprimerie de labeur et de presse, édition, reliure-brochure, sérigraphie, reprographie). En 1905, elle obtint l'instauration du *label,* apposé sur tous les imprimés exécutés dans les ateliers dont tout le personnel technique adhère à la Fédération. Les ouvriers du livre obtinrent souvent des conditions de travail enviables par rapport aux autres corporations du métier, notamment la limitation à 6 h des horaires journaliers en presse. *Regroupe* plus de 90 % des salariés des imprimeries de journaux quotidiens, gérant de fait l'emploi dans les quotidiens de Paris. **Synd. nat. des employés et cadres de presse, d'édition et de publicité CGT-FO,** 3, rue du Château-d'Eau, 75010 Paris. *Fondé* 1946, 1948 CGT-FO. *Secr. gén. :* Jacques Girod. **Fédération de la communication CFTC,** 11 rue Louise-Thuliez, 75019 Paris.

■ Élections à la commission de la carte des journalistes professionnels (1991) : SNJ 44,3 % des voix (4 sièges), CFDT 21 (2 s.), CGT 11,6 (1 s.), CGC 10 (1 s.), FO 15,3, CFTC 7.

☞ **Associations. Union nationale des syndicats de journalistes (UNSJ) :** *fondée* 1966 regroupe SNJ, USJF-CFDT et SNJ-CGT ; le SGF-FO l'a quittée en févr. 1983 à la suite de la « mainmise » du livre CGT sur le journal *l'Union* de Reims. **Union syndicale des journalistes sportifs de France (USJSF) :** *fondée* 1959, 1 850 membres. **Fédération internationale des journalistes (FIJ) :** *fondée* 1952, basée à Bruxelles, réunit 67 syndicats de 53 pays occidentaux. **Organisation internationale des journalistes (OIJ) :** *fondée* 1946 à Prague, groupe les journalistes de 112 pays. **Reporters sans frontières (RSF) :** *fondée* 1985. *Pt :* Nicole du Roy dep. 9-2-93. 400 adhérents. **Union internationale de la presse catholique (UIPC) :** *fondée* 1936 à Rome. **Union intern. des journalistes et de la presse de langue franç. (UIJPLF) :** *fondée* 1950, 2 000 membres dans 50 pays.

Statistiques générales

Budget

Aides à la presse. *1993* (en millions de F). **Directe :** 812,4 (dont *réduction SNCF* pour transport de presse 178,3 ; *téléphone* pour correspondants de presse 38,1 ; *crédits du fonds d'aide à l'expansion* à l'étranger 39,5 ; *aux quot.* 19,6 [dont en 1992 : nat. d'information politique et générale à faibles ressources publicitaires (instituée 1982, pérennisée 1-1-1986) 13,48 (en 91 : 12,81 dont la Croix 6,82 et l'Humanité 5,99) ; aux quot. régionaux, départ. et locaux à faibles ress. de petites annonces 5,60 (dont l'Écho du Centre 1,41, la Liberté de l'Est 1,92, la Liberté 0,39, la Marseillaise 1,81, Nord Littoral 0,44, Le Petit Bleu du Lot-et-Garonne 0,77, la Presse de la Manche 1,71)] ; *abonnements des administrations à l'AFP* 536,9. **Indirecte** (moins-values de recettes résultant pour l'État. En *1991 :* 5 838 (dont tarifs postaux préférentiels 3 820, allègement TVA 960, régime spécial des provisions pour investissements 300, exonération de la taxe professionnelle 758). Le régime d'aides était primitivement destiné aux publications ayant « un caractère d'intérêt général d'instruction, d'éducation, d'information du public ». Puis on a ajouté : *« récréation »* et le régime a été progressivement étendu à l'ensemble des publications. Pour en bénéficier, il faut obtenir un nº d'inscription auprès de la Commission paritaire des publications et agences de presse. Les publications n'ayant pas obtenu un nº d'inscription sont soumises à la TVA au taux normal (18,6 %) ou au taux majoré (33 %) si elles présentent un caractère pornographique.

Contrôle. Une commission auprès du ministère de la Justice, présidée par un conseiller d'État et composée d'une trentaine de personnes (représentants de divers ministères, de mouvements et organisations de jeunesse, d'associations familiales, d'éditeurs, dessinateurs, membres de l'enseignement, magistrats, députés et sénateurs) signale aux autorités compétentes les agissements ou infractions de nature à nuire, par voie de presse, à l'enfance et à l'adolescence. Les publications ayant fait l'objet, à la suite de cet avis, de 2 des 3 interdictions (d'affichage, de faire de la publicité ou d'être vendues à des mineurs) sont soumises au taux majoré de TVA de 33 %. *Du 16-7-1982 à 86 :* 620 journaux (surtout pornog. importés) ont été l'objet d'interdictions prévues par la loi du 16-7-1949. *Le 13-3-1987 :* un arrêté du min. de l'Intérieur a interdit 6 mensuels (Absolu, Lettres, le Club, Privé Madame, édités par les éditions de la Fortune, et Absous et Privé, édités par la Sté française de revue) à la publicité, l'affichage et la vente aux mineurs (conformément à l'art. 14 de la loi du 16-7-1949). L'interdiction à la vente aux mineurs et à l'affichage entraîne notamment la suppression de l'inscription à la commission paritaire et de la distribution par les NMPP. Environ 25 journaux dont Gai Pied et Newlook, Penthouse, Photo et l'Écho des savanes (Éd. Filipacchi) ont été avertis qu'ils tombaient, par leur contenu, sous le coup de l'art. 14 de la loi du 16-7-1949.

Dépenses des Français. Par ménage : 743 F de journaux en 1990 selon les NMPP. Longtemps le prix du journal a suivi celui du timbre-poste : *en 1957 :* ils coûtaient tous deux 20 F (20 c d'aujourd'hui), *1967 :* timbre 0,30 (journal 0,40) ; *1987-91 :* 2,20 F (3,40 à 5 F).

Prix. **Quotidiens en mars 1988** (en F) : ex-All. féd. 1,75 à 5, Belgique 3,20, Espagne 3, États-Unis 1,75 à 2,75, *France :* province 3,40 à 4 (1990, 3,40 à 4,90), nationaux 4,50 (coût réel 7,10, dont rédaction 1,10, papier 0,90, frais généraux 0,80, fabrication 2, distribution 2,30), G.-B. 1,80 à 2,50, Italie 3,70, Japon

Comptes d'exploitation

Quotidien (moyenne)

Charges. **Coût de production :** *rédaction* 20 % des charges. *Frais de documentation et d'agence* 2 à 3 %. *Services administratifs et commerciaux* 11 à 14 %. *Amortissement des équipements* 3 à 5 % des coûts de production. *Papiers* 25 à 30 % (un numéro du *Pèlerin :* 86 pages/tirées à 550 000 ex. consomment 140 t de papier ; par an : 6 000 t (production de 2 000 à 3 000 ha de forêt). *Fabrication (salaires)* 30 % [charge importante due à la puissance du Syndicat du livre qui, défendant l'intérêt de ses syndiqués, entraîne une limitation de la productivité et le maintien d'effectifs en surnombre]. **Coût de distribution :** 6 à 10 % (30 à 50 % du prix de vente du journal).

Produits. **Ventes :** 50 %. **Publicité :** 50 % (*en 1983 :* le Figaro 66 %, l'Humanité 12 %, le Monde 56,8 %).

Compte d'exploitation (en millions de F)

Le Canard Enchaîné (1990). **Compte de résultat :** produits d'exploitation 141,2, charges 122,6, résultat 18,5 ; produits financiers 9,7, charges 0,007, résultat financier 9,7 ; résultat courant 28,3 ; produits exceptionnels 2,2, charges 9, résultat – 6,8 ; impôts sur les bénéfices 8,3, total des produits 153,2, des charges 140 ; **bénéfice :** 13,1.

La Croix (1991). **Recettes :** ventes 115, publicité brute 9,5, aide à la presse 7. **Charges :** 142 (dont en % : rédaction 48, papier, impression 37,4, gestion, distribution 25, promotion, frais généraux 31,2). **Déficit :** 10,2.

L'Humanité et l'Humanité-Dimanche (1991). **Dépenses :** 240,3 dont (en %) salaires et charges 29, impression 25, distribution 21, papier 9, rédaction 6, administration 4, amortissements 4, impôts 1, frais financiers 1. **Recettes :** 224 dont (en %) ventes 72, publicité 13, souscriptions et fête de l'Humanité 7, loyers et produits de gestion courante 5, aide de l'État (quot. à faibles ressources publicitaires) 3. **Déficit :** 16,3.

Le Monde SARL (1991). **Dépenses :** 1 119 dont (en %) traitements et salaires 24,1, frais de ventes 21,3, charges sociales 8,8, papier 8,2, frais généraux 23,4, autres charges d'exploitation 9,6, PTT 3,8, impôts et taxes 0,6, courtages et frais de publicité 0,1. **Recettes :** 1 100 dont *le Monde* 957 (87 %) dont (en %) publicité 34,4, ventes 40,2, abonnements 12, reproduction d'articles 0,3, vieux papiers 0,1 ; *autres activités* (13 %) dont travaux commerciaux et divers 65,9, Dossiers et Documents 9, Monde diplomatique 31, Monde de l'Éducation 19,8, Sélection hebdomadaire 10,6, Monde des philatélistes 6,7. **CA :** *1982 :* 717,6, *83 :* 768,7, *84 :* 759,4, *85 :* 781,8, *86 :* 805,6, *87 :* 915, *88 :* 1 047 (consolidé 1 239), *89 :* 1 218 (consolidé 1 247), *90 :* 1 184, *91 :* 1 100 (consolidé 1 138). **Résultats courants :** *1988 :* + 36,3, *89 :* + 22,6, *90 :* – 38, *91 :* – 28,8. **Prix de l'abonnement en F :** *1968 :* 120, *69 :* 120, *70-71 :* 150, *74 :* 300, *77 :* 400, *78 :* 400, *80 :* 545, *81 :* 590 puis 780, *82 :* 910, *83 :* 980, *84 :* 1 080, *85-88 :* 1 200, *90 :* 1 300, *91 :* 1 620, *92 :* 1 890.

Libération (1990). **Dépenses :** 436 dont (en %) distribution 25,92, personnel 25, impression 11,92, papier et mat. 1res 10,09, frais généraux 21,75, autres charges 5,5. **Recettes** (CA) : 449 dont (en %) ventes 56,79, publicité commerciale et petites annonces 35,18, télématique 5,18, copyright 0,14, produits divers 2,67. **Bénéfice** (après résultat financier) : 11.

Le Point (1991). **CA :** 350. **Bénéfice :** 8.

1,75 à 3,50. **Magazines :** *France* (moyenne 1990) 8,65 (presse télé : 5,67).

Recettes. **Chiffre d'affaires** (1990, en milliards de F) : recettes des ventes, entre parenthèses, de la publicité. *1965 :* 4 (44). *70 :* 6 (42). *75 :* 10 (37), *81 :* 27,3 (40). *85 :* 19,30 (13,51). *86 :* 26,26 (17,57). *87 :* 27,52 (19,25). *88 :* 27,94 (21,69). *89 :* 29,12 (25,34). *90 :* 30,02 (27,19). **Information générale et politique nationale :** 5,30 (5,71). **Locale :** 8,27 (6,91). **Presse spécialisée grand public** (hors journaux d'annonces gratuits) : 13,82 (6,25). **Technique et professionnelle :** 2,64 (4,46).

■ Nombre de titres

Par périodicité

Nombre global. 15 300, du quotidien d'information générale à la revue semestrielle. 10 733 inscrits à la Commission paritaire des publications et agences de presse. **Quotidiens :** *1982 :* 143, *84 :* 128, *85 :* 130. **Hebdos :** *82 :* 941, *84 :* 902, *85 :* 898 (dont journaux gratuits d'annonces 327, hebdos départementaux 300, magazines de tous types 271). **Mensuels :** *82 :* 1 341, *84 :* 1 166, *85 :* 1 205 (dont magazines 1 104, journaux gratuits d'annonces 101). **Trimestriels :** *82 :* 667, *84 :* 660, *85 :* 674 (dont magazines 670, journaux gratuits d'annonces 4). **Autres périodiques :** *82 :* 54, *84 :* 26, *85 :* 30.

Par catégories

☞ *Légende.* – h. : hebdomadaire ; m. : mensuel ; q. : quotidien ; t. : trimestriel.

Information générale et politique. **Nationale :** 15 titres (dont q. 10, h. 3, m. 2). *Presse d'opinion :* 35 dont *politique* 18 (dont h. 9, t. 4, m. 5). *Religieuse :* 10 (dont m. 6, h. 4). *Satirique :* 4 (dont h. 3, t. 1). *Autres :* 3 (dont h. 2, m. 1). *Magazines d'inform. :* 13 (dont h. 11, m. 2). **Locale.** *Inform. gén. et pol. et d'opinion :* 332 [q. 76 (dont 6 pour DOM-TOM, 22 « Journaux du 7e Jour »), h. 225, m. 9]. *Magazines régionaux :* 25 (m. 18, t. 6, h. 1). *Annonces judiciaires et légales :* 74.

Presse spécialisée grand public. *TV, radios (dont programmes, spectacles)* 15 (h. 9, m. 4, t. 2), TV, radio 18. *Bande dessinée :* 149 dont enfant adolescent 132 (t. 67, m. 61, h. 2, autres 2), adulte 17 (m. 13, t. 4). *Maison et décoration :* 21 dont maison 16 (m. 7, t. 8, h. 1), jardin 5 (m. 4, autre 1). *Familiale et sociale :* 28 dont religion 8 (m. 7, h. 1), famille 5, 3e âge 4 (m. 3, t. 1), autres 11 (m. 7, t. 3, h. 1). *À sensation :* 21 (périodiques pornog. non compris) dont actualité, mode 6 (m. 5, t. 1), actualité, sensation 6 (h. 5, m. 1), sciences occultes 7 (m. 6, t. 1), actualités, jeux 2 (h. 2). *Masculine :* 16 (m. 14, h. 1, t. 1). *Féminine et du cœur :* 57 dont généraliste 19 (h. 7, m. 10, t. 2), mode 13 (m. 8, h. 2, t. 2, autre 1), arts ménagers 13 (m. 5, t. 6, h. 2), santé beauté 9 (m. 7, t. 1, autre 1). *Des jeunes :* 27 dont adolescent 11 (m. 9, h. 2), enfant 13 (m. 10, h. 2, t. 1), lycéens et étud. (après bac) 3 (t. 2, m. 1). *Culturelle (littér., b.-arts) :* 42 (m. 28, t. 14). *Loisirs :* 291 dont mots croisés et assimilés 105, photo, cinéma, vidéo 27, bricolage, modélisme 26, hi-fi, musique, instruments 22, loisirs auto. 19, jeux, détente 15, collections et antiquités 16, chasse, pêche, nature 15, loisirs informatiques 21, tourisme, voyage, gastron. 8, autres 17. *Écono m. :* 19 (m. 7, h. 5, t. 5, q. 2). *Sportive :* 79 dont généralistes et divers 27 (m. 18, t. 4, h. 2, q. 1, autre 2), hippisme et turfisme 18 (dont h. 11, m. 4, q. 2, t. 1), auto-moto 16 (m. 13, h. 3), ballons 10 (m. 5, h. 5), nautiques 8 (m. 6, t. 2). *Vulgarisation scientif. et techn. :* 12 (m. 10, t. 2). *J. d'annonces :* 464 (gratuits 432, payants, divers 14, payants, immobilier 18).

Technique et professionnelle. *Agriculture, sylviculture, pêche :* 146 dont agricole, 102 (h. 61, m. 40, t. 1), cult. spécialisées 22 (m. 13, t. 6, h. 2, q. 1), pêche et élevage 17 (m. 12, h. 1, t. 4), autre 5 (t. 3, m. 2). *Agro-alim. :* 42 (m. 29, t. 6, h. 5, q. 2). *Énergie :* 18 (m. 10, t. 6, h. 1, q. 1). *Immobilier :* 14 (m. 11, t. 3). *Biens intermédiaires :* 42 dont prod. minerais, métaux 16 (m. 11, t. 5), chimie de base 9 (m. 5, h. 2, t. 2), mat. de constr. et céramique 5 (m. 4, t. 1), papier carton 4 (m. 4), verre 3 (t. 2, m. 1), autres 5 (t. 3, m. 2). *Biens d'équipement :* 51 dont constr. électr., électron. 15 (m. 8, t. 6, h. 1), mécanique 13 (m. 10, t. 3), navale, aéronautique, armement 9 (m. 4, t. 4, h. 1), autom. et assimilés 4, autres 10 (m. 6, t. 3, h. 1). *De consommation courante :* 65 dont cuir textile et chaussure 23 (m. 9, t. 10, h. 3, autre 1), imprimerie, presse, édition 17 (m. 11, t. 4, h. 2), parachimie et ind. pharmaceutique 2 (m. 1, t. 1), autres 23 (m. 13, t. 10). *Assurances :* 8 (m. 6, h. 1, t. 1). *Finance et bourse :* 15 (dont q. 6, m. 4, t. 3, autre 1). *Mise en œuvre du bâtiment, génie civil et agricole :* 51 dont trav. publics, gros œuvre, bâtiment, urbanisme 29 (m. 12, t. 12, h. 4, autre 1), second œuvre 22 (m. 13, t. 9). *Transports et télécom. :* 26 dont transports 23 (m. 15, h. 4, t. 2, q. 1, autre 1), télécom. 3 (m. 3). *Services non marchands :* 134 dont recherche scient. et techn. 84 (t. 67, m. 6, h. 2, autres 9), enseignement 27 (m. 20, t. 7), admin. 18 (m. 14, t. 4), autres 5 (t. 4, m. 1). *Commerce :* 65 non alim. 40 (m. 28, t. 11, h. 1), alimentaire 15 (m. 12, t. 2, h. 1), techn. comm. 10 (dont m. 7, h. 2, t. 1). *Services marchands :* 255 dont gestion, admin., entreprise 116, services com. 22, manutention, stockage, hygiène, sécurité 21, informatique 16, réparation, commerce, autom. 16, hôtels, cafés, restaurants 12, spectacle 13, pub. 12, architecture 7, autres 20. *Presse médicale :* 252 (spécialiste 139, généraliste 51, pharmaceutique 16, hospitalier 15, dentaire 14, paramédical 9, vétérinaire 8).

■ Tirage

Exemplaires produits par an (en millions) et, entre parenthèses, quotidiens. *1965 :* 7 089 (3 946). *75 :* 6 933 (3 515). *85 :* 7 799 (1 022). *88 :* 7 918.

Consommation de papier (1985). 1 161 923 t dont en % papier journal 55,75, papier magazine couché brillant 24,42, non couché satiné 13,6, couché mat 3,8, non satiné 2,3.

Entreprises (1988). *Nombre :* 578 exerçant à titre principal une activité de presse (54 662 personnes). 30,9 % emploient moins de 20 personnes, réalisant – de 3 % du CA. *Chiffre d'affaires total :* 72,64 milliards de F HT.

■ Vente et distribution

■ Répartition des ventes en 1990 [Chiffre d'affaires total ventes (en milliards de F), dont N : ventes au numéro, et A : par abonnement (en %)] : presse nationale (quotidiens nationaux, grands hebdos, magazines d'info) : 5,4 dont N 70,5, A 29,1 ; locale d'info générale et politique : 8,44 dont N 77,5, A 22,5 ; spécialisée grand public : 13,68 dont N 75,6, A 24,4 ; technique et profes. : 2,81 dont N 13,2, A 86,8.

■ Frais de distribution (% du prix de vente). *Moyenne* 40 (dont NMPP 16, grossistes 6, détaillants 18). *Quot. province* 30 à 40, *Paris* 40 à 50 (le Monde 55).

■ Abonnements. La plupart des quotidiens gèrent eux-mêmes leurs abonnés. Les périodiques font souvent appel à une entreprise de messagerie, la Sté Presse-Routage. *(% des abonnements dans la diffusion totale, 1991) :* Nouvelle Famille éducatrice 99,9, Bonheur 98,4, la Voix des parents 88,3, la Vie du rail 96, Pèlerin Magazine 91,2, Rustica 88,3, la Croix/l'Événement 87,9, La Vie 89,6.

■ Invendus (% les plus forts en 1989). Micro Systèmes 47,7, Best 47,1, Alpi Rando 42,4, Vingt Ans 41, le Haut-Parleur 40,3, Historia 37,1, Maison et Travaux 36,9, le Monde de l'Éducation 36,1, Salut 35,9, Tennis de France 35,2.

■ Numéros gratuits (en %, en 1989). L'Éclair de Nantes 20, les Échos 18,2, Dépêche mode 14,5, la Liberté du Morbihan 14,1, le Havre Presse 13, le Soir/le Provençal 11,8, Investir 11,6, Journal de la maison 9,9, Éclair des Pyrénées 9,1, Expansion 8,9.

■ Portage à domicile. Largement utilisé pour les quotidiens aux USA, G.-B., ex-All. féd., peu en France sauf dans certaines régions du Nord, de l'Ouest et de l'Est (en Alsace : 80 % de la diffusion des quotidiens). A Paris, le Parisien libéré, le Monde, le Figaro utilisent ce procédé.

■ Vente au numéro. Env. 40 000 points de vente, boutiques, kiosques spécialisés (290 à Paris, concessionnaires de la ville), crieurs. Pour prévoir les fluctuations de la vente, les journaux doivent livrer un surplus d'exemplaires dans la plupart des points de vente. Pour les quotidiens, les conditions météo peuvent créer des variations importantes.

Les marchands de journaux (env. 3 500 dépositaires centraux) perçoivent un % sur ceux qu'ils ont écoulés (détaillants 15 %, grossistes 8 %). Les invendus (en moy. 13,9 % pour les quotidiens) sont renvoyés et facturés aux éditeurs.

Selon la loi du 29-7-1881, les éditeurs peuvent distribuer leurs journaux par leurs propres moyens ou par des messageries libres de fixer leurs conditions. Les *Messageries Hachette,* fondées 1897, poursuivirent en 1940 leur activité en zone libre sous le contrôle de Vichy et, en zone occupée, furent réquisitionnées et prirent le nom de *Messageries coopératives des journaux français.* Les Allemands instaurèrent un taux unique de remise par catégories de journaux et non par titre. À la Libération, la distribution des journaux fut confiée aux *Messageries françaises de presse* (MFP), dirigées par des personnalités d'obédience communiste, qui réquisitionnèrent elles aussi les Messageries Hachette. En 1947, elles avaient accumulé 500 millions de F de passif.

La loi Robert-Bichet du 2-4-1947 définit des règles toujours en vigueur. Les journaux qui désirent avoir accès au réseau doivent se regrouper (par nature : presse quotidienne, régionale, etc.) pour adhérer à des coopératives créées à cet effet ; ces dernières confient leur distribution aux NMPP. La garantie de distribution ne peut être refusée à un nouveau journal s'il a un numéro de commission paritaire et s'il satisfait aux obligations légales du statut de la presse. Tout journal, quelle que soit son importance, paie le même taux de base pour se faire distribuer et bénéficie (en théorie) d'un même traitement pour conditions de transport et délais de mise en place. En contrepartie, il doit donner à la collectivité l'exclusivité de sa distribution au numéro. En principe, un éditeur verse aux NMPP un taux de base de 38,5 % du prix fort de son journal (TVA incluse) et reste propriétaire de son journal jusqu'à la vente. Il faut y ajouter les frais d'invendus, de statistiques, les pénalisations ou les bonifications. Au total, coût moyen de 50 % du prix de vente.

Diffusion de la presse-éditeur en 1988

	Diffusion an millions d'ex.	Diffusion en %			
		Vente au N°	Vente par abt.	Services gratuits	Invendus
Info. gén. & politique nationale	**840,3**	**54,2**	**18,3**	**2,9**	**24,6**
Info. gén. & polit.	621,1	58,0	12,8	3,0	26,1
Presse d'opinion	46,7	55,1	16,4	3,4	25,1
Magazine	172,6	38,7	40,4	2,5	18,5
Locale	**2 342,5**	**63,0**	**22,2**	**3,5**	**11,3**
Info. gén. & polit.	2 311,1	63,5	21,7	3,4	11,3
Magazine	4,9	38,1	22,9	21,3	17,8
AJL	26,5	20,3	65,0	9,5	5,2
Presse spécialisée grand public	**1 743,5**	**57,2**	**16,1**	**2,0**	**24,7**
Jounaux d'annonces	15,5	52,8	5,0	12,2	30,0
Bandes dessinées	50,5	64,2	6,2	1,0	28,6
Presse culturelle	30,2	18,0	59,3	3,5	19,1
Maison & Décoration	39	35,0	39,6	2,7	22,7
Économie	64,8	17,2	43,5	9,9	29,4
Presse féminine	330	67,4	9,7	0,9	22,0
Presse des jeunes	53,5	45,6	28,2	1,5	24,6
Loisirs	119,7	41,9	22,6	2,2	33,4
Presse masculine	11,7	63,3	4,1	2,8	29,8
Sport	238,1	57,6	3,8	3,1	35,5
Science & Technique	15,4	34,4	44,5	1,1	20,0
TV/Spectacle	569,7	66,8	15,8	1,0	16,3
Sensation/Évasion	142,8	65,4	2,1	0,5	32,1
Famille/Société	62,7	16,2	67,6	2,8	13,1
Gratuits	**1 489,1**	**0,0**	**0,0**	**99,8**	**0,0**
Presse spécialisée tech. & professionnelle	**324,6**	**5,7**	**65,1**	**20,6**	**8,4**
Presse agricole	79,9	3,0	75,5	17,7	3,8
Bâtiment/TP	10,9	3,3	77,8	11,1	7,1
Commerce	9,1	3,3	59,6	23,2	13,9
Presse médicale	84,2	1,1	62,1	33,1	3,7
Biens d'équipements	5,7	10,3	49,2	22,3	18,2
Finances/Bourse	14,3	6,9	74,2	6,5	12,5
Agro-alimentaire	6,4	1,4	71,6	22,4	4,7
Biens intermédiaires	1,4	1,8	55,2	34,6	8,5
Location/Crédit/Immo.	2	4,3	87,4	3,3	5,0
Services marchands	88,4	11,6	59,1	14,8	14,0
Services non marchands.	10	6,8	63,4	17,8	11,9
Prod./Distr. énergie		1,5	77,2	12,7	8,6
Assurance	1,3	1,0	86,3	6,6	6,1
Transport & Télécom.	5,1	14,8	46,2	22,6	16,4
Biens consommation	5,6	6,0	49,3	37,6	7,1
Ensemble	**6 740**	**45,6**	**17,6**	**21,9**	**14,8**

Titres vendant le plus au numéro (en %, en 1989) : Nouveau Détective 98,9, Progrès dimanche 98,8, Midi libre dimanche 98,1, Sud-Ouest dimanche 98, Ici Paris 97,9, Dauphiné libéré dimanche 97,7, Marie-Claire 97,4, Pariscope 97,1, Cosmopolitan 97, l'Équipe 96,8.

■ Messageries de presse. *Créées* 1947 sous forme de coopératives. Comprennent, en 1990 : NMPP, SAEM Transport-Presse, les Messageries lyonnaises de presse et Rhônes-Alpes Diffusion. Assurent : tri, groupage, transport, distribution aux principaux points de vente et gestion (facturation, statistiques, centralisation du produit de la vente, collecte des invendus). En province, chaque entreprise assure, par ses propres camions et motos, sa distribution.

■ NMPP (Nouvelles Messageries de la presse parisienne). 111, rue Réaumur, Paris 2e. *Créées* par la loi Robert-Bichet du 2-4-1947. *Capital :* 51 % détenu par *5 coopératives d'éditeurs de presse* (Quot. de Paris, Presse hebdo. et périodique, Publications hebdo. et périodiques, Presse périodique et Publications parisiennes), détiennent 51 % du capital des NMPP ; 49 % par groupe Hachette. Un responsable d'Hachette assure traditionnellement la dir. gén. *Effectifs* (31-12-92) : 3 900. *Diffuse* par l'intermédiaire de 2 206 dépositaires, et 48 808 diffuseurs ou vendeurs de presse parisienne et régionale env. 2 500 titres français, 600 étrangers (2,7 milliards d'ex. au total) pour 26 milliards de F. *Vente* (milliards de F) *91 :* 16,07, *92 :* 16,12 ; résultat d'exploit. *91 :* 0,133, *92 :* 0,238. *Vente en kiosque (1990) :* 1 766 millions d'ex. [dont 11 pour 16 milliards de F (dont 11,33 en kiosque)]. Sa filiale, la *Sté d'Agence et de Diffusion,* assure la distribution dans les 20 plus grandes villes de France.

Principaux groupes de journaux

☞ Depuis 1951, la presse française a subi une forte *concentration.* [Causes : *Augmentation du prix de vente* qui conduit de 1951 à 62 les journaux départementaux (tirage de 2 000 à 100 000 ex.) à se regrouper ; *couplage publicitaire* (à partir de 1963) ; *financement de matériel moderne* (à partir de 1966) ; *réduction des recettes publicitaires* au profit de la Télé.]

Les 35 premiers groupes de presse. [Chiffre d'affaires (en millions de F, 1990) et, entre parenthèses, effectifs (1990)] : Hachette Presse 10 200 (7 900), Groupe Hersant 7 500 (10 000), Ouest-France 2 800 (3 400), CEP Communication 2 445 (2 100), Éd. mondiales 2 300, Prisma Presse 1 968, Ed. Amaury 1 892 (1 689), Bayard presse 1 628 (1 675), Publications Filipacchi 1 586, Groupe Express 1 400, Sud-Ouest 1 289 (2 309), Le Monde 1 273 (1 199), La Vie catholique 1 176 (1 188), La Voix du Nord 1 167 (2 112), Goupe Expansion 1 023, le Midi libre 847 (1 250), La Dépêche du Midi 835, Centre-France 824 (1 242), Télé Star 779, Marie-Claire album 723, L'Est républicain 701 (1 218), Nice-Matin 695, le Dauphiné libéré 645, la Nouvelle République du Centre 605 (1 379), Le Républicain lorrain 590, Les Échos 580, L'Alsace 552, International Herald Tribune 491, Libération 449, Le Point 362, Le Télégramme de Brest 340, Publications Condé Nast 337, VSD 278, L'Événement du jeudi 252, L'Humanité 224.

Liste

■ **Amaury (Éditions).** *Capital* (%) : Édition Phil. Amaury 67,4, Hachette 32,6. *PDG:* Philippe Amaury (6-3-40) dep. le 18-11-83. *Dir. gén.* : Jean-Pierre Courcol (18-3-44). *1975* grève. *1977-2-1* mort d'Émilien Amaury. *1978-14-5* mort de Claude Bellanger, dir. *1983* conflit entre enfants d'Émilien (Philippe et Francine), tranché. Francine garde Marie-France (vendu avr. 1988 à Bauer, voir p. 1209 c). *Quotidiens:* le Parisien. l'Équipe. *Hebdo. :* L'Équipe magazine. France Foot. *Hebdo. gratuits :* Super Maine, Inter Hebdo. *Mensuels:* Tennis de France, Vélo magazine. *Autres activités :* Service télématique (« PL », Le Point, L'Équipe), organisation d'épreuves sportives (Sté du Tour de Fr., Rallye-Raid Paris-Dakar). Régie publicitaire (Manchette). **CA** (millions de F, 1992) **:** 2 000 (résultat net 95). *Effectifs :* 1 600. En mars 92, a vendu à Hersant le Maine libre, Le Courrier de l'Ouest et Liberté dimanche.

■ **Alain Ayache (éd.).** **CA** (en millions de F, 1991) : 460. *Bénéfice après impôts :* 47. *Publications :* Le Meilleur (sam. : 180 000 ex.), Spéciale Dernière (sam. : 180 000 ex.), Réponse à tout (mens., f. 1990, 567 000 ex. dont 146 000 abonnés), Réponse à tout-Santé (f. 1991, 330 000 ex., 17 000 abonnés), la Lettre juridique (18 000 abonnés).

■ **Bayard-Presse** (avant 1969, Maison de la Bonne Presse, fondée 1873, propriété des Assomptionnistes). *Pt du Conseil de surveillance :* Claude Bourçois (1-12-1925). *Pt du Directoire :* Bernard Porte (7-3-1938). PRESSE : 70 titres. *Quot. :* la Croix-l'Événement (créée 1883, *déficit 1990 :* 9,5 millions de F. 1991 réduction de la pagination, changement de maquette). *Revues adultes :* Bonne Soirée, le Chasseur français, Pèlerin-magazine, les Pages de l'Événement, Enfants magazine. *Jeunes* (total 1 200 000 ex.) : Popi, Pomme d'Api, Pomme d'Api Soleil, les Belles Histoires, Astrapi, J'aime lire, Okapi, Je bouquine, I Love English, Phosphore, Youpi, Images Doc, Grain de Soleil, Babar, Today in English, Talents. *Senior :* Notre temps, les Jeux de notre temps, Vermeil. *Religieuses* (total 695 000 ex.) : la Foi aujourd'hui, la Documentation catholique, Catholic International, le Monde de la Bible, Signes d'aujourd'hui, Points de repère, Prions en église, Dimanche, Panorama, Écritures (co-éd.), Signes Musiques, Prions en église junior. *Hors Série :* Almanach de Pèlerin magazine, Guide de la retraite, Guide des études. *Étranger :* 33 titres. *Hong Kong :* Little Red Apple, Red Apple, White Antelope. *Espagne :* El Mundo de la Biblia, Leo Leo, Caracola, I Love English, Gente Ce. *Canada:* le Bel Age, J'aime lire, Pomme d'Api, Good Times. *Belgique :* Notre Temps, Onze Tijd, Pippo (licence), Babar (licence). *Italie :* Club 3. Il Mondo della Biblia (licence), Leggo Leggo (licence). *G.-B. :* Choice, Yours, Babar (licence). *P.-Bas :* Hoppla (lic.). *USA :* Lady Bug (lic.). *Finlande :* Leppis (lic.). *Pologne :* Bec (licence). *Suède :* Babar (licence). *Grèce :* I Love English (licence). *Part des ventes consolidées hors de France :* 247 millions de F. *Part dans le CA total :* 14 %. ÉDITION : Bayard Presse, Le Centurion et diffusion de livres : Sofedis. *International (Bayard Presse International).* Filiale créée 1990 avec, pour 34 %, 5 partenaires : Sté Générale 13,3, CIC 6,7, BFCE 6,7, Banque Worms 3,3, Sofinindex 3,3. ACTIVITÉS INDUSTRIELLES (Photogravure, Photocomposition, Impression, Expédition, Routage) : BMI, BRP, SCIA, B + R. INFORMATIQUES : BSI, Quantics. AUDIOVISUELLES : Alouette FM, Telcima, Maxximum, Canal J. VOYAGES : NDS. *Effectifs :* 1 699. **CA** (en millions de F). *1991 :* 1 762 dont presse jeunes 400, La Croix + rev. religieuses 237, Pèlerin Mag. 192, Senior 325, autres grand public 151, livres 102 ; *92 :* 1 954. *Bénéfice net 1991 :* 2,6 ; *92 :* 5,1. *Ressources pub. 1991 :* 121 (6,9 % du CA).

■ **Breteuil.** *Dir. :* Michel de Breteuil (6-12-1926). Journaux d'Afrique : Amina, Annuaire de la défense africaine, Afrique défense, African Defence Journal, Afrique médecine et santé.

■ **Capital Média.** *Pt :* Henri J. Nijdam. *CA* (1992) : 86 millions F. Il a créé Marketing Mix, racheté Stratégies en mai 1984 pour 26 millions F, en a fait le pivot d'un groupe de presse au CA de 100 MF (bénéfice 13 MF) et le revend en avr. 1990 à Reed International 181 MF. *Titres de Marketing Finance SA :* Stratégies (14 300 ex.), Création (14 000 ex.), Marketing Mix (11 000 ex.), Direct (5 500 ex.). Il fonde avec Nicolas Tassy en 1990 Capital Média : Capital Finance, le Journal de l'assurance, Publicita Italia, la Revue vinicole, Licence IV, la Revue du vin de France, l'Éperon, Yacht Club, le Trombinoscope (parlement et gouvernement, régions), le Nouvel Économiste.

■ **CEP Communication.** Groupe français de presse et d'édition, créé fin 1975. *PDG :* Christian Brégou (19-11-1941). *Presse économique et professionnelle :* France : env. 70 titres dont *l'Usine nouvelle* (5-12-1891 création de l'Usine, 1945 devient l'Usine nouvelle, 1975 contrôlé par CEP Comm., 1991 : 56 000 ex., dont 90 % d'abonnés, près de 550 000 lecteurs/semaine, *PDG :* Jacques Monier), Emballages Magazine, *le Moniteur* des travaux publics et du bâtiment, Industries et Techniques, *la France agricole,* Mesures, Caractère, l'Écho touristique, la Gazette des communes, 01 Informatique, l'Ordinateur individuel, Électronique international hebdo, *LSA* (Libre Service Actualités), Decision Micro, le Moniteur des villes. *Étranger :* env. 30 titres à travers des filiales locales dont G.-B. (Builder Group), Italie (Alfa Linea, Agepe, Bargionale), Espagne (Cetisa, Boixareu Editores). *Presse spécialisée dans le domaine de la maison :* Maison française, Maison individuelle. *Édition :* CEP Communication est associée à Alcatel Alsthom au sein d'une filiale 50/50 qui contrôle majoritairement le Groupe de la Cité (voir p. 345). *Organisation de 70 salons et congrès internationaux* dont : Quogem, Emballage, Graphitec, Manutention, TPG, Sircom, Laboratoire, Mecanelem, Medec, Merchandising, Machine Outil, Intermat, Pêche etc. **CEP Communication.** *CA* (en milliards de F, 1992 et, entre parenthèses 1991) : information 2,39 (2,49), presse 1,88 (2,09), salon 0,5 (0,4). *Résultat d'exploitation :* 0,23 (0,31) ; *net :* 0,16 (0,22). **Consolidés Groupe CEP.** *CA :* 5,78 (5,63). *Résultat d'exploitation :* 0,43 (0,51) ; *net :* 0,29 (0,35). **Net part du groupe :** 0,24 (0,3).

■ **Condé Nast.** *USA Pt :* S.I. Newhouse Jr. Vogue, House & Garden, Glamour, Mademoiselle, Bride's, Self, GQ, Vanity Fair, Gourmet, Condé Nast Traveler, Allure, Details. *Europe Pt :* Jonathan Newhouse. *Londres :* Vogue, House & Garden, Brides & Setting up Home, Tatler, The World of Interiors, Vanity Fair, GQ. *Paris :* Vogue, Vogue Hommes, Maison & Jardin, Glamour, Automobiles classiques. *Milan :* Vogue, l'Uomo Vogue, Casa Vogue, Vogue Bambini, Lei, Vogue Pelle, Auto-in. Antiques, Glamour. *Munich :* Vogue, Männer Vogue. *Madrid :* Vogue, Casa Vogue. *Australie :* Vogue, Vogue Living, Vogue Entertaining Guide. *Effectifs* (au 31-12-92) : 268. **CA France** (1992) : 312 millions de F dont 103 à l'étranger.

■ **Dauphiné libéré.** *Fondateur :* Louis Richerot (1898-1988). *Pt du Conseil de surveillance :* Xavier Ellie. *Pt du directoire :* Guy Lescœur. *Dir. gén. :* Charles Debbasch. *Dir. politique :* Jacqueline Line Reix-Richerot. *Quot. :* le Dauphiné libéré (Grenoble), Loire-Matin/la Dépêche (St-Étienne), Lyon-Matin (Lyon), le Quotidien Rhônes-Alpes, Vaucluse-Matin (Avignon). *Hebdos :* le Dauphiné libéré dimanche (Grenoble), Loire-Matin (St-Étienne), Lyon-Matin (Lyon), Vaucluse-Matin (Avignon).

■ **Échos (Les).** *Fondé* 1908, vendu 1988 par Jacqueline Beytout (qui a quitté la présidence le 20-1-1989) au groupe Pearson PLC (éditeur du Financial Times). *Dir. gén. :* Gilles Brochen. *Quot. :* les Échos, Panorama du médecin. *Hebdo. :* la Lettre des Échos, les Échos de l'exportation. *Mensuel :* Enjeux-les Échos. *Trim. :* les Échos Sup', Revue du praticien, Annales de l'internat. **CA** (en millions de F) : *1990 :* 580 ; *91 :* 538 (résultat d'exploitation : 55,6) ; *92 :* 532 (rés. d'expl. 36).

■ **Éditions mondiales.** *Fondateur :* Cino del Duca (1899-1967). Groupe cédé 1979 au groupe Cora que rejoignit fin 1982 le groupe Revillon. *Pt d'honneur :* Mme Simone Cino del Duca (18-7-1912, PDG de 1967 à 1980). *PDG 1981-87 :* Antoine de Clermont-Tonnerre (18-6-1941), *dep. 87 :* Francis Morel (16-7-1948) pour *Activité Presse* (filiale du groupe Cora-Révillon) : Télé-Poche, Nous Deux, Caméra Vidéo, Grands Reportages, Tilt, Diapason, Dépêche mode, France Golf, Golf européen, Joyce, les Veillées des chaumières, Auto +, Studio, Consoles +, PC Review. *Activité audiovisuelle :* RCV, Revcom Films, Revcom Télévision ; PDG : Leslie Grunberg. *Activité édition :*

Pays	Groupes étrangers	Groupes ou titres détenus ou en participation
Allemagne	**Bauer**	Bauer *(Maxi, Bravo Girl !)*
	Burda	Burda Moden : modèles de tricot
	Grüner + Jahr (75 % Bertelsmann)	Prisma Presse *(Géo, Ça m'intéresse, Prima, Femme actuelle, Télé Loisirs, Voici, Guide cuisine, Cuisine actuelle, Partance, Capital)*
	Handelsblatt	Ponex (holding du Groupe Expansion) : 13,01 %
	Springer	*Auto Plus* (50 % avec les Éditions mondiales)
	Ziff Davis	*PC Expert, PC Direct*
Espagne	**Prisa**	Ponex (holding du Groupe Expansion) : 5 %
États-Unis	**Dow Jones**	Ponex (holding du Groupe Expansion) : 16,35 %
	International Data Group (IDG)	*Info PC, le Monde informatique, Langages et systèmes, Golden, Computer direct, Distributique, Télécom et réseau international*
	New House	Condé-Nast *(Vogue, Vogue Hommes, Vogue Décoration, Maison et jardin, Glamour, Automobiles classiques, Classique Traveler)*
	Sélection du Reader's Digest	*Sélection du Reader's Digest*
G.-B.	**EMAP**	*Réponses photo. le Chasseur français* (49 % avec Bayard Presse), *Tilt, Consoles Plus, PC Review* (50 % avec les Éditions mondiales)
	Pearson	Les Échos *(les Échos, la Lettre de l'exportation, la Lettre des Échos, Enjeux les Échos)*
	Reed International	Stratégies *(Stratégies, Marketing Mix, le Journal des médias, Création)*
Italie	**Fabbri et De Agostini**	Encyclopédies par fascicules

Générique. Librairie Del Duca : 26, bd des Italiens, 75009 Paris. En févr. 1993 Revillon négocie la cession de 49 % des parts pour 1 milliard de F. **CA** (1992) : 2,1 milliards de F.

Nota. – Modes de Paris a été cédé au groupe Éditions du Hennin en 1984.

■ **L'Étudiant.** **CA** (1992) : 170 millions de F. Edite l'Étudiant (mens.), JD (mens., destiné aux jeunes diplômés bac + 4, 70 000 ex., lancé 15-1-92), des hors-séries.

■ **Excelsior-Publications.** *PDG :* Paul Dupuy. *Dir. gén. :* Jean-Pierre Beauvalet. *Hebdomadaire :* Option Finance. *Mensuels :* Science et Vie, l'Action automobile et touristique, S. Vie Micro (SVM), SVM Macintosh, Soft et Micro, S. Vie junior, 20 ans, Biba (cédé par l'Express le 1-1-93). *Bimestriel :* Casus Belli, les Cahiers de Science et Vie. *Trim. :* Sc. Vie High Tech., Voyage pratique. *Annuel :* Guide de camping et de caravaning. **CA** (1992) : 520 millions de F.

■ **Expansion (Groupe).** *PDG :* dep. 1974 Jean-Louis Servan-Schreiber (31-10-1937). *Répartition du capital* (31-12-1992) : Ponex 17,9 % (contrôlé par J.-L. Serv.-Schreib.) et Agé-Développement 25,6 % (contrôlé par Ponex), Eurofinac 12,1 %, Handelsblatt 10,4 %, Dow Jones 5,9 %, autres 21,8 %. *1967* lancement de l'Expansion. *1970* création de Management (mens., vendu 1972) et de la Lettre de l'Expansion (hebdo, confidentiel). *1972* achat de l'Architecture aujourd'hui (bimest.). *1974* parution de Lire [dir. de la rédact. : Pierre Assouline dep. 1-7-1993, (avant Bernard Pivot), 70 000 ex. en 1977, 80 000 en 1978]. *1976* Harvard-L'Expansion. *1978* F Magazine (féminin, 220 000 ex. en 1980). *1980 (9-1)* Paris-Hebdo (objectifs : 100 000 ex. dont 60 000 ab., 1 500 p. de pub., interruption le *26-3 :* 60 licenciés écon. dont 42 journalistes, coût : + de 15 millions de F.). *1982* cède Lire au groupe l'Express ; puis F Magazine à Filipacchi. *1985 mai* lance l'Entreprise (mens. destiné aux patrons de PME-PMI, 66 000 ex. dont 60 000 ab. en 1987) avec Ouest-France. *Années 80* de gros efforts de marketing direct (mailings, cadeaux, politique de renouvellement) permettent au taux d'abonnement de s'élever à 85 %, et de recueillir près de 2 800 pages de pub./an, mais la diffusion stagne. Le *2-3-1987,* rachat de + des 3/4 du groupe Berthez (créé 19-1-1984, la Vie française, l'Agefi, la Tribune de l'économie, devenue la Tribune de l'Expansion), de Geoffrey Staines Interéditions (spécialisées dep. 8 ans dans les livres écon. et fin., 150 titres, cédées à la Sté Masson en 1990) et de 45 % du capital du Journal des finances (hebdo) cédé en 1989 à la Sté européenne d'investissement et de communication. Devient alors le 1er groupe de presse écon. et fin. de Fr : son CA passe de 370 à 665 millions de F ; 10 publications, 448 000 ex. dont 400 000 ab. (37 % de la diff. du secteur, 43 % de sa pub. comm., 62 % de sa pub. fin.). *1991 (22-7)* l'Agefi apporté au holding Desfossés intern. et le groupe Expansion devient actionnaire à env. 15 % de Desfossés intern. **CA net consolidé** (1991) : 972 millions de F. **France :** *Presse écon. et fin. :* l'Expansion (bi-mens.), l'Entreprise (mens.), Harvard l'Expansion (trim.), la Lettre de l'Expansion (hebdo), la Vie française (hebdo), la Tribune (quot. cédé à Desfossés intern. le 15-7-92). *Autres titres :* Architecture d'aujourd'hui, Expansion voyages. *Services :* l'Institut de l'Expansion (formation), le Club de conjoncture (réunion mensuelle), le Centre de prévision de l'Expansion, les Forums (conférences), Télexpansion (créé 1988, télématique). *Marketing direct* (Vente par correspondance) : les Agendas, Time System, l'Annuaire du pouvoir, les Bus Mailing, l'Exemplaire. **Europe :** filiales dans 14 pays constituant, avec Handelsblatt en All., Eurexpansion (27 titres, dont 6 quot., 11 hebdos et 10 périodiques).

■ **Express (Groupe).** Filiale de la GO (elle-même filiale d'Alcatel Alsthom). La presse représente 1/4 des investissements de la GO. *Hebdos :* l'Express, l'Express intern., Télécâble, le Vif Express (Belg.), Spotkania (Pologne). *Mensuel :* Lire (créé 1975 par J.-L.S.S.). *PDG :* Françoise Sampermans (n. 10-7-47). *Dir. des rédactions :* Yann de l'Écotais. **CA** (HT en millions de F) : *1986 :* 761 ; *87 :* 865 ; *88 :* 1 000 ; *89 :* 1 120 ; *90 :* 1 259 ; *91 :* 1 120 ; *92 :* 1 000.

■ **Filipacchi (Groupe).** Né du succès de Salut les copains (créé 1963). *1992 :* acquisition de 34 % de *Hachette Filipacchi Presse. Dir. :* Daniel Filipacchi (12-1-1928), Franck Ténot (31-10-1925). *Capital* (%) de Hachette Filipacchi Presse : Matra Hachette 66, Publications Filipacchi 34 (dont Daniel Filipacchi, Franck Ténot 63, public 37). *Pér. :* Paris Match (f. 1949, racheté 1976 au groupe Prouvost), Pariscope (1966), Lui (1963), Newlook (1983), Penthouse (1985), Union (1972), Photo (1967), Écho des savanes (1982, racheté 1984), OK, Age tendre (1964), Podium Hit (1972, racheté 1982), Jazz magazine (1954, racheté 1958), 7 à Paris (1981, racheté 1986), Jeune et Jolie (1987), Sexologie (1987), Auto-Moto (1990), Interview (1992). *Autres activités :* radios libres (réseau Skyrock), télématique, édition, Film Office (distribue en exclusivité en Fr. les films Walt Disney). **CA consolidé** (1992, en millions de F) : 1 652 (*bénéfice net part du groupe :* 91,8). *1991 :* 670 dont ventes 873, revenus publ. nets 473, autres 320 (*perte :* 286,2). **CA** (1992, en milliards de F) : Publications Filipacchi 1,6 (résultat 0,09), Hachette Filipacchi Presse 9,1 (0,115) dont magazines en France 4,6 (42 titres dont Auto-Moto, Elle, Paris Match, Pariscope), à l'étranger 3,3 (67 titres dont aux USA : Elle, Woman's Day, Car & Driver, American Photo ; Esp. Teleprograma), presse quot. régionale 1,5 (le Provençal, l'Écho rép., les Dernières Nouvelles d'Alsace), industries 1,2 (Hélio Corbeil, Héliocolor, Brodard Graphique), régie 0,001 (Interdéco, Hachette Filipacchi Régions), diversification 0,654 (Film Office, Skyrock, Club Hachette Vidéo).

■ **Fleurus presse** (SARL). Contrôlé par le groupe La Vie/Télérama. *Créé* 1986, succède à l'UOCF (Union des œuvres cathol. de France), fondateur des Cœurs vaillants en 1929 : Gaston Courtois. *Pt* Michel Normand (12-7-1925). *Dir. gén. :* Gérard Quittard (26-2-46). *Hebdos :* Fripounet, Perlin. *Bimens. :* Triolo. *Mens. :* Abricot, Blaireau (en co-édition avec Gallimard), Coulicou, Je lis déjà, Hibou, Je lis des histoires vraies, Mon journal arc-en-ciel. Comprend aussi la Centrale Saint-Jacques. L'UOCF (Union des œuvres cathol. de France) a vendu au groupe Ampère (voir Média-Participations) ses parts dans les éditions Fleurus. **CA** (1992) : 70 millions de F.

■ **France-Libre (Éditions).** *Créé* 1947. *PDG :* Roger Alexandre (26-6-1930). *Quot. :* Paris-Turf (193 774 ex.). *Effectifs :* 100. **CA** *1992 :* 317 millions de F.

■ **Gerpresse.** *Créé* 1967 par Jacques Hersant (1941-92). *Titres :* la Revue nationale de la chasse, la Pêche et des poissons, Sport Auto.

■ **Gicquel.** *PDG :* Hervé Gicquel (24-10-58). *Hebdos :* la Lettre du comptant, Bulletin des étrangères et des mines.

■ **Hachette.** *Créé* 1826. Devenu le 4e dans le monde de la communication [derrière Time Warner, Bertelsmann, Capital Cities (ABC)]. A fusionné en sept. 1992 avec Matra. *PDG :* Jean-Luc Lagardère (10-2-28). *Vice-Pt :* Daniel Filipacchi (12-1-28). *Vice-PDG :* Yves Sabouret (15-4-36). Groupe international multimédias qui édite et distribue des livres, des journaux, des programmes de télévision, de cinéma, de micro-informatique. **Activités** (en %) : Distribution 34,6. Presse 35,2 dont 30 % à l'étranger. Édition 24,1. Audiovisuel et Affichage 6,1. **CA consolidé** (milliards de F) : *1983 :* 9, *84 :* 10,7, *85 :* 11,6, *86 :* 14,7, *87 :* 17,2, *88 :* 24,4 (*bénéfice net consolidé* 0,215), *89 :* 28,9 (*bénéf. net* 0,47) (dont plus-value de 2,02 milliards de F grâce à la vente de l'immeuble des NMPP), *90 :* 31,4 (dont international 51 %) dont distribution et services 11,1 (int. 80 %), livre 6,8 (int. 46 %), presse 10 (int. 27 %), audiovisuel 3,5 (dont Europe 1 Communication 2,1, La Cinq 1,4) (*bénéf. net* 0,49), *91 :* 30,4 (résultat net – 1,931 dont – 1,793 dus à la Cinq). *92* Matra-Hachette 55,1 (résultat net part du groupe 0,354). *Activités :* auto 5,56 (0,537), télécom et CAO 7,4 (0,101), essence 5,6 (0,097), défense 5,46 (0,274), transport 1,6 (– 0,209), presse 8,78 (0,184), livre 6,17 (0,008). **Endettement** (juin 91) : 10,9 milliards de F. **Effectifs** (1990) : 30 737 dont +de 50 % à l'International. **Capital** de la S[té] mère Hachette (en %) : Marlis 51,6, actions dans le public 48,4 [dont Montana Management 8,4 % (qui serait possédé par les Irakiens)]. Le holding Marlis est détenu par : M. Floirat 41,7, Multi-Médias-Beaujon (MMB) 11,3, Groupe Filipacchi 35, Crédit Lyon. 12.

Activités « livre » (voir p. 345). **Activités « presse » :** *Quotidiens :* associé à 25 % au groupe le Parisien-l'Équipe ; contrôle en province les Dernières Nouvelles d'Alsace (85 %) jusqu'au 30-7-93, le Provençal, l'Écho républicain, le Méridional, Var Matin. *Presse magazine : Édi 7 :* Télé 7 Jours, Elle, Elle Décoration, Journal du dimanche, France-Dimanche, Week-End, Parents, Vital, Télé 7 Jeux, Prévention santé, Actualité hippique. *DHP :* Journal de Mickey et Publications Walt Disney. *SEDPP :* Tennis magazine, Neptune Yachting, Vidéo 7, Première, Télé 7 Vidéo, Nantargus. Le 7-7-88, prend Ici Paris en location-gérance. SEFP : Onze Mondial. *Sté Écho républicain :* Écho républicain de Chartres. *Participation* dans Groupe Média, Groupe Parisien libéré (32,6 %). *A l'étranger,* contrôle directement ou en association 18 éditions mensuelles de Elle dont Elle-USA (900 000 ex.), Elle Grande-Bretagne, Elle Espagne, 12 éditions internationales de Elle Décoration, Teleprograma (Espagne 1 million d'ex.), Womans' Day (4,6 millions d'ex.), Supertélé. En 1988, Hachette a acheté avec Filipacchi 712 millions de $ de la Sté Diamandis Communication (devenue Hachette Magazine Inc.) qui publie 22 titres dont Woman's Day [titre qu'Hachette aurait voulu revendre (en 1990) 200 millions de $].

Hachette-Filipacchi : vend le Nouvel Économiste (*1990 :* perte 5 millions de F.). **International distribution presse :** 15 filiales en Europe et Amérique du Nord. 1er distributeur international du monde. **Distribution de presse :** 49 % des NMPP. **Vente au détail :** réseau de 900 points de vente sur les concessions SNCF, RATP, aéroports, multistore Hachette Opéra et 12 points de vente en « duty free » dans les aéroports du Mexique. **Activités industr. :** informatique éditoriale : IOTA, MIS Offset : Brodard et Taupin, Brodard Graphique, Athenian Printing (Grèce), Arts graphiques modernes. Hélio : Imprimerie Hélio-Corbeil, Helio Color (Espagne). Impression en continu : Formeurop-Lavauzelle, IMCO, Frontère-Dudognon. **Activités audiovisuelles :** *Hachette seul :* Hachette première : production cinématographique ; Télé-Hachette : production télévisuelle ; Channel 80 : production et prestations vidéo ; Vision 7 : presse-audiovisuel ; Hachette média câble : études et prestations pour les réseaux câblés ; Canal J (simple département de la société) : programme pour enfants destiné aux réseaux câblés. *En participation.* Astral-Hachette inc. (50 %) : coproductions au Canada ; Centre audiovisuel Monaco (Caudim, 50 %) : prestations et production vidéo ; Communication service (33 %) prestations câble et nouveaux médias ; Dupuis (25,5 %) : édition et audiovisuel ; Europe 1 (39,8 %, 50,3 % en voix) : multimédias (le 4-3-1986, la Sofirad a cédé à Hachette pour 500 millions de F sa participation ; 34,19 % du capital, 47 % des droits de vote qui, ajoutés aux 10,1 % d'actions d'Europe détenus par la Sté Sce Multi-Médias Beaujon donne à Hachette le contrôle) ; la Cinq [22 % du capital à Hachette 5 (80 % Hachette, 20 % Europe 1)] dont les pertes dépassent 3 milliards de F. (dont 1,12 en 1991), a déposé son bilan le 31-12-91, arrêtée 1992 (voir Index).

■ **Hersant.** *1950* Robert Hersant [31-1-1920, 8 enfants dont Jacques (1941-92, député apparenté RPR du P. de C., 1986-88), Michel, Philippe] fonde l'Auto-Journal. *1958-60* crée Centre-Presse à partir de petits journaux de l'ouest et du sud du Massif central puis reprend entièrement ou partiellement le Havre libre, la Liberté du Morbihan (Vannes), l'Éclair et Presse-Océan (Nantes), Nord-Éclair (Roubaix), Nord-Matin (Lille) et, *1972* Paris-Normandie. *1975* rachète le Figaro au groupe Prouvost. *1976* France-Soir au groupe Hachette (45 millions de F avec les imprimeries). *1978-juillet* l'Aurore à Marcel Fournier. *-28-11* inculpé d'infraction à l'ordonnance du 26-8-1944 (usage de prête-noms et direction de plus d'un quotidien). Cette poursuite n'aboutit pas. *1983* achète le Dauphiné libéré. *1985-déc.* Le Progrès de Lyon. *1986-janv.* l'Union de Reims. *1988* Jours de France. *1989* contrôlait env. 24,22 % du tirage des quotidiens. *-15-11* le tribunal de commerce de Montpellier condamne le % de prise de participation dans le Midi libre (un peu + de 30 % du capital, alors que les statuts du Midi libre interdisent à tout actionnaire de détenir + de 15 %). *1991-janv.* achète 24 % du capital de l'Est républicain ; *mars* le Bien public. *1992-janv. :* implantation dans pays de l'Est (48 % du capital de Mlada Fronta Dnes, quot. tchèque, 40 % du cap. des stés éditrices de 3 titres rég. de Moravie : quot. de Brno, 2 quot. d'Ostrava) ; *mars* achète au groupe Amaury 240 millions de F le Maine libre (CA : 129 M F), le Courrier de l'Ouest (CA : 177 M F), Liberté dimanche (CA : 20 M F) ; et à l'Est républicain rachète L'Ardennais (CA : 77 M F). Hersant contrôle 26,4 % de la diffusion des quotidiens français d'information [s'il contrôlait + de 30 % il encourrait de 2 mois à 1 an de prison et (ou) de 10 000 f à 200 000 F d'amende (lois des 1-8 et 27-11-1986)]. *PDG :* Robert Hersant. **Soc Presse.** Capital au 31-12-1989, en % : Hersant Robert 60, Rolande 15, enfants 9,3 ; publicité annonces (contrôlé par Hersant) 15,7. **CA** (1992) : env. 6,5 (perte 0,5 ?). *1993* juillet rachète (331,5 MF) 51 % des Dernières Nouvelles d'Alsace à Hachette Filipachi.

Périodiques : Figaro-Magazine. *Groupe du Progrès-Dauphiné* Dauphiné libéré-dimanche/Loire-Matin dimanche. Le Progrès dimanche. Jours de France. L'Ami des jardins. La Bonne Cuisine. Lyon Matin dimanche. Market. Points de vente. La Tribune de Montélimar. Vaucluse-Matin dimanche. L'Indépendant de Louhans et du Jura (trihebdo). Votre tricot, la Layette, Champion. *Autres :* l'Auto-Journal. Sport Auto. La Pêche et les poissons. La Revue nationale de la chasse. Bateaux. Le Pays d'Auge. L'Action républicaine. Le Courrier de l'Eure. La Renaissance-le Bessin. Le Journal d'Elbeuf. Les Nouvelles de Falaise. La Voix du bocage.

Quotidiens : Le Figaro-L'Aurore. France-Soir. *Groupe du Progrès-Dauphiné* Dauphiné libéré-Loire-Matin. Le Progrès et La Tribune. Lyon Matin. Les Dépêches (Dijon). Lyon-Figaro. L'Espoir. Vaucluse Matin. *Autres :* Nord éclair-Nord-Matin. Presse-Océan. Le Havre libre. L'Éclair (Nantes). Centre-Presse (Poitiers). La Liberté du Morbihan. Le Bien public (Dijon). Liberté dimanche (Rouen). L'Ardennais (Charleville-Mézières). Le Courrier de l'Ouest

(Angers). Le Maine libre (Le Mans). Les Nouvelles calédoniennes.

Diffusion payée des titres du groupe en province (en milliers d'ex., 1990) : Progrès 342, Dauphiné libéré 290, Paris Normandie 109, l'Union 107, Courrier de l'Ouest 106, Nord éclair 92, Presse Océan (1989) 84, Maine libre 55, Bien public (1989) 52, Nord-Matin 50, Courrier de Saône-et-Loire (1989) 47, les Dépêches 45, Lyon-Matin (1989) 39, Presse de la Manche 29, l'Ardennais 26, Havre libre (1989) 25, Centre Presse Poitiers (1989) 18, Havre Presse (1989) 17, Loire-Matin 16, Éclair (1989) 16, Éveil Haute-Loire (1989) 14, Lyon Figaro 13, Vaucluse Matin 11, Liberté Morbihan (1989) 9, le Journal de l'île de la Réunion.

Groupe France-Antilles : dirigé par Philippe Hersant : Paris-Normandie. L'Union de Reims. Le Havre Presse. France Antilles. CA (1992) : 0,75 MdF.

Nota. – Avec le Progrès (dont il a pris le contrôle en janv. 1986), R. Hersant possède également : une imprimerie, une agence de publicité (la Maison de la Petite annonce), une régie publicitaire interne (S2P), un centre serveur télématique (Médias Progrès) et une radio locale privée (Radio-Lyon).

☞ **Effectifs du groupe** (y compris Progrès) : 12 250 personnes. **Groupe Hersant** (en millions de F) : **CA** *1989 :* 6,8, *90 :* 7, *91 :* 6,9 ; *recettes publicitaires 89 :* 3,4, *90 :* 3,7, *91 :* 3,3, *92 :* env. 4 (dont 2 pertes pour le Crédit Lyonnais) ; frais financiers *89 :* 0,233 ; *90 :* 0,354, *91 :* 0,416 ; cash-flow *89 :* 0,18, *90 :* 0,095, *91 :* – 0,05.

Filiales ou participations (bénéfices ou pertes en 1987, en millions de F) : *le Dauphiné libéré* + 22, *Presse Océan* + 5,16, *Presse* et *Auto-Journal* + 6,59, *Nord Matin* + 1,08. Presse Alliance : *France-Soir* – 27,5, *Nord-Éclair* – 1,29. *Figaro :* 5 Stés se partageant salaires, impressions, gestion du titre, mais pas la publicité – 1,85. *Ensemble des Stés contrôlées* + 40. *La Cinq :* pertes supportées par Hersant pour sa quote-part – 760 (1988).

Le groupe comprend aussi des régies publicitaires, (souvent plus rentables), Stés liées à France Antilles (*Paris Normandie,* les journaux des DOM-TOM, du Havre et *l'Union de Reims*) dont les comptes ne sont pas publiés. Il détient en outre 10 % du *Midi libre, l'Indicateur Bertrand, Votre Tricot, Chevaux et Cavaliers, Carrières et Emplois, France-Amérique* (diffusé aux USA), 25 000 ex., etc. **Audiovisuel :** contrôle plus de 30 radios locales par l'intermédiaire de ses journaux ou de l'Agence française de communication. Prépare une chaîne de télé. européenne (TVE).

Participation en Belgique : contrôle, dep. fin 1984, 3 journaux belges : *le Rappel* (Charleroi), *l'Écho du Centre* (La Louvière) et *la Province* (Mons). Hersant détient 40 % du groupe Rossel qui édite *le Soir.* **En Espagne :** en avril 1989 a acheté 30 % de l'éditeur espagnol Grupo 16 (Diaro 16, Cambio 16).

Agence de presse (AGPI), Agence de pub. (Publi-Print), **Centre d'impr. offset** (Paris-Print) comprenant 79 groupes de rotatives et 7 sorties, capacité de tirage 1 250 000 journ./j, avec 8 centres de traitement par fac-similés (Toulouse, Caen, Marseille-Vitrolles, Nantes, Nancy, Lyon, Roubaix, Poitiers).

■ **Hennin (Éditions du). En règlement judiciaire.** *Femme d'aujourd'hui* et *Femme pratique* en location-gérance (Edifap). *Encyclopédies :* activités vendues à Diffusion C. de France (DCF). *Unide :* édite *Chez Nous.* Verniquet éditait *Dépêche Mode* jusqu'en 1986. *Dépêche Mode SA* a repris le titre.

■ **Liaisons.** GLE. *Créé* 1987. *Pt :* Patrice Aristide Blank. *Publications :* 40 titres, 523 000 ex. en 1987 (dont 65 % par abonnement). Liaisons sociales mensuel (fondé 1946), Bref social, Points de vente, Gap Sport, Tourhebdo, Cultivar, le Moniteur des pharmacies et des laboratoires, l'Officiel des transporteurs, Constructions neuves et anciennes, Écho de la presse hebdo, Sonovision hebdo et mensuel, Tour hebdo, Expo news. *Autres activités :* éditions de livres et organisation de salons prof. *A racheté en 1988* les éditions Chotard et Associés (filiale des éd. France-Empire créées 1969 par Yvon Chotard, PDG de France-Empire, vice-Pt du CNPF de 1972 à 86). **CA** (1990) : 520 millions de F (2e groupe de presse professionnelle après CEP).

■ **LVMH.** Possède 49 % du magazine Femme dirigé par Gonzague Saint-Bris.

■ **Marie-Claire.** *Dirigé* par Évelyne Berry (née 1939 Prouvost), petite-fille de Jean Prouvost (1885-1978). *Mens. :* Marie-Claire, M.-C. Maison, Cosmopolitan, M.-C. bis, Cuisine et Vins de France. M.-C. Japon, M.-C. Arabe, M.-C. Espagne, M.-C. Italie, M.-C. G.-B., M.-C. Turquie, M.-C. Grèce, M.-C. Portugal, Avantages. **CA** (1989) : 682 millions de F.

■ **Méaulle.** 15 hebdos payants (Hauts-de-S., Yvel., Eure, S.-Mar., Orne, Calvados), *tirage total :* 167 950 (Courrier des Hts-de-S., Yvelines, Mantes, Éveil normand, de Pont-Audemer, de Lisieux, Côte normande, Impartial des Andelys, Réveil de Neufchâtel, Bresle et Vimeu, Bulletin, Journal de l'Orne, Réveil normand, Orne Hebdo.). 13 éd. de « 8 Jours » hebdo gratuit (Yvelines, S.-St-Denis, Val d'Oise, S.-Maritime, Eure, Orne, Calvados), *tirage total :* 1 298 100. Mensuels de l'immobilier notarial, *tirage total :* 637 000. *Pt :* Bernard Méaulle (28-9-1941).

■ **Média-Participations** (ex-groupe Ampère, *créé* 1985 par Rémy Montagne (1917-91), ancien secr. d'État de R. Barre à l'Action sociale, beau-frère de François Michelin ; holding belge au capital de 453,6 millions de FB). *Pt :* Jacques G. Jonet. *Principales filiales :* Éd. Dargaud, Rustica SA, Éd. du Lombard, Fleurus-Tardy, Droguet-Ardant, Citel, Média-Films TV, DDD, Marquain Distribution, Groupe Mame, Edifa, Dourdan Diffusion, I. Média. *Marques :* Dargaud, Lombard, Fleurus, Desclée, Mame, Citel, Droguet & Ardant. *Presse :* Rustica, Détours en France, Tilt, La Lettre de Dargaud, Famille chrétienne, le Temps de l'Église, Bouton d'Or.

■ **Monde (Le).** Le Monde, Le Monde diplomatique, Le Monde des débats. **Groupe.** *CA : 1990 :* 1 272, *91 :* 1 137, *92 :* 1 100. *Résultat net consolidé : 91 :* – 31,6, *92 :* + 2,5. *Endettement net consolidé : 90 :* 150, 92 : 75. **SARL Le Monde :** *Résultat net : 91 :* – 9,2, *92 :* + 6. *Recettes publicitaires : 90 :* 725 (dont offres d'emploi 253), *91 :* 388, *92 :* 305 (dont offres d'emploi 85), *r. de diffusion : 92 :* au numéro : 549 ; *abonnement :* 176.

■ **Ouest France.** Détient 51,4 % de Prépart (Clinvest filiale du Crédit Lyonnais 48,6 %) qui contrôle 75 % de Spir-Communication (3e groupe de presse gratuite). **CA** (1991) : 1,4 milliard de F.

■ **Perdriel.** *PDG :* Claude Perdriel (25-10-1926). *Titres :* le Nouvel Observateur, Challenges, Sciences et Avenir. **CA** (1992) : 610 millions de F.

■ **Le Point.** *Édité* par Sebdo SA. *Contrôlé* au 31-12-1992 par Gaumont 51 % (dep. 1981, acheté 160 MF), Générale Occidentale (filiale d'Alcatel Alsthom) a racheté le 15-9-92 40 % (détenus par Ringier Suisse 20 %, Sud-Ouest 10 %, Éditions mondiales 10 %) pour env. 100 millions de F, Cadres et fondateurs 7,5, Midi libre 1,5. *Filiales :* Gault-Millau, Magazine et Guides. *Parution :* hebdo. *PDG :* Bernard Wouts (n. 22-3-1940) dep. 1990. *Dir. Rédaction :* Claude Imbert. **CA** *1991 :* 350 millions de F (bénéfice : 8 millions de F). *Effectifs :* 215.

■ **Presse Conseil.** *PDG :* Robert Monteux (16-9-1937). *Hebdos :* la Lettre recommandée, la Lettre privée, Express-Documents. *Mensuel :* le Revenu français. *Périodiques :* Guide fiscal français, Guide immobilier français. *Journées d'information :* Forum/Débats du Revenu français.

■ **Prisma Presse.** *Créé* nov. 1978. Filiale de Gruner + Jahr. *Pt :* Axel Ganz. *Dir. gén. :* Jean-Pierre Caffin. *Titres :* Géo (lancé mars 1979), Ça m'intéresse (l. mars 1981), Prima (l. oct. 1982), Femme actuelle (l. oct. 1984), Télé-Loisirs (l. mars 1986), Voici (l. nov. 1987), Guide cuisine, Cuisine actuelle (racheté déc. 1989), Capital (l. oct. 1991), Gala (le 28-1-1993). *Diffusion totale :* env. 230 millions d'ex./an. **CA et,** entre parenthèses, **résultat** (en millions de F) : *1990/91 :* 2 057 (159), *91/92 :* 2 330 (226). *Effectifs : 1992 :* 524 permanents.

■ **Quotidiens du Grand Centre.** « Comité stratégique de réflexion » créé 1991. 3 groupes de presse : **La République du Centre :** Loiret, Eure-et-L. *Diffusion :* 63 218 ex. **CA** (1991) : 118 millions de F. **La Nouvelle République du Centre-Ouest :** Cher, Inde, Indre-et-L., Loir-et-C., M.-et-L., D.-Sèvres et Vienne : 267 305 ex. **CA** (consolidé, 1991) : 614 millions de F. **La Montagne-Centre-France :** La Montagne, Le Berry républicain, Le Journal du Centre, le Populaire du Centre : Allier, Cantal, Cher, Corrèze, Creuse, Hte-Loire, Nièvre, P.-de-D. et Hte-Vienne : 373 029 ex. ; **CA** (consolidé, 1991) : 890 millions de F.

■ **Le Revenu français (Groupe).** *PDG :* Robert Monteux. *Dir. gén. :* Jean-Jacques Netter. 12 journaux dont *hebdos :* la Lettre recommandée, Air et Cosmos, l'Express documents 50e année, la Lettre Express ; *mens. :* le Revenu Aerospace World qui a fusionné avec Interavia Aerospace Review, racheté avril 1992 ; *bimestr. :* Aéronautique et Astronautique ; *annuels :* Guide fiscal, immobilier, SICAV, placements.

■ **Société générale de Presse.** *Fondateur :* Georges Bérard-Quélin (1917-90). *PDG :* Marianne Bérard-Quélin (5-10-1960). *Quot. :* Correspondance économique, Corr. de la Presse, Corr. de la Publicité, L'Index-Revue quotidienne de la presse française, Bulletin quotidien. *Hebdos :* Bilans hebdomadaires, Actualités économiques, Documents et Informations parlementaires, la Lettre financière, la Lettre de l'énergie, Électrique-Électronique, Mécanique, Transports, Lettre d'Allemagne, Textiles-Habillement, Hommes d'aujourd'hui et de demain, Europe Afrique-Service, Europe-Service. *80 services de documentation* (ab. annuels comprenant : volumes et mises à jour régulières, service de renseign. par tél., politique, économie, adm., presse et information publicité, CEE, etc.). *Agence fr. d'extraits de presse.*

■ **Télé-Star.** Filiale à 100 % de CLT Multi Media (voir p. 1232 a). *Hebdo. :* Télé Star. *Mens. :* Télé-Star jeux. *Pt :* Claude Darcey. *Filiale* Star-Presse : Top Santé (créé 1990).

■ **Telpresse (Groupe).** *Fondé* 1981 par René Tendron (8-3-1934). *Pt :* Jean-Paul Fourdinier qui a pris le contrôle le 5-1-93. Journal des finances, Épargner, Agence ACP. **CA** (millions de F, 1991) : env. 100 (perte : 40).

■ **Tesson.** *Pt :* Philippe Tesson (1-3-1928). *Quot. :* Le Quotidien de Paris (créé 1974), Quot. du médecin (créé 1971), Quot. du pharmacien (créé 1985). *Mag. :* Décision Santé (1991), le Pharmacien hôpital (1991), Région Santé (1993). **CA** (1992) : 300 millions de F. *Effectifs (1992) :* 290.

■ **Valmonde & Cie CFJ.** *Crée* 1955. Contrôlé dep. juill. 93 par Marc Ladreit de Lacharrière. *Pt du directoire :* François d'Orcival (11-2-1942) succède à Raymond Bourgine (1925-90). *Mens. :* Le Spectacle du monde (f. avr. 1962)/Réalités-Perspectives, le Bien commun. *Hebdo. :* Valeurs actuelles. [Finance, f. janv. 1958 par R. Bourgine. 1966 (6-10) devient Valeurs actuelles]. *Autres activités :* éditions, librairie ; filiale ind. : routage. **CA** (millions de F) *1990 :* 135,23 ; *91 :* 137,18 ; *92 :* 129,88. *Bénéfice* (réinvesti) *90 :* + 3,13 ; *91 :* + 3,5 ; *92 :* + 2,42. *Eff. :* 120.

■ **Ventillard.** *Pt :* J.-P. Ventillard (22-12-34). *Périodiques :* Audio-Vidéo magazine, Audio-Vidéo tech. Électronique pratique, Haut-Parleur, Hifi-Vidéo, Micro-Systèmes, Électronique Radio Plans, Sono, Système D, Almanach Vermot, le Hérisson.

■ **Vie catholique (publications de la).** *Pt du directoire :* Jacques Bayet (oct. 1938) dep. juin 1991. Stés éditoriales : Malesherbes-Publications. *PDG :* Jean-Claude Petit. *Hebdo :* la Vie [ex-la Vie catholique illustrée, née de la fusion de Sept (lancé 1934) par les Dominicains et La Vie catholique de Francisque Gay (f. 1924) animée par Georges Hourdin], Télérama. *Pér. :* Actualités religieuses dans le monde, Croissance le Monde en développement, Image du mois, Prier. *Sedimer : Gérant :* Jean-Pierre Renau. *Pér. :* Le Monde de la mer. *Publications historiques : PDG :* Philippe Boitel (7-9-34). *Mens. :* Notre Histoire, Ulysse. *SPER : PDG. :* Jacques Guespereau. *Mens. :* Famille Magazine, Danser. *Fleurus Presse* (voir p. 1202 b) : *Gérant :* Joël Cassard. *Autres activités :* Presse-Informatique, Édi-Informatique, Publicat, La Procure, Desclée de Brouwer, France-Routage. **CA** (1990) : 1,42 milliard de F.

Nota. – Plusieurs groupes se partagent parfois les participations d'un même journal.

☞ **Alcatel-Alsthom.** *Participations directes en % dans la presse et l'édition :* Groupe Express 100, CEP Communication 24,36, Groupe de la Cité 34.

PRESSE SPÉCIALISÉE

■ REVUES DE CINÉMA

Actua Ciné. 520 000 ex. *Créée* sept. 1979. *Dir. :* Bernard et Josiane Marié. **L'Avant-Scène cinéma.** 6 000 ex. *Créée* 1961 par Robert Chandeau. *Dir. et réd. en chef :* Jacques Leclère. **Les Cahiers du cinéma.** 60 000 ex. *Créée* avril 1951. *Dir. :* Serge Toubiana. *Réd. en chef :* Thierry Jousse. **Ciné jeunes** (Revue du Comité français du cinéma pour la jeunesse). 3 000 ex. *Créée* 1955. *Dir. :* Charles Dautricourt. **Ciné-News.** 80 000 ex. *Créée* 1986, mensuel édité par SPPE (Sté Presse Production Européenne). *Rédacteurs en chef :* Jean-Michel Dupont, Henri Gigoux. **Le Cinéphage.** 60 000 ex. *Créée* 1991 (bimestriel). *Dir. :* Gilles Boulenger. **L'Écran fantastique.** 50 000 ex. *Créée* 1969 (mens.). *Dir. :* Alain Sclockoff. **Filméchange.** 2 000 ex. *Créé* 1978 par René Thévenet. *Dir. :* Jacques Leclère. **Films et documents.** 1 000 ex. *Créée* 1940 par Marcel Cochin. *Dir. :* Henri Vey. **Impact.** 60 000 ex. *Créée* 1986 (bimestriel). *Dir. :* Jean-Pierre Putters. **Jeune Cinéma** (mensuel). 4 500 ex. *Créée* 1964 par Jean Delmas. *Dir. :* Andrée Tournès. **Mad Movies.** 80 000 ex. *Créée* 1972 (bimestriel). *Dir. :* Jean-Pierre Putters. **Le Mensuel du cinéma.** *Créée* 1992. *Dir. publication :* Mario Renucci. **Positif.** 15 000 ex. Revue mensuelle. 15 000 ex. *Créée* mai 1952 par Bernard Chardère. *Dir. de la publication :* Hubert Niogret, Paul Otchakovsky Laurens. **Première** (« Le magazine du cinéma ») 330 000 ex. *Créée* 1976. *Dir. publication :* Ghislain le Leu. *Dir. réd. :* Geneviève Leroy-Villeneuve. **Script.** *Créée* 1988. *Dir. :* René Thévenet. **Studio Magazine.** 97 000 ex. *Créée* 1987. *Dir. :* Marc Esposito et Jean-Pierre Lavoignat. *Réd. en chef :* Michel Rebichon.

■ Journaux d'entreprise

Source. Union des journaux et journalistes d'entreprise de France (UJJEF), 63, av. de La Bourdonnais, 75007 Paris. *Pt :* Philippe Denormandie. *Délégué général :* Marie-Annick Chabbert. **Statistiques.** 900 publications couvrant 850 entreprises et 15 000 000 de lecteurs par mois pour 5 000 000 d'ex. *Principaux journaux (tirage en milliers) :* Caisse nationale de retraite (Le fil des ans) 750, Groupe Mornay (Mornay magazine) 560, La Poste (Messages) 375, FNAC (Contact) 365, Mairie de Paris (Paris journal) 350, La Poste (Forum) 300, ministère de l'Économie et des Finances (Échanges) 200, France Télécom (Fréquences) 170, Gaz de France (Gaz de France informations) 160, Renault (Avec) 103, Conseil Général des Hauts-de-Seine (92 Express) 100, Assistance publique/Hôpitaux de Paris (AP/HP Magazine) 88, Rhône-Poulenc (Rhône-Poulenc le journal) 77, RATP (Entre les lignes) 70, BNP (Dialogue) 70, Citroën (Traction 2000) 55.

Publications gratuites

Quelques dates. 1963 : 1er hebdo. **1973 :** f. du SNPG. **1981 :** adhésion au Bureau de vérification de la publicité. **1982 :** f. du CDPG (organisme de constat de la distribution des périodiques gratuits). **1992 :** le CDPG devient la section « Presse Gratuite » de Diffusion Contrôle (ex. OJD).

Nombre de titres. 540. **Exemplaires diffusés.** 45 millions par semaine (par les boîtes aux lettres 90 %, mises en dépôt dans des commerces 10 %).

Grands réseaux nationaux ou pluri-régionaux. Comareg : (*créée* 1968, alliée à Havas, filiale d'Avenir Havas Média, *Pt :* Hervé Pinet). 160 hebdos, 13,8 millions d'ex./sem. **CA** (millions de F). *1988 :* 1 089, *90 :* 2 000, *91 :* 1 800. *Résultats 1988 :* 14,3, *89 :* 88, *90 :* 130, *91* (net courant) : 85. **Le Carillon** (appartenant à Ouest-France) 8,4 millions d'ex/sem. **Spir-Communication** [f. 1971, Aix-en-Prov. par Claude Léoni, racheté à 75 % : 999 millions de F en janv. 91 par Prépart (contrôlé à 51,4 % par Ouest-France)]. **CA** (1991) : 575 millions de F (résultat 115). **Réseaux régionaux ou pluri-départementaux** (une dizaine) 5,8 millions d'ex. par sem. : *Groupe S3G* (S[té] des gratuits de Guyenne et Gascogne, le plus important, appartient au groupe Sud-Ouest) 1,6 million d'ex./sem. ; *Promafair ; BIP ; El Plus ; Gessie Publicité ; GDM ; Image et communication ; Indépendant-Midi libre ; Inter-Régies* (filiale du Parisien) ; *Éditions de l'Échiquier.* **Gratuits indépendants hors réseaux.** Une quinzaine.

☞ 30 quotidiens régionaux ou départementaux sur 90 possèdent un organe de presse gratuite. Ils contrôlent 26,6 millions d'ex., soit 58,5 % du marché. **Petites annonces :** 350 000 par sem. **Recettes** (millions de F) : *1980 :* 0,7 ; *85 :* 2 100 ; *87 :* 3 000 (dont 450 pour le groupe Havas, Comareg et Spir) ; *88 :* 3 700 [représente 20 à 30 % de la pub. locale (25 F la ligne)] ; *91 :* 860 (21 % de la pub. locale).

■ Presse politique

■ **Périodiques de l'État.** *Nombre :* 2 500 dont min. de la Défense 38, services du 1er ministre 34, PTT 26, Éducation 25.

■ **Périodiques politiques** (assimilés fiscalement aux quotidiens). *1978, 28-4 :* Le Canard enchaîné, l'Express, France nouvelle, l'Humanité dimanche, Minute, Le Nouvel Observateur, Le Point, Réforme, Syndicalisme Hebdo CFDT, Témoignage chrétien, Tribune socialiste, Valeurs actuelles, La Vie ouvrière-CGT. *27-10 :* Le Nouvel Économiste, Charlie Hebdo, Jeune Afrique, la Sélection hebdomadaire du Monde. *1979, 26-4 :* Le Pèlerin, La Vie, Paris Match. *Publications non habilitées pour périodicité insuffisante :* Le Courrier du Parlement, Heures Claires, Afrique-Asie, l'Économiste du tiers monde ; *faute de consacrer en moyenne plus du tiers de leur surface rédactionnelle à l'actualité politique :* France catholique Ecclesia, Le Hérisson, La Terre, La Vie Française, VSD ; *parce qu'elle répond principalement aux préoccupations d'une catégorie particulière de lecteurs :* La Lettre de l'Expansion.

■ **Presse communiste. Évolution** *1944-45 :* + de 30 titres (avec J. sympathisants) dont 2 quot. à Paris et 17 en province (tirage global 2 100 000 ex.). *1951 :* 13 (960 000 ex.), *1958 :* 4 (200 000 ex.). *Jusqu'en 1953 :* le PC a disposé d'un 2e quotidien nat. (Ce soir : 478 000 ex. en 1947) ; le quotidien Libération (animé par Emmanuel d'Astier de La Vigerie) défendait des positions proches. *1993 :* renonce à ses 3 éditions régionales Rhône-Alpes, Midi-Pyrénées, Val-de-M. *1947 :* représentait 16 % de la presse nationale, *77 :* 2,5 %. **Situation :** *Quotidiens :* L'Humanité (organe central) 650 000, L'Écho du Centre (Limoges), La Liberté (Lille cesse 1992), La Marseillaise (Marseille) 140 000. *Hebdos nationaux :* Humanité Dimanche 108 000, Révolution 25 000, La Terre 160 000 ; *régional bilingue :* Humanité d'Alsace et de Lorraine. *Mensuels nationaux :* Les Cahiers du communisme, Économie et Politique, L'Avant-Garde (pour lycéens, jeunes salariés et chômeurs). *Trimestriel national :* Le Nouveau Clarté (pour étudiants), L'École et la Nation. *Divers :* env. 50 hebdos départementaux ; 300 j de villes (bimestriels et trimestriels) ; 150 j. d'entreprises dont 15 mensuels.

☞ Certains ont présenté le PCF comme le 1er magnat de la presse française en disant qu'il avait 500 titres, en comptant les publications d'organisations proches du PC, tels La Vie ouvrière (organe de la CGT), les journaux du SNES et de l'UNEF, ou encore Heures Claires (mensuel de l'Union des femmes françaises), les éditions Vaillant (dont publications pour enfants, notamment Pif-Gadget), les éditions Miroir-Sprint (Miroir du football, Miroir du cyclisme, Miroir du rugby et Mondial), Logement et Famille, Le Réveil des combattants. Cette assimilation est contestée par les animateurs de ces journaux.

■ Presse religieuse

■ **Catholique.** *CA :* 4 milliards de F (dont Bayard 1,7, Vie catholique 1,1, Média-Participations + de 1). *Titres :* 80. *Tirages* (en millions) : presse grand public 5, presse des mouvements catholiques 5,3, presse paroissiale 2,5, titres institutionnels 0,1. **Bayard Presse :** La Croix – L'Événement [1], le Pèlerin Magazine [2] ; Prions en église [4] ; Points de repère [4] ; Le Monde de la Bible [5], Signes d'aujourd'hui [5] ; Dimanche [4] ; Écritures [6] ; Signes Musiques [5] ; Catholic International [4] ; Prions en église junior [4] ; Documentation catholique [3] ; la Foi aujourd'hui ; Vermeil. **Publications de la Vie catholique :** Télérama [2] ; la Vie [2] ; Croissance des jeunes nations [4] ; Actualité religieuse dans le monde [4] ; Prier, mensuel. **Union des œuvres catholiques de France [UOCF]/Fleurus Presse :** Perlin [2] ; Fripounet [2] ; Triolo [3]. **Publications indépendantes :** Témoignage chrétien [2] ; la France catholique [2] ; l'Homme nouveau [3] ; Famille chrétienne [2] ; Cahiers pour croire aujourd'hui [3] ; Étincelles [4], Fêtes et saisons [4], Feu et lumière [4], Missi [4], Panorama [4], Peuples du monde [4], Points de repères, 7 n[os] par an ; Terres lointaines [4].

Nota. (1) quotidien. (2) hebdomadaire. (3) bimensuel. (4) mensuel. (5) bimestriel. (6) trimestriel.

■ **Juive. L'Arche :** *fondé* 1957, mensuel, env. 20 000 ex. (env. 12 000 ab.). **Information Juive :** *fondé* 1948 Alger, mensuel, 11 000 (env. 10 000 ab.). **La Presse Nouvelle (PN) :** Magazine progressiste juif, mens. (en français), bimens. (en yiddish). **Tribune Juive :** *fondé* 1968, hebdo. 15 000 (8 000). **Notre Parole :** (en yiddish, 4 fois/sem.). **Actualité juive :** *fondé* 1982, hebdo, 19 000 ex. **Passages :** *fondé* 1987, mensuel, 50 000 ex. **Les Nouveaux Cahiers :** trimestriel.

■ **Protestante. Le christianisme au XXe siècle,** hebdo. (6 000 ex.) ; **Réforme,** hebdo. (7 500 ex.).

■ Diffusion

☞ *Légende.* – En milliers en 1991 ou (1) en 1990.

Audiovisuel. Diapason 51, Le Haut-Parleur 46, Micro Systèmes 31, Première 265, Une semaine de Paris Pariscope 105, Télé magazine 410, Télé Poche 1 591, Télérama 557, Télé 7 Jours 2 980, Télé Star 1 978, Télé 7 vidéo 185, Télé de A à Z 1 722, Vidéo 7 143, Télé Loisirs 1 337.

Économiques et financiers. Investir 105, L'Expansion 152, La Vie française 95, Le Nouvel Économiste 94, Le Revenu français 204, Mieux vivre 181.

Féminins. Avantages 617, Biba 209 [1], Bonne Soirée 269, Cosmopolitan 279, Dépêche Mode 99, Elle 347, Femme actuelle 1 795, Intimité 210, Jardin des modes 19 [1], La Bonne Cuisine 101 [1], Madame Figaro 652, Marie-Claire 574, Marie-France 261, Maxi 913, Modes et travaux 868, Nous deux 486, Prima 1 175, Vingt Ans 109, Vital 166, Vogue 80, Voici 710, Votre beauté 98.

Informations générales (hebdo). Figaro magazine 656, France dimanche 623, Ici Paris 412, L'Événement du jeudi 216, L'Express 580, le Nouvel Observateur 415, Le Point 306, Paris Match 862, Pèlerin magazine 346, La Vie 249.

Jeunes. Astrapi 83, Best 61, Journal de Mickey 211, OK 161, Okapi 119, Phosphore 109, Podium 177, Pomme d'api 136, Rock and Folk 49 [1], Salut 149.

Maison et jardin. Journal de la maison 193, L'Ami des jardins et de la maison 183, Maison de Marie-Claire 187, Maison et jardin 97, Maison et travaux 243, Maison française 93, Maison individuelle 125, Mon jardin ma maison 204, Rustica 289, Système D 138, Votre maison 181.

Régionaux. L'Ami du peuple 45, Le Courrier cauchois 43, Le Courrier de la Mayenne 32, La Dépêche 23, L'Éclaireur du Gâtinais 25, Les Informations dieppoises 17, Liberté dimanche 45, La Manche libre 65, La Marne 28, Le Pays roannais 36, Le Républicain du Lot-et-Garonne 13, Le Semeur hebdo 13, Terre vivaroise 11, Toutes les nouvelles de Versailles 34.

Sociaux et familiaux. Bonheur 1 067, Enfants magazine 160, La Nouvelle Famille éducatrice 816, La Voix des parents 184 [1], Parents 317.

Sports et loisirs. Action automobile et touristique 278, Alpi rando 23, Auto moto 337, Bateaux 70 [1], Chasseur français 580, Connaissance de la chasse 36 [1], Échappement 117, France football 203, L'Auto-journal 258, La Pêche et les poissons 95 [1], La Voix des sports 74, Le Pêcheur de France 79, Moto revue 63 [1], Onze mondial 220, Revue nationale de la chasse 80 [1], Sport auto 102, Télé 7 jeux 457, Tennis de France 53, Tennis magazine 83, Tilt micro-loisirs 81.

Divers. Actuel 119, Ça m'intéresse 309, Géo 570, Historia 58, L'Histoire 58, L'Homme nouveau 28, La Recherche 89, La Vie du rail 226, Le Monde de l'éducation 74, Le Nouveau Détective 214, Lire 142, Lui 95, New Look 189, Notre temps 1 056, Photo 90, Point de vue images du monde 360, Prévention santé 120, Santé magazine 504, Science et vie 343, Science et vie micro 105, Sciences et avenir 185, Sélection du Reader's Digest 1 072.

■ Audience

☞ *Nombre de lecteurs* (en milliers) *ayant déclaré avoir lu ce titre au cours de la dernière période* (la semaine précédente pour les hebdomadaires, les 15 j précédents pour les bimensuels, le mois précédent pour les mensuels, les 2 mois précédents pour les bimestriels) *et,* entre parenthèses, *lecteurs réguliers,* ayant déclaré lire toutes les sem. un hebdo., tous les 15 j un bimensuel, tous les mois un mensuel et tous les 2 mois un bimestriel. (CESP, 1990/91).

Hebdomadaires. Auto hebdo 420 (283), Auto plus 1 526 (1 114), Bonne Soirée 874 (847), Elle 1 979 (978), L'Équipe du lundi 2 517 (1 968), L'Équipe magazine 1 632 (1 241), L'Événement du jeudi 1 496 (861), L'Express 2 462 (1 638), Femme actuelle 7 922 (6 470), Figaro magazine 2 870 (2 012), France agricole 1 195 (1 058), France dimanche 2 372 (1 645), France football 1 147 (900), Ici Paris 1 978 (1 325), Journal du dimanche 1 170 (930), Madame Figaro 2 267 (1 697), Madame Jours de France 730 (389), Maxi 3 796 (3 120), Nous deux 2 063 (1 763), Nouvel Économiste 473 (345), Nouvel Intimité 1 128 (978), Nouvel Observateur 2 261 (1 532), Officiel des spectacles 1 134 (452), OK magazine 1 005 (869), Pariscope 436 (198), Paris Match 4 063 (2 259), Pèlerin magazine 1 506 (1 376), Point de vue images du monde 842 (668), Le Point 1 590 (977), Rustica 1 086 (1 062), Télé 7 jours 10 193 (8 932), Télé 7 vidéo 881 (768), Télé K 7 1 258 (1 154), Télé loisirs 4 299 (3 801), Télé magazine 980 (816), Télé poche 6 443 (5 645), Télé star 5 706 (5 065), Télé Z 5 420 (4 592), Télérama 2 037 (1 751), La Vie du rail 743 (701), La Vie 1 178 (978), Voici 2 568 (2 095), VSD 2 107 (1 207).

Mensuels. Action automobile 2 216 (1 276), Actuel 1 513 (583), Ami des jardins 1 053 (661), Automobile magazine 1 574 (806), Auto moto 2 710 (1 803), Avantages 1 807 (1 248), Best 701 (375), Biba 1 208 (529), Ça m'intéresse 2 469 (1 511), Chasseur français 2 923 (2 165), Cosmopolitan 960 (449), Cuisine actuelle 1 313 (784), Échappement 1 146 (750), Écho des savanes 825 (337), Enfants magazine 1 456 (759), L'Étudiant 1 197 (541), Famille magazine 1 024 (774), Femme pratique 2 296 (1 166), Gault et Millau magazine 443 (252), Géo 4 522 (2 712), Glamour 368 (210), Grands Reportages 660 (296), Guide cuisine 877 (537), L'Histoire 553 (325), Historama 672 (365), Historia 1 076 (596), Jeune et Jolie 673 (405), Le Journal de la maison 756 (356), Lire 652 (451), Lui 856 (307), Maison bricolages 1 292 (590), Maison et jardin 1 332 (571), Maison française 539 (199), Marie-Claire 3 827 (1 827), Marie-Claire maison 1 330 (639), Marie-France 2 742 (1 266), Médecines douces 993 (427), Mieux vivre votre argent 555 (419), Modes et travaux 4 420 (2 967), Mon jardin ma maison 1 707 (872), Le Monde de l'éducation 1 327 (651), New Look 995 (411), Notre temps 3 684 (3 140), Onze mondial 1 633 (1 100), Parents 3 176 (1 939), La Pêche et les poissons 1 465 (1 001), Photo 962 (480), Photo magazine 726 (317), Podium hit 1 080 (737), Première 1 734 (930), Prévention santé 943 (593), Prima 4 904 (3 436), La Recherche 806 (431), Le Revenu français 658 (440), Revue nouvelle de la chasse 1 128 (697), Rock & Folk 697 (372), Santé magazine 3 592 (2 056), Science et vie 3 256 (1 832), Science et vie Économie 1 190 (626), Science et vie Micro 666

(347), Sciences et avenir 1 132 (711), Sélection 3 883 (3 224), Sport auto 997 (559), Studio magazine 759 (396), Système D 1 043 (692), Télé 7 jeux 2 947 (1 489), 30 millions d'amis 1 576 (935), Le Temps retrouvé 617 (514), Tennis de France 456 (297), Tennis magazine 746 (433), Terre sauvage 1 073 (640), Vidéo 7 1 475 (847), Vingt Ans 507 (290), Vital 1 007 (499), Viva la vie mutualiste 893 (852), Votre beauté 960 (550).

Bimensuels. L'Auto Journal 1 446 (756). L'Expansion 737 (448). Salut 745 (692). Vocable 648 (402). **Bimestriels.** Art et Décoration 3 604 (932). La Bonne Cuisine 1 322 (519). Maison individuelle 1 178 (267). Maison et Travaux 2 375 (676). Votre Maison 544 (152). **Option auto.** 711 (232).

Quotidiens

■ **Nombre de titres** (non compris les quot. spécialisés) et, entre parenthèses, **tirage global** (en milliers). **Paris : 1788 :** 2 (4). **1803 :** 11 (36). **12 :** 4 (35). **15 :** 8 (34). **25 :** 12 (59). **31-32 :** 17 (83). **46 :** 25 (145). **67 :** 21 (763, dont 560 de petits journaux non politiques à 5 centimes). **70 :** 36 (1 070). **80 :** 60 (2 000). **1914 :** 80 (5 500). **17 :** 48 (8 250, chiffre du 1-7, après le passage des journaux de 5 à 10 c., le tirage tomba à 6 100 en oct.). **24 :** 30 (4 400). **39 :** 31 (5 500). **46 :** 28 (5 950). **52 :** 14 (3 412). **71 :** 13 (4 278). **80 :** 12 (2 913). **90 :** 11 (2 741). **Province : 1788 :** 1 (0,5). **1812 :** 4 (3). **31-32 :** 32 (20). **50 :** 64 (60). **67 :** 57 (200). **70 :** 100 (350). **80 :** 190 (2 770). **1914 :** 242 (4 000). **39 :** 175 (5 500). **46 :** 175 (9 165). **52 :** 117 (6 188). **70 :** 81 (7 587). **80 :** 73 (7 535). **90 :** 62 (7 010).

■ **Audience** (en 1990/91 cumul de 5 vagues d'enquêtes réalisées en avril, sept., nov., 90 et janvier, février 91, en milliers). *Source :* CESP. **Quotidiens nationaux :** *nombre de lecteurs de la dernière période* (ayant déclaré avoir lu ce titre la veille de l'enquête) *et,* entre parenthèses, *lecteurs réguliers* (ayant déclaré lire tous les jours un quotidien) : Le Parisien 1 256 (1 518). Le Figaro 1 040 (1 351). Le Monde 1 113 (1 668). Libération 674 (951). L'Équipe 1 026 (1 368). France-Soir 623 (893). L'Humanité 305 (390). La Croix-L'Événement 190 (261). **Audience moyenne d'au moins un quotidien :** *nombre de lecteurs* (en milliers, 1988) *et,* entre parenthèses, *pénétration* (en %). France 22 270 (53,4, *89 :* 50,8, *87 :* 54,7, *86 :* 56,1), régional 18 366 (53,8, *87 :* 55,1, *86 :* 56,1), nat. 4 966 (12, *87 :* 12,3, *86 :* 12,7).

■ **Diffusion. Quotidiens les plus diffusés** (en 1991, en milliers d'ex.) : Ouest-France 794, Le Figaro 423, Le Parisien 388, Sud-Ouest 367. *En 1990 :* **Nationaux :** Le Figaro 424, Le Monde 386, Le Parisien 384, L'Équipe 301, France-Soir 257, Libération 182, Les Échos 110, La Croix 104, L'Humanité 84. **Régionaux :** Ouest-France (Rennes) 795, La Voix du Nord (Lille) 372, Sud-Ouest (Bordeaux) 370, Le Progrès (Lyon) 351, Dauphiné libéré (Grenoble) 296, Nouvelle République du Centre-Ouest (Tours) 267, Nice-Matin 253, La Montagne (Clermont-Ferrand) 247, L'Est républicain (Nancy) 246, La Dépêche du Midi (Toulouse) 233. **Suppléments régionaux :** Le Progrès dimanche 524, Dauphiné libéré dim. 394, L'Est républicain dim. 316, Sud-Ouest dim. 288, La Montagne dim. 279, La Dépêche magazine 253, Nice matin dim. 243, Midi libre dim. 231, Lundi matin républicain lorrain 169, Le Provençal dim. 164, Dernières Nouvelles du lundi 129, L'Alsace lundi 70, Le Méridional la France dim. 62, La Liberté de l'Est dim. 32.

Abonnés (%, 1991, *source :* OJD). La Croix 87,9, Les Échos 62,55 (1988), L'Humanité 39,38 (1988), La Tribune Desfossés 5, Le Monde 225,6, Le Quotidien de Paris (estim.) 18, Le Figaro 16, Le Parisien 8,88 (1988), Libération 3,91 (1988), L'Équipe 1,68 (1988).

Ventes à l'étranger (% ; 1991, *source* OJD). Le Parisien 0,25, France-Soir 4,40 (1990), Les Échos 1,58, L'Humanité 1,27, Libération 6,78, Le Figaro 3,76, La Tribune Desfossés 12, Le Monde 12,14, L'Équipe 3,31, La Croix 1,72.

■ **Pages. Nombre moyen de pages :** *1900 :* 4. *14 :* 10. *39 :* 12. *44 :* 2. *46 :* 4. *50 :* 8. *60 :* Paris 15,8 (province 14,5). *70 :* 18,7 (19,9). *80 :* 23,6 (25,1). *88 :* 36,3 (29,4).

■ **Prix de vente (le plus courant).** *Anciens F :* 0,15 (1875) ; 0,05 (1900) ; 0,07 (1914) ; 0,20 (1920) ; 0,25 (1925) ; 0,30 (1926) ; 0,40 (1937) ; 0,50 (1938) ; 0,75 (1-1-1941) ; 1 (1-5-1941) ; 2 (23-8-44) ; 1,5 (14-1-45) ; 2 (12-6-45) ; 4 (26-6-46) ; 5 (26-10-47) ; 6 (6-7-48) ; 7 (21-10-48) ; 8 (16-12-48) ; 10 (22-5-50) ; 12 (12-3-51) ; 15 (3-10-51) ; 20 (9-12-57) ; 25 (2-2-59). *Nouveaux F :* 0,30 (1-8-63) ; 0,40 (1-10-67) ; 0,50 (13-6-68) ; 0,70 (1-3-72) ; 0,80 (27-12-73) ; 0,90 (10-5-74) ; 1 (1-8-74, province) ; 1,20 (2-5-75, oct. 75) ; 1,30 (16-2-77 ou 1-3-77) ; 1,60 (4-78) ; 2,20 (3-80) ; 2,50 (7-80) ; 2,80 (3 à 5-81) ; 3 (7-81) ; 3,50 (1-82) ; 3,60 (1-83) ; 4 (1-84) ; 4,20 (1-85) ; 4,50 (5-86 au 4-90) ; 5,50 (sept. 91) ; 6 (Févr. 92) ; 7 (le Monde 2-7-92).

■ **Prix moyen. D'un quotidien parisien** (en francs de l'époque et, entre parenthèses, en F de 1988) : *1834 :* 0,25 (13,03). *1851 :* 0,10 (3,97). *1914 :* 0,05 (0,68). *38 :* 0,50 (1,02). *44 :* 2 (1,52). *47 :* 5 (1,10). *57 :* 20 (1,60). *63 :* 0,30 (1,70). *74 :* 1 (3,08). *79 :* 2 (3,86). *81-mai :* 2,80, *-juillet :* 3 (4,50). *86 :* 4,50 (4,77). *88 :* 4,50 (4,50). *90 :* 5 (5,35). **De l'abonnement annuel à un quotidien** (en heures de travail d'un manœuvre de province, d'après Jean Fourastié) : *1795 :* 600, *1834 :* 421, *1836 :* 205, *1851 :* 210, *1871 :* 164, *1889 :* 96, *1910 :* 73, *1921 :* 27,5, *1936 :* 20,1, *1939 :* 26,8, *1944 :* 35,6, *1950 :* 26,8, *1955 :* 25,3, *1962 :* 23, *1974 :* 29. Au « Figaro » pour un smicard. *1983 :* 52, *86 :* 61,4, *88 :* 66,4, *89 :* 59,7, *91 :* 64,2, *93 :* 67,2.

Principaux titres

☞ *Légende :* en italique le **tirage** (nombre d'exemplaires imprimés) ou, en caractères ordinaires, la **diffusion** (total des ventes nettes au numéro, des abonnements payants et des services gratuits permanents). En 1991 ou pour la période juillet 91/juin 92, sauf spécification contraire. Lorsque ces données ont été fournies par l'OJD (Office de justification du tirage), le titre est suivi d'un astérisque. f. : fondé. A : annuel. np : diffusion non payée. ab : abonnements. gr. : gratuit. BH : bihebdo. BM : bimensuel. BMT : bimestriel. H : hebdo. M : mensuel. Q : quotidien. SMT : semestriel. T : trimestriel. TH : trihebdo. *Source : Tarif Média,* Guide des supports publicitaires de France (4 numéros annuels), 61, av. Victor-Hugo, 75116 Paris, et journaux.

Quotidiens de Paris

Affiches parisiennes TH *10 200.*

Agefi (Agence économique et financière) *f.* 1911. *1988 : 7 000. 91* 5 700 payés (ab. 7 700 F/an).

Aurore (L') * 156 128 (79) ab. 18 280 np. 3 496. *1942 f.* par Robert Lazurick († 1968) et sa femme Francine († 1990), *1944* s'installe dans les anciens locaux de L'Œuvre à la Libération. *1948* (6-7) absorbe la France libre. *1951* Marcel Boussac († 1980) contrôle 74,3 % du capital, R. Lazurick reste gérant statutaire. *1978* (6-7) Boussac vend à Franpress le holding Aurore SA qui contrôle L'Aurore et Paris-Turf. *1984* (1-9) le groupe Hersant en devient officiellement propriétaire. *Dif. : 1960 :* 355 257. *65 :* 347 705. *70 :* 301 577. *77 :* 268 839. *78 :* 217 989. *81 :* 125 000. *82 :* 53 000. *83 :* 35 000. Édition du Figaro dep. 1985.

Bulletin quotidien *f.* 1973 par Georges Bérard-Quélin (1917-90), *92 : 3 600.*

Combat Socialiste a cessé de paraître le 10-7-81.

Correspondance (La). De la presse *f.* 1947 par Georges Bérard-Quélin (1917-90) *3 800.* **De la publicité** *3 000.* **Économique** *4 100.*

Cote Desfossés * *f.* 1825, *91 :* 26 851. A racheté la Tribune de l'Expansion en 1992 (voir à Tribune Desfossés).

Croix (La) * *f.* 16-6-1883, catholique. *1960 :* 88 917. *65 :* 114 296. *70 :* 132 927. *80 :* 118 817. *85 :* 109 807. *90 :* 103 625 (88 % d'ab.). *91 :* 102 476. *Déficit d'exploitation : 1990 :* 10 millions de F, *91 (prév.) :* 8.

Échos (Les) * *f.* 1908 par Robert Servan-Schreiber. *1959 :* 34 777. *67 :* 44 585. *75 :* 54 285. *81 :* 60 931. *86 :* 80 437. *90 :* 109 645. *91 :* 113 069. *92 :* 117 668 (np. 23 415).

Équipe (L') * *f.* 28-2-1946 par Jacques Goddet. *29-9-1948 :* 823 587 ex. vendus (Marcel Cerdan champion du monde). *1960 :* 197 508. *67 :* 227 352. *76 :* 211 854. *81 :* 240 142. *82 :* 223 234, *9-7 :* 801 357 ex. (France-All. du Mundial esp.). *86 :* 254 251. *87 :* 226 734 (août nouvelle maquette). *89 :* 268 613. *90 :* 300 940. *91 :* 311 791 [*2-12 :* 601 815 (vict. France en coupe Davis)]. *92 :* 320 015. *93-27-5 :* 983 000 (vict. OM sur Milan AC). **L'Équipe Magazine,** supplément hebdo, *f.* 1980. *88 :* 263 980. *89 :* 297 053. *90 :* 334 235. *91 :* 352 824.

Figaro (Le) * *1826-15-1* hebdo. de 4 p. F. par Maurice Alhoy (chansonnier) et Étienne Arago (romancier). *1827-16-6 :* quotidien. *1834 à 1854 :* parution irrégulière. *1854-2-4* Hippolyte de Villemessant (1812-79) reprend l'hebdo. *1866-16-11* devient Le Figaro quotidien (le plus ancien de Paris), 56 000 ex. *1922-1-3* François Coty prend des parts. *1929-25-3* redevient Le Figaro. *-1-4* fusionne avec Le Gaulois. *1934 juin* Mme Léon Cotnaréanu (ex. Mme Coty) principale actionnaire. *-7-6* redevient Le Figaro. *1942-10-11* suspendu par le secr. d'État à l'Information. *1944-23-8* reparaît. *1950* Mme Léon Cotnaréanu vend 50 % de ses actions au groupe Prouvost ; bail cédant à une Sté financière, direction et gestion du F. *1952* 1er concours. *1965* Jean Prouvost et Ferdinand Béghin rachètent les actions Cotnaréanu. Pierre Brisson meurt. *1975 juill.* Jean Prouvost vend à Robert Hersant 72 millions de F. *1977-6-6* Raymond Aron (dir. politique) le quitte et Jean d'Ormesson (dir. gén.) se retire en restant éditorialiste. *1987 :* 83 000 participants au concours. *9-9-1991 :* le prix passe de 5 F à 5,50 F. *3-2-1992 :* de 5,50 F à 6 F. En 1992, 40 000 lettres de lecteurs reçues (1 506 publiées). *Diffusion : 1886 :* 80 000. *1960 :* 390 943. *65 :* 412 294. *69 :* 434 077. *70 :* 429 714. *76 :* 347 379. *79 :* 311 926. *86 :* 443 006. *90 :* 423 993 (np. 20 777). ab : 69 548. *91 :* 422 602. *Recettes « petites annonces » (1991) :* baisse de 32 %.

France-Soir * *f.* 8-11-1944, suite du j. clandestin *Défense de la France. 1946* contrôlé par Hachette. *1972-21-4* mort de Pierre Lazareff. *1973* Philippe Bouvard réd. en chef. *1976-juin* vendu à Sté Presse-Alliance (Robert Hersant) et dirigé par Paul Winkler. *1987* Philippe Bouvard dir. gén. adjoint et dir. de la rédaction. *1989* Michel Schifres le remplace. *1992* (oct.) Bernard Morrot dir. de la rédaction. *Déficit* (1991) : 75 millions de F. *Diffusion : 1960 :* 1 115 783. *70 :* 868 927. *76 :* 530 276. *80 :* 433 432. *85 :* 397 933. *89 :* 264 550 (np. 9 809). *90 :* 228 976 (ou 257 079). *91 :* 245 660 (ou 217 466).

Humanité (L') * *f.* 1904 par Jean Jaurès. 1er n° *18-4* (capital 800 000 F fournis en grande partie par la Cie des Agents de change 300 000 F, et les Louis-Dreyfus 75 000 F). *1939-26-8* interdite ; clandestine jusqu'en 1944, communiste. Perte (MF) *1991* 30, *92* 15. *Tirage : 1920 :* 140 000. *30* 173 947. *35* 217 850. *36* (juin) 320 000. *37* (janv.) 400 000. *Diff. : 1946 :* 400 000. *60 :* 142 962. *65 :* 148 721. *67 :* 160 695. *72 :* 150 686. *75 :* 151 387. *79 :* 137 103. *80 :* 142 560. *81 :* 154 293. *82 :* 140 956. *83 :* 118 710. *84 :* 117 005. *86 :* 106 671. *88 :* 109 314. *89 :* 95 452 (92 640 payés). *90 :* 84 194 (74 798 payés). *91 :* 71 236 (68 174 payés). *92 :* 64 538 (env. 30 000 abonnés, 30 000 ventes en kiosque, 5 000 servis par portage).

Index quotidien de la presse française (dit le B.-Q.).

International Herald Tribune * *f.* 4-10-1887 ; suspendu 1940-44. *1985 :* 170 234. *86 :* 168 908. *87 :* 174 200. *90 :* 195 690 dont 41 177 en France (np. 37 496). *91 :* 191 718 dont 27 885 en France (np. 10 701). *92 :* 195 315 dont Europe 134 878, Afr., Moyen-Orient 5 918, Amériques 10 477, Asie, Pacifique 44 042. Propriété à 50/50 du New York Times et du Washington Post. 11 imprimeries dans le monde.

Jour (Le) *f.* par Jean-Christophe Nothias. 1er n° 25-3-1993. Au 15-6 : 10 000.

Journal de l'Avancée médicale *f.* 1989. 52 000.

Journal officiel 1er numéro 1-1-1869 repris depuis 1880 en régie directe par l'État ; édition des « lois et décrets » 60 000 ; Ass. nat. 10 000, Sénat 8 000/9 000. *Recettes des JO : prév. 1989 :* 501,8 millions de F (dont ventes au numéro 32,5, abonnements 46,1, annonces 410,5, travaux 20, bases de données 3,7).

Libération * *f.* 18-4-1973 (1er n° 22-5) ; arrêté 21-2-81, reparu le 13-5-81 (avec Serge July). *Diff. :* 1974 : 20 000. *75 :* 16 580. *80 :* 41 619. *81 :* 53 282. *82 :* 54 803. *83 :* 95 000. *84 :* 116 682. *85 :* 138 536. *86 :* 165 539. *87 :* 164 791. *88 :* 195 098. *89 :* 178 216. *90 :* 182 183. *91 :* 183 202. *92 :* 170 500 (payés). *Propriétaire :* SA Investissements Presse. *Capital* (%) : S[té] civile des personnels de Libé 54,61, BSN 9,43. **CA** (millions de F) *91 :* 429,2, *92 :* 406,2 ; *résultats nets : 87 :* – 28,5, *88 :* + 16,1 *89 :* + 16,8, *90 :* + 11, *91 :* + 12, *92 :* + 1,036.

Matin (Le) *f.* 1-3-1977 par Claude Perdriel. *1985 février :* racheté par Max Théret, cofondateur de la Fnac. *Avril : Max Gallo dir., départ de 38 journalistes. 1986 :* J.-F. Pertus, vice-Pt-dir. gén. de l'agence publicitaire DDBR, nommé Pt-dir. gén. apporte 27 millions de F. Déficit : 60 millions de F. *1987-6-5 :* dépôt de bilan. Vendu 50 000 F. *1977 :* 104 743. *80 :* 162 049. *81 :* 178 847. *82 :* 175 708. *83 :* 170 094. *84 :* 140 163. *85 :* 104 348. *86 :* 91 517 (np. 4 368).

Monde (Le) * *f.* 19-12-1944 (date du 1er numéro paru le 18-12). *Créé* par Hubert Beuve-Méry (1902-89), successeurs : *1969* Jacques Fauvet (n. 9-6-14), *1982* André Laurens (n. 7-12-34), *1985* André Fontaine (n. 30-3-21), *1991-11-2* Jacques Lesourne (n. 26-12-28). *Diffusion : 1946 :* 110 000. *58 :* 164 355. *60 :* 166 910. *65 :* 230 012. *72 :* 360 006. *76 :* 439 937. *79 :* 445 370. *80 :* 426 183. *81 :* 439 124. *82 :* 400 168. *83 :* 385 084. *84 :* 357 117. *85 :* 342 945. *86 :* 363 663. *87 :* 362 443. *88 :* 387 449. *89 :* 381 549. *90 :* 386 103. *91 :* 379 779 (368 970 payés). *92 :* 357 362. *Tirage moyen : 1991 :* 517 535. *92 :* 357 632 (96 067 ab.). *Records : 1981-11-5.* 1 058 226 (2e tour présidentielle), *15-6 :* 1 024 075 (1er t. législatives). *1988-10-5 :* 1 087 709 (2e t. présid.).

Panorama du médecin *68 000.* **Tiercé** *80 000.*

Parisien (Le) * *f.* 22-4-1944. *1960* se régionalise. *Mars 1975 au 16-8-1977* conflit avec ouvriers de l'imprimerie sur la modernisation. *1977-2-1 mort* *d'Émilien Amaury. 1985* 4 nouvelles éditions sur Paris et proche banlieue. *Diffusion: 1960:* 756 775. *65 :* 743 564. *74 :* 785 734. *76 :* 359 112. *82 :* 337 428. *85 :* 352 361. *89 :* 405 263 (np. 8 181). *90:* 383 957 (np. 7 882). *91:* 388 245. *92:* 395 323 payés.

Paris-Turf * *90 :* 129 886 (np. 710). *91 :* 125 668.

Pratique médicale quotidienne (La) 55 000.

Praxipharm (ex-Journal des pharmacies et des laboratoires) * *f.* 1985 : 24 522, *1989 :* 15 485.

Présent *f.* 5-1-1982 par Bernard Anthony, François Brigneau, Hugues Keraly, Pierre Durand et Jean Madiran. 5 j/sem. Catholique. Env. 50 000.

Quotidien du Médecin * **(Le)** *f.* 30-1-1971. *87:* 61 670. *88 :* 65 369, ab. 31 091. *90 :* 81 291 ab. 38 812. *91 :* 80 746, ab. 38 586.

Quotidien du Pharmacien (Le) *(bi-hebdo) f.* 1985. *1989 :* 21 000.

Quotidien de Paris (Le) *f.* 4-1-1974 par Philippe Tesson, suspendu du 28-6-78 au 29-11-79. *Diff. : 1975:* 25 000. *77:* 100 000. *78:* 15 000. *79:* 60 000. *80/81 :* 80 000. *82 :* 95 000. *83-84-85-86 :* 130 000. *87-88-89-90 :* 95 000. *91 :* 64 000. *92 :* 110 000. *CA* (millions de F) *1988 :* 75 ; *89 :* 46 ; *90 :* 25 ; *91 :* 42 ; *92 :* 33.

Sport (Le) *f.* 12-9-1987 : 45 000. Suspendu 29-6-88 (passif 70 millions de F). Vendu 100 000 F.

Temps de Paris (Le). *Pt :* Philippe Boegner (7-1-1910/17-10-91) *N° 1 :* 17-4-1956. *Déb. mai :* 130 000. *mi-juin :* 100 000. *3-7-1956 :* suspendu.

Tribune Desfossés (La) * *f.* 15-1-1985, *1984* Tribune de l'Économie remplace le Nouveau Journal *1985*-15-1 Tribune de l'Expansion. *1988-4-1* change de nom, racheté 51 000 F par le groupe Entreprendre le 31-12-88. *27-1-92 :* nouvelle formule. Racheté par la Cote Desfossés. *1985 :* 35 000. *87 :* 39 906. *88 :* 52 087. *89 :* 57 110 (np. 14 683). *90 :* 60 814 (np. 17 540). *92 :* 623 530 (np. 3 668), ab. 31 425. Sur Paris-surface, ex. vendus : *92 (2/24-1) :* 7 800. *(20-1) :* 8 400. *(27-1) :* 19 500. *(28-1) :* 13 900. *(17-2) :* 11 100. **CA :** 110 millions de F (pertes 30).

Week-end * *1963 :* 127 788. *91 :* 197 843 (np. 1 480).

☞ Le courrier de Paul Dehême, lettre quotidienne confidentielle parue du 6-12-1944 au 31-12-1991, créé par Paul de Meritens (n. 1906), appelé d'abord Lettre, interdit avril 1961, reparaît juill. 1962 (courrier).

QUOTIDIENS DE PROVINCE

☞ Quotidiens ou hebdomadaires (H), bihebdomadaires (BH), trihebdomadaires (TH).

Action républicaine (L') * 9 342 (1990) (np. 935).

Aisne nouvelle (L') * TH. 28 706.

Alsace (L') * (Mulhouse) a absorbé le 1-1-1966 Le Nouveau Rhin français. *1961 :* 93 040. *82 :* 128 010. *86 :* 124 130. *89 :* 125 244. *90 :* 125 812. **Du lundi** * H *1963 :* 67 963. *82 :* 72 407. *86 :* 68 832. *88 :* 71 377. *90 :* 69 990. *91 :* 70 685 (np. 5 589).

Ardennais (L') * (Charleville) en 92 fusionne avec l'Union. *1961 :* 28 291. *75 :* 31 096. *83 :* 29 470. *91 :* 27 200 (np. 939).

Berry républicain (Le) * (Bourges) *1961 :* 40 726. *1981*-29-12 : vendu au groupe Hersant, racheté par Centre France. *82 :* 41 170. *86 :* 36 958. *89 :* 37 823. *90 :* 37 547. *91 :* 37 615 (np. 1 359).

Bien public (Le) * (Dijon) *f.* 1850 par Eugène Jobard et le Bon Thénard. *1961 :* 36 654. *82 :* 51 456. *88 :* 57 387. *90 :* 52 262. *91 :* 51 482 (np. 1 757).

Centre Presse * (Poitiers) *1960 :* 89 622. *71 :* 124 264. *81 :* 77 108. *82 :* 12 908 (le 13-2-82 supprime 6 éditions). *85 :* 15 549. *88 :* 18 002. Juil. *89* à juin *90 :* 20 078. *90 :* 21 441 (np. 1 151).

Centre Presse Aveyron (Rodez) * *1986 :* 24 696. *87 :* 25 187. *90 :* 25 052. *91 :* 25 206 (np. 936).

Charente libre (Sud-G.) * (Angoulême) *1962 :* 28 240. *83 :* 39 246. *85 :* 39 068. *88 :* 48 433. *90 :* 40 221.

Charente-Maritime 1er n° 12-9-1992, succède à La France (Bordeaux) *1960 :* 100 305. *68 :* 38 468. *76 :* 16 621. *86 :* 9 283. *88 :* 7 142.

Courrier (Le). Cauchois * H *1982 :* 43 124. *85 :* 42 347. *90 :* 43 154. *91 :* 42 933 (np. 1 274). **Courrier Économie** H 4 800, ab. 3 500. **De l'Ouest** * (Angers) *1961 :* 90 589. *82 :* 113 103. *85 :* 106 795. *90 :* 109 041. *91 :* 107 464 (np. 3 048). **Picard-Picardie Matin** * (Amiens) *1960 :* 68 414. *75 :* 89 095. *79 :* 81 050 (avec C. de l'Oise). *84 :* 63 803. *85 :* 73 942. *87 :* 64 499. *89 :* 79 156. *90 :* 80 441.

Courrier de Saône-et-Loire (Le) * (Chalon-sur-Saône) *f.* 1920. *1960 :* 21 086. *82 :* 45 608. *84 :* 46 021. *86 :* 45 670. *89 :* 46 685. *90 :* 44 641. **Dimanche** 75 897.

Dauphiné libéré (Le) (Groupe Rhône-Alpes-Bourgogne) * (Grenoble) *1960 :* 329 809. *67 :* 406 003. *76 :* 332 794. *83 :* 380 955. *84 :* 361 226. *85 :* 365 965. *86 :* 359 489. *87 :* 339 020 (avec Loire-Matin). *88 :* 294 200. *89 :* 293 642. *90 :* 296 444. **Dimanche** *1987 :* 402 917 (avec Loire-Matin Dim.). *88 :* 372 438 (avec Vaucluse-Matin Dim.). *89 :* 379 905. *90 :* 393 831.

Dépêche (La) du Midi * (Toulouse) *f.* 1870. *1960 :* 248 699. *67 :* 289 491. *70 :* 274 210. *82 :* 253 451. *87 :* 245 565. *90 :* 233 385. *91 :* 228 249 (np. 9 630). **De Tahiti** *15 000.*

Dépêches (Les) (Dijon) *1989 :* 19 092. **Du Doubs** voir Est Républicain.

Dernières Nouvelles d'Alsace (Les) * (Strasbourg) *1961 :* 134 928. *82 :* 218 619. *83 :* 219 413. *84 :* 218 636. *86 :* 220 855. *89 :* 222 337 (np. 7 540). *90 :* 223 256. *91 :* 223 217 (np. 7 638).

Dernières Nouvelles du lundi (Les) * H *1960 :* 62 349. *82 :* 123 583. *90 :* 128 936. *91 :* 129 767 (np. 3 642).

Dordogne libre (La) * *1986 :* 3 561. *91 :* 4 796 (np. 403).

Écho (L'). Du Centre (Limoges) *58 068.* **De la Dordogne** 11 041. **Républicain** * *1961 :* 21 174. *89 :* 34 503. *91 :* 33 781 (np. 1 651).

Éclair (L') * (Nantes) a des pages communes avec Presse-Océan. *1983 :* 21 014. *88 :* 17 209. *90 :* 15 416. *91 :* 14 696 (np. 2 926).

Éclaireur brayon (L') * BH 4 146 (np. 363).

Éclair-Pyrénées * (Pau) *1988 :* 9 768. *89 :* 10 271. *90 :* 9 978. *91 :* 9 918.

Espoir (L') * (St-Étienne) contrôlé par Le Progrès de Lyon dep. *1963 :* 31 151. *83 :* 16 984. *84 :* 15 654. *85 :* 13 613. *86 :* 13 269. *87 :* 9 966.

Est (L'). Éclair * (Troyes) *1991 :* 31 484 (np. 1 283), ab. 17 460. **Républicain** * (Nancy) *f.* 1889. Robert Hersant (24 %). *1960 :* 218 657. *82 :* 255 116. *83 :* 311 870. *85 :* 256 628. *86 :* 248 594. *87 :* 251 236. *88 :* 248 347. *89 :* 245 719. *90 :* 246 282. **Dimanche** *90 :* 316 074.

Éveil de la Haute-Loire (L') * (Le Puy) *1987 :* 13 657. *89 :* 14 027. *90 :* 14 100. *91 :* 14 248 (np. 567).

France Antilles *50 000.*

Gazette provençale (La) BH (Avignon) 7 360 (ab. 2 980).

Haute-Marne libérée (La) * (Chaumont) *1967 :* 20 986. *83 :* 15 337. *91 :* 14 964 (np. 785).

Havre (Le). Libre * *1988 :* 25 064. *91 :* 24 612 (np. 1 827). **Presse** * *1988 :* 17 486. *91 :* 17 385 (np. 2 016).

Indépendant (L') * (Perpignan). *f.* 1846. *1963 :* 62 131. *83 :* 74 117. *88 :* 74 214. *90 :* 73 504. **Du Louhannais et du Jura** * TH 5 610 (np. 322).

Informateur corse (L') H (Bastia) *16 000.*

Informations dieppoises (Les) * BH 16 608 (np. 963).

Journal (Le) * (Lyon) 19 543. **Du Centre** * (Nevers) *1961 :* 39 270. *91 :* 36 316 (np. 905, ab. 15 956). **De la Corse** BH *3 600.* **De l'île de la Réunion** *1987-mars à août* 20 032. **Rhône-Alpes** * *f.* 1977 16 960. **De Toulouse.** *f.* 23-1-1988 (gratuit) *45 800.*

Journée vinicole (La) *16 500.*

Libération Champagne * (Troyes) *1988 :* 15 287. *90 :* 14 033. *91 :* 13 237 (np. 1 053).

Liberté (Lille) *f.* 1944. *122 986.* **Dimanche** *103 350.* **CA :** 20 millions F. **De l'Est (La)** * (Épinal). *1988 :* 32 261. *91 :* 31 866 (np. 1 890). **De l'Est dimanche** *. *91 :* 32 163 (np. 984). **Du Morbihan (La)** * (Lorient) 7 826 (np. 1 168).

Loire-Matin-La Dépêche (St-Étienne) * *1988 :* 18 275.

Lyon Figaro *f.* 1986 : 18 000.

Lyon Libération * *f.* sept. 1986. *91 :* 8 927 (np. 698), ab. 714, disparaît 19-12-1992.

Lyon Matin Dimanche (avant le 5-5-80, Dernière heure lyonnaise) H. *1988 :* 48 577. **Semaine.** *1988 :* 42 773. *89 :* 39 124. *90 :* 37 989.

Maine libre (Le) * *1960 :* 48 321. *83 :* 56 927. *84 :* 57 278. *91 :* 54 834 (np. 2 265).

Manche libre (La) * H *1964 :* 47 000. *82 :* 64 085. *84 :* 63 713. *89 :* 74 711. *91 :* 64 673 (np. 1832).

Marchés (Les) * *1989 :* 11 914, ab. 10 478.

Marseillaise (La) *1989 : 146 406.* **Du Berry** 11 880. **Du Languedoc** *61 536.* **« Var »** 24 725.

Méridional-La France (Le) * (Marseille) *f.* 1914 : 334 054. *1960 :* 83 397. *67 :* 108 813. *80 :* 57 196. *85 :* 72 737. *88 :* 67 539. *89 :* 70 795. *90 :* 68 785. *91 :* 64 664 (np. 4 165). **Dimanche** * H *1988 :* 58 366. *89 :* 62 743 *90 :* 61 962. *91 :* 56 822 (np. 2 306).

Midi libre * (Montpellier) *f.* 1944. *1960 :* 161 900. *83 :* 194 838. *85 :* 181 398. *86 :* 185 707. *87 :* 179 583. *88 :* 185 817. *89 :* 184 274. *90 :* 185 107. *91 :* 184 554 (np. 5 361). **Dimanche** * H *1991 :* 237 403 (np. 1 963).

Monde Rhône-Alpes (Le) 33 000.

Montagne (La) * (Clermont-Ferrand) *f.* 1919 (1er n° le 4-10) par Alexandre Varenne, dép. soc. *1960 :* 149 246. *67 :* 223 583. *75 :* 255 645. *82 :* 256 447. *89 :* 250 290. *90 :* 246 915. *91 :* 243 983 (np. 7 831). **Dimanche** * *1989 :* 265 663. *90 :* 278 517. *91 :* 286 820 (np. 2 129).

Montagne Noire (La). La Voix libre (Mazamet) 2 000. *3 000.*

Narodowiec polonais *créé* Berlin 1909, à Lens dep. 1924 ; a disparu le 17-7-1989 (*1988 :* 7 000).

Nice-Matin * *1960 :* 161 900. *82 :* 261 926. *83 :* 262 234. *84 :* 259 006. *85 :* 262 660. *89 :* 256 104. *90 :* 253 128. *91 :* 251 054 (np. 6 568).

Nord-Éclair * (Roubaix) *f.* 1944. *1963 :* 73 307. *70 :* 100 832. *82 :* 91 329. *85 :* 95 601. *86 :* 92 868. *88 :* 99 526. *91 :* 100 905 (np. 2 581).

Nord Littoral * (Calais) *f.* 1944. *1970 :* 17 500. *82 :* 10 888. *85 :* 8 943. *88 :* 7 136. *91 :* 7 303 (np. 224).

Nord-Matin * (Lille) *f.* 1944. *1975 :* 108 019. *82 :* 76 034. *83 :* 74 168. *86 :* 77 883. *89 :* 99 012.

Nouvel Alsacien (Le) * *f.* 1885. *1961 :* 32 722. *82 :* 21 851. *86 :* 13 906 (a cessé de paraître).

Nouvelle République du Centre-Ouest (La) * (Tours) *f.* 1944. *1961 :* 238 176. *82 :* 280 910. *84 :* 270 887. *85 :* 273 647. *90 :* 267 064. *91 :* 266 104 (np. 5 651). **Des Pyrénées (La)** * (Tarbes) *1990 :* 17 256. *91 :* 17 259 (np. 1 140).

Nouvelles calédoniennes *18 000.*

Ouest France * (Rennes) *f.* 7-8-1944 : 277 000. *61 :* 535 179. *70 :* 623 174. *82 :* 707 661. *85 :* 735 172. *90 :* 795 436. *91 :* 794 058 (np. 19 662).

Paris-Normandie * (Rouen) *f.* 1944. *1961 :* 137 044. *70 :* 160 533. *82 :* 134 848. *89 :* 117 501. *90 :* 114 313. *91 :* 112 126 (np. 5 521).

Petit Bastiais (Le) H *1 200.*

Petit Bleu du Lot-et-Garonne (Le) * f. 1914. (Agen) *1982 :* 12 217. *84 :* 12 408. *85 :* 12 745. *88 :* 12 658. *89 :* 12 827. *90 :* 12 927.

Populaire du Centre (Le) * (Limoges) *f.* 1905. *1988 :* 55 967. *89 :* 55 845. *91 :* 55 115 (np. 1 577).

Presse de la Manche (La) * *f.* 5-11-1889 Le Réveil cherbourgeois BH puis Cherbourg-Éclair, nom actuel 1953. (Cherbourg) *1991 :* 27 507.

Presse Océan * (Nantes) *1960 :* 73 327. *83 :* 83 775. *87 :* 80 586. *89 :* 84 186. *91 :* 81 971 (np. 4 121).

Progrès (Le) * (Lyon) *f.* 12-12-1859, vendu 1986 env. 300 millions de F à R. Hersant. *1961 :* 354 896. *67 :* 460 227. *80 :* 347 526. *82 :* 300 085. *83 :* 302 474. *84 :* 288 946. *85 :* 271 563. *86 :* 271 035. *87 :* (av. La Tribune) 282 020. *88 :* 362 396. *89 :* 354 784. *90 :* 351 108 (np. 8 939). **Dimanche** * H *90 :* 524 259.

Provençal (Le) * (Marseille) *f.* 23-8-1944. *1961 :* 193 534. *67 :* 307 950. *75 :* 181 977. *83 :* 158 439. *86 :* 174 321. *87 :* 172 745. *88 :* 162 389. *89 :* 158 910. *90 :* 158 947. *91 :* 156 912 (np. 9 256). **Dimanche** * H. *1988 :* 167 366. *91 :* 160 658 (np. 5 144). **Le Soir** * (Marseille) *1961 :* 44 146. *82 :* 20 158. *88 :* 13 994. *90 :* 15 052. *91 :* 14 785 (np. 1 4169).

Quotidien de la Réunion (Le) *1988 :* 24 298. *89 :* 28 667. *90 :* 29 509 (np. 762).

Républicain lorrain (Le) * (Metz) *f.* 1919. *1961 :* 166 898. *67 :* 225 795. *82 :* 202 037. *85 :* 201 488. *88 :* 194 178. *90 :* 192 853. *91 :* 168 906 (np. 8 156). **Lundi Matin** *90 :* 169 120. *91 :* 193 908 (np. 8 512).

République (La). Du Centre * (Orléans) *1961 :* 56 704. *75 :* 74 318. *85 :* 65 634. *89 :* 64 435. *90 :* 63 218. *91 :* 62 413 (np. 3 773). **Des Pyrénées** * (Pau) *1963 :* 18 758. *82 :* 28 300. *84 :* 27 972. *90 :* 29 253. *91 :* 29 442 (np. 802).

Sénonais libéré BH *5 000.*

Soleil du Sénégal *35 000.*

Sud-Ouest * (Bordeaux) *f.* 29-8-1944 (prend la suite de La Petite Gironde *f.* 1872). *1959 :* 301 756. *70 :* 374 768. *83 :* 365 147. *84 :* 356 989. *85 :* 364 426. *89 :* 375 636. *90 :* 369 982. *91 :* 367 219 (np. 15 334).

Télégramme (Le) * (Morlaix) *f.* 1944. *1961 :* 111 699. *82 :* 172 220. *85 :* 176 251. *89 :* 184 021 (ab. 18 126). *90 :* 186 414, ab. 17 068. *91 :* 186 287 (np. 6 969).

Temps de la Finance (Le) paru du 23-10-1989 au 27-2-90. *Dif. payante* 14 000 ; *gratuite* 85 000.

Tribune (La) * St-Étienne. Le Progrès l'a rachetée en 1963.

Union (L') * (Reims) en 1992 fusionne avec L'Ardennais. *1961 :* 139 201. *91 :* 110 935 (np. 3 482).

Var Matin-République * (Toulon) *1960 :* 34 925. *82 :* 82 186. *85 :* 83 384. *87 :* 86 389. *88 :* 85 089. *89 :* 81 858. *90 :* 78 635. *91 :* 76 199 (np. 2 858).

Vaucluse Matin * Édition du Dauphiné libéré 11 162. **Dimanche** 13 403.

Voix du Nord (La) * *f.* 1941. *1961 :* 336 614. *67 :* 399 539. *85 :* 374 171. *86 :* 377 219. *87 :* 380 956. *89 :* 372 172. *90 :* 372 175 (np. 25 024) ab. 15 362. *91 :* 371 158 (np. 23 928), ab. 15 677. Suppl. mens. « Chronique-Accents » dep. mai 1992.

Yonne républicaine (L') * (Auxerre). *1988 :* 41 025. *89 :* 31 968. *91 :* 40 386 (np. 1 003), ab 21 616.

PÉRIODIQUES

☞ BMT : bimestriel. M : mensuel. T : trimestriel.

A (Le) M 12 000 – *20 000.*

Abbeville libre H *6 000.*

ABC Décor BMT *1965 :* 47 746. *84 :* 50 000. *85 :* 38 000. *86 :* 32 000. *87 : 32 500,* 30 500. **Des voyageurs** M 12 000 – *20 000.*

Abeille (Épinal) H *12 000.* **De France et l'Apiculteur (L')** M 35 000, ab. 32 500.

Achats et Entreprise * M *1988 :* 2 383.

Action agricole. Picarde H *8 500.* **De Touraine** * H 5 716 (1990) (np. 2 535). **Du Tarn-et-Garonne** * BM 8 895 (1990).

Action (L'). Automobile et touristique * M *f.* 1934 *1960 :* 441 773. *85 :* 414 037. *89 :* 338 249, ab.

237 904. *90:* 306 259 (292 804 payés), ab. 216 568. *91 :* 278 345 (np. 7 833), ab. 199 255. **Nice-Côte d'Azur** M *1989 :* 15 000. **Poétique** T *2 500,* 2 000, ab. 1 300. **Sociale et Santé** BMT *70 000* à *150 000* (n^{os} spéciaux). **Vétérinaire** H *5 000.*
Action commerciale M *20 000,* ab. 14 530. **Française** H (*f.* 1908, interdite 1944, reparaît 10-6-1947 comme Aspects de la France, redevient l'Action Française en janv. 92) *30 000.*
Action guns M *35 000,* 22 000.
Actua Ciné * *f.* 1979 M 507 706 (np. 127 034).
Actualité (L'). Chimique BMT *3 500.* **Hippique Hebdo** H 6 000 – *8 000.* **Juridique – Droit administratif** * M 6 513. **Religieuse dans le monde** M *f.* 1950 *22 000.* 20 000, ab. 16 000.
Actualités économiques H *3 500.* **Pharmaceutiques (Les)** M *16 200.*
Actuel * M *f.* 1972 par J.-F. Bizot (paru 1970-75). *1979 :* 174 524. *81 :* 311 584. *82 :* 246 705. *83 :* 225 275. *84 :* 216 410. *85 :* 215 029. *86 :* 223 584. *87 :* 206 611. *88 :* 180 905. *89 :* 171 633. *90 :* 153 118. *91 :* 119 570 (np. 5 256).
Aéroports Magazine * M *1989 :* 7 622. *91 :* 7 838 (np. 5 792), ab. 1 021.
Affiches H *27 500.* **D'Alsace et de Lorraine (Les)** BH *12 000,* 10 500, ab. 9 500. **De Grenoble et du Dauphiné** * H 12 767 (np. 556).
Africa M *76 200.*
Afrique. Agriculture M *8 034.* **Magazine** M. 85 571 (1990). **Asie** * *f.* 1969, disparu 1987 BM 95 101. **Automobile** BMT 22 000. **Industrie** Dep. 30-9-1988, suppl. m. de Marchés Tropicaux.
Agriculteur (L'). De l'Aisne * H *1987 :* 7 637. **D'Anjou** * M 12 843. **De la Dordogne** * H 13 154. **De Loir-et-Cher** * BM 7 459 (np. 1 229). **Normand** * H 24 145 (np. 1 330). **Provençal** * H 8 289 (np. 3 705). **Du Sud-Est** * BM *1989 :* 83 600.
Agriculture * M *1986 :* 6 834, ab. 5 864. **Magazine** * M 59 552. **De la Nièvre** * H *7 600.* **Du Pas-de-Calais** * H 24 440. **Des Pyrénées-Orientales** H 13 000. **44** BM 20 500-*21 000.* **Et vie** T *5 000.* **Sarthoise** * H 11 131 (np. 1 026).
Agrisept * *f.* 1964, H *130 000,* issu du Foyer rural *f.* 1936.
Ain agricole * H 9 274 (np. 1 927).
Air Actualités M *36 000.* **Fan** * M 13 048 (1990).
Aix Hebdo H gr. 9 433. **Sept** H gr. 85 000.
Aladin M février à déc. *90 :* 16 316. *91 :* 21 785 (np. 100).
Allier magazine M 2 475.
Allobroges (Les) de la Drôme H *14 000.*
Allô Paris H 34 675. **Sambre** H gr 99 808.
Alma M. *f.* 1976 : 150 000 (?) arrêté après 8 numéros.
Alpi-rando * M 23 460 (np. 750).
Alsace automobile (L') * M *f.* 1927. *55 000.*
Alternatives économiques * M 45 775 (np. 380).
Al Watan al-arabi * H (arabe) *1989 :* 53 712.
Amateur d'art Magazine M *20 000.*
Ami (L'). Des foyers chrétiens (Moselle) H *20 250.* **Des jardins et de la maison** * M *1962 :* 72 100. *82 :* 138 923. *85 :* 166 265. *88 :* 150 214, ab. 74 235. 182 937 (np. 3 113) ab. 97 111. **Du peuple** * H *1960 :* 102 398. *90 :* 47 554.
Amina M *32 000.*
Ancien d'Algérie (L') * M 309 377 (np. 1 870).
Animaux mag. M *48 000,* ab. 35 000.
Anjou agricole * H *1989 :* 9 818. *91 :* 9 247 (np. 3 267). **Économique** BMT *12 000.*
Annales (Les) f. 1929 par Lucien Febvre et Marc Bloch. n.c. **De l'Institut Pasteur** (éditées en anglais dep. avril 1989).
Annonces (Les) H *10 000* ab. 500. **Du Bateau** M *f.* 1955. *30 000,* 15 000, ab. 1 000.
APAVE * T *1990 :* 12 270 (np. 916).
Après bac (L') M *1989 : 100 000. 91 : 50 000.*
Aquarama BMT *1986 :* 12 212.
Arboriculture fruitière (L') * M *1991 :* 5 264 (np. 314).
Arche (L') M *25 000.*
Archéologia M *82 000* 58 000 ab. 32 000.
Archi-Crié *1991* 12 350.
Architecture d'aujourd'hui (L') * BMT f. 1930. 23 731 (np. 2 654). **Intérieure-Créé** 6 n^{os}/an * *1990 :* 18 967 (np. 6 617), ab. 8 849.
Argus (L') H * 22 809 (np. 3 502), ab. 19 157. **De l'automobile et des locomotions (L')** H *190 000,* ab. 45 000. **De la miniature** M *10 000.* **Des collectivités (L')** M *12 000.* **Du fonds de commerce et de l'industrie** BMT *20 000.*
Armée et défense BMT 22 900 – *23 000.*
Armées d'aujourd'hui * M *1988 :* 118 014. *89 :* 119 310. Fév. *91* à janv. *92 :* 139 893 (np. 600).
Armes International M *48 000.*
Armor Magazine M *40 000* ab. 25 000.
Art et décoration * 8 n^{os}/an *1960 :* 37 181. Juil. *91* 350 991 (np. 1 346). **et Poésie** T *3 000.*
Artistes et Variétés-Revue de l'accordéoniste 8 n^{os}/an *20 000* ab. 12 000.
Arts et Manufactures * M *1990 :* 8 987 (np. 1 736). **Et Métiers** * M *1987 :* 18 707.
As * M 665 749. **As 36** (Châteauroux) H gr Oct. *90* à sept. *91 :* 54 430.

Aspects de la France (voir Action française).
Assiette au beurre. Paru de 1901 à 1936.
Astral M *100 000* ab. 20 000.
Astres M *100 000* ab. 20 000.
Atlas M *350 000.*
Atout (Reims) H *125 000.*
Aube Nouvelle H Montrouge *12 000 ;* Malakoff *15 000.*
Aude Informations H gr. 60 000.
Audio journal (L') T *12 000* ab. 11 000.
Aujourd'hui Madame H *f.* juin 1988 : 600 000. Cesse mars 89 (380 000). Perte 100 millions de F.
Aurore paysanne (L') BM 7 900.
Auto. Défense *f.* 1981 *100 000.* **Expertise** * BMT *1989 :* 11 095 (np. 712). **Hebdo** * H *f.* 1976 : 58 310. *91 :* 54 539 (np. 1 363), ab. 7 925. **Journal** * BM *f.* 1950. *1988 :* 280 807 ab. 98 300. *1989 :* 266 380 ab. 107 393. *91 :* 258 222 (np. 14 179), ab. 112 592. **Moto** * M 336 646 (np. 7 312). **Moto Rétro** * M *1991 :* 48 560 (np. 1 358), ab. 10 809. **Plus** H 362 073 (np. 4 679). **RCM** M *38 000.* **Stéréo** M *50 000.* **Verte** * M *1990 :* 54 792 (np. 14 422). **Volt** * M *1990 :* 6 170 (np. 2 453).
Automobile Magazine (L') * M *f.* 1945. *65 :* 161 406. *84 :* 207 181. *87 :* 202 542. *89 :* 204 023 ab. 52 279. *90 :* 192 905. *91 :* 189 910 (np. 5 010), ab. 45 917. **Et tourisme** T 6 200.
Automobiles classiques * BMT *f.* 1983, 25 316. *91 :* 25 374 (np. 598).
Automobilisme ardennais T *7 000,* ab. 5 000.
Automobiliste (L') T *f.* 1966. *1989 : 18 000* ab. 4 000. Parution suspendue.
Autre (L'). Journal M *f.* 1984 (avec Les Nouvelles littéraires). *1986 : 100 000. 88 : 150 000. 91 :* 80 000, *sept.* 25 000. *92* nouv. formule tirée 200 000 (mai). **Monde** T *50 000.*
Auvergnat de Paris (L') H *20 300,* 17 600 ab. 12 297.
Auvergne agricole * H 6 581 (np. 3 159). **Magazine** M 5 950.
Avantages M *f.* sept. 1988. *1991 :* 617 148 (np. 1 066).
Avant-garde M *145 000.* **Scène Théâtre.** BM *5 000.*
Avenir agricole de l'Ardèche H 6 018. **De la Côte d'Azur-Indépendant** H *7 000.* **De la Mayenne** * H 11 131 (np. 1 258). **Et viticole aquitain** BM 23 500. **Hebdo** H *30 000.* **Du Pas-de-Calais** * H 23 115. **Et santé** * M 14 875 (np. 1 777).
Aviasport-Aviation générale M *f.* 1954. 11 000, ab. 6 000.
Aviation 2 000 M 25 000. **International** * BM (fusionne avril 1992 avec Air et Cosmos) H 40 000, ab. 20 000.
Aviculteur (L') M *7 500.*
Azur et or SMT *8 000.*
Bancs d'essais du tourisme (Les) M *80 000.*
Banque * M *1989 :* 17 841. *91 :* 15 162 (np. 716), ab. 13 884.
Barème des coefficients M *25 000.*
Basket-ball 10 n^{os}/an 22 000, ab. 16 000.
Bateaux * M *1970 :* 43 162. *86 :* 74 081. *89 :* 70 107. *90 :* 70 123 (np. 3 559).
Bâtiment artisanal (Le) * M 81 813 (np. 2782).
Batirama M *1988 :* 7 653 (np. 3 412).
Beaux-Arts magazine * M *f.* 1982. 53 836 (np. 2 572), ab. 22 817.
Best * M 61 008 (np. 1 842).
Betteravier français (Le) M (de mai à sept.). BM (oct. à avr.) 45 000.
Biba * M *f.* 1980. *1989 :* 220 123 ab. 45 575. *91 :* 202 348.
Bien-être et Santé * 10 n^{os}/an 407 119 (np. 509).
Bijoutier (Le) * M *1990 :* 4 338 (np. 2 163).
Bilans hebdomadaires H *3 400.*
Biofutur M *9 000-*7 500 ab. 6 500.
Bip 41 Blois * H gr. 42 780.
Bois national (Le) H *25 000.*
Boisson Restauration Actualités M 60 000.
Boissons de France M *6 000.*
Bonheur * M 1 067 307 (np. 29 090). *1960 :* 475 082.
Bonjour 91. Évry H 360 000.
Bonne Cuisine (La) * BMT *1990 :* 100 601 (np. 8 629). **Soirée** H *f.* 1922 (Belg.) diffusée en Fr. dep. 1947, 268 827 (np. 1 530), ab. 100 305. **Soirées-Télé** * H *f.* 1922, *1960 :* 608 246. *89 :* 229 245. **Table et tourisme** BMT *75 000* ab. 74 500.
Bordeaux Madame H *f.* 1975. 25 000.
Boucherie française (La) M *20 000.*
Bouilleur de France (Le) T 7 000 ab. 6 000.
Boulangerie française (La) BM *4 500-*4 000 ab. 3 800.
Boulangerie Rhône-Alpes (La) M *3 000.*
Boulanger-Pâtissier (Le) M 12 500.
Bourbonnais Hebdo H *24 800.*
Boutiques de France * BM *1990 :* 13 058 (np. 7 774).
Bretagne à Paris (La) * H 9 500. **Économique** 10 n^{os}/an *15 000.*
Bricolage-service * M 4 839.
Bridgerama M *10 000* ab. 7 000.
Bridgeur (Le) M 25 000 ab. 23 800.
BTP Magazine 9 n^{os}/an *25 000.*
Bulletin. De l'Afrique noire H *5 000-5 000* ab. 4 900. **De l'Antiquaire et du Brocanteur** M *5 500.* **Des Métiers et de l'Artisanat (Le)** M *25 000* ab. 24 500.

Officiel d'annonces des Domaines BM *36 000* ab. 34 500. **Des semences** * T *1989 :* 12 532 (np. 8 449).
Business Digest *f.* 1992 M 50 000.
But BH *f.* 1969, *140 000.*
Cadres CFDT 5 n^{os}/an 27 000.
Cadres et dirigeants des PME BMT *60 000.*
Caducée (Le) M *13 000-*12 900 ab. 6 700.
Cafetier-restaurateur parisien (Le) M *5 000.*
Cahiers. De Bibliographie thérapeutique française * a cessé de paraître. **Du Crédit mutuel** * BMT *1989 :* 12 404. Fév. *91* à janv. *92 :* 10 560 (np. 538). **Du Cinéma** M *f.* 1951, *70 000* – 38 000. **Du communisme** M *f.* 1924, n.c. **De LADAPT** T *6 000.* **De la puéricultrice** T *6 500.* **Techniques du bâtiment** * M *1990 :* 12 550 (np. 1 437) ab. 11 038.
Camaraderie BMT *35 000* ab. 30 000.
Caméra international BMT *20 000.*
Caméra Vidéo * M *f.* 1991 : 48 093 (np. 764) ab. 15 256.
Ça m'intéresse * M *f.* 1981, *1991 :* 309 410 (np. 3 953) ab. 141 942.
Camions magazine * M 23 640.
Camping-car (Le) * 7 n^{os}/an *1990 :* 67 954 (np. 5 407).
Canal BMT *6 000.* **Canal 51** H gr. **Reims** 125 700. **Châlons** 55 800. **Épernay** 50 300.
Canard enchaîné (Le) feuille de tranchées, publiée au 74e régiment d'infanterie, véritable début 5-7-1916. H *1946 :* 536 436. *50 :* 145 650. *55 :* 120 915. *60 :* 282 014. *70 :* 450 000. *82 :* 441 729. *83 :* 412 608. *84 :* 387 000. *85 :* 350 000. *87 :* 395 622. *88 :* 423 100 *89 :* 374 199. *90 :* 376 287 [records *72 janv. :* 580 000 (feuille d'impôts de Chaban-Delmas), *sept. :* 750 000 (affaire Aranda), *79 oct. :* 850 000 (suicide de Boulin), 650 000 (diamants de Bokassa), *80 :* 900 000 (après tél. de Bokassa). *81 :* 2e t. de l'élection présid. 1 229 574 (record)]. CA 1990 (millions de F) : 141 (bénéfice 28,3). Le 3-4-1973 le dessinateur Escaro découvrit des « plombiers » posant des écoutes tél.
Canoë Kayak magazine BMT *35 000* ab. 6 000.
Capital M *f.* oct. 1991. 1er numéro : *+ de 200 000, 91 :* 205 000.
Caravanier (Le) * 7 n^{os}/an *1990 :* 76 845 (np. 6 411).
Caractère * BM (+ cahier techn. de l'Imprimerie Nouvelle dep. fin 86) *1990 :* 8 386 (np. 1 083).
Carillon 03 (Le) H 29 448 à 44 035. **18** H 55 000. **23** H 20 802. **33** H 215 646. **45** H gr. 100 900. **58** H 68 785. **87** H 80 249. **Tours** H gr. janv. à juin *1992 :* 99 900.
Carotte moderne T *20 000.*
Carrefour des métiers * 6 n^{os}/an *1989 :* 24 567.
Cartes postales et collections BMT *20 000-*11 000 ab. 9 000.
Casse-tête magazine BMT *27 300-*14 500 ab. 173.
CEC * T 36 622 (np. 7 345).
Centrale des particuliers H *1990 :* 81 453 (np. 215).
CFDT Magazine M 280 000.
Challenges * *1993* (janv.-mai) : 138 200.
Champigny notre ville M *32 000.*
Chantiers coopératifs * M *1989 :* 8 537 (np. 1 186). **De France** 10 n^{os}/an *15 000* ab. 13 500 (7 000 payés). **Du Cardinal** T *72 000.*
Charcuterie et Gastronomie M *20 000* ab. 16 500.
Charentais annonces H gr. Sept. *91* à août *92 :* 208 381.
Charlie Hebdo *f.* 1970 (ex-Hara Kiri *f.* 1968, disparu mai 1981, reparaît juillet 1992).
Charpente-Menuiserie-Parquets * M *1989 :* 6 097 (np. 2 365) ab. 3 732.
Chasseur français (Le) * M *f.* 1885 (1er numéro 15-6). Cédé à Manufrance puis, 1981, Bernard Arnault, Clément Venturi, Didot Bottin ; vendu à Bayard-Presse en juin 90 : 160 MF. *1930 :* 400 000. *1963 :* 778 281. *86 :* 556 646. *87 :* 562 043. *88 :* 578 689. *91 :* 580 405 (np. 2 486) ab. 440 260. CA (1989) : 106 millions de F (résultat net : 15 millions de F) ; dette : 40 millions de F. **De l'Est** T *37 000.* **D'images** * M 104 306 ab. 20 737.
Chaud-Froid-Plomberie * M 11 623 (np. 5 997) ab. 5 508.
Chausser * M Juil. *88* à juin *89 :* 5 094.
Chef (Le) * 9 n^{os}/an *f.* 1987. *1991 :* 12 423 (np. 7 310).
Cheminées Magazine T *50 000.*
Cheminot retraité * M 103 373 (np. 9 522).
Cheval Loisirs M *50 000.* **Magazine** * M *f.* 1971. *1986 :* 96 073. *89 :* 100 650 ab. 30 094. *90 :* 98 442 ab. 30 766. *91 :* 91 094 (np. 2 111) ab. 32 063.
Chèvre * **(La)** BMT *1989 :* 5 652 (np. 584).
Chirurgien-dentiste de France (Le) * H 21 407 (np. 3 374).
Choc du mois (Le). M. *45 000* – 25 000.
Chouan (La Roche-sur-Yon) H gr. *95 000.*
Christianisme au vingtième siècle (Le) H *f.* 1871 n.c., *6 000* (numéros spéciaux 35 000).
Chronique du transporteur M *13 000* ab. 11 000. **Républicaine** * H 15 408 (np. 1 288).
Cibles M *55 000.*
Ciel et Espace * M 40 668 (np. 350), ab. 16 140.
Cimaise BMT *15 000.*
Ciné-News M *100 000* – 70 000.
50 Millions de consommateurs M 325 000 (ab. 125 000).

Circuler BMT 12 000 ab. 8 000.
Clair Foyer * v. Famille magazine M *1960 :* 245 913. *88* (janv. à juin) : 300 837.
Classe (La) *f. sept. 1989. M 31 000.* **Maternelle** *f.* sept. 1991. M *32 000.*
Clefs d'or (Les) T 8 200.
Club maison T 11 276 (par abonnement).
CNPF-La revue des entreprises M *32 000.*
Cœur et santé T *10 000* (éd. méd.) BMT *30 000* (éd. pub.).
Cogito T *72 000* – 51 000, ab. 75.
Coiffure Beauté International * *1986 :* 52 827. **De Paris (La)** * M 41 997 (np. 9 104). **Et Styles** * M *1990 :* 10 671 (np. 2 093), ab. 8 445. **Modes** * BMT *1990 :* 15 721 (np. 250).
Collectionneur français (Le) M *25 000* ab. 8 000.
Collectivités * M *1991 :* 12 351 (np. 7 146).
Cols bleus * H 19 257 (np. 1 800), ab. 15 827.
Combat pour la paix 8 n^{os}/an *8 000* ab. 6 000.
Comédie-Française * T *1989 :* 5 209 (np. 1 091).
Commentaire *f.* 1978 par Raymond Aron T.
Commerce actuel M *1989 : 50 000.* **Et Industrie** M 100 000 – *100 000.* **Forain** BM *1989 : 25 000* ab. 20 000. **Commerces** M *34 500* – 33 500, ab. 29 750.
Communes de France * M 10 089.
Compact M *46 000* – 38 000 ab. 8 000.
Computer Design M déc. *1991 :* 100 211.
Concours médical * H *1989 :* 55 776. *91 :* 68 960 (np. 41 146).
Confidences * H *1971 :* 280 767. *86 :* 350 000.
Confiserie (La) * 8 n^{os}/an *1990 :* 1 690 (np. 584).
Connaissance. Des Arts * M 49 133 (np. 405), ab. 39 150. **De la chasse** * M *1990 :* 36 232 (np. 13 164). **De la pêche** * M 95 968. **Du Rail** M 10 000.
Conseils par des notaires BM *60 000.*
Consoles + M 75 000.
Constructions neuves et anciennes M 44 000.
Consultation (La) M *30 000.*
Contact M (franco-allemand) *6 000,* ab. 2 000.
Corrèze magazine M 4 225.
Cosmopolitan * M *f.* 1973. *1974 :* 159 752. *82 :* 282 277. *84 :* 294 060. *87 :* 300 304. *89 :* 298 492. *90 :* 293 222, *91 :* 279 486 (np. 1 184). **Hommes** SMT *f.* 1982. *1986 : 425 000.*
Cote. Des Arts M *12 000,* ab. 5 600.
Courir Magazine M *40 000.*
Courrier. Cauchois 42 933 (np. 1 274). **De l'Eure** * H 8 589 (np. 274). **De Mantes** * H 8 869 (np. 359), ab. 1 753. **De Paimbœuf** * H 14 132 (np. 507). **Du Loiret** * H 8 528 (np. 488). **Du meuble** * **(Le)** H *1990 :* 7 689 (np. 2 595). **Français** (Bordeaux) cathol. H *6 100.* **De la Mayenne** * H 32 469 (np. 950). **Des employés d'immeuble** M *22 000.* **Des Yvelines** * H 8 442 (np. 606). **Indépendant** * H 8 524 (np. 722). **International** lancé nov. 1990 H oct. *1991* à mars *92 :* 71 534 (np. 20 560). **Mutualiste** T 60 000. **Du Parlement** M *10 000*-8 000. **Savoyard** H *9 575.*
Courses. De Marseille et du Sud-Est (Les) H *1989 : 15 000.* **Et Élevage** 10 n^{os}/an *5 000.*
CRA infos BM *24 000.*
Crapouillot (Le) rédigé au front par Jean Galtier-Boissière (31e d'infanterie, † 1966), imprimé à Paris, paru en août 1915, racheté par J.-F. Devay (fondateur de Minute) puis par Jean Boizeau (†) + J. Claude Goudeau, Roland Gaucher. 6 n^{os}/an *100 000* – 70 000.
Création * BMT 10 209 (np. 3 262), ab. 5 695.
Créez ! M *80 000.*
Crémier fromager (Le) M *6 000.*
Creuse agricole et rurale H *5 000.*
Croissance des jeunes nations *f.* mai 1961 par Georges Hourdin. M *22 000* ab. payant.
Croix (La). Du Nord magazine * H (Lille) *1969 :* 30 084. *88 :* 13 053. *91 :* 11 152 (np. 1 682). **Du Midi** H (Toulouse Hte-Gar.) 26 000.
Cryptogrilles M *34 800* – 20 000, ab. 277.
Cuisine et vins de France M * 64 886 (np. 997), ab. 28 366.
Cuisiner (1992) M 250 000.
Cultivar * BM *1990 :* 78 477 (np. 28 175).
Cuniculture BMT *4 500* à *5 500* ab. 4 200.
Cycle (Le) M mars à déc. *1991 :* 31 121.
Cyclotourisme M *35 000.*
Danser M 17 000.
D'Architecture f. 1989. *1992* 22 315.
Débitant de tabac (Le) M *6 000.*
Décision Environnement M *f.* 1991. *30 000* – 18 000. **Micro** * H 26 452 (np. 8 860).
Décisions Médias M *f.* 1989 : *10 500* – 8 500.
Défense Nationale M *8 000* ab. 7 000. **Paysanne du Lot** * BM 8 331 (np. 4 732).
Défis * M juil. *91* à juin *92 :* 37 578 (np. 3 871).
Demeure historique (La) T *5 000,* ab. 4 500.
Demeures et châteaux 8 n^{os}/an *35 000* – 25 000.
Démocrate vernonnais H *9 000,* ab. 2 000.
DEP 93 H gr. 473 500 (4 éditions).
Départements et Communes * M 27 386 (np. 2 369), ab. 24 897.
Dépêche (La) * H (Évreux) *91 :* 22 976 (np. 2 267). **D'Auvergne** BH *5 500.* **De l'Aube** H *80 000.* **Commerciale et agricole** H *10 000.* **Meusienne** H *28 560.* **Mode** * *f.* 1972 M. 10 n^{os}/an 99 105 (np. 16 456). **De Provence** H *4 500.* **Vétérinaire** * H 5 871 (np. 3 210), ab. 2 661.
Diapason-Harmonie * M 51 131 (np. 1 547).
Différences M *f.* 1981, *15 000,* ab. 10 000.
Dimanche M *175 000* – 150 000.
Diogène T *2 000.*
Dix-Huit (Bourges) H *28 500.* **Millions de retraités** M. *38 000,* ab. 27 162.
Documentation. Catholique BM *25 000.* **Organique** H *14 200*-12 200. **Par l'image** M 90 000.
Documents et informations parlementaires H *2 000.*
Dossier Familial M *f.* 1973, 342 514 (np. 1 867), ab. 340 647.
Droit maritime français (Le) M *12 000.*
Dunkerque Expansion BM 105 500 (20 000 aux professionnels).
Dynasteurs M *f.* 1985 (devient Enjeux-les Échos 1992). **Dynastie** 60 000.
Échappement * M *f.* 1968. *1972 :* 61 163. *86 :* 165 078. *87 :* 150 693. *88 :* 141 555. *89 :* 131 432. *90 :* 125 701 (116 291 payés). *91 :* 116 784 (np. 1 186).
Écho (L'). De la presse H *f.* 1945, *6 500*-6 000. **De l'Armor et de l'Argoat** * H 11 672 (np. 465). **De la timbrologie** * M 24 258 (np. 746), ab. 14 583. **De l'Ouest** H *19 000.* **Des concierges** M *15 000.* **Des dépositaires et des libraires** M *7 300* – 6 636. **Des savanes** * M 109 670 (np. 2 335). **Touristique** H janv. à juin *1992 :* 10 147 (np. 3 756).
Échochim 10 n^{os}/an *1986 :* 10 894.
Éclaireur (L') * (du Vimeu) H Avr. à déc. *89 :* 7 459 (np. 740). **Des coiffeurs** * H *1991 :* 14 321 (np. 9 121), ab. 4 729. **Du Gâtinais et du Centre** * H 25 138 (np. 943).
École (L'). Libératrice * H *1989 :* 200 124. **Et la Nation** M *103 250*-90 000 ab. 78 000. **Des Parents** M *13 000* ab. 11 000.
Économie. Et comptabilité * T *1990 :* 4 893 (np. 998). **Et politique** M 15 000 à 20 000.
Economist (The) H (monde) janv. à juin *1992 :* 502 662.
Écrits de Paris M *f.* 1947, 20 000 ab. 5 000.
Éducation. Enfantine 9 n^{os}/an 100 000. **Musicale** 10 n^{os}/an *7 000* – 6 180 ab. 5 288. **Physique et Sportive** BMT *36 000*-26 000 ab. 24 340.
Égoïste A *f.* 1977 par Nicole Wisniak 35 000.
Électro-négoce M *7 000*-5 500, ab. 4 000.
Électronique. Pratique * M *f.* 1950, 49 822 (np. 621), ab. 16 985. **Radio plans** * M *f.* 1933, 25 546 (np. 308), ab. 9 574. **Techniques et industries** * M 6 500.
Élektor * M *1990 :* 37 476 (np. 192), ab. 9 241.
Éléments T *10 000.*
Élevage M 30 000.
Éleveur. De France a cessé de paraître. **De lapins** 5 n^{os}/an *4 600.*
Elle * H *f.* 21-11-1945. *1960 :* 653 303. *81 :* 393 973. *82 :* 436 670. *83 :* 410 909. *84 :* 395 007. *85 :* 383 121. *86 :* 369 581. *87 :* 360 056. *88 :* 380 617. *89 :* 374 454. *90 :* 360 977. *91 :* 347 041 (np. 18 405). (*86 :* éd. amér. 700 000, angl. 20 000, esp. 140 000).
Élu (L'). D'aujourd'hui M *1989 :* ab. 34 500. **Local** M *22 000* – ab. 21 000.
Emballage-Digest M 11 000.
Emballages magazine * M *1990 :* 10 182 (np. 5 063).
Encore H lancé 16-12-92.
Encyclopédie médico-chir. * BMT 56 409.
Énergie fluide * M *1989 :* 4 226.
Enfant (L'). D'abord M *1989 :* 100 000 ab. 19 500. **Du 1er âge** A 600 000.
Enfants magazine * M *f.* 1976. *1989 :* 167 429. *90 :* 159 188. *91 :* 160 480 (np. 3 999), ab. 26 937.
Enjeux-les Échos M *f.* 26-3-1992, *1992 :* 109 274 (np. 14 493) ab. 78 778 (succède à Dynasteurs).
Enseignement public (L') * M *1971 :* 497 548. *86 :* 418 100. *87 :* 404 236. *89 :* 374 101. *90 :* 350 635.
Ensemble M 15 000.
Entreprendre M *80 000*-65 000.
Entreprise voir Nouvel Économiste.
Entreprise (L') * M *f.* mai 1985. 72 202 (np. 5 113).
Éperon (L') M 35 000 ab. 10 000.
Équipe magazine (L') * H *f.* 2-2-1980. *1988 :* 263 980. *89 :* 297 053. *90 :* 330 412. *91 :* 352 824 (np. 1 709).
Ère nouvelle (L') T *12 000,* ab. 11 000.
Esprit M *f.* 1932 par Emmanuel Mounier, *10 000.* **De Vie-L'Ami du Clergé** H 18 000 ab. 10 000.
Essor (L') (St-Étienne) H *25 000.* **De la Gendarmerie nationale** M *40 000.* **Du Limousin** H *15 000,* ab. 12 000. **Savoyard (Hte-Savoie)** H 64 550.
Est agricole et viticole * H 16 925 (np. 1 715).
Estampille (L') M *60 000*-45 000 ab. 22 000.
Études M *f.* 1856. *15 000* ab. 12 916 au 1-7-92.
Étudiant (L') M *f.* 1975. 80 658 payés.
Eure (L'). Agricole * H 4 653 (np. 353). **Inter Annonces** H (Évreux) gr. *108 000.*
Europe M *f.* 1923 avec Romain Rolland. 6 000. **Échecs** M *32 000* ab. 7 000.
European (The) H *223 006.*
Éveil. De Lisieux * H 9 379 (np. 563), ab. 980. **De Nanterre** H *24 000.* **De Pont-Audemer** * H 11 536 (np. 332). **Normand** * H 13 803 (np. 566).
Événement du Jeudi (L') * *f.* 1984 par Jean-François Kahn avec le soutien de 19 000 petits actionnaires 1er n^{o} : 25 000. 3e : 160 000. *1987 :* 150 061. *88 :* 176 772. *89 :* 179 389. *90 :* 194 462 *91 :* 215 804 (np. 3 706) ab. 95 000. CA *1990-91 :* 288 millions de F (perte – 26). *91-92 :* 327.
Éventail France. 10 n^{os}/an. 15 000.
Évolution pharmaceutique (L') M *4 500.*
Expansion (L') * BM *f.* 1967. *1968 :* 86 392. *83 :* 169 342. *85 :* 168 733. *87 :* 192 058. *89 :* 180 341. *90 :* 161 725. *91 :* 151 867 (np. 8 413), ab. 120 935. *9-1-92* (changement de formule) : 5 927 vendus (sur Paris-surface). *6-2-92 :* 2 564 vendus sur Paris. **Voyages** T *f.* 1981. 160 000 ab. 136 000.
Expert-automobile (L') * M Janv. à mai *91 :* 14 991 (np. 100).
Exploitant (L'). Agricole de Saône-et-Loire * H 13 401 (np. 2 475). **Familial** M *56 000* ab. 51 230.
Explora magazine *f.* oct. 1988, disparu mai 89.
Express (L') *f.* 15-5-1953 (supplément hebdo. des Échos, appartient aux Servan-Schreiber) ; 1er n^{o} : 16-5 ; quot. de 1953 au 9-3-56 vendu 1977 à J. Goldsmith 60 millions de F, racheté 1987 par la CGE * sept. 92 créé un GIE avec Le Point. H *1959 :* 138 180. *72 :* 614 101. *82 :* 479 000. *83 :* 513 041. *84 :* 517 157. *85 :* 519 000. *87 :* 555 093. *89 :* 566 688 (dont 300 000 ab., 120 000 ventes au n^{o}, 161 000 hors de Fr.). *90 :* 576 497 dont France 418 826 (*91 :* 437 171). *91 :* 580 253 (np. 14 144). **International** H 65 982 (np. 2 755).
Faditt A *1990 : 114 837*-108 588.
Faire face * M 37 846 (np. 10 353).
Famili *lancé* 23-2-1993 M Tirage n° 1 : 365 000 ex.
Famille. Chrétienne H 65 000. **Du cheminot (La)** M *1989 : 20 000.* **Magazine** M *f.* 1988 (ex-Clair Foyer *f.* 1954). 241 728 (np. 46 446).
Fanauto-Auto passion M *80 000* – 52 000. **Fana de l'aviation (Le)** M *1989 :* 37 000.
Femme * BMT *f.* 1984 (succède à F. Magazine * M *f.* 1978. *81 :* 543 416. *82 :* 222 491). *88 :* 48 030. *89 :* 46 440. *90 :* 45 718. *91 :* 35 082 (np. 3 187). **Actuelle** * H *f.* 1984. *1987 :* 1 979 597. *89 :* 1 810 973. *91 :* 1 795 338 (np. 3 544), ab. 161 784. **Pratique** * M *1961 :* 274 419. *82 :* 237 531. *83 :* 215 083. *84 :* 201 151. *85 :* 168 172. *88 : 300 000. Sept. 88* à *févr. 89 :* 171 055 (np. 4 348). *1992* (févr.) : dépôt bilan, mars : racheté par Ed. Maredaj.
Femmes d'aujourd'hui * H *1968 :* 868 735. *82 :* 561 307. *84 :* 1 057 896. *85 :* 849 854. *87 :* 420 000. *88 :* 279 408. *89 :* 171 055 (*1989* CA : 100 millions de F, déficit 29 millions de F ; *avr. 90 :* dépôt de bilan).
Fer de lance * 6 n^{os}/an 21 011 (np. 500).
Figaro Magazine (Le) * H *f* 9-10-1978. *84 :* 640 757. *86 :* 688 668. *88 :* 665 094. *89 :* 649 613. *91 :* 655 984 (np. 12 181). *En 1988 :* publicité : 3 500 pages, recettes 485 millions de F.
Filière viande et pêche M *11 600.*
Film français (Le) H 15 250, ab. 5 338.
Films et Documents BMT *1 000.*
Flash 77 BM gr. *110 000*-109 700.
Fleurs de France * M 5 000.
FOEVEN T *10 000.*
Foi aujourd'hui (La) M *40 000,* ab. 35 000.
FO Magazine * M *1965 :* 263 283. *82 :* 668 637. *83 :* 605 667. *84 :* 724 570. *85 :* 672 102. *86 :* 664 694.
Football clubs M *170 000.*
Forêt privée (La) BMT *4 000.*
Forêts de France * 10 n^{os}/an *1989 :* 8 231 (np. 844).
Fortune-France M *f.* 1988. *89 :* 37 928 (cesse en 90).
Forum TP T 15 000. **De la poste** M *300 000* par ab.
Français du monde (Les) BMT *10 500* – 10 000, ab. 8 500.
France. Agricole * H *f.* 1947. *1960 :* 100 284. *91 :* 212 418 (np. 43 785). **Auto** M *35 000* – 45 000. **Aviation** T *75 000* ab. 57 545. **Carrières** M *1989 :* 40 000 ab. 38 500. **Catholique Ecclesia** *f.* 1925 H. *25 000.* **Cycliste** BM *1986 :* 35 000 ab. 25 000. **Dimanche** * H *1971 :* 1 062 268 – *1 401 396. 83 :* 682 602. *86 :* 721 001. *87 :* 706 338. *88 :* 665 372. *90 :* 646 185. *91 :* 623 530 (np. 3 668), ab. 31 425. **Élevage** M *1983 :* 35 000. **Football** * H *f.* 1947. *1959 :* 114 269. *90 :* 184 785. *91 :* 202 692 (np. 1 881), ab. 35 284. **Golf** M *f.* 1980. 18 124 (np. 4 132), n^{os} spéciaux *47 000.* **Horizon-Le Cri du rapatrié** M 10 000. **Horlogère (La)** * M *1990 :* 6 210 (np. 720). **Industries** M *12 000.* **Moto** M *40 000.* **Pays arabes** M *10 000.* **Pêche** M *8 000.* **Pharmacie Laboratoires** M 2 000. **Routes** * M 70 137 (np. 2 919). **Soir Est** H gr. 400 000. **Soir Paris** BM gr. 300 000. **Tabac** M *1989 :* 19 296 (np. 4 721). **Tennis de table** M *15 000.*
Franchise magazine M *f.* 1982. *40 000.*
Frères d'armes BMT *15 000.*
Frêt aérien international BMT *16 026.*
Full-Intimité-Nous Deux * H *1989 :* 1 139 747.
Futuribles M *5 000,* ab. 4 500.
GAB (Grandes Annonces Bisontines) Besançon H gr. 85 000.
Gala M (1993) 1er n^{o} (28-1-93) 400 000.

Gai-Pied H lancé 1-4-1979, baptisé par Michel Foucault, M puis H (nov. 1982), *1985* 27 000 vendus, *88* 10 000, *92* 6 000, dernier n° 30-10-92 : 28 000. **Galeries-Magazine** BMT *30 000* – 20 000, ab. 5 000. **GAP (Groupe Avant-Première)** * 11 n^os^/an *1987 :* 13 256. Parution suspendue. **Gault-Millau** * M *1986 :* 125 685. *87 :* 111 789. *89 :* 100 068. *90 :* 93 665. *91 :* 77 355 (np. 3 644). **Gazette. De la Manche** * *1989 :* 15 821. *90 :* 15 188 (np. 838). **De la Région du Nord** TH *15 250*-14 850, ab. 14 200. **De l'Hôtel Drouot** H *f.* 1891 *75 000* ab. 30 000. **Des armes et des uniformes** M *30 000*-20 000. **Des communes, des départements, des régions (La)** * H 20 079 (np. 380). **Du Palais (La)** TH *26 000.* **Du Parlement** *f.* par Félix Colin (n° spécial annuel : Le Trombinoscope 6 000 ex. vendus). **Du Val-d'Oise** * H *1990 : 9 128* (np. 2 224). **Hôtelière (La)** * M *1991 :* 3 062 (np. 334). **Médicale** H *45 000* – 44 600. **Gé-magazine – la Généalogie aujourd'hui** M *25 000.* **Généraliste (Le)** BH *Oct. 90 à sept. 91 :* 53 784. **Géo** * M *f.* 1979. *90 :* 583 825. *91 :* 569 645 (np. 5 383), ab. 333 731. **Géopolitique** T *f.* 1982. 25 000. **G-I Gay Infos** T *40 000* – 35 000. **Glacier français (Le)** M *6 000.* **Glamour** M *f.* 1988, 107 649 (np. 3 468). **Globe * Hebdo** *f.* 1985 M puis 10-2-1993 H. *1989 :* 50 301 (dévasté par attentat 31-7-88). Vente 1er n° 110 000, 2e 45 000. **Golf européen** M *f.* 1971. 31 146 (np. 5 356). **Magazine** M mars à août *1992 :* 81 858 (np. 68 139). **Grand Froid** M *12 000* – 10 300. **Grands Reportages** * M *f.* 1978. 148 021 (np. 12 862). **Greens** *f.* 1987 M *57 000.* **Greffier municipal (Le)** T *4 700* ab. 4 200. **Grenoble magazine catholique** BMT 35 000. **Guide (Le). De l'enfant** A *180 000.* **Cuisine** M *1988 :* 104 031. Juil. à déc. *91 :* 231 077 (np. 2 535). **Pratique de l'entrepreneur du bâtiment et des Trav. publ.** * BMT 56 569 (np. 5 287). **Guidor** A *9 000.* **Guitare et claviers** M *1988 :* 32 522. **Gyn obs.** *30 000* – BM 20 000. **Hara-Kiri.** Sous-titre : Journal bête et méchant. *f.* oct. 1960, disparu ; titre racheté 6-11-90 : 80 000 F par Bruno Larebière (Louftallah) pour le compte du Dr Daniel Cosculluela (sous-titre : Le Journal de l'Europe à feu et à sang). 6-1-1993 : fusion avec La Grosse Bertha, reparaît. **Hard-Rock magazine** M *110 000* – 75 000. **Harmonie** voir Diapason. **Harper's Bazaar** * M janv. à juin *89 :* 30 221. **Harvard-L'Expansion** T 8 000 (sur ab.). **Haut Anjou** * H 15 157. **Parleur** * M *f.* 1926. 45 780. **HD 14** (Caen) H *14 300.* **Hebdo-Tex de la Blanchisserie-Teinturerie** H *8 000,* ab. 4 200. **Cuir** * H *1991 :* 7 009 (np. 3 064). **Hebdo. Dijon** H 115 000. **Gironde** H gr. 280 000. **Saint-Étienne** H gr. *170 000.* **Hérisson-Marius-L'Épatant (Le)** H *f.* 1937. *120 000*–98 000. **Hifi vidéo** * M 22 273 (np. 1 073). **Histoire (L')** * M *91 :* 58 445 (np. 1 095), ab. 36 151. **Historama** * M (fusion 1984 avec Histoire Magazine) *1983 :* 69 405. *85 :* 132 000. *86 :* 66 435. *87 :* 65 190. *89 :* 59 146. *91 :* 53 514 (np. 297), ab. 35 246. **Historia** * M *f.* 1946. *1959 :* 290 248. *81 :* 131 054. *85 :* 104 097. *87 :* 87 025. *89 :* 72 830. *90 :* 60 062. *91 :* 57 817 (np. 678), ab. 34 546. **Historiens et Géographes** BMT 12 500, ab. 11 000. **Homéopathie française** BMT *3 500.* **Homme (L'). Du Bronze** H *22 000.* **De l'Yonne** H *2 800.* **Nouveau** * BM *1971 :* 20 930. *1986 :* 27 139. *88 :* 28 223. *89 :* 27 194. *90 :* 26 991. *91 :* 28 235 (np. 2 772), ab. 24 248. **N° 1** * M *1989 :* 690 498 (np. 69 876), ab. 262 443. **Hommes. Et Commerce** * BMT *1990 :* 9 482 (np. 890), ab. 8 592. **Volants** BMT 15 000. **Horizon 59** * H 39 650. **Horoscope** M *160 000. 1960 :* 102 250. **Horticulture française (L')** M 5 400. **Hospitalisation nouvelle** M *6 000.* **Privée** M *5 000.* **Hôtelier (L')** M *6 000* ab. 5 500. **Hôtellerie (L')** * H 60 305 (np. 7 454). **Humanisme** *f.* 1976, Grand Orient de France. **Humanité (L'). D'Alsace et de Lorraine** H *30 000.* **Dimanche** H *1960 :* 460 141. *68 :* 415 557. *92 :* 108 000 (21 000 ab., 5 000 en kiosque, 82 000 diffusion par militants). **Icare** * T *1989 :* 7 020 (np. 322), ab. 3 641. **Ici Paris** * H *1960 :* 705 718 – *816 347. 91 :* 412 307 (np. 2 097), ab. 7 269. **Idiot International (L')** H *f.* 1969 par Jean-Edern Hallier avec J.-P. Sartre et Simone de Beauvoir ; relancé 1984, mars 89, nov. 90, arrêté 30-5-91, dep. reprises épisodiques. 50 000. **Ile-de-France cycliste** H 15 000. **Immunologie médicale** BM *30 000.* **Impact** (Longwy) H gr. 38 050. **Internat** M *12 000.*

Impartial H *1989 : 15 000.* **(L')** * H 12 827 (np. 583). **Imprimerie française. Nouvelle** * voir Caractère. **Inconnu (L')** M *60 000.* **Index SVP** H *16 000* par ab. **Indicateur. Bertrand** BM *165 000* (4 éditions). **ICF Commerce** M *1989 :* 20 331. *90 :* 19 401 (np. 4 541). **Entreprise** 6 n^os^/an *25 000.* **Franchise** 11 n^os^/an n.c. **Lagrange** M *25 000.* **Industrie hôtelière (L')** * M 39 907 (np. 3 645). **Industries. Alimentaires et agricoles** M *1989 :* 7 181 – *8 000.* **Des céréales** * BMT 1 593. **Mécaniques** * BM *1988 :* 6 264. **Et Techniques** * 11 n^os^/an + 1 spécial 31 883 (np. 15 430). **Infirmière magazine (L')** * M 67 140 (np. 18 526), ab. 47 605. **Information. Agricole** M *1988 :* 10 183. **Dentaire** * 44 n^os^/an 17 423 (np. 7 497), ab. 9 847. **Diététique** T 3 500 par ab. **Géographique** 5 n^os^/an *3 000.* **Historique** 5 n^os^/an *3 500.* **Immobilière** * M *1990 :* 107 426 (np. 200). **Juive** M *f.* 1948. 11 000. **Littéraire** 5 n^os^/an *5 000,* ab. 4 000. **Du véhicule** 18 lettres, 6 magazines, 1 annuaire/an *15 300* – 15 000. **Informations. Agricoles** H *12 000* – 10 500. **Catholiques internationales** * M *32 000.* **Chimie** * M 5 055 (np. 1 805), ab. 3 764. **Dieppoises** BH 16 608 (np. 963). **Fleuristes** BMT 12 000. **Laitières** H *2 500 ;* supplément BM *12 500.* **Informatique magazine** T *89 000.* **Ingénieur Constructeur ETP (L')** M *6 000.* **Ingénieurs. Aujourd'hui** M 49 000. **Et cadres de France** BMT 110 545. **Instrumentation systèmes** * M 9 n^os^/an *1991 :* 8 524 (np. 5 638), ab. 2 886. **Intellect** BMT *48 700* – 25 000, ab. 160. **Inter automatique** M *3 000,* ab. 2 900. **Inter 59** (Lille) H gr. 161 000. **Inter-forain** BM *18 500.* **Intermédiaire des chercheurs et des curieux (L')** *f.* 1864, suspendu de mai 1940 à avril 51. **Interview** M 1er n° août 1992. 258 000. **Intimité (Le Nouvel)** * f. 1947 lancé par Cino Del Duca 1945 sous le titre Véronique, Nouvel I. en mai 89. H *1959 :* 588 706. *80 :* 633 345. *84 :* 509 622. *85 :* 420 681. *88 :* 316 998. *89 :* 264 543. *90 :* 226 933. Suspendu 24-6-1992. **Intramuros** 6 n^os^/an *15 000 ;* hors-série 20 000. **Investir** * H *f.* janv. 1974. *1991 :* 105 015 (np. 11 525). *92 :* 95 420 payés. Recettes publ. (MF) *91* 59, *92* 52. **Magazine** * M 105 243. **J'accuse** M *f.* 1990. Parution suspendue. **Jalons** f. 1991. 5 n^os^/an. **Jardin. Du cheminot** * BMT 109 610. **Des modes** * M *f.* 1979. *1980 :* 89 581. *82 :* 52 096. *83 :* 45 362. *84 :* 37 404. *85 :* 32 230. *90 :* 18 889 (np. 812). **Familial de France (Le)** BMT *27 000* – 24 500 par ab. **Jardineries – Végétal** * BM *1991 :* 8 902 (np. 6 303). **Jardins de France** * M 9 657 (np. 1982). **Jaune et la Rouge (La)** * M *1986 :* 12 668. *88 :* 12 071. *90 :* 12 484 (np. 3 245). **Jazz. Hot** M 20 000. **Magazine** M *25 000* – 20 000. **Jeune. Afrique** * H *f.* 1960. *1972 :* 40 000. *81 :* 100 267. *84 :* 84 328. *86 :* 112 405. *89 :* 80 009. *90 :* 101 199 (np. 1 928). **Économie** * 12 n^os^/an *f.* 1981. 34 460 (np. 986). **Et jolie** M 150 348 (np. 3 015). **Magazine** *f.* 1983. *1984 :* 66 648. *85 :* 70 233. *86 :* 120 342. *87 :* 104 642. **Jeunes agriculteurs** M *35 000* – 32 000. **Jeux et jouets** * M *1991 :* 3 102 (np. 1 517), ab. 1 581. **Et stratégie** * M 59 120, ab. 14 303. **Jic** (Narbonne) H 46 000. **Job pratique magazine** BMT *85 000* ab. 26 000. **Jogging international** M (11 n^os^/an) *f.* 1983. 80 000. **Journal (Le). D'Elbeuf** * BH 5 896 (np. 510). **De Doullens** H *3 800.* **De Gien** * H 20 445 (np. 865). **De Millau** * H *1991 :* 6 694 (np. 193). **De l'Orne** * H 7 773 (np. 271), ab. 1 725. **De Chirurgie** 10 n^os^/an *3 500.* **De la Confédération musicale de France** 6 n^os^/an *10 300.* **De la Formation continue** BM *21 000.* **De la Maison** * M *1970 :* 46 994. *90 :* 204 178. *92 :* 230 755. *CA 92 :* 52 800 000 F. **De la Marine marchande** H n.c. **De la Paix-Pax Christi** M *4 000* ab. 3 800. **De la Robotique** M *1989 : 10 000* – 5 000. **De la Sologne et de ses environs** * T *1991 :* 12 321 (np. 325). **Des Communes** M *8 000* ab. 5 500. **Des Finances** H *f.* 1867. *100 000* – 77 000, ab. 35 800. **Des Instituteurs** M 100 000. **Des Maires** * M 11 187 (np. 816). **Des Ménagères** (Mulhouse) H *10 000* – 9 000, ab. 7 980. **Des mots croisés** H *39 000* – 21 000. **Des notaires et des avocats** BM *6 000.* **Des Oiseaux** M *6 000.* **Du Bâtiment et des Travaux publics** * H Juill. *1991* à juin *92 :* 12 046 (np. 2 819). **Du Chasseur** BMT *15 000,* ab. 12 000. **Du Dimanche** H *f* 1948. 357 483 (np. 6 692) [*1960 :* 582 132]. **Du Fermier et du Métayer** M *20 000* (np. 2 000). **Du Jeune Praticien** Décadaire *23 000* – 22 000. **Du Parlement** BM *12 000.* **Du Pâtissier** * M 8 498 (np. 2 563). **Du Textile** * H 19 242 (np. 4 811), ab. 14 271. **International de Médecine** H *61 500,* ab. 31 000.

Jours de France * H *créé* 11-11-1954 par Marcel Dassault. *1961 :* 385 235. *72 :* 622 300. *81 :* 520 425. *82 :* 541 846. *83 :* 505 209. *84 :* 424 605. *85 :* 371 358. *86 :* 271 556. *88 :* 205 452. *89 :* 149 131. **Joyce** * BMT *f. 1987.* 30 376 (np. 2 512). **Joynad** M 70 000 (2 500 ab.). **Judo** 6 n^os^/an *60 000* – 40 000. **Juke Box** *f.* 1984. *1992 : 26 000.* **Karaté-Bushido** * M *f.* 1974. 37 004 (np. 260). **Kinésithérapie actualité** * H 12 776 (np. 6 143). **Kyrn** H *35 000.* **Lalu** M 24 000. **Lectures françaises** M *f.* 1957. **Légende du siècle (La)** H *f.* 1987 par Roland Castro. Arrêté en avr. 1988. -1-4-1992 reparaît 1er n° : 100 000. Cesse en mai. **Lettre (La). Du médecin** M 10 000. **De l'Expansion** H *f.* 1970. 7 000. **De la prévention** M *40 000.* **Lettres françaises** BT *f.* 1941, cesse 1972, reparaît 1990. 25 000. **Liaisons sociales** M *60 000* – 58 984. **Liberté. Dimanche** * (Rouen) H *1960 :* 31 635. *91 :* 45 355 (np. 1 384). **Licence IV** M *40 000.* **Lien horticole** * H *1989 :* 13 392. *91 :* 13 493 (np. 6 504). **Lion (The)** * M 36 533 (np. 1 617). **Lire** * M *f.* 1975, dirigé par Bernard Pivot. *1976 :* 103 014. *87 :* 151 129. *88 :* 147 661. *89 :* 150 220. *90 :* 145 490 (*mars 1990 :* 792 000 lecteurs). *91 :* 141 605 (np. 3 985). **Littérature** T *2 000.* **Livres de France** M *6 500.* **Hebdo** H *9 500.* **Loco-revue** * M 20 503 (np. 209), ab. 7 928. **Logement et famille** * M 111 856 (np. 540). **Loisirs magazine** Triannuel à l'Officiel des comités d'entreprise *11 000.* **Nautiques** M 25 000. **Santé** 5 n^os^/an. Sept. *1990* à juin *91 :* 34 056 (np. 2 010). **Losange (Le)** M *43 500,* ab. 34 709. **Lozère nouvelle** * H *1986 :* 20 885. *88 :* 21 524. *89 :* 22 937. *90 :* 21 726. *91 :* 22 345 (np. 1 127). **LSA** * H 29 107 (np. 3 722), ab. 23 664. **Lu** M *75 000.* **Lui** * M *f.* 1963. *1964 :* 131 466. *80 :* 466 864. *83 :* 444 304. *84 :* 366 653. *86 :* 300 201. *87 :* 258 154. *88 :* 200 817. *90 :* 113 186. *91 :* 95 565 (np. 4 266). **Lyon Poche** * H 11 616 (np. 2 289). **Machine-Outil** M 10 000. **Machines production** * Décadaire *1990 :* 12 958 (np. 6 982). **Madame Figaro** * *f.* 1980. M puis BM 1983 et H 1984 *1991 :* 651 751 (np. 12 354). **Magazine. De la discothèque** BMT 6 000 à 10 000. **Hebdo** H *f.* 15-4-1983, disparaît 10-1-1985. 150 000 (84). **Littéraire** * M *f.* 1966. 58 501. **Maintenance et entreprise** M *1989 : 7 500.* **Maison. Bricolages** * M *1990 :* 116 347. *92 :* 155 204. **De Marie-Claire** * M *1973 : 369 885. 87 :* 203 080. *89 :* 193 103. *90 :* 197 686. *91 :* 186 896 (np. 3 856). **De Rustica** * M (suppl. gr. de Rustica) *1960 :* 129 169. *86 :* 284 197. **Et Jardin** * M *1960 :* 48 424. *91 :* 96 759 (np. 3 000), ab. 30 337. Fusionné 25-3-93 avec Vogue Décoration. *92 :* 70 430 payés. **Française** * M *91 :* 93 545 (np. 3 098). **De France** M *25 000.* **Individuelle** * 9 n^os^/an *91 :* 124 970 (np. 8 525), ab. 29 637. **Et Loisirs** BMT 180 883. **Et Travaux** * BMT *91 :* 243 490 (np. 1 133). **Marchand Forain (Le)** M *16 000.* **Marchés (Les)** * M *1986 :* 11 887. *Févr. à déc. 89 :* 14 076 (np. 3 590). **Tropicaux et méditerranéens** * H *1989 :* 5 327 (np. 1 306). **Marianne** M 37 000. **Marie-Claire** * M *f.* 3-3-1937 par Jean Prouvost. *1960 :* 1 021 298. *81 :* 531 661. *85 :* 601 795. *87 :* 610 370. *88 :* 604 293. *90 :* 600 226. *91 :* 574 435 (np. 2 660), ab. 12 708. **Bis** SMT *372 000*-288 000. **Marie-France** * *f.* 17-11-1944. Hebdo, 1956 mensuel. 1988 avril racheté par Bauer. *1960 :* 646 067. *79 :* 524 796. *85 :* 378 649. *87 :* 308 575. *88 :* 315 058. *90 :* 280 373. *91 :* 260 902, ab. 55 326. *92 :* 243 566. Racheté à 70 % par New Press (Alain Tailliar en juillet 1993. **Marin (Le)** * H *91 :* 17 255 (np. 990), ab. 8 530. **Marine** f. 1951. 9 800. **Marius** H *f.* 1924 voir Hérisson. **Market** * 11 n^os^/an 3 éditions, *1989 :* 65 256. **Marne** (Meaux) * H *1970 :* 16 855. *91 :* 28 026. **Marseillaise de l'Essonne** M *40 000.* **Marseille-Sept Immobilier** H gr. 358 000. **Mass 67** * (Strasbourg) H gr. 199 900. **Max** * M *f.* 1988. *91 :* 69 231 (np. 9 876). **Maxi** * H *f.* 1986. *1991 :* 912 925. *92 :* 864 000. **Maxi-Basket** * M *91 :* 40 801 (np. 428), ab. 17 447. **Maximots** BMT *44 800*-25 000, ab. 245. **Médaille militaire (La)** T *77 200* par ab. **Médaillé du Travail (Le)** T *f.* 1930. 39 696, ab. 30 260. **Médecin de France (Le)** H *40 000.* **Médecine naturelle Actualités.** BMT *90 000* – 58 760 ab. 13 950. **Tropicale** T *6 000* – 5 600.

Médecine. Douce * M *f.* 1981. *90:* 63 132 (np. 1 173). **Nouvelles** T *f.* 1985. *36 000.*
Médecins des hôpitaux publics (Les) BMT *10 000*-9 500.
Médias M *f.* 1980. *89:* 11 166. *91:* 26 570, ab. 8 552.
Médiaspouvoirs f. 1985.
Méga Hertz M *50 000* – 34 800 ab. 6 300.
Meilleur (Le) H *f.* 5-3-1971 par Alain Ayache. 450 000 – *580 000.*
Mensuel 1er no 26-3-90 : arrêté sept 91.
Mer et Bateaux (ex-Année Bateaux Magazine) M *32 000* - 22 000, ab. 6 300.
Messager H 50 350.
Messages du Secours catholique * M *1960:* 435 867. *82 :* 934 510. *85 :* 1 076 000. *89 :* 1 103 964. *90 :* 1 123 421.
Mesures M 15 000.
Métro M *85 000.*
Métropolis T 5 000.
Micro-Mag M *80 000.* **Systèmes** * M *91:* 30 726 (np. 2 214), ab. 11 524.
Midi-Auto-Moto * M *f.* 1936. *91:* 15 955 (np. 3 006), ab. 12 853. **Mut** * BMT *1990:* 115 680 (np. 1 500). **Olympique Rugby France** * *f.* 1919 H *91 :* 71 500 (np. 1 738), ab. 3 646.
Mieux-Vivre votre argent * M *f.* 1979. *90 :* 147 009. *91 :* 181 387 (np. 5 869).
Migrations M *1986 :* 41 270. *88 :* 36 153.
Minis et micros * BM 9 163.
Minute-La France * H *f.* 6-4-1962 par Jean-François Devay († 1971). *1962 :* 33 976. *78 :* 188 084. *81 :* 148 472. *83 :* 169 519. *84 :* 146 137. *85 :* 135 395. *86 :* 120 000. *87 :* 92 851. *88 (mars) :* 70 000. *89 :* n.c. Règlement judiciaire nov. 1987, repris janv. 90 par proches du Front national, devient Minute-La France. *90:* 54 749. *91:* 40 062 (np. 258). *92* cédé à Gérald Penciolelli.
Miroir du Cyclisme M *f.* 1960. *80 000* – 61 880.
Missi * T 14 636.
MOCI Moniteur du Commerce international * H *1989 :* 13 842 (np. 1 223).
Modèle. Magazine * M *1990 :* 21 759 (np. 3 236). **Réduit d'avion** M *25 000.* **Réduit de bateau** M *25 000.*
Modes et Travaux * M *f.* 1919. *1960 :* 1 041 095. *80 :* 1 472 193. *84 :* 1 357 081. *86 :* 1 132 461. *88 :* 1 074 802. *90:* 930 877. *91:* 867 861 (np. 15 113).
Monde (Le). Diplomatique * M *f.* 1953. *90:* 128 519. *91 :* 150 611 (np. 1 513). *92 :* payés 160 682. **De l'Éducation** * M f. nov. 1974. *1990 :* 90 807. *92 :* 78 736 payés. **De la Bible** BMT *25 000.* **De la Mer** * BMT *1990 :* 29 594 (np. 253). **De la Musique** * M 2e sem. *91* à 1er sem. *92 :* 27 071 (np. 483). **De la Moto** M *55 000.* **Des Philatélistes** * M *91 :* 31 650 (np. 2 217). *92 :* 26 955 payés. **Du Tennis** M *f.* 1979. *105 000.* **Et vie** BM *12 000.* **Informatique** * H *91 :* 34 433 (np. 9 256), ab. 20 453. **Sélection hebdomadaire (Le)** * H *91 :* 23 303 (np. 358). *92 :* 19 255 payés.
Mondial * M *f. 1986* voir Onze.
Moniteur (Le). Architecture M *f.* 1989. *1991:* 11 502. **Du commerce et de l'industrie** H. *20 000.* **Des pharmacies et des laboratoires** * H *91 :* 32 016 (np. 2 560), ab. 29 411. **Des travaux publics et du bâtiment** * H *91 :* 76 054 (np. 1 020), ab. 71 399. **Des ventes** BH 16 500, ab. 9 300. **Vinicole** BM *10 000.*
Mon jardin et ma maison * M *1962 :* 83 604. *84 :* 215 179. *92 :* 237 211 (CA : 73 700 000 F).
Montagne et Alpinisme (La) * 4 nos/an 37 083 (np. 2 743).
Montagnes magazine * M *f.* 1978. *91 :* 33 230 (np. 3 160).
Monuments historiques BMT *15 000*-12 000, ab. 6 000.
Moto. Crampons * M *91 :* 60 229 (np. 7 068). **Flash** * M *60 000*-35 000. **Journal** * H *f.* 1972. *91 :* 73 777 (np. 12 294). **Revue** * H *1973 :* 71 483. *76 :* 88 571. *83 :* 65 030. *86 :* 63 124. *88 :* 66 462. *89 :* 67 103. *90 :* 63 272 (np. 15 207). **1** * M *91 :* 32 055 (np. 300). **Verte** * M *1990 :* 81 531 (np. 10 811), ab. 10 663.
Motorisation * M *91 :* 39 061 (np. 17 141).
Mots croisés. De Guy Hachette T *23 400* – 11 000, ab. 965. **De poche** BMT *28 600* – 13 000, ab. 93. **Voyage** BMT *36 500* – 18 000, ab. 252.
Mots. Imbriqués M *43 300* – 23 000, ab. 194. **Mêlés** M *85 800* – 52 000, ab. 658. **Mêlés géants** BMT *71 300* – 37 000, ab. 436.
Multicoques magazine BMT *25 000* + 15 000 éd. internationale.
Musées et Collections publiques T 2 000.
Mutualiste RATP (Le) T *70 000.*
Mutualité 10 nos/an 290 000, ab. 270 000.
Nantes Poche H *8 000,* ab. 500.
Natation M 3 000.
National hebdo *100 000* ab. 15 000.
Naut'Argus T *35 000*-22 000, ab. 2 000.
Navires, Ports et Chantiers M 6 675.
Négoce M *12 000*-11 500.
Néo-Restauration Magazine * M *1990 :* 13 412 (np. 5 840).
Neptune-Yachting M *f.* 1984. 49 500.
Neuilly-Journal indépendant M *24 000.*
New Look * M *91 :* 188 901 (np. 2 909).
Nice-Matin Dimanche * H *91 :* 239 554 (np. 6 059).
Nitro * M *f.* 1981. *91 :* 21 481 (np. 374).
Nord. Automobile M *f.* 1925. 40 000 (ab.). **Dauphiné** BM gr. *58 000.* **Hebdo Éclair** H 411 267.
Normandie. Magazine M *25 000*-25 000 ab. 15 000.
Notre. Histoire * M *91 :* 32 106 (np. 2 877), ab. 20 074. **Temps** * M *f.* 1968. *1969 :* 85 821. *83 :* 651 505. *84 :* 770 787. *87 :* 974 291. *88 :* 1 024 046. *89 :* 1 115 360. *92 :* 1 063 526 (lecteurs 50 à 64 a. 35 %, + de 65 a. 50 %)
Nous BMT *15 000*-13 000. **Deux** * H *f.* 14-5-1947. *1960 :* 1 303 819. *80 :* 946 676. *85 :* 785 011. *86 :* 760 142. *88 :* 645 408. *89 :* 564 950. *90 :* 519 457. *91 :* 486 530 (np. 2 764).
Nouveau Détective (Le) * H *91 :* 214 165 (np. 231).
Nouveaux Cahiers (Les) T *3 000.*
Nouveau Politis (Le) H *35 000.* Voir Politis p. 1211 a.
Nouvel (Le). Économiste * H *f.* 1975 (regroupe Entreprise et Les Informations), Hachette-Filipacchi a vendu ses parts (65 %) et CEP (35 %) à Henri Nidjam Pt du groupe Capital Média pour 60 MF le 7-12-92. *1976 :* 127 679. *83 :* 116 063. *87 :* 100 778. *88 :* 86 662. *91 :* 93 617 (np. 8 317, 64 566 ab.). CA (92) 94 MF, déficit 35 MF. **Observateur** * H Héritier de l'Observateur *f.* 1950 par Claude Bourdet, Hector de Galard, Gilles Martinet, Roger Stéphane (1er numéro 13-4 ; 24 pays) et repris en 1964 par Claude Perdriel *1966 :* 69 301. *80 :* 373 055. *82 :* 381 047. *84 :* 364 313. *85 :* 333 726. *86 :* 337 115. *87 :* 340 278. *88 :* 369 845. *89 :* 403 457. *91 :* 415 354 (np. 6 971). *93* (janv.-avr.) : 409 085 (payés). (En millions de F) : *CA 1987 :* 94. *88 :* 122. *89 :* 140. *Résultats 1984 :* – 84. *85 :* – 18. *86 :* + 8. *Publicité 1987 :* 94. *88 :* 122. *89 :* 140.
Nouvelle. Famille éducatrice * M *1960 :* 750 897. *84 :* 870 797. *88 :* 824 822. *89 :* 807 101. *91 :* 815 915 (np. 442), ab. 815 473. **Revue pédagogique** M *60 000.* **Revue du son** M *55 000.*
Nouvelles (Les). N. Littéraires *f.* 21-10-1922 par Frédéric Lefèvre avec Jacques Guenne et Maurice Martin du Gard. 1922-71 publiées par Larousse. 1970 contrôlées par R. Minguet. 1975 reprises par Ph. Tesson. 1983 vendues 2,5 millions de F à Ramsay, suspendues juin 84, devenues l'Autre Journal. 1985 achetées par la Fnac, redeviennent le 5-12-85 Les Nouvelles. **De Bordeaux et du Sud-Ouest** H *42 000.* **De Falaise Condé** * BH *91 :* 4 787 (np. 213). **De la boulangerie** BM *30 500.* **De la Nièvre** H *19 500.* **De Loire-Atlantique** H *30 000.* **De Moscou** (éd. fr.) *14 000* (parues de juin 89 à août 90). **Des Ardennes** H *15 500.* **Du Pays Messin** T *40 000.* **Du 16e** M gr. *80 000*-77 750. **Du Tarn** H *20 100.* **Du Tarn-et-Garonne** H *16 300.* **Du Val-de-Marne** H *85 000.* **Esthétiques** * M *1989 :* 12 482 (np. 1 631). **Hebdo 31** H *17 000.*
NR Services (Tours) H gr. Oct. *89* à sept. *90 :* 95 636.
NRF (Nouvelle Revue française) *f.* 1-2-1909 (publie *la Porte étroite* d'André Gide). 1er dir. 1912 Jacques Copeau. 1914 s'interrompt. 1919-25 repris par Jacques Rivière († 1925). 1925 Gallimard. 1935 Jean Paulhan. 1940 déc. Drieu La Rochelle. 1944 interdite. 1953 1-6 reparaît (Nouvelle NRF) avec J. Paulhan et Marcel Arland.
Numismatique et Change M 12 000.
Objectif et Action mutualistes * M *1991 :* 241 628 (np. 2 536).
Océans BMT *1989 : 48 000. 91 : 30 000.*
Œil (L') M *30 000.*
Office des prix du bâtiment T *9 000.*
Officiel (L'). De la Couture et de la Mode de Paris * M *91 :* 53 165 (np. 7 067). **De l'Artisanat rural** 4 nos/an *5 000.* **De la sage-femme** 10 nos/an *4 600.* **De l'automobile** * M 6 031 (np. 2 834). **Des comités d'entreprise et services sociaux** M *11 000.* **Des spectacles** * H 4e trim. *91 : 238 514* – 186 916, ab. 37 657. **Des textiles** T 15 000. **Des transports** * H *91 :* 20 931 (np. 5 850). **Du cycle et du motocycle** M *8 000.* **Du prêt-à-porter** T *15 000*-10 000, ab. 6 800. **Hommes** * 6 nos/an *f.* 1977. 16 679 ab. 1 830.
Oise Avenir H *18 000.*
Olympia (L') M *15 000.*
Onze * M *f.* 1976 (fusion avec Mondial 1989). *1984 :* 211 159. *86 :* 225 055. *87 :* 175 187. *88 :* 141 301. *89 :* 177 305. *90 :* 207 127. *91 :* 220 473 (np. 2 765).
Opéra international M *30 000.*
Option auto * BMT Fév. *1991* à janvier *92 :* 77 765.
Option-Finances *f.* 1988. H 20 000.
Options * BM de l'UGICT-CGT 10 000.
Ordinateur individuel (L') * M *91 :* 70 234 (np. 2 150).
Orne combattante (L') * *91 :* 15 940 (np. 800).
Orphelinat (L') * T *91 :* 136 181 (np. 4 056), ab. 120 062.
Or vert (L') * M 40 711 (np. 40 270).
Pack-Info BM 10 000.
Pag (Nancy) H gr. 163 000.
Panorama M 80 000. **Aujourd'hui** * M *1960 :* 167 512. *84 :* 84 076. *86 :* 85 000. **Du Médecin** *f.* 1975 voir quotidiens de Paris.
Papetier (Le). De France * M *1990 :* 10 043 (np. 5 077), ab. 4 905. **Libraire** M *1989 :* 5 484. *91 :* 12 000 à 15 000.
Papier, carton et cellulose * M *1990 :* 2 508 (np. 1 492).
Paradoxes T *1989 :* 5 250 – 6 000. Parution suspendue.
Parents * M *f.* 1969 : 235 991. *84 :* 345 611. *85 :* 338 744. *86 :* 359 948. *89 :* 332 960. *90 :* 341 663. *91 :* 317 020 (np. 6 535), ab. 42 938. **D'élèves** 4 nos/an *85 000.*
Paris. Boum Boum H gr. *250 000.* **Dayori** M 42 000. **Le Journal** * M oct. *1991* à sept. *92 :* 334 646 (np. 330 528). **Match** * H *créé* 1928 par Léon Bailby, racheté 1938 par Jean Prouvost (*1940 :* 1 700 000 ex.). 25-3-1949 reparaît sous son nom actuel, racheté 18-6-1976 par Daniel Filipacchi. *1959 :* 1 448 299 – *1 656 647. 76 :* 558 000. *78 :* 693 278. *80 :* 836 257. *81 :* 919 223. *82 :* 926 650. *83 :* 928 007 ab. *84 :* 888 590. *85 :* 900 127. *86 :* 897 027. *87 :* 883 318. *88 :* 875 419. *89 :* 875 959 *90 :* 885 589. *91 :* 861 846 (np. 13 092). **Nord-Oise** H gr. *79 000.* **Paname** H gr. *540 000.* **Programme** M gr. *40 000.* **15e** M gr. *105 000*-99 000. **16e** M *35 000.* **Tel** M *85 000.*
Pariser Luft BMT *25 000.*
Particulier (Le) * 27 nos/an *f.* 1949. *1960 :* 134 360. *82 :* 426 622. *89 :* 511 784 ab. 503 827. *90 :* 554 189. *91 :* 540 746 (np. 832), ab. 528 570.
Particulier à Particulier (De) H *91 :* 82 000.
Passages M *75 000*-50 000.
Passeport pour les 5 continents BMT *110 000.*
Passerelle (La) n.c.
Passion M *50 000.* **Des Vins de France** SMT *100 000.*
Pâtre * M *1989 :* 8 815 (np. 853), ab. 7 858.
Patriote Côte d'Azur H *1986 : 55 000.*
Patronat voir CNPF la Revue des Entreprises.
Pause Mots croisés BMT *26 200* – 13 000, ab. 157.
Pays. D'Auge BH 15 510. **Breton** M *63 000.* **De Cognac (Le)** M *8 000.* **Roannais** * H *91 :* 36 257 (np. 1 645) (4 éditions).
Paysage actualités M 15 000.
Paysan. Breton * H 81 597 (np. 3 236). **D'Auvergne** * H *1990 :* 9 974. *91 :* 9 061 (np. 3 534). **De Haute-Garonne** BMT *9 600* – 8 100. **D'Ille-et-Vilaine/Agri Coopé** * H 18 064. **Du Haut-Rhin** * H *91 :* 7 308 (np. 2 968). **Du Midi** H 28 000. **Nantais** M *1991 :* 3 000. **Savoyard** BM 5 300. **Vosgien** * H *1989 :* 4 129. *91 :* 3 650 (np. 925).
PC Expert M (1er no 10-2-92) *160 000* – 60 000.
Pêche. Et les Poissons (La) * M *1990 :* 94 954 (np. 7 559), ab. 35 230. **En mer** M *65 000* – 43 000, ab. 10 000.
Pêcheur de France (Le) * M *91 :* 78 934 (np. 4 881), ab. 39 802.
Pèlerin-Magazine (Le) (Le Pèlerin jusqu'au 5-10-84) H *f.* 1873. *1960 :* 554 600. *86 :* 427 539 ab. 373 296. *87 :* 385 826. *88 :* 364 497. *89 :* 345 697 ab. 308 487 (ventes kiosques 15 000, églises 25 000). *92 :* 354 384, ab. 330 580.
Pensée (La) BMT *f.* 1939. *5 000* – 4 000, ab. 2 500.
Penthouse M *1986 :* 154 726.
PHM-revue horticole M *13 500.*
Périgord-Magazine M *1986 : 6 500.*
Perspectives. Agricoles M *10 000.* **Immobilières** * BMT *1989 :* 9 690. *91 :* 8 208.
Petit (Le). Meunier H *10 000.* **Quimpérois** * H gr. Janv. à juin *92 :* 72 817.
Pétrole informations * M *1991 :* 4 872 (np. 1 902).
Peuple libre (Le) * H (Valence) *91 :* 11 442 (np. 1 485).
Pharmacien de France (Le) * BM *91 :* 15 549 (np. 1 499), ab. 14 050.
Philatélie française M *20 000,* ab. 19 000.
Phot'Argus * BMT *1988 :* 17 554 (np. 1 308).
Photo * M *1969 :* 60 871. *81 :* 204 349. *83 :* 228 021. *86 :* 156 706. *88 :* 100 665. *91 :* 90 190 (np. 2 072). **Magazine** a cessé de paraître. **Reporter** * M *1990 :* 42 015 (np. 6 981).
Photographe (Le) * M *1990 :* 9 125 (np. 2 663).
Photographie M 11 000, ab. 6 000.
Phytoma * M *1991 :* 7 579 (np. 817).
Pic * M *1990 :* 15 051 (np. 644).
Pigeon voyageur de France BM *3 000.*
Pile ou face BMT *46 600* – 23 000, ab. 134.
Piscines Magazine * T 11 556 (np. 250).
Plain-pied T 12 500, ab. 6 684.
Plaisir de la maison BMT 83 000. *1965 :* 28 692.
Plaisirs de la chasse * M *91 :* 33 017 (np. 347).
Planche. Mag M *f.* 1980. *60 000*-40 000, ab. 3 000. **No 1** T *80 000.*
Plastiques. Et Environnement a cessé de paraître. **Flash** M *8 500*-8 200, ab. 4 351. **Modernes et Élastomères** * M *1991 :* 6 322 (np. 3 450), ab. 2 872.
Playboy BMT *f.* 1953 aux USA *1974 :* 205 885. *82 :* 168 916. *83 :* 144 749. *85 : 250 000* min. *86 :* 220 000 min. *91 : 120 000*-75 000.
Player One M 78 000 (3 000 ab.).
Plein air et culture T *30 000.*
Pleine forme magazine * BMT 25 673.

PME-PMI magazine T 36 500.
Poésie I BMT *1989:* 5 000 – *6 000.* Parution suspendue.
Poids lourds A *35 000*-30 000.
Point (Le) * H *f.* 25-9-1972. *1972-73 :* 163 910. *76 :* 221 788. *81 :* 309 818. *82 :* 327 780. *83 :* 328 859. *84 :* 329 658. *85 :* 337 909. *86 :* 330 949. *88 :* 267 748. *90 :* 318 056. *91 :* 306 196 (np. 3 778) (N° 1 000 nov. 515 000). *92:* 270 000. CA (millions F) : *87 :* 355. *88 :* 358. *88/89* (bén. 0,51). *89/90 :* 387,6 (déficit 17,8). *90/91 :* bén. + 5,3. *91/92 :* 350 (bén. 8). 1981 Gaumont chef de file d'un groupe d'investisseurs l'achète 160 MF. En 1992 la Générale Occidentale a racheté 40 % du Point. **Edition internationale** * H *91 :* 36 812.
Point de vue-Images du monde * H *1960 :* 163 779. *82 :* 418 076. *83 :* 401 624. *84 :* 378 110. *85 :* 356 325. *86 :* 365 854. *88 :* 337 630. *89 :* 341 787. *91 :* 360 495 (np. 1 169).
Point économique (Le) 4 fois/an *24 000.*
Points de vente * H *1990 :* 20 413 (np. 8 687).
Politique. Étrangère T 4 500. **Internationale** M *f.* 1978. n.c.
Politis H *f.* janv. 1988. 16 000. Voir Nouveau Politis.
Pomme de terre fr. (La) * BMT *1990 :* 5 081 (np. 1 067), ab. 4 014.
Porc Magazine * M *91 :* 10 984 (np. 3 708), ab. 7 276.
Porphyre * M *91 :* 16 010 (np. 7 534).
Porsche Club Magazine T *20 000.*
Positif M *f.* 1952. *15 000.*
Pour. La science * M *f.* 1977. *1991 :* 54 588 (np. 2 240), ab. 34 078. **L'enfant vers l'homme** M *80 000.* **Nos jardins** * BMT *1961 :* 782 849. *1990 :* 582 526. *91 :* 535 798 (np. 18 416).
Pourquoi ? M 53 700.
Pouvoirs T *f.* 1977.
Praticiens et 3e âge M *18 000*-17 500, ab. 8 800.
Premier Sourire A 750 000.
Première * M *f.* 1976. *1976 :* 139 101. *82 :* 217 936. *84 :* 364 298. *86 :* 424 468. *89 :* 273 567. *90 :* 255 200. *91 :* 264 694 (np. 3 777).
Présence. Énergie BMT 10 000. **De l'enseignement agricole privé** * BMT *91 :* 38 802 (np. 4 355).
Presse. D'Armor * H *91 :* 6 755 (np. 454). **Française (La)** H *30 000* ab. payants 24 500. **Médicale (La)** 40 nos/an *16 000.*
Prévention routière BM *1960 :* 108 119. *86 :* 317 679. Voir Auto-Moto-Revue de la Prév. rout. **Prévention routière dans l'entreprise** * BMT *91 :* 49 408 (8 560).
Prévention, Santé * M *91 :* 120 597 (np. 1 991).
Prévisions H 1 000.
Prima * M *f.* 1982. *1991 :* 1 174 778 (np. 4 233), ab. 178 908.
Production laitière moderne * M 29 853.
Professionnel Vidéo (Le) M 13 500.
Profils médico-sociaux H *60 500*-60 000, ab. 32 000.
Progrès agricole et viticole (Le) BM *21 000* – 20 000.
Projet T *f.* 1966. *5 750,* ab. 3 700.
Promofluid * M *1991 :* 9 683 (np. 6 651), ab 3 032.
Propos utiles aux médecins H *15 000* – 14 600.
Propriété agricole (La) * 11 nos/an. *1990 :* 17 645 (np. 1 225).
Propriétés de France BMT *65 000.*
Provence. Libérée H *7 000.* **Sept** (Marignane) H gr. 50 000.
Psychologies * M *1990 :* 64 194, 2e sem. *91*/1er sem. *92 :* 85 473 (np. 877), ab. 32 981.
P'tit. Basque * H gr. 87 592. **Bergeracois** * H gr. 41 882.
PTT Syndicaliste M 58 158.
Publi-Aveyron * H gr. Janv. à oct. *92 :* 54 558. **62** H gr. 208 948. **Toulouse** H gr. *266 500.*
Publival (Orléans) * H gr. *1991 :* 119 495.
QSO Magazine M *35 000.*
40 (Le) * (Pessac) H gr. 77 298.
4 × 4 Magazine * M *f.* 1981. *91 :* 27 344 (np. 229), ab. 2 998.
Quatre Saisons du jardinage (Les) BMT *23 000* – 22 000, ab. 20 000.
84 (Le) (Avignon) H gr. 112 500.
93 Hebdo H *100 000.*
Que Choisir ? M 190 000. **Santé** 42 000.
Question de T *8 000*-6 500.
Quincaillerie moderne (La) M 8 000.
Quinzaine (La). Littéraire BM *f.* 1966. *40 000*-33 000 ab. 10 500. **Universitaire (La)** BM *30 000*-29 500 par ab.
Racing Magazine 6 nos/an 21 000.
Radio CB Magazine M *40 000* – 25 000.
Radio-plans * M *f.* 1933. 48 533 ab. 12 911. **R.E.F.** M *10 500.*
Rail International M *21 000.*
Randonnée * M 18 413 (np. 826).
RCM M *38 500* – 28 000, ab. 4 500.
Rebondir M *f.* janv. 1993. 1er no 5-1-93. Ventes 340 000.
Recherche (La) * M *f.* 1970. *90 :* 93 772. *91 :* 89 387 (np. 1 140), ab. 55 655.
Récréation Jeunesse BMT *37 700* – 18 000, ab. 120.
La Redoute SMT 3 000 000.
Réforme H *f.* 1945 par le pasteur Albert Finet. *7 500* – 7 000, ab. 6 500.
Regards. Sur la Loire H *32 000.* **Sur l'Eure** H *20 000.* **Sur le Jura** H *15 600.*
Régional de Cosne H *8 677.*
Relations Écoles-Professions BMT *15 000* – 12 000.
Renaissance. Le Bessin * BH *91 :* 7 408 (np. 401). **Du Val-d'Oise** H *30 000.*
Renouveau * H *1986 :* 14 608. *91 :* 12 002 (np. 667).
Reporter M *f.* 6-1-1988.
Républicain (Le). De L'Essonne * H (Évry) *1990 :* 38 030 (np. 3 468), ab. 5 474. **Du Lot-et-Garonne** * H *91 :* 12 875 (np. 798), ab. 3 167.
République de Seine-et-Marne * H (Melun) *91 :* 45 412 (np. 1 397).
Retraité militaire (Le) M 40 000.
Rétroviseur * M *1990 :* 47 314 (np. 441).
Réveil. De Mauriac H *7 100.* **Des Combattants (Le)** M 90 000. **Du Vivarais et de la Vallée du Rhône** H 20 000. **Normand** * H *91 :* 13 134 (np. 713), ab. 3 372.
Revenu français (Le) * M *f.* 1968. 2e sem. *91*/ 1er sem. *92 :* 203 716 (np. 24 171), ab. 158 575.
Révolution H *f.* 1980. 150 000, ab. 52 000.
Revue. Aérospatiale M *75 000.* **Avicole** BMT *6 000,* ab. 4 250. **Chien 2000** * M *1989 :* 44 498 (np. 3 538). **De l'Art** T 2 500. **Automobile médicale** * BMT *1989 :* 16 622 (np. 4 952). **D'économie politique** *f.* 1887, n.c. **De la Cavalerie blindée** T *5 000.* **De l'Ameublement** * M *1990 :* 5 917 (np. 2 615). **De l'Habitat français** * M *91 :* 23 519 (np. 1 810). **De l'Infirmière** * BM *1990 :* 40 023 (np. 15 314). **De la Médecine vétérinaire** M *2 500,* ab. 2 350. **Masson du Pédiatre** 8 nos/an *6 000.* **Des Collectivités locales** M 10 300. **Des Communes et des établissements publics** * M *91 :* 22 611 (np. 10 158). **Des Deux Mondes** *f.* 1829 M 15 000, ab. 7 500. **Des Ingénieurs et techniciens eur.** T n.c. **Des Œnologues** T *10 000* à *13 000,* ab. 6 000. **Des Tabacs** BMT *32 000.* **Du Cinéma** *f.* 1951 M *75 000*-65 000, ab. 52 000. **Du Louvre et des musées de France** BMT 12 000. **Du Marché commun** M *4 000.* **Du Palais de la Découverte** M 5 500, ab. 4 000. **Du Praticien** H *58 000.* **Vinicole internationale** *. Juil. *89* à juin *90 :* 8 123 (np. 5 177). **Du Vin de France** M *40 000* – 37 000, ab. 12 000. **Fiduciaire** M *179 833.* **Générale de l'hôtellerie, de la gastronomie et du tourisme** M *12 000* (éd. hôt.), *8 000* (éd. rest.). **Générale nucléaire** * BMT *91 :* 5 013 (np. 798). **Historique** *f.* 1876. **Hospitalière de France** BMT *5 500,* ab. 5 300. **Internationale de défense** M 35 984. **Laitière française** * M *91 :* 5 966 (np. 962). **Maritime** T *4 000.* **Moto technique** T 15 000. **Nationale de la chasse** * M *1989 :* 82 440 ab. 35 337. *90 :* 80 449 (np. 7 494), ab. 35 060. **Parlementaire** M *25 000.* **Politique et parlementaire-RPP** BMT *5 000.*
Revue française. De comptabilité * M *1990 :* 17 419 (np. 2 921). **De généalogie** BMT *25 000* – 22 000. **De logistique** M (10 nos/an) 7 000. **Des télécommunications** T *40 000.* **D'apiculture** M *30 000,* ab. 25 000.
Revue technique. Automobile * M *1990 :* 21 622 (np. 2 068), ab. 19 069. **Des hôtels et des restaurants** * M *91 :* 19 152 (np. 5 146). **Du bâtiment et des constructions industrielles** * BMT *1990 :* 20 076 (np. 12 900), ab. 7 176.
RIA * BM *1990 :* 6 028. *91 :* 8 007 (np. 3117).
Rivarol H *f.* 1951 par René Malliavin. *20 000*-16 000.
Rock & Folk * M *1988 :* 55 904. *90 :* 49 077 (np. 2 819), ab. 5 897.
Rotarien (Le) * M *91 :* 38 637 (np. 1 498), ab. 37 439.
Rouerguat H 6 000.
Rouergue Magazine M 2 300.
Rouge et or * T *1989 :* 12 250 (np. 830).
Routiers (Les) M *1989 :* 45 000 ab. 42 000 (82).
Rugby Drop M *67 000,* 41 000.
Rustica * H *f.* 1928. *1960 :* 129 169. *83 :* 226 853. *90 :* 298 876 ab. 264 004. *91 :* 288 682 (np. 2 924), ab. 254 922.
Saint-Hubert (Le) * M *30 000* – 20 000.
Saisons de la danse (Les) M *11 000,* ab. 3 500.
Santé magazine * *f.* 1988. 504 009 (np. 6 063).
Sapeur-pompier (Le) M *65 000*-64 000, ab. 63 000.
Sarthe nouvelle BM *40 000.*
Sauvagine et sa chasse (La) * M *1990 :* 24 953 (np. 760), ab. 22 375.
Saveurs * M 101 354 (np. 9 255), *92 :* 127 234.
Science. Et Avenir * M *f.* 1947. *1960 :* 77 016. *87 :* 164 330. *89 :* 186 767 ab. 156 634. *91 :* 185 172 (np. 3 320), ab. 150 276. **Et technologies** * 11 nos/an *1989 :* 15 089. **Et Vie** * M *f.* 1913. *1959 :* 193 249. *92 :* 327 961 (172 000 ab.). **Et Vie économie** * M *f.* 1984. N'existe plus. 115 408. **Et Vie Junior** * M *f.* 1989. *92 :* 186 000. **Et Vie micro** * M *92 :* 102 000.
Scrabblerama M *6 000,* ab. 5 000.
Sécurité civile industrielle M *30 500.*
Sélection du Reader's Digest * M *f.* 1947 (aux USA 1922) (*1947 :* 1er no : 300 000, 3e : 600 000). *1959 :* 1 183 692. *78 :* 1 096 872. *81 :* 1 132 392. *85 :* 962 365. *86 :* 982 858. *87 :* 1 001 400. *88 :* 1 035 096. *89 :* 1 100 405. *91 :* 1 071 719 (np. 66 958), ab. 955 611. (En millions de F) : CA *1989 :* 897 (bénéfice 82).
Semaine (La). Des hôpitaux H 14 000. **Juridique** H 31 000, ab. 29 000. CA *1988 :* 710 millions de F. **de Paris-Pariscope (Une)** H *91 :* 105 558 (np. 2 441). **Provence** H *18 000* (6 éditions).
Semences et progrès T *12 500.*
Sens Magazine M *f.* 27-9-1991. 15 000.
7 à Paris * H *91 :* 38 817 (np. 7 082).
Service. 2000 * T *1990 :* 8 065 (np. 1 853), ab. 6 212. **Public information** M 150 000.
Show magazine BM 4 000.
Signature * M *91 :* 51 514 (np. 5 222).
Sillon. H *25 100.* **Limousin** * M *91 :* 40 858 (np. 710).
Ski. Magazine M *50 000.* **Français** * 5 nos/an *1989 :* 51 530 (np. 3 741), ab. 40 865.
Soft et micro * 11 nos/an *f.* 1984. 41 063. *91 :* 42 356 (np. 2 311).
Soins M *30 000* – 28 000.
60 (Le) (Creil) H gr. 99 000.
71 (Le) (Mâcon) H gr. 53 000.
69 « Affaires » (Le) H gr. 425 000.
74 Affaires (Le) (Éd. d'Annecy) H gr. 80 000.
76 (Le) * (Le Havre) H gr. 114 850.
73 (Le) (Chambéry) H gr. 80 000.
Son-Vidéo-Mag M *50 000.*
Sono * M *f.* 1976. *91 :* 22 754 (np. 509), ab. 3 878.
Sonovision M *15 000.*
Souder * 6 nos/an *1988 :* 1 875. *90 :* 1 969 (np. 343), ab. 1 706.
Souvenir. Français T *25 000.* **Napoléonien** * BMT *3 000.*
Spécial. Bricolage M 8 000. **Dernière** H *1970 :* 169 378. *71 :* 163 578. *80 :* 358 364. *83 :* 268 555. *84 :* 217 755. **Jardin** * M *1986 :* 43 573. **Karting** 6 à 8 nos/an *6 000.* **Techniques forestières** BM *10 000.*
Spectacle infos BMT *60 000.* **Du Monde (Le)** * M *f.* 1962 ; a repris en 1980 Réalités [*Fémina*... qui avait repris en 1962 *Fémina-Illustration* (fusion de *Fémina* et de *France Illustration* en 1956)]. *1962 :* 22 636. *82 :* 112 633. *83 :* 113 000. *84 :* 94 055. *89 :* 90 352 – 86 839. *91 : 92 672* – 88 302, ab. 83 593.
Spelunca T *6 000* ab. 4 000, 1 000 non membres.
Sport (Le) * quot. de sept. 1987 à juin 88 ; hebdo. dep. 20-10-89 ; vendu par Robert Laffont (Groupe Entreprendre) aux Éditions Mondiales le 1-3-90. Janv. à juin *91 :* 80 426. **Dans la cité** T *9 000,* ab. 7 500. **Et plein air** M *10 000.*
Sport-Auto * M *84 :* 104 641. *86 :* 104 282. *87 :* 104 883. *89 :* 12 921. *91 :* 102 214 (np. 22 278), ab. 15 792.
Sprint 2000 *f.* 1981 voir Vélo Sprint 2 000 Magazine.
Starfix M *100 000.*
Stratégies * H *91 :* 14 426 (np. 5 571), ab. 6 801.
Studio Magazine * M 100 930 (np. 773), ab. 9 482.
Sucrerie française (La) * BMT 705.
Sudestasie BMT *20 000.*
Sud-Ouest Dimanche * H *91 :* 284 375 (np. 5 184).
Super Télé * H *f.* 1979. *1980 :* 323 565. *82 :* 413 834. *85 :* 363 093. *87 :* 550 000.
SVIP annonces H gr. *77 000.*
Syndicalisme. CFTC M *200 000.* **Fonction publique** BMT *1989 : 30 000.* **Hebdo CFDT** H *37 500* – 36 000.
Syndicaliste (Le). Forain BM *25 200.*
Syndicat agricole * H *91 :* 14 473 (np. 2 336).
Synthèse médicale H *1989 :* 40 000.
Système D * M *f.* 1924. *91 :* 138 417 (np. 1 869).
TAM (Terre-Air-Mer) * M 160 158.
Tarif Média 5 nos/an juill. *91* à juin *92 :* 3 440 (np. 588), ab. 2 551.
Tarn libre * H *1990 :* 22 549 (np. 556).
Techniques. Et Architecture * BMT *1991 :* 15 897 (np. 3 913). **Hospitalières** 10 nos/an *6 500.*
Télé. Câble H *f.* 1990. *1992* (2e sem.) : 183 660. **Couleur** *f.* 1982. **De A à Z** * H *f.* 1982. 2 F dep. 7 ans. 1er no : 50 000 ex. vendus, 10e : 120 000, 100e : 272 000. *1986 :* 200e : 545 000. *88 :* 300e : 865 000. Juil. *91* à juin *92 :* 1 721 849 (np. 1 201). **Hebdo** 392 644. **Hebdo** (Brest) H *1989 :* 392 644. **Journal** * H *f.* 1974. *1975 :* 155 178. *82 :* 202 177. *83 :* 172 026. *85 :* 130 611. *88 :* 91 865. **K 7** * H *f.* 1983. *1990 :* 250 056. *91 :* 304 534 (np. 1 562). **Loisirs** * *f.* 1986. *1991 :* 1 337 176 (np. 3 669), ab. 129 237. **Magazine** * H *f.* oct. 1955. *1959 :* 218 206. *65 :* 280 929. *82 :* 162 757. *83 :* 194 090. *84 :* 273 958. *85 :* 344 121. *87 :* 375 750. *90 :* 392 888. *91 :* 409 760 (np. 1 014). **Poche** * H *f.* 12-1-1966 par Cino Del Duca (origine : 1960 : Télé Juniors, 1962 : TV France. 1965 TV Dernière). *1965 :* 832 452. *80 :* 1 875 638. *85 :* 1 827 050. *89 :* 1 730 179. *90 :* 1 671 424. *91 :* 1 591 548 (np. 9 299). **7.** *1990 :* H 192 988. **7 Jeux** * M *f.* 1978. *90 :* 412 899. *91 :* 457 182 (np. 1 085). **7 Jours** * H *f.* 26-3-1960 par Jean Prouvost et Hachette ; 1976 : J. Prouvost vend ses parts à Hachette. *1960 :* 204 122. *63 :* 870 000. *70 :* 2 500 000. *80 :* 1 694 844. *82 :* 2 710 575. *83 :* 2 709 850. *84 :* 2 821 585. *85 :* 3 063 412. *86 :* 3 137 039. *88 :* 3 095 704. *90 :* 3 001 296. *91 :* 2 980 331 (np. 12 089), record 3 147 000

(Alain Delon et sa fille). **Star** * H *f.* oct. 1979. *1981:* 542 406. *82 :* 1 040 897. *83 :* 1 289 644. *84 :* 1 379 464. *85 :* 1 055 844. *86 :* 1 530 421. *89 :* 1 872 763. *91 :* 1 978 038 (np. 10 627). **Télex 57** * (Forbach) H gr. 43 420.

Télérama * H *f.* 1950 (ex-Radio-Cinéma-Télé qui devient Télérama en 1955). *1959 :* 67 259. *82 :* 429 666. *83 :* 466 304. *85 :* 508 707. *86 :* 514 724. *87 :* 498 059. *90 :* 518 487. *92 :* 561 186 (payés). n° 10-3-93 : 603 732 payés. CA (millions de F) *92:* 392 (résultat net 5).

Témoignage chrétien succède à la Libération aux Cahiers du Témoignage chrétien *f.* nov.1941 par le Père Chaillet (jésuite). H *35 000* (dont ab. 85 %).

Temps des poètes (Le) T *5 000.* **Micro** M 28 445. **modernes (Les)** M *f.* 1er n°. 25-10-1945 par J.-P. Sartre, *4 500.* **Retrouvé (Le)** * M 2e sem. *91*/1er sem. *92 :* 485 776 (np. 3 926), ab. 474 662.

Tennis de France * M *f.* 1953. *91 :* 52 610 (np. 865), ab. 21 999. **Info** M *25 000.* **Magazine** * M *91 :* 83 433 (np. 2 618).

Terre (La) * H *f.* 1937. *1960 :* 140 511. *81 :* 238 796. *82 :* 230 008. *83 :* 230 520. *84 :* 212 858. *86 :* 197 000. *90:* 182 300. *91:* 178 000. **De chez nous** * (Besançon) H *1991 :* 7 232 (np. 2 418). **Magazine** 10 nos/an *72 000*–70 000. **Vivaroise** * H *1991 :* 10 759 (np. 703).

Thalassa M *35 000*-18 000, ab. 6 500.

Théorie et pratique thérapeutiques BMT *35 000.*

Tilt Microloisirs * M *91 :* 80 970 (np. 1 073), ab. 23 365.

Timbroscopie * M *91 :* 53 791 (np. 3 032), ab. 20 517.

Time International (éd. Eur.) H *560 000.*

Tir à l'arc (Le) 6 nos/an 15 000, ab. 10 000.

TN * 10 nos/an 4 795.

Tonus (médical) BH *60 000. (89)* Parution suspendue.

Top Santé * M *f.* sept. 1990. Juil. *91* à juin *92:* 620 898 (np. 4 541).

Tourhebdo * H janv. à juin *92 :* 12 369 (np. 1 763).

Tout-Lyon (Le) * BH 2e sem. *91*/1er sem. *92 :* 8 317 (np. 2 254).

Tout Prévoir * M 64 753 (np. 37 574), ab. 27 179.

Toute l'alimentation M 13 000.

Toutes les nouvelles * H *1991 :* 33 861 (np. 2 964) (6 édit. : Essonne, Hts-de-Seine, Yvelines). **De l'hôtellerie et du tourisme** * M *1989 :* 13 532 (np. 1 587), ab. 11 945.

Transaction TM 26 000.

Transports Actualités * H 10 265 (np. 5 445), ab. 4 803.

Travailleur catalan H *14 810.* **De la Somme** M *60 000.* **Du sous-sol (Le)** BM *83 000.*

Travail social actualités H *13 000,* ab. 11 000.

Travaux agricoles de France BMT *6 250.* **Publics et Bâtiment du Midi** * H *1991 :* 14 809 (np. 3 173), ab. 11 000.

Trégor (Le) * H *91 :* 20 751 (np. 713).

13 (Le) * (Arles) H gr. 42 800. **Marseille** * H gr. 349 400. **Treize Magazine** 10 nos/an *20 000.*

30. Hebdo (Le) H gr. 105 000. **Millions d'amis-La Vie des Bêtes** * M *f.* 1978. *90:* 114 232 (np. 2 313).

32 (Le) * H gr. 36 986.

31 (Le) H gr. 300 000.

38 (Le) Nord-Isère H gr. 53 000. **Voiron** H gr. 30 500. **Rhône-Vallée (Le)** H 90 000. **Affaires** H gr. 171 000. **Immobilier** H gr. 155 000.

34 (Le) (Montpellier) H gr. 144 941.

36 000 communes 10 nos/an *8 000.*

Tribune * H (Montélimar) *91 :* 20 873 (np. 2 813). **De l'Assurance (La)** M *12 000.* **De la Presse** M *f.* 7-1-1992 par Antoine Ingold, 100 000. **De la vente** M *f.* 1952. *1989 : 3 000.* **Gaulliste** BMT *15 000.* **Juive** *f.* 1968. H 15 000. **Libre des Forces de Vente** M *1987 :* 22 152. **Médicale** H 50 500. **Parlementaire française et europ.** M *f.* 1985. 15 000. **Régionale** (Issy-les-M.) M *28 000*-27 900.

Triomphe BMT *52 200* – 28 000, ab. 338.

Trouvailles * BMT *1990 :* 22 408 (np. 3 571), ab. 3 330.

TV Câble * H *f.* 1990. Mai à déc. *90 :* 37 630. *91 :* 60 077 (np. 1 140). **Magazine** * *f.* 7-2-1987, *4 400 000* – 4 073 000. **Vidéo Jaquettes** * M 100 826.

Uniformes M *26 000* – 17 000.

Union M *358 000* – 301 000. **Agricole** * H *91:* 10 752 (np. 2 242). **Paysanne de la Corrèze** BM *5 100.*

Union Agricole et Rurale-Cantal * BH 9 969 (np. 2 003).

Université Autonome 9 nos/an *15 000.* **Syndicaliste (L')** * H *91 :* 108 813 (np. 10 944).

Urbanisme et Architecture M 11 000.

Usine nouvelle (L') * H *1971 :* 60 150. *91 :* 62 629 (np. 8 683), ab. 48 030.

Val 18 H gr. Oct. *90* à sept. *91 :* 57 188.

Val magazine (Oise) H gr. *170 000.*

Valeurs Actuelles H *f.* 1966 (avant : **Finance**). *1967 :* 72 417. *73 :* 125 190. *79 :* 127 688. *82 :* 112 907. *83 :* 105 922 (dont 20 554 gr.). *86 :* 97 982. *87 :* *105 908* – 95 506. *88 :* 104 456 ab. 95 015. *89 :* *109 155* – 100 657. *91 : 101 526* – 92 717.

Var Information (Le) BH n.c.

Vaucluse agricole H *1989 :* 7 241.

Vécu BM *50 000*-40 000.

Veillées (Les) H 66 849 (79). *Créé* le 5-11-1877 sous le titre Les Veillées des Chaumières [1961 : 80 640].

Vélo Sprint 2 000 Magazine * M *f.* 1978. *91 :* 40 287 (np. 933).

Vendée agricole H *14 000.*

Vendredi *f.* 1989 H 270 000.

Vénerie * T *1991 :* 6 640 (np. 9), ab. 6 307.

Vertical * 10 nos/an *f.* 1985. *1991 :* 15 517 (np. 1 227).

Vidéo 7 * M 11 nos/an *fondé* juill. 81. *91 :* 143 517 (np. 1 931), ab. 10 141.

Vie (La) * H *f.* 1924 par Francisque Gay sous le nom de La Vie catholique. *1959:* 477 159. *83:* 324 878. *85 :* 331 842. *87 :* 313 256. *89 :* 265 232. *90 :* 259 410. *91 :* 249 534 (np. 14 532), ab. 223 645. **Agricole et coopérative** (Nice) H 10 000. **Charentaise** * H *91:* 5 776 (np. 1 598). **Claire** BMT *65 000* – 42 000. **Communale et départementale** * M *90:* 17 230 (np. 4 858), ab. 12 372. **Corrézienne** H *15 000.* **De l'Auto** * H *1990 :* 41 614 (np. 369), ab 21 391. **Des métiers** M *291 000* ou *132 000* (en alternance) – 270 000 ou 120 000. **Le Boulanger-confiseur-glacier-pâtissier** M 12 500. **Économique du Sud-Ouest** M *10 000.* **De la Moto** * BM *1990 :* 19 652 (np. 66). **Naturelle** M *70 000.* **Du rail** * H *f.* 1950. *91 :* 225 622 (np. 2 101), ab. 216 672. 55 % SNCF, 15 % Le Monde, 15 % Ouest France. **Et santé** * M *1990 :* 34 752 (np. 202), ab. 29 653. **Française – L'Opinion** * H *f.* 1945. **Française** * H 95 115 (np. 7 961), ab. 72 228. **Judiciaire** H 17 000. **Médicale** * BM *27 000.* **Ouvrière** H *f.* 1909. *120 000.* **Quercynoise** H *10 000.*

Vieilles Maisons françaises * BMT *1989:* 20 991 (np. 607), ab. 15 757.

Vienne rurale * H *1989 :* 9 869 (np. 805).

Vigneron du Midi (Le) M *1986 : 16 000.*

Villages du Val de Marne * H *1990:* 1 733 (np. 588).

Ville de Paris M *230 000.*

Villefranchois (Le) * H *91 :* 9 479 (np. 409), ab. 6 709.

21 (Le) H gr. 115 000.

25 (Le) (Besançon) H 73 389.

26 (Le) H gr. 110 000.

Visemot M *35 000* – 18 500, ab. 160.

Vital * M *f.* 1980. *91 :* 166 098 (np. 13 764).

Viti * M *1991 :* 28 696 (np. 9 328), ab. 27 363.

Viva * M *91 :* 792 072 (np. 388).

Vivre M *42 000* – 41 160. **A Metz** M gr. *56 000.* **A Strasbourg** M gr. *125 000.* **Nu magazine – La Vie au soleil** M *60 000* – 45 000, ab. 10 000.

Vocable * BM *91 :* 157 188 (np. 2 120), ab. 133 955.

Vogue * M *f.* 1921. *1950 :* 24 508. *81 :* 65 424. *83 :* 71 710. *86 :* 70 552. *88 :* 75 950. *90 :* 76 991. *91 :* 80 455 (np. 3 715). **Hommes** * M *créé* 1972-76. *1986 :* 47 115. *89 :* 53 806. *91 :* 55 489 (np. 3 762).

Voici * H *f.* 1987. *1989 :* 403 723. *91 :* 710 221 (np. 2 869).

Voies ferrées BMT *20 000* – 19 000, ab. 7 500.

Voiles et voiliers * M *f.* 1972. *91 :* 71 091 (np. 5 960), ab. 27 509.

Voix – Le Bocage * BH *91:* 5 458 (np. 267). **Du Cantal** H *6 000.* **De France** 8 nos/an 36 500, ab. 34 415. **De la Terre** (Agen) BM 32 700. **De l'Ain** * H *91 :* 21 514 (np. 895). **De l'Est** H *1986 : 15 600.* **Des Bêtes (La)** BMT *57 000,* ab. 46 000. **Des communes, des départements et des régions** 11 nos/an 10 900. **Des employés et cadres** 8 nos/an 17 500. **Des parents** * BMT *1990 :* 184 038 (np. 21 451), ab. 162 587. *1971 :* 525 382. **Du retraité** M 25 000, ab. 18 250. **Des sports** * H *91 :* 73 887 (np. 2 782), ab. 4 728. **Du cheminot ancien combattant** T *7 000.* **Du combattant** * M *1990 :* 262 589 (np. 1 991), ab. 260 598. **Du peuple** (Tours) H *22 600.* **Du Sancerrois** H 7 338. **Populaire** (Colombes) H *18 000.*

Vol libre M *f.* 1976. *20 000* – 13 000.

Volonté du commerce, de l'industrie et des prestations de services M 59 745. **Paysanne de l'Aveyron** * H *91 :* 11 460 (np. 1 670). **Paysanne du Gers** * BM *91 :* 17 275 (np. 17 201).

Votre Beauté – Votre Santé * M *1961 :* 60 147. *89 :* 84 905. *90 :* 104 372. *91 :* 97 661 (np. 3 589), ab. 20 279. **Maison** * BMT *1966:* 38 272. *87:* 253 040. *91 :* 181 101 (np. 10 076).

Vous et votre avenir M *1989 :* 26 448. *91 :* 80 000.

Voyageur représentant (Le) T *58 000.*

VSD (vendredi, samedi, dimanche) * H *f.* 1977 par Maurice Siegel († 1985), repris par ses fils, François et Jean-Dominique. *91 :* 293 068 (np. 6 152).

Wind * M *f.* 1980. *1991 :* 50 015 (np. 682), ab. 11 000.

Yonne agricole H *1989 : 5 200.*

08 - Ardennes H gr. 102 000.

09 (Le) H gr. *83 000.*

06 Nice (Le) * H gr. 169 800.

06 Antibes (Le) * H gr. 74 800.

01 (Le) H gr. 66 100. **01 Informatique (L'annuaire de)** A 40 000. **hebdo** * H *91 :* 50 746 (np. 12 240). **01 Références** * BMT *91 :* 35 684 (np. 1 751).

Zéro Vu Magazine – Audio Vidéo Pro M *15 000* – 12 000, ab. 9 000.

Zoom M 39 125 (85).

Presse pour les jeunes

Abricot M *f.* 1987. *80 000* – 50 000.

Astrapi * BM *f.* 1978. *1985 :* 99 367. *87 :* 92 294. *88 :* 93 095. *89 :* 92 758. *90 :* 87 713. *91 :* 83 479 (np. 3 114), ab. 62 615.

Belles Histoires de Pomme d'Api M *f. 1979 :* 55 000. *83 :* 62 875. *85* et *86 :* 70 000. *90 :* 72 594.

Blaireau M *f.* 1987. *60 000* – 52 500.

Bravo Girl ! BM *f.* 1992, *274 021.*

Clés de l'actualité (Les) H *f.* 1992. *120 000* – 82 000.

Diabolo M *f.* 1987. 70 000.

Donald Magazine *1986 :* 58 208. *89 :* 20 091.

Équipée (L') 5 nos/an 15 000.

Fripounet * H *f.* 1946. *1961 :* 134 139. *76 :* 170 886. *79:* 140 442. *82:* 120 044. *83:* 107 655 ab. 92 012. *86 :* 75 450. *88 :* 67 262 ab. 58 469. *89 : 100 000.* *90 :* 40 000. *91 : 98 000* – 70 000.

Grain de Soleil M *f.* 1988. 67 682.

Grodada M *f.* 1991. 60 000

Guide de France M ab. 15 000.

I Love English * M *f.* 1985. 11 nos/an *1990 :* 72 237. *91 :* 58 822 (np. 3 941).

Images Doc. * M *f.* 1989. *91 :* 86 555 (np. 1 578), ab. 62 884.

Jacinte * M *f.* 1975. 123 237.

J'aime lire * M *f.* 1977. *1982 :* 134 000. *83 :* 129 077. *86:* 140 000. *89:* 150 000. *91:* 140 951 (np. 3 344), ab. 94 071.

Je Bouquine * M *f.* 1984. *1986 :* 60 000. *89 :* 72 000. *90 :* 73 407. *91 :* 69 536 (np. 2 110).

Jeunes (Les) M *10 000,* ab. 7 500.

Jeux de poche des jeunes M *28 147* – 14 000, ab. 71.

Journal de Mickey (Le) * H *f.* 1936. *1963 :* 375 233. *81 :* 379 672. *85 :* 307 116. *87 :* 272 561. *88 :* 244 082. *89 :* 224 588. *91 :* 211 518 (np. 3 111). **Des Enfants** H *f.* 1984, supplément de l'Alsace. *1989 :* 85 000. *90 :* 192 610, *141 819,* ab. 133 941.

Kouakou 6 nos/an 417 000.

Loisirs Jeunes H 9 800.

Mikado M 43 955.

Nouveau Clarté (Le) 7 nos/an *95 000.*

OK Age Tendre * H *f.* 1964. *1964 :* 267 942. *80 :* 251 021. *83 :* 283 469. *85 :* 233 732. *86 :* 241 076. *90 :* 191 519. *91 :* 160 609 (np. 1 712). **O.K !** H *f.* 1976. 241 502. *88 :* 263 094. *89 :* 212 298. *90 :* 191 520.

Okapi * BM *f.* 1971. *1973 :* 91 752. *81 :* 86 075. *83 :* 84 760. *85 :* 81 251. *88 :* 116 392. *89 :* 129 443. *90 :* 125 055. *91 :* 118 642 (np. 3 114), ab. 93 874.

Perlin H *f.* 1956. *88 000.*

Phosphore * M *f.* 1981. *85 :* 57 749. *87 :* 78 981. *88 :* 87 241. *89 :* 97 920. *91 :* 108 995 (np. 4 274).

Picsou-Magazine * M *f.* 1972. *1972 :* 312 181. *83 :* 363 391. *85 :* 306 176. *88 :* 226 810, ab. 21 776. *90 :* 245 549. *91 :* 233 036 (np. 1 286).

Pif gadget (a succédé à Vaillant) H *1971 :* 334 080. *81 :* 400 034. *83 :* 365 150. *84 :* 364 313. *87 :* 215 250. *90 : 205 000. 91 : 205 000* – 175 000.

Pilote * 1er n° le 29-10-1959 (H) puis M dep. 5-6-1974, fusionne avec Charlie 1986, disparaît nov. 1989. *1962 :* 126 796. *82 :* 68 008. *86 :* 44 141.

Podium HIT * M *f.* 1972. *1973 :* 225 992. *82 :* 240 578. *83 :* 289 255. *84 :* 320 063. *85 :* 285 303. *87 :* 265 464. *88 :* 246 026. *89 :* 219 872. *91 :* 177 200 (np. 1 787).

Pomme d'Api * M *f.* 1966. *1977 :* 155 273. *85 :* 149 954. *87 :* 156 305. *88 :* 157 048. *89 :* 150 852. *90 :* 147 054. *91 :* 136 005 (np. 3 328), ab. 89 605.

Popi * M *f.* 1986. *90 :* 98 086. *91 :* 84 222 (np. 1 977).

P'tit Loup * M *f.* 1989 (7 à 10 ans). *91 :* 76 505 (np. 2 894).

Routes nouvelles 5 nos/an *5 000.*

Salut * BM *f.* 1962 (Salut les copains). M *1962 :* 533 769. *63 :* 890 845. *64 :* 1 040 228. *67 :* 103 308. *68 :* 990 643. *70 :* 819 921. *72 :* 736 292. *79 :* 236 717. *82 :* 193 388. *83 :* 229 863. *84 :* 236 696. *87 :* 176 608. *88:* 173 271. *89:* 140 252. *91:* 149 077 (np. 370). Record : 1 million d'ex. pour le mariage de Sylvie Vartan et Johnny Hallyday.

Scouts 6 nos/an *100 000.*

Semaine de Babar (La) *f.* 1900. 240 000.

Spidey M *50 000* – 40 000.

Spirou H *f.* 1936. *1955 :* 79 810. *1960 :* 99 256. *66 :* 119 431. *68 :* 104 711. *73 :* 85 072. *80 :* 83 426. *88 :* 29 683. *90 :* 66 000.

Strange M *f.* 1970. *80 000,* ab. 2 900.

Talents BT *f.* 1992.

Télérama Junior *f.* 1992. *1992 :* 65 000.

Tintin * H *f.* Belgique 26-9-1946, France 1948. *1955 :* 92 473. *1959 :* 187 373. *62 :* 204 598. *73 :* 85 425. *81 :* 54 249. *82 :* 46 088. *85 :* 35 623. Remplacé déc. 1988 par Tintin Reporter (dernier n° 28-7-1989).

Toboggan M *f.* 1982. 113 380.
Today in English M *f.* 1991. *50 000.*
Toupie M *f.* 1984. 95 000.
Triolo BM *95 000.*
Vingt Ans M *f.* 1960. *1965 :* 76 048. *82 :* 123 559. *84 :* 119 692. *88 :* 81 101. *90 :* 94 151. *91 :* 108 661 (np. 2 136), ab. 12 784.
Wakou M *f.* 1989. 40 000.
Wapiti * M *f.* 1987. *1989 :* 145 432. *91 :* 104 731 (np. 905).
Winnie l'Ourson * M *f.* 1985 : 128 000. *86 :* 170 047. *88 :* 136 385. *90 :* 105 344. *91 :* 94 584 (np. 3 218).

Publicité

Sources des statistiques : Irep, Sécodip, AACP, Uda, Advertising Age.

☞ Une publicité perçue une seule fois s'il s'agit d'une affiche est mémorisée par 4 % des gens, message radio 5 %, presse 10 %, télévision 15 %, cinéma 75 %. S'il n'y a qu'un message dans un écran publicitaire TV, il sera mémorisé par 76 % du public, s'il y en a 7 ou 8 par 50 %, s'il y en a 15 par 44 %.

Annonceurs

En France

Dépenses globales de communication (source : Irep). *1991 :* 121,1 milliards de F, *1992 :* 122,4.

Investissements publicitaires (en milliards de F). *1982 :* 58,6 dont grands médias 29,6 (presse 17,5, TV 4,7, affichage 4,4, radio 2,6, cinéma 0,5), hors médias 28,9 (publipostage 11,1, annuaires 1,6, salons 4,1, promotion 7,9, PLV 2,4, sponsoring 1,7). *1986 :* 69,9. *1991 :* 101,5. *1992 :* 104,1. *1993 (est.) :* 109,3 dont grands médias 48,1 (presse 24,9, TV 13,7, affichage 5,9, radio 3,3, cinéma 0,2), hors médias 61,2 (publipostage 25,9, annuaires 4,6, salons 6,9, promotion 15,9, PLV 4,4, sponsoring 3,4).

Dépenses pub. par tête (en F). *1975 :* 199. *80 :* 379. *85 :* 726. *89 :* 1 160. *90 :* 1 247. *91 :* 1 279 (les dép. pub. représentent 1,25 % du PIB marchand et 1,77 % de la consommation des ménages). *Source :* Irep. **Dépenses par secteurs** (en %, 1990) alimentation 10,9, éditions et médias 9,6, ind. du transport 9,6, culture-loisirs-distractions 9,2, services 7,3, distribution 7,3, toilette-beauté 6,7, ameublement-décoration 6,4, boissons 4,5, autres 28,5. (*Source* Sécodip).

1ers investisseurs pluri-médias (5 grands médias, en millions de F, 1991, *Source :* Sécodip). Nestlé 1 366, Peugeot 1 232, BSN 1 217, L'Oréal 1 150, Renault 1 084.

Nota. – Investissements bruts (base des tarifs HT, hors dégressifs et hors négociations). Presse : 800 titres environ – Télévision : 6 chaînes nationales + FR3 Régions, TMC et RTL TV. Radio : RMC, RTL, Europe 1, NRJ nat., Nostalgie nat. et Sud Radio – Affichage – Cinéma.

Campagnes d'information du gouvernement (en millions de F). *1980 :* 3, *87 :* 236,7, *88 :* 244,1, *89 :* 275, *90 :* 322, *91 :* 395 dont min. Affaires soc. 92,2 (7 campagnes), Travail, Emploi 62,3 (6), Délégation contre la drogue 28,2 (1), Équipement, Transports, Logement, Sécurité routière 26,8 (8), Économie, Finances 18 (3). *Répartition :* TV 89,6, radio 22,2, presse quotidienne nationale 1,6, régionale 13,6, magazine 20,3, affichage 8,3, cinéma 6,5, hors médias 232,7. *1992 :* 445 dont min. du Travail 128,6, Santé 90,3, Équipement 47,9, Tourisme 29,8, secr. d'État droits des femmes, Consommation 28,8, min. Éducation 20,1.

Dans le monde

Annonceurs principaux aux USA. Dépenses (en millions de $, 1992, *Source :* LNA/Arbitron Multi-Media Service) : Procter & Gamble Co. 1 174,70, Philip Morris Co. 1 090,80, General Motors Corp. 947,9, Ford Motor Co. 601,8, Chrysler Corp. 567,3, Pepsi Co. 555,7, Sears, Roebuck & Co. 546, Toyota Motor Corp. 440,1, General Mills 430,9, Unilever 420,9.

Investissements publicitaires grands médias (en milliards de F, 1991, *Source :* AACC Études et Recherches). All. 74,7, G.-B. 65, *France 49,1,* Esp. 41,8, Ital. 40,1, P.-Bas 16,8, Suisse 12,3, Suède 9,8, Belg. 7,4, Dan. 6, Autr. 5,7, Finl. 5,3, Norv. (1990) 4,2, Grèce 3,1, Port. 2,9, Turquie (1990) 2,1, Irl. 1,7, USA 395,8, Europe 348,8, Japon 180. **Par hab.** (en F). Finlande 1 818, Suisse 1 800, USA 1 759, Japon 1 187, G.-B. 1 129, Norvège 1 076, P.-Bas 1 047, Suède 897, Danemark 861, All. féd. 855, *France 743,* Espagne 599, Autriche 582, Belg. 578, Italie 525, Irl. 332, Grèce 180, Port. 127, Turquie 19.

Agences de publicité

En France

Principaux groupes. *Marge brute en millions de F, 1992 (Source :* AACC). Eurocom 1 111. Publicis 987, BDDP 790, RSCG 723, DDB Needham 472, Young & Rubicam 425, Lintas 263,5, Mc Cann Erickson 279,3, CLM/BBDO 265,9, Ogilvy & Mather 259,7. *1991 :* FCA 254, Saatchi & Saatchi 229, Synergie Équateur 230, Grey 164, BSB 164, FCB 157, BL/LB 132, J. Walter Thompson 116, Ayer 110, . *CA* (en milliards de F, 1991) : Time Warner 69,6, Bertelsmann 49,4, News Corp. 48,5, Hachette 30,4, Havas 26,5, Reed Elsevier 22,7, Rizzoli 11,6, Pearson 10,2 (uniquement médias), Vnu 8,3, United Newspapers 8,1, Wolters Kluwer 7,2.

Effectifs (1988). 13 000 salariés.

Euro-RSCG. *Créé* 2-10-1991 (RSCG absorbé par Eurocom). 6e place mondiale. *Capital* (%, 1992) : Havas 41,54, public, institutionnels, management 30,3, Sté Générale 8,5, Rouseca (fondateurs RSCG) 8,4, BNP 5,02, Crédit agricole 3,77. *CA* (1991) : 43 000 millions de F. *Résultat net (1992) :* 20,3 millions de F. *Effectifs :* 8 000. *P-DG :* Alain de Pouzilhac (11-6-45). **Eurocom-France** (fusion de Bélier et d'HDM le 29-10-91, filiale d'Havas) : *Pt :* Alain de Pouzilhac. *Implantations* dans 40 pays en Europe. *Dette* (92) : 450 millions de F. *Résultat courant* (91) : 182 millions de F ; *net :* 147 millions de F (553,6 en 90). **RSCG :** *créé* 1969 par Bernard Roux (15-8-34), Jacques Séguéla (23-2-34), Alain Cayzac (2-6-41), Jean-Michel Goudard (13-11-39). *Agences dans le monde :* 200. *Dette (1991) :* 1 200 millions de F. *Perte nette (1991) :* 345 millions de F.

Havas. 1er groupe publicitaire français. *P-DG :* Pierre Dauzier (31-1-39). Privatisé *25-5-1987. Capital* (sept. 1992, en %) : Société générale 8,08, Paribas 4,54, SPM 3,66, Lyonnaise des Eaux-Dumez 1,65, UAP 3,70, AGF 3,87, GMF 2,84, BSN 0,01, BNP 3,73, Caisse des Dépôts 6,13, Canal + Finance 8,9, Crédit agricole 4,32, flottant 48,57. *CA consolidé* et, entre parenthèses, *résultat net* (en milliards de F) : *1987* 13,71 (0,55), *88* 15,8 (0,75), *89* 18,87 (0,97), *90* 23,66 (1,15), *91* 26,5 (1,08), *92* 28,18 (0,82). *Résultat courant avant impôts* (1992) : 1,89 dont régie et gratuits 0,8, affichage 0,09, tourisme 0,02, conseil 0,15, édition et presse 0,18, audiovisuel 0,56 (dont Canal + 0,4, Audiofina/CLT 0,14), holding 0,08. *Effectifs* (Stés intégrées) : 12 462.

Publicis-FCB. 2e européen. *Créé* 1926 par Marcel Bleustein (21-8-1906). *P-DG :* Maurice Lévy (7-9-1922). *1929 :* 1er message pub. radiophonique lancé sur Radio Tour Eiffel. *1931* budget André (slogan : « le chausseur sachant chausser »). *Actifs :* 12 500 m² sur les Champs-Elysées, 20 % de Foot, Cone & Belding, 25 % d'Affichages Giraudy. *Agence :* 176 dans 40 pays. *CA* et, entre parenthèses, *bénéfice net* (en milliards de F). *1988 :* 8,6 (0,123), *89 :* 14,7 (0,142), *90 :* 16,2 (0,173 hors profit exceptionnel de 0,052 lié à opération immobilière), *91 :* 19,9 (0,15), *92 :* 20 (0,149).

Dans le monde

Principales agences. CA (en milliards de $, 1992). (*Source :* Advertising Age) : WPP Group 17,9, Interpublic Group of Cos. 12,1, Saatchi & Saatchi Co. 11,7 (*déficit 1992 :* 4,8 milliards de F), Dentsu 10,7, Omnicom Group 10,4, Young & Rubicam 7,8, Euro RSCG 6,9, Hakuhodo 4,7, Foote, Cone & Belding Communications 4,6, Grey Advertising 4,4.

Nota. – (1) Groupe Saatchi dep. 1986. (2) Gr. Wire and Plastic Products. (3) Gr. amér. Interpublic.

Effectifs (1992) Saatchi et Saatchi 12 000 (1991 : 13 000). (1984) Young & Rubicam 8 418. Ted Bates 5 345. Ogilvy 7 428. J. Walter Thompson 8 174.

Échecs publicitaires. *1969* J. Walter Thompson, lessive Ala : « enzymes gloutons » (les ménagères craignent qu'ils ne mangent les couleurs de leur linge). *1972* BNP : « Votre argent m'intéresse ». *1973* Vittel : « Buvez et pissez ». *1978* RSCG pour Citroën : « l'anti-tape-cul » (le client achète d'abord un statut social, pas un anti-tape-cul). *1977* Bière Fischerlei : « la cannette de bière qui a du ventre ». *1981 :* Valéry Giscard d'Estaing : « Il faut un président à la France » (réplique : on n'en avait donc pas ?).

Spécialistes médias

Indépendants des agences de création publicitaire, ils gèrent plus du tiers des investissements médias en Europe (53 milliards US $ en 1989).

Achat d'espaces. Principales centrales. *Volume d'achat* (en milliards de F) et, entre parenthèses, *parts de marché* (%) : Carat 10,8 (21), PMS (Publi Média Service) 9,4 (18,5), Euro-RSCG 8,3 (16), TMP (The Media Partnership) 8 (15,7).

Nota. 1987 : création de *Carat TV* (conseil média-achats TV). *1991 :* logiciel Émeraude (1er système intégré de media-planning et de banque de données sur la presse). *Carat* (fin 1993) : 5 filiales, 380 salariés (*1992 :* 14 Stés, 660 sal.), *CA brut France* 11 milliards de F. *Aegis Group* (holding de Carat Espace) : perte avant impôts (1992), 1,9 million £ (1991 : bén. 54,4).

Organismes professionnels

En France

AACC (Association des agences conseils en communication). 40, bd Malesherbes, 75008 Paris. *Fondée* 1972 (sous le sigle AACP, Assoc. des agences conseils en publicité). Regroupe 230 agences. *Pt :* Philippe Gaumont (28-2-1940). *Vice-Pt :* Jacques Bille.

ABCD (Association des bureaux de contrôle de la diffusion des supports de publicité). Regroupe 5 bureaux de contrôle (presse payante, gratuite, audiovisuelle, hors commission paritaire, supports divers).

BVP (Bureau de vérification de la publicité). 5, rue Jean-Mermoz, 75008 Paris. *Fondé* 1935. *Adhérents* 1 100 (organisations professionnelles, annonceurs, agences de pub., supports et régies). *Missions :* conseil auprès de ses adhérents, contrôle après diffusion du message pub. Il prend toute mesure lui paraissant propre à faire cesser les manquements à la législation et à l'autodiscipline. Il n'attribue ni label de conformité, ni visa ou garantie sur un message. En 1992, il a examiné 12 432 dossiers publicitaires, demandé la modification de 263 spots télévisés et refusé la diffusion d'une douzaine d'écrans publicitaires sur un total de 5 799 films visionnés ; il intervient dans 41 % des cas à propos d'une publicité de nature à induire en erreur, pour des allégations concernant la santé (15 %), pour le non-respect de la langue française (10 %), pour la protection de l'enfance (6 %), et le respect de la loi Évin (5 %).

CESP (Centre d'étude des supports de publicité). 32, av. Georges-Mandel, 75116 Paris. Association *fondée* 1956. *Adhérents :* 300 (annonceurs, publicitaires, quotidiens, magazines, radios, télévisions, régies de cinéma, sociétés d'affichage). *Objectif :* fournir à ses adhérents des données d'audience sur les supports (sondages d'env. 15 000 personnes de 15 ans et plus). Missions d'audit et de contrôle d'études « privées » financées de façon autonome, à la demande d'adhérents. *Pt* Jacques Hébert (14-8-1943). *Vice-P-DG :* Corinne Fabre (7-3-51).

Diffusion Contrôle OJD (Assoc. pour le contrôle de la diffusion des médias). 40, bd Malesherbes, 75008 Paris. *Origine :* 1922 Charles Maillard fonde OJT (Office de justification des tirages) constitué 26-1-26 sous forme d'association. Étienne Damour (1888-1933) insiste sur l'idée d'un contrôle des tirages. 1946 devient l'OJD. *Association tripartite :* Féd. de la presse française, Union des annonceurs, Féd. nat. de la pub. *Objet :* contrôler tirage et diffusion des publications qui se soumettent volontairement à son contrôle. *Adhérents* (nov. 1992) : 1 238 dont presse 1 115 [soit 85 % de la diffusion totale de la presse : Bureau presse payante (OJD) 839, des Écrits spécialisés 45, des Supports divers 17, CDPG (constat de la distribution des périodiques gratuits) 210, CAST (contrôle de la diffusion des supports audiovisuels et télématiques) 4], publicitaires 58, annonceurs 27, membres associés 37. *Pt :* Jean Miot (30-7-1939) (Le Figaro).

FNP (Fédération nationale de la publicité). 40, bd Malesherbes, 75008 Paris. *Co-Pts :* Pierre Chatelus, François Tiger. *Regroupe :* Association des Agences conseils en communication (AACC), Féd. nat. de l'information médicale (FNIM), Union des chambres synd. fr. d'affichage et de pub. extérieure (UPE), Presspace – Union de la pub. presse. Annuaire Télématique et Communication (ATC), Synd. nat. de la promotion et de la pub. sur le lieu de vente (SNPLV).

IREP (Institut de recherches et d'études publicitaires). 62, rue La Boétie, 75008 Paris. *Fondé* 1958. *Adhérents :* 170 (agences, annonceurs, médias, sociétés d'études et des univ.). *Pt :* Marc Bourgery (8-5-1941).

UDA (Union des annonceurs). Représente + de 1 millier d'entreprises et env. 75 % des dépenses de pub. et de promotion faites en France.

Médias

Statistiques globales

■ **Investissements publicitaires par secteurs économiques en France** (en milliards de F, hors divers et petites annonces, 1991) : 50,72 dont alimentation 6,12, boissons 2,16, produits et matériel d'entretien 1,48, toilette-beauté 3,42, pharmacie-médecine 0,59, tabac-accessoires fumeurs 0,24, textile 2,05, équipement ménager 0,86, ameublement et décoration 3,2, distribution 3,72, transport 5,13, communication-tourisme 1,79, culture-loisirs-formation 5,13, édition-information-médias 4,72, services 3,83, publicité financière 1,61, immobilier-BTP 1,24, bureau-informatique 1,76, industrie 1,19, agriculture-horticulture 0,46.

Le marché publicitaire par médias

Répartition prévisionnelle des recettes publicitaires, en France, entre les grands médias (en 1993, en millions de F).

Grands médias :	93/92	1993 [1]	Part de marché
Presse	– 10	22 405	48,2
PQN	– 15	2 150	4,6
PQR	– 8	4 480	9,6
Magazines	– 9	7 540	16,2
Presse spécialisée	– 10	4 015	8,6
Gratuits	– 11	4 220	9,1
Télévision	5	15 000	32,3
Affichage	– 6	5 480	11,8
Radio	– 2	3 280	7,1
Cinéma	– 10	290	0,6
TOTAL	–4,6	46 455	100

Source : Irep pour les chiffres 1992 ; (1) prévisions IP pour les chiffres 93.

Premiers supports budgétaires nationaux. Chiffre d'affaires (en milliards de F, 1992). *TF1* 8,81, *France 2* ou 2,72, *Avenir* 2,35, *RTL* 2,18, *M6* 2,18, *Giraudy* 2,03, *Europe 1* 1,96, *Dauphin* 1,76, *Métrobus* 1,34, *France 3* 1,32, *Le Figaro* 1,2, *NRJ* 1,1, *Télé-7 Jours* 0,93, *RMC* 0,87, *Le Monde* 0,62, *Madame Figaro* 0,61, *Le Nouvel Observateur* 0,6, *Elle* 0,59, *L'Express* 0,58, *TV-Magazine* 0,57.

Nota. – Gratuits et presse quotidienne régionale ne sont pas dans le classement. Pour la presse, données hors petites annonces, suppléments et hors-série. *Sources :* Décisions Médias et Sécodip.

Loi Sapin. Entrée en vigueur 31-3-1993. Relative à la prévention de la corruption et à la moralisation et la transparence politiques et économiques, elle réglemente le financement des campagnes électorales ; fixe les conditions d'activité des prestataires de service ; modifie les procédures d'autorisation des grandes surfaces commerciales ; réglemente la concurrence et la passation de marchés par les collectivités locales. *Articles relatifs à la publicité* (les plus controversés) : tout prestataire (agence de pub. ou centrale d'achat) doit communiquer son barème de prix et ses conditions de vente, suppression de la commission d'agence (le prestataire ne pouvant être rémunéré que par l'annonceur, en fonction du travail effectué) ; restitution à l'annonceur de tout rabais accordé par les médias ; obligation pour les médias d'afficher leurs tarifs et de s'y tenir sous peine d'amende. *% de remise pratiqués par les médias.* TV 20 à 40. Radio 50 à 75. Affichage 40 à 55. Presse : QN 30 à 35, QR 0 à 20, magazines 35 à 45. Decaux 0 à 20.

Affichage

Réglementation

☞ La loi du 29-7-1881 sur la liberté de la presse évoque l'affichage dans son article 15, mais protège les panneaux réservés à l'affichage admin. et non les murs des propriétés privées. Un propriétaire qui peint sur son mur « défense d'afficher loi du 29-7-1881 » n'est donc pas protégé. Il peut seulement arracher ou faire arracher toute affiche, même officielle, apposée contre son gré.

■ **Généralités.** L'affichage, dès lors qu'il est visible de toute voie ouverte à la circulation publique, est réglementé dans un but de protection du cadre de vie, par la loi du 29-12-1979 et ses décrets d'application (notamment le décret du 21-11-1980), et dans l'intérêt de la circulation routière, par le décret du 11-2-1976. La loi du 29-12-1979 module en fonction des sites la possibilité d'apposer toute inscription ou image destinée à informer le public ou attirer son attention. La publicité est interdite de manière absolue dans les espaces très sensibles (immeubles ou sites classés, parcs nationaux, réserves naturelles, sur les arbres), qu'ils soient situés en ou hors agglomération, le terme agglomération étant défini selon les règlements de la circulation routière.

■ **Affichage politique.** Interdit sur papier blanc (réservé aux affiches officielles) et tricolore (bleu, blanc, rouge, s'il s'agit d'affiches électorales).

■ **En agglomération.** La publicité est interdite dans les lieux protégés (secteurs sauvegardés, sites inscrits à moins de 100 m et dans le champ de visibilité des monuments historiques). Elle peut être réintroduite de manière dérogatoire. Dans les secteurs non protégés, elle est soumise au respect des règles nationales permettant de garantir la protection du cadre de vie (types de supports interdits, publicité interdite sur les murs des bâtiments présentant un caractère d'habitation et dont les ouvertures ne sont pas de surface réduite, publicité scellée au sol ou installée sur le sol interdite dans les aggl. de – de 10 000 h. ne faisant pas partie d'un ensemble multicommunal de + de 100 000 h. défini selon l'Insee, dimensions des publicités en rapport avec la taille de l'aggl. ...). Les communes peuvent adapter ces règles en fonction du tissu urbain et de leurs objectifs particuliers.

■ **Hors agglomération.** Interdite dans l'espace naturel. Cette interdiction peut être levée dans les groupements d'habitation à proximité immédiate des établissements industriels et commerciaux des centres artisanaux, par une réglementation spéciale élaborée par élus et représentants de l'Administration, à l'initiative du maire.

Certaines activités, dont celles utiles aux personnes en déplacement (restauration, garage, station-service...) peuvent être signalées hors agglomération à l'aide de pré-enseignes – considérées comme des publicités de proximité – scellées au sol ou installées directement sur le sol, en conformité avec le décret du 24-2-1982 (dimensions, nombre, distance).

■ **Sanctions.** Administratives et pénales selon les préjudices occasionnés. Elles relèvent de la compétence des maires et des préfets. La personne qui a apposé, fait apposer ou maintenu une publicité irrégulière, est redevable d'une astreinte administrative par jour et par infraction, de 204,46 F (1992). En cas de condamnation, le tribunal judiciaire peut prononcer une amende de 50 à 10 000 F par j et dispositif en infraction (doublée en cas de récidive).

Si une affiche est diffamatoire ou appelle à commettre certains crimes contre les personnes, les biens ou la sûreté de l'État, les peines prévues par la loi de 1881 peuvent s'appliquer à l'auteur de l'affiche ou, à son défaut, à l'imprimeur. Si aucun n'est connu, l'afficheur peut être poursuivi. Si la provocation à commettre des crimes a été directement suivie d'effet, les auteurs de l'affiche tombent, en application des règles de la complicité, sous le coup des dispositions du Code pénal réprimant ces infractions. Maires ou préfets peuvent faire procéder à des lacérations d'affiches, mais la jurisprudence n'en admet la légalité que si, vu l'urgence, elles sont nécessaires pour prévenir ou faire cesser les troubles graves de l'ordre public provoqués par la nature des affiches.

On risque 1 mois à 2 ans de prison pour toute « dégradation de monuments, statues et autres objets destinés à l'utilité ou à la décoration publiques ». Si l'inscription peut être effacée sans laisser de traces, il n'y a plus délit, mais simple contravention jugée par le tribunal de police.

Affichage d'images contraires à la décence. 600 à 1 200 F d'amende et 8 j max. de prison.

■ **Principaux afficheurs en France. CA** (en milliards de F) : *Avenir* n.c. ; *Dauphin 1989* : 1,01, *90* : 2,5 (env. 50 000 panneaux dont 2 000 à Paris dont 500 concédés par la municipalité : palissades de chantiers, murs et clôtures propriétés de la ville).

☞ C'est *Avenir* qui a lancé en 1981 la campagne « L'afficheur qui tient ses promesses » : 1re affiche le 2 sept. (Myriam jeune mannequin en bikini annonçait « j'enlève le haut »), 2e le 4 sept. (annonce « j'enlève le bas »), 3e (paraît de dos).

■ **Paris. Affichage mural.** Tarifs en milliers de F (HT). *Panneau de 12 m² (4 × 3)* : emplacement de prestige – panneau de chantier (ex. place du Mal-Juin) : 20 à 25 (7 j) ; bon emplacement 5 à 15 (7 j) ; banlieue 1,5 (14 j) ; *réseaux :* 560 à 640 pour 200 panneaux (7 j) à Paris ; env. 500 pour 450 panneaux en banlieue (7 ou 10 j). **Mur peint publicitaire :** interdit en 1943, réautorisé en 1979. 10 à 300 par an (suivant surface du mur et situation).

Autobus. *Arrière :* 1/2 parc. 2 250 arrières pendant une semaine : 915. *Côtés extérieurs :* 1/2 parc ; vendus par sem., ensemble de 2 600 côtés gauches 950, 2 000 côtés droits 490.

Métro. Ex. de prix : *pour 2 semaines :* 210 panneaux quais : 490. 1 000 panneaux couloirs : 445. *Pour 1 semaine :* oriflamme double face dans la totalité des voitures : 265.

Publicités lumineuses. Prix annuel : *Toiture et terrasses d'immeubles :* Paris et périphériques : 400 à 1 000. *Balcons :* 200 à 500.

■ **Province. Affichage mural.** Prix moyen (location emplacement, pose et entretien des affiches) pour 2 semaines, panneau de 12 m² : *unité urbaine de + de 100 000 h. :* 1,2 à 4,72 le panneau ; *50 000 à 100 000 h. :* 0,7 à 1,57 ; *20 000 à 50 000 h. :* 0,5 à 1,25 ; *10 000 à 20 000 h. :* 0,5 à 0,8.

Autobus. 100 agglomérations (population touchée : 21 millions d'h). *Côtés extérieurs* (flancs gauches, format 274 × 68 cm, environ 10 000 emplacements, 1 semaine) : 4 000.

Métro. Lyon (4 lignes, 34 stations), réseau *Traboules :* 144 emplacements (120 × 174 cm), 2 semaines : 153,8. **Marseille** (2 lignes, 24 stations), 110 faces (120 × 176 cm), 1 semaine : 50.

Aéroports (1993). *De Paris* (Orly et Roissy) : vitrines ou caissons lumineux, suivant dimensions et situation 70 à 400 ; réseau 120 à 530 ; extérieurs (4 × 3 m) 200 à 480 par an. *Internationaux* (Nice, Marseille, Toulouse, Bordeaux, Strasbourg, Lille, Nantes, etc.) : 50 à 80. *De province* (Grenoble, Toulon, Biarritz, Perpignan, Brest, Nîmes, St-Étienne, etc.) : 36 à 45.

Publicité aérienne

■ **Banderole** 1,6 × 50 m (texte maximum 40 lettres et espaces) et **panneau** jusqu'à 50 m² (HT) l'heure de 1 645 à 1 805 F, + de 50 m² : 1 805 à 1 985. **Exemples de circuits :** *Méditerranée :* Collioure-Montpellier 2 h, Montpellier-Fréjus 3 h, Fréjus-Menton 2 h 30. *Atlantique :* Hendaye-Arcachon 2 h 50, Arcachon-La Rochelle 3 h 30, La Rochelle-La Baule 3 h 10, La Baule-Quiberon 1 h 40, Quiberon-Quimper 2 h 10.

Écriture dans le ciel (employée pour la 1re fois par Citroën en 1923). Se pratique à 4 000/6 000 m d'alt. par des avions équipés de générateurs de fumée, zone de lisibilité du sol : diamètre de 50 à 60 km (hauteur des majuscules : 900 à 800 m, longueur d'un mot de 7 maj. : env. 6 km) visible 10 à 20 minutes.

Ballons dirigeables (Sté Airship services). Volent à 1 600 m, lettres : hauteur 4 m, lumineux de nuit.

Films publicitaires

Prix d'un film. Unité de vente : le contact spectateur/seconde/semaine. *Tarif moyen au 1-1-1992 :* Exemple : *film de* 30 s, diffusé une semaine dans les 3 059 salles publicitaires Médiavision/circuit A de France : 1 007 428 F.

Investissements totaux (1983). 455 millions de F dans l'ind. cinémat. fr., 1 400 nouveaux films produits (soit l'équivalent de 71 longs métrages, c.-à-d. 48 % de la production fr.), 2 600 rôles, 29 000 j de travail.

Salles publicitaires en France (1992). 3 059 dont Paris 307, banlieue 291, province 2 461. **Entrées hebdo.** (1992) : 3 868 200 dont Paris 697 150. **Nombre de spectateurs par an :** 42 % de la pop. française (*Source* CESP).

Presse

Les tarifs tiennent compte de l'audience et de la nature de la publication, de l'emplacement dans le journal, de la forme du placard (surface, illustration, couleur), de la fréquence de publication de l'annonce, etc. Certains sont sujets à révision, compte tenu des variations de tirage, des mois, des tarifs spéciaux pour campagne de masse. Certains journaux n'acceptent pas de publicité, ex. : *Le Canard enchaîné, Que choisir ?, 50 Millions de consommateurs.*

Chiffre d'affaires publicitaire

% de la pub. dans le CA. *1985 :* 40,99 ; *90 :* 46,6.

Recettes (1992, en milliards de F). 24,5 dont quotidiens nationaux 2,7, régionaux 4,8, magazines 8,2, spécialisés 4,2, gratuits 4,7. *Presse économique* (1992, en millions F) : la Tribune de l'Expansion 30, Le Nouvel Économiste 25, Capital 20, L'Expansion 15, Le Monde (supplément Éco.) 3.

Petites annonces. % des recettes pub. de la presse quot. nat. *1990 :* 53,7 ; *92 :* 38,6.

☞ **Revenus publicitaires des journaux** (%, 1990). USA 86,6, G.-B. 66,2, All. 65,4, Lux. 64,9, Japon 47,6, Dan. 47,2, *France 46,6*, Ital. 45,2, P.-B. 35,7, Grèce 24,9.

Journaux CA pub. (en millions de F, en 1988). Le Figaro-L'Aurore 1 007, Le Figaro Magazine 745, Télé-7 jours 731, Le Monde 627, L'Express 623,

Madame Figaro 520, Elle 438, Paris-Match 398, Télé-Star 351, Le Nouvel Observateur 345, Le Point 338, Marie-Claire 300, Femme actuelle 279, TV magazine (Le Figaro) 279, Les Échos 275, L'Expansion 273, Télé-Poche 269, Le Nouvel Économiste 228, Télérama 219, VSD 206, Libération 204, Usine nouvelle 193, Le Parisien 184, France-Soir 180, Prima 168, L'Équipe 165, Modes & Travaux 161, La Vie française 159, Télé-Loisirs 157, L'Événement du jeudi 131.

Prix de la page (en milliers de F, HT, en 1993)

■ **Quotidiens.** *La Croix* 57,8 (recto), 49,6 (verso). *L'Équipe* [1] 176 (p. rubriques), 295 (lundi). *Le Figaro* 451 (p. int.). *France-Soir* [1] 244 (p. int.). *L'Humanité* 55,70 F (le mm, p. int.). *Herald Tribune* 70 F (le mm, tarif de base). *Libération* 114,2 (p. int.). *Le Monde* 317 [1] (recto). *Ouest France* (I.-et-V.) 10,50 [1] F (le mm en semaine). *Le Parisien* 238 (p. recto). *Le Quotidien de Paris* 85 (dernière p.). *La Voix du Nord* 33, 50 F (au mm, rub. agr.).

Page la plus chère. Page 4 de couverture en quadrichromie du magazine américain *Parade* (tirage 33,2 millions/semaine) : 436 000 $ en janv. 1989.

■ **Périodiques.** Prix d'une page, format utile, noir et blanc (1er chiffre) ; en 4 couleurs (entre parenthèses). *Chasseur français* 75,9 (123,8). *Connaissance des Arts* [1] 24 (35,9). *Elle* [1] 93,7 (139,7). *L'Expansion* [1] 79 (122,3). *L'Express* [1] 111,3 (178,8). *France Dimanche* 72,8 (100). *Historia* [1] 18 (27). *L'Humanité Dimanche* [1] 83,6 (120,4). *Journal de la Maison* [1] 44,1 (70,55). *Lui* (éd. nat.) 50 (80). *Marie-Claire* [1] 106 (172). *Marie-France* [1] 70 (133).

■ **Presse des jeunes.** Prix d'une page noire format utile et d'une page quadri. : *A suivre* 17,4 (25). *OK !* 35,1 (55,5). *Podium Hit.* 37,4 (57,8). *Rock and Folk* [1] 25,5 (38,2).

■ **Bottin mondain** (1988, en F). Débuts de chapitres : 19 530 (noir), 24 800 (quadri.) ; corps de chapitres : 14 250 (noir), 20 002 (quadri.) ; 1/2 page : 8 150 (noir), 12 000 (quadri.) ; 1/4 page : 4 365 (noir).

Nota. – (1) 1992.

■ Radio

☞ Publicité introduite sur la radio publique par la loi du 24-5-1951. Les lois du 29-7-1982 et du 30-9-1986 et les cahiers des charges de Radio France ont élargi cette autorisation à la diffusion de la pub. effectuée par les organismes publics ou parapublics : CNCL et CSA.

Marché de la publicité en radio : 3,3 milliards de F (est. 1992).

■ **Formes diverses.** *Communiqués* (textes courts en général) 30 s et 120 mots au max. *Minutes publicitaires, concerts entrecoupés de publicité, programmes sponsorisés.* Pour éviter la saturation, le temps accordé à la publicité est limité (ex. sur RTL, pas plus de 7 min. de publicité par 1/2 h). Un projet de décret permet la publicité de produits sur Radio France, pour entreprises publiques ou privées de certains secteurs : banque, assurance, télécommunications et transports (sauf l'auto). Le total de publicité autorisé pour chaque radio de Radio France est ramené de 30 à 20 min par j.

■ **Statistiques globales.** 642 124 messages publicitaires ont été diffusés en 1992 par Europe 1, Europe 2, Nostalgie, NRJ, RTL, RMC, Sud Radio + WIT FM, Skyrock, Fun Radio RFM, Chérie FM, dont en % (hors Skyrock, RFM, Fun Radio, Chérie FM) : édition 7, distribution 21, transport 14, services 7, boissons 6, alimentation-diététique 5, info-médias 15, culture-loisirs 9, communication-tourisme 4...

Publicité radio en % **en volume et,** entre parenthèses, **en recettes publicitaires.** Europe 1 : 19,8 (25,7), RTL : 16,2 (28,7), RMC : 17,1 (11,4), NRJ : 11,4 (14,5), Nostalgie : 10,8 (6,3), Sud + WIT FM 5,5 (1,5), Europe 2 : 4,6 (4,8), Fun Radio : 4,6 (2,6), Skyrock 4,9 (2,7), RFM 2,9 (0,9), Chérie FM 2,1 (0,9). *Source :* Sécodip 1992.

Radios locales. CA net des radios locales privées FM : estimations *90 :* 1 013 millions de F. *Source :* Irep.

Revenus publicitaires (en millions de F, en 1992). RTL 2 184,7, Europe 1 : 1 958,6, RMC 866,9, NRJ 1 100,6, Sud + WIT FM 1 171, Nostalgie 476,8, Europe 2 : 362,3, Skyrock 205,3, Fun 202, RFM 67,4, Chérie FM 68,9. *Source :* Sécodip 1992 (brut).

■ **Tarifs HT** (en milliers de F). **Publicité de messages de marques :** *30 s en semaine* selon l'heure.

Europe 1 (1993). *5/6 :* 1,2 à 1,6. *6/6.30 :* 22 à 27,5. *6.30/9 :* 55,6 à 66. *9/9.30 :* 20 à 25. *9.30/11 :* 13,5 à 18. *11/12 :* 16 à 20. *12/13 :* 25 à 31,25. *13/13.30 :* 13 à 16. *13.30/14 :* 5 à 7. *14/16 :* 2 à 3,5. *16/18 :* 6 à 8. *18/19.30 :* 13,5 à 17. *19.30 à 20 :* 7 à 8,75. *20 à 22.30 :* 0,9 à 1,3. *22.30/23 :* 5,5 à 7. *23/24 :* 0,5 à 0,65.

France-Inter (1992). *5/6 :* 2. *6/6.30 :* 5,4. *6.30/7 :* 26. *7/9 :* 39. *9/10 :* 20. *10/12 :* 9,7. *12/13.30 :* 15,3. *13.30/18 :* 2. *18/19 :* 12. *19/19.30 :* 18. *19.30/20 :* 12. *20/24 :* 1,5.

RFI (1993, service mondial). *Avant 8 :* 6,5. *8/9 :* 5,4. *9/12 :* 1,6. *12/14 :* 3. *14/18 :* 2,15. *18/20 :* 5,4. *Après 20 :* 1,1.

RTL (1993). *5/5.30 :* 1,5 à 1,8. *5.30/6 :* 2,7 à 3,2. *6/6.30 :* 22 à 23. *6.30/7 :* 52 à 58,5. *7/7.30 :* 68,7 à 76,6. *7.30/8 :* 63,5 à 74,4. *8/8.30 :* 57 à 66,5. *8.30/9 :* 48,8 à 55,9. *9/9.30 :* 30 à 36. *9.30/10 :* 29,5 à 35. *10/10.30 :* 29 à 34. *10.30/11 :* 29 à 34,5. *11/11.30 :* 30 à 34,6. *11.30/12 :* 30 à 34,3. *12/12.30 :* 33 à 37,7. *12.30/13 :* 31 à 35. *13/13.30 :* 19,1 à 23,9. *13.30/14 :* 12,7 à 14. *14/14.30 :* 8,5 à 10. *14.30./15 :* 8,2 à 9,8. *15/16 :* 7,2 à 9. *16/16.30 :* 10 à 10,5. *16.30/17 :* 24,3 à 30,4. *17/18 :* 30,6 à 35,5. *18/18.30 :* 16,9 à 24,7. *18.30/19 :* 11,6 à 14,5. *19/19.30 :* 5,4 à 7,9. *19.30/20 :* 4 à 5,6 : *20/20.30 :* 2,8 à 3,5. *20.30/21 :* 2,2 à 2,5. *21/22 :* 1,5 à 1,8. *22/22.30 :* 2,5 à 3. *22.30/24 :* 1,5 à 1,8.

Sud Radio (1993, exemples). *5/5.30 :* 0,15. *6/6.30 :* 1,8 à 2,1. *6.30/7 :* 5, à 6,1. *7/7.30 :* 8,7 à 9,6. *10.30/11 :* 5,25 à 6. *12.30/13 :* 1,65 à 1,95. *13/13.30 :* 1,2 à 1,4. *18.30/19 :* 2,1 à 2,4.

■ Télévision

■ **Formes. Publicité « compensée » :** 1re admise [collective pour groupes de produits ou organismes officiels (Loterie nationale, Caisse d'épargne, etc.)]. **De marque** introduite sur la *1re chaîne* 1968 (1-4), *2e* 1971 (1-1), *3e* 1983 (1-1).

■ **Législation.** *1969 (janv.)* RFP (Régie française de publicité) créée par décret. *1971* revenus pub. ne doivent pas excéder 25 % des ressources de l'audiovisuel public. *Lois 1982 et 1986* télé privée créée (ressources : pub. 100 %). *1986* RFP remplacée par la CNCL. *1992* RFP dissoute.

Films publicitaires diffusés sur les 6 chaînes (1988). 1 810 dont : reprises de l'année précédente 410, tournés à l'étranger 350.

Spots publicitaires (1990). 252 164 dont *TF1 :* 73 332 (428 h), *La 5 :* 66 312 (388 h), *A2 :* 42 665 (248 h), *M6 :* 33 726 (220 h), *FR3 :* 22 869 (128 h), *Canal + :* 13 260 (75 h).

■ **Temps moyen prévu (par jour) de diffusion de publicité (marque + collective).** *1990 : TF1 :* 1 h 10 min 22 s. *La 5 :* 1 h 03 min 47 s. *A2 :* 40 min 57 s. *M6 :* 36 min 09 s. *FR3 :* 21 min 05 s. *C+ :* 12 min 27 s.

Temps autorisé max. (par h). *TF1, A2, La 5, M6 :* 12 min ; *FR3* 10 min ; *Télé. locales* 9 min. **Moyenne** *quotidienne par h.* 6 min. **Coupures de films de cinéma :** TF1 4 min ; La 5 6 min ; M6 4 min 30 s.

☞ L'autorisation donnée aux chaînes privées de couper 2 fois films et fictions par des écrans publicitaires engendrerait un manque à gagner de 200 à 240 millions de F pour France 2 et France 3 (rapports 1991 d'Ipsos et de Bipe). Les chaînes publiques ne pouvant couper les œuvres imposent des intermèdes publ. de 6 ou 7 min (TF1 : 4/5 min).

■ **Secteurs interdits de publicité sur les chaînes publiques** (en vertu de leur cahier des charges), **privées nationales et locales** (décret du 26-1-1987), **réseaux câblés** (décret du 28-9-1987). Édition. Cinéma. Presse. Distribution (y compris Casino, ED, Nouvelles Galeries qui ont des activités de fabricants mais réalisent la majorité de leur chiffre de vente par la vente de produits d'autres marques). Alcool. Éd. musicale, phonographique et partitions musicales, autorisée dep. mai 1988. L'interdiction pour édition et cinéma reposait sur le désir de favoriser la diversité et de ne pas privilégier les grosses entreprises. Celle de la distribution parce que ce secteur finançait + de 80 % de la presse quotidienne régionale et pour protéger le petit commerce qui n'a pas les moyens de s'offrir des campagnes à la TV.

■ **Taxe sur la pub. télévisée.** *Créée* par la loi de finances pour 1982. *Montant :* message au prix max. de 1 000 F (HT) : 10 F ; entre 1 001 F et 10 000 F : 30 F ; entre 10 001 F et 60 000 F : 220 F ; supérieur à 60 000 F : 420 F.

■ **Volume sonore des spots.** Dans 95 % des cas, dépasse celui des émissions (écarts moyens : + de 3 décibels, soit 50 % de + que le volume habituel).

■ **Recettes de parrainage autorisées** (en millions de F, 1992). *A2 :* 70 ; *FR3 :* 10,4 ; *R. France :* 26,1.

Durée totale parrainage et, entre parenthèses, **publicité classique** (1989). *TF1 :* 146 h 50 (343 h 02), *A2 :* 44 h 12 (230 h 37). *FR3 :* 31 h 24 (70 h 06), *C. + :* 37 h 57 (72 h 18), *La 5 :* 102 h 05 (444 h 52), *M6 :* 43 h 53 (114 h 59). *Total :* 406 h 23 (1 285 h 54).

Principaux sponsors (1989, source : Sécodip). UAP 20 h 47, Crédit Lyonnais 12 h 44, Conforama 11 h 18, Bouey & Fils (Télé 7) 11 h 03, Coca-Cola 10 h 25, Orangina 9 h 54, Éditions mondiales 9 h 54, Uti Horlogerie (Seiko) 9 h 09, Edi 7 8 h 21, Darty 7 h 35, Europe 1 7 h 19, Suchard-Tobler Chocolat 6 h 51, Télé Star 5 h 51, AGF 5 h 39.

Comparaisons internationales

Durée max. en min., de la publicité par jour sur les télévisions nationales. All. féd. : *ZDF* 20, *ARD* 20. **Autriche :** *ORF 1* 20. **Belg./Lux. :** *RTL* 68. **Canada :** 12 min/h (pour toutes les stations). **Espagne :** *TVE 1* 57, *TVE 2* 42. **Finlande :** *MTV 1* 16, *MTV 2* 9. **France :** *TF 1* 18, *A. 2* 18, *FR 3* *(à partir du 1-1-83)* 18. **G.-B. :** *ITV* 90, *4e ch.* 50. **Grèce :** *ERT* 35, *YENED* 75. **Irlande :** *RTE 1* 58, *RTE 2* 25. **Italie :** *RAI 1* 28, *RAI 2* 34, *RAI 3* 4, *TV privée* 15 %/h. **P.-Bas :** *P.-Bas 1* 21, *P.-Bas 2* 15 ; durée max. autorisée par sem. : 6 h. **Portugal :** *RTP 1* 90, *RTP 2* 45. **Suisse :** *SRG (allemande)* 23, *SSR (italienne)* 23, *SSR (française)* 23.

Pas de publicité : Belgique (publicité commerciale interdite sur RTBF), **G.-B.** (BBC), **Japon** (NHK).

Coût de la publicité à la télé aux USA *30 s sur un grand réseau :* 70 000 à 270 000 $, moy. 118 840 (CBS 120 700, NBC 118 100, ABC 117 700), *sur une TV indépendante :* de 10 à 15 000 $. **Message radio** 1 $ (petites villes) à 300 $ ou +.

Nouveaux films réalisés (1988). USA 35 000, Japon 11 000, G.-B. 7 000, Brésil 2 500, Italie 2 000, All. féd. 1 800, Espagne 1 300, *France 1 100.* **Durée** 51 % de 20 à 30 s., 3 % + de 1 min.

■ **Recettes publicitaires** (en milliards de F, en 1992). *TF1 :* 8,81 ; *La 5 :* 0,49 ; *France 2 :* 2,72 ; *M6 :* 2,17 ; *France 3 :* 1,32 ; *C+ :* 0,52. **Répartition des investissements pub.** (en %). De janv. à déc. 1992 : *TF1 :* 514,9, *France 2 :* 17 ; *M6 :* 13,5 ; *La 5 :* 3, *France 3 :* 8,2, *C. + :* 3,2. **Premiers secteurs publicitaires** (en millions de F). Alimentation 6 590, culture 5 889, transport 5 375, édition/médias 5 251, distribution 4 168.

■ **Audience. Contrôle :** dispositif installé dans + de 3 000 foyers représentatifs dont Médiamat + de 2 000, Nielsen + de 1 000. *Médiamat :* audimètres (chaque membre de la famille possède une touche attitrée communiquant directement au dispositif sa tranche d'âge et sa qualité). La nuit (entre 3 et 5 h) leur centre informatique recueille les informations données par le réseau téléphonique. *Nielsen :* audimètres à bouton-pressoir.

Proportion de téléspectateurs regardant les spots TV. Interruption de film : 75 % regardent la publicité, dont 52 % ne font que cela, 43 % ont une activité parallèle, 9 % feuillettent un journal, 8 % cousent, tricotent, repassent ou bricolent, 6 % mangent ou bavardent, 3 % font le ménage, préparent le repas ou desservent la table, 2 % travaillent, écrivent ou jouent, 10 % font du zapping.

Tarifs hors taxe (en milliers de F, 1992)

Écran le plus cher (spot de 30 s, en milliers de F, en 1990). TF1, dimanche 21 h 30 : 520 (1992). France 2, mardi 20 h 30 : 293. La 5, dimanche 21 h 35 : 210. France 3, lundi 20 h 35 : 150. M6, lundi et jeudi 21 h 15 : 100. C+, samedi 20 h 15 : 62.

☞ *Légende :* heures de diffusion en italique (messages de 30 s).

TF1. Lundi *6.30 :* 2,6. *7 :* 3. *7.20 :* 30. *7.40 :* 45. *8 :* 35. *8.30 :* 15. *9/9.30 :* 8. *10/11 :* 5. *11.30 :* 7. *11.40 :* 10. *12 :* 32. *12.30 :* 105. *13 :* 145. *13.30 :* 150. *14.10 :* 120. *14.30 :* 100. *15 :* 110. *15.30 :* 60. *16 :* 55. *16.20 :* 20. *17/17.20 :* 25. *17.40 :* 40. *18.10 :* 75. *18.40 :* 145. *19.10 :* 190. *19.30 :* 165. *20 :* 245. *20.30 :* 350. *20.31 :* 370. *20.40 :* 300. *20.41/21.40 :* 310. *21.41 :* 320. *21.51 :* 270. *22.30 :* 193. *22.31 :* 180. *22.32 :* 194. *22.33 :* 180. *23.10 :* 153. *23.13 :* 170. *23.21 :* 160. *23.22 :* 105. *23.30/23.31 :* 55. *23.32 :* 51. *23.40 :* 100. *23.43 :* 110. *23.50 :* 35. *23.53 :* 40. *24.20 :* 25. *24.30 :* 20. *24.40 :* 10. *1 à 2 :* 2,6.

Audience en part d'audience Médiamétrie (1 point = 200 000 foyers) et tarifs pub. (en milliers de F)

Heures	Mars 1988	Mars 1990
18	3,4 (120,2)	3,2 (66,5)
18.30	9,5 (92,5)	6,6 (59,1)
19	12,7 (113)	5 (77,5)
19.30	14 (346,3)	5 (71,8)
20	19,5 (450,7)	9,5 (144,4)
10.30	20,8 (613,1)	9,8 (345,2)

France 2 **Lundi :** 7 : 9,3. *7.30 :* 18,6. *7.50/8.10 :* 16,6. *8.35 :* 20,7. *9/9.30 :* 8,1. *11.05 :* 5,8. *11.25 :* 9,2. *12.05 :* 23,1. *12.30 :* 44,3. *12.55 :* 52,8. *13.35 :* 35,8. *13.40 :* 26,4. *15.45 :*13,2. *16.05 :* 13,2. *16.10/16.35 :* 9,9. *16.55 :* 13,5. *17.25 :* 25,4. *18.05 :* 17,4. *18.15 :* 35,8. *19.05 :* 61,1. *19.45 :* 49,5. *19.55 :* 70,4. *20.40 :* 236,3. *22.15 :* 96,6. *23.20 :* 18,9. *23.50 :* 9,5.

France 3 **Lundi :** *9 :* 8. *11 :* 8. *12 :* 8. *12.30 :* 8. *12.45 :* 10. *13 :* 8. *13.30 :* 8. *14.30 :* 8. *15.30 :* 8. *16.30 :* 8. *18 :* 8. *18.30 :* 30. *19 :* 45. *19.15 :* 90. *19.30 :* 86,4. *19.55 :* 98. *20 :* 100. *20.30 :* 100. *20.35 :* 139,1. *22.15 :* 67,2. *22.25 :* 30. *22.30 :* 19,5. *23.45 :* 5.

Canal + **Lundi :** *7.30 :* 8. *12.40 :* 33. *13 :* 36. *13.30 :* 24. *18.30 :* 15. *18.50 :* 15. *19.05 :* 20. *19.20 :* 10. *19.40 :* 35. *19.50 :* 90. *20.05 :* 80. *20.20 :* 75. *20.30 :* 60.

M6 **Lundi :** *7.45/11.30 :* 6. *11.55 :* 10. *12.15 :* 18. *12.30 :* 28. *12.50 :* 34. *13.15 :* 30. *13.40 :* 22. *14.15 :* 20. *15/16.45 :* 10. *17.15 :* 16. *17.30/18.05 :* 20. *18.30 :* 22. *19.10 :* 26. *19.30 :* 62. *19.50 :* 62. *20.05 :* 86. *20.15 :* 100. *20.30 :* 106. *21.15 :* 116. *22/22.30 :* 38. *23/23.30 :* 20. *0.30 :* 10. *1 :* 6.

☞ **Coût du 1 % « individus », en 1990, en F** (1 point « individus 15 ans et + » = 427 000 individus Médiamétrie). *C+ :* 26 435. *La 5 :* 23 357. *M6 :* 21 176. *TF1 :* 15 077. *A2 :* 13 702. *FR3 :* 12 103.

■ Publicité directe

Par fichier-adresses. Coût d'envoi du message (achat de l'adresse, confection de la lettre, routage, manutention) 1 F et + sans mettre d'adresse. Par dépôt. Nombre max. d'adresses d'un fichier commercialement exploitable : 4 millions. Seules la radiotélévision nationale et l'EDF possèdent des fichiers (non négociables) plus vastes (jusqu'à 12 millions).

Radiodiffusion et télévision dans le monde

Technique

■ Ondes

■ Caractéristiques. **Vitesse de propagation :** env. 300 000 km/s. Fréquence × longueur d'onde = vitesse de propagation, habituellement exprimée ainsi : *f* (en Hz) × λ (en km) = *c* (km/s). $\lambda = \frac{c}{f}$.

Un signal radio de 100 MHz (100 millions de Hz) a une longueur d'onde de :

$$\lambda = \frac{300\ 000\ (\text{km/s})}{100\ 000\ 000} = 0{,}003 \text{ km, soit 3 m.}$$

Dans un câble en cuivre, la vitesse est plus faible que dans le vide ; la longueur d'onde sera plus petite car $\lambda = \frac{V}{F}$; quand un signal de fréquence donnée se propage dans des milieux différents (où la vitesse de propagation est différente), la fréquence du signal ne change pas, mais sa longueur d'onde. La longueur d'onde donne une indication sur l'ordre de grandeur de la longueur des antennes émission ou réception à utiliser.

Réflexion : les ondes se réfléchissent sur les couches ionisées de l'atmosphère : couches D (à 75 km d'altitude) et E (à 100 km) le jour seulement ; couche F entre 150 et 400 km de jour et de nuit. *O. très longues ou VLF (very low frequency) et longues ou LF (low frequency) :* se réfléchissent sur la couche la plus basse. *O. moyennes (MF : medium frequency) :* ne se réfléchissent pas le jour, seule l'o. de surface est utilisée ; la nuit, se réfléchissent sur la couche F, leur portée croît considérablement. *O. courtes (HF : high frequency) :* se réfléchissent de jour et de nuit sur la couche F. *O. métriques (VHF : very high frequency), décimétriques (UHF : ultra high frequency) et centimétriques (SHF : super high frequency) :* traversent l'ionosphère sans se réfléchir.

Fréquence (en mégahertz) et **longueur d'onde** (en mètres) : *Radiodiffusion :* grandes ondes 0,1 à 0,375 MHz, (3 000 à 800 m) ; petites 0,375 à 3 MHz (800 à 100 m). *Radiodiffusion et communications radiotéléphoniques :* O. courtes 3 à 30 MHz (100 à 10 m). *Télévision :* 30 à 300 MHz (10 à 1 m).

Télévision et radar : 300 à 3 000 MHz (1 à 0,1 m). *Radar et communications téléphoniques interurbaines :* 3 000 à 30 000 MHz (0,10 à 0,01 m).

■ Bandes de fréquence attribuées à la télévision. **Plan de Stockholm (1952) :** *I* 7,31 à 4,41 m, 41 à 68 MHz ; *II* 1,85 à 1,39 m (162 à 216 MHz). **Plan de 1961 :** *IV/V* 63,8 à 31,2 cm (470 à 960 MHz). La gamme des ondes centimétriques est utilisée par les satellites de télécom. régionaux ou transcontinentaux. *En 1977,* l'UIT a planifié la bande 11,7 à 12,5 GH pour la radiodiffusion par satellite dans les régions I (Eur. et Afr.) et II (Asie).

Attribution en France. *LF (ou LW) [ondes longues kilométriques (148,5 kHz, 283,5 kHz)] :* modulation d'amplitude (AM). *MF (ou MW)[ondes moyennes nectométriques (526,5 kHz, 1 606,5 kHz)] :* AM. *HF (ou SW) [ondes courtes décamétriques (5 950 kHz, 21 100 kHz)] :* AM service international. *VHF (ondes métriques) :* télévision bande I, Canal +, 47 à 68 MHz ; *radio MF* (modulation de fréquence) 87,5 à 10 MHz ; télé bande II 174 à 223 MHz ; télé bande III (partagée avec « service mobile terrestre »), Canal +. *UHF [ondes décimétriques (470 MHz, 854 MHz)]* télé bande IV et V, Canal 5 et TV 6. *SHF [ondes centimétriques (11,7 à 12,5 GHz)] :* TV et radio par satellite. *Ondes millimétriques (40,5 à 42,5 GHz) :* TV par satellite à terme (vers an 2000).

Le spectre des fréquences radio est entre 9 kHz et 400 GHz, partagé, selon le Règlement de Radiocommunication annexé à la Convention internationale des Télécom., entre 37 services de radiocommunication civils ou militaires, dont 19 « de Terre » et 18 « spatiaux », dont : *Services fixes* (ex. : liaisons par faisceaux hertziens) ; *mobiles : terrestres* (ex. : radiotéléphone, radio-taxi, pompiers, police, etc.) ; *maritimes* (ex. : liaisons téléphoniques entre navires ou entre navires et la côte, signaux de détresse) ; *par satellite* (ex. : liaisons avec sondes spatiales). *Radionavigation : maritime* (ex. : service des phares et balises, pilotage dans ports ou estuaires) ; *aéronautique* (ex. : relevé des points, atterrissage aux instruments). *Radiolocalisation et radiodétection* (ex. : radars de ports et d'aéroports, radars embarqués, suivis d'un vaisseau spatial). *Radiométéorologie. Radioamateurs. Radiodiffusion.*

■ Canal. Petite bande de fréquences assignée à une émission. Les bandes IV et V de télévision ont été divisées en 48 canaux de 8 MHz, numérotés de 21 à 68 ; les programmes de *TF1, France 2* et *France 3* émis de la tour Eiffel occupent les canaux 25, 22 et 28, *la 5* canal 30, *la 6* canal 33.

■ Réseaux français

Ondes métriques, décimétriques ou centimétriques se propageant uniquement en ligne directe (il n'y a pas de réflexion sur la couche ionisée de l'atmosphère), le récepteur doit être « en vue » de l'émetteur, 2 réseaux ont été mis sur pied :

I. Réseau hertzien terrestre

Les émetteurs sont placés dans les endroits les plus élevés possible pour étendre au maximum leur portée (ex. : Pic du Midi de Bigorre 2 888 m, Puy de Dôme 1 465 m, Aiguille du Midi 3 842 m). Le centre de Romainville (près de Paris) assure la coordination.

■ Émetteur. **Sources sonores :** disques, magnétophones, microphones (le son ou onde acoustique est transformé en impulsion électrique de très faible énergie dans un microphone). Modulation d'amplitude (l'impulsion modifie l'amplitude de l'onde électromagnétique porteuse). **Procédés d'émission :** mod. de fréquence : elle modifie son nombre d'oscillations par seconde. Un circuit oscillant (formé d'un condensateur et d'une bobine), en résonance avec l'onde qui le parcourt, diffuse l'onde par l'antenne. Un transistor ou un tube à vide compense les pertes d'énergie et permet un fonctionnement permanent.

■ Récepteur. Son **antenne** capte les ondes émises. En modifiant les caractéristiques d'un circuit oscillant, on fait varier la fréquence (et la longueur d'onde) du courant électrique de résonance et on sélectionne ainsi les ondes d'une station émettrice. Puis le circuit de démodulation sépare les oscillations de fréquences audibles, des ondes porteuses à haute fréquence. **L'amplificateur** (transistor ou tube) alimenté par la tension du secteur augmente l'amplitude des ondes audibles. Le **haut-parleur** transforme les oscillations électromagnétiques en sons.

■ Nombre d'émetteurs et réémetteurs (au 1-1-1986), en France métropolitaine. **Radio-France :** *émissions à modulation de fréquence :* 350 ém. principaux et 431 réém., radios locales autorisées, 1 486 stations. *En modulation d'amplitude : réseau A,* 1 ém. à ondes kilom. (o. longues) à Allouis (Cher) rayon 300 à 400 km, suivant conditions géographiques ou géologiques, 12 ém. à ondes hectométriques. (o. moyennes) à la périphérie du territoire (diffusent France Inter avec à certaines h. des « décrochages » par rapport au programme en modulation de fréquence). *Réseau B,* 20 ém. à ondes hectom. diffusent Radio Bleue le matin en semaine, France Culture le reste du temps.

Radios périphériques : dotées chacune, pour une partie du territoire français, de fréquences en bande II (mod. de fréquence), en ondes kilom. (Luxembourg, Europe 1, Radio Monte-Carlo) et une station en ondes hecto. (Sud Radio, en Andorre).

Télévision (au 1-1-1986) : *stations* 8 850 pour les 3 chaînes (TF1, A2, FR3) (340 émetteurs principaux et 8 510 réémetteurs). 102 pour Canal Plus (55 émetteurs principaux et 47 réémetteurs).

II. Liaisons par satellites

■ Satellites de transmission. **1re génération :** utilisés comme réflecteurs d'ondes, ils ne peuvent assurer les liaisons qu'à temps partiel au moment où ils sont en visibilité simultanée des stations à relier. Ils nécessitent au sol des installations coûteuses et un personnel qualifié (la puissance des signaux d'un sat. recueillis au sol est d'environ 1 millionième de 1 millionième de watt). *18-12-58* Score (USA), altitude 185 à 1 492 km. *12-8-60* Echo I (USA), 598 à 1 691 km. *4-10-60* Courrier IB (USA). *10-7-62* Telstar (USA), 952 à 5 634 km, spécialisé dans le relais des télécom. à large bande [des images envoyées d'Andover (USA) relayées par Telstar sont reçues en France à Pleumeur-Bodou]. *17-9-62* 1re retransmission de programmes en *« Mondovision »* (programme diffusé au même moment par plusieurs *chaînes* à travers le monde : hommage à Dag Hammarskjöld, ancien secrétaire général de l'Onu diffusé simultanément à New York, Paris et Uppsala, en Suède). *16-4-64* 1re transmission en direct Japon-France (et une trentaine d'autres pays) par *Relay* (alt. 1 323 à 7 433 km) au moment où il survole la Mandchourie. **Stations au sol :** + de 100 dont *All.* 3 (Raisting). *Angleterre* 2 (Goonhilly Downs). *Brésil* 1 (Rio de Janeiro). *Canada* 4. *France* 5 (dont 1 à TDF, pour le satellite « Symphonie », Pleumeur-Bodou). *Italie* 4 (Fucino). *Japon* 4. *Puerto Rico* 1. *Suède* 2. *Trinidad* 1. *USA* 32 + 1 à bord du *Kingport,* etc.

2e génération : permettant des relations permanentes. *Molnyia/soviétique* placés dep. 1965 sur la même orbite (460 à 40 000 km) ; il y en a toujours un dans la bonne position pour relayer les communications. *Synchrones* et *géostationnaires américains* placés dep. 1963 sur une orbite telle (alt. 35 786 km, rayon 42 164 km) qu'ils mettent pour tourner autour de la Terre le même temps que met celle-ci à tourner sur elle-même : 23 h 56 min 4 s. Pour un observateur situé sur Terre, ils apparaissent immobiles dans le ciel. **1963-64** 3 *Syncom* (*I* lancé : *14-2-63, II : 27-7-63, III : 9-4-64*) ont assuré en oct. 1964 la retransmission en direct aux USA des JO de Tokyo, puis par bande enregistrée en Europe. *Early Bird* placé 6-4-65, au-dessus de l'Atlantique, a permis des liaisons commerciales régulières France-USA. *Radouga,* placé 1975, sat. synchrone soviétique.

■ Sat. de diffusion. **3e génération :** *ATS 6* (USA, 30-5-74), arrêté 1979. *CTS* (Hermes) (Canada, 17-1-76), arrêté 1978. *Symphonie 1* et *2,* lancés 18-12 et 26-8-74 : construits par 3 S^tés^ all. (MBB, Siemens, AEG Telefunken) et 3 Stés fr. (Thomson CSF, SAT, SNIAS) arrêtés. Voir p. 35.

■ Télévision

■ Bande passante. Ensemble de toutes les fréquences existant dans le signal de la plus faible à la plus élevée. *Ex. :* bande passante de 6 MHZ = fréquences transmises de 0 à 6 MHZ.

■ Bartering. Progr. clés en main fourni par un annonceur, en échange d'espaces pub. gratuits.

■ Caméra. Elle possède un tube à rayons cathodiques sensible à la lumière : quand il est frappé par des photons, des électrons sont émis et pénètrent dans le tube. Quand un élément de la surface du tube est très éclairé, sa charge électrique devient plus positive que celle du reste de la surface, puisqu'il perd davantage d'électrons ; la caméra fournit ainsi une *copie électrique* de la scène qu'elle photographie. Cette copie est ensuite *analysée :* le faisceau d'électrons émis passe à travers 2 systèmes de plaques disposées perpendiculairement à l'intérieur du tube. Le 1er système déplace le faisceau de gauche à droite, le 2e de haut en bas. La surface du tube est balayée 25 fois par seconde.

Balayage cathodique et balayage matriciel : la surface à analyser est parcourue par un faisceau d'électrons dévié par un champ magnétique, d'où un balayage qui n'est pas rigoureusement linéaire ; on ne peut être assuré que chaque « *eldim* » ou « *pixel* » occupe la même position à l'émission ou à la réception. Le développement des écrans plats à la réception et des « *sensor* » à l'émission conduit au « *balayage matriciel* », chaque « eldim » occupant sur la surface d'une image une position rigoureusement définie en x et y. Les caméras d'amateur modernes utilisent, à la place des analyseurs cathodiques, des éléments photosensibles « CCD » *(charge coupled device :* dispositif à transfert de charge) du type « balayage matriciel ». Celui-ci s'imposera sans doute à l'émission comme à la réception, permettant de diminuer la bande passante, de projeter sur grand écran sans perdre de luminosité (vidéo projecteur) et de voir la télévision en relief sans lunettes (voir Stéréotélévision).

Louma : inventée 1963 par Jean-Marie Lavalou et Alain Masseron. Caméra fixée à l'extrémité d'un bras articulé qui lui permet des mouvements complexes.

■ **Définition.** Nombre de lignes sur l'écran. **France : 1939** 455 lignes, **1945 :** 441 (matériel installé par les Allemands rue Cognacq-Jay), **1948** 819, image supérieure, surtout pour la réception collective sur moyen ou grand écran (les récepteurs individuels, alors coûteux, sont peu répandus). On pensait aussi qu'une définition plus élevée rendrait plus facile ultérieurement l'adoption de la couleur. Le 819 l. protégeait la France contre une concurrence étrangère, mais l'isolait. **1952** 1ers convertisseurs capables de modifier la définition. **Après 1960** l'inconvénient du 819 l., qui exige une plus grande largeur de bande passante, grandit (les bandes I et III attribuées à la télévision contiennent 6 canaux en 625 l. contre 2 en 819). **1961** en raison de l'encombrement des ondes, on ne peut utiliser pour la 2e chaîne la 2e bande réservée dans les ondes métriques (VHF) et on adopte les ondes décimétriques (UHF) en se ralliant au standard européen de 625 l. **1983** la *duplication* (coexistence des 819 et 625 l.) est supprimée et tous les récepteurs sont compatibles avec la norme 625 l., les émissions en 819 sont arrêtées. **Belgique : 1948,** opte pour un double réseau (625 et 819 l.). **Autres pays,** sauf G.-B. (qui avait un 405 l.), adoptent le 625.

■ **Écran** (format). *Actuel :* rapport 4/3, insuffisant pour capter correctement le regard (*Haute Définition :* 16/9, celui du cinéma ; si l'on s'installe à la distance optimale, c.-à-d. 3 fois la hauteur de l'écran, l'œil a un angle de vue de 30 degrés, proche du champ de vision naturel).

■ **Émetteurs.** Après avoir été amplifié, le message électrique fourni par la caméra est transmis aux émetteurs au moyen de faisceaux hertziens en utilisant la modulation de fréquence. Les émetteurs diffusent en modulation d'amplitude l'onde porteuse jusqu'aux récepteurs dont l'antenne est convenablement orientée vers l'émetteur le plus proche. **Portée maximale théorique** (car limitée par le relief) selon la hauteur de l'antenne : 10 m (15 km) ; 100 (47,5) ; 300 (82) ; 500 (106) ; 1 000 (150).

■ **Mac** (Multiplexage analogique de composantes) : codage utilisant un multiplexage temporel (alors que les codages Secam et Pal font appel à un multiplexage fréquentiel). Les signaux sont comprimés dans le temps (étape numérique) avant de moduler successivement la même porteuse. Il n'y a plus de pollution de l'image par la présence de la sous-porteuse couleur. Mac permet 4 canaux sonores de très haute qualité ou 8 de bonne qualité ; acheminement de télétextes avec une plus grande capacité de transmission que le Secam ou Pal. Normes européennes de transmission TV compatibles avec les récepteurs actuels. **D2-Mac Paquet :** le signal diffusé par satellite est transmis par les émetteurs hertziens terrestres (système D2), par codage analogique simultané (Mac) de la chrominance (couleur) et de la luminance (lumière), par « paquets ». Les définitions du Secam (210 000 points d'analyse efficaces), celles du D2 Mac (180 000) et de la TVHD (400 000) sont inférieures à la définition théorique à cause principalement de la compression de l'image pour réduire la bande passante. Correspond à une définition de 625 lignes améliorée, mise en service pour le satellite TDF 1, pour la Sept. La réception nécessite des antennes paraboliques et des récepteurs spéciaux, ou des adaptateurs avec les récepteurs classiques. Norme intermédiaire de télévision améliorée qui céderait la place au standard haute définition, **HD Mac** (1 250 lignes).

■ **Magnétoscope grand public.** Permet l'enregistrement et la lecture sur une cassette (ruban magnétique) des images captées par une caméra ou à partir d'une émission télé (image et son) puis de les faire passer sur un téléviseur. Principe semblable à celui d'un magnétophone. **Ampex :** 1er magnétoscope (1966, par la Ste amér. Ampex), par extension : salle des magnétoscopes sur lesquels sont enregistrés les reportages. **Standards :** *Video Home System (VHS)* mis au point par JVC et VHS-C en 1976 (Matsushita, Jap.), 90 % du marché mondial en 1988, commercialisé en Fr. par Thomson (75 % des ventes), Philips, Grundig. Le standard « 8 mm » utiliserait la même minicassette sur toutes les marques des app. futurs (incompatible avec les app. actuels). Un nouveau standard, le SVHS, mis au point par JVC, est compatible avec les équipements VHS. Par contre, le 8 mm (Sony) ne l'est pas.

■ **Multiplex.** Émission (radio ou TV) réalisée depuis plusieurs lieux différents, reliés à la station émettrice par câble téléphonique ou ondes hertziennes.

■ **Nicam** *(Near Instantaneous Compression of the Audio Modulation :* compression quasi instantanée de la modulation son) : son audionumérique installé sur une sous-porteuse, son supplément permet la stéréo.

■ **Péritel** (ou prise *Scart*). Prise à broches, standardisée, qui permet de relier le téléviseur à tous ses périphériques : micro-ordinateur, console de jeux vidéo, magnétoscope, camescope, décodeur.

■ **Pixel** *(Picture Element,* en anglais, et « Eldim » en français : élément d'image). L'œil (pouvoir séparateur : env. 2) peut distinguer 280 000 points d'image de format 4/3 en télévision. En portant ce nombre à 480 000, l'image paraît plus fine. Utilisé pour définir le pouvoir de résolution des capteurs d'image à CCD, des caméscopes, des téléviseurs à cristaux liquides. [Pour les téléviseurs à tube cathodique dep. que les canons sont disposés en ligne (PIL) et non plus en triangle, le pouvoir de résolution se définit en nombre de lignes (horizontales et verticales)]. Les luminophores étant déposés en bandes verticales, la pureté de couleur est indépendante des impacts dans la direction verticale.

■ **Récepteur.** Il reconstitue dans le tube image l'image de la scène analysée, à partir des signaux hertziens captés par son antenne. Les électrons sont projetés vers la face interne du tube par un filament chauffé : le canon à électrons. Ce flux d'électrons modulé par le signal TV reçu est focalisé en un faisceau qui balaye l'écran fluorescent au moment même où un faisceau balaye la surface du tube de la caméra dans le studio. Le balayage rapide de l'écran produit une image constituée de petits points. Le *« spot »* (impact du faisceau) part du haut de l'écran, parcourt les lignes impaires, constitue une trame sur 1/50 de seconde, remonte en haut de l'écran, parcourt, encore en 1/50 de seconde, les lignes paires et constitue une 2e trame. Il a exploré 2 fois la surface de l'écran en 1/25 de seconde pour reconstituer une image complète formée de 2 trames ou 2 demi-images. Il y a donc 25 images/seconde mais 50 trames entrelacées dont chacune ne comporte que la moitié du nombre de lignes ; cet entrelacement évite un papillotement désagréable et fatigant pour le téléspectateur. Un balayage progressif double la bande passante.

☞ *Écrans les plus grands du monde* (système suisse) : 25 m H × 40 m L. *Les plus petits (montres avec téléviseur incorporé) :* 80 g, écran 30,5 mm.

■ **Régie.** Salle de contrôle concentrant les appareils de commande d'un studio ou d'un car de reportage. De la régie, le réalisateur choisit les images venant des différentes caméras. **Finale.** Installation recevant toutes les sources d'images (émissions toutes faites : régie de studio, magnétoscopes, télécinéma, car de reportage, etc.) et chargée de les enchaîner pour fabriquer le programme envoyé aux émetteurs.

■ **Stéréotélévision. Procédé des anaglyphes** (milieu du XIXe s. pour la photo en noir et blanc) repris en 1964 par le Tchéc. Vladimir Novotny. Nombreux essais aux USA, URSS, Japon, France (en déc. 1984 en particulier), mais résultats mauvais, surtout pour la TV en couleurs. **Procédés exploités : 1°)** *Double image* (Delbord et Roeper, avec anamorphose en 1948 au CNET ; Marc Chauvierre sans anamorphose en 1974 chez Lierre) repris commercialement par Amér. et All. Il faut des lunettes spéciales réglables selon la distance. **2°)** *Transmission successive des images droite et gauche avec lunettes à obturateurs optoélectriques synchronisés avec le récepteur :* très développé au Japon, USA (Stereographic), France (Céralion). Pour l'holographie (étude en cours) il faudra des années pour un résultat concret. En 1978 Chauvierre a proposé un réseau lenticulaire (Yves aux USA et Bonnet en France pour la photo) combiné avec le balayage matriciel (le balayage d'un rayon cathodique n'est pas assez linéaire). Jacques Guichard a repris l'idée au Cnet (Issy-les-Moulineaux), avec de bons résultats en noir et blanc et utilise la couleur (6 caméras, projection sur grand écran) à l'Institut Heinrich Hertz (Berlin). Études reprises à Rennes au Ccett (Bruno Choquet). Techniquement les problèmes de la TV 3 D sont résolus, mais la compatibilité, avec les appareils existants, reste un problème.

■ **Subliminal. 1°)** Image non perceptible par l'œil. **2°)** Image d'une durée inférieure à celle de la perception oculaire. Stimulerait l'inconscient du spectateur. USA : interdit dans les films pub. dep. 1973.

■ **Télécommande.** 1er téléviseur équipé d'une télécommande commercialisé au Japon en 1971. *1980 :* 7,8 % des foyers ; *92 :* 80 %.

■ **Télévision en couleurs.** Fondée sur l'analyse *trichrome* des images : 3 images « primaires » (rouge R, verte V et bleue B) sont formées à partir de l'image à transmettre par l'interposition de filtres colorés et, à la réception, la superposition des 3 images primaires reconstitue l'image d'origine. *Ex. de technologie possible :* 3 canons à électrons projettent 3 faisceaux dont chacun reconstitue l'une des images primaires RBV. Pour qu'elles se superposent parfaitement, on interpose un « masque » percé de 400 000 petits trous à travers lesquels les 3 faisceaux vont frapper sur l'écran 3 petits points correspondant chacun à l'une des couleurs primaires. Ce tube aux cathodes disposées en delta (Δ) présente des difficultés de convergence des faisceaux, un rendement lumineux assez faible et une forte sensibilité aux champs magnétiques extérieurs. Depuis une dizaine d'années, il a été remplacé par des tubes autoconvergents dont les cathodes sont placées sur un même plan horizontal. Les luminophores sont devenus des lignes verticales de phosphore déposé en bandes discontinues et alternées (RVB). Le masque comporte des ouvertures ovales en quinconce. *Avantages :* meilleure restitution, plus grande luminosité, insensibilité au champ magnétique terrestre, meilleure pureté, plus grande fiabilité due à la suppression des réglages de convergences. *Compatibilité :* chaque signal correspondant à l'une des couleurs primaires est transformé en un signal donnant une image en noir et blanc *(luminance)* et en 2 signaux de couleurs *(chrominance)* superposés à cette image, invisibles sur un récepteur noir et blanc.

NTSC *(National Television System Committee) :* procédé américain lancé en 1953. On l'a surnommé *Never Twice The Same Color* (jamais 2 fois la même couleur). Fait transporter simultanément sur la même onde sous-porteuse les 2 signaux de chrominance correspondant à un élément d'image, imposant ainsi à la sous-porteuse une double modulation combinée d'amplitude et de phase. Fonctionne en 525 lignes et 30 images/seconde.

Pal *(Phase Alternative Line) :* procédé allemand dû à Walter Bruch (1963 chez Telefunken), améliorant le NTSC. Fonctionne en 625 lignes et 25 images/seconde. Plus économique que le Secam.

Secam *(Séquentiel Couleur à Mémoire) :* procédé français dû à Henri de France (1911-86), mis au point par la Cie française de télévision (filiale de la CSF et de St-Gobain). Présenté officiellement en déc. 1959, mis en service en oct. 1967. Repose sur la transmission simultanée du signal de luminance par l'onde porteuse et d'un seul signal de chrominance par la sous-porteuse, l'autre étant transmis, après, séquentiellement (ces signaux de différence de couleurs sont nommés D_r (R-Y) et D_b (B-Y), Y = Luminance, R = Rouge, B = Bleu). Le signal transmis est en mémoire et est réutilisé au moment où parvient le signal suivant de façon à disposer, sur chaque ligne, de chacun des 2 signaux de chrominance. Le procédé Secam de « balayage alterné » n'impose à la sous-porteuse que la modulation de fréquence, entraîne une plus grande stabilité de l'image et une meilleure couleur, ne provoque aucun risque d'interférences entre les divers signaux, et permet l'utilisation sans modifications des équipements d'émission, de relais et d'enregistrement du noir et blanc. Ne permet pas le son stéréo. Fonctionne en 625 lignes. **Pays ayant adopté le Secam :** *France,* All. dém., Arabie Saoudite, Bulgarie, C.-d'Ivoire, Cuba, Égypte, Grèce, Haïti, Hongrie, Irak, Iran, Liban, Luxembourg, Maroc, Monaco, Pologne, ex-Tchécoslovaquie, Tunisie, ex-URSS, Zaïre ; **le Pal :** Afrique du S., Albanie, Algérie, ex-All. féd., Australie, Belg., Brésil, Danemark, Esp., G.-B., Italie, Lux., Norv., P.-Bas, Suède, Suisse, ex-Youg. ; **le NTSC :** Canada, Japon (NTSC modifié), autres pays d'Asie, Mexique, USA.

■ **Télévision haute définition (TVHD). Chronologie : 1969** début des recherches. **1972** NHK, Toshiba, Sony et Matsushita définissent le système « Muse » (Multi Sub-Nyquist Sampling Encoding), leur norme de TVHD (1125 l., format 16/9, 30 images/s par demi-images entrelacées 60 Hz). **1980** norme Mac élaborée par des Britanniques. **1982** le Japon tente de faire adopter Muse par le CCIR (Comité consultatif international de radiocommunication). **1986-** *12/15-5* assemblée du CCIR à Dubrovnik, les Européens proposent leur norme D2Mac CCIR (adoptée en nov. par la Commission européenne) puis HD Mac, compatibles avec les Pal et Secam existants. **1988** sept. la FCC (Federal Communications Commission) rejette Muse pour les USA. **1987** avec les satellites de diffusion directe, mise en place des normes du type Mac pour les nouveaux programmes. **1988-89** introduction du numérique au stade de la production. **1989** janv. 17 industriels amér. s'unissent pour développer le numérique. **1989-90** d'une mémoire d'image dans les téléviseurs 4 : 3 (format actuel) permettant de doubler la cadence trame : 50 images au lieu de 25 (pays à réseau de 50 Hz) ; 60 images au lieu de 30 (pays à réseau de 60 Hz), étude d'un système unique à 100 Hz. **1990** EDTV en Europe ; apparition sur le marché des 1ers récepteurs pour le D2Mac (France et Allemagne) au format

16/9. **1991** les Européens lancent Savoie 1250, GIE qui produit 13 h de programmes par jour en TVHD aux jeux d'Albertville. *Avr. 91 à avr. 92,* tests mettant en compétition 6 projets pour l'adoption de la norme TVHD amér. [dont 2 analogiques (NTSC amélioré, Muse jap.) et 4 intégralement numériques (dont 1 de TCE). *25-11* les Jap. lancent Hi-vision, chaîne TVHD (8 h de progr. par j pour 500 postes recensés au Japon) qui regroupe NHK, chaînes privées et producteurs (126 membres). *5-12* General Instrument (USA) annonce la mise au point d'un prototype de TVHD entièrement numérique. *15-12* la chaîne à péage Filmnet diffuse en Simulcast D2Mac/PAL en Scandinavie (150 000 décodeurs). *19-12* la norme D2Mac s'imposera le 1-1-1995 aux nouveaux services (les opérateurs existants en sont exemptés). **1992**-*1-3* il y a en France 1 200 récepteurs équipés en 16/9 D2 Mac. *-12-3* la norme D2Mac ayant été imposée sur Télécom 2, Canal + renonce à monter sur ce satellite 6 chaînes dont il est actionnaire (TV Sport, Canal Jimmy, Canal J, Ciné-cinéma, Cinécinéfil, Paris 1re, Planète) : la promotion du décodeur D2Mac de France Télécom priverait Canal + de son monopole de fait sur les décodeurs cryptés en norme Secam). *Juin* rapidité des progrès du numérique. **1993**-*fév.* la CEE renonce à Mac pour le numérique. Philips reporte la production des récepteurs HD Mac qui devaient être mis sur le marché en 1994. **1994-95** 1ers TVHD numériques sur le marché ; les 3 grands réseaux amér. commenceront à diffuser en TVHD.

■ **Prix** : nouveau modèle de Sony (1993) : env. 42 000 F.

■ **Normes de production** : seront utilisables pour la TVHD toutes les images tournées sur des supports comportant plus de 1 000 lignes : vidéo HD ou film (super-16 ou 35 mm).

Normes de diffusion TVHD				
	MUSE	HDMAC	PAL +	DMAC
Nombre de lignes	1 125	1 250	625	625
Fréquence de balayage (hz)	60	50	50	50
Larg. de bande (MHZ)	8	12	5	5,75
Format de l'écran [1]	16/9	16/9	16/9	16/9
Zones d'influence	Japon	Europe	Europe	Europe

Nota. – (1) Largeur/hauteur.

Système Muse *(Multiple Sub-Nyquist Sampling Encoding)* conçu par NHK pour la TVHD. Permet de réduire la bande passante à un canal de 8 MHz mais exige une mémoire de grande capacité dans le téléviseur afin d'y stocker les 4 salves de signaux avant reconstitution de l'image sur l'écran.

Standard HDP *(High Definition Progressive).* **Projet Eureka 95** [1 250 lignes par image, 50 images complètes par seconde, balayage progressif (continu), format 16/9]. Nécessite un débit numérique série de + de 1 milliard de bits par sec. Des standards intermédiaires ont été créés [base d'échantillonnage 4:2:2 (norme de production en composantes numériques)]. Afin de permettre aux canaux de TV actuels d'accepter ces débits, on recourt à la compression temporelle de l'image. Ex. : *Thomson :* facteur de compression de 20, *General Instrument :* 100. Système compatible avec les postes existants mais, sacrifiant la technique numérique, il risque d'être dépassé, avant de s'être imposé, par la TVHD numérique. **Projet japonais :** 1 125 l. [(fréquence 60 demi-images par seconde, écran 16/9 (au lieu de 4/3)] avec un balayage entrelacé. Incompatible avec les postes existants, les normes numériques de la télé. adoptées par le CCIR dep. 1982, et les standards Mac (D2-Mac Paquet européen, C-Mac-Paquet anglais, et B-Mac australien). Conçu pour les réseaux électriques à 60 Hz (Japon et USA), il pénalise les Européens (réseau à 50 Hz). Au début de la télévision, la fréquence du courant alternatif avait servi de base de temps pour caler en permanence le balayage de l'écran, et conditionna le nombre de lignes à balayer sur l'écran. Américains et Japonais alimentés en 60 Hz choisirent une définition de 525 l. Les Européens alimentés en 50 Hz choisirent une définition de 625 l. pour Pal et Secam. Le passage du 50 au 60 Hz est possible par conversion, mais le procédé est coûteux, produit des parasites et altère plus ou moins le signal vidéo. NHK présente en 1991 un modèle à écran plat (52 × 66,5 cm, épaisseur : 6 mm) utilisant un panneau de cellules à plasma (800 lignes de 1 024 cellules revêtues de phosphore rouge, vert ou bleu). Poids : 6 kg avec l'électronique du téléviseur. Luminosité de l'image : 68 cd/m².

Télévision numérique. Chaque élément constitutif d'une image est codé en binaire. On utilise des microprocesseurs très rapides ; la compression (taux : au moins 32 pour 1) permet de réduire le nombre d'informations qu'on fait voyager par voie hertzienne, câble ou satellite. A l'arrivée, le récepteur contient un micro-ordinateur, comprenant microprocesseurs, algorithmes d'interprétation des bits transmis et mémoire permettant d'afficher l'image. *Avantages :* meilleure image (suppression du moiré et du papillotement), maintenue nette en permanence (effets du vieillissement du tube automatiquement compensés) ; manipulation possible de l'image (la télécommande permet d'arrêter l'image, d'insérer une 2e image d'une autre chaîne, en fenêtre) ; son stéréo ; émissions bilingues (après la mise en place des satellites) ; suppression de 500 des 600 composants du récepteur.

Systèmes du TVHD numérique USA

Candicats :	Digicipher (ATVA [1] Interface)	Zenith-ATT (DSC [2])	ATRC (ADTV [3])	ATVA Progressive
Fin de tests initiaux (en simulation)	28-2-1992	21-5-1992	29-7-1992	2-10-1992
Balayage	entrelacé	progressif	entrelacé	entrelacé
Nbre de lignes fréquences images	1.050 29,97 Hz	787,5 59,94 Hz	1.050 29,97 Hz	787,5 29,97 Hz
Début brut transmis	19,5 à 24,4 Mbits	10,8 à 21,5 Mbits	24 Mbits	26,4 Mbits
Compression spatiale	DCT blocs 8 × 8	DCT blocs 8 × 8	DCT blocs 8 × 8	DCT blocs 8 × 8

Nota. – (1) American Television Alliance entre General Instrument et le MIT (Massachusetts Institute of Technology). (2) DSC : Digital Spectum Compatible (Système de Zenith-ATF). (3) ADTV : Advanced Digital Television de l'ATRC (Advanced Television Research Consortium regroupant Philips, Thomson, la chaîne NBC et le Centre de recherche David Samoff). *Source : Opecst.*

■ **Transmission. Analogique** (Pal, Secam, NTSC, Mac, Muse) quand le signal est électrique ; **numérique** ou **digitale** quand les données vidéo voyagent sous forme de séries chiffrées, comme en informatique.

☞ Ratio fondé sur le nombre d'informations visuelles (pixels actifs), la « luminance » et la « chrominance » *(Source : Philips).* **Ratio d'efficacité :** HDTV 1250 533, HiVision 479, HDMAC 253, Muse 183, Standard Définition 625 100, D2Mac 81, Palplus 69, Pal 66, Compatible D2Mac (92/94) 52/69, NTSC 525 47, Compatible Pal plus 44.

■ **Vidéo.** Signal électrique complexe. Permet de transmettre à l'émetteur les images électroniques issues d'une caméra électronique. Permet la réalisation d'émissions en direct ou l'enregistrement sur bande magnétique. *Caméscopes :* caméras vidéo à magnétoscope incorporé. En vente dep. 1983-84. Le *Betacam,* réalisé par Sony en association avec Thomson, s'impose à partir de 1982. *Films :* tournages réalisés avec caméra cinématographique, impliquant un développement traditionnel.

■ **Vidéodisque.** Permet de faire passer sur un téléviseur des images préenregistrées sur disque. *1927 :* J.-L. Baird expérimente le stockage de signaux vidéo sur un gramophone avec un disque 78 tours reproduisant une image de 30 lignes à 30 périodes/seconde. *1980-82 :* lancement à grande échelle, échec provisoire pour des raisons techniques et commerciales. **Standards :** Philips (Laservision), RCA (Sélectavision), JVC-VHD ne fonctionnant que sur téléviseur NTSC amér. **Prix :** lecteur de vidéodisque 4 000 à 20 000 F ; disque moy. 220 F.

CDI (Compact-Disc Interactif) et DVI (Digital Video Interactive). Voir p 1450 c.

■ **Vidéotransmission.** Moyen de communication collective permettant de faire participer au même événement et en direct des spectateurs situés en divers lieux dans des salles équipées d'écrans géants. La transmission des images et des sons est assurée par les réseaux hertziens terrestres ou par satellite. Peut permettre le dialogue.

■ **XV-310-P.** Les images passent sur un écran à cristaux liquides à matrice active à partir duquel elles sont projetées sur un mur ; à chacun des pixels de l'écran correspond une électrode transparente susceptible de laisser passer plus ou moins de lumière en fonction du signal reçu. Avec 100 000 points correspondant à 320 lignes, l'image a une définition inférieure à celle de la télévision (625 lignes).

Histoire

Radiodiffusion

1890, le Français Édouard Branly (1844-1940, physicien et médecin) invente et construit le 1er radioconducteur (tube rempli de limaille de fer mis en circuit avec un galvanomètre et une pile) ; le cohéreur permet de capter les ondes hertziennes. **1894,** il imagine la 1re antenne. **1896** *mars,* le Russe Alexandre Popov (1859-1906) met au point l'antenne de réception d'ondes et, avec un mât de 18 m, transmet sur 250 m le 1er message sans fil en morse. *2-6* l'Italien Guglielmo Marconi (1874-1937) s'installe en G.-B. et dépose le 1er brevet d'un appareil de TSF. Il effectue des liaisons sur 3 km. **1897** il en effectue sur 13 km (mars) et 20 km (juillet) entre 2 navires de guerre italiens. Le Français Eugène Ducretet (1844-1915) construit le 1er app. TSF français. **1898** l'Anglais Lord Kelvin transmet les 1ers radiogrammes entre 2 stations Marconi installées à l'île de Wight et à Bournemouth (G.-B.) éloignées de 23 km. **1898**-*26-10,* Ducretet établit une liaison télégraphique tour Eiffel/Panthéon (4 km) avec un équipement dérivé de celui de Popov. **1899**-*28-3,* Marconi établit la 1re liaison radio au-dessus de la Manche, grâce à 2 stations d'essai (Douvres et Wimereux). **1899**-*28-3,* liaison radiotélégraphique entre South Foreland (G.-B.) et Wimereux (Fr.) sur 50 km.

1900 1re *station commerciale* d'émission en Allemagne. **1901** Sté française de télégraphie et de téléphonie sans fil fondée sous la présidence technique de Branly. *12-12,* 1re *liaison transatlantique* entre Poldhu en Cornouailles et Terre-Neuve par Marconi. **1902** *févr.,* des messages de Poldhu sont reçus à bord du *Philadelphia* à 2 500 km. **1903** sous l'impulsion du capitaine Gustave Ferrié (1868-1932), création du poste de la tour Eiffel avec le concours de l'Observatoire de Paris. **1906** 1res expériences de radiophonie de l'Amér. Reginald Aubrey Fessenden. **1907** invention du *tube à vide* par l'Américain Lee De Forest (1873-1961) ; en amplifiant les ondes hertziennes, il permettra la radiophonie puis d'autres perfectionnements. *Oct.,* 1re *liaison commerciale régulière transatlantique* entre Clifden (Irlande) et Glace Bay (Terre-Neuve) ; long. 3 650 km. **1909** *1er sauvetage maritime grâce à un message TSF* (collision *Républi-que-Florida,* 760 rescapés). **1910** Dunwoody/Pickard (USA) inventent le *poste à galène.* **1912**-*14-4,* les appels radio du *Titanic* alertent le *Carpathia* et permettent de sauver 703 personnes. Depuis, installation radio et écoute obligatoire des SOS à bord des bateaux. **1920** programmes quotidiens d'info. et de musique en G.-B. (Marconi-Company), env. 300 auditeurs (récepteurs à galène). USA apparition des stations radio. *2-11* à la station KDKA (Westinghouse Co.), Pittsburgh (USA), un bulletin quotidien d'informations annonce l'élection du Pt Harding. 1res émissions radio en URSS. **1921** *février,* 1ers essais à Radio-Tour Eiffel avec capitaine Ferrié. *Mars,* foire de Paris, des récepteurs sont exposés. *22-6,* diffusion d'un concert donné à la Salle des ingénieurs civils. *Déc.,* 1res *transmissions par radio à partir de la tour Eiffel* [longueur d'ondes 2 650 m, puissance 900 W (6 lampes de 150 W), 2 h de programme par j entre 17 h et 19 h]. **1925** USA, Pt Hoover utilise la radio pour sa campagne élect. **1933** 1ers postes miniatures *(Pigmy).* **1938**-*30-10* sur CBS (USA) Orson Welles, 23 ans, déclenche une panique en annonçant un débarquement de Martiens.

Télévision

1817 le Suédois Jons Jacob Berzelius (1779-1848) découvre la propriété du sélénium d'augmenter ou diminuer sa résistivité selon l'éclairement reçu. Cette propriété donnera naissance à la cellule photovoltaïque, moyen de transformer la lumière en courant électrique. **1843** essais de transmission Londres-Portsmouth par télégraphe automatique de l'Anglais Alexander Bain (1810-77), abandonnés faute de synchronisation entre émetteur et récepteur. **1847** travaux de l'Allemand Karl Braun sur les rayons et l'oscillographe cathodique annonçant l'analyse électronique de l'image. **1848** synchronisation réussie par l'Américain Bakewell en enroulant feuille de départ et d'arrivée par des cylindres tournant à vitesse constante. **1856** France, l'abbé florentin Giovanni Caselli (1815-91) réalise un système semblable (*pantélégraphe*) qui sera utilisé par la transmission de dessins et lettres (sur les lignes du télégraphe électrique) en 1866 entre Paris et Lyon, puis prolongé entre Lyon et Marseille. **1873** 2 télégraphistes anglais, Joseph May et Wiloughby Smith, confirment les travaux de Berzelius sur le sélénium. **1875** l'Américain G.R. Carey propose d'utiliser le sélénium pour la transmission des images à distance. **1878** idée reprise par le Français Constantin Senlecq (1842-1934), notaire à Ardres (P.-de-C.), qui fait paraître, dans « la Lumière électrique », un article sur le « télectroscope » (en 1877, il avait réussi à transmettre une image avec un télégraphe autographique). Principes des 1ers appareils de télévision mécanique : l'image est projetée sur une multitude de petits grains sensibilisés au sélénium, puis analysée point par point par un commutateur tournant. L'appareil est relié à un récepteur composé de minuscules lampes, chacune d'entre elles étant reliée à un des grains de sélénium. A la réception du signal, la lampe brille d'autant plus que le grain correspondant a été plus violemment éclairé. Cet appareil ne sera jamais réalisé ; il aurait été trop encombrant et aurait interdit la transmission de l'image à grande distance. **1880** le Français Maurice Leblanc (1857-1923) propose de projeter sur l'image un rayon lumineux mobile, 1er pas vers la technique du *flying spot* mise au point, utilisée ensuite dans les appareils de télécinéma (transformation de l'image film en image télévision). **1884** l'Allemand Paul Nipkow (1860-1940) réalise un disque analyseur d'images qui sera utilisé du début à 1939, pour la télé. **1887** l'Allemand Heinrich Hertz (1857-94) démontre que les rayons ultraviolets de la lumière provoquent une émission de charges électriques négatives par certains métaux : découverte des électrons (expliqués par Albert Einstein en 1905). **1889** le Français Lazare Weiller (1858-1928) remplace le disque de Nipkow par une roue comprenant une succession de miroirs d'inclinaison différente. **1898** le Français Marcel Brillouin remplace les trous du disque de Nipkow par de petites lentilles encastrées et augmente ainsi la quantité de lumière reçue par la cellule.

1900 1re apparition du mot télévision (Exposition universelle de Paris). **1907** *1re photo* transmise par l'Allemand Arthur Korn, entre Verdun et Paris. Procédé perfectionné par le Français Édouard Belin (1876-1923) à partir de 1911. **1907-11** le Russe Boris Rosing conçoit le tube cathodique qui prévoit un balayage électronique de l'image à transmettre. **1921** *1er message fac-similé* envoyé par Édouard Belin de France aux USA : *bélinographe :* l'image ou le texte est enroulé sur un cylindre et éclairé. Les pinceaux lumineux, variables selon la teinte du papier aux endroits successivement explorés, sont réfléchis sur une cellule photoélectrique reliée par un réseau télégraphique à un récepteur. Sur un papier photosensible, le pinceau lumineux reconstitue se projette. **1923** *1er système de télé.* du Britannique John Logie Baird (1888-1946) : *télévisor* (lancé 1929) utilisant un disque de Nipkow à l'émission et un amplificateur à lampes à la réception et, pour moduler la lumière, un obturateur électromagnétique. Définition de la 1re image transmise par 18 lignes. *Déc., iconoscope,* 1er tube électronique analyseur d'images, du Russe Wladimir Kosma Zworykin (1889-1982), élève de Rosing, émigré aux USA, réalisé pour Westinghouse (brevet 1923, démonstration publique, 18-11-1929) ; permet les hautes définitions et constitue le vrai départ de la télé. **1924** Charles Jenkins (Amér., 1867-1934) crée une *lampe au néon à cathode plate* qui permet de mieux suivre les variations du courant-lumière. Le Français Barthélemy invente un disque à images. **1925** Baird intègre la lampe de Jenkins à son appareil et fait une 1re démonstration publique en avril dans le magasin Selfridge's (Londres). **1926**-*27-1 naissance officielle de la télé.* Baird, à la Royal Institution, transmet l'image d'une figure humaine d'une pièce à l'autre. Il fonde la *1re Sté de télévision,* la Baird Television Cy. **1927** la *Bell Telephone* organise une émission télévisée en direct entre New York et Washington. **1928** *juillet, 1ers essais de télé. en couleurs* (G.-B. par Baird). Baird transmet la 1re image par-dessus l'Atlantique (long. d'ondes 35 m). **1929**-*30-9* Baird : définition de 30 lignes pour des émissions expérimentales de la BBC (émetteur de Daventry de 11 h à 11 h 30, ondes moy. de 363 m ; puissance 1,5 kW). 1ers essais de tél. à 50 lignes entre New York et Washington (380 km) par la Bell. *8-3 1res émissions régulières de 30 lignes* en Allemagne (par la Deutsche Reichpost). *1er appareil français avec lampe au néon et disque de Nipkow :* René Barthélemy (1889-1954) et ses collaborateurs Strelkoff et Marius Lamblot.

1930 *juillet,* retransmission d'une pièce de Pirandello. **1931**-*14-4, 1re transmission à distance* par Barthélemy entre studio de Montrouge et École sup. d'électricité de Malakoff ; définition 30 lignes ; réception sur écran de 40 × 30 cm. Henri de France (Français, 1911-86) fonde au Havre la Cie gén. de télévision et met au point des appareils à 60 lignes. Marc Chauvierre, chez Integra, réalise une caméra en flying-spot utilisée plus tard à Radio Lyon, et met sur le marché du matériel pour le grand public. *3-6, 1er reportage en plein air* (G.-B., Baird). **1932** *1er réseau de tél. français :* Paris-Télévision, Barthélemy utilise l'émetteur de Paris-PTT. Émissions expérimentales de 30 lignes le jeudi de 15 à 16 h à partir de déc. ; tous les j (sauf dimanche) à 8 h 15 ou 14 h 15 (30 à 45 min) à partir de janv. ; long. d'onde 441 m, puissance 0,8 kW ; env. 30 destinataires. *1re émission expérimentale de tél. électronique* à New York. **1933**-*24-12,* fête à l'hôtel Majestic pour Branly, émission de tél. du poste PTT. *-25-4,* démonstration publique de télé. parlant dans l'auditorium du Poste parisien (Champs-Élysées). *9-9, 1re séance de cirque télévisé à 16 h 30.* **1934** *juin, 1re prise de vues en plein air en France* dans les jardins voisins du ministère du Commerce. Ces 1res émissions sont reçues par quelques personnes qui ont bricolé elles-mêmes leur appareil, mais sont captées à des distances plus grandes que maintenant, car elles sont diffusées sur ondes moyennes. La nuit, on peut recevoir des émissions anglaises à Paris, et on captera à Toulouse des émissions faites au Havre. *1er récepteur public de tél.* par la Cie des compteurs, *l'Integra ;* 400-500 récepteurs fin 1934 en Fr. **1935**-*26-4* Paris-PTT diffuse (caméra 60 lignes) la *1re émission télévisée,* à 20 h 15 (103, rue de Grenelle) avec Béatrice Bretty, de la Comédie-Française. *-10-11* Georges Mandel inaugure à la tour Eiffel la 1re émission publique 180 l. ; les émissions peuvent être reçues en radio à Paris par les sans-filistes payant des récepteurs spéciaux. *18-11* 17 h 30 à 19 h 30, démonstration pour la presse, avec Susy Wincker (1re speakerine, dep. juin) (caméra 180 l.). Expériences à Toulouse (oct.), Strasbourg (nov.) et Limoges (déc.). Récepteurs (ex. Barthélemy sous la marque Emyvisor) en vente 5 000/10 000. **1936** station de tél. d'Alexandra-Palace à Londres (BDC) ; 2 standards, Baird (240 l.), Marconi (405 l.). Jusqu'au *2-11 1res émissions régulières de tél. électronique.* Allemagne, pendant 16 j, 150 000 spectateurs assisteront en direct aux JO de Berlin, retransmis par câble à Hambourg, Leipzig, Munich, Nuremberg. Marc Chauvierre présente à la Sorbonne le 1er récepteur français à tube cathodique, pour grand public, le « *visiodyne* ». **1937**-*4-1 émissions régulières* de télé. en Fr., émetteur de 25 kW (semaine de 11 h à 11 h 30, 20 h à 20 h 30 ; dimanche 17 h 30 à 19 h 30). L'Allemagne adopte le 441 l. **1938** émissions régulières en 445 l. de la tour Eiffel (long. d'onde 6 m, puiss. 30 kW). **1939** *janv.* émetteur renforcé de la tour Eiffel (puiss. max. 45 kW).

1940 foire internationale de New York. *30-4* émissions publiques régulières. **1941** émissions régulières aux USA à partir de l'Empire State Building. **1942** la Cie des compteurs et la firme allemande Telefunken signent un accord pour une station Paris-Télévision. Inaugurée le 29-9-1943, elle diffuse en 421 l. de la tour Eiffel des émissions de distractions (variétés, films, actualités) pour les Allemands dans les hôpitaux parisiens. *Vedettes :* Howard Vernon, Léo Marjorie, clowns Pipo et Rhum, Jacques Chesnay, Olivier Hussenot. **1943** *1er journal télévisé* à Schenectady (USA). **1944** Paris : émissions d'avril à août ; env. 1 000 récepteurs les reçoivent dont 500 dans les hôpitaux où sont les blessés allemands ; programme de 10 h à 24 h. *1er système de télé en couleurs* par John L. Baird. **1945** l'émetteur de la tour Eiffel de 441 l., endommagé en 1940, assure à nouveau les émissions. Marc Chauvierre et Jacques Donnay présentent au GTIR un système avec transmission de l'image et du son sur la même porteuse (son en numérique). **1946** 1 h par j (16 h 30 à 17 h 30) et soirée mardi et vendredi. *Oct.,* Paris-Cocktail (qui deviendra Télé Paris) de Jacques Chabannes et Roger Féral. *17-12, 1er bulletin météo* en Fr. **1948**-*25-7 1re arrivée du Tour de France* en direct. *-20-11* l'arrêté Mitterrand (min. de l'Information) fixe le standard fr. à 819 l. ; mais l'émetteur à 441 l. doit poursuivre ses émissions jusqu'en 1958 (il sera détruit par un incendie le 31-1-56). *-24-12* messe de minuit en direct de N.-D. de Paris. **1949**-*25-5,* 2 speakerines recrutées sur concours, Jacqueline Joubert et Arlette Accart. *29-6* Pierre Sabbagh présente le 1er *journal télévisé* (il y a 1 794 récepteurs en région parisienne). *30-7* loi taxant les récepteurs : 3 000 AF (6 000 dans lieux publics). *Oct. 1re émission pour enfants* (magicien Télévisius). *9-10 1re messe des dimanches* (à 18 h). *15-12* 2e émetteur sur 819 l.

1950-*10-4* émetteur de Lille en service, de façon provisoire (il y a alors 3 794 récepteurs en Fr.). **1951**-*24-5* loi autorisant *publicité compensée. -26-6, 1re émission publique* de télé couleurs (CBS à New York). En Fr., 2e studio : st. 1 de la rue Cognacq-Jay, rénové. **1952** le kinéscope, mis au point par O. B. Hanson, vice-Pt de NBC, apparaît. *-14-2* relais hertzien, Paris-Lille. *9-7* mise en service du convertisseur qui permet aux récepteurs 441 l. de recevoir émissions extérieures et reportages en direct comme sur 819 l. **1953**-*2-6* couronnement de la reine d'Angl. en direct en Fr. *2-11* émetteur de Strasbourg en service. *25-12* relais assurent sa liaison avec Paris. Début de la *« Séquence du spectateur »* (record de longévité en Fr.). *-31-12,* loi affirmant monopole de programmation et de production. **1954** Eurovision. *11-5* 1re retransmission en Fr. par relais mobiles (de Tours à Paris) sur grand écran (théâtre du Palais de Chaillot). *13-6* 1re retransmission en direct des 24 h du Mans. **1956**-*2-1 1res élections lég.* en direct. *2/3-1* l'émetteur de 441 l. de la t. Eiffel incendié ne sera pas réparé ; échange des appareils en 441 l. (remise de 5 000 AF). **1957**-*16-6, 1res images en direct du fond de la mer* (Cdt Cousteau). **1958**-*1-1* 1re des *Cinq Dernières Minutes* de Claude Loursais. **1962**-*11-7 1re liaison régulière Amérique-Europe* avec le satellite Telstar captée à Pleumeur-Bodou. **1963**-*16-5* émetteur expérimental parisien de la 2e chaîne diffuse programme couleurs, sur canal 22, puissance 100 kW. *21-12, début officiel de la 2e ch.* en noir et blanc sur 625 l. **1967**-*1-10 début officiel de la couleur en Fr.* (1 500 récepteurs couleur en service). **1968** *févr.* retransmission des JO de Grenoble, en direct dans 32 pays ; + de 600 millions de téléspectateurs. **1969**-*21-7* Armstrong pose (en direct) le 1er pied humain sur la Lune. **1972**-*31-12* en Fr., 3e chaîne sur 625 l. **1976**-*1-1* 1re chaîne diffuse la couleur en 625 l. **1981**-*1-1* TF1 séquence de 10 min. pouvant être vue en relief avec des lunettes spéciales. **1983** le 819 l. de la bande VHF est couvert par Canal Plus en 625 l.

■ Stations locales privées

■ **Radios pirates.** Stations dont les émetteurs situés en mer au-delà de la limite des eaux territoriales échappaient aux contrôles technique, juridique et financier des gouvernements des pays vers lesquels ils diffusaient. La 1re, *Radio-Veronica,* entra en action en avril 1960, à bord du navire *Veronica,* au large des côtes hollandaises, à la hauteur de La Haye. Une dizaine d'autres stations suivirent, presque toutes au large des côtes anglaises. *Radio-Caroline,* créée 1964, fut pendant 4 ans et 8 mois la plus écoutée ; elle touchait de 28 à 50 millions d'auditeurs. Le 15-8-1967, à la suite de plaintes répétées de 9 pays du Conseil de l'Europe, dont la France, un décret du Parlement britannique les mettait hors la loi.

■ **1res télévisions privées en Europe. 1re station** fondée en déc. 1965 à bord du bateau *Cheeta,* au large de Malmoe, par la Sté *Radio-Dyd,* qui exploitait depuis 1961 une station de radio en ondes métriques. **France :** *1973 à 1977,* Valleraugue (Gard) recevant mal les images des ch. nationales, eut son propre émetteur. *1981 :* essais à Lyon (canal 22), à Paris XIIIe (Captain Vidéo). *1983 févr. :* « Antenne 1 » qui voulait émettre entre minuit et 3-4 h. **Belgique :** *Télé contact* dep. oct. 1980. **Italie :** *1976*-23-7 : légalisation des stations locales « libres ».

Statistiques

Marché mondial de l'audiovisuel (1990) : 248 milliards $ dont (%) équipements 53,8, recettes TV hertziennes 33,5 (dont pub. 79 %), recettes TV par câble 20,5.

Chiffres d'affaires des diffuseurs (en milliards de F, *Source :* Mediapouvoirs, 1991) : **Allemagne :** *ARD* 20, *ZDF* 5,6 ; **France :** *TF1* 6, *A2* 3, *FR3* 3,3 ; **G.-B. :** *BBC* 10, *ITV* 18 ; **Italie :** *RAI* (1, 2, 3) 11.

Temps d'écoute moyen. (en min./jour, 1990, *Source :* Nielsen Eurodience) : Japon 485, USA 415, G.-B. 250, Italie 192, *Fr.* 184, Esp. 183, All. 156.

Redevance (en F, 1990). Esp., Luxembourg, Monaco, Turquie : aucune. Grèce, Portugal (en fonction de la consom. d'électr.), *All. féd.* 243 (radio), 769 (radio/TV) ; *Belg.* 147 (radio), 702 (TV noir et blanc), 1 013 (TV couleur), 681 (radio et TV par câble), *Danemark* 189 (radio), 825 (radio et TV noir et blanc), 1 281 (radio et TV couleur), *France* 355 (TV noir et blanc), 552 (TV couleur) *G.-B.* 232 (TV noir et blanc), 685 (TV couleur), *Irlande* 396 (TV noir et blanc), 558 (TV couleur), *Italie* 16 (radio), 542 (radio et TV noir et blanc), 565 (radio et TV couleur), *Pays-Bas* 146 (radio), 502 (radio/TV).

Marché publicitaire (% sur la télé, en 1990). *All. Féd.* 13,4. *Belgique* 14. *Espagne* 30,1 (TVE1 65,5 ; TVE2 7,3). *France* 24,6 (TF1 49,6 ; A2 17,1 ; FR3 12 ; C + 2,6 ; La Cinq 18,6 ; M6 5). *Grèce* (ET1, ET2 et ET3) 94. *Irlande* 28,9 (RTE1 et Network 2 100 jusqu'en 1990). *Italie* 47,1 (RAI Uno 10,4 ; RAI Due 6,6 ; Rai Tre 0,8 ; Canale 5 34,8 ; Italia Uno 16,3 ; Rete Quattro 11,4 ; Odeon TV 6 ; TMC Italie 9,1 ; Italia 7 4,7). *Portugal* RTP1 94,9 ; RTP2 5,1. *P.-Bas* 10. *G.-B.* 30,3 (ITV/Channel 3 env. 100) (84,4 sans Channel 4). *Suisse* 6,7.

Coût moyen d'une heure d'antenne (en milliers de F, 1991. *Source :* JN Dibie) : *All.* 600 ; *G.-B. :* BBC 600, ITV 700, Channel 400 ; *Fr.* 400 ; *It.* 350 ; *Autr.* 300 ; *Suède* 250 ; *Dan.* 210 ; *Esp.* 200 ; *Finl.* 180 ; *Suisse* 180 ; *Belg.* 80 ; *Irl.* 60.

Quotas de diffusion en Europe *(Source : J.N. Dibie) :* **France :** 50 % expression originale française et 60 % européen. **Italie :** (loi de juillet 90) 40 % puis 50 % eur. dont la majorité ital. **Espagne :** TV de service public « un certain volume de production espagnole », par accord contractuel TVE/Cinema, 1 film espagnol pour 3 films étrangers. **G.-B. :** pas de quota dep. 1983 mais avec 86 % de programmes CEE. **P.-Bas :** TV à péage 10 % de culture néerl. **Irlande :** 35 % de production irl. **Belgique :** RTBF 60 % de téléfilms et séries d'origine CEE et pays du Conseil de l'Europe ou expression originale française.

Parc de récepteurs

Nombre en 1990	Récepteurs TV			Récepteurs radio	
	Total (milliers)	Pour 1 000 h	Couleurs (milliers)	Total (milliers)	Pour 1 000 h
Algérie	1 840	74	–	540	54
All.	44 300	651	10 500 [1]	69 650	823
Autriche	3 650	624	–	4 730	481
Belgique	4 450	452	2 700 [3]	7 660	778
Chine	35 000	31	–	209 500	184
Danemark	2 750	535	900 [2]	5 300	1 030
Espagne	15 500	396	900 [2]	12 000	306
États-Unis	203 000	815	–	529 000	2 123
Finlande	2 470	497	450 [2]	4 965	998
France	*22 800*	*406*	*4 500* [1]	*50 300*	*896*
G.-B.	24 900	435	11 000 [2]	65 600	1 146
Grèce	1 970	196	–	4 250	423
Irlande	1 025	276	160 [2]	2 170	583
Italie	24 200	424	750 [2]	45 500	797
Libye	450	99	–	1 020	224
Luxembourg	95	255	–	235	630
Malte	262	742	–	186	527
Maroc	1 850	74	9 [2]	5 250	209
Monaco	22	788	–	30	1 084
Norvège	1 790	425	460 [2]	3 360	798
Pakistan	2 080	17	–	10 650	87
P.-Bas	7 400	495	2 550 [2]	13 550	906
Portugal	1 820	177	–	2 240	218
Suède	4 000	474	2 050 [2]	7 500	888
Suisse	2 690	407	600 [2]	5 650	855
Tunisie	650	80	3 [2]	1 600	196
Turquie	9 750	175	–	9 000	161
Ex-URSS	95 000	329	–	198 000	686
Ex-Yougoslavie	4 720	198	400 [2]	5 850	246

Nota. – (1) 1976. (2) 1977. (3) 1986.
Source : Unesco 1992.

Ressources publicitaires de chaînes publiques en milliards de F et, entre parenthèses, en % du total des recettes (1989-90). **Ex-All. féd.** *ARD* 2,8 (15) [dont ARD BR 624,4 (17), HR 413,6 (19), NDR 305,2 (9), RB 101,6 (21), SR 74 (12), SDR 286,4 (15), SWF 293,6 (11), WDR 724 (14)] ; *ZDF* 2,3 (36). **Espagne** *RTVE* 7,8 (92). **G-B** UKIB 16,9 (88). BBC (0). **Italie** *RAI* 4,4 (31).

Interruptions de films par la publicité. Danemark, Grèce, Portugal, Suède, Suisse : non. **ex-All. féd. :** oui (sauf sur chaînes publiques) : 1 fois après 60 min pour les films, 1 fois après 45 min pour les séries ; *ARD :* entre 18 h et 20 h, les j. ouvrables, 20 mn/j. **Belgique :** non (sauf sur *VTM :* 1 fois après 50 ou 60 min, une 2e fois dans un film de + d'1 h 1/2). **Espagne :** oui (sauf sur *Canal + Esp.*). *Tele Cinco :* jusqu'à 3 ou 4 fois par h. **France :** *TF1 :* coupure de 4 min maxi pour les films et téléfilms ; *A2 et FR3 :* non ; *La Cinq :* 4 min et 30 s maxi pour les films et téléfilms ; *M6 :* 6 min maxi ; *la Sept :* seule chaîne nationale sans pub. **G-B :** *chaînes publiques :* non ; *ITV Channel* et *Grampian TV :* oui (7 min par h). **Irlande :** oui. **Italie :** oui (films proposés en 2 parties suivant la formule de l'entracte). **Luxembourg :** oui. **P.-Bas :** *Netherland 1 et 3 :* pub. regroupée autour des journaux TV et entre 2 émissions à certaines heures ; *Netherland 3 :* non ; *RTL 4 :* oui. **Turquie :** 7 min par h en fin de matinée, début d'après-midi et au journal de 20 h.

Organismes internationaux

■ **UER** (Union européenne de radiodiffusion). *Créée* 1950. Organisation indépendante non commerciale regroupant 39 membres de 32 pays. *1954* fondation de l'Eurovision. *1987* échec du lancement d'Europa TV, chaîne europ. d'informations diffusées par sat. *1989* d'Euroradio et Eurosports (en association à parité avec Murdoch). *1991* mai Eurosports reprise par TF1. **Eurovision :** structure d'échange de programmes de télé entre les membres de l'UER (100 membres dans 66 pays). *Budget :* 280 millions de F suisses. *Indicatif :* quelques mesures du *Te Deum* de Marc-Antoine Charpentier. *Coordination technique des transmissions :* centre de contrôle Eurovision (EVC), à Bruxelles. *Réseau* (fin 1990) : 514 404 km de circuits vision (495 466 par faisceaux hertziens et 18 933 par câbles) + voies vision dans les systèmes de satellites géostationnaires. Dessert plus de 38 800 émetteurs et réémetteurs qui diffusent 88 programmes dans 34 pays d'Europe et le Bassin méditerranéen. *Auditoire potentiel* max. : + de 350 millions de personnes. *Récepteurs TV :* 130 millions. **EVN** *(Eurovision news)* banque d'images d'actualité gérée dans le cadre de l'*Eurovision*. **OIRT** (Organisation internat. de radio et de télé) : *créée* 1946. Regroupe pays d'Europe de l'Est, CBC et CRC (Canada), NHK (Japon), Nine Network (Australie) ou Abu (Asie). *1960* fonde Intervision. **Asbu** (Arab States Broadcasting Union) : *créée* 1969. 34 pays. **Abu** (Asia-Pacific Broadcasting Union) : *créée* 1964. *1984* fonde Asiavision. **Oti** (Organisacion de la Télé). **Ibero-americano :** *créée* 1971. 22 pays. **Cbu** (Caribbean Broadcasting Union) : *créée* 1970. **Urtna** (Union des radios et télé nat. afric.) : *créée* 1962. **Nanba** (North American Nat. Broadcasters) : *créé* 1978.

■ **Marchés de la télévision. Europe : MIP-TV :** Marché international des programmes de télévision (1963, Cannes). 8 000 participants, dont 1 927 producteurs et distributeurs, et 1 680 acheteurs en 1990. **MIP-Com. :** Marché international des programmes audiovisuels (1985, Cannes, en oct.). **Mifed :** Marché internat. du film et du documentaire de télévision (1959, Milan). **Festival international de télévision de Monte-Carlo** (secteur commercial dep. 1979). **London Multi-Media Market (« 3 M »)** (1982 Londres). **États-Unis : NATPE :** National Association of Television Program Executives (1963, devenu international 1978). **AMIP :** American Market for International Programs (1983, Miami).

Principaux prix et festivals de télévision

Prix décernés par des pays ou des associations étrangères auxquels participe la France

Prix Italia. *Créé* 1948, par Gian Franco Zaffrani, dir. de la RAI. En sept. en Italie. **Palmarès (1992) : Fiction :** la Controverse de Valladolid (Jean-Daniel Verhaeghe, FR3-Marseille). **Documentaires :** Guerres, vies et vidéo (BBC), les Amants d'assises (TV francophone belge).

Rose d'or de Montreux (Suisse). *Créée* 1961. Début mai : *Concours* pour émissions de music-hall, variétés, musique légère, jazz, pop « personality shows », humour. Ouvert aux télés nationales et producteurs indépendants. *Prix :* Rose d'or, d'argent, de bronze, d'or des indépendants. *Jury :* international (1 juré par organisme participant au concours, j. des indépendants, j. de la presse internationale). **Palmarès concours officiel (1993) : Rose d'or** (10 000 F) **et Prix de la Ville de Montreux :** The Kids in the Hall (Broadway video, Canada). **Rose d'argent :** Djabote, de Béatrice Soulé et Eric Millot (PRV/Arte, France) ; Music with Joann Falletta, d'Ellen Hovde et Muffie Meyer (CPB, USA). **Rose de bronze :** We Sing and we Dance (Picture Music International, G.-B.) ; Respectful Greetings, Mr Kohn !, de Jitka Nemcova (CSTA-CT, République tchèque) ; The Lion's Roar, de Paul de Leeuw et Rinus Spoor (Nos-Vara, P.-B.).

Festival international de programmes audiovisuels (Fipa). *Créé* 1988. **Prix :** Fipas d'or (1991) (décernés janv. 1992 à Cannes) : **fiction :** la Séduction du chaos, de Basilio Martin Patino (Esp.) ; *interprétation masculine :* Maxime Leroux (Interdit d'amour, de Catherine Corsini, Fr.) ; *féminine :* Judith Scott (Tell me that you love me, de Bruce Mc Donald, G.-B.). **Séries et feuilletons :** El Quijote (Manuel Gutierrez Aragon, Esp.). **Documentaires de création et essais :** Messagers de l'ombre (Michèle Van Zèle, France). **Œuvres musique et images :** Dortoir (François Girard, Canada). **Programmes courts :** la Différence entre l'amour (Pierre Tridivic, France).

Festival de Monte-Carlo. *Créé* 1960. Début févr. Compétition programmes fictions et actualités. **Prix :** 4 Nymphes d'or et 8 d'argent [reproduction de la nymphe Salmacis, œuvre du sculpteur monégasque François-Joseph Bosio (1768-1845)]. **Prix spéciaux :** Amade, UNDA, de la Croix-Rouge monégasque, Urti (Grand Prix international du documentaire de création). Journal quotidien du festival : Video Age Daily. Nombre d'inscriptions (1993) : 5 000. **33e festival : Nymphe d'or fiction :** Till Murder do us part (World International Network, USA). **Mini-Séries :** Blueprint (SVT, Suède). **Actualités-Magazines :** Beyrouth, des balles et des ballons (France 3, France). **Reportages :** Somalia famine (BBC, G.-B.).

Prix Louis-Philippe Kammans. *Créé* 1974. *Décerné* par les membres de la Communauté des télé. francophones : *SSR* (Sté suisse) ; *RTB* (belge) ; *SRC* (Canada) ; *TF1 ; A2 ; FR3.* Récompenses dramatiques en français.

Prix Futura. *Créé* 1982. Couronne une œuvre scientifique. En avril, à Berlin, tous les 2 ans.

International Emmy's Awards. En décembre, à New York.

Prix Ondas. *Créé* 1954. Décerné à Barcelone par la Sté esp. de radiodiffusion (SER) et dep. 1983 par l'Union europ. de radiodif. (UER). **Lauréats 1992 : Radio :** Là-bas si j'y suis (SRF, Fr.), Hochzeit mit dem Feind (ARD/SFB, All.), Michael Jackson – King of Pop (UKIB/Capital Radio, G.-B.). **Télé. :** World in Action : No Fixed Abode (UKIB/Granada TV, G.-B.), Op Afbetaling (NOS/VPRO, P.-B.), Los Años Vividos : Tiempo de Tragedia (TVE, Esp.).

Prix de l'Association française des critiques et informateurs de télévision. *Créé* 1950 (meilleur réalisateur et meilleure émission de l'année).

7 d'or de Télé-7 Jours. *Décernés* dep. 1975 par la rédaction de Télé-7 Jours et en fonction du courrier des lecteurs. **Palmarès (1992) :** *comédienne :* Anny Duperey : une Famille formidable (TF1) ; *feuilleton (ou série) :* les Aventures de Nestor Burma (France 2) ; *reportage :* le Front national (Envoyé spécial, France 2) ; *animateur de jeux :* Nagui : Que le meilleur gagne (La 5) ; Que le meilleur gagne plus (France 2) ; *musique écrite pour le petit écran :* Ennio Morricone : Mort à Palerme (TF1) ; *journaliste sportif :* Gérard Holtz : Stade 2 (France 2) ; *émission pour la jeunesse :* les Aventures de Tintin (France 3) ; *magazine culturel ou de société :* la Marche du siècle (France 3) ; *réalisateur de fiction :* Jean-Daniel Verhaeghe : la Controverse de Valladolid (France 3/La 7) ; *émission de divertissement :* les Guignols de l'info (Canal +) ; *présentateur du journal télévisé :* Bruno Masure (France 2) ; *auteur ou adaptateur de fiction :* Jean-Claude Carrière : la Controverse de Valladolid (France 3/La 7) ; *magazine d'actualité :* Envoyé spécial (France 2) ; *comédien :* Jean-Pierre Marielle : la Controverse de Valladolid (France 3/La 7) ; *émission sportive :* Jeux Olympiques de Barcelone (Canal +) ; *film de télévision :* la Controverse de Valladolid (France 3/La 7) ; *animateur de variétés ou de divertissement :* Philippe Gildas : Nulle part ailleurs (Canal +) ; *documentaire :* les Enfants du juge Véron (France 2) ; *émission spéciale :* Cérémonie d'ouverture des Jeux Olympiques d'hiver 92 (France 2) ; *animateur de débats :* Jean-Marie Cavada : la Marche du siècle (France 3) ; *techniciens : photo :* Charlie Gaeta : un Été glacé (France 2), *décor :* Richard Cunin : Warburg, le banquier des princes (TF1/La 7), *son :* Guy Savin : Honorin et la Lorelei (Canal +/TF1), *montage :* Anne-Marie Basurco : Honorin et la Lorelei (Canal +/TF1).

Prix Jean-d'Arcy. *Créé* avril 1984 par TF1 en hommage au fondateur de l'Eurovision. *Décerné* pour la 1re fois le 24-12-1984 (prix 1985).

Organisation dans quelques pays

Légende. – ab. : abonnés, aud. : audience, bud. : budget (en milliards deF), ch. : chaîne, prod. : production propre ou coproduction, pub. : publicité, red. : redevance, ress. : ressources subv. : subventions.

■ **Allemagne.** Création de la TV : 1950 ; TV couleur : 1967. Pas de monopole d'État. **Télévision Ch. publiques :** 99,8 % de la pop. desservie au 31-12-1992. Nationales : *1re ch. : ARD* (Arbeitsgemeinschaft der offentlichrechtlichen Rundfunkanstalten der Bundesrepublik Deutschland/Communauté de travail des établissements publics de radio-télévison de l'ex-All. féd.), fondée 1950 ; ch. lancée 26-12-1952 ; aud. 22,5 % (1992) ; bud. 20 ; ress. : red. 80 %, pub. 20 ; prod. 60,2 %. 12 établissements publics de radio des Länder, qui gèrent la 1re ch. nat. de TV et les programmes régionaux de radio et de TV dits 3e ch. ; personnel 18 610 (radio + télé). *2e ch. : ZDF* (Zweites Deutsches Fernsehen/établissement public), lancée 1961 ; aud. 22,7 % (1992) ; bud. 6,9 milliards F ; ress. : red. 56 %, pub. 36 ; prod. 52 % ; effectifs : 4 100 ; participations à 3 satellites (50 %) et Arte (25 %). Régionales : **3e Réseau** (5 programmes généralistes réalisés par les 12 établ. publics de radio : lancé 1963 ; aud. 7,5 % ; ress. : red. 80 %, pub. 20 ; prod. 60,2 %. Culturelles. *Eins Plus :* lancée 29-3-1986 par ARD [ch. publique culturelle réalisée avec DRS (suisse-all.)] aud. 1 % ; prod. 90 à 95 %. *3 sat. :* lancée 1-12-1984 par ZDF [ch. publique culturelle réalisée avec ORF (Autriche) et JRG (Suisse)] aud. 1,6 % ; prod. 27 % ; ress. : red. **Ch. généralistes privées** diff. par satellite, sur le câble et en partie en hertzien : *RTL Plus :* lancée 1984 ; capital : CLT 46 %, consortium d'éditeurs allemands et Bertelsmann 40 % ; aud. 16,7 % (1992) ; bud. 1,07 ; ress. : pub. 100 % (1365 MF en 1989) ; prod. : 14,4 %. *SAT 1 :* lancée 2-1-1985 ; aud. 11,8 % (1992) (foyers câblés 22) ; bud. : 1,6 ; ress. : pub. ; prod. : 1 %. *Télé 5 :* lancée 1984 ; aud. 3,5 % ; bud. : 0,3 ; ress. : pub. ; prod. 1 %. *Pro 7 :* lancée avr. 1989 ; aud. 5,9 % ; bud. 0,34 ; ress. : pub. ; prod. 2 %. **Ch. cryptée :** *Première :* lancée févr. 1991 par UFA (37,5 %), Canal + (37,5), Kirch (25). Abonnés attendus : 800 000 (93) ; ress. : abonnements et pub. **Ch. franco-all. :** Arte lancée 30-5-1992 par La Sept (50 %), ARD (25 %), ZDF (25 %) ; ress. : red. 100 % (voir p. 1230). **DWF (Deutsche Welle Fernsehen) :** Ch. multilingue d'information lancée

1-4-1992 par l'État fédéral. Budget : 320 millions de F.

Radio : *9 stations régionales :* Bavière, Hesse, Nord, Brême, Sarre, Berlin, Sud, Sud-Ouest, Ouest, *2 fédérales :* Deutschlandfunk (émissions vers les 2 États all. et étranger européen), Deutsche Welle (étranger, surtout l'outre-mer) ; la *station RIAS-Berlin* est une institution amér. L'État n'intervient pas. Les Länder sont compétents pour la législation de l'ARD, le ZDF et les stations privées. Organes de contrôle propres aux différents offices : le Rundfunkrat ou le Fernsehrat (parlements votant le budget ou élisant le PDG), où sont représentés de grands groupements : syndicats, églises, partis, ch. de commerce, ch. professionnelles ; et le Verwaltungsrat (conseil de surveillance comme dans une Sté anonyme).

Câble (fin 1990) : il permet la réception de 20 à 30 chaînes de TV all. et étr. : 16,45 millions de foyers all. peuvent recevoir la TV par câble. **Ch. thématiques sur le câble :** Sportkanal, Télé 5 (capital : Berlusconi 41 %, Tele-München 26, Springer 33), Kabelkanal, Pro 7 (dirigé par le fils de Leo Kirch, qui détient 49 % du capital), NTV, Vox (mars 1993), Eurosport.

Chaînes de TV en allemand sur satellites (Pal, en clair). Astra 1A-1B : Sats 1, 3 Sat, Eins Plus, DSF, NTV, RTL, Arte, Première (Pal, décodeur). Eutelsat 2-F1 : ARD 1.

☞ **Ex-RDA :** la chaîne nationale DDF a cessé d'émettre le 31-12-1991. 3 S[tés] régionales, financées par la redevance, ont pris le relais.

■ **Andorre.** A hébergé des radios périphériques : *Radio-Andorre* (*7-8-1939* inaugurée à Encamp ; *sept.* émissions suspendues jusqu'au *22-2-1940,* faillite 1981) et *Sud-Radio* (auj. en France). A lancé le 1-1-1991 *Radio-Andorre* (station d'État) et TVA (tél. hertzienne, 4 h programme/j).

■ **Belgique.** *1953* création TV : quelques h/j, 2 programmes (français, flamand). *1960 (18-5)* création de RTB (Radiotélévision belge) et BRT (Belgische Radio en Televisie). *1968* système all. de TV couleur Pal adopté. *1971* TV couleur. 3 organismes publics de radiodif. *(BRF* radio en allemand, *BRT* radio et TV en néerlandais et *RTBF* radio-TV française). *RTL TVI,* associée aux éditeurs de journaux belges (TV 1), n'a plus le monopole de la pub. commerciale télévisée en Belgique francophone. La RTBF a droit à un montant plafonné des ressources de la pub. audiovisuelle. 95 % des foyers reçoivent + de 20 ch. (3,5 M sur 3,6 M).

BRTN (De Nederlandse Radio – en Televisie – Vitzendingen in België, Omroep van de Vlaamse Gemeenschap) : *effectifs* 2 718 pers. *Émissions :* en néerlandais. **Radio :** 5 ch. FM, 3 ch. AM. Pop. desservie 99,9 %. Émissions mondiales en ondes courtes. **TV :** en 625 lignes, système Pal, 1re ch. TV1 (lancée le 31-10-1953), 2e ch. TV/TVTWEE (26-4-1977). *Population desservie :* 1re : 100 %, 2e : 99,2 ; aud. 23,7 et 8,8 % ; bud. 985,6 ; ress. : red. ; prod. : 50 %. Télé-émetteurs 7, réémetteurs 2.

RTBF (Radio Télévision belge de la Communauté française) : *effectifs :* 3 000 personnes. *Émissions* en français. *Financée* à + de 80 % par une subvention de l'État. Dep. 1988, publicité commerciale. **Radio** (1992) : 5 ch. ultra-courtes (FM), 2 ch. ondes moy. Réseaux émetteurs radio AM-4, FM-19. 4 programmes nationaux : Radio 1, Radio 2 et Radio 3, dep. 1983 Radio 21 (destiné aux jeunes). Diffuse en outre 4 services régionaux principaux et 3 services locaux dont Radio Bruxelles Capitale dep. 1992. **TV :** en 625 lignes, système Pal. RTBF : *1re ch.* lancée 1953 ; *2e ch.* RT Bis lancée 26-4-1977 (rebaptisée Télé 21 en 1988). *Population desservie : 1re :* 100 %, *2e :* 97 % ; aud. 21,6 et 2,8 % ; ress. (%, 1991) : red. et subventions 72, pub. 12,5, autres 14,7 ; prod. : 65 %.

RTL-TV1 : ch. privée lancée 1955, francophone, aud. 24,5 % ; ress. : pub. ; prod. 23 %.

VTM (Vlaamse Televisie Maatschappij) : ch. privée lancée 1-2-1989, néerlandaise, aud. 45 % en Flandre ; ress. : pub. et sponsor ; prod. 45 %.

Canal + Belgique : lancée 27-9-1989, francophone ; abonnés : 26 000 (juil. 90) ; ress. : abonnements 97 %, pub. 3 (5 % max. autorisé) ; *prod.* propre 12,22 MF (obligation progressive), coprod. avec communauté francophone 13 MF (id.).

Filmnet : lancée mars 1985 ; chaîne thématique privée à péage à destination des réseaux câblés néerlandais, scandinaves et belges ; en anglais sous-titré dans la langue des pays récepteurs ; *ress. :* ab.

Câblage. *1er réseau* 1960-62 Coditel. **Réseaux sur l'ensemble du pays** *(au 1-11-92) :* 3 509 573 abonnés recevant en moy. + de 20 programmes TV. Foyers avec antenne parabolique (1991) : 180 000 (5 % des foyers). **Cablo-opérateurs :** + de 40.

Production (BRTN). *1992 : Radio :* 42 659 h. *TV :* 5 170 h.

■ **Canada. Réseaux publics :** *CBC/SRC* (Canadian Broadcasting Corporation/Sté Radio-Canada, f. 1936). Gère : *4 réseaux nat. de radio* (2 pour chaque langue en AM et FM), soit 65 stations et 21 privées affiliées et 46 centres régionaux de production ; *2 réseaux nat. de TV :* 13 stations francophones, 18 anglophones, relayées par 29 stations affiliées et 30 centres de production régionales.

Réseaux privés TV dont : francophones (Québec) : *TVA* (Télédiffuseurs associés, 1961), *Télé Quatre Saisons* (1986) ; anglophones : *CTV* (Televison Network Ltd, 1961), *Global Communication Ltd* (1974).

☞ Démarrage fin 1991 du service en anglais de télévision à la carte Viewer's Choice Canada.

Radiodiffusion : *origine :* privée. *1936* réorganisée, avec la *CBC* (« Radio Canada »), Sté de droit privé chargée d'organiser un service national. *1952* ouverture des réseaux de télé : réglementation par le Conseil de la radiotélévision et des communications can. (CRTC). Fonctionne à 80 % avec des crédits votés par le Parlement. *Concurrence :* réseaux privés (Télémétropole : 25 % de l'audience), câble (79 % des foyers équipés), États-Unis.

■ **Chine. Télévision :** *créée* 1958. Monopole d'État (CCTV) : 4 chaînes nat. (1 pour Pékin, 2 pour tout le pays, 1 pour l'extérieur du pays). Env. 591 stations émettrices locales. *1er sat. lancé* 1984. **Pub. :** 3 % du temps de diffusion (18 500 heures en 1992). 220 millions de récepteurs (dont 41,8 % couleur). 8 millions de téléspectateurs.

■ **Danemark.** *1948* 1er émetteur installé. *1953* programmes 3 fois par semaine, le soir. *1957* 3 émetteurs (Copenhague, Odense, Aarhus). **Ch. hertziennes nation. généralistes :** *DR* lancée 1951 ; aud. 35 % ; bud. 0,6 ; ress. : red. ; prod. 68 % (*DR Radio* lancée 1925 ; 3 ch. : P1, P2 musique, P3 non commerciale). *TV1* administrée par l'établissement public de radio-télévision Danmarks Radio (DR) ; bud. (1990) : 2,16 milliards de couronnes (red.) ; effectifs : 3 000. *TV2* lancée 1-10-1988 ; aud. : 40 % ; bud. : 0,49 ; ress. : red. 33,33 %, pub. 66,66 ; prod. 30 % ; programme nat., avec un décrochement de programme de 1 h en fin d'après-midi, qui permet à 8 ch. régionales (TV-Nord, Midtvest, Ostjylland, Fyn, Ost, Syd, Bornholm, TV2 Lorry) de relayer leurs émissions. **Pas de ch. nat. privée** en hertzien. Le **câble** concerne + de la 1/2 de la pop. et permet la réception de 24 progr. nat. et étr. **Ch. à péage :** *Kanal 2* lancée nov. 1984 ; danois et anglais ; aud. 23 % ; ress. : pub. et location de décodeurs ; prod. 40 %. **Satellite :** TV3 (chaîne scandinave par satellite), Filmnet, TV5, CNN, BBC TV Europe, Superchannel, Screensport, Lifestyle et MTV.

☞ **Temps d'écoute de la TV :** 2 h 08/j en 1988.

■ **Espagne. Télévision :** loi du 10-1-1980. **RTVE** (Radiotelevision española) : établissement public à caractère commercial : **6 réseaux radiophoniques, RNE** (Radio Nacional de España : Radio 1, Radio 2, Radio 3, Radio 4, Radio 5, Radio Exterior de España) et **4 ch. TV : TVE** [*TVE 1 :* lancée 1954, *TVE 2 :* lancée 1965 ; aud. 42 et 15 % ; ress. : pub. + subv. publiques ; prod. 65 et 63 %, *TVE internacional, TVE América*]. *Déficit* (en milliards de F) : *1990 :* 1 ; *91* (est.) : 2,7. *1991* suppression de Radio nacional 4 et de 24 émissions locales de RNE, suppression de 16 000 postes.

9 TV publiques autonomistes émettent sur la 3e ch. (loi de 1983 autorisant le 17 régions autonomes à créer leur réseau de TV) : *TV3* (Catalogne ; créée 1984 ; lancée 1989 ; aud. : 27,1 % ; ress. : pub. et subv. ; prod. : 30 %), *ETB 1* (lancée 1983, en basque) et *2* (lancée 1986, en espagnol) (Euskal Télébista, au pays Basque ; aud. : 12,5 %) et *TVG* (créée 1984 ; lancée 1985 ; Galice), *TVV* et *Canal 9* (Valence ; lancée 9-10-1990 ; langue : valencien ; aud. : 21,4 % ; bud. : 0,035 ; ress. : subventions 81,25 %, pub. : 18,75 %), *Canal Sur* (Andalousie ; lancée 27-2-1989 ; aud. : 20,7 % ; ress. : pub. 24 %, subv. du gouv. régional 76 % ; prod. : 60 %), *TM3* et *Télé-Madrid* (Madrid ; lancée 1983 ; langue : catalan et esp. ; aud. : 30 % à Barcelone ; ress. : subv. et pub.). Total des 6 ch. régionales : 80 % du territoire ; *aud. :* 20 % *déficit* (1990, en milliards F) : 1,2, *1991 :* 2. **Ch. privées :** *Antena 3* (lancée 25-1-1990 ; aud. : 8,5 % ; ress. : pub. et parrainage ; bud. : 0,6 ; actionnaires : la Vanguardia, Radio Antena 3 et un groupe de journaux dont ABC), *Tele Cinco* (lancée 3-3-1990 ; aud. : 25 % ; bud. d'invest. : 0,8 ; prod. : 35 % ; Pt : Miguel Duran, 37 a, aveugle ; capital Berlusconi 25 %, Once 25 %) et *Canal + Espagne* (lancée 14-9-1990 ; ress. : abonnements et pub. ; abonnés janv. 1991 : 100 000, mai 1992 : 400 000, 1993 : 665 000 ; codée ; capital : Canal +, Prisa, divers) ; 20 497 989 Espagnols (54 %) peuvent recevoir les ch. privées (1991). Env. 1 million de foyers peut recevoir Superchannel et Eurosport. Env. 300 000 reçoivent le réseau europ. de sport (Screensport. TV Sport, Sport Kanal, Sportnet).

☞ Organismes : *Forta :* consortium créé 1989 par les chaînes régionales pour coproduction, achats et échanges de programmes. *Retevision :* organisme public créé 1987 pour gérer les moyens de diffusion et d'émission des ch. publiques et privées.

Radio : principe : monopole d'État, participation à la gestion du service public de stés privées concessionnaires auxquelles le gouv. attribue des fréquences. **Stations :** 1 805 publiques (dont RNE 206), 1 023 privées (dont Ser 240, Cope 192, Onda Cero 160). **Chaînes :** Antena 3 (fondée 1982), Cadena Nova (1980), Cadena Rato (1979), Catalunya Radio (1983), Onda Cero (1990), Radio Barcelona (1924), Radio Miramar (1933), Radio Nacional de España (RNE, 1937), Radio Popular de Barcelona (1971).

■ **États-Unis. Équipement** (par foyer) : radio 5,6 en moy., télé 2 ou + dans 65 % des foyers ; canaux reçus (câble compris) : 30 en moy. **Radio :** *récepteurs* (en millions) : *1980 :* 456,2 ; *90 :* 557,8 (99 % des Amér., 95 % des voitures) ; *taux d'écoute :* 3h/j. *Recettes pub.* (en millions de $) : *1980 :* 3,7 ; *92 :* 8,8. *Effectifs* (1990) : 158 779 dont s. public 12 731, s. commercial 146 048 **TV :** *récepteurs* (en millions) : *1980 :* 128,2 ; *92 :* 192,4. *Recettes pub.* (en millions de $) : *1980 :* 11,4 ; *92 :* 29,1.

Au total (secteurs public et privé) : 11 : 362 stations de radio (dont 1 597 non commerciales), 1 510 TV hertziennes (dont 364 non commerciales). *Réglementation :* n'importe qui peut en principe construire une station TV et diffuser une émission. Aucune station ne peut être contrôlée directement à + de 20 % par des intérêts étrangers. Les propriétaires de stations doivent être agréés par une agence gouvern. Dep. août 1992, une station peut contrôler au max. 36 stations de radio (18 à ondes moyennes et 18 en FM) + 3 supplémentaires sur chacune des bandes sous certaines conditions et 12 de TV (7 auparavant). *Distribution par câble : 1992 :* 10 704 réseaux câblés, des villes entières bénéficient d'antennes communes CATV (Cable Television) pouvant supporter jusqu'à 120 chaînes à la fois (sert + de 62 % de ménages américains soit 58 millions). *Pay-TV* (dep. 1975) : diffusion par 6 chaînes de films à 39,2 millions d'abonnés (sur 56 millions disposant du câble ; *1992 :* 29 %). *CNN* (Cable News Network) : lancée 1-6-1980 (USA), 16-9-1985 (Europe) ; abonnés (en millions) : Eur. 6, Monde 55 ; distribuée dans 123 pays, touche + de 70 millions de foyers et env. 400 télés étr. rediffusent une sélection de leurs progr. ; aud. (Eur., 1989) : 0,03 % ; ress. : pub. 22 %, contribution des câblo-distributeurs 78 % ; prod. : 100 %. *TV de faible puissance :* 2 009 (dont autorisées 1 188) ; 36 DBS satellites.

Secteur public. TV : *PBS* (Public Broadcasting Service, fondé 1969), diffuse sous l'autorité de CPB (Corporation for Public Broadcasting, fondée 1967) les émissions produites par 330 stations à but non lucratif (États, municipalités, institutions universitaires et scolaires, associations etc.) et financées par aides de l'État, mécénat d'entreprise ou fondations. *Audience :* env. 4 %. **Radio :** *NPR* (National Public Radio, 1972). *APR* (American Public Radio, 1982). Services radio vers l'étranger : *20 VOA* (Voice of America). *Radio Free Europe/Radio Liberty* (fusion le 1-10-1976 de Radio Free Eur. fondée 1949 et R. Liberty fondée 1951) financées au début par la CIA, mais dep. 1973 par le BIB (Board for International Broadcasting), stations intégrées à l'US Information Agency en 1993 (prév.) et cessation d'activité prévue pour 1995 ; coût de fonctionnement (1992) : 207 millions de $, transmetteurs 22 (All., Esp., Portugal, puissance totale : 9 220 kW). Émet en 41 langues (d'Europe de l'Est, États Baltes, ex-URSS, Afghanistan). 1 080 h par semaine. Brouillée jusqu'à fin 1988. *Audience* (semaine moy.) : 127 millions.

Secteur privé. Radio-TV : 3 grands réseaux : *NBC* (National Broadcasting Company f. 1962, rachetée par GE) ; *CBS* (Columbia Broadcasting System, 1927) : CA 1991 : 3,04 milliards de $. *Perte nette :* 85,8 millions $ (profit 90 : 110,8) due en partie à un contrat de 1 milliard $ sur 4 ans pour les droits des grandes rencontres de base-ball et football amér. ; *ABC* (American Broadcasting C. f. 1943, rachetée mars 1985 par Capital Cities), petit réseau Fox. *Discovery Channel :* lancée 20-4-1989, ress. : pub et parrainage ; prod. : 50 % (43,6 % du CA en 1988) ; **Radio :** + de 100 réseaux mais 55 à 60 % des stations sont affiliées à l'un des 3 grands. **TV :** 652 stations locales affiliées à l'un des 3 grands réseaux (*ABC :* 223, *NBC :* 209, *CBS :* 200) ; 339 st. indépendantes.

☞ **Musée de la radio et de la télévision :** inauguré 12-9-1991, à New York (USA) ; 2 500 programmes de télévision fournis par toutes les chaînes du pays, 15 000 émissions radio, 10 000 publicités.

■ **Europe. Euronews :** chaîne européenne d'informations en continu multilingue (5 langues) dont l'idée est née en 1986. Émet à partir du 1-1-1993 dep. Lyon par Eutelsat vers toute l'Europe, y c. Eur. Est et bassin méditerranéen. *Pt :* Massimo Fichera (It.). *Capital :* 1,9 million d'écus dont (en %) : France 2-France 3 20,9, RAI (Ital.) 17, RTVE (Esp.) 15,7, TMC (Monaco) 9,1, RTBF (Belg.) 8,7, ERT (Grèce) 7,3, Ertu (Égypte) 6,9, Yle (Finl.) 6,5, RTP (Port.) 6,5, CYBC (Chypre) 1,3. *Effectifs :* 140 dont 50 journalistes. *Audience* (en millions de foyers, prév.) : *janv. 93 :* 9,3 (dont France 0,6), *avr. :* 10,64 (0,7), *août :* 12,92 (0,8), *déc. :* 14,48 (0,9). **TV5** : chaîne de TV francophone internationale créée 1984 pour promouvoir la francophonie. Fait partie du groupe Bruges [chaînes publiques par satellite dont Eins Plus et Drei-Sat (All.), Rai-Sat (It.), TVE Internacional (Esp.)]. Émet dans plus de 100 pays sur 4 sat. et par câble TV. Plusieurs versions : **TV5 Europe :** émanation de chaînes françaises [France 2, France 3 regroupées au sein du GIE Satellimages devenu le 1-1-1991 sté anonyme, Satellimages TV5 SA (actionnaires : anciens membres de TV5 Europe, Ina, Sofirad ; *budget* (en millions de F) : *1991 :* 143 ; *92 :* 172,6 dont subvention MAE 111,8, chaînes françaises 27, ch. étrangères 24,9, ressources propres 9 ; *93 :* 170,5 (dont financement public français 136, mesures exceptionnelles 27, financement des chaînes françaises 27) ; *communication d'entreprise* (en millions de F) : *1991 :* 2 ; *92 :* 4 ; *93* (prév.) : 6], belge (RTBF), suisse (SSR), canadiennes (dep. 1986, à travers le consortium de TV, CTQC) dont les programmes sont repris ; émet sur Eutelsat II Fl ; aud. : 25 millions de foyers dans une trentaine de pays d'Europe et Afr. du N. (se développe vers l'Europe de l'Est). Diffusion par j : *1984 :* 3 h ; *86 :* 6 h 30, *déc. :* 8 h (9 h le w.e.) ; *90 :* 9 h ; *91 :* 18 h ; *92 (avr.) :* 24 h. **TV5 Québec-Canada** : à Montréal ; émet sur sat. canadien Anik El vers Amér. du N., aud. : env. 5 millions de foyers, et sur sat. Panamsat dep. 1993, vers Amér. du S. **TV5 Afrique :** créée oct. 1992, réception par antennes grâce au sat. russe Statsionar 12 ; programme de TV5 Europe émis dep. juin 1992. **Eurosport** : dep. mai 1991, joint-venture à 50-50 entre TF1 (qui a succédé à Sky TV) et le consortium Eurosport (17 chaînes membres de l'UER dont BBC, RAI...) ; diffusée en allemand, anglais, néerlandais et français (dep. 1-1-1992) sur réseaux câblés et via le satellite Astra 1A ; 27 millions de foyers européens dont francophones 1,3 (dont env. 850 000 en Belgique, 260 000 en Suisse romande, 250 000 en France), 12 germanophones (RFA, Autriche, Suisse), 4,5 néerlandophones (Pays-Bas, Belgique), 5,5 anglophones (G.-B., pays scandinaves, sans compter les pays méditerranéens et de l'Europe de l'Est). *Dir. gén. :* Cyrille du Peloux. **TV Sport** (exploitée en collaboration avec la Générale des eaux et Canal Plus, et diffusée en anglais, français, allemand et néerlandais). **MTV Europe** : Robert Maxwell 51 % et Viacom 49 %, maison mère de MTV aux USA, loue 1 canal pour la ch. musicale MTV (distincte du programme amér.).

■ **France** (voir p. 1224).

■ **Grande-Bretagne. Télévision** (405 l. jusqu'à 1986 et 625 l.). **BBC :** 1er établissement de TV du monde, créé 1936 ; diffusant 12 h de programmes/sem. (20 h en 1989) ; *1914 :* 20 000 postes de TV ; *1954 :* 3,2 millions. **2 ch. nationales publiques : BBC1** : lancée 2-11-1936, codeur dep. 1969, et **BBC2** (lancée 20-4-1964, codeur dep. 1967) ; aud. 37 % et 12 ; bud. *BBCI :* 4, *BBC2 :* 2,2 ; ress. : red. (13,57 milliards de F en 1991) et vente de programmes ; prod. 77,6 %. *Personnel de la BBC : 1991 :* 25 146 (suppression de 1 400 emplois avant le 1-4-1993, et 3 500 d'ici 1995) ; *budget* (1991-92) : 11,5 milliards de F. **2 réseaux privés** (1954 : Television Act supprime le monopole de BBC) : **ITV Independant Tel** (devenu Channel 3) lancé 1955 ; aud. 42 % ; ress. : pub. 90, ventes de programmes et sponsors 10 ; prod. 63 %. 13 ch. régionales. **Nouveaux titulaires des licences ITV** pour fin 1992, et entre parenthèses détenteur précédent : Londres-Programmes de la semaine : *Carlton TV* (Thames TV) : lancée 1968 ; aud. 37 % ; + importante chaîne d'ITV ; CA (1990) : 3,2 milliards de F), progr. du week-end : *London Week-end TV* (lancée 1968), progr. nat. du matin : *Sunrise TV* (TV AM), Sud-Est : *Meridian TV* (TVS), Sud-Ouest : *Westcountry TV* (TSW), Anglia : *Anglia TV*, Centre : *Central TV* (lancée 1980 ; aud. 47 %), Pays de Galles : *HTV*, Yorkshire : *Yorkshire TV* (lancée 1968 ; aud. 44 %), Midlands : *Granada, TV* (lancée 1956 ; aud. 43 %), Nord-Est : *Tyne Tees TV*, Sud de l'Écosse : *Scottish TV*, Nord : *Grampian Television* (lancée 30-9-1961) ; ress. : pub. ; prod. 5,1 % **Channel 4 :** lancée nov. 1982 par les 15 stés du réseau ITV ; aud. 76 % ; 17,1 % du marché des ch. privées ; bud. 3 000 ; ress. : pub. 99.

☞ **Organismes :** *Board of Governors* définit à la BBC des règles. *IBA (Independant Broacasting Authority)* remplacée par l'*ITC* en 1991 est l'instance de régulation et de contrôle du réseau de TV et radio privées ITV.

Par satellite : CHAÎNES DU GROUPE MURDOCH : lancées 5-2-1989 : *Sky One*, *Sky News* (bud. : 0,1), *Sky Movies* (bud. : 0,35 ; ress. : pub., abonnements) et *Eurosport* (diffusé également en néerlandais et allemand). DU GROUPE W.H. SMITH : *Screensport :* lancé 1984 ; en anglais, allemand, français, néerlandais, prévision espagnol. *Lifestyle :* lancé 30-10-1985. *Cable Jukebox :* lancé 1984 ; ress. : pub. : 50, abonnements 50. DU GROUPE BSB : *The Movies Channel, Galaxy, The Sports Channel, Now, The Power Station ;* lancées 25-3-1990 ; ress. : abonnements 1 500 000 et pub.

Children's Channel : privée ; lancée 1-9-1980 ; aud. 0,7 % ; bud. (1989) 0,02. Ch. Paneuropéennes : *Landscape Channel :* lancée 1-10-1988, sans paroles ; ress. : télé-achats (disques, cassettes), vente de progr. *MTV Europe :* lancée 1-8-1987 ; en anglais, ress. : pub., parrainage et ab., prod. : 40 % du CA. *Super Channel :* lancée 1987, en anglais, néerlandais, all., aud. : 0,76 % (1989), ress. : pub. et parrainage.

Chaînes en anglais sur satellites (Pal). Astra 1A-1B : TV3[b], UK Gold[b], Sky News[a], Sky Movies Plus[b], Sky One[a], Filmnet[b], The Movies Channel[b], CNN International[a]. Intelsat 601 : BBC World Service[a], CNN International[a].

Nota. – (a) : en clair, (b) : décodeur.

Radio. *Secteur public :* BBC : créé 18-10-1922, 5 ch., 3 services régionaux, 37 stations locales (dont 2 dans îles anglo-normandes, pour la BBC). *Secteur privé :* coordonné par l'IBA (Independent Broadcasting Authority, ex ITA). 56 stations locales (Independent Local Radios, ILR).

☞ **Écoute moy. annuelle par tête et par semaine :** TV : 23 h 51, Radio : 10 h 12. **Rediff.** (1990) : couleur 18 085 849, noir et blanc 1 518 000.

■ **Grèce. ERT SA 3 ch. publiques :** *ET1 :* lancée 23-2-1966, *ET2* (1968, née des serv. de l'armée, ne dépend du gouvern. que dep. 1982), *ET3* (1989) ; aud. (1991, en %) : ET1 15, ET2 7, ET3 3 ; ress. (%, 1991) : red. 39,6, pub. 25,8, subventions 30,2, autres 4,4 ; prod. *ET1* 65 %, *ET2* 47,9 %, *ET3* 58 %. **Ch. privées** (dep. 1990) : *Mega Channel :* lancée 20-11-1989 ; aud. 33 % ; ress. : pub. *Antenna 1* [déc. 1990 ; aud. (1991) : 27]. *Kanali 29* (déc. 1989). *New Channel* (mars 1990). *TV Plus* ch. à péage. *Aud. 1991* de Canal 29, Telecity, Canal 67, New Channel, Seven X, TV Plus : 12 %.

Télé europ. diff. par sat., relayées en hertzien par ERT : MTV Europe, CNN, Eurosport, RAI Uno, RAI Duo, TV5, 3 Sat, Sat 1, RTL +. TVE Internacional, CST1. *Aud. (1991) :* 3 %.

Radio. *Secteur public* (ERT SA) : ERA [1,2,3,4,5 (bulletins d'info. en 16 langues), 3 progr. à Thessalonique, 19 stations région.].

■ **Irlande. 2 ch. publiques nationales : RTEI** *(Radio Telefis Eireann) :* lancée 31-12-1961. **Network 2** (1978) ; aud. en prime time, RTEI : 25 %, *Network 2 :* 9 % ; ress. (%) : red. 44, pub. 54, autres 2 ; prod. 50.

■ **Italie.** 1944 *RAI (Radiotelevisione italiana). 1947* monopole d'exploitation de la radio sous forme de concession, 1952 renouvelée et étendue à la TV. Sté de droit privé, majoritairement détenue par l'Etat. *Années 70* apparition de télés locales privées, légalisées par la Cour constitutionnelle (arrêt du 10-7-1974). *1975-avril* confirmation du monopole de la RAI. *1976-28-7* la Cour constit. déclare le monopole inconstitutionnel ; les stations locales hertziennes se multiplient (env. 1 200 en 1981 dont 450 émettent régulièrement), puis se structurent. *1979* des réseaux se constituent, d'abord contrôlés par des groupes de presse, puis rachetés par Silvio Berlusconi (Fininvest). *1981* la Cour constit. confirme la légalité du monopole en matière de service télévisé à l'échelon national. Les TV privées ne peuvent diffuser des émissions en direct (ni reportages sur des événements ayant lieu en It., ni journaux télévisés) ; la publicité ne doit pas dépasser 16 % du temps d'antenne. La faculté d'émettre à l'échelon régional est reconnue à l'initiative privée.

Secteur public (RAI). Gère : 3 programmes nationaux de radio (Radio 1, Radio 2, Radio 3) ; 3 de TV (représentant Chrétiens Démocrates, PSI, PCI) : *Rai Uno* (lancée 1954) ; ress. : red., pub. (max. 12 %) : *Rai Due* (1961) ress. : red., pub. (max. 12 %) ; prod. 65 %. *Rai Tre* (1979) ; ress. : red., pub. (max. 12 %) ; prod. 80 %. Endettement consolidé de la RAI (fin 1990) : 8,6 milliards F (49 % du CA). Contrôlée à 99,5 % par l'IRI.

Secteur privé. Nombre de radios et télévisions privées (fin 1989) : *Radios* 4 531, *TV* 992 dont 249 affiliées à 14 réseaux.

Réseaux de TV privés : quasi-monopole détenu par la *Fininvest* (3e groupe privé italien, holding financier du groupe Silvio Berlusconi contrôlé à 100 % par la famille Berlusconi), propriétaire dep. août 1984 de 3 réseaux nationaux, + de 62 % du marché pub. ; CA (1991) : 7 560 milliards de lires dont (en %) TV 11, pub. 17, distribution 23, presse et édition 10, construction 1. **Activités :** cinéma *(Cinéma 5, Pentafilm)*, publicité *(Reteitalia, Publitalia 80)*, Édition-Presse *(Mondadori, Elemond)*, grande distribution *(Standa, Euromercati, Supermercati Brianzoli)*. **Participations dans les chaînes étrangères :** Tele 5 (All.) 21 %, Telecinco (Esp.) 25, TF1 (France) 4. **Effectifs :** 34 000. *Canale 5* (lancé 1980) aud. 19,7 % ; ress. : pub. ; prod. 60 %. *Italia 1* (1981, racheté par Berlusconi 1983 à Rusconi) ress. : pub. ; prod. 40 %. *Rete 4* (1982, rachetée par Fininvest 1984 à Mondadori) ress. : pub. ; prod. 30 %. 240 *stations locales* sous la tutelle des chaînes de Berlusconi *[réseaux Junior TV, Italia 7* (1987 ; aud. 2 % ; ress. : pub. ; prod. 20 %), *TV Capodistria*], de la RAI (*Cinquestrelle, Video Music, Rete A*) ou en autonomie [*Retecapri, PanTV, Odeon TV* (1987 ; aud. 3 % ; ress. : pub. ; prod. 30 % ; 18 stations)]. *TSI* (Suisse italienne) et *Antenne 2* dep. 1974 émettent sur le Nord et le Centre. **TMC Italie** (1983) ress. : pub. ; prod. (1989) 100. **Télé Piu** (juin 1991 par association de 10 investisseurs dont Fininvest 10 %, Cecchi Gorri, RAI) à péage, 60 000 abonnés.

Chaînes en italien sur satellites (Pal, en clair). Eutelsat 2-F2 : Rai 1, Rai 2. Intelsat 602 : Rete 4, Italia 1, Canale 5.

☞ **Audience** (en %, en 1990) : *RAI 1 :* 25,12, *Canale 5 :* 18,99, *Rai 2 :* 14,61, *Rai 3 :* 11,57, *Italia 1 :* 11, *Rete 4 :* 7,26.

■ **Japon. Secteur public :** *NHK* (Nippon Hoso Kyokai, 1926) : 3 programmes nationaux de radio, 4 de TV (dont 1 scolaire et éducatif). En janv. 1984, févr. 1986 et août 1990, ont été lancés les 1er, 2e et 3e satellites DBS utilisables pour les 2 canaux pour la diff. de ses progr. **Privé** : 138 Stés locales et régionales dont : *NTV* (Nippon TV Network) 1er actionnaire : groupe Yomiuri ; *Fuji TV* (groupe de presse Sankei) ; *TBS* (Tokyo Broadcasting System), affilié au groupe Mainichi ; *Asahi Broadcasting Corporation,* division radio-TV du gr. Asahi. 8 canaux de TV directement reliés par satellite d'émission, autorisés au niveau national. *1re ch. privée par sat.* (JSB : Japon, Sat. Tél.), lancée 1-4-1991 ; abonnés : 4 millions (prévus fin 1994). *Écoute moy. par j (1990) :* 3 h 39 min (lundi à samedi) 3 h 54 min (dimanche).

■ **Luxembourg. Origine :** *1925* une petite station émettrice, l'Association Radio Luxembourg, diffusait quelques émissions purement locales. *1929-19-12* loi fixant le régime de la radio. *1930* la Sté lux. d'études radiophoniques obtient la concession exclusive de la radio. *1931 (31-5)* devient Cie lux. de radio. (CLR). *1933-15-3* Radio Luxembourg expérimental 1 191 m, station la plus puissante d'Europe, avec 150 KW antenne débute ses programmes. *1954* a par concession le monopole de la télé, et devient Cie lux. de télédiffusion (CLT) qui exploite sous le sigle RTL. *1991* devient CLT Multi Média. **Effectif** (1990) : 2 325. **Aud. :** + de 120 millions d'Européens. **CA consolidé** (en milliards de F belgo-lux.) : *1987 :* 19,2 ; *88 :* 20,5 ; *89 :* 25,4 ; *90 :* 38,2 ; *91 :* 50 dont TV 35,1, radio 7,3, presse/édition 5,4, production/distribution 2,2 ; en All. 25,3, France 14,3, Benelux 1,3 ; *92 :* 63. **Bénéfice net consolidé :** *1987 :* 0,65 ; *88 :* 0,96 ; *89 :* 0,31 ; *90 :* 0,89 ; *91 :* 1,49. PDG : Gaston Thorn (dep. 1987).

Radio : *Allemagne* (RTL-Plus, Tele 5, RTL-Radio, RTL Baden-Würtemberg, 104.6 RTL, Antenne AC). *Belgique* (RTL-TVI, Radio Contact, Bel. RTL). *France* (RTL-Lorraine, M6, RTL Paris, Maxximum). *G.-B.* (Radio Lux. Radio Atlantic 252). *Luxembourg* (RTL Hei Elei, RTL Radio Letzebuerg). *P.-Bas* (RTL 4). *Tchèque (Rép.)* (RTL Prague).

Télévision : *RTL TV :* 1re ch. commerciale lancée en 1955 en Europe ; aud. : 1re ch. en Lorraine entre 20 h et 0 h : 30 % cumulée (33 % chez – de 35 a.), 2e ch. derrière TFI en parts de marché ; ress. : pub. et contribution des câblo-opérateurs ; prod. 10 %. *RTL-TVi :* distribuée par câble, 1re ch. en Belg. 26,7 % du marché. *RTL-Plus :* 18 % dans le câble en All., télé privée germanophone (70 % des ménages all. peuvent la recevoir). *Tele 5 :* participation prise par la CLT (avr. 1990) ; à Munich part de marché 4,5 % dans le câble. *M6 :* lancée 1987 (voir p. 1235 a). *REL 4 :* lancée oct. 1989, + de 30 % du marché aux Pays-Bas. 2 autres programmes : le *Hei Elei Kuck Elai* en lux. *Buona Domenica* en ital. En projet : *RTL 2.*

■ **Monaco. Télé-Monte-Carlo :** appartient à la Sté spéciale d'entreprise qui exploite la concession de télé attribuée à Radio Monte Carlo par l'État monégasque depuis nov. 1954. *Capital :* Radio Monte-Carlo 60 %, État monégasque 40 %. *Pt :* César-Charles Solamito. Dep. la convention de Stockholm, Monaco exploite 5 fréquences hertziennes : 3 UHF (C 30, C 33, C 35) et 2 VHF (C 2 et C 8). Le Canal VHF C 2 n'est plus protégé car il peut être utilisé pour des services de télécom. Émetteur Mt Agel (1 104 m) en zone militaire franç. orienté *vers Italie* (relayé par 70 réémetteurs assurant la diffusion du programme it. de TVI) et *vers la Fr.* (relayé par des réémetteurs à Toulon et Marseille). Actuellement, fréquences 33 et 35 utilisées *vers l'Italie.* Diffusion de TMC vers France : par le Canal 30 (relayé par réémetteurs TDF de Marseille et Toulon). Canal VHF 8 : duplique programmes du Canal 30 du côté franç. (Bassin Monte-Carlo-Côte-d'Azur). **Chaîne 1** en français : Canal 10 VHF de nov. 1954 à nov. 1984 (en couleurs dep. 1974) ; 8 VHF dep. nov. 1984 et 30 UHF couleurs Secam. Dep. 15-10-1984, TDF relaie TMC à Toulon et Marseille (2 émetteurs de 20 et 2 kW). *Opérateur :* TMC-la Monégasque des ondes (100 % Générale d'Images). *Réception :* Alpes-Maritimes, Var, B.-du-Rh. et frontières du Gard, de l'Hérault et Vaucluse. *Auditoire potentiel :* 3 500 000 personnes. *Programmes :* 11 h 30 à 00 h 30 : 1 film ou téléfilm toutes les 3 h, 6 séries par jour, émissions régionales et journal télévisé. 19 h 45 : infosud. 20 h/20 h 20 : programme régional. 20 h 40 et 22 h 20 : film, téléfilm ou émission régionale. 22 h/0 h 30 MCM Euromusique. *Ress. :* pub. et sponsorisation. *Pt :* Philippe d'Almaric. **Chaîne 2 :** dep. 1974. Pal (canal 35 UHF) couleurs dep. 1978. *Réception :* Monaco, Alpes-M., Italie (Ligurie, Piémont, Lombardie, Vénétie, Émilie, Romagne, Toscane, Lazio). *Ressources :* publicité. *Perte* (1988) : 40 millions de F.

■ **Norvège. Ch. publique :** *NRK :* lancée 20-8-1960 ; aud. 73 % ; ress. : red. 75 et divers comme vente de programmes 25 ; prod. 60 %. **Ch. commerciale** généraliste privée : *TV Norge* sur le câble. 38 % des foyers reçoivent les 2 ch. publiques suédoises, et TV3 (ch. scandinave par satellite) ; sur réseaux câblés, réception de nombreuses ch. étrangères.

■ **Pays-Bas. Ch. publiques :** *Netherland 1 :* lancée 2-10-1951, 4-4-1988 sous sa forme actuelle aud. 20 ; ress. : red. 63, pub. 36, vente de magazines ; prod. 60 %. *Netherland 2 :* lancée 1964, 4-4-1988 sous sa forme actuelle ; aud. 22 % ; prod. 65 %. *Netherland 3 :* lancée 1-4-1988 ; aud. 12 % ; prod. 65 %. Toute association déclarée d'utilité publique peut prétendre, avec 150 000 signatures, à une licence d'émission sur l'un de ces 3 canaux. *Netherland 2 :* Avro (libérale, 800 000 membres), Tros (populiste, 700 000), Veronica (jeunesse, 1 million). *Netherland 3* (créée 1988) : Nos (culture, sports), Ikon (Églises), Humanistisch Verbond [humanistes, RVU (universitaires)], Teleac (académie de TV). **Ch. privées :** *RTL4 :* lancée 2-10-1989 (ex. RTL-Véronique), diffuse dep. le Luxemb. ; aud. 27 % ; ress. : pub. ; prod. 30 %. *RTL5 :* 2-10-1993. *Kindernet :* lancée 6-3-1988 (pour la jeunesse) ; ress. : abonnements.

■ **Pologne. Ch. publiques :** *TP1 :* lancée 1952. *TP2 :* lancée 1970 ; ress. (%) : red. 53,1, subventions 31,1, pub. : 5,8, autres : 10 ; prod. *TP 1 :* 50 %, *TP 2 :* 60. Reçoit programmes all., tchéc. et russes et dep. le 7-5-1990, la Sept et Canal France International peuvent réémettre 3 h 1/2 de programmes quotidiens. 31-3-1993, nouvelle ch. publique : *Polonia* transmise par satellite. **Équipement des foyers** (en %) : télé. 98, magnétoscopes 27.

■ **Portugal.** *Radiotelevisao Portuguesa* [*RTP,* monopole d'État de 1955 à oct. 92, devenue Sté anonyme nov. 1992 (dont l'État restera majoritaire, financée par publicité et subvention), 2 ch. (lancées 7-3-1957) : Canal 1 et Antenna 2 (RTP-Madeira lancée 6-8-1973 et RTP-Açores lancée 10-8-1975 ; aud. *RTP1 :* 70 %, *RTP2 :* 30 ; ress. : subvention de l'État et pub.). 1 ch. par satellite (lancée 10-6-1992) : RTP Internationale]. **Ch. privées :** 2, attribuées le 7-2-1992 à l'Église catholique (Televisao Independente, *budget :* 235 millions F) et à un groupe dirigé par l'ancien Premier ministre et patron de la Sté indépendante de Communication (SIC), Franscico Balsemao, allié aux frères Roberto Marinho de la télé brésilienne Globo (capital : 16 millions $). **Radio :** *Radiodifusao Portuguesa* (RDP), entreprise publique : fusion de l'*Emissora Nacional* (Émetteur national) et des émetteurs privés nationalisés après 1974. Quelques radios privées, telle *Radio Renascença,* fondée 1938 ; catholique.

■ **Suède. Ch. publiques :** *Kanal 1 :* lancée 1957 et *SV2* lancée 1969 ; aud. 68 % ; bud. *Kanal 1 :* 53, *SV2 :* 0,5 ; ress. : red. ; prod. : 58,7 %. **Ch. commerciale privée :** *NT/TV4 (Nordisk Television/TV4) :* 15-9-1990 ; aud. 31 ; ress. : pub. ; prod. : 60 %. Ch. à destination du marché scandinave par satellite ou câblées : *TV3 :* lancée 31-12-1987 ; aud. 17 % : *Nordic Channel/TV 5 :* lancée 15-9-1989 ; aud. 3. *TV. 1000-Succé Kanalen* (août 1991, fusion de TV 1000, lancée 27-8-1989 et SF Succé, lancée déc. 1989) : ab. (oct. 1992) 240 000 ; ress. : abonnements. *Filmnet :* lancée 1-9-1987 ; ab. (oct. 1992) 170 000. *Filmmax :* ch. payante (films de cinéma) lancée 1-9-1992 ; appartient à Kimevik (TV3 et TV 1 000). *Filmnet Plus :* ch. payante lancée oct. 1992 ; appartient à Filmnet.

■ **Suisse. Radio et TV :** *1922* 1er émetteur public de radio (Champ de l'Air Lausanne). *1951* 1re émission expérimentale de télé (Lausanne). *1954* début de l'Eurovision (1re émission, Montreux). *1965* publicité à la télé. *1968* début off. de la couleur. *1979-28-1 Radio 24* 1re à briser le monopole de la *SSR ;* émet de l'Italie Pizzo Groppera. Condamnée puis autorisée 1983. **Sté suisse de radiodiffusion et télévision (SSR) :** Sté de droit privé (fondée 24-2-1931) bénéficiant d'une concession du Conseil féd. Programmes dans les 4 langues nat. Pal couleurs dep. 1968. Reçoit 74,86 % des recettes venant des taxes (les PTT, responsables techniques, reçoivent les 24,38 %, les radios et TV locales 0,76 %). *Taxes* radio 153,6 F par an ; TV 243,6 F.

Schweizer Fernsehen DRS (siège à Zurich) ; *Schweizer Radio DRS* (Bâle) ; *Radio Suisse Romande* (Lausanne ; aud. : 670 000 personnes ; effectifs : 220 ; 20 h/j ; 2 studios de prod.) ; *Télé. Suisse Romande* (Genève) ; *Radiotelevisione Svizzera di lingua italiana* (Lugano) ; *Radio Suisse Intern. et Télédiffusion* (Berne).

☞ Au 1-8-1992 : 1 413 émetteurs (et réémetteurs TV), 6 ondes moy. radio 593. Radio FM, 11 ondes courtes.

Ch. publiques : *DRS :* lancée 1953 ; aud. (en %) : S. aléman. 32, francophone 3, ital. 2, ch. sport. 1 ; bud. (1992) 204 ; ress. : red. 60, pub. 32, autres 8 ; prod. 60 % (20 % en coprod.). *TSR :* lancée 1954 ; aud. (en %) : S. franç. 36, S. aléman. 3, ital. 1 ; prod. 60 % (coprod. : 20 %). *TSI :* lancée 1961 ; aud. : S. ital. 26 %, aléman. 4, franc. 3, ch. sport 1 ; ress. : red. 70, pub. 30 ; prod. 55. **Ch. locales :** 6. *Canal Alpha + :* lancé 1987 ; langue franç. ; ress. : red. du câblo-distributeur, subventions, dons et parts sociales. *Canal 9 :* lancé 1984 ; langue franç. ; ress. : fonds propres et abonnements. *Hasli TV :* lancé 19-5-1985 ; all. ; ress. : fonds propres. *Diessenhofen TV. Wil TV. Winti TV.* **TV à péage sur câble :** *Téléclub :* lancée 3-5-1984 ; langue all. ; ab. 63 000 (Suisse), 7 000 (All. féd.). ; prod. 10 %. *Télé ciné Romande :* langue française, deviendra *Ciné-vision* (multilingue). **Audience :** *Suisse alémanique,* Ch. all. et autr. 40 % ; *S. romande,* TF1, A2 et FR3 26 % ; *S. ital.,* ch. ital. 40 %.

■ **Turquie. Télévision** (monopole d'État) : *TRT-TV1* généraliste, touche 98 % de la population (prod. 80 %). *TRT-TV2* 95 % de la pop. (prod. : 60 %). *TRT-TV3* 87 % de la pop. (prod. 20 %). *TRT-TV4* 56 % de la pop. *TRT-TV-GAP* créée 1989, destinée aux Kurdes en particulier. *TRT-INT* créée 1990 pour Turcs à l'étranger. *TRT-AVRASYA* créée 1992 pour les Rép. turques en Asie centrale. Ress. : pub., taxe sur la vente des téléviseurs et sur factures d'électricité (3,5 %). **Ch. privée (par satellite) :** *Magic Box-Star1* qui émet en turc dep. l'Allemagne, *TRT-TV5, Magic Box Teleon, BBC, CNN, Super Channel, SAT 1, TV 5, Screensport.* **Ch. illégales :** *Inter Star, Téléon, Show TV, HBB, Kanal 6.*

Radio (monopole d'État) : 8 stations nationales et régionales.

■ **Ex-URSS.** Un décret du 16-7-1990 a mis fin au monopole de l'État et du Parti sur Radio et Télévision. **Radio :** 2 réseaux, transmis dep. Moscou (le 2e dit « Maïak », le phare). Nombreuses ch. locales.

Télévision : CT1 : en russe sur l'ensemble du territoire ; **CT2 :** en russe sur 80 % ; **CT3 :** à vocation éducative ; **4e réseau régional** (25 % du temps diffusé en langues nat., ukrainien, géorgien, turkmène, etc.) et 2 autres ch. fonctionnant 6 h par jour (*TV Moscou* et *TV Leningrad*) sur le mode occidental. **CT1** et **CT2 :** ont signé des accords de coopération avec des ch. de l'Europe de l'Ouest, dont Canal +. *Émetteurs* + de 1 000 puissants ordinaires, près de 7 000 relais, 90 stations « Orbita », près de 6 000 récepteurs compacts puissants, des systèmes de télédiffusion « Écran » et « Moscou » pour les régions éloignées. *Diffusion :* + de 4 100 h/j (télé centrale : en moy. 160 h/j). Les programmes de télé centrale sont transmis en couleur (système Secam dep. 1967). *Publicité :* sur les ch. nationales.

Radio Amateurs

Services Amateurs. *Objet :* instruction individuelle, intercommunication et études techniques ; activ. effectuées par des amateurs autorisés s'intéressant à la technique de la radioélectricité à titre personnel et sans intérêt pécuniaire. Sous la tutelle des Télécommunications-DRG. Dépendant du ministère des P et T. **Autorisation d'émettre.** Délivrée après : 1° obtention du certificat d'opérateur radiotéléphoniste ou radiotéléphoniste-radiotélégraphiste après examen. 2° agrément de la candidature par différents ministères. 3° constatation de la conformité de l'installation aux conditions techniques prévues. *Groupes de licences : A :* 13 ans + certificat d'opérateur radiotéléphoniste. *B :* comme A + certificat de radiotélégraphiste. *C :* comme A mais avoir 16 ans. *D :* comme B mais 16 ans. *E :* 3 ans d'exploitation en D sans rappel à l'ordre ou sanction.

Fréquences. 32 bandes autorisées en métropole, de 1,810 MHz à 250 000 MHz. Jusqu'à 10 000 MHz communications à très longue ou très courte distance. Au-delà de 10 000 MHz, domaine plutôt expérimental. **Puissances autorisées :** varient selon groupes et classes d'émission. De 10 à 250 W. **Indicatifs :** *France continentale :* F, suivie de A, B, C, D ou E (groupes de radio-amateur) puis chiffre de 0 à 9, puis groupe de 2 ou 3 lettres caractérisant le titulaire. Ex. : FD6XZB, FE9IV. *DOM-TOM :* préfixes spéciaux. Ex. : FM, Martinique, FR La Réunion, etc. *Pays étrangers :* lettres ou chiffres. Ex. : G Angleterre, EA Espagne, LU Argentine, 9V Singapour, 9H4 Malte, etc. **Infrastructures.** Dans de nombreux pays, réseaux de relais émetteurs-récepteurs VHF (en France près de 40 relais VHF, bande 144 MHz, et 40 relais UHF 430 MHz). Balises émettant signal fixe pour étude de la propagation et un réseau de transmission de données 50 BBS (boîtes aux lettres informatiques). Dans l'espace, 1 satellite allemand, 2 anglais, 4 américains, 4 ex-soviétiques. En France, satellite *Arsène (Ariane radioamateur satellite pour l'enseignement de l'espace)* développé par Atepra (Association technique pour l'expérimentation du packet-radio amateur) et Race (Radio-Club de l'espace) avec le soutien du CNES ; satellite *Sara (Satellite amateur de radio-astronomie)* lancé fin 1991 par ESIEESPACE (radio-club de l'ESIEE école sup. d'ingénieurs en électrotechnique et électronique) pour étudier les rayonnements radioélectriques de Jupiter. **Redevance.** Licence annuelle 300 F.

Modes de trafic. Télégraphie, téléphonie, téléscripteur, télévision à balayage lent, télévision de type classique, fax-similé (télécopie), transmission de données par voie radio (packet-radio). *Choix* des fréquences et modes se combinent pour réaliser liaisons : en vue directe, à grande distance, intercontinentales, par réflexion sur lune ou sur essaims de météorites, par satellites radio-amateurs. **Trafic radio-amateur :** le radio-amateur communique au moins : indicatif officiel, prénom, localité, conditions de réception et d'émission, matériel utilisé (antenne, émetteur...). Informations technico-scientifiques seulement (ni messages privés, ni politique, ni religion ou langage cru...). Parfois, termes abrégés directement issus du code télégraphique ; QRA : domicile ; QRG : fréquence ; QRM : interférences ; QSB : affaiblissement passager ; QSL : carte accusé de réception, confirme la liaison radio ; OM (Old Man), opérateur ; YL (Young Lady), opératrice. Beaucoup d'autres abréviations employées sur les canaux banalisés (CB) sont à proscrire chez les radio-amateurs ; SWL (Short Wawe Listener) : pratique l'écoute avec virtuosité, édite souvent une carte QSL pour confirmer écoute des stations entendues. Peut obtenir un indicatif F12 345 (1 000 F pour 5 ans, en s'adressant au CERE BP 369, 37003 Tours Cedex.

Autres activités. *Réseaux d'urgence :* exercices et alertes réelles dans le cadre du service de Protection civile et du plan Orsec. *Compétitions :* maximum de liaisons en un temps déterminé. Exemple : championnat de France (REF). *Diplômes :* obtenus pour liaisons réussies avec correspondants déterminés dans des conditions précises. Le Réseau des émetteurs français assure le transit des cartes QSL et octroie des diplômes. *Radiogoniométrie sportive :* dite chasse au renard. Compétitions de localisation d'une balise par radio. *Radio-clubs :* théoriques et pratiques.

Nombre de radio-amateurs. MONDE : env. 4 000 000 (Japon 1 100 000, USA 500 000, Allemagne 67 000.). FRANCE : *1925 :* 255, *1939 :* 650, *1950 :* 3 000, *1960 :* 4 000, *1970 :* 6 000, *1980 :* 11 000, *1991 :* 21 000. **Radio-amateurs illustres :** roi Hussein de Jordanie JY1, roi Juan Carlos d'Espagne, sénateur Goldwater (USA), Owen Garriott W5LFL, 1er astronaute radio-amateur en 1985. **Écoute des radio-amateurs :** très facile, avec récepteurs ordinaires, dans les bandes 7, 14, 21 et 28 MHz, à l'époque où les radio-amateurs utilisaient la modulation d'amplitude (AM). Actuellement, le trafic s'effectue presque entièrement en modulation à bande latérale unique (BLU, SSB pour les Anglo-Saxons) ; une petite portion de la bande 28 MHZ est utilisée par certains radio-amateurs (en particulier amér.) en modulation de fréquence (FM). Le décryptage de la BLU (bande latérale inférieure ou supérieure) ne peut s'effectuer que par un récepteur « de trafic » équipé d'un oscillateur local créant une porteuse artificielle dont est dépourvue l'émission BLU. **1re liaison :** avril 1922, le Français Léon Deloy (« F8 AB ») réussit plusieurs liaisons bilatérales avec l'Angleterre et la 1re liaison avec l'Amérique en 1923.

Renseignements. *Ministère des P & T* (Dir. de la réglementation générale, Centre de gestion des radiocommunications) BP 61 – 94371 Sucy-en-Brie Cedex. **Associations françaises :** *AIR (Association intern. des radioamateurs)* 89, rue de Rivoli 75001 Paris. *REF (Réseau des émetteurs français), Section française de l'Union intern. des radioamateurs* *(l'IARU),* BP 2129, 37021 Tours Cedex. Fondé 30-5-1925 ; reconnu d'utilité publique (JO du 3-12-1952). *Adhérents :* 11 000. *Mensuel :* Radio REF. *Minitel :* 3615 REF. *UFT (Union française des télégraphistes)* 72, chemin de Bellevue, 83500 La Seyne-sur-Mer. *Uniraf (Union nat. des invalides radioamateurs de Fr.)* 2, rue Vivaldi, 78100 Saint-Germain-en-Laye. *Unaraf (Union nat. des aveugles radioamateurs de Fr.)* 9, allée Ronsard, 94230 Cachan. *URC (Union des radio-clubs)* 11, rue de Bordeaux, 94700 Maisons-Alfort.

Canaux banalisés (CB)

Définition. De l'anglais *Citizen Band* (en français : « canaux banalisés » pour conserver le sigle). *Radiocommunication de loisir à courte distance* autorisée en France depuis le début des années 80, à distinguer des r. professionnelles publiques et des r. objet de l'activité des radioamateurs. Permet des contacts radio, sans assurer la confidentialité. Utilisée notamment pour des contacts de convivialité, d'entraide, d'assistance, par des usagers de la route. Les stations CB peuvent communiquer librement entre elles dans un langage clair, uniquement en phonie.

Réglementation. La Dir. de la réglementation générale (DRG) du ministère des PTT assure dep. 1991 la tutelle de la CB. **Norme française** Afnor NF C92-412 : permet 3 types de modulation (AM, BLU, FM), avec une puissance autorisée de 4 W en crête de modulation et exclusivement sur les mêmes 40 canaux préréglés (26,960 à 27,410 MHz). **Norme européenne** ETS 300-135 de l'ETSI : adoptée en février 1991 pour matériels fonctionnant uniquement sur les 40 canaux en modulation FM. Dep. le 1-1-1992, l'autorisation administrative prend la forme d'une licence générale qui ne donne pas lieu à la délivrance d'un document individuel pour chaque utilisateur. L'arrêté du min. des PTT du 31-3-92 (JO du 3-4) a fixé les conditions générales d'utilisation des postes CB. Les postes fonctionnent sur un max. de 40 fréquences préréglées avec un espacement de 10 kHz entre canaux adjacents. La bande de fréquences allouée aux postes CB est la suivante : 26,960 à 27,410 MHz exclusivement. Les postes CB doivent être installés et exploités dans les conditions suivantes : émettre en modulation de fréquence ou en modulation d'amplitude (double bande latérale ou bande latérale unique) avec une puissance qui ne doit pas dépasser 4 W en crête de modulation quel que soit le type de modulation. Cette puissance correspond à 4 W de puissance de la porteuse en modulation de fréquence ; 1 W de puissance de la porteuse en modulation d'amplitude double bande latérale ; 4 W de puissance crête en bande latérale unique, cette puissance étant mesurée selon les méthodes préconisées par le CCIR, soit avec oscillations sinusoïdales modulantes : 2 W de puissance moyenne, soit avec un texte lu d'une voix égale : 0,4 W de puissance moyenne.

Antennes. Omnidirectionnelles et directives autorisées sous réserve que leur gain ne soit pas supérieur à 6 dB, par rapport au doublet 1/2 onde ; toutefois, les antennes verticales sans gain (par rapport au doublet 1/2 onde) et des doublets 1/2 onde doivent être à environ 12 m, et les autres types d'antennes CB à environ 20 m d'une antenne de réception de la radiodiffusion sonore et télévisuelle, afin d'éviter les perturbations de la réception sonore et télévisuelle.

Taxation : taux fixé chaque année. Depuis 1992, payée 1 seule fois, lors de l'acquisition d'un appareil neuf (taxe intégrée dans le prix TTC versée au Trésor par les fabricants et importateurs dans des conditions analogues à la TVA).

Coût. Autorisation valable 5 ans (170 F pour 5 ans). La licence peut être annulée ou révoquée à tout moment, sans indemnité.

Code CB. Issu du code Q utilisé dans les services radio-maritimes et aériens. *QQR :* appel de détresse. *QRA :* situation de la station (en fixe). Domicile. *QRB :* distance entre stations. *QRD :* route suivie. *QRG :* fréquence. *QRK :* visibilité, qualité des signaux. Rapport d'écoute. *QRL :* occupé. *QRM :* brouillage. Tout ce qui empêche de moduler : *QRM-pro* (travail professionnel) ; *QRMgastro* (repas) ; *QRM22* (police) ; *QRMbleu* (policier) ; *QRMrouge* (gendarme), etc. *QRN :* parasites atmosphériques. *QRO :* puissant, grand, fort (signal). Par extension abusive : chic, sympa, serviable... *QRP :* faible, petit (signal). Par extension. *QRPP :* très petit, enfant (*QRPPépette :* petite fille). *QRQ :* plus vite (parlez QRQ). *QRS :* plus lentement (parlez QRS). *QRT :* cessez les émissions : « je passe QRT » (se conjugue). *QRU :* plus rien à dire. *QRV :* prêt. *QRX :* silence. *QRZ :* indicatif. *QSA :* intensité de réception. *QSO :* contact radio. *QST :* message général. *QTH :* lieu d'émission. QTR : heure. *TX :* poste émetteur.

Chiffres. 51 = poignée de main. **73** = salutations. **88** : grosses bises. **212** = 51 + 73 + 88... **144** = dormir. **318** arrêt pipi. **600** = téléphone. **813** = boire un coup.

Expressions. *Aquarium :* autocar. *Barbecue :* radar. *Blanc :* silence. *Boîte à images :* radar routier. *Break :* signale que l'on désire prendre part à une conversation (QSO) en cours. *Copier :* entendre, recevoir une émission. *Galette :* sélecteur de canaux (faire un tour de galette : écouter les canaux). *Gastro :* repas. *Gastroliquides :* boisson. *Grand ruban :* autoroute. *Inséparables :* motards. *Mayday :* SOS. *Mike :* microphone (prononcer "maïke"). *Moduler :* émettre. *Moustacher :* émetteur qui « bave » sur les canaux adjacents. *Om :* homme (par extension : opérateur CB). *Papa 22 :* police ou gendarmerie. *Pastille :* micro. *Push-pull :* voiture. *P-P 2 roues :* moto. *P-P mille pattes :* camion, routier. *Radio :* degré d'intelligibilité. *Rateau :* antenne directive. *Roger :* prononcer "rodgeur", compris. *Route claire ou propre :* sans radar. *Santiago :* indication de la force de la réception des signaux de 0 à 9. *Skip :* saut dans une transmission, distance entre 2 points éloignés. *Stand-by :* attente sur canal d'appel ou tout autre canal. *Sucette :* micro. *Tonton, vitamines, watts ou boîte de vitamines :* amplificateur d'émission (interdit !). *Tonton Victor :* TV. *QRM Tonton Victor :* parasites TV. *Tirelire :* péage. *Tuniques bleues :* police. *Visu :* rencontre. *Whisky :* watts. *XYL :* femme de l'opérateur. *YL :* opératrice CB.

☞ Certains utilisent plus particulièrement *les canaux 9* (opérations d'entraide et d'assistance), *19* (usagers de la route), *27* [canal d'appel (canal 11 en FM)].

Radiocommunication de loisir : 1°) Jouets radioélectriques (postes à portée limitée) : talkie-walkie, jouet ; puissance max. : 5 milliwatts, taxés mais doivent être agréés par l'administration. **2°) Télécommande de modèle réduit :** licences délivrées par le min. des PTT pour 5 ans. *Coût :* 180 F. **Réglementation :** *puissance max. :* 5 watts ; *fréquences* (MHz) : modèles réduits 26,815 à 26,905 ; aéromodélisme 41,000 à 41,100 ; modèles réduits 41,100 à 41,200 ainsi que 72,000 à 72,500.

Radiocommunications avec mobiles terrestres

Radiotéléphone analogique

■ **Réseaux publics.** *Réglementation* (loi 1990) : séparation des fonctions de réglementation, confiées à la Dir. de la réglementation générale (DRG) du min. des PTT et de l'exploitation, exercées par l'opérateur public France Télécom et d'autres opérateurs privés, ouverture de tous les services à la concurrence sauf la téléphonie vocale et le télex, qui restent du domaine des services réservés de France Télécom. **Radiocom 2000** (France Télécom). *Lancement :* nov. 1985. *Abonnés : 1986 :* 10 000, *janv. 89 :* 100 000, *janv. 93 :* 330 000. Début 88 toutes les régions sont ouvertes au service ; 65 % du territoire et 70 % de la pop. couverts (*1993 :* 85 et 98 %) ; plus de 1 000 relais en service. *Terminaux :* plus de 20 marques homologuées. *Prix moyen :* 6 000 à 12 000 HT. **SFR (Sté française du radiotéléphone) :** réseaux ouverts au public : radiotéléphone analogique, radiotéléphone numérique GSM, système Pointel, Bi Bop (France Télécom), systèmes de transmission de données par voie radioélectrique-3RD (France Télécom et Cofira-groupe Générale des Eaux), système de téléphone dans les avions, *satellite aircom*, utilisant la capacité d'Inmarsat (système Inmarsat standard C, réseaux radioélectriques à usage partagé, dits 3RP, 31 autorisations accordées par la DRG pour 16 zones géographiques). **Itineris :** service de radiotéléphone numérique européen de France Télécom, progressivement ouvert à partir du 1-7-1992. Une option Europe disponible courant 1993 permettra à tout abonné **Itineris** de téléphoner tout en circulant dans 17 pays européens ayant adopté la norme GSM (Global System for Mobile communications). Radiotéléphones portatifs 300 g à 500 g, prix moyen : entre 6 000 et 10 000 FHT. **R. 150 :** fermé progressivement à partir du 1-1-1990. **R. 450 :** en cours de fermeture. *Eurosignal* et *Alphapage* relèvent de la filiale de France Télécom, Télécom systèmes mobiles.

■ **Réseaux privés.** 70 000 bilatéraux, pour + 500 000 mobiles (fin 1992). Utilisent des fréquences assignées par l'administration. Groupes fermés d'utilisateurs (taxis, ambulances, sociétés de services, etc.) ; ne permettent pas l'accès au réseau téléphonique ; limités à une couverture de 30 km. **Postes téléphoniques sans cordon :** *puissance* 40 mW. *Norme max. :* Afnor NF C 98-220 obligatoire. *Fréquences :* sens fixe vers mobile : 26,5 MHz ; sens mobile vers fixe : 41,5 MHz. Réseaux et postes sans cordon relèvent du CSA (Conseil supérieur de l'audiovisuel). **Réseaux de télécommunications par satellites :** réseaux VSAT (very small aperture terminal) indépendants, essentiellement destinés aux entreprises, stations de reportage pour liaison vidéo temporaires, ou SNG (satellite news gathering) pour radio ou TV.

■ **Radiocommunications avec mobiles maritimes.** *Service manuel* (communication avec les services en mer) : assuré par les centres radio-maritimes. *Radiotéléphone maritime et fluvial, en ondes métriques :* permet des communications dans le sens terre-navire et navire-terre (VHF bidirectionnelle). *Radiotélex automatique, en ondes décamétriques :* relie en permanence les navires équipés du système TOR (Telex Over Radio) au réseau télex terrestre. *Service maritime par satellite Inmarsat :* assure les communications télex et téléphoniques à destination ou en provenance des navires se trouvant dans les océans Atlantique, Indien ou Pacifique.

☞ **Renseignements.** *France Télécom Mobiles Radiotéléphone :* 47, bd Diderot, 75580 Paris Cedex 12.

Câble

Définition. Vecteur de signaux audio ou vidéo à partir d'une tête de réseau jusqu'aux téléviseurs raccordés. 2 techniques : le coaxial (fil de cuivre qui transporte des signaux électriques) et la fibre optique (minuscule fil de silicium transportant des signaux lumineux) qui permet d'acheminer un plus grand nombre de signaux et de dialoguer avec l'abonné, mais est plus coûteux. La TV par câble s'est développée aux USA, en raison de l'étendue et de la volonté de s'adresser à des publics spécifiques.

Origine. *1948* USA : John Walson installe une antenne collective à Manoha City (Pennsylvanie). *1950* Canada : zones rurales. *G.-B. :* zones d'ombre. *1960* P.-Bas : réseaux dispersés, souvent exploités par les municipalités. *1966* USA : lutte des radiodiffuseurs pour protéger leurs stations hertziennes. *1972* USA : programmes non locaux autorisés. *1973* Belgique : 300 000 foyers équipés. *1982* G.-B. : développement. *1984* France : réseau expérimental fibre optique de Biarritz (21 mai). Loi fixant le statut des Stés locales d'exploitation du câble (SIEC).

Implantation (fin 1991). **Nombre de foyers télévision et** entre parenthèses **de foyers raccordés** (en millions) : All 31,1 (9,8) ; Autriche 3 (0,67) ; Belgique 3,9 (3,4) ; France 20,5 (0,8) ; G.-B. 21,9 (0,3) ; P.-Bas 6 (5,2) ; Suisse 2,4 (1,9) ; Danemark 2,2 (1) ; Espagne 11,2 (0,6) ; Finlande 2 (0,7) ; Grèce 3,1 (0) ; Irlande 1 (0,4) ; Italie 20,3 (0) ; Luxemb. [1] 0,13 (n.c./0,7) ; Norvège 1,7 (0,7) ; Portugal 3 (0) ; Suède 3,6 (1,6) ; USA [1] 87,8 (69,5/42,8) ; Turquie 6,5 (0,05).

Nota. – (1) Au 30-6-1989.

Nombre de foyers équipés satellite et abonnés câble (total des foyers, en millions). *1992, France :* 1,2 (21,5), *G.-B. :* 3,7 (22,1), *All. :* 14,5, (31,5). *1997* (prév.), *France :* 3,4 (21,6), *G.-B. :* 12,1 (23,2), *All. :* 23,6 (32,3).

Programmes distribués (1990) : Autriche 14, Belgique 19, France 19, G.-B. 22, P.-Bas 15, RFA 16, Suisse 19.

Chaînes à péage

☞ *Légende :* date de lancement, mode de diffusion (H : hertzien, Se : Secam, C : câble, S : Satellite, D2 : D2 Mac, P : PAL) nombre d'abonnés fin 1991 (en millions) et prix de l'abonnement par mois.

Allemagne-Autriche : (2/91, C, P, S) 0,25 (130 F). **Belgique :** TVCF-Canal Plus (9/89, C, P, H) 0,07 (150 F). **Espagne :** Canal Plus España (9/90, H, P, S) 0,25 (160 F). **France :** Canal Plus (11/84 H, Se, C, S, D2) 3,35 (160 F). Voir. p. 1230 b. **Grande-Bretagne :** Movie Channel, Sky Movies (3/90 et 2/89, S, C, P) 1,7 (120 ou 160 F). **Hongrie :** HBO (9/91, C). **Islande :** Canal 2 (10/86, H, P) 0,045 (190 F). **Italie :** Telepiu 1 (9/91, H, P) 0,05 (165 F). **Scandinavie** (Suède, Norvège, Danemark) : TV 1000-Succe (4/89, S, D2, C) 0,195 (135 F). **Scandinavie (dont Finlande), Benelux :** Film Net (11/85, S, C, P) 0,5 (160 F). **Suisse :** Teleclub (5/84, S, C, P) 0,085 (115 F).

Radiodiffusion et télévision en France

Quelques dates

☞ **Le monopole** repose sur une assimilation entre radiodif. et télécommunications. XVe s. (2e moitié), Louis XI crée le monopole des postes. **1793**-*23-7* monopole des télégraphes malgré la déclaration des droits de l'Homme (art. 11). **1837**-*2-3* loi interdisant les transmissions de signaux sans autorisation à l'aide de machines télégraphiques ou de tout autre moyen. *-2 et 6-5* lois instaurant le monopole des transmissions télégraphiques. **1851**-*27-12* décret-loi établissant le monopole de l'État sur les lignes téléphoniques dont les services sont ouverts au public (télégraphe puis téléphone). Définit les modalités de leur contrôle. **1910**-*1-1* le mot télévision apparaît dans *la France illustrée* (hebdo publié par l'Œuvre des orphelins apprentis d'Auteuil). **Jusqu'en 1919** les émissions privées de messages radiophoniques seront interdites, la radio étant une arme de guerre. **1921**-*22-6* 1re émission de radiodiffusion à l'initiative de la CSF. *-26-11* 1er concert diffusé. **1922**-*6-11* 1re émission à destination du public : la Sté Radiola, après accord du min. des PTT, diffuse 2 poèmes, 2 morceaux de chant, 5 d'orchestre et 1 de piano sur une longueur d'ondes de 1 565 m. L'émission débute par la marche d'*Alceste* de Gluck, interprétée par un orchestre dirigé par Victor Charpentier, puis ce sont les bulletins d'informations, météo et commentaires sportifs. *-8-11* création de Radiola, station privée (exploitée par la Cie fr. de radiophonie, à Levallois puis à Clichy) ; deviendra Radio Paris puis le Poste national ; 1re radio d'État : Radio-PTT. **1923**-*7-6* 3 stations émettrices : Radiola, la tour Eiffel et l'école sup. des PTT. *-30-6* loi de finances rectificative (art. 85) étendant le monopole à l'émission et la réception des signaux radioélectriques de toute nature. Ce monopole étant « justifié » par divers arguments : rareté des fréquences hertziennes, inaliénabilité du domaine public hertzien, respect des conventions internationales relatives à la répartition des fréquences, exercice de la souveraineté nationale, sécurité du pays. La loi laissait à l'État la faculté de délivrer des autorisations d'exploitation à des stations privées (accordées par le ministre des PTT), précaires et révocables, l'Administration se réservant le droit d'exercer un contrôle technique sur leurs détenteurs. A partir de 1923, l'État développe un réseau public sous l'égide de la Direction de la radiodiffusion ; service extérieur du ministère des PTT, Radio-PTT commence ses émissions régulières [1re station sur ondes moy. (450 m)]. *23-11* décret : les récepteurs doivent être déclarés (pour des motifs de Déf. nat.), les émetteurs doivent demander l'autorisation des PTT. **1924** « Radiola » émet un journal régulier, de la tour Eiffel. **1925** postes privés régionaux. Jeux radio de Jean Nohain sur le Poste Parisien. Apparition de l'enregistrement électrique avec microphone et amplificateur. **1926**-*28-12* décret-loi Bokanowski : réalisation des programmes confiée à des groupements (service public, groupements artistiques et écon., auditeurs, presse) ; l'État rachètera les postes privés à partir de 1933. **1928**-*19-3* loi admettant 14 *postes privés* (stations confirmées) : Poste parisien (appartenant à Paul Dupuy du « Petit Parisien »), Radio-Agen, R.-Béziers, R.-Bordeaux-Sud-Ouest, R.-Juan-les-Pins, R.-LL, R.-Lyon, R.-Mont-de-Marsan, R.-Montpellier, R.-Nîmes, R.-Toulouse, R.-Vitus, R.-Paris, R.-Normandie (légal. en 1933). **A partir de 1929** aucune autorisation nouvelle n'est accordée à une station privée. *1re publicité à la radio* en France. **1931**-*14-4* 1re démonstration publique de TV, à l'aide d'un procédé électromécanique, dans l'amphithéâtre de l'École supérieure d'électricité. Henri Queuille, min. des PTT fait installer un studio de TV rudimentaire, relié en permanence à l'émetteur des PTT. **1932** 1 million de postes radio. **1933** l'État rachète *Radio-Paris* et divers postes provinciaux. *31-5* taxe sur récepteurs, en contrepartie les postes publics ne feront plus de publ. *-31-12* 12 stations privées et 14 d'État + 3 stations périphériques : Luxembourg (1932), Monte-Carlo, Andorre. **1934** Radio-Cité de Marcel Bleustein et de Publicis. **1935**-*13-2* (décret mondial) institution du Conseil sup. de la radio. *-26-4* inauguration officielle de la TV. *nov.* installations du 1er émetteur d'État. **1936** 3 millions de postes radio. **1937** le réseau de radiodif. d'État Radio-PTT est mis en place avec 3 postes nationaux et 18 relais en province. **1938**-*17-10* arrêté sur le droit de contrôle politique de l'État sur la radio. **1939**-*29-7* le Service de la radio devient autonome. Radiodif. nationale dotée d'un budget autonome et rattachée à la Présidence du Conseil (1er dir. Jean Giraudoux). 15 h d'émissions par sem. 5 millions de postes radio. **1940** gouv. de Vichy, passe sous le contrôle du Ht-Commissariat puis du ministère de l'Information (dont Pierre Laval a la charge jusqu'en 1942). **1944**-*12-8* émetteur d'Allouis détruit par Allemands. **1945**-*23-3* 2 ordonnances confirment le monopole de l'État réquisitionnant toutes les installations de postes privés. La RN devient RDF (Radiodiffusion Fr.). **1946** organisation provisoire de la Radio et de la Télé. 4 réseaux complémentaires. Paris-Inter (France I), Fr. II (régional), Fr. III (culturel national), Fr. IV (haute fidélité). **1949**-*9-2* la RDF devient la RTF (Radiodiffusion et télévision de Fr.). Dir. gén. : Wladimir Porché. **1950**-*oct.* 1er feuilleton TV français : « l'Agence Nostradamus » (policier). **1951**-*2-3* 1re dramatique vidéo : « Pas d'accord pour Mister Blake ». *-24-5* loi autorisant la publicité collective dans les émissions de la RDF. **1953**-*31-12* loi relative aux crédits affectés à la RTF pour 1954, formulant pour la 1re fois le monopole de programmation et de production. **1959**-*4-2* la RTF devient établissement public de l'État à caractère industriel et commercial, doté d'un budget autonome, placé sous l'autorité du ministre chargé de l'Information (pas d'organe délibérant). **1962**-*11-7* 1re liaison TV par satellite entre USA et Europe (Telstar). **1963**-*20-10* les programmes nationaux de radio sont diffusés sur 4 « chaînes » : Paris-Inter (France I), programme régional (FR. II), national (FR. III) et haute fidélité (Fr. IV). **1964** disparition des émetteurs à vocation régionale, création de France-Inter, France-Culture, France-Musique. *27-6* **loi créant l'ORTF** (22-7 décret d'application). Placé sous la tutelle (et non plus l'autorité) du ministère de l'Information visant à contrôler le respect des obligations de service public. *Organisation :* conseil d'administration de 14 à 28 membres (représentant État 50 % et auditeurs et téléspectateurs, presse écrite, personnel et personnes hautement qualifiées 50 %). Directeur gén. et gén. adjoint nommés par décret en Conseil des ministres. Pt nommé par le Conseil des ministres. Budgets et comptes soumis au contrôle a posteriori du min. de tutelle et du min. des Finances (contrôle d'État institué en 1968). Chaque année, lors du vote de la loi de finances, le Parlement est appelé à autoriser la perception de la redevance pour droit d'usage des postes de radio et de télé. Le monopole de production (énoncé en 1953 et réaffirmé en 1960) ne figure plus dans le décret sur le statut des personnels. **1966**-*2-7* loi instituant au profit des auditeurs et téléspectateurs un droit à l'antenne et des garanties concernant la liberté et la qualité de réception. **1968**-*20-8/1-10* après des grèves, reprise en main de l'ORTF. Décret élargissant la composition du conseil d'admin. ; allègement de la tutelle du min. des Finances, le min. de l'Information devient secrétariat d'État. **1969** *sept.* 2 unités distinctes d'information télévisée entrent en concurrence ; dirigées par 2 dir. distincts (janv. 1970). **1970** publicité de marque à la TV sur les 2 chaînes. *-30-6* commission d'études (Pt : Lucien Paye) préconise de remplacer l'ORTF par un holding d'État contrôlant plusieurs Stés autonomes de radio et de télé, le monopole étant préservé.

1972-*3-7* loi modifiant le statut de l'ORTF, mais confirmant le monopole de programmation et diffusion. L'ORTF demeure un établissement public industriel et commercial, mais le PDG est désormais nommé pour 3 ans par décret en Conseil des ministres [1er PDG, Arthur Conte (n. 31-3-1920) démis de ses fonctions après 16 mois]. Conseil d'administration de 24 membres. *Création de 2 chaînes distinctes, cr. du Haut Conseil de l'audiovisuel présidé* par le 1er ministre (comprend des représentants du Parlement et des personnalités du domaine culturel, artistique, scientifique, technique, juridique, professionnel, familial et syndical, a un rôle consultatif et intervient à la demande du gouvernement). La publicité ne peut dépasser 25 % des ressources de l'ORTF. *-31-12 lancement de la 3e chaîne* de TV (couleurs).

1974-*7-8* **loi divisant l'ORTF en 6 organismes autonomes** [*Sté française de production (SFP),* d'économie mixte à participation majoritaire de l'État ; *3 Stés nationales* de programme au capital entièrement détenu par l'État : *TF1, Antenne 2* et *FR3* (chargée de coordonner les délégations régionales de l'Ortf devenues centres régionaux à autonomie renforcée) ; *Télédiffusion de France,* établissement public, industriel et commercial, chargé de la diffusion des programmes et de l'entretien des réseaux ; *Institut nat. de l'audiovisuel* (Ina), établissement public, industriel et commercial, assurant conservation et gestion des archives audiovisuelles ainsi que leur commercialisation, chargé de la recherche en matière de création audiovisuelle et devant conduire des actions de formation aux métiers de l'audiovisuel] ; tutelle du PM et du min. délégué ; Pts des organismes et certains administrateurs nommés par l'État ; Haut Conseil de l'audiovisuel maintenu ; fixation du plafond de 25 % aux recettes de publicité de marques confirmé, création d'une *Commission de la redevance* et d'une *Commission de la qualité ;* élaboration de cahiers des charges précisant les missions des 6 organismes créés. Le démembrement de l'Office entraînera la multiplication des doubles emplois, l'amenuisement des moyens et la concurrence entre les chaînes se fera aux dépens de la qualité des programmes.

1976-*1-1* émissions en couleurs sur la 1re chaîne. **1977**-*13-2 accords de Genève* sur la radiodiffusion par satellite en Europe : la France se voit reconnaître une position sur l'orbite géostationnaire, 5 fréquences et une ellipse de diffusion directe couvrant la plus grande partie de l'Europe ; *mars, Radio Verte* lancée par Brice Lalonde. *-15-5* expérimentation d'*Antiope* (ouverture d'Antiope Bourse). *-23-9* décret donnant à TDF le monopole des réseaux câblés et limitant leur utilisation à la retransmission des signaux « normalement reçus sur le site ». **1978**-*28-7* création d'une infraction assortie de peines correctionnelles à l'encontre de toute personne qui diffuserait en violation du monopole une émission de radio ou de TV. *Rapport Nora-Minc ;* réseau Transpac, adapté aux transmissions de données à grand débit, est ouvert aux services professionnels (applications informatiques). Mise au point de la norme *Télétel.* 1ers magnétoscopes grand public en France. **1979** *févr.* accord franco-allemand pour la construction des satellites de radiodiffusion directe TDF1 et TV Sat (févr.). *Développement des « radios libres » :* elles sont brouillées (cf. mai : affaire Lorraine Cœur d'Acier) ou poursuivies pour infraction au monopole radio et TV (par ex. août : affaire Radio Riposte, station parisienne du PS). **1981** la Commission présidée par *Pierre Moinot* préconise la décentralisation, l'autonomie garantie par une Hte Autorité indépendante du pouvoir, l'incitation à la création. *-9-11* loi établissant un régime transitoire et prévoyant une dérogation au monopole applicable seulement à la diffusion de programmes de radio sonore en modulation de fréquence, autorisant la création de radios locales privées par des associations de la loi de 1901, allégeant les sanctions infligées (peines contraventionnelles) aux personnes qui diffuseraient sans autorisation.

1982-*29-7* loi consacrant le principe de la liberté de communication (art. 1 « Les citoyens ont droit à une communication audiovisuelle libre et pluraliste ») ; le monopole de la programmation est aboli, les personnes privées peuvent accéder aux installations audiovisuelles, sous forme de services ou de programmes, mais l'art. 7 soumet l'usage des fréquences radioélectriques sur le territoire national à autorisation de l'État [déclaration pour les services relevant de la télématique interactive, autorisation préalable pour la diffusion de programmes (radios et télévisions locales), concession de service public pour les services de télévision hertzienne autres que locaux] ; TDF conserve le monopole de la diffusion ; institution de la **Haute Autorité de la communication audiovisuelle (Haca),** autorité administrative indépendante composée de 9 membres de 65 ans max. [3 dont la Pte (Michèle Cotta n. 15-6-37) désignés par Pt de la Rép., 3 par Pt du Sénat, 3 par Pt de l'Ass. nat.] renouvelée par tiers tous les 3 ans (mandat non renouvelable), chargée de veiller au respect des grands principes tels que le pluralisme et l'équilibre et de garantir l'indépendance du service public (nomme les Pts des sociétés de programmes et veille au respect de leurs cahiers des charges par les organismes du secteur public), accorde les autorisations d'exploitation des services locaux (radios, télévisions hertziennes et réseaux câblés), mise en place d'une procédure pour l'attribution des fréquences aux radios locales privées (TDF intervenait pour l'établissement du plan de fréquences en étant juge et partie, puisqu'il déterminait les règles et assurait la diffusion de certaines radios locales). Les décisions de la Hte Autorité ne seront guère respectées (radios émettant sans autorisation, ou sur une fréquence différente de celle attribuée, ou d'un lieu différent, ou dépassant la puissance autorisée). Elle ne pouvait saisir directement le juge, son seul moyen d'action réel était le retrait ou la suspension d'autorisation [en déc. 1984, elle prit à l'encontre de plusieurs radios locales parisiennes (dont NRJ) des mesures de suspension qui entraînèrent à Paris une manif. de plusieurs milliers de personnes ; le gouvernement se désolidarisa de la Hte Autorité et n'appliqua aucune sanction aux contrevenants même si ceux-ci, suspendus, continuèrent d'émettre ; la DGT accepta même de louer des canaux du satellite Télécom1 aux contrevenants et TDF laissa les radios liées à elle par un contrat de diffusion subir le brouillage des stations émettant illégalement]. Instauration d'une redevance sur les magnétoscopes ; exonération de la redevance, pour les personnes âgées et sans ressources, sur les récepteurs de télévision. *29-7* loi supprimant le monopole de programmation.

1982-*3-11* plan d'équipement de la France en réseaux câblés de télécommunications. **1983** programmes propres sur les 12 stations régionales de FR3. *-6-12* l'État concède à l'Agence Havas la chaîne à péage Canal Plus. **1984**-*1-8* publicité autorisée sur radios locales privées. *Nov.,* lancement de *Canal Plus.* **1985** rapport de *Jean-Denis Bredin* préconisant la création de 2 chaînes de télé privées diffusées en clair, financées par la publicité et fonctionnant sous le régime de la concession prévu à l'art. 79 de la loi du 29-7-1982 ; au niveau local : de chaînes privées diffusées en clair, financées par la publicité et autorisées par la Hte Autorité. Mais les contraintes politiques, techniques, financières conduisent à la construction de la télé privée à partir de chaînes nationales et non de télé locales. *-31-7* création de 2 réseaux hertziens multivilles, concessions à la *Sté France Cinq* [formée par Jérôme Seydoux (Chargeurs réunis), Christophe Riboud (Ifop), Silvio Berlusconi (Fininvest) le 16-11-85] et à la *Sté TV 6* [(28-1-86) Publicis (25 %), Gaumont (25 %), NRJ (18 %)]. *-13-12,* loi créant le cadre juridique des télévisions privées locales.

1986-*30-9 loi relative à la liberté de communication* abrogeant en presque totalité la loi du 29-7-1982 ; liberté d'établir des installations (ex. 1 réseau câblé), d'exploiter des services (ex. diffuser 1 programme), d'accès des usagers (ex. installer 1 antenne). Remplace la Haca et crée la CNCL (Commission nationale de la communication et des libertés). *Installée officiellement* le 12-11-1986 : 13 *membres : nommés par : le Pt de la Rép. :* 2 ; *le Pt de l'Ass. nationale :* 2 ; *le Pt du Sénat :* 2 ; *le Conseil d'État :* 1 ; *la Cour de cassation :* 1 ; *des comptes :* 1 ; *l'Académie fr. :* 1 ; 3 personnalités qualifiées cooptées par les membres nommés. **Budget** (1988) : 154,8 millions de F. **Effectif** (1988) : 250. N'a pas le pouvoir d'autoriser l'établissement et l'utilisation d'installations de télécom. réservées à un usage privé, le min. des PTT restant compétent pour les réseaux ouverts à des tiers. Pour les réseaux câblés de distribution, la DGT perd son monopole de maîtrise d'ouvrage, les collectivités locales pouvant faire appel à d'autres opérateurs. **1987** attribution des 5e et 6e chaînes à La Cinq et M6, après annulation des concessions accordées à France 5 et TV6 ; privatisation de TF1 et rachat des 50 % de TF1 par F. Bouygues, après autorisation de la CNCL. Suppression de la redevance magnétoscopes. **1988** création d'une télé locale privée par voie hertzienne à Toulouse. Développement des réseaux câblés.

1989-*17-1 loi modifiant et complétant la loi du 30-9-1986,* remplaçant la CNCL par le CSA (voir p. 1216). *-3-10* directive concernant : publicité : maximum 15 % du temps de transmission quotidien et 20 % des tranches horaires de grande écoute ; délai de 2 ans entre la sortie en salle d'un film et son passage à la télé ; règles de protection des enfants et adolescents ; obligation de diffuser une proportion majoritaire d'œuvres communautaires chaque fois que c'est réalisable ; lorsque cette proportion ne peut être atteinte immédiatement, elle ne doit pas être inférieure à celle constatée en 1988 (1990 pour Grèce et Portugal).

1990-*18-1 2 décrets sur questions de diffusion.* Les chaînes doivent immédiatement diffuser 50 % de films et d'œuvres audiovisuelles d'origine française et 60 % d'origine communautaire. A partir du 1-1-1992, mêmes quotas aux h. de grande écoute : chaque jour de 18 à 23 h et le mercredi après-midi (dès 14 h). Le gouvernement a trouvé un « subterfuge » pour exonérer télévisions locales et décrochages locaux : les obligations de production sont assises sur le CA net des chaînes, la part des émissions régionales exclue. Pour les œuvres audiovisuelles, les télés nationales doivent choisir, avant fin mars 1990, de consacrer 15 % de leur CA net à des commandes françaises et en diffuser 120 h minimum en *prime time,* ou investir 20 % de leur CA dans des œuvres communautaires, 15 % allant alors obligatoirement à des œuvres françaises. Quel que soit leur choix, les chaînes devront favoriser l'essor de la production privée indépendante en lui réservant 10 % de leur CA. Une Sté de production indépendante ne doit pas détenir plus de 5 % du capital d'une chaîne. 1991-*1-1* les chaînes doivent consacrer au minimum 3 % du CA net de leur exercice précédent à la production cinéma. *-29-12,* loi sur la réglementation des télécom.

Organisation nationale du service public de la radiodiffusion sonore et de la télévision

☞ **Nombre des Pts qui se sont succédé** à la tête des organismes publics de l'audiovisuel de l'automne 1974 à mai 1993. *Antenne 2 :* 8. *FR3 :* 7. *RFO :* 4. *La Sept :* 3 (dep. 1986). *INA :* 6. *SFP :* 7. *TDF :* 6. *Radio-France :* 5. *RFI :* 5. *Sofirad :* 8.

Conseil supérieur de l'audiovisuel (CSA)

Créé par la loi du 17-1-1989, modifiant et complétant les lois des 30-9 et 27-11-1986. Remplace la CNCL. *Installation officielle* 13-2-1989. **Siège :** Tour Mirabeau, 39-43, quai André Citroën, 75739 Paris Cedex 15. **Dir. gén. :** Patrick Farçat. **Membres :** 9. *Nommés par le Pt de la Rép. :* 3 [Georges-François Hirsch [1], Jacques Boutet [2] (n. 17-3-28, Pt 24-1-89), Geneviève Guicheney [3] (n. 13-5-47)] ; *le Pt du Sénat :* 3 [Philippe-Olivier Rousseau [1], Daisy de Galard [2] (n. 4-11-29), Roland Faure [3] (n. 10-10-26)] ; le *Pt de l'Ass. nationale :* 3 [Monique Dagnaud [1] (n. 31-7-47), André Gauron [2] (n. 31-1-44), Monique Augé-Lafon [3] (n. 26-5-32)].

Les fonctions de membre du CSA sont incompatibles avec tout mandat électif, emploi public et autre activité professionnelle. Les membres ne peuvent, directement ou indirectement, exercer des fonctions, recevoir d'honoraires ni détenir d'intérêts dans une entreprise de l'audiovisuel, du cinéma, de l'édition, de la presse, de la pub. ou des télécommunications.

Nota. – (1) 4 ans. (2) 6 ans. (3) 8 ans.

Budget (1992, en millions de F) : 199,28 (dont 99,5 de remboursement à TDF). **Effectif** (1992) : 275. **Missions générales :** autorité indépendante qui assure l'égalité de traitement ; garantit l'exercice de la liberté de la communication audiovisuelle, l'indép. et l'impartialité du secteur public de la radio sonore et de la télé ; veille à la protection de l'enfance et de l'adolescence, à favoriser la libre concurrence, à la qualité et à la diversité des programmes, au développement de la production et de la création audiovisuelles nationales et à la défense et à l'illustration de la langue et de la culture fr. Il peut formuler des propositions sur l'amélioration de la qualité des programmes. Il formule un avis sur les principales décisions prises par le Gouv. dans le domaine audiovisuel. Il est consulté sur la définition de la position de la France dans les négociations internationales sur la radio et la télé. Il favorise la coordination des positions des services de communication audiovisuelle publics et privés sur le plan intern. ; exerce un contrôle sur l'objet, le contenu et les modalités de programmation des émissions publicitaires diffusées par les Stés nationales de programme et les services de communication audiovisuelle autorisés.

Compétences particulières. Secteur public : nomme des administrateurs dans les organismes publics de l'audiovisuel et les Pts des Stés nationales de programme (de Radio France, RFO, RFI, et un Pt commun pour A2 et FR3 : loi du 2-8-1989) ; fixe les règles des émissions électorales et d'expression directe, et les modalités du droit de réplique ; veille au respect des obligations des cahiers des missions et des charges. **Secteur privé :** autorise l'établissement et l'utilisation des installations de télécom. autres que celles de l'État pour la diffusion des services de communication audiovisuelle par voie hertzienne terrestre et des services de radio sonore et de télé par satellite ; les services de radio (pour 5 ans max.) et de télé (10 ans max.) diffusés par voie hertzienne terrestre ou par satellite, l'exploitation des réseaux câblés (20 ans) (l'autorisation est subordonnée à la conclusion d'une convention passée entre le CSA, au nom de l'État, et le service concerné). Contrôle le respect des obligations auxquelles ces différents services sont assujettis. Reçoit les déclarations préalables des services de communication audiovisuelle qui y sont soumis. Le Pt du CSA a qualité pour agir en justice au nom de l'État.

Droits. A l'antenne : garantie d'expression accordée aux courants politiques, économiques et religieux. **De communication du gouvernement :** possibilité pour le gouvernement de s'exprimer. **De réplique :** possibilité pour les partis politiques d'opposition de répondre à une communication gouvernementale. **D'expression :** accordé sur les chaînes publiques à tous les partis et syndicats. **De réponse :** possibilité donnée à toute personne physique ou morale qui s'estimerait atteinte dans son honneur ou sa réputation de faire connaître sa réponse. La demande doit être formulée dans les 8 j suivant la diffusion de l'émission contestée. La réponse (30 lignes dactylographiées au max.) doit être diffusée dans un délai d'un mois.

Sanctions. A l'égard du secteur public : peut émettre des observations, adresser une injonction, retirer le mandat du PDG. **Du secteur privé :** peut suspendre ou retirer l'autorisation, déposer une plainte devant le Conseil d'État ou le procureur de la République, infliger des amendes (3 % max. du CA), suspendre la programmation, réduire la durée de l'autorisation d'émettre. **De Canal +,** soumis au régime de la concession de service public : pas de pouvoir de sanction, mais peut avertir le gouvernement en cas de non-respect du cahier des charges.

TDF (Télédiffusion de France)

Siège : 21-27, rue Barbès, 92120 Montrouge. **Organisation :** établissement public à caractère industriel et commercial doté d'autonomie administrative et financière transformé le 5-6-1987 en sté anonyme commerciale. Actuellement placé sous la tutelle du ministre des PTT. **Mission :** assurer la diffusion et la transmission, en France et vers l'étranger, par tous procédés de télécom., des programmes du service public de la radio et de la télé ; procéder aux recherches et collaborer à la fixation des normes concernant les matériels et les techniques de radio et de télé. **Clients :** Stés de progr. publiques (France2, France3, RFO, RFI, Radio-France), privées (TF1, Canal +, M6, la Sept, TMC, Europe 1, RTL, Sud-Radio, et quelque 300 RLP ainsi qu'env. 30 éditeurs de magazines vidéographiques). **Capital :** 1 043,5 millions de F (filiale de France-Télécom à 100 %). **Gère :** 10 000 émetteurs et réémetteurs de télé, *assure la diffusion* de Radio France, RFO, RFI, des radios périphériques, de 361 radios privées, TF1, France2, France3, Canal Plus, M6 et Télé Monte-Carlo. Les radios locales privées (RLP) dont la puissance dépasse les 500 W doivent se soumettre à l'inspection technique de TDF. A la maîtrise des régies finales des chaînes françaises. Est chargée de l'« embrouillage » des signaux de Canal +. Émet des magazines de télétexte, Antiope (Acquisition numérique et télévisualisation d'images organisées en pages d'écriture, mis au point 1976, propose le sous-titrage d'émissions, un service de dépêches, un service kiosque). **Projet** (1993) : la FM synchrone, pour couvrir les réseaux routiers avec une fréquence unique.

PDG : 1975 *(janv.)* Jean Autin (1921-91) ; **1980** *(déc.)* Maurice Rémy (17-6-33) ; **1983** *(janv.)* François Schoeller (25-3-34) ; **1986** *(avr.)* Claude Contamine (29-8-29), *(déc.)* Xavier Goyou-Beauchamps (25-4-37) ; **1992** *(janv.)* Bruno Chetaille (31-3-54). **Dir. gén. :** Philippe Levrier (27-5-49). **Effectif** (31-12-1988) : 3 927.

Compte de résultat prévisionnel (en millions de F, hors TVA, en 1991). *Charges d'exploitation :* 4 011,3 dont dotation aux amort., provisions et charges exceptionnelles 1 311, personnels 1 265,7, achats et variation de stocks 531,7, charges financières 91, autres 801,9. *Produits d'exploitation :* 4 044,9 dont clients secteur public 2 055,6, clients privés 1 440,5, produits fin. 41, autres produits 466,3, divers 41,5. *Déficit* (1990) : 276 (consolidé 202). *Pertes exceptionnelles* (1990) : 650 incidents survenus sur TDF2. *Résultat après impôts 1991 :* 75,8. *92 :* 140.

Chiffre d'affaires (millions de F, 1990-91). *Total* 3 988,3 dont activité satellite 237,9. Activités terrestres 3 750,4 dont clients traditionnels 1 973,9 (dont *FR3 :* 591, *A2 :* 537,6, *Radio France :* 454,3, *RFO :* 230,4, *RFI :* 144,2, *La Sept :* 16,4). TV privées 1 228,5. Radios privées 81,7. Autres produits commerciaux 466,3. **1992** 4 000 (dont audiovisuel 2 500) bénéfice 140 (*91 :* 75,8).

SFP (Sté française de production et de création audiovisuelles)

Siège : 36, rue des Alouettes, 75935 Paris. **Créée** 1974. **PDG : 1975** *(janv.)* Jean-Charles Edeline (22-2-23) ; **1978** *(oct.)* intérim : Bertrand Labrusse (7-6-31) ; **1979** *(janv.)* Antoine de Clermont-Tonnerre (18-6-41) ; **1984** *(janv.)* Bertrand Labrusse ; **1986** *(juil.)* François Lemoine ; **1988** *(janv.)* Philippe Guilhaume (30-5-42) ; **1989** *(oct.).* Jean-Pierre Hos (6-6-46). **Capital social** (en milliards de F, au 31-12-89) : 185,7 dont (en %) : *État :* 79,42 ; *TF1 :* 4,38 ; *Antenne 2 :* 13,06 ; *FR3 :* 3,13 ; *CDC :* 0,01. **Organisation :** Sté anonyme : le capital doit être détenu majoritairement par des organismes publics. Dep. 20-7-1982, ne bénéficie plus du système de « commandes obligatoires » des chaînes publiques. **Composition :** holding de tête contrôlant 9 filiales : SFP Production [1-4-1993 : prend le contrôle d'Ima-Production (fondée 1985 par Georges Benayoun et Paul Rozenberg), CA : env. 100 millions F], Décoration, Plateaux, Post-Production film, Post-Production vidéo, Costumes et Équipement. **Effectifs :** *1989* (31-12) : 2 185 ; *91* (31-12 prév.) : 1 487 ; *94* (mars prév) ; 1 089. **Productions :** en film et en vidéo (télévision, cinéma, publicité, films d'entreprise), vidéotransmission, fournit des prestations de toute nature, effectue des études d'ingénierie. Fabrique annuellement env. 1 700 h de programmes dont 1/3 env. en production. **Production totale** (1987) : 572 h 42 min dont *TF1 :* 190 h 39 min, *A2 :* 297 h 28 min, *FR3 :* 7 h 22 min, *La 5 :* 66 h 30 min, *la Sept :* 2 h, autres 8 h 43 min. **Commandes. Des Stés nationales de programmes** (en millions de F) : *1986 :* 1 005,6 ; *87 :* 820,8 ; *88 :* 518,8. **Chaînes privées :** *1986 :* 478,6 ; *87 :* 318,9 ; *88 :* 233 ; *89 :* 245,6 dont *TF1 :* 231, *La 5 :* 10,4, *Canal Plus :* 4, *M6 :* 0,2.

Chiffre d'affaires (en millions de F). *1985 :* 1 317 ; *86 :* 1 193 ; *87 :* 1 120 ; *88 :* 1 070 ; *89 :* 988 ; *90 :* + de 900 ; *91 :* env. 820.

Pertes nettes de la SFP. *1981 :* – 53,8 ; *82 :* – 79,8 ; *83 :* – 54,9 ; *84 :* – 46,6 ; *85 :* – 3,5 ; *86 :* – 161,1 ; *87 :* – 160,8 ; *88 :* – 129,7 ; *89 :* – 383,4 ; *90 :* – 479 ; *91 :* – 197 ; *92 (prév.) :* – 170. **Coût horaire de production** (1988, en millions de F). Fiction film 4,7, vidéo 1,9. **Charges d'exploitation** (1989) : 1 425 [dont achats et services extérieurs 323, personnel 732 (dont permanents 591, occasionnels 47, cachets 94)]. **Produits par genre** (1989) : 1 084 (dont variétés, jeux, magazines, sports 612 ; publicité, communication d'entreprise, institutions 30 ; divers 72 ; fiction 370). **Relations avec les chaînes publiques :** les Stés de programme s'adressent de plus en plus à des producteurs privés qui se tournent ensuite vers la SFP, qui agit en prestataire de services. **Produits d'exploitation** (1988 prévisions, en millions de F) : *total :* 404 dont *Antenne 2 :* 340, *FR3 :* 50, *RFO :* 2, *la Sept :* 12.

■ RFE
(Régie française des espaces)

Créée oct. 1984. **Mission :** exploiter, sous forme de communication institutionnelle, non publicitaire, les temps d'antenne laissés libres sur les chaînes du service public. **Clients :** toute entreprise peut y avoir accès. L'UAP est son plus gros client. **Heures de programmes diffusées** (1989) : 150. **Tarifs :** 78 000 F le 1/4 d'heure en semaine, 93 000 F sam./dim.

■ INA
(Institut national de l'audiovisuel)

Siège : 4, av. de l'Europe, 94366 Bry-sur-Marne Cedex. **Organisation :** établissement public industriel et commercial. **P-DG : 1976** *(juin)* Pierre Emmanuel (1916-84) ; **1979** *(mai)* Gabriel de Broglie (21-4-31) ; **1981** *(sept.)* Joël le Tac (15-2-18) ; **1983** *(janv.)* Jacques Pomonti (1-8-38) ; **1987** *(janv.)* Janine Langlois-Glandier (16-5-39) ; **1990** *(13-1)* Georges Fillioud (7-7-29). **Dir. gén. :** Marc Avril (n. 29-8-45). **Dir. de la communication :** Yann Cotten (n. 20-1-41). **Effectif** (31-12-92) : 844. **Mission :** chargé de la conservation et de l'exploitation des archives de la radio et de la télévision (sous la direction de Francis Denel). Assure la formation continue des personnels du secteur public et privé de la communication audiovisuelle (Jean Pagès), assure des recherches sur la production, la création et la communication audio (Alexandre Merametdjian) et, dep. 1982, produit des œuvres et documents audio (Claude Guisard) en liaison avec ses activités de recherches (par exemple, « Nuits d'été » en 1986, « Europa-Musica », clips de musique classique, en 1989). Édite des cassettes vendues au public (séries historiques, ou documentaires, ou d'actualités, ainsi que la « Cassette de votre année de naissance »). **Archives :** gère celles du secteur public et par contrats celles de certaines TV privées ; propriétaire des droits des œuvres et documents, hors fictions, du service public de radio et télé (3 ans après la diffusion à l'antenne pour France 2, France 3 et les ch. de Radio France ; antérieurs à juillet 1982 pour TF1), et des droits du fonds ORTF (antérieur à 1975) : 40 ans d'archives TV (1949-1989), soit 600 000 émissions ou sujets d'actualité (350 000 h de programmes) ; 55 ans d'archives sonores (1934-89), soit 250 000 disques à gravure directe, 650 000 bandes magnétiques (500 000 h d'enregistrement) ; 30 ans d'actualités cinéma (1940-69), soit 15 000 sujets ou 400 h de documents (diffusion des journaux nationaux). **Dépôt légal audiovisuel :** créé à l'INA (loi du 20-6-1992). **Budget** (1993, en millions de F). **Recettes d'exploitation** (hors production immobilisée et reprise sur provision) : 553,8 dont redevance et subventions 240,8, CA réalisé avec secteur public 110,8, services rendus aux administrations 10,6, recettes commerciales et div. 191,6. **Charges de fonctionnement :** 553,8 dont achats 28,2, services extérieurs 89, autres services extérieurs 28,2, impôts et taxes 11,5, personnel 311,8, autres charges 85,1. **Répartition des activités** (1993) : conservation des archives 133,6, formation prof. 55,6, recherche 48,2, production de création 33,5, dépôt légal 20, charges de logistique 151,5, de structure 80,6, missions particulières 6,8, amortissement des productions immobilisées 24.

■ Sociétés nationales de radiodiffusion sonore et de télévision

Radio France

■ **Siège :** 116, avenue du Pt-Kennedy, 75786 Paris Cedex 16. **Organisation :** chargée de la conception et de la programmation d'émissions de radiodiffusion sonore dont elle fait assurer la diffusion. Assure la gestion et le développement d'orchestres et de chœurs. **P-DG : 1975** *(janv.)* Jacqueline Baudrier (16-3-22) ; **1981** *(juil.)* Michèle Cotta (15-6-37) ; **1985** *(oct.)* Jean-Noël Jeanneney (2-4-42) ; **1986** *(déc.)* Roland Faure (10-10-26) ; **1989** *(10-2)* Jean Maheu (24-1-31). **Dir. gén. :** Jean Izard (n. 2-12-29) ; **Dir. de l'Info. :** Ivan Levaï (n. 1937) dep. 29-3-89, avant, Michel Meyer (n. 21-12-42). **Effectifs** (1991) : 3 200 permanents (dont 411 journalistes). **Moyens techniques :** 124 studios (dont 71 en province) ; 3 bancs de montage électronique ; 3 magnétos 24 pistes. *Formations permanentes :* Orchestre national de France (créé 1947) : 115 musiciens ; 71 concerts en 1990 ; dir. art. : Charles Dutoit. Orchestre Philharmonique (créé 1976) : 138 musiciens ; 67 concerts en 1990 ; dir. art. : Marek Janowski. Chœur de Radio France (créé 1947) : 110 choristes professionnels. Maîtrise de Radio-France (créée 1946) : 100 élèves (garçons et filles).

■ **Budget** (en millions de F, 1993). Projet de loi de finances : 2 404,5 dont ressources publiques 2 230,7 (dont redevance 2 158,4, subventions d'État 72,3), recettes propres 173,8 (dont publicité 60, parrainage 30). **Fonctionnel** (en millions de F, hors TVA, 1993) : 2 404,5 dont info. 191,5 (info nationale 130,3, France Info 61,2), programmes 1 325,4 (dont France Inter 142,5, France Culture 173,1, programmes musicaux 111,7, orchestres 178,8, autres prod. musicales 61,2, Radio Bleue 23,1, radios locales 432,7, Fip 30,2, versements aux stés d'auteurs et droits voisins 109, autres dépenses liées aux programmes 63,1), diffusion 488,2, contributions obligatoires 74,2 (dont Ina 20, cotisations diverses 2,6, taxes diverses 51,6), formation prof. 25, action sociale 47,6, affaires commerciales et autres activités 21,7, activité immobilière et prestations extérieures 95, fonctionnement gén. des services communs 135,9 (dont informatique 57,8, services généraux 56,1, autres charges générales 22). **Résultat net** *90 :* – 63,3, *91 :* – 23, *92 :* + 0,6.

■ **Diffusion. Volume horaire annuel** (1991). 460 020 dont Paris 48 300 (France-Inter 8 880, Fr.-Info 8 760, Fr.-Musique 8 760, Fr.-Culture 8 760, FIP-Paris 8 760, Radio Bleue 4 380) ; radios locales 411 720. **Répartition** (hors radios locales, en %). Musique 33, information 21, documentaires et magazines 19, animation et jeux 15, rediffusions 5, fiction parlée 2, divers 5. **Audience annuelle moyenne** (avril-juin 1990). Radio France 19,3, France-Info 6,5, France-Musique 1,6, France-Culture 0,7, Radio Bleue 0,7. *R.-Fr. locales :* Creuse 31, Berry 23,5, Lourdes 20,5, Lyon 0,9. **Émetteurs :** 1328, dont 1294 en FM. **Production :** 220 000 h de programmes/an. 350 concerts/an (et 400 en coproduction).

■ **Programmes.** 3 chaînes nationales : **France-Inter :** *créée* 1947 Programme nat. diffusé 24 h sur 24 en stéréo. *Émetteurs : ondes longues :* 1 à Allouis (Cher) de 2 000 kW – 1852 m/162 kHz ; *moyennes :* 11 à modulation d'amplitude de 10 à 600 kW ; *modulation de fréquence :* 107 de 0,25 à 12 kW et 228 de complément de 1,50 à 100 W. *Dir. des programmes :* Pierre Bouteiller, *de la rédaction :* Claude Guillaumin, Jean-Luc Hees. *Émissions doyennes :* Le jeu des 1 000 francs (créé par Henri Kubnick, 1959, lundi à vendredi 12h 45). La Tribune de l'histoire (1951, sam. 20h 5). Allô Macha (1977, lundi à vendredi 1h). A l'heure du pop (ex-Pop club ; 1965, lundi à vendredi 22h 40). Le masque et la plume (1954, dimanche 20 h).

France-Culture : *créée* 1963. *Diffusion :* en MF, 24 h sur 24 en stéréo. *Émetteurs :* 106 de 0,25 à 12 kW et 224 de complément de 1,50 à 100 W. *Auditeurs :* Ile-de-Fr. 90 387 (aud. cumulée avr.-juin 1991), France entière env. 396 000. *Auditoire* (CSP, en %) : cadres, prof. libérales ou universitaires 36, ménagères 15, employés 10, étudiants 6 ; provinciaux 73 ; femmes 52 ; 35/64 ans 60, retraités 24. **France-Musique :** *créée* 1963. *Diffusion :* MF, 24 h sur 24 en stéréo. *Émetteurs :* 108 de 0,25 à 12 kW et 226 de complément de 1,50 à 100 W.

France-Info : *créée* 1-6-1987, par Roland Faure. *Diffusion :* en MF, 24 h sur 24 h. *Émetteurs :* 113. *Dessert* env. 102 villes françaises et 75 % de la pop.

Radio Bleue : *créée* 1980, pour les + de 50 ans et « inter-générations », 100 % de chansons fr. *Diffusion :* de 7 h à 19 h sur le réseau B. Ondes moy. : MW, PO, M, AM, OM. *Émetteurs :* 16 de 20 à 300 kW et 4 de complément de 1 à 4 kW.

FIP : *créée* 5-1-1971. Musique originale 24 h/24, info. de service de 7 h à 23 h, « Jazz à Fip » de 19 h 30 à 21 h. *Diffusion :* en MF, 90.4 MHz en stéréo. Ohm 513 m/585 kHz (anciennement PO-OM). *Fréquences :* Fip Bordeaux (96.7), Lille (91), Metz (98.5), Nantes (95.7), Strasbourg (92.3).

Sorbonne Radio France : Ohm 312 m/963 kHz, 30 h/sem. pendant l'année scolaire.

47 radios locales : *créées* par Radio France ou développées à partir des anciennes radios de FR3, couvrant un peu plus de 50 % du territoire. 3 catégories : 38 *généralistes « de pays »* ; 4 *thématiques de grandes villes* (Lyon, Marseille, Nice et Toulouse) : programme d'accompagnement et de service, sur le ruban musical Fip (Modulation France, de 21 h à 7 h du matin) ; 5 *Fip régionaux* diffusant, sur le programme musical Fip venant de Paris, des messages de service (météo, état des routes, spectacles...) pour Bordeaux (96.7), Lille (91), Metz (98.5), Forbach (98.8), Nantes (95.7), St-Nazaire (97.2) et Strasbourg (92.3). *Radio France Alsace* [Strasbourg (101.4), Mulhouse (102.6)], *Armorique* [Rennes (103.1), Vannes (101.3)], *Auxerre* [Auxerre (101.3), Sens (100.5)], *Belfort* (14-12-82) [Belfort (95,2), Montbéliard 94.6)], *Berry Sud* [f. Châteauroux 23-4-82, Argenton (93.5), Bourges (103.2), Châteauroux (93.5)], *Besançon* [Besançon (102.8), Le Lomont (101.4)], *Bordeaux-Gironde* [f. 24-12-1983 (100.1), Bordeaux (100.1), Lesparre (101.6), Arcachon (102.2)], *Bourgogne* [f. 1937 par Robert Jardillier, député-maire de Dijon et ministre des PTT ; Dijon (103.7), Troyes (87.8)], *Bretagne Ouest* [Quimper, f. 3-8-82 (93), Brest (93), Lorient (103.3)], *Cherbourg* (100.7), *Corse Frequenza Mora* [Bastia (101.7), Ajaccio (100.5), Corte (100), Porto-Vecchio (101.8), Île d'Elbe (88.2)], *Côte d'Azur* [Nice, f. 19-10-82 (103.8), St-Raphaël (100.7), Cannes (101.1)], *Creuse* [Guéret, f. 5-9-82 (94.3), *Drôme* [Valence, f. 18-7-83 (87.9), Privas (98.4)], *Fréquence Nord* [Lille N.-P.-de-C. (94.7), Lille-Ville (87.8), Boulogne (95.5), Maubeuge (88.1)], *Hérault* [Montpellier (101.2)], *Isère* [Grenoble (98.2), Mont-Pilat (101.8), Chambéry (99.1)], *Landes* [Mont-de-Marsan, f. 17-5-83 (98.8), Bayonne (100.5), Mimizan (103.4)], *La Rochelle* [La Rochelle (98.2), Royan (101.1), Saintes (103.9)], *Limoges* [f. 1926 oct. 1res émissions pendant 30 j, 1940 Radio Vichy remplace Limoges PTT, 1945 remise en service de Radio Limoges par Emmanuel Glancier. Limoges (103.5)], *Loire Océan* [Nantes (101.8)], *Lyon* (87.8), *Marseille* [Marseille (96.8), Marseille Pomègues (96.4)], *Mayenne* [Laval (96.6)], *Melun* [Melun (102.1), Corbeil (99.4)], *Nancy* (100.5), *Nîmes* [Nîmes (90.2), Alès (91.6), Mende (104.9)], *Normandie Caen* [f. 1978, Caen (102.6), Le Havre (102.2)], *Normandie Rouen* [Rouen (100.1), Le Havre (102.2), Neufchâtel (101.6)], *Orléans* (100.9), *Pau Béarn* [Pau (102.5)], *Pays basque* [Bayonne (101.3)], *Périgord* [Périgueux, f. 26-10-82 (99), Bergerac (95), Les Cars (91.7)], *Picardie* [Amiens (93.6), Abbeville (100.6), Hirson (101.3), Sailly-Saillisel (102.8), St-Just-en-Chaussée (102.5)], *Provence* [Marseille (103.6), Aix-en-Provence (103.6), Toulon (102.9)], *Puy-de-D.* [Clermont-Ferrand, f. 19-4-83 (102.5)], *Reims* [Reims (95.1), Épernay (103.4)], *Roussillon* [Perpignan (101.6)], *Savoie* [Albertville (103.7), Chambéry (103.9), Le Bisanne (103.9), Moutiers (103.9)], *Toulouse* (95.2), *Tours* (105), *Vaucluse* [Avignon, f. 29-6-82 (98.8), Mont-Ventoux (100.4)].

■ **Émissions universitaires.** Diffusées sur réseau B, en ondes moyennes, par région. **Sorbonne-Radio France.** Programme diffusé sur l'émetteur de Paris-Romainville (312 m).

Effectifs (moyenne) : 20 permanents, 80 à 120 pigistes. **Coût unitaire** (en millions de F) : investissements (avec aide collectivités loc.) 3,5 ; fonctionnement annuel (versé par Radio Fr.) 8.

4 ateliers de création [Atelier de l'Est (Strasbourg), Provence Méditerranée (Nice), Grand Ouest (Nantes), Midi-Aquitaine (Bordeaux)] ont été mis en place pour les besoins des radios locales en création radio (feuilletons, concerts, documentaires).

Maison de Radio France : 116, avenue du Pt-Kennedy, 75016 Paris. *Architecte :* Henry Bernard. *Coût :* 250 millions de F (1963). *Superficie :* terrain 4 ha, maison 2 ha. *Couronne extérieure :* circonférence 540 m, haut. 37 m, plancher 106 000 m², façade aluminium 27 400 m², couloirs 5 km. *Tour :* haut. 67,80 m, étages 22, section 32 × 14 m. *Chauffage et climatisation* par centrale thermodynamique, utilisant l'eau d'un forage profond de 550 m. *Studios :* radiodiffusion 61, *101* (100 places) et *102* (850 pl.), d'enregistrement *103* pouvant accueillir un grand orchestre, grand auditorium *104* (920 pl.), *105* (250 pl.), *106* (180 pl.). *Occupation :* Radio France (propriétaire) ; divers locataires (FR3, RFI, Ina, etc.).

Radio France Internationale

Origine. 1931-*6-5* 1re émission en ondes courtes du *Poste colonial* depuis le studio de l'Exposition coloniale à Paris. **1935**-*1-4* service d'émissions en langues étrangères. **1938**-*1-4 Paris Mondial* remplace le Poste colonial. **1940**-*17-6* interruption des émissions annexées à Radio Paris. *-5-12* début émissions ondes courtes de Radio Brazzaville. **1943**-*18-6* inauguration officielle de Radio Braz. (émetteurs plus puissants). **1964**-*1-2* Radio Braz. devient relais. **1972**-*22-9* fin de l'utilisation du relais de Radio Braz. **1975**-*6-1* Radio France Internationale créée. **1983**-*1-1* devient Sté autonome de radiodiffusion vers l'étranger, filiale de Radio France. **1986**-*30-7* Sté nationale. *-30-9* PDG de RFI choisi par la CNCL. *-3-12* RFI devient une sté indépendante. **Organisation :** assure des actions de coopér. et le service d'une agence de presse spécialisée sur le tiers monde MFI (Médias France Intercontinents) *créée* 1-5-1982. **PDG : 1975** *(janv.)* Jacqueline Baudrier (16-3-22) ; **1981** *(juil.)* Michèle Cotta (15-6-37) ; **1985** *(oct.)* Jean-Noël Jeanneney (2-4-42) ; **1986** *(déc.)* Henri Tezenas du Montcel (8-1-43) ; **1989** *(30-11)* André Larquié (26-6-38). **Dir. rédaction :** Pierre Ganz. **Effectif :** 505 permanents dont 229 journalistes et 90 techniciens, 1 600 intermittents dont plus de 500 à l'étranger. **Points de diffusion :** 5. **Émetteurs ondes courtes : 24 ; location et échange d'h et fréquence par j :** 47,3 h. **Émetteur ondes moyennes : 1 ; location et échange :** 441 h. **Location de voies satellites de diffusion :** 3, **transmission :** 7.

Statistiques (1992). Auditeurs : 80 millions dont 30 réguliers. **Émissions :** 24 h sur 24 : diffuse 389,25 h de programmes par semaine (dont en français 198, anglais 17,3, polonais 15,45, allemand 14, arabe 14, roumain 14, russe 14, serbo-croate 14, chinois 14, brésilien 14, vietnamien 10,3, persan 1, créole 0,3) dont 356 h de productions originales.

Diffusion (en h par semaine) : *Moyen-Orient :* fr. 9, arabe 2, angl. 1. *Asie :* fr. 6,5, chinois 2, vietnamien 1,5, angl. 1. *Amér. latine et centrale :* fr. 12, esp.-castillan 5, angl. 0,5. *Afr. du N. :* fr. 17, angl. 1, arabe 1 ; *Afr. :* fr. 20, angl. 1, port. 1. *Europe de l'Est :* fr. 18,75, polonais 2,25, roumain 2, russe 2, serbo-croate 2, all. 1. *Amér. du N. :* ondes courtes : fr. 10, esp. 2, angl. 0,5 ; + accords avec chaînes transmises par satellite (TV 5 Québec-Canada, Telemedia, Scola qui arrose 36 universités améric.). *Europe :* émissions ondes courtes destinées à la radio internat. : fr. 22, all. 2,5, angl. 1,5, esp. (castillan) 1, portugais 0,5 ; sur satellite TDF 1 : fr. 24 ; aux communautés étrangères en Fr. (africaines francophones, vietnamiennes, laotiennes, cambodgiennes, turques, portugaises, arabes, espagnoles, yougoslaves) : 1 h 30 sauf dimanche. Fournit, grâce à son service de coopération, 745 h de programmes enregistrés originaux à env. 500 clients.

Budget (millions de F, 1992). *Ressources :* 524,6 dont redevance 39,3, publicité 5,3, concours publics 471, divers 9. *Charges :* personnel 198,5, diffusion 202,5, autres 123,6. *1993 :* 557,7 (+ 6,3 %).

Nota. – En février 1985, entrée en service du 1er centre français d'émissions en ondes courtes hors métropole, à *Montsinéry* (Guyane). Les 3 émetteurs (500 kW) couvrent l'ensemble de l'Amérique latine et des Caraïbes. *Coût :* 131 millions de F.

Comparaisons *[VA :* Voice of American (USA), *BR :* BBC (G.-B.), *D :* Deutsche Welle (All. féd.), *R :* RFI (France)]. **Émetteurs** VA 99, BR 81, D 30, R 24. **Points d'émission** (leur nombre et leur dispersion sont déterminants pour la qualité de diffusion) VA 24, BR 16, D 9, R 5 (y compris location et échange). **Heures fréquence diffusées par j.** VA inc., BR 1 150, D 600, R 430. **Collaborateurs** VA 3 000, BR 1 150, D 600, R 555 (dont TDF 90). **Budget** annuel de fonctionnement (en milliards de F) : VA 1,5, BR 1,1 (hors amortissement 0,2 par an), D 0,9, R 0,42.

Radio-Plus. Station biculturelle lancée par RFI et l'agence de presse tchécoslovaque CTK (f. déc. 1918, devenue CSTK dep. 1-10-91) à Prague. *-1-7-1991* accord de partenariat ; *-16-9* inauguration de la radio. Émet 24h sur 24, sur la bande FM (96.6) via le satellite TDF, et dans un rayon de 15 km autour de Prague. *Serv. mondial en français :* 12h/j.

France Télévision

Comprend A2 (Antenne 2) et FR3 (France Région 3) devenues, le 7-12-1992, France 2 et France 3. **Pt commun.** (loi du 2-8-1989) : Hervé Bourges. **Plan** (juil. 91) pour 1991-94 : harmonisation des programmes, rapprochement progressif (information, sport, émissions pour la jeunesse, achats). DIFFÉRENCES : *France 2 :* diffusant 24 h sur 24, propose au plus large public des émissions pop. de qualité ; *France 3 :* appuyée sur une organisation décentralisée, informe sur vie culturelle, activité régionale, et Europe.

Participations de France 2 et, entre parenthèses, **de France 3** (1993, en %). *TV5 Satellimage* 16,66 (16,66), *SFP* 13,56 (3,13), *Télé Europe* 4,37 (8,74), *Technisonor* 6,85 (3,76), *Médiamétrie* 10,75 (10,75), *Symédia* 2,5 (12,5), *Orto 92* 27,33 (32,8). **France 3 :** Édition de programmes : *la Sept* 45, Diffuseur : *Sté d'études Eureka TV* 38,84, Soficas : *Investimage 1* 8, *Investimage 2* 8, *Investimage 3* 8.

France 2

Siège : 22, av. Montaigne, 75387 Paris Cedex 08. Sté de télévision à vocation métropolitaine nationale (loi du 30-9-1986, art. 44-2). **Organisation :** production, conception et programmation d'émissions de télévision. **P-DG :** *1975-janv.* Marcel Jullian (31-1-22) ; *1977-déc.* Maurice Ulrich (6-1-25) ; *1981-août* Pierre Desgraupes (18-12-18) ; *1984-nov.* Jean-Claude Héberlé (3-2-35) ; *1985-oct.* Jean Drucker (18-8-41) ; *1986-déc.* Claude Contamine (29-8-29) ; *1989 (10-8)* à *1990 (19-12)* (démission) Philippe Guilhaume (30-5-42) (PDG A2 et FR3) ; *1990-déc.* Hervé Bourges (2-5-33). **Dir. gén. :** *1989 (27-9)* Jean-Michel Gaillard (n. 1947), *1991 (10-1)* Éric Giuily (n. 10-2-52). *1992 (sept.)* Georges Vanderchmitt. **Effectif** (30-9-92) : 1 280 collaborateurs permanents dont personnel technique et administratif 1 009, journalistes 271. **Diffusion :** en couleurs en 625 l. UHF (au 1-1-88 population atteinte 100 %). **Programmation** (1991) : 7 940 h de programmes diffusées. Dep. juillet 1991, ouverture de l'antenne 24 h/24. **Émetteurs :** principaux 112, réémetteurs 3 207, réseaux communautaires 247.

Budget (1993, en millions de F hors TVA) : *recettes :* 4 388 dont redevance 2 218 ; publicité 1 760. *Dépenses* (1992) : 3 285,1 dont achats et variations des stocks de programmes 936,3 ; autres achats et var. de stocks 593,2 ; services extérieurs (+ TDF) 649,4 ; autres services ext. 140,3 ; impôts 30,2 ; personnel (+ charges sociales) 579,3 (dont permanent 398,5, contrats à durée déterminée 29,8, cachets et piges 131, suppléments de cachets 20) ; autres charges : gestion courante 262,8, financières 15, exceptionnelles, dotations, amortissements et provisions hors programmes 78,6. **Fonctionnel :** *dépenses :* 4 388 dont information 763, programmes 2 764, diffusion 505, fonctionnement général et services communs 256, satellite 100. **Déficit cumulé** (1988-91) : 1 260 (dont *en 91 :* 92,9 de déf. net). **Bénéfice net** 1992 : 75,5.

☞ **Téléthon** (en millions de F) : Promesses de dons et entre parenthèses, dons : *1987 :* 181 (185) ; *88 :* 185 (176) ; *89 :* 256 (264) ; *90 :* 307 (300) ; *91 :* 240 (234).

France 3

Siège : 116, avenue du Pt-Kennedy, 75790 Paris Cedex 16. Sté de télévision à vocation métropolitaine et régionale (loi du 30-9-1986, art. 44-3). **P-DG :** *1975-janv.* Claude Contamine (29-8-29). *1981-juin* Guy Thomas (1924-92). *1982-sept.* André Holleaux (30-6-21). *1985-oct.* Janine Langlois-Glandier (16-5-39). *1986-déc.* René Han (16-8-30). *1989-août* Philippe Guilhaume (30-5-42) (Pt A2 et FR3). *1990-déc.* Hervé Bourges (2-5-33). **Dir. gén. :** 27-9-89 Mme Dominique Alduy (23-2-44). **Dir. gén. de l'antenne :** Pascal Josèphe (20-11-54). **Dir. des programmes :** Roger-André Larrieu (2-12-42). **Dir. de la programmation :** Marie-Claire Gruau (27-8-50). **Dir. de la rédaction :** Norbert Balit (1-6-48). **Effectif** (30-9-92) : 3 264 permanents dont personnel technique et administratif 2 512, journalistes 752. **Programmation** (1988) : 11 943 h [dont nationale 5 133 (1991) ; régionale (1989) 8 039,35 (info 4 927,11, autres 2 782,28), émissions à diff. nat. 197,32, décrochages exceptionnels régionaux 132,24)]. **Diffusion par genre** (en %, en 1989) : Culture et connaissance 23, magazines 19,7, fiction 16,1, informations 12,3, sports 9,4, dessins animés 9,2, divertissements 7, films 6,3, théâtre musique classique 2,9, publicité 2,2, autres 13,7.

Budget (1993, en millions de F hors taxes) : *recettes :* 4 315 dont redevance 3 115, publicité 760, parrainage 65, recettes commerciales 82, subvention d'investissements 159, divers 134. *Dépenses* (1992) : 4 158,6 dont achats et variations des stocks de programmes 426,3 ; autres achats et var. de stocks 846,5 ; services extérieurs (+ TDF) 677,7 ; autres serv. ext. 197,6 ; impôts 89,5 ; personnel (+ ch. sociales) 1 353,5 (dont permanent 1 052,7, contrats durée déterminée 151,6, cachets et piges 142,1, suppléments de cachets 7,1) ; autres charges : gestion courante 401,2, financières 11,3 ; dotations amortissements et provisions hors programmes 155. **Budget fonctionnel :** 4 315 dont programme national 1 902, information 1 066, diffusion 523, programme régional 351, fonctionnement général et services communs 473. *Résultats 1990 :* –179,8 ; *91 :* – 29 ; *92 :* + 48,3.

Budget de fonctionnement des antennes régionales (1992, en millions de F) **et,** en italique, **effectifs budgétaires totaux :** Provence-Côte d'Azur-Corse 138 *336.* Nord-Picardie 105 *249.* Midi Pyrénées-Languedoc-Roussillon 95 *219.* Rhône-Alpes-Auvergne 118 *310.* Bretagne-Pays-de-Loire 99 *233.* Lorraine-Champagne-Ardenne 82 *186.* Limousin-Poitou-Charentes 70 *154.* Alsace 65 *147.* Ile-de-France-Centre 62 *134.* Aquitaine 60 *134.* Normandie 66 *151.* Bourgogne-Franche-Comté 69 *150.*

Diffusion. Nombre d'heures (en 1991) : Aquitaine 466. Bourgogne-Franche-Comté 563. Nord-Picardie 741. Limousin-Poitou-Charentes 563. Rhône-Alpes-Auvergne 714. Provence-Côte d'Azur-Corse 956. Lorraine-Champagne-Ardenne 699. Paris-Ile-de-France-Centre 615. Bretagne-Pays-de-Loire 695. Alsace 476. Midi-Pyrénées-Languedoc-Roussillon 809. Normandie 547. *Total : 7 844.*

☞ FR3 ne peut diffuser plus de 4 h par jour en moy. du programme national de télé ; peut consacrer plus du 1/7 du temps total à la programmation de films (4 par sem. au moins) ; doit réserver des temps d'antenne à des émissions consacrées à l'expression directe des diverses familles de croyance et de pensée (5 quarts d'heure par sem.). (« Liberté 3 »).

Télévisions régionales

Alsace : *Dir. :* Jean-Louis English. *Adresse :* 1, place de Bordeaux, 67011 Strasbourg. **Aquitaine :** Jean-Marie Dupont, 136, rue Ernest-Renan, 33075 Bordeaux. **Bourgogne-Franche-Comté :** Robert Thévenot, 6, av. de la Découverte, 21003 Dijon. **Limousin-Poitou-Charentes :** Jimmy Jonquard, 1, avenue Marconi, 87060 Limoges. **Lorraine-Champagne-Ardenne :** Jean-Pierre Lannes, 14, route de Mirecourt-Vandœuvre, 54042 Nancy Cedex. **Méditerranée :** François Werner, 2, allée Ray-Grassi, 13271 Marseille Cedex 8. **Nord-Pas-de-Calais-Picardie :** Monique Sauvage, 36, bd de la Liberté, 59024 Lille Cedex. **Normandie :** Alain Gerbi, 77, place des Cotonniers, 76100 Rouen. **Ouest :** Jean-Pol Guguen, 9, avenue Janvier, 35031 Rennes. **Paris-Ile-de-France-Centre :** Christian Dauriac, pièces 8 331 à 8 408, 116, avenue du Pt-Kennedy, 75116 Paris. **Rhône-Alpes-Auvergne :** Joseph Paletou, 14, rue des Cuirassiers, 69399 Lyon Cedex. **Sud :** Bernard Mounier, Chemin de la Cépière-Mirail, 31081 Toulouse Cedex. **Télé Dauphiné-Vivarais :** Gilles Bourg, Domaine de Gaste, 26380 Peyrins. **Télé-Monte-Carlo :** *Pt :* Jean-Louis Médecin, 16, bd Pcesse-Charlotte, Monte-Carlo.

Utilisation du réseau hertzien par la radio et la télé en France. Contrôlé par TDF. 2 gammes d'ondes : UHF (TF1, France 2, France 3) et VHF (Canal Plus). 58 canaux théoriquement utilisables (48 sur UHF, 10 sur VHF). Une partie de ces canaux pourrait être libérée si un grand nombre d'émetteurs n'était plus monopolisé pour atteindre l'ensemble du territoire (cas actuel) ou si les chaînes nat. étaient diffusées par satellite (près des 3/4 des canaux deviendraient disponibles, seuls les programmes régionaux de FR3 étant diffusés par eux). Actuellement, dans ces conditions, 80 chaînes privées ne pourraient être diffusées que localement.

RFO (Sté nationale de radio et de télévision française d'outre-mer)

■ **Loi du 29-7-1982 :** RFO Sté autonome aux moyens budgétaires propres. **Créée** 1-1-1983 par transfert des activités de la délégation pour l'outre-mer de FR3. Produit des émissions consacrées à l'outre-mer et retransmises en métropole par FR3. Gère une agence d'images internat. (AITV, voir p. 1230 a). De Paris, coordonne l'activité des 9 stations basées outre-mer. **Capital social :** détenu par l'État dep. 11-4-1988. **Pt :** *1983* René Maheu (24-6-26). *1985 (nov.)* Jacques Vistel (20-1-40). *1986 (2-12)* Jean-Claude Michaud (28-10-33). *1989 (28-3)* François Gicquel (29-4-38).

Chaque station de RFO (sauf Wallis-et-Futuna et Mayotte) dispose de 2 chaînes : l'une propose une sélection de programmes de TF1 et FR3, avec 2 ou 3 heures d'émissions produites localement, l'autre d'Antenne 2 sauf publicité. Envoi à Nouméa et Papeete de cassettes ou bandes, à l'exception de certaines émissions politiques ou retransmissions sportives. Le journal d'Antenne 2 n'est pas envoyé dans les Tom en raison du coût de satellite.

Production locale. Diffusion (1991) : 6 492 h (*90 :* 4 199 h). Pas de télé légale concurrente dans Dom/Tom, mais des télés privées diffusent illégalement et irrégulièrement en Guadeloupe et Réunion. Télés étrangères reçues en Guyane [ch. américaines et brésiliennes (Globo)], Guadeloupe et Martinique (américaines).

■ **Télévision. Stations :** St-Pierre-et-Miquelon [3], Guadeloupe [2] (2 ch. dep. déc. 1984), Martinique [2] (2 ch. dep. déc. 1984), Guyane [2], N.-Calédonie [3], Polynésie [3], la Réunion [1] (2 ch. dep. 1983).

Nota. – Diffusion en couleurs : (1) 1976. (2) 1977. (3) 1978.

1er canal : Information : *journal télévisé* fabriqué à Paris. *Dom* (+ St-Pierre-et-Miquelon et Mayotte) : réalisé en direct. *Zone Pacifique :* diffusé en léger différé. *Journaux télévisés régionaux :* durent généralement 20 min. ; diffusés avant le journal national. **2e canal :** Dom et St-Pierre-et-Miquelon : diffusion en continu des programmes de fin d'après-midi et de soirée Fr. 2, sauf publicité et journaux d'information. Moyenne : 7 h par j en semaine, 9 h samedi et dimanche.

■ **Radio sonore. Stations :** 9 : Radio-Guyane, Guadeloupe, Martinique, St-Pierre-et-Miquelon, la Réunion, Mayotte, N.-Calédonie, Wallis-et-Futuna et Tahiti. **Diffusion** (1988) : 103 695 h (dont production locale 45 208 h) dont sur le 1er réseau : 58 187 h ; le 2e (programme de France-Inter) : 45 208 h.

■ Satellites TV européens

Satellites de télévision directe

☞ Voir **Astronautique,** p. 33.

Nombre de terminaux de réception (Europe, 1992) : 3 à 4 millions.

■ Atlantic Sat (Irlande). *Lancé* 1990.

■ Astra 1A. **Exploité** par la Sté européenne de satellite (SES) créée 1985. **Bénéfice de SES** 1991 : 212 millions de F, en exploitant Astra I et Astra II. 15 répéteurs loués pour 6 millions d'écus (42 millions de F). Revenus supplémentaires : location sur chaque répéteur de 4 sous-porteuses utilisables pour diffusion de programmes à des stations de radio (11 abonnées pour 42 500 F par an). *Coût de lancement d'un satellite :* 2,1 milliards de F. **Lancé** 11-12-1988 par le 1er vol commercial d'Ariane IV. **Mis en service** 5-2-1989. Position orbitale de 19,2° long. E. Fabrication américaine. 1 820 kg, 16 réémetteurs de 45 W + 6 de réserve (dont 1 n'est plus opérationnel) pouvant chacun diffuser un programme de télé et 4 de radio (sur les 16 canaux de télé, 14 transmettent des programmes avec la norme Pal et 2 en D2 Mac). **Contrats :** *1er : consortium britannique Sky Television,* filiale du groupe News International de Rupert Murdoch (pour location de 4 répéteurs aux chaînes Sky One, Sky Movies, Sky News et Eurosport). *2e : WH Smith Television (brit.)* loue 2 canaux pour TV Sport. *3e : Lifestyle* qui partage un canal avec The Children's Channel. *4e : MTV Europe. 5e :* 2 groupes suédois de ch. à péage, *Kinnevik* (TV 3 et TV 1000), et *Esselle* (Filmnet) la CLT, avec RTL-Véronique, en temps partagé avec la ch. éducative europ. Channel E. Fin 1989 : chaînes privées all. : 3 généralistes Sat 1, RTL Plus et Pro 7, et 1 ch. cinéma à péage Teleclub. 1990 avril : *6e : 1re ch. publique all.,* 3 Sat. **Foyers desservis** (Europe, en millions) : 20 dont 1,5 en réception individuelle. **Nombre de chaînes :** 16 et 32 avec Astra 1B ; France : 20 dont TV Sport, Children Channel, Sky News, MTV + une dizaine de radios (Radio 10 Classic, RTL International, Sky Radio...).

Astra 1B. *Lancé* 2-3-1991. 60 W, 16 canaux. *Clients :* ARD, Première, Canal Plus, groupe Kirch, Tele 5. Même position orbitale qu'Astra 1A ; capté avec la même antenne.

■ Astra 1C, 1D, 1E, 1F. *Commandés* à la Sté amér. Hughes Aircraft ; exploités par la SES ; prévus pour être lancés par Ariane en 1993, 94, 95, 96 ; durée de vie 15 ans avec 18 répéteurs de 63 W et 6 rép. de secours ; même position géostationnaire équatoriale de 19,2 Est ; Astra 1C servira d'abord de secours et pourra accueillir de nouveaux programmes. Astra 1D pourra transmettre 180 chaînes sur 18 canaux grâce à la compression numérique des signaux permettant le pay-per-view (paiement à la consommation) au niveau européen.

■ BS (voir **Yuri,** p. 35 c).

■ BSB (G.-B.). Opérateur : British Satellite Broadcasters (fusionne 5-11-90 avec Sky Television). A utilisé Marco Polo en 1990 puis Astra dep. fév. 1991 (voir p. 35 c).

■ Eutelsat (voir p. 35 b). *Créée* 1977. Organisation européenne de télécom. par satellite. Les 28 pays membres sont des opérateurs publics et privés de télécom. *Satellites :* 4 *Eutelsat I* lancés avec succès entre 1983 et 88 (F1, F2, F4, F5) ; 6 *Eutelsat II* prévus dont 1er lancé 1990, 2e en janv. 91, 6e fin 1993 ou début 1994 (F5). Chaque Eutelsat II peut exploiter 16 répéteurs simultanément. Dessert les 28 pays membres et atteint Afr. du N. et Pr.-Orient. Transmettent programmes radio et TV, échanges de l'UER, téléphonie, trafic numérique d'entreprise et communications terrestres mobiles. **Nombre de chaînes** *Eutelsat IF4* (1991) : 14 dont pouvant être captées *en Fr. :* RTL + (en all.), TV5 (ch. généraliste en français), Eurosport (en angl.), Super-Channel (angl., généraliste). *Eutelsat IF5* (1991) : Rai Uno et Rai Duo.

■ Hispasat. 1 sat. lancé 10-9-92 et 1 prévu en 93. Couverture Europe Ouest et Amérique hispanophone, 5 chaînes chacun.

■ HS 601. 120 W, 16 transpondeurs chacun. 2 sat. *lancés* déc. 1993 et mi-94 sur 101° O., leur permettant d'arroser tous les USA. 300 chaînes diffusées. Système payant (abonnement : 20 à 25 $/mois).

■ Intelsat. 35 satellites. *VF-2* (chaînes norvégienne et suédoise). *VF-11* (la Fr. peut capter CNN) et *VF-12* (ch. anglophones et germanophones essentiellement). *VF-15* (*lancé* 26-1-89).

■ Marco Polo. Sat. de BSB, 5 chaînes dep. août 1990 en D2 Mac.

■ Kopernicus 1 et 2. Sat. *lancés* 1989, 11 chaînes, *opérateur :* Bundespost allemande.

■ Olympus (sat. de l'Agence spatiale europ.). *Lancé* 12-7-1989. *Opérateur :* Agence spatiale européenne. 1 chaîne (Raisat). Expériences pour utiliser des VSATS (Very Small Aperture Terminals) pour des réseaux d'entreprise. Utilisation expérimentale pour des liaisons entre satellites. Antennes « spot » orientables à couverture globales et utilisation de la bande Ka.

■ TDF. **1977**-*13-2* la conférence administrative mondiale pour la radiodiffusion attribue à chaque pays une position orbitale géostationnaire et 5 canaux pour des programmes de télévision. **1979**-*2-10* sommet franco-allemand décide construction TDF 1, TDF 2 et TDF 3 ; à la suite du rapport Cannac, la France s'engage dans les 2 filières techniques : *faible et moyenne puissance* (20 à 50 W avec Télécom 1) et *forte puissance* (230 W, avec TDF 1). TDF 1 (qui remplace le projet L Sat. financé par All. 54 % et France 46 %) est conçu par le consortium Eurosatellite regroupant des Stés françaises et all. et 1 firme belge, pour le compte de TDF et du Cnes, dans le cadre d'une coopération franco-all. prévoyant le développement en commun d'un système de diffusion directe par satellite (TDF pour la France, TV Sat pour l'Allemagne), relayant chacun 4 chaînes et capable de couvrir l'Europe entière. **1983** les progrès de l'électronique rendent moins évident l'avantage des satellites de forte puissance. **1984**-*9-3* rapport Gérard Théry : TDF 1 est technologiquement dépassé et économiquement non viable. **1985** Pt Mitterrand autorise la création de chaînes privées hertziennes, ce qui fait perdre de son intérêt au satellite. **1986**-*11-3* 5 canaux attribués à la chaîne culturelle, à La Cinq et à un consortium mené par Berlusconi, Maxwell, Seydoux et Kirch. *Mai* accord annulé par le gouv. Chirac **1987**-*12-1* rapport Contamine : une Sté de commercialisation des satellites TDF 1-TDF 2 peut être constituée. Gérard Longuet, min. des PTT, et François Léotard, min. de la Culture et de la Communication, s'opposent à la poursuite du programme. *-21-10* rapport J.-Pierre Souviron (ancien dir. gén. de l'Industrie) : TDF 1 n'est pas rentable, il a déjà coûté 1,7 milliard de F à l'État. Son arrêt complet en coûterait 0,6 et son lancement 0,8 (1,361 avec TDF 2). **1988**-*31-8* Michel Rocard (PM) juge la situation « parfaitement détestable » mais autorise le lancement de TDF 1 sous certaines conditions. Plus de 2 milliards de F d'argent public ont déjà été dépensés. L'abandon de TDF 1 suivant l'échec de l'Allemand TV Sat1 risquerait de priver de moyens l'industrie européenne pour la conquête des marchés de la télé haute définition. *-28-10* TDF 1 lancé par Ariane 2. *-28-11* 1re émission. **1989**-*20-4* le CSA répartit les canaux à partir de 1990 ; 6 chaînes télé sur ses 5 canaux image : Canal +, Canal + Deutschland, Canal Enfants jumelé à Euromusique, Sport 2/3 et La Sept. 2 propositions pour la radio : Radio France avec 2 canaux stéréo (programme musical et culturel) et RFI avec 1 canal mono (pour sa duplication). Canal + garantit « un droit d'accès aux opérateurs concurrents ». *-1-8,* 20 h 35 TDF 1 tombe en panne. 2 h plus tard, 4 canaux sur 5 remis en marche ; le canal 1 (attribué à Sport 2/3) reste en panne et est neutralisé le 27-9. **1990**-*24-7* TDF 2 lancé par Ariane 4 (vol 37), *-16-8* totalement opérationnel. *-12-9* défaillance du canal 17 de TDF 1. *-21-9* CSA réattribue les canaux de TDF 1 avec le départ de Canal + Deutschland qui libère son canal. *-11-10* défaillance des tubes 1 et 13 de TDF 2 à la suite d'une éclipse solaire. *-26-11* rapport Eymery rendu public. Consacre l'abandon de la filière TDF sur les satellites de forte puissance et propose une négociation sur les plans de fréquences. **1991**-*14-5* Canal 17 de TDF2 remis en service. **1993** satellite de remplacement *Eutelsat* prévu.

Maître d'ouvrage et fournisseur du système TDF 1-TDF 2 : consortium Eurosatellite qui regroupe l'Aérospatiale (maître d'ouvrage délégué) et les firmes Alcatel Espace, Thomson, TST, ANT et ETCA.

Capital de TDF *[Budget annexe des P et T* 11 %, *Cogecom* (filiale de France-Télécom) 40 %*].* **Coût total TDF 1 et** entre parenthèses, **de TDF2** (en millions de F) : développement et fabrication du satellite 973 (766), lancement et assurance 501 (689), mise à poste et assistance industrielle 125 (83), connexion et divers (D2 Mac) 130 (90). Total 1 729 (1 628). 2,2 milliards de F sont pris en charge par l'État et le Cnes ; le reste est financé par TDF, partie en fonds propres, partie en emprunts.

Tarif de base TDF 1/TDF 2. Contrat de 8 ans. *Prix annuel hors taxe* (en millions de F) : image + 2 sons mono (ou 1 son stéréo) : 75 ; 2 sons mono (ou 1 son stéréo) : 8 ; 1 son : 4,8 ; image + 4 sons mono : 80. **Nombre de foyers** recevant les programmes de TDF1/2 : 40 000.

■ Télécom 1 (12 canaux, vie prévue 7 ans). **1 A** (*lancé* 4-4-1984, mis en service déc. 84). Diffuse NRJ, Radio-Nostalgie, Europe 2, Skyrock, Fun, RFM, Kiss FM et Pacific FM ; achemine des services numériques et une dizaine de programmes du réseau des radios privées (voir aussi p. 35 b). **1 B** (*lancé* 8-5-1985, mis en service 31-7). Tombé en panne 15-1-1988. Coût 700 MF dont lancement 300. Achemine images de la 5 et de M6 vers leurs réémetteurs et ceux de Canal J vers le réseau câblé. Ses images peuvent être captées par des paraboles individuelles de 95 cm (voir p. 35 b). **1 C** (*lancé* 11-3-88, exploité commercialement dep. juin 88).

■ Télécom 2A. *Lancé* 16-12-1991. **1992**-*7-9* accord pour diffuser A2, Canal + et les chaînes thématiques MCM, Planète, TV Sport, Canal J, Canal Jimmy, Ciné-Cinémas, Ciné-Cinéfil. *4 missions :* 52 000 circuits téléphoniques et 4 canaux de TV classiques entre métropole et Dom, télécommunication pour défense nationale (programme Syracuse), transport et distribution de programmes radio-TV pour clients traditionnels de Télécom 1 A, alimentation des émetteurs terrestres de TDF. Réception directe par sat. de 11 chaînes TV avec des antennes de 60 à 85 cm. Avant 1991, Canal + accepte que le D2 Mac soit utilisé, mais le *30-10* devant l'absence d'un parc de récepteurs 16/9e, son Pt André Rousselet préconise une diffusion classique en Secam et format 4/3, la diffusion en D2 Mac au format 4/3 n'entraînant qu'une amélioration du son stéréophonique. *-7-3* suggère 1 chaîne spéciale en D2 Mac 16/9e et 7 chaînes en Secam 4/3. *-7-9* accord : Canal + et sa filiale Canal Satellite pourront commercialiser 7 chaînes thématiques payantes francophones en norme Secam par Télécom 2A. En contrepartie, Canal + participera à la promotion de chaînes utilisant la norme européenne D2 Mac et le format d'écran 16/9e qui devraient occuper 4 autres canaux encore disponibles sur Télécom 2A. *-14-11* 1res images reçues (abonnement de base : 136 F). 5 chaînes : MCM, Planète, TV Sport, Canal J, Canal Jimmy, (option permettent de recevoir Ciné-Cinémas et Ciné-Cinéfil : 50 F). Coût de l'équipement (antenne et décodeur) : env. 4 000 F. Ceux équipés en 16/9e pourront recevoir certaines de ces chaînes de cinéma en 16/9 pour 175 F (coût de l'investissement : 5 000/6 000 F). Le téléspectateur qui souhaite recevoir à la fois les chaînes diffusées en Secam et celles diffusées en D2 Mac devra, outre l'achat du téléviseur, avoir 2 boîtiers de décodage et 1 antenne. Programmes cryptés et vendus avec les décodeurs Syster, remplaçant les anciens décodeurs Discret. Rousselet a donné son accord pour couvrir le 1/3 du déficit (qui dépasserait 450 millions de F annuels) d'une future chaîne haut de gamme, payante, entièrement en 16/9 et en D2 Mac, diffusant 8 h/jour puis 16 h, qui serait lancée en 1993 (voir p. 35 b).

■ Télé X (Suède). *Lancé* avril 1989. 4 chaînes.

■ TV-Sat 1 (All. féd.). *Lancé* 20-11-1987, n'a pas déployé l'un de ses 2 panneaux solaires et n'aurait pu fonctionner compte tenu d'une usure des tuyères servant à le stabiliser (coût 3 milliards de F). **2** (All. féd. lancé 9-8-1989). 2 chaînes.

■ Projets. *Tel-Sat* (Suisse), *Nordsat* (Suède), *Unisat* (G.-B.), *Sarit* (Italie), *Sabs* (Arabie Saoudite) : tous abandonnés au profit d'Europesat.

☞ TV-Sat 1 et TDF 1 ont une puissance d'émission de 230 W, pèsent 2 t, peuvent embarquer 5 réémetteurs dont 4 actifs. L'énergie disponible est fournie par des panneaux solaires alimentant 5 tubes à ondes progressives (Top) pesant 7,3 kg avec leur bloc d'alimentation.

■ Nombre total de foyers équipés pour recevoir des programmes de TV par satellite (1992) : env. 200 000 dont *France* (TDF1/2) : 40 000, G.-B. : 2,5 millions, All. : 4,5 millions.

■ Satellites utilisés pour la diffusion de programmes de TV en langue française pour la France. Astra (19,2° Est) : TV Sport France [1,a], Euro Sport [1,2]. TDF1/TDF2 (19° Ouest) : Canal + [2,b], MCM [2,a], Arte [2,a], France 2 16/9 [2,a]. Télécom 2A (8° Ouest) : Canal + [3,c], Canal J [3,c], Canal Jimmy [3,c], Ciné-Cinéfil [3,c], Ciné-Cinéma [3,c], Planète [3,c], TV Sport France [3,c], MCM [3,c], Canal + [2,b], Ciné-Cinéma [2,b], France 2 16/9 [2,a], Canal + [2,b]. Télécom 2B (5° Ouest) : TF1 [3,a], France 2 [3,a], Canal J [3,a], Canal Jimmy [3,a], Canal + [3,c], Arte [3,a], M6 [3,a].

Nota. – (1) Pal, (2) D2 Mac, (3) Secam, (a) non crypté, (b) Eurocript, (c) Nagravision.

■ **Budget** (1993, en millions de F). *Recettes d'exploitation :* 1 032,4 dont redevance 749,9, publicité 96,5, divers 23,9. *Déficit :* 6,4. *Charges :* 962,5 (+ 6,3 %) dont personnel 454,5 (+ 10 %).

■ **Agence internationale d'images télévisées (AITV).** Dep. 1986, chargée de la collecte d'images, de leur traitement et de leur diffusion vers les télévisions des pays ayant des accords de coopération avec la France ou ayant passé directement une convention avec RFO. **Production** (1988) : 533 sujets d'actualité. **Diffusion :** *quotidienne :* 3 éditions de 10 min. chaque j : Asie (en anglais, en Pal) ; Afrique Proche-Orient et pays de l'Est (français, Secam) ; Amér. latine (espagnol, NTSC). *Hebdomadaire :* 3 éditions de 30 min. (Afrique anglophone, Asie-Proche-Orient, Amér. latine), distribuées par envoi de vidéo-cassettes. **Destinataires :** services par satellite. 98 pays.

La Sept/Arte

Histoire. 1985 idée de Pierre Desgraupes, chargé par Georges Fillioud d'imaginer des programmes pour les satellites TDF1-2. **1986.** *-févr.* création de la Sept (S^té^ d'édition et de programmation de télévision), s^té^ anonyme. **1988** *-oct.* lancement de TDF1 qui doit retransmettre les images de la 7 en Europe mais il subit diverses pannes et le matériel de réception (antenne parabolique, démodulateur) est trop cher et techniquement imparfait. **1989** *-mars* la Sept devient la S^té^ européenne de programmes de télévision. *Avr.* le CSA autorise la Sept à utiliser un canal du sat. TDF1. *-14-5* diffusion par sat. *-Mai* accords passés avec les réseaux câblés : 3 h 30 d'émissions/jour rediffusées 2 fois. **1990**-*4-2* FR3 cède l'antenne à la 7 tous les samedis de 15 h à 0 h. *-2-10* ratification du traité franco-allemand pour la création d'Arte (Association relative aux télévisions européennes). **1991** *mars* création du pôle allemand de coordination « Arte Deutschland TV Gmbh ». *-30-4* création du Groupement d'Intérêt Économique (GIE) à Strasbourg. **1992**-*12-4* fin des émissions de la 5. *-23-4* l'État préempte le réseau pour installer *Arte* à partir de 19 h dès sept. ; appel d'offres lancé pour programmes antérieurs : canditats potentiels : *La 7, TV 1992* (ch. thématique de formation permanente proposée par Jean-François Minne, Pt de l'Agence Cactus Communication), *Canal 33* (de l'Union syndicale des producteurs audiovisuels présidée par Jacques Peskine), projet de *chaîne d'information en continu* (à l'initiative de TF1, Canal +, M6), *5 +* (de l'Association de défense de la 5, Pt : Jean-Claude Bourret, 1,4 million de membres, ch. dont les téléspectateurs seraient les principaux propriétaires). *-30-5* la 7 devient S^té^ d'édition de programmes (pôle français d'Arte GIE) et Arte GIE la remplace dans son rôle de diffuseur. *-23-9* RTBF (Belgique) devient membre associé d'Arte. *-28-9* lancement d'Arte en France sur le réseau hertzien.

Siège. 2A, rue de la Fonderie, 67080 Strasbourg Cedex ; *La Sept :* 50, av. Théophile-Gautier, 75016 Paris ; *Arte Deutschland TV Gmbh :* Schützenstrasse 1, 7570 Baden-Baden. **Direction.** *Pt du comité de gérance :* Jérôme Clément (18-5-45), *vice-pt :* Dietrich Schwarzkopf, *Dir. des programmes :* Alain Maneval. *Pt de l'Assemblée générale :* Willibald Hilf. *Comité consultatif des programmes :* 16 représentants de la vie culturelle des 2 pays. **Effectifs** (1993) : 146. **Capital.** 60 millions de F, dont (en %) : la Sept 50 (dont Ina 15, Radio France 15, FR3 45, État 25), Arte Deutschland TV 50 (dont ZDF 50, ARD 50). **Budget** (en millions de F) **de la Sept** (sur câble) **en 1992 et,** entre parenthèses **d'Arte France** (surcoût lié à la diffusion par voie hertzienne : env. 400 millions de F/an) **en 1993.** 545,7 (1 005) dont redevance 364,4 (218,9), remboursement d'exonérations 9,3 (14,6), subventions budgétaires 150 (734,5), recettes diverses et ressources propres 22 (37). **Arte Deutschland** (1993). 600 dont programme 339, coût de la diffusion (satellite Kopernicus + câble) 40 ; contribution au GEIE Arte 221. **Dépenses de la 7** (prév. 1992). *Exploitation :* 337,4 dont achats et var. de stocks 7,8, services extérieurs 69,5, impôts, taxes et versements assimilés 2,9, charges de personnel 44,1, autres charges 208,1 (dont GEIE 168), amortissements techniques 5. *Opérations en capital :* investissements techniques 3, accroissement stocks de programmes 269,6. **Recettes.** *Exploitation :* redevance 273,1, subventions 27,3, services rendus aux administrations 11, produits financiers 20, recettes commerciales 5, autres 1. *Opérations en capital :* amortissements 5, redevance d'investissement 91,3, subvention d'investissement 176,3.

Diffusion à l'étranger par câble. *Zones et nombres de foyers :* Pologne [1] 9 800 000, Allemagne 8 000 000, Yougoslavie 5 500 000, Tchécoslovaquie [1] 4 300 000, Hongrie (prév.) 300 000, Belgique 250 000, Suisse 200 000, Danemark 50 000, Luxembourg 20 000.

Nota. – (1) Reprise du 5e réseau hertzien à partir du 4-9-1992 (de 19 h à 1 h du matin).

Stés régionales de télévision. La loi du 29-7-1982 avait prévu, pour 1986, 12 Stés régionales de télévision. 1 Sté a été créée dans le Nord-P.-de-C. en 1983, 2 autres l'ont été en Lorraine et en Aquitaine en 1984.

■ Action extérieure

4e chaîne : « Canal + »

Chaîne à péage, brouillée (système Discret 1), **mise en service** 4-11-1984. **Statut :** Sté anonyme ayant une concession de service public pour 12 ans (du 6-12-1983 au 6-12-95). *Cahier des charges* publié le 14-3-86 au JO. Seules obligations de service public à respecter : ordre public, bonnes mœurs, objectivité, équilibre des familles de pensée, droit de réponse. **PDG :** André Rousselet (1-10-22). **Dir. gén. :** Pierre Lescure. **Capital :** 362,6 millions de F dont (en %, au 31-12-91) Havas 23,9, Cie gén. des eaux 20,7, CDC 6,6, BNP 2,4, L'Oréal 1,9, salariés 5,7, Geneval (gr. Sté Générale) 5,1, gr. CCF 2,1, public 31,6. **Cours de l'action** (au 31-12, en F et, entre parenthèses rendement en %). *1987 :* 357 ; *88 :* 590 (4) ; *91 :* 1 023 (3,4) ; *93 (13-7) :* 1 272. **Budget** (en milliards de F) : *Résultat net 1987 :* 0,4 ; *88 :* 0,6 ; *89 :* 0,7 ; *90 :* 0,91 ; *91 :* 1,08 ; *92 :* 1,1 ; *93 (prév.) :* 1,2. **CA** *consolidé 87 :* 3,40 ; *88 :* 4,34 ; *89 :* 5,12 ; *90 :* 6,13 ; *91 :* 7 ; *92 :* 7,94. *Ressources venant des abonnements 1987 :* 3,07 ; *91 :* 5,84 ; *92 :* 6,41 *Recettes publicitaires et parrainage 1991 :* 0,31 ; *92 :* 0,41. *Fonds propres 1986 :* 0,27 ; *87 :* 0,44 ; *88 :* 1,07 ; *89 :* 1,55 ; *90 :* 2,15 ; *91 :* 3,24. *Endettement 1990 :* 0,74 ; *91 (est.) :* 0,35. **Effectif permanent :** *1985 :* 404 ; *91 :* 766.

Caractéristiques techniques. Réseau VHF 819 lignes noir et blanc de la 1re chaîne reconverti au 625 lignes. **Abonnement :** 160 F/par mois + 500 F de garantie pour le décodeur. **Horaires :** de 7 h à 3 h du matin en semaine, sans interruption le week-end. Émissions visibles sans décodeur 4 h par j. **Émissions :** *programmes* autorisés en 1re diffusion entre 12 h et 1 h du matin : 365 films par an, et en rediffusions : nombre illimité. 7 films différents par semaine, rediffusés chacun 6 fois ; 10 flashes d'information par j ; feuilletons, téléfilms, séries, spectacles, sports. **Populations desservies :** *fin 1988 :* 87 %. **Abonnés** (en millions, au 31-12) : *1984 :* 0,245 ; *85 :* 0,693 ; *86 :* 1,54 ; *87 :* 2,17 ; *88 :* 2,58 ; *89 :* 2,87 ; *90 :* 3,1 ; *91 :* 3,34 ; *92 :* 3,57 ; *93 (prév.) :* 3,75. **Taux de réabonnement** (en %) : *1987 :* 93,5 ; *91 :* 96,4. **Nombre de recrutements et,** entre parenthèses, **de résiliations** (en milliers) : *1985 :* 465 (35) ; *86 :* 923 (59) ; *87 :* 766 (137) ; *88 :* 615 (212) ; *89 :* 528 (230) ; *90 :* 363 (206) ; *91 :* 515 (207) ; *92 :* 470 (241).

Modes de diffusion. *Signal terrestre :* décodeur Discret puis Syster. *Réception directe Télécom 2 :* Tuner + déc. Syster + parabole de 68 cm ; *TDF1-2 :* sélecteur Éventuel + déc. Decsat + parabole 49 cm. *Câblage en Secam :* déc. Discret puis Syster ; *en D2 Mac :* déc. Visiopass. **Nombre de décodeurs achetés en France** (en 1991) : 613 920 dont Syster 487 920, Decsat 100 800, Discret 25 200.

Participations. Belgique Canal + TVCF (créée août 1988, ouverte 27-9-1989) 25 %, 127 528 ab. (31-3-93). **Allemagne Première** (créée à parité avec Bertelsman 30-1-1989, ouv. 8-2-1991) 50 %, 110 000 ab. (mars 91), 292 000 (31-12-91), 623 451 (31-3-93), 850 000 (31-12-93, prév.) ; coût : 1,7 milliard de F. **Espagne (Canal + Espagne)** (créée à parité avec groupe Prisa août 1989, lancée 14-9-1990) 50 %, 636 580 ab. (31-3-93), 820 000 (31-12-93, prév.). **Afrique (Canal Horizons** ouverte 1-12-91) 15 094 (31-3-93). **Visicâble,** en câblage, filiale avec GVT. **TV Sport** [chaîne câblée fondée par Gén. d'images (filiale de la Générale des eaux) ; abonnés : 270 000 sur réseaux câblés de France et de Suisse ; appartient au Réseau eur. du sport (12 millions d'abonnés) regroupant Screen-sport (G.-B.), Sportkanal (All.), Sportnet (P.-Bas)] 28,01 % et *ESN* (European Network) 28,01 %. *Com-Dev* 10,05 %. *LBS* 5,92 %. **Capa** (agence d'info. TV, fondée 1989 par Hervé Chabalier, CA 1992 : 91 millions de F) 20 % (dep. avr. 1993).

■ Sofirad

Origine. 1942-*11-7* Sté financière de radiodiffusion (Sofira) créée par Pierre Laval (SA au capital de 20 puis 40 millions d'AF. Pt : gén. Denain). **1943** l'État (Vichy) rachète 79 967 actions et devient propriétaire de la Sofira qui possède des actions de Radio-Impérial (à Tanger) cédées par Charles Michelson à la France, et 50 % du capital de Radio Monte-Carlo rachetés à l'Ofepar. **1945** se transforme en Sofirad. Récupère actions allemandes et italiennes de Radio Monte-Carlo (contrôle + de 80 %). **1945 à 1958** finance Andorre-Radio qui deviendra Sud-Radio. **1956** crée Cie libanaise de télé. **1959** rachète 35,76 % d'Europe 1 pour 13 millions de F avec 46,85 % des voix. **1960** vend 600 000 F *Télé 60* (ex-*Radio 44* qui deviendra *Télé 7 jours*) à Jean Prouvost. **1977** gère des participations de l'État français dans les postes privés de radio et de télé en France et à l'étranger. **1986**-*3-4* vend à Hachette sa participation d'Europe 1 (34,19 %). **1987** désengagement des activités radio du secteur concurrentiel, redéploiement vers coopération internationale. **1987**-*9-10* cède Sud-Radio Services au groupe Pierre Fabre SA pour 36 015 483 F.

Capital. 176 400 000 F détenu à 99 % par le Trésor public. **Participations** (%) *détenu directement :* Radio Monte-Carlo 83, Somera 90, Radio Caribbean International 100, Canal France Intern. 100, Canal Horizons 17,3, TV5 22, Soread 2, M International 0,3, Havas Media Intern. 60 ; *indirectement :* Africa N° 1 40, Radio Méditerranée Intern. 49, SFPC Radio Paris Lisbonne 64, Radio Nostalgie 51, Europa Plus France 8, Télé Monte-Carlo 60, Euromusique 5, Technisonor 77, Génération Expertise Media (GEM) 100, Images Sud-Nord 100. **PDG** (nommé pour 3 ans par le Conseil des min.) : *1991 (17-1)* Gérard Ganser (6-1-1949) [*1989 (28-9)* Hervé Bourges].

Budget (millions de F). *Ressources : 1989 :* 23,3 ; *90 :* 27 ; *91 :* 3 ; *92* (prév.) : 22. *Résultat net : 1986 :* 257,9 ; *87 :* – 60,8 ; *88 :* – 18,7 ; *89 :* – 7 ; *90 :* – 12 ; *91 :* + 11. *Bén.* (1991, sur CA consolidé) : 1 000.

Le Câble en France

■ Quelques dates

1881 Clément Ader lance à Paris le « *théâtrophone* » (réseau téléphonique reliant des théâtres aux abonnés du téléphone). **1922** formule utilisée pour diffuser les programmes de Radio-Paris. **1944** apparaît aux USA. **1945** le monopole de la radiotélévision interdit pratiquement toute initiative privée de transmission des images par fil. Quelques cas tolérés, ex. : HLM des Hauts-du-Lièvre à Nancy (réseau frontalier à Willer-Thur en Alsace qui diffuse 9 programmes), Flaine (Hte-Savoie), Montigny-lès-Metz (Moselle, 1970). **1972**-*2-3* création de la SFT (Sté française de télédistribution, filiale de TDF, Sté mixte, capital : 2 millions de F, financée pour moitié par ORTF et PTT) qui doit faire 7 expériences : Metz, Grenoble (1974), Créteil, Rennes, Chamonix, Nice et Cergy-Pontoise [chacune dominée par un certain type d'utilisation du câble (enseignement, informations municipales, etc.) sauf à Rennes où l'expérience revêt tous les aspects]. **1977**-*28-9* décrets réaffirmant le monopole de TDF (héritier de l'ORTF) pour la réalisation et la propriété des réseaux câblés qui doivent être exclusivement réservés à la distribution du service national de la radiotélévision diffusé par voie hertzienne (et évent. à des programmes étrangers sur le site). **1982**-*3-11* lancement du *plan câble* qui prévoit 1 400 000 foyers équipés pour 1986, puis 1 million par an ; investissements : 50 milliards de F en 20 ans ; réseaux à structure en étoile en fibres optiques. Les PTT se chargent de la maîtrise de l'ouvrage, de l'exploitation technique et sont propriétaires des réseaux. Les collectivités locales créent des Stés locales d'exploitation commerciale (SLEC) regroupant des personnes privées ou publiques, notamment TDF, qui sera responsable de l'équipement et de l'exploitation des têtes de réseaux. Ces Stés locales feront, pour les programmes, appel à des producteurs privés et publics (cahier des charges fixé par la loi sur la communication audiovisuelle du 29-7 à respecter). **1983**-*20-1* 1re convention des villes câblées, *Télécâble 83* (organisée par le Syndicat communautaire d'aménagement de Marne-la-Vallée et la Féd. de l'audiovisuel indépendant). *Déc. mission câble* créée (Pt Bernard Schreiner) pour informer, coordonner les négociations, expérimenter des services « à valeur ajoutée », suivre les réalisations. **1984**-*21-5* inauguration du *réseau expérimental en fibre optique de Biarritz* et 1re liaison Paris-Biarritz par visiophone. *Loi du 1-8 :* les organismes chargés d'exploiter les services locaux de radiotélévision par câble devront être des Stés d'économie mixte locales (régime de la loi du 7-7-1983). Est défini comme local (exploitation autorisée par la Haute Autorité) le service dont le réseau n'excède pas 60 km et 2 départements. *Entre 1983 et 1985,* plus de 150 collectivités locales candidates à la création d'un réseau. 56 protocoles d'accord signés avec PTT. **1985** 1re convention cadre avec PTT Rennes 12-3, Paris 30-4, Montpellier 14-5. **1986**-*15-1* création de l'Avica (Association des villes câblées). *-30-9 loi « Communication et Liberté » :* les communes autorisent l'établissement des réseaux (les PTT n'ont plus le monopole de leur propriété) et proposent à la CNCL la Sté pour une autorisation d'exploitation du réseau. La CNCL fixe les spécifications techniques et obligations concernant exploitation des réseaux et programmes distribués. Le câblage systématique de la Fr. n'est plus envisagé [*raisons :* manque de maîtrise industrielle de la fibre optique, et de capacité de financement de la part de l'État, réticences administratives de la DGT (Dir. gén. des

Télécom.)]. *-31-12,* arrêt des négociations entre PTT, villes et opérateurs pour la construction, dans le cadre du plan câble de 1982, de 52 réseaux, les autres seront construits dans le cadre concurrentiel défini par loi du 30-9-1986. **1987**-*29-9* les règles générales sont fixées par décret. **1989** substitution de l'*Agence câble* à la *mission câble,* département du Service juridique et technique de l'information (SJTI). **1990**-*29-12* loi modifiant celle du 30-9-1986 : 1°) tous les systèmes de télédistribution sont assimilés à des réseaux câblés et soumis aux mêmes charges et obligations : autorisation d'établissement délivrée par la commune, et d'exploitation délivrée par le CSA sur proposition de la commune, dès lors qu'ils desservent plus de 100 foyers ou qu'il distribuent des services autres que ceux normalement reçus par voie hertzienne dans la zone. 2°) les villes sont chargées de veiller à la cohérence de l'ensemble des infrastructures de télédistribution. Tous les réseaux sont tenus de respecter des spécifications techniques d'ensemble définies par arrêté interministériel, l'objectif étant de rendre possible l'interconnexion des réseaux. Des sanctions pénales en cas de non respect de ces dispositions sont prévues. 3°) Autorisation d'exploitation des services délivrée sur proposition des communes : par le CSA : communication audiovisuelle ; par le ministre des P&T : services de télécom, autres que ceux directement associés à la télédistribution. **1992** *-2-6* création de l'Union des télés locales du câble au sein de l'Avica. *-13-7* loi modifiant celle de 1986 permettant aux maires : 1°) d'instituer une servitude de passage des câbles et équipements dans les parties communes des immeubles collectifs et des lotissements, 2°) de refuser une autorisation d'antennes collectives pour des raisons esthétiques (notamment dans les Zac, opérations de restauration immobilière, secteurs sauvegardés et lotissements). Les antennes collectives inférieures ou supérieures à 100 foyers qui ne distribuent que des chaînes hertziennes terrestres normalement reçues sur le site, peuvent être exploitées, sous le régime de la simple déclaration préalable auprès du CSA et du Procureur de la Rép., par toute personne morale. Les organismes d'HLM (offices publics ou stés) peuvent solliciter une autorisation d'exploitation. La consultation des résidents d'immeuble en vue d'un raccordement au réseau câblé urbain est obligatoire avant de décider d'une exploitation autonome du site d'antenne de l'immeuble.

■ Quelques chiffres

■ **Situation en janv. 1993.** 159 réseaux en exploitation (557 communes) dont 43 sites (211 communes) Plan Câble (régime de 1982) et 116 réseaux (346 communes) hors Plan Câble [réseaux « nouvelle donne » (loi de 1986) et quelques « anciens réseaux » antérieurs au Plan Câble de 1982].

■ **Réseaux. Sites exploités** (en janv. 1993) : 159. **Logements commercialisables dont abonnés** (au 31-12, en milliers) : *1987 :* 623 (dont abonnés 150) ; *90 :* 2 777 (356) ; *92 :* 4 649 (1 041) ; *93* (30-4) : 4 800 (1 134). *Taux de pénétration* (mars 93) : 23,2 %.

Abonnés au câble (au 31-12-1992, par opérateur). Nombre de sites en exploitation (service de base : 15 chaînes ou +) [nombre d'abonnés individuels et collectifs]. *Atlantique Télé-Câble (France Télécom) :* 1 (2 925/*1 078*). *Bordelaise de Vidéocommunication (LC-CGV-T-Com Dev-* : 1 (12 851/*1 636*). *CGV-Téléservice et Région Câble (Cie Gén. des Eaux) :* 42 (290 581/*92 916*). *Citécâble :* 16 (13 192/*0*). *Communication Développement (Caisse des Dépôt) :* 25 (123 870/*174 256*). *Divers (SEM, régies, SIVU...) :* 20 (38 375/*17 640*). *Est Vidéocommunication :* 19 (11 264/*0*). *Eurocâble :* 3 (24 087/*0*). *Lyonnaise Communications (Groupe Lyonnaise-Dumez) :* 10 (171 338/*14 447*). *Réseaux Câblés de France :* 9 (39 105/*0*). *TRI SA :* 1 (265/*0*). *Vidéopole (groupe EDF) :* 12 (5 447/*5 421*).

☞ Résiliations de contrats : env. 20 % du parc en service (Paris 22).

■ **Coût. Financement assuré par la DGT/France Télécom** [autorisations de programmes (en milliards de F) : *1983 :* 0,6 ; *84 :* 0,7 ; *85 :* 2,2 ; *86 :* 1,9 ; *87 :* 3,1 ; *88 :* 3,3 ; *89 :* 3,3 ; *90 :* 3,3 ; *92 :* 2,6. *Total cumulé 1983-92 :* 23,8 pour le budget annexe des P et T, lui-même financé par les recettes commerciales de la DGT (usagers) et par le recours à l'emprunt. **Déficit global du câble en France** (1991, en milliards de F) : 3,6, supportés par France-Télécom 2, les 3 principaux câblo-opérateurs 1,4 et les chaînes thématiques 0,2.

Investissement moyen par réseau Plan Câble : 500 à 600 millions de F dont 90 % à la charge de la DGT et 10 % à celle des opérateurs. **Coûts techniques de télédistribution** (1991). *Câble coaxial :* 2 500 F la prise + équipement de 0 à 3 000 F si l'usager s'abonne ou non à des services « protégés » contre le piratage. *Fibre optique* env. 12 000 F la prise.

Tarifs d'abonnement. 135 F en moyenne/mois dont 15 versés à France Télécom pour la location du réseau (uniquement Plan Câble), 20 dans les programmes thématiques, 10 aux droits d'auteur, 70 aux frais de gestion et amortissements. **Taux de désabonnement :** souvent supérieur à 20 %.

■ **Programmes. Chaînes françaises réservées aux réseaux câblés :** 7, distribuées sur la plupart des sites en exploitation. **Canal J** (pour enfants, déc. 1985) : diffusion 7 h à 20 h, 21 h 30 mardi, samedi et vacances, + de 500 000 ab. **Canal Jimmy** (les années 60, janv. 1991) : films, séries, programmes musicaux, talk show, diffusion 20 h à 3 h du matin sauf mardi, samedi et vacances à partir de 21 h 30 (après Canal J). **Ciné-Cinéfil** (films de répertoire, janv. 1991) : ch. cryptée, films noir et blanc (312/an), diffusion 10 h à 1 h du matin. **Ciné-Cinéma** (films couleur récents, janv. 1991) : ch. cryptée, diffusion 9 h à 2 h 30 du matin, 364 films/an dont 7 nouveaux. **Planète** (documentaires, sept. 1988) : diffusion 10 h à 1 h du matin. **TV Sport** (févr. 1988) : version française d'Eurosport, diffusion 8 h à 2 h du matin et 6 h à 4 h du matin le w. e. **Paris Première** (cinéma, divertissements, déc. 1986) : diffusion 17 h à 1 h du matin.

Programmes propres : 19 canaux locaux + 23 canaux locaux vidéographiques.

☞ **Canal 28 :** chaîne de télévision à la carte (*pay per view*) lancée 2-4-1993 par la Lyonnaise-Communication (*PDG :* Cyrille du Peloux), sur le réseau câblé de St-Germain-en-Laye. *Abonnés :* 3 000. *Coût de la séance :* de 20 à 40 F. *Diffuse* films et événements en direct.

Chaînes françaises ou étrangères : en France + de 50 ch. françaises (dont env. 20 locales) et étrangères distribuées par satellite par la plupart des réseaux câblés : **La Sept** (franco-all., culturelle), **TV5** [francophone, l. 1984 par TF1, A2, FR3, RTBF (Belg.), SSR (Suisse), CTQC (Québec)], **BBC** World Service TV (anglophone généraliste), **RAI** (italienne, divertissements), **RTVEI** (espagnole, généraliste), **CNN** (amér., informations), **SAT 1** (all., TV privée), **ZDF** (all., TV publique), **Superchannel** (britannique, divertissements), **MTV Europe** (rock, musique), **Eurosport** (francophone, sportive ; TF1 devenu opérateur de la chaîne en juin 1991 ; diffusion 9 h à 1 h ; nouvelle formule dep. le 1-3-1993), **Euromusique-MCM** (franc., musicale, créée 1989, diffusion 7 h 30 à 0 h 30). **Euronews** (europ., informations).

■ **Budget de fonctionnement** (1991, en millions de F) : Canal J 65, Paris Première 40, TV Sport 95, Planète 37, Ciné-Cinéma et Ciné-Cinéfil 65, Canal Infos 20, MCM/Euromusique 50, Canal Jimmy 68, service Odyssée 1,1, Eurosport 250 (budget du Réseau européen). **Parts de marché** (en %) : Canal J-Canal Jimmy 4,53, Paris Première 3, Planète 2,34. **Résultats** (chiffre d'aff. en millions de F, en 1992) : TESN (TV Sport) – 271,6, Eurosport – 106, Ciné-Cinéma Câble (Ciné-Cinéma et Ciné-Cinéfil) – 43 (CA 37) en 1991 66, Canal J – 26,4 (1991 : – 31,8) CA 48, MCM/Euromusique – 23 (1991 : – 39) CA 29, Paris-Première – 17 CA 27, Canal Jimmy – 21 (1991 : – 36) CA 42, Planète + 9 CA 40.

■ **Décrets régissant les chaînes du câble** (sept. 1992) : obligation de consacrer 40 % de leur chiffre d'affaires à l'acquisition de droits. Dérogations prévues pour les chaînes payantes ayant moins de 500 000 abonnés : 500 films/an diffusés jusqu'à 8 fois, diffusions le mercredi et le vendredi autorisées.

■ **Nouveaux services.** Certains réseaux câblés proposent : **services en paiement à la séance** (films, voyages, télé-coiffure, éducation, formation professionnelle) sur Région Câble ; **Éducâble :** à destination des écoles, banque de films éducatifs en auto-programmation par les prof. des écoles raccordées au réseau câblé d'un site ; **vidéo-surveillance :** sur le réseau câblé interactif de Roubaix-Tourcoing, Levallois et Lambersart, pour la sécurité urbaine. **Formation interactive** (FIRC) : réseau de Mulhouse, serveur vidéodisques. **Odyssée :** télévidéothèque scientifique grand public créée mars 1991 (Massy et communes associées : Télessonne). **Services domotiques :** protections et alarmes contre incendie, effraction, vol, agression, projets Domoclic, Chimène. **Autres services en projet :** *banques de données urbaines* pour le cadastre informatisé et le tracé des réseaux (eau, assainissement, électricité, téléphone, télédistribution), projet à Colmar et à Mulhouse.

■ **Le Câble français. 1ers réseaux non PTT en exploitation commerciale :** *Munster* (oct. 78) : 13 chaînes ; *Metz* (juin 79) : 16 ch. ; *Dunkerque* (janv. 84) : 15 ch. ; *Nice* (sept. 84). **1ers réseaux PTT en exploitation commerciale :** *Biarritz* (sept. 84), réseau expérimental fibres optiques : 15 canaux ; *Cergy-Pontoise* (déc. 85), 14 ch.

■ **Paris-Câble.** 4-6, villa Thoréton, 75015 Paris. Sté d'économie mixte. *Créée* mai 1985. **Capital** (en %) : Lyonnaise des Eaux 59, Ville de Paris 30, Caisse des Dépôts 11. Permet de capter 9 chaînes généralistes de langue française (les 6 ch. françaises, Télé Monte-Carlo, RTL Télévision, TV5) ; 2 étrangères (BBC One et Rai 1) ; 4 thématiques (Sky Channel ; Cable News Network : informations 24 h sur 24 ; Canal J ; Paris Première). *Pt :* Bernard Pons (18-7-1926). Distribution fibre optique (XIe et XIIe arr.) puis coaxial. **Abonnés** (1989) : 25 000 sur 327 000 raccordés.

Radios privées périphériques

■ Europe 1

Histoire

Origine. Statut. 1952-*27-6* le gouvernement sarrois transfère le monopole d'exploitation de la radio-télévision à une Sté d'État, la *Sté sarroise de radio-diffusion,* en précisant dans les statuts que les associés ne pourraient être que la France (30 %) et la Sarre (70 %). Cette Sté accorde à son tour à une nouvelle Cie, la *Sté sarroise de télévision,* fondée par Charles Michelson, la concession pour 50 ans d'un émetteur TV et d'un émetteur radio de 400 kW en Sarre. Michelson, Roumain d'origine, en France depuis 1930, avait obtenu en 1939 du gouv. français la concession de l'exploitation d'un émetteur à Tanger, projet que la guerre avait empêché d'aboutir. Après la guerre, faisant valoir ses droits à une compensation, il avait obtenu en 1949 une option pour la concession de l'exploitation de la télé à Monte-Carlo et fonda la Sté anonyme *Images et Son* et la *Sté sarroise de télévision* dont il fit une filiale d'*Images et Son.* **1954** *Images et Son* a pour principaux actionnaires : *RBV Radio-Industrie* (450 millions de F) ; *Thomson-Houston* (100) ; *Sté monégasque de Banque et Métaux précieux* (550) ; *le Trésor princier* (50) (Michelson s'est progressivement retiré du groupe en cédant ses parts à *RBV* et à la *Sté monégasque*). **1955** *sept.* la *RBV* a déposé son bilan ; *oct.* Sylvain Floirat (1899/1993), PDG des établissements *Breguet,* constitue la *Sté d'exploitation, de constructions, d'outillage et d'électronique* (capital 50 millions de F), pour poursuivre les activités de *RBV.* Il entre ainsi à *Images et Son.* **1957** Floirat devient Pt d'*Images et Son.* Le capital est alors réparti entre lui (35 %), *RBV,* en règlement judiciaire (34 %), *Thomson-Houston* (10 %) et des petits porteurs. **1957**-*1-1 la Sarre redevient allemande.* **1959** le juge commissaire qui s'occupe du règlement judiciaire de *RBV* autorise la cession à la *Sofirad* pour 1 200 millions de F des 42 944 actions *Images et Son* qui figurent à son actif. **1962** capital d'*Images et Son* 15 millions de F [*Sofirad* 35 % des actions (+ de 46 % des voix) ; *Groupe Floirat* 35 (31 des v.) ; *Pté de Monaco* 5,5 % (3,5 % des v) ; *Thomson-Houston* 2 % (1,65 % des v) ; + 15 % de petits porteurs]. **1964**-*17-3 Images et Son-Europe no 1* capital 18 millions de F (720 000 actions de 25 F), introduite à la cote officielle de la Bourse. **1983** Europe no 1 Images et Son devient *Europe 1 Communication.* **1986** l'État français (Sofirad) se retire du capital en cédant sa participation au groupe Hachette.

Fréquences. 1955-*1-1* à 6 h 30, 1re émission expérimentale (fréquence 240 kHz). À 7 h, il faut stopper, la fréquence est celle du radiophare de l'aéroport de Genève. *-2-1,* 1re émission régulière lancée sur 250 kHz, mais la Finlande se plaint de brouillage. Europe 1 passe à 245 kHz, mais le Danemark proteste : c'est la fréquence de son émetteur de Kalundborg, puis la Norvège s'émeut. *-5-1* Eur. 1 doit suspendre ses émissions. *-10-1* elle passe à 238 kHz, mais Radio Luxembourg qui est à 233 est brouillée. Eur. 1, accusée de contrevenir à la Convention de Copenhague (1948) qui avait prévu que la Sarre ne pourrait pas disposer d'un émetteur ondes longues, rétorque que Radio Lux. n'est pas lui-même signataire de cette convention et qu'elle émet sur une longueur d'ondes qui lui a toujours été refusée. *-19-1* les émissions cessent ; pendant 3 mois la station disparaît ou réapparaît selon les circonstances. *-3-4* Eur. 1 reprend sur 180 kHz (1 667 m GO). **1975** *nov.* la Conf. internat de Genève de l'UIT attribue à la Fr. pour *Eur. 1* 182 kHz avec une puissance apparente rayonnée de 38 décibels dans l'axe de 222°. **1986**-*7-3* un arrêté ministériel attribue 20 fréquences FM à Eur. 1. **1991** Eur. 1 dispose de 65 fréq. FM.

Organisation

■ **Conseil d'administration.** *Pt délégué :* Frank Ténot (n. 31-10-25), *Vice-Pt délégué, Dir. gén. :* Jean-Pierre Ozannat (n. 24-4-45).

■ **Capital.** 144 320 000 F (1 443 200 actions de 100 F). *Répartition* (1991) : Hachette 40 %, Dassault 20 %, Trésor public Monaco 4,91, petits porteurs 35,09.

■ Résultats (exercice du 1-10-90 au 30-9-91, en millions de F, HT) *CA consolidé du groupe* 2 290. *Résultat net consolidé* (part du groupe) : 76,5. *Fonds propres* 434. *Endettement* 277.

■ Émetteur. Sur le plateau de Felsberg, en Sarre. Grandes ondes (1 648 m). 2 000 kW, *fréquence* 182 kHz. Modul. de fréq. 104,7 MHz (Paris).

■ Émissions célèbres restées très longtemps à l'antenne. *Bonjour monsieur le maire* : 6 h à 7 h (P. Bonte, années 60 à oct. 1984). *J.-L. Lafont* : 17 h à 19 h (Mozik 1972, Basket 1977, Hit Parade 1981), de 1972 à avr. 84. *F. Diwo* : 21 h 30 à 23 h (Disco 1 000, Disco Danse, Chlorophylle, Programme Secret), de 1976 à 81. *L'Horoscope de Mme Soleil* (1970) : tous les jours à 6 h 56. *Le Club de la presse* (1976) : lundi 19 h 00. Émissions et animateurs qui ont marqué Europe 1. *Daniel Filipacchi* : Salut les Copains 1960 à 1968 (17 h à 19 h). *Maurice Biraud et Anne Pérez* : 1964 à 1968 (9 h à 12 h). *Michel Lancelot* : Campus 1968 à 1972 (20 h à 22 h). *Gérard Klein* : Mélodie Parade 1974 à 1975 (10 h à 12 h). *Jean Roucas* : les Roucasseries (11h à 12h30).

■ Programmes. *Semaine* : de 5 h du matin à 2 h du matin. *Samedi et dimanche* : 24 h sur 24. *1 même programme* : 183 kHz et modulation de fréquence : 104.7 MHz (Paris). *2e programme* : Europe 2.

■ Publicité. **Régie no 1 :** Régie pub. radio, dont Europe 1 Communication détient le capital à parts égales avec Publicis. *Dir. gén.* : Michel Cacouault.

Temps réservé à la publicité (en heures) *1978* : 983 ; *79* : 1 099 ; *80* : 1 202 ; *81* : 1 118 ; *82* : 1 174 ; *83* : 1 198 ; *84* : 1 198 ; *85* : 1 083. *86* : 1 074 (moyenne : 2 h 51 min par jour, 8 min 49 s par heure).

Tarif moyen pour un message de 30 s d'Europe 1 (en F) *Janvier 1971* : 2 605 ; *mai 1975* : 3 619 ; *janv. 1980* : 6 705. *Oct. 1985* : (lundi, jeudi, vendredi) 10 962. *Oct. 1991* : 15 377.

■ Zone d'écoute *France,* G.-B., littoral d'Afrique du N., Belgique et Suisse.

■ Développements. *Europe 2* (programme musical en modulation de fréquence), *Radio Salü* (All.), *Europa 2* (Tchécosl.), *Europa Plus* (Russie), *Giraudy Affichage, Top Télé* (production de télé), *Hachette Première* (cinéma), *HIT* (production de télé), *UGC-DA* (droits audiovisuels), *Canal J.*

■ Radio Adour Navarre

(Radio Adour Navarre et Radio Pyrénées Loisirs)

Créée 1-7-1978. *Pt* : Georges Eguimendya. **Siège, studios :** Domaine Ste-Croix, route d'Olhette, 64500 Ciboure. **Fréquence :** 99,4 MHz et 88,7 MHz en FM. **Émissions :** 24 h sur 24. Retransmet par réception satellite partie des programmes de RTL. Émetteurs à l'Ursuya et à La Pierre-St-Martin. Informations locales et régionales propres à la station. **Écoute :** 1 000 000 d'auditeurs potentiels (Pyr.-Atl., Landes, Htes-Pyr., Gers, partie de Gironde Sud).

■ Radio Antilles

Créée 1965 par Jacques Tremoulet (2-10-1896/5-3-1971). **Siège :** Montserrat (Antilles britanniques). Émissions diffusées de Montserrat sur 930 et 740 kHz et de St-Vincent sur 1 450 kHz. **Programmes** *français* couvrent Guadeloupe, Martinique et dépendances ; *Anglais* Petites Antilles anglophones. Le cyclone « Hugo » qui a ravagé Montserrat en sept. 1989 a détruit en grande partie les installations de la station. Aucune date n'est fixée pour la reprise des émissions.

■ CLT Multi Media

■ RTL (Radio Télé Luxembourg) **Créée** 1931 par privatisation du service luxembourgeois de radiodiffusion. A bénéficié de la part du gouvernement du Luxembourg d'une concession de 25 ans, prorogée jusqu'en 1995. **1re émission : radio** 12-1-1931, **télévision** 23-1-1955. Années 50, RTL devient CLT (Compagnie Luxembourgeoise de Télédiffusion).

Statut

■ CLT, SA capital de 1 200 000 000 de F lux. divisé en 1 066 680 parts sociales sans valeur nominale dont 746 676 parts nominatives (leur cession n'est permise que si le gouv. lux. n'exerce pas le droit de veto et si le conseil d'adm. de la CLT donne son agrément), et 320 004 parts au porteur librement accessibles. CA (en milliards de F) : *1991* : 8,25 ; *92* : 10,38. **Bénéfice net consolidé :** *1989* : 0,052 ; *91* : 0,245 ; *92* : 432. **Direction :** *PDG* : Gaston Thorn (3-9-28) dep. juin 1987. *Pt du comité de direction* : Jean-Pierre de Launoit. *Administrateur délégué* : Jacques Rigaud (n. 2-2-32). *Dir. gén. adjoint* : Jules Felten. **Conseil d'administration :** 32 administrateurs dont 19 Luxembourgeois, 8 Français, 3 Belges, 2 Allemands.

■ Principaux porteurs de parts en 1990. Groupe Bruxelles-Lambert 56,7 %, Havas (Audiofina) 30, Paribas 22,3, Audiolux 6,2.

■ Principales filiales de la CLT. **Radio :** RTL Paris, Maxximum, Radio Luxembourg, Radio Atlantic 252, RTL Radio, RTL Baden Würtemberg, Bel RTL, RTL Prague, 104.6 RTL, Antenne Ac, RTL Radio Letzebuerg, Radio Contact. **Télévision :** RTL TV Lorraine (Lorraine 100 %), RTL TVI (Belg. 66 %), RTL Plus (Allem. 46 %), Tele 5, M6 (France 25 %), RTL 4 TV (P.-B. 40 %), RTL Hei Elei. **Production – distribution :** International Film Production (IFP), Hamster Productions, Télé-Union, Vidéo-Communication France (VCF), Pandora, RTL Productions, Cerise. **Presse-Édition :** Télé-Star, Télé-Star Jeux, Top Santé, 7 Extra, Revue, Auto Revue, RMI, Éditions Calmann-Lévy.

IP : un des 1ers régisseurs multimédias europ. *CA* : 7,4 milliards de F, IP France : 2,25 dont radio 45 %, presse 45 %, TV 10 % (part modeste de l'activité de CLT, avec Sud-Radio, Bayard Presse, magazines Air France). *1993* baisse de 30 % de ses tarifs. *1995*-31-12 fin du contrat d'exclusivité liant IP à CLT (préavis au 1-1-1993).

Émetteurs (au Luxembourg)

■ Radio. *Beidweiler,* ondes longues, 1 271 m (234kHz), 2 000 kW pour RTL-France ; *Junglinster,* o. courtes, 49,26 m (6 090 kHz), 250/500 kW programme all. ; o. courtes, 19,54 m (15 350 kHz), 10 kW, progr. angl. ; o. longues secours émetteur 1 282 m (234 kHz), 1 200 kW. *Marnach,* o. moy. 208 m (1 440 kHz), 600/1 200 kW progr. all. et anglais ; *Hosingen,* mod. de fréq., canal 6, 88,9 MHz, 100 kW et canal 33, 97 MHz, 100 kW progr. all. ; mod. de fréquence canal 18, 92,5 MHz, 50 kW progr. luxemb. et « RTL Community ».

■ Télévision. *Dudelange* au Luxembourg ; *canal 7,* 100 kW (10 kW pour le son), couleurs PAL, pour RTL plus ; *canal 21,* 1 000 kW (100 kW pour le son) couleurs SECAM, pour RTL Télévision France ; *canal 27,* 1 000 kW (100 kW pour le son) couleurs PAL pour RTL Télévision Belgique.

Programmes radio

RTL ondes longues est géré et exploité par 3 filiales : **Ediradio :** *Pt administrateur délégué de la CLT* : Jacques Rigaud (n. 2-2-32). *Vice-Pt gén.* : Rémy Sauter (n. 15-4-45). *Vce-Pt et Dir. gén. des programmes* (informations et variétés) : Philippe Labro (n. 27-8-36). *Dir. gén. adjoint* : Stéphane Duhamel. S'occupe de la gestion de la station et de la partie « Programmes ». *Effectifs* : 270 (1989). **Information et diffusion :** *Cogérants* : Ph. Labro et R. Sauter. *Dir. de la rédaction* : Olivier Mazerolle. Regroupe journalistes et secteurs de l'information. *Effectifs* : 100 (1989). **SCP** *(Sté commerciale de promotion et de publicité)* : *Pt* : Ph. Labro. *Dir. gén.* : Stéphane Duhamel. *Effectifs* : 23 (1986).

1°) **RTL-France,** sur ondes longues, 234 kHz (1 282 m) 24 h sur 24. Une liaison spécialisée louée aux PTT relie les studios du 22, rue Bayard (75008 Paris), à l'émetteur situé au Luxembourg. Un secours est assuré par une liaison satellite. *En modulation de fréquence* : dep. 1986 RTL dispose d'émetteurs FM sur le sol français. *Dir. de la rédaction* : Olivier Mazerolle. *Réseau* : Aix-en-Pce 101.4. Ajaccio 106. Albi 94.4. Alençon 105.1. Amiens 104.3. Angers 104.3. Angoulême 106.2. Arcachon 103.1. Aurillac 104.5. Bastia 90.8. Bayonne 105.1. Beauvais 93. Belfort 103.2. Bergerac 103.8. Besançon 104. Blois 103.6. Bordeaux 105.1. Brest 104.3. Brive 100.5. Caen 105. Carcassonne 102.6. Castres 98.9. Châlons-sur-M. 93.1. Chambéry 97. Charleville-Mézières 103.4. Châteauroux 104.1. Châtellerault 101.3. Chaumont 101.2. Cholet 104.3. Clermont-Fd 104.3. Compiègne 104.5. Dax 102.8. Dijon 104.2. Épernay 93.4. Gap 102.7. Grenoble 97.4. Guéret 101.5. La Rochelle 104.3. Le Creusot 105.7. Le Havre 104.3. Le Mans 104.3. Le Puy 102.3. Lille 93. Limoges 104.3. Lorient 104.3. Lyon 105. Marseille 101.4. Metz 104.8. Montauban 102.4. Montluçon 104.1. Montpellier 106.8. Moulins 103. Nancy 105.1. Nantes 104.3. Nevers 102.3. Nice 97.4. Niort 106. Orléans 104.3. Paris 104.3. Parthenay 99.8. Pau 106.3. Poitiers 104.3. Quimper 104.3. Reims 104.4. Rennes 104.3. Rouen 104.5. Royan 104.9. Sables d'Olonne 104.3. Saintes 105.9. Saumur 104.3. Sedan 100.4. Sens 105.7. St-Amand 104.3. St-Dizier 103.9. St-Étienne 105.1. St-Gaudens 99. St-Malo 101.6. St-Nazaire 104.3. Strasbourg 105.7. Toulon 100.4. Toulouse 99.5. Tours 104. Troyes 104.2. Tulles 106.4. Vannes 104.3. Vichy 92.9. Vitry-le-François 94.6.

Émissions doyennes : *l'École buissonnière* (1959-79, le jeudi, animée par Claude Robert ; + de 1 000 émissions). *Le Journal inattendu* (1967, samedi 13 h). *Les Grosses Têtes* (1977, lundi au dimanche 16 h 30). *RTL Parade* (1977, lundi au vendredi 11 h). Meilleure audience : *Hit des Clubs* (animé par Jean-Luc Bertrand, 22 h, 40 % de parts de marché ; budget de l'émission : env. 1 million de F).

2°) Programmes radio allemand « RTL Radio », sur la bande FM (88,9 MHz et 97 MHz), sur ondes courtes (49,26 m/6090 kHz) et moyennes (1 440 kHz) tous les j de 5 h 30 à 1 h. *Audience quotidienne* : 4 050 000.

3°) Programmes radio anglais, « Radio Luxembourg ». Tous les j 24h/24 sur satellite. *Audience quot.* : 2,4 millions. **« RTL International ».** Diffusé à travers l'Europe 24 h/24 sur Astra.

4°) Programmes radio luxembourgeois « RTL Radio Letzebuerg », (FM Canal 18, 92,5 MHz). En luxembourgeois. *Audience quot.* : 71 %. Émissions (3 h par semaine) en italien, espagnol, yougoslave et portugais destinées aux immigrés au Luxembourg.

Programmes télévision

1°) **RTL-TV Lorraine.** RTL Télévision *créé* 1954. 1er programme TV de la CLT. Progr. en français diffusé vers Luxembourg et Lorraine. *1991* appelé RTL-TV-Lorraine. *Siège* : 3, allée St-Symphorien, 57000 Metz. *PDG* : Jean Stock. *Couverture géographique* : Lorraine, une partie des Ardennes, Bas-Rhin et le réseau câblé français. *Audience* : 1 500 000 téléspectateurs potentiels. 102 *h de programmes*/semaine. *Chiffre d'affaires brut* (1991) : 120 millions de F. 2°) **RTL-TVI** *créé* 1987. Progr. spécial pour la Belgique francophone (avant RTL-Télévision). Distribué par câble. 1re ch. fr. de Belgique. *Dir.* : Jean-Charles De Keyser. 3°) **RTL-plus** *créé* 1984 (la CLT détient 49 %). 1re ch. privée en Allemagne. Reçue par + de 65 % des ménages. *Part de marché* : 12,5 %. 1er rang des TV privées all. *Dir.* : Dr. Helmut Thoma. 4°) **Tele 5,** CTL a acheté en août 1990, 24 % des parts. Établie à Munich. *Audience* : 4,5 %, 21 millions d'All. peuvent la capter. *Dir.* : Gerhard Zeiler. 5°) **M6** *créé* 1987 (CLT détient 25 %, voir p. 1235). 6°) **RTL 4** *créé* oct. 1989. *Audience* : P.-Bas : 30 %. *Dir.* : Freddy Thyes. 7°) **RTL Hei Elei,** progr. quot. diffusé en langue lux. *Audience* : 83 %. *Dir.* : Jean Octave. 8°) **RTL 2** *créé* mars 1993. *Capital* (en %) : Tele München 37,6, Henrich Bauer 37,6, CLT 15, UFA-Bertelsmann 7,8, Frankfurter Allgemeine Zeitung 1, Burda 1. *Audience prévue* : 15 millions de ménages en All.

■ Radio Monte-Carlo

■ Histoire. **1942** *créée* le 20-3. **1943** la Sofira prend une participation de 50 %, le reste étant partagé entre des capitaux allemands (la Sté Inter Radio) et italiens. *-17-7* 1res émissions. **1944** août, après le départ des Allemands, les émissions s'arrêtent. **1945** (début) la part de la Sofira (qui devient la Sofirad) passe de 50 à 83 %, le reste est attribué au trésor monégasque. *-23-6* les émissions reprennent.

■ Organisation. **Conseil d'adm. :** 18 membres (12 français, 6 monégasques). Pt nommé sur proposition du prince de Monaco. **Effectifs** (1991) : 525 (statutaires ou au contrat). **Dir. gén. :** *1944* Robert Schick, *1962* Jean Gondre, *1964* Jean Béliard (n. 22-3-19), *1966* Jacques Maziol (n. 13-1-18), *1973* Henri Dolbois (n. 15-8-26), *1977* Frédéric de La Panouse, *1978* Michel Bassi (n. 9-7-35), *1982* Jean-Claude Héberlé (n. 3-2-35), *1985* Jean-Pierre Hoss (n. 6-6-46), *1986* Pierrick Borvo (n. 5-4-42) démissionne 9-11-88. *1988*-18-11 Hervé Bourges (n. 2-5-33). *1991*-23-1 Jean-Noël Tassez (n. 18-3-56). *Dir. délégué auprès du Dir. gén.* : Jean-Luc Gallini. *Pt délégué du conseil d'admin.* : César-Charles Solamito (n. 29-8-14). *Dir. des programmes* : Yves Mourousi (n. 20-7-42) dep. 15-2-1991. *Dir. d'antenne* : Jérôme Bellay dep. 1-5-1993. **Capital :** 42 millions de F (83,33 % détenus par la Sofirad et 16,67 % par l'État princier). *Participations de RMC* (en %, 1988) : Technisonor : 38,28 ; Somera 55 (TDF en détient 45) ; RMC Audiovisuel : 80 (Sofirad en détient 20) ; CIRT : 20 ; Éditions musicales Train Bleu : 50 (Technisonor en détient 50) ; Télé Monte-Carlo : 60 (Principauté de Monaco 40). Nouvelles participations : Gestival : 10 ; Éditions Radio Monte-Carlo : 50 (Édit. Flammarion en détient 50).

Chiffre d'affaires (1986-87) : 562,9 millions de F dont en %, émissions ondes courtes et moyennes TWR 4,7, RMC Italie (ondes moy.) 2,3, productions 12,3, RMC France (ondes longues) 80,7. **Perte** (millions de F) *1991* : 40 ; *92* : 37,2.

☞ RMC, concessionnaire exclusif de la Radiodiffusion sonore et visuelle, a confié l'exploitation de la TV à Télé Monte-Carlo (voir p. 1222).

■ Émissions. **Émetteur :** 2 000 kW à Roumoules (Alpes-de-Hte-Prov.) dep. le 15-10-1974. **Mode d'émission :** *ondes longues* (1 400 m, 216 kHz) relayées en modulation de fréquence dans plusieurs villes du sud de la France : Nice 104,5 MHz – Avignon, Bayonne, Biarritz, Bordeaux, Cannes, Dijon, Grenoble, Lyon, Marseille, Montpellier, Perpignan,

St-Étienne, Toulon, Toulouse, Valence, Chambéry : 104,3 MHz – Clermont-Ferrand, Limoges, Nantes : 105,1 MHz – Reims : 102,1 MHz et à Paris 103,1 MHz. *Moyennes* (205 m, 1 467 MHz). *Modulation de fréquence* (98,5 MHz et 98,9 MHz) ; RMC Côte d'Azur (90,3 MHz, 95,4 MHz) ; RMC Classique (102,7 MHz) ; RMC Ondes moyennes et ondes courtes (programme « TWR » d'émissions religieuses), toutes langues à destination de l'Europe, Moyen-Orient, Afrique du Nord. **Émission doyenne :** *Tauromachie (1957).*

■ **Zone d'écoute. Jour** : *ondes longues :* au sud d'une ligne Nantes-Dijon ; *moy. :* S.-E. France et Italie ; *mod. de fréquence :* région Côte d'Azur et 25 villes fr. **Nuit** : *longues :* France entière ; *moyennes :* jusqu'à 3 000 km autour de Monaco ; *courtes :* jour et nuit jusqu'à 4 000 km autour de Monaco.

■ **Filiales. RMC Chypre** (243 m, ondes moy., 1 233 kHz) *Émetteur* de 600 kW à Chypre (cap Greco). *Émissions* quotid. réalisées à M.-C., en arabe 80 %, français 20 %. *Écoute :* Égypte, Liban, Irak, Arabie Saoudite, Koweït, partie de la Syrie et quelques pays d'Afr. noire. **RMC Italie** (428 m, ondes moy., 701 kHz) *Créée* 1966. *Émetteur* de 1 200 kW. **Radio Nostalgie** (51 %).

■ Sud-Radio

■ **Origine. 1951** accord Puiggros-Sofirad (voir R. Andorre, Quid 1982, p. 1179 c et 1180 a). **1958** accord de l'évêque d'Urgel, coprince d'And., pour des émissions quot. de 2 h, exclusivement réservées à de la musique ininterrompue. *-18-9* « Andorre-Radio » commence à émettre de 12 à 14 h et, contre la décision de l'évêque, de 19 à 23 h. Le Conseil des Vallées, mécontent, démissionne. **1960**-*27-10* Puiggros se retire de l'affaire, Andorre-Radio devient Andorradio. *Nov.* le Conseil le reconnaît. **1962**-*22-10* devient Radio des Vallées, Andorre 1, et exploite la station sous le nom de Sud-Radio. **1981**-*6-11* le Conseil des Vallées ferme l'émetteur de Sud-Radio en Andorre ; *-15-11* reprise des émissions sans messages publicitaires mais installation à Muret (Hte-G.) par TDF. **1983**-*16-3* émissions reprises dep. le pic Blanc en Andorre. **1987**-*6-9* la Sofirad vend S.-R. 36 millions de F à un GIE constitué par Pierre Fabre (Laboratoires Fabre, 25 %). **1989** accord de partenariat avec WIT FM (radio locale Bordeaux et Gironde). **1990** commercialisation du couplage pub. Plein Sud (Sud + WIT FM) et prise de participation majoritaire de Sud Radio dans WIT FM. **1993** augmentation de capital : 18,15 millions de F.

■ **Chiffre d'affaires** (1992, en millions de F). 54,6 (1990 : 61,7). **Pt** Francis Piquemal (n. 19-2-1933). **Émetteurs** *Ondes moyennes* (366 m, 819 kHz) ; modulation de fréquence (88,5 à 106 MHz). *Pic du Midi* 102 MHz, *Pic de Nore* 104.7 MHz.

■ **Zone couverte.** Midi-Pyrénées, Aquitaine, Languedoc-Roussillon.

Radios locales privées
Quelques dates

France. 1926-*28-12* décret-loi répartissant les « postes privés radioélectriques et les stations émettrices de radiodiffusion » sous l'autorité du ministre des PTT en 3 postes nationaux et 18 postes régionaux. Le gouvernement autorisa des postes privés (Radio-Paris, Radiola, Radio-Vitus, Radio LL, Poste parisien). **1942**-*7-11* loi de Vichy réorganise la radio et l'autorise à prendre des participations dans les postes privés ainsi placés sous tutelle de l'État. **1944**-*22-6* ordonnance crée une Direction de la Radiodiffusion. **1945**-*23-3* met sous séquestre les postes ayant « collaboré », et supprime les postes privés. **1972**-*3-7* loi limitant les dérogations au monopole de radio à 4 cas : les programmes destinés *« à des publics déterminés »,* les émissions en circuit fermé *« dans des enceintes privées »,* les expériences de recherche scientifique et les cas où *« l'intérêt de la défense nationale ou de la sécurité publique »* est en jeu. **1974**-*8-7* loi déléguant le monopole d'État à TDF. **1978**-*28-7* loi édictant que « toute personne qui viole le monopole sera punie d'un emprisonnement d'un mois à un an et d'une amende de 10 000 F à 100 000 F ou de l'une de ces 2 peines seulement. **1975-81** les stations pirates se multiplient [80 dès 1978 dont Radio active, Radio verte (Brice Lalonde) 1977 ; Lorraine Cœur d'acier 1978 riposte (F. Mitterrand fut inculpé d'infraction au monopole)], TDF se défendant par un brouillage systématique. **1981**-*9-11* une loi autorise la dérogation au monopole d'État de la radio pour 3 ans ou +, renouvelables. La station doit annoncer « autant que possible tous les quarts d'heure » son nom et sa fréquence d'émission (art. 4), « diffusion répétitive de programmes enregistrés » et « retransmission simultanée en différé de programmes d'une autre station » sont interdites (art. 5). 80 % des programmes doivent être « propres » à la station et durer au moins 24 h par semaine (art. 6). Il ne peut y avoir de publicité. Au-dessus de 500 W, TDF doit assurer les émissions. Un cahier des charges soumis au contrôle de TDF doit être respecté. Sur 21 membres de la commission de répartition des fréquences, 16 sont choisis sur présentation d'un ministre. **1982**-*29-7* nouvelle loi sur la communication audiovisuelle. **1984**-*1-8* loi autorisant la publicité. *-12-11* fin de la période de tolérance sur les conditions d'émission annoncée par la Haute Autorité de l'audiovisuel. *-4-12* 3 décrets d'application de la loi du 1-8. 6 stations (NRJ, 95,2, Radio-Solidarité, Radio-Libertaire, T9F93, la Voix du Lézard) suspendues par la Haute Autorité pour avoir émis à + de 500 W (décisions publ. au JO le 9-12). *-8-12* 50 000 manif. protestent à Paris contre ces sanctions. *Déc.* la Haute Autorité renonce à faire appliquer les sanctions, bien que des contrevenants continuent à émettre. **1985**-*11-1* convention entre TDF et NRJ : TDF diffusera NRJ (qui émettait à 40 kW). *-31-1* l'Agence française de communication (groupe Hersant) dépose devant le Conseil d'État un recours pour excès de pouvoir contre l'obligation faite aux radios locales privées d'inclure dans leurs programmes propres leurs bulletins d'information. *-20-2* NRJ dénonce cet accord pour mauvaise qualité technique de la diffusion. *-4/11-3* procès intenté par Radio France et TDF à Radio Solidarité et 95.2 pour « troubles causés sur la modulation de fréquence ». *Juillet :* fermeture de Radio Gilda (née 1981). *-19-9* Radio France Loire-Océan compromet l'audition de Radio Alouette (500 000 auditeurs). *Oct.* plusieurs stations abandonnent le label NRJ *-10-12* loi permettant à une même personne de disposer de 3 autorisations de radios locales privées. *-13-12* RMC rachète Fréquence Libre et y diffuse des émissions dans la tranche des 20 %. **1986**-*27-1* NRJ devient l'un des principaux partenaires de la chaîne musicale aux côtés de Gaumont, Publicis et Gilbert Gross. *-12-7* radio 95.2 et Solidarité, poursuivies par TDF, sont relaxées par la cour d'appel. *-30-9* loi Léotard : la notion de radio locale disparaît, les réseaux sont autorisés, la CNCL délivre les autorisations. **1991**-*24/26-10* la FM fête ses 10 ans : est passée de 8 radios en 1981 (France Inter, France Culture, France Musique, *Fip, Radio 7* + 3 radios expérimentales en province), à 1 800 radios FM en 1991.

■ Groupes FM
d'envergure nationale

Europe 2. Fournisseur de programmes. *Créée* nov. 1986 à Dijon et Bordeaux, janv. 1987 à Paris, pour les 20/45 ans, 166 stations.

Fun Radio. *Créée* 1984, repris 1987, 127 st. (12 filiales). Fréquence : 101.9.

Métropolys M 40. *Créée* 3-10-1991, par fusion de Maxximum et Métropolys ; *janv. 1992* s'associe avec PRISA (Espagne) et CLT ; *début 93* cessation d'activité. 50 st. (14 fil.).

Nostalgie. *Créée* 1983 à Lyon par Pierre Alberti, *1984* à Paris, *1986 :* a + de 120 stations en franchise, s'associe avec RMC, *1988* 170 stations, *1989-1-10 :* contrôlée par RMC, *1991* réseau 150 agglomérations, 26 millions d'hab., 70 émetteurs franchisés et réémetteurs nationaux, *1993* privatisation annoncée. *Réseau international :* 30 stations en Belgique, 1 à Genève, Moscou, Baléares, Réunion, Mexico, Bucarest. *Capital* (en %) : RMC 51, Olipar 18,75, Financière du 25, rue de l'Arcade 17, Clinvest 5, Medpar 5, Pierre Alberti 3,25. *CA* (1990-1991) : 190 MF. *Bénéfice* (1991) : 15 MF. *Audience :* 4,4 %.

NRJ. *Créée* par Jean-Paul Baudecroux (11-3-46). *1re émission :* juil. 1982 (à partir d'une chambre de bonne parisienne). *1989 août* lancement d'un 2e réseau « Chérie FM » [sur 60 agglomérations, 58 stations. *Capital :* Pacific FM SARL (Sonopar, holding de Nrj à 98 %)] ; *-8-12* introduite en Bourse sur le second marché à 380 F. *1990* 3e réseau « Rires et chansons » (Ile-de-Fr.). *Capital* (en %) : Jean-Paul Baudecroux 80, second marché 10, Max Guazzini 10. *PDG :* Jean-Paul Baudecroux. *Nombre de stations :* 260. Fréquence (Paris) : 100.3. *CA consolidé* (en millions de F) : *1988 :* 228 (résultat de l'exercice : 57) ; *89 :* 270 (84) ; *90 :* 314 (97) ; *91 :* 303,3 (73,9) ; *92 :* 374 (91,7).

☞ Le 3-7-1985, la loi Lang a reconnu la nécessité de reverser aux artistes-interprètes des droits en contrepartie de la diffusion de leurs œuvres. Ces droits s'ajoutent à ceux perçus par la Sacem au bénéfice des auteurs (qui composent la musique et créent les paroles interprétées). Ces 2 catégories de droits sont principalement calculées en % du chiffre d'affaires publicitaire déclaré par les radios. La Sté pour la perception de la rémunération équitable (SPRE) perçoit les rémunérations dues aux artistes-interprètes et aux producteurs de phonogrammes, et supervise 4 organismes chargés de les redistribuer dont l'Adami (Sté pour l'administration des droits des artistes et musiciens-interprètes), plus spécifiquement en charge des solistes ou vedettes, et la Spedidam (Ste de perception et de distribution des droits des artistes-interprètes de la musique et de la danse). Le 9-9-1987, une commission composée en nombre égal de représentants des ayants droit et des utilisateurs de phonogrammes a fixé un barème de rémunération. Les radios ont accepté les modalités d'application de la loi sauf NRJ qui, par l'intermédiaire de l'Union pour la défense des radios locales privées (UDPRL), a déposé, le 8-2-1988, un recours devant le Conseil d'État, contestant la composition de la commission et le montant du barème. La SPRE évalue le total des sommes qui lui sont dues par NRJ à env. 40 millions de F TTC (hors intérêts de retard) et la Spedidam à + de 30 millions de F.

Radio Super Loustic. *Créée* 1988 à Lyon pour les – de 15 ans. Réseau : Paris, Lyon, puis national 1991. *PDG :* Pierre-Henri Picq. *CA* (1991) : entre 8 et 10 millions de F. Fréquence (Paris) : 97.

Radio Tour Eiffel. Subventions (1992) : 10,5 millions F. Indice d'écoute : 0,1 % sur Paris (1 855 auditeurs). Dir. : François Bonnemain dep. 1990. Fréquence : 95.2.

RFM. *Créée* 1981 par Patrick Meyer, 80 st. (3 fil.). 32 salariés dont 5 journalistes. Dépôt de bilan 4-2-1993.

Skyrock. *Créée* 1986 par Pierre Bellanger (Pt) pour les 15/24 ans, 150 points de diffusion, 73 émetteurs. Fréquence (Paris) : 96.

☞ **Radio Notre-Dame :** *créée* 1981, station catholique proche de l'archevêché de Paris, émet sur 100.7 en Ile-de-France. Suivie quotidiennement par 75 000 auditeurs, et hebdomadairement par + de 400 000. **RJC (Radio Communauté et Judaïques).** Créées 1981, sur 94,8 ; 200 000 auditeurs. **Radio Fourvière :** *créée* avril 1982, à Lyon, sur 88.4 : chrétienne, œcuménique, tête de réseau pour plus de 30 radios chrétiennes diocésaines, transmission par satellite, 350 000 h/sem.

Fréquences d'autres radios FM (sur Paris). Ado FM 88.2, Aligre 93.1, Autoroute FM 92.2/107.7, Canal 9 90.9, Chérie FM 99.9, Fréquence gaie 94.4, Fréquence juive 94.8, Fréquence protestante 100.7, Ici et Maintenant 93.1, Jazz Land 107.2, Maxximum 105.9, OFM 92.1, Ouï FM 102.3, Portugal FM 98.6, Radio Asie 95.6, Beur 98.2, Classique 101.1, Courtoisie 95.6, Latina 99, Libertaire 89.4, Maghreb 94, Montmartre 102.7, Nostalgie 105.1, Notre-Dame 100.7, Nova 101.5, Orient 88.6, Paris 106.7, Pays 88.2, Soleil 94, RDH 99, Réussir FM 107.2, Rires et Chansons 97.4, RMC 103.1, Transat FM 96.7, Tropic FM 92.6, TSF 89.9, Voltage FM 97.8.

■ Statistiques

Nombre de radios FM. 1 800 dont 350 associatives (dont en *1989 :* 241 disposant de 100 000 à 500 000 F et 29 de – de 100 000 F), 1 200 opérateurs locaux indépendants ou franchisés, une dizaine d'opérateurs nationaux, les radios du service public (France-Inter, France-Musique, France-Culture, France-Info) et les stations régionales de Radio France. *En févr. 1989 :* la bande FM Paris-Ile-de-France abritait 126 radios libres dont 61 en zone 1 (jusqu'à 20 km de Paris-Notre-Dame), et 65 en zones 2 et 3 (jusqu'à 40 et 60 km).

Audience cumulée (voir p. 1237).

Peut-on entendre la radio en branchant son fer à repasser ? C'est arrivé à des gens dont les voisins avaient installé une super-antenne. Mieux que cela : Pierre Bellemare dans *C'est arrivé un jour* a raconté le cas d'un homme habitant près de la tour Eiffel. Il avait 2 dents en métal qui s'étaient oxydées sans qu'il le sache. Chaque fois que ses dents entraient en contact, elles faisaient interférence avec l'antenne de la tour Eiffel et devenaient « réceptrices » des émissions radiophoniques. Lorsqu'il bâillait ou entrouvrait la bouche, le phénomène cessait. On lui mit des dents en porcelaine et le phénomène disparut.

Télévisions privées

☞ **Montant des amendes infligées par le CSA aux chaînes privées** (en millions de F). **TF1 :** *1992 (fév.)* 2,3, *avr.* 4,9, *juil.* 30. **La 5 :** *1989 (avr.)* 5, *août* 4, *1990 (déc.)* 2, *1991 (fév.)* 0,12. **M6 :** *1989 (janv.)* 5,5, *1991 (juill.)* 0,2.

■ Quelques dates

Avant 1985. *Réglementation :* une autorisation est nécessaire. Les amateurs ne doivent causer aucun brouillage aux stations officielles fonctionnant dans ces bandes, sous peine d'interdiction. *Systèmes autorisés :* télévision monochromes, 405 ou 625 lignes ou compatibles de tél. couleurs entre 1 250 et 1 260 MHz. *Bandes* 434,5-440 MHz et 1 250-1 260 MHz. *Puissance fournie* limitée à 70 watts au moment où la puissance HF émise est maximale. *Antennes utilisées* dans la mesure du possible, à polarisation verticale dans la bande 1 250-1 260 MHz.

1985-*4-1* le Pt Mitterrand déclare être « pour la liberté » mais « le problème est de savoir comment l'organiser ». -*10-1* G. Fillioud, secr. d'État aux Techniques de la communication, propose la création de 2 réseaux nat. contrôlés par des éditeurs de programmes privés ; chaque réseau aurait pour base un groupe de presse, une Sté de production et de distribution et un groupe publicitaire. -*11-1* ordonnance de non-lieu d'un juge d'instruction du Trib. de Paris en faveur d'Éric Féry et Michel Fiszbin responsables des émissions de la TV privée Antenne 1, inculpés d'usage de fréquence radioélectrique non autorisée ; l'ordonnance se fonde sur la constatation d'une antinomie entre les notions de concession et d'autorisation (une ordonnance de non-lieu du même juge en faveur de J.-L. Bessis, animateur de Canal 5, le 29-8-84, avait été infirmée par la chambre d'accusation qui avait ordonné le renvoi du prévenu devant le trib. correctionnel). -*14-1* R. Hersant annonce la « création immédiate » avec différents partenaires de *TVE (Teleurop)*, qui émettrait de 6 h à 24 h, avec 4 h quot. de programmes mises à la disposition de stations régionales et locales ; *dir. gén. :* Philippe Ramond. -*20-2* création d'une Sté *« Europe 1 »* (50-50 % des cap.) en vue d'un système de tél. nat. privée. -*4-3* 225 demandes d'attribution de fréquence adressées à la Haute Autorité dep. janvier (Ile-de-Fr. 40, Rhône-Alpes 14, Provence-Côte d'Azur 11, Midi-Pyrénées 11, Pays de la Loire 8, Aquitaine 1). -*20-5* rapport de Jean-Denis Bredin sur les nouvelles télévisions hertziennes (commandé le 14-1 par L. Fabius). Création de 2 chaînes nationales privées et, à l'intérieur de ces réseaux, grâce à un découpage horaire de *stations locales privées situées dans 62 « zones de desserte »* (dont 54 dans les agglomérations de + de 100 000 h.). V. Quid 1988, p. 1103. -*20-12* les propriétaires de sites ou d'édifices élevés ne pourront pas s'opposer à l'installation, « sur leur toit, terrasses ou superstructures », de moyens d'émission par voie hertzienne, décidée par l'établissement public de diffusion, qui conserve le monopole de diffusion sur le territoire français. L'opposition combattra cet amendement jugé par elle destiné à empêcher la Ville de Paris de disposer comme elle l'entend de la *tour Eiffel* lorsque entreront dans les faits les télévisions régionales. **1986**-*16-3* télés locales accèdent aux nouveaux secteurs publicitaires et peuvent interrompre par des spots le cours des programmes. Grille, délais et quota de programmation des films sont alignés sur ceux en vigueur dans le service public. Chaque télévision locale doit diffuser un programme original (d'env. 1 h au minimum) conçu ou composé par chaque station, sa durée devra et pourra recourir « directement ou indirectement » à un même fournisseur de programmes commun à plusieurs stations pour plus de 50 % de la durée de sa programmation.

■ TF1

Privatisation

■ **Circonstances.** Plusieurs groupes ou Stés étaient intéressés par TF1 : Silvio Berlusconi, Francis Bouygues, Filipacchi, Robert Hersant, Hachette, Robert Maxwell, Bernard Tapie. *En avril 1987*, restaient sur les rangs Hachette (associé à Havas, mais Havas s'était retiré le 9-2-1987) CA : 14,7 milliards de F en 1986 ; Bouygues (CA : 45,8 milliards de F), qui avait animé un groupe repreneur comprenant Bouygues 50 %, Pergamon Media Trust Pic (Maxwell, G.-B.) 20, GMF (Garantie mutuelle des fonctionnaires), FNAC 6, Éditions mondiales 4, Sté générale 4, Maxwell Media (F) 4, Groupe Bernard Tapie 3,33, Financière Faltas 3, Indosuez 2,32, Crédit Lyonnais 2,17, Sté pour le développement de la TV 0,17, « Le Point » 0,6, Groupe Marie-Claire 0,2, Expansion 0,1, « Le Quotidien du Médecin » 0,033, Gallimard 0,033, François Dalle 0,017, Le Seuil 0,017, Fleurus 0,017 ; Set Presse : partenaire associé.

1re phase : 1987-*16-4* l'État vend 50 % de TF1 au groupe animé par Bouygues pour 3 milliards de F (chèque remis le 16-4), soit à 285 F l'action.

A cette époque, on estimait que, comme l'avait promis le PM Jacques Chirac, on supprimerait après une période de transition, la publicité sur les chaînes publiques. TF1 et la Cinq pourraient ainsi avoir à se partager 5 milliards de F de recettes publicitaires (pouvant dégager des bénéfices permettant de rémunérer les actionnaires). Bouygues dira le 27-6-87 au *Monde :* « On nous a vendu la moitié de TF1 sans documents, sans comptes, sans rien. On nous l'a vendue sans garantie d'actif ni de passif. Or, nous avons constaté que dans les stocks, il manquait des choses. J'ai accepté ce marché parce que je pensais que nous étions entre gens de bonne compagnie et que les comptes étaient bons. »

2e phase : 1987 *juill.* offre publique de vente : l'État vend les 50 % restants. *Le 23-6*, la *commission de la privatisation* avait confirmé la valeur minimale de TF1 à 4,5 milliards de F et fixé à 1,5 milliard de F le prix min. des cessions de 50 % de titres encore détenus par l'État. Sur 10 500 000 actions, 7 636 000 au nominal de 10 F (soit 36,40 % du capital) sont cédées par offre publique de vente, à 165 F l'action, et 2 040 000 sont offertes à la vente aux salariés et anciens salariés, à 132 F par action. Des délais de paiement de 3 ans leur sont accordés. Ils bénéficient d'une action gratuite pour une action acquise dans la limite de 4 815 F, soit 36 titres, à condition que les titres ainsi acquis soient conservés au moins 1 an à compter du jour où ils sont devenus cessibles. TF1 leur propose, en outre, des prêts représentant de 2 à 4 mois de salaire, remboursables sur 8 ans au taux de 1,5 %. Un fonds commun de placement leur permet d'acheter des actions à moitié prix (pour chaque franc versé par le personnel, la Une donne 1 F). 824 000 actions sont mises en réserve par l'État en vue d'assurer l'attribution gratuite d'actions aux petits porteurs et aux salariés dans les conditions prévues par la loi. Les petits porteurs sont servis les premiers jusqu'à 10 titres par personne. Ils peuvent bénéficier d'une action gratuite pour 5 actions achetées à condition de les conserver au moins 18 mois et dans la limite d'une contre-valeur ne dépassant pas 25 000 F. *24-7-87*, 1re cotation sur le 2e marché : prix offert au public 165 F, 1er cours 178 F, cours le + haut 210 F. *Fin déc.* le cours est toujours supérieur au 1er cours, alors que la Bourse baisse de + de 30 %. 1 384 salariés ou anciens salariés sont alors actionnaires de leur Sté, ayant souscrit 2,33 % du capital sur les 10 % réservés par la loi.

La charge d'agents de change Cholet-Dupont avait estimé TF1 à 3 milliards de F, soit 140 F env. par action en s'appuyant sur : *1°) La perspective des bénéfices ; 2°) L'actif net :* 653 millions au 31-12-1986, soit 22 F par action ; *3°) Des comparaisons internationales :* les chaînes de télé. britanniques cotées capitalisent environ 12 fois leurs bénéfices (en tenant compte du risque de non-renouvellement des autorisations d'émettre). Le risque était plus faible pour TF1, Bouygues étant l'opérateur pour 10 ans. Les télé. américaines : plus de 20 fois leurs bénéfices ; *4°) Des comparaisons françaises :* le cours/bénéfice de Hachette ou de l'agence Havas est de 20 fois [ce qui, appliqué à TF1, lui aurait donné une valeur de 3,8 milliards (180 F par action)].

Organisation

Siège social et information : 1, quai du Point-du-Jour, 92656 Boulogne Cedex. *P-DG :* Patrick Le Lay (n. 7-6-42). *Vce-Pt Dir. gén. de l'antenne :* Étienne Mougeotte (n. 1-3-40). *Dir. gén. adjoint de l'antenne :* Christian Dutoit (n. 18-10-40). *Dir. de l'information :* Gérard Carreyrou (n. 20-2-42). *Dir. de la rédaction :* Robert Namias (n. 29-4-44). *Dir. adjoints à l'information :* Patrick Poivre d'Arvor (n. 20-9-47) et Jean-Pierre Pernaut (n. 8-4-50). *Dir. de la création française :* Claude de Givray (n. 7-4-33). *Dir. artistique :* Dominique Cantien (n. 13-3-53). *Dir. des opérations et des sports :* Jean-Claude Dassier (n. 28-7-41). *Dir. de la communication :* René Tézé (n. 20-8-41). *Dir. des aff. éco. et fin. :* Jean-Pierre Morel (n. 12-6-50). *Dir. magazines documentaires :* Pascale Breugnot (n. 11-3-45). *Dir. marketing :* Catherine Grandcoing (n. 5-7-53). **Avant le rachat.** *Pt : Hervé Bourges (n. 2-5-33).*

Répartition du capital (1989). Lors de la privatisation, la Syalis a été chargée d'assurer le portage provisoire des titres réservés au personnel et non souscrits par celui-ci lors de l'offre publique de vente, soit 7,2 % du capital de la ch. au 31-7-1989. Le Trésor a autorisé, le 12-8-1989, la Syalis à revendre les titres en sa possession. 6,05 % du capital ont alors été répartis entre les 10 actionnaires de la Syalis (soit 10 % chacun), la Syalis conservant 0,8 % réservés aux salariés pendant une nouvelle période de 2 ans. **Structure du capital** (au 31-12-1992, en %). Bouygues 25, Crédit Lyonnais 8,1, Sté Générale 6, Groupe Worms et Cie 5, salariés 2,9, actionnaires français 21,3, étrangers 31,7.

Chiffre d'affaires consolidé (en milliards de F). *1988 :* 4,8 ; *89 :* 5,84 [dont diversification (édition, vidéo, tél.-shopping, télématique et vente de programmes) 0,54] ; *90 :* 5,82 (dont diversif. 0,58) ; *91 :* 6,48 (dont diversif. 0,95, TF1 SA 5,2) ; *92 :* 7,434 (dont diversif. 1,2 et TF1 SA 5,8). *Bénéfice net cons. : 1987 :* 0,071. *1988 :* 0,161, *89 :* 0,217, *90 :* 0,303, *91 :* 0,341, *92 :* 0,451 (TF1 SA 0,465). La suppression de la pub. pour les boissons faiblement alcoolisées (– 7°) a entraîné une perte de ressources pub. de 200 millions de F. Si les coupures pub. dans les films et les fictions devaient être supprimées, la perte serait d'env. 800 millions de F.

Personnel (au 31-12-92). 2 146 personnes dont : *Permanents* 1 573 (dont journalistes 241, cadres 564, techniciens et ag. de maîtrise 546, ouvriers et employés 222) ; *cachetiers, pigistes, intermittents* 573.

Locaux. 45 000 m² de bureaux et studios.

Diffusion. Assurée par TDF grâce à 112 émetteurs et 3 100 réémetteurs, pour 526 millions en 1987. En 819 l. noir et blanc sur le réseau VHF, en 625 l. couleurs sur le nouveau réseau UHF inauguré le 1-1-76 et dont la couverture nationale est assurée dep. juill. 1981, en 625 l. couleurs sur le réseau FR3 dep. le 1-9-75, à midi et l'après-midi, jusqu'au démarrage de ses propres émissions : 18 h ou 18 h 35.

Obligations de cahier des charges 1993. 1 – Diffusion : *service quotidien moyen :* 14 h, *information :* journaux télévisés 670 h, magazines 405 h. Œuvres audiovisuelles francophones ou européennes inédites : 120 h par an en 1re partie de soirée. *Spectacles et concerts :* 60 h de spectacles artistiques dont 8 spectacles en province et 16 h de concerts inédits. 12 spectacles dramatiques, lyriques ou chorégraphiques et 10 h de concerts par des orchestres français nationaux et régionaux. *Œuvres cinématographiques :* 170 films maximum par an dont 104 entre 20 h 30 et 22 h 30. Pas de diffusion en soirée avant 20 h 30, ni mercredi, vendredi soir (sauf Ciné Club), samedi toute la journée ou dimanche avant 20 h 30. % **d'œuvres TV :** de la CEE 60 %, d'expression originale française 40. **2 – Production :** *conditions :* moyens propres de production : émissions d'information et 50 % du volume annuel des émissions autres que fictions (moyens de production extérieurs). Producteurs indépendants : 10 % du chiffre d'aff. net (œuvres audiovisuelles francophones). SFP : volume minimum de commandes (1990-93) : 660 millions de F. *Commandes d'œuvres francophones :* audiovisuelles : 15 % du chiffre d'affaires net ; cinématographiques : 3 %. *Commandes d'écritures :* 2 % du budget de création. **Publicité :** *durée max. des écrans :* 6 min par h d'antenne en moyenne quotidienne, 12 min pour 1 h donnée. *Coupures publicitaires :* œuvres cinématographiques et audiovisuelles : coupure unique. Autres émissions : toutes les 20 min minimum. Journaux TV : aucune. **Parrainage :** décret du 27-3-1992. **Télé achat :** (décision du CSA, 20-10-1992). *Durée maximum :* 10 min ; *par semaine :* 120 min, *par jour :* 1 h. *Programmation :* 0 h-11 h et 14 h-16 h (sauf dimanche, mercredi et samedi après-midi).

☞ Juillet 1993 : TF1 condamnée (11-3-93 à verser à France 2, 55 millions de F (25 en 1re instance) pour plagiat de « la Nuit des héros » (« les Marches de la gloire »). Se pourvoit en cassation.

Participations et filiales. Régie française de publicité RFP-TF1 : contrôlée en totalité par la chaîne (après le rachat de la moitié des actions pour 19 millions de F), 2 dir. gén. (dep. 1-9-1991) : Corinne Bouygues (n. 24-8-47) et Claude Cohen. *Chiffre d'affaires* (1990) : 7 153 millions de F, 300 000 interventions pour les 60 000 messages diffusés en un an. **TF1 Vidéo :** chiffre d'aff. (1991) : 185 millions de F : 2,2 millions de cassettes vendues (catalogue : 160 titres). **Télé-shopping** (85 %) : *créé* 1987. *Chiffre d'aff.* (1991) : 309 millions de F. Résultat : + 12 MF. **TF1 Films Production** (99,9 %) : résultat : + 0,2 MF. **Protécréa** (99,9 %) : production de séries télévisées, fictions françaises et théâtre filmé. Résultat : + 3,5 MF. **Banco Production** (99,9 %) : production de fictions. Pertes (1991) : – 5 MF. **Studios 107** (100 %) : fabrication de jeux, variétés, fictions. Pertes (1991) : – 10,7 MF. **TF1 Editions** (51 %) : livres populaires. Résultat : 1,6 MF. **Une Musique** (99,9 %) : édition musicale, génériques, musique de films. Résultat : + 3,1 MF. **TF1 Entreprises** (99,7 %) : vidéo, télématique, distribution internationale. Résultat : + 44 MF. **Eurosport :** association avec Canal +. Pertes : – 40 MF. **Autres filiales et participations** (en %) : TF1 Publicité 99 (TF1 Publicité Production 99,9, TF1 Publicité Belgique 75), TF1 Europe 99,9 (Sets 100, Eso 58), Luxtel (Luxembourg) 99,9, Dube 100, Cic 50, Mercury International Film GmbH (All.) 50, La Réservée 100, Euromedia Shop 70, Mery Production 50, Syalis 99, Media Congrès 49, Tricom 33,3 (Tricom et Cie 99,9), Vendôme Production 33, Soread (Maroc) 8, **SFP** 22, *GIA, France Media International* et *Médiamétrie* 10,8.

■ 5e chaîne (« La 5 »)

Histoire. 1986-*20-2* l'État accorde une concession pour 18 ans à un groupe constitué par : Finninvest 40 %, SEPC 60 % (dont en % Chargeurs SA 52, Heljer 11, Europe 1 10, Française de communication 7,5, MSC 10, RMC 5, Quercynoise de participation 4, l'Événement du Jeudi 0,5). C'est la 1re ch. généraliste commerciale fr. **1987**-*10-2* constitution de la sté d'exploitation de la 5 (capital de 250 000 F, porté à 1 milliard). -*23-2* attribuée par la CNCL au groupe Hersant-Berlusconi. La 5 était aussi convoitée par un groupe animé par Jimmy Goldsmith [Générale occidentale (J. Goldsmith) 25 %, David de Rothschild et associés 25, Cie du Midi (Bernard Pagezy) 25, Packer (Groupe australien) 20, Worms et Cie 5]. **1988**-*24-5* Hachette acquiert 22 % dans le capital en se substituant partiellement au groupe Hersant et à Jean-Marc Vernes. **1990**-*28-5* Hachette et groupe Vernes autorisés par CSA à détenir 22 % chacun du capital. Départ du groupe Chargeurs, des Échos, de Télémétropole et des Mutuelles agricoles Groupama. *-23-10* le CSA autorise Hachette à prendre 25 % et à devenir opérateur. **1991**-*8-3* réduction du capital à 23,93 millions de F en vue de régulariser un amortissement partiel du déficit cumulé de 2,9 milliards de F. *-17-12* Hachette annonce un plan social « de survie » prévoyant 576 suppressions d'emplois. *31-12* dépôt de bilan. **1992**-*2-1* déclarée en cessation de paiements. *-3-2* plan de reprise du groupe Berlusconi. *-24-3* Berlusconi renonce. *-3-4* liquidation judiciaire. *-12-4* fin des émissions.

Direction (fin 1991). *PDG :* Yves Sabouret (n. 5-4-36) dep. nov. 90 [avant : Robert Hersant (n. 31-1-20)]. *Vice-P-DG :* Silvio Berlusconi (n. 29-9-36). **Capital** (en milliards de F) : *1987 :* 1 (*en %, nov. :* TVES 25, Teteitalia 25, Chargeurs 10, SCI + SPM 9). *1992 :* 2,27. Hachette 25, Reteitalia (Groupe Berlusconi) 25, Clinvest (Crédit Lyonnais) 10, CCF 8,01, TVES (groupe Hersant) 7,5, Kleinwort-Benson 7,01, Sté Générale 4,99, Expar 4,99, groupe Vernes 4,1, Cofintex (Gan) 2,5, Sté de mobilisation des avances 0,9.

Chiffre d'affaires (1991) : 1 100. *Déficit 87 :* 850, *88 :* 840, *89 :* 500 (non compris 116 millions de F d'amendes), *90 :* 550, *91 :* 1 121. **Passif** (dettes ou créances). 3,6 milliards de F sans compter 800 MF de créances abandonnées par Hachette et Fininvest (400 millions de F chacun). Celles dues aux banques (CCF, Sté Générale, Crédit Lyonnais, Groupe Vernes) atteignent + de 1 milliard de F. 44 stés de production estiment leurs créances à 270 millions de F (productions livrées mais non payées, en tournage ou à l'étude), mais plusieurs de ces productions ayant nécessité des tours de table internationaux, la perte serait de 550 millions de F. **Effectifs :** 910 salariés (576 permanents dont 122 journalistes).

Nombre d'émetteurs. *Févr. 1987 :* 54 (à sa création) ; *févr. 88 :* 101 ; *févr. 89 :* 168. **Population desservie :** *juin 87 :* 45 %, *88 :* 90, *1-1-90 :* 60,6 % (dans de bonnes conditions). **Audience.** *1987 :* 7 % de l'audience nat., *88 :* 10,9, *89 :* 14, *91 :* 11. *Programmes* également transmis par Télécom 1C dans plusieurs pays d'Europe et du Bassin méditerranéen.

■ 6e CHAÎNE (M6)

Histoire. 1986-*22-2* l'État accorde une concession pour 18 ans à un groupe constitué par : Sté générale de gestion, de distribution et de marketing de Gilbert Gross. Env. 200 millions de F [répartis entre Publicis (25 %), Gaumont (25 %), NRJ (18 %), Gross (12 %) ; 20 % entre équipe de direction de la chaîne, personnes privées et Stés d'édition musicale]. **1987**-*23-2,* attribuée par la CNCL à la *Sté Métropole de Télévision,* constituée par la *CLT* et *la Lyonnaise des Eaux.* 4 autres candidats étaient en présence. *Maurice Lévy* [Publicis 25 %, Gaumont 25, GGMD (Gilbert Gross) 12, NRJ 18, personnel de la chaîne 10]. *Jean Drucker* [CLT 25, Lyonnaise des Eaux 25, Groupe Amaury 10, Marin Karmitz 2,5, Suez, Paribas, UAP, Parfrance (groupe Bruxelles-Lambert) 37,5]. *UGC* [UGC 25, Éditeurs musicaux (CBS, Polygram, Virgin) 20, Éditeurs indépendants 5, artistes 5, personnel 7,5, Établ. bancaires 12,5]. *Canal Plus* [Canal Plus 15, Bayard Presse 15, Larousse-Nathan 15, IDDH (Sté de dessins animés) 15, autres partenaires (Éditeurs de jeux et banques) 40]. *1-3* lancement (autorisation : 10 ans). **1989**-*juill.* condamnée par le Conseil d'État à payer 484 000 F (la moitié de l'amende) pour manquement à ses obligations de diffusion d'œuvres françaises et europ. en 1988. **1991**-*26-7* mise en demeure par le CSA : non respect du quota de diffusion (59,5 % d'œuvres originales françaises en 1991 au lieu de 69 %), de l'obligation de programmer 1 h 30 d'émis. musicales pour les jeunes en fin d'après-midi (54 mn 28 s en 1991).

ORGANISATION

Siège. 16, cours Albert-Ier, 75008 Paris. **Direction.** *P-DG :* Jean Drucker (n. 12-8-41). *Dir. gén. :* Nicolas de Tavernost (n. 22-8-50). *Dir. des programmes :* Thomas Valentin (n. 3-9-54). **Capital** (déc. 1992) *montant réparti entre :* CLT 25 % ; Lyonnaise/Dumez 25 ; Crédit agricole 10 ; Paribas 9 ; UAP 9 ; Cie financière de Suez 8,3 ; Parfinance 5 ; Crédit mutuel 2,5 ; Bruxelles Lambert 2,49 ; Sud-Ouest 1 ; Éd. Amaury 1 ; Ouest-France 1 ; Sodete 0,7. **Budget** (en millions de F) : *chiffre d'affaires brut négocié : 1987 :* 70, *88 :* 280, *89 :* 450, *90 :* 700, *91 :* 880. *Part du marché pub. : 90 :* 7,6 %, *91 :* 9 %, *92 :* 14 %. *Pertes : 87 :* 371,3, *88 :* 405,8, *89 :* 354,9, *90 :* 159, *91 :* 120, *92* (prév.) : 0. *Frais de fonctionnement :* 700 par an. **Salariés** (1992) : 230 permanents.

Programmes. *Délais de programmation cinéma :* règles service public (3 ans ou 2 ans si le film est coproduit par la chaîne). *Quotas :* règles service public [(60 % de films CEE, dont 50 % de films d'expression française)]. *Grille :* mêmes règles que pour le service public. *Nombre de films :* 104. *Contributions financières :* 1,5 % des ressources affecté au compte de soutien cinéma. *Production propre :* 1re année 350 h, 3e 500 h ; *vidéo-clips :* 1re année 100, 3e 150. *Contributions financières :* 3 % des ressources pour le compte de soutien, 20 % des bénéfices affectés au financement d'œuvres de création. *Informations :* facultatives. *Nombre d'heures d'émissions par jour :* 24 dont (en %) information-documentaire-magazine 5, fiction 38, musique 33.

Audience. *Population desservie* (en %) *1987 (1-3) :* 25 émetteurs, 39 % de la pop. fr. ; *89 (31-12) :* 139 ém., 71 % ; *90 (juin) :* 160 ém., 75 % ; *92 (déc.) :* 238 ém., 80 %. *Audience sur 24 h* (en % des foyers) : *mars 1987 :* 0,7 ; *janv. 89 :* 5,6 ; *janv. 90 :* 7,6 ; *91 :* 8,5 ; *92 :* 12.

Entreprises privées de production télévisuelle. *Chiffre d'affaires (en millions de F, 1990) :* Carrière Télévision (créée 1986) 263,1. Le Sabre CA consolidé 162,84, production 82. Ellipse (Sté de prod. de Canal + dirigée par Philippe Gildas) 113,87. Hamster Prod. (créée 1981) 111,76.

☞ **Chaînes hertziennes de proximité exploitées par Lucie SA.** *Télé Lyon Métropole (TLM),* perte (1992) : 18 millions de F (prév. 1993 : 4 à 6). *8-Mont-Blanc Hte-Savoie,* Savoie (CA 1992 : 17 millions de F, pertes 20).

AUDIENCE TÉLÉVISION

■ PART D'AUDIENCE

En %, 1992	6 a. et +	15 a. et +	6-14 a.
TF1	41	41	45
France 2	24	24	21
La 5/Arte	3	3	3
France 3	14	14	11
M6	10	10	12
Canal + ...	5	5	6
Autres	3	3	2
Total........	100	100	100

■ **Télévision offerte (1992).** TF1, France 3, La 5-Arte, M6 : 36 324 h 26 min de programmes. **Télévision regardée en moyenne** par les 6 ans et + : 1 041 h 41 min dont (en %) fictions TV 26, journaux TV 12,9, magazines/documentaires/débats 12,7, films 9,6, jeux 9, variétés/divertissements 8, publicité 7,7, sport 6,7, émissions jeunesse 3,4, théâtre/musique classique 0,5, autres programmes 3,5.

■ **Parts de marché** (% *d'audience* obtenu par une *chaîne* sur l'ensemble des téléspectateurs regardant effectivement la télévision) **1992** *TF1 :* 41, *Fr. 2 :* 24, *Fr. 3 :* 14, *Canal + :* 5, *la 5-Arte :* 3, *M6 :* 10, *autres TV :* 3.

■ **Durée d'écoute** (en min) pour un jour moyen de semaine (du lundi au vendredi), sur l'ensemble des Français de + de 15 ans. **Par foyer :** *1982 :* 233, *90 :* 304. **Par individu :** *1964 :* 55, *68 :* 90, *69 :* 107, *70 :* 126, *76 :* 132, *80 :* 124, *81 :* 132 (TF1 : 54, A2 : 49, FR3 : 26), *86 :* 207,5 (A2 : 116,9, TF1 : 112,8, Canal + : 85,4, FR3 : 72,5), *89 :* 195 (TF1 : 88, A2 : 39, La 5 : 24, FR3 : 20, M6 : 13, Canal + : 8, autres : 4), *90 :* 192, *92 :* 190. **Selon le sexe** (1991) : hommes 183, femmes 210. **Selon l'âge** (1991) : *6/10 ans :* 131, *11/14 :* 150. *15/24 :* 140, *25/34 :* 177, *35/49 :* 166, *50 et + :* 256. **Selon l'activité** (1991) : *actifs* 164, *inactifs* 236. *Ménagères - de 50 ans :* 177, *50 et + :* 264 ; avec enfants 177. **Selon les mois** (1992, **6/14 ans et,** entre parenthèses, **15 ans et +).** Janv. 147 (219), févr. 151 (217), mars 131 (202), avr. 127 (191), mai 96 (171), juin 101 (173), juill. 115 (171), août 122 (161), sept. 118 (161), oct. 124 (188), nov. 127 (204), déc. 151 (207) ; *moyenne* 127 (190).

Part d'audience selon l'âge (en %, Médiamat du 7-9 au 18-10-1992). *15-49 ans :* TF1 39, F2 23,2, F3 12, C+ 7,7, M6 14,3, autres 3,8. *15-34 ans :* TF1 38,1, F2 22,4, M6 16,3, F3 10,9, C+ 8,8, autres 3,5. *Hommes de - de 50 a. :* TF1 37,4, F2 22,8, M6 13,8, F3 13, C+ 9,8, autres 3,2. *Ménagères de - de 50 a. :* TF1 40,2, F2 23,4, M6 14, F3 12,1, C+ 6,5, autres 3,8.

Temps quotidien passé devant la télévision (en %/des téléspectateurs) : 41,7 (+ de 4 h), 8,7 (de 2 h à 2 h 30), 8,5 (de 3 h à 3 h 30), 8,4 (de 2 h 30 à 3 h), 7,5 (de 3 h 30 à 4 h), 7,5 (de 1 h à 1 h 30), 6,8 (de 30 min à 1 h), 3,3 (- de 30 min). **1992** (en min) : *TF1 :* 74, *F2 :* 43, *F3 :* 25, *Canal + :* 9, *la 5-Arte :* 6, *M6 :* 19, *autres TV :* 5. **Fréquentation des médias** : presse 38 min, radio 2 h 06, TV 3 h 32 (Sondage CESP, avr. 1991/avr. 1992).

■ **Audience des enfants. Durée d'écoute :** *selon les Jours de la semaine :* lundi, mardi, jeudi, vendredi 1 h 15, mercredi, samedi, dimanche 2 h 25. *Saisons :* automne 2 h 06, vacances de Noël 3 h 42, printemps 1 h 10. Plus l'enfant grandit plus il regarde la tél. Moyenne générale hebdomadaire : 1 h 49. **Nombre :** *en moyenne, de 8 à 14 ans, les enfants regardent la tél. :* tous les jours 43 %, presque tous les j 46, 1 ou 2 fois par sem. 10, - ou jamais 1. **Volume d'écoute le mercredi entre 7 h et 20 h** (en %, 6 à 14 ans) : *pas d'écoute :* 20,1 ; *- de 2 h :* 36,9 ; *2 h/4 h :* 24,5 ; *+ de 4 h :* 18,5.

■ **Audience par tranches horaires** (en %). *24 h/7 h :* 2,8 ; *12 h/14 h :* 13,5 ; *18 h/22 h :* 46,2.

■ **Comparaisons internationales.** *% de téléspectateurs regardant la télé : - de 1 h par jour : France 13,* All. féd. 12, G.-B. 3 ; *de 1 à 3 h : France 57,* All. féd. 62, G.-B. 38 ; *de 3 à 5 h : Fr. 25,* All. féd. 21, G.-B. 35 ; *de 5 à 6 h : Fr. 3,* All. féd. 3, G.-B. 12 ; *+ de 6 h : Fr. 2,* All. féd. 2, G.-B. 12.

Nota. - Une pièce de théâtre est vue un samedi soir par 15 millions de spectateurs en France ; il faudrait 30 ans de succès ininterrompu dans une grande salle parisienne pour toucher pareil auditoire. Un film du dimanche soir devrait « tourner » 10 ans pour atteindre le même public.

MEILLEURS SCORES EN 1992

Légende : Dates et %. S : score.

■ **TF1.** Le Grand Bluff [4] *(26-12)* 35,2, l'Ours [1] *(23-2)* 32,9, clôture des jeux Olympiques d'Albertville [1/2] *(23-2)* 32,3, TF1 20 heures [7] *(23-2)* 30,9, JO patinage artistique/libre dame [2] *(21-2)* 29,6, libre danse [2] *(17-2)* 27,7, le Grand Chemin [1] *(21-4)* 27,1, les Compères [1] *(14-4)* 26,8, Crocodile Dundee [1] *(10-3)* 26,7, TF1 spécial : stade Furiani [7] *(5-5)* 26,1, Inspecteur la bavure [1] *(17-11)* 26, l'Arme fatale II [1] *(6-10) 25,1.* **France 2** : cérémonie d'ouverture des JO d'Albertville [1/2] *(8-2)* 25,3, les Clés de Fort Boyard [9] *(3-1)* 23,3, Best of les Inconnus (+ 2 scores > 15,9 %) [4] *(1-1)* 20,6, E.T. l'extra-terrestre [1] *(28-4)* 20,1, Foot-championnat Europe des nations/Suède-France [2] *(10-6)* 19,5, PROFS [1] *(22-12)* 18,9, la Place du père [5] *(18-11)* 18,9, le Corniaud [1] *(14-1)* 18,7, Les hommes préfèrent les grosses [1] *(15-12)* 18,4, la Menace [1] *(24-11)* 18,2, l'Arbre de Noël [1] *(20-12)* 18,1, Piège de cristal [1] *(31-3)* 18. **France 3 :** Robocop [1] *(27-4)* 18,3, Un prince à New York [1] *(29-10)* 16,8, Tatie Danielle [1] *(7-9)* 16,7, Predator [1] *(20-1)* 16,6, Jumeaux [1] *(7-12)* 16,4, Miss France [11] *(27-12)* 16,2, Paris brûle-t-il ? [1] *(24-8)* 15,8, Romuald et Juliette [1] *(13-1)* 15,7, Heureux qui comme Ulysse [1] *(10-2)* 15,2, JO patinage artistique/couple [2] *(11-2)* 14,5, Terminator [1] *(17-2)* 14,5, Pale Rider [1] *(18-5)* 14,4, Ben Hur [1] *(30-4)* 14,2, actualités régionales (+ 23 scores > 13.0) [7] *(3-2)* 14,2, Batman [1] *(28-12)* 14. **Canal + :** les Nuls l'émission [4] *(28-3)* 6,7, Et la fête continue [4] *(28-3)* 5,6, foot championnat de France : St-Étienne-Marseille [2] *(29-1)* 5, PSG-Marseille [2] *(18-12)* 4,6, Ça cartoon [8] *(13-12)* 4,7, Michael Jackson [3] *(1-10)* 4,3, Top 50 [3] *(29-2)* 4. **La 5 :** l'Espion aux pattes de velours [1] *(28-1)* 11, Jamais plus jamais [1] *(21-1)* 10,3, Noyade interdite [1] *(2-2)* 9,7, Il est moins 5 (disparition de La 5) *(12-4)* 9,4, Perry Mason [6] *(11-1)* 9,3, Over the top [1] *(16-2)* 9. **Arte :** Mortelle randonnée [1] *(9-11)* 3,4. **M6 :** Interdit d'amour [5] *(28-10)* 9,9, le Contrat [1] *(24-2)* 9,7, Double Détente [1] *(2-3)* (9,5), Bienvenue à Bellefontaine [5] *(9-12)* 8,7, Nevada Smith [1] *(14-9)* 8,5, Working Girl [1] *(11-5)* 8,5, Papy Joe [5] *(15-9)* 8,5, Mariage en noir [5] *(4-12)* 8,4, Haute Sécurité [1] *(9-11)* 8,1, le Monstre évadé de l'espace : 1re partie [5] *(24-6)* 8,1, Trois Hommes et un couffin [1] *(16-11)* 8, Invasion Los Angeles [1] *(21-9)* 8.

Nota : (1) film. (2) sport. (3) variétés. (4) humour. (5) téléfilm. (6) série. (7) info. (8) dessins animés. (9) jeu. (10) documentaire. (11) cérémonie.

■ **Par genre. Films :** l'Ours [1] *(23-2)* 32,9, le Grand Chemin [1] *(21-4)* 27,1, les Compères [1] *(14-4)* 26,8, Crocodile Dundee [1] *(10-3)* 26,7, Inspecteur Labavure [1] *(17-11)* 26, l'Arme fatale II [1] *(6-10)* 25,1.

Téléfilms : Honorin et la Lorelei [1] *(12-11)* 24,8, la Place du père [2] *(18-11)* 18,9, Van Loc le flic de Marseille [1] *(30-1)* 18,8, la Guerre des privés [1] *(23-4)* 17,2, Un beau petit milliard [1] *(4-6)* 17,1, Julie Lescaut [1] *(9-1) 17.*

Séries et feuilletons : Columbo (+ 1 s. > 16) [1] *(24-10)* 21, Commissaire Moulin (+ 4 s. > 16) [1] *(16-1)*

Enquêtes d'audience

■ **Mesure d'audience. Origine.** *1954* RTF entame des enquêtes. *1958* création du CESP (Centre d'études des supports de publicité). *1964* enquête annuelle en 3 vagues trimestrielles. *1967* Service d'études d'opinions créé, au sein de l'ORTF. *1975* devient le Centre d'études d'opinions (CEO). *1982* mesure électronique introduite. *1985* CEO devient Médiamétrie.

■ **Enquêtes par sondage.** Au début, pendant 2 semaines, des télespectateurs choisis, devaient remplir quotidiennement un carnet d'écoute notant les émissions qu'ils avaient regardées et donnant leur appréciation. Les feuilles envoyées au jour le jour étaient transcrites sur cartes perforées et traitées par ordinateur.

Enquête du Centre d'études des supports de publicité (CESP). 12 000 à 15 000 personnes interrogées à domicile durant 3/4 d'heure (en 3 vagues de 4 000 à 5 000 personnes correspondant chacune à une saison) sur leurs habitudes d'écoute et leur audience de la veille.

■ **Audimétrie Foyer** (1981). Panel Audimat mis en place par le CEO et la Sécodip : 650 foyers. L'audimètre créé par Thomson CSF mesure avec précision l'écoute mais ne peut indiquer caractéristiques et nombre de personnes devant le téléviseur. **Individuelle** (système actuel, 1989). Système Médiamat remplace l'Audimat dont le nom reste utilisé dans le langage courant. Panel de 2 300 foyers comprenant 5 550 personnes de 6 ans et +. Chaque foyer est équipé d'un audimètre muni d'une télécommande à touches individuelles ou boutons-poussoirs, connecté au téléviseur et relié par ligne téléphonique à un centre informatique. Chaque individu dispose de sa propre touche lui permettant de signaler sa présence lorsqu'il regarde la télévision. Cela permet son identification socio-démographique. S'il y a des invités, ceux-ci sont également sollicités pour déclarer leur présence en précisant leur âge et leur sexe. L'audimètre stocke en mémoire, en permanence et à la seconde près, les différentes données d'audience : marche/arrêt, écoute des différentes chaînes (hertzienne, câble, satellite), utilisation du magnétoscope ou du téléviseur comme moniteur. En cas de multiéquipement TV, tous les téléviseurs sont équipés d'un audimètre. Toutes les nuits, entre 3 et 5 heures du matin, le centre informatique appelle chaque audimètre et recueille les données stockées qui seront ensuite traitées pour le calcul des audiences. **Système automatique** (stade de la recherche) : détecterait et identifierait les personnes présentes devant le téléviseur sans intervention de leur part. Le CESP a admis le 4-7-1990 que le dénombrement des téléspectateurs effectué selon ce système avec le Motivac était exact à 94 % ; mais en juin 1991, a infirmé ce jugement.

■ **Nielsen-SOFRES.** Panel qui a existé d'oct. 1988 à 1992 (voir Quid 1993, p. 1225c). Résultats : 1 % audimat = 206 000 foyers ou 497 000 individus. L'association de l'Américain Nielsen, pionnier depuis 1923 des recherches en marketing, et de la SOFRES permet depuis 1985 d'autres sources de renseignements (1 000 audimètres à bouton-poussoir, un panel télématique de foyers interrogés quotidiennement par minitel fournit des indications sur l'écoute des émissions de la veille).

■ **Organismes. Capital** (en %) **et chiffre d'affaires** (en millions de F) **en 1992.** *Groupe Sofres-Secodip* (Marc Ladreit de Lacharrière 41, Elf 12,5, Gan 12,5) 900, *Nielsen France* (A. C. Nielsen 100) 500, *Ipsos* (J.-M. Lech et D. Truchot 53,54, Baring 16,2, Cadres 18,21, Argos 12,2) 416, *BVA* (Crédit agricole de l'Yonne 99) 108, *GFK France* (GFK AG 100) 82, *ISL* (salariés 65) 72, *Ifop* (L. Parisot 51, Bossard 40) 65, *Demoscopie* (Cofremca 60, Jacques Paitra, Yves Rickebusch, Jean-Pierre Silvera 40) 43, *Louis Harris France* (Louis Harris Associates 64, Sofres 21) 33, *CSA* (C. Suquet, R. Cayrol 99) 30.

19,5, les Cœurs brûlés (+ 3 s. > 16) [1] *(14-8)* 19,5, les Cordier juge et flic [1] *(26-11)* 19,4, Navarro (+ 3 s. > 16) [1] *(20-2)* 19,3, les Aventures d'Alice [1] *(17-12)* 18,4, les Cinq Dernières Minutes [2] *(20-11)* 17,5.

Théâtre : Folle Amanda [1] *(14-5)* 18, Rumeurs [1] *(6-7)* 12,2, Tiercé gagnant [2] *(21-12)* 10,3, Quand épousez-vous ma femme ? [1] *(13-7)* 10,2, la Bonne Adresse [2] *(24-6)* 9,1, le Grand Jeu *(20-7)* 8,5.

Musique classique – opéras : Concert du nouvel an [2] *(1-1)* 5, la Marseillaise des mille [2] *(14-7)* 4,2, le Prince de Madrid [3] *(1-1)* 3,3, Tosca/2e acte [3] *(11-7)* 2,4, 1er acte [3] *(11-7)* 1,6.

Variétés : Sacrée Soirée (+ 13 s. > 15,9) *(23-12)* 21,3, Sébastien c'est fou (+ 6 s. > 15,9 *(22-2)* 20,5, Stars 90 (+ 6 s. > 15,9) *(6-4)* 19,9, Succès fous (+ 1 s > 15,9) *(4-1)* 18,4, Music Stars/Sheila *(26-12)* 17,8, la Première Fois *(29-2)* 17,7, Tous à la Une (+ 6 s. > 15,9) *(17-4)* 17,6, la Soirée des enfoirés *(20-1)* 16,2, Patrick Sébastien un été 92 *(31-8)* 15,9, Toute la ville en parle *(19-12)* 15,9.

Cirque : les Grands Cirques du monde (+ 2 s. > 6,1) [3] *(16-2)* 8,9, le Cirque de Mongolie [3] *(19-1)* 7,6, le Plus Grand Chapiteau du monde [3] *(5-4)* 7,5, Festival mondial du cirque de demain [3] *(2-2)* 7,4.

Jeux les Clés de Fort Boyard (+ 9 s. > 8,7) [2] *(3-1)* 23,3, la Roue de la fortune (+ 209 s. > 8,7) [1] *(13-1)* 17,3, le Juste Prix (+ 327 s. > 8,7) [1] *(2-2)* 15,7, la Piste de Xapatan (+ 14 s. > 8,7) [2] *(15-5)* 15,1, Une famille en or (+ 97 s. > 8,7) [1] *(2-1)* 13,7, Jeux sans frontières (+ 13 s. > 8,7) [2] *(10-1)* 12,8, Millionnaire (+ 57 s. > 8,7) [1] *(4-1)* 12,2, Questions pour un champion (+ 45 s. > 8,7) [3] *(26-4)* 11,9, Que le meilleur gagne plus (+ 51 s. > 8,7) [2] *(17-11)* 10,7, Tournez manège [1] *(5-2)* 8,7.

Humour : le Grand Bluff [1] *(26-12)* 35,2, La 5000e des grosses têtes (+ 3 s. > 15,1) [1] *(1-2)* 21,4, le Bébête Show (+ 87 s. > 15,1) [1] *(10-2)* 20,8, Best of les Inconnus (+ 3 s. > 15,1) *(1-1)* 20,6, Crise de rire [1] *(21-11)* 19,8, Surprise sur prise (+ 3 s. > 15,1) [1] *(14-3)* 19,1, Histoires d'en rire [1] *(27-4)* 16,4, les Étoiles du rire [1] *(23-3)* 15,9, Fou rire [1] *(11-7)* 15,3, Juste pour rire [1] *(4-7)* 15,1.

Documentaires : Sa Majesté la reine Elisabeth II [1] *(6-2)* 18,5, Prostitution-travestir [1] *(12-11)* 13,2, Hommage à Michel Berger [1] *(3-8)* 12, Prostitution/La maman du trottoir [1] *(26-11)* 11,8, Soirée pour les générations futures/Le monde du silence [2] *(27-1)* 10,7, Marilyn son dernier tournage [2] *(4-8)* 10,2.

Magazines débats : 7 sur 7 : Madonna (+ 21 s. > 8,5) [1] *(11-10)* 19,1, Drogue sortir de l'enfer [1] *(16-3)* 11,7, Coucou c'est nous (Roch Voisine) (+ 67 s. > 8,5) [1] *(16-11)* 11,4, Bas les masques : Cabaret [2] *(29-12)* 10,1, Ciel mon mardi (+ 4 s. > 8,5) [1] *(30-6)* 9,9, En quête de vérité [1] *(4-3)* 9,6, Combien ça coûte [1] *(28-12)* 9,5, Frou-Frou (Smaïn) [2] *(14-11)* 8,9, la Marche du siècle/l'Empire des sectes (+ 1 s. > 8,5) [3] *(29-4)* 8,8, La vie continue [1] *(12-3)* 8,5.

Magazines d'images : Mystères (+ 3 s. > 8,7) [1] *(21-12)* 19,5, Perdu de vue (+ 9 s. > 8,7) [1] *(6-1)* 19,4, les Marches de la gloire (+ 13 s. > 8,7) [1] *(13-11)* 18,3, Reportages (+ 50 s. > 8,7) [1] *(25-1)* 17,7, Envoyé spécial (+ 30 s. > 8,7) [2] *(5-3)* 17,2, la Nuit des héros (+ 32 s. > 8,7) [2] *(24-10)* 14,7, 52 sur la une (+ 2 s. > 8,7) [1] *(24-1)* 13,1, 30 millions d'amis (+ 5 s. > 8,7) [1] *(26-12)* 9,5, Ushuaia [1] *(4-1)* 9,4, Thalassa [3] *(16-10)* 8,7.

Émissions politiques : *l'Heure de vérité* [2] : Jean-Marie Le Pen *(12-1)* 4,5, Raymond Barre *(6-12)* 4,2, Cardinal Decourtray *(20-12)* 4,2, Raymond Barre *(9-2)* 4,1, Pierre-Gilles de Gennes *(27-12)* 3,9, Pierre Bérégovoy *(30-8)* 3,8 ; *le Point sur la table* [1] : L'identité de la France est-elle menacée ? *(18-3)* 4, la Bataille de l'Europe *(6-5)* 3,9, Bernard Kouchner-Nicolas Sarkozy [1] *(23-9)* 3,9, L'école fabrique-t-elle des chômeurs ? [1] *(12-2)* 3,9. *Émissions spéciales* TF1 20 h : en direct de l'Élysée [1] *(9-11)* 17,4, le Rendez-vous de l'Europe [1] *(3-9)* 16,7, élections régionales et cantonales [1] *(22-3)* 16, référendum 92/Maastricht [1] *(20-9)* 14,1, A l'heure de Maastricht [2] *(20-9)* 13,6, France 2 le journal : en direct de l'Élysée [2] *(9-11)* 12,6, vœux du Pt de la République [1] *(31-12)* 11,9.

Émissions spéciales : l'ouverture Euro Disney [1] *(11-4)* 21,4, élection de Miss France [3] *(27-12)* 16,2, les victoires de la musique [2] *(1-2)* 12,8, concours Eurovision de la chanson [2] *(9-5)* 12,7, défilé du 14 Juillet [2] *(14-7)* 11,6, Solidarité Ouveze [2] *(24-9)* 10,9, gala de la presse [3] *(8-11)* 9,8, la nuit des Césars [2] *(22-2)* 9,4.

Retransmission des JO. Albertville : *Patinage artistique :* libre dame [1] *(21-2)* 29,6, danse [1] *(17-2)* 27,7, couple [3] *(11-2)* 14,5 ; *ski alpin :* descente hommes [1] *(9-2)* 23,4, combiné dames *(12-2)* 13,9, super géant dames [1] *(18-2)* 13,8. **Barcelone :** *judo* [3] *(30-7)* 11,3.

Magazines sportifs : F1 à la une (+ 10 s. > 5,6) [1] *(5-7)* 10,3, Stade 2 (+ 25 s. > 5,6) [2] *(22-11)* 9,3, Vélo Club (+ 1 s. > 5,6) [2] *(26-7)* 8,9, Téléfoot (+ 12 s. > 5,6) [1] *(19-1)* 8,9, Sports 3 [3] *(18-7)* 8,8, Sportissimo/spécial boxe [2] *(18-12)* 8,5, Sports passion (+ 3 s. > 5,6) [2] *(1-2)* 8,5.

Retransmissions football : *championnat d'Europe des Nations :* France-Danemark [1] *(17-6)* 22,7, Allemagne-Danemark [1] *(26-6)* 20,4, Suède-France [2] *(10-6)* 19,5 ; *Coupe d'Europe :* AS Monaco-Werder Breme [1] *(6-5)* 21,5, AS Monaco-AS Roma [1] *(18-3)* 19,5. **Autres sports :** *tennis international :* Roland Garros [3] *(3-6)* 13,2, *cyclisme :* le Tour de France (+ 3 s. > 8,6) [2] *(19-7)* 13,1, *rugby :* championnat de France : Biarritz-Toulon [2] *(6-6)* 12, *tournoi des 5 nations :* France-Angl. [2] *(15-2)* 11,2, Galles-France [2] *(1-2)* 10,8, *Boxe :* championnat du monde [1] *(5-6)* 11,2, *Formule 1 :* Grand prix d'Espagne [1] *(3-5)* 8,9, de Monaco [1] *(31-5)* 8,7.

■ **Par âge. Enfants de 6 à 10 ans, dessins animés :** *Destination Tintin :* les Aventures de Tintin (+ 15 s. > 19,9) [3] *(26-5)* 27,6, le Temple du soleil (+ 4 s. > 19,9) [3] *(29-11)* 27,2, *Disney Club :* Pluto [1] *(19-4)* 23,8, Donald (+ 7 s. > 19,9) [1] *(9-2)* 23,2, Super Baloo (+ 2 s. > 19,9) [1] *(19-4)* 22,8, Dingo (+ 2 s. > 19,9) [1] *(13-12)* 22,4. **Tous genres confondus hors jeunesse et dessins animés :** *jeu :* Les Clés de Fort Boyard (+ 1 s. > 19,3) [2] *(3-1)* 29,9, *film :* l'Ours [1] *(23-2)* 26,1, *humour :* le Grand Bluff [1] *(26-12)* 24, *événement except. :* ouverture d'Euro Disney [1] *(11-4)* 23,1. **11 à 14 ans, tous genres confondus hors jeunesse et dessins animés :** *film :* l'Ours [1] *(23-2)* 36,6, *humour :* le Grand Bluff [1] *(26-12)* 32,3, *jeu :* les Clés de Fort Boyard (+ 1 s. > 21,7) [2] *(3-1)* 32,1, *film :* Y a-t-il un pilote dans l'avion ? [1] *(1-9)* 31,8, *humour :* Best of les Inconnus (+ 1 s. > 21,7) [2] *(1-1)* 31,4, *film :* le Père Noël est une ordure [1] *(26-10)* 27,9.

■ **Après 21 h 30. Films.** Dernier Domicile connu [1] *(22-3)* 10, le Silencieux [1] *(14-6)* 9,5, Il y a 50 ans la rafle du Vel d'Hiv. : les guichets du Louvre [1] *(19-7)* 8,8, Cette sacrée gamine [1] *(1-1)* 8,8, Horreur dans la ville [1] *(15-11)* 8,7. **Téléfilms :** Cinéma Paradiso/2e partie [1] *(25-12)* 8,7, les Douze Salopards [1] *(22-2)* 8,2, la Mémoire dans la peau/1re partie *(23-12)* 7,6, le Secret du Sahara [1] *(18-7)* 7,6, le Monstre évadé de l'espace/2e partie [4] *(24-6)* 7,5. **Séries et feuilletons :** Colombo [1] *(20-6)* 8,5, Agence tous risques [1] *(26-9)* 7,8, les Douze Salopards [1] (+ 1 s. > 3,7) *(24-4)* 7,4, Imogène (+ 4 s. > 3,7) [1] *(10-8)* 6,8, Mike Hammer (+ 7 s. > 3,7) [1] *(8-7)* 6,3, Mission impossible (+ 23 s. > 3,7) [4] *(4-9)* 5,8, le Gorille [2] *(3-12)* 4,7. **Hors fiction :** *info :* TF1 spécial (stade Furiani) [1] *(5-5)* 18,3, *variétés :* Music stars/Sheila [1] *(26-12)* 17,8, *humour :* le Bêtisier [2] *(31-12)* 14,3, *info :* flash (stade Furiani) [2] *(5-5)* 13,6, *doc. :* Prostitution/travestir [1] *(12-11)* 13,2, *mag. :* Perdu de vue [1] *(9-11)* 13,2, *mag. :* 52 sur la Une [1] *(24-1)* 13,1.

Nota. – (1) TF1. (2) France 2. (3) France 3. (4) M6.

Un événement international comme les obsèques de Winston Churchill à Londres en janvier 1965 a été vu par 350 millions de personnes dans le monde, le lancement d'Apollo 11 vers la Lune le 16-7-69 par 528 millions, la récupération d'Apollo 13 le 17-4-1970 par 600 millions, les jeux Olympiques de 1972 et 1976, la visite du pape Jean-Paul II en Irlande (26-9-79) par 1 milliard.

Associations de téléspectateurs

Si tous les enfants du monde... Pour une télévision de qualité. Ass. loi 1901. 10 bis, rue Jean-Goujon, 75008 Paris. Minitel 3615, code Antea. *Pt :* M. de la Doucette. **Avenir de la culture** 40, av. Bosquet, 75007 Paris. **Les Pieds dans le Paf** (Bureau des plaintes TV), 9, rue Cadet, 75009 Paris. *Pt :* Guillaume Soulez. **La Télé est à nous,** 42, rue La Boétie, 75008 Paris. *Pt :* Maurice Séveno. **Antéa (Association nationale des téléspectateurs et auditeurs),** 10, rue Goujon, 75008 Paris. *Pte :* Marie-Henriette Vigier. **MTT (Média, télévision et téléspectateurs),** 24, rue d'Aumale, 75009 Paris. *Créée* par l'Unaf et la Ligue de l'enseignement. *Pt :* Jean-Louis Rollot. **Fédération européenne des téléspectateurs,** *Pt :* Vidal Beyneto. Secrétariat : les Pieds dans le Paf.

■ Audience radiodiffusion

Auditeurs (nombre en millions) : *1990 :* 33, *91 :* 34, *92 :* 35.

Comparaisons. *Nombre d'émetteurs* entre parenthèses, et, *auditeurs potentiels* en millions : NRJ (117) 32,6, Nostalgie (187) 43, Europe 2 (98) 21,5, Skyrock (53) 18, Fun (121) 21, RFM (50) 20,5, Kiss (59) 17, Pacific (50) 18.

Réception. *Modulation d'amplitude :* sur 100 % du territoire, *fréquence : 95 %.* **Taux d'équipement radio** (en %). Foyers disposant d'au moins 1 récepteur 99 % dont 88 % équipés en FM [dont préprogrammation 33, transistor portable 83, poste fixe 66, radio-réveil 75, autoradio 74, baladeur 27].

Mesure d'audience de la radio

■ **Indicateurs d'audience utilisés en radio.** *Audience cumulée :* nombre ou % de personnes différentes ayant écouté une station au cours d'une période donnée (5 h-24 h) quelle que soit la durée de l'écoute. *Point d'audience cumulée :* 453 200 personnes de 15 ans et +. *Durée d'écoute par auditeur (DEA) :* Moyenne en minutes du temps passé à l'écoute par les auditeurs d'une station (ici calculée période 5 h-24 h). *Part d'audience/Part du volume d'écoute* (Synonyme : Part de marché) : % d'audience d'une station de radio (ou d'un ensemble de stations) calculé par rapport à l'ensemble (ou sous-ensemble par exemple : les radios périphériques) des audiences radio.

Programmes avril-juin 1992	Audience cumulée (%)	Durée d'écoute (min)	% d'audience de radio
Radio en général ..	77,8	188	100
Généralistes [1] :	*39,4*	*156*	*41,9*
RTL	17,7	154	18,7
Europe 1	11,5	122	9,5
Fr. Inter	10,9	123	9,1
RMC	4,1	119	3,3
Musicaux nationaux [2] :	*29*	*120*	*3,4*
NRJ	10,8	114	10
Fun Radio	5,5	106	4,9
Skyrock	5,5	106	5,1
Nostalgie	4,8	148	4,8
Europe 2	4,1	120	3,4
Chérie FM	2,3	146	2,3
RFM [5]	1,7	129	1,6
M 40 [5]	1,3	90	0,7
Thématiques [3] :	*10,8*	*97*	*7,1*
Fr. Info	8,3	78	4,4
Locaux [4]	*17,3*	*141*	*16,7*
Radio France	24,3	130	21,7
dont stations locales	17,3	141	16,7
Privées commerc. ..	*60*	*174*	*71,2*
Serv. Public	*24,3*	*130*	*21,7*
Associatives	*2,3*	*137*	*2,2*

Nota. – 1 % = 456 500 de 15 ans et +. (1) RTL, Europe 1, Fr. Inter, RMC, Sud Radio. (2) NRJ, Eur. 2, Fun, Nostalgie, Skyrock, RFM, M 40, Chérie FM. (3) Fr. Info, R. Bleue, Fr. Culture, Fr. Musique. (4) 39 décentralisées et 9 Fip de R. France + les radios locales non affiliées à un réseau national. (5) Sept.-déc. 1992. *Source* : 75 000 Médiamétrie.

■ **Enquête 75 000 Radio/Médiamétrie.** Sondage téléphonique quotidien (10 min sur 12) assisté par ordinateur, mesurant l'audience individuelle. 75 000 personnes de 15 ans et + sont interviewées chaque année. A remplacé en 1990 les enquêtes 55 000 et 36 000.

■ **Prime time** : entre 7 et 9 h (audience cumulée moyenne pour sept./déc. 1992 : 49 %, soit 22,2 millions d'auditeurs). Les plus assidus sont les hommes, les Parisiens, les cadres moyens et sup.

■ **Durée d'écoute par auditeur un jour moyen de semaine** (en 1988). *Écoutent moins de 1 h* : 16 % des Français de 15 ans et +, *1 à 2 h* : 16,4, *2 à 3 h* : 11, *3 à 4 h* : 17, *4 à 5 h* : 15,7, *+ de 5 h* : 14,2. **Durée moy. en minutes** (jour moyen du lundi au samedi, 15 ans et +). *1981* : 130, *85* : 119, *86* : 124, *87* : 115, *88* : 128, *89* : 124, *91 (nov.-déc.)* : 179.

■ **Répartition des auditeurs** (selon une étude de Cyclades, filiale de Carat, 1991). **Durée moyenne quotidienne d'écoute :** petits auditeurs (10 827) 48 min, moyens (11 741 000) 2 h 18, grands (11 741 000) 6 h 33. **Stations écoutées** (en %, grands auditeurs et, entre parenthèses, petits auditeurs) : France Inter : 7,7 (11,4), Europe 1 : 9,2 (10,2), RTL : 22,9 (15,5), Europe 2 : 5,2 (3,4). **Tranche d'âge** (en %) : **15-24 ans :** petits auditeurs 23,1, moyens 21,8, grands 16,5. **+ de 50 ans :** petits 31, moyens 32,5, grands 37,7. **Retraités :** petits 38,9, moyens 40,6, grands 47,6. **Catégorie professionnelle** (en %) : ouvriers et agric. 38,4, employés 24,9, prof. intermédiaires 17,7, petits patrons 10,3, cadres sup. et prof. libérales 8,7. **Moment d'écoute** (%). Repas 19,9, tâches ménagères 19,4, activités professionnelles 15,8, déplacements 13,5. **Part des radios locales privées** (%) : *1981* : 4,6 ; *82* : 11,4 ; *83* : 16,9 ; *84* : 18,7 ; *85* : 22,6 ; *86* : 24,3 ; *88* : 34 ; *89* : 37,6.

Il existe encore en France env. 3 250 zones d'ombre (ex. : vallées encaissées) où les faisceaux hertziens ne parviennent pas. Il faudrait pour y remédier 2 050 installations locales.

■ **Nombre d'auditeurs par stations écoutées** (en milliers, *Source* : Médiamétrie, sept.-déc. 1992, lundi-vendredi) : **Ménagères de moins de 50 ans :** radio 8 461, *RTL* 2 001, *NRJ* 1 063, *Europe I* 940, *Fr. Inter* 952, *RMC* 367 ; **Femmes actives :** radio 8 257, *RTL* 2 060, *NRJ* 959, *Fr. Inter* 1 020, *Eur. I* 1 011, *RMC* 380 ; **Moins de 50 ans :** radio 23 224, *RTL* 4 592, *NRJ* 4 063, *Eur. I* 2 899, *Fr. Inter* 2 409, *RMC* 922 ; **foyers 3 personnes :** radio 7 107, *RTL* 1 668, *NRJ* 904, *Eur. I* 1 075, *Fr. Inter* 840, *RMC* 382.

■ **Audience cumulée chez les 15-59 ans** (27 461 000 auditeurs) en sept.-déc. 1992. NRJ 12,3 %, RTL 17,4, Europe I 11, Fr. Inter 9,3, RMC 3,7.

■ Budget

Compte de soutien en 1990 (compte spécial du Trésor n° 902-10) (en millions de F). **Ressources :** 1 460 dont *Section cinéma* 832 (dont taxe additionnelle au prix des places de cinéma 420,3, sur les ressources des ch. de télé 395, contribution de l'État n.c., divers 16,7) ; *Section audiovisuel* 628 [dont taxe sur les ressources des ch. de télé 527, contribution de l'État (chap. 43-40 du min. de la Culture) 100, divers 1]. **Emploi :** 1 460 dont *Section cinéma* 832 (dont subventions diverses 147, avances sur recettes 103, soutien automatique à la production 318, soutien à l'exploitation 240, divers 24) ; *Section audiovisuel* 628 (dont subv. à la prod. 614, divers 14). **Part du secteur audiovisuel** (loi de finances initiale) (en millions de F). *1987* : -202. *88* : -322. *89* : -329. *90* : -308 (taxe sur les ressources des ch. de télé 922, subventions à la production audiovisuelle 614).

Résultats (en millions de F, 1990/1991 et, entre parenthèses, 1988) **des chaînes de TV :** M6 – 744/– 100 (– 405), France 3 – 181/– 93 (23), France 2 180/29 (100), TF1 303/341 (161,1), Canal + 910/1 081 (619).

Chiffre d'affaires de la télévision en milliards de F (1991) et, entre parenthèses, **consolidé** (1990) : *TF1* 5,5 (5,829), *A2* 3,4 (5,829), *FR3* 3,4 (3,538), *Canal +* (3,538), *La 5* (2,2), *M6* (2,2). **Bén. résultats nets** (1990) : *TF1* 0,3 (1991 : 0,29), *A2* 0,3. Déficit budg. (prév. 91, en millions F) : *FR3* 255, *Canal +* 255, *La 5* 1 120, *M6* 1 120.

■ Dépenses

■ **Charges** (1993, en millions de F). *Exploitation* 13 215,2 dont achats et var. des stocks de programmes 2 989,2, services extérieurs 3 940,1, impôts et taxes 232, personnel 4 089,4, autres charges de gestion courante 1 028,6, charges financières 68,5, dotation aux amort. et provisions 490,3. *Investissement* 1 105,5 dont acquisition d'immobilisations 1 338,7, productions internes 19, remboursements d'emprunt 5,3, variation du fonds de roulement 4.

Investissements des chaînes (1991, en millions de F et, entre parenthèses, volume horaire. *Source* : CNC) : *TF1* : 513 (600), *A2* : 378 (270), *FR3* : 319 (414,5), *C +* : 87 (89,5), *La Cinq* : 273 (274), *M6* : 39 (63), *La Sept* : 73 (117), *Autres* : 2,7 (17,5), *Total* : 1 685 (1 846).

Balance commerciale des productions audiovisuelles (1991, en millions de F). Solde – 550 [*export.* 160, *import.* 710 dont 85 % d'Amér. du N., 7 % d'Europe].

Coût d'une heure de fiction. Produite en France : env. 400 000 F, achetée à un producteur américain : 50 000 F. 35,2 % des programmes diffusés en 1991 (16 833 h 8 min). Fictions américaines 45 % du volume total diffusé par les chaînes.

■ **Droits de diffusion. Film** (moyenne en millions de F) : *1974* : 0,075, *75* : 0,15, *80* : 1re diffusion 0,5 à 2, 2e 0,2 à 0,6, *88* : 1re diffusion 1 à 10 (Rambo), 2e 0,3 à 0,6, *91* : TF1 : 2,8, FR2 : 1,8. *Film noir et blanc* : env. 0,3. S'il était colorisé (coût : env. 1 500 000 F) 3 à 4.

Émissions sportives : droits de retransmission des JO 1992 (en millions de $) : **Albertville :** CBS (USA) 243, UER (Europe de l'Ouest) 18 (dont TF1 2,3, A2 1,4, FR3 1,2), CBC (Canada) 10, NHK (Japon) 9, Network 3 (N.-Zélande) 9,5, OIRT (Europe Est) 2,2, total 284,7. *France* : (droits et, entre parenthèses nombre d'h.) : TF1 2,3 (34), A2 1,4 (56), FR3 1,2 (58) ; au total, 148 h de diffusion dont 112 en direct et 36 en différé. **Barcelone :** 650 dont NBC (USA) 416, UER (Europe occ.) 90, NHK (Japon) 62,5, Chanel 7 (Austr.) 33,75, CTV (Canada) 16,5, BOKP (Corée) 7,5, Sabc (Afr. du S.) 6, OIRT (Europe or.) 4, OTI (Amér. du S.) 3,5, autres 3,9. **Total des droits TV du football en France** (en millions de F) **et % du CA du football français** (entre parenthèses) : *1977-78* : 1,5 (1) ; *82-83* : 5 (1,8) ; *85-86* : 35 (6,5) ; *87-88* : 200 (25) ; *88-89* : 220 (27).

Prix moyen d'un match (en millions de F) : *1978* : 0,2, *86* : 1,2, *90* : 5.

Coût

Émissions	min (en F)	total (en MF)	T. (en F) [1]	T. (en M) [2]
Maigret [3]	112 000	10	1,44	6,9
Navarro [4]	88 888	8	0,86	9,34
Football [5]	41 666	5	3,33	1,5
Formule 1 [4]	33 333	4	0,57	6,9
Stars 90 [4]	38 888	3,5	0,46	7,6
Sacrée Soirée [4]	33 333	3	0,41	7,2
Les Marches de la gloire [4]	27 777	2,5	0,30	8,15
Ushuaia [4]	18 333	1,1	0,31	3,4
Thalassa [6]	13 333	0,85	0,20	3,8
Envoyé Spécial [3]	9 444	0,85	0,17	4,7
Bas les Masques [3]	13 333	0,8	0,31	2,53
24 Heures [5]	10 500	0,63	7,66	0,822
Ex-libris [4]	5 000	0,45	0,34	1,29
7 sur 7 [4]	6 666	0,4	0,07	5,4
Bouillon de culture [3]	3 888	0,35	0,35	0,994
L'Heure de vérité [3]	4 000	0,24	0,13	1,7
Les Guignols de l'info [5]	32 000	0,16	0,10	1,59
Le Juste Prix [4]	4 666	0,14	0,02	5,96
Le Bébête Show [4]	20 000	0,1 [7]	0,01	6,61
Questions pour un champion [6]	3 333	0,1	0,2	0,497

Nota. – (1)Téléspectateurs (en F). (2) Téléspectateurs (en millions). (3) France 2. (4) TF1. (5) Canal +. (6) France 3. (7) Chaque marionnette en mousse coûte 15 000 F.

Répartition des œuvres selon leur origine en 1990

Origine	Antenne 2	FR3	TF1	La 5	M6	Canal +	Total
France	1 167 h 10	1 460 h 56	2 113 h 04	2 651 h 07	3 431 h 59	553 h 15	13 377 h 31
CEE (hors France)	229 h 12	237 h 54	293 h 03	951 h 57	1 064 h 35	391 h 04	3 167 h 45
Belgique	1 h 33	10 h 41	2 h 24	–	121 h 00	4 h 39	140 h 17
Danemark	–	0 h 34	–	–	–	2 h 39	3 h 13
Espagne	–	1 h 11	1 h 00	1 h 31	–	28 h 00	31 h 42
Grande-Bretagne	109 h 20	177 h 06	61 h 09	140 h 30	690 h 03	300 h 43	1 478 31
Grèce	–	0 h 15	–	–	–	1 h 05	1 h 20
Italie	25 h 30	7 h 27	18 h 12	17 h 24	1 h 29	15 h 12	85 h 14
Luxembourg	–	–	–	–	126 h 31	–	126 h 31
Pays-Bas	0 h 50	3 h 51	–	1 h 32	–	3 h 30	9 h 43
Portugal	–	2 h 26	–	–	–	–	2 h 26
RFA	38 h 33	19 h 09	129 h 37	570 h 27	117 h 11	2 h 36	877 h 33
Autres pays européens	0 h 51	47 h 42	13 h 06	1 h 16	10 h 00	42 h 42	115 h 37
États-Unis	987 h 59	353 h 51	1 259 h 40	1 191 h 55	2 576 h 12	1 132 h 44	7 502 h 21
Japon	15 h 21	100 h 38	329 h 12	724 h 00	12 h 46	7 h 59	1 186 h 56
Canada	16 h 56	22 h 08	–	60 h 28	102 h 00	50 h 33	252 h 05
Australie	15 h 13	21 h 48	–	2 h 45	85 h 28	87 h 04	212 h 18

Source : CSA

Budget en millions de F	A2	FR3	SEPT	RFO	Radio France	RFI	INA
Redevance (1)	2 179,6	3 076,5	304,4	677,9	2 028,4	39,3	211,5
Publicité	1 494	600	–	83	75	5,3	–
Parrainage	70	10,4	–	–	26,1	–	–
Recettes commerciales	21	65	6	–	77	0,2	296,3
Subventions (1)	250,3	273,1	159,3	150	57	471	5,4
Emprunts	170	240					
Total Budget 1992	4 024,6	4 065,8	545,7	959,9	2 281,1	524,6	532,4

Nota. – (1) Investissement + exploitation.

☞ **Répartition des programmes.** TF1 (1992) : fiction 34, longs métrages 4, jeunesse 16, information 13, variétés-jeux 14, magazines-documentaires 12, sports 5, téléachats-divers 2.

■ RESSOURCES

Recettes du secteur public en millions de francs Exploitation	1992	1993
Redevance TTC	9 177	9 328,6
Service de la redevance	420	427
Redevance à répartir TTC	8 757	8 901,6
TVA à 2,1 %	180,1	183,1
1) Redevance à répartir	8 576,9	8 718,5
exploitation	8 477,9	8 718,2
2) Concours budgétaires		
Exonérations SGPM	362,6	362,8
RFI Affaires étrangères	471	551,3
INA dépôt légal	0	20
Divers	0	231,4
3) Recettes publicitaires	2 257,3	2 675,7
4) Parrainage	106,5	195
5) Recettes commerciales	465,3	495,1
6) Services rendus aux adm.	60,5	42,8
7) Produits financiers	38,7	30,3
8) Recettes diverses	62,5	98,4
9) Accroiss. de la valeur du stock.	20	19
Investissement		
1) Capacité d'autofin.	50,9	456,6
2) Variation des provisions	– 380	0
3) Redevance d'invest.	99,1	0,3
4) Subvention d'invest.	545,5	910,1
5) Emprunt	410	0
Total budget	12 947,1	14 292,3

Financement du secteur public de l'audiovisuel (en %, 1992) : ressources publiques 77, publicité et parrainage 18,3, ress. propres 4,7.

Services rendus aux administrations. Ex. formation des personnels étrangers par l'INA (financée par le min. des Aff. étrangères), diffusion d'émissions universitaires par Radio France (financée par le min. de l'Éducation nat.), bulletin Inter-services Mer de Radio France (financé par le min. de la Mer).

Prise en charge des dépenses liées à l'action internationale de la France. RFI (entre parenthèses, en % du budget de RFI). *1987 :* 6 (1,5) ; *88 :* 17,3 (4,4) ; *89:* 35,3 (7,6) ; *90:* 253,3 (51,1). **Dépenses de fonctionnement liées à l'AITV : RFO :** 20,6.

REDEVANCE

■ **Assujettis.** Due par tout possesseur (achat, prêt, cadeau) d'un récepteur de télévision. Perçue par foyer quel que soit le nombre de téléviseurs. En cas de non-paiement dans les 30 j, majoration de 30 %. Si l'on se sépare de son appareil sans le remplacer, formuler auprès du Centre régional une demande de résiliation de compte.

■ **Personnes exemptées.** Sous réserve de ne pas être assujetties aux impôts sur le revenu : 1°) les personnes d'au – 60 ans au 1-1 de l'année de mise en recouvrement, qui vivent seules ou avec leur conjoint et le cas échéant avec des personnes à charge (c.-à-d. comprises dans la détermination du quotient familial de leur imposition sur le revenu) ou non imposables (les personnes dont la cotisation d'impôt calculée après réintégration des réductions d'impôt de certains revenus exonérés est inférieure au seuil de mise en recouvrement prévu à l'art. 1657-1 bis du Code général des impôts). 2°) mutilés et invalides civils ou militaires atteints d'une infirmité ou d'une invalidité les empêchant de subvenir par leur travail aux nécessités de l'existence, qui vivent seuls, ou avec leur conjoint et le cas échéant avec des personnes à charge, des personnes non passibles de l'impôt sur le revenu, avec une tierce personne chargée d'une assistance permanente.

Comptes ouverts télévision en milliers dep. 1950					
50	0,3	63	3 426,8	76	14 693,1
51	3,8	64	4 400,3	77	14 973,4
52	10,5	65	5 414,3	78	15 523,6
53	24,2	66	6 489	79	15 863
54	60	67	7 472	80	16 192,3
55	125,1	68	9 278	81	16 959,2
56	260,5	69	10 153	82	17 413,7
57	442,4	70	11 008	83	17 962,6
58	683,2	71	11 655	84	18 349,1
59	988,6	72	12 279	88	18 640
60	1 368,1	73	13 017	89	19 071,9
61	1 901,9	74	13 632	91	19 688,2
62	2 554,8	75	14 161,8	92	19 795,2

En fait, l'exonération est consentie aux invalides titulaires d'une carte d'invalidité au taux d'au moins 80 %, ou d'un titre de pension de 2e ou de 3e catégorie de la Séc. soc. ou d'un régime assimilé, ou de l'allocation aux adultes handicapés, ou d'une pension ou allocation assortie de la majoration pour aide d'une tierce personne.

■ **Effectif** du service de la redevance : *1975* 1 587, *83* 1 987, *92* 1 589. **Coût de gestion** (millions de F) : *1975* 148, *80* 220, *83* 305, *86* 410, *90* 395, *92* 420, *93* (prév.) 427.

■ **Comptes** (en millions). **Assiette théorique** 20,3 dont résidence principale 19,6, r. secondaire 0,7, **réelle** 18,75. **Fraude** 1,55. *Coût* (milliards de F) *1989 :* 1,9, *90 :* 2,1, *92 :* + de 1. **Comptes payants**. *Taux de recouvrement* 94,4 %.

■ **Comptes** (au 31-12-92). Téléviseurs noir et blanc 1 347 439 (dont 666 358 payants), couleur 18 487 156 (14 986 473).

■ **Comptes exonérés** (entre parenthèses **% du total des comptes).** *1982 :* 1 054 244 (6,6) ; *1986 :* (15,9) ; *1992 (30-6) :* 4 273 335 (21,5) (dont personnes âgées 87 %, invalides 12,39, établissements hospitaliers 0,51). *Coût* (1992) : 2,3 milliards de F. **% d'exonérations :** All. 7, G.-B. 2, P.-B. 0,6. **Remboursement des exonérations par l'État** (millions de F). *1990 :* 70. *91 :* 117. *92 :* 362,6. *93 :* 362,8.

■ **Montant de la redevance** (en F, au 1er janv.). Téléviseurs noir et blanc et, entre parenthèses, couleur : *1980 :* 221 (331) ; *81 :* 238 (358) ; *82 :* 280 (424) ; *83 :* 311 (471) ; *84 :* 331 (502) ; *85 :* 346 (526) ; *86 :* 356 (541) ; *87 :* 333 (506) ; *88 :* 333 (506) ; *89 :* 343 (533) ; *90 :* 355 (552) ; *91 :* 364 (566) ; *92 :* 373 (580) ; *93 :* 390 (606).

Dans le monde. *Comparaison de la redevance pour un téléviseur couleur pour usage privé* (en F, 31-12-1991). Allemagne (anciens länders) 958, (nouveaux l.) 766, Autriche 1 109, Belgique 1 099, Danemark 1 327, Espagne gratuit, Finlande 1 040, France 580, G.-B. 775, Grèce calculé d'après note d'électricité, Irlande 562, Islande 1 913, Italie 668, Luxembourg gratuit, Norvège 1 059, P.-Bas 521, Portugal gratuit, Suède 1 236, Suisse 885.

■ **Répartition de la redevance. Modalités.** Faite annuellement par le min. délégué et soumise à l'approbation du Parlement (loi de Finances) en fonction de certains critères [ex. *pour les chaînes en fonction du volume d'écoute* mesuré par le nombre d'auditeurs ou de spectateurs par heure pour l'ensemble des programmes de chaque Sté (on tient compte de la variation du volume d'écoute d'une année à l'autre dans la limite de 10 % en plus ou en moins) *et de la qualité des programmes :* une notation est établie par une Commission de la qualité (membres choisis par le Prem. min.), des sondages sur la qualité sont réalisés périodiquement par le Centre d'études d'opinion. Le service d'observation des pr. vérifie le respect par les Stés de leurs obligations, notamment en ce qui concerne la pub. clandestine].

Montant réparti en 1993. En millions de F (hors TVA). *Total* 8 718,5 dont *France 3 :* 3 115,5, *Radio France :* 2 158,4, *France 2 :* 2 218, *RFO :* 749,9, *Sept/Arte :* 218,9, *INA :* 218,5, *RFI :* 39,3. **En % du budget de chaque organisme** (1991). *A2 :* 40, *FR3 :* 80,6, *RFO :* 88,8, *Sept :* 77,3, *INA :* 28,1, *Radio Fr. :* 92,5, *RFI :* 44,4.

RECETTES PUBLICITAIRES

Nombre de spots publicitaires (voir p. 1 215 a).

Taux moyen de zapping lors des spots de publicité (de mi-mars à fin mai 1988). *Jeux (19 h 30) :* 1,3 (dont 3,4 jeunes 15-35 ans). *Films (20 h 35) :* 8,4 (dont 14,6 jeunes, 19,4 classes moyennes et aisées). *Variétés (21 h 30) :* 4,6 (dont jeunes 5,7, classes moyennes et aisées 11,6). *Total :* 4,8 dont jeunes 7,9, classes moyennes et aisées 10,3.

Chaînes du secteur public. Recettes nettes encaissées après déduction des commissions d'agence et de régie, des taxes et avant reversement à la RFP (en millions de F). **1993** et, entre parenthèses, **1992** (loi de finances) : 2 675,7 (2 257,3) dont France 2 : 1 760 (1 494), France 3 : 760 (600), RFO : 90,2 (83), RF : 60 (75), RFI : 5,5 (5,3).

Stars rapportant le plus d'argent en pub. (en 1990-91) : Patrick Sabatier, Jean-Pierre Foucault, Patrick Sébastien, Michel Leeb : 440 000 F à 470 000 F les 30 secondes d'écrans pub. associés à leurs émissions. Michel Drucker *à 20 h 30 :* 185 000 F, Fabrice *à 20 h :* 95 000 F et Guillaume Durand 44 000 F.

Prime time. *Heures de plus grande écoute :* 19 h-22 h 30. *Autres périodes importantes :* day time (journée), night time (après 22 h 30), access prime time (moment qui précède le prime time et lui apporte l'audience qu'il a rassemblée). *Tarifs prime time* (spot de 30 s, ex. en milliers de F). TF1 : 420 (mercredi 20 h 40, dans Sacrée Soirée), 470 (dim. 21 h 30, au milieu du film). A2 : 185 à 257. FR3 : 50 à 150. La 5 (1990) : 65 à 145.

■ **Radios. Investissements pub. en milliards de F et,** entre parenthèses, **en parts de marché** (en %) (1er trimestre 1992, source : Nielsen). RTL 504,8 (33,5), Europe 1 392,2 (26), NRJ 243,9 (16,2), RMC 173 (11,4), Nostalgie 110,4 (7,3), Europe 2 84,3 (5,6).

■ **Télévision :** voir p. 1215 b.

■ **Recettes de parrainage autorisées** (en millions de F en 1992) : *A2 :* 70, *FR3 :* 10,4, *R. France :* 26,1.

■ EFFECTIFS

Effectifs fin 1991 (chiffre entre parenthèses : nombre de journalistes). SFP 1 427 ; TDF 4 127 (1) dont 4 018 permanents ; Ina 905 (6) ; A2 1 337 (283) ; FR3 3 468 (765) dont Paris 789, régions 2 554 ; RFO 1 200 (300) ; La Sept 119 ; TV5 50 ; Canal + 766 ; TF1 1 207 (235) dont permanents 1 081 ; La 5 820 (y compris intermittents) ; M6 541 (34) dont permanents 185 ; Télé-Toulouse 27 (hors int.) ; 8 Mont Blanc 35 (+ 7 int.) ; Télé Lyon Métropole 42 (hors int.) ; Aqui-TV 30 ; Antenne Réunion 30 (+ 11 int.). **Personnel permanent des organismes du secteur public de l'audiovisuel** (autorisé et, entre parenthèses, réel). **1986 :** 18 564 (18 285). **87** (hors SFP, TF1 et FM1 dorénavant) : 14 128 (13 620). **88** (y compris La 7 dorénavant) : 13 971 (13 798). **89 :** 14 029 (13 798 au 31-7). **En millions de F** (1993). 4 303,1 dont Ina 311,8, France 2 624,8, France 3 1 367,4, Sept 52,5, RFO 507,9, Radio France 1 229,6, RFI 209,1.

■ ÉQUIPEMENT

Télé couleur (taux des ménages en %, *Source :* Bipe). *1981 :* 50,4, *82 :* 57,8, *83 :* 63, *84 :* 68,4, *85 :* 73,1, *86 :* 78, *87 :* 82,4, *88 :* 86,2, *89 :* 89, *90 :* 91,5 (26,2 millions), *91 :* 92,8. **Noir et blanc et couleur.** 1991 : 95. **Magnétoscopes** (%, *Source :* Simavelec) : *1980 :* 1,2, *81 :* 2,4, *82 :* 5,1, *83 :* 7,6, *84 :* 10,7, *85 :* 13,4, *86 :* 17,2, *87 :* 22,4, *88 :* 28,8, *89 :* 35,6, *90 :* 37, *91 :* 46,4. *Caméscopes : 90 :* 6,5 (1,4 million). **Téléviseurs loués :** 400 000 dont Locatel 200 000. Viséa 50 000. Novatel-Granada 40 000.

☞ **93,5 % des foyers possède au moins 1 téléviseur :** ce 1er téléviseur a 6 ans d'âge, est en couleur (93 % des cas), avec télécommande (67 %), un grand écran, et dans la salle de séjour (87 %). **25 % ont 2 téléviseurs.**

VENTES EN FRANCE (EN MILLIONS DE F)

	Télé noir et blanc	Télé couleur	Magnéto	Total vidéo
1985	283,1	6 274,1	2 720,7	10 989
1986	293	8 327,4	3 245,9	13 900
1987	418,9	8 250,5	3 372,9	14 137
1988	385,1	8 859,7	3 880,5	15 715
1989	153	7 704	4 080	15 052
1990	65,4	7 662,5	4 960,6	18 145
1991	50,6	9 430,6	4 217	20 315

Source : Simavelec.

Téléviseurs en France en 1990 (en millions de postes) : **Ventes** 3,53 [dont *importations* 1,66 dont CEE 0,89 (y compris la prod. européenne des Japonais 2,7), Singapour 0,27, Hong Kong 0,10]. **Production française** 2,83 (dont 1,17 exportés). **Commerce extérieur** (en milliards de F) export. 2,9, import. 3.

ENSEIGNEMENT

L'ENSEIGNEMENT DANS LE MONDE

COMPARAISONS

Élèves dans l'enseignement privé (en %). Pays-Bas 73,2 ; Belgique 57,7 ; Espagne 36,8 ; *France 18,6 ;* Portugal 9,9 ; Danemark 8,5 ; Italie 7,3 ; Allemagne 5,5 ; Luxembourg 5,2 ; Grèce 4,7 ; Irlande 1,4.

Équivalence des diplômes. Il est difficile d'établir une liste d'un pays à l'autre, étant donné les différences des programmes et des niveaux. Certains accords ont pu néanmoins être passés entre la France et plusieurs pays. *Équivalences franco-anglaises,* B.A. (Bachelor of Arts) : licence ; M.A. (Master of Arts) : doctorat ; Ph. D. (Philosophiae Doctor) : doctorat d'État.

■ **Analphabétisme. Définition :** l'Unesco définit comme *illettrée* (ou *analphabète*) une personne incapable de lire et d'écrire, en le comprenant, un exposé simple et bref de faits en rapport avec sa vie quotidienne.

% d'analphabètes chez les plus de 15 ans (estim. 1990). **Monde :** *vers 1950 :* 44 % ; *70 :* 32 (780 millions) ; *80 :* 28,9 (814) ; *90 :* 25,7 (948). Sur 198 pays, 97 ont un taux supérieur à 50 %.

Pays : Algérie (hommes 30,2/femmes 54,5), Argentine (4,5/4,9), Bangladesh (52,9/78), Brésil (17,5/20,2), Burkina-Faso (72,1/91,1), Canada (3,4), Chine (15,9/38,2), Colombie (12,5/14,1), Congo (30/56,1), Égypte (37,1/66,2), Espagne (2,6/6,6), Gabon (26,3/51,5), Grèce (3,9/4,7), Guinée (65,1/86,6), Inde (38,2/66,3), Indonésie (11,7/24,7), Iran (35,5/56,7), Italie (2,2/3,6), Liberia (50,2/71,2), Maroc (38,7/62), Mexique (10,5/14,9), Mozambique (54,9/78,7), Niger (59,6/83,2), Ouganda (37,8/65,1), Pakistan (52,7/78,9), Pérou (8,5/21,3), Portugal (15,2/25,4), Sénégal (48,1/74,9), Somalie (63,9/86), Soudan (57,3/88,3), Syrie (3,9/10,1), Tchad (57,8/82,1), Thaïlande (3,9/10,1), Tunisie (37,8/65,1), Turquie (10,3/28,9), USA (5 à 25), Yougoslavie (2,6/11,9).

☞ **France** *en 1989 :* 2 200 000 Français avaient de grandes difficultés à maîtriser lecture et écriture (soit 6,3 % des adultes) ; 3 300 000 ne pouvaient ni lire, ni comprendre un texte simple ; 6 050 000 (10,6 %) avaient des difficultés à écrire (60 % étaient des hommes).

Selon le ministère de la Défense, sur 420 000 appelés, il y avait 30 000 illettrés (7,14 %) dont 1 000 analphabètes. 3,57 % restaient « non-lecteurs ». 14 000 avaient oublié, par manque de pratique, les notions de lecture et d'écriture acquises pendant la scolarité.

USA : selon une étude de l'université du Texas, 20 % de la pop. adulte serait incapable de lire et écrire correctement, 40 % des jeunes de 17 a. seraient incapables de comprendre le sens des phrases simples de la vie quotidienne.

HORAIRES MOYENS DE L'ENSEIGNEMENT

1989-90	Enseign. primaire [1]	Enseign. secondaire (1er cycle)	Enseign. secondaire (gén. et 2e cycle) [2]
Allemagne ...	600/780	1 280	1 280
Belgique	950	1 216/1 368	1 064
Danemark ...	540/780	1 080	1 200
Espagne	875	1 085	1 120
France	*972*	*1 067*	*1 050*
Grèce	603/656	1 020	1 173
Irlande	805/897	1 050/1 170	952
Italie	792/864	980/1 080	1 035
Luxembourg .	954	954	1 080
Pays-Bas	660/768	1 120/1 148	1 200
Portugal	750/860	1 056/1 120	1 080
Royaume-Uni	560/620	1 080	720

Nota. – (1) Estim. en heures effectives sur l'année. (2) Valeur indicative compte tenu des options.

■ **Vacances scolaires.** Jours de classe et (entre par.) j de vacances. **Allemagne** 200/226 (226), début de l'année scolaire 1er sept. [dates et longueur variables suivant États]. **Autriche** enseign. scolaire 14,5 sem. (été 9 sem.), univ. 16 sem. (été 12 sem.). **Belgique** 182 (78) (été 2 mois, Noël 2 sem., Pâques 2 sem., 1er trim. 6 j, 2e trim. 5 j, 3e trim. 4 j). **Espagne** *1er degré* 185, *2e d.* 170, début de l'année scolaire 15 sept. (Noël 2 sem., Pâques 10 j, été 8 sem.). **Danemark** 200 (été 45 j, automne 1 sem., Noël 1 sem., Pâques 1 sem. + j de fête). **Finlande** hiver 2 sem., été 10 sem. **France** 180 (208), voir p. 1244. **Grèce** scolaire 175, universitaire 115. **Israël** élém. 1-7/31-8 ; second. 21-6/31-8 + 5 ou 6 sem. selon religions. **Italie** 200/210, début de l'année scolaire 1er sept. ; univ. 1er nov. (été 2 mois, Noël 15 j, Pâques 5, fêtes religieuses 19). **Japon** 240 (été 45 j). **Luxembourg** 216. **Maroc** 1er trimestre 16 j, 2e 15 j, 3e 2 j, d'été 2 mois 1/2. **P.-Bas** *1er degré* 200 (5 j/sem.) à 240 (6 j/sem.) *2e d.* 195. **Portugal** *1er degré* 175 (5 j/sem.) 208 (6 j/sem.) *2e d.* 164. **Royaume-Uni** *Angl., P. de G., Irl. du N.* 190 à 200 (+ 10 j éventuels), *Écosse* 190, début de l'année scolaire sept. (Noël 3 sem., Pâques 2 sem., été 6 sem.). **Tunisie** 200 (30-6/15-9 + nov. 3 j, déc. 10 j, fév. 3 j, fin mars 10 j). **USA** 173 (été 3 mois). **URSS** 2 mois (juillet, août).

■ **Obligation de l'enseignement. Dans tous les pays sauf :** *Afrique* [1] : Botswana, Cameroun occ., Côte-d'Ivoire, Djibouti, Éthiopie, Gambie, Kenya, Malawi, Ouganda, Sierra Leone, Zambie. *Amérique du Nord :* Antilles néerlandaises. *Asie* [1] : Arabie Saoudite, Bhoutan, Liban, Maldives, Oman, Pakistan, Qatar, Singapour. *Océanie :* Fidji, N.-Guinée, Salomon, Samoa occid, Vanuatu.

Nota. – (1) Non connu pour certains États.

Limites de l'âge scolaire obligatoire : Afr. du Sud 7-16 ; Algérie 6-15 ; All. dém. 6-16 ; All. féd. 6-15 (16 pour Berlin et Rhénanie-Westphalie) ; ens. prof. à temps partiel jusqu'à 18 ; Argentine 6-14 ; Bahreïn 6-15 ; Belgique 6-18 (16 à 18 : temps partiel) ; Brésil 7-14 ; Canada 6-16 ; Comores 7-15 ; Congo 6-16 ; Danemark 7-16 ; Espagne 6-14 ; États-Unis 6-16 ; Finlande 7-16 ; *France 6-16 ;* G.-B. 5-16 ; Grèce 5 1/2-14 1/2 (16 si non dipl. ens. sec. 1er cy.) ; Inde 6-11 ; Irlande 6-15 ; Israël 5-15 ; Italie 6-14 ; Japon 6-15 ; Luxembourg 5-15 ; Mali 6-15 ; Népal 6-11 (éc. anglaise) ; P.-Bas 5-16 ; Portugal 6-14 (15 pour él. scolarisés dep. 1987/88) ; Suède 7-16 ; Togo 6-12 ; Tunisie 6-16 ; URSS 7-17.

ENSEIGNANTS DANS LE MONDE EN 1990 (EN MILLIERS)

Pays	Préscolaire		1er Degré		2e Degré		3e Degré	
	Total	Femmes	Total	Femmes	Total	Femmes	Total	Femmes
Allemagne dém.	73,4 [5]	73,4 [5]	57,9 [5]	52,1 [5]	156,7 [5]	85 [5]	42,7 [4]	n.c.
Allemagne féd.	85,1 [5]	72,5 [5]	139,7 [5]	111,5 [5]	443,2 [5]	179,6 [5]	198,2 [4]	44,3 [4]
Belgique	19,8 [2]	19,7 [2]	72,8	56,6	106,4	55,9	19,4 [4]	5,9 [4]
Canada	15,5	10,8	154,7	106,3	164	87,9	61,7	16,1
Espagne	38,5 [4]	32,3 [4]	135,7 [5]	n.c.	242,1 [4]	117,1	59,1	17,2
États-Unis	n.c.	n.c.	1 398 [3]	n.c.	1 042 [2]	n.c.	701 [4]	104,7
France	*74,5* [5]	*71,2* [5]	*265,6* [5]	*187,6* [5]	*434* [5]	*248,3* [5]	*46,3* [4,6]	*12,5* [4,6]
Italie	109,6 [5]	n.c.	258 [5]	231,8 [5]	571,6 [5]	350,8 [5]	55,8	n.c.
Pays-Bas	22,5 [1]	22,3 [1]	82,5 [5]	52,7 [5]	96,4	27,4	15,9 [4]	4,5 [4]
Royaume-Uni .	30 [5]	30 [5]	228 [5]	178 [5]	285 [5]	156 [5]	83,3 [5]	16,3 [5]
ex-URSS	1 614 [7]	1 614 [7]	3 095 [7]	2 331 [7]	n.c.	n.c.	470 [7]	n.c.

Nota. – (1) 1984. (2) 1985. (3) 1986. (4) 1988. (5) 1989. (6) Universités uniquement. (7) Sauf Biélorussie et Ukraine.

SCOLARISATION DANS L'ENSEIGNEMENT SUPÉRIEUR

Taux pour 1 000 h	1960	1970	1990
Allemagne dém.	n.c.	17,7	33,5 [1]
Allemagne féd.	n.c.	8,3	33,7 [1]
Belgique	8	12,9	37,2 [1]
Canada	19,3	29,9	69,8
Espagne	8,1	10,4	33,5 [1]
États-Unis	25,9	41,4	74,5
France	*7,8*	*15,8*	*40*
Grande-Bretagne	8,7	10,8	25,2 [1]
Israël	n.c.	18,7	32,8 [1]
Italie	5,5	12,8	30,7
Japon	n.c.	17,4	30,7 [1]
Pays-Bas	9,5	17,7	34,3 [1]
Suède	10,3	17,6	32,8
Suisse	n.c.	8,2	27,6
URSS	n.c.	18,8	25,5

Nota. – (1) 1989. *Source :* Unesco.

ÉTUDIANTS À L'ÉTRANGER

Étudiants étrangers inscrits dans chaque pays en 1990 et, entre parenthèses, étud. du pays inscrits à l'étranger. États-Unis 407 529 (24 174), *France 136 015 (20 017),* All. 91 926 [3] (34 850), Royaume-Uni 70 717 [4] (17 240), ex-URSS 66 806 (3 954), Canada 35 187 (20 370), Belgique 33 335 [4] (4 907), Australie 28 993 (3 312), Japon 23 816 [4] (39 258), Suisse 22 621 (6 156), Italie 21 416 (25 647), Autriche 18 434 (7 280), Espagne 13 839 [3] (15 149), Arabie Saoudite 12 408 (5 005), Syrie 12 309 [1] (13 944), Inde 11 759 [1] (32 972), St-Siège 10 938 (0), Suède 10 650 [3] (4 309), Égypte 10 176 [4] (5 576), Pays-Bas 9 224 [3] (8 523), Bulgarie 8 768 (5 228), Turquie 7 661 (21 460), Norvège 6 907 (7 252), Danemark 6 609 [3] (3 124), Roumanie 6 503 [3] (1 747), ex-Youg. 5 883 [4] (7 933), Philippines 5 752 [4] (5 594), Koweït 5 152 [2] (3 597), Chine 4 993 [4] (93 347), Tchéc. 4 803 (2 870), Maroc 4 318 (36 595), Pologne 4 259 (8 368), Cuba 4 057 [4] (4 555), Portugal 3 608 [4] (6 314), Nlle-Zélande 3 595 [4] (1 386), Irlande 3 094 [4] (4 691), Algérie 2 648 [3] (18 891), Tunisie 2 621 (11 554) [5], Hongrie 2 538 [4] (2 451), Jordanie 2 498 (20 767), Corée 2 272 [5] (32 986), Sénégal 1 952 [3] (4 252), Finlande 1 617 (5 039), Qatar 1 417 [4] (895), Chypre 1 184 (7 165), Pakistan 1 109 [1] (10 801), Honduras 705 [3] (1 332), Émirats arabes unis 685 (1 803), Togo 674 [4] (2 057).

Nota. – (1) 1986. (2) 1987. (3) 1988. (4) 1989. (5) 1991.

L'ENSEIGNEMENT PRIMAIRE ET SECONDAIRE EN FRANCE

Source : ministère de l'Éducation nationale.

QUELQUES DATES

■ **Fin du Moyen Age** (surtout dans les villes marchandes). Naissance de la scolarisation. *« Petites écoles »,* apprenant à lire, écrire, compter en langue vernaculaire, tenues par des « régents », souvent mixtes malgré l'interdiction de l'Église ; *écoles pratiques,* formant au métier d'écrivain public ; *manécanteries,* éducation vocale, apprentissage de la lecture et de l'écriture ; *écoles « techniques »* (ou empiriques), organisées par des particuliers, artisans, etc. **XVIe s.** à partir du concile de Trente, *écoles de* *charité* destinées aux pauvres dans certaines paroisses urbaines. **XVIe et XVIIe s.** essor de l'école urbaine et rurale, création des *éc. religieuses* tenues par les curés, des *collèges* tenus par les congrégations. Jusqu'à la révocation de l'édit de Nantes (1685), les protestants ont des établ. scolaires et universitaires (académies) qui échappent au contrôle de l'Église.

■ 1791 *(lois des 3 et 14-9)* : suppression des congrégations : les enseignants sont autorisés à faire la classe à titre personnel (en touchant une pension de l'État). **1792** *(décret du 12-12)*. **1793** *(décrets des 15-9 et 21-10)* : grandes lignes des 3 degrés (primaire, secondaire, supérieur) ; *décret Lakanal : « l'enseign. est libre... tout citoyen a le droit d'ouvrir une école et d'enseigner... muni d'un certificat de civisme et de bonnes mœurs. »* **1795** *août* la Constitution du Directoire reconnaît la liberté d'enseign. **Jusqu'au XIXe s.** alphabétisation : au nord d'une ligne Saint-Malo-Genève (80 à 90 % des hommes, 75 % des femmes savent écrire leur nom en Normandie) ; en dessous, la majorité ne sait ni lire ni écrire.

■ 1802 *(1-5 ; loi du 11 floréal an X)*. **1808** *(décret du 17-3)* : créent l'Université nouvelle (d'État). La Fr. est divisée en Académies. Le primaire reste aux mains de l'Église, secondaire et supérieur passent sous le contrôle de l'État. Des collèges secondaires privés existent à côté des lycées d'État. **1816 (29-12)** *loi* obligeant les communes à pourvoir l'enseignement primaire. **1824**-*8-4* une ordonnance met en place un support juridique pour les établ. privés, qui place l'enseign. primaire sous la responsabilité des évêques et des congrégations. **1833 (28-6)** *loi Guizot* : créant aux chefs-lieux d'arrondissements une éc. primaire sup. ; à ceux de départements une éc. normale d'instituteurs. **1850 (15-3)** *loi Falloux* (Alfred-Frédéric, Cte de, 7-5-1811/6-1-86) : affirme la liberté de l'enseign. ; l'Église a encore un droit de regard ; oblige les communes de 800 hab. et + à entretenir une éc. primaire de filles. Les établ. congréganistes se développent. **1867 (30-10)** *Victor Duruy* (1811-94) étend cette obligation aux communes de 500 hab. ; crée des cours publics pour jeunes filles. **1875** *liberté étendue* à l'ens. sup. A partir de *mai 1877*, les républicains combattent l'Église et l'éduc. religieuse. **1879 (9-8)** *loi* obligeant les départ. à entretenir une école normale d'institutrices. **1880 (21-12)** *loi Camille Sée* (1828-1905) : organise l'enseign. secondaire féminin. **1881 (16-6), 1882 (28-8)** *loi Jules Ferry* (5-4-1832/17-3-93) : instruction primaire obligatoire de 7 à 13 a., l'éc. publique devenant neutre et gratuite ; l'instruction morale et civique remplace l'enseign. religieux ; la religion pourra être enseignée le jeudi, mais en dehors de l'école. L'enseign. religieux reste un droit des élèves et des familles, à condition qu'il soit organisé en dehors des h de classes et des édifices scolaires. Charge des commissions municipales scolaires de contrôler l'assiduité. **1886 (30-10)** *loi René Goblet* : laïcise le personnel enseignant dans les écoles laïques (laïcisation achevée en 1897, mais il y a encore 7 000 religieuses dans les écoles publ. en 1901) et décide de l'organisation de l'enseign. primaire. **1889 (18-7)** les instituteurs deviennent des fonctionnaires d'État. **1890 (8-8)** enseign. secondaire moderne créé. **1904** *interdiction des congrégations enseignantes* (en 1912, on ne comptera plus que 27 écoles congréganistes, contre 13 000 en 1880). **1905** *séparation* de l'Église et de l'État. **1919** *loi Astier* : liberté de l'enseign. technique. **1929** *loi Herriot* : gratuité pour les élèves des lycées ; les établ. religieux connaissent de graves difficultés financières, n'étant pas subventionnés par l'État. **1912 (10-5)** *arrêt Bouteyre* du Conseil d'État. Les ecclésiastiques sont exclus de l'enseign. public. **1919 (25-7)** *loi Astier* sur l'enseign. technique. **1930 (12-3)** gratuité en 6e (étendue à tout le secondaire en 1930-32). **1936 (9-8)** *réforme de Jean Zay* (6-8-1904/21-6-44) : réorganisation du 1er degré pour que les mieux doués puissent passer dans le 2e degré, puis le supérieur ; prolongation de la scolarité de 1 an.

■ 1946 *dans la Constitution* : égal accès pour tous à la culture. **1947 (19-6)** *rapport de la commission Langevin-Wallon* : prolongation de la scolarité obligatoire par paliers jusqu'à 18 ans ; prise en charge par l'école de la formation professionnelle à partir de 15 a. ; 3 cycles : 6-11 a. primaire, 11-15 a. orientation, 15-18 a. détermination ; supérieur : 2 années d'études préuniversitaires, 2 de licence, grandes écoles ou écoles d'application. Ce plan ne fut pas retenu. **1956 (3/4-6)** *projet Billières* : constitution d'éc. moyennes d'orientation : scolarité de 2 ans, collaboration de maîtres de divers degrés, établissements ni primaires ni secondaires ; enterré juillet 1957. **1959 (6-1)** *décret : réforme Berthoin* : scolarité obligatoire jusqu'à 16 ans ; cycle d'observation (6e-5e), nouvelles dénominations : CET, CEG, lycées, lycées techniques.

■ 1963 (8-8) *décret* : porte à 4 ans le cycle d'observation et d'orientation ; 1er cycle du second degré (6e-5e-4e-3e) dans les CES ; après la 3e, cycle long [lycées, 3 voies (littéraire, scientifique ou technique)] ou court : sections industrielle, commerciale et administ., donne CAP ou BEP.

ÉTUDIANTS ET DIPLÔMÉS DU 3e DEGRÉ DANS LE MONDE EN 1990 *(Source : Unesco).*

	Total étudiants	*Total diplômés*	*Répartition des étudiants par discipline*				
			Lettres Éduc. Beaux-Arts	*Droit Sc. soc.*	*Sciences exactes et natur.*	*Sc. de l'ingénieur Urban. Agric. Transport Communic. Autres*	*Sciences médicales*
Afghanistan	17 509 [3]	2 299 [3]	4 713 [3]	3 628 [3]	2 160 [3]	4 355 [3]	2 653 [3]
Afrique du Sud	98 577	7 558	3 875	1 766	311	716	464
Albanie [1]	22 059	3 353 [1]	6 879	2 288	3 266	9 626	2 146
Algérie	255 426	25 281	188 153	44 866	28 827	92 411	43 600
All. dém.	438 930 [2]	128 588 [3]	71 644 [2]	71 991 [2]	14 045 [2]	222 618 [2]	58 532 [2]
All. féd.	1 719 763 [1]	246 448 [2]	330 362 [1]	497 757 [1]	216 129 [1]	475 444 [1]	200 071 [1]
Argentine	755 206	23 921 [11]	75 600 [2]	274 143 [2]	81 476 [2]	229 096 [2]	94 896 [2]
Australie	485 075	94 399	184 323	118 960	67 330	59 964	54 498
Autriche	240 334	15 793	56 939	91 869	29 978	41 891	19 657
Belgique [1]	108 480 [1]	51 803 [2]	15 385 [1]	46 083 [1]	10 636 [1]	17 450 [1]	18 926 [1]
Bénin	10 873	933 [4]	2 881	5 823	1 352	526	291
Brésil	1 540 080	232 275 [1]	358 677	658 686	105 135	154 796	132 786
Bulgarie	188 479	30 038	42 171	33 277	7 976	83 627	21 428
Cambodge	9 988 [14]	790	231 *	168 *	56 *	203 *	115 *
Cameroun	24 371 [2]	1 804 [7]	6 294 [2]	9 862 [2]	5 904 [2]	1 854 [2]	457 [2]
Canada	1 359 208	210 066	213 525	372 803	83 433	596 054	87 299
Chili	224 338 [3]	24 164 [4]	51 565 [3]	65 278 [3]	22 737 [3]	68 129 [3]	16 629 [3]
Chine	2 146 853	645 510	551 027	270 550	148 669	869 298	211 898
Congo	10 671	1 095 [3]	2 192	6 604	1 062	413	400
Côte-d'Ivoire	19 600 [4]	5 243 [7]	8 212 [4]	5 104 [4]	2 209 [4]	1 625 [4]	2 517 [4]
Danemark	126 662 [2]	18 943	38 493 [2]	32 969 [2]	9 489 [2]	10 547 [2]	16 475 [2]
Égypte	520 496	115 191 [1]	173 795	191 614	24 256	83 690	47 141
Espagne	697 789 [2]	116 232 [2]	163 199 [2]	129 710 [2]	63 105 [2]	130 293 [2]	113 698 [2]
Finlande	165 714	24 176	42 267	31 777	20 696	43 563	27 411
France	*1 698 938*	*456 535*	*448 145*	*341 741*	*273 497*	*456 733*	*208 822*
Gabon	4 007 [2]	730 [2]	647 [2]	8 005 [2]	374 [2]	516 [2]	465 [2]
Ghana	9 274 [1]	2 627 [1]	3 464 [1]	1 812 [1]	1 350 [1]	1 858 [1]	790 [1]
Grèce	187 644 [2]	26 076 [2]	39 836 [2]	37 966 [2]	15 220 [2]	54 101 [2]	26 558 [2]
Guinée	6 245 [2]	891 [3]	1 149 [2]	1 299 [2]	2 289 [2]	957 [2]	551 [2]
Hongrie	102 387	24 103	41 950	17 973	2 776	30 284	9 404
Inde	4 470 844 [3]	860 725 [4]	2 011 741 [4]	1 079 313 [4]	784 382 [4]	756 411 [4]	174 332 [4]
Iran	292 657 [2]	28 637 [3]	100 147 [2]	29 385 [2]	20 974 [2]	76 683 [2]	65 468 [2]
Irlande	65 949 [1]	17 778 [2]	17 444 [1]	18 770 [1]	11 912 [1]	14 008 [1]	3 815 [1]
Israël	109 561 [1]	13 915 [1]	44 958 [1]	26 408 [1]	10 494 [1]	20 560 [1]	7 141 [1]
Italie	1 452 286	107 024 [1]	255 527 [1]	602 835 [1]	140 654 [1]	284 112 [1]	168 958 [1]
Japon	2 683 035 [1]	629 293 [1]	738 124 [1]	1 037 840 [1]	73 475 [1]	679 881 [1]	157 715 [1]
Jordanie	80 442	17 058	32 937	19 794	9 301	11 102	7 308
Kenya	22 840 [1]	2 859 [4]	13 393 [1]	2 243 [1]	2 206 [1]	3 665 [1]	1 333 [1]
Laos	4 730 [1]	904 [3]	697 [1]	737 [1]	585 [1]	1 720 [1]	991 [1]
Liban	70 510 [6]	6 005 [6]	18 671 [6]	36 050 [6]	6 821 [6]	6 408 [6]	2 560 [6]
Libye	30 000 [5]	2 256 [10]	861 [10]	845 [10]	162 [10]	377 [10]	11 [10]
Luxembourg	843 [6]	77 [13]	203 [6]	255 [6]	73 [6]	256 [6]	55 [6]
Malaisie occ.	114 755	20 886	41 405	35 954	13 333	20 919	3 144
Mali	5 536 [4]	1 195 [6]	1 539 [4]	1 680 [4]	532 [4]	1 129 [4]	656 [4]
Maroc	221 217	23 543	84 602	54 250	68 656	6 301	7 408
Mexique	1 252 027	157 353	149 501	521 356	95 609	377 858	107 703
Nigeria	160 767 [3]	17 215 [7]	51 726 [3]	39 866 [3]	26 084 [3]	30 963 [3]	12 028 [3]
Norvège	142 521	46 009	33 557	48 398	8 863	38 099	13 604
N.-Zélande	126 069 [1]	12 450 [2]	34 386 [1]	43 501 [1]	10 521 [1]	28 441 [1]	9 220 [1]
Pakistan	136 760 [4]	37 488 [9]	18 166 [4]	30 845 [4]	12 884 [4]	53 128 [4]	21 737 [4]
Pays-Bas	408 685 [1]	64 422 [2]	99 632 [1]	157 690 [1]	12 261 [1]	101 870 [1]	37 232 [1]
Pérou	656 258 [1]	11 924 [1]	122 143 [1]	178 432 [1]	19 714 [1]	288 273 [1]	47 696 [1]
Pologne	544 893	108 101	168 374	134 144	22 548	136 749	82 378
Portugal	154 680 [1]	12 053 [1]	36 166 [12]	57 279 [1]	9 562 [1]	45 168 [1]	6 505 [1]
Réunion	2 326 [7]	296 [10]	94 [12]	131 [12]	27 [12]	–	–
Roumanie	164 507 [1]	27 503 [2]	7 534 [1]	17 855 [1]	9 230 [1]	113 185 [1]	16 703 [1]
Royaume-Uni	1 177 792 [1]	322 425 [2]	198 984 [1]	316 250 [1]	140 753 [1]	373 355 [1]	148 450 [1]
– Angl. et Galles	546 944 [13]	139 146 [13]	66 347 [13]	23 889 [13]	20 243 [13]	23 005 [13]	517 [13]
– Irl. du N.	14 665 [13]	5 675 [13]	2 262 [13]	401 [13]	586 [13]	459 [13]	167 [13]
– Écosse	75 472 [13]	20 092 [13]	8 921 [13]	4 686 [13]	2 848 [13]	2 554 [13]	1 083 [13]
Sénégal	14 833 [2]	4 917 [2]	4 149 [2]	4 857 [2]	2 960 [2]	365 [2]	2 502 [2]
Suède	192 596	36 470	55 063	54 837	18 596	48 846	27 951
Suisse	137 486	12 211	26 550	54 578	13 278	31 395	11 685
Syrie	175 317 [1]	28 835 [3]	43 902 [1]	55 923 [1]	18 885 [1]	39 779 [1]	16 823 [1]
Tchécoslovaquie	190 409	24 906 [1]	44 295	32 615	6 975	89 322	17 202
Tunisie	68 535	5 552 [1]	20 278	23 392	9 147	8 216	7 502
Turquie	749 921	87 090	110 538	385 697	45 813	143 780	64 093
Ex-URSS [15]	5 253 088	779 792	1 812 735	348 651	–	2 676 391	415 311
USA	12 247 055 [5]	1 830 284 [2]	322 309 [5]	205 975 [5]	161 962 [5]	131 133 [5]	182 519 [5]
Venezuela	500 295 [2]	32 787 [2]	112 158 [2]	180 636 [2]	24 522 [2]	135 298 [2]	47 681 [2]
Viêt-nam	114 701 [8]	29 167 [9]	47 632 [8]	16 474 [8]	4 448 [8]	44 685 [8]	11 462 [8]
Ex-Yougoslavie	327 092	47 750	57 798	78 465	20 037	142 429	28 363
Zaïre	38 656 [6]	3 460 [6]	12 236 [6]	8 306 [6]	1 923 [6]	10 708 [6]	5 483 [6]

Nota. – * diplômés. (1) 1989. (2) 1988. (3) 1987. (4) 1986. (5) 1985. (6) 1984. (7) 1981. (8) 1980. (9) 1979. (10) 1978. (11) 1977. (12) 1976. (13) 1973. (14) 1972. (15) sauf Biélorussie et Ukraine.

■ 1975 (11-7) Loi Haby. *Extension du réseau des classes maternelles.* En 1980, 100 % des enf. de 4 à 6 ans sont accueillis. Un soin particulier entoure l'*apprentissage* de la lecture, de l'écriture et du calcul (abandon de tout redoublement du cours préparatoire). *Institution d'un tronc commun de formation,* de l'école primaire jusqu'à la sortie du collège (du cours préparatoire à la 3e). Disparition des cl. de 3e aménagées. Les enfants qui connaissent des difficultés graves sont accueillis dans des *SES (Sections d'éducation spécialisée). Actions de soutien* : les maîtres doivent prêter une attention particulière aux élèves en difficulté dans 3 matières essentielles (français, math., langue vivante). *Activités d'approfondissement* : travaux variés accomplis de manière autonome par les enfants sous le contrôle des professeurs. *Gratuité de l'enseignement* : prêt à tous les élèves des collèges de tous les manuels scolaires (réalisé *1977-78* pour 6e, *78-79* 5e, *79-80* 4e, *80-81* 3e, *81-82* 2e, *82-83* 1re) ; prise en charge progressive des frais de transport (ramassage scolaire) par État et collectivités locales.

Programmes. Collèges : 24 h d'enseign. (6e, 5e) ; 24 h 30 (4e, 3e) ; tronc commun sur la base de 24 él. par cl. et de 1 h par él. au-dessus de 24 él. Français, maths, langue viv., histoire-géo., économie, sc. expérimentales, éduc. civique, artistique, manuelle et technique, physique et sportive. *A partir de la 4e*, libre choix de 1 ou 2 options : latin, grec, 2e langue vivante, option technologique, langue vivante renforcée. **Lycées :** en seconde et en 1re, culture générale commune en lettres et math., sciences humaines (hist., géo., initiation à l'étude des faits écon. et sociaux contemporains), sc. expérimentales (physique, chimie, technologie et biologie), langue, acti-

■ Grands principes

Liberté de l'enseignement : permet la coexistence d'un système public d'enseignement et d'établissements privés pouvant bénéficier de l'aide de l'État et soumis à un contrôle. **Instruction obligatoire :** pour tous les enfants, jusqu'à 16 ans. **Laïcité :** l'enseignement public est neutre en matière de religion, de philosophie, de politique. **Gratuité :** sauf droits d'inscription dans les universités. **Collation des grades et diplômes réservée à l'État :** examens publics ouverts à tous les élèves. **Garantie d'égalité d'accès à l'instruction pour tous les enfants :** l'enseignement public relève de l'autorité directe du ministre de l'Éducation qui assure la responsabilité de l'organisation et du contrôle de l'éducation à tous les niveaux.

Exceptions : l'enseignement agricole relève du ministère de l'Agriculture ; divers départements ministériels (ministère de la Défense, de la Justice, de l'Industrie, etc.) assurent la responsabilité d'établissements spécialisés et de grandes écoles ; le ministère à la Jeunesse et aux Sports couvre les activités relevant de l'éducation populaire, des loisirs, de la jeunesse, des sports.

La loi relative à l'éducation s'applique à tous les établissements d'enseignement publics et privés sous contrat (90 % des établissements d'enseignement privé), ainsi qu'aux établissements d'enseignement français à l'étranger.

Bas-Rhin, Haut-Rhin et Moselle : annexés par l'Allemagne de 1871 à 1918, ont gardé le statut scolaire remontant à la loi Falloux de 1850. L'enseignement religieux (2 h par semaine) fait partie de l'horaire normal. Il est donné par des instituteurs volontaires. Les enfants peuvent s'en faire dispenser à la demande de leurs parents. 4 confessions sont reconnues : Église catholique, Église réformée d'Alsace et de Lorraine, Église de la confession d'Augsbourg (luthérienne) et confession israélite.

vités physiques et sportives ; philosophie en terminale. Gamme étendue d'options. La dernière année est consacrée à l'apprentissage d'un nombre plus restreint de disciplines, choisies par les jeunes eux-mêmes. **Baccalauréat.** Voir p. 1255.

Formations professionnelles. Menant aux CAP et BEP, dans les lycées d'ens. prof. (LEP) qui remplacent les collèges d'ens. technique (CET). **Éducation spéciale** donnée aux handicapés, dans des structures d'accueil aménagées. **Vie scolaire. Élection de délégués** dans chaque classe des collèges et lycées. *Participation* des élèves au fonctionnement de la classe et de l'établissement ; exercice de la responsabilité par l'élève dans le choix des options complémentaires et des voies de l'orientation. Recherche par tous les moyens de la *coopération entre l'école et les familles.*

Application de la réforme. *1977-78 :* cours préparatoire et cl. de 6e ; *1978-79 :* cycle élém. 1re année (CE1) et 5e ; *1979-80 :* CE2 et 4e ; *1980-81 :* 1re a. du cycle moyen (CM1) et 3e ; *1981-82 :* 2e a. (CM2) et 2e ; *1982-83 :* 1re ; *1983-84 :* terminale.

■ **1983-93. Réforme (collèges, lycées, enseign. sup.).** Élaborée à partir du constat de plusieurs rapports sur l'enseignement.

1983-84. Collèges : 130 c. volontaires ont expérimenté tout ou partie des propositions du *rapport Legrand,* notamment la structuration des 6e et 5e en groupes de niveau. Élaboration d'un « projet d'établissement » ayant pour objectif l'accueil dans le cycle d'observation, et un effort d'attention aux CPPN et CPA. Élaboration de projets pédagogiques d'équipe avec autonomie de l'établ. pour le choix des méthodes et initiatives. Action pédagogique de sensibilisation au tiers monde (30 établ. volontaires). *Répartition selon les forces.* Les classes d'un même niveau, 6e et 5e, sont fondues dans un ensemble de 78 à 104 él. de toutes forces contenant des divisions de 26 él. max., soit de même force pour les maths, la langue vivante et 1/3 de l'horaire de français, soit toutes forces confondues pour les autres disciplines. La constitution de ces groupes de forces équivalentes nécessite 1 mois pour le français et les maths, 3 pour la langue vivante. En 4e et 3e même organisation de l'enseign. du tronc commun par groupes homogènes avec éventail plus large d'options. *Plus de redoublement :* les capacités ne sont plus évaluées par addition de notes mais par constat d'une progression et de l'atteinte du but pédagogique défini par les programmes scolaires. À la fin de la 4e, il y a un bilan de l'él. avant la 3e, qui reste un palier de sélect. Les classes de CPPN (classes préprofessionnelles de niveau) et les LEP seront à terme supprimés, les LEP se transformant en lycées d'enseign. général favorisant les passerelles avec l'enseign. long. *Horaires des cours :* allégement à terme (50 min au lieu de 1 h). *Nouvelles matières :* technologies modernes de la 6e à la terminale, h plus nombreuses pour arts et sports, décloisonnement des disciplines. *Tutorat :* exercé par le tuteur (professeur documentaliste ou conseiller d'éducation) sur 12 à 15 él. d'une même division pour leur enseigner une méthodologie, leur conseiller une gestion de leur temps, servir d'intermédiaire entre autres enseignants et d'interlocuteur privilégié auprès des parents.

Lycées : retour de l'enseign. des sc. nat. et enseign. obligatoire de la philosophie en terminales F5, G6, F7, F7'. Création d'une 1re G commune avant les bacs G1, G2, G3.

1986. Rentrée Écoles : Priorité donnée à l'accueil des enfants de 3 et 2 ans. Collèges : mise en application des nouveaux programmes en 6e. Mise en place de nouvelles classes de 4e technologiques dans le cadre de la rénovation de la formation au BEP et au CAP. Lycée : mise en place du baccalauréat professionnel. Ouverture de l'option informatique à toutes les sections de la classe de 1re. **Nov. : Projets Monory. Aménagement du second cycle long et du baccalauréat :** *horaire hebdomadaire* 26 h (max. 30 h pour 1res et terminales technologiques) en 10 demi-journées (3 h de cours le matin et 2 h l'après-midi). *Mercredi après-midi :* pas de cours. *Travail personnel :* 3 h par j en seconde et 5 h en terminale. *Programmes du bac recentrés vers la culture générale :* en 1re et terminale, 3 ensembles d'enseignements : matière principale (maths, lettres, technologie) 1/3 du temps, disciplines associées à cette matière 1/3 du temps, enseignements communs (culture générale et sport) 1/3 du temps surtout l'après-midi. *4 bacs : ès lettres* (lettres-sciences, l.-langues, l.-arts, l.-économie), *ès sciences* (maths-physique, m.-biologie, m.-technologie, m.-économie), *ès techniques industrielles, ès techniques économiques.* **Calendrier :** vacances intermédiaires plutôt courtes (Toussaint : 8 j, février : 10, Pentecôte : 5) ; rentrée plus tardive ; Noël et Pâques inchangés. **Maîtres :** création du statut de *maître directeur* pour renforcer l'autorité des directeurs d'école. Suppression des mises à disposition, remplacées par des subventions. Interdiction de distribuer des formulaires d'assurances scolaires. Suppression des PEGC (prof. d'enseignement général des collèges) remplacés par des prof. certifiés (au moins licenciés).

1987. Carte scolaire : assouplie surtout pour l'entrée en 6e, les familles pouvant choisir entre 3 ou 5 établissements. *Rétablissement d'un vrai 3e trimestre.* **Orientations** décidées en fin de 5e et de 3e dans l'enseignement privé sous contrat, automatiquement homologuées dans l'enseignement public. **Nouveau brevet** (juin 87), **1er bac professionnel. Maître directeur d'école** (décret du 2-2-1987) : tout en restant chargé d'une classe, assume des fonctions : 1°) administratives dans les écoles de plus de 2 classes (gestion des locaux, des emplois du temps...), 2°) pédagogiques (admission des enfants, suivi des élèves), 3°) sociales avec les parents, partenaires sociaux, enfants. *Recrutement :* inscription sur une liste d'aptitude possible après 1 an d'ancienneté + avis de l'inspecteur dép. ; stage de formation de 2 trimestres (en dehors du temps de travail) suivi d'une évaluation ; nomination après période probatoire de 1 an et inspection.

1993. *(7-6).* François Bayrou, ministre de l'Éd. Nat. présente la réforme des classes terminales et du bac 1995. *Bac général,* 3 séries : L (littérature), ES (sc. économiques et sociales), S (sciences). *Bac technologique,* 4 séries : SMS (Sc. médico-sociales), STI (Sc. et technol. industrielles), STL (Sc. et technol. de laboratoire), STT (Sc. et technol. tertiaires). *(28-6)* par 474 voix contre 89, l'Ass. Nat. adopte en 1re lecture l'aménagement de la loi Falloux (15-3-1850) en autorisant les collectivités locales à subventionner les investissements des établissements privés sous contrat sans excéder le montant des investissements réalisés dans l'ens. public.

Éducation maternelle

Créée par décret du 18-1-1887. **Donnée** aux enfants de 2 ans (s'ils sont propres) à 6 ans dans écoles maternelles ou classes enfantines mixtes annexées à des éc. primaires. **Inscriptions :** en juin précédant la rentrée scolaire. Fournir : fiche d'état civil ou livret de famille ; certificat du médecin de famille ; carnet de santé attestant les vaccinations obligatoires ; certificat d'inscription délivré par le maire indiquant l'école que l'enfant fréquentera [mairie de la commune de résidence des parents (ou arrondissement pour Paris) avec preuve du domicile]. On peut demander un autre secteur scolaire au maire de la commune d'accueil (milieu rural), à la directrice de l'éc. sollicitée (villes), dans la limite des places disponibles. S'il n'y a pas d'éc. maternelle, les enfants de 5 ans peuvent être admis dans une section maternelle (enfantine) de l'éc. élémentaire.

Scolarité. *Petite section* (2 à 4 ans) ; *moyenne* (4 à 5 a.) : éduc. corporelle, activités manuelles ; *grande* (5 à 6 a.) : transition avec cours préparatoire (préparation à la lecture, écriture, math.), éd. manuelle (dessin, peinture, poterie, céramique, confection de masques et marionnettes, etc.). Pas de redoublement. *Effectif max.* 35 él. par classe.

Enseignement primaire

■ **Généralités. Donné** dans les écoles mixtes. Commun à tous les enfants. **Durée :** 5 ans (6 à 11 ans). À la fin du cycle moyen, l'élève accède *de droit,* s'il a atteint les objectifs de ce cycle, à la 1re année du collège. **Inscriptions :** juin précédant la rentrée. *Pièces à fournir :* voir éd. maternelle. *Dérogations :* pour les enfants ayant 5 ans avant le 1-9 de l'année civile en cours. Les parents peuvent demander leur inscription en présentant un dossier à l'inspecteur départemental de l'éd. avant la fin du 2e trimestre ; en cas de refus, ils peuvent recourir à l'inspecteur d'académie qui statue en dernier ressort après avis d'une commission nommée par le recteur. Les familles peuvent aussi assurer elles-mêmes la scolarité obligatoire de leur enfant sur déclaration au maire et à l'inspecteur d'académie.

■ **Cycles. Préparatoire** (CP) : correspond à la 1re année de l'école primaire (ancienne 11e). Apprentissage de la lecture, écriture, calcul. *Entrée* à 6 ans (dispenses pour les enfants ayant eu 5 a. avant le 1er sept.). *Pas de redoublement* mais les enfants pourront prolonger, sans redoubler, leur apprentissage de la lecture, de l'écriture et du calcul, en CE 1. *Effectif max.* 25 élèves par cl.

Élémentaire (CE) : 7 à 9 ans, réparti en 2 ans : CE 1 et CE 2 (anciennes 10e et 9e).

Moyen (CM) : 9 à 11 ans. CM 1 et CM 2 (anciennes 8e et 7e). *Passage en 6e (1re année des collèges) :* tous les élèves de CM 2 y entrent de droit sur proposition du maître de cette classe, et s'ils ont atteint les objectifs de la scolarité primaire (en général à 11 ans et au max. 12 ans, la dispense d'âge n'étant plus nécessaire). Le maître de CM 2 ou l'équipe éducative de l'éc. peut proposer le redoublement (on peut faire appel devant une commission départ. présidée par l'inspection académique). Les élèves de l'ens. privé peuvent être admis en 6e dans l'ens. public sur décision d'une commission départementale d'homologation pour les établ. privés sous contrat, ou après examen d'admission (établ. sans contrat).

☞ **Réforme Jospin.** Remplace les classes maternelles et élémentaires par 3 cycles : apprentissages premiers (2 premières a. de maternelle) ; apprent. fondamentaux (grande sect. de matern. + CP, CE1) ; approfondissements (CE2, CM1, CM2). 33 départements pilotes en 1990-91, généralisation prévue 1991-92 mais appliquée seulement dans 19 dép.

Durée hebdo (27 h)	Préparatoire	CE1	CE2	Cours moyen
Français	10 h	9 h	8 h	8 h
Mathématiques	6 h	6 h		6 h
Sciences et techn.	2 h	2 h	3 h	3 h
Histoire et Géographie	1 h	2 h		2 h
Éducation civique	1 h	1 h		1 h
Éducation artistique :				
– Éd. musicale	1 h	1 h		1 h
– Arts plastiques	1 h	1 h		1 h
Éd. phys. et sportive	5 h	5 h		5 h

■ **Classes de découvertes. Établ. publics** *(1er degré 1991-92) :* 584 780 élèves partis pour au moins 10 j (en moyenne 11 j) [12 % des él. (dont préélémentaire : (gde section) 3,7 %, CE 2 : 9,2, CM 1 : 12,3, CM 2 : 31,3) ; classes à plusieurs cours 10,3]. **Privés** *(1987-88) :* 100 800 (10 %). **Classes :** de montagne (altitude > 1 000 m) 43,5, mer 18,6, verte 29,6, ville 0,7, étranger 1,7, artistiques 2,8, autres 3,2.

■ **Certificat d'études primaires** (CEP). Couronnant la fin des études primaires pour les élèves n'entrant pas dans le secondaire, est tombé en désuétude du fait de la prolongation de la scolarité jusqu'à 16 ans et de l'entrée de tous les enfants au collège (6e). Supprimé par décret le 28-8-1989 (en 1988 il y avait eu 48 candidats). Les *classes de fin d'études (FE)* des écoles primaires accueillant les enfants de 12 à 14 ans et préparant au CEP ont aussi disparu.

Informatique à l'école. Objectifs du IXe Plan : 1 000 000 de micro-ordinateurs dans le système scolaire, 100 000 enseignants formés. *Coût :* 2 milliards de F. **Équipement :** *1988 :* 13 120 micros commandés (dont 5 906 Victor, 3 470 Goupil, 664 Léanord, 525 Bull, 184 Forum International). *1989 :* 105 000 postes de travail (dans 40 000 écoles) 170 000 classes, 2,5 postes/école, 1,6 classe et 35 élèves par poste.

☞ **Rapport Schwartz** sur l'état de l'enseignement et de la recherche scientifique en France en 1981. *Rapport Legrand* sur les collèges du 6-1-1983. *Rapport de la commission Prost* de nov. 1983. *Propositions du Collège de France* pour l'enseign. de l'avenir (rapport remis le 27-3-1985). *Plan de rénovation de l'enseign. technique* court. *Formation professionnelle* (plan jeunes). Voir Quid 1988, p. 1200.

Nota. – Pour certaines activités, des groupes d'élèves de 2 ou plusieurs classes peuvent être institués. Des actions de soutien, de pédagogie appropriée, des *classes* ou des *groupes d'aide pédagogique* sont organisés pour des él. éprouvant des difficultés particulières. Les écoles peuvent organiser des services d'accueil en dehors des h scolaires, financés par collectivités locales, ou associations privées.

■ **Communauté scolaire. Conseil des maîtres** (ensemble des enseignants affectés à l'école) : donne son avis sur l'organisation des services et les problèmes touchant à la vie de l'éc., 2 à 5 m. **Comité des parents** (élu par les parents) : à parité avec les maîtres, consulté sur les questions relatives à la vie de l'école. **Conseil d'école** (réunissant conseil des maîtres, comité des parents, psychologue scolaire, rééducateur, médecin scolaire et assistante sociale) : établit le règlement intérieur de l'éc. et décide de l'organisation d'actions de soutien au profit des élèves. **Équipe éducative** (composée des : directeur, maîtres, parents concernés, psychologue scolaire, rééducateur, médecin scolaire, assistante sociale) : assure la meilleure adaptation possible de l'enseign. à la situation particulière de chaque élève. Équipes pédagogiques constituées par l'ensemble des professeurs prenant certaines décisions ponctuelles.

GAPP (Groupe d'aide psychopédagogique) : comprenant 3 instituteurs spécialisés ; psychologue scolaire, rééducateur psychomoteur et psychopédagogique, chargés de recevoir les enfants envoyés par les instituteurs pour des consultations extérieures à la classe.

Élections de parents d'élèves (1991-92)

Comités de parents (primaire). *En % 1991 et entre parenthèses en 1990.* **Voix :** FCPE 35,56 (37,98). PEEP 8,21 (8,51). FNAPE 0,12 (0,12). UNAAPE 1,03 (1,06). Listes d'Union 5,8 (5,76). Divers 49,29 (46,56). **Sièges :** FCPE 36,58 (38,86). PEEP 7,35 (7,65). FNAPE 0,10 (0,12). UNAAPE 0,97 (0,95). Listes d'Union 5,99 (5,88). Divers 49 (46,51). **Taux de participation :** 45,21 (45,75).

Méthode Freinet

(Institut coopératif de l'école moderne). 1re école fondée en 1920 par Elise († 1983) et Célestin Freinet (1896-1966) à Vence. Stimule la créativité chez les él., en les incitant à prendre une part de responsabilité dans la vie de l'école ; les maîtres doivent travailler en équipe, en pratiquant une pédagogie individualisée ; les parents sont associés à la gestion.

Enseignement secondaire

Collège

■ **Généralités.** Remplace le collège d'ens. secondaire (CES), le collège d'ens. général (CEG) et le 1er cycle du lycée. **Études :** 4 ans. **Sanction :** *brevet des collèges.* **Cycles :** *C. d'observation* (6e-5e) où 8 disciplines obligatoires sont enseignées ; *d'orientation* (4e-3e) avec au moins une matière à option en plus choisie par les familles.

■ **Horaires. Tronc commun :** Français 5 h. Maths 3 h (4e et 3e : 4 h). Langue viv. étrangère 3 h. Histoire, géographie, économie, éd. civique 3 h. Sc. expérimentales 3 h. Éduc. artistique (choix possible entre musique et arts plastiques en 4e et 3e) 2 h ; manuelle et technique 2 h (4e et 3e : 1 h 30) ; physique et sportive 3 h. **Particuliers 6e et 5e :** possibilité d'ajouter en français, math., langue viv., 3 h d'enseign. de soutien et des activités d'approfondissement généralement dans les centres de doc. et d'information (CDI) des établissements. **4e et 3e :** 2 ou 3 h supplémentaires obligat. d'un enseign. optionnel : latin, grec, 2e langue vivante, option technol. (3 h), 1re langue viv. renforcée (2 h) ; les él. peuvent aussi choisir dans ces matières une 2e option facultative ; actions de soutien prévues en français, maths, langues vivantes, et intégrées à l'horaire normal de la classe (pédagogie différenciée adaptée aux besoins de l'élève).

Redoublements : à la fin de la 6e et de la 4e, les familles décident ; à la fin de 5e et 3e, le conseil des professeurs prend en compte les vœux de la famille pour proposer la poursuite des études ou le redoublement de l'él. S'il y a désaccord, la famille peut faire appel devant une commission ad hoc, ou décider que l'él. subira un examen (en 6e et en 4e, le redoublement ne peut intervenir qu'à la demande de la famille).

■ **Structures. Conseil des professeurs :** étudie chaque trimestre le cas de chaque élève et établit des propositions qui sont ensuite examinées par le *conseil de classe.* **Autonomie pédagogique :** organisation des classes en groupes, l'emploi de contingents d'heures d'ens. mises à disposition, choix de sujets d'ens. spécifiques et d'activités facultatives. *Actions de soutien* en français, math., 1re langue vivante pour les élèves en difficulté (1 h pour chacun). *Activités d'approfondissement* dans les mêmes matières pour les élèves qui manifestent un goût particulier pour ces matières. *Classes à effectif réduit* pour él. ayant des lacunes graves. *Diversification des modalités d'aide pédagogique* en fonction des situations particulières. *Contenus d'enseign. nouveaux* (éduc. manuelle et technique, remplacée progressivement à partir de 1985 par l'ens. de la technologie : électronique, mécanique et automatisme, gestion et bureautique, sc. physiques dès la 6e) ou *rénovés* (en part. l'éduc. artistique qui intègre notamment le dessin et la musique).

■ **Brevet des collèges. Épreuves écrites :** *français* (3 h), noté sur 80 points (questions de vocabulaire, grammaire et compréhension à partir d'un texte ; rédaction ; dictée) ; *maths* (2 h) sur 80 points (travaux numériques et géométriques) ; *histoire et géo* (2 h) sur 40 points. **Éducation physique :** 40 points. **Autres disciplines :** prises en compte d'après les résultats de l'année portés sur une fiche scolaire (langues viv., sc. physiques et sc. naturelles). **Admissibilité :** il faut 100 points sur 200 pour les 3 épr. écrites et la moyenne pour l'ensemble des résultats.

☞ **Poursuite des études en 2e ou en LP.** En tenant compte des vœux de la famille, le conseil de classe propose la poursuite des études ou le redoublement. Si les parents ne sont pas d'accord, ils peuvent faire appel devant une commission ou par voie d'examen. La famille est informée de la décision d'affectation faite en fonction des décisions d'orientation (orientation vers une 2e de lycée ou vers un LP) et des possibilités d'accueil de la carte scolaire. Élèves des établ. privés sous contrat passant dans un établissement public : doivent au préalable être admis à entrer en 2e cycle (cette orientation doit être confirmée par une commission d'homologation). L'affectation se fait en fonction des capacités d'accueil. *Hors contrat :* doivent passer un examen.

Système de notation. 1er degré : *A* ou *I :* excellent ou très satisfaisant. *B* ou *II :* bien ou satisfaisant. *C* ou *III :* moyen ou insuffisant. *D* ou *IV :* médiocre ou insuff. *E* ou *V :* faible ou très insuff. **2e degré :** alphabétique (A, B, C, D, E) ou numérique (0 à 20), au choix de l'établissement.

Lycée

Enseignement général long (en 3 ans)

■ **Classe de 2e.** Dite *de détermination,* commune à tous les él. (y compris ceux se destinant aux bac. de techn. ou à certains brevets de techn., non compris les 2e spécifiques préparant 24 brevets de techniciens, et à la 1re F 11 et bac. technique de musique). **Matières fondamentales communes :** possibilité d'un horaire maximal et, entre parenthèses, minimal (dep. la rentrée 1983). Français 5 h (4 h). Histoire, instruction civique, géo., 4 h (3 h). Langue viv. I, 3 h (2 h 30). Math. 4 h (3 h). Sc. physiques 3 h 30 (3 h). Sc. nat. 2 h (2 h). Éduc. physique et sportive 2 h (2 h).

Enseignements optionnels. Obligatoires : technologie ind. 11 h. Sc. et techn. de laboratoire 11 h. Sc. médico-sociales 11 h. Arts appliqués 11 h ou initiation économique et sociale 2 h et au choix grec 3 h. Latin 3 h. Langue vivante II 3 h. Latin-grec grand débutant 5 h. Langue viv. II grand débutant 5 h. Gestion 5 h. Techn. 3 h. Ens. artistique (arts plastiques ou musique) 4 h. Activités sportives spécialisées 3 h. 5 options technol. nécessaires pour passer en 1re et terminales E et F ou initiation économique et sociale + option au choix. **Complémentaires** (facultatifs). Ens. optionnels ci-dessus. Langue viv. III 3 h. Ens. art. (arts plastiques ou musique) 2 h. Préparation à la vie sociale et familiale 1 h. Dactylogr. 2 h. Ens. manuel et technique 2 h.

Nota. – Sections ayant un régime spécifique : BTn F 11 et F 11' et 23 BT sur 45.

☞ **Passage en 1re.** Les él. peuvent choisir leur orientation : bac de technicien, brevet de techn. (accès de certaines spécialités réservé aux él. ayant suivi l'enseign. optionnel correspondant), bac de l'enseign. du 2e degré (A, B, C, D, E).

■ **Classes de 1re** (effectif max. 40 él.) **et terminale** (effectif max. 40 él., 35 si possible).

A. *A1 :* Lettres-Sciences (2 langues). *A2 :* Lettres et Langues (3 langues viv.). *A3 :* Lettres et Arts (musique ou arts plastiques et architecture). **B :** *Économique et sociale.* **S** *(remplace C et D).* **D' :** *sciences et techniques agricoles,* créée 1969 et préparée dans les lycées agr. Voir encadré p. 1243. **E :** *math. et techniques.*

■ **Horaires. 1re :** *Français A :* 5 heures, *B :* 4, *C :* 4. *Maths A1 :* 5, *A2, A3 ;* 2, *P :* 5, *C :* 6. *Hist.-géo. A, B, C :* 4. *Sc. physiques A1, B1, C :* 5. *Sc. nat. A, B :* 2, *C :* 2,5. *Sc. écon. et sociales C :* 4. *Langue vivante A1, B, C :* 3. *Éduc. physique et sportive A, B, C :* 2. *Enseign. à options obligatoires. A1 :* 3 heures : soit latin ou grec, ou langue vivante 2. *A2 :* 3 + 3 : soit latin-grec ou latin + LV (langue vivante) 2 ou grec + LV 2 ou LV 2 + LV 3. *A3 :* 4 : éduc. musicale ou arts plastiques et architecture, + 3 : latin ou grec + LV 2. *B :* 3 : latin ou grec + LV 2.

Terminale : *Philosophie : A :* 8 heures, *B :* 5, *C, D :* 3. *Math. : A2, A3 :* 2, *B :* 5, *C ;* 9, *D :* 6, *E :* 9. *Hist.-géo. : A, B :* 4, *C, D :* 3. *Langue vivante 1 : A, B :* 3, *C, D :* 2. *Sc. physiques : C, D, E :* 5. *Sc. nat. : C :* 2, *D :* 5. *Sc. écono. : B :* 5. *Éduc. phys. : A, B, C, D :* 2. *Enseign. à options obligatoires. A1 :* 3 heures : soit latin ou grec ou LV 2. *A2 :* 3 + 3 : soit latin + grec ou latin + LV 2 ou grec + LV 2 ou LV 2 + LV 3. *A3 :* 3 : latin ou grec ou LV 2, + 4 : éduc. musicale ou arts plastiques et archit. *B :* 3 : soit latin ou grec ou LV 2.

■ **Sanction.** *Baccalauréat.* Épreuve de français (en fin de 1re), autres épreuves (fin de terminale).

Enseignement technique

■ **Généralités.** Après la 2e, formation des techniciens en 2 a. (plus spécialisée dans un domaine précis que le bac de technicien) et préparation à l'exercice d'une activité prof. du niveau IV de technicien.

■ **Sanctions. Brevet de technicien** (BT) (67 spécialités). *4 catégories :* BT industriel (T1) ; tertiaire ; artistique ; agricole.

Baccalauréat de technicien. Industriel F : 14 options : *F1* (constr. mécanique), *F2* (électronique), *F3* (électrotechnique), *F4* (génie civil), *F5* (physique), *F6* (chimie), *F7* (biochimie), *F7'* (biologie), *F8* (sc. médico-sociales), *F9* (énergie et équipement), *F10* (microtechnique), *F11* (musique), *F11'* (danse), *F12* (arts appliqués). *Accès aux sections :* pour les élèves ayant suivi en 2e, enseign.(optionnel) technologique spécialisé : *F1, 2, 3, 4, 9, 10 :* techn. ind. *F 5, 6, 7, 7' :* sc. et techno. de labo. *F8 :* sc. médico-sociales. *F11, 11' :* enseign. de la 2e spécifique. *F12* (arts plastiques) arts appliqués.

Baccalauréat de technicien du secteur tertiaire. *G1* (techn. administratives), *G2* (quantitatives de gestion), *G3* (commerciales). *1re G* commune aux 3 terminales avec enseign. de gestion complémentaire, s'il n'y a pas eu d'option gestion en 2e de détermination. *Informatique H :* créé 1969, préparé dans quelques lycées. Orientation à l'issue de la 2e de détermination (anglais obligatoire).

Éducation musicale et arts plastiques

Centres de formation pédagogique pour musiciens intervenant en milieu scolaire : dans une dizaine de villes. Des professionnels de l'art (« intervenants associés ») forment les instituteurs pour les options du Deug 1er degré. **Classes « de patrimoine » et « arc-en-ciel »** (en relation avec les écoles d'art) sont développées, permettant des sessions continues de sensibilisation artistique. Nombre de postes aux Capes et agrégation d'enseignements artistiques maintenu à un haut niveau. **Ateliers d'arts plastiques** dans 200 collèges (3 h pour les élèves volontaires de 4e et 3e). Extension des chorales et ensembles instrumentaux. Sections A3 dans les lycées dont 2 arts plastiques et 2 éducation musicale. 3 nouvelles sections conduisant au bac technol. Arts appliqués (F12). Classes de prép. d'un diplôme sup. d'école de niveau post-BTS dans les 4 écoles d'arts appliqués de Paris. Création expérimentale d'une douzaine d'options en théâtre et expression dramatique, puis d'options cinéma et audiovisuel.

Éducation physique et sportive

Sections nationales et interrégionales (1er et 2e cycles) qui accueillent les él. d'un niveau sportif déjà confirmé pour leur permettre de suivre un entraînement intensif ; **sections sports-études promotionnelles** pour les jeunes dont la vocation sportive est affirmée, et souhaitant accéder aux sections interrégionales ou nationales.

Inspection générale pour l'éd. physique et sportive, **Inspection pédagogique régionale** dans toutes les académies et une **agrégation** d'Éd. phys. et sportive depuis 1983 (30 postes).

■ Enseignement agricole

☞ Sauf exception, il relève du min. de l'Agriculture et de la Pêche, 78, rue de Varenne, 75007 Paris.

Au 1-1-1986 mise en place de la régionalisation, création des établ. publics locaux (EPL). **1989-90** rénovation du Capa. **1990-91** rénovation du Bepa et du BTSA. **1991-92** mise en place des formations à l'environnement.

■ 1er cycle professionnel. **Certificat d'aptitude professionnelle agricole (Capa) :** formation en 3 ans à partir de la 5e, ou en 2 ans après la 3e. **Brevet d'études professionnelles agricoles (Bepa) :** nouvelle option : aménagement de l'espace et protection de l'environnement. À partir de la 3e en 2 ans. Diplôme rénové en 1990 et 91. Possibilité d'accès en 1re BTA ou bac prof. **Bac professionnel :** *« bio-industries de transformation »* (prépare aux métiers de l'agroalimentaire au niveau 4 de qualification) ; *« bureautique » ; « maintenance des équipements ».*

■ 2e cycle général et technologique (lycées agricoles). A partir de la 2e, en 2 ans. **Brevet de technicien agricole (BTA) :** préparation aux fonctions d'exploitant agr. et de cadres moyens dans les domaines techniques, technico-commerciaux, administratifs. Niveau minimal requis à partir de 1992 pour bénéficier des aides de l'État aux jeunes agriculteurs. *Enseignement* en modules (6 de base + 3 ou 4 de secteur : production, commercialisation, transformation, aménagement de l'espace et protection de l'environnement) ; sanction : contrôle continu 50 %, examen 50 %. **Baccalauréats. 1°) Scientifique « Biologie, écologie ».** 3 options : agricult.-environnement, aménagement-envir., langue vivante 2. **2°) Technologiques « Sciences et technologies de l'agronomie et de l'environnement ».** 4 spécialités : techno. animales, végétales, équipements, aménagement. **« Sciences et technologies du produit alimentaire ».**

■ Cycle supérieur. **Brevets de technicien sup. agr. (BTSA) :** formation d'exploitants agr., chefs d'entreprises, cadres d'industries, sociétés para-agr., technico-commerciaux, métiers de l'environnement et de la forêt. *Classes préparatoires à l'enseign. sup. agr. et vétérinaire.* Voir p. 1258.

■ Enseignement privé (56 % des él.). **A temps plein :** Le CNEAP (Conseil national de l'enseign. agricole privé), 277, rue St-Jacques, 75005 Paris, regroupe 232 établ. catholiques d'enseign. à temps plein et 40 340 élèves et étudiants, de la 4e aux techniciens sup., 4 000 professeurs, 2 000 personnels d'éducation, d'administration et de services. Il représente plus de 53 % du secteur privé. Chaque établ., dirigé par un chef d'établ., repose sur une association familiale de gestion (familles, professionnels de l'agriculture et personnes portant intérêt à l'établ.). *Budget total des établissements :* 1 milliard de F dont 0,5 vient de l'État. **En alternance** l'él. est tour à tour dans un établ. d'enseign. et dans l'exploitation familiale ; établ. de l'union nat. des maisons familiales rurales d'éducation et d'orientation (42,2 % des él.).

■ **Établissements (1992-93),** métropole. **Publics** 499 centres dont 224 ét. pub. locaux (lycées agricoles et lycées prof. agr.), 117 centres de formation d'apprentis, 13 CFPAJ, 160 centres de formation professionnelle pour adultes, 26 ét. d'enseignement sup.

Privés reconnus. 395 maisons familiales (enseignement par alternance pour une majorité d'enseignements professionnels courts), 252 établissements à temps plein plus 7 établissements d'enseignement supérieur proposant des formations amenant au BTS.

■ Élèves. **Public.** *1992:* 59 516 [court 20 464, long 26 695, sup. 12 357]. Privé *1992 :* 75 974 [court 52 730, long 17 024, sup. 6 220 ; en rythme approprié (maisons fam. et instituts ruraux) 32 083 dont court 26 131, long 5 030, sup. 922].

■ Enseignement spécialisé

Pour enfants et adolescents gênés dans leur scolarité par des difficultés ou des troubles variés (psychol., affectifs, caractériels, etc.) ou handicapés. **Inscriptions :** aux commissions d'éd. spécial. dans chaque département : celles-ci peuvent être saisies par des parents ou des personnes s'occupant des enfants. Adresses données par l'inspection d'académie ou la dir. dép. des affaires sanitaires et sociales. **Accueil :** *1er degré :* classes spécialisées dans les éc. maternelles et élémentaires, établ. scolaires spécialisés. *2e :* sections d'éducation spécialisée (SES) et classes-ateliers (CA) dans les collèges ; éc. nat. de perfectionnement (ENP). Les établ. médicaux et médico-éducatifs et les établ. socio-éducatifs dépendent du ministère de la Santé.

■ Apprentissage

■ Généralités. Formation pratique des jeunes de 16 à 20 ans (15 ans pour les él. ayant terminé la 3e) dans une entreprise par un maître d'apprentissage, complétée par une formation théorique et générale de 360 h au moins dans un **Centre de formation d'apprentis (CFA) :** niveau 3e d'un collège. **Classes préparatoires à l'apprentissage (CPA) :** implantées dans collèges, LP ou centres de formation d'apprentis (CFA). *Enseignement* alterné (30 h de cours dans l'établ. scolaire et 30 h de stage en entreprise). *Après 1 an,* l'élève peut effectuer une 2e année de CPA ou de CPPN s'il a 15 ans ; il pourra, s'il a 16 ans, entrer en apprentissage (pour préparer un CAP) ou dans la vie professionnelle. Établ. conventionnés et contrôlés par l'État ; dep. le 1-6-1983, la région met en œuvre les actions d'apprentissage (l'État garde la responsabilité de la pédagogie). **Inscriptions :** s'adresser à l'ANPE, aux services académiques de l'inspection de l'apprentissage, au rectorat de l'éd., à l'ingénieur général d'agronomie (agric.), aux chambres d'agr., de commerce, de métiers selon la formation envisagée, aux centres d'information et d'orientation, aux chambres syndicales pour trouver un maître d'apprentissage.

■ Contrat d'apprentissage (de 1 à 3 ans). Après avis d'orientation, délivré par les CIO (centres d'information et d'orientation), et un certificat médical d'embauche signés par le maître d'appr., le représentant légal du jeune et l'apprenti. L'apprenti perçoit un salaire minimal pour le temps consacré aux activités pédagogiques du centre de formation d'apprentis [1er semestre : 15 % du SMIC, 2e sem. 25 %, 3e sem. 35 %, 4e sem. 45 %, 3e année 60 % ; à partir de 18 a., les % sont majorés de 10 points].

■ Sanction. Diplôme de l'enseign. technique, généralement CAP (certif. d'aptitude prof.), Capa (cert. d'apt. prof. agricole), brevet de compagnon (Ht-Rhin, Bas-Rhin et Moselle) : EFAA (certificat de compagnon dans les autres départements). Possibilité de préparation de Bepa, BTA, BTSA.

■ Effectifs d'apprentis (hors agriculture) et flux d'entrée en apprentissage entre parenthèses. *1975-76 :* 167 713 (90 654) ; *80-81 :* 225 394 (118 770) ; *85-86 :* 213 369 (103 186) ; *88-89 :* 234 048 (111 604) ; *90-91 :* 220 326 (103 569).

■ Effectifs des CFA (centres de formation d'apprentis, public et privé (1991-92). 211 485 (dont 1re année : 191 246, 2e a. : 17 203, 3e a. : 2 724) [France sans TOM].

Groupes de formation (1991-92). 211 173 ap., dont : Agr., élevage, forestage 130. Pêche, navigation maritime et fluviale 50. Mines et carrières, travail des pierres 320. Génie civil, travaux publics, topographie 465. Construction en bât. 8 859. Couverture, plomberie, chauffage 9 705. Peinture en bât., peinture ind. 8 918. Prod. et 1re transformation des métaux 38. Forge, chaudronnerie, constr. métalliques 10 238. Mécanique gén. et de précision, travail sur mach.-out., automatisme 22 302. Électricité, électrotech., électromécanique 9 321. Électronique 1 108. Verre et céramique 179. Photographie, ind. graphiques 2 840. Papier et carton (fabrication, transformation) 209. Chimie, physique, biochimie, biologie, prod. chimiques 283. Boulangerie, pâtisserie 19 759. Abattage, travail des viandes 10 365. Autres spécialités de l'alimentation (transformation-préparation) 6 904. Textiles 520. Habillement, travail des étoffes 1 179. Tr. des cuirs et peaux 381. Tr. du bois 10 774. Conducteurs d'engins terrestres 486. Autres formations des secteurs primaire et secondaire 54. Dessinateurs du bât. et des travaux publics 124 ; ind. 49. Techniques administr. ou juridiques appliquées 55. Secrétariat, dactylo., sténo. 1 178. Tech. financières ou comptables, mécanographie comptable 1 154. Commerce et distribution 28 203. Arts et arts appliqués, esthétique ind. 991. Santé, secteur paramédical, services sociaux 11 326. Soins personnels 23 841. Services hôtellerie et collectivités 18 569. Organisation du trav., gestion et contr. techn. 88. Traitement de l'info. 20. Info. doc. rel. pub. 82. Autres formations 106.

Effectifs selon les organismes gestionnaires des CFA (Cours oraux + cours par correspondance) (en %) : organismes privés 44,8, chambres des métiers 33, établ. publics d'enseign. 7, chambres de commerce et d'ind. 9, collectivités territoriales 5,2, conventions nationales 1.

Effectif des CPA relevant du ministère de l'Éducation nationale : *1989-90 :* 8 049 dont CPA de collèges ou LP 6 583 (1990-91), CPA de CFA 623.

■ Age des apprentis (1991-92, en %) : *17 a :* 31,6 ; *16 a :* 22,2 ; *18 a :* 21,5 ; *19 a :* 11 ; *15 a :* 1,1 ; *20 a et + :* 12,6.

Nota. – Des écoles ou sections spéciales d'enseignement professionnel forment des techniciens supérieurs au cours d'études dont le programme et la durée varient avec la spécialité enseignée.

■ Horaires de 1re G. *Français* 3 heures. *Connaissance du monde contemporain* 2. *Langue vivante I* 3. *Maths* 1,5. *Éduc. physique et sportive* 2. *Économie générale d'entreprise, droit* 6. *Méthodes administratives et commerciales* 2. *Techniques quantitatives de gestion* 3. *Outils et techniques de communication* 3. *Travaux d'application et d'informatique* (trav. dirigés) 3. *Options :* expression 2, maths 2.

Enseignement professionnel

■ Généralités. Donné dans des *lycées professionnels (LP) :* des séquences éducatives sont organisées dans les entreprises. Certains LP assurent des enseignements complémentaires au CAP et au BEP. *Sanction :* examen et délivrance d'une mention complémentaire.

■ Études. a) **En 2 ans, Brevet d'études professionnelles** (BEP). *Créé* 1969 pour les élèves sortant de 3e. BEP types (secteurs industriel, économique, commercial, administratif, social). Les meilleurs élèves sortant des cl. de BEP peuvent avoir accès aux cl. de 1re des lycées techniques pour préparer en 2 ans un BTn ou un BT. *Classes d'adaptation* destinées à faciliter le passage du 2e cycle court au 2e cycle long pour les meilleurs élèves titulaires du BEP. L'entrée dans ces classes est décidée après étude du dossier du candidat.

b) **En 3 ans, Certificat d'aptitude professionnelle** (CAP). Sanctionne l'acquisition de la technologie de base d'un métier donné (ouvrier ou employé qualifié). Il existe 309 CAP nationaux, 39 départementaux. Après, le Brevet professionnel (BP) peut sanctionner une formation prof. acquise par la pratique du métier. Il existe 72 BP nationaux, 4 BP départementaux. Certains CAP sont préparés également en 2 ans après la classe de 3e de collège. Les titulaires du CAP peuvent entrer dans une 2e spéciale pour poursuivre des études technol. longues conduisant en 3 ans au BT, éventuellement au BTn.

■ Classes préprofessionnelles de niveau (CPPN). Maintenues provisoirement. Accueillent les élèves ayant 14 ans en fin de 5e et qui n'ont pas encore atteint le niveau scolaire pour entrer en 1re année de CAP dans un LP. Ils suivent une initiation technologique dans certains domaines professionnels (1 an s'ils ont 15 ans, 2 s'ils en ont 14).

Implantées dans collèges ou LP. Enseignement à plein temps. *Horaires :* découverte du milieu social et professionnel et bancs d'essai (de fabrication, du bâtiment, de l'habillement, des collectivités, des services, dans les usines, ateliers...) [12 h], exploitation et préparation des activités précédentes et mise à niveau dans les domaines expression et communication (6 h), maths et sciences (6 h), éducation physique et sportive (3 h).

Après 1 an : l'élève peut préparer un CAP en 3 ans s'il a 14 ans avant la fin de l'année civile, ou un Capa (agricole), ou entrer en 2e année ou dans un CPA. *Après la 2e année :* il peut entrer en apprentissage pour préparer un CAP ou directement dans la vie professionnelle.

■ Certificat d'études professionnelles (CEP). Préparé dans quelques LP, sanctionne une formation courte (1 an), pour les plus de 15 ans, permet d'occuper un emploi d'ouvrier ou d'employé spécialisé.

■ Certificat de formation générale. Les jeunes sortis du système scolaire sans diplôme peuvent l'obtenir. 1 épreuve orale et 2 écrites (français et maths). Les jeunes qui ont bénéficié de formation alternée (plan 16-18 ans) ne passent que l'épreuve orale avec un dossier de stage. S'ils passent un diplôme technique professionnel, ils sont dispensés des unités de contrôle niveau I.

Nota. – A la rentrée 1984, un nouvel enseignement technologique a commencé à remplacer l'ens. manuel et technique (EMT) dans + de 200 établissements en rénovation ; centré sur l'informatique, l'électronique et la gestion.

Vie scolaire

Collèges et lycées

■ **Direction.** Collèges et lycées sont des établ. publics nationaux d'enseignement, dirigés par un *proviseur* pour les lycées, un *principal* pour les collèges, et aidés dans leur mission par un conseil d'établissement et sur le plan pédagogique par divers conseils.

■ **Conseil d'administration. Membres :** le chef d'établ. (Pt) ; 5 représentants de l'administration ; 7 repr. élus des personnels d'enseign. et d'éducation ; 3 repr. élus des parents ; 5 repr. élus des élèves dans les lycées, 5 ou 7 dans les collèges ; 5 personnalités locales. **Rôle :** vote le budget, le règlement intérieur de l'établ. ; donne tous avis et présente toutes suggestions au chef d'établ. sur le fonctionnement pédagogique de l'établ. et de la communauté scolaire. Peut siéger comme conseil de discipline.

■ **Comités de parents (secondaire). Élections de parents d'élèves** (1991-92). *En % en 1991 et, entre parenthèses, en 1990.* **Voix :** FCPE 57,22 (58,17), PEEP 27,32 (27,48), Fnape 0,27 (0,25), Unaape 2,07 (1,92), listes d'Union 1,26 (1,34), div. 11,86 (10,83). **Sièges :** FCPE 58,10 (59,18), PEEP 21,45 (21,75), Fnape 0,21 (0,23), Unaape 1,76 (1,6), listes d'Union 2,32 (2,39), div. 16,34 (14,86). **Taux de participation aux conseils d'établissement** (1991-92) : 31,23 % (32,14).

Nota. – (1) *FCPE :* Féd. des conseils de parents d'él. des écoles publ. (2) *PEEP :* Féd. des parents d'él. de l'ens. public. (3) *Unaape :* Union nat. des Assoc. autonomes de parents d'él. (4) *Fnape :* Féd. nat. des assoc. de parents d'él. de l'ens. public.

■ **Conseil des professeurs.** Réuni tous les trimestres sous la présidence du chef d'établ. pour examiner le comportement scolaire de chaque élève et le guider dans son orientation.

■ **Conseil de classe.** Réuni sous la présidence du chef d'établ. ou de son représentant. *Membres :* personnel enseignant de la classe ; 2 délégués des parents ; 2 dél. d'él. de la cl. ; et, s'ils ont eu à connaître le cas personnel d'un ou plus. él. de la cl. : le conseiller principal ou d'éducation, le cons. d'orientation ; le médecin de santé scolaire, l'assistante sociale, l'infirmière. *Rôle :* examine des questions pédagogiques intéressant la vie de la classe, et les résultats des travaux du conseil des professeurs.

■ **Équipe éducative.** Responsable de chaque élève, composée de l'élève, de ses professeurs et de ses parents. Concertation nécessaire pour permettre une information réciproque et le bon déroulement de la scolarité.

■ **Équipe pédagogique.** Groupe de professeurs responsables d'une classe de LEP avec coordination permanente des enseignements disciplinaires pour aider les él. en difficulté.

☞ **Pacte** (Projet d'activités éducatives et culturelles). Substitué aux « 10 % ». Sur l'initiative des enseignants (audiovisuel, expression dramatique, développement de l'expression orale et écrite, développement de la connaissance de l'environnement et du patrimoine local). **PAE** (Projets d'actions éducatives). *But :* moyen de lutte contre l'échec scolaire et les inégalités sociales et culturelles, dans une perspective de plus grande autonomie des établ., sur l'initiative des élèves : activités interdisciplinaires, culturelles, socioculturelles scientifiques, cadre de vie... Introduits dep. janvier 1983 dans les éc. maternelles et élémentaires (environnement, arts, bibliothèques, lecture).

Vacances scolaires

Nombre de jours de vacances. *1800 :* 50 (*grandes vacances* 31-7/20-9). *91 :* 81 (*dont grandes vacances* 31-7/1-10). *1912 :* 75 (14-7/1-10). *39 :* 75 (15-7/1-10). *65 :* 113 (1-7/17-9 ou 10-7/27-9). *76 :* 120 (30-6/14-9). *82 :* 108 (29-6/9-9). *90 :* 108 (5-7/9-9). *92 :* 116 (8-7/10-9). *93 :* 115 (5-7/6-9).

Congé hebdomadaire. Mercredi après-midi (au lieu du jeudi, dep. 1972). Samedi entier libre dans certains établissements (pour les classes secondaires).

Dates en 1993-94 et, entre parenthèses, 1994-95 (départs après la classe, rentrée le matin). **Rentrée :** 7-9 (6-9). **Toussaint :** 21-10/2-11 (22-10/2-11). **Noël :** 21-12/3-1 (21-12/5-1). **Hiver :** *zone A :* 25-2/14-3 (17-2/6-3). *B :* 18-2/7-3 (3-3/20-3). *C :* 11-2/28-2 (24-2/13-3). **Printemps :** *A :* 23-3/9-4 (15-4/2-5). *B :* 16-4/2-5 (29-4/15-5). *C :* 9-4/25-4 (22-4/9-5). **Été :** *A, B, C :* 5-7/6-9 (6-7/5-9).

ZONES. *A :* Caen, Clermont-Ferrand, Montpellier, Nancy-Metz, Nantes, Rennes, Toulouse, Grenoble. *B :* Aix-Marseille, Amiens, Besançon, Dijon, Lille, Limoges, Lyon, Nice, Orléans-Tours, Poitiers, Reims, Rouen, Strasbourg. *C :* Bordeaux, Créteil, Paris, Versailles.

L'enseignement supérieur en France

Quelques dates

Moyen Age les universités sont des institutions autonomes, à statut propre, bénéficiant de privilèges (collation des grades), rassemblant tous les étudiants et maîtres, étudiant toutes les disciplines. Similaires aux corporations, elles sont divisées en facultés spécialisées : théologie (discipline prééminente) ; arts (lettres et sciences) ; droit (surtout droit canon) ; médecine. *Direction :* doyen et recteurs élus. **1793 (15-9),** décret de la Convention supprimant les universités. **1806 (10-5),** création de l'*Univ. impériale* précisée par le décret du 17-3-1808. 5 ordres : théologie, droit, médecine, sciences (math. et physiques), lettres. Univ. d'État, elle a le monopole de l'enseign. Composée « d'autant d'académies qu'il y a de cours d'appel » (27). Les *facultés* sont des organismes d'État directement administrés par le pouvoir central qui désigne leurs doyens. **1850 (15-3),** *loi Falloux :* supprime l'Univ. de France (héritière de l'Univ. impériale) et la remplace par l'*Instruction publique,* prévoit une académie par département. **1854 (14-6),** division de la France en 16 *circonscriptions académiques.* **1855 (25-7),** création des *facultés.* **1885 (25-7),** création du *Conseil général des Facultés* pour rapprocher ces établ. **(28-12),** décret fixant l'organisation des facultés. **1893 (28-4),** attribution de la personnalité civile au corps formé par la réunion de plusieurs facultés de l'État dans un même ressort académique. **1896 (10-7),** les corps de faculté prennent le nom d'*universités.* **1920 (31-7),** un décret précise et élargit les règles de constitution des univ. et crée les *instituts* en complément des facultés et des universités.

1966 (22-6), décret sur les facultés : 1er cycle de 2 ans : diplôme Dues ou Duel. 2e cycle : court, 1 an, licence ; long, 2 ans, maîtrise. 3e cycle : doctorat. Les IUT assurent en 2 ans la préparation du Dut. **1968 (12-11), loi d'orientation** (dite loi *Edgar Faure) : autonomie administrative :* unités d'enseignement et de recherche (UER) et universités sont administrées par un conseil élu et dirigées respectivement par des directeurs et par un président, eux-mêmes élus ; *pédagogique :* elles déterminent programmes, modalités d'enseignement et procédés de vérification des connaissances ; *financière :* l'établissement autonome dispose librement des dotations budgétaires affectées par l'État et de ses ressources d'origine publique ou privée. *Participation,* au niveau de : *la gestion* dans le cadre des organismes élus où se trouvent tous ceux qui prennent part à la vie de l'univ. (essentiellement conseils d'UER et conseils d'univ.) ; *l'organisation de l'enseignement* au sein des mêmes conseils ; *la vie régionale et nationale* par la présence, dans les organismes de gestion et les différents conseils, de personnalités du monde extérieur, et la multiplication des relations avec les communautés locales et régionales, avec le monde économique et social, et avec les autres universités (notamment européennes et francophones). *Pluridisciplinarité :* cherchée dans le regroupement des UER, le remodelage des universités : contacts entre disciplines, nouvelles formations, définition de nouveaux diplômes nationaux.

1984 (26-1), loi sur l'Enseignement supérieur (dite loi *Savary).* Concerne toutes les formations.

Organes consultatifs nationaux

Conseil supérieur de l'Éducation nationale. *Origine :* Conseil de l'Université, présidé par un Grand Maître nommé par l'Empereur (1808). C. royal de l'Instruction publique (1815) ou C. royal de l'Université (1845), puis C. supérieur de l'Instruction publique (1850), et C. impérial de l'Instr. publ. (1852-70), C. sup. de l'Instr. publ. (lois de 1873 et 1880), C. sup. de l'Ens. public (ord. du 26-4-1945), C. sup. de l'Éd. nat. (lois du 6-4 et du 18-5-1946). **Rôle :** *donne son avis au ministre ; organe juridictionnel* compétent pour affaires admin. et disciplinaires (maîtres et étudiants) : ses arrêts sont susceptibles de recours en cassation devant le Conseil d'État.

Conseil national des universités (CNU). Organe consultatif de gestion des personnels enseignants et collège de spécialistes chargé d'apprécier les candidatures des professeurs et des maîtres de conférences des universités et de les proposer au ministre, en vue de leur recrutement ou de leur avancement.

Conseil national de l'enseignement supérieur et de la recherche (Cneser). Présidé par le ministre de l'Éducation nationale. *Membres :* 40 élus représentant les universités, 21 nommés repr. les grands intérêts nationaux. Obligatoirement consulté pour les affaires budgétaires, statutaires, réglementaires, administratives et institutionnelles.

Conférence des présidents d'université (CPU). Se réunit soit à sa diligence, soit à l'initiative du ministre qui la préside.

Conférence des directeurs d'écoles et de formation d'ingénieurs (CDEFI). Établit des relations privilégiées avec la **commission des titres d'ingénieurs,** organe de contrôle du niveau de la qualité du titre d'ingénieur décerné par une école et qui a le pouvoir d'habiliter les écoles privées à délivrer le diplôme et donne son avis lorsqu'il s'agit des écoles publiques.

Universités

■ **Rôle.** Elles dispensent des formations comprenant à part égale des enseignements fondamentaux et des ens. pratiques appuyés sur la recherche et ses applications. « Pluridisciplinaires, elles doivent associer autant que possible les arts et les lettres aux sciences et aux techn. pour permettre à l'étudiant de choisir dès le 1er cycle, dans des conditions propres à chaque université, plusieurs disciplines, et dès le 2e cycle favoriser la recherche interdisciplinaire. » Elles délivrent des diplômes nationaux, des titres, des diplômes d'univ. spécialisés et le doctorat. Elles assurent la formation de base des cadres supérieurs de l'enseignement et de la recherche, des secteurs judiciaires, de la magistrature, des administrations publiques et privées, de la culture, de la communication, des bibliothèques et des musées, du secteur santé (médecins, pharmaciens, dentistes et personnels paramédicaux), des industries et des petites et moyennes entreprises, de la banque et du commerce.

■ **Budget.** *Ressources :* crédits attribués par l'État, ressources propres [donations, participations d'entreprises, subventions diverses (collect. territoriales), droits d'inscription].

■ **Interlocuteur officiel.** La Direction des enseignements supérieurs au sein du ministère de l'Éducation nationale.

■ **Nombre** *(1992).* Univ. 78 [77 univ. EPCSCP (Paris 17, province et DOM 60) + univ. fr. du Pacifique (établ. publ. à caractère administratif)]. Une ou plusieurs univ. peuvent être créées dans chaque académie.

■ **Organisation. Président de l'université :** élu pour 5 ans par les membres des 3 conseils : *conseil d'administration, conseil scientifique, conseil des études et de la vie universitaire.* Il a autorité sur l'ensemble des personnels de l'établissement ; il est responsable du maintien de l'ordre. Il dirige l'univ.

Secrétaire général : *nommé* par le min. de l'Éduc. nat. sur proposition du président.

Conseil d'administration : *mission :* pouvoir de décision et d'exécution, vote le budget, détermine la politique de l'établ., répartit entre les différentes unités pédagogiques et les services communs (bibliothèques, gymnases, administration) emplois et ressources alloués par le ministère. *Composition :* 30 à 60 membres, élus au suffrage direct pour 4 ans, sauf les représentants étudiants, élus pour 2 ans. *Répartition :* représentants des enseignants-chercheurs, des enseignants et des chercheurs 40 à 45 %, repr. étudiants 20 à 25 %, personnalités extérieures 20 à 30 % (responsables économiques régionaux, syndicalistes, repr. des collectivités locales, etc.), repr. du personnel administratif, technique ouvrier et de service 10 à 15 %.

Conseil scientifique : *mission :* définir la politique et les programmes de recherche. *Composition :* membres 20 à 40 (représentants des personnels 60 à 80 %, repr. étud. de 3e cycle 7,5 à 12,5 %, personnalités extér. 20 à 30 %).

Conseil des études et de la vie universitaire : *mission :* représente au CA les orientations pédagogiques et toute mesure visant à favoriser l'orientation des étudiants ou à améliorer leurs conditions de vie et de travail. *Composition :* membres 20 à 40. (repr. d'ens. et d'étud. 75 à 80 %, des personnels admin. et techn. 10 à 15 %, person. extér. 10 à 15 %).

■ **Composantes. Unités de formation et de recherche (UFR) :** assurent les enseignements des grands secteurs disciplinaires de droit, sc. éco., lettres et arts, sc. humaines, sc. exactes et naturelles et technologie et formations de santé. À vocation de formation générale (ex. : UFR de 1er cycle), ou orientées vers des formations spécialisées (ex. : UFR de droit, de lettres, etc.), ou essentiellement tournées vers la recherche ou les enseignements de 3e cycle. Chaque unité est gérée par un Conseil élu (max. : 40 membres), comprenant des personnalités extérieures (20 à 50 %). Il détermine les statuts UFR, ses structures internes et ses liens avec d'autres universités ou parties d'université, assure la gestion sur le plan pédagogique (programmes de recherches, méthodes), élit le directeur de l'UFR.

Instituts et écoles de formation ou de spécialisation : préparent à des diplômes nationaux et/ou des diplômes qui leur sont propres. Certains sont conçus pour répondre à une mission nationale, régionale ou internationale de formation.

Services communs : bibliothèques, services d'information et d'orientation, services de formation continue.

Écoles rattachées.

■ Instituts nationaux polytechniques

3 INP (Grenoble, Nancy et Toulouse) groupent des écoles nationales supérieures d'ingénieurs, anciennement instituts d'université.

■ Établissements publics à caractère scientifique, culturel et professionnel (EPCSCP)

Institut d'études politiques de Paris, Observatoire de Paris, École des hautes études en sc. sociales, École pratique des hautes études, Muséum national d'histoire naturelle, École centrale, Institut national des langues et civilisations orientales, Collège de France, CNAM (Centre national des arts et métiers), Palais de la Découverte.

■ Organisation des études supérieures

Conditions d'entrée. Bac ou examen spécial d'accès aux études universitaires (ESEU) pour les non-bacheliers qui ont interrompu leurs études dep. au moins 2 ans, ont 20 ans au moins et justifient de 2 années d'activité professionnelle salariée ayant donné lieu à cotisation à la Sécurité sociale (y compris activité passée à élever un ou plusieurs enfants) ou ont 24 ans au moins. **Choix :** l'étudiant peut choisir : *1°) un système d'orientation* au sein des universités pour l'accès à des formations diverses, de difficulté croissante, où la sélection s'effectue progressivement au cours des cycles d'études successifs : après 1 an en médecine, odontologie, pharmacie au moyen d'un concours classant ; 2 ans pour l'inscription à certaines maîtrises ou à un magistère ; 4 ans pour être admis à préparer un diplôme d'études approfondies (DEA) ou un dipl. d'études sup. spécialisées (DESS). *2°) un système de sélection* pratiqué dans les grandes écoles et les formations technologiques courtes. Le bac est complété par un concours ou par le dépôt d'un dossier examiné par un jury d'admission.

■ Enseignement supérieur court

☞ Concerne surtout les secteurs industriels et tertiaires. Au bout de 2 ans (parfois 3), il est délivré un diplôme professionnel.

Formations dispensées. *Dans les instituts universitaires de technologie (IUT)* au sein des universités. Sanctionnées par un diplôme universitaire de technologie (Dut) qui doit permettre d'exercer rapidement des responsabilités dans les secteurs secondaire et tertiaire. Accès soumis à une sélection rigoureuse.

Dans les sections de techniciens supérieurs, au sein des lycées. Sanctionnées par un brevet de technicien supérieur (BTS) à spécialité plus adaptée à des fonctions précises. Accès après étude de dossier.

Au sein de l'université même. Sanctionnées par un diplôme d'études universitaires scientifiques et techniques (Deust) qui doit permettre d'entrer directement dans la vie professionnelle.

Au sein de l'université et dans des écoles relevant du ministère chargé de la Santé, pour les formations paramédicales : orthophonie, orthoptie, audioprothèse, formation de sage-femme, d'assistante sociale. Accès très sélectif intervenant dès le bac, à l'issue d'un concours, d'un examen, d'un test ou d'un entretien. Durée d'études prolongeable jusqu'à 4 ans.

Instituts universitaires de technologie (IUT)

■ **Organisation. Créés** 1966 au sein des universités. **Conseils d'admin. :** composés des représentants des

« **Magistère** ». Diplôme d'université soumis à l'accréditation du min. de l'Éd. nat. *Créé* févr. 1985. Sanctionne une formation de haut niveau, très pluridisciplinaire, à finalité professionnelle. Durée : 3 ans. Peuvent y accéder : les titulaires du Deug, d'un Dut, les élèves des grandes écoles, + présentation de dossier. *Nombre, rentrée 1985 :* 18 ; *1989 :* 67. *Étudiants en formation :* 4 500.

« **Mastère** ». *Admission :* être tit. d'un dipl. d'ing. ou d'une éc. de gestion, d'un DEA ou d'un titre équivalent. *Durée min. des études :* 4 trimestres. *Nombre. 1986 :* 71 mastères (746 étudiants) ; *1988 :* 153 (1 493) ; *1989-90 :* 210.

Ce diplôme est un label délivré par la conférence des grandes écoles, pas un diplôme universitaire.

employeurs, salariés, enseignants, diplômés et ministères concernés ; 1/3 viennent de l'extérieur de l'univ. **Commissions pédagogiques :** composées de représentants des professions et des formations, revoient régulièrement les formations en fonction des évolutions technol. et socio-économique. **Formation donnée :** technicien supérieur (niveau III), moins spécialisés que les BTS. **Durée :** 2 ans (après le bac). 35 h par semaine (cours, travaux pratiques et dirigés). Chaque département organise les 2 années d'études en fonction des centres d'intérêt primordiaux du secteur concerné. **Admission :** après examen du dossier par un jury et entretien ; sans bac, sur examen spécial et dans la limite de 10 % des places disponibles. **Passage en 2e année :** prononcé par le chef d'établissement. Un stage dans une entreprise ou un organisme public est obligatoire pour obtenir le diplôme en fin de scolarité. **Redoublement :** autorisé une seule année. *Nombre :* 72 IUT et 19 départements correspondant à une spécialité dont certains comportent des options en 2e année, et qui sont répartis en 350 implantations géographiques. **Sanction :** diplôme universitaire de technologie. (Dut). **Corps enseignant :** ens. d'univ. ou du secondaire et technique, chercheurs des universités, professionnels (15 % en 1980).

Année spéciale ou année post-1er cycle : 1 an, pour les étudiants ayant effectué 2 ans d'ens. sup. Les diplômés des IUT ou les titulaires d'un BTS peuvent, après 3 ans de vie profess., entrer dans une formation conduisant au diplôme d'ingénieur : cycle préparatoire de 6 à 18 mois, associant cours par correspondance et périodes de regroupement, permettant aux stagiaires d'harmoniser leurs connaissances théoriques et d'accéder dans les meilleures conditions au cycle terminal (12 à 36 mois) tout en continuant à exercer leur emploi.

■ **Liste des IUT par disciplines** (Chiffres romains : université, arabes : IUT).

1. **Biologie appliquée,** *options : – analyses biologiques et biochimiques :* Angers, Brest, Caen, Clermont-Ferrand I, Créteil, Dijon, Lille I, Lyon I, Montpellier, Quimper, La Rochelle, Toulon, Tours ; *– industries alim. et biologiques :* Amiens, Angers, Bourg-en-Bresse, Caen, Créteil, Dijon, Évreux, Lille I, Nancy I, Quimper, La Rochelle, Montpellier, Périgueux, Strasbourg I ; *– diététique :* Créteil, Lille I, Lyon I, Montpellier, Nancy I, Tours ; *– agronomie :* Amiens, Angers, Brest, Clermont-Ferrand I, Lyon I, Nancy I, Perpignan, Strasbourg I. ; *– génie de l'environnement :* Brest, Tours, Perpignan.

2. **Carrières de l'information,** *options : – documentation :* Besançon, Bordeaux III, Dijon, Grenoble II, Nancy II, Paris V, Strasbourg III, Toulouse III, Tours ; *– communication* (publicité-relations publiques-journalisme) : Besançon, Bordeaux III, Grenoble II, Nancy II, Paris, Strasbourg III, Toulouse III, Tours.

3. **Carrières juridiques :** Colmar, Grenoble II, Lille II, Rouen, Villetaneuse.

4. **Carrières sociales,** *options : – éducateurs spécialisés :* Grenoble II, Lille III ; *– animateurs socio-culturels :* Bordeaux III, Paris, Rennes I, Grenoble II, Lille III, Tours ; *– assistance sociale :* Grenoble II, Paris.

5. **Chimie :** Besançon, Béthune, Grenoble I, Lille I, Lyon I, Le Mans, Marseille, Montpellier, Orléans, Orsay, Poitiers, Rennes, Rouen, Strasbourg III ; *options : – sc. des matériaux :* Grenoble I, Besançon, Béthune. *– productique chimique :* Marseille, Rennes.

6. **Génie chimique :** Nancy I, St-Nazaire, Toulouse III, Lyon I ; options : *– bio-industries :* Nancy I, *– ind. chimiques :* Nancy I.

7. **Génie civil,** *options : – travaux publics et bâtiment :* Amiens, Bordeaux I, Bourges, Lyon I, Nancy I, Rennes I, St-Nazaire, Strasbourg I, Toulouse III, Grenoble I, Béthune, Égletons, Nîmes, Reims, La Rochelle, Cergy-Pontoise ; *– génie climatique et équipement du bâtiment :* Amiens, Lyon I (IUT 1), Rennes, Strasbourg III, Toulouse III, Cergy-Pontoise, Bordeaux I, Égletons, Reims, La Rochelle.

8. **Génie électrique et informatique industrielle,** *options : – électronique :* Angers, Annecy, Belfort, Bordeaux I, Brive, Cachan, Calais, Cergy-Pontoise, Créteil, Grenoble II, Lannion, Lille, Kourou, Longwy, Marseille, Montpellier, Mulhouse, Nice, Rennes, Rouen, St-Étienne, Toulouse III, Tours, Troyes, Ville-d'Avray ; *– électrotechnique et électronique de puissance :* Béthune, Belfort, Brest, Cachan, Le Creusot, Grenoble I, Le Havre, Lyon I, Montluçon, Nantes, Nîmes, Poitiers ; *– automatismes et systèmes :* Angers, Annecy, Béthune, Brest, Bordeaux I, Cergy-Pontoise, Évry, Grenoble 1 (2 départ.), Le Creusot, Le Havre, Lille I, Longwy, Lyon I, Montluçon, Mulhouse, Nancy 1, Nantes, Nice, Nîmes, Poitiers, Rennes 1, St-Étienne, Toulon, Toulouse III, Valenciennes, Ville-d'Avray.

9. **Génie mécanique et productique :** Alençon, Aix, Amiens, Angoulême, Annecy, Belfort, Besançon, Béthune, Bordeaux 1, Bourges, Brest, Cachan, Le Creusot, Dijon, Évry, Grenoble I, Le Mans, Lille I, Limoges, Lyon I (2 départ.), Metz, Montluçon, Mulhouse, Nancy I, Nantes, Nîmes, Orléans, Poitiers, Reims, Rennes I, St-Denis, St-Étienne, Tarbes, Toulon, Toulouse III (2 départ.), Troyes, Valenciennes, Ville-d'Avray.

10. **Génie thermique et énergie :** Belfort, Dunkerque, Grenoble I, Lorient, Longwy, Poitiers, Ville-d'Avray, Montluçon, Pau.

11. **Gestion des entreprises et des administrations,** *options : – gestion appliquée aux petites et moyennes organisations :* Amiens, Angers, Bayonne, Bourges, Brest, Caen, Clermont-Ferrand, Le Mans, Lille I, Limoges, Lyon I, Montpellier, Nancy II, Nantes, Nice, Perpignan, Poitiers, Rennes, Rodez, St-Denis, St-Étienne, Sceaux, Tarbes, Toulon, Toulouse III (2 départ.), Tours, Valenciennes, Vannes, Villetaneuse, Grenoble II, Marseille, Mulhouse, Quimper, Reims, Roanne, Valence ; *– finances, comptabilité :* Aix, Amiens, Angers, Bayonne, Besançon, Bourges, Brest, Caen, Clermont-Ferrand, Corte, Dijon, Fontainebleau (Paris XII), Grenoble II, Le Havre, Le Mans, Lille I, Limoges, Lyon I, Marseille, Melun-Sénart (Paris XII), Montpellier, Metz, Mulhouse, Nancy II, Nantes, Nice, Orléans, Paris, Perpignan, Poitiers, Quimper, Reims, Rennes I, Roanne, Rodez, St-Denis, St-Étienne, Sceaux (2 départ.), Tarbes, Toulon, Toulouse III (2 départ.), Tours, Troyes, Valence, Valenciennes, Vannes, Villetaneuse ; *– personnel :* Aix, Amiens, Angers, Besançon, Bourges, Caen, Fontainebleau (Paris XII), Le Havre, Le Mans, Lens, Lille I, Limoges, Lyon 1, Melun-Sénart (Paris XII), Metz, Montpellier, Mulhouse, Nantes, Nice, Paris, Perpignan, Poitiers, Quimper, La Roche-sur-Yon, St-Denis, Sceaux (2 départ.), Toulouse III, Tours, Troyes, Valenciennes, Villetaneuse.

12. **Hygiène et sécurité,** *options : – hygiène et sécurité et conditions de travail ; – hygiène et séc. publiques :* Bordeaux I, Colmar, Lorient, Marseille-Luminy, St-Denis.

13. **Informatique :** Aix, Amiens, Bayonne, Belfort, Bordeaux I, Calais, Clermont-Ferrand, Dijon, Grenoble II, Lannion, La Rochelle, Le Havre, Lille I, Limoges, Lyon I, Metz, Montpellier, Nancy II, Nantes, Nice, Orléans, Orsay (2 départ.), Paris, Reims, Strasbourg III, Toulouse II et III, Villetaneuse (2 départ.), Rodez, Valence, Vannes.

14. **Maintenance industrielle :** Châtellerault, Clermont-Fd, Épinal, Lorient, Melun-Sénart (Paris XII), Perpignan, St-Denis, St-Nazaire, Strasbourg I, Valenciennes, Vesoul. *Option : – organisation et gestion de la production :* Évry (Paris XII).

15. **Mesures physiques,** *options : – techniques instrumentales :* Bordeaux I, Caen, Grenoble I, Clermont-Ferrand, Créteil, Le Creusot, Lille I, Limoges, Metz, Orsay, St-Denis, St-Nazaire, Toulouse III, Marseille, Montpellier, Reims, St-Étienne, Strasbourg I ; *– mesures et contrôles physico-chimiques :* Bordeaux I, Caen, Clermont-Ferrand, Créteil, Limoges, Metz, Orsay, Toulouse III, Grenoble I, Lannion, Marseille, St-Étienne, Reims, Rouen, Montpellier, Strasbourg I.

16. **Statistiques et traitement informatique des données :** Grenoble II, Niort, Paris, Pau, Vannes.

17. **Techniques de commercialisation :** Aix, Amiens, Angoulême, Annecy, Avignon, Bordeaux 1, Caen, Chambéry, Colmar, Créteil, Dunkerque, Épinal, Melun-Sénart (Paris XII), Grenoble II, La Rochelle, Laval, Le Havre, Lens, Lille II, Limoges, Lyon I, Metz, Montluçon, Montpellier, Nancy II, Nice, Paris, Périgueux, Quimper, Roanne, St-Denis, St-Étienne, St-Nazaire, Sceaux (2 départ.), Strasbourg III, Toulon, Toulouse III, Tours (2 départ.), Troyes, Valence, Valenciennes.

18. Transport et logistique : Aix, Bordeaux, Chalon-sur-Saône, Chartres, Évry I, Le Havre, Lille III, Mulhouse, Quimper.

19. Organisation et gestion de la Production : Evry.

■ Effectifs des IUT. Voir p. 1253.

■ Enseignement supérieur long dans les universités

En général, études universitaires organisées en 3 cycles d'études successifs, sanctionnés par des diplômes nationaux.

■ 1er cycle. Formation générale et d'orientation, ouvert aux titulaires du bac. *Durée* 2 ans. Comporte des enseignements plus ou moins disciplinaires, incluant une période d'orientation plus ou moins étendue selon l'organisation définie par l'université, et offre une diversité d'enseignements, tenant compte de l'évolution des connaissances et des débouchés. **Diplôme :** Deug (Diplôme d'études universitaires générales) assorti de mentions et/ou de sections. Le Deug : remplace dep. le 27-2-1973 le dipl. univ. d'ét. littéraires (Duel), le dipl. univ. d'ét. scientifiques (Dues), le dipl. d'ét. juridiques gén. et le dipl. d'ét. économiques gén.

Inscriptions : 3 annuelles (2 en 1re année, 1 en 2e ou 1 en 1re, 2 en 2e) ou 6 semestrielles au maximum. Exceptionnellement, 1 supplémentaire peut être autorisée par le Pt de l'université.

Matières étudiées : *obligatoires ; optionnelles* (choisies et réparties par le Conseil de l'université) ; *libres* (choisies par les étudiants). Étude des langues vivantes dans toutes les filières. **Contrôle des connaissances et des aptitudes :** examens terminaux ou contrôle continu et régulier, ou par les 2 modes de contrôle combinés.

Mentions : *droit ; sciences écon. ; sciences humaines* (5 sections : philosophie, psychologie, sociologie, histoire, géographie) ; *lettres et arts* (6 sect. : lettres, lettres et civilisations étrangères, langues étr. appliquées, arts plastiques, musique, histoire des arts) ; *sciences* (2 sect. : sc. des structures et de la matière, sc. de la nature et de la vie) ; *maths appliquées et sc. sociales ; administration économique et sociale ; sciences et techniques des activités physiques et sportives ; théologie* (2 sect. : catholique, protestante) ; *communication et sciences du langage* (2 sections : culture et communication, sciences du lang.) ; *soins ; sciences, économie et technologie, études corses, basques, bretonnes, celtiques.*

■ 2e cycle. Approfondissement, formation générale, scientifique et technique de haut niveau préparant à l'exercice de responsabilités professionnelles. **Durée :** 2 à 3 ans après le Deug. **Formations :** *fondamentales, professionnelles et/ou spécialisées* **Diplômes :** *licence* (Deug + 1 an d'études) et *maîtrise* (licence + 1 an d'études) ; *à finalité professionnelle* conçues en un seul bloc indivisible de 2 ans, en vue d'acquérir une *maîtrise en sciences et techniques* (MST), de sciences de gestion (MSG), de méthodes informatiques appliquées à la gestion (Miage) ; *conduisant au titre d'ingénieur,* conçues en un bloc de 3 ans d'études ; *conduisant au magistère,* conçues en un bloc de 3 ans d'études.

■ 3e cycle. De haute spécialisation et de formation à la recherche. **Durée :** une ou plusieurs années de préparation. **Accès :** soumis à une sélection effectuée parmi les titulaires d'une maîtrise, d'un titre d'ingénieur ou d'un diplôme rendu équivalent par la validation des acquis. **Formations dispensées :** *professionnelle,* de 1 an assortie d'un stage obligatoire en entreprise en vue d'acquérir un diplôme d'études supérieures spécialisées (DESS) : *formation à et par la recherche* sanctionnée à l'issue de la 1re année par le diplôme d'études approfondies (DEA) et menant, en 2 à 4 ans après ce diplôme, au doctorat.

■ Médecine. **Centres hospitaliers universitaires (CHU).** *Créés* 1958 pour rapprocher l'Univ. de l'hôpital. Résultent d'une convention entre les unités médicales et les hôpitaux. Le personnel méd. d'encadrement employé à plein temps a une mission de soins, d'enseign. et de recherche. Tous les étudiants font leurs ét. dans les unités médicales et dans le cadre des CHU où ils reçoivent une formation théorique et pratique. **Durée :** 8 ans et plus. **Accès :** titulaires du bac toutes séries, mais les séries scient. (D et surtout C) offrent plus de chances. **Nombre :** 25 en province, 11 à Paris.

Cycles. 1er cycle d'études médicales (PCEM) : 2 ans ; 1re année commune à médecine et à odontologie ; sélection (concours fin 1re année) en fonction de la capacité de formation des CHU et des besoins (diminution d'env. 10 % par an à partir de 1980). **2e cycle (DCEM) :** 4 ans ; *1re a. :* formation médicale générale, initiation aux fonctions hospitalières ; *3 autres a. :* pathologie et thérapeutique, formation théorique et clinique. *A partir de la 2e a.,* participation à l'activité hospitalière pendant 6 semestres. Dès le 5e semestre du 2e cycle, les étud. (appelés étud. hospitaliers) sont rémunérés. **3e cycle :** pour les étudiants qui ont validé le DCEM et le certificat de synthèse clinique et thérapeutique (CSCT). *Médecine générale ou résidanat :* 2 ans, sanctionné à l'issue d'une formation théorique comportant des fonctions hospitalières et un stage chez un praticien, et après soutenance d'une thèse, par le diplôme d'État de docteur en médecine et la qualification en médecine générale. *Médecine spécialisée :* subordonné à la réussite au concours de *l'internat* (4 disciplines : spécialités médicales, chirurgicales, biologie médicale, psychiatrie) ; organisé en diplômes d'études spécialisées (DES) préparé en 4 à 5 ans ; sanctionné par le diplôme d'État de docteur en médecine et 1 DES ou au cours du 3e cycle, les étudiants peuvent préparer le DEA.

■ Pharmacie. **Durée :** 6 ans. **Cycles : 1er cycle :** 2 ans (1re année forme d'une préparation au concours de sélection de fin d'année). **2e cycle :** 2 ans. **3e cycle :** 2 ans ; l'étudiant soutient la thèse en vue du diplôme d'État de docteur en pharmacie. Les titulaires de ce dipl. peuvent s'engager dans le cycle doctoral (DEA + doctorat) ou préparer un Dipl. d'Études Supérieures spécialisées (DESS).

À l'issue de la 5e année, les étudiants se destinant aux spécialisations peuvent, après réussite au concours de *l'internat en pharmacie,* préparer des *diplômes d'études spécialisées (DES)* dans le cadre des filières de sciences biologiques et de sc. pharmaceutiques spécialisées. Le mémoire du DES peut tenir lieu de thèse en vue du diplôme d'État de docteur en pharmacie.

■ Odontologie. **Durée :** 5 ans et plus. La 1re année est commune avec la 1re année de médecine (PCEM 1), au terme de laquelle les étudiants subissent un examen classant. Les étudiants classés s'inscrivent en 2e année d'odontologie. *5e année :* thèse en vue du diplôme d'État de docteur en chirurgie dentaire. Ensuite, spécialisation possible : CES de chirurgie dentaire (A et B), certificat d'études cliniques spéciales mention orthodontie (CECSMO), DEA puis doctorat de recherche.

Nota. – Afin de permettre aux étudiants en médecine, odontologie, pharmacie de se préparer au DEA puis à la recherche, une maîtrise de sciences biologiques et médicales a été créée, ouverte aux étudiants de 2e année de médecine, odontologie, pharmacie.

Grandes écoles

Direction. Les grandes écoles publiques sont dirigées par un directeur nommé par le ministre de Tutelle. Elles reçoivent leurs crédits directement de l'État et disposent d'un corps enseignant propre à chacune d'elles. Le conseil d'administration comprend un nombre important de personnalités extérieures.

Accès. Suppose généralement le passage par 2 ans de formation à l'Université (pour la préparation d'un Deug ou d'un Dut) ou dans des classes préparatoires (CPGE) au sein de certains lycées ou exceptionnellement dans les grandes écoles elles-mêmes. Pour entrer en CPGE, il faut le bac et présenter un dossier (copie des bulletins scolaires des classes terminales et avis des professeurs). Pour les écoles de commerce et de vétérinaires, la durée de la CPGE est de 1 an au lieu de 2. L'accès en 1re année d'école nécessite le succès aux différents concours. Les études durent 3 ans (4 pour les vétérinaires). *Diplômes délivrés :* d'ingénieur reconnu par la commission du titre d'ingénieur, de haut enseignement commercial dont la valeur dépend de la renommée de l'établissement, notamment lorsqu'il est revêtu du visa officiel.

Les écoles normales sup. préparent aux diplômes nationaux des universités et aux concours de recrutement des professeurs agrégés.

☞ Voir liste p. 1259.

Enseignement à distance

Télé-enseignement universitaire. Offert aux étudiants désireux de préparer un diplôme national mais qui ne peuvent assister aux cours d'une université pour des raisons de force majeure (santé, éloignement, travail, situation de famille).

Cet enseignement s'adresse également à un public plus large, non étudiant (adultes et auditeurs libres). Dispensé par certaines universités dotées d'un centre de télé-enseignement. Le Centre national d'enseignement à distance (CNED) prépare à certains concours de la Fonction publique et dispense des formations très spécifiques.

Formation continue

Dispensée dans établissements universitaires ou écoles. Permet aux personnes engagées dans la vie professionnelle de suivre des cours du soir en bénéficiant d'horaires aménagés et d'accéder aux diplômes universitaires. De son côté, le Conservatoire national des arts et métiers (CNAM) et ses centres régionaux accueillent des auditeurs salariés, sans exigence de titre, à ses cours du soir durant lesquels ces derniers bénéficient d'un enseignement gradué qui peut, à terme, donner accès à un titre d'ingénieur.

Enseignement technique supérieur

■ **Sections de techniciens supérieurs (STS). Organisation :** formation dans certains lycées techniques, lycées agricoles ou établ. de même niveau en vue de carrières précises (ind. graphique, gestion hôtelière, secr. de direction trilingue...). **Durée :** 2 a. après le bac ou le bac de technicien, 3 a. pour BTS de prothésiste, orthésiste et podo-orthésiste, et diplôme de conseiller en écon. sociale et fam. **Sanction :** BTS (brevet de technicien supérieur) diplôme professionnel. **Admission :** sur examen, sur titre ou concours, avec ou sans le bac, selon les spécialités.

Nombre de STS en France métropolitaine (1990-91) : 199 084 (50,48 % de filles) dont établ. publics dépendant du min. de l'Éduc. nat. : 107 437, d'autres ministères (Agriculture principalement) : 9 283 (24,3) ; établ. privés : 82 364 dont Ed. nat. 75 384.

Élèves. Selon le type de formation : secteur tertiaire 134 534 secondaire et primaire 48 287. **Selon l'origine des entrants en 1re année** (1990-91) : *Bac. d'enseign. gén. obtenu en 90 : A* 15,3, *B* 18,9 *C* 2,8 *D-D'* 11,2, *E* 10,8. *Bac. et brevet technicien obtenu en 90 : F* 46, *G* 45,4, *BT* 91,4, *H* 76. *Bac prof.* 11. *Cl. mise à niveau* 1,5. *Autres diplômes* 19,6. *Non diplômés* 4,8. **Selon l'origine socioprofessionnelle** (1984-85, en %) : agriculteurs 9,3. Artisans 5,9. Commerçants 5,8. Chefs d'entreprise 3,3. Prof. libérales 4,1. Cadres fonction publ. 3,5. Prof. scient. et art. 3,4. Cadres d'entreprise 10,4. Instit. et assimilés 2. Prof. interm. Santé et fonc. publ. 4,2. Prof. interm. Adm. et Comm. des entr. 4,7. Techniciens 5,9. Contremaîtr. et ag. maîtr. 6,2. Employés 11,5. Ouvriers 11,1. Retraités 5,5. Autres et DASS 3,2.

■ Universités (adresse et spécialisation)

■ Paris, Versailles et Créteil

L'Académie de Paris a été, à partir du 1-2-1972, réorganisée en 3 ac. : [*Paris, Versailles* (Yv., Hts-de-S., Essonne, Val-d'O.) et *Créteil* (Seine-St-Denis, Val-de-M., Seine-et-M.)] dirigées chacune par un recteur et coordonnées par un comité des recteurs, présidé par le recteur de l'Académie de Paris.

Paris I **(Panthéon-Sorbonne),** 12, pl. du Panthéon, 75005 Paris ; sc. écon., hum., jur., pol., langues. II **(Droit-économie et sc. sociales),** 12, pl. du Panthéon, 75005 Paris ; sc. juridiques, adm., pol., histor. et de l'information. III **(Sorbonne-Nouvelle),** 17, pl. de la Sorbonne, 75005 Paris ; langues, lettres et civilis. du monde moderne. IV **(Paris-Sorbonne),** 1, rue Victor-Cousin, 75005 Paris. Civilis., langues, littér. et arts. V **(René-Descartes),** 12, rue de l'École-de-Médecine, 75006 Paris ; sc. biomédicales, psychol. et sociales, technol., éd. phys. et sportive, droit. *IUT* 143, av. de Versailles, 75016 Paris. VI **(Pierre-et-Marie-Curie),** 4, place Jussieu, 75230 Paris Cedex 05 ; sc. exactes et nat., médecine. VII **(Jussieu)** 2, place Jussieu, 75005 Paris ; sc. exactes, bio., médicales et hum., lettres. VIII **(Paris-Vincennes),** 2, rue de la Liberté, 93526 St-Denis Cedex 02 ; sc. hum. en liaison avec les ens. sc. et techn. Seule université où actuellement on peut entrer sans le bac en justifiant de 3 ans d'activité salariée (non-bachelier) ou être mère de famille et avoir élevé un enfant de moins De 3 ans. IX **(Paris-Dauphine),** place de-Lattre-de-Tassigny, 75016 Paris ; sc. de la gestion, écon., informatique, math. appliquées. X **(Paris-Nanterre),** 200, av. de la République, 92001 ; sc. jurid., écon., hum., technol., lettres, éduc. phys. et sportive. *IUT Cachan* 9, av. de la Division-Leclerc, 94230 ; *Orsay* BP 23, 91406 ; *Sceaux* 8, av. Cauchy, 92330 ; *Ville d'Avray* 1, ch. Desvallières, 92410. XI **(Paris-Sud),** centre scientifique, 15, rue Georges-Clemenceau, 91405 Orsay ; sc. exactes, nat., méd., pharmac., jur., écon., technol. XII **(Paris-Val-de-M.),** 61, av. du Général-de-Gaulle, 94010 Créteil ; sc. phys., chim., bio., méd., techno. ; lettres et sc. hum., sc. soc. et de la communication, urbanisme, sc. jurid. et éco. (St-Maur). *IUT Créteil* av. du Gal-de-Gaulle 94010 Cedex ; *Fontainebleau* 164, rue Grande, 77300 ; *Melun-Senart* av. Pierre-Point, Lieusaint, 77127. XIII **(Paris-Nord),** avenue J.-B.-Clément, 93430 Villetaneuse ; sc. exactes, jur., méd., hum., lettres. *IUT Saint-Denis* place du 8-Mai-1945, 93206. *Villetaneuse* av. J.-B. Clément, 93430.

Province et DOM-TOM

Aix-Marseille I 13, place Victor-Hugo, 13331 Marseille Cedex 03, et 29, av. Robert-Schuman, 13621 Aix-en-P. *Aix :* histoire, lettres, sc. humaines. *Marseille :* math., sc. exactes et nat. **II.** Jardin du Pharo, 58, bd Charles-Livon, 13284 Marseille Cedex 07. Sc. écon., pharmacie, médecine, odontologie, sc. sociales, géographie, éd. phys. et sportive. *IUT Aix* av. Gaston-Berger, 13625. **III** 3, av. Robert-Schuman, 13628 Aix-en-Provence. Droit, écon., sciences, sciences pol. et écon., gestion. *IUT Marseille* traverse Charles-Sosini, 13388 Cedex 13.

Amiens (Un. de Picardie). Campus, rue Salomon-Malhangu, 80025 Amiens Cedex. Droit, sc. pol. et écon., exactes et nat., humaines, lettres, médecine et pharmacie. *IUT* av. des Facultés. Le Bailly, 80025.

Angers. 30, rue des Arènes, BP 3532, 49035 Angers Cedex. Sc. jurid., écon, humaines, médicales, pharmac., exactes, nat., lettres. *IUT* 4, bd Lavoisier, 49000.

Antilles-Guyane. Bd Légitimus, BP 771, 97173 Pointe-à-Pitre Cedex (Guadeloupe). Lettres, sc. humaines, exactes, nat, juridiques, écon., médicales. *IUT* bd Victor-Hugo, BP 725, 97387 Kourou.

Artois. 20, rue Ferdinand-Buisson 62000 Arras. Sc. hum., lettres, langues (Arras) ; technol., ing., sc. écon. et gestion (Béthune) ; sciences (Lens) ; sc. juridiques (Douai).

Avignon. 35, rue Joseph-Vernet, 84000 Avignon. Lettres, sc. humaines, exactes et naturelles.

Besançon. 30, av. de l'Observatoire, 25030 Besançon Cedex. Lettres, sc. hum., écon., jur., exactes, nat., méd. et pharm., éduc. phys. et sp. *IUT* 30, av. de l'Observatoire, 25009 ; *Belfort* 11, rue Engel-Gros, BP 527, 90016.

Bordeaux I 351, cours de la Libération, 33405 Talence Cedex. Sc. jur., écon., exactes et nat., gestion, aménagement du territoire. *IUT Talence* Domaine univ., 33405 Cedex. **II** 146, rue Léo-Saignat, 33076 Bordeaux Cedex. Sc. méd., pharm., soc., hum., langues, informatique, éduc. physique et sport. **III** Domaine univ., esplanade Michel-de-Montaigne, 33405 Talence Cedex. Lettres, arts, langues, philo., hist., géo., techn. d'expression et de comm., envir., géologie. *IUT Gradignan* rue Naudet, BP 204, 33175 Cedex.

Brest (Un. de Bretagne occidentale). Rue des Archives, BP 137, 29269 Brest. Sc. méd., exactes, nat., sociales, juridiques, écon., de la mer. *IUT* rue de Kergoat, 29287.

Caen. Esplanade de la Paix, 14032 Caen. Droit, sc. écon., pol., hum., pharm., médicales, langues, hist., sc. de la terre et env. Éduc. phys. et sp. *IUT* bd du Maréchal-Juin, 14032.

Cergy-Pontoise. 8, Le Campus, 95033 Cergy Cedex.

Chambéry (Un. de Savoie). 27, rue Marcoz, BP 1104, 73011 Chambéry Cedex. Sc. exactes, lettres, droit A.E.S., langues étrangères. *IUT Annecy* 9, rue de l'Arc-en-Ciel, BP 908, 74019 Annecy-le-Vieux Cedex.

Clermont-Ferrand I (Un. Blaise-Pascal). 49, bd Gergovia, BP 32, 63001 Cedex. Sc. jur., pol. écon., méd., pharm., odontologie. *IUT Aubière* Ens. univ. des Cézeaux 24, av. des Landais, 63170. **II** 34, av. Carnot, B.P. 185, 63006. Sc., lettres, sc. humaines, exactes et nat. Éduc. phys. et sportive. *IUT Montluçon* av. Aristide-Briand, BP 408, 03107.

Corse (Un. Pascal-Paoli). 7, av. Jean-Nicoli, B.P. 52, 20250 Corte. Sc. nat, humaines. Droit. *IUT Corte* 7, av. Jean-Nicoli, BP 24, 20250.

Dijon. Campus universitaire de Montmuzard, B.P. 138, 21004 Dijon Cedex. Sc. juridiques, pol., écon., humaines, exactes, nat., médicales, pharmaceutiques, lettres, langues. Éduc. physique et sport. *IUT* bd du Docteur-Petitjean, BP 510, 21014 ; *Le Creusot* 12, rue de la Fonderie, 71200.

Dunkerque. (Littoral) Pôle universitaire Lamartine 47-79, place du Général-de-Gaulle 59385 Dunkerque Cedex. *IUT Béthune* rue du Moulin-à-Tabac 62408 ; *Calais* 19, rue Louis-David, BP 689, 62226 ; *Dunkerque* 129, av. de la Mer, 59242.

Évry (Val d'Essonne). Bd de Coquibus 91025 Évry Cedex.

Grenoble I (Un. Joseph-Fourier). Domaine univ. de St-Martin-d'Hères, B.P. 53X, 38041 Grenoble Cedex. Sc. biol., méd., pharm., exactes, nat. Éd. phys. et sp. *IUT St-Martin-d'Hères* Domaine univ. BP 67, 38402. **II (Un. des sc. sociales).** Domaine univ. St-Martin-d'Hères, B.P. 47X, 38041 Grenoble Cedex. Sc. jurid., pol., écon., hum., hist., hist. des arts, urbanisme, lettres, gestion. UFR faculté libre de droit délocalisée à *Valence,* 12, rue Louis-Gallet. *IUT* 1, place Doyen-Gosse, 38031 Cedex. **III** (Un. Stendhal). Domaine univ. St-Martin-d'Hères, BP 25X, 38041 Grenoble Cedex. Lettres, langues, communication. **INP** 46, av. Félix-Viallet, 38031 Grenoble Cedex.

Le Havre. 25, rue Philippe-Lebon, B.P. 1123, 76063 Le Havre. Sc. écon., sc. et techniques. *IUT* place Robert-Schuman BP 4006, 76077.

Lille I (Sciences et techniques de Lille-Flandres-Artois). Cité scientifique, 59655 Villeneuve-d'Ascq Cedex. Sc. écon., sociales, exactes, biologiques, nat., agricoles. Géographie. *IUT Villeneuve-d'Ascq* BP 179, 59653 Cedex. **II** *(droit et santé).* 42, rue Paul-Duez, 59800 Lille. Sc. méd., pharmac., du travail, juridiques. Éduc. phys. et sportive. *IUT Roubaix* rond-point de l'Europe, BP 557, 59100. **III Un. Charles-de-Gaulle** (sc. humaines, lettres et arts). BP 149, 59653 Villeneuve-d'Ascq-Pont-de-Bois Cedex. Hist., langues mod. et anc., sc. hum., exactes, statistiques, archéologie, techn. de réadaptation. *IUT* 9, rue Auguste-Angellier, 59046.

Limoges. 13, rue de Genève 87065 Limoges Cedex 2. Sc. médicales, pharmaceutiques, juridiques, écon., humaines, exactes, nat. Lettres. *IUT* Allée André-Maurois, 87065 Cedex.

Lyon I (Un. Claude-Bernard). 43, bd du 11-Novembre, 69622 Villeurbanne Cedex. Sc. exactes, nat., méd., pharm., biol. Éduc. phys. et sp. *IUT Villeurbanne* 43, bd du 11-Novembre-1918, 69621 Cedex. **II (Un. Lumière)** 86, rue Pasteur, 69365 Lyon Cedex 07. Sc. de l'Antiquité, jurid., écon., pol., hum., sociol., ethnol., gestion, langues. Lettres. *IUT Villeurbanne* 17, rue de France, 69100. **III (Un. Jean-Moulin).** 1, rue de l'Université, B.P. 0638, 69339 Lyon Cedex 02. Droit, gestion, langues, lettres, sc. hum.

Le Mans (Un. du Maine). Route de Laval, BP 535, 72017. Sc. exactes, nat., hum., jur., écon. Lettres. *IUT* route de Laval, 72017 Cedex.

Metz. Ile du Saulcy, B.P. 794, 57012 Metz Cedex 01. Lettres, sc. hum., exactes, nat., jur., langues. *IUT* Ile-du-Saulcy, 57000.

Montpellier I. 5, bd Henri-IV, BP 1017, 34006 Montpellier Cedex. Droit, sc. soc., écon., méd., pharm., biol., gestion. Éduc. phys. et sp. **II** (Un. des sc. et techniques du Languedoc). Place Eugène-Bataillon, 34095. Sc. biol., exactes, géol. **III** (Un. Paul-Valéry). Route de Mende, BP 5043, 34032 Montpellier Cedex 01. Lettres, langues, arts, sc. hum., écon. *IUT* 99, av. d'Occitanie, 34075 Cedex ; *Nîmes* 8, rue J.-Raimu, 30039 cedex.

Mulhouse (Un. de Hte-Alsace). 2, rue des Frères-Lumière, 68093. Sc. exactes, nat., hum. Lettres. *IUT* 61, rue Albert-Camus, 68093 Cedex.

Nancy I 24-30, rue Lionnois, BP 3069, 54013 Nancy Cedex. Sc. méd., pharm., biol., math., exactes. Éduc. phys. et sportive. *IUT Villiers-lès-Nancy* Le Montet, 54600. **II** 25, rue Baron-Louis, BP 454, 54001 Nancy Cedex. Sc. jurid., écon., pol., hum., langues. Lettres. **INP** 2, av. de la Forêt-de-Haye-Brabois, B.P. 3, 54501 Vandœuvre-les-Nancy Cedex. *IUT* 2 bis, bd Charlemagne, 54000.

Nantes. 1, quai de Tourville, BP 1026, 44035 Nantes Cedex 01. Sc. méd., pharm., jurid., pol., hum., math., exactes, nat. Lettres. *IUT* 3, rue du Maréchal-Joffre 44041 Cedex ; *St-Nazaire* Le Heinlex, BP 420, 44606 Cedex.

Nice-Sophia Antipolis. 26, avenue Valrose, 06034 Nice. Sc. méd., jurid., écon., hum., exactes et nat., math., informatique, gestion. Lettres. *IUT* 41, bd Napoléon-III, 06041 Cedex.

Orléans. Château de la Source, BP 6749, 45067 Orléans Cedex 2. Sc. jurid., écon., hum., exactes, nat. Lettres. *IUT* BP 6729, 45067 Cedex ; *Bourges* 63, av. du Maréchal-de-Lattre-de-Tassigny, 18028.

Pau (Un. de Pau et des Pays de l'Adour). Villa Lawrence, 68, rue Montpensier, BP 576, 64010. Lettres, sc. humaines, exactes, écon., droit. *IUT* 1, av. de l'Université, 64000 ; *Bayonne* av. Jean-Darrigrand, 64100.

Perpignan. 52, avenue de Villeneuve, 66860 Perpignan Cedex. Sc. hum., soc., exactes, nat. *IUT* chemin de la Passio-Vella 66025 Cedex.

Poitiers. 15, rue de Blossac, 86034 Poitiers, Sc. juridiques, sociales, écon., exactes, nat., hum., hist., géo., méd., pharm., langues, lettres, éduc. phys. et sp. *IUT* av. Jacques-Cœur, 86034 ; *La Rochelle*, route de Roux, 17027 Cedex.

Reims. 23, rue Boulard, 51096 Reims Cedex. Droit, sc. écon., hum., exactes, nat., méd., pharm., lettres. *IUT* rue des Crayères, BP 257, 51059 Cedex ; *Troyes* 9, rue du Québec, BP 396, 10026 Cedex.

Rennes I 2, rue du Thabor, BP 1134, 35014 Rennes Cedex. Sc. jurid., écon., biol., hum., exactes, méd., gestion. *IUT* rue de Clos-Courtel, 35000 ; *Lannion* rue Édouard-Branly, BP 150, 22302 Cedex. **II (Un. de Hte-Bretagne).** 6, av. Gaston-Berger, 35043 Rennes. Langues, lettres, sc. histor., pol., hum., éducatives. *IUT Lorient* rue Jean-Zay, 56100 ; *Quimper* 2, rue de l'Université, BP 139, 29191 Cedex ; *Vannes*, rue Montaigne, BP 1104, 56008 Cedex.

Réunion. 15, av. René-Cassin, 97489 Saint-Denis-de-la-Réunion Cedex. Sc. juridiques, écon., pol., humaines, lettres, sc. exactes et nat., arts.

Rouen. 1, rue Thomas-Becket, BP 138, 76134 Mont-Saint-Aignan Cedex. Sc. médicales, pharmaceutiques, juridiques, écon., humaines, exactes, nat., lettres. *IUT Mont-St-Aignan* place Émile-Blondel, BP 47, 76130.

Saint-Étienne (Univ. Jean-Monnet). 34, rue Francis-Baulier, 42023. Droit, sc. exactes, nat., hum., écon., méd. Lettres, arts plast. *IUT* 28, av. Léon-Jouhaux, 42023 Cedex.

Strasbourg I (Un. Louis-Pasteur) 4, rue Blaise-Pascal, 67070 Strasbourg. Sc. méd., pharmac., math., exactes, écon., géogr. *IUT* 3, rue de l'Argonne, 67000. **II (Un. des sciences hum.)** 22, rue Descartes, 67084 Strasbourg. Sc. histor., sociales, hum., lettres, théologie. Éduc. phys. et sport. **III (Un. des sc. jurid., polit. et soc.)** 1, place d'Athènes, 67084 Strasbourg Cedex. Sc. jurid., pol., soc., écon., techn., journalisme. Institut du travail. Techn. de l'inform. *IUT Illkirch-Graffenstaden* 72, route du Rhin, 67400.

Toulon et du Var. Avenue de l'Université, BP 132 83957 La Garde Cedex. Sc. jurid., écon., techn., exactes. *IUT La Garde* av. de l'Université, 83130.

Toulouse I (sciences sociales) Place Anatole-France, 31042. Sc. écon., jurid., math., langues, informatique. *IUT Rodez* 33, av. du 8-Mai-1945, 12006 Cedex. **II (Toulouse-le-Mirail)** 5, allées Antonio-Machado, 31058. Sc. soc., pol., écon., histor., géogr., lettres, sc. exactes et nat., langues, *IUT.* **III (Un. Paul-Sabatier)** 118, route de Narbonne, 31062. Langues, lettres, informatique, gestion, sc. exactes, écon., méd., pharmac. *IUT* 115, route de Narbonne, 31077. **INP** Place des Hauts-Murats, 31006.

Tours (Un. François-Rabelais) 3, rue des Tanneurs, 37041 Tours Cedex. Sc. méd., pharmac., exactes, nat., jurid., écon., langues, lettres, gestion. *IUT* 29, rue du Pont-Volant, 37023.

Université française du Pacifique. BP 4635 Papeete. Tahiti. Polyn. française. Sc. jur, sc. exactes et nat.

Valenciennes et du Hainaut-Cambrésis. Le Mont-Houy, 59326 Valenciennes Cedex. Sc. exactes, naturelles, hum. et artistiques, droit. audiovisuel, *IUT.*

Versailles-St-Quentin-en-Yvelines 23, rue du Refuge, 78000 Versailles.

Radio et télévision éducatives

☞ **Bureau d'enseign. des techniques nouvelles** (Direction des enseignements supérieurs). Coordonne les ens. universitaires à distance.

Radio. 5 h hebdomadaires pendant 21 sem. **Télévision régionale FR3.** Environ 40 émissions d'une 1/2 h par an, cours enregistrés sur cassettes sonores, cours écrits, devoirs et exercices, regroupements périodiques d'étudiants. **Radio-Sorbonne.** 30 h de cours par semaine (lundi, mardi, mercredi, jeudi, vendredi) pendant 20 sem., souvent en direct des amphithéâtres des universités litt. de Paris (cours de licence et d'agrégation). **Centre audiovisuel de l'ENS de St-Cloud (CAV).** Produit une partie des émissions univ. télévisées et des émissions pour le Conseil de l'ordre des médecins (formation postuniv. des méd.). Émissions d'une 1/2 h tous les 15 j sur A2.

Organismes divers

Centres d'information et d'orientation. 585 en France, ouverts à tous. Permanence dans tous les établ. scolaires. **Service commun universitaire d'accueil, d'orientation et d'insertion professionnelle.**

Centre international des étudiants et stagiaires (CIES). 28, rue de la Grange-aux-Belles, B.P. 73-10, 75462 Paris Cedex 10. *Créé* 1960. *Dir. :* François Mimin. Association créée par le min. de la Coopération pour assurer en France et à l'étranger la réalisation et la gestion de programmes de formation pour étudiants et stagiaires étrangers boursiers de min., organisat. internat., États, entreprises publ. ou priv. (organisation des séjours, logement, couverture sociale, activités culturelles) ; organise et gère colloques, séminaires, missions d'experts à l'étr. 800 millions de F de fonds gérés, 25 000 dossiers par an, 200 salariés, 23 implantations en province.

Centre national de documentation pédagogique (CNDP). 29, rue d'Ulm, 75230 Paris Cedex 05. Établ. public continuateur du *Musée pédagogique* (créé 1879), sous tutelle du min. de l'Éduc. nat. *Réseau :* services généraux, centraux ; 111 Centres de documentation pédagogique, 28 établ. publics à vocation académique (CRDP) s'appuyant sur 83 centres départementaux (CDDP), nombreuses antennes locales ; 92 librairies et 116 vidéothèques. **Missions :** *documentation pédagogique :* textes officiels (Bulletin officiel de l'Éducation nationale, Recueil des lois et règlements, programmes et instructions) ; rapports de jurys de concours et autres documents ; 116 médiathèques ; *édition multimédia :* un catalogue de 1.600 titres et des productions : télévisuelles : FR3 (Parole d'école, 4 fois 1/2 heure par semaine), M6 (E = M6), sur Canal Plus (VO), sur TV5, etc. ; câble : Éducâble, chaîne éducative en autoprogrammation (sur canal local) ; radiophoniques (France-Musique, RFI, etc.) ; audiovisuelles hors antenne : vidéo ; écrites : 35 revues dont Textes et documents pour la classe (TDC), Téléscope, Standpoints, etc. ; informatiques : + de 100 logiciels pédagogiques, *ingénierie éducative :* pour développer l'usage des nouvelles technologies de l'information et de la communication dans l'enseignement et favoriser l'équipement des établissements : les dossiers de l'Ingénierie éducative ; réseau de consultants dans CRDP et CDDP.

Centre national des œuvres universitaires et scolaires (Cnous). 69, quai d'Orsay, 75007 Paris. *Créé* 1955. Établ. public. *Conseil d'administration :* représentation de l'administration et des étudiants. *Mission :* favoriser l'amélioration des conditions de vie et de travail des étudiants. *Réseau :* 28 Crous (centres régionaux ; 1 par académie), 14 locaux, 25 antennes. *Logement des étudiants :* 275 résidences universitaires, locations et réservations HLM (135 150 lits) ; foyers agréés (1 850 lits) ; chambres ou appt. loués par des particuliers (30 000). *Restauration universitaire* 138 102 places, 76 000 000 repas en 1992 (78 000 000 en 63, 55 000 000 en 83), prix du repas : 12 F. *Service social* (entretiens, aide ponctuelle par le Fonds de solidarité universitaire). *Service des emplois temporaires* pour les étudiants. *Animation socioculturelle* (opération « culture-action »), de loisirs et de tourisme en liaison avec l'Otu (Office du tourisme univ.). *Accueil des étudiants étrangers* boursiers (13 500) et gestion de leurs bourses, suivi des études. Budget (millions de F) : Cnous + 28 Crous : 3 000.

☞ Pour bénéficier des prestations du CROUS, les étudiants doivent être inscrits dans des établissements d'ens. sup. agréés par la S.S. étudiante.

Institut national de recherche pédagogique. 29, rue d'Ulm, 75230 Paris Cedex 05. Établissement public sous tutelle du min. de l'Éduc. nat. *Organisation : Conseil d'adm.* (34 m.), directeur, Conseil scientifique (18 m.), secr. gén. *Publications :* Revue française de pédagogie, Histoire de l'éducation, Étapes de la recherche (trimestriel), Repères, Aster, Recherche et formation. Collections : Rencontres pédagogiques, rapports de recherche.

Institut national de recherche et d'application pédagogique (INRAP). Min. de l'Agriculture, 2, rue Champs-Prévois, 21000 Dijon.

Office national d'information sur les enseignements et les professions (Onisep). 46-50, rue Albert, 75013 Paris, 75635 Paris Cedex 13. Établ. public sous tutelle du min. de l'Éduc. nat. *Réseau :* 28 délégations régionales (1 par académie), 585 centres CIO. *Base de données :* 36 15 Onisep.

Centre national d'études et de recherches en technologies avancées (Cnerta). Min. de l'Agriculture, 26, bd Dr-Petitjean, 21000 Dijon.

> Les universités ne bénéficient pas de franchise leur permettant d'accueillir des manifestations non autorisées par les pouvoirs publics.

Universités du 3e âge

Origine. *1973 :* 1re univ. créée à Toulouse sur l'initiative du Pr Pierre Vellas. Modèle imité dans de nombreux pays : Belgique, Suisse, Pologne, Espagne, Italie, G.-B., Canada, USA, All., Suède, etc.

But. Prévenir le vieillissement en faisant fonctionner le corps et l'esprit, sortir les personnes âgées de leur isolement par la pratique d'activités culturelles, physiques et artisanales (yoga, gymnastique, histoire régionale, langues étrangères, économie politique, reliure, dessin, voyages). **Conditions :** pas de diplômes exigés. **Frais d'inscription :** 150 F et + par an, réduits de moitié pour démunis.

Liste (au 1-3-93). **Aix-Marseille** 1, allée de la Bastide-des-Cyprès 13100 **Amiens** 12, rue Frédéric-Petit, 80036 Cedex. **Angers** 14, rue Pocquet-de-Livonnières 49100. **Auxerre** 38, bd Vauban 89000. **Besançon** 30, rue Megevand, 25030 Cedex. **Béziers** Hôtel Bas-tard, rue Montmorency, 34500. **Blois** 3, rue Paul-Renouard, 41000. **Bordeaux** Maison des sciences de l'homme, esplanade des Antilles, Domaine univ., 33405 Talence. **Bourg-en-Bresse** 7, rue Jules-Migonney, 01000. **Bourges** 53, rue Gustave-Eiffel, 18000. **Brest** Univ. de Bretagne occidentale, 20 av. Le Gorgeu, 29200. **Caen** Univ. de Caen, Esplanade de la Paix, 14032. **Cannes** 5, quai St-Pierre, 06400. **Châlon-sur-Saône** 5 bis, avenue Niepce, 71100. **Chambéry** 27, rue Marcoz, 73011 Cedex. **Chartres** 3, rue des Bouchers, 28000. **Chateaudun** 2, rue Toufaire, 28200. **Corte** « U serenu 3 » quartier Porette, 20250. **Créteil** 1, av. François-Mauriac, 94000. **Dijon** Pavillon des Brosses BP 138, 21004 Cedex. **Dreux** Centre P. Marrie 15, rue de Sénarmont, 28100. **Fontenay-aux-Roses** 3 bis, rue Dr-Soubise, 92260. **Gien** BP 3, 45501 Cedex. **Grenoble** 2, rue Gal-Marchand, 38000. **Lamentin** Fonds d'Or, 97232. **Lannion** 37, rue de la Vallée « La Clarté », 22700, Perros-Guirec. **La Rochelle** rue de Roux, 17026 Cedex. **Lille** *II* rue du Pr-Laguesse 59040 Cedex. **UTL** 9-11, rue Auguste-Angellier, 59046 Cedex. **Limoges** 28, rue Charles-Baudelaire, 87000. **Luchon** Univ. d'été (mai à oct.), Ét. thermal, cours Quinconces, 31100. **Luçon** place Leclerc, 85400. **Lyon** *II* 86, rue Pasteur, 69365 Cedex 02 et Inst. Cath. 2, rue du Plat, 69002. **Maintenon** 14, rue de Noailles, 28130. **Le Mans** Centre univ. d'éduc. permanente, BP 535, 72017 Cedex. **Marseille** 110, bd de la Libération, 13001. **Metz** Ile du Saulcy, 57045. **Montargis** 6, rue Henri-et-Rouard 45200. **Montpellier** 2, place Pétrarque 34000. **Mulhouse** 19, rue des Franciscains, 68100. **Nantes** chemin de la Censive-du-Tertre 44072 Cedex 03. **Nevers** 3, bd St-Exupéry, 58020. **Nice** Fac. des lettres 98 bd, Ed.-Herriot 06007 Cedex. **Nogent-le-Rotrou** 71, rue St-Hilaire, 28410. **Orléans** BP 6749 45067 Cedex 2. **Paris** Tour 45-46 2, place Jussieu, 75005. 14, rue de Cujas, 75005. *Orsay* bât. 311, 91405 Cedex. *VI*, 4, place Jussieu, 75230 Cedex 05. *X*, 200, av. de la République, 92000 Nanterre. *XII*, Univ. Paris Val-de-Marne, av. du Gal-de-Gaulle, 94000 Créteil. *Institut catholique*, 21, rue d'Assas, 75006. **Périgueux** 10 bis, av. G.-Pompidou 24000. **Perpignan** Univ. du 3e Age, Formation continue, av. de Villeneuve, 66000. **Pointe-à-Pitre** Campus de Fouléole, 97100. **Poitiers** BP 635 - CUFEP 86022 Cedex. **Quimper** Maison pour tous de Kerfeunteun, 9, rue Teilhard-de-Chardin, 29000. **Reims** 52, rue Libergier, 51100. **Rennes** av. du Général-Leclerc, 35042. **AUTATL, ENSP** résid. Marbeuf, av. Léon-Bérard, 35043 Cedex. **Rouen** Hôtel de Ville, 76037. **St-Brieuc** Mme Chateau Crédit agricole, 2, pl. du Champ-de-Mars, 22000. **St-Étienne** 34, rue Francis-Baulier 42023 Cedex 2. **St-Nazaire** Heinlex BP 240, 44606 Cedex. **Schoelcher** BP 7207, 97275 Cedex. **Sens** Mairie, 89106 Cedex. **Strasbourg** *I* 4, rue Blaise-Pascal, BP 1032, 67070 Cedex. **Toulouse** *I* place Anatole-France, 31042 Cedex. **Tours** 3, rue des Tanneurs, 37041, 10, rue Léo-Delibes 37200. **Vandœuvre** Fac. des sciences BP 239, 54506 Cedex. **Vannes** 6, rue Porte-Poterne 56000. **Villetaneuse** UFR de lettres, av. J.-B.-Clément, 93430. **Versailles** 1 *bis*, rue Borquis-Desbordes, 78000.

☞ Il existe une *Union Française des Universités Tous Ages (UFUTA).* Siège et Présidence : U. de Nancy I BP 239. 54506 Vandœuvre-lès-Nancy et une *Association internationale des universités du 3e âge (AIUTA).* Université des aînés, 1 place Montesquieu, bte 1, B-1348 Louvain-la-Neuve, Belgique.

> **Fondation Marcel Bleustein-Blanchet pour la vocation**
>
> **Créée** *15-3-1960,* par Marcel Bleustein-Blanchet, Pt de Publicis, reconnue d'utilité publique dep. le 18-9-1973. **Organisation :** membres bienfaiteurs, donateurs, souscripteurs ; jury (35 m. dont 3 académiciens, 3 prix Nobel, 4 professeurs au Collège de France, 4 m. de l'Institut et de nombreuses personnalités incarnant la réussite de la vocation dans le domaine des sciences, arts, lettres, musique) ; jury du prix littéraire de la V. (10 m. critiques littér., écrivains, lauréats de la Fondation de la V.) ; du prix de Poésie (7 m. poètes, écrivains, journalistes) ; comité de sélection. **Secrétariat :** 60, av. Victor-Hugo, 75116 Paris.
>
> **Décerne** chaque année 27 à 30 bourses de 30 000 F chacune, dont une pour le prix littéraire de la V. (auteur de 18 à 30 a. d'expression française, ayant déjà été publié en France) ; et une pour le prix de Poésie (poètes de 18 à 30 a., manuscrits pris en considération). **Conditions :** âge 18 à 30 a. ; être Français, ressentir une authentique vocation dont on a fait la preuve par des débuts de réalisation. **Lauréats :** (1960-91, 32 promotions) près de 900 lauréats.

Cours par correspondance

■ **Origine.** *1850* l'Anglais Isaac Pitman crée des cours par correspondance en sténo et comptabilité.

■ **Législation** (France, loi du 12-7-1971). Inscriptions : *le démarchage pour provoquer la souscription d'un contrat d'enseignement est strictement interdit au domicile des particuliers ou sur les lieux de travail. Le contrat de souscription à un cours ne peut se former que par correspondance et ne peut être signé qu'après 6 jours francs* (à compter du lendemain du j de sa réception). *Au moment de l'inscription, il ne peut être réglé plus de 30 % du prix de l'enseignement,* fournitures non comprises. Si l'enseignement s'étend sur plus d'un an, les 30 % sont calculés sur le prix de la 1re année en cours.

Interruption : *si, pour une cause indépendante de sa volonté, l'élève ne peut plus suivre les cours,* lui-même ou son représentant légal (père, mère ou tuteur) peut demander la résiliation du contrat qui, dans ce cas, doit être obtenue sans donner lieu à indemnité. Dans tous les cas, pendant 3 mois à compter de la date d'entrée en vigueur du contrat, le souscripteur (l'élève ou son représentant) peut se libérer de son engagement avec l'école, c'est-à-dire arrêter ses cours (sans donner de justification) moyennant le versement d'une indemnité (max. 30 % du prix total de l'enseignement, fournitures non comprises). Les sommes déjà versées peuvent être retenues à concurrence de cette limite (fournitures non comprises).

A peine de nullité, le contrat doit reproduire les dispositions de l'article 9 de la loi du 12-7-1971, préciser les conditions dans lesquelles l'enseignement sera donné à l'élève : il doit y être annexé le plan d'études avec des indications sur le niveau des connaissances préalables nécessaires, sur celui des études, leur durée moyenne et les emplois auxquels elles préparent.

Aucune école privée par correspondance n'est agréée officiellement par l'État. Un institut peut préparer à un *diplôme,* mais ne peut en délivrer. L'école peut délivrer des *certificats de scolarité* qui n'engagent qu'elle.

■ **Nombre d'élèves.** Env. 600 000 personnes, en majorité de 18 à 30 a. (jeunes en format. initiale ou adultes engagés dans la vie professionnelle), dont 350 000 au CNED (85 % d'adultes), 400 000 dans des organismes privés.

■ **Centre national d'enseignement à distance (CNED).** 60, bd du Lycée BP 41, 92174 Vanves Cedex. Établissement public national sous la tutelle du min. de l'Éduc. nat., regroupant la plupart des enseignements et des formations à distance, à tous niveaux (2 500 modules de formation). Droit d'inscription scolaire annuel en 1992, en Fr. métr.) : 260 à 4 000 F. **7 centres Grenoble :** BP 3 X, 38040, Cedex 09. **Lille :** 34, rue Jean-Bart, 59046. **Lyon :** 100, rue Hénon, 69316 Lyon Cedex 04. **Rennes :** 7, rue du Clos-Courtel, 35050. **Rouen :** 2, rue du Dr-Fleury, 76130 Mont-St-Aignan. **Toulouse :** 3, allée Antonio-Machado, 31051 Cedex. **Vanves :** 60, boulevard du Lycée, 92171. **Délégation Antilles-Guyane :** Fort-de-France. **Corse :** Ajaccio.

■ **Centre national de promotion rurale (CNPR).** Marmilhat, 63370 Lempdes. Établissement public du min. de l'Agriculture. *Préparation* CAP, BEP, BT, BTS agricoles, agroalimentaires, technico-commerciaux ; certains concours du min. de l'Agric.

■ **Télé-enseignement universitaire.** Enseignements dispensés par 21 universités et par le Centre national d'enseignement à distance.

■ **Renseignements.** *CIDJ :* 101 quai Branly, 75740 Paris Cedex 15. *Chambre syndicale nat. de l'enseign. privé à distance :* 1, rue Thénard, 75005 Paris.

Budget

■ **Dépense intérieure d'Éducation.** Comprend dépenses effectuées en métropole pour les activités d'enseignement de type scolaire de tous niveaux dans les établissements publics ou privés ; les formations de type extrascolaire, enseignement à distance, formation professionnelle continue y compris la formation interne aux entreprises ou administrations, cours du soir... ; les activités destinées à organiser le système d'enseignement, administration générale, orientation, recherche sur l'éducation ; les activités destinées à favoriser ou accompagner la fréquentation des établissements scolaires, demi-pensions et internats (y compris activités des restaurants et cités universitaires), médecine et transport scolaire ; les achats de livres, de fournitures, d'habillement demandés par les institutions scolaires ; la rémunération des personnels d'éducation et de formation.

■ **Évolution de la dépense intérieure d'Éducation** (en milliards de F et, entre parenthèses, par rapport au PIB). *1975 :* 95,9 (6,5) ; *80 :* 180,8 (6,4) ; *85 :* 319,3 (6,8) ; *90 :* 416,7 (6,4) ; *91 :* 441 (6,5) dont 22 milliards par financeurs résidents hors de la métropole et à l'étranger. *92 :* 460,6 (6,6).

■ **Structure des activités d'enseignement** (1992 en %). 1er degré 25,3. 2e degré 40,1. Supérieur 14,8. Extrascolaire 13,6. Enseignement spécial, artistique, apprentissage et autres 6,1.

■ **Financeurs du système éducatif (1992).** État 66,7 % dont min. de l'Éd. nat. 58 ; autres min. 7,9. Collectivités territoriales 18, ménages 9,2. Entreprises 6,2 dont taxe d'apprentissage 0,5 ; financement de la formation continue 1,2.

ÉDUCATION NATIONALE

DONNÉES GÉNÉRALES

■ **Montant** (en milliards de F et, entre parenthèses, en % du PIB). *1980 :* 92,5 (3,4). *81 :* 106,3 (3,4). *85 :* 158,8 (3,5). *86 :* 162 (3,3). *87 :* 164,9 (3,2). *88 :* 219 (3,1). *89 :* 230,2 (3,1). *90 :* 227,4 (3,1). *91 :* 247,8 (3,5). *92 :* 262,5 (3,7). *93 :* 281,8 (3,8).

■ **Budget** (en milliards de F, 1993). 281,8 dont dépenses ordinaires (personnel et fonctionnement 276, équipement 12,2 dont autorisations de programme 6,5).

Comparaison avec l'étranger. Voir p. 1239.

Répartition (en %, 1992) **par programmes des dépenses ordinaires et crédits de paiement du min. de l'Éducation nat.** *Enseign. des écoles :* 29,80 dont préélémentaire 7,14, élémentaire 14,33, spécial 1er degré public 2,13, privé 4,22, action sociale 0,12, formation des instituteurs 1,86. *Enseign. secondaire :* 64,47 dont collèges 23,41, lycées 21,98, privé 10,77, action sociale 3,91, formation des personnels collèges et lycées 1,7. *Enseignement supérieur.* Ens. sup. non technol. 45, technol. 15,8, recherche et formation par la recherche 9,7, politique documentaire et muséologie 3,1, formation des personnels 9,3, formation continue et ens. à distance 1, action sociale 15,9, action internationale 0,2.

Programmes de soutien : 6,24 dont administr. 3,67, relations intern. 0,1, orientation 1,42, recherche, documentation 0,65, formation permanente 0,4.

RÉPARTITION DES DÉPENSES

■ **Enseignement public. Rémunération des personnels et matériels :** *pers. d'enseignement et de direction :* État. *Pers. administratifs et de service : 1er degré :* communes ; *2e degré :* État. *Fonctionnement, matériel : 1er degré :* communes ; *2e degré :* établissements nationalisés : État 2/3, communes 1/3 ; établissements d'État : État.

Dépenses d'investissement : *1er degré :* communes avec subventions du départ. financées sur crédits du budget de l'État. *2e d. : acquisitions de terrains :* communes avec subventions de l'État ; *travaux :* communes avec subventions de l'État ; exceptionnellement État (DOM-TOM, opérations de caractère national) ; *équip. en matériel :* État. *Universités :* État.

■ **Enseignement privé. Sous contrat :** *personnel enseignant :* État. *Autres personnels et fonctionnement matériel :* – classes sous contrat d'association : 1er degré : communes ; 2e d. : État (forfait d'externat) ; – sous contrat simple : familles. **Privé hors contrat :** à la charge des familles sauf exception.

Crédits d'État pour l'enseign. privé (budget 1991, en millions de F) : rémunération des personnels enseignants 17 518,3. Forfait d'externat et manuels scolaires 3 659,7. Autres subventions 172,2. Transports scolaires 421,3. Allocation de scolarité 60,9. Bourses et secours d'études 3 148,1. *Total* 21 782.

■ **Dépenses communes** (enseignement public et privé). **Bourses** : enseignement supérieur et 2e degré : à la charge de l'État. *Enseign. sup. (en milliards de F). 1985 :* 1,68 ; *87 :* 2,07 ; *88 :* 2,37 ; *90 :* 3,17 ; *91 :* 4. Dans certains cas, les collectivités locales peuvent accorder des bourses scolaires aux élèves du 2e degré.

Transports scolaires dep. 1-9-1984, relèvent de la compétence quasi exclusive des collectivités locales.

Dépense moyenne par élève par niveau d'enseignement public (en F, 1992) *Tous niveaux :* 28 100. *1er cycle :* 32 000, *2e C. gén.* et techn. 40 300, *2e C. pro. :* 41 600, *Université :* 31 200, *Ingénieurs :* 74 700, *IUT :* 52 500.

Dépense moyenne théorique pour scolarités types (en F, 1991) : *3e avec 2 redoubl. :* 384 000, *BAC génér. ou techn.* 391 900, *diplôme IUT :* 496 900, *licence* 485 500.

Aide aux familles (en milliards de F prév. 1991) : 6,3 dont internats et demi-pensions 3,3 ; bourses 2,9 ; manuels scolaires 0,3 ; transports scolaires (Ile-de-Fr. et TOM) 0,4.

Logements en cités universitaires (1991) : subventionnés 109 000 ; subvention totale 191 085 825 F ; par lit 184,53 F ; redevance mensuelle acquittée par l'étudiant 571 F.

Restauration universitaire (1991) : repas servis 75 457 395 ; subvention 457 700 000 F ; par repas 6,07 F ; prix acquitté par l'étudiant 11,50 F.

☞ **Dépenses annuelles scolaires moyennes des familles** en F par élève, en 1992. *En 6e et,* entre parenthèses, *en seconde.* 1 078,5 (1 622,8) dont : livres demandés par enseignants 98 (644) ; fournitures scolaires 606,4 (597,8) ; vêtements de sport 335 (313,7) ; blouses et vêtements professionnels 5,8 (35,1) : frais de scolarité 33,3 (32,2).

BOURSES D'ÉTUDES

MONTANT DES BOURSES

■ **Enseignement secondaire.** Parts unitaires variant selon ressources et charges des familles (2 à 6 pour les collèges, 3 à 10 pour les lycées). **Taux de la part :** collèges 168,30 F, lycées 243 F. **Taux moyen annuel constaté en F. :** 1er cycle : 723 ; 2e cycle professionnel : 2 422 et prime à la qualification de 2 811 accordée aux élèves préparant un CAP, un BEP, une mention ou une formation complémentaires à l'un de ces diplômes ; 2e cycle long général : 1 727 ; 2e cycle long tech. : 2 391. Prime d'équipement pour 1res années de section industrielle : 900. Prime d'accès à la classe de 2e : 1 200.

■ **Enseignement supérieur. Taux annuel normal et, entre parenthèses, après service national** (en F, 1991-92) : *1er échelon :* 6 210 (7 722). *2e :* 9 306 (10 818). *3e :* 12 006 (13 518). *4e :* 14 616 (16 128). *5e :* 16 740 (18 252). *B. de licence :* 17 442 (18 954) : *B. de service public* 16 740 (18 252). *B. de DESS ou de DEA* 18 306 (19 818). *Agrégation :* 19 800 (21 312).

CONDITIONS D'ATTRIBUTION

Aux élèves (français ou étrangers) du 2e degré et aux étudiants de l'enseign. public ou privé habilité à recevoir des boursiers nationaux, situé en Fr. métr. ou dans un départ. d'outre-mer. *Critères :* ressources et charges des familles, définies chaque année par un barème national. Le plafond des ressources au-dessous duquel une bourse peut être accordée varie en fonction du nombre de points de charge. La famille des enfants originaires d'un pays hors CEE doit résider en France ou dans un départ. d'outre-mer.

■ **2e degré. Points de charge :** famille avec 1 enfant à charge : 9 points, pour le 2e à charge : 1, chacun des 3e et 4e : 2, à partir du 5e : 3, candidat boursier déjà scolarisé en 2e cycle ou y accédant à la rentrée suivante : 2, pupille de la Nation ou justifiant d'une protection particulière : 1, père ou mère élevant seul 1 ou plusieurs enfants : 3, père et mère tous deux salariés : 1, conjoint en longue maladie ou en congé de longue durée : 1, enfant au foyer infirme permanent sans droit à l'allocation d'éducation spéciale : 2, ascendant à charge au foyer atteint d'une infirmité ou d'une maladie grave : 1.

Plafond des ressources imposables (1992-93) [1]. *9 :* 47 700. *10 :* 53 000. *11 :* 58 300. *12 :* 63 600. *13 :* 68 900. *14 :* 74 200. *15 :* 79 500. *16 :* 84 800. *17 :* 90 100. *18 :* 95 400. *19 :* 100 700. *20 :* 106 000. *21 :* 111 300. *22 :* 116 600.

Nota. – (1) 1er échelon.

■ **Enseign. supérieur. Points de charge :** 9, candidat b. pupille de la nation ou bénéficiaire d'une protection particulière : 1, candidat b. dont le domicile habituel est éloigné de 30 à 299 km de la ville universitaire : 2 de 300 km et + : 1 suppl., père ou mère élevant seul(e) un ou plusieurs enfants : 1, pour chaque enfant étudiant dans l'enseignement sup. à l'exclusion du candidat boursier : 3, pour chaque autre enfant à charge, à l'excl. du candidat b. : 1, atteint d'une incapacité permanente (non pris en charge à 100 % dans un internat) : 2, candidat b. souffrant d'un handicap physique nécessitant l'aide d'un tiers : 2, candidat marié dont les ressources du conjoint sont prises en compte : 1, pour chaque enfant à charge du candidat : 1.

Plafond de ressources imposables (1992-93). [1]. *0 :* 80 000. *1 :* 88 900. *2 :* 97 800. *3 :* 106 700. *4 :* 115 600. *5 :* 124 500. *6 :* 133 400. *7 :* 142 300. *8 :* 151 200. *9 :* 160 100. *10 :* 169 000. *11 :* 177 900. *12 :* 186 800. *13 :* 195 700. *14 :* 204 600. *15 :* 213 500. *16 :* 222 400. *17 :* 231 300.

Nota. – (1) 1er échelon.

☞ *Autres possibilités pour les ét. non boursiers français :* prêts d'honneur, remboursables sans intérêt 10 a. après la fin des études. *En cas de graves problèmes financiers,* une aide peut être accordée sur les crédits du Fonds de solidarité étudiante. S'adresser à l'assistante sociale du Crous.

Aucune bourse n'est inférieure à 6 500 F et le taux moyen grimpe de 5 %. Prêts bancaires garantis par l'État 13 000 F par an remboursables sur 6 ans avec différé d'un an après la dernière année d'emprunt. Offerts aux étudiants dont les parents ont des revenus inférieurs à 3 fois le SMIC.

STATISTIQUES

■ **2e degré (1991). Nombre de boursiers** (public et, en italique, privé, France métr. + DOM). **1er cycle :** 913 644, *113 420.* **2e cycle gén. et techn. :** 287 483, *41 048.* **2e cycle professionnel :** 188 322, *29 467.* **Total :** 1 389 449, *183 935.* **% par rapport à l'ensemble des élèves** 30,63 ; *15,86.*

Origine socioprofessionnelle (public et privé) (en %). Insee (1991). Agriculteurs : 5,85. Artisans : 2,29. Commerçants : 1,38. Chefs d'entreprise : 0,05. Professions libérales : 0,12. Cadres fonction publ. : 0,11. Professeurs, professions scient. et artistiques : 0,13. Cadres entreprises : 0,09. Instituteurs et assimilés : 0,30. Professions intermédiaires de la santé : 1,11, admin. et comm. : 0,81. Techniciens : 0,52. Contremaîtres et agents de maîtrise : 0,68. Employés : 17,58. Ouvriers : 41,91. Retraités : 3,05. Autres sans activité : 24,02.

Part. *Répartition en %* (public + privé, 1991-92) : *2 :* 31,72. *3 :* 5,38. *4 :* 5,07. *5 :* 13,44. *6 :* 7,94. *7 :* 4,04. *8 :* 4,99. *9 :* 4,21. *10 :* 6,64. *11 :* 3,12. *12 :* 7,60. *13 :* 5,03. *14 :* 0,30. *15 :* 0,23. *16 :* 0,26. *17 :* 0,01. *18 :* 0,01. *19 :* 0,01.

■ **Enseignement supérieur** (1991-92). **Nombre de boursiers par catégorie d'établ.** (public et privé, en %) : universités 14,1, sections de techn. sup. 27,5, I.U.T. 30,1, classes préparatoires aux grandes éc. 13,2.

Répartition par type d'aide (Fr. sans TOM) : 264 960 b. accordées dont étrangers 11 104. En % : *1er échelon* 6,4, *2e* 5,9, *3e* 6,6, *4e* 7,3, *5e* 7,7, *6e* 7,8, *7e* 7,6, *8e* 7,5 *9e avec ou sans compl.* 43,1, *service public* 0,2, *alloc. études 1re année* 3,3, *agrégation* 0,6, *prêts d'honneur* 1,5, *alloc. recherche* 1,3.

Origine socio-professionnelle (public et privé, en %) : ouvriers 30,5. Employés 34,1. Professions intermédiaires 10,2. Retraités, inactifs 57,6. Agriculteurs 24,5. Artisans et commerçants 7,7. Cadres, prof. intel. supér. 1,5.

EFFECTIFS SCOLAIRES

Source : Service de la prévision, des statistiques et de l'évaluation (Vanves).

EFFECTIFS TOTAUX

TOTAL (PUBLIC ET PRIVÉ) ET % PAR RAPPORT À LA POPULATION TOTALE (FRANCE MÉTROPOLITAINE)

1906	6 500 000	16,55	1980	13 386 000	25
1936	6 390 000	15,25	1985	13 856 000	25,16
1946	6 043 000	14,91	1986	13 911 000	25,16
1956	8 072 000	18,58	1987	13 474 361	24,27
1960	9 501 000	20,89	1988	12 793 500	22,94
1964	10 604 000	21,95	1989	13 604 255	24,16
1968	11 656 000	23,55	1990	13 735 701	24,37
1970	12 130 000	24	1991	14 957 000	26,20
1975	13 160 000	25,01	1992	13 657 339	24

POPULATION SCOLAIRE ET UNIVERSITAIRE

Taux de préscolarisation (enseign. public + enseign. privé en France métropolitaine, 1991-92 en %). *2 ans :* 34,8, *3 :* 99.

ENSEIGNEMENT 1er ET 2e DEGRÉS (1992-93, MÉTROPOLE)

■ **1er degré. Établissements publics et, entre parenthèses, privés :** écoles maternelles 18 646 (395) ; élémentaires 36 404 (5 734), à plusieurs classes 29 656

Effectifs 1992-93 ACADÉMIES	1er degré		2e degré	
	public	privé	public	privé (en %)
Aix-Marseille	260 722	28 054	234 159	19,2
Amiens	214 548	19 672	190 890	14,5
Antilles-Guyane	127 667	10 526	105 710	8,9
Besançon	120 946	11 152	112 048	15,7
Bordeaux	254 727	31 039	246 606	18,8
Caen	136 951	29 792	141 451	23,2
Clermont-Ferrand	108 807	21 474	118 564	25,5
Corse	24 497	1 216	20 848	7,7
Créteil	448 409	26 596	351 655	12,5
Dijon	161 664	13 473	149 875	13
Grenoble	274 020	43 471	258 383	20,5
Lille	450 590	97 873	441 924	23,5
Limoges	59 460	3 731	61 244	10,8
Lyon	275 992	58 764	268 184	27,5
Montpellier	205 455	27 183	185 559	18,1
Nancy-Metz	258 219	17 353	134 057	15,3
Nantes	235 255	141 173	324 217	41,4
Nice	170 805	14 797	143 048	13,6
Orléans-Tours	243 112	25 679	222 451	14,6
Paris	135 504	35 850	169 847	34,7
Poitiers	147 813	21 921	145 840	17,2
Reims	150 002	13 991	136 146	15,2
Rennes	202 413	126 170	287 640	43,7
Réunion	106 402	9 061	83 841	5,4
Rouen	203 887	18 747	182 884	15,2
Strasbourg	178 078	9 006	144 097	13,3
Toulouse	210 008	33 675	211 272	20,3
Versailles	563 404	43 606	477 657	15,2
Total France (sauf TOM)	**5 929 357**	**934 345**	**5 648 344**	**20,6**
dont Fr. métr.	5 677 032	933 014	5 458 793	21,1

(5 531), à classe unique 6 748 (203) ; spéciales 85 (12). **Nombre de classes :** maternelles et enfantines 68 997 (1 348) ; élémentaires 161 384 (35 842) ; enseignement spécial 386 (46).

■ 2e degré. (1991-92, métropole) lycées 1 296 (829) ; collèges 4 872 (1 679) ; lycées professionnels (ou écoles techniques 2e cycle prof.) 1 298 (389).

■ Mode d'hébergement. **Public :** *externes* 41 (lycées 37,5, collèges 45,2, LEP 32,8) ; *1/2 pensionnaires* 53,5 (lycées 53, collèges 54,3, LEP 51,7) ; *internes* 5,5 (lycées 9,5, collèges 0,5, LEP 15,5). **Privé :** *externes* 43,2 (lycées 50,1, collèges 35,5, LEP 55,6) ; *1/2 pensionnaires* 47,5 (lycées 37,2, collèges 58,3, LEP 32,1) ; *internes* 9,3 (lycées 12,7, collèges 6,2, LEP 12,3).

Tarif des internats (en F, par an, 1987-88) : public 3 000 à 7 500. Privé [1] 9 500 (sous contrat) à 24 000 (hors contrat).

Nota. – (1) en 1983-84.

■ Nombre d'élèves par classe **(public et, entre parenthèses privé, 1989-90). 1er degré :** *écoles maternelles* 27,9 (27,3) [dont cl. maternelles 28 (27,4)]. *Écoles primaires* 22,4 (24,5) [dont cl. maternelles 25,8 (27,5), CP 21,9 (22), CP à CM2 24,1 (24,7), cl. à plus. cours 20,2 (21,3), cl. unique 13,3 (14,2), initiation 10,1 (23), cl. spéciales 11,3 (10,5), adaptation 10 (11,4)].

2e degré : *total* 26,4 (23,7) dont *1er cycle :* 24,2 (24,3) [dont *6e :* 24,6 (24,3), *5e :* 24,7 (24,6), *4e :* 24,5 (24,5), *3e :* 24,9 (25)], *CPPN :* 13,4 (14,2), *CPA :* 16,7 (15,6) ; *2e cycle court :* 23,6 (21,2) [dont *CEP :* 13,2 (13,6), *CAP 3 ans :* 20,9 (18,5), *CAP 2 ans, BEP :* 24,7 (22,5)] ; *2e cycle long :* 31,4 (25,6) [dont *2e :* 33,6 (29,5), *1re :* 30,4 (24,9), *terminale :* 30,2 (23,1)].

■ Seuils de dédoublement des classes. L'effectif de référence pour la constitution des classes est de 24 élèves.

■ Élèves étrangers

Élèves étrangers. **Total 1er et second degré (y compris éduc. spéciale) :** *1975-76 :* 817 578 (6,6 %), *80-81 :* 963 193 (7,9), *86-87 :* 1 085 342 (8,9), *87-88 :* 1 076 544 (8,8), *88-89 :* 1 065 460 (8,7), *89-90 :* 1 065 258 (8,8) dont : **1er degré (y compris éduc. spéciale) :** *89-90 :* 657 947 (9,8) [dont Marocains 162 860, Algériens 162 157, Tunisiens 51 119, autres pays d'Afrique francophones 43 924, non franc. 11 093. Portugais 84 832, Espagnols 10 925, Italiens 9 159, Yougoslaves 6 345, Grecs 464, autres pays de la CEE 7 245. Turcs 48 130. Sud-Est asiat. 33 916. Autres 25 778]. **2e degré :** *89-90 :* 407 311 (7,4) [dont Algériens 92 618, Marocains 82 782, Tunisiens 26 686, autres pays d'Afrique francophones 20 330, non franc. 3 394. Portugais 82 633, Espagnols 14 129, Italiens 11 837, Yougoslaves 5 729, Grecs 3 533, autres pays de la CEE 4 252. Turcs 24 225. Sud-Est asiat. 19 061. Autres 18 102].

1er degré 1992-93	Public	Privé	Total	% Privé
Préélém.	2 232 497	317 141	2 549 638	12,4
CP	705 397	113 833	819 230	13,9
CE1	697 818	114 358	812 176	14,1
CE2	653 912	114 246	768 158	14,9
CM1	650 762	118 791	769 553	15,4
CM2	683 631	131 453	815 084	16,1
CP – CM2	3 391 520	592 681	3 984 201	14,9
Initiation	3 459	99	3 558	2,8
Adaptation	12 611	1 634	14 245	11,5
Ens. spécial	55 201	3 203	58 404	5,5
Total 1er degré	5 695 288	914 758	6 610 046	13,8

2e degré 1992-93	Public	% filles	Privé	% filles
1er cycle				
6e	695 880	48,3	171 838	46,7
5e	679 196	49,1	170 024	47,3
4e	593 130	43,2	164 465	44,3
3e	572 023	44,2	158 442	46,4
Total 6e à 3e	2 545 105	49,7	665 223	47,9
4e technol.	61 584	34,1	17 733	39,2
3e technol.	57 942	35,7	16 293	43,1
CPPN	3 211	40,7	1 503	34,3
CPA	12 169	30,5	1 069	36,3
Total CPPN + CPA	15 380	35,6	2 572	35,3
Total	*2 560 485*	*49,6*	*667 795*	*47,8*
2e cycle prof.				
CAP 3 ans	45 713	31,9	13 856	44
CAP 1 an	1 110	18,3	1 954	83,5
CAP 2 ans	18 236	48,3	8 650	63,4
BEP	359 251	44,3	95 011	53,3
MC au CAP et BEP	3 655	11,9	836	31,1
Bac professionnel	96 145	42,9	33 248	51
Total	*524 110*	*42,8*	*153 555*	53,8
2e cycle gén. et techn.				
Seconde	369 019	54,4	106 424	53,5
Première	398 523	52,8	108 689	54
Terminale	430 264	54,1	112 928	54,7
dont :				
Term. bac général	284 810	56,8	79 476	53,8
Term. bac technol.	136 473	50,7	31 477	57,5
Term. BT	8 981	18,5	1 975	47,2
Total	*1 224 806*	*53,8*	*328 041*	*54,1*
Total 2e degré	4 309 401	50	1 149 391	50,4
Formations complém.	8 541	48,4	2 317	68,8
Préparations diverses	438	94,1	1 128	72,2

% par rapport au nombre total d'élèves. **1er degré** [1] : *+ de 15 % :* Paris 24,9 % ; Créteil 21,2 ; Versailles 16,9. Lyon 16,1 ; Corse 15,2 ; *– de 3 % :* Nantes 2,2, Caen 2,2, Poitiers 2,2, Rennes 1,3. **2e degré** [1] : *+ de 7 % :* Créteil 16,7, Paris 14,6, Versailles 13, Lyon 11,9, Strasbourg 10,6, Corse 9,1, Grenoble 8, Nancy 8,8, Besançon 8,5, Dijon 7,8, Orléans-Tours 7,5, Nice 7,3, *– de 2 % :* Nantes 1,8, Caen 1,8, Rennes 0,9.

% par niveau (public et entre par. privé). **1er degré :** Préélémentaire 9,7 (1,8) ; C.P.-C.M.2 11,6 (2,2) ; Initiation 84,5 (37) ; Adaptation 23,3 (4,5) ; Perfectionnement 21,8 (3,4). **2e degré :** 1er cycle 9,6 (2,2) ; C.P.P.N.-C.P.A. 14,7 (5,7) ; 2e cycle court 10,1 (4,1) ; 2e c. long 4,8 (2) ; Ens. spécial 18,5 (8,2).

Nota. – (1) Ens. spécial inclus en 1989-90.

■ Enseignement spécial (élèves handicapés) (1990-91, métropole). **Total.** 322 460 él. (dont 273 392 scolarisés) dont dans SES (sections d'éduc. spécialisées) et classes-ateliers 107 171 (en 1991-92) [dont 62 517 garçons, 46 418 filles (dont public 106 484, privé 2 451)], établ. médico-éducatifs 105 760, classes spéciales en éc. maternelles et primaires (anciens cl. annexées) 64 464, établ. médicaux 19 393, établ. socio-éduc. 10 742, EREA 12 122 [dont 8 820 garçons, 3 302 filles (dont 1 612 étrangers)], établ. scolaires spécialisés 2 882.

Par types de handicaps. Retard mental léger 15 800, difficultés scolaires graves liées à des problèmes sociaux 13 349, retard mental moyen 26 975, troubles relationnels 22 456, retard mental sévère 11 879, troubles psychiatriques 11 295, déficience motrice 8 620, déf. somatique 7 581, sourds et malentendants 7 210, polyhandicapés 8 259, amblyopes 1 476, aveugles 995.

Nombre de redoublants (en %, en 1990-91, public + privé) *CP* 7,7. *CE 1* 5,4. *CE 2* 4,2. *CM 1* 3,9. *CM 2* 4,1. *6e* 11,4 [1]. *5e* 14,4 [1]. *4e* 8,1 [1]. *3e* 12,5 [1]. *2e* 16,6 [1]. *1re* 6,8 [1]. *T* 20,7 [1]. *CAP 1* 5,5 [1]. *CAP 2* 3,7 [1]. *CAP 3* 10,1 [1]. *BEP 1* 7 [1]. *BEP 2* 10,3 [1].

Nota. – (1) 83-84.

■ Seuil de fermeture d'écoles rurales à cl. unique. Depuis le 13-1-1982, les classes de – de 9 él. sont maintenues [avant, en cas de fermeture : les élèves étaient regroupés dans l'école d'un village central dotée de classes de tous les niveaux ou, dans chaque village, une seule classe de niveau homogène était maintenue (l'ensemble des classes dispersées constituant une école intercommunale)].

■ Enseignement des langues

■ Langues vivantes

■ Enseignement secondaire. **Obligatoires :** 1re langue obligatoire à partir de la 6e ; la 2e en option à partir de la 4e ou de la 2e : la 3e, en option en 2e et 1re, obligatoire en terminale A2. **Principales langues étudiées en nombre d'élèves, dans le 2e degré (1re, 2e, 3e langues ens. facultatif compris)** (public et, entre parenthèses, privé, 1989-90) : *anglais* 3 960 428 (1 087 165) ; *allemand* 1 115 557 (266 909) ; *espagnol* 1 076 036 (332 779) ; *italien* 150 220 (26 372) ; *russe* 24 883 (2 303) ; *portugais* 11 795 (11 426) ; *hébreu moderne* 4 797 (n.c.) ; *chinois* 2 369 ; *arabe littéral* 9 741 (431) ; *autres* 9 112 (5 613). *Langues par correspondance :* 4 238 (721) ; *Langues régionales* 17 461 (4 210). **Total 2e degré :** 4 256 154 (1 136 907).

% d'élèves étudiant une 1re langue vivante (public et, entre parenthèses, privé, 1991-92) : *1er cycle :* anglais 84,7 (91,5), all. 14 (8), espagnol 0,8 (0,4), autres 0,5 (0,1). *2e cycle général et techno. :* anglais 84,2 (91,2), all. 14,1 (7,6), espagnol 1 (0,9), autres 0,7 (0,3). *2e cycle prof. :* anglais 92,7 (95,3), all. 4,7 (2,9), espagnol 2,2 (1,7), autres 0,4 (0,1).

% d'élèves étudiant une 2e langue vivante (public et, entre parenthèses, privé, 1991-92) : *1er cycle* (à partir de la 4e) : espagnol 51,2 (56,8), all. 25,4 (30,7), anglais 17 (9,5), italien 5,4 (2,2), autres 1 (0,8). *2e cycle général et techn. :* espagnol 47 (54), all. 29,1 (32,7), anglais 18,4 (9,5), italien 4,8 (2,9), autres 1 (0,9). *2e cycle prof. :* espagnol 43,3 (65,9), all. 32,4 (21,2), anglais 16,2 (6,4), italien 5,1 (2,6), autres 3 (3,9).

Nouvelles mesures : enseignement continu de l'allemand de la 6e au bac dans les villes de + 30 000 h. Suppression des seuils d'effectifs pour l'ouverture d'une section de langue vivante dans l'enseign. secondaire. Développement de l'enseign. du japonais.

■ Enseignement supérieur. **Effectifs des formations linguistiques** (1989-90) [1] : anglais 78 625, espagnol 31 145, allemand 22 483, italien 7 643, arabe 1 736, portugais 1 659, russe 1 533, chinois 1 135, japonais 460, hébreu 177, grec moderne 98, néerlandais 78, coréen 57, vietnamien 44, polonais 43, scandinave (danois, islandais, norvégien, suédois) 42, persan 37, hindi 36, tchèque 10, finnois 8, serbo-croate 8, turc 7, hongrois 4, roumain 2. *Total : 147 070 (dont 1er cycle 96 887, 2e 47 189, 3e 2 294).*

Effectifs étudiant des langues en option (1989-90) [1] : anglais 276 151, allemand 36 932, espagnol 31 945, italien 11 731, russe 5 220, portugais 5 000, arabe 2 820, chinois 1 503, tchèque 1 180, japonais 1 154, néerlandais 1 014, scandinave 839, grec moderne 729, roumain 636, hébreu 590, slovaque 578, polonais 459, serbo-croate 238, bulgare 154, persan 112, hongrois 91, turc 89, coréen 55, tamoul 39, hindi 22, vietnamien 17, ukrainien 9, indonésien malaisien 2. *Total 379 309.*

Nota. – (1) Établissements universitaires sauf Inst. nat. des langues et civilisations orientales.

■ Effectif d'élèves en enseignement intégré (1989-90). Arabe algérien 16 754, marocain 12 378, tunisien 2 316, espagnol 387, italien 11 100, portugais 9 990, turc 7 932, yougoslave 69. *Total :* 60 926. **Différé.** arabe algérien 3 771, marocain 13 019, tunisien 5 326, espagnol 2 354, italien 1 472, portugais 15 451, turc 8 466, yougoslave 1 362. *Total :* 51 221.

■ Langues mortes

Conditions. L'enseignement du latin et du grec débute au niveau de la 4e. En 4e et 3e, les élèves peuvent étudier, selon les options et parmi d'autres matières, le latin seul, le grec seul, ou simultanément latin et grec. Latin ou grec, peuvent être choisis en option obligatoire ou complémentaire facultative ; le programme prévoit 3 h de cours hebdomadaires et 5 h pour les « grands débutants ».

Nombre d'élèves (1987-88). **1er cycle :** sur 654 132 garçons 24,2 % étudiaient le latin, 1,9 le grec ; sur 740 083 filles 28,6 % étudiaient le latin, 2,2 le grec. **2e cycle :** sur 582 032 garçons 9,7 % étudiaient le latin, 1,3 le grec ; sur 717 968 filles 14,2 % étudiaient le latin, 1,8 le grec.

Comparaison 1970-71/1989-90 (1er cycle) public : étudient le latin 25,7 (17,4 en 70-71), étudient le grec 2,3 (0,9 en 70-71).

Élèves 1989/90	Latin		Grec	
	Public	Privé	Public	Privé
4e	135 654	48 864	12 198	3 747
3e	127 737	44 959	10 928	3 115
2e	56 470	22 028	6 458	2 675
1re	34 354	13 874	4 358	1 749
Term.	26 360	10 671	3 610	1 417
Total	380 575	140 396	37 552	12 703

■ Langues régionales

Conditions. Basque, breton, catalan, occitan peuvent être étudiées depuis la loi Deixonne du 11-1-1951 ; le corse peut être étudié depuis 1974 (décret Fontanet).

Académies d'enseignement. *Alsacien :* Strasbourg ; *basque :* Aix, Bordeaux ; *breton :* Nantes, Paris, Rennes, Versailles ; *catalan :* Montpellier ; *corse :* Aix, Corse, Nice ; *occitan :* Aix, Bordeaux, Clermont, Limoges, Montpellier, Nice, Toulouse.

Nombre d'élèves du 2e degré étudiant une langue régionale (1986-87). *Total* 8 139 (public 66,7 %, privé 33,2 %). *Basque* 1 867 (pu. 42,4, pr. 57,5). *Breton* 3 756 (pu. 16,4, pr. 83,5). *Catalan* 2 576 (pu. 97,2, pr. 2,7). *Corse* 2 982 (pu. 93,6, pr. 6,3). *Occitan* 10 647 (pu. 73,5, pr. 26,4).

Formation professionnelle

☞ Voir aussi à l'Index.

Organismes publics

■ **Association pour la formation professionnelle des adultes (AFPA).** 13, place de Villiers, 93108 Montreuil Cedex. **Statistiques** (1987) : *demandeurs de formation* 330 000, accueillis par des psychologues du travail, *stagiaires* 110 000, recevant une formation (+ de 300 métiers). *Centres* 137 (57 millions d'heures/stagiaires).

■ **Établissements du ministère de l'Éducation nationale. Groupements d'établ. pour la formation continue (Greta).** 326 regroupant 5 760 établ. s.

Activités coordonnées dans chaque académie par la Dafco (Délégation académique à la formation continue) et au niveau national par le Service de formation continue, intégré à la Direction des lycées.

Nombre de stagiaires (1991) : 662 500 participants aux sessions de formation dont actions financées par les entreprises (1 %) 299 500, l'État et collect. locales 364 000 (dont stages jeunes 16-25 a. 75 884, demandeurs d'emploi 241 145, migrants 15 882).

Centres de formation continue des universités. Stagiaires 413 000 et 43 millions d'heures stagiaires dans 78 univ. ou centres univ., grandes écoles ou établ. d'enseign. supérieur.

Conservatoire national des arts et métiers et ses centres associés **(CNAM).** Voir p. 1265 b.

Centre nat. d'ens. à distance (CNED). Voir p. 1248 c.

Agence nationale pour le développement de l'éduc. permanente (Adep). Tour Franklin, Paris la Défense. (Ne fait pas de formation directe.)

Centres académiques de formation continue (Cafoc). Forment des conseillers en formation continue et des formateurs des organismes de formation publics ou privés, ou des entreprises. *Nombre :* 27.

Enseignement privé

Quelques dates

1793 *oct. décret Lakanal.* **1882**-*23-3 loi Jules Ferry ; laïcisation* des programmes, gratuité et obligation de l'instruction. **1931**-*10-3* la Chambre des députés vote à l'unanimité des 414 votants l'article 50 de la loi de finances du 31-3 accordant la gratuité de l'ens. secondaire public (classe de 5e), « sous réserve du maintien de la liberté de l'ens. qui est l'une des lois fondamentales de la République ». Le Conseil constitutionnel s'est récemment référé à ce vote pour affirmer le principe constitutionnel de la liberté de l'enseignement.

Les votants avaient refusé des dégrèvements fiscaux compensateurs pour les familles confiant leurs enfants à l'enseignement privé (438 députés contre les dégrèvements et 121 pour).

1941-*2-11* (loi) du gouv. de Vichy accordant des subventions aux écoles privées. **1945**-*28-3* à l'Assemblée consultative, Georges Cogniot, le rapporteur communiste de la commission de l'Éducation nationale, demande, avant leur suppression définitive, la réduction de ces subventions pour l'année scolaire en cours. Gaston Tessier (syndicaliste CFTC), demandant au contraire leur augmentation, n'obtient que 49 voix contre 128. -*2-11* l'acte du 2-11-41 est abrogé par le gouv. de Gaulle. **1951**-*17-6* élections défavorables à la gauche, le « front laïque » devient minoritaire. -*21-9* loi étendant le bénéfice des bourses aux élèves de l'enseignement privé votée par 361 voix contre 236 ; le texte a été adopté grâce à l'union du centre et de la droite (MRP, RGR, RPF, indépendants, paysans). Les laïques regroupent communistes, socialistes et quelques radicaux ou progressistes. -*28-9* loi *Barangé*, créant une allocation scolaire pour les familles quelle que soit l'école choisie, votée par 313 voix contre 255. Les 2 lois donnent lieu à des débats de 10 j chacun. **1959**-*31-12* loi *Debré.* Après la démission d'André Boulloche, ministre de l'Éduc. nat., la loi, défendue en personne par Michel Debré (Premier min.), est adoptée par 427 voix, 71 contre et 18 abstentions volontaires. L'opposition se réduit aux communistes, socialistes et quelques radicaux (Arthur Conte, Félix Gaillard, Maurice Faure). **1960** les partis de gauche donnent leur accord au serment que le Comité national d'action laïque (Cnal) leur avait demandé de prêter d'abroger la loi Debré. **1971**-*1-7* loi facilitant notamment la transformation des contrats simples en contrats d'association, votée par 376 voix contre 92. *Principaux opposants :* Gaston Defferre, Michel Rocard, François Mitterrand, Roland Leroy. Certains réformateurs se prononcent contre le texte (J.-J. Servan-Schreiber) et d'autres pour (Pierre Sudreau, Michel Durafour). **1977**-*28-6* loi *Guermeur* votée par 292 voix contre 184, après avoir été présentée à 7 h du matin, à la fin d'une nuit de débats, et avoir été déclarée irrecevable dans tous ses articles, sauf 1, par le bureau de la Commission des Finances. *Principaux opposants :* François Mitterrand, Pierre Mauroy, Louis Mermaz, Gaston Defferre, André Chandernagor, Georges Fillioud, Marcel Franceschi, André Labarrère, etc. **1981**-*30-9* Gaston Defferre (14-9-1910/7-5-1986) et Alain Savary (25-4-1918/17-2-1988) demandent aux préfets de ne pas inscrire d'office les crédits municipaux destinés aux écoles primaires privées sous contrat. **1982**-*25-1* début des consultations d'Alain Savary, ministre de l'Éduc. nat. -*24-4* l'Unapel réunit 100 000 personnes à Pantin. -*9-5* discours au Bourget de Mauroy devant 250 000 personnes réunies par le Cnal. -*4-8* Savary annonce que la réflexion portera aussi sur l'enseignement public. Mais le Cnal réagit négativement et A. Savary abandonne cette idée. *Novembre et décembre :* l'enseignement catholique manifeste à Paris contre le refus d'autoriser l'ouverture d'un centre de formation des maîtres à Amiens. Manif. aussi à Brest, Nantes, Pontivy, etc., contre des municipalités socialistes hostiles au paiement de crédits.

1er échange de propositions (fin 1982 - début 1983). *Plan Savary (20-12-1982).* Ces propositions prônent « l'insertion du secteur privé au sein du service public d'enseignement », à partir de la transformation des écoles libres en EIP (établissements d'intérêt public). Savary propose comme modèle les « groupements d'intérêt public » prévus dans la loi Chevènement sur la recherche et assurant une prédominance de l'État sur l'initiative privée. *Ces propositions annoncent aussi des contraintes : a) La carte scolaire :* « Les types de formation et les enseignements assurés dans les établissements feraient l'objet d'une carte qui serait arrêtée par les autorités académiques, après une procédure de concertation. Pour bénéficier d'une aide publique, les initiatives privées devraient s'insérer dans cette carte. » ; *b) La transformation en emplois des crédits* qui assurent leur rétribution dans le cadre des contrats, permettrait d'assurer leur intégration sur des emplois et leur affectation aux EIP.

Réponse de l'enseignement catholique du 10-1-1983 : le Comité national propose de négocier « une harmonisation des rapports État-école privée accompagnée de garanties pour l'autonomie des établ., la liberté de choix des familles et des personnels, la liberté de constitution d'un projet éducatif ». *Attente de 1983 :* Savary ouvre une phase de « contacts confidentiels » avec notamment les représentants de l'ens. cath., dont le chanoine Paul Guiberteau, secrétaire général de l'Enseign. cath., et Pierre Daniel (Pt de l'Unapel). -*21-4* Savary demande, par circulaire aux préfets et aux recteurs, de la rigueur dans l'octroi de l'aide aux écoles privées sous contrat. Il décide d'accorder des moyens « limitatifs », et non plus « évolutifs », à ces écoles. Les nouveaux postes d'enseignants ne dépasseront pas 500 ; l'augmentation du « forfait d'externat » (subventions de l'État au secondaire sous contrat) sera fixée à 6,8 %. Le père Guiberteau conteste les bases de calcul du ministre. -*26-6* rassemblement de 20 000 maîtres et directeurs de l'ens. cath. à Reuilly (région paris.). -*12-7* Savary clôt la phase de contacts confidentiels. -*2-9* Mauroy lance un appel à la titularisation de 15 000 maîtres volontaires. -*23-9* mot d'ordre de grève, pour l'intégration de la FEP-CFDT (Fédération de l'ens. privé) suivi par 12 500 enseignants (sur 120 000).

2e échange de propositions (fin 1983 - début 1984). *18-10-1983,* nouveau plan Savary. Le Cnal refuse. L'ens. cath. accepte de discuter en partie. -*29-12* le Conseil constitutionnel annule les dispositions budgétaires de titularisation. **1984**-*13-1, nouveau plan Savary.* Reprend les notions d'Eip et de carte scolaire. Avance l'idée d'une décentralisation du financement. Pour les enseignants, dans le cadre des EIP, titularise-fonctionnarise « sur place » des maîtres volontaires rémunérés sur des échelles de titulaires ou auxiliaires. Un contrat de droit public sera offert aux non-volontaires. *Contre-propositions : 5-2* de l'enseignement catholique accepte de discuter sur carte scolaire et décentralisation. Il rejette les visées unificatrices du gouv. à propos de la situation des enseignants et des Eip. Il propose une nouvelle structure : le « groupement public d'intérêt éducatif (GPIE), ayant pour objet de collecter les fonds publics affectés au fonctionnement de ces établissements (privés associés par contrat au service public) et de les répartir entre eux ». Il serait administré par les représentants légaux signataires des contrats de chacun des établ. qu'il regroupe ; 2 personnalités qualifiées désignées par le préfet, selon les cas, ou 2 repr. des municipalités, ou 2 conseillers généraux ou 2 c. régionaux. Ces contre-propositions ne sont pas retenues.

☞ La gauche, entre 1879 et 1981, a toujours soutenu que l'État ne peut subventionner un enseignement confessionnel sans contrevenir à la laïcité. Avec le projet Savary (1983-84) qui inscrit le principe de l'aide publique à l'enseignement privé, la gauche abandonne la maxime qui résumait depuis un siècle sa doctrine : « A école publique, fonds publics ; à école privée, fonds privés. »

Manifestations. Du comité d'action laïque (Cnal) : organisée le 25-4-1984 elle ne put rassembler au niveau national les 2 millions de personnes escomptées (env. 16 000 personnes à Marseille, 30 000 à Lille ; à Paris, 600 000 selon le Cnal, 200 000 pour l'*AFP,* 81 000 à 99 000 pour *Le Matin,* 75 000 pour la préfecture de police). **Du comité national de l'enseignement catholique : 1984**-*22-1* Bordeaux 70 000 ; -*29-1* Lyon 160 000 ; -*18-2* Rennes 300 000 ; -*25-2* Lille 350 000 ; -*4-3* Versailles 600 000 à 800 000 ; -*24-6* Paris 1 000 000 à 1 400 000 (1 800 000 selon le secr. de l'ens. privé), la plus importante démonstration de masse vue depuis 1968.

Retrait du projet de loi annoncé par le Pt Mitterrand le 12-7-1984. *Déclaration du 29-8 :* les mesures de J.-P. Chevènement : 1°) affirme les principes du service public, garant de l'intérêt général : mêmes règles budgétaires pour les établ. d'ens. public et privé (crédits limitatifs pour ceux-ci) ; créations de classes nouvelles conformes aux prévisions des cartes et schémas de formation des départ. et régions ; retour aux règles de la loi du 31-12-1959 pour la nomination des maîtres de l'ens. privé (art. 1 et 4 de la loi Guermeur du 25-11-1974 abrogés) : maîtres nommés en accord avec le chef d'établ. ; possibilité pour l'État de créer des établ. d'enseign. public là où il n'en existe pas (établ. transférés ensuite aux collectivités locales) ; 2°) adapte les rapports entre établ. d'enseign. privé et les pouvoirs publics aux règles nouvelles de la décentralisation : accord des communes pour les nouveaux contrats d'association dont la réalisation interviendra sur décision de l'État, et seulement si les conditions prévues pour la conclusion des contrats ne sont plus remplies (maintien des contrats simples) ; dépenses de fonctionnement matériel des établ. sous contrat d'association : pour les collèges et lycées à la charge des départ. et régions (avec compensation par l'État), pour les écoles à la charge des communes (qui peuvent s'en acquitter en nature, retour à la loi Debré) ; concertation entre les représentants élus et les établ. d'enseign. privé : collectivités dans les organes votant le budget, commissions de concertation (représentants des collectivités territoriales et des établ. privés, et personnes choisies par l'État, compétentes pour les conditions d'instruction, de jonction et d'exécution des contrats et l'utilisation des fonds publics).

Lois votées : art. 119 de la loi de finances pour 1985, et loi du 25-1-1985 modifiant les rapports entre l'État et les collectivités territoriales. Précisions apportées par le Conseil constitutionnel (déclarations de non-conformité à la Constitution), saisi par des sénateurs : décision du 29-12-1984 sur l'art. 119 de la loi de fin. : annule la possibilité prévue pour l'État de créer exceptionnellement des établ. d'enseign. public

France métropolitaine (apprentissage inclus)

Année	Total des sorties	Sans qualification	Niveau V	Niveau IV
Sans diplôme				
1985	223 200	108 800	106 300	8 100
1986	231 400	121 600	101 500	8 300
1987	185 400	84 000	95 000	6 400
1988	166 400	83 600	77 500	5 300
1989	160 800	78 700	75 100	7 000
Brevet				
1985	91 700	15 100	47 700	28 900
1986	76 600	4 800	45 100	26 700
1987	78 100	21 400	34 300	22 400
1988	71 100	21 300	28 300	21 500
1989	66 400	19 600	29 800	17 000

et de les transférer ensuite aux collectivités territ. ; délibération du 18-1-1985 sur l'art. 18 de la loi complémentaire de décentralisation : supprime l'accord obligatoire des communes pour les nouveaux contrats d'association (classes 1er degré).

1985-*13-3* et *12-7* 1res *mesures d'application :* 3 circulaires et 3 décrets précisent la procédure des crédits budgétaires limitatifs (les créations de postes du privé rémunérés par l'État sont calculées proportionnellement à celles de l'enseign. public) et les nouveaux rapports entre municipalités et écoles élémentaires sous contrat avec l'État (accords financiers à l'amiable entre municipalités voisines pour élèves ne résidant pas dans la commune de l'école privée, et pour élèves des cl. maternelles). **1992**-*13-6*, l'État s'engage à payer 1,8 milliard de F à l'ens. catholique, sur 6 ans (sur les 11 milliards d'arriéré pour le forfait d'internat, de 1982 à 89). **1993**-*juin* discussion sur loi Bayrou amendant la loi Falloux.

☞ **Fédération internationale des universités catholiques.** *Secrétariat :* 78 A, rue de Sèvres, 75341 Paris Cedex. *Pt :* Prof. Michel Falise, Lille, France. *Secr. gén. :* R.P. Lucien Michaud, Canada. *Fondée :* 1949. *Membres :* 175 univ. cath. dans 36 pays.

Statistiques

Part de l'enseign. privé. Nombre d'élèves (en %) : voir p. 1250 : *1er degré* 13,84 % ; *2e degré* 20,69 % ; *universitaire* 7,8 %.

% de l'enseign. cathol. dans l'enseign. privé : 1er degré 97,02 ; 2e degré 92,55.

Enseign. cathol. diocésain (1992-93). Nombre d'élèves (Fr. métr.) : *1er degré* 886 402 ; *2e degré* 1 120 057.

Nota. – Sous contrat d'association 24 %, sous contrat simple 73 %, hors contrat 3 %.

Nombre d'établissements (1992-93). *Écoles :* 5 952 dont 382 maternelles, 5 570 élémentaires. *Établissements du second degré :* 2 897 dont 829 lycées (dont 10 hors contrat), 389 lycées professionnels (8 h. c.), 1 679 collèges (10 h. c.). *Techniciens supérieurs :* 288 ét. (29 623 élèves). *Enseignement agricole :* 50 ét. (4 824 él.). *Classes préparatoires :* 68 ét. (7 344 él.) dont 2 190 prépa. HEC, 674 formation DECF, 4 177 autres prépa. scient., 25 prépa. marine marchande, 278 prépa. lettres.

Coût des établissements pour les parents (à Paris par trimestre). Sous contrat : 2 000 à 10 000 F par an. *Établissements sans contrat :* de 10 000 à 25 000 F. Des réductions sont souvent consenties.

■ Le système des contrats

Depuis la loi Debré du 31-12-1959, les établissements ont le choix entre :

1°) **L'intégration à l'enseignement public :** seules quelques écoles d'entreprise y ont eu recours et fixent elles-mêmes leurs tarifs. 2°) **Le statu quo :** les établissements « hors contrat » ne bénéficient d'aucune aide financière de l'État. 3°) **Le « contrat simple » :** l'État rémunère les maîtres, mais ne participe pas aux frais de fonctionnement des écoles ; en contrepartie, l'école s'engage à respecter les normes établies par l'État sur la qualification des maîtres, l'effectif des classes et sur l'organisation générale de l'enseignement. 4°) **Le « contrat d'association » :** les maîtres sont payés par l'État, qui participe aussi aux dépenses de fonctionnement ; restent à la charge des familles : investissements et dépenses concernant culte, instruction religieuse, internat et 1/2 pension, les établissements doivent se conformer aux règles en vigueur dans l'enseignement public (ex. : les horaires). La loi du 1-6-1971 (modifiant celle du 31-12-1959) « pérennisait » le régime de contrat simple pour le 1er degré, mais avait prévu son remplacement progressif dans le 2e degré par le contrat d'association à partir de 1979-80.

■ Établissements privés non catholiques

■ **Protestants.** Spécialisés dans l'internat (avec cours ouverts aux externes). Filles 4 (+ 1 foyer de lycéennes) ; garçons 2 (+ 1 foyer) ; mixtes 5. Orphelinats, rééducation, enfance inadaptée 42. Infirmières 7.

■ **Juifs. Établissements :** fondés après la Seconde Guerre mondiale. **Effectifs :** env. 19 000. **Écoles :** 109 (la majorité sous contrat d'association).

Alliance israélite universelle : *née* 1860. *Établ. :* 37. *Élèves :* 15 644 dont Israël 7 958, Canada 2 697, Iran 1 664, Maroc 1 280, Belgique 600, *France 591* [2 établ. du 2e degré, École normale (créée 1868 à Paris, 257 él. formés en 4 ans)], Syrie 409, Espagne 275.

ORT (Organisation Reconstruction Travail) : *créée* 1880 en Russie ; *1921 en France. Pt du Conseil d'Admin. (France) :* Gilbert Dreyfus, 10 villa d'Eylau, 75116 Paris. Formation professionnelle et technique des jeunes Juifs. *Écoles en France :* Paris, Choisy-le-Roi, Montreuil, Villiers-le-Bel, Lyon, Marseille, Strasbourg, Toulouse. *Élèves* (1989) : 10 000 él. et stagiaires dans + de 70 métiers.

■ **Laïcs privés.** Régis par les lois du 30-10-1886 (élémentaire), du 15-03-1850 (secondaire) et du 25-7-1919 (technique). La majorité sont en nom propre et dépendants du directeur qui les ont créés, les gèrent et les développent. La quasi-totalité sont « hors contrat », ne reçoivent aucune aide directe de l'État, gardent une relative liberté et autonomie pédagogique. *Établissements :* 2 000. *Élèves :* 400 000. *Enseignants :* 16 000.

Enseignement supérieur

Formation relevant du min. de l'Éducation nationale (France sans TOM)

	Total étudiants	dont étudiantes		Total étudiants	dont étudiantes
1900	29 377	3,5 %	1984	949 844	51 %
1929	69 961	22,9 %	1985	967 778	51,2 %
1939	78 972	30 %	1986	970 666	51,6 %
1949	129 025	33,1 %	1987	989 461	52,2 %
1959	186 101	38,4 %	1988	1 036 600	52,7 %
1963	326 311	–	1989	1 080 600	53,1 %
1967	509 198	43,5 %	1990	1 146 900	–
1969	615 326	45,5 %	1991	1 236 934	–
1970	647 625	–	1992	1 313 208	
1975	807 911	47,6 %		1 587 800 [2]	–
1980	858 085	49,7 %	2000	1 477 500 [1]	–
1981	883 657	50,5 %		1 867 600 [2]	–
1982	905 198	49,7 %			–
1983	930 268	50,5 %			

Nota. – (1) Total université. (2) Total public, privé, université, IUT, CPGE, STS.

Répartition en %	1960-61	1965-66	1980-81	1990-91	1992-93
Droit, sc. écon. [1] et AES	17	21	22,3	24,7	25,3
Lettres et sc. hum. [2]	31,1	33,2	30,7	34,2	34,3
Sciences [3]	33,1	30,3	16,2	20,5	19,6
Médec. dent. et pharmacie	14,7	12,2	16,9	13,2	11
Pharmacie	4,1	3,3	4,3	2,5	2,2
IUT			6,2	6,4	6,6
Sports STAPS			1,1	1	1
1er cycle rénové					
Total	*100*	*100*	*100*	*100*	*100*

Nota. – (1) Avec IEP de Paris. (2) Avec DEUG enseign. 1er degré. (3) Avec INP, ENSI (ét. d'ingén.) et Mass (math. appliquées aux sciences sociales).

Données particulières

Étudiants inscrits dans les universités au 7-1-1992 Voir tableau p. 1253.

Étudiants inscrits dans les universités

Disciplines	1er cycle	2e cycle	3e cycle	Effectif 1993
Droit et Science po.	104 374	56 935	19 605	180 914
Sciences éco.	44 081	32 543	16 865	93 489
AES	36 640	15 055	–	51 695
Lettres	241 325	167 997	40 706	450 028
MASS	4 957	843	–	5 800
Sciences	131 083	81 049	45 123	257 255
Études d'ingénieur	–	21 682	–	21 682
STAPS	6 592	5 288	829	12 709
IUT	86 771	–	–	86 771
Total	655 823	381 392	123 128	1 160 343
Médecine et biol. humaine	24 308	25 887	56 471	106 666
Paramédical	6 640	–	–	6 640
Pharmacie	11 193	5 133	12 478	28 804
Dentaire	909	4 261	3 540	8 710
Total	43 050	35 281	72 489	150 820
Total général	698 873	416 673	195 617	1 311 163

■ **Étudiants (à plein temps) dans les IUT en 1992-93, et entre parenthèses diplômes délivrés en 1992. Secteur secondaire :** 39 506 (14 750) dont biologie appliquée 4 089 (1 659) ; chimie 2 633 (1 068) ; génie chimique 686 (263), civil 3 700 (1 415), électrique 10 302 (3 811), mécanique et productique 8 571 (3 318), thermique et énergie 1 419 (549) ; hygiène et sécurité 769 (304) ; mesures physiques 4 595 (1 672) ; maintenance industrielle 1 585 (465), organisation, gestion de la production 891 (226) ; Sciences, génie des matériaux 122 ; génie des télécom. 144. **Secteur tertiaire :** 43 477 (16 454) dont gestion des entreprises et des admin. 15 879 (6 028), carrières de l'information 2 566 (1 100), juridiques 1 275 (497), sociales 1 239 (525), informatique 7 252 (2 917), statistiques 996 (300), techn. de commercialisation 12 511 (4 560), transport logistique 1 759 (525). **Total général** 82 983 (31 204).

■ **Age des étudiants français (et étrangers). Hommes + femmes** (%, en 1989-1990). *17 ans et – :* 0,86. *18 :* 9. *19 :* 13,4. *20 :* 14. *21 :* 11,9. *22 :* 9,5. *23 :* 7,5. *24 :* 5,6. *25 :* 4,3. *26 :* 3,3. *27 :* 2,6. *28 :* 2,3. *29 :* 2. *30 :* 1,7. *31 :* 1,4. *32-36 :* 4,9. *37-41 :* 2,8. *42 et + :* 2,6. *Age indéterminé :* 0,05. **Femmes.** *Avant 17 ans :* 0,01. *17 :* 1. *18 :* 10,3. *19 :* 14,6. *20 :* 14,8. *21 :* 12,2. *22 :* 9,7. *23 :* 7,5. *24 :* 5,4. *25 :* 4,1. *26 :* 3,1. *27 :* 2,5. *28 :* 1,9. *29 :* 1,6. *30 :* 1,4. *31 :* 1,1. *32-36 :* 3,9. *37-41 :* 2,5. *42 et + :* 2,5. *Age indéterminé :* 0,04. **Hommes.** *Avant 17 ans :* 0,01. *17 :* 0,7. *18 :* 7,4. *19 :* 12. *20 :* 13,2. *21 :* 11,6. *22 :* 9,3. *23 :* 7,3. *24 :* 5,8. *25 :* 4,6. *26 :* 3,8. *27 :* 2,9. *28 :* 2,7. *29 :* 2,5. *30 :* 2,2. *31 :* 1,8. *32-36 :* 6. *37-41 :* 2,7. *42 et + :* 2,7. *Age indéterminé :* 0,02.

■ **Origine des étudiants** (en %, 1990). **Probabilité d'accès en 2e cycle universitaire (1990, en %).** Cadres supérieurs, professions libérales 61, cadres moyens 56, patrons de l'industrie et du commerce 51, employés 49, agriculteurs 49, ouvriers 48.

■ **Disciplines choisies selon la catégorie socio-professionnelle du père** (en %, 1989-90). Disciplines générales *(droit, sc. éco., lettres, sc.)* ; **santé** *(médecine, pharmacie, dentaire)* entre parenthèses ; **IUT** en italique. Agriculteurs 4 (3,3) *5,4.* Patrons de l'industrie et du commerce 8 (8) *9,2.* Cadres supérieurs et professions libérales 28,4 (44,3) *21,6.* Cadres moyens 19,1 (16,7) *22,1.* Employés 10,7 (6,4) *10,4.* Ouvriers 14,6 (8,4) *21,2.* Sans professions et autres 15,2 (12,9) *10,1.*

■ **Étudiants étrangers en France. Nombre total** (1989). 131 654 dont (%) Paris-Créteil-Versailles 41,8 %, Lyon 4,9, Montpellier 4,8, Lille 4,5, Toulouse 4,3, Strasbourg 4,3, Aix-Marseille 4,2, Bordeaux 3,9, Grenoble 3,7.

% des étrangers : *sur l'ensemble des étud. :* 11,8 dont *1er cycle + capacité :* 7,7, *2e cycle :* 10,6, *3e cycle :* 28,6.

Répartition par disciplines (1989-90) : *lettres* 45 345. *Sciences* 29 426. *Méd.* 18 737. *Droit* 14 200. *Sc. économiques* 13 051. *Pluridisciplinaire* 3 706. *IUT* 2 946. *Pharm.* 2 930. *Odontologie* 1 245.

EFFECTIFS DES ÉTUDIANTS INSCRITS AU 8-1-1993 (TOUS CYCLES CONFONDUS)

		Droit	Sciences éco.	AES	Lettres	MASS	Sciences	Ingénieur	Médecine	Para-médicale	Pharmacie	Dentaire	STAPS	IUT	Total
AIX	AIX I	0	0	0	17 602	0	5 740	251	0	0	0	0	0	0	23 593
	AIX II	0	1 797	1 175	75	178	3 113	64	5 501	549	1 585	515	695	1 395	16 642
	AIX III	8 993	2 506	1 052	1 019	150	4 579	634	0	0	0	0	0	936	19 869
	AVIGNON	800	0	0	2 875	0	1 381	0	0	0	0	0	0	125	5 181
	Total académie	9 793	4 303	2 227	21 571	328	14 813	949	5 501	549	1 585	515	695	2 456	65 285
AMIENS	AMIENS	1 905	1 435	0	7 625	0	3 437	0	1 851	27	681	0	140	1 706	18 807
	COMPIÈGNE	0	0	0	0	0	1 396	1 398	0	0	0	0	0	0	2 794
	Total académie	1 905	1 435	0	7 625	0	4 833	1 398	1 851	27	681	0	140	1 706	21 601
ANTILLES	ANTILLES-GUYANE	2 662	1 133	0	2 587	0	1 508	0	189	0	0	0	80	80	8 239
BESANÇON	BESANÇON	1 632	651	1 488	6 987	0	4 163	397	1 902	117	465	0	339	2 375	20 516
	INP SEVENANS	0	0	0	0	0	204	452	0	0	0	0	0	0	656
	Total académie	1 632	651	1 488	6 987	0	4 367	849	1 902	117	465	0	339	2 375	21 172
BORDEAUX	BORDEAUX I	7 318	3 234	1 165	0	0	9 833	707	0	0	0	0	0	2 217	24 474
	BORDEAUX II	0	14	0	4 073	252	1 130	0	5 932	384	1 254	607	549	0	14 195
	BORDEAUX III	0	0	0	13 651	0	34	0	0	0	0	0	0	756	14 441
	PAU	2 374	1 011	848	4 084	213	3 356	78	0	0	0	0	0	695	12 659
	Total académie	9 692	4 259	2 013	21 808	465	14 353	785	5 932	384	1 254	607	549	3 668	65 769
CAEN	CAEN	2 443	2 396	1 033	9 317	0	4 549	430	1 484	0	673	0	501	1 577	24 403
CLERMONT	CLERMONT I	2 925	2 234	372	0	0	0	0	1 732	443	695	263	0	1 427	10 091
	CLERMONT II	0	0	0	8 306	0	4 625	847	0	0	0	0	565	960	15 303
	Total académie	2 925	2 234	372	8 306	0	4 625	847	1 732	443	695	263	565	2 387	25 394
CORSE	CORSE	844	245	0	937	0	599	0	0	0	0	0	0	115	2 740
CRÉTEIL	PARIS VIII	2 835	765	1 717	17 872	326	603	0	0	0	0	0	0	35	24 153
	PARIS XII	3 720	2 189	2 907	3 832	214	2 591	0	2 668	107	0	0	279	1 302	19 809
	PARIS XIII	2 324	1 266	1 087	4 177	140	2 542	265	2 442	444	0	0	0	2 673	17 360
	MARNE-LA-VALLÉE	0	627	0	494	0	1 401	0	0	0	0	0	0	69	2 591
	Total académie	8 879	4 847	5 711	26 375	680	7 137	265	5 110	551	0	0	279	4 079	63 913
DIJON	DIJON	3 743	1 603	1 333	7 761	0	4 799	262	1 921	10	680	0	692	2 211	25 015
GRENOBLE	GRENOBLE I	0	0	0	722	0	8 560	381	2 589	31	807	0	660	1 786	15 536
	GRENOBLE II	5 733	3 958	955	4 724	288	60	0	0	0	0	0	0	2 679	18 397
	GRENOBLE III	0	0	0	6 779	0	0	0	0	0	0	0	0	0	6 779
	CHAMBÉRY	950	4	463	4 493	0	2 133	202	0	0	0	0	0	1 038	9 283
	INP GRENOBLE	0	162	0	0	0	1 241	2 339	0	0	0	0	0	0	3 742
	Total académie	6 683	4 124	1 418	16 718	288	11 994	2 922	2 589	31	807	0	660	5 503	53 737
LILLE	LILLE I	0	3 424	0	2 479	276	12 089	1 081	0	0	0	0	0	1 814	21 163
	LILLE II	7 869	480	1 014	0	0	0	0	5 276	479	1 951	513	912	1 114	19 608
	LILLE III	0	0	1 508	19 261	110	0	0	0	0	0	0	0	516	21 395
	VALENCIENNES	1 545	533	0	2 531	0	2 866	237	0	0	0	0	0	1 366	9 078
	DUNKERQUE	347	325	769	641	0	1 207	0	0	0	0	0	0	792	4 081
	ARTOIS-ARRAS	0	207	0	2 010	0	422	0	0	0	0	0	0	915	3 554
	Total académie	9 761	4 969	3 291	26 922	386	16 584	1 318	5 276	479	1 951	513	912	6 517	78 879
LIMOGES	LIMOGES	1 765	507	776	3 313	59	2 800	59	1 349	158	726	0	0	1 596	13 108
LYON	LYON I	0	0	0	0	249	9 693	63	6 862	791	1 884	627	671	2 907	23 747
	LYON II	2 448	2 243	990	16 136	0	0	0	0	0	0	0	0	47	21 864
	LYON III	6 309	2 122	1 928	5 877	15	0	0	0	0	0	0	0	0	16 251
	SAINT-ÉTIENNE	1 566	945	1 231	4 348	0	2 237	101	1 379	43	0	0	0	1 838	13 688
	Total académie	10 323	5 310	4 149	26 361	264	11 930	164	8 241	834	1 884	627	671	4 792	75 550
MONTPELLIER	MONTPELLIER I	5 910	2 791	1 333	0	0	211	0	5 078	423	1 880	451	641	0	18 718
	MONTPELLIER II	0	321	0	8	0	8 128	1 020	0	0	0	0	0	2 391	11 868
	MONTPELLIER III	0	0	1 430	14 664	199	0	0	0	135	0	0	0	0	16 428
	PERPIGNAN	1 372	385	157	2 458	0	1 112	0	0	0	0	0	0	521	6 005
	Total académie	7 282	3 497	2 920	17 130	199	9 451	1 020	5 078	558	1 880	451	641	2 912	53 019
NANCY-METZ	NANCY I	0	0	0	0	0	6 401	900	4 551	253	1 163	457	613	1 975	16 313
	NANCY II	3 003	2 581	1 049	10 378	0	213	0	0	0	0	0	0	1 611	18 835
	METZ	1 286	336	893	4 894	0	3 319	688	0	0	0	0	0	1 424	12 840
	INP NANCY	0	0	0	0	0	1 099	1 902	0	0	0	0	0	0	3 001
	Total académie	4 289	2 917	1 942	15 272	0	11 032	3 490	4 551	253	1 163	457	613	5 010	50 989
NANTES	NANTES	3 167	1 965	726	10 376	0	5 794	1 161	2 586	185	932	744	122	2 513	30 271
	ANGERS	1 570	864	1 170	4 931	289	2 977	0	1 761	0	631	0	0	945	15 138
	LE MANS	1 268	726	674	3 583	0	2 027	0	0	0	0	0	0	933	9 211
	Total académie	6 005	3 555	2 570	18 890	289	10 798	1 161	4 347	185	1 563	744	122	4 391	54 620
NICE	NICE	3 728	1 786	785	8 267	30	4 265	307	1 640	93	0	200	536	1 680	23 317
	TOULON	2 312	703	0	169	0	1 272	100	0	0	0	0	0	1 574	6 130
	Total académie	6 040	2 489	785	8 436	30	5 537	407	1 640	93	0	200	536	3 254	29 447
ORLÉANS	ORLÉANS	1 981	1 310	1 175	3 372	0	4 118	397	0	0	0	0	110	1 945	14 408
	TOURS	2 787	1 135	1 542	9 671	0	3 355	158	2 368	134	862	0	0	1 692	23 704
	Total académie	4 768	2 445	2 717	13 043	0	7 473	555	2 368	134	862	0	110	3 637	38 112
PARIS	PARIS I	10 107	9 954	912	14 343	411	344	0	0	0	0	0	0	0	36 071
	PARIS II	13 426	2 633	649	790	0	0	75	0	0	0	0	0	0	17 573
	PARIS III	0	0	0	17 465	0	0	0	0	0	0	0	0	0	17 465
	INLCO	0	0	0	8 517	0	0	0	0	0	0	0	0	0	8 517
	PARIS IV	0	0	0	23 765	0	0	0	0	0	0	0	0	0	23 765
	PARIS V	3 823	7	298	8 059	245	760	0	9 366	0	3 385	1 035	737	1 734	29 449
	PARIS VI	0	0	0	0	0	21 970	464	8 841	1 276	0	412	0	0	32 963
	PARIS VII	0	0	399	10 631	438	9 916	0	6 342	0	0	1 099	0	0	28 825
	PARIS IX	75	5 504	0	9	526	624	0	0	0	0	0	0	0	6 738
	IEP PARIS	2 729	766	0	282	0	0	0	0	0	0	0	0	0	3 777
	OBSERVATOIRE	0	0	0	0	0	40	0	0	0	0	0	0	0	40
	Total académie	30 160	18 864	2 258	83 861	1 620	33 654	539	24 549	1 276	3 385	2 546	737	1 734	205 183
POITIERS	POITIERS	4 008	1 815	1 766	8 281	0	6 230	634	1 468	97	544	0	431	2 587	27 861
REIMS	REIMS	3 717	1 411	1 342	7 415	0	4 302	86	1 643	75	821	423	56	2 811	24 102
RENNES	RENNES I	4 861	2 208	1 427	297	188	9 733	638	2 835	41	927	378	0	2 294	25 827
	RENNES II	0	0	1 530	15 133	91	0	0	0	0	0	0	599	905	18 258
	BREST	1 895	950	1 196	4 879	0	5 428	58	1 384	0	0	87	0	2 406	18 283
	Total académie	6 756	3 158	4 153	20 309	279	15 161	696	4 219	41	927	465	599	5 605	62 368

		Droit	Sciences éco.	AES	Lettres	MASS	Sciences	Ingénieur	Médecine	Para-médicale	Pharmacie	Dentaire	STAPS	IUT	Total
LA RÉUNION	LA RÉUNION	766	593	498	3 011	0	1 244	0	0	0	0	0	113	0	6 225
ROUEN	ROUEN	3 051	1 177	725	9 760	0	4 678	0	2 626	72	680	0	66	1 313	24 148
	LE HAVRE	1 047	393	652	252	0	1 159	0	0	0	0	0	0	1 706	5 209
	Total académie	4 098	1 570	1 377	10 012	0	5 837	0	2 626	72	680	0	66	3 019	29 357
STRASBOURG	STRASBOURG I	0	1 927	0	2 304	150	7 622	560	3 822	80	1 188	385	0	369	18 407
	STRASBOURG II	0	0	0	12 578	0	0	0	0	0	0	0	494	0	13 072
	STRASBOURG III	6 212	812	511	284	0	0	0	0	0	0	0	20	1013	8 852
	MULHOUSE	0	747	0	1 348	0	1 458	438	0	0	0	0	0	1 503	5 494
	Total académie	6 212	3 486	511	16 514	150	9 080	998	3 822	80	1 188	385	514	2 885	45 825
TOULOUSE	TOULOUSE I	9 295	3 391	2 970	0	64	203	0	0	0	0	0	0	284	16 207
	TOULOUSE II	0	0	0	22 785	235	9	0	0	0	0	0	0	182	23 211
	TOULOUSE III	0	0	0	0	0	16 624	0	4 125	193	1 270	514	476	3 692	26 894
	INP TOULOUSE	0	0	0	0	0	1 051	1 632	0	0	0	0	0	0	2 683
	Total académie	9 295	3 391	2 970	22 785	299	17 887	1 632	4 125	193	1 270	514	476	4 158	68 995
VERSAILLES	PARIS X	7 436	4 246	1 227	17 565	237	0	0	0	0	0	0	990	500	32 201
	PARIS XI	4 948	452	0	0	0	9 837	200	3 153	0	3 120	0	502	3 617	25 829
	CERGY PONTOISE	990	522	0	399	33	1 206	0	0	0	0	0	0	561	3 711
	EVRY VAL D'ESSON	114	401	339	83	194	889	0	0	0	0	0	120	778	2 918
	ST QUENTIN	980	661	509	434	0	2 746	16	0	0	0	0	0	250	5 596
	Total académie	14 468	6 282	2 075	18 481	464	14 678	216	3 153	0	3 120	0	1 612	5 706	70 255
PACIFIQUE	PACIFIQUE	698	0	0	870	0	477	0	0	0	0	0	0	0	2 045
Total FRANCE		181 612	93 489	51 695	450 898	5 800	257 732	21 682	106 666	6 640	28 804	8 710	12 709	86 771	1 313 208

Pays d'origine (1989-90) : *Afrique* 74 733 dont Maroc 25 834, Algérie 12 948, Tunisie 7 172, Cameroun 4 922, Côte-d'Ivoire 2 612, Madagascar 3 336. *Europe* 24 692 dont Grèce 2 724, All. féd. 4 406, G.-B. 2 362, Espagne 2 870, Portugal 3 072. *Asie* 21 462 dont Iran 3 483, Liban 5 064, Syrie 3 000, Chine 1 951. *Amérique* 10 117 dont USA 3 719, Brésil 1 503. *Océanie* 136. *Autres* 514.

Boursiers du gouv. français (1989) : longue durée 8 323, courte durée 4 992.

Élections universitaires

Conseil des UER (1983-84). *Répartition des sièges en %* : Ile-de-France 19,79, province 28,86. UNEF Solidarité 18,04, UNEF ID 17,13, CNEF 4,76, CLEF 2,74, UNI 5,44, DILCOR 10,47, INDEP 37,16, PSA 1,01.

CROUS (1991). *Bénéficiaires* 1 605 727. *Élections* 54 823 votants, 52 716 suffrages exprimés ; taux de participation 3,45 %. *Suffrages exprimés en % par liste et,* entre parenthèses, *nombre de sièges :* UNEFID 21,59 (40), UNEF 20,87 (37), UNI 13,80 (28), CELF 4,52 (7), FAGE 1,84 (4), div. 37,38 (80).

Universités libres

■ **Établissements.** Peuvent passer des conventions avec les universités publiques. 7 établ. univ. privés l'ont fait pour certaines disciplines. Nombre 1986-87, 14 : *5 instituts catholiques* (Angers, Lille, Lyon, Paris et Toulouse) ; *facultés libres de théologie réformée ou protestante* (Aix, Montpellier et Paris) ; *facultés libres de droit* (Paris, Toulon) ; *faculté libre internat. pluridisciplinaire* (Paris) ; *2 établ. enseignant lettres et sciences hum.* (fac. libre de philo. comparée, la fac. libre de Paris) ; *Institut sup. libre de rééducation psychomotrice et de relaxation* (Paris).

■ **Diplômes.** *Dipl. propres,* reconnus off. par décret ou par la Commission des titres d'ingénieurs ; *dipl. d'État* pour formations paramédicales et soc. (DE) ou formations courtes (BTS par ex.) ; *dipl. universitaires* passés : devant une univ. publique en cas de convention ; ou un jury ministériel.

■ **Effectifs. Enseignement universitaire privé :** 19 162 dont par discipline : lettres 7 915, théologie et droit canonique 5 272, cours de français pour étrangers 2 054, sciences éco. et AES 1 366, sciences et MASS 1 135, médecine et bio. humaine 717, droit 464, STAPS 239 ; *dont par cycle filles,* entre parenthèses *en % :* 1er : 14 277 (66), 2e : 3 656 (56,5), 3e : 780 (41,4) Capes Capet Agrég. 449 (59,9). Étrangers 3 241 (16,9 %) *dont en % par cycle* 1er : 19,4, 2e : 9,2, 3e : 18,2. **Établissements catholiques :** *total* 17 851 (dont filles 11 356) dont Angers 9 074, Lille 3 952 (2 397), Lyon 3 623 (1 742). Étrangers 3 063 dont Paris 1 701, Angers 1 200, Lyon 402, Toulouse 257, Lille 117.

Principales universités et, entre parenthèses, effectifs globaux. Aix-en-Provence : *Fac. libre de théologie réformée,* 33, av. Jules-Ferry, 13100 *(65).* 1er, 2e, 3e cy. Programme de formation permanente. **Angers :** *Univ. cath. de l'Ouest,* 3, place André-Leroy, BP 808, 49008, Cedex 01 (théologie, lettres, histoire, lang. vivantes, psychologie, sc. de l'éducation, communication et sc. du langage, math., biologie, éd. physique et sportive ; éc. sup. d'électronique, de commerce, de chimie) (6 conventions avec des Universités d'État : psychologie, sciences de l'éducation, communication et sciences du langage, lettres, linguistique, théologie) *(9 074,* 1 200 étrangers + 5 150 pers. en format. perm.). **Lille :** *Univ. catholique de Lille* 60, bd Vauban, BP 109, 59016 Lille Cedex [sc. éco. *(1 086),* médecine *(572),* sc. *(708),* lettres et sc. humaines *(1 501),* théo. *(311),* soit *4 178* él. des fac. ; diplômes nationaux préparés (en convention avec Lille I, II et III, Paris II), 35 éc. et instituts de divers secteurs (lettres, sc. rel., méd., éco., gest., ens., communication, sc. et tech., sc. soc., ing.) 14 000 ét. (dont 320 étr. de 59 pays diff.) + 9 500 pers. en format. perm. **Lyon :** *Univ. catholique,* 25, rue du Plat, 69002 Lyon (droit, lettres, sc., philo. et théol., divers instituts spécialisés) *(7 422).* **Paris :** *Institut catholique de Paris* dit « la catho », 21, rue d'Assas, 75270 Cedex 06 et *Centre Polytechnique St-Louis* 13, bd l'Hautil, 95092 Cergy-Pontoise Cedex (sc. religieuses, lettres, divers instituts et écoles, bibl.-doc., interprétariat, éc. d'ingénieurs) *(15 795 ét.* dont 1/5 d'étrangers ; *900 enseignants* dont 150 prêtres et religieux) ; *Fac. libre de philosophie comparée,* 70, av. Denfert-Rochereau, 75014 *(230) ; Fac. libre et cogérée d'économie et de droit (Faco),* 115, rue N.-D.-des-Champs, 75006 *(350) ; Institut protestant de théologie,* 83, bd Arago, 75014 Paris. **Toulouse :** *Inst. cathol.,* 31, rue de la Fonderie, 31068 Cedex (sc. religieuses, lettres, sc., écoles professionnelles) *(4 892,* dont 286 ét. étrang.), 650 pour les conférences.

Examens et diplômes

Niveau d'instruction des Français

% des personnes de 10 ans et + sachant lire et écrire dans la population générale. *1901 :* sexe masc. 86,5-fém. 86,6 ; *1931 :* 95,2-94,3 ; *1946 :* 96,9-96,6.

% des époux et épouses sachant signer à leur mariage. *1686-90 :* époux 29-épouse 14, *1786-90 :* 47-27 ; *1816-20 :* 54,3-34,4 ; *1869 :* 76-63 ; *1890 :* 92-86 ; *1900 :* 95-94 ; *1910 :* 97,9-96,8 ; *1930 :* 99,3-99,1.

Sorties nettes des enseignements (1989-90)

relevant du min. de l'Éducation nationale

Niveau [3]		Enseign. second.	Enseign. agric.	Sanitaire et social	Apprent.	Total
VI	ae [1]	70 750	426			71 176
	ai [2]	25 765	426		801	26 992
V bis	ae	75 160	7 109	79		82 348
	ai	40 460	7 109	79	17 783	65 431
V	ae	173 571	18 692	2 012		194 275
	ai	162 910	18 692	2 012	90 407	274 021
IV sec	ae	61 494	5 300	718		67 512
	ai	60 654	5 300	718	2 547	69 219

Sorties des enseignements supérieurs (1991-92)

relevant du min. de l'Éducation nationale

	IV sup.	III	I et II	Total
Universitaire				
Non médicales } Médecine, pharm., dent.	54 300	28 250	79 800	171 650
			11 100	
IUT	4 400	15 900	–	20 300
Non universitaire				
Écoles sup.	–	–	35 798	35 798
ENI	–	5 150	–	5 150
STS	31 250	37 400	–	68 650
Total Éduc. nat.	**89 950**	**86 700**	**124 898**	**301 548**
Ens. agric.	2 100	5 600	2 199	9 899
Form. sanit.-sociale	2 800	20 100	403	23 303
Total général	**94 850**	**112 400**	**127 500**	**334 750**

Nota. – (1) ae : apprentissage exclu du système éducatif. Les jeunes qui quittent l'école pour entrer en apprentissage sont comptés comme sortants. (2) ai : apprentissage inclus dans le système éducatif. Les jeunes qui entrent en apprentissage ne sont comptés comme sortants que lorsqu'ils quittent l'apprentissage. (3) *Niveaux de formation VI :* sorties du 1er cycle du 2e degré et des Erea (6e, 5e, 4e), des formations pré-professionnelles en 1 an (CEP, CPPN, CPA) et des 4 premières années de SES et GCA. *V bis :* sorties de 3e, des classes du 2e cycle court avant l'année terminale, des 5e et 6e années de SES, et de la formation professionnelle en Erea. *V :* sorties de l'année terminale des 2e cycles courts professionnels et abandons de la scolarité du second cycle long avant la terminale. *IV :* sorties des terminales du 2e cycle long et abandons des scolarisations post bac avant d'atteindre le niveau III. *III :* sorties avec diplôme de niveau Bac + 2 ans (Dut, BTS, DEUG, instituteurs, écoles de santé,...). *I et II :* sorties avec diplôme de 2e ou 3e cycle universitaire, ou dipl. de grande école.

Niveau général. Malgré la croissance des effectifs, le nombre des sujets très brillants n'a pas augmenté. Le niveau des lauréats du concours général, des majors des plus hautes écoles (Normale, Polytechnique) et des plus brillants concours (internat de médecine, grand corps de l'État) ne s'est pas amélioré de façon nette.

Depuis 1900, le nombre des « premiers sujets » est resté d'env. 300 par année, celui des « seconds sujets » est passé de 300 à 2 000. En 1900, il y avait un « premier sujet » et un « second sujet » sur 20 bacheliers ; en 1985, un « premier sujet » et 30 « seconds sujets » sur 120 bacheliers.

☞ Selon le Conseil économique et social, chaque année, on peut estimer à plus de 25 milliards de F le coût des redoublements des élèves qui, du cours préparatoire, parviennent aux classes terminales des seconds cycles.

Chaque année, 200 000 élèves quittent l'école sans diplôme ou qualification reconnue. Le montant des dépenses consacrées à ces formations non valorisées au regard des critères de réussite du système éducatif était estimé à 60 milliards de F (en 1984).

Coût de l'échec constaté du système éducatif chaque année : env. 2 % du PIB

Élèves sortant du système éducatif en 1989-90 selon leur situation au 1-2-91

	Solution d'insertion Contrats de travail			Autres solutions Insertions différées				Pas de solution	Effectifs sortis en 1989-90
	Apprentis	Contrats d'adaptation qualification	Salariés	TUC SIVP	Autre stage	Service national	Non recherche d'emploi	Recherche d'emploi	
Niveau VI	65,8	1,5	4,9	3,7	7,0	0,2	2,8	14,1	61 672
5e	50,2	2,6	6,1	4,2	13,8	0,0	6,4	16,7	4 462
4e	68,4	2,5	8,4	0,8	4,9	0,3	1,9	12,9	8 748
CPPN	50,3	2,1	5,7	6,1	7,2	0,3	4,6	23,6	12 521
CPA	73,0	1,0	3,8	3,2	6,4	0,2	1,7	10,8	35 469
CEP	22,3	2,4	11,6	20,5	12,3	0,0	11,4	19,5	472
Niveau V bis	42,6	2,8	15,3	5,2	5,7	6,9	4,0	17,5	68 217
3e	70,8	1,3	6,3	2,9	4,5	0,8	3,3	10,0	21 019
1er CAP 3 ans	27,6	5,2	16,3	6,5	6,1	7,1	3,9	27,2	6 266
2e CAP 3 ans	19,7	4,4	16,4	7,1	7,8	12,6	6,4	25,6	6 202
1er BEP	13,5	3,4	27,8	7,5	5,7	14,9	4,5	22,9	17 348
1er CAP 2 ans	13,4	1,7	27,2	4,8	4,9	20,7	4,7	22,7	1 589
4e Techno	43,5	2,7	13,5	6,0	7,6	3,3	4,1	19,2	6 673
3e Techno	48,0	4,1	13,1	5,0	6,5	4,2	3,1	16,0	9 120
Niveau V	5,0	5,1	35,4	7,6	3,7	19,3	3,1	20,7	182 479
3e CAP 3 ans	6,4	3,8	32,5	7,1	4,1	20,7	1,6	23,8	36 966
2e BEP	4,0	4,9	34,7	10,0	3,9	17,6	2,3	22,6	92 616
2e CAP 2 ans	5,5	12,0	35,0	3,3	3,5	17,5	1,1	22,1	8 046
CAP en 1 an	1,3	13,2	39,3	3,0	3,1	12,7	5,3	22,2	2 800
FC CAP	1,7	6,8	40,9	6,2	2,1	23,8	1,5	17,1	10 500
MC CAP-BEP	2,8	6,8	35,8	1,4	2,1	41,7	2,5	6,8	4 740
2e	19,0	3,9	30,7	5,0	4,5	14,2	8,2	14,6	9 633
1re ABSE	8,1	3,5	30,7	4,9	3,8	12,5	12,9	23,6	3 354
1re BTn	2,8	3,6	39,8	3,1	3,6	27,9	9,3	10,0	6 491
1re BT	4,0	6,7	37,8	2,3	8,2	27,8	4,1	9,1	460
1re Adapt.	4,9	4,3	48,6	6,7	1,5	12,8	4,6	16,6	2 558
1re Bac Pro	1,9	3,8	50,1	7,4	2,0	18,1	2,1	14,6	4 315
Total 1res	4,0	3,8	41,6	4,9	3,1	20,4	7,6	14,6	17 178
Niveau IV	1,2	4,9	47,6	3,2	4,3	17,2	3,9	17,7	60 370
Term. BTn	1,6	4,9	45,1	4,0	6,0	12,5	5,6	20,2	35 246
Term. BT	0,5	3,7	52,2	1,2	2,7	25,4	2,6	11,7	1 983
Term. Bac Pro	0,7	5,1	50,7	2,2	1,9	23,2	1,5	14,7	23 141
ENSEMBLE	19,5	4,2	29,8	5,8	4,6	14,0	3,4	18,7	372 738

Enseignement technique

Niveau V (ouvriers qualifiés). **CAP** *nationaux :* 317 spécialités différentes ; *départementaux :* 27 métiers ou options. **Brevet d'études professionnelles (BEP) :** 85 spécialités, env. 80 % des candidats au BEP passent en même temps les épreuves du CAP. **Niveau IV** (maîtrise et techniciens). **Brevet professionnel (BP) :** recherché souvent par des titulaires d'un CAP ou BEP, exerçant déjà un métier et pouvant obtenir, après une préparation extra-scolaire de 2 ou 3 ans, une formation spécialisée complémentaire dans le cadre de la promotion sociale. *BP nationaux :* 78 spécialités ; *départementaux :* 9 spécialités. **Brevet de technicien (BT) :** 71 spécialités et options, en fin de classe terminale d'une formation professionnelle du 2e cycle long. **Bac de technicien** (voir tableau p. 1257). **Niveau III** (techniciens sup.). **Brevet de techn. sup. (BTS) :** après le bac et 2 ans d'études générales et tech. 124 spécialités ou options. **Diplôme universitaire de technologie (DUT)** (voir IUT p. 1245).

Examens. Candidats présentés et, entre parenthèses, admis (1990, Fr. sans TOM, public + privé) : *CAP nationaux et départementaux :* 403 091 (262 589 : 65,1 %) ; *BEP :* 221 573 (156 524 : 70,6 %). *BP nationaux et départementaux :* 34 164 (12 228 : 35,8 %). *BT :* 12 095 (8 348 : 69 %). *BTS :* 90 096 (52 523 : 58,3 %).

Diplômés de l'ens. agricole public et privé (1989). Capa 8 209, Bepa 15 919, BTA 8 144, BAC D' 1 391, BTSA 4 669.

« Surdoués »

Il y aurait 1 surdoué pour 10 000 enfants. Se manifestent par un développement prématuré du langage, de la lecture (33 % savent lire avant 5 ans), une curiosité inlassable, une grande capacité d'assimilation. Il y a aussi des surdoués *créatifs* (plus difficiles à dépister). **Classes :** *3 classes expérimentales* à l'école publique Las Planas (Nice) [(quotient intellectuel de 130 à 160) couvrant le programme primaire en 3 ans (5 à 8 ans) au lieu de 5]. *Classe de 6e/5e* lycée privé Michelet (Nice). En sept. 1991, la presse a signalé le cas d'Arthur Raniandrisva (14 ans, qi 170) qui avait passé son BEPC à 9 ans 1/2, le bac à 13 et terminait à 14 une maîtrise de math. pures à l'UFR de Paris VI. Il n'avait jamais été à l'école mais avait été pris en mains par son père d'origine malgache et sa mère (bourguignonne) qui lui avaient fait donner des leçons particulières.

Bégaiement

Fréquence : dans les 3/4 des cas les petits garçons. 50 % apparaissent avant 5 ans, 80 % avant 7 ans. **Origine :** physiologique et psychologique, avec peut-être une prédisposition héréditaire (fréquence 6 à 7 fois plus grande dans les familles de bègues). **Causes** (souvent associées) : déficit moteur, dominance latérale, gauchers contrariés (exceptionnellement), retard d'élaboration du langage (chez 50 %), problèmes psychologiques (troubles émotionnels, anxiété, critiques familiales, problèmes conflictuels avec la mère, taquineries de camarades) transformant en un « bégaiement vrai » ce qui, au départ, n'était qu'un « bégaiement primaire » appelé normalement à disparaître. La crainte des moqueries des camarades qui imitent le petit bègue entraîne un repli sur soi et des frustrations. **Traitements :** parmi + de 300 méthodes, on peut retenir 3 catégories : la *psychothérapie* qui ne modifie pas le bégaiement à elle seule mais est indispensable à un bon résultat ; les *techniques psychomotrices :* rééducation respiratoire, relaxation, etc. ; *techniques orthophoniques :* rééducation du langage, conduisant à une « régulation vocale ». Enfin, de façon temporaire, une *thérapeutique médicamenteuse* peut être associée.

Dyslexie

Fréquence 5 à 10 % des enfants d'âge scolaire (2 fois plus de garçons que de filles) ; 10 à 20 % rencontrent des difficultés temporaires dues à une immaturité du cerveau, à une méthode de lecture mal adaptée (ex. : la méthode globale telle qu'elle fut présentée à ses débuts), à des troubles psycho-affectifs... **Troubles associés** (troubles de la structuration spatiale, retard de langage, troubles affectifs) et retards dans d'autres étapes de la vie scolaire (apprentissage de l'orthographe, du calcul, etc.). Avant 7 ou 8 ans, il semble difficile de faire un diagnostic correct. Le dépistage précoce, suivi d'une rééducation appropriée, permet de transformer le comportement de l'enfant : il perd son sentiment de culpabilité, clarifie sa pensée, découvre parfois le goût de l'effort intellectuel. **Renseignements :** UNFD *Union nationale France dyslexie* (3, rue Franklin, 75016 Paris). *APAED* (Ass. de parents et amis d'enfants dysl.), BP 34, 95150 Taverny. *Apeda-France* (Ass. fr. de parents d'enfants en difficulté d'apprentissage du langage écrit), 3 bis, avenue des Solitaires, 78320 Le Mesnil-Saint-Denis. *APTL* (Ass. nat. de parents pour l'adaptation scolaire et professionnelle des enfants et adolescents atteints de troubles du langage), 182, rue Nationale, 36400 La Châtre. *CAED* (Comprendre et aider les enfants dysl.), 4, rue Pierre-Guilbert, 91330 Yerres. *SOS Dyslexia* (Ass. de parents, professionnels, jeunes et adultes concernés par les troubles du langage écrit), 36, rue de la Pompe, 75116 Paris.

Brevet des collèges

■ **Diplôme national** institué par le décret du 6-9-1985 (12 ans après la suppression du BEPC), comporte un examen en plus du contrôle continu des connaissances des élèves. *1988 :* 547 409 admis soit 66,1 %. Un nouveau dipl. a été institué pour la session 87 [3 séries : « collège », « technologique » et « professionnelle » (pour él. des cl. de 3e préparatoire)].

Taux de succès (en %). *1990 :* 73, *71 :* 72,7. **Garçons et**, entre parenthèses, **filles :** *total* 69,5 (71,4), **candidats scolaires** dont série *collège* [établissements publics 71,7 (72,3), privés sous contrat 81,3 (83,9), autres 50 (50,7)], *technologie* [publics 60,1 (64,3), pr. sous contrat 77,1 (71,2)], *professionnelle* [publics 53,2 (55,5), pr. sous c. 64,4 (64,3)]. **Candidats individuels** dont *collège* 28 (21,6), *technologie* 44 (47,6), *profess.* 55,8 (57,8).

Taux de réussite les plus élevés : Rennes 80,7 %, Toulouse 79,2, Grenoble 77,2. **Taux lesplus faibles :** Créteil 63,3, Paris 63,5, Lyon 67,6.

☞ **Principaux brevets français.** *Brevet d'apprentissage agricole ; d'aptitude à l'animation socioéducative* (Base) créé 5-2-1970 ; *élémentaire* (BE) créé 18-1-1887 ; *d'enseignement* (commercial industriel BEI) et supérieur d'études comm. BSEC (supprimé) ; *d'études du 1er premier cycle* (BEPC) créé 1974 remplace BEPS (Brevet d'études primaires supérieures) maintenu jusqu'à la mise en place du brevet d'études générales ; *d'études professionnelles* (Bep) ; *prof. agricoles* (Bepa) ; *professionnel* (BP) ; *sportif populaire* ouvert garçons moins 13 ans, filles moins 12 ans ; *sportif scolaire* (BSS) ; *supérieur de capacité* créé 1887 modifié 1928, supprimé ; sanctionnait les études faites dans une école normale ou une école primaire supérieure (3 années après le BE) ; *technicien* (BT) ; *techn. agricole ; techn. supérieur.*

Brevet. Session 1993
Taux de réussite (en %) par séries

	Collèges	Techno.	Prof.	Total
Aix-Marseille	72,5	71,4	56,9	72,0
Amiens	77,6	68,3	57,1	75,7
Besançon	72,0	68,2	53,7	70,7
Bordeaux	72,3	46,6	50,6	67,8
Caen	74,4	52,6	49,2	70,5
Clermont-Ferrand	78,0	63,5	53,2	74,9
Corse	68,1	69,2	70,0	68,2
Créteil	64,4	58,4	52,4	63,3
Dijon	79,7	58,9	51,9	76,3
Grenoble	79,1	70,3	54,1	77,2
Lille	70,2	73,9	67,8	70,3
Limoges	75,8	69,6	57,6	74,1
Lyon	69,7	61,0	46,6	67,6
Montpellier	75,3	71,4	48,2	73,9
Nancy-Metz	76,5	70,8	65,5	75,1
Nantes	77,3	64,8	57,5	74,8
Nice	77,1	77,0	56,7	76,5
Orléans-Tours	72,3	60,7	68,4	70,7
Paris	64,7	55,9	49,5	63,5
Poitiers	75,6	76,9	73,5	75,6
Reims	72,7	62,9	55,2	70,5
Rennes	84,3	66,1	59,7	80,7
Rouen	77,1	73,0	76,5	76,5
Strasbourg	71,5	66,7	43,6	69,9
Toulouse	81,1	75,6	60,9	79,2
Versailles	72,4	65,7	59,3	71,3
France métropolitaine	**74,1**	**65,8**	**58,7**	**72,4**

Baccalauréat

■ Histoire

Moyen Age le mot vieux-provençal et dialectal espagnol *bacalar* désigne une figue-fleur et par analogie un jeune paysan (langue d'oïl : bachelier). On appelait « bacheliers » les jeunes clercs admis à l'essai dans les chapitres de chanoines.

XVIe s., cet état est réservé aux maîtres ès arts (reçus à la déterminance après 2 ans d'études de

Résultats prov. du baccalauréat général 1993 (France métrop., public + privé) et % d'admis.

ACADÉMIES	Série A		Série B		Série C		Série D		Série D′		Série E		TOUTES SÉRIES	
	Présents	% Admis	Présents	% Admis	Présents	% Admis	Présents	% Admis	Présents	% Admis	Présents	% Admis	Présents	% Admis
AIX-MARSEILLE	4 697	70.1	4 398	66.9	3 291	81.5	3 586	76.4	52	59.6	514	67.1	16 538	72.8
AMIENS	2 761	67.5	3 304	64.1	2 230	81.8	2 708	68.5	190	64.7	414	74.2	11 607	69.7
BESANÇON	1 878	71.3	1 871	64.9	1 555	79.4	1 643	70.9	0		317	64.0	7 264	71.0
BORDEAUX	5 892	74.2	3 820	69.2	3 134	85.2	4 221	77.6	156	66.0	618	75.6	17 841	75.8
CAEN	2 674	72.0	2 475	67.2	1 553	84.7	2 106	74.5	75	52.0	213	67.6	9 096	73.2
CLERMONT	2 387	76.7	2 199	72.0	1 523	81.8	1 872	76.7	136	64.0	243	78.2	8 360	76.2
CORSE	541	77.3	320	65.6	309	80.6	294	73.5	0		32	68.7	1 496	74.5
CRÉTEIL	5 277	69.3	6 147	62.0	4 875	78.2	4 312	65.1	0		538	63.9	21 149	68.2
DIJON	2 680	76.6	2 533	66.3	2 135	79.8	1 947	69.6	39	87.2	471	74.7	9 805	73.2
GRENOBLE	5 281	72.8	4 863	68.5	4 063	80.1	3 925	72.3	0		777	73.4	18 909	73.2
LILLE	6 951	65.2	6 346	60.6	5 776	83.5	7 152	70.0	0		1 220	75.6	27 445	69.7
LIMOGES	1 341	68.5	877	67.2	808	83.3	1 053	71.5	68	54.4	193	72.0	4 340	71.7
LYON	4 356	75.9	5 205	66.1	3 686	84.3	3 839	74.7	203	66.5	684	74.4	17 973	74.4
MONTPELLIER	3 845	71.1	3 029	67.7	2 986	80.6	2 630	79.5	114	67.5	418	72.0	13 022	74.2
NANCY-METZ	3 984	70.8	3 825	65.3	3 507	76.9	3 342	70.0	66	48.5	908	68.9	15 632	70.4
NANTES	6 255	74.9	6 093	72.0	4 074	84.1	5 598	79.1	246	77.6	536	67.2	22 802	76.7
NICE	2 816	71.0	2 827	69.4	2 192	80.2	2 119	72.3	52	55.8	338	71.3	10 344	72.7
ORLÉANS-TOURS	3 798	76.2	3 837	72.6	3 635	80.1	3 132	75.0	133	65.4	652	67.0	15 187	75.5
PARIS	5 324	72.0	5 019	69.8	4 652	86.0	3 405	69.5	0		271	71.6	18 671	74.4
POITIERS	2 947	74.8	2 515	69.7	2 011	83.4	2 400	77.4	76	69.7	377	73.5	10 326	75.8
REIMS	2 163	70.9	2 809	60.6	1 908	75.3	1 969	69.7	96	56.2	426	63.6	9 371	68.0
RENNES	5 208	71.4	5 386	73.2	4 158	86.9	5 287	77.2	314	65.0	819	78.0	21 172	76.5
ROUEN	2 714	67.3	3 618	63.0	1 892	85.5	2 482	70.6	59	39.0	307	71.0	11 072	69.7
STRASBOURG	2 093	78.1	2 046	69.6	2 487	83.2	1 913	72.7	50	62.0	480	70.8	9 069	76.0
TOULOUSE	4 614	80.5	3 312	75.7	3 180	87.8	3 753	81.9	188	71.8	585	85.6	15 632	81.4
VERSAILLES	6 361	76.4	9 709	73.6	7 406	87.4	6 361	77.8	37	73.0	656	74.7	30 530	78.4
TOTAL GÉNÉRAL	98 838	72.7	98 383	68.1	79 026	82.9	83 049	74.0	2 350	65.2	13 007	72.3	374 653	73.9

logique). Les baccalaureati sont admis à préparer la licence, et le baccalaureatus devient le temps d'étude nécessaire pour être licencié (2 autres années).

1808 *(17-3)* Napoléon rétablit la maîtrise ès arts et lui donne le nom de baccalauréat qui devient un grade universitaire (5 b. : lettres, sciences, médecine, droit, théologie). **1808-21** littéraire et oral (explication d'un auteur latin ou grec). **1821** questions de math. et physique (oral). **1830** épreuve écrite (composition ou version) ; questions sur les syllogismes obligatoires à l'oral. **1840** version latine obligatoire et éliminatoire ; auteurs français au programme de l'oral. **1852** écrit : version latine, composition latine ou française ; oral : logique, histoire-géographie, arithmétique, géométrie, physique élémentaire. **1857** composition obligatoirement en latin. **1864** *(27-11)* décret Duruy : composition philosophique à l'écrit ; oral non précisé sur les matières enseignées. **1874** 2 séries d'épreuves : 1°) version et composition latines ; 2°) composition philosophique (en français) et version de langue vivante. **1880** les 2 séries sont nommées *rhétorique* et *philosophie* (1° version latine, composition française, thème de langue vivante ; 2° composition philosophique, composition scientifique). **1896** création du bac classique et du bac moderne (2 langues vivantes au lieu du latin).

1902 section A (latin-grec), B (latin-langues), C (latin-sciences), D (sciences-l. vivantes). **1925** A (latin-grec), A' (latin sans grec), B (français, 2 l. vivantes). **1945** technique créée. **1963** 1 seule série (l'ancienne 2e partie) ; options : philosophie, sciences expérimentales, math., technique, sciences économiques ; examen probatoire. **1965** examen probatoire supprimé. **1969** épreuve de français anticipée en 1re année. **1983** mentions supprimées. **1984** rétablies.

Statistiques

■ **Nombre de bacheliers. 1809** 32. **1850** 4 147 (ès Lettres ou Philosophie 3 279, ès Sciences 868). **1900** *2e partie* 5 717 (Philo. 4 537, Math. 1 180). **1914** *1re partie* 9 635 ; *2e* 7 733 (Phil. 4 773, Math. 2 960).

1930 *1re partie :* 17 012 (A 3 121, A' 8 147, Latin-Sc. 1 422, B 4 322) ; *2e partie :* 15 566 (Phil. 11 413, Math. 4 153). **1939** *1re partie :* 33 104 (A 10 053, A' 14 737, B 8 314) ; *2e partie :* 23 977 (Phil. 16 573, Math. 7 404). **1950** *1re partie :* 40 333 (A 6 210, B 9 094, C 6 927, M 16 239, T 1 863) ; *2e partie :* 32 362 (Phil. 17 186, Sc. 6 747, Math. 7 474, Math. et Techn. 955). **1960** *1re partie :* 88 335 (A 4 983, A' 1 277, B 14 752, C 12 807, M 27 281, M' 21 327, T 5 385, T' 523) ; *2e partie :* 56 278 (Phil. 23 344, Sciences ex. 15 434, Math. 17 061, Math. et Techn. 248, Techn. écon. 191). **1990** voir ci-contre.

Coût du bac (1989). 75 millions de F soit 251 F par candidat.
En 1993, un correcteur examine environ 200 copies (100 en philosophie) et touche de 8,40 à 10,56 F par copie.

■ **% de bacheliers par génération. 1850** garçons 1,3 ; **70** 1,9 ; **80** 2 ; **90** 2,2 ; **1900** 1,8 ; **10** garçons 2-filles 0,02 ; **20** 2,8-0,4 ; **30** 3,9-1,2 ; **40** 5,6-2,9 ; **50** 5,9-4,4 ; **55** 8-6,7 ; **60** 12,6-12,4 ; **65** 11,6-11,8 ; **68** 18,5-20,8 ; **70** 18,5-21,5 ; **75** 22,2-29,9 ; **79** 25,33 ; **83** 27,9 ; **87** 32,8 ; **88** 36 ; **92 :** 51,2 ; **vers 2000** (prév.) 57.

■ **Nombre de candidats** (1992). 607 000. *Séries : A :* 99 353 ; *B :* 100 484 ; *C :* 76 477 ; *D :* 82 571 ; *D' :* 2 373 ; *E :* 12 024.

Origine de l'enseignement (en %, en 1988) : *sur le nombre de présentés :* Public 74,2 (E 91,6, C 79,4), privé 23,6 (D' 27,9, B 26), cand. individuels 2,2 ; *d'admis :* public 75,7, privé 73,8, c. individuels 32,4.

■ **Admis** (1992, prov.). *Directement au 1er groupe d'épreuves* (au moins 10 de moyenne) : 194 691 (série A 47 650, série B 41 318, série C 52 431, série D 45 868, série D' 1 115, série E 6 309. *Admis au 2e groupe d'épr.* (note entre 8 et 10 au 1er gr., au moins 10 au 2e gr.) : 76 959. **Taux selon les académies :** voir ci-dessus.

■ **Certificat de fin d'études secondaires** (non-admis au bac ayant obtenu entre 8 et 10). 28 834.

■ **Bonnes notes.** En 1983, à Paris, sur 19 608 candidats à l'épreuve anticipée de français, *7 :* ont obtenu 19 sur 20 à l'écrit (*23* à l'oral), *30 :* 18 sur 20 à l'écrit (*118* à l'oral), *84 :* 17 sur 20 à l'écrit (*249* à l'oral), *210 :* 16 sur 20 à l'écrit (*636* à l'oral), *382 :* 15 sur 20 à l'écrit (*1 116* à l'oral).

% des candidats selon les notes obtenues (en 1987). **15 sur 20 et +, entre parenthèses 15 à 10 sur 20. Écrit :** *A1 :* 4 % (34 %) ; *A2 :* 4 (27) ; *A3 :* 2 (26) ; *B :* 2 (32) ; *E :* 1 (21) ; *S :* 5 (39). **Oral :** *A1 :* 10 (58) ; *A2 :* 10 (58) ; *A3 :* 7 (46) ; *B :* 9 (59) ; *E :* 5 (64) ; *S :* 14 (58).

Mentions (en 1992). Sur 277 473 bacheliers en métropole, il y a 68 081 mentions dont assez-bien 51 498 (18,6 % du total), bien 13 965 (5,03), très-bien 2 618 (0,94).

% des bacheliers ayant une mention selon les séries. *C :* 43,5 (AB 28,8 ; B 12,1 ; TB 2,6). *A1 :* 23,6 (AB 17,9 ; B 4,7 ; TB 0,9). *D :* 24,7. *E :* 25,9. *A2 :* 20. *A :* 20,8. *D + D' :* 24,4. *B :* 15,6. *A3 :* 12,4.

% de bacheliers admis

% admis	1975	1980	1985	1990	1992
A	24,9	17,9	18,3	17,7	18,3
B	10,3	13,9	15,9	16,7	17
C	15	13	13,3	15,8	16
D, D'	23	21,6	17,6	16,3	15,9
E	2,6	0,3	2,2	2,2	2,1
F	9,3	9,5	13,2	11,4	11,1
G	15,3	17,6	19	20,2	19,4
H	0,2	0,2	0,5	0,09	0,05
Total	*100*	*100*	*100*	*100*	*100*

Organisation en 1993

■ **Épreuves.** En 2 groupes : *1er :* épreuves écrites et orales (matières obligatoires) ; *2e :* épreuves orales au choix du candidat.

Épreuve d'éducation physique et sportive : obligatoire dans le 1er groupe d'épreuves ; si la note est supérieure à 10, elle compte dans le total des notes des épreuves du 1er groupe. Sinon, elle entre en déduction du total de ces points, sauf s'il y a attestation d'assiduité et d'application aux cours d'EP du chef d'établissement.

Épreuves facultatives : dessin, musique, éducation ménagère, langues vivantes étrangères et régionales, travail manuel (mécanique ou menuiserie) : seuls les points au-dessus de 10 entrent en ligne de compte.

■ **Séries et options.** *A (Philo-lettres) :* A1 (latin, grec) ; A2 (latin, langues) ; A3 (latin-math.) ; A4 (langues, math.) ; A5 (langues) ; A6 (éduc. musicale) ; A7 (arts plastiques). *B* (Économique et social). *C* (Math. et sciences physiques). *D* (Math. et Sciences de la nature). *D'* (Sc. agronom. et Technique). *E* (Sc. et Technique). *F* (Industriel), *F8* (Médico-social), *11 et 11'* (Musique et danse). *G1 à 3* (Économie). *H* (Informatique).

Coefficients des disciplines selon les séries. Épreuves du 1er groupe. ÉCRIT : Français (en 1re ; 4 h) : *A1* 3, *A2* 3, *A3* 3, *B* 3, *C* 2, *D* 2, *D'* 2, *E* 2. **Philo** (4 h) : *A1* 5, *A2* 5, *A3* 5, *B* 3, *C* 2, *D* 2, *D'* 2, *E* 2. **Math.** (4 h) : *A1* 4 (3 h), *B* (3 h) 3, *C* 5, *D* 4, *E* 5. **Histoire/géo.** (3 h 30) : *A1* 3, *A2* 3, *A3* 3, *B* 3, *C* 2, *D* 2, *D'* 2. **Langue** (3 h) : *A1* (vivante ou ancienne) 3, *A2* (V I) 4, *A3* (V ou anc.) 3, *B* (V I) 3. V 2 ou V 3 ou anc. : *A2* 3. **Enseignement artistique** (3 h) : *A3* 3. **Sciences éco. et sociales** (3 h) : *B* 4. **Sciences physiques** (3 h) : *C* 5, *D* 4, *D'* 3, *E* 4. **Sciences nat.** (3 h) : *C* 2, *D* 4. **Sciences biologiques** (3 h) : *D'* 4. **Construction mécanique** (4 h) : *E* 4. **ORAL : LV ou ancienne non choisie à l'écrit :** *A1* 3, *A2* 3, *A3* 3, *B* 3, *C* 3, *D* 3, *D'* 3, *E* 3. **Math. :** *A2* 2, *A3* 2. **Enseignement artistique :** *A3* 3. **Sciences écon. :** *D'* 3. **Sc. agron. :** *D'* 5. **Technique pratique :** *E* 3.

■ **Résultats. 3 cas peuvent se présenter :** *l'élève a eu : 1) moins de 8 de moyenne au 1er gr. :* il est ajourné. Il peut demander un certificat de fin d'études secondaires au directeur de l'académie, ou redoubler ; *2) entre 8 et 10 :* il doit passer les épreuves du 2e groupe ; il est reçu si la moyenne générale des 1er et 2e gr. est au moins égale à 10 ; *3) 10 ou + :* il est définitivement admis.

☞ **Quelques personnalités n'ayant pas eu leur bac :** Pierre Bérégovoy, Gal Bigeard, Marcel Bleustein-Blanchet, Alain Delon, Gérard Depardieu, Sylvain Floirat, Sacha Guitry, Georges Marchais, Alain Perrin (P-DG de Cartier), Antoine Pinay, Sheila.

Concours général

■ **Origine.** *Fondé* 1744 par l'université de Paris grâce au legs de l'abbé Louis Le Gendre († 1734), *1re distribution des prix* à la Sorbonne 23-8-1747. Remis en vigueur par Bonaparte (consul) 23 fructidor an XI. Supprimé 1906, rétabli 1921.

■ **Organisation.** Par le min. de l'Éducation nat. et rectorats en liaison avec le min. des Aff. étr., le min. de la Coopération et les insp. d'académies. Ouvert aux meilleurs élèves inscrits par leurs professeurs de 1re et de terminale des établissements publics et privés sous contrat, et des lycées français de l'étranger.

Correction : un jury national pour chaque matière. *Remise des prix :* fin juin.

Résultat prov. du baccalauréat de technicien 1993 (France, public + privé) et % d'admis.

Académies	Secteur industriel F1 à F7, F9, F10		Sciences médico-sociale F8		Secteur économique G1, G2, G3		Musique et danse F11, F11'		Arts appliqués F12		Informatique H		Toutes séries	
	Présents	% Admis	Présents	% Admis	Présents	% Admis	Présents	% Admis	Présents	% Admis	Présents	% Admis	Présents	% Admis
AIX-MARSEILLE	2 117	63.7	620	51.0	4 430	57.9	8	100.0	40	77.5	0		7 215	59.1
AMIENS	1 947	57.1	678	57.2	4 016	66.7	0		32	65.6	0		6 673	62.9
BESANÇON	1 275	68.5	269	76.2	1 649	66.9	6	100.0	27	92.6	9	77.8	3 235	68.6
BORDEAUX	2 128	70.1	575	65.7	4 404	63.8	18	94.4	19	89.5	0		7 144	66.0
CAEN	1 179	68.8	355	61.4	2 858	66.0	6	100.0	36	88.9	0		4 434	66.6
CLERMONT	1 083	71.3	501	59.3	2 047	68.6	0		23	69.6	18	77.8	3 672	68.2
CORSE	85	52.9	82	43.9	336	64.6	0		0		0		503	59.2
CRÉTEIL	2 927	64.8	1 085	57.5	7 834	60.0	20	85.0	32	68.7	5	60.0	11 903	61.0
DIJON	1 583	72.4	410	67.1	2 813	69.4	10	100.0	23	100.0	0		4 839	70.4
GRENOBLE	2 393	73.0	617	71.6	4 881	66.6	6	83.3	18	83.3	0		7 915	69.0
LILLE	5 088	60.0	1 617	55.3	9 363	64.0	26	92.3	143	67.1	0		16 237	61.9
LIMOGES	700	68.4	228	61.4	1 248	58.3	0		23	91.3	0		2 199	62.2
LYON	2 435	73.7	697	69.4	4 783	63.4	0		150	89.3	0		8 065	67.5
MONTPELLIER	1 337	65.4	531	62.0	3 569	66.0	9	88.9	28	89.3	0		5 474	65.6
NANCY-METZ	3 190	65.0	842	68.1	4 374	63.2	29	93.1	37	81.1	15	40.0	8 487	64.5
NANTES	2 548	75.2	957	72.4	5 947	71.5	42	95.2	100	48.0	0		9 594	72.5
NICE	853	66.4	227	50.7	2 807	61.6	28	92.9	0		0		3 915	62.2
ORLÉANS-TOURS	2 249	63.6	515	71.5	4 205	69.7	13	92.3	57	77.2	0		7 039	68.0
PARIS	1 449	68.6	522	61.3	3 195	64.7	29	79.3	143	83.9	7	42.9	5 345	66.0
POITIERS	1 236	63.7	376	69.9	2 869	71.7	0		57	63.2	0		4 538	69.3
REIMS	1 319	68.2	422	70.1	2 068	65.3	12	100.0	0		13	69.2	3 834	67.0
RENNES	2 860	75.0	871	70.1	6 535	73.0	0		49	67.3	83	85.5	10 398	73.4
ROUEN	1 812	63.0	530	73.2	3 560	62.0	10	90.0	19	94.7	0		5 931	63.5
STRASBOURG	1 664	67.2	445	76.0	1 998	70.8	4	100.0	21	85.7	20	60.0	4 152	70.0
TOULOUSE	2 195	73.1	580	69.5	3 984	69.0	12	100.0	34	85.3	0		6 805	70.5
VERSAILLES	3 215	66.0	1 093	66.4	10 707	72.8	25	96.0	58	74.1	27	55.6	15 125	70.9
TOTAL GÉNÉRAL	50 867	67.3	15 645	64.7	106 480	66.4	313	92.7	1 169	76.7	197	71.1	174 671	66.7

Candidats. *1978 :* 3 700 ; *79 :* 3 461 ; *80 :* 3 735 ; *81 :* 4 122 ; *82 :* 4 002 ; *83 :* 4 388 ; *84 :* 5 717 ; *85 :* 4 274 ; *86 :* 4 518 ; *87 :* 6 488 ; *88 :* 8 645 ; *89 :* 9 086 [195 ont obtenu un prix ou accessit dont 97 filles. Le plus jeune 15 ans, le plus âgé 23 ans. *90 :* 10 289 ; *91 :* 10 286 ; *92 :* 10 776 ; *93 :* 11 240.

Épreuves (36 entre mars et mai). **1re : composition** française *(séries A,B,S,E,)*, version latine *(A, B, S)*, version grecque *(A, B, S)*, thème latin *(A, B, S)*, histoire *(A, B, S)*, géographie *(A, B, S)*. **Terminale :** construction *(E)*, technologie informatique *(H)*, technologie (11 épreuves : *F1, F2, F3, F4, F5, F6, F7, F7', F8, F9, F10)*, langues : all., angl., arabe, esp., hébreu, ital., port., russe *(A, B, C, D, E)*, philo. *(A, B, C, D, E)*, économie et droit *(G1, G2, G3)*, sc. écon. et sociales *(B)*, math. *(C, D)*, sc. naturelles *(D)*, sc. physiques *(C, D, E)*.

1res et terminale : éducation musicale, arts plastiques.

Diplômes supérieurs

Diplômes délivrés en 1990

Formations à l'Université dans les disciplines générales. *Niveau bac + 2* (Deug, Deust) : 88 183 ; droit, sciences éco. 26 199 ; lettres ens. du 1er degré 39 127 ; sciences 22 857.

Bac + 4 (maîtrise, MST, MSG, Miage) : 51 189 ; droit, sciences éco., 20 187 ; lettres 16 308 ; sciences, 14 694.

Bac + 5 (DEA, DESS, magistère) : 33 150 ; droit sciences éco. 12 399 ; lettres 8 506 ; sciences 12 455.

Formations supérieures à finalité professionnelle. *Niveau bac + 2 :* 69 637 ; BTS 42 125 ; DUT 26 353 ; DEUST 1 211.

Bac + 4 : 5 427 ; MST 3 216 ; MSG 1 456 ; Miage 755.

Bac + 5 : 13 115 ; DESS 12 624 ; magistère 491.

Étudiants obtenant leur diplôme sur 100 inscrits en 1re année

	niveau Deug	niveau maîtrise	Doctorat médecine
Lettres	60	40	–
Droit	55	45	–
Sciences éco.	50	40	–
Sciences	47	30	–
Médecine	40	–	35

Nota. – **AES :** Administr. éco. et sociale. **DEA :** dipl. d'études approfondies. **DESS :** supérieures spécialisées. **Deug :** universitaires générales. **DEUST :** univ. en sciences et techniques. **Deut :** univ. de tech. **MASS :** Maths appliquées aux sciences soc. **Miage :** Méthodes informatiques appliquées à la gestion. **MSG :** Maîtrise de sciences de gestion. **MST :** de sciences et techniques. **STAPS :** Sciences et techn. des activités physiques et sportives.

Licences délivrées en 1989

Lettres. 28 862 dont histoire 4 058, lettres modernes 3 610, anglais 3 104, psychologie 2 764, lettres étrangères appliquées 2 448, sc. de l'éducation 1 258, sociologie 1 176, géographie 1 161, espagnol 1 101, histoire de l'art et archéologie 872, philosophie 789, allemand 752, information et communication 703, éduc. musicale 542, arts plastiques 537, sc. du langage 400, lettres classiques 384, italien 310, cinéma 308, français langue étrangère 276, aménagement 274, ethnologie 230, sc. du langage mention FLE 199, sc. soc. appliquées au travail 187, sc. humaines-psycho clinique 157, tourisme 129, chinois 121, arabe 108, théologie 107, russe 92, animation culturelle 77, portugais 77, japonais 52, litt. générale et comparée 42, esthétique 32, binationale franco-italienne 26, linguistique et informatique 25, techn. d'archives et doc. 25, arts appliqués 25, connaissance gestion (aménagement espaces) 22, art et techno. de l'image 18, grec moderne 18, hébreu 18, breton et celtique 15, métiers de la culture (archives et doc.) 15, coréen 10, lettres option librairie 10, scandinave 10, sc. et techn. expression 8, catalan 7, logique 6, polonais 5, vietnamien 4, musique et animation musicale 3, néerlandais 3, diverses 156. **Sciences. 14 460** dont mathématiques 1 871, biochimie 1 521, informatique 1 337, EEA 1 261, physique 1 141, biologie cellulaire et physiologie 1 081, chimie 991, mécanique 746, sciences nat. 713, biologie des organismes 672, sc. physiques 490, sc. de la Terre 378, techno. de la construction 360, chimie physique 312, physique et application 222, MASS 218, micro-informatique et micro-électronique 206, biologie 183, chimie divers 151, sc. de l'industrie 89, télécommunications 54, génie civil 46, génie électrique 43, lic. diverses 40, techn. audiovisuelles 38, optique physiologique et optométrie 37, physique-chimie moléculaires 37, productique appliquée aux ind. mécaniques 29, sc. physiques (mesures et contrôles) 24, sc. des matériaux 22, sc. chimiques et biologiques 19, neurosc. du comportement 18, océanologie 18, constructions mécaniques 17, électronique et énergie 17, phytoprotection 17, contrôles et analyses chimiques 16, gestionnaire de l'eau en milieu agricole 16, sc. de la vigne et du vin 9. **Droit. 10 216** dont droit pur 9 641, administration publique 375, sc. juridique et politique 184, droit canonique 16. **Économie. 9 380** dont administration économique et sociale 4 307, sc. économiques 3 204, économie entreprises 1 044, économétrie 289, politique économique 180, économie appliquée 150, gestion des PMI 89, échanges internationaux 62, économie d'entreprise et de gestion 30, économie publique 15, économie agricole et rurale 10, licences diverses 53. **Total des licences. 64 529.**

Diplômes	1900	1930	1955	1960	1976	1983	1989
Droit							
Licence	1 475	1 931	3 271	1 943	7 610	9 148	10 216
Doct. d'État [2]	494	363	245	126	132	189	467 [3]
Lettres							
Licence						19 416	28 862
Maîtrise	430	1 048	2 176	3 622	10 881	10 143	11 321 [3]
Doct. d'État	16	57	79	37	159	314	1 823 [3]
Médecine							
Doct. d'État	1 126	1 076	2 337	2 242	8 245	7 957	7 081 [3]
Ch. dent.	105	473	504	606	2 754	1 736	1 602 [3]
Sage-fem.	379	435	866	230	392	n.c.	
Pharmacie	614	682	847	1 085	2 878	3 065	3 634 [3]
Sciences							
Licence						8 850	14 460
Maîtrise [1]	254	836	1 594	4 618	6 619	7 402	11 321 [3]
Doct. d'État	37	73	242	293	1 130	1 089	3 452 [3]

Nota. – (1) Maîtrise (4 a. d'études) à partir de *1977 :* 7 436 ; *1988 :* 4 845. (2) Nouveau régime compris. (3) 1986.

Grandes Écoles

Généralités

Les grandes écoles publiques relèvent ou de l'Éduc. nat. ou des universités (composantes de l'Univ.) : écoles nat. sup. d'ingénieurs (ENSI), éc. universitaires d'ingénieurs. D'autres écoles publiques ou privées sont rattachées aux universités par convention : École nat. sup. d'électricité (Supélec)... D'autres sont liées par contrat de recherche pour la préparation des DEA ou DESS et le développement de la formation de leurs ingénieurs et cadres commerciaux. Les grandes écoles publiques et écoles supérieures publiques sont dirigées par un directeur nommé par le ministre et reçoivent leurs crédits de l'État. Elles ont un corps enseignant propre à chacune d'elles, principalement choisi par le directeur, et disposent d'un conseil d'administration comprenant un nombre important de personnalités extérieures.

Dominante (1988-89, public et privé)	Effectifs	Établ. (nbre)	Diplômes 1988
Sans dominante	18 907	43	4 704
Agroalimentaire	6 301	32	1 484
Aéronautique	1 020	4	407
Mines, travaux publ.	2 932	9	847
Défense nationale	1 071	9	266
Électricité électr.	10 104	24	2 902
Mécanique, métall.	6 778	22	2 012
Physique-chimie	4 392	26	1 304
Textile	477	4	115
Diverses spécialités	800	11	235
Total	*52 782*	*184*	*14 276*

■ **Élèves des établissements privés d'enseignement supérieur de commerce et de gestion. Effectifs (classes préparatoires comprises) :** *1980-81 :* 17 730, *89-90 :* 37 596 [dont sans classes préparatoires 33 051 (dont Paris 13 662, Versailles 4 015, Créteil 723)] [dont Français 19 685 garçons, 15 970 filles (étrangers 1 196 g., 745 f.)] [dont *classes prépa. aux ESCAE* 2 285 dont Fr. 1 113 g., 1 162 f. (étr. 3 g., 7 f.) ; *établ. du groupe I : (ESCAE)* 7 396 dont Fr. 3 529 g., 3 646 f. (étr. 113 g., 108 f.), *autres établ.* 10 427 dont Fr. 5 620 g., 4 002 f. (étr. 455 g., 350 f.) ; *groupe II : établ. reconnus par l'État mais non autorisés à délivrer un diplôme avec visa officiel* 2 730 dont Fr. 1 279 g., 1 045 f. (étr. 319 g., 87 f.) ; *groupe III : établ. non reconnus* *par l'État et non autorisés à délivrer un diplôme avec visa officiel* 12 498 dont Fr. 6 861 g., 5 186 f. (étr. 269 g., 182 f.)].

Diplômes d'ingénieurs délivrés en 1989

	Écoles	Élèves	Diplômés
Public Éd. nat.	89	31 898	8 110
Public autres min.	49	10 599	3 363 [1]
Privé	45	13 385	3 426
Total	*183*	*55 882*	*14 899*

Nota. – (1) dont Défense 1 093, Agriculture 929, Industrie 481, PTT 439, Équipement, Transports et Mer 351, Intérieur 65, Solidarité 5.

■ **% des femmes dans les principales gdes écoles.** ESCP 46, HEC 33,3, Essec 33, Mines Nancy 29,6, Mines Paris 21,2, Mines St-Étienne 17,6, Ponts et Chaussées 15,1, Supélec 13,1, Télécom 13, Centrale 12,3, Polytechnique 9,3.

Classes préparatoires

■ **Argot des prépa.** *Bikhas :* retriplant une 1re sup. *Bizuths :* prépa. HEC n'ayant jamais redoublé. *Carrés :* redoublant prépa. HEC. *Cubes :* triplant prépa. HEC. *PS ou khâgne :* 1re sup. *Khâgneux :* élève de khâgne, appelés aussi kharrés s'ils n'ont pas redoublé la 1re sup. *Khubes :* élève ayant redoublé la cl. de 1re sup. *LS ou hypokhâgne :* cl. de lettres sup. *Hypokhâgneux :* élève d'hypokhâgne. *Hypotaupe :* cl. de math. sup. *Prépa. Agro :* cl. prépa. aux éc. agronomiques. *Prépa. HEC ou* cl. prépa. au haut enseign. commercial *(épice). Prépa. Véto :* cl. prépa. aux éc. nat. vétérinaires. *Taupe :* cl. de maths spé. *Taupins :* élèves de maths spé. appelés aussi 3/2 ; redoublants : 5/2, triplants : 7/2.

■ Classes types

■ **Littéraires.** Préparent surtout à l'entrée dans les éc. normales sup., section lettres : 1re a. (hypokhâgne) : cl. de lettres sup., 2e a. : cl. de 1re sup. (khâgne) ; il existe également des prépa. en 2 a. à l'éc. des Chartes et à l'éc. spéciale milit. de St-Cyr (lettres).

■ **Scientifiques. Mathématiques supérieures** *(math sup. ou hypotaupe) : cl. de type M* (maths prépondérantes) *et P* (physique et chimie). 1re a. commune aux cl. de type M et P. Un certain nombre d'ENSI sont accessibles au niveau de math. sup. (Ecam, ESME, Sudria, quelques éc. du Nord, Mines de Douai et d'Alès). **Spéciales** *(math spé. ou taupe),* 2e a. d'études. 4 types : M et M' à dominante math., M' ayant un programme renforcé préparant à Polytechnique et aux éc. normales sup. P et P' à dominante physique-chimie, P' ayant un programme renforcé.

Mathématiques supérieures et spéciales techniques *(dites T')* : préparent à un concours spécial (1 ou 2 places) dans certaines gdes éc. **Types C :** prépa. aux gdes éc. agronomiques, biologie et géologie prépondérantes. 1re a. : biol., maths sup. (bio-maths sup.), 2e a. : biol., maths spéciales (bio-maths spé.). **T :** prépa. au concours commun des éc. d'arts et métiers. 1re a. : cl. de maths sup. technologiques. 2e a. : maths spé. technologiques.

Classes techniques : dep. le décret du 30-7-1959, les titulaires d'un bac E (math. et techn.) peuvent préparer les concours des éc. d'ing. en math sup. et math spé. « techniques » des lycées Franklin-Roosevelt à Reims et La Martinière à Lyon.

Classes de type TA, TB, TC : concernent les bacheliers F. **TA :** électricité, mécanique, automatique (F1, F2, F3, F4, F9, F10). **TB :** chimie (F5, F6, F7, F8). **TB' :** biologie. **TC :** gestion, comptabilité (haut ens. commercial) (bac G, H). Prépa. aux éc. nat. d'ing. des travaux agricoles (Enita), éc. vétérinaires, à HEC, à la section C de l'Enset.

■ **Préparations diverses.** En en 1 a. aux éc. nat. de la marine marchande, ou à certains concours de recrutement de professeurs spécialisés.

■ Effectifs

■ **Total** (établ. publics et privés, 1990-91). 67 465 (dont privé 12 540, filles 35,7 %, 90,1 % tit. bac. ens. général) dont :

■ **Classes scientifiques. Types M et P** (21,7 %) dont *1re a.* (maths sup.) : 14 000, *2e a. :* (maths spé.) 14 402. **C Biologie** 4 324 (50 %) dont *1re a. :* 2 367, *2e a. :* 1 957. *Autres prépa. scientifiques* 20 793 (33,1 %) dont *1re a. :* math sup. technologiques T 2 859, techno. et math sup. (TA, TB, TB') 812, math sup. techno. 322, éc. nat. vétérinaires (1 an) 1 564, HEC 1 an et techno. HEC 11 869, Enset (1re a. et prépa. en 1 an) 538, *2e a. :* math spé. techno. T 3 092, techno. HEC TC 285, techno. et math spé. (TA, TB, TB') 730, Enset 359. *Total* 55 569 (82,4 % du total des eff.).

■ **Cl. littéraires.** *1re a. :* lettres sup. (ENS) 4 487 ; Chartes 119 ; St-Cyr 185. *2e a. :* 1re sup. (ENS) 3 112 ; Groupe S 253 ; Chartes 94 ; St-Cyr 266. *Total* 8 770 (13 %) dont *1re a. :* 5 298, *2e a. :* 3 472.

■ **Prépa. diverses.** Marine marchande (1 an) 14.

■ Résultats

Admission en prépa. (1986-87). *Maths sup.* 87 %. *Admis en maths spé. :* 48,4 % (3 % préfèrent changer d'orientation). *Maths spé. après 1 an :* 45 % entrent dans une éc. d'ing., 51 % font une 2e a., 4 % changent d'orientation ; *après 2 ans :* 93 % entrent dans une éc. d'ing. *Au total :* 78 % des él. entrant en prépa. sc. entrent dans une éc. d'ing.

% des admissibles par rapport aux inscrits et, entre parenthèses, **% d'admis** (1992). *Source :* Le Monde de l'Éducation (février 1993).

Nota. – (1) Aix-en-Provence. (2) Albi. (3) Angers. (4) Besançon. (5) Bordeaux. (6) Brest. (7) Brive. (8) Cachan. (9) Caen. (10) Chalon-sur-Saône. (11) Châlons-sur-Marne. (12) Chambéry. (13) Clermont-Ferrand. (14) Colmar. (15) Dijon. (16) Grenoble. (17) La Flèche. (18) La Rochelle. (19) Lille. (20) Limoges. (21) Lyon. (22) Marseille. (23) Metz. (24) Montpellier. (25) Nancy. (26) Nantes. (27) Neuilly-sur-Seine. (28) Nice. (29) Orléans. (30) Paris. (31) Pau. (32) Reims. (33) Rennes. (34) Rouen. (35) Rueil-Malmaison. (36) St-Étienne. (37) St-Maur. (38) St-Nazaire. (39) St-Ouen-l'Aumône. (40) Sceaux. (41) Sotteville-lès-Rouen. (42) Strasbourg. (43) Thiers. (44) Toulon. (45) Toulouse. (46) Tours. (47) Valenciennes. (48) Versailles. (49) Vierzon.

Polytechnique (M'). Blaise-Pascal [13] 67 (25). Hoche [48] 55 (34). Clemenceau [26] 50 (42). Le Parc [21] 49 (34). Henri-IV [30] 48 (36). Pierre-de-Fermat [45] 47 (38). Louis-le-Grand [30] 45 (37). Prytanée militaire [17] 43 (33). Ste-Geneviève [48] 40 (31). La Martinière [21] 36 (27). **(P').** Louis-le-Grand [30] 43 (31). Ste-Geneviève [48] 32 (20). Hoche [48] 30 (23). Henri-IV [30] 26 (21). St-Louis [30] 22 (10). Le Parc [21] 21 (14). Pierre-de-Fermat [45] 19 (7). Thiers [22] 19 (4). Stanislas [30] 15 (5). Clemenceau [26] 14 (5).

Centrale (M M'). Clemenceau [26] 46 (29). Henri-IV [30] 42 (22). Prytanée militaire [17] 40 (33). Louis-le-Grand [30] 40 (22). Hoche [48] 40 (21). Pierre-de-Fermat [45]. Ste-Geneviève [48] 35 (24). Condorcet [30] 34 (24). Masséna [28] 33 (19). Henri-Poincaré [25] 30 (24). **(P P').** Louis-le-Grand [30] 53 (34). Henri-IV [30] 42 (33). Ste-Geneviève [48] 38 (23). Hoche [48] 31 (21). Montaigne [5] 27 (10). Le Parc [21] 26 (14). Masséna [28] 24 (17). Gay-Lussac [20] 24 (14). Victor-Hugo [9] 24 (3). St-Louis [30] 23 (15).

Mines et Ponts (M). Hoche [48] 49 (15). Henri-IV [30] 49 (14). Ste-Geneviève [48] 49 (11). Condorcet [30] 45 (15). Clemenceau [26] 45 (10). Le Parc [21] 44 (13). Masséna [28] 44 (8). Fabert [23] 43 (21). Louis-le-Grand [30] 42 (8). Ourania [30] 40 (20). **(P').** Louis-le-Grand [30] 70 (13). Sainte-Geneviève [48] 58 (21). Henri-IV [30] 51 (13). Le Parc [21] 47 (17). Hoche [48] 46 (8). Clemenceau [26] 43 (25). Ste-Louis [30] 40 (10). Champollion [16] 39 (15). Montaigne [5] 37 (7). Descartes [46] 36 (13).

Supélec (M). Henri IV [30] 56 (38). Clemenceau [26] 50 (45). Hoche [48] 50 (30). Kerichen [6] 50 (25). Ste-Geneviève [48] 48 (35). Louis-le-Grand [30] 46 (26). Masséna [28] 45 (30). Condorcet [30] 43 (31). Victor-Hugo [9] 42 (36). Pierre-de-Fermat [45] 42 (35). **(P').** Louis-le-Grand [30] 67 (55). Henri-IV [30] 66 (53). Ste-Geneviève [48] 57 (45). Montaigne [5] 52 (30). Hoche [48] 51 (40). Victor-Hugo [9] 42 (35). Le Parc [21] 40 (26). St-Louis [30] 38 (25). Gay-Lussac [20] 38 (25). Masséna [28] 37 (31). **(TA).** Gustave-Eiffel [8] 100 (100). Ingersheim [14] 100 (100). Rouvière [44] 100 (100). Louis-Vincent [23] 50 (50). Léonce-Vieljeux [18] 50 (50). St-Cricq [31] 50 (25). Raspail [30] 38 (25). Édouard-Branly [21] 25 (25). Aristide-Briand [38] 25 (25). Le Hainaut [47] 22 (11).

ENSAM (T). Gustave-Eiffel [15] 88 (88). J.-B.-Say [30] 83 (81). Oehmichen [11] 82 (75). Jean-Zay [41] 76 (76). Jules-Ferry [3] 66 (65). Nicéphore-Niepce [10] 65 (65). Vauvenargues [1] 65 (65). Voltaire [30] 63 (59). Déodat-de-Séverac [45] 62 (59). Joliot-Curie [33] 60 (60). **(TA).** Richelieu [35] 41 (24). Louis-Rascol [2] 39 (36). Jean-Perrin [39] 36 (21). Raspail [30] 35 (30). Édouard Branly [21] 35 (29). Léonce-Vieljeux [18] 35 (26). Monge [12] 32 (26). LTE [14] 32 (11). Louis-Vincent [23] 22 (17). Marcel-Sembat [41] 20 (20).

ENSI (M). Pierre-de-Fermat [45] 91 (83). Hoche [48] 87 (72). Masséna [28] 86 (66). Henri-IV [30] 85 (71). Fabert [23] 83 (69). Ste-Geneviève [48] 75 (69). Champollion [16] 74 (59). Le Parc [21] 72 (61). Bellevue [45] 72 (60). Clemenceau [26] 71 (62). **(Concours phys.-chim.).** Ste-Geneviève [48] 99 (57). Henri-IV [30] 93 (58). Hoche [48] 83 (63). Chateaubriand [33] 82 (77). Le Parc [21] 81 (67). Pierre-de-Fermat [45] 76 (71). Clemenceau [26] 76 (67). Stanislas [30] 76 (58). Bellevue [45] 75 (72). Fénelon [30] 75 (72). **(TA).** Édouard-Branly [21] 78 (67). Raspail [30] 75 (66). Louis-Vincent [23] 70 (56). Jean-Perrin [39] 70 (50). Marcel-Sembat [41] 67 (50). George-Sand [35] 67 (50). Le Hainaut [47] 65 (31). Léonce-Vieljeux [18] 63 (43). Gustave-Eiffel [8] 62 (48). Georges-Cabanis [7] 62 (24).

Véto. Marcellin-Berthelot [37] 65 (54). Cours G.-Saint-Hilaire [30] 61 (37). Descartes [46] 59 (37). Clemenceau [26] 52 (46). Pierre-de-Fermat [45] 51 (40). Malherbe [9] 50 (32). St-Louis [30] 49 (34). Chateaubriand [33] 49 (30). Henri-Poincaré [25] 48 (26). Lakanal [40] 44 (28).

INA-ENSA (option générale). Ste-Geneviève [48] 88 (86). Faidherbe [19] 85 (74). La Martinière [21] 80 (71). Hoche [48] 74 (71). Clemenceau [26] 74 (68). Henri-Poincaré [25] 74 (64). St-Louis [30] 72 (58). Le Parc [21] 71 (60). Pierre-de-Fermat [45] 69 (62). Chateaubriand [33] 66 (43).

ENITA (option générale). Ste-Geneviève [48] 91 (73). Faidherbe [19] 88 (73). La Martinière [21] 84 (76). Henri-Poincaré [25] 83 (81). St-Louis [30] 83 (57). Chateaubriand [33] 79 (63). Clemenceau [26] 78 (65). Henri-IV [30] 78 (60). Hoche [48] 75 (56). Lakanal [40] 73 (64).

ENS-Ulm-Sèvres (groupe A). Henri-IV [30] 51 (29). La Bruyère [48] 35 (18). Pierre-de-Fermat [45] 31 (14). Louis-le-Grand [30] 28 (12). Ste-Marie [27] 20 (13). Fénelon [30] 19 (10). Montaigne [5] 18 (5). Fustel-de-Coulanges [42] 18 (5). Le Parc [21] 17 (10). Blaise-Pascal [13] 15 (6). **(groupe B).** Henri-IV [30] 55 (32). Le Parc [21] 27 (7). Janson-de-Sailly [30] 24 (6). Ste-Marie [27] 15 (10). Lakanal [40] 11 (6). Montaigne [5] 11 (4). **(groupe C).** Pierre-de-Fermat [45] 53 (5). Henri-IV [30] 43 (14). Louis-le-Grand [30] 41 (17). Janson-de-Sailly [30] 26 (9). Thiers [22] 21 (11). Condorcet [30] 20 (5). Descartes [46] 20 (4). Ste-Geneviève [48] 19 (13). Carnot [15] 17 (8). Blaise-Pascal [13] 17 (8). **(groupe D).** Le Parc [21] 57 (21). Louis-le Grand [30] 41 (11). Thiers [22] 31 (13). St-Louis [30] 18 (7). Ste-Geneviève [48] 17 (4). **(groupe E).** Ste-Geneviève [48] 46 (23). Henri-IV [30] 36 (27). St-Louis [30] 33 (10). Le Parc [21] 26 (11).

ENS Fontenay-Saint-Cloud (lettres). Lakanal [40] 60 (45). La Bruyère [48] 35 (18). Fénelon [30] 39 (16). Henri-IV [30] 34 (19). Paul-Cézanne [1] 20 (10). Ste-Marie [21] 17 (6). Camille-Jullian [5] 13 (13). Édouard-Herriot [21] 17 (6). Chateaubriand [33] 11 (6). G.-de-La-Tour [23] 11 (6). **(Langues).** Henri-IV [30] 64 (50). Fénelon [30] 58 (31). La Bruyère [48] 37 (16). Joffre [24] 30 (20). Lakanal [40] 27 (14). Chateaubriand [33] 24 (24). Fustel-de-Coulanges [42] 20 (13). Claude-Fauriel [36] 20 (10). Édouard-Herriot [21] 17 (13). Jules-Ferry [30] 14 (7). **(Sciences hum.).** Carnot [15] 45 (27). Henri-IV [30] 32 (24). La Bruyère [48] 31 (19). Fénelon [30] 24 (14). Camille-Jullian [5] 24 (6). Lakanal [40] 20 (9). Édouard-Herriot [21] 17 (14). Jaurès [32] 15 (8). Condorcet [30] 10 (5). Pasteur [27] 10 (5).

ENS Lyon (Math.). Janson-de-Sailly [30] 62 (33). Pierre-de-Fermat [45] 47 (42). Condorcet [30] 42 (27). Hoche [48] 40 (33). Carnot [15] 38 (23). Louis-le-Grand [30] 37 (27). Marcellin-Berthelot [37] 33 (25). Corneille [34] 33 (17). Clemenceau [26] 32 (21). Prytanée militaire [17] 31 (8). **(Physique-Chimie).** Louis-le-Grand [30] 58 (40). Hoche [48] 50 (50). Descartes [46] 47 (40). Henri-Wallon [47] 40 (30). Clemenceau [26] 40 (27). Le Parc [21] 38 (31). Masséna [28] 36 (27). Blaise-Pascal [13] 36 (18). Henri IV [30] 35 (29). Pothier [29] 33 (33). **(Sc. de la vie et de la terre).** Clemenceau [26] 42

Abréviations

A. : année, annuel. *Ad. :* admis. *Adm. :* admission. *Admiss. :* admissible. *Adm. p. :* admission parallèle. *Adm. sur t. :* admission sur titre. *Agrég. :* agrégation. *An. :* durée des études en années. *Archi. :* architecture. *Bac. :* baccalauréat. *C. :* concours. *Ca. :* candidat. *C. comm. :* concours commun. *Cl. :* classe. *Cy. :* cycle. *Dipl. :* diplôme, diplômé. *D.u. :* droits universitaires. *Ec. :* école. *Éco. :* économie. *Eff. :* effectifs. *Él. :* élève. *Ens. :* enseignement. *Éq. :* équivalent. *Es sc. :* ès sciences. *Ét. :* études, étudiant. *Établ. :* établissement. *Ext. :* externe. *Fac. :* faculté. *Frais :* frais de scolarité. *Gdes éc. :* grandes écoles. *Ing. :* ingénieur. *Int. :* interne. *Lic. :* licence. *Maîtr. :* maîtrise. *Nat. :* national. *Pl. :* place. *Polytechn. :* polytechnique ou X. *Prépa. :* Préparation. *Promo. :* promotion. *Publ. :* public. *SS :* sécurité sociale. *Spé. :* spécial. *Sup. :* supérieur. *T. :* titre. *Techno. :* technologique. *Tit. :* titulaire. *Univ. :* université.

(13). Sainte-Geneviève [48] 40 (35). Hoche [48] 38 (25). Henri-IV [30] 32 (20). Henri-Poincaré [25] 28 (11). St-Louis [30] 27 (11). Masséna [28] 25 (10). Le Parc [21] 23 (15). J.-B.-Say [30] 20 (15). Jean-Rostand [42] 20 (10).

ENS Cachan (Math). Corneille [34] 75 (50). Louis-le-Grand [30] 65 (50). Henri-IV [30] 63 (63). Janson-de-Sailly [30] 60 (60). Claude-Fauriel [36] 60 (60). Pierre-de-Fermat [45] 60 (50). Le Parc [21] 60 (44). Henri-Poincaré [25] 57 (57). Marcellin-Berthelot [37] 50 (50). Montaigne [5] 50 (38). **(Physique et chimie).** Hoche [48] 100 (100). Blaise-Pascal [13] 88 (63). Le Parc [21] 83 (67). St-Louis [30] 83 (65). Thiers [22] 67 (67). Louis-le-Grand [30] 64 (45). Paul-Cézanne [1] 60 (50). Descartes [46] 50 (50). Pasteur [27] 40 (20). Kléber [42] 25 (25). **(Génie biologique).** Pierre-de-Fermat [45] 40 (30). Henri-IV [30] 33 (17). Le Parc [21] 31 (21). Clemenceau [26] 29 (29). Claude-Fauriel [36] 27 (13). Fénelon [30] 25 (20). Hoche [48] 25 (13). Janson-de-Sailly [30] 25 (8). St-Louis [30] 23 (19). Chaptal [30] 23 (9). **(Section B' B").** Joliot-Curie [33] 47 (41). Roosevelt [32] 42 (35). Henri-Brisson [49] 37 (27). Jean-Zay [43] 35 (22). Gustave-Eiffel [8] 34 (32). Chevrollier [3] 33 (30). Les Eucalyptus [28] 33 (26). Nicéphore-Niepce [10] 33 (20). Raspail [30] 32 (21). La Martinière [21] 32 (18).

HEC. Ipésup [30] 76 (56). Prépasup [30] 35 (26). Louis-le-Grand [30] 35 (20). Ste-Geneviève [48] 34 (21). Intégrale [30] 33 (26). Pierre-de-Fermat [45] 31 (20). Prépacom [30] 29 (23). Hoche [48] 29 (19). Initiale [30] 27 (21). St-Jean-de-Passy 25 (19).

ESSEC. Ipésup [30] 91 (74). Pierre-de-Fermat [45] 42 (35). Intégrale [30] 37 (33). Prépacom [30] 37 (25). Louis-le-Grand [30] 35 (28). Ste-Geneviève [48] 33 (29). Janson-de-Sailly [30] 33 (27). Hoche [48] 31 (25). Henri-Poincaré [25] 31 (19). Initiale [30] 27 (22).

ESCP. Ipésup [30] 100 (82). Intégrale [30] 74 (63). Initiale [30] 54 (37). Ste-Geneviève [48] 42 (38). Prépacom [30] 40 (31). Prépasup [30] 35 (26). Hoche [48] 33 (28). Stanislas [30] 31 (20). Louis-le-Grand [30] 30 (27). Janson-de-Sailly [30] 29 (20).

ÉCOLES DES GRANDS CONCOURS TRADITIONNELS

POLYTECHNIQUE DITE « L'X »

■ **École Polytechnique. Siège :** 91128, Palaiseau Cedex (de la création à 1976 : rue de la Montagne-Ste-Geneviève, Paris 5e). Relève du min. de la Défense. **Fondée** 11-3-1794 (École centrale des travaux publics, puis 1-9-1795 nommée École Polytechnique) par la Convention Nationale, animée par 2 membres du comité de Salut Public, Lazare Carnot et Prieur de la Côte-d'Or, et un grand savant, Gaspard Monge. En 1804, Napoléon lui donna un statut militaire. **Devise de l'école** « Pour la Patrie, les Sciences, la Gloire ». **But** *(loi Debré de 1970) :* donner à ses élèves une culture scientifique et générale les rendant aptes à occuper, après formation spécialisée, des emplois de haute qualification ou de responsabilité à caractère scientifique, technique ou économique dans les corps civils et militaires de l'État et dans les services publics et de façon plus générale dans l'ensemble des activités de la Nation.

Statut des élèves français : officiers de réserve servant en situation d'activité, perçoivent par mois une solde (net) de 2 600 F env. la 1re année, 6 500 F env. la 2e, 8 600 F la 3e. A la sortie, les élèves n'ayant pas demandé un corps civil ou militaire de l'État doivent rembourser les frais de scolarité (272 500 pour la promotion entrée 1989, sortie 1992), sauf s'ils acquièrent une formation complémentaire agréée (ex. : 2 ans dans une éc. d'application : Ensae, Ensta, Mines, Ponts, Télécom., etc., ou doctorats). Les jeunes filles sont admises depuis 1972.

Effectifs : 1 191 dont 48 étr. en 1992-93. *Places offertes en 1992 :* 290 M', 100 P', *Adm. p. :* Ensam, T', TA : 10 ; non fixées pour les étrangers (niveau au moins égal à celui du dernier Français admis). *Admis en 1992 :* (M'-P') 419 (dont 19 à titre étranger) sur 2 811 ca. français.

Scolarité : les él. fr. effectuent d'abord une a. de formation militaire, puis suivent avec les él. étr. deux a. d'ét. sc. à l'École. *Conditions :* 17 à 21 ans au 1er janv., être physiquement apte au service militaire. **Promotions prévues :** *1993 :* 420 Fr. ; *94 :* 440 Fr. ; *95 :* 450 Fr.

■ **Études doctorales.** 3e cycle ouvert aux non-polytechniciens dep. 1988. 1992 : 258 étudiants, 53 DEA et 23 doctorats délivrés.

■ **Recherche.** 450 chercheurs dans 25 laboratoires (maths, physique, chimie, biologie, informatique, sc. humaines).

■ **Débouchés de l'X.** Nombre de places offertes dans les corps de l'État (en 1992) *Ingénieurs :* Mines 11, Ponts 28, Télécom 30, Armement 50, aviation civile 4, géographes 4, météorologie 1. *Administrateurs :* Insee 11, contrôle des Assurances 2. *Officiers Armées* 11. *Études doctorales* 80. *Autres formations complémentaires* 150.

☞ **Quelques élèves illustres :** *Pts de la République :* Sadi Carnot, Albert Lebrun, Valéry Giscard d'Estaing. *Maréchaux et amiraux de France :* J.-B. Philibert Vaillant, Adolphe Niel, amiral de France Rigault de Genouilly, Edmond Le Bœuf, P.-J. François Bosquet, Mal J. Maunoury, Joseph Joffre, Ferdinand Foch, Émile Fayolle. *Scientifiques, industriels, divers :* Louis Poinsot, Louis Joseph Gay-Lussac, Denis Poisson, François Arago, Augustin Fresnel, Augustin Cauchy, Antoine Becquerel, Michel Chasles, Auguste Comte, Joseph Gratry, Joseph Liouville, Urbain Le Verrier, Gal Louis Faidherbe, Charles Hermite, Camille Jordan, Fulgence Bienvenüe, Henri Poincaré, Édouard Estaunié, Marcel Prévost, Jacques Rouché, Bon Ernest Seillière, Gal Gustave Ferrie, Henri Becquerel, André Citroën, Conrad Schlumberger, Honoré d'Estienne d'Orves, Raoul Dautry, Jacques Rueff, Jean Borotra, Louis Leprince-Ringuet, Louis Armand, Charles de Freycinet, Auguste Rateau, Pierre Termier, Henri Le Chatelier, Maurice Allais (Prix Nobel), Claude Cheysson, André Giraud, Raymond Lévy, Pierre Delaporte, Henri Martre, Claude Perdriel, Jean Gandois, Claude Bébéar, Lionel Stoléru, Jean Peyrelevade, Jean-Louis Beffa, René Fourtou, Michel Pébereau, Paul Quilès, Jacques Attali, Bernard Arnault, Bernard Pache, Pierre Suard, Serge Tchuruk.

CONCOURS COMMUN CENTRALE-SUPÉLEC

☞ *1991 :* 9 107 ca. (progr. M, P', TA), regroupe 5 éc. publ. et 2 privées (Supélec, ESO).

Éc. centrale des arts et manufactures (ECP, École Centrale Paris, dite **« Piston, Centrale »).** Grande Voie des Vignes, 92295 Châtenay-Malabry Cedex. *Créée* 1829 par Jean-Baptiste Dumas (1800-84), Lavallée (1797-1873), Péclet (1793-1867) et Olivier (1793-1853). *But :* former des ing. de haute culture gén. et sc. susceptibles de tenir des postes de responsabilité dans toutes les branches de l'ind. et les grands services publ. *Eff.* 1 662 (f. 12 %). *C. comm. Pl. offertes et,* entre parenthèses, *inscrits au concours. 1870 :* 156 (374). *1900 :* 217 (707). *30 :* 240 (1 100). *52 :* 210 (1 788). *60 :* 275 (2 444). *70 :* 288 (4 350). *80 :* 305 (6 856). *90 :* 323 (5 948). *91 :* 311 (6 306). *92 :* 321 (6 387) ; étr. (M,P') 26 (385). *C. spé.* T' 5 pl. *Adm. p. 1re a. :* DEST 5 pl. 0 ad. Cy. internat. de formation : 55 pl., 9 ad.+ TIME 29 ad. ; *2e a.,* sur t. : 30 pl., 14 ad. ; *3e a. :* possibilité de préparer un DEA et de poursuivre une thèse de doctorat au Centre de recherches de l'École. *Délai d'adm. (en %) :* bac + 2 et, entre parenthèses, bac + 3. *1912 :* 40 (41). *68 :* 25 (75). *77 :* 50 (50). *86 :* 55 (45). *88 :* 51 (49). *Dipl. 90 :* 369. *91 :* 349. 1992 : *mastère :* 65 ad. *DEA :* 59 ad. *Doctorat :* 300 inscrits, 61 thèses soutenues. *An.* 3. *Frais* 1 500 F. **Élèves illustres :** Pierre Azaria, Aristide Bergès, Louis Blériot, Francis Bouygues, Antonin Daum, Henri de Dion, Maurice Donnay, Alexandre Dumez, Gustave Eiffel, Jacques Fougerolle, Robert Galley, Yvon Gattaz, Xavier Karcher, Pierre Latécoère, Georges Leclanché, Émile Levassor, Jacques Maisonrouge, André Michelin, Antoine Muraccioli (dit Antoine), Étienne Oehmichen, René Panhard, Gérard Pélisson, Eugène Émile Henri Pereire, Jean-Pierre et Robert Peugeot, Constantin Rozanoff, Boris Vian, Antoine Yvon-Villarceau.

Éc. centrale de Lille (EC Lille, anciennement IDN : Institut du Nord). Domaine Univers. Scient., BP 48, 59651 Villeneuve-d'Ascq Cedex. *Créé* 1872. *But :* former des ing. polyvalents de haut niveau. *Adm. p. 1re a. : C. comm.,* M, P' (160 pl.). TA (4 pl.). *C. spé.* T' (6 pl.). *C. étr.* (2 pl.) ; sur t. pour BTS, DUT (12 pl.) ; *C.* Ensi (10 pl.) ; *2e a. :* sur t. pour les tit. maîtr. ou dipl. éq. (15 pl.) ; *3e a. :* pour tit. dipl. ing. ou éq. (auditeurs libres) ; Mastères de spécialité pour ing. dipl. ou éq. *Frais* (1re, 2e, 3e a.) 4 100 F.

Éc. centrale de Lyon. 36, avenue Guy-de-Collongue, BP 163, 69131 Écully Cedex. *Créée* 1857. *But :* voir Centrale Paris. *Eff.* 814 (f. 17 %). *C. comm. 1991 :* 275 ad., *C. spé.* T' 18 ad. *Adm. p. 1re a. :* sur C. comm. ENSI pour tit. Deug 7 ad. ; pour tit. DEST 2 ad. ; sur t. pour audit. étr. 5 ad. ; *2e a. :* pour tit. maîtr. ès sc. ou DEST 25 ad. Possibilité de préparer un DEA et de poursuivre une thèse de doctorat (220 ét. en thèse, 119 en DEA). *Dipl. 91 :* 251. *An.* 3. *Frais* 1 200 F. **Élèves illustres :** Adrien Allégret, Luc Court, Amédée Fayolle, Émile France-Lanord, Joseph et Étienne de Montgolfier, Xavier Morand, Tobie Robatel, Bernard Valéry, Paul-Émile Victor.

Éc. sup. d'électricité (ESE, dite **« Supélec »).** Plateau du Moulon, 91192 Gif-sur-Yvette Cedex. *Fondée* 1894. *Eff. 1992-93 :* 1 040 (f. 12,7 %). *C. comm. 1992 :* 247 pl. *Adm. p. 1re a. :* sur dossier + entr. pour tit. DUT génie électrique et mesures physiques 19 ad., et pour tit. Deug A 20 ad. ; *2e a. :* sur dossier pour tit. maîtr. physique, ing., EEA, MST, MAF 80 ad. *Dipl. 92 :* 357. Dipl. d'ing. de Supélec, Dip. de spécialisation de Supélec. *An.* 3. *Frais* 1 600 F (ét. français et CEE), 55 000 F (étrangers), gratuit pour boursiers de l'Éd. nat. *Ens. postscolaire :* en réseaux informatiques sur t. 13 ad. *Formation continue :* perfectionnement technique, langues vivantes, formations à la demande, demandeurs d'emploi. Mastère en logistique des grands systèmes. **Élèves illustres :** Christian Beullac, Pierre Boulle, Loïc Caradec, Louis Bréguet, Henri Chrétien, Yvon Coudé du Foresto, Henri Fabre, Jean-Luc Lagardère, Louis Leprince-Ringuet, Ambroise Roux, Pierre Schaeffer.

Éc. sup. d'optique (ESO, dite **« Supoptique »).** Inst. d'optique, bâtiment 503, Plateau du Moulon, Centre scientifique, BP 147, 91403 Orsay Cedex. *Créée* 1920 au sein de l'Inst. d'optique par Charles Fabry (1867-1945). *Eff.* 162 (f. 12 %). *Adm. 1re a. : C. comm. 1992 :* 41 ad. + 2 ad. sur t. *2e a. :* ad. sur t. : 16 maîtr. phys. *Frais* 2 950 F. **Élèves illustres :** Albert Arnulf, Maurice Françon, André Maréchal, Pierre Angénieux.

Inst. de génie informatique et industriel (IG2I). rue Jean-Souvraz, 62300 Lens. *Créé* 1992, filiale de l'Éc. centrale de Lille. *Adm.* 1re a. bac. C, D, E, F2, F3, dossier + entretien (50 pl.) ; 2e a. DUT, BTS (5 pl.). *Frais* 1 560 F.

Inst. d'informatique d'entreprise (IIE). 18, allée Jean-Rostand, BP 77, 91025 Évry Cedex. *Créé* 1968. *Eff.* 300 (f. 95 %, étr. 5 %). *C. comm.* M, P' 105 pl., 3 800 ca. *Adm. p. 1re a. : C. spé.* pour tit. DUT informatique 15 pl., 200 ca. *C. comm. Ensi* pour tit. Deug A 10 pl., 1 500 ca. *2e a. :* sur t. pour ing. dipl. ou maîtr. ès sc. 7 pl., 50 ca. *An.* 3. *Frais* 1 560 F.

CONCOURS COMMUN MINES-PONTS-TÉLÉCOM

☞ 7 701 ca. en 1993 (programmes M et P') et 86 ca. (programme TA) sous-traités au C. de Centrale Paris ; 8 éc., + Polytechnique pour l'option TA, dont 6 gérées par un min. technique formant des ing. civils pour l'ind. (*An.* 3), des ing. fonctionnaires, sauf ENSMSE (recrutement sur t. en 2e a.).

Éc. nat. des Ponts et Chaussées (ENPC, dite **« les Ponts »).** 28, rue des Sts-Pères, 75007 Paris. *Fondée* 14-2-1747 par Daniel Trudaine, intendant du Commerce et des Finances. *But :* former des ing. du corps ministériel des Ponts et Chaussées et des ing. civils en matière de génie civil, génie industriel, économie, gestion-réseaux (infrastructures et éco. publique, aménagement, gestion des réseaux, finances), informatique et math. appliquées. *Eff. 1990 :* 458 (1re a. 83, 2e a. 159, 3e a. 216) + 236 él. de mastères + 172 él. de DEA + 24 él. de DESS + 167 él.-chercheurs. *Adm. p. 2e a. :* sur dossier + entr. pour dipl. de l'X, ENS, éc. d'ing. ou tit. maîtr. ès sc. 250 ca., 70 ad. **Élèves illustres :** Gaspard Riche de Prony, Jean-Baptiste Biot, Augustin Fresnel, Augustin Cauchy, Henri Becquerel, Fulgence Bienvenüe, Bernardin de St-Pierre, Sadi Carnot, Y. Le Trocquer, Philippe Lebon, Christian Beullac, Guy Béart.

Éc. nat. sup. de l'aéronautique et de l'espace (Ensae, dite **« Sup'Aéro »).** 10, avenue Édouard-Belin, 31055 Toulouse Cedex. *Créée* 1909 par le colonel Jean-Baptiste Roche (1861-1954). *Eff. :* 704 (f. 11 %). *Adm. 1re a. : C. 1992 :* M 81, P' 45, TA 1, *C. spé.* 4 ; *2e a. :* sur t. et polytechniciens (éc. d'application). *Dipl. 92 :* 170. *An.* 3. *Frais* 1 600 F. **Élèves illustres :** Badin, Potez, Meyer et Samuel Gourevitch, Marcel Dassault, Jean Bertin, Pierre Satre, Coanda, Claisse.

École nat. sup. des mines de Paris (ENSMP, dite **« Mines de Paris »).** 60, bd St-Michel, 75272 Paris Cedex 06, annexes à Évry, Fontainebleau, Sophia-Antipolis. *Fondée* 19-3-1783 par Balthazar-Georges Sage (1740-1824), chimiste et minéralogiste. *Eff.* 958 dont 54 ing. él. des Mines, 585 él. chercheurs, 328 él. civils et 21 autres. *C. 1992 :* M 55 ad., P' 35, *C. spéc.* 4, *Adm.* sur t, 2e a. 27, 1re a. 1. *An.* 3. *Frais* 2 000 F. **Élèves illustres :** Émile Clapeyron, Victor Regnault, Henri Sainte-Claire Deville, Pierre Martin, Charles de Freycinet, Henri Poincaré, Alfred Capus, Albert Lebrun, François de Wendel, Aimé Lepercq, Louis Armand, Maurice Allais (Prix Nobel d'économie 1988), Conrad Schlumberger, Élie de Beaumont, Alain Poher, Jean-Louis Bianco, Jacques Attali, Georges Charpak (Prix Nobel de physique 1992).

Éc. nat. sup. des mines de Nancy (EMN, dite **« Mines Nancy »).** Parc de Saurupt, 54042 Nancy Cedex. *Eff.* 334. *C. comm.* « Mines Ponts ». *C. 1992 :* M 47 ad., P' 50. *Adm. p. 1re a. : C. spé.* pour ens. tech. 5 ad. ; ou sur t. pour tit. d'un Deug

A 2 ad. ; *2e a.* : sur t. pour tit. d'une maîtr. ès sc. ou d'un DUT + 3 a. d'activités professionnelles 20 ad. *Dipl. 90* : 92. *An.* 3. *Frais* 1 500 F.

Éc. nat. sup. des mines de St-Étienne (ENSMSE, dite « **Mines St-Étienne** »). 158, cours Fauriel, 42023 St-Étienne Cedex 2. *Créée* 1816 par Beaunier (1779–1835). *Eff. 1992* : *1re a.* : 101 (f. 9 %) 59, dont M 59, P' 37, T'5, sur t. (Deug A) 3. *Adm. p. 2e a.* : tit. maîtr. 3. *Dipl. 92* : 80. *An* 3. Frais 920 F.

Éc. nat. sup. de techniques avancées (Ensta, dite « **Techniques avancées** »). 32, bd Victor, 75015 Paris. *Créée* 1970. *Eff.* 391 (f. 17 %). *1991 Adm. p.* : *1re a.* : 80 ad. sur programme M-P'-TA ; *2e a.* : sur t., 35 polytechniciens, 12 ing., 29 tit. maîtr. ès sc. *Dipl. 92* : 152 *An* 3. *Frais* 1 500 F.

Éc. nat. sup. des télécommunications (ENST, dite « **Télécom. Paris** »). 46, rue Barrault, 75634 Paris Cedex 13. *Créée* 1942 (succède à l'Éc. Supérieure de Télégraphie créée 1878). *Eff.* 945. *C. comm. 1992-93* : 132 ad. *Adm. 2e a.* : sur t. 167. Corps télécom. *adm. 1992* : 42. *Dipl. 92* : ingénieurs 236, mastères 65, docteurs 43. *An.* 3. *Frais* 4 980 F. **Élèves illustres :** Léon Thévenin, Édouard Estaunié, Pierre Schaeffer, Louis Leprince-Ringuet, Henri Martre.

Éc. nat. sup. des télécommunications de Bretagne (ENST Br., dite « **Télécom Bretagne** »). BP 832, 29285 Brest Cedex. *Fondée* 1977. *Eff.* : 658 (f. 12 %). *Adm. C. comm.* : MM' 67 ad., PP' 49, T' 5. *2e a.* : X, ing., maîtr. ès sc. : 60 pl., étr. : 20 pl. *Adm.* fonctionnaires étr. (après cy. spé. d'adaptation) en 2e a. : 4 pl. *Adm.* filière promotionnelle : DUT-BTS, 3 ans d'exp. ind. : sur dossier au cy. prépa. (1 a.), puis par examen au cy. ing. (entrée en 2e a.). *An.* 3. *Dipl. 92* : 145. *Frais* 2 000 F.

Écoles nationales supérieures agronomiques (Ensa)

☞ Forment des ing. de conception, C. comm. A pour él. math. spé., biologie. 1 568 ca. en 1987, 508 ad. dont Ina 172, Ensaia 82, Ensam 82, Ensar 82, Ensat 45, Ensia A 45, Ensbana 23. Concours B 608 ca., 102 ad. dont Ina 21.

Inst. nat. agronomique Paris-Grignon (Ina, dit « **Agro** »). 16, rue Claude-Bernard, 75005 Paris. Installé à Versailles en 1848. Supprimé en 1852. *Nouvel INA* créé 9-8-1876 par Eugène Tisserand. 1-1-1972 fusion de l'Ina « Agro » avec l'Ensa de Grignon. *Adm. p. 1re a.* : *C. comm.* ouvert aux ca. issus des cl. prépa., *C. spé.* (B) aux tit. de Deug A ou B avec mention AB min., *C. spé.* (C) aux tit. de BTSA et de DUT, *C. spé.* aux maîtr. ès sc. Habilité à délivrer le dipl. de docteur ; formation continue. *Eff.* 1 100 (f. 45 %). *An.* 3. *Frais* 4 000 F.

Ensa Montpellier (Ensam). 2, place Viala, 34060 Montpellier Cedex 1. *Créée* 1872. *Eff.* 430 (f. 45 %). *Adm. 1re a.* : *C comm.* (A) pour prépa. 83 ad., *C. spé.*, (B) pour Deug A et B 12 ad., *C. spé.* (C) pour BTSA et DUT 5 ad. ; *Adm. 2e a.* : *C. spé.* pour maître ès sc. 10 ad. ; *Adm. 3e cy.* : pour étr. 25. *An.* 3. *Frais* 4 500 F. *Dipl. 92* : 110.

Ensa Rennes (Ensar). 65, rue de St-Brieuc, 35042 Rennes Cedex. *Créée* 1830. *Eff.* 350 dont 108 él. ing. *Adm. 1re a.* : *C. comm.* (A) pour ca. des prépa. C ou D, *C. spé.* (B) pour tit. de Deug A ou B avec mention AB min. 11 ad., *C. spé.* (C) pour tit. du BTSA ou DUT 5 ad. *Adm. 2e a.* : sur t. pour tit. maîtr. ès sc. 10 ad. *Adm. 1991* : *C. comm.* (A) 89, (B) 11, (C) 0 ; sur t. (maîtr. ès sc.) 152 ca., 10 ad. *Dipl. 1991* : 96. *Frais* 1 266 F.

Ensa Toulouse (Ensat). 145, avenue de Muret, 31076 Toulouse Cedex. *Créée* 1909. *Eff.* 289 + formations complément. et 3e cy. (234). *Adm. p. 1re a.* : *C. comm.* (A) ouvert aux ca. issus des cl. prépa. 60 ad. ; *C. spé.* (B) pour tit. DEUG mention AB 38 ad. ; *C. spé.* (C.) pour tit. BTSA, DUT 5 ad. ; *2e a.*, : sur t. pour les tit. maîtr. ès sc. 17 ; ingénieur par la voie de la formation continue 5 ad. *Frais* 1 895 F + Séc. Soc. + mutuelle.

Éc. nat. sup. d'agronomie et des ind. alimentaires de Nancy (Ensaia). 2, av. de la Forêt-de-Haye, 54500 Vandœuvre-lès-Nancy. *Fondée* 1970. 2 filières : ind. alim., agronomie. *Eff.* 423 (f. 51 %). *Adm. 1re a.* C. (A) 83 ad., (B) 34 ad., (C) 25 ad. sur t. (pour 300 dossiers). *Dipl. 92* : 150. *An.* 3. *Frais* 3 000 F.

Éc. nat. sup. des ind. agricoles et alimentaires (Ensia). 1, avenue des Olympiades, 91305 Massy. *Créée* 1893. *Eff.* 284 (f. 50 %). *Adm. 1re a.* : C. (A) cl. prépa. sup. et spé. BIO ; (B) Deug A, (C) BTS-BTSA-DUT ; *2e a.* : C. (D) sur t., dossier et entr., maîtr. sci. et ing., ouvert aux ét. étr. à la Section Ind. Alim. Régions Chaudes/Pôle de Montpellier (*eff.* 25). *An.* 3. *Frais* 3 170 F.

Éc. nat. sup. de biologie appliquée à la nutrition et à l'alimentation (Ensbana). Campus universitaire, 21000 Dijon. *Créée* 1962. *Eff.* 197. *C.* (A) 19 ad., 1 860 ca., *C.* (B) 35 ad., 302 ca. ; *Adm. 1re a.* : sur t. 4 ad., 22 ca. ; *Adm. 2e a.* : sur t. 9 ad., 60 ca. *An.* 3. *Frais* env. 1 700 F.

Écoles nationales d'ingénieur des travaux agricoles (Enita)

☞ Forment des ing., des techn. *agricoles* (Bordeaux, Clermont-Ferrand, Dijon), *de l'horticulture et du paysage* (Angers), *des ind. agricoles et alimentaires* (Nantes). **En 1992,** 3 *C. comm.* : *C.* (A), Enit et Ensa pour prépa. bio-math spé. (options gén., agro., bio., biochimie). (B), Enit pour tit. Deug B et admiss. éc. nat. vétérinaires. (C), Enit pour tit. BTS agri., DUT ou BTS options appropriées (après 1 an prépa ens. sup. long).

Enita (Bordeaux). 1, cours du Général-de-Gaulle, 33175 Gradignan Cedex. *Créée* 1962. *Eff.* 196 (f. 40 %). *C 1992* : (A) 36 ad., (B) 10 ad., (C) 20 ad. dont 11 fonctionnaires. *An.* 3. *Frais* 1 600 F. Possibilité prépa. 1 a. CES. Chef projet informatique appliqué au développement et 2 mastères (système d'info. en agro-informatique, gestionnaire de domaines viticoles).

Enita (Clermont-Ferrand). 63370 Lempdes-Marmilhat. *Créée* 1984. *Eff.* 141 (f. 35 %). *Adm. 1re a. C.* : (A) 27 ad., (B) 7 ad., (C) 14 ad. *An.* 3. *Frais* 900 F.

Enita (Dijon-Quetigny). 21, bd Olivier-de-Serres, BP 48, 21802 Quetigny Cedex. *Créée* 1967. *Eff.* 158 (f. 43 %). *Adm. 1re a. C.* : (A) 39 ad., (B) 10 ad., (C) 17 ad. *An.* 3. *Frais* 1 100 F.

Enit HP. 2, rue Le-Nôtre, 49045 Angers Cedex 01. *Créée* 1971. *Eff.* 212 (f. 61 %). *Adm. 1re a. C.* : (A) 45 ad., (B) 10 ad., (C) 13 ad. *Dipl. 92* : 48. *An.* 3. *Frais* 1 100 F. Habilitation à délivrer le dipl. d'ing. DPE « Horticulture et techn. du paysage ». Cohabilitation DESS « Technologie du végétal » avec l'univers. d'Angers.

Éc. nat. d'ing. des techniques des ind. agricoles et alimentaires (Enitiaa). Domaine de la Géraudière, 44072 Nantes Cedex 03. *Créée* 1973. *Eff.* 199 (f. 46,73 %). *Adm. 1re a. C.* : (A) 39 ad., (B) 19 ad., (C) 18 ad. *Dipl. 92* : 47. *An.* 3. *Frais* env. 1 500 F.

Inst. nat. de promotion sup. agricole (Inpsa). Rue des Champs-Prévois, 21000 Dijon. *Créé* 1966. *Eff.* 118 (f. 15 %). *Adm. 1re a. C.* : pour tit. BTS ou DUT agriculture, BTS ou DUT agroalim., exp. prof. de 3 ans agric. ou para-agric. ou agroalim. et 5 a. pour non-tit. BTS ou DUT. *An.* 2 à temps plein ou 4,5 a. à temps partiel. *Frais* : gratuit pour les demandeurs d'emploi. Rémunération par l'État ou par l'employeur au titre du congé individuel de formation.

Écoles nationales supérieures d'ingénieurs (Ensi)

☞ Nées de l'union des instituts d'université avec des éc. d'ing. en 1969, 29 Ensi + Escil + EFPG. *Adm.* : prép. 2 a. Impossibilité de se présenter plus de 3 fois.

Concours régionaux (1990). Chimie Nord : option P 2 403 ca. 141 ad. 1re liste et 657 classés ; TB 70 ca., 9 ad. *Chimie Sud* : P 2 103 ca., 217 ad. 1re liste et 765 classés ; TB 53 ca., 9 ad. *Chimie Centre* : P' 3 120 ca., 179 ad. 1re liste et 501 classés ; TB 60 ca., 10 ad.

C. national : sur programme math spé. M, P et TA, organisé par le min. de l'Éduc. nat. pour 19 éc. hors chimie (19) ; C. M 5 243 ca., 715 ad. 1re liste, 2 063 classés C. P 4 588 ca., 503 ad. 1re liste, 2 136 classés, C. TA 496 ca., 69 ad. 1re liste, 151 classés. Recrutement des tit. du Deug en 1re a. par C. nat.

Ensi chimie Nord (1)

Éc. nat. sup. de chimie de Lille (ENSCL). Centre univ. scientifique, BP 108, 59652 Villeneuve-d'Ascq. *Créée* 1894. *Eff.* 260 (48 %). *1992-93* : 92 pl. *Adm. 1re a. C. comm.* 49 ad. PP', 3 TB, 1 T'. *Adm. p.* sur *C. spé.* pour tit. Deug A. 7 ad., ou sur *C. spé.* pour tit. Deug B (C. comm. avec l'INAPG) 13 ca., 4 ad. Sur t. DUT 63 ca., 33 ad. Sur t. BTS 33 ca., 9 ad. Sur t. Deug B 17 ca., 12 ad. *2e a.* : sur t. maîtr. ès sc. 81 ca., 27 ad. *Dipl. 92* : 79. *An.* 3. *Frais* d.u. *Mastère* de techno. chim. et drug design. *Adm.* sur t. (Ing. DEA DESS) 15 ad. *An.* 1. *Frais* : 2 500 F.

Éc. nat. sup. de chimie de Mulhouse (ENSCMu). 3, rue Alfred-Werner, 68093 Mulhouse Cedex. *Créée* 1822. *Eff.* 168 (38,7 %). *C. comm. 1992-93* : 36 ad. *C.* TB 4 ad. *Adm. p. 1re a.* : sur *C.* Deug A 14 ad. ; sur t. *1re a.* DUT chimie 6 ad. *2e a.* : maîtr. chimie ou chimie-physique sur t., 2 ad. Formation continue 2 ad. *Dipl. 92* : 51. *An.* 3. *Frais* 2 000 F + 500 F (frais de labo) + SS.

Éc. nat. sup. de chimie de Rennes (ENSCR). Av. du Gal-Leclerc, 35700 Rennes Beaulieu. *Créée* 1919. *Eff.* 206 (45 %). *C. comm. 1992* : 38 ad. *Adm. p. 1re a.* : *C.* Deug A 117 ca., 17 ad., Deug B 17 ca. 4 ad. ; sur t. pour tit. DUT chimie 115 ca., 15 ad. *2e a.* : sur t. tit. maîtr. chimie ou phys.-chimie 110 ca., 11 ad. *Dipl. 92* : 45. Possibilité prépa. DEA (3e a.). *An.* 3. *Frais* 1 500 F. (+ SS et mutuelle). En 1993 : classe prépa. aux éc. de chimie et génie chimique. *Eff.* 50. *Adm.* sur t. et entretien.

Éc. européenne des hautes ét. des ind. chimiques de Strasbourg (EHICS). 1, rue Blaise-Pascal, BP 296, 67008 Strasbourg Cedex. *Créée* 1919. *Eff.* 212 (f. 43 %). *C. comm. 1992* : 41 ad. sur 6 499 ca. C. Deug *1992* : 6 ad., 45 ca. *Adm. 1re a.* : sur t. 25 ad. (3 DUT, 2 BTS, 20 ét. de la CEE,). *2e a.* : sur t. 2 ad. (maîtr.). *Dipl. 92* : 49 *An.* 3. *Frais* 2 600 F dont SS 840 F.

Ensi chimie Sud (1)

Éc. nat. sup. de chimie et de physique de Bordeaux (ENSCPB). 351, cours de la Libération, 33405 Talence Cedex. *Créée* 1891. *Eff.* 193 (f. 37 %). *C. comm. 1992* : 46 ad. *C.* Deug 15 ad., 311 ca. *Adm. 1re a.* : sur t. pour tit. DUT, BTS, ou lic. 3 ad. *2e a.* : sur t. pour tit. maîtr. 6 ad. *Dipl. 92* : 58. *An.* 3. *Frais* 1 590 F + SS.

Éc. nat. sup. de chimie de Clermont-Ferrand (ENSCCF). Ensemble scientifique des Cézeaux, BP 187, 63174 Aubière Cedex. *Créée* 1908. *Eff.* 189 (f. 42,86 %). *C. comm. 1992* : 50 ad. *C. spé.* pour tit. Deug A 15 ad. *Adm. 1re a.* : pour tit. DUT chimie, mesures physiques ou génie chimique sur t. + dossier 4 ad. *2e a.* : pour tit. maîtr. chimie ou chimie-physique sur t. + dossier 7 ad. *Dipl. 92* : 59. *An.* 3. *Frais* 1 975 F + SS.

Éc. nat. sup. de chimie de Montpellier (ENSCM). 8, rue de l'École-Normale, 34053 Montpellier Cedex 01. *Créée* 1889. *Eff.* 258 (f. 47 %). *C. comm.* « Chimie P » *1992* : 61 ad. *1990* : *Adm. 1re a.* : *C. spéc.* pour tit. Deug A 10 ; Deug B (C. comm. avec INAPG) 1 ad. ; sur t. DUT ou BTS chimie 6 ad. *2e a.* : sur t. pour tit. maîtr. chimie 12 ad. *Dipl. 1992* : 64. *An.* 3 DEA. Mastères spécialisés : chimie fine organique 6, matériaux polymères 3, chimie et matériaux inorganiques, minéraux, poudres et matériaux avancés 5 URA CNRS, 1 V. Inserm, 150 DEA ou thèses. *Programmes européens* : Comett Ba-Erasmus-ECTS, Erasmus-Pic, Tempus. *Frais* 2 455 F dont SS 840 F. **Élèves illustres :** A.J. Balard, Chaptal, C. Chancel, H. de Forcrand, C.F. Gerhardt, M. Mousseron.

Éc. nat. sup. de synthèses, de procédés et d'ingénierie chimiques d'Aix-Marseille (Ensspicam). Campus scientifique St-Jérôme, 13397 Marseille Cedex 13. *Créée* 11-1-1990 (fusion de ESCM et Esipsoi). *Eff.* 181 (f. 40 %). *Adm. 1re a.* : *C.* Ensi gr. Chimie P et TB 33 ad., *C.* régional Deug SSM 10 ad., *C.* pour tit. DUT, 6 ad. *2e a.* : sur t. maîtr. chimie, chimie-physique et DEST 28. *Année spé. ingénierie pour tit. dipl. ing. Dipl.* DEA. 15, ad. *Dipl. 92* : 62, *An.* 3. *Frais* 2 300 F.

Éc. nat. sup. de chimie de Toulouse (ENSCT). 118, route de Narbonne, 31077 Toulouse Cedex. *Créée* 1906. *Eff.* 211 (f. 52 %). *1991* : *Adm. prépa. 1re a.* : tit. bac C et E 100 ca., 25 ad. ; *2e a.* : tit. 1re a. Deug A 15 ca. 4 ad. *Adm. 1re a. Ingénieur* : C nat. 46 ad. ; *C.* régional 220 ca., 12 ad. ; sur t. pour tit. DUT 35 ca. 3 ad. *2e a. Ingénieur* : sur t. pour tit. maîtr. ou DEST 105 ca., 11 ad. ; formation continue (IVFC) 1 ad. *Dipl. 90* : 66. Possibilité prépa. DEA (3e a.). Section spéciale procédés : option Chimie des procédés. Programmes européens : PIC Erasmus, Tempus, ECTS, Comett Volet B. *Dip. 92* : 64 (f. 37 %). *Frais* 1 400 F + Mutuelle.

Éc. sup. de chimie ind. de Lyon (Escil). 43, bd du 11-Novembre, BP 2077, 69616 Villeurbanne Cedex. *Créée* 1883. *Eff.* 270 (f. 40 %). *Adm. en 1re a.* : *C. comm.* ad. ou sur dossier pour tit. Deug A et B ou DUT 26, P 52, TB 2. *2e a.* : sur t. 1 ad. 5 filières en 3e a. dont 4 permettant d'obtenir un DEA. Programmes Comett, Erasmus, ECTS. *Dipl. 91* : 53. *An.* 3. *Frais* 16 000 F.

Nota. – (1) Depuis juin 1991 les deux concours ENSI Chimie Nord et Sud ont fusionné en un seul concours.

Ensi chimie Centre

Éc. nat. sup. de chimie de Paris (ENSCP). 11, rue Pierre-et-Marie-Curie, 75231 Paris Cedex 05. *Créée* 1896. *Eff. 1992-93* : 208 (f. 40 %). *Adm. p. 1re a.* : sur *C.* Ensi de chimie du groupe P' 51 ad., 3 218 ca., TB 0 ad., 67 ca. *C spé.* T' 0 ad., 145 ca. Sur tit. DUT, BTS, DEUG 7 ad. sur 80 dos. ; *2e a.* : sur t. avec maîtr. 8 ad. sur 80 dos. *Dipl. 92* : 64. *An.* 3. *Frais* 1 500 F. Poss. prépa. DEA durant 3e a.

Éc. nat. sup. des industries chimiques de Nancy (Ensic). 1, rue Grandville, BP 451, 54001 Nancy Cedex. *Créée* 1887. Éc. d'application de l'Éc. Polytechnique. *Eff. 1992-93 :* 308 (f. 36 % en 1re a.). *1992 : Adm. p. 1re a. : C.* « Chimie P' » 80 ad., *C.* Ensi M 16 ad., sur dossier pour tit. DUT 4 ad., 30 ca. *2e a. :* tit., Emi TB 5 ad., DEUG 1 ad. 4 tit. maîtr. ou MST sur dossier 11 ad. ; Pharma. 6 ad., sur t. Polytechnique 1 dipl. Programmes Comett, Erasmus. Possibilité prépa. DEA (3e a.). *Dipl. 1991 :* 82. *An.* 3. *Frais* 600 F.

Éc. sup. de physique et de chimie ind. de la Ville de Paris (ESPCI, dite « **PC** »). 10, rue Vauquelin, 75231 Cedex 05. *Créée* 1882. *Eff.* 288 (f. 28 %). *C. comm.* Centre prog. P et P'. 72 pl., 3 120 ca. *1989-90 :* 5 ad. *Adm. p. 1re a. :* sur t. Deug A mention B, 2 ad., 40 ca. *3e a. :* sur t. maîtr. physique, chimie ou MST 30 ca., 2 ad. *Dipl. 89 :* 50. *An.* 4. (DEA, mastère, éc. d'application.) *Frais* 650 F.

Ensi concours commun M et P

Éc. fr. de papeterie et des ind. graphiques (EFPG, dite « **Papet** »). BP 65, 38402 St-Martin-d'Hères. *Eff.* 150 (f. 20 %). *Adm. 1re a. : C. comm.* aux Ensi programme P 25 ad., M 20 ad., TA 4 ad. ; *C.* Deug A 4 ad. *C. spé* T' 1, 2 ad. Total 56 pl. offertes sur t. DUT 3 ad. *Dipl. 92 :* 51. *An.* 3. *Frais* 2 500 F/an.

Éc. nat. sup. d'électrochimie et d'électrométallurgie de Grenoble (Enseeg). BP 75, 38402 St-Martin-d'Hères. *Créée* 1921. *Eff.* 300 (f. 30 %). *C. comm.* Ensi M, P, TA et DEUG A 90 ad. en 92. *1992 : Adm. p. 1re a. :* tit. DUT 2 ad. *2e a. :* maîtr. ès sc. ou Dest 11 ad. *C. spé.* pour tit. dipl. ing. *1992 :* 0 ad. *Dipl. 92 :* 103. *An.* 3. *Frais* d.u.

Éc. nat. sup. d'électrotechnique, d'électronique, d'informatique et d'hydraulique de Toulouse (ENSEEIHT, dite « **N7** »). 2, rue Charles-Camichel, 31071 Toulouse Cedex. *Créée* 1907. *Eff.* 1 200 (f. 20 %). *C. comm.* M 108, P 102, TA 9. C. Deug A 25. *Adm. 1re a. :* A sur dossier + entr. 623 ca., 42 ad. *2e a. :* A maîtr. ou MTS 442 ca., 53 ad. Spécialisations 472 ca., 120 ad. *Dipl. 91 :* Ing. N7 274, SS + DHET + Mastère 99. *An.* 3. *Frais* d.u.

Éc. nat. sup. d'électricité et de mécanique (ENSEM). 2, av. de la Forêt-de-Haye, 54516 Vandœuvre Cedex. *Créée* 1900. *Eff.* 380 (f. 12 %). *1992 : Adm. 1re a. : C. comm.* Ensi M, P, TA 92 ad. *C. spé.* Deug 7 ad. T' 2 ad. ; TS 2 ad. ; DUT 1 ad. *2e a. :* dossier pour tit. maîtr. 112 ca., 13 ad. *Dipl. 92 :* 125. *An.* 3. *Frais* d.u.

Éc. nat. sup. d'électronique et de radioélectricité de Bordeaux (Enserb). 351, cours de la Libération, 33405 Talence Cedex. *Créée* 1920. *Eff.* 397 (f. 7,2 %). *C. comm.* Ensi M,P,TA, Deug *1992 :* 112 ad. *Adm. 1re a. :* sur dossier pour tit. DUT 172 ca., 16 ad. *2e a. :* sur dossier pour tit. maîtr. ou dipl. ing. 102 ca., 17 ad. 2 filières de formation (électron. et inform.) depuis 86, *Adm.* possible au titre de la formation continue. *Dipl. 92 :* 129 (électron. 90, inform. 39). *An.* 3. *Frais* d.u.

Éc. nat. sup. d'électronique et de radioélectricité de Grenoble (Enserg). 23, rue des Martyrs, BP 257, 38016 Grenoble Cedex. *Créée* 1957. *Eff.* 381 (f. 14 %). *C. comm.* Ensi M, P, TA, Deug. *1992 :* 93 ad. *Adm. 1re a. :* tit. DUT, BTS + 1 : 18 ad. *2e a. :* sur t. pour tit. maîtr., Dest et DUT + 3 : 26 ad. Spécialisation pour tit. d'un dipl. d'ing. 2 ad. *Dipl. 92 :* 132. *An.* 3. *Frais* 1 600 F.

Éc. nat. sup. d'hydraulique et de mécanique de Grenoble (ENSHMG). BP 95, 38402 St-Martin-d'Hères Cedex. *Créée* 1929. *Eff.* 391 (f. 15,35 %). 3 sections : MF, GE et GM. *C. comm.* Ensi *entrées 1992 :* (29 M, 31 P, 6 Deug, 5 TA, 2 T', 24 Ensam). *1991 : Adm. p. 1re a. :* sur t. pour les tit. DUT (20 ad.) ; *2e a. :* sur t. pour les tit. maîtr. ou éq. (28 ad.) ; a. de spécialisation pour les tit. dipl. ing. (10 ad.). *Dipl. 92 :* 76 H, 26 GM, 9 As. hydrau, 0 As. MFN. *Frais* d.u.

Éc. nat. sup. d'informatique et de mathématiques appliquées de Grenoble (Ensimag). BP 53X, 38041 Grenoble Cedex. *Créée* 1960. *Eff.* 403 (f. 11 %). *Adm. p. 1re a. : C. comm.* Ensi (M, P, TA, Deug) sur t. DUT 80 ca., 7 ad. *Adm. p. 2e a. :* tit. maîtr. MAF, Miage, SMI, Mi 113 ca., 14 ad. *Dipl. 92 :* 135. *An.* 3. *Frais* d.u.

Éc. nat. sup. d'ing. de constructions aéronautiques (Ensica). 49, av. Léon-Blum, 31056 Toulouse Cedex. *Créée* 1945. *Eff. 92-93 :* 313 (f. 11 %). *C. comm.* Ensi *1re a. :* 86 ad. *Adm. p. 2e a. :* sur t. pour tit. maîtr. ou dipl. ing. 6 ad., 168 ca. ; sur t. pour tit. dipl. ing. ou DEA. *Dipl. 92 :* 85. *An.* 3. *Frais* d. u. spécialisations pour ing. dipl. ; 4 *mastères.*

Éc. nat. sup. d'ing. électriciens de Grenoble (Ensieg). BP 46, 38402 St-Martin-d'Hères. *Créée* 1901. *Eff.* 480 (f. 6 %). *C.* 125 pl., 15 000 ca. *1992 : C. spé.* Deug A 4 ad. *Adm. 1re a. :* sur t. pour tit. DUT 151 ca., 16 ad. *2e a. :* sur t. pour tit. maîtr. ou éq. 13 ca. 8 ad. *Dipl. 92 :* 161. *An.* 3. *Frais* d.u.

Éc. nat. sup. d'ing. de mécanique énergétique de Valenciennes (Ensimev). BP 311, 59304 Valenciennes Cedex. *Créée* janv. 1979. *Eff.* 203 (f. 15 %). *C. comm. polytechniques 95 pl. 1993 :* (M, M', P, P', 74, Deug A 15, TA 4). *Adm. 1re a. :* DUT 5 pl. sur dossier. *2e a. :* maîtr. MST 5 pl. sur dossier. *An.* 3. *Dipl. 92 :* 58. *Frais* d.u.

Éc. nat. sup. des ind. textiles de Mulhouse (ENSITM). 11, rue Alfred-Werner, 68093 Cedex. *Créée* 1861. *Eff.* 172 (f. 30 %). *C. comm.* Ensi M, P, TA, Deug 22 ad. *Adm. 1re a. : C. spé.* pour tit. transitoire Deug A 2 ad., sur t. pour DUT 4 ad., BTS 4 ad., 130 ca. ; TS 4 ad. ; *2e a. :* sur t. pour ing. dipl. et maîtr. ès sc. 95 ca., 10 ad. *Mastère* ingénierie confection-habillement : 7 ét. Année spé. conf.-habil. *Dipl. 92 :* 34. *An.* 3. *Frais* d.u.

Éc. centrale de Nantes *[anciennement Éc. nat. sup. de mécanique (ENSM)].* 1, rue de la Noé, 44072 Nantes Cedex 03. *Créée* 1919. *Eff.* 662 (f. 10 %). *C. comm.* 170 ad., *C. spé.* Deug A 12 ad. *Adm. 1re a. :* DUT 7 ad. *2e a. :* sur dossier + entr. pour tit. maîtr. 77 ca., 17 ad. *Dipl. 92 :* 210. *An.* 3. *Frais* d.u.

Éc. nat. sup. de mécanique et d'aérotechnique (Ensma). Site du Futuroscope, 86360 Chasseneuil-du-Poitou. *Créée* 1948. *Eff.* 370 (f. 14 %). *C. comm. 1993 :* 140 pl. *Adm. 1re a. :* Deug 5, DUT 102 ca., 2 ad. *2e a. :* maîtr. 5 ad. *Dipl. 92 :* 115. *3e a. : Possibilité de 3e a.* à l'étr. (USA, Can., G.-B., All., Italie, Suisse). *An.* 3. *Frais* d.u.

Éc. nat. sup. de mécanique et des microtechniques (ENSMM, dite « **Chrono Besançon** »). Route de Gray-la-Bouloie, 25030 Besançon Cedex. *Créée* 1927. *Eff.* 404 (f. env. 10 %). *Adm. 1re a. : C. comm.* M 20, P 54, Deug 3, TA 13, T' 2, Ensam 29, DUT 8, math. spé. TS 1, BTS + 1. *2e a. :* sur t. maîtr. 4, Dest 5. *Dipl. 92 :* 132. *3e a. :* 4 options : automatique et productique microélectronique et capteurs, mécanique, matériaux et surfaces. *An.* 3. *Frais* 1 615 F + prest. div. + SS.

Éc. nat. sup. de physique de Marseille (ENSPM, dite « **Sup.-phy.** »). Domaine univ. St-Jérôme, 13397 Marseille Cedex 20. *Créée* 1959. *Eff.* 240 (f. 20 %). *Adm. C. commun :* M 28 ad., P 37 ad. TA 2 ad. *1re a. : C. national* pour tit. Deug 7 ad. ; sur dossier pour tit. DUT 7 ad. ; *2e a. :* sur dossier pour tit. maîtr. 11 ad. *Dipl. 92 :* 69. *An.* 3. *Frais* env. 3 500 F.

Éc. nat. sup. de physique de Strasbourg (ENSPS). 7, rue de l'Université, 67000 Strasbourg. *Créée* 1981. *Eff.* 182 (f. 25 %). *Adm. C. commun* M 15 ad., P 25, TA 3. *1re a. : C. national* pour tit. Deug A 12 sur dossier pour tit. DUT, BTS 59 ca., 7 ad. (1 entrée). *2e a. :* sur dossier pour tit. maîtr. phys., MST, EEA 54 ca., 24 ad.(6 entrées). *Dipl. 92 :* 38. *3e a. :* 8 options couplées à des DEA. *An.* 3. *Frais* entre 2 500 et 3 000 F.

Éc. nat. sup. d'ing. de génie chimique (Ensigc) 18 chemin de la Loge, 31078 Toulouse Cedex. *Eff.* 250 (f. 25 %). *C. comm.* et *C.* pour tit. Deug sc. 8 ad. DUT 4 ad., 60 ca. *Adm. 2e a. :* maîtr. sc. ou dipl. ing. 8 ad., 58 ca. *3e a. 4 options :* procédés ; modélisation - simulation ; biotechnologie ; matériaux. Mastères : génie des procédés, chimie des procédés. *Dipl. jusqu'en 92 :* 1 371. *An.* 3. *Frais* d.u.

Inst. des sc. de la matière et du rayonnement. Éc. nat. d'ing. de Caen (ENSI ISMRA). 6, bd Maréchal-Juin, 14050 Caen Cedex. *Créé* 1914 modif. 1976. *Eff.* 430 (f. 20 %). *C. comm. polytechniques* 102 ad. *Adm. p. 1re a. :* Deug A 7 ad. ; DUT, BTS ou Dest 20 ad. *Dipl. 91 :* 118. *An.* 3. *Frais* 1 560 F 4 filières : instrumentation, informatique, optoélectronique, matériaux et chimie fine.

Écoles du concours Arts et Métiers

☞ Recrutement principal commun, sur C. (2 fois max.) à l'issue des cl. prép. T et TA.

Éc. nat. sup. d'Arts et Métiers (Ensam). Centres régionaux (1re et 2e a.) : Châlons-sur-Marne, Angers, Aix-en-Provence, Cluny, Lille, Bordeaux. Année terminale : 151, bd de l'Hôpital, 75640 Paris Cedex 13. *Créée* 1780. *But :* former des ingénieurs généralistes de haut niveau, sur la base du génie industriel et du génie mécanique, scientifique et technologique qui s'adaptent aisément à des secteurs d'activité et des postes très divers. *Eff.* 2 796 (f. 116). *C. comm.* 3 086 ad. dont T 830 et TA 40 en 1992. *Adm. p. 1re a. :* sur t. + dossier + examen pour tit. DUT, BTS. 605 ca., 100 ad. *2e a. :* sur dossier et examen pour tit. MST ou maîtr. 45 ca., 12 ad. *Dipl. 92 :* 902. *An.* 3. *Frais* 2 000 F + SS 880 F (pension facultative 16 500 F). **Élèves illustres :** Alain Barrière, Louis Delage, Émile Delahaye, Jacques Esterel, Henri Verneuil.

Éc. nat. sup. des arts et ind. de Strasbourg (Ensais). 24, bd de la Victoire, 67084 Strasbourg Cedex. *Créée* 1875. *Eff.* 805 (f. 13 %). *Adm.* prépa. intégrée sur dossier + entr. pour bac C ou E avec mention AB 65 pl. *Adm. C. comm.* opt. B : T 47 ad., TA 6 ; Option C 95. C. pour tit. DUT ou BTS : Génie Méca. (GM) 15 ad., Électrotechnique et Électronique Ind. (EEI) 15 ad. *Adm.* C. sur titres : DUT Génie Civil 8 ad., MST ou maîtr. 16 ad. ; au t. de la formation continue (+ 2 a. d'exp. prof.) 4 ad. ; Dipl. *92 :* 195. *An.* 3. *Frais* d.u. ; possibilité de bourses.

Éc. nat. sup. de céramique ind. (Ensci). 47 à 73, avenue Albert-Thomas, 87065 Limoges. *Créée* 1893. *Eff.* 150 (f. 8 %). *C. comm.* T et TA 27 ad., T' 1 pl., P 15 pl. *Adm. p. 1re a. :* sur *C.* pour tit. DUT ou BTS 10 ad. *Adm. p. 2e a. :* sur *C.* pour tit. maîtr. ès sc. 14 ad. DEA possible en *3e a. : Dipl. 92 :* 49. *An.* 3. *Frais* 1 500 F ; possibilité de bourses.

Éc. nat. sup. de l'électronique et de ses applications (ENSEA). Allée des Chênes-Pourpres, 95014 Cergy-Pontoise Cedex. *Créée* 1952. *Eff.* 440 (f. 6 %). *Adm. 1re a. :* A : T.TA 40 ad., 2 500 ca. ; MP' 30 ad., 3 000 ca. B : tit. DUT ou BTS 50 ad., 800 ca. C : par formation continue (+ 3 a. d'exp. prof.) et cy. prépa. *1e a.* 20 ad. *2e a. :* pour tit. maîtr. EEA et MST 2 ad. 50 ca. *Dipl. 92 :* 142. *An.* 3. *Frais* 550 F ; possibilité de bourses.

Écoles du concours commun des écoles de la FESIC

☞ La Fesic (Fédér. d'éc. sup. d'ingénieurs et de cadres) groupe 20 éc. privées rattachées à l'ens. catholique. Ne figurent pas ci-dessous les éc. de commerce et de gestion (Essec, Edhec, Ieseg, Essca), qui organisent des concours propres, et l'IEFSI qui entre dans le cadre des formations complémentaires. *Recrutent* directement après le bac C, D, D', E. *An.* 5 (prépa. 2 a., cy. ing. 3 a.). Sélection sur dossier et/ou sur *C. 1re a. : prépa. : C. commun 1990 :* 10 423 ca. 2 559 ad. (dont 1 685 sur dossier) 1 341 entrées. *Cy. ing. : C.* pour él. M M' P P' *comm.* à Eseo, Estit, HEI, ICPI Lyon, Isen, Isep, 1 679 ca., 516 ad. 92 entrées. *C.* pour tit. Deug A SSM *comm.* à Escom, ESTIT, HEI, ICPI Lyon, Isen, Isep, 186 ca. 27 ad. 8 entrées. *Adm. 2e a. : cy. ing.* sur dossier. Autres adm. spécifiques à chaque école.

Éc. catholique d'arts et métiers (Ecam). 40, montée St-Barthélemy, 69321 Lyon Cedex 05. *Créée* 1900, *Eff.* 500 (f. 7 %) dont *1er cy.* (prépa. intégrées) 212 él. *2e cy* (él.-ing.) 288 él. *1re a. prépa.* 120 ad. (C. Fesic sur dossier ou sur épreuves), 1 785 ca. bacheliers C ou E pour l'Ecam en 1er choix. *1re a. cy. ing.* 96 ad. dont 72 sur résultats contrôle continu des cl. de math. spé. intégrées et 24 sur *C.* Ecam et math. spé. des lycées M, P, T' et Techno. *Dipl. 90 :* 92. *Frais, Prépa.* 5 500 F ; *cy. ing.* 7 500 à 15 000 F.

Éc. sup. de chimie organique et minérale (Escom). CPSL, 13, bd de l'Hautil, 95092 Cergy-Pontoise Cedex. *Créée* 1957. *Eff.* 438 (f. 53 %). *1992 : Cl. prépa.* 186 ad. (dont 72 sur dossier, 39 sur épr. écrites) 111 entrées. *2e a. cy. ing. C.* Deug A, Fesic, 29 ca., 0 entrée ; DUT, BTS chimie 16 ca., 4 ad. maîtr. 15 ca. 4 entrées. *Dipl. 92 :* 55. *Frais, 1er cy.* 13 800 F, *2e :* 20 100 à 20 400 F.

Éc. sup. d'électronique de l'Ouest (Eseo). 4, rue Merlet-de-la-Boulaye, BP 926, 49009 Angers Cedex. *Créée* 1956, *reconnue par l'État* 1978. *Eff.* 625 (f. 13 %). *Adm. Cl. prépa. 1re a. :* (sélect. Fesic : bac C, E, D exceptionnellement) 230 ad. (dont 127 sur dossier, 103 sur épr. écrites) 120 entrées. *2e a.* sur t. (après étude dossier et entr.) tit. math spé., math sup. admiss. en math spé. 2 ad. *Cy. Ing. :* sur *C.* Fesic (math. spé.) 10 ad., 8 entrées ; sur t. (sur t. après étude de dossier et entr. évent.) *1re a.* pour tit. Deug A, DUT, BTS, Deust, licence EEA 10 ad. ; *2e a.* pour tit. maîtr. EEA et MST 4 ad. Formation continue cy. prépa. 8 mois, cy. term. 19 mois. *Adm.* DUT-BTS ou éq. + 3 a. d'exp. prof. dans la branche électron. *Dipl.* ing. Eseo. Centre de recherches appliquées. *Dipl. 91 :* 120. *Frais* 9 000 à 18 000 F selon l'année d'études + SS.

Éc. sup. des techniques ind. et des textiles (Estit). 52, allée Lakanal, BP 209, 59654 Villeneuve-d'Ascq Cedex. *Créée* 1895. *Eff.* 300 (f. 15 %). *Prépa. intégrées. C.* sur dossier pour bac C, D, E : 52 ad. *Adm. p. 1re a. : C. comm.* pour tit. Deug A 6 ad. ; pour math spé. M et P 2 ad. ; dossier + entr. pour tit. DUT 5 ad. ; BTS 0 ad. ; *Dipl. 1990 :* 38. *Frais* cy. prépa. 7 800 F ; cy. ec. 17 500 F.

Éc. des hautes ét. ind. (HEI). 13, rue de Toul, 59046 Lille Cedex. *Créée* 1885. *Eff.* 1 200 (f. 18 %). *1990 : prépa.* (sélect. Fesic) 398 ad. (dont 281 sur dossier)

227 entrées. *1er cy. ing. : C.* Fesic (math. spé.) 16 ad., 10 entrées ; *C.* Deug A 10 ad., 2 entrées ; DUT 118 ca., 12 ad., 6 entrées ; BTS 126 ca., 12 ad., 8 entrées ; *2e a.* cy. ing. : maîtr. 46 ca., 13 ad., 11 entrées. *Dipl. 91 :* 168. *Frais* cy. prépa. 7 500 F/an ; cy. ing. 17 310 F/an.

Inst. catholique d'arts et métiers (Icam). 6, rue Auber, 59046 Lille Cedex. *Créé* 1876. 35, av. du Champ-de-Manœuvre 44 470 Carquefou. *Créé* 1988. *Eff.* 701 (f. 13 %) dont 490 Lille, 211 Nantes. *Prépa. :* 192 (107 à Lille, 85 à Nantes) ad., 1 281 ca. 2e cy., *1re a. C.* math. spé. 13 ad., 370 ca. *Adm. p. 1re a. :* sur dossier pour les tit. BTS et DUT 62 ca, 6 ad. *Dipl. 90 :* 93. *Frais* 7 500 à 16 250 F. *Autres formations :* ing. Icam par form. continue ; mastère d'ing. d'aff. internat.

Inst. de chimie et physique ind. de Lyon (ICPI). 31, place Bellecour, 69288 Lyon Cedex 2. *Créé* 1919. *Eff.* 392 (f. 23 %). *Adm. 1989 :* cy. prépa. *C. comm.* bac C ou E, 245 ad. sur dossier, 70 au *C.*, 189 entrées. *2e a. prépa.* sur dossier + C. *Adm. 1re a.* sur *C. comm.* 106 ca., 9 ad., tit. Deug A 44 ca., 3 ad. ou sur dossier + épr. orales pour tit. DUT 113 ca., 14 ad. *2e a.* entr. + dossier pour tit maîtr. ès. sc. 38 ca., 3 ad. *Dipl. 89 :* 111. *Frais* cy. prépa. : 6 780 F. cy. ing. 19 500 F.

Inst. sup. agricole de Beauvais (Isab). Rue Pierre-Waguet, BP 313, 60026 Beauvais Cedex et 32, bd du Port, 95094 Cergy. *Créé* 1854. *Eff.* 600 (f. 30 %). *Prépa.* 68 ad. sur dossier, 52 sur *C., 1re a. prépa.* 120 entrées, *2e a. prépa.* sur dossier + entr. pour tit. BTS A et admiss., 18 ad. *Adm. p. 3e a.* ing. sur dossier + entr. pour tit. Deug B mention, ou DUT Bio, ou math. spé. Bio, Lic., Maîtr., 39 ad. *Dipl. 92 :* 95. *Frais* 15 000 F/an. *Diplôme* d'ing. en agric. de l'Isab reconnu par l'État.

Inst. sup. d'agriculture (Isa). 41, rue du Port, 59046 Lille Cedex. *Créé* 1963. *Eff.* 434 (f. 30 %). *1990 : 1er cy. : 1re a.* Bac D, C, D', 73 ad. *2e a.* math. sup. bio., 1re a. Deug B 8 ad. *2e cy. : 1re a.* Deug B, DUT, BTSA, admiss. Ensa 16 ad. + 7 ad. form. prof. *2e a.* maîtr. bio. 3 ad. + 1 ad. form. prof. *Dipl. 89 :* 84. *An.* 5. *Frais* 14 600 F/an.

Inst. sup. d'électronique du Nord (Isen). 41 bd Vauban, 59046 Lille Cedex. *Eff.* 608 (f. 18 %). *Prépa.* 111 ad. *Adm. 1re a. C.* math., spé. 11 ad. *C.* Deug A 3 ad. ; DUT-BTS 171 ca., 23 ad. 2e a. tit. maîtr. électron. et ing. 22 ca., 1 ad. *Dipl. 90 :* 123. *Frais* cy. prépa. 7 500 F, cy. ing. 17 680 F.

Inst. sup. d'électronique de Paris (Isep). 28, rue Notre-Dame-des-Champs, 75006 Paris. *Créé* 1955. *Eff.* 611 (f. 22 %). *1990 : Prépa.* (sélect. Fesic) 1 306 ca., 237 ad. (dont 108 sur dossier, 129 sur épreuves écrites) 96 entrées. *2e cy. ing. C.* Fesic (math spé) 1 130 ca. 285 ad., 60 entrées ; Deug A, Fesic, SSM 29 ca. 0 ad. 0 entrée ; maîtr. 37 ca., 6 ad., 3 entrées (2e a. cy.-ing.). *Dipl. 90 :* 74. *Frais* 8 700 F/an (1er cy.), 18 900 à 20 700 F selon l'a.

Écoles d'ingénieurs à concours particuliers

Écoles polyvalentes

☞ Éc. ayant un mode de recrutement propre. Voir aussi éc. des grands concours traditionnels (ECL, ECP, EP, ENSMP, ENPC, Ensta, ENSMIM, Ensae, IPN), éc. du concours Arts et Métiers (Ensam, Ensais), concours Fesic, HEI, Ecam, Icam, Inst. nat. des sc. appliquées, universités délivrant le diplôme d'ing.

Éc. polytechnique féminine (EPF). 3 *bis,* rue Lakanal, 92330 Sceaux. *Créée* 1925. *Eff.* 860. *C. 1992 :* 177 ad. (150 bac C, 25 D, 2E). *Adm. p. 2e a.* spéc. 15 ad. *3e a.* Deug A, DUT, lic., admiss. C. gr. éc., BTS : 7 ad., Deug 4 ad., DUT 2 ad. *4e a.* maîtr. 9 ad. *Dipl. 92 :* 169. *An.* 5. *Frais* 26 000 F.

Éc. nat. sup. des techniques ind. et des mines d'Alès (Enstima). 6, av. de Clavières, 30319 Alès Cedex. *Créée* 1843. *Eff.* 550 (f. 15 %). *C.* propre à l'éc. pour math sup. 100 ad. *Adm.* possible. *2e a.* dossier Deug A, DUT, BTS, 8 pl. *3e a.* lic. ès sc. 2 pl. *Dipl. 91 :* 122. *An.* 4. *Frais* hébergement. Formation continue. Accueil él.-chercheurs dans les laboratoires. Mastères sécurité ind. et env. ; échanges de données informatisé ; intelligence art. Section de perfectionnement pour tit. bac + 2 et 4 activité prof. 55 pl./an.

Éc. nat. sup. des techniques ind. et des mines de Douai (ENSTIMD). 941, rue Charles-Bourseul, 59508 Douai Cedex. *Créée* 1878. *Eff.* 550 (f. 10 %). *C.* propre à l'éc. 105 ad., 4 466 ca. *Adm. p. 2e a. :* Deug A, DUT, BTS 234 ca., 8 ad. *3e a. :* lic. math ou physique 15 ca., 1 ad. *Dipl. 88 :* 98. *An.* 4. *Frais* 1 530 F environ. *Formation cont. :* 55 ad. *Mastères.*

Éc. sup. d'ing. de Marseille (ESIM) Inst. méditerranéen de technologie (CCIMP). Technopôle de Château-Gombert 13451 Marseille Cedex 20. *Créée* 1891. *Eff.* 378 (f. 17 %). *C.* ouvert aux ét. de niveau math spé. 3 300 ca., 89 ad. *Dipl. 92 :* 116. *An.* 3. *Frais* 12 100 F. *Mastères.*

Éc. sup. des sc. et technologies de l'ing. de Nancy/Nice (Esstin) (ex-Isin). Parc Robert-Benz, 54500 Vandœuvre. Antenne à Sophia-Antipolis : rue L.V. Beethoven, 06560 Valbonne. *Créée* 1960. *Eff.* 638 (f. 6 %). *Adm. 1er a.* pour bac C, D, E 111 ad., 3 392 ca. *2e a. C.* (A) 7 ad., 390 ca. : (B) 13 ad., 327 ca., *3e a.* (D) sur dossier 18 ad., 249 ca. *4e a.* sur dossier + entretien pour tit. maîtr. MST 26 ad., 100 ca. *Dipl. 92 :* 122. *An.* 5. *Frais* d.u.

Écoles nationales d'ingénieurs (Eni)

☞ Créées 1961, recrutent : *en 1re a. : C. comm.* nat. pour tit. bac E, F, C 7 623 ca. 440 pl. en 1988. *En 3e a. : C.* spé. sur dossier et entr. ; dipl. exigés : BTS, DUT, Deug ou niv. éq. *An.* 5. **Spécialités :** *Génie civil et fabrication mécanique* à St-Étienne ; *fabr. méca.* à Belfort, Metz et Tarbes ; *fabr. électronique* à Brest. *Recherche* à Brest, St-Étienne et Tarbes.

Éc. nat. d'ing. de Belfort (Enibe). BP 525. 8, bd Anatole-France, 90016 Belfort Cedex. *Créée* 1962. *Eff.* 500 (f. 3 %). *Adm. 1re a.* 120 pl. (Bacs E et C) ; 3e a. tit. DUT et BTS 40 ad. 600 ca. *Dipl. :* 100/120 par an. *Options 4e et 5e a. :* procédés de prod., systèmes de prod., organisation et gestion prod., recherche en mécanique et productique. *Frais* d.u.

Éc. nat. d'ing. de Brest (Enibr). Avenue Le Gorgeu, 29287 Brest Cedex. *Créée* 1961. *Eff.* 481. *Adm. 1re a. C. comm.* Eni pour tit. Bac E, 66 pl., sur dossiers pour él. term. C. 18 pl., D 6 pl., F 6 pl. ; *3e a.* spé. sur dossier pour tit. BTS, DUT, Deug. 4e a. sur dossiers pour tit. maîtr. EEA 10 pl. *Dipl. 92 :* 88. *Frais* 1 600 F + SS.

Éc. nat. d'ing. de Metz (Enim). Ile du Saulcy, 57045 Metz Cedex I. *Créée* 1962. *Eff.* 688 (f. 3,8 %). *Adm. 1re a. C. comm.* Eni 106 ad. bac C sur dossier 11 ad. D 4 ad., F 4 ad ; *3e a.* dossier + entr. pour tit. BTS ou DUT mécanique ou Deug A 50 ad. ; *4e a.* pour tit. maîtr. 5 ad. *Dipl. 92 :* 147. *Frais* 1 600 F + SS. DESS génie mécanique et productique.

Éc. nat. d'ing. de St-Étienne (Enise). 58, rue Jean-Parot, 42023 St-Étienne Cedex 2. *Créée* 1961. *Eff.* 555 (f. 3,6 %). *1re a.* sur épr. écr. et or. (Bac E), sur dossier (Bac C, D, F1, F4, F9) : option GM 68 pl., GC 28 pl. *3e a.* spé. GM 20 pl. GC 20 pl. *4e a.* sur dossier pour tit. maîtr., DEST GM 20 pl. GC 20 pl. *Dipl. 92 :* 109. *Frais* 3 710 F.

Éc. nat. d'ing. de Tarbes (Enit). Avenue d'Azereix, BP 1 629, 65016 Tarbes Cedex. *Créée* 1963. *Eff.* 750 (f. 4,26 %). *1992 :* sur C. 100 pl. (Bac E) ; sur dossier Bac C (18 pl.), D (4 pl.), F (4 pl.). *3e a.* 60 pl. sur dossier ; *4e a.* 18 pl. sur dossier. Section spé. d'ing. Génie Matériaux, Production automatisée. *Mastère.* DEA Méc. en cohabilitation avec univ. Bordeaux I et Ensam Bordeaux. DESS-CFAO en cohabilitation avec Univ. de Pau. *Dipl. 92 :* 152 ; *dipl. S. Spéc.* PA 9. *An.* 5. *Frais* 1 815 F.

Instituts nationaux de sciences appliquées (Insa)

☞ Concours d'admission commun aux 4 Insa. C. sur t., dossier et évent. entr. *Adm. p. 1re a.* du 1er cy. pour tit. bac C et E (quelques D et F). *1re a.* du 2e cy. pour tit. BTS, Deug, A et B, math spé. 3/2 et DUT. *2e a.* 2e cy. pour tit. maîtr. ès sc., maîtr. de sc. et techn., ou formation continue DUT ou BTS + 3 a. **Service des admissions :** Insa de Lyon.

Insa Lyon. 20, av. A.-Einstein, 69621 Villeurbanne Cedex. *Créé* 1957. *Eff.* 3 585 (f. 28 %). *C. 1re a.* 1er cy. 792 ad. 2e cy. *1re a.* 152 ad. : *2e a.* 84 ad. Cycle Eurinsa (com. aux 4 Insa), 19 DEA et DESS, 4 mastères. *Dipl. 91 :* 682. *An.* 5. *Frais* externes 1 881 F, demi-pens. 5 274 F, internes 15 039 F.

Insa Rennes. 20, av. des Buttes-de-Coësmes, 35043 Rennes Cedex. *Créé* 1961. *Eff.* 978 (f. 23 %). *1re a.* 1er cy. 167 ad. 2e cy. : *1re a.* 73 ad., *2e a.* 24 ad. *Dipl. 92 :* 167. *Frais* (92-93) dr. de scol. : 1 560 F, demi-pens. 2 256 F, internes 8 437 F.

Insa Rouen. Place Émile-Blondel, 76131 Mont-Saint-Aignan Cedex. *Créé* 1985. *Eff.* 693 (f. 37 %). *1re a.* 1er cy. 144 ad. 2e cy. *1re a.* 43 ad., *2e a.* 14 ad. + 9 formation continue. *3e a.* 124 ad. *Frais* 1 515 F.

Insa Toulouse. Complexe scientifique de Rangueil, 31077 Toulouse Cedex. *Créé* 1961. *Eff.* 1 363 (f. 33 %). *1re a.* 1er cy. 239 ad. ; 2e cy. : *1re a.* 138 ad., *2e a.* 20 ad. *Dipl. 92 :* 263 + 18. Formation continue. *Frais* 1 560 F.

Universités délivrant le diplôme d'ingénieur

☞ Sur dossiers et titulaires : Deug, DUT, BTS, cl. prépa., parfois aussi sur concours (notamment en 1re a.).

Centre univ. des sc. et techniques de Clermont-Ferrand II (Cust). BP 206, 63174 Aubière Cedex. *Créé* 1969. *Eff.* 675 (f. 30 %). *Adm.* en *1re a.* sur dossier pour tit. Deug, DUT, BTS ou prépa. *Adm.* en *2e a.* sur doss. tit. maîtr. ou équiv. 6 spécialités : Génie bio., génie civ., génie électrique, génie inform., génie math. et modélisation, génie phys. *Dipl. 92 :* 188. *An.* 3. *Frais* d.u.

Éc. sup. de l'énergie et des matériaux (Esem). BP 6747, 45067 Orléans Cedex 2. *Créée* 1983. *Eff.* 366 (f. 20 %). *Adm. C.* pour math., spé. bio., spé. MM' PP' TT' TA, Deug A, DUT (génie méca. et g. thermique). *1re a.* tronc comm., *2e et 3e a.* options : géomatériaux et travaux d'aménagement, génie des matériaux, thermique et énergétique industrielles, systèmes de transport, productique. 7 024 ca. 136 ad. *Adm. p. 2e a.* tit. maîtr., MST sur dossier + entretien 147 ca., 10 ad. *An.* 3. *Dipl. 92 :* 91. *Frais* d.u.

Éc. univ. d'ing. de Lille (Eudil). 59655 Villeneuve-d'Ascq. *Créée* 1969. *Eff.* 683 (f. 25 %). *Adm.* sur dossier + entr. tit. Deug 31 % ; DUT 32 % ; cl. prépa. 37 % en *1re a.* 229 ad., 3 600 ca. *Adm. p. 2e a.* tit. d'une maîtr. ou équiv. 3 ad. *5 spécialités :* GT. GC (géotechnique, génie civil), IMA (informatique, mesure et automatique), SM (sc. des matériaux) Itec (instrumentation, formation technico-com.), CM (Méca.). Formation continue d'ing. dans les 5 spé. *Dipl. 92 :* 195. *Frais* d.u.

Formation d'ing. de l'univ. Paris-Sud (Fiupso), bâtiment 220, 91405 Orsay Cedex. *Créée* 1983. *Eff.* 220 (f. 20 %). *4 spécialités :* électronique, informatique, micro-électron., matériaux. *Adm.* sur t. + entr. + test anglais (Deug A cl. prépa.), examen + entr. + test anglais (DUT, BTS). *Adm. p. 2e a.* sur t. (maîtr.) + entr. 600 ca., 80 adm. *Dipl. 92 :* 67. *An.* 3. *Frais* d.u.

Formation sup. d'ing. de Paris-Nord (FSIPN) (dit « Institut Galilée »). Centre scientifique et polytechnique de Paris XIII, 93430 Villetaneuse. *3 formations :* Matériaux (FSIM), Télécom. (FSIT) et Math. Appl. en Calcul Scientifique (MACS). *Eff.* FSIM : 125 (f. 27 %), FSIT : 100 (f. 7 %). *Adm.* sur dossier FSIM : Deug A, CPGE, DUT mesures phys., génie méca. ou maintenance ind. 125 (f. 27 %) ad. ; FSIT : Deug A, CPGE, DUT génie mécan., BTS génie mécan., 92 (f. 7 %) ad. MACS : Deug A, CPGE. *Adm. p. 2e a.* maîtr. ou MST FSIM 48 (f. 31 %) ad. FSIT 2 ad. *An.* 3. *Dipl. 91 :* FSIM 39. FSIT 31. *Frais* d.u.

Formation d'ing. dipl. en sciences et technologie de l'univ. P. et M. Curie. Inst. de sc. et techno., Tour 22 E5, 4, place Jussieu, 75252 Paris Cedex 05. *Eff.* 325 (f. 28 %). *Créé* 1983 (succède à une MST créée 1971). *Adm.* en IST 1 après Deug A ou B avec mention et exam. de dossier, ou après Deug spécialisé (IST P1 et P2), ou après DUT avec exam. math ou chimie et exam. du dossier ou après BTS ENSMIC ; en IST 2 après maîtr. avec mention et exam. du dossier. *4 filières :* géophysique-géotechniques, mesure-contrôle-régulation (formation initiale + perman.), chimie des matériaux, ind. céréalières. *An.* 3 (IST 1 à IST 3), *Frais* d.u. Dépôt de candidatures : avril.

Inst. de formation sup. en informatique et Communication (IFSIC). *Créé* 1987. Univ. de Rennes 1, Campus de Beaulieu, 35042 Rennes Cedex. Formation d'ing. créée en *1991-92* en informatique et communication. *Eff.* 96. *Adm.* sur dossier + entr. pour tit. Deug A, DUT (GEII ou inform.) et prépa. admiss. éc. d'ing. habilitées. 4 options : architecture des machines, traitement du signal et télécom., images numériques, langages et syst. informatiques. *An.* 3.

Inst. des sc. de l'ing. (Isim). Pl. Eugène-Bataillon, 34060 Montpellier Cedex. *Eff.* 762 (f. 39,4 %). *1992 : Adm. 1re a.* 247 sur 4 892 tit. Deug 72 %, DUT 20,6 %, CPGE 5,7 %, dipl. divers et étr. 1,6 %. *Dipl. 92 :* 232. 5 options : informatique-gestion, microélectron.-automatique, sciences-technol. de l'eau, des ind. alim., des matériaux. *An.* 3. *Frais* d.u.

Inst. des sc. et techniques de Grenoble (ISTG-Université Joseph-Fourier Grenoble I). BP 53X, 38041 Grenoble Cedex. 4 formations d'ing. : en Géotechnique. *Eff.* 74 (f. 24 %). *An.* 3 ; en informatique ind. et instrumentation. *Eff.* 193 (f. 13,5 %) ; en prévention des risques industriels hygiène sécurité environnement *Eff.* 55 (f. 37 %) ; en sciences et génie des matériaux *Eff.* 59 (f. 30 %). *Adm. 1re a.* Deug A ou B, math spé., certains BTS et DUT. *2e a.* maîtr., MST. *Formation permanente. An.* 3.

Éc. sup. d'ing. de Poitiers (Esip). 40, avenue du Recteur-Pineau, 86022 Poitiers. 4 spécialités : énergétique ind. ; traitement des eaux et nuisances ; matériaux de constr., géotechnique-génie civil ; éclairage, acoustique, climatisation. *Eff.* 271. *Adm.* sur dossier + entretien et tests sc. pour tit. Deug sc. 216 ca., 31 ad., DUT 410 ca., 44 ad., cl. prépa. 313 ca., 17 ad., divers 79 ca., 2 ad. *2e a.* maîtr. + dossier. *An.* 3. *Frais* d.u.

Univ. de technologie de Compiègne (UTC). Centre Benjamin-Franklin, rue Roger-Couttolenc, BP 649, 60200 Compiègne. *Créée* 1973. *Eff.* 3 000 (f. 21 %). Formation d'ing. en Génie Bio., Gén. Chim., Gén. Informatique, Gén. Mécanique, syst. mécaniques. *An.* 5, en semestres avec 2 rentrées par a., en févr. et sept. *Adm. 1re a. :* bac C, D, E, F sur dossier et entr. ; 3 000 retenus sur entr. 250 ad. 2e cy. : *1re a.* sur dossier + entretien pour tit. DUT, BTS spé., Deug A ou él. math. spé. 350 ad. *Adm. p. 2e a.* 10 *Dipl. 90 :* 400.

Inst. des sc. et techniques des aliments (Istab). 1, av. des Facultés, 33405 Talence. *Créé* 1986. *Eff.* promo. 40. Form. d'ing. en sc. des aliments. *Adm.* sur dossier + entr. : *1re a.* Deug, BTS, cl. prépa. ; DUT, *2e a.* maîtr., *An.* 3, dipl. d'ing.

■ École non habilitée

Ingéniorat en intelligence artificielle, reconnaissance des formes et robotique (IRR-UPS). Univ. Paul-Sabatier, 118, route de Narbonne, 31062 Toulouse Cedex. *Créé* 1979. *Eff.* 25. *Adm.* sur dossier pour tit. maîtr. EEA, inform., mécan. et ing. dipl. 300 ca., 25 pl. *An.* 1. *Dipl. 92 :* 20. *Frais* d.u.

Écoles aéronautiques

☞ Il y a 4 grandes écoles aéronautiques : Enac (école de spécialisation qui assure aussi la formation des pilotes de ligne avec un C.), Esta, Ensica p. 1261 a, Ensae p. 1270 a.

Éc. nat. de l'aviation civile (Enac). 7, avenue Édouard-Belin, BP 4005, 31055 Toulouse Cedex. *Créée* 1948. **Éc. d'ing. généralistes.** *Ing. de l'aviation civile : eff.* 10/a. *Adm.* directe pour polytech. (90 %) et normaliens (10 %). *Dipl. 92 :* 8. *An.* 2 (gratuit). *Ing. de l'Enac :* 110 élèves par an (25 él. fonction. rémunérés, 85 él. civils). *Adm.* principale sur *C.* math spé. (M, M', P, P') 4 211 ca. 88 ad. *C. comm.* Ensi pour tit. Deug A 1 564 ca., 6 ad., *2e a.* sur dossier pour tit. maîtr. ès. sc. ou dipl. ing. 277 ca. 14 ad. *Dipl. 92:* 104. *An.* 3 (gratuit). **Éc. de spécialistes.** *Ing. du contrôle de la navigation aérienne* 180 élèves/a. (rémunérés). *Adm.* sur *C.* pour tit. Deug A, BTS, DUT sc., math spé. 1 377 ca., 155 ad. *An.* 3 (gratuit). *Ing. électronicien des systèmes de la sécurité aérienne* 50 élèves/a. (rémunérés). *Adm.* sur *C.* pour tit. BTS, DUT, Deug A, math spé. 884 ca., 37 ad. *An.* 3 (gratuit). *Pilote de transport* 100 élèves/a. *Adm.* sur *C.* pour él. math sup. 2 984 ca., 54 ad. ; tit. dipl. ing. tit. brevet théorique de pilote de ligne 18 ca., 7 ad. *An.* 2 (gratuit). *Technicien des ét. et de l'exploitation de l'aviation civile* 50 élèves/a. (rémunérés). *Adm.* sur *C.* niveau bac 1 513 ca., 48 ad. *An.* 2 (gratuit). *Agent d'exploitation* 20 élèves/a. *Adm.* sur *C.* niveau bac. 134 ca., 14 ad. et *Adm.* sur dossier 13 ca. 6 ad. *An.* 7 mois (pay.). *Mastère en exploitation aéronautique* 10 à 15 élèves/a. *Adm.* sur dossier pour tit. dipl. ing., DEA, DESS 16 ca., 12 ad. *An.* 1 (payant). *Mastère management aéroportuaire* 10 à 15 élèves/a. *Adm.* sur dossier pour tit. dipl. ing., éc. de commerce, DEA, DESS 19 ca., 12 ad. *Mastère en navigabilité des aéronefs* (avec l'Ensica) 10 à 15 él./an. *Adm.* sur dossier pour tit. dipl. ing., DEA. *An.* 1 (payant).

Éc. sup. des techniques aérospatiales (Esta). Complexe scientifique d'Orsay, Bât. 502 bis, 91405 Orsay Cedex. *Créée* 1930. *Eff. 1993 :* 45 (f. 12 %). *Adm.* sur t. et entretien, dipl. Ensi (Arts et Métiers ou éq.) *1992 :* 108 ca., 57 ad. *Dipl. 92 :* 33. *An.* 1. *Frais* 11 000 F.

Écoles à dominante agriculture-industries alimentaires

☞ Voir Isa, Isab, à C. Fesic et Ensa, Enita.

■ Écoles de base

Institut national supérieur de formation agroalimentaire (Ensfa). 65, rue de St-Brieuc, 35042 Rennes Cedex. *Créé* 1964. *Eff.* 190. *C.* ouvert aux élèves de terminale scientifique 826 ca., 38 pl. *Adm. p. 2e a.* tit. Deug, BTS, DUT et admiss. Ensa, Enit, ENV 442 ca., 12 pl. *Dipl. 92:* 45. *An.* 5. *Frais* 1 500 à 2 000 F.

Éc. sup. d'agriculture (Esa). 55, rue Rabelais BP 748, 49007 Angers Cedex 01. *Créée* 1898. *Eff.* 593 (dont 92 par la formation continue). *1992 : Adm. 1re a. :* Bac C, D, D', E. *Adm.* intermédiaires BTS, Deug, DUT, admiss. Ensa, maîtr. 126 ad. *Dipl. 92 :* 109. *An.* 5. *Frais* 17 600 F.

Éc. sup. d'agriculture de Purpan (Esap, dite « Purpan »). 75, voie du Toec, 31076 Toulouse Cedex. *Créée* 1919. *Eff.* 518 (f. 28 %). Prépa. intégrée 2 a. 803 ca., 120 ad. *Adm. p. 2e a.* sur dossier pour tit. Deug B ou BTS (6-8 pl.) *1re a.* cy. ing. sur dossier pour tit. lic. ou maîtr. (4-5 pl.). *Dipl. 91 :* 89. *An.* 2 + 3. *Frais* 16 800 F/an.

Éc. sup. du bois (Esb). Campus La·Chantrerie, 44000 Nantes. *Créée* 1934. *Eff.* 150 (f. 20 %). *En 1992:* Oral accessible aux ca. admiss. au *C.* d'entrée aux éc. d'ing. + C. 465 ca., 168 ad., et tit. BTS, Deug et DUT 65 ca., 27 ad. *Adm. p. 2e a.* sur t. maîtr. 1 ad. *Dipl. 92 :* 43. *An.* 3. *Frais* 12 000 F + SS.

Éc. sup. d'ing. et de techniciens pour l'agriculture (Esitpa). BP 607, rue Grande, 27106 Val-de-Reuil Cedex. *Créée* 1919. *Eff.* 440 (f. 30 %). *En 1993: Adm.* bac. scientif. et bac. + 1 : 600 ca., 104 pl. *2e a.* math. spé. agro., admiss. ENV, Deug B ; *3e a.* admiss. Ensa, lic., maîtr. *Dipl. 92 :* 85. *An.* 5. *Frais* 14 000 F. Poss. bourses d'État et prêts bancaires.

Inst. sup. d'agriculture Rhône-Alpes (Isara). 31, place Bellecour, 69288 Lyon Cedex 2. *Créé* 1968. *Eff.* 405. (f. 50 %). *Adm.* sur dossier : bac C, D, D', BTAG, et sur épreuves concours Fesic, 1re a. d'ét. sup., 800 ca., 81 ad. *Adm. p. 2e a.* sur t. tit. Deug B, DUT-Agro, BTS agric. ou admiss. Ensa ou ENV 200 ca., 15 ad. *Adm. p. 3e a.* sur t. pour tit. lic. ou maîtr. biologie ou BTS agric. + 3 a. d'exp. prof. 30 ca., 4 ad. *Dipl. 92 :* 80. *An.* 5. *Frais* 18 500 F/an. Bourses d'État et prêts bancaires.

■ Écoles de spécialisation

Centre nat. d'ét. agronomique des régions chaudes (Cnearc) 1101 Av. Agropolis BP 5 098, 34033 Montpellier Cedex. *Créé* 1902. *Eff.* 160 (f. 25 %). 2 cycles de Formation initiale : Esat 3e cy. et Eitarc 2e cy. *Dipl. 90 :* 90. *Frais* 1 500 F pour ét. français, bourses pour étr. **Esat : Cy. d'ét. sup. d'agronomie tropicale.** Adresse v. CNEARC. *Créée* 1946. *Adm.* tit. Dag, Degia, ENITA, sur dossier DEA et certains dipl. étr., sur C. pour dipl. de 2e cycle. 60 ét. *An.* 2. *Dipl.* d'Ing. d'Agro. Tropicale. **Eitarc : Cy. d'ét. d'ing. des techniques agricoles des régions chaudes.** Adresse v. CNEARC. *Adm.* sur *C.* niveau Bac. + 2 (BTS, DUT) + 3 a. d'expérience prof. en régions chaudes. 25 ét. AUTRES FORMATIONS ASSURÉES : *formation continue, CES, animation et formation pour développement rural en régions chaudes.*

Éc. nat. du génie rural, des eaux et des forêts (Engref). Centre principal d'ens., 19, av. du Maine, 75732 Paris Cedex 15. *C. spéc.* forestier, 14, rue Girardet, 54042 Nancy Cedex. *C. spéc.* régions chaudes, tropicales et méditerranéennes (forêts, hydraulique agricole, télédétection appliquée), Domaine de Lavalette, 648, rue Jean-François Breton, BP 5093, 34000 Montpellier Cedex. *C.* tropicaux de recherche et de formation Pondichéry (Inde ; végétation, forêts, écologie, pédologies tropicales ; gestion de l'eau ; biomasse), Kourou (Guyane ; forêt amazonienne). *Créée* 1965 [fusion des écoles des Eaux et Forêts (1825) et du Génie rural (1919)]. Ing. du GREF : *Eff.* 50 env. par promotion (f. 50 %). *Adm.* sur t. X (parmi 150 premiers) et Dag de l'Ina-PG. 33 % des postes f. réservés à *C.* interne Ing. des Tr. Min. Agr. *C. spéc.* f. (si postes promotion int. non pourvus) ouvert à dipl. X, ENS, Centrale Ecam, Ina-PG, Ensa, Ensia. *An.* 27 mois. *Dipl. 92:* 52. *Frais* (civils) 2 000 F/an. *Traitement* indice 395 pour fonctionnaires. Autres formations : ing. forestiers (dep. *90*), *Adm.* bac + 2, concours commun Ina-PG, *Adm. p.* bac +4. 4 mastères, 8 DEA, thèses et doctorats. *An.* 3.

Éc. nat. sup. d'horticulture (ENSH, dite « Horti »). 4, rue Hardy, BP 914, 78009 Versailles Cedex. *Créée* 1874. *Eff.* 85 (f. 62,3 %). *Adm.* sur t. pour tit. Dag. *Adm.* sur *C.* pour tit. maîtr. ès sc. 200 ca., 34 ad. *An.* 2. *Frais* 1 338 F, étr. 2 415 F.

Éc. nat. sup. de meunerie et des ind. céréalières (Ensmic). 16, rue Nicolas-Fortin, 75013 Paris. Ens. pub. Éduc. nat. *Créée* 1924. *Adm.* sur dossier. *Formation* de techniciens, tech. sup. en 2 a. (après bac C, D, D', E, F1, F3, F4, F5, F6, F7, F7 bis, H, BTag, BTn, contrôle et régulation). *Spécialisation :* 1 a. pour tit. BTS, DUT sc. ou techn. Formations de qualiticien ou d'action commerciale ind. céréal. en 1 an pour tit. BTS ind. céréalière. *Formation d'ing. des ind. céréalières. Adm.* sur t. + tests de recrutement pour tit. BTS-ind. céréal. ou Deug B + prépa. suppl. à l'Université Paris VI. *An.* 3 a. *Frais :* env. 2 000 F.

Éc. nat. sup. du paysage (Ensp). 6 bis, rue Hardy, 78000 Versailles. *Créée* 1976. *Eff.* 130. *Adm. C.* bac. + 2. 30 ad. *An.* 4. Dipl. de paysagiste DPLG. *Frais* 1 338 F, étr. 2 415 F.

Éc. nat. sup. des sc. agronomiques appliquées (Enesad : Établ. nat. d'enseignement agro. de Dijon dep. 1-7-1993). 26, bd du Docteur-Petit-Jean, 21000 Dijon. *Créée* 1965. *Eff.* 60 (f. 50 %). *En 1990 : Adm.* sur t. pour tit. Dag. 20 ad. *Adm. p.* sur *C.* pour ing. agro. 2 ad., Ita 5 ad. et sur examen probatoire pour ing. civils 3 ad.

Éc. sup. d'application des corps gras (Esacg). Rue Monge, Parc industriel de Pessac, 33600 Pessac. *Créée* 1952. *Eff. 1992 :* 10. *Adm.* sur dossier + entr. pour ing. et maîtr. ès sc. 60 ca., 10 ad. Dipl. ing. Esacg pour ing., attestation Esacg pour tit. maîtr. ès sc. Formation continue ; Ing. dipl. par l'État. *An.* 1. *Frais* 1 500 F. Poss. prêts.

Inst. d'ét. sup. d'ind. et d'économie laitières (Iesiel). 16, rue Claude-Bernard, 75231 Paris Cedex 05. *Créé* 1930. *1re a. :* (sc. et techn. lait.). *Eff.* 15 (f. 30-50 %). *Adm.* sur dossier et entr. pour dipl. bac. + 4. 50 à 100 ca., 15 ad. *An.* 10 mois. *Frais* 10 000 F (pour fr.). *2e a.* (ind. et écon. lait.). *Eff.* 15-20. *Adm.* sur dossier et entr. pour tit. bac. + 5. Accès formation cont. (*adm.* sur exam. + dossier + entr. pour BTS, DUT + exp. prof.). *An.* 13,5 mois. *Frais* 15 000 à 30 000 F selon statut. Convention spéc. pour formation cont. et étr.

Inst. sup. de l'agroalimentaire (Isaa). 19, av. du Maine, 75732 Paris Cedex 15. *Créé* 1981. *Adm.* tit. Dag de l'Inapg et des Ensa, Degia de l'Ensia, Certif. de fin de scolarité des ENV de certaines éc. d'ing. ayant passé des conventions avec l'Isaa, sur dossier ; enseignement de 3e cy., formation par la recherche.

■ Écoles de spécialisation non habilitées

Inst. sup. des productions animales (Ispa). 65, rue de St-Brieuc, 35042 Rennes Cedex. *Créé* 1982. *Eff.* 131. *Adm.* tit. Dag, ou certificat de fin de scolarité des ENV, maîtr. ès sc., ing. dipl. sur dossier 180 ca., env. 15 ad. *Dipl. 90:* 15. *An.* 1 ou 2. *Frais* 1re a. 2 897 à 3 460 F suivant options, 2e a. 4 000 F + frais de stage.

Écoles à dominante-construction bâtiment-travaux publics

■ Écoles de base

☞ Voir aussi éc. des Mines Paris, Nancy, St-Étienne, Géologie Nancy, Ponts, grands concours traditionnels, Insa Lyon et Toulouse, Ensais, ENSPS, ESGM, ENITRTS.

Éc. des ing. de la ville de Paris (Eivp). 57, bd St-Germain, 75005 Paris. *Créée* 1959. *Eff.* 96 (f. 20 à 30 %). *Adm. C* math. spé., M, P' TA 1 000 ca., (env.) 40 ad. *Dipl. 93 :* 27. *An.* 3. *Frais* él. civils (7 500 F par an), rémun. mens. él. fonct. 7 000 F).

Éc. nat. du génie de l'eau et de l'environnement de Strasbourg (ex-Éc. nat. des ing. des travaux ruraux et des techniques sanitaires (Enitrts), dite « Travaux ruraux »). 1, quai Koch, BP 1 039 F, 67070 Strasbourg Cedex. *Eff.* 154 (f. 41 %). *Adm. C* tit. math spé. P, bio 2 295 ca., 47 ad. *Adm. p. :* sur t. pour dipl. d'ing. ou Deug A, ou DUT « Génie civil ». *Dipl. 92:* 47. *An.* 3. *Frais* 1 000 F pour non-fonctionnaires. Él. fonct. rémunérés. AUTRES FORMATIONS ASSURÉES : *Certificats d'ét. sup. en équipements d'hygiène publique ou en aménagements hydroagricoles. An.* 10 mois pour maîtr. de sc. et techn., ou dipl. d'ing. ; *mastères en eau potable et assainissement ou hydraulique agricole. An.* 12 mois min. pour tit. dip. d'ing. ou DEA ; 3e cy. en mécanique et ingénierie, Filière « Sciences de l'Eau » en collaboration avec divers établ. d'ens. sup. de Strasbourg dont l'université Louis Pasteur (DEA-doctorat) pour maîtr. ès sc. ou MST ou dipl. d'ing. et formation continue des ing. des travaux ruraux et ing. ou cadres ayant vocations analogues. Env. 50-60 sessions d'une semaine.

Éc. nat. sup. de géologie appliquée et de prospection minière (Ensg, dite « Géol »). 94, av. de Lattre-de-Tassigny, BP 452, 54001 Nancy Cedex. *Créée* 1908. *Eff.* 216 (f. 33 %). *Adm. C. 1992 :* 1 109 ca., 67 ad. *Adm. p. 1re a. : C. comm.* pour tit. Deug A 5 ad. *2e, 3e a.* sur dossier pour ing. dipl., tit. maîtr. 4 ad. *Dipl. 92 :* 54. *An.* 3. *Frais* 2 442 F + mutuelle.

Éc. nat. des travaux publics de l'État (Entpe). Rue Maurice-Audin, 69518 Vaux-en-Velin Cedex. *Créée* 1953. *Eff.* 550. *C. comm.* avec l'éc. des Mines de Douai, l'IGN et les Travaux maritimes. 7 500 ca., 200 pl. *Dipl. 92 :* 111. *An.* 3. Gratuit. *3e a :* 140 él. fonctionnaires (7 584,4 F/mois), 22 civils (non rémunérés).

Éc. spé. des travaux publics du bâtiment et de l'ind. (Estp). 57, bd St-Germain, 75240 Paris Cedex 05. *Créée* 1891. *Eff.* 2 132 (f. 10 %). *Cl. prépa.* : math. sup. et spé. Programme M. *él. ing.* : *Adm. 1re a. C. comm.* aux 4 éc. sup. des trav. publics, du bât., de mécanique élect. et de topographie. *1992* : 4 475 ca., 442 ad. *Adm. p. 1re a.* : (9 % des eff. max.) pour tit. lic. math, DUT GC, GE, GM, Cond. de trav. de l'ESTP 10 ad. *Adm p. 2e a.* pour maîtr. ou dipl. ing. 22 ad. *Dipl. 92* : 430. *Techniciens conducteurs de travaux* : *Adm. 1re a.* : bac C, D, E ou F4 avec mention AB, ou exam. en sept. sur programme terminale C. *Adm. 2e a.* : tit. BTS ou DUT ind., ét. de Deug A *adm. p. 2e a.*, él. de math spé. *Frais* cl. prépa. 22 740 F. Ing. 1re et 2e a. 27 810 F. Éc. ing. et cond. de trav. 26 460 F.

☞ **Ingénieurs des travaux de la construction.** Formation *créée* 1992, homologuée par comm. des titres d'ing. *Eff. 1re a* : 50 à Cachan et Caen, 40 à Metz ; *3e a.* 30. *Adm. 1re a.* C. sur dossier et entretien bac C, D, E, F4, F5, F9 ; *3e a.* C. sur dossier et entretien tit. BTS ou DUT génie civil ou conducteur de travaux ESTP. *Frais* Cachan 26 790 F, Caen et Metz 25 650 F. **Adresses. Éc. sup. de travaux publics,** 28, av. du Pt-Wilson, 94234 Cachan. **Éc. sup. de travaux publics,** Espace Sciences, technopôle Synergia, 6, bd du Maréchal-Juin, 14050 Caen Cedex. **Éc. sup. de travaux publics,** Technopôle Metz 2000, 6, rue Marconi, 57070 Metz.

École de spécialisation

Inst. sup. du béton armé (Isba). Technopôle de Château-Gombert 13 451 Marseille Cedex 13. *Créé* 1952. *Eff.* env. 15. *Adm.* sur t. pour tit. dipl. ing. 40 ca., 25 ad. *Dipl. 89* : 13. *An.* 1. *Frais* 6 000 F (fr.), 13 200 F (étr.).

Écoles à dominante électricité-électronique

Écoles de base

Éc. centrale d'électronique (Ece). 53, rue de Grenelle 75007 Paris, Administration 28, rue des Francs-Bourgeois, 75003 Paris. *Créée* 1919. *Eff.* 330 (f. 10 %). *Adm. type B* BTS Électro. ou Informatique Ind., DUT Génie Électrique 55 pl. *Type A* Cl. prépa., Deug A 55 pl. *1991* : 110 ad. *Dipl.* 85. *An.* 3. *Frais* 30 000 F.

Éc. française d'électronique et d'informatique (Efrei). 10, rue Amyot et 12, rue Laromiguière, 75005 Paris. *Créée* 1937. *Eff.* 815 (f. 13 %). *1992* : *Adm.* en cy. prépa. (2 a.) sur *C.* tit. bac C, D, E, 728 ca., 176 ad. *Adm.* cy. ing. (3 a.) pour tit. Deug A, DUT Gén. électrique ou Mesures physiques, BTS électr. et inf. ind., math spé., 332 ca., 82 ad. *Dipl 92* : 135 *An.* 5. *Frais* 29 000 F ; possibilité de bourses et de prêts.

Éc. internat. des sc. du traitement de l'information (Eisti). Avenue du Parc, 95011 Cergy-Pontoise. *Eff.* 500 (f. 30 %). *Adm. 1re a.* sur t. math spé. (700 ca.) ; BTS, DUT, Deug (100 ca., 20 ad.). *2e a.* tit. maîtr. (20 ca., 5 ad.). *Frais* (92-93) 29 000 F. Dipl. ing. reconnu par l'État.

Éc. sup. d'ing. en génie électrique (Esigelec). 58, rue Méridienne, BP 1012, 76171 Rouen Cedex. *Créée* 1901. *Eff.* 460 (f. 10 %). *En 1990* : *Adm.* cy. prépa. pour tit. bac C, D, E, F (3 cl. de sup., 3 spé.), *Adm. 1re a. C.* math spé. 830 ca., 160 ad. *C.* pour tit. Deug A, DUT, BTS, 86 ca., 29 ad. *2e a.* tit. maîtr. EEA, MST, 3 ca., 1 ad. *Dipl. 90* : 130. *An.* 3. *Frais* 22 000 F.

Inst. nat. des télécom. (Int). 9, rue Charles-Fourier, Les Épinettes, 91011 Évry Cedex. *Créé* 1979. *Eff.* 411. *Adm. C.* pour math spé. M, M', P, P', 4 720 ca., 91 ad. *Adm. p. 2e a.* sur t. + entr. pour maîtr. ès sc. 267 ca., 35 ad. *An.* 2 ou 3. *Dipl. 92* : 137. *Frais* 5 000 F. *Formation prof.* : cadres France Télécom et Postes : niveau bac + 3 et 3 a. exp. prof. 350 ca., 59 ad. 2 a. à plein temps à l'INT. Cadres entreprises : sur dossier et entr. pour cadres niv. bac + 2 et, 30 mois exp. prof. 2 a. prépa par correspondance avec regroupement à l'INT, 2 a. pl. temps à l'INT. 41 ca., 17 ad. *Mastères* sur tit. et entr. niv. bac + 5 d'exp. prof. 125 ca., 70 adm. dipl. bac + 5.

Centre d'ens. et de recherche en informatique, communication et systèmes (Cerics). 06 903 Sophia Antipolis Cedex, BP 129. *Créé* 1983. Mastères spécialisés en génie informatique et réseaux et inform. distribuée. *Eff.* 50 (f. 30 %). *Adm.* tit. dipl. d'ing., de 3e cy. univ. (sciences) sur test + entr. 400 ca., 70 admiss. *An.* 1. *Dipl. 92* : 30. *Frais* 80 000 F (50 000 F si individuel) couverts par bourses d'études et prêts.

Éc. spé. de mécanique et d'électricité Sudria (Esme-Sudria). 4, rue Blaise-Desgoffe, 75006 Paris. *Créée* 1905. *Eff.* 1 300 (f. 14 %). Éc. prép. intégrée pour tit. bac C, D, E. *En 1992* : *Adm.* math spé. sur *C.* pour él. math sup. 643 ca., 209 ad. *Adm. 1re a.* sur *C.* pour él. math spé. 587 ca., 137 ad. *Adm. p. 1re a.* pour tit. DUT sur t. 11 ad. et *p. 2e a.* sur t. pour tit. maîtr. 5 ad. *Dipl. 92* : 197. *An.* 5 dont 2 cy. prépa. *Frais* (moyenne) 26 000 F.

Éc. sup. d'informatique-électronique-automatique (Esiea). 9, rue Vésale, 75005 Paris. *Créée* 1958. *Eff.* 1 170 (f. 20 %). *Adm.* cy. prépa. *1re a.* : bac C, D, E (593 ca., 215 ad.) *2e a.* : 1re a. Deug A, math sup. sur dossier + entr. (106 ca., 14 ad.) ; *1re a.* ing. : math spé., Deug A sur dossier + entr. + *C.* + *adm.* sur t. pour certaines lic. ou maîtr. (135 ca., 17 ad.). *Dipl. 92* : 167. *An.* 5 dont 2 cy. prépa. *Frais* 27 700 F + 3 000 F de droits d'inscription.

Éc. sup. d'ing. en électrotechn. et élect. (Esiee). Cité Descartes, BP 99, 93162 Noisy-le-Grand Cedex. *Créée* 1966. *Eff.* 708 (f. 8,2 %). *Adm. 1re a.* pour bac C, E, D et math sup.(sur dossier + *C.*) 1 775 ca., 159 ad. *Adm. p. 2e a* pour tit. Deug A, DUT Génie Électrique (dossier + épreuves orales). *Adm. p. 4e a.* pour tit. maîtr. sc., EEA et MST sur dossier + entr. 32 ca., 17 ad. *Dipl. 92* : 115 (+ *21 ing. par la Formation continue*). *An.* 5. *Frais* 15 000 à 20 400 F, suivant les a.

Écoles de spécialisation non habilitées

Inst. sup. d'automatique et d'informatique ind. (Isaii). Chemin du Temple, ZI Nord, 13645 Arles Cedex. *Eff.* 96. *1°) Techniciens sup. en automatique et informatique ind.* : *An.* 2 (rentrée : oct.). *Adm.* sur *C.* en juin pour tit. bac. techniques et sc. *Frais* : 6 700 F/an (60 ca. 10 ad. en 91). Dipl. homologué par l'État niveau III. *2°) Techniciens sup. spécialistes en informatique de production* : *An.* 5 mois (rentrée oct. et mars – 2 sessions). *Adm.* sur dossier + entr. pour tit. BTS, DUT techn. et sc., salariés, demandeurs d'emploi ou ét. *Frais* 13 000 F pour ét. et demandeurs d'emploi, 40 000 F pour salariés. *3°) Ingénierie de la Production automatisée* : *An.* 12 mois (rentrée : oct.). *Adm.* sur dossier et entr. pour bac + 4 (ing. et universitaires). *Frais* 18 000 F pour ét. et demandeurs d'emploi, 52 000 F pour salariés.

Écoles non habilitées par la commission des titres

Éc. sup. d'informatique (Esi). 94-98, rue Carnot, 93100 Montreuil. *Créée* 1965. 1972. *Eff.* 1 000 (f. 25 %). Cy. prépa. intégré ; sur dossier pour tit. bac C, D, E, ou math sup. Puis sur *C.* pour cy. ing. (prépa. HEC ou math spé. ou 2e a. Deug A) + 3 a. d'ét. Cy. ing. techno. Informatique 4 ans (*adm.* sur dossier + bac). *Dipl. 85* 125. *An.* 3 (+ 1 prépa.). *Frais* 20 000 F. Reconnue par l'État.

Inst. médit. d'inform. et de robotique (Imerir). Route de Thuir. Orle. BP 2 013, 66 011 Perpignan Cedex. *Créé* 1981. *Eff.* 120. *En 1990* : *Adm. 1re a.* sur dossier + tests et entr. pour tit. Deug, BTS, DUT, él. math spé. 960 ca., 40 pl. *Frais* 25 000 F.

Inst. sup. de microélectronique appliquée (Ismea). Technopôle de Château-Gombert, 13451 Marseille Cedex 13. *Créé* 1982. *Adm.* tit. dipl. ing. ou dipl. univ. bac + 5 sur dossier + entr. 220 ca., 24 ad. *An.* 7. *Frais* 18 000 F. *Mastère* en informatique industrielle de l'Esim. *Frais* (fr.) 30 500 F, (étr.) 36 800 F.

Écoles à dominante mécanique-métallurgie

École de base

☞ Voir aussi Ensam, Ecam, Icam, ENSMM, ENSM, Enim, Enise, Enit, Insa, Cust, Eudil.

Centre d'ét. sup. des techniques ind. (Cesti). 3, rue Fernand-Hainaut, 93407 St-Ouen Cedex. *Créé* 1956. *Eff.* 184 (f. 18 %). *1993* : *Adm.* sur *C.* com. Polytechniques pour math spé. M, P, TA, sur C. Ensam pour math spé. T (inscription au Cesti), C. propres pour spé. TS, DUT, Deug A ou BTS. 95 ad. *Dipl. 92* : 70. *An.* 3. *Frais* d.u. + doc. en option.

Écoles de spécialisation

Éc. sup. de fonderie (ESF). 44, av. Division-Leclerc, 92310 Sèvres. *Créée* 1923. *Eff.* 35 max. *Adm.* sur t. pour ing. dipl. *Adm. 1re a. C.* propre à l'éc. pour tit. BTS ou DUT (à dominante mécan.). *2e a.* Possibilité de devenir ing. par mémoire dans ind. cy. de formation continue post-BTS/DUT en vue dipl. ing. *Frais* 7 500 F (français), 75 000 F (étr.).

Éc. sup. du soudage et de ses applications (Essa). ZA Paris Nord II. Rue des Vanesses, 93420 Villepinte. BP 50362. 95942 Roissy CDG Roissy. *Créée* 1930. *Eff.* 30 max. *Adm.* sur t. pour ing. dipl. ; sur examen pour non-ing. *Dipl. 91* : ing. 28, tech. 5. *An.* 1. *Frais* 8 300 F (fr., *en 1re formation*) ; 51 600 F (patronné par entreprise) ; 87 800 F (étr.).

Inst. sup. des matériaux et de la construction mécanique (Ismcm). 3, rue Fernand-Hainaut, 93407 St-Ouen Cedex. *Créé* 1948. *Eff.* 56 (f. 9 %). *Adm. 1re a.* : sur titres et entretien pour maîtr. ès sc. maths phys. méca. *2e a.* sur titres et entretien pour ing. 3 options : dynamique des structures, matériaux, production automatisée. *Dipl. 92* : 24. *An.* 1 ou 2. *Frais* d.u. + doc. en option.

Écoles à dominante physique-chimie

☞ Voir aussi Eso, Ensi, Escom, ICPI, départ. de chimie des Insa.

Éc. nat. sup. de physique de Marseille (ENSPM, dite « Physique Marseille »). Voir p. 1261 b.

Éc. nat. sup. de physique de Strasbourg (ENSPS). Voir p. 1261 b.

Éc. sup. de chimie de Marseille (ESCM). Voir Ensspicam p. 1260 c.

Institut textile et chimique de Lyon (Itech-Lyon). Ex-Éc. sup. du cuir et des peintures, encres et adhésifs (Escepea). Ex-Éc. française de tannerie (EFT). 181-203, av. Jean-Jaurès, 69007 Lyon. *Créée* 1899. *Eff.* 200. *Adm. 1re a.* sur *C.* cl. prépa. aux gdes éc. ; sur t. pour tit. Deug, DUT, BTS. *2e a.* sur t. pour tit. maîtr. *Dipl. 92* : 56 (Itech). *An.* 3. *Mastères Matériaux et revêtements. Frais* 23 350 F.

Écoles de spécialisation

Éc. d'application des hauts polymères (EAHP). 4, rue Boussingault, 67000 Strasbourg. *Créée* 1965. *Eff.* 25 (f. 31 %). *Adm.* sur t. pour ing. et maîtr. physique-chimie 93 ca., 13 ad. *Dipl. 92* : 14. *An.* 2. *Frais* env. 2 800 F.

Éc. nat. sup. du pétrole et des moteurs (ENSPM). 228/232, av. Napoléon-Bonaparte, BP 311, 92506 Rueil-Malmaison Cedex. *Créée* 1954. *Eff.* 309 (f. 13,6 %). *Adm.* sur t. pour ing. dipl. et maîtr. ès sc. *Dipl. 92* : 114. *An.* 1 an à 16 mois. Gratuit sauf pour étr. hors CEE.

Éc. sup. des ind. du caoutchouc (Esica). 60, rue Auber, 94400 Vitry-sur-S. *Créée* 1943. *Eff.* 40. *Adm.* sur t. pour tit. dipl. ing., maîtr. ès sc. ou éq. 23 ca., 8 ad. *Dipl. 92* : 8. *An.* 14 mois. *Adm.* sur t. pour tit. DUT, BTS, Deug. ou éq. 95 ca., 20 ad. *An.* 11 mois. Gratuit sauf étr.

Inst. nat. des sc. et techniques nucléaires (INSTN). Centre d'études nucléaires de Saclay, 91191 Gif-sur-Yvette Cedex. *Créé* 1956. *Eff. 1991-92* (1re et 2e a.) : 120 (f. 19 %). *Adm. 1re a.* (à Grenoble et Toulouse) sur t., maîtr. ès sc. (37 él.). *2e a.* (à Saclay, Grenoble et Cadarache) : ing. dipl. ou tit. de certains DEA (83 él.) *An.* 2. *Dipl. 92* : 57 (sur 64 él. de 2e a.). Formation ing. génie robotique et productique. *Eff. 1992-93* : 15. *Ad.* sur t. ing. dipl. *An.* 1. *Dipl. 92* : 7 sur 8. *Frais* salariés en formation continue : 46 000 F.

Éc. sup. d'ingénierie, de pétroléochimie et de synthèse organique industrielle (Esipsoi). Voir Ensspicam p. 1260 c.

☞ Les techniciens supérieurs occupant des postes similaires à ceux des ingénieurs et souhaitant en avoir le titre peuvent envoyer leur candidature au ministère des Universités.

Écoles à dominante textile

Écoles de base

☞ Voir aussi ITR.

Éc. nat. sup. des arts et industries textiles (Ensait). 2, pl. des Martyrs-de-la-Résistance, 59070 Roubaix Cedex 01. *1992-93* : *Eff.* 210 (f. 15 %). *C.* A pour él. math spé., TB, T, P, M, TA M',P' 2 089 ca., 59 ad. *Adm. p. 1re a. C.* pour tit. DUT, BTS, Deug A 14 ad. ; *2e a.* tit. MST (certaines spécialités) sur dossier + entr. 16 ca., 2 ad. *Dipl. 92* : 59. *An.* 3. *Frais* 2 500 F.

Éc. sup. des ind. textiles d'Épinal (Esite). 85, rue d'Alsace, 88025 Épinal Cedex. *Créée* 1905. *Eff.* 156

(f. 28 %). Section ing. *C.* pour les él. niveau Deug, math spé., tit. BTS 36 ca., 12 ad. ; sur t. pour tit. DUT, Deug A 53 ca., 36 ad. Section techn. sup. « techn. du text. » et « techn. de la confection ». *Adm.* sur t. pour bac. ou BT 10 ad. (TS textile), 28 (TS confection). *Dipl. juin 92 :* 27 ing., 13 BTS text., 41 BTS confection. *An.* 3. *Frais 1993-94 :* (fr.) 22 500 F, (étr.) 38 600 F.

Écoles de spécialisation

Éc. sup. des ind. du vêtement (Esiv). 73, bd St-Marcel, 75013 Paris. *Créée* 1945. *Eff.* 55 (f. 60 %). *Adm.* Bac + 2. *An.* 2 dont 5 mois de stage en entreprise préparant à la fonction de cadre de production. *Frais:* 14 700 F/an (étr. 44 100 F). **Élève illustre :** Courrèges.

Inst. textile de France (ITF). 280, av. Aristide-Briand, BP 141, 92223 Bagneux Cedex. *Créé* 1948. *Eff.* 5. *Adm.* sur dossier pour ét. et salariés en formation continue. *An.* 6 mois. *Frais :* 63 000 F.

Écoles militaires

Éc. de l'air (EA). Éc. navale (EN dite « la Baille »). Éc. nat. sup. des ing. des études et techniques d'armement (Ensieta). Éc. spé. militaire de St-Cyr (ESM). Éc. technique sup. des travaux maritimes (ETSTM). Cours sup. d'armement (Cosar). Cours sup. d'engins missiles (Cosem). Éc. sup. de l'électron. de l'armée de terre (Eseat). Éc. sup. du génie militaire (ESGM). Éc. du Commissariat de la Marine. Éc. du Commissariat de l'Air. Voir Index.

Écoles de diverses spécialités

Écoles de base

Éc. nat. de météorologie (ENM, dite Météo). 42, av. Coriolis, 31057 Toulouse Cedex. *Créée* 1948. *Eff.* env. 300 (f. 20 %). Ing. : *Adm.* sur t. polytechniciens (*1990 :* 2), normaliens sup. (*1992 :* 1), él. de l'Ina (Inst. nat. Agro.) (*1992 :* 1) ; *An.* 2. Ing. des travaux : *C.* niv. math spé. (*1992 :* 6 pl., 651 ca.) ou pour tit. maîtr. sc. ; *C.* sur épreuve météo (*1992 :* 3 pl., 35 ca.) ; *An.* 3. Techn., 2 filières : exploitation : *C.* bac C, D, E (*1992 :* 25 pl. 1 694 ca.), Instrumentation : *C.* bac F2 ou C, D, E (*1992 :* 16 pl., 609 ca.) ; *An.* 2. *Dipl. 92 : IM (ing.)* 7. *ITM (ing. travaux)* 30. Gratuit. Él. fonctionnaires rémunérés.

Éc. nat. des sc. géographiques (ENSG). 2, av. Pasteur, 94160 St-Mandé. *Créée* 1941. Cy. ing. géographes (IG) pour él. fr. sortant de Polytechnique et pour étr. tit. d'une maîtr. sc. *An.* 2. *Eff.* 11. Cy. ing. des travaux (IT) pour les él. de math spé. fr. et pour les él. étr. tit. du Deug A. *Adm.* des él. fr. *C. comm.* avec celui de l'éc. nat. des trav. publ. de l'État. *An.* 3. Études rémunérées pour ét. destinés à l'IGN (él. fonct.). *Frais* ét. non destinés à l'IGN : cy. IT 33 000 F, cy. IG 34 000 F.

Éc. sup. des géomètres et topographes (ESGT). 18, allée Jean-Rostand, 91025 Évry Cedex. *Créée* 1945. *Eff.* 113 (f. 29 %). *C.* propre à l'école 144 ca., 25 ad. *Adm.* tit. Deug A + dossier + entr. 10 pl. *Dipl. 91 :* 31. *An.* 3. *Frais* 4 500 F.

Éc. et Observatoire de physique du globe. Éc. d'ing., interne à l'université Louis-Pasteur, 5, rue Descartes, 67084 Strasbourg. *Créé* 1919. *Eff.* 67 (f. 31 %). *Adm.* tit. Deug A mention AB ou B, ou éq. 228 ca., 74 ad. *Adm. p. 2e a.* tit. maîtr. ou dipl. gde éc. ing. 41 ca., 9 ad. *Dipl. 92 :* 21. *An.* 3. *Frais* d.u.

Inst. de topométrie (IT). 18, allée Jean-Rostand, 91000 Évry. *Créé* 1939. *Eff.* 251 (f. 19 %). *Adm.* sur t. pour tit. du certificat de l'examen préliminaire de géomètre-expert foncier. *Dipl.* IT *90 :* 57. *Frais* 4 100 F. A cessé son activité en fin d'année 1992-93, enseignement repris par l'ESGT (voir plus haut).

Écoles de spécialisation

Inst. fr. du froid industriel et du génie climatique (Iffi). 292, rue St-Martin, 75141 Paris Cedex 03. *Créé* 1942. *Eff.* 100 (f. 2 %), section ing. (dipl. ing. frigor.) et section techn. sup. (dipl. sup. froid). *Frais* 6 500 (ing.) à 6 000 F (non-ing.).

Éc. nat. sup. de création industrielle (ENSCI, dite « les Ateliers »). 46-48, rue St-Sabin, 75011 Paris. *Eff.* 200 (f. 35 %). *Adm.* bac + 2. *An.* 3. Bac + 4 ou 4 a. d'exp. prof. sur *C.* (janv. et juin) 600 ca., 45 ad. *An.* 2. Dipl. de créateur ind. reconnu par l'État. Formation continue. *Frais* inscription 250 F, études 650 F/an.

Éc. sup. de métrologie (ESM). 941, rue Charles-Bourseul, BP 838, 59508 Douai Cedex. *Créée* 1929. *Eff.* 12 (f. 8 %). *Adm. 1986 : C.* pour math spé. *1986* 250 ca., 6 ad. *An.* 3. *Frais :* gratuit pour fonctionnaires, 400 F pour auditeurs libres étrangers. Scolarité intégrée à Enstimd à partir 2e a.

Éc. sup. des techniques aéronautiques et de constr. automobile (Estaca). 34, rue Victor-Hugo/3, rue Jules-Verne, 92300 Levallois-Perret. *Créée* 1925. *Eff.* 700 (f. 10 %). *Adm. 1992 :* cy. prépa. *1re a.* sur dossier + entr. pour tit. bac C, D, E (983 ca., 244 ad.). *Adm. p. 1992 :* 2e cy. *1re a.* sur dossier + entr. pour tit. Deug A, BTS CPI, BTS productique, DUT GT-GM ou él. math spé. (603 ca., 50 ad. en 1992). *Dipl. 92 :* 134. *An.* 5. *Frais* 21 150 F.

Écoles non habilitées

Inst. de mathématiques appliquées (Ima). BP 808, 3, pl. André-Leroy, 49008 Angers Cedex 01. *Créé* 1970. *Eff.* 250. *Adm. 1re a.* sur dossier tests entr. pour bac C, D, E. 280 ca., 58 ad. 2e cy. *Adm. p.* sur dossier pour tit. Deug Mass 2 ca. *Dipl. 91 :* 32. *An.* 5. *Frais* 11 500 F.

Inst. polytechn. des sc. appliquées (Ipsa). 40, rue Jean-Jaurès, 93176 Bagnolet Cedex. *Créé* 1961. *Eff.* 420 (f. 10 %). *Adm. 1re a.* sur dossier pour tit. bac C, E, autres consulter l'Ipsa. *2e a.* math spé., DUT, Deug ; *3e a* consulter l'Ipsa. *An.* 5. *Frais* 24 500 F.

Ingénieurs en formation continue

☞ Quelques centaines d'adultes engagés dans la vie professionnelle parviennent chaque année à obtenir un diplôme.

Centre d'ét. sup. ind. (Cesi). 297, rue de Vaugirard, 75015 Paris. 60, rue de Maurian, 33290 Blanquefort ; 2 bis, rue de la Crédence, 54600 Villers-lès-Nancy ; 7, rue Diderot, 62000 Arras ; rue Kastler, 76130 Mont-St-Aignan ; 6, bd de l'Europe, 91033 Évry ; 19, av. Guy-de-Collongue, BP 160, 69131 Écully ; voie 7, Labège Innopole, 31315 Labège ; 9, rue d'Arcueil, 94250 Gentilly ; La Croix du milieu, 16400 La Couronne. *Créé* 1958. Filière industrielle et informatique ind. *Adm.* bac + 2 et 5 ans d'exp. prof. *Dipl. 91 :* 300 (formation d'ing. par la voie de l'apprentissage à Gentilly et Angoulême. *Adm.* bac + 2). *An.* à temps plein. Sessions de remise à niveau.

Conserv. nat. des arts et métiers (Cnam). 292, rue St-Martin, 75141 Paris Cedex 03. *Eff.* 51 520 (Paris), 45 961 (51 centres régionaux). S'adresse à des adultes engagés dans la vie prof. (ens. scientifique, techn., écon., sc. humaines). Ne forme pas que des ingénieurs : cours du soir (promotion sup. du travail) ou stages pendant la journée (formation continue) 3 instituts : IIE (informatique d'entreprise) ing. dipl. : 79. ESGT (Éc. sup. des géomètres et topographes) ing. dipl. 30. IFFI (froid industr.) ing. dipl. 5. Ingénieurs 2 000 (format. alt. par apprentissage). *An.* 4. *Frais 1992-93 :* 600 F par an (soir), variable pour stages et instituts.

Ing. dipl. par l'État (DPE). *Créé* 1937 pour + de 35 ans exerçant dep. + de 5 ans. Entretien et soutenance d'un mémoire devant un jury. 40 spécialités. 300/400 ca. *Dipl.* 100.

Grandes écoles de commerce et de gestion

Cote de notoriété. *Source :* « L'Express » (janv. 90). Enquête auprès de 200 responsables des ressources humaines. 1 HEC Jouy. 2 Essec Cergy. 3 ESCP Paris. 4 ESC Lyon. 5 Sciences Po Paris. 6 EAP Paris. 7 Edhec Lille. 8 ESC Reims. 9 ESC Rouen. MSG Paris-Dauphine. 11 EME Strasbourg. 12 ICN Nancy. 13 INSEEC Paris. Escae Toulouse. 15 ISG Paris. Escae Grenoble. 17 Bordeaux. Dijon. 19 ISC Paris. ESG Paris. Escae Amiens. Clermont. 23 ESCC Compiègne. Escae Nantes. Montpellier. Lille. Le Havre. 28 Inseec Bordeaux. Escae Tours. 30 Escae Marseille. 31 ESLSCA Paris. 32 Escae Poitiers. Nice (Ceram). 34 Escae Brest. 35 Pau. 36 ECC Chambéry. 37 ISCID Dunkerque.

Bac + prépa + 3 ans

Éc. des hautes ét. commerciales (HEC). 1, rue de la Libération, 78350 Jouy-en-Josas. *Fondée* 1881 par la Chambre de commerce et d'industrie de Paris. *Installée* à Jouy 9-7-1964, mixte dep. 1973. *But :* former les cadres et dirigeants d'entreprises. *Eff. 1992 :* 1 135 (f. 40 %). Env. 250 cl. prépa. à Paris et en province. *Adm. 1re a.,* 4 162 ca., 347 reçus ; *2e a. C. comm.* HEC, ESCP et certaines Escae 940 ca. 66 ad. *Dipl. 92 :* 372, *promo 95* (prév.) 515. *An.* 3. *Frais 1re a. :* 30 000 F, *2e a. :* 28 600 F, *3e a. :* 27 500 F (scolarité), 5 850 F (logement + petit déjeuner pour 3 mois). **Élèves illustres :** archevêque de Cambrai, Claire Chazal, Hervé de Charette, Max Favalelli, Joseph Fontanet, Bernard Fresson, Bernard Hanon, Pierre Ledoux, Jacques Mayoux, Didier Pineau-Valencienne, Paul Reynaud, Georges Taylor, Bernard Vernier-Palliez.

☞ **Groupe HEC :** 1, rue de la Libération, 78351 Jouy-en-Josas Cedex. **Mastères spécialisés :** *créés* 1986. *Adm.* sur dossier + entretien. Bac + 5 (DEA, DESS) ou dipl. d'ing. ou de gestion. *M. entrepreneur 92 :* 18 ad. *M. finance internationale 92 :* 21 ad. *M. intelligence marketing 92 :* 41 ad. *M. strategic management 92 :* 14 ad. *M. European manufacturing management 92 :* 11 ad.

Éc. européenne des affaires (EAP) Paris-Oxford-Berlin-Madrid. 6, av. Porte-de-Champerret, 75017 Paris. *Créée* 1973. *Eff.* 600 (ét. européens non fr. 60 %). *1990 : Adm. C.* HEC, Essec, ESCP, 2 084 ca., 65 ad. *Adm. p.* sur *C.* pour tit. Deug, DUT, BTS ou dipl. europ. éq. 500 ca., 184 ad. *2 dipl. : français* Grande École visé par l'Éduc. nat. ; *allemand* Kaufmann. *2 filières :* Paris-Oxford-Berlin/Oxford-Madrid-Paris. *Frais* 25 000 F.

Éc. de hautes ét. commerciales du Nord (EDHEC). 58, rue du Port, 59046 Lille Cedex et 393, promenade des Anglais, BP 116, 06202 Nice Cedex 3. *Créée* 1921. *Eff.* 1 275. *Adm. C.* prépa. HEC et sur t. *1re* et *2e a. 1992 : C.* 8 231 ca., 450 ad. *Frais* 34 000 F. *An.* 3. Autres cy. : Éc. Espème ; mastères ; un centre de formation continue et de conseil, une école doctorale. **Élèves illustres :** Bernard Fournier, Jean-Jacques Goldman, Michel Lefebvre, Yves Navarre.

Éc. sup. de commerce de Lyon (ESC Lyon). 23, av. Guy-de-Collongue, BP 174, 69132 Écully Cedex. *Créée* 1872. *Eff.* 660 (f. 50 %). *C.* cl. prépa. HEC. *1991 :* 5 564 ca., 185 pl. *1991 Adm.* sur t. *1re a.* 10 ad., *2e a.* 36 ad. *Frais* 34 500 F ; prêts à taux spécial. Bourses. *CESMA-MBA :* 3e cy. Formation généraliste, bilingue au management. 105 ad. *MS-ESC Lyon :* 3e cy. Mastères : management de la technologie, marketing ind. ingénierie financière, management des act. de services, management des opérations industrielles. **Élèves illustres :** Florence Steurer, Alain Treppoz, Alain Galliano.

Éc. sup. de commerce de Paris (ESCP). 79, av. de la République, 75543 Paris Cedex 11. *Fondée* 1-10-1819 par Vital-Roux. *Eff.* 1 080 (f. 48,51 %). *C. 1992 :* 1er cy. : *1re a.* 198 ca., 23 ad. *2e a.* 940 ca., 25 ad. *Dipl. 92 :* 272 (hors alternance). *An.* 3 avec poss. alternance : 4 a. *Frais 1re a. :* 28 500 F, *2e a. :* 27 500 F, *3e a. :* 26 500 F ; possibilité bourses et fonds de solidarité. **Élèves illustres :** Patricia Barbizet, Michel Barnier, Pierre Belfond, Jacques Ehrsam, Gérard Larrousse, Antoine Riboud, Édouard de Royère, Édouard Salustro, Anatole Temlkine.

Éc. sup. des sc. économiques et commerciales (Essec). Av. Bernard-Hirsch, BP 105, 95021 Cergy-Pontoise Cedex. *Fondée* 1907 par la Compagnie de Jésus, prise en charge en 1913 par l'Institut catholique de Paris par Ferdinand Le Pelletier, menbre de la FESIC, affiliée à la CCI interdépartementale Val d'Oise-Yvelines depuis 1981. *Eff.* 1 013 (f. 42 %.). *Adm. 1992 : C.* cl. prépa. HEC 301 ad. sur 3 939. *Adm.* sur t. en 2e a. pour tit. d'une maîtrise, dipl. d'ing., dipl. IEP, méd., pharm., vét., archi.et autres form. sup., sur dossier + tests + entretien + épreuve langue 661 ca., 109 ad. *Dipl. 92 :* 290. *An.* 3. *Frais* 34 500 F ; possibilité de bourses et d'exemption de frais de scolarité. **Élèves illustres :** René Bernasconi, Christian Brégou, Jean-Rémy Chandon-Moët, Guy Degrenne, Philippe Sollers, Christian Pellerin, Pierre Angoulvent, Pierre Lacoste, Michel Bon.

Éc. des cadres du commerce et des affaires économiques (EDC, dite Éc. des cadres). 70, galerie des Damiers, La Défense 1, 92400 Courbevoie *Créée* 1952. *Eff.* 1 000 (f. 33 %). *Adm. 1re a. :* prépa. et bac + 1, *C. :* tests (personnalité, aptitude aux études de gestion, 2 langues vivantes) + oral d'admission. *Adm. 2e a.* sur t. bac + 2, test de personnalité + oral d'admission. *Frais* 31 800 F. **Élèves illustres :** Alain Dominique Perrin, Patrick Le Marchand.

Écoles sup. de commerce et d'administration des entreprises (Escae)

☞ 16 écoles dites « sup. de Co » avec C. commun pour él. prépa. HEC et des prépa. intégrées ou annexées aux Escae. Dep. 1982, chaque ca. peut opter pour 16 éc. au moment de l'inscription : écrit commun avec coefficients différents selon épreuves ; oral dans les centres où il est admis ; les ca. sont répartis en fonction des résultats, de leur choix et des places mises au C. Voir tableau ci-contre.

Adm. p. 1re a. pour tit. d'un dipl. de 1er cy., DUT, Deug ; *2e a.* pour tit. lic. ou maîtr. ou dipl. éq. (IEP, Gde Éc.).

Concours 1992	Inscrits		Admissibles		Admis
	Total	dont F	Total	dont F	
HEC	4 162	1 983	610	260	347
Essec	3 939	1 888	651	299	301
ESCP	6 198	3 185	944	–	265

Admis définitifs. HEC 347 (dont 136 femmes) dont 1re a. 88, 2e a. 249, 3e a. 10. Essec 301 dont 1re a. 90, 2e a. 204, 3e a. 7. ESCP 260 (dont 116 f.) dont 1re a. 119 (53), 2e a. 133 (60), 3e a. 8 (3).

Centre d'ens. et de recherches appliquées au management Ceram, Sophia Antipolis, BP 085 06902 Sophia-Antipolis. *Créé* 1978. *Eff.* 450 (f. 51 %). *Adm. p. 1re a. et 2e a. C. comm. « Passerelle ESC »* (8 éc.) 31 ad. *Dipl. 92 :* 110. *Frais* 26 000 F.

Sup de Co Amiens-Picardie. 18, pl. St-Michel, 80038 Amiens Cedex 1. *Créée* 1942. *Eff.* 489 (f. 55 %). *Adm. p. 1re a. C.* 127 ca., 25 ad. ; *2e a C.* 25 ca., 5 ad. *Dipl. 92 :* 131. *Frais* 26 500 F. Poss. bourses + prêts.

ESC Dijon, Groupe ESC Bourgogne Franche-Comté. 29, rue Sambin, 21000 Dijon. *Créée* 1900. *Eff.* 360 (f. 55 %). *Adm. p. 1re a.* sur examen + entr. 192 ca., 15 ad. *Dipl. 92 :* 120. *Frais 1992-93 :* 26 500. 3 mastères, DEA sc. de gestion, 2 progr. interna.

ESC Bretagne. 2, av. de Provence, BP 214, 29272 Brest Cedex. *Créée* 1962. *Eff.* 487 (f. 52 %). *Adm. p. 1re a.* et *2e a.* sur t. + examen 15 ad. 3e cy. : Inst. agroalim. internat. *Eff. :* 19 + 3 étr. *Adm. :* dipl. 2e cy. ou éq. ou cadres ayant 3 a. d'exp. dans l'agroal. 20 pl. *Frais* 33 000 F. Inst. de logistique 15 à 18 pl. (mêmes conditions).

ESC Clermont-Ferrand. 4, bd Trudaine, 63037 Cedex 1. *Créée* 1919. *Eff.* 480 (f. 45 %). *Adm. p. 1re* et *2e a.* sur C. + entr. 185 ad. *Dipl. 92 :* 135. *Frais* 25 000 F ; possibilité de prêts.

ESC Grenoble (ESCG). 12, rue Pierre-Sémard, BP 127, 38003 Grenoble Cedex 01. *Créée* 1984. *Eff.* 524 (f. 53 %). *Adm. dir.* 6 703 ca., 172 ad. *Adm. p. 1re* et *2e a. C.* commun 1 105., 48 ad. *Dipl. 92 :* 163. *Frais* 33 800 F. Possibilité de bourses et prêts ; 3 *mastères spé.* : marketing international des techno. avancées ; management techno. et de l'innovation dans le secteur agroal ; 1 doctorat international (DBA : doct. of Business Adm.).

Sup de Co Le Havre-Caen. Groupe ESC Normandie. 9, rue Émile-Zola, 76087 Le Havre Cedex. Rue Claude-Bloch, 14000 Caen. *Créée* 1871. *Eff.* 360 (f. 50 %). *Adm. p. 1re a., écrit :* résumé de texte, épr. de probabilités-stat., test d'anglais ; *oral :* épr. d'anglais + entr. 249 ca., 10 ad. *Adm. p. 2e a. écrit :* gestion, *oral :* anglais + entr. 19 ca., 2 ad. *Dipl. 92 :* 122. *Frais* 26 500 F (cl. prépa 1 a., Caen), 16 000 F (2 a. Le Havre), 16 000 F (école). *Mastère :* management du dévelop. territorial. 3e cy. Iper Transports, Export, Logistique.

Sup de Co Lille. Av. Gaston-Berger, 59045 Lille Cedex. *Créée* 1892. *Eff.* 630 (f. 55 %). *Adm.* prépa. HEC puis C. nat. ou adm. parall. 1re et 2e a. sur C. banque d'épreuves « Profils » : projets Erasmus et ECTS. 11. 3e cycles. *Dipl. 91 :* 181. *Frais* 27 500 F ; possibilité de bourses.

ESC Montpellier. 2 300, av. des Moulins, BP 3139, 34034 Cedex 1. *Créée* 1897. *Eff.* 200 (f. 55 %). *Adm. p. 1re a. C. comm.* ESCM Montpellier tests d'aptitude + entr. + tests de langues. *Adm. 2e a. C. commun* test d'apt. + tests langues viv. + séminaire. *Dipl. 92 :* 104, 2 mastères, 2 DESS. *Frais* 28 000 F. **Élèves illustres :** Valérie Salles, François Coue.

ESC Nantes. 8, route de la Jonelière, BP 72, 44003 Cedex 01. *Créée* 1900. *Eff.* 850 (f. 50 %). *Adm. p. 1re a. C. nat.* PROFILS, 60 pl., *2e a.* 10 pl. *Dipl. 92 :* 140. *Frais* 27 000 F (1re a.) ; stage de 3 mois obligatoire dans une univ. américaine en 2e a. 4 *Mastères. 2 formations de type MBA.* **Élèves illustres :** Jean Arthuis, Claude-Michel Schoenberg.

ESC Pau. Campus univ. 3, rue Saint-John-Perse 64000. *Créée* 1970. *Eff.* 600 (f. 46 %). *Adm. p. 1re a.* 400 ca., 30 pl. *Dipl. 92 :* 112. *3e a.* poss. USA ou Espagne, Allemagne avec obtention simultanée dipl. ESC + MBA ou Mast. *Frais* 29 000 F.

ESC Poitiers. 11, rue de l'Ancienne-Comédie, BP 5, 86001 Cedex. *Créée* 1961. *Eff.* 490 (f. 55 %). *Adm. p. 1re a.* C. Profils 30 pl. ; *2e a.* idem 5 pl. *Dipl. 92 :* 102. Sessions d'études au Canada (5 sem.) pour 2e a. ; 3e cy. : management de l'information (Imsic et MBA eur.), programme internat. (USA, G.-B., Allemagne, Esp., Portugal, Canada, Italie), formation commerciale post-DUT, BTS, Deug (CESCO), centre prépa. HEC Jacques Cartier. *Frais* 25 000 F. **Élèves illustres :** Patrick Bompoint, Olivier de Boisredon.

Inst. sup. de gestion commerciale (ISGC, dite **éc. sup. de commerce de St-Étienne)**, 21, rue d'Arcole, 42000 St-Étienne. *Créée* 1969. *Eff. 1992 :* 248 (f. 50 %) ; *93 :* 120. 2 518 ca., 47 ad. *Dipl. 92 :* 47. *Frais* 25 000 F.

ESC Toulouse. 20, bd Lascrosses, 31068 Toulouse Cedex. *Créée* 1903. *Eff.* 600 (f. 50 %). Formation des cadres et dirigeants d'entreprise. *Adm. 1re a. C. nat.* après prépa. ; *C.* sur titres avec Deug, DUT, BTS (passerelle ESC). *Adm. 2e a.* sur *C.* avec lic., maîtr. ou plus. *Dipl. 91 :* 112. *Frais* 26 000 F. 7 mastères : *An.* 1. *Frais :* 55 000 F. Formation continue, langues, centre de recherches et d'ingénierie. **Élèves illustres :** Jean-Jacques Delors, Brigitte Deydier, Babakar N'Diaye.

ESC Tours. 1, rue Léo-Delibes, BP 0535, 37005 Cedex. *Créée* 1982. *Eff.* 619 (f. 49 %). *Adm. C. nat.* d'entrée 1 455 ca. ;104 ad. *Adm. p. 1re a.* sur *C. Adm. p. 2e a.* sur *C. Dipl. 92 :* 125. *2 mastères. Frais* 26 500 F.

Répartition des candidats des concours

École ESC (1992)	P	C	O	A	E
Amiens	130	3 597	1 016	800	165
Bordeaux	170	7 916	2 059	1 147	170
Brest	130	4 470	1 757	1 278	135
Clermont-Ferrand	160	4 987	1 935	1 202	160
Dijon	106	4 086	1 798	883	113
Grenoble	165	6 703	1 928	888	172
Le Havre	125	3 651	1 715	946	136
Lille	n.c.	4 111	863	n.c.	201
Marseille	200	6 098	2 089	1 172	184
Montpellier	117	5 615	1 731	1 249	114
Nantes	180	6 961	1 396	900	181
Nice					
Pau	125	4 260	1 412	966	125
Poitiers	90	3 800	1 718	768	90
Toulouse	140	6 233	1 861	905	140
Tours	135	5 271	1 673	975	160

Légende : **P :** places mises au concours. **C :** nombre de candidatures. **O :** admissibles à l'oral. **A :** admis. **E :** entrés.

Autres écoles de commerce et de gestion

Concours « Ecricome »

Banque d'épreuves écrites communes créées par 5 éc. : ESC Bordeaux, Marseille, Reims, Rouen et ICN (Nancy).

ESC Bordeaux. 680, cours de la Libération, 33405 Talence Cedex. *Créée* 1874. *Eff.* 669 (f. 50 %). *Adm. p. 1re a.* et *2e a. C. nat.* 1 013 ca. à Bordeaux *Dipl. 92 :* 190. *Frais* 26 700 F à 29 200 F. 3e cy. (ISLI, IMOP, IMR, MAI) EBP, European Business Program. *Eff.* 770. Sup. TG. Éc. sup. des techniques de gestion. Créée 1992. *Eff.* 30.

ESC Marseille. BP 911, 13288 Marseille Cedex. *Créée* 1872. *Eff.* 690 (f. 48 %). *Adm.* prépa. HEC 91 : 5 976 ca., 189 ad. Sur t. *91* (dossier + écrit + oral). *1re a.* 950 ca., 41 ad. ; *2e a.* 119 ca., 32 ad. *Dipl. 91 :* 200. *Frais* 24 000 F. 3e cy. (Master of Arts, MBA, Mastères spé.) : *Eff.* 130 (f. 41 %). **Élèves illustres :** Jean Lanzi, Oscar Ghez de Castelnuovo.

Sup de Co Reims. 59, rue P.-Taittinger, BP 302, 51061 Reims Cedex. *Créée* 1928. *Eff.* 798. *1992 :* 6 773 ca., 203 ad. *Adm. p. 1re a.* sur concours Tremplin Ecricome 325 ca., 63 ad. ; *2e a.* 104 ca., 47 ad. *Dipl. 92 :* 215. *Frais (92) :* 28 700 F, possibilité de bourses.

Sup de Co Rouen. BP 188, 76136 Mont-St-Aignan Cedex. *Créée* 1871. *Eff.* 750 (f. 50 %). *1992 :* 6 682 ca., 208 pl. *Adm. C.* écrit + oral. *1re a.* 19 ad. ; *2e a.* 10 ad. *Dipl. 92 :* 187. *Frais* 30 000 F. *Autres formations :* mastères spécialisés : marketing, logistique. 3e cycle : management des opér. internat., manag. stratégique des IAA, Imac, programme « Executive MBA », « MSBA » (banque et assurance). **Élèves illustres :** Pascal Arthus-Bertrand, J.-Charles David, Lionel Chouchan, Louis Giscard d'Estaing, René Silvestre.

ESC Toulon-Campus Grande Tourrache. BP 261 83078 Cedex. *Créée* 1986. *Eff.* 220. *Adm. C.* tit. DUT ou BTS techniques ind., él. prépa. HEC. *An.* 3. *Frais* 27 000 F (séj. linguistique 4 sem. compris).

Inst. commercial de Nancy (Icn), 13, rue Michel-Ney, 54000 Nancy. *Créé* 1905. *Eff.* 900 (f. 50 %). *Adm. 1992 :* pour él. prépa. HEC. 7 495 ca., 150 ad. *Adm. p. 1re a.* pour tit. bac + 2 ; *2e a.* pour tit. bac + 3 470 ca., 40 ad. *Frais* 23 700 F (frais de séminaires résidentiels inclus). *An.* 3 : 4 stages, 4 séminaires. *Dipl. d'Université :* aff. intern., expert. compt./audit, finances, gest. des ress. hum., marketing, syst. information et organisation, DESS, MSTCF. *Frais* d.u.

Préparation obligatoire, concours, 3 ans d'études

Éc. sup. de gestion (ESG). 25, rue St-Ambroise, 75011 Paris. *Eff.* 1 050 (f. 45 %). *1988 : Adm. 1re a. C.* pour él. prépa. HEC. 3 500 ca, 250 ad. *Adm. p. 1re a.* pour tit. bac + 2 (Deug, BTS, DUT), dossier + 2 entr., 200 ca., 58 ad., *2e a.* pour tit. lic. Sc. éco. ou sc. + UV compta. sur dossier + 2 entr. 280 ca., 58 ad., *3e a.* pour tit. IEP, maîtr. sc. éco., AES, gestion ou gde éc. *Dipl. 86 :* 220. *Frais* 21 000 F.

Éc. sup. libre des sc. commerciales appliquées (ESLSCA), 1, rue Bougainville, 75007 Paris. *Créée* 1949. *Eff.* 1 100 (f. 40 %). Prépa. intégrée 200 él. *Adm. 1991 :* C. HEC 3 107 ca., 350 ad. *Adm. p. 1re a.* pour tit. Deug, DUT, BTS 182 ca., 48 ad. *2e a.* C. pour bac + 3 a. 71 ca. 11 ad. Programme MBA (USA-Canada-Japon). *Dipl.* reconnu par l'État. *Frais* 36 000 F.

Inst. europ. de distribution et négociation (IEDN). Groupe ESC. 20, bd Lascrosses 31068 Toulouse Cedex. Forme des cadres. *Adm. 1re a. C.* bac + 1, niv. bac + 2 ; *2e a.* sur entretien + bac + 2. *Frais :* 25 000 F.

Institut Georges-Chétochine (IGC). Communication et marketing. 4, bd de Bellerive, 92500 Rueil-Malmaison. *Créé* 1980. *Eff.* 200 (f. 50 %). *Adm.* 1er cy. *C.* pour tit. bac. *Adm.* 2e cy. sur *C.* pour tit. Deug, DUT, BTS ; 4e a. internationale (programmes BA et MBA aux USA, Master en Esp., MBA en G.-B.). 3e cy. intensif en marketing et communication pour dipl. ens. sup., médecins et pharmaciens. *Frais* 28 000 F (1er et 2e cy.) ; 42 000 F (3e cy.).

Inst. des hautes ét. économiques et commerciales (Inseec), 35, cours Xavier-Arnozan, 33000 Bordeaux ; 31, Quai-de-la-Seine, 75019 Paris. *Créé* 1975. *Eff.* 798 (Bordeaux), 694 (Paris) (f. 51 %). *Adm. 1992 : 1re a. C.* prépa. (HEC, Lettres sup., Première sup.) 3 481 ca., 660 pl. (dont 10 % pour tit. BTS, Deug, DUT). *2e a.* pour tit. lic. et maîtr. *Dipl. 92 :* 355. *Frais* 1re a. 33 500 F.

Inst. sup. du commerce (ISC), 22, bd du Fort-de-Vaux, 75848 Paris Cedex 17. *Créé* 1962. Reconnu par l'État. *Eff.* 1 000. 2e cy. *1990 : Adm. 1re a.* prépa. minimum HEC + C. 3 825 ca., 300 ad. *Adm. p. 1re a. C.* pour tit. Deug, DUT, BTS. *2e a.* pour tit. lic. maîtr. *Dipl. 90 :* 209 (visé par le min. de l'Éd.). *An.* 3. *Frais* 34 000 F/an (moy. sur 3 a.). 3e cy. : gestion et administration d'entreprise, marketing et gestion commerciale. *Formation continue :* séminaires inter et intra entreprises. *Consultants :* recherche et conseils aux entreprises. *Accords intern. :* Erasmus, MBA avec Univ. de Géorgie et Caroline du S. (USA).

Inst. sup. de gestion (ISG). 8, rue de Lota, 75116 Paris. *Créé* 1967. *Eff.* 2 566 (f. 42,63 %). **3 cy. d'ét.** *AFIG :* a. de formation initiale à la gestion (*Adm. C.* bac + 1 + dossier) ; *2e cy. national* (1re et 2e a. en France et 3e a. spécialisation) ; *européen* (1re a. Fr., 2e a. All. ou Esp., 3e a. spécialis.) ; multi. (1re a. Fr., 2e a. New York, Tōkyō, Asie, 3e a. spécialisation). *Adm.* 2e cy. conc. classique : prépa. HEC, toutes options ; ext. : Deug, BTS, DUT lic. Pour les 2e cy. : 3 916 ca., 780 ad. *Dipl.* 635. *Frais* 38 300 F/an. *3e cy. nat.* (7 mois éc., 7 mois entreprise). 5 filières : Ingénierie d'aff. internat., management avancé, marketing et communic. pharma., organisation des entr.-consultants, agroalimentaire et biotechnologies. *Adm.* sur t. bac + 4 ; dossier + tests + oral. *1992 :* 97 ad. *Frais* 57 050 F. *MBA program* (16 mois : Paris, New York, Tōkyō, Asie, Eur. centrale). *Adm.* sur t. bac + 4 ; dossier + oral en anglais. *1992 :* 50 ad. (80 % étr.). *Frais* env. 75 000 F.

Bac + 4 ou 5 ans

Centre d'ét. sup. européennes de management (Cesem), 59, rue P.-Taittinger, BP 302, 51061 Reims Cedex. *Créé* 1974. *Eff.* 926 (Français 493, Allemands 145, Britanniques 139, Espagnols 103 + 23 autres nat.). C. SESAME ouvert aux bacheliers et él. prépa. HEC, lycées internat. *C. 1992 :* 4 643 ca., 143 ad. (68 ad. progr. franco-brit. ; 41 ad. progr. franco-all. ; 24 ad. progr. franco-esp.). *An.* 4 (2 à l'étr.). *Dipl. 92 :* 195. *Frais (92) :* 26 200 F.

Éc. de commerce européenne (Ece), Groupe **Inseec**, 91, quai des Chartrons, 33000 Bordeaux. 21, rue Alsace-Lorraine, 69001 Lyon. *Créée* 1988. *Eff.* 535. *Adm. 1re a. C.* pour tit. bac 960 ca., 163 ad. ; *2e a. C.* pour tit. Deug, DUT, BTS. *An.* 4. *Frais* 1re a. 29 300 F.

Éc. intern. sup. des dirigeants d'entreprises de l'hôtellerie et de la restauration (dite « Éc. de Savignac »). 24220 Savignac-les-Églises. *Créée* 1988. *Eff.* 80. *Adm.* sur dossier + entretien avec bac + 2 mini. *Dipl. 93 :* 33. *An.* 2. *Frais* 35 000 F. Poss. bourses, prêts, Fongecif.

Éc. sup. de commerce de Chambéry (ESC Chambéry). BP 9451, 73094 Chambéry Cedex 09. *Créée* 1968. *Eff.* 120 en 1re a. *Adm. 1re a.* prépa. HEC + *C. ;* dipl. 1er cy. *C. Adm. 2e a.* dipl. 2e cy. C. *An.* 3. *Frais* 21 000 F.

Éc. sup. du commerce extérieur (ESCE), 63, rue Ampère, 75017 Paris. *Créée* 1968. *Eff.* 772 (f. 42 %). *Adm. C.* pour tit. bac, prépa, 1 a. de fac. 3 043 ca. *Promo 1992-93:* 165 ad. (dont 35 étr.). *Frais* 28 500 F.

Éc. sup. de commerce et de gestion (ESCG, anciennement Ipep). 169, rue du Fg-Saint-Antoine, 75011 Paris. *Créée* 1978. *Eff.* 120 (20 à 25 % de f.). *Adm. 1re a.* sur *C.* + bac. *2e a. C. 4e a.* formation alternée. *An.* 4. *Frais* 25 000 F.

Éc. sup. de commerce internat. (ESCI), 1, rue du Port-de-Valvins, 77215 Avon-Fontainebleau. Éc. de la Ch. de Commerce de Melun. *Créée* 1983. *Eff.* 229 (f. 50 %). *Adm. 1re a.* sur dossier + *C.* pour tit. BTS, DUT, Deug ou Deust 450 ca., 81 ad. *An.* 3 (Mission Ventexport - séjour étr.). *Frais* 18 000 F/an.

Éc. des praticiens du commerce internat. (EPSCI). Groupe Essec Av. Bernard-Hirsch, BP 105, 95021 Cergy-Pontoise Cedex. Établ. privé, dipl. reconnu par l'État. *Eff.* 350 (f. 50 %). *Adm. C.* pour tit. bac + 3. 2 800 ca., 150 ad. *Adm. p. 3e a. C.* pour tit. bac + 3 10 à 20 pl. *Dipl. 91 :* 80. *Frais* 1re et 2e a. 28 000 F. *Depuis sept. 90 : An.* 4 (2 cy.).

Éc. sup. des dirigeants d'entreprises (ESDE-Sup). 15, av. de la Grande Armée, 75116 Paris. *Créée* 1967. *Eff.* 500 (f. 10 %). *Adm. 1992 :* dossier + *C. 1re a.* 750 ca., 120 ad. *Dipl. 91 :* 110. *Frais* 29 000 F.

Éc. sup. de gestion et finances (ESGF), 25, rue St-Ambroise, 75011 Paris. *Créée* 1975. *Eff.* 850 (f. 45 %). *Adm. 1re a.* pour tit. bac sur dossier + 2 entr. 430 ca., 155 ad. ; *2e a.* UV du DPECF ou prépa. Technologie 75 ca., 25 ad. ; *3e a.* tit. BTS ou DUT Gestion, ou UV du DPECF, DECF, lic. Gestion, ou éq. 138 ca., 41 ad. ; *4e a.* UV du DECF, dipl. éc. de commerce, maîtr. Gestion ou éq. *Frais* 21 000 F/an env.

Éc. sup. de gestion et informatique (ESGI). 25, rue St-Ambroise, 75011 Paris. *Eff.* 320 (f. 40 %). *Adm. 1re a.* pour tit. bac sur dossier + 2 entr. ; *2e a.* 142 ca., 33 ad. tit. de BTS ou DUT Informatique ; *3e a.* 158 ca., 35 ad. tit. maîtr. Inform. Dipl. gdes éc. comm. ou sc. *Frais* 21 000 F/an env.

Éc. sup. internat. d'administration des entreprises (Esiae) (Paris, Lyon, Strasbourg, Hyères), 63, bd Exelmans, 75016 Paris. *Créée* 1978. Dipl. homologué niveau II. *Eff.* 500 (f. 45 %). *Adm. C.* pour tit. bac 150 pl. maxi. *Adm. p. 2e a. C.* pour tit. BTS, Deug, DUT. *Adm. p. 3e a.* pour tit. lic. *Dipl. 92 :* 98. 3e a., formation en alternance éc./entreprise toute destination à l'étr. *Frais* 28 500 F.

Éc. sup. des sc. commerciales d'Angers (Essca), Campus univ. de Belle-Beille. BP 2007, 49016 Angers Cedex 01. *Créée* 1909. *Eff.* 808 (f. 38 %). *C. 1992 :* 2 910 ca., 210 ad. *Adm. p. 2e a. C.* pour tit. DUT, BTS, Deug. 192 ca., 17 ad. *3e a. C.* pour tit. lic. ou maîtr. 22 ca., 9 ad. *Dipl. 92 :* 186. *Frais* 31 845 F ; possibilité de bourses.

Éc. sup. de traducteurs-interprètes et de cadres du commerce extérieur (Estice), 60, bd Vauban, 59046 Lille Cedex. *Créée* 1961. *Eff.* 135 (f. 80 %). *Adm. 1992 : directe* avec Deug, BTS. 200 ca., 65 ad. *Dipl. 92 :* 55. *An.* 2. *Frais* 12 500 F.

Éc. européenne de gestion. European Business School (EBS), 27, bd Ney, 75018 Paris. *Créée* 1967. *Eff.* 1 012 (f. 50 %). *C. 1992:* 1 600 ca., 270 ad. *Adm. p. 2e a.* BTS, DUT, Deug + C. 60 ca., 13 ad. *Dipl. 92 :* 220. *Frais* 34 500 F.

ICS-Bégué, 15, place de la République, 75003 Paris. *Créé* 1957. *Eff.* 1 200 (f. 45 %). Préparation au DPECF, DECF, DESCF. *An.* 4 pour bac et bac + 1, *adm.* sur dossier. *An.* 3 pour prépa., *adm.* sur *C. Adm.* poss. en 2e, 3e et 4e a. pour ét. ayant éq. dans le cadre du DESCF. *Dipl.* 200. *Frais* 30 000 F.

Inst. de recherche et d'action commerciale (Idrac), 14, rue de la Chapelle, 75018 Paris. *Créé* 1965. *Eff.* 800 (f. 40 %). *Adm.* 1er cy. : tit. bac, BTS AC et BTS CI (Idrac bac + 4) sur examen et entr. 420 ca., 160 ad. 2e cy. en 2 a. : tit. BTS AC, CI, DUT T.C., dossier, examen, entr. (210 ca, 70 ad.). *Dipl. 88 :* 51. Cy. sup. Technico-marketing (11 mois) pour dipl. d'ens. sup. non commercial (Dipl. 15). *Frais* 25 000 à 27 000 F.

Inst. de recherche et d'action commerciale (Idrac Montpellier), 499, rue Croix-Verte, 34196 Montpellier. *Créé* 1975. *Eff.* 350. *Adm. 1er cy.* tit. bac, BTS AC, CI (Idrac + 4) sur exam. et entret. 350 ca., 120 ad. *2e cy. en 2 a. :* tit. BTS AC, CI, DUT, TC, sur dossier, examen et entret.. 70 ca., 30 ad. *Cy. technico-marketing* (11 mois) pour dipl. Ens. Sup. non Com. *Dipl. 88 :* 35. *Frais* 25 000 à 27 000 F.

Inst. d'éco. scientifique et de gestion (Ieseg). 3, rue de la Digue, 59800 Lille. *Créé* 1964. Dipl. visé par le min. de l'Éd. nat. *Eff.* 489. *Adm. 1992 :* 1er cy. *C.* pour tit. bac B, C, D 1 171 ca., 140 entrés. *Adm. p. 2e a.* pour tit. 1re a. Deug sc. éco. + *C. ; 3e a.* pour tit. Deug sc. éco. *Dipl. 92 :* 67. *Frais* 18 450 F. Possibilités de bourses.

Inst. européen des affaires (IEA), 66, Champs-Élysées et 49/51, rue de Ponthieu, 75008 Paris. *Créé* 1979. *Eff.* 500 (f. 40 %). *Adm. p. 1re a.* bac. + *C.* (120 pl. maxi.). *2e a.* 2 a. d'ens. sup. + *C.* (30 pl. maxi.). 2e et 3e cy. 3 à 5 a. d'ét. sup. (10 pl./a.). *Frais* 1re, 2e a. 28 500 F ; 3e, 4e, 5e a. 62 000 F pour les 3 a.

Inst. européen d'ét. commerciales sup. (IECS), 47, av. de la Forêt-Noire, 67000 Strasbourg. *Créé* 1919. *Eff.* 650. École de Management Européen. *Adm. 1981 : C.* prépa. HEC, 81 ét. (f. 70 %). *Adm. p.* pour tit. Deug, DUT, BTS 11 pl. Autres formations : DESS Achat International, dipl. univ. d'Audit (3e cycle, créé 1992), dipl. univ. Techn. de distrib., DESS comm. int., licence «techn. de distribution». *Frais* EME 18 500 F. DESS comm. int. : 4 000 ; dipl. univ. d'Audit : 4 000 ; DESS Ach. int. : 4 000.

Inst. de formation aux affaires et à la gestion (Ifag), du groupe IFG, 37, quai de Grenelle, 75015 Paris. *Centres associés :* Lyon : 181, av. J.-Jaurès, 69007. Montluçon : 13, bd Carnot, 03100. Toulouse : Innopole, voie 2, 31328 Labège Cedex. Auxerre : 6, rte de Moréteau, BP 303, 89005 Auxerre Cedex. *Créé* 1968. Alternance : 19 mois de formation intensive + 12 mois salarié en entreprise (avec 25 j de séminaires de formation) ou en programme à l'étranger (Chine, G.-B., USA). *Adm.* bac + 2 dipl. *An.* 3. *Frais* globaux pour les 3 a. 72 400 F (1992).

Inst. de gestion sociale (IGS, 2e cycle de gestion du personnel et des ressources hum.). Centre d'ens. : 120-122, rue Danton, 92300 Levallois. *Créé* 1976. *Eff.* 150 (f. 50 %). *Adm.* bac + 2 tit. BTS, Deug, DUT, lic., *An.* 2. *Frais* 26 450 F/an.

Inst. des hautes ét. de droit rural et d'économie agricole (Ihedrea). 11, rue Ernest-Lacoste, 75012 Paris. Établ. privé, dipl. homologué niveau II. *Créé* 1950. *Eff.* 400 (f. 30 %). *Adm. p. 2e a.* pour tit. DUT, BTS, Deug, droit, éco. sur dossier + entr. ; *3e a.* pour tit. lic., maîtr. droit, sc. éco. sur dossier + entr. DESS «Audit et Conseil en gestion de l'entreprise agri.» *An.* 4. *Dipl. 90 :* 100. *Frais* 25 000 F.

Inst. de l'économie et du commerce internat. (Ileci). 12, rue des Saints-Pères, 75007 Paris. *Créé* 1988. *Eff.* 300. *Adm. p. 1er a. :* tit. bac sur dossier + entr. + test de langue 500 ca. *Adm. p. 2e a. :* tit. bac +2 sur dossier + entr. *An.* 4. *Frais* 26 000 F.

Inst. de management hôtelier internat. (IMHI, dite Essec-Cornell). BP 105, 95021 Cergy-Pontoise Cedex. *Créé* 1981. Établ. privé. *Eff.* 90 (f. 30 %). *Adm.* pour tit. lic., BTS hôtelier + exp. prof. hôtellerie, restauration, tourisme, sur dossier + test + entr. 200 ca., 45 ad. *An.* 3, 5. *Dipl. 91 :* 45. *Frais* 16 000 F par trim.

Inst. nat. des télécommunications, Éc. de gestion (INT-Gestion), 9, rue Charles-Fourier, Les Épinettes, 91011 Évry Cedex. *Créé* 1981. *Eff.* 246 (f. 30 %). *Adm. C.* pour tit. Deug, DUT, prépa. HEC, prépa. math spé. 1 278 ca., 73 ad. ; *2e a.* sur t. pour tit. maîtr. (éco, gestion, informatique, sc.) 23 ca., 7 ad. *An.* 10 mois. *Dipl. d'État, 91 :* 70. *Frais* 5 000 F. *Formation promotionnelle. Adm.* sur *C. int.* pour cadres sup. Télécom, niv. bac + 4 + 3 a. d'exp. prof. + 1 ou 2 a. de prépa. par correspondance et regroupements à l'école.

Inst. des petites et moyennes entreprises (Inst. des PME). 24, rue Léon-Frot, 75011 et 3 rue de Logelbach 75017 Paris. Établ. privé. *Dipl.* non reconnu par l'État. *Créé* 1981. *Eff.* 1 400 (f. 40 %). *Adm. 1re a. C.* pour tit. bac, toutes sections, 2 100 ca., 540 ad. *Adm. directe 2e a. C.* pour tit. DUT, BTS, Deug, 115 ca., 35 ad. *Dipl. 90 :* 380. *An.* 4. *Frais* 25 500 F.

Inst. de préparation à l'admin. et à la gestion (Ipag) : Formation sup. au management, 184, bd St-Germain, 75006 Paris. *Créé* 1965. *Eff.* 550 (f. 33 %). *Adm. 1re a.* sur *C.* bacheliers. *2e a.* par él. ayant validé 1 a. ét. sup. *Dipl.* 120. *An.* 4 (en alternance cours-stage d'entreprise). *Frais* 30 000 F. *Dipl.* reconnu par l'État. **Formation au management européen,** 4, bd Carabacel, 06000 Nice. *Créé* 1989. *Eff.* 350 (3 ans). *Adm. 1re a.* sur *C.* bacheliers. *An.* 4 (en alternance cours-stages pays eur.). *Frais* 30 000 F.

Inst. sup. du commerce extérieur (Isce). 53, bd Lannes, 75116 Paris. Établ. privé. *Eff.* 62 (f. 30 %), *adm. 1re a.* pour tit. dipl. univ., éc. sup. + 2 langues + dossier + épreuves + entr. 450 ca., 34 ad. *Dipl. 89 :* 28. *An.* 2. *Frais* 42 000 F.

Inst. sup. de commerce internat. de Dunkerque (Iscid). 129, av. de la Mer 59140 Dunkerque. *Créé* 1985. C. pour prépa HEC. *Adm. p. 1re* et *2e a.* pour tit. bac + 2 ou bac + 3 agréés. *An.* 3. *Dipl.* ISCID Universitaire. *Adm.* directe avec le dipl. en 2e a. DESS Franco-Britannique. *Frais* 16 000 F.

Inst. sup. technique d'outre-mer (Istom). CPSL, 32, bd du Port, 95094 Cergy Pontoise Cedex. Établ. privé. *Eff.* 320 (f. 25 %). *Adm.* prépa. pour tit. bac sur dossier + *C.* + entr. 220 ca., 90 ad. *Adm. p.* cy. sup. pour tit. Deug, DUT, BTS sur dossier + *C.* + entr. 85 ca., 64 ad. *An.* 4. *Dipl. 92 :* 61. *Frais* (90-91) 15 000 F.

Inst. de management internat. de Paris – MBA Institute, 38, rue des Blancs-Manteaux, 75004 Paris. Établ. privé, non habilité à recevoir des boursiers nationaux. Dipl. non reconnu par l'État. *Eff.* 330 (f. 30 %). *Adm.* Prépa. tests + entr. pour tit. bac ; 554 ca., 96 ad. *2e a.* tests + entr. pour cl. prépa. ou bac + 2 ; 32 ad. *An.* 4 à Paris + 10 à 20 mois aux USA. *Frais* 36 500 F.

■ Bac + 3 ans

Éc. d'admim. et dir. des affaires (EAD), 15, rue Soufflot, 75005 Paris. *Eff.* 350 (f. 40 %). *Créée* 1961. *Adm. C.* pour tit. bac, 500 ca., 50 pl. *Adm. p. 2e a.* pour tit. Deug + sélection 250 ca., 50 ad. ; *3e a.* pour tit. lic., maîtr. + sélection 400 ca., 90 ad. BTS, DUT sur dossier + entr. *Dipl. 90* 165. 4e a. optionnelle à l'étranger. *Frais* 24 250 F.

Éc. de direction d'entreprises de Paris (Edep), Imm. Montréal 3 et 5, rue du Javelot, 75645 Paris Cedex 13. *Créée* 1957. *Eff.* 248 (f. 34 %). *Adm. : 1re a.* bac + *C.* 350 ca., 59 ad. ; *2e a. C.* pour niv. bac + 2, 85 ca. 40 ad. ; *3e a.* BTS, DUT, Deug + *C.* 90 ca., 45 ad. ; *4e a.* lic., maîtr. + dossier + entr. *Dipl. 92 :* 62. *An.* 4. *Frais* 26 500 F.

Éc. sup. de gestion et commerce internat. (ESGCI), 25, rue St-Ambroise, 75011 Paris. *Eff.* 681. *Adm. 1re a.* bac + dossier + 2 entr. 520 ca., 210 ad. *Adm. p. 2e a.* BTS CI ou éq. (DUT), dossier + 2 entr., 83 ca., 28 ad. ; *3e a.* tit. DUT, BTS Action Commerciale et CI, dossier + 2 entr., 105 ca., 41 ad. ; *4e a.* tit. maîtr. ou gdes éc. de com. *An.* 3. *Frais* 21 000 F.

Éc. sup. de gestion et communication (ESGC). 106-112, bd de l'Hôpital, 75013 Paris. *Eff. :* 150. *Créée* 1988. *Adm. 1re a.* bac + dossier + 2 entr., 130 ca., 48 ad. ; *Adm. p. : 2e a.* Deug Langues, Lettres, AES, Éco, Droit ou BTS ou DUT Action comm. ou Communication ; *3e a.* DUT, BTS Commun. et Publicité ; *4e a.* maîtr. ou gdes éc. de commerce. *Frais :* 30 000 F/an env.

Éc. sup. privée des affaires et du commerce internat. (Esaci), 94, rue de Paris, 94220 Charenton. *Créée* 1976. *Eff.* 195 (f. 40 %). *Adm. 1re a.* sur *C.* pour tit. bac (*1986 :* 250 ca., 80 ad.). *Adm. p. 2e a.* sur *C.* pour tit. DUT, BTS, Deug (*1986 :* 30 ca., 10 ad.). *Dipl. 85 :* 40. *An.* 4. *Frais* 20 000 à 23 000 F, selon option.

Inst. sup. de l'entreprise et des affaires (Isea). 92, av. Charles-de-Gaulle, 92200 Neuilly. *Créé* 1986. *Adm.* niv. bac + 2 (BTS, DUT, Deug ou éq.). *An.* 1. *Frais* 29 000 F. Possibilité 4e a. MBA, Dallas.

Inst. sup. de gestion du personnel (Faclip), 416, rue St-Honoré, 75008 Paris. *Créé* 1976. *Eff.* 100. *Adm.* bac + 2 sur dossier + entr. + test. *Adm. p. 2e a.* sur entr. + test pour tit. lic., DUT gestion du personnel ou Deug. *An.* 2. *Frais* 23 000 F. 3e cy.

Inst. européen de distribution et de négociation (IEDN). Groupe ESC Toulouse, 20, bd Lascrosses, 31068 Cedex. *Adm. 1re a.* sur *C. Adm. p. 2e a.* pour tit. bac + 2 certifié. *An.* 3. *Frais* 23 000 F.

Inst. franco-américain de management (Ifam). 19, rue Cepré, 75015 Paris. *Créé* 1982. *Eff.* 300 (f. 45 %). *Adm. 1989 : 1re a.* sur *C.* pour tit. bac 1 105 ca., 521 ad., 110 intégrés. *Adm. p. 2e a.* sur *C.* pour tit. bac + 2 (Deug, DUT, etc.). *Dipl.* Ifam, MBA. *An.* 4. *Frais* 21 900 F.

Inst. nat. des techniques économiques et comptables (Intec), Cnam, 292, rue St-Martin, 75003 Paris. *Créé* 1931. *Eff.* 15 500. *Adm.* bac ou éq. *An.* 1-2 : CPC (dispense DPECF) puis 2-3 pour dipl. Intec (dispense 14 épreuves DESCF). *Frais* 1 500 à 3 350 F par UV.

Inst. sup. des sc., techniques et économie commerciales (Istec), 102, rue du Point-du-Jour, 92100 Boulogne. *Créé* 1961. *Eff.* 300 (f. 50 %). *Adm. 1re a. C.* + oral pour tit. bac. *Adm. 2e a.* directe pour tit. DUT ou BTS + oral. *An.* 4. *Frais* 33 500 F. Dipl. reconnu par l'État.

Schiller International University (Siu), 32, bd de Vaugirard, 75015 Paris. Université américaine privée. *Créée* 1968. *Dipl.* non reconnu par l'État, homologué aux USA par ACICS. *Eff.* 200. *Adm. 2e a.* pour tit. bac. *Adm. p. 4e a.* pour Deug, DUT, BTS. *Dipl.* BBA (4 a.), MBA (5 a.). *Adm.* sur t., dossier, entr. et GMAT. *Frais :* 62 000 F/an.

Bac C ou entretien, 2 ans d'études + concours

Académie commerciale internat. (Aci-Negocia). Éc. de commerce internat. de marketing et de vente. 8, av. de la Porte-de-Champerret, 75017 Paris. *Créée* 1921. *Eff.* 380. *Adm. 1re a.* bac + *C. Adm. p. 2e a. :* BTS, Deug, DUT + *C. Dipl. 91 :* 119. *Frais* 24 000 F. Bourses, prêts.

Centre international de la vente et de la négociation commerciale (Négocia). 8, av. de la Porte-de-Champerret, 75838 Paris Cedex 17. Format. Initiale bac + 3 à bac + 5. 16 programmes. *Eff. :* 1 300. Formation continue pour adultes. *Eff. :* 2 000. Stages inter-entreprises.

Éc. de commerce et d'admin. du collège Sainte-Barbe (ECA), 4, rue Valette, 75005 Paris. *Créée* 1968. *Eff.* 68 (f. 50 % env.). *Adm. 1re a.* sur examen écrit pour tit. bac A, B, C, D, ou G. *Adm. p. 2e a.* lic. ou équiv. bac + 3. Dossier + entretien en français et anglais ; séminaire intensif de mise à niveau si réorientation après Deug ou lic. *An.* 3. *Frais* 29 000 F (1re a.), 24 000 F (2e a.). Possibilité de prêt ét.

Éc. fr. de gestion commerciale (EFGC). Zone industrielle, 5e rue no 7, 13127 Vitrolles. *Créée* 1964. *Eff.* 120. *Frais* 10 000 à 18 000 F.

Éc. du marketing de la publicité (EMP). 56, rue des Batignolles, 75017 Paris. *Créée* 1967. *Eff.* 150. *An* 2-3. *Adm. 1re a.* tit. bac. *Adm.* a. de spécialisation pour tit. DUT, BTS, lic., maîtr. sc. éco., LEA, Gestion. Possibilité de présenter BTS action commerciale, communication et action publicitaire. *Frais* 26 000 F.

Inst. du tourisme et des loisirs (ITL). 92, av. Charles-de-Gaulle, 92200 Neuilly-sur-S. *Créé* 1970. BTS tourisme et loisirs. *Eff.* 250. *Adm.* bac ou éq., niv. terminale. *Frais* 25 500 à 26 500 F.

ICSV Éc. sup. de commerce du Cnam (ICSV/Cnam). 292, rue St-Martin, 75141 Paris Cedex 03. *Créé* 1956. *Eff.* 947. *Frais* 19 300 F, 1/2 tarif pour ca. libres. *Dipl.* homologué niv. II. Antennes à Lyon, Nantes, Béziers, Amiens, Annecy, St Étienne, Strasbourg, Lille, Bucarest. *An.* 2 (pour bac + 2), 3 (sans dipl.).

Inst. privé des attachés de direction (Icad-Ens. commercial sup. privé) – Inst. sup. européen de management. 141, rue de Rennes, 75006 Paris. *Créé* 1967. *Eff.* 400. *Adm. 1re a. C.* + entr. de groupe, + bac ou éq. *Adm. p. 3e a.* pour tit. DUT, Deug ou BTS ou éq. *Frais* 24 000 à 26 000 F.

Inst. sup. de l'entreprise et des affaires (Isea). 92, av. Charles-de-Gaulle, 92200 Neuilly. *Créé* 1962. BTS bureautique et secr. bilingue et trilingue, comptabilité-gestion, commerce intern., action commerciale, communication et action publicitaires, force de vente. Formation privée : relations publiques. *Adm.* bac ou éq., niv. terminale. *Frais* 26 000 à 27 000 F.

Inst. de gestion et informatique (Igi), 119, avenue Paul-Vaillant-Couturier, 94250 Gentilly. BTS comptabilité-gestion, BTS informatique. *Eff.* 350. *Frais* 18 600 F.

Formation continue

Inst. de formation au commerce extérieur (IFCE). 129, Av. de la Mer, BP 69, 59942 Dunkerque Cedex 2. *Recyclage et perfectionnement de haut niveau en commerce internat. ;* stages pour entreprises et demandeurs d'emploi. *Adm.* sélection pour stages longue durée. *Dipl.* homologué niv. II (bac + 4).

Formations complémentaires de 3e cycle

Écoles

Groupe ESC Bourgogne Franche-Comté, 29, rue Sambin, 21000 Dijon. **3 mastères spécialisés : en management de l'ind. pharmaceutique.** *Créé* 1988. *Adm.* tit. bac + 5 min. (dipl. scientifique). *Dipl.* [1] *Frais* 45 000 F ; **en management des entreprises culturelles.** *Créé* 1990. *Adm.* tit. bac + 5 min. *Dipl. Frais* 32 000 F ; **en commerce intern. des vins et spiritueux.** *Créé* 1991. *Adm.* bac + 5 min. *Dipl. Frais* 39 000 F. **DEA sciences de gestion.** *Créé* 1988. En collaboration avec l'univ. de Bourgogne.

Groupe ESC Clermont. Inst. de formation au management intern. (IFMI). 4, bd Trudaine, 63037 Clermont-Ferrand Cedex 1. *Créé* 1991. *Eff.* 15 (f. 60 %). *Adm.* sur dossier + tests pour tit. maîtr., dipl. ing., gestion, ou cadre d'entreprise (75 ca., 23 ad.). *Dipl. 92 :* 14. *An.* 11 à 14 mois. *Frais* 37 000 F en 92/93. *Dipl.* double sceau : Groupe ESC Clermont/Université d'Auvergne 1.

Groupe ESC Reims. 59, rue P.-Taittinger, BP 302, 51061 Cedex. **Mastère spécialisé en gestion européenne et internat.** *Créé* 1986. *Eff.* 15 (5 f.). *Adm.* après tests pour tit. bac + 5 (DEA, DESS) ou dipl. gde éc. ing. ou commerce. *C. 1992 :* 216 ca., 16 ad. *Dipl.* [1] *Frais* 42 000 F.

Groupe ESC Toulouse, 20, bd Lascrosses, 31068 Cedex. **Mastère en audit interne et contrôle de gestion.** *Adm. C.* + entr. pour tit. bac + 5 (DEA, DESS), ou dipl. gde éc. d'ing. ou de gestion *1988-89 :* 13 ad. *Dipl.* [1] *87 :* 17.

Mastère en management de l'innovation et transfert de technologie. *Adm.* sur dossier + entr. pour tit. bac + 5 (DEA, DESS), ou dipl. gde éc. d'ing. ou gestion, *1988-89 :* 20 ad. *Dipl.* [1]

Mastère en systèmes d'information automatisés de gestion. *Adm.* sur dossier + entr. pour tit. bac + 5 (DEA, DESS), ou dipl. gde éc. d'ing. ou gestion, *1988-89 :* 10 ad. *Dipl.* [1] *87 :* 25.

Mastère en communication d'entreprise. *Adm.* sur dossier + entr. pour tit. bac + 5 (DEA, DESS), ou dipl. gde éc. d'ing. ou gestion, *1987-88 :* 14 ad. *Dipl.* [1]

Mastère interface marketing-technologie agroalimentaire. *Adm.* sur dossier + entr. pour tit. bac + 5 (DEA, DESS), ou dipl. gde éc. ing. ou gestion. *Créé* 1989. *Dipl.* [1]

■ **Autres. Inst. agroalimentaire internat. (IAAI).** Escae Bretagne, 2, av. de Provence, BP 214, 29272 Brest Cedex. *Dipl.* non reconnu par l'État. *Eff.* 20 (dont f. 8). *Adm.* tit. dipl. de 2e cy. et cadres avec 3 a. d'exp. prof. agroalim. 38 ca., 20 pl. *Dipl. 89 :* 18. *An.* 1. *Frais* 28 000 F (ét.), 33 000 F (auditeurs formation prof.).

Centre d'ét. du commerce extérieur/Centre sup. des transp. internat. (CECE/CSTI). Domaine de Luminy, Case 921, 13288 Marseille Cedex 9. *Créé* 1958 (CECE), 1975 (CSTM). *Eff.* 54 (f. 30 %). *Adm.* sur dossier + entr. pour tit. dipl. 2e cy. ou pour cadre depuis + de 3 a. (*1984 :* 385 ca., 90 ad.). *Dipl. 88 :* 44. *An.* 15 mois. *Frais* 55 000 F.

Centre de formation aux affaires (Cefa). 59, rue Pierre-Taittinger, BP 302, 51061 Reims Cedex. *Créé* 1971. *Eff.* 77 (f. 36 %). *Adm.* tests pour tit. d'une maîtr., dipl. d'ing., gdes éc. ou cadres d'entreprise. *C. 1992 :* 686 ca. 77 ad. *An.* 1. *Dipl. 92 :* 70. *Frais (92) :* 42 000 F.

Éc. des hautes ét. en sc. de l'information et de la communication (Celsa). 77, rue de Villiers, 92200 Neuilly. *Créé* 1957. Forme en pub., marketing, rel. pub., gestion des ressources hum., journalisme. *Eff.* 950. *Adm.* Prépa., 2e et 3e cy. sur *C. ; 1re a.* 1er cy., sur dossier. *Dipl. préparés :* Deug, lic., maîtr., magistère, DESS, DEA, doctorat. *Frais* d. u.

Centre normand de recherches en informatique (Cenori-Ch. de comm. et d'ind. du Havre). Av. Pierre-Mendès-France, 76290 Montvilliers. *Dipl.* non reconnu par l'État. *Eff.* 50 (f. 14 %). *Adm.* tit. dipl. 2e cy., ou pour cadres sur tests + entr., 70 ca. *An.* 11 mois. *Frais* 26 000 F.

Centre d'ét. sup. du management (Cesma/MBA) [2]**.** 23, av. Guy-de-Collongue, BP 174, 69132 Écully Cedex. *Créé* 1970. *Eff.* 80 (f. 30 %). *Adm.* sur dossier + tests de sélection pour dipl. de l'ens. sup. avec de préférence exp. prof. *1991 :* env. 400 ca., 105 ad. *Dipl. 91 :* 78. *An.* 1. *Frais* 90 000 F ; possibilité de prêts. Programme MBA européen : + échange (double dipl. Cranfield) ou stage. Dipl. Cesma MBA homologué niv. I, II par min. de l'Ind.

Groupe ESG. 25, rue St-Ambroise, 75011 Paris. 3e cy. ou mastères. 6 programmes en alternance éc./entreprise : management et marketing européen ; finances ; management du tourisme d'affaires ; marketing et pub. ; gestion internat. du personnel ; gestion des entreprises (cycles financés et rémunérés).

Inst. sup. de gestion du personnel (Faclip), 416, rue Saint-Honoré, 75008 Paris. Dipl. d'ét. sup. approfondies en gestion du personnel (Desa), ét. de nov. à mai. *Adm.* sur dossier, test et entr. pour tit. maîtr. *Frais* 25 000 F.

L'Ingénieur manager (Iefsi) [2]**.** 41, rue du Port, 59046 Lille Cedex. *Créé* 1961. *Eff.* 60 (f. 15 %). *Adm.* sur t. pour dipl. ing. 300 ca., 60 ad. *An.* 1. *Dipl. 92 :* 62. Diplôme reconnu par l'État et MBA européen. *Frais* 58 000 F ; rémunération de l'État.

Inst. des ét. économiques, sociales et techniques de l'organisation (Iesto/CNAM). 292, rue St-Martin, 75141 Paris Cedex 03. *Créé* 1955. *Eff.* 200 (f. 20 %). Cycles spéciaux, Cy. normaux d'organisateur. *Adm.* dipl. niv. III min. + exp. prof. Mastère spécialisé en stratégies et techniques du métier d'organisateur. *Adm.* sur t. dipl. bac + 5 + entr. *Frais* 38 200 F. *Dipl.* [2]

Grandes écoles de management européennes

Légende : année de création, durée des études en mois, coût en F, nombre de participants par année, % nationaux entre parenthèses, âge moyen à l'entrée.

Institut européen d'administration des affaires (Insead). Fontainebleau (1959), 10 m. 125 000 F, 424 p. (21 %), 28 a. **International Institute for Management Development (IMD).** Lausanne (1957), 11 m., 130 000 F, 65 p. (12 %), 30 a. **London Business School (LBS).** Londres (1965), 21 m., 100 000 F, 180 p. (46 %), 27 a. **Erasmus.** Rotterdam (1967), 24 m., 85 000 F, 120 p. (40 %), 26 a. **Institut supérieur des affaires, HEC-ISA (ISA).** Jouy-en-Josas (1969), 16 m., 110 000 F, 125 p. (60 %), 29 a. **Scuola di direzione azientale (SDA Bocconi)** Milan (1975), 16 m., 110 000 F, 130 p. (62 %), 28 a. **Manchester Business School (MBS).** (1965), 21 m., 65 000 F, 120 p. (60 %), 27 a. **Instituto de estudios superiores de la empresa (Iese).** Barcelone (1958), 21 m., 70 000 F, 205 p. (67 %), 26 a.

Inst. de formation au commerce internat. (IFCI). Groupe ESC Clermont. 4, bd Trudaine, 63037 Clermont-Ferrand Cedex 1. *Créé* 1979. *Eff.* 23 (f. 43 %). *Adm.* sur dossier + tests pour tit. maîtr., dipl. ing., gestion, ou cadre d'entreprise (150 ca., 23 ad.). *Dipl. 92 :* 26. *An.* 11 mois. *Frais* 37 000 F en *92-93. Dipl.* [2]

Inst. de gestion internat. agroalimentaire (Igia). Centre Polytechnique St Louis, 13, bd de l'Hautil, 95092 Cergy-Pontoise Cedex. *Créé* 1978. *Eff.* 100. *Adm.* sur dossier + entr. + test connaissance anglais pour dipl. ens. sup. 2e cy. *1992 :* 360 ca., 65 ad. dont cadres d'entreprises. *An.* 1. *Frais 1992* 47 740 F.

Inst. de gestion sociale (IGS 3e cy. de management). Centre d'ens. : 120-122, rue Danton, 92300 Levallois. *Créé* 1979. *Eff.* 60. *Adm. C.* pour dipl. 2e cy. éc. ing., IEP. *Frais* 51 000 F.

Inst. européen d'administration des affaires (Insead) [2]**.** Bd de Constance, 77305 Fontainebleau Cedex. *Créé* 1959. *Eff.* 450 (f. 17 %). *Adm.* sur dossier pour dipl. ens. sup. et de préférence exp. prof. *1992 :* 450 ad. *An.* 10 mois. *Dipl. 92 :* 450. *Frais* 132 000 F ; possibilité de bourses et rémunération au titre de la formation prof.

Inst. portuaire d'ens. et de recherche (Iper). 9, rue Émile-Zola, 76087 Le Havre Cedex. *Créé* 1978. 3e cy. en transport export logistique ; 2e spéc. : portuaire et maritime (Cestip), commerce intern. et logistique (Cestex). *Eff.* 30 (f. 40 %). *Adm.* bac + 4 ou cadres, Officiers marine marchande, sur dossier + entr. + tests *92 :* 170 ca., 28 ad. *An.* 9 mois. *Dipl. 90 :* 27. *Frais* 19 000 F (étudiants), 29 000 F (étrangers), 40 000 F (cadres).

Inst. sup. des affaires (Isa) [2]**.** MBA du groupe HEC. 1, rue de la Libération, 78351 Jouy-en-Josas Cedex. *Créé* 1969. *Eff.* 126 (f. 25 %). *Adm.* sur dossier, tests et entr. pour dipl. 2e cy., gde éc., exp. prof. souhaitée, cadres autodidactes. Programme bilingue (français/anglais). *Dipl. 92* délivré par l'État : 119. *An.* 16 mois. *Frais* 110 000 F ; possibilité de bourses, rémunération au titre de la formation prof.

Inst. sup. du commerce (ISC). 22, bd du Fort-de-Vaux, 75017 Paris. *Créé* 1957. 3e cy., formation MBA et possibilité de bourse d'assistant aux USA. Programmes d'échanges avec l'université de Mayence (All. féd.) et de Madrid (Espagne). Partenariat avec entreprises : ISCFP (ISC Formation permanente) et ISC Consultants (Études et recherches).

ISCV (Éc. sup. de commerce du Cnam). 292, rue St-Martin, 75141 Paris Cedex 3. *Créée* 1956. *Adm.* bac + 4 + exp. prof. *Eff. :* 25 par promotion. Ens. décentralisé à Lyon et Nantes (cours et prof. identiques). DESS mercatique-vente. *An.* 1. *Frais* 31 500 F.

Inst. sup. de formation à la gestion du personnel (cy. sup. de spécialité) (Isfogep). Bd des Arcades, 87038 Limoges Cedex. *Créé* 1975. *Eff.* 25 (f. 45 %). *Adm.* bac + 4 (ing., IEP, maîtr. de gestion) sur test et entr. *Dipl. 91 :* 19. *An* 1. *Frais* 21 000 F.

Inst. sup. de gestion (ISG). 8, rue de Lota, 75116 Paris. *Eff.* 3e cy. 100 (f. 45 %). MBA 50 (f. 32 %). *Adm.* sur dossier + test + entretien pour dipl. 2e cy. gr. éc., IEP, Ing., maîtr. et cadres avec exp. *An.* 14 mois. *Frais* 57 050 à 75 000 F possib. prêts banc., Fongecif.

Inst. du management de l'achat ind. (Mai) [2]**.** Groupe éc. sup. de commerce de Bordeaux, domaine de Raba, 680, cours de la Libération, 33405 Talence Cedex. *Créé* 1976. *Adm.* sur dossier + entr. pour dipl. éc. ing., gestion, maîtr. et cadres avec exp. prof. *1992-93 :* 70 ad. (f. 40 %). *Dipl. 91 :* 65. *An.* 1.

Frais 56 500 F/an ; possibilité prêts bancaires, prêts Rectorat, AFR, RSP, Fongecif.

Masters ESG. Groupe ESG. 25, rue St-Ambroise, 75011 Paris. *Eff.* 200 pl. 7 masters : management et marketing. europ., finance et marchés de capitaux, marketing tourisme d'aff. et rel. pub., expertise et audit comptables, marketing et pub., gestion des entrepr., gestion intern. du personnel. *MBA :* 3 mois à Paris et 7 aux USA. *Adm.* ts dipl. bac + 4.

Nota. – (1) Dipl. habilité par la Conférence des grandes écoles. (2) Délivre 1 diplôme homologué et reconnu par l'État.

3es CYCLES DE L'UNIVERSITÉ

But. Former l'ing. à la recherche appliquée. **Diplôme** délivré par les univ., instituts nationaux, Polytechnique, observatoire de Paris et écoles d'ing. (Mines de Paris, de St-Étienne, Ponts et Chaussées, Télécom., Ensta, Ensae, ECP, ECL, Ensam, ESPCI, ENSG, Ina, Ensbana, Ensar, Ensiaa, Insa Lyon, Insa Rennes, Insa Toulouse, ISMCM, INSTN, ENM, INP Grenoble, Nancy et Toulouse, et École polytechnique). Les ing. de ces éc. sont dispensés du DEA (dipl. d'études approfondies) et préparent le dipl. de doct.-ing. en 2 ans ; les autres ing. doivent obtenir le DEA (initiation aux techn. de recherche et enseign. théorique) et préparent le dipl. en 3 ans.

3es cycles de gestion. DESS : dipl. nat. délivré par les univ., IEP Paris, Éc. des hautes ét. en sciences sociales *An.* 1, 2 pour les salariés. *Doctorat :* orienté vers la recherche. *Doct. 3e cy. :* 2 ou 3 ans. *Doct. univ. :* n'est pas un dipl. national, réglementé par univ. *Doct. d'État :* DEA ou DESS + travail de recherche de plusieurs années.

ÉCOLES DE LA FONCTION PUBLIQUE

ÉCOLE NATIONALE D'ADMINISTRATION (ENA)

Siège. 13, rue de l'Université, 75007 Paris. **Créée** par l'ordonnance générale n° 45-2283 du 9-10-1945, chargée de la formation des fonctionnaires se destinant au *Conseil d'État,* à la *Cour des comptes,* à l'*Inspection générale des Finances,* aux *carrières diplomatiques* ou *préfectorales,* au *corps des administrateurs civils,* ainsi qu'à *certains autres corps* ou *services déterminés par décret.* Conditions d'accès et scolarité réformées par décret du 21-9-1972, loi du 28-9-1982, décret du 19-1-1983, loi du 23-12-1986. Délocalisée à Strasbourg en 1992. **Directeur :** J.-M. Coussirou (22-1-30) dep. 22-1-1992.

2 cycle. *Externe :* pour ca. – de 27 a., tit. lic., ou dipl. gde éc. ou IEP. *Interne :* pour fonctionnaires – de 36 a. avec 5 a. min. de service publ. effectif [(afin de réduire l'afflux de « surdiplômés » comme normaliens ou agrégés, leur période de formation ne comptant plus dans les 5 a. (il fallait avant 4 a. min. au service de l'État ou 3 a. titularisés)]. *Troisième voie :* candidats sélectionnés sur dossier (env. 40 en sept. 1990), après 2 épreuves (écrite, orale) « justifiant de l'exercice, durant 8 a. au total, d'une ou plusieurs activités prof. ou d'un ou plusieurs mandats de membre élu d'une collectivité territoriale » (limite d'âge 40 ans). Suivent un cy. de préparation au « 3e concours » sur un a. pour tit. d'un dipl. ou d'un certificat de l'ens. sup., 2 a. pour les non-tit. 10 pl. offertes en 1991. Ils poursuivront la même scolarité que celle suivie par les ca. issus des 2 autres C. ; le classement final sera commun.

Nota. – *3e voie :* créée en 1983 par Anicet Le Pors, secr. d'État à la Fonction publique ; supprimée par la loi du 23-12-1986 pour ca. de 41 a. au +, ayant 8 a. min. de responsabilités électives comme membre non parlementaire d'un conseil régional ou général, maire et, dans les communes de + de 10 000 hab., adjoint au maire ; membre d'un organe national ou local d'administration ou de direction d'une des organisations syndicales de salariés ou de non-salariés considérées comme les plus représentatives sur le plan national ; membre élu du bureau du conseil d'administration d'une association reconnue d'utilité publique ou d'une Sté, union ou fédération soumise aux dispositions du code de la mutualité, membre du conseil d'administration d'un organisme régional ou local chargé de gérer un régime de prestations sociales. De 1983 à 1986 29 personnes avaient été recrutées par la « 3e voie » dont 10 en 1983, 7 en 84, 7 en 85,5 en 86. On a reproché à cette 3e voie 1°) d'abaisser le niveau du concours en créant un concours spécial, une scolarité spéciale, un classement de sortie spécial et des postes spécialement réservés pour eux dans l'administration ; 2°) d'être contraire au principe posé dans la Déclaration des droits de l'homme et du citoyen, art. 6, selon lequel tous les citoyens sont « également admissibles » à tous les emplois publics « selon leur capacité et sans autre distinction que celle de leurs vertus et de leurs talents ».

Nombre de candidats et, entre parenthèses, **postes offerts.** *C. externe : 1980 :* 921 (81), *85 :* 1 068 (75), *87 :* 904 (40), *88 :* 895 (40), *89 :* 747 (48). *C. interne : 1980 :* 446 (59), *85 :* 602 (75), *87 :* 630 (40), *88 :* 637 (40), *89 :* 415 (48). *3e voie : 1983 :* 194 (10), *84 :* 218 (12), *85 :* (10), *86 :* 112 (10).

Préparation au C. *Fac. de droit,* 3, av. R.-Schuman, 13621, Aix-en-Provence. 34 bis, av. R.-Schuman, 06000 Nice. *Fac. des sc. juridiques,* 9, rue Jean-Macé, 35042 Rennes. *Univ. des sc. jur., pol. et soc.,* place d'Athènes, 67084 Strasbourg. *Paris I,* 12, place du Panthéon et 14, rue Cujas, 75005 Paris. *Paris IX,* place du Mal-de-Lattre-de-Tassigny, 75016 Paris. *IEP de Bordeaux, Grenoble, Toulouse et Paris* (Sc.-Po. n'admet dans sa prépa à l'ENA que des dipl. IEP). *Cy. spé. de formation :* pour les ca. n'ayant aucun des dipl. exigés pour les C. ext., mais tit. d'un dipl. bac + 2 à qualification prof. (ex. DUT ou BTS) en 2 a. (30 h/sem.) au *Cnam.* Sélection sur dossier (30 pl.). *Troisième concours.* Projet à l'étude.

Scolarité. *Régime :* externat. *Études :* gratuites. *Durée :* 29 mois (19 pour le 3e C.) dont 11 de stage dans l'administration d'État ou les collectivités territoriales (province, outre-mer, étr.) puis formation à l'admin. pratique. **Carrière.** Choisie par l'élève selon son rang de classement. Il signe alors l'engagement de rester 10 a. au service de l'État et est affecté par arrêté du min. chargé de la Fonction publique à cette carrière dans laquelle il est ensuite nommé par décret. L'él. qui refuse de souscrire l'engagement ne peut être nommé dans aucune des carrières auxquelles prépare l'Éc. et doit rembourser les traitements et indemnités perçus en cours de scolarité ; il n'a pas la qualité d'ancien él. de l'Ena.

Origine sociale des élèves. *% de la promotion 1986-88 selon la profession du père :* agriculteurs 2,14, ind. et gros commerçants 3,57, prof. libérales et cadres sup. 27,14, c. moyens 8,57, artisans et petits commerçants 7,14, employés 3,57, ouvriers 8,57, autres catégories (militaires, ecclésiastiques, artistes) 2,85. Fonctionnaires, cat. A 27,14, B 5,71, C 1,42. Prof. du père inconnue 2,14.

Diplômes obtenus par les élèves avant d'entrer à l'Ena. *% promotion 1985-87 :* IEP Paris 47,45, IEP province 3,79, Polytechnique 4,43, Centrale 3,16, autres écoles d'ingénieurs 5,69, HEC 5,69, Essec 2,53, École sup. de com. de Paris 1,89, écoles normales sup. 6,96 (dont Ulm 3,16, autres 3,79), agrégations 19,62, licences ou maîtrises 10,12, autres diplômes de l'enseign. supérieur 7,55, bac 1,26. En 1990, sur les 49 él. admis au C. externe de l'Ena, 42 étaient diplômés de l'IEP de Paris.

Nombre total des anciens élèves en sept. 1985 : 3 799. *Répartition selon leurs fonctions, en 1985, non compris la promotion L. V. 85 :* Présidence de la Rép., membres du Gouv., Ass. nat., Sénat, Conseil constit., Conseil écon. et social 50 ; Conseil d'État, Cour des comptes, Tribunaux adm., chambres rég. des Comptes 473 ; Services du PM et secr. d'État chargé de la Fonction publ. 75 ; Min. de l'Économie 708 ; de l'Éduc. nat. 119 ; du Travail et des Aff. soc. 177 ; de l'Intérieur 335 ; Collectivités territ. 97 (dont Paris 35) ; Aff. étr. 351 ; autres min. ou organismes publics 580 ; entreprises publ. et privées 526 ; retraités 150.

☞ **Quelques élèves célèbres :** Michel Albert, Jacques Attali, Michel Aurillac, Alain Bacquet [1], Édouard Balladur, Jean-Louis Bianco, Pierre Billecoq, Jacques Calvet, Yves Cannac [1], Françoise Chandernagor [1], Jean Charbonnel, Yvette Chassagne, Jean-Pierre Chevènement, Claude Cheysson, Jacques Chirac, Jacques Douffiagues, Laurent Fabius, Roger Fauroux, Jean-Pierre Fourcade, José Frèches, Jean-Michel Gaillard, Renaud de La Genière, Valéry Giscard d'Estaing [1], Alain Gomez, Georges Gorse, Yves Guéna, Jean-Yves Haberer, Elizabeth Huppert, Michel Jobert, Lionel Jospin, Pierre Joxe, Alain Juppé, Bertrand Labrusse, Jean-Philippe Lecat, Pierre Lelong, François Léotard, Jean-Maxime Lévêque, Marceau Long [1], Dominique de La Martinière [1], Alain Minc, Jérôme Monod, Simon Nora, François-Xavier Ortoli, Alain Peyrefitte, Jean François-Poncet [1], Michel Poniatowski, Nicole Questiaux, Jacques Rigaud, Michel Rocard, Yves Sabouret, Philippe Séguin, Jean-Pierre Soisson, Jacques Toubon, Antoine Veil, Jean Wahl.

Nota. – (1) Major.

Voie d'administration générale et, entre parenthèses, **d'adm. écon. (1982-84)** Inspection des Finances 4 (2), Cons. d'État 4 (2), Cour des comptes 3 (5), Aff. étrangères 5 (4), Tribunaux admin. 8 (2), IGAS 2 (1), attachés commerciaux 2 (2), Admin. civils 57 (26). *Total :* 89 (43).

INSTITUTS D'ÉTUDES POLITIQUES (IEP)

Établ. publ. à caractères scientifique, culturel et professionnel jouissant de la personnalité morale et de l'autonomie pédagogique et scientifique, administrative et financière.

Inst. d'ét. politiques de Paris, dit « Sciences-Po », 27, rue St-Guillaume, 75337 Cedex 07. Héritier de l'École libre des Sciences politiques. Constitue un grand établ. (décret du 17-7-1984). *Fondée* 1871 par Émile Boutmy (1835-1906) et un groupe d'amis dont Hippolyte Taine (1828-93). *But :* préparer aux fonctions stratégiques de l'entreprise et aux C. admin. de haut niveau. *Eff. 1992-93* env. 4 400 dont 1re a. 452, 2e a. 1 003, 3e 945. *Adm. 1re a.* après un examen écrit ouvert aux tit. du bac. obtenu lors de l'a. en cours ou de l'a. précédente (10,5 % reçus en 92) ; les bacheliers mention « TB » peuvent obtenir une dispense de l'examen par le jury d'entrée de l'a. en cours ou de l'a. précédente (152 inscrits en 92). *2e a.* aux tit. lic., maîtr. ou dipl. de gde éc. ; aux salariés ayant au min. 5 a. d'exp. prof. (en *1992 :* 4 reçus sur 36 ca.). *Dipl. 1992 :* 948. Formations complémentaires : prépa. aux *C.* admin. ENA, ENM, Bque de France, CEE, Commissariats de l'air, terre, mer, CAPES de sc. éco. et sociales ; DEA et DESS ; formation continue. *An.* 3. *Frais* (1992-93) 5 150 F + SS éventuellement. *Corps enseignant* 1 200 (40 % de l'univ., 30 % de l'adm., 30 % des entreprises et professions libérales). *Diplômés,* selon la section choisie (en 1992) : service public 30 % ; écon. et fin. 28 % ; communication et ressources humaines 28 % ; section internat. 14 %. **Quelques élèves illustres :** Jean-Louis Beffa, Jean Boissonnat, Boutros Boutros-Ghali, Jacques Calvet, Hélène Carrère d'Encausse, Jacques Chaban-Delmas, Françoise Chandernagor, Jacques Chirac, Paul Claudel, Michèle Cotta, Maurice Couve de Murville, Michel Debré, Pierre Mendès France, Elizabeth Huppert, Alexandre Jardin, Alain Minc, François Mitterrand, Christine Ockrent, François Périgot, Georges Pompidou, Marcel Proust, Michel Rocard, André Siegfried, Anne Sinclair.

IEP Aix-en-Provence [1]. 25, rue Gaston-de-Saporta, 13625 Aix-en-Pr. Cedex. *Créé* 1956. *Eff.* 1 294, 161 ens. *Adm. 1re a.* sur examen pour tit. bac ou étr. éq. ; *2e a.* sur épreuves pour tit. lic., dipl. gdes éc. *Dipl. 92 :* 180. *An.* 3. *Frais* 2 000 F. Centre de prépa. CPAG, commissariats, C. d'entrée Ena. Lic. d'adm. publique : *An.* 1 pour tit. bac + 2, *Eff.* 30. DEA Science Po. comparative et DEA d'hist. militaire. Certif. d'ét. pol. pour étr. Dipl. IEP en formation continue. *Eff.* 27/a. d'ét. *An.* 3. *Frais* 8 000 F et 15 000 F si financés par entreprise.

IEP Bordeaux [1] dit « Sciences-Po, Bordeaux ». Allée Ausone, BP 101, 33405 Talence Cedex. *Créé* 1948. *Eff.* 1 300, 215 ens. *Adm. 1re a.* sur examen pour tit. bac. *1990 :* 1 860 ca., 230 ad. ; *2e a. :* sur examen pour tit. Deug, DUT ou 2 a. prépa. 550 ca., 60 ad. *3 options :* Service public ; écono. et fin. ; politique et sociale. *Dipl. 91 :* 185. *An.* 3. *Frais* 1 500 F. Centre de prépa au C. d'entrée ENA, ENSP. DEA de 3e cy. délivré dans le cadre du Centre de recherche sur la vie locale et du Centre d'étude d'Afrique noire et DEA d'hist. europ. **Quelques élèves illustres :** Christian Blanc, Michel Combarnous, Jean-Pierre Fourcade, Noël Mamère, Henri Nallet, Michel Prada, Denis Tillinac.

IEP Grenoble [1]. Domaine univ. BP 45, 38402 St-Martin-d'Hères Cedex. *Créé* 1948. *Eff.* 815, 110 ens. *Adm. 1re a.* sélection sur notes de bac + épreuves sur livres + tests de langue. *Adm. 2e a.* pour tit. 1re a. IEP ou après examen pour tit. Deug ou éq. DEA, 4 DESS. *Dipl. 85 :* 221. *An.* 3. *Frais* 1 300 F.

IEP Lille [1]. 50, rue Gauthier-de-Châtillon, 59000 Lille. *Créé* 1991. *Eff.* 420. *Adm. 1re a.* sur examen et sélection de dossier pour tit. bac ou bac + 1. *Adm. p. 2e a.* sur dossier et entretien pour tit. lic. ou éq. Prépa. concours adm., certif. d'études pol. *An.* 3. *Frais* 1 650 F.

IEP Lyon [1]. 1, rue Raulin, 69365 Lyon Cedex 07. *Créé* 1948. *Eff.* 1 100 dont 737 en dipl., 180 ens. *Adm. 1re a.* tests pour tit. bac ; *2e a.* sur dossier + test pour tit. lic., DUT, dipl. ing. *Dipl. 91 :* 209. *An.* 3 dont 1 prépa. 4 sections : polit. et adm. ; éco. et financ. ; pol. et comm. ; internat. ; prépa. *C.* adm. (LAP, CPAG et cy. sup.) et ens. (Capes sc. éco., agrég. sc. soc.) ; certif. d'ét. pol. (CEP). DEA, DESS. *Frais* 1 900 F.

IEP Rennes [1]. 104, bd de la Desse-Anne, 35000 Rennes. *Créé* 1991. *Eff.* 470. *Adm.* 1re a. *C. 1992 :* 778 ca., 136 ad. ; *2e a.* sur examen pour tit. lic. ou éq. *C. 1992 :* 140 ca., 33 ad. *An.* 3. *Frais* 2 000 F.

IEP Strasbourg [1]. 47, av. de la Forêt-Noire, 67082 Cedex. *Créé* 1945. *Eff.* 584 (f. 48 %), 80 ens. *Adm. 1re a. C. 1992 :* 1 235 ca., 156 ad. + 35 bac mention

TB sur examen pour tit. DEA, lic., DUT. *Dipl. 92 :* 137. *An.* 3. *Frais* 1 490 F. DESS, DEA, prépa. ENA.

IEP Toulouse [1]. 2 ter, rue des Puits-Creusés, 31000. *Créé* 1948. *Eff.* 560 (f. 53 %). *Adm. 1re a. C. 1992 :* 1 188 ca., 152 ad. *2e a.* sur t. lic. ou éq. 37 ad. *Dipl. 92 :* 148. *An.* 3. *Frais* 1 300 F.

Nota. – (1) Établ. publ. d'ens. sup. sauf Strasbourg qui demeure interne à l'Université.

■ Instituts régionaux d'administration (Ira)

Créés par l'art. 15 de la loi du 3-12-1966. 5 inst. : Lille et Lyon (dep. 1970), Nantes (1971), Metz (1974), Bastia (1979). Forment des fonctionnaires qui se destinent aux carrières d'attachés (admin. centrale, préfectures, éducation nat. ...). L'Ira de Lille forme également des fonctionnaires spécialisés dans le traitement de l'info., recrutés par C. spé.

Concours d'entrée. *C. externe,* pour tit. d'un dipl. 2e cy. univ., IEP ou éq. *1991:* 1 445 ca., 298 ad. Limite d'âge : 30 ans ; *interne,* ca. comptant au moins 4 a. de services effectifs dans un emploi civil ou milit. (*1991 :* 854 ca. 273 ad.). *Limite d'âge* 53 a. max. à la date d'entrée en scolarité. 3e C. pour ca. de moins de 40 ans au 1er janv. de l'année en cours et justifiant de 5 années au total d'une ou plusieurs activités professionnelles ou d'un ou plusieurs mandats de membre d'une assemblée élue d'une collectivité territoriale. Prépa. aux C. dans les Ipag (inst. de prépa. à l'admin. gén.) et au centre de formation prof. du min. de l'Économie, 120, rue de Bercy, 75012 Paris.

Scolarité. Formation de 1 a. (admin. publ., techn. jurid. et budgétaires, gestion des ressources humaines...), rémunérée (6 688 F net/mois). Les fonctionnaires sont détachés durant la scolarité et conservent leur traitement. En fin de scolarité, ils choisissent le corps et l'admin. dans lesquels ils sont titularisés. Doivent s'engager à rester au service de l'État pendant au moins 6 a. **Stages de formation continue :** pour fonctionnaires de la région, ou étr.

Promotions des IRA (1991). Bastia 102, Lyon 126, Lille 109, Nantes 130, Metz 107.

■ Finances et Économie

Éc. nat. du cadastre (ENC). 100, chemin du Cdt-Joël-Le-Goff, 31081 Toulouse Cedex. *Créée* 1944. Forme des inspecteurs él. des impôts de la division cadastre, tit. d'une lic. ; stage 18 mois ; rémunération mensuelle 6 279 F + prime de stage, *1992-93 :* 22 stag. ; des techniciens géomètres stagiaires, tit. du bac ; stage 18 mois ; rémun. 6 279 F + prime de stage, *1992-93 :* 63 stag. ; des contrôleurs stagiaires « cadastre » ; stage 12 mois ; rémun. 6 279 F + prime de stage, *1992-93 :* 42 stag. ; des contrôleurs stagiaires « informatique » rémun. 6 279 F + prime de stage, *1992-93 :* 18 stag. Pas de dipl. délivré. Les stagiaires sont titularisés dans leur emploi.

Éc. nat. de la concurrence et de la consommation (ENCC). 6, rue St-Maur, 75011 Paris. *Eff.* 123 (f. 30 %). *Adm. C.* pour tit. lic. 1 050 ca., 500 prés., 28 pl. *An.* 1. Rémun. mens. 6 000 F.

Éc. nat. des douanes (END). 74, bd Bourdon, BP 128, 92202 Neuilly-sur-S. *Créée* 1946. Assure la formation des inspecteurs él. des douanes. *Eff.* 125. *Adm. C.* pour tit. lic. ou Deug, DUT, BTS et passage de la lic. 1 136 ca., 660 prés. 70 ad. *An.* 1. Rémun. mens. 7 500 F.

Éc. nat. des impôts (Eni). 1, rue Ledru, 63000 Clermont-Ferrand ; 5, rue de Montmorency, 75003 Paris. *Eff.* 538 (f. 50,4 %). *Adm. C. comm.* pour tit. lic., maîtr. ou éq. *Eff.* Clermont (303) et Paris (217). *An.* 18 mois. Rémun. mens. 7 052 F + prime de scolarité.

Éc. nat. de la statistique et de l'admin. économique (Ensae). 3, av. Pierre-Larousse, 92241 Malakoff Cedex. **Cadres de gestion statistique et attachés de l'Insee.** *Eff.* 215 (f. 42 %). *Adm. C. comm.* aux cadres de gestion stat. et aux attachés de l'Insee pour tit. math spé. ou Deug ou DUT 1 537 ca., 824 prés., 105 ad. dont 52 CGS et 53 attachés. *An.* 2. *Dipl. 92 :* 89 dont 37 attachés et 52 CGS. *Frais* 500 F. Rémun. mens. des él. fonct. 7 500 F.

Statisticiens économistes et administrateurs. *Eff.* 310 (f. 25 %). *Adm. :* pour les él. stat. éco. : *C.* option math. 773 ca., 32 pl. ; *C.* option éco. 382 ca., 20 pl. ; *adm.* sur t. (Polytechnique, gdes éc., maîtr. math., sc. éco.) 158 ca., 45 ad. Pour les él. admin. : anciens X 11 pl. ; *C.* interne (fonctionnaires) 19 ca., 5 pl. ; *C.* externe 33 ca., 4 pl. *An.* 3. *Dipl. 92 :* 139 dont 22 admin. et 20 MS ou CESS. *Frais* 800 F. Rémun. mens. des él. fonct. (admin.) 8 000 F.

Éc. nat. des services du Trésor (ENST). 9, av. P.-Mendès-France, 77186 Noisiel. *Créée* 1946. *Eff.* env. 400 (f. 52 %, *92 :* 62 %). *Adm.* C. pour tit. lic. ou éq. ou Deug et passage lic. *C. 1992 : externe :* 4 298 ca., 1 901 prés., 272 ad. ; *interne :* 810 ca., 623 prés., 107 ad. *An.* 1. + 6 mois de stage. *Titularisés 88 :* 194. *Dipl. 88 :* 32. Rémun. mens. 10 000 F (brut).

☞ Éc. d'admin. des affaires maritimes (EAAM), du commissariat de l'Air (Eca), de la Marine (ECM), des officiers du corps technique et admin. des affaires maritimes (Eoctaam), des officiers de la gendarmerie nat. (Eogn) : voir Index.

■ Éducation nationale

Inst. nat. d'ét. du travail et d'orientation professionnelle (Inetop). 41, rue Gay-Lussac, 75005 Paris. *Créé* 1928. *Eff.* 120. *Adm. 1991 : C.* pour tit. lic. psychologie. *An.* 2. *Frais* inscription 500 F/an ; les ét. reçoivent un salaire. Form. continue.

■ Justice

Éc. nat. des Greffes. BP 9, 21071 Dijon Cedex. *Créée* 1974. Forme greffiers en chef et greffiers des tribunaux (sauf trib. de commerce et trib. administratifs). *Eff.* 1993 63 greffiers en chef, 426 greffiers. Formation continue des 18 000 fonctionnaires des services judiciaires.

Éc. nat. de la magistrature (ENM). 9, rue du Mal-Joffre, 33080 Bordeaux Cedex. Antenne parisienne, 8, rue Chanoinesse, 75004 Paris. *Créée* par ordonnance du 22-12-1958. *Eff.* promo *90 :* 172 (f. 55 %), *91 :* 182 (f. 60 %), *92 :* 166 (f. 61 %), *C. 1991 : externe :* pour tit. lic., 150 pl., 1 554 ca., 997 prés., 139 ad. ; *interne :* 40 pl., 227 ca., 137 prés., 29 ad. *C 1993 : externe* 60 pl. ; interne 40 pl. *Frais* les él. ou auditeurs de justice sont fonctionnaires stagiaires rémunérés : 7 345,7 F + indemnité de formation et défrayés de leurs frais de déplacement et de stages.

■ Police

Éc. nat. sup. de police (ENSP). 8, av. Gambetta, 69450 St-Cyr-au-Mont-d'Or. *Créée* 1941. *Eff.* 90. *Adm. C.* ext. : pour tit. lic. (32,5 %) *C.* int. (32,5 %) + recr. au choix pour inspect. div. et commandants (35 %). Form. initiale et continue des comm. de police. Cat. A Ens. cat. *1991 :* 503 ca., 28 ad. *An.* 2 avec stage dans service actif de la police, autres admin. et entr. 25 auditeurs étrangers. *Salaire mensuel* 8 833 F.

■ Postes et Télécommunications

Éc. nat. sup. des postes et télécommunications (ENSPTT). 37-39, rue Dareau, 75675 Paris Cedex 14. *Créée* 1888. *Eff.* 150 (f. 30 %). Filière Administrateur : *C.* ext. pour tit. 2e cy. ou dipl. gdes éc. *C.* int. pour fonctionnaires PTT, *1993 :* 32 pl. *An.* 20 mois rémun. (155 000 F brut/an). Filière Entreprise : sur dossier + entr. pour tit. 2e cy., gdes éc., et ca. en situation prof. *1993 :* 18 pl. *An.* 17 mois. *Frais* 4 500 F. Filière internat. : sur t. + entr. pour les étr. présentés par leur gvt. 1993 : 10 pl. *An.* 18 mois.

■ Santé, travail, Sécurité sociale

Centre nat. d'ét. sup. de séc. soc. (CNESSS). 27, rue des Docteurs-Charcot, 42031 St-Étienne Cedex. *Créé* 1960. *Eff.* 66 (f. 53 %). *Adm. C.* pour tit. lic. ou éq. 1 536 ca., 750 prés., 66 ad. *An.* 18 mois. rémun. mens. des fonct. 8 240 F.

Éc. nat. de la santé publique (ENSP). Av. du Pr-Léon-Bernard, 35043 Rennes Cedex. *Élèves directeurs d'hôpitaux. Eff.* 100. *Adm. C.* pour tit. dipl. ens. sup. ou éq. *Salaire mens.* 7 540 F. *Inspecteurs des affaires sanitaires et sociales. Eff.* 75 : *Adm. C.* pour tit. dipl. ens. sup. (licence) 20. *C.* direct 40. *Sal. m.* 6 500 F. *Médecins inspecteurs de la santé. Eff.* 40. *Adm. C.* pour tit. dipl. docteur en médecine. *Sal. m.* 8 000 F. *Pharmaciens inspecteurs de la santé* 4. *Adm. C.* pour tit. dipl. docteur en pharma. *Sal. m.* 8 000 F. *Ingénieurs du génie sanitaire* 21. *Adm.* sur t. pour tit. dipl. ing., DEA, 3e cy. d'ens. sup. sc. *Ingénieurs d'études sanitaire* 8. *Adm. C.* pour tit. maîtrise sc. ou tech. *Sal. m.* 7 500 F. *Infirmiers généraux* 48. *Adm. C.* pour tit. dipl. d'État d'infirmier + 10 ans de service effect. *Dir. d'établ. sociaux* 22. *Adm.* après ex. aux éduc. chefs de 4e échel. et agents Éts soc. faisant fonction de directeur.

Inst. nat. du travail, de l'emploi et de la formation prof. (INTEFP). BP 84, 69280 Marcy-l'Étoile. *Eff.* 60 (f. 24 %). *Adm. C.* inspecteurs-él. du travail pour tit. lic. 30 pl. *An.* 18 mois. *Dipl. 93 :* 60. Rémun. mens. brute des fonct. 8 600 F.

■ Concours administratifs

Niveau exigé. Catégorie A : niveau ét. sup., lic. le plus souvent, Deug quelquefois. **B :** niv. bac, bac + 2, DUT, BTS, parfois certificat de fin d'ét. sec. (CFES), Eseu, BT, ou capacité en droit. **C :** niv. BEPC, projet de fusion avec **D :** *C. internes* réservés aux fonct. sans condition de dipl. par voie d'inscription sur une liste d'aptitude ou au tableau d'avancement, avec certaines conditions d'âge et d'ancienneté ; *externes* ca. tit. de dipl. très sup. aux dipl. demandés à cause de la situation actuelle de l'emploi.

Liste des concours. Renseignements : différentes admin., *Journal officiel,* min. de la Fonction publique, 32, rue de Babylone, 75007 Paris (bureau des concours), l'Onisep, 75635 Paris Cedex 13 ; Minitel 3615-Onisep.

Clôture des inscriptions. Souvent 1 mois 1/2 avant la date des concours. Il faut parfois un dossier.

Préparations par correspondance

Centre de formation professionnelle et de perfectionnement du ministère de l'Économie et des Finances (CFPP). 6, rue Louise-Weiss, Télédoc 351, 75703 Paris Cedex 13. Assure des prépa. à la plupart des C. internes (réservés aux fonctionnaires) d'accès aux niv. C, B, A, du ministère et certains C. interministériels : entrée ENA ; adm. au cy. prépa. aux C. d'entrée à l'Ena (= préconcours) ; attaché d'admin. centrale ; entrée aux IRA (C. normal et spécial analyste). C. interne de l'École nationale de la magistrature.

Centre national d'ens. à distance (Cned). 34, rue Jean-Bart, 59046 Lille Cedex (C. externes et internes de recrutement pour la Fonction publique d'État, territoriale et hospitalière). Voir p. 1248 c.

Cours par correspondance (ens. privé). Renseign. : *Chambre syndicale nat. de l'ens. privé à distance* (CHANED), 139, av. Jean-Jaurès, 75019 Paris. *Formations :* ens. primaire, secondaire, sup., BTS, formation prof., prépa. examens et dipl. officiels, culture gén., possibilité formation continue avec convention d'entreprise. 250 000 inscriptions/an dans l'ens. privé.

Inst. ou Centres de prépa. à l'admin. gén. (CPAG). Prépa. à certains C. cat. A donnant accès aux éc. de la fonction publ. (Ira, éc. des Impôts, du Trésor, des Douanes, Affaires sanitaires et sociales). *Aix-en-Provence* 25, rue Gaston-de-Saporta, 13625. (Prépa. lic. d'admin. publ., et C. commissariats de l'armée de l'Air, Terre, Marine.) *Besançon,* av. de l'Observatoire. *Brest* 20, av. Le Gorges, 29850. IEP *Bordeaux* BP 101, 33405 Talence Cedex. *Caen* Esplanade de la Paix. *Clermont-Ferrand 1,* 36, bd Côte-Blatin. *Créteil-Val-de-Marne,* av. du Gal-de-Gaulle. *Dijon* 4, bd Gabriel. *Grenoble* Domaine univ. St-Martin-d'Hères. *Lille* rue du Barreau, 59653 Villeneuve-d'Ascq. *Limoges* 39, rue Camille-Guérin, 34000. *Lyon* 1, rue Raulin. *Montpellier* 39, rue de l'Université. *Nancy* 4, rue de la Ravinelle. *Nantes* Chemin de la Sensive-du-Tertre, 44036. *Paris II,* 4, rue Danton. *Paris X*-Nanterre. *Poitiers* 10, rue de l'Université. *Rennes* 4, place St-Mélaine. *Strasbourg* IEP, 9, place de l'Université. *Toulouse* 2 ter, rue des Puits-Creusés. *Valenciennes,* le Mont Houry, 59300. *An. :* 9 mois (12 à 13 h/sem.). *Adm.* tit. lic. ou maîtr.

■ Instituts d'études judiciaires (IEJ)

☞ Rattachés aux fac. de droit, prépa. au C. externe de l'Éc. nat. de la magistrature. *Adm.* tit. dipl. 2e cy., inscription possible en 3e a. de droit. *An.* 1 (6 à 12 h/sem.).

Aix-Marseille (IEJ), 3, av. Robert-Schumann, Aix-en-Provence. *Angers* (IEJ), bd Beaussier, Belle-Beille. *Besançon* (IEJ), 30, av. de l'Observatoire. *Brest* (IEJ), 1, av. Foch, 29273. *Bordeaux* (IEJ), av. Léon-Duguit, 33604 Pessac. *Caen* (IEJ), esplanade de la Paix. *Paris X* (IEJ), 200, av. de la République, bâtiment F, 92001 Nanterre. *Paris XII* (IEJ), 58, av. Didier, 94210 La Varenne-Saint-Hilaire. *Pau* (IEJ), av. du Doyen-Poplawski. *Perpignan* (CE), av. de Villeneuve. *Poitiers* (IEJ), 34, pl. de Gaulle, 86022. *Reims* (CE), 57 *bis,* rue Pierre-Taittinger. *Rennes* (IEJ), 9, rue Jean-Macé. *Strasbourg* (IEJ), 1, place d'Athènes. *Toulouse* (IEJ), place Anatole-France.

Les UFR de droit de certaines fac. préparent aussi au C. d'entrée à l'ENM.

Amiens, Univ. de Picardie, rue Salomon-Mahlangu. *Metz,* UFR sc. jur., Ile-de-Saulcy. *Saint-Denis-de-la-Réunion,* Centre univ., 12, rue de la Victoire. *Rouen,* bd Siegfried, BP 35, Mont-Saint-Aignan. *Clermont-Ferrand* (IEJ), 41, bd Gergovia. *Dijon* (IEJ), 4, bd Gabriel. *Grenoble* (IEJ), Bâtiment du droit, Univ. II, Domaine univ. Saint-Martin-d'Hères, BP 53 X. IEJ UFR (sc. jur. et éco.) *Lille* (IEJ), Fac. de droit, rue du Barreau, BP 169. *Limoges* (IEJ), 1, place du Présidial. *Lyon* (IEJ), 15, quai Claude-Bernard, 69007. *Martinique-Guyane,* Campus univ. Schoelcher, 97206 Fort-de-France. *Montpellier* (IEJ), 39, rue de l'Université. *Nancy* (IEJ), 13, place Carnot. *Nantes* (CEJ), chemin de la Sensive-du-

Tertre. *Nice* (CEJ), av. Émile-Henriot. *Orléans* (IEJ), Univ. de droit, route de Blois. *Paris I* (CEJ) et *II* (IEJ), 12, pl. du Panthéon, bureau 212. *Paris V* (IEJ), 10, av. Pierre-Larousse, Malakoff.

Nota. – De nombreux min. ont leurs propres centres de formation au sein desquels ils assurent la préparation aux concours de leurs agents.

ÉCOLES NORMALES SUPÉRIEURES

☞ Les ENS regroupent 3 000 élèves environ.

Prépa. 2 a. *Filières principales :* pour C. scientif., math sup. et math spé. (hypotaupe, taupe) M', P', biologie, T,TA pour C. littéraires, lettres sup. et première sup. (hypokhâgne, khâgne), C. spé. pour DEUG, DUT, PCEM 2, pharmacie 2. *Adm.* **directe en 2e a. :** pour C. scientif. Ulm pour tit. lic., maîtr., dipl. ing. ou admiss. DCEM 3. **3e a. :** pour C. scientif. et techno. Cachan pour tit. maîtr. ou dipl. ing. en vue prépa. agrég. ou recherche. Accueil auditeurs libres et ét. étr. Ne délivrent pas de dipl. sauf DEA cohabilités. *An.* 4. **Cursus type :** 1re a. lic., 2e a. maîtr., 3e a. agrég., 4e a. recherche, DEA. *Nombre d'él. admis en 1990 dans les ENS :* 688. El. fonctionnaires-stagiaires, *traitement brut mens.* env. 8 000 F. *Formation* de chercheurs et de prof. (ens. sup., post-bac, second degré). *Agrég. 90 :* lettres 185 normaliens ad., sc. 196 ad., techno. 135 ad., arts 5 ad.

Éc. normale sup. (ENS). 45, rue d'Ulm, 75005 Paris ; 48, bd Jourdan, 75014 Paris et 1, rue Maurice-Arnoux, 92120 Montrouge. Éc. provenant de la fusion de l'ENS (Ulm), *fondée* 30-10-1794 par la Convention, et de l'ENS de jeunes filles (« Sèvres »), fondée 1881. *Eff.* 940 (dont 14 à titre étranger). *Adm. 1992 : C.* propre à l'école ; *Lettres* 96 reçus + 1 étr., *Sciences* 95 reçus + 10 étrangers. **Élèves illustres :** Alain (Émile Auguste Chartier, dit), Raymond Aron, Henri Bergson, Léon Blum, Henri Bonnet, Émile Borel, Célestin Bouglé, Robert Brasillach, Pierre Brossolette, Jérôme Carcopino, Élie Joseph Cartan, Jean Cavaillès, Aimé Césaire, Jean-Pierre Changeux, Yvonne Choquet-Bruhat, Catherine Clément, Alain Connes, Victor Cousin, Hubert Curien, Gérard Debreu, Laurent Fabius, Roger Fauroux, André François-Poncet, Numa Denis Fustel de Coulanges, Pierre Gaxotte, Maurice Genevoix, Pierre-Gilles de Gennes, Jean Giraudoux, Jean Guéhenno, Lucien Herr, Édouard Herriot, Jean Jaurès, Alain Juppé, Alfred Kastler, Annie Kriegel, Paul Langevin, Ernest Lavisse, Jean Leroy, Gabriel Lippmann, Maurice Merleau-Ponty, Jean Mistler, Louis Neel, Paul Nizan, Philippe Nozières, Louis Pasteur, Charles Péguy, Jean Perrin, Alain Peyrefitte, Georges Pompidou, Madeleine Rebérioux, Théodule Armand Ribot, Mme Rivière (1re femme reçue à Ulm et Sèvres), Romain Rolland, Jules Romains (Louis Farigoule, dit), Paul Sabatier, Danielle Sallenave, Jean-Paul Sartre, Laurent Schwartz, Jean-Pierre Serre, Michel Serres, René Thom, André Weil, Simone Weil, etc., dont 10 prix Nobel, 4 médailles Field, 6 prix Wolf, 18 médailles d'or CNRS.

Éc. normale sup. de Cachan (ex.-Enset : Éc. normale sup. de l'Ens. techn.). 61, av. du Président-Wilson, 94235 Cachan Cedex. *Créée* 1912. *Eff.* 1 150. *Adm. 1992 :* C. 5 112 ca., 282 ad. Sc. de base 87. Sc. pour l'ing. 103. Arts, création, ind. 13. Sc. éco., soc. et de gestion 79. Dipl. agrég. et thèse.

Éc. normale sup. de Fontenay-Saint-Cloud, 31, av. Lombart, 92260 Fontenay-aux-Roses, et av. de la Grille-d'Honneur, le Parc, 92211 St-Cloud. *Créée* 10-7-1987, fusion des sections Lettres et Sciences humaines de l'ENS de Fontenay (*fondée* 1880) et de l'ENS de St-Cloud (*fondée* 1882). *Adm. C.* pour tit. bac + 2, 1 255 ca., 112 ad. **Élèves illustres :** Yvan Audouard, André Bazin, Jean-Claude Carrière, Serge Feneuille, Alain Finkielkraut, Paul Fournel, Michel Gaillard, Anne Garreta, Marguerite Gentzbittel, René Gilson, André Glucksmann, Pierre Goubert, Pascal Lainé, Bruno Le Dref, Bernard Lepetit, Maurice Nadeau, Philippe Némo, Daniel Roche, Michel Vovelle.

Éc. normale sup. scientifique de Lyon. Regroupe les sections scientifiques des ENS de Fontenay et Saint-Cloud.

ÉCOLES NATIONALES VÉTÉRINAIRES (ENV)

☞ Concours sans limite d'âge, ouvert aux tit. bac, BTSA, DUT, éq. Ca. peuvent se présenter autant de fois qu'ils le désirent. *1992 :* 1 933 ca., 455 ad. Il y a 22 cl. prépa. *An.* 4. *Frais* 1 370 F/trim. *Débouchés* 9 840 vét. en Fr., 75 % prof. lib., 25 % dans labo., ind., admin. publ.

ENV d'Alfort (ENVA). 7, av. du Gal-de-Gaulle, 94704 Maisons-Alfort Cedex. *Fondée* 1765 par Claude Bourgelat (1712-79). *Eff.* 501 (f. 51 %). *Ca. 1993 :* 2 019. *Frais* 1 500 F/trim. **Élèves illustres :** Camille Guérin, Gaston Ramon.

ENV de Lyon (ENVL). 1, av. Bourgelat, BP 83, 69280 Marcy-l'Étoile. *Créée* 1762 par Claude Bourgelat. *Eff. 91-92 :* 513 (f. 38,97 %). *Frais 91-92 :* 3 425 F. 5 CES.

ENV de Toulouse (ENVT). 23, chemin des Capelles, 31076 Toulouse Cedex. *Créée* 1828. *Eff.* 493 (f. 46 %).

ENV de Nantes (ENVN). Case postale 3013, 44087 Nantes Cedex 03. *Fondée* 1979. *Eff.* 505 (f. 47,5 %).

ÉCOLES ARTISTIQUES

ÉCOLES D'ARCHITECTURE

☞ 3 diplômes : dipl. de l'Éc. nat. sup. des arts et industries (ENSAIS), dipl. de l'Éc. spé. d'architecture (ESA) et dipl. des Écoles d'architecture [nom dep. 1984 des UPA (Unités pédagogiques d'architecture) créées 1968]. Les ét. d'architecte DPLG durent 5 ans en 2 cy. comprenant respectivement 8 et 12 certificats + travail personnel, seules les écoles d'architecture délivrent le DPLG ; toutes les éc. sont des établ. publ.

■ **Éc. d'architecture. Paris [1] :** 11, quai Malaquais, 75006. 1, rue Jacques-Callot, 75006. 5, rue Javelot, 75013. 69, rue du Chevaleret, 75013. 144, rue de Flandre, 75019. **Paris la Défense :** 41, allée Le Corbusier, 92023 Nanterre Cedex. **Versailles :** 2, av. de Paris, 78000. **Charenton-le-Pont :** 11, rue du Séminaire-de-Conflans, 94220. **Bretagne :** 44, bd de Chézy, 35000 Rennes. **Bordeaux :** domaine de Raba, 33405 Talence Cedex. **Clermont-Ferrand :** 71, bd Côte-Blatin, 63000. **Grenoble :** 10, galerie des Baladins, 38100. **Languedoc-Roussillon :** rue no 1, Plan des 4-Seigneurs, 34000 Montpellier. **Lille et régions Nord :** rue Verte, quartier de l'Hôtel-de-Ville, 59650 Villeneuve-d'Ascq. **Lyon :** 3, rue Maurice-Audin, 69120 Vaulx-en-Velin. **Marseille-Luminy :** case 912, 184, av. de Luminy, 13288 Marseille Cedex 9. **Nancy:** chemin de Remicourt, 54660 Villiers-lès-Nancy. **Nantes :** « La Mulotière », rue Massenet, 44300. **Normandie :** 27, rue Lucien-Fromage, 76160 Darnetal. **St-Étienne :** 1, rue Buisson, 42000. **Strasbourg :** 8, bd Wilson, BP 37, 67068 Str. Cedex. **Toulouse :** 83, rue Aristide-Maillot, 31100.

Nota. – (1) Statut d'établ. publ.

■ **Ensais.** Éc. d'ing. avec formation parallèle archi. (Voir Éc. Concours Arts et Métiers).

■ **Ensemble univ. de l'Éc. spé. d'architecture (Esa) et de l'Union centrale des Arts décoratifs (Ucad).** *Créé* oct. 1988, rassemblant, 266, bd Raspail, 75014 Paris, 2 écoles : Esa et École Camondo.

Éc. spé. d'architecture (Esa). *Créée* 1865 par E. Trélat. *Eff.* 600 (f. 70 %, étr. 30 %). Éc. privée, association reconnue d'utilité publ. *Adm. 1re a.* sur examen (sessions juin, juil. et sept.) : bac ou éq. *1990:* 210 ca., 103 ad. *Adm. 2e* et *3e a.* sur t. *An.* 5 y compris thèse de fin d'études. Échanges avec éc. d'archi. Düsseldorf, Glasgow, Los Angeles, Milwaukee. Antennes opérationnelles-stages en agence et sur chantiers. *Dipl.* Architecte DESA, reconnu par État et CEE. *Frais* (93-94) 36 000 F. *Professeurs illustres :* Mallet-Stevens, Auguste Perret, H. Prost, P. Virilio. **Élèves illustres :** J.-P. Philippon, F. Borel, Y. Lamblin, L. Ruspantini, P. Lankry, R. Reichen.

Éc. Camondo (Union centrale des Arts décoratifs). Reconnue par l'État 27-1-89. Boursiers d'État. Habilitée réseau Erasmus. *Créée* 1944. *Eff.* 316 (f. 65 %) Éc. d'architecture intérieure et design de prod. d'environnement. *Adm. 1re a.* sur dossier + *C.* + entr. pour tit. bac ou niv. terminale (*1992 :* 216 ca., 90 ad., 79 inscrits). *Adm. p. 2e* et *3e a.* sur dossier + entr. pour tit. dipl. d'une école d'art ou d'architecture (*1992 :* 6 ad.). *Dipl. 92 :* 36. *An.* 5. *Frais* 34 650 F/an. **Élèves illustres :** Marie-Christine Dorner, Pierre Paulin, Patrick Rubin, Philippe Starck, Jean-Michel Wilmotte.

Éc. sup. de communication visuelle (ESCV). *Eff.* 200.

■ **École d'architecture Paris la Défense.** 41, allée Le Corbusier, 92023 Nanterre Cedex. *Créée* 1969. *Eff.* 500 (f. 75 %, étr. 25 %). *Adm.* bac ou éq. *Dipl 91 :* 40. *An.* 5. *Professeur illustre :* G.-H. Pingusson. **Paris la Seine :** 14, rue Bonaparte, 75006 Paris. *Créée* 1975. *Eff. (88-89)* 757. *An.* 5. **Bordeaux :** Domaine de Raba, 33405 Talence Cedex. *Eff.* 747 *Dipl. 92 :* 46. *An.* 5. Dipl. de paysagisme. *Eff. :* 33. *An.* 3. **Lille :** Quartier de l'Hôtel-de-Ville, rue Verte, 59650 Villeneuve-d'Ascq. *Eff. (91-92)* 550 dont 39 étr. *Dipl. 91 :* 31. *An.* 6. **Marseille, Luminy :** 184, av. de Luminy, 13288 Cedex 9. *Eff.* 1 018 1er cy. 376 (étr. 19), 2e cy. 343, 3e cy. 150. *Dipl. 89 :* 70. *An.* 5. **Nantes :** rue Massenet, 44300. *Créée* 1969. *Eff.* 654 (étr. 55 %). *Dipl. 90 :* 62. *An.* 5. **Éc. d'architecture de Bretagne :** Rennes, 44, bd de Chézy, 35000. *Eff.* 423 (étr. 24). *Dipl. 91-92 :* 28. *An.* 5. *Professeur célèbre :* Lefort. **St-Étienne :** 1, rue Buisson, 42000. *Créée* 1971. *Eff. (91-92)* 292. *Dipl. 90-91 :* 18. *An.* 5. *Professeur célèbre :* O. Niemeyer. **Toulouse :** av. Aristide-Maillol, BP 1329, 31106 Cedex. *Créée* 1968. *Eff.* 830 (étr. 14 %). *Dipl. 88* 105.

ÉCOLES D'ART

ÉCOLES GÉNÉRALES

Éc. du Louvre. 34, quai du Louvre, 75001 Paris. *Créée* 1882. *But :* former des spécialistes des œuvres et objets d'art, de leur conservation et mise en valeur (élèves) ; ouvrir l'accès de l'œuvre d'art au plus large public (auditeurs). *Élèves : adm.* bac. + test. *Ens.* histoire de l'art et archéol., épigraphie, hist. des techniques, des collections, muséologie. *Dipl.* de 1er cy., DES, dipl. de recherches. *1992-93 :* 2 791 inscrits ; 1er cy. (3 a) : 2 418 ; 2e cy. (1 a) 158 ; 3e cy. 215 (thèse en 3 a) : classe prépa. au C. de conservateur du Patrimoine (80 à 100 pl.). **Autres ens. :** cours du soir ; d'été ; des commissaires-priseurs ; de la Ville de Paris, de province (Amiens, Angers, Bayonne, Bordeaux, Caen, Colmar, Dijon, Le Havre, Limoges, la Réunion, Lyon, Marseille, Metz, Nancy, Nice, Orléans, Rouen).

Éc. nat. sup. des Arts décoratifs (Ensad, dite **« Arts déco »).** 31, rue d'Ulm, 75005 Paris. *Fondée* 10-9-1766 par Jean-Jacques Bachelier (1724-1806). *But :* former des créateurs artistiques aptes à intervenir dans la conception et la réalisation du cadre de vie. *Eff.* 648. *Adm. C. 1992 :* 1er degré 1 104 inscrits. 82 ad. 2e : 385 inscrits, 24 ad. *An.* 4 (1er degré : 1 a. ; 2e : 3 a.) pour dipl. d'État. *Dipl. 92 :* 105. *Frais* 500 F avec mention de spécialisation. **Élèves illustres :** Claude Autant-Lara, Michel Boisrond, Christian-Jaque, J.-Philippe Delhomme, J.-Christophe Desnoux, Hervé Di Rosa, Fantin-Latour, J.-Paul Goude, Hector Guimard, René Lalique, Aristide Maillol, Louis Majorelle, Albert Marquet, Henri Matisse, Mellerio, Jean Mulatier, Anne et Patrick Poirier, François Pompon, Auguste Renoir, Patrice Ricord, Auguste Rodin, Sofia Rostad, Georges Rouault, Jérôme Savary, Paul Signac, Sisley, Jacques Tardi, Martin Veyron.

Éc. nat. sup. des Beaux-Arts (Ensba). 17, quai Malaquais, 75006 Paris. *Créée* à partir des Académies royales de peinture et de sculpture (1648) et d'architecture (1671), réorganisée 1969, 1984 et 1990. *But :* formation d'artistes créateurs [dessin, peinture, sculpture, gravure, pratiques multi-médias]. *Eff.* 600 (f. 60 %). *Adm. :* non-bac. 1 présent., bac. 3 présent. *Adm.* sur dossier en cours d'étude. *1990 :* 700 ca. en pré-ad. 119 ca. à adm., 54 ad. + 5 sur dossier. *Dipl.* 149. *An.* 5. *Frais* 650 F. **Élèves illustres :** Van Loo, Falconet, Houdon, Largillierre, Watteau, Lancret, Boucher, Fragonard, David, Géricault, Delacroix, Devéria, Ingres, Rude, Courbet, Corot, Degas, Camoin, Marquet, Rouault, Delaunay, Matisse, Manguin, Braque, Bonnard, Dufy, César, Topor, Buren, Rouan, Buffet, Kermarrec, Buraglio, Paco Rabanne.

Éc. nat. de province. *Eff.* 853 (f.51,6 %). *Adm. C. 1986 :* 1459 ca., 74 ad. *Dipl. d'État de décorateur 86 :* 124. *Frais* 250 F. **Aubusson :** Éc. nat. d'art décoratif, place Villeneuve. **Bourges :** Éc. des beaux-arts et arts appliqués à l'industrie, 7, rue Édouard-Branly. **Cergy-Pontoise :** Éc. nat. d'art, 2, rue des Italiens, parvis de la Préfecture. **Dijon :** Éc. nat. des beaux-arts, 3, rue Michelet. **Limoges :** Éc. d'art décoratif, 8, place Winston-Churchill. **Nancy :** Éc. nat. des beaux-arts et arts appliqués, 1, av. Boffrand. **Nice :** Éc. d'art décoratif, 20, av. Stéphen-Liégeard.

Éc. régionales et municipales d'art. Environ 40. Délivrent un dipl. sup. et assurent une préparation aux dipl. nat.

ÉCOLES D'ARTS APPLIQUÉS

☞ Mise en place dep. 1983 d'un dipl. sup. d'arts appliqués (DS) dans 4 éc. d'arts appliqués. *An.* 2 a.

Éc. sup. des arts appliqués aux ind. de l'ameublement et de l'architecture intérieure Boulle. 9, rue Pierre-Bourdan, 75571 Paris Cedex 12. *Créée* 1886. Cl. prépa. pour BTS arts appliqués : *Adm.* sur dossier + tests pour tit. bac. Prépa. BTn F. 12 : *Adm.* sur dossier après cl. de 3e. DMA, meuble, bronze, orfèvrerie : *Adm.* fin de 3e sur dossier + tests. [*An.* 5 (3 a. ét. sec., 2 a. dipl.)] et *adm.* après la terminale sur dossier + tests [*An.* 3 (1 a. mise à niveau métiers d'art, 2 a. dipl.)]. Archit. intér. et expression visuelle : *Adm.* sur dossier pour tit. bac F 12 ou cl. de mise à niveau ou BT Arts appliqués (BTS : 2 a., archit. int. DSAA, 2 a). Productique « bois » et agencement : *Adm.* sur dossier tit. B-T ou bac techno. Gratuit.

Éc. nat. sup. des arts appliqués et des métiers d'art (Ensaama). 63, 65, rue Olivier-de-Serres, 75015 Paris. *Créée* 1969. DS arts appliqués. *An.* 4. BTS, DMA. *Adm.* sur dossier + entr. après bac F 12, *An. 2 ;* sur dossier + tests après autres bac, *An.* 3. 7 % ad. *Eff. 1992 :* 706. *Formations :* arts ind. (design, céram. ind., sculpture appliquée, etc.), communication visuelle (graphisme, édition, pub., plv, etc.), environnement (architecture int., décor mural, etc.). Gratuit.

Éc. sup. des arts appliqués Duperré. 11, rue Dupetit-Thouars, 75003 Paris. *Créée* 1856. DS arts appliqués, mode-environnement, BTS, DMA du textile (broderie, tapisserie, tissage-maille) et de la céramique artisanale. *Adm.* sur dossier + tests + entretien selon les dipl. Cl. prépa. à l'ENS de Cachan, section C. *Frais* gratuit.

Éc. sup. des arts et ind. graphiques Estienne. 18, bd Auguste-Blanqui, 75013 Paris. *Créée* 1889. Post-collège : Bac F 12, BT ind. graphiques. Cy. des Métiers d'art (sec., 1re, terminale). Post-bac : BTS édition, BTS expression visuelle et ind. graphiques, DMA gravure, reliure, illustration. Post-BTS/DUT : DS des arts appliqués : arts et techniques de la communication. Formation d'infographie (créée 1990). *Eff. 1992 :* 650. *Adm.* sur dossier (8 %). Gratuit. Formation continue : réseau graphique.

Éc. sup. des arts et techniques de la Mode (Esmod). 16, bd Montmartre, 75009 Paris. *Fondée* 1841. *Adm.* niv. bac. *An.* 3, stages. *Frais* 30 000 F. 13 établissements dont 5 en France et 8 à l'étr.

Audiovisuel

Inst. de formation et d'ens. pour les métiers de l'image et du son (Femis). 13, av. du Pt-Wilson, 75116 Paris. *Adm. C. 7 options :* écriture de scénario, réalisation, image-effets spéciaux, montage, déco-costume-maquillage, admin.-direc. de product. promo. Ens. permanent : analyse film et vidéo. *An.* 3.

Éc. nat. Louis-Lumière. Rue de Vaugirard, BP 22, Marne-la-Vallée, 93161 Noisy-le-Grand Cedex. *Créée* 1926 par Louis Lumière et Léon Gaumont. *But :* formation initiale des collaborateurs de création, techniciens sup. de la photo, de l'image et du son : BTS photo, BTS cinéma. *2 options :* image et son. *Formation continue :* stages individuels ou inter-entreprises – Promotion sociale (BTS). *Eff.* 136. *Adm. :* bac C, D ou F + C. *An.* 2. *Frais* d.u. Changement de statut en cours. **Élèves célèbres :** Jean-Louis Bertucelli, Serge Bourguignon, Philippe de Broca, Jacques Demy, Alex Joffé, Paul Paviot, Bob Swaim, Pierre Tchernia, Philippe Agostini, Jean Boffety, Jean Bourgoin, Ghislain Cloquet, Henri Decae, Wladimir Ivanov, Jack Lang, Pierre Lhomme, Louis Miaillé, Jacques Robin, Edmond Séchan, Sacha Vierny, Fred Zinnemann, Jean-Jacques Annaud.

Éc. nat. de la photographie (ENP). 16, rue des Arènes, BP 149, 13631 Arles Cedex. *Créée* 1982 par Alain Desvergnes. *Eff.* 92 (f. 47 %). *Adm. C.* pour tit. bac + prépa. 240 ca., 25 ad. *An.* 3. *Frais :* 1 300 F.

Préparations

Beaux-Arts. *Quelques cours. Ateliers de Sèvres,* 47, rue de Sèvres, 75006 Paris. *Académie Charpentier,* 2, rue Jules-Chaplain, 75006. *ESAG,* 31, rue du Dragon, 75006. *Atelier A. Leconte,* 37, rue Froidevaux, 75014. *CFA Baudry,* 25, passage d'Enfer, 75014. *Éc. Clouet,* 19, rue St-Antoine, 75004. *Atelier Corlin,* 7, rue E.-Dubois, 75014. *Académie des Grandes Terres,* 5, rue de Charonne, 75011. *Lycée de Sèvres,* 21, rue Lederman, 92310. *Éc. nationales, régionales et municipales d'art.*

Audiovisuel. *UER de Lille III,* quartier du Pont-de-Bois, BP 149, 59653 Villeneuve-d'Ascq. *Univ. d'Aix-en-Pr.,* 29, av. Robert-Schumann, 13621. *Paris I, III, VII Jussieu, VIII St-Denis, X Nanterre. Assoc. arts et techniques du cinéma et de la télév.,* IDA, 30, rue Henri-Barbusse. *ESRA* (Éc. sup. de réalisation audiovisuelle), 137, av. Félix-Faure, 75015 Paris.

Musique

☞ Établ. d'ens. musical contrôlés par l'État et, entre parenthèses, effectifs (1984-85). **Établ.** (total eff. 164 347). Conservatoires nationaux de région : 31 (44 096), éc. nat. de musique : 82 (65 251), éc. municipales agréées : 134 (55 000).

Conservatoires nationaux supérieurs

Conservatoire nat. sup. de musique. 209, av. Jean-Jaurès 75019 Paris. *Créé* 3-8-1795 (16 thermidor an III) par Bernard Sarrette (1765-1858). *But :* ens. de musique, art lyrique, danse, composition, formation des musiciens professionnels. Ne reçoit pas de débutants. *Eff.* 1 208. *Adm.* sur C. ad. *An.* 1 à 5, perfectionnement : 2. selon les disciplines. *Dipl. :* récompenses qui ne sont pas attribuées systématiquement (1er prix, 2e prix, dipl. avec ou sans mention, certificats avec ou sans mention). 284 1ers prix et 100 2e prix des origines à 1983. *Frais* inscription 300, scolarité 600 F.

Conservatoire nat. sup. de musique de Lyon. 3, quai Chauveau, 69009 Lyon. *Créé* 1979 par Pierre Cochereau (1924-84). *But :* ens. sup. pour musiciens et danseurs, formation de musiciens prof., et culture générale. *Eff.* 400. *Adm. C. Dipl.* DNESM (dipl. ét. sup. music.). DNESC (dipl. ét. sup. choré.). *An.* 3 ou 4. *Frais* inscription 740 F.

Préparation au conservatoire de musique

Cours privés. *Éc. normale de musique,* 114 bis, bd Malesherbes, 75017 Paris ; *Schola Cantorum,* 269, rue St-Jacques, 75005 Paris ; *Éc. César-Franck,* 8, rue Gît-le-Cœur, 75006 Paris. *Conservatoires nat. de région* (25 CNR) : liste au min. de la Culture, Dir. de la Musique, 53, rue St-Dominique, 75007 Paris. *Conservatoires municipaux de 1er degré. Éc. nat. de musique* (40 ENM).

Théâtre

Conservatoire nat. sup. d'art dramatique de Paris (CNSAD). 2 bis, rue du Conservatoire, 75009 Paris. *Créé* 1784. *Eff.* 82 (f. 50 %). *Adm. C.* sans condition de dipl. mais avec un bon niveau (*1992 :* 749 ca., 36 ad.). *An.* 3. *Frais* 600 F + inscription (*92*) 300 F + SS et frais méd.

Éc. nat. sup. des arts et techniques du théâtre (Ensatt). 21, rue Blanche, 75009 Paris. *Eff.* 150 (f. 52 %). *Adm. C.* pour comédiens (nécessite une expérience) ; autres secteurs (régie, administration, scénographie, costumes) : *C.* tit. bac + 2.

Éc. sup. d'art dramatique du théâtre nat. de Strasbourg (Esad du TNS, dite « École de Strasbourg »). BP 184 R 5, 67005 Strasbourg Cedex. *Créée* 1954. *Eff.* 41 (f. 50 %). *Adm. C.* Auditions pour les comédiens ; sur dossier, avec sujet imposé pour les régisseurs et décorateurs. *1992 :* 19 ad. *Dipl. 92 :* 14. *An.* 3 pour les comédiens et décorateurs, 2 pour les régisseurs. *Frais :* inscript. 300 F, scolarité gratuite.

Écoles de transport

Éc. nat. de la marine marchande. *Adm.* 1re a. sur épreuves pour tit. bac, *1992 :* 105 pl., 500 ca. *Adm.* 2e a. sur dossier pour tit. dipl. bac + 2. *1992 :* 25 pl., 90 ca. Gratuit. **Le Havre :** 66, route du Cap, 76310 Sainte-Adresse. *Eff.* 248. **Marseille :** 39, av. du Corail, 13285 Marseille. *Eff.* 180. **Nantes :** rue Gabriel-Péri, 44053 Nantes. *Eff.* 160. **St-Malo :** rue de la Victoire, 35402 St-Malo. *Eff.* 102. *Prépa* dite « hydro » en 1re a. env. 30 % des ad. : N.-D.-des-Flots, Cancale ; Éc. de Kersa, Paimpol ; Cours Bellevue (ens. par correspondance), Nantes.

Éc. de préparation à la direction du transport routier (EDTR). Monchy-St-Éloi, 60290 Rantigny. *Créée* 1979. *Adm. C.* avec BTS, DUT, 1er cy. univ. 2 sect. « transp. de marchandises », 1 sect. « transp. de personnes ». *An.* 2. Internat possible. *Dipl.* de fin d'études homologué niv. II. *Eff.* promo. 50.

Écoles de la communication

Journalisme

Centre de formation des journalistes (CFJ). 33, rue du Louvre, 75002 Paris. *Créé* 1946. *Eff.* 93 (f. 50 %). *Adm. C.* pour tit. Deug (et moins de 21 a.) ou lic. (moins de 23 a.). 617 ca., 45 ad. *An.* 2. *Frais* 5 570 F. Section « Journaliste reporteur d'images » (7 ad./an). Filière européenne (8 ad., étr. tit. d'un dipl. journaliste et 2e a. CFJ). **Élèves connus :** Jacques Abouchar, Paul Amar, Julien Besançon, Jean-Claude Bourret, Philippe Gildas, Claude Guillaumin, Jacques Isnard, Patrick Lesane, Bernard Pivot, Patrick Poivre d'Arvor, Michel Tardieu.

Centre univ. d'ens. du journalisme (Cuej). 10, rue Schiller, 67083 Strasbourg Cedex. *Créé* 1957. *Eff.* 135 (f. 50 %). *Adm. C.* pour tit. Deug ou éq. 457 ca. 38 ad. MST journalisme. *An.* 205 ad. Magistère management de l'information. *An.* 3. *Dipl. 91 :* 41 MST, 8 mag. *Frais* env. 2 000 F. Formation journaliste-reporter d'images *Adm. C.* pour dipl. d'une éc. de journalisme ou Bac + 5 min. exp. journalistique *An.* 1. DEA sc. de l'info. et communication, sur dossier pour tit. maîtr. et DESS eurojournalisme, sur dossier pour tit. dipl. de journ. ou bac + 3 + 3 ans min. exp. journalistique.

Éc. sup. de journalisme de Lille. 50, rue Gauthier-de-Châtillon, 59046 Lille Cedex. *Créée* 1924 (l'une des 1res en Europe). *Eff. 92-93 :* 113. *Adm. C.* pour tit. Deug ou éq. âgés de – de 23 a. le 31-12 de l'année de leur 1re candidature (2 ca. possibles, consécutives ou non). *1992 :* 665 ca., 49 ad. *An.* 2. Stage de 2 mois entre les 2 a. d'ét. *Frais 92-93 :* 10 830 F.

A Paris, et en province (Strasbourg par ex.), il existe beaucoup d'autres écoles (mais non nat.).

Institut Pratique de Journalisme. 80, rue de Turenne, 75003 Paris. Agréé par la convention collective nationale des journalistes. *Adm. C.* pour tit. Deug, DUT, BTS + tests d'aptitude + entr. *An.* 2. *Frais 91-92 :* 13 900 F, possibilité de prêts bancaires.

Inst. sup. libre des techniques avancées de l'information et des médias (Itaim). Faculté libre des sciences de la communication, 87 *bis,* rue Carnot, 92300 Levallois-Perret. *Créé* 1984. *But :* prépa. au journalisme. *Eff.* 30 (f. 60 %). *Adm. C.* pour tit. bac 35 ca., 18 ad. *Adm. 2e a.* pour tit. d'1 ou 2 a. de Deug ou éq. 25 ca., 15 ad. ; *3e a.* pour tit. lic., maîtr. ou éq. 10 ca., 9 ad. *An.* 3, 2 ou 1 selon dipl. *Dipl. 92 :* 4. *Frais 92-93 :* 26 000 F.

Inst. sup. de publicité et de communication de l'entreprise (dite « Sup. de Pub. »). *Créé* 1986.

IUT de Bordeaux-Talence. *A.* spé. pour prépa. DUT journalisme. *Adm.* dossier + entr. 40 élèves. Placement sortie.

IUT de Tours.

Formations mixtes

Éc. française des attachés de presse et des professionnels de la communication (Efap). 61, rue Pierre-Charron, 75008 Paris. *Fondée* 1961 par Denis Huisman. *Filiales* Lyon, Bruxelles, Abidjan, New York, Lisbonne. *Adm.* tit. bac.

Éc. des hautes ét. en sc. de l'information et de la communication (Celsa). Voir p. 1268 b.

Inst. français de presse et de sc. de l'information (IFP). UFR de l'Univ., Paris II, 92, rue d'Assas, 75006 Paris. *Créé* 1957. *Eff.* 588. *Adm.* en information et communication : Deug et test ; lic. 195 pl., maîtr. 130 pl. En a. du dipl. : niv. maîtr. (126 pl.) en 3 filières : média, communication, droit info. 3e cy. DEA (106 pl.), DESS (31 pl.), maîtr. et formation spéc. : *adm.* sur dossier. *An.* 1 à 3. *Dipl. 91 :* 58 (Dipl. en lic. *1990-91 :* 131 ; maîtr. *1991-92 :* 101).

Inst. des sc. de l'information et de la communication (Isic). Département de l'univ. Bordeaux III. Domaine univ., esplanade Michel-de-Montaigne, 33405 Talence Cedex. *Eff.* env. 450. IUP des sc. de l'info. et de la com. (journalisme spécialisé, prod. audiovisuelle com. des organisations, analyse des médias européens) : *Adm. 1re a. :* 1 a. d'ét. univ. validée + dossier + épr. écr. + entr. *Adm. 2e a. :* tit. Deug, DUT, BTS ; DESS (com. des organisations) : maîtr. + dossier + entr. ; DEA (info. et com.) : maîtr. + dossier ; Frais : d. u.

Relations publiques

Inst. sup. libre d'ens. des relations publ. (Iserp). Faculté libre des sc. de la communication. 87 bis, rue Carnot, 92300 Levallois-Perret. *Créé* 1980. *Eff.* 330 (f. 75 %). *Adm. C.* pour tit. bac 150 ca., 45 ad. *Adm. p. 2e a. C.* pour tit. Deug 60 ca., 50 ad. ; *3e a.* pour tit. lic. 25 ca., 20 ad. 3e cy. *Adm.* sur dossier pour tit. DESS, DEA 2. ad. *An.* 4 à 1. *Dipl. 92 :* 35 DSR + 41 certifiés. *Frais 1992-93 :* 26 000 F.

Relations internationales

Inst. d'ét. des relations internat. (Ileri). 12, rue des Saints-Pères, 75007 Paris. *Créé* 1948. *Eff.* 600. *Adm.* tit. bac sur dossier + entr. + test de langue.

Entraînements Dale Carnegie. Leader mondial de la formation continue. *Fondé* 1912 à New York par Dale Carnegie (1889-1955), en 1964 en France, 2, rue de Marly, 78150 Le Chesnay. 30 centres de formation en France. *Eff. 92 :* 4 000. Développement de la personnalité fondé sur l'expression orale, application de principes de relations humaines, art de la communication, exercice de la parole en public, amélioration de la qualité de contact et leadership. Stages de perfectionnement à la vente : entretien commercial et négociation. Séminaire de management : direction des hommes, équipes et projets. *Dipl.* total env. 4 000 000 dans 73 pays, 70 000 en France. *Pt* (France) Didier Weyne (1958). *Frais :* particuliers 5 800 F TTC, entreprises : 6 800 F HT.

Leaders (équipe de l'ex-École française de suggestopédie). 130, rue de Rivoli 75001 Paris. Enseignement des langues (anglais, allemand, français) et formation de formateurs. Pédagogie fondée sur les travaux de Lozanov sur les facultés du cerveau et la mémorisation à long terme (la suggestopédie ou le plaisir d'apprendre).

Adm. pour tit. bac + 2 sur dossier + entr. *An.* 4. 3ᵉ cy. en droit, pratique et gestion des affaires internat., stages en Fr. et à l'étr., 7 langues étr. dont 4 orientales. Informatique. *An* 1. *Dipl. 91 :* 97 DES (dipl. d'ét. sup.), 80 DSR (dipl. sup. de recherche). *Frais* 29 850 F.

Bibliothécaires et documentalistes

Éc. nat. sup. des sc. de l'information et des bibliothèques (Enssib). 17-21, bd du 11-Novembre-1918, 69623 Villeurbanne Cedex. *Créée* 1963. *Eff.* 250 (fr. et étr.). *Adm. C.* pour tit. lic. min. *An.* 18 mois. *Dipl. :* conservateur de bibliothèque (DCB) DEA, DESS. *Frais* 625 F (pour él. non-fonct.). Rémun. mens. él. fonct. à l'entrée 9 182,83 F, après 1 an 10 013 F.

Inst. nat. des techniques de la documentation (INTD) (Cnam). 2, rue Conté, 75003 Paris. *Créé* 1950. *Eff.* 190 (85 %). Dipl. technique : *Adm.* tit. bac + 2. + dossier + entr. 100 ad. *An.* 2. *Frais* env. 16 000 F. Dipl. sup. : *Adm. :* C. pour tit. maîtr. 70 ad. *An.* 1. *Frais* 16 000 F. *Mastère. Adm.* tit. DEA sc., droit éco., ing. + dossier + entr. 12 ad. *An.* 1. *Frais* 24 000 F.

Interprétation et traduction

Éc. sup. d'interprètes et de traducteurs (Esit). Centre univ. Dauphine, place du Maréchal-de-Lattre-de-Tassigny, 75116 Paris. *Eff.* 400. *Adm.* section trad. tit. Deug ou éq. sur examen. *An.* 3. *Dipl. :* DESS de trad. ; section interpr. tit. lic. ou éq. sur tests + 18 mois à l'étranger. *Dipl. :* DESS de conférence, études doctorales pour tit. maîtr. ou équ. sur dossier. *Dipl. :* DEA traductologie. *An.* 2. *Frais* 2 500 à 3 000 F.

Éc. sup. de cadres (interprètes-traducteurs) (Esuca). 5, allée Antonio-Machado, 31058 Toulouse Cedex. *Créée* 1969. *Eff.* 70 (f. 85 %). *Adm. C.* pour tit. Deug langues ou lettres modernes (anglais obligatoire) 70 ca., 36 ad. *An.* 2. *Dipl. 92 :* 28/28. *Frais* d. u. Stage en entreprise (1 mois) ; en université étr. (3 mois).

Inst. sup. d'interprétation et de traduction (Isit). 21, rue d'Assas, 75270 Paris Cedex 06. *Créé* 1957. *Eff.* 523. *Adm.* tit. bac, BTS, Deug, licence + *C.* 40 % ad. *An.* 4, 3 ou 2. Paris XI. Section interprétation de conférence. *Adm.* tit. dipl. gén. de l'ISIT, maîtr., dipl. éq. + test 30 % ad. *An.* 2. *Dipl. 91 :* 109 dont 1 d'interprète. *Frais* 1ᵉʳ cy. 19 000 F/a., 2ᵉ cy. 22 000 F/a., interprétation 13 500 F/a.

Autres établissements d'enseignement supérieur

Collège de France. 11, place Marcellin-Berthelot, 75231 Paris Cedex 05. Établ. d'ens. sup. et de recherche fondamentale. *Origine* 1530 François Iᵉʳ crée des « lecteurs royaux », 3 pour l'hébreu, 2 le grec, 1 les math. ; ils devaient dispenser des ens. non encore admis ailleurs. Collège royal, puis impérial, devint Collège de Fr. 1870. *Bâtiments* construits 1774 par Chalgrin et plusieurs fois agrandis aux XIXᵉ et XXᵉ s. *Organisation :* dépend du min. de l'Éd. nat. Prof. nommés par le chef de l'État sur proposition du corps professoral du Collège de France. Un des prof. exerce les fonctions d'administrateur. *Maîtres* (52 prof., 2 chaires d'État pour prof. étr., 1 chaire europ. et 1 chaire internationale pour prof. associés). + de 1 000 chercheurs, ing., techniciens et administratifs. *Matières enseignées :* math., physique, chimie, biologie, philosophie, lettres et sc. humaines, droit, histoire, création artistique. Ses enseignements, qui doivent exposer la « science en voie de se faire », sont dispensés librement, sans préoccupation de dipl., et sont renouvelés chaque année. Toutes les chaires sont mutables et remises en question au départ des savants qui les occupaient. L'Assemblée des prof. doit se prononcer dans chaque cas sur leur maintien ou leur transformation. *Accès à l'enseignement :* libre (5 000 auditeurs en moy. pour 52 matières). *Accès des laboratoires :* sur autorisation du prof.-directeur du laboratoire. *Examens :* ne prépare à aucun examen ni diplôme. **Annuaire :** publie le résumé de l'enseignement et des recherches de l'année précédente. **Cours célèbres :** Michelet, Renan, Bergson, Valéry, Barthes, Foucault, Braudel, Dumézil, Lévi-Strauss.

Centre internat. de formation européenne (Cife). *Créé* 1954, siège social : Maison de l'Europe, 33-35, rue des Francs-Bourgeois, 75004 Paris. *Direct. gén.* 32, rue de Lépante, 06000 Nice. Organisation internat. privée. *Sessions d'études europ.* (Munich) : cours hebdo. de 3 h en 2 semestres académiques (nov.-févr. et avr.-juil.), dipl. *Séminaires :* env. 20 par an dans divers pays européens. *Inst. univ., Inst. eur. des hautes études internat.* (Nice) : session d'oct. à juin, dipl. *Collège univ. d'études fédéralistes* (Aoste, Italie) : session juillet et août ; certificat. *Session univ. eur.* (Gauting, Bavière, RFA) : 3 sem. en sept., un certificat. *American European Summer Academy* (Schloss Hofen, Autr.) : session 3 sem. en juillet ; certificat. *Colloques.*

Éc. pratique des hautes ét. (EPHE). 12-14, rue Corvisart, 75013 Paris. *Fondée* 1868 par Victor Duruy (1811-94). min. de l'Instr. pub. Grand établ. dépendant du min. Éd. nat. Formation à la recherche. Délivrance d'un dipl. propre, de DEA et de doctorats. *Implantations :* Paris, Dinard, Lyon, Marseille, Montpellier, Perpignan. *3 sections :* sc. de la vie et de la Terre, sc. hist. et philo., sc. religieuses.

Éc. des hautes ét. en sc. sociales (Ehess). 54, bd Raspail, 75006 Paris. Grand établ. d'ens. sup. issu de la VIᵉ sect. de l'Éc. pratique des hautes ét. *Mission :* recherche et enseignement de la rech. en sc. sociales. Délivrance de DEA, de thèses et d'un dipl. propre. *Implantations :* Paris, Marseille, Toulouse, Lyon. 70 centres ou formations de recherche.

Éc. nat. des Chartes (ENC). 19, rue de la Sorbonne, 75005 Paris. Fondée 22-2-1821 par Louis XVIII. *But :* formation de spécialistes des disciplines nécessaires à l'intelligence des sources de l'histoire de Fr., et prépa. profes. des cadres responsables de la conservation et mise en valeur des collections publiques. *C.* – de 30 ans tit. bac + 2 a. prépa. (hypochartes et chartes), aux lycées Henri-IV à Paris, Pierre-de-Fermat à Toulouse, lycée Fustel-de-Coulanges à Strasbourg, Faculté libre de Paris (privé). C. *1992 :* 166 ca., 44 ad. *Dipl. 1993 :* d'archiviste-paléographe 23. *Eff.* 136 (f. + de 50 %). *An.* 4. Dans la limite des postes en concours, les élèves souscrivant un engagement de 10 a. dans la fonction publique, à compter de leur entrée à l'école, perçoivent un traitement d'environ 6 000 F. **Élèves célèbres :** Gaston Paris, Gabriel Hanotaux, André Chamson, François Mauriac, Jean Favier.

Institut nat. des langues et civilisations orientales (Inalco, dit « Langues-O »). Grand établ., 2, rue de Lille, 75343 Paris Cedex 07. *Fondé* en 1795 pour développer les langues orientales pour diplomatie et commerce. *Langues enseignées :* 75 (Eur. centrale et orient., Asie, Océanie, Afrique, et des pop. aborigènes d'Amér.). Centres de recherches, centre multimédia. *Eff.* 10 168. *Adm.* bac ou éq. *Frais* d. u. *Filières spé. :* dép. de commerce international (CPEI), hautes ét. internat. (HEI), traitement automatique des langues (TAL), dipl. d'ingénierie multilingue (CRIM), communication interculturelle (CI), français langue étr. (FLE), civilisation islamique et cultures musulmanes (CICM).

Personnel enseignant

Enseignements primaire et secondaire

Classification

Enseignement du 1ᵉʳ degré

Formation des prof. des écoles (ex-instituteurs) à l'Institut de Formation des Maîtres (UIFM). *Depuis le 14/3/1986 (date de la mise en place d'un nouveau concours d'élèves-instituteurs) et loi d'orientation de 1989.* Recrutement par *concours externe* niveau lic. ou *interne* pour les bacheliers ayant exercé la fonction de suppléant pendant 90 jours (ils exercent leur fonction durant leur format. pour éviter la reconstitution d'un auxiliariat). *Formation* en 2 ans, rémunérée. *1ʳᵉ année :* diplôme d'études sup. d'instituteur. Titularisation à la fin de la 2ᵉ année. 1 institut par académie.

Enseign. privé. *Hors contrat :* modalités de recrutement selon chaque école (en général, pour les tit. du bac). *Sous contrat :* formation dans les centres de formation pédagogique en 3 ans. Admission pour les tit. du bac, parfois avec expérience, souvent présélection sur dossier. Le postulant doit s'engager à servir l'enseign. privé pour 5 a. Le concours d'admission est organisé par le directeur du centre et le rectorat (les épreuves sont les mêmes que celles de l'EN). *Droits de scolarité :* 500 à 8 000 F/an.

Les instituteurs qui se destinent à exercer dans une classe d'enseignement spécial doivent obtenir le certificat d'aptitude à l'éducation des enfants déficients ou inadaptés (CAEI) (8 options). *Épreuves théoriques :* préparation en 1 an dans 3 centres nationaux spécialisés (Suresnes, Beaumont-sur-Oise, Montlignon) et dans certaines écoles normales. *Admission :* instituteurs titulaires ou stagiaires choisis sur proposition de l'inspecteur d'académie. Épreuves pratiques à la fin du stage.

Enseignants de type lycée en % (France métrop. 1991-92)

Grades	Effectif	Lycées	Collèges	L.P.
Chaires supérieures	884	100	–	–
Agrégés	25 890	83,3	16,5	0,2
Bi-admissibles	2 581	63	36,8	0,3
Certifiés	131 328	47,4	51,2	1,4
Chargés d'enseignement	7 802	20,4	64,1	15,5
Adjoints d'enseignement	19 806	38,9	56,9	4,2
Chefs de travaux	231	100	–	–
Prof. tech., lycée et adj.	1 200	98,1	0,9	1
Stagiaires	12 641	61,5	37	1,6
Ensemble	202 363	51,8	46,2	2

> **Agressions contre les enseignants** (nombre répertorié en 1988) : 1 756. **Meurtres.** *1983* André Argouges, 57 ans, proviseur du lycée Jean-Bart de Grenoble, poignardé par Mohamed (17 a.), élève d'une section de CAP comptable, soupçonné de vol et renvoyé de l'internat. *1993* (21-4) Denise Decaves, 55 ans, principal du collège Pierre-Brossolette de La Chapelle-St-Luc (Aube) retrouvée poignardée dans son bureau. **Suicides.** *1985* Claude Yanne, 39 a., prof. de mécanique au lycée prof. d'Autmont, n'a pas supporté les brimades dont il était victime et s'est suicidé.

Enseignement du 2ᵉ degré

Professeurs d'enseignement général de collège (PEGC). Ils enseignent dans les collèges et sont recrutés à l'issue d'une scolarité de 4 ans dans les centres régionaux de formation de PEGC (CRF-PEGC), et après succès aux épreuves théoriques et pédagogiques du Certificat d'aptitude au professorat d'ens. général de collège (CAPEGC). Dispositif de recrutement mis en place en 1982 à titre transitoire.

Admission en *Centres régionaux de formation :* épreuves écrites et orales ; candidats : instit. titulaires ayant 3 ans d'ens. effectif, candidats possédant le Deug dans l'une des 2 disciplines de la section du CAPEGC demandée ou pourvus de titres ou diplômes admis en équivalence. *Age limite :* 30 ans au 1ᵉʳ janvier de l'année d'admission en centre (limite reculée pour charges de familles, service national, 1 année par année de service effectif d'enseign.). Engagement pour 10 a. au service de l'État. *Préparation :* 2 a. (candidats détenteurs du Deug, instit. titulaires ou non) ou 3 a. (instit. titulaires non pourvus du Deug) dans les centres régionaux de formation de PEGC annexés aux écoles normales primaires.

1ʳᵉ année. Formation universitaire. 2ᵉ (entrée directe pour titulaires du Deug ou d'un titre ou diplôme équivalent). Formation en centre conduisant aux épreuves de la 1ʳᵉ partie du CAPEGC ; après réussite, les él.-professeurs sont nommés prof. stagiaires. 3ᵉ. Formation pédagogique théorique et pratique avec alternance d'un stage au centre et de stages en responsabilité dans un collège, plus des stages hors collège dans des organismes à caractère éducatif. *Sanction :* 2ᵉ partie du CAPEGC. *13 sections :* lettres, hist., géographie ; lettres, langues vivantes ; math., sc. physiques ; sc. nat., sc. physiques ; français, latin ; lettres, éd. physique et sportive ; math., éd. phys. et sportive ; sc. nat., éd. physique et sportive ; lettres, éd. musicale ; math., éd. musicale ; lettres, arts plastiques ; math., arts plastiques ; éducation manuelle et technique (option technol., industrielle ou écon.). La fin du recrutement des PEGC et de l'obligation pour leurs successeurs, enseignants de la 6ᵉ à la 3ᵉ, de passer le concours du Capes a été annoncée en avril 1986.

Adjoints d'enseignement. Titulaires d'une licence d'enseign. ou d'un diplôme équivalent ; service : surveillance et enseign. ou documentation.

Dans la mesure où des postes ne sont pas pourvus, on fait appel à des **maîtres auxiliaires,** possédant un diplôme de l'enseign. supérieur ou le bac., recrutés par délégation rectorale à titre exceptionnel, et à des *contractuels* choisis en raison de leurs titres ou de leur qualification professionnelle. 45 000 m. auxiliaires sur les 51 300 devaient être titularisés de 1983 à 1986. 1ʳᵉˢ mesures : augmentation du nombre de places offertes au concours externe des éc. normales (+ 50 % entre 1982 et 1983), formation de 2 700 instituteurs stagiaires issus des c. exceptionnels, niveau Deug, devant être appelés selon les besoins et titularisés après 2 a. *Nombre de m. auxiliaires 1991-92 (public) :* 39 702 dont lycée 19 492, 1. technique 3 706 ; collège 3 783 ; LP : ens. général 4 544, professionnel théorique 3 706, prof. pratique 3 263 ; conseiller d'éducation, d'orientation, adm., doc. 1 781. **Age moyen :** 30,8 ans (54 % des maîtres auxiliaires ont – de 30 ans). 55,6 % sont des femmes.

Diplômes des maîtres auxiliaires (en %, 1991-92). Total en %, entre parenthèses disciplines d'enseignement général et en italique technique. Licence et + 66,8 (82,8) *32,9.* DUT ou BTS 16,3 (6,3) *44,1.* Deug 6,7 (5,4) *4,9.* 1re an. en sup. 0,6 (0,3) *0,3.* BAC, BT, BP 4,7 (2,2) *4,5.* BEP, CAP 2,1 (0,3) *1,6.* Divers 1,8 (1,6) *1,2.* Pas de réponse 1 (1,1) *0,5.*

Professeur certifié du 2e degré. Enseigne dans collèges et lycées de la 6e à la terminale et dans lycées techniques préparant au BTN, BT et BTS. *Concours :* Capes (Certificat d'aptitude au professorat de l'enseig. du 2e degré). *Préparation :* UER et Centre nat. d'enseign. par correspondance à partir d'une licence d'enseign. ou dipl. équivalent. Les admis au Capes et/ou Capet sont formés en 1 an dans les centres pédagogiques régionaux.

PERSONNEL DU MINISTÈRE DE L'ÉDUCATION NATIONALE AU 1-1-1992

	Effectifs[1]	Age moyen	% de femmes	% temps partiel
Total	*1 071 094*	*41*	*62*	*9*
Dont, par catégorie :				
Catégorie A	453 034	44	52	6
Catégorie B	352 144	40	75	5
Catégorie C	92 560	44	63	11
Catégorie D	53 364	41	75	7
Sous-total titulaires	951 102	42	63	6
Sous-total-non titul.	119 992	29	59	27
Dont, par fonction :				
Enseign. du 1er degré	311 858	40	75	4
Enseign. du 2e degré	377 623	42	55	8
Enseign. du supérieur	50 652	46	28	1
Enseign. des établ. de formation du personnel[2]	38 084	30	63	1
Non-enseignants	292 877	40	64	15

Nota. – (1) France sans TOM. (2) Enseignants formateurs et élèves enseignants (y compris les ens. et les él. des établ. de formation du supérieur).

ENSEIGNANTS AU 1-1-1992 (PUBLIC)

1er degré	Effectifs	Age moyen	% de femmes	% temps partiel
Direct. d'école ou d'établ. spéc.	56 186	45	63	1
Instituteurs spécialisés	20 121	41	65	2
Instituteurs	215 211	39	79	6
Professeurs des écoles[1]	11 763	52	65	1
Élèves instituteurs	5 978	27	87	0,3
Autres titulaires	533	43	47	6
Total titulaires	*309 792*	*40*	*75*	*4*
Instit. remplaçants ou suppléants et autres non titulaires	2 066	28	82	1
Total	*311 858*	*40*	*75*	*4*

Nota. – (1) Chiffre largement sous-estimé : la mise à jour des codes grade se faisant toujours avec un décalage dans les fichiers de paye.

Second degré	Effectifs	Age moyen	% de femmes	% temps partiel
Agrégés et chaires sup.	26 770	42	50	6
Bi-admissibles	2 517	41	50	10
Certifiés	126 751	43	60	9
Chargés d'enseign.	8 788	41	46	5
Adjoints d'enseign.	26 545	40	70	9
Prof. techn. et PTA de lycée	12 657	41	46	5
Prof. d'EPS et adjoints	67 298	46	59	6
PEGC	57 260	44	43	5
Prof. de LP	655	52	50	1
Instituteurs spécialisés	6 200	41	47	2
Instituteurs	1 528	33	47	3
Autres enseign. titulaires	1 187	48	36	1
Total titulaires	*338 156*	*43*	*55*	*7*
Maîtres auxiliaires	38 048	31	56	19
Autres non titulaires	1 419	40	37	29
Total non titulaires	*39 467*	*31*	*55*	*19*
Total	*377 623*	*42*	*55*	*8*

Professeurs absents (plus de 2 semaines). Remplacements assurés par des adjoints d'enseign. stagiaires et titulaires, m. auxiliaires, prof. titulaires, avec un maximum de volontariat.

Professeur agrégé. Enseigne dans les collèges et lycées (ou en enseign. sup. ou classe préparatoire). *Concours :* à partir de la licence d'enseign. d'avant 1968, ou maîtrise ou diplôme d'ét. sup., ou Capes ou Capet ou doctorat de 3e cycle. *Préparation :* écoles normales sup. Enset, UFR, par correspondance (CNEC).

Personnel des collèges d'enseignement technique. Ils enseignent dans les LEP.

Professeur certifié de l'enseignement technologique. Enseigne dans les lycées techniques. *Concours :*

INSTITUTEURS EN 1990-91 (FRANCE MÉTROP. PUBLIC)

Catégories d'enseignement[1]	Prof. des écoles (2)	Instituteurs spécialisés (3)	Instituteurs non spécialisés (4)	Élèves instit. et instit. délégués (5)	Suppléants (6)	TOTAL
Préélémentaire (7) } Élémentaire (8) }	2 514	8 394	260 384	4 544	944	276 780
Spécial 1er degré (9)	1 087	18 425	3 295	197	28	23 032
Formation, recherche (10)	27	164	603	–	10	804
Autres affectations (11)	1	9	73	–	–	83
Total 1er degré	3 629	26 992	264 355	4 741	982	300 699
Total 2e degré (12)	148	7 504	1 679	80	9	9 420
Total 1990-1991	3 777	34 496	266 034	4 821	991	310 119

(1) Source : Fichier de paie de janvier 1991. (2) Prof. des écoles spécialisés ou non. Effectif fortement minoré pour des raisons techniques. 12 000 environ en 1990-1991. (3) Instituteurs possédant un certificat d'aptitude spécialisé complet en plus du Desi (DI, CAP) (y compris les directeurs ou chargés de direction). (4) Instituteurs possédant le Desi (DI, CAP) uniquement ou un certificat d'aptitude spécialisé incomplet en plus du Desi (DI, CAP) ainsi que divers autres personnels enseignant dans le 1er degré (y compris les directeurs ou chargés de direction). (5) Élèves-instituteurs et instituteurs délégués sur poste de titulaire. (6) Corps en cours de résorption. (7) Personnels de classe préélémentaire, de classe de formation et titulaires remplaçants. (8) Personnels de classe élémentaire, quelques classes préélémentaires d'école primaire, classe de formation, titulaires remplaçants et conseillers pédagogiques. (9) Personnels de l'enseignement spécialisé, de classe spécialisée, de classe de formation, d'éducation en internat, des réseaux d'aides spécialisées aux élèves en difficulté (psychologues scolaires, rééducateurs en psychopédagogie ou en psychomotricité), secrétaires des commissions de l'enseignement spécialisé et titulaires remplaçants (y compris les personnels du MEN dans les établissements privés conventionnés). (10) Personnels dans les ENI assurant la formation et ceux assurant la recherche pédagogique, tous déchargés de classe. 1990-1991 : CNED uniquement. (12) La grande majorité dans le 2e degré spécialisé et quelques centaines dans les CPPN-CPA.

Capet (Certificat d'aptitude au professorat de l'enseign. technique). *Préparation :* à partir d'une licence d'enseign. ou d'un groupement de certificats spécifiques à l'enseign. choisi, ou de titres équivalents (dipl. d'ingénieur ou DEST).

Professeur technique des lycées techniques. Enseign. mixte technique, théorique et pratique selon la spécialité professionnelle. *Concours : CAPT* (Certificat d'aptitude au professorat technique). *Préparation :* dans un centre de formation en 2 ans après un concours à partir d'une licence d'enseign. ou maîtrise, DUT, ou BTS. Limite d'âge : 30 ans. *Centres de formation :* Armentières, Cachan, Rennes, St-Étienne.

Professeur de LEP chargé des enseign. professionnels pratiques. *Concours : Capcet* (Certificat d'aptitude au professorat des collèges d'enseignement technique). *Préparation :* en 2 ans, dans une école normale nat. d'apprentissage (ENNA), entrée sur concours. *Conditions :* titulaire d'un diplôme de l'ens. supérieur, avoir 1 à 3 ans d'activité (selon diplôme choisi), ou un CAP et 5 a. d'activité et des activités dans la formation continue. Limite d'âge : 40 ans.

Diplômes	Bac + 3 et plus	Bac + 2	Bac	< au Bac	Autres non réponse
PEGC[1]					
Lettres Langues	39,0	36,3	20,7	0,6	3,4
Lettres Histoire	32,6	29,4	33,2	1,5	3,3
Autres Littéraires	20,4	20,0	50,8	2,4	6,4
Sc. Nat Physique	22,4	39,0	32,9	1,4	4,3
Maths Sc. Phys.	18,3	35,9	41,1	0,9	3,8
Autres Sciences	8,8	18,8	63,5	3,5	5,4
Technologie	2,4	26,1	65,3	2,4	3,8
Éduc. Man. Tech.	4,6	19,3	66,8	5,3	4,0
Autres disciplines	14,3	15,9	41,3	22,2	6,3
Ensemble	23,8	30,9	39,5	1,8	4,0
PLP[1]					
Lettres Langues	63,0	26,6	5,6	–	4,7
Lettres Histoire	54,1	25,5	16,4	0,4	3,6
Maths Sciences	31,4	50,4	14,6	0,3	3,3
Maths Sciences	31,4	50,4	14,6	0,3	3,3
Ens. Théor. indust.	5,5	54,9	33,8	3,7	2,1
Ens. Théor. Tertiaux	6,9	52,5	31,2	1,6	7,8
Mécanique	0,3	7,4	46,6	43,6	2,1
Électronique	1,4	38,1	38,5	20,4	1,6
Autre industriel	0,2	2,7	40,3	51,5	5,3
Hôtel Restaurant	0,4	27,2	29,9	34,6	7,9
Autres tertiaire	0,8	4,2	62,6	27,8	4,8
Ensemble	12,9	30,0	33,9	18,4	4,0

Nota. – (1) Professeurs d'enseignement général des collèges.

% des enseignantes (métrop. Public, 1991-92)	Lycées	Collèges	LP	Total
Type Lycée	51,8	64,9	43,8	57,7
Type Collège	56,4	58,5	58,5	58,5
Type LEP	39,5	43,9	43,5	43,2
EPS[1] 1989-90	51,9	51,3	–	49
Non titulaires	46,5	59,1	52,1	52,6
Total	50,9	61,6	45	55,2

Professeurs certifiés (Capes). Dans le 2e degré public 27,9 % (privé 5,1 %, enseignement supérieur 44,3 %, agrégés 6,3 % (privé 0,5 %, enseignement supérieur 40,3 %).

■ EFFECTIFS DES ENSEIGNANTS PRIVÉS

Enseignement privé sous contrat. 1er degré (non compris enseign. spécial) : 41 545 (dont femmes 91 %) dont 3 294 tit. et 38 251 stag. **2e degré :** 82 954.

Personnels enseignants assimilés du 2e degré (1990-91). Effectifs dont, entre parenthèses, % de femmes : *personnels type lycée* 29 690 (64,6) dont adjoints d'ens. 20 136 (69,6), certifiés 7 958 (54,5), chargés d'ens. 595 (71,1), agrégés 831 (39,6), bi-admissibles à l'agrégation 114 (41,2), professeurs techniques de lycée 56 (50). *Type collège* 9 529 (63,8) dont PEGC 4 632 (58,3), instituteurs spécialisés 4 671 (68,3), instituteurs 184 (82,6), instructeurs 42 (88,1). *Type lycée professionnel* 4 593 (57,5). *Éducation physique et sportive* 1 626 (47,5). *Titulaires* 45 438 (63,1). *Maîtres auxiliaires* 37 516 (68,4).

FORMATIONS D'ENSEIGNANTS

Effectifs des élèves-instituteurs dans les écoles normales. Recrutement (1989) : externe 14 883 (80,8 % de femmes), interne 124 (73,4 %). **Moyenne d'âge :** *20 a. et – :* 5,3 ; *21 à 25 a. :* 44,7 ; *26 à 29 a. :* 21,6 ; *30 a. et + :* 28,4.

Agrégation. Spécialités. *Créée* avec 7 spécialités. Actuellement 22 dont : *mixtes* 11 [philosophie, langue (6), sciences naturelles, biologie, lettres modernes, économie-gestion] ; *féminins* 5 (lettres, math., physique, histoire, géo.) ; *masc.* 6 (les mêmes + grammaire). *Rétrospective des admissions.* Voir Quid 1982, page 1347.

Capes (certificat d'aptitude pédagogique à l'enseignement secondaire). *Créé* 1902 pour les langues vivantes, en 1945 pour les autres spécialités (6 dont musique et arts plastiques). Mixte.

	1992		
	Postes	Inscrits	Admis
Agrégation	5 000	38 130	4 092
externe	3 000	21 408	2 369
interne	2 000	16 722	1 723
Capes	19 375	40 093	11 848
externe	13 555	30 627	8 772
interne	5 820	9 466	3 076
Capet	2 980	9 563	2 429
externe	1 780	5 718	1 411
interne	1 200	3 845	1 018
PLP2	3 700	15 469	3 287
externe	1 850	5 732	1 471
interne	1 850	9 737	1 816

☞ *En 1980 :* agrégation 1 000 postes (17 582 inscr./960 ad.). Capes 1 292 (26 997/1 314). Capet 408 (22 685/408).

Agrégation externe

Domaines	Postes				Admis				Présents
	1989	90	91	92	1989	90	91	92	1992
Philosophie	72	87	87	87	72	87	87	87	810
Lettres classiques	95	115	115	115	95	116	115	115	398
Grammaire	12	15	15	15	12	15	15	15	44
Lettres modernes	173	209	209	209	165	196	193	181	1 169
Histoire	127	153	172	172	127	153	172	172	1 700
Géographie	57	69	50	50	57	69	50	50	281
Sciences sociales	41	49	49	49	41	49	49	49	220
Allemand	92	92	92	92	80	75	70	64	249
Anglais	195	235	235	235	177	178	193	194	1 046
Espagnol	59	72	72	72	59	72	72	72	439
Langues rares	23	28	26	13 [1]	22	26	24	13 [1]	82 [1]
Mathématiques	400	483	485	484	350	398	415	416	1 340
Sc. physiques	359	434	434	433	239	247	311	282	1 348
Sc. naturelles	148	178	154	154	148	178	154	154	926
Mécanique	365	388	127	123	191	183	77	62	227
Économie, gestion	154	229	229	229	154	176	175	148	1 154
Arts	89	107	107	107	63	103	86	81	421
EPS	39	47	47	47	39	46	38	33	346
Total	*2 500*	*3 000*	*3 000*	*3 000*	*2 091*	*2 367*	*2 431*	*2 369*	*12 956*

Nota. – (1) Italien.

Capes / Capeps externes

Domaines	Postes				Admis				Prés.
	1989	90	91	92	1989	90	91	92	1992
Philosophie	100	130	106	225	100	130	106	188	1 077
Lettres classiques	310	445	365	460	310	272	307	217	392
Lettres modernes	1 060	1 615	1 320	2 100	708	1 089	1 038	1 332	2 893
Hist.-Géogr.	1 450	1 775	1 427	2 170	1 050	1 219	1 180	1 734	4 733
Allemand	100	130	106	225	100	130	106	173	693
Anglais	1 254	1 585	1 317	2 135	841	1 048	871	898	2 940
Espagnol	488	555	450	687	245	509	450	510	1 393
Langues rares, rég.	37	38	45	30 [1]	33	34	39	30 [1]	196 [1]
Mathémat.	1 599	1 917	1 543	2 351	1 111	1 048	1 201	1 207	2 282
Sc. physiques	–	1 779	1 432	1 432	634	928	1 165	1 046	1 837
Sc.naturelles	120	170	137	255	120	170	137	255	1 522
Sc. éco, sociales	200	270	244	250	111	130	156	226	1 133
Arts	410	452	363	432	292	381	295	357	1 088
Document.	–	100	515	760	–	100	387	562	1 302
EPS	533	832	680	865	534	832	680	865	2 090
Total	*9 004*	*11 544*	*10 050*	*14 420*	*6 189*	*8 020*	*8 118*	*9 637*	*25 798*

Nota. – (1) Italien.

☞ *1987 :* création de Capes et Capet internes. *1988 :* assouplissement des conditions d'accès : suppression du principe de correspondance entre la discipline de la licence obtenue et la section du Capes visé (JO du 15-9-87). Par ailleurs, les titulaires d'une maîtr. obtenue après dispense de licence peuvent se présenter au Capes (concerne titulaires de dipl. de grandes écoles ou de dipl. étranger, admis à l'université sur équivalence d'une licence).

Postes offerts aux concours externes de recrutement des enseignants des collèges et lycées (prévisions 1992)

	1990	1991	1993
Capes, Capeps, Capet	13 300	11 500	14 420
PLP 2	1 500	1 800	1 780
Agrégation	3 000	3 000	3 000
Total	*17 800*	*16 300*	*19 200*

Capes / Capeps internes

Domaines	Postes				Admis				Présents
	1988	89	90	92	1988	89	90	92	1992
Philosophie	48	67	80	180	38	50	40	77	220
Lettres classiques	53	73	86	45	53	50	40	22	35
Lettres modernes	610	809	957	965	316	433	452	436	938
Hist. Géogr.	410	575	681	817	410	472	449	438	824
Allemand	111	155	184	285	82	74	73	84	353
Anglais	312	436	516	854	293	321	346	289	988
Espagnol	94	132	157	330	64	95	97	171	472
Langues rares	35	499	59	80 [1]	21	36	41	37 [1]	89 [1]
Mathématiques	265	450	533	605	265	450	369	335	665
Sc. physiques	298	500	593	340	298	293	224	188	367
Sc. naturelles	158	220	260	390	158	220	215	218	518
Sc. éco, sociales	24	32	38	140	24	31	38	95	218
Arts	132	132	156	150	59	60	78	103	206
Document.			300	600			300	556	1 221
EPS			400	550			400	550	1 424
Total	*2 550*	*3 630*	*5 000*	*6 370*	*2 081*	*2 585*	*3 193*	*3 626*	*8 615*

Nota. – (1) Italien.

Capet et autres concours

Domaines	Postes				Admis				Prés.
	1988	89	90	92	1988	89	90	92	1992
Capet [1]	1 300	1 410	1 500	1 780	578	824	1 040	1 411	3 744
Capet [2]	700	868	1 300	1 200	674	800	1 128	1 018	2 662
CP/Capet [1]	440	544	550	–	366	477	539	–	–
CP/Capet [2]	150	223	250	–	143	210	234	–	–
PLP2 [1]	900	1 100	1 500	1 850	747	931	1 176	1 471	3 926
PLP2 [2]	900	1 100	1 100	1 850	1 640	1 096	1 096	1 816	8 422
CPE [3]	275	300	500	670	275	300	500	664 [7]	2 784
ECO [4]	60	60	100	670	60	60	100	664 [7]	2 784
CE [5]	175	200	–	670	175	200	–	664 [7]	2 784
CAFCO [6]	–	–	117	670	–	–	113	664 [7]	2 784

Nota. – (1) C. externe. (2) C. interne. (3) Conseillers principaux d'éducation. (4) Élèves conseillers d'orientation. (5) Conseillers d'éducation. (6) Certificat d'aptitude aux fonctions de conseiller d'orientation. (7) Hors liste complémentaire.

Concours d'accès à l'échelle de rémunération des certifiés en 1990

Concours	Postes offerts	Présents	Admis
Capes/Capeps	711	1 975	640
Capet	188	604	160
CP/Capet	37	50	19
PLP1	614	274	192
PLP2	226	1 532	168
Total	*1 786*	*4 435*	*1 179*

Inspection

Inspection d'académie. Nombre inspections : 100. Inspecteurs : 563. **Recrutement :** par délibération d'une commission consultative à l'Insp. gén. de l'Éd. nat. sur titres et compétences. **Rôle :** l'inspecteur représente le recteur dans le département (sauf pour l'ens. supérieur) et a autorité sur les inspec. départ. Il inspecte les écoles et établissements secondaires publics et privés, a une mission permanente d'animation et de contrôle, d'information et de conseil. Compose les jurys des examens, organise le bac, gère le personnel du primaire, note celui du secondaire (géré au plan national), et dep. 1983, évalue l'ensemble du système éducatif et non plus seulement l'inspection individuelle des enseignants.

Inspection pédagogique régionale. Inspections : 26 (1 par académie). **Chargés d'inspection** *péd. rég., (auxiliaires des inspecteurs généraux) 1982 :* 542 ; *83 :* 588 ; *84 :* 593. *86 :* 607.

Inspection générale. De l'Éducation nationale (enseign. et vie scolaire) : 197. **Départementale :** 1 381. Enseign. technique 327. Information et orientation 114. Apprentissage 200.

Enseignement supérieur

Catégories d'enseignants

■ **Titulaires. Professeurs :** font progresser la recherche par leurs propres travaux ou en dirigeant des équipes de chercheurs ; président les jurys d'examens, de mémoires et de thèses ; dirigent univ. et UER qu'elles regroupent ; participent au perfectionnement des autres enseignants et aux programmes d'éd. permanente ; participent à l'orientation et à l'information des étudiants. *Nomination :* par le ministre de l'Éduc. nat. sur proposition(s) de la commission de spécialité et d'établissement ratifiée(s) par le Conseil sup. provisoire des univ. (CSPU) dep. le 24-8-1982. Ils doivent être docteurs d'État et avoir effectué au moins 2 a. d'ens. magistral.

Maîtres de conférences (avant, m.-assistants) : dirigent les séances de travaux dirigés (TD) et de tr. pratiques (TP) sous l'autorité des enseignants de rang magistral, et donnent des ens. d'appoint dans le 1er cycle univ. (droit et sciences économiques, lettres, sciences et pharm.). *Recrutement :* par concours, doivent être titulaires d'un doctorat de 3e cycle, prof. agrégés, admissibles à l'agrégation ou inscrits sur la liste d'aptitude aux fonctions de maître-assistant au 15-8-79. *Nomination :* par le ministre de l'Éduc. nat. à partir d'un choix effectué par la commission de spécialité et d'établ., et ratifié par le CSPU après avis du conseil de l'UFR et du conseil d'établissement.

Assistants : doivent animer les travaux pratiques ou dirigés ; en fait font aussi des cours magistraux, corrigent des examens, organisent les enseignements et dirigent parfois des mémoires de maîtrise (sont suppléés par des chargés de travaux pratiques). Beaucoup doivent faire des travaux de recherche pour être titularisés et sont ainsi surchargés : leur recherche en pâtit. *Recrutés* au minimum au niveau de la licence ou de la maîtrise, en fait au niveau de l'un au moins des diplômes conduisant à un doctorat de 3e cycle ou à un doctorat d'État.

☞ *Heures de présence des prof. d'université :* en 1982, une circulaire d'Alain Savary précisait que les enseignants d'une univ. ou d'une école devaient à cet établ. leur temps plein d'activité prof., soit la durée légale du travail 39 h/sem., avec 32 j ouvrables de congés. Les enseignants ont rappelé les nombreux travaux de correction, préparation de cours magistraux, surveillance d'examens, recherche, etc., qu'ils devaient assurer en plus de leurs cours.

☞ **Réforme des carrières universitaires** (arrêté du 6-6-1984). Création de 2 corps d'enseignants du supérieur : maîtres de conférence et professeurs des Universités, ayant un statut d'*enseignants-chercheurs.* Cette nouvelle organisation devait aboutir à la mise en extinction progressive (dans les 5 ans) des corps de maîtres-assistants et d'assistants. Les enseignants-chercheurs seront recrutés au niveau national (diplômes) et local (intervention des établissements). *Obligation des services :* enseignement par an : cours 128 h ; travaux pratiques 288 h ; travaux dirigés 192 h. Chaque enseignant-chercheur doit établir tous les 4 ans un rapport d'activité sur sa mission (enseignement et recherche).

■ **Personnels temporaires.** Ex. : **Assistants** (méd., odontologie) : recrutés pour un max. de 6 a. en lettres et de 7 a. en médecine. **Délégués à titre temporaire :** peuvent être nommés pour un intérim, ou en cas d'impossibilité de nomination d'un titulaire. **Enseignants associés :** Français ou étrangers, ens. ou non, spécialistes d'une discipline donnée, ne remplissant pas des conditions normales de recrutement. Recrutés pour une période pouvant atteindre 2 a., prolongeable annuellement par décision ministérielle.

■ **Autres enseignants dans les Univ. Ens. du 2e degré.** Peuvent être mis à la disposition de l'ens. sup. mais restent titulaires dans leur corps d'origine. *Emplois de type univ.* (ex. : agrégés et certifiés nommés à des emplois d'ass.) ; ou *de type 2e degré* (ex. : agrégés et certifiés, et prof. techn., adjoints de lycée techn. enseignant dans les IUT). **Prof. étrangers :** recrutés comme prof. ou maîtres de conf. titulaires, sur proposition des instances compétentes de l'univ. et du Comité consultatif des univ.

Disciplines médicales et odontologiques

Les enseignants exercent des fonctions d'ens. et de recherche et des fonctions hospitalières au sein d'un CHU regroupant une ou plusieurs UFR médicales et un CHR (Centre hosp. régional), ou une UFR d'odontologie et le service de consultations et de traitements dentaires d'un CHU.

Médecine. Titulaires : *prof. tit. des univ.* (en même temps médecins, chirurgiens, spécialistes ou biologistes des hôpitaux, en qualité de chef de service) ; *maîtres de conf. agrégés des univ.* (en même temps médecins, chirurgiens, spécialistes ou biol. des hôp. en qualité ou non de chef de serv.) ; *chefs de travaux* des univ.-ass. des hôp. (disciplines biol.) **Temporaires :** *chefs de clinique des univ.*-ass. des hôp. (disc. cliniques) ; *ass. des univ.*-ass. des hôp. (disc. biol.).

Odontologie. Titulaires : *prof. de catégorie exceptionnelle* de chirurgie dentaire-odontologistes des services de consultation et de traitement dent. (assimilés aux maîtres de conf.) ; *prof. du 1er grade* (ass. aux maîtres-assistants) ; *prof. du 2e grade* (ass. aux chefs de travaux). **Temporaires :** *assistants* de chir. dent.-odontologistes, ass. des services de consultation et de traitement dent.

☞ **Recrutement :** *Les chefs de travaux des disciplines médicales* parmi les assistants des hôpitaux ayant exercé 3 ans. *Professeurs de 2e grade de chirurgie dentaire :* parmi les assistants de chirurgie dent. ayant exercé au moins 2 ans.

Statistiques

Enseignants dans l'enseignement supérieur public (1991-92)

Légende : P. : professeurs et maîtres de conférences (médecine), chargés de cours (droit), chargés d'enseign. (lettres). *M.-C. :* maîtres de conférences et maîtres-assistants ainsi que chefs de travaux (médecine et odontologie) et professeurs des 1er et 2e grades (odontologie). *A. :* assistants. *D. :* divers (fonctions types 2e degré, fonctions spécifiques des grands établ. et des établ. français à l'étranger, lecteurs étrangers en lettres allocataires d'ens. sup.).

■ Nombre. **Sciences juridiques, politiques, économiques et de gestion :** 5 361 dont *P.* 1 589, *M.-C.* 2 026, *A.* 825, *D.* 921. **Lettres et sciences humaines :** 10 409 dont *P.* 3 188, *M.-C.* 5 993, *A.* 564, *D.* 664. **Sciences :** 20 830 dont *P.* 5 877, *M.-C.* 11 283, *A.* 860, *D.* 2 810. **Santé :** 11 564 dont *P.* 4 550, *M.-C.* 3 038, *A.* 3 929, *D.* 27.

■ Répartition par âge (en %). Droit. **Professeurs :** *- de 30 a. :* 0 ; *30 à 34 a. :* 2,33 ; *35 à 39 a. :* 6,5 ; *40 à 44 a. :* 14,5 ; *45 à 49 a. :* 27,6 ; *50 à 54 a. :* 19,1 ; *55 à 59 a. :* 15,7 ; *60 a. et + :* 14,3. **Maîtres de conférences :** *- de 30 a. :* 1,3 ; *30 à 34 a. :* 11 ; *35 à 39 a. :* 14,4 ; *40 à 44 a. :* 21,9 ; *45 à 49 a. :* 27,9 ; *50 à 54 a. :* 13 ; *55 à 59 a. :* 6,3 ; *60 a. et + :* 4,2. **Assistants :** *- de 30 a. :* 0,4 ; *30 à 34 a. :* 5,25 ; *35 à 39 a. :* 16 ; *40 à 44 a. :* 26,4 ; *45 à 49 a. :* 30 ; *50 à 54 a. :* 13,4 ; *55 à 59 a. :* 6,3 ; *60 a. et + :* 2,2.

Lettres. **Professeurs :** *- de 30 a. :* 0 ; *30 à 34 a. :* 0,1 ; *35 à 39 a. :* 1,5 ; *40 à 44 a. :* 7,2 ; *45 à 49 a. :* 18,4 ; *50 à 54 a. :* 21,9 ; *55 à 59 a. :* 23,9 ; *60 a. et + :* 27. **Maîtres de conférences :** *- de 30 a. :* 0,3 ; *30 à 34 a. :* 3,8 ; *35 à 39 a. :* 10,2 ; *40 à 44 a. :* 16,9 ; *45 à 49 a. :* 24,9 ; *50 à 54 a. :* 20,1 ; *55 à 59 a. :* 15,5 ; *60 a. et + :* 8,3. **Assistants :** *- de 30 a. :* 3,9 ; *30 à 34 a. :* 6,9 ; *35 à 39 a. :* 12,1 ; *40 à 44 a. :* 22,8 ; *45 à 49 a. :* 25,5 ; *50 à 54 a. :* 14 ; *55 à 59 a. :* 10,8 ; *60 a. et + :* 4,1.

Sciences. **Professeurs :** *- de 30 a. :* 0 ; *30 à 34 a. :* 0,9 ; *35 à 39 a. :* 3,4 ; *40 à 44 a. :* 10,1 ; *45 à 49 a. :* 28,3 ; *50 à 54 a. :* 28 ; *55 à 59 a. :* 18,1 ; *60 a. et + :* 11,1. **Maîtres de conférences :** *- de 30 a. :* 2,7 ; *30 à 34 a. :* 13,4 ; *35 à 39 a. :* 10,7 ; *40 à 44 a. :* 12,9 ; *45 à 49 a. :* 26,8 ; *50 à 54 a. :* 20 ; *55 à 59 a. :* 10,9 ; *60 a. et + :* 2,8. **Assistants :** *- de 30 a. :* 4,8 ; *30 à 34 a. :* 8,4 ; *35 à 39 a. :* 11,4 ; *40 à 44 a. :* 18,7 ; *45 à 49 a. :* 25,4 ; *50 à 54 a. :* 16,7 ; *55 à 59 a. :* 10,8 ; *60 a. et + :* 3,8.

Santé. **Professeurs :** *- de 30 a. :* 0 ; *30 à 34 a. :* 0,6 ; *35 à 39 a. :* 3,2 ; *40 à 44 a. :* 11,3 ; *45 à 49 a. :* 23,6 ; *50 à 54 a. :* 17 ; *55 à 59 a. :* 19,3 ; *60 a. et + :* 26,1. **Maîtres de conférences :** *- de 30 a. :* 0,2 ; *30 à 34 a. :* 5,2 ; *35 à 39 a. :* 13,9 ; *40 à 44 a. :* 23,2 ; *45 à 49 a. :* 25,4 ; *50 à 54 a. :* 15,3 ; *55 à 59 a. :* 9,9 ; *60 a. et + :* 7. **Assistants :** *- de 30 a. :* 4,8 ; *30 à 34 a. :* 69 ; *35 à 39 a. :* 16,5 ; *40 à 44 a. :* 3,8 ; *45 à 49 a. :* 3,1 ; *50 à 54 a. :* 1,4 ; *55 à 59 a. :* 0,8 ; *60 a. et + :* 0,6.

Total. **Professeurs :** *- de 30 a. :* 0 ; *30 à 34 a. :* 0,6 ; *35 à 39 a. :* 3,2 ; *40 à 44 a. :* 11,3 ; *45 à 49 a. :* 23,6 ; *50 à 54 a. :* 22,5 ; *55 à 59 a. :* 19,4 ; *60 a. et + :* 19,3. **Maîtres de conférences :** *- de 30 a. :* 1,6 ; *30 à 34 a. :* 9,5 ; *35 à 39 a. :* 11,3 ; *40 à 44 a. :* 16,2 ; *45 à 49 a. :* 26,2 ; *50 à 54 a. :* 18,7 ; *55 à 59 a. :* 11,6 ; *60 a. et + :* 5. **Assistants :** *- de 30 a. :* 4 ; *30 à 34 a. :* 26,9 ; *35 à 39 a. :* 13,7 ; *40 à 44 a. :* 16,1 ; *45 à 49 a. :* 18,8 ; *50 à 54 a. :* 10,5 ; *55 à 59 a. :* 7,2 ; *60 a. et + :* 2,7.

■ Nombre d'étudiants. **Par enseignant** dans Univ. et Centres univ. (toutes disciplines). **1928-29 :** 55 dont prof.-maîtres de conf. 72, maîtres-ass.-chargés de tr. 230 ; **49-50 :** 41 dont prof.-m. de c. 161, m.-ass.-chargés de tr. 68 ; **65-66 :** 22 dont pr.-m. de c. 78, m.-ass.-chargés de tr. 105, ass. 45 ; **75-76 :** 20 dont pr.-m. de c. 73, m.-ass.-chargés de tr. 67, ass. 46 ; **81-82 :** droit, sc. écon. 50,3, lettres 33,2, sciences 9,3, santé 16,6. **Par professeur seul. 1928-29 :** 121, **49-50 :** 210, **65-66 :** 190, **75-76 :** 277, **78-79 :** 191, **81-82 :** 83,4, **82-83 :** 83.

ENSEIGNEMENT FRANÇAIS A L'ÉTRANGER

■ **Élèves apprenant le français** (en milliers) et, entre parenthèses, **nombre d'enseignants (1989).** Afrique du Sud 15,5 (303), Algérie 6 500 (n.c), Allemagne 16, Angola 56 (106), Arabie Saoudite 2,6 (30), Argentine 250 (n.c), Autriche 79 (800), Bangladesh 1 (12), Belgique 1 840 (n.c), Bénin 600 (18 488), Birmanie 784 (14), Bolivie 150 (1 000), Bostwana 1 (n.c), Brésil 300 (2 570), Brunei 0,2 (2), Bulgarie 260 (3 600), Burundi 640 (9 681), Canada 3 500 (n.c), Centrafrique 335 (5 841), Chine 70 (100), Chypre 26 (132), Colombie 1 000 (6 780), Comores 85 (2 604), Congo 678 (12 760), Corée du Sud 430 (500), Costa Rica 100 (n.c), Côte-d'Ivoire 2 061 (53 440), Cuba 6,3 (254), Danemark 103 (n.c.), Djibouti 43,5 (1 111), Égypte 1 500 (8 858), Espagne 2 300 (n.c), États-Unis 1 200 (n.c), Éthiopie 2,9 (n.c), Fidji 0,4 (6), Finlande 38,4 (n.c), Gabon 224 (6 205), Ghana 272 (2 617), G.-Bretagne 3 000 (31 000), Guatemala 2,8 (36), Guinée 363 (8 434), Guinée Éq. 68 (1 252), Haïti 1 203 (33 285), Honduras 1,7 (63), Hongrie 25 (690), Inde 52 (1 223), Indonésie 41 (707), Irlande 226 (1 755), Islande 1,8 (40), Israël 43 (457), Italie 2 020 (22 700), Jamaïque 7,7 (92), Japon 390 (2 414), Jordanie 16,5 (135), Kenya 15,7 (342), Koweït 22,5 (274), Laos 8,1 (90), Liban 670 (n.c), Liberia 300 (550), Libye 1,3 (55), Luxembourg 45,5 (n.c), Madagascar 2 000 (53 684), Malaisie 2,2 (78), Malawi 6,4 (49), Mali 461 (16 036), Malte 9,6 (76), Maroc 1 800 (16 200), Maurice 208 (6 395), Mexique 64 (800), Mozambique 0,4 (6), Népal 0,7 (7), Nicaragua 2,8 (35), Niger 368 (9 720), Norvège 35 (n.c), N.-Zélande 35 (640), Ouganda 12,6 (104), Pakistan 3 (52), Panamá 5,4 (62), Papouasie-N.-Guinée 500 (13), Paraguay 6,7 (102), Philippines 4,1 (n.c), Pologne 118 (n.c), Porto Rico 4 (n.c), Portugal 491 (n.c), Qatar 2,3 (35), Saint-Domingue 300 (n.c), Salvador 3,5 (86), Sénégal 700 (n.c), Seychelles 21,8 (1 176), Sierra Leone 120,5 (263), Singapour 4,6 (51), Somalie 1,6 (35), Sri Lanka 2,2 (123), Suède 115 (927), Suisse 951 (n.c), Syrie 300 (1 725), Tanzanie 1,8 (n.c), Tchad 385 (7 050), Thaïlande 38 (730), Togo 606 (14 681), Turquie 385 (4 158), URSS 2 700 (22 400), Uruguay 170 (920), Vanuatu 10,4 (371), Venezuela 45 (540), Yemen (Nord) 300 (10), Yougoslavie 340 (n.c), Zambie 30 (340).

■ **Élèves enseignés en français par rapport au nombre total d'enseignés** (en %) : *Europe* occid. (Fr. exclue) 20,23, de l'Est 4,9 ; *Maghreb* 69,67 ; *Afrique* francophone 75,96, non franc. 2,62 ; *Proche et Moyen-Orient* 10,74 ; *Amér. du N.* 13,03 ; *Amér. latine et Caraïbes* 3,03 ; *Asie et Océanie* 0,19.

■ **Établissements scolaires français à l'étranger** (aidés par les min. des Aff. Étr. ou de la Coopér. et du Développement ; 1990-91). *Nombre d'établ.,* entre parenthèses *nombre d'enseignants* et en italique *nombre d'élèves :* total 289 (5 430) *144 320* dont Europe 60 (1 592) *38 753*. Asie-Océanie 35 (266) *6 334*. Afr. du N. 60 (1 349) *32 887*. Afr. subsaharienne 96 (1 305) *35 137*. Amériques 48 (918) *31 209*.

Alliance française : 101, bd Raspail, Paris 6e. *Créée :* 1883. *Pt :* Marc Blancpain (n. 29-9-1909). *Secr. gén. :* Jean Harzic (n. 1936). *Objectif :* diffusion de la langue et de la civilisation fr. dans 127 pays par 1 063 comités ou associations affiliées (manif. socio-cultur., bibliothèques et cours de langue fr.). Activité enseignante dans plus de 1 000 centres. **Étudiants** (1991) : 387 500 dont (en %) Amér.-Antilles 49,36, Europe 20,66, Asie-Océanie 18,04, Afrique 11,93. *Pays ayant le plus d'étudiants :* Argentine 38 024, Brésil 32 177, Colombie 25 182, Pérou 23 182, Mexique 20 108, USA 15 944. *Villes en comptant le plus :* Lima 16 492, Hong Kong 13 938, Buenos Aires 11 398, Nairobi 8 859, São Paulo 5 947, Mexico 5 371, Bogota 5 207, Rio 4 838, New York 4 570. *Paris :* reçoit 4 000 ét./par j. débutants à prof. stagiaires de fr. langue étrangère.

Mission laïque française (1984-85) : *établissements :* 90 dans 40 pays dont : établ. affiliés 10, écoles liées par convention 20, éc. d'entreprise 50. *Enseignants :* 1 265 locaux dont 820 recrutés. *Élèves :* 18 537 dont : Français ou binationaux, nat. 11 318 ; étrangers tiers 2 160. *Répartition par cycle* (%) : maternelle 19,69 ; élémentaire 40,91 ; collèges 28,61 ; lycées 9,57.

■ Instituts et centres culturels français. Dépendant de la DGRC et sous le contrôle ou la direction des ambassades et de leurs services culturels. **Nombre :** *1988 :* 111 + 37 annexes et 3 délégations cult. Europe 66, Proche et M.-Orient 13, Afr. du N. 14, Sud du Sahara 5, Asie-Océanie 10, Amérique 3. **Élèves :** *1987 :* 120 000 dont : Europe occidentale : 75 000 ; Afr. du N. : 10 000 ; Proche et M.-Orient : 12 000. **Personnel :** 1 160 (dont Français 899 et volontaires du service nat. actif 201, étrangers 60).

■ Enseignants. Env. 20 000 enseignants français exerçant hors de France dont titulaires du min.

BREVETS

STATISTIQUES

Demandes de protection par brevet en France (1991). 75 800 dont 12 597 d'origine française et 63 203 d'origine étrangère. Parmi ces 63 203, les principaux demandeurs sont : USA : 20 199, Allemagne : 12 057, Japon : 12 335, Grande-Bretagne : 4 448, Italie : 2 299 et Suisse : 2 322.

Balance des échanges techniques (en millions de F). **Déficit global :** *1980 :* 767. *81 :* 462. *82 :* 933. *83 :* 674. *84 :* 920. *85 :* 1 525. *86 :* 1 598. *87 :* 2 308. *88 :* 2 268. *89 :* 2 032. *90 :* 3 329. **Déficits les plus importants.** *Par branches* (1990) : Mat. de traitement de l'information 1 033. Prod. des ind. agric. et alim. 625. Parachimie 960. Prod. chim. de base 443. *Par pays :* USA 5 724. Pays-Bas 1 415. Suisse 363. **Excédents les plus importants.** *Par branches :* Études techniques ingénierie 979. Parfumerie 612. Pneumatiques et autres prod. en caoutchouc 538. Textiles articles d'habillement 421. *Par pays :* Italie 870. Japon 670. Espagne 638.

Brevets déposés dans le monde (1990). Brevets déposés par des nationaux à l'étranger, entre parenthèses par des nationaux dans le pays, en italique par des étrangers dans le pays. Allemagne 135 (53) *60*. France 55 (12) *60*. G.-B. 62 (24) *66*. Italie 25 (3) *50*. Japon 115 (317) *40*. USA 237 (82) *78*.

QUELQUES ADRESSES

Appareils ou produits. Institut national de la propriété industrielle, 26 bis, rue de St-Pétersbourg, 75008 Paris. *En province* centres régionaux. Autres correspondants régionaux pour accomplir les formalités : préfectures pour brevets d'invention ; greffes des tribunaux de commerce ou trib. de grande instance statuant commercialement pour le registre du commerce et des Stés, les marques de fabrique de commerce ou de service et les dessins et modèles. Déposer la description détaillée de l'invention (elle doit répondre à 3 critères : technique nouvelle, application industrielle, activité inventive). *Taxe de dépôt* d'une demande de brevet, de certif. d'utilité ou de certif. d'addition 250 F ; *d'avis* documentaire, de nouveauté ou de rapport de recherche 3 600 F ; *de délivrance et d'impression du fascicule* 560 F. *Maintien d'un brevet :* possible 20 ans (non renouvelables) moyennant des annuités (170 F la 1re an. à 3 610 F la 20e). Un certificat d'utilité est valable 6 ans moyennant des annuités (de 160 F la 1re année à 360 F la 6e). **Organisation mondiale de la propriété industrielle (OMPI).** Instaurée suite à la convention de Stockholm du 14 juillet 1967 (à laquelle 128 États ont souscrit). Siège : Genève. **Organisation européenne des brevets (OEB).** *Créée* oct. 1973.

Audiovisuel. Sté civile des auteurs multimedia, 38, rue du Fg-St-Jacques, 75014 Paris. Perception et répartition des droits d'auteurs des œuvres documentaires et littéraires. *Droit d'entrée :* 100 F. *Cotisation unique :* 100 F pour adhésion SCAM-SGDL.

Créations d'art visuel. Sté des auteurs des arts visuels (Spadem), 15, rue Saint-Nicolas 75012 Paris. Perception et répartition des droits d'auteur des arts visuels. Représente 14 000 artistes. *Dir :* Martine Dauvergne. *Droit d'entrée :* 100 F.

Créations artistiques applicables à l'industrie (objets, formes, créations publicitaires, dessins, titres de création ou d'activité). **Sté pour la protection des arts visuels, des modèles et des marques** (Artema) sous licence exclusive Spadem 11, rue La Bruyère, 75009 Paris. *Abonnement annuel* pour non-inscrit au RC 380 F, inscrit : 1 050 F.

Littérature. Sté des gens de lettres de France, 38, rue du Fg-St-Jacques, Paris 14e. Défense professionnelle, conseils juridiques, action culturelle. *Adhésion* SGDL-SCAM : 100 F. *Cotis. ann. :* 100 F.

Œuvres dramatiques, dramatico-musicales, lyriques et chorégraphiques, au théâtre, au cinéma, à la radio, à la télévision. Sté des auteurs et compositeurs dramatiques. 11 bis, rue Ballu, 75442 Paris Cedex 09. *But :* perception et répartition des droits d'auteur, promotion du répertoire français, défense des auteurs. *Adhésion :* 250 F.

Œuvres musicales avec ou sans paroles (chansons, pièces instrumentales, improvisations de jazz, musiques de films) ; **littéraires** (saynètes, poèmes, monologues, duos). **Sté des auteurs compositeurs et éditeurs de musique** (Sacem), 225, av. Charles-de-Gaulle, 92521 Neuilly. *Adhésion :* 580 F. *Cotisation par répartition :* 36 F pour auteurs et compositeurs ; 54 F pour éditeurs.

Fédération nat. des associations françaises d'inventeurs, 79, rue du Temple, 75003 Paris.

Syndicat nat. des chercheurs et usagers de la propriété industrielle et intellectuelle (SNCUPI), 183, rue Paradis, 13006 Marseille.

Société des auteurs dans les arts graphiques et plastiques (ADAGP). 11, rue Berryer, 75008 Paris. *Créée* 1953, perçoit et répartit les droits d'auteur. Reçoit les dépôts de créations graphiques, taxe 120 F par œuvre. Représente + de 10 000 artistes.

☞ La loi du 26-11-1990 a créé la profession de conseil en propriété industrielle. Les anciens conseils en brevet en sont automatiquement membres.

de la Coop. (pays d'Afr. francophone au sud du Sahara) 2 829, du min. des Relations ext. 8 177 ; auxiliaires recrutés localement 8 708. **Comparaison.** G.-B. 6 200 enseign. à l'étranger + 2 000 volontaires.

■ Écoles françaises à l'étranger

■ **École française de Rome.** *Fondée* 20-11-1875 pour accroître l'influence culturelle française après la défaite de 1871. Installée au palais Farnèse avec une annexe Piazza Navona. *But :* développement et diffusion des recherches sur l'histoire de l'Italie (Antiquité, Rome, Moyen Age, It. moderne et contemporaine). *Activités :* publications des travaux, fouilles et recherches archéologiques. *Organisation :* 1 directeur, 3 dir. d'études (Antiquité, Moyen Age, hist. moderne et contemporaine), 17 membres (2 ou 3 ans en poste) dont 8 (Antiquité), 4 (médiéval), 5 (moderne et contemporain), 130 bourses mens. par an pour de jeunes doctorants.

■ **Institut français d'archéologie orientale du Caire.** *Fondé* 28-12-1880. *Pensionnaires :* 6 (Égypte ancienne, gréco-romaine, islamique).

■ **École française d'archéologie d'Athènes.** *Fondée* 11-9-1846. *Champ des recherches :* essentiellement Grèce ; une fouille à Chypre. *Organisation :* 1 directeur, 9 membres (3 ou 4 ans en poste) quelques m. étrangers. Bourses mens. pour de jeunes doctorants.

■ **Casa de Velázquez** (Madrid). *Fondée* mai 1916 par Alphonse XIII pour nouer des relations culturelles privilégiées entre la France et l'Espagne. École française, centre de recherches pour artistes, universitaires, sociologues, géologues, économistes, ethnologues français hispanisants ; bâtiments inaugurés en 1928, reconstruits en 36 et 59. *Membres :* section artistique 13, scientifique 18.

■ **École française d'Extrême-Orient.** *Fondée* 1901. *Domaines :* Inde à Japon, Tibet à Indonésie. Archéologie, épigraphie, philologie, anthropologie, ethnologie, etc. *Siège : Paris* (implantations en Inde, Indonésie, Japon).

☞ **Crédits alloués** (en millions de F, 1992). 52,2 dont Éc. de Rome 14,6 ; Casa de Velásquez 10,2 ; Inst. fr. d'arch. orient. 11,5 ; Éc. d'Athènes 10,7 ; Éc. fr. d'Extr.-Or. 5,2.

La recherche

Comparaisons internationales

Budget

■ **Budget mondial de la recherche.** En %. (*Source :* Colin Norman). Militaire 24, recherche 15, espace 8, énergie 8, santé 7, informatique 5, transport 5, pollution 5, agriculture 3, divers 20.

Dépense nationale de recherche-développement financée par le gouvernement en % des dépenses publiques totales (1988). G.-B. 6,8. USA 6,8. *France 4,9.* Allemagne 4. Japon 3,6. Italie 2,8. Canada 2,6. **En % du PIB** (1990). Japon 2,88. Allemagne 2,81. USA 2,8. *France 2,4.* G.-B. 2,2. Canada 1,38. Italie 1,35.

■ **Effectifs. Nombre de chercheurs et scientifiques par million d'habitants** (1980) : Pays développés 2 600 ; p. en développ. 100 (Asie, Japon compris 355, Amér. lat. 179, Afrique 77). *Source :* Unesco.

Nombre de chercheurs (ou diplômés universitaires) par pays (1991). Allemagne 176 401 [3]. Australie 38 631 [2]. Autriche 8 782 [3]. Belgique 18 465 [4]. Canada 62 510 [3]. Danemark 10 962 [3]. Espagne 32 914 [3]. Finlande 10 593 [1]. *France 124 060* [4]. Grèce 5 461 [3]. Irlande 6 477 [4]. Islande 695. Italie 77 876 [4]. Japon 582 815 [4]. Nlle-Zélande 4 721 [4]. Norvège 12 156 [4]. P.-Bas 26 680 [4]. Portugal 5 003 [2]. Royaume-Uni 130 000 [2]. Suède 25 400. Suisse 14 250 [3]. Turquie 12 234 [4]. USA 949 300 [3]. Yougoslavie 34 770 [3].

Nota. – (1) 1987. (2) 1988. (3) 1989. (4) 1990.

Chercheurs par rapport à la population active (pour mille 1983) [1]. Japon 7,4 ; USA 6,4 ; All féd. 4,7 ; *France 3,9 ;* G.-B. 3,6 [2] ; Canada 2,7 ; Italie 2,5.

Nota. – (1) En personnes physiques et non en équivalent plein temps. (2) Hors enseignants chercheurs et chercheurs du secteur ISBL.

Les dépenses de recherche développement

	All.	France	G.-B.	USA	Jap.
En milliards de F.	164	113	117	870	289
En % du PIB	2,71	2,25	2,42	2,80	2,59
Financement					
industrie (%)	62	41	48	47	74
État (%)	37	53	43	53	26
Part de la défense dans crédits publics	12	31	50	70	3
Exécution de R & D ind. (% du PIB)	1,98	1,33	1,62	1,99	1,86

Source : Principaux indicateurs de la science et de la technologie, OCDE 1988.

Recherche en France

■ Statistiques

Budget (en milliards de F). *1986 :* 37,6. *87 :* 38,4. *88 :* 39,3. *89 :* 42,4. *90 :* 45,4. *91 :* 48,7. *92 :* 51,1. *93 :* 53,7 dont organismes de recherche univ. 35,3, grands programmes technologiques 9,5, recherche industr. 8,9.

Dotation des organismes (en millions de F, 1993). *Établissements publics scientifiques et technologiques (EPST)* 19 601 dont INRA 3 051, CEMAGREF 184, INRETS 201, INRIA 416, CNRS et instituts 12 385, CNRS 11 492, INSERM 2 298, INED 81, ORSTOM 985. *Fondations* 685 dont Institut Pasteur 389,6 [1] (dont Paris 312,8 [1], outre-mer 23,5 [1], étranger 17,8 [1], Lille 30,2 [1], Lyon 1 [1]), ANRS 210, Institut Curie 33,3, Institut Gustave Roussy 1. *Établissements publics industriels et commerciaux (EPIC)* 18 137 dont ADEME 264, IFREMER 947, CSI 609, CIRAD 647, CEA 6 471, CNES 9 199. *Administration de la recherche* 2 130.

Nota. – (1) 1992.

Aides à la recherche. Crédit Impôt Recherche : égal à 50 % de la différence entre les dépenses de recherche et de développement d'une année civile, et la moyenne des dépenses des 2 années précédentes, revalorisées de l'indice moyen des prix à la consommation. En 1992 : a profité à 8 000 entreprises (4,5 milliards de F). **CRITT (Centres régionaux d'innovation et de transfert de technologie). Allocations de recherche :** aides à la formation par la recherche pour la préparation d'une thèse. *Durée :* 2 ans (parfois 3). *Montant (au 1-10-1991) :* 7 400 F bruts/mois. *Bénéficiaires (1992) :* 3 700. *Budget (1992) :* 1 016 millions de F (190 financés par l'Éd. nat.). **Conventions Cifre (Conventions industrielles de formation par la recherche) :** associent une entreprise, un laboratoire et un jeune ingénieur ou universitaire possédant un DEA et désirant préparer un doctorat. *Durée :* l'entreprise bénéficie pendant 3 ans d'une subvention forfaitaire versée par l'ANRT (Association nationale de la recherche) pour le compte du ministère. *Montant :* 90 000 F pour salaire brut minimum annuel hors charges de 125 000 F. *Nombre : 1991 :* 700, *92 :* 750 à 800, *93 (prév.) :* 1 000. **Cortechs (Conventions de recherche pour les techniciens supérieurs) :** permettent aux PME/PMI de recevoir une aide financière sous forme de subvention dans le cadre du recrutement d'un jeune technicien supérieur chargé de mener à bien un projet innovant.

Dépense nationale de recherche et de développement (1990). 154,4 milliards de F dont 52 % par administrations publiques, 48 % entreprises.

Effectifs de recherche et développement (1989). 289 960 dont 120 660 *chercheurs et ingénieurs* dont 45 % en entreprises, 30 % administrations et organismes publics, 23 % universités, 2 % institutions sans but lucratif ; *autres personnels* 169 300 dont 56 % entreprises, 34 administrations, 8 % universités, 2 % institutions sans but lucratif.

Financement des travaux de recherche menés par les entreprises dans leurs propres laboratoires (1990). 95,9 milliards de F dont entreprises 66,3, administration 18,7, entreprises étrangères et organisations internationales 10,9.

■ Principaux organismes

☞ **Ministère de l'Enseignement supérieur et de la Recherche.**

Ademe (voir Index).

Anvar (Agence nat. de valorisation de la recherche). *Siège :* 43, rue Caumartin, 75436 Paris Cedex 09. 24 délégations rég. *Budget 1992 :* 1 584 millions de F. En 12 ans, a aidé + de 18 000 entreprises.

BRGM (Bureau de recherches géologiques et minières). *Siège :* Paris : tour Mirabeau 39143, quai A.-Citroën, 75015 Paris. Orléans : la Source, av. de Concyr, Orléans. *Effectifs :* 1 600 dont 850 ingénieurs et géologues (1990), 30 agences régionales, filiales ou missions dans 40 pays.

Bureau des longitudes. *Créé* par la loi du 7 messidor an III (25-6-1795). *Chargé* des perfectionnements de l'astronomie (jusqu'en 1854, il dirigeait l'Observatoire de Paris). *Groupe* des savants éminents (astronomie, géophysique, météorologie, navigation, etc). Son service des calculs, réorganisé en 1961 (env. 30 chercheurs), constitue un laboratoire de recherches en astrométrie et mécanique céleste. Il publie annuellement : 1°) *Connaissance des temps* (dep. 1795), une des éphémérides astronomiques intern. 2°) Éphémérides astronomiques *(Annuaire du Bureau des longitudes* dep. 1795), données scient. et éphémérides. 3°) *Suppléments à la connaissance des temps :* éphémérides des satellites naturels des planètes. 4°) *Éphémérides nautiques* (dep. 1889), données astron. destinées aux navigateurs. 5°) *Éphémérides aéronautiques* (dep. 1935). 6°) *Cahiers des sciences de l'Univers* (dep. 1991).

CEA (Commissariat à l'énergie atomique). 31-33 rue de la Fédération, 75015 Paris. *Créé* 1945. *Statut :* établissement public de recherche et de développement à vocation scientifique technique et industrielle. *Organisation :* 6 directions opérationnelles (applications militaires, cycle du combustible, réacteurs nucléaires, sc. de la matière, sc. du vivant, technologies avancées) et 3 unités à statut particulier (agence nat. pour la gestion des déchets radioactifs, institut nat. des sc. et techniques nucléaires, institut de protection et de sûreté nucléaire). *Budget (1989) :* 20 milliards de F pour l'ensemble des activités civiles et militaires. *Effectifs (1989) :* 20 130 dont 7 170 cadres. **Groupe industriel** *CEA* créé 1983. *Effectifs (1989) :* 36 830. *Chiffre d'affaires consolidé (1989) :* 33,5 milliards de F. Parmi ses filiales ou participations : Cogema, Oris-Industrie, Framatome, CISI, SGN, USSI-Ingénierie, Intercontrôle, Épicea, Eurodif, Technicatome, SNE-La Calhène, STMI, etc.

Cemagref (Centre nat. du machinisme agricole, du génie rural et des eaux et forêts), voir p. 1524 c.

Cirad (Centre de coopération internationale en recherche agronomique pour le développement). 42, rue Scheffer, 75116 Paris. *Pt :* Guy Paillotin. *Secr. gén. :* Henri Carsalade. Spécialisé en agronomie des régions tropicales et subtropicales. Réalisations expérimentales, formation, information scientifique et technique. En coopération avec 90 pays, chercheurs dans 50 pays. *Effectifs (1993) :* 1 801. *Budget (1993) :* env. 1 milliard de F.

Cité des sciences et de l'industrie voir p. 805 c.

CNES (Centre national d'études spatiales). 2, place Maurice-Quentin, 75039 Paris Cedex 01. *Créé* 1961. *Programmes européens en cours :* Ariane, Spacelab, Géos, OTS, Marots, Météosat, Aérosat ; en projet ECS. Voir p. 35 a.

CNET (Centre national d'études des télécommunications). 38-40, rue du Gal-Leclerc, 92131 Issy-les-Moulineaux. *Créé* 1944. Centre de recherche de France Télécom. *Effectif :* 4 300.

CNRS (Centre national de la recherche scientifique). 15, quai Anatole-France, 75700 Paris. *Pt. :* Édouard Brézin (n. 1-12-1938). *Dir. gén. :* dep. 13-7-1988, François Kourilsky (n. 28-12-1934), biologiste. *Créé* 18-10-1930, établissement public national à caractère scientifique et technologique placé sous la tutelle du min. de la Recherche et de l'Espace. 1er organisme européen de recherche fondamentale, couvre l'ensemble des domaines de la science. *Organisation. 7 départements :* Sc. physiques et mathématiques, Physique nucléaire et corpusculaire-IN2P3 (Institut nat. de phys. nucléaire et de phys. des particules), Sc. de l'ingénieur, Sc. de l'Univers-INSU (Institut nat. des sc. de l'Univers), Sc. chimiques, Sc. de la vie, Sc. de l'Homme et de la société. *Programmes interdisciplinaires de recherche :* Pirmat (matériaux), Pirsem (énergie et matières premières), ENVIRONNEMENT, GOGNISCIENCES (sc. cognitives), Imabio (ingénierie des macromolécules biologiques), ULTIMATECH (techniques poussées à leurs limites), Pirvilles. *Personnel :* 26 939 (1993) dont 11 617 chercheurs et 15 322 ingénieurs, techniciens et administratifs. 1 300 unités de recherche propres, mixtes, associées. *Budget (1993) :* 11 492 millions de F.

CSTB (Urbanisme et logement). **Centre scientifique et techn. du bâtiment.** *Siège :* 4, av. du Recteur-Poincaré, 75782 Paris Cedex 16. Établ. pub. à caractère ind. et com. *Pt. :* Pierre Chemillier (27-11-1932). *Budget (1992) :* 270 millions de F.

DRET (Direction des recherches et études techn. de l'armement) avant 1977 : Dir. des rech. et moyens d'essais. Voir index.

Ifremer (Institut français de recherche pour l'exploitation de la mer). 155, rue Jean-Jacques-Rousseau, 92138 Issy-les-Moulineaux Cedex. *Créé* juin 1984. *Effectifs :* 1 200 dans 6 centres : Issy-les-Moulineaux, Boulogne/Mer, Brest, Nantes, La Seyne, Tahiti. *Budget (1993) :* 937 millions de F.

IFRTP (Institut français pour la recherche et la technologie polaires). 47, av. du Maréchal-Fayolle, 75116 Paris. *Pt :* Claude Lorius. *Créé* 1992. Regroupe les activités des expéditions polaires françaises et de la Mission de recherche de l'Administration des terres australes et antarctiques françaises.

IGN (Institut géographique national). 136 bis, rue de Grenelle, 75700 Paris. Chargé de l'entretien d'un réseau géodésique et d'un réseau de nivellement de précision, couverture photographique aérienne, établissement des cartes topographiques de base et dérivées. Accomplit des travaux de télédétection aérienne et spatiale à caractère géographique.

INED (Institut national d'études démographiques). 27, rue du Commandeur, 75675 Paris cedex 14. *Créé* 1945. *Publications :* Population, Travaux et Documents.

Inra (Institut national de la recherche agronomique). 147, rue de l'Université, 75338 Paris Cedex 07. *Créé* 18-5-1946. *Pt :* Guy Paillotin (n. 1-11-1940).

Inrets (Institut national de recherche sur les transports et leur sécurité). 2, av. du Gal-Malleret-Joinville, 94114 Arcueil. *Créé* sept. 1985. *Effectifs :* 413 dont 169 chercheurs et 244 ingénieurs, techniciens et administratifs.

Inria (Institut national de recherche d'informatique et d'automatique). Domaine de Voluceau-Rocquencourt, 78153 Le Chesnay Cedex. *Créé* 1980. *Centres :* Rocquencourt, Rennes, Sophia-Antipolis, Grenoble, Nancy. *Effectifs* (sur postes budgétaires) : 670 dont 300 scientifiques *Budget (1993) :* 477 millions de F dont 71,6 de ressources propres.

Inserm (Institut National de la santé et de la recherche médicale). 101, rue de Tolbiac, 75654 Paris Cedex 13. *Créé* 1964. Établissement public à caractère scientifique et technique. Couvre les domaines de la recherche biomédicale et en santé. *Dir. gén. :* Philippe Lazar (n. 21-4-1936). *Personnel (1992) :* 4 782 dont 2 032 chercheurs, 1 077 ingénieurs, 1 098 techniciens, 575 administratifs. 231 unités de recherche, 13 services communs, 46 contrats jeunes-formations. *Budget (1993) :* 2 297 millions de F.

Institut Pasteur. 25, rue du Dr-Roux, 75015 Paris. **Créé** 4-6-1887 (initiative de Louis Pasteur). **Fondation** reconnue d'utilité publique, inaugurée 14-11-1888 par Sadi Carnot. **Directeur :** Pr Maxime Schwartz (n. 1940). **Personnel :** 2 550 (dont 1 000 chercheurs permanents). 100 unités de recherche (10 départements) ; 250 élèves et 800 stagiaires, français et étrangers, par an. **Activités :** recherche fondamentale [bactériologie, virologie (notamment rage, diphtérie, tétanos par les anatoxines, tuberculose, fièvre jaune, poliomyélite, hépatite B) immunologie, biologie du développement, neurologie...] ; applications biomédicales (recherche de nouveaux vaccins : sida, isolement du virus du sida (VIH 1 en 1983, VIH 2 en 1986), hépatite B, paludisme, coqueluche ; mise au point de tests de dépistage et de diagnostic) et biotechnologiques (fermentations, lutte biologique contre les insectes, fixation de l'azote...). Formation postuniversitaire à la recherche et au diagnostic ; 30 centres experts pour surveillance et diagnostic de maladies infectieuses (19 nationaux, 11 collaborateurs OMS) ; 27 instituts dans le monde ; collaborations internat. ; hôpital spécialisé dans la pathologie infectieuse et immunitaire ; centre de vaccinations internat. ; établissement de transfusion sanguine. **Principales contributions :** découvertes fondamentales (bactériologie, virologie, immunologie, biologie moléculaire) ; sérothérapie ; vaccins ; action anti-infectieuse des sulfamides et des sulfones ; mise au point de tests de dépistage. 8 prix Nobel depuis 1900.

Budget (1991) : 680 millions de F [dont en % : subvention de l'État 44 ; ressources propres (contrats industriels, accords de licence, expertises, analyses) 26 ; concours privés (dons, legs) 17 ; redevances industrielles (2 partenaires privilégiés : « Diagnostics Pasteur » et « Pasteur Mérieux Sérums et Vaccins ») 13].

Laboratoire central des Ponts et Chaussées. Paris. 58, bd Lefebvre, 75732 Cedex 15. **Nantes :** route de Pornic, BP 19 F, 44340 Bouguenais. **Champs-sur-Marne :** cité Descartes, 2, allée Képler, 77420. *Pôles d'activité :* chaussées, géotechnique, ouvrages d'art, environnement et génie urbain, exploitation et sécurité routière. *Moyens :* 17 laboratoires régionaux, 4 centres spécialisés dont 2 ateliers de prototypes, 555 agents dont 200 ingénieurs et chercheurs.

Onera (Office national d'études et de recherches aérospatiales). 29, av. de la Division-Leclerc, 92320 Châtillon Cedex.

Orstom (Institut français de recherche scientifique pour le développement en coopération). *Siège :* 213, rue La Fayette, 75010 Paris. *Créé* 1944. *Effectifs :* 2 500 dont 1 500 chercheurs, ingénieurs et techniciens. *Budget :* 1 milliard de F. *Organisation :* 5 départements scientif. interdisciplinaires (terre, océan, atmosphère, eaux continentales, milieux et activité agricole, santé, société, urbanisation, développement). *Dispositif :* 3 centres en France métrop. et env. 40 dans les DOM-TOM et étranger.

Universités, grands établissements, écoles d'ingénieurs. Assurent aussi une part importante de la recherche fondamentale.

IHES (Institut des hautes études scientifiques). Bures-sur-Yvette (Essonne). Mathématique et physique. *Fondé* 1958 par Léon Motchane. Association puis 1981 fondation. *Budget consolidé* (1991) : 13 millions de F.

Statistiques

Effectifs (1990). 293 320 salariés (1,29 % de la pop. active) dont 124 069 chercheurs et ingénieurs de recherche (universités 42 136, entreprises 153 228, services et organismes publics de rech. 37 288, institutions sans but lucratif 5 339).

Budget civil de la recherche et du développement (BCRD). Dépenses ordinaires et autorisations de programme en millions de F en 1993. Ministère de la Recherche et de la Technologie 36 355. Autres ministères 17 341 [dont plan 60 ; environnement 74 ; éducation nationale, jeunesse et sports 2 395 ; équipement et logement 465 ; affaires étr. 880 ; justice 5 ; intérieur 15 ; ind./aménagement du territoire 8 601 ; transports et mer 2 700 ; solidarité, santé/protection sociale 36 ; coopération et développement 7 ; culture et commun. 211 ; DOM-TOM (Taaf) 76 ; agriculture et forêt 136 ; défense 700, économie et finances 1 000. *Total : 53 697.*

Syndicats et organisations

Principales organisations étudiantes

Origine

1res Associations générales d'étudiants (AGE) ; **1878** Lille, **1884** Paris, **1889** Montpellier, **1907** (4-5) se fédèrent au Congrès de Lille. Déclarée comme Association. **1946** Charte de Grenoble : définit l'étudiant comme « un jeune travailleur intellectuel » et l'Unef comme un syndicat. **1947-56** tendance « gestionnaire et apolitique » (majos). **1947** grève étudiante contre le relèvement des droits universitaires. **1948** création de la Sécurité sociale étudiante. **1958** Unef s'engage sur le problème algérien. 18 AGE (majos) fondent le MEF (Mouvement des étudiants de Fr.), mais le haut-commissaire à la Jeunesse et aux Sports, Maurice Herzog, refuse de les recevoir. **1959** Congrès de Lyon : réintègrent Unef moyennant promesse de retour à neutralité politique qui ne sera pas tenue. **1960** Dominique Wallon, qui a pris des contacts avec FLN, devient Pt de l'Unef. Oct. Unef participe à des manif. pour la paix en Algérie. **1961** *(déc.)* et **1962** *(févr.)* prend part aux manif. anti-OAS. Majos tentent une opposition interne plus vigoureuse avec le Clief (Comité de liaison et d'information des étudiants de Fr.). **1961** Majos créent Fnef (Fédération nat. des étudiants de Fr.) sous la direction de Lapasset, s'implantera en Droit et Médecine. **1962** Unef 80 000 adhérents, Fnef 20 000. **1964** 2 groupes : minos traditionnels de tendance chrétienne progressiste, issus de la JEC, souvent proches du SGEN ; marxistes : ensemble d'étudiants PSU, UEC (Union des étud. communistes), trotskistes, etc. Revendications des extrémistes : présalaire, participation aux assemblées d'égal à égal avec enseignants. Syndicat révolutionnaire pour les minos. Certains prôneront la politique du pire (saboter les mécanismes d'aide aux étudiants pour en prouver l'inefficacité). **1964** *févr.* manif. interdisant la Sorbonne au min. de l'Éduc. nat. lors de la visite du Pt Segni ; mise en état de siège du quartier Latin. Gouv. réforme le CNO et diminue possibilités de participation des étudiants à sa gestion. **1964** *(Pâques)* Congrès de Toulouse, réalistes font échec aux extrémistes. **1965** Nallet Pt. **1966** Congrès de Grenoble reconnaît faillite Unef. **1967** PSU s'empare de l'Unef. *(3/11-7)* minos se maintient au pouvoir grâce à des truquages de mandats validés sans contrôle. Majos refusent d'acquitter leurs cotisations et sont invalidés. **1968** *(printemps)* 5 tendances minos unies contre majos : PSU (tenait bureau), PCF (UEC), JCR (dissidente de UEC), Fédération des étud. révolutionnaires (FER, trotskiste), Union des jeunesses communiste marxistes-léninistes (UJCML ; maoïste). Unef s'épuise en lutte intestine et n'a pas de Pt (Sauvageot n'est que vice-président). *Déc.* Ligue communiste de Krivine et maoïstes ont abandonné l'Unef. **1971** *janv.* bureau PSU démissionne. AJS (regroupée dans tendance unité syndicale) face à UEC (tendance Renouveau). Incapables de cohabiter, les 2 fractions ont tenu des congrès séparés : Unef à Dijon (févr.) Michel Serac Pt ; Unef à Paris *(mars)* Guy Konopnicki Pt. *Juill.* Konopnicki intente procès à Serac, mais le trib. de grande instance estime *« qu'en droit comme en fait il n'y a plus d'Unef ».* *Après mai 1968*, majos se sont émiettés : UNI (Union nationale inter-universitaire), *créée* 1968 ; REP (Rassemblement des étudiants pour la participation) *créé* 1968 sigle Model ; Cleru (Comité de liaison des étudiants pour la réforme universitaire) ; Anemf (Association nationale des étudiants en médecine de France, fusion Unemf et Agemp) *créée* 1965. Élections Cneser : Unef 40,60 % des voix : 7 sièges, Lidie * 18,73 % : 3 s., Cleru 8,65 % : 2, UNI 8,55 % : 1, Amru 5,91 % : 1, Défense des libertés étudiantes 7,81 % : 1, Marc 4,64 % : 1, Action régionale universitaire 3,90 % : 1, Lidie [Liste indépendante de défense des intérêts des étudiants (Anemf et Fnage)]. Certaines associations membre de l'Anemf décident de créer des mutuelles indépendantes (Lyon et Grenoble ; en 1970 la Smerra ; puis Nord – Nord-Ouest ; Smeno). **1974** Clef. Regroupe : Association nat. des étudiants en lettres, droit, sciences, sciences éco. et technologie de Fr. (Anef) ; Ass. nat. des ét. en médecine de Fr. (Anemf) ; Ass. nat. des ét. en pharmacie de Fr. (Anepf) ; Union nat. des ét. en chirurgie dentaire (Unecd) ; Féd. nat. des ass. des gdes écoles (Fnage). **1978** Syndicat des étudiants libéraux de France (Self) plus connu sous le sigle Celf. Ne s'implantera jamais réellement. Cnef (Confédération nat. des étudiants de France), congrès de réunification mars 1982 de FneF et Clef ; ne tiendra plus de congrès apr. 1986. **1980** Unef unité syndicale et Mas (Mouvement d'action syndical) fusionnent et forment l'Unef indépendante et démocratique. **1982** Unef Solidarité étudiante prend la suite de Unef Renouveau animée principalement par des étudiants de l'UEC et du Ceres. **1982-83** préparation d'une nouvelle loi d'orientation de l'ens. sup. De nombreuses grèves éclatent auxquelles participent les modérés : la diminution de la représentation étudiante dans les conseils et la « secondarisation » des 1ers cycles sont au cœur de leurs préoccupations. La droite (UNI et Celf) et l'extrême droite relayent cette agitation. Les organisations de gauche (Unef se et Unef ID) sont partagées entre les mots d'ordre politiques et leur volonté de relayer l'avis des étudiants. Elles ne participent que sporadiquement. L'Unef ID boycotte les élections au CNOUS en décembre 1983. **1984** *janv.* loi votée malgré de nombreux amendements ; suspension des élections : les universités, devant adapter leurs statuts, gardent provisoirement les conseils précédemment élus. **1986** gouv. de droite. Nouvelle loi en préparation orchestrée par Unef ID, agitation relayée par les synd. ens., gagne les lycées. La mort d'un étudiant précipitera le retrait du projet et le départ du min. Devaquet. **1987** réforme de l'organisation des Crous. Reprise des élections. Liste indépendante reçoit le soutien de la Cnef ; sur la base de ces résultats seront nommés les étudiants au Conseil supérieur de l'éducation (1 Unef ID, 1 Unef SE, 1 Défense des étudiants) et à l'Observatoire de la vie étudiante (4 Unef ID, 2 Unef SE, 1 Uni, 1 Celf, 2 Défense des étudiants). Création de la Fage (Féd. des ass. gén. d'ét.) à Lille puis à Paris à la fin 1989. Fagem : Féd. des ass. gén. d'ét. et monodisciplinaires dès mai 1991.

Action française étudiante. 10, rue Croix-des-Petits-Champs, 75001 Paris. *Fondée* 1904. *But :* Rassembler les étudiants royalistes dans la ligne définie par Charles Maurras sur les thèmes d'une université autonome et corporative. *Presse :* Le Feu-Follet (national, bimestriel), La Canne plombée (Lyon), La Bombarde (Grenoble), Non-Conforme (Dijon), Le Pré carré (Rouen). Refuse dep. sept. 1990 de participer aux élections universitaires pour ne pas accroître le morcellement de la pop. étudiante.

Celf (Collectif des étudiants libéraux de France). 11, rue Jean-Goujon, 75008 Paris. *Fondé* 1978. *Adhérents :* env. 5 500. *Pt :* Erwan Le Dore. 1 élu Crous, 1 élu Cneser en 1989. Proche de l'UDF et du RPR. *Publications :* l'Horizon (mens.), la Lettre aux adhérents, la Lettre aux responsables, Amphia.

Comités d'action républicaine-Étudiants. 103, rue de Réaumur, 75002 Paris. *Fondés* 3-9-1981. *Adhérents (1984) :* 3 000. *Pt :* Philippe Comte (n. 3-6-54).

Cnef (Confédération nat. des étudiants de France). *Fondée* mars 1982 [fusion du Comité de liaison des ét. de Fr. (Clef) et de la Féd. nat. des ét. de Fr. (Fnef fondée 1961)]. 120, rue N.-D.-des-Champs, 75006 Paris. Modérée, attachée au non-alignement politique et à la liberté syndicale. Implantée surtout dans les établ. où dominent ét. médicales et juridiques. Défend les trad. étudiantes (chants étudiants, port de la faluche, etc.). Regroupe Anemf (Ass. nat. des ét. en méd. de Fr.), Anepf (Ass. nat. des ét. en pharm. de Fr.), Fnage (Féd. nat. des ass. des él. des grandes écoles), Unecd (Union nat. des ét. en chir. dent.), Unedesep (Union nat. des ét. en droit, sc. éco. et politique). *Pt :* Philippe Girard. *Adhérents :* 5 000 à 10 000. *Publication :* Option.

Fnage (Féd. nat. des associations des ét. des grandes écoles). 47, rue de l'Université, 75007 Paris. *Créée* 1961 reconnue d'utilité publique. Modérée. Études et formation sur les centres de pouvoir européens (Groupe des Belles-Feuilles). *Adhérents :* 150 membres *Pt :* Paul Jaeger (n. 1962).

Fédération nat. du renouveau universitaire. 7, rue du Parc-du-Château, 78480 Verneuil. *Fondée* 1990. *Secr. gén. :* Olivier Bertrand. Contre mainmise de l'État sur les universités, pour que les universitaires défendent leurs intérêts, loin des syndicats affiliés aux partis. *Presse :* bulletin de liaison.

GUD (Groupement universitaire de défense). 92, rue d'Assas, 75006 Paris. *But :* contrecarrer les syndicats de gauche y compris par la force.

MJLE (Mouvement des jeunes pour la liberté de l'enseign.). *Fondé* 1978 pour défendre l'enseign. libre. *Adhérents :* env. 4 000.

MNEF (Mutuelle nationale des étudiants de France). *Fondée* 1948 (loi du 27-9 instituant un régime de sécurité sociale pour les 50 000 étudiants de l'époque). *Personnel :* 600 salariés. *Prestations versées chaque année :* 520 millions de F (dont au titre de la Séc. soc. 400, mutuelle 120). A partir de 1968 concurrence : Stés mutuelles étudiantes régionales (Smer). *Adhérents 1984 :* 354 000, *87 :* 338 000.

PSA (Pour un syndicalisme autogestionnaire). *Fondé* sept. 1982, soutenu par la CFDT. *Dissous* 13-1-1991.

Renouveau lycéen. 8, rue du Général-Clergerie, 75116 Paris. *Fondé* 1991. *But :* organiser l'implantation du Front national de la jeunesse dans les lycées et réunir les délégués de classe favorables aux idées nationales. *Secr. gén. :* Xavier Challon. *Publications :* Agir, Terre en vue (feuille de route de jeunes du Front national).

UECF (Union des étudiants communistes de France). 19, rue Victor-Hugo, 93177 Bagnolet Cedex. *Créée* 1957. Membre du MJCF (Mouvement de la jeunesse comm.). *Adhérents :* 13 000 organisés en cercles dans chaque UER, IUT, Grande École, Cité Univ. *Publication :* Clarté (11 000 ex.).

UGE (Union des grandes éc.). 37, rue Ballu, 75009 Paris. *Pt :* Fabrice Lecomte. Organisation syndicale. *Adhérents :* 4 000. *Publications :* la Marmite (15 000 ex., trim.), Grandes Écoles (1 000 ex.).

Unef (ex-Solidarité étudiante) (Union nat. des étudiants de France). 52, rue Édouard-Pailleron 75019 Paris. *Née* de la scission de l'UNEF le 10-1-1971. *Bureau national :* 31 m. *Pt :* Bob Injey. *Adhérents :* 6 000. *Élus :* 1 000. *Publications :* le Nouveau Campus (300 000 ex.), l'Unef-inform, le Bulletin de liaison des élus, Agir. *Élections de 1991 :* Crous 23,3 %.

Unef indépendante et démocratique. 46, rue Albert-Thomas, 75010 Paris. *Pt :* Philippe Darriulat. **Histoire :** *1907 : Union nationale des associations générales d'ét. de France* (Unef) fondée Lille. *1929 :* reconnue d'utilité publique. Animée par les socialiste et trotskyste Michel Péricard, Bernard Pons.

Organisation. *Union d'associations gén. Commission administrative :* 51 m. *Bureau nat. :* 21 m. Regroupe tous les étudiants sans distinction d'appartenance politique, philosophique ou religieuse. 5 tendances déclarées. A passé un protocole d'accord avec la Mutuelle nat. des étudiants de Fr. Membre fondateur de l'AIE (Association intern. des étudiants), en liaison avec le NZS (Syndicat indépendant des étudiants polonais). *Publications :* Étudiants de France, Unef « Inform », la Lettre aux amis de l'Unef, la Lettre aux élus de l'Unef, les Dossiers de l'Unef.

Uni (Union nat. inter-univ.). 8, rue de Musset, 75016 Paris. *Créée* 1968. « Regroupe tous ceux (enseignants, lycéens, étudiants et socio-professionnels) qui entendent défendre une société de liberté et de responsabilité à l'univ. ou à l'école. *Pt :* Jacques Rougeot. *Publications :* l'Action universitaire (75 000 ex.), Vie étudiante (150 000 ex.), Vie Lycéenne (100 000 ex.), Actua Médecine (30 000 ex.), Bulletin Inter-Grandes Écoles (30 000 ex.), Dossiers Solidarité atlantique (20 000 ex.), journaux de facs (500 000 ex.). *Associés :* Institut pour la Formation des Élus Universit., Association pour les Uni. Indépendantes, Centre d'Etudes et de Diffusion.

Élections

Conseils d'Univ.	88	89	91
Abstentions	94,5	94,6	96,5
Unef	38	44,5	57,5
Unef-ID	37,2	30,3	23,2
Uni	12,6	15,9	13,8
Celf	12,2	9,3	5,5

Crous 19-3-1991	% (évolution/89)		Sièges	
Unef-ID	24 %	(– 5,7 %)	42	(– 15)
Unef	23,3 %	(+ 5 %)	39	(+ 4)
Uni	14,1 %	(– 1,8 %)	25	(– 5)
Celf	5,4 %	(– 3,9 %)	6	(– 10)
Fage	7,9 %	–	–	–
Divers	26,2 %	–	–	–

Résidents universitaires

Feruf (Féd. des ét. en résidence univ. de France). Rés. univ., 55, bd de Strasbourg, 75010 Paris. *Pt :* Agnès Pron. *Fondée* 1975. Associée à l'Unef indép. et démocratique. *Adhérents :* 12 000. *Publication :* le Résident (20 000 ex.).

Fruf (Féd. des résidences univ. de Fr.). Rés. univ. Jean-Zay, 92160 Antony. *Pt. :* Guillaume Hoibian (21-1-67). *Fondée* 1964, à la suite d'une grève de loyer. 1re organisation socio-culturelle à l'univ. *Adhérents :* 13 000 + 22 000 adh. de clubs divers. *Publications :* Cité U (60 000 ex.) et l'Ouvre-Boîte (Bulletin de liaison des Associations de France) ; Droit de Cité (journal des élus aux conseils de résidences).

Syndicats lycéens

Action française lycéenne. 10, rue Croix-des-Petits-Champs, 75001 Paris. *Fondée* 1988. *Secr. gén. :* Sylvain Roussillon. *Presse :* Insurrection (mensuel, 9 éditions régionales). *Sections de lycée :* env. 200.

Coordination permanente lycéenne. 76, rue Julien-Lacroix, 75020 Paris. *Créée* mai 1979. *Organisation :* comités de lycée, bureaux de ville, de région. Bureau nat. *Adhérents :* 1 000-1 500. *Publications :* Effervescences lycéennes (2 500 ex.), les Cahiers du syndicalisme autogestionnaire (800 ex.).

Syndicat lycéen. 55, bd de Strasbourg, 75010 Paris. *Fondé* mai 1981 par l'Unef indép. et démocr. *Secr. nat. :* T. Toussaint, S. Papp. Congrès annuel. *Adhérents :* 7 500. *Publication :* Bulletin du Syndicat lycéen (plusieurs milliers d'ex.).

Uncal (Union nat. des comités d'action lycéens). 7, rue Louis-Blanc, 92240 Malakoff. *Créée* après 1968 à partir des Comités d'action lycéens. Proche des comm. puis évolution vers l'apolitisme. *Adhérents :* env. 50 000 regroupés en 150 comités (rég. par., N., S.-E.). *Pt :* Laurent Brisson, *secr. gén. :* Philippe Lattaud. *Publications :* Albert, le Journal de tous les lycéens, l'Élu des lycéens.

Uni (voir syndicats étudiants).

Syndicats enseignants

AFEF (Assoc. française des enseignants de français). 19, rue des Martyrs, 75009 Paris. *Fondée* 1967 sous le sigle AFPF. Regroupe 5 000 ens., de la maternelle à l'univ. Membre de la Féd. int. des prof. de français (FIPF). *Publication :* le Français aujourd'hui (trim.) et supplément pédagogique (trim.).

CNGA (Conféd. nat. des groupes autonomes de l'ens. public). 14, rue Taine, 75012 Paris. *Pt :* Bernard de Cugnac. *Fondée* 20-6-1968. Hostile à la politisation de l'ens. et des principaux synd. d'ens. Pour 1er cycle à vitesse variable et un 2e cycle avec un ens. progressivement optionnel aboutissant à un bac par matière. Enseignants ou non, de la maternelle aux classes post-bac. *Groupes autonomes. Adhérents :* 10 000 m. des personnels de l'Éducation nat. Élus dans les CAP. *Publication :* Université autonome.

CSEN (Conféd. synd. de l'Éd. nat.). 48, rue Vitruve, 75020 Paris. *Secr. gén. :* Jean-Marcel Champion (23-10-39). *Créée* 5-1-1984. Rassemble 6 synd. indépendants : la FNSAESR, le SNALC, le SNE, la FNPAES, le SNAIMS (infirmières en milieu scolaire) et le Snacem (conservatoires et écoles de musique) ; affiliée à la Cif (Conféd. intern. des fonctionnaires). *Objectifs :* prééminence de l'effort par rapport au laxisme, de l'acquisition des connaissances par rapport à la fantaisie éducative. *Adhérents :* 35 000. *Publication :* Temps futur.

FEN ACTUALITÉS
L'enseignement public

Mensuel (durant la période scolaire bi-mensuel).

Publié depuis la Libération par la Fédération générale de l'Enseignement (FGE), devenue en 1946 la Fédération de l'Éducation nationale (FEN).

Chaque numéro comprend un éditorial du secrétaire général consacré à l'actualité sociale et syndicale et une série de rubriques consacrées aux divers aspects de l'activité de la FEN (pages économiques et sociales, problèmes corporatifs, pédagogiques, défense des libertés, de la laïcité, problèmes de la jeunesse, etc.). Des dossiers sur un thème donné sont parfois encartés dans le numéro.

Format : 21 × 29,7. Impression : totalité en quadri. Abondantes illustrations.

Impression offset par cahier de 16 ou 32 pages tiré sur rotatives.

Le journal, préparé lors des réunions de l'exécutif fédéral national, est contrôlé par le rédacteur en chef (le secrétaire général de la FEN) et réalisé sous la responsabilité du secrétaire de rédaction (responsable des publications) qui fait partie de l'équipe des secrétaires nationaux de la FEN.

- Directeur de la publication : Jacques Bory, trésorier de la FEN.
- Rédacteur en chef : Alain Castel.
- Secrétaire de rédaction : Claude Morel.
- Impression : Avenir Graphique.

Tirage : numéro de décembre 1992 : 394 000 exemplaires.

Le journal est expédié à tous les adhérents de la FEN (routé par France-Routages), l'abonnement étant inclus dans la cotisation.

(Information)

FAEN (Féd. autonome de l'Éd. nat.). 13, avenue de Taillebourg, 75011 Paris. *Secr. gén. :* Marc Geniez. *Créée* 1990. Regroupe des synd. autonomes : SNC, SNL, SNEP, SNPTA. Affiliée à FGAF (Féd. gén. autonome des fonctionnaires) dont elle constitue la branche éducation.

Féd. des délégués départementaux de l'Éd. nat. 124, rue Lafayette, 75010 Paris. Association complémentaire de l'ens. public. *Pt :* Jean Vanrullen. *Secr. gén. :* Christiane Mousson. *Fonctions :* contrôle des bât. scolaires (équipement, entretien, sécurité, etc.), des éc. élém. et matern., publ. et privées ; liaison entre éc. et municipalité, entre usagers et administr. ; animation, création des œuvres ou équipements complémentaires de l'éc., responsabilité du concours des écoles fleuries ; réflexion et information sur l'éc. et l'éducation, lancement et publications d'enquêtes annuelles. *Adhérents :* 36 000. *Publication :* le Délégué de l'Éd. nat. (40 000 ex., trim.).

Fede (Fédération européenne des écoles). *Fondée* 9-4-1963 à Barcelone. *Siège :* 4, rue du Simplon, 1701 Fribourg, Suisse. Rassemble les écoles de 21 pays européens. *Pt :* G. Dutilleul. *Secr. gén. :* M. Lachat.

Fen (Féd. de l'Éducation nationale). 48, rue La Bruyère, 75009 Paris. *Secr. gén. :* Guy Néouannic (n. 1942) dep. 1991. *Adhérents :* 43 syndicats dont SE (Synd. des enseignants), SNE-Sup., SNA-EN (Synd. nat. des agents de service), SNAU (administration univ.), agents de l'Éd. nat., personnel de direction, de gestion et d'admin. des établ. scol., personnel de la Recherche, de la Culture, de la Justice. 280 000 adhérents dépendant de 9 min. ou secrét. d'État. Continue la Fédération générale de l'enseignement créée **1929** et adhérente de la CGT. **1948** refuse éclatement entre CGT et FO et regroupe depuis divers courants syndicaux. Reconnaît droit de tendance et possibilité de présenter motion d'orientation au congrès : résultats du vote conditionnent la composition des instances de la Féd. **1991** réorganisation après que les tendances minoritaires (Unité Action animée par des membres du PCF en particulier) se sont affranchies des règles statutaires et décisions des instances. **1992** congrès extraordinaire de Perpignan adopte modifications mettant fin à la structuration de la Féd. par les tendances et affirmation de son attachement au syndicalisme réformiste alliant force et négociation pour obtenir des accords. Crise interne provoque désaffiliation du SNES, SNEP et SNETAA. **1993** *(février)* participe à la création de l'Unsa (Union nationale des syndicats autonomes avec la FGAF (fonctionnaires), FMC (cadres de la SNCF), FAT (Transports) et FGSOA (salariés de l'agriculture et de l'agroalimentaire) regroupant 400 000 adhérents. Adhère à l'Internationale de l'éduc., Secrétariat professionnel de la Conféd. intern. des synd. libres. *Adhérents :* fin des années *1970* : 550 000 ; *1993 :* 160 000 à 180 000.

FERC-CGT (Féd. CGT de l'éd., de la recherche et de la culture). 263, rue de Paris, case 544, 93515 Montreuil Cedex. *Secr. gén. :* Joël Hedde. *Fondée* 1945. Regroupe les synd. départementaux de l'Éd. nat., des personnels techniques, adm. et de service de l'Éd. nat., de la Culture, de la Recherche, des personnels de l'AFPA, de l'ens. et de la formation privés, du personnel ouvrier du Crous, du secteur socio-éducatif MJC, AJ, CEMEA, FJT, Ligue de l'ens., UCPA et diverses assoc. *Adhérents :* 50 000. *Publication :* le Lien.

FNECFP-FO (Féd. nat. de l'ens., de la culture et de la formation professionnelle Force Ouvrière). 155, rue de Vaugirard, 75015 Paris. *Secr. gén. :* François Chaintron. *Créée* 1948. Regroupe les syndicats FO des : instit., prof. des lycées et collèges, recherche et ens. sup., personnels insp. académiques, rectorats, Crous, AFPA, ens. privé, min. de la Culture et de la Protection Judiciaire de la Jeunesse. Continue la Féd. des maîtres de l'ens. laïque CGT de 1919 et la Féd. gén. de l'ens. CGT de Léon Jouhaux de 1929. *Adhérents :* 55 000. *Publication :* Formations.

FNEPL (Féd. nat. de l'enseign. privé laïque). *Pt :* M. Roche, *Secr. gén. :* M. Ferar. *Fondée* 1950. 37, rue d'Amsterdam, 75008 Paris. Organisme représentatif de l'enseign. privé hors contrat, membre de la FEDE.

FNSAESR (Féd. nat. des synd. autonomes de l'ens. supérieur et de la recherche). 7, rue Mirabeau, 75016 Paris. *Pt :* Aymond Tranquard (chimie, Lyon). *Secr. gén. :* Paul Colonge (allemand, Lille). *Fondée* 1948. Regroupe 18 synd. Recrute surtout parmi les prof. Juge sévèrement les lois Faure et Savary et toutes les mesures prises dep. 1981. *Adhérents :* 10 000. *Publication :* bulletin.

FNSPELC (Féd. nat. des syndicats professionnels de l'enseign. libre catholique). 15, pl. Edgar-Quinet, 01000 Bourg-en-Bresse. *Secr. gén. :* Paul Morandat. *Créée* 1905 (le plus ancien synd. de l'ens. privé). Seule féd. autonome des personnels de l'ens. privé, présente dans 90 dép.

FPFRE (Féd. des prof. français résidant à l'étranger). 7, rue Delaroche, 37100 Tours. *Pt :* Michel Laurencin. *Fondée* 1932. Rassemble les personnels français de l'enseignement, de la culture, les coopérants en service à l'étranger et dans les DOM-TOM ou y ayant exercé et les personnels d'adm. centrale. Représentée dans 80 pays env., siège dans les commissions paritaires d'affectation. Défend les intérêts matériels et moraux de tous les personnels. 2 revues annuelles.

FSU (Féd. syndicale unitaire de l'enseignement, de l'éducation, de la recherche et de la culture). *Créée* 15-4-1993. *Pt :* Michel Deschamps. Y adhèrent 14 syndicats d'enseignants ou de personnels de l'éducation dont le Snes (Synd. nat. des ens. du 2ᵉ degré) exclu de la Fen en 1992, le Snep (éduc. phys.), le Snetaa (ens. techn.), le Snesup (ens. sup.), le Snetap (ens. agic.) syndicat d'origine du Pt de la FSU., 6 syndicats de personnels de l'éduc. constitués par des militants minoritaires dont le Snuipp (regroupant 30 000 instituteurs et 3 000 prof. de collèges ayant quitté le Sni (Synd. nat. des instit.) lorsqu'il s'est transformé en Synd. des enseignants en juin 1992. *Adhérents :* 130 000 à 150 000.

Mel (Mouvement des enseignants libéraux). 25, quai Voltaire, 75007 Paris. *Pt :* Daniel Houlle. *Secr. gén. :* Dominique Ambiel (n. 6-6-1954). *Créé* 1978. *Direction :* collectif national (25 m.). *Adhérents :* 4 021.

Scenrac (Synd. CFTC de l'Éd. nat., de la Recherche et des Affaires culturelles). 13, rue des Écluses-Saint-Martin, 75010 Paris. *Fondé* 1964. Apolitique. *Pt :* Nicole Prud'homme. *Secr. gén. :* Michel Trudel.

SE-FEN (Syndicats des enseignants FEN) extension du **Sni-PEGC (Synd. national des instituteurs et professeurs d'enseignement général de collège)** décidée juin 1992 (congrès d'Orléans), 209, bd Saint-Germain, 75007 Paris. *Secr. gén. :* J.-Cl. Barbarant (15-9-1940). Représente aux élect. prof. 61,80 % des instituteurs et 53,60 % des PEGC. *Fondé* 1921. *Adhérents 1992 :* 160 000. *Publication :* l'Enseignant (4 éd. 210 000 ex., hebdo). Minitel 3615 Coleco.

SGEN-CFDT (Fédération CFDT des syndicats généraux de l'Éd. nat. et de la Recherche publique). 47, av. Simon-Bolivar, 75950 Paris Cedex 19. *Secr. gén.* (dep. 1986) : Jean-Michel Boullier. *Fondée* 1937. Regroupe, dans des synd. sur une base géographique et prof., tout le personnel de l'Éducation nat. (ens. et non-ens.) et de la Recherche sc. *Élections aux CAP 1ᵉʳ degré :* 15 % des voix ; *lycées et collèges :* 14 % ; *lycées professionnels :* 14 % ; *ens. agricole public :* 14 % ; *cons. d'orientation :* 39 % ; *CTP des ens. du sup. :* 22 %. Majoritaire dans la recherche publique (CNRS, Inserm). Seul synd. des inspecteurs d'apprentissage. *Adhérents 1978 :* 52 910, *82 :* 47 200, *88 :* 33 000. *Publication :* Profession éducation. Minitel 3615 CFDT SGEN.

Snalc (Syndicat nat. des lycées et collèges). 4, rue de Trévise, 75009 Paris. *Pt :* Françoise Angoulvant (n. 25-5-1940) dep. 14-3-1992. *Fondé* 21-4-1905 sous le nom de « Fédération nat. des prof. de lycées de garçons et de l'enseignement sec. féminin ». Nom actuel : 15-7-1937. Personnels d'ens. de gestion, d'éd., d'EPS, d'Asu, d'orientation et de surveillance dans les lycées et collèges class., modernes, techn., agr. et les écoles normales. Représenté dans les commissions paritaires académiques et nat. et les principaux organismes consultatifs du min. de l'Éd. nat. Libéral, s'oppose à une conception totalitaire de l'éducation, indépendant de tout parti. Membre de la Confédération syndicale de l'Éduc. nat. (CSEN). *Élus :* nationaux 12, académiques 296. *Adhérents 1978-79 :* 14 000. *92-93 :* 12 500. *Publications :* la Quinzaine universitaire (20 000 ex., bimensuel), SNALC-Info (bim.). *Minitel :* 3614 ARTI.

SNC (Synd. nat. des collèges). 13, av. de Taillebourg, 75011 Paris. *Secr. gén. :* Marc Geniez. *Fondé* 1960. Regroupe toutes les catégories de professeurs, les principaux, principaux adjoints, conseillers d'éducation et personnels de surveillance (Mise) des collèges de l'ens. public. Représenté dans les commissions paritaires academ. et nat. *Adhérents 1990 :* 25 000. Affilié à la Féd. autonome de l'Éd. nat. *Publication :* Bulletin. *Minitel :* 3616 SNC.

SNE (Syndicat national des écoles). 30, rue de Gramont, 75002 Paris. *Secr. gén. :* Jean-Claude Cérou (n. 5-8-1937). *Créé* 24-9-1962 par des dissidents du SNI, qui reprochaient à leur syndicat des positions politiques partisanes. A fusionné en 1973 avec le Syndicat gén. de l'ens. public créé 1970, puis le 4-6-1986 avec le Snade (Synd. nat. autonome des directeurs d'école). Membre de la CSEN. A adhéré en juin 1990 à la Conf. franç. de l'encadrement (CFE-CGC). Refuse tout engagement partisan, idéologique, politique ou religieux. Regroupe des instituteurs, prof. et directeurs d'école. *Adhérents :* 10 000. *Publication :* La Voix de l'École (50 000 ex., mensuel).

Snep (Synd. nat. des écoles publiques). 8, rue Guérin-Drouet, 95120 Ermont. *Secr. gén. :* Marie-Thérèse Boidin. *Créé* 1990. Représente les ens. du 1ᵉʳ degré de l'Éd. nat. Revendique l'intégration de tous les instituteurs dans le corps de prof. des éc. et la définition de leurs obligations de service pour la base de 24 h en présence des élèves. Affilié à la FAEN. *Publication :* bulletin mensuel.

Snes (Synd. nat. des ens. du second degré class., mod., techn.). 1, rue de Courty, 75341 Cedex 07. *Secr. gén. :* Monique Vuaillat. *Créé* 3-4-1966 [fusion de l'ancien Snes (Synd. nat. de l'ens. sec. formé en 1944 et issu du Spes : Synd. du personnel de l'ens. sec.) et du Snet (Synd. nat. de l'ens. techn.)]. *Élections professionnelle déc. 1990 :* 56,51 % (31 s. sur 45). *Élect. internes juin 1991 :* Unité et Action 75,56, Union pour l'ind., la dém. et la rénov. du SNES 10,38, École émancipée 11,15, Synd. ind. de l'État, du gouv. et des partis 4,93. *Adhérents 1976-77 :* 91 204 ; *91-92 :* 72 738. *Publications :* l'Université syndicaliste (110 000 ex., hebd.), le Courrier de S1 (bimens.). *Minitel* 3615 Ustel.

Snes-Sup. (Synd. nat. de l'ens. supérieur). 78, rue du Faubourg-St-Denis, 75010 Paris. *Secr. gén. :* Gérard Cendres. *Créé* 1935. *Vote d'activité :* tendance Action syndicale 77,52 % des voix (1987 : 75,23) ; courant UID 16,76 ; École émancipée 5,72. *Adhérents :* 5 000.

SNL (Syndicat national des lycées). 13, avenue de Taillebourg, 75011 Paris. *Secr. gén. :* Jean-Paul Aymard. *Créé* 1988. Indépendance du syndicalisme à l'égard des partis politiques. Revendique un corps unifié et spécifique des professeurs de lycée (15 h pour tous). 2ᵉ syndicat des personnels de direction. *Élections du 15-12-1991 :* 20 % des voix, 1 siège sur 4 à la CAPN. *Publications :* bulletin trimestriel, lettre aux adhérents. Affilié à la FAEN-FGAF.

SNPTA (Synd. nat. des personnels techniques et administratifs de l'Éd. nat.). CNED, 60, bd du Lycée, 92171 Vanves Cedex. *Secr. gén. :* Guy Gaïtti. *Créé* 1987. Affilié à la FAEN.

SPEN (Synd. des psychologues de l'Éd. nationale). 10, rue St-Maurice, 69580 Sathonay-Village. *Secr. gén.* Jean-Christophe Janin. *Créé* juin 1975. *Membres :* majorité des psychol. scolaires en exercice. *Publication :* Journal du SPEN (bimestriel).

UNI (voir Syndicats étudiants).

UNSEN-CGT (Union nat. des syndicats de l'Éd. nat.). *Née* de la transformation du SNETP-CGT (Synd. nat. des enseignements techn. et profess.) en SDEN (Synd. dép. de l'Éd. nat.), Bourse nationale CGT, 263, rue de Paris, 93515 Montreuil. *Secr. gén. :* Michèle Baracat (18-10-50). *Fondé* 1944. Personnels d'ens., d'éducation, de direction des LEP, SES, EREA. Dep. 1988, syndique l'ensemble des personnels enseignants. *Adhérents :* 13 000. *Publication :* le Travailleur de l'ens. techn.

☞ **Assoc. française des psychologues scolaires (AFPS).** 9, allée Brahms, 91410 Dourdan. *Pt :* J. Hervé. *Créée* 1962. *Adhérents :* 1 000 sur les 3 200 psych. scolaires en France. *Buts :* formation, recherche et échanges professionnels. *Publications :* Psychologie et éducation (trimestriel), Échanges (trim.).

Mouvements de parents d'élèves

Élection des représentants des parents d'élèves dans les conseils d'établ. (1992). *1ᵉʳ degré* (participation 45,21 %) Assoc. locales et groupements 49,29, FCPE 35,56, PEEP 8,21. *2ᵉ degré* (participation 31,23 %) FCPE 57,22, PEEP 27,32, Assoc. loc. et groupements 11,86.

FCPE (Féd. des conseils de parents d'él. des écoles publiques). 108/110, av. Ledru-Rollin, 75011 Paris. *Pt :* Jacques Dufresne dep. juin 1992 ; avant : Jean Cornec (n. 7-5-17), Jean Andrieu (n. 27-11-33), et J.-P. Mailles (n. 28-5-44). *Fondée* 1946. *Membres :* env. 600 000 familles, près de 208 000 délégués dans les conseils d'éc. et d'établ. (élém. et sec.) où elle détient la majorité des sièges. + de 18 000 conseils locaux. *Buts :* propager et défendre l'idéal laïc, promouvoir un service nat. public d'éducation, gratuit, respectueux de toutes les familles de pensée. *Publications :* Pour l'enfant... Vers l'homme (250 000 abonnés), Revue grand public, la Famille et l'École (30 000 ab.).

FFN-EAP (Féd. familiale nat. pour l'enseign. agricole privé). 277, rue St-Jacques, 75005 Paris. *Pt :* Charles Delatte. *Secr. gén. :* Francis Blondel. *Fondée* 1956. Membre du CNEAP (Conseil nat. de l'ens. agricole privé). *Adhérents :* 42 000. Regroupe les 255 assoc. des établ. d'ens. agr. privés cath.

FNAPE (Féd. nat. des assoc. de parents d'élèves de l'ens. public). 27, rue du Faubourg-Poissonnière,

75009 Paris. *Pt d'honneur :* Léon Giraudeau (13-1-1920), Jacques Demaret (25-5-1937). *Pt gén. :* Hugues Devillaire (2-6-1940). *Fondée* 1932. *Adhérents :* parents du cycle préélémentaire au sup., de l'ens. techn., agr. et prof. Réunit 120 associations, 20 000 adh. Sans attache politique, religieuse, syndicale, gouvernementale. *Publications :* Parents d'élèves (trim.), info-FNAPE.

PEEP (Féd. des parents d'él. de l'ens. public). 89-91, boulevard Berthier, 75017 Paris. *Pt :* J.-P. Bocquet dep. mai 1992 [avant Joëlle Longueval dep. mai 1991, avant Jacques Hui dep. mai 1986, avant J.-M. Schléret (n. 11-8-41) dep. mai 80 (avant : Antoine Lagarde)]. *Fondée* 1905, par Paul Gallois. *Adhérents :* + de 3 500 associations et 28 unions rég., 430 000 adh. pour 1er et 2e degrés, large représentative dans l'ens. agr., sup., franç. à l'étranger. *Principes :* primauté de la famille en matière d'éducation ; attachement à l'éc. publique avec laïcité ouverte. *Publications :* la Voix des parents (bimestriel pour adh.) ; PEEP-Info. (pour responsables).

Unaape (Union nat. des assoc. autonomes de parents d'élèves). 42, rue Carvès, 92120 Montrouge. *Pt :* Guy Muller. *Fondée* juin 1968. *Adhérents :* env. 60 000. A obtenu 1,76 % des voix en 1989 dans le secondaire et 1,03 % dans le primaire. *Buts :* qualité de l'ens., indépendance du système éducatif vis-à-vis du pouvoir politique, droit des familles à une présence efficace dans les écoles, défense des valeurs morales (sens de l'effort, discipline), liberté de choix du système scolaire. *Publications :* Présence des parents 4 fois par an ; UNAAPE-Information (mensuel de liaison entre l'org. nat. et les bureaux des assoc. locales).

Unapel (Union nat. des assoc. de parents d'él. de l'ens. libre). 277, rue St-Jacques, 75005 Paris. *Pt :* Philippe Toussaint. *Fondée* 1930. *Adhérents :* 810 000 familles pour 2 000 000 d'él. scolarisés dans 9 000 établ. privés sous contrat. *Publication :* la Nouvelle Famille éducatrice (821 250 ex., 8 nos par an).

ASSOCIATIONS DE JEUNESSE ET D'ÉDUCATION POPULAIRE

☞ Il y a en France près de 200 associations de jeunesse et d'éducation populaire agréées et subventionnées par l'État (sur le plan national). *Renseignements :* Direction départementale de la Jeunesse et des Sports du domicile, ou antenne régionale du CIDJ. *Minitel :* 3615 CIDJ.

CIDJ (Centre d'information et de documentation de la jeunesse). 101, quai Branly, 75740 Paris Cedex 15. Min. de la Jeunesse et des Sports. 5 000 pages de documentation mises à jour chaque année. *Domaines :* enseignement, formation professionnelle, métiers, formation permanente, vie quotidienne, loisirs, vacances, voyages à l'étranger, sports.

MAISONS DES JEUNES ET DE LA CULTURE

Origine. **1944** (4-10)mouvement *République des Jeunes* créé à Lyon, formé par des représentants de mouvements de jeunesse, de syndicats et d'organisations de Résistance. **1946** *Féd. des Maisons des jeunes.* **1948** (15-1) *Féd. nationale des Maisons des jeunes et de la culture.* **1969** se fractionne entre la FFMJC (Féd. française des Maisons des jeunes et de la culture) et l'Unireg (Union des féd. régionales des maisons de jeunes et de la culture). **1969 et 70** réorganisation ; les 26 féd. régionales adhèrent soit à la FFMJC, soit à l'Unireg (y compris les dép. d'outre-mer).

Financement. Par usagers et municipalités (47,4 %), conseils généraux, ministère de la Jeunesse et des Sports.

Activités (% des MJC les exerçant). Culturelles (diffusion, théâtre, cinéma, musique, expo.) 80 % ; sportives 75 % ; d'expression 70 % ; au service de partenaires associatifs (prêt de salle, imprimerie) ; scientifiques, techniques et audiovisuelles 63 % ; action sociale et formation 33 % ; tourisme social 29 % ; économiques (développement local, entreprises intermédiaires, vente de services) 20 %.

FFMJC (Féd. française des Maisons des jeunes et de la culture). 15, rue La Condamine, 75017 Paris. *Pt :* Régis Gontier. *Délégué gén. :* Jean-Claude Lambert. *En 1990 :* 17 féd. rég., 1 143 MJC, 35 centres internat. de secours, 100 lieux de rock, 70 000 danseurs, 200 salles de spectacles ; + de 440 000 adhérents. Membre de l'ECYC (Conféd. europ. des clubs de jeunes) comprenant 16 000 MJC. *Publication :* La lettre de la FFMJC (trimestriel).

Unireg (Union de fédérations régionales des maisons des jeunes et de la culture). 168 bis, rue Cardinet, 75017 Paris. *Pt :* Marcel Garrigue. *Délégué général :* Jean-Pierre Sirerols. *En 1992 :* 13 féd. régionales, 480 MJC, 200 000 adhérents. *Publication :* Synchro (6 nos par an). *Financement :* ressources propres : 46,7 %, aides publiques confondues : 53,3 %. *Institut de formation à l'animation* (IFA).

FOYERS ET CLUBS DE JEUNES

Fédération des centres sociaux et socioculturels. 10-12, rue du Volga, 75020 Paris. *Pt :* M. Matray. *Créée* 1927. Reconnue d'utilité publique 1931. *Adhérents :* + de 850 centres.

Fédération nationale Léo-Lagrange. 21, rue de Provence, 75009 Paris (Léo Lagrange 1891-1940, sous-secrétaire d'État aux Sports et Loisirs en 1936-37 ; 1938, avocat, député socialiste du Nord, créa l'École de ski, le brevet sportif populaire, organisa le tourisme pop.). *Pt :* Bernard Derosier, *Secr. gén. :* Alain Sauvreneau. *Créée* 1950. *Adhérents* (1992) : 100 000, 300 000 usagers, 900 assoc. affiliées. *But :* développer l'initiative et la responsabilité de chaque citoyen dans la collectivité.

Fédération sportive et culturelle de France. 22, rue Oberkampf, 75011 Paris. *Pt :* Clément Schertzinger. *Créée* 1898 par Dr Paul Michaux, sous le nom de *Féd. gymnastique et sportive des patronages de Fr. Activités :* branches sportive 80 % env. des activités (avec ou sans compétitions) ; socio-éducative et culturelle, centres de vacances et de loisirs. *Adhérents* (1991) : 200 000 (2 200 assoc., 70 relais départ.). *Publication :* Les Jeunes (bimestr.)

Union nationale des foyers et services pour jeunes travailleurs (Association nat. d'éducation populaire). 12, av. Gal-de-Gaulle, 94307 Vincennes Cedex. *Pte :* Mme Goureaux. *Dir. :* J.-L. Dumoulin. *Créée* 1955. *Adhérents :* 468 foyers pour jeunes trav. de 18 à 25 ans (55 000 places), 10 services sans hébergement. *Coût* (1/2 pension) : 1 400/1 800 F par mois. Les foyers fournissent aussi une aide morale, éducative et parfois matérielle.

Ligue française de l'enseignement (voir p. 1283).

☞ L'*Ufoleis* (10 500 ciné-clubs) est la plus grande fédération de ciné-clubs du monde. L'*Ufolep-Usep* (27 618 sociétés et 1 272 594 lic.) est la plus grande fédération omnisports de France.

AUBERGES DE JEUNESSE

Quelques dates. **1929** Marc Sangnier (1873-1950), militant de la paix et de la coopération internationale, crée la 1re AJ en Fr. (Bierville). **1937** essor des AJ avec Léo Lagrange, voir + haut. **1956** regroupées dans une Féd. unie (FUAJ). **1959** la Ligue française pour les AJ (LFAJ) s'en retire. **1966** accord entre les 2 associations ; réciprocité d'accueil.

FUAJ (Féd. unie des aub. de j.). 27, rue Pajol, 75018 Paris. *Pt :* Serge Goupil. *Secr. gén. :* Édith Arnoult. *Créée* 6-4-1956. *Agréée* 3-7-1959. *Activités :* hébergements, stages sportifs, culturels, ou artisanat. + de 200 aub. en France (17 000 lits, 1 500 000 nuitées). Seule féd. à être affiliée à la Féd. internat. des aub. de j. (International Youth Hostel Federation/IYHF : 6 000 aub. dans 57 pays ; 3 700 000 adhérents).

LFAJ (Ligue française pour les aub. de j.). 38, bd Raspail, 75007 Paris. *Pt :* Pierre Mulet. *Délégué gén. :* René Bargeolle. *Créée* 1930. En 1992 : 85 aub. et maisons amies, 25 000 adhérents. 5 500 lits, 500 000 nuitées.

CHANTIERS DE JEUNES

Chantiers Histoire et Architecture médiévales (CHAM), 5-7, rue Guilleminot, 75014 Paris.

Club du Vieux Manoir. 10, rue de la Cossonnerie, 75001 Paris. *Créé* 1952, agréé et reconnu d'utilité publique. Restauration des sites et ruines, recherches et études archéologiques des vestiges avec animation des chantiers pour le grand public (visites guidées, expositions, spectacles...). 20 à 25 réhabilitations par an. *Membres* + de 4 000. *Conditions :* min. 14 à 16 ans suivant les cas. 65 F par jour, 80 F de cotisation assurance ; hébergement en camps ou cantonnements ; séjours de 15 j minimum l'été. *Publications :* les Cahiers médiévaux (revue d'études), Art et Tourisme, les Historiques (études sur les châteaux), cours « Sauvetage et Archéologie ».

Études et chantiers. 18, rue de Châtillon, 75014 Paris. *Pt :* José F. Jacquemart. *Créés* 1962. 10 associations locales ou rég. *Activités :* 100 chantiers de jeunes en France (+ de 13 ans) et à l'étranger (+ de 18 a.). Activités à caractère social ; stages de formation prof. en alternance organisés toute l'année.

Co-travaux. Coordination pour le travail volontaire des jeunes. 11, rue de Clichy, 75009 Paris. *Créé* 1959, sous le patronage du Haut Comité de la jeunesse. Regroupe 10 associations qui organisent des chantiers, en France et à l'étranger [équipes internationales, adolescents (13-18 ans) ou adultes]. Aménagement de villages et équipements ruraux, sportifs, socioculturels, touristiques, protection de la nature et de l'environnement, fouilles archéol., restauration du Patrimoine, aide aux mal-logés.

Associations membres : Alpes de lumière, prieuré de Salagon, Mane, 04300 Forcalquier. **FUAJ,** 27, rue Pajol, 75018 Paris. **Les Compagnons bâtisseurs,** maison de la solidarité, 6, av. Ch.-de-Gaulle, 81100 Castres. **Concordia,** 38, rue du Fbg-St-Denis, 75010 Paris. **Jeunesse et Reconstruction,** 10, rue de Trévise, 75009 Paris. **Neige et Merveilles.** « La Séréna », parc Maria, 06100 Nice. **Service civil international,** 2, rue Eugène-Fournière, 75018 Paris. **Solidarité Jeunesses,** 38, rue du Faubourg-Saint-Denis, 75010 Paris. **Union REMP Art,** 1, r. des Guillemites, 75004 Paris. **Unarec,** 33, rue Campagne-Première, 75014 Paris.

ASSOCIATIONS D'ÉCHANGES INTERNATIONAUX

Centre de coopération culturelle et sociale. *Agréé* 4-3-1952. 7, rue N.-D.-des-Victoires, 75002 Paris. *Créé* 1-11-1947. **CEI. Club des 4 Vents.** 1, rue Gozlin, 75006 Paris. *Créé* 1953, agréé Jeunesse et Sports. **Fédération française des clubs Unesco.** 2, rue Lapeyrère, 75018 Paris. *Créée* 1956 (agréée Jeunesse et Sports). **Féd. française des organisations de séjours culturels et linguistiques** (FFOSC). 7, rue Beccaria, 75012 Paris. **LEC** 89, av. de Villiers, 75017 Paris. *Créé* 1972. *Pt :* Roland Stern. *But :* séjours linguistiques en Allemagne, Espagne, G.-B., Irlande, Écosse, USA. 400 lieux de séjour. Hébergement par familles hôtesses. **Union nationale des organisations de séjours linguistiques** (Unosel). 293-295, rue de Vaugirard, 75015 Paris. *Créée* 1979.

ACTIVITÉS SCIENTIFIQUES

Association française Astronomie. 17, rue Émile-Deutsch-de-la-Meurthe, Parc Montsouris, 75014 Paris. *Créée* 1946 par Pierre Bourge. *Adhérents :* 3 000. Possède un observatoire à Aniane [(Hérault), ouvert toute l'année]. Planétarium itinérant, expositions. *Publications :* Afascope, Ciel et Espace. Minitel 3615 Big Bang.

Association nat. sciences techniques jeunesse (ANSTJ). *Secrétariat :* 17, avenue Gambetta, 91130 Ris-Orangis. *Siège :* Palais de la Découverte, 75008 Paris. **Activités :** séjours de vacances pour 8/18 ans, aide au développement de projets à caractère scient. dans le cadre de clubs, et d'échanges entre jeunes et milieu de la recherche et de l'industrie : organisation de stages de formation pour enseignants et animateurs en astronomie, techniques aérospatiales (fusées), énergie solaire, informatique, électronique, robotique, télédétection, écologie, géologie, météorologie. *En 1993 :* 500 clubs, 50 000 participants, 1 000 animateurs, 30 permanents, 200 ateliers et classes de découverte et 30 ans d'expérience.

Réseau des émetteurs français. Section de l'IARU (International Amateur Radio Union), BP 2129, 37021 Tours Cedex. *Pt :* J.-P. Waymel. Rec. d'utilité publ. 1952. *Adhérents :* 10 000. *Mensuel :* Radio REF.

ACTIVITÉS CULTURELLES

A Cœur Joie. « Les Passerelles », 24, av. Joannès-Masset, 69337 Lyon Cedex 09. *Pt :* Marcel Corneloup. *Créé* 1940 par César Geoffray (1901-72). *Activités :* mouvement intern. de chant choral (5 ans à chorale de retraités), stages de formation chefs de chœurs, rencontres musicales. *Publication :* Chant Choral Magazine. *Maison d'édition :* Éd. A Cœur Joie, BP 9151 69263 Lyon Cedex 09. *Effectifs :* France 20 000.

Animation et Développement. 168 bis, rue Cardinet, 75017 Paris. *Pt :* Jean Lesuisse. *Créée* 1975.

Activités : recherches en ethnologie sociale pour mise en œuvre des plans d'animation locale, ou de dévelop. culturel, social ou éco. Formation.

Association internationale du nouvel objet visuel, 32, allée Darius-Milhaud, 75019 Paris. *Pte :* Catherine Brelet. *Créée* 1964 par Jacques Anquetil, sous le nom d'Union des maisons des métiers d'art français. Ouverte à tous les créateurs.

Association pour la formation de cadres de loisirs des jeunes (Afocal). 15, rue de Richelieu, 75001 Paris. *Créée* 1979. *Formation* aux brevets d'animation BAFA, BAFD. *Délégations rég. :* 10. *Sessions* par an : 180.

Ateliers des Trois Soleils. 75, rue Eugène-Pons, 69004 Lyon. *Créés* 1957-58. *Agréés* 1962 (régional), 1974 (national). *Activités :* peinture, sculpture, poterie, vannerie, tissage, cuir, reliure, photo, bois, art floral, batik, bijouterie, éducation corporelle. S'adresse en priorité aux animateurs, éducateurs, enseignants et travailleurs sociaux. *Stages d'art et artisanat* (Riverie, 69440 Mornant, Rhône). *Adhérents :* 1 200. *Bénéficiaires au 2ᵉ degré :* 50 000.

Centre national français du film pour l'enfance et la jeunesse. 133, rue du Château, 75014 Paris. *Pt :* M. Hacquard. *Créé* 1949. **Centre d'information sur la production mondiale de films pour jeune public.** *Publications :* Feuille d'inf. ; Sélection de films (choisis par des éducateurs et prof. du cinéma).

Cœurs vaillants et Ames vaillantes de France. Assoc. 6, rue Duguay-Trouin, 75006 Paris. *Pte :* Catherine Bony. Mouvement cath. d'éd. pour 5 à 15 ans. *Créée* 1936 par le père Courtois (1897-1970) et le père Pihan, nommée également *Action Catholique des Enfants. Activités :* réunions axées sur la vie (scolaire, familiale, loisirs, environnement), rassemblements, jeux, fêtes. 13 000 animateurs encadrent 90 000 enf. *Publications* (Fleurus Presse) : Perlin (8 ans), Fripounet (8 à 11), Triolo (11 à 15). *Revue des clubs ACE :* Les Mifasols (5-8), Ricochet (8-11), Vitamine (11-15).

Familles rurales (Féd. nat.). 81, av. Raymond-Poincaré, 75116 Paris. *Pt :* Michel Bordereau. *Dir. :* Gilles Mortier. *Créée* 26-6-1943. *Composition :* 170 000 familles (soit + de 1 million de personnes) dans 3 200 associations locales réunies dans 76 fédérations départementales et 16 féd. rég. *Publications :* Familles rurales (mensuel, 6 000 ex.) ; Flash (mensuel, 75 000 ex.). *Activités :* 1 800 centres de loisirs et camps (70 000 enfants et jeunes accueillis, 5 500 animateurs) ; 800 clubs féminins ; plus de 1 000 clubs de retraités-personnes âgées, 4 500 aides ménagères. Consommation : 350 responsables locaux, informations, solution des litiges, permanences et formation des responsables. Plus de 20 établ. d'information, consultation et conseil conjugal. Transports scolaires, garderies familiales rurales, bourses aux vêtements, bibliobus, etc.

Fédération loisirs et culture (FLEC). 24, bd Poissonnière, 75009 Paris. *Pt :* P. Fresil dep. 1986. *Fondée* 7-7-1946. Ciné-clubs pour 16 à 25 ans. *Publications :* Filmographe, Loisirs et Culture.

Fédération nationale des compagnies de théâtre et d'animation (FNCTA). *Fondée* 1907. 12, rue de la Chaussée-d'Antin, 75009 Paris. *Pt :* Jacques Lemaire. *En 1990 :* 3 680 Cᶦᵉˢ théâtrales et 35 800 comédiens. *Publication :* Théâtre et Animation.

Les Francas. Francs et Franches Camarades. *(Féd. nat. laïque des centres de loisirs éducatifs pour l'enfance et l'adolescence).* 10-14, rue Tolain, 75020 Paris. *Pt :* Pierre Durand. 100 associations départ., 25 délégations région. 30 000 adhérents. 1 000 000 d'enfants et de jeunes dans 5 000 centres d'activités. 20 000 personnes formées par an (bénévoles et prof.). Secteur d'animation gérant 20 groupes de travail permanents. *Publications :* Camaraderie (35 000 ex.), Réussir (pour les éduc.), Jeunes Années (3-8 ans), Gullivore (9-14 ans, 40 000 ex.).

Inter-Animation. 1, rue Gozlin, 75006 Paris. Regroupe des associations agréées. **Chant choral :** A cœur joie (voir Index). **Stages d'expression, d'animation, spectacle, artisanat :** *Animation jeunesse,* 13, rue de Buci, 75006 Paris. **Jeunesses musicales de France,** Section française de la Féd. intern. des JM, 14, rue François-Miron, 75004 Paris. **Jeunesse et Marine,** 10, rue de Constantinople, 75008 Paris.

Loisirs-Jeunes. 36, rue de Ponthieu, 75008 Paris. *Agréé* en 1957. *Pt :* M. Berthet.

Vacances pour tous. 21, rue St-Fargeau, 75989 Paris Cedex 20 (service vacances de la Ligue française de l'enseign. et de l'Éduc. permanente).

Scoutisme

Généralités

Quelques dates. 1899-1900 lors du siège de Mafeking (Afr. du S. ; 217 j du 13-10-1899 au 12-5-1900), le colonel Robert Baden-Powell [1857-1941 (épousa le 30-10-1912 Olave Saint Clair Soames (22-2-1889/1977)] crée un corps de cadets de 12 à 16 ans, pour remplir les tâches de messagers (scouts). **1907** (29-7 au 9-8) B.-P. réunit les 22 premiers « boy-scouts » sur l'île de Brownsea (G.-B.). **1908** le livre *Scouting for Boys (Éclaireurs)* propage ses idées. *18-4* The Scout (l'Éclaireur) (hebdo) lancé. **1910** (oct.) France, le pasteur Galienne s'inspire de la méthode scoute pour grouper quelques garçons de son patronage parisien du quartier populaire de Grenelle. **1911** + de 500 000 scouts dans le monde. L'abbé Augustin-Marie d'Andreis de Boson (1883-1960) fonde à Nice les Éclaireurs des Alpes. (Mars) Georges Bertier, directeur de l'École des Roches et le lieutenant de vaisseau Nicolas Benoit fondent une troupe d'Éclaireurs de France à Verneuil-sur-Avre. (Juin) 1ʳᵉ troupe d'Éclaireurs unionistes à Boulogne-sur-Seine (pasteur Samuel Williamson) qui applique la méthode scoute aux sections cadettes des UCJG (Union chrétienne des jeunes gens). *2-11* les Éclaireurs de Fr. se constituent en association. Les groupes nés dans les UCJG avant les Éclaireurs unionistes de Fr. se constituent en un mouvement distinct, les Éclaireurs unionistes. **1912** des unités sont créées dans le cadre des Unions chrétiennes des jeunes filles. Création au Creusot (Saône-et-Loire) de la Milice-St-Michel par Louis Faure ; à Paris, Henri Gasnier et l'abbé Marcel Caillet fondent les Intrépides du Rosaire. **1913** 1ᵉʳ camp intern. à Birmingham : 30 000 participants. **1914-20** fondation de groupes catholiques. **1916**-*2-10* le chanoine Antoine-Louis Cornette (1860-1936) et Édouard de Macédo fondent les Entraîneurs de St-Honoré-d'Eylau ; le 1ᵉʳ QG des Scouts de France est installé dans la cave du presbytère de St-Honoré-d'Eylau. **1918** BP publie le livre des Éclaireurs. **1920**-*25-7* les groupes cath. forment les « scouts de Fr. » au 1ᵉʳ *jamboree.* **1921** fondation de la Féd. française des éclaireuses (FFE), formée de sections unionistes, neutres, d'une section israélite (1927). **1923** création des Éclaireurs israélites (EIF) et Guides de Fr. (catholiques). **1939** (juin) 3 305 149 scouts dans 47 pays. **1964** la section neutre de la FFE forme, avec les EDF, les Éclaireuses et Éclaireurs de Fr. (EEDF) ; la section israélite rejoint les EIF. **1970** (janv.) fusion de la Féd. fr. des éclaireuses unionistes (FFEU, section féminine de la FFE) avec Éclaireurs unionistes de Fr. ; création de la Féd. des éclaireuses et éclaireurs unionistes de Fr. (FEEUF).

Principes. *But :* contribuer au développement personnel et social des jeunes. Ouvert à tous, à caractère non politique. *Fondé sur :* les contacts internationaux dans la perspective de la promotion de la paix, de la compréhension et de la coopération ; la participation au développement de la société dans le respect de la dignité de l'homme et dans le respect de l'intégrité de la nature ; la prise en charge par chacun de son propre développement ; une méthode d'auto-éducation progressive, comportant des programmes adaptés aux différentes tranches d'âge et fondée sur une « promesse » et une « loi », l'éducation par l'action, la vie en petits groupes, un système de progression personnelle et des activités se déroulant au contact de la nature.

Divers. *Insigne des chefs scouts :* badge de bois ; 2 bûchettes enfilées aux extrémités d'un lacet de cuir noué en collier. A l'origine, provenaient du collier d'un roi zoulou. *BA :* bonne action ; à faire chaque jour. *Emblème mondial :* fleur de lys que l'on trouvait sur cartes et boussoles, symbole de la bonne direction. Corde qui l'entoure symbolise l'unité. *Loup de bronze :* décoration décernée par Comité mondial pour services exceptionnels, créé 1935, attribué à 220 personnes.

Jamborees mondiaux (le 1ᵉʳ 25-7-1920). Nombre de participants en milliers. *1920* Londres, G.-B. 8 ; *24* Ermelunden, Dan. 5 ; *29* Birkenhead, G.-B. 50 ; *33* Gödöllö, Hongrie 25 ; *37* Vogelenzang, P.-B. 28 ; *47* Moisson, Fr. 25 ; *51* Bad Ischl, Autr. 13 ; *55* Niagara Falls, Can. 11 ; *57* Sutton Coldfield, G.-B. 34 ; *59* Makiling Park, Phili. 12 ; *63* Marathon, Grèce 14 ; *67* Farragut, USA 12 ; *71* Asagiri Heights, Jap. 24 ; *75* Lillehammer, Norv. 17 ; *83* Calgary, Can. 16 ; *88* Sydney, Aust. 15 ; *91* Soraksan, Corée 20.

Scoutisme mondial

■ **Masculin. Organisation mondiale du mouvement scout (OMMS).** *Conférence mondiale :* composée de 131 organisations nationales ; tous les 3 ans. *Comité mondial :* 12 membres de pays différents élus par la conférence pour 6 ans ; renouvellement par moitié. *Pt* (1990-93) : E.F. Reid. *Bureau mondial du scoutisme :* Case postale 241, 1211 Genève, 4, Suisse. *Secr. gén. :* Jacques Moreillon (Suisse). Organise les jamborees (en zoulou : assemblée d'amis) quadriennaux.

Nombre de scouts (15-5-1993) : + de 16 000 000 dans 131 organisations nationales et 150 pays et territoires dont (en milliers) : USA 4 625,8. Philippines 2 350,7. Inde 2 272,7. G.-B. 675,5. Bangladesh 368,1. Pakistan 326,8. Corée du S. 309,5. Thaïlande 274,1. Canada 269,4. Japon 255,3. Australie 148,9. Suède 146,2. Allemagne 136,6. *France 119,1.* P.-Bas 114,9, Italie 106,5. Iran 105,5. Chine 102,1. Kenya 101,5. Malaisie 88,7, Finlande 82,4. Belgique 81. Égypte 74,6. Espagne 66,9. Ouganda 66,6. Algérie 66,4. Chili 64,4. Brésil 62,9. Zaïre 62,8. Suisse 62,7. Mexique 58,6. Hong Kong 54,9. Sri-Lanka 54,6. Irlande 50,2. Danemark 49,5. Portugal 47,9. Nigeria 46,7. N.-Zélande 44,4. Afr. du Sud 42,4. Népal 40,4. Norvège 32,7. Turquie 30,4. Israël 29,6. Hongrie 21,3. Colombie 21. Tunisie 20,4. Grèce 20. Arabie S. 19,8. Tanzanie 18,8. Antilles 16,6. Rwanda 16,3. Zimbabwe 15.

■ **Féminin. Assoc. mondiale des guides et des éclaireuses (AMGE).** *Conférence mondiale :* tous les 3 ans, 112 organisations nationales. *Comité mondial :* 12 membres, de pays différents, élus par la conférence pour 9 ans. *Pte* (1990-93) : Barbara Hayes. *Bureau mondial :* 132, Olave Centre 12c, Lyndhurst Road London NW3 5PQ. *Directrice :* Jan Holt.

Nombre de guides : + de 7 750 000 dans 112 pays dont (en milliers) USA 2 918, Philippines 1 597, G.-B. 750, Inde 442, Canada 269, Corée 145, Indonésie 99, Autriche 94, Pakistan 94.

Scoutisme français

Reconnu par le scoutisme mondial

Organisation. *Féd.* de 5 associations (Éclaireuses et Éclaireurs de Fr., Éclaireuses et Éclaireurs israélites de Fr., Éclaireuses et Éclaireurs unionistes de Fr., Guides de Fr., Scouts de Fr.). *Conseil nat.* Pts et commissaires généraux des 5 associations. *Bureau :* 7, rue Émile-Dubois, 75014 Paris. *Pt :* J.-Ch. Zerbib.

Scouts de France. 54, av. Jean-Jaurès, 75940 Paris Cedex 19. *Pt :* Pierre Trémeau. *Commissaire gén. :* Bertrand Chanzy. *Association* créée 1920 par père Sevin, chanoine Cornette et Édouard de Macédo. *Effectifs :* 110 000 garçons et filles dont 23 000 cadres sur 1 500 implantations locales (+ 150 DOM-TOM et étrangers). *Branches :* Louveteaux-Louvettes (8-12 a.) ; Souts-Scoutes (11-15 a.) ; Pionniers-Pionnières (14-18 a.) ; Compagnons hommes et femmes (17-21 a.). *Propositions :* 6-8 a. Sarabandes ; « Arc-en-Ciel » : accueil de jeunes handicapés ; membres associés. *Opérations :* « Plein-Vent » accueil de jeunes défavorisés. *Publications :* « Demain les Scouts de France » (pour les cadres), une revue par branche. *Formation :* stages BAFA-BAFD agréés et stages techniques nombreux. *Centre national de formation :* Château de Jambville (Yvelines).

Guides de France. 65, rue de la Glacière, 75013 Paris. *Pt :* Marie-France Alexandre. *Créée* février 1923. Assoc. de scoutisme, féminin, catholique, ouvert à tous. *Commissaire générale :* Monique Mitrani. *Branches :* Jeannettes (8-12 a.), Guides (12-14 a.), Caravelles (14-17 a.), Jeunes en marche (18-20 a.). *Effectifs :* 70 000 dont 10 000 responsables (hommes et femmes) bénévoles. *Publications :* Demain, les Guides de France, bimestr. pour responsables. Une revue bimestr. par tranche d'âge. « Pour toi », pour jeunes handicapés mentaux. *Services pédagogiques :* Farandoles (6-8 a.), jeunes handicapés, Unités Soleil (migrants), Galaxies (ruraux). *Formation :* stages BAFA-BAFD agréés, nombreux stages techniques. *Centre international de formation. Village des Feux Nouveaux :* à Mélan (A.-de-Hte-Pr.).

Éclaireuses et Éclaireurs de France. 12, place Georges-Pompidou, 93167 Noisy-le-Grand Cedex. *Pt :* Georges Voirnesson. *Dél. gén. :* Roland Daval. *Fondée* 1911. Association laïque mixte ouverte à tous. Accueille enfants, adolescents, handicapés en loisirs courts. *Organisation :* env. 350 groupes locaux. *Branches :* lutins (6 à 8 a.), louveteaux (8 à 11 a.), éclaireuses/éclaireurs (11 à 15 a.), aîné(e)s (15 à 19 a.). *Effectifs :* 36 000. *Publications :* Loustic (6 à 10 a.), l'Équipée (8 à 14 a.) ; Routes nouvelles [aîné(e)s et adultes]. Cahiers de la formation. *Stages :* BAFA-BAFD agréés, stages techniques.

Fédération des éclaireuses et éclaireurs unionistes de France (FEEUF). 15, rue Klock, 92110 Clichy. *Fondée* 1911, ouverte à tous ; d'inspiration protestante. *Pt :* Éric Hammel. *Effectifs :* env. 10 000 filles et garçons, dont 1 400 animateurs bénévoles. Louvettes-Louveteaux (7 à 11 a.), éclaireuses et éclaireurs (12 à 15 a.), aîné(e)s (15 à 17 a.). *Publications :* Kotick (7 à 11 a.), Bivouac (12 à 15 a.), le Lien Express [cadres et animateurs]. *Minitel* 3616 Skout.

Éclaireuses et Éclaireurs israélites de France. 27, avenue de Ségur, 75007 Paris. *Pte :* Monique Elfassy. *Com. gén. :* Myriam Tordjman. *Créée* 1923. *Branche Cadette* (bâtisseurs-bâtisettes) 8 à 11 a., *Moyenne* (éclaireurs-éclaireuses) 12 à 15 a., *Perspective* 15 à 17 a. *Cadres,* aîné(e)s. *Effectifs :* 5 000 m. env. dans 50 groupes locaux. *Publications :* Yossi (8-11 ans), Azimut 360° (12-15 a.), le Pifitone (15-17 a.), Bulletin EEIF, bulletin de liaison des responsables.

Non reconnu

Y compris assoc. n'ayant pas fait de demande de reconnaissance (OMMS et AMGE).

Guides et Scouts d'Europe. Section fr. de l'Union intern. des guides et scouts d'Europe (UIGSE), route de Montargis, BP 17, 77570 Château-Landon. *Pt féd. :* Attilio Grieco (It.). *Commissaire féd. :* Gildas Dyèvre (Fr.). Mouvement lancé en Autriche en 1952, déclarée en France 1958 contrat féd. signé par les associations fondatrices à Paris le 15-3-1963, agréé Jeunesse, Sports et Loisirs en 1970, reconnu avec statut consultatif par le Conseil de l'Europe en 1980. *Effectifs* (Europe, 12 pays + Canada) : 60 000 ; France 30 000. Section guide *(filles)* 40 %, scoute *(garçons)* 60 %. *Branche cadette* (louveteaux-louvettes, 8-12 ans) ; *moyenne* (éclaireurs-éclaireuses, 12-17 a.) ; *aînée* (routiers, pilotes ou guides-aînées, 17 a. et plus). *Chefs-cheftaines :* 18 ans et +. *Buts :* former des jeunes par la pratique du scoutisme authentique de Baden-Powell sur les bases chrétiennes fondement de la civilisation européenne.

Scouts unitaires de France. 12, rue Antoine-Roucher, 75016 Paris. Association *créée* 1971, reconnue d'utilité publ., agréée par le Secr. d'État à la Jeunesse et aux Sports. *Pt :* Antoine Renard. *Commissaire gén. :* Gérard Bouet. *Branches : garçons :* louveteaux (8 à 12 a.), éclaireurs (12 à 16 a.), routiers (16 à 19 a.) ; *filles :* Jeannette (8 à 12 a.), guides (12 à 16 a.), guides aînées (16 à 19 a.). *Effectifs* (au 1-1-93) : 20 500 (fusion avec Scouts St-Georges). *Buts :* pratique du scoutisme authentique de Baden-Powell telle que formulée dans la loi et les principes rédigés par les fondateurs du scoutisme catholique français.

Scouts St-Georges. *Fondé* 1968, a fusionné avec les Scouts unitaires en 1991. **Éclaireurs Neutres de France (ENF).** 11, rue Henri-Chevreau, 75020 Paris. *Pt :* D. Durand ; *com. gén. :* A. Maurice. *Créé* 1947, agréé Jeunesse, Sports et Loisirs. *Effectifs 1992 :* 2 000. Mouvement laïque de scoutisme traditionnel ouvert à toutes les spiritualités et soucieux de leur épanouissement. 2 sections (masculine et féminine). Louveteaux louvettes (8-12 ans), éclaireurs éclaireuses (12-16 a.), routiers éclaireuses aînées (16-18 a.). *Formation :* CEP, CNC (Camp National de Cadre). *Publications :* Feu de camp, l'Angon (revue des Cadres), Servir (routiers et aînées). **Éclaireurs Neutres européens.** Quelques centaines. **Scouts St-Louis** (région de Lyon). Env. 250. **Scouts et guides N.-D. de France. Scouts Baden-Powell de France. Raiders.** Env. 200. **Europ-Jeunesse** (région Nord). Env. 350. **Scouts mormons.**

Associations de jeunesse et d'éducation populaire

Culture et Liberté. 9, rue Louis-David, 93170 Bagnolet. *Née* de la fusion du Mouv. de Libération ouvrière et du secteur Éduc. populaire du Centre de culture ouvrière. *Créée* 1970, agréée 1973. *En 1991 :* fédère plus de 25 assoc. départ. avec 30 000 participants.

École des parents et des éducateurs (EPE Ile-de-France). 5, impasse du Bon-Secours, 75543 Paris Cedex 11. *Pt :* Guy Neyret. *Créée* 1929 par Mme Vérine, reconnue d'util. publ. en 1952.

Féd. nat. des écoles des parents et des éducateurs (FNEPE). 5, impasse du Bon-Secours, 75543 Paris Cedex 11. *Pt :* Guy Neyret. *Directrice :* Alice Holleaux. *Créée* 1970. Assoc. reconnue d'utilité publique. *Services :* atelier d'ét. et de recherche sur le groupe fam. *Publications :* l'École des parents (10 n^os^ par an, 16 000 ex.), le Groupe familial (trim., 4 500 ex.). Coll. de livres grand public : l'École des parents. 34 EPE en France.

Jeunesse de la mer. 16, rue du Père-Aubry, 94120 Fontenay-sous-Bois. *Fondée* 1930 à St-Malo par l'abbé Havard (Jeun. maritime chrétienne) ; 1974 devient Jeunesse de la mer ; regroupe jeunes navigants (pêche et commerce) et jeunes des éc. d'apprentissage maritime. Non confessionnelle. *Publication :* « Jeunesse maritime » (3 n^os^/an).

Ligue française de l'enseignement et de l'éducation permanente. 3, rue Récamier, 75341 Paris Cedex 07. *Pt :* Claude Julien (17-5-25). *Secr. gén. :* Jean-Louis Rollot. *Fondée* par Jean Macé (1815-94) en 1866 pour militer en faveur de la démocratie et de l'école laïque ; reconnue d'utilité publique. *Organisation :* 22 sections rég., 100 féd. départ. d'œuvres laïques, 36 000 associations et 2 600 000 membres (1992). *Publications :* Enjeux et débats, Pourquoi ? Tourisme et Vacances, UFOLEP-USEP informations, Revue de la Ligue Internat., Mémentos.

Mouvement de la jeunesse catholique de France (MJCF). *Créé* 1970. Mouvement missionnaire au sein de l'Église. Organise pèlerinages, veillées de prières, chapelets, retraites, camps de vacances, week-ends, randonnées, spectacles.

Mouvement rural de jeunesse chrétienne. 53, rue des Renaudes, 75017 Paris. *Pt nat. :* François Bernard. *Créé* 1929 sous le sigle JAC (Jeunesse agricole catholique), devient le MRJC en 1965, né de la fusion de la JAC et de la Jeunesse agricole féminine (JACF). *Effectifs :* 15 000 militants, 40 000 sympathisants, 3 branches. JAC : aides familiaux, exploitants agr., jeunes en formation agr. (20 %). JTS (jeunes travailleurs salariés) : apprentis, salariés, chômeurs (20 %). GE (groupe école) : scolaires lycéens, étudiants (60 %). *Publications :* Canard Plus, Graffiti.

Œuvres de jeunesse de Timon-David. 88 A, bd de la Libération, 13248 Marseille Cedex 04. *Fondées* 1852 par le père Timon-David (1823-91). *But :* éducation par les loisirs de la jeunesse des milieux populaires. *Effectifs :* 54 religieux, 3 000 jeunes. *Établissements :* 10 œuvres, 3 écoles-collèges, 3 paroisses.

Peuple et culture. 108-110, rue Saint-Maur, 75011 Paris. *Créée* 1945. *Pt :* Jean-François Chosson. *Au niveau local :* recherche-action et interventions en matière d'ingénierie éducative et culturelle, d'échanges internationaux, de développement local. *National :* journées d'études, séminaires et recherches sur les mêmes thèmes. Publications sur l'histoire et les méthodologies de l'éducation populaire.

Services populaires. 246, bd St-Denis, 92400 Courbevoie. Association loi 1901, *créée* 1945. *Pt :* Jérôme Pédro. *Objectif :* gère les services créés par la Jeunesse ouvrière chrétienne.

Union féminine civique et sociale (voir à l'Index).

Écoles parallèles, pédagogie

Association Montessori de France. 47, rue de l'Université, 75007 Paris. Affiliée à l'Ass. Montessori intern. *Pte :* Marie-Louise Pasquier. *Fondée* 1950 par Mme Jean-Jacques Bernard. *Activité :* principal soutien des écoles Montessori de France.

Assoc. nat. pour le développement de l'éduc. nouvelle à l'école (ANEN). 1, rue des Néfliers, 31400 Toulouse. *Fondée* 1970. Regroupe des écoles créées par les enseignants et les parents s'inspirant des travaux de R. Cousinet.

Collectif des équipes de pédagogie institutionnelle (CEPI). BP 68, 94002 Créteil. *Créé* 1978. *But :* définir une pédagogie nouvelle appliquée à l'école. S'inspire des travaux de Freinet (1920), F. Oury et A. Vasquez (1969) et des découvertes sur l'inconscient. *Adhérents :* 800 à 1 000.

École Perceval. Pédagogie Rudolf-Steiner, 5, rue Clemenceau, 78400 Chatou. Assoc. loi 1901. *Fondée* 1957, sans but lucratif. *But :* répandre et mettre en œuvre la pédagogie de R. Steiner : approche originale des matières, rythmes d'apprentissage, relations élèves-parents, professeurs. Direction collégiale. 450 él. de la maternelle aux grandes classes. Féd. des écoles Steiner : 500 éc. dans le monde dont 9 en France.

Écologie, nature, environnement

Espaces pour demain. 20, avenue Mac-Mahon, 75017 Paris. *Pt :* Pierre Delaporte. *Créé* 1976 par Louis Bériot, René Richard et l'amiral André Storelli. Reconnu d'utilité publique 1979. *But :* soutien des actions de protection de l'environnement et d'amélioration de la qualité de la vie, organisation du dialogue entre aménageurs et défenseurs de l'environnement. *Adhérents :* 3 000 (22 délégués régionaux, 95 départementaux). *Revue* trimestrielle.

Fédération française de la randonnée pédestre. 9, av. George-V, 75008 Paris. Info : 64, rue de Gergovie, 75014 Paris. *Pt :* Jacques Dumont. *Créée* 1947. *Aménagement et entretien* de 120 000 km de sentiers balisés. *Revues spécialisées :* Topoguides (170 guides). Randonnée (revue), Guide annuel. *Adhérents :* 300 000.

☞ Sentiers de grande randonnée (marques blanche et rouge, et jaune et rouge) et petite randonnée (marques jaunes).

Fédération des jeunes pour la nature (FJPN). Base de plein air et de loisirs, 91150 Étampes. *Créée* 1972. 42 clubs locaux (2 en Afrique), 5 féd. rég., 8 assoc. amies et 3 maisons de la nature, Argelès (Pyr.-Or.), St-Paul-en-Jarez (Loire), Hirtzfelden (Ht-Rhin), Combs-la-Ville (S.-et-M.). *Publication :* Partir en classe Nature c'est « chouette », les Métiers de l'environnement c'est chouette, le Rôle de la jeunesse mondiale dans la protection de l'environnement.

Enigmes

☞ Suite de la page 190.

Disparitions

Jean Salvator, archiduc d'Autriche. Fils du grand duc Léopold II et de Marguerite des Deux-Siciles, il avait obtenu (1880) de l'empereur François-Joseph d'abandonner ses privilèges et titres d'archiduc pour devenir un simple particulier sous le nom de Jean Orth.

Officiellement, il disparut en juillet 1890 dans le naufrage de la *Santa-Margarita* au large du Cap Horn.

Il semble en fait qu'il ait fini ses jours dans un ranch au pied de la Cordillère des Andes, sous le nom de Fred Otten.

☞ **Voir à l'index.** Baudouin de Flandres, empereur de Constantinople.

Empoisonnement

Boris de Bulgarie (roi). Mort le 28-8-1943, au retour d'une entrevue avec Hitler. La reine et Hitler étaient convaincus qu'il fut empoisonné, les Alliés, mais aussi les Soviétiques et les Allemands ayant intérêt à sa disparition. Pour certains, le masque à oxygène utilisé par le roi lors de son vol de retour d'Allemagne, aurait contenu une substance toxique. Plus vraisemblablement, le roi est mort d'une thrombose coronaire provoquée par son entrevue difficile avec Hitler.

Duparc, Thérèse (1633-68). Maîtresse de Racine, Thérèse Duparc mourut en pleine Affaire des Poisons.

La Voisin accusa Racine de l'avoir assassinée à l'instigation de la Champmeslé. On prétendit aussi qu'enceinte du poète, elle était morte des suites d'un avortement.

Lecouvreur, Adrienne (1692-1730). Tragédienne, morte en quelques jours, à 37 ans, elle aurait été empoisonnée par la duchesse de Bouillon qui voulait lui enlever son amant, le maréchal de Saxe. Cependant, l'autopsie ne montra pas trace de poison et, à son lit de mort, la duchesse protesta de son innocence.

☞ **Voir à l'index.** Affaire des poisons (1673-79). Besnard, Marie (1896-1980). Couty de la Pommerais (1830-64). Lafarge Marie (1816-52). Marty, Marguerite (1925). Louvois.

Enlèvements

☞ **Voir à l'index.** Koutiepoff (G^al^). Miller (G^al^).

Vaisseaux-fantômes

Vaisseaux fantômes. La plupart, tel celui du *Hollandais volant,* relèvent de la légende, mais des navires abandonnés peuvent effectuer d'immenses trajets sur les océans, au gré des courants, parfois pendant des années. Le plus fameux : le brick *Mary-Céleste.*

☞ Suite (voir Table des Matières).

LA VIE PRATIQUE

ABRÉVIATIONS

Nota. + : Croix.
Voir également l'Index.

A Autriche.
+A Médaille de l'aéronautique.
A1 First class (de première classe).
AA American Airlines. Architecte, membre de l'Académie d'Architecture. Augustins de l'Assomption. Automobile Association. **A/A** Articles of Association (statuts d'une société).
AAA « triple A » : note la plus élevée pour des obligations et pour des établissements financiers.
aaO Am angegebenen Orte (à l'endroit cité).
aar Against all risks (Contre tous risques).
AAT Administration de l'Assistance Technique (Nations unies).
AATCP Missile Air Air à Très Courte Portée.
AAWC Anti-Air Warfare Coordinator.
Ab. Abîmé.
Abb. Abbildung (illustration).
ABC American Broadcasting Corporation. Arab Banking Corporation.
abc Arme blindée cavalerie.
Abf. Abfahrt (départ).
Abg. Abgeordneter (député).
Abk. Abkürzung (abréviation).
Abm Antiballistic missiles (system).
Abs. Absatz (alinéa).
abstr. abstrait.
abt. about (au sujet de).
Abt. Abteilung (section).
AB3 Airbus A300B.
AB4 Airbus A300.
abz. abzüglich (sous déduction de).
A/c Account [current] (compte [courant]).
AC Air Canada. Amitié Chrétienne. Anciens Combattants. Ante Christum. AntiChars. Anticoagulant, Anticorps.
ACA Antenne Chirurgicale Aéroportée.
ACAVI Assurance à Capital Variable Immobilier.
Acc Acceptance, Accepted (Acceptation, Accepté).
ACCT Agence de Coopération Culturelle et Technique.
ACDA Arms Control and Disarmament Agency.
ACE Action Catholique des Enfants. Avion de Combat Européen.
ACF Automobile Club de France. Avion de Combat Futur.
ACGF *Action Catholique Générale* des Femmes. **ACGH** des Hommes.
Ach. Achète.
ACI Action Cathol. Indépendante. Alliance Coopérative Intern.
ACIF Automobile Club de l'Ile-de-France.
ACIP Association Consistoriale Israélite de Paris.
ACJ Alliance universelle des unions Chrétiennes de Jeunes gens.
ACJF Association Catholique de la Jeunesse Française.
ACLI Association Chrétienne des Travailleurs (Lavoratori) Italiens.
ACM Avion de Combat Marine.
ACMEC Action Catholique des Membres de l'Enseignement Chrétien.
ACO Action Catholique Ouvrière. Automobile Club de l'Ouest. Avispace Coordination Order.
ACOSS Agence Centrale des Organismes de la Sécurité Sociale.
ACP Afrique, Caraïbes, Pacifique.
ACRS Accelerated Cost Recovery System.
ACT Avion de Combat Tactique.
ACTA Association de Coordination Technique Agricole.
ACTH Adreno-Cortico-Trophie Hormone.
AC3G (missile) AntiChar de 3e Génération.
ACX Avion de Combat eXpérimental.
a/d à dater, à la date de.
AD Anno Domini (année du Seigneur).
A.D. außer Dienst (en retraite).
ad. advertisement (petite annonce).
Ad lib Ad libitum (à volonté).
Ad us ext pour l'usage externe.
Ad us vét pour l'usage vétérinaire.
AD virus Adénovirus.
ADAC Allgemeiner Deutscher Automobil Club. Association pour le Développement de l'Animation Culturelle. Avion à Décollage et Atterrissage Courts.
ADAS Association pour le Développement des Activités Sociales (à la Faculté de Paris).
ADAV Avion à Décollage et Atterrissage Verticaux.
ADC Analog to Digital Converter. Association des Descendants de Corsaires.
ADEP Agence nationale pour le Développement de l'Éducation Permanente.
ADEPA Agence pour le Développement de la Productique Appliquée à l'économie.
ADERLY Association pour le Développement Économique de la Région LYonnaise.
A2P Assurance Prévention Protection.
ADL Après la Durée Légale.
ad lib. *ad libitum* (au choix).
Adm Admiral. Admission.
ADN Acide DésoxyriboNucléique.
ADP Action à Dividende Prioritaire sans droit de vote.
Adr. Adresser.
ADT Accident Du Travail (ou AT).
adv. advice (conseils).
AE Affaires Étrangères. Air Europe.
AEC Atomic Energy Commission. (Commission de l'Énergie Atomique).
AeCF Aéro-Club de France.
AECR Arme à Effets Collatéraux Réduits.
AEE Agence pour les Économies d'Énergie.
AEEN Agence Européennne pour l'Énergie Nucléaire.
AEF Afrique Équatoriale Française.
AEG Allgemeine Elektrizitätsgesellschaft. (Compagnie Générale d'Électricité.)
AEIOU Austriae Est Imperare Orbi Universo.
AELE Association Européenne de Libre Échange.
AEP Agence Européenne de Productivité.
AES filière Administrative, Économique et Sociale des universités.
AEW Airborn Early Warning (Système aéroporté d'alerte précoce).
A et M Arts et Métiers.
AF Action Française. Air France. Allocations Familiales Société des Artistes Français.
AFAP Associat. Franç. pour l'Accroissement de la Productivité.
AFAT Auxiliaire Féminin de l'Armée de Terre.
AFB *Association Française* des Banques. **AFEI** pour l'Étiquette d'Information.
AFER Action, Formation, Étude, Recherche.
AFI Atelier de Formation Individualisée.
Aff. étr. Affaires étrangères.
AFL Association Française pour la Lecture.
AFL/CIO American Federation of Labour/Congress of Industrial Organization.
AFME Agence Française pour la Maîtrise de l'Énergie.
AFN Afrique Française du Nord.
AFNOR Association Française de NORmalisation.
AFP Agence France-Presse. Association Foncière Pastorale.
AFPA Association pour la Formation Professionnelle des Adultes.
AFRESCO Assoc. Fr. de REcherches et Statistiques COmmerciales.
AFTAM Assoc. de Formation des Travailleurs Africains et Malgaches.
AFTRP Agence Foncière et Technique de la Région Parisienne.
AFU Assoc. Foncière Urbaine.
AG Air Bridge Carriers. AktienGesellschaft (société par actions). Antigène. **Ag** Argent.
AGF Assurances Générales de France.
AGI Année Géophysique Intern.
AGIRC Association Générale des Institutions de Retraite des Cadres.
AGM Air Ground Missile (missile air-sol). Annual General Meeting (assemblée générale annuelle).
AGPB Association Générale des Producteurs de Blé.
AGR Advanced Gas-Cooled Reactor.
AH Air Algérie. Anno Hegirae (l'année de l'Hégire). Antécédents Héréditaires. Anti-Histaminique.
AI Air India.
AID Affecté Individuel de Défense. Association Internationale de Développement.
AIDS Acquired Immune Deficiency Syndrome.
AIEA Agence Internationale de l'Énergie Atomique.
AIM *Association Internationale* de Météorologie. **AIMF** des Maires Francophones.
AIP Association des Israélites Pratiquants.
AIPS *Association Internationale* de la Presse Sportive. **AISS** de la Sécurité Sociale. **AIT** du Tourisme. **AIU** des Universités. Alliance Israélite Universelle.
AJ Armée Juive. Auberges de la Jeunesse.
aj. ajouté.
AJDC American Joint Distribution Committee.
AJF fédération internationale des Amies de la Jeune Fille.
AL Avant Lettre. **Al** Aluminium.
+AL ordre des Arts et Lettres.
ALADI *Association Latino-Américaine* D'Intégration. **ALALC** de Libre Commerce.
ALAT Aviation Légère de l'Armée de Terre.
ALB Air Land Battle.
ALCM Air-Launched Cruise Missile (missile de croisière air-sol).
ALE Ass. de Libre Échange.
a./Lfg an Lieferung (à la livraison).
alim. alimentation.
ALF Allocation de Logement à caractère Familial.
ALN Armée de Libération Nation.
ALPE Association Laïque des Parents d'Élèves.
ALS Allocation de Logement à caractère Social.
alt. altitude.
a.m. ante meridiem (avant midi).
AM Aeromexico. *Anno Mundi* (l'Année du Monde). Arts et Métiers.
AMD Avions Marcel Dassault.
AMDG Ad Majorem Dei Gloriam (pour la plus grande gloire de Dieu).
AME Accord Monétaire Europ.
AMEXA Assurance Maladie des EXploitants Agricoles.
AMF Accords MultiFibres.
AMGOT Allied Military Government in Occupied Territories.
AML Auto Mitrailleuse Légère.
AMM Ass. Médicale Mondiale.
AMRF *Accès Multiple par Répartition* en Fréquence. **AMRT** dans le Temps.
AMT Air Mail Transfer (transfert par avion). Assistance Militaire Technique.
amt. amount (montant).
AMX Atelier d'Issy-les-MoulineauX.
AN Ansett Australia. Archives Nationales de France.
ANA Agencia Noticiosa Argentina. Arab News Agency.
ANAH Agence Nationale pour l'Amélioration de l'Habitat.
ANC African National Congress.
Anc. Ancien.
ANF Association d'entraide de la Noblesse Française.
ANFANOMA Assoc. Nat. des Français d'Afrique du Nord.
Ang. Anglais.
ANI Agencia de Noticias e Informações.
ANIL Association Nationale pour l'Information sur le Logement.
Anl. Anlage (en annexe).
Anm. Anmerkung (remarque).
anon. Anonymous(ly).
ANP Appareil Normal de Protection. Armée Nat. Populaire. Armement Nucléaire Préstratégique.

ANPE Agence Nat. Pour l'Emploi.
ANRED Agence Nat. pour la Récupération et l'Élimination des Déchets.
ANS missile AntiNavire Supersonique.
Ans. Answer (réponse).
ANSA Agenzia Nazionale Stampa Associata (Italie).
ANT Agence Nat. pour l'insertion et la promotion des Travailleurs de l'outre-mer (DOM-TOM). Arme Nucléaire Tactique.
ANTIOPE Acquisition Numérique et Télévisualisation d'Images Organisées en Pages d'Écriture.
ANVAR Agence Nationale pour la VAlorisation de la Recherche.
ANZAC *Australian and New Zealan* Army Corps. **ANZUS** United States pact.
a/o account of (pour compte de).
AO Afrique Orientale, Aviaco, Ruanda-Urundi (aujourd'hui Burundi).
AOA American Overseas Airlines.
AOC Appellation d'Origine Contrôlée.
AOF Afrique Occidentale Franç.
a/or and/or (et/ou).
AP A Protester (effets de commerce) (To be protested [bills]).
A/P Additional Premium.
AP Assistance Publique. Associated Press. Autorisation de Programme.
APCA *Assemblée Permanente des Chambres* d'Agriculture. **APCM** des Métiers.
APD Aide Publique au Dévelop.
Apdo Apartado (Boîte postale).
APE Assemblée Parlementaire Eur. Association des Parents d'Élèves. Atelier de Préparation à l'Emploi.
APEC *Association Pour l'Emploi des Cadres.* **APECITA** Ingénieurs et Techniciens de l'Agriculture.
APEL Association des Parents d'élèves de l'Enseignement Libre.
APEP Association Populaire d'Éducation Permanente. Association des Professeurs de l'Enseignement Privé.
APEX Association Pour l'EXpansion industrielle.
API Allocation de Parent Isolé. Alphabet Phonétique International.
APL Adult Performance Level. Agence de Presse Libération. Aide Personnalisée au Logement.
APP Atelier Pédagogique Personnalisé.
append. appendice.
appro. approval (acheter à l'essai).
Appt. Appartement.
apr. J.-C. après Jésus-Christ.
APS Algérie Presse Service.
APSAD *Assemblée Plénière des Sociétés d'Assurances* Dommages. **APSAIRD** contre l'Incendie et les Risques Divers.
Apt Apartement.
APUR Atelier Parisien d'URbanisme.
AQ Aloha Airlines.
A/R All Risks (Tous risques).
AR Accusé de Réception. Aerolineas Argentinas.
ARAMCO ARabian AMerican oil COmpany.
ARAP Association de Recherche et d'Action Pédagogique.
ARC Action pour la Renaissance de la Corse. Action Régionaliste Corse. Animation, Recherche, Confrontation (musée d'Art moderne). Association pour le développement de la Recherche sur le Cancer.
ARCO Association pour la Reconversion Civile des Officiers.
ARIC Association Régionale d'Information Communale.
ARIST Agence Régionale d'Information Scientifique et Technique.
ARN Acide RiboNucléique.
ARPPRA Adaptateur pour Relais Pour Poste Radio d'Abonné (RITA).
arr. arrival (arrivée). Arrondissement.
ARRCO Association des Régimes de Retraites COmplémentaires.
ARSA Aspirant de Réserve en Situation d'Activité.
art. article.
Art. 10 Article 10 de la police d'assurance d'Anvers.
ARV Air Recreational Vehicle.
AS Alaska Airlines. Assurances Sociales. **A/S** Account Sales (compte de vente). Armée Secrète. **As** Arsenic.
ASA American Standardisation Association. Artillerie Sol Air.
ASALA Armée Secrète Arménienne pour la Libération de l'Arménie.
a.s.a.p. as soon as possible (dès que possible).
ASATS Anti-SATellite System.
ASBM Air-to-Surface Ballistic Missile.
Asc. Ascenseur.
ASCOFAM ASsociation mondiale de la lutte COntre la FAiM.
ASD Accouchement Sans Douleur. Arc Supérieur Droit.
ASDIC Anti-Submarine Detection and Identification Committee (Comité pour la Détection et l'Identification des Sous-marins).
ASE Agence Spatiale Européenne. Aide Sociale à l'Enfance. American Stock Exchange.
ASEAN Association of South East Asian Nations.
ASF Association Syndicale des Familles (École et Famille, CSF).
Asfo Association de formation.
ASM Air-to-Surface Missile.
ASMP missile Air-Sol Moyenne Portée.
ASR Aide Spéciale Rurale.
ASRL Aide-Spécialiste Recruté Localement.
ASROC Anti-Submarine ROCket.
ASS Afrique au Sud du Sahara.
Asscn Association.
ASSEDIC ASSociation pour l'Emploi Dans l'Industrie et le Commerce.
Assoc. Associate.
ASSU Association du Sport Scolaire et Universitaire.
Asst Assistant.
ASTARTE Avion STAtion Relais de Transmissions Exceptionnelles.
ASW Anti-Submarine Warfare.
A.t. A temps, à terme.
AT Admission Temporaire. Ancien Testament. Royal Air Maroc.
ATAR Association des Transporteurs Aériens Régionaux.
ATBM Anti Tactical Ballistic Missile.
ATD Aide à Toute Détresse Quart Monde.
ATF Avion de Transport Futur.
A & T Annam et Tonkin.
ATIC Association Technique d'Importation Charbonnière.
ATILA Automatisation des TIrs et des Liaisons de l'Artillerie.
ATITRA Association Technique Interministérielle des TRAnsports.
ATJ Amis de la Tradition Juive.
Atl. Atlas.
ATLAS Abbreviated Test Language for All Systems.
ATM Automated Teller Machine (guichets automatiques bancaires).
ATO Aquitaine Total Organico devenu **ATOCHEM** (regroupement de **ATO** Chimie, **CHLOE** chimie et **PCUK**).
ATRAP Adaptateur de Trame RITA aux PTT.
ats at the suit of (à la requête de [droit]).
ATSF Avion de Transport Supersonique Futur.
ATT American Telephone and Telegraph.
AU Alliance Universelle. Austral Lineas Aereas.
AUC *Ab Urbe Condita* (à partir de l'année de la fondation de Rome).
Aufl. Auflage (édition, tirage).
Aug. August.
AUPELF Association des Universités Partiellement ou Entièrement de Langue Française.
auth. authorized.
Autogr. Autographe.
AV Acuité Visuelle. Avianca.
Av. Avenue.
av. average (moyenne).
A/V ad Valorem.
AVA Assurance Vieillesse Agricole.
Avda Avenida.
av. J.-C. avant Jésus-Christ.
Ave Avenue.
avt avant.
AVTS *Allocation aux Vieux Travailleurs* Salariés. **AVTNS** Non Salariés.
A/W Actual Weight (poids actuel).
AWACS Airborne Warning And Control System (système de contrôle et d'alerte aéroporté).
AWB AirWay Bill (lettre de transport aérien).
AY Finnair.
AZ Alitalia.
a.Z. auf Zeit (à terme).
B Bale (balle). Bag (sac). Baumé (degré).
b. born.
BA Bachelor of Arts. Base Aérienne. Beaux-Arts. British Airways.
BAD Banque Africaine de Développement.
BADEA Banque Arabe pour le Développement Écon. en Afrique.
BAFA *Brevet d'Aptitude aux Fonctions* d'Animateur. **BAFD** de Directeur.
BAI Baccalaureus in Arte Ingeniaria (licence d'ingénieur).
BAL Boîte À Lettres.
bal. balance (solde).
BALO Bulletin des Annonces Légales Obligatoires.
BAPCO BAhrein Petroleum COmpany.
Bart Baronet.
BAS Bureau d'Aide Sociale.
bas. basane.
BASE Brevet d'Aptitude à l'animation Socio-Éducative.
bat. bataillon.
B/B Bed and Breakfast.
BBC British Broadcasting Corporation.
BC Before Christ (av. J.-C.). British Columbia. British Council. Brymon Airways.
BCA Banque Commerciale Africaine. British Central Africa.
BCBG Bon Chic, Bon Genre.
BCC Bons en Comptes Courants.
BCCI Bank of Credit and Commerce International.
BCD Bibliothèque-Centre-Documentaire.
BCEAO Banque Commerciale des États d'Afrique de l'Ouest.
BCG Bacille Calmette-Guérin.
BCh *Baccalaureus Chirurgiae (licencié en chirurgie).* **BCh(D)** Dentaire.
B/CH Bristol CHannel (canal St-Georges).
BCL *Bachelor of* Civil Law (*licencié en* droit civil). **BCom** Commerce. **BD** Divinity (Théologie).
BCP Basutoland Congress Party. Bibliothèque Centrale de Prêt.
bcp beaucoup.
BCRA Bureau Central de Renseignements et d'Action (militaire).
BCRD Budget Civil Recherche et Développement.
BCT Banques des Connaissances et des Techniques (CNRS et ANVAR).
Bd Band (volume). Board.
BD British Midland Airways.
B/D Bank Draft (chèque tiré sur banque). Bar Draft (tirant d'eau sur la barre). Barrels per Day.
bd boulevard.
b.d.c. bas de casse.
BDIC Bibliothèque de Documentation Internationale Contemporaine de Nanterre.
BDS Bachelor of Dental Surgery.
BDZ Base Defence Zone.
BE Bachelor of Engineering (licence d'ingénieur). Brevet Élémentaire.
B/E Bill of Exchange (lettre de change).
BEA British European Airways.
BEAC Banque des États de l'Afrique Centrale.
BEC Beechcraft 99.
BEd Bachelor of Education.
BEE Bureau Européen de l'Environnement.
BEES Brevet d'État d'Éducateur Sportif.
BEI Banque Européenne d'Investissements.
BEM Breveté d'État-Major (officier). British Empire Medal.
BEMS *Brevet d'Enseignement Militaire Supérieur.* **BEMSG** de la Gendarmerie.
BENELUX BElgique, NEderland, LUXembourg.
BEng Bachelor of Engeneering (licence d'ingénieur).
BEP *Brevet d'Études Professionnelles.* **BEPA** Agricoles.
BEPC Brevet d'Ét. du 1er Cycle.
BERD Banque Européenne pour la Reconstruction et le Développement.
Berks Berkshire.
BET Borkou, Ennedi, Tibesti (au Tchad).
betr. betreffend (concernant).
Betr. in Betreff (au sujet de, objet).
bez. bezahlt (payé). Bezüglich (concernant).
BF Basse Fréquence
b/f brought forward (report).
BFCE Banque Française du Commerce Extérieur.
BFV Bundesamt für Verfassungsschutz (service de sécurité de RFA).
BGE Bureau de Guerre Électronique.
B'ham. Birmingham.
b.h.p. brake horse-power (puissance au frein).
BI Royal Bruneï Airlines.
BIC Bataillon d'Infanterie Col. Bénéfices Industriels et Commerciaux.
BIE *Bureau International* de l'Éducation. **BIEM** d'Enregistrement Mécanique. **BIH** de l'Heure.
BIL Bâtiments Industriels Locatifs.
BIM Bons à Intérêts Mensuels (et à taux variables).
BIPATE Bons à Intérêts Bisannuels.
BIPE Bureau d'information et de Prévisions Économiques.
BIRD Banque Intern. pour la Reconstruction et le Développement.
BIS Bank for International Settlements (voir BRI).
BISD Banque ISlamique de Développement.
BIT BInary digiT (information binaire ou digitale). Bureau International du Travail.
BK Bacille de Koch (tuberculose).
Bk. Bank, book, backwardation (banque, livre, déport).
bl. barrel (tonneau).
BL Bachelor of Law (licencié en droit), of Letters (ès lettres).

B/L Bill of Lading (connaissement).
Bldg Building.
BLitt Bachelor of Literature or of Letters (licencié ès Littérature).
BLM Bâtiment Lance-Missiles.
BLS Bern-Lötschberg-Simplon (Suisse). Botswana, Lesotho, Swaziland.
Blvd Boulevard.
BM Aero Trasporti Italiani. Bachelor of Medicine. British Museum.
BMD Ballistic Missile Defence. Bataillon de Matériel de Division.
BMEWS Ballistic Missile Early Warning System (système d'alerte avancé pour missiles balistiques).
BMTN Bons à Moyen Terme Négociables.
B Mus Bachelor of Music.
BMP Brevet Militaire Professionnel.
BN Bibliothèque Nationale.
BNC Bénéfices Non Commerciaux.
BNCI Banque Nationale pour le Commerce et l'Industrie.
BND Bundesnachrichtendienst (service d'espionnage de RFA).
BNIST *Bureau National* de l'Information Scientifique et Technique. **BNM** de Métrologie.
BNP Banque Nationale de Paris.
BO Bulletin Officiel.
B/O Buyer's Option (à l'option de l'acheteur).
BOAC British Overseas Airways Corporation.
BOAD Banque Ouest-Africaine de Développement.
BOMAP Base Opérationnelle Mobile AéroPortée.
B. of E. Bank of England.
B^{on}, B^{onne} baron, baronne.
Bor Borough.
BOSP Bulletin Officiel du Service des Prix.
BOT Board Of Trade (ministère du Commerce).
bot. bottle (bouteille). Bought (acheté).
boul boulevard.
Bp Bishop.
B/P Bills Payable (effets à payer).
BP Air Botswana. Baden-Powell. Basse Pression. Boîte Postale. Brevet Prof. British Petroleum.
BPC Black People's Convention. Basrah Petroleum Company.
BPF Bon Pour Francs.
BPFA Bureau de Programmes Franco-Allemand.
BPH Bâtiment Porte-Hélicoptères.
B Pharm *Bachelor of* Pharmacy. **B Phil** Philosophy.
BPI Bibliothèque Publique d'Information. Bit Per Inch (bit par pouce).
BPS Bit Per Second.
B/R Bills Receivable (effets à recevoir).
BR British Railways (G.-B.). **Br** Britain.
br. *broché.* **br. n.** neuf.
brad. bradel.
BRGM Bureau de Recherches Géologiques et Minières.
BRI Banque des Règlements Internationaux.
Brig Brigadier.
Brit Britain, British.
Bro Brother.
broc. brochure.
Bros. Brothers (frères).
BRP Bureau de Recherche des Pétroles.
BRS British Road Services.
BRT BruttoRegisterTonnen (tonnes brutes – marine).
BS Brevet Supérieur.
B/S Bachelor of Science ou of Surgery. Balance-Sheet (bilan).
BSB British Satellite Broadcasting.
Bsc Bachelor of science.
BSEC Brevet Supérieur d'Enseignement Commercial.
BSI British Standards Institution.
BSN Boussois Souchon Neuvecel. Bureau du Service National (ou bureau de recrutement).
BSO Blue Stellar Object.
B72 Boeing 720.
BSP Brevet Sportif Populaire.
BSS Brevet Sportif Scolaire.
BST British Standard Time. British Summer Time (heure d'été britannique).
Bt Baronet (angl.). Bâtiment. Brut.
BT Basse Tension. Brevet de Technicien. Brigade Territoriale.
BTA *Brevet de Techn. Agricole.* **BTAG** Général.
BTAO Brevet de Technicien À Option.
BTEM *Brevet Technique* d'État-Major. **BTEMS** d'Études Militaires Supérieures.
BTF Bons du Trésor à taux Fixe (payés d'avance).
B Th Bachelor of Theology.
B Th U British Thermal Unit.
BTn Baccalauréat de Technicien. Bons du Trésor négociables.
BTP Bâtiment et Travaux Publics.
BTS *Brevet de Techn. Supérieur.* **BTSA** Agricole.
BTT Bons du Trésor à intérêts Trimestriels.
Btu British thermal unit.
BU Braathens SAFE.
Bucks Buckinghamshire.
BUE Banque de l'Union Européenne.
bull. bulletin.
BUP Banque de l'Union Parisienne. British United Press.
BUS Bureau Universitaire de Statistiques.
BUT British Unit Thermit.
BVM *Beata Virgo Maria* (Bienheureuse Vierge Marie).
BVP Bureau de Vérification de la Publicité.
b.w. bitte wenden (tournez la page s'il vous plaît).
BW Trinidad et Tobago Airways.
BWI British West Indies.
BWR Boiling Water Reactor.
bx box (caisse).
bzw. beziehungsweise (respectivement, ou bien).
+C Croix du Combattant.
C. Celsius, centigrade. Code.
c. Cent. Centime. Chapter. Circa (environ). Coins.
C/ Case[s] (Caisse[s]).
CA Air China. Chartered Accountant (expert-comptable). Conseil d'Administration. Couverture Aérienne.
CAAC Cie Chinoise d'Aviation.
CAC Centre d'Action Culturelle. Comité Administ. de Coordination. Compagnie des Agents de Change.
c.-à-d. c'est-à-dire.
CAD Comité d'Aide au Développement.
CADA Commission d'Accès aux Documents Administratifs.
CADEP Caisse d'Amortissement de la DEtte Publique.
CADJJ Comité d'Action et de Défense de la Jeunesse Juive.
CAE *Certificat d'Aptitude à l'Enseignement.* **CAEC** dans les Collèges. **CAECET** dans les CET. **CAEI** des Enfants Inadaptés.
CAEM Conseil d'Aide Économique Mutuel.
CAEP *Certificat d'Aptitude à l'Enseignement* dans les classes Pratiques. **CAEPA** de Plein Air.
Caetera desunt (le reste manque).
CAF Caisse d'Allocations Familiales. Club Alpin Français. Coût, Assurance, Fret.
CAFAS Certificat d'Aptitude à la Formation Artistique Supérieure.
CAFDA Commandement Air des Forces de Défense Aérienne.
CAHT Chiffre d'Affaires Hors Taxes.
CAIEM *Certificat d'Aptitude à l'Inspection* des Écoles Maternelles. **CAIET** de l'Enseignement Technique. **CAIP** du Premier degré (et à la direction des écoles normales).
CAL Centre d'Amélioration du Logement. Comité d'Action Lycéen.
CAMEL Cie Algérienne du MÉthane Liquide.
CAMIF Coopérative de consommation des Adhérents de la Mutuelle assurance des Instituteurs de France.
CANCAVA Caisse Autonome Nationale de Compensation de l'Assurance Vieillesse Artisanale.
CANDU CANadian Deuterium Uranium reactor.
Cantab Of Cambridge.
CAO Conception Assistée par Ordinateur.
cap. Capitale. Chapter.
CAP *Certificat d'Aptitude* Pédagogique (1er degré). Professionnelle. **CAPA** à la Profession d'Avocat. Professionnelle Agricole. **CAPEC** au Professorat d'Éducation Culturelle. **CAPEGC** Professionnelle à l'Enseignement Général dans les Collèges. **CAPEPP** au Professorat des Enseignements Professionnels et Pratiques (voir PEPP). **CAPEPT** au Professorat des Enseignements Professionnels Théoriques. **CAPES** au Professorat de l'Enseignement du Second degré. **CAPET** au Professorat de l'Ens. Technique. **CAPLA** au Professorat dans les Lycées Agricoles.
cap(s) capital letter(s) (majuscules).
Capt. Captain (capitaine).
car. Caractère. **CAR** Comité d'Action Républicaine. Comité d'Assistance aux Réfugiés. Conférence d'Action Régionale. Circonscription d'Action Régionale.
CARICOM CARIbbean community and the COmmon Market.
CARME Centre d'Applications et de Recherches en Microscopie Électronique.
CARMELITE Centre Automatique de Relais des MEssages pour les Liaisons avec l'Infrastructure TErre.
cart. Cartonné. **cart. n.r.** non rogné.
cash. Cashier (caissiers).
cat. Catalogue.
CAT Centre d'Aide par le Travail.
CAUE Conseil d'Architecture, d'Urbanisme et d'Environnement.
CAVMU Caisse d'Allocation Vieillesse des professeurs de MUsique, des musiciens, des auteurs et des compositeurs.
CB Cash-Book (livre de caisse). Companion of the Bath.
CBD Cash Before Delivery (règlement avant livraison).
+CBE Commandeur de l'ordre du British Empire.
CBIP Comité de Bienfaisance Israélite de Paris.
CBM Corps Blindé Mécanisé.
CBS Columbia Broadcasting System.
CBW Chemical Biological Warfare (guerre chimique et biologique).
CC *Comité* Central (PCF). de Coordination. Corps Consulaire. Cours Complémentaire.
CCA Centre de Communication Avancé.
CCAS Centre Communal d'Action Sociale.
CCCC *Caisse Centrale* de Crédit Coopératif. **CCCE** de Coopération économique.
CCCG Cravate Club Complet Gris.
CCCM Caisse Centrale du Crédit Mutuel.
CCE Conseil du Commerce Extérieur.
CCETT Centre Commun d'Études de Télédiffusion et de Télécommunication.
CCFD Comité Catholique contre la Faim et pour le Développement.
C CH Cochinchine.
CCI Centre de Création Industrielle (Centre G.-Pompidou). Chambre de Commerce et d'Industrie. Chambre de Commerce Intern. (GATT/CNUCED). Corps Commun d'Inspection (ONU).
CCIF Centre Catholique des Intellectuels Français.
CCIFP Chambre de Compensation des Instruments Financiers de Paris.
CCIR Comité Consultatif Intern. des Radiocommunications.
C. civ. Code civil.
C. com. Code de commerce.
CCP *Compte* Chèques Postaux. Courant Postal.
CCQAB Comité Consultatif pour les Questions Administratives et Budgétaires (ONU).
c/d Carried down (reporté).
CD Centre Démocrate. Certificate of Deposit. Compact Disc. Corps Diplomatique.
c.d. Cum dividendo.
CDC Caisse des Dépôts et Consignations. Club Des Cent.
CDD Contrat à Durée Déterminée.
CDI Compact Disc interactif.
CDDP Centre Départemental de Documentation Pédagogique.
CDEN Conseil Départemental de l'Éducation Nationale.
CDES Commission Départementale de l'Éducation Spécialisée.
CdF Charbonnages de France.
CDI Centre de Documentation et d'Information. Centre Des Impôts.
CDJC Centre de Documentation Juive Contemporaine.
CDP Centre Démocratie et Progrès.
CDR Comité de Défense de la République.
Cdr Commander.
Cdre Commodore.
CDS Centre des Démocrates Sociaux.
Cdt Commandant.
CE Church of England. Civil Engineer. Communauté Européenne. Conseil de l'Europe. Conseil Économique. Cours Élémentaire.
CEA Commissariat à l'Énergie Atomique. Commission Économique pour l'Afrique (ONU). Compte d'Épargne en Actions.
CEAO Communauté Économique de l'Afrique de l'Ouest.
CEAT Commandement des Écoles de l'Armée de Terre.
CECA Communauté Européenne du Charbon et de l'Acier.
CECLANT Commandement En Chef de l'AtLANTique.
CECLES Comité Européen pour la Construction de Lanceurs d'Engins Spatiaux.
CECOS Centre d'Étude et de COnservation du Sperme.
CED Communauté Européenne de Défense.
CEDEAO Communauté Économique Des États de l'Afr. de l'Ouest.
CEDEP Centre d'Études et DE Promotion.
CEDIAS Centre d'Étude, de Documentation, d'Information et d'Actions Sociales.
CEDOCAR CEntre de DOCumentation de l'ARmement.
CEE Centre d'Études de l'Emploi. Communauté Économique Européenne (Marché commun) ou Commission Écon. pour l'Eur.
CEEA Communauté Européenne de l'Énergie Atomique.
CEEAC Communauté Économique des États de l'Afrique Centrale.
c.&f. Cost and freight (Coût et fret).
CEF Corps Expéditionnaire Français (Cameroun, Chine).
CEFAGI Centre d'Études et de Formation des Assistants en Gestion Industrielle.
CEG Collège d'Enseign. Général.
CEGETI Centre Électronique de Gestion Et de Traitement de l'Information.
CEI Communauté des États Indépendants.
C-EL Courrier Électronique (en angl. E.-Mail).
CEL Centre d'Essai des Landes. Compte d'Épargne Logement.
CELAR Centre Électronique de L'ARmement.
CELIB Comité d'Entente et de Liaison des Intérêts Bretons.
CELSA Centre d'Études Littéraires et Scientifiques Appliquées.
CELT Compte d'Épargne à Long Terme.
CEM Centre d'Essai de la Méditerranée. Council of European Municipalities.

CEMA Chef d'État-Major des Armées.
CEMAGREF CEntre national du Machinisme Agricole, du Génie Rural, des Eaux et Forêts.
CEN Centre d'Essai Nucléaire.
C. Eng. Chartered Engineer.
CENS Centre d'Études Nucléaires de Saclay.
CENTO CENtral Treaty Organization.
Cent. Centigrade.
CEP Caisse d'Épargne de Paris. *Centre d'Expérimentation* du Pacifique. Pédagogique. Certificat d'Éducation Professionnelle. Certificat d'Études Primaires. Circular Error Probable (Écart circulaire probable).
CEPE Certificat d'Études Primaires et Élémentaires.
CEPME Crédit d'Équipement aux Petites et Moyennes Entreprises.
CEPR Centre d'Entraînement Préliminaire et des Réserves.
CER Comité d'Expansion Régional.
CERC Centre d'Études des Revenus et des Coûts.
CERCEE *Centre d'Études et de Recherches* de Création et d'Expansion d'Entreprises. **CERCHAR** des CHARbonnages de France.
CEREBE CEntre de REcherche sur le Bien-Être.
CEREP Centre d'Études et de Réalisations pour l'Éducation Permanente.
CEREQ Centre d'Études et de REcherches sur les Qualifications.
CERES Centre d'Études, de Recherches et d'Éducation Socialistes.
CERN *Centre Européen de Recherches* Nucléaires. **CERS** Spatiales (en angl. ESRO).
CES Certificat d'Études Spécialisées. Collège d'Enseignement Secondaire. Conseil Économique et Social.
CESA Centre d'Enseignement Supérieur des Affaires.
CESCOM Centre d'Études des Systèmes de COMmunication.
CESP Centre d'Études des Supports de Publicité.
CESR Comité Économique et Social Régional.
CESTA Centre d'Études des Systèmes et des Technologies Avancées.
CESTI Centre d'Études Supérieures des Techniques Industrielles.
CET Collège d'Enseignement Technique.
CETA *Centre d'Études* Techniques Agricoles. **CETAT** Tactiques de l'Armée de Terre.
CETIM CEntre Technique des Industries Mécaniques.
CEV Centre d'Essais en Vol.
c/f Carried forward (à reporter).
CF Communauté Française.
C & F (Cost and Freight = coût et fret) CIF moins l'assurance (« CFR »).
cf. Confer (reportez-vous à).
CFA Centre de Formation d'Apprentis. *Communauté* Financière Africaine. Française d'Afrique.
CFAO Conception et Fabrication Assistées par Ordinateur.
CFC ChloroFluoCarbone.
CFCA ConFédération de la Coopération Agricole.
CFCE Centre Français du Commerce Extérieur.
CFCF Comité Français pour la Campagne mondiale contre la Faim.
CFCO Centre de Formation des Conseillers d'Orientation.
CFDT Confédération Française et Démocratique du Travail.
CFEN Certificat de Formation d'Études Normales.
CFES Certificat de Fin d'Études Secondaires.
CFF *Chemins de Fer* Fédéraux (Suisse).
CFI Crédit Formation Individualisé.
CFL Chemins de Fer Luxembourgeois.
CFLN Comité Français de Libération Nationale.
CFM Cie Française de Méthane.
CFP Centre de Formation Permanente. Certification de Formation Professionnelle. Communauté Française du Pacifique.
CFPA *Centre de Formation* pour Adultes. à la Profession d'Avocat. Professionnelle Agricole.
CFPC Centre chrétien des Patrons et dirigeants d'entreprise français.
CFPI Commission de la Fonction Publique Internationale (ONU).
CFR Coût et Frêt.
CFT *Confédération Française* du Travail. **CFTC** des Travailleurs Chrétiens.
CGA Confédération Générale de l'Agriculture. Contrôle Général des Armées.
CGAF *Confédération Générale* de l'Artisanat Français. **CGC** des Cadres.
CGE Cie Générale d'Électricité.
cge pd Carriage paid (port payé).
CGI Code Général des Impôts.
CGM Cie Générale Maritime.
cgo. Contango (report en Bourse).
CGPME Confédération Générale des Petites et Moyennes Entreprises et du patronat réel.
CGQJ Commissariat Général aux Questions Juives.
CGS Centimètre, Gramme, Seconde.
CGSU Confédération Générale des Syndicats Unifiés.
CGT Cie Générale Transatlantique. *Confédération Générale du Travail.* **CGT-FO** Force Ouvrière. **CGTU** Unifiée.
CH Bureau de Douane. Caisse de Compensation. Change Exchange (Bourse). Companion of Honour. Confédération Helvétique.
ch. Chant. Chose. Cosinus hyperbolique.
chag. Chagrin.
Chair. Chairman.
chap. Chapitre.
Ch. B Chirurgiae Baccalaureus.
Chbre Chambre.
Ch. comp. Charges comprises.
CHEAM Centre des Hautes Études sur l'Afrique et l'Asie Modernes.
CHEAR *Centre des Hautes Études* de l'ARmement. **CHEM** Militaires.
Chev. Chevalier (Belgique).
chiff. Chiffré.
CI China Airlines.
ch.-l. Chef-lieu.
Ch. M. Chirurgiae Master.
chq. Chèque.
CHR Centre Hospitalier Régional.
CHS Crycophonie Haute Sécurité.
CHU Centre Hospit. Universitaire.
CI Cercle Interallié. **C/I** Certificate of Insurance (Certificat d'assurance). Channel Islands.
CIA Central Intelligence Agency. Confédération Internationale de l'Agriculture.
CIAI Comité International d'Aide aux Intellectuels.
Cial Commercial.
CIAM Congrès International d'Architecture Moderne.
CIASI *Comité Interministériel pour l'Aménagement* des Structures Industrielles. **CIAT** du Territoire.
CIC Carrefour International de la Communication. Centre d'Information Civique. Confédération Intern. des Cadres. Crédit Industriel et Commercial.
CICA Comité Interconfédéral de Coordination de l'Artisanat.
CICR Comité International de la Croix-Rouge.
CID Comité d'Information et de Défense. Criminal Investigation Department.
CIDAC Centre International de Documentation et d'Animation Culturelle.
Cidex Courrier d'Industrie à Distribution EXceptionnelle.
CIDISE Comité Interministériel pour le Développement de l'InveStissement et de l'Emploi.
CIDJ Centre d'Information et de Documentation Jeunesse.
CIDUNATI Comité d'Information et de Défense de l'Union Nat. des Artisans et Travaill. Indépendants.
CIE Centre Intern. de l'Enfance.
Cie, Cie Compagnie.
CIEE Council of International Educational Exchange.
CIEM Conseil International pour l'Exploration de la Mer.
CIF Congé Individuel de Formation. Cost, Insurance and Freight (Coût, assurance et fret).
CIF FREE OUT CIF sans frais de déchargement à l'arrivée.
c.i.f. & c. *Coût, assurance, fret* et commission. **c.i.f.c. & i.** et intérêt.
CII Cie Internationale pour l'Informatique.
CIJ Centre d'Information Jeunesse. Cour Internationale de Justice.
CIL Comités Interprofessionnels du Logement.
CIM Computer Integrated Manufacturing.
CIMADE Comité Inter-Mouvements Auprès Des Évacués.
CIME Comité Intergouvernemental pour les Mouvements migratoires d'Europe.
CIN Centre d'Instruction Navale.
C.-in-C. Commander-in-Chief.
CIO Central Intelligence Organization. Centre d'Information et d'Orientation. Comité Internat. Olympique. Congress of Industrial Organizations.
CIP Port payé, assurance comprise jusqu'à.
CIPEC Conseil Intergouvernemental des Pays Exportateurs de Cuivre.
CIQV Comité Interministériel pour la Qualité de la Vie.
circ. Circulation.
CIS Commonwealth of Independant States.
CISC *Confédération Internat. des Synd.* Chrétiens. **CISL** Libres.
CIT Comité International des Transports par chemin de fer. Cie Italienne de Tourisme.
CITI Confédération Internationale des Travailleurs Intellectuels.
CJD Centre des Jeunes Dirigeants d'entreprise.
CJM Congrégation de Jésus et de Marie. Congrès Juif Mondial.
CJO Corrigé des Jours Ouvrables.
CJP Centre des Jeunes Patrons.
ck. Cask (tonneau, baril).
c.l. Car load (charge complète).
CL Crédit Lyonnais. Tempelhof Airlines.
CLD Chômeur Longue Durée.
CLEMI Centre de Liaison de l'Enseignement et des Moyens d'Information.
CLERU Comité de Liaison Étudiant pour la Rénovation Universitaire.
CLES Contrat Local d'Emploi Solidarité.
CLI Commission Locale d'Insertion.
CLSG CLoSinG cloture (closing call : cours de clôture).
CLU Collège Littéraire Universitaire.
CM Congrégation de la Mission (Lazaristes). Cours Moyen.
CMA Cash Management Account. Conseil Mondial de l'Alimentation.
Cmdr. Commander.
Cme Centime.
CMF Missionnaires clarétains (Congrégation Missionnaire des Fils du cœur de Marie).
CMFP Centre Militaire de Formation Professionnelle.
CMI Comité Maritime Intern.
CMO Collaterized Mortgage Obligations.
CMP Chemin de fer Métropolitain de Paris. Coût Moyen Pondéré.
CN Commande Numérique.
C/N Chèque de voyage. Crédit Note.
CNAC Centre National d'Art Contemporain et de Culture.
CNAF Caisse Nationale d'Allocations Familiales.
CNAH Centre National pour l'Amélioration de l'Habitat.
CNAL Comité National d'Action Laïque.
CNAM Caisse Nat. d'Assurance Maladie. Conféd. Nat. de l'Artisanat et des Métiers. Conservatoire Nat. des Arts et Métiers.
CNAP Centre National d'Animation et de Promotion.
C. Nap. Code Napoléon.
CNASEA Centre National pour l'Aménagement des Structures des Exploitations Agricoles.
CNAV *Caisse Nationale d'Assurance Vieillesse.* **CNAVPL** des Professions Libérales.
CNB Caisse Nat. des Banques.
CNC Centre Nat. du Cinéma. Comité Nat. de la Consommation. Computerized Numerical Control.
CNCA Caisse Nationale du Crédit Agricole.
CNCE Centre National du Commerce Extérieur.
CNCL Commission Nat. de la Communication et des Libertés.
CNCM Confédération Nationale du Crédit Mutuel.
CNDP Centre National de Documentation Pédagogique.
CNE *Caisse Nationale* de l'Énergie. d'Épargne.
CNEC *Centre National* d'Enseignement par Correspondance. **CNED** d'enseignement à Distance. **CNEEMA** d'Études et d'Expérimentation du Machinisme Agricole.
CNEL Comité National de l'Enseignement Libre.
CNEP Comptoir National d'Escompte de Paris.
CNEPS Centre National d'Éducation Physique et des Sports.
CNERP Conseil National des Économies Régionales et de la Productivité.
CNES Centre Nat. d'Ét. Spatiales.
CNESR Conseil National de l'Enseignement Supérieur et de la Recherche.
CNET Centre National d'Études des Télécommunications.
CNEXO Centre National d'EXploitation des Océans.
CNF *Comité National Français.* **CNFG** de Géographie.
CNHJ Chambre Nationale des Huissiers de Justice.
CNI Carte Nationale d'Identité.
CNIL Commission Nationale de l'Informatique et des Libertés.
CNI, CNIP Centre National des Indépendants et Paysans.
CNIPE *Centre nat.* d'Information pour la Productivité des Entreprises. **CNIT** des Industries et des Techniques (Paris). **CNJA** des Jeunes Agriculteurs. **CNJC** des Jeunes Cadres. **CNL** des Lettres.
CNME Caisse National des Marchés de l'État.
CNN Cable News Network.
CNOUS Centre Nat. des Oeuvres Universitaires et Scolaires.
CNP Caisse Nationale de Prévoyance.
CNPF Conseil National du Patronat Français.
CNPH *Centre National* des Prêts Hypothécaires. **CNPN** pour la Protection de la Nature. **CNPS** de Pédagogie Spéciale.
CNR Cie Nationale du Rhône. Conseil Nat. de la Résistance.
CNRA Conseil National de la Révolution Algérienne.
CNRS Centre National de la Recherche Scientifique.
CNSL Comité National de la Solidarité Laïque.
CNTE Centre National de Télé-Enseignement.

CNU Conseil National des Universités.
CNUCED *Conférence des Nations Unies* sur le Commerce Et le Développement. **CNUSTED** pour la Science et la Technique.
CO Conseiller d'Orientation. Continental Airlines.
c/o Care of (aux bons soins de). Carried over (reporté en Bourse).
C/O Certificate of Origin.
Co. Company (société, compagnie).
COA Centre Opérationnel des Armées.
COB Commission des Opérations de Bourse.
COBOL COmmon Business Oriented Language.
COCOM COordination COMmittee.
COD Cash On Delivery (Contre remboursement). Centre Opérationnel de Défense.
CODEC COdeur DÉCodeur.
CODEFI COmités interdépartementaux D'Examen des problèmes de Fonctionnement des Entreprises.
CODER COmmission de Développement Économique Régional.
CODEST COmité de Développement Européen de la Science et de la Technologie.
CODEVI COmpte pour le DÉVeloppement Industriel.
CODEX COmité pour le Développement du commerce EXtérieur.
COE Conseil Œcuménique des Églises. Consultation d'Orientation Éducative.
COFACE COmpagnie FrAnçaise pour le Commerce Extérieur.
COFAZ COmpagnie Française de l'AZote.
COFEMEN COnFÉr. des Ministres de l'Éduc. Nat. francophones.
COGEDIM COmpagnie GÉnérale de Développement Immobilier.
COGEFI Conseil en Organisation de Gestion Économique et FInancière d'entreprises.
COGEMA COmpagnie GÉnérale des MAtières nucléaires.
COJO Comité d'Organisation des Jeux Olympiques.
Col. Colonel. Colonnes.
Coll. Collection.
Com. Commission.
COMAC COMmission d'ACtion militaire.
COMECON COuncil for Mutual ECONomic assistance.
COMES COMmissariat à l'Énergie Solaire.
COMEX COMmodity EXchange of New York. COmpagnie Maritime d'EXpertise.
COMIDAC COMIté D'ACtion militaire (Alger).
COMINFORM COMmunist INFORMation bureau.
COMLOG COMmission LOGistique.
Commdt Commandant.
COM SUP COMmandement SUPérieur.
COMTACAIR *COMmandement TACtique des forces* AIR. **COMTACTER** TERre.
Conf. Conférence.
Confed. Confédération.
Consol. Consolidated (consolidé).
contref. Contrefaçon.
COOC Contact with Oil or Other Cargo.
COPAR COmité PARisien des œuvres scolaires et universitaires.
CORH Commission d'Orientation et de Reclassement des Handicapés.
Corpa Corporation.
COS Coefficient d'Occupation des Sols.
corresp. corresponding.
COSNUB COmité Spécial des Nations Unies sur les Balkans.
COSP Centre d'Orientation Scolaire et Professionnelle.
COST COopération Scientifique et Technique.
COT Commandement des Opérations à Terre.
COTAC COnduite de Tir Automatique des Chars.
COTAM COmmandement du Transport Aérien Militaire.
couv. cons. Couverture conservée.
C/P Charter Party (Charte-Partie).
CP Canadian Airlines. Case Postale. Congrégation de la Passion (Passionistes). Cours Préparatoire. Crédits de Paiement.
CPA Centre de Perfectionnement dans l'Administr. des affaires. Classe Préparat. à l'Apprentissage. Compagnie des Pétroles d'Algérie.
CPC Comité du Programme et de la Coordination (ONU).
CPAG Centre de Préparation à l'Administration Générale.
CPAM Caisse Primaire d'Assurance Maladie.
CPAO Conception de Programme Assistée par Ordinateur.
CPDM Centre Progrès et Démocratie Moderne.
cpdt Cependant.
CPE Conseil de Parents d'Élèves (ou Comité de PE). Conseiller Principal d'Éducation.
C. pén. Code pénal.
CPFH Collier de Perles Foulard Hermès.
CPGE Classe Préparatoire aux Grandes Écoles.
CPJ Centre de Perfectionnement des Journalistes.
CPJI Cour Permanente de Justice Internationale.
CPPN Classe Pré-Professionnelle de Niveau.
CPR Centre Pédagogique Régional.
CPS Commission du Pacifique Sud.
Cpt Comptant.
CPT Port payé jusqu'à.
CQ Cercles de Qualité.
CQAO Contrôle Qualité Assisté par Ordinateur.
CQFD Ce qu'il fallait démontrer.
CR At Company's Risks (aux risques et périls de la compagnie). Cadre de Réserve.
CRA Contrat de Réinsertion en Alternance.
c.r. Compte rendu. Credit, creditor (crédit, créditeur).
CRAMIF Caisse Régionale de l'Assurance Maladie d'Ile-de-France.
CRAP Commando de Recherche et d'Action en Profondeur.
CRDP Centre Régional de Documentation Pédagogique.
CREA Centre de Recherche et d'Expérimentation Agronomique.
CRED Conseil des Recherches et Études de Défense.
CREDIF Centre de Recherche et d'Étude pour la Diffusion du Français.
CREDIJ Centre RÉgional pour le Développement local et l'Insertion des Jeunes.
CREDOC Centre de Recherches, d'Études et de DOcumentation sur la Consommation.
CREPS Centre Régional d'Éducation Physique et Sportive. Compagnie de Recherche et d'Exploration du Sahara.
CRESAS Centre de Recherches et d'Études Sur l'Adaptation Scolaire.
CRIC Chanoines Réguliers de l'Immaculée Conception.
CRIF Conseil Représentatif des Israélites de France.
CRF Croix-Rouge Française.
CRID Centre de Recherche et d'Information pour le Développement.
CRITT Centres Régionaux d'Innovation et de Transfert Technologique.
CRL Chanoines Réguliers de Latran.
CROSS Centre Régional Opérationnel de Surveillance et de Sauvetage.
CROUS Centre Régional des Oeuvres Universitaires et Scolaires.
CRS Compagnies Rép. de Sécurité.
Crt Courant.
CRV Caravelle.
c/s Cases (caisses).
CS Centre de Sélection. Civil Service.
CSA Chanoines réguliers de St-Augustin.
CSAIO Chef de Service Académique d'Information et d'Orientation.
CSB Pères Basiliens.
CSCA Conseil Supérieur de la Coopération Agricole.
CSCE Conférence sur la Sécurité et la Coopération en Europe.
CSEN Conseil Supérieur de l'Éducation Nationale.
CSF Compagnie générale de télégraphie Sans Fil.
CSFP Conseil Supérieur de la Fonction Publique.
CSI Cité des Sciences et de l'Industrie.
CSL Confédération des Syndicats Libres.
CSM *Conseil Supérieur* de la Magistrature. **CSN** du Notariat.
CSNVA Chambre Syndicale Nationale des Vendeurs d'Automobiles.
CSR République tchécoslovaque.
CSSP Congrégation du St-Esprit. **CSSR** du très-Saint-Rédempteur (Rédemptoristes).
CST Central Standard Time.
CSTB Centre Scientifique et Technique du Bâtiment.
CSU Centre Sportif Universitaire.
CSV Clercs de Saint-Viateur.
C/T Conference Terms.
Ct ct Compte courant.
Cte, Ctesse Comte, comtesse.
Ctge Cartage (camionnage).
c.t.l. Constructive total loss (perte censée totale).
C. trav. Code du travail.
Cts Crates (Caisses, cagcots).
Cttee Committee.
cu Cubic. **Cu** Cuivre.
CU Code de l'Urbanisme. Cubana (Empresa Consolidada Cubana de Aviación).
CUEEP *Centre Universitaire* Économie d'Éducation Permanente. **CUFCO** de Formation COntinue.
CUIO Cellule Universitaire d'Information et d'Orientation.
CUMA Coopérative d'Utilisation du Matériel Agricole.
cum d/ Cum dividend (Coupon attaché).
curr., currt. Current (du mois en cours, actuel).
CV Croix du Combattant Volontaire. Curriculum Vitæ.
CVO Commander of the Victorian Order.
+CVR Combattant Volontaire de la Résistance.
CVS Corrigé des Variations Saisonnières.
CW Air Marshall Islands.
CWO Cash With Order (Paiement à la commande).
Cwt Hundredweight (Quintal [de 112 lbs]).
CX Cathay Pacific Airways.
CY Cyprus Airways.
d. Day (Jour). Died. Penny [pence] (Denier). **D.** Allemagne. Demandé.
d/a Days after acceptance (jours après l'acceptation). **DA** Deposit account (compte de dépôt).
DA Danair.
D/A Documents against Acceptance (doc. contre acceptation).
DAB Distributeur Automatique de Billets.
DAC Digital to Analog Converter.
DAF Rendu frontière.
DAFCO Délégation Académique à la Formation COntinue.
DAM Division Aéromobile Mercure.
DAO Dessin (ou Documentation) Assisté(e) par Ordinateur.
DAP Deutsche Arbeiter Partei.
DAS *Direction de l'Action Sociale.* **DASS** Sanitaire et Sociale.
DAT Digital Audio Tape. Direction des Armements Terrestres.
DATAR Délégation à l'Aménagement du Territoire et à l'Action Régionale.
d.b. Demi-basane. **DB** Deutsches Bundesbahn. Direction des Bibliothèques. Division Blindée.
DBE Dame Commander of the Order of the British Empire.
Dbk Drawback (remboursement en douane).
DBLE Demi-Brigade de Légion Étrangère.
DBRD Dépense Brute de Recherche et Développement.
DC Caribean Air Cargo. Direct Current. District of Columbia.
DCA Défense Contre Avions.
DCAé Direction des Constructions Aéronautiques.
DCB Dame Commander of the Bath.
DCC Digital Compact Cassette.
DCEM Deuxième Cycle d'Études Médicales.
d.ch. Demi-chagrin.
DCL Doctor of Civil Law.
DCMG Dame Commander of St Michael and St George.
DCN Direction des Constructions Navales.
DCSSA Direction Centrale du Service de Santé des Armées.
DCVO Dame Commander of the royal Victorian Order.
d.d. Days' date (date du jour).
d/d Delivered (livré).
DD Doctor of Divinity (docteur en théologie).
DDA *Direction Départementale* de l'Agriculture. **DDAF** et de la Forêt. **DDASS** de l'Action Sanitaire et Sociale. **DDCCRF** de la Concurrence, de la Consommation et de la Répression des Fraudes. **DDE** de l'Équipement.
DDEN Délégué Départemental de l'Éducation Nationale.
DDI Diplôme de Docteur Ingénieur. Droits de Douane à l'Importation.
D10 DC-10.
DDP Rendu droits acquittés.
DDR Deutsche Demokratische Republik.
DDT Dichloro-Diphényl-Trichloréthane.
DDTE Direction Départementale du Travail et de l'Emploi.
DDU Rendu droits non acquittés.
DE Diplôme d'État.
DEA Diplôme d'Ét. Approfondies.
deb Debenture (obligation).
Dec December.
dec. Decrease (baisse, diminution).
DECS Diplôme d'Études Comptables Supérieures.
def. Deferred (différé). Définition.
DEFA *Diplôme* d'État aux Fonctions d'Animateur. d'Études Fondamentales en Architecture.
DEFM Demande d'Emploi en Fin de Mois.
Del. Delegate, Delegation.
del, delin. delineavit (a dessiné).
DELDH Demandeur d'Emploi de Longue Durée Handicapé.
dely Delivery (livraison).
DEN Direction des ENgins.
dep. Département. Deposits. **Dep.** Deputy.
DEPS Dernier Entré, Premier Sorti.
dept Department (service).
DEQ Rendu à quai.
DES Rendu ex ship. *Diplôme* d'Études Sup. **DESA** De l'École Spéciale d'Architecture. **DESE** D'Études Supérieures Économiques.
desgl. desgleichen (de même).
DESPO Diplômé de l'École libre des Sciences POlitiques.
DESS *Diplôme d'Études Supérieures,* Spécialisées, de Sciences.
D^esse^ Duchesse.
DEST *Diplôme d'Études* Supérieures Techniques. **DEUG** Universitaires Générales. **DEUST** Universitaires de Sciences et de Techniques.
Devt Développement.

DEW Line Distant Early Warning Line [ligne de radars de détection pour l'alerte avancée (dans le temps) et lointaine (dans l'espace) (US)].
d.f. Dead freight (faux fret).
DFC Distinguished Flying Cross.
DFCEN Dir. de la Flotte de Commerce et de l'Équipement Naval.
DFEO Diplôme de Fin d'Étud. Obligatoires.
DFM Distinguished Flying Medal.
DFP Délégation à la Formation Professionnelle.
Dft Draft (Traite).
DG Deo Gratias (Par la grâce de Dieu). Direction générale.
DGA *Délégation Générale* pour l'Armement.
DGAC *Direction Générale* de l'Aviation Civile. **DGER** de l'Enseignement et de la Recherche. **DGGN** de la Gendarmerie Nationale. **DGI** des Impôts.
dgl. dergleichen (pareil, semblable).
DGRCST Direction Gén. des Relations Culturelles, Scientif. et Techniques.
DGRST Délégation Gén. à la Recherche Scientifique et Technique.
DGSE Direction Gén. de la Sécurité Extérieure.
DGT Direction Gén. des Télécom (devenue France-Télécom).
DGV Déjeuner à Grande Vitesse.
dh. das heisst (c'est-à-dire). Dirham marocain.
DHT Twin-Otter.
DHYCA Direction des HYdroCArbures.
di. Dienstag (mardi). **Di** Dienstags (le mardi). Delta Air. Division d'Infanterie.
DIA Defence Intelligence Agency. Direction de l'Infrastructure de l'Air.
DICA DIrection des CArburants (ministère de l'Industrie).
DII Direction Interdépartementale de l'Industrie.
DIM Maison de Décoration Intérieure Moderne.
DIMA Division d'Infanterie de MArine.
DIN Deutsche IndustrieNorm(en).
DIRCEN DIRection des Centres d'Expérimentations Nucléaires.
DIREN DIrection Régionale à l'ENvironnement.
DIRD Dépense Intérieure de Recherche et Développement.
dis., disc., disct. Discount (escompte).
Dist. District.
DIT Division Internationale du Travail.
div. Dividend (dividende). Division.
DIY Do It Yourself.
d.J. Dieses Jahres (de cette année).
DJ Djibouti.
DK Danemark.
DKR Danske KRøne.
DL Delta Airlines.
DLB Division Légère Blindée.
D.Lit.or Litt. Doctor of Letters or Litterature.
DLH Deutsche LuftHansa.
d.m. Demi-maroquin.
DM Deutsche Mark. **d.M.** Dieses Monats (de ce mois).
DMA Délégation Ministérielle de l'Armement.
DMC Dolfuss, Mieg et Cie.
DMN Direction de la Météorologie Nationale.
DMT Division Milit. Territoriale.
D/N Debit Note (Note de débit).
DN Dispatch Note (bulletin d'expédition).
DNAT *Diplôme National* d'Arts et Techniques. **DNBA** des Beaux-Arts.
DNRD Dépense Nationale de Recherche et Développement.
DNSEP Diplôme National Supérieur d'Expression Plastique.
DO Dépenses Ordinaires. Direction Opérationnelle.
do. (ou Do) Donnerstags (le jeudi).
D/O Delivery Order (Ordre de livraison).
d° Dito (ce qui a été dit).
doc. document.
DoD Department of Defence.
dol(s) Dollar(s).
DOM Département d'Outre-Mer.
dor.s.tr. Doré sur tranches.
DOS Disk Operating System.
DOT Deep Ocean Techn. Défense Opérationnelle du Territoire.
doz. Dozen (Douzaine).
DP Data Processing. Défense Passive. Displaced Persons. Division Parachutiste.
D/P Delivery against Payment (remise contre paiement).
DPASS Direction Provinciale d'Action Sanitaire et Sociale.
DPCE *Diplôme de Premier Cycle* Économique. **DPCT** Technique.
DPE Diplômé Par l'État.
D. Phil.ou D. Ph. Doctor of Philosophy.
DPLG Diplômé Par Le Gouvernement.
DPMAA *Direction du Personnel Militaire* de l'Armée de l'Air. **DPMAT** de l'Armée de Terre. **DPMM** de la Marine.
DPN Direction de la Protection de la Nature.
DPO Direction Par Objectifs.
DPP Direction de la Prévention des Pollutions.
DQP Dès Que Possible.
DQ Dernier Quartier.
DQV Délégation à la Qualité de la Vie.
d.r. Demi-reliure. **Dr.** Dollar. **Dr** Débit ; **Dr(s)** Debtor(s) (débiteurs). **dr.** Droit. **D**r Docteur. **DR** Déporté de la Résistance. Deutsch Reichsbank. Directeur de recherche. Direction Régionale.
DRAC *Direction Régionale* de l'Action Culturelle. Droit des Religieux Anciens Combattants.
DRASS Direction Régionale d'Action Sanitaire et Sociale.
dr. can. *Droit* canon. **dr. cout.** coutumier.
DRE *Direction* Rég. de l'Équipement. **DREE** des Relations Économiques Extérieures. **DRET** des Recherches, Études et Techniques de l'armement. **DRFP** Régionale à la Formation Professionnelle.
DRED Département REcherche pour le Développement.
DRIR Délégation Régionale de l'Industrie et de la Recherche.
DRSH Directeur des Relations Sociales et Humaines.
DRSJ *Direction Régionale* Sports et Jeunesse. **DRT** des Transports. **DRTE** du Travail et de l'Emploi.
Drzava SHS Yougoslavie.
ds Dans. **d/s** Days' sight (Jours de vue).
DSC Distinguished Service Cross.
D.sc. Doctor of Science.
DSM Distinguished Service Medal. **DSO** Order.
DSQ Développement Social des Quartiers.
DSS *Direction* de la Sécurité Sociale. **DST** de la Surveillance du Territoire.
dt. Deutsch (allemand). Doit.
DT Diphtérie, Tétanos. Diplôme Technique.
DTAB Diphtérie Typhoïde paratyphoïde A et B (vaccination).
DTASS Direction Territoriale d'Action Sanitaire et Sociale.
DTAT *Direction Technique* des Armements Terrestres. **DTCA** des Constructions Aéronautiques.
DT Coq Diphtérie Tétanos Coqueluche (vaccination).
DTCP Diphtérie, Tétanos, Coqueluche, Polio.
DTOM Départements et Territoires d'Outre-Mer.
DTP Diphtérie, Tétanos, Polio.
DTS Droits de Tirages Spéciaux.
DTSA Defence Technology Security Administration.
Dtzd Dutzend (douzaine).
d.U. der Unterzeichnete (le soussigné).
DUEL *Diplôme Universitaire d'Études* Littéraires. **DUES** Scientifiques. **DUET** Techniques.
DUP Déclaration d'Utilité Pub.
DUT Diplôme Universitaire de Technologie.
d.v. Demi-veau. Doivent.
DV Deo Volente (à la volonté de Dieu).
d.w. Deadweight (Port en lourd).
D/W Dock-Warrant (certificat d'entrepôt). **DW** DLT (Deutsche Luftverkehrsgesellschaft).
DY Alyemda (Democratic Yemen Airlines).
d/y Delivery (livraison).
dz Doppelzentner (quintal).
DZ Dropping Zone.
+E Médaille des Évadés.
E East (est). Espagne.
ea. Each (chaque, chacun).
EA Eastern Air Lines. École de l'Air.
EAA *École* d'Administration de l'Armement. d'Application de l'Artillerie.
EAO Enseignement Assisté par Ordinateur.
EARL Exploitation Agricole à Responsabilité Limitée.
EASSAA *École d'Application* du Service de Santé de l'Armée de l'Air. **EAT** du Train. **EATrs** des Transmissions.
ebd. Ebenda (au même endroit).
EBR Engin Blindé de Reconnaissance.
EBV Epstein-Barr Virus.
EC European Community.
ECA Economical Cooperation Administration (Plan Marshall).
ECAFE Economic Commission for Asia and Far-East.
Eccl. Ecclésiaste (livre de la Bible), Ecclésiastique.
ECG ÉlectroCardioGramme.
ECL École Centrale de Lyon.
ECM Entreprise Chimique et Minière.
ECOSOC Conseil ÉCOnomique et SOCial.
ECP Écart Circulaire Probable. École Centrale de Paris.
Ecr. Écrire.
ECU European Currency Unit.
éd. *Édition.* **éd. or.** Originale.
EDF Électricité De France.
EDHEC École Des Hautes Études Commerciales.
EDI Electronic Data Interchange (Échange de données informatiques).
édit. Éditeur.
EDP Electronic Data Processing (analyse électronique des données).
EE Errors Excepted (sauf erreurs). Euroberlin.
EEC European Economic Community (voir **CEE**).
EEF Egyptian Expeditionary Force.
EEG ÉlectroEncéphaloGramme.
EELF Église Évangélique Luthérienne de France.
EEMI École d'Électricité Mécanique Industrielle.
EF Eau-Forte.
EFA European Fighter Aircraft.
eff. Efficace (puissance).
EFMA European Financial Marketing Association (Association Européenne de marketing financier).
EFO Établissements Français d'Océanie.
E & O.E. Errors and Omissions Excepted.
EFT Electronic Funds Transfer.
EFTA European Free Trade Association.
e.G. Eingetragene Genossenschaft (coopérative enregistrée). **e.g.** exempli gratia (par exemple).
EGF Électricité-Gaz de France.
égl. Églogue.
e.h. Ehrenhalber (honoris causa).
EHESS École des Hautes Études en Sciences Sociales.
EI Aer Lingus.
EIF Éclaireurs Israélites de France.
einschl. einschliesslich (y compris).
EK Emirates.
ELAS Armée populaire hellénique de libération.
ELM Escorteur Lance-Missiles.
elz. Elzevirien.
EM *État-Major.* **EMA** des Armées.
EMALA Équipe Mobile Académique de Liaison et d'Animation.
EMAT État-Major de l'Armée de Terre.
EMB EMBraer.
EMIA École Militaire InterArmes. État-Major InterArmées.
EMM État-Major de la Marine.
EMMIR Élément Médical Militaire d'Intervention Rapide.
EMN École nat. sup. des Mines de Nancy.
EMP École des Mines de Paris. Electro Magnetic Pulse (impulsion électromagnétique).
EMS European Monetary System.
EMT Éducation Manuelle et Technique. Équivalent MégaTonnique.
EN École Navale. Économie Nationale.
ENA *École Nat.* d'Administration. **ENAC** de l'Aviation Civile.
ENBAMM Entreprises Non Bancaires Admises au Marché Monétaire.
Enc. Enclosure (Pièces jointes).
ENC *École Nat.* des Chartes. **ENEF** des Eaux et des Forêts. **ENGREF** du Génie Rural, des Eaux et des Forêts.
ENEA European Nuclear Energy Agency.
ENI École Nationale d'Ingénieurs. École Normale d'Instituteurs ou d'Institutrices. Ente Nazionale Idrocarburi.
ENIAC Electronic Numeral Integrator and Computer.
ENISE École Nationale d'Ingénieurs de Saint-Étienne.
ENIT ENte Italiano del Turismo.
ENITA *École Nat. d'Ingénieurs* de Travaux Agricoles. **ENITEF** des Travaux des Eaux et des Forêts.
ENLOV *École Nat.* des Langues Orientales Vivantes. **ENM** de la Magistrature.
ENNA École Normale Nationale d'Apprentissage.
ENP *École Nat.* de Perfectionnement. **ENPC** des Ponts et Chaussées.
ens. Ensemble.
ENS École Normale Supérieure.
ENSA *École Nat. Supérieure* d'Aéronautique. Agronomique. De Ski et d'Alpinisme. **ENSAD** des Arts Décoratifs. **ENSAe** de l'Aéronautique et de l'espace.
ENSAE École Nat. de Statistique et d'Administration Économique.
ENSAM *École Nat. Supérieure* des Arts et Métiers. **ENSATT** des Arts et Techniques du Théâtre. **ENSBA** des Beaux-Arts. **ENSCP** de Chimie de Paris. **ENSEMN** d'Électricité et Mécanique de Nancy. **ENSET** de l'Enseignement Technique. **ENSGM** du Génie Maritime. **ENSH** d'Horticulture. **ENSI** d'Ingénieurs. **ENSIA** des Industries Agricoles et alimentaires. **ENSICA** d'Ingénieurs et de Constructions Aéronautiques. **ENSIETA** des Ingénieurs des Études et Techniques d'Armement. **ENSM** de Mécanique. **ENSMStE** des Mines de St-Étienne. **ENSP** de la santé Publique. **ENSPM** du Pétrole et des Moteurs. **ENST** des Télécommunications. **ENSTA** des Techniques Avancées.
ENTSOA École Nationale Technique des Sous-Officiers d'Active.
Env. Environ. Envoyer.
E.o. Ex officio. **EO** Édition Originale.
EOA Élément Organique d'Armée. Élève-Officier d'Active.
EOCA Élément Organique de Corps d'Armée.

eod. *Eodem* (du même). **eod. loc.** *loco* (du même endroit). **eod. op.** *opere* (du même ouvrage).
EOR Élève-Officier de Réserve.
ép. Épître. Époque. Épreuve.
EP École Polytechnique.
EPC Éc. de Physique et de Chimie. Engin Principal de Combat.
EPCOT Experimental Prototype Community Of Tomorrow.
EPF École Polytechnique Féminine.
EPHE École Pratique de Hautes Études.
EPIC Établissement Public à caractère Industriel et Commercial.
EPM École Préparatoire de la Marine.
EPR Établissement Public Régional.
EPROM Erasable Programmable Read Only Memory (Mémoire semi-morte dont le contenu ne peut être modifié qu'exceptionnellement).
EPS École Primaire Supérieure. Éducation Physique et Sportive.
EPZ École Polytechnique de Zurich.
ER Elizabetha Regina. En Retraite.
ERAP Entreprise de Recherches et d'Activités Pétrolières.
ERP Établissement Recevant du Public.
es. Escudo portugais.
ESA European Space Agency.
ESAM École Supérieure d'Application du Matériel. Équipes Spéciales d'Aide aux Mineurs.
ESAT École Supérieure de l'Armement Terrestre.
ESC École supérieure *de Commerce.* **ESCAE** et d'Administration des Entreprises. **ESCL** de Lyon. **ESCP** de Paris.
ESD Électronique Serge Dassault.
ESE *École Supérieure* d'Électricité. **ESEAT** d'Électronique de l'Armée de Terre.
ESEU Examen Spécial d'Entrée à l'Université.
ESG *École Sup. de Guerre.* **ESGA** Aérienne. **ESGI** Interarmées.
ESGM Éc. Sup. du Génie Militaire.
ESGN *École Sup.* de Guerre Navale. **ESIM** d'Ingénieurs de Marseille.
ESMStC École Spéciale Militaire de St-Cyr.
ESOA *École des élèves Sous-Officiers d'Active.* **ESOAT** des Transmissions.
ESPCI École Supérieure de Physique et de Chimie Industrielle.
ESPRIT European Strategic Programm for Research and development in Information Technologies.
Esq. Esquire.
ESSAT École d'application du Service de Santé de l'Armée de Terre.
ESSEC École Sup. des Sciences Économiques et Commerciales.
ESSO Standard Oil company.
est. Established (fondé).
ESTP École Spéciale des Travaux Publics.
ESU English Speaking Union.
ET Ethiopian Airlines.
Et al et alibi (et ailleurs) ; et alia, et alii (et d'autres).
ETA Euzkadi Ta Askatasuna (Le Pays basque et sa liberté).
ETAA École Technique de l'Armée de l'Air.
ETAP École des Troupes AéroPortées.
etc. et cætera.
ETN École Technique Normale.
ETP École spéciale des Travaux Publics.
Et seq et sequens (et la suite).
EU Ecuatoriana (Empresa Ecuatoriana de Aviación). *États-Unis.* **EUA** d'Amérique.
EUF Éclaireurs Unionistes de France.
EURAM Programme européen sur les matériaux avancés.
EUREKA Acronyme approximatif pour EUropean REsearch Coordination Agency.
EURL Entreprise Unipersonnelle à Responsabilité Limitée.
e.V. Eingetragener Verein (association déclarée). **EV** En Ville.
év. Évêque.
EVDA Engagé Volontaire par Devancement d'Appel.
EVP Équivalent Vingt Pieds.
EVR Electro Video Recorder.
EVSOM Engagé Volontaire pour Service Outre-Mer.
EW East-West Airlines.
EWG Europäische WirtschaftsGemeinschaft (voir **CEE**).
ex. Example (exemple). Sans, hors de, venant de.
Exc. Excellency.
excl. excluding.
ex-cp. Ex-coupon (coupon détaché).
ex. de tr. Exemplaire de travail.
ex-div. Ex-dividende.
Exec. Executive.
ex int. Exclusive of interest (intérêts non compris).
exor Executor (exécuteur testamentaire).
exrx Executrix (exécutrice testamentaire).
exs Expenses (dépenses, frais).
ex ss Ex steamer (au débarquement).
ex stre Ex store (disponible).
extr. Extrait.
EXW A l'usine.
ex whf Ex wharf (franco à quai).
ex whse Ex warehouse (disponible).
f Founded.
f., ff. *Feuillet,* feuillets. **F. bl.** Blanc.
F Fahrenheit. Fellow of. Force (physique). France. Frère. Franc (**FB** Franc belge, **FF** Franc français, **FS** Franc suisse).
+F Médaille famille française.
Fa. Firma (firme commerciale).
FAA Free of All Average (Franc d'avaries).
FAAR Force d'Action et d'Assistance Rapide.
FAB Franco A Bord.
FAC *Fonds d'Aide* et de Coopération. **FAD** à la Décentralisation. Africain de Développement.
FADEL Fonds d'Action pour le Développement Économique de la Loire.
FADES Fonds Arabe de Développement Économique et Social.
FAF Fonds d'Assurance Formation.
FAFL Forces Aériennes Françaises Libres.
FAHMIR Force d'Assistance Humanitaire Militaire d'Intervention Rapide.
FAMOUS French-American Mid-Ocean Survey.
FANE Fonds d'Action Nationale Européen.
FAO Fabrication Assistée par Ordinateur. Food and Agriculture Organization. Forces Auxiliaires Occasionnelles.
FAP Franc d'Avaries Particulières.
f.a.q. Fair average quality (bonne qualité courante).
FAR Federal Air Regulation. Force d'Action Rapide.
FARG Fonds d'Aide au logement et de Garantie.
FAS Facilité d'Ajustement Structurel. Fonds d'Action Sociale. Free Alongside Ship (franco le long du bord).
FASASA Fonds d'Action Sociale pour l'Aménagement des Structures Agricoles.
fasc. Fascicule.
FASP Fédération Autonome des Syndicats de Police.
FATAC Force Aérienne TACtique.
FAU Fonds d'Aménagement Urbain.
faub., fg Faubourg.
FB Franc Belge.
FBA Fellow of the British Academy.
FBCF Formation Brute de Capital Fixe.
FBI Federal Bureau of Investigation.
FBS Forward Based Systems (bases américaines avancées en Europe).
FC Fils de la Charité.
FCA Franco transporteur.
f.c.é.m. Force contre-électromotrice.
FCFA Franc CFA.
F50 Fokker F50.
Fco Franco.
FCP Fonds Commun de Placement.
FCPE Fédération des Conseils de Parents d'Élèves des écoles publ.
f.c.s.r. & c.c. Free of capture, seizure, riots, and civil commotions (Franc de capture, saisie, émeutes et troubles civils).
FD (ou Fid. Def.) Fidei Defensor (Défenseur de la foi).
FDC Frères de la Doctrine Chrétienne.
FDES Fonds de Développement Économique et Social.
FE Fiscalité des Entreprises.
Feb. February.
FECOM Fonds Européen de COopération Militaire.
Fed. Fédéral. Fédération.
FED FEDeral reserve board. Fonds Européen de Développement.
FEDER Fonds Européen de DÉveloppement Régional.
FEF Fédération Évangélique de France.
FELIN Fonds d'État Libre d'Intérêt Nominal.
f.é.m. Force électromotrice.
FEN *Fédération* de l'Éducation Nationale. Des Étudiants Nationalistes.
FEOGA Fonds Européen d'Orientation et de Garantie Agricole.
FER Fédération des Étudiants Révolutionnaires.
FETTA Formation Élémentaire TouTes Armes (« les classes »).
ff. Folgende Seiten (pages suivantes). **FF** Frères. Tower Air.
FFA Forces Françaises en Allemagne. **f.f.a.** Free from alongside ([livré] sous palan).
FFAJ Fédération Française des Auberges de la Jeunesse.
FFC *Forces Françaises Combattantes.* **FFCI** de l'Intérieur.
FFI *Forces Françaises* de l'Intérieur. **FFL** Libres.
FFN Fonds Forestier National.
ff^{on} Faisant fonction.
FFSPN Fédération Française des Sociétés de Protection de la Nature.
FG Ariana Afghan Airlines.
fg faubourg.
f.g.a. Free of general average (franc d'avarie grosse ou commune).
FGDS Fédération de la Gauche Démocratique et Socialiste.
FHAR Front Homosexuel d'Action Révolutionnaire.
FHCP Foulard Hermès Collier de Perles.
FI Fiscalité Immobilière. Icelandair.
f.i. For instance (Par exemple).
FIAC Foire Internationale d'Art Contemporain.
FIACRE Fonds d'Incitation A la CRÉation.
FIAM Fonds d'Intervention pour l'Autodéveloppement en Montagne.
FIAT Fabbrica Italiana Automobili Torino. Fonds d'Intervention pour l'Aménagement du Territoire.
FIDA Fonds International de Développement Agricole.
FIDAR Fonds Interministériel de Développement et d'Aménagement Rural.
FIDES *Fonds d'Investissement* pour le Développement Économique et Social. **FIDOM** des Départements d'Outre-Mer.
FIEJ *Fédération Internationale* des Éditeurs de Journaux et de publications. **FIFA** de Football Assoc.
FIFO First In First Out (premier entré, premier sorti).
fig. Figure (chiffre).
FIH *Fédération Internationale* des Hôpitaux. **FIJC** de la Jeunesse Cath. **FIJM** des Jeunesses Musicales.
fil. Filets.
FIM Fonds Industriel de Modernisation.
FINUL Force Intérimaire des Nations Unies au Liban.
f.i.o. Free in and out (De bord en bord).
FIPRESCI Féd. Intern. de la PRESse CInématographique.
FIQV *Fonds d'Intervention* pour la Qualité de la Vie. **FIRS** de Régularisation du marché du Sucre.
FISCAL Année fiscale (USA).
FISE Fonds International de Secours à l'Enfance.
FISL Fédération Internationale des Syndicats Libres.
f.i.t. Free of income-tax (net d'impôt, exempt d'impôt sur le revenu).
FIVETE Fécondation In Vitro Et Transfert d'Embryon.
FJ Air Pacific.
fl. Florin.
FL Liechtenstein.
Flak Fliegerabwehrkanonen.
FLB Franco Long du Bord. Front de Libération de la Bretagne.
FLIR Forwards Looking InfraRed (Instrument de pilotage de nuit).
FLN *Front de Libération Nat.* **FLNC** de la Corse.
FLQ Front de Libération Québécois.
Flt Flight.
FM Federal Express. Field Marshal. Franchise Militaire. Franc-Maçon. Frequency Modulation. Voir aussi **MF.** Fusil-Mitrailleur.
fm fathom.
FME *Fonds* de Modernisation et d'Équipement. Pour la Maîtrise de l'Énergie. **Fme** Femme.
FMF Fédération des Médecins de France.
FMG Franc MalGache.
FMI Fils de Marie Immaculée. Fonds Monétaire Internat. *Force Multinationale* d'Interposition. **FMO** et Observateurs.
fmr(ly) former(ly).
FMS Frères Maristes.
FMVJ Fédération Mondiale des Villes Jumelées.
FN Front National.
FNAC Fédération Nationale d'Achat des Cadres. Fonds National d'Art Contemporain.
FNAFU Fonds National d'Aménagement Foncier et d'Urbanisme.
FNAGE Fédération Nat. d'Association des élèves des Grandes Écoles.
FNAH Fonds Nat. d'Amélioration de l'Habitat.
FNAPEEP *Fédération Nat.* des Associations de Parents d'Élèves de l'Enseignement Public. **FNCC** des Coopératives de Consommation.
FNDA *Fonds national* de Développement Agricole. **FNE** de l'Emploi.
FNEF *Fédération Nationale* des Étudiants de France. **FNHPA** Hôteliers Plein Air.
FNI Forces Nucléaires à portée Intermédiaire.
FNJ *Front National* de la Jeunesse. **FNL** de Libération.
FNMF *Fédération Nationale* de la Mutualité Française. **FNMT** des Mutuelles de Travailleurs.
FNR Front National des Rapatriés.
FNS Fonds Nat. de Solidarité. Forces Nucléaires Stratégiques.
FNSA *Fédération Nat. des Syndicats* Agric. **FNSEA** d'Exploitants Agricoles. **FNSPELC** Professionnels de l'Enseignement Libre Catholique.
FNTR Fédération Nationale des Transporteurs Routiers.
FNUC Force de maintien de la paix des Nations Unies à Chypre.
FNUOD Force des Nations Unies d'Observation de Désengagement (Golan).
f^{o}, ff^{o} Folio, folios.
f.o. For orders (Pour ordres).
FO Firm Offer (offre ferme). Flying Officer. Force Ouvrière. Foreign Office.

f.o.b. Free on board (franco à bord).
f.o.c. Free of charge (franco de port et d'emballage).
FOEVEN *Fédération des Œuvres* Éducatives et de Vacances de l'Éducation Nationale. **FOL** Laïques.
folg Following (suivant).
FOMODA FOnds de MOdernisation et de Développement de l'Artisanat.
f.o.q. *Free* on quai (franco à quai). **f.o.r.** on rail (sur wagon).
FORMA Fonds d'Orientation et de Régularisation des Marchés Agricoles.
FORTRAN FORmulation TRANsposée.
f.o.s. Free on steamer (franco à bord du navire).
FOST Force Océanique STratégique.
f.o.t. Free on truck (franco sur wagon).
f.o.w. First open water (dès l'ouverture de la navigation). Free on wagon (franco sur wagon).
FP Fiscalité Personnelle.
f.p. Fully paid (intégralement versé).
FPA *Formation Professionnelle* des Adultes. **FPC** Continue.
f.p.a. Free of particular average (franc d'avaries particulières).
FPF Fédération Protestante de France.
FPLP Front Populaire pour la Libération de la Palestine.
Fr. Father. Frau (madame). Freitag (vendredi). **FR** Ryanair.
FRAC *Fonds Régional* d'Aide au Conseil. d'Art Contemporain.
FRAM Fer, Route, Air, Mer.
FRC Franco transporteur.
FRIL *Fonds Régional d'aide aux Initiatives Locales.* **FRILE** pour l'Emploi.
ffrs. Französische Francs.
Fr.-M. Franc-Maçon.
FRN Floating Rate Notes (obligations internat. à taux variables).
FROG Free-flight Rocket Over Ground (fusée à vol libre).
FROM Fonds Régional d'Organisation des Marchés.
front. Frontispice.
FRR Fonds de Rénovation Rurale.
FRS Fellow of the Royal Society.
frt Freight (Fret).
FS Faire Suivre (Poste). Ferrovie dello Stato (Italie). Franc Suisse.
FSAI Fonds Spécial d'Adaptation Industrielle.
FSC ou **FEC** Frères des Écoles Chrétiennes.
FSE Fonds Social Européen.
FSF *Frères* de la Sainte-Famille. **FSG** de St-Gabriel.
FSGT Fonds Spécial des Grands Travaux.
FSI *Fédération* Syndicale Internationale. **FSJF** des Sociétés Juives de France.
fsl. Franc suisse.
FSM Féd. Syndicale Mondiale.
FSR *Fonds* de Soutien des Rentes. **FSU** Social Urbain.
ft Foot. Feet (Pied[s]).
FTDA France Terre D'Asile.
FTP *Francs-Tireurs et Partisans.* **FTPF** Français.
FU Air Littoral.
FUACE *Fédération* Universelle des Associations Chrétiennes d'Étudiants. **FUAJ** Unie des Auberges de Jeunesse. **FUCAPE** des Unions de Commerçants, d'Artisans et de Petites Entreprises.
FUNU Force d'Urgence des Nations Unies.
FV Viva Air.
F28 F27 Fokker 28, 27.
fwd Forward (à terme, livrable).
fx-tit. Faux-titre.
FY Fiscal Year.
g Accélération de la pesanteur (physique). gramme. **G** Guinea. **G** (sur les timbres du cap de Bonne-Espérance, Griqualand occidental).
GA Garuda Indonesia. General Average (Avarie commune).
GAB Guichet Automatique Bancaire.
GAEC *Groupement* Agricole d'Exploitation en Commun. **GAGMI** d'Achat des Grands Magasins Indépendants.
GAJ Groupe Action Jeunesse.
gal., gall. Gallon.
GAL Groupe Antiterroriste de Libération.
GAM Groupes d'Action Municipale.
GAMIN Gestion Automatisée de la Médecine INfantile.
GAN Groupement des Assurances générales.
GANIL Grand Accélérateur à Ions Lourds.
GAPP Groupe d'Aide PsychoPédagogique.
GARP Groupement des Assedic de la Région Parisienne.
GARS Groupe d'Activités et de Recherches Sous-marines.
GATT General Agreement on Tariffs and Trade.
GB Great Britain.
GBE Grand-Croix de l'ordre de l'Empire Britannique.
G.b.o. Goods in bad order (marchandises en mauvais état).
GC George Cross.
GCB Grand-Croix de l'ordre du Bain.
GCMG Knight or Dame Grand Cross of St Michæl and St George.
GCR Gas-Cooled Reactor (réacteur à refroidissement gazeux).
gd Grand.
G&D Guadeloupe et territoires Dépendants.
GDF Gaz De France.
GDP Gross Domestic Product.
GE General Electric company.
GEA Groupe d'Études des problèmes des grandes entreprises Agricoles. **GEA** Tanganyika.
geb. Geboren (né).
gefl. Gefälligst (s'il vous plaît).
GEGS Grandes Entreprises de distribution spécialisées en Grandes Surfaces.
GEIE Groupement Européen d'Intérêt Économique.
GEN General.
GERDAT Groupement d'Études et de Recherches pour le Développement de l'Agronomie Tropicale.
GERTRUDE Gestion Électronique de la Régulation du Trafic RoUtier Défiant les Embouteillages.
Ges. Gesellschaft (société).
gest. gestorben (décédé).
GESTAPO GEheime STAatsPOlizei (Police d'État).
gez. gezeichnet (signé).
GF Groupes Francs. Gulf Air.
GFA Groupement Foncier Agri.
GFCA Groupement des Fusiliers Commandos de l'Air.
ggf. Gegebenenfalls (le cas échéant).
G.gr. Great gross [144 dz] (12 grosses).
GH Ghana Airways.
GHQ General HeadQuarters.
GI Government Issue.
GIAT Groupement Industriel des Armements Terrestres.
GIC Grand Invalide Civil.
GICEL Groupement des Industries de la Construction ÉLectrique.
GIE *Groupement d'Intérêt Économique* **GIEE** Européen.
GIEP Groupe Indépendant Européen de Programme.
GIG Grand Invalide de Guerre.
GIGN Groupe d'Intervention de la Gendarmerie Nationale.
GIP *Groupement* d'Intérêt Public. **GIS** de l'Industrie Sidérurgique. d'Intérêt Scientifique.
GIRZOM Groupe Interministériel pour la Rénovation des ZOnes Minières.
GLAM Groupe de Liaison Aérienne Ministérielle.
GLCM Ground Launched Cruise Missile.
GLF Grande Loge de France.
Glos Gloucestershire.
GM Génie Maritime. Génie Milit. Gentil Membre. Gouverneur Militaire.
GmbH Gesellschaft mit beschränkter Haftung (SARL).
GMC General Motor's Corporation.
GMDSS Global Maritime Distress and Safety System.
GMF Garantie Mutuelle des Fonctionnaires.
GMMP Grands Magasins et Magasins Populaires.
GMQ Good Merchantable Quality (bonne qualité marchande).
GMR Groupes Mobiles de Réserve.
GMT Greenwich Mean Time (temps moyen de Greenwich).
GN Air Gabon.
+GN Médaille de la Gendarmerie Nationale.
GNMA Government National Mortgage Association.
GNP Gross National Product (produit national brut).
gns. Guinées.
GO Garantie d'Origine. Gentil Organisateur. Grandes Ondes.
g.o.b. Good ordinary brand (bonne marque ordinaire).
GOF Grand Orient de France.
GONUIP *Groupe d'Observateurs des Nations Unies* en Inde et au Pakistan. **GONUL** au Liban.
GOP « Great Old Party » (désigne aux USA le parti républicain).
GOULAG Glavnoïe OUpravlenie LAGuereï (Direction des camps de travail forcé).
Gov. Governor.
Govt. Government.
GPAO Gestion de la Production Assistée par Ordinateur.
GPE Guadeloupe.
GPL Gaz de Pétrole Liquéfié.
GPO General Post Office (Bureau central des PTT).
GPRA *Gouvernement Provisoire* de la République Algérienne. **GPRF** de la République Française.
GPU (ou Guépéou) Gossoudarstvennoïe Polititcheskoïe Oupravlenie (Administration Politique d'État).
GQG Grand Quartier Général.
GR Grande Randonnée (sentier). Grèce.
Gr Groschen.
GRAPO Groupe de Résistance Antifasciste et Patriotique du premier Octobre.
grav. Gravure.
gr. cap. Grande capitale.
GRECE Groupement de Recherche et d'Études sur la Civilisation Européenne.
GREF Génie Rural, des Eaux et des Forêts.
Greta Groupements d'établissements pour la formation continue.
GRI Nouvelle-Angleterre, Samoa.
g.r.t. Gross registered tonnage (tonnage brut).
gr. wt Gross weight (poids brut).
G7 Groupe d'union des Sept.
GT Grand Tourisme.
GTM Grands Travaux de Marseille.
GU Grand Uniforme. Grande Unité.
GUD Groupe Union Défense.
GV Talair.
GVF *Groupement de Vulgarisation* Forestière. **GVPA** du Progrès Agricole.
gvt. Gouvernement.
GW GigaWatt. **GWh** GigaWatt heure.
H Honorariat.
hab. habitant.
HAC Hélicoptère AntiChars.
HAD Hospitalisation A Domicile.
HADA Haute Autorité de Défense Aérienne.
HAP Hélicoptère d'Appui-Protection.
Hbf. Hauptbahnhof (gare centrale).
HBM Habitation à Bon Marché.
HBV Hepatitis B Virus.
h.c. hors commerce.
HC House of Commons.
HCE Haut Comité à l'Environnement.
HCR Haut Commissariat des Nations unies pour les Réfugiés.
Hdlg. Handlung (maison de commerce).
HE His Excellence ; His Eminence. Trans European Airways.
HEC *Hautes Études* Commerciales. **HEI** Industrielles.
HF Haute Fréquence (Électricité). Home Fleet (Flotte de guerre angl.).
HGB Handelsgesetzbuch (Code de commerce).
hg (b). herausgegeben (édité).
HH Somali Airlines.
hhd Hogshead (fût de 240 l).
HIM Her/His Imperial Majesty.
HIV Human Immunodeficiency Virus.
HJS Hic Jacet Sepultus.
HL House of Lords. **hl** hectolitre.
HLM *Habitation à Loyer Modéré.* **HLMO** Ordinaire.
HM Air Seychelles. His (Her) Majesty.
HMC His (Her) Majesty's Customs (douanes brit.).
Hme Homme.
HMS Her Majesty's Ship. – His (Her) Majesty's Service.
HMSO Her Majesty Stationery Office.
HO Head Office (siège social).
Holl. Hollande.
HOMO Opérations de parachutage de personnel.
Hon. Honorary. Honourable.
HOT High-subsonic Optical Tube lounched missile (guidage).
HP America West Airlines. Haute pression. Hire Purchase (vente à tempérament). Horse Power (Cheval-vapeur).
HPH Handley Page H.
Hpt. Hauptmann (capitaine).
HPV Human Papilloma Virus.
HQ HeadQuarters (quartier général).
Hr. Herr (monsieur). **HR** House of Representatives (am.).
HRH His (Her) Royal Highness.
Hrn. Herren (messieurs).
HS Air North International.
HSH Her (His) Serene Highness.
HSP Haute Société Protestante.
HS7 Hawker S 748.
h.t. Hors texte.
HT Haute Tension.
HTLV Human T-Leukemia Virus.
HUGO HUman Genome Organization.
HV Transavia Airlines.
hygr. Hygrométrie.
HWR Heavy Water Reactor (réacteur à l'eau lourde).
I Italie.
IA Ingénieur de l'Armement. Inspecteur d'Académie. Intelligence Artificielle. Iraqi Airways.
i.A. Im Auftrag (d'ordre de, par délégation).
IAA Ind. Agricoles et Alimentaires.
IAB Institut Agricole de Beauvais.
IAC Indian Airlines.
IAE *Institut* d'Administration des Entreprises. **IAN** Agronomique de Nancy.
IAO Ingénierie Assistée par Ordinateur, conception de circuits Intégrés Assistée par Ordinateur.
IARD Incendie Accidents Risques Divers.
IATA International Air Transport Association.
IAURIF Institut d'Aménagement et d'Urbanisme de la Région Ile-de-France.
IB Iberia. Invoice Book (facturier).
IBA Independent Broadcasting Authority. International Banking Act.
IBF International Banking Facilities.

IBIC Impôt sur les Bénéfices Industriels et Commerciaux.
Ibid. *Ibidem* (au même endroit).
IBJ Industrial Bank of Japan.
IBM International Business Machines corporation.
IBRD International Bank for Reconstruction and Development.
IC Indian Airlines.
ICAM Institut Catholique d'Arts et Métiers.
ICAO International Civil Aviation Organization (voir **OACI**).
ICBM InterContinental Ballistic Missile.
ICC International Chamber of Commerce.
ICE Inter City Express.
ICEM Institut Coopératif de l'École Moderne (pédagogie Freinet).
ICI Imperial Chemical Industries. Institut de Commerce International.
ICITO Commission Intérimaire de l'Organisation Internationale du Commerce.
id. *Idem* (le même).
IDEM *Inspecteur Départemental* des Écoles Maternelles. **IDEN** de l'Éducation Nationale.
IDHEC *Institut* Des Hautes Études Cinématographiques (France). **IDI** de Développement Industriel. **IDN** Industriel du Nord de la France.
IDS Initiative de Défense Stratégique.
IDPE Ingénieur Diplômé Par l'État.
i.e. Id est (That is – C'est-à-dire).
IE Solomon Airlines.
IEF India (Irak) English Force.
IEJ Institut d'Études Juridiques.
IEM Impulsion ÉlectroMagnétique. Inspecteur de l'Éducation Nationale.
IEP Institut d'Études Politiques.
IES Initiation Économique et Sociale.
IET Inspecteur de l'Enseignement Technique.
IFA Institut de Formation des Apprentis.
IFC International Finance Corporation.
IFOP *Institut Français* d'Opinion Publique. **IFP** du Pétrole.
IFPA Institut de Formation des Personnels Administratifs.
IFR Instrument Flight Rules (règles de vol aux instruments).
IFREMER Institut Français de Recherche pour l'Exploitation de la MER.
IFRI Institution Française des Relations Internationales.
IG Meridiana.
IGA Ingénieur Général de l'Armement. Inspection Générale de l'Administration.
IGAME Inspecteur Général de l'Administration en Mission Extraordinaire.
IGAS Inspection Générale des Affaires Sociales.
IGEN Inspecteur Général de l'Éducation Nationale.
IGF Impôt sur les Grandes Fortunes.
IGH Immeuble de Grande Hauteur.
IGN Institut Géographique Nat.
IGPN Inspection Générale de la Police Nationale.
IGR Impôt Général sur le Revenu.
IGREF Ingénieur du Génie Rural, des Eaux et des Forêts.
IH Falcon Aviation.
IHEDN Institut des Hautes Études de Défense Nationale.
i.h.l. *In hoc loco* (en ce lieu).
Ihs Contraction de Jhesus, Jésus ; souvent compris comme IHS, *Iesus Hominum Salvator* (Jésus sauveur des hommes).
IJ Transport Aérien Transrégional.
i.J. Im Jahre (dans l'année).
I/L Import Licence.
ill. Illustré.
ILM *Immeuble à Loyer* Moyen. **ILN** Normal.
ILO International Labour Organization.
ILS Instrument Landing System.
IL6 *Ilyushin* 62. **ILW** 86.
IMA Institut du Monde Arabe.
IMF *International* Monetary Fund. **IMM** Money Market.
Imm. Immeuble.
IMO International Maritime Organization.
in. Inch, Inches. **IN** IPEC Aviation.
INA *Institut Nat.* Agronomique. **INALCO** des Langues et Civilisations Orientales. **INAO** des Appellations d'Origine. **INAPG** Agronomique Paris-Grignon.
Inbegr. Inbegriffen (y compris).
inc. Incorporated (constituée pour une société) ; increase (augmentation).
incl Include, including.
INC Institut National de la Consommation.
ince. ins., insce Insurance (assurance).
Incog. *Incognito* (inconnu).
Ind Index.
in-12 in-douze.
INED Institut National des Études Démographiques.
INF International Nuclear Force.
in-f° in-folio.
Inh. Inhaber (propriétaire).
in-8° in-octavo.
INIAG Institut National des Industries et des Arts Graphiques.
INLA Irish National Liberation Army.
In loc. *In loco* (à sa place).
INOC Iraq National Oil Company.
INP *Institut National* Polytechnique. **INPE** Pour la formation de l'Entreprise. **INPG** Polytechnique de Grenoble. **INPI** de la Propriété Industrielle.
in-4° in-quarto.
INR *Institut National* belge de Radiodiffusion. **INRA** de la Recherche Agronomique. **INRDP** de Recherche et de Documentation Pédagogiques.
INRI Iesus Nazarenus Rex Iudaeorum (Jésus de Nazareth, roi des Juifs).
INRIA *Institut National de Recherche* en Informatique et en Automatique. **INRP** Pédagogique. **INRS** et de Sécurité.
INS *Institut National* des Sports. **INSA** des Sciences Appliquées.
INSEAA INStitut Européen d'Administration des Affaires.
INSEE *Institut National* de la Statistique et des Études Économiques. **INSEP** du Sport et de l'Éducation Physique. **INSERM** de la Santé Et de la Recherche Médicale.
inst. Instant (du mois en cours).
INSTN Institut National des Sciences et Techniques Nucléaires.
int. Interest (intérêt). Intérieur.
introd. introduction.
inv. invenit (inventé par). Invoice (facture).
IO TAT.
IOCU International Organization of Consumers Unions.
IOE Institut d'Observation Économique.
IOU I owe you (Reconnaissance de dette).
IPA Institut de Préparation aux Affaires.
IPAS Groupe des Indépendants et Paysans d'Action Sociale.
IPC International Petroleum Company. Iraq Petroleum Company.
IPES Institut de Préparation aux Enseignements du Second degré.
IPR Inspecteur Pédagogique Régional.
i.R. im Ruhestand(e) (en retraite).
+IR Interné de la Résistance.
IR Inland Revenue (fisc). Iranair.
IRA Institut Régional d'Administration. Irish Republican Army.
IRBM Intermediate Range Ballistic Missile.
IRCA *Institut de Recherche* de la Chimie Appliquée. **IRCAM** et de Coordination Acoustique Musique.
IRCANTEC Institut de Retraite Complémentaire des Agents Non Titulaires de l'État et des Collectivités locales.
IRCHA *Institut de Recherche* CHimique Appliquée. **IREM** sur l'Enseignement des Math.
IREPS Institut Régional d'Éducation Physique et Sportive.
IRES *Institut de Recherches* et d'Études Syndicales. **IRIA** d'Informatique et d'Automatique.
IRO International Refugee Organization.
IRPP Impôt sur le Revenu des Personnes Physiques.
IRSID Institut de Recherches de la SIDérurgie.
IRT Institut de Recherche des Transports. International Road Transport.
IRVM Impôt sur le Revenu des Valeurs Mobilières.
IS Intelligence Service. Impôt sur les Sociétés. **Is** Islands.
ISA Imprimé Sans Adresse. Institut Supérieur des Affaires.
ISBL Institution Sans But Lucratif.
ISBN International Standard Book Number.
ISF Impôt de Solidarité sur la Fortune.
ISM Indemnité Spéciale de Montagne.
ISO International Standardization Organization.
ISP Indemnité Spéciale de Piedmont.
iss. Issue (émission).
ISSN International Standard Serial Number.
ISTPM Institut Scientifique et Technique des Pêches Maritimes.
IT Air Inter. Inclusive Tour.
ITA Ingénieurs, Techniciens, Administratifs.
ital. Italique.
ITBB Féd. Internationale des Travailleurs du Bois et du Bâtiment.
ITC Investment Tax Credit.
ITEF Ingénieur des TEchniques Forestières.
ITO *International* Trade Organization. **ITT** Telephone and Telegraph. **ITU** Telecommunication Union.
IUFM *Institut Universitaire* de Formation des Maîtres. **IUHEI** des Hautes Études Internationales. **IUT** de Technologie.
ITV Independant Television.
i.V. In Vertretung (par délégation).
IVD Indemnité Viagère de Départ.
IVG Interruption Volontaire de Grossesse.
IW Minerve.
IY Yemen Airways.
J Journal (livre de comptabilité).
J/A Joint Account (compte conjoint).
JAC Jeunesse Agricole Catholique.
JAL ou **JL** Japan Air Lines.
Jan. January.
jans. Janséniste.
JAR Joint Air Regulation.
Jb. Jahrbuch (annuaire).
J.-C. Jésus-Christ.
JC Jeunesses Communistes.
JCD Jeune Cadre Dynamique.
JCR *Jeunesse* Communiste Révolutionnaire. **JEC** Étudiante Chrétienne.
JD Japan Air System.
JE Manx Airlines.
JET Joint European Torus.
JF Jeune Fille.
Jg. Jahrgang (année).
JG Swedair.
JGI Jolly Good Idea.
JH Jeune Homme.
Jh (dt). Jahrhundert (siècle).
JHS *Jesus Hominum Salvator* (comme IHS).
JIC Jeunesse Indépendante Catholique.
JL ou **JL** JAL (Japan Air Lines).
JM Air Jamaica.
JMF Jeunesses Musicales de France.
JO Journal Officiel. Jeux Olympiques.
JOC Jeunesse Ouvrière Chrétienne.
JP Adria Airways.
JQ Trans-Jamaican Airlines.
Jr. Junior.
+J.Sp Médaille de la Jeunesse et des Sports.
Jt Joint.
JU JAT (Jugoslovenski Aerotransport).
Jun **Jr** Junior.
JV Joint Venture.
JY Jersey European Airways.
K Kiwanis club de Paris. Kwacha.
KA Dragonair.
KB King's Bench (Le Banc du Roi) (Cour supérieure de Justice). Knight Bachelor.
+KBE *Knight Commander of the Order* of the British Empire. **KCB** of the Bath.
KCVO Knight Commander of the Royal Victorian Order.
KD Kendell Airlines.
KE Korean Airlines.
Kfz Kraftfahrzeug (véhicule automobile).
KG Knight of the Order of the Garter. Kommanditgesellschaft (société en commandite). **Kg** Kilogramme.
KGB Komitet Gosudarstvennoi Bezopasnosti (de contre-espionnage soviét.).
KGCA Carinthie.
KGL Post From Denmark. Indes occident. dan.
KI Air Atlantique.
k.J. Kommenden Jahres (de l'année prochaine).
KK Kaiserlich, Königlich. Poststempel Autriche, Italie autrichienne.
KKK Ku Klux Klan.
KL KLM.
KLM Koninklijke Luchtvaart Maatshappij.
KM Air Malta. **Km** kilomètre.
KO Kenya Airways. Knock Out (Hors de combat).
krd *Couronne* danoise. **krn** norvégienne. **krs** suédoise.
K.St.J. Knight of Order of St John of Jerusalem.
Kt Knight (Chevalier). **KT** Knight of the Order of the Thistle. Knight Templar.
Kto Konto (compte).
KU Kuwait Airways.
Kuk Königlich und Kaiserlich (royal et impérial).
kV Kilovolt.
kW *Kilowatt.* **kWh** heure.
Ky. Kentucky.
KZ NCA (Nippon Cargo Airlines).
£ Pound (Livre sterling).
L Loi.
LA LAN (Línea Aérea Nacional-Chile). Lettre Autographe.
La. Louisiana.
LAA Lutte Anti-Aérienne.
Lab. Labour.
LAI Linee Aeree Italiane.
LAM (Linhas Aéreas de Moçambique). Trade Mark.
Lancs. Lancashire.
LAS Lettre Autographe Signée.
LASER Light Amplification by Stimulated Emission of Radiation.
lat. Latitude.
LAV-HTLV 3 Lymphoadenopathy Associated Virus/Human T-Lymphotropic Virus.
lb. Pound (livre).
LB Liquidation de Biens. Lloyd Aero Boliviano.
LBO Leverage Buy Out.
lbs. avdp. Livres avoirdupois.
L/C Letter of Credit (Lettre de crédit). **LC** Lions Club. Loganair.
LCD Liquid Cristal Display.
l.c.l. Less car load (Charge incomplète).
LCPC Laboratoire Central des Ponts et Chaussées.
LCR Ligue Communiste Révolutionnaire.

Lda Limitada.
ldg. Loading (chargement).
LDH Ligue des Droits de l'Homme.
L10 Tristar.
LEA Langues Étrangères Appliquées.
led. Ledger (grand Livre). Ledig (célibataire).
LEE Livret d'Épargne Entreprise.
Leics. Leicestershire.
LEM Livret d'Épargne Manuelle.
LEP Large Electron-Positon collider (Laboratoire européen des particules). Livret d'Épargne Populaire. Lycée d'Enseign. Professionnel.
LETI Laboratoire d'Électronique et de Technologie de l'Informatique.
LF Linjeflyg.
lfd. Laufend (courant).
lfd.M. Laufenden Monats (du mois courant).
LFEEP Ligue Française de l'Enseignement et de l'Éducation Permanente.
LFI Loi de Finances Initiale.
LG Luxair.
LH LuftHansa.
LIBOR London InterBank Offered Rate.
Lic Licenciado (avocat).
LICRA Ligue Internationale Contre le Racisme et l'Antisémitisme.
LIDIE Liste Indépendante de Défense des Intérêts des Étudiants.
LIFFE London International Financial Futures Exchanges.
LIFO Last In First Out (dernier entré, premier sorti).
lim. Limite.
Lincs. Lincolnshire.
LIP Life Insurance Policy.
LIT Lire ITalienne.
litt. littera.
liv. Livre.
L.J. Laufenden Jahres (de l'année courante). **LJ** Lord Justice. Liquidation Judiciaire.
Lkw Lastkraftwagen (camion).
LL.AA. Leurs Altesses.
LL.AA.EE. *Leurs Altesses* Électorales. **LL.AA.EEm.** Éminentissimes. **LL.AA.II.** Impériales. **LL.AA.RR.** Royales. **LL.AA.SS.** Sérénissimes.
LL.B Bachelor of Laws.
LL.D Doctor of Laws.
LL.EE. *Leurs* Excellences. **LL.EEm.** Éminences. **LL.GGr.** Grâces. **LL.HH.PP.** Hautes Puissances.
LL.M Master of Laws.
LL.MM.II. *Leurs Majestés* Impériales. **LL.MM.RR.** Royales.
LM Antillean Airlines. Légion du Mérite des USA.
LMBO Leverage Management Buy Out.
LMc L'île de la Trinité, timbre local.
LME Londres Metal Exchange.
LN Libyan Airlines.
LO Lutte Ouvrière. Voir LOT.
LOA Location avec Option d'Achat.
loc. cit. *Loco citato* (endroit cité).
loc. laud. *Loco laudato* (passage loué).
LOF Loi d'Orientation Foncière.
log. Logarithme. **Log.** Logarithme Népérien.
long. Longitude.
LOT Compagnie polonaise d'aviation (LOTnicze).
LOTI *Loi d'Orientation* des Transports Intérieurs. **LOV** sur la Ville.
LP *Lycée Professionnel.* **LPA** Agricole.
L'pool Liverpool.
LQ *Lege, quaeso* (lisez, je vous prie).
LR LACSA (Líneas Aéreas Costarricenses). Lettre Recommandée.
LRBM *Long Range* Ballistic Missile. **LRINF** Intermediate Nuclear Force.
LRM Lance-Roquettes Multiple.
LS Lettre signée. *Locus Sigilli* (Leurs Sceaux, Emplacement du cachet).
L.s.d. *Librae solidi denarii* (Livres, shillings, pence). **LSD** Lyserg Saüre Diäthylamid.
LSE London School of Economics.
LSI Large Scale Integration.
LST Landing Ship Tank.
LT LTU (Lufttransport-Unterneh men).
lt. Laut (selon). **Lt** Lieutenant.
Ltd Limited (Respons. limitée).
Ltn. Lieutenant (sous-lieutenant).
LTPD Lot Tolerance Percent Defective (proportion maximale de déchets tolérés).
LV Langue Vivante.
LVF Légion des Volontaires Français.
LVMH Louis Vuitton-Moët-Hennessy.
LX Cross Air.
LY El Al.
LZ Balkan Bulgarian Airlines.
M. Minor. Monsieur.
m. Maroquin. Married.
+MA Mérite Agricole.
MA Malev (Hungarian Airlines). Master of Arts (lic. ès lettres). Modulation d'Amplitude.
M/A Memorandum of Association.
m.a.b. Mise à bord.
MACA Mouvement d'Action des Commerçants et Artisans.
MAD Mutual Assured Destruction (destruction mutuelle assurée).
MAAIF puis **MAIF)** Mutuelle d'Assurance Automobile des Instituteurs de France.
Maj Major.
+Mal Mérite de l'Ordre de Malte.
Man. Manager-Managing.
MAPKA *En russe :* timbre-poste.
MARV MAnœuvrable Re-entry Vehicle.
MAS Maisons A Succursales. Manufacture nationale d'Armes de St-Étienne. Manuscrit Autographe Signé.
MASER Microwave Amplification by Stimulated Emission of Radiations.
MASH Mobil Army Surgical Hospital.
MASS MAthématiques et Sciences Sociales.
MAT Manufacture nationale d'Armes de Tulle.
MATIF Marché A Terme d'Instruments Financiers.
Matth. Matthieu.
max. Maximum.
MB Bachelor of Medicine.
MBA Marge Brute d'Ataufinancement. Master of Business Adm.
MBB Messerschmitt-Bölhow-Blohm.
MBC Maxim's Business Club.
MBE Member of the Order of the British Empire.
MBFR Mutual and Balanced Force Reductions.
MBK Motobécane.
MBS Marge Brute Standard.
MC Military Cross. Master of Ceremonies. Member of Congress. Member of Council. Monaco.
M/C., M/chtr. Manchester. **m.c.** monnaie de compte (devise de référence pour la signature d'un contrat).
MCC Ministère de la Culture et de la Communication. Mouvement des Cadres Chrétiens.
+MCI Mérite Commercial et Industriel.
MCM Montants Compensatoires Monétaires.
+M.Ct. Mérite combattant.
MD Air Madagascar. Docteur en Médecine. Mentally Deficient (débile).
m/d Months after date (à... mois d'échéance).
MDA Méthylène-Dioxy-Amphétamine.
MDI Maison Des Instituteurs.
MdL Maréchal des Logis.
MDN Médaille de la Déf. Nat.
MDP Missionnaires De la Plaine.
MDR Militaire Du Rang.
mdse Merchandise (marchandise).
ME Middle East Airlines.
m.E. Meines Erachtens (à mon avis).
Me Maître.
Mes Maîtres.
MECV Ministère de l'Environnement et du Cadre de Vie.
Mehrw.St. Mehrwertsteuer (taxe sur la valeur ajoutée).
MEM MÉmoire Morte. Monde d'économie de marché.
MEP Missions Étrangères de Paris.
Messrs. ou **MM** Messieurs.
MEV MÉmoire Vive.
MEZ MittelEuropäische Zeit (heure de l'Europe centrale).
MF Méga Franc (1 000 000 F). Modulation de Fréquence. Moyenne Fréquence. Multi-Fréquence.
mfg Manufacturing (fabrication).
+M.Fr. Medal of freedom.
mfr Manufacturer (fabricant).
mg. milligramme.
MG Minimum Garanti.
MGEN Mutuelle Générale de l'Éducation Nationale.
Mgl Mitglied (membre).
MGM Metro-Goldwyn-Mayer.
mgr Manager. **Mgr** Magister. Monseigneur.
MH Malaysian Airlines.
MHD MagnétoHydroDynamique.
+M.I. Mérite civil du ministère de l'Intérieur.
MI Military Intelligence. Ordre des Clercs Réguliers pour les Malades. **MI5** Security services. **MI6** Secret Intelligence Service. **M19** (Branche évasion).
MIAGE Maîtrise d'Informatique Appliquée à la Gestion des Entreprises.
MIC Missionnaires de l'Immaculée Conception.
MIDAS MIssile Defense Alarm System.
MIDEM Marché International du Disque et de l'Édition Musicale.
MIIC Mouvement Intern. des Intellectuels Cath. « Pax Romana ».
MIL Microsystems International Limited.
MIN Marché d'Intérêt National. **Min.** Minister, Ministère.
Min. Wt Minimum Weight (Poids min.).
Mio Million.
MIPS Million d'Instructions Par Seconde.
MIR Military Intelligence Research (IS).
MIRV Multiple Independently targetable Re-entry Vehicle.
Mis**, M**[ise] Marquis, marquise.
MIT Massachusetts Institute of Technology.
MITI Ministry of International Trade and Industry (Japon).
mi(ttw). Mittwochs (le mercredi).
MJ LAPA.
MJC Maison des Jeunes et de la Culture.
MJR *Mouvement* Jeune Révolution. **MJS** de la Jeunesse Sioniste.
MK Air Mauritius.
MKSA Mètre, Kilogramme, Seconde, Accélération (Giorgi).
MLF *Mouvement de Libération* des Femmes. **MLN** Nationale.
Mlle Mademoiselle.
MLRS Multiple Launch Rocket System.
mm millimètre.
MM Messieurs.
m/m Même mois.
+MM Mérite maritime.
Mme Madame. Millième du titre.
Mmes Mesdames.
MMDA *Money Market* Deposit Account. **MMF** Funds.
+M.Mi. Mérite militaire.
MMS Matra Marconi Space.
m/n ou m$s Moneda nacional (monnaie du pays considéré).
MN Commercial Airways. Météorologie Nationale.
MNA Mouvement Nationaliste Algérien.
MNAM Musée Nat. d'Art Moderne.
MNCR Mouvement National Contre le Racisme.
MNEF Mutuelle Nationale des Étudiants de France.
MNR *Mouvement* Nat. de Résistance. Nationaliste Révolut.
+MO Médaille d'Outre-Mer.
MO Money-Order (mandat postal). Machine-Outil. **mo(s)** Month(s).
MOB Mouvement d'Organisation de la Bretagne.
MOCI Moniteur Officiel du Commerce et de l'Industrie.
MOCN Machine Outil à Commande Numérique.
mod. Moderne. Modifié.
MODEF MOuvement de Défense des Exploitations Familiales.
MODEM MOdulateur-DÉModulateur.
MOF Mouvement Ouvrier Français.
MOI Main-d'Œuvre Immigrée.
mo (nt). Montags (le lundi).
MONUIP *Mission d'Observation des Nations Unies* Indo-Pakistanaise. **MONUY** au Yémen.
MOS Métal Oxyde Semi-conducteur.
MOX Mixte OXyde.
MP A remettre en Main Propre. Membre du Parlement. Military Police. Moyenne Pression.
MPC Mathématiques, Physique, Chimie.
MPG *Miles Per* Gallon. **MPH** Hour.
MPS Système microprocesseur.
MPU Microprocesseur.
MPW Mouv. Populaire Wallon.
mq. mque Manque.
M/R Mates Receipt (Reçu de bord).
Mr., Mrs. Mister, Mistress.
MRAP Mouv. contre le Racisme, l'Antisémitisme et pour la Paix.
MRBM Middle Range Ballistic Middle.
Mrd Milliard.
MRG Mouvement des Radicaux de Gauche.
MRJC Mouvement Rural de la Jeunesse Chrétienne.
MRP Mouv. Répub. Populaire.
MRV Multiple Re-entry Vehicles.
ms Manuscript (Manuscrit). **ms., mss** Manuscrits. **MS** Egyptair. Master of Science. Master of Surgery. **MS** ou **M/S** Motor Ship [Vessel] (Navire à moteur). **m/s** Months after Sight (à... mois de vue). **Ms** se prononce « Miz », employé dans le doute pour Mademoiselle (Miss) ou Madame (Mrs.)?]
+MS Mérite Social.
MSA Mutual Security Agency. Mutualité Sociale Agricole.
MSBS Missile Sol-Sol Balistique Stratégique.
MSC Manchester Ship Canal.
Msc Master of Science.
MSF Missionnaires de la Sainte-Famille.
MSG Maîtrise des Sciences de Gestion.
MSI Medium Scale Integration. Movimente Sociale Italiano.
M6 Métropole 6.
MSP Mouvement pour le Socialisme par la Participation.
MST Maîtrise de Sciences et Techniques. Maladies Sexuellement Transmissibles. Missionnaires de Ste-Thérèse-de-l'enfant-Jésus.
MSTCF Maîtrise des Sciences et Techniques Compt. et Financières.
+MT Mérite Touristique.
MT Mail Transfer (Transfert par courrier ordinaire). **Mt** Mount.
mt Measurement (Cubage).
mtl. Monatlich (mensuel).
MTLD Mouvement pour le Triomphe des Libertés Démocratiques.
MTS Mètre, Tonne, Seconde.
MTV Moteur und Turbinen Verband.
MULT Ministère de l'Urbanisme, du Logement et des Transports.
MUR Mouvements Unis de Résistance.
MUTEM MUTuelle nationale professionnelle et de prévoyance des Employés de Maison.
MV ou M/V Motor ship [Vessel] (navire à moteur).
MVO Member of the royal Victorian Order.

MW MegaWatt. Medium Wave. **MWh** MegaWatt heure.
MX Mexicana.
My.C. Military Cross.
m.Z. Mangels Zahlung (faute de paiement). **Mz.** Mehrzahl (pluriel).
N... Nom inconnu. **N.** Nord. Norvège.
n., n/ Near (près de).
NA Numérotation Abrégée.
n.a. Not applicable (Pas applicable). Not available (non disponible).
Nachf. Nachfolger (successeur).
nachm. Nachmittags (l'après-midi).
NADGE Nato Avi Defense Group Environment.
NAF Nouvelle Action Française.
NAP Neuilly Auteuil Passy. Nomenclature d'Activités et de Produits.
NAR Nouvelle Action Royaliste.
NASA National Aeronautics and Space Administration.
NATO North Atlantic Treaty Organization (voir **OTAN**).
NB New Brunswick. *Nota Bene* (Notez bien).
n.br.nc. Neuf, broché, non coupé.
nbr. Nombreux.
NC Non Communiqué. Non Coupé.
NCB National Coal Board. Nucléaire Classique Biologique.
NCE Nouvelle-Calédonie.
NCO Non Commissioned Officer (sous-officier).
n.c.v. No commercial value (Sans valeur commerciale).
n.d. Not dated (non daté). **ND** Intair.
N.-D. Notre-Dame.
ND2 Nord 262.
NDLR Note De La Rédaction.
N.-E. Nord-Est.
NEP Nouvelle politique économ.
n.e.s. Not Elsewhere Specified.
NF NewFoundland (Terre-Neuve).
NG Lauda Air.
NGK Nederduitse Gereformeerde Kerk (Église réformée hollandaise).
NH All Nippon Airways.
n.i.e. Not Included Elsewhere.
NIFO Next In First Out.
NIMBY Not In My Back Yard.
NIOC National Iranian Oil Company.
NIRC National Industrial Relations Court.
NKGB Narodnyi Komissariat Gossoudarstvennoï Bezopasnosti (Commissariat du peuple à la sécurité d'État).
NKVD Narodnyi Kommissariat Vnoutrennykh Diel (Commissariat du peuple aux affaires intérieures).
NL Nouvelle lune.
NM Mount Cook Airlines.
NMPP Nouvelles Messageries de la Presse Parisienne.
NN Air Martinique. Nacht und Nebel. (Nuit et Brouillard).
N.-N.-E. Nord-Nord-Est.
N.-N.-O. Nord-Nord-Ouest.
NN.SS. Nos Seigneurs (les évêques).
NN.TT.CC.FF. Nos Très Chers Frères.
N.-O. Nord-Ouest. **No.** Number (numéro).
NOAA National Oceanic and Atmospheric Agency.
NOEI Nouvel Ordre Économique International.
Nom. Cap. Nominal Capital (capital nominal).
NOMIC Nouvel Ordre Mondial de l'Information et de la Communication.
nomin. Nominatif.
Non seq. *Non sequitur* (ne suit pas).
NORAD NORth American air Defense command.
NOREX NOrmes et Règlements techniques pour l'EXportation.
Northants. Northamptonshire.
Nos Numéros.
Notts. Nottinghamshire.
Nov. November.
NOW Negociated Order of Withdrawal.
NP Notary Public (notaire).
NPI Nouveaux Pays Industriels.
NPSA Nouveau Programme Substantiel d'Action.
NQA Niveau de Qualité Acceptable.
nr Near (près de).
NRA National Recovery Administration.
NRF Nouvelle Revue Française.
n.r.t. Net registered tonnage (T. net).
NS Nachschrift (post-scriptum). Nederlandse Spoorwegen (P.-Bas). NFD (Luftverkehrs AG). Niveau Scolaire. Notre Seigneur. Nouveau Style. Nova Scotia. Nurnberger Flugdienst.
NSB Nossi-Bé.
N.-S.J.-C. Notre-Seigneur Jésus-Christ.
NSP Notre Saint Père (le pape).
NSW New South Wales (Nouvelle-Galles du Sud).
NT Nouveau Testament.
Nt Net.
NTCF Notre Très Cher Frère.
NTSC National Television System Committee.
NU Nations Unies.
NUR Nat. Union of Railwaymen.
NW Northwest Airlines.
NX Nationair Canada.
NY *New York.* **NYSE** Stock Exchange (Bourse de New York).
NZ New-Zealand.
O. Order (commande). Ouest.
OA Olympic Airways.
O/a On account of (pour le compte de).
OAA Organis. des Nations Unies pour l'Alim. et l'Agriculture.
OACI Organis. de l'Aviation Civile Internationale.
OAP Old-Age Pension (retraite).
OAS Organization of American States. Organisation Armée Secrète.
OASI Œuvre d'Assistance Sociale Israélite.
OAT Obligations Assimilables du Trésor.
Ob. ou **Obit.** décédé.
OBE Officier de l'Ordre du British Empire.
obl. Oblong.
OBO Oil Bulk Ore.
o/c Overcharge (surcharge, tropperçu).
OC Ordre de la Couronne.
OCAM Organisation Commune Africaine et Malgache.
OCAR Chartreux.
OCCAJ Organisation Centrale des Camps et Activités de Jeunesse.
OCD Carmes.
OCDE Organisation de Coopération et de Développement Écon.
OCIC Office Catholique International Cinématographique.
OCIL Office Central Interprofessionnel du Logement.
OCIST Cisterciens de l'Immaculée Conception.
OCJ Organisation Juive de Combat.
OCM Organisation Civile et Militaire.
OCRVOOA Office Central pour la Répression des Vols d'Œuvres et d'Objets d'Arts.
OCSO Trappistes.
Oct. October.
od. Oder (ou). **o/d** On demand (sur demande). **O/d** Overdraft (découvert).
OEA *Organisation* des États Américains. **OEC** Européenne du Charbon. **OECD** for Economie Co-operation and Dévelopment. **OECE** Européenne de Coopération Économique. **OEEC** for European Economic Cooperation. **OERT** Européenne de Recherche sur le Traitement du cancer.
OER Observatoire Économique Régional.
OF Sunstate Airlines.
OFM Ordre des Frères Mineurs (franciscains).
OFPRA Office Français de Protection des Réfugiés et Apatrides.
OFRATEME Office FRAnçais des TEchniques Modernes d'Éducation.
OG Air Guadeloupe.
OGA Office Général de l'Air.
OGAF Opération Groupée d'Aménagement Foncier.
OGEC Organisme de Gestion de l'ÉCole.
OH Frères de St-Jean-de-Dieu.
OHG Offene HandelsGesellschaft (société en nom collectif).
OHMS On Her Majesty's Service (G.-B.).
OIE *Organisation Internationale* des Employeurs. **OING** Non Gouvernementales.
OIPN Office International pour la Protection de la Nature.
OIR *Organ. Intern.* des Réfugiés. de Radiodiffusion. **OIT** du Travail.
OIV Office International du Vin.
OJC Organisation Juive de Combat.
OJD Office de la Justification de la Diffusion (Journaux).
o.K. Ohne Kosten (sans frais).
OK CSA (Ceskoslovenske Aerolinie). Oll Kurrect (all correct).
OL *Ordre* de Léopold. **OL II** de Léopold II.
OLAS *Organisation* Latino-Américaine de Solidarité. **OLP** de Libération de la Palestine.
OM Order of Merit.
OMB Office of Management and Budget.
OMC Outboard Marine Corporation.
OMI *Organisation* Météorologique Internationale. **OMM** Météorologique Mondiale. **OMPI** Mondiale de la Propriété Intellectuelle. **OMS** Mondiale de la Santé. **OMT** Mondiale du Tourisme.
ON Ordre Nouveau.
ONC *Office National* de la Chasse. **ONDA** de Diffusion Artistique. **ONERA** d'Études et de Recherches Aérospatiales. **ONF** des Forêts.
ONG Organisation Non Gouvernementale.
ONI *Office National* de l'Immigration. **ONIA** Industriel de l'Azote. **ONIB** *Interprofessionnel* du blé. **ONIBEV** du BÉtail et des Viandes. **ONIC** des Céréales.
ONISEP *Office National* d'Information sur les Enseign. et les Professions. **ONM** Météorologique.
O.-N.-O. Ouest-Nord-Ouest.
ONU *Organisation des Nations Unies.* **ONUC** au Congo. **ONUDI** pour le Développement Industriel. **ONUESC** pour l'Éducation, la Science et la Culture.
o/o Order of (à l'ordre de).
Op. Opus (ouvrage). **OP** Open policy (police ouverte). Ordre des Prêcheurs (dominicains). Organisation des Producteurs. **o/p** Orden de pago (ordre de paiement). Ordre des frères Prêcheurs (dominicains). Out of print (tirage épuisé).
OPA Offre Publique d'Achat.
OPAEP Organisation des Pays Arabes Exportateurs de Pétrole.
OPAH Opération Programmée d'Amélioration de l'Habitat.
op. cit. *Opere citato* (ouvrage cité).
OPCVM Organisme de Placement Collectif en Valeurs Mobilières.
OPE Offre Publique d'Échange.
OPEC Organization of the Petroleum Exporting Countries.
OPEP Organisation des Pays Exportateurs de Pétrole.
op.laud. *Opere laudato* (ouvrage loué).
OPRAE Chanoines réguliers de Prémontré.
OPV Offre Publique de Vente.
O/R Owner's Risks (Aux risques du propriétaire).
ORA Organisation de Résistance de l'Armée.
ord. Ordinary (ordinaire). Ordinary share (action ordinaire). Ordonnance.
ORE Office Rég. pour l'Europe.
OREAM *ORganisation* d'Étude d'Aménagement des aires Métropolitaines. **ORGECO** GÉnérale des COnsommateurs.
Org. Organization.
orig. Original.
ORSA Officier de Réserve en Situation d'Activité.
ORSEC *ORganisation des SECours.* **ORSECRAD** Radiations. **ORSECTOX** matières TOXiques.
ORSEM Officier de Réserve du Service d'État-Major.
ORSTOM Office de la Recherche Scientifique et Techn. d'Outre-Mer.
ORT Organisation pour la Reconstruction et le Travail.
ORTF Office de la Radiodiffusion et Télévision Française.
OS Old Style (calendrier). Opérations spéciales. *Organisation* Secrète. Spéciale. Ouvrier Spécialisé. Austrian Airlines.
OSA Ordre de St-Augustin.
OSB Ordre de St-Benoît.
OSCE Office Statistique des Communautés Européennes.
OSE Œuvre de Secours aux Enfants (Juifs).
OSF Organisation Sioniste de France.
OSFS Oblats de St François de Sales.
OSM Organisation Sioniste Mondiale. Servites.
O.-S.-O. Ouest-Sud-Ouest.
OSS Office of Strategic Services.
OST Organisation Scientifique du Travail.
OStJ Ordre de St-Jean-Gd Bailliage de Brandebourg.
OStS Ordre Chevaleresque du St-Sépulcre.
OTAN *Organisation du Traité* de l'Atlantique Nord. **OTASE** de l'Asie du Sud-Est.
OTC Over-The-Counter (marché boursier hors cote aux États-Unis).
OTHQ Ouvrier Très Hautement Qualifié.
OTM Organisateurs de Transport Multimodal.
OTS Orbital Test Satellite.
OT-SI Office de Tourisme-Syndicat d'Initiative.
OTU Organisme pour le Tourisme Universitaire.
OU Croatia Airlines.
OUA Organ. de l'Unité Africaine.
OuLiPo Ouvroir de Littérature Potentielle.
o.u.O. Ohne unser Obligo (sans garantie, ni responsabilité de notre part).
OURS Office Universitaire de Recherche Socialiste.
OVM Oblats de la Vierge Marie.
OVNI Objet Volant Non Identifié.
Oxon (of) Osford, Oxfordshire.
Oz Ounce (Once).
p., p.p. Page, pages. Pence.
P Père. Portugal.
PA Pan American. Pistolet Automatique. Particular Average (Avaries particulières). **p.A.** Per Adresse (aux bons soins de). **p.a.** *Per annum* (Par an). **P/A** Power of Attorney (Procuration). Pères blancs missionnaires d'Afrique.
PAA Pan American Airways.
PABX Private Automatic Branch eXchange.
PAC Pan African Congress. Politique Agricole Commune.
PACA Provence Alpes Côte d'Azur.
PACT Programme d'Aménagement Concerté du Territoire.
PAE Projet d'Action Éducative.
PAF Périmètre d'Action Forestière. Police de l'Air et des Frontières. Programme d'Action Foncière. Paysage Audiovisuel Français. Platelet Activiting Factor. Plan Académique de Formation.
PAFI Plan d'Aménagement des Forêts contre l'Incendie.
PAG Procédure Accélérée Généralisée.

PAH Prime à l'Amélioration de l'Habitat.
PAH1 Panzer Abwehr Hubschrauber 1 (hélicoptère antichar allemand de 1re génération).
PAKISTAN Initiales de Pendjab, Afghania, Kashmir, Iran, Sind, Turkmenistan et dernières lettres de Belouchistan.
PAL Phase Alternative Line. Philippine AirLines.
PALT Population Active au Lieu de Travail.
PALULOS Prime à l'Amélioration des Logements à Usage Locatif et à Occupation Sociale.
PAM Plan d'Action pour la Méditerranée. Programme Alimentaire Mondial.
PAN Pacte de l'Atlantique Nord. Piper Navajo. Porte-Avions Nucléaire.
PANI Phénomène Aérospatial Non Identifié.
PAO Production (ou Publication) Assistée par Ordinateur.
pap. Papier.
PAP Prêt pour l'Accession à la Propriété. Programme d'Action Prioritaire.
PAR Plan d'Aménagement Rural. Pop. Active au lieu de Résidence. Programme d'Action Régionale.
paragr. paragraphe.
parch. Parchemin.
part. Partie.
PAS Pièce Autographe Signée.
pass. *passim* (en divers endroits).
P. at. Poids atomique.
PAT Personne-Année-Travail. Prime à l'Aménagement du Territoire.
PAWA Pan American World Airways.
PAYE Pay As You Earn (retenue à la source sur salaire).
PAZ Plan d'Aménagement de Zones.
PB Pères Blancs.
PBX Private Branch eXchange.
PC Accusé de réception. Parti Communiste. Petty Cash (petite caisse). Permis de Construire. Poste de Commandement. Pour Condoléances. Prêt Conventionné. Petite Ceinture. **P/C** Price Current (prix courant). **P et C** Ponts et Chaussées. **Pc** *per centum* (pour cent).
PCB Petty Cash Book (livre de petite caisse). Physique, Chimie, Biologie.
PCC Pour Copie Conforme.
PCCP *(caractères cyrilliques)* voir **RSFSR.**
Pce, Pcesse Prince, princesse.
PCEM Premier Cycle d'Études Médicales.
PCF *Parti Communiste* Français. **PCIT** Internationaliste Trotskiste. **PCMLF** Marxiste Léniniste de France. **PCR(ML)** Révolutionnaire (Marxiste Léniniste).
pcl Parcel (colis).
PCP Plan Comptable Professionnel.
PCV Paiement Contre Vérification à percevoir.
pd Paid (Payé).
PDEM Pays Développés à Économie de Marché.
PDG Président-Directeur Général.
PDL Pendant la Durée Légale.
pdo Pasado (du mois écoulé).
PDR Prime de Développement Régional.
PE Poste Égyptienne. **pe** Peso argentin. **PECO** Pays d'Europe centrale et orientale.
PED Pôle Européen de Dévelop.
PEE Poste d'Expansion Économique.
PEEP Fédération des Parents d'Élèves de l'Enseignement Public.
PEG Peloton d'Élèves Gradés.
PEGC *Professeur d'Enseignement Général* de Collège. **PEGC-CET** des Collèges d'Enseign. Technique.
PEL Plan d'Épargne-Logement.
Pembs. Pembrokeshire.
PEN Poets, Essayists, Novellists.
PEON Production d'Électricité d'Origine Nucléaire.
PEP Personal Equity Plan (plan d'actionnariat individuel). Pupilles de l'Enseignement Public.
PEPP *Professeur des Enseignements Professionnels* Pratiques (ex. PTA). **PEPT** Théoriques (ex. PETT).
PER Plan d'Épargne en vue de la Retraite. Plan d'Exportation aux Risques. Price Earning Rate (rapport cours-bénéfice net).
perc. Percaline.
Perm. Permanent.
Per pro *Per procurationem* (Par procuration).
PERT Program Evaluation and Review Technique (ou Research Task).
PET PolyÉthylène Téréphtalate.
PETT Professeur d'Enseignement Technique Théorique.
PEVD Pays En Voie de Développement.
P et CH Ponts et Chaussées.
P et P Profits et Pertes.
p. ex. Par exemple.
Pf Pfennig. Pour féliciter. **PF** Vayudoot.
PFC Pour Faire Connaissance.
Pfd Pfund (Livre).
PFN Parti des Forces Nouvelles.
PFNA Pour Fêter le Nouvel An.
PG Prisonnier de Guerre.
PGCD Plus Grand Commun Diviseur.
PGM Precision Guided Munitions.
PH Polynesian Airlines.
pH potentiel Hydrogène.
PhD Doctor of Philosophy.
PI Piémont.
p.i. Par intérim.
PIA ou **PK** Pakistan Intern. Airlines.
PIB Produit Intérieur Brut.
PIC Prêts Immobiliers Conventionnés.
PIL Programme d'Insertion Locale.
PIN Parc d'Intérêt National.
pinx. *Pinxit* (peint par).
piq. de v. Piqûres de vers.
PIRE Puissance Isotrope Rayonnée Équivalente.
PJ Police Judiciaire.
PK ou **PIA** (Pakistan International Airlines).
pkg. Package (colis).
Pkt Paket (paquet). Punkt (point).
Pkw Personenkraftwagen (voiture de tourisme).
Pl. Place. **pl.** Planche. **PL** Aeroperu. Pleine Lune. Poids Lourd. **P & L** Profit and Loss (profits et pertes). **Pl ou m** Plus ou moins.
PLA Prêt Locatif Aidé.
PLAR *Prime de Localisation des Activités* de Recherche. **PLAT** Tertiaires.
PLC Public Limited Company.
PLD Plafond Légal de Densité.
Ple Pistole.
PLF Passenger Load Factor.
PLM Paris-Lyon-Méditerranée.
PLOUF Projet de Loi d'Orientation Urbaine et Foncière.
PLP Parti Libéral Politique.
PLR Programme à Loyer Réduit.
pl. rel. pleine reliure.
Pluto Pipe-line under the ocean.
p.m. *Post meridiem* [(h) après-midi].
pm. Premium (prime d'assurance).
PM Police Municipale. Prime Minister. *Préparation Militaire.* **P** Parachutiste. **S** Supérieure.
PMA Pays les Moins Avancés. Procréation Médicalement Assistée.
PME Petites et Moyennes Entreprises. Programme de Modernisation et d'Équipement.
PMFAT Personnel Militaire Féminin de l'Armée de Terre.
PMG PostMaster General.
PMI Petites et Moyennes Industries. Protection Maternelle Infantile.
P. mol. Poids moléculaire.
PMU Paris Mutuel Urbain.
PN Personnel Navigant.
P/N Promissory Note (Billet à ordre).
Pn Prochain.
PNB Parti National Breton. Produit National Brut.
PNL Programmation Neuro-Linguistique.
PNN Personnel Non Navigant.
PNUD *Programme des Nations Unies* pour le Développement. **PNUE** pour l'Environnement.
PNVS Pilot Night Vision System.
PO Post Office. Paris-Orléans. Postal Order (mandat postal). Prêtres de l'Oratoire.
P & O Peninsular and Oriental Steamship Company.
POB Post Office Box (Boîte postale).
POD Pay On Delivery (Payable à la livraison).
POE Port Of Embarkation (P. d'emb.)
POLMAR POLlution MARine.
POO Post Office Order (mandat-poste).
POS Plan d'Occupation des Sols.
POUM Partido Obrero de Unificación Marxista.
PP Préfecture de Police. Préventive de la Pellagre (Vitamine). Professeur Principal. Parcel Post. **pp, ppa.** Pages. *Per procurationem* (par procuration).
P et p Profits et pertes.
PPA Parti du Peuple Algérien.
PPBS Planning Programmy Budgetary System.
P.p.c. Pour prendre congé.
PPCM Plus Petit Commun Multiple.
ppd. Prepaid (Payé d'avance).
PPEOR Peloton Préparatoire d'Élèves-Officiers de Réserve.
PPF Parti Populaire Français.
P PGS Perak.
PPLO Pleuro-Pneumonia Like Organisms.
PPM Partie Par Million.
P. Pon Par Procuration.
Ppté. Propriété.
PPV Pay Per View.
PQ Premier Quartier.
PR Parti Républicain. Philippines Airlines. Poste Restante. **Pr., Pr** Parti radical. Pour remercier. Professeur.
PRDE Population Disponible à la Recherche d'un Emploi.
préf. Préférence.
Prét. Prétentions.
PRI Pays à Revenu Intermédiaire.
prol. prologue.
PROM Programmable Read Only Memory.
Pro tem *Pro tempore* (pour le moment).
Prox. Proximité. **prox.** Proximo [(du mois) prochain].
PRP Profit Related Pay.
PS Parti Socialiste. Post-Scriptum. **ps.** Psaume, psaumes. **p.s.** Pointe sèche.
PSA Parti Socialiste Autonome. Peugeot Société Anonyme. Processeur de Sécurité Associé.
PSC *Parti Social*-Chrétien. **PSD** -Démocrate.
PSEG Peloton Spécial d'Élèves Gradés.
PSF *Parti Social* Français.
PSG Paris St-Germain. Plan Simple de Gestion
PSNC Pacific Steamships National Company.
PSS Sulpiciens.
PST Promotion Sup. du Travail.
PSU Parti Socialiste Unifié.
PSV Pilotage Sans Visibilité.
P et T Postes et Télécomm.
PT Professeur Technique.
PTA Prepaid Ticket Advice. Professeur Technique Adjoint. **C** Poids Total en Charge Autorisé.
pta. Peseta.
PTCT *Professeur Technique* Chef de Travaux. **PTEP** d'Enseignement Professionnel.
PTE Ministère des Postes, Télécommunications et Espace.
PTMA Poids Total Max. Autorisé.
pt(s) Pint(s).
PTO Please Turn Over (Tournez la page s.v.p.).
PTT *Postes* et Télécommunication et Télédiffusion. Télégraphes Téléphones.
PU PLUNA (Primeras Líneas Uruguayas de Navegación Aéras).
PUF Presses Univ. de France.
PUK Péchiney-Ugine-Kuhlman.
PV Procès-Verbal.
PVC Polychlorure de Vinyle.
PVD Paquet avec Valeur Déclarée. Pays en Voie de Développement.
PWR Pressurised Water Reactor.
PX Air Niugini.
PZ LAP (Líneas Aéras Paraguyas).
Q. Question.
QC Air Zaire.
QCM Questionnaire à Choix Multiples.
q.e.d. *Quod erat* demonstrandum (ce qu'il fallait démontrer). **q.e.f.** faciendum (ce qu'il fallait faire). **q.e.i.** inveniendum (ce qu'il fallait trouver).
QF Qantas Airways.
QG Quartier Général.
QI Quotient d'Intelligence.
QL Lesotho Airways.
q.l. *Quantum libet* (autant qu'il plaît).
qlty Quality (qualité).
QM Air Malawi.
QMG Quantité Maximale Garantie. QuarterMaster General (Intendant général d'armée).
QN Air Outre-Mer.
qq Quelques.
QR Quotient Respiratoire.
QS Quantité Suffisante.
QSO Quasi Stellar Objects.
QSP Quantité Suffisante Pour.
QSS Quasi Stellar Radiosources.
Quad Quadrillion de BTU.
q.v. *Quantum vult* (autant qu'on veut). *quod vide* (auquel se réfère).
QZ Zambia Airways.
R. Rand. *Regina* (Reine). *Rex* (Roi).
r. Recto. **R.** Réponse. Rue. Timbre du Jind qui formait avec les États de Patiala et de Nabha les « Phulkian States ». Demandes réduites.
RA Royal Academy. Royal Artillery. Royal Nepal Airlines.
rac. Raciné. **RAC** Royal Automobile Club.
RACE Research and development in Advanced Communication technologies for Europe.
RADAR RAdio Direction And Range.
RAF Royal Air Force.
R and A Royal and Ancient.
RAM Random Access Memory.
RAMSÈS Réseau Amont Maillé Stratégique Et de Survie.
RANFRAN RAssemblement National des Français Rapatriés d'Afr. du N. et d'outre-mer.
RAP Régie Autonome des Pétroles. Règlement d'Administr. Publique.
RAS Réseau d'Aides Spécialisées. Rien A Signaler.
RASIT RAdio de Surveillance des InTervalles.
RASURA RAdar de SUrveillance RApprochée.
RATAC Radar d'Acquisition et de Tir de l'Artillerie de Campagne.
RATP Régie Auton. des Transports Parisiens.
RAU République Arabe Unie.
RB Syrian Arab Airlines.
RBE Résultat Brut d'Exploitation.
RC Racing Club. Red-Cross. Roman Catholic.
RCA Radio Corporation of America. République CentrAfricaine.
RCB Rationalisation des Choix Budgétaires.
RCP Régiment de Chasseurs Parachutistes.
R/D Refer to Drawer [voir le tireur (banque)]. **rd** Round (environ, approximativement). **r.d.** Running days [jours courants (successifs)].
RDA Rassemblement Démocratique Africain République Démocratique Allemande.

R.-de-ch. Rez-de-chaussée.
RDV République Démocratique du Viêt-nam.
Re Respecting (Concernant).
Recd. Received (Reçu).
RECOURS Rassemblement Et COordination Unitaire des Rapatriés et Spoliés d'Outre-mer.
RetD Recherche et Développement.
red. Redeemable (amortissable).
réf. Référence.
Regd. Registered (Enregistré).
rel. Relié. **rel. 1/2 àc.** Relié de la matière principale au dos et aux coins. **rel. ép.** Reliure d'époque.
REM Rœntgen Equivalent Man.
RENFE REd Nacional de Ferrocariles Españoles (Espagne).
REP Rassemblement des Étudiants pour la Participation. Réacteur à Eau Pressurisée. Régiment Etranger de Parachutistes.
RER Réseau Express Régional.
RES Rachat d'une Entreprise par ses Salariés.
retd Retired. Returned (en retour).
Rev (d) Reverend.
+RF Médaille de la Reconnaissance Française.
RF République Française.
RFA République Fédérale d'Allemagne.
RFI *Radio France* Internationale. **RFO** Outre-mer.
RG Renseignements Généraux. Varig.
RGR Rassemblement des Gauches Républicaines.
RH République Haïtienne.
RI Rotary Club International. Régiment d'Infanterie.
RIB Relevé d'Identité Bancaire.
RICCA Régiment d'Infanterie et de Commandement de Corps d'Armée.
RINT Réseau International de Néologie et de Terminologie.
RITA Réseau Intégré de Transmissions Automatiques.
RITTER Réseau d'Infrastructure des Transmissions de l'armée de TERre.
RJ Royal Jordanian.
RK Air Afrique.
RL Aeronica.
RM Réarmement Moral. Région Militaire.
rm Room.
RMI Revenu Minimum d'Insertion.
RMN Résonance Magnétique Nucléaire.
RN Royal Navy. Revenu National.
RNAC Royal Nepal Airlines Corporation.
RNIS Réseau Numérique à Intégration des Services.
RNO Réseau National d'Observation de la qualité du milieu marin.
RNP Rassemblement National Populaire.
RNR Réacteur à Neutrons Rapides.
RNUR Régie Nationale des Usines Renault.
r ° Recto.
RO Roumélie Orientale. Tarom.
ROI Return On Investment.
ROM Read Only Memory (« mémoire morte » d'un ordinateur).
ROME Répertoire Opérationnel des Métiers et de l'Emploi.
RONA Rapatrié d'Origine Nord-Africaine.
Rp Réponse payée. **RP** Représentation Proportionnelle. Révérend Père.
RPC Request Pleasure Company.
RPF *Rassemblement* du Peuple Français. **RPR** Pour la République.
RPK *Revenue* Passenger-Kilometre. **RTK** Ton-Kilometre.
RRPP Révérends Pères.
RS Républicains Sociaux.
RSA République Sud-Africaine.
RSC Réseau de Soins Coordonnés.
RSCG Roux Séguéla Cayzac et Goudard.
Rse Remise.
RSFSR République Soviétique Fédérative Socialiste de Russie.
RSHA ReichsSicherheitsHauptAmt (Office central de la sécurité du Reich).
RSP Réserve Spéciale de Participation.
RSV Religieux de Saint-Vincent-de-Paul.
RSVP Répondez S'il Vous Plaît.
Rt Right.
RTC Réseau Téléphonique Commuté.
Rte Route.
RTF Radiodiffusion-Télévision Française.
RTL Radio-Télévision Luxemb.
RTS Radio Télévision Scolaire.
RV Rendez-Vous.
RVB Rouge, Vert, Bleu.
Ry Railway (Chemin de fer).
RY Rotary Club.
$ Dollar (U.S.).
$b bermudien.
$c canadien.
$m Peso mexicain.
+S Mérite saharien.
S. Seite (page). Sud. Suède. **s.** Siehe (voyez). Siècle.
S, Sch, Schill schilling.
s. Succeeded.
sa. Samstags, sonnabends (le samedi). **SA** Société Anonyme. Son Altesse. South Africa. SturmAbteillung (section d'assaut).
SAA South African Airways.
SABENA Société Anonyme BElge de Navigation Aérienne. **Sabena** Such a bloody experience never again.
SAC Service d'Action Civique. Strategic Air Command. Pallotins.
SACD *Société des Auteurs et Compositeurs Dramatiques.* **SACEM** et Éditeurs de Musique.
SACEUR *Supreme Allied Commander* EURope. **SACLANT** AtLANTic.
SACI Société Auxiliaire de la Construction Immobilière.
SADCC South-African Development Coordination Conference.
SAE Son Altesse Éminentissime. Société Auxiliaire d'Entreprise.
SAFER *Société* d'Aménagement Foncier et d'Établissement Rural. **SAGEM** d'Applications Générales d'Électricité et de Mécanique.
SAGE Schéma d'Aménagement des Eaux.
SAI Son Altesse Impériale. **SAI** et **SAIR** Son Alt. Imp. et Royale.
SALT Strategic Arms Limitation Treaty.
SAM Surface-to-Air Missile (missile sol-air).
SAMAR Recherche et sauvetage des vies humaines en mer.
SAMRO SAtellite Militaire de Reconnaissance Optique.
SAP South African Police.
SAR Search And Rescue. Secteur d'Amélioration Rurale. Société d'Aménagement Régional. Son Altesse Royale. South African Republic.
SARL Société A Responsabilité Limitée.
SAS Scandinavian Airlines System. Section Administrative Spécialisée. Small Astronomical Satellite. Son Altesse Sérénissime. Special Airborne Services.
SASOL South African Coal, Oil and Gas Corporation.
SAT Société Anonyme de Télécommunications.
SATCC Commission des Transports et des Communications.
SATCP Missiles Sol-Air Très Courte Portée.
SATER Sauvetage Aéro-TERrestre.
SAU Surface Agricole Utile.
SB Air Calédonie International. Sales-Book (livre des ventes).
s.b.f. Sauf bonne fin.
sc. Scène. **SC** Cruzeiro do Sul. The World Security Council. Frères du Sacré-Cœur.
SCALP Section Carrément Anti Le Pen.
Sc D Scientiae Doctor.
SCI Service Civil International. Société Civile Immobilière.
SCOA *Société* Commerciale de l'Ouest Africain. **SCPI** Civile de Placement Immobilier.
SCPRI Service Central de Protection contre les Rayonnements Ionisants.
SCREG Société Chimique Routière et d'Entreprise Générale.
sculp., sc. *Sculpsit* (gravé par).
s.d. Sans date.
SD *Sine die.* SicherheitsDienst (Service de la sécurité des S.S.). Sudan Airways.
SDA Sélection Directe à l'Arrivée.
SDAU Schémas Directeurs d'Aménagement et d'Urbanisme.
SDB Salésiens de Don-Bosco.
S.d.b. Salle de bains.
SDECE Service de Doc. Extérieure et de Contre-Espionnage.
SDF Sans Domicile Fixe. Scouts De France.
SDI Stratégie Défense Initiative.
SDN Société Des Nations.
SDR Société de Développement Régional.
SDRM Société de Droits de Reproduction Mécanique.
SE Son Éminence. Son Excellence. Stock Exchange. Sud-Est.
SEAQ Stock Exchange Automated Quotations system.
SEATL Service d'Étude et d'Aménagement Touristique du Littoral.
SEATO South-East Asia Treaty Organization (voir **OTASE**).
SEB Société d'Emboutissage de Bourgogne.
sec. Sécante. **Sec.** Section, secretary (section, secrétaire). **SEC** Section d'Enquête et de Contrôle.
SECAM Séquentiel à Mémoire.
SECODIP Société d'Études de la COmmunication, DIstribution et Publicité.
sect. Section.
SEEF Service d'Études Écon. et Financières.
S. & F.A. Shipping and Forwarding Agent (Transitaire).
SEITA Société nat. d'Exploitation Industr. des Tabacs et Allumettes.
SELA Système Économique Latino-Américain.
SEm Son Éminence (un cardinal).
SEM *Société d'Économie* Mixte. **SEMA** de Mathématiques Appliquées.
Sen., Senr. Senior.
SEO Sauf Erreur ou Omission.
SEP Section d'Éducation Professionnelle.
SEPOR SErvice des Programmes des Organismes de Recherche.
Seq... the following (... et la suite).
SEREPT Soc. de Recherche et d'Exploit. du Pétrole en Tunisie.
SERNAM SERvice NAtional des Messageries.
SES Section d'Études Spécialisées.
SESI Service des statistiques, des Études et des Systèmes d'Information du ministère des Affaires sociales.
SESSI Service d'Étude des Stratégies et des Statistiques Industrielles du ministère de l'Industrie.
s.e.u.o. Salvo error u omisión (sauf erreur ou omission).
SExc Son Excellence (un évêque).
SF Finlande. Sans Frais. Stade-Français.
SFI Société Financière Internat.
SFIO Section Française de l'Internationale Ouvrière.
SFP Société Française de Production et de création audiovisuelles.
SF3 Saab Fairch 340.
SG Société Générale.
SGBD Systèmes de Gestion de Base de Données.
sgd Signed (signé).
SGDG Sans Garantie Du Gouvern.
SGDN Secrétariat Général de la Défense Nationale.
SGEN Synd. Général Éduc. Nat.
SGL Société des Gens de Lettres.
SGPEN Syndicat Général des Personnels de l'Éducation Nationale (FEN).
SGr Sa Grâce (un duc).
Sgt. Sergeant.
sh., shr. Share (action).
sh(s). Shilling(s).
sh Sinus hyperbolique. **SH** Sa Hautesse (sultan). Société Hippique. Schleswig-Holstein.
s.h. ex. Sundays and Holidays excepted.
SHAPE Supreme Headquarter (of the) Allied Powers in Europe.
shipt Shipment (expédition).
SHOM Service Hydrographique et Océanographique de la Marine.
SHS Yougoslavie (Royaume des Serbes, des Croates et des Slovènes).
SH3 Short SD 330.
s.i. Sauf imprévus. **SI** Syndicat d'Initiative. Système International d'unités.
SIBEV Société Interprofessionnelle du Bétail Et des Viandes.
Sic écrit ainsi.
SICA Sté d'Int. Collectifs Agricole.
SICAF *Sté d'Invest. à CApital* Fermé-fixe. **SICAV** Variable.
SICI Sté Immobilière pour le Commerce et l'Industrie.
SICOB Salon des Industries du Commerce et de l'Organisation du Bureau.
SICOMI *Sté* Immobilière pour le COMmerce et l'Industrie. **SICOVAM** Interprofessionnelle pour la COmpensation des VAleurs Mobilières.
SID Service d'Information et de Diffusion du Premier Ministre.
SIDA Agence Suédoise de Développement International. Syndrome ImmunoDéficitaire Acquis.
SIDEC Service Inter-Diocésain de l'Enseignement Catholique.
SIDO Société Interprofessionnelle Des Oléagineux.
Sig Signature. Signor.
SIGMA Système Informatique de Gestion du MAtériel.
SIGYCOP profil médical. S : membres sup., I : membres inf., G : état général, Y : yeux, vision (couleurs exclues), C : vision des couleurs, O : oreilles et audition, P : psychisme.
SII *Sté* Immobilière d'Investissement. **SIMCA** Industrielle de Mécanique et de CArrosserie.
sin Sinus.
SINCHARS SINgle CHAnnel Radio System.
SIPRI Stockholm International Peace Research Institute.
SIRENE Système Informatisé du RÉpertoire National des Entreprises et des établissements.
SIRPA Service d'Information et de Relations Publiques des Armées.
SIRTC Société Internationale des Recherches contre la Tuberculose et le Cancer.
SIS Secret Intelligence Service.
SIVOM *Syndicat Intercommunal à VOcation* Multiple. **SIVOS** Scolaire. **SIVU** Unique.
SIVP Stage d'Initiation à la Vie Professionnelle.
SJ Société de Jésus (Jésuites).
SJM Serviteurs de Jésus et Marie.
SK Voir SAS.
s.l. Sans lieu.
SLAM Syndicat de la Librairie Ancienne et Moderne.
SLBM Submarine Launched Ballistic Missile.
s.l.n.d. Sans lieu ni date.
SLSI Super Large Scale Integration.
SM Aberdeen Airways. Sa Majesté. Marianistes. Société de Marie.
SMA Service Militaire Adapté.
SMAG Salaire Minimum Agricole Garanti.
SMB *Sa Majesté* Britannique. **SMC** Catholique.
SME Système Monétaire Europ.
SMI Sa Majesté Impériale.
SMIC *Salaire Minimum Interprofessionnel* de Croissance. **SMIG** Garanti.
SMM Société de Maristes. Montfortains.
SMR Sa Majesté Royale.
SMS Pères Maristes.

SMSR Service Médical de Surveillance Radiologique.
SMTC *Sa Majesté Très* Chrétienne. **SMTF** Fidèle.
SMUR Service Médical d'Urgence Régional.
+SMV Médaille des Services Militaires Volontaires.
sn Sans nom. **S/N** Shipping note. Sabena.
SN Service National.
SNA Sous-marin Nucl. d'Attaque.
SNADE Syndicat National Autonome des Directeurs et directrices d'Écoles.
SNALC *Syndicat NAt.* des Lycées et Collèges. **SNC** des Collèges.
SNCASE *Société Nat. de Construction Aéronautique* du Sud-Est. **SNCASO** du Sud-Ouest.
SNCB *Société Nationale des Chemins de Fer* Belges. **SNCF** Français.
SNDLEP Syndicat National des Directeurs de Lycées d'Enseignement Professionnel.
SNECMA Société Nationale d'Études et de Construction de Moteurs d'Avions.
SNES *Syndicat National* des Enseignements du Second degré. **SNE-Sup.** *de l'Enseignement* Supérieur. **SNET** Technique. **SNETAP** Technique Agricole Public. **SNETP** des Enseignements Techniques et Professionnels.
SNGR Sin Nuestra Garantia ni Responsabilidad.
SNI Syndicat Nat. des Instituteurs.
SNIAS Société Nat. des Industries Aéronautiques et Spatiales.
SNLE Sous-marin Nucléaire Lanceur d'Engins.
SNPA Société Nationale des Pétroles d'Aquitaine.
SNPCA Syndicat Nat. du Personnel de Commerce de l'Automobile.
SNPE Société Nationale des Poudres et Explosifs.
SNPQR Syndicat National de la Presse Quotidienne Régionale.
SNSM Société Nationale de Sauvetage en Mer.
s.o. Seller's option (option du vendeur). Siehe oben (voir plus haut).
SO Austrian Air Service. Silésie Orientale. **so.** Sonntags (le dimanche). Sud-Ouest.
SOE Special Operation Executive.
SOFAR SOund Fixing And Ranging.
SOFICA *SOc.* de Financement des Industries Cinématogr. et Audiov. **SOFIRAD** *SOciété* FInancière de RADiodiffusion. **SOFREMER** FRançaise d'Etudes et de réalisations Maritimes portuaires et navales. **SOMIVAC** pour la MIse en VAleur de la Corse. **SONACOTRA** NAt. pour la COnstruction des TRAvailleurs. **SOFRES** FRanç. d'Enquêtes par Sondage.
SOPEMI Système d'Observations PErmanentes des MIgrations.
SOPEXA SOc. Pour l'EXpansion des ventes de produits Agricoles alim.
SOS Signal de détresse choisi pour sa simplicité (en morse : 3 points, 3 traits, 3 points). Certains leur donneront ensuite le sens : Save Our Souls (en anglais : Sauvez nos âmes).
SP Air Açores. Secteur Postal. Service de Presse. **sp** *sine prole* (sans issue).
+SP Santé Publique.
SpA Società per Azioni.
SPA Société Protectrice des Animaux. Standard de Pouvoir d'Achat.
SPADEM Soc. de la Propriété Artistique des Dessins Et Modèles.
SPCN Sciences Physiques, Chimiques, Naturelles.
SPES Syndicat des Personnels de l'Enseignement Secondaire.
SPM St-Pierre-et-Miquelon.
spgr Specific gravity.
SPQR *Senatus PopulusQue Romanus* (le sénat et le peuple romains).
Sq. Stéréo quadriphonie. *sq Sequens* (suivant). Square (carré).
SQ Singapore Airlines.
sqq. *Sequentes* (suivants).
SQS +EI Sociétés, Quasi-Sociétés et Entreprises Individuelles.
SR Service de Renseignements. Swissair. **Sr** Senior
SRA Stage de Réinsertion en Alternance.
SS Sa Sainteté. SchutzStaffel (All., Section Spéciale). Secteur Sauvegardé. Sécurité Sociale. SteamShip.
S/S SteamShip (bateau à vapeur).
SSBS Système d'armes Sol-Sol Balistique Stratégique.
SSC Concorde.
SSCC Pères des Sacrés-Cœurs-de-Picpus.
SSCI Sté de Services et de Conseil en Informatique.
S.-S.-E. Sud-Sud-Est.
S'sea Swansea.
SSF Société de St-François.
SSI Small Scale Integration.
SSII Société de Services et d'Ingénierie Informatique.
S.-S.-O. Sud-Sud-Ouest.
SSP Société St-Paul.
SSS Pères du St-Sacrement.
st. Stone. Station. **St** Saint-Street (rue). Stück (pièce).
Sta Santa.
STABEX Système de STABilisation des recettes d'EXportation des produits agricoles.
Staffs. Staffordshire.
STAPS Sciences et Techniques des Activités Physiques et Sportives.
START STrategic Arms Reduction Talks.
St.-C. St-Cloud-Country-Club.
std Standard. **Std.** Stunde(n) [heure(s)].
Ste Sainte.
Sté Société.
ster., stg Sterling.
STGM Sa Très Gracieuse Majesté.
STH Surface Toujours en Herbe.
stk Stock.
Stn Station.
STO Service du Travail Obligatoire.
STOL Short Take Off and Landing.
S. to S. Station to Station.
stp Standard temperature and pressure.
STRIDA Système de TRansmission des Informations de Défense Aérienne.
STS Section de Technicien Supérieur. Sciences des Techniques Spécialisées.
+StS Mérite de l'Ordre Chevaleresque du St-Sépulcre.
STU Service Technique de l'Urbanisme.
SU Aeroflot.
s.u. Siehe unten (voir plus bas).
subs Subscribed.
suppl. supplément.
suiv. suivants.
SV Saudia.
SVA Service à Valeur Ajoutée.
SVP S'il Vous Plaît.
SW Namib Air.
SWA South-West Africa.
SWAPO South West African People's Organization.
Swift Society for Worldwide Interbank Financial Telecommunication.
SWN Swearingen Metro.
SYRACUSE SYstème de RAdio Communication Utilisant un SatelIitE.
t. Toile. Tome. Tonne.
TA Telegraphic Address (ad. télégraphique).
TAAF Terres Australes et Antarctiques Françaises.
TAAG (Linhas Aéreas de Angola).
TAC Total Allowable Catch (Prise maximale admissible).
TADS Target Acquisition and Designation System (viseur de tir).
TAI Temps Atomique Intern. Transports Aériens Intercontinentaux.
TAM Obligation à taux variable à référence monétaire annuelle. Terre-Air-Mer.
TAP Air Portugal. Troupes AéroPortées.
TAPLINE Trans Arabian PipeLINE Company.
TAR Tactical Air Reconnaissance.
TAT Tactical Air Transport. Touraine Air Transport. Transports Aériens Transrégionaux.
TB Trial Balance (balance de vérification).
TB ex. Très Bon exemplaire.
T-Bills T-Bonds : Treasury Bill [bon du Trésor (US) à court terme] ; Treasury Bond (obligation du Trésor à plus de 10 ans).
T-Bonds Treasury Bond.
TC Air Tanzanie. Télégramme Collationné. Témoignage Chrétien. Transit Corridor.
TCA Taxe sur le Chiffre d'Affaires.
TCF Touring-Club de France. Très Cher Frère.
TCS Touring-Club de Suisse.
TD Travaux Dirigés.
TDF Télédiffusion De France.
TE Air New Zealand.
TEC Tarif Extérieur Commun.
TEE Trans-Europ-Express.
Tél. Téléphone.
TEP Tonne Équivalent Pétrole.
TEU Twenty Equivalent Unit.
TF1 Télévision Française 1re Chaîne.
TG Thai Airways.
tg. Tangente.
tgl. Täglich (tous les jours).
TGV Train à Grande Vitesse.
th Tangente hyperbolique. Théorème.
TH LAR Transregional.
THAI Thai International AIrways.
Thro'B.-L. Through the Bill of Loading (par le connaissement).
TIF Transports Internationaux par chemin de Fer.
TIG Travaux d'Intérêt Général.
TIP Titre Interbancaire de Paiement.
TIPP Taxe Intérieure sur les Produits Pétroliers.
TIR Transports Intern. Routiers.
Tir. Tirage.
TK Turk Hava Yoliari.
TL Total Loss (perte totale).
TLE *Taxe Locale* d'Équipement. **TLI** Incluse.
TLM Télé Lyon Métropole.
t.l.o. Total loss only (Perte totale seulement).
TLT Télé Toulouse.
tlw Teilweise (partiellement).
TMC Télé Monte Carlo. Théâtre, Maison de la Culture. **TME** Taux Moyen des Emprunts d'État. Travaux Manuels Éducatifs.
TMM Taux Moyen du Marché monétaire au jour le jour.
TMO Taux du Marché Obligataire. Telegraphic Money Order (mandat télégraphique).
TN Australian Airlines.
TNC *Théâtre National* de Chaillot. **TNP** Populaire.
TNT TriNitroToluène.
t.o. Toit ouvrant.
TO TurnOver (chiffre d'affaires).
TOA Troupes d'Occupation en Allemagne.
TOB Tribunal Œcuménique de la Bible.
+TOE Croix de guerre des Théâtres d'Opérations Extérieures.
TOEFL Test Of English as a Foreign Language.
TOM Territoire d'Outre-Mer.
TOR Tertiaires réguliers de St-François-d'Assise.
TP Air Portugal. Travaux Pratiques. Tr. Publics.
TPE Terminal de Paiement Électronique.
TPFA Tribunal Permanent des Forces Armées.
TPL Tonne Port en Lourd.
TPND Theft Pilferage and Non Delivery.
TPS Taxe de Prestation de Service.
TPV Terminal Point de Vente.
TR Transbrasil.
tr. Tranche Travellers Club. Trustee (curateur, dépositaire).
TRA Obligation à taux annuel.
trad. traducteur, traduction, traduit par.
TRAPSA compagnie de TRAnsport par Pipe-line au SAhara.
TRB Taux Révisable des Bons du trésor.
TRD TRiDent.
TRH Their Royal Highness.
TRM *Obligation à taux* flottant. **TRO** révisable.
3D Trois dimensions.
TSA Technologie de Systèmes Automatisés.
Tsd. Tausend (mille).
TSDI Titre Subordonné à Durée Indéterminée.
TSE Travaux Scientifiques Expérimentaux (6e).
TSF Télégraphie Sans Fil.
TSS Très Saint-Sacrement.
TSVP Tournez S'il Vous Plaît.
TT Telegraphic Transfer. Transit Temporaire (ou TTX).
TTC Toutes Taxes Comprises.
TT.CC.FF. Très Chers Frères.
Tt cft Tout confort.
TU Temps Universel. Tunis Air.
TUC Temps Universel Coordonné. Trade Union Congress. Travail d'Utilité Collective.
TUP Titre Universel de Paiement.
TU3 Tupolev 134. **TU5** 154.
TV TéléVision.
TVA Taxe à la Valeur Ajoutée. Tennessee Valley Authority.
TVHD TéléVision à Haute Définition.
TW TeraWatt. **TWH** TeraWatt heure.
TWA Trans World Airlines.
TWI Training Within Industry.
u. und (et).
u.a unter anderen (entre autres).
UA Unit of Account. United Airlines.
UAE United Arab Emirates.
UAM Union des Artistes Modernes.
UAMCE Union Africaine et Malgache de Coopération Économique.
UAP Union des Assurances de Paris.
UAR United Arab Republic.
UASPTT Union des Associations Sportives des PTT.
UAT Union Aéromaritime de Transport.
u.A.w.g. Um Antwort wird gebeten (répondre s'il vous plaît).
UC Ladeco (Línea Aéra del Cobre).
UCE Unité de Compte Europ.
UCJF *Union Chrétienne* des Jeunes Filles. **UCJG** des Jeunes Gens.
UCRG *Union* des Clubs pour le Renouveau de la Gauche. **UDAO** Douanière de l'Afrique de l'Ouest. **UDCA** de Défense des Commerçants et Artisans. **UDEAC** Douanière et Économique de l'Afrique Centrale. **UDF** pour la Démocratie Française. (Front Démocratique Uni) United Democratic Front.
UDI *Union* Démocratique Internat. **UDR** des Démocrates pour la Ve République. **UDSR** Démocratique et Socialiste de la Résistance. **UDT** Démocratique du Travail. **UEBL** Économique Belgo-Luxembourgeoise. **UEC** des Étudiants Communistes. **UEO** de l'Eur. Occidentale. **UEP** Eur. des Paiements.
UER Union Eur. de Radiodiffusion. *Unité d'Enseignement et de Recherche.* **UEREPS** d'Éducation Physique et Sportive.
UF Unité de Feu.
UFAC Fabricants d'Aliments Composés.
UFAJ *Union* Française des Auberges de Jeunesse. **UFC** Fédérale des Consommateurs. **UFCV** Française des Centres de Vacances. **UFD** des Forces Démocratiques. **UFF** des Femmes Françaises. Union et Fraternité Franç. **UFJT** des Foyers des Jeunes Travailleurs. **UFM** Fédéraliste Mondiale. **UFO** Unidentified Flying Object. **UFOLEA** Fr. des Oeuvres Laïques d'Éducation Artistique. **UFOLEIS** Fr. des Oeuvres Laïques d'Éducation par l'Image et par le Son. **UFOLEP** Fr. des Oeuvres Laïques d'Éducation Physique. **UFOVAL** Fr. des Oeuvres de VAcances Laïques.

UFR Unité de Formation et de Recherche.
UG Ouganda.
UGB Unité Gros Bétail.
UGCS *Union* des Groupes et Clubs Socialistes. **UGE** des Grandes Écoles. **UGI** Géographique Internationale. **UGIF** Générale des Israélites de France. **UGP** des Gaullistes de Progrès. **UGSEL** Générale Sportive de l'Enseignement Libre. **UGTAN** Générale des Travailleurs d'Afrique Noire.
UHF Ultra High Frequency.
UHT Ultra Haute Température.
UIA *Union Internationale* contre l'Alcoolisme. Antiraciste. Des Architectes. Des syndicats des industries Alimentaires. **UIAA** des Associations d'Alpinisme. **UIC** des Chemins de fer. **UICC** Contre le Cancer. **UICT** Contre la Tuberculose. **UIE** des Étudiants.
UIMM *Union* Industrielle Métallurgique et Minière. **UINF** Internationale de la Navigation Fluviale. **UIP** InterParlementaire. **UIPE** *Internationale* de Protection de l'Enfance. **UIS** de Secours.
UISC Unité d'Instruction et de Sécurité Civile.
UIT Union Internationale des Télécommunications.
UJP *Union* des Jeunes pour le Progrès. **UJRF** de la Jeunesse Rép. de France.
UK Air UK. United Kingdom.
UL Air Lanka.
ULM Ultra-Léger Motorisé.
Ult. *Ultimo* (dernier du mois écoulé).
UM Air Zimbabwe.
UMAC *Union Monétaire* d'Afrique Centrale. **UMOA** Ouest-Africaine.
UMS Unité Militaire Spécialisée.
UN United Nations.
UNAAPE Union Nationale des Assoc. Autonomes de Parents d'Élèves.
UNAF *Union Nationale* des Assoc. Familiales. **UNAPEL** des Associations de Parents d'Élèves de l'enseignement Libre. **UNATI** des Artisans et Travailleurs Indépendants. **UNC** des Combattants. **UNCAL** des Comités d'Action Lycéens. **UNCAP** des Commerçants Artisans et Prof. libérales.
UNCDF *United Nations* Capital Development Fund. **UNDP** Development Program.
UNDRO Office of the United Nations Disaster Relief co-Ordinator.
UNEDIC *Union Nationale* pour l'Emploi Dans l'Industrie et le Commerce. **UNEF** des Étudiants de France.
UNESCO *United Nations* Educational Scientific and Cultural Organization. **UNFPA** Fund for Population Activities.
UNGG Uranium Naturel, Graphite, Gaz.
UNI Union Nat. Interuniversitaire.
UNICEF United Nations International Children's Emergency Fund.
UNIDO United Nations Industrial Development Organization.
UNITA Union Nationale pour l'Indépendance Totale de l'Angola.
UNITAR United Nations Institute for Training And Research.
Univ. Université.
UNO United Nations Organization.
UNOF *Union Nationale* des Org. Familiales. **UNOR** des Officiers de Réserve.
UNR Union pour la Nouvelle Rép.
UNREP Union Nationale Rurale d'Éducation et de Production.
UNRRA *United Nations* Relief and Rehabilitation Administration. **UNRWA** Refugees Working Aid.
UNSS Union Nationale de Sport Scolaire.
UNTCD United Nations Technical Cooperation for Development.
UNU Université des Nations Unies.
UP United Press.
UPA Unité Pédagogique d'Architecture. Unité Prioritaire d'Aménagement.
UPS Université de Paris Sud.
UPU *Union* Postale Universelle. **URAC** Rép. d'Afrique Centrale. **URC** du Rassemblement et du Centre. **URSS** des Républiques Socialistes Soviétiques. **URSSAF** pour le Recouvrement des cotisations de la Séc. Soc. et des Alloc. Familiales.
us. Usuel. **US** US Air.
USA United States of America.
USD Dollar (USA).
USINOR Union SIdérurgique du NORd de la France.
USJ Union des Sociétés Juives.
USMC US Marine Corps.
USNEF Union Syndicale Nationale des Enseignants de France.
USSR République Soviétique Socialiste d'Ukraine. Union of Soviet Socialist Republics.
usw. Und so weiter (et ainsi de suite, etc.).
UT Voir UTA.
UTA Union de Transports Aériens. Unité de Traction Animale. Unité de Travail Annuel.
UTH Unité de Travail Homme.
UTO United Towns Organization.
u.U. Unter Umständen (le cas échéant). **UU** Air Austral.
UV Unité de Valeur.
U/W Underwriter (assureur).
UY Cameroon Airlines.
u.zw. Und zwar (à savoir).
v. Vers. Veau. **V.** Versus [Contre (droit)]. Voir, voyez.
VA Viasa (Venezolana Internacional de Aviación).
VAB Véhicule de l'Avant-Blindé.
VAF Vicariat aux Armées Françaises.
VAG Volkswagenwerk AG.
VAL Véhicule Automatique Léger.
Val. Valuta, Wert (valeur).
Var. Var. Variante.
VARIG Viação Aerea Rio Grandense (Cie d'aviation de l'État de Rio Grande do Sul).
VAT Value Added Tax. Volontaire pour l'Aide Techn.
VB Birmingham European Airways.
VBL Véhicule Blindé Léger.
VC Victoria Cross.
V.C.C. Vin de Consommation Courante.
VD Air Liberté SA.
Vd Vend.
VDQS Vin Délimité de Qualité Supérieure.
verh. Verheiratet (marié).
verw. Verwitwet (veuf).
V.F. Version Française.
v.g. *Verbi gratia* (exemple).
vgl. Vergleiche (comparez).
v.H. Vor Hundert (pour cent).
VHF Very High Frequency.
VHR Variété à Haut Rendement.
VIDCOM Marché international de la VIDéoCOMmunication.
vign. Vignette.
VIP Very Important Person.
viz. Namely (à savoir).
v.J. vorigen Jahres (de l'année précédente).
VK Air Tungaru.
VL Véhicule Léger.
VLP Video Long Player.
VLRA Véhicule Léger de Reconnaissance et d'Appui.
VLSI Very Large Scale Integration.
v.M. vorigen Monats (du mois précédent).
VMF Vieilles Maisons Françaises. Volontaire Militaire Féminine.
VMM Veille Météorologique Mondiale.
VN Vietnam Airlines.
VO Tyrolean Airways. Version Originale.
v^{o}, v^{is} *Verbo, verbis.*
v^{o} *Verso.*
Vol Volume.
VP VASP (Viaçao Aéra Sao Paulo). Vice-Président.
VPC Vente Par Correspondance.
VQPRD Vin de Qualité Produit dans des Régions Déterminées.
VRP Voyageurs de commerce, Représentants et Placiers.
vs. versus. **VS** Virgin Atlantic Airways.
VSD Visualisation, Saisie, Déport.
VSL *Volontaire* Service Long. **VSNA** pour le Service Nat. Actif au titre de la coop. **VSNE** du Service National en Entreprise.
VSOP Very Superior Old Pale (très vieil alcool supérieur).
VT Air Tahiti.
Vte, V^{tesse} Vicomte, vicomtesse.
Vto Vencimiento (échéance).
VTOL Vertical Take Off and Landing.
VTT Vélo Tout Terrain.
V1 Vergeltungswaffe n° 1.
v.v. *Vice versa.*
VVAP Volem Viure Al Païs.
Vve Veuve.
VVF Village Vacances Familiales.
vx Vieux.
vx fr. Vieux français.
w. Widow, widower.
WA With Particular Average (ou WPA).
WAAC Women's Army Auxiliary Corps.
WASP White Anglo-Saxon Protestant.
WC Water-Closet. West-Center.
Wd Warranted (garanti).
WEU Western European Union.
WF Widerøe's Flyveselskap.
WFP *World* Food Program. **WFTU** Federation of Trade Unions.
wgt Weight (poids).
Wh Whatmann.
whf Wharf (quai).
WHO World Health Organization (voir **OMS**).
whse Warehouse (entrepôt).
WISO Women International Sionist Organization.
WJC World Jewish Congress.
wk Week (semaine).
W/M Weight or Measurement (poids ou cube).
WMO World Meteorological Organiz. (voir **OMM**).
WMP With Much Pleasure.
WOR Without Our Responsability (Sans responsabilité de notre part).
WPA With Particular Average (Avec avaries particulières).
WPC World Power Conference.
w.p.m. Words per minute (mots à la minute).
WR Royal Tongan Airlines. Wire Reply (câble réponse).
WT Nigeria Airways.
Wt Weight (poids).
WTO World Tourist Organization.
W/W Warehouse-Warrant. **WW** Scottish European Airways.
w.w.d. Weather working days, weather permitting (jours ouvrables, temps le permettant).
X. inconnu, anonyme.
X.c. Ex-coupon (dividende).
X.d. Ex-dividende.
x.i. Ex-interest (ex-intérêt).
XK Corse Méditerranée.
Xmas Christmas (Noël).
x-ml, x-mll Ex mill (départ usine).
XP Express Paid.
x-ship, x-shp Ex ship (au débarquement).
x-stre Ex store (disponible).
x-whse Ex warehouse (disponible).
x-wks Ex works (départ usine).
y. Yen.
Y/A York Antwerp Rules [Règles de York et Anvers (Ass. mar.)].
YC Flight West Airlines.
YCF Yacht-Club de France.
Yd Yard. **YD** Salair.
YM Compass Airlines.
YMCA Young Men Christian Association.
YMCF Yacht Motor Club de Fr.
Yorks. Yorkshire.
YP Aero Lloyd.
yr Year, Your (année, vôtre).
YU Yougoslavie.
YWCA World's Alliance of Young Women Christian Association.
Z Zéro.
ZA ZAS Airlines of Egypt.
ZAC Zone d'Aménagement Concerté.
ZAD Zone d'Aménagement Différé.
ZAR Transvaal.
z.B. Zum Beispiel (par exemple).
ZC Royal Swazi National Airways.
ZCP *Zone* à Caractère Pittoresque. **ZD** de Défense.
z.d.A. Zu den Akten (à classer).
ZEAT *Zone d'Études* et d'Aménagement du Territoire. **ZEDE** Démographique et d'Emploi.
ZEE Zone Économique Exclusive.
ZEP Zone d'Environnement Protégé. Zone d'Éducation Prioritaire.
ZIF Zone d'Intervention Foncière. **ZIL** Limitée.
ZIP *Zone Industrielle* Portuaire. **ZIRST** de (ou pour l'Innovation et la) Recherche Scientifique et Technique. **ZIV** Verticale.
ZL Affretair.
ZNE *Zone Naturelle* d'Équilibre. **ZNIEFF** d'Intérêt Écologique Faunistique et Floristique.
ZNO Zone Non Occupée/Zone libre.
ZO Zone Occupée.
ZPIU Zone de Peuplement Industriel ou Urbain.
ZQ Ansett New Zealand.
ZS Sun flower Airlines.
z.T. Zum Teil (en partie).
Ztg. Zeitung (journal).
Ztr. Zentner (50 kg).
ZUP Zone à Urbaniser en Priorité.
zuz zuzüglich (en supplément).
ZW Pacific Midland Airlines.
z.Z. zur Zeit (actuellement).
1′6″ 1 foot 6 inches (1 pied six pouces).
1 cu. ft. 1 cubic foot (1 pied cubique).

Chiffres romains

I	II	III	IV	V	VI	VII	VIII	IX
1	2	3	4	5	6	7	8	9

X	XI	XII	XX	XXX	XL	L	LX
10	11	12	20	30	40	50	60

LXX	LXXX	XC	C	D	M
70	80	90	100	500	1000

Parfois utilisés : $\bar{V}$: 5 000. $\bar{X}$: 10 000. $\bar{L}$: 50 000. $\bar{C}$: 100 000. $\bar{D}$: 500 000. $\bar{M}$: 1 000 000.

Principe. On opère par addition quand une lettre est supérieure ou égale à la suivante. Par soustraction quand une lettre est inférieure à la suivante.

Ex. : VIII = 5 + 3 ou 8. XX = 10 + 10 ou 20. LXVII = 50 + 10 + 5 + 2 = 67. IV = 5 – 1 ou 4. XL = 50 – 10 ou 40. Ce système n'est pas employé pour les milliers (M).

Pour transcrire un nombre de chiffres arabes en chiffres romains, on décompose le nombre.

Ex. : 1988 = 1000 + 900 + 80 + 8 = M + CM + LXXX + VIII soit MCMLXXXVIII.

Chiffre romain le plus long : MMMMDCCCCLXXXVIII (4 988).

Alphabets

☞ Tout l'alphabet peut-il contenir dans une phrase ? Les réparateurs en mécanographie utilisent celle-ci : « Servez ce whisky aux petits juges blonds qui fument. »

Alphabet morse international

Inventé par Samuel Morse, peintre et physicien américain (1791-1872).

Un trait égale 3 points. L'espace entre les différents signes d'une lettre égale 1 point ; entre 2 lettres : 3 points ; entre 2 mots : 7 points.
Point . – . – . –
Alinéa . – . – . .
Virgule – – . . – –
Point-virgule – . – . – .
Deux points ou signe de division (:) – – – , . .
Guillemet . – . . – .
Point interrogatif . . – – . .
Point exclamatif – – . . – –
Apostrophe . – – – – .
Trait d'union, tiret ou signe de soustraction – . . . . –
Souligné . . – – . –
Parenthèse de gauche [(] – . – – .
Parenthèse de droite [)] – . – – . –
Double trait (=) – . . . –
Croix ou signe d'addition (+) . – . –
Signe de multiplication – . . –
Barre de fraction ou (/) – . . – .
Début d'émission – . – . –
De – . .
Erreur . . . .
Répétez (dep. 1979) . – . . – – . –
Compris . . . – . –
Transmettez – . – –
Attendez . – . . . –
Reçu . – .
Fin de transmission . . . – . –

A . – B – . . . C – . – . D – . . E . ÉÈÊ . . – . . F . . – . G – – . H . . . . I . . J . – – – K – . – L . – . . M – – N – . O – – – P . – – . Q – – . – R . – . S . . . T – U . . – V . . . – W . – – X – . . – Y – . – – Z – – . .

1 . – – – – 2 . . – – – 3 . . . – – 4 . . . . – 5 . . . . . 6 – . . . . 7 – – . . . 8 – – – . . 9 – – – – . 0 – – – – –

Dans les répétitions d'office, lorsqu'il ne peut y avoir de malentendu du fait de la coexistence de chiffres et de lettres ou de groupes de lettres, les chiffres peuvent être transmis au moyen des signaux suivants :
1 . – 2 . . – 3 . . . – 4 . . . . – 5 . . . . 6 – . . . . 7 – . . . 8 – . . 9 – . 0 –

Les administrations ou exploitations privées reconnues, utilisant des convertisseurs de code, peuvent transmettre les guillemets en répétant 2 fois le signe apostrophe avant et après les mots.

Un nombre dans lequel entre une fraction est transmis en liant la fraction au nombre entier par un tiret. Exemples : pour 1 3/4 transmettre 1 – 3/4 et non 13/4 ; pour 3/48 transmettre – 3/48 et non 3/48 ; pour 363 1/245 642 transmettre 363 – 1/245 642 et non 3 631/245 642.

Les lettres et signaux suivants peuvent être employés dans les relations entre les pays qui les acceptent :
ä ou æ . – . – â ou à . – – . – ch – – – – ñ – – . – – ö ou ∅ – – – . ü . . – –

Le signe des minutes (′) et le signe des secondes (″) sont transmis en utilisant le signe de l'apostrophe : 1 fois pour les minutes et 2 fois pour les secondes.

Pour le signe % ou ‰ on transmet le chiffre 0, la barre de fraction et les chiffres 0 ou 00 (c.-à-d. : 0/0, 0/00).

Un nombre entier, un nombre fractionnaire ou une fraction suivis du signe % ou ‰ sont transmis en liant le nombre entier, le nombre fractionnaire ou la fraction au signe % ou au signe ‰ par un tiret. Ex. : pour 2 % transmettre 2 – 0/0 et non 20/0 ; pour 4 1/2 ‰ transmettre 4 – 1/2 – 0/00 et non 41/20/00.

Signalisation phonétique internationale

A alpha. **B** bravo. **C** Charlie. **D** delta. **E** écho. **F** fox-trot. **G** golf. **H** hôtel. **I** India. **J** Juliet. **K** kilo. **L** Lima. **M** Mike (pron. maïke). **N** november. **O** Ohio (pron. oayo), Oscar. **P** papa. **Q** Québec. **R** Roméo. **S** Sierra. **T** tango. **U** uniform (pron. iouniform). **V** Victor. **W** whisky. **X** x-ray. **Y** yankee (pron. yanki). **Z** Zulu (pron. zoulou).

Transmission des nombres : chiffre par chiffre (sauf multiples exacts de 100 et 1 000 et nombres 17, 18 et 19). Décomposition : **1** un tout seul. **2** un et un. **3** deux et un. **4** deux fois deux. **5** trois et deux. **6** deux fois trois. **7** quatre et trois. **8** deux fois quatre. **9** cinq et quatre. **0** zéro.

Code international sol/air

Nota. – Peut être utilisé à l'intention des avions. Les panneaux doivent être de 3 à 4 m de long. On peut utiliser les moyens disponibles (cailloux, branchages, etc.).

1	besoin carte et boussole	□	11	non, négatif	N
2	besoin essence et huile	L	12	non compris	JL
3	tout va bien	LL	13	besoin lampe et radio	– –
4	véhicule endommagé		14	besoin arme et munitions	
5	besoin médecin	—	15	nous avançons dans cette direction	←
6	besoin médicaments	≡	16	indiquer la direction à suivre	K
7	incapable d'avancer	X	17	vêtements nécessaires	≡
8	besoin eau et vivres	F	18	atterrissage dans cette direction	
9	mécanicien nécessaire	W	19	ne pas atterrir ici	✱
10	oui, affirmatif	Y	20	essaierons de continuer	<|

Sémaphore

a b c d e f g h i j k l m
n o p q r s t u v w x y z

Nota. – **1** = a. **2** = b. **3** = c. **4** = d. **5** = e. **6** = f. **7** = g. **8** = h. **9** = i. **0** = j.

Alphabet gothique

Imprimerie	Écriture	Appellation	Imprimerie	Écriture	Appellation
𝔄 𝔞		a â	𝔑 𝔫		n enn
𝔅 𝔟		b bé	𝔒 𝔬		o ô
ℭ 𝔠		c tsé	𝔓 𝔭		p pé
𝔇 𝔡		d dé	𝔔 𝔮		q kou
𝔈 𝔢		e é	ℜ 𝔯		r err
𝔉 𝔣		f eff	𝔖 ſ		s ess
𝔊 𝔤		g ghé	𝔗 𝔱		t té
ℌ 𝔥		h hâ	𝔘 𝔲		u ou
ℑ 𝔦		i i	𝔙 𝔳		v faou
𝔍 𝔧		j iott	𝔚 𝔴		w vé
𝔎 𝔨		k kâ	𝔛 𝔵		x iks
𝔏 𝔩		l ell	𝔜 𝔶		y ipsilonn
𝔐 𝔪		m emm	ℨ 𝔷		z tsett

ALIMENTATION

☞ *En cas de jeûne total, moyenne de survie :* 20 à 25 j (cas extrême observé : 50 j). *Cas célèbres :* Mac Sweeney, lord-maire de Cork (Irl.), † en prison après 74 j de grève de la faim.

Voir **Gastronomie** et **Environnement** à l'Index.

Généralités

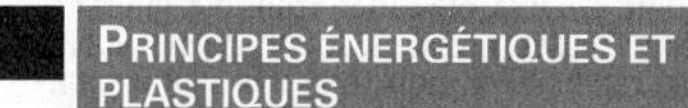

Principes énergétiques et plastiques

L'alimentation équilibrée doit apporter quotidiennement les principes nutritifs nécessaires à la vie : *substances purement énergétiques* fournissant les calories dont on a besoin ; *substances plastiques* contribuant en outre à la construction de l'organisme.

■ **Glucides** (purement énergétiques). **Sucres simples ou oses :** consommés sous forme de sucre de table (blanc raffiné ou roux non raffiné qui contient plus de vitamines et de matières minérales), d'aliments sucrés, de fruits, de miel (glucose et fructose) ou de lait (lactose), directement assimilables par le tube digestif sans transformation préalable. **Sucres composés ou osides** et les **amidons** (présents dans céréales, pommes de terre et légumes secs) : doivent être attaqués par les sucs digestifs, et transformés pour être assimilés. Les glucides « combustibles », les mieux adaptés au travail musculaire, fournissent 4 calories au gramme.

Bien que le sucre pris pur (ingéré) ne soit pas indispensable à son organisme, on constate chez l'homme une attirance pour le goût sucré reposant sur un *élément physiologique :* le sucre ne demande qu'un travail digestif infime et son assimilation est très rapide.

■ **Lipides** (essentiellement énergétiques). Constituants essentiels des corps gras. D'une densité inférieure à celle de l'eau, insolubles dans celle-ci, ils libèrent beaucoup de chaleur, particulièrement utilisée dans la lutte contre le froid. Fournissent 9 calories au gramme. 2 catégories : *lipides complexes* (graisses neutres, phospholipides, stérols) ; *lipides simples* ou *acides gras* qui ont un rôle majeur comme fournisseurs d'énergie. D'après leur composition chimique, ces acides gras se distinguent en acides gras saturés et insaturés qui ont des rôles physiologiques différents. Certaines graisses animales (ex. : le beurre) contiennent des vitamines (A et D) et la plupart des huiles végétales renferment des acides gras (dont certains appelés *gras essentiels* sont indispensables à l'organisme) servant à la constitution de certains éléments.

Taux de cholestérol pour 100 g. Voir page 107.

■ **Protides** (énergétiques et plastiques). Éléments principaux de la matière vivante, ils participent à l'élaboration des tissus musculaires, nerveux, osseux, cartilagineux. Sang, urine, sécrétions digestives, anticorps, hormones ont une base protidique. Nécessaires à l'édification et à l'entretien du corps humain, ils contiennent, en proportions variables, des **acides aminés** dont 8 sont indispensables à l'homme et ne peuvent être synthétisés par lui (le *tryptophane,* la *leucine,* l'*isoleucine,* la *lysine,* la *méthionine,* la *phénylalanine,* la *thréonine* et la *valine*). Les protides animaux sont généralement plus riches en acides aminés indispensables que les protides végétaux. Les protides fournissent 4 calories au gramme. Mais leur utilisation est coûteuse (la digestion des protéines consomme 20 % de l'énergie qu'elles apportent) et aboutit à la formation de déchets azotés (urée). **Les protéines** ont une valeur métabolique différente selon les acides aminés qu'elles contiennent. Viennent en tête les protéines animales : viande, poisson, œuf (le blanc est considéré comme la protéine de référence diététique). L'organisme humain ne peut se passer d'elles ; les protéines végétales ne peuvent apporter en quantités suffisantes tous les acides aminés fondamentaux, sauf associées aux œufs.

Principes non énergétiques

Permettent l'utilisation des principes nutritifs énergétiques.

■ **Cellulose.** Membrane de la cellule végétale. Généralement non attaquée par les enzymes digestives, mais nécessaire à l'organisme, car elle augmente le volume fécal et facilite ainsi le transit intestinal. Son action mécanique sur les muqueuses digestives déclenche le réflexe des mouvements péristaltiques et des sécrétions (intérêt du son par ex. dans le pain complet). La teneur en cellulose des aliments intervient dans la rapidité d'absorption des principes énergétiques et plastiques (glucides en particulier) en la diminuant.

Nota. – Les celluloses tendres sont attaquées dans le gros côlon par certains bacilles de la flore intestinale, qui les transforment en sucres, vitamines B (certaines), vitamine K, etc.

■ **Eau.** Constitue 50 à 70 % du poids, suivant l'adiposité (jusqu'à 80 % chez l'enfant). Indispensable à la vie, car elle apporte aux cellules les éléments nutritifs et assure l'élimination des déchets. **Perte.** *L'organisme perd chaque jour environ 2,5 l d'eau* par transpiration, respiration, excrétion urinaire et fécale. *Compensation :* 0,5 à 0,8 l fourni par les aliments solides assez riches en eau (viande 75 % ; légumes verts et fruits 80 à 90 % ; pain 55 %...) ; 0,3 à 0,4 l par la digestion lors de la combustion des aliments ; 1 l par les boissons.

■ **Oligo-éléments.** Métaux ou métalloïdes retenus en quantités infinitésimales mais indispensables à la vie, qu'ils se trouvent incorporés dans une molécule d'enzyme, ou qu'ils participent à l'établissement de liaisons rendant certaines protéines actives : rôle proche des vitamines. *Principaux :* zinc, chrome, lithium, manganèse, etc.

■ **Sels minéraux. Calcium** (lait, fromage, végétaux frais). Constituant principal du squelette et des dents.

Phosphore (viande, poisson, œuf, etc.). Besoins en rapport avec les apports caloriques. Le rapport $\frac{ca}{phosp}$ optimal est de 0,8 chez l'adulte et 1,5 chez l'enfant. Entre dans la composition des os. Utilisé pour la formation des cellules nerveuses du cerveau.

Phosphore-calcium (en mg pour 100 g). Fromage (pâte ferme) 500, 750. Amande, noix, noisette 400, 175. Légumes secs : haricot 400, 70. Céréales 300, 50. Viande 260, 10. Poisson 225, 60. Œuf 200, 50. Fromage (pâte molle) 180, 130. Pain complet 130, 40. Lait 100, 130. Fruits séchés 100, 120.

Fer. Élément essentiel de la composition des hématies (globules rouges). Plus de 10 mg pour 100 g : persil. De 10 à 5 mg : foie de veau, haricot sec, huître, jaune d'œuf, lentille sèche, mélasse, pois sec.

Sodium, potassium, magnésium, chlore, soufre, etc. ; **oligo-éléments : iode, cuivre, manganèse, fluor,** etc. Notre alimentation actuelle est souvent pauvre en calcium, magnésium et fer.

■ **Vitamines.** Mot créé en 1912. Substances indispensables à l'organisme en quantité infinitésimale.

Calories contenues

(*Légende :* calories en italique pour 100 g, sauf autre unité entre parenthèses)

Alimentation rapide. Croque-monsieur, hot dog *450 à 500.* Hamburger *600.* Pizza (15 cm) *400 à 600.* Sandwich *430 à 540.* (50 g de pain, 20 g de beurre + 50 g jambon *430 ;* + 50 g gruyère *482 ;* + 50 g thon mayonnaise *507 ;* + 50 g saucisson *532 ;* + 50 g rillettes *582 ;* 100 g de pain, 25 g de beurre + 1 œuf *515,* + viande froide *540).*

Amuse-gueule. Amandes, pistaches, noisettes, noix de cajou (10) *150.* Cacahuètes, chips (10) *100.* Olives (10) *75.* Canapé cocktail (1) *50 à 80.* Saucisses apéritif (4) *50.*

Barres au chocolat (cal. pour une barre). Bounty *268.* Mars *273.* Nuts *260.*

Biscuits, gâteaux. Biscuits (40 g) *200.* Bretzel (1 grand) *75.* Cake (40 g) *159.* Crêpe au sucre (1) *100.* Gâteau au chocolat (1 part) *400,* à la crème (1) *300 à 450.* Gaufrette (1) *32.* Pain d'épice (1 tranche) *180.* Tarte (1 part) abricots ou fraises *300,* pommes ou poires *350.*

Boissons. Apéritifs (verre). Porto flip *375.* Malaga, porto *175.* Anisette (v. à liqueur), Daiquiri, Whisky (1) Bourbon, Rye *125.* Scotch *110.* Gin (1 ration) *100.* Kir (10 cl.) *80.* **Cocktails** (un cocktail). Alexandra *225.* Manhattan *160.* Gin Collins, Gin Ricky *150.* Gin Fizz *125.* Martini *125.* **Digestifs** (v. à liqueur). Bénédictine, beurre de cacao, Chartreuse, Cherry, crème de menthe, Rhum *125.* Cognac *75.* **Jus de fruit** (petit verre). Pruneaux *142.* Abricot *75.* Ananas *66.* Orange *65.* Pomme *60.* Pamplemousse *49.* Carotte *45.* **Divers.** Cacao au lait (1 tasse) *200.* Bière (33 cl.) *132.* Champagne (coupe) *90 à 120.* Coca-Cola (1 bout.) *80.* Cidre sec (15 cl.) *60.* Vin (7 cl.) *50.* Café noir, thé (sans sucre ni lait) *0.* Tisanes (sans sucre) *0.*

Bonbons, confiserie. Boule de gomme *362.* Cacao poudre *450.* Caramel (1) *45.* Chocolat *500,* au lait *600.* Confitures *250 à 350,* (1 cuiller à café, 8 g) *23.* Dattes farcies (2) *160.* Gelée fruits *310.* Marmelade (1 c. à entremets) *50.* Miel *330* (1 c à café, 8 g) *25.* Sucre d'orge *365.*

Céréales et dérivés. Baguette (1/8e, 60 g) *150.* Biscuits (4, 40 g) *200.* Biscuits sablés (5, 30 g) *138.* Crêpe (25 g) *48.* Croissant (45 g) *125 à 150.* Flocons d'avoine (bol, 50 g) *175.* Muesli (tasse, 30 g) *99.* Pain blanc (1 tranche, 25 g) *65,* beurrée (29 g) *95,* avec 1 cuillère à café de confiture (37 g) *118 ;* au chocolat (70 g) *278 ;* complet (1 tranche, 25 g) *60 ;* aux raisins (80 g) *272.* Pâtes (assiette, 200 g) *280.* Petit pain (30 g) *88.*

Charcuterie. Boudin *490.* Galantine *239.* Lard *450.* Mortadelle *480.* Pâté de foie gras *430.* Rillettes *600.* Saucisse *427.* Saucisson d'Arles *550* (3 tranches : *150*).

Corps gras. Beurre (cuillère à café, 6 g) *47.* Huile (c. à soupe, 15 g) *135.*

Fruits. Frais : Amandes séchées (10, 8 g) *48.* Avocat (1/2, 110 g) *187.* Banane (120 g) *108.* Brugnons *60.* Cerises *75.* Citrons *35.* Dattes *300.* Figues *80.* Fraises *44.* Groseilles *60.* Mandarines *44.* Melon (230 g) *35.* Mûres *50.* Myrtilles *55.* Noisettes (10 décortiquées, 10 g) *62.* Noix (5, avec coque, 25 g) *150.* Noix de coco *620.* Orange (100 g) *44.* Pamplemousse (1/2, 240 g) *100.* Pastèque (1 tranche) *70.* Pêche *65.* Poire *60.* Pomme (125 g) *65.* Prune verte *100,* rouge *50.* Raisins (150 g) *105 ;* secs (1 c. à soupe d'env. 50, 10 g) *29.* **En conserve :** Ananas *150.* Pêche *222.* Poire *150.*

Glaces. Chantilly *400 à 600.* Chocolat (1 part) *400.* Ice cream soda *350.* Ice cream sunday *400.* Pêche melba *375.*

Lait et fromage. Brie *330.* Camembert (30 g) *90.* Chantilly (100 g) *320.* Chèvre *475.* Chocolat (1 tasse, 170 g) *374.* Fromage fondu (25 g) *73.* Gorgonzola *360.* Gruyère (1 tranche, 60 g) *234.* Hollande *375.* Lait entier (grand verre, 250 g) *163,* demi-écrémé *125.* Pont-l'Évêque *300.* Roquefort *360.* Yaourt aux fruits sucré (120 g) *144,* nature (125 g) *60.*

Légumes, salades. Ail *60.* Asperges *25.* Betteraves *45.* Carottes (assiette, 120 g) *54.* Chicorée *20.* Choux blanc *48,* de Bruxelles *56,* fleur *34.* Concombre (1/2, 200 g) *26.* Endives *25.* Épinards *40,* à la crème *100.* Haricots blancs (bol, 180 g) *170,* verts (assiette, 120 g) *48.* Lentilles (bol, 200 g) *200.* Oignons frais *49,* secs *300.* Olives (4 petites) *50.* Oseille *32.* Petits pois (bol, 200 g) *110.* Poireaux (2, 120 g) *42.* Pommes de t. bouillies (125 g) *100,* au four *190,* sautées *290.* Salade avec huile (30 g) *25.* Tomates (120 g) *26.*

Œufs (50 g) *75.*

Poissons, crustacés. Anchois (6) *50.* Brochet *80.* Caviar *275.* Colin *80.* Crevettes *100.* Daurade *80.* Haddock (1 petite part) *125.* Hareng fumé *225,* grillé *120.* Huîtres (12) *100 à 120.* Homard en court-bouillon *89,* grillé *89.* Limande *80.* Merlan *80.* Morue fraîche *80,* salée *150.* Moules *96.* Raie *85.* Rouget *80.* Sardines fraîches *120,* à l'huile (1) *40.* Saumon frais *175,* en conserve *200,* fumé (2 petites tranches) *100.* Sole *75.* Thon à l'huile (80 g) *224.* Truite *90.* Turbot *140.*

Sauces (1 cuil. à entremets). Blanche *80.* Chili *25.* Hollandaise *100.* Ketchup *25.* Mayonnaise *100 à 110.* Moutarde *10.* Rôti *100.* Vinaigrette *100.* Worcestershire sauce *5.*

Soupes et potages. Bouillabaisse (1 part) *600.* Fromage *350.* Gras au vermicelle *125.* Légumes *96.* Lentilles *375.* Oignons (claire) *100.* Pois *172.* Poissons *90.* Tomates (claire) *80.* **Bouillon.** Bœuf *36.* Kub (1) *3.* Légumes *30.* Poule *80.* **Crème.** Asperges *221.* Céleri *207.* Champignons *210.* Tomates *227.*

Sucre n° 4 : *24,* (cuiller à café, 5 g) *20.*

Viandes, volailles, gibier, abats. Bifteck (100 g) *260.* Canard *150.* Cervelle *120.* Chevreuil *110.* Dindon *290.* Escalope (80 g) *128.* Escargots *75.* Faisan *110.* Foie de veau *135.* Grenouilles *86.* Grives *120.* Jambon (30 g) *75.* Lapin sauvage *148.* Lièvre *150.* Mouton (2 côtelettes grillées, 80 g) *160.* Oie *290 à 360.* Perdrix *120.* Pigeon *130.* Porc (côte, 80 g) *264.* Poulet (cuisse, 85 g) *93.* Sanglier *115.* Tête de veau *210.*

Valeur des nutriments pour 100 g

Glucides (hydrates de carbone). Sucre 99, tapioca 87, farine de riz 79, raisins secs 77, dattes 74, figues sèches 74, miel 74, farine de blé 74, pâtes aliment. 73, pruneaux 73, oignons secs 67, avoine 67, abricots secs 63, haricots secs 62, lentilles 60, pain blanc 54, pain complet 48, lait en poudre 38, ananas conserve 37, bananes 22, p. de t. bouillies 21, raisin 17, topinambour 17, yaourt 7, lait frais 5, foie de veau 4, huîtres 3,4.

Lipides. Huile 100, beurre 84, bacon fumé 65, lard fumé 65, noix sèches 58, rillettes 56, amandes 54, charcuterie 33, jaune d'œuf 33, gruyère 30, lait en poudre 25, chocolat 25, macarons 24, sardines à l'huile 20, soja 15, saumon 13, œufs 10, biscuits 10.

Protéines de haute valeur biologique. Parmesan 39, viande séchée 35, côtelette de mouton 32, fromage de chèvre 32, fromage blanc 32, boudin 28, crevettes 28, saucisson 25, œufs de cabillaud 24, thon 24, charcuterie 23, poisson 20, volaille 20, veau 19, foie 19, viande de bœuf 17, jambon 17, rognon 17, porc 15, jaune d'œuf 16. **Autres sources :** levure diététique 46, farine de soja 45, lait sec écrémé 37, livarot 31, germe de blé 27, lentilles sèches 25, noix et amandes 21. **Divers :** haricots blancs 20, flocons d'avoine 14, pain complet 9 (blanc 7), macarons 7, pâtes 5, pommes de terre frites 5, lait frais 3,3.

Sels minéraux. Calcium : lait sec écrémé [1], fruits oléagineux, légumineuses, céréales, lait et fromages, œufs de poissons, figues sèches [1]. **Chlore :** œufs d'esturgeon, lait sec écrémé, harengs marinés, sardines, pain, céréales, dattes séchées, banane séchée, carottes en conserve, petits pois en conserve, emmenthal, jambon cru fumé, lait, mélasse. **Fer :** jaune d'œuf, gruyère [1], cœur de bœuf, abats, blé entier, persil, lentilles, fruits secs, fruits oléagineux, huîtres, chocolat. **Magnésium :** germe de blé [1], blé entier, gruyère, amandes [1], chocolat, soja, algues séchées. **Phosphore :** germe de blé, avoine, blé entier, lentilles, haricots secs, pois, amandes, noix [1], noisettes, viande séchée [1]. **Potassium :** viandes, poissons, œufs, lait, haricots, lentilles [1], pois secs, pommes de terre [1], châtaignes, dattes, fruits secs, épinards, amandes, noisettes, germe de blé [1], lait écrémé en poudre. **Sodium :** viandes, poissons, coquillages, lait, gruyère, blé entier, fruits oléagineux [1]. **Soufre :** viandes, poissons, soja [1], germe de blé, avoine, riz, lentilles, noix, noisettes, lait écrémé en poudre.

Nota. – (1) Très riches en sels minéraux.

Fragiles, elles résistent peu à la chaleur, à la lumière, à la dessiccation et à l'oxydation.

1°) **Vitamines hydrosolubles (solubles dans l'eau).** **Groupe B** (viande, poisson, coquillages, beurre, œufs, lait, fromage, levure de bière, céréales complètes germées ou non) : agit sur l'équilibre général et l'équilibre nerveux ; essentiel dans l'utilisation des principes nutritifs. **B1** (aneurine ou thiamine) agit sur systèmes nerveux et musculaire, facilite l'assimilation des glucides, prévient la polynévrite ; si abus : insomnies, maux de tête ; **B2** (riboflavine) croissance, action métabolique (phosphorylation) ; **B3 ou PP** (niacine, acide nicotamide) assimilation cellulaire, action antipellagreuse ; **B5** (acide pantothénique) ; **B6** (pyridoxine) métabolisme protéique ; si abus : convulsions, douleurs ; **B8** ou **H** (biotine) ; **B9** (acide folique) antianémique ; si abus : insomnies, irritabilité ; **B12** (cyanocobalamine) antianémique.

Vitamine C ou acide ascorbique (végétaux frais, agrumes, foie, salade, persil). Antiscorbutique, la vitamine C augmente la résistance aux infections et à la fatigue, agit dans l'ossification. Rôle important dans le métabolisme des glucides et des acides aminés et le fonctionnement des glandes endocrines. **Proportion de vit. C** (en microgrammes pour 100 g). *Fromages :* gruyère, emmenthal 12-15. *Fruits :* fraises 60, oranges 50, pamplemousses 40, melons 33, ananas 17, avocats 14, abricots, bananes 10, pêches, pastèques 7, pommes, raisins, poires 4, raisins secs 1. *Légumes :* persil 172, fanes de navet 139, poivrons 128, brocolis 110, choux de Bruxelles 100, choux-fleurs 80, épinards 51, choux 50, haricots de Lima, betteraves jaunes 30. *Poissons et crustacés :* clams ou praires 10, saumon Atl. 9, morue, crabe à l'étuvée 2. *Viande :* foie de veau 36.

2°) **Vitamines liposolubles (solubles dans les graisses). A ou rétinol** (jaune d'œuf, carotte, salade, épinard, foie, lait, beurre, huile de poisson, etc.). Favorise la croissance des organes, protège l'équilibre de la vision, combat les affections cutanées, etc. **Proportion de vit. A** (UI pour 100 g). *Fromages :* américain en tranches 1 200, cantal 1 100, mozzarella écrémée 600, blanc (maigre, 1 % mg) 37. *Fruits :* melons 3 400, abricots 2 700, pêches 1 330, pastèques 590, avocats 290, oranges 200, bananes 190, raisins 100, pommes 90, pamplemousses 80, ananas 70, fraises 60, poires 20. *Huiles et graisses :* beurre salé 3 000. *Légumes :* carottes 11 000, patates douces 8 800, persil 8 500, épinards 8 100, fanes de navet 7 600, betteraves jaunes 6 100, brocolis 2 500, tomates 900, petits pois 640, haricots verts 600, choux de Bruxelles 550. *Noix et graines :* noix de cajou 100, graines de tournesol 50. *Œufs :* jaune seulement 3 400, entier 1 180. *Poissons et crustacés :* crabe à l'étuvée 2 200, espadon 1 600, maquereau Atlant. 450, huîtres 300, hareng Atlant. 110, clams ou praires 100. *Produits laitiers :* lait écrémé 200, yaourt 70, babeurre 33, lait entier 13. *Viande :* foie de veau 22 500.

D ou calciférol (lait, beurre, huile végétale, jaune d'œuf, foie de poisson, etc.), dite antirachitique. Joue un rôle efficace dans l'absorption intestinale du calcium, etc. En cas d'abus : nausées, perte de l'appétit, amaigrissement. **Proportion de vit. D** (UI pour 100 g). *Fromages :* américain en tranches, cantal, blanc (maigre 1 % mg), mozzarella écrémée 12-15. *Huiles et graisses :* beurre salé 35. *Œufs :* jaune seulement 100. *Poissons et crustacés :* sardine Pacifique (crue) 1 150-1 170, maquereau Atl. 1 100, hareng Atl. 315, saumon Atl. (en boîte) 220-440, saumon Atl. 154-550, crevettes crues 150, flétan 44. *Produits laitiers :* lait entier 3-4.

E ou tocophérol (beurre, germe de céréales, soja, blé, œuf, etc.). Vitamine de la gestation, a par ailleurs une action synergique sur la vitamine A qu'elle protège de l'oxydation. **Proportion de vit. E** (UI pour 100 g). *Céréales :* seigle 1,8, flocons d'avoine 0,36. *Céréales en grains :* germes de blé 90, son de blé 2,2, riz brun complet 2, orge 0,9. *Fruits :* bananes 0,45, fraises 0,3, melons 0,18. *Huiles et graisses :* huile de carthame 50, de maïs 28, d'olive 20, de soja 16, beurre salé 2,4. *Légumes :* asperges, épinards 3,7, brocolis 3, persil 2,7, maïs 2,5, choux de Bruxelles 1,5, carottes, laitues 0,8, céleri, tomates 0,45. *Noix et graines :* amandes 22, cacahuètes grillées avec peau 10. *Œufs :* jaune seulement 3,9, entier 1,8. *Pain :* complet 0,5. *Poissons et crustacés :* hareng Atl. 1,6, flétan 0,9, morue 0,33. *Produits laitiers :* lait entier 0,09. *Viande et volaille :* foie de veau 2, jambon en boîte 1, steak haché 0,9, porc maigre 0,7, blanc de poulet 0,6.

K ou phytoménadione ou phylloquinone (épinards, huile de soja, foie, fruits, pommes de terre, etc.). Coagulation du sang. **Proportion de vit. K** (en microgrammes pour 100 g). *Céréales :* flocons d'avoine 20. *Fruits :* pêches 8, raisins secs 6, bananes 2, oranges 1. *Huiles et graisses :* beurre salé 30, huile de maïs 10.

Anorexie. Perte de l'appétit. Voir p. 111 c.

Boulimie. Désir morbide de nourriture.

Dipsomanie. Soif pathologique.

Record de consommation. *1743 :* 175 kg absorbés en 6 j par un malade de 12 ans, « cas Mortimer ». *1974 :* Fannie Meyer (Afr. du S.) but 90 l d'eau par j.

Grèves de la faim. *La plus longue :* 35 ans [sœur Thérèse Neumann (1898-1962) a vécu en n'absorbant qu'une hostie chaque matin à la messe] ; 94 j [du 11-8 au 12-11-1920 (9 prisonniers à Cork, Irlande ; un 10e gréviste était mort le 76e j)] ; *la plus longue avec alimentation forcée :* 375 j du 23-1-1970 au 2-2-71 (Ronald Barker, emprisonné à Leeds, G.-B., puis reconnu innocent).

Légumes : fanes de navet 650, brocolis 200, laitues 129, choux 125, épinards 89, asperges 60, haricots verts 14, tomates 5, pommes de terre 3. *Œufs :* entier 11. *Produits laitiers :* lait entier 3. *Viande et volaille :* foie de veau 90, jambon (en boîte) 15, porc maigre 11, steak haché 7.

☞ 40 % des Américains prennent une pilule vitaminée tous les jours, 20 % de temps en temps. En France, en 1988, 50 millions de boîtes de vitamine C ont été vendues.

Ration alimentaire

Énergie

■ **Besoins énergétiques.** S'expriment en calories (ou en kilojoules), libérables dans le corps sous forme de chaleur et de travail [le terme *calorie* (quantité de chaleur nécessaire pour élever de 1 °C un kg d'eau) désigne en fait ici une kilocalorie (1 000 cal.). On utilise maintenant le joule. 1 cal = 4,185 kJ (kilojoules). 1 kcal = 4 185 kJ ou 4,185 MJ (mégajoules). 1 g de glucide ou 1 g de protide fournit 4 cal (17 kJ). 1 g de lipide, 9 cal (37,5 kJ).]

Besoins journaliers en calories. Enfants *1 à 3 ans :* 1 360. *4 à 6 :* 1 360 à 1 830. *7 à 9 :* 1 830 à 2 190. **Adolescents (et adolescentes)** *10 à 12 :* 2 600 (2 350). *13 à 15 :* 2 600 à 2 900 (2 350 à 2 490). *16 à 19 :* 2 900 à 3 070 (2 310). **Hommes** *vie sédentaire ou légère activité :* 2 400 à 2 700. *Travailleur de force 4e et 3e catégories :* 3 200 à 3 800 ; *2e et 1re cat. :* 4 000 à 5 500. **Femmes** *vie sédentaire ou légère activité :* 2 000 à 2 400. *Enceintes 5e au 9e mois :* 2 800 à 3 200. *Allaitant :* 3 000 à 3 500. **Vieillards** 1 800 à 2 000.

■ **Dépenses d'énergie.** *De fond : le métabolisme de base* (dépense d'énergie d'un sujet au repos absolu, à jeun, à une température de 16 à 18 °C) s'exprime en kcal. par heure et par m² de surface corporelle (36 calories pour un adulte env.) ; dépense de fond globale : homme 1 580 kcal. par 24 h, femme 1 400 kcal. *Activité,* qui correspond : 1°) aux dépenses non apparentes (travail digestif, maintien de la température corporelle) ; 2°) aux dépenses variant selon le degré d'activité du sujet (activités musculaire, professionnelle, sportive, etc.).

Dépenses caloriques moyennes. Par minute : squash, ski de fond 15 ; course à pied, cyclisme 13 ; natation 12 ; aviron 11 ; canoë-kayak, football, gymnastique, équitation, ski alpin, tennis 10 ; alpinisme 9 ; voile 8 ; randonnée 6 ; golf, tennis de table 5 ; cricket 4 ; tir à l'arc 3 ; échecs 2 ; marche 1,5 ; station assise (bureau) 0,7. **Par 24 h :** coureur 14 321.

Pour brûler. *1 cuillère de mayonnaise (100 calories),* il faut 1 h de marche ; *10 sucres (200 cal),* 2 h de marche ou 1 h de tennis ; *2 tartines beurrées avec confiture (300 cal),* 3 h de marche ou 1 h de course ; *1 whisky (ou 1 apéritif) plus 5 biscuits, 40 noisettes et 10 chips de cocktail (500 cal),* 5 h de marche ou 2 h de danse.

Équilibre

Les rations doivent maintenir un équilibre entre les principes nutritifs : glucides, protides, lipides ; protides animaux-protides végétaux (les deux sont nécessaires pour l'apport en acides aminés indispensables), lipides animaux-lipides végétaux (nécessaires à l'équilibre en acides gras saturés et insaturés), acidité-alcalinité.

Calcium. 1er élément du corps humain (os) ; *adulte* 0,7 kg, *nouveau-né* 0,014. Associé au **phosphore :** source principale : lait, fromages. **Fer :** cacao, fruits secs, amandes, légumes secs, cresson, persil, épinards, abats, huîtres, jaune d'œuf. **Magnésium** (capital humain 0 à 9 g) : fruits secs, amandes, légumes secs farineux, fruits de mer, chocolat.

Vitamine. B1-glucides (permettant l'utilisation des glucides). **B2** (augmentant le métabolisme basal). **A** (le diminuant). **C :** normes françaises 90 mg env. ; anglaises 20 mg/jour. *Principales sources :* agrumes, chou cru, fenouil cru (+ que les agrumes).

Aliments acidifiants (viandes, œufs, céréales) *forts* (céréales, fromage, poisson, viande de boucherie, volaille) ; *faibles* (beurre, chocolat, œufs, pain sec, saindoux, sucre) ; **et alcalinisants** (lait, légumes, fruits) *forts* (abricot, carotte, épinard, lait, orange, raisins secs, salade) ; *faibles* (asperge, banane, chou, haricot, poire, pomme, p. de terre).

Proportions à respecter entre les aliments (selon le Docteur A. Creff : formule 421). *4* portions de glucides, soit 50 à 60 % de la ration calorique [*1* de céréales ou féculents, *1* légumes cuits, *1* salade, *1* aliments sucrés (miel, fruits)] ; *2* de protéines, 12 % [*1* sans calcium (viande, poisson), *1* avec c. (lait, fromage)] ; *1* de lipides, 30 % [*1/2* matières grasses animales, *1/2* végétales (huile d'assaisonnement)].

Minéraux

Apports quotidiens recommandés (en mg pour adultes). *Calcium* (laitages) 800. *Phosphore* (viandes, poissons) 800. *Magnésium* (cacao, céréales complètes) 350. *Sodium* et *chlore* (sel de cuisine), *potassium* (légumes, fruits) : existent en quantité dans les aliments. *Oligo-éléments :* fer (viande, poissons, abats) 10/20 ; iode (eaux, sel marin, poissons) 0,14 ; fluor 1 mg/l.

Ration quotidienne (exemples)

■ **Enfant de 10 à 13 ans. Déjeuner du matin :** 1 verre de jus de fruit frais (jus d'agrumes de préférence) ; attention : consommées le matin, les oranges peuvent occasionner des allergies, de l'acétonémie, catarrhe ; 1 bol de lait + céréales ou pain grillé ou biscottes beurrées + miel ou confiture. Éventuellement, fromage ou œuf coque (selon la composition des autres repas de la journée et l'activité de l'enfant) ; nécessité absolue le matin d'un aliment protidique (fromage, œuf). **Déjeuner :** crudités 80 g + 2 cuillerées à café d'huile ; 100 g de viande ou de poisson ou 2 œufs ; 250 g de pommes de terre ou 65 g de pâtes ou riz ; ou bien légumes frais à volonté, assaisonnés de beurre frais (1 à 2 cuillers à café) ; fromage 30 g ou yaourt ou fromage blanc 100 g, sucré avec 1 cuillère à soupe de sucre (si les crudités n'ont pas été consommées en entrée, prévoir 1 fruit ou 1 jus de fruit). **Goûter :** 1 à 2 verres de lait chaud ou froid aromatisé ou non + pain grillé avec miel, confiture ou chocolat selon l'appétit ; 1 fruit éventuellement. **Dîner :** légumes

■ **Alimentation des Français. Graisses** (% de l'apport énergétique total). *1800-1900 :* 18. *1900-13 :* 22. *1920-34 :* 28. *1950-80 :* 35. *1986 :* 40-44. **Légumes secs** (kg par an). *1925 :* 7,3. *1936 :* 4,3. *1975 :* 2,1. *1978 :* 1,7. **Pain** (kg par an et entre parenthèses par jour). *1880 :* 219 (0,6). *1910 :* 182 (0,5). *1936 :* 128 (0,35). *1967 :* 82 (0,225). *1979 :* 63 (0,172). *1980 :* 61,5 (0,169). **Pommes de terre** (kg par an). *1925 :* 178. *1936 :* 143. *1960 :* 116. *1978 :* 84. **Sucre** (kg par an). *1900 :* 1,7. *1936 :* 22. *1959 :* 27-29. *1980 :* 36,4. **Viande** (kg par an). *1900 :* 30. *1936 :* 47. *1959 :* 68,8. *1969 :* 84. *1980 :* 110.

Consommation par personne et par an (y compris autoconsommation) en kg et en litre, en 1989 et entre parenthèses en 1965. *Agrumes et bananes* 24 (21). *Apéritifs et liqueurs* 3,6 (2,7). *Beurre* 5,5 (8,8). *Boissons* vin 31,7 (90,6) [dont ordinaire 21 (48,2) ; bière 11,8 (20,8)], b. non alcoolisées 99,7 (dont eaux minérales 72,5). *Café en grains* 3,6 (4,3). *Charcuterie* 9 (7). *Cidre* 2,6 (13,5). *Confiture* 3,1 (1,8). *Crustacés* 7,7 (6,6). *Farine de blé* 3,1 (3,8). *Fromages* 16,9 (10,4). *Fruits* frais métropolitains 37,7 (36,9). *Huiles* alimentaires 8,5 (11,8). *Lait* frais 66,1 (85,6). *Légumes* frais 59,2 (72,1) [surgelés 2,5, secs 0,8 (2,4)]. *Margarine* et graisses végétales 2,3 (1,9). *Œufs* 147 unités (169 u.). *Pain* 44,3 (84,3). *Pâtes alimentaires* 5,7 (7,6). *Plats préparés surgelés* 4,5. *Pommes de terre* 34,7 (95,2). *Produits à base de cacao* 3,3 (2,4). *Riz* 3 (2,4). *Sucre* 8,6 (20,9). *Viande* de boucherie 18,7 (20,9) [bœuf 12,3 (12,7), cheval 0,6 (1,5), lapin 2,4 (5,4), mouton, agneau 2,7 (1,9), porc, lard 7,8 (3), veau 3 (4,8), volaille 13,4 (12,2)]. *Yaourts* 151,5 u.

■ **Consommation de graisse par personne, par an, dans le monde** (en kg). *France 29.* All. féd. 26, G.-B. 22, Japon 15.

Consommation quotidienne moyenne de calories. Belgique 3 850. All. féd. 3 800. Émirats arabes unis 3 713. Irlande 3 692. Grèce 3 688. USA 3 642. Bulgarie 3 634. Libye 3 611. Yougoslavie 3 542. Hongrie 3 541.

frais, ou pâtes, riz, pommes de terre (selon le légume du déjeuner) ; 1 œuf ou tranche de jambon ; salade verte (selon le menu du déjeuner) ; entremets de céréales au lait ou fromage et fruit.

■ **Adolescent.** En outre : 30 g de fromage ou de jambon ou 1 œuf coque au petit déjeuner. Viande froide, poisson (70 à 100 g) ou 2 œufs au dîner. Légère augmentation des autres quantités.

■ **Adulte.** Une boisson chaude ou froide remplace le goûter. Mêmes quantités totales de viande, poisson ou œufs que l'adolescent, mais moins au dîner. Souvent ration protidique insuffisante le matin.

■ **Personne âgée.** Aliments faciles à mâcher et à digérer, prod. laitiers (se méfier des laits courants riches en toxiques, aflatoxines, chimie de synthèse ; l'excès de lait prédispose aux inflammations catarrhales et peut-être aux tumeurs). Moins de viandes, poissons et œufs : 80 à 100 g à midi, 1 œuf, ou plat avec œuf le soir. 1 tasse de lait + biscuits l'après-midi.

Régimes

Produits diététiques et de régime. Production et diffusion réglementées par l'arrêté du 20-7-1977 pris en application du décret du 24-07-1975, modifié par les arrêtés des 11-3-1988 et 5-4-1991 (alim. contenant des édulcorants, à teneur en lipides réduite). Composés et présentés comme pouvant convenir à certaines catégories de sujets (ex. : aux régimes hyposodés, hypoglucidiques, etc.). Il existe aussi des produits diététiques à teneur garantie [ex. : en certaines vitamines ou en certains acides aminés essentiels ou, au contraire, exempts de certains nutriments (gluten)]. La création de nouveaux produits est soumise à l'avis d'une commission interministérielle permanente.

Régime amaigrissant. *Diminution* des aliments énergétiques (féculents, sucres, matières grasses, boissons alcoolisées). *Maintien (essentiel) du taux* des autres aliments (viande, poisson, œufs, légumes verts et fruits). Répartition de la nourriture en 4 ou 5 repas (favorise l'amaigrissement).

Végétariens et végétaliens

■ **Végétariens.** Rejettent viandes dites toxiques et putrescibles. **Raisons :** *diététiques :* la viande laisse des déchets acides dangereux pour l'intestin et les reins de l'homme qui est un frugivore-granivore et non un carnivore ; *philosophiques ou éthiques :* respect de la vie animale et non-violence (Gandhi, Tolstoï, Lanza del Vasto) ; refus de « sacrifier » l'animal contre sa volonté et de le maltraiter ; *économiques :* consacrées à la culture des céréales, légumineuses, légumes, etc., les terres d'élevage pourraient nourrir proportionnellement plus d'êtres humains. **Régime** associé avec méthodes hygiénistes et naturelles [ex. : *hébertisme,* de Georges Hébert (Fr. 1875-1957), exercices dans la nature, bains de soleil]. *Repas type :* crudités variées, légumes, céréales, fromages frais non fermentés ; fruits entre ou au début des repas. **Instinctothérapie :** aliments originels, purement crus, pris selon l'appétit. **Formule 60/20/20 Vie et Action :** en poids : 60 % de légumes et fruits crus et cuits, 20 % de protides (notamment fruits oléagineux, œufs et fromages), 20 % de glucides (sucres et amidons) [les lipides sont contenus dans les aliments eux-mêmes].

■ **Végétaliens.** Rejettent viandes, poissons et sous-produits animaux (lait, laitages, œufs, miel) pour leur toxicité. Rég. débilitant.

■ **Céréaliens** ou **macrobiotes** (du grec *makros :* grand, *bios :* vie ; régime de longue vie). Consomment beaucoup de céréales, des légumineuses, peu de légumes, presque pas de fruits (excepté fruits secs) [École Oshawa, théorie du yin et du yang, équilibre entre énergies positive et négative, entre substances basiques et acides.] R. contesté.

■ **Crudivoristes.** Se nourrissent d'aliments crus assimilables : fruits, légumes verts, fromages, œufs. Nombreuses contre-indications.

■ **Frugivores.** Vivent uniquement de fruits de toutes espèces (rares dans climats tempérés). Ce régime ne peut être que transitoire.

☞ Il y a env. en G.-B. 1 500 000 végétariens. En outre, 1 500 000 personnes ont un régime incluant le poisson et 7 000 000 refusent la viande rouge (mais acceptent la volaille). Aux Pays-Bas : 1 500 000 v. (10 % de la population). Quelques milliers en France, Italie, Espagne, Portugal.

Attention : les *biscottes,* étant un pain sans eau, ne font pas maigrir pour autant, 100 g de biscottes (soit 7) contiennent : 362 cal, 3 % de lipides ; 100 g de *pain :* 250 cal, 1 % de lipides. *Il faut boire* environ 1 à 1,5 l d'eau par jour pour évacuer les déchets. *Supprimer le sel peut être dangereux* (baisse de tension artérielle, apparition d'asthénie). Les *médicaments miracles* n'existent pas, la plupart sont inefficaces et souvent nocifs (diurétiques). Le *petit déjeuner* doit être conservé et comporter des protides. *Ont la même valeur énergétique :* margarine (sauf hydrogénée) et beurre, huile d'olives et de tournesol.

Sucres non énergétiques. Substances chimiques (édulcorants de synthèse), pouvoir sucrant 100 à 1 000 fois celui du saccharose. *Saccharine* (acide orthosulfamide benzoïque), vendue à l'état pur (Sucredulcor) ; associée avec du cyclamate (Sucaryl) ou à un dérivé de la vanilline (ODA) ; stable à la chaleur, peut être utilisée en pâtisserie. *Cyclamates :* en poudre, comprimés, liquides. *Aspartam :* en poudre, comprimés (Canderel, Pouss-suc, D-Sucril). Contenant de la phénylalanine, ne peut être consommé par les personnes atteintes de phénylcétonurie.

Huile de paraffine. Emploi à limiter, action laxative, peut diminuer l'absorption intestinale de certaines vitamines.

Régime sans sel (sous prescription médicale uniquement). 1°) MODÉRÉ (500 mg à 1 g de sodium) : *suppression* du sel d'assaisonnement ; *exclusion* des aliments avec ajout de sel (viandes et poissons fumés et salés, charcuterie, moutarde, olives, cornichons, conserves, pain, beurre salé, etc.).

2°) SÉVÈRE (moins de 500 mg de sodium) : *suppression* supplémentaire des aliments contenant naturellement du sel : lait, œufs, fromage, abats, crustacés, oléagineux, certains légumes et fruits, etc.

Produits amincissants *agissent sur les phénomènes cellulitiques :* accumulation des graisses, dégénérescence du tissu conjonctif, déficience circulatoire. *Sous forme de crèmes ou de gels :* caféine (facilement absorbée par la peau, permet le fractionnement des graisses accumulées dans les adipocytes), théophylline (action similaire), L. carnitine (facilite dégradation et métabolisation des graisses), enzymes (mucopolysaccharidases, modifient la structure du tissu conjonctif). *De substances d'origine végétale :* exerçant action amincissante locale et protection vasculaire : algues riches en iode (extrait de fucus) ; extrait de lierre (action décongestionnante et désinfiltrante du tissu conjonctif) ; extraits de Ginko biloba, de Fragon (favorisent la circulation) ; triglycérides d'acides gras obtenus à partir d'huiles végétales (stimulent la circulation sanguine dans la région des massages). *Substances dites « restructurantes » :* extraits de *Centella asiatica,* dérivés du silicium, et vitamine E. Beaucoup de crèmes contiennent des liposomes ou microparticules qui, diffusant à travers la peau, libèrent les principes actifs sur leurs sites d'application.

Drainage lymphatique : pour accélérer le débit de la lymphe et éliminer les toxines. Massage. *Thalassothérapie et cures thermales :* associent massages et diététique. *Mésothérapie :* micro-injections de substances capables d'agir sur les sites des dépôts graisseux (caféine, théophylline, mucopolysaccharidases...) et sur la microcirculation. Allergies possibles. *Chirurgie esthétique :* lipoaspiration et lipectomie.

Régimes liés à des maladies

Cancer. *Accroissement des risques :* alcool (œsophage, larynx, foie), tabac (poumons), alcool + tabac (œsophage), environnement (foie, pancréas, vessie), alimentation (pancréas, côlon, estomac, sein, prostate), environnement + alimentation : ex. : nitrosamines (foie), contraceptifs oraux (selon le Pr Henri Joyeux d'après des statistiques sur 15 ans).

Cœur (maladies de). *Dépendent de plusieurs effets :* embonpoint, obésité (alimentation trop riche, sédentarité) ; taux de cholestérol dans le sang trop élevé (excès de graisses et de poids, tabagisme, alcool) ; hypertension (excès de sel, de poids, diabète, tabagisme, alcool) ; diabète (excès de sucreries, hérédité).

Diabète. En général, 150 à 180 g environ de glucides (hydrates de carbone) par jour ; des tables de teneur des divers aliments en glucides permettent de calculer cette ration.

Dysmétaboliques (maladies). D'origine génétique. Exclusion d'un nutriment (gluten, galactose, fructose, phénylalanine) ; recours à des aliments synthétiques souvent nécessaire.

Foie et d'estomac (mal de). Diminution ou suppression des corps gras cuits, pâtisseries grasses, charcuterie, œufs parfois, légumes secs, sauces, crudités parfois, mollusques, crustacés, alcool, café, etc.

Aliments

L'OMS recommande de : *choisir des aliments ayant subi un traitement assurant leur innocuité* (pasteurisation, rayons ionisants...). *Bien les cuire.* De nombreux aliments crus (volaille, viande, lait non pasteurisé) sont très souvent contaminés par des gènes pathogènes. Toutes les parties de l'aliment doivent être portées à au moins 70 °C. Viande, volaille et poisson doivent être complètement décongelés avant cuisson. *Les consommer immédiatement après leur cuisson.* Dans les aliments cuits qui refroidissent à la température ambiante, les microbes commencent à proliférer. *Les conserver cuits avec soin.* A haute température (au plus 60 °C) ou à basse température (au plus 10 °C). Dans un réfrigérateur trop rempli, les aliments cuits ne peuvent refroidir au centre assez rapidement et les microbes peuvent atteindre très vite des niveaux dangereux. *Bien les réchauffer, cuits à au moins 70 °C* en tous leurs points. *Éviter tout contact entre alim. crus et cuits.* (ex : ne pas utiliser pour découper un poulet rôti la planche et le couteau ayant servi à le préparer sans les avoir lavés). *Les conserver dans des récipients hermétiquement fermés.*

Conservation

Procédés

■ **Procédés anciens.** Boucanage (viande séchée à la fumée), salage, utilisation de l'alcool ou du vinaigre.

■ **Appertisation.** Inventée par le Français Nicolas Appert (1749-1841) en 1805. Destruction par la chaleur des formes végétatives et sporulées des micro-organismes. *2 opérations :* conditionnement du produit dans un récipient étanche à l'eau, aux gaz et aux micro-organismes, et action de la chaleur qui détruit ou inhibe enzymes, micro-organismes et toxines. Conservation plusieurs années.

% moyen de vitamines conservées, par rapport à la quantité initiale contenue dans le produit frais.

Produits appertisés	Vit. C	Carotène	Vit. B1	Vit. B2	Vit. PP
Haricots	87	90	–	–	–
Asperges	93	–	68	88	96
Haricots verts	55	87	71	96	93
Petits pois	72	97	54	82	65
Carottes	–	97	–	–	–

■ **Congélation et surgélation.** Mises au point par le Français Charles Tellier (1828-1913). Immobilisent l'eau de constitution sous forme de cristaux de glace, ce qui réduit l'activité de l'eau (a_w). **Congélation lente** pour grosses pièces ou congélation domestique (gros cristaux, peu nombreux, en forme d'aiguilles ou dendrites, en dehors et à la périphérie des cellules ; exsudat important à la décongélation) ; **surgélation ou congélation ultra-rapide** consiste à franchir très rapidement la zone de cristallisation max. (– 1 à – 5 °C) et à amener la température à – 18 °C au centre thermique du produit. Pour petites pièces avec matériel adapté (petits cristaux, nombreux, en sphérules, répartis au sein des cellules ; exsudat faible). *Conservation :* très longue. La teneur en vitamine varie selon la température de stockage, ex. après un an à – 20 °C, les haricots n'ont perdu que 10 % de leur teneur en vitamines. La présence de matières grasses limite la durée de conservation.

Décongélation et recongélation : doivent s'effectuer à basse température, env. + 4 ou + 5 °C (à la température ambiante ou par trempage dans l'eau, on risque sur les parties superficielles une prolifération microbienne qui peut engendrer des troubles digestifs). *Doivent être décongelés avant emploi ou cuisson :* viandes en muscles, gros abats, volailles, gibiers, gros poissons entiers, filets de poisson agglomérés en blocs, blocs de pâte à pâtisserie, et tous prod. à consommer sans cuisson (crevettes, fruits...). Tout prod. décongelé doit être consommé dans les meilleurs délais. *Ne pas recongeler un produit décongelé,* la recongélation ne détruit pas les micro-organismes qui se sont développés quand le produit était décongelé. Un produit décongelé, puis cuit, peut être recongelé (veiller à l'hygiène et à la rapidité).

Plafonds de température à respecter. *Au niveau de la fabrication, de l'entreposage et du transport : glaces et crèmes glacées* – 20 °C ; *tous « surgelés » :* – 18 °C ; *« congelés » :* produits de pêche et plats cuisinés – 18 °C ; beurres, graisses alim. – 14 °C ; ovo-produits, abats, issues, lapin, volailles, gibiers, viandes et autres denrées « congelées » animales ou d'or. anim., non désignées ci-dessus – 12 °C.

Durée (approximative) de conservation (en mois) des denrées congelées à – 18 °C (calculées à partir du jour de la surgélation du produit, mentionné sur les conditionnements, et non à partir de la date d'achat) : *fruits* 30 ; *jus* 30. *Légumes* 24. *Poissons maigres* 24 ; *gras* 9 à 18. *Crustacés entiers* 18 ; *décortiqués* 9. *Viandes* bœuf, veau, mouton 18, porc 12 ; steaks hachés 9. *Produits préparés* 12 à 24. *Boulangerie et pâtisserie* 12 à 24.

■ **Déshydratation.** Séchage des aliments par la chaleur ou courant d'air chaud. Permet d'éliminer la plus grande partie de l'eau de constitution. S'applique à des produits petits ou découpés. La forme initiale change (racornissement). Séchage par dispersion ou nébulisation utilisé pour certains liquides (pulvérisation en brouillard dans un courant).

■ **Lyophilisation.** Dessiccation à très basses températures (– 50 à – 60 °C) par sublimation. S'applique à des produits petits. La forme initiale est conservée. Le produit ne subit pas les dommages de la chaleur. Il est emballé pour être protégé de la vapeur d'eau et des chocs mécaniques. La teneur en eau des légumes frais tombe de 90-95 % à 1 %.

■ **Pasteurisation.** Destruction par la chaleur des formes végétatives des micro-organismes. Sauf pour aliments acides (ex. confitures), conservation limitée.

■ **Réfrigération.** En général + 3 °C. Permet une conservation limitée (2 fois la durée normale), qui peut être prolongée si l'on y combine l'emploi de l'atmosphère contrôlée. Les germes pathogènes ne prolifèrent pas, mais les bactéries psychrophiles, levures et moisissures le font.

Délais de conservation fixés par la réglementation ou les codes d'usages. *Charcuterie :* produits crus 7 j + 5 °C, étuvés 14 j + 5 °C ; jambon cuit 14 j + 5 °C, pasteurisé 21 j + 5 °C ; autres produits cuits 21 j + 5 °C, crus, séchés, fumés ou non en tranches ou en morceaux 28 j + 5 °C ; semi-conserves 6 mois + 10 °C, 12 m. + 5 °C. *Produits laitiers :* lait cru conditionné 3 j après conditionnement + 4 °C ; pasteurisé 7 j après cond. + 6 °C ; stérilisé UHT 90 j après traitement, température ambiante ; stérilisé 150 j après tr., temp. amb. ; crème crue 7 j après fabrication + 6 °C, pasteurisée 30 j après fabr. + 6 °C, stérilisée UHT 4 mois, temp. amb., stérilisée 8 m. temp. amb. ; yaourt 24 j après fabr. + 6 °C. *Plats cuisinés :* à l'avance réfrigérés 6 j + 3 °C. *Viandes :* hachées réfrigérées 48 h après conditionn. + 3 °C. *Autres produits « frais » :* 21 j au plus + 3 °C.

☞ Après 24 h d'entreposage à température ordinaire les asperges conservent 60 % de leur teneur en vitamine C, chou brocoli 50, épinards 70, haricots secs écossés 60, non écossés 80, verts 80.

ÉTIQUETAGE

■ **Mentions.** **Produits alimentaires préemballés :** *Principales mentions obligatoires* (décret du 19-2-1991) : dénomination de vente, liste des ingrédients, quantité nette, date jusqu'à laquelle la denrée conserve ses propriétés spécifiques et indication des conditions particulières de conservation, nom ou raison sociale et adresse du fabricant ou du conditionneur, ou d'un vendeur établi à l'intérieur de la CEE, lieu d'origine ou de provenance si son omission est de nature à créer une confusion sur l'origine réelle de la denrée, mode d'emploi si nécessaire. **Renseignements :** *Conserves :* Centre technique de la conservation des produits agricoles, 44, rue d'Alésia, 75682 Paris Cedex 14. *Produits surgelés et congelés :* Fédération interprofessionnelle de la congélation ultra-rapide (Ficur), 51-53, rue Fondary, 75739 Paris Cedex 15. *Glaces, crèmes glacées, sorbets :* SFIG, même adresse.

Laits concentré et sec : dénomination en cas de lécithine : mention « à dissolution instantanée » ; % de matière grasse en poids par rapport au produit fini (sauf laits écrémés) et % d'extrait sec dégraissé venant du lait pour les laits de conserve partiellement ou totalement déshydratés ; méthode de dilution ou de reconstitution, mention UHT pour laits concentrés non sucrés, quantité nette (en unité de masse), date jusqu'à laquelle le produit conserve ses propriétés.

Nota. – Dep. 1981, le marquage sous forme de 3 lettres pour conserves et semi-conserves n'est plus autorisé (sauf pour laits de conserve).

Produits surgelés : lot de fabrication [*ex. :* lot 5/135 (mois et quantième jour) = 20-5-85], date limite d'utilisation ou autres modalités.

■ **Date limite d'utilisation optimale (DLUO).** Signale en clair la date jusqu'à laquelle le produit conserve ses qualités optimales, nutritionnelles et organoleptiques. Obligatoire pour les denrées autres qu'altérables, conserves, semi-conserves, produits surgelés, congelés, glaces, crèmes glacées et sorbets, produits préemballés. Ex. pour une conserve : « A consommer de préférence avant fin 1990 ».

Nota. – Le produit peut être commercialisé après la DLUO figurant sur l'emballage. La durée de conservation n'est pas fixée par l'administration, mais placée sous responsabilité du fabricant.

■ **Date limite de consommation (DLC) ou date de péremption.** Doit figurer sur les denrées microbiologiquement très périssables (lait, viande) (viandes hachées surgelées). Exprimée par l'une des mentions à consommer jusqu'au... ou à consommer jusqu'à la date figurant..., suivie de l'indication de l'endroit où elle figure dans l'étiquetage.

Format de boîtes	Contenance	Poids égoutté
Légumes		
1/4	212 ml	100 à 150 g
1/2	425 ml	250 à 300 g
1/1	850 ml	500 à 600 g
2/1	1 700 ml	1 000 à 1 200 g
Thon		
1/6	142 ml	104 g
1/5	170 ml	124 g
1/4	212 ml	154 g
1/3	283 ml	207 g
1/2	425 ml	310 g

CONTENANCE DES RÉCIPIENTS

Assiettes. Creuses 1/4 de litre.

Bouteilles. (en litres). *Bourgogne, bordeaux et anjou :* 0,75 (6 à 7 verres) ; magnum 1,5 (2 bout.) ; jéroboam 3 (4 bout.). *Alsace :* 0,72 (6 à 7 verres). *Champagne :* 0,75 ou 0,80 (6 à 7 coupes) ; magnum : 1,6 (2 bout.) ; jéroboam : 3,2 (4 bout.) ; réhoboam : 4,8 (6 bout.) ; mathusalem 6,4 (8 bout.) ; salmanesar : 9,6 (12 bout.) ; balthazar : 12,8 (16 bout.) ; nabuchodonosor : 16 (20 bout.).

Cuillers. *A café :* 5 g eau, 4 g sucre en poudre (9 g débordante) ; *à dessert :* 10 g eau, 8 g sucre en poudre (18 g débordante) ; *à soupe :* 15 g eau, 15 g sucre en poudre (30 g débordante).

Verres. *A eau :* 24 cl ; *à bordeaux :* 12 à 14 cl ; *à bourgogne :* 12 à 14 cl ; *à madère :* 8 à 10 cl ; *à liqueur :* 2 à 2,5 cl ; *coupe* à champagne et *flûte :* 14 à 18 cl ; bol : 50 cl ; *à bière :* bock 12,5 cl, demi 25 cl, distingué ou baron 50 cl, parfait 1 litre, sérieux 2 l, formidable 3 l.

MESURE RAPIDE
(poids en g)

Sucre semoule : cuiller à soupe 15 g ; tasse à thé 175 g. *Sucre morceaux : n° 4* 5 g, *n° 3* 7 g. *Beurre :* 1/2 cuiller à café (ou noisette) 4, (ou noix) 7, cuiller à soupe 22. *Farine :* cuiller à café 5, à soupe 15 ; tasse à thé 125. *Tapioca :* cuiller à soupe 12. *Sel :* cuiller à café 5, à soupe 15. *Café soluble :* cuiller à café 2, à soupe 8 ; tasse à thé 220. *Semoule :* cuiller à soupe 16. *Riz :* cuiller à soupe 19. *Huile :* cuiller à café 5, à soupe 17,5 ; tasse 210. *Eau :* cuiller à café 5, à soupe 20. *Lait :* cuiller à soupe 21 ; tasse à thé 235.

POIDS

■ **Poids moyen** (à la pièce, en grammes). **Crustacés (entiers)** écrevisse 34. Homard 885. **Fromages** camembert 250. Livarot 500. Pont-l'évêque 320. Suisse 25-30. Yaourt (petit pot) 120-150. **Fruits** abricot 55. Banane 90. Citron 100. Datte 10. Figue sèche 42. Figue fraîche 45. Mandarine 70. Noix 5. Orange 170. Pamplemousse 300. Pêche 70. Poire 120. Pomme 120. Pruneau 15. **Légumes** artichaut 250. Aubergine 125. Chicorée frisée 200. Chou 1 000. Chou-fleur 1 200. Laitue 200, romaine 250. Melon 700. Radis (la botte) 350. Tomate 100. **Poissons (entiers)** brochet 1 250. Carpe 775. Colin 2 000. Daurade 600. Églefin 350. Hareng 170, saur 130. Limande 150. Maquereau 250. Merlan 230. Plie 160. Sardine 45. Truite 675. Turbot 2 350. **Viandes** lapin (vidé) 1 500 ; oie (entière) 5 500 ; poulet (entier) 1 800. *Cervelle :* bœuf 500, veau 300, mouton 100, porc 110. *Cœur :* bœuf 2 750, veau 500, mouton 230, porc 225. *Foie :* bœuf 8 500, veau 2 500, porc 750. *Langue :* bœuf 4 000, veau 1 000. *Pied* de porc 200. *Ris* de veau 750. *Rognon :* bœuf 1 000, veau 250, porc 170. **Divers** biscuit sec 10. Biscotte 18. Croissant 50. Morceau de sucre 6. Œuf de poule 55.

■ **Nombre moyen au kilo.** **Fruits** abricot 18. Banane 11. Citron 10. Datte 100. Figue sèche 24. Figue fraîche 22. Mandarine 14. Noix 200. Orange 6. Pamplemousse 3 ou 4. Pêche 14. Poire 8. Pomme 8. Pruneau 67. **Légumes** artichaut 4. Aubergine 8. Chicorée frisée 5. Chou 1. Laitue 5. Laitue romaine 4. Tomate 10. **Œufs** de poule 18.

■ **Modification.** Poids brut d'aliments cuits résultant de la cuisson de 100 g d'aliments crus. **Farineux** coquillettes 385. Macaronis 400. Nouilles 385. Riz 295. Spaghettis 385. **Fruits** poire 92. Pomme en compote 118. **Légumes frais** artichaut 87. Asperges 87. Bettes 90. Betterave rouge à l'eau 91 ; au four 57. Carottes à l'eau 100 ; à l'étouffée 64. Céleri (côtes) 94, rave cuit à l'eau 91 ; sauté 54. Champignon couche frit 83. Chou vert, cuit à l'eau 92 ; à l'étouffée 64 ; de Bruxelles 86 ; fleur 92. Épinards, cuit à l'eau ou au jus 83. Haricots verts, cuit à l'eau 104 ; à l'étouffée 90. Navet, cuit à l'eau 95 ; à l'étouffée 92. Oseille 99. Poireau 81. P. de terre, en robe des champs 98 ; à l'anglaise 95 ; au four 80 ; en purée 119 ; en ragoût 154 ; frites 44 [1]. Potiron 55. Scarole 71. Tomate frite 69. **Légumes secs** fèves 310. Haricots 270. Lentilles 345. Pois cassés 400. **Poissons** au court-bouillon 95 ; frits 81. *Crevettes :* 97. **Viandes** *bœuf :* bifteck grillé 88 ; au gril 83 ; au plat 88 ; rôti (1/2 h) 77 ; bouilli 83. *Veau :* à la poêle 93 ; rôti (3/4 d'h) 74. *Mouton :* rôti 73 ; sauté 69. *Porc :* côtelette 83 ; rôti 64. *Cheval :* bifteck à la poêle 93. *Foie :* 91. *Boudin :* 94. *Saucisse fraîche :* 92.

Nota. – (1) En cuisant, les pommes frites absorbent 8 à 10 % de matières grasses.

PARTIE COMESTIBLE

En pourcentage du poids.

Crustacés : crabe 44. Crevette 47. Écrevisse 22. Homard 38. **Fromages :** brie 91. Camembert 83. Coulommiers 91. Pont-l'évêque 96. Roquefort 95. St-paulin 95. **Fruits :** abricot 91. Banane 65. Cerise 86. Citron 64 (donne 35 % de jus). Datte 87. Figue 90. Fraise 92. Framboise 91. Groseille 85. Mandarine 71. Orange 73. Pamplemousse 65. Pêche 86. Poire 88. Pomme 84. Prune 93. Pruneau 85. Raisin 93. **Légumes :** artichaut 36. Asperge 61. Aubergine 85. Bette 67. Betterave rouge 82. Carotte 82. Célerirave 73. Chicorée frisée 71. Chou 68. Chou de Bruxelles 82. Chou-fleur 63. Chou rouge 80. Concombre 77. Courgette 74. Endive 81. Épinard 82. Fève 60. Haricot blanc 49. Haricot vert 92. Laitue 66. Mâche 81. Melon 60. Navet 73. Oignon 90. Oseille 77. Poireau 65. Pois 63. Radis 61. Romaine 84. Salsifis 61. Scarole 64. Tomate 94. **Mollusques :** huître 17. Moule 34. **Œuf** de poule 89. **Poissons frais (entiers) :** aiglefin 56. Colin 64. Dorade 57. Hareng 59. Limande 69. Maquereau 47. Merlan 66. Morue 48. Raie 57. Sardine 77. Saumon 67. Sole 52. Truite 52. Turbot 54. **Viandes** *bœuf :* aloyau 83, faux-filet 77, foie 93, langue 81, pot-au-feu 79, rognon 80. *Mouton :* côte 83, épaule 90, foie 100, gigot 80, ragoût 78, rognon 100. *Porc :* carré 80, côte 84, jambon avec os 86, lard 92, rognon 100, rôti 87. *Veau :* côtelette 80, foie 100, jarret 77, langue 100, ragoût 83, rognon 100, rôti 91. *Canard :* 89 [3]. *Dinde :* 80 [3]. *Lapin :* 85 [1]. *Lièvre :* 65 [2] et 88 [1]. *Oie :* 79 [4] et 90 [3]. *Pigeon :* 90 [2]. *Poulet :* 70 [4], 79 [1].

Nota. – (1) Sans peau, ni tête, ni extrémités et vidé. (2) Entier. (3) Plumé, vidé, paré. (4) Non vidé, non plumé.

INTOXICATION ALIMENTAIRE

☞ En 1990, 9 017 personnes ont souffert d'intoxication alimentaire collective, 593 foyers différents ont été répertoriés.

■ **Contamination microbienne** (Staphylocoques entérotoxiques, Salmonella, Clostridium botulinum, etc.) des aliments, peut entraîner des troubles graves parfois mortels. Due à un manque d'hygiène lors de l'élaboration ou de l'utilisation des denrées. Les cas de botulisme viennent le plus souvent de conserves ménagères insuffisamment stérilisées. Certaines moisissures des graines, des fruits, et fruits-amandes sécrètent des mycotoxines toxiques à long terme (Aspergillus Flavus produit l'alfatoxine cancérigène pour le foie). **Salmonellose :** maladie provoquée par les salmonelles (2 200 variétés). Contamination dans les intestins des animaux d'élevage, par voie ovarienne chez les volailles, propagation par les excréments, eaux superficielles, contacts. Provoque diarrhées, maux de tête, fièvre. Prophylaxie : hygiène, cuisson supérieure à 56 °C pour la viande, œufs cuits durs, réfrigération des aliments cuits. Les œufs bruns sont moins souvent infectés. En 1988, 400 millions d'œufs ont été détruits et 4 millions de poules incinérées en G.-B. à cause de leur contamination par la *Salmonella enteritidis* (26 décès), 2 000 000 de cas en G.-B. **Listériose :** maladie provoquée par les

Moyenne, par jour, en poids brut, en grammes	3-6 ans	6-10 ans	10-14 ans	15-20 ans	Homme activité moyenne [3]	Trav. de force	Vieillard
Viande	50	75	90	125	80	100	55
Poisson	20	25	40	50	15	25	15
Œufs	10	10	15	25	20	20	10
Lait	600	600	500	500	350	400	400
Fromage	20	25	40	30	40	50	30
Beurre	20	20	25	20	15	20	10
Graisse	–	–	–	10	15	20	10
Huile	10	15	15	15	15	20	10
Pain	100-150	200-250	250-300	500	400	500	250
Farineux	25	30	35	35	35	50	35
Pommes de terre	175	220	265	350	300	350	285
Légumes frais	200	250	275	350	300	350	285
Légumes secs	40	40	50	30	25	30	25
Fruits frais	10	100	150	170	150	200	150
Fruits	–	–	–	10	5	5	5
Sucre	40	40	45	40	40	40	25
Confitures	–	–	–	20	20	20	20
Chocolat	–	–	–	10	10	10	5
Vin (litre)	–	–	–	1/4 [1]	1/4 [1]	1/2 [2]	1/4

Nota. – (1) à 1/2 l. (2) à 1 l. (3) Pour les femmes diminuer les quantités de 10 à 15 %. *Source : Les Rations alimentaires équilibrées* par Lucie Randoin, Pierre Le Gallic, Jean Causeret et Georges Duchêne (J. Lanore, éd.).

Besoins journaliers (limites moyennes)	En grammes			En milligrammes			
	Protides	Lip.	Gluc.	Calcium [7]	Phosphore	Fer	Vit. C
2 à 4 ans	30/35	32	200/250	700/750	650/700	8/10	40/60
4 à 6 ans	35/40	33	200/250	600/800	600/800	8/10	40/60
6 à 10 ans	45/55	37	300/340	850/950	850/950	8/10	40/60
10 à 12 ans (filles 9 à 11)	60/65	50	350/400 [1]	1 000/1 200	1 100/1 300	20/30	60/100
12 à 15 ans (filles 11 à 13)	5/9 [2]	65	440/550 [3]	1 200/1 400	1 300/1 500	20/30	60/100
15 à 20 ans (filles 13 à 18)	75/100 [4]	75	550/600 [5]	1 400/1 600	1 500/1 700	20/30	60/100
Hommes							
Vie sédentaire [4]	75/85	60	400/500	800/900	1 200/1 400	18/20	70/80
Travail de force							
4e et 3e cat.	85/110	75	550/700	1 000/1 200	1 500/1 800	23/26	90/110
2e et 1re cat.	100/110	95	850/1 000	1 400/1 600	2 000/2 400	30/45	130/150
Femmes							
Vie sédentaire [4]	65/75	50	350/400	800/900	1 000/1 200	15/20	60/70
Enceintes (5e-9e mois) [6]	90/110	80	500/550	1 500/2 000	1 500/2 000	20/25	100/150
Allaitant [6]	100/110	80	500/550	1 500/2 000	1 500/2 000	20/25	100/150
Vieillards [6]	65	45	300/400	900/1 000	900/1 000	14/16	50/60

Nota. – Pour les filles (1) 330/350. (2) 80/85. (3) 400/500. (4) 85-90. (5) 500/550. (6) Vie sédentaire ou légère activité. (7) Contenu surtout dans le fromage et le lait.

Listeria monocytogènes se trouvant dans les fromages à pâte molle (brie, camembert), charcuterie, viande hachée, poisson fumé. Peut être mortelle chez les individus affaiblis, dangereuse pour les femmes enceintes.

■ **Contamination chimique.** Peut se produire à différents stades : résidus de pesticides, d'additifs introduits dans les aliments destinés aux animaux d'élevage, d'hormones ou de produits thérapeutiques administrés à ces animaux, substances venant des emballages ou de filtres (amiante dans le cas du vin et des produits servant au nettoyage de ces matériaux). Généralement, les taux de produits toxiques sont minimes, mais certaines substances s'accumulent dans les tissus : ex. DDT et pesticides liposolubles : des vaches ingérant des fourrages contaminés par peu de DDT et ne présentant aucun signe d'intoxication ont un lait suffisamment contaminé pour provoquer des troubles nerveux chez des veaux encore à la mamelle. **Mercure :** du *poisson* en contenant a causé au Japon des troubles neurologiques (engourdissement, fourmillements, spasmodicité, perte de vision, désorientation auditive) et même la mort (43 pêcheurs † à Minamata, en 1956). *Semences de blé et d'orge* traitées à l'oxyde de mercure (env. 6 000 † en 1971 au Pakistan, 300 † en 1972 en Irak. *En France* le taux de mercure max. recommandé est de 0,5 mg/kg dans le poisson, tolérance 0,7 dans certains cas (0,2 mg de méthylmercure par semaine est considéré comme toxique, ce qui représenterait, au taux de 0,5, l'ingestion hebdomadaire de 400 g de poisson, à condition que *tout* le mercure soit du méthylmercure). **Plomb :** dose hebdomadaire tolérable : 3 mg pour un adulte (dose moy. actuelle 1,3 à 2,4 mg). **Pesticides :** dans les années 60, intoxications alimentaires dues à la contamination accidentelle de farine par des *pesticides* tels que l'endrine et le parathion. Les *pesticides* autorisés figurent sur une liste d'homologation du ministère de l'Agriculture (le DDT est proscrit). Lavage, épluchage ou grattage et cuisson éliminent une grande partie des pesticides.

Poisons dans les aliments cyanotiques naturels : ex. : les glucosides cyanogénétiques dans les haricots de Birmanie ou les pois de Java et les « amandes » de certains noyaux de fruits (prunes, pêches).

Vins trafiqués : rajout immodéré de ferrocyanure (dans des vins autrichiens en 1985 : plusieurs morts), glycérol, acide sulfurique, phosphorique ; addition de méthanol provenant de la distillation de fibres ligneuses ou fabriqué à partir de dérivés de la houille pour augmenter le degré alcoolique (cas de vins italiens en 1985-86 : plusieurs morts en Italie).

Huile frelatée : colza dep. mai 1981, 600 à 800 décès et 25 000 malades en Espagne.

Additifs alimentaires

Catégories d'additifs

Utilisés pour améliorer apparence, saveur, consistance ou conservation des aliments. Ils sont *d'origine naturelle* ou *artificielle.* Un additif ne peut être utilisé que s'il a fait l'objet d'une autorisation par arrêté interministériel, après avis de la Commission de technologie alimentaire, du Conseil sup. de l'hygiène publique et de l'Académie nat. de médecine, en liaison avec le Comité scientifique de l'alimentation humaine au plan européen (décret du 18-9-89). En Europe, quelque 250 additifs sont autorisés (de « E 100 » à « E 483 », et de « 501 » à « 927 »). En France, en 1990, env. 200 additifs ou traitements après récolte étaient autorisés, à l'exclusion des traitements physiques. Leur appartenance, leur nom ou symbole CEE ainsi que leur catégorie doivent être indiqués en clair sur les aliments préemballés : colorant ; conservateur ; antioxygène ; émulsifiant ; épaississant ; gélifiant ; stabilisant ; exhausteur de goût ; acidifiant ; correcteur d'acidité ; antiagglomérant ; amidon modifié ; poudre à lever ; agent d'enrobage ; sel de fonte.

Colorant. Peut être extrait d'un organisme naturel (ex. : rouge des graines de rocou), être produit en synthétisant un corps identique au colorant naturel (riboflavine : jaune, présente dans le lait), ou être un produit artificiel de synthèse (tartrazine : jaune de synthèse).

Émulsifiant. Utilisé pour mélanger de l'eau (ou un produit ayant une affinité pour l'eau) avec un corps gras (ou un produit ayant une affinité avec les corps gras), en formant un film très mince entre les gouttelettes des 2 produits. *Naturel* (ex. : la lécithine, qui fait « prendre » la mayonnaise, se trouve dans l'œuf ou dans le soja) ou *de synthèse* (monostéarate de glycérine, pour fabriquer la margarine).

Exhausteur de saveur. Le plus connu est le monoglutamate de sodium, acide aminé isolé en 1912. Il existe dans les tissus végétaux et animaux (champignons, blé, lait en sont particulièrement riches). Le glutamate, préparé aujourd'hui en utilisant le gluten de blé ou la mélasse de betterave, est employé dans les potages déshydratés et en boîte, plats surgelés ou préparés, sauces, etc.

Principaux additifs (numérotation CEE)

Colorants. Codes E 100 à E 180 (29 autorisés). **Jaune :** 100 curcumine, 101 lactoflavine ou riboflavine, 102 tartrazine, 104 jaune de quinoléine. **Orange :** 110 jaune orangé S. **Rouge :** 120 cochenille ou acide carminique, 122 azorubine, 123 amarante [1], 124 rouge cochenille A, 127 érythrosine. **Bleu :** 131 bleu patenté V, 132 indigotine ou carmin d'indigo. **Vert :** 140 chlorophylles, 141 complexes cuivriques des chlorophylles et des chlorophyllines, 142 vert acide brillant BS. **Brun :** 150 caramel. **Noir :** 151 noir brillant BN, 153 charbon végétal médicinal. **Nuances diverses :** 160 caroténoïdes, bixine ou carotène, 161 xanthophylles, 162 rouge de betterave ou bétanine, 163 anthocyanes, 170 carbonate de calcium, 171 bioxyde de titane, 172 oxydes et hydroxydes de fer, 173 aluminium, 174 argent, 175 or, 180 pigment rubis [2].

Nota. – (1) Interdit sauf pour caviar et préparations à base de chair de poisson. (2) Interdit sauf pour la croûte des fromages.

Conservateurs. Codes E 200 à E 290 (26 autorisés). 200 acide sorbique ; 201 sorbate de sodium, 202 de potassium, 203 de calcium ; 210 acide benzoïque ; 211 benzoate de sodium, 212 de potassium, 213 de calcium ; 220 anhydride sulfureux ; 221 sulfite de sodium, 222 acide de sodium ; 223 disulfite de sodium, 224 de potassium ; 226 sulfite de calcium, 227 acide de calcium ; 249 nitrite de potassium, 250 de sodium ; 251 nitrate de sodium, 252 de potassium ; 260 acide acétique ; 261 acétate de potassium ; 262 diacétate de sodium ; 263 acétate de calcium ; 270 acide lactique, 280 propionique ; 281 propionate de sodium, 282 de calcium, 283 de potassium ; 290 anhydride carbonique.

Antioxygènes. Codes E 300 à E 321 (13 autorisés). Empêchent les corps gras de rancir (le rancissement se produit lorsque l'oxygène attaque les acides gras). Antioxydants *naturels :* acide ascorbique ou vitamine C (dans les fruits), vitamine C et E (dans les fruits), vitamine E (dans les huiles) ; 306 extraits d'origine naturelle riches en tocophérols ; *de synthèse :* BHA ou butylhydroxyanisol (dose max. autorisée dans les purées en flocons : 25 mg/kg). *Codes :* 300 acide ascorbique ; 301 ascorbate de sodium, 302 de calcium ; 304 palmitate d'ascorbyle, 307 alphatocophérol de synthèse ; 308 gammatocophérol de synth. ; 309 deltatocophérol de synth. ; 310 gallate de propyle, 311 d'octyle, 312 de dodécyle ; 320 BHA (butylhydroxyanisole) ; 321 BHT (butylhydroxytoluène). *Substances ayant entre autres une action antioxygène :* 220 anhydride sulfureux ; 221 sulfite de sodium, 222 acide de sodium ; 223 disulfite de sodium, 224 de potassium ; 226 sulfite de calcium ; 322 lécithines. *Substances pouvant renforcer l'action antioxygène d'une autre :* 270 acide lactique ; 325 lactate de sodium, 326 de potassium, 327 de calcium ; 330 acide citrique ; 331 citrate de sodium, 332 de potassium, 333 de calcium ; 334 acide tartrique ; 335 tartrate de sodium, 336 de potassium, 337 double de sodium et de potassium ; 338 acide orthophosphorique ; 339 orthophosphate de sodium, 340 de potassium, 341 de calcium ; 472c ester citrique des mono- et diglycérides d'acides gras aliment.

Agents de texture (émulsifiants, stabilisants, épaississants et gélifiants). Codes E 322 à E 483 (32 autorisés) ; 322 lécithines ; 339 orthophosphate de sodium, 340 de potassium, 341 de calcium ; 400 acide alginique ; 401 alginate de sodium, 402 de potassium, 403 d'ammonium, 404 de calcium, 405 de propylène-glycol ; 406 agar-agar ; 407 carraghen, carraghénines, carraghénanes ; 410 farine de graines de caroube, 412 de guar ; gomme de guar, 413 adragante, 414 arabique, 415 xanthane ; 420 sorbitol ; 421 mannitol ; 422 glycérol ; 440 pectines ; 450 polyphosphates de sodium et de potassium ; 460 cellulose microcristalline ; 461 méthylcellulose ; 464 hydroxypropylméthylcellulose ; 466 carboxyméthylcellulose ; 471 mono- et diglycérides d'acides gras alimentaires ; 472 esters (a-acétique, b-lactique, c-citrique, d-tartrique, etc.) ; 473 sucroesters ; 474 sucroglycérides ; 475 esters polyglycériques des acides gras alimentaires non polymérisés ; 477 esters du propylène glycol ; d'acides gras ; 481 stéaroyl-2 -lactylate de sodium ; 483 tartrate de stéaroyl.

Divers. Codes 500 à 920 (sans E).

Divers

Ne pas lire en mangeant, ni regarder la télévision. La sécrétion des sucs digestifs est stimulée par la vue, l'odeur, le contact des aliments. Ces stimuli provoquent la sécrétion de la salive et du suc gastrique. Beaucoup de digestions difficiles et de troubles dyspepsiques sont dus au manque d'attention apportée aux aliments.

■ **Alcool.** *Il ne réchauffe pas,* mais provoque une dilatation des vaisseaux périphériques (ce qui donne une sensation illusoire de réchauffement), favorisant la perte de chaleur et perturbant les mécanismes naturels de la défense contre le froid. *Il ne facilite pas l'effort musculaire.* Il contribue à augmenter la ration calorique et, pris en excès, favorise la prise de poids. Voir Alcoolisme à l'Index.

Principaux morceaux

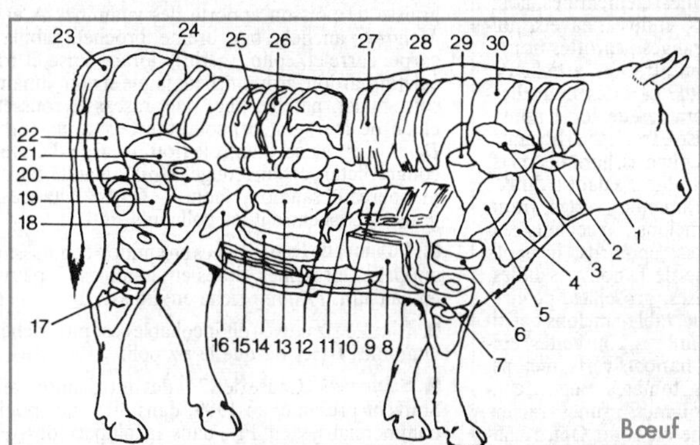

Bœuf. 1 Veine maigre. 2 Veine grasse. 3 Macreuse. 4 Griffe. 5 Jumeau. 6 Charolaise. 7 Gîte-gîte avant. 8 Poitrine. 9 Tendron. 10 Plat de côtes. 11 Hampe. 12 Onglet. 13 Bavette à bifteck. 14 Bavette à pot-au-feu. 15 Flanchet. 16 Aiguillette baronne. 17 Gîte-gîte arrière. 18 Tranche grasse. 19 Gîte à la noix. 20 Rond de tranche. 21 Tende de tranche. 22 Rond de gîte. 23 Queue. 24 Rumsteck. 25 Filet. 26 Faux-filet (ou contre-filet). 27 Entrecôtes. 28 Côtes. 29 Paleron. 30 Basses-côtes.

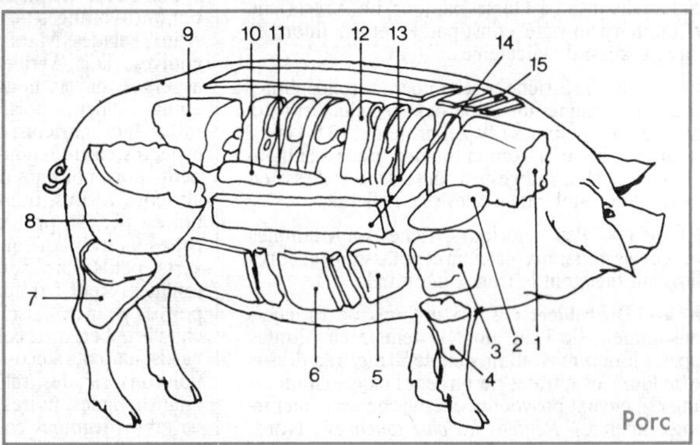

Porc. 1 Échine. 2 Palette. 3 Épaule. 4 Jarret avant. 5 Plat de côtes. 6 Poitrine. 7 Jarret arrière. 8 Jambon. 9 Pointe de filet. 10 Milieu de filet. 11 Filet mignon. 12 Carré de côtes. 13 Grillade. 14 Travers. 15 Lard gras.

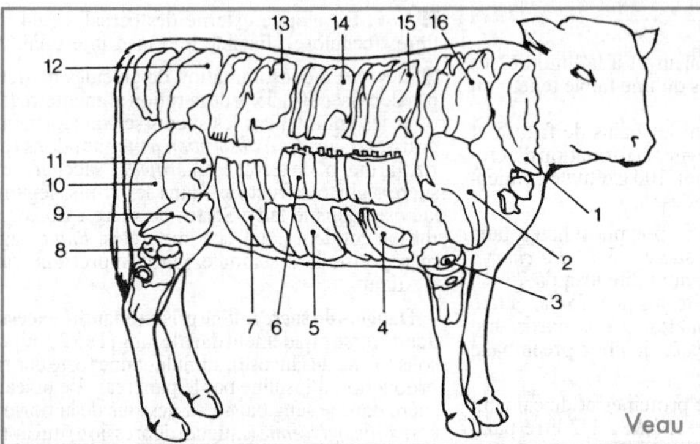

Veau. 1 Collier ou collet. 2 Épaule. 3 Jarret-avant. 4 Poitrine. 5 Tendron. 6 Haut-de-côtes. 7 Flanchet. 8 Jarret arrière. 9 Noix pâtissière. 10 Sous-noix. 11 Noix. 12 Quasi-culotte. 13 Longe et filet. 14 Côtes premières. 15 Côtes couvertes. 16 Côtes découvertes.

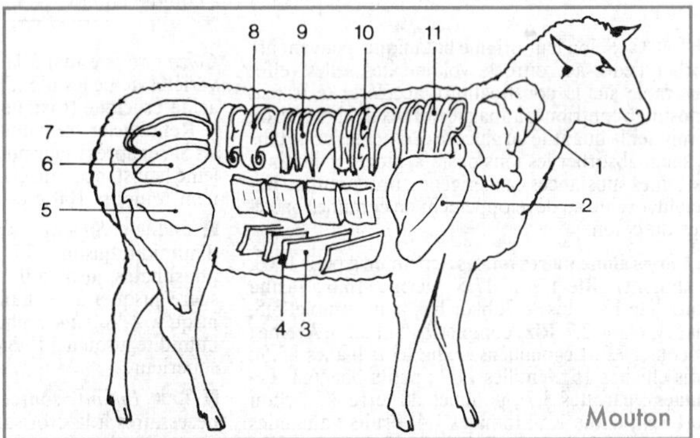

Mouton. 1 Collier ou collet. 2 Épaule. 3 Poitrine. 4 Haut-de-côtelettes. 5 Gigot raccourci. 6 Côte de gigot. 7 Selle. 8 Côtelettes filet. 9 Côtelettes premières. 10 Côtelettes secondes. 11 Côtelettes découvertes.

■ **Caractéristiques des viandes.** *Cuisson :* poêle P, rôti R, ragoût Ra, grillade G. *Coût :* cher C1, raisonnable C2, économique C3. *Qualité :* peu tendre T1, assez tendre T2, bien tendre T3.

Bœuf. Aiguillette baronne G, R, T3, C1. Basse-côte G, T3, C2. Bavette à bifteck G, T3, C1 ; à pot-au-feu Ra, T1, C2. Charolaise Ra, T1, C2. Côte G, R, T2, C1. Entrecôte G, R, T3, C1. Faux-filet G, R, T3, C1. Filet G, R, T3, C1. Flanchet Ra, T1, C3. Gîte-gîte arrière Ra, T1, C3 ; avant Ra, T1, C3 ; à la noix Ra, G, T1, C2. Griffe Ra, T1, C2. Hampe G, T2, C2. Jumeau G, T1-2, C1-2. Macreuse Ra, G, R, T2, C2. Onglet G, T3, C2. Paleron R, Ra, T2, C2. Plat de côtes Ra, T1, C3. Poitrine Ra, T1, C3. Queue Ra, T1, C3. Rond de gîte G, T2, C2. ; de tranche G, T2, C2. Rumsteck G, R, T3, C1. Tende de tranche G, T2, C2. Tendron Ra, T1, C2. Tranche grasse Ra, G, T1, C2. Veine grasse Ra, T1, C3 ; maigre Ra, T1, C3.

Veau. Collier Ra, T1, C3. Côtes découvertes R, Ra, T2, C2 ; premières P, T2-3, C1 ; secondes P, T3 C1. Épaule Ra, R, P, T2, C2. Flanchet Ra, T1, C3. Haut de côtes Ra, T1, C2. Jarrets avant et arrière Ra, T2, C2. Longe et filet R, P, T3, C1 ; R, P, T3, C1 ; pâtissière R, P, T3, C1. Poitrine Ra, T2, C2. Quasi-culotte R, T2, C2. Sous-noix R, P, T2, C2. Tendron Ra, T1, C3.

Mouton. Collier Ra, T1, C2. Côtelettes découvertes G, T2, C2 ; filet G, P, T3, C1 ; premières G, P, T3, C1 ; secondes G, P, T3, C2. Épaule R, T2, C2 (R quand les côtelettes filet, 1re ou 2e ne sont pas séparées). Gigot G, R, T3, C1. Haut de côtelettes Ra, T1, C3. Poitrine Ra, G, T1, C3. Selle G, R, T3, C1.

Porc. Carré de côtes G, R, T3, C1. Échine Ra, G, R, T3, C2. Épaule Ra, G, R, T2, C2. Filet G, R, T3, C1. Grillade G, T3, C1. Jambon R, T2, C1. Jarrets (jambonneaux) Ra, R, T2, C2. Lard gras Ra, T1, C3. Palette R, Ra, T2, C1. Plat de côtes Ra, T1, C3. Poitrine Ra, T1, C3. Travers G, R, T2, C3.

■ **Quantité par personne.** *Cervelle* bœuf 1 pour 4, veau 1 p. 2, mouton 1 p. 1. *Cœur* veau 200 g, mouton 3 p. 2. *Foie* bœuf 110 g, veau 110 g, agneau 110 g. *Langue* bœuf 200 g, sans cornet 150 g, veau 150 g, mouton 1. *Ris* veau (poids brut) 200 g, d'agneau (poids net) 150 g. *Rognon* bœuf 150 g, veau 150 g, mouton 2 rognons, porc 1 rognon. *Tête* veau 150 g. *Tripes* à la mode de Caen 250 g.

■ **Transformation du bœuf.** *Animal vif,* départ ferme 680 kg, avant abattage 650 kg (perte pendant transport, attente 4,4 %). *Carcasse* chaude 371 kg. Froide 364 kg [après pertes au ressuage (perte de liquide) 2 %] ; avant découpe 360 kg (pertes pendant la maturation 1,1 %). *Viande nette* (désossée et parée) 245 kg.

Les morceaux à cuisson rapide (biftecks et rôtis) représentent 54 % de la carcasse soit 132 kg ; *à cuisson lente* (pot-au-feu et bourguignon) 46 % soit 113 kg. Les bêtes sont estimées selon leur rendement à l'abattage calculé sur le poids de la carcasse froide (jeunes bovins : 54 à 58 %, bœufs : 52 à 57, génisses : 50 à 56, vaches : 49 à 52).

Dans une carcasse : rendement (en %) viande : 56 à 75, os : 13 à 18, gras : 5 à 22, déchets : 4 à 7, morceaux à cuisson rapide : 52 à 56, cuisson lente : 44 à 48.

■ **5e quartier (en kg).** *Issues :* cuir (30 à 45) ; suifs d'abattage (5 à 18) ; gras de rognons (5 à 12) ; glandes, vessie... ; sang (12 à 15 litres) ; corne, onglons, poils... *Abats blancs :* panse (1 520) ; intestins (boyaux) (8-10) ; museau (2) ; 4 pieds (11-12) ; mamelle (chez les femelles). *Abats rouges :* foie (6-8) ; cœur (2-3) ; poumon (4) ; cervelle ; rate (0,7) ; langue (4 avec cornet) ; joues (4-5 désossées) ; rognons (0,7) ; poumons (4).

■ **Aliments fumés.** La fumée contient du benzopyrène, cancérigène. Il faut éviter de manger régulièrement des aliments cuisinés ainsi (barbecue par ex.).

■ **Bains de soleil.** Si vous en prenez, évitez la consommation excessive de fromage. L'activité de divers corps gras soumis à l'influence des rayons ultraviolets a été mise en évidence. Le cholestérol de l'organisme se transforme en vitamine D3 sans laquelle le calcium absorbé ne peut être retenu et fixé. Si un sujet à peau claire, transparente aux ultraviolets, prend un bain de soleil prolongé, l'excès de vitamine D qui se forme alors peut en quelques heures provoquer une hypercalcémie, c'est-à-dire un taux de calcium excessif dans le sang.

■ **Beurre.** Utile pour enfants et adolescents (vitamines A pour la croissance et D antirachitique). Supporte mal les hautes températures. Plusieurs catégories : beurre fermier, de laiteries (laitier ou pasteurisé), Charente-Poitou-des Charentes-Deux-Sèvres (sorte d'appellation contrôlée), de Noël (pasteurisé congelé), demi-sel, allégé (60 % de matières grasses au lieu de 82 %), sans cholestérol.

■ **Bière.** Env. 440 cal. par l. ; riche en glucides, sels minéraux, vitamines B. Diurétique.

■ **Boissons aux fruits.** *Jus :* obtenu à partir de fr. frais, en possède couleur, arôme et goût, peut être pur ou dérivé de jus de fruits concentrés ou reconstitués (est indiqué). *Nectar :* jus ou purées de fruits mélangés à de l'eau et du sucre. *Boisson au jus de fruit :* eau plate ou gazeuse, 10 % de jus de fruits, sucre, extraits ou arômes naturels de fruits, acidulants. *Jus déshydraté :* permet de fabriquer par dilution une boisson instantanée.

■ **Boissons gazeuses** (sodas et dérivés). Contiennent en général sucre, acide citrique, ac. benzoïque, ac. tartrique, colorants et autres additifs. Faible valeur nutritive, mais apportent des calories supplémentaires. *Coca-Cola :* eau gazéifiée, sucre (ou édulcorants dans C. C. light), caramel, acide phosphorique, extraits végétaux, caféine (existe également dans une version sans caféine) ; 1 boîte de 33 cl contient env. 35 mg de caféine (tasse de thé 30 à 50, café 60 à 120) et l'équivalent de 5 morceaux de sucre. *Tonics et bitter* contiennent des essences d'oranges amères et du quinquina (ex. Schweppes, 78 g de sucre et 80 mg de quinine/l). *Limonade et sodas* ont une forte teneur en sucre et gaz carbonique (ex. Seven Up : 81 g de sucre, 66 mg de sodium/l, Gini : 112 g de sucre et 30 mg de quinine/l.

■ **Café et thé.** Excitants, peuvent être consommés par l'adulte jusqu'à 4 tasses par jour. Le thé est riche en tanin (propriété constipante) et en fluor, et contient aussi de la caféine.

■ **Chocolat.** Très riche en sels minéraux (phosphore, potassium, magnésium en particulier), glucides (saccharose 40 %), lipides (29 %), protéines (6 %) et en vitamines (B2, PP). Action tonique grâce à la théobromine, parfois indigeste à cause de sa richesse en lipides. Son intolérance relève de l'allergie.

■ **Crudités.** Peu caloriques, riches en vitamines A et C, sels minéraux (calcium et potassium) et fibres alim. qui facilitent le transit intestinal.

■ **Eau. Du robinet :** 2 à 5 millions de Français consomment de l'eau dont la teneur en nitrates dépasse le taux max. admissible de 50 mg/l (au-dessus de ce taux, les nitrates perturbent l'oxygénation du sang et peuvent provoquer chez les bébés la méthémoglobinémie). *Régions les plus touchées :* Nord, Ouest, Bassin parisien. **Minérale :** peu minéralisée peut être consommée régulièrement (Charrier, Évian, Contrex, Vittel grande source, Volvic, etc.) ; riche en sels minéraux (Contrexéville, Vittel-Hépar, Saint-Yorre, etc.) sur avis médical. Ne pas stocker de bouteilles en plastique.

■ **Féculents.** Riches en glucides, protéines végétales, calcium.

■ **Fibres.** Selon leur origine botanique, peuvent absorber l'eau, accroître le volume des selles (effet favorable sur la constipation), accélérer le transit intestinal, contribuer à abaisser le taux de cholestérol, diminuer la quantité de glucose et d'acides gras dans le sang, absorber les ions positifs, aident à éliminer certaines substances cancérigènes, procurent un milieu favorable au développement de certaines bactéries du côlon.

Fibres alimentaires totales (teneur en g pour 100 g d'aliment). **Blé :** son 47,5 ; germe 16,6 ; farine complète 13,5, bise 8,7, blanche ; pain complet 8,5, bis 5,1, blanc 2,7. **Riz :** complet 9,1 ; blanc 3. **Avoine :** flocons : 7,2. **Légumineuses :** haricots blancs 25,5 ; pois chiches 15 ; lentilles 11,7 ; petits pois 6,3. **Légumes :** carottes 3,7 ; pommes de terre 3,5 ; chou vert 3,4 ; laitue 1,5 ; tomates 1,4. **Fruits :** amandes 14,3 ; noix 5,2 ; bananes 3,4 ; poires 2,4 ; fraises 2,1 ; pommes 1,4.

Ration quotidienne recommandée de fibres brutes : 6 à 8 g soit 30 à 40 g de fibres alim., soit 30 g de son [3 cuillers à soupe pleines ou 10 tranches de pain au son (3 g par tr.) ou 200 g de pain complet (12 à 15 tr.)].

■ **Flore intestinale.** Bactéries dont certaines favorisent le transit (ex. : le bifidus).

■ **Fromages.** *Catégories :* voir index. *Les moins gras :* brie, coulommiers, camembert. *Les plus gras :* gruyère, comté, emmenthal, cantal, st-paulin.

■ **Fruits.** Forte teneur en cellulose qui permet d'assurer un meilleur transit des alim. dans le corps, en vitamines (principalement vit. C), en sels minéraux (particulièrement potassium indispensable au bon fonctionnement des muscles, donc du cœur). Éplucher les fruits pour éliminer au max. les résidus des pesticides et autres substances chimiques, et pour éviter les irritations de l'intestin pouvant être chez certaines personnes provoquées par la cellulose de la peau. Pas plus de 2 ou 3 fruits par j. Bananes et agrumes en excès peuvent provoquer des fermentations. Ananas, citrons, papayes facilitent la digestion des aliments protidiques (viande, poisson).

■ **Glutamate.** Rôle neurologique nocif.

■ **Graisses.** *Pour en consommer moins :* éviter le beurre sur la table, le jus des rôtis, le gras des côtelettes. *Utiliser des huiles insaturées* ou couper l'huile de la salade avec de l'huile de paraffine, du lait ou du fromage blanc à 0 % de matières grasses (ces huiles perdent leurs propriétés à la cuisson), *limiter les fritures* (1 à 2 par semaine ; 1 portion de frites apporte environ 15 à 20 g de graisses). **% de graisse :** *Beurre :* cru, extra-fin ou fin 82 ; concentré 99,8 ; de cuisine 96 ; allégé 65 à 41 ; demi-beurre 41 ; *margarine :* 82 ; allégée 65 à 41 ; demi-margarine ou minarine 41. *Viande :* 10 à 40 % selon morceaux et animaux ; *poisson :* 1 à 12 % ; *volailles :* 4 %.

■ **Huiles.** Pour fritures et assaisonnement, contiennent une proportion plus ou moins grande d'acides gras polyinsaturés (tournesol, colza, soja, olive). *H. olive :* très riche en vitamine E, n'a subi aucun traitement chimique. *Tournesol, pépins de raisins, maïs, germes de blé, sésame* (surtout en Orient), *soja :* ne supportent pas les hautes températures. *Arachide :* convient aux fritures, assez riche en vitamine E.

Fruits et légumes de saison

Janv. et févr. : mandarines, clémentines, noix, pommes, oranges ; choux, endives, navets, poireaux, salades. **Mars :** oranges ; carottes nouv., endives, radis. **Avril et mai :** fraises ; artichauts, asperges, navets nouveaux, carottes nouvelles, épinards, petits pois, pommes de terre nouv., radis. **Juin :** abricots, cerises, fraises ; artichauts, asperges, carottes nouv., épinards, haricots verts, petits pois, pommes de t. nouv., salades. **Juill. :** abricots, cerises, fraises, amandes vertes, framboises, pêches, prunes, melons ; artichauts, carottes nouv., concombres, épinards, haricots verts, petits pois, pomme de t. nouv., salades, tomates. **Août :** framboises, groseilles, pêches, poires, prunes, raisins de table, melons ; artichauts, aubergines, concombres, courgettes, épinards, haricots à écosser, haricots verts, melons, poivrons, salades, salsifis, tomates. **Sept. :** châtaignes, figues, poires, pommes, prunes, raisins de table ; légumes comme en août. **Oct. :** châtaignes, figues, noix, poires, pommes, raisins de table ; artichauts, haricots à écosser, haricots verts, p. de terre, salsifis, tomates. **Nov. :** châtaignes, dattes, noix, poires, pommes ; choux, endives, épinards, haricots à écosser, navets nouv., poivrons. **Déc. :** dattes, mandarines, clémentines, noix, poires, pommes ; légumes comme en nov.

Colza : résiste mal à la chaleur et à la lumière, les variétés actuelles n'ont plus qu'une faible teneur en acide érucique (toxique).

Renouveler fréquemment les bains de friture et les filtrer après usage pour éviter la formation d'acroléine (substance cancérigène). 100 g d'huile contiennent toujours 100 g de lipides.

■ **Jambon.** *Supérieur :* pas de polyphosphates, taux d'humidité jusqu'à 75 % ; sucre 0,5 %. *De choix :* phosphates, jusqu'à 0,2 %, humidité jusqu'à 75 % ; sucre jusqu'à 2 %, humidité jusqu'à 75 % ; sucre jusqu'à 2 %. *Cuit :* phosphates, 0,3 % maximum, humidité jusqu'à 3 %. *Surchoix :* jambon préemballé supérieur.

■ **Lait.** *Enfant :* source de protéines et de calcium nécessaires à la croissance. *Adulte :* 1/2 litre par j couvre ses besoins en calcium ; bien digéré en Europe ; en Afrique et en Asie, les adultes ne le digèrent pas car ils n'ont plus de lactase (enzyme). Après ouverture, un emballage de lait doit être consommé dans les 3 j suivant la date limite de vente, stérilisé ou UHT pasteurisé, il doit être consommé dans les 24 h.

■ **Légumes.** *Frais et cuits :* ont les mêmes propriétés que les crudités, la cuisson n'entraîne qu'une diminution de la teneur en vitamine (surtout vit. C). *Secs :* énergétiques, riches en protides, sels minéraux et vitamines du groupe B ; leur richesse en cellulose est souvent moins bien tolérée que celle des fruits et légumes. Une cuisson prolongée facilite l'utilisation digestive. Faire tremper les légumes secs longtemps avant cuisson.

■ **Margarine.** En principe mélange d'huiles, graisses végétales (coprah, soja, etc., riches en acides gras polyinsaturés), animales (suif et saindoux), et huiles d'animaux marins (baleine). Les margarines végétales au tournesol sont recommandées si l'on a du cholestérol.

■ **Moutarde** (*étym. :* moût ardent). Peut contenir des colorants, et acide tartrique, ac. citrique, bisulfites alcalins, anhydride sulfureux. En quantité modérée, peut stimuler les sécrétions gastriques. En excès, elle peut irriter les muqueuses digestives.

■ **Œufs.** Protéines de référence. Contiennent les acides aminés indispensables en proportion idéale. Intolérances rares. Mal supportés lors de calculs dans la vésicule biliaire. Cuits dans des graisses trop chauffées, peuvent être difficiles à digérer. Allergie spécifique. **Catégories :** *A* destinés à la vente (extra-frais soit moins de 7 j, frais 7 j à 3 semaines), *B et C* à usage industriel. **Poids** 30 à 80 g, moyen. 60 g. **Composition (%).** Sans la coquille : eau 73, protéines 13, lipides 12, minéraux 1, sucre 1.

■ **Pain.** Propriétés communes aux dérivés des céréales. 350 g par j fournissent à un adulte 1/3 de ses besoins protidiques. *Pain complet :* plus riche en éléments minéraux, mais il contient de l'acide phytique (il y en a peu dans le pain blanc), qui forme avec le calcium, le magnésium et le fer, des complexes chimiques stables, insolubles et qui ne sont pratiquement pas attaqués par les sucs digestifs.

■ **Pâtes et semoules.** Fabriquées avec des farines de blé dur ; après cuisson, pauvres en vitamines B. *Pour 100 g de pâtes :* glucides 63 à 70 g, protides 12 à 16 g, lipides 1 à 2 g, eau 12 à 14 g, minéraux 0,6 à 1,1 g, soit 360 calories env.

■ **Persil-cerfeuil.** Riches en vitamine C, calcium, potassium.

■ **Poissons.** Riches en protéines et vitamines. La graisse de poisson apporte des vitamines A et D. *Maigres :* anchois, bar, brème, brochet, cabillaud, carpe, carrelet, colin (merlu), dorade grise et rose, églefin, gardon, grondin, lieus jaune et noir, limande-sole, mulet, perche, plie, raie, rascasse, roussette, chien de mer, sandre, sole, tourbe, truite, turbot. *Demi-gras :* alose, baudroie (lotte), carpe d'élevage, congre, flétan, orphie, rouget. *Gras :* anguille, hareng, maquereau, saumon, thon. — Œufs, laitances et graisses concentrent les polluants.

■ **Pommes de terre.** Riches en amidon et potassium, apportent protéines, fibres et vitamines C, pauvres en calcium. *Friture :* riche en graisse.

■ **Riz.** Le riz étuvé (dit incollable) est plus riche en vitamines B1 et B2 que le riz poli.

■ **Salmonelle.** Cause de 87 % des intoxications alim. Souvent présente, en 1989, dans 80 % des poulets commercialisés en Fr., dans la plupart des œufs produits en G.-B.

■ **Sel.** Quantité moyenne ingérée = 8 g/jour (Na = 135 mmol/jour). Principales sources : sel présent dans les aliments (1-2 g/jour), sel des préparations industrielles (3-4 g/jour), sel ajouté à la cuisine ou à table (2-3 g/jour). *Abus :* provoquerait de l'hypertension.

■ **Son.** Enveloppe externe des céréales : 44 % de fibres (cellulose). Facilite le transit intestinal.

■ **Sucre.** La consommation de glucides ne devrait pas dépasser 50 à 55 % de la ration alimentaire (58 % pour les enfants) car les sucres se transforment en graisses. *Glucides à absorption lente :* amidons (pain, riz, farine, p. de terre, etc.) ; *rapide :* saccharose (ou sucre), glucose-fructose (dans les fruits, légumes), lactose (dans le lait). **Sortes de sucre :** *Roux :* non raffiné contient 2 à 3 % d'impuretés. *Blanc :* aggloméré, cristallisé, semoule, glacé, morceaux, candi, d'Adam.

Dangers du sucre raffiné pris en quantité excessive : il se déverse rapidement dans le sang (18 à 20 minutes, sous forme de glucose), stimulant une forte et rapide production d'insuline par le pancréas. Le niveau de sucre dans le sang baisse au-dessous de la normale : état d'*hypoglycémie* (fatigue, dépression) qui appelle une recherche de sucre ou de café, libérant le glycogène du foie et donnant un coup de fouet (action indirecte de l'*adrénaline* et déversement de sucre dans le sang). Le sucre ne fournit pas de protéines, sels minéraux ou vitamines, dont certaines comme la vitamine B1 sont essentielles pour assimiler le glucose.

Édulcorants. 1) *Nutritifs :* saccharides extraits de la betterave, de la canne et de l'amidon de maïs et polyols obtenus par hydrogénation des saccharides. 2) *Intenses :* pouvoir sucrant (PS) très élevé (produits de synthèse : saccharine, aspartame, acésulfam K...) Le pouvoir calorique (PC) d'un éd. est lié à son PS. *Édulcorants* intenses autorisés par la loi du 5-1-1988, entre parenthèses pouvoir sucrant par rapport au sucre : aspartame (200) [à poids égal, apporte 40 fois – de calories que le sucre blanc] ; saccharine (300 à 400 ; découverte 1879) ; acésulfame de potassium (120 à 140) ; thaumatine (2 000 fois supérieur au saccharose, d'origine végétale). 3) *De charge :* font masse comme le sucre, mais moins sucrants et énergétiques (2 à 3 Kcal/g) : sorbitol, maltitol, xylitol, mannitol, isomalt. Fermentent peu dans la bouche ; peu utilisables par les bactéries qui attaquent l'émail des dents. **Échelle des pouvoirs sucrants :** saccharose (sucre blanc), indice 1, miel 1,3, fructose 1,2, glucose 0,7, lactose 0,3. Le PS varie en fonction de la température et de l'acidité. Plus le PS est élevé, plus l'arrière-goût est fort : réglisse pour la thaumatine, amer-métallique pour la saccharine. Le pouvoir calorique (PC) d'un édulcorant est lié à son PS.

☞ Les *édulcorants* ne doivent être utilisés qu'en cas d'obésité et de diabète et momentanément. Le *saccharose* favorise la carie dentaire.

■ **Traitements physiques :** les *rayons ultraviolets* sont utilisés pour assainir les eaux de distribution publique ; *les ultra-sons* favorisent la solution des résines de houblon pour la fabrication de la bière. Actuellement, oignons, épices, ails, échalotes, légumes déshydratés, flocons et germes de céréales et viandes de volailles séparées mécaniquement peuvent être *traités par rayonnements ionisants (irradiés).*

■ **Végétaline.** Huile de palmiste 10 %, de coprah 90 %. Supporte bien les hautes températures (fritures par ex.).

■ **Viande.** Riche en protéines, sels minéraux, phosphore, zinc, fer, vitamine B, pauvre en calcium. *Maigre :* cheval, poulet, foie, lapin, pigeon, cerf, chevreuil, lièvre, faisan, perdrix, canard. *Mi-grasse :*

bœuf, veau, mouton, agneau, canard, dinde, porc. *Grasse :* charcuterie, oie, etc. La plus maigre est la moins calorique et la plus digeste. Rouge et blanche ont une valeur comparable. Trop peu cuite, risques de parasites (ex. : ténia dans v. de bœuf ou de porc). La v. braisée ou bouillie, plus riche en collagène, est moins digestible.

Abats (cœur, foie, rognons) : apportent plus de vitamines et autant de protides. Le *foie* contient beaucoup de vitamines et de fer, mais il faut en limiter la consommation : il métabolise les substances chimiques incorporées à la nourriture ou utilisées pour le traitement du bétail (antibiotiques). De même pour les rognons. **Viande hachée :** peut se polluer gravement en 3 h. La mention viande attendrie doit figurer sur les morceaux traités. L'attendrisseur (peigne à double mâchoire) peut inoculer des microbes à l'intérieur de la viande ; interdit dans 21 départements.

Attention : une ration trop copieuse risque de faire oublier d'autres aliments nécessaires (légumes verts, fromages, fruits). Les protides en excès sont éliminés sous forme d'urée, la viande contient des graisses saturées mauvaises pour l'appareil cardio-vasculaire. **Charcuteries** (saucisse, saucisson, pâté) : ne pas trop consommer.

■ **Yaourts.** Même valeur nutritive que le lait, mais plus faciles à digérer car le lactose s'est transformé en acide lactique.

☞ **Qualités prêtées à certains aliments.** *Diurétiques :* tisanes classiques riches en potassium, aliments riches en eau (oignon, poireau...), agrumes, raisin, cassissier (feuille), chiendent (rhizome), frêne élevé (feuille), maïs (style), orthosiphon (tige feuillée), prêle (partie aérienne stérile), sureau noir (fleur, fruit, écorce de la tige), vergerette du Canada (partie aérienne) ; *constipants :* coing, aliments riches en tanin ; *laxatifs :* prunes, poires, pruneaux et fruits analogues, rhubarbe, épinards, aliments riches en cellulose, caroubier (graine ou gomme de caroube), cyamopsis (gomme guar), fucus (thalle) ; *aphrodisiaques :* laitances de poisson, truffe, amande et gingembre (prétend-on) ; *circulation sanguine :* ail ; *antiseptique :* thym, serpolet ; *stimulant digestion :* épices dont safran, piment, cumin ; *action diurétique et stimulante :* maté (feuille), théier (feuille), paullinia (graine, extrait ou guarana) ; *action au niveau du foie et de l'intestin :* chicorée (racine).

Nota. – En principe le foie supporte mal œufs, chocolat, graisses cuites (alim. « revenus » ou « sautés »), viande fraîche. La *crise de foie* désigne l'ensemble des troubles digestifs avec nausées et douleurs sous-costales à droite. Elle correspond à une poussée de cholécystite, à une crise de colite ou à une douleur solaire.

ASSOCIATIONS

ASSOCIATIONS

■ **Définition.** « Convention par laquelle 2 ou plusieurs personnes mettent en commun d'une façon permanente leurs connaissances ou leur activité dans un but autre que de partager des bénéfices. » *2 catégories :* déclarée et d'utilité publique.

■ **Création.** La loi du 1-7-1901 permet de créer librement toute association avec un minimun de formalités. Il suffit de se réunir et de décider de l'objet. Toute association doit se composer au minimum de 2 personnes ; il n'y a pas de nombre max.

■ **Déclaration.** On peut déclarer une association, même fonctionnant depuis plusieurs années. Une association non déclarée n'est pas illégale, mais est dépourvue de capacité juridique et ne peut signer un bail, ouvrir un compte en banque, posséder des biens, cependant elle peut encaisser des cotisations et avoir des biens mobiliers indivis entre ses membres.

Formalités : déposer la déclaration à la préfecture ou à la sous-préfecture du département du siège de l'association (à Paris : préfecture de police). Rédigée sur papier libre, elle doit mentionner titre et buts de l'association, adresse du siège, liste des personnes chargées de l'administration avec leur nom, nationalité, profession et domicile, comprendre 2 exemplaires des statuts et la liste des personnes chargées de l'administration. L'Administration doit, dans les 5 j, délivrer un récépissé à toute personne qui a déposé régulièrement un dossier de déclaration. L'assoc. sera rendue publique à partir de la publication au JO. Un cahier spécial à pages numérotées (souvent remplacé par des feuillets numérotés) pour la transcription des modifications de statuts ou d'administration doit être paraphé par la personne chargée de l'administration (en principe le Pt). Conservé par l'association, il doit pouvoir être présenté à tout moment aux autorités administratives et judiciaires.

Dep. l'abrogation par la loi du 9-10-1981 du titre IV de la loi du 1-7-1901, les formalités de déclaration d'une association constituée en France par des étrangers sont identiques à celles d'une association créée par des ressortissants français.

Bas-Rhin, Haut-Rhin et Moselle. Les associations sont régies par les dispositions du droit civil local maintenu en vigueur par la loi du 1-6-1924. Les associations qui désirent obtenir la personnalité morale et la capacité juridique deviennent des ass. « inscrites » au tribunal d'instance de leur siège. Les dispositions concernant la reconnaissance d'utilité publique ne s'appliquent pas aux ass. inscrites. Mais elles peuvent se voir accorder par arrêté préfectoral pris après avis du tribunal administratif de Strasbourg la reconnaissance d'une « mission d'utilité publique » (art. 80-1 loi de finances pour 1985).

■ **Dissolution.** Volontaire selon les modalités prévues dans les statuts ou en assemblée générale, ou sur décision judiciaire. L'Administration ne peut s'opposer à la création d'une association, ni à la publication d'un extrait de ses statuts au JO. Mais le min. de l'Intérieur peut demander au procureur de la Rép. d'entamer dans les 3 j. une procédure d'annulation et de dissolution devant le tribunal de grande instance, car « toute association fondée sur une cause ou en vue d'un objet illicite, contraire aux lois, aux bonnes mœurs, ou qui aurait pour but de porter atteinte à l'intégrité du territoire ou à la forme républicaine du gouvernement, est nulle et de nul effet ». Le ministère public doit apporter la preuve que les buts et l'activité de l'association sont dangereux pour l'ordre public. La loi du 10-1-1936 permet la dissolution administrative par décret rendu par le Pt de la Rép. en Conseil des min. de toute association, déclarée ou non, ayant enfreint l'art. 3 de la loi de 1901.

■ **Libéralités et dons manuels.** Une association déclarée ne peut en principe recevoir legs ou dons par acte notarié. Mais elle a capacité à accepter des libéralités si son but exclusif est l'assistance, la bienfaisance, la recherche scientifique ou médicale (article 6 nouveau alinéa 2 de la loi du 1-7-1901).

Toutes les associations déclarées peuvent librement recevoir des dons manuels. Mais les donateurs, personnes physiques ou morales, ne pourront bénéficier de déductions fiscales que dans les conditions et les limites définies aux articles 200 et 238 *bis* du Code général des impôts.

■ **Pouvoirs.** L'association déclarée est une personne morale à capacité juridique réduite. Elle peut posséder des meubles (matériel de bureau ou d'imprimerie, etc.), un local destiné à l'administration et à la réunion de ses membres, et des biens immobiliers lorsqu'ils sont strictement nécessaires à l'accomplissement des buts qu'elle se propose.

Elle peut emprunter de l'argent en dehors des cotisations, mais ne peut recevoir ni donations ni legs, sauf des « libéralités modiques » (dons manuels).

Elle ne peut avoir de buts commerciaux, mais peut accessoirement accomplir des actes de commerce de toute sorte, certains étant assujettis à la TVA. Elle ne doit pas répartir les bénéfices éventuels entre ses membres mais les réinvestir dans l'association.

Ne pas respecter une gestion désintéressée peut entraîner un assujettissement à l'impôt sur les sociétés. Certaines activités par leur nature peuvent être soumises à cet impôt.

■ **Utilité publique.** Pour être reconnue d'utilité publique, l'association doit avoir déjà fonctionné 3 ans sous forme d'association déclarée. Toutefois, cette période probatoire de fonctionnement n'est pas exigée si les ressources prévisibles sont de nature à assurer son équilibre financier pendant 3 ans (article 10 nouveau de la loi du 1-7-1901). Lorsque le ministre de l'Intérieur décide de ne pas donner suite à une demande de reconnaissance d'ut. publ., son pouvoir est discrétionnaire, mais il est d'usage qu'il justifie son refus. Si le ministre de l'Intérieur décide de soumettre un projet de décret de reconn. d'ut. publ. de l'assoc. au Conseil d'État, il lui adresse le dossier. Le Conseil d'Ét. donne un avis consultatif. Le projet de décret est ensuite soumis à la signature du min. de l'Intérieur, puis à celle du 1er min.

La reconnaissance d'utilité publique d'une association lui permet de recevoir des libéralités (dons et legs) souvent exonérées de droits de mutation, mais lui impose parallèlement une tutelle adm. sur les principaux actes que l'établ. est appelé à faire (emprunts, dons et legs, aliénations de biens, constitutions d'hypothèques, modification des statuts).

■ **Conseil nat. de la vie associative (CNVA).** Placé auprès du PM, établit un bilan annuel, propose réformes et conduit des études utiles au développement de la vie assoc. *Membres* 62 représentants d'assoc. et 10 pers. qualifiées.

Statistiques. *Nombre d'associations* (1992) *déclarées* 655 400 à 800 000. *Assoc. nouvelles par an 1975 :* 23 318 ; *1981 :* 33 006 ; *1985 :* 47 908 ; *1990 :* 60 190 ; *1991 :* 58 840 ; *1992 :* 70 403. *Assoc. dissoutes 1991 :* 6 930 ; *1992 :* 9 507. *Salariés :* près de 1 million de personnes à temps plein (1992). *Budget :* env. 175 milliards de F. *Associations :* + de 600 000 dont sports 127 650, santé, action sociale 81 500, loisirs, jeunesse 79 400, commerce, emploi, consommation 73 950, éducation, formation 49 100, vie sociale 47 550, logement, environnement 41 200, chasse, pêche 17 300, culture, tourisme 116, indéterminé 21 750.

MANIFESTATIONS

Réglementées par le décret-loi du 23-10-1935.

■ **Déclarations.** *Cortèges, défilés, rassemblements de personnes* et *toutes manifestations sur la voie publique* doivent être déclarés préalablement. Seule exception, les manif. conformes aux usages locaux, et processions religieuses ou manifestations folkloriques.

La déclaration doit être faite à la mairie ou à la préfecture (pour Paris) 3 j au moins et 15 j au plus avant la manif. Elle doit indiquer nom et domicile des principaux organisateurs et être signée par 3 d'entre eux, titulaires de l'ensemble de leurs droits civiques, spécifier le but de la manif., sa date, son heure, les groupements qui y participeront et l'itinéraire envisagé. Un récépissé de déclaration est délivré. Si la déclaration est faite à la mairie, elle est transmise au préfet dans les 24 h avec, le cas échéant, l'arrêté d'interdiction qui l'annule ou la confirme.

■ **Interdiction.** Le préfet ou le maire peut interdire la manifestation s'il l'estime de nature à troubler l'ordre public. On peut saisir le tribunal administratif d'un recours pour excès de pouvoir (qui ne sera vérifié que plusieurs mois ou même plusieurs années après). Sont interdites : manif. faites sans déclaration ou après interdiction. Considérées juridiquement comme un attroupement, elles peuvent être dispersées par la force.

Les représentants de l'ordre peuvent faire usage de la force pour disperser un attroupement pacifique *après 2 sommations,* faites par haut-parleur, sonnerie de trompettes, roulement de tambour, feu ou fusée rouge ; *sans sommation* « si des violences ou voies de fait sont exercées contre eux ou s'ils ne peuvent défendre autrement le terrain qu'ils occupent ou les postes dont la garde leur a été confiée ».

■ **Attroupement.** Réunion concertée ou non de plusieurs personnes sur la voie publique susceptible de créer des désordres. Interdit si un ou plusieurs des participants sont armés ou s'il doit troubler la tranquillité publique. L'attr. est considéré comme armé si l'un des participants porte une arme apparente ou si plusieurs portent des armes cachées ou des objets quelconques destinés à servir d'armes.

La personne qui fait partie d'un attr. est punissable si elle ne l'a pas abandonné après une 1re sommation du préfet, maire, commissaire de police ou off. de police judiciaire, si elle porte une arme apparente ou cachée. Tous ceux qui, par des discours publics ou des écrits (journaux, tracts, affiches), auront appelé à participer à un attroupement peuvent encourir 1 mois à 1 an de prison si la provocation a été suivie d'effets, 2 à 6 mois et (ou) 2 000 à 8 000 F d'amende si elle n'a pas été suivie d'effets (peines + graves si l'attr. est armé).

L'attroupement injurieux ou nocturne troublant la tranquillité publique entraîne une contravention de 300 à 600 F.

Réunions

■ **Définition.** Rencontre épisodique, limitée en durée, concertée, dans un but fixé à l'avance.

■ **Réunions publiques.** Réglementées par la loi du 30-6-1881. Libres sans demander l'autorisation, ni faire de déclaration préalable. Interdites sur la voie publ. car elles sont alors considérées comme des *attroupements* et peuvent être réprimées par la force ; ceux qui y participent sont passibles des peines prévues pour les manifestations non déclarées ou interdites. Ne peuvent se prolonger après 23 h, sauf dans les localités où cafés, théâtres ou cinémas sont autorisés à fermer plus tard. Celles qui, par la période choisie, le lieu où elles doivent se tenir, la façon dont elles ont été organisées, le mode selon lequel elles doivent se dérouler, sont de nature à laisser prévoir des incidents peuvent être interdites (circulaire du ministre de l'Intérieur du 27-11-1935).

Doivent avoir un bureau (au min. 3 personnes, élues par les membres de la réunion et, en général, désignées avant le début de la réunion par les organisateurs). Le bureau doit maintenir l'ordre matériel et moral. Il doit empêcher « tout discours contraire à l'ordre public et aux bonnes mœurs ou contenant une provocation à un acte qualifié de crime ou délit ». En cas d'infraction, la responsabilité de ses membres peut être mise en jeu. Un « fonctionnaire délégué » (généralement un commissaire de police) peut y assister. Il doit se faire connaître des organisateurs, choisit sa place et en cas de désordre peut prononcer la dissolution.

■ **Réunions privées.** Libres, sans autorisation ni déclaration, ni contrôle, ni réglementation. Elles doivent avoir lieu dans un local fermé, sans accès trop facile. Ce local peut être public (ex. : arrière-salle d'un café ou salle de spectacle), mais l'accès doit en être réservé à des personnes nominativement désignées, en général prévenues par une invitation individuelle. On doit pouvoir contrôler l'identité des personnes présentes. *Une réunion réservée aux seuls membres d'une association* est considérée comme privée : l'invitation personnelle peut être remplacée par la carte d'adhérent.

Les autorités administratives ne peuvent interdire légalement une réunion que si elles n'ont aucun moyen d'assurer le maintien de l'ordre public et si la menace de troubles est exceptionnellement grave et dangereuse. L'interdiction générale de toute réunion dans le cadre d'une ville ou d'un département est contraire à l'esprit et à la lettre de la loi de 1881. Chaque réunion doit être examinée individuellement. Une réunion privée peut être considérée comme une tentative de reconstitution d'une ligue dissoute si un certain nombre de participants appartenaient précédemment à une organisation dissoute.

Une réunion privée gratuite comportant une partie « variétés » n'est pas soumise aux taxes sur les spectacles ni au paiement des droits d'auteurs si elle se déroule dans un cadre familial.

Assurances

Données générales

☞ **Quelques adresses.** *CDIA (Centre de Documentation et d'Information de l'Ass.) :* 2, rue de la Chaussée-d'Antin, 75009 Paris. *Direction du Trésor, Service des Assurances :* 139, rue de Bercy, 75572 Paris Cedex 12. *FGA (Fonds de Garantie Automobile, Fonds de Garantie Attentats) :* 64, rue de France, 94307 Vincennes Cedex. *CCR (Caisse Centrale de Réassurance) :* 31, rue de Courcelles, 75008 Paris.

Origine

2700 av. J.-C. (env.) caisse d'entraide pour dépenses funéraires des tailleurs de pierre en Égypte. **1000** Jérusalem, ouvriers kasidéens construisant le temple sous les ordres du roi Salomon s'associent pour compenser les accidents sur le chantier ; Inde, les lois de Manou édictent les règles du prêt à la grosse aventure. **560** Athènes, Solon impose aux hétaires des mesures de solidarité. **220 apr. J.-C.** Rome, 1re *table de mortalité* d'Ulpien, préteur de l'empereur Sévère. Les « collèges d'artisans » sont de véritables associations de secours mutuels. **1347** Gênes, 1re police maritime connue pour le *Santa Clara.* **1465** Paris, obligation de mettre un seau d'eau devant sa porte. **XVe s.** 1re *police* en Fr. (Marseille). **Fin XVe, début XVIe** Italie et Flandres, apparition de l'*assurance-vie.* **1556** Fr., 1re édit mentionnant les ass. **1568** Espagne et Pays-Bas, édit de Philippe II interdisant toutes formes d'ass. **1570** Anvers, ordonnance de Philippe II réglementant ass. et prohibant ass.-vie. **1583** Londres, souscription du 1er contrat ass.-vie par l'établissement de Richard Chandler. **1601** G.-B., *Acts of Assurance* de la reine Elisabeth. **1666 (2-9)** Londres, durant 7 j et 8 nuits un incendie détruit 13 200 bâtiments (dont 87 églises) ; un aubergiste, Edward Lloyd, crée un « office d'ass. générales » qui deviendra la Lloyd's. **1667** création du « Fire Office ». **1681** ordonnance de Colbert réglementant l'ass. maritime en France mais interdisant l'ass.-vie. **1684** Londres, création « Friendly Society Fire Office » (1re Sté d'ass. incendie). **1686** France, 1re Cie générale pour les *ass. maritimes.* **1689** Fr., autorisation de la *tontine royale.* **1692** Lloyd's s'installe à Paris rue des Lombards. **1710-1720** G.-B., développement des Stés d'assurances. **1717** France, création du « Bureau des incendies ». **1750** de l'association mutuelle contre les incendies. **1753** de la Chambre d'Ass. Générales contre l'incendie de Paris (disparaîtra à la Révolution). **1762** G.-B., *L'Équitable*, 1re Sté mutuelle d'ass.-vie scientifiquement organisée. **1770** arrêt du Conseil d'État de Louis XV transforme les tontines royales en rentes viagères à taux fixes. **1786 (6-11)** Clavière et Batz créent la *Cie royale d'ass. contre les incendies.* **1787** Louis XVI autorise projet d'ass. réciproques contre dommages causés par la grêle. **1818** le Conseil d'État autorise ass. sur la vie. **1829** fondation de l'*Union Vie* qui lance avec les banques une offre de contrat de rente viagère sur la tête de 30 souverains et princes d'Europe. Garantit à ses souscripteurs une rente viagère de 5 F sur la tête de chacun d'entre eux. Plus de 1 500 contrats signés. Malgré l'espoir des banques, l'État refuse la cotation en Bourse et l'opération est annulée. **1838** naissance de *La Seine* Sté d'assurance contre accidents causés par les chevaux et les voitures. Fondation de *L'Urbaine-Incendie*. **1844** de *L'Urbaine-Vie*. **1864** 1re Sté d'ass. accident (*La Préservatrice*, Fr.). **1900** création de la *Mutualité agricole.* **1905-38** France, l'État étend son contrôle sur ass. par des lois (*17-3-1905* ass.-vie, *13-7-1930* contrat d'ass., *14-6-1938* unification du contrôle de l'État sur l'ensemble des entreprises d'ass. et de capitalisation). **1946 (25-4)** *nationalisation* des 34 Stés d'ass. les plus importantes ; création de l'École Nationale d'Ass. **1949** 1ers contrats d'*ass.-vie revalorisables ;* création de la *Prévention Routière* par les assureurs. **1951** création du *Fonds de Garantie Automobile.* **1953 (8-7)** signature entre plusieurs sociétés d'une convention de règlement forfaitaire anticipé (RFA). **1958 (27-2)** loi rendant l'ass. automobile obligatoire. **1960** 1ers carnets de constatation amiable et contradictoire d'accident. **1968 (1-5)** convention IDA. **1976 (16-7)** Code des assurances.

Organisation des assurances en France

☞ Les plus petites (quelques employés) couvrent en général un risque déterminé (grêle, bris de glace, etc.), les grandes (généralement plus de 10 000 employés) couvrent souvent tous les risques. Certaines font partie de groupes. Il est interdit à une Sté d'ass. sur la vie de vendre également de l'ass. dommages et réciproquement.

■ Secteurs public et semi-public

Sociétés d'assurances nationalisées. L'État a nationalisé, le 25-4-1946, 34 Stés d'ass. et de capitalisation, constituées en 9 groupes, puis, le 17-1-1968, en 4 : *UAP* (*Union des ass. de Paris*), *AGF* (*Ass. gén. de France*), *GAN* (*Groupe des ass. nat.*) CA (millions de F) assur. *92 :* 43,8 (résultat net MdF *1991 :* 2,32, *92 :* 0,4), *Groupe des mutuelles gén. franç.* (*ou « Mutuelles du Mans assurances »,* rendu en juin 87 au secteur privé, par transfert de propriété de l'État aux sociétaires). Elles ont conservé une gestion commerciale et concurrentielle, sont soumises aux mêmes règles comptables, fiscales et de contrôle que les Stés du secteur privé et ne jouissent d'aucun privilège. Depuis le 26-2-1990, n'importe quel investisseur français ou étranger peut détenir des actions des sociétés nationalisées dans la limite de 25 % du capital.

☞ AGF, GAN, UAP, privatisables en 1994.

La CNP (Caisse nationale de prévoyance), service de la Caisse des dépôts et consignations, transformé en établissement public industriel et commercial (Epic) en 1987. Devenue le 9-12-1992 CNP Assurances SA (9,18 % du marché de l'ass.-vie).

Assurance des biens appartenant à l'État. En principe l'État est son propre assureur ; il est même dispensé de l'obligation d'ass. auto. Néanmoins des organismes publics souscrivent des contrats d'ass. auto et des établ. publics à caractère industriel ou commercial (EDF, CEA) souscrivent des contrats de responsabilité civile.

Coface (Cie française d'assurances pour le commerce extérieur). SA au capital de 30 millions de F. Assure les risques encourus par les entreprises à l'occasion de leur développement international ; intervient comme assureur-crédit de marché offrant ses garanties à une clientèle française et étrangère comme gestionnaire de procédures publiques de soutien au commerce extérieur. CA total (milliards de F) *1990 :* 1,08, *1991 :* 1,18.

Assurance-crédit à l'exportation. Coût budgétaire des procédures publiques (en MdF) gérées par la Coface : *1990 :* – 11,48, *1991 :* – 8,57 ; en tant qu'assureur-crédit de marché (solde technique net) *1990 :* 0,28, *1991 :* 0,3.

■ Secteur privé

■ **Sociétés commerciales.** Comme les nationales, les Stés privées (SA ou Sté d'ass. mutuelles) sont régies par le Code des assurances. **Les plus importantes :** *Groupe AXA* contrôlé par les Mutuelles-Axa à travers Finaxa (dont Paribas à 20,2 %) et Midi-Participation (dont Generali à 40 %). *Groupe Victoire (Abeille-Paix)* contrôlé par la Cie financière de Suez à 30,07 % ; *Athena Assurances* regroupe PFA, GPA, Lilloise (CA : 13 milliards de F) contrôlée à 94,25 % par Worms et Cie. *Concorde,* filiale de Generali (chiffre d'affaires 1991 : 4,4 milliards de F, 29 millions de pertes).

■ **Sociétés d'assurances mutuelles** (surtout branches incendie, auto et grêle ; 39,4 % en 1991 du chiffre d'affaires assurances de dommages français, plus de 25 millions d'assurés). L'assuré est adhérent de la mutuelle et assureur des autres adhérents. On lui remet les statuts de la Sté avec la police d'ass. qu'il a souscrite. La mutuelle est une Sté civile ; elle ne peut distribuer de bénéfices qu'à ses adhérents et n'a pas de capital social représenté par des actions. Elle peut, pour payer intégralement tous les sinistres, procéder sur les adhérents à des rappels de cotisation selon des limites indiquées par les statuts, s'il s'agit d'une Sté à cotisations variables rentrant dans la catégorie des Stés d'ass. mutuelles, Stés mutuelles d'ass., caisses d'ass. mutuelle agricole et Stés à forme tontinière. Des sociétés d'ass. étrangères opèrent en France sous la forme de mutuelles : Norwich Union (G.-B.), et la Sté suisse d'ass. sur la vie.

Statistiques. Nombre de mutuelles (1990) : 6 550 regroupées en Unions départementales, régionales et nationales. **Nombre total d'adhérents** (en millions) : *Féd. Nat. de la Mutualité Française* (FNMF) 25. *Féd. des Mutuelles de France* (FMF) 2 à 3. *Féd. Nat. Interprofessionnelle des Mutuelles* (créée 1989-90) 1,35. *Groupe Pasteur Mutualité* prof. libérales et indép. (créée 1989-90) 0,33.

Statistiques (France)

☞ MdF : milliards de F.

■ **Nombre de sociétés d'assurance directe et de capitalisation** (au 31-12-1991) **et, entre parenthèses, parts de marché** (en % du chiffre d'affaires 1991). Stés

■ **Assurance dans le monde** (volume des primes en %, 1990). USA 35,6, Japon 20,5, G.-B. 7,5, All. 6,8, France 5,5, URSS 2,7, Canada 2,3, Italie 2,2, Corée du S. 2, P.-B. 1,8, Australie 1,6, Suisse 1,4, Espagne 1,2, Suède 0,8, Afr. du S. 0,8.

■ **1ers assureurs mondiaux** (bilan en milliards de F, 1990). Nippon Life [1] 938, Prudential [2] 867, Zenkyoren [1] 679, Dai-Ichi Mutual Life [1] 654, Sumitomo Life [1] 560, Metropolitan Life [2] 529, Allianz Group [3] 506 *UAP [4] 502,* Aetna Life & Casuality [2] 458, Meiji Mutual Life [1] 380, Prudential [5] 362, Cigna [2] 327, Equitable Life [2] 310, Asahi Mutual Life [1] 300, American Internat. [2] 298.

Nota. – (1) Japon. (2) USA. (3) All. (4) France. (5) G.-B.

■ **1ers réassureurs mondiaux** (en milliards de $, 1991). Münich Re [1] 6,7. Suisse de Ré [2] 5,7. Employers Reinsurance Group [1] 2,6. Assicurazioni Generali Spa 2,5. General Reinsurance 2,2. Cologne Reinsurance 2. Hannover/Eisen et Stahl Reinsurance Co 1,8. Scor 1,6. Mercantile of General Reinsurance Co 1,6. Skandia 1,4. Gerling Global Reinsurance Group [1] 1,1.

Nota. – (1) Au 30-6. (2) Au 31-12-90. *Source :* Business Insurance.

■ **Prime moyenne par habitant** (en $, 1990). Japon 2 252, É.-Unis 1 929, G.-B. 1 775, P.-Bas 1 613, Allem. 1 463, *France* 1 317, Irlande 1 232, Danemark 1 219, Lux. 1 167, Belgique 888, Italie 524, Espagne 431, Portugal 206, Grèce 104.

■ **Assurance-vie** (cotisation moyenne par habitant en F, 1990). G.-B. 5 875, P.-Bas 4 280, *France* 3 550, Allemagne 2 890, Italie 682, Espagne 617.

■ **Premiers groupes européens** (primes émises en milliards de F, 1991). Allianz [3] 165,6, UAP [5] 105,3, Zurich [4] 77, Prudential Corporation [1] 73,1, Generali [6] 72,7, Groupe Victoire [5] 67,5, Winterthur [4] 57,4, Nationale Nederlanden [2] 56,9, AGF [5] 55,3, AXA [5] 53,4, Royal Insurance [1] 53,4, Münchener Rück [3] 49,5, Commercial Union [1] 47,9, Norwich Union [1] 47,7, GAN [5] 39,7, General Accident [3] 39,5, Trygg-Hansa Spp Group [6] 38,8, Legal-General [1] 37,9, Sun Alliance [1] 36,7, CNP [5] 35,6.

Nota. – (1) G.-B. (2) P.-Bas. (3) Allemagne. (4) Suisse. (5) France. (6) Italie.

■ **Lloyd's. Origine :** Edward Lloyd (Gallois) tenant le « Lloyd Coffee House » dans Tower Street. **Structure : Membres** *(members ou names) 1989* 30 000, *93 :* 20 000 [dont 117 résidant en France (dont 54 Français)]. Ils souscrivent des parts de syndicats de souscription (en 1991 : 3 800 départs, 115 adhésions, 1992 : 2 000 départs, 75 adhésions ; 275 synd.). **Patrimoine minimal** (en £) : *années 80 :* 100 000, *depuis 1990 :* 250 000. **Patrimoine total :** 18 milliards de £. Des opérateurs-souscripteurs *(underwriters),* au nom des syndicats qu'ils représentent, prennent des engagements, face à 260 courtiers agréés *(brokers at Lloyd's)* qui leurs apportent des affaires. Les membres garantissent et couvrent les risques souscrits en leur nom, « chacun pour soi et non l'un pour l'autre », sur tous leurs biens. Chacun est tenu de déposer en fonds bloqués l'équivalent de 30 % de la « limite de souscription de prime » qu'il accepte. Si les affaires vont bien, il reçoit un % des profits, sinon il est tenu de couvrir les pertes sur sa fortune personnelle. **Pertes** (en milliards de £) *1988 :* 0,51 (1er résultat déficitaire dep. 1967), *89 :* 2,06, *90 :* 3, *91 :* + de 1, *92 :* 6.

nationales 7 (26), anonymes 258 (54,4), mutuelles 208 (8,4 + mutuelles agricoles 7,4), succursales de Stés étrangères 140 (2,2), CNP 1 (9).

■ **Effectifs** (1991). 217 200, dont salariés des Stés d'ass. 121 700 (dont services administratifs 94 500, services extérieurs 27 200), Caisse nationale de prévoyance 2 100, agents généraux 70 700 (dont titulaires 19 700, sous-agents 13 000, salariés 38 000), courtiers 18 400 (dont titulaires 2 400, salariés 16 000), experts 4 300.

■ **Données globales. Chiffre d'affaires mondial** (France et étranger, en MdF) : *1980 :* 132 ; *85 :* 270 ; *90 :* 533,9 ; *91 :* 595,6 dont *entreprises d'ass. agréées* 449,2 [dont *vie* et *capitalisation* 234,8 ; *dommages* 214,4], dont ass. de personnes (vie et capitalisation, et dommages de personnes) 272,7 ; ass. de dommages 176,5 ; *filiales à l'étranger* 119,8 ; *Stés de réassurance spécialisées* 26,6 ; *92 :* 672.

Structures des encaissements (en %, 1991) : vie 46,2, automobile 17,2, dommages aux biens (risques des particuliers, risques agricoles, risques industriels) 11,1, capitalisation 8,5, dommages corporels 9,1, responsabilité civile 2,1, divers 2,3 (dont protection juridique 0,8 et assistance 1,6), transport 1,7, construction 0,9, catastrophes naturelles 0,9.

Activité internationale des assureurs français à l'étranger (en MdF, 1991) : 150,5 (25 % CA global). **Marché des assureurs étrangers :** 45,5 (10,1 % du CA nat.).

Part des chiffres d'affaires réalisés à l'étranger (en %). *1986 :* G.-B. 31, France 13,4, RFA 5,3. *91 :* G.-B. 28,1, RFA 25,5, Fr. 20,5.

■ **Placements des entreprises d'assurances** (en MdF). **Encours total des actifs gérés :** *1986 :* 602,5 (dont vie-capitalisation 361,8, dommages 240,7) ; *1990 :* 1 231,2 (891,5 ; 339,7) ; *1991 :* 1 411,7. **Placements** (en MdF) : *obligations* (SICAV et FCP compris) 806,7 ; *actions* 287,1 ; *prêts* 24,2, *TCN (titres de créances négociables) et dépôts* 85,5 ; *immobilier* (immeubles, parts de SCI) 168 évalués à leur valeur comptable, c.-à-d. valeur d'achat nette d'amortissement (11,9 % du total des placements). En % : obligations 57,1, actions 20,3, placements immobiliers 11,9, divers (dont TCN 6,1) 9, prêts 1,7.

Flux de placements (en MdF) et entre parenthèses % de l'investissement national : *1980 :* 31,3 (4,6), *85 :* 78,6 (8,9), *86 :* 113,3 (11,4), *87 :* 114 (10,7), *88 :* 159,7 (13,4), *89 :* 190 (14,5), *90 :* 165 (11,7) dont en % : obligations 52,1 (24,4) ; actions 23,7 (15,4) ; divers (dont TCN 13,1) 13,8 ; placements immobiliers 10,8 ; prêts – 0,4, *91 :* 181.

Parc immobilier locatif des entreprises d'assurances adhérentes à la FFSA (total et entre parenthèses à Paris, au 1-1-91) : locaux d'habitation et locaux à usage professionnel 99 974 (38 252), bureaux (en m²) 4 608 042 (2 064 806), entrepôts et locaux d'activités (en m²) 639 319 (148 609), commerces (en m²) 699 047 (329 047), divers (en m²) 426 099 (74 279).

Patrimoine immobilier (en milliers de m², au 31-12-92) **et entre parenthèses plus-values latentes et valeur comptable** (en milliards de F) : AGF 1 680 (24/16) ; Axa 2 000 (10/28) ; GAN 1 131 (n.c.) ; UAP 3 553 (n.c./60).

■ **Résultats comptables. Prestations versées aux assurés** (provisions techniques comprises en MdF) : *1980 :* vie et capitalisation 29 (dommages 52,2), *90 :* 235,3 (129,8), *91 :* 325,9 (145,3).

Assurance-vie et capitalisation (en MdF) : chiffre d'affaires 234,8, solde d'exploitation – 2,9, produit des placements et autres produits 86,2, frais généraux 28,5, bilan après réalisation de plus-values sur cessions d'actifs, résultats après impôts 9,2.

Assurance de dommages (en MdF) : chiffre d'affaires 214,4, bénéfice technique 71 (charge des sinistres rapportée aux primes nettes en 1991 : 82,2 %), produit des placements et autres produits 20,4, frais généraux 59, solde d'exploitation *1989 :* 6,2, *90 :* – 0,3, *91 :* – 5,2, résultats après impôts *1989 :* 11, *90 :* 9,4, *91 :* 5,1.

Modes de distribution (en %, 1991). *Vie :* guichets (établissements financiers, Poste ou Trésor) 42, agents 17, courtiers 18, salariés 27, vente directe, correspondance 6. *Dommages :* guichets 1, agents 46, courtiers 18, salariés 4, sociétés sans intermédiaires 29, vente directe 3.

■ **Assurances de personnes** (1991). **Cotisations** (en MdF) : 272,7 (dont vie 199,5), capitalisation au sens d'opérations individuelles de garantie d'épargne capitalisée 35,3 ; dommages corporels 37,9. *En % :* en cas de vie 51,6, capitalisation 16,2, en cas de décès 15,4, dommages corporels 14,3, réassurance et étranger 2,4. **Sommes versées** (en MdF) : 325,9 dont prestations 156,7 (dont 23 % participations aux bénéfices), part provisionnée des engagements pris dans l'année envers les assurés (prestations différées, placées dans les actifs gérés par les sociétés) 169,2.

Assurances en cas de vie (épargne et retraite) et cotisations (en MdF) : 152,8 dont contrats individuels 54,4, plan d'épargne retraite (2 600 000 PEP ouverts), versements effectués 42,2, contrats « groupes ouverts » 82,6 (dont 30 % sur des contrats à cotisations périodiques), contrats collectifs 15,8. **Encaissements vie et capitalisation** (en %) : Stés anonymes 53,6, Stés nationales 26,3, Caisse nat. de prévoyance 9,1, Stés d'assurance mutuelles 8,9, entreprises étrangères (succursales de Stés étrangères) 2,1.

Assurances en cas de décès (en MdF) : 40,1 dont contrats individuels 9,3, groupes ouverts 2,1, collectifs 20,8 (dont contrats souscrits dans le cadre d'un emprunt 8), garanties complémentaires 7,9.

Réassurance et étranger (en MdF) : 6,6 dont primes de réass. 5,1, cotisations versées sur des contrats souscrits à l'étranger et DOM-TOM 1,5.

Bons de capitalisation (Chiffre d'aff. en MdF) : 35,3 (chute due à la création du PEP, des OPCVM de capitalisation).

Assurances de dommages corporels (chiffre d'aff. global 37,9 MdF, 1991) : assurance santé, dépenses pour l'ensemble de la population française 561, couvertes par des régimes de base 74 %, mutuelles 6 %, ménages 16 %, État et collectivités 1 %, sociétés d'assurances 3 %.

■ **Assurances de dommages. Cotisations** (en MdF, 1991) 176,5 dont affaires directes 151,6 (dont automobile 71,7 ; multirisques habitation 21,8 ; risques des entreprises 19,2 ; risques agricoles 5,4 ; catastrophes naturelles 4 ; transport 7,2 ; construction 3,9 ; responsabilité civile générale 8,7 ; protection juridique 1,2 ; assistance 2,5 ; autres 6).

■ **Assurance automobile** (en MdF, 1991). **Indemnités payées :** 71,7 dont dommages matériels aux véhicules 46, dommages corporels 18,5. **Encaissements :** 64,5.

Résultats d'exploitation automobile (en millions de F), **entre parenthèses dommages et responsabilité civile :** *1981 :* – 1 088 (– 2 083/995), *82 :* – 178 (– 1 905/1 727), *83 :* 1 086 (– 1 098/2 184), *84 :* 1 347 (– 947/2 294), *85 :* 1 890 (– 320/2 210), *86 :* 1 218 (72/1 146), *87 :* 2 723 (106/2 617), *88 :* 1 442 (543/899), *89 :* 2 605 (623/1 982), *90 :* 1 234 (– 2 011/3 245).

☞ **Circulation** (en millions de véhicules à 4 roues) : parc automobile 29 dont véhicules utilitaires et voitures d'entreprise + de 5. **Accidents corporels** (1991) : 148 890 enregistrés par police et gendarmerie, blessés 215 585, tués 9 617. **Vols** (1992) : *déclarations de voitures volées* 312 000 ; *coût* pour les entreprises d'assurances 8,5 milliards de F.

■ **Multirisques habitation** (1991). **Indemnités :** 13,5 MdF. **Cotisations :** 21,8 MdF dont en % : incendie 29,1, vol 20,6, eaux 18,8, resp. civile 11,8, tempêtes, grêle, neige sur toitures 6, dommages électriques 6,6, bris de glaces 3,3.

☞ **Nombre de cambriolages :** *1981 :* 301 441, *1990 :* 389 676, *1991 :* 416 414 dont résidences principales 197 687, secondaires 25 050, autres lieux (dont industriels et commerciaux) 193 673.

■ **Risques des entreprises** (en MdF, en 1991). Contrats couvrant généralement incendie, dégâts des eaux, vol, tempêtes, responsabilité civile et pertes d'exploitation. *Indemnités versées* 17. *Cotisations* 19,2. **Artisans-commerçants** (CA multirisques) 5,8 MdF. **Risques incendie** et annexes 6,6 MdF.

■ **Risques techniques** (en MdF, en 1991). **Machines** (bris, garantie du constructeur, risques de montages-essais, risques de chantiers) : *Encaissements* 2,3. **Risques informatiques** (contrats risques techniques, contrats globaux de banque, responsabilité civile des SSII, etc.) : *encaissements* + de 1. *Pertes (garanties et non garanties) :* 10,4 dont accidents, vols, sabotages de matériels, pannes et dysfonctionnements de matériels et logiciels de base, carences de fournitures 2,7 ; erreurs de saisie, transmission, exploitation, conception et réalisation 1,8 ; fraude, sabotages immatériels, indiscrétions, détournements d'informations, copie illicite de logiciels 5,9.

■ **Risques agricoles** (en MdF, en 1991). **Cotisations :** 5,4 dont 1,4 en grêle et tempête sur récoltes. **Coût :** *tempêtes* de janvier, février, mars 6,5 ; *inondations* de février 1,2 ; *dommages aux bâtiments* dus à la sécheresse (dont certains seront indemnisés par les contrats dommages-ouvrages) 1.

■ **Assurance maritime et transports. Souscriptions directes** en France et hors France (1991) : 7,1 MdF.

☞ **Flotte. Française** (1992) : 212 navires de commerce assurés pour 22 milliards de F. **Étrangère :** le marché français a des intérêts dans + de 5 000 navires des principales nations maritimes du monde.

Marchandises transportées à l'exportation et à l'importation (1991) (y c. envois postaux, transports par oléoducs, propulsion propre). *Quantités en millions de t et entre parenthèses valeurs en MdF :* maritime 227,4 (628,7), routier 137 (1 457), ferroviaire 31,7 (135), fluvial 28 (29), aérien 0,5 (291), total 458,3 (2 804).

■ **Assurance aviation et risques spatiaux** (1991). **Encaissement :** 2,4 MdF dont affaires françaises 0,7 ; internationales 1,7.

Risques spatiaux. *Encaissement :* 0,3 MdF. *Bilan : (1991) France + Guyane* Ariane (9 satellites commerciaux assurés). *USA* 5 sat. assurés, 1 échec le BS-3H (assuré pour 96 millions de $). *Japon* 1 sat. *Taux de prime moyen :* risque de lancement jusqu'à réception en orbite définitive 16,5 à 18 % ; risque vie en orbite 1,7 à 2 %.

■ **Assurance construction** *(1991). Encaissement :* 3,9 MdF (responsabilité civile décennale 75 %, dommage ouvrage 25 %).

Exemples de gros sinistres

■ **En France** (dommages en millions de F). **1976**-*18-3* un automobiliste fait dérailler un train à Bar-le-Duc, dommages matériels 15. **1978** *mars* marée noire de l'Amoco Cadiz (Finist.) 1 000. -*17-2* explosion due au gaz, rue Raynouard à Paris, dom. matériels 50. **1982**-*11-9* incendie port autonome du Havre, hangars 155. **1984**-*31-1* incendie usine 380. **1987**-*25-10* incendie grand magasin du Val-d'Oise 290. **1988**-*3-10* inondations de Nîmes 1900. **1989**-*22-9* abattoir (Morbihan) 200. **1992** *sept.* inondations de Vaison-la-Romaine 2 000. -*9-11* incendie raffinerie Total (La Mède) 3 500.

Sinistres incendie de + de 200 millions. *1990-22-2* de produits chimiques (B.-du-R.), 490. *1-6* dépôt de livres (S.-et-M.), 236. *20-8* entrepôt de marchandises diverses (Val-d'O.), 600. *1991-1-5* boulangerie industrielle (I.-et-V.), 245. *15-6* dépôt de matériel informatique (Nord), 205. *3-10* fabrication de cartons (Vosges), 255.

■ **En Europe.** *Divers.* **1977**-*27-3* collision entre 2 Boeing à Tenerife 600. -*20-10* incendie dépôt Ford, Allemagne 830. **1978**-*11-7* explosion camion citerne près d'un camping, Los Alfaques (Esp.), indemnités versées aux familles 170. **1980**-*27-3* effondrement plate-forme pétrolière Alexander Kielland (Norvège), dommages matériels 280. -*27-10* explosion entrepôt G.-B. 320. **1987**-*26-5* inondations Pologne 3 060. -*18-7* orages Tessin (Suisse) 850. -*16/17-10* tempête G.-B. 8 886. **1988**-*25-8* incendie de Lisbonne 1 500. *Déc.* Incendie de la plate-forme Piper-Alpha en mer du Nord 5 000. **1990**-*1* tempête Europe Ouest 55 000. **1992**-*1* incendie abattoir en Irlande 550.

■ **Responsabilité civile générale.** Regroupe les garanties autres que celles liées : à l'utilisation de véhicules ; à la responsabilité civile décennale dans le cadre de l'assurance construction ; couvertes par les contrats multirisques. *Chiffre d'aff.* : 8,7 MdF, *indemnités payées ou à payer* : 8,5 MdF.

■ **USA.** *Coût des catastrophes naturelles* (milliards de $) **1970-80 :** 0,5 par an. **1981-90 :** 2,25 par an. **1989 :** 7,64 (ouragan Hugo, tremblement de terre californien). **1992 :** 10,7 (ouragan Andrew).

■ **Assurance des centres de transfusion sanguine.** Contrat émis par l'ensemble des entreprises d'assurances concernées. *Garanties* : responsabilités liées à la collecte de sang et au suivi des donneurs, à la cession de sang et de produits sanguins pour les actes effectués à partir du 1-1-1990. Illimitée pour dommages corporels causés aux donneurs ; jusqu'à 0,26 MdF (pour l'ensemble des réclamations présentées pendant l'année d'assurance). Au 15-4-93, 3 300 contaminés ont saisi le Fonds, 2 300 ont reçu une offre d'indemnisation, 2 Mds de F ont été versés (4 Mds fin 1993). En déc. 1991, Azur, GAN, UAP et Mutuelles du Mans ont mis en doute la validité des contrats passés avec le CNTS en juillet 1985. Un fonds d'indemnisation public a été créé par la loi du 31-12-1991. Selon eux, le CNTS savait depuis mai 1985 que les lots de sang étaient tous susceptibles d'être contaminés. Pourtant, il n'a pas prévenu ses assureurs de l'aggravation du risque et n'a pas augmenté le montant de sa garantie globale (10 millions de F). Le CNTS répond avoir prévenu ses assureurs en 1988 quand il fut certain du risque. Les assureurs s'appuient sur une lettre de juin 1985, dans laquelle Michel Garretta, directeur du CNTS, demande aux centres régionaux (CRTS) de « porter une attention toute particulière à leur police d'assurance responsabilité civile, afin de l'adapter à l'aggravation des risques liés à l'acte transfusionnel ».

Comparaison par ratio en 1990

	1	2	3	4
AGF	104,94	12,65	18,81	21,09
AXA	108,21	14,57	27,28	18,65
CNP	97,51	3,53	4,98	23,60
GAN	105,99	17,91	15,48	21,22
Mut. Mans[5] .	98,13	7,50	15,54	16,48
UAP	98,04	7,37	17,31	24,02
Victoire[5] ..	101,20	2,82	12,62	21,04

Nota. – (1) Placements/provisions techniques : rapport entre les sommes effectivements placées par l'assureur et ses engagements vis-à-vis de ses assurés (en général stable d'une année sur l'autre). (2) Plus-values nettes/chiffre d'affaires assurances. (3) Frais généraux/chiffre d'aff. ass. (4) Produits financiers nets d'ass./chiffre d'aff. ass. (5) 1991.

Comparaison en % des primes 1990

Postes	AGF	AXA	CNP	GAN	Mut. Mans	UAP	Victoire[11]
1 ..	39,6	39,8	100	58,9	33,1	44,9	35
2 ..	60,3	60,2	–	41,1	66,9	65	65
3 ..	9,6	21,3	–	153,7	–	14,7	–
4 ..	- 2,5	–	–	- 3,1	1,12	- 2,16	2,6
5 ..	- 8,2	–	- 19,5	- 6,4	- 11,17	- 8,3	- 29,9
6 ..	- 10,8	2,5	- 19,5	- 9,5	- 10,05	- 10,4	- 11,1
7 ..	1,6	0,8	–	- 1,8	–	2,5	–
8 ..	12,6	14,6	3,5	17,9	7,5	7,4	2,8
9 ..	5,9	9,3	3,1	9,1	0,78	4,1	3,4
10 .	46	39,4	29	33,5	19,8	97,2	64

Nota. – (1) Primes Vie. (2) Primes Iard. (3) Produits des activités bancaires. (4) Marge techniques IARD brute. (5) Marge technique Vie brute. (6) Marge technique brute. (7) Marge des activités bancaires. (8) Plus- ou moins-values sur cession d'actifs. (9) Résultat net de l'ensemble consolidé. (10) Primes en MdF. (11) 1991.

Comptes consolidés 1990 ou 1991

	1	2	3	4	5	6
AGF	23,3[7]	159[7]	41,7[7]	134,6	59[8]	2,7[7]
AXA	29,9[7]	143,4[7]	19,2[7]	131	74,3[8]	2,4[7]
CNP	7,17	101,9	6,9	97,2	42[8]	0,8
GAN	21,7[7]	127,1[7]	18[7]	110,7	43,8[8]	2,3[7]
Mut. Mans[7]	6,9	52,5	–	51,5	19,7	0,2
UAP	34[7]	360,5[7]	43,5[7]	280,2	125[8]	3,7[7]
Victoire[7] .	13,9	195,2	17	197,6	69[8]	1,8

Nota. – (1) Capitaux propres y compris résultat. (2) Provisions techniques. (3) Plus-values latentes. (4) Placements. (5) Chiffre d'affaires. (6) Résultat net, part du groupe. (7) 1991. (8) 1992.

UAP. Chiffres consolidés (en milliards de F). *Produit brut d'exploitation* 155,3, constitué pour près de 90 % des primes d'assurance augmentées des produits financiers, revenus et plus-values de cession. *Chiffre d'aff. d'ass.* 105,3 dont 51 collectés à l'étranger (16 ass. vie, 35 ass. non-vie). *Résultat net* part du groupe 3,8. *Fonds propres* 34. *Placements consolidés* valeur d'estimation 419,5, les 2 Stés UAP Vie et UAP Incendie-Accidents ont investi dans des valeurs à revenu fixe pour 43,4 %, actions 29,9 %, actifs immobiliers 26,7 %, rendement des actifs 10,2 %. *Chiffre d'aff. UAP Vie* 28,5. *UAP Incendie-Accidents* 22,3.

Principales mutuelles en 1990

	1	2	3	4
GMF	9 630	4 118	362[7]	4 568
Groupama[5]	25 747	23 078	1 339	12 500
Azur	3 221	2 395	200	1 380
Monceau	3 054	1 312	230	486
Maaf[5]	6 711	1 449	- 141	4 165
Macif	9 530	2 068	216	5 487
Maif[6]	5 932	2 991	145	3 893
Matmut[5]	3 570	1 895	180	2 080
Du Mans[5]	19 754	6 940	170	5 605

Nota. – (1) Primes brutes en MF (millions de F). (2) Capitaux propres en MF. (3) Résultat net en MF. (4) Effectifs. (5) 1991. (6) 1992. (7) 1992 : - 1 500 MF.

■ **Fonds privé de solidarité Transfusion-Hémophilie.** *Créé* 10-7-1989. *Versement* : allocations forfaitaires aux hémophiles séropositifs, à leurs épouses, à leurs enfants contaminés, ou à leurs veuves et enfants en cas de décès. Au 6-2-1991 *Allocations versées* : 1 037 de séropositivité, 66 de veuves et 77 d'orphelins ; montant total 0,118 MdF. *Dossiers présentés* : 1 078 (90 % des cas de contamination des hémophiles).

■ **Protection juridique. Cotisations** 0,8 MdF.

■ **Activité internationale de l'assurance française** (en MdF). 128,6 dont assurance directe (succursales et agences 5, filiales 101,1, souscriptions en France de risques étrangers 4,7) ; réassurance (assureurs directs 0,8, réassureurs professionnels 17,8).

■ **Courtiers** (1988). + de 2 400 en France, dont 456 groupes. Les 100 premiers cabinets (dont 69 à Paris) représentent + de 80 % du chiffre d'affaires et 79,5 % des effectifs. 47 ont un chiffre d'affaires de + de 20 millions de F. **1ers groupes de courtage** (Total des commissions en millions de F et entre parenthèses, effectifs, au 1-1-1993) : Gras Savoye 728,57 (1 342), Faugère et Jutheau 583,52 (1 228), Cecar 460,04 (583), GLN 446 (500), Sinafer 342,36 (48), Assurance Verspieren 309,42 (545), SGCA 234,41 (405), Cabinet Bessé 221,27 (110), La Sécurité Nouvelle 167,29 (198), Groupe Sedgwick 206,17 (315).

■ **Escroqueries** Toute fraude reconnue entraîne le remboursement des sommes perçues par l'assuré et, en cas de poursuite en correctionnelle, des peines de prison. S'il y a eu fausse déclaration sur le risque avant le sinistre, le contrat est considéré comme nul, et l'assuré se retrouve sans garantie. Il en est de même lorsque la déchéance est prononcée pour exagération des pertes.

Statistiques : la fraude représente en France 10 milliards de F par an dont 1 milliard est économisé par l'Alfa (Agence pour la lutte contre la fraude à l'assurance, association créée par les organismes professionnels de l'assurance). Sur 4 000 enquêtes effectuées par l'Alfa en 1992, 49,6 % concernaient un vol de voiture, 13 % des accidents simulés, 9 % des maladies ou décès imaginaires, 11,2 % des incendies, 6,4 % des vols de biens, 10,6 % des acc. divers. La bonne foi de l'assuré a été admise en moyenne dans 12 % des cas. Dans 44 % des cas, la preuve de la fraude a été apportée.

Poids économique des assurances

■ **Comparaison du chiffre d'affaires des assurances avec ceux des autres secteurs** (en MdF, HT, 1988). Bâtiment 385. Assurance 340,2. Industrie chimique 317. Automobile 285. Mécanique 272,4. Construction électrique et électronique 257. Travaux publics 125. Textile 113.

Contrats

Données générales

■ **Souscription.** S'adresser à la société ou à l'agent général ou au courtier de son choix. **Omission de déclaration ou déclaration inexacte, conséquences :** *en cas de bonne foi* avant tout sinistre, possibilité de résiliation pour l'assureur, réduction proportionnelle de l'indemnité après sinistre ; *mauvaise foi* nullité du contrat, l'assureur conservant les primes échues à titre de dommages et intérêts. Depuis 1-5-1990, l'assureur doit remettre à son client : une fiche d'information sur prix et garanties ; un projet de contrat ou une notice d'information.

Si l'on désire une garantie immédiate : demander une *note de couverture.* Elle sera remplacée ensuite par une *police d'assurance,* acte définitif précisant les engagements de l'assuré et de l'assureur.

Un assuré qui souscrit plusieurs garanties d'ass. auprès de différents assureurs pour couvrir le même risque (par ex. responsabilité civile comprise dans une multirisque habitation, une ass. scolaire et une ass. responsabilité civile pour la pratique du sport) doit en faire la déclaration à tous les assureurs. En cas d'accident causé par son enfant, il pourra s'adresser à l'ass. de son choix qui réglera l'indemnité.

■ **Durée.** Fixée par la police d'ass., mais l'assuré comme l'assureur a le droit de résilier le contrat chaque année. Dérogation possible pour l'assurance grêle, les contrats individuels d'assurance maladie et les risques autres que ceux des particuliers.

■ **Résiliation. Conditions :** les contrats sont résiliables annuellement, un délai de préavis de 2 mois doit être respecté. Toutefois, les contrats individuels d'ass. maladie et les risques autres que ceux des particuliers peuvent prévoir d'autres conditions fixées par la police d'assurance ; *vie* tout moment en cessant d'acquitter les primes. **Modalités :** indiquées dans la police. Résiliation, à la date anniversaire du contrat ou à l'échéance annuelle. L'assuré peut résilier par déclaration avec récépissé, faite au siège de la Sté, par acte extrajudiciaire, par lettre recommandée avec ou sans AR, ou par tout autre moyen indiqué dans la police. Le délai de préavis court à partir de la date figurant sur le cachet de la poste.

Résiliation avant terme : *causes :* changement de situation (domicile, mariage, profession, régime matrimonial, retraite ou cessation d'activité) sauf pour les contrats souscrits avant le 8-5-1991, en Ht-Rhin, Bas-Rhin et Moselle quand ils sont régis par la loi locale du 30-5-1908. Disparition du bien assuré, vente du bien assuré ou décès de l'assuré, changement de domicile, situation matrimoniale, profession, mise à la retraite, pour sinistre par l'assureur, pour augmentation de prime (seulement si prévu dans le contrat), diminution du risque, résiliation d'un autre contrat.

Résiliation après sinistre : la police peut prévoir que la Sté pourra résilier le contrat après sinistre. La garantie cesse 1 mois après l'envoi d'une lettre recommandée. Si 1 mois après, la Sté a encaissé une prime (ou une portion) postérieure à la date du sinistre sans faire de réserves, elle ne peut plus se prévaloir de la faculté de résiliation. *Ass. auto* (garantie obligatoire de responsabilité civile) : le contrat ne peut être résilié par l'assureur qu'après un sinistre causé par un conducteur en état d'imprégnation alcoolique, ou coupable d'une infraction entraînant une suspension judiciaire ou administrative du permis d'au moins 1 mois, ou son annulation. La Sté d'ass. conserve le droit de résilier le contrat à l'échéance annuelle avec un préavis de 2 mois.

Délai de réflexion : celui qui a signé une proposition ou une police d'assurance-vie peut y renoncer par lettre recommandée (avec demande d'avis de réception) pendant 30 j à compter du 1er versement. L'assureur doit indiquer les 6 premières valeurs de rachat ainsi que le sort de la garantie décès en cas de dénonciation du contrat. Il doit également remettre, en plus d'une note d'information sur le contrat, un modèle de lettre de renonciation. A défaut, le délai sera prolongé de 30 j à partir de la remise effective des documents. Un nouveau délai de 30 j court à compter de la réception de la police lorsque celle-ci apporte des réserves ou des modifications essentielles à l'offre originelle ou à compter de l'acceptation écrite de ces réserves. La renonciation entraîne la restitution par l'assureur des sommes versées dans les 30 j ; au-delà, les sommes produisent intérêt au taux légal majoré de 50 % durant 2 mois, pris au double du taux légal à l'expiration de ce délai. Ces dispositions ne s'appliquent pas aux contrats dont la durée est inférieure à 2 mois.

■ **Sinistre.** Événement (par exemple : incendie, accident, vol, etc.) ouvrant droit à indemnité.

Déclaration : (nom, prénom, adresse, nº de contrat, nom et adresse du courtier, nature, date, heure et lieu du sinistre, circonstances, victimes, dommages, témoins) doit être faite par écrit, en principe par lettre recommandée adressée à la Sté ou à son représentant. *La non-déclaration* ou *déclaration tardive* peut entraîner la déchéance de tous droits à indemnité à condition que celle-ci soit mentionnée en caractères apparents dans les conditions générales de la police et que l'assureur prouve que le retard dans la déclaration lui a causé un préjudice. DÉLAI NORMAL : 5 j ouvrés (min. légal), à partir du jour où on a connaissance du sinistre. Sauf dans le cas fortuit ou de force majeure. DÉLAIS SPÉCIAUX : *Vie :* laissés aux soins des parties (lire le contrat). *Catastrophes naturelles :* 10 j après le décret paru au JO (30 j pour les pertes d'exploitation). *Grêle* (sauf cas fortuit ou force majeure, ou convention contraire des parties) : 4 j. *Mortalité du bétail* (mêmes réserves) : 24 h. *Vol :* 2 j ouvrés et l'assuré doit porter plainte. **Pour les accidents matériels de la circulation :** la formule de constat amiable comporte la déclaration de sinistre. Envoyer l'exemplaire à l'assureur dans les 5 j ouvrés et garder une photocopie.

Exclusions de risques : *légales* [exclusions de la faute intentionnelle ou dolosive de l'assuré (interdiction d'assurer), des risques de guerre étrangère, g. civile, émeutes et mouvements populaires (sauf inopinés), du suicide volontaire et conscient pendant les 2 premières années du contrat en assurance-vie], *conventionnelles* (lire le contrat).

Attentats et actes de terrorisme : toute assurance de bien couvre automatiquement les dommages matériels causés par un acte de terrorisme ou un attentat. Cette garantie est donc acquise à tous les automobilistes ayant une garantie dommages ou incendie et aux titulaires d'une multirisque habitation.

Fonds de garantie créé par la loi du 9-9-1986. Les victimes de dommages corporels dus à un acte de terrorisme peuvent recevoir une provision dans le mois suivant leur demande, une offre d'indemnité dans les 3 mois à partir du jour où elles auront justifié de leur préjudice. Le fonds est alimenté par un prélèvement sur les contrats d'assurance de biens (dans lesquels la garantie des dommages matériels résultant d'actes de terrorisme et d'attentats commis en France est obligatoire). 4 F pour 1992.

Primes : l'assuré a 10 j pour payer. Au-delà, l'assureur peut poursuivre le recouvrement en justice, sauf pour les assurances sur la vie. L'assureur peut suspendre la garantie 30 j après avoir envoyé une lettre de mise en demeure avec AR, si la prime n'a pas été payée entre-temps. La lettre peut en même temps notifier la résiliation si la prime n'a pas été payée, le contrat est résilié 40 j après l'envoi de la lettre. Si elle ne la notifie pas, l'assureur peut résilier 10 j après l'expiration du délai de 30 j par une 2e lettre recommandée. Si la garantie est suspendue (et si le contrat n'est pas encore résilié), l'assuré peut remettre la garantie en vigueur en payant la ou les primes arriérées. La garantie reprend le lendemain à midi du j où l'arriéré aura été payé.

Majorations : ne peuvent être refusées quand elles sont dues à une décision légale ou réglementaire (exemple : hausse des taux de taxes ou, en auto, application de la charge bonus-malus) ou si le contrat prévoit une clause de revalorisation ou d'indexation de la prime. En cas d'augmentation de tarif (hors indexation, hors bonus-malus) l'assuré peut résilier seulement si une clause du contrat l'y autorise (la résiliation peut n'être autorisée que si l'augmentation dépasse un certain pourcentage). A défaut d'une telle clause, l'assuré peut refuser l'augmentation et demander à l'assureur de lui recalculer le tarif sur les bases de l'année précédente. Il s'expose alors au risque de se faire résilier par l'assureur à la prochaine échéance annuelle. Lorsqu'elle est possible, la résiliation pour hausse de prime doit en général être faite par lettre recommandée dans le mois de la réception de l'avis d'échéance.

Accidents corporels (assurances)

■ **Assurances individuelles accidents.** Indemnité forfaitaire fixée par contrat, ex. *en cas d'invalidité permanente :* versement du capital en proportion du taux d'invalidité ; *incapacité temporaire :* indemnités journalières et éventuellement remboursements des frais médicaux (non pris en charge par un organisme social). *Décès :* capital au bénéficiaire désigné.

Risques exclus : 1º) *Maladie :* « accidents cardiaques » ; hernies et maladies de toute nature, varices, sciatiques, attaques de poliomyélite, d'épilepsie ou d'apoplexie, rhumatismes et ruptures d'anévrisme, paralysie, délire alcoolique, aliénation mentale, maladies du cerveau et de la moelle épinière ; conséquences d'opérations chirurgicales n'ayant pas pour cause un accident garanti par le contrat ou entreprises sur l'assuré par lui-même ou un tiers non qualifié ; lésions causées par les rayons X et leurs composés, et d'une façon générale les risques atomiques tels que définis par la clause en usage. **2º)** *Suicide, mutilations volontaires.* **3º)** *Meurtre de l'assuré par le bénéficiaire.* **4º)** *Accidents survenus dans certaines circonstances dangereuses :* période militaire de + de 30 j (en service commandé, l'Armée est responsable) ; duels ou rixes (sauf cas de légitime défense) ; rallyes ou épreuves de vitesse ou d'endurance ; sports dangereux (skeleton, bobsleigh, alpinisme en haute montagne) ou pratiqués professionnellement ; sports aériens (vol à voile, parachutisme, deltaplane et tout pilotage d'avion), pratique de l'aviation en dehors des lignes commerciales régulières ; parfois accidents de ski. **5º)** *Accidents intentionnellement causés ou provoqués par les bénéficiaires* de la police ou par la victime elle-même. **6º)** *Conséquences de l'ivresse,* stupéfiants, tentative de suicide même due à un dérangement mental. **7º)** *Cataclysmes* (tremblements de terre ou inondations).

On peut couvrir certains risques exclus.

■ **Assurance « individuelle accidents ».** Garantit l'assuré 24 h/24 contre tous les accidents dont il peut être victime lors de toute activité professionnelle ou privée. **Limitée :** liée à certaines activités de loisirs, sports, chasse, sports d'hiver, voile, aviation, etc., la conduite automobile ou de 2-roues à moteur. Si les passagers sont indemnisés par l'assurance resp. civile en cas d'accident, le conducteur responsable ne l'est pas et l'individuelle accident joue. Les assureurs proposent une garantie du conducteur qui est soit une « individuelle accidents », soit une garantie plus étendue qui permet au conducteur responsable d'obtenir les mêmes indemnités que s'il était non responsable (indemnités calculées selon le droit commun). Quand le conducteur n'est pas responsable, l'indemnité est versée au titre d'avance sur recours (à l'encontre du responsable).

Risques compris : l'usage de taxis, bus, automobiles (pour 2-roues à moteur, sauf cyclomoteurs, surprime), avion ou hélicoptère d'une Sté (comme passager), mort ou infirmité par accident de circulation, accidents survenus en cas de légitime défense et au cours de sauvetage de personnes, mort par asphyxie, noyade ou hydrocution, piqûres médicales (vérifier le contrat), brûlures, électrocution, foudre, morsures de serpents, empoisonnement ou brûlures causées par des substances vénéneuses, corrosives, des aliments avariés absorbés par erreur ou dus à l'action criminelle d'un tiers, congestions, insolations et autres effets de la température, consécutifs à un accident garanti, les conséquences directes et immédiates d'un accident compris dans la garantie, cas de rage ou de charbon consécutifs à des morsures d'animaux ou à des piqûres d'insectes, accidents, pendant les périodes du service militaire de 30 j max. en temps de paix.

Tarif des primes : se calcule en % des sommes assurées. Dépend du secteur d'activité et de la nature du travail effectué (aucun travail manuel, tr. manuel occasionnel, tr. manuel habituel).

Multirisques loisirs : pour les sportifs et vacanciers.

Automobile (assurance)

■ Généralités

■ **Garantie obligatoire. Responsabilité :** tout utilisateur d'un véhicule terrestre à moteur (propriétaire, locataire ou conducteur) doit être couvert par un contrat d'assurance de responsabilité civile à l'égard des tiers (obligatoire pour tous les *véhicules en circulation,* se déplaçant sur une voie publique, une voie privée ou même sur des terrains non ouverts à la circulation ou qui sont en stationnement sur ces mêmes voies).

Le souscripteur du contrat, le propriétaire de la voiture, les représentants légaux de la personne morale propriétaire de véhicules sont désormais considérés comme des tiers et indemnisés par cette garantie lorsqu'ils ne conduisent pas.

Le contrat d'assurance garantit également la responsabilité civile de toute personne ayant la garde

■ **Accidents en France.** Nombre moyen par an. *Domestiques :* blessés 500 000 à domicile dont 193 000 pendant leurs loisirs [dont 73 000 enfants et 48 000 adultes bricoleurs (sur 7 000 000 d'adeptes)], morts 5 000. *De la circulation* (1991) : blessés 215 585, morts 9 617. *De sport :* blessés 200 000, morts 300. *Du travail :* blessés 900 000, morts 1 100.

■ **Cas de survie. Incapacité permanente :** préjudice établi en fonction de la diminution des ressources de la victime et des séquelles qui subsistent, soit grâce à l'examen de ces ressources et des documents relatifs au préjudice subi, soit par calcul « au point » *(unité d'incapacité correspondant à 1/100 du taux d'incapacité), ou encore par calcul mathématique :* un homme de 36 ans gagnant 100 000 F par an, ayant une incapacité de 40 %, le prix du franc de rente du barème droit commun (taux 6,5 %) étant à 36 ans de 12,951, on évalue le préjudice à :

$$\frac{100\,000 \times 12{,}951 \times 40}{100} = 518\,040 \text{ F.}$$

Prix du F de rente. 20 ans : 14,250. *30 :* 13,567. *50 :* 10,812. *70 :* 6,184. *80 :* 3,798. Nouveau barème annexé au décret du 8-8-1986. La rente peut être révisée s'il y a aggravation de l'état de la victime, mais non s'il y a amélioration.

Revalorisation de divers avantages d'accident du travail. Effectuée 2 fois/an.

Préjudice de la douleur (pretium doloris) : pour la souffrance endurée au moment de l'accident ou durant les traitements ou opérations postérieures jusqu'à la consolidation des blessures.

Indemnités (moyenne 1990) : légères 2 000 à 7 000, modérées 7 000 à 12 000, moyennes à assez importantes 12 000 à 40 000, importantes à très importantes 40 000 à 75 000 et au-delà.

Renseignements sur le montant des indemnisations récentes : Minitel 36 15 code Agira.

Préjudice d'agrément : calculé en fonction de l'atteinte portée aux satisfactions et plaisirs de la vie. *Très léger à léger :* 4 200 à 6 900 F, *modéré :* 11 800 à 14 000, *moyen à assez important :* 25 000 à 27 000, *important à très important :* 54 000 à 100 000.

Préjudice esthétique : souvent fonction du sexe, de l'âge, de l'état de célibat, de la profession. *Très léger à léger :* 1 500 à 5 000, *modéré :* 8 000 à 12 000, *moyen à assez important :* 16 000 à 45 000, *important à très important :* 60 000 à 80 000 et plus.

■ **Cas d'accident mortel.** *Peuvent solliciter des dommages et intérêts :* conjoint survivant, enfants légitimes, adoptés, naturels, petits-enfants à raison de leur intimité avec leurs grands-parents, lorsqu'ils vivent avec eux ou bénéficient de leur part d'une aide pécuniaire, grands-parents légitimes ou naturels, collatéraux, frères, sœurs, amis intimes (s'ils ont subi un préjudice), fiancé (parfois), concubin ou concubine (parfois), nièces, neveux, à défaut de parents plus proches.

Ex. : pour le *décès d'un père de famille* (30 ans, agent PTT, salaire 136 000 F/an ; *veuve :* préjudice patrimonial 790 000, préjudice moral 100 000 ; *enfants (2) :* préj. patrimonial 450 000, moral 80 000 × 2 ; *ascendants et collatéraux (6) :* préj. patrimonial 40 000, moral 20 000 × 6.

☞ En 1990, les assurances ont versé en moyenne par victime tuée 264 365 F (pour un homme actif, 356 850 F) ; pour un blessé grave, 152 436 F (entre 20 % et 29 % d'incapacité), 311 095 F (entre 30 % et 49 % d'incapacité).

ou la conduite, même non autorisée, du véhicule, à l'exception des professionnels de la vente, de la réparation et du contrôle de l'automobile ainsi que la responsabilité des passagers du véhicule.

■ **Autres garanties** (dommage tous accidents, dommage-collision, défense-recours, incendie, vol et bris de glace). Facultatives. Les garanties catastrophes naturelles et attentats sont acquises si une garantie couvrant les dommages au véhicule a été souscrite, la garantie tempêtes, ouragans ou cyclones, si la garantie incendie l'a été.

■ **Attestation d'assurance.** Le document justificatif *(carte verte, certificat d'assurance)* est valable 1 mois après sa date d'expiration. La carte verte est exigée dans les pays où l'ass. auto est obligatoire. Elle ne garantit que l'ass. obligatoire « responsabilité civile » à l'égard des tiers. Pour les pays qui seraient rayés sur la carte verte, il faut souscrire une « ass. frontière ». Vérifier si les garanties non obligatoires (vol, incendie, dommages au véhicule) s'appliquent dans les pays visités. *L'attestation et le certificat provisoires* délivrés par l'assureur à l'acquéreur d'un nouveau véhicule établissent une présomption d'assurance pour la période qu'ils déterminent et qui ne peut excéder 1 mois.

Certificat d'assurance : depuis le 1-7-1986, les souscripteurs de contrats relatifs aux véhicules de – de 3,5 t et aux 2-roues, immatriculés ou non, doivent apposer un certificat d'assurance faisant présumer le respect de l'obligation d'assurance. Le défaut d'apposition du certificat et le défaut de présentation de l'attestation constituent une contravention de 2e classe (peine d'amende de 250 à 600 F). Cette infraction ne se confond pas avec celle du défaut d'assurance (absence de souscription d'un contrat) réprimée par une contravention de 5e cl.

■ **Tarification.** Variable en fonction du véhicule, de la franchise choisie par l'assuré (s'il accepte de garder à sa charge, en cas de dommage, une partie des frais, sa prime sera moins élevée), de la zone géographique, de l'utilisation du véhicule, de la personnalité du conducteur (âge, sexe, situation de famille, ancienneté du permis, passé automobile de l'assuré).

Le Code des assurances oblige les Stés d'assurances à délivrer à toute personne qui saisit le BCT (Bureau central de tarification) un devis indiquant le coût des garanties. Le BCT est composé d'assureurs et d'assurés dont la mission est de fixer le tarif de la prime que sera tenu d'appliquer l'assureur qui aura préalablement refusé d'assurer une personne soumise à obligation.

Conducteurs « novices » : assurés ayant un permis de – de 3 ans. Assurés ayant un permis de 3 ans et +, mais qui ne peuvent justifier, sur les 3 années antérieures à la souscription du contrat, une assurance effective. *Surprime* facultative (au max. 100 % de la prime de référence, 50 % seulement pour les jeunes qui ont suivi une formation en conduite accompagnée). Doit être réduite de moitié au moins par année sans sinistre responsable et disparaît après 2 ans sans sinistre. Même réduction pour les personnes ayant suivi l'apprentissage anticipé de la conduite et pour les jeunes titulaires du certificat de conducteur d'élite de l'armée.

Risques « aggravés » (article 335-9-2 du Code) : assurés responsables d'un accident et reconnus en état d'imprégnation alcoolique au moment de l'accident : surprime 150 %. Ass. responsables d'un accident ou d'une infraction aux règles de la circulation qui a conduit à la suspension ou à l'annulation du permis de conduire : susp. de 2 à 6 mois : 50 %, de + de 6 mois : 100 %, annul. ou plusieurs susp. de + de 2 mois au cours de la même période de référence : 200 %. Ass. coupables de délit de fuite après accident : 100 %. Ass. n'ayant pas déclaré, à la souscription d'un contrat, une ou plusieurs des circonstances aggravantes indiquées ci-dessus ou n'ayant pas déclaré les sinistres dont ils ont été responsables au cours des 3 années précédant la souscription d'un contrat : 100 %. Ass. responsables de 3 sinistres ou + au cours de la période annuelle de référence : 50 %.

Ces différentes surprimes peuvent se cumuler, mais le montant total de la surprime ne peut dépasser 400 % de la prime de référence. L'application de ces surprimes est limitée dans le temps, chacune étant supprimée après 2 ans au plus.

Réduction de tarif : les assureurs peuvent accorder, à titre commercial, des tarifs préférentiels (ex. à des « conducteurs d'élite »).

Notion définie librement par les entreprises, recouvrant généralement ces critères : période ininterrompue de 7 ans max. sans accidents ; période plus courte (5 ans par ex.) sans accidents mais chez le même assureur ; bonus max. atteint, afin que l'assuré continue à être motivé.

Bonus-Malus : clause-type obligatoire pour tout « véhicule terrestre à moteur », sauf pour les véhicules de moins de 81 cm³, ou certains véhicules ou matériels (agricoles, forestiers, de travaux publics ou de lutte contre l'incendie). **Bonus :** 5 %, soit un coefficient de 0,95 à l'issue de chaque année sans sinistre. *Rabais maximal :* 50 % atteint après 13 années sans accident. **Malus :** 25 %, soit un coefficient de 1,25 appliqué lors de chaque sinistre. *Plafond maximal :* 250 % (coefficient 3,50). Après 2 années consécutives sans sinistre, le coefficient ne peut être supérieur à 1. *Franchise de malus :* pour les assurés qui sont à 50 % de bonus depuis 3 ans au moins, pas de malus au 1er accident, même si responsable.

La majoration est réduite de moitié lorsque la responsabilité de l'accident est partagée. Il n'y a pas majoration si : « 1°) L'auteur de l'accident conduit le véhicule à l'insu du propriétaire ou de l'un des conducteurs désignés, sauf s'il vit habituellement au foyer de l'un de ceux-ci ; 2°) La cause de l'accident est un événement imputable à un cas de force majeure, à la victime ou à un tiers, même quand l'assureur indemnise les victimes au titre de la « loi Badinter ». *Coefficients spéciaux de bonus-malus* pour certains assurés lorsque le véhicule est assuré pour un usage « tournées » ou « tous déplacements » : taux de réduction de 7 % (coefficient bonus de 0,93), t. de majoration 20 % (coeff. malus 1,20) (en effet la prime de référence est plus chère). Fin 1991, 92 % des assurés avaient un bonus, 60 % bénéficiaient d'un bonus d'au – 40 %, 5 % des assurés n'avaient ni bonus, ni malus, 3 % des assurés avaient un malus.

Taxes : garantie responsabilité civile obligatoire. Pour 100 F, l'assuré paie 34,90 F de taxes (dont : Séc. soc. 15 F, fonds de garantie automobile 1,90 F, taxe fiscale 18 F). Garanties facultatives : taxe fiscale de 18 %.

■ **Voiture louée.** Bien respecter les conditions du contrat : âge, ancienneté du permis... Le conducteur doit être mentionné sur le contrat et agréé par le loueur. L'ass. couvre les risques obligatoires (dommages causés à des tiers) sans limitation de somme, le vol et l'incendie du véhicule loué. Les dommages accidentels causés au véhicule sont souvent assurés, mais avec une franchise. Sinon, on peut souscrire cette ass. pour éviter, en cas d'accident, que la Sté de location se retourne contre vous pour se faire rembourser les dommages. *Ass. complémentaire* possible pour garantir le paiement d'indemnités forfaitaires aux personnes transportées.

■ **Voiture laissée à des amis ou à des enfants.** Si le contrat comprend une clause de « conduite exclusive », en demander la modification. Communiquer à l'assureur par lettre recommandée l'identité des personnes susceptibles de conduire habituellement votre véhicule. Vérifier conditions et conséquences contractuelles prévues en cas de sinistre consécutif à un prêt. En cas d'utilisation régulière du véhicule par d'autres personnes que le conducteur habituel, il est prudent de le déclarer à l'assureur.

Remorquage bénévole : à éviter (interdit sur autoroute) : les dommages causés aux tiers par le véhicule remorqué ou par le remorqueur peuvent être exclus des polices d'ass. respectives.

■ Formalités en cas de sinistre

1°) En cas de collision avec un autre véhicule. Constat amiable : porter en bas le nombre de cases utilisées pour éviter que d'autres cases soient cochées ensuite. Ne pas signer avant que l'autre partie n'ait complété sa colonne et que le croquis de l'accident ne soit réalisé. En signant, vous exprimez votre accord sur la relation des faits qui serviront à déterminer les responsabilités. Si les circonstances de l'accident ne correspondent pas aux cas types énumérés, utiliser la rubrique « observations ». Relever noms et adresses de témoins (de préférence autres que ceux des passagers du véhicule). Si l'on n'est pas d'accord sur le déroulement des faits et que chacun refuse de signer le constat, l'adresser néanmoins à son assureur. Une fois que les 2 exemplaires du constat amiable sont séparés, ne pas raturer ou surcharger le sien sous peine d'être taxé de fraude. Dans tous les cas, adresser le constat à l'assureur par lettre recommandée dans les 5 j ouvrés après avoir complété le verso.

Sans constat amiable : *exemple : si l'auteur de l'accident n'est pas identifié,* on ne peut obtenir, en l'absence de dommages corporels, d'indemnisation à moins d'avoir souscrit une assurance « tous accidents ». Faire une déclaration d'accident dans les 5 jours ouvrés. En cas de dommages matériels et corporels, un recours est possible auprès du Fonds de garantie automobile (64, rue de France, 94300 Vincennes) pendant 3 ans à compter de l'accident. *Si le véhicule est identifié,* informer son assureur afin qu'il obtienne le nom du propriétaire du véhicule. *Si le véhicule a été volé,* accomplir la même démarche, car l'assureur du véhicule volé est tenu d'indemniser les victimes d'accidents causés par le voleur.

2°) En cas de vol, incendie... Vol : porter plainte au commissariat de police ou à la gendarmerie, et demander un récépissé. Joindre ce récépissé à la déclaration de sinistre, l'adresser à l'assureur, par courrier recommandé dans les 2 j ouvrés suivant la connaissance du vol. *Si le véhicule volé est retrouvé avant que l'on soit indemnisé,* faire constater et consigner par écrit les dégâts par l'autorité qui le restituera. Avec l'accord de l'assureur, il vaut mieux aussi faire essayer le véhicule par un garagiste ou expert. **Incendie, explosion, bris de glace, vandalisme, attentat, émeute :** déclaration dans les 5 j ouvrés. **Catastrophe naturelle** (inondation, glissement de terrain) : dans les 10 j de la parution au JO de l'arrêté interministériel.

■ Indemnisation

■ **Cas où l'on peut être indemnisé selon les garanties souscrites. Assurance « dommages tous accidents » dite « tous risques » :** on peut être indemnisé, si l'on part en tonneau, à la suite d'un dérapage, en cas de collision avec un animal, un autre véhicule... **Assurance « dommages collision » :** on peut être indemnisé, seulement en cas de collision avec un autre véhicule, ou un animal, dont le propriétaire est identifié ou un piéton identifié. La garantie ne jouera pas si le conducteur a pris la fuite, s'il n'a pas laissé sa carte de visite, en cas de collision avec un animal sauvage, égaré... **Garantie incendie :** explosion, chute de la foudre sont aussi couverts mais il ne faut pas que le sinistre résulte d'un transport de matières explosives dans le véhicule. **Bris de glace accidentels :** pare-brise, glaces arrière et latérales sont remplacés à l'identique. **Vol :** en général, le véhicule (ou les dommages qu'il a subis s'il est retrouvé) est remboursé s'il y a vol avec effraction. L'effraction du véhicule n'est pas nécessaire si le garage privé où il était a été fracturé ou s'il a été pris au moyen de violences corporelles. Souvent, les biens qui se trouvaient dans le véhicule (effets personnels, autoradio) ne sont pas couverts si le véhicule n'a pas été déplacé (c'est-à-dire s'ils ont été volés pour eux-mêmes), une garantie spéciale peut être souscrite.

En général, on ne peut toucher l'indemnité que 30 j au moins après le vol ; si les 30 j sont passés et que la voiture est retrouvée avant que l'indemnité ne soit versée, on doit, selon les clauses des contrats, reprendre la voiture.

■ **Bases d'indemnisation. Valeur vénale :** déterminée par un expert. Correspond au prix que l'on aurait tiré de la vente du véhicule avant le sinistre. Le montant des réparations nécessaires à sa remise en état ne peut être pris en charge que dans la limite de la valeur du véhicule avant le sinistre. *Pour les préjudices inférieurs à une certaine somme* (1 000 F par exemple), l'expertise n'est pas exigée. *Si le véhicule est volé ou complètement détruit ou si le prix des réparations dépasse sa valeur,* l'expert déterminera l'indemnisation en incluant (les contrats le prévoient généralement) « les équipements optionnels prévus au catalogue du constructeur » après déduction de la valeur de sauvetage, s'il y a lieu (prix de vente de l'épave à la casse) ; les montants de la vignette et de la carte grise peuvent être pris en charge dans certaines conditions.

Accident causé par un tiers. Si l'on n'a pas de garantie dommage, on sera indemnisé dans le cadre de l'ass. « resp. civile obligatoire » : soit par son assureur dans le cadre de la convention IDA (d'indemnisation directe des assurés) si le montant des dommages matériels ne dépasse pas 30 000 F HT ; soit par l'assureur du resp. si le montant est plus élevé. La victime a droit à une indemnité d'immobilisation de son véhicule (calculée en j par l'expert).

Fonds de garantie automobile. *Créé* en 1951, il joue *1°) en cas de dommages corporels,* si le responsable n'a pas été identifié ou s'il n'est pas assuré. Dep. le 1-1-1986, rembourse les dommages aux biens lorsque l'auteur du dommage est inconnu et s'il y a eu un mort ou un blessé grave (invalidité de + de 10 %, hospitalisation de + de 7 jours avec incapacité temporaire de + d'1 mois). *2°) en cas de dommages uniquement matériels,* si le responsable de l'accident a été identifié et si sa responsabilité est établie. Une franchise est appliquée (2 000 F). L'indemnisation ne peut dépasser 3 millions de F. Certains biens ne sont pas indemnisés (espèces, valeurs, bijoux). Les effets personnels le sont jusqu'à 6 000 F par personne. **Ressources du FGA :** 1,9 % des primes de resp. civ. auto, majoration de 50 % des amendes pour infraction à l'obligation d'assurance, versement par les Stés d'assurance de 10 % des charges du Fonds, recours contre les responsables non assurés : capital versé à la victime 10 %. **Activités du FGA** (1991) : versées 382,8 millions de F, à payer 735,6. *Nombre de dossiers :* ouverts 26 135, en cours (au 31-12) 85 396. *Conducteurs non assurés :* 37,8 % en corporel, 45,6 en matériel.

Valeur de remplacement : « prix de revient total d'un véhicule d'occasion de même type et dans un état semblable » d'après la Cour de cassation (2e ch. civ. 12-2-1975).

Valeurs conventionnelles : clauses permettant l'indemnisation au prix catalogue pour les véhicules récents, ou pour un prix plancher pour les v. anciens. Selon les Stés, une voiture achetée depuis – de 6 mois est indemnisée sur la base du prix au catalogue de la marque au jour de l'achat de la voiture ou au jour du sinistre... Après ces 6 mois, l'assureur applique un abattement de 1 à 2 % par mois pendant 1, 2 ou 3 ans. Cette garantie n'est pas forcément automatique. Certaines Stés refusent de délivrer une garantie dommage si le véhicule est trop ancien (+ de 5 ans par exemple). Si le v. est très ancien (+ de 15 ans ou sorti avant 1945), une garantie spéciale sur la base d'une expertise préalable à la souscription du contrat d'assurance est possible.

Deux-roues

Assurance. *Obligatoire :* responsabilité civile pour les cyclomoteurs (jusqu'à 50 cm³), les motocyclettes légères (jusqu'à 125 cm³) et motocyclettes (+ de 125 cm³) qui couvre les dommages causés aux tiers, y compris les passagers. *Facultatives :* contre le vol (pas toujours garanti par les assureurs), l'incendie, les catastrophes naturelles ; l'option « dommages-collision » couvre l'assuré responsable du dommage en cas de tiers identifié ; l'« individuelle conducteur » garantit le remboursement de frais médicaux et le versement d'un capital d'invalidité ou de décès.

Statistiques. *Coût moyen : accidents corporels* 75 000 F par sinistre (53 000 pour les automobilistes). *Nombre :* chaque année, sur 1 000 conducteurs de deux-roues 21 (sur des 51 à 80 cm³), 11 (sur des 81 à 400 cm³), 29 (sur des + de 400 cm³) causent un accident corporel.

Catastrophes naturelles

Inondations, ruissellements d'eau, de boue ou de lave, glissements ou effondrements de terrain, avalanches, tremblements de terre, raz de marée, etc. Les victimes « d'éléments naturels ayant une intensité anormale » sont indemnisées par leurs Cies d'assurances (loi du 13-7-1982), au titre de leur police, et s'ils sont assurés « dommages » à condition qu'un arrêté interministériel paraisse au JO. En contrepartie, majoration obligatoire de 9 % du montant de la « multirisque habitation », et de 0,5 % de la prime dommages (collision ou tous accidents) ou 6 % de la prime vol et incendie. Franchises de 1 500 F.

Assurance cultures (1990). **Grêle :** *capitaux garantis* 61 milliards de F, *primes* 1 421 millions de F, *sinistres* 893 millions de F. **Tempête** (en millions de F, 1989) : *primes* 60, *sinistres* 26.

Chômage (assurance)

Ouverte à toute personne de moins de 55 ou de 60 ans, exerçant une activité salariée non saisonnière, n'étant plus en période d'essai, n'ayant pas fait l'objet d'un préavis de licenciement et susceptible de bénéficier des allocations Assedic. On peut y souscrire lors d'une demande de prêt pour un bien immobilier ou d'équipement. Toute garantie chômage comporte une franchise de 60 à 90 j. Certaines imposent un délai de carence de 3 à 9 mois à compter du début du crédit. Voir aussi Index.

Dégâts des eaux (assurance)

■ **Risques couverts habituellement.** Fuites et ruptures accidentelles des conduites non enterrées, appareils à effet d'eau, y compris ceux servant au chauffage, dommages causés aux biens de l'assuré lui-même ou des tiers (ass. de dommages et ass. de responsabilité). Il est exigé de vidanger conduits et réservoirs d'eau ou de prévoir des produits antigel spéciaux, pendant l'hiver, dans les locaux non chauffés. **Selon les contrats :** infiltrations au travers de terrasses, toitures, ciels vitrés ; éventuellement frais de recherche des fuites d'eau (réparation de l'origine de la fuite non remboursée) ; dommages causés par le gel aux conduites intérieures.

■ **Exclus.** Dommages aux espèces, billets de banque, collections ; guerres ; humidité, condensation, infiltrations, refoulements ou débordements d'eaux de pluie, cours d'eau, mares, canaux, égouts ou puisards, défaut d'entretien délibéré. Certaines polices anciennes excluent les dégâts de conduites souples (tuyau de vidange de machine à laver, par ex.).

Nota. – Les garanties « dégâts des eaux » peuvent être accordées par une police spéciale, mais sont le plus souvent souscrites dans le cadre d'une police « multirisque habitation ».

Cause des dégâts des eaux selon le type d'habitations (en %, sondage CDIA, 1990). *Bâtiment* (toitures...) 25,5 (dont habitat collectif 20/maisons indiv. 44,5). *Canalisations* 42,1 (44,7/33,3) d'adduction (fuites, ruptures) 26 (25,6/27,4), d'évacuation 16,1 (19,1/5,9) des eaux de pluie 1,3 (0,9/3), des eaux usées 14,8 (18,2/2,9). *Appareils à effet d'eau* 26,7 (29,2/17,8) : débordements 13,8 (15,6/7,4) de lave-linge, lave-vaisselle 6,8 (7,4/4,4), de baignoires, éviers, lavabos, WC 5 (5,6/3), autres 2 (2,6/0) ; fuites, ruptures et autres causes 12,9 (13,6/10). *Installations de chauffage* 5,7 (6,1/4,4).

Impayés

Les entreprises peuvent souscrire une police d'assurance-crédit. **Services rendus :** *prévention* (renseignements sur la situation financière du client), *recouvrement, indemnisation* (de 75 à 80 % en cas d'impayé). **Seuil d'intervention :** à partir de 500 000 F. **Coût :** 0,1 %-1 % du CA. **Principales Stés d'assurance-crédit :** Sté Française d'assurance-crédit (70 % du marché), Namur, Sacren, Gipac, Winterthur, Firm France.

Incendie (assurance)

■ **Risques couverts. Habituellement :** *1°) dommages matériels aux biens immobiliers : immeubles et leurs dépendances* (sauf clôtures ne faisant pas partie intégrante des bâtiments), *immeuble par destination* (ascenseurs, tapis d'escalier, chauffage central, etc.). *Aux embellissements* (bibliothèques murales, placards, peintures, papiers peints). *2°) Dommages aux biens mobiliers* (de l'assuré, de sa famille, son personnel de maison, des personnes habitant ordinairement avec lui). Aux objets pris en location, si ces objets ne sont pas ou sont insuffisamment assurés ; bijoux, pierreries, perles fines, statues et tableaux de valeur, collections, objets rares et précieux (garantie limitée par exemple à 20 ou 30 % du capital assuré sur mobilier). *3°) Privation de jouissance ou perte de loyers. 4°) Responsabilités. Locative.* (Voir p. 1314 c à « Immeubles ».) *Le locataire est vis-à-vis de son propriétaire resp. pour la perte du loyer de ses colocataires. Recours des voisins et des tiers :* joue, s'il y a faute prouvée. En revanche, présomption de responsabilité en cas d'explosion (ou de dégâts des eaux).

Recours des locataires contre le propriétaire : dommages au mobilier du locataire, occasionnés par un incendie dû à un vice de construction ou défaut d'entretien dont le propriétaire serait responsable.

Autres risques pouvant être assurés par la police incendie. Chute de la foudre, explosions, grêle, poids de la neige sur le toit. Choc ou chute d'appareils de navigation aérienne et spatiale ou de parties d'appareils ou d'objets tombant de ceux-ci. *Dommages d'ordre électrique et ménagers :* le plus souvent en option ; frais de déplacement du mobilier de l'assuré et garantie limitée au remboursement des honoraires de l'expert choisi par l'assuré.

☞ *Les biens garantis contre l'incendie* le sont automatiquement contre tempêtes, ouragans, cyclones, actes de terrorisme et catastrophes naturelles.

■ **Risques exclus.** Dommages intentionnellement causés ou provoqués par l'assuré ou avec sa complicité. **Exclus sauf convention contraire :** tout dommage : en cas de guerre étrangère ou g. civile. Destruction d'espèces monnayées, titres, billets de banque. Vol des objets assurés pendant un incendie (la preuve du vol étant à la charge de l'assureur) ; risque atomique (possibilité d'assurance sauf pour engins militaires). Dommages autres que ceux d'incendie venant : d'un vice propre ou d'un défaut de fabrication des objets assurés, de leur fermentation ou de leur oxydation lente (seuls les dommages dus à la combustion vive ou à l'explosion sont garantis).

■ **Estimation après sinistre. Bâtiments :** valeur de reconstruction au j du sinistre, après déduction de la vétusté (évaluée à dire d'experts) ; ou valeur à neuf, la différence du vieux au neuf est versée au fur et à mesure de la reconstruction (en général max. 25 % de la valeur neuve). Valeur de reconstitution (valeur de reconstruction réelle ou à l'identique) pour des bâtiments industriels et agricoles seulement. **Mobilier :** valeur de remplacement au j du sinistre, déduction faite de sa vétusté. Possibilité de garantie en « valeur à neuf ». **Matières premières, emballages, approvisionnements et marchandises :** au prix d'achat au dernier cours précédant le sinistre, y compris frais de transport, TVA déduite sauf si l'assuré n'y est pas assujetti et ne peut la récupérer. **Produits finis ou en cours de fabrication :** au prix de revient, TVA déduite.

■ **Sinistres habitations.** *En 1988 :* 250 000.

■ **Statistiques. Nombre d'incendies industriels** (% des causes : étude réalisée sur 100 000 sinistres de 1981 à 1988) : indéterminée 68,6 ; électricité 18,1 ; incidents de fabrication ou magasin 6,7 ; imprudence ou malveillance 5,6 ; chauffage-séchage 1.

Maladie (assurance)

☞ Voir Sécurité sociale p. 1405.

■ **Généralités.** Elle prévoit : 1°) *un délai de carence* (partant de la date d'effet du contrat, et, selon les Stés d'assurances et le type de maladie, de 3, 6 ou 9 mois) pendant lequel certaines maladies à évolution lente (cancer, tuberculose, etc.) ne sont pas prises en charge ; 2°) *un plafond par maladie ou par personne dans le temps* pour les indemnités journalières.

■ **Risques souvent exclus** (liste non limitative). Suicide, alcoolisme, insurrections, émeutes, guerre, cataclysmes, compétitions, paris, sports prof., sports dangereux, frais de séjours des cures thermales (les soins sont couverts), traitements esthétiques de rajeunissement, traitement par personne non diplômée (rebouteux, guérisseur). **Pouvant être garantis :** frais de soins (après déduction de la prise en charge par les organismes sociaux), indemnités journalières (y compris en cas d'hospitalisation), rente en cas d'invalidité par suite de maladies ou d'accidents, capital en cas de décès accidentel.

■ **Assurance complémentaire.** 80 % des Français y ont recours (*1960 :* 30 %). Assure, en plus du ticket modérateur, des remboursements pouvant aller jusqu'à 400 % du tarif de convention. *Assurance hospitalisation :* versement d'une indemnité journalière en cas d'hospitalisation (garantie généralement suspendue après 70 ans). *Assurance dépendance :* rente mensuelle versée aux invalides définitifs et ayant besoin de l'assistance d'une tierce personne pour les actes élémentaires de la vie quotidienne.

Multirisque habitation (assurance)

■ **Couverture.** Tout ou partie des risques : incendie, dégâts des eaux, vol, responsabilité civile familiale, bris de glaces, catastrophes naturelles, tempête, attentats, protection juridique.

■ **Obligation.** Les locataires doivent souscrire des contrats d'assurance contre les risques incendie et dégâts des eaux ; le vol, le bris de glace et la responsabilité civile du chef de famille peuvent être souscrits en options supplémentaires.

■ **Prime.** Fonction du nombre de pièces occupées ou de la surface développée des locaux, généralement *indexée* sur le coût de la constr. (comme la garantie).

■ **Exclusion de garantie.** *Vol :* la plupart des Cies imposent des mesures de protection individuelles. *Clause d'inhabitation :* au-delà d'une certaine durée d'abandon des locaux (60 à 90 j selon les Cies), la garantie est suspendue.

Protection juridique

■ **Contrat de protection juridique.** Permet de s'assurer pour être défendu en cas de conflits de la vie quotidienne. Il s'agit souvent de contrats « tous risques sauf ». Tout est assuré sauf ce qui est précisément exclu dans le contrat, en général le divorce et les affaires relatives à l'état des personnes (recherche de paternité) et aux successions, les conflits résultant de l'expression d'opinions politiques ou syndicales et les conflits collectifs, les litiges avec les impôts, quelquefois les accidents de la circulation. Tout ce qui n'est pas exclu est couvert.

Responsabilité civile (assurance de)

■ Généralités

■ **Nature de la responsabilité. Définition :** « Tout fait quelconque de l'homme, qui cause à autrui un dommage, oblige celui par la faute duquel il est arrivé à le réparer » (Art. 1382 du Code civil). « Chacun est responsable du dommage qu'il a causé non seulement par son fait mais encore par sa négligence ou son imprudence » (Art. 1383).

Le *préjudice doit être actuel et certain,* mais des dommages et intérêts peuvent être alloués pour un dommage futur s'il est dès à présent certain. *L'évaluation se fait au jour du jugement* ou de la transaction. En ce qui concerne les dommages corporels, la victime peut toujours former une demande d'augmentation, lorsque son état s'est aggravé (si l'indemnité est allouée judiciairement en cas de transaction, il faut prouver un fait non décelable au moment de l'expertise, sauf si la quittance comporte des « réserves en cas d'aggravation »). Son amélioration ne justifie pas de réduction. *Il faut prouver l'existence d'une faute,* et la relation de cause à effet entre la faute et le dommage. Mais cette faute est souvent présumée (responsabilité du fait des choses ou des animaux, voir responsabilité civile du fait d'autrui ci-dessous).

Les dommages causés sous l'empire d'un trouble mental entraînent la responsabilité de leur auteur (art. 489-2 du Code civil), qui doit donc indemniser celui qui les a subis.

Responsabilité contractuelle : la responsabilité est contractuelle lorsque le préjudice résulte de l'inexécution d'un contrat [ex. le contrat peut comporter : 1°) une *obligation de résultat* (le débiteur ne peut s'en dégager qu'en prouvant un cas de force majeure ou le fait d'un tiers ou de la victime) ; le transporteur doit conduire le voyageur à bon port, sain et sauf ; 2°) seulement une *obligation de moyen :* sans garantie du résultat (ex. le médecin s'engage non à guérir le malade mais à lui donner des soins en fonction des données actuelles de la science). Quand il n'y a qu'*obligation de moyen,* c'est à la victime de prouver une faute dans l'exécution du contrat (négligence, ignorance, etc.)].

Clauses de limitations de responsabilité : ne sont admises en matière contractuelle que dans des cas particuliers (ex. transport de marchandises) ; la faute lourde appréciée par les tribunaux fait échec à cette limitation.

Responsabilité délictuelle ou quasi délictuelle : on ne peut s'exonérer par avance de sa responsabilité. Les tribunaux civils sont seuls compétents pour juger de la non-exécution d'une convention. Si celle-ci résulte d'une faute pénale, les juridictions répressives (tribunal de police, correctionnel) sont aussi compétentes (par ex. en cas de blessure ou d'homicide par imprudence).

Toute faute, même légère, commise hors du cadre d'un contrat, engage la responsabilité de son auteur. Aucune mise en demeure n'est nécessaire. Les clauses de non-responsabilité sont nulles. La victime a le choix entre tribunaux civils et tribunaux répressifs (si la faute est punie par la loi pénale). La preuve de la faute est en principe à la charge de la victime.

■ **Responsabilité civile du fait d'autrui.** On est responsable du dommage causé par des personnes dont on doit répondre (art. 1384 du Code civil). Exceptionnellement, on peut être responsable pénalement et avoir à payer l'amende à laquelle est condamné l'auteur d'un délit fiscal ou d'un délit en matière de douane ou éventuellement de conduite automobile (art. L. 21 du Code de la route).

Dommages causés : par un enfant : lorsque *l'enfant* a *père* et *mère,* la responsabilité pèse sur les deux, même si l'enfant s'en est allé sans motif légitime (ex. : pour se livrer au vagabondage). Père et mère échappent à la présomption s'ils démontrent n'avoir commis aucune faute de surveillance ou d'éducation. En cas d'un acte répréhensible ou dangereux, il ne suffit pas de prouver qu'on l'a « interdit », il faut établir qu'on a pris des précautions suffisantes pour l'empêcher. La responsabilité personnelle de l'enfant peut aussi être retenue. **Par les domestiques** (attachés au service d'une personne ou chargés de l'entretien de sa maison) ou **préposés** (ceux auxquels le maître ou le commettant a le droit de donner des ordres ou des instructions, sur la manière de remplir les fonctions auxquelles ils sont employés ou salariés) : la responsabilité ne joue que lorsque employé ou préposé *ont agi dans l'exercice de leurs fonctions,* dans certains cas par abus de fonctions (nombreux litiges en assurance automobile). **Par un apprenti :** si l'apprenti est lui-même victime d'un accident, la responsabilité de l'artisan qui l'emploie relève le plus souvent de la loi sur les accidents du travail. **Par les élèves :** la responsabilité des enseignants n'est pas présumée ; la victime doit apporter la preuve d'une faute de leur part (défaut de surveillance par ex.). **Par des animaux :** le propriétaire d'un animal, ou celui qui s'en sert, que l'animal soit sous sa garde ou qu'il soit égaré ou échappé, est responsable. Si l'animal est affecté à un usage professionnel (garde d'une propriété agricole, d'un entrepôt), les risques sont couverts par le contrat « responsabilité civile professionnelle ou agricole ». Si l'on confie son chien à des voisins, ceux-ci sont responsables. **Par des choses inanimées que l'on a sous sa garde** (outil, automobile) : la victime n'a pas à prouver la faute du « gardien » de la chose. C'est à celui-ci de se disculper en prouvant la force majeure, la faute d'un tiers ou de la victime, ou le « rôle passif » de la chose incriminée. La « loi Badinter » (1985) vise à améliorer l'indemnisation des piétons, cyclistes et passagers. La victime ne peut plus se voir opposer sa faute (sauf inexcusable). Elle est intégralement indemnisée de ses dommages corporels (seuls les conducteurs n'en bénéficient pas.) Les assureurs doivent respecter une procédure amiable d'indemnisation et proposer au besoin des provisions (délais impératifs sous peine de sanctions financières).

■ Assurance responsabilité civile familiale

■ **Généralités.** Le plus souvent comprise dans une multirisque habitation. Elle couvre la responsabilité éventuelle pour les dommages causés à autrui par les occupants de la maison au cours de leur vie privée : le souscripteur, son conjoint, enfants, employés de maison, animaux.

☞ **Vérifier** que la responsabilité de toutes les personnes vivant habituellement sous le toit de l'assuré est bien couverte, ainsi que celles des enfants majeurs non encore indépendants. *Certains sports,* particulièrement dangereux (bobsleigh, sports aériens) ou pratiqués à titre professionnel, peuvent être exclus. Si *l'on possède des chiens* dressés pour l'attaque, ou de race dangereuse, vérifier s'ils ne font pas l'objet d'une exclusion, et demander alors une extension.

Attention : cette assurance rembourse les tiers (mais pas l'assuré, ni son conjoint, ses ascendants, descendants, associés salariés et préposés dans l'exercice de leurs fonctions). Les recours exercés par la Séc. soc. pour dommages corporels aux conjoints, ascendants et descendants de l'assuré, s'ils sont affiliés personnellement à la Séc. soc. (par ex. : femme salariée), sont cependant couverts. Certaines sociétés proposent une extension aux membres de la famille victimes d'accidents corporels.

■ **Montant de la garantie. Dommages corporels :** garantie illimitée, sauf pour les sinistres visés à l'annexe « dommages exceptionnels » limités à 20 millions de F par sinistre (sinistres susceptibles de faire un très grand nombre de victimes : intoxications alimentaires, écrasements ou étouffements dus à la panique, etc.). **Matériels :** d'accidents, d'incendie : garantie limitée (souvent avec franchise).

■ **Protection juridique.** Sté d'ass. exerce les recours que l'assuré peut avoir contre les *tiers responsables* de dommages corporels ou matériels, mettant en jeu les garanties principales du contrat ; cette garantie s'étend aussi aux personnes dont la responsabilité à l'égard des accidents causés aux tiers est couverte par le contrat d'assurance de la resp. civile.

Défense devant les tribunaux répressifs : en cas de poursuite pour homicide par imprudence, blessures, infractions aux lois, arrêtés et règlements sur la circulation ou la divagation des animaux par suite de la propriété, garde ou utilisation des véhicules ou animaux pour lesquels l'assurance est accordée. Des contrats spécifiques couvrent plus largement l'assuré pour sa vie privée et éventuellement sa vie professionnelle. Ils couvrent aussi les litiges avec employeurs, bailleurs, locataires, voisins, organismes sociaux.

Étendue géographique de la garantie : en général, France et pays limitrophes. Vérifier ce qu'il en est avant de partir pour l'étranger (vérifier également, pour l'automobile, si les pays traversés sont inscrits sur la carte verte).

Artisans et commerçants : l'assurance de responsabilité civile familiale et professionnelle des artisans et commerçants est généralement inscrite dans un contrat multirisque (incendie, explosion, responsabilité civile, dégâts des eaux, protection juridique).

■ **Points particuliers. A l'école :** *1°) si l'enfant cause un accident,* l'*assurance responsabilité-chef de famille* des parents les garantit s'ils sont déclarés responsables du fait de leur enfant. Au cas où la responsabilité personnelle de l'enfant est retenue, les dommages seront pris en charge par le même contrat, l'enfant ayant lui-même pratiquement toujours la qualité d'assuré dans les contrats actuels, ou par le contrat d'assur. scolaire. *2°) si l'enfant est victime d'un accident,* l'*ass. scolaire* ou une *ass. « individuelle accidents »,* souscrite par les parents, complète les prestations sociales et, en cas d'invalidité, verse un capital. L'assurance scolaire couvre aussi la responsabilité de l'enfant ou des parents. *L'ass. scolaire n'est pas obligatoire : le refus des parents n'autorise pas l'école à refuser l'enfant,* sauf pour sorties, voyages et séjours notamment à l'étranger, qui n'entrent pas dans la scolarité proprement dite. *Si le trajet scolaire s'effectue en deux-roues à moteur,* l'assurance spécifique pour les deux-roues est obligatoire. L'ass. de la responsabilité civile du conducteur à l'égard du passager est automatique. L'ass. scolaire ne couvre l'enfant que pendant le trajet aller-retour le plus direct entre le domicile et l'école ; s'il fait un détour, il n'est pas couvert en cas d'accident. *Une assurance extra-scolaire,* plus étendue, couvre les dommages causés et subis par l'enfant à tout moment, même pendant les vacances. Si l'enfant est couvert par 2 assurances (l'assurance scolaire et le contrat personnel des parents), chacun des assureurs doit être informé en cas d'accident et les parents ont le choix entre l'un et l'autre pour l'indemnisation. En cas d'invalidité ou de décès, assurances et indemnités correspondantes se cumulent.

Handicapés : mineurs : les parents doivent s'assurer que leur multirisque habitation ne comporte pas de restriction. Sinon, extension à demander par lettre recommandée avec AR. **Majeurs :** une extension peut être nécessaire. *Conduite automobile* (handicapé titulaire d'un permis F permettant de conduire des véhicules des catégories A 1 à A 4 et B). L'assurance souscrite joue même si le handicapé n'utilise pas la prothèse mentionnée sur le permis de conduire.

« Hors locaux occupés » : choisir un contrat « responsabilité civile familiale » couvrant la responsabilité du fait de *l'incendie* provoqué par les personnes visées hors des locaux assurés (camping, pique-nique, feux d'herbes dans le jardin, etc.). Sont alors exclus les dommages matériels consécutifs à incendie ou explosion prenant naissance dans les lieux habités temporairement ou non par l'assuré, ou dont il est prop. (la couverture ressort des polices d'assurances contre l'incendie). Même extension de garantie pour les *dégâts des eaux* (ex. : en séjour chez des amis).

Immeubles : locataire : la loi l'oblige à assurer ses responsabilités envers le propriétaire. *Exception :* meublés, logements-foyers, logements de fonction, locations saisonnières et résidences secondaires. S'il s'agit d'une accession à la propriété, l'acheteur est légalement tenu de s'assurer. Il doit justifier de cette assurance lors de la remise des clés, puis chaque année, à la demande du propriétaire. Depuis la loi du 23-12-1986, ce dernier peut introduire dans ses nouveaux contrats, ou lors du renouvellement des anciens, une clause de résiliation pour défaut d'assurance. **Propriétaire d'immeuble :** penser à assurer accidents causés aux tiers (locataires) *du fait des immeubles, des concierges, de leurs aides ou remplaçants* (accidents causés par les *ascenseurs,* etc.) ; *vols* commis au préjudice des locataires à la suite de fautes ou de négligences des concierges. **Propriétaire occupant :** couvrir sa resp. du fait des immeubles et dépendances constituant sa résidence, y compris arbres et clôtures.

Vacances-Villégiature : en général, les contrats multirisques habitation garantissent les responsabilités de l'occupant au lieu de villégiature vis-à-vis du propriétaire (loc. saisonnière), des voisins, des tiers (ex. : incendie en camping). Vérifier que les garanties jouent en cas d'incendie et de dégâts des eaux. Les objets emportés par l'occupant peuvent également être couverts (vérifier son contrat). En général, contrat séparé pour la résidence secondaire (voir plus loin : assurances en voyage).

Véhicules : à moteur : non couverts par l'assurance de responsabilité civile du particulier ou familiale (même les 2-roues). **Sans moteur :** sont couverts : bicyclettes, diables, poussettes, voitures d'enfants, brouettes, jouets sportifs, utilisés dans un but non professionnel, parfois embarcations à rames ou à voile, sans moteur, de moins de 3 ou 5 m hors tout ; dommages causés aux tiers par un mineur au volant d'une voiture étrangère à la famille (par ex. : la voiture du père d'un camarade à l'insu des parents et du propriétaire du véhicule).

Sport (assurance pour le)

■ **Généralités.** *Coût moyen d'un accident de sport :* 10 000 F. *Coût total du risque sportif* (évaluation) (dommages corporels, dégâts matériels, frais de recherche et de transport, pertes indirectes, etc.) : 3 milliards de F.

☞ **Vérifier. 1°) Si le sport est pratiqué en dehors de toute association :** on peut se protéger par une assurance personnelle. La garantie « responsabilité civile familiale » du contrat « multirisque habitation » intervient pour les dommages causés aux tiers ; si le contrat exclut le sport pratiqué (ex. : sport de combat), on peut demander une extension à l'assureur. Pour les blessures : on peut souscrire une assurance « individuelle accidents » (assureur personnel). **2°) Dans le cadre d'un club ou d'une ass. :** on bénéficie de l'assurance du club (compétition et entraînement). Loi du 16-7-1984 : tout groupement sportif doit souscrire un contrat couvrant sa responsabilité civile, celles de ses préposés et adhérents. Les groupements sportifs doivent proposer des formules de garantie : réparation des dommages corporels subis par les pratiquants. Si les montants de garantie lui paraissent insuffisants, l'adhérent peut se garantir individuellement auprès de son assureur.

■ **Bateau. Sans moteur** *(plaisance ou pêche)* : sur rivières, lacs et canaux, à l'exclusion des activités plus spécialement sportives (canoë, kayak) : couvert par l'assurance resp. civ. ou par contrat spécial. **A moteur** *(nautisme)* : contrat spécial, demander à son assureur, à la *Féd. fr. de voile,* 55, av. Kléber, 75784 Paris Cedex 16 ou à la *Féd. fr. de motonautisme,* 8, place de la Concorde, 75008 Paris. Un bateau s'assure comme une voiture (accidents, aux tiers, vol, incendie, défense-recours, dommages au bateau, assurance pilote et passagers).

■ **Bicyclette. Responsable d'un accident :** couvert en général par l'ass. respons. civile familiale (ne couvre pas un tiers auquel la bicyclette serait prêtée). **Victime d'un accident :** on peut faire intervenir « le contrat individuelle accidents » (voir p.1311 b). Certaines Stés proposent un contrat spécial bicyclette.

■ **Chasse.** Assurance obligatoire, couvre les accidents corporels causés aux tiers par le chasseur et ses chiens pour tout acte de chasse ou de destruction d'animaux nuisibles (garantis par arrêté du 9-6-1983). *Sont exclus* ses préposés (employés) pendant leur service (couverts par la législation sur les accidents du travail) ; les dommages matériels, et les accidents provoqués par les armes en dehors de toute action de chasse (au cours du trajet, pendant le nettoyage de l'arme, en voiture, etc.) ou par les chiens de chasse. *Pour être couvert, demander à être assuré pour :* responsabilité civile à raison d'accidents matériels qu'on peut causer (par ex. : tuer le chien d'un autre chasseur) ; protection juridique (la Sté d'ass. s'en charge). Il existe un *Fonds de garantie pour l'indemnisation des accidents corporels de chasse* (64, rue Defrance, 94300 Vincennes), lorsque l'auteur est demeuré inconnu, ou connu mais non assuré.

■ **Équitation.** Couverte par l'ass. resp. civile (dommages causés aux tiers) ou ass. spéciale, notamment si l'on est propriétaire de son cheval.

■ **Pêche.** Couverte par l'ass. resp. civ. si l'on utilise un bateau sans moteur (dommages causés aux tiers). *Pêche ou plongée sous-marine :* licence obligatoire (délivrée par association reconnue). Assurance de responsabilité civile obligatoire pour la pratique de la pêche sous-marine de loisirs.

■ **Ski.** Couvert par l'ass. responsabilité civile personnelle (sauf exclusion), par l'ass. « individuelle accidents » (garantit le versement d'un capital invalidité ou décès), par un contrat spécial « sports d'hiver », la carte neige proposée par la Féd. fr. de ski ou le « ticket neige » réservé aux petites et moyennes stations des Alpes du Sud et des Pyrénées (il n'est pas délivré par la FFS). Les exploitants des téléphériques ou télécabines sont en principe responsables (en tant que transporteurs), sauf imprudence de la victime.

■ **Ski nautique.** Couvert en principe par l'assurance du bateau remorqueur, sinon contrat spécial (se renseigner auprès du club, association). Avec une licence de la féd., on peut bénéficier d'une ass.

VIE (ASSURANCE SUR LA)

☞ **Dépenses d'assurance-vie dans le monde** (en 1989), **montant des primes par habitant** (en $). Japon 1 617, Suisse 1 357, Finl. 913, G.-B. 851, Suède 822, USA 755, Irl. 692, P.-Bas 604, *France 601,* Australie 578, Canada 546, All. 471, Norv. 438, Corée du S. 412, Dan. 393, Autriche 308, Afr. du S. 214, Taiwan 214, Belgique 212, Israël 190, *CEE 422.*

■ GÉNÉRALITÉS

■ **Assurance de groupe.** Permet, par un même contrat, de garantir à titre obligatoire ou facultatif un ensemble de personnes présentant des caractères communs (personnel d'une entreprise, emprunteurs d'un établissement de crédit, membres d'une association), pour des risques dépendant de la durée de la vie humaine (décès, retraite), l'invalidité, l'incapacité de travail, et pour des risques complémentaires (maladie, chômage). Pour les entreprises, les charges versées sont déductibles du bénéfice imposable, la souscription étant assimilée à une augmentation de salaire différée.

■ **Assuré.** Personne dont le décès ou la survie entraîne le paiement du capital ou de la rente, l'ass. repose sur sa tête. L'assuré doit remplir un questionnaire médical et l'assureur peut lui demander de se soumettre à un examen médical. On ne peut souscrire à son insu une ass. sur la tête d'une personne en cas de décès. *Le contrat est nul* si l'assuré n'a pas donné son consentement par écrit avec indication du capital ou de la rente ; si l'on a assuré en cas de décès : un enfant de – de 12 ans, un mineur de + de 12 ans sans son consentement et celui de la personne investie de la puissance paternelle (parent ou tuteur) ou un majeur en tutelle. Cependant, le représentant légal d'un majeur en tutelle peut accepter une ass. de groupe pour l'exécution d'un contrat de travail ou d'un accord d'entreprise. *Malades atteints d'une maladie grave :* certaines Stés acceptent de les assurer avec surprime proportionnée à la gravité de la maladie.

■ **Avance sur police.** Faculté qui permet au contractant, en cas de difficulté financière ou pour un motif quelconque, de prélever une partie de la provision mathématique de son contrat, c'est-à-dire de l'épargne constituée qui représente les engagements de la Sté d'ass. vis-à-vis de l'assuré. L'avance est accordée dans la limite de la valeur de rachat du contrat, et moyennant le paiement d'un intérêt. L'avance ne suspend pas le paiement des primes. Elle peut être remboursée à tout moment, ou être déduite du capital versé au terme du contrat.

■ **Bénéfices (participation aux).** Rémunération de l'épargne constituée au contrat, due par la Sté d'ass. en fonction de ses résultats. La loi prévoit au minimum la répartition de 85 % des bénéfices financiers (produits tirés des placements) et de 90 % des bénéfices techniques (bénéf. de gestion et de mortalité).

■ **Bénéficiaire.** Personne à laquelle sera versé le capital ou la rente, choisie par le souscripteur, en général désignée au moment de la signature du contrat. Le bén. peut être le conjoint (personne qui a cette qualité au moment de l'exigibilité), les enfants nés ou à naître (sans qu'il soit obligatoire d'inscrire leur nom). On peut changer de bén. en avertissant l'assureur, mais si le souscripteur et l'assuré ne sont pas la même personne, il faut le consentement de l'assuré. La désignation est définitive et ne peut être changée si le bénéficiaire a accepté expressément (par lettre, en signant la police, en payant la prime...) sauf dans quelques cas (accord du bénéficiaire, donations entre époux toujours révocables, tentative de meurtre de l'assuré par le bénéficiaire, ingratitude et survenance d'enfant, divorce prononcé aux torts exclusifs de l'époux bénéficiaire). En cas de divorce, le contrat doit être compté dans le partage.

■ **Capitaux versés en exécution de contrats d'assurance-vie. En cas de décès de l'assuré :** le capital versé à un bénéficiaire désigné est exonéré des droits de mutation sauf pour la fraction des capitaux décès correspondant aux primes versées après 70 ans et supérieures à 200 000 F. S'il n'y a pas de bénéficiaire désigné ou si le bénéficiaire meurt avant l'assuré, le capital est soumis à droits de succession. En application de la loi de finances rectificative pour 1991, seules les primes versées après les 70 ans de l'assuré dans le cadre de contrats souscrits à compter du 20-11-91, sont assujetties aux droits de mutation, pour la fraction qui excède 200 000 F.

En cas de vie de l'assuré : le capital versé à l'assuré ou au bénéficiaire est exonéré de l'impôt sur le revenu. *Exception :* selon l'article 125-O-A du Code général des impôts, l'excédent entre le capital et les primes versées est taxé si le contrat a été souscrit depuis le 1-1-1983 et a duré moins de 6 ans. L'intéressé a le choix entre la réintégration dans sa déclaration de revenus et un prélèvement libératoire dont le taux varie selon la durée du contrat. Pour les contrats souscrits à partir du 1-1-1990, pas d'imposition si le contrat dure 8 ans.

■ **Cas de non-paiement du capital. Délai de carence :** prévu dans le contrat. **Fausse déclaration :** *intentionnelle.* **Meurtre de l'assuré par le bénéficiaire :** le bénéficiaire doit avoir été condamné pour que le contrat cesse (loi du 7-1-1981). Dès lors, seule la provision mathématique, c.-à-d. l'épargne accumulée au titre du contrat est versée au contractant ou à ses héritiers. *Si la tentative de meurtre échoue,* le contractant peut révoquer l'attribution du bénéficiaire, même si celui-ci avait déjà accepté la stipulation faite à son profit. **Suicide de l'assuré :** il est interdit de couvrir le suicide conscient et volontaire de l'assuré, pendant les 2 premières années. Toutefois, si cela se produit, l'assureur verse aux ayants droit la provision mathématique du contrat. Si le suicide est inconscient (instinct vital anéanti par maladie, douleur physique ou morale : dépression, cancer, perte d'un être cher, de son bonheur, etc.), il peut être couvert, mais ce n'est pas une obligation.

■ **Fiscalité. Contrats donnant droit à des réductions d'impôts :** contrats constitutifs d'épargne (tous les contrats d'assurance-vie et de rente viagère différée) de durée effective au moins égale à 6 ans, sauf temporaires décès et rentes viagères immédiates.

Montant de la réduction d'impôt sur le revenu : égal à 25 % de la part de prime représentative de l'opération d'épargne, dans la limite de 4 000 F par foyer fiscal + 1 000 F par enfant à charge. Pour les contrats d'assurance décès souscrits en faveur d'un handicapé, égal à 25 % de la part de prime dans la limite de 7 000 F + 1 500 F par enfant à charge. Cette réduction se cumule avec la précédente. Donnent droit à la même réduction les contrats qui garantissent le versement d'un capital ou d'une rente viagère à un assuré atteint d'une invalidité l'empêchant de subvenir à ses besoins.

Impôt de solidarité sur la fortune : doivent figurer dans l'inventaire du patrimoine : les primes versées après l'âge de 70 ans au titre des contrats non rachetables souscrits à compter du 20-11-1991 et la valeur de rachat des contrats d'assurance rachetables. Ces dispositions s'appliquent à compter de la période d'imposition s'ouvrant le 1-1-1992. Le capital constitutif des rentes viagères (sauf s'il s'agit de rentes viagères constituées en vue de la retraite ou perçues en réparation de dommages corporels). Les primes versées après 70 ans au titre des contrats d'assurance non rachetables souscrits à partir du 20-11-1991, et la valeur de rachat des contrats rachetables, sont ajoutées au patrimoine du souscripteur.

■ **Prime.** *Calculée* grâce aux tables de mortalité de l'Insee en fonction des probabilités de vie ou de mort de l'assuré à chaque âge. *Payée* par le souscripteur ou toute personne y ayant intérêt. Se compose de : 1°) épargne que la Sté fait fructifier, récupérable en partie lors d'un rachat ; 2°) assurance décès et garanties complémentaires en cas d'accident (doublement du capital, par ex.) utilisées pour la garantie des risques ; 3°) frais d'acquisition et de gestion du contrat. *Si la prime n'est pas payée* dans les 10 j de son échéance, l'assureur informe par lettre recommandée qu'à l'expiration d'un délai de 40 j à dater de l'envoi de la lettre, le défaut de paiement entraînera : la résiliation du contrat s'il s'agit d'une ass. temporaire, ou de tout autre contrat, ne comportant pas de valeur de rachat. *Valeur de réduction :* les contrats vie entière ou en cas de vie ouvrent droit à une garantie réduite (valeur de réduction), quand 2 primes annuelles au moins ont été payées, ou pour les contrats souscrits ou transformés à partir du 1-1-1986, lorsque 15 % des primes ont été versées. Les garanties sont réduites à peu près dans la proportion du nombre de primes payées au nombre de primes stipulées au contrat (sauf pour contrat à primes viagères). Le capital réduit est payable dans les mêmes conditions que le capital initial, soit en cas de sinistre, soit au terme de l'assurance. Le contrat réduit doit continuer à participer aux bénéfices pour au moins 75 % du montant attribué aux contrats de sa catégorie en cours de paiement de primes, à condition qu'il ait été souscrit ou transformé après le 15-10-1985.

■ **Rachat.** Possibilité offerte au souscripteur (uniquement) de résilier son contrat (vie entière, mixte, capital différé) après le versement de 2 primes annuelles [pour les contrats souscrits dep. le 1-1-1982 (avant, 3 primes)], ou parfois plus tôt (contrats à prime unique). Pour les contrats souscrits ou transformés à compter du 1-1-86, rachat possible si 15 % des primes ou cotisations prévues ont été versées, même si 2 primes annuelles n'ont pas été payées (loi du 11-6-85). L'assuré recevra le montant de sa créance correspondant à la provision mathématique (l'épargne capitalisée) diminuée des frais de commercialisation non encore amortis et d'une indemnité de rachat maximale (5 % de la provision mathématique pendant 10 ans), nulle après 10 ans à compter de la date d'effet du contrat (décret du 30-12-85). *Pour les contrats souscrits ou transformés dep. le 1-1-86,* le rachat se substitue à la réduction si sa valeur est inférieure à la moitié du montant brut mensuel du SMIC, calculé sur la base de la durée légale hebdomadaire du travail. On retient celui du 1-7 précédant la date à laquelle la réduction est demandée. *Pour les contrats souscrits ou transformés depuis le 1-1-82,* l'assureur doit obligatoirement, à chaque échéance annuelle, communiquer le montant des valeurs de rachat et de réduction. *Pour les contrats en cours au 1-1-82,* l'assureur y est tenu seulement si l'assuré le demande, une fois par an au maximum. Il en va de même des contrats pour lesquels aucune prime ne reste due (contrat à prime unique, par exemple).

Parties contractantes : contractant ou souscripteur ou preneur d'assurance signe le contrat et paie les primes ; souvent la même personne que l'assuré.

■ **Revalorisation. Progression contractuelle ou forfaitaire :** tous les ans, capital garanti et primes sont réévalués dans la même proportion. **Indexation :** la progression des primes est fonction d'un indice (ex. : point de retraite des cadres Agirc, plafond de la Séc. soc.). L'augmentation de la prime peut alors être supérieure à l'augmentation du capital. Si l'assuré refuse la revalorisation, il se verra attribuer généralement la participation aux bénéfices, et son contrat continuera sur les bases antérieures.

Contrats basés sur des Sicav : primes et capital garantis varient en fonction du cours de l'action, en hausse comme en baisse (la loi prévoit un « plancher » en cas de décès).

Contrats « Pierre » : capital et primes sont basés sur la valeur d'une action de Sté immobilière ou d'un groupe d'immeubles. La valeur des immeubles est par exemple fixée tous les ans (voir police) par des experts du Crédit foncier. Entre-temps, la variation est basée sur celle d'un indice composite (coût de la construction, loyers, etc.). Le capital versé en cas de décès ne peut être inférieur à ce qu'il aurait été sur la base de la valeur de l'unité de compte lors de la souscription (loi du 7-1-1981).

■ Types de contrat

Assurance sur la vie

■ **En cas de décès. Assurance temporaire :** la Sté paye le capital assuré si le décès survient avant l'échéance du contrat ; *en cas de vie* après l'échéance du contrat, les engagements de la Sté sont éteints. Les primes ne donnent pas droit à la réduction d'impôt sauf en faveur d'un enfant handicapé. Si l'assurance est souscrite sur 2 têtes, le capital est payable au 1er décès ou au dernier décès selon les conditions contractuelles.

Assurance vie entière : quelle que soit l'époque du décès, la Sté doit verser le capital assuré. Elle peut être prise *à prime unique* (versée en une fois), *viagère* (versée toute la vie) ou *temporaire* (versée un certain temps seulement).

Lorsque plus de 2 primes ont été versées (ou pour les contrats souscrits à compter du 1-1-1986, dès lors que 15 % des primes ont été réglées), ces contrats ont une valeur de réduction et de rachat.

Titre de capitalisation : bon au porteur (transmissible sans frais ni formalité) ou bien nominatif. Le contrat de capitalisation est souscrit pour une durée fixe (max. 30 ans) et prévoit un capital nominal payable au terme, moyennant le versement par le souscripteur d'une cotisation unique ou de cotisations périodiques (annuelles, trim. ou mensuelles). Selon son objectif (épargne ou placement), le souscripteur choisit un contrat de capitalisation à cotisations périodiques ou unique. S'il préfère les titres à prime unique, il peut programmer son épargne en achetant un ou plusieurs titres chaque année, ou selon toute autre périodicité à sa convenance. A l'échéance du contrat, le capital nominal est versé, augmenté des participations aux bénéfices. Tout titre de capitalisation dont 8 % des primes ont été payées, ou, si la durée de paiement des primes dépasse 25 ans, dont au moins 2 primes annuelles ont été payées, comporte une valeur de rachat.

Fiscalité : les cotisations des contrats de capitalisation ne sont pas soumises à la taxe d'assurance, mais n'ouvrent pas droit à la réduction d'impôt. Les capitaux versés sont exonérés de l'impôt sur le revenu si le contrat a duré au moins 6 ans (comme en assurance-vie) ; 8 ans pour les contrats souscrits à partir du 1-1-1990. Ces capitaux sont soumis aux droits de succession. La valeur de rachat est à inclure dans l'assiette de l'impôt de solidarité sur la fortune. En cas d'anonymat, les produits (différence entre capitaux versés et primes payées) sont soumis à un prélèvement de 50 %.

Tirage au sort : certains titres prévoient un système de tirage au sort. Si le n° du titre du souscripteur sort, il reçoit immédiatement la somme qu'il aurait dû avoir en fin de contrat, même s'il n'a payé qu'une seule prime. Les tirages, généralement mensuels, sont publics et se déroulent en présence d'un huissier. La Sté avise le propriétaire du titre sorti au tirage.

Assurance complémentaire : moyennant le paiement d'une surprime, on peut être garanti *en cas de décès par accident* (doublement ou triplement du capital décès), *d'invalidité* (exonération du paiement des primes, service d'une rente, paiement anticipé du capital s'il y a invalidité absolue), *de chômage* (facilités pour le paiement des primes).

■ **En cas de vie. Capital ou rente différés :** si l'assuré est vivant, la Sté offre en fin de contrat le choix entre les options suivantes : versement du capital, service d'une rente viagère immédiate, ou d'une rente comportant des annuités certaines, rester assuré pour la vie entière.

En général, le contrat comporte une *contre-assurance :* en cas de décès de l'assuré avant l'échéance du contrat, les primes payées sont versées au bénéficiaire désigné, augmentées, le cas échéant, de la participation aux bénéfices (en fait, contrat d'épargne).

■ **Assurance. Mixte :** la Sté s'engage à payer un capital au terme du contrat si l'assuré est vivant, ou ce même capital avant le terme si l'assuré décède (prime + élevée). **Combinée :** lorsque les capitaux prévus en cas de vie et en cas de décès ne sont pas identiques (ex. : formule 100/25 dans laquelle le capital en cas de vie est égal à 25 % du capital en cas de décès).

Souscrite pour une durée fixe, en gén. échéance à 60 ou 65 ans. La Sté s'engage à verser le capital assuré au décès de l'assuré (s'il survient au cours du contrat) ou à l'échéance. On peut choisir entre : le capital ; une rente viagère ou un nombre fixe d'annuités, certaines réversibles en cas de décès, sur la ou les personnes désignées ; un capital (en restant assuré en cas de décès pour un autre capital) ; une rente (ou des annuités fixes), en restant assuré en cas de décès pour un capital.

Participation aux bénéfices : tous les contrats de capitalisation souscrits dep. le 1-1-1981 participent aux bénéfices de la Sté (loi du 7-1-1981). Les modalités d'application de la participation aux bénéfices sont semblables à celles applicables en assurance vie.

■ Vol (assurance contre le)

■ **Risques couverts en général.** *Vols commis avec effraction* (porte enfoncée, serrure forcée), *escalade* ou *usage de fausses clefs*, ou *introduction clandestine*, ou *accompagnés de meurtre, de tentative de meurtre* ou *de violences.* Des assureurs garantissent le vol avec usage de clefs perdues ou dérobées préalablement. Les assureurs ne couvrent que les vols commis dans des circonstances dûment établies. Sauf dérogation, la garantie sur objets précieux (bijoux, pierreries, perles fines, objets en métaux précieux et pierres dures, et objets dont la valeur unitaire est sup. à un indice de réf.) est fixée à un % limité (souvent 10 à 30 %) du capital assuré sur le mobilier ou à un multiple de l'indice ou de la prime. Les espèces (billets de banque, lingots, titres et valeurs) ne sont garanties que : en coffre-fort ou meuble fermé à clef (cette garantie est en général limitée à 3 ou 5 % de la valeur choisie pour le mobilier ; l'effraction doit avoir eu lieu avec des fausses clefs, ou avec fracture du meuble lui-même ou exceptionnellement avec les clefs du propriétaire s'il y a eu violence faite sur sa personne) ; les objets contenus dans les dépendances et chambres d'employés de maison sont gardés à l'exclusion des espèces, titres, bijoux, fourrures. L'assureur peut procéder à une expertise préalable des lieux pour en vérifier la protection.

Vol commis par les personnes habitant chez le souscripteur (sauf s'il s'agit des membres de la famille, époux, enfants ou autres descendants, pères et mères ou autres ascendants et alliés au même degré) ou *par son personnel salarié :* en général garanti à la condition que les auteurs du vol fassent l'objet d'un dépôt de plainte non suivi de retrait, sans l'assentiment de la Sté d'assurances.

■ **Garanties complémentaires.** Détériorations immobilières du fait des voleurs. – Dans les contrats multirisques, ces garanties peuvent être exprimées en multiples de la prime ou de l'indice.

☞ Si le contrat est ancien, vérifier le montant du capital assuré. Certains contrats exigent que l'assuré dépose ses biens de valeur dans un coffre-fort, quand il n'en use pas.

Objets d'art. Précautions : *photographier les objets* dans leur environnement (en cas de vol, l'indemnisation sera facilitée). *Faire* au préalable *expertiser* mobilier et objets à assurer, ce qui permet en cas de sinistre d'apporter plus facilement la preuve de leur existence, de leur authenticité et de leur valeur. *Fiche descriptive :* certains cabinets peuvent en établir pour l'objet et faire un marquage secret si la matière le permet. Ils peuvent assurer la remise à jour des estimations et, en cas de vol, la circulation immédiate des fiches établies.

Autoradio : doit faire l'objet d'une clause spéciale. Surprimée dans la plupart des contrats.

☞ Les Cies doivent déclarer au fisc les polices (objets d'art) couvrant des valeurs supérieures à 100 000 F.

■ **Inhabitation.** Sauf stipulation spéciale, la garantie est suspendue de plein droit le 91e j (ou parfois le 61e) de la date à laquelle les locaux d'habitation ont cessé d'être habités pendant la nuit, en une ou plusieurs périodes, au cours d'une même année d'assurance (durée très différente selon les contrats).

■ **Nécessité d'une fermeture.** La garantie « vol » est subordonnée au fait que les moyens de protection aient été utilisés (serrure de sûreté fermée à double tour, etc.). Cependant, pour une absence de courte durée (le temps d'une course par exemple), l'utilisation de protections telles que les volets des fenêtres est rarement demandée (le vérifier dans le contrat d'assurance). Dans certains cas (pavillons isolés, assurance d'objets précieux, de collections, appartements situés au rez-de-chaussée), la société fait visiter les lieux et exige un certain nombre de moyens de protection (par exemple : serrures de haute sûreté certifiées A2P, pose d'étriers, barreaudage des soupiraux, volets sur les portes vitrées, etc.). Dans tous les cas, les ouvertures accessibles (soupiraux, portes vitrées) doivent être protégées. L'assureur peut même demander la pose d'une *installation d'alarme.* Si la sirène donne sur la voie publique, l'autorisation de la préfecture est nécessaire.

■ **En cas de vol.** Ne rien modifier à l'état des lieux avant le constat par l'autorité de police ; déposer plainte dans les 24 h (parfois dans les 12 h) auprès de l'autorité de police ; aviser, dans les 2 j ouvrés, l'assureur par lettre recom. avec AR ; établir un état de perte chiffré, et l'envoyer à l'assureur.

☞ Statistiques (voir Index).

■ Voyage (assurances en)

■ **Agences de voyages.** Leur responsabilité est parfois celle d'un transporteur. Pour les réservations de place dans les hôtels, l'organisation de la visite des musées et des monuments, la location de places à des entreprises de transports qu'elles n'utilisent pas de façon exclusive, etc., les agences agissent comme mandataires et ne sont responsables que de leurs fautes prouvées. Les agences déclinent souvent toute resp. en cas de perte, de vol ou d'avarie de bagages. Cette clause n'est valable qu'en ce qui concerne les bagages, bijoux ou vêtements que les voyageurs conservent avec eux pendant le voyage. Les agences sont obligées d'informer leur clientèle. En particulier, elles doivent indiquer nom et adresse de leur assureur et rappeler l'existence de contrats d'assurance facultatifs couvrant les conséquences de certains cas d'annulation.

■ **Assistance. Contrat d'assistance :** contrat de service entre le souscripteur (l'abonné) et la Sté d'assistance qui s'engage à prendre, à organiser et à exécuter immédiatement, en cas d'urgence, les mesures appropriées pour résoudre un problème majeur, empêchant la continuation normale et prévue d'un voyage ou d'un déplacement, et, le cas échéant, prend à charge les frais de l'intervention. Certaines Stés d'assistance procurent également des prestations à domicile (abonnements annuels « famille », « couple », « individuel »). **Types de prestations. Assistance aux personnes :** rapatriement du blessé ou du malade par avion sanitaire, avion de ligne, train ou ambulance selon l'état du malade et après avis du médecin régulateur de la Sté d'assistance. Transport du corps en cas de décès (frais de cercueil limités de 2 000 à 8 000 F selon compagnies). Rapatriement des autres personnes inscrites au contrat. Visite sur place d'un proche parent en cas d'hospitalisation à l'étranger. Prise en charge des enfants mineurs du malade ou du blessé. Remboursement des frais médicaux à l'étranger en complément des remboursements accordés par la Sécurité sociale et/ou des mutuelles. Mise à disposition d'un billet en cas de décès d'un proche resté en France. Avance de la caution pénale et des frais d'avocat à l'étranger. Frais médicaux, franchise de 100 F (pas systématique). Assistance et frais accidents de ski, et assistance « Navigation de plaisance » (sauf frais services techniques qui sont refacturés) couverts par certaines Stés d'assistance. *Exclusions :* rapatriements : maladies mentales ayant déjà fait l'objet d'un traitement, lésions bénignes, convalescences, rechutes de maladies antérieurement constituées, complications après le 6e mois de grossesse (cette clause d'exclusion est valable à l'étranger). **Assistance aux véhicules :** envoi de pièces détachées. Mise à disposition d'un véhicule ou d'un billet de train pour continuer le voyage et/ou retourner à la maison et aller chercher un véhicule réparé entre-temps (base : train 1re classe), ou d'un chauffeur. Remorquage en cas de panne (en général jusqu'à 700 F). Frais de taxi jusqu'à 300 F et/ou frais d'hôtel 300 F par nuit par personne abonnée, si la réparation dure moins de 48 h. Rapatriement des voitures non réparables en 5 j. **A domicile** (dans certains types de contrats) : *assistance parents* (enfants, scolarité, éducation, vacances, loisirs...) ; *assistance conseils* (problèmes administratifs, juridiques ou sociaux privés) ; *assistance urgence* (médecin, ambulance ; aide familiale en cas d'hospitalisation d'un abonné ; hébergement à la suite d'incendie, d'inondation, de cambriolage ; dépannage serrurier).

■ **Bagages.** Possibilité de les assurer. Ne sont pas couverts les dommages dus à des défauts d'emballage ou occasionnés par les services douaniers.

■ **Camping.** Vérifier si l'ass. responsabilité civile familiale n'exclut pas le camping. Si oui, on peut la modifier (avec surprime) ou souscrire une assurance spéciale. Pour le camping en forêt, assurance obligatoire. La carte de la Féd. franç. de camping-caravaning comporte une assurance de resp. civile.

■ **Caravane.** Il faut déclarer à l'assureur auto que l'on va tracter une remorque. Dep. janv. 1986, l'absence de déclaration entraîne : assurance partielle sauf si dispense dans le contrat (jusqu'à 750 kg) ; non-assurance (si + de 750 kg). Vérifier sur l'attestation délivrée que la police d'ass. garantit la remorque (beaucoup garantissent systématiquement celles de 500 à 750 kg), sinon demander une extension à l'assureur (surprime : env. 15 % de la prime) pour les dommages couverts par l'assurance obligatoire, résultant des « accidents, incendies ou explosions causés par le véhicule et sa remorque, les accessoires et les produits servant à son utilisation, les objets et les substances qu'il transporte », et ceux qui proviennent « de la chute des accessoires, objets, substances ou produits ». L'attestation d'assurance doit mentionner la remorque.

On peut assurer la remorque elle-même contre l'incendie, les dommages en cas d'accidents, le vol. Les contrats « caravaning » couvrent aussi la responsabilité pour la caravane en stationnement (par ex. en cas d'incendie ou d'explosion).

■ **Hôtel, pension de famille, gîte rural.** *En cas de vol :* l'hôtelier est responsable du vol des objets apportés par ses clients [dans la limite, sauf faute de sa part, de 100 fois le prix, par jour, de la chambre ou 50 fois pour les objets laissés dans les voitures stationnées sur les lieux dont l'hôtelier a la disposition, qu'ils soient commis dans l'hôtel même ou dans ses dépendances (ex. : garage)].

En revanche sa resp. est illimitée pour les objets déposés entre ses mains (il est préférable de le faire pour les bijoux et autres objets précieux) ou qu'il refuse de recevoir sans motif légitime. Les inscriptions telles que « la maison n'est pas responsable des vols ou échanges de vêtements » ou encore « ... des vols survenus dans le garage », sont sans valeur juridique et ne sont pas opposables au client. L'hôtelier disposant d'un garage, mais qui demande à son client de garer sa voiture à un endroit déterminé hors de l'hôtel (ex. : quand son garage est plein), peut être responsable des vols commis dans ladite voiture.

Si le client commet une imprudence entraînant le vol (ex. : chambre non fermée à clef), la responsabilité de l'hôtelier est diminuée, voire annulée.

■ **Location** (villa ou appartement). Le locataire est responsable à l'égard du propriétaire des dommages pouvant survenir à son immeuble et à son mobilier, sauf si le loc. prouve un cas de force majeure, un vice de construction, un défaut d'entretien à la charge du propriétaire, ou que le feu a pris dans une maison voisine (sauf si le contrat d'ass. du propriétaire prévoit que la Sté d'ass. renonce à user de son droit de recours contre les locataires).

On a intérêt à s'assurer spécialement : 1°) par une « extension » de l'ass. couvrant sa résidence principale (clause villégiature) ; 2°) ou par une assurance spéciale pour les vacances. On peut assurer, par la même extension de sa police générale, le « mobilier » que l'on emporte (meubles meublants, vêtements, linge, skis, électrophones, articles de plage, etc.).

Nota. – La plupart des contrats multirisques actuels comprennent des clauses villégiature (vérifier le montant de la garantie).

■ **Résidence prêtée. Vacances chez des parents ou des amis :** on est responsable des dégâts causés par sa faute ou sa négligence à l'immeuble ou aux meubles qui le garnissent. L'ass. de la personne qui héberge pourra se retourner contre l'hébergé, sauf si le contrat prévoit la renonciation à recours contre les « occupants temporaires ». Vérifier que son contrat d'ass. « multirisque habitation » comporte une clause « villégiature » couvrant ces responsabilités.

■ **Transporteurs.** Sont responsables des dommages causés à un voyageur, aux bagages enregistrés (pertes, avaries, retards dans l'acheminement) pour des montants limités. Ne sont pas responsables pour les bagages à main. On peut assurer tous ses bagages, enregistrés ou non, quel que soit leur mode de locomotion (même dans sa voiture), pour la durée d'un déplacement. Une clause exige généralement verrouillage de la voiture et fermeture des glaces lorsque les bagages sont dans une automobile en stationnement [la garantie joue, à la condition que la voiture soit stationnée dans un lieu gardé ou dans un garage fermé à clef (entre 22 h et 7 h)].

■ **Voiture** (voir assurance automobile p. 1311 c).

DÉFENSE DU CONSOMMATEUR

ORGANISATIONS

Centre de recherches pour l'étude et l'observation des conditions de vie (Credoc). 142, rue du Chevaleret, 75013 Paris. *Fondé* 1953. *Presse :* « Consommation et Modes de vie » (mens.).

ADMINISTRATION COMPÉTENTE

Direction générale de la concurrence, de la consommation et de la répression des fraudes (DGCCRF). « Carré Diderot », 3-5 bd Diderot, 75572 Paris Cedex 12. Dépend du ministère chargé de l'Économie et des Finances. Dotée de services départementaux et de laboratoires. Élabore le droit de la consom. Fait appliquer la réglementation concernant concurrence et consommation [facturations, ventes à crédit, ventes avec primes (liquidations, soldes), affichage des prix (étiquetage, prix des produits ou services), annonces de nature à induire en erreur] ; produits alimentaires et industriels (qualité, hygiène et sécurité). Soutient associations nat. et locales de consommateurs et assure une information (TV...).

INSTITUT NATIONAL DE LA CONSOMMATION

Siège. 80, rue Lecourbe, 75732 Paris Cedex 15. *Créé* 1967. **Statut.** Établissement public industriel et commercial dep. le 4-5-1990 (avant, établissement public autonome, sous la tutelle du ministère de l'Économie et des Finances). **Composition.** *Conseil d'administration* de 18 membres (10 représentants des consommateurs et usagers, 5 personnalités compétentes et 3 représentants élus par le personnel de l'INC). *Directeur* nommé, sur proposition du Pt du conseil d'adm., par décret pris sur rapport du secrétaire d'État chargé de la Consommation. **Activités.** Mission d'essais comparatifs, d'études juridiques et économiques, d'information du consommateur, d'aide techn. aux organisations de consommateurs. **Budget** (1992). 180 millions de F dont les 2/3 proviennent de ressources propres (vente des publications) et 1/3 d'une subvention de l'État. **Médias.** *« 50 millions de consommateurs »* (mensuel, hors-séries, n^{os} pratiques) 300 000 exemplaires, *« INC Hebdo »*, émissions télévisées (14 min par semaine sur France 2 et France 3) 5 000 exemplaires, **Minitel** (36 15 INC ; 36 15 50 Millions).

ORGANISMES ASSOCIANT LES CONSOMMATEURS

Conseil de la concurrence. *Créé* 1-12-1986. Consultatif, peut décider des sanctions applicables pour la répression des pratiques anticoncurrentielles.

Conseil national de la consommation (CNC). *Créé* 12-7-1983. Organe consultatif.

Comités départementaux de la consommation. *Créés* 1-12-1986. Auprès de chaque préfecture. **Comités économiques sociaux et régionaux.** *Créés* 5-7-1972. Donnent leur avis au conseil régional.

Commission de la sécurité des consommateurs. Tour de Lyon, 12e étage, 185, rue de Bercy, 75572 Paris Cedex 12. Peut être saisie par toute personne et par simple lettre. **Commissions d'urbanisme commercial.** *C. nationale :* rôle consultatif. *C. départementales :* ont un pouvoir de décision sur les projets de création de grandes surfaces. 2 représentants des organisations de consommateurs y siègent aux côtés de commerçants et d'élus locaux.

ORGANISATIONS DIVERSES

☞ Les organisations agréées pour exercer l'action civile ou dispensées d'agrément sont indiquées ci-dessous par un *. Pour obtenir son agrément, l'association doit justifier d'une année d'existence, et d'activité effective et publique en vue de la défense des intérêts des consommateurs.

ORGANISATIONS NATIONALES

Associations populaires familiales syndicales (APFS). 1, rue de Maubeuge, 75009 Paris. *Fondées :* 1945. *Adhérents :* 33 000 familles regroupées en fédér. départ. *Trimestriel :* « Empreinte ». **Association Études et Consommation-CFDT (Asseco-CFDT) *.** 4, bd de la Villette, 75019 Paris. *Fondée* 1981 par CFDT. *Adhérents CFDT :* 650 000. *Presse :* « Info'consom » inséré dans CFDT Magazine (350 000 ex.). **Association FO Consommateurs (Afoc) *.** 75-77, rue du Père-Corentin, 75014 Paris. *Fondée :* 19-2-1974. *Adhérents :* syndiqués FO membres de droit ; *m. affiliés :* 60 000. Ass. locales 200. *Presse :* « Les Cahiers de l'Afoc » (mensuel, 15 000 ex.) ; « Guide du consommateur ». **Association d'éducation et d'information du consommateur de la FEN (Adeic-Fen) *.** 43, bd du Montparnasse, 75006 Paris. *Fondée* 1983. 18 organisations mutualistes, coopératives et associatives. *Publication :* « Le Point sur le i » (7 000 ex.). **Association pour l'information et la défense des consommateurs salariés (Indecosa-CGT) *.** 263, rue de Paris, 93514 Montreuil Cedex. *Fondée* 1979 par la CGT *Adhérents :* 800 000 (surtout CGT, membres de droit). 230 ass. locales ou départ. *Bimestriel :* « Information IN ». **Association fédérale des nouveaux consommateurs (ANC).** 58, rue Jean-Jacques Rousseau, 75001 Paris. *Fondée* 1975. *Adhérents :* 27 000. *Action :* traitement des litiges. **Organisation générale des consommateurs (OR-GE-CO).** 43, rue Marx-Dormoy, 75018 Paris. *Fondée* 1959. *Adhérents :* 381 000 (CFTC, CGC et individuels) regroupés en unions départ., rég. et locales. *Presse :* « Cartes sur table » (trimestriel). **Union fédérale des consommateurs – Que Choisir ? (UFC-QC).** 11, rue Guénot, 75011 Paris. *Fondée* 1951, indépendante de tout mouvement politique ou syndical. *Pte :* Michèle Ragache. *Dir. délégué :* J.-C. Jaillette. L'UFC conteste la concurrence de *50 Millions de consommateurs* qui perçoit une subvention de l'État. *Adhérents :* 60 000 regroupés en 220 unions locales, 50 000 litiges traités par an (dont en % : banques 23,45, assurances 12,62, serv. privés 11,6, pratiques commerciales 9,92, équip. ménager 9,21, automobile 8,56, logement 5,35), 3 800 bénévoles, 210 permanents. *Presse :* « Que choisir ? » ; « Que choisir ? Santé », mensuels ; Guides pratiques.

Union féminine civique et sociale (UFCS). 6, rue Béranger, 75003 Paris. *Créée* 1925, reconnue d'utilité publique. O. de consommateurs dep. 1961. 70 permanences. *Presse :* « Dialoguer » (5 n^{os}/an).

■ **Famille. Confédération nat. des Associations familiales catholiques (CNAFC) *.** 28, place St-Georges 75009 Paris. *Fondée* 1947. *But :* défense des intérêts spirituels, moraux et matériels des familles, soutien et aide éduc. aux parents. *Adhérents* 40 000 familles regroupées en 385 assoc. dont 61 féd. *Publications :* « La Vie des AFC » et « Tâches familiales » (trimestriels). **Confédération syndicale du cadre de vie (CSCV) *.** Ancienne Confédération nationale des associations populaires familiales (CNAPF) *. 15, place d'Aligre, 75012 Paris. *Fondée* 1952. *Adhérents :* 20 000 regroupés dans 400 assoc. locales et 65 unions départementales ou régionales. Crée 1983 l'association des Usagers de l'Enseignement Public (UEP), un Institut de Formation et de Recherche sur le Cadre de Vie (IFCV), en 1990 une Fédération Nationale de Défense des Copropriétaires (FEDECO-CSCV) et l'Association Nationale des Administrateurs-Locataires des organismes HLM. Membre du BEUC. *Publications :* « Cadre de vie » et « Copropriétaires » (trimestriels), guides, dossiers. **Confédération syndicale des familles (CSF) *.** 53, rue Riquet, 75019 Paris. *Fondée* 1946. *But :* défense des intérêts des familles dans leurs fonctions de consommation, d'éducation et d'usage. *Adhérents :* 30 000 familles regroupées en 300 sections locales. *Presse :* « Nous » (20 000 ex.) ; « Action syndicale des familles » (2 500 ex.). **Conseil nat. des Associations familiales laïques (Cnafal).** 108, av. Ledru-Rollin, 75011 Paris. *Fondé* 1967. **Familles rurales** *. 81, av. Raymond-Poincaré, 75116 Paris. *Fondée* 1943. *Adhérents :* 175 000 familles regroupées dans 3 300 associations locales. *Presse :* « Familles rurales » (mensuel, 6 000 ex.), « Flash » (journal d'adhérents). **Fédération des familles de France (FFF)** *. 28, pl. St-Georges, Paris 75009. *Fondée* 1921. *Adhérents :* 160 000 regroupés en 650 associations et comités locaux de consommateurs (Coloc). *Publications trim. :* « Familles de France » (25 000 ex.) ; « Action familiale » (1 500 ex.). **Fédération Léo-Lagrange.** 21, rue de Provence, 75009 Paris. **Union nationale des associations familiales et des unions départementales (Unaf).** 28, place St-Georges, 75009 Paris. Voir p. 1359 a.

■ **Logement. Confédération générale du logement (CGL).** 143/147 bd Anatole France, 93200 St-Denis. *Fondée* 1954 à l'appel de l'abbé Pierre, pour défendre locataires, copropriétaires et accédants à la propriété. *Adhérents :* 73 000 ; ass. locales ou d'immeuble 600. *Mensuel :* « Action-Logement ». **Confédération nationale du logement (CNL)** *. 8, rue Mériel, BP 119, 93104 Montreuil Cedex. *Fondée* 1916. *Adhérents :* 195 000. *Presse :* « Logement et Famille » (200 000 ex.).

■ **Transports. Fédération nat. des associations d'usagers des transports (Fnaut).** 32, rue Raymond-Losserand 75014 Paris. *Fondée* 1978. *Adhérents* 150 assoc. *Mensuel :* « Fnaut-Infos ».

■ Groupements régionaux

Centres techniques régionaux de la consommation (CTRC). *Ajaccio* 2, rue San-Lazaro. *Amiens* 34, rue Lamartine. *Besançon* 37, rue Battant. *Blois* 17, rue Roland-Garros, BP 1026. *Bordeaux* 11, cours Chapeau-Rouge. *Caen* 12, rue Neuve-Saint-Jean. *Châlons-sur-Marne* 4, allée Charles-Baudelaire, BP 184 Saint-Memmie. *Clermont-Ferrand* 3, rue du Maréchal-Joffre. *Dijon* 14, rue du Palais. *Fort-de-France* Frac-CTRC, angle des rues Gouverneur-Ponton et Toussaint-Louverture Terres-Sainville, BP 641. *Le Havre* 113, rue Hélène. *Lille* 47, rue Barthélemy-Delespaul. *Limoges* 25, rue Encombre-Vineuse. *Lyon* 20, rue de Condé. *Marseille* 23, rue du Coq. *Montpellier* 1, rue de la Carbonnerie. *Nancy* 5, rue St-Léon. *Nantes* 43, rue du Pré-Gauchet. *Paris* 13, rue de Tocqueville, 75017. *Poitiers* 23, av. Robert-Schumann. *Rennes* 19 bis, rue Duhamel. *Strasbourg* Chambre de la consommation d'Alsace, 7, rue de la Brigade Alsace-Lorraine. *St-Denis-de-la-Réunion* 39, SHLMR BP 1344, 97402 Saint-Denis Cedex.

Aides de l'État. Crédits attribués aux organisations de consommateurs (en millions de F y compris CTRC) *1986 :* 38,9 ; *87 :* 32,2 ; *88 :* 32,7 ; *89 :* 41 ; *90 :* 52,9 ; *91 :* 69,9 ; *92 :* 70,5. **Subventions à l'INC** *1985 :* 41,8 ; *92 :* 47 ; *93 :*45.

■ Organisations internationales

☞ CCC : Conseil Consultatif des Consommateurs (auprès de la CEE).

Bureau européen des unions de consommateurs (BEUC) *. Av. de Tervueren, 36, 1040 Bruxelles, Belgique. *Fondé* 1962. Regroupe 26 associations (23 membres et 3 membres correspondants). *Organisations franç. représentées :* UFC, Orgeco, CSCV. **Comité des consom. de l'alliance coopérative internat. (ACI).** *Secrétariat :* Mme Marras, ACI, 15, route des Morillons, CH-1218 Grand-Saconnex, Genève, Suisse. *Fondé* 1971. Regroupe 28 pays y compris Comité régional de Sud-Est-Asie. **Communauté eur. des coop. de consom. (Euro coop).** 17, rue Archimède, Bte 2-B-1040 Bruxelles. Belg. *Créée* 1957. *Membres* 19 300 000. **Conféd. des organisations familiales de la Communauté europ. (Coface).** 17, rue de Londres, 1050 Bruxelles, Belg. *Fondée* 1979. *Membres :* 71 organisations dont 22 françaises.

Organisation internat. des unions de consom. (IOCU). C/o Panos Institute, 9 White Lion St, London, N1 9 PD, UK. *Fondée* 1960 par 5 unions (USA, G.-B., Australie, Belg., P.-Bas). 175 org. dans 65 pays.

Recours du consommateur

Généralités

A) Règlement amiable avec 1°) *vendeur,* chef de rayon, ou directeur du magasin. 2°) *syndicat professionnel* du fabricant ou du commerçant.

B) Recours auprès de l'Institut national de la consommation. L'Inc peut conseiller les consommateurs et informer des litiges mais seules les organisations de consommateurs peuvent se porter partie civile.

C) Recours aux pouvoirs publics. Par l'intermédiaire des services compétents, pour faire dresser le procès-verbal constatant l'infraction. L'administration transmet ensuite les procès-verbaux au parquet qui apprécie la suite à donner.

Le consommateur peut aussi porter plainte directement au *Parquet du procureur de la République* qui dispose de l'opportunité des poursuites.

Quelques cas

Légende. Rec. : Recours. *Rens. :* Renseignements. (1) Direction départementale de la concurrence et de la consommation et de la répression des fraudes (DDCCRF), 8, rue Froissart, 75003 Paris ; (2) Service des instruments de mesure du ministère de l'Industrie.

■ **Achat (protection légale). En matière civile : 1°)** *vices de consentement :* l'annulation du contrat peut être obtenue en invoquant l'erreur sur la substance, c'est-à-dire le défaut d'authenticité (qualité essentielle de l'objet). Cependant la jurisprudence a souvent introduit une condition supplémentaire à l'annulation : la qualité « convenue » de l'objet (clause tacite ou explicite de garantie). Le *dol,* qui entraîne une erreur chez l'acheteur, peut être constitué par le silence, la réticence du vendeur qui s'adressant à un acheteur inexpérimenté a le devoir d'informer. **2°)** *Vice caché :* l'acquéreur peut rendre l'objet et se faire restituer le prix sauf pour les ventes en douane (la décision appartient aux douanes), les ventes de domaines et les ventes aux enchères publiques. **En matière pénale :** l'acheteur peut invoquer le délit de *tromperie* ou d'*escroquerie* (doit être prouvé par la partie civile ou le ministère public). L'acheteur qui s'estime lésé a le choix entre divers recours, mais actuellement le meilleur résultat s'obtient sur la base de la tromperie.

■ **Achat à crédit.** Tout crédit consenti par un professionnel (vendeur, banque), pour + de 3 mois, d'un montant inférieur ou égal à 140 000 F et destiné au paiement d'un bien mobilier (voiture, TV) pour la consommation personnelle, est soumis à la loi du 10-1-1978. Cette loi réglemente la publicité et la teneur du contrat (dit « offre préalable ») de crédit, impose un délai de réflexion de 7 j, lie juridiquement contrats de crédit et de vente, limite les pénalités encourues en cas de non-paiement des mensualités. Pour ce *délai de rétractation* ne sont pas pris en compte samedi, dimanche, jours fériés et chômés lorsqu'ils constituent le jour d'expiration des 7 j. *Litige :* s'adresser au procureur de la Rép. du tribunal de grande instance du domicile ; pour engager un procès civil (demande de dédommagement), au tr. d'instance du siège social de l'établissement financier, du lieu du magasin ou du domicile. *Délai de prescription :* 2 ans à compter de l'événement origine du litige.

Achat par correspondance, Minitel, téléphone ou télé-achat : délai de 7 j à compter de la livraison pour renvoyer le produit (loi numéro 88-21 du 6-1-1988) et demander un échange, ou, si la marchandise ne convient pas, réclamer un remboursement qui sera automatiquement effectué.

Achat d'objets volés : le détenteur d'un objet volé est présumé coupable de recel. S'il est de mauvaise foi, il risque une peine de prison (jusqu'à 10 ans en cas de récidive ou de recel aggravé) et une amende jusqu'à 50 % de la valeur des objets recélés. S'il est de bonne foi, le propriétaire légitime peut lui demander la restitution de son bien. Il pourra avoir à rembourser le prix qu'aurait payé le détenteur si celui-ci avait acheté l'objet dans un circuit commercial normal (vente publique, marchand, salon d'antiquité...). Le propriétaire peut revendiquer l'objet et obtenir sa restitution de l'acquéreur de bonne foi dans un délai maximum de 3 ans après le vol. Après avoir remboursé le prix de l'objet, le propriétaire pourra se retourner contre le vendeur (commissaire-priseur ou marchand) et lui demander à son tour d'être remboursé.

Œuvres venant de musées : inaliénables, elles ne peuvent légalement avoir été vendues. L'État peut les revendiquer sans limitation dans le temps et n'est pas tenu de rembourser le prix d'achat de l'objet à l'acquéreur de bonne foi.

Biens d'Église : même règle pour les objets regroupés dans les trésors qui ont été transférés à l'État lors de la séparation de l'Église et de l'État. Les autres objets transférés aux collectivités territoriales ou à des associations culturelles obéissent aux règles ordinaires. **Objet classé** (même appartenant à un propriétaire privé) : imprescriptible, peut être revendiqué sans limitation de temps.

■ **Acompte.** 1er paiement à valoir sur un objet. Le vendeur est engagé, comme l'acheteur, à honorer le contrat qu'il a signé. Il ne peut pas se dédire. En cas de refus ou d'impossibilité d'honorer ce contrat, il peut être condamné à verser des dommages et intérêts (en sus du remboursement de l'acompte).

■ **Affichage.** Voir Étiquetage p. 1319 c.

■ **Aliments de régime et diététique.** *Rec. :* DDCCRF [1]. Service départ. de la Santé publ.

■ **Arrhes.** *L'acheteur* peut se dédire en abandonnant les arrhes, le *vendeur* le peut aussi mais en remboursant le *double* des arrhes. A défaut d'accord amiable, seule une décision de justice peut régler un litige en interprétant les dispositions du contrat. Dans certains cas, le montant des arrhes ou des acomptes est réglementé par la loi, p. ex. : location saisonnière en meublé par un loueur professionnel (arrhes maxi. : 25 % du loyer global) ; vente mobilière d'objets courants : voitures, etc. (toute somme versée plus de 3 mois à l'avance est productrice d'intérêts).

■ **Astreintes.** Moyens de pression : le juge condamne le professionnel à vous verser par jour, semaine ou mois de retard, une somme d'argent fixe. *A. provisoire :* le juge se réserve la possibilité de la réduire ou de la supprimer ultérieurement en fonction de l'attitude adoptée par le débiteur. *A. définitive :* le juge a expressément, dans sa décision, renoncé à la réviser.

■ **Automobiles (réparations).** *Rec. :* Chambre synd. nat. du commerce et de la réparation de l'auto., 6, rue Léonard-de-Vinci, 75116 Paris, DDCCRF [1].

■ **Bruits. Dans les locaux ind.** *Rec. :* Inspection du travail, organismes de Séc. sociale. **De voisinage, des autos :** tout bruit causé sans nécessité ou dû à un manque de précautions, quelle que soit l'heure, est passible d'une contravention. *Rec. :* préfectures, mairies, services de police et de gendarmerie.

■ **Code barres.** *Introduit* 1977 (1ers magasins : 1982). Standard international d'identification des produits. *Établi* avec le Groupement d'études, de normalisation et de codification (Gencod, 13, bd Lefebvre, 75015 Paris). Composé de barres traduisant des chiffres. *1er chiffre :* pays de codification de l'article (3 pour la France) ; *5 suivants :* code du fabricant attribué par le Gencod ; *6 suivants :* code spécifique de l'article ; *13e :* clé de contrôle.

■ **Coiffeur.** Affichage des prix obligatoire. En cas d'accident (brûlure, allergie) la responsabilité du coiffeur est engagée.

■ **Colis épargne.** Le consommateur verse une certaine somme pendant un délai donné au bout duquel lui est remis un colis de marchandises. Pratique licite, seulement si le consommateur a connaissance du contenu du colis au moment de son engagement et si, au dernier paiement, apparaît une déduction correspondant aux intérêts des sommes versées.

■ **Commande. Bon de commande** (ou contrat de vente prérédigé) : obligatoire pour voitures, chats et chiens, sinon facultatif. Il comprend : au recto identification des parties, désignation des marchandises, prix, mode de paiement, date de livraison (indiquer une date impérative sous peine d'annulation), mode et lieu de livraison, date et signature ; au verso conditions de vente. Avant de signer, on peut toujours demander au vendeur des conditions différentes de celles figurant au contrat. Si celui-ci accepte, il faut mentionner et parafer ces conditions spéciales. **Retard à la livraison :** une clause indique souvent qu'on ne peut demander la résolution du contrat que 15 j après la mise en demeure par lettre recommandée avec AR. S'il s'agit de la vente d'un bien (mobilier, automobile, magnétoscope, meuble, téléviseur, etc.) ou d'une prestation de services (aménagement d'une cuisine, travaux de menuiserie, plomberie, etc.), dont le montant est supérieur à 3 000 : loi du 18-1-1992, JO du 21. Le professionnel doit indiquer la date limite de livraison. Si cette date est dépassée de plus de 7 j, on peut rompre le contrat par lettre recommandée avec AR (envoi dans les 60 j ouvrés à compter de la date de livraison indiquée dans le contrat). *Sommes versées.* En cas de rupture de contrat le vendeur doit en restituer le double (le contrat peut prévoir une disposition différente sur ce point. Vérifier lors de la signature). On ne peut rompre le contrat si le retard de livraison est dû à un cas de force majeure ; si le bien (ou la prestation de services) a été livré avant que le vendeur n'ait reçu la lettre recommandée. **Transfert de propriété :** en général, dans le magasin, les marchandises voyagent aux risques et périls du destinataire. L'insertion d'une clause abusive est punie d'une amende de 2 500 à 5 000 F. Pour que le contrat soit valable, il faut un consentement averti. Le vendeur ne doit donc pas tromper le client, ni cacher des informations, il doit le conseiller.

■ **Commerçant.** *En cas d'infraction : Rec.* à Paris : DDCCRF [1]. *Litiges d'ordre privé :* demander conseil aux organisations de consommateurs ou à l'INC. *Pièces à conserver :* contrat, ticket de caisse, facture, reçu pour arrhes, devis, documents publicitaires, certificats de garantie, attestations de livraison et mise en route, courrier reçu, constats d'huissier. *Garantie pour vices cachés :* l'action doit être intentée par l'acquéreur dans « un bref délai, suivant la nature et l'usage au lieu où la vente s'est effectuée ». Cette garantie est soumise à une prescription trentenaire (sauf pour les animaux domestiques qui bénéficient d'une garantie illimitée). La garantie ne peut se trouver limitée par une clause dans le contrat de vente, sauf si l'acheteur est considéré comme professionnel ou s'il a connaissance du vice caché.

■ **Commissaires-priseurs et experts.** Dans les ventes publiques, les mentions portées sur le catalogue de vente font foi sauf si, au moment de la vente, le commissaire-priseur ou l'expert infirme la mention portée sur le catalogue, cette déclaration devant être portée sur le procès-verbal. Actuellement le recours en garantie de l'acheteur peut s'exercer dans un délai de 30 ans. Les œuvres d'art vendues par les maisons de vente anglaises ne sont pas garanties.

■ **Commission des clauses abusives (CCA).** *Créée* 1978. Rattachée au ministère chargé de l'Économie. Chargée de rechercher dans contrats et bons de commande les clauses abusives définies à partir de la notion d'« abus de puissance économique ».

■ **Contrat.** Accord de volonté entre 2 ou plusieurs personnes qui engendre des obligations réciproques ou à la charge d'une seule d'entre elles. Le contrat doit être signé dans toutes ses parties (pas de renvoi à des feuilles détachées). Certains contrats (c. de mariage, donation, hypothèque) doivent être rédigés par un notaire. *Délai de réflexion* (loi de 1979 différente du délai de rétractation de la loi de 1978) : imposé parfois par la loi, il suit ou précède la signature du contrat. Ex. : démarchage ou crédit ordinaire, enseignement à distance, 7 jours ; démarchage pour plan d'épargne en valeur mobilière, 30 j, et crédit immobilier, 10 j. Des tribunaux estiment que des promesses faites sur des documents publicitaires (catalogues, affiches...) peuvent aussi être considérées comme des engagements contractuels. *Les clauses illicites* (par ex. : droit pour le vendeur de ne pas donner suite à une commande) *ou illisibles* (par ex. : imprimées en caractères illisibles au verso du document ou mentionnées perpendiculairement aux autres dispositions du bon de commande) ne sont pas opposables à l'acheteur. *Contrat d'achat ou bon de commande :* vérifier qu'il comporte au minimum les modalités de livraison (délai, transport, montage, réclamation), le montant du prix à payer et les garanties éventuellement accordées. *Exécution :* dès le contrat formé, chaque contractant est tenu d'exécuter ses obligations (art. 1134 du Code civil). Si l'un se dérobe, l'autre peut demander la *résolution* (suppression rétroactive des obligations du contrat), la *résiliation* [valant suppression pour l'avenir d'un contrat successif (ex. location)] ou l'*exécution forcée* du contrat. Si celle-ci est impossible à obtenir, le tribunal devra déterminer le dommage subi par le créancier et en assurer la réparation sous forme de dommages et intérêts. *S'il s'agit d'une somme d'argent,* il ordonnera la saisie et la vente des biens du débiteur ; *d'un objet déterminé,* il pourra mettre le créancier en possession de l'objet ; *d'obligation de faire et de ne pas faire,* il pourra condamner le débiteur à une astreinte (somme d'argent déterminée) pour l'obliger à réagir.

Le *créancier a droit à des dommages et intérêts* en cas d'inexécution totale, partielle ou d'exécution tardive du contrat. Pour constater le retard, envoyer une mise en demeure (art. 1230 du Code civil) sous forme de sommation ou de commandement, ou par simple lettre recommandée avec accusé de réception. Préciser le préjudice chiffrable et qu'il y a faute du débiteur [difficile parfois à établir s'il s'agit d'une obligation de moyens (ex. : le médecin qui n'arrive pas à sauver son malade)].

Cas de vices : *du consentement :* on peut demander l'annulation du contrat. *Dol :* ex. vente d'une voiture millésimée 1990 alors qu'elle est de 1988. *Erreur :* ex. portant sur une qualité du produit qui a été déterminante dans la décision d'acheter. *Violence :* ex. personne contrainte à donner de l'argent sous la menace.

■ **Contrat d'entretien.** Si la société n'a pas rempli ses engagements, le report automatique du contrat sur l'année à venir doit être exigé. *Contrat Afnor :* base des prestations à faire impérativement.

■ **Copropriété (règlement de).** *Rec. :* trib. de grande instance.

■ **Délai franc.** Délai dans lequel ne sont comptés ni le *dies a quo* (jour de départ) ni le *dies ad quem* (celui de l'échéance). Délai non franc : le *dies ad quem.*

■ **Dépannage à domicile.** *Rec. :* boîte postale 5 000 du département (cf. DDCCRF [1]), association des consommateurs, syndicats professionnels.

■ **Dette impayée.** Les cabinets de recouvrement ne peuvent exercer d'actions judiciaires. Les *intérêts* ne peuvent courir qu'*après* et *à compter* de la mise en demeure du créancier ou de son mandataire. Ils sont normalement basés sur le taux légal. Si la dette est contractuelle, se reporter au contrat. *Frais :* normalement à la charge du créancier, s'ils sont imputés par contrat au débiteur, celui-ci peut se prévaloir des recommandations de la commission des clauses abusives. En cas de frais exagérés, il peut invoquer l'art. 1652 du Code civil qui permet au juge de les diminuer.

■ **Devis.** En général gratuit, sauf si l'on fait appel à un spécialiste (ex. architecte) ou procéder à un travail particulier (ex. démontage d'un appareil). *Doit comporter :* coût de la main-d'œuvre, montant des taxes, date de livraison ou de fin des travaux, mode et délai de règlement. En l'absence de devis écrit, aucun recours possible. L'entrepreneur doit demander l'accord du client avant de faire des travaux entraînant une modification du devis initial. *Devis payants :* doivent être affichés. *Bâtiment et électroménager :* devis détaillé obligatoire pour réparations à partir de 1 000 F TTC (arrêté 2-3-1990).

■ **Diffamation.** « Toute allégation ou imputation d'un fait qui porte atteinte à l'honneur ou à la considération de la personne ou du corps auquel le fait est imputé ». Pour que le délit soit établi, il faut que : la diffamation soit revêtue de publicité (discours ou cris dans un lieu public, écrits, imprimés vendus ou distribués dans un lieu public) ; qu'il y ait un fait déterminé dont l'exactitude ou l'inexactitude peut être vérifiée (ex. imputation d'un vol) ; que ce fait soit contraire à la probité, à la loyauté, à la bonne conduite ; que la personne visée, qui n'a pas besoin d'être désignée nommément, soit aisée à reconnaître ; qu'il y ait intention coupable de la part de l'auteur (celle-ci est présumée). La preuve de la diffamation peut faire disparaître le délit. *Celui qui est diffamé* peut dans les 3 mois s'adresser : 1°) *au tribunal correctionnel* (*pénalités :* 5 j à 6 mois d'emprisonnement, amende de 150 à 80 000 F ou l'une de ces deux peines seulement) ; 2°) *au tribunal d'instance* (s'il réclame des dommages et intérêts de 5 000 F au maximum) *ou de grande instance* (s'il demande plus).

■ **Dommages et intérêts.** Destinés à réparer le préjudice subi. Il s'agit souvent d'une somme d'argent : *d. et i. compensatoires.* En cas de retard de paiement d'une somme due, le créancier a seulement droit à des intérêts au taux légal : *d. et i. moratoires.* Il peut obtenir des d. et i. suppl. s'il démontre la mauvaise foi du débiteur et un préjudice distinct du retard (ex. une agence de voyages ayant tardé à rembourser un acompte, il a dû renoncer à partir en vacances).

■ **Emballage.** Le commerçant n'a pas le droit de le faire payer, sauf si un écriteau en a averti le consommateur avant l'achat. Il doit indiquer le prix au kg sur un certain nombre de produits alimentaires préemballés : viande, charcuterie, poissons, fruits, légumes, fromages. 2 arrêtés du 22-9-1975 fixent les poids nets des emballages dans lesquels certains produits peuvent être offerts à la vente. **Surgelés.** *Fruits :* 250 g, 500 g, 1 kg, 1,5 kg, 2 kg, 2,5 kg et multiples de 1 kg. *Légumes :* 150 g, 300 g, 450 g, 600 g, 750 g, 1 kg, 1,5 kg, 2 kg, 2,5 kg et multiples de 1 kg. *Poissons : entiers :* truites vendues par 2 unités, 340 g, 750 g, 1 kg, 1,5 kg, 2 kg, 2,5 kg et multiples de 1 kg ; *en filets :* 100 g, 200 g, 300 g, 400 g, 500 g, 750 g, 1 kg, 1,5 kg, 2 kg, 2,5 kg et multiples de 1 kg. *Filets : de harengs saurs au naturel :* 200 g, 500 g, 1 kg et multiples de 1kg ; *de morue :* 400 g, 1 kg et multiples de 1 kg.

■ **Envoi forcé.** *Les ventes forcées* qui consistent à adresser d'office certains objets (disques, montres, livres, stylos, etc.) et à exiger ensuite le retour (même sans frais) ou le paiement sont interdites (article R. 40-12 du Code pénal). Ne rien payer et conserver l'objet, sans l'utiliser, car il n'appartient pas à son destinataire. Porter plainte auprès du procureur de la République. *Rens.* DDCCRF [1].

■ **Essayage.** *Ex. : achat d'une chemise.* Si l'on n'a pas pu l'essayer et qu'elle ne va pas, le contrat est nul. On peut être remboursé sauf si l'étiquette était correcte (mention de la taille, coupe, longueur des manches).

■ **Établissements dangereux, insalubres, incommodes (dits classés).** *Rens. :* Service de prévention des nuisances industrielles, 68, rue de Bellechasse, 75007 Paris. Ministère de l'Environnement. Préfecture (Service admin. et inspection des établ. classés). *Rec. :* services préfectoraux des établ. classés, trib. administratif, Conseil d'État, trib. de grande instance (demandes de dommages et intérêts).

■ **Étiquetage.** Il faut distinguer : l'étiquetage apposé par le fabricant et celui apposé par le distributeur du produit. Il peut consister en une marque individuelle ou collective ou en un étiquetage informatif. Il peut résulter : 1°) de dispositions législatives ou réglementaires le rendant obligatoire ; 2°) d'une décision du professionnel souhaitant informer le consommateur.

Étiquetage obligatoire. Produits alimentaires : nature précise de la marchandise selon la dénomination de vente à laquelle elle est astreinte, nom ou raison sociale et adresse du fabricant, nom du pays d'origine de la marchandise, poids net ou volume net, date de péremption, énumération par ordre d'importance décroissante des composants du produit et, lorsque la dénomination du produit se réfère à un composant, proportion de ce composant contenue dans le produit, énumération des additifs, colorants, conservateurs antioxygène, édulcorants, émulsifiants, agent de texture, de sapidité, d'aromatisation. **Produits diététiques et de régime :** mêmes mentions + l'indication des composants du produit par ordre d'importance quantitative décroissante, la valeur calorique et les teneurs en protides, lipides et glucides. **Produits cosmétiques et d'origine corporelle :** dénomination du produit, nom et adresse du fabricant, volume ou poids net, date limite d'utilisation pour les produits dont la durée de stabilité est inférieure à 3 ans, numéro de lot, énonciation des substances dont la présence est revendiquée dans la publicité, précautions particulières d'emploi. **Dates :** de fabrication (en clair ou en code), limite de consommation (DLC) pour produits alimentaires périssables préemballés, limite d'utilisation optimale (DLUO) pour conserves, surgelés, crèmes glacées, produits de beauté, médicaments. **Prix :** depuis février 1983, affichage des prix au litre ou au kg obligatoire pour les produits préemballés.

Nombre d'interventions de la DGCRF et, entre parenthèses taux d'infractions (1990). *Pour vérifier les informations données dans les points de vente :* pub. des prix 104 040 (14,6). Étiquetage informatif et emploi de la langue franç. 44 820 (19,5). Remise des notes aux cons. 18 180 (10,4). Publicité de nature à induire en erreur 10 560 (23,9). *Pour contrôler les méthodes de vente :* crédit à la consommation 2 300 (22). Soldes et déballage 1 820 (32,9). Démarchage à domicile 1 260 (33,5). Ventes avec primes 570 (34,9). Autres réglementations (envois forcés, etc.) 360 (53,6). Jeux, concours, loteries 230 (25,2). Crédit imm. 170 (39,4). Subordination de vente 80 (36,2). Refus de vente 70 (23,9).

Étiquetage contrôlé par un organisme indépendant du fabricant, de l'importateur ou du vendeur. *Produits agricoles* [labels agricoles : loi n° 60-808 du 5-8-1960 modifiée par la loi n° 78-23 du 10-1-1978, décret n° 83 507 du 10-6-1983, loi d'orientation agricole 80 502 du 4-7-1980 (art. 14) sur les marques collectives régionales] ; *produits industriels, produits agricoles non alimentaires transformés ou biens d'équipement* (ex. : Woolmark, Fleur Bleue, Coton-Flor, Belle Literie) ; certificats de qualification, articles 22 et suivants de la loi n° 78-23 du 10-1-1978.

Faux certificats de qualité ou faux labels. 1°) *Marques privées :* elles ne se présentent pas en principe comme des labels de garantie, sauf exception. **2°)** *Faux diplômes :* laissent entendre qu'un jury compétent et impartial a attribué un prix pour la qualité, le prestige, la supériorité, etc. Ex. : Prestige de la France, Coupe du bon goût français, Sélection Europe. Il s'agit en fait d'opérations purement publicitaires. **3°)** *Marques collectives :* privées réunies parfois en fonction d'un règlement qualitatif (garanti par les producteurs) : ex. popeline d'Alsace.

Labels, marques de qualité, certificats de qualité, etc. faisant référence. 1°) A un règlement technique privé (exemples) : *Woolmark :* éleveurs de moutons d'Australie, de N.-Zélande et d'Afrique du S. Contrôlé par le Secrétariat international de la laine. *Fleur bleue :* créée par la Confédération générale des fabricants de toile de France pour les articles en lin, en métis, en lin mélangé et en toiles lourdes (bâches). **2°) Aux normes françaises :** *marque NF :* créée 1938, devenue certificat de qualification en 1980 (en vertu du décret d'application du 9-7-1980, de la loi du 10-1-1978). Estampille rouge et bleue, apposée sur le produit. Accordée sous la responsabilité de l'Association française de normalisation (Afnor, association privée, reconnue d'utilité publique, ayant le monopole de la normalisation en France). Env. 1 100 normes sont établies par an, homologuées après enquête probatoire. *Litige :* s'adresser à l'Afnor Tour Europe-Cedex 7 – 92049 Paris la Défense, qui interviendra auprès du fabricant pour l'inciter à honorer ses engagements. **3°) A un règlement d'ordre public** (loi, décret ou arrêté) : *appellation d'origine contrôlée :*

vins, fromages ; *d'or. simple :* fruits, légumes, volaille, produits divers ; *labels nationaux* (homologation ou arrêté) : volailles (ex. volaille de Loué), fromages (ex. Emmental Est Cantal, Grand Cru), divers ; *régionaux :* homologation régionale par produit après homologation nationale du label. *Marque régionale : Savoie :* Emmental, fruits, *Normandie :* cidre. **4°) A un contrat pour l'amélioration de la qualité :** contrats de droit privé conclus pour une durée déterminée et légués après négociation entre les organisations nat. des consommateurs et des entreprises de toute nature (producteurs, distributeurs, prestataires de services). Les améliorations peuvent concerner les produits et services ou leur environnement (fabrication, distribution, garantie, service après vente, relations avec l'usager, prix...). Les produits concernés sont signalés au public par une marque collective comprenant le logo « Approuvé », rouge sur fond rouge et bleu du contrat.

■ **Facture.** Obligatoire entre professionnels. Pour tout achat de produits ou pour tout service, pour une activité professionnelle. Délivrée dès la réalisation de la vente (un exemplaire est conservé par le vendeur). Doit mentionner : nom et adresse des parties, date de la vente, quantité, dénomination précise, prix unitaire hors TVA, rabais, remises ou ristournes. Les originaux et copies de factures sont conservés 3 ans. *Transactions avec des particuliers :* l'usage s'en est établi (mais n'est pas obligatoire lors des ventes au détail). **Prestataires de services :** note donnant le décompte détaillé de ceux-ci. *Hôtels et restaurants :* obligatoire quel que soit le montant. *Autres* (garagistes, teinturiers, coiffeurs, etc.) : obligatoire à partir de 100 F TTC ; au-dessous, sur demande. **Frais de facturation :** interdits sur facture obligatoire (réparations auto. ou à domicile par ex.). Sinon tolérés quand ils ne dépassent pas les frais réels de l'établissement du décompte et si la clientèle a été avertie par une publicité appropriée.

Nota. – Un ticket de caisse, portant la mention « payé le... » et le mode de paiement est une preuve irréfutable de paiement.

■ **Fouille des clients.** Le commerçant ou son personnel n'ont pas le droit de contrôler le contenu des sacs des clients, sauf avec leur accord. Ceux-ci peuvent exiger que cette fouille soit exécutée par un officier de police.

■ **Frais. Pour paiement tardif :** le créancier peut obtenir des dommages et intérêts moratoires fixés au taux légal et courant à compter du jour de la sommation de payer. **De remboursement :** si un commerçant charge un office de recouvrement de récupérer une dette, c'est un mandat, or l'art. 1999 du Code civil prévoit que si l'exécution du mandat entraîne des frais pour le mandataire (ici l'office de recouvrement), le mandant (le commerçant) doit les rembourser, et non le débiteur qui n'est pas partie à ce contrat.

■ **Garantie légale.** Art. 1 641 à 1 649 du Code civil (et jurisprudence), dite aussi *g. des vices cachés* de la chose vendue. Illimitée dans le temps. Pour la mettre en œuvre, *3 conditions doivent être réunies : le défaut doit être grave* (rendant le produit impropre à l'usage prévu, ou réduisant tellement cet usage que l'acheteur aurait renoncé à son acquisition ou n'en aurait payé qu'un moindre prix s'il l'avait connu) ; *caché* (il était raisonnablement impossible de s'en rendre compte lors de l'achat) ; *antérieur à la vente* (le consommateur doit prouver qu'il existait déjà lorsqu'il a acheté l'appareil, et qu'il n'est pas le résultat d'une mauvaise utilisation, ou d'une usure normale). Un vendeur doit donc livrer une « chose » (même soldée) propre à l'usage auquel on la destine, c.-à-d. en parfait état de marche. Si elle tombe en panne, sans faute de l'acheteur, il doit la rembourser ou prendre à sa charge les frais de réparation (pièces, main-d'œuvre, transport) et verser des dommages et intérêts pour le préjudice entraîné par la privation de l'objet, mais c'est à l'acheteur de prouver l'existence du vice caché.

■ **Garantie contractuelle.** Résultat d'un contrat entre vendeur et acheteur lors de la transaction. Il faut vérifier les points suivants du certificat : *durée* (est-elle la même pour toutes les pièces ?) ; *pièces* de l'appareil couvertes par la garantie ; *pièces défectueuses et pièces cassées* (sont-elles garanties ?) ; *frais de main-d'œuvre* et de *déplacement de la main-d'œuvre* (sont-ils à votre charge ?) ; *frais de transport* de l'appareil s'il doit être retourné à l'usine.

Certains glissent des formules ambiguës : « telle garantie ne s'applique pas aux remplacements et réparations devenus nécessaires par suite de l'usure normale... », « seul le 1er usager bénéficie des avantages généraux de la garantie... », etc. « La date de mise en service pour l'application de la garantie ne peut être postérieure de 6 mois à la date de facturation du matériel ». « Les frais de main-d'œuvre sont à la charge exclusive de l'utilisateur. » « La livraison des pièces de rechange sera effectuée par le constructeur dans les meilleurs délais possibles, sans que d'éventuels retards puissent être invoqués pour une demande de dédommagement ou simplement une prolongation de la période de garantie ». « Les indications de consommation qui peuvent être fournies par le constructeur le sont toujours à titre indicatif »... « Les éléments plastiques (tuyaux, courroies...) sont exclus du bénéfice de la garantie »... « Les frais et conséquences de l'immobilisation de l'appareil pendant sa réparation ne sont pas couverts par cette garantie »... Mais la garantie légale s'applique toujours et cette circonstance doit obligatoirement apparaître sur le bon de garantie. Une fois passée la période de garantie, le fabricant n'est plus tenu d'assurer, dans le cadre de celle-ci, la fourniture des pièces.

Les indications de consommation fournies à titre indicatif ne concernent pas la garantie. L'usage de la norme NF X 50 002 est facultatif et ne peut faire l'objet de contrôle. Par contre, le fait pour un professionnel d'annoncer qu'il respecte cette norme l'oblige à le faire (s'il ne le fait pas, s'adresser à l'Afnor ou à l'administration pour publicité mensongère).

Décret du 22-12-1987 : prévoit une présentation normalisée du contenu des contrats de garantie et de service après vente. Certaines indications, notamment relatives à la livraison, à la mise en service et aux réparations devront obligatoirement figurer dans le contrat remis au consommateur.

Recours : si des lettres au vendeur chargé d'assurer la garantie reviennent avec la mention « inconnu à l'adresse indiquée », *la Sté a pu changer d'adresse* (se renseigner auprès du registre du commerce au greffe du tribunal de commerce), ou *elle a pu être mise en liquidation de biens* (prendre contact avec le tribunal de commerce pour avoir les références du syndic chargé de la liquidation). **Hôtels, garages publics, terrains de camping :** *rens. :* auprès des préfectures. **Hygiène alimentaire et publique :** *rens. :* Dir. départ. de l'action sanitaire et sociale, inspecteur de la Santé, services de police et de gendarmerie, ou toutes administrations, secrétaires généraux de préfecture, sous-préfets, maires. **Hygiène et beauté :** *rec. :* DDCCRF [1]. Service départ. de la Santé publ.

■ **Injonction. De faire et saisine directe du tribunal d'instance pour les petits litiges** (décret du 4-3-1988) : procédures possibles si le montant du litige est inférieur à 13 000 F (saisine directe) ou à 30 000 F (injonction de faire). Ces procédures sont gratuites.

De payer : *conditions exigées :* 1°) la somme qui est due doit avoir « une cause contractuelle » ou « résulter d'une obligation de caractère statutaire » ; 2°) le montant de la somme due doit être déterminable à partir du contrat (ex. dépôt de garantie non rendu). *Comment procéder :* adresser une requête en injonction de payer au greffe du tribunal d'instance compétent (celui du domicile du débiteur) ; après réception de l'ordonnance (8 j à 6 semaines après), la remettre à un huissier qui la notifiera à l'adversaire ; à l'expiration d'un délai d'un mois à compter de cette notification, en justifier auprès du greffier qui portera sur l'ordonnance la formule exécutoire ; si, dans le mois qui suit la notification, le greffe n'a enregistré aucune opposition du débiteur, il retourne l'ordonnance avec la signature du président au bas de la formule exécutoire ; l'adresser à nouveau à l'huissier pour qu'il contraigne le débiteur à payer ce qu'il doit en lui demandant de recouvrer les sommes dues, en précisant qu'il doit le faire par « voie d'exécution forcée ». Celui-ci peut demander une provision (env. 500 F) mais les frais de recouvrement incomberont entièrement finalement au débiteur. *Si le président rejette la requête,* procéder selon les procédures habituelles (voir Procès à l'Index). *Si l'adversaire fait opposition dans le mois, ou jusqu'à la 1re mesure d'exécution (saisie),* on reçoit une convocation invitant à venir s'expliquer avec l'adversaire devant le tribunal. Si l'on préfère, dans ce cas, renoncer, écrire au président du tribunal que l'on se désiste de sa demande et que, dans le cas où l'adversaire formerait une demande à son encontre (demande reconventionnelle), on sollicite le renvoi de l'affaire à une autre date.

■ **Lettres anonymes.** Il y a délit, si la lettre renferme une menace : *D'attentat :* peines prévues (si la menace a été accompagnée de l'ordre de déposer une somme d'argent ou de toute autre condition) : emprisonnement de 2 à 5 ans, amende : 500 à 4 500 F ; 1 à 3 ans (au plus), amende : 500 à 4 500 F (sans ordre, ni condition) ; 6 mois à 2 ans, amende : 500 à 4 500 F (menace avec ordre et sous condition verbale). En outre, dans les 3 cas, une peine d'interdiction de séjour peut être prononcée. *De voies de fait ou de violence faite avec ordre ou sous condition :* emprisonnement 6 j à 3 mois, et (ou) amende : 500 à 1 000 F. *D'incendie ou de destruction :* mêmes peines que celles prévues par art. 305, 306 et 307 du Code pénal selon la même distinction. *Des injures ou une allégation diffamatoire :* on peut se porter partie civile au cours du procès pénal, lorsque l'auteur de la lettre est poursuivi par le Parquet. A défaut de cette poursuite, on peut s'adresser à la juridiction civile.

■ **Livraison. Délais non respectée :** *pour biens ou prestations dépassant 3 000 F ;* le vendeur doit indiquer sur le bon de commande la « date limite à laquelle il s'engage à livrer le bien » (loi no 92-60 du 18-1-1992). *Tout dépassement de + de 7 j,* sans raison de force majeure, est une cause d'annulation de contrat. *Si l'on tient à recevoir la marchandise commandée :* mettre en demeure le vendeur de livrer sous un délai strict. *Arrhes versées :* au bout de 3 mois, elles donnent droit à des intérêts au taux légal. *Si l'on désire annuler la commande :* on a 60 j à compter de la date limite de livraison pour dénoncer le contrat par lettre recommandée avec avis de réception. *On peut réclamer une compensation pour préjudice chiffrable* [si l'on a mis au préalable le commerçant en demeure de s'exécuter (art. 1611 du Code civil)]. **L. partielle :** même procédure. **L. non conforme :** la refuser et adresser une lettre au vendeur avec mise en demeure de remplacer l'objet (se prévaloir de l'art. 1614). **Litige :** s'adresser à la DDCCRF [1] ; au Syndicat de la vente directe, 42, rue Laugier, 75017 Paris ; à l'Association nat. pour la vente et le service à domicile, 29, av. de l'Opéra, 75001 Paris, s'il s'agit d'une Sté adhérente (en principe précisé dans le contrat) ; porter plainte (sans frais) au procureur de la Rép. du tribunal de grande instance de son arrondissement.

■ **Locations-logements.** *Rens. : Province :* Dir. départ. de l'Équipement et du Logement ; *Paris :* Mairie, 6, rue Agrippa-d'Aubigné, 75004 Paris.

■ **Location-vente (leasing).** Location avec promesse de vente ou bail avec option d'achat. Réglementée par la loi de janvier 1978 (bien de consommation réservé à un non-professionnel). *Avantage :* mensualités réparties sur une longue durée. *Inconvénients :* coût plus élevé que le crédit. Frais généralement supportés par le propriétaire mis à votre charge : vignette, carte grise (au nom du bailleur : en cas d'achat final, il faudra la payer une 2e fois) ; assurance décès-invalidité (facultative), tous risques (obligatoire, souscrite au bénéfice du propriétaire) ; frais d'entretien (dérogation à l'art. 1719 du Code civil) et toutes les réparations que l'utilisation pourrait nécessiter (dérogation à l'art. 1720). Les Stés de location-vente insérant dans leurs contrats une clause les exonérant de toute garantie pour vices ou défauts de la chose louée, en cas de problème, le locataire doit faire jouer la garantie du fabricant en se retournant vers lui. En cas de sinistre total (vol, incendie, destruction totale), la Sté de location-vente propriétaire exige le remplacement du véhicule et peut demander une indemnité s'il y a faute du locataire. En cas de défaillance et, faute de règlement amiable, le plafond de l'indemnité est fixé par décret, le juge pouvant en modifier le montant.

■ **Marchandise détériorée.** Le vendeur est responsable s'il s'est servi de son véhicule. Vente franco contre remboursement : idem. Si le vendeur s'est adressé à un transporteur, se retourner contre celui-ci.

■ **Marque et qualité. Appellations d'origine :** *rec. :* DGCCRF [1]. **Infraction à la marque** NF (norme franç.) : *rens. :* Afnor, Tour Europe, Cedex 7, 92049 Paris La Défense. *Rec. :* à l'amiable avec le vendeur NF ou le fabricant licencié NF (si échec avertir l'Afnor). **Labels agricoles :** *rec. :* DGCCRF [1].

■ **Mode d'emploi.** Doit être rédigé en français, sinon l'importateur ou le vendeur peuvent être punis d'une amende de 300 à 600 F.

■ **Paiement. En espèces :** dep. 1986, on n'est plus obligé de payer par chèque une somme supérieure à 10 000 F. On peut payer avec des pièces dans certaines limites (250 F en pièces de 5 F, 50 F en 1 F, 10 F en 50 centimes). Le commerçant peut refuser des billets usagés ou qui lui semblent faux.

Par chèque : un commerçant peut refuser un chèque (ce dernier n'a pas cours forcé), sauf s'il fait partie d'un centre de gestion agréé (affichage obligatoire). Il peut relever le numéro de la carte d'identité du client (la loi du 3-1-1973 précise que celui qui paie par chèque doit justifier de son identité au moyen d'un document officiel portant sa photographie), mais ne peut imposer une photographie. On ne peut faire opposition à un chèque qu'en cas de perte ou de vol, de redressement ou de liquidation judiciaire du porteur.

■ **Parasites radioélectriques.** Provoqués par un appareil électrique en fonctionnement. *Rec. :* Radio-France, Centre Protection Réception. Directions Régionales de Télédiffusion de France.

■ **Pellicule photographique.** Le photographe doit restituer les articles après traitement.

■ **Pièces de rechange.** La durée de conservation varie, selon les fabricants, de 2 à 10 ans. Le vendeur doit vous informer du délai pendant lequel il est prévu que des pièces détachées resteront disponibles (loi du 18 janvier 1992). Si la durée est inférieure à la durée moyenne de vie du produit lui-même, qu'en conséquence un appareil ne peut être réparé, faute de pièces de rechange, l'acheteur doit demander le remboursement partiel ou total, ou l'échange de l'appareil contre un article équivalent.

■ **Poids et étiquetage (tromperie sur).** *Rec.* : DDCCRF [1] et Service des instruments de mesure du min. de l'Industrie.

■ **Pourboire.** Jamais obligatoire. Ne pas confondre avec le service (coiffeur, restaurant) qui doit être compris dans le prix affiché.

■ **Prix.** *Rec.* : DDCCRF [1] et Service des instruments de mesure du min. de l'Industrie, et accessoirement : Service de police et de gendarmerie.

Obligations du commerçant : *Produits exposés à la vue du public :* il doit informer le consommateur sur les prix par marquage, étiquetage, affichage ou tout autre procédé approprié. *En vitrine :* les prix doivent être visibles et lisibles de l'extérieur. Non exposés à la vue du public : une étiquette doit être apposée dès que le produit est disponible à la vente et entreposé dans un local attenant. Le prix doit apparaître « toutes taxes comprises » et « en monnaie française ». **Exceptions.** *Produits alimentaires périssables* (viande, fruits et légumes frais, produits laitiers frais, produits de la mer) : l'écriteau ne demeure obligatoire que s'ils sont placés à la vue du public. *Marchandises gardées hors la vue de la clientèle, mais dont un spécimen est exposé en magasin, nanti de son écriteau* avec en regard le prix des différents modèles de la même marque proposés à la vente (articles électroménagers encombrants). *Produits non périssables, mais vendus en vrac* (graines, articles de quincaillerie tels que clous et vis, charbons) : un écriteau portera mention du prix, placé sur un échantillon exposé à la vue du public ; ou alors des catalogues avec des tarifs énumérant les produits en vente avec, en regard, le prix de chacun d'eux, seront mis à la disposition de la clientèle.

■ **Produits dangereux.** Le fabricant ou le vendeur doit attirer l'attention sur les risques. Les pouvoirs publics peuvent imposer aux fabricants de revoir leurs produits ou les retirer de la vente.

■ **Promesse de vente avec dédit.** L'acquéreur verse une certaine somme et, s'il ne donne pas suite à sa promesse, cette somme est perdue ; en revanche, si le vendeur n'est plus d'accord, il doit rembourser à l'acquéreur le double de la somme reçue.

Promesse de vente ferme : la promesse vaut vente, lorsqu'il y a consentement réciproque des 2 parties sur la chose et sur le prix. La somme versée par l'acquéreur a ici le caractère d'acompte. *1ᵉʳ cas : l'acquéreur ne donne pas suite.* Si l'acompte représente une somme considérable par rapport au prix, il pourra engager un procès pour obliger le vendeur à la restitution d'une partie, l'autre étant conservée à titre de dommages et intérêts. Le vendeur pourrait aussi poursuivre la vente en justice, il aurait sans doute gain de cause, mais il lui resterait à obtenir le paiement du complément de prix. Étant donné les difficultés, il préférera sans doute en rester là. *2ᵉ cas : le vendeur refuse la vente.* L'acquéreur peut se contenter du remboursement de son acompte ; demander en plus des dommages et intérêts (il sera sans doute obligé d'aller en justice) ou, enfin, demander au tribunal de prononcer la vente.

■ **Publicité mensongère.** *Rec.* : DDCCRF [1]. L'article 44 de la loi du 27-12-1973 interdit toute publicité comportant des indications ou présentations fausses, ou de nature à induire en erreur (sinon, plainte directe au procureur de la République).

■ **Qualité des produits (tromperie sur la).** *Rec.* : amiable avec vendeur ou fabricant ; Chambre syndicale profess. ; si échec DDCCRF [1].

■ **Réparation.** Les pièces qui ont été changées restent la propriété du client ; elles doivent lui être remises sur sa demande. Se faire préciser par écrit les délais de réparation. Exiger un reçu daté identifiant l'appareil et mentionnant le délai de réparation. Se méfier des dépanneurs à domicile (nombreux abus) : demander au préalable un devis.

■ **Santé, protection individuelle.** *Rens.* : Dir. départ. de l'Action sanitaire et sociale. Protection générale : *Rec.* : Dir. départ. de la Santé publique.

■ **Sécurité.** D'après la loi du 21-7-1983, produits et services doivent, dans des conditions normales ou prévisibles d'utilisation, présenter la sécurité à laquelle on peut légitimement s'attendre. *Statistiques :* env. 22 000 décès (dont 700 d'enfants de – de 15 ans) sont dus chaque année à des accidents domestiques. *Causes :* négligence des parents (61 %), imprudence (51), précipitation (44), insuffisance de sécurité sur certains appareils (19), de certains jeux (8).

■ **Télé-achat.** Vente d'objets présentés à la télévision. Achat par téléphone, minitel ou par écrit. Régi par la loi du 6-1-1988 et une décision de la CNCL du 4-2-1988. Émissions de 10 à 60 min par semaine, le matin entre 8 h 30 et 11 h 30, ou la nuit après les programmes, interdites dimanche, merc., et sam. apr. midi. Ni publicité, ni bande annonce. Nom du fabricant ou de la marque interdit à l'écran. Droit de retourner l'objet pendant 7 j (à la charge de l'acheteur).

■ **Textes de loi, ordonnances, règlements, décrets.** Paraissent au JO. *Rens.* : 26, rue Desaix, 75015 Paris.

■ **Textiles.** L'étiquetage doit mentionner la nature des fibres. *Fibre utilisée à 100 %,* l'étiquette doit mentionner : « pure laine », « pur coton », « pure soie », « pur lin » ; *à 85 % au moins :* soit nom de la fibre suivi de son % en poids, soit composition centésimale du produit, soit 85 % minimum « laine », « coton », « soie », « lin » sans mention des autres fibres. *Au-dessous de 85 %,* les diverses fibres doivent être mentionnées avec leur %.

■ **Travaux.** Par artisan ou entrepreneur (ex. couverture, plomberie, maçonnerie, menuiserie, etc.). Devis obligatoire au-dessus de 1 000 F, avec indication d'une date limite pour la réalisation des travaux au prix fixé (arrêté du 2-3-1990). Indemnisation obligatoire pour incidents au cours de réparation. **Dommages :** *gros travaux :* la loi impose au propriétaire une assurance « dommages-ouvrage » (mais ne sanctionne pas son absence). *Dommages « légers »* (petites fissures, craquelements de peinture) : apparaissant dans l'année suivant les gros travaux, on peut recourir à la « garantie de parfait achèvement » de l'entrepreneur ou mettre en cause la « responsabilité contractuelle » de l'artisan.

Travail à forfait : ne verser qu'un acompte limité à la commande. L'entrepreneur doit exécuter parfaitement le travail dans les meilleures conditions et conformément aux règles de l'art. Il doit nettoyer son chantier en fin de travail et réparer les dommages qu'il aurait pu commettre. Il ne peut réclamer plus que le prix figurant dans la commande. En cas de travaux imprévus s'avérant nécessaires, il doit, avant de les exécuter, les faire constater et avoir un accord écrit (pour les travaux de bâtiment) sur le supplément de prix correspondant. Pour les autres travaux (aménagement intérieur), un accord verbal de celui qui les a commandés suffit.

A la série de prix : en fin de chantier, un métreur passe, aux frais de l'entrepreneur, relever le travail exécuté et en calcule le coût d'après les prix unitaires de la série de prix du Nord. Il faut connaître la limitation du travail et faire confirmer par l'entrepreneur, par écrit, le rabais qu'il fait sur la série de prix et l'ordre de grandeur du coût du travail proposé. Les clauses générales de la série de prix prévoient : 1°) que l'entrepreneur doit s'assurer des défectuosités et les faire constater, sinon il ne peut prétendre à aucune rémunération pour les travaux supplémentaires qu'il serait amené à faire. 2°) qu'en cas de modification dans le volume des travaux portant au moins sur 20 % de la masse totale du travail, un nouvel accord doit intervenir entre entrepreneur et client. On peut demander à assister au métré (pour les travaux difficiles à vérifier ultérieurement : fosse, égout, etc., l'entrepreneur doit avertir à l'avance pour que le relevé puisse être contradictoire). Pendant 3 mois seulement on pourra contester le métré.

■ **Usure.** *Rec.* : *Pour un taux usuraire pratiqué par :* 1°) *banques ou organismes financiers :* Banque de France, Dir. gén. du Crédit, 39, rue Croix-des-Petits-Champs, 75001 Paris. 2°) *un notaire :* Chambre dép. des Notaires ou min. de la Justice, Dir. des Affaires civiles et du Sceau, sous-direction des professions judiciaires et juridiques – bureau de la gestion des professions, 13, place Vendôme, 75001 Paris. Voir Index.

Taux d'usure flagrant. Plainte au procureur de la République, services de police ou de gendarmerie.

☞ Les seuils de l'usure sont publiés trimestriellement au Journal Officiel par le ministère de l'Économie et des Finances, avec les taux effectifs moyens pratiqués le trimestre écoulé par les établissements de crédit.

■ **Ventes.** *Rens.* : DDCCRF [1] : services de police et fraudes suivant les cas. Voir Usure à l'Index.

Ventes à crédit : *remise d'une offre* préalable de crédit précisant le montant du crédit, la durée et le coût total, valable 15 j. Possibilité de se rétracter dans les 7 j suivant la signature de l'offre préalable. Si un achat à crédit a été conclu en l'absence de l'un des époux, celui-ci n'est pas engagé et a intérêt à le faire savoir au vendeur par lettre recommandée avec avis de réception si l'époux signataire n'a aucune source de revenus (cas des femmes au foyer) et si le paiement a été fait par chèque. Versements et arrhes en espèces sont irrécupérables.

Démarchage à domicile : *interdictions pour :* contrats d'enseignement par correspondance, consultations juridiques, médicaments, or, opérations à terme dans les bourses étrangères. *Certaines activités* (démarchage financier, démarchage en vue d'opérations sur les marchés à terme ou aux assurances sur la vie) font l'objet de réglementations spécifiques. *Contrat :* il doit préciser noms et adresses du fournisseur et du démarcheur, adresse du lieu de conclusion du contrat, désignation précise de l'objet ou du service vendu, conditions d'exécution et modalités de livraison, prix global et conditions de paiement, taux d'intérêt en cas de crédit et un formulaire de résiliation ; il doit être signé et daté de la main du client et 1 exemplaire doit lui être remis au moment de l'achat ; le client peut résilier la vente pendant 7 j, à compter du lendemain de la date d'achat, par lettre recommandée avec AR ; il est interdit au démarcheur de prendre un acompte ou un cautionnement lors de ses visites à domicile.

Attention. Une *signature* engage toujours. Demander le *prix comptant,* la *valeur de chaque article* du lot. L'entreprise ne peut refuser la vente séparée de chaque article. *Ne jamais verser d'argent* au démarcheur et ne pas signer de chèque lors de la commande. *Ne jamais suivre le démarcheur* qui prétend avoir laissé ses papiers dans sa camionnette, tout contrat signé hors du domicile est définitif.

Les ventes sollicitées (effectuées au domicile d'un particulier), après que celui-ci a retourné à la Sté vendeuse un coupon-réponse indiquant son intention d'être documenté sur les biens ou prestations de services proposés, sont aussi couvertes par la loi du 22-12-1972 sur le démarchage à domicile. *Demander les cartes officielles de ceux qui prétendent venir de la part* du préfet, maire, inspecteur d'Académie, Assistance sociale, caisse d'Allocations familiales, Inséé, etc. *Les associations charitables* ne pratiquent plus de quête à domicile hors de leurs journées nationales. Les articles que certaines d'entre elles vendent portent obligatoirement un label officiel. **Litiges :** s'adresser au *Syndicat de la vente directe* (42, rue Laugier, 75017 Paris).

Vente à la boule de neige ou **« à la chaîne » :** consiste à offrir des marchandises au public en faisant miroiter l'espoir de les obtenir gratuitement, ou pour une somme modique, par le placement de bons à des tiers qui doivent à leur tour recruter de nouveaux acheteurs. Le nombre des participants croissant sans cesse, l'affaire dégénère en escroquerie.

Vente au détail, à l'unité de produits groupés sous un même emballage : doit être possible quelle que soit la mention figurant sur l'emballage. Cependant, la vente uniquement par lots est admise lorsqu'elle correspond aux besoins d'un consommateur isolé (ex. : petits-suisses). *Rec.* : DDCCRF [1].

Vente avec primes : *interdite* sauf pour menus objets ou services de faible valeur et échantillons, pour un produit de 500 F au moins, elle ne doit pas excéder 7 % du prix du produit vendu, pour un produit de 500 F ou plus, montant max. 30 F + 1 % du prix net (plafonné à 350 F) ; le prix s'entend TTC, départ production pour des objets produits en France et franco dédouanés à la frontière pour les objets importés. Les objets doivent être marqués d'une manière apparente et indélébile du nom de la marque. *Ne sont pas considérés comme primes :* conditionnement habituel du produit, biens indispensables à l'utilisation du produit, prestations de services après vente, facilités de stationn. et prestations de services attribuées gratuitement (ex. : gonflage des pneus, lavage des vitres), timbre-escompte remboursé en espèces, « 13 à la douzaine » ou ses équivalents.

Colportage et démarchage financier : *colportage :* offre ou achat à domicile ou sur le lieu de travail des valeurs mobilières avec livraison ou paiement immédiat : interdit. *Démarchage :* conseil d'achat, d'échange ou de vente de valeurs mobilières, recueil des engagements : permis aux banques, établissements financiers, remisiers, caisses d'épargne et agents de change. Le démarcheur doit posséder une carte spéciale et remettre une note d'information succincte. L'engagement pris doit être constaté par un bulletin signé du souscripteur (il peut, dans les 15 j, dénoncer son engagement). Les frais à verser au cours de la 1ʳᵉ année doivent être limités à 33 % du montant des capitaux versés.

Vente forcée (voir *Envoi forcé).*

Vente en série : *si série fermée* (ex. collection de livres) avec livraison et paiement échelonnés, il s'agit juridiquement d'une vente à exécution successive. *Si série ouverte :* on peut interrompre les envois à tout moment par lettre recommandée avec AR.

Vente en soldes, en liquidation ou au « déballage » : les *soldes exceptionnels* portant sur des articles dépareillés, défraîchis, de fin de série, et les liquidations sont soumis à autorisation du maire (à Paris, le préfet de police). Le commerçant doit être propriétaire de la marchandise et en justifier la provenance en produisant ses livres et factures pendant la liquidation. Il lui est interdit de se réapprovisionner. Les *soldes saisonniers* ne sont pas soumis à autorisation. *Soldes privés* interdits.

La publicité annonçant des ventes en « soldes » doit indiquer si elles concernent tout le stock ou préciser les articles ou les catégories d'articles soldés qui doivent être présents dans le magasin depuis au moins 3 mois. Toute publicité de prix doit faire apparaître le total à payer par l'acheteur. A cette somme peuvent être ajoutés les frais de services, demandés par l'acheteur (ex : retouches). Aucune publicité de prix ne peut être effectuée sur des articles indisponibles à la vente ou des services qui ne peuvent être fournis durant la période à laquelle se rapporte cette publicité. Les articles soldés doivent comporter le prix actuel et le prix ancien.

La formule *« ni repris ni échangé »* ne peut priver le client d'obtenir un remboursement si l'article présente un défaut indécelable au moment de l'achat. *Vrai rabais :* réduction consentie par un magasin sur les prix pratiqués sur un produit identique dans les 30 j qui précèdent l'annonce de la baisse, ou réduction sur des prix conseillés lorsqu'ils existent. Un fabricant de meubles qui faisait succéder les rabais multiples dans des délais très courts (le prix de référence n'était plus pratiqué) et un bijoutier qui affichait un rabais permanent de 50 % sur des prix de vente obtenus par un coefficient multiplicateur très élevé (4), jamais pratiqué auparavant, ont été condamnés en 1992 à 100 000 F d'amende.

Vente par correspondance : peut se faire à partir de bons de commande découpés dans la presse, de dépliants ou brochures reçus par la poste, ou sur catalogue, par téléphone ou Minitel. Selon la loi du 6-1-1988, on dispose d'un délai de retour de 7 j à compter de la livraison du produit en cas de vente à distance (retourner les objets en recommandés pour avoir une preuve). *Litige :* voir réglementation pour d'autres formes de vente, et jurisprudence.

En l'absence : de toute commande ou de tout contrat créant une obligation d'achat, on n'est pas tenu de payer un *« envoi forcé »,* ni de le renvoyer, même si le port de retour était payé à l'avance ; *de tout contrat d'abonnement,* sur une période fixée ou pour une quantité déterminée de marchandise, on n'est pas tenu de payer ou de réexpédier les envois ultérieurs. Il appartient au vendeur d'établir l'existence d'une commande claire et précise du destinataire de la marchandise. Si les délais de livraison sont dépassés, on peut annuler ou demander le remboursement.

Si l'on désire recevoir moins de publicités à son nom : écrire *Liste Robinson*-Stop Publicité, Union française du marketing direct, 60, rue de la Boétie, 75008 Paris, qui interviendra auprès des entreprises adhérentes. Si les envois continuent, contacter chaque entreprise individuellement. Si l'entreprise n'adhère pas à un syndicat professionnel, peu de recours possibles, sauf si les envois sont contraires à l'ordre public ou aux bonnes mœurs, saisir alors le Procureur de la République.

Refus de vente : « Il est interdit de refuser à un consommateur la vente d'un produit ou la prestation d'un service, sauf motif légitime » (ordonnance nº 86-1243 du 1-12-1986). Sinon amende de 3 000 à 6 000 F (si récidive 5 000 à 12 000 F). Un refus « pour ne pas défaire l'étalage » n'est pas légitime. Mais un refus si la demande est jugée anormale, trop faible (1 mandarine) ou trop importante (en cas de crise par ex.), ou si la commande précédente n'a pas été réglée, peut l'être.

■ **Vêtements.** *Étiquetages de composition et d'origine :* obligatoires. *Indications d'entretien* (pas toujours fiables) : facultatives.

ÉCONOMIE MÉNAGÈRE

ÉQUIPEMENT DES MÉNAGES

CATÉGORIE SOCIO-PROFESSIONNELLE DU CHEF DE MÉNAGE ET POSSESSION DE BIENS DURABLES

(taux de possession en %, octobre 1992, enquête INSEE)

CATÉGORIES	Audiovisuel				Auto.	Conservation				Lavage		Magnétoscope [2] (1991)	Ménages
	Téléviseur		*Téléphone*	*Minitel*		*Réfrigérateur*		*Congélateur*	*Micro-ondes*	*Lave-vaisselle*	*Lave-linge (ensemble)*		*Nombre (en milliers)*
	N. et bl.	*Couleurs*				*Simple*	*Combiné* [1]						
Exploitants agricoles	24,74	84,32	95,6	25,1	95,07	86,8	19,73	81,38	} 11,5	42,36	96,24	5,9	610
Salariés agricoles	13,67	77,37	n.c.	n.c.	77,59	75,69	22,19	59,44		15,57	83,98	15,2	130
Patrons industrie et commerce	7,94	91,57	97,2	31,9	94,15	67,25	39,21	56,06	31	53,86	93,71	26,7	1 190
Cadres sup. et professions libérales	8,44	91,6	98,3	44,6	93,16	57,25	57,39	44,43	42,8	65,38	93,7	35,5	2 060
Cadres moyens	7,63	89,77	93,1	29,6	91,5	60,58	45,76	42,63	29,7	48,18	89,38	25,4	2 500
Employés	7,51	89,54	94,2	14,3	79,3	53,8	47,71	36,61	20,2	30,72	88,91	17,7	1 760
Ouvriers qualifiés	11,81	93,54	92,6	11,9	88,62	63,81	40,45	52,71	17	32,53	95,07	21,9	5 050
Personnel de service	7,79	91,21	n.c.	n.c.	59,43	67,73	32,68	35,87	8	17,25	78,49	17,4	380
Autres actifs	8,6	88,45	n.c.	n.c.	82,66	54,24	44,84	37,15	26,3	35,53	94,68	25,6	480
Retraités	9,28	93,09	95,1	8,6	63,6	67,16	36,78	41,8	9,8	20,45	87,49	{ 6,3	6 690
Autres inactifs	12,08	78,87	82,8	4,8	36,61	69,75	32,28	24,74	8,5	14,58	75,56		1 510
Ensemble	*9,98*	*90,9*	*93,7*	*16,9*	*77,41*	*64,2*	*44,75*	*44,78*	*18,9*	*33,45*	*89,84*	*37,1*	*22 360*

ÉQUIPEMENT DES MÉNAGES EN 1990 EN %

Source : Euromonitor.

Pays	Réfrigérateurs	Combiné Réf./Congél.	Congélateurs	Sèche-linge	Lave-linge	Lave-vaisselle	Micro-ondes
Allemagne	73	36	66	17	88	34	36
Belgique	54	53	62	39	88	26	21
Danemark	62	38	63	22	76	26	14
Espagne	43	51	30	5	72	11	9
France	58	40	43	12	86	33	25
G.-B.	48	53	39	32	78	11	48
Grèce	70	24	27	–	74	11	2
Irlande	54	43	58	19	81	15	20
Italie	42	62	31	10	96	18	6
Luxembourg	55	54	62	35	93	50	16
P.-B.	60	45	46	23	91	12	19
Portugal	65	29	30	2	51	6	–
USA	100	100	42	75	63	51	80

Parc français (en millions, 1990). Câble TV 2. Caméra vidéo 1,3. Chaîne stéréo 8,2. Combiné réfrigérateur 8,8. Congélateur 9,5. Lave-linge 19. Lave-vaisselle 7,3. Lecteur de CD 5,1. Magnétophone 16,8. Magnétoscope 7,7. Micro-ondes 5,5. Micro-ordinateur 3,1. Radio 21,6. Réfrigérateur 12,8. Satellite TV 0,7, Sèche-linge 2,6. Téléphone 19,7 (dont sans fil 1,1). Télévision 20,8.

☞ *Salon des Appareils ménagers* créé par Jules-Louis Breton (1923). Devient 1925 Salon des *Arts ménagers* [termes mentionnés pour la 1re fois dans le Nouveau Larousse universel (1950) : « Ensemble des connaissances qui permettent de tenir convenablement le ménage. »]

CHAUFFAGE

■ **Accumulateurs.** *Poids* 100 à 450 kg ; restituent le jour, au fur et à mesure des besoins, la chaleur stockée la nuit au tarif heures creuses. *2 types : 1º) accumulateurs 8 heures :* exigent une puissance électrique importante. *2º) Dynamiques 24 h et statiques compensés :* peuvent fournir un complément de chauffage en direct (la consommation d'électricité est alors facturée au tarif jour). Puissance électrique nécessaire 2 à 3 fois moins importante que celle des accumulateurs 8 h. D'autres appareils (radiateurs soufflants, radiants ou bains d'huile) sont conçus pour le chauffage d'appoint. Rarement équipés de dispositifs de régulation qui assurent température constante et économie d'énergie.

■ **Bois.** Utilisé sous forme de bûches entières ou découpées, ou de bois déchiqueté en plaquettes pour les chaudières équipées d'un avant-foyer. *Modèles récents :* combustion inversée et à ventilation forcée ; modulent puissance fournie et débarrassent les fumées des polluants. Rendement : 75 à 80 %. Plus le bois contient d'eau, moins il brûle bien, car une partie de l'énergie sert à évaporer l'eau. Teneur en eau du bois vert : 43 %, au bout de 2 ans : 15-20 %. Bois de charme scié en bûches, séché 18 mois : 210 F TTC le stère ; masse volumique : 500 kg/stère.

■ **Campagne de chauffe.** Durée contractuelle de la saison de chauffe établie lors de la négociation d'un contrat d'exploitation (couramment 183 à 232 j). Varie avec température intérieure des locaux et conditions climatiques locales. Les journées chauffées hors de cette période sont facturées en supplément par l'exploitant.

■ **Charbon.** *Poêles :* puissance 3 à 15 kW, rendement 70 %, régulation par thermostat. Foyers fermés pour cheminées : puissance 3 à 11 kW, rendement 60 %, souffle de l'air chaud qu'un système de ventilation peut répartir dans 2 à 3 pièces. *Chaudière classique en fonte :* puissance 15 à 70 kW (chargement et décendrage quotidiens), rendement 50 à 60 %. *Chaudière automatique à grains maigres :* puissance 50 kW.

Procharbon, 94, rue La Fayette, 75010 Paris.

■ **Chaudières.** Nécessitent un conduit d'évacuation des fumées (cheminée ou système *ventouse :* conduit sur façade extérieure). *A gaz ou GPL :* mural ou au sol. Servent également à l'eau chaude sanitaire. Modèles à condensation (surcoût 30 %). Rendement env. 100 %. *A fioul :* haute performance. Rendement env. 90 % [(NF fioul) A : – 87 %, B : 87 à 93 %, C : + 93 %].

■ **Chaudière à combustion montante.** Inconvénients, combustion incomplète (60 %), faible rendement, teneurs en imbrûlés, en oxydes de carbone assez élevées dans les fumées.

■ **Chaudière à combustion inversée et à ventilation forcée.** Apparue 1984, permet de moduler la puissance fournie, débarrasse les fumées d'imbrûlés gazeux et de cendres de carbone. Rendement 75 à 80 %.

■ **Chaudière électrique.** Solution plus coûteuse à l'utilisation, même en utilisant le tarif EJP (effacement jours de pointe).

■ **Chaudière électro-fuel** (avec régulation en fonction de la température extérieure et des tarifs). Surcoût : 3 000 F par rapport à une chaudière monoénergie (coût d'utilisation plus élevé que celui d'une chaudière à gaz naturel ou à fuel).

■ **Chauffage solaire. Chauffe-eau individuel :** prix (installation comprise) 12 000 à 25 000 F. Un m² de capteur solaire élève la température de 100 l d'eau de 20 à 30 °C (zones bien ensoleillées du sud de la France). Prévoir une surface de 20 à 50 % supérieure dans les zones moins ensoleillées.

Nombre de personnes (p.), entre parenthèses, **m² de capteurs, et en italique ballon de stockage (en litres)** : 2 p. (1 à 2 m²) *50 à 150 litres.* 3 p. (1,5 à 2,5) *100 à 200.* 4 p. (2 à 3,5) *150 à 250.* 5 p. (2,5 à 4) *200 à 300.* 6 p. (3 à 5) *250 à 400.*

Plancher solaire direct (PSD) : chaleur distribuée par le plancher. Décalage de 5 à 10 h proportionnel à l'épaisseur de la dalle (15 à 30 cm).

■ **Chauffage urbain.** La chaleur produite en usine, sous forme d'eau ou de vapeur d'eau, est distribuée par des canalisations, généralement installées en caniveaux sous la voie publique. Un branchement amène l'eau chaude ou la vapeur de la canalisation principale à la sous-station de l'utilisateur, directement ou à travers un échangeur. Un tuyau « retour » ramène l'eau refroidie ou la vapeur condensée aux chaufferies. *Principales applications :* chauffage, eau chaude, sanitaires, usages, industrie, production de froid par absorption. Fonctionne à partir de plusieurs sources d'ouvrages à Paris, à 90 % avec les ordures ménagères et le charbon, en complément le fuel/gaz. *Nombre de réseaux en France :* 350. *Étrangers :* très répandu : pays nordiques (Hambourg, Moscou, St-Pétersbourg, Helsinki), Japon, Amér. du N.

■ **Convecteurs.** Émetteurs de chaleur. Chauffent l'air du local où ils sont installés. Peu de rayonnement. Fonctionnent à température généralement élevée à partir d'un fluide (eau chaude, vapeur, fluide thermique) ou de résistances électriques. Régulation souvent difficile. Les convec. électriques à sortie d'air frontale favorisent brassage de l'air ambiant et confort. Économiques à l'installation, leur coût d'utilisation est assez élevé dans un bâti mal isolé.

■ **Dangers des chauffages à combustion (mal réglés).** Oxyde d'azote (NO_2) émis par les appareils à gaz : provoque des troubles respiratoires. Monoxyde de carbone (CO), généré par des combustions incomplètes : entraîne des vertiges, céphalées, troubles visuels, acoustiques et de mémoire. Hydrocarbures aromatiques polycycliques (HAP) : molécules cancérigènes résultant de la combustion incomplète de matières organiques (ex. bois).

■ **Déductions d'impôts.** *Propriétaires bailleurs :* les dépenses pour travaux d'amélioration, de réparation, d'entretien, et les intérêts des emprunts contractés pour ces travaux sont déductibles des revenus fonciers. *Propriétaires occupants :* 25 % des dépenses pour grosses réparations de l'habitation principale construite depuis plus de 15 ans, le remplacement d'une chaudière, la réfection d'une installation de chauffage central sont déductibles de l'impôt sur le revenu. Cette réduction pour grosses réparations n'est pas cumulable avec la déduction des intérêts des emprunts correspondants admise pendant 5 ans.

ÉDF, GDF, Elf-Aquitaine proposent des aides financières. L'Ademe subventionne à 50 %, dans certains cas, le diagnostic thermique des logements.

■ **Économies. Grâce à l'entretien et à la régulation :** remplacement d'un brûleur usagé (+ de 12 a.) 20 à 30 %, calorifugeage de la chaudière 6 %, des canalisations et vannes 3 %, pose de thermostats d'ambiance 10 %, ou d'un thermostat horloge 15 %. *Au-delà de 17° à 18°,* le degré supplémentaire augmente de 7 % la consommation. Chauffer à 22/23 °C coûte 2 fois plus que chauffer à 15/16 °C.

Isolation thermique : *murs :* plus onéreuse par l'extérieur que l'intérieur ; *toit :* généralement peu coûteuse, très rentable ; *tuyauteries en locaux non chauffés :* indispensable. **Coefficient de déperdition**

■ **Définitions. K,** coefficient de déperdition d'une paroi (ou valeur de transmission thermique de cette paroi pour 1 °C d'écart entre l'extérieur et l'intérieur, divisée par sa surface) : se calcule en watt/m² pour 1 °C. **R,** résistance thermique de la paroi pour 1 °C d'écart et par m² : R = 1. λ, conductivité thermique d'un matériau, flux de chaleur par m² traversant une paroi de un m d'épaisseur d'un matériau homogène pour 1 °C d'écart entre extérieur et intérieur : se calcule en watt/m² pour 1 °C. **G,** coefficient volumique de déperdition : flux de chaleur perdue par un local pour 1 °C de différence entre l'extérieur et l'intérieur divisé par le volume du local : se calcule en watt/m³ pour 1 °C. **B,** coefficient déterminant les besoins de chauffage, déduction faite des apports solaires et autres rapports « gratuits » (institué en 1982).

■ **Attention.** *Loi du 29-10-1974 rend : nuls* les contrats de chauffage encourageant la consommation d'énergie ; *obligatoires,* dans les immeubles collectifs à chauffage commun, des installations permettant de déterminer les quantités de chaleur et d'eau chaude effectivement consommées dans chaque logement ; *prévoit* de nouvelles normes d'isolation et de régulation pour les locaux nouveaux du secteur tertiaire, et dans les locaux existants. *Décret du 3-12-1974 :* interdit les températures de chauffage supérieures à 20 °C. *Décret du 22-10-1979 :* limite la température légale à 19 °C. *Décret du 30-09-1991 :* décret d'application de la loi du 29-10-1974, rendant obligatoires les systèmes de comptage de la chaleur dans les logements anciens au-delà d'un seuil de consommation fixé à 40 F/m² pour la saison de chauffe 88/89. *Contrôles :* Service des Instruments de mesure, 2, rue Jules-César, 75012 Paris.

Piscines. Arrêté du 25-7-1977 fixant les températures max. : hall des bassins 27 °C, annexes (vestiaires, douches) 23 ; eau : bassins sportifs 25, bassin d'apprentissage 27, pédiluve 20, douches 34.

thermique : vitrage simple *5 %,* v. isolant de 6 mm *3,3 ;* 8 mm *3,1 ;* 10 mm *3 ;* 12 mm *2,9.* Avec une température extérieure de – 5 °C et intérieure de 19 °C, un vitrage simple est à + 4 °C, un v. isolant à + 12 °C. L'effet de paroi froide, très atténué, permet, à confort égal, d'abaisser la temp. du local de 1 °C (économie de chauffage de 7 %).

Par d'autres moyens : fermer les radiateurs non indispensables, réduire le chauffage dans les pièces ensoleillées. La nuit, fermer les volets, tirer les rideaux en évitant de cacher les radiateurs. Ne pas trop aérer : portes et fenêtres ouvertes permettent de renouveler 30 à 50 m³ d'air en moins de 5 min. Chauffe-eau à 60 °C au lieu de 70 (éc. 5 %).

■ **Équivalences énergétiques en tep** (tonne équivalent pétrole) **et en kep** (kilogramme équivalent pétrole). *Électricité* 1 tep = 4 500 kWh électriques (1 kWh élec. = 0,2222 kep). *Gaz naturel* (réseau) 1 tep = 13 000 kWh *PCS* (1 kWh gaz nat. = 0,0769 kep). *Fuel oil domestique* (Fod) 1 tep = 1 200 litres (1 litre Fod = 0,8333 kep). *Charbon* 1 tep = 1 500 kg (1 kg charbon = 0,666 kep). *Gaz de pétrole liquéfié (GPL) butane/propane* 1 tep = 910 kg (1 kg GPL = 1,0989 kep). *Bois sec* 1 tep = 2 500 kg (1 kg bois sec = 0,4 kep).

■ **Fioul.** Appareils (NF fioul), plaque signalétique *A :* rendement inférieur à 87 %, *B :* rendement 87 à 93 %, *C :* rendement + de 93 %. Chaudière basse température fonctionne entre 20 et 90°, économie d'énergie 40 % par rapport au modèle en continu. Chaudière électrofioul, le passage au fioul se fait automatiquement. *Chauffage fioul,* 4 av. Hoche, 75008 Paris.

■ **Paille (chaudières à).** Apparues en 1978-79, les c. brûlent des balles de 10 à 20 kg, de grosses balles broyées ou des granules de paille agglomérés en usine par granulation à froid. *Prix de la t de paille :* 200/300 F ; granulés 400/600 F. *Équivalence :* 1 kg de paille, à 15 % d'humidité et laissant 5 % de cendres, équivaut à 3 500 kcal. (1 l de fuel, à 8 500).

■ **Plancher chauffant.** Réseau serré de tubes en polyéthylène réglable indépendamment par pièce.

■ **Prix moyen d'installation du chauffage pour un pavillon de 100 m²** (en F, 1991). *Source :* Ceren. Fioul chaudière classique 25 à 30 000, chaudière haut rendement 33 à 39 000, gaz haut rendement 20 500 à 28 500, très haut rendement 21 500 à 29 500, condensation 23 500 à 33 000, convecteurs électriques 12 à 17 000, bois 20 à 25 000, radiateurs fioul ou gaz 12 500 à 27 000.

Dépenses de chauffage et d'eau chaude pour un pavillon de 110 m² construit à partir de 1989, en région parisienne (en F, 1990) : électricité 7 360, gaz 3 800, fuel 3 280.

Prix [1] de la production d'un kWh utile de chauffage direct en centimes (1992) *(Source) :* Ceren. Bois 10-30, charbon 15-34, fioul domestique 20-31, gaz 19-37, GPL 27-45, chaudière électrique (tarif EJP) 44-57, convecteur électrique 67-98.

Nota. – (1) Avec taxes d'abonnement, primes fixes et rendement moyen de l'installation. Investissement et entretien du matériel exclus.

■ **Radiateurs.** Fonte ou acier. Actuellement, surdimension pour fonctionnement à plus basse température : gain de confort et d'énergie.

■ **Récupération de la chaleur. Échangeur de chaleur :** il met en contact les gaines d'air vicié chaud et d'air froid neuf par des surfaces en métal très conductrices ; le transfert de la chaleur se fait naturellement de l'air vicié à l'air neuf sans aucune consommation d'énergie. *Exemple :* la température de l'air vicié va baisser de 22 °C à presque 7 °C et celle de l'air neuf va monter de 0 °C à 15 °C. 65 % de la chaleur de l'air vicié auront ainsi été récupérés avant que l'air vicié ne soit rejeté dans l'atmosphère par la ventilation. *Surcoût* moyen par rapport à une ventilation mécanique contrôlée classique : 6 000 F pour un pavillon. *Économie :* environ 800 F par an.

Pompe à chaleur : *principe :* un fluide frigorigène, en passant dans un évaporateur, passe de l'état liquide à l'état gazeux, prélevant ainsi de la chaleur dans le milieu ambiant. En traversant un condenseur, ce fluide passe de l'état gazeux à l'état liquide. Il cède alors de la chaleur dans le milieu ambiant. Une pompe peut abaisser la température d'un milieu froid de 10 °C à 5 °C, et faire monter la température du milieu chaud (le local à chauffer) de 15 °C à 20 °C. *Exemple :* la pompe air extérieur-eau utilise l'air extérieur comme source froide et l'eau comme source chaude. Elle pompe des calories dans l'air extérieur, même s'il est froid, pour les donner au circuit de chauffage (radiateurs à eau). Pour le chauffage, la source froide peut être *l'air* (extérieur, extrait du local par ventilation mécanique ou un mélange des 2) ou *l'eau* (rivière, lac, de nappe phréatique, eaux usées). La source chaude peut être *l'eau* (chauffage par radiateurs ou panneaux chauffants) ou *l'air* (chauffage par air neuf, air intérieur réchauffé ou mélange des 2). Un chauffage d'appoint est légèrement nécessaire.

Fioul domestique. *Prix de 1 hl* pour une livraison de 2 000 à 4 999 l : 196 F. *Prix de 100 kWh PCI* pour une livraison de 2 000 à 4 000 l : 19,77 F.

Chauffage urbain. CPCU (TTC, au 1-10-91). Tarif T100 (et tarif T110). *Pour livraison sous forme de vapeur (PCI 697 kWh/t de vapeur).* Prime fixe annuelle par kW facturé : 161,88 F (113,74) ; prix de la t de vapeur : hiver 131,86 F (143,80) ; été 70,10 F (113,84). *Prix de 100 kWh PCI pour une consommation type donnée.* Consommation an. 740 214 kWh [puissance souscrite 500 kW, 68 % hiver, (540 kW, 81,5 % hiver] : 26,29 F (27,40).

Propane. *Prix de 1 kg :* en bouteille de 13 kg (PCI 12, 88 kWh/kg) 6,43 F ; en vrac (PCI 12,88 kWh/kg), livraison 2 t (tarif Bb) 4,34 F, 2 à 6 t (tarif BO) 4,15 F. *Prix d'une citerne de 1 000 kg :* louée (location + entretien annuel) 1 656 F, possédée (entretien annuel) 403 F. *Prix de 100 kWh PCI consommation an.* (pour 3 usages : 34 890 kWh, citerne louée) 40,90 F.

Charbon. Prix de 1 t de grains 6/10 (PCI 8,93 kWh/kg) *1 à 2 t :* 1 796 F, *+ de 2 t :* 1 776 F ; **boulets 9 % cendres** (PCI 8,73 kWh/kg) *1 à 2 t :* 1 998 F ; *+ de 2 t :* 1 983 F. **Prix de 100 kWh PCI** (livraisons de + de 2 t) : *grains 6/10 :* 19,89 F, *boulets 9 % de cendres :* 22,71 F.

EAU

☞ Voir aussi **Eau** à l'Index.

■ EAU CHAUDE

Nombre de litres obtenus en ajoutant de l'eau froide (10 °C) à de l'eau chaude (75 °C). *Pour 5 l d'eau à 75 °C on peut obtenir* 11 l d'eau à 40 °C ou 7 l à 60 °C, *pour 7 :* 15 ou 9, *10 :* 21 ou 13, *15 :* 32 ou 20, *20 :* 40 ou 26, *30 :* 63 ou 39, *40 :* 84 ou 52, *50 :* 105 ou 65, *70 :* 147 ou 91.

Besoin d'eau chaude. Par jour et par personne : cuisine et vaisselle 10 l (60 °C). Toilette 15 (40°). Douche 20 à 40 (40°). Petit bain 70 (40°). Grand bain 130 à 170 (40°). Petits lavages 10 (40°). **Par an :** *60 °C* (en m³ et, entre parenthèses, consommation annuelle en kWh/h PCS). *Evier de cuisine 1 à 2 personnes :* 10 m³ (900 kWh), *3 à 4 p. :* 13 (1 100), *5 à 6 p. :* 16 (1 400). *Lavabo toilette 1 à 2 p. :* 11 (1 000),

3 à 4 p. : 19 (1 700), *5 à 6p.* : 26 (2 300). *Évier, lavabo, grande baignoire et douche 1 à 2 p.* : 29 (2 500), *3 à 4 p.* : 48 (4 200), *5 à 6 p.* : 63 (5 500).

Coût de production de 1 000 l d'eau chaude à 60 °C (au 6-4-1987). *Prix de l'énergie* : 0,22 F TTC/kWh. *Ballon d'eau chaude sur chaudière de chauffage central* : rendement 0,50 (hiver), 0,25 (été) ; coût de l'eau chaude 23 F TTC/m³ (hiver), 51 F TTC/m³ (été). *Production instantanée « chauffe-eau »* : rendement 0,6 ; coût de l'eau chaude 19 F TTC/m³ ; par une chaudière à condensation sans veilleuse : rendement 0,70 ; coût de l'eau chaude 16 F TTC/m³.

☞ **Un robinet qui fuit** perd env. 5 litres à l'heure (100 l/jour), une chasse d'eau de WC, 25 l par heure (600 l/j). D'après les Stés d'ass., chaque année, 150 000 lavabos, baignoires ou mach. à laver débordent en France. **Pour éviter l'entartrage** des chauffe-eau, les régler à moins de 65 °C. *L'arrêté du 23-6-1978* fixe à 60 °C max. la temp. de l'eau fournie par les immeubles.

ÉLECTRICITÉ

GÉNÉRALITÉS

■ **Consommation.** Se mesure en *watts-heure* (Wh) ou en *kilowatts-heure* (1 kWh = 1 000 Wh : quantité de chaleur nécessaire pour élever de 1 °C la temp. de 860 l d'eau. Il vaut 0,86 thermie).

Avec 1 kWh, on peut : préparer un repas pour 2 personnes ; frire 2 kg de pommes de terre ; chauffer 30 l d'eau pour la toilette ; chauffer une pièce moyenne pendant 2 h.

Une lampe de 100 W fonctionnant de 17 à 22 h, soit pendant 5 h, aura consommé 100 W × 5 = 500 Wh ou 0,5 kWh. Si le prix du courant est de 0,62 F le kWh, ces 5 h d'éclairage auront coûté 0,31 F.

Consommation moyenne annuelle pour 1 famille de 4 à 5 personnes (en kWh) : eau chaude 2 500, cuisinière 2 000, éclairage 1 200, lave-vaisselle 1 100, machine à laver le linge 900, réfrigérateur/conservateur 800, télévision en couleur 115.

■ **Fréquence d'un courant alternatif.** Nombre de périodes par seconde exprimé en *hertz* (Hz). En France, et en général en Europe, le *courant industriel* est de 50 Hz.

■ **Intensité du courant.** *Ampères* (A) (Voir Index).

■ **Puissance de l'installation électrique.** En *watts* (W) ou kilowatts (1 kW = 1 000 watts) : le watt est l'énergie dépensée en 1 seconde par un courant électrique d'intensité constante égale à 1 ampère sous une tension de 1 volt.

Si la tension est de 230 volts et si le disjoncteur est réglé à 15 ampères, la puissance de l'installation sera de 230 v × 15 ampères = 3 300 W ou 3,3 kW. On pourra disposer d'une puissance totale de 3,3 kW sans faire « sauter » fusible ou disjoncteur.

■ **Tension.** Exprimée en volts (V). *En 1992,* plus de 99 % des usagers français sont alimentés en 230 ou 230/400 V, moins de 1 % en 110 V.

En général, EDF alimente les particuliers en courant monophasé 230 volts (avec 2 fils). Pour des puissances importantes (au-delà de 12 à 18 kW), il faut des branchements 4 fils 230/400 V (3 fils de phase et 1 neutre ; la tension entre les 2 fils pris 2 à 2 est de 400 V, entre 1 fil de phase et le neutre : 230 V). Les gros appareils domestiques (cuisinière, lave-linge, chauffe-eau) sont normalement alimentés en monophasé à partir de prises à 3 pôles (1 phase, 1 neutre et 1 terre). Ils peuvent aussi être alimentés en triphasé à partir de prises à 5 pôles (3 phases, 1 neutre, 1 terre). Dans ce cas, presque toujours, les circuits de l'appareil sont placés en service sous la tension 230 V (raccordement entre conducteur de phase et fil neutre). Parfois (mais rarement), les circuits de l'appareil sont raccordés entre phases, la tension à l'intérieur de l'appareil atteint alors 400 V. Si quelqu'un touche un conducteur de phase mal isolé, il sera exposé à la tension 230 V car le courant passera entre le conducteur et la terre à travers son corps. Pour qu'elle soit soumise à la tension de 400 V, il faudrait toucher à la fois 2 conducteurs de phase non isolés, ce qui est rare. *Accidents* (nombre en France par an) : env. 150 tués par électrocution et 5 000 blessés par électrisation.

Calibre [1]	Fil [2]	Fus. [3]	Puiss. [4]	Disjoncteurs
10/16	2,5	20	3 700	25
20	4	25	4 600	32
32	6	32	7 400	38 (40)

Nota. – (1) Calibre de prise de courant en ampères. (2) Fils d'alimentation en mm². (3) Fusibles de protection du disjoncteur divisionnaire en ampères. (4) Puissance max. des appareils alimentés par la prise en 230 V.

PRINCIPALES INVENTIONS

Ascenseur. 1743 le 1er, construit à Versailles : permettait à Louis XV de monter jusqu'à l'appartement de sa maîtresse (Mme de Châteauroux), fonctionnait avec un contrepoids. **1829** 1er a. public mécanique (Londres, Coliseum). **1857**-*23-3* a. mécanique construit par Elisha Graves Otis (magasin de 5 étages, New York). **1867** 1er a. hydraulique [2 élévateurs de 21 m installés par Léon Édoux (1827-1910) lors de l'Exposition universelle à Paris ; 2e monté peu après au palais de St-Cloud]. **1887** 1er a. électrique par Siemens et Halske (exposition industrielle de Mannheim). **1890** 1er a. à air comprimé. **1895** a. électrique, généralisé v. 1905. **1977** a. à paroi lisse ne seront plus installés. **1990** 360 000 a. en Fr. (empruntés par 2 millions de personnes) ; 5 à 10 accidents mortels par an. 80 000 a. à paroi lisse doivent être équipés de porte, avant le 31-12-92.

Grandes marques : Otis, Schindler (Suisse, a racheté Roux-Combaluzier) ; Kone (Finl.) ; Thyssen (All., filiale de Soretex).

Aspirateur domestique. 1er fabriqué 1906 à Paris. Type Birum.

Assainissement. 1843 tinette filtrante (perfectionnement des tonneaux en bois). **1860** fosse septique Mourras. **1864** 600 tinettes filtrantes à Paris. **1871** 6 000. **1880** 140 000. **1899** (30-12) 54 668 fosses fixes, 12 996 tonneaux mobiles.

Bain. Moyen Age étuves. **1650** baignoire en métal (cuivre). **1770** en tôle. **V. 1819** on commence à distribuer des bains à domicile. **1840** b. en zinc, eau chauffée au bois ou au charbon. **1852** 1er chauffage bains à gaz d'origine anglaise. **1871** généralisation. **1880** b. en fonte. **1900** b. en porcelaine ou céramique.

Éclairage. 1880 lampe à essence minérale de Charles Pigeon (1838-1915).

Électricité. 1876 lampe, bougie Jablockoff. **1878-79** l. à incandescence (Thomas Edison et Joseph Swan). **V. 1900** l. à arc à flamme. **1904** l. à arc à charbons minéralisés. **1905** au tantale. **1910** au tungstène aggloméré. **1910** 1er tube au néon (Grand Palais, Paris). **1912** l. au tungstène étiré ; enseigne publicitaire au néon (bd Montmartre, Paris). **1918** l. à atmosphère gazeuse. **1937** tube fluorescent. **1965** ampoule sans filament, ni électrode, « Litec », par Donald Hollister (USA) : contient de la vapeur de mercure et sa paroi interne est recouverte de phosphore ; lorsque le courant passe, la vapeur de mercure excitée par un champ magnétique, créé par un minuscule électroaimant, produit des photons ultraviolets qui frappent alors la couche de phosphore, qui émet la lumière visible.

Gaz. 1811 bec à verre d'Argond (galerie Montesquieu). **1817** 1re utilisation dans les salles à manger. **1829** éclairage gén., bec papillon. **1837** 1re cuisinière à gaz. **1851** 1er chauffage, bains à gaz. **1880** chauf., bains instantanés. **1886** bec Auer à manchon (1er brevet 1885), généralisé 1893.

Ordures. 1912 1res chutes d'ordures dans 3 immeubles. **1925** incinération des ordures.

Toilettes. 1775 chasse d'eau d'Alexandre Cunnings (G.-B.). **1778** mécanisme à valve et siphon de Joseph Brahama (G.-B.). **1842** toilettes avec bonde et chaînette alimentés au seau et au broc. **1878** apparition de l'eau chaude et de l'eau froide. **1880** cuvettes basculant dans un réservoir. **1890** 1er vidage perfectionné dit « américain ». **1910** toilettes vidange perfectionnée genre « Verdun ». **1936** trombe. **V. 1985** w.-c. Toto (Japon), jet d'eau tiède, giclée de désodorisant, air chaud, orientable et modulable. Siège chauffant, chasse d'eau à air comprimé (consommation 2 l d'eau), boîtier électronique qui reproduit le bruit de la chasse.

Ustensiles ménagers. 1675 digesteur d'aliments pour ramollir les os et cuire la viande, imaginé par l'inventeur de la machine à vapeur, Denis Papin. **1829** machine à coudre (Barthélemy Thimonnier, † 1857) (1834 Walter Hunt, 1846 Élias Howe). Couteau de Laguiole (prononcer « layole ») : créé par Pierre-Jean Calmels, fils d'aubergiste de Laguiole ; avec tire-bouchon en 1880. **1850** lave-linge. **1907** lave-vaisselle pour restaurants. **1912** individuels. **1917** fer à repasser électr. **1932** moulin à légumes (Moulinex). **1948** cocotte-minute (SEB Ste d'emboutissage de Bourgogne, Pierre Lescure ; en vente 1953). **1949** camping gaz. **1952** lave-linge moderne. **1954** machine à repasser. **1956** poêle Tefal.

L'élévation de la tension permet de disposer d'une puissance électrique plus élevée avec un fil de même section. Les conducteurs des circuits électriques intérieurs des habitations et des appareils sont prévus pour une tension d'utilisation de 500 V, mais ils doivent tenir jusqu'à 1 500 V.

PRÉCAUTIONS

■ **Circuits distincts.** Protégés par des disjoncteurs ou par des fusibles calibrés, pour foyers lumineux fixes, prises de courant (calibre 10/16 ampères), cuisinières électr., lave-linge, lave-vaisselle, chauffage et chauffe-eau électr. **Fils de section suffisante :** foyers lumineux fixes 1,5 mm² ; prises de courant 10/16 A 2,5 ; lave-linge et lave-vais. 2,5 ; cuisinière électr. 6 ; chauffe-eau électr. 2,5. **Prises :** mach. à laver de 10-16 ou 20 ampères ; cuisinière électr. de 32 amp. Les prises de courant doivent comporter un contact de terre relié à *une prise de terre* et des obturateurs (éclipses). Dans la salle d'eau, un conducteur doit relier entre elles toutes les parties métalliques (canalisations d'eau, de gaz, parties métalliques du matériel sanitaire...). Il doit aussi être raccordé aux conducteurs de protection (terre).

■ **Couper le courant** au disjoncteur avant toute *intervention sur l'installation* (même pour changer une lampe). **Fusible :** ne jamais remplacer un *fusible* fondu d'un calibre déterminé par un fusible de calibre supérieur. Utiliser des fusibles de calibre normalisé (coupe-circuit à cartouche, fusible ou disjoncteur divisionnaire). **Salles d'eau :** vérifier que les appareils, interrupteurs, prises de courant sont hors de portée des personnes se trouvant dans la baignoire ou la douche.

ABONNEMENTS EDF

USAGES DOMESTIQUES ET AGRICOLES

■ **Abonnement. 3 kVA** (Kilo Volt Ampère) : correspond à l'éclairage, aux appareils ménagers courants tels fer à repasser, réfrigérateur, téléviseur, aspirateur, batteur, radiateurs de puissance totale inférieure à 2 000 W. **6 kVA :** éclairage, tous appareils électroménagers courants, chauffe-eau électrique, radiateurs de puissance totale inférieure à 3 000 W, plus machine à laver, cuisinière, lave-vaisselle s'ils ne fonctionnent pas en même temps. **9 kVA :** mêmes appareils que précédemment, mais il est alors possible de faire fonctionner en même temps 2 appareils importants (lave-linge, lave-vaisselle ou cuisinière électrique). **12, 15, 18 kVA ou plus :** logements équipés à l'électricité (12 kVA si moins de 100 m², 15 à 18 kVA ou plus au-delà).

■ **Tarifs basse tension** (au 20-2-1993). **Prix d'abonnement en F, par an, hors taxes, selon la puissance souscrite en kVA (TVA non comprise).** *3 kVA :* 144,24. *6 kVA :* option base 366,36 (heures creuses 691,92). *9 kVA :* 732 (1 190,88). *12 kVA :* 1 091,64 (1 697,04), *12 ou 15 ou 18 kVA* (option EJP) : 691,92.

Prix du kWh. *Puissance 3 kVA* (option b) 67,14. *6 kVA et + :* base ou h. pleines 57,66 ; h. creuses : 32,79 c. ; EJP : pointe mobile (400 h) : 299,83 c. ; normales : 36,71 c. *Jusqu'à 12 kVA,* on peut choisir sans frais la puissance dont on a besoin (3-6-9 ou 12 kVA) et l'option base, h. creuses ou EJP.

USAGES PROFESSIONNELS

■ **Tarifs basse tension** (au 20-2-1993). **Prix d'abonnement en F par an, hors taxe, selon la puissance souscrite en kVA.** *3 kVA :* 144,24. *6 kVA :* option base 705,36 (h. creuses : 1 135,92). *9 kVA :* 1 199,28 (1 819,56). *12 kVA :* 1 693,2 (2 503,2). *15 kVA :* 2 187,12 (3 186,84). *18 kVA :* 2 681,04 (3 870,48). *24 kVA :* 4 484,64 (6 012,48). *30 kVA :* 6 288,24 (8 154,48). *36 kVA :* 8 091,84 (10 296,48). *18 kVA :* EJP 1 135,92 ; *36 kVA :* 3 870,48.

Prix du kWh. *Puissance 3 kVA :* base 67,14 c. *6 kVA et + :* base ou h. pleines 57,66 c. ; h. creuses 32,79 c. ; EJP pointe mobile (400 h) 299,83 c. ; h. normales 36,71 c.

Taxes. *TVA :* 5,5 % sur abonnements pour usages domestiques, 18,6 % sur abonnements pour autres usages, consommations et taxes locales. *Taxes locales :* 0 à 8 % selon communes, et 0 à 4 % selon départements, sur 80 % abonnement et consommation jusqu'à 36 kVA, 30 % au-delà.

ÉCLAIRAGE

DÉFINITIONS

■ **Éclairement.** Quantité de lumière (flux lumineux) reçue sur 1 m² de cette surface. Se mesure en lux (lx). Un flux lumineux de 1 lm (lumen) atteignant une surface de 1 m² y produit un éclairement de 1 lx.

$$\text{Eclairement en lux} = \frac{\text{flux lumineux reçu en lumens}}{\text{surface éclairée en mètres carrés}}$$

Éclairements moyens habituels (en lux). **Extérieur :** *en plein soleil :* 50 000 à 100 000. *Rue large* par temps clair : 25 000 à 30 000. Nuageux : 10 000 à 15 000. Avec éclairage public : de 20 à 100. En éclairage lunaire : de 0,1 à 1. **Intérieur :** *sur une table devant une fenêtre* à 0,50 m avec vue dégagée et par temps clair, mais sans soleil dans la pièce : sans voilage 2 500 à 5 000 (avec v. 700 à 1 500) ; à 1,50 m : sans voilage 700 à 900 (avec v. 300 à 400). *Sur un plan à 2 m au-dessous d'une lampe de 75 W,* à la verticale de la lampe : 150 ; à 1 m de la verticale : 100 ; à 2 m : 45 ; à 4 m : 12.

Niveaux conseillés par l'Association française de l'éclairage (en lux) : *circulations* 100 à 150, *salle à manger :* sur la table 200, *séjour :* coin d'écriture 300, lecture 300, couture ou tricot 500, *cuisine :* éclairage général 200, plan de travail 300, *rangement :* 100, *salle de bains :* éclairage général 100, au niveau du miroir 300, *chambre à coucher :* éclairage général 150, tête de lit pour lecture 300, table de travail de l'écolier 300, *vitrine, tableau, sculpture :* 150.

■ **Efficacité lumineuse.** Rapport du flux lumineux produit à la puissance de la source en watts. S'exprime en lumens par watt (lm/W).

■ **Intensité lumineuse (symbole).** Exprime la quantité de lumière émise dans une direction bien précise. Se mesure en candelas (cd).

■ **Luminances (symbole).** Quantité de lumière réfléchie par un objet éclairé. La luminance d'une surface dans une direction donnée est le rapport de l'intensité de la lumière dans cette direction, exprimée en candelas, à la valeur de la surface apparente, en m², vue suivant la même direction. Mesurée en candelas par m² (cd/m²) ou par cm² (cd/cm²). Ces calculs présentent peu d'intérêt en éclairage, la luminance dépendant du niveau d'éclairement, de la couleur, de la nature lisse ou rugueuse de la surface, de la position de l'observateur et de la source d'éclairage. La luminance d'une surface parfaitement diffusante est donnée en fonction de son éclairement (E en lux). **Luminances courantes en cd/cm².** *Soleil* au zénith 160 000. *Ciel* 0,8. *Lampe à incandescence :* claire (filament visible) 200, dépolie ou opalisée 10. *Tube fluorescent :* standard diam. 38 : 0,8, haute efficacité diam. 26 : 1,5. *Valeur acceptable* pour le confort visuel 0,2. *Papier blanc* éclairé à 300 lx 0,008.

■ **Réflexion. Valeurs moyennes** (en %). *Matériaux :* plâtre 85, papier blanc 84, marbre blanc 83, peinture blanche 75, carreaux faïence 70, ciment 55, sycomore 52, pierre de taille 50, chêne naturel 33, brique rouge 20, noyer 16, acajou 12, ardoise 10. *Couleurs :* blanc neige 76, ivoire 70, crème clair 70, foncé 70, jaune citron 70, paille 65, d'or 62, chamois clair 60, bleu clair 48, gris clair 45, beige 43, rose saumon 42, orange 40, vert d'eau 38, havane 32, bleu turquoise 27, rouge clair 21, vert prairie 19, grenat 12, bleu (outremer) 10, violet 7.

■ **Température de la couleur.** Une basse température de couleur correspond à une lumière riche en rouge. Cette dominante disparaît quand la température de la couleur s'élève et laisse la place d'abord à une lumière blanche, puis à une lumière à tendance bleue. S'exprime en kelvins (K), en fonction de la temp. Celsius (Tc), par la formule : Tk =Tc + 273.

Températures de couleur des sources usuelles : lampes à incandescence 2 700 K, certains tubes fluorescents 6 000 K.

Modes d'éclairage

■ **Par incandescence.** Un filament en matière réfractaire est porté à haute température en y faisant circuler un courant électrique. A L'ORIGINE, utilisation du *carbone* dans le vide ; durée 1 000 h, *température du filament :* 1 800 °C ; *efficacité lumineuse :* 3 lumens par W (lm/W). AUJOURD'HUI, *tungstène* dans un mélange d'argon et d'azote, à une pression d'env. 0,5 atmosphère à froid, le filament est enroulé en double hélice pour réduire la perte de chaleur dans le gaz ; durée 1 000 h ; *temp. du filament :* 2 400 à 2 600 °C, *efficacité lumineuse :* 11 à 19 lm/W pour des lampes de 40 à 1 000 W. En remplaçant l'argon par du krypton, le filament peut fonctionner à plus haute température, d'où une lumière plus blanche.

■ **Lampe à halogène.** En ajoutant à l'argon un *halogène* (iode, brome) ou un composé organique halogéné, on améliore les performances (efficacité lumineuse 25 lm/W, durée de vie 1 000 à 2 000 h) et on évite le noircissement de l'ampoule. De nombreux modèles fonctionnent en basses et très basses tensions. Plus faible consommation (à puiss. égale), 250 W (sauf cas spéciaux en basse tension de 35 ou 50 w). *Avantages :* branchement direct sur le secteur, teinte chaude de la lumière. Production importante de chaleur (93 %, pour 7 % de lumière). *Emploi :* éclairage d'appoint. Les variateurs d'intensité ne font pas baisser la consommation dans les mêmes proportions que la lumière ; à faible puissance, l'ampoule noircit.

■ **Par fluorescence.** Un tube en verre renfermant de la vapeur de mercure et de l'argon à très faibles pressions est traversé par une décharge électrique, fournie par un starter, il y a alors émission de rayonnements ultra-violets qui excitent une couche de substances fluorescentes déposée sur la paroi interne du tube. A L'ORIGINE (1936), l'efficacité lumineuse, pour une lampe de 40 W, était d'environ 35 lm/W, AUJOURD'HUI pour une lampe de 36 W, 77 lm/W. Progrès obtenu en réduisant le diamètre du tube, en ajoutant du krypton à l'argon et en utilisant de nouvelles substances fluorescentes (à 3 bandes d'émission). *Durée :* env. 7 000 h. Lumière plus froide. Faible production de chaleur. Bon éclairage d'ambiance. *Fluorescentes compactes. Durée :* 6 000 h, efficacité lumineuse, environ 50 lm/W.

■ **Par décharge.** Lampes à vapeur de sodium à basse pression de très faible puissance, émettant une lumière jaune à forte efficacité lumineuse. *Durée :* 20 000 h, efficacité lumineuse 200 lm/W.

☞ **Renseignements.** *Centre d'information de l'éclairage,* 52, bd Malesherbes, 75008 Paris.

Consuel (Comité national pour la sécurité des usagers de l'électricité). *Créé* 1964, pour le contrôle du respect des normes et règlements.

Promotelec. 52, bd Malesherbes, 75008 Paris. *Créé* 1962, pour promouvoir qualité et sécurité des installations intérieures. Groupe (constructeurs, installateurs et EDF). Décerne un label.

Qualifelec. 3, rue Hamelin, 75116 Paris. Association regroupant : Ordre des architectes, EDF, Union technique de l'électricité, Consuel, l'Apsad et les organisations professionnelles de l'équipement électrique. Qualifie les entreprises dans les activités suivantes : électrotechnique, électrothermie, éclairage public et signalisation, détection d'intrusion, antenne, courants faibles.

Union technique de l'électricité. Immeuble Lavoisier (Cedex 64, 92052 Paris la Défense). Établit et diffuse des normes ; attribue et contrôle les marques de conformité aux normes NF-Électricité, NF-USE, NF-Luminaires, etc.

Consommation moyenne par jour

Dans un appartement de 4 pièces, 4 personnes. Durée moyenne d'utilisation, puissance en W et, entre parenthèses, consommation en kWh.

■ **Hiver. Total** 6 150. **Matin :** *salle de bains* – toilettes (1 h) éclairage général 200 ; du miroir (40 W × 4) 160 (0,36 kWh) ; *3 chambres* (1/2 h par pièce) écl. général 150 ; tête de lit 75 (0,345) ; *cuisine :* repas (1 h) écl. général fluorescent 200 ; plans de travail 120 (0,32) ; rangement-nettoyage (1 h) (0,32) ; *circulation* (1 h) (0,20). **Soir :** *chambre d'enfants* (devoirs et jeux) (3 h) 150 ; écl. général 100 ; du bureau 250 (1,50) ; *cuisine :* préparation et rangement (3 h) (0,96) ; *salle à manger – repas* (1 h) 200 ; ambiance fluo. 225 ; table (75 W × 3) 425 (0,425) ; *travaux divers :* couture, tricot, lecture, écriture (2 h) 200 ; d'ambiance fluo. 200 ; localisés (100 W × 2) 400 (0,8) ; *télévision* (2 h) lampe d'ambiance 60 (0,12) ; *salle de bains* (1/2 h) écl. général 200 (0,10) ; *3 chambres :* tête de lit (75 W par personne) (1/2 h avec gradateur) (0,1) ; *circulation* (3 h) (0,6).

■ **Été. Total** 1 210. **Matin :** *salle de bains :* éclairage du miroir (1/2 h) 120 (0,060) ; *3 chambres :* tête de lit (20 min par pièce) 75 (0,075). **Soir :** *cuisine :* rangement (1 h) 330 (0,33) ; *salle à manger* – repas (1 h) : complément sur la table 225 (0,225) ; *télévision* ambiance (2 h) (0,12) ; *salle de bains* (1/2 h) éclairage général (0,1) ; *3 chambres :* tête de lit (avec gradateur) (0,1) ; *circulation* (1 h) (0,2).

☞ **Économies possibles.** Choisir des lampes satinées ou opalisées plutôt que claires ; des tubes fluorescents (cuisine, s. de bains) (un tube de 40 W éclaire autant qu'une l. de 150 W). Adapter un gradateur aux lampes puissantes.

■ Consommation de quelques appareils

Aspirateur balai. PUISSANCE 800 W ; *traîneau* 700 à 1 300 W. CONS. *annuelle* 50 kWh/an soit 37,50 F pour 1 à 2 h d'utilisation par semaine.

Chauffe-eau. PUISSANCE 1 800 à 6 000 W. CONS. *par an* 2 800 kWh en h. creuses (4 personnes) 1 193 F. TYPES. *A chauffe normale :* contient dans un réservoir calorifugé 50 à 150 l d'eau chaude (appareil mural) et 100 à 300 l (ap. sur socle), mise en température 6 h avec moins de possibilités de fonctionnement au tarif « h. creuses » (puissance de chauffe 12 W/l).

■ **Utilisation économique. Chauffage :** voir p. 1322. **Chauffe-eau :** réglé à 65 °C (10 % d'économie par rapport à 80 °C), isolation de l'appareil s'il est dans un local non chauffé (économie 10 %). **Cuisinière électrique :** utiliser des récipients à fond bien plat, de même diamètre que la plaque chauffante. Couper la plaque quelques minutes avant la fin de la cuisson. Tables de cuisson avec plaques thermostatiques ou doseur d'énergie. **Lave-linge et lave-vaisselle :** n'utiliser qu'à plein, choisir le programme à 60 °C (35 % d'économie par rapport à un programme à 90 °C). Éviter les cycles « très sale », « intensif » ou « spécial casserole » ; un trempage de quelques min économise env. 1 kWh à chaque fois. **Lave-vaisselle :** ne pas remplir à ras le bac de poudre (25 ou 30 g suffiraient). *Comparaisons* (test de *Que choisir ?,* mars 1989) : *durée du cycle normal :* 1 h à 1 h 31. *Consommation d'eau :* 20 à 35 l, *d'électricité :* 1,6 à 2,3 kWh, *bruit :* 42 à 56 dB. **Températures de lavage :** coton blanc 90 °C, couleur 60, synthétique 40, tissus délicats 30. Chaque lavage à la température max. coûte env. 2,80 F en eau, électricité et produits de lavage. **Réfrigérateur, congélateur :** installation loin d'une source de chaleur. N'y mettre que des plats froids. Ouvrir le moins possible. Dégivrer régulièrement.

■ **Durée moyenne de vie. En années ou en h de fonctionnement.** Aspirateurs 10 ans. Autoradios 6 a. Chaînes haute fidélité, amplificateurs 12 a., tuners 12 a., ampli-tuners 9,1 a., combinés 12 a. Congélateurs 10,8 a. Couteaux électriques 100-200 h. Électrophones 8 a. Fers à repasser 8 a., à vapeur 9 a. Lave-vaisselle 10 a. Machines à laver 10,4 a. Magnétophones à bobines 7,3 a., à cassettes 7 a. Mixers 150-200 h. Moulins à café 100-250 h. Platines de tourne-disques 12 a. Radio-enregistreurs 7,4 a. Réfrigérateurs 13 a. Rôtissoires 2 000 h. Sèche-cheveux 400-1 400 h. TV noir et blanc 10,4 a., couleur 10 a.

A accumulation (chauffe accélérée) : mise en température 30 min à 1 h ; capacité 5 à 100 l ; *puissance* 3 000 W max. ; un appareil pour alimenter un évier produit 15 l en 40 min env. *Instantané :* eau chauffée au fur et à mesure de son écoulement, ce qui nécessite une forte puissance.

Cireuse. PUISSANCE 300 W. CONS. *annuelle* 20 kWh/an (15 F), à raison d'1 h env. par sem.

Cuisinière électrique. PUISSANCE 6 000 à 11 700 W. CONS. *par j* 1 kWh par pers. ; par an 1 000 kWh pour 4 pers. (749,50 F).

Fer à repasser. PUISSANCE 300 à 1 500 W. CONS. *horaire* 0,5 kWh (37,5 c).

Four à micro-ondes. *Principe :* un dispositif électronique (magnétron) engendre des ondes électromagnétiques (micro-ondes) qui, réfléchies par les parois métalliques, sont absorbées par les molécules d'eau des aliments. Ces micro-ondes provoquent le changement d'orientation ultrarapide des molécules, entraînant une élévation de température. L'échauffement est immédiat sur toute la périphérie de l'aliment jusqu'à env. 2 cm de profondeur, puis la chaleur se transmet par conduction vers l'intérieur, si l'aliment est plus épais. Enceinte de cuisson en acier inox., portes en verre tramé de métal (les micro-ondes ne traversent pas le métal). PUISSANCE ABSORBÉE : 1 200 à 1 700 W. TEMPS DE CUISSON : pomme 1 min 1/2, pommes de terre à l'eau et légumes quelques min, dorade de 800 g, 12 min, rôti de 1 kg 15 min. *Utiliser* des plats « transparents » aux micro-ondes (ex. verre, vitrocéramique, matières plastiques, etc.). Les couvrir pour éviter la déshydratation. *Dorage* effectué sous gril ou sur plaque, avant ou après l'exposition aux micro-ondes. On peut aussi utiliser un plat brunisseur qui absorbe une partie des micro-ondes, chauffe et dore les aliments à son contact. Ex : cuisson d'un poulet en morceaux 0,4 kWh, 30 c. *Précaution :* prévoir une ventilation suffisante (5 cm sur le dessus et les côtés), placer le four à 4 m au moins d'un poste de radio ou de télévision pour éviter les interférences, ne pas faire fonctionner le four à vide. Ne pas dépasser le poids de 336 g en automatique et ne pas ouvrir la porte du four pendant un cycle de cuisson en automatique. Ne pas préchauffer le four avant cuisson. Ne pas utiliser de métal, ni de vaisselle avec des pièces rapportées, collées, de bouteilles fermées, de conserves fermées, de plats ou de boîtes sous vide, d'œuf frais en coquille (il exploserait).

Hotte aspirante. PUISSANCE 240 à 300 W. COÛT *horaire :* 0,1 kWh (7,5 c).

Lampe d'éclairage (pièces d'habitation). COÛT *horaire :* 1 *lampe à incandescence* (100 W), env. 7,5 c ; 1 *tube fluorescent* (40 W, 1,20 m de longueur), 3 c ; *nouvelles lampes fluorescentes* (18 W), 2,4 c.

Lave-vaisselle. *PUISSANCE* 2 350 à 3 400 W. *CONS.* 50 l d'eau pour laver 12 couverts ; *annuelle* 500 kWh (213 à 375 F).

Machine à coudre (80 W). *COÛT hor.* 0,08 kWh (0,5 c).

Machine à laver et à essorer le linge (4 à 5 kg). *PUISSANCE* 3 000 W. Chauffage 2 000 à 3 400 W [min. 550, max. (6 kg) 4 000 W]. *COÛT annuel* 300 kWh (128 à 225 F).

Perceuse (400 W). *COÛT hor.* 0,4 kWh (30 c).

Radiateurs. *PUISSANCE* 500 à 2 500 W. *COÛT hor. de fonctionnement et par kW :* en h pleine : 37,5 c à 1,87 F, en h creuse : 21,3 c à 1,06 F. **Rasoir électrique.** *PUISSANCE* 6 W. *COÛT hor.* 0,4 c.

Réfrigérateur-congélateur. *PUISSANCE* 150-300 W. **Consommation** par j et par an en kWh (réfrig. 330 j, cong. 365 j) : *réfrigérateur - de 150 l :* 0,8 à 1 kWh (265 à 330), *de 150 à 250 l :* 1 à 1,2 (330 à 400), *+ de 250 l :* 1,3 à 1,5 (430 à 500) ; *conservateur* 1,8 à 2 (600 à 660) ; *congélateur* 2 (660), *- de 100 l :* 1 à 1,2 (365 à 440), *de 100 à 200 l :* 1,2 à 2 (440 à 660), *200 à 300 l :* 2 à 2,5 (660 à 825), *+ de 300 l :* 2,5 à 3,5 (825 à 1 150). **Étoiles fabrication de glace :** pas d'étoile, entreposage des produits congelés pendant 2 ou 3 j (– 6 °C) : 1 ét. ; 3 semaines max. (– 12 °C) : 2 ét. ; conservation des produits congelés de 3 mois à 1 an : 3 ét. ; congélation d'au moins 6,5 kg de denrées fraîches par 24 h pour 100 l ; appareils NF : 4 ét. **Volume nécessaire pour 1 pers. :** 120 l, 5 ou 6 : 350 l.

Sèche-linge. *CONS.* 3,3 kWh pour 4,5 kg.

Table de cuisson vitro céramique. Lisse, facilement nettoyable, brille d'un rouge électrique au moment de la cuisson. Matériau vitreux qui ne se dilate quasiment pas avec la température, laisse passer les infrarouges émis par les foyers et conduit mal la chaleur. *PUISSANCE* 2 000 W, modèles à foyers halogènes (émission d'une lumière infrarouge qui traverse la vitrocéramique pour chauffer le fond du récipient), à foyers radiants équipés de résistances lumineuses qui chauffent les casseroles par conduction (80 %) et par rayonnement (20 %).

Table de cuisson à induction. En vitrocéramique. Générateur électrique placé sous la table qui crée un champ magnétique faisant monter la température du récipient en métal ferreux posé sur la plaque (uniquement fer brut émaillé ou fonte). Montée en température instantanée. Ni flamme, ni surface brûlante, seule la casserole chauffe, la plaque ne fait que tiédir. Économie d'énergie d'env. 20 %.

Téléviseur. Noir et blanc : *PUISSANCE* 50 à 75 W. *Couleur* 100 à 150 W. *COÛT annuel* 50 à 100 kWh pour 1 000 à 1 500 h de marche (37,50 à 75 F). **Couleur :** 100 à 200 kWh (75 à 150 F).

Tondeuse à gazon. *COÛT hor.* 0,6 à 1 kWh (45 à 75 c).

Tourne-disque (100 W). *COÛT hor.* 30 Wh (2,2 c).

Train électrique miniature (5 ou 6 wagons, locom.). *COÛT hor.* 3 Wh (0,2 c).

Tuner, radio, ampli. *COÛT hor.* 15 à 20 Wh (1,1 à 1,5 c).

Nota. – La mise en service d'un appareil électroménager doit être exécutée par le vendeur gratuitement, sauf les travaux de raccordement.

GAZ

■ GÉNÉRALITÉS

Pouvoir calorifique au m³. Gaz naturel 9,8 à 11,4, air propané 7,5 à 13,7. Pour brûler correctement, le gaz doit se trouver mélangé au moment de la combustion avec une quantité d'air déterminée.

Brûleurs. Brûleurs atmosphériques des appareils domestiques : le gaz à la pression du réseau est admis à l'orifice d'un *« injecteur »,* et on utilise sa détente dans le mélangeur pour entraîner la quantité d'air suffisante. *Flamme bien aérée,* cône bleu-vert aux contours bien délimités surmonté d'un panache violacé plus flou. Stable, silencieuse, s'éteint sans bruit. *Insuffisamment aérée* fuligineuse, cône bleu inexistant ou aux contours flous, noircit le fond des casseroles. *Trop aérée* sifflante et instable, claque à l'extinction du brûleur. *Si la flamme rentre* à l'intérieur du mélangeur et vient se fixer au nez de l'injecteur, la combustion et le fonctionnement du brûleur deviennent défectueux. Cet incident se produit surtout avec les gaz de houille et assimilés à forte teneur en hydrogène libre. *Si la flamme se décolle* (se détache) d'un ou de plusieurs orifices et si le phénomène persiste, elle s'éteint, le gaz s'écoulant sans brûler. Cela arrive plutôt avec les gaz « riches », dont la vitesse de propagation de flamme est faible.

Puissance nominale du brûleur (en kilowatts) : égale au pouvoir calorifique du gaz en kWh/m³ par le débit maximal du brûleur en m³/h.

Chaudière à condensation. Jusqu'à 15 % d'économie par rapport à une chaudière haut rendement. Particulièrement adaptées pour chauffer des surfaces supérieures à 150 m² ou des planchers rayonnants basses températures.

Chaudière à circuit étanche. Prend l'air de combustion et rejette les fumées à l'aide de 2 tuyaux concentriques dits « ventouse » s'ils traversent un mur, sinon ils sortent en toiture (peuvent être placés dans un placard).

Chauffe-eau. Instantané : le brûleur s'allume automatiquement à l'ouverture du robinet d'eau. **Accumulation :** l'eau est maintenue à la température désirée. *Temps maximal* pour élever de 50° la température de 100 l d'eau : accumulateur à chauffage normal = 4 h 30, rapide = 1 h 30.

Seuls les petits chauffe-eau de 8,7 kW peuvent ne pas être raccordés à un conduit de fumée ou une ventouse. Ils sont munis d'un contrôleur d'atmosphère et de sécurité contre l'encrassement.

Planchers rayonnants basse température. De l'eau circule dans un réseau dense de tuyaux en plastiques techniques noyés dans le sol. Le procédé de chauffage est le plus confortable pour les maisons neuves.

Radiateurs. Permettent de chauffer l'air à partir d'eau à haute température (50 à 90 °C).

Tuyaux. Flexibles ou **tubes souples** (normalisés NF-Gaz, 2 m maximum), durée max. 4 ans (année limite d'emploi indiquée sur le tuyau ou le tube). **Métalliques** durée illimitée.

■ CONSOMMATION D'APPAREILS

■ **Chauffe-eau au gaz.** Alimenté en eau froide à 10 °C. Délivrent jusqu'à 0,57 l/min/kW d'eau à 40 °C. *Puissance nécessaire :* pour évier (5 l/mn) 8,7 kW, douche (10 l/mn) 17 kW, baignoire (13 à 16 l/mn) 22 à 28 kW.

■ **Cuisinières et tables de cuisson.** Brûleurs auxiliaires 1,16 kW (ex. : brûleur rotatif 0,6 kW), principaux : semi-rapide 1,16 à 2,3 kW, rapide 2,3 à 3,5 kW, ultra-rapide + de 3,5 kW. En général comprennent : un rapide de 3 kW, un semi-rapide de 1,6 kW.

Une famille moyenne (4 personnes) consomme env. 1 000 kWh/an pour cuisiner.

■ TARIFS

PRINCIPAUX TARIFS DE VENTE DU GAZ NATUREL

☞ Le prix du kWh varie selon localités et la nature du gaz distribué ; se renseigner auprès du centre local EDF GDF Services.

■ **Clientèle domestique individuelle.** *Tarif de base* (jusqu'à 1 000 kWh) cuisine, forfait cuisine proposé sous certaines conditions ; *B0* (de 1 000 à 7 000 kWh) cuisine et eau chaude ; *B1* (de 7 000 à 30 000 kWh) chauffage et eau chaude et/ou cuisine ; *B21* (au-delà de 30 000 kWh) chauffage et/ou eau chaude dans grands pavillons ou chaufferies moyennes.

■ **Clientèle domestique collective, tertiaire ou industrielle en distribution publique.** Mêmes tarifs que ci-dessus à consommation identique. *B2S* (au-delà de 150 000 à 350 000 kWh suivant usages et répartition été/hiver) : chauffage et/ou eau chaude dans chaufferies importantes. *Appoint-secours* (consommation idem B2S) : fourniture d'appoint ou de secours à d'autres énergies. Consommation de + de 5 GWh/an. 3 tarifs : *TEP* (tarif à enlèvements programmés), tarif à souscription à 3 saisons ; *TEL* (tarif à enlèvements libres), forfaitaire, adapté aux enlèvements fortement influencés par les aléas climatiques, structure identique au B2S avec prime fixe majorée et abattement sur prix du kWh au-delà de 4 GWh en hiver et 2 GWh en été ; *TES* (tarif à enlèvements de secours) pour des durées d'utilisation limitées, structure identique à l'appoint de secours, avec abattement sur prix du kWh au-delà de 6 GWh.

FACTURE EDF GDF SERVICES

☞ **Relevé.** Tous les 6 mois dans 95 % des cas (ou tous les 4). En cas d'absence, une carte autorelevé est laissée sur place. Il suffit de la compléter et de la retourner, gratuitement (carte T), à l'adresse imprimée sur celle-ci. Chaque relevé est suivi d'une facture : 2 ou 3 factures par an établies après relevé (facture intermédiaire estimative tous les 2 mois, si la consommation est importante, comporte désormais un « index estimé ». Par comparaison avec le chiffre marqué au compteur on peut s'assurer que l'estimation est correcte).

Déménagement. Prendre rendez-vous avec l'EDF GDF Services quelques j avant *1°) de partir :* pour le relevé de compteur et pour établir la *facture de résiliation ; 2°) d'emménager :* l'EDF GDF Services pourra établir *l'abonnement* avant et poser un compteur si nécessaire.

Redressement. EDF GDF Services dispose de 5 ans pour rectifier une facture en cas d'erreur de comptage ou de facturation.

Prix (1-5-93) (TVA 18,6 % non comprise, 5,5 % sur abonnements et primes fixes des tarifs). *Abonnement en F/an et, entre parenthèses, prix du kWh en centimes. Base :* 126,48 (28,44). *BO :* 199,44 (22,37). *B1 :* 732,48 (14,64 à 16,64). *B21 :* 1 026,12 (13,74 à 15,74). *B2S :* 4 380 (hiver 13,64 à 15,64 ; été 10,48 à 12,48). *Appoint-secours :* ab. 4 380 F + prime fixe de débit par kWh/jour de 2,0112 à 2,4060 F (10,90 à 12,52).

■ **Clientèle grande industrie sur réseau de transport.** Tarif STS à souscription saisonnalisée. *Ex. :* en région parisienne pour 130 GWh/an, avec débit de 430 000 kWh/j et une part hiver de 45 %, prix moyen (abonnement compris) : 6,27 c/kWh HT ; coût du kWh d'été supplémentaire : 5,5 c/kWh HT.

VÊTEMENTS

■ MESURES DE CONFECTION

Norme G 03-001. Tour de poitrine : au-dessous des aisselles ; **de ceinture (Homme), de taille (Femme) :** horizontalement dans le creux de la taille ; **stature :** du sommet du crâne à terre, sujet pieds nus ; **bassin :** horizontalement au niveau le plus large du bassin ; **entrejambe :** de la fourche à terre (sujet pieds nus) ou à la semelle de la chaussure ; **hauteur latérale de tour de taille :** du creux de la taille à terre (pieds nus) ou à la semelle de la chaussure.

Confection hommes. Tailles homologuées par la Féd. française des industries du vêtement masculin.

Marquage des tailles sur les étiquettes des vêtements fait par la mention des 3 mesures suivantes : *1/2 tour de poitrine en cm :* exemple 44 ; *1/2 tour de ceinture en cm :* ex. 36 ; *stature P* (extra-court) 159 à 165 cm, C (court) 165 à 171 cm, M (moyen) 171 à 177, L (long) 177 à 183, X (extra-long) 183 à 189. *Combinaison de ces 3 mesures visualisée : athlétique :* étiquette rouge ; *élancé :* gris clair ; *normal :* blanche ; *fort :* bleu foncé ; *trapu :* bleu clair ; *corpulent :* verte ; *ventru :* jaune.

CONFECTION DAMES

T. poitrine T. bassin [1]	80 84	84 88	88 92	92 96	96 100	100 104	104 108	110 112	116 118
France	34	36	38	40	42	44	46	48	50
G.-B., USA	8	10	12	14	16	18	20	22	24
Allemagne [1]	34	36	38	40	42	44	46	48	50
Italie	38	40	42	44	46	48	50	52	54

Nota. – (1) A tours de poitrine équivalents correspondent généralement des tours de bassins plus forts : 87,5 ; 91 ; 94,4 ; 98 ; 101,5 ; 105 ;108,5 ; 115 ; 119,5. Ainsi, un 40 français correspond à un 38 allemand.

SOUTIENS-GORGE ET COMBINÉS

Désignation française (tour de poitrine) et européenne (tour mesuré sous la poitrine).

Taille		*Profondeur des bonnets*			
Europ.	Fr.	A	B	C	D
65	80	77-79	79-81	81-83	83-85
70	85	82-84	84-86	86-88	88-90
75	90	87-89	89-91	92-93	93-95
115	130	127-129	129-131	131-133	133-135

Nota. – Normalisation europ. : A, petite poitrine ; B, moyenne ; C, forte ; D, très forte.

Chaussettes		*Chaussures [1]*		*Chemises*	
Fr.	An.	Fr.	An.	Fr.	An., Am.
37-38	9	37	4	36	14
39-40	9 ½	38	5	37	14 ½
40-41	10	39	6	38	15
41-42	10 ½	40	6 ½	39	15 ½
42-43	11	41	7 ½	40	15 ¾
43-44	11 ½	42	8	41	16
		43	9	42	16 ½
		44	10	43	17
		45	10 ½	44	17 ½
				45	18
				46	18

Conf. (hommes)		Conf. (enfants)	
Fr.	An., am.	Age	Stature (cm)
46	36	5 ans	108
48	38	6 ans	114
50	39	7/ 8 ans	126
52	41	9/10 ans	138
54	42	11/12 ans	150
56	44	13/14 ans	162 (G) 156 (F)
58	45	15/16 ans	174 (G) 162 (F)

Nota. – (1) Mesure en points. *Points français* (ou points de Paris) 2/3 de cm soit 6,666 mm ; une pointure de 40 vaut donc 40 × 6,666 = 26,66 cm ; anglais 1/3 de pouce (inch) soit 8,466 mm.

■ Nettoyage

■ **Linge à laver.** Poids (en g). *Bleu* de travail 1 600 ; *blouse* dame 300 ; *chemise* homme 250 à 300, dame 250 ; *drap* enfant 800, grand lit 1 500 ; *torchon* 100 ; *mouchoir* 20 ; *nappe* toile (160 × 160) 600 ; *pyjama* enfant 400, homme 500.

■ **Teinturier.** Il a une obligation de résultat ; lavage ou nettoyage doit être satisfaisant, compte tenu de l'état du vêtement et des réserves portées éventuellement sur le ticket de dépôt. **Dépôt (délai maximal) :** sauf pour des vêtements de grand prix (fourrures, vêtements d'apparat...), le teinturier ne peut demander de supplément avant 3 mois de garde ; la loi du 31-12-1968 dispose que les objets confiés à un professionnel pour être travaillés, réparés ou nettoyés et qui ne sont pas retirés ne peuvent pas être vendus dans l'année qui suit leur dépôt. Si le teinturier n'est pas en mesure de remettre un vêtement confié depuis moins d'un an, on peut exiger le remboursement ou, en tout cas, le dédommagement comme pour n'importe quel article égaré. Après un an, en cas de vente aux enchères, il faut demander aux Dépôts et Consignations le produit de la vente diminué des frais.

Détérioration : *blanchisserie* : les professionnels prévoient un remboursement égal à 12 fois le prix du blanchissage (15 fois pour les draps) ; *teinturerie :* la plupart des teinturiers affichent un barème sur lequel ils pratiquent un abattement selon la vétusté (le remboursement sera de 80 % pour un article de 3 mois, 60 % pour – de 30 mois et 30 % au-delà). Pour les articles d'une valeur visiblement très inférieure à celle du barème, le montant du remboursement ne pourra excéder la valeur de l'article.

Valeurs limites servant de bases pour le calcul du barème de remboursement (en F, 1992) : pure laine ou soie, entre parenthèses, mixte et synthétique, et en italique, en coton. **Hommes :** complet 3 pièces 1 583 (1 426) *1 035,* 2 pièces 1 426 (1 187), ensemble blouson-pantalon *1 035,* veston 1 035 (795) *320,* pantalon 398 (360) *320,* blouson *477,* anorak 477 (477), 3/4 autocoat, caban vareuse 1 065 (905), loden (1 187), pardessus, gabardine 1 426 (1 187), trench-coat triplure, imperméable (1 187), cravate 147 (105), pull 196 (147), shetland 245, veste d'intérieur (477), de chasse *752,* pantalon de chasse *752,* survêtement (320), chemise (196). **Femmes :** jupe, jupe-culotte, kilt 477 (320) *245,* robe 905 (588) *320,* pantalon 398 (360) *320,* manteau 1 506 (1 187), imperméable (1 187), tunique 320 (245), 2 pièces, ensemble dames 900 (477), pull 330 (196), 3/4 plastique fourré (781), robe de chambre des Pyrénées (593), ouatée (355), corsage sans manches *196,* carré, écharpe 245 *(116),* chemisier (392). **Enfants de 6 à 12 ans :** veston, blouson 593 (398) *320,* veston plastique (398), pantalon 245 (196) *196,* pull 166 (136), jupe 335 (220) *196,* robe 477, manteau 795 (593), anorak (355). **Divers :** couverture 1 place 593 (355), 2 places 905 (557).

Si l'on estime ce dédommagement insuffisant, on peut essayer par entente amiable d'obtenir plus (analyse préliminaire par le syndicat local, une commission mixte, un organisme ou un expert agréé) ; et, en cas d'insuccès, assigner le teinturier en justice après avoir chiffré les dommages, preuves à l'appui. Le juge décidera.

Manque : lorsqu'un ensemble ou une partie d'ensemble a été détérioré ou perdu (costume 3 pièces, ensemble féminin, ameublement, parure de draps...), l'ens. est remboursé comme si toutes les pièces avaient été données à traiter. Sinon, seule la pièce confiée sera remboursée.

Vol : la preuve du vol et la justification du montant de celui-ci sont à la charge du client (témoignages et simples présomptions peuvent suffire).

Responsabilités encourues (R) ou irresponsabilités (I). Vêtements (avec étiquette d'entretien et, entre parenthèses, sans ou étiquette erronée) : vol, incendie, dégâts des eaux, perte, accidents de machine, substitution, manutention, traitement, livraison R (R). Traitement non approprié R(I). Vices cachés (usures, mites, projections acides, stylo à l'intérieur des doublures, etc.), coutures bord à bord I (I). Pli permanent, plastiques, non tissés, contre-collage, flocages, colorants pigmentaires, enductions, pertes d'apprêt R (I). Fibrillations, taches tenaces I (I). Décolorations sur coloris fragiles, coulures R (I). Retraits, allongements, feutrage R (I). Articles non décatis I (I). Fautes prof. (coup de fer), fusion ou glaçage des fibres, détachage non approprié R (R). **Boutons, garnitures :** *aucune garantie.* Bris, décoloration, fusion, déformation, perte par fils cassés, décollage I (I). Boutons déteignant à la vapeur I (I).

☞ **Expert.** On peut obtenir l'adresse auprès de la cour d'appel, des tribunaux d'instance et de grande instance et auprès des tribunaux de commerce. **Syndicats professionnels.** *Conseil français de l'entretien des textiles :* 82, rue Curial, 75019 Paris. *Fédération française des pressings et laveries :* 53, rue du Château-d'Eau, 75010 Paris.

Environnement

☞ **Pertes annuelles en forêts et terres cultivables dans le monde** (milliers de km²). Déforestation tropicale 210, perte de terres cultivables par épuisement des sols 200, désertification 60, salinisation 15.

Régions les plus polluées d'Europe. *Bohême* (Nord). *Pologne :* la plupart des plages de la Baltique interdites à la baignade (pollution bactériologique), forêt détruite à 75 % par pluies acides. *Roumanie :* Copsa Mica (suie).

Généralités

Quelques définitions

Abiotique (qui n'a pas trait à la vie) : facteurs climatiques et édaphiques ou, en milieu aquatique, caractères physico-chimiques des eaux. **Aphotique :** biotope où la lumière solaire ne pénètre pas (fonds marins), les plantes vertes ne peuvent s'y développer. **Autotrophe :** organisme vivant capable de réaliser la synthèse de ses composés organiques à partir des éléments minéraux prélevés dans le milieu et d'une source d'énergie extérieure, solaire (plantes vertes photosynthétiques), ou réactions chimiques exothermiques (bactéries chimio-synthétiques) ou les deux (bactéries chimio-photosynthétiques).

Biocénose : ensemble équilibré d'animaux et de plantes occupant de façon cyclique ou permanente un biotope donné. **Biomasse :** masse de matériel vivant par unité de surface, c'est-à-dire le poids de tous les organismes vivants d'une communauté biologique à un moment donné. S'exprime en unité de poids sec à 65-70° par unité de surface (en général g par m² ou kg ou t par hectare). On distingue la **phytomasse** végétale (phytocénose), **zoomasse** (zoocénose), microbienne (microbiocénose). **Biosphère :** partie de l'écorce terrestre où la vie est possible (une partie de la lithosphère, de l'atmosphère et de l'hydrosphère). **Biotope :** milieu physique délimité où vit une biocénose déterminée (ce peut être une flaque d'eau).

Chorologie : étude de la répartition géographique des espèces prises isolément.

Cycle biogéochimique : *absorption* des éléments du biotope par les organismes, *rétention* dans les divers organes des organismes, *restitution* au sol de ces éléments par chute et décomposition des litières et des cadavres, sécrétions diverses et lavage par les eaux de pluie. **Biologique** : succession des diverses phases de développement d'un organisme vivant de sa naissance à sa mort. **Phénologique** : variations saisonnières des phases de développement d'un organisme au cours d'une période végétative.

Écologie : terme inventé en 1885 par le zoologiste allemand Reiter, signifiant « Sciences de l'habitat ». Étude des relations réciproques entre les organismes et leur environnement : **écosystème.** Ensemble d'une biocénose et d'un biotope. **Écotope :** ensemble des facteurs climatiques **(climatope)** et édaphiques **(édaphotope)** caractérisant l'aire (biotope) occupée par une biocénose. **Écotype :** subdivision de l'espèce (sous-espèces, variétés, sous-variétés, races) présentant des caractères particuliers héréditaires, résultant d'une sélection naturelle exercée par les facteurs du milieu. **Édaphique :** qui concerne le sol. **Édaphologie :** science traitant le sol en tant que milieu pour les êtres vivants (la *pédologie* concernant la description, la genèse et la classification des sols).

Défense de l'environnement

■ Dans le monde

■ **Conférences.** Plusieurs ont eu lieu et plusieurs conventions ont été signées dep. 1946. Voir Quid 1990 p. 1565.

Conférence des Nations unies sur l'environnement et le développement (CNUED) du 1 au 12-6-1992 à Rio (coût 135 millions de F).

Principaux documents : 1°) une « *Charte de la Terre* » régissant la conduite des nations et des peuples vis-à-vis de l'environnement et du développement, afin que la Terre reste un lieu de séjour hospitalier pour l'homme et les autres formes de vie ; 2°) une convention sur la bio-diversité (faune et flore), non signée par les USA ; 3°) une plate-forme d'action, dite « Action 21 », définissant un programme de travail pour le début du XXIe s. ; 4°) une convention sur le climat (protection de l'atmosphère). 5°) une déclaration d'intervention sur la forêt. **Coût des mesures envisagées :** 600 milliards de $ (par comparaison, dépenses militaires mondiales : + de 1 000) pour les pays industriels, + 125 par an pour aider les PVD (pays en voie de développement) (contre 55 Mds de $ accordés actuellement). La mise en œuvre de l'« Action 21 » pourrait coûter 2 à 3 % du PNB des pays riches.

☞ Des délégués (70 % venus des PVD) de 800 organisations non gouvernementales (ONG) s'étaient réunis à Paris du 17 au 21-12-1991. Les ONG ne comptent plus que sur leurs propres forces et rejettent les institutions intern. actuelles, telles que FMI, Banque mondiale, accords du GATT et ONU, considérées comme complices du déséquilibre Nord-

> Selon l'OMS, les maladies liées à l'environnement et au mode de vie sont responsables de 75 % des 49 millions de décès recensés chaque année sur Terre. Près de 2 milliards 1/2 de personnes sont atteintes d'affections associées à l'insuffisance ou à la contamination de l'approvisionnement en eau ainsi qu'au manque d'hygiène. 5 millions de nourrissons et d'enfants meurent chaque année de maladies diarrhéiques dues à la contamination de leurs aliments ou de l'eau de boisson ; 2 millions de personnes meurent de paludisme (+ de 250 millions étant infectées), des centaines de millions souffrent de parasitose intestinale grave, de maladies respiratoires causées ou aggravées par le tabagisme et la présence d'agents biologiques et chimiques dans l'air, des centaines de millions sont exposées à des dangers chimiques et physiques inutiles, chez elles, sur leur lieu de travail. 500 000 sont tuées et des millions sont blessées annuellement dans les accidents de la circulation. Mais la revue médicale britannique *The Lancet* a signalé que l'on n'avait pas constaté d'accroissement de la mortalité à Seveso, à Love Canal (USA), agglomération construite sur une décharge de pesticides organiques, ou à Shipham (G.-B.), village au sol contaminé par le cadmium. A Londres et New York, la réduction de 50 % des particules d'anydrides sulfureux dans l'atmosphère n'a pas abaissé les taux de mortalité.

Sud qui s'aggrave. Elles ne font plus confiance non plus, en matière de développement durable, ni aux gouv., ni aux entrepr. privées. Elles ont rejeté la proposition de la France, formulée par le Pt Mitterrand et soutenue par Brice Lalonde, d'instaurer une autorité mondiale pour la protection de l'environ.

■ Organismes. **Agence européenne de l'environnement :** *créée* 22-3-1990 à Bruxelles. *But :* recueillir des informations détaillées sur la situation de l'environnement dans les pays de la Communauté, pendant 2 ans, puis contrôle du respect de la législation eur.

Commission mondiale sur l'environnement et le développement : *créée* 1983 par l'Assemblée générale des Nations unies. Formée de 21 commissaires (pays occidentaux 6, Est 3, en voie de développement 12, dont la Chine). Dirigée par Gro Harlem Brundtland (PM de Norvège) et Mansour Khalid (Soudan). Un rapport « Notre avenir à tous » (« Our Common future »), publié en avril 1987. **Union internationale de la conservation de la nature et de ses ressources (UICN) :** *créée* 1948, à Fontainebleau. *Siège :* Gland (Suisse). *Buts :* création de réserves, parcs naturels.

Fonds pour l'environnement mondial (FEM). *Créé* en 1989 à l'initiative de la France. Regroupe à parité des pays industrialisés et des PED. *Ressources :* droits de tirage spéciaux sur 3 ans 1 000 (millions de DTS) dont USA 145,99, Japon 126,58, All. 125,89, *France 124,91.* Le Fonds est assisté d'un Comité consultatif scientifique et technique indépendant, le STAP (Scientific and Technical Advisory Panel). **Appel de Heidelberg.** Adressé par + de 250 scientifiques, dont 52 prix Nobel, aux chefs d'État et de gouvernement réunis à Rio en juin 1992, il dénonçait « l'émergence d'une idéologie irrationnelle qui s'oppose au progrès scientifique et industriel, et nuit au développement économique ». **Sommet de la Terre 93.** Forum planétaire des organisations non gouvernementales organisé à Manchester en sept. 93. *Domaines :* lutte contre l'effet de serre (40 à 50 % des ressources), la sauvegarde de la diversité biologique (30 à 40), la protection des eaux internationales (10 à 20) et la protection de la couche d'ozone.

■ Année européenne de l'environnement (21-3-1987 au 21-3-1988).

■ Jour de la Terre. *Créé* 22-4-1970 aux USA par Dennis Hayes et Gaylord Nelson. *22-4-1990* créé en France : 8 000 participants (50 millions aux USA).

■ Greenpeace. *Fondée* 1971 à Vancouver (Canada), association internationale. France 1977. Antinucléaire, milite aussi pour désarmement, sauvegarde des océans, protection des forêts tropicales et contre pollution atmosphérique et prod. toxiques. *Quelques chiffres.* 900 salariés permanents, 40 bureaux dans 28 pays, 5 millions de sympathisants dans le monde, 7 bateaux, 20 zodiacs, 2 hélicoptères, 1 montgolfière (en projet 1 zeppelin). *Budget 1990* (millions de $). *Recettes* 34,04 (versements des organisations nationales 31,8, dons 0,16, plus-values sur échanges de devises 0,49, intérêts 0,14). *Dépenses* 35,4, dont flotte 5,48 ; action en faveur de l'écologie marine 4,43 ; lutte contre prod. toxiques et nucléaire 4,23.

■ Dépenses en % du PIB (1988). All. 1,52, USA 1,45, Japon 1,28 (dépenses courantes du secteur privé exclues), G.-B. 1,25, *France 1,03.*

Marché mondial de l'environnement. 300 milliards de $ en l'an 2000. Évaluation 1987/2000 : secteur de l'eau + 70 %, de l'air + 92 %, du bruit + 30 %, traitement des déchets + 114 %. Croissance annuelle en % de 1989 à 1999 : Belgique 15, Espagne et Portugal 12, Grèce 10, All. 8, G.-B. 7,5, *France* et Italie 7, P.-Bas 5, Danemark 3,5.

En France

■ Ministère de l'Environnement. 22 directions régionales (Diren) regroupent les anciennes directions rég. à l'architecture et à l'env. (Drae), les services rég. de l'aménagement des eaux (Srae, dépendant jusque-là de l'agriculture), les délégations de bassin et les services hydrologiques centralisateurs (qui dépendaient de l'Équipement).

Budget de l'Environnement (en millions de F et, entre parenthèses, % du budget général). *1972 :* 137 ; *75 :* 229 (0,08) ; *80 :* 629 (0,11) ; *85 :* 817 (0,07) ; *90 :* 856 (0,07) ; *92 :* 1 443 (0,11) dont dépenses : moyens de l'administration 449,6 ; prévention des pollutions 408,5 ; protection de la nature 323,3 ; qualité de la vie 126,6 ; recherche, études générales et informatique 115,7 ; information et actions de coopér. 20.

Principales interventions budgétaires (en millions de F, 1992). *Dépenses de fonctionnement :* plans d'exposition aux risques et cartographie des risques 19 ; police et gestion des eaux 18,5 ; réserves naturelles (hors Fiqv) 20,2 ; observatoire scientif. du patrimoine naturel 3,9 ; information du public sur risques majeurs 5 ; conservatoire du littoral 11,9 ; parcs nationaux 94 ; conserv. botaniques 1,2 ; soutien général aux associations 20,5 ; parcs naturels régionaux (hors Fiqv) 16,9 ; formation et sensibilisation à l'environ. 6,8 ; Aqa 41,9 ; Cerchar 89,5. *Dépenses d'investissement :* lutte contre les nitrates 4,7 ; restauration des rivières 34,9 ; modernisation des réseaux d'annonce des crues 16,6, de mesure de la pollution atmosphérique 10 ; études Seveso 7,3 ; réserves naturelles 10,1 ; grands barrages métropole 92,5, DOM-TOM 24 ; contrats de rivière 17,9 ; interventions de l'Aqa 58 ; (Aqa + Anred = Aden) 57,9 ; protection des oiseaux (actions communautaires pour l'environnement) 18 ; parcs naturels régionaux (hors Fiqv) 11,4 ; recherche scientifique 65,1 ; conservatoire du littoral 107,2 ; parcs nationaux 36,1 ; Fiqv 79,7.

Taxes parafiscales. Sur la pollution atmosphérique : *créée* par décret en juin 1985, assise jusqu'en mai 1990 sur les émissions de dioxyde de soufre, de composés soufrés et d'oxydes d'azote. En mai 1990, reconduite sur des bases plus larges, incluant les émissions d'acide chlorhydrique, d'hydrocarbures, de solvants et autres composés organiques volatiles et de poussières, seuils abaissés. *Produit net* (en millions de F) : *1989 :* 74,3, *90 :* 88,2, *91 :* 105, *92 :* 150. *Affectation :* aides aux industriels qui y sont assujettis, pour la réalisation d'équipements antipollution (89 % du produit). **Sur les huiles de base neuves et régénérées :** *créée* 1986, renouvelée 1990. *Produit net* (en millions de F) : *1989 :* 43,3, *90 :* 72,7, *91 :* 76,5 (prévisions).

■ Agence de l'environnement et de la maîtrise de l'énergie (Ademe), avant Aeme ou Aden. *Siège :* 27, rue Louis Vicat, 75015 Paris. *Créée* 19-12-1990, *Pt :* Michel Mousel (n. 11-3-1940), dep. 12-12-91, *Dir. :* Vincent Denby Wilbes (n. 3-4-53), sous la tutelle du min. de l'Industrie du min. de la Recherche et du min. de l'Environnement. *Budget annuel :* 1,2 milliard de F. *Effectif :* 600. Regroupe l'*Afme* (Agence française pour la maîtrise de l'énergie ; effectif : 372) ; *Aqa* (Agence pour la qualité de l'air ; créée 7-7-1980, eff. : 30 ; budget 30 millions de F ; gère la taxe parafiscale sur la pollution de l'air) ; *Anred* (Agence nat. pour la récupération et l'élimination des déchets, eff. : 112).

■ Institut français de l'environnement (Ifen). *Siège :* Orléans. *Créé* 18-11-1991 pour l'information scientifique et statistique sur l'état de l'env., *Pt :* Yves Pietrasanta (n. 19-8-39), dep. 20-2-92, *Dir. :* J. Varet (n. 20-3-44), dep. 26-2-92. Sous tutelle du ministère de l'Env. *Budget :* 30 millions de F. *Effectif :* 40.

■ Adresses. **Organisations. Centre de documentation, de recherche et d'expérimentation sur les pollutions accidentelles des eaux (Ce.Dre, Brest) :** *créé* 1978. **Centre de formation internationale à la gestion des ressources en eau (Ce-Figre) :** *créé* 1975 à Antibes, financé par le PNUE et le gouvernement français. **Centre international de recherche sur l'environnement et le développement (Cired) :** *créé* 1973 à Paris dans le cadre de l'École des hautes études en sciences sociales. Recherches dans les pays en développement. **Commission d'études pratiques de lutte antipollution de la Marine nationale (Ceppol). Commission Écologie et actions publiques :** *créée* 14-3-1990. **Confédération syndicale du cadre de vie (Cvscv) :** 15, place d'Aligre, 75012 Paris. **Écothèque :** *créée* 1973 à Montpellier. **Fondation de l'eau :** *créée* 1976 à l'université de Limoges. Centres à Limoges et à La Souterraine. **France Nature Environnement :** 57, rue Cuvier, 75005 Paris. **Vive France Nature Environnement :** *créée* 1968. *Membres :* 850 000. Nom pris en 1986 par la Fédération française des Stés de protection de la nature.

Association nationale des élus de l'Environnement (ANEE) : *créée* 1988 : *membres :* 1 500 maires et conseillers généraux. **Association nationale des élus écologistes (ANEE)** *créée* 1984, proche des Verts. **Fédération française des S[tés] de protection de la nature (FFSPN) :** 57, rue Cuvier, 75231 Paris Cedex 05.

☞ **Inf.-Minitel :** *36 17 Ecolotel. 36 17 Terra. 36 15 Ideal. 36 16 Assos* (liste des associations locales de défense de l'environnement). *36 15 Propretel* (aspects pratiques du traitement des déchets). *36 15 Bruit. 36 15 Verreaveni* (recyclage du verre). *36 17 Eauboc* (fondation de l'eau).

■ Emplois. En 1990, 412 000 emplois (1,7 % des actifs) sont liés à l'environnement. Prévisions an 2000 : traitement des déchets 28 000 salariés sur 6 000, lieux de production (3 000 en 93) ; nettoyage industriel 335 000.

Apports moyens hebdomadaires contaminants dans le régime alimentaire total des Français, entre parenthèses doses maximales fixées par l'OMS. Hg mercure 0,07 (0,3). Cd Cadmium 0,2 (0,4-0,5). Pb Plomb 1,2 (3). NO_3 nitrates 2 000 (2 500). NO_2 nitrites 40 (85).

Communes françaises menacées par les risques naturels. *Inondations* 7 500, *mouvements de terrains* 3 000, *séismes* 1 400, *avalanches* 400.

Espaces verts (en m² par hab., intra-muros). Besançon 55,4, Rennes 24,4, Le Havre 23,8, Bordeaux 22,8, Orléans 20,6, Caen 19,6, Limoges 19, Dijon 18,8, Metz 18,5, Mulhouse 18,5 (mais : Le Mans 6,5, Lyon 5,7, Perpignan 5,6, Tourcoing 5,6, Roubaix 5,4, Villeurbanne 4,1, Aix-en-Provence 3,4, Boulogne-Billancourt 2,7, Toulon 2,7, Brest 0,9). **Pistes cyclables** (en km). Strasbourg 43, Rennes 26,6, Marseille 26, Montpellier 26, Grenoble 20 (mais : Argenteuil 0, Limoges 0, Nancy 0, Boulogne-Billancourt 0, Tourcoing 0,6, Perpignan 0,9, Roubaix 1,2, Lyon 1,71, Bordeaux, Villeurbanne et Clermont-Ferrand 2).

Espaces piétonniers (en m²). Paris 157 000, Rouen 81 642, Nice 70 000, Dijon 62 650, Nancy 61 854 (mais : Brest 0, Le Havre 1 200, Amiens 1 500, Villeurbanne 5 000, Argenteuil 5 630, Roubaix 7 000).

Quelques points « chauds ». *Beausoleil :* urbanisation du littoral. *Creys-Malville :* surgénérateur. *Forbach :* projet d'incinérateur de déchets industriels. *Marckolsheim :* 80 ha de forêt détruits pour construire une usine. *Naussac 2 et Le Veudre :* 2 projets de barrages sur la Loire. *St-Aubin :* plutonium dans la décharge. *Saône et Doubs :* 250 associations contre la réalisation du canal Rhin-Rhône. *Soule :* projet de gazoduc franco-espagnol. *TGV Méditerranée :* tracé contesté. *Tunnel du Somport :* la construction se poursuit. *Vallée du Louron :* travaux stoppés pour les 2 × 400 000 volts de la ligne. *Vence, St Paul-de-Vence :* doublement de l'autoroute A8.

Déchets

En France

■ **Déchets produits par an :** 580 millions de t (ménagers 30, industriels 150, agriculture 400).

■ **Industrie de la récupération. Chiffre d'aff. annuel :** 31,4 milliards de F dont exports 23 %. **Entreprises :** 2 740, *emplois directs* 26 000. **Quantités récupérées** (en milliers de t, et % d'utilisation en 1990) : *ferrailles* 9 700 (33 %), *papiers cartons* 3 300 (47 %), *métaux non ferreux, aluminium* 305 (30), *cuivre et alliages* 280 (32), *plomb* 176 (61), *zinc* 69 (24), *verre* 906 (38), *plastiques* 100 (1). **Économies réalisées pour 1 t** (éc. d'énergie en kg de pétrole et, entre par., éc. de mat. 1res en t) : *verre :* 80 (1,2 silice). *Papiers cartons :* 200-400 (17,2 bois). *Plastiques* (PVC) : 400 (1,4 pétrole). *Ferrailles :* 220-270 (5-10 minéral). *Aluminium :* 4 762 (3 bauxite). *Huiles :* 850 (1,5 pétrole).

■ **Importations de déchets en France.** Officiellement 630 000 t de déchets ind. spéciaux en 1991 + 500 000 t à 1 million de t d'ordures ménagères banales, venant à 80 % d'All. La mise en dépôt de résidus ind. dangereux coûte 200 F la t en France, contre 600 F en All. France et G.-B. sont également les seuls pays à faire commerce du recyclage des combustibles nucléaires usagés (barreaux d'uranium à La Hague). **Exportations.** Env. 30 000 t par an de résidus ind. à problèmes. **Résidus hospitaliers.** 700 000 t/an en France, dont 70 000 t dites à risques (seringues, tubes à essais). Ils font partie des résidus ind. spéciaux dont la circulation transfrontières est soumise à autorisation. Ils doivent obligatoirement être incinérés.

Déchets ménagers

■ Données globales. **Déchets non encombrants :** 20,5 millions de t (papiers, cartons, épluchures, verres, métaux, plastiques, textiles), soit 1 kg par j par habitant (25 à 30 t dans une vie). **Déchets encombrants :** 1,5 million de t.

Production (par Français, en kg/an) : emballages 180 (40 % du contenu des poubelles) ; détergent 25 ; déchets alimentaires 620 (dont 9 de pain sur une consommation de 63 kg).

Ordures ménagères : *moyenne 1992, en % :* matières animales et végétales 34, papiers-cartons 30, verre 13, plastiques 10, métaux 7, bois 4, textiles 2. *Poids par habitant* (en kg) : *1960 :* 220 (dont emballage 36) ; *90 :* 360 (120), 535 pour Paris intra-muros. *Coût moyen de la collecte :* 350 F/t.

Gestion des ordures ménagères (en % des tonnes en 1990) : *valorisation* 37,5 % dont incinération avec récupération d'énergie 27 %, compostage avec prod. d'engrais organiques 6,5 %, recyclage 4 %. *Décharges* (52 %), incinération sans récupér. d'énergie (13).

Coûts de traitement et de stockage et, entre parenthèses, **mini et maxi** (en F, 1990) : incinération simple 235 (130/700), avec récupération d'énergie 275 (80/500), compostage 205 (100/350), mise en décharge 80 (20/180).

Collectes sélectives (1991) : verre 827 000 t (22 000 communes, 47 millions d'hab.) ; papier 150 000 t (7 millions d'hab.).

Installations de traitement des ordures ménagères (5e inventaire 1989) : 1 517 dont incinération avec récupération d'énergie 80, compostage et traitement mixte 76, incinération simple 229, broyage et mise en décharge 108, décharge contrôlée 1 024. **Devenir des ordures ménagères après traitement** (en %) : mise en décharge 61, machefers valorisés 5, recyclage 4, valorisation organique 3, incinérés 27.

■ **Données particulières. Acier (brut)** : 6 milliards de t produits (dont 25 % sont recyclés).

Amalgames dentaires : 70 t de mercure dont 50 jetées.

Bouteilles plastiques : *consommation* pour le conditionnement des liquides alimentaires : 200 000 t par an (dont bouteilles d'eau 160 000 t). Env. 7 millions de Français desservis par une collecte sélective. *Recyclage* [en 1990, 1,5 % du tonnage soit 3 000 t (prochainement 40 000 t/an). 3 % des bouteilles consommées (soit 120 millions sur 4 milliards par an)] : tuyaux tricouches (type tuyaux d'assainissement), contreforts pour chaussures, tubes et profilés divers, revêtements de sol, cornières de palettisation. La mise en place de collectes sélectives suppose une densité de population suffisante (250 000 hab.) pour rentabiliser un centre de tri (15 000 à 20 000 t de produits recyclables par an). Le recyclage se heurte à des coûts de collecte et de tri élevés. 1 t de matière plastique secondaire revient à 3 500 F, + cher que la matière neuve.

Emballage : produits (par an, par les industriels, en milliards d'unité) : plastique 40, papier 15, verre 12, acier 6, aluminium 1,5.

Huiles moteurs usagées : 2 000 points de dépôt ouverts au public. En 1989, 135 000 t ont été récupérées sur 450 000 commercialisées (160 000 t rejetées ou brûlées).

Papiers (vieux) : 220 000 à 300 000 t récupérées par an. Chaque Français use 160 kg de papier par an (Japonais 220, All. 240, Am. 320). 80 % des cartons et papiers pour ondulé (soit 30 % de l'ind. papetière) sont fabriqués à partir de cartons et papiers recyclés. 60 % du papier journal. 1 tonne de papier recyclé économise env. 17 arbres (pour la pulpe qui donnera la cellulose), 20 000 litres d'eau et + de 1 000 litres de pétrole (pour la fabrication), 3 m³ de décharge publique nécessaires pour déposer le papier usagé. 3,4 millions de t recyclés en France en 92. **Taux d'utilisation** (en %) : papier journal 30, p. impression écriture 9,4, carton ondulé 82,2, p. emballage 34,4, c. plat 80,2, p. sanitaire et domestique 21,9 [soit 42 % de la matière fibreuse utilisée en France].

Piles boutons : 33 millions vendues en France par an, dont 14 % de piles à oxyde de mercure contenant 30 % de leur poids en mercure. *Traitement :* à Voivres-lès-Le-Mans (Sarthe) (seule la Suisse possédait en Europe un centre de traitement). **Piles bâtons** : *nombre consommé* par an, en milliers 500 dont alcalines (zinc + mercure, bioxyde de manganèse, potasse) : 250 ; salines (sel d'ammonium à la place de la potasse) : 300 ; piles « vertes » (le mercure remplacé par un produit à base de fluor) ; pile au lithium (sans mercure) ; p. bouton : 50. *Quantité récupérable :* cadmium 90 t, mercure 2,5 t par an. **Collecte :** la directive europ. du 18-3-1991 impose collecte et traitement séparés des piles boutons à l'oxyde de mercure (très toxiques, contiennent 30 % de leur poids en mercure, une pile peut contaminer 400 l d'eau), des accumulateurs nickel-cadmium et plomb, des piles salines si leur teneur en mercure est sup. à 25 mg par élément, mis en circulation après l'adoption de la directive. Les piles alcalines au manganèse contenant + de 0,025 % en poids de mercure et mises sur le marché après le 18-9-1992 doivent être collectées séparément. Depuis le 1-1-1993, elles sont interdites à la vente, excepté les piles boutons dont récupération et valorisation sont devenues obligatoires.

Sacs plastiques : *très fins (quelques microns) :* à base de polyéthylène vierge. *Biodégradables :* susceptibles d'être entièrement décomposés en substances simples (eau, gaz carbonique) par la seule action de micro-organismes répandus dans la nature (l'humidité joue beaucoup). Pour les premiers sacs biodégr. seul le % de matière végétale inclu dans le plastique se dégradait réellement. *Photodégradables :* sous l'action de la lumière, leurs composants se fragmentent, mais les résidus vont dans le sol.

> *A Romainville,* près de Paris, centre de traitement des ordures ménagères le plus performant d'Europe : 400 000 t traitées par an (300 camions/jour). 19 000 t récupérées dont papier 10 000, verre 3 000, ferraille 5 000, produits divers 1 000. *Rungis* produit par jour ouvrable 350 t de déchets + 50 t de cageots vides, d'emballages et d'invendus (43 832 t en 1989).

Véhicules hors d'usage : *nombre :* 1 800 000 donnant 1 400 000 t de *carcasses broyées ;* 350 000 t de *résidus de broyage* produits ; 290 000 t *d'huiles usagées* (dont 126 000 t de voitures particulières et commerciales) ; 6 millions de *vieilles batteries* (90 000 t) 400 000 t de *pneumatiques.*

Verre : bouteilles produites (1990) : 2 739 262 t. En 1992, 1 million de t récupérées grâce aux 35 000 conteneurs répartis dans 18 000 communes. *Taux de verre recyclé par hab. et par an* (1989) 12 kg. 1 t de verre collectée donne env. 950 kg de calcin et économise 80 à 100 kg de pétrole. *% de la pop. desservie par des installations de traitement : 1970 :* 30 ; *80 :* 70 ; *89 :* 94. *Nombre d'installations : 1989 :* 869.

Si le verre peut être réutilisé 7 fois en moyenne, son recyclage alourdit les coûts de transport (donc coûts de carburant) et augmente la pollution atmosphérique, nécessite pour le lavage de l'énergie, beaucoup d'eau potable et des produits chimiques nuisibles à l'environnement.

Vêtements (vieux) : *collectés :* 35 000 t par an ; 30 % sont exportés puis réutilisés ; 30 servent à l'essuyage industriel ; 20 retournent, après effilochage, à la fabrication de textiles neufs ; 10 sont destinés à la cartonnerie (cartons bitumés, isolants thermiques et phoniques) ; 10 sont éliminés.

Boîtes acier : récupérées par tri magnétique ; 16 millions de Français touchés en 1992. 40 000 t de ferrailles produites.

Déchets agricoles et industriels

■ **Déchets d'origine agricole** (en millions de t). 400 dont déjections d'élevage 280, de culture et forêt 60, des industries agro-alim. 45.

■ **Déchets industriels** (en millions de t, 1991). 150 dont 103 inertes. 40 « banals » ; 7 « spéciaux » (avec éléments nocifs).

■ **Déchets polluant l'eau.** Matières organiques et, entre parenthèses, toxiques. *Total :* 2 434 t (44 826 kéq) dont (en %) ind. agricole et alim. 46 (0)), chimie, parachimie 18 (53), papiers, cartons, bois 13 (1), textile, cuirs 9 (6), extraction (ind. des métaux, ind. mécaniques) 10 (38), énergie (centrales thermiques, raffineries) 1 (1), mat. de construction céramique, verre 0 (1).

■ **Traitement des déchets.** En 1991, 44 centres collectifs de dépollution ont traité 1 257 960 t de déchets industriels spéciaux dont 13 centres de détoxication physico-chimique (344 332 t traitées), 37 centres d'incinération dont 15 en centre collectif (433 931 t), 3 en UIOM et centrale thermique (82 668), 15 en cimenterie (244 864), 11 en évapo-incinération (140 009), 4 de traitements divers (12 156 t), 11 centres d'enfouissement technique de classe 1 ayant stocké 617 580 t (dont 35 963 import. de déchets ultimes issus de la dépollution). **Coût d'élimination ou de stockage :** 15 milliards de F (dont 0,7 pour toxiques dangereux). **Transport :** de quelques centaines de F (cendres d'incinération d'ordures ménagères) à plusieurs milliers de F la tonne (résidus très toxiques ou non dégradables : arsenic, cyanure, organo-chlorés et polychlorobiphényls dont la dioxine).

■ **Déchets radioactifs.** Voir p. 1332 b ou dans Énergie.

Décharges

Classe I (déchets industriels, spéciaux) 11 [depuis la fermeture de Montchanin (S.-et-L.) le 18-6-1988, où furent déposées 400 000 t de 1979 à 1989 (beaucoup venant de Suisse et d'All.). *II* (ordures ménagères et déchets industriels « banals », autorisés sur sites semi-perméables) env. 1 132 (dont 484 recevant plus de 10 t/j). *III* (matériaux inertes : moellons, gravats, pas d'autorisation préalable, pas de contrôle). Les résidus toxiques qui ne peuvent être acceptés en classe I sont enfouis dans les mines de sel de Herfa Neurode (All.) ou incinérés en mer du Nord (13 000 t en 1987). **Décharges brutes :** env. 6 700 sur lesquelles les communes font des apports réguliers de façon illégale. *Ex. :* Marseille : Entressens. **Décharges sauvages :** env. 25 000. 20 millions de t de déchets sont stockés dans des endroits insuffisamment contrôlés (40 % incinérés, 10 transformés en compost) ; 500 000 t dans des décharges illégales. **Sites souterrains en projet** (décharges de déchets ultimes) : *Varangéville* (M.-et-M.) : ancienne mine de sel. *Mulhouse :* le site de Manosque a été abandonné (600 000 t devaient y être stockées dans 36 réservoirs creusés de 1969 à 73 pour abriter des réserves d'hydrocarbures). **Nouvelle législation :** suppression d'ici à 2002 de 6 700 décharges traditionnelles, création de 160 installations intercommunales de traitement (seuls les résidus de ces opérations pourront être stockés), récupération et valorisation systématique des emballages, financées en partie par les conditionneurs. *Coût de la loi sur les déchets :* 15 à 20 milliards de F.

■ **Législation.** La loi du 15-7-1975 sur l'élimination des déchets permet, en cas d'infraction, de faire éliminer les déchets aux frais du responsable. La loi du 30-12-1988 l'a modifiée pour tenir compte de la directive européenne du 6-12-1984. Les installations d'élimination de déchets (ménagers ou industriels) sont soumises aux dispositions de la loi du 19-7-1976 sur les installations classées pour la protection de l'environnement. Loi du 13-7-1992 : un « plan régional pour l'élimination des déchets » doit être établi sous l'autorité des préfectures. 1 750 entreprises considérées comme les plus polluseuses sont concernées dont Rhône-Alpes 232, Ile-de-France 186, PACA 150, Nord-Pas-de-Calais 145, Haute-Normandie 106, Paris-petite couronne 93, Lorraine 91, Aquitaine 75, Champagne-Ardenne 67, Pays de la Loire 67, Picardie 64, Bourgogne 59, Bretagne 57, Alsace 55, Centre 50, Poitou-Charentes 44, Midi-Pyrénées 42, Languedoc-Roussillon 41, Basse-Normandie 37, Auvergne 31, Franche-Comté 29, Limousin 25, Corse 2.

■ **Organismes. Association nationale pour la collecte de médicaments (ANPCM) :** 4, av. Ruysdael, 75017 Paris. **Laboratoire de la Préf. de police :** *produits ménagers toxiques.* 39 bis, rue de Dantzig, 75015 Paris. **Syndicat national de la récupération des papiers et cartons (SNRP) :** 76, avenue Marceau, 75008 Paris.

■ **Employés dans l'environnement.** *1990 :* 360 000 dont lutte contre les pollutions 60 % (dont eau 46,4 %, déchets 35 %).

■ Dans le monde

Produits (fin années 80) Pays	municipaux		industriels		nucléaires
	kg/hab.	total (1 000 t)	dangereux (1 000 t)	total (1 000 t)	total (en t)
Allemagne	331	20 230	6 000	61 400	360
Australie	681	10 000	300	20 000	–
Autriche	228	1 730	200	13 260	–
Belgique	313	3 080	920	8 000	122
Canada	632	16 400	3 300	61 000	1 300
Danemark	469	2 400	90	2 400	–
Espagne	322	12 550	1 710	5 110	270
Finlande	608	3 000	270	12 700	77
France	*304*	*17 000*	*3 000*	*50 000*	*950*
G.-B.	353	17 700	4 500	50 000	900
Grèce	314	3 150	423	4 300	–
Irlande	311	1 100	20	1 580	–
Italie	301	17 300	3 800	43 700	–
Japon	394	48 300	–	312 300	770
Norvège	475	2 000	200	2 190	–
N.-Zélande	662	2 110	60	300	–
Pays-Bas	467	6 900	1 500	6 690	15
Portugal	231	2 350	170	6 620	–
Suède	317	2 650	500	4 000	240
Suisse	427	2 850	400	–	85
USA	864	208 800	275 000	760 000	1 900

Principaux exportateurs. *USA* vers Sierra Leone, Haïti, Bahamas, Mexique, Honduras, Rép. Dominicaine, Costa Rica, Corée du S. *Italie* vers Venezuela, Proche-Orient, Afrique. *All.* 4 à 5 millions de t de déchets toxiques/an. *P.-Bas. France.* **Importateurs.** Pays surendettés du tiers monde (la Guinée-Bissau a renoncé à recevoir 3 500 000 t/an de déchets dangereux qui lui auraient rapporté 120 millions de $/an, montant supérieur à son PNB brut).

Déchets recyclés en Allemagne. *Duales System Deutschland GmbH (DSD) :* Sté privée chargée d'organiser la récupération et le recyclage des emballages. En 1993, devrait collecter 4,42 millions de t de déchets d'emb. (dont 2,6 t de verre, 1 million de t de papier, 850 000 t d'emb. légers, 409 000 t d'emb. plastiques). La loi refuse de considérer l'incinération des déchets comme un mode de valorisation, et l'All. ne peut absorber les 4 millions de t à recycler (d'où une politique d'exportation).

Accidents technologiques majeurs

■ Quelques cas

XVe s. rupture du barrage de Dordrecht (P.-Bas) : éclusage mal construit, 100 000 † (la plus grande catastrophe écologique d'Europe).

1966-*4-1* **Feyzin** (France) : raffinerie : 6 h 40, du propane se répand sur l'autoroute et une départementale où à 7 h 15 une voiture enflamme le nuage. Les pompiers arrivent entre 7 h 30 et 8 h 30. A 8 h 45 une sphère explose (17 †, 84 blessés) ; à 9 h 45 une autre sphère explose (dégâts jusqu'à 16 km).

1973-*1-2* **St-Amand-les-Eaux** (France) : un semi-remorque de 20 t contenant du propane double un cycliste, veut freiner, se couche sur le trottoir. Le gaz liquéfié s'écoule, un brouillard envahit la rue (propane à l'état gazeux et gouttelettes de liquide) ; la citerne éclate et s'éparpille dans un rayon de 450 m. 9 †, 45 blessés, 9 véhicules et 13 maisons détruits.

1974-*1-6* **Flixborough** (G.-B.) : usine : 50 t de cyclohexane s'enflamment. 28 †, 89 blessés ; bâtiments détruits dans les 600 m.

1976-*10-7* **Seveso** près de Milan (Italie) : usine Icmesa (filiale de Givaudan, firme suisse filiale de Hoffmann-Laroche), vapeurs toxiques de dioxine, s'échappant (trop forte pression dans un réacteur chimique produisant du chlorophénol). La firme a versé 338 millions de FF pour dédommager les victimes et a financé les travaux de décontamination. **80**-*5-2* le responsable de la production d'Icmesa assassiné par des terroristes de « Prima Linea ». **82**-*10-9* de la terre imprégnée de dioxine quitte l'Italie dans des fûts. 41 seront retrouvés en mai 1983 en France, près de St-Quentin [ils seront incinérés dans l'usine Hoffmann-Laroche à Bâle (Suisse) du 17-6 au 27-6-1985]. **83**-*sept.* 5 personnes de la direction condamnées de 2 ans et demi à 5 ans de prison. **85**-*11-3* procès en appel [-26-6 transporteur condamné à 18 mois de prison (dont 17 avec sursis) et 100 000 F d'amende (son employé, à 6 mois de prison avec sursis et 10 000 F d'amende)]. **Victimes.** *Personnes :* 200 presque toutes de façon légère, pas de morts. 30 avortements ont été demandés, or les fœtus étaient normaux. *Animaux domestiques :* 3 300 poulets morts intoxiqués (+ ceux qu'il a fallu abattre : 80 000 et 650 têtes de bétail). 37 235 personnes affectées par la contamination du sol, des restrictions ont été imposées pendant 6 ans sur 1 800 ha (5 434 personnes). Sur la zone la plus contaminée, 110 ha (735 personnes), on a éliminé toutes constructions et installé sur 40 ha un stockage de 250 000 m³ de terres souillées. La dioxine ne disparaîtra définitivement que vers 2040.

■ Accidents industriels ayant entraîné plus de 50 morts

Date	Pays et *Lieu*	Produit	Morts et blessés
1654	Pays-Bas *Delft* [1]	Poudre	> 100 † [12]
1794	France *Paris* [1]	Poudre	> 1 000 †
1886	Italie *Brescia* [2]	Explosifs	> 1 000 †
1907	USA *Pittsburgh* [1]		59 † [13]
1907	Russie *Petrograd* [1]		≃ 100 †
1917	USA *Chester (Pennsylv.)* [1]	Explosifs	133 †
1917	Canada *Halifax* [3]	Lyddite	2 000 †
1921	Allemagne *Oppau* [2]	Nitrate ammon.	561 †
1933	Allemagne *Neuenkirchen* [1]		65 †
1939	Roumanie *Zămesti* [1]	Chlore	60 †
1942	Belgique *Tessenderlo* [2]	Nitrate ammon.	200 †
1943	Allemagne *Ludwigshafen* [1]	Butadiène	57 †
1944	USA *Port Chicago* [3], [4] *(Cal.)*	TNT	> 100 †
1944	Inde *Bombay* [3]	Dynamite	1 377 †
1944	USA *Cleveland* [2]	GNL [10]	136 †
1947	USA *Texas City* [3]	Nitrate ammon.	532 † [14]
1948	Allemagne *Ludwigshafen* [4], [1]	Diméthyléther	245 †
1948	Allemagne (Est)	Charbon	50 †
1956	Japon *Minamata* [1]	Mercure	250 † [15]
1956	Colombie *Cali* [5]	Dynamite	1 200 †
1957	Bahrein *Bahrein* [2]	Coton, laine	57 †
1960	Cuba *La Havane* [3]	Dynamite	100 †
1970	Japon *Osaka* [6]	Gaz	92 †
1972	Chine *Bohai* [7]	Pétrole	72 †
1977	Corée du Sud *Iri* [4]	Explosifs	56 †
1978	Mexique *Huimanguille* [8]	Gaz	58 †
1978	Mexique *Xilatopec* [5]	Butane	100 †
1978	Espagne *Los Alfaques* [5]	Propylène	216 †
1979	Turquie *Istanbul* [3]	Pétrole brut	55 †
1979	Irlande *Bantry Bay* [3]	Pétrole brut	50 †
1979	Russie *Novossibirsk* [1]	Produits chim.	≃ 300 †
1980	Turquie *Danaciobasi* [1]	Butane	107 †
1980	Espagne *Ortuella* [2]	Propane	53 †
1980	Thaïlande *Bangkok* [2]	Explosifs	54 †
1980	Norvège *Kielland* [7], [16]	Pétrole	123 †
1980	Canada *Ocean Ranger* [7]	Pétrole	84 †
1980	USA *Alaska* [7]	Pétrole	51 †
1980	Inde *Mandir Asod* [1]	Explosifs	50 †
1982	Colombie *Tacoa* [2]	Essence	> 153 †
1983	Égypte *Nil* [10]	GPL [11]	317 †
1984	Brésil *Cubatao* [8]	Essence	90 †
1984	Mexique *Mexico* [2]	GPL [11]	490 †
1984	Pakistan *Ghari Dhoda* [8], [1]	Gaz naturel	60 †
1984	Roumanie	Produits chim.	≃ 100 †
1984	Inde *Bhopāl*	Produits chim.	3 500 †
1984	Brésil *Cubatao*	Pétrole brut	90 † [8]
1985	Inde *Tamil Nadu* [5]	Essence	60 †
1992	Sénégal *Dakar* [5]	Ammoniac	80 †

Nota. – (1) Usine. (2) Stockage. (3) Transport-mer. (4) ferroviaire. (5) route. (6) Chantier. (7) Off-shore. (8) Pipe. (9) Transport. (10) Gaz naturel liquéfié. (11) Gaz de pétrole liquéfié. (12) 500 habitations détruites. (13) Nombreux disparus. (14) 200 disparus. (15) 100 000 empoisonnés. (16) Naufrage plate-forme.

1982 Bluff Council (USA) : stockage de grains ; 5 † ; explosion de poussières. *Coût :* 10 millions de $.

1985 *Juill.* **Tesero** (Italie) : boues de décantation d'une mine ; env. 200 † ; rupture d'une digue.

1986 Tchernobyl (Russie voir Index). *Nov.* **Bâle** (Suisse) : incendie entrepôts des usines Sandoz : pollution du Rhin par 30 t de pesticides mercuriels.

1987 *Juill.* **Herborn** (All. féd.) : explosion camion citerne (36 000 l d'essence) 4 †, 27 blessés. *-9-8.* **Lanzhou** (Chine) : déraillement d'un train de 49 wagons de carburant, 21 prennent feu, nombre de † inconnu. *Oct.* **Texas City** (USA) : rupture d'un stockage d'acide fluorhydrique, 4 000 évacués, 105 hospitalisés, nuage d'HF de 800 m. **Nantes** (France, L.-Atl.) : incendie entrepôt d'engrais (850 t de NPK), nuage toxique, 25 000 évacués. *Déc.* **Alexandrie** (Égypte) : incendie dépôt de bombes fumigènes, 6 †.

1988 *août* **St-Basile-le-Grand** (Canada, 30 km de Montréal) : incendie criminel entrepôt contenant 3 800 fûts de biphényls polychlores, 14 km² évacués 18 j (5 000 personnes).

1990 *sept.* **Oust-Kamenogorski** (Kazakhstan) : incendie dans un atelier travaillant le béryllium, nuage toxique jusqu'à la frontière chinoise, à 300 km.

☞ **Accidents ayant eu des conséquences pour la sécurité des populations et la qualité de l'environnement en 1989, en France.** 705 dont : usines 420, transport dangereux 102, origines diverses (pipe-line, commerces, nucléaire) 65, origine inconnue 98.

Nature des accidents : incendies 228, explosions 58, pollution de l'eau 103, nuage toxique ou pollution atmosphérique 36, morts d'homme (23 † au total). Il y a eu 128 blessés, 154 intoxiqués, 40 accidents ont provoqué des évacuations d'habitations, d'écoles... dans le voisinage.

■ Prévention en France

■ **Délégation aux risques majeurs.** *Créée* 10-4-1984 auprès du Premier ministre, mise en mars 1986 à la disposition du min. chargé de l'Environnement. Zones industrielles considérées comme particulièrement *sensibles* (nombreux établissements soumis à la directive « Seveso » du 24-6-1982) : zone sud de Toulouse (Hte-G.), zone de Lillebonne-N.-D.-de-Gravenchon (S.-Mar.), « couloir de la chimie » au sud de Lyon (Rhône).

Risques naturels majeurs suivis (loi 22-7-1987) : avalanches (et fortes chutes de neige), climat (et risques liés aux extrêmes météo, y compris raz de marée et cyclones), incendies de forêt, inondations, mouvements de terrain, séismes, volcanisme.

■ **Contrôle des installations classées.** Confié aux Directions régionales de l'industrie et de la recherche et de l'environnement (Drire). *En 1989 :* 535 inspecteurs ont contrôlé 550 000 installations. A Paris, Hauts-de-S., Seine-St-D., Val-de-M., inspection assurée par le Service technique d'inspection des installations classées (STIIC), sous l'autorité du Préfet de police de Paris et des préfets des 3 dép.

Bruit

Définitions

☞ Voir appareil auditif p. 121, acoustique p. 232.

Niveau sonore. *Puissance acoustique W :* énergie libérée par unité de temps par une source sonore, exprimée en watts (W). *Intensité acoustique I :* puissance W dissipée par unité de surface, exprimée en watts par m² (W/m²). *Pression acoustique P :* différence entre la pression instantanée de l'air en présence d'ondes acoustiques et la pression atmosphérique ; p = pression instantanée – pression atmosphérique, exprimée en pascals (Pa). L'oreille est sensible à des pressions allant du seuil minimal de perception (2.10^{-5} Pa) au seuil de douleur (20 Pa).

Indices. Statistiques : niveaux atteints ou dépassés pendant un % déterminé du temps. Ils permettent notamment d'approcher *le bruit de crête* (niveau L1 dépassé 1 % du temps) et *le bruit de fond* (niveau L 95 dépassé 95 % du temps). **Énergétiques :** le leq (ou niveau sonore équivalent) correspond à la moyenne de l'énergie sonore pendant un temps donné, non perceptible à l'oreille.

Émission sonore (en dB A)

Baladeurs : trop souvent réglés sur 90. **Cantines scolaires :** niveau moyen 85. **Concerts :** Madonna (parc de Sceaux) 90 à env. 475 m devant la scène, 68 à 1 150 m. **Discothèques :** souvent + de 110. **Électroménager :** aspirateur [1] 70, lave-linge [2] 60 à 75 pendant l'essorage, mixer [1] 90, moulin à café [1] 90, rasoir électrique [1] 60 à 70 ; outillage : perceuse [1] 100 sur le béton, scie à bois [1] 100, tondeuse [1] 100. **Transports :** voir p. 1331 b.

Nota. – (1) En pression. (2) En puissance. (3) EPNdB : unité de mesure tenant compte de la durée de perception. La différence entre mesure en pression et en puissance peut par ex. être de + de 10 dB A pour un même lave-vaisselle.

Facteurs de nocivité : l'intensité, la fréquence (sons aigus + dangereux que graves), sons purs (+ dangereux que complexes), sons brusques, discontinus ou impulsionnels, en particulier répétitifs à intervalle régulier. **Bruit le plus violent connu :** explosion du volcan Krakatoa (Indonésie) 26/28-8-1883, perçue jusqu'à 5 000 km.

Propagation du bruit

■ Aspects physiques

■ **Distance.** *Cas d'une source ponctuelle :* l'atténuation géométrique du niveau de pression est de 6 dB par doublement de la distance. On passera ainsi de 86 dB à 80 dB entre 10 m et 20 m, puis à 74 dB à 40 m. *Cas d'une source linéaire* (ex. : file de véhicules sur une route) : la variation est de 3 dB chaque fois qu'on double la distance d'observation. Par ailleurs, une partie de l'énergie sonore se dissipe dans l'air et l'amplitude des vibrations et la hauteur du son augmentent ou décroissent au fur et à mesure du rapprochement ou de l'éloignement à la source (effet Doppler sensible à partir d'une certaine vitesse).

■ **Facteurs divers. Sol réfléchissant** (parkings, surface en béton, plan d'eau...) : le bruit décroît moins rapidement en fonction de la distance qu'à proximité d'un sol absorbant (pelouses et plantations, jardins, terre labourée, etc.). Les écarts peuvent aller jusqu'à 5 ou 6 dB (A) pour un récepteur situé à 50 m. **Température :** les sons se propagent d'autant plus rapidement que la température de l'air est élevée. Une modification de la décroissance des températures en fonction de la hauteur au-dessus du sol se traduit par un changement sensible de la propagation des bruits et peut provoquer des écarts de niveaux sonores allant jusqu'à 5 dB (A) pour une même source en un même point. L'impression qu'une chaleur « étouffante » l'est aussi pour les sons ou que l'air paraît plus « sonore », par une nuit claire et glaciale, sont des illusions d'acoustique dues à un effet de réfraction. **Végétation :** il faut 10 m de *végétation dense,* avec des feuilles, pour réduire le bruit de 1 dB (A). **Vent :** il peut provoquer des écarts allant jusqu'à 15 dB (A) entre des points situés à une même distance d'une source. Mais, sur de longues périodes, la dose de bruit perçu varie peu d'un point à un autre, en dehors de vent très largement dominant.

■ **Catégories de bruits et remèdes. Bruit** *aérien :* parois de masse élevée ou composite ; *d'impact :* dalle flottante ou revêtement de sol souple ; *d'équipement :* désolidarisation et silencieux ; *de l'extérieur :* châssis étanches, doubles fenêtres, vitres épaisses (mais le survitrage est un isolant *thermique,* mal adapté à l'isolation acoustique. **Murs :** un vide entre 2 murs indépendants empêche la transmission des vibrations. On peut doubler les parois de l'un des locaux par des plaques de plâtre de 10 à 25 mm d'épaisseur, avec un écart de 50 mm, rempli de fibres minérales. Un matériau absorbant (liège, tentures) sur les murs ne protège pas des bruits venant des appartements mitoyens. Le mobilier (tapis, sièges, armoires, lit, etc.) permet d'atténuer les bruits émis à l'intérieur de la pièce. **Toiture** (peu étanche) : la doubler de vermiculite ou de fibres minérales (150 mm).

Indice d'affaiblissement. Réduction en dB (A) : *béton* (18 cm) 50 à 55 dB (A). *Briques* pleines (11 cm avec enduit) 44. *Verre* multiple (4-6-10 mm d'épaisseur, lame d'air faisant 6 mm sur menuiserie étanche) 35 ; 10 à 15 pour les basses fréquences (bruit de la circulation). *Plâtre (carreaux)* pleins (7 cm) 34, creux 32. *Porte* palière 25 à 35 ; intérieure 15 à 20. *Fenêtres* doubles 40 à 45 [le bruit routier, ayant des composants sonores de forte intensité aux basses fréquences, n'est guère arrêté par le double vitrage].

Effets sur l'organisme

Oreille (voir Index).

Système nerveux. Un fond sonore de 35 dB (A) peut empêcher de dormir. Des crêtes de 60 dB réveillent la moitié des personnes. *Troubles du sommeil. 1re partie de la nuit :* le sommeil présente une prépondérance des stades de sommeil lent ou profond et assure la réparation physique. *2e partie :*

période de rêves, plus grande réparation nerveuse grâce à une activité électrique intense ; le sommeil est relativement léger, les bruits peuvent entraver la réparation du système nerveux. **Système cardio-vasculaire.** Le diamètre des vaisseaux et artères diminue au niveau des membres ; la pression artérielle augmente. **Respiratoire.** Essoufflement et impression d'étouffement. **Appareil digestif.** Les glandes chargées de fabriquer ou de réguler des éléments chimiques fondamentaux pour notre équilibre général sont touchées (surrénales, hypophyse...). **Niveau sexuel.** Chutes de fécondité chez des rats et souris de laboratoire soumis à des bruits de 80 à 90 dB (A).

Sur le plan psycho-intellectuel. Baisse de vigilance après quelques h d'exposition (pour une exposition de 1 à 2 h : plutôt augmentation de la vigilance), difficulté de mémorisation ; chez l'enfant, répercussions sur l'apprentissage de la lecture et même le développement du langage. Le bruit, au-dessus de 60 dB (A) Leq, provoque le plus souvent une gêne psychologique.

☞ **Les infra-sons** agissent sur l'ensemble du corps. Provoquent une tension douloureuse au niveau de la tête, la nuque, les globes oculaires, une sensation de constriction thoracique, parfois de mal de mer. **Les ultra-sons** provoqueraient une perturbation des milieux liquidiens de l'œil, des céphalées et nausées, et des atteintes auditives avec acouphènes.

Réglementation en France

■ **Habitation. Objectif à respecter** *pour les voies nouvelles du réseau national :* 60 dB (A) (en moyenne énergétique) en façade des immeubles existants [60 dB (A) étant recherché dans les zones résidentielles calmes]. *Équipements collectifs :* ascenseurs, chaufferies, vide-ordures, etc., ne doivent pas engendrer + de 30 dB (A) dans les pièces principales des logements (arrêté du 14-6-1969, modifié par l'arrêté du 22-12-1975 ; arrêté du 6-10-1978, modifié par l'arrêté du 23-2-1983, sur l'isolation acoustique des habitations). *Isolation d'un logement neuf :* art. L.111-4 du Code de la Constr. et de l'Habitation, art. R.111-4 (v. arrêtés ci-dessus) définissent les valeurs d'isolement. Art. 14 de la loi 92-1444 du 31-12-1992 redéfinit l'art. L. 111-11 du Code de la Constr. et de l'Urbanisme.

Dans les propriétés, les locaux d'habitation, leurs parties communes et leurs dépendances, toutes précautions doivent être prises pour ne troubler ni les occupants ni le voisinage par des bruits tels que ceux venant d'animaux, d'instruments de musique, d'appareils de diffusion sonore, ménagers ou sanitaires, de moteurs, du port de chaussures ou d'activités ou de jeux non adaptés à ces lieux. Selon le décret 88-523 du 5-5-1988, des sanctions pénales sont encourues en cas de bruits perturbateurs. Différence de niveau sonore entre bruit perturbateur et bruit ambiant, en conditions normales d'activité. *Valeurs de base :* + 5 dB (A) le jour : 7 h/20 h ; 3 dB (A) la nuit : 20 h/7 h ; assorties d'un correctif en fonction du temps cumulé de survenance du bruit particulier. Les bruits d'un niveau inférieur à 30 dB (A) [25 dB (A) pour Paris, arrêté du 3-4 1989] ne sont pas retenus pénalement.

Bruits, tapage diurne ou nocturne : tout bruit excessif est répréhensible, quelle que soit l'heure [sauf dérogation dans le temps, l'espace et l'intensité sonore (circulaire 7-6-1989)]. Les auteurs ou complices de l'infraction encourent : une amende de 600 à 1 300 F et (ou) un emprisonnement de 4 j max. (en cas de récidive 2 500 F et 8 j de prison). L'article R. 34-8 du Code pénal sert de base à la répression des bruits nocturnes. Les tribunaux évaluent les dommages et intérêts en se fondant sur la notion d'« inconvénients normaux de voisinage » subjective et susceptible de recours en appel ou en cassation.

Commerces, sports, loisirs, débits de boisson : le bruit est illicite « même s'il est nécessairement produit par l'exercice de la profession et même durant les h d'ouverture réglementaires » (cour de Cassation 13-7-1949). Les autres activités ludiques, pratiquées à l'extérieur (dans des lieux publics) et comportant un programme sonore ou bruyant, doivent faire l'objet de dérogations limitatives dans le temps, l'espace et le niveau sonore (à préciser, en dB A, selon l'art. 3 du décret 88-523 du 5-5-1988). Ces dispositions d'ordre pénal ne font pas obstacle à un éventuel recours civil de quiconque s'estimerait gêné par ces activités, « même organisées pour le plaisir ou la distraction du plus grand nombre » (cour de Cassation 8-7-1949). L'art. 6, chap. II de la loi 92-1444 du 31-12-1992 énonce les « dispositions relatives aux activités (bruyantes), sans préjudice des autres dispositions législatives et réglementaires applicables ».

Feux d'artifice : réglementés par l'arrêté ministériel du 27-12-1990 pour la qualification technico-professionnelle des artificiers.

Installations classées pour la protection de l'environnement (loi du 19-7-1976) : sanctions en cas d'infraction (art. 18) : emprisonnement de 2 mois à 1 an et (ou) 2 000 à 500 000 F d'amende (*Récidive :* 2 mois à 2 ans et (ou) de 20 000 à 1 million de F) (voir p. 1330 b).

■ **Transports. Avions :** on exprime le niveau de bruit perçu par le PNdB (perceived noise decibel). En tenant compte de la durée de perception, variable selon la position de l'auditeur par rapport à la trajectoire, on a l'EPNdB (effective perceived noise decibel). Actuellement, les moteurs des avions de la 3e génération (dont *Airbus*) sont à fort « taux de dilution ». Leur spectre comporte des fréquences plus élevées qui s'amortissent plus facilement dans l'atmosphère que les sons basse fréquence des moteurs perçus à grande distance. Depuis le 1-1-93, taxe pour nuisances sonores. Ex. décollage d'un quadriréacteur Boeing 747 à Paris : jour 255 F, nuit 400 F (Hambourg 21 000 et 31 600). **Bruit au décollage (à 6 500 m du point de départ sur la piste) en EPNdB et à l'approche de l'atterrissage (à 2 000 m du point où se pose l'avion) :** *Caravelle 3* (simple flux) 104 (111). *B 707-320 B* (double flux, faible dilution) 113 (118). *B 727-200* 100 (109). *Airbus A 300 B2* (double flux, forte dilution) 88 (101). *B 747-200* (double flux, forte dilution) 108 (107). **Passage en vol horizontal [bruit en dB(A)] :** *monomoteur 600 kg :* 62 à 68, *1 000 :* 68 à 76, *1 500 :* 77 à 82, *3 000 :* env. 82 ; *bimoteur 3 000 :* 82 à 90. **Aviation militaire :** n'est pas concernée par la loi 92-1444 du 31-12-1992, relève du min. de la Défense. Survols réglementés par la Direction de la circulation aérienne militaire (Dircam). « Bang » et vols à vitesse supersonique interdits au-dessus du territoire fr. et à – de 35 km (20 NM) des côtes (dérogations éventuelles ; infractions sanctionnées. Recours possible au Tribunal administratif.

Trains. Niveau de pression acoustique au passage [vitesse en km/h, son en dB (A) à 7,50 m et à 50 m] : *rapides 200 km/h :* 104 (93) ; *express 160 :* 102 (91) ; *messageries 120 :* 100 (88) ; *marchandises 100 :* 97 (86) ; *TGV-S.-E. 260 :* 103 (92) ; *Atlantique :* 95 (86).

Aucun véhicule neuf ne doit dépasser 80 dB (A) dep. 1992. Au-delà de 70 km/h, le bruit de roulement peut représenter 90 % du bruit global rayonné par une voiture. **Niveaux limites en dB (A) :** directive communautaire 84.424 dep. oct. 1988. **A1** (voit. particulières) 77 ; **A2** (autres véhicules poids max. en charg. inf. à 3,5 t) 78 ; **A3** (transports en commun : – de 35 t) 79 ; **A4** (v. utilitaires + de 3,5 t) 81 à 83 ; **A5** (tr. en commun, moteur 200 CV ou +) 83 ; **A6** (v. utilitaires + de 12 t, moteur 200 CV ou +) 84 ; **C1** (2 roues) cyclomoteurs 72. **C2** (2 roues) cyclomoteurs 73, tricycles et quadricycles à moteurs 80. – **Motos** (en dB (A) en 1988 et, entre parenthèses, en 1992) : *jusqu'à 80 cm³ :* 77 (75), *de 80 à 175 :* 79 (77), *+ de 175 :* 82 (80).

Véhicules routiers. Les nouvelles conditions d'homologation doivent être définies par les futurs décrets d'application de la loi 92-1444 du 31-12-1992. *Sanctions :* le matériel non conforme pourra être saisi (art. 27) et sa vente est réputée nulle de plein droit (art. 4).

Niveaux sonores moyens émis par des véhicules circulant à 50-60 km/h dans une rue de centre urbain, de 12 à 15 m de largeur [nombre de véhicules/h, entre parenthèses niveau sonore Leq (1 h) en dB(A)] *100 v/h* (63 dB) ; *500* (70) 7 500 ; *1 000* (73) ; *2 000* (76). Diviser le trafic par 2 n'apporte qu'une réduction de 3 dB(A).

■ **Plaintes.** Tous les officiers de police judiciaire (maire compris) sont habilités à recevoir les plaintes en matière de bruit. [Il suffit que la tranquillité d'une seule personne ait été troublée pour que la contravention soit constituée (cour de Cassation 8-7-1949)]. Les associations peuvent coopérer utilement au règlement amiable des litiges.

Services officiels : *Min. de l'Intérieur,* Direction gén. des collectivités locales, 2, place des Saussaies, 75008 Paris. *Min. de l'Environnement,* Délégation à la qualité de la vie – Mission Bruit, 14, bd du Gal-Leclerc, 92524 Neuilly. *Centre d'information et de doc. sur le bruit* (Cidb), 4, rue Beffroy, 92200 Neuilly ; Minitel 3615 Bruit. *Min. de l'Équipement,* Centre d'études des transports urbains (Cetur), 8, av. A.-Briand, 92220 Bagneux. *Min. de la Santé,* 1, place de Fontenoy, 75007 Paris. *Min. du Travail et de l'Emploi,* 127, rue de Grenelle, 75700 Paris. *Conseil national du bruit,* créé par décret du 7-6-1982 et placé auprès du min. de l'Environnement.

PARIS : *bruits de voisinage, d'origine industrielle ou de chantiers :* Préfecture de police, Direction de la prévention et de la protection civile, Sous-direction de la prévention, 6e Bureau, 12, quai de Gesvres, 75004. *Service de la Protection civile, bureau des nuisances,* Préfecture de police, 12, quai de Gesvres, 75195 Paris. *Minitel, 3615 code Bruit. Circulation et tapages nocturnes :* commissariat d'arrondissement. PROVINCE ou BANLIEUES : *bruits industriels d'installations classées :* Préfecture, *non classées (en tant que) bruits de voisinage et/ou sur la voie publique :* Police ou Gendarmerie ou Maire (des communes à Police étatisée ou non, loi 90-1067 du 28-11-1990 modifiant le Code des Communes).

Services spécialisés : *Institut national de recherche sur les transports et leur sécurité* (Inrets), 109, av. Salvador-Allende, case 24, 69675 Bron Cedex.

Associations : *Ligue française contre le bruit,* 6, rue de Stockholm, 75008 Paris, 4 600 adh. *Ligue méridionale contre le bruit,* 8, rue Pierre-Curie, 13100 Aix-en-Provence. *Association de défense des victimes de troubles de voisinage* (ADVTV), 8, allée de la Forêt, 78170 La Celle-St-Cloud, 3 512 adh. *Mission Bruit,* min. de l'Environnement, 14, bd du Gal-Leclerc, 92200 Neuilly. *Comité national contre le bruit* (CAB), 15, rue de l'Échiquier, 75010 Paris. **Organismes techniques :** *Centre scientifique et technique du bâtiment,* 4, av. du Recteur-Poincaré, 75782 Paris Cedex 16. *Comité fr. de l'isolation,* 12, rue Blanche, 75009 Paris. *Groupement des ingénieurs acousticiens conseils* (GIAC), 3, rue Léon-Bonnat, 75016 Paris. *Syndicat nat. de l'isolation (SNI),* 10, rue du Débarcadère, 75017 Paris.

■ **Populations exposées au bruit.** Population exposée au domicile, à des niveaux de bruit diurnes extérieurs compris entre 65 et 70 dB A : France 11 % (Allemagne 8, Grèce 20). Hormis les centres-villes, 3,6 % de la population sont exposés à des niveaux supérieurs à 70 dB A (riverains des routes nationales et des voies ferroviaires).

500 000 personnes sont exposées aux nuisances des avions (dont 300 000 en région parisienne).

Le bruit serait à l'origine de 11 % des accidents du travail, 15 % des journées de travail perdues, 20 % des internements psychiatriques.

■ **Coût du bruit** (1992). *Surdité professionnelle :* 600 000 à 1 million de F par surdité déclarée. *Dépréciation immobilière des logements :* 3 milliards de F/an. *Coût total* (milliards de F/an) : médical : 25, social : 100. *Coût de la prise en compte du bruit dans la construction des routes* (au kilomètre) : route à 2 × 2 voies en rase campagne (pour une atténuation de 0 à 2 %) 30 millions de F ; autoroute en grande agglomération (pour une atténuation de 10 à 40 %) 600 MF.

■ **Dépenses « bruit »** (en millions de F, 1990) : administrations publiques 580, industrie 770, ménages 1 164. *Total :* 2 514.

Recueil des textes relatifs au bruit. *Journal officiel :* 26, rue Desaix, 75732 Paris Cedex : brochures « Le Bruit » no 1 383 et installations classées pour la protection de l'env. no 1001-1. *Arrêté du Préfet de police de Paris,* 3-4-1989 (bulletin municipal du 11-4-1989). *Circulaire* du 7-6-1989 (JO du 9-7-1989).

Pollution de l'air

Ozone

■ **Nature.** Gaz odorant (du grec *ozein :* exhaler une odeur) : isolé par le Suisse Christian Friederich Schönbein en 1840, identifié en 1858 par le Français Houzeau comme constituant naturel de l'atmosphère. Les molécules d'ozone O_3 sont formées de 3 atomes d'oxygène [une molécule d'oxygène ordinaire (celui que nous respirons) de 2 atomes]. Se forme principalement au-dessus de 30 km : des molécules d'oxygène O_2 sont photodissociées par le rayonnement ultraviolet (1 pour 1 million env.) libérant des atomes isolés qui vont se combiner avec les molécules d'oxygène pour former O_3. *Épaisseur de la couche d'ozone* ramenée à la pression terrestre et à une température de 23 °C : 3 mm (épaisseur de l'atmosphère dans les mêmes conditions : 8 km).

■ **Ozone de la troposphère (0 à 12 km d'alt.).** Jusqu'au début des années 80, on pensait que l'ozone troposphérique (10 % de l'ozone au total) venait d'échanges avec la stratosphère. Depuis on a découvert que les composés d'oxyde de carbone, d'azote et d'autres hydrocarbures participent à sa formation. Contrairement à celui de la stratosphère, il ne cesse d'augmenter sous l'effet de la pollution et de l'activité humaine.

Teneur maximale admise : 110 µg/m³ ; *moyenne (1992) : à Paris :* 20 µg/m³ : *au parc Montsouris (Paris) :* 1900 : 15 ppb ; 1989 : 50 ppb.

■ **Ozone de la stratosphère (12 à 40 km d'alt.).** Découverte en 1930 par l'Anglais Sydney Chapman. **Prolifération des chlorofluorocarbures (CFC) :** ils servent d'agents gonflants (mousse plastique isolante), solvants (électronique), fluides réfrigérants (dégagent du CFC lorsqu'ils sont détruits : réfrigérateurs, congélateurs, climatiseurs), bombes aérosols (laque, parfum, déodorant, mousse à raser, etc.). Les plus usités, connus sous le nom de *fréons,* ont une durée de vie d'env. 1 siècle (de 55 a. à 400 a. selon les cas). Ils s'élèvent dans l'air, atteignent les hautes couches de l'atmosphère. Cassés par les rayons ultraviolets, ils libèrent leur chlore. Chaque atome de chlore attaque une molécule d'ozone et lui enlève un atome d'oxygène pour former une molécule de monoxyde de chlore. Celui-ci se dégrade, donne naissance à une molécule d'oxygène normale ; un seul atome de chlore peut détruire plus de 100 000 molécules d'ozone avant de réagir pour former une espèce plus stable dite « réservoir ». Au niveau des pôles, les faibles températures (– 90°) entraînent la formation de nuages polaires qui accélèrent les processus de dégradation chimique de l'ozone par le chlore.

☞ Selon Haroun Tazieff, rien ne prouve la culpabilité des CFC (l'ozone serait soutiré durant l'hiver par les cataractes d'air glacé descendant de la stratosphère et le trou constaté dans la couche d'ozone disparaîtrait tous les ans avec l'ensoleillement, les rayons UV du soleil reconstituant O_3 à partir de l'oxygène O_2).

■ **Pollution de l'ozone. Émissions** *par les volcans de composés chlorés* [210 millions de t/an, notamment le Pinatubo (Philippines en 1991)]. Mais la troposphère peut filtrer et éliminer le chlore émis naturellement, alors qu'elle ne peut retenir le CFC. **Feux de brousse** d'Afrique.

■ **État actuel. PÔLE SUD : 1979** (oct.) : on observe dans la stratosphère antarctique une diminution de la couche d'ozone. **1987** (oct.) : la couche a diminué de 50 %. **1988** (oct.) : elle diminue de 15 %. **1989** (oct.) de 50 %. **1992** (printemps) surface record du « trou » : 23,5 millions de km². **PÔLE NORD : 1990, 1991 et 1992** on observe une tendance négative depuis 10 ans, en hiver de – 5 % entre 26° et 64° de latitude Nord. **2020,** si la tendance actuelle persiste, la quantité d'ozone de la haute atmosphère pourrait avoir diminué (et pas seulement aux pôles) de 40 % en hiver. Les mesures faites au-dessus de la Laponie suédoise dans le cadre de l'European Artic Stratospheric Ozone Experiment (EASOE) montrent que la teneur en ozone de la stratosphère (alt. 20-25 km) n'est que de 2,5 mm ou 2,7 mm, parfois 2,2 mm (4,5 mm ou 5 habituellement pour ces latitudes et pour la saison).

Conséquences de la diminution de l'ozone. Augmentation des rayons ultraviolets (UV) pénétrant l'atmosphère : *UVA* (320-400 nm nanomètres) qui arrivent jusqu'au sol et sont responsables du bronzage de la peau. *UVB* (280-320 nm) plus énergétiques, donc susceptibles d'effets photochimiques plus nets, mais partiellement arrêtés par la couche d'ozone. *UVC* (22-282 nm) encore plus énergétiques et presque totalement absorbés avant d'atteindre le sol. Si plus d'UVB et d'UVC parvenaient au sol, le nombre des affections cutanées augmenterait (dont les mélanomes). Une baisse d'ozone de 10 % entraînerait une augmentation de 30 % des cancers de la peau. **Autres conséquences :** affections de l'appareil oculaire, augmentation des cas de cécité ; affaiblissement de notre système immunitaire (herpès). *Règne animal :* subirait aussi les conséquences. *Flore :* phytoplancton et algues de surface seraient détruits, les plantes se reproduiraient moins bien et verraient leur croissance affectée. *Matières plastiques ou peinture :* vieilliraient plus vite. *Industries ou machines thermiques :* produiraient de nombreux gaz polluants. *Air :* réchauffement de quelques degrés ; si l'ozone est plus détruit aux pôles qu'à l'équateur, la variation méridienne de la température sera modifiée entraînant un changement du régime des vents en altitude.

Consommation de CFC dans le monde (1989, en milliers de t). *USA* 345,6 dont froid (réfrigérateurs, climatisation ; comme fluide) 173, mousses (agents isolants et gonflants) 82,6, solvants (nettoyage) 80, aérosols (propulseurs) 10. *CEE* 222,2 dont froid, mousses 92,7, solvants 52,8, aérosols 47,9. *Japon* 155,6 dont solvants 80, mousses 39,6, froid 24, aérosols 12. *Monde* 950.

Mesures prises. 1985 Convention à Vienne pour la protection de la couche d'ozone (ratifiée 27-11-1987) par 22 pays dont la France et entrée en vigueur 1-1-1989. **1987**-*16-9* protocole de Montréal. Les signataires (40 pays dont la France) s'obligent à réduire leur production et consommation de 5 CFC (CFC 11, 12, 113, 114 et 115) et 3 halons. *But :* revenir en 1989 au niveau de 1986, puis par étapes en 94 et en 99 à 80 % et à 50 % de ce niveau. Pour ne pas compromettre l'économie de pays en voie de développement, une augmentation de la production de 10 % jusqu'en 1990 est admise, mais devra être suivie d'une diminution de 90 % pour 1994 et de 65 % pour 1999. **1989** tous les signataires se sont interdit d'importer les substances réglementées par le protocole des États non signataires. **1990**-*29-6* 70 pays réunis à Londres prévoient : CFC 11, 12, 113, 114 et 115 (dont utilisation limitée au niveau de 1986) : baisses de 20 % avant 1993 ; 50 % avant 95 ; 85 % avant 97 ; interdits en 2000. *Autres gaz :* halons 1211, 2402 et 1301 interdits en 2000 ; trichloroéthane et méthylchloroforme interdits en 2005 ; tétrachlorure de carbone interdit en 2005. *Gaz de transition :* HCFC 22, 123, 124, 141 et 142 provisoirement tolérés comme agents de substitution parce que moins nocifs que ceux qu'ils remplacent, devront être supprimés de préférence vers 2020 et au plus tard en 2040. **1992**-*22-2* les ministres de l'Environnement de la CEE réunis à Estoril (Portugal) décident d'interdire les CFC dès 1995. *Nov.* amendement au protocole de Montréal : arrêt des CFC début 1996 pour pays développés, consommations des HCFC ne pourront représenter (jusqu'en 2004) que 3 % de l'effet « ozone » des CFC pris en 1989. Après diminution jusqu'en 2020, abandon total en 2030 dans les pays développés. **1993** obligation de récupérer les 1 500 t de CFC rejetées chaque année en France.

Remplacement des CFC. *Hydrofluocarbures (HFC) :* ne contenant pas de chlore (HFC 134 a) ou d'HCFC. *Hydrocarbures :* butane, propane. *Protoxyde d'azote.* CO_2. **Inconvénients :** les HFC participent également à l'effet de serre. On ne peut utiliser butane et propane explosifs dans des aérosols contenant parfums ou médicaments. HCFC 22 accusant une forte pression ne peut convenir aux réfrigérateurs actuels. Dep. le 1-1-1991 en France, la nature du gaz propulseur doit obligatoirement être mentionnée sur l'emballage des aérosols. Un logo du ministère de l'Environnement (main posée sur un globe terrestre) peut figurer sur les aérosols ne contenant pas de CFC.

Reconstitution de la couche d'ozone. Malgré l'arrêt des CFC dans les pays développés début 1996, la teneur en chlore stratosphérique augmentera encore avant de décroître v. l'an 2000 (environ 4 PPb revenant à 2 PPb en 2050).

PRINCIPAUX POLLUANTS

☞ La consommation énergétique mondiale représente env. 10 milliards de t d'équivalent charbon/an. 81 % viennent des combustibles fossiles (pétrole 40 %, charbon 24, gaz 17) dont la combustion émet chaque année 20 milliards de t de CO_2 dans l'atmosphère.

■ **Atmosphériques radioactifs.** *Krypton* 85 émis par les centrales nucléaires (période : 10 ans) ; *radon* par la décomposition du thorium 230 (p. : 80 000 ans).

■ **Gazeux. Monoxyde de carbone (CO) :** le plus répandu. Se produit dans toute combustion incomplète quel que soit le combustible. Incolore, inodore, il diffuse très facilement. **Locaux d'habitation** (à Paris, de janv. à déc. 1992 : 27 † et 411 hospitalisés). *Causes :* appareils de chauffage, de production d'eau chaude et de cuisson défectueux (défaut d'entretien ou mauvaise installation). L'utilisation prolongée d'un chauffe-eau à gaz non raccordé à un conduit d'évacuation et la mise au ralenti d'un appareil de chauffage à charbon ou au bois par temps doux entraînent souvent des accidents. S'inquiéter en cas de maux de tête, fatigue générale, nausées, étourdissements, syncopes. Entretenir et faire réviser les appareils périodiquement, dégager les orifices de ventilation, ramoner chaque année. L'utilisation dans des locaux d'habitation de brasero, panneau radiant... est dangereuse.

Fumée de tabac : 3 000 composants identifiés, 5 milliards de particules par cigarette.

Anhydride sulfureux ou dioxyde de soufre (SO_2) : émis principalement lors de la combustion (surtout dans centrales thermiques, chaudières industrielles et chauffages domestiques) du fuel et du charbon, du gas-oil par les diesels, du raffinage des pétroles. *Norme européenne :* 250 microgrammes par m³, à ne pas dépasser plus de 7 j par an. **Hydrogène sulfuré (H_2S) :** toxique et malodorant dû à l'industrie 3 %, et au dégagement naturel des fermentations anaérobies.

Mercaptans (odeur très désagréable).

Gaz carbonique (CO_2) : constituant naturel de l'atmosphère, pas de pollution chimique, mais contribue pour 49 % à l'effet de serre. Vient à 75 % de la combustion de carburants fossiles, 25 % de la destruction des forêts tropicales. *Carbone rejeté dans l'atmosphère dans le monde (milliards de t). 1850 :* 0,09. *1989 :* 5,5 dont (en %) USA 21, URSS 14, CEE 14, Chine 7, Japon 6 (+ 0,4 à 2,5 de t dues à la déforestation). *Taux dans l'atmosphère : 1860 :* 280 parties par million, *1880 :* 290, *1900 :* 320, *86 :* 370, *2020 (prév.) :* 680. *Production de CO_2 par hab.* (1990, en t) USA 5,4. All. 3,1. Japon 2,1. *France 1,9.* Italie 1,8. Moy. Europe 2,28. Moy. Monde 1,1. Pays en dév. 0,4. **Réglementation.** La CEE a décidé (29-10-1990) qu'en 2000 les émissions devraient être stabilisées à leur niveau de 1990 (2,3 t d'équivalent carbone par habitant par an). La France a choisi un niveau inférieur.

Hydrocarbures et aldéhydes : dégagés lors d'une combustion incomplète (moteurs, appareils de chauffage). Des émissions de formaldéhyde *(formol)* peuvent se produire dans les locaux d'habitation suite à la décomposition de colles ou de mousses d'isolation utilisées dans la construction. Les carbures éthyléniques interviennent dans le smog photochimique ; les hydrocarbures aromatiques (polycycliques, benzopyrènes, benzofluoranthrènes) ont des effets cancérigènes. *Émissions d'hydrocarbures (1990) :* 2 900 000 t (causes en %) transports 70, autres (solvants + industrie) 30.

DIFFÉRENTS AGENTS

Rejets par secteurs (%)	SO_2 [1]	NO_2 [2]	Poussières [3]	CO_2 [4]
Résidence et tertiaire	12,6	3,9	5,1	–
Chauffage urbain	6,2	0,9	1,5	29,4
Industrie et agriculture	28,1	6,2	8,3	2,3
Centrales thermiques	19,0	5,6	9,0	15,4
Transformation d'énergie	8,7	0,8	2,3	9,4
Procédés industriels	15,4	6,6	47,2	3,6
Transports	10,0	76,0	26,0	39,9
Total en 1988 (en kt/an)	1 227	1 615	280	279 223

Nota. – (1) Dioxyde de soufre. (2) Oxyde d'azote. (3) Poussières. (4) Gaz carbonique.

Dioxyde d'azote (NO_2) : réagit avec les hydrocarbures éthyléniques aux ultraviolets, provoquant les smogs photochimiques. Les combustions à haute température (moteurs de voitures, chaudières) produisent du monoxyde d'azote (NO) qui donnera, avec l'oxygène de l'air, du NO_2, qui pourra, avec la vapeur d'eau, donner de l'acide nitrique HNO_3. *Production mondiale par an :* 160 à 180 millions de t. *Norme européenne :* 200 µg par m³ en valeur de pointe. Rejets annuels. All. 2,8, G.-B. 2,5, *France 1,7,* Italie 1,7, Esp. 0,95.

Protoxyde d'azote (N_2O) ou *« gaz hilarant »* : employé en anesthésie ou en agroalimentaire (crème Chantilly). Émissions naturelles (du sol et des océans) 10 millions de t/an, contribuerait à la destruction de la couche d'ozone.

Smogs photochimiques : produits par des réactions complexes entre divers polluants (hydrocarbures non méthaniques, oxydes d'azote) en présence d'une forte lumière solaire (ex. à Los Angeles). **Principaux composants :** *ozone ; peroxy-acétyl-nitrates* (PAN : combinaison d'un ion organique avec le dioxyde d'azote) ; *polluants chlorés* (chlore et acide chlorhydrique), surtout émis par les usines de synthèse, l'incinération des déchets et la combustion de certains charbons. *Fluors et polluants fluorés* (rejetés par les usines d'aluminium, d'engrais phosphatés, les tuileries et briqueteries, ateliers de peinture et de verres textiles, la combustion du charbon).

Nota. – A l'état gazeux ou sous forme de fines particules, divers métaux et métalloïdes sont toxiques pour l'homme (cancérigènes et mutagènes, lésions rénales et hépatiques, troubles du système nerveux central), par ex. : arsenic, béryllium, cadmium, plomb, mercure.

Méthane (quantité rejetée dans l'atmosphère dans le monde, en millions de t/an) : 75 à 170 Mt. *Causes : [fermentation digestive* dont 74 % aux bovins ; une vache laitière produit en moyenne 90 kg de méthane par an (pays en voie de développement 35 kg)]. *Rizières* 25 à 170 Mt. *Brûlage de matières végétales* 20 à 80 Mt. *Fuites naturelles* de gaz et des mines 40 à 100 Mt. *Termites* + de 10 Mt.

Plomb contenu dans l'essence (90 à 95 % de la pollution atmosphérique en plomb et 30 % de la plombémie sanguine), peinture. 600 enfants parisiens par an sont atteints de saturnisme (2 † en 1986), empoisonnés par le plomb contenu dans les peintures de leurs habitations (peintures à la céruse et au plomb interdites en 1913). En 1987, à Mexico, 70 % des nourrissons et 22 % des enfants étaient atteints de saturnisme. *Taux moyen dans le sang (par litre) :* Mexico 350 µg, Baltimore (USA) 75 µg. *Taux autorisé* (directive europ. du 29-3-1977) 350 µg. Ouvriers

AMIANTE

Utilisation. Produits à base d'amiante, ciment, garnitures de friction (freins, embrayages), bardeaux synthétiques des toitures, isolants thermiques, matériaux ignifuges pour navires et grands immeubles. Certains talcs contiennent naturellement des fibres d'amiante (ce n'est pas le cas des variétés utilisées en France). *Filtres alimentaires* à base d'amiante interdits en France.

Conséquences. L'inhalation d'amiante augmente le risque de cancer (mésothéliome, cancer du poumon) et de fibrose du poumon (asbestose...). Ces maladies très graves surviennent 20 à 40 ans après l'exposition. *Risques :* professionnels (ouvriers de l'amiante) ; séjour dans des locaux où l'amiante a été mal appliqué ; voisinage industriel (à long terme).

Réglementation. Rejets max. dans l'air des usines (0,1 mg/m³).

des secteurs exposés (fabrication ou récupération de batteries, d'accumulateurs, postes de chalumage) 600 µg. **Taux maximal fixé :** *automobiles,* août 1989 : 0,25 g/l ; 1991 : 0,15 g/l ; ensuite, essence sans plomb ; *environnement urbain :* 2 µg.m⁻³ en moyenne annuelle (directive europ. du 3-12-1982). *Moyenne annuelle (1992) :* Toulouse 0,65, Paris 0,36, Lyon 0,35.

■ **Liquides. Aérosols** (fines particules liquides ou solides en suspension) : *origines diverses :* combustions, mines et carrières, cimenteries, industries métallurgiques, du bâtiment, du plomb, amiante, fer, aluminium, zinc, vanadium, mercure, béryllium, fluorures, poussières siliceuses, suies, arsenic, etc.

Bombes aérosols : elles peuvent contenir, comme pulseurs de l'air, de l'azote, du dioxyde de carbone, des hydrocarbures (butane, propane) ou des chlorofluoro-carbones (CFC). Voir p. 1332 b.

Pluies acides (terme employé pour la 1re fois en 1872 par Robert Angus Smith à propos des pluies tombant sur Manchester. En 1961 le Suédois Svante Odin démontra l'importance du phénomène. En 1984, on a reconnu aussi des pluies acides dans des régions non industrielles (Afrique et Amérique du Sud). **1°) Pollution acide :** émissions de dioxyde de soufre et d'oxydes d'azote. Ces polluants sont oxydés au cours de leur transport dans l'atmosphère, sur plusieurs milliers de km, et retombent sous forme d'acides sulfurique (H_2SO_4) et nitrique (HNO_3). *Une pluie est dite acide* en dessous d'un pH de 5,6. La quantité d'eau par m³ de nuage intervient (de 0,1 g/m³ brouillards, à plusieurs g/m³ nuages d'orage). La plus forte acidité (pH entre 2 et 3) se trouve dans les brouillards [pH record de 1,7 dans un brouillard en formation à Corona del Mar (Californie du S.)]. *Zones les plus touchées* (pH moyen 4,2) : Europe de l'Est [pH record de 1,7 (en 1989) forêt de Karkonoski en Pologne]. *L'acidité des pluies tropicales,* due à des acides organiques formés dans l'atmosphère (acides formique et acétique) peut atteindre un pH de 4,3 (Nord Congo). *L'acidité minérale* (acide nitrique) vient de l'émission d'oxydes d'azote par les sols des forêts et des feux de brousse (70 % des 10 millions de km² des savanes africaines brûlés chaque année). **2°) Pollution photo-oxydante :** due à l'action des rayons ultraviolets du Soleil sur les oxydes d'azote (formation du smog). Les photo-oxydants détruisent la fine couche de cire protectrice recouvrant feuilles et aiguilles des arbres permettant aux acides d'attaquer les vaisseaux et d'atteindre les cellules productrices de chlorophylle. Les arbres sont sans doute aussi agressés par l'eau s'écoulant dans le sol, à partir des dépôts acides secs.

Concentration des précipitations acides (pH) entre parenthèses **SO_4 en mg/l** et, en ital. **NO_3 en mg/l.** Grands lacs (USA,1982) : 4,30 (2,83) *1,58.* Kanto District (Jap., 1979) : 4,30 (4,40) *2,70.* Offagne (Belg., 1983) : 4,98 (3,12) *1,17.* Vert-le-Petit (Fr., 1982) : 4,50 (5,25) *3,43.* Schavinsland (All. féd., 1981) : 4,50 (3,11). Rorvik (Suède, 1983) : 4,30 (4,11) *2,73.* Inverpolly (G.-B., 1983) : 5,52 (1,87) *0,50.*

☞ **Forêts atteintes** (en %). Tchécos. 71, G.-B. 64, All. dém. 60, All. féd. 59, P.-Bas 55, Autriche 38, Bulgarie 34, Suisse 34 des conifères, *France 28,* Espagne 28, Lux. 26, Norvège 26, Finlande 25, Hongrie 25, Belgique 16, Pologne 15, Suède 15, Youg. 5, Italie 5.

EFFETS

Sur le climat. Ensoleillement réduit (parfois de 50 % en hiver), précipitations plus nombreuses. Les concentrations importantes s'observent souvent dans les mêmes conditions que celles qui provoquent les brouillards hivernaux liés à l'inversion de température (couche d'air froid au sol surmontée d'une couche d'air chaud) qui empêche l'évacuation des polluants par convection naturelle. Seules des réductions très importantes des émissions, dès qu'apparaissent et persistent ces conditions, peuvent y remédier. **Sur les sols.** Acidification des terres non calcaires et des lacs pouvant aller jusqu'à la stérilisation.

Sur les plantes. État général. Notamment : gaz sulfureux, fluor (ex. les forêts résineuses des vallées de montagnes sont très sensibles), dioxyde d'azote, PAN, ozone, éthylène et ses oxydes. Un hectare d'arbres fixe 50 tonnes de poussière par an : un hectare de pelouse capte 1 000 m³ de carbone provenant de la photosynthèse de 2 400 m³ de gaz carbonique. **Sur les animaux.** Troubles de la santé, fluor, plomb.

Sur l'homme. Aggravation des troubles cardiovasculaires, respiratoires, maladies pulmonaires (bronchite chronique, emphysème, asthme, cancer du poumon), effets de mutations (notamment à cause du benzopyrène et des dérivés organiques de l'azote). [*Principaux accidents :* Londres (5/9-12-1952) où le smog provoqua 4 000 décès, vallée de la Meuse (1930), Donora (Pennsylvanie, oct. 1948)].

Sur les monuments. Pierres attaquées, façades encrassées, oxydation des parties métalliques.

Villes les plus polluées du monde. Principaux polluants : dioxyde de soufre (SO_2), particules en suspension (PS) venant des foyers domestiques ou générateurs de courant, plomb venant des gaz d'échappement, monoxyde de carbone (moteurs à essence), dioxyde d'azote (NO_2) et ozone (O_3) dus à la combinaison d'un trafic routier et d'un ensoleillement intense.

Athènes : pollution due aux néfos (nuage) apparus fin 60. Ozone moyenne : 230 µg/m³ 35 j/an. Athènes accueille les 2/5e de la population, 70 % de l'activité écon. et 57 % de la prod. ind. mais ne compte que 3 % d'espaces verts. L'automobile (+ de 1 million de véhicules) est responsable de l'ensemble des émissions de monoxyde de carbone, de 79 % des émissions d'hydrocarbures et de 77 % de celles d'oxydes d'azote. Le 18-1-92, le dioxyde d'azote et le monoxyde de carbone ont atteint le seuil d'urgence (respectivement 500 mg/m³ et 25 mg/m³). Des centaines d'habitants ont été hospitalisés pour troubles respiratoires et cardiaques. **Bangkok. Bombay. Calcutta :** 60 % des habitants souffrent de pneumonies et autres pathologies respiratoires. **Budapest :** le niveau de plomb dans l'air y est 30 fois supérieur à la norme OMS. **Cracovie :** respirer équivaut à fumer env. 2 paquets de cigarettes par j, aciérie de Nowa-Huta, benzopyrène. **Delhi. Djakarta. Karachi** (plomb). **Le Caire** (plomb). **Los Angeles. Manille. Mexico :** *capitale la plus polluée du monde.* Taux de SO², PS, CO et O³ + du double des normes fixées par l'OMS. **Pékin** (SO_2). **Séoul** (SO_2). **Shanghai.**

Lien entre pollution urbaine et revenus. Plus élevée dans les pays pauvres que dans les pays riches, la pollution est maximale dans les pays en développement. PIB par habitant (en $ 88) et microgrammes de dioxyde de soufre par m³ d'air : 1 000 (110/115), 5 000 (115/120), 10 000 (100/105), 16 000 (80/85).

EFFET DE SERRE

■ **Théorie.** *1824* [Sadi Carnot (Fr. 1796-1832) pose les bases de la thermodynamique]. *1861* John Tyndall (Irl. 1820-93) affirme que les variations du gaz carbonique produisent un changement de climat, Svante August Arrhenius (Suè. 1859-1927), prix Nobel de chimie 1903, énonce la théorie de l'effet de serre et établit la relation avec « la consommation industrielle de charbon ».

■ **Causes.** Dues à certains gaz rejetés dans l'atmosphère qui emprisonnent la chaleur du Soleil et l'empêchent de se rediffuser dans l'espace. **Gaz à effet de serre** (en %) : gaz carbonique 55, méthane (CH) 15, oxyde nitreux 6, CFC 24. *Durée de vie dans l'atmosphère :* gaz carbonique 150 ans ; méthane 10 ; oxyde nitreux 132 ; CFC 11 : 55, 12 : 116. *Teneur dans l'atmosphère* (en ppvm ; parties par millions en volume) : *en 1991 :* gaz carbonique 353, méthane 1,72, oxyde nitreux 0,3. **Conséquences :** *réchauffement ;* dep. 1880 la température mondiale a augmenté de 0,7 °C en moyenne (*1890 :* 14,5 °C, *1990 :* 15,2 °C). Celle des océans s'est élevée de 0,18 °C par an depuis 1982 et le niveau des eaux de 2 mm. Elle pourrait monter de 1,5 à 4,5 °C d'ici à 2 050 (pointes de 10 °C aux Pôles). Si l'élévation des températures et du gaz carbonique est bénéfique pour l'agriculture, elle entraînerait sécheresses, inondations et érosion des terres arables (Chine, Inde, Brésil, Afrique et Australie). Il faudrait déplacer de 300 km + au nord les grandes plaines céréalières d'Amérique du Nord et d'Europe, et les forêts de 500 km. Le coût des produits agricoles augmenterait de 10 %. La fonte des glaciers remonterait le niveau des océans de 20 à 100 cm (New York, Bangkok, Rio de Janeiro, Séoul, Calcutta, le Bangladesh et les P.-Bas seraient recouverts par les eaux). **Principaux moyens de lutte :** reboisement, remplacement du CO_2 par fioul et gaz naturel, économies d'énergie (le seul remplacement des ampoules à incandescence par des lampes fluorescentes ferait gagner 200 millions de t de carbone pour la planète), nucléaire (a permis en France d'éviter le rejet de 40 millions de t de carbone par an).

EN FRANCE

■ **Adresses utiles.** *Ministère de l'Environnement,* Direction de la prévention des pollutions, 14, bd du Général-Leclerc, 92521 Neuilly-sur-Seine. *Ademe,* 27, rue Louis-Vicat, 75737 Paris Cedex 15.

GÉNÉRALITÉS

■ **Établissements.** Loi du 19-7-1976 sur les installations classées pour la protection de l'environnement (refonte de la loi de 1917 sur les établissements classés dangereux, insalubres ou incommodes). Soumet à des procédures d'autorisation (avec enquête publique) ou de déclaration, usines, grands élevages, installations publiques ou privées qui pourraient entraîner des dangers ou des inconvénients importants. Elle les oblige à mener au préalable une *étude d'impact.* Les préfets peuvent arrêter certaines usines en cas de pollution grave. La teneur maximale des émissions autorisées est fixée cas par cas. Des zones de protection spéciale ont été créées (Région parisienne, Nord, Lyon, Marseille ; une prévue à Strasbourg). Une station de mesure et d'étude de la pollution de l'air a été construite en 1987 dans les Vosges (Donon). *Nombre :* 50 000 installations soumises à autorisation et 400 000 à déclaration ; chaque année 1 600 autorisations et 10 000 déclarations.

■ **Plan Orsec Tox.** Organisation des secours en cas de pollution toxique. *Créé* 1973. Pour les industries dangereuses : instruction Orsec Risques technologiques de 1985 ; déclenché pour la 1re fois le 29-10-1987 à Nantes (incendies d'entrepôts Loriet et Chantenay) 25 000 personnes évacuées.

■ **Pollution industrielle.** *4 branches principales :* combustions ind., sidérurgie, chimie et raffineries sont à l'origine de la pollution ind. de l'air. Des règlements (notamment sur les installations classées), l'application du principe « pollueur-payeur » et la concertation ont permis de réduire globalement les nuisances (à 90 % pour certaines branches). Le remplacement progressif des installations anciennes par des non polluantes est long (la durée de vie des installations ind. est de 30 à 40 ans, celle des matériels de 15 à 20 a.). Accidents importants voir p. 1329.

■ **Radioactivité** (voir Index).

STATISTIQUES

■ **Réseaux de surveillance.** Pour l'ensemble des polluants, il y avait en 1987 + de 2 000 capteurs regroupés en 120 réseaux de surveillance (en 1989, 304 analyseurs en Ile-de-Fr. dont 155 mesurent l'acidité forte et 78 les fumées). Certains comprennent des stations automatiques, dotées de capteurs capables de mesurer un grand nombre de polluants. Certains comme à Paris, Lille, Nantes, Marseille, Lyon, Grenoble, Rouen, Le Havre et Fos traitent en temps réel les données recueillies. Ils permettent de déclencher des alertes. La mesure du dioxyde de soufre et des poussières est réalisée dans des agglomérations de + de 500 000 h. (80 % des villes de 200 000 à 500 000 h. et dans 60 % des villes de 100 000 à 200 000 h.). **Financement des réseaux :** taxe parafiscale sur la pollution atmosphérique. *Crédits d'intervention* (1991) : 9,7 millions de F.

Pour surveiller le dépérissement des forêts par les pluies acides : 5 stations de mesure de la pollution photo-oxydante, 18 stations de surveillance de la composition chimique de la pollution. *A Paris,* le réseau « Airparif » (70 stations) mesure l'impact des 5 millions de véhicules qui circulent en Ile-de-Fr., relâchant chaque année 1 200 000 t de monoxyde de carbone (CO), 80 000 t d'oxydes d'azote et 150 000 t d'hydrocarbures. Depuis 1982, année de la mise en service de la procédure d'alerte au SO_2, celle-ci n'a jamais été déclenchée. En févr. 1989 (anticyclone), le dioxyde d'azote a dépassé pendant 18 h les limites européennes de 200 microgrammes par m³.

Dépenses environnement des collectivités locales (1992) : 24 millions de F dont investissements 16 %. Devraient augmenter de 5 % par an jusqu'à l'an 2000.

■ **Pyralène. Usages :** sur 1 000 000 transformateurs en service, 100 000 (11 000 propriété d'EDF et 89 000 appartenant à des entreprises ou des particuliers) sont isolés et réfrigérés par du *pyralène* (technique utilisée jusqu'en 1983), pour remplacer l'huile jugée trop inflammable. Il dégage des toxiques dont de la dioxine lorsqu'il est chauffé à 300 degrés et à froid, en cas de fuite, peut contaminer la nappe phréatique. La mise sur le marché d'appareils contenant du pyralène est interdite depuis le 2-2-1987. Un substitut biodégradable comme l'Ugilec T7 d'Atochem peut être utilisé. Haroun Tazieff a contesté la nécessité de telles mesures.

Incidents : *Binghamton* (État de New York) févr. 1981, dans un immeuble de 19 étages, un transformateur explose, la moitié des 800 litres de liquide isolant ont été pyrolisés, l'immeuble a été condamné. *Reims* (21, rue Magdeleine) 14-1-1985, un transformateur EDF, en explosant, dégage de la dioxine : l'immeuble est évacué. *Villeurbanne* (Rhône) 2-7-1986, incendie d'un transformateur.

■ **Véhicules** (voir le chapitre Transports).

■ **Moyennes annuelles de pollution atmosphérique, en microgrammes de polluant par m³ d'air** (en 1992 et entre parenthèses en 1974). Principalement dioxyde de soufre (SO_2) : Paris (ville) 25 (110) [*en 1986* : 53, *1988* : 39, *1990* : 28], Marseille 25 (86), Dunkerque 27 (42).

■ **Émissions d'oxyde. D'azote** (milliers de t) : *sources mobiles 1970* : 537, *80* : 1 042, *86* : 1 181, *90* : 1 050. *Centrales d'énergie 1970* : 209, *80* : 297, *86* : 120 (centrales thermiques). *Utilisation de combustibles 1970* : 547, *80* : 482, *86* : 373. **De soufre** (milliers de t) : *sources mobiles 1970* : 68, *80* : 131, *86* : 114, *90* : 130. *Centrales d'énergie 1970* : 770, *80* : 1 241, *86* : 354 (centrales thermiques). *Utilisation de combustibles 1970* : 1 622, *80* : 1 661, *86* : 891. *Procédés industriels 1970* : 505, *80* : 427, *83* : 286. *Total 1970* : 400, *80* : 570, *86* : 1 580, *90* : 1 250.

Du 20-12-1988 à février 1989, un anticyclone persistant au-dessus de l'Europe a provoqué des pollutions exceptionnelles (il maintenait entre 500 et 1 000 m d'altitude une masse d'air chaud qui plaquait au sol un air relativement froid de plus en plus pollué).

POLLUTION DES SOLS

QUELQUES CHIFFRES

■ **Conversion des terres agricoles en terrains bâtis** (% de terres agricoles : 1960-70, entre parenthèses 1970-80). All. féd. 2,5 (2,4), Canada 0,3 (0,1), Danemark 3 (1,5), *France 1,8 (1,1),* G.-B. 1,8 (0,6), Italie (2,5), Japon 7,3 (5,7), Pays-Bas 4,3 (3,6), Suède 1 (1), USA 0,8 (2,8).

■ **Érosion des sols et désertification. Érosion** (perte de la couche superficielle du sol) dépend de la nature et de la structure du sol, de la couverture végétale, de la pente et des conditions atmosphériques ; elle peut être aggravée par certaines pratiques agricoles. Les empreintes des engins agricoles sur les sols, en facilitant le ruissellement, sont l'une des causes agraires de l'érosion. **Désertification** (déclin et destruction de la productivité biologique des terres arides et semi-arides) peut résulter de contraintes d'origine humaine, telles que cultures intensives, surpâturage, etc. **Conséquences :** d'ordre économique et environnemental (diminution de la capacité de production des terres agricoles, dépôts de sédiments et pollution des cours d'eau et des estuaires...).

Érosion et, entre parenthèses, désertification (en % de la superficie totale des terres en 1970-80) : Australie 10,7 (17,91), Canada 5,5 (0,38), Espagne (44,68), *France 8,2,* G.-B. 0,1, Grèce 37,5, N.-Zélande 33,3, Portugal (51,94), Turquie 74,1, USA 59,7 (9,98), Youg. 54.

Sur 1 ha, la couche arable, profonde de 20 à 40 cm, représente 3 000 à 5 000 t de terre. Les pertes en terre peuvent atteindre + de 100 t/ha par an. En France, les pertes annuelles en terre dans certaines régions (env. 20 % des terres cultivées) seraient de 5 à 10 t/ha par an.

Surfaces les plus concernées par la pollution d'éléments-traces en France : env. 1 million d'ha (10 000 km²) à terme de 50 ans, soit 2 % du territoire ou 3 % de la surface agricole utilisable, dont liés aux rejets industriels 40 %, à l'épandage de lisiers 25, la circulation 20, l'épandage des boues et compost 15.

Surface recevant en France du compost urbain : 100 000 ha [1] (3 t/an de matière sèche par ha). *Boues d'épuration :* 60 000 ha [2] (3 t/an par ha). *Lisiers de porcs* 260 000 ha [3] (5 t/an par ha). *Le long des axes routiers importants :* 200 000 ha. *A proximité d'un centre industriel :* dans un rayon de 8 km, sur env. 200 km² : 400 000 ha.

Nota. – (1) On utilise par an 400 000 t de compost (7 % des ordures sont compostées). Soit 300 000 t de matière sèche (TMS) à raison de 3 TMS/ha/an. (2) 180 000 t de matière sèche (25 % des boues sont utilisées en agriculture) à raison de 3 TMS/ha/an. (3) 13 millions de m³ soit 1,3 million de TMS utilisé à raison de 5 TMS/ha/an.

■ **Consommation de pesticides en France.** *En 1988 :* 99 167 t dont (en %) herbicides 40, fongicides 34,5, insecticides 16.

MODES DE CONTAMINATION

ÉLÉMENTS-TRACES

■ **Éléments-traces** (métaux et métalloïdes) [naturels, liés directement à la composition de la roche-mère originelle ou résultant des activités humaines (épandage de produits à usage agricole, dépôts de déchets, retombées atmosphériques de gaz et poussières)] et **micropolluants organiques** qui peuvent migrer vers les eaux souterraines ou être absorbés par les plantes, contaminer la chaîne alimentaire et produire sur l'homme et les animaux des effets toxiques, cancérigènes, tératogènes ou mutagènes. Les cultures peuvent être également contaminées en éléments-traces par voie aérienne. **Éléments-traces les plus préoccupants sur le plan de l'accumulation :** cadmium, mercure et plomb. Puis nickel, cuivre, zinc, chrome et sélénium toxiques pour les végétaux.

■ **Zones critiques.** *Z. proches des gisements miniers ; z. ayant reçu de longue date des engrais* phosphatés riches en éléments-traces (scories de déphosphoration, phosphates naturels) ; *z. de vignobles fortement traitées* au sulfate de cuivre ; *sols maraîchers et jardins familiaux* des z. urbaines et périurbaines au réseau routier important (aggl. parisienne, lyonnaise) ; *prairies le long des grands axes* routiers ; *grandes régions industrielles* (Nord, Lorraine, étang de Berre, certaines vallées alpines...) ; *terrains d'épandage incontrôlé* de déchets depuis plusieurs décennies (eaux usées, boues de dragage, déchets industriels...) ; *sols où l'on pratique depuis longtemps l'épandage des résidus organiques* (boues d'épuration, composts urbains, effluents agro-industriels).

Sites pollués : *France* 553 répertoriés, sans tenir compte des décharges sauvages, des 700 anciennes usines à gaz de GDF ou des stations-service et dépôts d'hydrocarbures abandonnés ; Nord 95 sites, Rhône-Alpes 86, Ile-de-France 30. *P.-Bas* 25 000 sites. *All.* et *G.-B.* 30 000 chacune. *USA* 35 000. **Réhabilitation :** la loi oblige l'industriel producteur de déchets à la financer s'il est solvable (440 sites sur 553). L'Ademe (Agence de l'environnement et de la maîtrise de l'énergie) a dégagé 40 millions de F pour les sites sans responsable identifié ou solvable.

PESTICIDES

☞ Dans le monde : 35 000 marques commercialisées, 500 000 intoxications par an (dans le tiers monde, 15 000 morts).

■ **Pesticides** (produits phytosanitaires, pr. phytopharmaceutiques). Regroupent principalement *fongicides* (contre champignons), *insecticides* (contre insectes), *herbicides* (contre mauvaises herbes). *Inconvénients :* persistance des molécules, manque de sélectivité, capacité à s'accumuler le long des chaînes alimentaires entraînant la disparition d'espèces utiles, un déséquilibre des écosystèmes et l'apparition de souches de ravageurs résistants à ces produits ; contamination des aliments et des nappes phréatiques, risque d'effets tératogènes et carcinogènes de certains pesticides, tels que certains organochlorés.

■ **Fongicides (organiques de synthèse).** Dithiocarbamates (ferbame, manèbe, mancozèbe), dérivés du benzène (peu toxiques et assez spécifiques), dérivés des quinones (peu toxiques et assez polyvalents), crotonates, phtalimides (polyvalents et peu toxiques), dérivés de la quinoléine, quinolaxines ; **bactéricides :** à base d'antibiotiques.

Particuliers : préparats biodynamiques, essences de plantes, dilutions homéopathiques, algues vertes, poudres de roches siliceuses. Agissent directement sur le parasite ou renforcent la plante. Sans précaution d'emploi, certains produits de traitements peuvent laisser des résidus dans les aliments et sont toxiques pour l'homme.

■ **Herbicides (désherbants)** (env. 2 000 spécialités herbicides sont utilisées en France). Certains sont sélectifs. Ils agissent soit en détruisant directement le feuillage ; soit en pénétrant les tissus de la plante par les feuilles et interférence avec le fonctionnement métabolique ; soit en pénétrant par la racine, les qualités du sol influant sur l'action du produit. *Matières actives :* m. minérales (chlorate de soude, sulfamate d'ammonium, sulfate de fer, huiles de pétrole), ou organiques de synthèse (dérivés du phénol et du crésol), aryloxyacides, carbamates, urées substituées, diazines, triazines, amides, ammoniums quaternaires, benzonitriles, toluidines, etc.).

■ **Insecticides.** *Usage :* utilisés pour traiter sol, semences, parties aériennes des plantes, denrées alim. stockées, locaux, bétail ; contre les insectes vecteurs des maladies humaines (moustiques). *Origine :* 2e moitié du XIXe s., on commence à utiliser les ins. chimiques d'origine minérale (acétoarsénite de cuivre contre le doryphore, acide cyanhydrique contre la cochenille, etc.), bouillie bordelaise (sur la vigne contre le mildiou, les arbres fruitiers, etc.).

Insecticides organiques de synthèse. Organo-halogénés (ou chlorés) : groupe du DDT et composés voisins (y compris les carbinols) ; chlordane et composés voisins (interdits depuis 1972) ; HCH (hexachlorocyclohexane) et composés voisins ; dérivés de l'essence de térébenthine. Ils ne sont pas véhiculés par la sève à l'intérieur des végétaux, mais peuvent s'accumuler dans les organismes animaux. **Organo-phosphorés :** agissant sur le système nerveux des parasites. Les uns demeurent à la surface du végétal (externes), les autres pénètrent dans les tissus végétaux et sont transportés par la sève (endothérapiques). Le 1er commercialisé a été le *parathion* en 1944. Ne provoquent pas de bioaccumulation dans l'écosystème. Grande toxicité. **Sulfones et sulfonates :** destructeurs d'acariens (petites araignées). **Carbamates :** dérivés de l'acide carbamique : fongicides et herbicides. **Acaricides divers :** dérivés benzéniques, quinoxalines, formamidines.

Insecticides microbiologiques : champignons, bactéries, virus, rickettsies, protozoaires (ex. *Bacillus thuringiensis :* bactérie découverte en 1911, dont les spores provoquent des toxémies en germant dans le tube digestif des insectes ; *avantage :* innocuité pour l'homme, les vertébrés supérieurs, les abeilles et les auxiliaires naturels).

Insecticides végétaux. Roténone : extraite des racines de diverses légumineuses exotiques ; agit par contact ; on lui associe généralement la poudre de *pyrèthre* qui ouvre les organes respiratoires des insectes. **Nicotine :** efficacité augmentée lorsqu'elle est ajoutée à une émulsion d'huile végétale (huile blanche) ; toxique ; intérêt : se dégrade rapidement. **Alcaloïdes :** plus guère utilisés (ex. ryanodine). **Pyréthrines :** efficaces contre insectes et animaux à sang froid, non dangereuses pour l'homme, mais s'altèrent vite. Les pyréthrinoïdes de synthèse (perméthrine, cyfluthrine, fenvalérate, deltaméthrine) demandent des précautions, compte tenu de leur rémanence particulière qui leur donne le temps de perturber l'ensemble des insectes et d'atteindre les poissons.

POLLUTION CHIMIQUE DES ALIMENTS

1) Métaux lourds. Arsenic : transformé par certaines bactéries et levures en produits gazeux toxiques, s'accumule dans faune et flore marines. Les algues concentrent l'arsenic de 1 000 à 10 000 fois. *Taux max. admis dans eaux de boisson :* 0,05 mg/l. **Cadmium :** peut être accumulé dans certains produits de la mer à des concentrations plusieurs milliers de fois supérieures à celles présentes dans l'eau (mollusques bivalves : 300 000 fois). Il pénètre également dans la chaîne alimentaire à partir du sol quand celui-ci est très acide. Il peut provoquer de graves maladies rénales, osseuses (l'homme n'élimine pas le cadmium). **Chrome :** l'acide chromique est toxique pour le tube gastro-intestinal. *Taux max. admis* (normes européennes) : 0,1 mg par kg d'aliments, 0,05 mg par litre de boisson. **Étain :** la corrosion de boîtes de conserve en fer-blanc défectueuses peut entraîner des intoxications. **Mercure :** vient surtout de la consommation des poissons et crustacés ; s'accumule dans le corps ; peut provoquer des atteintes irréversibles du système nerveux central. Nombreux empoisonnements mortels en 1972 en Irak : semences de blé et d'avoine traitées avec un fongicide mercuriel (pratique criminelle ou inconsciente).

Usines à risques

Alsace. Bas-Rhin : *Fegersheim* (Eli Lilly-France [1]). *Herrlisheim* (Elf Antargaz [2]). *Lauterbourg* (Rohm and Haas [1,2]). *La Wantzenau* (Polysar [1,2]). *Oberhoffen-sur-Moder* (Elf Atochem [2]). *Reichstett* (Rhénane de raffinage [1,2] ; Butagaz [1] ; ELF Antargaz [2]). *Rohrwiller* (Terminal d'Oberhoffen sur Moder). *Strasbourg* (Port-aux-pétroles [1], Prodair, Roth Frères, Stracel [9]). **Haut-Rhin :** *Biesheim* (Cegedur Pechiney Rhenalu [3]). *Cernay* (Du Pont de Nemours). *Chalampe* (Butachimie [2] ; Rhône-Poulenc [1,2]). *Huningue* (Ciba Geigy [9], Sandoz [9]). *Mulhouse* (ICMD). *Ottmarsheim* (PEC Rhin [4]). *Staffelfelden* (MDPA, Marie-Louise [3]). *Steinbach* (Rollin). *Thann* (PPC [3]). *Village-Neuf* (Roche [9]). **Aquitaine. Dordogne :** *Beleymas* (Edmond Brezac [8]). *Bergerac* (SNPE [8]). *Condat-le-Lardin* (Papeteries de Condat [3]). *Montcaret* (Capette [8]). **Gironde :** *Ambarès* (Norsk Hydro Azote [4]). *Ambès* (Cobogal [2], DPA [1], Engrais d'Ambès [4], Terminal pétrolier de Bordeaux [1]). *Bassens* (Michelin [1,2] ; Docks des pétroles [1]). *Bordeaux* (Soferti [9]). *Donnezac* (Guedon). *Le Haillan* (Sep [8]). *Pauillac* (r. Shell [1,2]). *St-Loubès* (Totalgaz [2]). *St-Médard-en-Jalles* (SNPE [8], Aérospatiale [8]). *St-Médard-d'Eyraud* (Beaumartin). *Ste-Hélène* (SNPE [8]). **Landes :** *Rion des Landes* (Manufacture Landaise de Produits Chimiques [3]). *St-Paul-lès-Dax* (SARL Lacroix [8]). *Solférino* (SICA [2]). *Tarnos* (Sotrasol [1]). *Tartas* (Cellulose du Pin [3]). **Lot-et-Garonne :** *Nérac* (Sobegal [2]). **Pyrénées-Atl. :** *Lacq* (SNEA [1,2] ; Sobegal [2]). *Mont* (Elf Atochem [1,2]). *Mourenx* (Sobegi [1,2]). *Pardies* [Norsk Hydro Azote [4], Sogif (l'Air liquide)]. **Auvergne. Allier :** *Commenty* (Rhône-Poulenc [3]). *Cusset* (Matra-Manurhin-Défense [8]). **Hte-Loire :** *Brioude* (Speichim [9]). *St-Germain-Laprade* (Merck Sharp Dohme). **Puy-de-D. :** *Cournon d'Auvergne* (Elf [2]). *Gerzat* (Butagaz [2]). *Moissat* (Poncet [8]). **Bourgogne. Côte-d'Or :** *Longvic* (Mory-TNTE). *Pontailler-sur-Saône* (Titanite [8]). *Vonges* (SNPE [8]). **Nièvre :** *Clamecy* (Rhône Poulenc [3]). *Gimouille* (Totalgaz [2]). *Prémery* (usines Lambiotte). **Saône-et-Loire :** *Chalon-sur-S.* (Air Liquide ; Butagaz [2], Clemoxal). *Mâcon* (Stogaz [2]). **Yonne :** Cheu (Primagaz [2]). *Hery* (Davey et Bickford [8]). *Méré* (Formetal [8]). *St-Florentin* (Gaillard). **Bretagne. Côtes-d'Armor :** *Landebia* (Beaumartin). *Plévin* (Titanite [8]). *St-Hervé* (Totalgaz [2]). **Finistère :** *Brest* (Primagaz [2]). *Pont-de-Buis* (SNPE [8]). *Quemeneven* (Butagaz [2]). **Ille-et-V. :** *Chateaubourg* (Gruel Fayer). *Dol-de-Bret.* (Butagaz [2]) *L'Hermitage* (Stocl Alliance Ouest). *Redon* (BJ 76 [2]). *Vern-sur-Seiche* (Elf Antargaz [2], Elf France [1,2]). **Morbihan :** *Leroc-St-André* (Panaget-Herfray). *Queven* (Sigogaz [2]). **Centre. Cher :** *Aubigny-sur-Nère* (Butagaz [2]). *Bourges* (Aérospatiale [8], GIAT Industrie [8], Luchaire [8]). *Le Subdray* (Aérospatiale [8]). **Eure-et-L. :** *Auneau* (Delpierre-Hénault). *Brou* (Armurerie Vouzelaud [8]). *Coltainville* (CGP Primagaz [2]). *Garnay* (Reckitt et Colman [2]). *Vernouillet* (Bayer France). **Indre :** *Concremiers* (Butagaz [2]). **Indre-et-Loire :** *Cigogné* (Nitro-Bickford [8]). *Monts* (CEA [8]). *Reignac-sur-Indre* (Vienne-Loire-Appro.). *Saint-Antoine du Rocher* (SOCAGRA). *St-Pierre-des-Corps* (Primagaz [2]). **Loiret :** *Courtenay* (Sidobre-Sinnova [6]). *La Ferté-St-Aubin* (Thomson Brandt armement [8]). *St-Cyr-en-Val* (Primagaz [2]). **Champagne-Ardenne. Ardennes :** *Sauville* (Euro Bengale Org. [8]). **Aube :** *Crancey* (ICOA France). *Lhuitre* (Sotradex [8]). *Mazières-la-Grande-Paroisse* (Champagri). **Marne :** *Beine-Naurog.* (Et. Louis Laroge [8]). *La veuve* (Sonaf). *Reims* (Elf Antargaz [2], Providence agric. de la Champagne). *St Martin sur le Pré* (Mory TNTE). *Sillery* (BP [2]). **Corse. S. :** *Ajaccio* (GDF [2], Elf Antargaz [2]). **N. :** *Bastia Nord* (GDF [2]). *Sud* (GDF [2]). *Lucciana* (Butagaz [2]). **Franche-Comté. Doubs :** *Deluz* (SPLG [2]). *Gennes* (Pipe line du Jura [1]). **Jura :** *Andelot-en-Montagne* (Valchaini [8]). *Damparis* (Solvay [8]). *Tavaux* (Solvay [2,3,7]). **Ile-de-France. Essonne :** *Ris-Orangis* (ELF Antargaz [2]). *Vert-le-Petit* (SNPE [8]). **Hauts-de-Seine :** *Colombes* (Impregna). *Issy-les-Moulineaux* (SFM [8]). *Nanterre* (Gemcal [2]). **Seine-et-M. :** *Bagneux-sur-Loing* (Corning-France, Videoglass). *Bourron-Marlott* (Bernard Bois). *Grandpuits* (Gde-Paroisse [4], Elf [2,7]). *Meaux* (Sidobre Sinnova [6]). *Mitry-Mory* (Gazechim [3]). *Moissy Cramayel* (Sogif). *Montereau* (Butagaz [2]). *Vaires-sur-Marne* (Antargaz [2]). **Val-de-Marne :** *Bonneuil-sur-M.* (Gemcal [2]). *Limeil-Brevannes* (Laboratoire d'électron. et de phys. appliquées). *Vitry-sur-S.* (Rhône-Poulenc [4,9]). **Val-d'Oise :** *Persan* (Sfos). *St-Ouen l'Aumône* (Ampère Hexcel France). *Survilliers* (Nouvelle Cartoucherie). **Languedoc-Roussillon. Aude :** *Conques-sur-Orbiel* (Salsigne). *Cuxac-Carbardés* (Titanite [8]). *Espéraza* (Efisol). *Narbonne* (Comurhex [7] ; Ets Vernier [1]). *Port-la-Nouvelle* (Sté Delpech ; BP [2]. Elf Antargaz [2] ; Sté occitane fabrication et technologies. Marty Parazols). *Quillan* (Formica). *Salsigne* (mine). **Gard :** *Bagard* (Nitro-Bickford [8]). *Beaucaire* (Procida). *Manduel* (Pyromeca [8]). *Salindres* (Rhône-Poulenc [3,7]). *St-Gilles* (Deulep [1]). **Hérault :** *Agde* (GEC). *Béziers* (Cebe ; Gazechim ; Menguez Rhône-Poulenc). *Frontignan* (Mobil Oil [1,2]). **Lozère :** *Aumont Aubrac* (Gaillac). *Langogne* (Beaumartin). *St-Jean-La-Fouillouse* (Nobel [8]). **Pyrénées-Or. :** *Opoul-Perillos* (Nobel [8]). **Limousin. Corrèze :** *Brive* (Butagaz [2]). **Hte-Vienne :** *Saillat* (Aussedat-Rey [3]). *St-Priest-Taurion* (Primagaz [2]). **Lorraine. Meurthe-et-Moselle :** *Bettainvilliers* (Titanite [8]). *Blénod* (Sigalnord [2]). *Moutiers* (Lorrex [8]). **Meuse :** *Baleycourt* (ICI [3]). **Moselle :** *Ars-sur-Lorraine* (Imprelorraine). *Carling-St-Avold-Marienau* (Erichem [2] ; Elf Atochem [1,2,4] ; Protelor). *Forbach* (Houillères [8]). *Freyming-Merlebach* (Houillères [8]). *Hauconcourt* (Totalgaz [2]). *Orny* (Nobel [8]). *Richemont* (L'Air liquide). *Ste-Barbe* (Nitro-Bickford). *Sarralbe* (Solvay [2]). **Vosges :** *Arches* (Lyonnet). *Golbey* (Totalgaz [2]). *Raon-l'Étape* (carrières de la Meilleraie [8]). **Midi-Pyrénées. Aveyron :** *Calmont* (Sobegal [2]). **Hte-Garonne :** *Boussens* (Antargaz [2]). *Escalquens* (Gaches-Chimie). *Fenouillet* (Totalgaz [2]). *Mondouzil* (Tunet [8]). *Muret* (Lacroix [8]). *St-Gaudens* (Cellulose [3]). *Ste-Foy-de-Peyrolières* (Lacroix [8]). *Toulouse* (Gde-Paroisse [3,4] ; SNPE [3,5] ; Tolochimie [5]). **Htes-Pyrénées :** *Lannemezan* (Elf Atochem [3,4]). **Tarn :** *Albi* (Xylochimie). *Castres* (Sepric [6]). **Nord-Pas-de-Calais. Nord :** *Arleux* (Totalgaz [2]). *Blaringhem* (verres de sécurité). *Boussois* (Boussois). *Courchelettes* (BP). *Dunkerque* (SFP [2] ; Sollac [2]). *Fraismarais* (Air liquide ; Gde-Paroisse SA [4]). *Grande-Synthe* (Air Liquide). *Gravelines* (Appontement pétrolier des Flandres [1] ; Cyanamid). *Haulchin* (EPV [1]). *Loos* (Prod. chim. [3]). *La Madeleine* (Rhône-Poulenc [3,4,5]). *Masnières* (verreries). *St-Pol-sur-Mer* (dépôt des pétroles côtiers [1]). *Thiant* (Antargaz [2] ; EPV). **Pas-de-Calais :** *Arques* (Verreries). *Béthune* (Schenectady). *Billy-Berclau* (Nitrochimie [8]). *Choques* (ICI [1]). *Corbehem* (Stora-Felmuehle-Béghin). *Dainville* (Avenir rural, Primagaz [2]). *Drocourt* (Cray Valley [1]). *Feuchy* (CECA [4,6]). *Harnes* (Noroxo). *Isbergues* (Ugine [7]). *Lestrem* (Roquette). *Liévin* (Norsk-Hydro [4]). *Mazingarbe-Waziers* (Gde-Paroisse SA [4] ; artésienne de vinyle [2]). *Noyelles-Godault* (Métaleurop). **Basse-Normandie. Calvados :** *Boulon* (Nitro-Bickford [8]). *Honfleur* (Miroline [1]). *Vire* (Butagaz [2]). **Manche :** *Granville* (Soferti [4]). **Orne :** *Bellou-sur-Huisne* (Buhler Fontaine [2]). *Couterne* (PCAS [1]). *Merlerault* (Totalgaz [2]). **Haute-Normandie. Eure :** *Alizay* (Aqualon, Sica Alicel [3,4]). *Bernay* (ICI). *Bourth* (Sovilo). *Brionne* (Tramico). *Gaillon* (CFPI [3]). *Pitres* (Nouv. cartoucheries [8]). *St-Pierre-la-Garenne* (Sandoz). *Vernon* (Sep). **Seine-Mar. :** *Antifer* (CIM [1]). *Aumale* (Butagaz [2]). *Déville-lès-Rouen* (Borden France). *Gonfreville-l'Orcher* (Elf Atochem [1,2] ; Clevron-Chemical [1,7] ; CRD [1,2] ; Norgal [2] ; Sigalnor [2] ; SNA [4] ; Sogestrol [1]). *Grand-Quevilly* (Grande-Paroisse SA [4]). *Le Havre* (CIM [1] ; SHMPP [1]). *Lillebonne* (Bayer-Elastomer [2] ; Hoechst [1] ; Sodes). *Montville* (Sté chim. de Montville). *N.-D.-de-Gravenchon* (Elf Atochem [2] ; Exxon [1,2] ; Esso SAF [1,2] ; Mobil Oil [1] ; Primagaz [1] ; Socabu [1,2]). *Oissel* (Gde-Paroisse ; ICI Francolor [1] ; Quinoleine). *Oudalle* (Lubrizol [3] ; Total Solvants [1]). *Petit-Couronne* (Shell [1,2] ; Butagaz [2]). *Rogerville* (Norsk-Hydro). *Rouen* (Lubrizol). *St-Aubin-les-Elbeuf* (Rhône-Poulenc-Biochimie [3]). *Sandouville* (Eramet-SLN [3] ; Good Year [2] ; Sedibex [1]). *Sotteville-les-Rouen* (Parachimique II). **Pays de la Loire. Loire-Atlantique :** *Donges* (Elf-Antargaz [2] ; Elf-France [1,2,7]). *Montoir-de-Bretagne* (Gde-Paroisse [4] ; GDF [2] ; Norsk-Hydro [4]). *Nantes* (GDF [2]). *Paimbœuf* (Octel Kuhlmann). *Riaillé* (Nobel-PRB [8]). **Maine-et-Loire :** *Montreuil Bellay* (Sipcam-Phyteurop). *St-Crespin-sur-Moine* (Nitro-Bickford [8]). **Mayenne :** *Longuefuye* (Sté des alcools viticoles [1]). **Sarthe :** *Arnage* (Butagaz [2]). *Le Mans* (GIAT-industries [8]). *Precigne* (Alsetex [8]). **Vendée :** *L'Herbergement* (Butagaz [2]). *Mortagne-sur-Sèvre* (Nitro-Bickford [8]). *Ste-Florence* (Sté vendéenne du traitement du bois). **Picardie. Aisne :** *Gauchy* (Soprocos [2]). *Marle* (Bayer). **Oise :** *Catenoy* (Organo-synthèse). *Compiègne* (Affimet [3]). *Cusse-la-Motte* (Hoechst [9]). *Ressons-sur-Matz* (Totalgaz [2]). *Verneuil-en-Halatte* (Ineris [8]). *Villiers-St-Sépulcre* (General Electric Plastics ABS [2]). **Somme :** *Amiens* (Mory TNTE, Eurolisyne [4,9]). *Nesle* (Orsan [4,9]). **Poitou-Charentes. Charente :** *Angoulême* (SNPE [8]). *Gimeux* (Elf-Antargaz [2]). **Charente-Maritime :** *Le Douhet* (Butagaz [2]). *Ste-Soulle* (Nobel Explosifs France [8]). **Deux-Sèvres :** *Lesay* (huilerie de l'Arseau [1,9]). *Melle* (Rhône-Poulenc). *Niort* (DSM ; Sigap Ouest [2]). **Vienne :** *St-Benoît* (Euro-Production). **Provence-Alpes-Côte-d'Azur. Alpes-de-Haute-Provence :** *St-Auban* (Elf Atochem [1,2,3]). *Sisteron* (Sanofi Chimie [1,3,5]). **Alpes-Maritimes :** *Peillon* (Nobel [8]). **Bouches-du-Rhône :** *Berre* (Shell [1,2]). *Cabriés* (Nitrochimie [8]). *Fos-sur-Mer* (Arcochimie, France ; Atochem [3] ; Sté du chlorure de vinyle [1,2] ; ESSO [1,2] ; Sollac [2] ; SPLSE [1] ; Dépôts pétroliers [1] ; terminal de la Crau [1] ; Air liquide ; terminal méthanier GDF [2] ; Rhône Gaz [2]). *Marignane* (Stogaz [2]). *Marseille* (Elf Atochem [3,4] ; Métaleurop). *La Mède* (CFR [1,2,4]). *La Pointe-Berre* (Shell [2]). *Port-de-Bouc-Fos* (Elf Atochem [3]). *Rognac* (Butagaz [2]). *Rousset* (Rhône-Poulenc Agrochimie). *St-Martin-de-Crau* (Nitrochimie [8] ; SNPE [8]). *Tarascon* (Cellulose du Rhône [3]). *Vitrolles* (Orchidis). **Var :** *Le Beausset* (Titanite [8]). *La Motte* (Stogaz [2]). *Mazaugnes* (Maurel [8]). **Vaucluse :** *Bollène* (Butagaz [2]). *Monteux* (Ruggieri [8]). *Sorgues* (Coop. agr. Prov. Langued. ; Moiroud ; SNPE [8]). *Vedène* (TRP Daussant). **Rhône-Alpes. Ain :** *Balan* (Elf Atochem [2]). *St-Vulbas* (Totalgaz [2]). *St-Jean-de-Thurigneux* (Ukoba [8]). **Ardèche :** *St-Péray* (Ets Gaillard). *La Voulte* (Parmacie centrale). **Drôme :** *Bourg-lès-Valence* (Cleddite France [8]). *Clérieux* (Cleddite France [8]). *Pierrelatte* (Cogema [7] ; Cie fr. des produits fluorés). *St-Paul-Trois-Châteaux* (Commurhex [7]). **Isère :** *Brignoud* (Elf Atochem [2]). *Champagnier* (Distugil [2]). *Domène* (Sobegal [2]). *Grenoble* (Eurotungstène poudres). *Jarrie* (Elf Atochem [2,3]) ; *Péage-de-Roussillon* (Sira). *Pont-de-Claix* (Rhône Poulenc [1,4,5]). *Roches-de-Condrieu* (Rhône-Poulenc [2]). *Roussillon* (Rhône-Poulenc [1,4,5]) ; *St-Clair-du-Rhône* (ICI-Francolor [5]). *Serpaize* (Elf [1]). *St-Quentin-Fallavier* (Elf [1]). *Vif* (Cleddite France [8]). **Loire :** *Andrézieux-Bouthéon* (Rollin-Dupré). *Boisset-les-Montroud* (SFIB). **Rhône :** *Feyzin* (Elf [1,2] ; Rhône gaz [2]). *Genay* (Agrishell). *Lyon* (Butagaz [2]). *Meyzieux* (Alsthom). *Neuville-sur-Saône* (Roussel-Uclaf [4,9]). *Pierre-Bénite* (Elf Atochem [3,7]). *Rilleux-la-Pape* (Pyragric [8]). *St-Fons* (Elf Atochem [1,3] ; Ciba Geigy [5]). *St-Fons-Belle-Étoile* (Rhône-Poulenc). *St-Genis-Laval* (ADG [2]). *St-Priest* (Sotragal [2,6,7]). *Villefranche-sur-Saône* (Rhône-Poulenc). **Savoie :** *La Chambre* (Elf Atochem [4,9]). *Frontenex* (Totalgaz [2]). *Hermillon* (Cegedur). *Plombière-St-Marcel* (Métaux spéciaux [3]). *St-Jean-de-Maurienne* (Péchiney). *Ugine* (Ugine aciers [7]).

Nota. (1) Liquides inflammables. (2) Gaz inflammables. (3) Chlore. (4) Ammoniac. (5) Phosgène. (6) Oxyde d'éthylène. (7) Acide fluorhydrique. (8) Installation pyrotechnique. (9) Norme « non Seveso ».

Taux max. admis dans eau potable et aliments : 0,5 ppm (parties par million). **Plomb :** peut provoquer anémie et lésions du système nerveux. La plupart des aliments en renferment de petites quantités d'origine naturelle ou venant des boîtes de conserve soudées (poisson), de capsules en plomb de bouteilles ou de fruits et légumes cultivés dans des terrains recevant des eaux d'épandage, ou au voisinage d'usines de traitement de plomb. Les canalisations en plomb peuvent contaminer l'eau. *Dose journalière tolérable par l'organisme :* 1 μg par kg de poids corporel.

2) Pesticides. Les insecticides organochlorés persistants (tels DDT, aldrine et dieldrine) sont désormais interdit en agriculture en France et dans la plupart des États européens ; les teneurs dans les aliments diminuent donc et ne sont décelables que dans les aliments riches en graisse (rémanence : traces de DDT trouvées en 1984 en G.-B. dans des choux de Bruxelles, 20 ans après épandage). Ils sont maintenant remplacés par des composés organophosphorés et des carbamates plus toxiques mais laissant moins de résidus dans les denrées alim. 0,5 % des cancers recensés aux USA sont dus aux pesticides. *Taux max. admis dans l'eau potable* (directive europ. de juil. 1980) : 0,5 uq/l.

3) Mycotoxines. Céréales et arachides (au cours de leur récolte et de leur emmagasinage) peuvent être infectées par des moisissures. Celles-ci peuvent sécréter des produits très toxiques, comme l'aflatoxine produite par une moisissure surtout présente dans cacahuètes, amandes, noisettes.

4) Autres contaminants chimiques. Nitrosamines : cancérigènes. **Polychlorobiphényles :** en raison de leur rémanence, ne peuvent être employés que dans des conditions prévenant leur dissémination.

Hormones : utilisées en élevage pour accélérer croissance et résistance aux maladies. *Prohibées* par la loi du 27-11-1976 qui interdit l'administration de substances à action œstrogène aux animaux destinés à la consommation humaine. *Exception :* celles administrées à des femelles adultes pour la maîtrise de leur cycle. Les œstrogènes naturels sont tolérés jusqu'à 0,01 mg/kg sur les animaux en âge de reproduire, et jusqu'à 0,0002 mg/kg sur jeunes animaux. 80 % au moins des veaux sont traités aux hormones. Un mot d'ordre de boycottage a été lancé par l'Union fédérale des consom., le 11-9-1980.

Pollution des eaux

☞ Voir aussi **Eau** à l'Index.

Eau potable

Définition. Elle doit être limpide, pure, dépourvue d'odeurs, de substances toxiques et de microbes et virus pathogènes.

Normes de la qualité. *Paramètres organoleptiques* (valeurs-limites) : couleur 15 mg/IPt, turbidité 2 UI, odeur et saveur nulles, agents surface 200, fer 200.

Paramètres physico-chimiques : température 25 °C, pH 6,5 à 9, chlorure (en g/l) 200, sulfates 250, magnésium 50, sodium 150, potassium 12, aluminium total 0,2, résidu sec 1 500.

Substances indésirables (en g/l) : nitrates 50, nitrites 0,1, ammonium 0,5, azote organique 1, oxydabilité au $KMnO_4$ 5, cuivre 1, zinc 5, phosphore 5, hydrocarbures dissous (en mg/l) 10, phénols 0,5, détergents anioniques 200, manganèse 50.

Substances toxiques : arsenic 50, cadmium 5, cyanure 50, chrome 50, mercure 1, nickel 50, plomb 50, antimoine 50, MAP (6 substances) 0,2, dont benzo 3,4, pyrène 0,01.

Substances microbiologiques : coliformes totaux 0 pour 95 % des analyses, thermotolérants 0/100 ml, streptocoques fécaux 0/100, clostridium ⩽ 5/100 ml, staphylocoques pathogènes 0/100 ml, salmonelles 0/5 1, entérovirus 0/10 1 ; *pesticides* (en mg/l) : total 0,5, par substance 0,1, sauf aldrine et dieldrine 0,03, hexachlorobenzène 0,01, PCB et PCT 0,50.

Effets de la pollution des eaux

■ **Sur la vie animale et végétale dans l'eau.** Le développement de la vie animale et végétale dans l'eau est lié :

1°) *A la pénétration de la lumière* qui, grâce à la photosynthèse, permet aux organismes végétaux de fabriquer de la matière vivante à partir de l'énergie solaire, du gaz carbonique et des sels minéraux.

2°) *A la richesse de l'eau en éléments nutritifs.*

Conditions optimales près des côtes mais c'est là aussi qu'elle est le plus polluée.

Les *rejets organiques* peuvent asphyxier zones de frayères et nurseries, essentielles pour la vie aquatique, conduisent à la formation de vases réductrices toxiques pour plantes et animaux marins. Les *matières en suspension* réduisent la pénétration de la lumière (et donc la photosynthèse), colmatent les appareils respiratoires des poissons.

Certains composés, non toxiques pour les 1ers échelons de la « chaîne alimentaire », peuvent se concentrer dans les êtres vivants des échelons suivants et atteindre ainsi, par bioaccumulation, un niveau de toxicité élevé, préjudiciable à la vie des êtres marins ou à la santé des consommateurs. Les organismes marins peuvent concentrer des produits toxiques par *filtration :* pollution bactérienne accumulée dans les mollusques élevés dans des zones insalubres ; par *accumulation alimentaire :* les poissons peuvent accumuler métaux lourds (baie de Minamata au Japon : voir ci-dessous) et composés organochlorés. Les rejets urbains n'ayant pas subi un traitement spécifique recèlent de nombreux micro-organismes, généralement inoffensifs pour les animaux marins, mais ces virus et bactéries sont dangereux pour l'homme.

■ **Sur l'homme.** Par absorption accidentelle d'eau polluée ou contact. **Bactéries :** infections gastro-intestinales épidémiques et endémiques (fièvre typhoïde, choléra). **Virus :** infections virales, hépatite épidémique, inflammation des yeux et de la peau chez les nageurs. **Protozoaires et métazoaires :** amibiase et autres infections parasitaires. **Métaux :** intoxication par plomb, mercure, cadmium (chaînes alimentaires), arsenic (maladie dite « blackfoot »). **Nitrates :** changements dans la molécule de sang (perturbation de son oxygénation), troubles digestifs, gastro-entérites, risques de cancer, méthémoglobinémie (altération du sang des bébés par manque d'oxygène). Une eau chargée en nitrates (50 à 100 mg/l) est déconseillée aux femmes enceintes et pour biberons. **Fluorures :** marbrures de l'émail dentaire en cas d'excès. **Pétroles, phénols, solides dissous :** diminution de la potabilité de l'eau.

☞ **Maladie due au mercure.** Dans la *baie de Minamata* (Japon) où l'usine Chiso déversait ses déchets, 20 000 Jap. ont été contaminés (dont 4 500 gravement) de 1956 à 1967 : 857 sont morts, les survivants les plus atteints souffraient de troubles nerveux. Depuis, on vérifie en France que les poissons ne contiennent pas plus de 0,5 mg de mercure par kg. On trouve parfois des doses plus fortes (0,6 ou 0,7) sur des thons ou des lieus. On trouve aussi du mercure dans volaille (dinde, dindonneau, pintade, canard), champignons de Paris en boîte, cacahuètes, groseilles, framboises, pain complet, pâtes.

Formes de pollution

■ **Pollution tellurique.** *Rejets* directs ou indirects en mer du fait des activités industrielles et agricoles, des concentrations urbaines : rejets agricoles et urbains [3,6 millions d'équivalents habitants (éq/hab.) l'hiver, 10 l'été] riches en sels nutritifs, peuvent conduire à des proliférations de *macro-algues [marées vertes* des côtes bretonnes, de Venise (*juillet 1989 :* de Venise à Ancône, 300 km de long sur quelques dizaines de m de large, algues *Ulva rigida.* 258 millions de F prévus pour ramasser les algues et 6,1 à 28 milliards de F sur 5 ans pour nettoyer la mer. *Caulerpa taxifolia,* apparue en 1984, entre Toulon et Menton, tige de + de 1 m, feuilles de 65 cm)] et à des *efflorescences phytoplanctoniques* pouvant provoquer la mort de la faune marine par manque d'oxygène. Certaines espèces phytoplanctoniques peuvent produire des toxines dangereuses pour la faune et les consommateurs de coquillages. Les défenses immunitaires sont abaissées chez les animaux, qui deviennent vulnérables aux maladies.

Exploitation du sous-sol marin : rejets chroniques de déblais de forage pollués (produits chimiques, hydrocarbures), rejets d'eaux de production (hydrocarbures), accidents ou incidents en cours de forage en mer, éruptions incontrôlées dues à une évaluation erronée des caractéristiques des couches traversées en forage, ou à des manœuvres erronées. Accidents survenant à des oléoducs sous-marins.

Rejets liés aux émissions naturelles (env. 600 000 t par an) *et retombées d'hydrocarbures à partir de l'atmosphère :* émanations des unités de traitement industriel ; des installations agricoles ; des avions et des voitures, de la combustion des fiouls (600 000 t).

Nota. – Sur 3,2 millions de t d'hydrocarbures déversés chaque année dans les mers, il y a 1,2 million de t de rejets telluriques, 0,3 million venant de l'atmosphère et 1,47 millions de t de rejets des navires (dont 400 000 t à la suite d'accidents de navigation).

■ **Pollution pélagique.** *Transports maritimes :* pétroliers (cargos, minéraliers, bateaux de pêche et de plaisance, etc.) à l'origine de pollutions chroniques (liées à la marche normale du navire) ou accidentelles ; ou délibérées (rejets d'eaux de cale, de lavage de citernes, de ballast à partir de navires, pétroliers ou non) ; peintures toxiques des coques de bateaux. *Immersions :* déblais provenant du dragage des ports.

Méduses

Prolifération : augmentation des matières organiques dans la mer qui, en se dégradant, fabriquent des sels minéraux, dont se nourrissent les planctons, qui nourrissent à leur tour les méduses ; variations thermiques de l'eau (climat sec et chaud) ; pollution de l'eau (lorsque l'environnement devient hostile, le polype générateur de méduses, situé au fond de l'eau, libère de petites méduses qui gagnent des eaux plus accueillantes) ; attribuée à tort à la disparition des tortues de mer (consommatrices de méduses, elles avaleraient souvent par erreur des sacs en plastique et en mourraient par occlusion intestinale).

Principaux polluants

■ **Pollution chimique.** *Origines :* déchets industriels minéraux et organiques. Certains de ces déchets peuvent détruire flore et faune à des doses inférieures à 1 mg/l (chromates, cyanures, pesticides). Il peut s'agir d'hydrocarbures, de détergents, d'engrais agricoles, de pesticides, de phosphates venant des lessives [*effet :* eutrophisation (prolifération du phytoplancton)] puis disparition des autres formes de vie aquatique. A partir de juillet 1991, le taux dans les lessives sera limité à 20 %. Certains, bio-accumulables, peuvent, à travers la chaîne alimentaire depuis le plancton, atteindre l'homme (mercure, pesticides par exemple).

■ **Pollution organique.** Rejets des égouts, abattoirs, porcheries, laiteries, fromageries, sucreries, papeteries, tanneries, etc. *Résultats :* la décomposition des matières organiques dans l'eau consomme l'oxygène dissous dans l'eau au détriment des besoins de la faune et de la flore aquatiques ; aucun poisson ne peut plus vivre dans ces eaux polluées, seuls se développent des invertébrés (perles, éphémères, chironomes, simulies), des animaux et végétaux du plancton (flagellés, ciliés, diatomées), de nombreuses bactéries, des champignons microscopiques (ascomycètes, phycomycètes). Pollution par des organismes vivants : virus, bactéries, levures, algues.

■ **Pollution thermique.** Élévation de la température de l'eau par les rejets des centrales thermiques et nucléaires. Une directive européenne impose de ne dépasser en rivière, en aucune période, 21,5 °C pour les salmonidés, 28 °C pour les cyprinidés, 10 °C pour les espèces ayant besoin d'eaux froides pour leur reproduction en période de frai.

Dans l'eau réchauffée, le taux d'oxygène dissous diminue, provoquant ainsi l'asphyxie des êtres vivants. Le nombre d'espèces du phytoplancton et des algues s'amenuise, la flore devient plus uniforme, la faune s'en trouve affectée.

■ **Pollution par le lisier** (quantité moyenne produite par animal, par an en m³ et, entre parenthèses, quantité d'azote émis en kg, *source :* mission eau-nitrates). Vache 12 à 8 (48 à 72), truie 2,1 à 3 (10,5 à 16), truie + porcelets 4 à 7 (20 à 35), porc 0,7 à 1 (3,5), poule 0,05 à 0,07 (0,34), lapin 0,5 (4,5), ovin 1,3 (10,3).

Boues rouges

Désignent couramment les rejets en mer de résidus de fabrication d'oxyde de titane (à l'origine, fabrication d'aluminium, effectivement rouges).

Effectués par immersion (à partir de navires : Montedison en mer Tyrrhénienne, en 1972, à 40 km au N. du cap Corse) ou par tuyaux à partir de la côte (usines en bord de mer, dont 2 usines françaises à Calais et au Havre). Au Havre, le remplacement de l'ilménite par des slags africains qui ne contiennent pas de fer a permis de réduire d'environ 70 % les rejets.

Accidents pétroliers

Accidents pétroliers principaux

Quantités déversées en t (*source :* IFP).

■ **Forages.** **1969**-*28-1* **Santa Barbara** (Calif.) 4 000. **1970**-*10-2* **Main Pass** (Louisiane) 9 060. **1971**-*2-12* **Golfe Persique** 14 000. **1975**-*22-4* **Ekofisk** 12 000. **1979**-*3-6* **Ixtoc 1** (golfe du Mexique) colmaté 23-3-80 après 9 mois, 70 000 barils/j. 1 000 000 t env., une partie a brûlé sur place, le reste a dérivé pour atteindre 2 mois après les côtes du Texas et de la Floride.

■ **Installations côtières.** **1969**-*31-10* **Seewaren** (New Jersey) 28 600. **1972**-*22-6* **Douglasville** (Pennsylvanie) 30 000. **1983**-*3* **Nowrouz** (G. Persique) 30/40 000, dérivant vers Bahreïn et Qatar après le bombardement des installations par les Irakiens.

■ **Oléoducs.** **1967**-*15-10* **Louisiane** 23 000. **1976**-*20-4* **Arabie S.** 14 000.

■ **Navires.** **1967**-*18-3* **Torrey Canyon** (Liberia) appartenant à la Barracuda Tanker Corporation, filiale libérienne de la Sté amér. Union Oil Cy of California ; chargé de 119 000 t de brut (appartenant à la BP), s'échoue sur les récifs des Seven Stones, entre Cornouailles et îles Sorlingues. Il était assuré 84 millions de F et 100 pour dommages aux tiers. Dégâts : des milliards de F. Indemnités versées : 3 millions de £ + 335 000 aux particuliers ayant subi des dommages. 100 000 t d'algues et 35 000 t de poissons, crustacés et coquillages détruits par les détergents. **1970**-*20-3* **Othello** 60 000 (Baltique). **1971**-*27-2* **Wafra** (Lib.) 63 000 (Afr. du S.). **1972**-*21-8* collision de 2 pétroliers libériens **Texinita** et l'**Oswego Guardian :** 100 000 (large de l'Afr. du S.) *-19-12* **Sea Star** (coréen) 115 000 (golfe d'Oman). **1974**-*9-8* **Metula** (Ang.) 53 000 (détroit de Magellan). *-11-11* **Yuyo Maru** (Jap.) 50 000 (Jap.). **1975**-*29-1* **Jakob Maersk** (Dan.) 84 000 (Portugal). *Mai* **Epic Colocotronis** (Grèce) 57 000 (St-Dominique). *-7-6* **Showa-Maru** (Jap.) 237 000 (détroit de Malacca). **1976**-*15-12* **Argo Merchant** 28 000 (USA). *-24-1* **Olympic Bravery** 250 000 (nord d'Ouessant ; il a fallu 3 mois pour nettoyer la côte). *-12-5* **Urquiola** (Esp.) 101 000 (Esp.). **1977**-*25-2* **Hawaiian Patriot** (Lib.) 99 000 (Pacifique). **1978**-*16-3* **Amoco Cadiz.** Voir encadré p. 1337. b. *-10-7* **Cabo Tamoro** (Chili) 60 000 (Chili). *-31-12* **Andros Patria** (Grèce) 40 000 (Esp.). **1979**-*1-7* **Atlantic Express** (collision avec Aegean Captain) 300 000 (Caraïbes). *-28-4* **Gino** (Lib.) 41 000 (large d'Ouessant). **1980** **Princess Anne-Marie** 56 000 (Caraïbes). *-24-2* **Irenes Serenade** (Grèce) 102 000 (Grèce). *-7-3* **Tanio** (malgache) (France), chargé de 27 000 t de fuel lourd, se casse en deux au large de Portsall (nord de l'île de Bath) ; l'avant coule ; 8 marins † ; l'arrière (10 000 t) est remorqué au Havre ; 8 000 t se répandent dans la mer (côtes polluées ; Finistère 120 km, C.-d'Armor 20 km), 8 000 t restent dans les soutes à env. 90 m de profondeur. De mars à juin 80, 53 642 t de résidus solides récupérés et 2 510 t de produits liquides. 5 165 m³ de produits, piégés dans la partie avant coulée de l'épave, récupérés par la Comex (4-10-80 au 18-8-81). Coût nettoyage et pompage : 500 millions de F. **1981**-*29-3* **Cavo Cambanos** (Grèce), chargé de 20 100 t, explose après incendie au large de la Corse : 18 000 t déversées ; 501 millions de F. **1983**-*6-5* **Castillo de Bellver** (Esp.), incendie au large du Cap, l'arrière coule avec 100 000 t de brut et l'avant avec 150 000. **1984**-*7-1* **Assimi** (n.c.) 51 431 (Oman). *-25-8* éperonné par le car-ferry all. Olau Britannia, le cargo **Mont-Louis** (Cie gén. marit.) s'échoue à 18 km au large d'Ostende. Contient 32 fûts d'hexafluorure d'uranium (15 t chacun, 4 m sur 1,40 m de diam.). Le 32e fût est remonté à la surface le 3-10. **1985**-*21-3* collision **Patmos** (Grèce) et **Castillo Monte Aragon** (Esp.) détroit de Messine (Sicile). **1988**-*31-1*. **Amazzone** (Italie) 3 000 t au large d'Ouessant. **1989**-*28-1* **Bahia Paraiso** s'échoue près de l'Antarctique. 600 t déversées. *-24-3* **Exxon Valdez** (USA) s'échoue en Alaska (baie du Pce William), 40 000 t polluent + de 1 744 km de côte (980 loutres et 33 126 oiseaux dont 138 aigles morts). *23-3-1990* Joseph Hazelwood, le capitaine, est acquitté des accusations de pilotage imprudent et d'ivresse, mais reconnu coupable de pollution par négligence. Après accord avec le gouvernement amér. et Exxon, il aurait dû payer 100 millions de $ d'amendes et 1,1 million de $ (5,5 millions de F) de dommages et intérêts étalés sur 5 ans. Il avait déjà payé près de 2,5 milliards de $ pour le nettoyage des côtes, mais Exxon a rejeté cet accord. *-23-6* **Prodiges** s'échoue, 5 000 t déversées. (USA, Newport World). *-24-6* **Presidente Ravera** s'échoue : 5 500 t déversées USA (embouchure du Delaware). **Rachel B** collision, 1 000 t déversées (USA, baie de Galveston). *-19-12* **Kharg-5** (Iran) explose au large de Safi (Maroc), 70 000 t déversées. *-29-12* **Aragon** (Esp.) 25 000 t déversées au nord de Madère. **1991**-*10/11-4* **Haven** (Chypre) explose et prend feu au large de Gênes. 40 000 t sur 140 000 déversées ; nappe dérivante de 20 km de long sur 300 à 500 m de large. **1992**-*12-3* **Aegian Sea** (Grèce) s'échoue près de La Corogne (Espagne) 79 800 t déversées, 200 km de côtes touchés, nappe de 2 km. **1993**-*5-1* **Braer** (libérien) s'échoue près des Shetlands 84 500 t déversées.

Nota. – A l'initiative de la France, l'accident du *Braer* a conduit la commission des communautés europ. à arrêter un programme de renforcement des dispositions relatives à la sécurité maritime (Conseil des min. Environnement/Transp. du 25-1-1993).

■ **Plates-formes.** *Principaux accidents* (déversement en milliers de t). *Source :* IFP PLATFORM Databank. **Sedco 135** (Mexique *3-6-79*) 476. **Treasure Saga** (Norvège *20-1-89*) 260. **Nowruz 4** (Iran *2-3-83*) 100. **Nowruz 3** (Iran *24-1-83*) 70. **Wodeco 3** (Iran *2-12-71*) 57. **Sedco 135 C** (Nigeria *17-1-80*) 30. **Mexico** (Mexique *24-10-86*) 30. **Ekofisk B** (Norvège *22-4-77*) 10. **Ron Tappmeyer** (Arabie Saoudite *2-10-80*) 10. **Petrobaltic** (URSS [Baltique] *6-83*) 10. **Ardashir II** (Iran *11-7-83*) 10.

■ **Pollution volontaire.** **1991**-*24-1* pour empêcher une opération amphibie amér. dans le golfe Persique, les Irakiens déclenchent une marée noire en ouvrant les vannes du terminal d'al-Amhadi. Déversement : 160 000 à 240 000 t. Durée de la pollution grave : 4 mois, limitée aux côtes saoudiennes dans un rayon de 400 km. Bien que les opérations de récupération, confinement et nettoyage aient été limitées au littoral, 1 an plus tard, le pétrole était dégradé naturellement au large. Les concentrations d'hydrocarbures y étaient même inférieures à celles d'avant-guerre, sans doute du fait de la diminution du trafic pétrolier après la guerre. (Voir Index : Irak).

■ Statistiques

■ **Statistiques. Causes de 41 792 événements de mer (en %, 1981-90) :** collision 19,87 ; incendie, explosion 5,40 ; échouement 12,7 ; dommages à la coque, 13 ; dommages à la machine 40,12 ; divers 7,52.

Principaux pays responsables (en %) : Liberia 25,4, Grèce 12,2, USA 11,1, G.-B. 7, Norvège 6,2, Panamá 5,7, Japon 4,9, Italie 3,2, *France 2,7,* Suède 1,6, Chypre 1,6.

Rapport du nombre d'accidents à la flotte pétrolière totale du pays (nombre d'accid./TPL × 10⁶) : Chypre 20, USA 2,8, Grèce 2,3, Panamá 1,9, Italie 1,2, Liberia, G.-B. et Suède 0,8, Norvège 0,7, Japon et *France 0,6.* Sur 156 navires accidentés en 1979, il y avait 27 pétroliers, dont 5 de + de 200 000 t.

Amoco Cadiz

Circonstances. Le 16-3-1978, 220 000 t de brut s'échappaient de l'*Amoco Cadiz* devant Portsall (Nord-Finistère) ; à 9 h 45 le gouvernail ne répondant plus, le capitaine Pasquale Bardari, en raison des indemnités à verser, avait tergiversé avant de demander de l'aide (2 tentatives de remorquage échouèrent ensuite). Fin août, les côtes de Brest à la baie de St-Brieuc (sur 360 km) et 200 000 ha de surface marine sont pollués. 35 espèces touchées (30 000 oiseaux), 25 à 30 % des huîtres dans les *abers* (petits estuaires) mortes et une génération de laminaires (grandes algues) perdue. 20 mois après, 90 à 95 % des espèces sont revenues. Certaines avaient prospéré (crevettes roses par ex., qui se nourrissent de zooplanctons dont le développement aurait été favorisé par les hydrocarbures). D'autres (tourteaux) avaient diminué. Les poissons plats, vivant en contact direct avec le sable du fond, avaient les nageoires rongées par le pétrole. La mer ne portait plus de trace de pollution mais les abers étaient encore pollués et dans le sable, à 50 ou 80 cm, on pouvait trouver des couches pétrolières (appelées à disparaître sous l'effet des bactéries).

Coût (en millions de F, 1978) *pour la France et,* entre parenthèses, *pour le monde.* Nettoyage (achat de dispersants ou location de camions, temps des marins et des soldats qui ont fait l'essentiel du travail) 430-475 (445-490), perte de ressources marines (essentiellement d'huîtres) 140 (140), perte de satisfaction 31-290 (53-342), pertes de l'industrie touristique 29 (0), autres 5 (179-216), effets régionaux induits 0 (0), totaux 635-935 (817-1188).

Procès. 1978 *13-9* assignation aux USA. **84** *18-4* jugement sur la responsabilité. **85** *Mars* **indemnités demandées** au procès : 768,8 millions de $ dont Syndicat mixte de défense et de protection des 90 communes bretonnes 287,8, État français 263, Stés privées 218. **88** *11-1* jugement. **90** *24-7* indemnités allouées. 690 millions de F [dont 569,7 millions de F à l'État et 121 aux collectivités et professions sinistrées qui en réclamaient 695 (dont communes 587, départements 31, ostréiculteurs 31,5, marins-pêcheurs 14,5, hôteliers et commerçants 14,5, SENPB (protection de la nature et des oiseaux) 5,85, particuliers env. 10), et avaient engagé 120 dont 100 d'honoraires d'experts et d'avocats]. **91** *12-6* audience devant la cour d'appel. **92** *24-1* arrêt cour d'appel (Chicago) : indemnités obtenues (en millions de F) : 1 257 (État 1 045, communes 212) versées par l'Amoco + 100 reversées par l'État français Ville de Brest 26, dép. du Finistère et des Côtes-d'Armor, respectivement 27,6 et 17,5 ; facture réévaluée s'élevait à 2 183 (État 1 383, communes 800).

■ Moyens de lutte

■ **Chimiques. 1°) Dispersants :** *1re génération* (utilisés lors de l'accident du Torrey Canyon) toxicité assez élevée. *2e* utilise 15 à 20 % de tensioactifs non ioniques et des solvants pétroliers à faible teneur en aromatique. Peu toxiques aux doses normales d'emploi (15 à 30 % du poids du pétrole à traiter). *3e g.,* composés de 50 % ou plus de tensioactifs non ioniques, en solution dans un solvant partiellement soluble dans l'eau de mer. Peu toxiques aux doses normales d'emploi (2 à 7 % de la masse à traiter), ils peuvent être utilisés après dilution dans l'eau de mer. Efficaces sur des nappes jeunes et non émulsionnées. **2°) Repousseurs :** créent, si la surface de l'eau est calme, un barrage chimique à l'expansion du pétrole et le rassemblent. On peut ensuite le pomper. **3°) Précipitants** (sur fonds marins) : kaolin, craie, sulfate de baryte, sables, etc., éventuellement traités pour les rendre oléophiles. Ne peuvent être utilisés que sur des fonds sans intérêt biologique, loin des côtes et des zones de frayères. **4°) Absorbants :** flottants permettent d'agglomérer le pétrole en surface et d'en récupérer de petites quantités par des moyens mécaniques : sciure de bois de pin, paille, tourbe, poudrette de caoutchouc (Oléosorb), mousse de polyuréthane, serpillières montées sur des chaînes sans fin (système américain Oil mop). **5°) Gélifiants :** mêlés au pétrole le transforment en gelée, chers ; efficaces si des pompes assurent leur brassage intense avec le pétrole. **6°) Désémulsifiants :** tensioactifs, en modifiant la tension interfaciale entre eau et pétrole, provoquent la rupture des émulsions inverses et favorisent la récupération du pétrole en permettant la séparation des phases : eau et huile.

■ **Bactéries.** *L'inipol EAP22,* nutriment contenant acide oléique, azote et phosphore, stimule l'appétit des bactéries oléophiles, les amenant à proliférer (celles-ci passent de 20 à 100 000 organismes par millilitre en quelques heures, puis survivent plusieurs semaines en consommant le pétrole répandu).

■ **Mécaniques.** Écrémage (récupérateurs à déversoirs, à bande transporteuse et bande absorbante), ou pompage (récupérateurs statiques montés sur des navires récupérateurs). Vagues et courants rendent leur utilisation difficile au-delà de creux de 2 m et de courants de quelques nœuds. La France est équipée de barrages (35 km), de modules de récupération et d'écrémage de type Vortex ou Cyclonet, d'engins de récupération de type Egmopol, de barrages de type Sirène (barrage dynamique associé à un module de pompage). Elle dispose, pour le stockage provisoire des hydrocarbures récupérés, de citernes souples de plusieurs types (de 5 à 200 m³).

☞ Les pétroliers naviguant dans les eaux américaines doivent avoir désormais une double coque. *Surcoûts :* à la construction 15 % à 20 % ; à l'entretien + 25 % ; en réparations + 10 %. Le pétrolier 3E (économique, écologique, européen) a été accepté comme équivalent au double coque des USA par OMI.

■ Qualité des eaux en France

■ Eaux intérieures

■ **Pollution nette rejetée** (en t/jour). Matières oxydables (MO) 4 800. Matières en suspension (MES) 3 945 et toxiques (T) (en kiloéquitox/jour) 49 400.

■ **Part des secteurs** (en %). *Industrie chimique :* MES 32,2 (MO 21,7) T *47,7. Agroalimentaire :* 20,9 (38,9) *0. Métallurgie :* 15,6 (10) *41,6. Bois, papier, cartons :* 10 (13,3) *1,7. Textile :* 5,8 (8,9) *4,2. Commerce et services :* 5,5 (3,1) *0. Extractives :* 4 (0,9) *1,6. Cuirs et peaux :* 1,2 (1,3) *1,3. Prod. d'énergie :* 1,1 (1,3) *1. Ind. minérales :* 1,8 (0,3) *0,8. Autres :* 2,7 (0,3) *0.*

En France, 61 % de la pollution totale produite parvient à une station d'épuration dont 43 % est éliminée. De 1992 à 1996, le montant des travaux aidés par les Agences de l'eau atteindra 81 milliards (1987-91 *44*) dont : pollution domestique 43, alimentation en eau potable 15, poll. ind. 11, pratiques agricoles 3,6, milieu naturel 2,4, amélioration de la ressource 6. *% de la population desservie par une station de traitement des eaux usées.* Danemark 98, All. 90 (Est 60), G.-B. 85, USA 75, *France 70,* Italie 60, Esp. 50, Japon 40.

■ **Montant des travaux aidés par les agences de l'eau** (en milliards de francs, programme 1992-96). 81 dont pollution domestique 43, alimentation en eau potable 15, pollution industrielle 11, pratiques agricoles 3,6, milieu naturel 2,4, amélioration de la ressource 6.

■ **États des eaux. Mesure** (nombre de stations, 1992) : 1 000 dont 900 sont suivies annuellement.

Classe de qualité : *Classe 1A :* eaux non polluées. *1B :* satisfait tous usages. *2 :* qualité suffisante pour irrigation, usages ind., production d'eau potable après un traitement poussé, abreuvage des animaux en général toléré. Le poisson y vit normalement mais sa reproduction peut être aléatoire. Les loisirs y sont possibles si les contacts sont exceptionnels avec l'eau. *3 :* qualité médiocre ; sert au refroidissement et à la navigation. Vie piscicole aléatoire. *Hors classe :* eaux dépassant la valeur max. tolérée en cl. 3 pour 1 ou plusieurs paramètres. Impropres à la plupart des usages, peuvent constituer une menace pour la santé publique et l'environnement.

Eaux superficielles (répartition de 125 points de mesure selon la qualité pour les matières oxydables) : *1A :* 7, *1B :* 35, *2 :* 32, *3 :* 19, *H.C. :* 3.

Eaux douces de baignade (% conforme aux sources européennes) : *1989 :* 84,3, *90 :* 84.

■ **Cours d'eau. Garonne :** pollution chimique (papeteries de St-Gaudens, industries de Toulouse) ; organique (abattoirs de Toulouse). Épuration naturelle sur 40 km après Toulouse puis repollution à Agen et Bordeaux.

Loire : quelques pollutions localisées ; menace générale d'eutrophisation. *7-8 juin 1988 :* incendie de l'usine de produits chimiques Protex, à Auzouer-en-Touraine (I.-et-L.) après une explosion accidentelle : l'intervention des pompiers entraîne un écoulement de nombreux toxiques (sodium, cuivre, chrome et phénol) dans la Brenne, qui se jette dans la Loire en amont de Tours. 53 km de cours d'eau sont stérilisés tuant de 15 à 20 t de poissons ; + de 200 000 personnes sont privées d'eau. *Coût :* 119 millions de F dont pour l'entreprise (fermée 85 j 62) et pour les pouvoirs publics 49 (la restauration du milieu naturel 10). La construction d'un bassin de sécurité aurait coûté 3,5 millions de F. *Déc. 1988 :* nappe de fuel de 5 km à St-Jean-de-Braye.

Rhin : pollution saline : 7 millions de t de sel par an, 200 mg/l, limite imposée par la CEE pour la prod. d'eau potable, 170 kg/s d'ion chlore en France, 130 en Allemagne. *Origine du sel (en %) :* industries 79 (dont Mines de potasse d'Alsace 40), activité humaine 16, naturelle 5. Le 17-11-1981, les ministres de l'Environnement des États du Rhin ont retenu une solution mixte, injection dans le sous-sol d'env. 700 000 t/an de résidus solides en Alsace sous réserve d'avis d'experts (coût 130 millions de F dont 90 financés par les partenaires) et création d'une saline (150 MF, financée par la France, 300 000 à 500 000 t produites par an) en Alsace. Les surplus sont stockés en surface sous forme de terrils, et une partie est employée comme sel de déneigement. **Chimique** (en milliers de t par an) : nitrates 4 000, sulfates 2 200, acide carbonique 1 200, huiles 75, zinc 11, nickel 10,5, hydrocarbures 7,2, chrome 2, fer 1,8, cuivre 1,4, arsenic 1. **Thermique :** courant d'eau chaude de 28 à 38 °C. **Mesures prises :** *1963* la convention de Berne institue la Commission internationale pour la protection du Rhin (CIPR). *1976* la Commission européenne rejoint la CIPR ; convention de Bonn (France, All. féd., Luxembourg, P.-Bas, Suisse) fixe normes de rejet. *1986-1-11* l'incendie de l'usine Sandoz de Schweizerhalle près de Bâle (Suisse) ; la Sté a versé 46 millions de F à la France pour reconstituer l'écosystème. *1987* adoption du Programme d'action Rhin (91 milliards de F dont *France 8,2,* Allemagne 73,4, Suisse 4,8, P.-Bas 4,6, Lux. 0,17). *Objectifs pour 2000 :* retour du saumon, eaux bonnes pour produire de l'eau potable, sédiments sans nuisances pour les terres riveraines. *1990 objectif supplémentaire* protection de la mer du Nord des effets des substances dangereuses et des subst. nutritives (azote et phosphore). **Programme spécial d'activité de l'Agence de l'eau Rhin-Meuse :** 9,5 milliards de F de travaux (dont collectivités 7,9, industries 1,4, agriculture 0,2). *1991* 1er saumon pêché dans le Rhin. *-25-9* protocole additionnel à la Convention chlorures, modulation des rejets en Alsace, par stockage à terre, garantie une concentration de 200 mg/l à la frontière germano-néerlandaise. *Coût :* 0,4 milliard de F jusqu'en janvier 1998 (dont en % All. 30, P.-Bas 34, Suisse 6, France 30).

Rhône : établissements « à risques » 50 (Rhône-Poulenc, Ciba-Ceigy, Cellulose du Rhône), **barrages hydroélectriques** 16 et **centrales nucléaires** 16. On trouve à son entrée en France : mercure, lindane (pesticide chloré) en concentrations 10 fois supérieures aux normes admises, du manganèse, du fer et du cadmium ; de Brégnier-Cordon à Lyon : PCB, fer, manganèse, cuivre, lindane ; en aval de Bugey et de Creys-Malville : du césium 137. *De St-Vallier à Donzère :* pollution surtout organique. *De Donzère à Arles :* Marcoule et Tricastin rejettent des eaux radioactives ; excès en métaux lourds. *En aval d'Avignon :* cadmium au taux maximal. *Apports quotidiens du Rhône à la Méditerranée :* cuivre 2 t, arsenic 2 t, PCB 0,6 kg. **Incendie :** *16-6-1986,* incendie usine Rhône-Poulenc à Péage-de-R. : 300 t de produits pour désherbants (pyrocatéchine, oxadiazone et diphénol-propane) déversées : 100 t de poissons morts sur 200 km.

Seine : pollution thermique (centrales nucléaires et thermiques). **Industrielle** importante en basse Seine. *Taux d'oxygène dissous* (mg/l) : *v. 1970 :* souvent 0. *1992 :* 3 à 5. *Eaux traitées :* 40 % des eaux rejetées dans la Seine et ses affluents, 60 % des effluents recueillis traités à 70 % par les stations d'épuration (ne traitent pas nitrate, azote, phosphore).

Autres rivières polluées : *Lys, Moselle, Saône, Bourbre, Huveaune, Gier, Lot* en partie (en juillet 1986, par le cadmium de l'usine Vieille-Montagne à Viviez), *Oise, Yerres, Gard, Corrèze, Vézère* (le 28-10-1988 par du lindane). On a pu rétablir une qualité satisfaisante pour *Vire, Doubs,* certains cours d'eau du Nord, etc.

■ **Lacs.** Surtout menacés par *l'eutrophisation* (due à des fertilisants : azote, phosphore, silice) qui entraîne une diminution de la transparence, le développement d'algues, la raréfaction des poissons, une production anormale de phytoplancton. **D'Annecy :** préservé par un collecteur de ceinture installé dans les années 50 (+ de 400 km de tuyaux collectant 35 000 m³ d'eaux usées par j, pour les épurer avant de les rejeter dans le lac). Coût : 360 millions de F. **Du Bourget :** rejets détournés vers le Rhône en 1980 (coût : 140 millions de F). **Léman :** vers 1960 apparition d'algues brunes (oscillatoria rubescens, détectée 1967) ; programme de déphosphoration des rejets en cours. Ses effets se feront sentir à long terme en raison du stock de phosphore du lac (8 000 t, 60 microgrammes par litre), l'objectif étant de diviser par 4 ce stock.

Suède : 4 000 lacs devenus stériles (pluies acides, rejets de gaz sulfureux venus d'autres pays dont l'URSS). **Chine :** 25 % des grands lacs en train de périr par manque d'oxygène.

■ **Eaux souterraines.** La teneur en nitrates augmente (activités agricoles). La norme de potabilité de l'eau (50 mg/l) est fréquemment dépassée, au nord de la Loire, en Alsace, Poitou-Charentes, Bretagne. En *1990 :* 2 millions de personnes consomment une eau dépassant 50 mg et 2 millions sont menacées dans un avenir proche. *Sur les 30 000 à 40 000 captages communaux* intéressant l'alimentation humaine, 10 % sont protégés en application du Code de la santé publique et de la loi sur l'eau du 16-12-1964. 100 000 t d'huiles usagées déversées dans le sol par an, lors des vidanges d'automobiles, polluent aussi les nappes phréatiques. En *2030,* la moitié de la nappe phréatique d'Alsace (la plus importante d'Europe) pourrait ne plus être potable en raison des nitrates liés aux cultures de maïs.

■ **Taux de dépollution** (1992). 42 %.

☞ 2 barrages contestés : *Serre de la Farre* en amont du Puy (H[te]-Loire), sa construction aurait entraîné l'inondation de 14 km de gorges ; un mur de 515 m de long aurait barré la vallée et retenu les eaux d'un lac artificiel de 340 ha. *Chambonchard* en amont de Montluçon (Cher).

■ Eaux maritimes

■ **État général.** *Concentrations moyennes en micropolluants métalliques et/ou organiques :* en général inférieures aux niveaux dangereux sauf estuaires et zones industrielles (ex. cadmium, PCB en baie de Seine, zinc, cuivre, cadmium en Gironde, plomb à Fos-Berre et en rade de Toulon...). *Pesticides chlorés (lindane) :* niveaux faibles variables. Dans la zone de *Fos-Berre,* pollution réduite de 98 % entre 1972 et 1982. Déversements ramenés de 180 t/j à 18 t/j ; rejets d'hydrocarbures 6 400 kg/j à 400 kg/j. Rejets de 3 milliards de m³ d'eau douce et de 350 000 t de limon par EDF dus à l'aménagement contesté de la Durance à la centrale de St-Chamas. *En basse Seine* diminution de 60 % depuis 1978.

☞ 10 000 oiseaux de mer sont morts en mer du Nord en 1989 à cause d'une intoxication au nonuphenal (substance abrasive utilisée pour les détergents). De nombreux cargos nettoient illégalement leurs citernes avec cette substance.

■ **Immersion de déchets nucléaires en mer** (1967-82). *Poids brut :* 94 604 t. *Radioactivité approximative (curies) :* Alpha 13 805, Beta-gamma 470 051, Tritium 511 706. L'immersion a été arrêtée en 1983.

■ **Teneur en micropolluants dans la matière vivante** (moyenne 1979-88) (en mg/kg) (H : huître, M : moule). Mercure : H 0,21 ; M 0,127. Plomb : H 1,49 ; M : 2,31. Cadmium : H 2,61 ; M 1,09. PCB (en µg/kg) : H 344 ; M 540.

■ **Risques d'accidents pétroliers.** *Manche* et *Pas-de-Calais :* la route maritime longeant Ouessant les Casquets est parcourue par 52 000 bâtiments de tout tonnage par an dont env. 10 % de pétroliers transportant des hydrocarbures (bruts ou prod. raffinés) et 500 croisent chaque jour dans les eaux du pas de Calais ; env. 1 million de t transitent journellement en face des côtes de *Bretagne* et *Manche* dont env. 200 000 t à destination des ports français ; des conditions météorologiques et océanologiques souvent mauvaises y règnent (brume, vent, courant).

■ **Plages. Classification :** A : bonne qualité. B : moyenne. C : eau pouvant être momentanément polluée. D : mauvaise qualité. Il y a env. 36 000 prélèvements d'échantillons d'eau par an et les maires doivent afficher les résultats. La synthèse des classements de fin de saison balnéaire est publiée au niveau national en mai-juin de l'année suivante. *Minitel* 36 15 ou 36 16 Ideal (rubrique info-plage).

■ **Sable.** Il occasionne des maladies surtout dermatologiques : infections cutanées, staphylococciques, mycoses (*Candida albicans* ou *Pityriasis versicola*). De 5 000 germes bactériens par g à 35 000 l'été.

Décontamination. *Procédé meractive :* eau de mer pompée et filtrée puis électrolysée avant d'être pulvérisée sur le sable avant le lever du soleil. Les espèces hypobromées, hypochlorées et iodées formées durant l'électrolyse détruisent les bactéries par oxydation. Au lever du jour, les rayons ultraviolets du soleil décomposent les produits germicides formés lors de l'électrolyse en sels marins naturels. 1re plage traitée : Argelès-sur-Mer (juillet 1989).

■ **Eau de mer.** Contient des germes pathogènes rejetés par les égouts ou les baigneurs eux-mêmes. Ils peuvent entraîner des affections (angines, otites, diarrhées infectieuses). Difficiles à détecter dans l'eau. On recherche plutôt les germes « témoins de contamination fécale » (normes fixées).

■ Moyens de lutte en France

■ **Moyens de prévention** *Ifremer* (Institut français de recherche pour l'exploitation de la mer) : 155, rue Jean-Jacques Rousseau, 92138 Issy-les-Moulineaux, gère des réseaux de contrôle et suivi du milieu. *Rno* (Réseau national d'observation de la qualité du milieu marin) : créé 1974, contamination chimique. *Remi* (Microbiologie) : salubrité bactérienne des zones de production conchylicole. *Rephy* (Phytoplancton toxique) : apparitions microalgales toxiques.

■ **Sécurité du trafic maritime.** *4 Cross* (Centres régionaux opérationnels de surveillance et de sauvetage) : *Manche* à Jobourg, *Atlantique* à Etel, et Corsen-Ouessant. *Méditerranée* à Toulon + des sous-Cross permanents *(Gris-Nez, Iroise* et *Soulac)* et le sémaphore de *Pertusato* (Corse). La Marine nationale surveille la zone 24 h sur 24 et intervient sur tout navire contrevenant, 3 remorqueurs de 23 000 CV assistent les navires en difficulté. Un réseau de centres de surveillance radar et d'information est en voie d'installation. Dans le P.-de-C. un radar à grande portée surveille en permanence la navigation de + de 300 navires chaque j. Un extracteur automatique élimine les faux échos radar et assure la poursuite des échos de navires. Des stations identiques ont été installées ou sont en cours d'installation à Ouessant et à la pointe de Jobourg. La Convention internationale de 1974 pour la sauvegarde de la vie humaine en mer (dite *Convention Solas*) en vigueur depuis 1981 est le texte de base au niveau intern. *En mars 1981,* le trafic de la Manche a été réglementé : 1 « rail » montant (à 50 km de la pointe d'Ouessant) transportant hydrocarbures ou produits toxiques, 1 descendant (à 30 km), 1 montant (à 10 km) pour cargaisons sans danger. *Programme d'organisation et d'opérations pour la lutte contre les pollutions marines accidentelles :* annexes des plans Orsec ; instituées 1970 pour les départements côtiers et révisées après l'échouement de l'Amoco Cadiz (1978).

■ **Mesures de lutte. Plan Polmar.** Déclenché lorsque les moyens disponibles locaux sont insuffisants. *Mer* (déclenché par le préfet maritime de la région touchée) ou *Terre* [par le préfet du (ou des) département(s) touché(s)]. Le plan ouvre le droit à l'accès au Fonds d'intervention contre les pollutions marines accidentelles géré par le ministère de l'Environnement. *Principaux responsables de la lutte :* Mer : Marine nationale ; Terre : Direction de la Sécurité civile (min. de l'Intérieur) : 5 unités spécialisées dans la lutte contre poll. par les hydrocarbures. **Comité d'orientation pour la réduction de la pollution des eaux par les nitrates et les phosphates (Corpen).** *Créé* 1984.

■ **Recherche.** *Centre de documentation, recherche et expérimentation sur les pollutions accidentelles des eaux (Cedre).*

■ **Stations d'épuration. Nombre :** 8 329 en 1986. Sur 1 007 communes littorales (au 1-1-82), 80 % des com. relevant d'un assainissement collectif avaient une station d'épuration. 224 relevaient d'un assainissement individuel. Elles permettaient de traiter la pollution d'env. 8 850 000 hab. **Bassins de décantation :** les impuretés deviennent des boues inertes qui servent à l'agriculture. **Bioréacteurs à cultures libres** (boues activées) : dans un bassin alimenté en eau à épurer, on met une culture de bactéries aérobies qui se rassemblent en flocons (boue). L'eau et les flocons vont ensuite dans un décanteur secondaire. Une partie des boues est réinjectée ensuite dans le bassin. **Bioréacteurs à cellules immobilisées :** les bactéries utilisées sont fixées sur un support fixe ou en mouvement à travers lequel l'eau polluée circule. La surface sur laquelle les bactéries peuvent se fixer est considérable et permet de traiter des quantités de polluants plus importantes qu'avec l'autre type de réacteur.

Indemnisation des victimes de la pollution par les hydrocarbures : prévue (loi de 1977, conventions internationales de 1969 et 1971). **Rejets illicites** d'hydrocarbures : indemnisations définies par la conv. intern. de 1973 et reprises par la loi du 5-7-1983 (1 million de F et 2 ans d'emprisonnement au max.). Pour un accident (imprudence, négligence ou inobservation des lois et règlements) : moitié de ces peines. Le paiement des amendes prononcées à l'encontre du capitaine peut être mis à la charge de l'armateur.

FAMILLE

ÉVOLUTION DE LA FAMILLE EN FRANCE

■ **Évolution.** *Au XVIIIe s.,* la majorité des Français perdaient leurs père et mère entre 25 et 35 ans (aujourd'hui entre 30 et 60). Sur 100 enfants, 5 avaient à leur naissance leurs 4 grands-parents vivants (auj. 41) : 91 % des personnes de 30 ans avaient leurs 4 grands-parents décédés, et 28 % leurs 2 parents décédés (auj. 53 % et 4 %). *En 1993,* la coexistence de 3 générations est la norme ; celle de 4 générations n'est plus exceptionnelle. À 60 ans, 1 salarié sur 5 a des enfants, des petits-enfants et 1 ou 2 parents vivants.

■ **« Ménages » et « Familles »** (1990). *Population totale* 56 016 000, *ménages* 21 520 700 dont en % : *famille principale comprenant un couple* 63,6 (homme et femme actifs 32,2 ; h. actif et f. inactive 13,6 ; h. inactif et f. active 2,7 ; h. et f. inactifs 15,1) ; *famille principale monoparentale* 7,2 (h. et enfant 1, f. et enfant 6,2) ; *ménages d'une personne* 27 (h. 10, f. 17) ; *autres ménages sans famille principale* (célibataires – de 25 ans) 2,1.

■ **Nombre de familles selon le nombre d'enfants de – de 25 ans** (en milliers, 1990) : 14 965 dont *0 enfants de – de 25 a :* 6 064 ; *1 :* 3 664 ; *2 :* 3 343 ; *3 :* 1 349 ; *4 :* 348 ; *5 :* 116 ; *6 ou + :* 81.

■ **Nombre moyen.** *Enfants par couple* (1982) 1,18. *Frères et sœurs par enfant* 1,58.

ENFANTS

■ **Dans le monde. Naissances :** 133 millions d'enfants naissent chaque année dans le monde (dont 20 ont une insuffisance pondérale). 300 millions de couples dans le monde ne désirent plus d'enfants et n'utilisent aucun moyen de planification fam., faute d'accès à des méthodes appropriées.

Proportion de naissances hors mariage (1989 et entre par. 1965, pour 100 naissances vivantes). All. 10,2 (2,4), Belgique 7,1 (1985) (2,4), Danemark 46,1 (9,4), Espagne 8 (1985) (1,7), *France 28,2 (5,9),* G.-B. 26,6 (7,3), Grèce 2,1 (1,1), Irlande 12,6 (2,2), Italie 6,1 (2), Luxembourg 11,8 (3,7), P.-Bas 10,7 (1,8), Portugal 14,5 (7,8).

Décès : chaque année, 13 000 000 d'enfants meurent dans le monde (soit 35 600 par jour) dont 12 000 000 de – de 5 ans. *En 1987 :* 800 000 sont morts du paludisme, 1 000 000 du tétanos, 1 900 000 de la rougeole, 2 400 000 de misère et de famine, 2 900 000 d'infections respiratoires aiguës, 3 500 000 de maladies diarrhéiques. 1 enfant sur 11 meurt avant son 1er anniversaire, 1 sur 8 avant 5 ans ; les taux de mortalité infantile sont env. 10 fois plus élevés dans le tiers monde.

Exploitation : 2 000 000 d'enfants sont sexuellement exploités dans le monde (8 000 de moins de 18 ans se prostituent à Paris).

■ **En France. Naissances** (1992) : 742 000. **Taux de natalité** (1992) : 12,9 (pour 1 000 hab.). **Nombre moyen d'enfants nés vivants par femme :** *1866-70 :* 3,5 ; *1901-05 :* 2,79 ; *1916-20 :* 1,65 ; *1921-25 :* 2,42 ; *1931-35 :* 2,16 ; *1941-45 :* 2,11 ; *1946-50 :* 2,98 ; *1956-60 :* 2,7 ; *1961-65 :* 2,84 ; *1971-75 :* 2,24 ; *1976-80 :* 1,86 ; *81-85 :* 1,85 ; *90 :* 1,78 [All. 1,48, Belg. 1,62, Dan. 1,67, Esp. 1,33, G.-B. 1,85, Grèce 1,45, Irl. 2,18, Italie 1,27, Lux. 1,61, P.-B. 1,62, Port. 1,43]. (Seuil de remplacement des générations 2,1 enf. par femme) ; *92 :* 1,73 ; *1e trim. 93 :* 1,63.

Nombre de naissances d'enfants naturels : *1975 :* 63 429 (8,5 % du total). *80 :* 91 115 (11,4 %). *86 :* 170 682 (21,9). *88 :* 200 000 (26,3). *90 :* 229 107 (30) (chez les mères ouvrières 31,9, employées 29,8, cadres 23, agricultrices 9,4) dont 14 320 de mères de – de 20 ans (75,3 %).

Descendance finale des générations : *1670-89 :* 6,5 ; *1690-1719 :* 6,2 ; *1720-39 :* 6 ; *1740-69 :* 5,8 ; *1770-89 :* 5,5 ; *1790-1819 :* 4,6 ; *1815-55 :* 3,4 ; *1870 :* 2,7 ; *1900 :* 2 ; *1930 :* 2,6 ; *1940 :* 2,5 ; *1946 :* 2,1. *1982 :* enquête sur les femmes nées entre 1919 et 1939 : 2,65 dont : agriculteur 2,8, ouvrier 2,69, employé 2,45, artisan-commerçant 2,44, profession intermédiaire 2,37, cadre 2,58.

Adolescentes (de – de 16 ans) enceintes : 3 000 par an.

Enfants de moins de 20 ans (nombre total, 1990) : 15 581 290.

Enfants sans parents : un peu plus de 2 millions d'enfants vivent privés d'un de leurs parents, dont 15 % orphelins de père, 5 % de père inconnu, 16 % qui ne le voient jamais et 16 % – d'1 fois par mois. En 1990, sur 3,1 millions d'enfants de – de 4 ans, 210 000 vivaient avec leur mère seule (450 000 avec 2 parents non mariés).

Enfants de mères séropositives : 15 000 à 36 000 femmes seraient porteuses du virus du Sida ; 15 à 20 % des bébés nés de mère séropositive sont eux-mêmes contaminés.

ENFANTS

HÉRÉDITÉ ET CHROMOSOMES

■ **Hérédité.** Transmission par les parents à leurs descendants de caractères ou de qualités exprimés ou non. Ces caractères sont inscrits dans les gènes supportés par les chromosomes, sous forme de messages codés qui régleront la synthèse protidique que la cellule doit effectuer pendant la vie.

■ **Lois définies par Johann Mendel (1822-84). Ségrégation :** « Les caractères unis dans l'organisme se disjoignent dans les éléments reproducteurs » ; **pureté des caractères :** « Les caractères héréditaires se comportent comme des unités stables qui persévèrent dans leur intégrité à travers les générations successives » ; **dominance :** « Si 2 caractères opposés se trouvent en présence dans l'organisme, l'un des deux éclipse totalement l'autre, et son influence est seule à s'exprimer. »

Chromosomes : chacune de nos cellules comprend, au sein du noyau, 46 chromosomes constitués par les *gènes,* qui déterminent les caractères héréditaires. Sur 50 000 à 100 000 gènes contenus dans les chromosomes, 64 étaient identifiés en 1973 ; en 1989, 4 500 dont 1 500 localisés avec plus ou moins de précision.

Chaque chromosome se caractérise par sa taille, et par le *centromère* qui joue un rôle essentiel lors de la division cellulaire, au moment où les chromosomes se dédoublent. Selon la position de celui-ci (terminale, près d'une extrémité, au milieu), on peut répartir les chromosomes en acrocentriques, télocentriques ou métacentriques.

Les chromosomes sont groupés par paires identiques : paires de chromosomes somatiques *(autosomes)* déterminant les caractères, 1 paire de chromosomes sexuels ou *gonosomes* (2 chromosomes X chez la femme, 1 X et 1 Y chez l'homme) qui commandent la détermination sexuelle et les caractères somatiques qui lui sont liés. Le chromosome Y est plus grand chez les Sémites (Arabes et Juifs) et chez les Japonais que dans le reste du monde ; ce grand Y est dit *« chromosome d'Abraham ».*

La garniture chromosomique (ou *caryotype*) provient pour moitié de nos 2 parents ; en effet, à la suite de ses divisions, l'ovule ne contient que 23 chromosomes (dont 1 X) lorsqu'il est fertilisé par le spermatozoïde, qui en contient 23 également [s'il contient aussi 1 X, l'enfant sera une fille (XX), et si le gonosome est 1 Y, un garçon (XY)]. *Mais il arrive qu'une erreur se produise au moment des divisions cellulaires* paternelle ou maternelle ; par exemple : 2 chromosomes passent ensemble dans une cellule fille au lieu de se séparer. *S'il s'agit de la paire de chromosomes sexuels XY et d'un chromosome X, le caryotype comprendra des gonosomes XXY* et l'enfant présentera un *syndrome de Klinefelter* caractérisé par diverses malformations congénitales : retard mental, non-apparition de la puberté et, s'agissant d'un garçon (puisqu'il possède le chromosome Y), une asthénie particulière et une stérilité.

S'il s'agit d'un Y, l'enfant a un caryotype XYY et ne présente aucune anomalie à première vue, mais on a discerné dans ce cas une agressivité accrue. La présence d'un X ou d'un Y surnuméraire multiplierait par 70 (aux USA) ou par 40 (en Fr.) les risques d'un acte délictueux. La descendance des hommes portant un XYY paraît normale, chez tous ceux étudiés à ce jour.

S'il s'agit du chromosome 21 (trisomie 21), anomalie fréquente (1 sur 600/700 naissances dans toutes les races) et imprévisible ; *l'enfant mongolien* (face large, des yeux bridés à leur angle interne, d'où une certaine ressemblance avec les races jaunes ; débiles mentaux, présentant des malformations congénitales du cœur). 4 % des mongoliens sont le fruit d'une tare héréditaire parentale ; 96 % résultent d'un accident (vieillissement de l'ovule), fréquent chez les mères de plus de 40 ans (entre *20 et 30 ans :* 1 %, *35 et 37 :* 0,5 %, *38 et 40 :* 1 %, *40 et 45 :* 4 %).

D'après Suobel, 8 % des conceptions dans le monde s'accompagnent d'aberrations chromosomiques ; 60 % des fausses couches survenues les 3 premiers mois de la grossesse présentent des anomalies chromosomiques. Des essais de « correction » génétique (synthèse ou suppression d'un gène indésirable) ont été tentés.

Certaines affections résultant d'anomalies chromosomiques sont très localisées. Ainsi la *luxation congénitale de la hanche,* qui atteint particulièrement les femmes (5 f. pour 1 h.) du pays Bigouden en Bretagne (à Pont-l'Abbé, 3 % des femmes boitent).

Caryotype fœtal permettant de déceler d'éventuelles anomalies peut être obtenu par l'*amniocentèse,* ponction de liquide amniotique à travers la paroi abdominale d'une femme enceinte vers la 17e semaine de grossesse ; par *biopsie du trophoblaste* (prélèvement d'un fragment des tissus de l'œuf) réalisée avant la 10e semaine (le risque de fausse couche est un peu + élevé) ; par *ponction du cordon ombilical* permettant un prélèvement de sang fœtal (à partir de la 18e semaine ; diagnostic rapide).

> Les singes anthropomorphes ont 48 chromosomes (soit 24 paires), l'homme actuel 46. Souvent 2 *chromosomes acrocentriques* s'accolent pour donner un seul élément métacentrique jouant un rôle essentiel dans l'évolution.
>
> Étant donné les conditions de vie probables de ces « ancêtres » (groupes de quelques dizaines d'individus sexuellement dominés par un mâle), il a pu suffire de 2 générations (environ 50 ans) à partir de l'apparition d'un mutant à 47 chromosomes (caryotype instable) pour passer du caryotype préhominien à celui de l'homme actuel.

DE LA CONCEPTION À LA NAISSANCE

■ CHOIX DU SEXE

On peut tenter de choisir le sexe de l'enfant en tenant compte des facteurs suivants.

Spermatozoïdes de l'homme. 2 sortes. *1°) Spermatozoïdes porteurs du chromosome Y* qui donnent des garçons. *2°) Porteurs du chr. X* qui donnent des filles. Des altérations du sperme, des rapports sexuels fréquents favorisent la prédominance des sp. X ; 6 % des hommes n'ont qu'une seule sorte de sp. et ne peuvent engendrer qu'un seul sexe.

Au moment de la conception. *1°) date :* si le rapport sexuel a lieu au moment de l'ovulation ou 1 à 2 j après, les Y (garçon), plus rapides, sont favorisés. S'il a lieu 2 à 5 j avant, une fille est probable. *2°) Technique :* une pénétration peu profonde favorise les X (fille) car moins fragiles ils supportent mieux un long trajet. *3°) Nombre :* les éjaculations nombreuses les j qui précèdent la fécondation favorisent la naissance de filles. *4°) Orgasme féminin ;* un rapport sexuel accompagné d'orgasme féminin favorise les Y (garçon) ; en l'absence d'orgasme fém. les chances restent égales entre X et Y. L'hyperacidité des sécrétions vaginales défavorise les Y. *Tri en éprouvette :* plusieurs techniques essayées dont la cytométrie en flux, qui mesure l'intensité de la fluorescence de cellules dont l'ADN a été coloré (le chromosome X est plus grand que Y), mais le tri n'est efficace qu'à 70 % et est lent.

■ ÉTAPES DU DÉVELOPPEMENT

☞ On parle d'*embryon* pendant les 2 premiers mois de grossesse puis de *fœtus.*

1re semaine (1er-7e jour) *fécondation.* 1re division cellulaire (après 30 h). Déjà les *faux jumeaux* sont distincts. L'amas cellulaire progresse dans la trompe de Fallope, longue de 10 cm et, en route, devient un *blastocyste* creux. Pénètre dans l'utérus (entre 3e et 5e j). S'y implante (6e au 7e j). Au 6e j, un dosage

Quelques records

■ **Le plus d'enfants.** Mme Vassiliev, Russe : 69 enfants en 27 fois (16 fois des jumeaux, 7 des triplés, 4 des quadruplés) ; 67 au moins auraient survécu. Mme Granatta Nocera (Italie) 62 enfants. Leontina Albina (Chili) 55 enfants dont 5 fois des triplés (garçons) et 16 filles.

■ **La plus âgée à avoir eu un enfant.** *61 ans* Liliane Cantadori (Italie, Modène) eut le 27-7-1992 un garçon (2,9 kg) après fécondation artificielle (ovules offerts par une donatrice, et mis au contact des spermatozoïdes de M. Cantadori). Ménauposée, elle affirma à l'équipe médicale n'avoir que 51 ans. *57 ans* 129 j Mme Ruth Alice Kistler (Américaine, 1899-1982) eut une fille (1956).

■ **La plus jeune.** En général, 12 ans. Lina Moulina (n. 1933, Pérou) réglée à 3 ans 1/2, mit au monde à *5 ans 1/2* d'un père inconnu 1 fils de 5 livres 1/2 après césarienne.

■ **La plus grande famille.** Le sultan Abou el Hassan (XIV) aurait eu 1 862 enfants.

■ **La grossesse la plus longue.** L'Anglaise Jacqueline Haddock a mis au monde le 23-3-1910 une fille de 1,360 kg après une grossesse de 398 j (durée normale 273 j).

■ **Naissances à faible intervalle.** En 1965, une paysanne du Transkei (Afr. du Sud) âgée de 36 ans eut *2 enfants à 5 mois d'intervalle ;* le 2e aurait été conçu 4 mois avant la naissance du 1er (1 cas possible sur 6 millions de naissances environ). En 1967, cas analogue au Texas à *1 mois d'intervalle ;* en 1968/1969, en Suède à *10 semaines ;* en 1977, en Espagne *à 1 mois.*

■ **Naissances multiples. Proportion** (pour 10 000 accouchements) : *1861-69 :* 101 ; *1881-90 :* 99 ; *1911-13 :* 114 ; *1925-29 :* 108 ; *1935-39 :* 107 ; *1946-50 :* 109 ; *1956-60 :* 109 ; *1966-70 :* 98.

Nota. – Depuis quelques années, le recours aux traitements contre la stérilité a accru fortement le nombre de naissances multiples.

Décuplés : Espagne 1924 ; Chine 1936 ; Brésil 1946, 2 garçons 8 filles.

Nonuplés : Australie, Mme G. Brodrick, 1971, 5 g. 4 f. prématurés (7 mois) de 450 à 900 g (2 mort-nés ; les autres sont morts après). USA, 1971, aucun ne survécut. Bangladesh 1977.

Octuplés : Mexique, Mme Ruibi 1921 ; Chine, Mme Tam Sing 1934 ; Chine, 1947 ; Argentine, Mme Gonzáles 1955 ; Mexique, Maria Teresa López de Sepulveda 1967, 4 g., 4 f., aucun ne survécut ; Italie, Mme Chianese 1979, 5 f., 3 g., 5 sont morts les 1ers jours.

Septuplés : naissances officiellement observées depuis 1900 : Suède (Mme Britt Louise Ericsson 1964) ; Belgique (Mme B. Verhaeghe-Denayer 1966) ; USA (Mme Sandra Cwikielnik 1966) ; Suède (1966) ; Éthiopie (Mme Verema Jusuf 1969) ; USA (1972, 1985).

Sextuplés : Nigeria (1907) ; Afrique Or. (1920) ; Portugal (1931) ; Guyane brit. (1933) ; Inde (1937) ; USA (1950) ; Bangladesh (1967) ; G.-B. (1968, 69, 83, 84, 86) ; Afr. du S. (1974) ; Italie (1980) ; Belgique (Ria Van Howe-Gadyn, 19-8-1983) ; France (M.-Cl. Adam, 14-1-1989).

Quintuplés : sur 60 cas rapportés, dans 5 seulement tous les bébés ont dépassé l'enfance. *Afr. du Sud* (Tukuluse). *Argentine* (Diligenti 1943, 3 g., 2 f.). *Australie* (Braham 1967, 3 f., 2 g.). *Canada* (les sœurs Dionne, 28 mai 1934 : elles pesaient ensemble 6 kg ; 3 sont encore vivantes, 1 est morte en 1954, 1 en 1970). *France* (Christophe 1957, tous sont morts ; Sambor 1964, 3 survivent ; Riondet 1971, tous sont morts ; Guidon 1979, tous survécurent). *G.-B.* (Hanson 1969). *N.-Zélande* (Lawson 1965, 4 g. 1 f.). *USA* (Fischer 1965, 4 g., 1 f. ; Kienast 1970 ; Baer 1973, 3 f., 2 g.). *Venezuela* (De Priesto 1965, 5 g.).

■ **Records de poids à la naissance** (enfants normaux) : *maximal :* 10,7 kg (Canada 19-1-1879). *Minimal :* 283 g (Marion Chapman, Angleterre 5-6-1938/31-5-1983). Au XVIIIe s., en France, Nicolas Ferry (Champenay, Vosges, 11-11-1741/8-6-1764), nain de Stanislas Leszczyński, mesurait 20 cm et pesait 625 g à la naissance ; à sa mort, il mesurait 84 cm. Son squelette est au musée de l'Homme à Paris.

Les *Pygmées* ont des enfants de 2,750 kg.

Pendant la grossesse

■ **Alimentation. Protéines :** pour fournir à l'enfant les 10 g quotidiens nécessaires à sa croissance, il faut absorber 20 g de protéines supplémentaires pour une femme de 60 kg (total 60 g par j) : viandes, poissons, légumes secs. **Calcium :** besoins triplés. 1 200 g/j. Fromages, fruits secs, eaux minérales riches en calcium, chocolat noir. (Attention au poids !) **Fer :** foie (peu cuit), œufs, chocolat, quelques légumes verts. **Sel :** 8 g/j.

Éviter : mets toxiques (viandes faisandées), alcools et excitants (thé, café). Éviter de « manger pour deux » et de prendre + d'1 kg par mois.

■ **Médicaments.** Tout ce que la mère absorbe ou presque (gaz, alcool, barbituriques, antibiotiques et tranquillisants) peut passer de son organisme à celui de son enfant.

Sont notamment dangereux pour le fœtus : *les médicaments tératogènes* (quinine à dose massive), certains *anticoagulants oraux, antibiotiques* tels que streptomycine, tétracycline, en emploi prolongé, certains *produits hormonaux* et *anticonvulsivants.* L'innocuité de certains *vaccins* à virus vivants n'est pas prouvée : antiamarile, antigrippal, antirubéoleux, antivariolique.

Toute influence nuisible risque d'affecter les organes lorsqu'ils traversent la phase critique de leur formation. *Cerveau :* 2e à la 11e semaine ; *yeux* 3e à 8e ; *cœur* 2e à 8e ; *doigts et orteils* 4e à 9e ; *dents* 6e à 11e ; *oreilles* 6e à 12e ; *lèvres* 4e à 6e ; *palais* 10e à 11e ; *abdomen* 10e à 12e.

■ **Précautions. Avion :** éviter après 8e mois. **Baignades :** éviter l'eau trop froide et les durées excessives. **Caféine :** contenance (mg) : tasse de café 107, coca 47, thé 34. Une femme enceinte, buvant + de 3 tasses de café par jour, court 2 ou 3 fois plus de risques de mettre au monde un bébé de faible poids. **Ceinture de sécurité :** doit encadrer le ventre et non le serrer. **Courses :** éviter les poids trop lourds. **Drogue :** son usage (sous quelque forme qu'elle soit) est très dangereux pour le fœtus. **Ménage :** avec mesure. **Montagne :** déconseillée audessus de 1 500 m. **Rapports sexuels :** en cas de menace d'accouchement prématuré, avis médical nécessaire. **Soleil :** éviter trop longues expositions. **Sorties :** éviter sorties prolongées. **Sport :** *conseillés :* marche et la nage sur le dos ; *déconseillés :* efforts longs et violents. **Tabac :** à éviter (le nouveau-né aura un poids plus faible). **Toxoplasmose :** les femmes ne l'ayant jamais eue doivent éviter contact avec les chats, viande mal cuite, fruits et légumes non lavés. **Train :** *conseillé :* couchette pour longs voyages. **Vaccination préalable des femmes contre la rubéole :** permettrait d'éviter les malformations qu'elle provoque (10 % des enfants sourds). **Visites prénatales :** en France, 4 sont obligatoires, mais on a calculé que 7 visites pourraient éviter en 15 ans 18 000 morts et 36 000 anormaux. 10 visites éviteraient 60 000 morts et 110 000 anormaux. **Voiture :** éviter, surtout dans la 2e moitié de la grossesse, les trajets trop longs. (Train et voiture déconseillés à la femme enceinte.)

☞ 2 à 3 échographies sont nécessaires et suffisantes pour surveiller une grossesse normale.

Le distilbène (DES), œstrogène de synthèse (commercialisé sous le nom de Stilbestrol), formellement contre-indiqué en 1977, avait été prescrit à partir de 1946 pour protéger des fausses couches, (une étude américaine avait révélé son inefficacité en 1953). Depuis 1971, d'autres études avaient démontré qu'il avait des conséquences fâcheuses pour les filles dont la mère aurait pris du distilbène (troubles de la fonction ovulatoire, cycles irréguliers, anomalies de l'ovulation, malformations utérines et fausses couches dans plus de 50% des cas), et pour environ 20% des garçons (troubles génitaux : atrophie du pénis, atrophie ou non-descente des testicules) ; des millions d'enfants dont 160 000 en France risquent d'en subir les conséquences.

plasmatique radio-immunologique permet de confirmer biologiquement la grossesse. **2e sem. (8-14e j)** accroissement du flux sanguin sur le lieu de la nidation, peut (rarement) produire un saignement, qui peut être confondu avec les règles. L'embryon a une forme aplatie. Membrane vitelline et *amnios* sont formés les premiers. Les *vrais jumeaux* apparaissent. **3e sem. (15-21e j)** nausées et sensibilité des seins peuvent apparaître. Embryon de 2 à 3 mm en forme de poire. Cavité amniotique formée. Au 18e j, *yeux* et *oreilles* s'ébauchent. **4e sem. (22-28e j)** le médecin peut confirmer cliniquement à la femme qu'elle est enceinte (il lui donne une date pour la naissance à 238 j de là). Embryon 5 mm (5 000 fois plus gros que l'ovule). Cœur (2 mm) se met à battre au 25e j. **5e sem. (29-35e j)** embryon 8 mm. Cœur joue son rôle de pompe. Oreilles externes commencent à prendre forme. Membres supérieurs se différencient en mains, bras, épaules (31e j). Dessin des doigts apparaît (33e j). Pied : protubérance plate et bourgeonnante. Nez, mâchoire supérieure et estomac commencent à se former. **6e sem. (36-42e j)** embryon 12 mm. Bout du nez visible (37e j). Paupières commencent à se former, 5 doigts distincts. Estomac, intestins, organes génitaux, reins, vessie, foie, poumons, cerveau, nerfs, système circulatoire se développent. **7e sem. (43-49e j)** 17 mm. Oreille externe et son mécanisme auditif presque complets. Mâchoire supérieure et mâchoire inférieure apparaissent nettement. La bouche a des lèvres, un bout de langue et les 1ers bourgeons dentaires. Pouce différencié. **8e sem. (50-56e j)** cou visible. **9e sem. (57-63e j)** fœtus animé de mouvements spontanés. Sexe décelable extérieurement. Empreintes du pied et de la paume gravées pour la vie. Ongles commencent à pousser. *Faux jumeaux* commencent à se différencier. Paupières se ferment sur les yeux pour la 1re fois, ceux-ci sont divergents. **10e sem. (64-70e j)** placenta, qui ne pèse pas 30 g, est 3 fois plus lourd que le fœtus. Utérus pèse 200 g et contient 30 g de liquide amniotique (peut-être 2 ou 3 fois plus). [Les seins de la femme ont grossi.] **11e à 14e sem. (71-98e j)** cordes vocales formées. La miction a commencé et l'urine est éliminée avec le renouvellement régulier du liquide amniotique. **12e sem.** fœtus 7 cm (5,5 sans les jambes), poids 20 g, la période de croissance commence. Sexe physiquement déterminé et les organes se distinguent. **15e à 18e sem. (99-126e j)** fœtus 22,5 cm (15 sans les jambes) ; poids 310 g. La tête représente le tiers de la longueur totale du corps. Cheveux, cils et sourcils commencent à pousser. Mamelons apparaissent. Ongles deviennent durs. On entend le battement du cœur. La mère sent les mouvements du fœtus (1ers mouvements 6 sem. auparavant). (La mère a pris 4 kg à la 18e sem. soit 13 fois le poids du fœtus. Elle prend 500 g par semaine et grossira à ce rythme pendant les 2 mois suivants, après quoi le gain de poids diminuera légèrement. Ses seins ont grossi d'environ 220 g et on peut en exprimer le *colostrum*). **19e à 24e sem. (127-154e j)** paupières s'ouvrent. **23e à 26e sem. (155-182e j)** fœtus 30 cm (sans les jambes 22,5) ; poids 1 210 g. Cheveux poussent (bien que beaucoup de bébés naissent chauves). *Vie prématurée possible* à partir de 6 mois. *Opération possible* [1res réalisées : en 1985 à San Francisco par le Dr Michel Harrison sur un fœtus atteint d'une anomalie des voies urinaires ; opération du cœur (22-6-1990, Madrid)]. **27e à 30e sem. (183-210e j)** fœtus s'installe généralement la tête en bas (à la 28e sem., la mère a gagné en moyenne 9 kg, soit presque 6 fois le poids de l'enfant ; ses seins ont pris env. 400 g). **31e à 34e sem. (211-238e j)** fœtus 43,5 cm (30 cm sans les jambes) ; 2,3 kg. **35e à 38e sem. (239-266e j)** la mère a gagné en moy. 13 à 14 kg, parfois aucun, parfois 30 kg ; la surface de son corps s'est accrue de 1 350 cm^2. En moyenne elle donne naissance à un bébé de 3,2 kg, expulse un placenta de 650 g et 800 g de liquide amniotique. Son utérus a pris env. 1 kg. Ses seins ont grossi de 400 g. Elle a 1 240 g de sang et 1 200 g d'eau en +. Prise de poids maternelle idéale : 1 kg par mois.

L'homme produit environ 200 millions de spermatozoïdes par jour, l'ovaire de la femme un seul *ovule* par mois. Une fille nouveau-née possède environ 200 000 à 400 000 ovules dont le nombre diminue ensuite : 10 000 à la puberté dont 400 arrivent à maturité.

Fécondité. Diminue avec l'âge. Au-delà de 31 ans, la probabilité d'une grossesse après 12 cycles est de 0,54 (0,74 à 20-31 a.) ; après 24 cycles : 0,75 (0,85 à 20-31 a.). Une femme de 35 ans a 2 fois moins de chances qu'une femme de 25 ans d'avoir un enfant en bonne santé.

Grossesse après la ménopause. Possible chez des femmes qui ont eu une ménopause précoce et qui ont bénéficié d'un traitement hormonal ; les hormones substitutives ont réveillé leur système endocrinien et, grâce à un don d'ovocyte, elles peuvent mener à terme une grossesse.

Rapport Kinsey. Publié par l'Institute for Sex Research, animé par Alfred Charles Kinsey (23-6-1894/25-8-1956). 1948 paraissait le *Comportement sexuel de l'homme.* 1953 *Comportement sexuel de la femme.*

Règles

Age des premières règles. 11-14 ans (autrefois 14-15 ans). **Périodicité normale :** de 19 à 37 j, intervalle moyen : 28 j (mois lunaire).

Après l'accouchement : le retour des règles peut se produire dès la fin de la 4ᵉ semaine après l'accouchement. Dans 45 % des cas, il se produit après la 6ᵉ semaine, dans 35 % après la 12ᵉ. Si la femme allaite, il peut se produire après 4 ou 5 semaines. Dans la moitié des cas, il se produit à environ 12 semaines. La 1ʳᵉ ovulation, que la femme allaite ou non, peut se produire à partir du 25ᵉ j.

Ménopause (arrêt des menstruations). Elle correspond à la diminution progressive des sécrétions hormonales de l'ovaire, d'abord progestérones, puis œstrogènes. Survient entre 45 et 55 ans (autrefois v. 45 ans). Souvent précédée d'une phase au cours de laquelle la sécrétion ovarienne de progestérone diminue, amenant une irrégularité des cycles menstruels avec alternance d'*aménorrhées* (interruption des règles) et d'hémorragies. Des bouffées de chaleur apparaissent, souvent accompagnées de transpirations nocturnes, d'insomnies et de troubles psychologiques. Si des hémorragies non menstruelles apparaissent, un bilan gynécologique est impératif. Progressivement, la sécrétion ovarienne se tarit, les règles disparaissent. La ménopause, liée étroitement à l'allongement de la durée de la vie féminine, est considérée comme devant être médicalement traitée en l'absence de contre-indication.

Diagnostic de la grossesse

En laboratoire ou à domicile.

■ **Principe.** Repose sur la détection dans l'urine ou le plasma de la femme enceinte d'une hormone spécifique produite par le tissu placentaire : l'h. gonadotrophine chorionique (HCG), glycoprotéine constituée de 2 sous-unités, alpha et bêta. Elle apparaît très rapidement dans le sang et les urines après la fécondation, sa concentration croît les 3 premiers mois de la grossesse, puis décroît et disparaît complètement après l'accouchement. Le dosage radio-immunologique de la fraction β de l'HCG pratiqué en laboratoire peut être positif dès le 6ᵉ j de la fécondation.

■ **Tests biologiques.** 1ᵉʳˢ tests de mise en évidence de l'hormone HCG faisaient appel à un animal auquel de l'urine de femme présumée enceinte était injectée. La présence d'HCG provoquant des modifications biologiques permettait de conclure à l'existence de la grossesse (test de Galli-Mainini sur le crapaud, d'Ascheimzondeck sur la souris, de Friedman sur la lapine, etc.). Abandonnés.

■ **Tests immunologiques.** Plus précoces, plus précis et moins onéreux. Reposent sur la visualisation de la réaction se produisant entre un *anticorps monoclonal* (anticorps anti-HCG obtenu par immunisation chez l'animal) et un *antigène*. En présence d'HCG venant de l'urine de la femme enceinte, l'anticorps anti-HCG réagit avec l'antigène. Plusieurs générations et méthodes : test d'agglutination, test d'inhibition de l'hémaglutination, test immunoenzymatique colorimétrique, test d'immunoconcentration, test d'immunoconcentration ascensionnelle.

■ **Tests** (vendus en pharmacie dep. 1973 et en grandes surfaces dep. 1987). Non remboursés par la Sécurité sociale. D'après un texte paru le 15-2-1988 dans *50 Millions de consommateurs,* 4 sur 10 étaient parfaitement fiables.

G. Test : 1ᵉʳ test de grossesse personnel mis à la disposition des femmes en 1973, se présente maintenant sous forme d'une carte test : G-Test Carte sans manipulation de réactifs. Le résultat apparaît en 2 à 5 minutes. Utilisable dès le jour présumé des règles, le résultat se lit par l'apparition d'une ligne rose (résultat négatif) ou de 2 lignes roses (résultat positif) stables plusieurs j. **Autres tests :** *Primotest Color. Elle Test. Predictor color. Blue Test. Révélatest G 3,* etc.

Causes d'erreurs des tests de grossesse : perturbation de l'élimination urinaire de l'hormone HCG. La spécificité améliorée de détection de la sous-unité bêta de l'HCG, à partir de l'utilisation d'anticorps monoclonaux, évite les possibilités d'interférences avec d'autres hormones présentes dans l'urine (LH, FSH et TSH). *Résultats faussement positifs :* rares, cas de môles (dégénérescence de l'œuf). Certains médicaments : neuroleptiques (type Valium ou Dogmatil), tranquillisants, vitamine C en quantité excessive (modification de l'acidité des urines) ; *faussement négatifs:* cas d'élimination anormalement basse d'HCG, tests effectués trop précocement (erreurs dans la date prévue pour les règles) ; certains cas de grossesse extra-utérine. L'effet « prozone » : dans le cas de tests faits trop longtemps après la date présumée des règles, l'excès d'hormone dans les urines va bloquer la réaction attendue. La sécrétion de l'hormone HCG varie selon chaque femme et n'augmente pas avec la même constance ; il est préférable d'attendre 2 ou 3 j de plus que ce qu'indique le test. Un résultat négatif doit toujours être confirmé par une méthode plus sensible quand l'exactitude du diagnostic est d'importance. Un résultat positif qui serait en désaccord avec les autres informations mérite également une confirmation par une autre méthode.

Précautions à prendre : pour les tests à la lecture à anneaux, éviter les vibrations (ne pas poser le test sur un réfrigérateur), les traces de détergent (bien rincer le récipient où l'on recueille les urines).

Stérilité

Généralités

■ **Définition.** Impossibilité de procréer. On parle de stérilité lorsque après 2 ans de rapports sexuels réguliers, complets et non protégés, un couple en âge de procréer ne peut obtenir de grossesse. Avant tout traitement, un bilan médical est nécessaire (en préambule, courbe de température et spermogramme).

■ **Statistiques.** Il y a dans le monde plus de 60 millions de couples stériles. Sur 100 couples en âge de procréer et le désirant, 80 y arrivent sans délai, 15 mettront de 6 mois à 2 ans, 4 ou 5 seront stériles (dans 50 % des cas, la femme est responsable, 25 % l'homme, 25 % les deux, ou bien la cause est inconnue).

Méthodes de recours

■ **Insémination artificielle.** C'est l'introduction de sperme dans les voies génitales féminines autrement que par rapport sexuel. Permet souvent de remédier à certains cas de stérilité. On distingue : l'insémination avec sperme du conjoint (IAC), et l'insémination avec sperme de donneur anonyme (IAD), dont les modalités ont été rendues plus faciles avec les possibilités de congélation du sperme à – 196⁰. L'Église catholique interdit l'IAD. + de 20 000 naissances dues à l'IAD ont été obtenues de 1973 à 1990 dans les Cecos (plus, si l'on compte les inséminations pratiquées en cabinet médical privé).

☞ Julia Skonick, une Américaine blanche ayant donné naissance à une fille noire après une erreur d'insémination artificielle a obtenu le 31-7-1991 à New York, lors d'un règlement à l'amiable, 400 000 $ d'indemnités ; elle aurait dû être inséminée avec du sperme de son mari, mort depuis d'un cancer.

■ **Fécondation « in vitro » et transfert embryonnaire (Fivette ou Fiv) (Bébés-éprouvettes).** Mis au point par 2 Anglais R. Edwards et P. Steptoe. Conception d'un enfant en dehors du corps de la mère. Un ovule est prélevé, fécondé en laboratoire avec le sperme du conjoint ou celui d'un donneur anonyme. On laisse ensuite l'œuf fécondé se développer 3 j « in vitro ». Puis on le réimplante dans l'utérus maternel au stade de 8 cellules embryonnaires. Méthode destinée aux femmes qui n'ont plus de trompes de Fallope ou dont celles-ci sont obturées et ne peuvent être débouchées par la chirurgie (40 % des stérilités féminines). *1ᵉʳ bébé-éprouvette :* Louisa Brown (G.-B.) 25-7-1978 (1ᵉʳ en France : Amandine, 3,4 kg, 24-2-1982, mise au monde par le Dr René Frydman) ; *1ᵉʳˢ « jumeaux-éprouvettes » :* Australie, 5-6-1981 (France : 1-10-83). *1ᵉʳˢ triplés* Australie 8-6-1983, France 4-1-84. *1ᵉʳˢ quadruplés* 2-5-85, Londres (France, 22-1-1987). *1ᵉʳˢ quintuplés* Londres 26-4-1984. *1ᵉʳˢ sextuplés* Londres (mère Susan Caleman, 32 ans) 3 garçons, 3 filles 12-11-86.

Nombre en France : 4 500 à 5 000 par an. En 1992, près de 4 500 enfants sont nés par FIV, sur 25 000 tentatives. De 1982 à 1992, 20 000 enfants nés par Fiv. *Mortalité :* 3,4 % (morts in utero et morts néonatales). *Taux de malformation* 1,6 %. *Naissances gémellaires* 20 % (contre 1 % en moyenne), *triples* 4 % (contre 1 pour 10 000). Taux élevés dus au nombre d'embryons implantés (de 3 à 6 ou + pour augmenter les chances de grossesse). *Coût :* pour chaque tentative env. 812 000 F, par enfant né (en tenant compte des tentatives, du suivi de la grossesse, d'examens divers, etc. env. 50 000 F). Remboursement par la Séc. soc. à 100 % sur la base des honoraires agréés (dep. 06-10-1978), limité à 4 tentatives.

■ **Autres méthodes. Techniques de PMA in vivo : Spermatozoïdes** *Vagin-col :* IA[1] [insémination artif., avec sperme du conjoint (IAC) ou de donneur (IAD), 1978-79]. *Utérus :* IUI[1] (ins. intra-utérine, 1985-87). *Trompe :* ITI[2] (intratubal ins., 1987) ; Viti (vaginal intratubal ins., 1989) ; Shift[1] (synchronized hysteroscopic ins. of the fallopian tube, 1987). *Follicule :* Difi[3] (direct intra follicular ins.). *Cavité abdominale :* Dipi (direct intraperitoneal ins., Angl. 1986) ; IVTPF[3] (in vivo transperitoneal fertilization, 1989) ; TPI[2] (transperitoneal ins.). **In vitro : Ovocytes** *Utérus :* OPT (ovum pick-up and transfer chamber, 1989). *Trompe :* Fredi[2] (fallopian replacement of eggs with delayed insemination, 1989). **Spermatozoïdes + ovocytes** *Utérus :* Toast[1] (transcervical ovocyte and sperm transfer, 1982-89). *Trompe :* Gift[2] (gametes intrafallopian transfer, 1984-88) ; TV-Gift (transvaginal Gift, 1989) ; US-Gift[1] (ultrasonically guided Gift, 1989). *Cavité abdominale :* Post[2] (peritoneal ovocyte and sperm transfer, 1987) ; Gipt[3] (gametes intraperitoneal transfer, 1989). **Zygote** *Trompe :* Zift (zygote intrafallopian transfer, 1986) ; Prost[2] (pronuclear stage tubal transfer, 1987) ; US Zift[1] (ultrasound guided Zift, 1989). **Embryon** *Utérus :* ET[1] (embryo transfer). *Trompe :* TV-TEST (transvaginal tubal embryo stage transfer, 1989) ; US-TET[1] (ultrasonically guided total embryo transfer, 1989).

Nota. – (1) Voie vaginale. (2) Transabdominale. (3) Transvaginale.

Microfécondation : utilisée en cas d'échec de fécondation in vitro classique. Au lieu de laisser le spermatozoïde fusionner naturellement avec l'ovocyte, on guide sa pénétration. Le biologiste fixe l'ovocyte sous un microscope avec une pipette aspirante, en perce la coque et dépose un ou plusieurs spermatozoïdes à l'intérieur. *Taux de réussite :* 20 %.

1979 Angleterre. 1ʳᵉ insémination artificielle. **1984** *mars*, une fille (Zoé) naît après congélation de l'embryon (pendant 4 mois).

1984-*3-2,* une femme stérile donne naissance à un garçon venant de l'ovule d'une autre femme. Des médecins avaient inséminé cet ovule avec le sperme du mari de la femme stérile. Après 5 j dans l'utérus de l'autre femme, l'œuf fécondé avait été prélevé (sans intervention chirurgicale) et implanté dans l'utérus de la femme stérile.

1984 -*1-8,* Corinne Parpalaix obtient du tribunal de Créteil le droit de se faire inséminer par du sperme congelé de son mari décédé mais elle n'a pas pu être fécondée. **1991**-*26-3,* le tribunal de Toulouse rejette une demande similaire de Mme Gaillon dont le mari (18-9-1989) avait été contaminé par le sida. Le tribunal s'est appuyé sur la convention écrite passée entre M. Gaillon et le Cecos, stipulant que « le sperme conservé ne peut être réutilisé que si le dépositaire est présent et consentant ».

1984 -*22-5* et **1985** -*20-9,* naissance à 16 mois d'intervalle de sœurs jumelles à Melbourne (Australie), grâce à la fécondation *in vitro.* L'un des embryons avait été immédiatement implanté dans l'utérus maternel, l'autre, conservé congelé, fut implanté après la naissance du 1ᵉʳ.

1988 *déc.*, une fille naît à Grenoble d'une mère n'ayant plus d'ovaires. On avait constitué in vitro un embryon en mai 1987. En décembre 1987, on avait procédé à une dernière ovariectomie (ablation de l'ovaire).

1989 *nov.*, après fécondation artificielle, des triplés sont nés en 2 temps : Damien 11 j avant ses frères.

Embryons congelés. Banques de sperme : *renseignements :* Minitel 3615 code Cecos. *Liste :* Cecos (Centre d'étude et de conservation du sperme humain) : 3 à Paris (Bicêtre, Necker, Hôtel-Dieu), Marseille, Lille, Nancy, Lyon, Bordeaux, Besançon, Toulouse, Tours, Strasbourg, Rennes, La Tronche, Caen, Reims, Montpellier, Amiens, Clermont-Ferrand, Rouen. *Rôle :* conservant le sperme dans l'azote liquide à – 196 °C (les ovocytes se congèlent mal), elles permettent de préserver le sperme d'un homme avant de voir sa fertilité compromise (du fait d'une maladie, d'un traitement ou d'une vasectomie) ou de le stocker pour en fournir à des femmes dont le conjoint serait stérile ; on recourt alors à des bénévoles, de – de 45 ans, mariés, pères d'au moins un enfant normal. Il y a eu 607 donneurs volontaires en 1991. Ce nombre étant insuffisant, le délai d'attente pour l'IAD est d'environ 1 an. Succès : 10 % par cycle, 75 % après 12 cycles.

Coût : chaque dose de sperme : 380 F, frais d'insémination (env. 200 F), coût de la conservation : 440 F la 1ʳᵉ année, 250 F par la suite. *Nombre de demandes d'IAD : 1991 :* 3 982. De 1973 à 1991, 10 000 h. ont demandé à faire conserver leur sperme pour préserver leurs chances d'être père.

Nota. – Si l'on a réussi à congeler spermatozoïdes et embryons, on n'a pu jusqu'à maintenant conserver des ovocytes sans voir ceux-ci se dégrader.

■ **Mère porteuse (suppléante). USA :** apparue en 1979, la mère « suppléante » fécondée par le sperme du mari s'engageait par contrat à mener la grossesse à terme et à remettre l'enfant au couple, à sa naissance, contre 10 000 à 18 000 $. Un tribunal a obligé une mère porteuse, Mary Beth Whitehead (29 ans), à abandonner ses droits sur le bébé qu'elle avait porté pour 1 couple, William (41 ans) et Elizabeth (41 ans) Stern (Baby Melissa). **G.-B. :** Kim Cotton, 28 ans, le 4-11-1984 a donné naissance à une fille pour un couple stérile. **France :** une femme de Montpellier a accepté de mettre au monde (26-4-1983) un enfant pour sa sœur jumelle stérile. Fin 1984, une quinzaine de femmes acceptaient de devenir mères porteuses (1er cas Patricia Lavisse, 31 ans, de Marseille, qui, contre une indemnité de 50 000 F et un pendentif orné d'un diamant, a donné naissance à une fille). Au 1-10-87, 66 enfants étaient nés en France de mères porteuses.

Depuis mars 1988, les associations de mères porteuses ont été dissoutes pour non-respect de la disponibilité du corps humain, violation du droit de filiation, non-respect de l'autorité parentale et précarité de la situation légale de l'enfant. Le 31-5-91, la Cour de cassation a déclaré illicite la pratique des mères porteuses alors qu'un arrêt du 13-6-90 de la cour d'appel de Paris était prononcé en faveur de l'adoption des enfants conçus par des mères porteuses.

■ **Grand-mère porteuse.** Pat Anthony (Sud-Afr. blanche de 48 ans) a, fin 1986, reçu 4 ovules de sa fille Karen (25 ans) fécondés par son gendre Alano-Ferreira-Jorge. Elle a eu le 1-10-87 des triplés (2 garçons, 1 fille) qui sont frères ou sœurs de leur mère, et oncles ou tantes du 1er enfant qu'avait eu leur mère, frères ou sœurs (par leur grand-mère) du frère de leur mère (qui sera aussi leur oncle).

☞ Selon le *Comité consultatif national d'éthique pour les sciences de la vie et de la santé* (créé 23-2-1983), le prêt d'utérus relèverait de l'art. 353-1 du Code pénal punissant l'incitation à l'abandon d'enfants. (Sera puni de 10 j à 1 mois d'emprisonnement et de 500 F à 10 000 F d'amende « quiconque aura dans un esprit de lucre provoqué les parents, ou l'un d'eux, à abandonner l'enfant né ou à naître ».) En fait, cet art. ajouté en 1958 au C. pénal (datant de 1898) concernait « l'exposition et le délaissement d'enfants » ; « les agissements des œuvres ou des personnes ayant été amenées à provoquer des abandons d'enfants pour satisfaire les demandes d'adoption qui leur étaient faites ». En G.-B., le *Comité Warnock* (Comité d'enquête sur la fécondation et l'embryologie humaines, présidé par Lady Warnock) a rendu un avis similaire.

■ **Recherches.** *Hybridation cellulaire :* technique de fusion de cellules employée pour étudier le comportement de cellules complexes d'organismes supérieurs ou de cellules pathologiques par rapport à des cellules normales. On sait obtenir et faire se multiplier des hybrides de cellules de souris et d'homme, de moustique et d'homme, de cellules normales et cancéreuses. *Clonage :* méthode visant à énucléer des cellules somatiques ou sexuelles et à remplacer leur noyau par celui d'autres cellules au contenu génétique différent. Utilisée chez les mammifères.

■ **Réglementation de la procréation artificielle et du diagnostic prénatal** (décret du 8-5-1988). Les centres de diagnostic et de procréation médicalement assistée devront obtenir un agrément soumis à l'avis de 2 commissions préalables. 74 centres autorisés (38 publics, 36 privés) en France.

☞ **Maladies vénériennes. Information :** *Ligue nationale fr. contre le péril vénérien* (*Institut Alfred-Fournier,* 25, rue du Faubourg-St-Jacques, 75014 Paris).

Consultations et soins (Paris) : *Hôpital Tarnier,* 89, rue d'Assas, 75006. *Croix-Rouge,* 43, rue de Valois, 75001. *Cité Universitaire,* 42, bd Jourdan, 75014. *Hôpital St-Joseph,* 7, rue Pierre-Larousse, 75014. *Enfance et Famille,* 6 bis, rue Clavel, 75019.

En France, les déclarations anonymes sont obligatoires pour la syphilis, la blennorragie à gonocoque, le chancre mou et l'hépatite virale.

ACCOUCHEMENTS

☞ Environ 130 millions de bébés naissent chaque année dans le monde. *France :* 762 000 naissances vivantes en 1990.

■ **Définition.** On appelle *primipares* les femmes à leur 1er accouchement ; *parturition* l'accouchement ; *parturiente* la femme qui accouche.

■ **Accouchement sans crainte** (avant, dit **sans douleur**). *Psychoprophylaxie :* introduit en France en 1952 par le Dr Fernand Lamaze, préparation psychologique et physique. Par *analgésie loco-régionale* [paracervicale, sous péridurale (45 % des naissances en 1991)]. Insensibilise les nerfs qui transmettent la douleur utérine. *Sous anesthésie générale :* 1re fois 1847 par Sir James Simpson ; la reine Victoria, le 7-4-1853, adopta le chloroforme. *Sous électro-analgésie* (anesthésie locale au moyen d'électrodes), stade expérimental.

■ **Age moyen à la maternité.** 28,3 en 1990 en France.

■ **Avortements spontanés** *(fausses couches).* 30 % des œufs fécondés humains seraient éliminés avant l'implantation dans l'utérus. 20 % des embryons font l'objet d'un avortement spontané précoce. Semblent plus fréquents pour les fœtus masculins (rejet immunologique par la mère ?).

■ **Césarienne.** Autrefois réservée aux accouchements compliqués (bassin de la mère trop étroit, placenta mal placé ou décollé, etc.), pratiquée aujourd'hui quand le traumatisme fœtal découlant d'un accouchement naturel mettrait en danger la vie du nouveau-né (grands prématurés, nouveau-nés hypotrophiques, etc.). **Nés par césarienne** (%) : France *1960 :* 3. *81 :* 10,9 (USA 14). *90 :* 14 (USA 24). **Mortalité maternelle :** 1,38 ‰. **Complications postopératoires** (%) : infections 20,6, thromboembolie 0,52.

■ **Époque.** Généralement 266 j après la fécondation. *Pour trouver la date de naissance :* ajouter 280 j à la date du début des dernières règles ; mesure échographique précoce (13 semaines de grossesse), courbe de température contemporaine de la fécondation. En France, naissances les plus nombreuses en févr.-mars et sept.-oct., les mardis et vendredis, début du travail entre 1 et 2 h du matin.

■ **Frais d'accouchement.** Voir Index. *Si la mère est célibataire* et non assurée sociale, elle peut être prise en charge au titre de ses parents ou de ses grands-parents ou de sa sœur si elle vit sous le même toit et se consacre exclusivement aux travaux du ménage et à l'éducation d'au moins 2 enfants de – de 14 ans à la charge de l'assuré.

■ **Incompatibilité Rhésus** (différence de facteur Rhésus entre le père et la mère). Nécessite un contrôle systématique du groupe Rhésus de la mère avant la naissance, et en cas de Rhésus négatif, de contrôler chaque mois de grossesse l'absence d'anticorps (pouvant agresser le fœtus) dans le sang de la mère.

Remèdes : *exsanguino-transfusion,* pratiquée dès la naissance. *Déclenchement artificiel de l'accouchement* avant terme pour soustraire l'enfant aux anticorps de sa mère et procéder le plus tôt possible à la transfusion. *Transfusion à l'enfant* au sein même de l'utérus. Chez 80 % des couples Rhésus incompatibles, l'interaction génétique produit un mécanisme protecteur qui inhibe la formation d'anticorps nocifs pour l'enfant.

Nota. – Une injection d'anticorps anti-D dans les 72 h suivant chaque accouchement et avortement prémunit les mères contre les accidents pour la grossesse suivante, mais aussi en cas de traumatisme abdominal, amniocentèse, version par manœuvre externe d'une présentation du siège. Tout événement pouvant occasionner le passage de sang fœtal chez la mère Rhésus – et y induire la fabrication d'anticorps anti-Rh. + (anti-D).

■ **Jumeaux. Vrais jumeaux** (ou j. identiques *monozygotes, uniovulaires*) issus d'un seul ovule et de même sexe ; ils peuvent être mono- ou dichorioniques ; 30 % sont créés avant la nidation (qui se produit 6 j après la fécondation). Leurs empreintes digitales sont très semblables. **Faux jumeaux** (j. non identiques, *dizygotes, biovulaires)* issus de 2 ovocytes fécondés par 2 spermatozoïdes différents.

Facteurs de prédisposition : poids maternel, existence dans la famille maternelle de jumeaux dizygotes, régularité des cycles menstruels, absence d'utilisation de la pilule, groupe sanguin A ou O, rang de la conception (+ il est élevé, + les chances de j. sont grandes). Les naissances gémellaires sont plus fréquentes après 35 ans. 2 jumeaux peuvent être de pères différents. La conception peut même s'être produite à plusieurs jours d'intervalle pendant le même cycle menstruel. Celui qui naît le second court plus de risques à la naissance. En Europe, les jumeaux sont du même sexe dans 63 % des cas.

Nombre en France : *1970 :* 9,4 %, *1986 :* 10,5.

Jumeaux célèbres : ils sont rares ; on peut citer : les saints Côme et Damien (IIIe siècle) ; les filles jumelles du roi Henri II ; les frères Lionnet, chanteurs du XIXe s. ; Auguste et Jean Piccard, stratonautes ; les « idiots-savants » George et Charles, calculateurs prodiges, à New York.

■ **Lieux d'accouchements.** (sur 1 000 naissances). *1952 :* logement maternel 452, hôpital 532, lieu inhabituel ou inconnu 12 ; *1980 :* hôpital 986, domicile 4.

Accouchement dans l'eau : selon ses partisans, il serait plus relaxant et diminuerait les phénomènes douloureux ; l'eau améliorerait l'élasticité du périnée ; le milieu aquatique, proche du milieu utérin, réduirait le « stress » de l'enfant à la naissance. La plupart des spécialistes y sont opposés (difficulté de surveillance du travail, risques d'accidents, avantages psychologiques pour l'enfant non démontrés).

Au Moyen Age, l'accoucheuse opérait sous les jupes, il était interdit aux hommes d'assister à un accouchement (en 1521 encore, un médecin de Hambourg fut envoyé au bûcher pour s'être déguisé en sage-femme). Louis XIV fit faire des progrès à l'obstétrique en assistant à l'accouchement de ses maîtresses. On avait des seringues courbes pour répandre de l'eau bénite sur le fœtus mal en point et toujours prisonnier.

■ **Mensurations normales d'un enfant à terme.** 3 200 g, taille 50 cm, périmètre crânien 35 cm.

■ **Mort-nés lors d'accouchements.** *1952 :* à domicile 18 pour 1 000 (à l'hôpital 25), *1980 :* à l'hôpital 11. *1990 :* 5,9 % mort-nés.

■ **Mortalité maternelle. Taux** *XVIIIe s. :* 20 décès maternels pour 1 000 naissances vivantes. *1988* pays en développement 0,42, Afrique occidentale 0,76, Europe 0,023 (France 0,18, Dom 0,8 à 2), ex-URSS 0,045. *Taux* en cas de césarienne : 1,38. **Nombre :** chaque année + de 500 000 femmes du tiers monde meurent de causes liées à la grossesse et à l'accouchement laissant plus d'un million d'orphelins. 50 % des femmes enceintes souffrent d'anémie, 75 % en Asie du Sud, 17 % en Amérique du Nord et en Europe. Pour une femme anémique, une perte de sang normale de 250 cl peut être mortelle. Les anémiques présentent moins de résistance à l'infection et risquent davantage des complications anesthésiques et opératoires. *Anémie :* teneur du sang en hémoglobine – de 11 g/dl (pâleur : – de 7). Causes : carences en un ou plusieurs nutriments vitaux (fer, acide folique, vitamines, oligo-éléments, et protéines). Un homme adulte a besoin d'un apport quotidien de 1,1 mg de fer, une femme de plus du double, même non enceinte.

■ **Mortalité périnatale** (décès à – de 7 j). *France* 10,5 pour mille (7,4 à 13,2 selon régions). All. féd. 7,9, Suède 7,4.

■ **Naissance après la mort de la mère.** Plusieurs cas connus. Le 30-3-1983 est né par césarienne un garçon de 1,3 kg. Sa mère (27 ans) avait été artificiellement maintenue en vie pendant 9 semaines pour permettre la naissance (à 22 semaines).

■ **Prématurés. Définition :** *1950* OMS : nouveau-né vivant de poids égal ou inférieur à 2 500 g. *1970* Convention de Londres : « enfant né avant la 37e sem. après le 1er j des dernières règles (8 mois ou 259 j), et dont le poids est inférieur de 2 déviations standards par rapport à la moyenne. » Des bébés de 224 j (32 sem.) peuvent peser 2,5 kg et arriver 56 j avant les prévisions du médecin sans incident. En France, la loi fixe à 180 j après la fécondation la limite inférieure de viabilité. **Records :** *USA : 1972* à Indianapolis, enfant 170 g, mort 12 h après. *1983* fille (552,8 g, 26,7 cm) née le 23-2-83 après 22 semaines ; *1989 (nov.)* fille 280 g, taille 25 cm, périmètre crânien 20 cm. Restée 2 mois sous ventilation assistée, elle fut nourrie par une sonde dans l'estomac. A sa sortie de l'hôpital (à 120 j) : 1 900 g, taille 41 cm, périmètre crânien 31,5 cm. A 18 mois : 4,39 kg, taille 61 cm, périmètre crânien 40 cm (paramètres habituels chez un enfant de 3 mois). **Nombre en France** (en %) : *1972 :* 8,2. *1982 :* 4. *1987 :* 5,6. *1991 :* 4,8.

Facteurs de risque élevé : *âge* (– de 21 ans, + de 36) ; *taille* petite (– de 1,51 m) ou grande (1,70 m) ; *poids* faible (– de 46 kg) ou élevé (+ de 73 kg) ; parité (naissance de rang élevé) ; *conditions de vie* (travail fatigant, travail debout, logement exigu) ; *causes médicales* (placenta bas, malformation fœtale grave, grossesses multiples, infections...) ; sociales (surmenage, voyages, etc.). **Taux de mortalité :** 32 % *(de 26 à 28 semaines :* peu survivent ; *de 28 à 30 sem. :* près de 60 % survivent ; *à 32 sem. :* 75 % ; *à partir de 36 sem. :* 95 %). 18 % pour les enfants pesant entre 1 000 et 1 500 g. 50 % pour ceux de 500 à 1 000 g. Seul 1 enfant de – de 750 g sur 5 survit plus de quelques jours. **Séquelles :** *à 1 an :* 84 % des prématurés ont un poids normal, 78 % une taille normale (à 2 a., 89 et 90).

☞ **Prématurés célèbres :** Napoléon Bonaparte, Isaac Newton, Charles Darwin, Victor Hugo et Voltaire.

■ **Présentation.** *Tête la première,* présentation du sommet et le visage tourné vers le bas 95 %. Très rarement, visage tourné vers l'accoucheur 0,4 à 0,8 %. *Par le siège* (fesses d'abord, parfois les pieds) : 3,5 %, peut entraîner des complications mécaniques lors de l'accouchement.

■ **Anomalies.** 2 à 3 % des nouveau-nés. Dues à la grossesse ou à des maladies héréditaires.

■ **Terme dépassé.** La mortalité fœtale et néonatale est plus importante lors de naissances à terme dépassé (après 42 sem. d'aménorrhée, ⩾ 294 j).

☞ Betsy Sneith, 23 ans, sur laquelle avait été greffé en fév. 1980 le cœur d'un homme mort dans un accident d'automobile, a mis au monde par césarienne une fille de 3,2 kg (1er exemple connu de ce type de naissance).

ALLAITEMENT

☞ 70 % des femmes allaitent leur enfant à leur sortie de maternité et 53 % donnent le sein en moyenne durant 9 semaines. 30 % des bébés sont nourris jusqu'à 6 à 8 semaines au lait de femme.

Lactation. Peut se poursuivre des années. *Avantages :* fournit un aliment complet, équilibré, spécifique, stérile, facilement et rapidement digérable et contenant des anticorps maternels. Le lait change de composition selon les circonstances. Il protège contre l'eczéma. Il peut être remplacé par du lait maternisé adapté à l'âge de l'enfant. *Arrêt :* par sevrage (espacement des tétées), ou artificiellement (par injection d'œstrogènes ou par prise de comprimés de Bromocriptine). Certaines femmes sécrètent 5 l de lait par jour.

Prise : l'enfant prend (au rythme normal) env. 200 g de lait par kg de poids en 24 h. Dès 5-6 mois, l'alimentation peut être diversifiée. Après 9 mois environ, il a besoin d'autres nourritures en plus du lait maternel.

Quantités de matières grasses pour 100 g de lait. Otarie 53,3 g, phoque gris 53,2, baleine bleue 42,3, ourse polaire 33,1, lapine 18,3, souris 13,1, chienne 12,9, éléphante (Inde) 11,6, hérisson 10,1, échidné 9,6, brebis 7,4, truie 6,8, chatte 4,8, chamelle 4,5, chèvre 4,5, *femme 3,8*, vache 3,7, kangourou rouge 3,4, jument 1,9.

Fourniture de lait. Par 19 *lactariums* français (en 1987, ils ont collecté 109 374 litres de lait), ou l'*Institut de puériculture* de Paris qui approvisionne les centres de néonatalité, et propose une indemnité de 28 F par litre aux mères donneuses. En fait sur 500, 50 % sont bénévoles. Certaines donnent jusqu'à 10 l de lait par semaine.

AVORTEMENT

■ GÉNÉRALITÉS

■ **Définition.** Expulsion du fœtus avant qu'il soit viable (avant la fin du 6e mois de grossesse). Au point de vue légal, le fœtus n'est viable que 180 j après la fécondation. L'avortement peut être spontané ou volontaire (cas envisagé ici).

■ **Méthodes. Aspiration (méthode Karman) :** jusqu'à 10 semaines de grossesse ; canule reliée à une pompe aspirante et introduite dans l'utérus, sous anesthésie locale ou générale, durée quelques min. Ne peut être pratiquée que dans un délai de 10 semaines, sinon la calcification de la tête et du rachis embryonnaires empêcheraient leur passage dans la canule. Des complications existent : perforation utérine, rétention... Elles sont inversement proportionnelles à l'expérience de l'opérateur.

Mini-aspiration : ne nécessite ni dilatation, ni anesthésie, et se rapproche sur le plan technique de la pose d'un stérilet. Peut-être utilisée jusqu'à 7 semaines d'aménorrhée et est selon la loi réalisable en service hospitalier seulement.

Avortement chimique par l'antihormone RU 486 (mifepristone) : s'oppose aux effets de la progestérone, hormone indispensable à l'accrochage (nidification) de l'œuf dans l'utérus puis à sa gestation. Prise de comprimés (efficace à 60 %) complétée par des prostaglandines (efficace à 90 % selon le rapport de la commission internationale d'enquête publié le 10-4-1990). Le brevet concernant la molécule RU 486 (de Roussel-Uclaf) a été déposé le 11-6-1982 par MM. Teutsch, Philibert, Torelli et Durat. A la suite de menaces de boycott, notamment aux USA, Roussel-Uclaf décida de suspendre la distribution du RU le 26-10-88 mais le min. de la Santé, Claude Évin, mit la firme en demeure de la reprendre (28-10-88) bien que l'autorisation de mise sur le marché n'eût pas encore été signée (elle ne le sera que le 28-12-88, JO 12-1-89). Le Conseil d'État a annulé cette injonction pour « excès de pouvoir » (25-1-91). Mis sur le marché le 28-12-1988 sous le nom de Mifegyne 200 mg. S'utilise dans le cadre de la loi sur l'IVG et en milieu hospitalier. La commercialisation est faite pour les cas de grossesse normale de moins de 49 j d'aménorrhée. *Effets secondaires :* sans utilisation de prostaglandine pour faciliter l'expulsion de l'œuf, l'efficacité du RU 486 n'est que de 80 %. Or la prise unique, par piqûre, de prostaglandine peut entraîner, chez les femmes de + de 35 ans, et les fumeuses, des problèmes cardio-vasculaires et respiratoires (3 cas sur 60 000 avortements médicamenteux en 3 ans). Une femme de 31 ans est décédée le 23-3-91 lors d'un avortement par l'association RU 486-prostaglandine. Par ailleurs, les prostaglandines aux doses données jusqu'ici provoquent saignements et douleurs abdominales. On y a remédié en partie en réduisant des 3/4 la quantité de prostaglandine injectée. A court terme, l'administration de prostaglandine se fera à dose réduite et par voie orale, ce qui devrait supprimer le risque cardio-respiratoire. Le RU 486 soignerait les fibromes.

Curetage : après dilatation, curetage de l'œuf sous anesthésie générale. Peut laisser des séquelles dues aux lésions ainsi infligées à la matrice.

Induction des règles ou mini-aspiration : sans anesthésie ou sous anesthésie locale, permet d'aspirer le contenu de l'utérus au cours de la 1re semaine qui suit la date présumée des règles. Pratiqué par certains CIVG (Centre de contraception et d'IVG). Illégal. Dangereux et peu sûr.

Injection de sérum salé hypertonique : dans le sac amniotique (après la 15e semaine de grossesse), expulsion du fœtus 24 à 72 h après dans 90 % des cas. Dangereux. Ne se pratique plus.

Prostaglandines (2e trim. de la grossesse) : 80 % de succès par injection dans l'utérus. Se pratique maintenant par gel déposé dans le canal cervical. Utilisé pour les avortements tardifs « thérapeutiques » après la 15e semaine de grossesse.

Petite césarienne (hystérotomie) : dangereux. Peut être associée à une stérilisation chirurgicale.

☞ **Vaccin abortif :** mise au point en cours à partir d'un peptide synthétique capable d'imiter la structure des anticorps qui bloquent l'hormone de grossesse hCG. En neutralisant cette hormone, qui apparaît vers le 5e j après la conception, le développement de l'œuf pourrait être empêché. Serait efficace de 6 à 9 mois et disponible vers 1995. L'expérimentation sur la femme doit être entreprise en 1992.

■ **Moyens dangereux autrefois utilisés** (avortements clandestins). Percement de l'œuf ou introduction dans l'utérus d'une sonde en caoutchouc ; l'avortement se produit après 3 à 5 j avec des phénomènes infectieux parfois graves. Injection dans l'utérus savon, eau de Javel, etc., plus vite actif mais très dangereux. Procédés divers : breuvages, queue de lierre, permanganate : peu rationnels, dangereux et éventuellement mortels.

■ **Risques. Choix de la méthode :** est aussi fonction de l'avancement de la grossesse. Le RU 486 doit être utilisé les toutes premières semaines, l'aspiration avant la 12e. Pour les avortements tardifs prévalent l'injection de prostaglandines (douloureuse : maux de ventre, nausées, vomissement...) et la césarienne (ou hystérotomie). Les risques viennent surtout de la fragilité des organes génitaux et des dangers d'infection. Après la 7e semaine, les risques d'hémorragies secondaires augmentent. Des avortements répétés majorent les risques. Perturbations psychologiques : dans 60 à 80 % des cas.

■ AVORTEMENTS EN FRANCE

■ **Histoire. Jusqu'au règne de Louis XV,** mère et complices étaient punis de mort. **XVIIIe s.** peine commuée en 20 ans de fers, la mère n'étant plus punie. **XIXe s.** crime jugé en assises (nombreux acquittements). **1923** crime contre la nation, délit soumis aux tribunaux correctionnels (27-3 loi). **1941** *14-9* loi classant l'avortement parmi les « infractions de nature à nuire à l'Unité nationale, à l'État et au Peuple français ». **1942** *15-2* loi assimilant l'avortement à un crime contre la sûreté de l'État, passible, après jugement devant des tribunaux d'exception, de la peine de mort. **1943** *30-7* une avorteuse, Marie-Louise Giraud, est exécutée. **1970** *27-6* proposition de loi Peyret en cas de : menace pour la vie de la mère, anomalie grave chez l'enfant, viol. **1971** *5-4* parution dans *le Nouvel Observateur* du « Manifeste des 343 » signé par 343 Françaises célèbres qui reconnaissent s'être fait avorter. *Nov.* procès de Bobigny : cas d'une jeune fille avortée avec la complicité de sa mère défendues par Me G. Halimi. Procès transformé en tribune en faveur de l'avortement. Acquittement. **1975** *17-1* loi Veil autorisant l'interruption volontaire de grossesse. **1979** *31-12* loi Pelletier reconduisant celle de 1975 votée pour 5 ans. **1982** *31-12* loi Roudy : remboursement par la SS. **1987-91** des « commandos » s'introduisent dans les hôpitaux, protestant contre l'avortement et parfois détruisant du matériel à usage abortif. **1990** *21-12* le Conseil d'État rejette des recours de 5 associations contre la pilule abortive RU 486. (La loi n'est pas contraire à la convention européenne de sauvegarde des droits de l'homme et des libertés fondamentales). **1992** *4-12* vote par les députés de la dépénalisation de « l'auto-avortement » dont l'application risque de rendre

QUELQUES DATES

Antiquité. Hébreux : sanctionné. **Grecs :** autorisé avant l'« animation » du fœtus (40 j pour le f. mâle, 80 pour le f. femelle). **A Rome :** assimilé à l'empoisonnement.

Position de l'Église catholique. A toujours condamné l'avortement même si, au Moyen Age, St Thomas d'Aquin et les canonistes estimaient que l'animation intervenait seulement 40 j après la conception. Ainsi, le concile d'Ancyre (an 314) inflige 10 ans de pénitence au fidèle qui s'en est rendu coupable. L'Église déclare de façon constante qu'un être humain existe et doit être respecté dès la fécondation de l'ovule par le spermatozoïde. « L'avortement et l'infanticide sont des crimes abominables » (encyclique Gaudium et Spes, 1965), position confirmée depuis, notamment par Humanae Vitae (1968) et Donum Vitae (1987), par la Congrégation pour la doctrine de la foi (« l'avortement provoqué », 1974) et rappelée par Paul VI et Jean-Paul II dans leurs homélies et allocutions. Le nouveau code de droit canonique (1983) a maintenu l'excommunication des personnes coupables d'avortement : « Qui procure un avortement, si l'effet s'ensuit, encourt l'excommunication. »

☞ Les Juifs l'autorisent si la santé de la mère est menacée et s'il y a risque de malformation du fœtus (avant le 40e j) ou de grossesse adultère ou incestueuse. L'Islam l'autorise en cas de nécessité et sous condition, jusqu'au 4e mois de grossesse (même après en cas de maladie).

XIIIe s. Angleterre : puni de mort ; **Suisse :** l'avorteuse enterrée vivante ; **Brabant :** avortée et avorteuse sont brûlées vives.

Légalisation dans des conditions variables suivant les pays. 1920 *18-11* URSS (interdit 1936, rétabli 1955). **1938** Suède (danger pour la vie de la mère, viol, risque de maladie grave chez l'enfant. Assouplissement 1940, 1963, 1974). **1939** Danemark (élargie 1956, 1973). **1942** Suisse (danger pour la santé de la mère. Pratique très large aujourd'hui admise). **1949** Japon (loi de « protection eugénique »). **1950** Finlande (élargie 1970). **1956** Pologne (complétée 1959), Hongrie. **1957** *30-9* Roumanie (interdit 1966, rétabli 28-12-89), Tchécoslovaquie (*déc.*, en cas de danger pour la santé de la mère ou du fœtus, 1986 assouplie : gratuit avant 8 sem.). **1967** *oct.* G.-B. (par le gouvernement travailliste Wilson. Larges indications). Colorado (1er État des USA). **1970** *avr.* New York (sur simple demande jusqu'à 24 sem.). **1972** *9-3* RDA. **1973** *22-1* USA (arrêt « Roe contre Wade » de la Cour suprême ; 3-7-89 restrictions au financement public). *Déc.* Autriche. Turquie (il faut le consentement du mari). **1975** *17-1* France (loi Veil). **1976** *21-6* All. féd. **1978** *6-6* Italie. **1985** *27-6* Espagne (en cas de viol, risque pour la santé de la mère ou anormalité grave de l'enfant). **1990** *29-3* Belgique (refus du roi de signer le décret provoquant une crise institutionnelle). **1991** *janv.* Mexique (État du Chiapas). **Situation en 1992 en Europe :** légalisation dans tous les pays sauf Malte et Irlande (sauf en cas de danger pour la mère). Pologne : interdit, sauf si la grossesse résulte d'un viol, si la vie ou la santé de la mère sont menacées et si un test prénatal révèle une malformation.

QUELQUES CHIFFRES

Avortements provoqués. 36 à 53 millions pratiqués par an dans le monde, dont au moins 15 à 22 millions clandestins. **Lois sur l'avortement.** 52 pays (25 % de la population mondiale) l'autorisent lorsque la vie de la femme est en danger ; 42 (12 % de la pop.) l'autorisent pour raisons médicales au sens large, et parfois pour des raisons génétiques ou judiciaires (inceste, viol par ex.) ; 13 (23 % de la pop.) pour des raisons sociales ou socio-médicales ; 25 (40 % de la pop.) jusqu'à un certain stade de la gestation sans exiger des raisons particulières. Près de 150 000 avortements sont provoqués chaque jour, dont 1/3 dans de mauvaises conditions, coûtant la vie à 500 femmes.

Quelques délais. *10 sem. :* France. *12 sem. :* Allemagne, Autriche, Belgique, Bulgarie, Danemark, Espagne, Grèce, Hongrie. *90 jours :* Italie. *3 mois :* ex-RDA. *16 sem. :* Finlande. *18 sem. :* Suède. *22 sem. :* P.-Bas. *Jusqu'à 24 sem. :* G.-B. (au-delà si motif thérapeutique). *Jusqu'à la naissance :* USA (avant la naissance, l'enfant n'étant pas considéré comme un être humain n'est pas protégé par le XIVe amendement), France (pour l'IVG dite « pour motif thérapeutique », art. L. 162-12).

caduques les dispositions de la loi Veil sur le contrôle médical de l'IVG. Le fait d'empêcher ou de tenter d'empêcher un avortement est punissable d'un emprisonnement de 2 mois à 2 ans et d'une amende de 2 000 à 30 000 F.

Peines encourues avant 1974 : *personne procurant les moyens de faire un avort. :* 1 à 5 ans de prison, 1 800 à 36 000 F d'amende (5 à 10 a., 18 000 à 72 000 F pour pratique habituelle) ; *femme ayant avorté :* 6 mois à 2 a. de prison et 360 à 7 200 F d'amende ; *personnel médical ayant recouru à l'avort. :* mêmes peines plus suspension pendant 5 a. au moins.

■ **Réglementation actuelle.** La cessation volontaire de grossesse dite *interruption volontaire de grossesse (IVG) est possible à toute époque* si 2 médecins attestent que la poursuite de la grossesse met en péril la santé de la femme ou que l'enfant à naître aura très probablement une affection grave reconnue comme incurable lors du diagnostic (avortement thérapeutique), sinon elle ne peut être pratiquée qu'avant la fin de la 10e semaine de grossesse. *Si la femme est mineure célibataire,* il faut le consentement d'une personne exerçant l'autorité parentale ou du représentant légal. *Les femmes étrangères* doivent justifier de leur résidence en Fr. dep. 3 mois.

3 étapes : consultation auprès d'un médecin le plus tôt possible (10 j de retard) ; consult. auprès d'un centre de planification, ou d'un service social ou d'un établissement d'information agréé, pour recevoir conseils et une attestation d'entretien (obligatoire) ; après réflexion (minimum 11 j), retourner chez le médecin et lui remettre confirmation écrite de la décision prise. L'interruption ne peut être pratiquée que par un médecin et ne peut avoir lieu que dans un établissement d'hospitalisatoin public ou un établ. privé recevant les femmes enceintes. Aucun établissement ne peut dépasser pour une année déterminée 25 % d'interruptions par rapport aux actes opératoires. *Un médecin peut toujours refuser de faire les IVG* (clause de conscience). *Un établissement privé le peut aussi, sauf si,* assurant le service public hospitalier, les besoins locaux ne sont pas couverts par ailleurs.

■ **Prix** (en F, 1991). **Secteur public :** *IVG ⩽ 12 h sans anesthésie :* 902,16 ; *avec anesthésie générale :* 1 212,16 ; *12 à 24 h sans anesthésie :* 1 087,37 ; *avec anesthésie générale :* 1 397,37. *Forfait pour 24 h de plus :* 185,18. *Au-delà de 48 h,* l'hospitalisation est remboursée sur la base des tarifs propres à l'établissement. **Privé :** *IVG :* 372 ; *anesthésie générale :* 310 ; *investigations biologiques préalables :* 88 ; *accueil et hébergement (y compris frais de salle d'opération) ; ⩽ 12 h :* 442,16 ; *12 à 24 h :* 627,37 ; *pour 24 h de plus :* 185,18.

■ **Aide médicale. Gratuite :** peut être obtenue auprès de la DDASS, après enquête sur les ressources de l'intéressée. **Remboursement :** aux caisses de Sécurité sociale (loi du 31-12-1982).

■ **Statistiques. Avortements clandestins** (avant 1976) : 250 000 à 350 000 par an (rapport de l'Ined, 1976, en admettant que toute la mortalité obstétricale soit due à l'avortement clandestin). *En 1975 :* 14 000 Françaises étaient allées se faire avorter en G.-B. et 9 000 aux P.-Bas. **Légaux déclarés :** *1976 :* 134 173. *80 :* 171 218. *88 :* 166 510. *90 :* 169 363. *91 :* 162 620. *En 1991 :* + 3 741 hors délai rendues en G.-B. (en fait 200/220 000 par an car il existe des IVG non déclarées par certaines cliniques, pour des raisons fiscales ou légales, les avortements ne devant pas dépasser 25 % des actes chirurgicaux pratiqués par les établissements).

Condamnations dans des procès d'avortement : *1938 :* 2 450, *1940 :* 1 225, *1941 :* 2 135, *1942 :* 3 831, *1943 :* 4 055.

■ **Décès dus à l'avortement** (provoqué ou spontané). *1970-72 :* env. 46 par an. *1975* (avort. légalisé) : 15. *1976 :* 6. *1977 :* 9. *1988 :* presque nul. *Taux :* – de 1 pour 100 000.

Associations

■ **Pour l'avortement. Mouvement français pour le Planning familial (MFPF),** 4, square Saint-Irénée, 75011 Paris. *Créé* 1956. 90 associations départementales, 2 000 militants, 20 000 adhérents. **Assoc. nat. des centres d'interruption de grossesse et de contraception (ANCIC),** 157, av. Arthur-Honegger, 60100 Creil. *Créée* 1979. 150 adhérents (personnel méd. et para-méd. des CIVG).

■ **Contre. Association des médecins pour le respect de la vie,** 14, rue Nicolo 75116 Paris. *Créée* 1971, *membres* 850. **Laissez-les vivre – SOS futures mères,** BP 111-10, 75463 Paris Cedex 10. *Créée* 1971. *Membres* 30 000. **Cartel des groupements et personnes pour le respect de la vie,** 139, bd Magenta, 75010 Paris. *Créé* 1977. **Mère de Miséricorde** 81170 Cordes. *Créée* 1982. **Union syndicale des médecins respectant la vie humaine (USMRV).** *Créée* 1975. *Membres* 800. **Union synd. des professions de santé respectant la vie humaine.** *Créée* 1977, *membres* 800. **Union pour une politique nouvelle (UPN).** *Créée* 1976, *membres* 1 500. **Ufram (Union féminine pour le respect de la vie et l'aide à la maternité),** BP 32, 78401 Chatou Cedex. **Assoc. pour l'objection de conscience à toute participation à l'avortement (AOCPA),** 26, rue de Belfort, 92000 Nanterre. *Créée* 1982, *membres* 13 000. **Assoc. des chrétiens protestants et évangéliques pour le respect de la vie (ACPERvie),** BP 29, 95670 Marly-la-Ville. *Créée* 1980, *membres* 800. 4 antennes, « Service d'aide aux femmes enceintes » (SAFE). **Magnificat,** 31, rue Abbé-Grégoire, 75006 Paris. *Créé* 1982. **Les femmes et les enfants d'abord, secours aux futures mères (FEA),** 109, rue Defrance, 94300 Vincennes. **Comité pour sauver l'enfant à naître (CSEN),** BP 5, 94121 Fontenay-sous-Bois. *Créé* 1980. **La Trêve de Dieu,** BP 167, 92805 Puteaux. *Créée* 1988. **Commission inter. d'enquête sur le RU 486,** 2, square Pergolèse, 78150 Le Chesnay. *Créée* 1989. **Provie,** BP 40, 92802 Puteaux. *Créée* 1985. **Pro-Vitae,** rue du Trône, 89, 1050 Bruxelles. **International Right to Life Federation,** 23, avenue Ed.-Dapples, Lausanne 1006.

En 1990, les commandos anti-IVG se sont manifestés env. 40 fois, ils envahissent les blocs opératoires, déstérilisent les instruments, détruisent les stocks de RU 486, et s'enchaînent aux tables d'opération.

En 1992, 4 membres d'un commando anti-avortement ont été condamnés par le tribunal correctionnel de Pau à 4 mois de prison avec sursis et 3 000 F d'amende.

Déclaration de naissance

■ **Formalités.** A la mairie de la commune de l'accouchement dans les 3 j suivants (j de naissance non compris) (si le dernier j est férié, le délai est prolongé jusqu'au 1er j ouvrable qui suit). Peuvent être faites par le père légitime ou naturel, le médecin, la sage-femme, la personne chez qui l'accouchement a eu lieu ou toute personne y ayant assisté. Présenter le livret de famille et le certificat du docteur ou de la sage-femme. Depuis 1919, l'enfant n'a plus à être présenté en personne.

Lorsqu'une naissance n'aura pas été déclarée dans le délai légal, l'officier de l'état civil ne pourra l'inscrire sur les registres qu'en vertu d'un jugement rendu par le tribunal de grande instance de la circonscription où est né l'enfant et mention sommaire sera faite en marge à la date de la naissance. Si le lieu de naissance est inconnu, le tribunal compétent sera celui du domicile du requérant.

Une mère célibataire peut déclarer son enfant sous son nom de jeune fille. *Si une mère (célibataire ou mariée)* ne désire pas que le lien de filiation soit établi, la déclaration sera faite par une personne ayant assisté à l'accouchement. La mère a 3 mois pour revenir sur sa décision. Si elle y revient plus tard, elle risque que l'enfant ait été adopté entre-temps.

■ **Prénoms.** Ni la loi du 11 germinal an XI (2-4-1803) ni le code civil n'imposent l'obligation de donner un ou des prénoms. La loi du 11 germinal an XI permet de donner comme prénoms ceux qui figurent dans les divers calendriers (des saints, révolutionnaire, musulman, etc.), ou ceux de personnages connus dans l'histoire ancienne, à condition qu'ils aient existé et se soient manifestés avant le Moyen Age (sont ainsi autorisés : Achille, Nestor, Vercingétorix, mais les dieux de la mythologie sont exclus). Le gouv. consulaire fit dresser un répertoire des noms autorisés.

On trouve parmi ceux-ci **pour les garçons :** Abide, Abédécales, Abscode, Acepsimas, Apronculе, Aphone, Anstriclinien, Bananuphe, Calépode, Coconain, Canisius, Cordule, Dorymédon, Delcolle, Eupsyque, Eusémiote, Frichoux, Gobdélas, Guthagon, Gabin, Gorgon, Huldegrin, Havenne, Injurieux, Ithamace, Keintegern, Lupède, Lézin, Ludon, Latin, Mappalique, Melchiad, Métromane, Moucherat, Nizilon, Némèse, Odilard, Onésiphore, Oenillin, Ouarlax, Palphètre, Pamphalon, Pèlerin, Pétronin, Philogon, Patape, Pipe, Proscidile, Quoamal, Rasyphe, Smaragde, Sabas, Syarèse, Théoïde, Théopiste, Théopompe, Triphon, Télesphore, Tripodes, Tychique, Urciscène, Ubède, Usthazades, Viedemial, Ynsigo, Zotoucque. **Pour les filles :** Agetine, Animaïde, Avaugourg, Arcade, Bertoarde, Bibienne, Cuthburge, Conchinne, Crispine, Dorphate, Dorothée, Dodoline, Édifrède, Égobille, Ensvide, Épicaride, Ésothéide, Guimfroye, Godine, Golinduche, Hérondine, Hune, Kymescide, Irmine, Lupite, Macarie, Mamelthe, Mazote, Mirlouriraine, Nossète, Obdule, Oringue, Piste, Panduine, Pompine, Porcaire, Rusticule, Sosipatre, Sigouleine, Supporine, Tatienne, Venefride, Yphenge, Zingue, Zite, Zuarde.

Des circulaires du 12-4-1966, du 10-7-1987 et une instruction gén. du 21-9-1955 demandèrent aux off. de l'état civil de faire preuve de libéralisme dans l'admission des prénoms. De 1987 à janvier 1993, ils ne pouvaient refuser que les prénoms qui ne figuraient pas sur un calendrier et qui n'étaient pas consacrés par l'usage. Dep. la *loi du 8-1-1993,* les parents peuvent choisir librement le prénom de leur enfant. Si l'officier de l'état civil considère que ce prénom est contraire à l'intérêt de l'enfant, il en informe le procureur de la Rép. Celui-ci peut alors saisir le juge aux affaires familiales qui ordonnera la suppression ou le maintien du prénom choisi par les parents. La possibilité de changer de nom et de prénom est élargie, elle est ouverte à toute personne justifiant d'un intérêt légitime.

■ **Modification** (loi du 12-11-1955). Le tribunal de grande instance peut (sur la requête d'un individu ou de son représentant légal) autoriser des modifications pour les personnes affublées de prénoms ridicules ou qui sont l'objet de risées par l'effet de la juxtaposition de ce prénom au nom patronymique (ex. : Jean Bon).

☞ La loi du 6 fructidor an VI interdit de porter des noms et prénoms autres que ceux exprimés dans l'acte de naissance.

■ **Prénoms donnés le plus souvent en France. (% d'enfants qu'ils représentent suivant le groupe d'années de naissance). Masculins : 1900-1904.** Louis 4,8, Pierre 4,6, Jean 4,3, Marcel 4,2, Henri 4,2, Joseph 4,1, André 3,6, Georges 3,4, René 3,3, Paul 2,7. **1910-14.** Jean 5,2, André 5,1, Pierre 4,7, Marcel 4,6, Louis 4,5, René 4, Henri 3,8, Joseph 3,3, Georges 3,2, Roger 3. **1920-24.** Jean 6,7, André 6,1, Pierre 5,1, René 4,8, Marcel 4,5, Roger 4,2, Robert 3,7, Louis 3,5, Henri 3,4, Georges 3,1. **1930-34.** Jean 7,9, André 5,5, Pierre 5,1, Michel 4,6, René 4,1, Roger 3,8, Jacques 3,6, Claude 3,5, Robert 3,4, Marcel 3,1. **1940-45.** Michel 7,1, Jean-Claude 5, Jean 4,4, Bernard 4, Daniel 3,9, Claude 3,8, Gérard 3,8, Jacques 3,8, Jean-Pierre 3,7, André 3,7. **1950-54.** Michel 5,7, Alain 5,3, Bernard, Patrick, Christian et Gérard 4, Daniel 3,6, Jean-Pierre 2,8, Philippe 2,7, Jacques 2,5. **1960-64.** Philippe 6, Pascal 4,6, Éric 4,4, Thierry 4,2, Patrick 3,9, Alain 3,2, Michel 3, Didier 2,9, Bruno 2,6, Dominique 2,4. **1970-74.** Stéphane 5,1, Christophe 4,8, David 4,4, Laurent 4, Frédéric 3,4, Olivier 3,2, Sébastien 2,7, Éric 2,6, Philippe 2,4, Jérôme 2,3. **1980-84.** Nicolas 4,4, Julien 3,8, Sébastien 3,1, Mickaël 2,9, Mathieu 2,4, Guillaume 2,3, Cédric 2,3, David 2,1, Jérôme 1,9, Vincent 1,7.

Féminins : 1900-04. Marie 11,7, Jeanne 5,5, Marguerite 3,8, Marie-Louise et Germaine 3,7, Louise 2,6, Madeleine 2,4, Yvonne et Suzanne 2,3, Marthe 1,8. **1910-14.** Marie 8,5, Jeanne 5,6, Marie-Louise 3,5, Marguerite, Yvonne et Madeleine 3, Germaine 2,7, Simone et Suzanne 2,6, Marcelle 2,2. **1920-24.** Marie 5,1, Jeanne 4,7, Simone 3,9, Madeleine 3, Yvonne 2,9, Suzanne 2,8, Denise 2,6, Paulette 2,5, Marie-Louise 2,4, Marcelle 2,3. **1930-34.** Jeannine 4,6, Jacqueline 3,8, Monique 3, Simone 2,8, Yvette 2,7, Denise et Marie 2,5, Jeanne 2,4, Paulette et Marie-Thérèse 2,3. **1940-45.** Monique 4,6, Nicole et Danielle 3,9, Michèle 3,5, Jacqueline 3,2, Françoise 3, Jeannine 2,9, Christiane 2,8, Marie 2,1, Marie-Thérèse 1,9. **1950-54.** Martine 5,2, Françoise 3,7, Chantal 3,4, Monique 3, Michèle 2,9, Nicole 2,7, Annie 2,4, Dominique et Danielle 2,3, Christiane 1,9. **1960-64.** Sylvie 5,9, Catherine 4,9, Christine 3,9, Isabelle 3,8, Véronique 3,6, Patricia 2,8, Corinne, Nathalie et Martine 2,6, Brigitte 2,5. **1970-74.** Sandrine 5,9, Nathalie 4,9, Isabelle 3,6, Valérie 3,5, Karine et Stéphanie 3,3, Sophie 2,5, Sylvie 2,4, Chris et Laurence 2,1. **1980-84.** Aurélie 3,4, Émilie 3, Céline 2,9, Virginie 2,3, Élodie 2,2, Audrey 2,1, Stéphanie 2,1, Julie 2, Laetitia 2, Sabrina 1,8.

☞ **1990.** *Chez les employés et ouvriers,* prénoms américanisés : Kévin (1 sur 30), Antony, Michael, Jonathan, David. *Chez les cadres :* Thomas, Pierre, Nicolas, Antoine, Alexandre ; Filles : Élodie (1 sur 32), Laura, Julie, Aurélie, Marion, Marine.

■ **Saints du calendrier. Nombre de saints patrons :** le calendrier des Postes donne le nom du « saint du jour » soit env. 365. Mais en réalité 6 216 saints et bienheureux figurent au calendrier de l'Église, selon les tables dressées par les Bénédictins de Paris en 1959, soit une vingtaine par jour.

Il y a en outre de nombreux martyrs inconnus, groupés selon le lieu et la date de leur mort, et dont on ne connaît que le chiffre [de 2 à 10 203 (Rome)].

Prénoms et dates des fêtes

Légende. Prénoms, entre parenthèses, nombre de Sts principaux ayant porté ce nom, date de la fête, en italique acienne date.

Aaron 22-6 ; 1-7 ; 9-10
Abel 2-1 ; 30-7 ; 5-8
Abella 5-8
Abondance 16-9
Abraham (8) 9-10
Acace (6) 31-3 ; 9-4 ; 8-5
Achille 15-5
Ada 4-12
Adalbert (4) 23-4 ; 20-6 ; 25-6
Adélaïde (3) 5-2 ; 16-12
Adélard 2-1 ; 15-7
Adèle (3) 24-2 ; 24-12. Adeline (3) 28-8 ; 20-10
Adelphe 29-8 ; 11-9
Adnette 4-12
Adolphe (4) 3-6 ; 11-2
Adrien (10) 8-7 ; 8-9
Adulphe 17-6
Agape (11) 15-2 ; 29-4 ; 20-11
Agathe (4) 5, 18-2 ; 12-12. Agathon (5) 10-1 ; 21-10
Agnès (12) 21-1 ; 20-4 ; 16-11
Ahmed 21-8
Aignan 17-11
Aimable 18-10
Aimé 8-5 ; 31-8 ; 13-9. Aimée 20-2 ; 10-6
Alain (5) 26-10 ; 25-11
Alban 21-1 ; 20, 21-6. Albane 22-6
Albe 22-6
Albéric (6) 26-1 ; 14-11
Albert (24) 25-2 ; 15-11. Alberta 15-11. Alberte 11-3
Albin (5) 1-3 ; 5-9
Alda 26-4
Aldegonde 30-1
Alèthe 4-4
Alette 4-4
Alexandra 20-3 ; 18-5. Alexandre (45) 15-1 ; 3-5
Alexia 9-1. Alexis (5) 17-2 ; 27-11
Alfred 15-8 ; 26-10
Alice 9-1 ; 5-2 ; 24-8
Alida 26-4
Aline 20-10
Alix 9-1
Aloïs 21-6
Almède 1-8
Alphonse (11) 1-8 ; 30-10
Amaël 24-5
Amand (15) 6-2 ; 18-6. Amandine 9-7
Amaury 15-1
Ambroise (14) 11-9 ; 7-12
Amé 13-9
Amédée (5) 17-2 ; 30-3
Amélie 19-9
Amos 31-3
Amour 9-8
Anaïs 26-7
Anastasie (4) 10-3 ; 25-10
Anatole (7) 3-2 ; 3-7
Andéol 1-5 ; 15-10
Andoche 24-9
André (41) 20-9 ; 30-11
Ange (15) 5-5 ; 10-10. Angèle 4-1 ; 27-1. Angélique 27-1
Anicet 17-4 ; 12-8
Anita 26-7
Annabelle 26-7
Anne (10) 27-2 ; 26-7. Anne-Marie (4) 9-6 ; 15-7. Annie 26-7. Anouchka 26-7. Anouck 26-7
Annonciade 25-3
Anselme (4) 18-3 ; 21-4
Anthelme 26-6
Anthime 27-4 ; 11-5 ; 27-9
Anthony *cf.* Antoine
Antoine (ab.) 17-1 (Pad.) 13-6. Antoinette (4) 28-2 ; 17-7
Antonin (12) 14-2 ; 31-10. Antonine 3-5
Apollinaire (9) 5-1 ; 23-7
Apolline 9-2
Apollos 25-1
Arcadius 1-8
Arcady 1-8
Ariane 18-9
Arielle 1-10
Aristide 31-8
Arlette 17-7
Armand 23-1
Armande 8-6
Armel(le) 16-8
Arnaud 14-3 ; 30-11
Arnold 15-1
Arnoul (8) 30-6 ; 1, 18-7
Arnould 23-10
Arsène (4) 19-1 ; 19-7 ; 30-8
Arthaud 7-10
Arthur 15-11
Astrid 27-11
Athanase (10) 2-5 ; 5-7
Aubert 1-2 ; 10-9
Aubierge 7-7
Aubin 1-3
Aude 18-11
Audrey 23-6
Augusta 27-3. Auguste (4) 27-2 ; 7-5
Augustin (16) 28-8 ; 6-9
Augustine 12-11
Aure 4-10. Aurèle 20-7 ; 27-7 ; 12-11 Aurélie 25-9 ; 15-10 ; 2-12. Aurélien 10-5 ; 16-6 ; 4-7
Aurore 13-12
Austreberte 10-2
Avit (6) 5-2 ; 21-2 ; 17-6
Aymar 5-10
Aymeric 4-11
Babette 17-11
Babine 31-3
Baptiste 24-6
Barbara 4-12
Barbe 4-12
Barberine 4-12
Barnabé 11-6 ; 9-7
Barnard 23-1
Barthélemy (13) 24-8 ; 11-11
Bartolomé 24-8
Basile (10) 2-1 ; 27-2
Bastien 20-1
Bathylle 30-1
Baudouin 15-7 ; 16-10
Béatrice (6) 13-2 ; 29-7
Béline 19-2
Bénédicte (4) 4-1 ; 6-5
Benjamin(e) 31-3
Benoît (25) 11-2 ; 11, 15-7 ; 23-10
Benoît-Joseph 16-4
Bérenger(ère) 26-5 ; 29-10
Bérénice 4-10
Bernadette 16-4
Bernard (24) de C. 20-8. de M. 28-5. Bernardin (4) 20-5 ; 2-7
Berthe (6) 4, 18-7
Berthold (4) 29-3 ; 21-10
Bertille 3-1 ; 20-10 ; 5-11
Bertrand (6) 6-9 ; 16-10 ; 11-11
Bettina 17-11
Betty 17-11
Bibiane 2-12
Bienvenue 30-10
Billy 10-1
Blaise 3-2 ; 5-4 ; 29-11
Blanche (3) 5-7 ; 18-10
Blandine 2-6
Bluette 5-10
Boèce 23-10
Bonaventure (8) 15-7 ; 11-11
Boniface (16) 8-5 ; 5-6 ; 19-6 ; 4-9
Boris 24-7
Brendan 16-5 ; 29-11
Briach 17-12
Brice 9-7 ; 13-11
Brieuc 1-5
Brigitte (5) 21-1 ; 23-7
Bruno (7) 18-7 ; 6-10
Calais 1-7
Calliope 7-4
Calliste 16-4 ; 29-12
Camilla 3-3 ; 18, 31-5. Camille 14-7 ; 12-10
Candide (6) 11-3 ; 3-10
Canut 7, 19-1
Carine 7-11
Carl 4-11
Carlos 4-11
Carmen 16-7
Carole 17-7
Caroline (2) 9-5
Casimir 4-3
Catherine (19) 29-4 ; 15-9 (Labouré) 28-11
Cécile (4) 17-8 ; 22-11
Cédric 7-1
Céleste 14-10
Célestin 2, 19-5 ; *27-7*
Célia 22-11
Céline 3-2
César 26-8. Césarine 12-1
Chantal 12-12
Charles, Charly, Charley (10) 3-6 ; 4-11
Charlotte 17-7
Christel 24-7
Christian (7) 12-6 ; 12-11. Christiane (Nino) 15-12
Christine (7) 24-7 ; 5-12
Christophe (9) 25-7 ; 25-9
Clair (6) 4-11 ; 8-11. Claire (5) 11, 17-8
Clarisse 12-8
Claude (12) 6-6 ; 7-7 ; 21-7. Claudette 6-6
Claudia 18-5 ; 7-8
Claudie, Claudine, Claudius 6-6
Clélia 13-7
Clémence 21-3. Clément (15) 15-3 ; 23-11. Clementine 23-11
Cléopâtre 19-10
Clet 26-4
Clotilde 3-6 ; 23-10
Cloud 8-6 ; 7-9
Clovis 25-8
Colette 6-3
Colin 6-12
Colomba 9-6 ; 12-12. Colomban 2-2 ; 21, 23-11. Colombe (4) 17-9 ; 31-12
Côme 26-9
Conrad (16) 1-6 ; 26-11
Constance (8) 29-1 ; 1-9. Constant 18-11. Constantin (8) 9-3 ; 21-5
Cora 18-5
Coralie 18-5
Corentin 12-12
Corinne 18-5
Crépinien 25-10
Crescence 5-4 ; 15-6
Cunégonde 3-3 ; 4-5 ; 27-7
Cyprien (8) 10-3 ; 16-9
Cyr 16-6
Cyran 5-12
Cyriaque (16) 31-1 ; 8-8 ; 27-10
Cyrille (15) 18-3 ; 27-6
Dagobert 23-12
Dahlia 5-10
Daisy 16-11
Damien (9) 12-4 ; 26-9
Daniel (13) 31-3 ; 21-7 ; 11-12
Danièle, Danitza, Dany 11-12
Daria 25-10
David (8) 1-3 ; 27-8 ; 29-12
Davy 20-9
Déborah 21-9
Delphin 24-12. Delphine 9-12
Démétrius (9) 8-10 ; 9-10
Denis (25) 9-10 ; 17-11
Denise 15-5 ; 6-12 ; 12-12
Désiré (13) 11-2 ; 8-5 ; 16-9
Diane 10-6
Didier 23-5
Diégo 13-11
Dietrich 2-2
Dieudonné 10-8
Dimitri 8-10
Dirk 1-7
Dolorès 15-9
Dominique (36) 8-8 ; 20-12
Domitille 2-5
Domnin (7) 30-3 ; 9-10
Donald 15-7
Donatien (4) 24-5 ; 6-9
Dora 9-11
Doria 25-10
Dorothée (8) 6-2 ; 28-3 ; 5-6
Edgar 8-7
Édith 15-7 ; 9-8 ; 16-9
Edma, Edmée 20-11
Edmond (5) 28-8 ; 20-11
Édouard (14) 18-3 ; 13-10. Édouardine 5-1
Edwige 16-10
Éléazar 1, 23-8 ; 27-9
Éléonore 25-6
Éleuthère (10) 20-2 ; 6-9
Elfi 8-12
Elfried 8-12
Éliane 4-7
Élie (8) 16-2 ; 17-4 ; 20-7. Éliette 20-7
Éline 18-8
Élisabeth (14) 4-7 ; 17-11
Élise 17-11. Élisée 14-6
Ella 1-2
Ellenita 1-2
Elmo 15-4
Élodie 22-10
Éloi 1-12
Elphège 12-3 ; 19-4
Elsa, Élsy 17-11
Elvire 16-7
Émeline 27-10
Émeric 1-8 ; 4-11
Émile 22, 28-5 ; 6-10. Émilie 17-6 ; 19-8 ; 19-9
Émilien (11) 8-8 ; 12-11. Émilienne 5-1 ; 30-6
Emma 19-4
Emmanuel (10) 31-7. Emmanuelle 11-10
Engelbert 7-11
Enguerrand 25-10
Enrique 13-7
Éphrem 4-3 ; 9-6
Erasme 2-6
Éric 13-3 ; 18-5
Erich, Erika 18-5
Ernest(ine) 7-11
Erwan, Erwin 19-5
Espérance 1-8
Estelle 11-5
Esther 1-7
Étienne (41) 2-8 ; 26-12
Étoile 11-5
Eudes 19-8
Eugène (20) 2-6 ; 13-7. Eugénie 16-9 ; 22-11 ; 25-12
Eulalie 12-2 ; 10-12
Euphémie 3-9 ; 16-9
Euphrasie (4) 13-3 ; 24-4
Euphrosyne 1-1
Eurielle 1-10
Eurosie 25-6
Eusèbe (22) 20-1 ; 2-8 ; 17-8
Eustache (9) 5-8 ; 7-9 ; 10-12
Éva 6-9
Évariste 14-10 ; 26-10 ; 23-12
Évelyne 6-9
Évrard (6) 22-6 ; 14-8
Exupère (5) 2-5 ; 1-8 ; 28-9
Fabien 20-1 ; 31-12. Fabienne 20-1
Fabiola 27-12
Fabrice 22-8
Fanchon *cf.* Françoise
Fanny 26-12
Fantin 30-8
Faustin (8) *15-2* ; 16-12
Fébronie 25-6
Félicie 6-6 ; 5-10
Félicien (8) 30-1 ; 9-6
Félicité (4) 7-3 ; 26-3
Félix (79) 14-1 ; 1-3
Ferdinand (5) 30-5 ; 27-6
Fernand(e) 27-6
Ferréol (5) 4-1 ; 16-6 ; 18-9
Fiacre 30-8
Fidèle (5) 7-2 ; 24-4 ; 28-10
Firmin (7) 1-9 ; 25-9 ; 11-10
Flavie 12-5 ; 5-10
Flavien (7) 18-2 ; 20-7
Fleur 5-10
Flora (5) 11-6 ; 29-6 ; 24-11
Florence 20-6 ; 10-11. Florent (16) 3-1 ; 25-7 ; 7-11. Florentin 27-9 ; 16-10
Florian 4-5 ; 17-12
Flour 3-11
Fortunat (21) 23-4 ; 1-6
Foulques (5) 2-3 ; 22-5 ; 25-12
Fourier 9-12
France 4-10
Francelin(e) 4-10
Francette, Francine 4-10
Francis(que) 4-10
Franck 4-10
François (d'A.) 4-10. (de S.) 24-1. (X.) 3-12
Françoise (8) 9-3 ; 26-6. (X.) 22-12
Frankie *cf.* François
Freddy 18-7
Frédéric (8) 27-5 ; 18-7
Frédérique 18-7
Frida 18-7
Fulbert 10-4
Fulcran 13-2
Fulgence 1-1 ; 16-1 ; 10-12
Gabin 19-2 ; 30-5
Gabriel (8) 29-9
Gaby 29-9
Gaël(le) 17-12
Gaétan(e) 7-8
Gall 1-7 ; 16-10
Galmier 27-2
Gaspard (11) 6-1 ; 28-12
Gaston 6-2
Gatien 18-12
Gaucher 9-4
Gaud 29-7
Gaudence (7) 5-1 ; 12-2 ; 25-10
Gautier (11) 8, 9-4
Gélase (5) 29-1 ; 21-11
Geneviève 3-1
Genn 18-10
Geoffroy (6) 9-7 ; 8-11
Georges (15) 19-2 ; 23-4
Georgette, Georgine 23-4
Gérald 6-2 ; 13-3. Géraldine 5-12
Gérard (22) 5-4 ; 3-10
Géraud 13-10
Gerland 25-2 ; 18-6
Germain (d'A.) 31-7. (de P.) 28-5. Germaine 19-1 ; 15-6
Germer 24-9
Géronima 30-9
Gertrude (7) 17-3 ; 16-11
Gervais 17-4 ; 19-6 ; 8-11. Gervaise 19-6
Géry 11-8
Ghislain(e) 10-10
Gilbert (6) 4-2 ; 1-4 ; 7-9. Gilberte 11-8
Gildas 29-1
Gilles (8) 28-1 ; 1-9
Ginette 3-1
Gina(o) 21-6
Giraud 29-12
Gisèle 7-5
Gladys 29-3
Godefroy 8-11
Gontran 28-3
Gonzague 6-2 ; 3-6
Goulven 1-7
Grâce (2) 1-6
Gracieuse 21-8
Grégoire (31) 2-1 ; 3-9
Grégory 3-9
Grimaud 8-7
Gudule 8-1
Guennolé 3-3
Guewen 18-10
Guillaume (50) 10-1 ; 10-2. (em) (ette) 10-1
Gustave 7-10
Guy (10) 31-3 ; 18-6
Gwénaël(le) 3-11
Gwendoline 14-10
Gwénola 18-10
Gwladys 29-3
Habib 27-3
Hans 24-6
Harold 25-3
Harry 13-7
Hélène (12) 22-5 ; 18-8
Héliéna 18-8
Hélyette 20-7
Henri (15) 19-1 ; 13-7 ; 23-10. (ette) 13-7
Herbert 20-3 ; 20-8 ; 30-10
Herman 25-9 ; 23-12
Hermance 28-8
Herménégild 13-4 ; 5-11
Hermès (6) 4-1 ; 1-3 ; 28-8
Hermine 9-7
Hervé 16-4 ; 17-6 ; 18-7
Hilaire (13) 13-1 ; 28-2
Hilda 17-11
Hildegarde 30-4 ; 17-9
Hildegonde 6-2 ; 20-4
Hiltrude 27-9
Hippolyte (7) 30-1 ; 13-8
Honorat (10) 16-1 ; 28-10
Honoré (4) 9-1 ; 16-5
Honorine 27-2
Hortense 5-10
Hubert 30-5 ; 3-11
Hugues (20) 1-4 ; 17-11. Huguette 1-4
Humbert (4) 4-3 ; 14-7
Hyacinthe (10) 30-1 ; 17-8
Iadine 3-2
Ida 13-4
Ignace (8) 31-7 ; 17-10
Igor 5-6
Ildephonse 23-1
Imelda 12-5
Imré 4-11
Inès 10-9
Ingrid 2-9
Innocent (7) 22-6 ; 28-12
Iphigénie 21-9
Irène (4) 5-4 ; 5-5 ; 18-9. Irénée (9) 28-6 ; 3-7
Iris 4-9
Irma 9-7. (de S.) 4-9
Irmengarde 16-7
Isaac (9) 25-3 ; 19-10
Isabelle 26-2 ; 4-7 ; 10-9
Isaïe 14-1 ; 8-2 ; 6-7
Isidore (12) 4-4 ; 10-5
Ivan 24-6
Jacinthe 30-1
Jackie 8-2
Jacob 15-7
Jacqueline 8-2
Jacques (Maj.) 25-7. (Min.) 3-5
Jacquette 8-2
Jacquine 25-7
Jacquotte 8-2
James 25-7
Jaouen 2-3
Jasmine 5-10
Jason 12-7 ; 3-12
Jean (de l'A.) 27-12. (le B.) 24-6 ; 29-8
Jeanne 8, 30-5. (de C.) 12-12
Jeannine 8-5
Jenny 8-5
Jérémie (6) 1-5 ; 7, 17-6
Jérôme (9) 8-2 ; 30-9
Jessica 4-11
Jessy 4-11
Jim 25-7
Joachim (7) 26-7 ; 19-8
Joël 25-1 ; (le) 13-7
Joévin 2-3
Johanne 30-5
John, Johnny 24-7
Jordanne 13-2
Joris 26-7
José 19-3
Joseph (42) 19-3 ; 25-8. (ine) 22-1 ; 23-10
Josette, Josiane 19-3
Josselin(ne) 13-12
Josué 1-9
Juanita 8-5
Jude 28-10
Judicaël 17-12
Judith 29-6
Jules (9) 12-4 ; 27-5 ; 1-7. Julie (12) 8-4 ; 22-5 ; 21-7. Julien (40) 17-1 ; 12-2. Julienne (13) 16-2 ; 19-6. Juliette 17-7
Juste (13) 2-9 ; 14-10. Justin (7) 1-6 ; 31-7 ; 1-8. Justine (6) 12-3 ; 7-10
Juvénal 3, 7-5 ; 12-9
Karelle, Karen, Karine 7-11
Katel, Katia, Katy, Ketty 24-3
Kévin 3-6
Kurt 26-11
Ladislas 27-6 ; 25-9
Laetitia 18-8
Lambert (8) 14-4 ; 17-9
Landry 17-4 ; 10-6
Lara, Larissa 26-3
Laure 18-8 ; 19-10
Laurence 8-10
Laurent (24) 21-7 ; 10, 20, 28-9
Laurentine, Laurette, Laurie, 10-8
Lazare (5) 21-6 ; 29-7
Léa 22-3
Léandre 27-2
Léger 2-10
Lélia 11-8
Léna, Lénaïc, 18-8
Léocadie 9-12
Léon(e) (27) 20-2 ; 10-11
Léonard (10) 30-3 ; 6-11
Léonce (12) 13-1 ; 18-6
Léonilde, Léontine 10-11
Léopold 2-4 ; 12-5 ; 15-11
Leslie 17-11
Lia 22-3
Lidwine 14-4
Lila 22-3
Lilian(e) 4-7
Lily 17-11
Lin 23-9
Linda 28-8
Line 20-10
Lionel 10-11
Lisbeth, Lisette, Lizzie 17-11
Lô 22-9
Loïc 25-8
Loïs 21-6
Lola 15-9
Lolita 15-9
Loraine 30-5
Lore 25-6
Louis (roi) 25-8. de G. 21-6. Marie 28-4
Louise (5) 15-3 ; 24-7
Loup (9) 29-7 ; 25-9
Luc (12) 7-2 ; 18-10
Lucas 18-10
Lucette 13-12
Lucie (12) 6-7 ; 13-12
Lucien (7) 7, 8-1 ; 24-12
Lucienne 8-1
Lucille 29-7 ; 25-8
Lucrèce 15-3 ; 23-11
Ludmille 16-9
Ludovic 1-8
Ludwig 25-8
Lydie 27-3 ; 3-8
Lydiane 3-8
Macaire (12) 2-1 ; 15-1
Macrine 14-1 ; 19-7 ; *20-7*
Maddy, Madeleine 22-7
Mael 13-5
Maëlle 24-5
Mafalde 2-5
Magali, Maggy 22-7
Magloire 24-10
Maïté 7-6
Malo 15-11
Manoël 25-12
Manuel 25-1 ; 17-6
Marc (31) 25-4
Marceau 16-1
Marcel (20) 16-1 ; 4-9 ; 7-10. Marcelle 31-1 ; 28-6
Marcellin (12) *6-4* ; 2-6. Marcelline 17-7
Marcien (18) 10-1 ; 14-6 ; 25-8
Marguerite (22) 19-1 ; 3-2 ; 22-2. (M.) 16-10
Mariam 26-8
Marianne 27-4 ; 26-5
Mariannick *cf.* Marie et Anne
Marie (77) 1-1, 15-8 (Madeleine) 22-7
Marielle 15-8
Marien (8) 30-4 ; 3-7 ; 19-8
Mariette 6-7
Marilyne 15-8
Marin (e) (12) 4-9 ; 24-11 ; 26-12 Marina, Marinette 20-7
Marion 15-8
Marius *19-1* ; 27-1
Marjolaine 15-8
Marjorie 20-7
Mars 13-4
Marthe (6) 29-7 ; 20-10
Martial (6) 30-6 ; 10-7
Martin (23) 13-4 ; 11-11. Martine 30-1
Martinien (4) 13-2 ; 2-7
Marylise, Maryse, Maryvonne 15-8
Materne 18-7 ; 14-9
Mathilde 26-2 ; 14-3
Mathurin 1-11
Matthias (8) 6-2 ; 14-5
Matthieu (13) 22-1 ; 21-9
Maud 14-3
Maurice (4) 22-9 ; 13-10. Mauricette 22-9
Maxence 26-6 ; 20-11 ; 12-12
Maxime (35) 14-4 ; 13-8
Maximilien (4) 12-3 ; 12-10. (Kolbe) 14-8
Maximin 29-5 ; 8-6 ; 15-12
Mayeul 11-5
Médard 8-6
Melaine 6-1
Mélanie 8-6 ; 31-12
Menehould 14-10
Mériadec (2) 7-6
Merry 29-8
Michel (25) 4-5 ; 29-9 Michèle 24-8
Micheline 20-6
Mikaël 29-9
Mildrede 13-7
Milène 19-8
Miloud 22-5
Mireille 15-8
Modeste (8) 5-2 ; 24-2
Moïse (6) 28-8 ; 4-9
Monique 12-7 ; 27-8
Morvan 22-9
Moshé 4-9
Muguet(te) 1-5
Muriel, Myriam 15-8
Myrtille 5-10
Nadège 1-8
Nadette 18-2
Nadia 18-9
Nadine 18-2
Nahum 17-7 ; 1-12
Nancy 26-7
Napoléon 15-8
Narcisse (5) 17-9 ; 29-10
Natacha 26-8
Nathalie 27-7 ; 8-9 ; 1-12
Nathanaël 24-8
Nello 25-12
Nelly 18-8
Nestor (4) 26-2 ; 4-3 ; 8-9
Nicolas (30) 4-2 ; 6-12
Nicole, Nicoletta 6-3
Nikita 31-1
Nina 14-1
Nino 15-12
Ninon 6-12
Noé 3-6
Noël(le) 25-12
Nolwenn 6-7
Nora 25-6
Norbert 6-6
Nympha 10-11
Octave(ie) 20-11
Octavien 22-3 ; 6-8
Odette 20-4
Odile 13-12
Odilon 11-5 ; 15-10
Olaf 29, 30-7
Olga 11-7
Olive 5-3. Olivette 5-3 ; 3-6 ; 10-6 Olivia 5-3
Olivier 3-2 ; 11-7
Olympe 12-6 ; 26-7
Ombeline 21-8
Onésime 16-2 ; 13-5
Orianne 4-10
Oscar 3-2
Oswald 28-2 ; 5-8
Othon 16-1 ; 2-7 ; 28-12
Otmar 16-11
Pablo 29-6
Paco 24-1
Pacôme 14-5 ; 26-11
Paméla 16-2
Pamphile (4) 28-4 ; 1-6
Paola 26-1
Pâquerette 5-10
Paquita 12-12
Paquito 24-1
Parfait 18-4
Pascal 14,5 ; (e) 17-5
Patrice, Patricia 17-3.
Patrick (7) 17-3 ; 28-4 ; 24-8
Paul (55) 6-2 ; 29-6
Paula 26-1
Paule (10) 26-1 ; 3, 11-6
Paulette 26-1
Paulin (12) 28-1 ; 29-4
Peggy 8-1
Pélagie (6) 4-5 ; 8-10
Perlette 16-10
Pernelle, Péroline 31-5
Perpétue 7-3 ; 4-8
Perrette, Perrine 31-5
Pervenche 5-10
Peter 29-6
Philibert(e) 20, 22-8
Philippe (24) 3, 26-5
Pierre (133) 22-2 ; 29-6 ; 18-11
Pierrick 29-6
Placie 5-10
Pol 12-3
Polycarpe (4) 23-2 ; 2-4 ; 7-12
Porphyre (7) 26-2 ; 15-9
Primaël 16-5
Prisca 18-1
Priscille 16-1 ; 8-7
Privat 21-8 ; 20-9 ; 28,9
Prix 25-1
Procope 27-2 ; 4-7 ; 8-7
Prosper 25-6 ; 7-7 ; 29-7
Prudence 6-4 ; 6-5 ; 28-4
Pulchérie 10-9
Quentin 31-10
Quitterie 22-5
Rachel 15-1
Rachilde 23-11
Radegonde (2) 13-8
Rainier (7) 17-6 ; 4-8
Raïssa 5-9
Ralph 21-6
Rambert 13-6
Raoul 7-7
Raphaël 6-1 ; 29-9 ; 19-11
Raymond(e) (7) 7-1 ; 15-3
Réginald 1-2 ; 9-4 ; 2-7
Régine 7-9
Régis 16-6
Regnault 16-9
Reine, Réjane 7-9
Remi (4) 19-1 ; 1-10
Renald, Renaud 17-9
René 2-9 ; 19-10 ; 12-11
Richard (22) 3-4 ; 17-10. Richarde 18-9
Rita 22-5
Robert (24) 4-1 ; 17-9. Roberte 30-4
Roch 16-8 ; 17-11
Rodolphe 21-6
Rodrigue 13-3
Rogatien (4) 24-5 ; 26-10
Roger (5) 4-1 ; 1-3
Roland 15-9. Rolande 13-5
Romain (13) 28-2 ; 22-5
Romaric 8-12
Roméo 4-3
Romuald 19-6
Ronald 20-8
Ronan 1-6
Roparz 30-4
Rosalie 15-7 ; 4-9
Rose (6) 23-8 ; 4-9
Roseline 17-1
Rosemonde 30-4
Rosette, Rosita, Rosy, Rozenn 23-8
Rosine 11-3
Rudy 21-6
Rufin (13) 14-6 ; 10-7
Rustique (9) 24-9 ; 26-10
Sabine 29-8 ; 27-10
Sabrina, Sacha 30-8
Saens 14-11
Salma 21-4
Salomé 29-6 ; 22-10 ; 17-11
Salomon (4) 13-3 ; 25-6 ; 28-9
Salvator 18-3
Samson 27-6 ; 28-7
Samuel (4) 9, 20-8 ; 10-10
Samy 20-8
Sandie, Sandra, Sandrine 2-4
Sara 9-10
Saturnin (24) 11-2 ; 15-2
Sébastien 20-1
Ségolène 24-7
Séraphin 2-1 ; 12-10
Serge (5) 8-9 ; (ine) *7-10*
Sernin 29-11
Servan(e) 1-7
Séverin(e) (14) 8-6 ; 27-11
Sheila 22-11
Sibylle 23-3
Sidoine 21-8 ; 14-11
Sidonie 14-11
Siegfried 22-8
Sigismond 1-5
Silvère 20-6
Silvestre (6) 20-11 ; 31-12
Siméon (10) 5, 28-1
Simon(e) (18) 18-9 ; 28-10
Simplice (11) 10-3 ; 24-6
Soizic 24-1
Solange 10-5
Soledad 11-10
Solenne 25-9
Soline 17-10
Sonia 18-9
Sophie 30-4 ; 18-9 ; 30-9
Sosthène 8-7 ; 28-11
Stanislas 11-4 ; 13-11
Stella 11-5
Stéphane 26-12
Stéphanie 2-1
Stève 26-12
Suzanne (5) 11-8 ; 19-9
Suzel, Suzette, Suzon, Suzy 11-8
Svetlana 20-3
Sylvain(e) (15) 4-5 ; 15-5 ; 20-6
Sylvestre Voir Silvestre
Sylvette, Sylviane 5-11
Sylvie 3-11
Symphorien 7-7 ; 22-8 ; 8-11
Tamara 1-5
Tanguy 19-11
Tania, Tatiana, Tatienne 12-1
Teddy 5-1
Térésa 15-10
Tessa 17-12
Thaddée 25, 28-10 ; 24-11
Thècle (8) 18-1 ; 15-10
Théobald 21-5
Théodore (28) 9, 11-11
Théodule (11) 17-2 ; 17-8
Théophane (4) 2-2 ; 12-3
Théophile (16) 19-5 ; 20-12
Thérèse (d'A.) 15-10. (de L.) 1-10
Thibaut (4) 21-5 ; 30-6
Thiébaud 8-7
Thierry 1-7
Thomas (63) 22-6 ; 3-7
Tibère 10-11
Tiburce 14-4 ; 11-8
Timothée (14) 26-1 ; 3-5
Tino 14-2, 21-5
Tiphaine 6-1
Toussaint (e) 1-11
Tudal 1-12
Tudi 9-5
Ubald 9-4 ; 16-5
Ulrich (4) 4, 14-7
Urbain (12) 24-1 ; 19-12
Urielle 1-10
Ursula 21-10
Ursule 29-5 ; *21-10*
Valentin (13) 14-2 ; 2-5 ; 16-7
Valentine 25-7
Valère (9) 16-1 ; 14-6
Valérie 28-4 ; 5-6 ; 9-12
Valérien (10) 13-5 ; 23-8
Valéry 1-4
Vanessa, Vanina 4-2
Vassili 2-1
Venceslas 28-9
Véra 18-9
Vérane 11-11
Verène 1-9
Véronique 13-1 ; 9, 12-7
Vianney 4-8
Victoire (4) 11-2 ; 17-11
Victor (38) 21-7 ; 16-9
Victorien (4) 23-3 ; 16-5
Vincent (34) 22-1 ; 5-4. (de P.) 27-9
Vinciane 11-9
Violaine, Violette 5-10
Virginie 15-12
Viridiene 1-2
Vital (16) 11-1 ; 4-11
Viviane 1-9
Vivien 21-1 ; 28-8
Walter 9-4
Wenceslas 28-9
Wilfrid 29-4 ; 12-10
William, Willy 10-1
Winoc 6-11
Wladimir 15-7
Wolfgang 31-10
Wulfram 20-3
Xavier 3-12
Xavière 22-12
Yann, Yannick, Yoann 24-6
Yolande 15-6
Yoann 23-4
Yvan 24-6
Yves 24-4 ; 19-5 ; 23-5
Yvette 13-1
Yvon (ne) 19-5
Zacharie (5) 15-3 ; 5-11
Zéphyrin *26-8*
Zita 27-4
Zoé 2-5 ; 5-7
Zosime 26-12

Le chiffre de 11 000 vierges martyres (à Cologne) est sans doute dû à une erreur. A Trèves, le groupe de martyrs est donné comme « presque innombrable » et à Saragosse (Espagne, persécution de Domitien, en 95 ap. J.-C.) comme « innombrable ». Des Espagnols portent le prénom de *Innumerables.*

Fréquence des noms. Saints : Jean 302, Pierre 177, Paul 72, François 71, Jacques 59, Antoine 58, André 51, Alexandre 48, Étienne 45, Joseph 44, Dominique 41, Louis 37, Léon 30, Martin 28, Laurent 24, Philippe 23, Anastase 20, Marcel 19, Marcien 18, Sévère 17, Macaire 16, Janvier 14, Candide 13, Anatole, Acace 6. **Saintes :** Marie 127, Jeanne 26, Anne 24, Marguerite 21, Madeleine 20, Lucie 19, Élisabeth 16.

■ **Rapport des noms et des personnages.** Les 6 216 noms cités renvoient à env. 5 000 personnages. De nombreux saints sont en effet nommés à la fois par leur prénom, leur nom de religion et leur patronyme. Les noms de religion peuvent être utilisés comme prénoms (par ex. Jean de Dieu) et les patronymes de saints comme prénoms chrétiens [ex. Chantal (s. Jeanne de Ch.), Garicoïts (Michel G.), Gonzague (Louis de G.) ; Jogue (au Canada : René J.), Régis (François R.), Vianney (Jean-Marie V.), Xavier et Xavière (François X.)]. Cet usage permettrait de donner comme noms de baptême les patronymes suivants : *pittoresques :* Cornebout, Cufitelle, Piécourt, Sautemouche ; *prosaïques :* Dufour, Dumoulin, Duval ; *exotiques* (martyrs d'Extrême-Orient) : Chien, Fou, Du, Mao.

■ **Féminisation de prénoms masculins.** Outre Xavier (patronyme) féminisé en Xavière, de nombreux prénoms n'existant qu'au masculin ont été mis au féminin : Armel, Ghislain, Joël, Michel, Nicolas (Armelle, Ghislaine, Joëlle, Michelle ou Michèle, Nicole, etc.). Certains prénoms sont à la fois masculins et féminins : Anne, Camille, Claude, Dominique.

■ **Noms hérités de l'Antiquité chrétienne** (martyrs, ermites, évêques fondateurs de diocèses). **Devenus rébarbatifs pour des questions de sonorité :** bien que leur sens n'ait pas évolué de façon anormale : Amphilogue, Carpophore, Cordodème, Érotéide et Érotide, Euprépius, Eupsygue, Nymphodore, Pélée et Pélade.

Devenus pittoresques pour des raisons de signification. 1°) Noms d'animaux : Carpe, Castor, Colombe, Corneille, Faucon, Félin, Héron, Léopard, Loup, Luciole, Ours, Tigre. [Patronymes de martyrs modernes : avec jeu de mots : Chien (Extrême-Orient) ; sans jeu de mots : Búfalo (espagnol). Martyr perse du VIe siècle (jeu de mots) : Dada.] **2°) Noms d'objets ou de réalités courantes :** Censure, Mître, Néon, Palais, Panacée, Pipe, Porphyre, Prime, Principe, Projet, Tripode, Vanne. **3°) Noms géographiques ou astronomiques :** Désert, Métropole, Nil, Océan, Olympe, Orion, Seine. **4°) Noms de mois :** Octobre, Mars, Janvier. **5°) Personnages de la mythologie ou de l'Antiquité païenne** (prénoms à la mode à l'époque et portés par des baptisés) : Achille, Aphrodite, Cléopâtre, Diane, Jason, Marius, Néron, Oreste, Platon, Plutarque, Pompée, Priam, Romulus, Socrate, Thémistocle, Tibère, Virgile, Xénophon. **6°) Noms de végétaux :** Céréale, Fleur, Narcisse, Olive, Rose (Marguerite n'est pas un nom de fleur, mais signifie : *perle*). **7°) Noms d'abstractions :** Abondance, Amour, Espérance, Foi, Grâce, Humilité, Mémoire, Méthode, Prudence, Victoire. **8°) Noms communs de personnages :** Dominateur, Héros, Libérateur, Marin, Martyr, Matrone, Moniteur, Néophyte, Nymphe, Pasteur, Pèlerin, Philologue, Possesseur, Romain, Satyre, Scholastique, Sénateur, Sicaire, Vigile. **9°) Épithètes :** Beaucoup ont gardé un sens flatteur : Candide, Bonne, Carissime, Claire, Dévote, Digne, Doux, Fort, Franche, Généreux, Gentil, Honoré, Humble, Juste, Libéral, Lucide, Martial, Modeste, Opportune, Pacifique, Parfait, Patient, Pie, Placide, Probe, Prosper, Prudent, Révérend, Serein, Stable, Tranquille, Viril, Vital. Mais certaines ont changé de sens et ne sont plus des compliments : Illuminé, Passif, Primitif, Rustique, Sévère, Servile, Spécieux, Sibylline. Il existe aussi un *Saint Mieux* (mais il s'agit d'une forme locale du nom de Maoc).

■ **Prénoms les plus courts.** Y (forme dialectale du nom de St Aile) ; U (nom de famille de martyr extrême-oriental).

■ **Nom de famille** (patronyme). Héréditaire et transmis le plus souvent par le père, apparaît en France vers le XIe-XIIe s. Fixé par l'édit de Villers-Cotterêts (1539). Généralement fondé sur origine (Pagnol = l'Espagnol), nom de lieu (ville, hameau), aspect physique (Petit, Legros), métier (Boulanger, Tailleur), sobriquet (Leborgne), parenté (Cousin, Neveu), et pour les familles d'ancienne noblesse, le fief (La Rochefoucauld). Les noms israélites ne sont devenus définitifs qu'en 1808 (décret obligeant les Juifs à adopter un nom de famille fixe). La loi du 6 fructidor an II interdit de porter d'autres nom et prénoms que ceux inscrit à l'état civil. Cependant, le Conseil d'État peut autoriser un changement de patronyme (env. 800 par an).

La demande doit être adressée au garde des Sceaux. Après l'accomplissement des formalités de publicité, elle est instruite par les parquets et soumise à l'avis obligatoire du Conseil d'État. Si la demande est accueillie, elle fait l'objet d'un décret autorisant le changement de nom, mais ne prend effet qu'après un *délai d'un an* si aucune opposition n'a été présentée par un tiers souhaitant défendre son nom contre une personne qui voudrait le porter. Dep. la loi du 8-1-1993, le changement de nom est autorisé par un décret simple. Le délai d'opposition est de 6 mois.

Nom d'usage (loi du 23-12-1985) : toute personne majeure peut ajouter à son nom, à titre d'usage, le nom de celui de ses parents qui ne lui a pas transmis le sien. Ce « nom d'usage » n'est pas transmissible aux descendants et ne peut figurer sur les registres de l'état civil. Pour les enfants mineurs, ce droit est mis en œuvre par le titulaire de l'exercice de l'autorité parentale.

Enfants trouvés : l'officier de l'état civil attribue des prénoms à l'enfant, le dernier servant de nom patronymique. Si l'enfant n'est pas un nouveau-né, le tribunal de grande instance est alors compétent.

Statistiques : env. 250 000 noms de famille différents existent en France, dont *très fréquents* (portés par + de 4 500 homonymes) 1 000 (0,4 %), *fréquents* (de 1 200 à 4 500 h.) 6 000 (2,4 %), *rares* (300 à 1 200 h.) 33 000 (13,2 %), *très rares* (– de 300) 210 000 (84 %). Dans 1 ou 2 siècles, 150 000 noms de famille devraient avoir disparu au profit des noms les plus fréquents. 100 noms représentent actuellement 11,22 % des noms portés. 12,2 % des noms français commencent par B, 10 % par L, très peu par X. **Noms les plus fréquents :** Martin (168 000), Bernard (98 000), Moreau, Durand (78 000), Petit, Thomas, Dubois (77 000), Michel, Laurent, Simon, etc. Dupont n'apparaît qu'au 19e rang. Ces noms devraient être 5 à 10 fois plus nombreux dans 1 à 2 siècles.

Développement de l'enfant

■ **Quelques étapes. 1 mois :** suit des yeux un objet qui se déplace, regarde un visage, commence à sourire, peut imiter un adulte qui lui tire la langue (test réussi sur bébé 45 min. avant). **2 mois :** sourit, tient sa tête. **3 mois :** gazouille spontanément et en réponse, regarde ses mains, tient le hochet, le regarde, peut garder 1 mois en mémoire un événement. **4 mois :** rit aux éclats, saisit les jouets et les porte à sa bouche, voit les couleurs comme l'adulte. **5 mois :** cherche un jouet perdu, sourit au miroir. **6 à 8 mois :** passe un objet d'une main à l'autre, tient assis seul quelques instants sur un plan dur, reconnaît le visage de sa mère. **8 à 10 mois :** marche à 4 pattes, saisit un petit objet entre pouce et index, répète des syllabes (ma, pa, ta), répond à son nom, fait « au revoir, bravo ». **11 mois :** son cri peut atteindre une intensité sonore de 100 à 177 dB (un marteau pneumatique atteint 120 dB ; un Klaxon, 100 dB à 5 m) ; rit si sa mère fait des grimaces. **12 à 18 mois :** marche seul (3 % dès 9 mois), dit quelques mots, boit seul à la timbale, empile 2 ou 3 cubes. **18 à 22 mois :** gribouillage spontané, phrases de 2 à 3 mots, montre ses yeux, son nez, réalise devant un miroir que c'est son image, sait dire non. **21 mois :** ramasse un objet sans perdre l'équilibre. **24 mois :** monte et descend un escalier, mange seul, se nomme par son prénom, construit une tour de 6 cubes. **2 à 3ans :** complexe d'Œdipe, se rend compte que sa mère forme un couple avec son père. **2 ans et demi :** saute à pieds joints, court, défait un paquet, reproduit un trait vertical ou horizontal. **3 ans :** marche sur la pointe des pieds, langage élaboré, propre la nuit, lance une balle, reproduit un cercle. **3 ans et demi :** se déshabille et commence à s'habiller seul. **4 ans :** saute à cloche-pied, lace ses souliers, reproduit un carré sur un papier, donne son adresse. **5 ans :** grimpe aux arbres, peut rester immobile 1 minute, utilise « hier », « demain », compte 4 objets. **6 ans :** fait un puzzle de plus de 10 morceaux, indique le jour de la semaine.

☞ 80 % des nourrissons sucent leur pouce, 40 % persistent après 2 ans, 10 % jusqu'à 5 ans.

Puberté : elle commence aujourd'hui à 11 ans (+ ou – 2 a.) chez les filles ; à 13 ans (+ ou – 2 a.) chez les garçons. Des pubertés précoces anormales (avant 8 a.) peuvent apparaître, principalement chez les filles. Elles peuvent être traitées, principalement pour contrôler la poussée de croissance qui les accompagne. Env. 300 enfants actuellement traités en France (remboursé par la Séc. soc.). Le développement pubertaire réapparaît à l'arrêt du traitement.

■ **Sexualité infantile selon Freud. Stade oral :** de la naissance à 18 mois. **Anal :** de 18 mois à 3 ans.

Mort de nourrissons au berceau. 0,6 à 3 cas pour 1 000 naissances vivantes (environ 1 500 décès par an en France). *Risque le plus élevé :* entre 2 et 4 mois, cesse après un an. 90 à 95 % meurent lorsqu'on les croit endormis, généralement entre minuit et 8 h du matin, 40 % au cours des 3 mois d'hiver. Facteur de risque le plus spectaculaire : l'apnée, ou interruption inexpliquée de la respiration, surtout lorsqu'elle dure plus de 15 secondes et demande une réanimation par le bouche-à-bouche. Certains accidents surviendraient chez les enfants qui, à la suite d'un dérèglement métabolique héréditaire, ne sont pas capables de transformer correctement les acides gras en énergie. Seule une autopsie (rarement pratiquée) permet de connaître dans 75 % des cas l'origine du syndrome.

Mort subite du nourrisson. 2 000 cas par an en France, soit près de 7 par j (1/500 ou 1 000 naissances vivantes). Causes inconnues. *Circonstances :* max. entre 1 et 3 mois, en hiver (les prématurés de 34 semaines ont un risque de mort subite multiplié par 3). On trouve très souvent une infection ORL dans les 2 semaines qui précèdent l'accident, les enfants n'étaient pas vaccinés. *Position de l'enfant mort :* ventrale sans oreiller. *Tabagisme de la mère :* le tabac intervient en augmentant la fréquence des infections ORL. *Causes connues :* traumatismes, malformations congénitales (cœur...), intoxications, chocs anaphylactiques (allergie), maladies métaboliques, purpura fulminans (méningite cérébro-spinale gravissime), hémorragies méningées, encéphalites suraigües, épiglottites. *Causes supposées :* l'hypogammaglobulinémie, les anticorps de la mère disparaissent dans le sang de l'enfant vers le 3e mois, les anticorps de l'enfant ne sont pas encore très nombreux à 3 mois ; l'allergie, au lait de vache, régurgitations dans les voies aériennes supérieures entraînant un réflexe inhibant la respiration, aux poussières de maison et aux mites ; l'obstruction nasale, 30 % des nourrissons seraient incapables de respirer par la bouche en cas d'obstruction nasale (plus de la moitié des enfants trouvés morts dans le berceau étaient enrhumés) ; les apnées d'origine centrale, prolongées de plus de 15 secondes avec accès de cyanose pendant le sommeil ; d'origine périphérique, la langue adhère au palais, les enfants n'ouvrent pas la bouche dès que le nez est bouché ; reflux gastro-œsophagien. Causes cardiaques.

Malformations congénitales. 3 % de tous les enfants, vivants ou mort-nés, sont atteints. Parmi les plus fréquentes et les plus graves en France métropolitaine : *anomalies chromosomiques,* 1 nouveau-né vivant sur 175 est porteur d'une aberration métropolitaine (trisomie 21 : 1 sur 700, trisomie 13 : 1 sur 9 000, trisomie 18 : 1 sur 5 000, syndrome de Turner : 1 sur 2 500, de l'X fragile : 1 sur 1 500 garçons) ; *malformations congénitales,* défaut de fermeture du tube neural (anencéphalie et spina-bifida), et autres 1,4 pour 1 000 naissances, malformations cardiaques 4 pour 1 000 naissances, malformations des voies urinaires et des organes génitaux 4 pour 1 000 ; *maladies géniques,* mucoviscidose 1 p. 1 600 à 2 000 naiss., phénylcétonurie 1 p. 15 000 naiss., myopathie de Duchenne 1 p. 5 000 garçons, hémophilie 1 pour 10 000 garçons, hémoglobinopathies, drépanocytose, thalassémie.

Phallique : de 3 à 5 ans [complexe d'Œdipe : découverte de la différence anatomique entre les sexes : la petite fille n'ayant pas de pénis, se vit donc comme castrée et le garçon comme susceptible de l'être d'où une angoisse vécue comme la menace d'un châtiment encouru par l'enfant eu égard aux activités sexuelles (curiosité, masturbation) auxquelles il se livre]. **De latence** (sexuelle) : de 5 ans à la puberté. **Génital :** puberté.

☞ **Pour connaître le « niveau de développement » d'un enfant** par rapport au développement moyen des enfants du même âge, on utilise soit des épreuves explorant des acquisitions sur le plan clinique jusque vers 4-5 a., soit des épreuves psychométriques (1re établie par Binet et Simon) dans lesquelles interviennent des facteurs d'ordre psychologique (langage, socialisation) ou moteur (coordination motrice, contrôle postural). Chez l'enfant plus âgé on cherche à connaître un rendement ou « efficience intellectuelle » en estimant son *quotient intellectuel* calculé soit en faisant le rapport entre « l'âge mental » (âge de réussite des épreuves) et l'âge réel dans les tests de type Binet-Simon, soit en situant l'enfant dans la population de son âge par rapport à ses pairs dans les tests tels que les « Weschler ». Ce niveau de rendement est lié au potentiel propre à chaque enfant, à son histoire et aux facteurs affectifs qui peuvent interférer fortement.

■ **Croissance physique. Petite enfance :** env. 24 cm/an la 1re année et 11 cm la 2e. **Enfance :** 5 cm env./an (dure env. 6 ans pour les filles et 8 ans pour les garçons). **Puberté** (début v. 12 ans) : garçon 12 cm/an, fille 8 cm ; poids : peut atteindre + 10 kg en un an.

Retard de croissance. Causes diverses : petite taille dans la famille. Carence psychoaffective. Malnutritions (rare dans les pays développés). Insuffisance hormonale. Puberté tardive (v. 15 ans pour les garçons et 13 ans pour les filles).

Déformations du dos. Scoliose : déformation de la colonne vertébrale en forme de S ou de courbes qui entraîne un déséquilibre au niveau des épaules ou des hanches. **Cyphose :** dos voûté, projection du haut du corps, tête et épaules, vers l'avant.

CONTRACEPTION

Selon l'OMS (22-6-1992), dans les pays en dévelop. 380 millions de personnes recourent à des techniques modernes et sûres. Les taux de fécondité sont tombés de 6,1 à 3,9 enfants par femme en 20 ans. En Asie de l'Est, env. 70 % des couples utilisent une méthode de contraception (14 % en Afrique), 95 % de la population a accès à des services de planification familiale (Asie du Sud-Est et Amér. latine 57, Asie du Sud 54, pays d'Afr. subsaharienne 9).

MÉTHODES

■ **Abstinence périodique.** Basée sur l'hyp. que la femme n'est fécondable que 4 à 6 j par cycle durant la période ovulatoire connue grâce aux observations :

1°) **de la température.** Méthode (découverte 1937). De plus en plus utilisée associée à l'observation des glaires. Observation de la température rectale qui doit être notée chaque jour : prise le matin au lever, augmente de quelques dixièmes à partir de la date de l'ovulation (14e j env. avant les règles à venir). Abstinence totale du 1er j des règles jusqu'au 3e j du « plateau thermique ». *Échecs :* 14 % à cause d'une mauvaise interprétation. Parfois difficile à appliquer.

Une courbe, qui partirait de 37 °C, descendrait à 36,8 °C dans les 1ers j du cycle, tomberait à 36,6 °C au moment de l'ovulation, remonterait à 37,2 °C et resterait à ce niveau jusqu'à la veille ou l'avant-veille des règles suivantes, puis reviendrait alors à 37 °C. Si elle ne redescend pas à ce moment, ce peut être le signe que l'ovule a été fécondé (ce sera confirmé, ou non, par l'absence des règles suivantes). *Le j le plus propice pour ceux qui veulent un enfant* est celui où se produit l'élévation de la température en plateau haut. 50 % des grossesses se produiraient ce jour-là, les autres résultant de rapports dans les 5 j précédents ou les 2 j suivants.

2°) **de la glaire cervicale ou méthode Billings.** Mise au point dans les années 50 par deux médecins australiens, John et Evelyn Billings ; la glaire, ou mucus cervical, abondante et élastique, sécrétée par le col de l'utérus est vue et sentie au niveau de la vulve plusieurs j avant l'ovulation (en général 4 à 6). Cette glaire est indispensable pour la survie des spermatozoïdes. Une femme n'est fécondable que durant la période de glaire. Le dernier j d'observation de la sensation glissante ou de lubrification (avant le changement vers une sensation de sécheresse ou de glaire collante) indique le moment de l'ovulation. Après l'ovulation, la glaire s'épaissit, se transforme en une sorte de bouchon ; le col utérin reste fermé jusqu'au 1er j des règles suivantes. 1 % d'échecs si la méthode est bien observée ; sinon erreurs d'interprétation dues à des infections ou à une difficulté de perception de la sensation d'humidité, aux facteurs pouvant perturber le cycle féminin (fatigue, maladie, préménopause, allaitement...).

3°) **du col utérin.** Assez dur au moment des règles, il devient plus mou durant la 2e partie du cycle ; il est ouvert au début du cycle et fermé à la fin. Ces 3 méthodes d'auto-observation peuvent être combinées ou dissociées mais se complètent.

Ogino [1]-Knaus [2]. Pas de rapports entre le 11e et le 18e jour avant les règles (n'est utilisable que par les femmes normalement réglées tous les 28 à 30 j). *Échecs :* 14 à 38 %. Exige des cycles réguliers.

Nota. – (1) Médecin japonais (1882-1975), il découvrit en 1924 la période d'ovulation des femmes entre le 12e et le 16e j. (2) Médecin allemand.

■ **Injection vaginale.** Avec eau additionnée d'un produit spermicide. *Échecs :* 40 %. Dangereux.

■ **Pilules.** Autorisée en France depuis 1966. Médicament hormonal qui bloque l'ovulation. Comprimés pris tous les jours pendant 21 j ou 22 j à partir du 5e j du cycle ou mieux, dès le 1er j. Puis arrêt de 7 j ; 2 oublis consécutifs compromettent le traitement pour la pilule traditionnelle. *Contre-indications :* diabète, maladies hépatiques, troubles circulatoires graves, hyperlipidémie. *Échecs :* 0,3 %. Nécessite une stricte surveillance médicale (bilan régulier au moins tous les 6 mois). **Catégories :** *P. traditionnelle,* inventée 1956 par les docteurs américains Gregory Pincus (n. 1903) et John Rock (1890-1984), et qui associe 2 sortes d'hormones, œstrogènes et progestérone. *P. séquentielle :* au début du cycle, la femme prend une pilule qui comprend uniquement des œstrogènes, puis, dans les 10 derniers j, une pilule associant œstrogènes et progestérone ; elle n'est pas sûre à 100 % et provoque des saignements en cours de cycle. *Minipilule :* dosage identique d'œstrogènes et de progestérone en quantité inférieure (30 microgrammes d'œstrogènes au lieu de 50) : effets secondaires semblant moins importants (prise de poids, ennuis digestifs et veineux, congestion des seins). A prendre avec moins de 8 h de décalage par rapport au j précédent ; en cas d'oubli est moins efficace. *P. biphasique :* mieux dosée ; en début de cycle, faible quantité d'œstrogènes et de progestérone, augmentant en cours de cycle ; présente moins d'effets secondaires. *P. triphasique :* p. œstro-progestative tenant compte des phases naturelles du cycle : réduction de progestérone, dose d'œstrogènes basse ; les accidents vasculaires et métaboliques devraient être réduits. *Micropilule :* progestatifs à faible dose ; prise en continu ; prescrite si œstrogènes interdits. N'empêche pas l'ovulation, mais ferme le col par coagulation de la glaire ; elle présente moins de contre-indications et empêche la nidification par atrophie de l'endomètre.

Pilule du « lendemain » : aujourd'hui remplacée par la pilule traditionnelle (2 comprimés dans les 48 h après le rapport et 2 c. 12 h après) qui est mieux supportée (saignements ou non, faire un test de grossesse 3 semaines après le rapport). Une pilule antiprogestérone (associant le RU 486 et des prostaglandines) est en cours d'utilisation. Voir ci-contre.

Pilule pour hommes : consultation dans certains hôpitaux. 1 pilule par j, 1 piqûre de testostérone tous les 15 j, 1 spermogramme par mois.

■ **Piqûre retard.** Acétate de médroxy-progestérone-retard (AMPR) administré par voie intramusculaire à fortes doses (150 mg), une injection tous les 3 mois. Inconvénient majeur : hémorragies gênantes et troubles des règles. En France : Depo-Provera commercialisée dep. 1983.

■ **Préservatifs. Masculins** (ou condoms) : vente libre. *Échecs :* + 5 %, mauvaise utilisation ou qualité déficiente du préservatif. *Vente* (1992) : 92 millions d'unités. En 1991, 1 Français sur 4 l'utilisait. **Féminins :** diaphragme, cape, destinés à obstruer le col de l'utérus (+ gelée). Délivrés sur ordonnance. *Échecs :* 8 à 17 % (appareils trop petits ou trop grands, mauvaise mise en place, etc.). **Condom féminin :** introduit dans le vagin. En France, commercialisation de *Femidom* prévue.

■ **Rapport interrompu.** *Échecs :* 40 %. Peu fiable.

■ **Spermicides chimiques.** Gelées, crèmes, ovules acides placés au niveau du col de l'utérus et qui détruisent les spermatozoïdes. *Échecs :* 0 à 3 %. Protègent des maladies sexuellement transmissibles. **Tampon contraceptif :** contenant un spermicide puissant non irritant (chlorure de benzalkonium), placé au fond du vagin, assure une protection dès la pose et pendant 24 h. Peut être mis plusieurs h avant les rapports et être retiré 1 h après.

■ **Stérilet.** Spirale, anneau en plastique, recouvert de cuivre ou d'argent, placé de façon permanente dans l'utérus : efficace de 5 à 8 ans. Empêche la fixation de l'œuf fécondé sur la paroi utérine. N'est pas recommandé chez la jeune fille en raison des risques infectieux (16 pour 1 000 années-femmes) avant la 1re grossesse. *Échecs :* 5 %. Est expulsé spontanément dans 1 à 10 % des cas. *Stérilet du lendemain :* l'œuf mettant 8 j pour s'implanter dans l'utérus, on dispose de ce temps pour mettre un stérilet. *A la progestérone :* diffuse à taux constant et très faible de la progestérone. Pour les femmes qui présentent une carence en progestérone (préménopause, par exemple). En fait, pas très efficace sur les conséquences de la carence en progestérone.

■ **Stérilisation. Féminine :** par ligature des trompes par cœlioscopie (courte incision au niveau de l'ombilic). **Masculine :** par ligature des canaux déférents : peut être réversible grâce à l'anastomose des canaux déférents sous microchirurgie (stade expérimental). 50 % d'échec de la fertilité par phénomènes immunologiques.

☞ **Stérilisation légale :** *1897 :* Indiana (USA) : pour déficients mentaux ; env. 30 États en feraient autant. *1941-75 :* Suède, autorisée pour des raisons d'hygiène sociale ou raciale.

■ **Vaccin contraceptif. Principe :** immunisation des femmes contre un fragment de la molécule de l'hormone HCG (Human Chorionic Gonadotrophin) indispensable à l'implantation de l'œuf dans l'utérus. La fabrication d'anticorps neutralise cette hormone et interrompt le processus de reproduction avant l'implantation. En cours d'expérimentation.

Implants sous-cutanés : dit *Norplant*, il s'agit d'un contraceptif longue durée (5 ans) sous forme de bâtonnets de silicone implantés sous la peau. Ils peuvent être retirés à tous moments. La commercialisation vient d'être autorisée aux USA. Utilisé déjà par 500 000 femmes dans le monde et efficace à 90 %. En France, aucun laboratoire n'a demandé l'autorisation de mise sur le marché. Dispositifs intracervicaux diffusant des hormones.

Pilule au RU 486 (découverte par le Dr Étienne-Émile Baulieu 1982) : peut être utilisée au moment de l'ovulation ou prise 2 j avant les règles pour les faire arriver de toute façon à la date prévue, ou pendant 4 j si l'on est enceinte pour entraîner un avortement. Pas d'effets secondaires. Prescrite sous contrôle. Utilisée uniquement dans les centres hospitaliers et certains centres de planification (à titre expérimental). Il faut 8 j. après un rapport sexuel fécondant pour qu'une femme deviennent enceinte (pour que l'œuf s'implante dans l'utérus). Le RU 486, qui annihile la progestérone, hormone indispensable à la nidation, empêche l'œuf de s'implanter.

PERSPECTIVES (STADE EXPÉRIMENTAL)

Antizygotiques, antihistaminiques, antiœstrogènes. S'attaquent au blastocyte, empêchent son implantation ou inhibent la décidualisation.

Pilule mensuelle de Greenblatt. Œstrogène retard associé à un progestatif ; se prend tous les 25e j du cycle. **Pilule « suédoise ».** A base de diphényléthylène (antiprogestérone ; abortif).

Méthodes immunologiques. Font appel à des anticorps antispermatozoïdes, anti-B-HCG, LHRH. Vaccination anti-zone pellucide, c.-à-d. immunisation contre l'une des enveloppes de l'ovocyte.

CONTRACEPTION EN FRANCE

Réglementation. Loi Neuwirth du 19-12-1967 libéralisant la contraception, complétée par la loi du 4-12-1974. En pharmacie, vente libre des produits, médicaments et objets contraceptifs sur prescription médicale valable 1 an. Le pharmacien peut délivrer en une seule fois pour 3 mois de contraceptifs oraux. *Remboursement* par la Sécurité sociale des contraceptifs, des analyses et examens préalables. Aide médicale prise en charge par le département.

Centres de planification familiale et centres d'orthogénie : peuvent délivrer gratuitement des contraceptifs aux mineures et aux femmes ne bénéficiant pas de la Sécurité sociale [les services départementaux de la Protection maternelle et infantile (PMI) prennent en charge les dépenses de fonctionnement des centres]. Les établissements de consultation familiale et conjugale, agréés par les DDASS, informent gratuitement sur les méthodes de contraception.

Méthodes utilisées. Sur 12 370 000 femmes de 18 à 49 ans (en %), *64,4 % pratiquent la contraception* dont (en %) : pilule 34, stérilet 19, préservatifs 4, retrait 6, abstinence périodique 2, autre (ou inc.) 5 ; *35,6 % ne la pratiquent pas* dont (en %) : stérilisation 7,1, stériles 4,2, enceintes 4,7, sans partenaire 13,3, autres situations et : veulent des enfants 4,5, n'en veulent plus 1,8.

POSITION DES RELIGIONS

1250-1270 St Thomas d'Aquin réhabilite le plaisir éprouvé dans l'acte conjugal. **1588** la bulle *Effraenatam* voue à l'excommunication et à la mort ceux qui procurent ou utilisent des « poisons de stérilité ». **1591** abolition rétroactive de la bulle *Effraenatam.* **1851** le St-Office rappelle que l'acte d'Onan, contraire à la loi naturelle, ne saurait en aucun cas être autorisé. **1853** la Pénitencerie conseille de ne pas inquiéter les époux qui n'ont de rapports que pendant les périodes stériles. **1916** si le mari utilise un préservatif, l'épouse devra lui résister comme à un violateur, dit la Pénitencerie. **1920** les évêques allemands prescrivent aux maris d'arracher les instruments contraceptifs dont voudraient se servir leurs femmes. **1951** *oct.* Pie XII estime « naturelle » la recherche du plaisir par les conjoints. Il proclame que la méthode de la continence périodique est offerte à tous les couples qui ont des raisons sérieuses de craindre une nouvelle grossesse. *26-11* Pie XII utilise l'expression « régulation des naissances ». **1958** *sept.* Pie XII condamne tout emploi de la pilule à des fins strictement contraceptives, même lorsqu'une grossesse risque d'être mortelle.

Catholiques. Le pape Jean-Paul II a condamné la contraception « artificielle » disant : « Quand, par la contraception, des époux soustraient à l'exercice de leur sexualité conjugale sa potentialité procréative, ils s'attribuent un pouvoir qui appartient seulement à Dieu : le pouvoir de décider en dernière instance la venue au monde d'une personne humaine. Ils s'attribuent la qualité d'être, non plus les instruments de la volonté de Dieu, mais les dépositaires ultimes de la source de la vie humaine. » Il a ainsi rejeté le point de vue de la Conférence épiscopale de France de 1968 admettant dans certaines circonstances la contraception (ne constituant pas un « péché grave »). Le 1-11-1991, plusieurs dizaines de militants de l'association de défense des malades du sida Act-Up Paris ont manifesté, à N.-D. de Paris, en faveur du préservatif (et contre les positions de l'Église), interrompant le sermon aux cris de « Sida, Église complice ».

Juifs. Interdite aux hommes ; concédée aux femmes comme forme de régulation après 2 naissances, et recommandée aux mineures.

Musulmans. Permise aux femmes comme mode de régulation.

☞ **Information.** *Conseil supérieur de l'information sexuelle (CSIS),* 8, av. de Ségur, 75007 Paris. *Mouvement français pour le planning familial,* 4, square Saint-Irénée, 75011 Paris. *Fédération nationale « Couple et famille »,* 28, place Saint-Georges, 75009 Paris.

ÉTABLISSEMENTS ET ŒUVRES POUR ENFANTS

■ **Association Fondation pour l'enfance.** Pt : Anne-Aymone Giscard d'Estaing.

■ **Baby-sitting** (voir Index).

■ **Centres aérés.** Enfants pris en charge le matin et rendus le soir aux parents. À partir de 3 ans. *Renseignements :* mairie, école, assistante sociale.

■ **Centre d'études, de documentation, d'information et d'action sociale (Cedias).** 5, rue Las-Cases, 75007 Paris. Répertorie 30/35 000 organismes.

■ **Centres de loisirs sans hébergement (CLSH).** Enfants pris en charge le matin et rendus le soir. À partir de 3 ans. *Renseignements :* mairie, école, assistante sociale, Union fr. des centres de vacances et de loisirs (UFCV), 19, rue Dareau, 75014 Paris.

■ **Centres de placements familiaux surveillés.** Conventionnés par l'Aide sociale à l'enfance dans Yvelines, Essonne, E.-et-L., S.-et-M. Voir ci-contre Nouvelle Étoile des enfants de France.

■ **Centres de vacances** (de 6 à 17 ans). Organisés par associations, comités d'entreprises, municipalités, services sociaux. *Rens. :* mairie, comité d'entreprise, école, paroisse, organisations : *Fédération des œuvres laïques, Vacances pour tous,* 17, rue Molière, 75001 Paris ; *Ufoval-Vacances,* 13, passage des Tourelles, 75020 Paris (+ de 2 000 implantations France et étranger pour 4 à 18 ans). *Minitel :* 36 15 Pin * Fol 75 ; *Union fr. des centres de vacances (UFCV),* 19, rue Dareau, 75014 Paris (5 000 centres France et étranger), *Association interprofessionnelle de vacances santé et loisirs de la région par.* (AIV), 55, rue Rouget-de-Lisle, 92158 Suresnes Cedex. *Minitel :* 3615 Laiv. (4 à 17 ans), *Les Fauvettes,* min. de l'Édu. nat., 10, rue Léon-Jouhaux, 75010 Paris.

■ **Comité français pour l'Unicef.** 35, rue Félicien-David, 75781 Paris Cedex 16. (Voir Onu). *Fondé* 03-09-1964.

■ **Comité français de secours aux enfants.** 4, rue Vigée-Lebrun, 75015 Paris. *Fondé* 1919.

■ **Crèches collectives et minicrèches.** 12 à 15 enfants ; gardent la journée les – de 3 ans dont les deux parents travaillent. **Familiales :** au domicile d'assistantes maternelles gardiennes agréées.

■ **Enfance missionnaire.** 21-23, rue Aristide Briand, 92170 Vannes. *Créée* 1843 par Mgr Forbin-Janson (« Sainte-Enfance »). 5-5-1970 *association* sous le nom « Œuvre de la Sainte-Enfance » ou « Enfance missionnaire ». Organisation de soutien au développement et à l'évangélisation des enfants dans le tiers monde. *Publication :* « Terres lointaines » (11 fois par an à 75 000 ex.), pour sensibiliser les 10-14 ans à la solidarité universelle.

■ **Grand-mères occasionnelles.** 48, rue des Bergers, 75015 Paris. Garde bénévole à domicile d'enfants malades de moins de 5 ans habitant Paris.

■ **Haltes-garderies.** Accueillent la journée (pour durée relativement restreinte) des – de 6 ans.

■ **Homes d'enfants.** Enfants normaux et en bonne santé, à partir de 3 ans, à la mer, montagne, campagne, région parisienne, vacances ou année scolaire. *Le Roitelet, Home d'enfants* BP 3, 74110 Morzine.

■ **Hôtels maternels.** Reçoivent des jeunes mères en difficulté sociale accompagnées de leurs enfants à condition que le plus jeune ait + de 2 mois ou – de 3 ans. Une participation aux frais de séjour peut être demandée par le département qui prend en charge le placement de la mère et de l'enfant. *Renseignements :* Service de l'aide sociale à l'enfance.

■ **Interservices Parents.** Service téléphonique de l'École des parents et éducateurs (éducation, scolarité, loisirs, droit de la famille) à Strasbourg, Colmar, Bordeaux, Grenoble, Metz, Lyon.

■ **Jardins d'enfants.** Reçoivent la journée les 3 à 6 ans (dès 2 ans si l'enfant peut s'adapter).

■ **Maisons d'enfants et d'adolescents de France.** Annuaire national + de 2 500 adresses. *Sté de Presse nat. et rég.* , 52, rue de la Tour-d'Auvergne, 75009.

■ **Maisons maternelles.** Une par département (sinon le dép. passe un accord avec un de ses voisins). Accueillent sans formalités : 1°) femmes enceintes d'au moins 7 mois (ou moins pour celles qui demandent le secret et sont sans ressources, ou qui ont un certificat d'indigence) ; 2°) mères et enfants, après l'accouchement, pendant au maximum 2 mois (sauf prolongation justifiée).

Si la mère demande le secret de la naissance, elle peut être accueillie à la maison maternelle, ou à défaut dans le service de maternité d'un hôpital public, où elle sera admise sans formalité, son identité étant maintenue secrète. Frais de séjour pris en charge au titre de l'aide sociale à l'enfance. *Renseignements :* Service de l'aide sociale à l'enfance.

Nota. – Des centres maternels doivent progressivement se substituer aux maisons et aux hôtels maternels afin d'éviter la multiplicité des placements des jeunes mères et de leurs enfants et de permettre une continuité de l'action éducative.

■ **Nouvelle Étoile des enfants de France (La).** 3, rue de Pontoise, 75005 Paris. *Créée* 1891. Reconnue d'utilité publique le 21-7-1896. Dispensaire. Hygiène mentale enf., PMI, 3 crèches collectives, 3 placements familiaux agréés ASE, 1 centre d'accueil, d'hébergement et de réinsertion sociale de mères en détresse avec enf. *But :* venir en aide aux exclus sociaux quelles qu'en soient les raisons.

■ **Placement familial.** Enfants confiés à titre permanent chez une assistante maternelle. **Placement familial de vacances :** *Œuvres Louis Conlombant,* 184, quai de Jemmapes, 75010 Paris (4 à 12 ans, au printemps et en été, dans familles rurales du Cantal).

■ **Pouponnières sociales.** Gardent jour et nuit des – de 3 ans accomplis qui ne peuvent ni rester dans leur famille, ni bénéficier d'un placement familial surveillé. **P. sanitaires :** gardent jour et nuit des – de 3 ans accomplis dont l'état de santé exige des soins que leur famille ne peut leur donner.

■ **SOS Urgences Mamans.** Secrétariat national, 56, rue de Passy, 75016 Paris. Mardi, 14 h à 17 h, vendredi 9 h 15 à 12 h 15. Assoc. de mères se tenant bénévolement à la disposition d'autres mères pour la garde temporaire et immédiate de leur enfant pendant les périodes scolaires, du lundi au vendredi, de 7 h 30 à 19 h.

■ **Villages d'enfants SOS de France.** 6, cité Monthiers, 75009 Paris. *Association* reconnue d'utilité publique. créée 1956. Prend en charge des enfants orphelins ou en graves difficultés familiales.

Nombre d'enfants de 0 à 3 ans (en milliers) : 2 260 (dont 1 150 ont une mère qui travaille).

Mode de garde des enfants de 0 à 3 ans ayant une mère qui travaille (en milliers, en 1990). Scolarisés 250, gardés au domicile 1 350 (par la mère 1 190, une personne de la famille 110, une autre 50), hors du domicile 660 (crèche collective 140, nourrice agréée 280, personne de la famille 160, autre 80). Total 2 260.

Organismes de garde (au 1-1-1990), **établissements,** et entre parenthèses, **nombre de places.** *Crèches collectives* 1 689 (10 200[1]), *minicrèches* 275 (5 362), crèches parentales 173 (2 463), *familiales* 923 (61 400[1]). *Haltes-garderies* 2 528 (46 600[1]), *garderies et jardins d'enfants* 316 (12 300[1]). *Pouponnières* (10 200). *Assistantes maternelles* agréées 135 566. *Multi-accueil (crèche + halte)* 697 (16 700 [1]). *Maisons d'enfants à caractère social* (42 300). *Structures d'accueil mère-enfants* (3 000).

Nota. – (1) Au 1-1-1991.

FILIATION

DISPOSITIONS GÉNÉRALES

■ **Période légale de la conception.** « La conception est présumée avoir eu lieu entre le 300e et le 180e j inclusivement avant la naissance. La preuve contraire est recevable pour combattre ces présomptions. »

■ **Actions relatives à la filiation.** Chacun peut réclamer en justice devant le tribunal de grande instance, statuant en matière civile, la filiation à laquelle il prétend avoir droit, chacun peut contester celle qu'il a. Cependant, aucune action n'est reçue quant à la filiation d'un enfant qui n'est pas né viable. Les actions relatives à la filiation ne peuvent faire l'objet de renonciation (art. 311-9 civ.).

Les jugements rendus ont autorité à l'égard de tous, mais les tiers peuvent former tierce opposition (art. 582 et suivants du Code de procédure civile).

La filiation de l'enfant est régie par la loi personnelle de la mère au jour de la naissance et, si celle-ci n'est pas connue, par la loi personnelle de l'enfant (ex. : pour une mère française, la loi française s'applique). Si l'enfant légitime et ses père et mère, l'enfant naturel et l'un de ses père et mère ont en France leur résidence habituelle, commune ou séparée, la possession d'état produit toutes les conséquences qui en découlent selon la loi française, lors même que les autres éléments de la filiation auraient pu dépendre d'une loi étrangère (art. 311-14 et suiv.).

☞ Les principaux faits établissant la *possession d'état* qui doit être continue sont : *1°)* « que l'individu a toujours porté le nom de ceux dont il est issu » ; *2°)* « que ceux-ci l'ont traité comme leur enfant et qu'il les a traités comme ses père et mère » ; « qu'ils ont, en cette qualité, pourvu à son éducation, à son entretien et à son établissement » ; *3°)* « qu'il est reconnu pour tel, dans la société et par la famille » ; « que l'autorité publique le considère comme tel » (renommée) (art. 311-2).

Pour prouver être en possession d'état : s'adresser au juge des tutelles (tribunal d'instance), en lui demandant un acte de notoriété faisant foi jusqu'à preuve contraire (art. 311-3 Code civil).

FILIATION LÉGITIME

■ **Présomption de paternité. Preuve de la filiation :** *par les actes de l'état civil,* et si c'est impossible (destruction des registres, par exemple) *par la « possession d'état »* d'enf. légitime. *Par tous les moyens* en cas de supposition ou de substitution d'enf., même involontaire, soit avant, soit après la rédaction de l'acte de naissance ; *par témoins,* s'il y a commencement de preuve par écrit ou indices graves en cas d'absence de titre ou de « possession d'état » ou si l'enf. a été inscrit sous de faux noms ou sans indication du nom de la mère.

Enfant conçu pendant le mariage : « Il a pour père le mari. Néanmoins, celui-ci pourra désavouer l'enfant en justice s'il démontre qu'il ne peut pas être le père. » Il peut le faire par tous les moyens (témoignages, lettres, etc.). *La présomption de paternité ne s'applique pas :* a) *En cas de résidence séparée des époux résultant de l'ordonnance de non-conciliation* pour l'enfant né plus de 300 j après cette ordonnance et moins de 180 j dep. le rejet définitif de la demande ou dep. la réconciliation, dans le cas de jugement ou de demande de divorce ou de sépar. de corps ; s'applique cependant si l'enf. a la possession d'état d'enf. légitime. b) *Lorsque l'enfant est inscrit sans indication du nom du mari* (ex. : une femme mariée, séparée de fait de son mari, mettant au monde, sous son nom de jeune fille, un enfant) (art. 313, 313-1).

Enfant conçu avant le mariage et né avant le 180e j du mariage : il est légitime et réputé l'avoir été dès sa conception. Le mari pourra le désavouer devant le tribunal de grande instance du lieu de son domicile, s'il peut prouver qu'il ne peut être le père (la date de l'accouchement peut être une preuve suffisante, à moins qu'il n'ait connu la grossesse avant le mariage ou qu'il ne se soit, après la naissance, comporté comme le père) (art. 314).

Enfants nés plus de 300 j après la dissolution du mariage : ils sont enfants naturels de la mère (art. 315). Présomption de paternité pas applicable.

■ **Action en désaveu de paternité. Par le mari :** s'il conteste être le père d'un enfant, il doit introduire son action devant le tribunal de grande instance dans les 6 mois de la naissance s'il se trouve sur les lieux (ou les 6 mois de son retour) ou les 6 mois suivant la découverte de la fraude (si la naissance lui a été cachée). S'il meurt avant d'avoir introduit une action dans les délais prévus, ses héritiers peuvent le faire s'ils sont encore dans ces délais. Leur action cessera d'être recevable lorsque 6 mois se seront écoulés à partir de l'époque où l'enfant se sera mis en possession des biens prétendus paternels ou à partir de l'époque où les héritiers auront été troublés par l'enfant dans leur propre possession.

Par la mère : elle peut, même en l'absence d'un désaveu du père, contester dans les 6 mois qui suivent le mariage et avant que l'enfant n'ait atteint 7 ans la paternité du mari, mais seulement aux fins de légitimation, quand elle se sera, après dissolution du mariage, remariée avec le véritable père de l'enfant. La demande doit être introduite par la mère et le nouveau conjoint. Le tribunal statue sur les deux actions par le même jugement (art. 318).

■ **Légitimation d'un enfant naturel. Légitimation par mariage :** tous les enfants nés hors mariage sont légitimés de plein droit par le mariage subséquent de leurs père et mère.

Si leur filiation n'était pas déjà établie, ils font l'objet d'une reconnaissance au moment de la célébration du mariage (l'officier de l'état civil qui procède à la célébration constate la reconnaissance et la légitimation dans un acte séparé). La légitimation peut avoir lieu après la mort de l'enfant, s'il a laissé des descendants, elle profite alors à ceux-ci.

L'enfant légitimé a ainsi les droits et pouvoirs de l'enfant légitime à la date du mariage.

Légitimation judiciaire : « Si le mariage est impossible, l'enfant peut être légitimé par autorité de justice, pourvu qu'il ait, à l'endroit du parent qui la requiert, la possession d'état d'enfant naturel. » Cette légitimation peut avoir lieu à l'égard d'un seul des parents ou des deux. Le parent qui désire légitimer son enfant naturel doit prouver que cet enfant est bien son enfant naturel et que sa filiation est établie à son égard (par reconnaissance ou par jugement) ; présenter une requête devant le tribunal de grande instance aux fins de légitimation. Si, au moment de la conception, le parent demandeur était marié, il devra obtenir le consentement de son conjoint. Le tribunal pourra, avant jugement, entendre, le cas échéant, les observations de l'enfant naturel (il apprécie le bien-fondé de la requête en légitimation), celles de l'autre parent (s'il est connu et étranger à la requête) et celles du conjoint du demandeur.

Si deux parents naturels qui ne se marient pas désirent légitimer un enfant, ils forment conjointement la requête. L'enfant prend le nom du père et le tribunal statue sur la garde comme en matière de divorce.

Filiation naturelle

■ **Définition.** L'enfant naturel est l'enfant né d'un couple qui n'est pas engagé dans les liens du mariage. Il n'y a plus de distinction (comme avant la loi du 3-1-1972) entre enfants naturels dits simples et enfants naturels incestueux et adultérins (dont l'un des parents, ou les 2, est déjà marié). La mère exerce sur lui l'autorité parentale, qu'elle l'ait reconnu seule ou qu'il l'ait été également par le père (art. 374) sous réserve de modification par le tribunal.

■ **Fréquence des naissances hors mariage.** Conceptions prénuptiales. *1950 :* 7 (17,1) ; *55 :* 6,4 ; *60 :* 6,1 (17,7) ; *65 :* 5,9 (22,1) ; *70 :* 6,8 (25,4) ; *75 :* 8,5 (21,1) ; *80 :* 11,4 (17,7) ; *88 :* 26,3 (15,1).

■ **Congé de naissance.** Il est dû au père par l'employeur aux mêmes conditions que pour un enfant légitime, si le père l'a reconnu et vit de façon permanente et notoire avec la mère de l'enfant (art. 35 du Code de la famille et de l'aide sociale).

Droits de l'enfant naturel

■ **Cas général.** « L'enfant *naturel* a en général les mêmes droits et les mêmes devoirs que l'enfant *légitime* dans ses rapports avec ses père et mère » (art. 334 du Code civil). Sa parenté est reconnue à l'égard de la famille de ses parents : grands-parents, oncles et tantes, cousins et cousines.

■ **Cas particuliers.** *Si la filiation est partielle (établie seulement à l'égard d'un de ses parents).* L'administration de ses biens est confiée au parent investi de l'autorité parentale sous le contrôle du juge des tutelles. L'autorité parentale est exercée par la mère si elle a reconnu l'enfant.

Si, au temps de la conception, le père ou la mère était engagé dans les liens du mariage avec une autre personne, l'enfant naturel se trouve en concurrence avec une famille légitime, et ses droits « ne peuvent préjudicier que dans la mesure réglée par la loi aux engagements que, par le fait du mariage, ses parents avaient contractés » (art. 334, al. 3). Toutefois, si l'un des parents était célibataire au moment de sa conception, l'enfant a, lorsque sa filiation est établie, la qualité d'enfant naturel et des droits égaux à ceux d'un enfant légitime. S'il est appelé à la succession en concours avec les enfants légitimes, il ne recevra que la moitié de la part à laquelle il aurait eu droit si tous les enfants du défunt, y compris lui-même, eussent été des enfants légitimes (art. 759).

D'après la jurisprudence récente de la Cour de cassation, il semblerait que l'enfant, d'origine adultérine, verrait ses droits réduits dans la succession de ses grands-parents (application du même art.).

Le parent naturel peut écarter son ou ses enfants naturels du partage de la succession en leur faisant, de son vivant, une attribution suffisante de biens, et en stipulant qu'elle a lieu en règlement anticipé de leurs droits successoraux. Si, à l'ouverture de la succession, on constate que les biens attribués excèdent les droits de l'attributaire, ou leur sont inférieurs, il y aura réduction ou complément, sans que les autres héritiers ou l'enfant puissent réclamer sur les revenus perçus en trop ou en moins avant le décès. S'il y a complément, il est fourni en argent ou en nature au gré des autres héritiers (art. 759 et suiv.).

Nota. – Si l'auteur (père ou mère) était marié avec un tiers lors de la conception, il ne peut faire par donation entre vifs ou donner par testament à l'enfant naturel plus de droits que ceux qui sont prévus. Mais, si l'auteur n'était pas marié, son enfant naturel est, comme ses enfants légitimes, héritier réservataire (on ne peut lui retirer sa part héréditaire dans la succession de ses père et mère et autres ascendants), son ascendant peut lui donner ou léguer des biens dans la limite de la quotité disponible, en respectant les réserves des autres héritiers réservataires.

Nom de l'enfant naturel

■ **Principe.** L'enfant naturel acquiert le nom du parent à l'égard de qui sa filiation est établie en premier, ou le nom de son père si la filiation est établie simultanément à l'égard de ses 2 parents. Il ne peut porter de nom double (arrêt C. de Cass. 25-11-82).

■ **Exception.** L'enfant naturel pourra, même si sa filiation est établie en second à l'égard de son père, prendre le nom de son père par substitution à celui de sa mère (s'il a plus de 15 ans, il devra y consentir personnellement) si, pendant sa minorité, les 2 parents font une déclaration conjointe en ce sens devant le juge des tutelles (art. 334-1 et suiv.).

En outre, on peut donner à l'enfant naturel d'une femme mariée le nom de son mari lorsque l'enfant n'a pas de filiation paternelle établie et si le mari de la mère y consent. L'enfant pourra reprendre son nom antérieur sur demande au tribunal de grande instance dans les 2 ans suivant sa majorité.

1°) Par la reconnaissance volontaire. Faite en même temps que la déclaration de naissance par la mère et par le père ou l'un d'entre eux (la reconnaissance faite par le père lors de la déclaration de naissance ne produit d'effet qu'à l'égard du père sans l'aveu et l'indication de la mère) ; ou plus tard par un acte authentique de reconnaissance. (Si l'acte de naissance comporte le nom de la mère et que l'enfant a « la possession d'état » d'enfant naturel, il vaut reconnaissance.) (art. 335 et suiv.).

Une reconnaissance peut être contestée par toute personne y ayant intérêt, même son auteur. 10 ans après cette reconnaissance, seul l'autre parent, l'enfant lui-même ou ceux qui se prétendent les parents véritables peuvent contester (art. 339).

2°) Par une décision judiciaire établissant la filiation (tribunal de grande instance). 2 actions judiciaires possibles (art. 340 et suiv.).

a) action en recherche de paternité (Art. 430-2 et suiv.). *Appartient* à l'enfant, mais la mère de l'enfant, même mineure, a seule qualité pendant la minorité de l'enfant pour l'exercer (elle doit le faire dans les 2 ans suivant la naissance) ; en cas de concubinage notoire ou de participation à l'entretien de l'enfant, à l'expiration des 2 années suivant la cessation du concubinage ou des actes de participation. Si la mère est décédée, si elle n'a pas reconnu l'enfant ou ne peut exercer cette action (incapable majeure), le tuteur de l'enfant, autorisé par le conseil de famille, l'exercera (art. 464). L'enfant majeur peut l'exercer dans les 2 ans suivant sa majorité. *Est dirigée* contre le père prétendu ; s'il est décédé, contre ses héritiers ; si ceux-ci ont renoncé à la succession, contre l'État. *Possible* dans des cas limités : enlèvement ou viol lors de la conception ; séduction avec manœuvres dolosives, abus d'autorité, promesse de mariage ou de fiançailles ; existence de lettres ou écrits du père prétendu, dont il résulte un aveu non équivoque de paternité ; concub. notoire du père prétendu et de la mère pendant la période légale de la conception ; participation par le père prétendu à l'entretien, à l'éducation et à l'établissement de l'enfant en qualité de père. La *demande* est irrecevable dans 3 cas : 1°) *Inconduite notoire de la mère ou preuve qu'elle a eu des rapports avec un autre individu,* sauf si l'examen des sangs (ou toute autre méthode médicale) certifie que cet individu ne peut être le père. 2°) *Éloignement ou impossibilité physique accidentelle du père prétendu,* rendant sa paternité impossible. 3°) *Preuve apportée par le père prétendu* au moyen d'analyse de sang ou de toute autre méthode médicale certaine qu'il ne peut être le père de l'enfant.

Le jugement établit la filiation naturelle et statue, s'il y a lieu, sur l'attribution du nom de l'enfant et de l'autorité parentale. Il peut condamner le père à rembourser à la mère tout ou partie de ses frais de maternité et d'entretien pendant les 3 mois qui ont précédé et les 3 mois qui ont suivi la naissance et accorder à la mère des dommages et intérêts pour le préjudice subi du fait de la cessation de la vie commune, de la naissance de l'enfant, de la rupture de la promesse de mariage, du viol, etc. *En cas de rejet de la demande,* le tribunal peut allouer des subsides à l'enfant, s'il est établi que la mère et le défendeur ont eu des relations pendant la période légale de conception. *En cas d'action en recherche de paternité faite de mauvaise foi* et si la demande est rejetée, le responsable pourra être puni d'un emprisonnement de 1 à 5 ans et d'une amende de 3 600 à 60 000 F et être privé d'une partie de ses droits civiques, civils et de famille 5 à 10 ans (art. 400, al. 2 du Code pénal).

b) action en recherche de maternité (art. 341 Code civil). L'enfant déclaré de mère inconnue ou sans indication du nom de la mère et qui n'a pas de filiation établie à l'égard de sa mère peut introduire, à l'encontre de la mère prétendue, une action en recherche de maternité. Il devra prouver qu'il est l'enfant dont la prétendue mère est accouchée, par la possession d'état d'enfant naturel de cette femme ou à défaut par témoins, s'il existe : des présomptions ou des indices graves, un commencement de preuve par écrit résultant des titres de famille, registres et papiers domestiques ainsi que de tous autres écrits publics ou privés émanant d'une partie engagée dans la contestation ou qui y aurait intérêt si elle était vivante. La filiation de l'enfant est établie par le jugement à l'égard de la mère avec toutes les conséquences : nom, autorité parentale.

☞ Les recherches en paternité utilisent l'analyse immunologique (la probabilité de paternité étant supérieure à 0,999 dans 90 % des cas, et de 0,9999 dans 65 % des cas). Le test des empreintes génétiques (analyse d'une partie de l'ADN des chromosomes) est plus fiable. 388 demandes en recherche de paternité naturelle ont été présentées en 1991.

Action pour obtenir des subsides

L'action est exercée devant le tribunal de grande instance, pendant la minorité de l'enfant par la mère (ou le tuteur si elle est decédée) ou dans les 2 ans suivant la majorité de l'enfant, si l'action n'a pas été intentée pendant sa minorité. L'homme attaqué peut faire écarter la demande par le tribunal de grande instance s'il prouve qu'il ne peut être le père de l'enfant ou que la mère se livrait à la débauche.

Peuvent exercer cette action. *L'enfant naturel dont la filiation paternelle n'est pas légalement établie,* même si le père ou la mère était au moment de la conception marié avec une autre personne, ou s'il existait entre eux des empêchements à mariage réglés par les art. 161 à 164 du Code civil (enfants nés d'un inceste, de parenté trop proche pour que le mariage soit autorisé). *L'enfant naturel d'une femme mariée* dont le titre d'enfant légitime n'est pas confirmé par la « possession d'état » : un enfant né d'une femme mariée, mais non élevé par le mari de sa mère.

Versement des subsides. Sous forme de pension en tenant compte des besoins de l'enfant, des ressources du débiteur et de sa situation familiale. La pension peut être due au-delà de la majorité de l'enfant s'il est encore dans le besoin (sauf s'il l'est par sa faute). Si le défendeur prouve que la mère a eu des relations avec plusieurs hommes pendant la période de conception légale, ceux-ci pourront être appelés dans l'instance et « le juge, en l'absence d'autres éléments de décision, peut mettre à leur charge une indemnité destinée à assurer l'entretien et l'éducation de l'enfant, si des fautes sont établies à leur encontre ou si des engagements ont été pris antérieurement par eux ».

Les subsides sont versés soit par celui contre lequel l'action est engagée et qui y est condamné, soit par l'Aide sociale à l'enfance ou un mandataire de justice tenu au secret professionnel (si le juge a condamné plusieurs défendeurs à une indemnité), soit par les héritiers du débiteur s'il est décédé. Cette pension prélevée sur l'héritage est supportée par tous les héritiers et, en cas d'insuffisance, par tous les légataires particuliers, proportion-

Droits selon l'âge

Mineurs

Enfants à naître. Dans des cas limités (par ex. un grand-père peut prévoir des donations particulières pour les enfants nés ou à naître de ses enfants). **Enfant conçu.** Peut être héritier ou légataire, à condition de naître « viable ». **Dès la naissance.** On peut lui attribuer des actions, un livret de Caisse d'épargne, une carte d'identité.

2 ans. Peut entrer à la maternelle. **7 ans.** Âge minimal pour le football. **12 ans.** On peut établir sur sa tête une assurance-décès (son consentement est nécessaire). Age minimal pour la boxe. **13 ans, + de 13 ans.** Doit consentir personnellement à son adoption plénière. Peut voir certains films interdits aux – de 13 ans. **14 ans.** Peut conduire un cyclomoteur (45 km/h max., moins de 50 cm^3, avec pédale). **15 ans (avant).** Ne peut recevoir des corrections corporelles légères (art. 312 du C. pénal) : coups de pied au derrière, gifle, coups de règle. **15 ans.** On doit obtenir son consentement en cas d'adoption (simple). Peut (sous condition d'être autorisé) répudier ou réclamer la nationalité ou la naturalisation. Une fille peut se marier avec l'autorisation de ses parents ; elle est automatiquement émancipée. Passeport obligatoire en cas de voyage dans les pays où il est nécessaire. En cas de relation sexuelle, il n'y a plus d'attentat à la pudeur. Âge minimal pour des courses de vélo.

16 ans. Il peut : réclamer la qualité de Français (après autorisation des parents), disposer de la moitié de ses biens par testament ; adhérer à un syndicat professionnel (sauf opposition des père, mère ou tuteur) sans pouvoir toutefois participer à l'administration de ce groupement ; retirer des fonds figurant sur un livret de Caisse d'épargne (sauf opposition de la part du représentant légal). Ouvrir un compte d'épargne-logement auprès d'une Caisse d'épargne ; avoir un compte en banque et un carnet de chèques avec autorisation parentale, faire des actes conservatoires, interrompre une prescription, faire apposer des scellés, obliger le juge des tutelles à convoquer le conseil de famille. Conduire une moto de 50 à 125 cm^3. **Peut être émancipé** par le juge des tutelles à la demande des parents ou du conseil de famille : en conséquence, il pourra accomplir seul la plupart des actes de la vie civile et, en particulier, administrer lui-même ses biens (art. 481 du Code civil) ; échapper à l'autorité parentale (exercée par ses parents ou par un tuteur légal), ne plus habiter sous le toit de ses parents ; décider de son domicile, des études qu'il désire entreprendre, s'engager dans la vie professionnelle sans autorisation. Mais il ne pourra ni se marier, ni se faire adopter sans l'autorisation de ses parents ou de son tuteur ; ni être commerçant (mais il pourra accomplir des actes de commerce « isolés »), ni voter. Il ne peut régulièrement travailler avant d'être régulièrement libéré de l'obligation scolaire. *Nombre d'émancipations. 1970:* 23 000 ; *90:* 1 300. **Une fille mariée** avant 18 ans restera émancipée même après le divorce ou décès du conjoint (art. 477, 78, 79).

A partir du moment où il est en âge de gagner sa vie (après l'obligation scolaire). Il peut : consentir un contrat de travail comme ouvrier ou employé (sauf opposition de ses père, mère ou tuteur) ; agir par lui-même dans les litiges qui peuvent survenir à cette occasion (ex. : Conseil des prud'hommes).

Quel que soit son âge. Il ne peut contracter sans l'autorisation de ses parents ou de son tuteur, sauf pour des achats courants (apparaissant normaux par rapport au train de vie habituel de la famille) et s'il a « l'âge du discernement », c'est-à-dire s'il comprend la portée de ses actes.

☞ **Contrat passé avec un mineur sans que les parents soient au courant.** Pour le faire annuler, envoyer une lettre recommandée avec accusé de réception à la personne qui a signé le contrat, en demandant son annulation pour une raison donnée. Si cela ne suffit pas, saisir le tribunal d'instance si la somme engagée ne dépasse pas 20 000 F, de grande instance au-delà. Le contrat peut être **1° reconnu comme nul.** *Nullité absolue :* s'il y a eu non-respect de la loi ou d'une règle d'intérêt général (ex. contrat de travail signé par un mineur encore en âge scolaire). *Relative :* si les règles assurant la protection des contractants et des intérêts privés ont été violées. Ex. : un acte « nul en la forme » passé par un mineur, sans autorisation même verbale. Ce contrat peut pourtant être « confirmé » (considéré comme valable) si le mineur atteint sa majorité, si les contractants renoncent à la clause de nullité et si les formalités requises pour le valider sont accomplies. **2° annulé** pour sanctionner un acte désavantageux pour un jeune (ex. : disproportion, même minime, entre le prix payé et la chose vendue). Les parents doivent prouver devant les tribunaux que leur enfant a été lésé.

Majeurs

18 ans (dep. la loi du 5-7-1974 ; avant 21 ans). Il devient majeur, citoyen à part entière. Il est pleinement responsable de tous les actes qu'il accomplit. *Responsabilité civile :* les parents ne sont plus engagés pour les dommages qu'il a causés (n'ont pas à verser des dommages et intérêts à une victime éventuelle) et n'ont plus à supporter les conséquences pécuniaires des infractions qu'il a commises. *Responsabilité :* il peut contracter personnellement une assurance responsabilité civile (les assurances « chef de famille » continuent à jouer pour les 18-21 ans si la police a été signée avant la promulgation de la loi). S'il est à l'université, sa mutuelle étudiant peut couvrir sa responsabilité civile. *L'obligation d'entretien des parents à son égard* cesse, mais peut être prolongée en particulier pour permettre la continuation des études (jurisprudence). *Études :* il peut faire les études de son choix ou abandonner ; obtenir que ses notes lui soient directement communiquées. Dans les internats, il bénéficie d'une réglementation différente. *Vie civile :* il peut se marier, obtenir sur simple demande toutes pièces d'état civil de son nom, se faire embaucher par qui il veut, créer une entreprise ou un commerce, signer des contrats, disposer de ses revenus et de ses biens à sa guise, entrer en possession d'un héritage, ouvrir un compte de chèques bancaire ou postal, quitter le territoire national, choisir son domicile. *Vie civique :* il a le droit d'être électeur (il lui faut s'inscrire sur les listes électorales de la mairie de son domicile entre le 1er sept. et le 31 déc.).

21 ans. Peut devenir conseiller municipal ou conseiller général, conseiller régional, maire (s'il satisfait aux obligations militaires). **23 ans.** Peut devenir député, président de la Rép. **24 ans.** Ne peut plus se présenter à Normale supérieure. **25 ans.** Peut accéder à certaines professions (ex. pharmacien titulaire d'une officine), ne peut plus reporter au-delà son service militaire s'il est étudiant de pharmacie ou dentaire. **27 ans.** Ne peut reporter au-delà son service s'il est étudiant en médecine ou médecine vétérinaire. Age souvent limite pour le maintien sous le régime de la Séc. soc. étudiante. **30 ans.** Âge limite pour la candidature à un emploi de l'État ou d'une collect. locale. Peut adopter un enfant sans être marié et à condition d'avoir 15 ans de différence avec l'enfant. **35 ans.** Peut devenir sénateur.

Majorité

■ **Droit romain.** Distinction entre *impuberté* (jusqu'à 12 ans pour les filles et 14 pour les garçons), *minorité* (de 12/14 ans à 25) et *majorité* (après 25). *En droit privé*, on restait sous la puissance paternelle même après cet âge. *En droit public*, on était soldat à partir de 17 a., éligible et électeur aux magistratures à 27 a.

■ **En France.** ANCIEN RÉGIME : **Droit féodal** 21 a. (mais la puissance paternelle est maintenue) ; les garçons peuvent être écuyers à 17 a., chevaliers à 21. *Age du mariage :* celui du droit romain (filles 12 a. ; garçons 14). Il y a des exceptions (dans l'Est, l'âge de la majorité est celui du mariage : 12/14 a.). **Droit privé** 25 a. pour garçons et filles. 2 exceptions : les filles mariées, quel qu'ait été leur âge, étaient considérées comme majeures ; dans le Nord, la majorité avancée ou coutumière ne permettait ni de se marier sans permission du père, ni d'administrer des biens immeubles mais permettait d'administrer des biens meubles, d'ester en jugement, d'aliéner des immeubles et de bénéficier d'une restitution. *20 a.* dans les coutumes d'Anjou, Maine, Normandie, Amiens, Péronne, Châlons et Reims ; *15 a.* Boulonnais et Ponthieu. Les nobles sont souvent distingués des roturiers (en Bretagne, nobles, majeurs à 17 a. ; roturiers à 20). **Après la Révolution :** majorités (civile et électorale) à 21 a., mais à 18 a., possibilité d'émancipation, fin de la jouissance légale, maj. pénale, engagement militaire, pratiques judiciaires particulières (droit de visite, respons. civile des parents). **LOI DU 5-7-1974 :** majorités civile et électorale à 18 a. (exemples de G.-B. 1969, All. féd. 1972).

Convention internationale des droits de l'enfant

Origine : 1924 déclaration de Genève promulgée par l'Union intern. de secours aux enfants. Entérinée par la Société des Nations. **1948** revue et augmentée. **1959**-*20-11* adoptée à l'unanimité par l'Onu. **1984** Convention en 54 articles adoptée le 20-11-1989 par la 44e Ass. gén. des USA, ratifiée par la France le 7-8-1990. Aux USA (Floride), Gregory Kingsley (12 ans) a attaqué ses parents en justice pour obtenir le droit de s'en séparer légalement (père alcoolique, mère droguée, prostituée, lesbienne), d'intégrer sa famille d'accueil et de s'appeler Shawn Russ.

Principales dispositions. Sont considérés comme enfants les – de 18 a. (sauf si la loi nationale accorde la majorité plus tôt). Obligation pour l'État d'assurer l'exercice des droits reconnus par la convention, de respecter les droits et responsabilités des parents, d'assurer la survie et le développement de l'enfant, de lutter contre les rapts et non-retours illicites d'enfants. Droit de l'enfant à un nom dès la naissance et à une nationalité ; de vivre avec ses 2 parents ; d'exprimer son opinion dans une procédure le concernant. Droit à la liberté de pensée, de conscience et de religion ; au respect de sa vie privée ; à la sécurité sociale, à l'éducation, aux loisirs ; à une protection contre mauvais traitements, travail excessif ou dangereux, trafic ou consommation de drogue, exploitation sexuelle, traite, torture, privation de liberté. Interdiction de faire participer des – de 15 ans aux hostilités. Droits aux garanties judiciaires en cas de délit.

☞ Le nouvel article 388-1 du Code civil précise que, dans toute procédure le concernant, le mineur capable de discernement pourra être entendu seul, avec un avocat ou une personne de son choix. L'enfant bénéficie de droit de l'aide juridictionnelle c.-à-d. une assistance gratuite.

nellement à leur legs. « Toutefois, si le défunt a expressément déclaré que tel legs sera acquitté de préférence aux autres, le legs ne sera réduit que dans la mesure où la valeur des autres ne permettrait pas le paiement de cette pension » (art. 207-I, al. 2, C. civ.).

Le non-paiement des subsides fixés est puni des peines d'abandon de famille : 3 mois à 1 an de prison, amende de 300 à 8 000 F (art. 357-2 C. pénal). Une demande de subsides de mauvaise foi rejetée par le tribunal sera punie de 1 à 5 a. de prison, amende de 3 600 à 60 000 F (art. 400, C. pénal).

☞ Cette action « crée entre le débiteur et le bénéficiaire, ainsi que, le cas échéant, entre chacun d'eux et les parents, ou le conjoint de l'autre, les mêmes empêchements à mariage qu'entre parents proches (ascendants et descendants, frères et sœurs...). Elle n'empêche pas une action ultérieure en paternité.

Filiation adoptive

■ **Adoption plénière. Conditions pour adopter** (art. 343 à 359 du Code civil). *Époux :* être mariés depuis + de 5 ans ou avoir chacun + de 30 ans (jurisprudence de 1982), ne pas être séparés de corps, avoir 15 ans de + que l'adopté (10 si l'adopté est l'enfant du conjoint, même décédé). Toutefois le tribunal peut, s'il y a de justes motifs, prononcer l'adoption lorsque la différence d'âge est inférieure à celles prévues. *Personne seule* (célibataire, divorcée, veuve ou mariée) : avoir + de 30 ans, avoir 15 ans de + que l'adopté. Si la personne est mariée et non séparée de corps, le consentement de son conjoint est nécessaire, à moins qu'il ne soit dans l'incapacité de manifester sa volonté. Le fait d'avoir déjà des enfants n'est pas un obstacle à l'adoption. En cas de décès de l'adoptant, une nouvelle adoption peut être prononcée si la demande est présentée par le nouveau conjoint du survivant. L'adoption plénière de l'enfant du conjoint n'est permise que lorsque cet enfant n'a de filiation établie qu'à l'égard de ce conjoint. L'adoption plénière n'est permise qu'en faveur des – de 15 ans, accueillis au foyer du ou des adoptants depuis au moins 6 mois. Toutefois, si l'enfant a + de 15 ans mais a été accueilli avant par des personnes ne remplissant pas les conditions légales pour adopter, s'il fait l'objet d'une adoption simple avant 15 ans, l'adoption plénière pourra être demandée si les conditions sont remplies pendant la minorité de l'enfant. Les + de 13 ans remplissant ces conditions doivent consentir personnellement à leur adoption.

L'adoption est prononcée par le tribunal de gde instance, saisi par une requête de l'adoptant dans un délai de 6 mois (les détails sur la procédure à suivre peuvent être donnés par le procureur de la République ou par un notaire) ; il vérifie si les conditions légales sont remplies et veille à ce que l'adoption soit conforme aux intérêts de l'enfant. Si l'adoptant a des descendants, le tribunal vérifie en outre si l'adoption n'est pas de nature à compromettre la vie familiale. La tierce opposition à l'encontre du jugement d'adoption n'est recevable qu'en cas de dol ou de fraude imputable aux adoptants. **Effets :** *pour les rapports entre adoptant et adopté :* à compter du jour du dépôt de la requête en adoption. *Pour les tiers, étrangers à la procédure d'adoption :* à partir des mesures de publicité du jugement (la transcription du jugement, dans les 15 j s'il est devenu définitif, sur les registres de l'état civil du lieu de naissance de l'enfant, lui tient désormais lieu d'acte de naissance ; celui-ci ne contiendra aucune indication relative à sa filiation réelle).

L'adoption rompt définitivement le lien unissant l'adopté à sa famille par le sang pour lui conférer une filiation nouvelle. Tout se passe comme si l'adopté était l'enfant de l'adoptant sous réserve des empêchements au mariage fondés sur la parenté ou l'alliance. L'adopté porte le nom de l'adoptant et prend sa nationalité (sur la demande du ou des adoptants, le tribunal peut modifier les prénoms de l'enfant) ; il sera héritier réservataire, en cas de succession, au même titre que l'enfant légitime.

L'adoption de l'enfant du conjoint n'est possible que si cet enfant n'a de filiation légalement établie qu'à l'égard de ce seul conjoint. Elle laisse subsister sa filiation d'origine à l'égard de ce conjoint et de sa famille. Elle produit pour le surplus les effets d'une adoption par 2 époux. L'obligation alimentaire existe réciproquement entre l'adoptant et l'adopté. L'adoption est irrévocable (art. 359).

■ **Adoption simple** (art. 360 à 370-2). **Conditions pour l'adoptant :** les mêmes que pour l'adoption plénière. Permise quel que soit l'âge de l'adopté. Mais s'il a + de 13 ans, il doit consentir personnellement à son adoption. Révocable (art. 370) pour motifs graves, à la demande de l'adoptant (si l'adopté a + de 15 ans) ou de l'adopté (si l'adopté est mineur : des père et mère par le sang ou, à défaut, un membre de la famille d'origine jusqu'au 3e degré inclus). Le jugement de révocation doit être motivé. Il est mentionné en marge de l'acte de naissance ou de la transcription du jugement d'adoption. La révocation fait cesser tous les effets de l'adoption. **Effets :** moins étendus. **L'adopté :** en principe, il ajoute à son nom celui de l'adoptant, mais le tribunal peut décider qu'il ne portera que le nom de l'adoptant ; il continue à faire partie de sa famille d'origine et y conserve tous ses droits, notamment ses droits de succession. Dans la famille de l'adoptant, il a les mêmes droits de succession qu'un enfant légitime sans acquérir cependant la qualité d'héritier réservataire à l'égard des ascendants de l'adoptant ; il n'acquiert pas automatiquement la nationalité de l'adoptant. **L'adoptant :** a tous les droits (autorité parentale dep. 1970), y compris celui de consentir au mariage de l'adopté. Si l'adopté est l'enfant du conjoint de l'adoptant, l'autorité parentale est accordée aux 2 époux.

■ **Congé d'adoption.** La mère de famille a droit aux mêmes congés que pour une naissance (10 semaines pour le 1er et le 2e enfant, 18 à partir du 3e). Il est accordé au père de famille salarié les mêmes conditions que pour un congé de naissance (3 j à prendre dans les 15 j précédant ou suivant l'arrivée de l'enfant). Père et mère ont droit au congé parental [2 ans, 3 ans pour les fonctionnaires].

■ **Enfants susceptibles d'être adoptés.** 1°) *Nés en France.* a) recueillis par une œuvre d'adoption autorisée et ayant fait l'objet d'un consentement à l'adoption. b) admis dans la catégorie des pupilles de l'État sous la tutelle du préfet (DDASS) et pour lesquels les père et mère ou le conseil de famille ont valablement consenti à l'adoption. Ces enfants ont été remis aux services de l'Aide sociale à l'enfance par leurs parents, ou après une déchéance d'autorité parentale, ou une déclaration judiciaire d'abandon pour l'enfant dont les parents se sont manifestement désintéressés pendant 1 an (art. 350 du Code civil). Le délai d'1 an n'est pas interrompu par la simple rétractation du consentement à l'adoption, la demande de nouvelles ou l'intention exprimée mais non suivie d'effet de reprendre l'enfant. c) tout enfant de plus de 2 ans peut être adopté sans avoir été recueilli par l'Aide sociale à l'enfance ou une œuvre d'adoption (article 348-5 du Code civil) ; même possibilité pour les - de 2 ans, si lien de parenté jusqu'au 6e degré entre l'adopté et l'adoptant. 2°) *D'origine étrangère* confiés en vue d'adoption par décision juridique du pays concerné.

Nota. – La vente d'enfant est punie par l'article 353-1 du Code pénal (10 j à 6 mois de prison, 500 à 20 000 F d'amende).

■ **Statistiques.** Personnes attendant un enfant à adopter : 17 500 couples (1989) ou personnes isolées. **Nombre d'adoptions simples** (1991) : 2 000. **Plénières** (1992) : env. 4 000. *Adoption d'enfants étrangers* (1992) : 2 500 dont : Brésil 449. Colombie 386. Viêt-nam 258. Pologne 166. Sri Lanka 106. Inde 89. Corée 89. Éthiopie 89. Djibouti 78. Chili 73. Haïti 65. Rwanda 65. Madagascar 59. Mexique 52. Pérou 46. Philippines 46. Roumanie 21. **Frais d'adoption :** France : gratuit, étranger : 10 000 à 60 000 F (démarches administratives, honoraires d'avocats, voyage et séjour, entretien de l'enfant sur place). *Enfants adoptables au niveau de la DDASS* (1990) : sur les 115 000 enfants confiés à l'Aide sociale à l'enfance (ASE), 6 000 sont pupilles, donc adoptables, 1 500 sont confiés en vue d'adoption. 4 500 souffrent d'un handicap sérieux ou ont + de 12 ans. 80 % vivent en famille d'accueil et leur adoption par une autre famille est difficile. 20 % vivent en établissement. En 1989, 1 335 enfants ont été admis comme pupilles, 777 avaient de quelques j à 1 an et ont été rapidement adoptés, 283 ont été déclarés abandonnés par la justice (art. 350 C.c.) souvent à un âge avancé. 72 avaient + de 12 ans.

☞ **Où s'adresser. Adoption :** *Service de l'Aide sociale à l'enfance du Conseil général (ASE)* (au chef-lieu de chaque dép.), qui délivre les agréments pour les adoptions des pupilles de l'État et des enfants nés à l'étranger, peut donner la liste des œuvres d'adoption autorisées. **Information des candidats :** *Enfance et Familles d'Adoption* (Fédération nationale des associations de foyers adoptifs), 3, rue Gérando, 75009 Paris. *Association adoption internationale,* 15 bis, rue Amélie, 75007 Paris. *Mission de l'adoption internationale,* ministère des Affaires étrangères, 23, rue La Pérouse, 75016 Paris. **Parrainage :** accueil bénévole, durable, à temps partiel et parfois à plein temps, par une famille parrainante, d'un enfant confié à l'Aide sociale à l'enfance, privé de relations familiales suivies, afin de lui apporter un soutien affectif, moral, matériel, dans le cadre d'un projet éducatif établi par le service respectant sa liberté et les droits de sa famille d'origine. *Enfants concernés :* mineurs qui ne peuvent provisoirement être maintenus dans leur milieu de vie habituel ; pupilles de l'État ; mineurs confiés au service de l'ASE par décision judiciaire au titre de l'assistance éducative ou de l'enfance délinquante ; majeurs de - de 21 ans qui éprouvent des difficultés d'insertion (faute de ressources ou d'un soutien familial). **Renseignements :** *Comité fr. de secours aux enfants,* 4, rue Vigée-Lebrun, 75015 Paris ; *Un enfant, une famille,* 110, rue Fleury, 92140 Clamart ; *Centre français de protection de l'enfance,* 97, bd Berthier, 75017 Paris.

TUTELLE

■ **Conseil de famille. Désignation :** 4 à 6 membres choisis par le juge des tutelles parmi parents, alliés, amis ou voisins des père et mère. Convoqué par lui (à son initiative ou sur demande de 2 membres du conseil, du tuteur, du subrogé t., ou du mineur lui-même s'il a 16 ans révolus). Le juge peut, parfois, le consulter par correspondance. Le tuteur ne fait pas partie du conseil (pas plus que le juge des tutelles), mais participe à ses délibérations ; le subrogé tuteur en fait partie. **Rôle :** il règle les conditions générales de l'entretien et de l'éducation de l'enfant, eu égard à la volonté qu'ont pu exprimer les père et mère.

■ **Juge des tutelles** (voir juge aux aff. familiales p. 758 c). Juge du tribunal d'instance dans le ressort duquel le mineur a son domicile. Il exerce une surveillance générale sur les administrations légales et les tutelles de son ressort. Il peut convoquer les administrateurs légaux, tuteurs et autres organes tutélaires pour leur réclamer des éclaircissements, faire des observations et prononcer contre eux des injonctions, dont l'inexécution peut être sanctionnée par une amende. Il nomme un administrateur *ad hoc,* lorsqu'il y a opposition d'intérêts entre le mineur et l'administration légale (art. 393 à 396 et 499).

■ **Subrogé tuteur.** Choisi parmi les membres du conseil de famille. Surveille la gestion tutélaire.

■ **Tuteur** (art. 397 à 406). **Désignation :** soit par le dernier mourant des père et mère, si celui-ci a conservé au jour de sa mort l'exercice de l'administration légale ou de la tutelle (sous forme d'un testament ou d'une déclaration spéciale devant notaire), soit par le conseil de famille. Lorsqu'il n'a pas été choisi de tuteur ou que celui-ci n'a pas accepté cette charge, la tutelle de l'enfant légitime est déférée par le conseil de famille à celui des ascendants du degré le plus proche ou à un parent, allié ou ami de la famille. Le t. est désigné pour la durée de la tutelle ; il peut être remplacé en cas de circonstances graves. Dans certains cas, le conseil de famille peut diviser la tutelle entre un t. à la personne et un t. aux biens. Il peut aussi désigner un t. adjoint pour la gestion de certains biens. En principe, parents ou alliés du mineur ne peuvent refuser la tutelle que pour de justes motifs. *Personnes considérées comme incapables d'exercer la tutelle :* mineur (sauf pour ses propres enfants), interdit, aliéné, personne pourvue d'un conseil judiciaire, parents déchus de la puissance paternelle, condamnés à une peine afflictive ou infamante, condamnés privés à titre accessoire du droit d'être t., personnes d'inconduite notoire ou d'improbité, négligence ou inaptitude aux affaires constatées. Celui qui n'est ni parent ni allié du mineur ne peut être forcé d'accepter la tutelle.

Pouvoirs : il prend soin de l'enfant et le représente dans les actes civils, sauf ceux dans lesquels la loi ou l'usage autorise les mineurs à agir par eux-mêmes. Il administre les biens du mineur, en bon père de famille, mais ne peut ni les acheter ni les prendre à bail ou à ferme (à moins que le conseil n'ait expressément autorisé le subrogé tuteur à lui en passer bail). Il accomplit seul tous les actes d'administration : vente des meubles d'usage courant, acceptation des donations et des legs non grevés de charge, action en justice relative aux droits patrimoniaux. Il ne peut accepter de succession sans bénéfice d'inventaire ou disposer au nom du mineur qu'avec l'autorisation du conseil, lequel peut décider de passer outre à la règle selon laquelle la vente d'un immeuble ou d'un fonds de commerce du mineur se fait publiquement. Dans la limite d'une certaine somme, l'autorisation du juge des t. peut être substituée à celle du conseil.

Responsabilité : il est responsable de sa gestion. Chaque année, il remet au subrogé t. un compte de gestion dont le juge des t. peut décider qu'il sera communiqué au mineur. Dans les 3 mois qui suivent la fin de la tutelle, le tuteur remet un compte définitif au mineur devenu majeur ou émancipé, ou à ses héritiers. Après un délai d'un mois, il appartient à l'expupille d'approuver le compte de tutelle. Toute action du mineur contre le tuteur relativement aux faits de la tutelle se prescrit par 5 ans à compter de la majorité (lors même qu'il y aurait eu émancipation).

Mise sous curatelle : concerne les adultes. Le majeur sous curatelle n'est pas représenté, seulement assisté pour effectuer tous les actes qui, sous le régime de la tutelle des majeurs, requièrent l'autorisation du conseil de famille (art. 508 à 514 du Code civil). *Procédure :* comme pour la mise sous tutelle (demande : toute personne portant un intérêt à l'adulte incapable : parents ou, en l'absence de famille, amis). S'adresser au juge des tutelles du tribunal d'instance du domicile de l'intéressé.

Émancipation : donne à un mineur toutes capacités comme à un majeur pour accomplir certains actes de la vie civile (sauf se marier ou se donner en adoption sans le consentement de ses parents ou du conseil de famille). *Lui permet :* de choisir librement son domicile et, s'il travaille, de disposer librement des revenus de son activité. Le mineur émancipé cesse d'être sous l'autorité de ses parents qui restent cependant tenus de l'aider financièrement, s'il se trouve dans le besoin. Mineur émancipé de plein droit par mariage (art. 476 du Code civil). *Peut en bénéficier :* mineur resté sans père ni mère, mineur sous tutelle (pour cause de déchéance ou d'irresponsabilité) d'un ou des 2 parents), mineur non marié lorsqu'il aura 16 ans (art. 477). *Demande :*par les 2 parents, l'un d'eux, le conseil de famille ou l'enfant lui-même, s'il considère sa santé, sa sécurité, sa moralité en danger. *Décision prononcée* par le juge des tutelles. Peut être contestée dans les 15 j auprès du tribunal de grande instance.

ENFANCE MALTRAITÉE

Quiconque ayant eu connaissance de mauvais traitements ou privations infligés à un mineur de 15 ans ou à une personne qui n'est pas en mesure de se protéger en raison de son âge, d'une maladie, d'une infirmité, d'une déficience physique ou psychique ou d'un état de grossesse, et n'en ayant pas informé les autorités judiciaires ou administratives est puni de 3 ans d'emprisonnement et de 300 000 F d'amende (sauf lorsque la loi en dispose autrement, sont exceptées des dispositions qui précèdent les personnes astreintes au secret, art. 434-3).

Peines prévues (art 222 C. pénal L. du 22-7-1992). *Fait de soumettre une personne à des tortures ou actes de barbarie :* 15 ans de réclusion criminelle (20 ans si commis sur un mineur de 15 ans). *Violences ayant entraîné la mort sans intention de la donner :* 15 ans de réclusion criminelle (20 si mineur de 15 ans) ; *ayant entraîné une incapacité totale de travail pendant + de 8 j. :* 3 ans d'emprisonnement et 300 000 F d'amende (5 ans et 500 000 F si mineur de 15 ans) ; *habituelles sur un mineur de 15 ans :* 30 ans de réclusion criminelle si mort de la victime, 10 ans d'emprisonnement et 1 000 000 F d'amende si incapacité totale de travail + de 8 j., 5 ans d'emprisonnement et 500 000 F si incapacité inf. à 8 j.

Abus sexuels. Leur fréquence est en partie méconnue, car ils ne sont souvent révélés qu'à l'âge adulte. Ils portent toujours atteinte au développement psycho-affectif de l'enfant. Des programmes d'information et de prévention, des réseaux d'appels téléphoniques sont mis en place.

Inceste. *Non mentionné dans la loi,* il tombe sous le coup des art. 331 et 332 du Code pénal relatifs à l'attentat à la pudeur à l'égard d'un mineur, avec aggravation de la peine s'il y a violence et lorsqu'il s'agit d'un attentat commis par un ascendant ou quelqu'un ayant autorité sur le mineur. La majorité des cas reste dissimulée. Env. 300 cas par an sont traités par les instances judiciaires.

Statistiques. Enfants maltraités : selon l'étude menée par l'Odas (Observatoire national de l'Action sociale décentralisée) avec l'Action sociale du ministère des Aff. sociales, l'Idef (Institut de l'enfance et de la famille), la Protection judiciaire de la jeunesse du ministère de la Justice : chaque année 30 000 enfants sont maltraités en France, dont 75 % subissent des sévices physiques, 25 % des abus sexuels. *Budget de l'ASE* (Aide sociale à l'enfance) : 20 milliards de F dont (en %) hébergement 71 (139 000 enfants, dont 103 000 placés sur décision du juge, 55 % sont accueillis dans des familles, tandis que 25 % sont dans des établissements (maisons d'enfants à caractère social, foyers de l'enfance et pouponnières, charge par enfant 8 500 F/mois) ; aide en milieu ouvert 17 % (117 000 enfants) dont action éducative en milieu ouvert (services privés) 5,5 % (11 000 enfants) ; fonctionnement et autres 12 %.

☞ **Adresses** : *Juge des Enfants compétent,* ou *commissariat de Police* ou *Brigade* ou *Gendarmerie. Féd. nat. des comités Alexis-Danan pour la protection de l'enfance* (140 comités, revue « Enfance Majuscule »), 5, rue Gassendi, 75014 Paris. *Ligue nat. pour la protection de l'enfance martyre,* 10, rue Michel-Chasles, Paris 75012. *Association fr. d'information et de recherche sur l'enfance maltraitée (Afirem),* Hôpital des Enfants-Malades, 149, rue de Sèvres, 75730 Paris Cedex 15. *SOS Famille en péril,* 9, cour des Petites-Écuries, 75010 Paris. Garantie de l'anonymat. *Alésia 14,* 20 bis, rue d'Alésia, 75014 Paris. Garantie de l'anonymat. Les associations peuvent se porter partie civile dans les procès instruits contre les parents maltraitants et les assassins d'enfants.

MARIAGE

MARIAGE CIVIL

CONDITIONS REQUISES

■ **Conditions générales. Age :** *Homme :* 18 ans révolus. *Femmes :* 15 ans révolus (sauf dispenses pour motifs graves par le procureur de la Rép. du lieu où le mariage doit être célébré). *Avant 18 ans révolus,* le consentement des père et mère ou celui des aïeuls, ou aïeules du conseil de famille, ou, si les père et mère sont décédés, l'autorisation du conseil de famille présidé par le juge des tutelles est nécessaire. Pour les mineurs pupilles de l'Assistance publique : autorisation du conseil de famille de l'AP.

Parentés : il est interdit de se marier (art. 161, 162, 163) entre parents et alliés en ligne directe quand la personne qui créait l'alliance est décédée : en général frère et sœur, oncle et nièce, tante et neveu (dispense très rare), adopté et adoptant, enfants adoptifs (dispense possible), adopté et enfant qui pourrait survenir à l'adoptant (dispense possible dans certains cas près du procureur de la République, art. 164).

Mariage avec un(e) étranger(e) : le mariage s'exerce de plein droit et n'a aucun effet sur la nationalité. Un étranger qui épouse une Française peut devenir français 6 mois après le mariage par simple déclaration, sans condition de délai ni de résidence, sur justification du dépôt de l'acte de mariage auprès de l'autorité administrative compétente (de même pour une étrangère épousant un Fr.). Cf. art. 37-1 du Code de la nat.

Un certain nombre de mariages mixtes sont des mariages de complaisance (« blancs ») pratiqués pour acquérir la nationalité française. [Dep. 1981, l'autorisation préfectorale, qui garantissait que le prétendant non français était en situation régulière, n'est plus requise. La loi du 2-8-1989 a supprimé toute enquête policière postérieure au mariage pour s'assurer que les époux mènent bien une vie commune. On réclame seulement une attestation de domicile sur l'honneur, un extrait d'acte de naissance et un certificat médical.] En 1990, à Paris, sur 3 991 mariages entre Français et étrangers, 55 % auraient été des mariages blancs. *1991* sur 1 600 mariages suspects, le Parquet s'est opposé à 409.

Mariage posthume : le Pt de la République peut, pour des motifs graves, autoriser la célébration du mariage si l'un des futurs époux est décédé après l'accomplissement de formalités officielles marquant sans équivoque son consentement (art. 171 C. civil). En 1984, le Pt a considéré que l'achat d'alliances de mariage et certains préparatifs en vue de la noce valaient consentement. *En 1976* il y eut 56 demandes, 10 furent autorisées, 32 rejetées.

Nom des époux (voir p. 1370 c).

Remariage : une femme ne peut se remarier que 300 j révolus après la dissolution du mariage précédent (délai de viduité). Le délai prend fin en cas d'accouchement après le décès du mari ou si un certificat médical atteste qu'elle n'est pas en état de grossesse (art. 228). *Pour la femme divorcée,* ce délai compte à partir de l'ordonnance de non-conciliation l'autorisant à avoir une résidence séparée. Le Pt du trib. de gde instance peut, par ordonnance, la dispenser de ce délai.

STATISTIQUES (FRANCE)

Ages moyens au 1er mariage. *1700 :* hommes 27 ans (femmes 25). *1803-12 :* 28,4 (25,9). *1863-72 :* 27,8 (24). *1931 :* 26,5 (23,5). *46 :* 27,8 (24,5). *58 :* 26,05 (23,25). *68 :* 24,95 (22,77). *73 :* 24,57 (22,51). *81 :* 25,34 (23,20). *85 :* 26,2 (24,3). *89 :* 27,5 (25,5). *90 :* 27,8 (25,7). *91 :* 28 (26).

État matrimonial antérieur des époux (1991). Sur 280 000 mariages, il y en avait 212 800 avec 2 époux célibataires, 21 100 avec 1 divorcé et 1 célib., 18 800 avec 1 célib. et une div., 19 700 avec 2 div., 7 800 autres cas où l'un au moins des 2 était veuf.

Couples mariés (et non mariés) (en milliers). *1962* 10 309 (310), *68* 11 052 (314), *75* 11 954 (446), *82* 12 415 (829), *90* 12 070 (1 707). **% de couples non mariés.** *1962* 2,9, *68* 2,8, *75* 3,6, *82* 6,3, *90* 12,4.

Mariages civils. *1972 :* 416 300 (record). *1975 :* 387 379. *1980 :* 334 377. *1985 :* 269 419. *1988 :* 271 124 [dont 22 214 mixtes (Fr. ép. étranger (e)]. *1990 :* 287 099 (dont 10,6 % mixtes). *1991 :* 280 450. *1992 :* 272 000. **Remariages.** Baisse en raison de la cohabitation sans mariage ; env. 38 000 par an pour les femmes, un peu plus pour les hommes. **Mariages mixtes. Français avec une étrangère.** *1980 :* 5 323. *86 :* 9 244. *87 :* 8 710. *88 :* 9 468. *89 :* 10 789. *90 :* 12 606 dont Algérienne 1 963, Marocaine 1 676, Portugaise 1 613, Espagnole 518, Allemande 498, Italienne 367, Belge 353, Tunisienne 253, ex-Yougoslave 153. **Françaises avec un étranger.** *1980 :* 12 292, *86 :* 14 008. *87 :* 12 610. *88 :* 12 746. *89 :* 15 420. *90 :* 17 937 dont Marocain 3 248, Algérien 2 983, Portugais 2 262, Tunisien 1 052, Italien 971, Espagnol 647, Belge 378, Allemand 344, ex-Yougoslave 214, Polonais 103. *91 :* 14 000. **Mariages catholiques** (% par rapport aux mariages civils). *1954 :* 79. *1963 :* 79. *1972 :* 75. *1980 :* 65,1 (217 479 mar.), 77 % des mariages civils n'impliquant pas de divorcé. *1981 :* 65. *1985 :* 58,9 (159 097 mar.).

Taux de nuptialité (nombre de nouveaux mariés pour 1 000 personnes mariables). *1966-76 :* 7,4. *86 :* 4,8. *90 :* 5,1. *91 :* 4,9. *92 :* 4,7.

RAPPORTS SEXUELS

Comportement sexuel en France (en 1992). Analyse des comportements sexuels en France (ACSF) coordonnée par l'INSERM avec l'INED et entre parenthèses rapport Simon 1970. *Nombre de partenaires sexuels (du sexe opposé) :* homme 12,1 (11,8), femme 3,2 (1,8) (46 % des femmes ont déclaré n'avoir eu qu'un seul partenaire sexuel, 12 % pour les hommes en 1970, 21 % en 1992). *Prostitution :* 5 % des hommes de 20-29 ans ont déclaré y avoir eu recours (25 %). *Relations homosexuelles :* 4 % des hommes (5 %), femmes 2 à 3 %.

Age moyen du 1er rapport sexuel. *1972 :* hommes 19,2 ans, femmes 20,5. *1982 :* entre 17-18 ans, H 14,9 %, F 12,9 %. *1992 :* entre 18-19 ans H 17,2, F 18,1. *Rapports extra conjugaux :* proportion des personnes en couple depuis au moins 5 ans qui ont eu un autre partenaire dans les 5 ans : hommes 20 (30), femmes 10,5 (10). *Pénétration anale ou sodomie (au moins 1 fois) :* hommes 30 % (19 %), femmes 24 % (14 %), 3 % disent l'avoir pratiquée souvent. *Auto-érotisme :* hommes 84 % (73 %), femmes 42 (19). *Nombre moyen de rapports (au cours de 4 semaines) :* hommes 8,1 (7,9), femmes 7,3 (8,2). En 92, 13 % n'ont déclaré aucun rapport sur une période d'1 mois, 28 % de 1 à 4, 42 % 5 à 14, 17 % au moins 15. *Durée moyenne du rapport :* hommes 31 min (26), femmes 25 min (21). *Utilisation du préservatif :* 54 % des hommes et 42 % des femmes déclarent avoir utilisé au moins une fois dans leur vie un préservatif. 61 % des personnes qui n'en utilisent pas et 45 % des utilisateurs pensent qu'il diminue le plaisir sexuel.

☞ Sur 800 000 personnes en âge de se marier, 600 000 se marient, 200 000 divorcent avant 5 ans (soit 33 %, en Suède 40 %). 16,6 % des divorcés se remarient dont 50 % avec un célibataire.

Les sociologues pensent que la 1re fois qu'elles se marient, les femmes épousent un homme en fonction de leur père. En cas de remariage, leur 2e mari ressemble au 1er.

■ **Anniversaires des noces.** Plusieurs versions. Les traditions diffèrent selon régions ou pays (ex. G.-B./USA). **Noms traditionnels.** *1 an* Coton (papier). *2* Papier (coton, porcelaine, cuir). *3* Cuir (papier, cristal, verre, froment). *4* Cire (soie). *5* Bois (fruit, fleur). *6* Cuivre (fer, bois, chypre). *7* Laine (sucre). *8* Bronze (coquelicot, dentelle). *9* Faïence (cuir). *10* Étain (fer). *11* Corail (acier). *12* Soie (perle, gemmes de couleur). *13* Muguet (fourrure). *14* Ivoire (plomb). *15* Porcelaine (cristal). *16* Saphir. *17* Rose. *18* Turquoise. *19* Cretonne. *20* Cristal (porcelaine). *21* Opale. *22* Bronze. *23* Béryl. *24* Satin. *25* Argent. *26* Jade. *27* Acajou. *28* Nickel. *29* Velours. *30* Perle (diamant). *31* Basane. *32* Cuivre. *33* Porphyre. *34* Ambre. *35* Corail (jade, rubis). *36* Mousseline. *37* Papier. *38* Mercure. *39* Crêpe. *40* Émeraude ou rubis. *41* Fer. *42* Nacre. *43* Flanelle. *44* Topaze. *45* Vermeil. *46* Lavande. *47* Cachemire. *48* Améthyste. *49* Cèdre. *50* Or. *55* Émeraude (orchidée). *60* Diamant. *65* Saphir (palissandre). *70* Platine. *75* Albâtre. *80* Chêne.

■ **Prêtres et religieuses.** Célèbrent les anniversaires de leur entrée dans les ordres. Autrefois, au bout de 25 ans, les religieuses portaient un anneau d'argent, de 50 ans, un a. d'or, et de 75 ans, un a. portant un diamant.

■ **Mariage en mai.** Depuis les lois romaines qui interdisaient les m. en mai et les jours fériés, on a attribué au mois de mai une influence néfaste sur les mariages célébrés à cette époque.

■ **Mariage en blanc.** Depuis 1830.

■ **En Allemagne.** Affluence de mariages le 8-8-88 (le 8 étant symbole de bonheur).

FORMALITÉS

■ **Célébration.** S'adresser à la mairie du domicile de l'un ou de l'autre époux, ou de la résidence continue d'un mois à la date de la publication.

■ **Publication du mariage.** À la mairie du lieu du mariage et à celle du lieu où chacune des parties a son domicile ou sa résidence. Le procureur de la République peut, pour des causes graves (art. 169) (ex. : maladies, départ forcé ou subit, imminence de l'accouchement de la future, désir pour 2 concubins de régulariser une union sans « scandale »), dispenser de la publication et de tout délai ou de l'affichage de la publication seulement. Le délai légal de publication expire le matin du 11e j de l'apposition de l'affiche à la porte de la mairie.

PIÈCES À FOURNIR

■ **Pour les publications.** 2 certificats d'*examen médical prénuptial* concernant les 2 futurs (datant de – de 2 mois au dépôt du dossier). *Extrait de naissance* de – de 3 mois à la date du mariage. *Attestation de domicile et pièce d'identité.*

Certificat prénuptial : délivré par un médecin (librement choisi), après avoir pris connaissance d'un examen sérologique (ne comprenant pas le dépistage du sida) effectué par un laboratoire agréé. Au vu des résultats « il communique ses constatations à l'intéressé et lui en signale la portée ». *Frais d'examen :* remboursés par la Sécurité sociale ou par l'aide médicale pour ceux qui en bénéficient. *Validité :* 2 mois. *Dispense possible* par le procureur de la Rép. pour les 2 époux ou pour l'un d'eux ; pas exigé en cas de péril imminent pour l'un d'eux.

Nature de l'examen : 1°) *test sérologique* de rubéole, de toxoplasmose, recherche du groupe sanguin. **2°)** *dépistage de la syphilis :* interrogatoire, examen clinique et sérologique (réaction de Bordet-Wassermann et test de Nelson). Attention : un examen sérologique négatif ne peut donner une sécurité totale ; des tests de laboratoire positifs ne sont pas toujours synonymes de maladie syphilitique. En cas de syphilis récente, le malade devrait reculer son mariage, se soigner et n'avoir des enfants que

Agences matrimoniales

Nombre : 1 000 à 3 000, la profession n'est régie par aucun statut. 3 types : agences boîtes aux lettres (tarif de 1 500 à 5 000 F env.), ag. de présentation (4 000 à 35 000 F), instituts de présélection psychologique (6 900 à 12 000 F).

Mariages réalisés : env. 4 % des mariages (60 % annoncent certaines agences).

lorsqu'il sera guéri (s'il est bien soigné, ceux-ci seront normaux). *3°) de la blennoragie :* difficile si elle est ancienne chez l'homme, et dans tous les cas pour la femme, chez qui elle peut entraîner la stérilité. *4°) de la tuberculose :* examen clinique, radiologique complété, si nécessaire, par examen des crachats. En cas de tuberculose récente, repousser le mariage (des tuberculeux non stabilisés font des rechutes). L'examen doit comporter un interrogatoire très complet sur les antécédents héréditaires et collatéraux, pour dépister les tares et certaines prédispositions morbides. Le médecin déconseillera le mariage lorsque les tares seront graves et en cas de consanguinité (mariage entre cousins germains ou issus de germains).

■ **Pour le mariage. Extrait d'acte de naissance :** délivré spécialement dep. – de 3 mois à la date du mariage (depuis – de 6 mois s'il a été établi dans un territoire d'outre-mer ou un consulat). **Certificat du notaire :** s'il a été fait un contrat de mariage.

Pour les mineurs : le *consentement* du père ou de la mère peut être donné verbalement au moment de la célébration du mariage, ou préalablement devant notaire ou devant l'officier d'état civil du domicile ou de la résidence de l'ascendant. (En cas de dissentiment entre le père et la mère, ce partage emporte consentement ; en cas de mort de l'un d'eux, le consentement du survivant est suffisant). **Pour le mari :** pour gendarmes, pompiers, ou militaires épousant une étrangère, consentement de l'autorité lorsqu'il est nécessaire. **Témoins :** *indication des prénoms, noms, professions et domiciles des témoins* (1 ou 2 par époux) ; père et mère du futur époux majeur peuvent servir de témoins.

S'il y a des enfants nés avant le mariage à légitimer : en prévenir à l'avance la mairie et présenter l'acte de naissance des enfants délivré en vue de la légitimation, en même temps que les autres pièces.

■ **Demande de dispense. Dispense d'âge** (hommes : – de 18 ans ; femmes : – de 15 ans) : justifier d'un « motif grave » (le plus courant : celui de grossesse de la future épouse). Les 2 futurs époux doivent établir et signer une requête (simple lettre) au procureur de la Rép. et y joindre leurs actes de naissance, certificat médical en cas de grossesse ; si l'un est étranger, la dispense d'âge accordée par le gouvernement de son pays ou la justification que dans ce pays il pourrait légalement à l'âge atteint contracter un mariage valable. Requête et pièces établies sur papier timbré. Droit de 50 F (exemption possible aussi p. les droits de timbre en cas d'indigence : joindre alors un certificat d'indigence à demander à la mairie). Le dossier est transmis pour instruction au procureur de la Rép. du domicile de la future épouse.

Autres dispenses (ex. : mariage entre alliés) : demande adressée au Pt de la Rép. doit être signée par les 2 futurs époux, en exposant les motifs pour lesquels elle est faite (ex. intérêts matériels sérieux tels que l'avantage d'éviter des procès ou liquidation, existence d'enfants à légitimer). La demande est transmise au procureur de la Rép. du domicile de l'épouse ainsi que les actes de naissance des époux et les pièces établissant parenté ou alliance.

☞ Le maire ne doit pas célébrer le mariage si les indications contenues dans l'acte, la consultation des pièces produites ou le déroulement de la cérémonie révèlent le caractère illicite, mensonger ou frauduleux du mariage. La violation de ces principes engagerait sa responsabilité pénale. En cas de doute, il peut en référer au procureur de la République qui peut s'opposer au mariage ou saisir le tribunal pour faire annuler un mariage irrégulier déjà célébré. Le mariage célébré par complaisance ne peut permettre d'obtenir la nationalité française si son caractère frauduleux est découvert. L'absence de communauté de vie (art. 37-1 du code de la nationalité) rend irrecevable la déclaration acquisitive de la nationalité française.

■ **Règles légales du Code civil s'appliquant à tous les époux.** *Art. 212* « Les époux se doivent mutuellement fidélité, secours et assistance. » *Art. 213* « Les époux assurent ensemble la direction morale et matérielle de la famille. Ils pourvoient à l'éducation des enfants et préparent leur avenir. » *Art. 215* « Les époux s'obligent mutuellement à une communauté de vie. La résidence de la famille est au lieu qu'ils choisissent d'un commun accord. Les époux ne peuvent l'un sans l'autre disposer des droits par lesquels est assuré le logement de la famille, ni des meubles meublants dont il est garni. Celui des deux qui n'a pas donné son consentement à l'acte peut en demander l'annulation : l'action en nullité lui est ouverte dans l'année à partir du jour où il a eu connaissance de l'acte, sans pouvoir jamais être intentée plus d'un an après que le régime matrimonial s'est dissous. » *Art. 221* « Chacun des époux peut se faire ouvrir, sans le consentement de l'autre, tout compte de dépôt ou tout compte de titres en son nom personnel. L'époux déposant est réputé, à l'égard du dépositaire, avoir la libre disposition des fonds et des titres en dépôt ». *Art. 223* « La femme a le droit d'exercer une profession sans le consentement de son mari, et elle peut toujours, pour les besoins de cette profession, aliéner ou obliger seule ses biens personnels en pleine propriété. » *Art. 224* « Chacun des époux perçoit ses gains et salaires et peut en disposer librement après s'être acquitté des charges du mariage. »

☞ Un mari a été condamné « parce qu'il n'avait que des rapports incomplets avec sa femme, ne procurant à celle-ci ni plaisir, ni espérance de maternité ». Un homme a vu le divorce prononcé à ses torts à 70 ans pour avoir fait preuve d'un empressement amoureux sans relâche auprès de son épouse.

■ Mariage catholique

L'Église catholique considère le mariage comme un acte religieux. Pour elle, comme pour les Églises orientales, c'est un sacrement. Les théologiens ont au Moyen Âge longtemps discuté pour déterminer à quel moment se forme le lien matrimonial : est-ce lors de l'échange des consentements, ou par le premier rapport conjugal ? On conclut finalement qu'il y a mariage dès l'échange des consentements, mais qu'il n'est pleinement indissoluble, sans dispense possible, qu'après consommation.

Plus tard, légistes et juristes voulurent distinguer le *contrat,* qui fait entrer dans l'institution matrimoniale, du *sacrement :* on soumettait alors le contrat au pouvoir civil, lequel avait ainsi autorité pour le rompre, d'où l'instauration du divorce, à l'époque de la Révolution. Louis XVI institua (1787) une forme civile du mariage pour les non-catholiques : auparavant, seul existait le mariage en présence du curé de la paroisse, institué par le Concile de Trente (1563) pour faire cesser les mariages clandestins.

Depuis la loi du 18 germinal an X (articles organiques du Concordat), le mariage civil institué par la loi du 20-9-1792 doit précéder la célébration du mariage religieux. Tout ministre d'un culte qui procédera aux cérémonies religieuses d'un mariage sans qu'il lui ait été justifié d'un acte de mariage préalablement reçu par les officiers de l'état civil sera, pour la première fois, puni d'une amende de 3 000 à 6 000 F. En cas de 1re récidive, emprisonnement de 2 à 5 ans ; pour la 2e, détention criminelle de 10 à 20 ans (art. 199 et 200 du C. pénal).

☞ Le mariage de nuit (souvent minuit) était courant dans la haute société du XVIIIe s. et au début du XIXe s. Thiers s'est ainsi marié à minuit en 1833.

■ Pour qu'il y ait mariage, il faut :

I – Que soit manifesté devant 2 témoins un vrai consentement. Don mutuel, libre, instaurant une communauté de toute la vie en vue du bien des époux et de la mise au monde et de l'éducation des enfants ; pas de rejet de la fidélité, de l'unité, ni de l'indissolubilité ; pas de troubles psychiques rendant incapable d'apprécier ce qu'est ce don mutuel ou d'en assumer les obligations.

II – Qu'il n'y ait pas d'empêchements. Le droit canonique en vigueur (depuis le 27-11-1983) connaît *12 empêchements dirimants* qui rendent nul le mariage, à moins d'une dispense (lorsqu'elle est possible et opportune) : *1°) Âge :* homme 16 ans, femme 14 ; *2°) Impuissance :* impossibilité physique de l'union charnelle (la stérilité n'est pas un empêchement) ; *3°) Mariage antérieur* (hors le cas de veuvage, et le *privilège paulin :* conversion au christianisme et séparation d'avec l'époux qui demeure non chrétien, en raison de la position prise à ce propos par l'apôtre Paul dans la 1re épître aux Corinthiens) ; dispense dans 2 cas particuliers (voir ci-dessous) ; *4°) Disparité de culte :* mariage d'un catholique avec une personne non baptisée ; *5°) Ordre sacré :* diaconat, prêtrise ; *6°) Vœu public perpétuel de chasteté :* dans un institut religieux ; *7°) Rapt :* tant qu'il persiste ; *8°) Crime :* meurtre avec intention de mariage de son conjoint ou du conjoint de la personne que l'on veut épouser, meurtre d'un conjoint d'un accord commun ; *9°) Consanguinité :* en ligne directe (pas de dispense), entre frère et sœur (pas de dispense), cousins germains, oncle et nièce, tante et neveu, grand-oncle et petite-nièce, grand-tante et petit-neveu ; *10°) Affinité :* avec la famille en ligne directe du conjoint décédé ; *11°) Honnêteté publique :* après un mariage invalide (purement civil, ou déclaré nul) ou une vie commune notoire sans mariage, empêchement vis-à-vis des père/mère, fils/filles du conjoint ; *12°) Parenté adoptive :* en ligne directe, et entre frère et sœur.

Dans le cas d'un mariage mixte : entre chrétiens dont un seul est catholique, il n'y a pas d'empêchement proprement dit, mais l'Église demande que le catholique ait l'accord de l'évêque du lieu, auquel elle met certaines conditions.

III – Que ce mariage soit célébré, en plus des deux témoins toujours indispensables, devant un représentant qualifié de l'Église (évêque du lieu, curé du lieu, prêtre ou diacre délégué par l'un d'eux ; en certains pays, laïc délégué par l'évêque). 2 exceptions : 1°) *Impossibilité de joindre un représentant qualifié* pendant au moins un mois ; 2°) *Péril de mort.* Dans les 2 cas, la présence d'un prêtre ou d'un diacre non qualifié est souhaitable, mais non indispensable. Pour un *mariage mixte,* une dispense peut parfois être donnée, mais il doit toujours y avoir une célébration publique (ex. le mariage civil) ; si le non-catholique est un chrétien de rite oriental, la dispense n'est pas indispensable mais il faut une célébration religieuse dans laquelle intervienne le prêtre.

■ Nullité des mariages

Attitude de l'Église. Le mariage sacramentel consommé est indissoluble, mais il peut parfois se révéler nul.

Formalités pour une déclaration de nullité. Chaque cas relève d'une procédure judiciaire confiée à un tribunal religieux, l'*Officialité.* On demande à ce trib. de constater, grâce aux preuves qu'il pourra recueillir (témoignages, doc.), que, malgré les apparences, malgré parfois la durée de la vie commune, il n'y a pas eu un véritable engagement de mariage (sans qu'il y ait forcément mauvaise foi).

S'il s'agit de constater que le représentant de l'Église n'était pas qualifié (ce qui est rare), *ou qu'il existait un empêchement* dont on n'a pas tenu compte, la procédure est très rapide.

Si la question se pose de la valeur du consentement, il faut 2 décisions conformes, donc au moins 2 jugements successifs, ce qui prend parfois + d'un an. Une fois les 2 époux entendus et les preuves recueillies, un jugement est rendu par 3 juges (dont 2 prêtres, le 3e pouvant être un laïc, homme ou femme, tous les trois nommés par l'évêque, ou les évêques de la région) qui forment leur conviction à partir d'un dossier écrit préparé par l'instructeur, assez souvent l'un des trois.

Où s'adresser ? *À l'Officialité de l'évêché,* qui, dans certains diocèses de France, s'en occupe sur place, l'appel ayant lieu dans un évêché voisin. Mais, de plus en plus, les Officialités sont régionales, avec 2 instances (Bordeaux et Bayonne, Paris et Versailles, Toulouse et Rodez... dans la même ville pour Lyon).

Une 3e instance (après 2 sentences contradictoires) a lieu ordinairement à la Rote, à Rome ; on peut y faire appel dès la 2e instance. Chaque année, elle juge environ 250 causes (105 mariages déclarés nuls en 1985). *Frais :* les Officialités tendent à s'organiser pour que l'avocat ecclésiastique (prêtre ou laïc homme ou femme, connaissant le droit canonique et la jurisprudence, et agréé) soit rémunéré par les diocèses, et que l'on propose un forfait global (frais de procédure, y compris ceux de l'avocat, frais de constitution du dossier écrit, parfois frais d'expertise, de déplacements). Ainsi à Paris (1991) : 4 000 à 5 000 F, Versailles : 2 000 F. Chacun prend en charge ce que ses ressources lui permettent de payer.

Dispense des mariages

L'Église peut accorder une dispense dans certains cas de mariage non consommé entre 2 chrétiens, ou de mariage même consommé entre 2 époux dont un au moins n'est pas baptisé. Dispense que se réserve le pape, après enquête faite le plus souvent par l'Officialité sur la vérité du fait et les motifs de la demande.

☞ Environ 70 000 causes dans le monde sont introduites chaque année, dont environ 50 % sont reconnues fondées. Environ 25 000 bénéficient de l'assistance gratuite, 17 000 de l'assistance semi-gratuite. En 1990, en France, 310 décisions de nullité ont été prises sur 435 causes introduites, en 2e instance 226 décisions confirmées, 95 sentences ont reconnu la nullité, 15 l'ont rejetée.

Mariage juif

Mariage religieux. *Quidouchin* (consécration). Dans certaines communautés, les fiancés doivent en principe avoir jeûné, ils se tiennent côte à côte, sous un dais *(Houppah)* qui symbolise la protection divine et l'entrée de la nouvelle épouse dans le foyer. Bénédiction remerciant Dieu qui a révélé la législation du mariage. Remise de l'alliance par le fiancé à la fiancée, geste accompagné d'une déclaration en hébreu, disant que la mariée lui est « consacrée selon la Loi de Moïse et d'Israël », lecture de l'acte de mariage *(Ketoubah)* stipulant les obligations de l'époux envers l'épouse : affection, entretien et protection. Chant des « Sept Bénédictions ». À la fin, le marié brise un verre, rappel de la fragilité du bonheur humain et de la destruction du Temple de Jérusalem. La célébration du mariage religieux avec une personne étrangère au judaïsme est impossible. La conversion au judaïsme, en vue du mariage, n'est en principe pas admise.

Le but du mariage est la procréation ; la contraception est condamnée, sauf si la future mère est en danger. Toutes les déviations sexuelles sont sévèrement prohibées.

Polygamie. La Bible et l'usage antique ne l'interdisaient pas. Une décision *(Taqanah)* du XIe s. l'a prohibée dans la plupart des pays, en l'assortissant d'excommunication *(Herem).*

Divorce. Permis. Le tribunal rabbinique *(Beth-Din)* rédige un acte de divorce *(Guet)*, calligraphié, d'un bout à l'autre de ses 12 lignes réglementaires. Pour se remarier, la femme doit attendre au minimum 90 j. Les descendants des prêtres *(Kohanim)* du Temple de Jérusalem ne peuvent épouser une divorcée ni une convertie ; leur origine leur est connue par une tradition qui passe de père en fils. La répudiation d'une épouse aliénée est pratiquement impossible.

Mariage musulman

Mariage. Contrat librement consenti entre 2 personnes de sexe différent. *But :* la procréation en vue de surpasser en nombre toutes les autres communautés le Jour de la Résurrection. *Validité :* tuteur matrimonial, douaire et 2 témoins d'une honorabilité parfaite sont nécessaires pour qu'il y ait mariage valable. *Rôle des parents et des proches :* le père peut marier sa fille vierge sans le consentement de celle-ci, même si elle est pubère. S'il le veut, il pourra la consulter. Mais un autre que le père (tuteur testamentaire ou autre) ne pourra la marier avant qu'elle ne devienne pubère et qu'elle ne donne son consentement, considéré comme acquis si elle garde le silence. *Mariages interdits :* mariage consistant à épouser la fille ou la sœur d'un homme si cet homme épouse la fille ou la sœur du premier afin de se tenir réciproquement quitte de s'acquitter du douaire ; mariage à terme ; mariage contracté au cours de la période de retraite légale, mariage dont les stipulations introduiraient un aléa dans le contrat ou dans le douaire, mariage où la dot serait un objet de vente interdite (vins, porcs, etc.). L'homme croyant soumis peut épouser une juive ou une nazaréenne (chrétienne), mais non une femme idôlatre, païenne, athée, associatrice, hindoue, bouddhiste. Une croyante soumise ne peut épouser un homme non soumis.

Polygamie. Limitée par la loi coranique à 4 femmes libres, croyantes, soumises (ou 4 femmes esclaves, croyantes, soumises s'il craint de tomber dans la fornication et s'il n'a pas les moyens d'épouser des femmes libres). La femme peut faire figurer dans le contrat de mariage que son futur époux devra rester monogame. Le mari devra traiter ses épouses avec justice. Il leur doit la nourriture et le logement dans la mesure de ses moyens.

Divorce. Répudiation traditionnelle permise. Elle s'effectue par une formule unique prononcée par le mari au cours d'une période intermenstruelle durant laquelle il n'a pas eu de rapports sexuels avec sa femme. Répudiation par double ou triple formule : elle rend la femme prohibée pour le mari tant qu'elle n'a pas épousé un autre homme. *Cas spéciaux :* la femme peut racheter sa liberté à son mari en lui versant le montant de son douaire, ou moins, ou plus quand elle n'a pas été lésée dans ses droits par son époux. Mais si elle a été lésée dans ses droits, elle pourra se faire restituer les valeurs qu'elle lui aura données pour reprendre sa liberté, et le mari n'en sera pas moins tenu par la « séparation ». La « séparation » est un divorce sans droit de retour pour le mari, sauf par un nouveau mariage contracté avec le consentement de la femme. *Interdictions :* il est interdit au mari de répudier sa femme pendant une de ses périodes menstruelles. S'il le fait, il est tenu et contraint de la reprendre tant que la période de retraite légale n'est pas terminée. Quand le mari n'a pas consommé le mariage, il peut répudier sa femme quand il veut, par une simple formule (rupture définitive du lien matrimonial). La femme répudiée avant consommation du mariage a droit à la moitié du douaire. *Maladies, disparitions :* la femme peut-être rendue à sa famille en raison de vices rédhibitoires : folie, éléphantiasis, lèpre, maladie des organes génitaux. L'impuissant a droit à un délai d'un an pour consommer le mariage. Sinon, séparation judiciaire si la femme le désire. En cas de disparition, délai minimum de 4 ans, à compter du jour où la femme a signalé officiellement la disparition de son mari. Après retraite légale comme en cas de mort du mari, la femme peut se remarier.

Mariage protestant

La tradition protestante considère qu'un mariage est conclu par l'engagement libre des époux l'un envers l'autre. Par la cérémonie religieuse, les époux s'engagent l'un à l'égard de l'autre devant Dieu et devant la communauté réunie. Ils demandent la bénédiction divine sur leur mariage. L'Église leur rappelle les enseignements sur le mariage et prie pour eux. Cette bénédiction se réfère aux récits bibliques de la Création où la créature humaine, « image de Dieu », est essentiellement – et « singulièrement » – le *couple* (Genèse I et II ; V/1-2), récits confirmés par Jésus-Christ dans l'Évangile (Matthieu 19/1-6 ; Marc 10/1-9) avec l'avertissement public : « Que l'homme ne sépare pas ce que Dieu a uni. »

Il s'agit de témoigner dans la fidélité conjugale de la fidélité de Dieu à *son alliance* avec l'homme (Épître aux Éphésiens, chap. V). Le mariage n'est pas un sacrement. C'est un acte de responsabilité.

Régimes matrimoniaux

Généralités

☞ **Choix.** Se renseigner auprès d'un notaire.

Régime matrimonial et succession. De nombreuses solutions peuvent être mises en œuvre, ex. : l'adoption de la communauté universelle avec clause d'attribution au conjoint de toute la communauté mais en usufruit seulement (les enfants recueillant la nue-propriété des biens) ; l'adjonction au régime de la communauté réduite aux acquêts d'une clause d'attribution intégrale de la communauté (les enfants ayant droit aux biens personnels de l'époux décédé) ; l'adjonction à un régime de communauté d'une clause de partage inégal de la communauté (2/3 ou 3/4 de la communauté revenant au conjoint survivant et le reste aux enfants) ; l'adjonction d'une *« clause de préciput »* permettant au conjoint de prélever gratuitement sur la communauté un bien déterminé (le logement familial par exemple).

Marié sous le régime de la communauté universelle, le survivant a droit à la moitié du patrimoine total du couple et même à la totalité de ce patrimoine si une clause du contrat de mariage stipulait l'attribution de l'intégralité de la communauté au survivant ; ce dernier recueillant tout le patrimoine sans payer de droits de succession modifiant ainsi les règles de la dévolution successorale.

L'attribution de toute la communauté au conjoint survivant est peu favorable aux enfants : 1°) Ils doivent attendre le décès du 2e conjoint pour hériter. 2°) Ils supportent un prélèvement fiscal supérieur à ce qu'il aurait été s'ils avaient recueilli successivement les 2 successions de leurs père et mère, car ils ne bénéficieront qu'une seule fois de l'abattement à la base et qu'une seule fois de la progressivité du barème de l'impôt sur les successions, alors que normalement ils en auraient profité à chacun des décès de leurs parents.

Changement. On peut, au cours du mariage, changer *de régime matrimonial* si les 2 époux sont d'accord, si ce régime a reçu 2 ans d'application et si le changement « est réclamé dans l'intérêt de la famille ». Il faut un acte notarié, qui doit être homologué par le tribunal de grande instance (art. 1397).

Le tribunal vérifie seulement que le changement envisagé n'est pas déraisonnable et qu'il n'a pas été fait pour frauder les droits des tiers et des créanciers (ce qui est rarement le cas). En cas d'enfants d'un 1er lit, le tribunal vérifie si la situation pécuniaire personnelle du conjoint justifie le changement de régime matrimonial, l'Administration considère les avantages matrimoniaux comme de véritables donations taxables aux droits de succession. La loi du 23-12-1985 conserve l'égalité des époux dans les régimes matrimoniaux.

Régimes types

Régimes communautaires

■ **Communauté légale (Communauté des biens réduite aux acquêts, art. 1400 et suiv.).**

Régime légal depuis le 1-2-1966 pour ceux qui sont mariés sans faire de contrat de mariage. La com. lég. comprenait autrefois, en plus des acquêts, les biens mobiliers (y compris ceux que chacun avait au moment de son mariage ou avait reçus depuis par donation ou par succession).

Contenu de la communauté : *chacun des époux conserve la propriété de ses biens propres* (ceux qu'il possède au jour du mariage ou a recueillis pendant le mariage, par succession, legs ou donations) ; *seuls les « revenus » de ces biens peuvent profiter à la communauté.* Chacun administre ses biens propres et en dispose librement. La justice peut intervenir en cas d'absence, d'incapacité, de mauvaise gestion ou de détournement des revenus.

La communauté ne comprend que les acquêts : biens acquis pendant le mariage par les époux, ensemble ou séparément, avec le produit de leur activité et les économies faites sur les revenus de leurs biens propres ; sauf preuve contraire, tous les biens, meubles et immeubles, sont réputés acquêts de communauté (c'est-à-dire propriété commune du mari et de la femme). Les *biens réservés* de la femme, quoique soumis à des règles de gestion spéciales, font partie des acquêts. Les *dettes* sont à la charge de celui qui les a contractées sauf les dettes alimentaires dues par les époux et celles qu'ils ont contractées pour l'entretien du ménage et l'éducation des enfants.

Chaque fois que la communauté a tiré profit d'un bien propre, elle doit une indemnité à l'époux propriétaire. Celui-ci a un droit de « reprise » sur la communauté. *Si l'un des époux a tiré profit de la communauté* (ex. pour améliorer son patrimoine personnel), il doit indemniser la communauté ; il doit une « récompense » à la communauté.

Administration des biens de la communauté : *par le mari,* mais il doit obtenir le consentement de sa femme pour : aliéner, hypothéquer ou grever de droits réels les biens de communauté (immeubles, fonds de commerce et exploitations, droits sociaux non négociables et certains meubles corporels dont l'aliénation est soumise à publicité...) ; faire un bail à ferme, ou un bail commercial ; donner des biens de la communauté, même pour l'établis. des enfants communs.

Dissolution de la communauté : chaque époux conserve ou reprend ses biens personnels. Le compte des reprises et récompenses est établi avant le partage de la communauté, car chacun des époux, ou sa succession, peut avoir une dette, une créance.

■ **Communauté de biens meubles et acquêts.** L'adoption de ce régime nécessite la rédaction d'un contrat de mariage. **Contenu :** tous les biens sont communs, à l'exception des immeubles possédés par les futurs époux avant le mariage ou recueillis à titre gratuit pendant le mariage (sauf exceptions) si par ex. le donateur ou le testateur a stipulé le contraire. Tous les autres biens acquis à titre onéreux pendant le mariage tomberont dans la communauté (sauf exception). Il existe donc 3 patrimoines : 1°) de la communauté, 2°) des biens propres du mari, 3°) des biens propres de la femme.

■ **Communauté universelle.** L'adoption d'un tel régime nécessite la rédaction d'un contrat de mariage. **Contenu :** tous les biens, meubles ou immeubles, quelles que soient leurs origines, sont communs. Il n'existe donc qu'un seul patrimoine : celui de la communauté (art. 1526 C. civil).

Les dettes contractées par chacun des époux devenant communes, les créanciers peuvent se faire payer sur l'ensemble du patrimoine du couple. Ce régime est parfois déconseillé aux couples dont l'un des époux continue d'exercer une activité commerciale indépendante.

Régimes de séparation de biens

(art. 1636 et suiv.)

Caractérisés par l'absence de communauté de propriété et de gestion, par l'indépendance des patrimoines (celui du mari et celui de la femme).

■ **Séparation des biens.** L'adoption d'un tel régime nécessite la rédaction d'un contrat de mariage.

Fonctionnement : chacun des époux administre ses biens personnels, en jouit et en dispose librement. Mais chacun doit supporter les charges du mariage selon les conventions du contrat ou dans la proportion des revenus et gains respectifs des époux. Le contrat stipule généralement qu'aucun compte n'est établi entre les époux, les dépenses en question étant supposées réglées au jour le jour.

Si l'on achète conjointement un bien, celui-ci sera indivis. *Les meubles* appartiennent à l'époux qui les a payés. À défaut de facture à son nom, il peut faire la preuve par tous autres moyens ; le contrat de mariage contient souvent des clauses de « présomption de propriété » : tous les biens sur lesquels aucun des époux ne prouve sa propriété sont réputés appartenir « pour moitié » à chacun des époux. On peut prévoir une clause permettant au survivant des époux de prélever, avant partage, sur la succession du conjoint certains biens (appartement, fonds de commerce, droits sociaux, etc.), moyennant indemnité compensatrice.

Les créanciers du mari ne peuvent saisir les biens de la femme et vice versa. *En cas de règlement judiciaire ou de liquidation des biens,* les biens acquis au nom d'un conjoint peuvent être compris dans l'actif revenant aux créanciers, s'ils prouvent que le prix des acquisitions a été fourni par le conjoint en difficulté.

Contribution aux charges du mariage : si les conventions matrimoniales ne la règlent pas, les époux y contribuent à proportion de leurs facultés respectives (art. 214 du Code civil). Si l'un des époux ne respecte pas ses obligations, l'autre peut recourir à la demande de contribution aux charges du mariage. S'adresser au greffe du tribunal d'instance du domicile conjugal. Procédure gratuite.

☞ Pour une femme sans situation indépendante et sans fortune, ce régime présente des inconvénients qui peuvent être corrigés, à la volonté du mari, par donation, testament, ou assurance-vie.

Régimes mixtes

Il s'agit surtout du régime de participation aux acquêts (art. 1569 et suiv.).

■ Participation aux acquêts. **Fonctionnement :** comme pour celui de la séparation de biens : chacun des époux possède l'administration, la jouissance et la libre disposition de ses biens personnels, sans distinction d'origine ou de provenance.

A la dissolution du mariage : chacun des époux a le droit de participer, pour moitié en valeur, aux acquêts nets constatés dans le patrimoine de l'autre, et établis par la double estimation du patrimoine originaire et du patrimoine final. Les biens recueillis par chacun par donations ou successions ou les fruits de tous les biens ne constituent pas les acquêts.

Au Danemark une loi du 2-5-1989 offre la possibilité à 2 personnes du même sexe de faire enregistrer par les autorités leur « partenariat », contrat permettant au survivant, en cas de décès, d'hériter de son compagnon ou de sa compagne et d'éviter d'être expulsé du logement dont il n'était pas officiellement locataire. Cette union peut être consacrée solennellement devant le maire ou le pasteur (pas de séparation entre l'Église et l'État ; le mariage religieux, quand il a lieu, a force de loi). Tchécoslovaquie, Norvège, Suède et P.-Bas étaient également prêts en 1992 à légaliser la vie conjugale des homosexuels.

Concubinage

Généralités

■ Définition. État d'un homme et d'une femme non mariés ensemble, qui vivent maritalement ; ignoré du Code civil, il commence à être reconnu par la jurisprudence et certaines dispositions légales.

Par 2 arrêts du 11-7-1989 la Cour de cassation a refusé le statut de concubins à des couples d'homosexuels, le c. impliquant hétérogénéité du couple.

■ Certificats de concubinage ou attestations d'union libre (délivrés par certaines mairies que rien n'oblige à le faire). Ils n'ont aucune valeur juridique. En général, les 2 concubins doivent se présenter à la mairie en compagnie de 2 témoins majeurs n'ayant aucun lien de parenté entre eux ni avec les concubins et munis de leur carte d'identité. La formalité gratuite peut être renouvelée aussi souvent que nécessaire. Selon les mairies, on exige que l'adresse des concubins figure sur leur carte d'identité (la même pour les deux) ou l'on se contente d'un justificatif de domicile qui peut être une facture EDF ou PTT.

Renseignements pratiques

■ Accidents. Si l'un des concubins meurt dans un *accident,* le survivant peut demander l'indemnisation de son préjudice dans la mesure où cette liaison présentait des garanties de stabilité et de durée et si ni l'un ni l'autre n'était marié. La cour d'appel de Riom a, le 9-11-1978, partagé l'indemnité entre une veuve et une concubine, consacrant ainsi une sorte de polygamie légale. **Accidents du travail et maladies professionnelles suivis de la mort de l'assuré.** Les c. sont exclus du droit à rente viagère réservée à l'époux survivant.

■ Assurances. **Automobiles :** les c. ne sont pas reconnus, ils n'ont pas de parenté, ils sont donc des tiers l'un à l'égard de l'autre. Si l'un des 2 meurt lors d'un accident, le survivant peut demander des dommages-intérêts. Conditions : que le concubinage soit stable et ni adultérin ni incestueux. **Décès :** le capital décès est attribué au c. qui était à la charge totale et permanente du défunt. **Maladie :** la personne qui vit maritalement avec un assuré social et se trouve à sa charge effective, totale et permanente, bénéficie du remboursement des frais de maladie. Les c. doivent déclarer sur l'honneur leur situation chaque année sur un imprimé fourni par la caisse primaire d'assurance maladie, en mentionnant sur chaque feuille de soins la situation de « concubin à charge » ou encore par un certificat de concubinage obtenu à la mairie du domicile commun sur attestation de 2 témoins. En cas de cessation de concubinage ou de décès d'un assuré, son c. conserve le droit au remboursement des frais de maladie pendant 1 an (jusqu'à ce que le dernier enfant ait 3 ans, en cas de décès). **Maternité :** bénéficie à la personne qui vit maritalement avec un assuré et se trouve à sa charge ; mêmes conditions que l'assurance maladie. **Personnelle :** le c. resté seul après le départ ou le décès de l'autre, qui ne bénéficie plus de la couverture sociale et ne dépend pas d'un régime obligatoire, peut souscrire une assurance personnelle qui couvre frais de maladie et maternité. Les cotisations sont calculées d'après les revenus imposables de l'année précédente. Elles peuvent être prises en charge par les Caisses d'all. fam. ou par l'Aide sociale, selon les ressources du demandeur. La demande d'assurance est adressée à la caisse primaire d'assurance maladie du domicile, ou à la mairie du domicile si la prise en charge par l'Aide sociale est demandée. **Vieillesse :** les c. n'ont aucun droit de réservation sur les pensions du c. décédé (sauf dans certains régimes de retraite complémentaire). Une femme divorcée ou veuve perd en principe sa pension de réversion si elle vit ensuite en concubinage. Cependant, depuis le 1er-12-1982, elle peut demander à bénéficier de la pension constituée par son mari, s'il n'existe pas d'autre ayant droit à la pension et si elle ne peut bénéficier d'aucun droit de réversion du chef de son concubin.

■ Compte en banque. On peut avoir : *1°) 2 comptes séparés.* Une procuration mutuelle (toujours révocable individuellement par les intéressés) est possible ; *2°) un compte joint* (permet des transferts de l'un à l'autre – non bloqué au décès ; en cas de compte débiteur ou d'émission de chèque sans provision : les 2 intéressés sont responsables).

■ Contrats entre concubins. Toute forme de Sté commerciale est licite si la cause du contrat n'est pas la poursuite de relations immorales ou une donation déguisée. La jurisprudence admet la création entre concubins d'une « Sté de fait » donnant lieu à un partage des biens acquis par l'un d'eux avec fruits de l'activité commune.

Droits des réservataires : ils disposent d'une part intangible de la succession, variable selon le nombre d'enfants (moitié, tiers ou quart selon respectivement 1 enfant, 2, 3 ou plus). *Réparation du préjudice à la suite d'un décès accidentel :* l'exigence antérieure d'un « intérêt légitime juridiquement protégé » ayant disparu (le 1er arrêt de la Cour de cassation est du 27-2-1970) ; dès lors que le concubinage est stable et non délictueux (cette restriction, paraissant viser l'adultère, a été abandonnée).

■ Dons et legs sont valides s'ils ont été faits par affection désintéressée pour l'avenir de l'autre. Mais s'ils ont eu pour origine la création, la poursuite ou la reprise d'une situation immorale, ils sont nuls. Les c. n'étant pas parents n'héritent pas l'un de l'autre (sauf testament, mais on ne peut léguer que la moitié de ses biens si l'on a 1 enfant, 1/3 si l'on en a 2, 1/4 pour 3 enf. ou +, que ces enf. soient naturels ou légitimes). Si un enfant naturel conçu pendant le mariage du c. avec une autre que sa mère (ou que son père) vient en concours avec des enfants légitimes, sa part égale la moitié de celle qu'il aurait eue s'il avait été légitime.

■ Enfants (voir Filiation naturelle, p. 1348). En cas de séparation, le père n'a aucun droit (il n'a pas l'aurorité parentale) s'il n'a pas, lors de la naissance, demandé l'exercice conjoint de l'autorité parentale.

■ Impôts. **Sur le revenu :** l'Administration ignore le concubinage : il y a donc 2 « foyers fiscaux » à la même adresse. Chacun déclare ses revenus et dispose de 1 part (les époux, eux, font masse de leurs revenus et disposent de 2 parts). L'enfant peut en principe être rattaché à l'un ou l'autre de ses parents, pourvu qu'il l'ait reconnu (soit 3 parts en tout, alors que le couple marié avec 1 enfant n'a que 2 parts et demie). Chacun des c. a droit aux différentes déductions : frais de garde de l'enfant, intérêts des prêts contractés pour acquérir ou améliorer le logement, économies d'énergie, primes d'assurance-vie. **De solidarité sur la fortune :** en cas de concubinage notoire, les concubins doivent déclarer ensemble tous les biens imposables appartenant à chacun d'eux ainsi qu'aux enfants mineurs dont ils ont, l'un ou l'autre, l'administration légale des biens.

Taxe d'habitation : seule la personne titulaire du bail ou propriétaire occupant est taxée (alors que le couple marié est assujetti). Les exonérations pour personnes à charge sont appliquées normalement.

■ Logement. **Acquisition :** peut être faite : *1°) Indivisément,* par parts égales ou inégales, et assortie d'un testament. *2°) Pour le compte du survivant (« tontine »).* Elle n'est pas considérée comme une donation, et n'entame pas la partie de ses biens dont on peut disposer en présence d'enfants (« quotité disponible »). Dep. la loi du 18-1-1980. a) Pour l'habitation principale commune et jusqu'à la valeur de 500 000 F, la tontine est taxée comme une vente ordinaire, lors de l'acquisition. Au premier décès, le survivant paie les droits de vente sur la moitié qu'il recueille (6 à 7 %). b) Dans les autres cas, au droit de vente d'origine s'ajoutent les droits de succession au tarif entre étrangers sur la part transmise (60 %). La tontine n'a donc plus alors d'intérêt. Inconvénients des tontines : si les concubins viennent à se séparer, l'un d'eux ne pourra efficacement « réclamer sa part » si l'autre s'y oppose.

Location (loi Méhaignerie du 23-12-1986) : le bail continue au profit du « concubin notoire » (art. 13). Le concubinage n'est donc pas une cause de résiliation du bail (hormis le cas de prostitution). Pour les locations régies par la loi du 1er-9-1948 (surface corrigée), le c. dont la cohabitation date de plus de 6 mois a droit au maintien dans les lieux, s'il peut être considéré comme personne à charge du défunt.

■ Mobilier. La mise en commun ou l'achat en commun de mobilier peut entraîner des difficultés en cas de séparation, ou vis-à-vis des créanciers de l'un des c. Il faut conserver la facture d'achat des meubles importants et établir, par acte sous seing privé ou notarié, une « déclaration de propriété de meubles ». Les fournitures acquises pour les besoins du ménage et des enfants engagent 2 époux solidairement. Pour les c., lorsque l'union libre a l'apparence d'un véritable ménage, les fournisseurs qui ont vendu à crédit à la femme pourront, s'ils sont de bonne foi, demander le remboursement à son concubin.

■ Prestations familiales. *Allocation de salaire unique et all. familiales :* les c. ont les mêmes droits que les couples mariés. Les revenus des 2 c. sont pris en compte pour le calcul des ressources pour l'all. logement et le complément familial. *All. de soutien familial, de parent isolé ou de veuvage :* le concubinage, comme le mariage, suspend le versement de ces allocations.

■ Séparation. La dissolution du couple, n'étant pas prévue par la loi, entraîne des difficultés au niveau du logement, du partage des biens, du partage des dettes, des enfants. Celui qui n'a apporté que son travail, et qui a été moins rémunéré ou moins prévoyant que l'autre, soutient parfois qu'il s'est créé une « société de fait » (les tribunaux l'ont parfois admis, quand il y avait eu une véritable volonté de mise en commun et d'association pour exercer une activité professionnelle). Parfois aussi, ils invoquent « l'enrichissement sans cause ». **En cas de rupture :** pas d'obligation, ni de réparation. Les concubines délaissées n'obtiennent pas de dommages-intérêts, sauf circonstances particulières (ex. : promesse de mariage rompue). Si le concubin a promis de payer une pension à la concubine délaissée, il pourra être forcé de remplir son engagement.

Succession : les c. n'étant pas parents, n'héritent pas l'un de l'autre, à moins d'un testament. Le c. peut léguer tous ses biens (legs universels) ou quote-part (legs à titre universel) ou un bien particulier (legs particulier). S'il n'existe pas d'héritier réservataire (enfant ou parent, ayant droit à une part précise de la succession), le légataire universel devra être « envoyé en possession » par le Pt du tribunal du lieu du décès. Le testament sera contrôlé judiciairement sauf s'il s'agit d'un testament authentique notarié. S'il existe des héritiers réservataires, ceux-ci, dans tous les cas, devront consentir à l'exécution du legs.

Droits de succession : le c. étant considéré comme un étranger, les droits de succession s'élèvent au taux maximal. Pour réduire le coût, il peut léguer un usufruit viager ou un droit d'usage et d'habitation (la base d'imposition restant élevée si le survivant est jeune). *Tontine :* même dans le cas le plus favorable, il faut payer les droits de vente (environ 6 %) dans les 6 mois qui suivent le décès. *Dons manuels :* (remises d'argent sous forme de chèques, d'espèces ou de meubles) ; on doit acquitter les droits à 60 % en les déclarant au moment du décès. L'Administration a le droit de contrôler les mouvements sur le compte bancaire du défunt.

■ **Transports. SNCF :** accorde bénéfice de la carte « couple » ou « famille ». **Air Inter :** consent sur certains vols des tarifs réduits sur présentation d'une carte « couple ».

■ **Vie courante.** L'un des concubins ne dispose d'aucun recours contre celui qui refuserait de verser sa part contributive. En revanche, en vertu de l'apparence, les 2 concubins pourront être engagés l'un et l'autre pour les dettes courantes : commande de véhicule, de livres...

DIVORCE, SÉPARATION DE CORPS

■ **Origine.** Institué en France en 1792, aboli en 1816, rétabli en 1884 (loi Naquet), il a été libéralisé en 1975 (loi du 11-7-1975).

■ **Statistiques (France). Age moyen :** H. : 38,27 a., F : 35,45 a. **Durée du mariage** qui est rompu (en %) : *après 0 à 2 ans :* 6. *2 à 5 ans :* 20,3. *5 à 10 ans :* 28. *10 à 15 ans :* 17,1. *15 à 20 ans :* 11,9. *20 ans et plus :* 16,7. **Durée moyenne.** *1979 :* 12 ans. *1989 :* 12,9. **Indice synthétique de divorcialité** (pour 100 mariages) *1792-1803 :* 6 (Marseille 10, Rouen 13, Paris 24). *1900 :* – de 6. *V. 1940 :* 9. *70 :* 12. *75 :* 17,2. *80 :* 22,3. *85 :* 30,4. *89 :* 31,5. **Nombre de divorces prononcés** *1972 :* 44 738 ; *75 :* 55 612 ; *80 :* 81 143 ; *85 :* 107 505 ; *88 :* 154 015 (rupture de vie commune 2 152, faute 75 070, requête conjointe 50 387, demande acceptée 23 593) ; *90 :* 106 083 ; *91 :* 103 006. **Remariage des divorcés** (taux en %, hommes, et entre parenthèses, femmes) *1977 :* 63,7 (57,3) ; *1984 :* 46,4 (42,1). **Présence d'enfants :** 58 % des couples en instance de divorce n'ont pas d'enfant ou un seul. 32 % ont attendu un enfant avant de se marier. **Enfants de divorcés** (est. au 1-1-1993) 1 230 000 de – de 18 ans (dont 240 000 de – de 9 ans). **Femmes :** 68 % des femmes qui divorcent ont une activité professionnelle. La femme demande le d. plus souvent que l'homme. Dans 83 % des cas, la garde des enfants est confiée à la mère et dans 64 % la résidence du ménage est attribuée à la femme. **Séparations de corps prononcées.** *1980 :* 4 088. *1985 :* 4 429. *1988 :* 4 840. *1990 :* 3 926.

FORMES

1°) **Par consentement mutuel** (après 6 mois de mariage, minimum). *Sur requête conjointe.* Les époux, sans avoir à faire connaître leurs motifs, demandent ensemble le div. Ils soumettent au juge des affaires matrimoniales pour homologation les conventions temporaires (rapports des époux pendant l'instance) et définitives (conséquences du div. : pensions, garde des enfants...) qu'ils ont définies entre eux (art. 230-232).

Demandé par un des époux et accepté par l'autre. L'un des époux, sans les qualifier, ni les imputer à l'un ou l'autre, fait état d'un ensemble de faits rendant intolérable le maintien de la vie commune. Si l'autre époux reconnaît ces faits, le div. est prononcé sans autre motif que le constat des faits par le juge, aux torts partagés. *Si l'autre époux ne reconnaît pas les faits, le div. ne peut être prononcé* (art. 233-236).

2°) **Pour rupture prolongée de la vie commune.** A la demande de l'un des époux s'ils vivent séparés de fait depuis 6 ans au moins ; ou si les facultés mentales d'un conjoint se trouvent dep. 6 ans si gravement altérées qu'aucune communauté de vie ne subsiste plus et ne pourra pas raisonnablement se reconstituer.

Dans les 2 cas : la demande doit exposer les moyens par lesquels l'époux demandeur assumera son devoir de secours et les obligations à l'égard des enfants. Elle doit justifier de la réalité de la situation. Le tribunal peut rejeter d'office la demande, si le div. risque d'avoir des conséquences graves sur l'autre conjoint, ou s'il est établi qu'il aurait pour le conjoint ou pour les enfants des « conséquences matérielles ou morales d'une exceptionnelle dureté » (art. 237 à 241).

3°) **Pour faute.** Demandé par un époux pour des faits imputables à l'autre lorsque ces faits constituent une violation grave et anormale des devoirs et obligations du mariage et rendent intolérable le maintien de la vie commune. Les faits, qu'apprécie souverainement le juge de divorce, sont essentiellement :

L'adultère : on peut en faire la preuve par : *une correspondance* (entre le conjoint et une tierce personne démontrant clairement les rapports adultères) tombée d'une façon légitime entre les mains de l'époux demandeur. L'adultère n'étant plus un délit pénal, il n'est plus possible d'en faire la preuve par un rapport de police établi à la suite d'une plainte adressée au procureur de la République. Ce n'est plus une cause péremptoire.

Condamnation du conjoint à une peine afflictive et infamante : réclusion ou détention criminelle à perpétuité ou à temps. Cette condamnation doit être définitive et passée en force de chose jugée, c'est-à-dire ne plus être susceptible de pourvoi en cassation. Mais ce n'est plus une *cause péremptoire* de divorce. Le trib. n'est plus obligé de prononcer le divorce demandé pour cette cause et peut donc en rejeter la demande ou prononcer le divorce aux torts partagés.

Injures graves : *manquements renouvelés aux devoirs nés du mariage,* scènes de ménage, insultes, paroles inconvenantes et outrageantes, lettres injurieuses, manquement au devoir de fidélité, de cohabitation (refus du mari de recevoir sa femme au domicile conjugal, absences fréquentes et injustifiées de l'un des époux, abandon du domicile conjugal et refus de le réintégrer lorsqu'il procède du refus de se soumettre aux obligations du mariage). Si cet abandon est justifié (ex. : femme quittant le domicile pour se soigner parce qu'elle a été l'objet de sévices, ou en raison de l'infidélité ou de l'inconduite de son mari), il ne peut être une cause.

Faute dans les relations sexuelles : abstention volontaire de consommation du mariage, refus par l'un des deux époux d'avoir des enfants.

Ivrognerie, dissipation des biens de la femme par le mari, *condamnation à une peine correctionnelle, refus de contribuer aux charges du ménage, habitudes de jeu* de l'un des conjoints ayant des répercussions sur la vie du foyer.

☞ Le demandeur doit apporter des preuves des griefs, par des documents (lettres, attestations, certificats médicaux ; l'aveu est aussi admis comme preuve). Excès, sévices et injures ne sont pris en considération comme causes de divorce que s'ils constituent une violation grave ou renouvelée des devoirs et obligations résultant du mariage, et s'ils rendent intolérable le maintien du lien conjugal. La réconciliation des époux intervenue depuis les faits allégués empêche de les invoquer comme cause de div. Les parties peuvent demander ensemble l'omission de cause de div. dans le jugement (art. 242 à 246).

PROCÉDURE (ART. 247 À 260)

Selon les causes. Compétence du tribunal de grande instance (TGI) du lieu où se trouve la résidence de la famille (domicile de l'époux vivant avec les enfants mineurs), à défaut domicile du défendeur auquel est substitué le *juge des affaires matrimoniales (Jam)* dans le cas de requête conjointe, demande acceptée par l'autre (1re phase) et pour les modifications après le prononcé du jugement de div. (garde, pensions). Avocat obligatoire dans tous les cas (voir aussi juge aux aff. familiales p. 758 c).

1°) *Requête conjointe.* Présentée au Jam par les avocats (ou par un seul avocat choisi par les époux) à laquelle sont joints les projets de conventions. Le Jam entend séparément chacun des époux, puis les réunit, il appelle ensuite les avocats ; si les époux persistent en leur intention, il les informe qu'ils ont un délai de réflexion de 3 mois à l'issue duquel ils auront 6 mois pour renouveler leur demande. Les parties comparaissent à nouveau et, à moins qu'il ne demande des modifications, le Jam rend un jugement homologuant la convention définitive et prononçant le div. Un notaire peut être nécessaire pour liquider la communauté. Pas d'appel possible.

2°) *Demande acceptée. Demande accompagnée d'un mémoire* sur les faits allégués, communiquée par lettre recommandée sous 15 j par le greffe à l'autre époux qui a 1 mois pour accepter ou refuser. Un défaut de *réponse* équivaut à un refus. Si l'autre époux reconnaît les faits devant le juge, celui-ci prononce le divorce sans avoir à statuer sur la répartition des torts (le divorce ainsi prononcé produit les effets d'un divorce aux torts partagés). Si l'autre époux ne reconnaît pas les faits, le divorce n'est pas prononcé.

3°) *Pour faute et pour rupture de la vie commune.*

■ PHASES (ART. 251 À 259-3)

■ **1re phase : devant le président du tribunal. 1°) Présentation de la requête.** Par l'intermédiaire de l'avocat du demandeur.

2°) **Tentative de conciliation.** L'autre époux, qui a reçu une convocation du greffe avec copie de l'ordonnance, se présente devant le Jam au j indiqué. Les époux, qui sont seuls (les avocats ne peuvent les assister), et d'abord entendus séparément, expliquent leurs positions. Le Jam leur fait des suggestions « propres à opérer un rapprochement » et peut leur imposer un délai de réflexion (renouvelable) mais d'au max. 6 mois pendant lesquels des mesures provisoires seront aussi prises. Si les époux ne se réconcilient pas, ou en cas de défaut de l'époux cité, le Jam constate la non-conciliation et autorise le demandeur à assigner son conjoint devant le tribunal.

3°) **Mesures provisoires.** Prises par le Jam après avoir entendu les avocats des parties. Il peut notamment : autoriser les époux à avoir une résidence séparée ; attendre ou partager entre les époux la jouissance du logement et du mobilier ; ordonner la remise des vêtements et objets personnels ; fixer la pension alimentaire et la provision pour frais d'instance concernant l'un des époux.

Le montant de la pension alimentaire dépend des ressources ; pour les enfants : chacun des parents doit contribuer à l'entretien des enfants dans la mesure de ses moyens « à proportion de ses facultés ». L'époux qui ne verserait pas la pension alimentaire à laquelle le juge l'a condamné pourra être poursuivi correctionnellement pour délit d'abandon de famille ou être l'objet d'une saisie-arrêt sur ses salaires.

Mesures relatives au patrimoine de la femme mariée sous un régime de communauté. Le juge peut accorder à l'un des époux des provisions sur sa part de communauté, si la situation le rend nécessaire. Ex. : apposition des scellés, inventaire du mobilier et des valeurs, inscriptions de l'hypothèque légale de la femme mariée.

Il doit se prononcer sur la garde des enfants, ainsi que sur le droit de visite et d'hébergement. Il fixe la contribution due pour l'époux qui n'a pas la garde.

Nota. – Les époux peuvent faire appel à des mesures provisoires dans la quinzaine de la signification de l'ordonnance.

■ **2e phase : devant le tribunal.** *Le demandeur* qui en a obtenu l'autorisation assigne son conjoint devant le tribunal dans les 3 mois de l'ordonnance de non-conciliation et des mesures prises (sous peine de déchéance). L'autre époux dispose d'un nouveau délai de 3 mois pour assigner.

L'époux assigné peut, soit : *1°) ne rien faire* (il risque d'être condamné par un jugement réputé contradictoire) ; *2°) s'opposer* à la demande introduite en contestant les faits allégués (il doit dès le reçu de l'assignation prendre contact avec un avocat) ; *3°) se porter demandeur reconventionnel* en divorce ou en séparation de corps, s'il estime avoir lui aussi des griefs, et demander divorce ou séparation de corps (sans tenir compte de ce qu'a demandé son conjoint).

En cas de div. pour rupture de la vie commune, la demande reconventionnelle entraîne un jugement de divorce aux torts du demandeur principal. Mais s'il sollicite le div. sur une demande de son conjoint en séparation de corps, il devra procéder par voie de « seconde demande principale ». L'affaire désormais suit son cours. Elle est inscrite au rôle. Le tribunal fixe une date pour entendre les avocats, il peut rendre un jugement s'il a des preuves suffisantes des faits reprochés, ou ordonner une enquête.

Au jour fixé, les conjoints comparaîtront devant le juge chargé de l'enquête avec leurs témoins (leurs descendants ne peuvent être témoins) et toute personne ayant assisté aux faits allégués ou pouvant témoigner sur les griefs articulés, tels les parents et les domestiques. Ensuite, l'affaire reviendra pour être plaidée devant le tribunal qui rendra son jugement. Les débats ne sont pas publics.

■ **3e phase : quand le jugement est prononcé.** Le dispositif du jugement (ou de l'arrêt en cas d'appel) est transcrit. Il est mentionné en marge de l'acte de mariage et des actes de naissance de chacun des époux. Chacun des époux peut faire appel devant la cour d'appel dans le mois de la signification du jugement. Il devra constituer avoué à la cour d'appel. Toutefois, lorsque le jugement de divorce n'a pas été rendu contradictoirement mais est simplement réputé contradictoire, il existe un délai maximal de un an pour demander au Premier Pt de la cour d'appel d'être relevé de la forclusion du délai d'appel périmé. Dans le cas d'un possible relevé de forclusion, celui des époux qui a intérêt à bénéficier d'un jugement de divorce définitif, devra attendre un an au maximum après la signification pour transcrire le dispositif du jugement de divorce. Après l'arrêt de la cour d'appel, il peut, dans les 2 mois de sa signification, former un pourvoi en cassation ou de séparation de corps. Le pourvoi a un effet suspensif.

L'acquiescement au jugement ou à l'arrêt de divorce, c'est-à-dire la renonciation à faire jouer les possibilités de recours, est possible, art. 49 du décret 75-1124 du 5-12-1975, sauf s'il a été rendu contre un majeur protégé ou contre le conjoint pour altération des facultés mentales. Pour les mêmes cas, pas de possibilités de désistement d'appel.

☞ La clause d'exceptionnelle dureté permet à une femme catholique de refuser le divorce pour rupture de la vie commune (tribunal de Colmar, fin 1990).

L'Église catholique et le divorce

Le divorce ne rompt pas le mariage religieux. Un divorcé ne peut donc se remarier religieusement, sauf s'il ne s'était pas marié religieusement, mais à condition qu'il remplisse ses obligations éventuelles vis-à-vis de son ex-conjoint et des enfants qu'ils auraient eus. De même, le catholique divorcé dont le mariage religieux aurait été reconnu nul ou dissous.

Le droit pénal actuel de l'Église ne prévoit pas de mesures générales à l'égard des divorcés remariés civilement. Les communautés chrétiennes ont à leur permettre de trouver leur place en elles.

Les protestants et le divorce

Les protestants enseignent l'indissolubilité du mariage sur la base des références bibliques, mais se refusent le pouvoir de limiter juridiquement le pardon et la grâce de Dieu en condamnant ceux qui, reconnaissant loyalement leur échec, désirent la possibilité d'un commencement nouveau par un recours exceptionnel à la seule grâce de Dieu qui délivre... Une « Commission » est chargée de cet accompagnement avec le pasteur local, lors d'une demande de bénédiction pour un couple dont l'un des conjoints est divorcé. Elle peut être amenée à différer la cérémonie religieuse.

Effets du divorce

Le *divorce* dissout les liens nés du mariage et rend chacun des époux libre à l'égard de l'autre, la *séparation de corps* dispense seulement les époux du devoir de cohabitation, tous les autres devoirs nés du mariage subsistant (l'obligation d'aliments et de fidélité étant atténuée par la suppression du délit d'adultère).

Le jugement de divorce prend effet dans les rapports entre époux en ce qui concerne leurs biens dès la date de l'assignation. Opposable aux tiers en ce qui concerne les biens au jour où les formalités prescrites de mention en marge ont été accomplies.

■ A l'égard des époux

1°) Biens. Le divorce met fin au régime matrimonial, et les biens sont répartis entre les époux à l'amiable (notamment dans le div. sur demande conjointe) ou par voie judiciaire, selon les règles propres à chaque régime. Les droits successoraux de l'un vis-à-vis de l'autre disparaissent.

2°) Dommages-intérêts. Ils peuvent aussi être accordés quand le divorce est prononcé aux torts exclusifs de l'un des époux (ex. : en réparation de coups et blessures ; pour dissipation des biens de la communauté ; pour l'attitude du conjoint qui a retardé d'une manière malicieuse la solution de l'instance). L'époux coupable perd les avantages accordés par son conjoint par contrat de mariage ou pendant le mariage (ex. : donations et legs, usufruit, partage inégal de la communauté).

3°) Droit au bail qui sert effectivement à l'habitation des époux, sans caractère professionnel ou commercial, ou droit au maintien dans les lieux. Le tribunal, à la fin de l'instance en divorce, l'attribue à l'un des époux, sous réserve des droits à récompense ou à indemnité au profit de l'autre époux, en considérant les intérêts sociaux et familiaux en cause.

Nota. – Dans le cas du div. sur demande conjointe, les points des 5e, 6e, 7e, 8e et 10e paragraphes (voir ci-contre) sont réglés par la convention définitive. Pensions ou dommages-intérêts sont remplacés par une prestation compensatoire exécutée sous différentes formes (versement d'un capital, abandon en usufruit, rente annuelle indexée...). Dans le cas du div. sur demande acceptée, il s'agit d'un div. aux torts partagés. Chacun des époux peut alors révoquer tout ou partie des avantages consentis à l'autre. Div. pour rupt. de la vie com., celui qui a pris l'initiative du div. perd de plein droit les donations et avantages que lui avait consentis un époux.

4°) Fiscalité. Dès que les époux ont obtenu du juge l'autorisation de résider séparément (divorce par faute), ou au j de l'ordonnance du Jam homologuant la convention provisoire des époux (divorce sur demande conjointe), l'imposition commune des revenus disparaît (sauf pour les revenus antérieurs à la rupture). Un autre quotient familial est établi pour chaque époux en instance de divorce ou divorcé, en fonction du nombre d'enfants à sa charge (*1 enfant,* 2 parts. *2* 2,5. *3* 3,5. *4* 4,5. *5* 5,5. *6* 6. 1/2 part supplémentaire par enf. au-delà de 6).

5°) Nom. La femme réutilise son nom de jeune fille et le mari perd la possibilité (usage) d'ajouter le nom de sa femme au sien. La femme peut conserver le nom de son mari si le div. est prononcé à la demande de celui-ci pour rupt. de la vie commune, en altération des facultés mentales du mari. Si la femme est propriétaire d'une maison de commerce connue sous le nom du mari, le tribunal peut l'autoriser à employer les termes « ex » précédant le nom ou « ancienne maison X ». Le mari peut accepter que sa femme fasse usage de son nom, ou le tribunal, si la femme justifie un intérêt pour elle-même ou pour les enfants.

6°) Pension alimentaire (art. 281 et suivants C. civil). Ne subsiste que dans le divorce pour rupture de vie commune. Dans les autres cas de divorce, cette pension prend la forme d'une prestation compensatoire. Elle est concédée en fonction des besoins et possibilités de l'un et l'autre conjoint. Elle est révisable en cas de besoins nouveaux ou de possibilités nouvelles des créanciers et débiteurs de la pension, même si l'aggravation des besoins du créancier est sans rapport avec le divorce ; si le créancier se remarie, il perd droit à la pension ; si le débiteur se remarie, il peut obtenir une réduction en raison de ses charges supplémentaires.

On ne peut renoncer au droit de demander cette pension ni transiger à son sujet ; le débiteur ne peut la racheter. Après le décès du débiteur, ses héritiers sont tenus de payer la pension.

Le versement de la pension est garanti par l'hypothèque légale de la femme si cette hypothèque est inscrite ; la saisie-arrêt ; la plainte en abandon de famille : le débiteur qui est resté 2 mois sans la payer peut être poursuivi pénalement devant le tribunal correctionnel en « abandon de famille », le créancier peut se constituer partie civile et demander des dommages-intérêts. Elle est normalement accordée par le jugement ou l'arrêt ayant prononcé le divorce.

Depuis le 1-4-1973, le bénéficiaire de la pension alimentaire est dispensé de recourir à une nouvelle procédure judiciaire. Il peut se faire payer directement cette pension par l'employeur de son débiteur ou par le dépositaire de fonds appartenant à ce dernier (banque, chèques postaux, par ex.). Il lui suffit de faire notifier le jugement qui lui octroie la pension par l'intermédiaire d'un huissier de justice du lieu de sa résidence.

7°) Pension sous forme de capital ou de rente. « Prestation compensatoire » qui peut être accordée en réparation du préjudice moral ou matériel (en principe n'est pas révisable). Son défaut de paiement n'entraîne pas le délit d'abandon de famille.

8°) Pensions de réversion. Y ont droit tous les ex-conjoints divorcés non remariés (seuls, les régimes des artisans et commerçants ont été oubliés involontairement). Les régimes complémentaires ne partagent la pension de réversion que si le divorce est postérieur au 1-7-1980, sinon ils accordent aux conjoints divorcés une part de pension en conservant à la veuve le bénéfice de la pension totale. Tout ex-conjoint divorcé, même si le divorce a été prononcé à ses torts exclusifs, est assimilé à un conjoint survivant. Il doit donc remplir les mêmes conditions générales d'attribution : 2 ans minimum de mariage avec l'assuré décédé ; avoir 55 ans au moins et des ressources personnelles inférieures au montant annuel du Smic ; ne pas s'être remarié. La divorcée remariée redevenue veuve récupère ses droits à pension dans les mêmes conditions que la veuve remariée redevenue veuve.

Une femme coupable perd le droit à certaines pensions de retraite du Code des pensions civiles et militaires de retraite. La même règle joue en cas de remariage de la veuve suivi de divorce ; le divorce doit être prononcé à son profit exclusif pour que joue le droit de réversion. Si le remariage a lieu avant le décès de l'ex-époux, tous les droits de la femme sont supprimés (même si le div. est aux torts réciproques).

Si le mari s'est remarié après divorce et a laissé une veuve ayant droit à une pension, la femme divorcée à son profit partage avec la veuve la pension de réversion au prorata des années de mariage.

9°) Remariage. Le mari divorcé peut se remarier immédiatement, la femme doit observer un *« délai de viduité »* pour éviter toute incertitude sur la filiation des enfants à naître (300 j depuis l'ordonnance fixant une résidence séparée). Ce délai prend fin en cas d'accouchement survenu entre-temps. Si le mari meurt avant que le jugement ou l'arrêt prononçant le divorce soit devenu définitif, la veuve peut se remarier sans attendre, s'il s'est écoulé 300 j depuis la décision autorisant la résidence séparée. *Si les époux se remarient ensemble,* ils peuvent adopter un régime matrimonial différent de celui qu'ils avaient auparavant. Ils doivent procéder à une nouvelle célébration de mariage. Aucun délai si div. prononcé pour rupture de la vie commune.

10°) Salaire différé. *Le coupable perd ses droits* (ex. : cas de l'épouse d'un fils d'exploitant agricole ayant participé à l'exploitation).

11°) Sécurité sociale. Les droits demeurent pour l'ayant droit pendant 1 an après le divorce, puis le div. supprime tous les droits (ex. : les prestations maladie cessent d'être servies à l'ancien conjoint non salarié). L'ancien époux survivant perd le bénéfice de l'assurance décès et de toutes les assurances vieillesse (ass. aux vieux travailleurs salariés) sauf les allocations aux mères ayant élevé des enfants. Il garde le droit à pension de réversion dans les mêmes conditions d'attribution que les veuves. (Voir également à Sécurité sociale.)

Les allocations familiales sont versées à celui qui assume la charge effective des enfants. L'époux demandant le divorce doit payer l'assurance volontaire si l'épouse n'est pas elle-même assurée dans le cas de divorce pour rupture de vie commune.

■ A l'égard des enfants nés du mariage

Les devoirs des enfants à l'égard des parents ne sont pas modifiés, de même les droits et devoirs des parents à l'égard des enfants, mais *les attributs de l'autorité parentale sont dissociés.*

Adoption de l'enfant. Père et mère doivent y consentir l'un et l'autre.

Biens des enfants. Le droit de jouissance légale cesse pour les causes qui mettent fin à l'autorité parentale ou encore pour celles qui mettent fin à l'administration légale. En principe, le *droit d'administrer* les biens revient à celui qui a l'autorité parentale ; mais, exceptionnellement et suivant l'intérêt de l'enfant, le tribunal peut en décider autrement si l'autre époux est plus apte à gérer ces biens.

Émancipation. Le droit appartient à celui qui a l'autorité parent. La mère devra demander au juge des tutelles de prononcer l'émancipation.

Engagement d'un enfant mineur. Le consentement du parent qui a l'autorité parent. est seul nécessaire.

Entretien. Le parent qui n'héberge pas habituellement l'enfant doit participer aussi à l'entretien des enfants communs, dans la mesure de ses possibilités et des besoins de l'enfant, sous la forme d'une pension alimentaire mensuelle en fonction de ses besoins et ressources. Cette pension est susceptible d'être révisée, compte tenu des besoins et des ressources de l'enfant (travail de l'enfant) et de celui des parents qui la verse. Elle cesse à la majorité de l'enfant, et à son mariage, ou après si l'enfant poursuit des études. Si la pension n'est pas versée : allocation de soutien familial et recouvrement subrogatoire par les caisses d'allocations familiales.

Garde de l'enfant. Selon l'intérêt de l'enfant, l'exercice de l'autorité parent. peut être confié à l'un ou l'autre des époux, ou aux 2 conjointement après que le juge a recueilli l'avis des parents. Si les parents sont d'accord sur l'attribution de la garde à l'un d'eux, le tribunal normalement y fait droit si l'intérêt des enfants ne s'y oppose pas. S'il n'y a pas d'accord, les enfants sont très souvent confiés à la mère, mais le tribunal peut en décider autrement. Dep. juillet 1987, loi Malhuret sur l'autorité parentale conjointe après divorce.

Celui qui n'a pas l'exercice de l'autorité parent. conserve un droit de surveillance sous la forme du *droit de visite* réglementé par le tribunal (les grands-parents peuvent aussi le réclamer, art. 371-4 du Code civil), du *droit de correspondance* avec l'enfant sans limitations, du *droit de veiller à l'instruction* de l'enfant et à son éducation (les chefs d'établiss. scolaires sont tenus de notifier les notes au père qui n'a pas la garde). Dans 85 % des cas, la mère obtient la garde.

Si l'ancien conjoint ne permet pas à l'autre d'exercer le droit de surveillance et de visite, il peut y avoir des dommages-intérêts, des astreintes sur le plan civil, des peines correctionnelles pour *délit de non-représentation d'enfant* sur le plan pénal (art. 357 C. pén.). Le délit de non-représentation d'enfant est constitué par 1°) la non-observation d'une décision de justice devenue exécutoire et valable statuant sur la garde du mineur ; 2°) un fait matériel consistant à s'abstenir, à refuser, à enlever, à faire enlever ou à détourner, même sans fraude ni violence, le mineur en cause.

En cas de disparition du mineur, les parents ou la personne ayant l'exercice de l'autorité parent. doivent se présenter au commissariat de police ou à la brigade de gendarmerie de leur domicile afin de communiquer l'identité et le signalement du mineur disparu. A Paris, la brigade de protection des mineurs est saisie ultérieurement, à la suite des déclarations faites dans les services de police.

L'exercice de l'autorité parentale, l'hébergement et la pension alimentaire sont toujours susceptibles de révision, sur demande de l'un des 2 parents (si l'enfant en exprime le désir, le parent sera gardien et pourra demander une révision du droit de garde), s'il estime l'enfant en danger moral ou si le conjoint ne parvient plus à exercer son autorité sur l'enfant. *En cas de décès de son ancien conjoint, celui qui n'a pas la garde des enfants* recouvre l'exercice de l'autorité parentale et reprend la garde des enfants, même si ceux-ci avaient été confiés à un tiers.

Mariage d'un mineur. Les parents conservent l'un et l'autre le droit de donner ou de refuser leur consentement, mais il suffit que l'un d'entre eux le donne.

Quelques adresses

Association d'accueil et d'orientation des foyers dissociés (AOFD). **Assoc. couples et dialogues (accueil et orientation pour foyers dissociés)** 89, rue du Fg-St-Antoine, 75011 Paris. **Centre nat. d'information et de documentation des femmes et des familles** 7, rue du Jura, 75013 Paris. **Divorcés de France** 8, rue Albert-Bayet, 75013 Paris. **École des parents et des éducateurs, Ile-de-France** 5, impasse Bon-Secours, 75011 Paris.

Fédér. syndicale des familles monoparentales 53, rue Riquet, 75019 Paris. *Créée* 1967. **Mouvement de la condition masculine, soutien de l'enfance et des pères divorcés** 221, Fg-St-Honoré, 75008 Paris. **Mouv. de la condition parentale (MCP)** 8, rue Hoche, 93500 Pantin. **Mouv. de la condition paternelle** 221, Fg-St-Honoré, 75008 Paris.

Séparation de corps (art. 296 et suiv.)

Conditions. Réalisée dans les mêmes cas et aux mêmes conditions que le divorce.

Effets. Les époux ne sont plus obligés de vivre ensemble, mais le mariage subsiste, les époux se doivent fidélité et le droit au nom subsiste. Toutefois le jugement de séparation de corps ou un jugement postérieur peut l'interdire. L'obligation de secours subsiste même au profit de l'époux coupable. La *séparation de biens* a lieu.

En cas de décès, l'époux survivant conserve les droits que la loi accorde à celui-ci, à moins que la séparation de corps ait été prononcée à ses torts exclusifs. Sur demande conjointe, les époux peuvent renoncer à leurs droits successoraux des art. 765 et suivants. Pour les prestations de Sécurité sociale, les allocations familiales, les avantages matrimoniaux, les pensions civiles et militaires de retraite, le salaire différé, le droit au bail ou droit de maintien dans les lieux, les effets à l'égard des enfants : mêmes règles que pour le divorce. La femme séparée conserve l'usage du nom de son mari. Un jugement peut toutefois le lui interdire.

Fin de la séparation de corps. Par : **1°)** La *réconciliation* des époux (elle doit être constatée par notaire et est soumise à publicité ; le régime matrimonial des époux demeure celui de la séparation des biens, sauf à convenir d'un nouveau régime). **2°)** La *conversion en divorce* (il faut un jugement ; après 3 ans de séparation de corps, le tribunal, sur la demande de l'un ou l'autre des époux, prononce de plein droit le divorce sans pouvoir d'appréciation, la procédure est rapide et simple ; peut être faite par demande conjointe). **3°)** La *mort* de l'un des époux.

Pension alimentaire

Définition

Par *aliments* on entend les *besoins vitaux d'une personne :* nourriture, habillement, logement, chauffage, etc. Le *montant* dépend des besoins du réclamant et de la fortune de celui qui doit. La pension est insaisissable, toujours révisable à la demande du créancier ou du débiteur, selon besoins ou charges, coût de la vie, etc. Si le créancier ne réclame pas son dû, on présume qu'il n'en a pas besoin, ou bien il devra prouver qu'il n'a pu le réclamer. Prescription de 5 ans. *La pension est intransmissible* à cause de mort. Les héritiers du débiteur de la pension peuvent être tenus de continuer à la verser, en raison de leur propre parenté avec le créancier de la pension. Les arrérages échus au décès du débiteur de la pension et non payés constituent une dette ordinaire de la succession. La succession de l'époux décédé doit des aliments à l'époux survivant qui est dans le besoin.

Les pensions alimentaires sont déductibles des revenus imposables. Elles doivent être déclarées par ceux qui les perçoivent.

Obligations

■ **Entre ascendants et descendants.** Obligation alimentaire, qu'il s'agisse d'enfants légitimes ou d'enfants naturels (art. 205 et 334 du Code civil). L'obligation d'aliments est réciproque.

Personnes âgées sans ressources : peuvent former une demande de pension alimentaire devant le tribunal d'instance de leur domicile contre tous les enfants. Le juge fixe le montant de la pension en tenant compte des besoins du demandeur et des charges et ressources des enfants et répartit le paiement. Procédure peu coûteuse (l'avocat n'est pas obligatoire, mais peut être consulté).

Pupilles de l'État, *élevés par l'Aide sociale à l'enfance :* jusqu'à la fin de la scolarité, à moins que les frais n'aient été remboursés à l'administration ; à moins de décision judiciaire contraire, ils sont dispensés vis-à-vis de leurs père et mère.

Enfant naturel : il n'a droit à des aliments de ses parents qu'à la condition d'avoir été reconnu (volontairement ou à la suite d'une action en recherche de paternité ou de maternité). En l'absence de reconnaissance, une action en paiement de pension alimentaire est recevable, contre le père prétendu qui a pris l'engagement formel par écrit de participer à l'entretien et à l'éducation de l'enfant en qualité de père. En outre, tout enfant naturel dont la filiation paternelle n'est pas légalement établie peut réclamer des subsides à celui qui a eu des relations avec sa mère pendant la période légale de la conception. **Adopté :** *adoption plénière :* plus d'obligation envers les père et mère concepteurs. *Adoption simple :* l'adopté ne doit des aliments qu'à l'adoptant, mais père et mère sont tenus de lui fournir des aliments s'il ne peut en obtenir de l'adoptant.

■ **Alliés.** *Gendres et belles-filles* sont tenus à l'égard de leurs beaux-parents (obligation réciproque). L'obligation cesse lorsque celui des époux d'où provenait le lien de parenté et les enfants issus de cette union sont décédés (art. 206) ; par extension jurisprudentielle, l'obligation disparaît aussi en cas de divorce. *Frères et sœurs :* pas d'obligation entre eux.

■ **Époux séparés ou divorcés.** Voir p. 1357 a.

Procédures

■ **Tribunaux compétents.** *Entre ascendants et descendants légitimes et entre alliés du 1er degré, entre l'adopté et l'adoptant en cas d'adoption plénière :* tr. d'instance ; après divorce ou séparation de corps, le juge aux affaires familiales. Le créancier peut intenter une action contre le débiteur de son choix. Si qu'un est secouru par le Bureau d'aide sociale, le préfet peut intenter lui-même une action en paiement contre les débiteurs. Le Fonds national de solidarité a un recours pour les vieillards qui bénéficient de la retraite des vieux.

Le débiteur condamné peut aussi faire appel, puis se pourvoir en cassation : certaines instances durent ainsi plusieurs années, pendant lesquelles le paiement de la pension reste suspendu. Si le débiteur ne peut payer, le tribunal peut ordonner qu'il entretienne dans sa demeure le créancier. Lorsque père ou mère propose de recevoir l'enfant dans sa demeure, celui-ci ne peut refuser.

■ **Sanctions en cas de non-paiement.** *Civiles :* jugement de condamnation qui permet de recourir aux saisies et aux hypothèques ; *pénales :* délit pénal d'abandon de famille lorsque le débiteur est resté plus de 2 mois sans payer. *Peines* d'emprisonnement de 2 ans, et amende de 100 000 F. *Recouvrement de droit commun par saisie* sur les meubles du débiteur, *saisie-attribution* (sur les comptes bancaires ou postaux, voir un huissier), saisie des rémunérations sur traitements et salaires (s'adresser au greffe du tribunal de grande instance). *Paiement direct* (loi du 2-1-1973) : par un tiers débiteur de celui qui doit payer la pension directement au bénéficiaire, sans autre intervention que celle d'un huissier, procédure gratuite. On peut ainsi recouvrer les sommes dues dans les 6 mois précédant la notification de la demande. *Recouvrement direct par le Trésor public* (loi du 11-7-1975, décret du 31-12-1975) : lorsque les autres moyens de droit sont restés inefficaces. Procédure gratuite.

■ **Recours** (non-paiement). *En cas de séparation de fait,* si la femme connaît l'adresse de son mari, elle peut s'adresser au greffe du tribunal de grande instance de son domicile. Constitue le délit d'abandon de famille : « le fait pour 1 personne de ne pas exécuter une décision judiciaire ou une convention lui imposant de verser au profit d'un enfant mineur, légitime naturel ou adoptif, d'un descendant, ascendant du conjoint une pension, une contribution dues en raison de l'une des obligations familiales prévues par le Code civil, en demeurant plus de 2 mois sans s'acquitter intégralement de cette obligation (art. 227-3 du nouv. C. pénal).

En cas de jugement de séparation ou de divorce, la femme peut : obtenir une saisie des rémunérations sur le salaire de son ex-mari, ou ses revenus ; prendre une hypothèque sur les biens de son mari ; faire annuler des actes passés par son mari afin de se rendre insolvable ; le poursuivre pour abandon de famille (demande au tribunal de grande instance, il s'agit d'une plainte qui peut être déposée auprès du procureur de la Rép.) ; faire appel à l'administration des finances.

■ **Statistiques.** Env. 600 000 conjoints (femmes surtout) touchent une pension alimentaire. 600 000 enf. en bénéficient. Env. 38 % des pensions ne sont jamais versées. Artifices utilisés pour tourner la loi : par exemple, le mari divorcé est employé par sa concubine pour un salaire équivalant au Smic, ou représentant sans fixe (véhicule et appartement étant au nom de la famille).

Parents

Abandon et disparition

■ **Abandon de famille.** Fait pour l'un des parents de rester plus de 2 mois sans payer la pension ou les subsides auxquels il a été condamné par décision de justice. Ce fait constitue un délit sanctionné (amende et emprisonnement) (art. 227-3 Code pénal).

La femme peut obtenir une *saisie des rémunérations* sur les salaires entre les mains de l'employeur de son mari en s'adressant au tribunal de grande instance du domicile conjugal. Le juge fixera la « contribution » en tenant compte des ressources et charges respectives des époux, salaires et revenus personnels de l'un et l'autre, frais d'entretien et d'éducation des enfants, montant du loyer, existence possible de dettes, etc.

Elle peut obtenir un paiement direct à partir du moment où il y a un jugement de contribution aux charges du ménage.

Si le mari quitte son emploi, signaler au greffe du tribunal où la décision a été rendue le nom et l'adresse du nouvel employeur du mari.

Si l'abandon de la famille répond aux conditions détaillées par les articles 227-3 et 227-4 du Code pénal, il s'agit d'un délit pénal et la recherche du délinquant appartient au pouvoir judiciaire.

Demande de divorce ou d'aliments. Si le mari est parti et que l'on ne connaisse ni son adresse, ni son lieu de travail, et si plus de 2 mois s'écoulent sans aucun paiement du mari lui-même, *s'adresser* à un huissier puis, en cas d'échec, au procureur de la République en application de l'art. 659 du Code de procédure civile.

Non-représentation d'enfant ou abandon de famille (essentiellement recouvrement de pensions alimentaires), *s'adresser* au procureur de la Rép. qui désigne un juge d'instruction. Dans aucun de ces 2 cas, l'Administration ne peut intervenir.

■ **Disparitions volontaires et simples pertes de vue.** *Recherches administratives « dans l'intérêt des familles ».* Ne peuvent se faire qu'entre personnes majeures ayant un lien de parenté légal [ce qui exclut parrainage, concubinage sans enfant commun reconnu, enfants naturels non reconnus (sauf dans les délais légaux de demande de reconnaissance) et certains cas d'adoption]. Il n'est pas fait de recherches de personnes manifestement décédées, ni de recherches d'hérédité. L'adresse de la personne retrouvée ne peut être communiquée sans son consentement formellement exprimé. Après un certain délai, il peut être délivré, sous certaines conditions, un certificat de vaines recherches par le ministre de l'Intérieur. *S'adresser* à la préfecture du domicile du demandeur en province. Dans 60 % des cas env., les recherches sont positives. Les préfectures traitent les demandes émanant de requérants domiciliés en France. Le min. de l'Intérieur prend en compte les demandes émanant des personnes vivant à l'étranger parvenant par l'intermédiaire de la Croix-Rouge française, du min. des Aff. étrang. et d'Interpol.

Disparitions involontaires ou présumées telles au vu des circonstances (voir cas précédent) : lorsque la personne qui les signale est parente, ces recherches peuvent *sans délai* être transformées de recherches dans l'intérêt des familles en recherches de police judiciaire, et inversement, suivant les circonstances qui se révèlent.

Disparitions de mineurs : *seuls ou avec des personnes n'ayant pas l'autorité parentale :* elles relèvent de la Brigade des mineurs de la police judiciaire ; *avec une personne ayant sur eux tutelle ou autorité parentale, ou à laquelle ils ont été confiés ou chez qui ils ont leur résidence habituelle :* on se trouve généralement dans le cas judiciaire de non-représentation d'enfant. Dans les 2 cas, *saisir* le procureur de la Rép. qui actionnera la police judiciaire. En outre (si l'on a qualité à cet effet), faire opposition auprès du commissariat, de la gendarmerie ou du service des passeports (selon l'urgence) à la sortie du mineur du territoire français.

Disparitions de personnes (statistiques ne concernant que les recherches dans l'intérêt des familles) : 80 % des enquêtes de la préfecture de police aboutissent dans les 2 mois. *Au 31-12-1989,* 14 766 personnes étaient recherchées (6 869 femmes dont 681 étrangères). Dans l'année, 9 437 demandes de recherches avaient été formulées (4 214 femmes dont 421 étrangères). 36,68 % des femmes recherchées avaient été retrouvées, 37,06 % des hommes. 57,68 % des retrouvées auraient consenti à communiquer leur adresse au demandeur.

Disparitions de majeurs et mineurs signalées directement aux services de police et de gendarmerie : *majeurs :* 2 500 en 1987. *Mineurs signalés :* 28 249 cas enregistrés en 1986 dont 1 403 dans ressort de Paris. Env. 68 % des fugueurs rentrent dans les 24/48 h. 91 % sont retrouvés dans les 15 j. C'est de mars à juin que les fugues sont les plus nombreuses.

Union nationale des associations familiales (Unaf). 28, pl. St-Georges, 75009 Paris. *Fondée* 1945. *Adhérents :* 900 000 familles, regroupées en 7 300 ass. locales dont beaucoup sont fédérées par 62 mouvements fam. (ass. privées) tels que Familles rurales, la CSF, la FFF, 99 unions départementales. *Presse :* « Réalités Familiales » (trimestriel, 10 000 ex.), « Le Délégué au Centre communal d'Action sociale » (trim., 20 000 ex.), « La lettre de l'Unaf » (mens., 7 000 ex.).

AUTORITÉ PARENTALE

■ **Appartenance.** Depuis la loi du 4-6-1970, « père et mère l'exercent en commun », dep. la loi de juillet 1987 : conjointement.

L'enfant peut contester l'autorité parentale « si sa santé, sa sécurité ou sa moralité sont en danger ».

Enfant légitime : à l'égard des tiers, chacun est supposé agir avec l'accord de l'autre, quand il agit seul pour un *« acte usuel »* concernant l'enfant (art. 372-2 C. civil). Ex. : inscription d'un enfant à l'école, au lycée, au collège, au catéchisme, à une colonie de vacances, à un voyage en groupe ; poursuite d'études ou mise au travail de l'enfant ; autorisation donnée à un chirurgien de procéder à une opération en cas d'urgence.

Si les père et mère sont divorcés ou séparés de corps, l'autorité parentale est exercée par celui d'entre eux à qui le tribunal a confié la garde de l'enfant, sauf le droit de visite et de surveillance de l'autre. Lorsque la garde est confiée à un tiers, les autres attributs de l'autorité parentale continuent d'être exercés par les père et mère. Mais le tribunal, en désignant un tiers comme gardien provisoire, peut décider qu'il devra requérir l'ouverture d'une tutelle.

Enfant naturel : *1°) reconnu par un seul de ses parents.* Celui-ci a droit à l'autorité parentale. *2°) Par ses 2 parents :* exercée en commun si les deux parents ont reconnu l'enfant avant qu'il n'ait 1 an et vivent ensemble à ce moment. Le tribunal pourra à la demande de l'un ou de l'autre des parents, ou du ministère public, décider que l'autorité parentale sera exercée par le père seul ou par le père et la mère conjointement, auxquels les articles 372 et 372-2 seront alors applicables, comme si l'enfant était légitime.

■ **Contrôle.** Un contrôle peut être effectué par le juge des enfants (à charge d'appel) « si la santé, la sécurité ou la moralité d'un mineur non émancipé sont en danger ; ou si les conditions de son éducation sont gravement compromises ». Le juge doit maintenir l'enfant au sein de sa famille chaque fois que cela est possible. Il peut alors demander l'assistance d'une personne qualifiée ou d'un service d'observation, d'éducation ou de rééducation en milieu ouvert.

Il peut aussi le maintenir, sous réserve d'obligations particulières (ex. : fréquenter régulièrement un établissement sanitaire ou d'éducation ordinaire ou spécialisé, ou exercer une activité professionnelle). Il peut le confier : à celui des père et mère qui n'en a pas la garde ; à un autre membre de la famille ou à un tiers ; à un service ou à un établissement sanitaire ou d'éducation, ordinaire ou spécialisé ; au service départemental de l'Aide sociale à l'enfance.

Si les parents sont divorcés, séparés ou absents, déchus, décédés, etc., celui des parents qui exerce l'autorité parentale administre les biens de l'enfant sous le contrôle judiciaire du juge des tutelles (voir juge aux aff. familiales, p. 758 c).

■ **Déchéance et retrait partiel** (art. 378 et suivants C. civil). CAS POSSIBLES : *Condamnation pénale pour certains crimes et délits* commis sur leur enfant ou par leur enfant. *Déchéance en dehors de tout crime ou délit :* père et mère qui mettent en danger la sécurité, la santé ou la moralité de l'enfant par de mauvais traitements, l'exemple d'ivrognerie habituelle, d'inconduite notoire, de délinquance ou par un défaut de soins ou un manque de direction. *Abstention volontaire pendant plus de 2 ans de l'exercice de leurs droits* par les père et mère lorsque l'enfant est placé sous le contrôle de l'assistance éducative.

Le jugement peut prononcer (art. 379-1) : *la déchéance des droits* découlant de l'autorité parentale à l'égard de tous les enfants mineurs déjà nés au moment du jugement, l'enfant est dispensé de l'obligation alimentaire à l'égard des père et mère déchus, sauf disposition contraire dans le jugement, ou le *retrait partiel des droits,* limité éventuellement à tel ou tel enfant.

Père et mère déchus peuvent : par requête adressée au tribunal de grande instance, demander la restitution partielle ou totale des droits qui leur ont été retirés si des circonstances nouvelles justifient cette demande. Celle-ci ne peut être présentée qu'un an au plus tôt après le jugement de la déchéance où le retrait est devenu irrévocable.

■ **Délégation.** L'autorité parentale des parents ne peut pas être l'objet de transaction, renonciation ou cession. Si des parents, notamment en cas de séparation de fait, concluent entre eux des accords concernant la garde des enfants, ces pactes sont nuls parce qu'ils sont contraires à l'ordre public ; cependant un tribunal amené à décider par la suite de la garde des enfants peut prendre ces pactes en considération. Le droit de consentir à l'adoption du mineur n'est jamais délégué.

■ **Perte de l'exercice de cette autorité.** Pour celui des père et mère qui : est hors d'état de manifester sa volonté (incapacité, absence, éloignement ou toute autre cause) ; a « volontairement délégué (tout ou en partie) ses droits à un particulier digne de confiance, à un établissement agréé à cette fin ou au service départemental de l'Aide sociale à l'enfance » ; a été l'objet d'un jugement de déchéance ou de retrait des droits ou de certains droits de l'autorité parentale ; a été condamné pour abandon de famille, tant qu'il n'a pas recommencé à assumer ses obligations pendant 6 mois au moins.

BIENS DE L'ENFANT

Le père, avec le concours de la mère, est l'administrateur légal (art. 382 et suivants du Code civil). *Il gère et administre tous les biens du mineur ; seuls y échappent* les biens donnés ou légués à l'enfant sous la condition qu'ils seraient administrés par un tiers. *Il représente le mineur dans tous les actes juridiques et judiciaires,* sauf : les actes pour lesquels la représentation est impossible en raison de leur caractère personnel (ex. : reconnaissance d'un enfant naturel, mariage et contrat de mariage, action en recherche de paternité) ; les actes qui sont autorisés au mineur (ouverture d'un livret de caisse d'épargne à 16 ans ; disposition par testament de la moitié de ses biens à 16 ans révolus) ; consentement du mineur à sa propre adoption (15 ans) ; adhésion à un syndicat professionnel (16 ans).

En cas de désaccord des parents. Le juge des tutelles tranchera s'il ne parvient pas à une conciliation.

Les parents disposent librement du revenu des biens de l'enfant. Ils en profitent sans pouvoir les vendre, ni en altérer la substance, ni en diminuer la valeur. Ainsi l'administrateur légal percevra les loyers, dividendes des valeurs mobilières, intérêts du capital appartenant à l'enfant, sans avoir à lui rendre compte de l'emploi de ces fonds à sa majorité. *Sont exclus du droit de jouissance légale : les biens* acquis par l'enfant par son travail ; donnés ou légués sous la condition expresse que les père et mère n'en jouiront pas.

Le droit de jouissance légale cesse : dès que l'enfant a 16 ans (plus tôt s'il se marie) ; par les causes qui mettent fin à l'autorité parentale (notamment celles qui mettent fin à l'administration légale) ; perte totale de la chose donnant droit à la jouissance.

CHOIX DE LA RÉSIDENCE

« Les époux s'obligent mutuellement à une communauté de vie. La résidence de la famille est au lieu qu'ils choisissent d'un commun accord » (loi du 11-7-1971).

DEVOIRS DES PARENTS

« Les époux assurent ensemble la direction morale et matérielle de la famille, ils pourvoient à l'éducation des enfants et préparent leur avenir. » (Art. 213).

Devoir de surveillance. 1°) Les relations : les parents peuvent interdire à leurs enfants de voir (recevoir ou être reçus) des personnes qui ne leur conviennent pas, sauf s'il s'agit de leurs grands-parents (à moins de motifs graves : à défaut d'accord entre les parties, les modalités de ces relations sont réglées par le tribunal). **2°) Correspondance :** les parents peuvent contrôler, décacheter et retenir les lettres de leurs enfants.

Nota. – Le tribunal peut accorder un droit de correspondance ou de visite à d'autres personnes, parents ou non, dans des cas exceptionnels.

Devoirs d'éducation. Les parents ont le choix de l'instruction, du mode d'éducation (notamment religieuse), de la religion.

Devoir d'entretien. Les parents doivent subvenir aux besoins de leurs enfants : nourriture, entretien, éducation, selon leur fortune.

DROITS DES PARENTS

Droit d'être honorés et respectés à tout âge par leurs enfants. « L'enfant, à tout âge, doit honneur et respect à ses père et mère. » (Art. 371).

L'enfant doit fournir, à ses ascendants âgés et dans le besoin, des moyens de subsistance (nourriture, vêtements, logement, soins médicaux).

Droit de garde. L'enfant reste sous leur autorité jusqu'à sa majorité ou son émancipation (art. 371-1).

Les père et mère ne peuvent, sauf motif grave, faire obstacle aux relations de l'enfant avec ses grands-parents. A titre exceptionnel, droit de correspondance ou de visite accordé par le tribunal à d'autres personnes (art. 371-4).

RESPONSABILITÉ DES PARENTS

Les parents sont solidairement responsables des conséquences civiles des faits dommageables causés par leurs enfants mineurs vivant sous leur toit, en tant qu'ils exercent le droit de garde. Cette responsabilité repose sur une présomption de faute commise par les parents dans leur devoir de surveillance et d'éducation ; ils peuvent se libérer de cette présomption en démontrant qu'ils n'ont commis aucune faute de surveillance et d'éducation (art. 1384, al. 3). Voir Assurance à l'index.

☞ **Fête des mères :** au VIe s. avant J.-C., une fête des mères était célébrée à Rome. En 1806, Napoléon évoque l'idée d'une fête. En 1922, elle apparaît aux États-Unis. En 1928, un décret du Pt Gaston Doumergue, inspiré par l'Alsacien Camille Schneider, la prévoit. En 1929, elle est officialisée, et sous le régime de Vichy entre dans les mœurs. En 1950, une loi l'institue définitivement. **Fête des pères :** créée en 1952. **Fête des grands-mères :** créée en 1988 par Roland Monica.

PERSONNES ÂGÉES

■ QUELQUES CHIFFRES

Espérance de vie à 60 ans (%). Hommes et, entre parenthèses, femmes. *1900 :* 13,3 (14,6), *50 :* 15,3 (18,1), *75 :* 16,5 (21,3), *80 :* 17,1 (22,2), *85 :* 17,7 (23,2), *90 :* 19 (24,2), *2000 :* 19,2 (24,4).

Nombre (en milliers). Hommes et, entre parenthèses, femmes. **De 65 ans et + :** 3 167 (4 869). **75 et + :** 1 295 (2 489). **85 et + :** 241 (671). **90 et + :** *1953 :* 45. *93 :* 54 (202). **95 et + :** *53 :* 4, *93 :* 6,6 (37). **100 et + :** *53 :* 0,2, *93 :* 0,46 (3,4), *v. 2000* (prév.) : + de 6. **105 et + :** *v. 2000* (prév.) : 0,2.

Mode de vie. 2 500 000 vivent seuls. 1 200 000 bénéficient d'une allocation du Fonds national de solidarité Vieillesse et 84 700 du Fonds spécial d'alloc. vieillesse. **Des + de 60 ans** (en milliers, 1990). Sur un total de 11 287 (dont femmes 6 596) : *hors ménage* 502 (358) dont en maison de retraite 342 (251) ; *en ménages* 10 785 (6 238) dont en logement-foyer 136 (105) ; *personne faisant partie d'un couple dans un ménage de 3 pers. ou +* 1 458 (583), *réduit à 2 pers.* 5 154 (2 409) ; *ne faisant pas partie d'un couple* (dans un ménage de 2 pers. ou +) 1 184 (1991) ; *vivant seuls* 2 989 (2 335). **Soins à domicile :** *capacité* (places) 43 960 (1 300 services intervenant). **Hébergement** (nombre de places et, entre parenthèses, nombre d'établissements au 1-1-1991) : hospices et maisons de retraite publics : sections HMR des hôpitaux publics 109 477 (1 074), établissements autonomes 109 206 (1 324) ; maisons de retraite privées autonomes 147 300 (2 607), logements foyers 141 594 (2 571), autres établissements autonomes 8 017 (313) ; *total* 515 594 lits ou logements.

Montant plafond des forfaits de soins journaliers pris en charge par l'assurance maladie dans les établissements et services pour personnes âgées (en F, en 1993) : soins à domicile (SIAD) 161,4 (+ 5,35 %), sections de cure médicale (SCM) 131,4 (+ 5,2 %), soins courants 17,25 (+ 5,2 %), longs séjours (LS) 216,8 (+ 7,22 %). **Forfait hébergement :** pas de tarif national. *Paris, Assistance publique :* long séjour 448 F, section cure médicale 394 F. Si l'aide sociale est accordée, les biens de la personne hospitalisée sont hypothéqués. Les petits-enfants ne sont plus soumis à l'obligation alimentaire.

Suicides. 30 pour 100 000 chez les femmes de + de 60 ans, 150 chez les hommes.

Données pratiques

Aide ménagère. Accordée sur demande après enquête sociale, assure : entretien du logement, courses, repas et soins sommaires d'hygiène. Limitée à 30 h par mois. *Financée* par l'Aide sociale, la Caisse nationale d'assurance-vieillesse, les régimes spéciaux, les caisses de retraite complémentaire et parfois par les intéressés eux-mêmes, compte tenu de leurs ressources. *S'adresser* au Bureau d'aide sociale de la commune ou auprès de la DDASS (Direction départementale de l'action sanitaire et sociale), ou du Cicas (Centre d'information et de coordination de l'action sociale), ou de la Caisse de retraite dont dépend la personne.

Cinéma. Cartes « Vermeil » et « Age d'Or » 50 % de réduction env. pour les + de 60 ans, avant 18 h, sauf samedi et dimanche (dans certains cinémas).

Logement. Aide : voir Sécurité sociale à l'index. **Aide à la réfection :** s'adresser à la Fédération nat. des centres PACT (Protection, amélioration, conservation de l'habitat), 4, place de Vénétie, 75013 Paris. **Maintien dans les lieux :** les + de 65 ans ne peuvent être expulsés (art. 29-2 du 23-12-1986). **Taxe foncière :** sont exonérés les + de 75 ans non passibles de l'impôt sur le revenu au titre de l'année précédente et s'ils habitent seuls l'immeuble en cause. **Taxe d'habitation :** sont exonérés les + de 60 ans non passibles de l'impôt sur le revenu au titre de l'année précédente, occupant leur habitation seuls, avec leur conjoint, avec des personnes à leur charge ou titulaires de l'allocation supplémentaire du Fonds nat. de solidarité.

Maisons de retraite. Pour les bénéficiaires de l'Aide sociale, ils reçoivent une allocation min. **Foyers-logements :** pour 1 ou 2 personnes. Conditions de ressource : les mêmes que pour les HLM. **Foyers-soleil :** composés d'un foyer et de logements loués dans les immeubles alentour. S'adresser au Cedias (Centre d'études, de documentation, d'information et d'action sociale) 4, rue Las-Cases, 75007 Paris et à l'UNIOPSS (Union nat. interfédérale des œuvres privées sanitaires et sociales) 103, Fg-Saint-Honoré, 75008 Paris.

Maladie. Les bénéficiaires de l'Aide sociale peuvent demander *l'aide médicale,* si elles justifient ne pas pouvoir payer. Les handicapés âgés seront placés en service hospitalier, service des *chroniques.*

Musées. Entrée gratuite, parfois sur demande.

Téléphone. Priorité pour les + de 72 ans. La fondation Delta 7 (201, rue Lecourbe, 75015 Paris) permet aux personnes âgées d'avoir le téléphone sans trop de frais et d'être en liaison directe avec un central Delta-Revie qui peut à tout moment se charger de leur envoyer un médecin, une ambulance ou même un réparateur, un artisan, une aide-ménagère.

Télévision. Voir Index (Redevance).

Voyages. Air Inter : réduction possible. **Train :** 1 voyage par an avec 30 % de réd. et la « *carte vermeil* » (50 %).

☞ *Fondation nationale de gérontologie. Créée* 1967. 49, rue Mirabeau, 75016 Paris.

Partage

En faveur des enfants

■ **Donation-partage.** Devant notaire, sous peine de nullité. Permet aux parents de partager irrévocablement, de leur vivant, leurs biens entre les enfants, d'éviter le recours à un partage judiciaire quand il y a 1 ou plusieurs enfants mineurs ; d'assurer à l'enfant qui devrait prendre la relève de son père la conservation d'une exploitation, du vivant de celui-ci. Depuis la loi du 5-1-1988, un propriétaire d'entreprise individuelle peut associer un membre de sa famille (autre qu'un enfant) ou un étranger à la donation-partage qu'il consent à ses enfants, à la condition que le lot de l'étranger soit composé de l'entreprise à l'exclusion de tout autre bien.

Montant des droits : même montant que droits de succession (voir p. 1362 b). Seule la valeur de la nue-propriété transmise est taxée ; varie selon l'âge du donateur : si *- de 20 ans :* 30 % de la valeur du bien, *20 à 29 :* 40, *30 à 39 :* 50, *40 à 49 :* 60, *50 à 59 :* 70, *60 à 69 :* 80, *à partir de 70 :* 90.

Au décès du donateur, l'usufruit se transmet automatiquement au nu-propriétaire, sans paiement d'aucun droit de mutation.

Réductions possibles : selon l'âge du donateur lors de la signature de l'acte. *- de 65 ans :* 25 %, *65 à 75 :* 15 %. Les droits de donation sont, en général, payés par les donateurs. L'administration admet que cette prise en charge ne constitue pas un supplément de donation à taxer. Sans donation-partage, la somme représentant le montant des droits aurait dû être prélevée sur les fonds existant au décès et elle aurait été elle-même taxée, puisqu'elle aurait fait partie de l'actif successoral.

On peut : 1°) *Faire un partage partiel :* les parents gardent la propriété d'une partie de leur patrimoine qui se transmettra normalement à leur décès. **2°)** *Conserver l'usufruit des biens partagés,* ce qui garantit l'avenir des parents. **3°)** *Prévoir, dans l'acte, le versement d'une rente viagère* avec, éventuellement, une clause de réversibilité sur le survivant.

■ **Vente à l'un de leurs enfants d'un bien immeuble appartenant aux parents.** Ceux-ci doivent faire intervenir à l'acte de vente les autres enfants, si la vente est faite soit à charge de rente viagère, soit à fonds perdu ou avec réserve d'usufruit.

En faveur de l'époux survivant

■ **Donation entre époux.** *Frais de rédaction de l'acte de donation chez le notaire :* env. 375 F + TVA, timbre selon le nombre de pages. Après le décès, le notaire chargé de l'exécution de la donation réclamera des émoluments calculés sur l'actif net recueilli. Le barême est égal aux 2/3 de celui du partage, soit de 0 à 20 000 F, 5 % ; de 20 001 à 40 000 F, 3,30 % ; de 40 001 à 110 000 F, 1,65 % ; au-dessus de 110 000 F, 0,825 % à ne compter que pour 2/3 + TVA.

Révocation : *donation par contrat de mariage :* révocable pour ingratitude (demande formulée dans l'année de la découverte du fait allégué). *Donations entre époux et par testaments pendant le mariage :* révocation possible, chacune séparément (sans que le donateur ait à donner de motif) par testament ou acte notarié (art. 1096), pas révocable par la survenance d'enfants. Si des époux se sont consenti une donation réciproque au dernier vivant et si l'un d'entre eux révoque la donation, le notaire n'a pas le droit d'en informer l'autre époux.

En cas de divorce : *prononcé aux torts exclusifs de l'un des époux,* celui-ci perd de plein droit les donations qui lui avaient été consenties (art. 267) ; l'autre époux en conserve le bénéfice, même si elles avaient été stipulées réciproques ; *prononcé sur demande conjointe :* les 2 époux peuvent révoquer les donations (art. 267-1 et 268), sinon elles sont maintenues ; *prononcé en raison de la rupture de la vie commune :* celui qui a pris l'initiative du divorce perd de plein droit les donations consenties. L'autre époux les conserve.

■ **Communauté universelle.** Après 2 ans de mariage, les époux peuvent modifier par acte notarié leur convention de mariage (loi du 13-7-1965). Cette modification doit être homologuée par le tribunal de grande instance. Ils peuvent, pour protéger le conjoint survivant, opter pour la communauté universelle assortie d'une clause d'*attribution de la communauté en totalité à l'époux survivant.* En cas de divorce ou de séparation de biens, la clause d'attribution ne bénéficie à aucun des époux. En cas de décès, l'époux survivant n'est pas soumis aux droits de mutation.

Bien de famille insaisissable

Objet. Permet d'éviter que certains descendants dilapident l'héritage.

Garanties. Le bien de famille et ses fruits insaisissables ne peuvent être vendus par les créanciers ou hypothéqués. Ils peuvent être saisis pour paiement des dettes résultant de condamnations, paiement des impôts, des dettes alimentaires. Le propriétaire peut aliéner tout ou partie du bien de famille ou renoncer à l'insaisissabilité du bien avec l'accord des 2 époux ou l'autorisation du conseil de famille s'il a des enfants mineurs.

Constitution. *Peut être constitué par* les époux, le survivant des époux, des ascendants qui recueillent leurs petits-enfants, le père ou la mère d'un enfant naturel reconnu ou adopté. *Ne peut être constitué* qu'avec une maison ou une portion « divise » de maison, des terres attenantes ou voisines, occupées et exploitées par la famille, une maison avec boutique ou atelier + matériel ou outillage qu'ils contiennent. *La valeur* du bien ne doit pas dépasser 50 000 F. *S'effectue* par déclaration reçue par un notaire, testament ou donation homologuée par le juge d'instance.

Que peut-on laisser à son conjoint ? Celui-ci n'est pas un héritier réservataire. *Avec une donation entre époux ou un testament (1°), ou à défaut de disponibilités particulières (2°).* **Si on laisse : un ou plusieurs enfants. 1°)** au choix : soit la totalité de la succession en usufruit, soit 1/4 en toute propriété et 3/4 en usufruit, soit 1/2, 1/3 ou 1/4 en toute propriété selon le nombre d'enfants : 1, 2, 3 ou +, **2°)** 1/4 seulement de la succession en usufruit. **Un père ou une mère. 1°)** 3/4 en toute propriété et 1/4 en nue-propriété, **2°)** 1/4 en toute propriété. **Un père et une mère. 1°)** 1/2 en toute propriété et 1/2 en nue-propriété, **2°)** 1/2 en usufruit. **Des frères ou des sœurs. 1°)** La totalité de la succession en toute propriété, **2°)** 1/2 en usufruit. **D'autres parents** (oncle, tante, cousins...). **1°)** La totalité de la succession en toute propriété, **2°)** idem.

Succession

Statistiques (France)

Montant global (héritages et donations). *1982 :* 162 milliards de F [impôts 8,9 (*1983 :* 10)].

Donations. Nombre : *1977 :* 144 862 (impôt 567 millions de F). *1980 :* 162 496 (750). *81 :* 206 791 (2 585). *82 :* 189 640 (1 407). *83 :* 184 905 (1 583). *84 :* 168 000 dont 62 000 don.-partage et 13 000 don. par contrat de mariage ; donateurs 286 000. *87 :* donateurs 188 000. **Montant moyen :** *1987 :* donations-partage 382 000 F, autres don. 151 000 F.

Successions. Nombre : *1977 :* 242 735. *83 :* 285 673. *84 :* 267 000. **Montant moyen :** *1984 :* 398 000 F. **Héritiers** (1990) : 763 000 (dont enfants 63 %, conjoint 18, autres 19). *Age moyen.* Héritières : 50 a. ; héritiers : 46.

Héritage (1984). Moyen 122 000 F nets des droits (13 000 F), 50 % sont de - de 50 000 F, 5 % de + de 425 000 F, 80 % des héritiers n'ont pas de droits.

Testament

■ **Types.** On distingue les testaments : **a) authentique :** établi par 2 notaires ou 1 seul assisté de 2 témoins. Conservé dans les « minutes » de l'étude, il ne risque pas d'être égaré, détruit ou divulgué. Inattaquable, sauf pour vice de forme (art. 971 et suivants). Peu usité. *Coût :* 290,57 F à l'étude du notaire, 43,85 F à l'extérieur, 581,14 F de nuit + frais (timbres...). **b) mystique** (peu courant) : présenté par le testateur clos, cacheté et scellé au notaire devant 2 témoins. Il peut être écrit par un autre que le testateur. Utile lorsque le testateur ne sait pas écrire et qu'il ne veut pas parler devant des témoins pour exprimer ses volontés. Pratiquement peu usité (art. 976). *Coût :* voir olographe, mais à l'ouverture de la succession, les honoraires seront calculés comme s'il s'agissait d'un testament authentique. **c) olographe :** entièrement écrit, daté, signé à la main par le testateur. Il n'est assujetti à aucune autre forme (art. 970 du Code civil). Il faut éviter ratures, surcharges ou interlignes ou, s'il en existe, les approuver (signature) et préciser qu'ils sont de la même date que le corps même du texte. On ne peut utiliser la dactylographie, le testament alors n'est pas valable. Un *aveugle* peut écrire en braille. La main du testateur peut s'il en est besoin être aidée ou guidée (il faut que l'écriture soit reconnaissable et que l'assistance ait été simplement matérielle). *Coût :* frais de garde 145,28 F si on le dépose chez un notaire, inscription au Fichier central des dernières volontés 41,51 F.

■ **Si l'on désire modifier un testament,** le mieux est de le détruire et d'en établir un second, mais on peut également rédiger un *codicille* (texte complétant ou modifiant le t. initial à la suite du t., ou par écrit séparé, mais en prenant soin de dater et signer ce texte complémentaire). Le codicille doit être aussi écrit de la main du testateur. **Pour révoquer un testament,** il suffit d'en rédiger un autre indiquant clairement sa décision (révocation expresse) ou qui comporte des dispositions incompatibles avec celles figurant dans un testament antérieur (révocation tacite). C'est le dernier document en date qui est valable.

■ **Garde.** On peut conserver un test. olographe chez soi, mais si l'on craint qu'il disparaisse après sa mort, on peut le remettre au notaire ou à toute autre personne, ou le déposer en banque dans un coffre.

Fichier des testaments : avec l'accord de l'intéressé, le notaire signale l'existence du testament (ou de la donation entre époux) au Fichier central des dispositions de dernières volontés. Après le décès, il sera possible de savoir chez quel notaire a été déposé un testament (ou effectuée une donation entre époux). Test. authentique peu utilisé.

HÉRITIERS

Ordre des héritiers. La dévolution successorale a lieu dans l'ordre hiérarchique de 5 catég. d'héritiers : *descendants* (enfants, petits-enfants, arrière-petits-enfants du défunt), puis les *ascendants privilégiés* (père et mère du défunt) et les *collatéraux privilégiés* (frères et sœurs, neveux, petits-neveux du défunt) ; ensuite les *ascendants ordinaires* (aïeuls, bisaïeuls, c.-à-d. grands-parents et arrière-grands-parents du défunt) et les *collatéraux ordinaires* (oncles, tantes, cousins... du défunt).

Degrés de parenté. *Héritiers en ligne directe :* fils 1er degré, pour la succession de son père ; petit-fils 2e, arrière-petit-fils 3e, etc. *En ligne collatérale :* frère 2e degré ; neveu 3e (succession de son oncle) ; cousin germain 4e ; cousin issu de germain 6e ; cousin plus éloigné 8e ; etc., oncle 3e ; grand-oncle 4e ; arrière-grand-oncle 5e. Au-delà du 6e degré, les parents collatéraux ne sont pas héritiers, et la succession revient à l'État, sauf si le défunt a rédigé un testament. Exception : lorsque le défunt est mort en état d'incapacité de tester (ex. : démence), les héritiers sont appelés jusqu'au 12e degré (art. 755).

Nota. – Ligne : ensemble de personnes qui descendent d'un auteur commun. Chaque *degré* correspond à une génération.

Réserve héréditaire. Part minimale de l'héritage reçue obligatoirement par les enfants ou ascendants directs (héritiers réservataires). *1 enfant :* 1/2, *2 :* 2/3, *3 :* 3/4, *ascendants dans les 2 lignes : 1/2, dans 1 seule ligne :* 1/4.

Quotité disponible. Actif de l'héritage diminué de cette réserve qui peut être réservé au conjoint survivant ou à toute autre personne.

DROITS DU CONJOINT SURVIVANT

SUCCESSION SANS TESTAMENT (« AB INTESTAT »)

Le conjoint survivant n'est pas héritier réservataire comme les enfants ou les père et mère, et ses droits légaux sont limités notamment en présence d'ascendants et de frères et sœurs du défunt. Si un époux veut avantager son conjoint au-delà de ce que prévoit la loi, il doit le faire dans une donation ou un testament. Si un époux ne veut pas laisser à son conjoint une part plus importante que celle prévue par la loi, il parviendra à ce résultat soit en ne prenant aucune disposition particulière, soit, s'il en prend, en prévoyant expressément que les droits successoraux légaux de son conjoint sont réservés.

Règles communes aux régimes de la communauté et de la séparation de biens. 1°) *Le défunt n'avait aucun parent* ou seulement des oncles ou tantes, cousins ou cousines : le survivant non divorcé a la pleine propriété de tous les biens de la succession (art. 765). 2°) *Il existe un ou plusieurs enfants, soit légitimes, issus ou non du mariage, soit naturels :* le conjoint a droit à un usufruit légal portant sur le quart ou la moitié de la succession (art. 767). 3°) *Il existe des collatéraux privilégiés (frères, sœurs, neveux et nièces), ou des ascendants dans les 2 lignes :* le conjoint a droit à un usufruit portant sur la moitié de la succession. 4°) *Il n'existe d'ascendants que dans une ligne :* le conjoint a droit à la moitié de la succession en toute propriété.

☞ *Si l'époux prédécédé laisse des enfants adultérins,* les droits en toute propriété du conjoint survivant sont diminués de moitié, ses droits en usufruit ne sont pas modifiés.

Jusqu'au partage définitif, les héritiers peuvent exiger, moyennant sûretés suffisantes (hypothèque, caution, etc.) et garantie du maintien de l'équivalence initiale, que l'usufruit de l'époux survivant soit converti en une rente viagère équivalente. Si tous les héritiers ne sont pas d'accord pour cette conversion, elle peut être décidée par le tribunal.

Si le conjoint survivant se remarie, l'usufruit ne cesse pas pour cela.

Régime de communauté de biens. Une fois le partage effectué, le survivant demandera à exercer ses droits éventuels sur la succession (autre moitié de la communauté, plus les biens propres du prédécédé s'il y en a). Le survivant a droit, les 9 mois suivant le décès de son époux, à la nourriture, au logement et au remboursement des frais de deuil ; cela constitue un passif de communauté.

SUCCESSION AVEC TESTAMENT

1°) **S'il n'y a pas d'enfant, de descendant ou ascendant.** Chaque époux peut, par testament ou donation, laisser à l'autre toute sa succession.

2°) **S'il existe des ascendants.** Ont chacun droit à une réserve du quart qui souvent porte sur la pleine propriété de la part de biens que cette réserve englobe. Il en est ainsi lorsque le « de cujus » fait un legs à un tiers quelconque. Si le legs (ou donation) est consenti en faveur de l'époux survivant, le testateur (ou donateur) peut disposer, s'il n'existe d'ascendants que dans une seule ligne, de 3/4 en toute propriété, 1/4 en nue-propriété. S'il en existe dans les 2 lignes, de 1/2 en toute propriété, 1/2 en nue-propriété.

3°) **S'il existe des enfants communs des époux, et pas d'enfants nés d'un 1er lit.** Un conjoint peut donner ou léguer à l'autre *a) Soit des biens en toute propriété* d'une valeur égale à ceux dont il peut disposer au profit d'une personne qui lui est étrangère, soit 50 % s'il y a un enfant, 1/3 s'il y en a 2, 1/4 s'il y en a 3 ou plus ; *b) Soit le 1/4 de ses biens en propriété et les 3/4 en usufruit ; c) Soit la totalité de ses biens en usufruit.* S'il s'est contenté d'indiquer que le bénéficiaire recevra la plus forte quotité disponible, celui-ci aura le choix entre ce qui est indiqué en *a, b* ou *c.*

4°) **S'il existe des enfants nés d'un précédent mariage du conjoint décédé.** La part des biens qu'on peut donner ou léguer au conjoint est la même que dans le 3e cas. Mais, pour les libéralités, les enfants du 1er lit peuvent substituer un usufruit à l'exécution en propriété.

DÉCLARATION DE SUCCESSION

■ **Formalités.** Toute personne recueillant un héritage est tenue de souscrire une déclaration de succession dans les 6 mois, indiquant tous les biens meubles ou immeubles dépendant de la succession. Dès le décès, les personnes se présumant héritières devront prendre contact avec le notaire du défunt ou à défaut leur notaire personnel. La déclaration peut aussi être faite aux Impôts (la succession s'ouvre au décès).

■ **Estimation. Immeubles et fonds de commerce.** Sur leur valeur vénale réelle au jour du décès. Le *droit de présentation,* reconnu aux personnes titulaires d'une charge ou office, constitue une valeur patrimoniale, transmissible aux héritiers, et, de ce fait, soumise aux droits de mutation par décès. Il en est de même pour le droit de présenter un successeur dans le bénéfice d'une autorisation administrative. **Valeurs mobilières.** Admises à une cote officielle (rentes, actions, obligations) : estimées au cours moyen de la Bourse du jour du décès. **Meubles meublants et objets mobiliers.** À défaut d'acte de vente ou d'inventaire estimatif, la valeur ne peut être inférieure à 5 % de l'ensemble de l'actif successoral, à moins que preuve contraire en soit apportée, notamment par inventaire. La valeur des bijoux, pierreries, objets d'art ou de collection, ne peut être inférieure à 60 % de l'évaluation contenue dans les polices d'assurances contre le vol ou l'incendie conclues par le défunt moins de 10 ans avant l'ouverture de la succession.

Déductions. *Dettes* lorsque leur existence au jour de l'ouverture de la succession est justifiée. Les dettes commerciales sont provisoirement admises, sauf contrôle. *Frais justifiés de dernière maladie* sans limitation de somme. *Frais funéraires* justifiés jusqu'à 3 000 F (en fait l'Administration admet une déduction sans justification de 1 000 F).

PARTAGE DES DROITS ENTRE L'USUFRUIT ET LA NUE-PROPRIÉTÉ SELON L'AGE

Age de l'usufruitier	Usufruit	Nue-prop.
- de 20 ans révolus ...	7/10 [1]	3/10 [1]
20 à 29 ans	6/10	4/10
30 à 39 ans	5/10	5/10
40 à 49 ans	4/10	6/10
50 à 59 ans	3/10	7/10
60 à 69 ans	2/10	8/10
A partir de 70 ans	1/10	9/10

Nota. – (1) De la pleine propriété.

HONORAIRES DU NOTAIRE

Partage communauté, succession *(avec ou sans liquidation), sur l'actif brut, déduction faite des legs particuliers.* De 0 à 20 000 F 5,93 % ; de 20 001 à 40 000 F 3,91 % ; de 40 001 à 110 000 F 1,96 % ; au-dessus de 110 000 F 0,978 % + TVA.

Attestation notariée destinée à constater la transmission par décès d'immeubles ou de droits immobiliers. De 0 à 20 000 F 2,09 % ; de 20 001 à 40 000 F 1,57 % ; de 40 001 à 110 000 F 1,05 % ; + de 110 000 F 0,52 % ; à multiplier par le coeff. 0,80 + TVA.

Testament. Authentique : frais de rédaction env. 300 F + TVA + timbre selon nombre de pages. Au décès, sur la valeur calculée à la date du décès de l'actif net recueilli par chaque bénéficiaire. Si celui-ci a droit à une réserve, il n'est rien dû sur ce qu'il recueille à ce titre. En ligne directe : de 0 à 20 000 F 5 % ; de 20 001 à 40 000 F 3,30 % ; de 40 001 à 110 000 F 1,65 % ; au-dessus de 110 000 F 0,825 %. Entre époux : 2/3 du tarif en ligne directe. En ligne collatérale et entre étrangers, tarif en ligne directe multiplié par le coefficient 1,33 + TVA. **Olographe :** rédaction : honoraires libres. Au décès. Moitié des émoluments proportionnels perçus en matière de testament authentique, plus 245 F + TVA.

DROITS DE SUCCESSION

GÉNÉRALITÉS

■ **Évolution. 1901,** taxation progressive en fonction de l'importance de la succession et du degré de parenté. **1917 à 1932,** une taxe globale s'ajoute aux droits personnels sur les parts d'héritages. *Dep. 1930,* exonérations, abattements, réductions se sont succédé. **1956,** taxe de 1 à 5 % sur l'ensemble de la succession (instituée par le min. des Fin. Ramadier). **1959, 63, 65, 66,** taxe Ramadier supprimée, tarifs allégés, abattements élargis ou multipliés, majorations applicables aux héritiers âgés ou sans enfant abolies. Grâce aux *exonérations,* plus du tiers des successions des grandes fortunes échappent légalement à l'impôt. **1969,** le taux supérieur des droits en ligne directe et entre époux passe de 15 à 20 %.

■ **Paiement.** Dans les 6 mois du décès au Bureau de l'enregistrement des successions du domicile du défunt, et en même temps que la déclaration de succession ; en numéraire, par chèque à l'ordre du Trésor public, ou en remettant certains titres, ex. : emprunt Giscard remboursé par anticipation à compter du 1-6-1988, ou sous forme de dations de tableaux, de livres, de manuscrits, d'argenterie, de tapisseries ou de meubles anciens [système instauré par la loi Malraux du 3-12-1968 : une « commission d'agrément », composée des représentants des services du 1er Min., des Finances, des Affaires culturelles et de l'Education nationale, consultera des experts avant de se prononcer. **Dations importantes.** Ex. : héritage *Picasso* († 1973) estimé à 1,2 milliard de F (l'État a reçu + de 200 toiles, 158 sculptures, etc.) ; *Chagall* estimé à 710 millions de F (l'État touchera 170 millions sous forme de dations : 46 peintures, 150 gouaches, 229 dessins, 27 maquettes et 11 livres illustrés) ; *baronne Edmond de Rothschild* († 1983) réglée en partie par la dation de *l'Astronome* de Vermeer (seul Vermeer au monde n'appartenant pas à un musée)].

Paiement différé : pour les biens en nue-propriété. Permet d'attendre la réunion de l'usufruit à la nue-propriété pour payer les droits. On peut choisir de payer des droits calculés sur la valeur de la nue-propriété avec des intérêts payables chaque année, ou des droits sur la valeur en pleine propriété des biens calculée le jour du décès (pas d'intérêts). *Intérêts :* voir ci-après paiement fractionné. *Demande de p. différé :* voir ci-après paiement fractionné.

Paiement fractionné des droits de succession : possibilité de payer les droits dans des délais variables moyennant paiement d'intérêts et si des garanties sont fournies. Peut être demandé par tout légataire ou héritier lors d'une succession. *Cas général :* les droits peuvent être acquittés en plusieurs versements égaux, le 1er lors du dépôt de déclaration de succession, le dernier 5 ans après le délai légal de souscription de la déclaration. *Nombre de versements :* si la proportion entre les droits dus et le montant taxable des parts recueillies est de 5 % : 2 versements ; de 5 à 10 % : 4 vers. ; de 10 à 15 % : 6 vers. ; de 15 à 20 % : 8 vers. ; 20 % et + : 10 vers. *Cas particulier :* pour héritiers en ligne directe et conjoint, possibilité d'un délai de 10 ans et du doublement du nombre de versements (max. 20). Si l'actif de la succession comprend au moins 50 % de biens non liquides (brevets d'invention, commerce, immeubles, etc.). *Intérêts dus :* taux fixé pour chaque semestre civil. *Demande de p. fractionné :* peut être faite au pied de la déclaration de succession ou par lettre jointe, et doit être accompagnée des justifications nécessaires et d'une offre de garantie (hypothèque sur un immeuble successionnel, etc.). Réponse du receveur des impôts dans les 3 mois.

Usufruit (art. 578 et suiv. du Code civil)

■ **Définition.** Démembrement temporaire de la propriété qui donne le droit de jouir des choses dont un autre a la propriété, comme le propriétaire lui-même, mais à la charge d'en conserver la substance. L'*usufruitier* peut user du bien et en percevoir les fruits (revenus), le *nu-propriétaire* (propriétaire du bien grevé de l'usufruit) dispose des autres prérogatives découlant du droit de propriété (essentiellement du droit d'aliéner la chose). Le droit d'usufruit a un caractère personnel et temporaire (le plus souvent viager). Il ne se transmet pas aux héritiers et prend fin à la mort de l'usufruitier. Il peut s'exercer sur : meubles incorporels (valeurs en Bourse), corporels (meubles meublants), immeubles déterminés ou succession entière.

■ **Obligations à la charge de l'usufruitier. 1°) Au début de l'usufruit.** *Inventaire. Caution de jouir en bon père de famille :* une personne solvable qui garantira sur ses biens personnels le nu-propriétaire contre les abus de jouissance de l'usufruitier, et contre le défaut de restitution des meubles. L'usufruitier peut être dispensé par le nu-propriétaire de fournir une caution, cas fréquent dans les donations et testaments établissant un usufruit.

Si l'usufruitier ne peut fournir caution : celle-ci peut être remplacée par une hypothèque. Si l'usufruitier est dans l'impossibilité de fournir une garantie, les immeubles sont donnés à bail ou mis sous séquestre ; les sommes comprises dans l'usufruit sont placées ; les meubles sont vendus et le montant de la vente est placé (les intérêts des sommes ainsi placées et le montant des loyers reviennent à l'usufruitier).

2°) Pendant la durée de l'usufruit. L'usufruitier a un droit d'usage et de jouissance. Il peut utiliser le bien objet de l'usufruit pour son usage personnel, percevoir les fruits et revenus, les loyers, les récoltes, accomplir tous actes d'administration (mais il ne peut disposer de la chose, l'aliéner, l'hypothéquer), couper les arbres suivant l'usage des lieux, acquitter les charges (impôts), faire les réparations d'entretien. Il doit se comporter en « bon père de famille ». Les baux qui portent sur des fonds ruraux, des immeubles à usage commercial, industriel ou artisanal, de 9 ans, exigent le concours du nu-propriétaire et de l'usufruitier. Les baux d'habitation et à usage professionnel conclus par l'usufruitier ne peuvent être opposables au nu-propriétaire pour plus de 9 ans quand l'usufruit prend fin. *Il doit rendre les meubles dans l'état où ils se trouvent à l'expiration de son droit* et non dans celui où ils se trouvaient au début de l'usufruit. Il ne doit indemnité que si les dégradations résultent de son dol ou de sa faute (dispense pour le père ou la mère qui ont l'usufruit légal des biens de leurs enfants, le vendeur ou le donateur sous réserve d'usufruit).

3°) Lors de la cessation de l'usufruit. Restitution de la chose. Reddition de compte par l'usufruitier ou ses héritiers.

■ **Obligations à la charge du nu-propriétaire.** Il ne peut, par son fait ni de quelque manière que ce soit, nuire aux droits de l'usufruitier (art. 599, al. 1) (si l'usufruitier est évincé par un tiers, il doit agir contre ce tiers).

Il doit les *grosses réparations* et les *charges extraordinaires :* branchement à l'égout, par ex. ; (les charges ordinaires et les réparations d'entretien incombent à l'usufruitier). Le tribunal de grande instance est compétent en cas de litige entre usufruitier et nu-propriétaire.

■ Taux normaux des droits

1°) Ligne directe de parents à enfants. Taux *jusqu'à 50 000 F :* 5 % ; *de 50 001 à 75 000 F :* 10 % ; *de 75 001 à 100 000 F :* 15 % ; *de 100 001 à 3 400 000 F :* 20 % ; *de 3 400 001 à 5 600 000 :* 30 % ; *de 5 600 001 à 11 200 000 F :* 35 % ; *au-delà :* 40 %.

Abattement : 300 000 F (dep. 1-1-1992) pour la part de chacun des ascendants et des enfants vivants ou représentés. Si l'un des héritiers a au moins 3 enfants vivants, il peut déduire des droits 4 000 F par enfant en plus du 2e.

2°) Entre époux. Taux *jusqu'à 50 000 F :* 5 % ; *de 50 001 à 100 000 F :* 10 % ; *de 100 001 à 200 000 F :* 15 % ; *de 200 001 à 3 400 000 :* 20 % ; *de 3 400 001 à 5 600 000 :* 30 % ; *de 5 600 001 à 11 200 000 :* 35 % ; *au-delà :* 40 %. **Abattement :** 330 000 F (dep. 1-1-1992) ; même réduction que ci-dessus pour 3 enfants et +.

3°) Entre frères et sœurs. Taux. *Jusqu'à 150 000 F :* 35 %. *Au-delà :* 45 %. **Abattement :** 100 000 F sur la part de chaque frère et sœur, célibataire, veuf, divorcé ou séparé de corps s'il a plus de 50 ans ou ne peut subvenir par son travail aux nécessités de l'existence (il faut qu'il ait habité pendant 5 ans au moins avec le défunt à la date du décès). Autres cas : 10 000 F.

4°) Entre parents jusqu'au 4e degré *(c.-à-d. oncles et tantes et neveux ou nièces, grands-oncles ou grands-tantes et petits-neveux, petites-nièces, cousins germains).* **Taux :** 55 %. **Abattement :** 10 000 F.

5°) Entre parents au-delà du 4e degré et entre non-parents. Taux : 60 %. **Abattement :** 10 000 F.

6°) Adoptés. En principe, il n'est pas tenu compte du lien de parenté résultant de l'adoption simple, mais seulement du lien de parenté naturelle pouvant exister entre adoptant et adopté. Cependant l'adopté peut bénéficier du régime des transmissions en ligne directe si, dans sa minorité et pendant 5 ans (6 ans avant la loi du 30-12-1975) au moins, il a reçu secours et soins. Ou si secours et soins, *commencés pendant la minorité,* ont continué après sa majorité et duré au moins 10 ans au total.

Peuvent encore bénéficier de ce régime d'autres adoptés, en particulier les enfants issus d'un 1er mar. du conjoint de l'adoptant. Les enfants ayant bénéficié d'une légitimation adoptive ou d'une adoption plénière sont assimilés aux enfants légitimes (décret du 23-3-1985, JO 24).

☞ Après 10 ans, les donations antérieures ne sont plus prises en compte pour le calcul des droits de mutation à titre gratuit en cas de nouvelle donation ou de succession. En cas de taxation d'un don manuel révélé à l'adm., les droits de mutation sont calculés sur la valeur des biens à la date de la révélation. Le donataire doit procéder à l'enregistrement ou à la déclaration dans le mois qui suit la date de révél. Seules les donations soumises aux droits d'enregistrement peuvent bénéficier de la dispense de rappel.

Montant des droits en % selon le rang des héritiers. All. féd. 20 à 70, Belgique 30 à 80, Espagne 58 à 84, *France 5 à 60,* G.-B. 30 à 60, Italie 3 à 31, P.-Bas 5 à 68, Portugal 4 à 76, Suisse 1 à 10 (selon les cantons ; Schwyz est exonéré).

Le montant hérité (héritage en ligne directe de parent à enfant, en millions de F). **All. féd.** 1 MF *2,5,* 5 *8,* 15 *11. France* 1 *13,* 5 *21,* 15 *31.* **G.-B.** 1 *9,* 5 *35,* 15 *52.* **Italie** 1 *5,5,* 5 *19,* 15 *27.* **Suisse** 1 *2,* 5 *4,* 15 *5.* **USA** 1 *0,* 5 *10,* 15 *15.*

Le montant hérité pour un couple ayant 2 enfants : 6 millions et, entre parenthèses, 30 millions. All. féd. 5,3 (20). Belgique 7,8 (20). Espagne 19,3 (26). *France 15 (24).* G.-B. 15 (27). Italie 10 (26). P.-Bas 16,7 (26). Suisse 4,6 (6,22). USA 0 (30).

■ Réductions de droits

Familles nombreuses. Héritier ou donataire ayant 3 enfants ou plus, vivants ou représentés au moment de l'ouverture de la succession ou au jour de la donation : réduction de 100 % (avec un max. de 2 000 F par enfant en sus du 2e, 4 000 F pour donations et successions en ligne directe et entre époux).

Mutilés de guerre, invalides à 50 % au moins. Réduction de 50 % (max. 2 000 F).

Handicapés physiques ou mentaux. *Abattement :* 300 000 F quel que soit le lien de parenté avec le donateur ou le défunt et même s'il n'y a pas de lien de parenté. Ne se cumule pas avec les abattements de 275 000 et 100 000 F applicables en ligne directe ou entre époux et entre frères et sœurs.

■ Exonérations des droits

Assurances-vie (voir p. 1315).

Assurance-vie ou décès. Contrats souscrits avant le 20-11-1991, *avant 66 ans :* le capital ou, le cas échéant la rente, ne font pas partie de la succession. *Au-delà de 66 ans,* seuls les 1ers 100 000 F sont exonérés, dans la mesure où le capital ne dépasse pas de 1/3 les primes dues dans les 4 ans de la souscription. **Après le 20-11-1991 :** les primes versées avant 70 ans échappent aux droits de succession ; les primes payées *après 70 ans* sont imposables après application d'une franchise de 200 000 F.

Bois et forêts et parts de groupements forestiers à concurrence des 3/4 de leur valeur, s'il s'agit d'une exploitation régulière et si les héritiers s'engagent à la continuer 30 ans, et parts de GFA (Groupements fonciers agricoles).

Les biens ruraux donnés à bail à long terme à concurrence des 3/4 de leur valeur lors de leur 1re transmission à titre gratuit, à la condition, pour les parts de GFA que : les statuts interdisent le faire-valoir direct ; les biens du groupement soient donnés à bail à long terme ; les parts soient détenues dep. 2 ans au moins par le donateur ou le défunt. Lorsque les biens ruraux et les parts de GFA transmis par le donateur ou le défunt à un même donateur, héritier ou légataire, sont d'une valeur supérieure à 500 000 F, l'exonération partielle est ramenée de 15 % à 50 % au-delà de cette limite (loi du 29-12-1983).

Réversions de rentes viagères entre époux ou parents en ligne directe.

☞ Dep. janv. 1991, la succession d'une personne **victime d'un acte de terrorisme** est exonérée si le décès résulte directement de l'acte de terrorisme (ou de ses conséquences) et intervient dans les 3 ans, quel que soit le montant de la succession et quelle que soit la qualité de l'héritier.

Nota. – L'*emprunt Pinay* (3,5 % 1952 et 1958) à capital garanti qui était exonéré a été supprimé le 20-9-1973. L'*emprunt Giscard d'Estaing* qui l'a remplacé (4,5 % : échange possible) n'est plus exonéré. **Option successorale :** les héritiers peuvent accepter, ou accepter *sous bénéfice d'inventaire,* ou renoncer à une succession. Ils bénéficient d'un délai de 3 mois pour l'inventaire et de 40 j pour se prononcer.

Décès

☞ En France, en 1992 : 550 000 décès [taux de mortalité (pour 1 000 hab.) : 9,2].

Taux annuel de décédés [1]

	Hommes		Femmes	
	1983	1935/37	1983	1935/37
Tous âges ..	10,8	17	9,7	14,3
– de 1 an [2]	10,3	74,5	7,9	58
1-4	0,60	6,24	0,5	5,56
5-9	0,35	1,83	0,24	1,65
10-14	0,31	1,38	0,21	1,4
15-19	0,97	2,59	0,43	2,54
20-24	1,77	4,55	0,57	3,95
25-29	1,6	4,83	0,63	4,06
30-34	1,71	6,05	0,75	4,15
35-39	2,25	7,57	1,06	4,71
40-44	3,42	9,8	1,56	5,83
45-49	5,75	12,6	2,39	7,59
50-54	9,39	17,1	3,69	10,4
55-59	13,7	23,3	5,2	13,9
60-64	19,3	33,2	7,6	20,9
65-69	29,6	48,2	12,1	32,1
70-79	56,7	88,4	29,4	66,5
80 et + ..	148	208	116	172

Nota. – (1) Pour 1 000 personnes de chaque groupe d'âge. (2) Taux calculé sur 1 000 naissances vivantes correspondantes.

■ **Mortalité accidentelle** (taux pour 100 000 h., 1984). *France 71.* Suisse 82,3. Espagne 77,2. All. féd. 44. G.-B. 25. **Nombre :** *acc. corporels de la route :* 250 000 par an. *Tués : 1972 :* 16 500. *75-78 :* 12 873. *79-82 :* 12 189. *83 :* 11 677. *84 :* 11 525. *85 :* 10 447. *86 :* 10 961. *87 :* 9 855. *88 :* 10 458. *Acc. domestiques :* 250 000 enfants victimes (env. 4 000 †).

■ Espérance de vie et mortalité

■ **Hommes. Espérance de vie à 35 ans et, entre parenthèses, probabilité de décès entre 35 et 60 ans** (en %). 37,2 (17,4). Professeurs 43,2 (7,1), ingénieurs 42,3 (8,3), cadres sup. et prof. libérales 42 (9,1), instituteurs 41,1 (9,8), cadres adm. sup. 41,4 (9,8), prof. libérales (1) (10), contremaîtres 40,2 (11,6), techniciens 40,3 (11,7), cadres moyens 40,3 (11,7), industriels et gros commerçants (1) (12), agriculteurs 40,3 (12), artisans 40,2 (12,4), cadres adm. moyens 39,6 (12,6), patrons de l'ind. et du commerce 39,5 (13,4), autres actifs (artistes, clergé, armée, police) (1) (13,7), petits commerçants 38,8 (14,8), employés de com. 38,4 (15,5), employés 38,5 (15,6), e. de bureau 38,5 (15,7), armée, police 36,9 (16,5), ouvriers qualifiés 37,5 (17), ouvriers 37,2 (18,1), spécialisés 37 (18,6), personnel de service 36 (19,4), salariés agricoles 37,5 (20,2), manœuvres 34,3 (25,3), actifs 38,8 (14,9), inactifs (1) (47).

Nota. – (1) Calculs non effectués dans cette étude.

■ **Femmes. Probabilité de décès entre 35 et 60 ans (en %) :** 7,27. Employées 4,48 ; institutrices 4,93 ; cadres supérieurs 4,94 ; techniciennes et cadres administratifs moyens 5,05 ; ouvrières qualifiées 5,55 ; artisans et petits commerçants 5,66 ; agricultrices 5,78 ; ouvrières spécialisées et manœuvres 5,79 ; femmes de ménage 6,28 ; personnel de service 6,69 ; ensemble des actives 5,41 ; inactives 8,85. **Mortalité des centenaires :** 40 % meurent dans leur 101e année. Le centenaire moyen mesure 1,51 m pour les femmes, 1,62 m pour les hommes, pèse 48 kg (femme) ou 59,5 kg (homme) ; 51 % des centenaires ont les yeux bleus (31 % de la population).

Espérance de vie en France

Nombre de survivants à des âges donnés pour 100 000 personnes de la même génération.
Espérance de vie (nombre moyen d'années qui restent à vivre selon l'âge que l'on a).
Hommes (H) et Femmes (F). Comparaison avec l'étranger (voir p. 89).
Source : INSEE (table de mortalité 1984-86).

Age	Survivants		Espérance de vie		Age	Survivants		Espérance de vie		Age	Survivants		Espérance de vie	
	H	F	H	F		H	F	H	F		H	F	H	F
0	100 000	100 000	71,31	79,49	34	95 863	97 871	39,63	46,92	68	67 224	85 195	12,60	16,41
1	99 063	99 279	70,98	79,07	35	95 684	97 790	38,70	45,96	69	65 162	84 094	11,98	15,61
2	98 985	99 214	70,04	78,12	36	95 495	97 702	37,78	45,00	70	62 953	82 885	11,38	14,83
3	98 932	99 173	69,07	77,15	37	95 293	97 605	36,86	44,05	71	60 659	81 568	10,79	14,07
4	98 890	99 142	68,10	76,17	38	95 077	97 503	35,94	43,09	72	58 267	80 112	10,22	13,31
5	98 854	99 116	67,13	75,19	39	94 841	97 393	35,03	42,14	73	55 720	78 502	9,66	12,58
6	98 823	99 092	66,15	74,21	40	94 585	97 274	34,12	41,19	74	53 060	76 721	9,12	11,86
7	98 795	99 070	65,17	73,23	41	94 305	97 145	33,22	40,24	75	50 293	74 744	8,60	11,16
8	98 766	99 050	64,18	72,24	42	94 001	97 006	32,33	39,30	76	47 347	72 557	8,10	10,48
9	98 738	99 031	63,20	71,26	43	93 677	96 858	31,44	38,36	77	44 286	70 126	7,62	9,82
10	98 712	99 012	62,22	70,27	44	93 323	96 696	30,56	37,42	78	41 145	67 445	7,17	9,19
11	98 686	98 995	61,24	69,28	45	92 930	96 519	29,68	36,49	79	37 939	64 510	6,73	8,59
12	98 660	98 978	60,25	68,29	46	92 505	96 327	28,82	35,56	80	34 679	61 307	6,32	8,01
13	98 633	98 959	59,27	67,31	47	92 034	96 121	27,96	34,64	81	31 421	57 834	5,92	7,46
14	98 601	98 939	58,29	66,32	48	91 514	95 896	27,12	33,72	82	28 200	54 092	5,54	6,94
15	98 561	98 915	57,31	65,34	49	90 945	95 651	26,28	32,80	83	25 023	50 097	5,18	6,46
16	98 506	98 885	56,34	64,36	50	90 319	95 384	25,46	31,89	84	21 934	45 955	4,84	6,00
17	98 433	98 848	55,38	63,38	51	89 538	95 095	24,65	30,99	85	18 970	41 716	4,51	5,55
18	98 337	98 804	54,44	62,41	52	88 289	94 786	23,86	30,09	86	16 151	37 368	4,22	5,14
19	98 217	98 755	53,50	61,44	53	88 059	94 452	23,08	29,19	87	13 502	32 953	3,94	4,76
20	98 075	98 703	52,58	60,47	54	87 168	94 087	22,31	28,30	88	11 091	28 586	3,69	4,42
21	97 920	98 651	51,66	59,50	55	86 208	93 701	21,55	27,42	89	8 950	24 401	3,46	4,09
22	97 758	98 600	50,75	58,53	56	85 169	93 293	20,81	26,54	90	7 068	20 458	3,24	3,78
23	97 592	98 548	49,83	57,56	57	84 075	92 853	20,07	25,66	91	5 495	16 841	3,03	3,48
24	97 431	98 496	48,91	56,59	58	82 914	92 384	19,35	24,79	92	4 212	13 599	2,80	3,19
25	97 277	98 443	47,99	55,62	59	81 678	91 877	18,63	23,92	93	3 159	10 732	2,57	2,91
26	97 124	98 388	47,07	54,66	60	80 376	91 330	17,92	23,06	94	2 277	8 225	2,37	2,65
27	96 972	98 332	46,14	53,69	61	79 001	90 753	17,23	22,21	95	1 564	6 057	2,22	2,42
28	96 823	98 276	45,21	52,72	62	77 562	90 130	16,54	21,36	96	1 038	4 309	2,09	2,19
29	96 673	98 217	44,28	51,75	63	76 051	89 460	15,86	20,51	97	670	2 969	1,96	1,96
30	96 520	98 156	43,35	50,78	64	74 459	88 744	15,18	19,67	98	426	1 964	1,80	1,70
31	96 363	98 089	42,42	49,81	65	72 789	87 957	14,52	18,85	99	277	1 266	1,50	1,36
32	96 203	98 020	41,49	48,85	66	71 025	87 105	13,87	18,02					
33	96 037	97 948	40,56	47,88	67	69 165	86 191	13,23	17,21					

Évolution de l'espérance de vie à la naissance. En années. Homme (Femme). **1740-49** 23,8 (25,7). **1750-59** 27,1 (28,7). **1760-69** 26,4 (29). **1770-79** 28,2 (29,6). **1780-89** 27,5 (28,1). **1790-99** (32,1). **1800-09** (34,9). **1810-19** 32,6 (38,9). **1820-29** 37,8 (39,3). **1830-32** 37 (39). **1835-37** 39,2 (40,7). **1840-59** 39,4 (41). **1861-65** 39,1 (40,6). **1877-81** 40,8 (43,4). **1898-1903** 45,4 (48,7). **1933-38** 55,9 (61,6). **1952-56** 65,0 (71,2). **1960-64** 67,5 (74,4). **1970** 68,4 (75,8). **1975** 69 (76,9). **1982** 70,2 (78,8). **1985** 71,3 (79,4). **1988** 72,3 (80,5) dont *1 an* 72 (00) ; *20* 53,5 (61,4) ; *40* 35,1 (42,1) ; *60* 18,7 (23,9). **1990** 72,7 (80,9). **1992** 73,1 (81,3) **2020 (prév.)** 78,4 (86,5).

Définitions

Définition classique. Une personne est morte lorsque son cœur ne bat plus et qu'elle cesse de respirer. Cette règle permet de prolonger la vie de personnes inconscientes pendant longtemps, grâce à des appareillages modernes. *Concept de mort cérébrale.* Selon l'Académie nationale de médecine (séance du 15-11-1991), les critères de mort cérébrale sont les suivants : abolition de la conscience, de tous les réflexes du tronc cérébral, de la respiration spontanée, nullité de l'EEG, chez un patient n'ayant pas pris de médicaments dépresseurs du système nerveux central, dont la température interne est au voisinage de sa valeur normale et en l'absence de certaines maladies métaboliques ou endocriniennes connues pour leur capacité à fausser l'interprétation des critères fondamentaux. Au cas où un traitement par médicaments divers aurait été prescrit avant que le diagnostic de mort cérébrale ne soit porté, il faut exclure leur responsabilité par confrontation clinico-biochimique. Ces critères doivent être tous réunis et constatés pendant un temps suffisant dont la durée dépend de l'état pathologique responsable de la mort cérébrale et de l'âge du patient. Au cas où la conviction de la mort cérébrale n'est pas totale, des investigations complémentaires doivent être pratiquées (potentiels évoqués, doppler intracrânien ou artériographie cérébrale pour vérifier l'arrêt de la circulation cérébrale) selon les possibilités locales. Le certificat attestant la mort cérébrale doit être signé par 2 médecins dont l'un, le chef de service ou son représentant, et l'autre, si possible, l'électroencéphalographiste responsable des tracés.

Définition américaine. En 1981, une commission a recommandé aux États fédéraux d'adopter cette définition : un individu est décédé lorsqu'il a subi, soit une cessation irréversible des fonctions circulatoires et respiratoires, soit une cessation irréversible de toutes les fonctions du cerveau, y compris le tronc cérébral. Avec cette définition, 10 à 20 % des Américains dont on entretient la respiration ou la circulation sanguine de manière artificielle pourraient être considérés comme « morts ».

☞ Les *critères légaux* de la mort diffèrent selon les pays. Ainsi, en France, on se base sur l'électroencéphalogramme plat ; en Grande-Bretagne, sur l'absence de réactivité bulbaire au gaz carbonique.

Pour l'Église catholique, la vie est un don de Dieu dont l'homme ne peut disposer. Mais personne n'est tenu d'employer tous les moyens possibles pour prolonger une existence insupportable. Le pape Pie XII a déclaré légitime l'arrêt de la respiration assistée d'un malade en coma dépassé, et l'emploi d'anti-algiques même s'ils risquent d'accélérer la mort. Le médecin doit trouver dans sa conscience et dans la science la limite qui sépare le faire-mourir du laisser-mourir.

☞ *Association pour le droit de mourir dans la dignité,* 103, rue La Fayette, 75010 Paris. *Pt* Henri Caillavet (n. 13-2-14, ancien min.).

Formalités

Déclaration. A la mairie de la commune où a lieu le décès, le plus tôt possible. La mairie avise le médecin chargé par l'officier d'état-civil de s'assurer du décès, d'attester que celui-ci ne pose pas de problème médico-légal et remet la lettre de constat à la famille ou aux Pompes funèbres, qui doivent la rapporter, avec le livret de famille du décédé, à la mairie ; à ce moment seulement, est délivrée l'*autorisation de fermeture du cercueil* (en cas d'inhumation sans autorisation préalable : 10 j à 1 mois de prison et/ou 400 F à 1 000 F d'amende) (art. R40 Code pénal).

En cas de mort violente ou suspecte, le procureur de la République peut faire procéder à une autopsie et ordonner une expertise médicale.

Une autorisation de fermeture du cercueil est nécessaire pour les enfants mort-nés et les fœtus s'ils ont 6 mois de gestation.

La famille peut ne pas rendre publiques les causes d'un décès.

Prélèvements sur comptes bloqués. Dès le décès du titulaire, les comptes bancaires, postaux ou d'épargne sont bloqués et ne peuvent donc normalement être utilisés pour régler les frais d'obsèques. Sur la demande expresse des ayants droit du défunt, le directeur de l'établissement financier concerné (banque, centre de chèques postaux, caisse d'épargne) peut effectuer à l'entreprise chargée des obsèques un virement direct d'un max. de 10 000 F.

Usages du deuil au début du XXe s.	*Crêpe*	*Soie noire*	*Demi-deuil*
Grands deuils			
Veuf, veuve	1 an	6 m	6 m
Père, mère	9 m	6 m	3 m
Beau-père, b.-mère ...	9 m	6 m	3 m
Enf., gendre, b.-fille ..	6 m	3 m	3 m
Grands-parents	6 m	3 m	3 m
Frère, sœur	6 m	2 m	2 m
Beau-frère, b.-sœur ...	6 m	2 m	2 m
Petits deuils			
Oncle, tante		3 m	3 m
Cousin, cousine		6 sem.	6 sem.

Chèques postaux. Le compte est bloqué dès la connaissance officielle du décès. Un des héritiers peut se « porter fort » jusqu'à 8 000 F. Au-delà, un certificat de propriété est nécessaire. Le compte joint évite le blocage, pour les chèques postaux et en matière bancaire. Certains comptes, comme le compte épargne action (CEA), sont débloqués par le décès.

Enterrement

☞ Sur 528 000 morts en 1992, env. 70 % sont morts à l'hôpital, 43 200 incinérés. *En 1992 :* 150 000 décédés ont reçu des soins (thanatopraxie).

Le groupe OGF-PFG, filiale de Lyonnaise des eaux-Dumez représente 7 600 personnes. Chiffre d'aff. annuel 2,8 milliards de F (résultat net consolidé part du groupe 0,11).

■ Généralités

■ **Date.** Le maire autorise l'inhumation ou la crémation 24 h au plus tôt après le décès (autorisation délivrée par l'officier d'état civil sur production d'un certificat médical).

■ **Enterrements religieux. Catholique :** baptisés, catéchumènes, petits enfants dont les parents envisageaient le baptême peuvent être enterrés religieusement. Seule une attitude d'opposition violente au christianisme entraînerait un refus : apostats notoires, personnes ayant demandé l'incinération pour des motifs antireligieux, personnes dont l'enterrement religieux ferait scandale. *Frais :* parfois ils correspondent aux dépenses de la paroisse pour la circonstance (personnel laïc), ailleurs l'offrande faite contribue surtout à la vie matérielle du prêtre.

Protestant : les protestants n'ont pas de rituel précis. Certains préfèrent adopter la levée du corps dans l'intimité, suivie d'une inhumation. Après celle-ci, culte d'adoration et de reconnaissance généralement célébré au temple. D'autres choisissent la formule du culte, le cercueil étant dans l'église. Dans l'un et l'autre cas, il existe une liturgie appropriée.

Israélite : pas de cérémonie religieuse à la synagogue. Prières et psaumes au cimetière. Toilette et vêtements rituels. Prières après les obsèques au domicile du défunt.

Musulman : prières au domicile de la famille et au cimetière au moment de l'inhumation.

■ **Liberté des funérailles.** Principe établi par la loi du 15-11-1887 et divers règlements. Ceux qui donneraient aux funérailles un caractère contraire à la volonté du défunt, ou à la décision de justice, encourraient une amende de 1 200 à 3 000 F (décret du 18-7-1980) ; de 2 ans à 5 ans de prison en cas de récidive, et la réclusion criminelle de 10 à 20 ans en cas de 2e récidive (art. 199 et 200 Code pénal).

■ **Prestations. Catégories** (loi du 28-12-1904 modifiée par la loi du 8-1-1993) : 1°) *service extérieur,* qui peut regrouper : cercueil, corbillard, tentures et façades extérieures, transport du corps dans la limite de la commune ; gestion et utilisation des chambres funéraires, fourniture de personnel et des objets, et prestations nécessaires aux obsèques, inhumations, exhumations et crémations. Disparition du monopole communal de ce service extérieur (pouvant être ou non exercé en régie par le maire) au profit d'un service public des Pompes funèbres assuré concurrentiellement par des régies communales ou intercommunales, des entreprises, des sociétés ou des associations, sous réserve d'une habilitation préfectorale. L'exclusivité n'est plus légale. Toute entreprise habilitée peut réaliser son propre fossoyage, la commune pouvant maintenir un service en régie directe, mais concurremment sur le marché. Régies communales et intercommunales peuvent encore bénéficier de l'exclusivité pour 5 ans (3 ans pour les contrats de concession). *Crématoriums,* relèvent toujours de la compétence exclusive des communes ou de leur groupement, la gestion pouvant être exercée directement ou déléguée. 2°) *service intérieur,* qui concerne la cérémonie religieuse, confié aux associations cultuelles qui fixent librement leurs tarifs. 3°) *service libre,* qui comprend toutes fournitures et travaux laissés hors des services ext. et int. : croix et emblèmes religieux, plaques, garniture intérieure du cercueil, soins de conservation, faire-part, fleurs, couronnes, etc.

Dans beaucoup de communes rurales, les familles pourvoient elles-mêmes au transport ou à l'enterrement de leurs morts. Le cercueil est souvent fabriqué par le menuisier du village.

Lorsque la commune de mise en bière n'est pas à la fois celle du domicile du défunt et celle de l'inhumation ou de la crémation, les familles peuvent (loi n° 86-29 du 9-1-1986) s'adresser, au choix, à la régie ou au concessionnaire de l'une de ces 3 communes. S'il n'existe ni régie municipale ni concessionnaire, toute entreprise de pompes funèbres qui s'y trouve physiquement implantée peut intervenir dans la ou les communes où le service est organisé, au même titre qu'un concessionnaire.

En Moselle, Bas-Rhin, Ht-Rhin, les fabriques des églises et des consistoires ont gardé le monopole, mais peuvent le concéder, le régime du Concordat étant toujours en vigueur (décret du 22 prairial an XII), la loi du 9-1-1986 n'y est pas applicable.

■ **Conservation des corps.** Assurée par le froid (case réfrigérante, neige carbonique) ou par des soins « somatiques » : ex., procédé IFT (Institut français de thanatopraxie) avec injection dans le corps d'un liquide aseptique et stérilisant. Pour les soins somatiques, il faut l'autorisation du maire (ou du préfet de police à Paris) ; ils sont interdits en cas de décès par suite de certaines maladies contagieuses.

■ **Frais d'obsèques. Financement :** *Sécurité sociale :* verse aux ayants droit un capital-décès équivalent à 3 mois du salaire soumis aux cotisations (dans la limite du plafond). *Prévoyance-obsèques* et *Épargne funéraire :* certains organismes couvrent spécialement les frais d'obsèques, par contrat fixant le détail des fournitures (Groupement auxiliaire de prévoyance funéraire) ou contre une cotisation annuelle (Garantie obsèques). *Stés mutualistes :* complètent les remboursements de la Séc. soc. ; prévoient un capital-obsèques (les Pompes funèbres se font régler par la mutuelle tout ou partie de la facture approuvée par la famille). *Assurances-obsèques :* certaines Cies d'assurances (Gan, GMF) offrent des garanties spéciales pour la couverture des frais d'obsèques. *Assurance-vie :* voir p. 1315. *Assurances-obsèques. Banques :* certaines proposent, contre env. 30 F par an, un capital (20 000 F à 175 000 F) en cas de décès du titulaire du compte, en rapport avec la valeur en compte au jour du décès.

Prix d'un enterrement à Paris (au 1-1-1993) : *service social à tarif réduit* cercueil volige (pas d'aménagement intérieur) 769 F HT. *Classe C* cerc. en bois dur teinté 3 242 F HT.

Répartition des frais d'obsèques à la charge d'une famille (en F) : *prestataires :* articles funéraires et fleurs 4 900 ; entreprises (ou régies) de pompes funèbres 4 800 [dont fournitures (cercueil) 3 000, services funéraires 1 800] ; transport et restauration 1 000 ; marbrier 700 ; presse et faire-part 200. *Collectivités :* État (TVA) 2 000 ; communes 1 300 ; clergé 200.

Nota. – En 1987, les Français ont dépensé 9 milliards de F en services funéraires (non compris l'achat d'une concession) pour 550 000 décès.

Frais et taxes divers. (Coût à Paris) : *taxe municipale* de pompes funèbres : 155 F. *Frais de ramassage :* (en cas de décès sur la voie publique.) : 930 F entre 8 h 45 et 18 h 30, 1 745 F au-delà. *L'inhumation* peut se calculer au m3. *Exhumation :* 315 F + la « vacation de police ».

☞ **Un convoi comprend :** cercueil, porteurs, corbillard, fournitures non monopolisées (garnitures intérieures, plaques, etc.), frais d'organisation des obsèques et d'assistance d'un employé à la mise en bière et au convoi, sauf pour le service social à tarif réduit.

■ **Obsèques de personnalités.** Le gouvernement décide s'il s'agit d'*obsèques nationales* (réservées à des personnalités ayant eu un rôle exceptionnel dans la vie du pays) ou d'*obsèques solennelles ;* il n'est tenu par aucune règle. Les cérémonies tiennent compte de la qualité du défunt : chef de l'État, chef du gouvernement, militaire, et du fait qu'il était ou non en fonction. Généralement les membres du gouvernement, le corps diplomatique, les corps constitués y participent ; les honneurs militaires sont rendus avec plus ou moins de faste. Les frais des obsèques nationales sont pris en charge par l'État, parfois ceux des solennelles. *Ont eu des obsèques nationales :* les maréchaux Leclerc, de Lattre de Tassigny, Juin. Le général de Gaulle et le Pt Pompidou ont eu des obsèques privées, mais un hommage solennel a été rendu par le gouvernement à N.-Dame de Paris.

■ TRANSPORTS DE CORPS

Sans cercueil. *Autorisés à destination : de la résidence du défunt ou d'un membre de sa famille,* en cas de décès survenu hors du domicile du défunt, sauf problème médico-légal ; *d'une chambre funéraire* (établ. destiné à recevoir les défunts avant mise en bière, 1re réalisation en France : Menton, 1962) quel que soit le lieu de décès, sur demande de la famille ou de la personne chez qui le décès a eu lieu ; *d'un établ. d'hospitalisation, d'enseignement ou de recherche* si le défunt a fait don de son corps à la science. *Délais spéciaux :* 24 h à compter du décès, 48 h si le décès est survenu dans un établ. hospitalier disposant d'équipements permettant la conservation du corps. Nécessitent l'autorisation du maire de la commune de décès (préfet de police à Paris) et la pose d'un bracelet d'identification par un fonctionnaire de police auquel il faut régler une vacation. Interdits en cas de décès consécutif à certaines maladies contagieuses. *Délai de droit commun :* 18 h à compter du décès, 36 h si le défunt a reçu des soins de conservation. Transports effectués au moyen de véhicules spécialement aménagés.

En cercueil. *Sur le territoire français :* autorisation donnée par le maire de la commune du décès (ou du lieu de fermeture du cerc.) ou le préfet de police à Paris. Présence nécessaire d'un commissaire de police ou du garde champêtre au départ et à l'arrivée, auquel il faut régler une vacation. Le cerc. devra être, avec une garniture étanche, en bois de 18 ou 22 mm d'épaisseur après finition selon la distance à parcourir. *A destination de l'étranger :* cercueil hermétique et autorisation donnée par le commissaire de la Rép. du département (préfet de police pour Paris). S'adresser également au consulat du pays destinataire sauf si l'État destinataire est partie à l'accord de Berlin de 1937. *Par avion :* cercueil hermétique dans tous les cas. Les cercueils hermétiques sont munis d'un dispositif épurateur de gaz agréé par les ministères de la Santé et de l'Aviation civile.

Rapatriement de corps ou transit. Pour l'entrée en France (ou le transit), autorisation délivrée par le représentant consulaire fr. du pays du décès sauf si ce dernier est partie à la convention de Berlin.

Tarifs des transports à distance. *Par fourgon toutes destinations (en dehors de Paris) :* chaque km de l'aller (retour compris) : 5 F TTC, en moyenne ; prise en charge en sus : 362 F.

■ CIMETIÈRE

Toute personne peut être enterrée sur sa propriété, si ladite propriété est hors du bourg et à au moins 35 m de la propriété voisine ou d'un cours d'eau. Le préfet délivre l'autorisation. Chaque cas nécessite une nouvelle autorisation.

■ **Lieu.** Doit être à 35 m au moins en dehors des villes et bourgs, de préférence au nord ; la municipalité demande l'avis d'un géologue. La superficie est fonction du nombre présumé des morts à y enterrer chaque année, et la durée de rotation (min. 5 ans) proposée par le géologue en fonction de la composition géologique et de l'humidité du sol. Si le géologue indique que la durée de renouvellement des fosses doit être fixée à 7, 8 ou 10 ans, la surface du cimetière affectée aux inhumations en terrain commun devra être 7, 8 ou 10 fois supérieure à l'espace nécessaire aux inhumations à assurer dans une année.

Fosses en terrain communal : fosses individuelles à au moins 30 cm les unes des autres et 1,50 m de profondeur. Les emplacements sont fournis gratuitement pour la durée de rotation du cimetière. Elles peuvent être ensuite reprises pour une nouvelle inhumation.

Concessions : si la superficie du cimetière le permet, la commune peut en affecter une partie à des *concessions* pour des sépultures de famille (droit d'usage acquis par des particuliers). Surface minimale 2 m2. *Catégories :* temporaires (6 à 15 ans), trentenaires, cinquantenaires, perpétuelles. Si la concession n'est pas entretenue, la tombe peut être reprise par l'administration au bout de 30 ans. Le maire doit établir un procès-verbal d'abandon et le faire savoir par voie d'affichage. Si 3 ans après cet avis, la concession est toujours abandonnée, le maire saisit le conseil municipal, qui décidera de la reprise de la concession.

La commune doit fournir gratuitement, autour des tombes ou des concessions, une bande de terrain de 0,30 à 0,50 m à la tête et au pied, et de 0,30 à 0,40 m

---

■ **Statistiques.** 22 000 entreprises privées (concessionnaires des municipalités et certaines agglomérations comme Paris, Marseille et Lyon) se partagent chaque année environ 540 000 enterrements (chiffre d'aff. : 8 milliards de F, coût moyen d'un enterrement : 15 000 F).

Le groupe *OGF-PFG,* filiale dep. 1979 de la Lyonnaise des Eaux (7 600 personnes) et ses filiales, concessionnaire du service public des Pompes funèbres, détient 33,2 % du marché, assure 1 enterrement sur 3, 1 000 obsèques par jour, 2 200 contrats de concessions sur 5 000. *CA :* 2,8 milliards de F, *résultat net consolidé :* 110 millions de F.

Dépenses funéraires (en millions de F, 1989). Monuments funéraires 3 600, plaques 625, fleurs artificielles 325, bronzes 225, vases et jardinières 125, céramiques 45.

■ **A combien revient un mort ?** En 1984, les assurances payaient par tué une indemnité moyenne de 208 000 F. *Par tranches d'âges : 0 à 9 ans* 102 000. *10 à 14 ans* 107 000. *15 à 19 ans* 124 000. *20 à 24 ans* 175 000. *25 à 44 ans* 369 000. *45 à 64 ans* 275 000. *+ de 65 ans* 115 000.

■ **Enterrés vivants.** A la fin du XIXe s., un chercheur les avait évalués à 2 700 par an en Angleterre et au pays de Galles. Lors du transfert aux USA des cimetières de soldats américains au Viêt-nam (et aussi des soldats morts en France en 1944), on avait constaté dans 4 % des cas des altérations et des déplacements éloquents (poignets rongés, squelettes retournés...).

☞ Une entreprise de pompes funèbres de Floride, Celestis, a proposé en 1985 à ses futurs clients d'envoyer (pour 3 900 $) leurs cendres en orbite dans un satellite placé à 3 000 km de la Terre. Celui-ci, pesant 150 kg, aurait emporté les restes de 10 000 personnes dont les cendres (une dizaine de g) seraient placées dans des gélules de 1 cm sur 5, portant le nom du défunt et une indication de sa religion. Avec de bonnes jumelles, les parents auraient pu suivre le satellite dans l'espace pendant 63 millions d'années.

LE MÉDECIN DOIT-IL LA VÉRITÉ AU MALADE ?

Le médecin apprécie l'attitude la moins traumatisante pour son malade compte tenu de ce qu'il connaît de ses croyances, de sa famille... Sauf l'exception définie par l'article 42 du Code de déontologie médicale : « Pour des raisons légitimes que le médecin apprécie en conscience, un malade peut être laissé dans l'ignorance d'un diagnostic ou d'un pronostic grave. Un pronostic fatal ne doit être révélé qu'avec la plus grande circonspection, mais la famille doit généralement en être prévenue, à moins que le malade n'ait préalablement interdit cette révélation, ou désigné les tiers auxquels elle doit être faite. »

■ **Cimetières militaires. Régime.** Défini par les traités de Francfort (*10-5-1871* ; 40 000 Allemands en Fr.) et de Versailles (*28-6-1919*; 470 000 All. en Fr.) et par plusieurs lois françaises, notamment : *4-5-1873* (création de carrés militaires dans les cimetières communaux) ; *31-6-1930* (sépulture perpétuelle des morts pour la France).

Nombre. Guerre 14-18 : *Nécropoles nationales :* 251 ; *carrés milit. nationaux :* 1 913 (total 790 000 tombes). *Ossuaires* (corps non identifiés) : 550. *Cim. fr. à l'étranger :* 887 ; Belgique 32 000 tombes ; Dardanelles 15 000 ; Grèce 40 000 ; Yougoslavie 4 000 ; Albanie 2 000 ; Italie 1 000. **Guerre 39-45 :** 125 000 corps restitués aux familles sur 255 000. *Nécropoles nat.* (24) : 40 000 tombes ; *cim. de 14-18 agrandis* (35) : 9 000 ; *carrés milit. municipaux :* 70 000. **Indochine :** *Fréjus* (Var) : 17 250 tombes, ossuaire de 3 152 corps indissociables ou inconnus [3 165 morts hors guerre dits de garnison, inhumés au sein d'un mémorial situé sur le terrain militaire de *La Lègue,* au nord de Fréjus ; 3 539 corps identifiés de civils, 79 corps non identifiés au dépositoire de Pugey-sur-Argens (Var) dans l'attente de leur réinhumation (construction de l'extension de la nécropole milit. à cet effet)]. **Mémoriaux nat. :** *France combattante :* Mt-Valérien (Suresnes, Hts-de-S.) : 16 combattants d'une des phases de la guerre : mai-juin 40, Fr. libre, déportation, etc. *Déportation :* camp de Struthof (Natzwiller, Bas-Rhin) : 1 100 déportés. *Réseau du Souvenir :* île de la Cité, Paris ; crypte : 1 déporté inconnu. *Nécropoles nat. :* Boulouris (Var) : 460 militaires † 15/27-8-1944 en Provence. *Sigolsheim* (Ht-Rhin) : morts de la campagne d'Alsace (1944-45).

■ **Le Souvenir français** (association créée 1887, 1 300 comités, 300 000 m. 9, rue de Clichy, 75009 Paris) entretient tombes et monuments consacrés aux « morts pour la France ».

sur les côtés, qui fait partie du domaine public (interconcessions). Quand la concession est reprise par la commune, les restes sont réinhumés dans l'ossuaire perpétuel du cimetière ou incinérés sur décision du maire. Les corps doivent être enterrés à au moins 1,5 m de prof., certaines tolérances existant pour les inhumations en caveau dans les régions où existent des caveaux bâtis en surface. La revente d'une concession est interdite, la concession peut être transmise par testament et à titre gratuit. On ne peut s'opposer à la translation d'un cimetière, mais on peut obtenir un emplacement de taille égale dans le nouveau cimetière. Le transport et la nouvelle inhumation sont effectués aux frais de la commune (mais pas la reconstruction des monuments). Le concessionnaire peut refuser l'inhumation à certains de ses parents. Les personnes s'estimant lésées par ce refus peuvent faire valoir leurs droits devant les tribunaux.

■ **Tarifs à Paris** (au 1-4-1993). *Concessions pendant 10 ans :* Pantin 1 150 F, Thiais 875 F. *Trentenaires :* Bagneux, Ivry, St-Ouen, La Chapelle 8 000 F, Pantin 4 785 F, Thiais 3 675 F. *Cinquantenaires :* Bagneux, St-Ouen, La Chapelle, Ivry 11 160 F, Pantin 10 270 F, Thiais 5 390 F. *Perpétuelles :* Passy, Auteuil, Vaugirard, Grenelle, St-Vincent, La Villette, Belleville, Charonne, Bercy 43 185,51 F, Père-Lachaise, Montparnasse, Montmartre, Batignolles 26 536,17 F, Bagneux, St-Ouen, La Chapelle 19 539,66 F, Pantin 18 721,42 F, Thiais 10 882,95 F.

Nota. – Nord : Montmartre, Est : Père-Lachaise, Sud : Montparnasse. Tarifs pour pour 2 m².

☞ Une tombe occupant en moyenne 2 m², 550 000 décès par an représentent 110 ha (165 ha avec l'accès).

Crémation

☞ Réglementée par la loi du 15-11-1887 instituant la liberté des funérailles et le décret du 27-4-1889. Admise par l'Église catholique (dep. 5-7-1963) et les protestants (1898), refusée par les juifs et non pratiquée par les musulmans.

Autorisation. Accordée par le maire du lieu de fermeture du cercueil (en cas de décès à l'étranger, par le maire du lieu où est situé le crématorium) et au vu de l'expression écrite des dernières volontés du défunt ou de la demande de la personne qui a qualité pour pourvoir aux funérailles ; du certificat du médecin d'état civil chargé de s'assurer que le décès ne pose pas de problème médico-légal. Dans le cas contraire, l'autorisation du Parquet est obligatoire.

Durée. Env. 1 h dans un four chauffé de 700 °C à 1 200 °C. Les cendres, pulvérisées puis recueillies dans une urne peuvent être : remises à la famille pour être conservées à domicile ; placées dans une case de columbarium ; inhumées dans une sépulture traditionnelle ou jardin d'urnes ; dispersées au « jardin du souvenir » ou en pleine nature à l'exclusion des voies publiques.

Cercueil et transport. Un cercueil d'incinération d'une épaisseur de 18 mm en bois léger ou matériau agréé par le ministre de la Santé est autorisé lorsque la durée de transport n'excède pas 2 ou 4 h du lieu de mise en bière au lieu de la crémation (sinon épaisseur min. 22 mm). Selon qu'il y a eu ou non des soins somatiques.

Certificat médical. Outre les conditions prévues au chapitre « Autorisation », le certificat médical doit mentionner que le corps de la personne décédée ne porte pas de prothèse contenant des radio-éléments artificiels. (Tout médecin établissant constat de décès est tenu de faire enlever ce type de prothèse avant mise en bière.)

Nombre. *1974 :* 2 415 ; *78 :* 4 292 ; *80 :* 5 640 ; *85 :* 14 500 ; *87 :* 20 149 ; *1988 :* 24 214 (Japon 94, G.-B. 68, Suisse 53, P.-Bas 40, All. féd. 28, Belg. 12) ; *89 :* 28 440 ; *90 :* 33 710 ; *91 :* 37 842 ; *92 :* 43 215.

Crématoriums. Nombre : 52 au 1-1-1992.

Tarifs des crémations (1993). *Services obligatoires :* corps venant de Paris : 1 500 F, hors de Paris : 2 000 F, indigents : gratuit. *Redevance pour la location :* salle de cérémonie 332,08 F, petit salon 93 F. *Emploi de l'orgue :* 210 F. *Cachet de l'organiste :* 326 F.

Tarifs des concessions de cases au columbarium (1-4-1993). *Concession décennale* 2 000 F, *trentenaire* 6 000 F, *cinquantenaire* 9 000 F.

Renseignements. *Fédération française de crémation :* 50, rue Rodier, 75009 Paris. *Féd. nat. des Pompes funèbres (FNPF),* 17, rue Froment, 75011 Paris. *Féd. française des Pompes funèbres (FFPF),* 60, rue Ramey, 75018 Paris. *PF Liberté,* 75, rue Jules-Guesde, 93140 Bondy.

Féd. nat. des services funéraires publics, Complexe funéraire, route de Montpellier, 34000 Montpellier.

Exhumation

L'exhumation peut être demandée par décision de justice (dans le cadre d'une enquête), par décision administrative, ou sur demande de la famille. Il faut alors une autorisation délivrée par le maire (à Paris, par le préfet de police). La demande doit être justifiée ; en cas de décès par maladie contagieuse, l'autorisation ne pourra être délivrée qu'un an après l'inhumation. L'autorisation d'exhumation peut être refusée pour la sauvegarde de l'ordre public et de la salubrité du cimetière, à condition que ce refus soit motivé.

Violations de sépulture

Quiconque se sera rendu coupable de violation de tombeau ou de sépulture sera puni d'un emprisonnement de 3 mois à un an et de 500 à 8 000 F d'amende, sans préjudice des peines contre les crimes ou les délits qui seraient joints à celui-ci.

Cérémonial du souvenir

Tombe du Soldat inconnu. Origine. *26-11-1916.* F. Simon (Pt du Souvenir français de Rennes) propose de choisir le corps d'un soldat français tué et non identifié ; *12-7-18* Maurice Maunoury (député d'E.-et-L.) propose d'élever un tombeau au soldat anonyme ; *7-12-18* M. Crescitz (Pt de la Sté française de Berne) propose à Clemenceau le transfert au Panthéon de corps de soldats inconnus. *12-11-19* la Chambre des dép. décide que le corps d'un soldat inconnu sera transporté au Panthéon. *1919-20* campagne de presse *(le Journal, le Matin)* pour l'inhumation d'un soldat inconnu sous l'Arc de triomphe. *2-11-20* projet de loi, déposé par le gouv. de Georges Leygues, prévoyant le Panthéon. *8-11-20* loi votée (à l'unanimité par les 2 Chambres) prévoyant de rendre les honneurs du Panthéon aux restes du soldat inconnu et de les inhumer sous l'Arc de triomphe le *11-11.* André Maginot (min. des Pensions) ordonne aux 9 commandants de région de faire exhumer « dans un point de chaque région pris au hasard et qui devra rester secret, le corps d'un soldat identifié comme Français, mais dont l'identité

Pompes Funèbres Générales

Compétence et Discrétion

● **1200** points d'accueil.

● **6000** agents au service du public qui assurent **170000** convois par an.

● **PFG** assure **1** enterrement sur **3** en France.

● **Testament Obsèques,** la seule formule de prévoyance funéraire complète (*financement, organisation et déroulement de la cérémonie*)

● **Formalités conseils,** prise en charge de toutes les démarches administratives faisant suite au décès.

PFG

66, Bd Richard-Lenoir 75011 PARIS

N°Vert 05 11 10 10

36 15 PFG

n'aura pu être établie ». Le corps sera placé dans un cercueil de chêne et dirigé en auto sur Verdun. 8 cercueils arrivent à Verdun le 9-11 [d'Artois, Somme, Ile-de-France (sans doute Ourcq ou Marne), Chemin-des-Dames, Champagne, Verdun, Lorraine, Flandres] ; dans une région on n'a pu identifier la nationalité du corps exhumé. *10-11* le corps est choisi. Le soldat Auguste Thin († 10-4-1982) (fils d'un père disparu, originaire de Caen, engagé volontaire de la classe 19, un des rares survivants du 132ᵉ rég. d'infanterie) dépose un bouquet cueilli à Verdun sur le 6ᵉ cercueil (œillets rouges et blancs). Il a additionné les chiffres du nº de son régiment : 1, 2, 3. Le cercueil choisi est conduit à la gare de Verdun sur un affût de canon et les 7 autres sont inhumés dans le cimetière du Fg Paué. *11-11* après une cérémonie au Panthéon, le cercueil est déposé à l'Arc de triomphe de l'Étoile, à Paris, où, après la cérémonie, il est placé au 1ᵉʳ étage, en attendant d'être transporté dans sa tombe (28-1-21). *21-1-21* Gabriel Boissy (1879-1949) propose de faire brûler une *flamme* en permanence et Jacques Péricard de faire ranimer celle-ci chaque jour par des a. combattants. Sur les plans de l'architecte Henri Favier, le ferronnier Edgar Brandt exécuta ce dispositif. La flamme surgit d'un canon braqué vers le ciel, encastré au centre d'une sorte de rosace représentant un bouclier renversé dont la surface ciselée est constituée par des épées formant étoile. *11-11-1923* André Maginot allume la flamme.

Tous les jours à 18 h 30, une ou plusieurs Stés d'anciens combattants vient raviver cette *Flamme du souvenir* (alimentée au gaz en veilleuse jour et nuit). Au cours de la cérémonie on actionne le robinet d'ouverture avec une épée : une flamme jaillit et la fanfare donne la *Sonnerie aux morts* en usage dans les pays anglo-saxons *(Last Call).*

Soldat inconnu d'Indochine. L'un des 57 958 militaires français (11 747 corps rapatriés) tués en Indochine, enseveli le 7/8-6-1980 au cimetière national de N.-D.-de-Lorette (P.-de-C.).

Minute de silence. Date du 11 novembre 1919 (1ᵉʳ anniversaire de l'armistice) ; dans les pays anglo-saxons ce silence dure 2 minutes.

FORMALITÉS

PAPIERS À GARDER

■ **Automobile.** *Jusqu'à la réception de la suivante :* attestation d'assurance, carnet d'entretien. *1 an :* vignette. *2 ans :* facture d'achat véhicule, quittances d'ass. *En cas de vente :* courrier avec l'assureur. *4 ans :* souches amendes munies timbres, avis de paiement amende. *10 ans :* contrat crédit-bail ou leasing, avis d'échéance, de paiement automatique, carnet d'entretien, factures d'entr., quittances de location de garage. *30 ans :* double du certificat de vente et références du paiement en cas d'achat à un particulier, contrat d'ass., dossier de règlement d'un accident ; si l'on a affaire à un artisan : factures d'entretien, quittances de location de garage.

■ **Employeur.** Le Code de commerce impose la conservation pendant 10 ans de : *livre-journal, livre des inventaires* (ainsi que les l. et documents annexes si le livre-journal ne comporte pas une récapitulation journalière) et *correspondance commerciale.* Les réclamations et poursuites de la SS ne peuvent porter que sur les 5 années précédentes. *Registres de salaires et de personnel, bulletins de paie, livres de paie, justifications du versement des cotisations à la SS* doivent être conservés pendant ce délai. *Délai de la prescription fiscale :* 4 ans. – Les infractions relatives à la tenue des registres prescrits par le Code du travail se prescrivent par 3 ans pour celles relevant du tribunal correctionnel et par 1 an devant le tribunal de simple police.

■ **Enfants.** *2 ans :* certificats de scolarité, récépissés d'assurances, double de la déclaration d'accident. *4 à 7 ans :* livrets de bulletins scolaires, dossiers de bourse, carnets de vaccination et carnets de santé. *10 ans :* carte d'identité, passeport.

■ **Famille.** *1 an :* facture transporteurs. *5 ans :* justificatifs paiements pensions alimentaires, honoraires notaires et avocats. *Toute la vie :* livret de famille, contrat de mariage, documents concernant successions recueillies, jugement de divorce ou de séparation de corps, acte de liquidation de la communauté, acte règlement de succession du conjoint, titres de propriété, contrat de concession du caveau de famille.

■ **Finances.** *Jusqu'à la fin du mois suivant leur émission :* mandats (encaissement). *Après leur émission 2 mois :* chèques postaux (encaissement) ; *1 an :* mandats internationaux (réclamation), chèque postal (réclamation) ; *1 an et 1 j :* chèques bancaires (encaissement) ; *2 ans :* mandats (réclamation) ; chèque postal transformé en mandat (réclamation) ; *4 ans :* bordereaux des avoirs fiscaux. *5 ans :* avis de mise en paiement des dividendes, intérêts coupons. *10 ans :* si l'on n'a pas de trace avant : bordereaux de versement de liquide, de chèques ou d'ordres de virement, à compter de l'amortissement ou de la dissolution, obligations, actions. *30 ans :* reconnaissance de dette. *Variable :* talons de chéquiers, relevés de comptes bancaires ou postaux (au min. 6 ans, 10 ans en cas de contestation de virement ou d'encaissement devant un tribunal), avis de prélèvement automatique. *Jusqu'au remboursement total :* dossiers de prêts.

■ **Impôts.** *1 à 2 ans :* avertissements, justificatifs, avis de prélèvement automatique et correspondance en matière d'impôts locaux. *3 ans :* pièces ci-dessus en cas de réclamation de paiement, double déclaration de revenus, avertissements, justificatifs, tiers provisionnels, avis du prélèvement automatique et correspondance en matière d'impôts sur le revenu. *4 ans :* renseignements donnés au fisc. *6 ans :* pièces ci-dessus en cas d'agissements frauduleux. *9 ans :* double des déclarations, justificatifs et correspondance si report de déficits fonciers. *10 ans :* double de la déclaration du droit au bail, actes, annexes et justificatifs, soumis à enregistrement.

■ **Maison.** *Le temps de la garantie :* factures des appareils ménagers. *1 an :* notes d'hôtels et de restaurants, certificats de ramonage, récépissés d'envoi d'objets recommandés, acte ou lettre de résiliation d'un contrat. *2 ans :* quittances d'assurance, contrat d'assurance résilié, factures de téléphone, factures de fuel, tickets de caisse gros achat. *3 ans :* quittances de redevance TV. *5 ans :* factures EDF-GDF, quittances de loyer, décomptes de charges, bail résilié ; pour le bailleur : fiche de renseignement, bail, état des lieux, surface corrigée et quittances de loyer. *10 ans :* factures d'eau, de travaux faits par des commerçants ; copropriété : correspondance avec le syndic, décomptes de charges. *+ de 10 ans :* permis de construire, contrats, factures et procès-verbaux de chantier. *30 ans : copropriété* règlement, procès-verbaux des assemblées générales ; dossier de remboursement d'un sinistre, contrat de responsabilité civile, factures de travaux faits par des non-commerçants. *Toute la vie ou jusqu'à la revente :* titre de propriété, immeuble. *Durée variable* (d'un bail) : état des lieux.

■ **Personnels.** *2 ans* (après l'échéance du contrat ou le règlement de la succession) : contrat, quittances, correspondance, questionnaire médical de l'assurance-vie (si ni omission ni fausse déclaration). *3 ans :* carte d'électeur. *4 ans :* dossier « assurances » si les primes sont déductibles des revenus. *5 ans :* relevés

LES ARCHIVES EN FRANCE

Origine. Philippe Auguste (1194) pour les ar. du gouvernement et, sous sa forme actuelle, Révolution. **Activité.** Rassemblent, conservent et communiquent les documents qui résultent de l'activité politique, administrative et économique, quelle que soit leur présentation (manuscrits, dact. ou impr., photographiques, sonores, informatiques...). Ces doc. servent à la gestion des affaires, à la sauvegarde des droits des citoyens, à la recherche historique et à l'action culturelle.

Statut. Gérées par la Direction des A. de France (min. de la Culture), qui contrôle les A. des collectivités territoriales (régions, départements, communes). Seules les A. des min. des Aff. étrangères et de la Défense ont conservé leur indépendance. **Personnel.** Env. 3 300 personnes dont : A. nat. 400, dép. 2 000, comm. env. 1 200. *Personnel de direction* (conservateurs) : recruté parmi les conservateurs du patrimoine [diplômés de l'École des chartes (fondée en 1821 ; placée sous le patronage de l'Académie des inscr. et belles-lettres), diplôme obtenu après 3 ans d'études, soutenance d'une thèse et 18 mois à l'Éc. du Patrimoine].

Organisation et contenu. A. nationales : *créées* par la Révolution en 1789. Conservent les doc. provenant du gouvernement et des organes centraux de l'État [ACTES LES PLUS ANCIENS : *Mérovingiens* (481-751) : 47 originaux, venant en majorité de l'abbaye de St-Denis ; le plus ancien, papyrus de 625, concernant la donation à l'abbaye d'un terrain situé à Paris. *Carolingiens* (751-987) : règnes de Pépin le Bref (5), de Charlemagne (31), de Louis le Pieux (28), de Charles le Chauve (69). *Capétiens* (987-1328) : Hugues Capet (1), Robert le Pieux (21), puis le nombre augmente : plus de 1 000 pour Philippe Auguste, plusieurs milliers pour saint Louis, etc.] SERVICES : *1°) Service central à Paris* (hôtels de Soubise et de Rohan dans le Marais : 150 km de rayonnages occupés par les doc., consultables au centre d'accueil des Archives nationales (Caran), inauguré 1988 ; *2°) Centre des arch. contemporaines à Fontainebleau* (qui abritera, lors de son achèvement, 800 km de rayonnages souterrains ; en 1991, 170,6 km occupés) ; *3°) Centre des a. d'outre-mer à Aix-en-Pr.* (42,7 km en 1991) ; *4°) Centre des Arch. du monde du travail* à Roubaix (achèvement prévu 93) ; *5°) Dépôt central de microfilms,* à Espeyran (Gard) conserve, à titre de sécurité, des négatifs originaux (env. 2 600 km de films en 1990).

A. régionales : *créées* par loi de décentralisation du 22-7-1983. Archives du conseil régional. En cours d'organisation. **A. départementales :** *créées* 1796. Documents du département depuis l'Ancien Régime. 100 centres (1 par chef-lieu). 2 300 km de rayonnages occupés (1991). **A. communales :** en moyenne 13 km d'archives dans env. 300 villes importantes (1990). **Rayonnage total** des arch. conservées en France env. 6 000 km (dont A. nat. et dép., 3 000 km, soit env. 60 millions de liasses et cartons, soit 360 000 tonnes).

Catégories particulières de documents. *Notaire :* tenus dep. un édit de 1575, repris par la loi du 25 ventôse an XI, de conserver leurs arch. à perpétuité, versent aux Arch. nat. ou départementales celles de plus de 100 ans. Dep. 1928, les 122 études de Paris ont remis aux Arch. nat. plus de 80 000 000 d'actes remontant au XVᵉ s. (27 km de rayonnages).

Particuliers et entreprises, organismes ou assoc. privés peuvent déposer leurs arch. en en gardant la propriété, les donner, les léguer ou en proposer la dation ou le microfilmage. En 1990, aux Arch. nat., 552 fonds d'arch. privées, 297 d'arch. économiques, d'assoc., de syndicats et de presse. Les plus précieuses sont *microfilmées* par les Archives nationales et départementales.

Consultation. Possible par tous dans les salles de lecture des Arch. *En général,* les doc. sont consultables au bout de *30 ans ;* certains dès leur création, d'autres seulement après 60 à 150 ans, pour protéger vie privée, sécurité publique ou secrets couverts par la loi ; arch. pouvant mettre en cause la vie ou l'honneur des personnes (arch. du 2ᵉ bureau ou de contre-espionnage) ou pouvant réveiller de vieilles querelles, arch. judiciaires 100 ans après le dernier acte de procédure, arch. matriculaires (état de services, dossiers personnels) 120 ans, arch. médicales 150 ans. Le ministère propriétaire des archives peut décider d'accorder ou de refuser des dérogations, de bloquer ou de débloquer des fonds particuliers (les arch. de la guerre d'Algérie ont été ouvertes, en bloc, en 1992). *L'État général des fonds des Arch. nat.* (5 vol., 78-88) donne un tableau d'ensemble des 4 millions de registres et liasses de doc. antérieurs à 1940 qui y sont conservés. Un *État des inventaires des arch. dép., comm. et hospitalières,* est paru en 1984 ; une collection de *Guides* par dép. est en cours (55 vol. parus). En 1991, les salles de lecture des Arch. nat., dép. et comm. ont reçu 202 123 chercheurs différents qui ont consulté 3,5 millions d'articles (registres, liasses de doc., bobines de micro., etc.).

de séc. soc., cotisations à l'Urssaf. *10 ans :* carte d'identité, passeport. *Toute la vie :* livret militaire, carte de service national, état signalétique des services, titres et distinctions honorifiques, diplômes scolaires et universitaires, jugement de divorce ou de séparation de corps, acte de reconnaissance d'enfant naturel, carnet de santé.

■ **Santé.** *2 ans :* doubles des honoraires ou réf. de paiement des honoraires des médecins, chirurgiens, dentistes. *2 ans suivant la date d'émission :* décomptes de remboursement, bulletins de versement des alloc. familiales. *2 ans suivant la 1re déclaration de grossesse :* décomptes des prestations de maternité. *2 ans et 1 trimestre* suivant l'exécution de l'ordonnance : doubles des feuilles de soins. *5 ans :* doubles des fiches de paye et des relevés de cotisations si vous employez du personnel de maison. *Toute la vie :* carte d'immatriculation à la SS, certificats de vaccinations, radio., résultats d'analyses ou d'examens spéciaux, doubles des ordonnances, adresses des médecins, chirurgiens, carte de groupe sanguin.

■ **Travail.** *Jusqu'au paiement effectif :* avis de paiement de pension. *2 mois :* reçu pour solde de tout compte (*5 ans* s'il est entaché d'un vice de forme). *1 an :* échéances trimestrielles de pension. *5 ans au moins :* contrat de travail expiré. *Toute la retraite :* notifications d'attribution de pension, de révision, accusé de réception du dossier de liquidation (retraite complémentaire), bordereau de reconstitution de carrière (retraite complémentaire), notification de chaque caisse de retraite complémentaire. *Toute la vie active :* contrat de travail expiré, certificat de travail. *Toute la vie :* fiches de paye (ou récapitulatif annuel), relevés de points de caisses de retraite complémentaire, copies des arrêts de travail, certificats de grossesse, bordereaux des indemnités Assedic (ou récapitulatif annuel).

ACTES

■ FORMES

■ **Acte authentique.** Acte reçu par un officier public (ex. : notaire) ayant le droit d'instrumenter dans les lieux où l'acte a été rédigé et avec les solennités requises, dont les affirmations font foi jusqu'à inscription de faux, et dont les copies exécutoires (grosses ou copies littérales) sont susceptibles d'exécution forcée. Certains actes sont obligatoirement authentiques (ex. : ventes d'immeubles).

■ **Acte de notoriété.** *Utile* quand impossibilité d'obtenir une copie ou un extrait d'acte d'état civil (registres perdus ou détruits, acte non dressé par erreur, absence de l'endroit où il a été dressé). *Formalités :* se présenter devant juge d'instance du lieu de naissance ou du domicile avec pièces justificatives (carte d'identité, passeport, papiers de famille, etc.), avec 3 témoins majeurs, parents ou non (pas indispensables pour les Français d'Algérie). *Gratuit.* Les *actes simplifiés* (pour les copies et extraits d'acte figurant sur des registres perdus ou détruits) sont dispensés d'homologations. *Pour un extrait (ou une copie)* d'acte de not., s'adresser au greffe du tribunal d'instance qui l'a dressé. L'acte de notoriété est indispensable en matière de succession pour établir la dévolution ; dans ce cas, c'est généralement le notaire qui l'établit.

■ **Propriété (Certificat de ou acte de notoriété).** Acte par lequel un notaire certifie le droit de propriété d'une personne. Utilisé en matière de succession pour permettre aux héritiers d'entrer en possession de certains biens ayant appartenu au défunt. *S'adresser* au tribunal d'instance (pour succession simple sans donation, testament, enfant mineur, contrat de mariage, sauf contrat de communauté universelle), frais 10 à 70 F, ou chez le notaire (certificat de notoriété qui sert à prouver ses droits d'héritier).

■ **Actes pouvant être passés sous seing privé (ssp).** Tout acte établi sans faire appel à un officier public. La signature de chacune des parties ou de leurs représentants est indispensable pour que l'acte soit valide. Les conventions pouvant porter atteinte à l'ordre public ou aux bonnes mœurs sont proscrites.

Cession de bail : il faut l'accord du propriétaire. Le plus souvent, se reporter au contrat de location.

Compromis : convention par laquelle 2 personnes décident de soumettre le litige qui les oppose à des arbitres qu'elles désignent. Ce terme est aujourd'hui employé de façon impropre pour désigner la convention provisoire par laquelle acheteur et vendeur constatent leur accord sur les conditions d'une vente, soit d'un immeuble en attendant de régulariser l'opération devant notaire, soit d'un fonds de commerce avant de commencer les opérations de publicité prescrites par la loi, soit la cession d'un bail avant d'avoir obtenu, si nécessaire, l'accord du propriétaire.

Engagements unilatéraux : l'article 1326 du Code civil a été modifié par la loi no 80.525 du 12-7-1980 : l'acte juridique par lequel une seule partie s'engage envers une autre à lui payer une somme ou à lui livrer un bien fongible doit être constaté dans un titre qui comporte la signature de celui qui souscrit cet engagement ainsi que la mention, écrite de sa main, de la somme ou de la qualité en toutes lettres et en chiffres. En cas de différence, l'acte sous seing privé vaut pour la somme écrite en toutes lettres.

Reconnaissance de dette : le débiteur s'engage à rembourser.

Vente de fonds de commerce : demander un modèle, différentes mentions devant être obligatoirement prévues dans l'intérêt de l'acquéreur qui peut en demander la nullité si elles ne figurent pas (ex. : origine de propriété, état de privilèges et nantissements grevant le fonds, chiffre d'affaires et bénéfices commerciaux des 3 dernières années et toutes indications utiles concernant le bail). Si le prix est payé à crédit, un privilège est réservé au profit du vendeur et il doit être inscrit au greffe du trib. de commerce dans les 15 j. Le propriétaire de l'immeuble doit généralement intervenir à l'acte. Le séquestre du prix de vente qui recevra les oppositions de créanciers doit être mentionné. Ce séquestre doit adhérer à une Sté de caution mutuelle pour permettre la garantie du vendeur quant au solde du prix à recevoir après les oppositions.

Les actes sous seing privé concernant ventes de fonds de commerce, cessions de droits sociaux (parts de société, si celle-ci détient dans son patrimoine un fonds ou un immeuble), cessions de parts de sociétés immobilières, peuvent être établis par des professionnels de ces activités (titulaires d'une carte et adhérant à une société de caution mutuelle), sauf les parties elles-mêmes.

☞ Voir à l'Index pour location, constitution de Stés non anonymes et p. 1360 c pour testament olographe.

■ RÉDACTION DES ACTES

Formulaires. Dans certaines librairies. **Papier timbré.** Tarif : feuille (21 × 29,7) 30 F ; (29,7 × 42), normale 60 F, p. registre (42 × 59,4) 120 F.

Nombre d'exemplaires. Autant d'originaux qu'il y a de parties ayant un intérêt distinct. Si toutes les parties conviennent d'établir leur convention en un seul ex. et de le remettre à un dépositaire unique, mention doit en être faite dans l'acte. Cas fréquent pour les ventes de fonds de commerce.

Modifications. Si, lors de la lecture de l'acte, un complément est nécessaire, il sera « piqué » un renvoi dans le texte, et l'adjonction figurant en marge sera approuvée par le paraphe des parties. Les mots inutiles seront rayés un à un ; les lignes entières le seront d'un seul trait ; l'ensemble des mots et des lignes sera récapitulé en fin d'acte et leur nombre sera « approuvé » au moyen de paraphes.

Date et lieu de signature, et nombre des originaux doivent être mentionnés.

Les parties ne sont pas obligées de faire précéder leur signature de la mention « lu et approuvé » (C. de cass. 27-1-1993). Si l'une des parties s'engage à payer une somme d'argent ou à livrer un bien fongible, elle doit écrire de sa main la somme ou la quantité en toutes lettres et en chiffres [art. 1326 du Code civil (loi du 12-7-1980)]. Si l'acte d'acquisition d'un bien immobilier indique que le prix sera payé sans l'aide de 1 ou plusieurs prêts, il doit porter de la main de l'acquéreur une mention par laquelle celui-ci reconnaît avoir été informé que s'il recourt néanmoins à un prêt, il ne peut se prévaloir de la loi. Si la mention manque ou n'est pas de la main de l'acquéreur, et si un prêt est néanmoins demandé, le contrat est conclu sous la condition suspensive prévue à l'art. 17 (obtention du ou des prêts) [loi du 13-7-1979 relative à la protection des emprunteurs dans le domaine immobilier (art. 18)]. D'autres formules sont souvent nécessaires dans divers cas particuliers, notamment pour les ventes de fonds de commerce.

■ FORMALITÉS À REMPLIR

Enregistrement. *Formalités :* tous les exemplaires originaux doivent être enregistrés : les clauses principales sont transcrites sur un registre tenu par l'Administration et une mention est apposée sur chaque exemplaire de l'acte. A cette occasion, l'Enregistrement perçoit des droits variables selon la nature des actes. S'ils ne sont pas présentés dans le mois de leur date, les droits sont doubles.

Actes de vente. *Actes obligatoirement enregistrés :* ventes d'immeubles et de fonds de commerce, actes constitutifs de société, augmentations de capital, cessions de parts. Un acte de société adaptant les statuts à la nouvelle législation n'est pas forcément timbré, ni enregistré ; les baux, à durée limitée, d'immeubles non ruraux ne sont plus enregistrés, mais cela peut être utile en cas de vente de l'immeuble pour que ce bail soit opposable à l'acquéreur (l'enregistrement confère une « date certaine » à l'acte ; si l'une des parties perd son original, elle peut en demander une expédition ou copie au bureau de l'Enregistrement où l'acte a été formalisé).

Publication. Souvent les actes doivent faire l'objet d'une publication dans un journal d'annonces légales : c'est le cas par exemple pour les ventes de fonds de commerce.

Dépôt au greffe du tribunal de commerce. Pour les actes de sociétés.

Modifications au registre de commerce.

Procuration. Nécessaire pour certains actes. *Ex. :* « Je, soussigné (nom, prénom, adresse), déclare donner procuration à X... (nom, prénom, adresse) pour (signer tel acte, me représenter dans telle circonstance, etc.). Fait à... Le... Signature ». Certaines doivent être signées devant un officier de police et légalisées.

DOCUMENTS ADMINISTRATIFS

Droits. Toute personne (française ou non, physique ou morale) peut obtenir un doc. administratif, de caractère général (rapports, procès-verbaux, dossiers, directives, statistiques, comptes des communes, etc.) ou nominatifs (ne pouvant être communiqués qu'à la personne intéressée sur justification de son identité) sans avoir à expliquer les motifs de sa demande, dans les conditions prévues par la loi du 17-7-1978, modifiée par celle du 11-7-1979. *Exceptions :* l'accès de certains doc. d'ordre écon., commercial ou tech. est restreint pour les étrangers. Certains doc. secrets ne sont pas communicables (défense nat., compte rendu du Conseil des ministres).

Formalités. Demander, dans une lettre, les doc. aux services admin. qui les détiennent. (Les bulletins officiels, périodiques édités par les admin. pour le public, publient les circulaires d'intérêt général, et signalent sous forme de listes les autres doc. communicables.) Consultation gratuite sur place du doc. ou photocopie du doc. (1 F la page). On ne peut utiliser à des fins commerciales les doc. communiqués.

En cas de refus. L'Administration doit écrire et motiver sa décision. On peut faire appel dans les 2 mois qui suivent à la *Commission d'accès aux documents admin. (Cada)*, 31, rue de Constantine 75007 Paris ou, pour les fichiers nominatifs, à la *Commission nationale de l'informatique et des libertés (CNIL)*, 21, rue St-Guillaume, 75007 Paris (écrire au Pt) en joignant les correspondances échangées avec l'Administration. Réponse dans le mois par la commission. Si l'Administration refuse (le défaut de réponse pendant plus de 2 mois vaut décision de refus) de suivre l'avis favorable de la Cada ou de la Cnil ; recours contentieux devant le tribunal admin. (dans les 6 mois) ou recours amiable auprès du médiateur.

Recours. *Gracieux ou hiérarchique.* 1°) *Écrire* à l'autorité signataire de la décision (gracieux) ou à l'échelon supérieur (hiérarchique), délai 2 mois. 2°) *Saisie,* sous 2 mois, du *trib. administratif* pour « excès de pouvoir » (pour faire annuler ou modifier 1 décision), ou « au plein contentieux » (demande dom. et intérêts). Appel possible de la décision devant une des 5 cours admin. spécialisées créées 89 (requêtes mal adressées sont retransmises à cour compétente). Recours possible ensuite en Conseil d'État qui est, dans ce cas, juge de cassation si vice de forme.

Dernier recours possible : saisir le médiateur par son député. *Recommandation :* au-delà du recours hiérarchique, les chances de succès sans avocat sont faibles.

Exemples de documents administratifs pouvant être communiqués. Copie d'examen, dossier scolaire, délibérations de Conseil municipal, extraits d'actes de l'état civil (pour une copie intégrale il faut un lien de parenté ou un intérêt justifié), listes électorales, plan d'occupation des sols (POS), titres de propriété d'autrui et tout état hypothécaire (à la conservation des hypothèques).

Statistiques. (1987). 1 300 requêtes dont avis favorables 47 %, défavorables 14 %, demandes irrecevables 9 %, incompétence 8 %. Dans 90 % des cas, l'Adm. suit les avis de la Cada, mais si elle n'obtempère pas dans le délai de 2 mois le plaignant peut alors saisir le tribunal administratif qui statuera dans les 6 mois.

■ **Copie conforme.** S'adresser au commissariat (ou à la gendarmerie) pour les diplômes, à la mairie pour les titres de retraites, papiers militaires et attestations de diplômes. Au maire, au commissaire de police, à l'officier d'état civil pour les extraits d'actes d'état civil, à l'off. ministériel (notaire ou greffier) qui détient la minute ou le brevet d'un acte pour tout doc. particulier, au ministère des Relations extérieures pour les doc. destinés à l'étranger. *Gratuit.* Pour un document portant un timbre fiscal, prix du timbre fiscal.

Photocopies. Elles n'ont aucune valeur juridique pour les doc. admin. 2 exceptions : pour les loueurs de véhicules (pouvant confier à leurs clients la photocopie de la carte grise pour éviter la vente illégale des véhicules loués), les conducteurs de camions de 3,5 t soumis à des visites techniques périodiques.

■ **Légalisation d'un document.** *En France,* au Bureau des légalisations. *A l'étranger,* au consulat le plus proche. *Gratuit.* Obtention immédiate.

Légalisation (ou authentification) d'une signature. Dans une mairie, exécuter devant l'officier d'état civil une signature pour comparaison. *Pour la signature d'un tiers :* présenter la pièce à légaliser et la carte d'identité nationale du signataire. Gratuit. Formalité envisageable pour des pièces produites à l'étranger.

■ **Traduction d'une pièce d'état civil.** S'adresser à la mairie pour une formule plurilingue gratuite. Sinon, s'adresser à un traducteur agréé (liste dans les mairies). *Frais :* 70 F environ. *Légalisation :* 31, rue Dumont-d'Urville, 75016 Paris. Frais : variables suivant nationalité.

ARMES

■ CATÉGORIES

Décret-loi du 18-4-1939. Décret n° 73-364 du 12-3-1973. Décret n° 93-17 du 6-1-1993.

■ **Matériels de guerre. 1re catégorie :** *armes de poing semi-automatiques ou à répétition,* tirant une munition à percussion centrale classée dans cette catégorie par arrêté. *Fusils, mousquetons et carabines* de tout calibre, à répétition ou semi-automatiques, conçus pour l'usage militaire. *Pistolets automatiques, pistolets-mitrailleurs et fusils automatiques* de tout calibre. *Autres armes automatiques* de tout calibre. *« Mécanismes de fermeture, canons, carcasses, chargeurs des armes ci-dessus. Canons, obusiers et mortiers* de tout calibre, ainsi que leurs *affûts, bouches à feu, culasses, traîneaux, freins et récupérateurs, canons spéciaux pour avions. Munitions, projectiles et douilles* chargés ou non chargés des armes ci-dessus ; *artifices et appareils* chargés ou non chargés, destinés à faire éclater les projectiles. *Munitions à balles perforantes, explosives ou incendiaires,* ainsi que les *projectiles* pour ces munitions.

2e catégorie : *engins porteurs d'armes à feu* ou destinés à les utiliser au combat. *Équipements de brouillage, leurres* et leurs systèmes de lancement. »

3e catégorie : *matériels de protection contre les gaz de combat et produits destinés à la guerre chimique ou incendiaire.*

■ **Autres armes. 4e catégorie :** *armes à feu dites de défense et leurs munitions. Armes de poing,* à percussion centrale, non comprises dans la 1re cat. ; à percussion annulaire, semi-automatique ou à répétition ; à percussion annulaire, à un coup ou d'une longueur inférieure à 28 cm. *Armes convertibles* en armes de poing des types ci-dessus. *Pistolets d'abattage* utilisant les munitions des armes de 4e cat. *Canon, culasse mobile, boîte de culasse, carcasse et barillet, munitions et douilles* chargées ou non chargées à l'usage des armes ci-dessus, à l'exception des munitions de 5,5 à percussion annulaire et de leurs douilles chargées ou non chargées. *Armes d'épaule* semi-automatiques dont le magasin et la chambre peuvent contenir plus de 3 cartouches ; ou dont le chargeur n'est pas inamovible ou pour lesquelles il n'est pas garanti que ces armes ne pourront pas être transformées, par un outillage courant, en armes dont le magasin et la chambre peuvent contenir plus de 3 cartouches ; à répétition, à canon rayé, dont le magasin et la chambre peuvent contenir plus de 10 cartouches ; semi-automatiques ou à répétition, canon < 45 cm ou longueur totale < 80 cm ; d'un ou plusieurs canons lisses d'une longueur < 60 cm. *Armes semi-automatiques ayant l'apparence* d'une arme automatique de guerre quel qu'en soit le calibre ; *armes d'alarme* à grenaille à percussion annulaire ; *armes à feu camouflées* sous la forme d'un autre objet ; *mécanismes* de fermeture, canons, chargeurs ou barillets des armes de la présente catégorie, à l'exclusion de ceux d'entre eux qui sont aussi des éléments d'armes classées en 5e ou 7e catégorie ; munitions et étuis amorcés ou non à l'usage des armes de la présente catégorie, à l'exception des munitions classées par arrêté interministériel dans la 5e ou la 7e catégorie ; toutes munitions dotées de projectiles expansifs ainsi que ces projectiles, à l'usage des armes classées en 7e catégorie.

5e catégorie : armes de chasse et leurs munitions. *Fusils, carabines et canardières à un ou plusieurs canons lisses,* autres que ceux classés dans les catégories précédentes. *Fusils et carabines à canon rayé* et à percussion centrale, autres que ceux classés dans les catégories précédentes [1]. *Mécanismes de fermeture, canons, magasins* des armes ci-dessus.

6e catégorie : armes blanches. *Baïonnettes, sabres-baïonnettes, poignards, couteaux-poignards,* mais aussi *matraques, casse-tête, cannes à épée, cannes plombées et ferrées,* sauf celles qui ne sont ferrées qu'à un bout. *Tous autres objets susceptibles de constituer une arme dangereuse* pour la sécurité publique. *Lance-pierres* de compétition, *projecteurs hypodermiques, armes et alarme à grenaille.*

7e catégorie : armes de tir, de foire, de salon. *Armes à feu de tous calibres* à percussion annulaire, autres que celles classées en 4e catégorie et leurs munitions [2]. *Armes d'alarme,* de signalisation et de starter, autres que celles classées dans la 4e catégorie ci-dessus, à condition qu'elles ne permettent pas le tir de cartouches à balles. *Mécanismes de fermeture, canons, magasins* des armes ci-dessus.

8e catégorie : armes historiques et de collection. *Armes dont le modèle et, sauf exception, l'année de fabrication sont antérieurs à des dates fixées par arrêté ministériel,* sous réserve qu'elles ne puissent tirer des munitions des 1re et 4e cat., et leurs munitions [3]. *Armes rendues inaptes au tir* de toutes les munitions, par l'application de procédés techniques [4]. *Reproduction d'armes* [5] historiques et de collection dont le modèle est antérieur à la date fixée par arrêté min. [3] et dont les caractéristiques techniques sont définies par arrêté interministériel [6].

Nota. – (1) Sous réserves énoncées à l'art. 1er (avant-dernier alinéa) du décret du 18-4-1939. (2) Les détenteurs d'armes de poing à percussion annulaire à un coup acquises régulièrement comme armes de 7e catégorie et classées en 4e cat. sont autorisés à les conserver sans formalité (décret n° 81-197 du 24-2-1981, *JO* du 4-3-1981). (3) Millésime de référence pour les armes historiques et de collection : le modèle de l'arme et son année de fabrication doivent être antérieurs au 1-1-1870 (arrêté min. du 13-12-1978). (4) Procédés définis par arrêté interministériel du 13-12-1978. (5) Fusils, mousquetons, carabines, pistolets et revolvers conçus pour utilisation de la poudre noire et des balles en plomb et se chargeant par la bouche ou par l'avant du barillet ou tirant des cartouches avec étui en papier ou en carton et se chargeant par la culasse, à l'exclusion de toutes armes permettant l'utilisation d'une cartouche avec étui métallique. (6) Arrêté intermin. du 9-10-1979.

■ ACQUISITION, DÉTENTION

Des armes de 1re cat. et de 4e cat. L'achat par des particuliers de 21 ans et + (sauf pour tireurs sélectionnés) d'armes et de munitions de 1re (§ 1, 2 et 3) et de 4e cat. ne peut être effectué que sur présentation d'une autorisation d'acquisition et de détention délivrée par le commissaire de la Rép. du lieu de leur domicile. Demandes à déposer au commissariat de police ou, à défaut, à la gendarmerie avec : pièces justificatives du domicile ; pièces justificatives de l'identité (fiche individuelle d'état civil, carte nationale d'identité, passeport...) ; formule spéciale (préciser s'il s'agit d'arme de défense ou de sport) ; s'il y a lieu : pièce justificative du local professionnel ou de la résidence secondaire ; certificat médical attestant la bonne acuité visuelle. En plus pour les étrangers : carte de résident ordinaire ou privilégié ; carte de séjour de ressortissant de la CEE. Décision est notifiée par autorité de police qui a reçu la demande. L'autorisation, accordée pour au max. 5 ans (3 pour tireurs sportifs et exploitants de tir forains), doit être renouvelée selon les mêmes conditions. Pour acheter une arme à feu, le permis ne doit pas dater de + de 3 mois. Il est gratuit.

Autres armes (5e, 6e, 7e et 8e cat.). Achat et détention sont libres mais interdits aux mineurs sauf autorisation parentale pour les + de 16 ans devant être titulaires du permis de chasser ou d'une licence sportive. L'identité et la résidence des acquéreurs d'armes des cat. 5 (à canon rayé) et 7 sont relevées sur le registre de l'armurier.

■ PORT D'ARMES

Principe : interdiction. **Exceptions :** fonctionnaires et agents chargés d'un service de police ou soumis à des risques d'agression, militaires, personnels des entreprises de transport de fonds ou d'entreprises se trouvant dans l'obligation d'assurer la sécurité de leurs biens dûment agréés par le commissaire de la République. **Autorisations** *délivrées* selon le cas par le commissaire de la République ou le ministre de l'Intérieur. Le port d'arme doit être distingué du simple transport, lequel n'est autorisé que dans la mesure où un « motif légitime » peut être invoqué.

■ SANCTIONS

Acquisition ou détention sans autorisation d'une arme de 1re ou 4e cat. ou de munitions pour ces armes : emprisonnement de 1 à 3 ans et amende de 360 à 8 000 F. **Port** des *mêmes armes sans motif légitime :* emprisonnement de 2 à 5 ans et amende de 3 000 à 20 000 F. *Port illégal d'une arme de 6e cat.* (armes blanches) : emprisonnement de 1 à 3 ans et amende de 2 000 à 20 000 F.

CARTES

■ **Carte nationale d'identité.** Elle n'est pas obligatoire, mais facilite de nombreuses démarches administratives ou commerciales et permet de voyager sans passeport dans un pays de la CEE. **Origine :** *Carte d'identité du Français :* loi du 27-10-1940 et décret du 12-4-1942. *Carte nationale d'identité :* décrets du 22-10-1955 et du 2-6-1987. Déclarée seule carte d'identité officielle en 1960.

1°) **Délivrance :** se présenter personnellement au commissariat de police ou à la mairie, selon les communes ; à Paris, à la mairie de l'arrondissement. En cas d'urgence exceptionnelle (fournir justificatifs), à la préfecture ou à la sous-préfecture. *A l'étranger :* se présenter au consulat de France auprès duquel a été effectuée l'immatriculation. (*Délai :* 8 à 20 j selon les lieux.) *Nombre de cartes délivrées par an :* 4 000 000.

2°) **Pièces à fournir pour une 1re demande :** le formulaire de demande à remplir soi-même (sauf empêchement lié à l'âge ou à l'infirmité) ; 1 timbre fiscal de 150 F ; 2 photos d'identité de 3,5 × 4,5 cm, identiques et récentes, la tête nue et *de face,* hauteur de 2 cm minimum, sur fond clair et neutre ; 1 extrait d'acte de naissance portant indication des dates et lieux de naissance des parents datant de – de 3 mois (à demander à la mairie de son lieu de naissance ou, pour les Français nés à l'étranger, au Service central d'état civil, BP 1056, 44035 Nantes Cedex) ou le livret de famille du demandeur (ou de ses parents) ; 2 pièces différentes, justificatives du domicile (certificat d'imposition ou de non-impos. sur le revenu délivré par les services fiscaux, quittances d'assurance pour le logement, factures récentes d'électricité, de gaz ou de téléphone, titre de propriété ou contrat de location en cours de validité pour le logement, etc.). *Éventuellement :* le livret de famille, si l'inscription de la mention « époux (se) » ou « veuf (ve) » est demandée ; une demande écrite et les justificatifs du nom d'usage, si l'inscription de celui-ci est souhaitée (par ex. : en cas de divorce, la femme autorisée à porter le nom de son ex-époux fournit le dispositif du jugement de divorce ou l'autorisation écrite de son ex-époux) ; un document prouvant si nécessaire la nationalité française (certificat de nationalité française, décret de naturalisation, déclaration de nationalité dûment enregistrée, etc.) ; si la carte nationale d'identité est demandée par ou pour un mineur non émancipé, la partie du formulaire de demande intitulée « autorisation du représentant légal » doit être remplie.

3°) **Validité :** 10 ans. La carte délivrée dep. plus de 10 ans garde sa valeur juridique sur le territoire français et continue à justifier de l'identité du titulaire tant que la photographie reste ressemblante ; 2 limitations : a) si la carte périmée est présentée en vue de l'établissement d'une « fiche d'état civil et de nationalité française », la mention « et de nationalité française » sera rayée si la carte a + de 10 ans. b) si la carte est utilisée au lieu du passeport pour entrer dans l'un des 22 États qui l'acceptent, elle doit avoir été délivrée depuis – de 10 ans.

4°) **Remplacement de la carte en cours de validité :** en cas de demande d'inscription d'un changement d'état civil (mariage, veuvage, adoption, légitimation, etc.) ou du nom d'usage alors que la carte est en cours de validité, une nouvelle carte est délivrée, sans perception du droit de timbre, mais elle est établie pour la durée de validité restant à courir sur la carte remplacée. Fournir alors les pièces justificatives et 2 photos. De même pour les cartes délivrées à des enfants lorsque la photographie cesse d'être ressemblante. Fournir alors 2 photos. Si les 2 emplacements prévus au verso de la carte pour recevoir l'indication (facultative) du nouveau domicile sont remplis, une nouvelle carte peut être demandée : elle sera également établie sans perception du droit de timbre, pour la durée de validité restant à courir. Fournir alors les 2 pièces justificatives du nouveau domicile et 2 photos.

5°) **Remplacement en cas de perte ou de vol :** faire une déclaration au commissariat de police, à la gendarmerie ou à la mairie (en cas de perte). Un récépissé de déclaration de perte ou de vol sera remis. Pour obtenir une nouvelle carte, fournir ce récépissé et l'ensemble des pièces exigées pour une *1re demande.*

6°) **Renouvellement :** lorsque la carte a plus de 10 ans, une nouvelle carte peut être demandée. S'il n'y a aucun changement d'état civil ou de nom d'usage à inscrire, présenter la carte périmée et fournir les 2 photos, le timbre fiscal de 150 F et les 2 justificatifs (différents) de domicile (1 si le demandeur n'a pas changé d'adresse). En cas de changement d'état civil ou de nom d'usage, si l'inscription en est demandée, fournir en outre les pièces justificatives nécessaires. *Délai :* 8 à 20 j (à Paris, immédiat).

7°) **Nouvelle carte nationale d'identité :** dep. avril 1988, les Hts-de-Seine, département expérimental, délivrent une carte plastifiée et sécurisée, de 105 × 74 mm, au fur et à mesure des renouvellements.

■ **Carte de cécité (carte « étoile verte »). Délivrance :** *s'adresser à la mairie.* **Conditions :** vision centrale bilatérale nulle ou inférieure à 1/20 de la normale après correction par des verres à chaque œil. **Avantages :** droit au port de la *canne blanche ; RATP-SNCF. Banlieue zones carte orange* (réduction de 50 % pour le titulaire, gratuité pour son guide). *SNCF. Grandes lignes* (gratuité pour le guide en toutes cl.). *Air Inter :* se renseigner sur les conditions horaires. *Redevance TV :* exonération sous certaines conditions, notamment aveugles ne payant pas d'impôt sur le revenu. *Impôts :* 1/2 part supplémentaire. *Vignette automobile :* gratuite pour le véhicule dont l'aveugle est propriétaire, ou son conjoint dont l'enfant aveugle vit sous le même toit. *Ressources :* possibilité d'alloc. diverses suivant ressources.

Carte « canne blanche » (avec 1 c. blanche au dos) : vision égale au plus à 1/10 de la normale à chaque œil. *Donne droit au port de la canne. Impôts :* 1/2 part supplémentaire, suivant ressources, possibilité d'allocation. *SNCF :* 50 % de réduction pour le guide en période bleue.

■ **Carte de combattant. Délivrance :** par le service départemental des anciens combattants et victimes de guerre. La plupart des mairies peuvent délivrer le formulaire et constituer le dossier. Attribuée aux anciens combattants (AC) des guerres de *1914-1918, 1939-45, Indochine-Corée* à condition de remplir une des conditions suiv. : avoir appartenu pendant 90 j à une unité combattante (le temps pendant lequel une unité est déclarée combattante est déterminé par le min. de la Défense ; il diffère du temps de mobilisation ou de séjour dans la zone des armées) ; avoir été évacué pour blessure ou maladie contractée en service, d'une formation combattante ; avoir reçu une blessure de guerre ; avoir été détenu prisonnier de guerre pendant 6 mois au moins en territoire occupé par l'ennemi, ou avoir été immatriculé dans un camp en territoire ennemi et y avoir été détenu pendant 90 j au moins, sous certaines réserves ; avoir obtenu la médaille des évadés, etc. Tout AC en Afr. du N. entre le 1-1-1952 et le 2-7-1962 a droit à la carte, s'il a : appartenu 90 j à une unité combattante ; été fait prisonnier ; appartenu à une unité qui aura connu, pendant son temps de présence, 9 actions de feu ou de combat. (Ceux ayant participé à 6 peuvent faire une demande qui sera étudiée.) **Avantages :** droit au port de la croix de combattant ; congés, avancement, emplois réservés dans certains établissements publics ou privés ; allocations, subventions, prêts pour cas critiques ; statut des Grands Mutilés de Guerre pour invalides pensionnés ; droit à la retraite du comb. (voir ci-dessous) ; avantages en matière de retraite professionnelle (voir ci-dessous), possibilité d'obtenir la participation de l'État dans la constitution d'une retraite mutualiste (voir ci-dessous). En région parisienne et dans certaines villes de province, pour les AC de 14-18, carte de transport gratuite.

Retraite du combattant : attribuée à partir de 65 ans, sur demande auprès du service départemental qui a délivré la carte. Possibilité d'obtention dès 60 ans si l'AC : a) est bénéficiaire de l'allocation du Fonds nat. de solidarité ; b) est à la fois titulaire d'une pension mil. d'invalidité ou de victime civile de g. de 50 % au moins et bénéficiaire d'une allocation d'aide sociale ; c) réside dans les DOM-TOM ou en Algérie. *Montant :* calculé par référence à la valeur du point d'indice des traitements des fonctionnaires (soit 33 × 70,15 = 2 314,95 F au 1-11-1991).

Retraite mutualiste : les AC cotisant à une mutuelle ont droit, au moment de sa liquidation, à la majoration de leur retraite mutualiste par l'État de 12,5 à 25 %, dans la limite de 6 200 F au 1-1-1992. Y ont également droit : certaines catégories de victimes civiles de g. (veuves de g., orphelins de g., ascendants) et les titulaires du titre de reconnaissance de la nation (délivré aux mil. ayant participé 3 mois aux opérations d'Afr. du N. entre 1952 et 1962).

Retraite professionnelle : a) *S'ils exercent une profession indépendante, libérale, artisanale, commerciale ou s'ils sont exploitants agricoles :* les AC et prisonniers de g. peuvent prendre une retraite anticipée au taux plein de 50 % entre 60 et 65 ans (au lieu de 65 a.), à un âge qui est fonction de la durée des services de g. ou de captivité, soit : 64 a. pour 6 à 17 mois de service, 63 (18 à 29 m.), 62 (30 à 41 m.), 61 (42 à 53 m.), 60 (54 m. et +) ainsi que pour les évadés après 6 mois de captivité, les Alsaciens-Lorrains incorporés de force dans la Wehrmacht qui ont déserté après au moins 6 mois d'incorporation, les prisonniers rapatriés pour blessure ou maladie, les AC réformés pour blessure ou maladie avant la fin des hostilités (loi du 21-11-1973). b) *Dispositions maintenues pour les AC et pris. de g. salariés et sal. agricoles* qui n'ont pas cotisé assez longtemps pour bénéficier d'une retraite au taux de 50 % dès 60 a. (ordonnance du 26-3-1982).

☞ La durée des services militaires et de la captivité est assimilée gratuitement à une période de cotisation à l'assurance vieillesse.

Autres cartes délivrées par le secrétariat d'État aux anciens combattants : C. de déporté de la Résistance, d'interné de la Rés., de déporté politique, d'interné pol., de « patriote résistant à l'occupation des dép. du Rhin et de la Moselle incarcéré dans les camps spéciaux ».

■ **Carte d'invalidité. Grand infirme civil :** taux d'invalidité de 80 %, examen médical. *S'adresser* à la préfecture de Paris (Bureau d'aide sociale de la mairie du domicile). En province, à la préfecture de chaque département. *Avantages :* places réservées et réductions dans chemins de fer et transports en commun. Réduction possible d'impôt sur le revenu. Exonération de vignette auto (sous certaines conditions), de redevance radio et télévision, PTT. Allocations diverses. Gratuit. Délai : de 6 mois à 1 an.

Macaron GIC : peut être demandé à la préfecture par titulaires d'une carte d'invalidité, se déplaçant en fauteuil roulant, paralysés ou amputés des membres inférieurs, aveugles civils, atteints de certaines maladies mentales. Donne droit à une tolérance en matière de stationnement et à la gratuité des parcmètres dans certaines villes (dont Paris).

Mutilés de guerre : *s'adresser* aux services départementaux des anciens comb. et victimes de g., à la commission d'orientation des handicapés ou à la mairie de résidence. *Bénéficiaires :* tous les mutilés de g., réformés et pensionnés aux taux d'invalidité de 25 % ou +. *Avantages :* réductions et places réservées dans les t. en commun et à la SNCF suivant le taux d'inv. (de 50 à 75 % avec éventuellement réduction ou gratuité pour le guide) ; sur certains transports routiers, maritimes et aériens : se renseigner auprès des compagnies. La mention « station debout pénible » donne priorité dans tous les transports en commun, places réservées, priorité aux bureaux et guichets des administrations publiques et aux magasins de commerce. Réduction possible d'impôt sur le revenu. Exonération éventuelle de vignette auto, de redevance télévision et magnétoscope. Réduction aux PTT, sur l'entrée dans des stades et les cartes de pêche.

■ **Carte « jeune ».** *Créée* juin 1985. *Bénéficiaires :* – de 26 a. quelle que soit leur nationalité. *Avantages :* tarifs réduits pour sports, musées, cinémas, restaurants, presse, voyages, facilités devises, service assistance et conseil juridique, etc. (liste des avantages sur guide remise avec la carte). Avantages valables pour la plupart dans de nombreux pays d'Europe. *S'adresser* aux centres d'information jeunesse, poste, MNEF, Caisse d'épargne, Minitel 3615 Jeunes. *Coût :* 70 F. *Délai :* immédiat. *Durée :* 1 a.

■ **Carte de priorité. Carte « station debout pénible » :** priorité dans les transports en commun. Peut être attribuée à des personnes atteintes d'une incapacité inférieure à 80 %, aux mères et f. enceintes.

Infirmes civils : *s'adresser* au bureau d'aide sociale. *Bénéficiaires :* amputés d'un membre inférieur (amputation totale ou partielle) ; hémiplégiques et paraplégiques, résidant à Paris ou dans une commune desservie par la RATP ou justifiant d'occupations professionnelles les appelant quotidiennement à Paris. Autres catégories de grands malades pouvant justifier que la station debout leur est pénible de par la nature et l'état de l'affection considérées comme bénéficiaires. *Avantages :* priorité dans les véhicules de la RATP (sans réduction de tarif). Fournir certificat médical exposant nature et état actuel de l'affection rendant pénible la station debout ; pièce d'identité ; attestation de résidence, 2 photos. Nationalité française n'est pas exigée.

Invalides du travail : *s'adresser* à la préfecture de police (Val-de-Marne : Cité administrative, route de Choisy à Créteil ; Seine-St-Denis : préfecture de Bobigny). Fournir notification de la décision de l'organisme attribuant une rente au titre d'accident du travail (caisse régionale de SS), certificat médical récent mentionnant la nature de l'invalidité et indiquant que cette invalidité rend la station debout pénible ou nécessite l'aide constante d'une tierce personne, pièce d'identité, 2 photos. *Bénéficiaires :* domiciliés à Paris ou dans les départements périphériques. *Avantages :* priorité dans tous les véhicules en commun du territoire.

Mères de famille : mères ayant 3 enfants vivants de – de 16 ans (ou 3 e. v. de – de 14 ans ; ou 2 e. v. de – de 4 ans). Femmes enceintes ; mères jusqu'à 6 mois après la naissance ; mères allaitant jusqu'à 1 an ; mères décorées de la méd. de la Famille française. *Avantages :* valables pour les transports publics (à Paris, autobus et métro), les bureaux et guichets des services publics et dans certaines files d'attente (ex. : taxis). *S'adresser* à la mairie du domicile. *Fournir :* livret de famille, carte d'identité ou fiche familiale, photos, carnet de maternité, ou à défaut certificat médical indiquant la date de l'accouchement, certificat d'allaitement, diplôme de la médaille de la Famille. Gratuit. Délivrance immédiate. Valable un an. Tous les ans un nouveau timbre.

Mutilés de guerre et anciens combattants : l'organisation des transports urbains dépend des collectivités locales qui seules peuvent accorder priorités et réductions de tarifs. **Carte de priorité** *+ réduction 50 % ou gratuité* pour les grands mutilés (art. 18 Code des pensions mil.) et accompagnateur. Délivrée par préf. de police, valable sur réseaux RATP, accès prioritaire places réservées. *Bénéficiaires :* invalides de guerre taux entre 10 et 20 % si résidant en région parisienne ou taux supérieur à 25 %. **Autres cartes** *accordant la gratuité.* Émeraude : Paris ; améthyste : départements limitrophes ; rubis : grande couronne. *Bénéficiaires :* anc. comb. de 1914-18, titulaires fonds national de solidarité, handicapés, se renseigner à la RATP. **Réseau national SNCF :** priorités et réductions de 50 à 75 % selon taux d'invalidité pour titulaires de cartes d'invalidité ONAC et, dans certains cas, accompagnateurs.

■ **Carte sociale des économiquement faibles.** N'est plus délivrée, voir Quid 1983, p. 1606.

■ **Carte vermeil « cinéma ».** Donne droit à prix préférentiels à Paris et en province dans les salles (Gaumont, UGC, Pathé) indiquant qu'elles pratiquent une réduction. Valable en principe uniquement en semaine. *Conditions :* avoir + de 60 ans. *Formalités :* s'adresser au Bureau d'aide sociale de la mairie du domicile. Gratuite.

■ **Carte de donneur d'organes.** S'adresser à France-Adot, 13, avenue de Ceinture, 95880 Enghien. Pas de limite d'âge (mais l'âge limite des prélèvements pour greffe est en général 65 ans et 75 ans pour les globes oculaires). Depuis le 31-3-1978, la loi permet à tout hôpital ayant reçu l'autorisation du min. de la Santé de prélever des organes sur un mort maintenu en réanimation, en survie artificielle, s'il n'a pas manifesté d'opposition de son vivant.

■ **Carte d'électeur.** Automatiquement envoyée à toutes les personnes inscrites sur les listes électorales. N'est pas obligatoire pour voter si l'électeur est inscrit sur les listes et qu'il n'y a aucun doute sur son identité. En cas de perte ou vol, on peut demander à la mairie de la commune où l'on est inscrit une attestation d'inscription sur les listes. Voir p. 741.

CERTIFICATS

■ **Bonne vie et mœurs.** Remplacé par l'extrait de casier judiciaire.

■ **Concubinage** (nécessaire pour bénéficier de certains avantages ou allocations : prise en charge par l'assurance maladie du concubin, réductions sur la SNCF identiques à celles des couples mariés avec la carte couple-famille...). Demander à la mairie du domicile en se présentant avec 2 témoins majeurs français non apparentés aux concubins ou entre eux (présenter 1 justificatif de domicile ou attestation sur l'honneur et 1 pièce d'identité). Gratuit.

■ **Coutume.** Demandé par l'étranger au consulat de son pays (production des dispositions d'une loi étr. relative au mariage.) Concerne les mariages de 2 étr. ou d'un Français avec une étr.

■ **Domicile.** Attestation sur l'honneur qu'on souscrit soi-même.

■ **Hérédité.** Exigé des héritiers qui veulent retirer les fonds sur les comptes du défunt (Caisse d'épargne, compte bancaire, etc.), si ce montant est inférieur à 10 000 F. S'adresser à la mairie de son domicile ou du domicile du défunt, présenter le livret de famille du défunt avec mention de son décès ou copie de l'acte de décès (héritiers directs), ou la copie de l'acte de naissance de son père ou de sa mère et celle du défunt avec l'acte de décès (neveux). *Coût :* gratuit. *Délai :* 8 jours.

■ **Nationalité.** Délivré par le président du trib. d'instance du domicile sur présentation du livret de famille ou de l'acte de naissance de l'intéressé. Gratuit. *Délai :* 8 j au minimum.

■ **Non-imposition.** Délivré automatiquement lors de la déclaration.

■ **Position militaire.** S'adresser au bureau de recrutement du domicile au moment du recensement, fournir fiche d'état civil, n° matricule, enveloppe timbrée. *État signalétique et des services,* s'adresser : *classes de 1890 à 1907* Service historique de l'armée de terre, Vincennes ; *1908-30* Bureau central d'archives administ. milit., caserne Bernadotte, Pau ; *1931-37* Bureau spécial de recrutement, caserne Marceau, Chartres ; *1938 et suiv.* Bureau de recrut. d'origine.

■ **Propriété.** S'adresser au tribunal d'instance (frais 90 à 100 F) ou chez le notaire (frais 0,3 % du montant du paiement à obtenir.

■ **Scolarité.** Délivré par le directeur de l'école.

■ **Vaccination.** Délivré par le praticien ou le dispensaire.

■ **Vie.** S'adresser au bureau des certificats d'une mairie quelconque. Faire établir une fiche d'état civil avec la mention « non décédé ».

■ **Vie-procuration.** S'adresser à la mairie du domicile ou devant notaire. Gratuit. *Validité :* 1 an.

ÉTAT CIVIL

■ **Actes de l'état civil (copies et extraits)** (naissance, mariage, décès). *Délivrés* par la mairie du lieu où l'acte a été enregistré ou le greffe du trib. de grande instance ; pour les DOM-TOM (actes de moins de 100 ans), au min. des DOM-TOM, Service de l'état civil, 27, rue Oudinot, 75007 Paris ; pour les anciennes colonies (actes de moins de 100 ans) et l'étranger, au min. des Affaires étrangères, Service de l'état civil, BP 1056, 44035 Nantes Cedex ; pour les actes de plus de 100 ans des DOM-TOM et des anciennes colonies, aux Archives nationales, Centre des archives d'outre-mer, 29, chemin du Moulin-de-Testas, 13090 Aix-en-Prov. Pour l'envoi à domicile : joindre envel. timbrée ou 2,50 F. *Copies* reproduisent l'acte original, mentions marginales comprises. Nul, sauf le procureur de la République, les ascendants et descendants de la personne concernée, son conjoint, son tuteur ou son représentant légal si mineure ou en état d'incapacité, ne pourra obtenir une *copie intégrale d'un acte de l'état civil* autre que le sien, si ce n'est avec l'autorisation du procureur. *Copie d'un acte de reconnaissance* peut être demandée par les héritiers de l'enfant ou par une administration publique. *Copie d'un acte de décès, extraits (réduits) des actes de naissance et de mariage :* peuvent être demandés à la mairie par toute personne.

■ **Casier judiciaire (extrait du).** *Délivrance :* pour les nés en France métropolitaine, à l'étranger ou si le lieu de naissance est inconnu : au casier judiciaire national, 44079 Nantes Cedex 01 ; pour ceux nés dans les DOM-TOM : au greffe du tribunal de grande instance dont dépend le lieu de naissance. *3 types. Bulletin N° 1 :* relevé intégral des condamnations et des décisions. Ne peut être délivré qu'aux autorités judiciaires. On peut en obtenir une communication orale en s'adressant au procureur de la Rép. du trib. de grande instance du lieu de résidence, mais aucune copie ne peut être remise. *N° 2 :* relevé partiel comportant la plupart des condamnations prononcées pour crime ou délit. Certaines n'y sont pas inscrites (ex. : c. prononcées contre des mineurs, c. pour contraventions de police, c. avec sursis avec ou sans mise à l'épreuve lorsqu'elles sont non avenues). Réhabilitation entraîne l'effacement des condamnations du bulletin. Ne peut être demandé que par certaines autorités administratives pour des motifs limitativement énumérés (ex. : accès à un emploi public, à certaines professions, obtention d'une distinction honorifique). On peut demander, au moment de la condamnation ou par un jugement postérieur, la dispense d'inscription des c. au bulletin N° 2, mais elles restent inscrites au bulletin N° 1. *N° 3 :* seul l'intéressé peut le demander par lettre signée. Gratuit. *Délai :* de 1 à 3 semaines. L'extrait porte le relevé des condamnations à des peines privatives de liberté sans sursis, de + de 2 ans, prononcées par un tribunal français pour crime ou délit, si elles n'ont pas été effacées par la réhabilitation ou l'amnistie. Mentionne également : les condamnations à des interdictions, déchéances ou incapacités prononcées à titre de mesure principale, pendant la durée de celle-ci ; des peines d'emprisonnement ferme inférieures à 2 ans si le tribunal l'ordonne.

☞ **Répertoire civil.** Fichier déposé au greffe du tribunal de grande instance, où se trouvent classées les décisions judiciaires concernant mises en tutelle des majeurs, demandes de séparation de biens, transferts de pouvoirs entre époux. Chaque fois qu'une inscription a été faite au répertoire civil, il en est fait mention sur l'acte de naissance (et l'extrait d'acte de naissance).

■ **Rôle.** Faire connaître, à quiconque le désire, si un tiers jouit d'une pleine responsabilité (si elle est ou non en tutelle ou curatelle), et éventuellement quel est son régime matrimonial.

■ **Formalités.** Demander un extrait d'acte de naissance de la personne concernée. Si l'acte mentionne une inscription au répertoire civil, s'adresser au greffe du tribunal de grande instance pour avoir connaissance de cette inscription par une copie ou un extrait. On peut s'adresser aussi directement au greffe du tribunal de grande instance en indiquant les noms, prénoms, date et lieu de naissance de la personne.

■ **Casiers spécialisés.** Tenus au service du casier judiciaire national : *casier des contraventions* de circulation établi au nom de toute personne ayant fait l'objet d'une condamnation à l'emprisonnement ou concernant le permis de conduire pour l'une des contraventions prévues et réprimées par les art. R. 232 et R. 233 (alinéa 1) du code de la route ou relatif aux conditions de travail dans les transports routiers. Bulletin de ce casier délivré exclusivement aux autorités judiciaires ou au préfet. *Casier des contraventions d'alcoolisme,* établi au nom de toute personne ayant fait l'objet d'une condamnation pour contravention prévue aux arts R. 3 à R. 12 du code des débits de boissons et des mesures contre l'alcoolisme. Bulletin exclusivement délivré aux autorités judiciaires. **Nombre :** chaque année, 5 millions de bulletins du casier judiciaire délivrés (1 million réclamé par des particuliers).

■ **Consultation directe des registres** de l'état civil datant de – de 100 ans : interdite sauf aux agents de l'État habilités et aux personnes munies d'une autorisation écrite du procureur de la République.

■ **Fiches d'état civil** (individuelle ou familiale). Délivrées par la mairie (bureau de l'état civil). Fournir livret de famille ou extrait de naiss. (même ancien) ou carte d'identité en cours de validité (– de 10 ans) pour une fiche sans filiation. Gratuit. Obtention immédiate. Démarche faisable par tiers.

■ **Livret de famille. 1°) Des époux :** délivré automatiquement et gratuitement par l'officier de l'état civil qui célèbre le mariage (par l'agent diplomatique ou consulaire, à l'étranger). La mère célibataire le reçoit à la naissance de l'enfant. *En cas de perte, vol ou destruction :* donner les renseignements figurant sur le livret à la mairie la plus proche du domicile. Pas de justification de domicile ni de déclaration de perte ou vol à fournir. Un 2ᵉ livret peut être délivré en cas de divorce, séparation de corps, mésentente... Duplicata gratuit. **2°) Un livret de famille peut être remis,** sur leur demande, par l'officier d'état civil du lieu de naissance de l'enfant : séparément aux *2 parents naturels,* ou en commun s'ils en font la demande ensemble et s'ils reconnaissent tous les deux l'enfant ; aux *mères* et *pères* célibataires, si la filiation naturelle de l'enfant est établie ; aux *parents non mariés ayant adopté* un enf. sans filiation paternelle ni maternelle, ou dont les liens avec la fam. d'origine ont été rompus lors de son adoption ; aux *femmes mariées* ayant eu un enf. pendant une période de séparation légale.

■ **Nom (changement).** Celui qui désire modifier son patronyme doit justifier de motifs valables, ex. : nom ridicule (Cochon, Patate...) ou déshonoré (Landru, Hitler...), reprise d'un nom porté par ses ancêtres avant 1789, relèvement d'un nom illustre (ou prétendu tel). Adjonction ou substitution du nom du conjoint n'est pas accordée. Celle du nom de la mère peut être autorisée si le véritable intérêt de l'enfant le commande. **Formalités :** demande à formuler par une personne majeure et, pour un mineur, par le représentant légal de celui-ci (parents ou tuteur). On doit : 1°) publier son intention avec le nom choisi, au *Journal officiel,* dans un journal désigné pour les annonces légales dans l'arrond. où l'intéressé, majeur ou mineur, est né, et dans un journal de même nature de l'arrond. où il a son domicile ; 2°) adresser au garde des Sceaux, ministre de la Justice, 13, place Vendôme, 75001 Paris, une requête en double exemplaire sur papier libre précisant les motifs allégués à l'appui de l'abandon du nom d'origine et au soutien du nom demandé ; joindre tous documents en établissant le bien-fondé ; un exemplaire des journaux ayant reçu les publications exigées ; copie intégrale de l'acte de naissance de chaque intéressé majeur ou mineur ; un certificat de nationalité française de chacun des intéressés (pièce délivrée par le juge d'instance dans le ressort duquel est située la résidence). Le procureur de la République instruit le dossier et l'adresse à la Chancellerie qui le soumet, pour avis, à l'examen du Conseil d'État. La décision définitive fait l'objet d'un décret pris par le Premier ministre et publié au JO. Le décret prend effet un an après cette publication pour permettre au tiers qui serait lésé de présenter un recours contentieux devant le Conseil d'État qui peut annuler le décret. Lorsque la décision publiée est devenue définitive, le bénéficiaire doit solliciter du procureur la mention du nouveau nom sur les actes de l'état civil, après avoir demandé au secrétariat de la section du contentieux du Conseil d'État un certificat de non-opposition. *Frais :* droit de sceau : 1 000 F par demandeur majeur + frais de publication env. 900 F (exonération totale ou partielle possible) ; frais d'insertion dans les divers journaux d'annonces légales ; honoraires d'avocat (si recours).

Nom des époux : ils gardent le nom figurant sur leur acte de naissance, mais chacun peut utiliser, dans la vie courante, le nom de son conjoint, en l'ajoutant à son propre nom ou, pour la femme (cas habituel), en le substituant au sien.

Nom d'usage : depuis le 1-7-1986, toute personne majeure peut ajouter à son nom le *nom de celui de ses parents qui ne lui a pas été transmis.* Ceux qui le désirent peuvent faire modifier leurs pièces d'identité en ce sens. Mais il ne s'agit que d'un nom d'usage non transmissible aux descendants ; en aucun cas il n'en est fait mention dans les registres de l'état civil. A l'égard des enfants mineurs, ce droit est mis en œuvre par le titulaire de l'exercice de l'autorité parentale (loi du 23-12-1985, JO du 26). *En cas de divorce,* la femme peut conserver l'usage du nom de son ex-mari si celui-ci l'y autorise, si le mari a demandé le divorce pour rupture de la vie commune ou si elle y est autorisée par le juge en raison d'un intérêt pour elle-même ou les enfants.

■ **Prénom (changement).** Permis par l'art. 57 du Code civil. Demande par requête auprès du tribunal de grande instance, donnant lieu à un jugement rendu par ce trib. après avis du proc. de la République. Assistance d'un avocat obligatoire.

■ **Français vivant à l'étranger.** Consulats de France et sections consulaires des ambassades de France sont compétents pour : dresser ou transcrire les actes d'état civil (naissance, mariage, décès), établir des procurations de vote, délivrer des fiches d'état civil, recevoir des actes notariés (contrats de mariage, procurations, etc.), délivrer, proroger ou renouveler les passeports, recenser les jeunes gens (Service national), légaliser les signatures et certifier les documents ; *pour les seuls Français immatriculés auprès des services consulaires :* délivrer ou renouveler les cartes nationales d'identité.

DOMICILE

■ **Attestation.** Dep. 1953 une déclaration sur l'honneur suffit (mais il est préférable d'apporter une quittance EDF-GDF, ou téléph.).

■ **Définition. Domicile légal :** lieu, en principe unique, où la loi présume qu'une personne se trouve pour l'exercice de ses droits et de ses devoirs (distinct de la *résidence,* lieu où elle se trouve en fait). Comprend la résidence principale et les résidences secondaires, la cour et le jardin les entourant s'ils sont clos, le véhicule servant de domicile (caravane ou voiture aménagée), la tente de camping, la chambre d'hôtel ou le meublé. Que l'on soit Français ou étranger, propriétaire, locataire ou occupant à titre gratuit, le domicile est protégé.

■ **Changement de domicile (formalités à accomplir). Assurances :** transférer son ass. sur son nouveau logement en demandant la modification du contrat si les 2 logements ont des caractéristiques différentes. Prévenir sa compagnie d'ass. avant de quitter son ancien domicile. **Carte d'électeur :** se faire inscrire sur la liste électorale du nouveau domicile après un délai de 6 mois. Présenter sa carte et le livret de famille et une justification du nouveau domicile (quittance de loyer, de gaz, d'électricité, ou déclaration sur l'honneur qui sera remplie à la main), ou la carte d'identité ou un passeport mentionnant le nouveau domicile. **Carte grise :** *changement dans Paris ou dans un département :* se présenter à la préfecture de police avec une justification du nouveau domicile et une pièce d'identité ; le changement est gratuit. *Changement de département :* une nouvelle carte sera refaite à la préfecture du nouveau dép. ; outre les papiers ci-dessus, présenter un certificat de non-gage délivré par la préfecture où était immatriculé le véhicule, droit de timbre de 20 F. Changement à faire dans le mois à compter du déménagement (sinon, amende possible de 30 F ou +). **Carte d'identité :** gratuite si la nouvelle adresse peut être portée dans l'une des cases prévues au dos de la carte. **Contribution mobilière :** aviser l'inspecteur des contributions de l'ancien et du nouveau domicile. C'est toujours l'occupant de l'appartement au 1er janvier qui paie la contribution mobilière. **Électricité et gaz :** faire couper le gaz et l'électricité dans l'ancien domicile, résilier l'abonnement souscrit pour celui-ci. Avertir au plus tôt 3 mois, au plus tard 3 j avant le déménagement. **Impôts directs :** quoique le percepteur de l'ancien domicile doive être avisé du changement d'adresse (avant le 1er janvier), il recevra les acomptes provisionnels. Prévenir le nouvel inspecteur avant le 1-1. Solde et déclaration de l'année suivante seront envoyés au percepteur du nouveau domicile. *Impôt local :* rien à payer en cours d'année pour le nouveau logement. **Inscriptions scolaires :** *maternelle :* présenter à la mairie entre le 15-5 et le 30-6 le livret de famille, une justification de domicile (quittance de loyer, gaz), un certificat du médecin de famille et le carnet de santé ou les certificats de vaccinations (ou certificat du médecin traitant si les vaccinations sont contre-indiquées) antidiphtérique et antitétanique, antipoliomyélitique, BCG si l'enfant est dans l'année de ses 6 ans, antityphoïde et paratyphoïde en cas d'épidémie. Les enfants qui vont à l'école primaire doivent être inscrits le plus tôt possible, sur présentation des livrets scolaires, à la mairie ou à l'école indiquée par la mairie. S'ils sont au lycée : demander une attestation d'inscription au secrétariat de l'ancien établissement. **Livret militaire :** pour les hommes de 18 à 55 ans, faire viser son livret individuel dans un délai de 1 mois, à la brigade de gendarmerie. **Sécurité sociale, allocations familiales :** prévenir du changement d'adresse. **Téléphone :** faire résilier, transférer ou céder la ligne téléphonique (dans ce cas, prévenir le Centre au moins 2 mois à l'avance pour que la comptabilité du téléphone ne continue pas à être portée au nom de l'ancien occupant). **Télévision :** avertir le Centre de redevances du changement d'adresse. **Vins :** pour transférer une cave (vins et alcools) demander l'autorisation à la Recette des impôts du domicile.

■ **Inviolabilité.** De 21 h à 6 h du matin et les jours de fête légale, sauf autorisation judiciaire. **Exceptions :** *flagrant délit :* les officiers de police judiciaire peuvent perquisitionner, même de nuit, en se rendant sur les lieux du crime. *Information pénale sans flagrant délit :* il faut un mandat du juge d'instruction ou une commission rogatoire pour faire une perquisition ou une saisie. On peut exiger la présentation du mandat. La perquisition doit avoir lieu en présence de l'occupant ou de son représentant. Seul un juge d'instruction ou un magistrat peut perquisitionner de nuit. *Les huissiers*, autorisés par justice, peuvent pénétrer ; ils sont en général accompagnés par un serrurier et un commissaire de police. Agents des douanes : peuvent entrer sans le consentement du titulaire, même de nuit, pour rechercher des marchandises détenues frauduleusement, mais ils doivent être accompagnés d'un officier municipal ou de police judiciaire. Inspecteurs du travail : peuvent surveiller des travailleurs à domicile avec l'autorisation des personnes habitant les locaux. *En cas de crime ou délit contre la sûreté de l'État*, les préfets peuvent pénétrer chez un particulier comme un juge d'instruction.

Violation par des particuliers : il y a délit si l'on use de manœuvres (ex. ruse, utilisation de fausses clefs), menaces (visant biens ou personnes), voies de fait (ex. pénétration par escalade) ou contrainte (ex. non-respect d'une défense d'entrer) (art. 184 Code pénal). En cas de violation, on peut porter plainte au commissariat ou au parquet. L'accusé peut encourir des sanctions *pénales* (de 6 j à 1 an de prison et de 500 à 8 000 F d'amende, peines doublées si le délit a été commis en groupe) et *civiles :* réparation des préjudices moral, physique et matériel.

■ **Protection.** *Préventive :* blindage, œil, caméra, raccordement au commissariat, société de gardiennage, absence de l'annuaire téléphonique (liste rouge). *Sont interdits :* pièges à feu, tessons de bouteilles, transistors piégés, milices de citoyens... *Légitime défense :* l'attaque doit viser les personnes et les biens, constituer un danger sérieux et imminent (des injures ou des voies de fait ne suffisent pas) et entraîner une riposte proportionnée.

Le redressement et la liquidation judiciaire des entreprises

■ **Définition.** Procédures pour régler la situation du débiteur qui, ne pouvant faire face à son passif exigible grâce à son actif disponible, se trouve en *état de cessation de ses paiements* (non-règlement d'une dette à son échéance). Elles peuvent s'appliquer à un commerçant, une Sté civile ou comm., une association, un artisan ou un agriculteur. **Liquidation judiciaire :** intervient lorsque la situation de l'entreprise du débiteur ne permet pas d'envisager la continuation de son activité. Elle entraîne la vente de tous les éléments d'actif pour assurer le paiement des créanciers ; l'entreprise disparaît. **Redressement judiciaire :** s'applique lorsque la situation du débiteur permet d'envisager le rétablissement de son entreprise si son passif peut être réglé d'une manière acceptable. Le tribunal arrête un plan de continuation (l'entreprise obtenant remises et délais), ou un plan de cession (l'entreprise étant cédée à un repreneur).

■ **Créanciers privilégiés. Propriétaire :** il a un privilège sur les meubles garnissant les lieux loués par le débiteur, pour les 2 dernières années de location échues durant le jugement déclaratif, pour l'année courante, ainsi que pour les sommes en exécution du bail ou à titre de dommages et intérêts. Le *conjoint* doit établir la preuve de ses droits, justifier être propriétaire d'immeubles acquis avant le mariage ou avoir recueilli ceux-là par voie successorale.

Salarié : il bénéficie d'un superprivilège qui oblige le syndic à lui payer dans les 10 j qui suivent le jugement déclaratif (de règlement judiciaire ou de liquidation des biens) les rémunérations dues pour les 60 derniers j de travail jusqu'à concurrence d'un plafond mensuel qui ne doit pas être inférieur au double de celui retenu pour le calcul des cotisations de la Sécurité sociale. Tout employeur est tenu de contracter une assurance contre le risque de non-paiement dû au salarié à la date du jugement déclaratif. Cette assurance garantit également le paiement des arrérages de préretraite ou de complément de retraite, échus ou à échoir, qui seraient dus à un salarié ou à un ancien salarié à la suite d'un accord d'entreprise, d'une convention collective ou d'un accord professionnel ou interprofessionnel. Association pour la gestion du régime d'assurance des créances des salariés (AGS) : assoc. patronale ayant passé une convention avec l'Unedic qui assure, par l'intermédiaire des Assedic, l'encaissement des cotisations et le paiement des créances salariales.

Vendeur de meubles non payé : il peut demander la résolution de la vente (l'annulation du contrat pour inexécution par l'acheteur de son obligation de payer) tant qu'il ne s'est pas dessaisi de l'objet de la vente.

Vendeur impayé. Il peut revendiquer tant qu'elles existent en nature, en tout ou en partie, les marchandises dont la *vente* a été *résolue antérieurement* au jugement ; ou vendre avec une clause de réserve de propriété. Le vendeur peut conserver les marchandises qui ne sont pas encore expédiées au débiteur ; revendiquer les marchandises expédiées au débiteur tant que la remise matérielle n'en a point été effectuée dans ses magasins ou dans ceux du commissionnaire chargé de les revendre pour son compte.

Divers. Sécurité sociale, créanciers nantis, créanciers hypothécaires.

■ Formalités

Tous les créanciers, privilégiés ou non, doivent déclarer leurs créances entre les mains du syndic dans la quinzaine à compter du jugement. Si certains ne l'ont pas fait, le syndic les avise d'avoir à le faire par simple lettre (pour les créanciers *chirographaires*) ou lettre recommandée (pour les créanciers privilégiés), par insertion dans un journal d'annonces légales et au Bulletin officiel des annonces civiles et commerciales (BOACC), rappelant le numéro du journal dans lequel a été faite la précédente insertion. A compter de la date de l'insertion dans le BOACC, les créanciers ont 2 mois pour déposer leur « déclaration » du montant des sommes réclamées, assortie de toutes les pièces justifiant celles-ci (ce délai comporte la forclusion, et la sanction peut être grave). A défaut, les créanciers négligents ne sont pas admis dans les répartitions et dividendes, à moins que le tribunal ne les relève de leur forclusion s'ils établissent que leur défaillance n'est pas de leur fait. En ce cas, ils ne peuvent concourir que pour la distribution des répartitions ou des dividendes à venir.

Le juge commissaire arrête l'état des créances. Tout créancier peut réclamer dans les 15 j qui suivent l'insertion au BOACC. Le tribunal (qui connaît du redressement judiciaire ou de la liquidation judiciaire) peut prononcer la *faillite personnelle* du débiteur ou des dirigeants sociaux si ceux-ci se sont rendus coupables d'agissements malhonnêtes ou très imprudents. Cette faillite entraîne des déchéances ou interdictions (par ex. interdiction de gérer, administrer, contrôler une entreprise).

Formalités et statut concernant les étrangers

■ Définition et acquisition de la nationalité française

Recensements. Sont classés comme étrangers les habitants s'étant déclarés tels à la question 6 du bulletin individuel. S'agissant d'une personne née en France de parent(s) étranger(s), elle peut s'être déclarée étrangère alors que, vis-à-vis du Code de la nationalité fr., elle est fr., ou inversement.

Évolution

1515 : arrêt du Parlement de Paris : l'enfant né en France, de parents étrangers et demeurant en Fr. a le droit de succéder. Il est Français s'il choisit de se fixer définitivement en France. **Révolution :** la notion de citoyenneté supplante celle de nationalité, tout homme fidèle aux idées révolutionnaires est digne d'être citoyen. **1804 Code civil :** un enfant, né en Fr. (ou à l'étranger) d'un père fr., est Français. Les enfants nés en Fr. peuvent réclamer, dans l'année qui suit leur majorité, la nationalité fr. (art. 9). La femme acquiert automatiquement, au moment du mariage, la nationalité du mari (art. 12 et 19). La Française épousant un étranger perd ainsi la nationalité fr. et la femme étrangère épousant un Français devient elle-même Fr. Les Françaises ayant épousé un étranger peuvent redevenir Fr. lorsqu'elles sont veuves. La simple naissance sur le sol fr. ne confère la nationalité fr. à l'enfant que dans 3 cas : parents inconnus, parents apatrides, enfant né de parents étrangers, si les lois étrangères ne lui attribuent la nationalité d'aucun des 2 parents (art. 21 et 22 du Code de la nationalité). **Loi du 7-2-1851 :** est Français l'individu né en Fr. d'un étranger qui y est lui-même né (art. 1), mais il peut réclamer, dans l'année qui suit sa majorité, la qualité d'étranger (but de la loi : obliger les étrangers établis en France à accomplir leur service militaire). **Loi de 1889 :** l'enfant né en France d'un étranger est automatiquement Fr. à sa majorité, sauf s'il s'y refuse l'année suivant sa majorité ; l'époux d'une Française peut demander sa naturalisation après 1 an de séjour. **Loi du 22-7-1893 :** l'enfant né d'un étranger ou d'une étrangère, né en France, est Français. **Loi du 10-8-1927 :** assouplit les conditions de naturalisation (pour faciliter celle de milliers de travailleurs étrangers venus surtout d'Italie et de Pologne combler les vides de main-d'œuvre creusés par la guerre). La condition de stage de 10 ans est réduite à 3 ans et l'âge minimal est avancé à 18 ans. Les femmes peuvent choisir la nationalité au moment du mariage. L'étrangère qui épouse un Français ne devient Fr. que sur sa demande expresse. La Française qui épouse un étranger ne perd sa nationalité que si le domicile se situe hors de France ou si elle est obligée de prendre la nationalité du mari en vertu de la loi nationale de ce dernier. Les enfants, nés en Fr. de parents étrangers, peuvent renoncer à leur faculté de répudiation avant 18 ans. **Décret-loi de 1938 :** les changements de nationalité de la femme prendront la forme d'une déclaration avant le mariage. Les conditions liées au domicile ou à la loi nationale de l'époux sont abrogées. **Ordonnance du 19-10-1945 :** institue un Code de la nationalité française, les contrôles de dignité et les possibilités d'opposition du gouvernement sont étendus à tous les autres modes d'acquisition, réintégration exceptée. Stage préalable, fixé à 5 ans, appliqué à tous les modes d'acquisition, mariage et adoption exceptés, mais les catégories de naturalisation sans condition de stage sont élargies. L'étrangère épousant un Français devient automatiquement Fr. sauf déclinaison de sa part. La période d'option lorsqu'il y a faculté de décliner ou de répudier la nat. française est reportée aux 6 mois précédant la majorité, afin, notamment, de ne plus retarder l'incorporation de un an comme c'était le cas. **Loi du 9-1-1973 :** rend identiques les rôles de l'homme et de la femme dans la transmission de la nat. française. **Loi du 7-5-1984 :** introduit un délai de vie commune de 6 mois nécessaire à la souscription de la déclaration (les étrangers, ayant épousé une Française avant 1973, peuvent devenir Français en souscrivant une déclaration).

Statut actuel

Attribution de la nationalité française. *Est Français* l'enfant légitime ou naturel dont l'un des parents au moins est Français (art. 17 du Code de la nationalité) ; l'enfant légitime ou naturel né en France lorsque l'un des ses parents au moins est lui-même né en France [métropole Algérie, territoires de l'ancien empire, sauf Comores et 3 villes tonkinoises (Hanoi, Haiphong et Tourane) (art. 23)].

Acquisition de la nationalité (sauf opposition de l'autorité publique). *L'étranger (ou l'étrangère) qui épouse une Française (ou un Français)* peut, après un délai de 6 mois à compter du mariage, acquérir la nationalité française par déclaration, à condition qu'à la date de cette déclaration, la communauté de vie n'ait pas cessé entre les époux et que le conjoint français ait conservé sa nationalité (art. 37-1). *Tout individu né en France de parents étrangers (nés a l'étranger)* acquiert la nationalité française à sa majorité si, à cette date, il réside en France et s'il a eu, pendant les 5 ans qui précèdent, sa résidence habituelle en France (art. 44) (en 1990, le Sénat a proposé de substituer à cette acquisition automatique l'exigence d'une déclaration volontaire de l'intéressé entre 16 et 21 ans). Il faut décliner la nat. française dans l'année précédant sa majorité (art. 45). *L'enfant mineur né en France* de parents étrangers peut réclamer la nat. française par déclaration si, au moment de cette déclaration, il a eu, depuis au moins 5 ans, sa résidence habituelle en France.

Acquisition par décision de l'autorité publique. Résulte d'une naturalisation accordée par décret à la demande de l'étranger (art. 59). Dans plusieurs cas, elle est liée à une condition de stage (env. 80 % des demandes sont chaque année satisfaites). La naturalisation ne peut être accordée qu'à l'étranger justifiant d'une résidence habituelle en Fr. pendant les 5 ans précédant le dépôt de sa demande (art. 62).

Peuvent être naturalisés sans condition de stage : le conjoint et l'enfant majeur d'une personne qui acquiert la nationalité française ; le père ou la mère de 3 enfants mineurs ; l'étranger qui a effectivement accompli des services militaires dans une unité de l'armée française ou qui, en temps de guerre, a contracté un engagement volontaire dans les armées françaises ou alliées ; le ressortissant ou ancien ressortissant des territoires et États sur lesquels la France a exercé soit la souveraineté soit un protectorat, un mandat ou une tutelle ; l'étranger qui a rendu des services exceptionnels à la France ou celui dont la naturalisation présente pour la France un intérêt exceptionnel (art. 64) ; la personne qui appartient à l'entité culturelle et linguistique française lorsqu'elle est ressortissante des territoires ou États dont la langue officielle ou l'une des langues officielles est le français et lorsque le français est sa langue maternelle (art. 64-1).

Le stage est réduit à 2 ans : pour l'étranger qui a accompli avec succès 2 ans d'études supérieures en vue d'acquérir un diplôme délivré par une université ou un établissement d'enseignement supérieur français ; pour celui qui a rendu ou qui peut rendre par ses capacités et ses talents des services importants à la France (art. 63).

Nul ne peut être naturalisé s'il n'est pas de bonne vie et mœurs et s'il a fait l'objet de certaines condamnations (art. 68), s'il ne justifie de son assimilation à la communauté française notamment par une connaissance suffisante selon sa condition de la langue française (art. 69).

Réintégration par décret. A tout âge et sans condition de stages sous la réserve des conditions et règles applicables en matière de naturalisation, de toute personne établissant avoir possédé la qualité de Français (art. 97-2). Les personnes de nationalité française qui étaient domiciliées au jour de son accession à l'indépendance sur le territoire d'un État qui avait eu antérieurement le statut de territoire d'outre-mer, n'ayant pas au moment de l'indépendance conservé cette nationalité, peuvent, à la condition d'avoir établi au préalable leur domicile en France, être réintégrées moyennant une simple déclaration souscrite auprès de l'autorité publique, à condition que celle-ci les y autorise (art. 153).

L'enfant mineur de 18 ans dont l'un des 2 parents acquiert la nationalité française devient Français de plein droit (art. 84).

☞ Le 21-9-1991, dans le Figaro-Magazine, Valéry Giscard d'Estaing souhaitait que la France revienne à la conception du *droit du sang* (adoptée dans les grands pays européens). Le recours complémentaire au *droit du sol* devrait être entouré de garanties très strictes, comme l'installation permanente et régulière des 2 parents en France pendant au moins 10 ans avant la naissance ; il souhaitait que soit soumise au référendum une loi sur la nationalité contenant 5 règles : la naturalisation doit toujours être demandée par une démarche explicite de l'intéressé, auprès de l'autorité administrative du lieu de sa résidence ; l'intéressé doit avoir une résidence permanente en France ; une durée minimale de séjour doit être exigée : 10 ans en général, avec possibilité de réduction pour les jeunes ; l'intéressé doit disposer de ressources régulières pour subvenir à ses besoins et à ceux de sa famille ; il doit donner des preuves concrètes d'assimilation, en particulier parler et écrire le français comme ses futurs compatriotes dans son environnement social.

Étrangers devenus Français (en 1991). 112 500 dont naturalisés 39 445, ayant acquis la nationalité française par déclaration (mariage, art. 37-1-16333, avant leur majorité, art. 52-13343 ; par réintégration art. 153-2169 ; autres cas 923) 32 768, acquisitions sans formalités (art. 44) 25 000, autres cas 15 287.

Personnes d'origine étrangère (1991). 14 millions dont étrangers 3,7, immigrés possédant la nationalité française 1,3, enfants d'immigrés 3,3 (2e génération, petits-enfants d'immigrés 7).

Origine des étrangers ayant acquis la nationalité française (en %). Européens : *1975 :* 84,2 ; *90 :* 31,7 ; *91 :* 26,9 ; **Africains :** *1975 :* 9,8 ; *90 :* 42,5 ; *91 :* 48,9.

☞ *Francisation du nom et du prénom, pour ceux qui désirent se faire naturaliser :* le faire avec le dépôt de la demande.

Double nationalité. Le droit français l'ignore. Ainsi : l'intéressé de nationalité fr., au regard du droit fr., résidant ou se trouvant dans un pays dont il possède la nationalité ne peut invoquer la protection diplomatique fr. (Convention de La Haye 1930) ; le service national, en pratique la seule obligation liée à la nationalité, implique un choix de la part de l'individu ayant plusieurs nationalités. La loi de 1971 dispense du service actif les Fr. résidant habituellement dans certains États étrangers.

Notaire

■ **Généralités.** Officier public, qui exerce dans le cadre d'une profession libérale, pour recevoir tous les actes et contrats auxquels les parties doivent ou veulent donner le caractère d'authenticité attaché aux actes de l'autorité publique, et pour en assurer la date, en conserver le dépôt, en délivrer des copies exécutoires et expéditions ; intervient également dans le domaine du droit de la famille et dans celui du droit des entreprises. *Nommé* à vie, par arrêté du garde des Sceaux, ministre de la Justice. Pour *s'établir,* le notaire doit : être Français ; jouir de ses droits de citoyen et ne pas avoir encouru certaines condamnations ; être titulaire de la maîtrise en droit ou d'un diplôme reconnu équivalent (sauf pour les clercs exerçant depuis 12 ans, dont 6 en qualité de principal ou de sous-principal, s'ils ont passé l'examen de 1er clerc et subi un examen de contrôle) ; avoir fait un stage de 2, 3 ou 5 ans dont 2 au moins chez un notaire ; avoir réussi l'examen d'aptitude aux fonctions de notaire ou être titulaire du diplôme supérieur du notariat. Il lui faut alors acquérir un office ou des parts d'une société civile professionnelle dont les prix de cession varient en fonction des produits réalisés au cours des 5 ans précédant la mutation. Il ne peut changer de résidence sans l'autorisation du garde des Sceaux, ni créer une charge là où il l'entend. Pour financer son acquisition, il peut obtenir un prêt limité à 80 % du prix d'acquisition, garanti par l'Association notariale de caution, au taux de 7,25 % par an + un dépôt de garantie, sur 15 ans au maximum.

Depuis le décret du 29-4-1986, les notaires peuvent exercer leurs fonctions sur l'ensemble du territoire national, à l'exclusion de Mayotte et St-Pierre-et-Miquelon. Ils ne peuvent toutefois établir, hors du ressort de la cour d'appel dans lequel leur étude est établie, ou du ressort des trib. de grande instance limitrophes, certains actes énumérés par ce décret. Un notaire ne peut recevoir ou faire recevoir par une personne à son service ses clients à titre habituel dans un autre local que l'étude ou un bureau annexe.

■ **Choix du notaire.** *En cas d'achat,* l'acquéreur peut choisir son notaire ; si la vente a lieu chez le n. d'une Sté de construction ou du vendeur, il peut se faire assister par son n. *En cas de location,* le propriétaire choisit le n., le locataire peut se faire assister par son n. On peut toujours changer de n. Plusieurs n. peuvent intervenir dans une même affaire. Les émoluments seront partagés (et non mutipliés) entre les 2.

■ **Actes notariés.** Un acte rédigé par un notaire est dit « authentique » : il ne peut être contesté que par une procédure contraignante et permet de recourir directement aux voies d'exécution. **Principaux actes :** baux à ferme, ventes, contrats de mariage ; actes de reconnaissance, reconnaissance des enfants naturels, ventes d'immeubles, adoption, donation ; testaments authentiques, partages, liquidations de successions ; prêts hypothécaires ; sociétés.

■ **Rémunération.** *Émoluments :* a) proportionnels (rémunérant la plupart des actes) ; b) fixes (rémun. certains actes et la plupart des formalités) ; tarifs publics obligatoires pour le notaire ; si la prestation ne figure pas au tarif, le n. doit établir un devis préalable. *Honoraires :* pour services rendus qui ne sont pas prévus par le tarif des notaires (consultations, expertises, estimations), fixés d'un commun accord entre notaire et client. V. Index. Un décret du 11-3-1986 a « détarifé » certains actes (associations, sociétés, baux commerciaux, ventes de fonds de commerce, etc.) qui sont désormais rémunérés par des honoraires fixés d'un commun accord avec les parties. Dep. 1973, les sommes détenues provisoirement pour le compte des clients sont obligatoirement déposées à la Caisse des dépôts et consignations (villes de + de 30 000 hab.) ou dans les caisses régionales du Crédit agricole. Ces dépôts sont rémunérés à 1 %.

■ **Responsabilité.** Peut être engagée pour une erreur commise dans la rédaction d'un acte ou l'accomplissement des formalités, pour manquement au devoir de conseil. Chaque n. doit assurer sa responsabilité auprès d'une Cie d'assurances : il existe en outre une caisse de garantie collective alimentée par les cotisations des n. au sein d'une même chambre départementale. La caisse de garantie des n. rembourse les sommes reçues à l'occasion des actes de leur ministère ou des opérations dont ils sont chargés en raison de leurs fonctions.

■ **Rôle du notaire.** *Obligatoire :* rédaction des actes authentiques [monopole des testaments authentiques et des donations entre époux, des transactions immobilières (il est correspondant du fichier immobilier : mutation, donation, succession)]. Pour certains actes juridiques, la concurrence des conseillers juridiques ou fiscaux et des avocats peut jouer. *Utile :* pour prêts, baux, promesses de vente, déclaration de succession, cessions de parts de soc. civ. de construction. *Conseil des parties :* pour rédaction d'un acte, aux problèmes de financement.

Le notaire doit garder minute des actes qu'il reçoit, sauf pour procurations, actes de notoriété, etc. Il ne doit en délivrer des copies sous forme de copies exécutoires et expéditions qu'aux parties. Il est tenu par le secret professionnel.

■ **Sanctions.** *Peines disciplinaires* pouvant être prononcées par la Chambre de discipline : rappel à l'ordre, censure simple, censure devant la Chambre assemblée. Le tribunal de grande instance statuant disciplinairement peut prononcer ces mêmes sanctions et, également : la défense de récidiver, l'interdiction temporaire, la destitution. Tout officier public ou ministériel qui fait l'objet d'une poursuite pénale ou disciplinaire peut se voir suspendre provisoirement de l'exercice de ses fonctions.

■ **Statistiques. Effectifs** (au 1-1) *1970 :* 6 327 ; *86 :* 6 686 ; *90 :* 7 456 notaires dont 426 femmes, 4 941 offices dont 1 955 en sociétés civiles professionnelles regroupant 4 481 notaires associés ; *91 :* 7 503. **Chiffre d'affaires** (1989) : 19 milliards de F (+ **impôts collectés** 20 milliards de F).

Liberté d'aller et venir

■ **États membres de la CEE. Ressortissants :** doivent être considérés comme agents économiques au sens du Traité de Rome, c.-à-d. exercer ou avoir exercé une activité professionnelle pour bénéficier de la libre circulation et du libre établissement sur le territoire d'un autre État membre de la CEE. Les dispositions communautaires s'appliquent également aux membres de leur famille. Depuis le 1-7-1992, les ressortissants communautaires qui s'établissent sur le territoire d'un État membre sans y exercer d'activité économique (étudiants, retraités, rentiers, inactifs) bénéficient, sous réserve de conditions de ressources et de couverture sociale, d'un droit de séjour (3 directives du Conseil du 28-6-1990). *Libre à l'entrée en France,* ils doivent présenter une carte d'identité ou un passeport valide et *peuvent séjourner* 3 mois sans carte de séjour. S'ils s'installent en France pour plus de 3 mois, ils doivent demander, dans les 3 mois suivant leur entrée, une carte de séjour valide 5 ans au plus et renouvelée automatiquement pour 5 ou

Réfugiés et apatrides

Droit d'asile. Repose sur les textes suivants : *préambule de la Constitution de 1946,* alinéa 4, au titre des « principes particulièrement nécessaires à notre temps... tout homme persécuté en raison de son action en faveur de la liberté a droit d'asile sur les territoires de la République » ; *préambule de la Constitution de 1958 :* « Le peuple français proclame solennellement son attachement aux droits de l'homme... tels qu'ils sont définis par la Déclaration de 1789, confirmée et complétée par le Préambule de 1946 ». *Conventions internationales* auxquelles la France est partie, notamment celle de Genève en 1951 sur les réfugiés ; ratifiée le 17-3-1954.

Demande d'asile. Peut être présentée : 1°) à partir du pays d'origine ou d'un pays tiers auprès des autorités consulaires françaises qui, après accord du ministre de l'Intérieur, délivrent un visa de long séjour donnant droit à s'établir en France (des procédures d'admission particulières existent pour les ressortissants du Sud-Est asiatique) ; 2°) à la frontière, si l'étranger ne vient pas d'un pays tiers à garanties suffisantes (sécurité, risque de renvoi vers le pays où il invoque des risques de persécution). Laissez-passer établi par la police de l'air et des frontières ; en cas de doute, elle saisit le min. de l'Intérieur ; 3°) sur le territoire, si l'étranger n'est pas en provenance d'un pays tiers susceptible de lui accorder le bénéfice du statut prévu par la convention de Genève.

Les étrangers qui ont sollicité l'asile et présenté une demande de statut à l'OFPRA [1] sont mis en possession d'un récépissé provisoire de séjour de 3 mois, renouvelable jusqu'à ce qu'il soit statué de manière définitive sur leur demande, c.-à-d. le cas échéant, jusqu'à la décision de la Commission des recours.

Si la demande est acceptée (4 mois de délai pour la réponse), l'OFPRA délivre un certificat attestant son statut de réfugié ou d'apatride (validité de 3 ans, renouvelable pour 5 ans). Sauf motif d'ordre public, la carte de résident, qui vaut titre de séjour et de travail, est délivrée de plein droit à l'étranger ayant obtenu le statut de réfugié, ainsi qu'à l'apatride (sous réserve de justifier de 3 ans de résidence en France). En cas de refus, pourvoi possible auprès de la Commission des recours ; si le rejet est définitif, l'étr. doit quitter la Fr. (délai de un mois) sous peine de poursuites judiciaires pour séjour irrégulier ou d'une mesure administrative de reconduite à la frontière.

Nota. – (1) Office français de protection des réfugiés et apatrides, créé le 25-7-1952 ; établissement public chargé de la protection juridique et adm. des réfugiés et apatrides, il assure, en liaison avec les min. concernés, l'exécution des conventions, accords et arrangements internationaux.

☞ La Constitution de 1793 déclarait que « le peuple français donne l'asile aux étrangers bannis de leur patrie pour la cause de la liberté » et « le refuse aux tyrans » (art. 120).

10 ans. S'ils sont au chômage dep. plus d'un an, le renouvellement peut être limité à 1 an, puis refusé s'ils demeurent au chômage à l'expiration. Ils peuvent faire l'objet d'une mesure d'expulsion si leur présence sur le territoire français constitue une menace pour l'ordre public. Sauf urgence, les intéressés sont entendus par une commission spéciale et, s'ils sont expulsés, ils ont un délai de 15 j min. pour quitter le territoire.

■ **Ressortissants des pays de l'AELE.** En application de l'accord CEE/AELE signé à Porto le 2-5-1992 (sauf la Suisse), ils bénéficieront de l'ensemble des dispositions communautaires, pour s'installer sur le territoire d'un État membre de la CEE.

■ **Ressortissants d'autres États.** Leurs entrée et séjour en Fr. sont réglementés par ordonnance du 2-11-1945, modifiée par les lois du 17-7-1984, 9-9-1986 et 2-8-1989. *Entrée :* carte d'identité ou passeport avec visa (depuis sept. 1986, le visa de court séjour a été rétabli pour tous les pays à l'exception des États membres de la CEE, Suisse, Liechtenstein, Andorre, Monaco, St-Siège et St-Marin). *Séjour :* sous réserve de justifier des autorisations nécessaires, 2 types de cartes de séjour (de séjour temporaire et de résident). Voir **Travail** à l'Index.

Algérie. Conditions de séjour résultant de dispositions issues de l'accord franco-algérien du 27-12-1968, modifié par l'avenant du 22-12-1985. Certificat de résidence de 1 ou 10 ans remis aux Algériens. Octroi du CRA de 1 an et délivrance du CRA de 10 ans, après 3 ans de séjour régulier, sont subordonnés aux mêmes conditions que celles exigées des étrangers relevant du régime général. Les catégories des bénéficiaires de plein droit du CRA de 10 ans sont différentes. En sont exclus : les parents d'enfant français, réfugiés, apatrides et anciens combattants ; la réserve de 1 an de mariage pour les conjoints algériens de Français ne s'applique pas. **Tunisie.** Conditions de séjour résultant des dispositions de l'accord du 17-3-1988 modifié le 19-12-1991. Carte de séjour temporaire de 1 an ou carte de résident obéissent au régime général dep. le 1-5-1992. Visites familiales ou privées, régime général applicable dep. le 1-5-1992.

■ **Entrée ou séjour irrégulier.** Délit passible de 1 mois à 1 an de prison et de 2 000 à 20 000 F d'amende ainsi que d'une peine d'interdiction du territoire d'une durée max. de 3 ans qui entraîne de plein droit la reconduite à la frontière du condamné. Le condamné peut être reconduit à la frontière sauf si : l'étranger est âgé de – de 18 ans, entré en France avant l'âge de 10 ans, séjourne régulièrement en France dep. + de 10 ans ou habituellement dep. + de 15 ans, est marié dep. + de 6 mois à un Français, est parent d'un enfant français ou bénéficie d'une rente d'accident du travail ou de maladie professionnelle servie par un organisme français.

Le préfet peut prononcer la reconduite à la frontière si l'étranger séjourne en France irrégulièrement ou sans titre de séjour valable. La loi du 26-2-1992 complète les cas de reconduite. Les modalités de reconduite sont fixées par la loi du 10-1-1990.

■ **Expulsion.** Mesure prise par arrêté du min. de l'Intérieur contre un étranger dont la présence en Fr. constitue une menace grave pour l'ordre public, peut à tout moment être abrogée. L'étranger doit être entendu par une commission composée de magistrats de l'ordre judiciaire et administratif, qui émet un avis. Lorsque cette commission émet un avis défavorable à l'expulsion, celle-ci ne peut être prononcée. Ne peuvent être expulsées selon cette procédure les catégories d'étr. qui ne sont pas susceptibles de faire l'objet d'un arrêté de reconduite à la frontière ainsi que l'étranger résidant régulièrement en France et qui n'a pas été condamné définitivement à une peine au moins égale à 1 an d'emprisonnement sans sursis (l'expulsion peut toutefois être prononcée pour condamnations moins lourdes : proxénétisme, marchands de sommeil, travail clandestin...). Mesure pouvant également être prononcée, en cas d'urgence absolue, lorsqu'elle constitue une nécessité impérieuse pour la sûreté de l'État ou pour la sécurité publique : pas de passage devant la commission d'expulsion ; seuls les enfants mineurs de 18 ans ne peuvent être expulsés selon cette procédure.

■ **Maintien administratif.** On peut retenir dans des locaux non pénitentiaires et pendant le temps nécessaire un étranger non admis, expulsé ou reconduit à la frontière, dans l'hypothèse où il ne peut quitter immédiatement le territoire. Durée de cette rétention administrative : 7 j max. (les 24 1res heures sont décidées par l'autorité préfectorale qui peut demander au Pt du tribunal de grande instance de prolonger le maintien pour 6 j).

■ Extraditions

La France refuse l'extradition des personnes bénéficiant de l'asile politique dès lors qu'elle est réclamée pour les faits en raison desquels cet asile a été accordé. La demande est appréciée selon 4 critères pouvant fonder un refus : nature du système politique et judiciaire de l'État demandeur ; caractère pol. de l'infraction poursuivie ; mobile pol. de la demande ; risque d'aggravation en cas d'extradition de la situation de l'intéressé en raison notamment de son action ou de ses opinions pol., de sa race, de sa religion. La nature pol. de l'infraction n'est pas retenue, et l'extradition est en principe accordée, sous réserve de l'avis de la chambre d'accusation, quand auront été commis, dans un état respectueux des libertés et droits fondamentaux, des actes criminels (prises d'otages, meurtres, violences ayant entraîné des blessures graves ou la mort, etc.) de nature telle que la fin pol. alléguée ne saurait justifier la mise en œuvre de moyens inacceptables.

■ Mariage

Dep. l'abrogation de l'art. 13 de l'ordonnance du 2-11-1945 par art. 9 de la loi du 29-10-1981, le mariage des étrangers est possible sans autorisation des pouvoirs publics. Ils sont soumis aux dispositions générales du Code civil concernant le mariage.

■ Réglementation (séjour et travail)

■ **Séjour.** L'étranger de + de 18 ans (sauf Algériens de + de 16 ans) qui désire séjourner + de 3 mois en France, à compter de son entrée, doit avoir une carte de séjour. La loi du 17-7-1984 a institué 2 cartes de séjour valant titre unique de séjour et de travail.

Carte de séjour temporaire : d'une durée variable ne pouvant excéder 1 an, ni la durée de validité des documents ou visas obtenus par l'étranger pour entrer en France. Délivrée aux *visiteurs* (étr. n'exerçant aucune activité prof. essentielle, ou étr. en séjour temporaire exerçant une activité non soumise à autorisation), aux étudiants, aux étr. exerçant à titre temporaire une activité soumise à autorisation. Doivent être respectées certaines conditions générales (entrée régulière, visa de long séjour – sauf si dispense en vertu de conventions internationales – certificat médical, ordre public) et particulières [visiteur : justification de ressources ; *étudiant :* justification de ressources calculée en fonction de l'allocation mensuelle de base versée par le gouvernement fr. à ses boursiers et couverture sociale et inscription dans un établ. d'enseignement ou de formation prof. (les ressortissants de la CEE étudiants sont soumis aux mêmes règles et reçoivent une carte de séjour temporaire d'un an, renouvelable) ; *travailleur salarié :* justif. d'une autorisation de travail accordée par les services de l'emploi ; *travailleur non salarié :* justif. de l'autorisation accordée par l'administr. compétente (commerce et artisanat, agriculture)].

Carte de résident : d'une durée de 10 ans, renouvelable, peut être délivrée : 1°) à la suite d'un séjour préalable d'au moins 3 ans en Fr., régulier et non interrompu, si l'étr. justifie de moyens d'existence suffisants personnels ou bien liés à l'exercice de sa profession ; 2°) de plein droit à certaines catégories d'étr. justifiant d'attaches familiales (conjoint de Fr., ascendant ou descendant de Fr., membres de sa famille rejoignant un étr. titulaire d'une carte de résident), d'une certaine ancienneté de séjour (entrée avant l'âge de 10 ans, 10 ans de séjour régulier ou 15 ans de séjour habituel) ou situation particulière (réfugié, apatride, ancien combattant).

■ Travail

Conditions à remplir. 1°) **Par le travailleur étranger :** il doit avoir *avant son entrée en France* une autorisation de travail visée par la direction des services de l'emploi. Dans la pratique, les autorisations de travail ne sont accordées qu'exceptionnellement, en particulier aux étr. auxquels la situation de l'emploi ne peut être opposée (apatrides, Vietnamiens, Cambodgiens et Laotiens, Libanais et membres de famille autorisés à séjourner en Fr. au titre du regroupement familial), aux étr. pouvant se prévaloir de conventions particulières (Gabonais, Togolais), ainsi qu'aux étr. de haute qualification. Les ressortissants des États membres de la CEE et des États membres de l'AELE (sauf Suisse), les Monégasques, Andorrans et Centrafricains ne sont pas soumis à l'autorisation de travail. L'étr. qui réside en France à un autre titre que celui de travailleur doit obtenir l'autorisation de travail des services de l'emploi, avec l'opposabilité de la situation de l'emploi.

2°) **Par l'employeur :** il doit s'assurer que l'étr. embauché est titulaire d'une autorisation de travail en cours de validité lui permettant d'exercer, à temps partiel ou à temps plein, une activité salariée. En outre, l'employeur doit inscrire le travailleur étr., au moment de son embauchage, sur un registre spécial mentionnant la nature et le lieu de l'emploi confié à l'étr. ainsi que les caractéristiques de son titre de travail. Ce registre est présenté à toute réquisition des fonctionnaires chargés du contrôle.

■ **Frontaliers étrangers travaillant en France :** l'employeur doit déposer une demande à l'ANPE qui vérifie s'il n'y a pas de candidat possible : le travailleur doit posséder une carte de circulation frontalière ou une carte valable 5 ans pour les ressortissants de la CEE.

■ **Réglementation du travail saisonnier.** *Conditions :* impossibilité de trouver la main-d'œuvre nécessaire, nécessité d'un contrat de 21 j min. et 8 mois max., âge : 16 ans min. *Introduction :* l'employeur dépose à l'ANPE un dossier comprenant un contrat type et un engagement à verser, à l'OMI, le montant de la redevance forfaitaire. L'agence transmet le dossier à la Direction dép. du travail qui vise le contrat et à l'OMI qui recrute. L'introduction est *anonyme* si l'employeur s'en remet à l'OMI (valable dans les pays où existe une mission de l'OMI : Espagne, Maroc, Portugal, Tunisie, Yougoslavie), ou *nominative.*

Régimes spéciaux : concernent vendangeurs espagnols, betteraviers belges, Pyrénéens.

Le recrutement de travailleurs étrangers effectué en infraction du monopole de l'OMI (délit de *mar-*

chandage) est puni, dès la 1re fois, d'une amende de 2 000 à 20 000 F et/ou d'un emprisonnement de 2 mois à 1 an, d'une amende de 40 000 F et d'un emprisonnement de 2 ans en cas de récidive.

L'employeur sera également tenu d'acquitter une contribution spéciale au bénéfice de l'OMI (montant égal à 2 000 fois le taux horaire du minimum garanti, soit, au 1-3-1992, 66 620 F).

Les Algériens peuvent exercer une activité professionnelle salariée sous le couvert d'un certificat de résidence valable 1 an s'il porte la mention « salarié », ou de leur certificat de résidence de 10 ans qui porte la mention « toute profession en départements français dans le cadre de la législation en vigueur ».

■ **Changement de domicile.** Tout étranger séjournant en France et astreint à la possession d'un titre de séjour est tenu, lorsqu'il transfère le lieu de sa résidence effective et permanente, d'en faire la déclaration dans les 8 j de son arrivée au commissariat de police ou à la mairie en indiquant son ancienne résidence et sa profession. Déclaration devant être faite par tous les étr., y compris les ressortissants de la CEE et les Algériens.

■ **Nombre minimum d'h de travail** chez un ou plusieurs employeurs, imposé par l'Administration. 30 h par semaine pour 1 personne seule et 18 h si le conjoint ou un proche parent travaille en France en situation régulière. Une durée inférieure peut être admise si la rémunération hebdomadaire atteint l'équivalent de 40 h de Smic.

■ **Syndicats.** Les étrangers peuvent être désignés délégués synd. et accéder aux fonctions d'administration ou de direction d'un synd. Ils peuvent également être électeurs et éligibles comme délégués du personnel et membres du comité d'entreprise.

Résorption de la main-d'œuvre étrangère

■ **Arrêt de l'immigration.** Depuis la loi d'août 1974. Ne s'applique pas aux cadres sup., à l'imm. humanitaire et aux fam. d'immigrés déjà installés.

■ **Aide au retour.** Peut prendre différentes formes. *Rapatriement volontaire :* procédure exceptionnelle s'adressant aux travailleurs étrangers en difficulté et permettant la prise en charge par l'OMI du voyage de retour dans le pays d'origine. *Actions de coopération et de développement :* menées par certaines associations ou organisations non gouvernementales, en liaison avec les administrations concernées. Ont pour but d'étudier, de sélectionner et de financer des projets de réinsertion s'intégrant dans les plans de développement des pays d'origine et d'en assurer le suivi. *Aides à la réinsertion :* nouveau dispositif mis en place par décret 87.844 du 16-10-1987 abrogeant celui créé par décret du 27-4-1984. 1°) aide publique et aide conventionnelle à la réinsertion des immigrés, instaurées en application de l'art. L 351.15 du Code du travail à l'intention des salariés étrangers licenciés par des entreprises ayant conclu des conventions de réinsertion avec l'Office des migrations internationales (ancien OMI). 2°) aide publique et conventionnelle aux chômeurs étrangers indemnisés par le régime d'assurance chômage depuis plus de 3 mois au moment de leur demande. 3°) possibilité de réinsertion dans pays d'origine aux étrangers chômeurs de longue durée à la date de publication du décret. L'aide publique prévue comprend : prise en charge par l'État des frais de voyage (indemnités forfaitaires), allocation forfaitaire de déménagement et aide au projet professionnel financée par l'État, ou par le FAS. Peuvent s'ajouter une aide conventionnelle du régime d'assurance chômage et des mesures spécifiques prévues par le dernier employeur de l'étranger concerné.

Droit de vote

■ **En France.** Les étrangers n'ont pas le droit de vote. La Constitution de 1793 accordait le droit de vote aux immigrés domiciliés en France depuis plus de 1 an (de même en 1830 et 1871).

En 1984, selon un sondage, 74 % des Français étaient hostiles à la reconnaissance du droit de vote aux immigrés (58 % en 81), alors que le gouvernement y était favorable. A *Mons-en-Barœul* (Nord, 27 000 h.), le 21-2-1985, le conseil municipal a permis à 700 immigrés de plus de 18 ans, détenteurs d'un titre de séjour, n'ayant pas fait l'objet de condamnation pour délit ou crime, résidant à Mons avant le 1-1-1985, susceptibles d'y payer les impôts locaux (ce qui laisse à l'écart les étudiants) et ne possédant pas la nationalité française, de désigner 3 conseillers municipaux associés. 1 Algérien, 1 Marocain et 1 Laotien ont été élus le 19-5-1985 par 489 votants, soit 70 % des électeurs potentiels (80 % de Marocains, 5 % de Turcs et 86,4 % des inscrits). Ces conseillers qui n'ont pas le droit de vote sont assistés de 16 délégués (dont 2 femmes), élus le 19-5-85 (8 nationalités).

A l'étranger. *Suède :* les étrangers résidant dans le pays depuis plus de 3 ans peuvent, depuis 1975, voter aux él. communales. *Norvège :* dep. 1983, les résidents étr. peuvent voter et être éligibles aux él. locales. *All. féd. :* les immigrés élisent dans les municipalités des représentants dans des conseils ou des commissions qui ont un rôle consultatif. *Pays-Bas :* dep. mai 1985, droit de vote aux él. mun. pour les étr. vivant aux P.-B. dep. 5 ans (1res él. en mars 1986).

LIBERTÉS

Liberté d'aller et venir

■ **Définition.** S'étend à tous les endroits du pays appartenant aux collectivités publiques (État, départements, communes), destinés à l'usage public et aménagés à cet effet (rues, plages, fleuves...).

■ **Limites. Impossibilités de pénétrer dans la propriété d'autrui :** pénétrer constitue un délit (art. 184 et 276 du Code pénal) (Voir Violation de domicile), une contravention de 1re classe (ex. passage sur un terrain préparé ou ensemencé) ou de 2e cl. (ex. passage sur une vigne ou un champ de blé). **Exceptions :** *en cas d'enclave ; pour une réparation* (sur un bâtiment) ; *droit de puisage ; droit de pêche* (chez les riverains des cours d'eaux domaniaux, s'il existait avant 1965 une servitude de halage et de marche-pied le long du cours d'eau) ; *passage des piétons le long de la mer* (3 m de large sauf si le passage est à moins de 15 m d'une maison ou s'il faut traverser un terrain clos de murs et attenant à une maison) ; *passage pour skieurs et alpinistes* (pendant la période skiable, zone délimitée par le préfet ; le propriétaire doit enlever les obstacles et laisser le passage).

Entrée d'étrangers en France : Le 3-9-1986, le Conseil constitutionnel a censuré la *« loi Pasqua »* en expliquant « que la rétention (qu'il voulait prolonger de 3 j), même placée sous le contrôle du juge, ne saurait être prolongée, sauf urgence absolue et menace de particulière gravité pour l'ordre public, sans porter atteinte à la liberté individuelle garantie par la Constitution ». Cependant, une « retenue » des étrangers n'étant pas autorisés à entrer en France, le temps qu'une place d'avion leur soit trouvée, n'est pas forcément contraire à la Constitution. Il suffit qu'elle ait lieu sous le contrôle de la justice civile et pour une courte période. Le *9-1-1990,* le Conseil constitutionnel, examinant la *« loi Bonnet »* sur la prévention de l'immigration clandestine, a affirmé que, l'art. 66 de la Constitution décrétant que *« l'autorité judiciaire, gardienne de la liberté individuelle, assure le respect de ce principe dans les conditions prévues par la loi »,* il importait que *« le juge intervienne dans le plus court délai possible »* pour contrôler toute mesure privative de liberté. Le *25-2-1992,* le Conseil constitutionnel a annulé l'art. 8 de la loi modifiant les conditions d'entrée des étrangers en France. Imposé par Philippe Marchand, min. de l'Intérieur, il créait des « zones de transit » où la police aurait pu retenir les étrangers non autorisés à pénétrer en France. Ce faisant, il aurait tenté de donner une base légale à la pratique consistant à considérer que les étrangers n'ayant pas réussi à franchir les contrôles de police ne sont pas formellement en France mais se trouvent dans une « zone internationale » où le droit français ne s'applique pas. On aurait pu ainsi éviter la mise en rétention, prévue par la loi, mais qui se fait sous le contrôle du juge judiciaire et pour une durée limitée à 7 j, et qui ne peut être utilisée qu'en cas de « nécessité absolue ». Un simple inspecteur de police aurait pu retenir pendant 20 j ces étrangers, en instance de départ dans des « zones de transit », et le Pt du tribunal administratif ne serait intervenu qu'au terme de ce délai pour éventuellement autoriser la prolongation de la retenue pour 10 j supplémentaires.

■ **Libre choix du domicile. Exceptions :** *enfants mineurs non émancipés :* domiciliés obligatoirement chez leurs parents ; *mari et femme :* dep. le 11-7-1975, peuvent avoir des domiciles distincts sans qu'il soit porté atteinte aux règles de la vie commune, mais doivent cohabiter ; *fonctionnaires nommés à vie* (magistrats) *et officiers ministériels* (avoués, notaires, huissiers) : doivent avoir leur domicile légal au lieu où ils exercent leurs fonctions ; *personnes ayant été en détention provisoire et remises en liberté :* doivent résider dans la ville où se fait l'information ou dans celle où se trouve la juridiction saisie de l'affaire ; *personnes en libération conditionnelle ; condamnées avec sursis ; étrangers faisant l'objet d'un arrêté d'expulsion et ne pouvant quitter le territoire.*

Doivent signaler leur changement de domicile : les possesseurs d'une voiture (délai d'un mois, à la préfecture, sinon amende de 600 à 1 200 F) ; les étrangers résidant en France (dans les 8 j suivant l'arrivée, au commissariat ou à la mairie) ; les condamnés avec sursis et mise à l'épreuve (agent de probation) ; les hommes soumis au service nat. et les réservistes (à la gendarmerie ou au consulat).

Mesures privatives de liberté

■ **Procédure pénale. Avant le jugement :** *crime, délit flagrant :* possibilité d'audition des témoins, de vérification d'identité, de garde à vue. *Enquête préliminaire :* garde à vue. *Au cours de l'instruction :* contrôle judiciaire, art. 138 et suiv. du Code de proc. pénale (se présenter périodiquement à la mairie ou à la gend., ne pas se déplacer hors d'un certain périmètre, remettre ses pièces d'identité, ne pas fréquenter certains lieux ou pers.) ou détention prov. (except., si elle est nécessaire pour mener l'instruction à bien, si la peine encourue est au min. de 2 ans ; dure 4 mois ; renouvelable de 4 mois en 4 mois).

Après le jugement : *peines privatives :* emprisonnement ou réclusion criminelle. *Restrictives :* surtout de déplacement. *Interdiction de séjour :* de 2 à 10 ans, ne peut être prononcée contre des personnes de 65 ans ou +. *Sursis avec mise à l'épreuve :* de 2 à 5 ans ; on doit prévenir l'agent de probation des changements de résidence et de tout déplacement de plus de 8 j, obtenir l'autorisation du juge de l'application des peines avant d'aller à l'étranger, et on peut se voir interdire certains lieux. *Dans le cadre de la libération conditionnelle.*

■ **Mesures de protection sanitaire.** *Placement des alcooliques dangereux :* décidé par le tribunal de grande instance, 6 mois renouvelables. *Internement des malades mentaux :* Voir Aliéné à l'Index.

Droit de recours devant la Commission européenne des droits de l'homme

Dep. le 2-10-1981, quiconque s'estime victime d'une violation par l'État français des droits garantis par la Convention européenne des droits de l'homme (promulguée en 1974 en France) peut saisir la Commission (Conseil de l'Europe, 67006 Strasbourg) qui peut condamner l'État à payer des indemnités. Pour exercer ce recours, il faut être allé en cassation. En 1991, 400 plaintes déposées.

Limitations dues aux moyens de transport

■ **Avions.** *Circulation* libre au-dessus de la Fr. (sauf dans certaines zones mil. ou pour raisons de sécurité publ.). L'avion doit être *immatriculé* sur un registre tenu par le min. chargé de l'aviation civile. On doit avoir les *certificats d'immatriculation, de* *navigabilité* (avion conforme à un type certifié), *de limit. des nuisances, le brevet d'aptitude au pilotage.*

■ **Bateaux.** *Permis obligatoire :* les bateaux de plaisance [sauf périssoires, canoës, kayaks et navires de – de 2 tonneaux (sauf s'ils sortent des eaux territoriales pour aller à l'étranger)] doivent avoir un *port d'attache,* être *francisés* par l'administration des Douanes, *immatriculés* auprès des Affaires maritimes qui délivrent la carte de circulation.

■ **Camping-caravaning.** *Stationnement de caravanes et camping-cars* libre en dehors des terrains aménagés, sous réserve des réglementations préfectorales et d'une autorisation du maire (pour plus de 3 mois). *Camping* libre avec l'accord de la personne qui jouit du terrain, interdit sur emprise des routes et voies publiques, rivage de la mer, dans un rayon de 200 m des points d'eau captés pour la consommation, des sites classés, inscrits ou protégés, et à moins de 500 m d'un monument historique classé ou inscrit.

■ **Circulation routière. Véhicules :** Voir Code de la route et règlements (ministre, préfets, maires). On doit détenir certains *papiers* (voir Automobile à l'Index). L'État *contrôle* si le véhicule est conforme aux règlements (freins, éclairage, signalisation, signaux d'avertissement, plaques, inscriptions) ; s'il ne l'est pas, le véhicule peut être immobilisé, mis en fourrière ou retiré de la circulation.

Circulation : respecter le Code, interdictions [ex. les poids lourds de + de 6 t ou transportant des matières dangereuses ne peuvent circuler les samedis et veilles de j fériés (à partir de 22 h pour les + de 6 t et de 12 h pour les matières dangereuses) jusqu'au dimanche et j fériés à 22 h (24 h pour mat. dang.) ; accès aux autoroutes interdit aux piétons, cyclistes, cyclomoteurs, ensembles routiers comportant plusieurs remorques ; accès avec péage pour certains ponts et autoroutes], les règles du stationnement [distinction entre stationnement abusif (ininterrompu au même endroit plus de 7 j), gênant et dangereux].

Certains emplacements peuvent être payants pour faciliter la circulation, et non seulement pour procurer des ressources à la commune. Les emplacements doivent respecter droits d'accès et desserte des riverains. Les taxes sont les mêmes pour tous.

Permis de conduire : *refus* possible par le préfet, après avis de commissions spéciales, pour incapacité physique ; SUSPENSION (voir Index) ; *retrait* par les tribunaux judiciaires pour 3 ans max. si le conducteur est condamné pour conduite en état d'ivresse, délit de fuite, homicide ou blessures involontaires (on peut ensuite solliciter un autre permis) ; par le préfet après un examen médical. *Recours possibles :* gracieux, devant le préfet ou le min. de l'Intérieur ; pour excès de pouvoir, devant le tribunal administratif ; en indemnité pour suspension illégale.

Profession ambulante

■ **Commerçant ambulant ayant un domicile fixe.** Activité ambulante si elle est exercée en totalité hors de la commune (sauf pour les tournées des boulangers ruraux, par ex.). La préfecture délivre une carte de comm. non sédentaire.

■ **Personne n'ayant ni domicile ni résidence fixe dep. 6 mois.** Ne peut exercer une profession ambulante que si elle est française ou de la CEE. A partir de 16 ans, possède un livret de circ. délivré par la préfecture.

Liberté d'expression

■ **Associations, réunions, manifestations, attroupements** (voir à l'Index).

■ **Audiovisuel.** La radiodiffusion-télévision française était un **monopole d'Etat** (loi du 3-7-1972) jusqu'à la loi du 30-9-1986 modifiée relative à la liberté de communication.

Droit de réponse sur les ondes et à la télévision (décret du 6-4-1987) : la demande doit intervenir dans les 8 j à compter de l'émission incriminée. Elle doit préciser les imputations portant atteinte à l'honneur ou à la réputation de l'intéressé. Le directeur de la chaîne de radio ou de télévision doit répondre dans un délai de 8 j à compter de la demande. La réponse doit être diffusée dans des conditions équivalentes à celles de l'émission incriminée.

■ **Obligation de réserve.** Obligation morale souvent invoquée mais sans base juridique (ni loi ni texte ayant valeur législative). Actuellement constituerait une restriction de la liberté d'expression proclamée par les art. 10 et 11 de la Déclaration des droits de l'homme de 1789. *Cas des réfugiés :* selon l'art. 2 de la Convention de Genève du 28-7-1951 sur le statut des réfugiés, « Tout réfugié a, à l'égard du pays où il se trouve, des devoirs qui comportent notamment l'obligation de se conformer aux lois et règlements ainsi qu'aux mesures prises pour le maintien de l'ordre public. » L'expression par un réfugié de ses opinions politiques ne constituerait donc un manquement à ses devoirs à l'égard du pays d'accueil que si elle portait atteinte à l'ordre public. L'engagement que font souscrire certaines préfectures aux réfugiés de renoncer à toute activité politique et syndicale est nul.

■ **Presse. Liberté :** régie par la loi du 29-7-1881. Voir Index. **Limites :** *droit de rectification :* reconnu aux dépositaires de l'autorité publique (ex. préfet) dont les actes ont été inexactement rapportés ; l'article rectificatif ne peut dépasser le double de l'article incriminé. *Droit de réponse :* toute personne désignée ou mise en cause dans une publication périodique peut répondre dans l'année qui suit (max. 50 à 200 lignes selon la longueur de la mise en cause) ; un quotidien doit publier la réponse dans les 3 j, un périodique dans un numéro qui suit le surlendemain de la réception. La publication intégrale doit être faite à la même place et dans les mêmes caractères. Le directeur de la publication peut refuser d'insérer une réponse trop longue ou nuisant à l'ordre public, contraire à l'intérêt de tiers, portant atteinte à l'honneur ou à la considération du journaliste ou du journal. *Délits commis par voie de presse :* ex. délits ou crimes contre l'ordre public (apologie du crime, provocation à la haine, provocation des militaires à la désobéissance), ou le pouvoir (offense au chef de l'Etat, fausses nouvelles), contestation des crimes contre l'humanité (prévu par l'art. 24 bis de la loi du 29-7-1881 modifié par la loi du 13-7-1990 tendant à réprimer tout acte raciste, antisémite ou xénophobe), outrage aux bonnes mœurs. *Diffamation :* voir Index ; Presse étrangère, Publications destinées à la jeunesse.

Intégrité corporelle

Corps humain

■ **Don multitransplantaire.** En vue de l'utilisation des organes transplantables. *S'adresser* à France Adot (voir ci-dessous) qui est en relation avec l'association France-Transplant, hôpital St-Louis, 1, av. Claude-Vellefaux, 75475 Paris Cedex 10.

■ **Dons d'organes. France Adot** (Féd. des assoc. pour le don d'organes et de tissus humains). Reconnue d'utilité publique, BP 35, 75462 Paris Cedex 10. 36-14 Adot. *Fondée* 5-8-1969. *Adhérents :* 3 000 000 (carte de donneur délivrée gratuitement).

Don corporel total ou don du corps à la science. *Renseignements :* Paris et Région parisienne *Service du don des corps de l'Université René-Descartes,* 45, rue des Sts-Pères, 75270 Cedex 06, ou à l'*amphithéâtre d'anatomie,* École de chirurgie, 17, rue du Fer-à-Moulin, 75005. Province : *laboratoires d'anatomie des facultés ou écoles de médecine.*

Don corporel unitransplantaire. Possible par testament. *France-Transplant, hôpital Saint-Louis,* 1, av. Claude-Vellefaux, 75475 Cedex 10. **Yeux :** legs à une œuvre reconnue d'utilité publique (*Banque française des yeux,* 6, quai des Célestins, 75004 Paris, qui est qualifiée pour établir la carte officielle de « donneur d'yeux »). Prélèvement dans les 8 h suivant le décès. Si le prélèvement, actuellement limité à la cornée, a lieu dans un intérêt scientifique ou thérapeutique, la famille ne peut s'y opposer sauf disposition testamentaire ou déclaration expresse (loi Lafay du 7-7-1949). En fait, le corps médical respecte la volonté familiale. **Peau :** s'adresser de préférence aux *hôpitaux St-Louis,* 38, rue Bichat, 75010, ou *Cochin,* 27, rue du Fbg-St-Jacques, 75005, ou au *Centre médico-chirurgical Foch,* 40, rue Worth, 92150 Suresnes. **Os :** *Assoc. pour les greffes et substituts tissulaires en orthopédie (gesto) ; Sofcot, pavillon Ollier, hôpital Cochin,* 27, rue du Fbg-St-Jacques, 75674 Cedex 14. **Cœur :** 90 centres habilités pour les prélèvements (30 pratiquent les transplantations) dont *hôpital de La Pitié,* 87, bd de l'Hôpital, 75013 Paris.

■ **Don de moelle osseuse.** *Renseignements et inscription :* France Adot. Un fichier de 67 000 volontaires de 18 à 50 ans géré par France Greffe de Moelle, hôpital St-Louis est connecté aux fichiers européens par l'European Donor Secretariat (EDS-St-Louis). Fichiers utilisés pour leucémiques ou aplasiques ne disposant pas de donneur familial.

■ **Don du sang.** Donneur bénévole de 18 à 65 ans sans contre-indications (voir Médecine).

■ **Insémination artificielle** (voir Index).

■ **Interruption volontaire de grossesse** (voir Index).

■ **Prélèvement ou greffe d'organe** (loi du 22-12-1976, dite loi Caillavet et décrets d'application du 31-3-1978). **Donneur vivant** (5 % des cas en France) : *si le donneur est majeur,* un prélèvement peut être effectué à condition qu'il y ait consenti et qu'il jouisse de son intégrité mentale. Le consentement doit être éclairé, le donneur devant être informé des conséquences éventuelles de ce prélèvement sur lui-même et des résultats pour le receveur. S'il s'agit d'organes régénérables (éléments sanguins, lymphocytes, plaquettes ou cellules de moelle osseuse), le consentement doit être écrit et contresigné par un témoin. S'il s'agit d'organes non régénérables (reins par ex.), ce don n'est envisageable qu'au sein d'une fratrie ; il doit être exprimé devant le Pt du tribunal de grande instance. *Si le donneur est mineur,* le prélèvement n'est autorisé que si le receveur est son frère ou sa sœur, et avec l'autorisation de son représentant légal, et après autorisation donnée par un comité composé de 3 experts au moins et comprenant 2 médecins, dont l'un doit justifier de 20 années d'exercice de la profession médicale. Si l'avis du mineur peut être recueilli, son refus d'accepter le prélèvement sera toujours respecté. **Sur cadavre** (95 % des cas) : le prélèvement ne peut être envisagé qu'après la constatation préalable de la mort cérébrale et la certitude de celle-ci. La constatation devra être faite par 2 médecins de l'établissement, différents de ceux appartenant à l'équipe qui effectuera le prélèvement ou de celle qui procédera à la greffe. La mort sera constatée sur des critères cliniques et sur la disparition de tout signal électro-encéphalographique spontané ou provoqué par des stimulations, répétées à 2 reprises. Celui qui veut s'opposer à un prélèvement sur son cadavre peut le faire par tous moyens. Si le défunt est un mineur ou un incapable, tout prélèvement sur son cadavre en vue d'une greffe ne peut se faire sans l'autorisation écrite de son représentant légal.

■ **Relations avec le médecin. Un contrat** existe avec le malade. Le médecin est lié à son malade par une *« obligation de moyens »* non de *« résultats » ;* sa responsabilité peut être engagée en cas de faute *prouvée* par le malade ou sa famille. Le médecin s'engage à soigner et à guérir si possible, le malade à payer les honoraires et à collaborer avec le médecin et à suivre le traitement. Le médecin doit informer le malade (maladie, traitement, soins, risques). Le consentement du malade est nécessaire.

■ **Hospitalisation.** Elle nécessite en principe le consentement du malade. Le malade ou sa famille peuvent demander le transfert à domicile si l'état est très grave et le décès imminent. Si le malade veut sortir de l'hôpital contre l'avis des médecins, il doit signer une attestation par laquelle il reconnaît avoir été informé des dangers de sa sortie.

■ **Dossier médical.** Propriété de l'établissement. Conservé sous la responsabilité du chef de service. Dep. la loi du 31-12-1970, doit être communiqué au médecin traitant. Dep. le décret du 7-3-1974, avant la 2e semaine d'hospitalisation, on doit informer le médecin désigné par le malade ou sa famille s'il en fait la demande écrite.

■ **Protection de la santé publique.** Vaccinations obligatoires, déclaration des maladies contagieuses et vénériennes, vérification du taux d'alcoolisme, traitement des alcooliques dangereux et des toxicomanes : voir Médecine.

■ **Euthanasie.** *Passive :* un malade peut vouloir mettre fin à ses jours et demander clairement et formellement au médecin de cesser les soins qui pourraient les prolonger. *Active :* assimilée à un homicide ; peines allant jusqu'à la réclusion à perpétuité pour le responsable.

Respect de la vie privée

Domicile (voir p. 1370).

Secret de la correspondance

Correspondance confidentielle et sous pli fermé. Le secret est protégé pénalement pendant l'acheminement (art. 187 C. pénal). *L'ouverture par erreur* n'est pas poursuivie. *Sanctions :* 500 à 15 000 F d'amende

■ **Commission nationale de l'informatique et des libertés (CNIL).** 21, rue Saint-Guillaume, 75007 Paris. Autorité administrative indépendante, *créée* par la loi du 6-1-1978. **But :** veiller au respect de la loi en informant les personnes de leurs droits et obligations, et en contrôlant l'application de l'informatique au traitement des informations nominatives afin qu'elle ne porte pas atteinte aux droits de l'homme et à la vie privée. **Composition :** 17 m. dont 3 nommés par le gouv., 2 par les Pts de l'Ass. nation. et du Sénat, 6 par les 3 Assemblées, 6 par les 3 Hautes Juridictions. *Pt :* Jacques Fauvet (n. 9-6-14). *Minitel :* 3615 CNIL. **Saisines de Commission** (plaintes, demandes de conseil, droit d'accès indirect) *1988 :* 925 ; *89 :* 1 137 ; *90 :* 2 499 ; *91 :* 3 536 ; *92 :* 4 315. *Nombre de demandes d'accès indirect 1990 :* 182 ; *91 :* 562 ; *92 :* 531.

■ **Fichiers informatisés.** *Nombre en France :* env. 300 000. **Obligations des détenteurs :** déclarer les traitements à la CNIL en en donnant les caractéristiques. Le secteur public doit en outre obtenir un avis favorable, et ne peut passer outre qu'avec l'accord du Conseil d'État.

Protection des personnes fichées : information du caractère obligatoire ou facultatif de la réponse, de la destination des informations, du droit d'accès (droit de connaître les fichiers, de contrôler s'il existe des informations les concernant, les vérifier et les faire rectifier). Certaines données sensibles (dont les opinions politiques, philosophiques ou religieuses) ne peuvent être enregistrées sans l'accord des personnes, mais des dérogations sont prévues par décret pour la Police et la Défense. La Commission dispose de pouvoirs de contrôle ; elle peut saisir la justice et des pénalités sont prévues pour infraction à la loi du 6-1-1978. La CNIL tient à la disposition du public une liste qui précise, pour chaque fichier, le service auprès duquel il faut s'adresser pour exercer ce droit d'accès. On peut se rendre sur place, muni d'une pièce d'identité, et demander à l'organisme concerné de consulter les données personnelles ou écrire en joignant une photocopie d'une pièce d'identité. L'accès direct ne s'applique pas pour les informations médicales et celles relatives à la police, la gendarmerie ou les renseignements généraux. *Pour respecter la non-violation du secret médical* (art. 378 du Code pénal), le patient doit demander au médecin de son choix d'être son intermédiaire auprès des détenteurs de fichiers relevant de la santé humaine. *Pour l'accès aux traitements intéressant la sûreté de l'État, la défense et la sécurité publique,* on doit s'adresser à la CNIL dont des membres magistrats ou anciens magistrats effectueront les vérifications nécessaires et en informeront les requérants. *Pour l'accès aux fichiers des renseignements généraux* un décret du 14-10-1991 permet à la CNIL d'indiquer aux requérants qu'ils ne sont pas fichés et, s'ils le sont, de leur communiquer avec l'accord du ministre de l'Intérieur les informations dont la transmission ne risque pas de mettre en cause la sûreté de l'État, la défense et la sécurité publique. Demandes d'accès aux fichiers des RG. 1992 : 766 dont pas de fiche 421, fiche non communiquée 103, communication totale 200, partielle 42.

Les entreprises peuvent utiliser les listes extraites de l'annuaire obtenues de France Télécom des fichiers où ne figurent pas les abonnés inscrits sur la liste orange. Dep. 1985 pour ceux qui souhaitent figurer dans l'annuaire, sans que leurs coordonnées soient utilisées à des fins commerciales ou humanitaires (*inscription* gratuite), fin 1992 : 200 000.

■ **Automates d'appel.** Appareils diffusant des messages préenregistrés pouvant, sans intervention humaine, composer jusqu'à 10 000 appels téléphoniques en une heure, et parfois même enregistrer en retour les réponses ; la CNIL exige que l'accord des personnes soit recueilli pour l'utilisation de ce procédé.

et emprisonnement de 3 mois à 5 ans si l'ouverture ou la suppression d'une corresp. est le fait d'un fonctionnaire ou d'un agent de la Poste ; 500 à 15 000 F d'amende et (ou) emprisonnement de 6 j à 1 an si le délit est commis par un tiers quelconque. *Exceptions :* les agents des Postes peuvent convoquer le destinataire d'un pli en franchise ou présumé contenir des objets prohibés (de l'argent) pour ouverture du pli devant eux. L'administr. pénitentiaire peut, pour raisons d'ordre public, ouvrir le courrier des détenus (sauf celui échangé avec avocats). Le juge d'instruction peut faire de même, dans l'intérêt de la manifestation de la vérité.

Civilement. Le secret est protégé après réception par le destinataire, mais il ne peut être invoqué lorsque les faits contenus sont tombés dans le domaine public. Le destinataire a la propriété matérielle de la lettre reçue, mais l'auteur (ainsi que ses héritiers 50 ans après sa mort) en gardent la propriété morale.

Secret professionnel

Articles 378 et suivants du Code pénal.

Y sont tenus. *Professions de santé :* médecin, chirurgien, pharmacien, sage-femme, dentiste, masseur, orthophoniste, pédicure, nourrice-gardienne d'enfants, leurs collaborateurs et auxiliaires ; *travailleurs sociaux :* assistante sociale, auxiliaire de service social ; *personnes participant à l'administration de la justice ; fonctionnaires ;* certains *hommes d'affaires :* expert comptable, commissaire aux comptes, banquier ; *confidents nécessaires :* ministre du culte, psychologue, avocat, avoué, huissier, notaire, agent de change, courtier en valeurs mobilières ; *agents de l'admin. fiscale ; journalistes.*

Exceptions. Le secret est obligatoirement levé dans l'*intérêt de la justice,* l'obligation de déposer comme témoin primant le secret professionnel, ou dans l'*intérêt de l'État.* Les banques, les notaires, huissiers, greffiers, dépositaires des registres d'état civil et des rôles des contributions ou des autorités judiciaires doivent communiquer des renseignements aux services fiscaux. Le *secret médical* est levé pour dénoncer certaines affections dangereuses pour la santé publique (variole, m. vénériennes professionnelles, alcoolisme) ; il ne concerne pas le médecin expert.

Nota. – Dans certains cas (avortement délictueux, sévices ou privations à mineurs de – de 15 ans), avec l'accord de la victime, chaque profession peut lever le secret.

Photographies

Droit à la personnalité. On peut se défendre contre l'*altération de sa personnalité* par des montages photographiques ou la manipulation de son image (ex. une légende) ou son *exploitation mercantile ou politique* (publicité, propagande).

Respect de la vie privée. On peut s'opposer à la publication de son image s'il s'agit d'un événement de sa vie privée, mais pas si l'on est le sujet ou le participant d'un événement. Si l'on figure accessoirement sur la photo d'un monument historique, d'un paysage ou d'un lieu public, on peut demander que l'on masque son visage si l'on est reconnaissable. On peut avoir consenti à la prise d'une photo, mais pas à son utilisation (art. 9 du Code civil, art. 368 et suiv. du Code pénal).

Sanctions. *Droit de réponse. Suppression ou nonparution de l'image* ordonnées par le juge des référés (peut entraîner la saisie ou l'interdiction de vente d'un journal). *Réparation* par le tribunal. *Sanction pénale.*

Écoutes et enregistrements

■ **Écoutes par les représentants de l'autorité publique.** En principe, interdites mais une loi du 10-7-1991 les prévoit dans 2 cas. 1°) Un juge d'instruction peut, sous certaines conditions, prescrire une interception lorsque les nécessités de l'instruction l'exigent. 2°) Le gouvernement peut autoriser, à titre exceptionnel, des écoutes téléphoniques pour rechercher des renseignements intéressant : la sécurité nationale, la sauvegarde du potentiel scientifique et économique de la France, la prévention du terrorisme, de la criminalité et de la délinquance organisée, la prévention de la reconstitution ou du maintien de groupes de combat ou de milices privées légalement dissous.

☞ En cas d'appels téléphoniques anonymes, le juge d'instruction peut, après le dépôt d'une plainte, autoriser des écoutes téléphon. pour identifier l'appelant.

■ **Par de simples citoyens.** Interdites. En outre, elles ne sauraient être utilisées comme moyen de preuve. Le fait d'utiliser un enregistrement sonore de conversations téléphoniques constitue un délit du Code pénal, passible de 2 mois à 1 an de prison, jusqu'à 300 000 F d'amende, parfois saisie du matériel d'espionnage acoustique. Il faut qu'il y ait captation par un procédé technique (écouteur du téléphone), que cela porte sur des paroles tenues dans un lieu privé (cantine, bureau, pont de bateau), en dehors du consentement des intéressés, dans le but de porter atteinte à la vie privée. L'installation de mauvaise foi d'appareils conçus pour réaliser des interceptions de correspondances émises, transmises ou reçues par la voie des télécommunications est punie d'un emprisonnement de 6 j à 1 an et/ou d'une amende de 5 000 à 100 000 F (art. 186-1 du C. pénal ajouté par la loi du 10-7-1991 : les fonctionnaires ayant ordonné, commis ou facilité, hors les cas prévus par la loi, l'interception ou le détournement des correspondances émises, transmises, ou reçues par la voie des télécommunications, l'utilisation ou la divulgation de leur contenu seront punis d'un emprisonnement de 3 mois à 5 ans et d'une amende de 5 000 F à 100 000 F).

LOGEMENT

Dans le monde

	Construits en 1988 (en milliers)	Construits pour 1 000 hab. [1]	Nombre pour 1 000 hab.	Parc locatif (en %)
All. féd.	215	3,5 (4,6)	423	60 %
Belgique	28	2,8 (4,5)	400	59 %
Dan. . . .	21	4,1	427	68 %
Espagne	205	5,3 (6)	393	31 %
France . .	*310*	*5,6 (5,5)*	*437*	*49 %*
G.-B. . . .	200	3,5 (3,6)	388	40 %
Grèce . .	70	7,0	348	27 %
Irlande . .	20	5,6	271	21 %
Italie . . .	290	5,1	368	40 %
Lux.	1,2	3,2	386	39 %
P.-Bas . .	95	6,5 (7,4)	354	56 %
Port.	40	3,9	286	40 %
CEE	*1 495,2*	*4,6*	*307*	*46 %*
Canada .		(6,8)		
Suède . . .		(5,9)		
USA		(4,8)		

Nota. – En 1988 et, entre parenthèses, en 1989-1990.

En France

Statistiques globales

■ Parc de logements

■ **Parc** [en millions (dont résidences secondaires)]. *1881 :* 10,73 ; *1901 :* 11,65 ; *46 :* 13,94 (0,22) ; *54 :* 14,4 (0,45) ; *62 :* 16,39 (0,97) ; *68 :* 18,26 (1,23) ; *75 :* 21,07 (1,69) ; *82 :* 23,7 (2,27) ; *90 :* 26,24 (2,82 dont 0,4 occasionnelles).

■ **Résidences principales** (1988). **Nombre total :** 20 700 000 [logements vacants : 2 045 000 (dont ag. parisienne 229 000), 1 900 000 en 1992]. **Statut d'occupation :** propriétaires non accédants 5 814 000, accédants 5 419 000 ; locataires d'un local loué vide HLM 3 141 000, autres 4 485 000, logés gratuitement 1 495 000 ; autres statuts 346 000. En 1990, sur 21 millions de ménages, 11,72 étaient propriétaires (dont 9 d'une maison individuelle), 8,53 locataires, sous-locataires, fermiers ou métayers, 1,3 étaient logés gracieusement. Soit, en %, en 1990, propriétaires 54,4, locataires 39,5, logés gratuitement 6. **Situation (en %) :** agglomérations de + de 100 000 hab. : 46,4 ; communes rurales : 24,9 ; rurales en ZPIU : 59,3. **Paris :** 1 117 405 dont anciens inconfortables 388 731, anciens 396 819, récents 113 106, très récents 218 749. *Statut :* logement gratuit 141 632, propriétaire occupant 313 400, locataire d'un bailleur personne physique 387 914, morale 274 459.

Date de la construction (en %, en 1982). *Avant 1948 :* 44 (à Paris 44,9) ; *1948 à 1967 :* 23,6 (26,7) ; *1968 à 1974 :* 16,7 (17,3) ; *après 1974 :* 15,7 (11,1).

Peuplement normal (selon l'INSEE). *1 personne :* 1 pièce ; *2 pers. :* 2-3 p. ; *1 ménage avec 1 enfant :* 3 p. ; *2 enf. :* 3, 4 ou 5 p. ; *3 enf. :* 4-5 p. ; *4 enf. :* 4, 5 ou 6 p. ; *5 enf. :* 6-7 p. **Réel** (en milliers, 1988)

20 700 dont : surpeuplement critique 309, modéré 2 075, peuplement normal 4 970, sous-peuplement modéré 5 817, prononcé 4 169, accentué 3 360.

Surface moyenne par logement et, entre parenthèses, **par pièce** (en m²) : tous log. 85,4 (21,7), log. neufs 96,4 (22,5). **Nombre moyen de pièces :** tous log. 3,9, neufs 4,3. **De personnes par logement :** tous log. 2,6, neufs 3,4, emménagés récents 2,6 ; **par pièce :** *1962* : 1,01 ; *82* : 0,74 ; *90* : 0,68. **Surface moyenne disponible par personne** (en m²) : tous log. 32,4, neufs 28,2, emménagés récents 29,2.

Confort (1990) : **logements individuels et,** entre parenthèses, **collectifs** (en milliers) **construits avant 1949** : 5 320 (2 847) dont : sans confort 1 196 (597), confort 1 393 (748), confort avec chauffage central individuel 2 689 (1 055), avec chauffage central collectif 42 (447). **Depuis 1949 :** 6 298 (6 235) dont : sans confort 95 (76), confort 693 (358), confort avec CCI 5 376 (1 682), avec CCC 134 (4 119). **Sur l'ensemble** (en %, 1990) : ont tout le confort 75,6, baignoire ou douche 93,4 (1962 : 28,9), chauffage central gaz 35, fuel 28, électricité 25.

☞ *D'après le recensement de 1990 :* il y aurait 2,2 millions de mal-logés et 202 000 sans-abri en France.

■ **Résidences secondaires. Propriétaires :** cadres sup. et prof. intellectuelles 24,1 %, artisans, commerçants, patrons 16,1, cadres moyens 10,7, retraités 10,3, employés 7,1, ouvriers 4,7, agriculteurs 4,2. 84,9 % des ménages sont propriétaires, 6,1 locataires, 4,5 en multipropriété. **Coût annuel :** 18 564 F dont loyer ou remboursement de crédit 7 108, électricité, eau, chauffage 6 963, travaux 4 493.

Mode de chauffage (%)	Électr.	Gaz de ville	Fuel	Autre
Avant 1975 ...	17	30	33	20
1975 à 1984 ..	46	27	16	11
1985 et après .	69	19	3	9

■ Construction

■ **Destructions dues à la guerre. 1914-18** habitations détruites : 368 000 ; devenues inhabitables : 559 000 ; total : 927 000. **1939-45** détruites : 432 000 ; inhab. : 890 000 ; total : 1 322 000. *Reconstruction* achevée 1964 (60 milliards de NF de l'époque avaient été versés aux sinistrés).

■ **Besoins annuels en logements** (en milliers). *1990-95* (hors mouvements migratoires) : 319 [dont demande des nouveaux ménages 213 (besoins démographiques purs 166, décohabitations 47), renouvellement du parc 62]. *90-92 :* logements vacants 16 (dont fluidité du parc 21, apport du parc existant – 5) ; rés. sec. 46 (dont accroissement du parc 26, renouvellement du parc 20). *95-99 :* 300.

Construction de logements

	Autorisés	Commencés	Terminés
1977	504 200	476 100	451 100
1978	469 200	440 100	444 700
1979	462 000	429 100	403 600
1980	500 700	397 350	378 300
1981	488 500	398 600	390 100
1982	425 100	346 200	336 300
1983	371 800	334 100	314 100
1984	343 500	282 200	270 800
1985	349 818	295 500	254 686
1986	356 200	295 500	237 300
1987	387 700	310 100	254 100
1988	421 000	327 000	290 000
1989	394 200	339 000	270 300
1990	387 700	309 500	259 900
1991	383 300	303 100	258 900
1992	340 700 [1]	277 000 [2]	248 400 [3]

Nota. – (1) Dont (en milliers) ordinaires 331,1 (dont indiv. 146,1, coll. 189). *De 1900 à 1911 :* 200 ; *1919 à 1939 :* 100 ; *1945 à 1964 :* 180. (2) Dont ordinaires 272,6 (dont indiv. 130,9, coll. 141,7). (3) Dont ordinaires 245,3 (dont indiv. 123,2, coll. 122,1).

■ **Secteur social aidé** [1]. **Nombre d'opérations financées** (en milliers). **Prêts locatifs aidés (PLA)** [2] : *1985 :* 82,3 ; *86 :* 76,1 ; *87 :* 69,8 ; *88 :* 59,7 ; *89 :* 60,3 ; *90 :* 62,6 ; *91 :* 68,7 ; *92 :* 78. **Prêts conventionnés APL :** *1985 :* 91,7 ; *86 :* 90 ; *87 :* 90,6 ; *88 :* 56,7 ; *89 :* 49,8 ; *90 :* 39,9 ; *91 :* 27 ; *92 :* 26. **Prêts d'accession à la propriété (PAP) :** *1985 :* 117,1 ; *86 :* 109,7 ; *87 :* 80 ; *88 :* 70,7 ; *89 :* 51,2 ; *90 :* 38,7 ; *91 :* 39,3 ; *92 :* 36. **Ensemble :** *1985 :* 291,1 ; *86 :* 275,8 ; *87 :* 240,5 ; *88 :* 187,1 ; *89 :* 161,3 ; *90 :* 141,2 ; *91 :* 135 ; *92 :* 140.

Nota. – (1) Neuf + acquisition amélioration. (2) Non compris les PLA insertion et prêts conventionnés sans obligation de travaux.

Région parisienne. Logements mis en chantier (en milliers) : *1970-74 par an :* 111 ; *73 :* 120 ; *81 :* 49 ; *82 :* 43 ; *83 :* 42 ; *84 :* 40 ; *85 :* 45 ; *86 :* 48 ; *87 :* 54 ; *88 :* 53 ; *89 :* 55 ; *90 :* 51 ; *91 :* 55 ; *92 :* 43,2.

■ Définitions

■ **Agents immobiliers. Nombre :** 12 500 selon l'Insee dont env. 9 000 appartiennent à une organisation prof. **Principaux réseaux :** Nombre d'agences et actionnaires. **FNAIM** 6 700 (féd. professionnelle). **Orpi** 865 (act. indép. réunis en GIE). **Century 21** 360 en France (Banque La Hénin, Victoire). **Agences nº 1** 292 (GAN). **Avis** 100 (GAN). **ERA** en constitution (Groupe Pelloux, ERA). **Promax** en constitution (Cie immobilière Phénix). La plus ancienne agence de Paris : John Arthur et Tiffen, créée 1818 par Alexander Arthur. **Précautions à prendre** *avant de traiter avec un agent immobilier :* vérifier s'il est déclaré à la préfecture (lui demander sa carte professionnelle), affilié à un syndicat professionnel, inscrit à une caisse de caution mutuelle ; s'il a reçu un mandat régulier du propriétaire actuel du logement. Se méfier des faux « particuliers », des « clubs de locataires » ou marchands de listes et autres « associations ». Ne jamais verser d'argent (surtout commission), avant la signature d'un contrat de location. **Rémunération :** depuis le 1-1-1987 (ordonnance du 1-12-1986), honoraires libres : chaque agence établit son propre barème et doit l'afficher dans ses locaux à la vue de la clientèle.

Honoraires pratiqués avant libération (en 1987). **Ventes :** 8 % jusqu'à 50 000 F, 7 % de 50 001 F à 100 000 F, 6 % de 100 001 F à 150 000 F, 5 % de 150 001 F à 350 000 F, 4 % de 350 001 F à 700 000 F, libres à partir de 700 000 F. **Locations inférieures à 1 an :** 10 % du loyer net de charges de la période couverte par le contrat de location ; *si le loyer mensuel excède 1 000 F, taux maximum applicable :* 10 % jusqu'à 1 000 F, 9 % de 1 001 F à 1 500 F, 8 % de 1 501 F à 2 000 F, 7 % à partir de 2 001 F. **Supérieures ou égales à 1 an :** 10 % du loyer net de charges de la 1re année + 1 % par année supplémentaire de durée du bail ; *si le loyer excède 12 000 F, taux applicable au loyer de la 1re année :* 10 % jusqu'à 12 000 F, 9 % de 12 001 à 18 000 F, 8 % de 18 001 F à 24 000 F, 7 % à partir de 24 001 F. **Gestion locative :** 2 à 8 % pour immeubles, 5 à 10 % pour lots isolés.

■ **Amodiation.** Concession d'une terre moyennant des prestations périodiques payées au concédant, originairement en nature, puis aussi en argent. Aujourd'hui recouvre fermage, métayage, emphytéose, cheptel simple, etc... qui impliquent que l'entreprise est conduite par un autre que le propriétaire lui-même.

■ **Professionnels de l'immobilier. Association nat. pour l'information sur le logement (Anil)** (45 agences dép. : Adil) 2 bd St-Martin, 75010. **Commission des opérations de bourse (Cob).** Tour Mirabeau, 39/43, quai André-Citroën, 75015. **Conf. générale du logement (Cgl),** 143-147, bd Anatole-France, 93285 St-Denis Cedex. **Conf. nat. des administrateurs de biens, syndics de copropriété de France (Cnab,** créée 1945, remplace l'Amicale parisienne des administrateurs de biens, créée 1918, 1 400 adhérents, gère 3,5 millions de lots [dont en copropriété (syndic) 1,8, en locatif (administrateurs de biens) 1,7], 53, rue du Rocher, 75008. **Conseil supérieur du notariat,** 31, rue du Général-Foy, 75008. **Féd. internationale des professions immobilières (Fiabci),** 23, av. Bosquet, 75007. **Fédération nat. des agents immobiliers [Fnaim :** créée 1948, 6 700 adhérents dont 3 800 adm. de biens, 1 100 marchands de biens, 550 experts, 3 500 000 lots gérés, 1 500 000 locations par an, 3 milliards de F de CA (admin. de biens, gestion de copropriétés), transactions : 250 000/an pour 100 milliards de F.], 129, rue du Fg-St-Honoré, 75008. **Fédération nationale des promoteurs-constructeurs (Fnpc),** 400 adhérents (au 1-1-90), 106, rue de l'Université, 75007. **Syndicat nat. des professionnels immobiliers (Snpi** 3 900 adhérents*),* 162, Bd Malesherbes, 75017. **Syndicat des Stés immob. françaises (Ssif),** 37, rue de Rome, 75008. **Union nat. indépendante des transactionnaires immob., administrateurs de biens, mandataires en vente de fonds de commerce (Unit),** 15, rue du 8 mai 1945, 75010. **Union nat. interprofes. du logement (Unil),** 110, rue Lemercier, 75017. **Union nat. des constructeurs de maisons individuelles (Uncmi),** 3, avenue du Pt-Wilson, 75116 Paris.

■ **Urbanisme. Paris :** *Préfecture de Paris,* 17, bd Morland, 75004. Direction de la Construction et du Logement, Dir. de l'Urbanisme. *SOS Paris,* 103, rue de Vaugirard, 75006. **Province :** Dir. départementales de l'équipement.

■ **Architecte. Nombre** (1992) 26 500. **Honoraires :** depuis l'ordonnance 86-1243 du 1-12-1986, en fonction du contenu et de l'étendue de la mission, de la complexité de l'opération et de l'importance de l'ouvrage. **Recours à l'architecte :** obligatoire pour l'établissement de plans, sauf pour ceux voulant édifier ou modifier pour eux-mêmes une construction de – de 170 m² de surface de plancher hors œuvre nette, une construction à usage agricole dont la surface de plancher hors œuvre brute n'excède pas 800 m², des serres de production dont le pied droit a une hauteur inférieure à 4 m et dont la surface de plancher hors œuvre brute n'excède pas 2 000 m². **Responsabilité :** *Assurance construction :* vendeur, constructeur, architecte et entrepreneur doivent être couverts par une assurance responsabilité. Le maître d'ouvrage doit prendre une assurance dommages.

■ **Bureau des hypothèques.** Depuis 1955, toute mutation des biens immobiliers doit être publiée par acte notarié au bureau des hyp. du lieu de ces biens.

■ **Cadastre.** Cadastre parcellaire créé par Napoléon Ier (loi du 15-9-1807). *Révision :* loi du 16-4-1930. *Conservation du Cadastre et Publicité foncière :* entrée en vigueur le 1-1-1956. Les travaux de rénovation sont achevés en France et dans les Dom-Tom. Remaniement entrepris dans les zones sensibles (agglomérations nouvelles) par des procédés photogrammétriques. *Échelle du plan :* de 1/500 (5 m sur le terrain correspondent à 1 cm sur plan) pour les parties urbaines les plus denses au 1/5 000 (50 m sur le terrain correspondent à 1 cm sur le plan).

■ **Certificat d'urbanisme.** Délivré dans un délai de 2 mois par le maire ou le préfet (dir. départemental de l'Équipement, par délégation) à la demande du propriétaire du terrain ou d'une autre personne. Il indique les dispositions d'urbanisme applicables au terrain, les limitations adm. au droit de propriété (servitudes d'utilité publique et installations d'intérêt général), la desserte du terrain par les équipements publics existants ou prévus (notamment réseaux d'eau et d'élec.). Il informe le demandeur sur la constructibilité du terrain ou sur les possibilités d'y réaliser une opération déterminée. *Validité :* 1 an (pouvant être portée à 18 mois maximum pour une demande portant sur la réalisation d'une opération déterminée), délai pendant lequel ses dispositions ne peuvent être remises en cause. Les divisions d'une propriété foncière en vue de l'implantation de bâtiments qui ne constituent pas des lotissements (c'est-à-dire les divisions en 2 parties, sans prendre en compte les parties supportant déjà des bâtiments) doivent être précédées de la délivrance d'un cert. d'urbanisme portant sur chacun des terrains devant provenir de la division.

■ **Conseils départementaux de l'habitat.** Créés par la loi du 7-1-1983 sur la décentralisation (voir p. 720) et le décret du 30-6-1984. Remplacent les commissions départementales (sauf CDRL et celles de l'Anah). Consultatifs (sauf pour l'aide publique au logement) ; avis sur situation du logement, programmation annuelle des aides de l'État, financements, logement des immigrés, etc. *Composition :* 1/3 d'élus, 1/3 de professionnels, 1/3 d'usagers et gestionnaires.

■ **Construction. Contrat de construction, maison individuelle. Avec fourniture du plan** (loi du 19-12-1990) : le constructeur doit fournir une garantie de livraison à prix et délais convenus délivrée par un établissement de crédit ou une compagnie d'assurance. *Versements* (% maximum). *1º) Avec garantie bancaire de remboursement :* signature du contrat 5, délivrance du permis de construire 10, ouverture du chantier 15, achèvement des fondations 25, des murs 40, mise hors d'eau 60, achèvement des cloisons (et mise hors d'air) 75, des travaux d'équipement, plomberie, menuiserie et chauffage 95. Solde (5 %) payable à la réception sans réserves si le maître de l'ouvrage se fait assister par un professionnel habilité, ou, si des réserves ont été formulées, à la levée de celles-ci ; s'il n'est pas assisté, dans les 8 j qui suivent la remise des clés consécutive à la réception et, s'il y a eu des réserves payables dans les 8 j à la levée des réserves, si les réserves n'ont pas été levées le solde doit être consigné entre les mains d'un consignataire (banque, établissements de crédit) accepté par les 2 parties ou à défaut désigné par le Pt du tribunal de grande instance. *2º) Sans garantie de remboursement :* dépôt de garantie égal à 3 % max. à la signature du contrat ; 15 % à l'ouverture du chantier, ensuite % maximaux et versement du solde comme ci-dessus. **Sans fourniture de plan :** le constructeur doit justifier d'une garantie de livraison à prix et délais convenus délivrée par un établissement de crédit ou une Cie d'assurance. *Versements :* échelonnement défini par les parties au contrat. Solde de 5 % payable à la réception des travaux (mêmes modalités que pour contrat avec fourniture du plan).

■ **Garanties.** Point de départ : la réception de l'immeuble [acte par lequel le maître de l'ouvrage (l'acquéreur) déclare accepter l'ouvrage avec ou sans réserves]. *Garantie de parfait achèvement :* couvre 1 an les malfaçons ayant fait l'objet de réserves à la réception ou survenues postérieurement, quelle que soit la nature de leur gravité. Les prescriptions administratives pour isolation phonique en relèvent. *Garantie de bon fonctionnement :* couvre 2 ans les éléments d'équipement démontables (sans détériorer leur support) : que l'on a dissociés de l'immeuble (chaudière, ascenseur, installation électrique...). *Garantie décennale :* couvre 10 ans les malfaçons qui compromettent la solidité de l'immeuble ou le rendent impropre à sa destination, même si un vice du sol en est la cause. Le système de l'assurance construction permet d'obtenir la réparation du dommage lors d'une action en justice.

■ **Copropriété. Règlement** (loi du 10-7-1965 modifiée par la loi du 31-12-1985) : vaut comme un contrat à l'égard de chaque copropriétaire. L'accord de chacun est nécessaire et, par conséquent, l'unanimité requise pour modifier le règlement concernant la destination des parties privatives ou les modalités de leur jouissance. *Vote dans les assemblées générales :* les décisions sont prises à des majorités différentes selon la nature des décisions à prendre. Il faut : *1°) la majorité des voix (en millièmes) des présents et représentés* pour l'exécution de travaux d'entretien courant ou la simple administration de l'immeuble [ex. : ravalement non obligatoire de l'immeuble (assimilable à un entretien) ; réfection d'une toiture ; remplacement à l'identique d'une chaudière] ; *2°) la majorité des voix (en millièmes) de tous les copropriétaires,* pour désignation ou révocation du syndic et des membres du conseil syndical, modalités d'exécution de travaux obligatoires (ravalements) ; travaux d'économie d'énergie amortissables en – de 10 ans ; de mise en conformité aux normes d'habitabilité ; d'accessibilité de l'immeuble, d'installation d'antennes collectives de radiodiffusion ; entrepris avec l'autorisation de l'assemblée générale et à leurs frais sur les parties communes par un ou plusieurs copropriétaires ; à défaut, une 2e assemblée gén. peut statuer à la majorité (en millièmes) des présents et représentés ; *3°) la double majorité* [majorité des copropriétaires (personnes) représentant au moins les 2/3 des voix (en millièmes)] pour décider de vendre une partie commune à condition que la conservation de celle-ci ne soit pas contraire à la destination de l'immeuble, pour modifier le règlement de la jouissance, l'usage et l'administration des parties communes, pour les travaux d'amélioration (ex. : pose d'un interphone, d'un digicode ; installation d'un ascenseur, de boîtes aux lettres, d'un vide-ordures ; transformation d'une porte d'entrée ; création d'un parking sur les parties communes ; remplacement d'un chauffage collectif vétuste par des chauffages individuels ; création d'une salle de réunion) ; *4°) l'unanimité* pour modifications du règlement portant sur des points non indiqués au 3°, pour la vente de parties communes nécessaires au respect de la destination de l'immeuble, pour modifier la répartition des charges ; pour les autres parties communes, la majorité des 2/3 suffit.

En cas de désaccord sur une décision prise par l'assemblée, les copropriétaires qui se sont opposés à cette décision (ceux qui ont voté contre) et les défaillants (absents et non représentés à l'assemblée) peuvent exercer un recours devant le tribunal de grande instance du lieu de situation de l'immeuble.

Si un copropriétaire a donné mandat à une personne (copropriétaire ou tiers) pour être représenté (c'est-à-dire pour qu'il vote à sa place), il ne pourra contester la décision que si son mandataire a voté contre cette décision. Il est donc opportun d'indiquer avec précision sur le mandat dans quel sens le vote doit être effectué, résolution par résolution.

Mandat : on ne doit pas donner « pouvoir au syndic », ni à son épouse et à leurs préposés, ni au copropriétaire qui assure les fonctions de syndic non professionnel. Nul ne peut détenir + de 3 mandats en ass. gén., sauf si les millièmes détenus au titre du ou des mandats reçus et ceux détenus personnellement par le copropriétaire, bénéficiaire du ou des mandats, n'excèdent pas 5 % de tous les millièmes généraux. On peut donner mandat au président du conseil syndical.

Charges : *entraînées par les services collectifs et les éléments d'équipement commun* (ascenseur, chauffage notamment) : répartition en fonction de l'utilité (appréciée par rapport au lot et non par rapport à l'usage fait réellement par chaque copropriétaire des services collectifs et des éléments d'équipements communs). *Ch. relatives à la conservation, à l'entretien et à l'administration des parties communes :* répartition proportionnellement aux millièmes.

Conseil syndical : désigné par l'Assemblée générale des copr. Contrôle la gestion et assiste le syndic. Mandat : max. 3 ans renouvelables.

Syndics : *nommés* par l'Assemblée générale des copr. (pour 3 ans et renouvelables, par l'Ass. à la majorité absolue des voix), ou le Pt du trib., ou le règlement de copr. *Activités principales :* exécute les décisions du syndicat des copr. prises en ass. générale (éventuellement sous le contrôle d'un conseil syndical) ; mandataire du syndicat et seul responsable de sa gestion, de la garde de l'immeuble et du fonctionnement des équipements collectifs, il représente le syndicat dans tous les actes civils et en justice, a des pouvoirs d'initiative et, en cas d'urgence, peut faire exécuter tous travaux nécessaires à la sauvegarde de l'immeuble ; doit rendre des comptes 1 fois par an. Profession *réglementée* par la loi du 2-1-1970 et le décret du 20-7-1972 modifié, sauf si le syndic est non professionnel (copropriétaire dans l'immeuble). *Honoraires :* libres (ordonnance du 1-12-1986) contractuellement définis. *Pour les lots,* variables dep. le 1-1-1981.

Statistiques (nombre de logements en copropriété) : + de 4 millions.

■ **Cos (coefficient d'occupation du sol).** Rapport exprimant [sous réserve des autres règles du Pos (plan d'occupation des sols) (hauteur, emprise, prospects, etc.) et des servitudes grevant l'utilisation du sol] le nombre de m² de planchers hors œuvre nette susceptibles d'être construits par m² de sol. Le Cos varie selon les zones figurant dans le Pos. Pour favoriser un regroupement des constructions dans une zone à protéger en raison de la qualité de ses paysages, le Cos peut être dépassé dans certains secteurs de cette zone, par transfert des possibilités de construction d'autres terrains devenant inconstructibles.

■ **Dpu (Droit de préemption urbain).** A remplacé les Zif.

■ **Espaces naturels sensibles des départements.** La loi 85-729 du 18-7-1985 a affirmé la compétence du département pour élaborer et mettre en œuvre une politique de protection, de gestion et d'ouverture au public de ces espaces, boisés ou non. Le département peut instituer une « taxe » perçue sur tout le département et affectée à l'acquisition des terrains, leur aménagement et leur entretien en vue de leur ouverture au public. Le Conseil général peut créer des « zones de préemption » pour le département. Dans ces zones, peuvent être édictées les mesures nécessaires à la protection des sites et paysages (qui cessent d'être applicables dès qu'un Pos est publié ou approuvé). Le Conservatoire de l'espace littoral et des rivages lacustres, et les communes, peuvent se substituer au département ou recevoir délégation pour mener cette politique.

■ **Hypothèque.** Affectation d'un immeuble à la garantie d'une dette (garantie sans dessaisissement). Droit réel accessoire donnant au créancier non payé à l'échéance le droit de saisir l'immeuble, en quelques mains qu'il se trouve (droit de suite), et de se faire payer par priorité sur le prix (droit de préférence). *Constitution :* pour que la garantie soit valable, elle doit être inscrite par l'intermédiaire du notaire au bureau des hypothèques. Transferts immobiliers par décès ; ils doivent figurer dans un acte destiné à constater, au bénéfice des héritiers, la transmission par décès de la propriété ; cet acte est publié aux « hypothèques » et seul un notaire peut l'établir.

Frais de prise d'hypothèque. ÉMOLUMENTS DU NOTAIRE (en %) PAR TRANCHE POUR LA SOMME EMPRUNTÉE ET, entre parenthèses, POUR LES PRÊTS CONVENTIONNÉS ET PRÊTS ÉPARGNE-LOGEMENT : *0 à 20 000 F :* 3,33 (2,50). *20 001 à 40 000 :* + 2,20 (+ 1,65). *40 001 à 110 000 :* + 1,10 (+ 1,10). *110 001 et au-delà :* + 0,55 *(110 001 à 800 000 :* + 0,55 ; *800 000 et au-delà :* + 0,30). *TVA :* 18,60 (18,60). *Prêt PAP et HLM :* les émoluments représentent les 2/3 des tarifs ci-dessus. FRAIS DIVERS : coût de la copie exécutoire, du bordereau et salaire du conservateur des hyp. : 0,05 % des sommes garanties. TAXE DE PUBLICITÉ FONCIÈRE : 0,60 % de la somme garantie. Prêts PAP, HLM, PC et épargne-logement sont exonérés. **Frais de mainlevée d'hypothèque.** ÉMOLUMENTS DU NOTAIRE (mêmes tranches que ci-dessus) : 1,10 % ; 0,825 ; 0,55 ; 0,275 (pour toutes catégories de prêts). FRAIS DIVERS : timbres fiscaux, expédition au bureau des hyp., salaire du conserv. : 0,10 % sur les sommes faisant l'objet de la radiation. DROIT D'ENREGISTREMENT : forfaitaire : 430 F.

■ **Immeuble.** Toute construction ou ensemble de constructions à usage d'habitation ou non.

■ **Multipropriété.** Droit de séjour de 1 ou plusieurs semaines prises à des périodes fixes, dans une résidence meublée, équipée et prête à l'usage. Le prix varie en fonction de la période d'utilisation. *Nombre de multipropriétaires :* env. 80 000 (en 1985).

■ **Notaire.** Officier ministériel. Rédacteur des conventions des parties, il authentifie leur accord, leur donne force de loi entre elles et date certaine. Tiers témoin de l'équilibre des contrats, il effectue les formalités administratives nécessaires à la régularité et perçoit pour le compte de l'État les droits de mutation. Le vendeur peut faire appel au notaire de son choix ; l'acheteur peut faire intervenir un 2e notaire qui assistera le 1er. Ils partageront leurs honoraires sans supplément pour l'acheteur. Voir Index.

FRAIS ANNEXES

■ **En cas d'achat. 1°) Droits d'enregistrement** (taxe de publicité foncière) perçus par le notaire et reversés par lui à l'Administration fiscale. Pour l'achat d'immeubles (appartenants...) destinés à l'habitation. *Droits départemental d'enregistrement* (ou taxe départementale de publicité foncière), 4,20 % ; sur le montant des droits ainsi déterminé, l'État prélève en plus 2,50 %. *Taxe communale* de 1,20 %. *Taxe régionale* de 1,60 % sauf en Ile-de-France 0,65 %, région Rhône-Alpes 1,50 %. Pour un immeuble achevé depuis – de 5 ans, mutation en principe soumise à la TVA (18,60 %), à la charge du vendeur, qui peut déduire de la TVA due celle payée « en amont » sur les travaux précédemment effectués. *Taxe de publicité foncière :* 0,60 % sur la valeur de l'immeuble. **2°) Émoluments ou honoraires du notaire** (fixés par décret) : *de 0 à 20 000 F (prix d'achat) :* 5 %. *20 001 à 40 000 :* +3,3. *40 001 à 110 000 :* + 1,65. *110 001 et + :* + 0,825. *TVA :* 18,60 % ; frais annexes : frais de copie, etc. Série S 2 (baux, quittances) : tranches de *0 à 17 500 :* 2,20 %, *17 501 à 36,500 :* 1,65 % ; *36 501 à 102 000 :* 1,10 %, *+ de 102 000 :* 0,55 % ; série S 3 (prêts immobiliers) : *0 à 17 500 :* 2,50 %, *17 501 à 36 500 :* 1,65 %, *36 501 à 102 000 :* 1,10 %, *102 001 à 724 000 :* 0,55 %, *+ de 724 000 F :* 0,30 %. *Vente négociée par notaire :* droit à un émolument spécial de négociation (*de 0 à 12 000 F :* 5 %, *au-dessus :* 2,5 %) + frais que le notaire engage pour le compte du client (timbres fiscaux...). **3°) Salaire du conservateur des hypothèques :** pour la vente 0,50 sur la tr. de *0 à 6 000 F,* 0,30 sur la tr. *6 à 10 000,* 0,20 sur le tr. *10 à 14 000,* 0,12 sur la tr. *14 à 18 000,* 0,06 *au-dessus de 18 000.* **4°) Honoraires de copies et particuliers** pour les diverses formalités antérieures et postérieures à la vente : très variables. **5°) Droits de timbre** (selon dimension de la feuille) 28 F (21 × 29,7), 56 F (29,7 × 42). **6°) Notaire intermédiaire de transactions :** *honoraires de négociations* s'ajoutent aux frais notariés. *De 0 à 175 000 F :* 5 %. *Au-delà :* 2,5 %. *TVA :* 18,60 %. *Bien immobilier neuf : de 0 à 175 000 F :* 5,88 %, *au-delà :* + 2,94. *Honoraires relatifs aux actes de Stés et aux ventes de fonds de commerce libres.* n.c. **7°) Expertise par un notaire :** maison, appartements ou terrain. Prix (hors taxe) : *1 à 75 000 F :* 0,7 %. *75 à 150 000 F :* 0,5. *150 000 à 300 000 F :* 0,3. *300 000 à 700 000 F :* 0,2. *Au-delà :* 0,1. **Par un autre expert :** honoraires libres.

■ **Participation à la diversité de l'habitat (Pdh).** Loi d'orientation pour la ville (loi OV du 13-7-1991) : taxe créée par les communes, due par les constructeurs au moment de la délivrance du permis de construire, lorsque le programme envisagé ne comporte pas une proportion suffisante de logements sociaux. *Assiette :* calculée sur le prix de la charge foncière (avec un abattement de 600 F/m2 en province, 900 F en Ile-de-Fr.), multipliée par la surface de plancher constructible du terrain (c'est-à-dire surface du terrain multipliée par le Cos) au-delà de 170 m². Taux fixé librement dans la limite de 15 %. Le constructeur peut s'acquitter sous forme de dation d'un terrain à bâtir situé dans la même zone, terrain dont la valeur doit être de 70 % du montant de la PDH qui serait théoriquement due.

■ **Paz (plan d'aménagement de zone)** (Décret no 77-757 du 7-7-1977). Lorsque, pour la réalisation d'une Zac, les dispositions du Pos ne sont pas maintenues en vigueur, un Paz compatible avec le schéma directeur ou le schéma de secteur est établi.

■ **Pièces (décompte).** Il inclut pièces à usage d'habitation, cuisines de + de 12 m² et pièces indépendantes occupées par un membre du ménage ; il exclut couloirs, salles de bains alcôvées, WC, buanderie, etc.

■ **Permis de construire** (Décrets no 83-1261 du 30-12-1983 et no 84-225 du 29-3-1984). **Définition :** acte administratif individuel qui autorise l'exercice du droit de construire attaché à la propriété du sol. Il est décidé, dans les communes dotées d'un Pos approuvé, par le maire agissant au nom de la commune ; dans les autres communes, par le maire ou le préfet, agissant au nom de l'État, ou par le ministre. Nécessaire pour tous les travaux de construction durables (à usage d'habitation ou non, même ne comportant pas de fondations) ou modifiant une construction existante (lorsque ces travaux en changent la destination, en modifient l'aspect extérieur ou le volume ou créent des niveaux supplémentaires). Doit être obtenu avant le début des travaux. Le décret 86-514 du 14-3-1986 donne la liste des travaux exemptés de permis. La loi du 6-1-1986 substitue dans certains cas une procédure de déclaration préalable au permis de construire. **Demande :** l'adresser au maire de la commune (en 4 ex.). Dans les 15 j suivants, le maire ou le directeur départemental de l'Équipement doit adresser une lettre recommandée au demandeur l'informant que son dossier est complet ou l'invitant à le compléter, et lui indiquant la date avant laquelle la décision devra lui être notifiée. Si aucune décision n'a été prise avant la date fixée, la lettre du maire vaut permis de construire pour le projet déposé. Ce permis est valable 2 ans, les travaux ne devant pas être arrêtés plus de 1 an. Il peut être prorogé 1 an (demande par lettre recommandée, 2 mois avant l'expiration du délai de validité).

Sursis à statuer : remise d'une décision administrative à une date ultérieure. 2 ans maximum dans les cas suivants : *1°) Lorsqu'un Pos a été prescrit ou que la révision d'un Pos approuvé a été ordonnée :* si les constructions projetées sont de nature à compromettre ou à rendre plus onéreuse l'exécution du futur plan. *2°) Lorsque l'enquête préalable à une déclaration d'utilité publique d'une opération a été ouverte. Lorsque la mise à l'étude d'un projet de travaux publics a été prise en considération ou lorsque la réalisation d'une opération d'aménagement a été prise en considération, si les constructions projetées sont susceptibles de compromettre ou de rendre plus onéreuse l'exécution de ces travaux publics ou de cette opération* (C. urb., art. L. 111-10, modifié par la loi 85-729 du 18-7-1985). *3°) Lorsqu'une Zac a été créée :* sur les demandes de permis de construire intéressant le périmètre de la Zac. *4°) Lorsqu'un secteur sauvegardé a été délimité :* jusqu'à l'intervention de l'acte rendant public le plan de sauvegarde et de mise en valeur, sur la demande d'autorisation de modifier l'état des immeubles.

A l'expiration du délai de validité du sursis à statuer, une décision doit, sur simple confirmation par l'intéressé de sa demande, être prise par l'autorité compétente dans les 2 mois. L'autorisation ne peut être refusée pour des motifs tirés du projet de Pos si celui-ci n'a pas encore été rendu public. Si des motifs différents rendent possible l'intervention d'un autre sursis à statuer, la durée totale des sursis ne peut excéder 3 ans. A défaut de la notification d'une décision dans les 2 mois, l'autorisation est considérée comme accordée. Cependant, un motif préexistant à la décision de sursis à statuer rend possible un refus d'autorisation. Par ailleurs, si une décision de refus est intervenue dans le cadre d'un projet de travaux publics ou d'une opération, le propriétaire du terrain concerné peut mettre en demeure le bénéficiaire des travaux publics ou de la déclaration d'utilité publique de procéder à l'acquisition de son terrain dans les 2 ans, délai pouvant être prorogé de 1 an.

Formalités postérieures à la délivrance du permis : *affichage du permis :* sur le terrain pendant toute la durée du chantier, sous peine d'amende. *Ouverture du chantier :* dès le début des travaux, le bénéficiaire du permis adresse au maire une déclaration d'ouverture du chantier. *Achèvement des travaux :* lorsque les travaux sont terminés, le bénéficiaire du permis adresse au maire une déclaration d'achèvement. L'autorité compétente délivre alors, après vérification, un certificat attestant la conformité des travaux avec le permis de construire délivré.

Refus de permis : le demandeur peut former un recours devant le préfet ou le tribunal administratif. Pour un lotissement, un permis de construire ne peut être refusé pendant 5 ans à compter de l'achèvement du lotissement, dès lors que la construction projetée respecte les dispositions d'urbanisme applicables au jour de l'autorisation du lotissement.

Travaux ne nécessitant qu'une déclaration préalable : ne doivent pas avoir pour effet de changer la destination d'une construction existante ; ne doivent pas créer une surface de plancher nouvelle ou, s'ils ont pour effet de créer, sur un terrain supportant déjà un bâtiment, une surface de plancher hors œuvre brute, celle-ci ne doit pas dépasser 20 m². Entrent notamment dans cette catégorie : aménagement de combles existants, installation de capteurs solaires, réalisation de murs de soutènement, construction d'annexes à l'habitation, certaines modifications de façades.

Travaux soumis à déclaration préalable : ravalement, habitation légère de loisirs de – de 35 m² hors œuvre nette sur des terrains spécialement autorisés (camping-caravaning permanents, par exemple), piscines non couvertes, châssis et serres de + de 1,50 m de haut, sans dépasser 4 m, et dont la surface hors œuvre brute n'excède pas 2 000 m² sur un même terrain, travaux sur immeubles classés (contrôlés comme monuments historiques), sauf immeubles inscrits à l'inventaire supplémentaire des mon. hist. (permis de construire obligatoire), certains types de clôtures, dans certaines communes, en fonction du Pos notamment.

Travaux ne nécessitant pas de formalités : en général, ouvrages dont la surface au sol est inférieure à 2 m² et dont la hauteur ne dépasse pas 1,50 m au-dessus du sol, terrasses dont la hauteur au-dessus du sol n'excède pas 0,60 m, sans préjudice du régime propre aux clôtures (applicable dans certaines communes et zones sensibles), murs de – de 2 m de haut, poteaux, pylônes, candélabres ou éoliennes de – de 12 m de haut, antennes d'émission ou de réception de signaux radio-électriques dont aucune dimension n'excède 4 m, lorsqu'ils sont souterrains, ouvrages ou installations de stockage de gaz ou fluides et canalisations, lignes ou câbles, installations temporaires de chantiers ou de commercialisation d'un bâtiment en construction, statues, monuments et œuvres d'art, de – de 12 m de haut et de – de 40 m³ de volume.

■ **Permis de démolir.** Exigé dès qu'un bâtiment doit être démoli, même partiellement, ou lorsque des travaux rendent l'utilisation de locaux impossible ou dangereuse. A Paris et dans un rayon de 50 km ; dans les Zppau et pour tous les bâtiments qui bénéficient d'une protection particulière au titre des monuments historiques, y compris ceux qui se trouvent dans le champ de visibilité du monument ; dans les secteurs sauvegardés, périmètres de restauration immobilière, zones d'environnement protégé et toutes zones de protection définies dans le Pos.

■ **Plan d'exposition.** **Aux bruits des aérodromes** (prescriptions spéciales, prévues aux articles L 147-1 à 6 du Code de l'urbanisme) : zones A et B (bruit très fort), et (modéré). Aucune habitation nouvelle n'est admise dans ces 3 zones. **Aux risques naturels prévisibles (Pern) :** la loi du 13-7-1982 a institué une indemnisation automatique des victimes de catastrophes naturelles [garantie obligatoire dans tous les contrats d'assurance de biens (auto, maison...)]. Les préfets doivent en collaboration avec les communes établir des plans d'exposition aux risques (avalanches, crues et inondations, séismes) ; délimitant les zones très exposées (zones rouges) où les constructions à venir sont interdites, exposées à des risques moindres (bleues) et sans risque (blanches).

■ **Pld (plafond légal de densité de construction).** Instauré 1975 (loi Galley). Limite au-delà de laquelle le bénéficiaire de l'autorisation de construire doit verser une somme égale à la valeur du terrain dont l'acquisition serait nécessaire pour que la densité de la construction n'excède pas le plafond. Depuis la loi Méhaignerie 86-1290 du 23-12-1986, les communes sont libres d'instaurer, supprimer ou modifier le Pld. Toutefois, la limite de densité ne peut être supérieure à 1, et pour Paris à 1,5. Les communes peuvent décider que le versement pour dépassement du Pld n'est pas applicable aux immeubles ou parties d'immeubles affectés à l'habitation, et, dans le cadre d'une Zac, à toute construction quelle que soit son affectation.

Nombre de collectivités ayant instauré un Pld (au 19-12-1988) : 2 242 (soit 6 % des communes regroupant 25 % de la population, dont 190 ont fixé un niveau supérieur à 1) ; 82 communes en ont exempté les habitations.

■ **Pos (plan d'occupation des sols).** Loi n° 83-8 du 7-1-1983 et décret n° 83-813 du 9-9-1983. Fixe à moyen terme (dans le cadre des orientations du schéma directeur et de secteur, s'il en existe) les règles générales et les servitudes d'utilisation des sols applicables aux parcelles de terrain. Élaboré à l'initiative et sous la responsabilité de la commune. Le représentant de l'État et, à leur demande, la région, le département, les chambres de commerce, des métiers et d'agriculture sont associés à cette élaboration. Il comprend des documents graphiques et un règlement. Il divise le territoire communal en : *1°) zones urbaines (U)* où les capacités des équipements publics existants ou en cours de réalisation permettent d'admettre immédiatement des constructions. *2°) zones naturelles (N)* divisées en : *z. d'urbanisation future (NA) :* non équipées en l'état actuel, qui pourront être urbanisées par des opérations d'aménagement d'ensemble, *z. NB :* où les constructions peuvent être autorisées en fonction des seuls équipements existants, sans renforcement de leurs capacités, *z. de richesses naturelles (NC) :* à protéger en raison notamment de la valeur agricole des terres ou de la richesse du sol ou du sous-sol ; n'y sont autorisées que les installations liées aux activités correspondantes, *z. ND :* à protéger en raison de la qualité des sites, des milieux naturels et des paysages, ou de l'existence de risques (ex. éboulements, avalanches). *3°) zones d'activités spécialisées* (éventuellement) : z. industr., artisanales, commerciales, etc.

Publication : le Pos, arrêté par délibération du conseil municipal, après avis des administrations et organismes associés à son élaboration, est rendu public par arrêté du maire puis, après enquête publique (1 mois au moins), est approuvé par délibération du conseil municipal. Il est « opposable aux tiers » dès qu'il a été rendu public (les demandes d'autorisation d'occuper ou d'utiliser le sol doivent être conformes avec les dispositions du plan). *En l'absence de Pos* « opposable aux tiers », les règles générales d'aménagement et d'urbanisme dites « règlement national d'urbanisme » (Rnu) s'appliquent. Dans ce cas, depuis le 1-10-1984, seules sont autorisées les constructions à édifier dans les parties déjà urbanisées de la commune (sauf si le conseil municipal et l'administration sont convenus de « modalités d'application du Rnu » spécifiques à la commune : ces modalités sont alors applicables pendant 4 ans au maximum).

Situation des Pos (au 1-7-1989) : *communes métropolitaines :* sur 36 648 communes, 17 800 ont élaboré un Pos (Pos approuvés 11 700, publiés 1 300, prescrits 4 800). *Populations concernées :* 51,4 millions d'hab. (Pos approuvés 45,7, publiés 1, prescrits 4,7).

Superficies couvertes (milliers de km²) : 366,7 (Pos approuvés 214,5, publiés 21,3, prescrits 130,9). Part des z. naturelles protégées pour les 186 084 km² des Pos approuvés et publiés au 1-1-1987 (85,5 %), z. NC (53,2 %), z. ND (32,3 %).

■ **Promoteurs-constructeurs.** Personnes physiques ou morales dont la profession ou l'objet est de prendre, de façon habituelle et dans le cadre d'une organisation permanente, l'initiative de réalisations immobilières et d'assumer la responsabilité de la coordination des opérations intervenant pour l'étude, l'exécution et la mise à disposition des usagers de programmes de construction.

■ **Schéma directeur.** (Régl. loi n° 83-8 du 7-1-1983 et décret n° 83-812 du 9-9-1983.) Fixe à moyen et long terme les orientations de l'aménagement des agglomérations ou des ensembles de communes présentant une communauté d'intérêts économiques et sociaux. Peut être complété par un schéma de secteur qui en détaille et précise le contenu. Élaboré à l'initiative des communes par un groupement de communes. Le représentant de l'État et, sur leur demande, la région, le département, les chambres de commerce, des métiers et d'agriculture y sont associés. *Le schéma directeur* (ou *le schéma de secteur*), arrêté après avis des conseils municipaux, des administrations et organismes associés à son élaboration, est mis à la disposition du public pendant 1 mois pour recueillir ses observations, puis est approuvé par le groupement des communes. Les Pos et les grands travaux d'équipements doivent être compatibles avec les dispositions du schéma directeur.

Nombre de schémas directeurs délimités et, entre parenthèses, approuvés (au 1-7-1989) : 425 (195). *Communes :* 11 000 (6 000). *Surface* (km²) : 150 000 (75 000). *Population concernée* (millions) : 42 (23).

■ **Surfaces.** **Sha (surface habitable) :** surf. construite (pièces d'habitation, de service et de circulation), déduction faite de l'espace occupé par murs, cloisons, emmarchements et trémies d'escaliers, gaines, embrasures de portes et fenêtres n'excédant pas 0,30 m de profondeur. **Shob (surface hors œuvre brute) :** somme des surfaces de plancher de chaque niveau, surface hors tout, incluant l'épaisseur des murs, mezzanines, balcons, loggias, combles, sous-sol, toitures-terrasses ; ne sont pas à prendre en compte les terrasses non couvertes de plain-pied, les modénatures (acrotères, marquises, bandeaux, corniches), les trémies d'escalier, cages d'ascenseur. Mais leur emprise au niveau du sol est comptabilisée. **Shon (surface hors œuvre nette) :** obtenue après avoir déduit de la Shob les superficies dont la hauteur sous plafond est inférieure à 1,80 m, combles et sous-sols non aménageables, balcons, loggias, toits-terrasses et surfaces non closes, aires de stationnement...

■ **Viager.** *Montant de la rente :* fixé librement entre les parties. *Annulation :* possible lorsque le taux de la rente est inférieur au taux d'intérêt légal ; lorsque le contrat a été créé sur la tête d'une personne déjà morte au j de sa conclusion ou atteinte d'une maladie dont elle est décédée dans les 20 j de la conclusion du contrat, ou si le crédirentier était, lors du contrat, d'un âge avancé et atteint d'une maladie grave devant amener la mort à brève échéance. Si le crédirentier se réserve un droit d'usufruit ou un droit d'usage et d'habitation, il doit payer réparations locatives, entretien, charges de jouissance, le débirentier payant le gros entretien, sauf stipulation contraire (les travaux de ravalement sont considérés comme réparation d'entretien, les impôts locaux comme charge de jouissance).

POUR UN BIEN DE 100 000 F MONTANT DE LA RENTE

Age	Femme	Homme	Couple
50	5 428	6 214	5 057
55	5 962	6 982	5 485
60	6 706	8 040	6 072
65	7 514	9 163	6 694
70	8 729	10 746	7 596
75	10 581	12 989	8 917
80	13 368	16 171	10 836

VALEUR DU DROIT D'USAGE ET D'HABITATION
(Taux supposé de rendement du bien : 3,50 % l'an)

Age	Femme	Homme	Couple
50	64 481	56 324	69 216
55	58 702	50 126	63 812
60	52 194	43 531	57 643
65	46 578	38 195	52 283
70	40 098	32 571	46 074
75	33 080	26 947	39 248
80	26 181	21 644	32 301

■ **Zac (zone d'aménagement concerté).** (Art. R 311-1 et R 311-20 du Code de l'urbanisme.) Zone à l'intérieur de laquelle État, collectivité locale ou certains établissements publics décident d'intervenir pour réaliser ou faire réaliser l'aménagement et l'équipement de terrains en vue d'y implanter des constructions à usage d'habitation, de commerce, d'industrie, de services et des installations et équipements collectifs. L'aménagement peut être conduit par la collectivité, ou être concédé à un établissement public ou à une Sté d'économie mixte, ou être confié, par convention, à une personne privée ou publique.

La Zac fait l'objet d'un *dossier de création* (délimitation du périmètre, choix du mode de réalisation), et d'un *dossier de réalisation* [comportant un plan d'aménagement de zone (Paz)]. Si, à l'intérieur de la Zac, les dispositions du Pos publié ou approuvé sont maintenues, le Pos tient lieu de Paz. La Zac et son Paz doivent être compatibles avec le schéma directeur ou le schéma de secteur.

■ **Zad (zone d'aménagement différé).** (Art. R 212-1 et suivants du Code de l'urbanisme.) Périmètre à l'intérieur duquel l'État, une collectivité locale, certains établissements publics, certains offices publics bénéficient, pendant 14 ans à partir de l'institution de la zone, d'un droit de préemption à l'occasion d'aliénations à titre onéreux de tout immeuble, bâti ou non bâti. Créées en vue notamment de la création ou de la rénovation de secteurs urbains, de la création de zones d'activités ou de la constitution de réserves foncières. Préalablement à la vente d'un terrain, le propriétaire doit déclarer son intention d'aliéner son bien au bénéficiaire du droit de préemption. Si ce dernier n'a pas notifié sa décision au propriétaire dans les 2 mois, son silence vaut renonciation à l'exercice du droit de préemption. *Situation cumulée au 1-1-1986 :* 6 605 Zad couvrant 644 890 ha.

■ **Zep (zone d'environnement protégé).** Instituées par le décret n° 77-754 du 7-7-1977 pour la protection de l'espace rural, des activités agricoles ou des paysages sur le territoire d'une ou plusieurs communes. Supprimées par la loi n° 83-8 du 7-1-1983. Auraient cessé de produire leurs effets le 1-10-1986 si elles n'avaient pas été remplacées, à cette date, par des plans d'occupation des sols (Pos). Au 1-10-1984, 347 communes étaient dotées de Zep.

■ **Zif (zone d'intervention foncière).** Voir Quid 1991 p. 1409 b. Remplacé par Dpu.

■ **Zpiu (zone de peuplement industriel et urbain).**

■ **Zppau (zone de protection du patrimoine architectural et urbain).** Créée par la loi du 7-1-1983. 34 Zppau créées fin 1991.

■ **Zup (zone à urbaniser en priorité).** Formule créée en 1958, remplacée par la Zac. La loi d'orientation pour la ville (13-7-1991) officialise leur suppression, à compter du 1-10-1991, et intègre aux Pos les dispositions qui leur étaient propres. La dernière Zup créée remonte à 1969.

PROPRIÉTÉ

■ **Droit de propriété.** Droit personnel (la chose appartient en propre à une personne) exclusif (opposable à tous), perpétuel (dure autant que la chose et ne s'éteint pas par le non-usage). Ce droit peut être attaché à un bien qui est une abstraction : droit d'auteur, de créance, action en dommages-intérêts, action en revendication, etc. **Éléments : 1°)** *l'usus* (jouissance) : droit qu'a le propriétaire de profiter personnellement de l'utilité d'une chose. **2°)** *le fructus* (fruit) : droit pour le propr. de percevoir des revenus sur son bien. **3°** *l'abusus* (abus) : le propr. peut disposer comme il l'entend de la chose, la consommer si elle est consommable, la détruire, la vendre ou la donner. Il peut faire de la chose tout ce qui n'est pas contraire aux lois et aux règlements. **Limitations :** le propr. ne doit pas porter atteinte à la propriété d'autrui. D'où servitudes publiques ou privées de vues, régime des eaux (écoulement, irrigation, drainage), de bornage et de clôture.

■ **Définition des biens. Biens corporels** (visibles et palpables) : *immeubles :* fixes, on ne peut les déplacer (terre, maison, etc.) ; *immeubles par destination :* bétail dans une ferme, fruits tant qu'ils ne sont pas cueillis, glace scellée dans un mur. *Meubles :* ne sont pas fixes (automobile, tapis, bijoux, argent en espèces, gaz, courant électrique, etc.). **Biens incorporels :** représentent des droits (droits d'auteur, de créance, pension, rente, etc.).

Propriété du sol et du sous-sol (art. 552 du Code civil) : la propriété du sol emporte la propriété du dessus et du dessous. Le propriétaire peut faire au-dessus toutes les plantations et constructions qu'il juge à propos, sauf les exceptions établies au titre des servitudes ou services fonciers. Il peut faire au-dessous toutes les constructions et fouilles qu'il jugera à propos, et tirer de ces fouilles tous les produits qu'elles peuvent fournir, sauf les modifications resultant des lois et règlements de police. Art. 21 du Code minier : les mines peuvent être exploitées soit par le propriétaire de la surface en vertu d'une concession ou d'un permis d'exploitation, soit par l'État.

■ **On devient propriétaire. Par convention :** vente, échange, donation. Dès qu'il y a accord des parties sur la chose et sur le prix, il y a transfert de propriété ; mais ce transfert peut être retardé ou soumis à la réalisation de conditions si le contrat le spécifie. Pour donner une validité à ces consenteurs, à l'égard des tiers, il faut remplir certaines formalités. Ainsi la vente ou l'échange d'un bien immobilier nécessite un acte notarié, une inscription hypothécaire ; la vente d'une automobile, le changement de la carte grise, etc.

En vertu de la loi. Par succession : le propriétaire d'un terrain devient propr. des constructions élevées sur son terrain par une autre personne, le locataire, par ex., dès que cessent les droits de la personne qui a construit (fin de bail par ex.). Certains meubles n'ont pas de propriétaire : produits de la chasse, de la pêche, chose abandonnée (bijoux perdus du propr. par ex.), trésor (un trésor appartient à celui qui le trouve dans son propre fonds ; s'il est trouvé dans le fonds d'autrui, il appartient, pour moitié, à celui qui l'a découvert et, pour l'autre moitié, au propriétaire du fonds). **Par possession prolongée :** permet de se substituer au précédent propriétaire de la chose. **Prescription acquisitive :** il faut que la possession de la chose soit continue, paisible, publique (connue), non équivoque et assurée à titre de propriétaire ; que le possesseur ait entretenu et administré la chose comme l'aurait fait le propriétaire lui-même ; que la possession n'ait pas commencé par une possession pour le compte d'autrui ; qu'elle n'ait pas été interrompue pendant plus de un an (jouissance de la chose par l'ancien propriétaire ou par un tiers) ; que le possesseur n'ait pas reçu, avant la prescription, une citation en justice, un commandement ou une saisie émanant de l'ancien propriétaire et relative au droit de propriété ; que le possesseur n'ait pas reconnu les droits de l'ancien propriétaire (lettres, paiement d'intérêts) ; que l'ancien propriétaire ne soit pas un mineur non émancipé ou un majeur en tutelle, ni l'un des époux ; cependant la prescription court contre la femme mariée, à l'égard des biens dont le mari a l'administration. *Durée* 30 ans ; 10 ans pour celui qui achète de bonne foi un immeuble, alors qu'en fait il appartient à quelqu'un d'autre que le vendeur ; 20 ans si le propriétaire véritable habite une localité située dans le ressort d'une autre cour d'appel que celle du lieu de situation de l'immeuble. **Pour les meubles :** art. 2279 C. civil : « possession vaut titre » : il suffit de les posséder pour être considéré comme leur propriétaire. En cas de vol ou de perte : revendication pendant 3 ans. Celui qui a acheté, dans une foire, un marché, une vente publique ou un magasin, un objet perdu ou volé ne peut être obligé de le rendre à son vrai propriétaire que si celui-ci le lui paye au prix coûtant.

■ **Démembrement de la propriété.** Voir Servitude plus loin et Usufruit à l'Index. **Droit d'usage et d'habitation,** utilisé pour les résidences-retraites. Les investisseurs gardent la nue-propriété et cèdent le droit d'habitation à des retraités qui peuvent ainsi acquérir moins cher l'usage, leur vie durant, de leur appartement.

■ **Expropriation. Peuvent exproprier :** État, départements, communes, établissements publics (EDF, chambre de commerce, etc.), concessionnaires d'un service public, certains particuliers (propr. de sources thermales, Cie nat. du Rhône, Sté chargée de la construction et de l'installation d'usines de fabrication de carburants synthétiques pour l'édification des usines, etc.), Stés d'État.

Biens expropriables : immeubles, terrains ou bâtiments. Les meubles ne peuvent qu'être réquisitionnés (brevets d'invention intéressant la Défense nationale, objets et approvisionnements indispensables au fonctionnement d'une usine de guerre). **Formalités :** *pour exproprier* il faut : *une enquête d'utilité publique* permettant à tout intéressé de faire des objections, et à l'Administration de connaître les biens qu'elle veut exproprier, *une déclaration d'utilité publique ;* le juge des expropriations, juge spécialisé du tribunal de grande instance, vérifie la régularité des opérations qui précèdent et rend *une ordonnance d'expropriation* (à moins d'accord amiable avec l'Administration expropriante). L'ordonnance transfère la propriété, même si une procédure doit suivre pour la fixation des indemnités ; elle peut faire l'objet d'un pourvoi en cassation. **Indemnisation :** nul exproprié ne peut être dépossédé sans avoir reçu une juste et préalable indemnité. Le jugement de l'expropriation fixe les indemnités et peut faire l'objet d'un appel devant une chambre spéciale de la cour d'appel dans les 15 j qui suivent la notification de l'expropriation. Celle-ci est évaluée selon *le préjudice direct : matériel (le préjudice moral est exclu).* Elle est fixée selon la valeur du bien au jour de la décision de 1re instance. *Indemnités accessoires :* frais de déménagement, transport, aménagement, coût des installations à réaliser, dépréciation du reste de la propriété si seulement une partie est expropriée, etc. *Indemnité de remploi* pour rembourser les frais que coûte le remploi de l'indemnité (souvent 20 à 30 % de l'indemnité principale). La valeur, donnée par le juge aux biens expropriés, ne peut excéder l'estimation faite lors de leur plus récente mutation (vente, donation, succession), lorsque celle-ci est antérieure de – de 5 ans à la date de l'ordonnance d'expropriation.

■ **Limites. Bornage :** fixe la limite séparative de 2 terrains contigus. Chaque propriétaire peut procéder au bornage à l'amiable avec son voisin par un géomètre-expert, ou l'y obliger par décision du tribunal d'instance. Le bornage se fait alors à frais communs. Peuvent également demander le bornage : l'usufruitier, le nu-propriétaire, l'usager (qui possède un droit d'usage et d'habitation), le copropriétaire indivis et le titulaire d'un bail emphytéotique. On ne peut pas demander le bornage du côté du domaine public : il existe une procédure particulière de délimitation, *« l'alignement ».* Un bornage unilatéral n'est pas opposable au voisin qui n'y a pas pris part. Si un bornage a été fait contradictoirement, il n'est plus possible de le remettre en cause, tant que les bornes subsistent ou qu'elles n'ont pas été déplacées. Il faut s'adresser, en cas de bornage, à un géomètre-expert qui se rend sur les lieux en leur présence, examine les titres de propriété et dresse un procès-verbal. S'il y a contestation sur la propriété du terrain (une parcelle est revendiquée par le voisin), le litige doit être porté devant le tribunal de grande instance du lieu. Si un voisin déplace une borne, le propriétaire, lésé, peut exercer contre son voisin une action possessoire, dite « complainte », devant le tribunal d'instance, ou déposer une plainte auprès du procureur de la Rép. pour « déplacement » ou « suppression de bornes » (délit passible de peines correctionnelles). EMPIÉTEMENT. *Sans construction :* ex. : clôture établie par un propriétaire ; la victime, lésée, dispose de l'action en « complainte », action possessoire (c.-à-d. destinée à protéger sa possession) devant le tribunal d'instance (dans l'année des faits). *Avec construction :* recourir au tribunal de grande instance. La victime peut se référer au Code civil (art. 545 « nul ne peut être contraint de céder sa propriété ») et demander la démolition de la partie de la construction qui dépasse la limite séparative, ou des dommages-intérêts (10 cm sur la propriété voisine suffisent pour demander la démolition). *Si la construction est élevée entièrement sur le terrain d'autrui* (art. 555 du Code civil) : le propriétaire du terrain devient, par « accession », propriétaire de la construction élevée chez lui sans son accord, mais à charge pour lui d'indemniser le propriétaire de cette construction. En cas de mauvaise foi de ce dernier, il peut exiger la suppression de la construction à la diligence et aux frais du responsable.

Clôtures : LIBRE : *tout propriétaire peut clore son héritage,* mais si son voisin est enclavé, et donc bénéficie d'une servitude de passage, il ne peut rien faire qui tende à en diminuer l'usage ou à la rendre plus incommode. FORCÉE : dans les villes et faubourgs, chacun peut obliger son voisin à participer à la construction d'une clôture destinée à séparer « maisons, cours et jardins », et à participer aux éventuelles réparations. Cette règle ne s'applique pas à la campagne, sauf dans un village ou un hameau ; elle ne joue que pour les terrains dépendant d'habitations. Le mur sera édifié à cheval sur la limite séparative et aura la nature de mur mitoyen. Les frais seront partagés par moitié, sauf si les 2 terrains sont à des niveaux différents. Le voisin peut se soustraire à l'obligation de participer aux frais en abandonnant à l'autre propriétaire la bande de terrain correspondant à la moitié du mur. On ne peut forcer son voisin à participer au coût du mur de clôture que si celui-ci n'est pas encore construit, et non après coup. Si l'on édifie un mur à cheval sur la ligne séparative sans accord du voisin, celui-ci peut en demander la démolition ou réclamer d'en acquérir la moitié. Si le voisin refuse de participer, le tribunal d'instance tranchera le différend. *Hauteur* fixée suivant usages du lieu et règlements particuliers et, à défaut, à une haut. min. de 3,30 m dans les villes de 50 000 hab. et +, et de 2,60 m dans les autres villes. Demander les règlements (mairie, direction départementale de l'Équipement). *En cas de « vaine pâture » :* si celle-ci profite à tous les habitants de la commune (titre ou usage ancien), le propriétaire peut, néanmoins, se clore et son terrain cesse d'être soumis à la vaine pâture ; si celle-ci résulte d'un titre (contrat, jugement), le propriétaire doit respecter ce titre, mais peut s'en affranchir contre indemnité.

■ **Mitoyenneté. Mur mitoyen :** est mitoyen un mur construit à frais commun, par 2 voisins. On peut acquérir la mitoyenneté (c'est un droit absolu et imprescriptible) si on le désire, mais on ne peut y contraindre son voisin. On peut, si on le désire, acquérir la mitoyenneté par prescription à condition que le propriétaire ait agi comme si le mur était mitoyen, d'une façon paisible, continue, sans équivoque, pendant 30 ans. On peut bâtir contre un mur mitoyen, placer poutres et solives dans toute son épaisseur (à 54 cm près), et l'exhausser.

Preuve de la mitoyenneté : peut résulter d'un titre, acte, contrat constatant la construction à frais communs d'un mur sur la ligne séparative. Souvent les titres de propriété ne donnent pas de renseignements. Aussi la loi précise-t-elle que dans les villes et les campagnes, tout mur servant de séparation entre bâtiments jusqu'à l'héberge, ou entre cours et jardins et même entre enclos dans les champs, est présumé mitoyen s'il n'y a pas titre ni marque contraires.

Obligations diverses (exemples). **Cession gratuite :** le propriétaire d'un terrain qui construit ou lotit peut être obligé d'en céder gratuitement une partie (art. R 332-15 du Code de l'urbanisme). Une circulaire du ministère de l'Équipement du 4-7-1973 (BO du ministère, nº 535-0) fixe les limites. Lorsqu'un permis de construire est nécessaire, la cession gratuite de terrain ne peut être imposée que si la demande porte sur la construction du bâtiment, sauf s'il s'agit d'un bâtiment agricole autre qu'à usage d'habitation. Le maire peut imposer la cession gratuite pour l'aménagement réel d'une voie publique (un chemin rural n'a pas le caractère d'une voie publique) et non pour une opération hypothétique. Une cession gratuite imposée illégalement peut faire l'objet d'une annulation contentieuse de la clause correspondante sans affecter pour autant la validité du permis. Si le terrain est clôturé, la démolition de la clôture et sa reconstruction en retrait sont à la charge de la collectivité bénéficiaire de la cession. Si le propriétaire vend son bien, il en avertit l'acquéreur et est tenu de la garantie en cas d'éviction partielle. **Débroussaillement :** *surfaces soumises* (art. L 322-3 Code forestier) : terrains situés dans une zone urbaine délimitée par le Pos ; inscrits dans le périmètre d'une Zac, d'un lotissement approuvé, d'une association foncière urbaine (Afu). Abords de constructions, de chantiers, travaux et installations de toute nature : distance autour de l'installation 50 m (le maire peut la porter à 100 m). *Personnes soumises :* propriétaire et ses ayants droit ou occupant. Si le voisin n'a pas l'obligation de débroussailler parce qu'il n'y a aucune installation sur son terrain, le propriétaire ou l'occupant de la maison doit supporter seul la charge des travaux. *Sanction :* amende de 2 500 à 6 000 F. *Coût des travaux :* 1 à 8 F le m^2 ; périodicité des travaux d'entretien ultérieurs (3 ans) 1 à 4 F. **Neige et verglas à Paris** (arrêté du 6-1-1981) : les riverains des voies publiques sont tenus de balayer la neige, au besoin après grattage, sur toute la longueur de leur propriété sur une largeur d'au moins 4 m. En cas de verglas, ils doivent jeter au droit de leurs habitations de la sciure, du sable ou du mâchefer. L'emploi de sel sur les trottoirs plantés d'arbres est interdit.

■ **Servitudes.** Charge imposée à un terrain bâti ou non, ou à un immeuble, au profit d'un autre immeuble appartenant à un autre propriétaire pour permettre à ce dernier un certain usage du terrain frappé de la servitude. Les servitudes peuvent être faites dans l'intérêt d'un particulier ou d'une administration (dans l'intérêt public). Certaines sont imposées par la loi (ex. servitude de passage au profit d'un terrain enclavé). D'autres sont conventionnelles : décidées par 2 propr. voisins ; par ex. 2 voisins s'interdisent réciproquement d'utiliser leur terrain pour la construction, ou au contraire s'y obligent.

Servitudes de passage : *de plein droit* (par l'effet de la loi), si le fonds est enclavé. *Résultant d'un titre* (contrat, écrit, acte notarié, etc. qui donne ou confirme ce droit) ou *de la destination du père de famille* [lors d'un partage entre ses descendants, un propriétaire a prévu ce droit de passage pour ceux de ses enfants qui n'ont pas accès directement sur la voie publique ; souvent ce droit est inscrit dans une donation, un testament ; mais il est également admis que l'on peut prouver ce droit de passage s'il est révélé par un signe apparent (qui ne peut avoir été réalisé que pour assurer ce droit de passage qui se transmet à tous les propriétaires successifs)].

Passage des eaux et canalisations : servitude légale pour les eaux pluviales ou de source. Les eaux domestiques (ménagères ou pluviales s'écoulant du toit) doivent être évacuées sur la voie publique ou sur le terrain du propriétaire.

Servitude du tour d'échelle : pour des travaux indispensables à l'entretien d'un bâtiment ou d'un mur construit sur la limite d'une propriété, on peut passer chez le voisin et établir en bordure des échafaudages (c'est la servitude dite du *tour d'échelle*). Si l'on ne peut s'entendre à l'amiable avec le voisin, en cas d'urgence, le juge des référés peut autoriser une occupation provisoire.

Servitude de vue : sauf prescription trentenaire, le Code interdit d'avoir des « vues droites » sur la propriété voisine à moins de 1,90 m de la limite (interdiction d'ouvrir une fenêtre, de construire une terrasse, un escalier extérieur, etc.), et des « vues obliques » à moins de 60 cm. *Jours de souffrance :* autorisés dans un mur en limite de propriété, à condition qu'il ne soit pas mitoyen.

Servitude de voisinage : les branches d'arbres ne doivent pas déborder sur une voie de circulation. *Plantations :* règlements variables suivant chaque Pos, ou usages locaux. En général, au min. à 2 m de la limite, si la hauteur des arbres et arbustes dépasse 2 m (sinon à 0,50 m). Le voisin peut exiger l'arrachage s'ils sont à – de 0,50 m, ou leur coupe à hauteur s'ils sont entre 0,50 m et 2 m et dépassent en hauteur 2 m. Il peut demander l'élagage (droit imprescriptible) sauf en cas de prescription trentenaire (délai de prescription décompté à partir du moment où l'arbre a dépassé la hauteur autorisée), de titres (écrits) ou de destination du père de famille. On peut couper soi-même racines, ronces et brindilles avançant sur son terrain. A Paris et dans la région parisienne, on plante jusqu'à l'extrême limite, le voisin peut demander l'élagage. S'il y a un mur, il suffit que les arbres ne dépassent pas la crête du mur. Le tribunal d'instance est compétent.

Troubles anormaux du voisinage : il n'y a pas de définition légale. *Bruit :* tout bruit excessif est répréhensible (un bruit nocturne sera considéré plus facilement comme anormal par les tribunaux, mais il est faux de croire que chacun ait le droit de faire du bruit jusqu'à 22 h, ou qu'il existe une tolérance le samedi soir). Voir Index.

Domaine de l'État

■ **Domaine privé.** Soumis aux règles du Code civil (les litiges relèvent des tribunaux judiciaires).

■ **Domaine public. Composition :** *domaine naturel :* domaine maritime (cf. *infra*), cours d'eau navigables et flottables figurant sur une nomenclature, cours d'eau d'alimentation, eaux intérieures dans les départements d'outre-mer. *Domaine artificiel :* ports maritimes et fluviaux ne relevant pas de la compétence des collectivités locales, voirie routière, installations ferroviaires, aérodromes, édifices publics (musées, tribunaux, établissements scolaires, préfectures). L'État possède 10 088 884 ha dont 9 267 257 ha de forêts domaniales (7 497 376 ha pour la forêt guyanaise). *Comprend :* tous les biens et droits immobiliers appartenant à l'État et non susceptibles de propriété privée en raison de leur nature ou de leur destination. Résulte soit de textes particuliers, soit de la simple affectation matérielle des biens à l'usage du public ou à un service public. **Régime :** le domaine public est inaliénable (sauf décision préalable formelle de déclassement), imprescriptible. Il bénéficie de servitudes et fait l'objet d'une protection pénale. Les particuliers peuvent en user librement et en principe gratuitement dans la limite des droits appartenant à tous. L'État peut autoriser, à titre temporaire et moyennant le paiement d'une redevance, certaines occupations privatives compatibles avec la destination du domaine. Ces autorisations sont unilatérales ou contractuelles (permis de stationnement, permission de voirie ou concessions). Elles sont précaires, révocables sans indemnité et ne confèrent aucun droit réel à leur titulaire. Les litiges relèvent des juridictions administratives.

■ **Domaine maritime public. Étendue :** *rivages* (le plus grand flot de l'année en définit la limite), *lais et relais de la mer, ports, havres, rades. Sol et sous-sol des eaux territoriales* (sur 12 milles) ; les eaux territoriales elles-mêmes ne sont pas propriété de l'État. *Lais et relais de la mer :* constitués après 1963 et ceux constitués avant 1963 et dépendant du domaine privé peuvent être incorporés au domaine public maritime par arrêté préfectoral. La délimitation côté terre est faite, après enquête, par décret du Conseil d'État rendu sur le rapport du ministre chargé du domaine public maritime ; s'il n'y a pas d'opposition manifestée pendant l'enquête, la délimitation est approuvée par arrêté préfectoral. Lorsqu'ils ne sont pas utiles à la satisfaction des besoins d'intérêt public, ils peuvent être déclassés. *Étangs salés :* baies communiquant avec la mer avec une issue plus ou moins étroite et qui en sont une prolongation et une partie intégrante formée des mêmes eaux et peuplée des mêmes poissons. *Terrains privés ayant fait l'objet d'une réserve :* si la procédure de création de réserve est appliquée, les terrains acquis par l'État sont incorporés au domaine public maritime. *Ports, havres et rades :* le préfet procède à la délimitation des ports maritimes du côté de la mer ou du côté des côtes. *Terrains artificiellement soustraits à l'action du flot :* sauf dispositions contraires d'actes de concession. La zone des 50 pas géométriques dans les Dom.

Mode d'occupation : l'État donne des autorisations ; ex. : *exploitation* des gisements marins et sous-marins, cultures marines ; *concessions* de plages naturelles, travaux tels que escaliers, digues, etc. ; *travaux immobiliers* (outillages publics dans les ports), services ou travaux publics (port de plaisance, plage artificielle), exploitation de la force motrice des marées, endigage).

■ **Domaine maritime privé de l'État.** *Lais et relais de l'État antérieurs à 1963,* lorsqu'ils ne sont pas incorporés au domaine public maritime. *Lais et relais incorporés au domaine public maritime, puis ultérieurement déclassés, îles, îlots, forts, châteaux forts et batteries du littoral* ayant fait l'objet d'un usage militaire et déclassés, *étangs salés isolés* de toutes communications avec la mer et sous réserve des droits des particuliers.

■ **Propriétés privées.** Délimitées côté mer par des opérations de délimitation du domaine public maritime, notamment lorsqu'il y a création de lais et relais. Peuvent être frappées de réserve sur une bande de 20 m pour les terrains clos ou construits.

Sont frappées d'une *servitude de passage de piétons* sur 3 m de large à partir des limites du domaine public maritime et sur les chemins perpendiculaires au rivage, à l'exception des terrains situés à moins de 15 m de bâtiments à usage d'habitation et clos de murs édifiés avant le 1-1-1976. Cette distance peut être réduite dans la mesure où la servitude est le seul moyen d'assurer le libre accès des piétons au rivage de la mer. La servitude peut être suspendue après enquête (ex. : si elle fait obstacle au fonctionnement d'un service public, d'un établissement de pêche bénéficiaire d'une concession, d'une entreprise de construction ou de réparation navale à l'intérieur d'un port maritime proche d'installations utilisées pour les besoins de la défense nat., si elle peut compromettre la conservation d'un site à protéger pour des raisons d'ordre écologique ou archéologique, ou la stabilité des sols). Les riverains du domaine public maritime n'ont ni droit d'accès, ni droit de vue, le domaine public maritime ne pouvant être l'objet de servitudes.

Ventes d'immeubles aux enchères

☞ On utilise des mèches, d'où le nom de *vente à la bougie.* Après l'extinction des 2 mèches, sans nouvelle enchère, l'adjudication est prononcée.

■ **Ventes judiciaires. Circonstances :** le plus souvent pratiquées sur saisie immobilière ou liquidation des biens d'un débiteur insolvable, réalisées devant le tribunal de grande instance. Un avocat poursuivant demande au tribunal d'ordonner la vente. Si des irrégularités ont été commises au cours de la procédure, le jugement d'adjudication peut être frappé d'un pourvoi devant la Cour de cassation (il n'y a pas d'appel). **Mise à prix :** fixée par le créancier en fonction de la somme qu'il veut récupérer. **Pour enchérir :** on doit prendre un avocat inscrit au barreau du tribunal du lieu de la vente. Il prendra notamment connaissance du cahier des charges. *Avant la vente,* on doit remettre un chèque certifié couvrant les frais préalables à la vente (environ 15 % de la mise à prix), et une partie de la mise à prix (env. 10 %). Si l'on n'est pas déclaré adjudicataire, l'avocat peut cependant demander des honoraires correspondant à son déplacement pour assister à la vente, aux conseils donnés quant au cahier des charges. **Surenchère :** on peut, dans les 10 j (fériés en plus) suivant la vente, faire présenter au greffe (par l'avocat) une déclaration de surenchère par laquelle on offre d'acheter au prix d'adjudication augmenté de 10 %. Une nouvelle séance d'adjudication aura lieu, à partir du prix proposé : si aucun autre amateur ne se présente, on devient propriétaire ; sinon, le plus offrant l'emporte. On ne peut surenchérir qu'une fois. **Règlement :** si étant adjudicataire, on ne peut payer le prix dans les délais fixés par le cahier des charges, la vente sera reprise sur *folle enchère* et recommencera à la mise à prix initiale. On devra régler les frais de la 1re vente faite inutilement et, si la 2e adjudication est inférieure à la 1re, la différence entre les deux. **Frais annexes :** *préalables :* frais de poursuite, de publicité (indiqués au cahier des charges). *Postérieurs :* dûs aux avocats (3/4 vont à l'avocat du vendeur, 1/4 à l'avocat de l'acheteur). *A Paris : 0 à 17 500 F :* 10 % ; *17 501 à 36 500 F :* 6,60 % ; *36 501 à 102 000 F :* 3,30 % ; *102 001 F et + :* 1,65 %. Autres émoluments à taux fixe : exemple, signification du jugement : 50,80 F, ou variable (rédaction des bordereaux). Droits de timbre et frais de publicité... Frais des quittances notariés. *Entrée en jouissance :* dès le délai de surenchère expiré (c'est-à-dire le 11e j après la vente, ou immédiatement si celle-ci est consécutive à une surenchère).

■ **Ventes par adjudication devant notaires. Lieu :** 28 centres de vente agissent dans le cadre du « marché immobilier des notaires », qui publie un bulletin annonçant les séances d'adjudication. La vente se déroule en général à la chambre des notaires, parfois à la mairie ou à la chambre de commerce. Des notaires de service, présents dans la salle, portent les enchères sans aucun frais. **Mise à prix :** fixée par le notaire et le vendeur (souvent prix d'estimation diminué de 20 %). Pour participer à la vente, consigner, auprès du notaire vendeur, un chèque certifié du montant indiqué au programme des ventes (env. 10 % de la mise à prix). **Surenchère :** possible comme pour les ventes judiciaires. **Règlement :** dans les 45 j. **Frais annexes :** partie des frais de publicité, frais du cahier des charges et partie des honoraires du notaire vendeur.

■ **Ventes des domaines. Lieu :** *Paris :* salle des ventes des Domaines, 15, rue Scribe, 75009 ; *province :* direction des services fiscaux. **Annonces :** dans le Bulletin Officiel des annonces des Domaines. **Mise à prix :** fixe le montant du cautionnement à verser pour être admis à enchérir. On peut enchérir directement. **Règlement :** dans le mois jusqu'à 100 000 F ; en 2 fractions égales, 1 dans le mois, l'autre dans 2 mois : de 100 000 à 500 000 F ; au-delà, consulter le cahier des charges. **Frais annexes :** droits de timbres du procès-verbal d'adjudication, coût de 2 copies.

☞ **Droits dus dans les trois types de vente.** *Enregistrement :* 15,40 % ou, dans certains cas, taux réduit à 4,20 %. *Taxe additionnelle communale* 1,20 %. *Taxe régionale* Ile-de-France 1,10 %, autres régions 1,60 %. *Prélèvement opéré par l'État* 2,50 % sur le montant des droits et taxes.

Achat de terrains à bâtir

☞ **Précautions.** Examen du Pos, schéma directeur, Cos (coefficient d'occupation des sols) fixé par le Pos, Pld (plafond légal de densité). Certificat d'urbanisme. Servitudes. Contraintes imposées par le terrain (demander l'avis d'un puisatier, ou expert agricole et foncier). Achat dans un lotissement (consulter le cahier des charges).

■ **Frais à prévoir pour l'achat d'un terrain à bâtir.** *Équipement du terrain :* frais d'arpentage et de bornage (demander un devis préalable), expertise du sol, frais de voirie (par ex., établissement d'une servitude de passage), frais d'adduction d'eau, de branchement au réseau, électricité, gaz, téléphone ; *commission de l'intermédiaire* (agent immobilier, géomètre, notaire) ; *promesse de vente ou compromis* (possibilité de droit d'enregistrement, d'honoraires de rédaction d'acte) ; *frais d'achat :* honoraires du notaire, droits de mutation (TVA ou droits d'enregistrement, timbres, etc.), taxe locale d'équipement.

Si les travaux de construction ne sont pas terminés au bout de 4 a. (délai éventuellement prorogeable), et sauf cas de force majeure, l'acquéreur doit acquitter les droits d'enregistrement et une amende de 6 % même s'il n'est pas propriétaire du terrain.

■ **Prix des terrains destinés à la construction, à l'aménagement et l'équipement** (en F, au m², en oct. 1984). Villes de *+ de 200 000 hab. :* env. 450 F ; *de 20 à 200 000 hab. :* 150 F ; *- de 20 000 hab. :* 80 à 100 F.

Paris. Prix moyen des terrains à bâtir à Paris (en F, au m², en oct. 1990) : *1983 :* 5 526 ; *86 :* 6 886 ; *89 :* 22 586.

Région parisienne. Prix moyen d'un terrain à bâtir de 1 000 m² (en milliers de F) : *Yvelines :* Louveciennes 1 300, Vaux 435, Mantes 330 ; *Essonne :* Marcoussis 460, La Varenne-Jarcy 420 ; *Val-de-Marne :* Sucy-en-Brie 580 ; *Seine-et-Marne :* Claye-Souilly 375, Ponthierry 334.

Province. Prix moyens au m² (en F, au début 1983). **terrains urbains et,** entre parenthèses, **lotissements.** *Source :* Fnaim : Agen 300/800 (100/160). Aix-en-Provence 500/800 (350/500). Alès 600/850 (250/350). Angers 500/2 000 (180/400). Angoulême (70/150). Annecy 100/300 (100/250). Auxerre 170/300 +. Avignon (300/400). Bastia 300/400 (120/140). Bayonne 300/500 (150/300). Bergerac-Périgueux 120/200 (100/150). Bordeaux 300/900 (140/230). Bourg-en-Bresse 100/400 (100/250). Brest 230/450 (220/400). Brive 200/400 (150/400). Chartres 300/1 000 (180/300). Clermont-Ferrand 250/500 (200/400). Le Mans (120/130). Limoges 300/1 000 (300/500). Lyon 700/1 400. Marseille 800/1 200 (200/1 000). Melun 500/1 200 (170/450). Metz (275/450). Montluçon 100/500 (120/150). Nancy (300/650). Nantes 600/3 300 (250/700). Nevers 300/1 000 (100/150). Nîmes 180/400 (250/400). Pau 500/1 000 (200/350). Poitiers 500/2 000 (150/250). Reims 300/500 (300/350). Rennes 300/1 000 (100/500). Roanne (100/120). Rodez (250 +). Rouen 180/1 500 (150/300). St-Cyprien 1 000/1 500 (350/600). Saintes (200/400). Strasbourg 600/1 000 (200/800). Tours (220/350). Vichy 300/800 (120/150). Troyes 250/400 (100/200). Vierzon 100/150 (100/150).

Achat de logements

Paris et Ile-de-France

■ **Parc immobilier.** *Immeubles :* 120 000. *Surface totale :* 100 millions de m² dont habitation 67 [soit 1 280 000 appartements (dont 1 ou 2 pièces : 18 %, + de 4 : 18 %) dont 30 % n'ont pas le confort sanitaire normal]. *Construits avant 1949 :* 75 %, *dep. 1975 :* 7 %. *Propriétaires :* copropriétés 57 735 immeubles, un seul propriétaire 38 042 (dont particuliers 50 % ; institutionnels de la banque et des assurances, organismes de retraite, Stés foncières cotées en Bourse : 15 %).

■ **Transactions** (1990). **Montant :** 47 milliards de F (dont anciens 42, neuf 5).

Nombre de ventes immobilières à Paris (en 1989) : 44 270 dont : appartements d'occasion 36 932, boutiques 2 296, appartements neufs 1 639 (973 en 1991), parkings 981, immeubles de rapport 973, bureaux 528, terrains 241, ateliers 193, locaux professionnels 177, pavillons 106, hôtels particuliers 67, volumes 36, divers dont biens exceptionnels 101.

Nombre d'appartements anciens vendus libres à Paris : *1982 :* 31 000 ; *83 :* 34 450 ; *84 :* 32 000 ; *85 :* 38 280 ; *86 :* 38 280 ; *87 :* 42 575 ; *88 :* 40 220 ; *89 :* 40 300 ; *90 :* 36 964 ; *91 :* 26 890 ; *92 :* 24 446.

■ **Prix moyen du m² à Paris** (en milliers de F). **Appartements neufs : 1964** 2,56. **65** 2,68. **66** 2,74. **67** 2,7. **68** 2,68. **69** 2,76. **70** 2,98. **71** 3,18. **72** 3,38. **73** 3,76. **74** 4,58. **75** 5,66. **76** 6,46. **77** 7,2. **78** 7,9. **79** 8,6. **90** 25,3. **91** 24,6.

Programmes neufs en vente à Paris (janv. 1992, en milliers de F) : 3e : 35/43, 4e : 31/32, 5e : 38/54, 9e : 31,5/35, 10e : 24/28, 11e : 22,4/38, 12e : 25,5/34, 13e : 26,5/32, 14e : 30/39,5, 15e : 30/39, 16e : 42/69, 17e : 29,4/40, 18e : 19/35, 19e : 18,5/31, 20e : 19,5/25,8.

Prix du m² construit neuf dans le 16e (en milliers de F et, entre parenthèses en %, en 1990) : total 40. TVA 6 (15), marge nette du promoteur 4 (10), frais de gestion du promoteur 2 (5), frais de commercialisation 2 (5), frais financiers 4 (10), coût de la construction 10 dont construction 7,5, honoraires architectes et bureaux d'études 2,5 (25).

■ **Marché immobilier des notaires à Paris. Logements anciens libres, vendus** (surface moyenne de l'appartement vendu à Paris) : *1989 :* 51,65 ; *90 :* 49,95 ; *91 :* 52,4 ; *92 :* 51,5 (superficie moyenne du parc 54,2 m² pour 2,6 pièces).

Prix	1981	1985	1990	1992	03-1993
Studio	164 000 F	228 000 F	469 000 F	451 951 F	436 424 F
2 pièces	245 000 F	324 000 F	754 000 F	697 446 F	668 589 F
3 pièces	443 000 F	574 000 F	1 345 000 F	1 208 689 F	1 167 604 F
4 pièces	747 000 F	957 000 F	2 349 000 F	2 024 667 F	1 931 292 F
5 pièces	1 137 000 F	1 419 000 F	3 859 000 F	} 3 965 500 F	} 3 567 847 F
6 pièces	1 410 000 F	1 932 000 F	5 417 000 F		

% de mutations. Par tranche de prix (en millions de F, au 31-3-1993). *+ de 4 :* 2 ; *2 à 4 :* 6,8 % ; *1 à 2 :* 19,5 ; *0,5 à 1 :* 35,9. **Par taille.** *Studio* 27,3 % ; *2 pièces* 38,2 ; *3 p.* 21 ; *4 p.* 8,7 ; *5 p. et* + 4,9.

Prix moyen au m² des appartements anciens vendus libres (en milliers de F constants dep. juin 1979, et, entre parenthèses, de F courants) : *juin 1979 :* 4 570 (4 570), *déc. 1980 :* 5 238 (6 249), *déc. 82 :* 4 660 (7 022), *déc. 83 :* 4 608 (7 605), *déc. 84 :* 4 662 (8 253),

Évolution des prix du m² neuf d'habitation

Villes	1970	1980	1991	1993	sur 23 ans 1970-1993	sur 11 ans 1980-1991	sur 5 ans 1986-1991
Paris 5e	2 400–4 100	10 200–15 600	35 000–55 000	35 000–50 000	+ 1 208 %	+ 249 %	+ 80 %
Paris 7e	3 800–6 100	14 500–18 000	40 000–50 000	40 000–50 000	+ 1 285 %	+ 177 %	–
Paris 11e	1 800–2 800	6 900–10 200	25 000–35 000	20 000–30 000	+ 987 %	+ 251 %	+ 122 %
Paris 12e	2 000–3 200	7 200–11 200	25 000–35 000	20 000–30 000	+ 862 %	+ 226 %	+ 114 %
Paris 14e	2 300–3 200	8 500–14 000	27 000–35 000	24 000–35 000	+ 973 %	+ 176 %	+ 38 %
Paris 15e	2 600–4 100	8 700–16 600	28 000–41 000	26 000–35 000	+ 810 %	+ 181 %	+ 154 %
Paris 16e	3 900–6 500	11 500–25 000	38 000–55 000	32 000–50 000	+ 688 %	+ 155 %	+ 79 %
Paris 20e	1 850–2 900	6 200–10 200	20 000–28 000	20 000–28 000	+ 911 %	+ 193 %	+ 100 %
Aix-en-Prov.	1 400–1 750	5 900– 9 000	12 000–18 000	10 000–22 000	+ 853 %	+ 101 %	+ 62 %
Bordeaux	1 500–1 700	4 500– 7 000	8 000–13 000	8 000–14 500	+ 525 %	+ 83 %	+ 31 %
Lyon	1 200–2 000	3 200– 6 000	9 000–17 000	7 000–25 000	+ 713 %	+ 183 %	+ 27 %
Marseille	1 400–2 200	4 500– 6 800	7 500–12 000	6 500–19 000	+ 442 %	+ 73 %	+ 20 %
Montpellier	950–2 200	5 000– 7 400	8 000–15 000	6 500–18 000	+ 598 %	+ 86 %	+ 39 %
Nancy	1 250–1 900	3 900– 7 000	8 000–12 000	6 200– 9 500	+ 408 %	+ 84 %	+ 38 %
Nantes	950–2 800	3 400– 7 000	8 000–14 000	7 500–15 000	+ 487 %	+ 112 %	+ 19 %
Nice	2 000–4 700	6 000–14 000	12 000–35 000	8 500–32 000	+ 437 %	+ 135 %	+ 25 %
Perpignan	950–1 600	4 300– 6 800	10 000–12 000	6 500–10 000	+ 527 %	+ 98 %	+ 22 %
Strasbourg	1 200–2 800	4 800– 7 200	10 000–18 000	7 000–26 000	+ 600 %	+ 133 %	+ 65 %
Toulouse	1 200–2 500	3 500– 6 200	10 000–15 000	7 700–15 000	+ 522 %	+ 158 %	+ 35 %
Alpe-d'Huez	2 100–3 000	7 000–12 000	13 000–28 000	13 000–16 000	+ 469 %	+ 116 %	+ 30 %
Antibes	1 500–2 500	5 000–10 000	15 000–30 000	15 000–30 000	+ 1 025 %	+ 200 %	+ 16 %
Arcachon	1 800–2 200	5 700–10 700	12 000–22 000	12 000–22 000	+ 775 %	+ 107 %	+ 33 %
Argelès/s/Mer	1 200–1 800	4 800– 6 000	9 000–12 000	10 000–12 000	+ 633 %	+ 95 %	+ 11 %
Avoriaz [1]	2 200–2 500	8 350–11 000	12 500–20 000	–	+ 538 %	+ 68 %	+ 9 %
La Baule	1 400–2 800	7 000–12 000	12 000–32 000	12 000–35 000	+ 1 019 %	+ 132 %	+ 26 %
Cannes	1 500–3 900	7 500–27 000	18 000–60 000	20 000–63 000	+ 1 435 %	+ 126 %	+ 35 %
Courchevel	2 500–3 500	13 900–16 000	25 000–50 000	20 000–50 000	+ 1 066 %	+ 151 %	+ 50 %
Deauville	1 400–2 000	5 500–10 000	16 000–31 000	17 000–33 000	+ 1 371 %	+ 203 %	+ 77 %
Font-Romeu	1 550–2 000	4 000– 9 000	8 000–12 000	10 000–12 000	+ 520 %	+ 54 %	+ 11 %
Grande-Motte	1 200–2 500	3 500– 9 000	10 000–16 000	10 000–15 000	+ 576 %	+ 108 %	+ 27 %
Megève	2 000–3 000	7 500–11 500	20 000–32 000	22 800–35 000	+ 1 056 %	+ 174 %	+ 65 %
Les Rousses	1 300–1 700	5 700– 7 100	8 000–15 000	11 000–12 000	+ 667 %	+ 80 %	+ 18 %
Royan	1 500–2 000	5 000– 9 000	10 000–18 000	10 000–12 000	+ 614 %	+ 100 %	+ 12 %
Saint-Lary	1 400–1 500	4 000– 5 600	10 000–12 000	8 500–12 000	+ 607 %	+ 129 %	+ 10 %
Ste-Maxime	1 500–2 400	6 000– 8 500	12 000–22 000	12 000–23 000	+ 727 %	+ 135 %	+ 36 %
Val-d'Isère	1 860–3 000	8 450–10 200	20 000–35 000	22 000–30 000	+ 970 %	+ 195 %	+ 72 %
Taux d'augmentation du coût de la vie pendant la période considérée :					+ 383,91 %	+ 106,80 %	+ 16,84 %

Nota. – (1)Plus de programmes neufs en vente à Avoriaz en 1993.

déc. 85 : 4 995 (9 350), *déc. 86 :* 5 565 (10 669), *déc. 87 :* 6 270 (12 409), *déc. 88 :* 7 665 (15 581), *déc. 89 :* 8 949 (18 847), *déc. 90 :* 10 201 (22 198), *juin 91 :* 9 793 (21 967), *déc. 91 :* 9 789 (21 995), *déc. 92 :* 8 410 (19 560), *mars 93 :* (18 855).

Part des arrondissements dans les transactions d'appartements anciens libres, au 2e semestre 1992 (%). 1er : 1,6, 2e : 2, 3e : 4,2, 4e : 3,5, 5e : 7, 6e : 4, 7e : 5,5, 8e : 3, 9e : 6,5, 10e : 4,5, 11e : 7,6, 12e : 4,3, 13e : 4,6, 14e : 3,5, 15e : 8, 16e : 5, 17e : 5,6, 18e : 10,2, 19e : 4, 20e : 5,2.

PRIX AU M^2 EN F PAR ARRONDISSEMENT (APPARTEMENTS ANCIENS)

Ardts	1981-1	1982-1	1983-1	1985-1	1989-1	1991-1	1992/1	31/03/1993
1er	7 017	7 879	8 330	9 265	20 144	26 865	21 184	20 594
2e	5 440	7 147	6 161	7 814	14 325	17 711	16 866	17 970
3e	6 299	5 809	6 536	8 476	17 664	21 497	20 113	18 955
4e	7 508	8 316	9 100	11 862	22 573	27 228	24 220	23 384
5e	8 428	8 575	8 780	10 717	22 570	29 857	25 292	23 232
6e	9 598	9 550	10 180	12 896	28 334	37 017	30 388	27 254
7e	9 992	9 454	9 878	12 133	29 905	34 474	32 226	29 628
8e	9 621	9 001	8 515	13 474	28 358	35 284	30 261	28 884
9e	5 530	6 113	6 248	7 645	15 060	17 234	17 769	16 944
10e	4 768	4 983	5 036	6 682	12 946	15 129	14 156	13 885
11e	5 155	5 666	6 326	7 482	13 513	17 614	16 531	15 317
12e	5 918	6 369	7 308	8 946	15 042	19 862	18 198	16 543
13e	5 846	7 043	7 539	7 980	15 218	20 110	18 277	18 219
14e	6 470	7 469	8 527	10 214	18 183	22 993	20 152	19 411
15e	7 857	8 437	9 206	11 261	20 251	22 828	21 492	19 475
16e	10 152	10 037	10 251	13 034	27 981	32 202	27 401	24 935
17e	6 642	6 913	7 688	9 000	18 841	23 231	20 553	19 025
18e	4 647	4 910	5 559	6 534	12 590	16 208	15 012	13 719
19e	4 841	5 030	5 711	7 151	12 110	15 810	15 045	13 740
20e	5 100	5 393	6 142	7 006	12 136	16 056	14 936	14 495

■ **Prix d'un appartement récent et,** entre parenthèses, **ancien, selon les quartiers** (en milliers de F le m^2, avril 1993). *Source :* Foncia. *1er :* Tuileries Opéra P (20/28), Halles P (18/26). *2e :* (sauf Opéra) P (14/22). *3e :* Marais P 30/35 (18/25), Autres 31/40 (15/20). *4e :* Place des Vosges P (40/55), Ile-St-Louis P (30/45), Autres 31/36 (20/30). *5e :* (20/28). *6e :* Luxembourg P (21/35), Autres 36/45 (19/23). *7e :* Invalides, Champ-de-Mars P (24/45), Autres P (19/26). *8e :* Monceau, Montaigne, Champs-Élysées P (30/45), Malesherbes, Courcelles P (24/30), Autres P (15/24). *9e :* Europe, St-Georges 23/33 (15/20), Autres P (10/20). *10e :* 22/29 (10/18). *11e :* 22/29 (12/19). *12e :* Daumesnil, Nation, Porte Dorée 27/33 (13/19), Autres 21/28 (12/18). *13e :* Port-Royal, Gobelins 28/35 (17/26), Autres 25/28 (13/18). *14e :* Montsouris, Montparnasse, Raspail 30/38 (17/26), Autres 27/31 (16/21). *15e :* Suffren, Pasteur 30/35 (14/25), Autres 28/33 (16/22). *16e :* Muette, Foch, Étoile, Mandel 45/60 (30/36), Nord 39/45 (28/38), Sud 32/45 (15/25). *17e :* Monceau, Wagram, Malesherbes, Étoile P (24/28), Nord 20/27 (10/18), Sud 35/45 (22/25). *18e :* Montmartre P 32/38 (22/28), Autres 20/28 (8/18). *19e :* Buttes-Chaumont P (18/25), Autres 18/26 (10/18). *20e :* 18/26 (11/18).

Nota. – P : Pas de neuf.

BANLIEUE

■ **Prix au m^2 d'un appartement neuf et rénové et,** entre parenthèses, **ancien** (en milliers de F, 1992). (Source : Foncia). **77 :** Chelles 11/12 (8/9), Torcy 11/12 (8/9). **78 :** Bougival 16/18 (9/11,5), Chatou 15/17 (10/15), Le Vésinet 18/23 (10/18), Maisons-Lafitte 17/22 (10/17), Marly-le-Roi 14/17 (10/13), Poissy 12/16 (2/19), St-Germain 18/25 (9/17), Sartrouville 13,5/16 (7/10), Versailles 21/28 (12/19), Viroflay 10/22 (10/14). **91 :** Chilly-Mazarin 13/14 (7/14), Verrières-le-Buisson 17/21 (10/16). **92 :** Antony 18/22 (14/18), Asnières 14/20 (8,5/12), Boulogne 22/30 (11/22), Bourg-la-Reine 19/23 (12/19), Chaville 22/28 (10,5/17), Courbevoie 17/23 (10/17), Fontenay-aux-Roses 17/22 (14/18), Levallois 20/28 (12/19), Montrouge 19/23 (10/15), Nanterre 14/17 (9/13), Neuilly 40/55 (18/30), Plessis-Robinson 18/21 (9/17), Rueil-Malmaison 17/22 (11/18), St-Cloud 25/30 (13,5/20), Sceaux 24/33 (15/23), Sèvres 22/28 (12,5/18), Suresnes 20/26 (10/17), Vaucresson 18/20 (10/13). **93 :** Le Raincy 10/14 (8/10,5), Neuilly-Plaisance 11/14 (8/10), Neuilly-sur-Marne 11/14 (8/10). **94 :** Alfortville 12/15 (7/10), Cachan 14/17 (10/14), Champigny 12/14 (8,5/9,5), Charenton 17/26 (10/18), Chennevières 12/14 (8/11), Créteil 14/17 (10/12), La Queue-en-Brie 11/13 (7/8), Maisons-Alfort 12/16 (10/11), Saint-Maur 15/18 (9,5/12), Villejuif 14/16 (10/13), Vincennes 20/36 (13/22). **95 :** Bezons 12/14 (7,5/10), Pontoise 11/12 (7/10), Sannois 11/18 (7,5/10).

PRIX AU M^2

Communes	1990	Juin 1991	Déc. 1991	Déc. 1992
92				
Boulogne-B.	20 230	21 593	18 954	18 148
Clichy	11 580	13 889	11 979	12 296
Levallois	17 294	18 619	19 585	15 695
Neuilly	33 516	29 622	26 806	25 854
Saint-Cloud	20 854	18 275	18 756	17 383
93				
Aubervilliers	8 677	8 912	9 940	8 683
Montreuil	8 677	8 780	9 581	9 549
Pantin	10 224	10 079	11 113	9 816
Saint-Denis	7 173	8 559	9 350	8 719
94				
Champigny-s.-M.	9 537	10 075	10 096	10 333
Créteil	10 633	10 301	9 557	11 109
Nogent-s.-M.	13 410	14 964	15 384	13 500
Vincennes	17 338	16 400	17 535	16 165

PROVINCE

■ **Prix du m^2 utile appartements neufs hors financement aidé dans le centre et,** entre parenthèses, **appartements récents/anciens** (en milliers de F, 1992). Aix-en-Provence 9/11 (2,5/6). Albi 8/9 (3,5/6,5). Amiens 8,5/13 (3,5/8). Angers 7,5/12,5 (2/9,5). Angoulême 8,5/10,5 (5/7). Annecy 13/17 (5,5/14). Arras 9/11,5 (3/8). Auxerre 7,5/11 (1,8/8). Avignon 10/14 (3,5/14). Bayonne 8/20 (2,7/13). Beauvais 9/11 (3,5/8,5). Belfort 6,5/9 (2,4/6,5). Besançon 7,5/12 (2,5/7,3). Bordeaux 8/14,5 (2,5/6,5). Bourges 8/12 (1,9/6). Brest 8/12 (2/6,7). Brive 8,5/10 (2/7). Caen 9,5/12,5 (3,5/8,5). Calais 7,5/8,5 (1,7/6). Cannes/Antibes 15/63 (8/30). Carcassonne 6,5/10 (1/6). Chambéry 9/13 (2,5/7,5). Charleville-Mézières n.c. (1,8/6,2). Chartres 10/13 (2,5/10). Cherbourg 10/11 (4/8,5). Clermont-Ferrand 7,7/11 (2,5/8). Colmar 8/11,5 (2,5/10). Compiègne 10 (4/11). Dijon 8/13,5 (2,8/7,5). Évreux 8,5/13 (3,5/8,5). Grenoble 8,5/14 (3,5/10). La Rochelle 9/16 (3,5/9). Le Havre 8/11 (2,5/7). Le Mans 9/14 (2/8). Lille 9/15 (3,5/10,5). Limoges 7/13 (2,5/6,5). Lyon 10/25 (5/15). Mâcon 6,5/8 (1,2/6). Marseille 8/19 (3/15). Metz 8/10 (2,4/8). Montauban 7,5/9 (3/5). Montpellier 8/18 (3,5/10,5). Mulhouse 8/12 (2,5/8,5). Nancy 8/9,5 (2,5/7). Nantes 9/15 (3/8). Nevers 7/12 (3/7). Nice 16/32 (4/20). Nîmes 7,5/19 (2,5/12,5). Orléans 8,5/12 (2,5/9). Pau 7,3/12 (2,5/8). Perpignan 6,5/10 (1,5/9). Poitiers 9/13 (6/8). Quimper 9/12 (2/8). Reims 8,7/15 (4/10). Rennes 9/15 (5/10). Rouen 10/13 (3,5/8,5). Saint-Brieuc 8/11,5 (2,3/8,6). Saint-Étienne 7/10 (2/5,5). Strasbourg 9,5/26 (3/15). Tarbes 6,5/11 (2,5/5,5). Toulon 9/11 (2,5/6). Toulouse 9,5/15 (4,5/10,8). Tours 9/14 (3,5/9,5). Troyes jusqu'à 10 (3/6,7). Valence 8/10 (2/6). Vannes 8/12 (jusqu'à 13). Vichy 7,5/13 (2/10).

■ **Montagne. Prix du m^2 neuf** (en milliers de F, 1992). **Alpes :** Auron 12/18,5, Avoriaz 14/18,5, Chamonix 22/35, Chamrousse 12/14, Chatel 12,5/15, Courchevel 30/60, Flaine 13/16,5, Isola 2 000 13,5/16,5, L'Alpe d'Huez 13/25, La Clusaz 14/22, Les Arcs 16/22,5, La Plagne 11/22, La Tania 22/23, La Toussuire 10/12, Les Deux Alpes 12/16, Les Houches 14/16, Megève 25/35, Méribel-les-Allues 25/45, Morzine 13/19, Saint-Gervais 12/15, Serre-Chevalier 12/15, Superdevoluy 12/14, Tignes 17/22, Valberg 12/14, Val d'Isère 20/40, Val Thorens 15/20, Vars 12/14, Villard-de-Lans 12/15. **Jura :** Les Rousses 9/10, Metabief 7/12, Mouthe 7/9. **Massif central :** La Bourboule 9/11, Le Mont-Dore 9/12, Superbesse 9/12, Superlioran 9/12. **Pyrénées :** Barèges 9/11, Cauterets 9/11, Font-Romeu 9/12, La Mongie 10/12,5, Superbagnères 8/11. **Vosges :** Gérardmer 10/11, La Bresse 9/10.

■ **Mer. Prix du m^2** (en milliers de F, en 1991-92). **Nord-Pas-de-Calais :** Brays-Dunes 10/11, Wimereux 11/13, Hardelot 12/14, Le Touquet Paris-Plage 12/20, Berck Plage 7,5/8,5. **Somme :** Le Crotoy 10/12, Mers-les-Bains 9/11. **Haute-Normandie :** Dieppe 7/10, Étretat 10/15. **Basse-Normandie :** Honfleur 11/15, Trouville 15/25, Deauville 17/33, Villers-sur-Mer 10/13, Houlgate 11/15, Cabourg 12/25, Ouistreham 10/14, Berneville 9/10, Dives-sur-Mer 12/16,5. **Bretagne Nord :** St-Malo 10/11, Dinard 9/12, Saint-Cast le Guildo 7,5/12, Val-André 10/12, Saint-Brieuc 9/10, Perros-Guirec 10/12, Trégastel 10/12. **Région de Quimper-Lorient :** Concarneau 9/10, Le Pouldu 9/11, Bénodet 10/12. **Baie de Quiberon – Golfe du Morbihan :** Quiberon 11/26, Carnac 12/28, La Trinité-sur-Mer 11/15, St-Gildas-de-Rhuys 9/11, Piriac 9/11. **Loire-Atlantique :** Le Croisic 10/13, Batz-sur-Mer 10/12, Le Pouliguen 10/12, La Baule 12/35, Pornichet 10/22, Pornic 10/11. **Vendée :** Ile de Noirmoutier 10/12, Saint-Jean-de-Mont 10/15, Les Sables-d'Olonne 12/30, La Tranche-sur-Mer 10/12, St-Gilles-Croix-de-Vie 10/12. **Gironde :** Soulac-sur-Mer 8/10, Hourtin-Plage 8/9, Lacanau 10/12, Arcachon 12/22. **Charente :** La Rochelle 10/15, St-Palais-sur-Mer 10/12, Pontaillac 10/11, Royan 10/15. **Pyrénées-Orientales :** Cerbère 8/10, Banyuls 10/12, Port Vendres 8/10, Collioure 10/13, Argelès-sur-Mer 10/12, Canet-Plage 10/12, Port Barcarès 8/9. **Aude :** Port-la-Nouvelle 9/11, Port-Leucate 7/10. **Hérault :** Cap-d'Agde 9/16, Sète 7/12, Frontignan 9/10, Palavas-les-Flots 9/12, La Grande-Motte 10/15. **Landes-Pays Basque :** Mimizan-Plage 7/10, Hossegor-Cap Breton 10/12, Biarritz 15/20, St Jean-de-Luz 12/20. **Gard :** Port-Camargue 10/12, Le Grau du Roi 8,5/11. **Bouches-du-Rhône :** Cassis 12/15, La Ciotat 12/15. **Var :** Bandol 12/16, Sanary-sur-Mer 12/15, La Seyne-sur-Mer 10/12, Toulon 10/12, Carqueiranne 11/13, Giens 10/12, Hyères 10/14, Lalonde-les-Maures 10/12, Le Lavandou 12/18, Bormes-les-Mimosas 10/15, Cavalaire 10/15, Presqu'île de St-Tropez 16/35, Cogolin 15/22, Port-Grimaud 22/40, Grimaud 18/20, Ste-Maxime 12/23, Les Issanbres 12/15, Fréjus 15/25, St-Raphaël 15/25, Cap-Esterel 16/21. **Alpes-Maritimes :** Théoule-sur-Mer 15/20, Mandelieu-La Napoule 15/26, Cannes 20/44, Mougins 15/18, Vallauris 12/15, Grasse 10/12, Golfe-Juan 12/20, Juan-les-Pins 15/30, Antibes 15/30, Villeneuve-Loubet 15/20, Cagnes-sur-Mer 12/20, St-Laurent-du-Var 10/12, Nice 12/35, St-Jean-Cap-Ferrat 16/25, Villefranche-sur-Mer 15/25, Eze-Village 12/16, Cap-d'Ail 15/22, Beausoleil 12/16, Roquebrune-Cap-Martin 12/22, Menton 12/25.

> **Maison Phénix.** Exemples (prêt à décorer, **prix au 1-4-88**) : modèle Harmonie 89 m^2 + garage 18 m^2 (3 × 6), 2 pentes, chauffage électrique. *Région parisienne :* 339 500 F. *Alsace :* 314 900 F. *Méditerranée :* 346 600 F. Alskanor (sur terre-plein). *Crépi,* 88 m^2, 3 chambres-séjour, toiture 2 pentes, chauff. électr. : 294 620 F. *Murs briques,* 75 m^2, 3 chambres-séjour, toiture 2 pentes, chauff. électr. : 303 540 F. **Maison Kaufman et Broad.** *Louveciennes* 300 m^2 + terrain 200 m^2 : 650 000.

■ « RÉSIDENCES-SERVICES »

■ **Prix des deux pièces** (en milliers de F). **Région parisienne :** *Charenton Les Sérianes (42 m^2) :* 1 100 F. *Paris 12e Les Hespérides (45/66 m^2) :* 1 617/3 243. *Vincennes Les Jardins d'Arcadie (42/59 m^2) :* 1 309. *Les Thébaides (43/57 m^2) :* 1 310/1 713. **Province :** *Antibes-Juan-les-Pins Les Thébaides (42/53 m^2) :* 965/1 445. *Bordeaux Les Sérianes (48/54 m^2) :* 520. *Lyon Les Hespérides (42/54 m^2) :* 792/1 287. *Nantes Les Renaissances (40/62 m^2) :* 567/1 075. *Pau Les Hespérides (42/63 m^2) :* 712/1 248. *Quimper Les Jardins d'Arcadie (43/48 m^2) :* 376/515. *Toulouse Les Renaissances (46/51 m^2) :* 787/948.

■ PARKING

■ **Prix en F. Achat :** *Paris :* prix moyen (1-10-91/31-3-92) 84 342 (3e) à 233 958 (16e) ; maxi. 1 000 000 (16e et Ile-St-Louis). *Province :* 20 000 à 150 000. **Parking public :** *concession de 75 ans :* 145 000 à 185 000 mais certains n'ayant que 10 ans à courir se revendent 40 000 F à la Bourse. **Location** (par mois) : *Paris :* 500 à 2 000 F.

■ SECTEUR AIDÉ

■ **Dépenses de la collectivité pour le logement** (chiffrage du rapport Bloch-Lainé, en millions de F courants, 1992). **Aides budgétaires directes :** 30 787 dont aides à la pierre 19 631, prime épargne logement 8 843, exonération taxe foncière (part État) 2 605. **Aides personnelles :** 85 619 dont APL 30 294, ALS 11 720, ALF 11 924, frais de gestion 1 681 ; dont financement par employeurs (FNAL) 7 550, État 20 240, régimes sociaux et Bapsa 27 831. **1% logement** (collecte nouvelle) : 6 220. **Dépenses fiscales :** 35 848 dont réd. d'impôt en faveur des accédants 11 640, dép. fiscales en faveur des bailleurs 8 150, exon. intérêts épargne-logement 7 520, exon. intérêts livret A 3 500, exon. taxe foncière (fraction à la charge des collectivités locales) 2 565, dépenses fiscales diverses 2 523. **Total dépenses logement :** 128 616.

■ **Prestations versées pour les aides personnelles** (1990, en milliards de F, hors régimes spéciaux et primes de déménagement). Total et entre parenthèses location. APL 27,7 (15,5), ALS 9,4 (9,2)), ALF 11,9 (10,3), total 49 (35). **Dépenses totales d'aides à la personne** (rapport Lebègue ; hors frais de gestion, en milliards de F) : *1992 :* 53,9, *1995 :* 60,9. **Bénéficiaires au 31-12-1990 :** APL 2 350 252 (1 433 757), ALS 1 029 223 (1 005 066), ALF 1 059 855 (861 184), total 4 439 330 (3 300 007).

■ **Programmes de construction sociale aidée** (1990). *Locatif social :* réalisation 71 600 dont PLA CCF 11 100, PLA d'insertion 5 100. *Accession aidée :* logements réellement financés 38 120 dont diffus 34 010, groupés 4 110. *Prêts conventionnés :* 149 300 dont % avec APL 26,7, % constructions neuves 78.

■ **Aide personnalisée au logement (APL). Bénéficiaire :** tout locataire d'un logement pour lequel le propriétaire a passé une convention avec l'État en contrepartie de l'octroi de prêts ou d'aides financières (log. « conventionnés ») ; toute personne qui achète, construit ou améliore son logement avec un prêt aidé PAP ou avec certaines catégories de prêts conventionnés ; tout accédant à la propriété titulaire d'un contrat de location-accession, le vendeur étant lui-même titulaire d'un prêt aidé par l'État. **Versement :** au bailleur ou au prêteur. **Montant :** mensuel, calculé en appliquant un coefficient de prise en charge, variable selon ressources et composition de la famille, tenant compte de la différence entre loyer réel (ou mensualité de remboursement plafonné, majorée de charges forfaitaires) et loyer minimal qui doit rester à la charge du bénéficiaire. **Différentes catégories :** *APL 1 :* pour logements conventionnés avant le 1-1-1988, ou acquis ou construits à partir du 1-1-1988 ; *APL 2-A :* log. anciens, sans travaux, conventionnés à partir du 1-1-1988 ; *APL 2-B :* log. anciens avec travaux, conventionnés à partir du 1-1-1988. **Barème :** révisé chaque année au 1-7. *Seuils de ressources* au-delà desquels il n'y a plus droit à l'APL (période du 1-7-1992 au 30-6-93), zone I, II, III : isolé 2 221 (2 033) *1 929 ;* ménage sans personne à charge 2 601 (2 369) *2 242 ;* isolé ou ménage avec 1 p. à charge 3 054 (2 786) *2 624.* **Nombre de bénéficiaires** *1980 :* 256 500, *85 :* 1 470 000, *90 :* 238 811 dont locataires 1 462 281, accédants à la propr. 921 530. **Renseignements et démarches :** s'adresser à la Caisse d'allocations familiales, ou de mutualité sociale agricole de sa résidence.

■ **Aide financière à l'habitat autonome des jeunes agriculteurs.** S'adresser au min. de l'Agriculture.

■ **Allocation logement** (voir à l'Index). *Secteur social.* Allocation de logement aux + de 65 ans et, dans certains cas d'inaptitude au travail, aux + de 60 ans ; aux infirmes ; aux travailleurs manuels admis à la retraite anticipée de 60 à 65 ans ; aux jeunes travailleurs salariés de – de 25 ans ; aux époux (de – de 40 ans au moment de leur mariage) mariés dep. – de 5 ans ; aux familles ayant 1 enfant à charge ou 1 ascendant de + de 65 ans (ou 60 s'il est bénéficiaire d'une retraite anticipée) ou 1 parent proche infirme (au moins à 80 % ou inapte au travail) ; aux personnes touchant déjà une allocation familiale, aux bénéficiaires du revenu minimal d'insertion ; aux habitants des villes de + de 100 000 h. S'adresser à la Caisse d'all. fam. de sa résidence.

■ **Prêts. Prêts aidés pour l'accession à la propriété (PAP). Nombre :** *1979 :* 180 000, *84 :* 152 000, *90 :* 50 000, *93 :* 35 000. **Conditions :** plafond de revenus à ne pas dépasser. Pour résidence principale : achat d'un terrain et construction d'une maison individuelle ; achat d'un logement neuf (appartement ou maison indiv. dans un programme en construction), ancien (+ de 20 ans) pour l'améliorer ; agrandissement d'un log. existant dep. + de 20 ans (par extension ou surélévation) ou aménagement à usage de logement de locaux non destinés à l'habitation. *Travaux :* doivent mettre le logement de + de 20 ans en conformité avec les normes min. d'habitabilité et atteindre 35 % du coût total de l'opération (prix d'acquisition + coût des travaux + dépenses annexes d'acquisition) ; conduire à une création de surface habitable d'au moins 14 m² (agrandissement, aménagement) ; il y a une surface habitable minimale à respecter selon la situation de famille. Autorisation préalable de la DDE. **Apport personnel :** au min. 10 % (ne peut être constitué par un prêt). *Durée :* 15, 18 ou 20 ans. *S'adresser* au Crédit foncier, Stés de crédit immobilier HLM. Ouvre droit à l'APL. **Taux d'intérêts (%)** *(remboursements constants),* prêts de 15 ans 8,69, 18 ans 8,87, 20 ans 8,97. *Ajustables :* départ (avant le jeu des révisions) : prêts de 15 ans 8,45 ; 18 ans 8,61 ; 20 ans 8,7.

Prêts conventionnés (PC) (dep. le 22-11-1977). **Conditions :** résidence principale, achat d'un logement neuf, construction d'une maison, achat d'un logement ancien avec ou sans travaux, travaux d'amélioration ou d'économie d'énergie. Agrandissement d'un logement existant, aménagement de locaux en logement. Pas de plafond de revenus. *Demande :* accordés par les banques et établissements financiers qui s'engagent à ne pas dépasser un taux d'intérêt max., déterminé par le Crédit foncier de France, à partir d'un taux de référence auquel s'ajoute une marge de 2,3 points pour les prêts d'une durée inférieure ou égale à 15 ans ou à taux révisable et 2,5 points pour les prêts d'une durée supérieure à 15 ans. *Cumulable* avec prêt du 1 %, épargne-logement, prêt complémentaire aux fonctionnaires, prêts à caractère social dont le taux d'intérêt n'excède pas 5 %. Ouvre droit à l'APL. Prix plafonds modifiés en oct. 1991. *Montant du prêt conventionné :* jusqu'à 90 % du coût total. *Durée max. :* 25 ans (pour acheter ou construire). Respect d'un prix de revient ou d'un prix de vente, max. 5 à 15 ans, pour les travaux d'amélioration. **Taux** *(mars 93) en % :* accession à la propriété et régime locatif : prêts de 5 à 20 ans : 9,75 à 10,6, révisables pour prêts de 10, 15, 20 ans : 10,65 (conditions de départ).

Prêts des Caisses d'allocations familiales et Caisses de mutualité sociale agricole. *Aux jeunes ménages :* équipement mobilier ou ménager, location ou achat d'un logement. L'âge cumulé des époux ne doit pas dépasser 52 ans, dépend aussi des ressources. S'adr. à ces organismes. *A la construction :* personnes à faibles ressources bénéficiant d'un PAP, prêt conventionné ou d'une Sté de crédit HLM, ayant sollicité un prêt au titre du 0,65 % construction. *A l'amélioration de l'habitat :* réparation, assainissement, amélioration, mise en état (except. équipement ménager, achèvement de construction, d'entretien). *Complémentaires* à un prêt principal (sans intérêt) pour l'acquisition, la construction ou l'amélioration d'une maison d'habitation par le propriétaire.

Prêt locatif aidé (PLA). S'adresser à la DDE. Peut être souscrit *sur 25 ans :* taux fixe 7 % *sur 25 ans ;* taux ajustable 6,8 % *pendant 5 ans* et 7,4 % *pendant 25 ans,* soit taux moyen de 7,18 %.

Prêt locatif social (PLS). Accessible à tous les investisseurs qui entendent conserver les immeubles financés dans leur patrimoine ; taux d'intérêt fixe : 7,5 % sur la durée totale du prêt (15, 20 ou 25 ans), pour des opérations réalisées en Ile-de-France ou des agglomérations connaissant un marché locatif tendu.

Prêt au titre de la participation des employeurs à l'effort de construction (0,65 % construction) : *but :* favoriser la mobilité professionnelle. Entreprises de + de 10 personnes. Pour construction ou achat d'un logement neuf ou achat d'un logement ancien sans travaux pour les personnes qui accèdent pour la 1re fois à la propriété et qui ont des ressources inférieures à des plafonds ; pour les personnes tenues de changer de résidence principale pour des raisons de mobilité professionnelle. Le montant maximal du prêt est calculé en fonction des ressources du salarié (ressources inférieures aux plafonds PAP/ supérieures aux plafonds PAP). Il peut atteindre 10 à 15 % du coût de l'opération avec un max. de 60 000 à 100 000 F selon les revenus, la situation de famille et la région.

Autres prêts : prêts du Crédit agricole (s'adresser au Crédit agricole). **Caisses de retraite** (s'adresser à ces organismes). Complémentaires aux fonctionnaires (s'adr. au Crédit foncier). **Hypothécaires** (s'adr. aux établissements financiers). **Épargne-logement** (voir Index). **Caisses d'épargne** [prêts personnels. *Montant max.* 300 000 F en zones I et II 250 000 F en zone III (rurale). **Crédit foncier** (prêts immobiliers du secteur concurrentiel, notamment ouverture de crédit hypothécaire pour résidences principales et secondaires, prêts conventionnés, PAP). Financement des collectivités locales, crédit bail, prêts pour investissement locatif (s'adr. au Crédit foncier de France). **Crédit mutuel** (prêts conventionnés, prêts complémentaires aux PAP, aux prêts du Crédit foncier ou aux prêts d'une Sté de Crédit immobilier ; prêts classiques au logement pouvant atteindre 2 ans). **Caisses départementales d'aide au logement** (*les ressources* ne doivent pas dépasser le plafond I, financement principal par PAP).

SCI, HLM (PAP, prêts destinés à l'amélioration ou à l'agrandissement des logements. S'adr. aux offices d'HLM).

■ **Primes. Prime** (dep. 1988 subvention) **à l'amélioration des logements à usage locatif et à occupation sociale (Palulos). Bénéficiaires :** réservée d'abord aux organismes de HLM et aux SEM, peut désormais être attribuée à des organismes ou associations à vocation sociale. Plafond de revenus à ne pas dépasser. Logement de + de 20 ans : montant 20 % du coût des travaux dans la limite de 14 000 F par logement si travaux de mise en conformité aux normes min. d'habitabilité.

Prime à l'amélioration de l'habitat (PAH). Créée par décret du 20-11-1979 pour remplacer la prime à l'amélioration de l'habitat rural et la prime à l'amélioration de l'habitat. **But :** travaux d'équipement du log. **Bénéficiaires :** personnes physiques aux revenus plafonnés qui effectuent des travaux dans un logement dont elles sont propr. ou usufruitières et qu'elles occupent à titre de résidence principale, ou dont leurs ascendants ou descendants (ou ceux de leur conjoint) sont propr. ou usufruitiers et occupants à titre de résidence principale, ou exploitant agricole, associé d'exploitation titulaire d'un contrat enregistré, ou ouvrier agr. **Occupation :** doit avoir lieu dans l'année suivant le versement du solde de la prime et pendant 10 ans (3 ou 6 ans si le bénéficiaire revient d'un TOM, de l'étranger ou part à la retraite). **Travaux :** amélioration de la sécurité, la salubrité, l'équipement du logement ou de l'immeuble ; économies d'énergie ; adaptation du logement aux handicapés physiques ou aux travailleurs manuels appelés à travailler la nuit. **Montant :** 20 % du coût des travaux, dans la limite de 14 000 F par logement (plus dans certains cas). On ne peut commencer les travaux avant la décision d'octroi de prime.

Subvention pour la lutte contre l'insalubrité : prime cumulable avec les autres, sauf celles accordées par le min. de l'Agriculture, et un prêt conventionné. **Bénéficiaire :** propriétaire occupant depuis plus de 2 ans à titre de résidence principale, ressources inférieures aux plafonds des PAP. **Travaux :** stabilité et étanchéité à l'air des murs ; stabilité des planchers, escaliers, charpentes ; étanchéité des toitures ; lutte contre l'humidité ; w.-c., égouts, eau, gaz, électricité ; ventilation et conduits de fumée ; isolation thermique ; démolition de bâtiments annexes facteurs d'insalubrité. Il faut habiter le logement plus de 15 ans, sinon remboursement de la prime. S'adresser à la DDE.

■ **Autres subventions. Surcoûts architecturaux** (travaux sur immeuble classé ou inscrit, situé en secteur sauvegardé ou en site ; demande : à la DDE). **Aide des collectivités territoriales** demande : Secrét. du Conseil général de chaque départ. **Aides d'organismes sociaux** (retraités du régime de la SS, Caisses d'all. fam., subventions aux familles relevant de cas sociaux, demande à la Caisse d'all. fam. ou à la mutuelle soc. agricole). **Chauffe-eau solaire** (*prêt forfaitaire :* à la DDE). **Économies d'énergie** [demander à Ademe, 91168 Longjumeau Cedex].

Anah (Agence nationale pour l'amélioration de l'habitat) 17, rue de la Paix, 75002 Paris ou Délégation départementale de l'Anah ou à la Direction départ. de l'Équipement. Établissement public créé 1971, sous tutelle du ministère de l'Équipement, et du min. de l'Économie et des Finances. *Ressources :* subvention de l'État ; en 1993, 2 milliards de F. *Bénéficiaires :* propriétaires-bailleurs s'engageant à louer pendant 10 ans minimum comme résidence principale (5 ans si logement occupé par le propriétaire ou sa famille proche), à payer la taxe additionnelle au droit de bail, à faire réaliser les travaux par des professionnels, locataires ayant l'accord de leur propriétaire. L'immeuble doit avoir été achevé dep. + de 15 ans, remise en état de l'immeuble (toitures, façades, consolidation des murs ainsi que les travaux à l'intérieur des logements).

■ **Apport personnel.** Certains prêts peuvent en tenir lieu. *Comptes et plans d'épargne-logement. 1 % patronal :* taux 0 à 3 %, durée 1 à 20 ans. Montant : 60 000 à 100 000 F (renseignements : entreprise, Unil, 72, rue St-Charles, 75015 Paris). Si changement de résidence principale pour raisons professionnelles, montant max. du prêt est majoré de 100 000 F en Ile-de-France, 80 000 F ailleurs. *Prêt complémentaire aux fonctionnaires du Crédit Foncier de France :* taux 4 % les 3 premières années, 7 % ensuite pour fonctionnaires de l'État et de ses établ. publics, 7 % pendant toute la durée pour les autres fonctionnaires.

Protection des emprunteurs. Loi du 13-7-1979 ; (l'acte d'achat doit être signé au max. 4 mois après l'acception de l'offre de prêt ; le contrat d'achat n'est définitif que si les prêts sont obtenus) les emprunts en cours de remboursement peuvent être transférés (le prêteur peut aussi ne pas accepter une telle convention) ; le *remboursement anticipé est autorisé.* L'établissement prêteur peut exiger une indemnité représentant 6 mois d'intérêts au taux moyen du prêt dans la limite de 3 % du capital restant dû.

Logements loués

Réglementation

■ **Animaux.** Un propriétaire ne peut interdire à son locataire d'avoir un animal familier si cet animal ne cause aucun dégât à l'immeuble, ni aucun trouble de jouissance aux occupants de celui-ci.

■ **Associations de locataires** (délégués des). Créées par la loi Quilliot : consultés sur leur demande, au moins 1 fois par trimestre, sur la gestion du bâtiment.

■ **Bail.** Définit les rapports entre le bailleur (propriétaire ou usufruitier, ou leur mandataire) et le preneur. L'enregistrement (non obligatoire) lui donne une date certaine (coût 100 F).

Droit commun. Régit les locations qui ne sont pas visées par un régime particulier, tel que : loyer taxé (loi de 1948) réglementé HLM, conventionné, plafonné. Jusqu'à la loi Quillot (22-6-1982), droit commun régi par les articles du Code civil concernant le louage des choses ; laissait la possibilité aux parties de déroger à la plupart des articles. Depuis, un régime d'ordre public auquel il n'est pas permis d'échapper par dérogation contractuelle a été instauré. **Loi du 6-7-1989 (Champ d'application) :** *locaux neufs et anciens :* à usage d'habitation principale ; usage mixte professionnel et hab. principale ; garages, places de stationnement, jardins et autres locaux, loués accessoirement au local principal par le même bailleur. *Logements exclus :* meublés, logements foyers, logements attribués ou loués à titre d'une fonction ou de l'occupation d'un emploi, locations à caractère saisonnier, immeubles ruraux, locaux commerciaux et professionnels. Pour eux, la loi du 6-7-1989 a instauré une réglementation minimale : contrat écrit obligatoire, durée min. 6 ans, possibilité de donner congé avec préavis de 6 mois, à tout moment pour le locataire, en fin de bail seulement pour le bailleur.

Bail emphytéotique. Confère au preneur un droit réel susceptible d'hypothèque. *Durée :* + de 18 ans et max. 99 ans. *Assujetti* à la taxe de publicité foncière au taux de 0,60 %, au droit de bail au taux de 2,50 % et éventuellement à la taxe additionnelle. Les mutations de toute nature ayant pour objet le droit du preneur ou le droit du bailleur sont soumises aux droits de vente d'immeuble dans la mesure où elles n'entrent pas dans le champ d'application de la TVA. Si un bail emphytéotique concourt à la production d'immeubles, il peut être assujetti sur option à la TVA selon les règles applicables au bail à la construction. Il est alors exonéré du droit de bail et de la taxe de publicité foncière.

Bail notarié. Seuls les baux de 12 ans et plus nécessitent un acte notarié. Particulièrement intéressant pour le bailleur car il lui permet, à défaut de paiement des loyers ou d'exécution d'une clause de bail, de demander directement à un huissier de procéder, après un commandement demeuré infructueux, à des saisies conservatoires.

Bail commercial. *Durée de location :* min. 9 ans, au bout desquels le locataire a droit au renouvellement ou à une indemnité d'éviction. Le bail précise obligatoirement la destination des locaux (le type d'activité qui peut y être exercé). *Loyer :* la fixation du loyer initial est libre. On peut introduire une clause prévoyant l'indexation annuelle du loyer, sinon les loyers sont réévalués tous les 3 ans. *Droit au bail :* un locataire qui ne peut trouver un preneur pour son fonds de commerce peut vendre son droit au bail, c'est-à-dire le droit au renouvellement du bail pour les activités prévues. *Fonds de commerce :* il comprend des éléments matériels (mobilier, matériel, stock) et incorporels (clientèle, enseigne et droit au bail). La plupart des commerçants qui s'installent ne souhaitent pas acheter les murs et acquièrent soit un fonds de commerce, soit le seul droit au bail. *Pas-de-porte :* somme que doit payer le locataire lors de son entrée dans les lieux, en sus du loyer, du fait de la primauté de l'emplacement. *Honoraires de baux commerciaux.* En général, libres, sous réserve de l'encadrement des prix.

Honoraires de rédaction : libres dep. le 1-1-1987. *Exemples : taux :* 2 % sur la part de loyer annuel, net de charges, comprise entre 0 et 7 000 F TTC ; 1,5 % de 7 001 F à 15 000 F ; 1 % de 15 001 F à 30 000 F ; 0,5 % au-delà. *Ex. : rédaction des baux :* d'au moins 6 ans (art. 3 bis, 3 ter, 3 quater, 3 quinquies de la loi du 1-9-1948 modifiée), les honoraires déterminés par application de l'art. 1er peuvent être majorés dans la limite de 10 %.

■ **Contrat.** Doit être établi par écrit : par acte authentique [avec le concours d'un officier ministériel, notaire par ex. (la rémunération de l'intermédiaire est partagée à moitié par le bailleur et le locataire)] ou sous seing privé. Doit préciser : date ; description des locaux ; destination (habitation, usage prof. et d'hab.) ; désignation des locaux et équipements d'usage privatif et éventuellement d'usage commun ; montant du loyer, modalités de paiement, règles de révision éventuelle (art. 17 d) ; montant du dépôt de garantie si prévu ; si conclu pour une durée inférieure à 3 ans : raisons prof. ou familiales et événement précis qui justifient la reprise ; si clause expresse pour travaux d'amélioration que le bailleur fera exécuter, le bail ou un avenant précise le cas échéant la majoration du loyer consécutive.

ANNEXES AU CONTRAT : état des lieux : établi contradictoirement par les parties lors de la remise ou de la restitution des clés. A défaut, établi par huissier : frais partagés par moitié entre propriétaire et locataire. En l'absence d'état des lieux, la partie qui a fait obstacle à son établissement ne peut se prévaloir de la présomption de bon état édictée à l'article 1 731 du Code civil. *Extraits du règlement de copropriété. Références de loyer le cas échéant.*

CLAUSES INTERDITES (réputées non écrites) : obligeant le locataire en vue de la vente ou de la location à laisser visiter les j fériés ou + de 2 h les j ouvrables ; à souscrire une assurance auprès d'une compagnie choisie par le bailleur ; imposant l'ordre de prélèvement automatique sur le compte courant du loc. ou la signature par avance de traites ou billets à ordre ; autorisant le bailleur à prélever ou à faire prélever les loyers directement sur son salaire dans la limite cessible ; prévoyant la responsabilité collective des loc. en cas de dégradation d'un élément commun de la chose louée ; engageant par avance le loc. à des remboursements sur la base d'une estimation faite unilatéralement par le bailleur au titre de réparations locatives ; prévoyant la résiliation de plein droit du contrat en cas d'inexécution des obligations du loc. pour un motif autre que le non-paiement du loyer, des charges, du dépôt de garantie, la non-souscription d'une assurance des risques locatifs ; autorisant le bailleur à supprimer, sans contrepartie équivalente, des prestations stipulées au contrat ; autorisant le bailleur à percevoir des amendes en cas d'infraction aux clauses d'un contrat de location ou d'un règlement intérieur à l'immeuble ; interdisant au loc. l'exercice d'une activité politique, syndicale, associative ou confessionnelle.

Durée du contrat. Bailleur personne physique ou Sté civile (constituée exclusivement entre parents et alliés jusqu'au 4e degré) 3 ans minimum. Peut sous certaines conditions proposer un contrat de – de 3 ans, mais de + de 1 an, s'il doit reprendre le logement pour des raisons professionnelles ou familiales. 2 mois au moins avant le terme du contrat, le bailleur doit : soit confirmer la réalisation de l'événement (événement produit : locataire déchu de plein droit de tout titre d'occupation au terme prévu dans le contrat) ; soit proposer le report du terme du contrat, si la réalisation de l'événement est différé (peut le faire une seule fois) ; s'il ne s'est pas produit ou n'est pas confirmé, le contrat est réputé être de 3 ans. **Personne morale** (sauf s'il s'agit d'une Sté civile entre parents et alliés jusqu'au 4e degré) 6 ans minimum. **Collectivité locale :** durée et conditions de renouvellement non réglementées.

Obligations des parties. BAILLEUR : **délivrer le logement en bon état** d'usage et de réparation, ainsi que les équipements mentionnés au contrat de location en bon état de fonctionnement. S'il n'est pas en bon état d'usage, les parties peuvent convenir par une clause expresse des travaux que le loc. exécutera ou fera exécuter et des modalités de leur imputation sur le loyer ; cette clause prévoit la durée de leur imputation, et en cas de départ anticipé du loc., les modalités de son dédommagement sur justification des dépenses effectuées. Les parties fixent immédiatement le montant et la durée de la déduction : la déduction est alors forfaitaire et ne peut être remise en cause quel que soit le montant réel des travaux. Nature des travaux : ne peut concerner que des logements répondant aux normes minimales de confort et d'habitabilité fixées par décret (6-3-1987). **Assurer au loc. la jouissance paisible** du logement. Le garantir des vices ou défauts de nature à y faire obstacle hormis ceux qui, consignés dans l'état des lieux, auraient fait l'objet de la clause expresse des travaux. **Entretenir les locaux en bon état de servir à l'usage prévu** par le contrat et y faire toutes les réparations, autres que locatives, nécessaires au maintien en état et à l'entretien normal des locaux loués. Ne pas s'opposer aux aménagements réalisés par le loc., dès lors que ceux-ci ne constituent pas une transformation de la chose louée.

LOCATAIRE : **payer** le loyer et les charges récupérables aux termes convenus (paiement mensuel est de droit s'il le demande). **User paisiblement des locaux loués** suivant la destination qui leur a été donnée pendant la durée du contrat dans les locaux dont il a la jouissance exclusive, à moins qu'il ne prouve un cas de force majeure, la faute du bailleur ou le fait d'un tiers qu'il n'a pas introduit dans le logement. **Prendre à sa charge** l'entretien courant du logement, des équipements mentionnés au contrat et les menues réparations locatives définies par décret, sauf si elles sont occasionnées par vétusté, malfaçon, vice de construction, cas fortuit ou force majeure. **Laisser exécuter dans les lieux loués les travaux d'amélioration** des parties communes ou privatives et les travaux nécessaires au maintien en état et à l'entretien normal des locaux loués ; le préjudice éventuel résultant des travaux peut être compensé (art. 1 724, al. 2 et 3 du Code civil). **Ne pas transformer les locaux** et équipements loués sans l'accord écrit du propriétaire ; à défaut, ce dernier peut exiger du loc., à son départ des lieux, leur remise en état ou conserver à son bénéfice les transformations effectuées sans que le loc. puisse réclamer une indemnisation des frais engagés. **S'assurer contre les risques** dont il doit répondre en sa qualité de loc. et d'en justifier lors de la remise des clés puis chaque année à la demande du bailleur.

Cession du bail : interdite sauf accord écrit du bailleur. **Transfert du bail : abandon de domicile :** départ brusque et imprévisible non concerté à l'avance, le contrat continue au profit du conjoint sans préjudice de l'art. 1751 du Code civil ; au profit des descendants qui vivaient avec lui depuis au moins 1 an à la date de l'abandon. **Décès du locataire :** id. Si plusieurs bénéficiaires se manifestent, le juge tranchera ; à défaut de personne remplissant les conditions prévues, le contrat est résilié de plein droit.

■ **Chambre de service. Normes classiques d'habitabilité :** surface minimale de 10 m², hauteur sous plafond de 2,5 m, ouverture donnant à l'air libre, lavabo avec eau courante, dispositif permettant le chauffage, usage d'un w.-c. collectif à l'étage ou à demi-palier et desservant au plus 5 chambres.

■ **Charges. Récupérables :** services rendus liés à l'usage des éléments de la chose louée ; dépenses d'entretien courant et menues réparations sur les éléments d'usage commun ; droit de bail et impositions qui correspondent à des services dont le loc. profite directement. Liste fixée par décret en Conseil d'État. **Paiement :** sur justification ; peuvent donner lieu à des provisions. **Régularisation :** au moins annuelle ; durant un mois à compter de l'envoi de ce décompte, les justificatifs sont à disposition des locataires.

Charges récupérables (décret du 26-8-1987 pour contrats soumis à la loi Méhaignerie du 23-12-1986). **Ascenseurs et monte-charges :** électricité, visites périodiques d'entretien, dépannage sans réparation ni pièces, produits et petits matériels (chiffons, graisse, huile) et lampes de cabine, petites réparations de cabine et palier, balai du moteur et fusibles. **Eau et chauffage :** eau froide et chaude et taxes correspondantes, produits d'entretien de l'eau, électricité et combustible, exploitation et entretien courant (graissage, petits matériels, vérification, frais de contrôle, mise en repos...), menues réparations sur parties communes et éléments communs (réfection des joints, presse-étoupes, clapets, recharge de pompes à chaleur...). **Installations individuelles :** chauffage et eau chaude : combustible, exploitation, entretien courant et menues réparations (contrôles...), remplacement des joints, clapets. **Parties communes :** électricité, fournitures consommables (produits d'entretien, balais...), entretien de la minuterie, des tapis, des appareils de propreté ; frais de personnel (salaire et charges hors avantages en nature) en totalité pour un employé d'immeuble, aux ¾ pour un concierge ou gardien ; opérations d'entretien et menues réparations dans les jardins, allées, bassins, massifs, bacs à sable... **Hygiène :** dépenses de consommables, sacs de déchets, produits de désinfection et désinsectisation, entretien courant et exploitation des fosses de vidange, vide-ordures. **Équipements divers :** énergie de ventilation mécanique, ramonage, entretien, entretien codes et interphones et nacelles de nettoyage, façades vitrées, abonnement des téléphones communs. **Impôts :** droit de bail, taxe et redevance des ordures, taxe de balayage.

Charges du logement en Ile-de-France (coût annuel en F au m², 1990, hors chauffage) : Pour un logement sans confort collectif construit avant 1948 / construit dep. 1976 / situé dans un immeuble de grande hauteur (*Source :* CNAB). *Total :* 101,9/116,7/193,2. Personnel d'immeuble (nettoyage, gardiennage, entretien) 40,42 / 37,88 / 55,38. Travaux except. 24,78 / 9,40 / 11,24. Honoraires de syndic 14,97 / 12,51 / 11,96. Eau froide 13,23 / 16,17 / 18,46. Travaux d'entretien 10,66 / 12,31 / 26,08. Ascenseur 8,21 / 11,91 / 14,76. Assurances 5,28 / 6,39 / 8,85. Impôts locaux 3,78 / 0,78 / 1,11.

COÛT DES CHARGES DE COPROPRIÉTÉ
(en 1991, en F. Source : FNAIM)

	Chauffage et eau chaude	Gardiennage et entretien	Eau froide	Honoraires	Autres	Total
Angers	4 292	2 361	629	475	1 804	9 561
Bordeaux	2 893	2 032	539	423	1 825	7 712
Dijon	3 619	1 638	561	534	1 648	8 000
Grenoble	3 930	2 242	346	684	3 625	10 827
Ile-de-France	4 599	3 726	1 074	647	3 494	13 540
Lille	4 109	2 545	972	703	1 896	10 225
Lyon	4 065	1 977	1 240	396	1 430	9 108
Montpellier	2 195	1 518	154	374	1 552	5 793
Nancy	3 234	1 339	767	574	1 346	7 260
Nantes	3 341	1 507	215	379	1 338	6 780
Cannes	2 419	2 325	651	628	2 405	8 428
Paris	3 600	4 112	577	593	3 664	12 546
Rouen	3 361	1 485	264	497	1 309	6 916
Toulouse	4 176	1 831	1 102	501	1 165	8 775
Tours	3 060	1 746	661	495	1 843	7 805
Moyenne nat.	*3 673*	*2 397*	*782*	*562*	*2 109*	*9 523*

■ **Commissions. Commission départementale de conciliation :** composée de représentants d'organisations de bailleurs et de locataires en nombre égal.

Commission nationale de concertation : comprend notamment des représentants des organisations représentatives au plan national de bailleurs, locataires et gestionnaires. Composition, mode de désignation des membres, organisation et règles de fonctionnement fixés par décret en Conseil d'État.

Commissions (frais) d'agence, de notaire : partagés par moitié entre locataire et propriétaire. Voir Agents immobiliers p. 1377.

■ **Congé. Donné par le bailleur. En cours de bail** le bailleur ne peut donner congé sauf si le loc. ne respecte pas ses obligations. **A l'expiration du bail** il peut donner congé : s'il est motivé *1°) Par la reprise du logement* (pour lui-même, son concubin notoire depuis au moins 1 an à la date du congé, son conjoint, ses ascendants, descendants ou ceux de son conjoint ou concubin notoire) ; ce congé n'est assorti d'aucune condition de délai ni de durée d'occupation par le bénéficiaire ; il faut un préavis de 6 mois au minimum en indiquant le motif, les nom et adresse du bénéficiaire de la reprise. *2°) Par la vente du logement :* préavis de 6 mois minimum assorti d'un droit de préemption en faveur du loc. Si la vente s'effectue en cours de bail, c'est-à-dire sans qu'un congé puisse être délivré, aucun droit de préemption ne peut être invoqué, sauf celui applicable dans le cadre de la loi du 31-12-1975. Si le congé vaut offre de vente au profit du loc., il doit, à peine de nullité, indiquer les prix et conditions de vente projetée. Cette offre est valable les 2 premiers mois du préavis. Si le loc. n'a pas accepté l'offre dans ce délai, il est déchu de plein droit de tout titre d'occupation sur le logement, à l'expiration du délai de préavis. Si le loc. accepte l'offre, il dispose de 2 mois pour réaliser la vente à compter de la date d'envoi de la réponse au bailleur ; si dans sa réponse il notifie son intention de recourir à un prêt, son acceptation est subordonnée à l'obtention du prêt. Le délai de réalisation de la vente est porté à 4 mois. Le contrat de location est prorogé jusqu'à l'expiration du délai de réalisation de la vente. Si à expiration la vente n'a pas été réalisée, l'acceptation de l'offre est nulle de plein droit et le loc. est automatiquement déchu de tout titre d'occupation du local. Ne peuvent bénéficier du droit de préemption les loc. des immeubles frappés d'une interdiction d'habiter, d'un arrêté de péril ou déclarés insalubres, lorsque la vente est faite entre parents jusqu'au 3e degré inclus, si l'acquéreur occupe le logement pendant au moins 2 ans à compter de l'expiration du préavis. *3°) Pour motif légitime et sérieux :* préavis min. de 6 mois si le loc. n'exécute pas des obligations lui incombant (ex. : un loc. payant systématiquement son loyer et ses charges avec retard alors qu'une clause de bail fixe précisément l'échéance des paiements).

☞ *Locataire de plus de 70 ans et disposant de ressources inférieures à une fois et demie le montant annuel du Smic.* Si le bailleur a moins de 60 ans ou si ses ressources annuelles sont supérieures à une fois et demie le montant annuel du Smic, il doit fournir au loc. un logement correspondant à ses besoins et possibilités et situé dans : le même arrondissement ou arr. limitrophes ou communes limitrophes de l'arr. où se trouve le local, objet de la reprise, si celui-ci est situé dans une commune divisée en arr. ; le même canton ou les cantons limitrophes de ce canton inclus dans la même commune ou dans les communes limitrophes de ce canton, si la commune est divisée en cantons ; sinon sur le territoire de la commune ou d'une commune limitrophe, sans pouvoir être éloigné à plus de 5 km. L'âge du loc. et du bailleur sont appréciés à la date d'échéance du contrat ; le montant de leurs ressources à la date de notification du congé.

Donné par le locataire. Le loc. peut donner congé à tout moment, avec un préavis de 3 mois (en cas de mutation ou de perte d'emploi ou si le loc. bénéficie du RMI ou a + de 60 ans et que l'état de santé justifie un changement de domicile : 1 mois). **Forme des congés :** par lettre recommandée avec demande d'avis de réception ou signifiés par acte d'huissier ; délai de préavis courant à compter du j. de réception de la lettre ou de la signification de l'acte.

■ **Dépôt de garantie.** Aucun ne peut être demandé si le loyer est payable d'avance pour une période supérieure à 2 mois. *Montant max. :* 2 mois de loyer principal ; ne porte pas intérêt au bénéfice du loc. ; ne doit pas être révisé durant l'exécution du contrat, ni au moment du renouvellement. *Restitution :* dans les 2 mois à compter de la remise des clés par le loc., déduction faite le cas échéant des sommes restant dues au bailleur et des sommes dont celui-ci pourrait être tenu, au lieu et place du loc. A défaut, le solde dû au loc., produit intérêt au taux légal.

■ **Droit de bail.** Perçu sur les baux à durée limitée et les locations verbales. *Taux :* 2,50 % sur le prix annuel de la location. L'Administration peut retenir la valeur locative réelle si elle est supérieure. *Locations qui n'y sont pas soumises :* celles au loyer annuel inférieur à 1 500 F ; soumises à la TVA (meublé, fonds de commerce ou locaux industriels équipés ou les locations dont le bailleur a opté pour la TVA). Le propriétaire doit souscrire, avant la fin de l'année, une déclaration des loyers courus du 1-10 au 30-9 et acquitter les droits correspondant à ces loyers (droit de bail et, éventuellement, taxe additionnelle).

■ **Échange de logement.** Possible entre 2 locataires occupant 2 logements appartenant au même propriétaire et situés dans le même ensemble immobilier quand l'un a au moins 3 enfants et que l'échange permet d'accroître la surface du logement occupé par la famille la plus nombreuse. Chaque locataire se substitue alors de plein droit à celui auquel il succède pour la durée restant à courir.

■ **Étudiants.** Location et sous-location en meublé à des étudiants et à des jeunes travailleurs portant sur une partie des locaux de la résidence principale du loueur, et effectuées à un prix raisonnable, sont *exonérées de patente, d'impôt sur le revenu, de TVA.* (revenu annuel max. 5 000 F).

■ **Expulsion. Cas possibles :** le bailleur peut demander au juge du tribunal d'instance d'ordonner l'expulsion d'un locataire qui ne respecte pas le contrat (ex. loyers impayés), ne quitte pas les lieux après avoir reçu légalement son congé, ou quand le bail arrive à expiration. Le juge de l'exécution peut accorder des délais aux occupants. La durée ne peut être inférieure à 3 mois ni supérieure à 3 ans.

Procédure (loi du 9-7-1991 et décret du 31-7-1992) : une décision de justice ou un procès-verbal de conciliation exécutoire est nécessaire ; un commandement à libérer les lieux doit être adressé à la personne expulsée. Ce commandement ne se substitue pas au commandement de payer qui demeure en cas d'impayé de loyer en préalable à toute décision de justice. Forme : acte d'huissier de justice signifié à la personne expulsée contenant toutes précisions. Le commandement peut être délivré dans l'acte de signification du jugement d'expulsion. Une copie est adressée par l'huissier par lettre recommandée avec accusé de réception au préfet ; il lui communique tous renseignements relatifs à l'expulsé et personnes vivant habituellement avec lui.

Délais : au minimum, à l'expiration d'un délai de 2 mois qui suit le commandement. Peut être réduit par le juge s'il s'agit de personnes entrées dans le local par voie de fait. Il peut être rallongé de 3 mois si l'expulsion a pour l'expulsé des conséquences d'exceptionnelle dureté (période de l'année, mauvais temps). Ces modifications ne remettent pas en cause les délais que l'occupant peut obtenir par le jeu des art. L 613-1 à L 613-5 (3 mois à 3 ans). Le juge de l'exécution tient compte de la bonne volonté de l'occupant (exécution de ses obligations, diligence pour se reloger), de sa situation matérielle et de santé et de celles du propriétaire.

Exécution : à l'issue des délais, l'expulsion peut être faite par l'huissier. En l'absence de l'occupant du local ou s'il en refuse l'accès, l'huissier ne peut y pénétrer qu'en présence du maire de la commune, d'un conseiller municipal ou d'un fonctionnaire municipal délégué, d'une autorité de police ou de gendarmerie, requis pour assister au déroulement de la procédure ou, à défaut, de 2 témoins majeurs qui ne sont au service ni du créancier, ni de l'huissier. Dans les mêmes conditions, les meubles peuvent être ouverts. L'huissier peut requérir le concours de la force publique. L'État est tenu de prêter son concours à l'exécution des jugements et des autres titres exécutoires. Son refus ouvre droit à réparation.

Dates : on ne peut exécuter une mesure d'expulsion du 1er nov. au 15 mars, sauf si le relogement est assuré dans des conditions normales, s'il y a un arrêté de péril, s'il s'agit de logements pour étudiants ayant cessé de satisfaire aux conditions (loi du 3-5-1990, art. 21) ou s'il s'agit de « squatters ».

Statistiques : demandes de réquisition de la force publique : *1980 :* 22 000, *87 :* 38 000 ; décisions d'octroi par l'Administration du concours de la force publique : *80 :* 8 700, *87 :* 18 000 ; interventions effectives de la police : *80 :* 2 000, *87 :* 5 200.

■ **Habitabilité** (normes minimales). Définies par le décret du 6-3-1987. **État :** gros œuvre étanche et en bon état d'entretien, parties communes en bon état d'entretien, canalisations d'eau en bon état, conformes au règlement sanitaire en vigueur et suffisantes pour une distribution permanente avec un débit correct. **Pièces :** au minimum 1 pièce principale, 1 pièce de service (salle d'eau, w.-c.) et un coin cuisine. *Surface habitable minimale :* 16 m² pour une surface moyenne des pièces habitables d'au moins 9 m² (minimum par pièce 7 m²). *Hauteur sous plafond min. :* 2,20 m. *Aération :* pièces principales : une ouverture donnant à l'air libre ; autres pièces, une ventilation suffisante. *Cuisines et coins cuisine :* évier avec siphon alimenté en eau potable chaude et froide ; il doit être possible d'installer un appareil de cuisson. Installations de gaz et d'électricité : suffisantes et conformes aux règlements.

Équipement sanitaire : *logements de + de 2 pièces principales,* 1 w.-c. séparé de la cuisine et de la pièce principale par un sas, 1 salle d'eau avec lavabo, baignoire ou douche, alimentés en eau chaude ou froide ; *d'1 ou 2 p. principales,* 1 pièce avec w.-c. ne communiquant pas directement avec la cuisine et 1 lavabo avec eau chaude et froide, ou 1 salle d'eau ou 1 coin douche, le w.-c. à usage privatif étant à l'étage ou à un demi-palier de distance.

Chauffage : dispositif de réglage automatique de température. S'il n'existe pas de chauffage central, pour un logement de *3 p. principales :* 1 appareil fixe, poêle ou radiateur à gaz ou électrique ; *de 3 ou 4 p. :* 2 appareils ; *de 5 p. ou + :* au moins 3 appareils.

■ **Information et consultation des locataires.** Chaque association qui, dans un immeuble ou groupe d'immeubles, représente au moins 10 % des loc. ou est affiliée à une organisation siégeant à la commission nat. de concertation, désigne au bailleur, et le cas échéant, au syndic de copropr., par lettre recommandée avec demande d'avis de réception, le nom de 3 au plus de ses représentants choisis parmi les loc. de l'immeuble ou du groupe d'immeubles. Ils ont accès aux différents documents concernant la détermination et l'évolution des charges locatives. Dans les immeubles en copropriété, les représentants peuvent assister à l'assemblée générale de copropriété et formuler des observations sur les questions inscrites à l'ordre du jour.

■ **Litiges.** Ils demeurent soumis aux principes antérieurs (saisine de la Commission départementale de conciliation et, à défaut d'accord, du juge). La loi du 13-1-1989 et le décret du 15-2-1989 prévoient l'étalement sur 6 ans des hausses de loyer supérieures à 10 %, la nullité de toute hausse non accompagnée de références (3 en province, 6 à Paris) dont 1/3 seulement pourra concerner des locations récentes (locataire entré dans les lieux dep. – de 3 ans).

■ **Locations saisonnières.** *Réservation :* par l'intermédiaire d'un agent, montant réclamé au moment de la réservation : au maximum 25 % du prix de la location y compris le dépôt de garantie ; ne peut être exigée plus de 6 mois avant le début de la location, solde versé à la remise des clés (commission de l'agent, libre) ; location sans intermédiaire, somme versée à titre de réservation peut être fixée librement. *Annulation de la location :* s'il s'agit d'acompte, l'engagement des parties est ferme et définitif (si le locataire ne donne pas suite, le propriétaire peut lui demander la totalité du prix ; s'il s'agit d'arrhes, les 2 parties pourront annuler la réservation, le locataire en abandonnant les arrhes, le propriétaire en restituant le double de la somme versée). *Caution :* libre ; en gén. 20 % du loyer au max. ; versée à l'entrée dans les lieux. *Prix :* libre. **Régime fiscal :** *taxe professionnelle :* payée par le bailleur, exigible si le logement est loué périodiquement chaque année ; exonération de la taxe prévue lorsque le logement fait partie de la résidence du bailleur (y compris les chambres de service) et pour certains gîtes ruraux. *Taxe de séjour :* 1 à 7 F par personne ; montant fixé par le conseil municipal, demandé au locataire en plus du loyer. *TVA :* dep. 1-1-1991 les locations saisonnières de logements meublés en sont en principe exonérées.

■ **Lois. Du 1-9-1948 :** possibilité restreinte de transformer les baux soumis à la loi de 1948 accordée aux logements classés IIB ou IIC, en contrats de location de 8 ans avec un nouveau loyer fixé en fonction de ceux pratiqués dans le voisinage. Les locataires aux ressources inférieures au plafond légal peuvent s'opposer à cette transformation. **Loi Quilliot (22-6-1982) :** abrogée par la **loi Méhaignerie.** S'appliquait aux locaux à usage d'habitation et d'usage mixte (habitation et professionnels). Étaient exclus les locaux loués par des professionnels, logements de fonction, log.-foyers, locations-accession, chambres meublées, locaux à caractère saisonnier (art. 2), résidences secondaires (arrêt de la Cour de cassation du 29-11-1983). **Loi Méhaignerie (23-12-1986) :** s'appliquait aux locations à usage d'habitation principale ou à usage mixte (professionnel et d'habitation principale). Ne concernait ni les résidences secondaires, ni les locations saisonnières, ni les locations meublées. **Mermaz-Malandain (6-7-1989) :** voir **Bail** p. 1384.

■ **Loyer. Fixation initiale :** *librement* entre les parties pour un logement neuf ou vacant ayant fait l'objet de travaux de mise ou de remise aux normes définies par décret ; ou faisant l'objet d'une 1re location et conformes aux normes ; ou vacant et aux normes ayant fait l'objet depuis moins de 6 mois d'améliorations des parties privatives ou communes, d'un montant au moins égal à une année de loyer antérieur. Si le loyer ne peut être fixé librement selon les conditions ci-dessus, il doit être fixé par référence aux loyers du voisinage pour des logements comparables. Le bailleur doit fournir : 6 références minimum dans les communes d'une agglomération de + de 1 million d'hab., 3 dans les autres zones, 2/3 au moins de ces références doivent correspondre à des locations pour lesquelles il n'y a pas eu de changement de loc. depuis au moins 3 ans. *Références :* auprès des professionnels, associations de loc. ou de propriétaires, observatoires de loyers créés à cet effet. En cas de non-respect des conditions de mise en œuvre des références, le loc. a 2 mois pour contester le loyer initial proposé (sans qu'il soit porté atteinte à la validité du contrat en cours devant la commission de conciliation et à défaut d'accord devant le juge ; la fixation en fonction des références est applicable 5 ans à compter de la publication de la loi, soit jusqu'au 8-7-1994. **Révision annuelle :** pendant le contrat, s'il y a une clause expresse de révision, l'augmentation ne peut excéder la variation de l'indice de la construction publié par l'Insee. **Fixation au moment du renouvellement :** loyer révisé en fonction de l'indice Insee. S'il est manifestement sous-évalué, il peut être réévalué par référence aux loyers habituels du voisinage ; dans ce cas, le bailleur peut, au moins 6 mois avant le terme, proposer au loc. de renouveler le contrat avec un nouveau loyer fixé par référence aux loyers du voisinage pour des logements comparables (cette proposition ne peut être assortie d'un congé). *Majoration :* les parties peuvent convenir d'une majoration spéciale en cas de travaux d'amélioration réalisés par le bailleur (une clause expresse doit figurer dans le contrat). **Paiement du loyer et quittance :** le bailleur est tenu de remettre gratuitement au loc. qui en fait la demande une quittance distinguant loyer, droit de bail, charges ; si le loc. effectue un paiement partiel, le bailleur est tenu de délivrer un reçu.

■ **Maintien dans les lieux** (droit). Existe dans les logements soumis à la loi de 1948 et à loyer réglementé (HLM) sauf pour les sous-locations partielles [le *sous-loc.* a droit au maintien dans les lieux à l'encontre du loc. principal, sauf droit de reprise de ce dernier ; mais pas à l'encontre du propriétaire de l'immeuble lorsque le loc. principal quitte les lieux, renonce ou est déchu du droit au maintien en possession]. Ont droit au maintien dans les lieux les loc. ou occupants de « bonne foi » : *l'étudiant* (dans les mêmes conditions qu'un autre loc.), *le fonctionnaire* détaché hors de France. En cas d'abandon ou de décès de l'occupant de bonne foi : le conjoint, et, lorsqu'ils vivaient effectivement avec lui depuis plus d'un an, les ascendants, les handicapés et les enfants mineurs jusqu'à leur majorité. *L'occupant d'un logement accessoire* (de fonction) n'a pas droit au maintien dans les lieux. LE DROIT AU MAINTIEN DANS LES LIEUX NE PEUT ÊTRE OPPOSÉ : 1° *au propriétaire qui a obtenu l'autorisation de démolir* un immeuble pour en construire un autre ayant plusieurs logements, et dont la surface habitable sera supérieure, *ou l'autorisation d'effectuer des travaux ayant pour objet d'augmenter la surface habitable,* le nombre de logements, le confort de l'immeuble. Le propriétaire doit donner un préavis de 6 mois et commencer les travaux de reconstruction dans les 3 mois du départ du dernier occupant. Souvent, l'Administration subordonne l'autorisation de démolir au relogement des occupants évincés. Les occupants évincés ont un *droit de réintégration* dans les locaux reconstruits ou aménagés quand ils ne sont pas relogés dans un local ayant au moins les mêmes conditions d'hygiène. 2° *au propriétaire qui exerce son droit de reprise pour occuper lui-même son logement ou le faire occuper par un membre de sa famille.* L'exercice du droit de reprise par le propriétaire peut entraîner pour lui l'obligation de reloger le locataire.

■ **Meublés. Durée :** librement déterminée par les parties ; si elle est indéterminée, on peut donner congé au locataire à tout moment en respectant le préavis en usage. **Location par un non-professionnel :** secteur libre : loyer libre. Locaux soumis à la loi du 1-9-1948 : loyer fixé selon la surface corrigée (forfaitairement), majoré du prix de location des meubles qui ne peut dépasser le montant du loyer principal (art. 43). **Par les professionnels** (hôtels meublés, pension de famille...) : loyer libre depuis le 1-1-1987. Sont considérées comme loueurs professionnels les personnes inscrites en tant que telles au registre du commerce et des sociétés et qui réalisent + de 150 000 F de recettes annuelles ou retirent de cette activité + de 50 % de leur revenu global. Les revenus sont des bénéfices ind. et commerciaux. Après 5 ans, exonération des plus-values. Exonération possible de l'ISF. Elles sont redevables de la TVA (taux à 18,60 % sur les services annexes éventuels, petit déjeuner, blanchissage). Leurs bénéfices sont imposables au régime du forfait (recettes inférieures à 150 000 F) ou au régime du bénéfice réel, normal ou simplifié. Sont exonérés de droit de bail et dispensés de l'obligation d'enregistrement les meublés au montant annuel max. de 12 000 F. *Droit au bail* si loyer annuel de + de 12 000 F. Exonérés de la TVA dep. 1-1-91 pour les meublés d'habitation.

Taxe professionnelle : tous les loueurs en meublé y sont soumis, sauf les loueurs accidentels (et sans caractère périodique) d'une partie de leur habitation principale ou les loueurs même à titre habituel d'une partie de cette même habitation qui sont exonérés de toute autre imposition ; les loueurs saisonniers d'une partie de leur habitation, à titre de gîte rural pour les vacances, d'une partie de leur résidence principale ou secondaire, à la semaine et pour un nombre de semaines n'excédant pas 12.

■ **Personnes âgées.** *Location régie par la loi du 1-9-1948 :* maintien dans les lieux possible pour : les + de 70 ans, ne disposant pas de revenus suffisants (max. : 1 fois 1/2 le montant annuel du Smic), si leur relogement n'est pas assuré et si le bénéficiaire de la reprise a – de 65 ans ; et les + de 65 ans (60 en cas d'inaptitude au travail), et occupant un logement II A, s'ils n'ont pas un revenu annuel imposable au max. de 39 000 F (Ile-de-Fr.), 24 000 F (autres régions) (décret 26-8-1975).

■ **Propriétaire. Obligations :** le propriétaire est garant : *1°) des vices ou défauts* de la chose louée qui en empêchent l'usage, quand même il ne les aurait pas connus lors du bail (cheminées qui fument ou qui ne permettent pas d'y faire du feu, humidité due à l'insuffisance de l'épaisseur des murs, infiltrations d'eau tenant à la mauvaise construction de l'immeuble ou à la nature du sol) ; *2°) des troubles apportés à la jouissance* de la chose louée, troubles venant de son fait, du fait du concierge ou des locataires (en cas de défaut d'entretien, le preneur a droit à une réduction du loyer si l'étendue de sa jouissance est diminuée) ; *3°) des vols* commis dans les locaux loués s'ils sont la conséquence d'une négligence grave du concierge. Ex. : concierge travaillant à l'extérieur laissant la loge à l'abandon toute la journée, sans que le propriétaire informé de cette situation ait rien fait pour y remédier. **Grosses réparations.** Elles lui incombent normalement (sauf conventions contraires) : si elles excèdent le cadre de l'entretien courant, travaux de ravalement, réparations extérieures : murs, toitures, escaliers en mauvais état, balcons, barres des fenêtres, ascenseurs. Ni le cas fortuit, ni la force majeure, ni la vétusté, la malfaçon ou le vice de construction ne peuvent l'exonérer de cette obligation. **En cas de perte** totale ou partielle de l'immeuble, il n'est pas obligé de reconstruire. **Il n'est pas** tenu de délivrer un certificat de domicile à un locataire, mais doit lui délivrer une quittance de loyer si celui-ci en fait la demande. **Il ne peut :** 1°) s'opposer à l'installation par le loc. du gaz et de l'électricité ; 2°) interdire au loc. d'avoir un animal familier dans son logement. Le propriétaire qui loue un local avec une ligne téléphonique lui appartenant doit prévoir une clause spéciale.

■ **Ravalement à Paris.** Obligé par le Code de la construction et de l'habitation, et par le règlement sanitaire départemental. Concerne façades, cours, courettes et parties communes. La Mairie de Paris n'exige pas systématiquement la remise en état de propreté d'un immeuble non ravalé depuis 10 ans ; le ravalement ne doit intervenir que si l'état de l'immeuble le nécessite. Le Service de l'hygiène et du ravalement de la mairie de Paris (50, rue de Turbigo, 75003) repère les immeubles sales ou dégradés et informe leurs propriétaires. Si à la suite de cet avertissement les travaux ne sont pas effectués dans les délais impartis : amende de 1 000 à 20 000 F. Si le propr. ne fait pas faire les travaux après qu'un arrêté lui a été dûment notifié, la Ville peut se substituer à lui et les faire exécuter d'office à ses frais. *Aspects fiscaux :* un propriétaire occupant sa résidence principale bénéficie d'une réduction d'impôts égale à 25 % du montant des travaux dans la limite de 15 000 F par ménage, + 2 000 F par personne à charge. Un propriétaire bailleur peut déduire la totalité correspondant aux appartements qu'il loue de ses revenus fonciers, mais ne peut récupérer cette dépense sur ses locataires.

■ **Réparations locatives** (décret du 26-8-1987). *Extérieur :* entretien courant des jardins, dégorgement des conduits, démoussage. *Ouvertures :* graissages, menues réparations, remplacement des boulons, clavettes et targettes, réfection des mastics, remplacement des vitres, graissage des stores, remplacement des cordes, graissage et petites pièces des serrures et grilles. *Intérieur :* plafonds, murs et cloisons : nettoyage, menus raccords de peinture et tapisserie, remplacement de quelques éléments (faïences...), rebouchage des trous ; sols : encaustiquage des parquets, remplacement de quelques lames, raccords de moquette ; placards : remplacement des tablettes et tasseaux et réparation des fermetures. *Plomberie :* eau : dégorgement, remplacement joints et colliers ; gaz : entretien robinets, siphons, ouvertures, remplacement des tuyaux souples, vidange des fosses ; chauffage : remplacement bilames, pistons, membranes, boîtes à eau, clapets, joints..., rinçage et nettoyage des corps de chauffe et tuyaux, joints, clapets, presse-étoupe... ; éviers : nettoyage dépôts calcaires, remplacement des tuyaux flexibles. *Électricité :* remplacement des interrupteurs, prises, coupe-circuits et fusibles, des ampoules, tubes, remplacement baguettes et gaines. *Autres équipements mentionnés dans le bail :* entretien courant et menues réparations (réfrigérateur, machine à laver, pompe à chaleur, cheminées...), dépose des bourrelets, graissage, remplacement des joints, ramonage.

■ **Renouvellement du contrat. Tacite :** à défaut de congé dans les formes légales, pour sa durée initiale. Le loyer est le même que celui de l'ancien contrat éventuellement révisé selon l'indice Insee.

Renouvellement pour – de 3 ans : possible si un événement justifie que le bailleur ait à reprendre le logement. Proposition à faire au moins 6 mois avant le terme du contrat par lettre recommandée avec AR ou par signification d'huissier. Le nouveau loyer ne peut être supérieur à l'ancien éventuellement révisé selon l'indice Insee.

Renouvellement avec nouveau loyer *en cas de loyer manifestement sous-évalué :* le bailleur peut proposer le nouveau loyer fixé par référence aux loyers du voisinage pour des logements comparables. Doit faire connaître au loc. sa proposition par lettre recommandée avec AR ou par acte d'huissier au moins 6 mois avant le terme. Si le loc. est d'accord il a intérêt à manifester son accord au bailleur par écrit (le bail se renouvelle pour 3 ou 6 ans selon la nature du bailleur) ; s'il manifeste son désaccord par écrit ou ne répond pas 4 mois avant le terme, le bailleur, s'il désire appliquer sa proposition de nouveau loyer, doit saisir la commission départem. de conciliation. A défaut de saisine, le contrat est reconduit de plein droit aux conditions antérieures du loyer éventuellement révisé. Si les parties ne peuvent se mettre d'accord devant la commission, le bailleur devra saisir le juge d'instance, avant le terme du contrat de location, qui tranchera à partir des éléments fournis par les parties (attestations d'agents immobiliers, relevés de petites annonces, attestations de propriétaires ou de locataires). Le juge peut demander une expertise [frais avancés par le demandeur ; à l'issue du procès, feront partie des dépens (en général à la charge du perdant)]. La hausse fixée judiciairement s'appliquera rétroactivement, par tiers ou par sixième selon la durée du contrat, à la date d'effet du bail renouvelé. Dès le début de l'instance judiciaire, le juge pourra fixer un loyer provisionnel. Si le bailleur n'a pas saisi le juge avant le terme du contrat, celui-ci est réputé se renouveler de plein droit avec l'ancien loyer révisé en fonction de l'indice Insee. *Étalement du nouveau loyer* par tiers ou par sixième selon la durée du contrat. En cas de renouvellement inférieur à 6 ans, si la hausse est sup. à 10 %, elle s'applique par sixième annuel au contrat renouvelé, puis lors du renouvellement ultérieur. Si le bailleur est une personne morale, la hausse quel que soit son % doit être étalée sur 6 ans.

☞ Si le bailleur a fait une proposition de renouvellement avec une réévaluation de loyer, il ne peut pas donner congé au loc. pour la même échéance du bail.

■ **Reprise (par le propriétaire).** Voir **Bail** p. 1384.

■ **Résiliation de contrat. Par le juge :** si l'une des parties ne respecte pas ses obligations, l'autre partie peut toujours exercer une action en justice auprès du tribunal d'instance pour forcer l'autre partie à exécuter son obligation lorsque c'est possible ou pour demander la résiliation du contrat avec dommages et intérêts. **Clause résolutoire de plein droit :** le contrat peut le prévoir dans 4 cas : non-paiement du loyer aux termes convenus ; non-versement des charges aux termes convenus ; du dépôt de garantie ; défaut d'assurance du locataire. La clause ne peut produire d'effet que 2 mois après que le loc. a reçu un commandement de payer demeuré infructueux. Le commandement doit pour être valable reproduire les dispositions de l'art. 24. Le loc. a 2 mois à compter du commandement pour : régler sa dette ou saisir le juge des référés (qui ne peut accorder de délai de paiement excédant 2 ans). **Clause résolutoire pour défaut d'assurance :** ne prend effet qu'après un commandement demeuré infructueux 1 mois. Ce commandement doit pour être valable reproduire l'alinéa de l'art. 7. Si après 1 mois, le loc. n'a pas souscrit d'assurance, il est déchu de ses droits. Aucun délai supplémentaire ne peut lui être accordé par le juge au titre de l'art. 1 244 du Code civil.

Le loc. ne peut dans certains cas bénéficier du droit de préemption prévu par la loi du 31-12-1975. Si le local est à usage mixte d'habitation et professionnel :

le loc. ou occupant de bonne foi occupe effectivement les lieux ; l'immeuble est divisé ou subdivisé par lots ; le logement est vendu pour la 1re fois suite à la division ou subdivision de l'immeuble. **Le droit de préemption ne s'applique pas aux :** ventes ultérieures à la 1re vente du local ; actes intervenant entre parents et alliés jusqu'au 4e degré inclus ; portant sur un bâtiment entier ou un ensemble de locaux à usage d'habitation ou à usage mixte professionnel et d'habitation ; portant sur un local situé dans un immeuble frappé d'une interdiction d'habiter ou d'un arrêté de péril ou déclaré insalubre ou comportant pour 1/4 au moins de sa superficie totale des logements loués ou occupés classés dans la catégorie IV visée par la loi du 1-9-1948. Le loc. a 1 mois à compter de la réception de l'offre de vente pour y répondre. L'absence de réponse dans ce délai équivaut à un refus. S'il accepte l'offre, il a à compter de la date d'envoi de sa réponse au bailleur, 2 mois pour la réalisation de l'acte de vente et 4 mois s'il a l'intention de recourir à un prêt.

Vente conclue avec un tiers : *droit de substitution* ; le loc. évincé peut se substituer au tiers acquéreur dans 2 cas : la vente est conclue avec un tiers sans que le loc. ait été informé ; le loc. n'a pas accepté l'offre du bailleur dans le délai de 1 mois, la vente a été conclue avec un tiers dans des conditions plus avantageuses (pour permettre l'exercice du droit de substitution, le notaire qui reçoit l'acte doit notifier la vente au loc. évincé par lettre recommandée avec demande d'avis de réception ; cette notification doit reproduire sous peine de nullité les 5 premiers alinéas de l'art. 10 de la loi du 31-12-1975). *Si le logement a plusieurs loc. ou occupants de bonne foi,* chacun bénéficie à titre individuel du droit de préemption. *Il en est de même lorsqu'il s'agit d'époux,* quel que soit le régime matrimonial et lorsque le bail a été conclu avant le mariage au profit d'un seul des 2 conjoints.

Vente par adjudication volontaire ou forcée : une convocation doit être adressée au loc. ou à l'occupant de bonne foi, à la diligence du vendeur ou du poursuivant, ou de leur mandataire par lettre recommandée avec demande d'avis de réception, 1 mois avant l'adjudication. Tout jugement ou procès-verbal d'adjudication doit être notifié au loc. ou occupant de bonne foi, à la diligence du greffier du tribunal ou du notaire devant lequel l'adjudication a été prononcée, entre le 10e et le 15e j suivant l'adjudication. A défaut de convocation et dans le délai de 1 mois à compter de la réception de la notification prévue au paragraphe II, le loc. ou occupant de bonne foi peut déclarer se substituer à l'adjudicataire, aux prix et conditions de l'adjudication.

■ **Sous-location.** Interdite sauf accord exprès et écrit du bailleur. **Logement soumis à la loi de 1948 :** interdite, en principe, par la loi du 1-9-1948, sauf clause contraire expresse du bail ou accord (écrit) du bailleur. Cependant, le locataire qui n'a pas reçu congé peut toujours sous-louer une pièce malgré toute clause contraire du bail et en cas d'insuffisance d'occupation si le logement comporte plus de 1 pièce (la chambre de service peut compter pour une pièce mais non les annexes). Le *loc.* doit notifier au propr. la sous-loc. dans le mois par lettre recommandée avec accusé de réception en indiquant le prix demandé et le nom du sous-loc., sous peine de déchéance du droit au maintien dans les lieux. Le propr. peut majorer de 50 % la valeur locative du local sous-loué tant que dure la sous-location. Dans la région parisienne, le loc. principal vivant seul, âgé de + de 65 ans, peut sous-louer 2 pièces à 1 ou 2 personnes différentes, à condition que son log. n'ait pas plus de 5 pièces. Le *sous-loc.* a droit au maintien dans les lieux (mêmes conditions que le loc. principal) si la sous-location est régulière (autorisée par bail ou accord exprès du bailleur), si le sous-loc. est de bonne foi et occupe effectivement les lieux 8 mois par an.

■ **Taxe. Additionnelle au droit de bail :** 3,50 % sur les immeubles achevés avant 1948, 0,50 % pour ceux achevés entre 48 et 75 ; ne peut être à la charge du locataire **Foncière :** ne peut être récupérée sur le locataire.

■ **Ventes** (voir **Bail** p. 1384).

HLM (HABITATIONS À LOYER MODÉRÉ)

■ **Organismes fédérés.** *L'Union nat. des Féd. d'organismes d'HLM* regroupe 5 fédérations : Féd. nat. des offices d'HLM (OPHLM et Opac) ; Féd. des Stés anonymes et fondations d'HLM ; Féd. des Stés coop. d'HLM ; Féd. des Stés de crédit immobilier de France ; Féd. des Assoc. région. d'HLM.

Offices publics d'aménagement et de construction (Opac) : établ. publics à caractère industriel et commercial. *Créés* par décret du 22-10-1973 pris en Conseil d'État, par transformation d'offices publics d'HLM existants. Assurent construction et gestion d'HLM, peuvent réaliser les mêmes opérations que les offices publics (restauration immobilière, prestations de services, opérations prévues avec le concours de primes à la construction).

Offices publics d'habitations à loyer modéré (OPHLM) : établissements publics à caractère administratif institués par la loi du 23-12-1912. *Créés* à l'initiative d'une collectivité locale (département, commune ou syndicat de communes), par décret pris en Conseil d'État, et gérés par un conseil d'admin. (15 m. dont les fonctions sont gratuites).

Stés anonymes d'HLM : *instituées* par la loi du 12-4-1906. Soumises à la législation sur les Stés par actions et aux dispositions prévues par la législation HLM. *Créées* à l'initiative privée par des institutions sociales (Caisse d'alloc. familiales, Caisse d'épargne, ou autres organismes du même type) ou par des groupements prof. intéressés au logement de leur personnel. Réalisent des programmes locatifs pour des personnes de revenus modestes (conditions de location et calcul des loyers identiques à ceux des offices publics), ou des opérations d'accession à la propriété, en collaboration avec des Stés de crédit immobilier. Bénéficient de prêts de l'État dans les mêmes conditions que les offices publics. Les attributions sont faites dans l'ordre de la liste de classement établie par le règlement intérieur de la Sté.

Stés coopératives de production d'HLM : *régies* par décret du 15-3-1974, la législation des Stés commerciales, le statut de la coopération et la législation HLM. Compétence étendue par la loi du 20-7-1983. Réalisent des programmes de construction pour des Stés coop. de constr. (groupant des coopérateurs accédant à la propriété), avec lesquelles elles passent une convention de prestation de services ; elles en assurent la gestion, le financement, le rôle de syndic parfois. Les logements construits sont en général transférés aux coopérateurs par attribution-partage des immeubles.

Stés de crédit immobilier : *instituées* par la loi du 10-4-1908. Stés anonymes par actions, constituées à l'initiative privée, soumises à la législation des Stés par actions, aux dispositions de la législation HLM, de la loi bancaire (mandat des administrateurs gratuit) et de la loi du 15-5-1991 constituant le réseau des Saci. *Objet :* favoriser, par des prêts, l'accession de familles de revenus modestes à la propriété de logements. Réaliser, par l'intermédiaire des Stés de droit commun, prêts, construction, maîtrise d'ouvrage et prestations de services liées à la propriété de l'habitat.

☞ **Activités nouvelles.** Les organismes d'HLM peuvent intervenir également sous certaines conditions dans les secteurs de l'aménagement, de la réhabilitation de l'habitat et du tourisme social.

ADRESSES

Association pour l'information sur le logement en agglomération parisienne (ADIL de Paris) 46 bis, bd Edgar-Quinet, 75014 Paris.

Bureau d'accueil des jeunes (BADJ) 11, avenue Victoria, 75004 Paris.

Centre régional des œuvres universitaires et scolaires (Crous) 39, av. Georges-Bernanos, 75005 Paris ; 70, av. du Gal-de-Gaulle, 94010 Créteil Cedex ; BP 109, 78103 St-Germain-en-Laye. Env. 100 000 places en résidences universitaires dans la France entière. Les 3 Crous de la Région parisienne gèrent env. 10 000 chambres (600 à 800 F ch. seule, 1 000 à 1 200 F pour un F1-F2 en 1990). *Demandes avant le 31 mars* (élèves et étudiants de l'ens. sup. exclusivement).

Cité internationale de l'Université de Paris. 19, bd Jourdan, 75014 (5 500 lits).

Union nationale des foyers et services pour jeunes travailleurs (UFJT) 12, av. du Gal-de-Gaulle, 94307 Vincennes Cedex. Accueille de 16 à 25 ans. 55 000 places presque toutes en chambres individuelles. *Demi-pension* Paris 1 600/2 100 F.

Mutuelle de logement pour les jeunes. *Créée* par l'UFJT. Avance les sommes nécessaires à une 1re installation (caution, loyer d'avance, etc.) à Paris (21, rue des Malmaisons, 75013), Nantes (Foyer CAP, 16, rue du Cap.-Corumel), Clermont-Ferrand (Foyer St-Jean, 17, rue Gaultier-de-Biauzat).

Observatoire des loyers de l'agglomération parisienne (Olap) 21, rue Miollis, 75015 Paris.

Logements locatifs à Paris selon le type de propriétaire (au 1-1-1989) 433 400 (dont particuliers copropriétaires 228 100, monopropriétaires 79 500, personnes morales 125 800. *Total 1 ou 2 pièces :* 288 700, *5 pièces ou + :* 29 000. *Bâtis avant 1948 :* 280 900. *Tout confort :* 292 200. *Locataires arrivés depuis - de 3 ans :* 199 600.

Paris 434 120 (hors HLM, logements sociaux, soumis à la loi de 1948, gratuits, occupés par leur propriétaires) dont emménagés (1988) : 87 976 dont (en %) : *1 pièce* 26,8, *2 p.* 21, *3 p. et +* 13,6. **Proche banlieue** 343 887 dont emménagés (1988) : 66 769 dont (en %) *1 p.* 24,8, *2 p.* 20,1, *3 p. et +* 16,2.

STATISTIQUES (1992)

■ **Organismes.** Env. 1 000 HLM, 293 OPHLM (dont 54 OPAC), 360 Stés anonymes, 134 Stés de crédit immobilier, 167 Stés coop. d'HLM gérées par env. 15 000 administrateurs bénévoles, 65 000 agents salariés assurant la maîtrise d'ouvrage des programmes, la gestion des organismes et des patrimoines HLM.

■ **Construction** (1991). % des HLM dans la construction globale : 25. **Logements financés par les HLM** (en 1991) : total 82 000 dont *locatif aidé* 54 000. **% de log. collectifs et individuels réalisés par les organismes d'HLM** (1991) : *locatifs :* collectifs 69, individuels 31. *Accession :* collectifs 43, ind. 57. **Constructions** *(dep. 1945) :* 4 600 000 logements collectifs et individuels réalisés à plus de 90 %, dont : 3 250 000 locatifs, 1 300 000 en accession à la propriété. *En 1991 :* locatifs 54 000 ; accession aidée 5 200 (+ 28 000 prêts aux familles désireuses d'acheter ou d'améliorer leur logement). **Poids économique** (en milliards de F, 1991). Investissement construction neuve HLM 26 (terrain compris). Les organismes d'HLM ont géré 46 milliards de F de loyers, 15 de charges locatives.

■ **Résultats d'exploitation des HLM** (en millions de F). **Résultats annuels** *1981 :* + 750. *82 :* + 570. *83 :* + 210. *84 :* - 150. *85 :* - 510. **Résultats cumulés** *1985 :* + 870. *86 :* - 20. *87 :* - 1 280. *90 (prév.) :* - 7 090. *95 :* - 19 080. *99 :* - 29 690.

■ **Usagers logés par HLM.** Env. 13 millions (dont : locataires 9, accédants à la propriété 4). 58 % des loc. sont ouvriers ou employés, 13 % cadres ou prof. intermed., 2 % agric., commerç. ou artis., 27 % retrait. ou inact. Étrangers 12 % (ensemble de la population 6,2 %).

■ **Loyers.** Inférieur en moy. de 40 % à un loyer du secteur libre (tout confort). **Impayés** (en % des loyers + charges) *1984 :* Offices 3,11, SA 1,68 ; *85 :* O. 3,89, SA 2,14 ; *86 :* O. 4,47, SA 2,48 ; *88 :* 5 (O. + S.A.).

CONDITIONS D'ATTRIBUTION DES LOGEMENTS

■ **Location.** S'adresser à la préfecture, à la mairie du domicile ou directement à un organisme d'HLM. Plafond des ressources mensuelles (ex. 17 000 F pour couple avec 2 salaires et 2 enfants en Ile-de-Fr., 13 700 ailleurs).

■ **Accession à la propriété.** S'adresser plus particulièrement aux Stés de crédit immobilier, Stés anonymes d'HLM, Stés coop. d'HLM [adresses communiquées par les directions départ. de l'Équipement, la mairie du domicile et les centres d'information sur l'habitat agréés par l'ANIL.

■ LOYERS

RÉGIME DES LOYERS

☞ Voir **Bail** p. 1384.

Locaux soumis à la loi du 1-9-1948. Loyers forfaitaires : aux termes du décret du 28-6-1991, à compter du 1-7-1992 : augmentation de 4 % pour locaux de catégorie III A, III B ; augmentation de 4,75 % pour la cat. II A et les cat. II B et II C non encore libérées. Les locaux de cat. IV ne peuvent subir aucune majoration annuelle de loyer. Dep. le décret du 26-8-1975, libération des II A sauf pour les handicapés et + de 65 ans.

Valeur locative mensuelle (en F à compter du 1-7-1993 : prix de base de chacun des 10 premiers m² de surface corrigée et, entre parenthèses, chacun des m² suivants). *Catégories II A :* 35,62 (21,21), *II B :* 24,59 (13,29) ; *II C :* 18,81 (10,15), *III A :* 11,41 (6,13), *III B :* 6,85 (3,57), *IV :* 1,70 (0,80).

PRIX DE LOCATION

Loyer mensuel par m² (hors charges, en F). **Moyenne française :** *1981 :* 20,9 ; *82-84 :* 22,5 ; *85-86 :* 26,3 ; *87-88 :* 30 ; *89 :* 25,3 ; *92 (1-1) :* Paris 71,70, proche banlieue 57,70, province 32 ; *93 (1-1) :* Paris 76,50 (nouveau loc. 91,2), proche banlieue 61,40 (nouv. loc. 70), province 33,50 (nouv. loc. 41).

Loyers moyens [1] selon la taille des logements pour des emménagés récents

1992	m^2	Total en F	m^2 en F par mois
Studette (20 m^2)	15 (29)	1 605 (2 175)	107 (75)
1 pièce	27 (44)	2 430 (2 684)	90 (61)
2 pièces	41 (66)	3 198 (3 696)	78 (56)
3 pièces	60 (84)	4 500 (4 956)	75 (59)
4 pièces	90 (100)	7 110 (6 900)	79 (69)
5 pièces	111 (156)	8 325 (12 324)	75 (79)
6 pièces et +	183 (51)	17 385 (3 162)	95 (62)

Loyers mensuels [1] selon l'ancienneté d'occupation pour un logement de 1 pièce et de 5 pièces et +

1992		hors charges (en F)	au m^2 (en F)
1 pièce et 5 p. et +	- d'1 an	2 229/12 559 (2 153/8 524)	93/87 (67/59)
	1 à 3 a.	2 177/11 948 (2 107/7 664)	88/90 (74/69)
	3 à 6 a.	1 914/11 109 (2 052/8 182)	76/72 (69/68)
	6 à 10 a.	1 627/ 7 769 (1 587/7 019)	65/55 (57/54)
	+ de 10 a.	1 558/ 6 908 (1 598/6 141)	60/48 (56/43)

Nota. – (1) Paris et, entre parenthèses, banlieue proche.

Loyer mensuel au m^2 en F (pour un 3/5 pièces rénovés, standing moyen) **Paris.** *1er* : 85/135, *2e* : (sauf Opéra) 75/85, *3e* : 90/120, *4e* : 90/145, *5e* : 100/110, *6e* : 105/135, *7e* : 110/135, *8e* : 85/145, *9e* : 65/90, *10e* : 65/75, *11e* : 75/90, *12e* : 70/85, *13e* : 65/100, *14e* : 80/100, *15e* : 80/115, *16e* : 90/145, *17e* : 80/145, *18e* : 65/100, *19e* : 60/95, *20e* : 65/80. **Banlieue** : Antony 70/80, Alfortville 50/60, Asnières 65/85, Bagnolet 60/70, Boulogne 85/100, Bourg-la-Reine 80/85, Charenton 70/80, Courbevoie 70/80, Ivry 60/70, Montreuil 55/60, Nanterre 55/65, Neuilly 95/110, Nogent-sur-Marne 65/80, St-Cloud 70/90, St-Germain-en-Laye 60/85, St-Gratien 55/75, St-Mandé 85/100, Sèvres, Meudon, Chaville 60/80, Suresnes 65/85, Versailles 60/85, Vincennes 80/95.

Province : Prix (en milliers de F, 1992) **de location au m^2 par mois pour un studio : centre/périphérie et,** entre parenthèses, **pour un 4 pièces : centre/pér. :** *+ de 500 000 h.* : Bordeaux 1,2/1,1 (3,6/3), Lille 1,8/1,5 (4/3,5), Lyon 2,1/1,4 (5,6/3,2), Marseille 1,8/1,5 (4,5/3,5), Toulouse 2,3/1,7 (4,7/3,5). *De 200 000 à 500 000 h.* : Clermont-Ferrand 1,8/1,1 (3,4/2,6), Dijon 2/1,6 (3,8/3), Montpellier 1,7/1,35 (4/3), Nantes 1,8/1,5 (3,5/2,8), Orléans 1,5/1,2 (3,5/2,8), Reims 2/1,7 (3,5/2,5), Rennes 1,8/1,25 (3,85/2,8), Rouen 1,8/1,2 (4,5/3,2), Strasbourg 2/1,5 (3,6/2,6). *– de 200 000 h.* : Amiens 1,8/1,5 (4/2,8), Besançon 1,8/1,3 (3,3/2,4), Caen 2,1/1,6 (3,6/2,9), Limoges 1,5/1,1 (3,5/2,5), Metz 1,3/1,1 (3,3/2,8), Poitiers 1,7/1,4 (2/n.c.).

Indices du coût de la construction

Indice du coût de la construction publié par l'INSEE (base 100 au 4e trim. 1953). **1975** *1er tr.* 345, *2e* 353, *3e* 357, *4e* 364. **76** *1er* 375, *2e* 391, *3e* 403, *4e* 415. **77** *1er* 416, *2e* 430, *3e* 438, *4e* 449. **78** *1er* 452, *2e* 461, *3e* 472, *4e* 499. **79** *1er* 502, *2e* 510, *3e* 525, *4e* 548. **80** *1er* 569, *2e* 587, *3e* 604, *4e* 610. **81** *1er* 630, *2e* 636, *3e* 652, *4e* 673. **82** *1er* 697, *2e* 717, *3e* 732, *4e* 727. **83** *1er* 746, *2e* 760, *3e* 776, *4e* 782. **84** *1er* 794, *2e* 810, *3e* 820, *4e* 821. **85** *1er* 826, *2e* 834, *3e* 841, *4e* 847. **86** *1er* 855, *2e* 859, *3e* 861, *4e* 881. **87** *1er* 884, *2e* 889, *3e* 895, *4e* 890. **88** *1er* 908, *2e* 912, *3e* 919, *4e* 919. **89** *1er* 929, *2e* 924, *3e* 929, *4e* 927. **90** *1er* 939, *2e* 951, *3e* 956, *4e* 952. **91** *1er* 972, *2e* 992, *3e* 996, *4e* 1 002. **92** *1er* 1 006, *2e* 1 002, *3e* 1 008, *4e* 1 005.

Indices de la Fédération nationale du bâtiment (base 1 au 1-1-1941, Paris et petite couronne). **75** *1er* 112,9, *2e* 115, *3e* 119,2, *4e* 121,6. **76** *1er* 125,4, *2e* 132,5, *3e* 136,9, *4e* 139,2. **77** *1er* 141,9, *2e* 144,4, *3e* 148,1, *4e* 151,9. **78** *1er* 156, *2e* 161,1, *3e* 167,7, *4e* 171,1. **79** *1er* *179,9*, *2e* 186,2, *3e* 191,9, *4e* 197,7. **80** *1er* 205,3, *2e* 212,7, *3e* *220,9*, *4e* 229. **81** *1er* 285,3, *2e* 245,3, *3e* 252,8, *4e* 263,1. **82** *1er* 278,4, *2e* 288,1, *3e* 289,9, *4e* 297,1. **83** *1er* 305,6, *2e* 313,4, *3e* 318,8, *4e* 326. **84** *1er* 334,5, *2e* 339,2, *3e* 342,8, *4e* 348. **85** *1er* 356,1, *2e* 361,7, *3e* 365,4, *4e* 369,3. **86** *1er* 373,5, *2e* 376,9, *3e* 379,4, *4e* 383,3. **87** *1er* 389, *2e* 391,6, *3e* 395,1, *4e* 397,9. **88** *1er* 402,3, *2e* 405,2, *3e* 409, *4e* 413,2. **89** *1er* 420,6, *2e* 424,8, *3e* 427,9, *4e* 427,2. **90** *1er* 431,4, *2e* 431,4, *3e* 436,4, *4e* 444. **91** *1er* 452,3, *2e* 453, *3e* 458,1, *4e* 463,5. **92** *1er* 462,5, *2e* 467,5, *3e* 471,4, *4e* 469,3. **93** *1er* 481,5.

Indice BT 01, a remplacé, depuis juillet 1977, sous certaines conditions, l'indice pondéré départemental (base 100 en janv. 1974). Au 1-1. **78** 166. **79** 187,4. **80** 220,1. **81** 251,8. **82** (1-2) 294,1. **83** 324,6. **84** 355,4. **85** 383,6. **86** 400,1. **87** 405,8. **88** 419,5. **89** 440,6. **90** 452,5. **91** 463, 8. **92** 475. **93** 488,6.

Indice SCA publié par l'Académie d'architecture. Immeuble Paris (base 1 en 1914). **75** *1er* 1 325,17, *2e* 1 347,13, *3e* 1 391,07, *4e* 1 419,71. **76** *1er* 1 453,95, *2e* 1 535,39, *3e* 1 602,75, *4e* 1 633,08. **77** *1er* 1 663,97, *2e* 1 698,78, *3e* 1 742,94, *4e* 1 782,47. **78** *1er* 1 831,33, *2e* 1 887,91, *3e* 1 971,49, *4e* 2 005,67. **79** *1er* 2 082,87, *2e* 2 161,45, *3e* 2 224,19, *4e* 2 300,19. **80** *1er* 2 390,02, *2e* 2 482,63, *3e* 2 570,04, *4e* 2 658,01. **81** *1er* 2 745,97, *2e* 2 836,13, *3e* 2 935,93, *4e* 3 024,67. **82** *1er* 3 137,10, *2e* 3 271,37, *3e* 3 302,27, *4e* 3 346,18. **83** *1er* 3 428,84, *2e* 3 498,68, *3e* 3 587,02, *4e* 3 630. **84** *1er* 3 754,10, *2e* 3 812,47, *3e* 3 836,95, *4e* 3 857,97. **85** *1er* 3 999, *2e* 4 077, *3e* 4 085, *4e* 4 114. **86** *1er* 4 160, *2e* 4 200, *3e* 4 233, *4e* 4 266. **87** *1er* 4 321, *2e* 4 358, *3e* 4 399, *4e* 4 427. **88** *1er* 4 462, *2e* 4 505, *3e* 4 546, *4e* 4 584. **89** *1er* 4 651, *2e* 4 712, *3e* 4 751, *4e* 4 751. **90** *1er* 4 779, *2e* 4 881, *3e* 4 842, *4e* 4 902. **91** *1er* 4 963, *2e* 5 010, *3e* 5 050, *4e* 5 100. **92** *1er* 5 122, *2e* 5 171, *3e* 5 199, *4e* 5 206. **93** *1er* 5 274.

Bureaux

Vente. Prix de vente record à Paris : un hôtel des Maréchaux (rue de Presbourg) vendu 160 000 F le m^2 par la famille Lanvin au Jap. Mitsukoshi en 1990. **Affaires récentes importantes** (en millions de F) : *Péchiney* (rue Balzac) 34 644 m^2 : 2 762 (proposé à la vente à 120 000 F le m^2 en janv. 1991). *Shell* (rue de Berry) 54 100 m^2 : 2 750 vendu à Kaufmann and Broad-Indosuez ; revendu (1989) 3 730 (rénové) à divers groupes (dont Kowa 70 %). *Dalle Montparnasse* 72 600 m^2 : 2 500 vendu à Kowa (nov. 1987). *NMPP* (rue Réaumur) 30 000 m^2 : est. 1 500/2 000. *Trois Quartiers* (Madeleine) 30 000 m^2 : 1 990 vendu à Meiji Life Postel. *Philips* (avenue Montaigne) 13 000 m^2 : 1 430 vendu à Arc Union (1989). *Antenne 2* (avenue Montaigne) 20 000 m^2 : 1 100 vendu à GAN-UAP-Caisse des dépôts. *Chase Manhattan Bank* (rue Cambon) 13 000 m^2 : 625 à Copra. *France-Soir* (rue Réaumur) 14 000 m^2 : 600. *Institut géographique national* (rue de Grenelle) 6 330 m^2 : 338 à Ciaba.

Prix de location. Paris : (en milliers de F, HT/m^2 et par an). Ancien et, entre parenthèses, neuf, récent et rénové. **Ouest : au 31-12-1974** 0,5/0,7 (0,6/0,9) ; **80** 0,7/1 (0,9/1,7) ; **85** 1/2 (1,3/2,8) ; **86** 1,1/2,3 (1,5/3) ; **87** 1,2/2,5 (1,5/3,5) ; **88** 1,5/2,6 (1,7/3,7) ; **89** (2,2/4,8) ; **90** (2,4/5). **Centre : 1974** 0,4/0,7 (0,6/0,8) ; **80** 0,6/1 (8/1,4) ; **85** 0,8/1,8 (1/2,5) ; **86** 0,8/1,8 (1,1/2,8) ; **87** 1/2,1 (1,1/2,8) ; **88** 1,2/2,5 (1,4/3,2). **Est : 1974** 0,3/0,4 (0,4/0,6) ; **80** 0,4/0,6 (0,5/0,9) ; **85** 0,5/1,9 (0,7/1,7) ; **86** 0,6/1,2 (0,8/1,9) ; **87** 0,6/1,4 (0,8/1,9) ; **88** 0,7/1,4 (0,9/2,2) ; **89** (1,1/2,9) ; **90** (1,5/3). **Proche Banlieue Ouest : 1974** 0,5/1,6 ; **80** 0,5/0,9 ; **85** 0,9/1,9 (0,6/1,1) ; **86** 1/2,1 (0,7/1,2) ; **87** 1/2,2 (0,6/1,3) ; **88** 1/2,7 ; **89** (0,9/3,2) ; **90** (1/3,5). **La Défense : 1974** 0,4/0,5 ; **80** 0,6/0,8 ; **85** 1,1/1,9 ; **86** 1,3/2 ; **87** 1,4/2 ; **88** 1,3/2,3 ; **89** (1,8/3) ; **90** (1,8/3,5). **Banlieue éloignée, villes nouvelles, Ouest : 1974** 0,3/0,4 ; **80** 0,3/0,5 ; **85** 0,6/1,1, **86** 0,7/1,2 ; **87** 0,6/1,3 ; **88** 0,6/1,3 ; **89** (0,6/1,5) ; **90** (0,6/1,5).

Valeur locative (en milliers de F au m^2/an) **et,** entre parenthèses, **valeur vénale** (en milliers de F/m^2) (en 1991). **Paris** : *1er* : 1,8/4,5 (40,5/104), *2e* : 2/4,3 (42,5/95,5), *3e* : 1,7/3 (30/46), *4e* : 1,8/3 (26,5/51,5), *5e* : 2/3,3 (47/62), *6e* : 2/3,6 (52/72), *7e* : 2,4/4 (48/85), *8e* : 2,5/4,7 (52,5/112), *9e* : 2,1/4,2 (37,5/96,5), *10e* : 1,5/2,6 (20,5/56), *11e* : 1,2/2,2 (19/48), *12e* : 1,2/3,1 (19/53), *13e* : 1,1/2,8 (18/50), *14e* : 1,8/3,6 (30/47,5), *15e* : 1,6/3,8 (29/77,5), *16e* : 2/5 (35,5/102), *17e* : 1/5 (25/96,5), *18e* : 1/2,3 (15/49,5), *19e* : 1/2,1 (14/35), *20e* : 1/2,2 (13,5/36,5). **Région parisienne** : Boulogne 1,2/2,6 (17,5/38), Cergy-Pontoise 0,6/1,1 (7,5/14), Châtillon 0,8/1,2 (9,7/15), Clichy 0,9/1,8 (11/22), Évry 0,5/0,9 (5,5/10,5), Issy-les-Moulineaux 1/1,9 (13,5/26), La Défense 1,4/3,8 (20/61), Levallois 1,5/3 (21,5/45), Marne-la-Vallée 0,6/1,1 (6,6/13), Massy 0,6/1,1 (6,6/13), Melun-Sénart 0,6/1,1 (6,6/13), Montreuil 0,8/1,1 (6,6/13), Neuilly 2,3/3,5 (36/60), Pantin 0,6/1,1 (7/13,3), St-Denis 0,6/1,1 (7/13,8), St-Quentin-en-Yvelines 0,6/1,1 (7,5/14), Vincennes 1,1/1,9 (14,3/25). **Province** : Bordeaux 0,76/0,67 (8,2/7,7). Lille 0,73/0,68 (7,5/5,5. Lyon 6,5/0,85 (7,5/11). Marseille 0,82/0,6 (9/6,2). Montpellier 0,8/0,65 (9/6,5). Nantes 0,7/0,64 (7,8/nc). Nice 1,1/0,78 (13/9). Strasbourg nc/6,5 (nc/6). Toulouse 0,75/0,63 (8,5/7). **Locaux d'activité** (en périphérie) : Bordeaux 0,36/0,27 (3,3/2,2). Lille 0,3/0,16 (2/1,1). Lyon 0,26/0,2 (2,6/1,8). Marseille 0,35/0,28 (3,5/2,3). Montpellier 0,25/0,23 (nc). Nantes 0,24/0,22 (2,3/1,1). Nice nc/0,25 (nc/3,1). Strasbourg 0,34/0,18 (3,5/1,2). Toulouse 0,38/0,2 (3,5/1,8).

☞ **Locaux d'activité. Loyers** (en F au m^2) : entrepôts 250 à 700, locaux PME-PMI 350 à 900, polyvalents 1 100. **En millions de m^2 : demandes** : *1984* : 4,1, *90* : 3,8, *91* : 2,65 ; **disponibles à 1 an** : 0,631 ; **mises en chantier** : *entrepôts 1987* : 0,684, *91* : 1, *locaux industriels 1987* : 0,763, *91* : 0,98.

Ile-de-France. *Parc total de bureaux* (en millions de m^2) : *1-1-1985* : 29,02 (dont Paris 9,36), *1-1-92* : 41,37 (10,39). *Construction* : *1985* : 1,1, (0,05), *87* : 2,48 (0,09), *89* : 2,8 (0,19), *90* : 2,3 (0,19), *91* : 3,1 (0,34).

Stocks de bureaux disponibles à - de 1 an. *1991* : 2 235 000 m^2, *92* : 3 143 000 m^2, *93* : 4 083 000 m^2 dont en % : banlieue ouest (hors Défense A) 23, banlieue sud 18, Paris (hors Triangle d'or) 18, Triangle d'or 17, banlieue nord 11, est 7 (*Source* : Bourdais).

Magasins

Prix de location du m^2 (en F). **Paris** : 1 200 à 1 500. *Exemples* : Quai de la Tournelle (5e), surface pondérée 37,5 m^2 : 3 848. Rue de La Boétie (8e) 33 m^2 : 6 525. Rue Balard (15e) 195 m^2 : 1 384. Rue de Passy (16e) 180 m^2 : 7 388. Av. Montaigne : 14 200.

Région parisienne : 450 à 800.

Estimation des fonds de commerce

Barème généralement admis par l'administration fiscale. *Légende* : CA = Chiffre d'affaires annuel.

Accessoires auto. : 15 à 35 % du CA **Administrateur de biens** : Paris et région par. 1,5 à 2 fois les hon. de la dernière année. Consultations, baux, etc. 0,5 % des hon. annuels (moy. sur 3 ans). **Agent d'assurances** : 3 fois le CA (– polices vie). **Agent immobilier et mandataire en vente de fonds de commerce** : 2 fois le bénéfice réel net moy. des 3 dernières an. **Alimentation générale** : 3 à 4 fois le bén. annuel, ou 40 à 85 fois la recette journ. **Ameublement** : 20 à 28 % du CA si inférieur ou égal à 2,5 millions de F ; 10 à 15 % si supérieur à 3 millions. **Antiquaire** : 100 à 150 % du CA sans que la valeur du fonds puisse être inférieure à celle du pas-de-porte. Bénéfice brut de 40 à 50 % du CA, net de 25 à 35 %. **Architecte avec gérance d'immeubles** : 3 fois le bén. réel an., ou 2 fois le CA. **Armurier** : 40 à 60 % du CA. Bén. brut de 20 à 30 % du CA, net 12 à 15 % des commerces sans personnel salarié (5 à 10 % avec). **Articles de pêche** : 80 % du CA. **Articles de bureau** : 30 à 60 % du CA. **Articles de sport** : raquettes, skis, ballons, patins, etc. 50 % de la branche d'activité. Habillement et bonneterie 50 % du CA, camping 30 à 40 % du CA réel de la branche, location de skis 2 fois le montant des locations encaissées dans l'année. Bén. brut 10 à 50 % suivant les articles, net 12 à 18 % du CA (commerces ordinaires), 5 à 12 % (entr. moyennes), 5 à 15 % (importantes).

Bains : 2 à 3 fois le CA. **Bazars** (grands magasins, Prisunics) : 50 % du CA. **Bijouterie fantaisie** (fabricant) : 1 fois 1/2 à 2 fois 1/2 le bén. réel, plus le matériel. **Bijouterie, horlogerie** : 35 à 70 % du CA jusqu'à 2,5 millions de F ; 25 à 30 % au-delà. **Blanchisserie** : 40 à 50 % du CA avec matériel en bon état. **Bois et charbon** : 30 à 50 % du CA ou 60 à 80 F la t de charbon ou de fuel vendue par an, + le matériel. **Bonneterie-confection-lingerie** : 50 à 70 % du CA. **Boucherie** : 10 à 15 fois la recette hebdo. ou 25 à 40 % du CA selon agencement. **B. chevaline** : 15 à 20 fois la r. hebd. ou 30 à 40 % du CA. **Boulangerie** : 90 à 100 % du CA avec moins de 40 quintaux par mois. Les pains vendus à des collectivités ne doivent pas être comptés plus de 10 %. **Boulangerie-pâtisserie** : ajouter le CA de la pâtisserie. **Brasserie-restaurant limonade** : 1 fois 1/2 le CA ; restaurant : 60 à 120 % du CA. **Brevets d'invention** : 6 à 10 fois la redevance annuelle suivant l'âge du crédirentier.

Café : 250 à 400 fois la recette journalière centres-villes (500). **Café-tabac** : 400 à 600 fois la recette journalière + tabletterie 100 % du CA + 3 ans de remise nette. **Charcuterie** : 45 à 65 % du CA selon l'importance du matériel. **Chaussures** : 30 à 55 % du CA. **Cinéma** : 50 à 70 fois la recette moyenne hebdo. taxable (salles d'exclusivité à Paris 80). **Coiffure** : hommes 75 à 115 % du CA, femmes 65 à 120 % du CA. **Confiserie** : CA. **Couleurs et vernis** : 70 % du CA. **Crémerie** : 3 à 4 fois la moy. des 3 dernières an. de bén. net. 60 à 80 fois la recette jour. en négligeant la recette du lait.

Dancing : 200 à 300 fois la place autorisée par la préfecture. **Dépôt de vins** : 150 fois la recette jour. **Électricité générale** 20 à 30 % du CA. **Épicerie en**

gros : 3 fois le bén. réel an. + le matériel. **Entreprise de peinture :** 20 % du CA plus matériel. **Fleuriste :** *ordinaire* 70 à 90 % du CA réel non compris celui réalisé par Interflora. **Garage :** *Station-service* Paris et grandes villes : 50 à 70 % du CA an. ; autres : 40 à 50 % du CA. *Atelier de réparation :* 50 à 60 % du CA. *Pièces détaillées :* 40 à 50 % (concessionnaires), 24 à 35 % (agents). *Garage-hôtel :* 3 000 à 9 000 F la place suivant situation (à Paris) ; 1 500 à 4 000 F (en province).

Hôtel-maison meublée : 3 à 5 fois le CA matériel compris, ou valeur du matériel s'il est récent – 3 à 5 fois le bén. net an., ou valeur unitaire de la chambre multipliée par leur nombre (10 000 à 40 000 F suivant catégorie). **Imprimerie :** valeur du pas-de-porte. **Laboratoire :** 50 à 60 % du CA ou 5 à 6 fois les BIC à 10 % du CA moyen. **Laverie automatique :** 50 % du CA mensuel moyen de l'année. **Librairie-papeterie :** *sans vente de journaux* Paris 80 à 100 % du CA, *avec* 60 % du CA sans logement, 80 % avec log., 100 % avec log. et agencements neufs. Province 50 à 60 % du CA sans log., 70 à 90 % avec, 90 % avec log. et agencement neufs. **Libre-service :** 30 à 35 % du CA **Lingerie-mercerie :** 50 à 70 % du CA ou 3 fois le bén. réel annuel.

Maisons meublées : 3 à 4 fois le CA moyen à 50 % du coefficient d'occup. si l'exploitation est réputée marginale. **Maroquinerie :** 50 à 80 % du CA. **Marques de fabrique :** 5 à 6 fois la redevance. **Nouveautés-confections :** 50 à 60 % du CA. **Optique :** ville importante 1 an de CA, petite 80 à 90 % du CA. **Orfèvrerie :** 70 à 80 % du CA.

Papeterie : 70 à 80 % du CA, ou 3 à 4 fois le bén. an. **Parfumerie :** 70 à 80 % du CA moyen des 3 dernières an. **Pâtisserie :** 1 an de CA (moy. des 3 dernières an.) ou 65 à 100 % du CA. **Pension de famille :** 4 fois le CA moyen. **Pharmacie :** Paris : 100 à 145 % du CA, ville 90 à 120 %, campagne 80 à 100 %. **Plomberie-couverture :** 10 % du CA, ou 4 à 5 fois le bén. réel an. **Poissonnerie :** 30 à 45 % du CA + 30 % pour les tournées. **Primeurs :** 3 fois le bén. réel an.

Quincaillerie : 40 % du CA ou 2 fois le bén. net moyen sur 3 a. **Restaurant :** artisan 70 à 80 % du CA, luxe 70 à 100 %, moyen 80 à 100 %. **Rôtisserie :** 100 fois la recette jour. **Tabac :** Paris 3 à 5 ans de remise nette tabac + 100 % du CA tabletterie. **Taxis :** Paris 90 000 à 100 000 l'emplacement ; province 40 000 à 45 000 F. **Teinturerie :** CA.

PRIX DE L'IMMOBILIER A L'ÉTRANGER

IMMOBILIER RÉSIDENTIEL

■ **Vente. Prix au m^2, appartements neufs et,** entre parenthèses, **anciens** (en 1992 en $). *Allemagne* Berlin 2 855 (2 855), Dresde 2 509 (2 509), Francfort 2 397 (2 397), Hambourg 4 266 (3 123). *Andorre* 3 287 (1 578). *Australie* Sydney [4] nc (2 056). *Autriche* Vienne 3 443 (3 311). *Belgique* Bruxelles 2 208 (1 508). *Brésil* São Paulo [2] 1 175 (850). *Chili* Santiago [4] 967 (833). *Chypre* Limassol [4] 825 (516). *Colombie* Bogotá [4] 539 (431). *Danemark* Copenhague [4] 1 173 (1 026). *Espagne* Cambrils 1 625 (1 327), Madrid [4] 2 869 (2 294). *Finlande* Helsinki [4] 3 235 (2 459). *France* Lille 2 080 (1 734), Lyon 2 774 (1 783), Marseille 2 080 (1 387), Nice 5 284, Paris 6 479 (4 181). *G.-B.* Londres [2] 1 547 (1 523), Édimbourg [4] 4 371 (3 267). *Grèce* Athènes [3] 1 579 (1 060). *Irlande* Dublin 1 309 (1 309). *Israël* Tel-Aviv [3] 3 667 (1 908). *Italie* Rome [3] 5 384 (4 203), Florence 4 494 (3 670). Milan 6 108 (5 137). *Japon* Tōkyō 11 542 (8 130). *Lux.* Luxembourg 3 931 (2 585). *Malaisie* Kuala Lumpur 786 (610). *Mexique* Mexico 1 166 (1 022), Sinaloa 678 (572), Tijuana [4] 659 (659), *Monaco* Monte-Carlo [4] nc (13 409). *Nigeria* Lagos 434 (285). *Norvège* Oslo 1 760 (1 174). *N.-Zél.* Auckland [4] 541 (446). *P.-Bas* Amsterdam 2 245 (1 681). *Pakistan* Karachi [1] 230 (210). *Pérou* Lima [4] 488 (379). *Portugal* Lisbonne [4] 1 658 (1 212). *Rép. Dominicaine* St-Domingue 423 (353). *Suède* Stockholm [4] 2 643 (2 889). *Suisse* Bâle 3 443 (3 311), Fribourg 4 287 (3 152), Genève [4] 3 236 (2 805), *Lausanne* [4] 3 344 (2,575). *Taiwan* T'ai-pei [1] 2 592 (1 469). *Uruguay* Montevideo 811 (793). *USA* Miami 1 111 (911), New York [1] 6 250 (5 500).

Nota. – (1) 1988. (2) 1989. (3) 1990. (4) 1991.

■ **Location. Prix du m^2 annuel, appartements neufs et,** entre parenthèses, **anciens** (en 1992 en $). *Allemagne* Berlin 185 (118), Dresde 132 (0), Francfort 139 (105), Hambourg 184 (122). *Andorre* 162 (146). *Australie* Sydney [4] nc (162). *Autriche* Vienne 139 (0). *Belgique* Bruxelles 167 (108). *Brésil* São Paulo [2] 320 (219). *Chili* Santiago [5] 72 (60). *Chypre* Limassol [5] 57 (45). *Colombie* Bogotá [5] 60 (41). *Danemark* Copenhague [5] 125 (59). *Espagne* Madrid [5] 191 (162), Cambrils 105 (74). *Finlande* Helsinki [5] 182 (168). *France* Paris 289 (202), Lille 155 (95), Lyon 178 (107), Marseille 166 (95), Nice 178 (141). *G.-B.* Londres [2] 131 (126), Camberley 197 (187). *Grèce* Athènes 78 [5] (65). *Hongrie* Budapest [45] 178. *Indonésie* Jakarta [5] 82 (38). *Irlande* Dublin 218 (127). *Israël* Tel-Aviv [3] 112. *Italie* Florence 250 (227), Milan 200 (170). *Japon* Tōkyō 351 (312). *Lux.* Luxembourg 174 (155). *Malaisie* Kuala Lumpur 86 (58). *Mexique* Mexico 139 (123), Sinaola 60 (45), Tijuana [5] 76 (76). *Monaco* Monte-Carlo [5] nc (333). *Nigeria* Lagos [5] 64 (49). *Norvège* Oslo 256 (136), Kristiansand [5] 80 (72). N. Zél. Auckland [5] 121 (110). *Pakistan* Karachi [1] 20 (16). *P.-Bas* Amsterdam 79 (36). *Pérou* Lima [5] 100 (88). *Pologne* Varsovie [5] nc (128). *Portugal* Lisbonne [5] 199 (145). *Rép. Dominicaine* St-Domingue 40 (8). *Russie* Moscou [5] 200 (200). *Suède* Stockholm 188 (108). *Suisse* Bâle 179 (129), Fribourg 190 (166), Genève [5] 275 (249), Lausanne [5] 148 (128). *Taiwan* T'ai-pei [5] 95 (64). *Tchécoslovaquie* Prague [5] 103. *Uruguay* Montevideo [5] 73 (73) ; *USA* Miami 112 (93) New York [1] 350 (300).

Nota. – (1) 1988. (2) 1989. (3) 1990. (4) Neufs et anciens confondus. (5) 1991.

BUREAUX

■ **Vente. Prix au m^2** (en 1992 en $) **emplacement de 1er ordre.** *Allemagne* Hambourg 5 688. *Andorre* 1 841. *Australie* Sydney [1] 5 991. *Autriche* Vienne 3 548. *Belgique* Bruxelles 2 908. *Canada* Ottawa 1 427. *Danemark* Copenhague 3 482. *Chili* Santiago [1] 1 588. *Chypre* Limassol [1] 1 818. *Colombie* Bogota [1] 801. *Espagne* Madrid [1] 8 167, Cambrils 2 104. *Finlande* Helsinki [1] 4 775. *France* Cannes [1] 2 750, Nice (Sophia-Antipolis) 2 774. *G.-B.* Camberley [1] 3 313, Édimbourg [1] 3 831, Midlands de l'Ouest 3 078. *Irlande* Dublin 937. *Italie* Florence 4 945, Milan 7 893. *Japon* Tōkyō 24 070. *Lux.* Luxembourg 5 816. *Malaisie* Kuala Lumpur 1 841. *Mexique* Mexico 2 167, Sinaola 1 150, Tijuana [1] 897. *Nigeria* Lagos 664. *Norvège* Oslo 1 363, Kristiansand [1] 1 449. *Nlle-Zél.* Auckland [1] 1 936. *Monaco* Monte-Carlo [1] 5 884. *P.-Bas* Amsterdam 2 966. *Pérou* Lima [1] 684. *Portugal* Lisbonne [1] 3 681. *Rép. Dominicaine* St-Domingue 615. *Suède* Stockholm [1] 4 287. *Suisse* Bâle 4 539, Fribourg 2 648. *Uruguay* Montevideo [1] 1 000.

Nota. – (1) 1991.

■ **Location. Prix au m^2** (en 1991 en $) **emplacement de 1er ordre.** *Allemagne* Berlin 672, Dresde 361, Francfort 636, Hambourg 321. *Australie* Melbourne 314, Sydney 486. *Autriche* Vienne 291. *Belgique* Bruxelles 303. *Brésil* São Paulo 300. *Canada* Toronto 332. *Espagne* Madrid 644, Barcelone 600, Cambrils 126, Séville 379. *France* Paris 793, Paris-La Défense 505, Lille 188, Lyon 238, Marseille 198, Nice (Sophia-Antipolis) 238. *G.-B.* Londres City 716, Londre West End 811, Édimbourg [1] 358, Glasgow 353, Manchester 401, Midlands de l'Ouest 296. *Hongrie* Budapest 470. *Italie* Florence 253, Milan 526. *Japon* Tōkyō 1 171. *Lux.* Luxembourg 323. *Malaisie* Kuala Lumpur 282. *Mexique* Mexico 252. *Monaco* Monte Carlo [1] 500. *Nigeria* Lagos 50. *Norvège* Oslo 253, Kristiansand [1] 435. *P.-Bas* Amsterdam 267. *Pologne* Varsovie [1] 450. *Portugal* Lisbonne 568, Porto 426. *Rép. Dominicaine* St-Domingue 62. *Russie* Moscou [1] 790. *Singapour* 549. *Suède* Stockholm 427. *Suisse* Bâle 265, Fribourg 193. *Tchécoslovaquie* Prague [1] 445. *USA* Washington 280, Miami 205, New York Downtown [1] 400, New York 470. *Venezuela* Caracas 252.

Nota. – (1) 1991.

■ **Loyer net (m^2/an HT et hors charges) et,** entre parenthèses, **coût total d'occupation (m^2/an en F).** *Source :* Richard Ellis. Tōkyō 10 354 (11 469). Londres City 6 889 (9 472). Londres West End 7 373 (8 966). Hong Kong 5 172 (5 588). Paris 3 650 (4 200). New York Midtown 2 844 (4 076). New York Downtown 1 906 (3 059). Madrid 2 527 (3 146). Sydney 2 463 (2 955). Pékin 2 480 (2 799). Chicago 1 598 (2 608). Los Angeles West Side 1 857 (2 546). São Paulo 2 079 (2 532). San Francisco 1 383 (2 243). Francfort 1 902 (2 240). Melbourne 1 826 (2 236). Glasgow 1 346 (2 228). Manchester 1 238 (2 153). Barcelone 1 580 (1 999). Singapour 1 487 (1 983). Perth 1 502 (1 979). Bruxelles 1 154 (1 475). Amsterdam 928 (1 096): Bangkok 592 (843).

COMMERCE

■ **Vente. Prix au m^2** (en 1992 en $) **emplacement de 1er ordre.** *Allemagne* Hambourg 36 802. *Andorre* 8 415. *Australie* Sydney [2] 7 761. *Autriche* Vienne 9 461, Graz [2] 2 065. *Belgique* Bruxelles 14 540. *Brésil* São Paulo [2] 2 000. *Canada* Ottawa 2 392. *Chili* Santiago [4] 4 000. *Colombie* Bogotá [4] 2 015. *Corée* Séoul [3] 725. *Danemark* Copenhague [4] 4 765. *Espagne* Madrid [4] 13 612, Cambrils 2 314. *Finlande* Helsinki [4] 4 426. *France* Paris [1] 4 721, Cannes [4] 10 002. Nice 6 935. *G.-B.* Édimbourg [4] 13 252. *Grèce* Athènes [3] 7 040. *Irlande* Dublin 1 696. *Israël* Tel-Aviv [3] 4 000. *Italie* Rome [3] 13 402, Florence 11 480, Milan 15 454. *Japon* Tōkyō 39 953. *Lux.* Luxembourg 9 693. *Malaisie* Kuala Lumpur 2 154. *Mexique* Mexico 3 250, Tijuana [4] 1 810. *Monaco* [4] 11 719. *Nigeria* Lagos 488. *Norvège* Oslo 2 726. *Pakistan* Karachi [1] 340. *P.-Bas* Amsterdam 8 899. *Portugal* Lisbonne [1] 1 626. *Rép. Dominicaine* St-Domingue 1 077. *Suède* Stockholm 5 532. *Suisse* Bâle 5 295, Fribourg 4 160, Lausanne [4] 4 854. *Taiwan* T'ai-pei [1] 13 826. *USA* Miami 1 650.

Nota. – (1) 1988. (2) 1989. (3) 1990. (4) 1991.

■ **Location. Prix au m^2** (en 1992 en $) **emplacement de 1er ordre.** *Allemagne* Berlin 2 710, Francfort 2 676, Hambourg 2 007, *Andorre* 1 052, *Australie* Sydney [4] 2 256. *Autriche* Vienne 1 372, Graz [3] 680. *Belgique* Bruxelles 1 373. *Brésil* São Paulo [2] 400. *Canada* Ottawa 238. *Chili* Santiago [4] 600. *Chypre* Limassol [4] 82. *Corée* Séoul [2] 5 275. *Danemark* Copenhague [4] 425. *Espagne* Madrid 1 641, Barcelone 884, Cambrils 126, Séville 195. *Finlande* Helsinki [4] 466. *France* Paris 3 963, Cannes [4] 917, Lille 1 407, Lyon 1 090, Marseille 1 228, *Nice* 693. *G.-B.* Londres 2 363, Édimbourg [4] 994. *Grèce* Athènes [3] 269. *Hongrie* Budapest [4] 230. *Irlande* Dublin 268. *Israël* Tel-Aviv [3] 465. *Italie* Rome [3] 781, Florence 442, Milan 1 104. *Japon* Tōkyō 1 410. *Lux.* Luxembourg 969. *Malaisie* Kuala Lumpur 740. *Mexique* Mexico 375, Tijuana [4] 13. *Nigeria* Lagos 49. *Norvège* Oslo [4] 344. *N.-Zél.* Auckland [4] 438. *Pakistan* Karachi [1] 216. *P.-Bas* Amsterdam 920. *Pérou* Lima [4] 189. *Pologne* Varsovie [4] 355. *Portugal* Lisbonne [1] 862. *Rép. Dominicaine* St-Domingue 62. *Suède* Stockholm 572. *Suisse* Bâle 1 135, Genève [3] 1 051, Fribourg 378, Lausanne [3] 388, Zurich [3] 1 445. *Taiwan* T'ai-pei [4] 1 413. *USA* Miami 743, New York [1] 1 700.

Nota. – (1) 1988. (2) 1989. (3) 1990. (4) 1991.

■ **Prix au m^2 des emplacements commerciaux les plus chers. Valeur locative** (par m^2/an/HT en milliers de F, en 1990), **et** entre parenthèses **valeur vénale** (par m^2 en milliers de F) : Tōkyō 10/12 (500/1 000). Hong Kong 8/9 (2 000). Londres 5/7 (100/120). New York 2/2,5 (25/150). Paris 2,5/5 (67/112). Madrid 3,3/4,4 (60/80). Milan 2,6/3,5 (50/70), Barcelone 2,8/3,5 (50/70). Francfort 3 (55/60). Düsseldorf 1,6 (26/30). Bruxelles 1,3/1,5 (23/25). Amsterdam 1,3/1,5 (20/23). Lisbonne 2/2,3 (18/20).

■ **Rentabilité par secteur** (en 1991, en %). *Résidentiel et entre parenthèses commercial/bureaux.* Amsterdam 9 (9/8). Berlin 15,8-17,2 (nc). Bruxelles [2] 5 (11/8). Cannes 3-5 (9/8). Copenhague 6 (8/8). Dublin 5-12 (6/7). Édimbourg 14 (8/9). Francfort 14,5-17 (nc). Hambourg 5 (5-5). Helsinki 3 (9/9). Limassol 30 (10/15). Lisbonne 25 (10/40). Londres 10[1] (11/10) [2]. Luxembourg 5 (9,5/nc). Miami 10-12 (8-12/7-12). Milan 4 (7/6-7). Madrid 4 (7/7). Montevideo 10 (10/10). Paris [2] 2 (6/5). Rome [2] 4,6 (5,7-6/4,5-4,9). St-Domingue 15 (15/15). Santiago 10 (12/12). Stockholm 6 (6/6,5). Tel-Aviv [2] 4-5 (8-10/10). Tōkyō 2 (nc/2).

Nota. – (1) 1989. (2) 1990.

PATRIMOINE FRANÇAIS

CLASSEMENT

■ **Quelques dates. 1836** Prosper Mérimée (1803-70), 1er inspecteur des monuments historiques, commence à sillonner la France pour repérer les édifices dont la conservation dépend d'une aide financière de l'État, et qui mériteraient d'être classés. **1840** 1re liste établie (comprenant entre autres : abbaye de Silvacane, palais Jacques-Cœur de Bourges, remparts d'Aigues-Mortes, pont du Gard, église de Montmajour). **1913-*31-12*** loi régissant la protection des monuments classés, c.-à-d. des « immeubles dont la conservation présente, du point de vue de l'histoire ou de l'art, un intérêt public ». Plus tard, la loi s'étend aux objets mobiliers (meubles proprement dits et immeubles par destination). La loi protège également les « abords » des monuments : dans un rayon de 500 m, aucun bâtiment visible en même temps que le monument (« covisibilité ») ne peut être modifié sans l'accord de l'architecte des bâtiments de France. Un *Inventaire supplémentaire* est prévu sur lequel seront « inscrits » les immeubles qui, « sans demander de classement immédiat, présentent un intérêt suffisant pour rendre désirable la préservation ». **1925** 1res inscriptions à l'Inventaire supplémentaire. **1930** les sites naturels peuvent être classés ou inscrits. **1957** 1er édifice du XXe s. classé : théâtre des Champs-Élysées. **1962** loi proposée à l'initiative d'André Malraux créant des *« secteurs sauvegardés »* (au *1-10-1986,* 71 avaient été « prescrits » et 22 « approuvés »). **1964** la France signe la *Charte de Venise* qui définit au niveau international une politique de conservation et de restauration des monuments hist. et des sites. **1972** une convention de l'Unesco confie au Conseil international pour les monuments et les sites (Icomos) la mission de créer un inventaire du patrimoine mondial. Voir Index. **1983** définition des « zones de protection du patrimoine architectural et urbain » (ZPPAU). 40 établies et 400 en projet. **1985**-*1-1* mise en place des commissions régionales pour le Patrimoine historique, archéologique et ethnologique (Coréphae).

☞ Longtemps les procédures de protection des monuments historiques ne furent pas entamées ; l'Administration savait que le propriétaire refuserait son accord, et elle reculait devant le classement d'office à cause du risque d'indemnisation que ce classement pouvait comporter (actuellement les propr. réclament souvent eux-mêmes le classement et il n'y a pratiquement plus de classement d'office). Aujourd'hui, les demandes de protection des mon. hist., qu'elles émanent des propriétaires ou d'autres intéressés (associations...), sont très nombreuses, certaines s'expliquent pour des raisons fiscales.

■ **Procédures de protection des immeubles.** **Monuments :** dep. le 1-1-1985, toutes les demandes de protection au titre des Monuments historiques portant sur des immeubles non encore protégés doivent être adressées au préfet de la région où est situé l'immeuble, conformément aux dispositions du décret nº 84-1006 du 15-11-1984. Les propositions de classement et d'inscription à l'Inventaire supplémentaire des Monuments historiques sont examinées par la Commission régionale du patrimoine historique, archéologique et ethnologique (Coréphae) instituée par décret nº 84-1007 du 15-11-1984 auprès de chaque préfet de région.

Après avis de la Coréphae, le préfet de région peut alors prescrire par arrêté l'inscription de l'immeuble à l'Inventaire suppl. ou proposer au min. de la Culture une mesure de classement. Toutefois, lorsque les différentes parties d'un immeuble font à la fois l'objet, les unes d'une procédure de classement, les autres d'inscription sur l'Inventaire suppl., les arrêtés correspondants sont pris par le min. chargé de la Culture. Le préfet qui a inscrit un immeuble à l'Inventaire suppl. peut proposer son classement au min. de la Culture, qui statue sur cette proposition après avoir recueilli l'avis de la Commission sup. des Mon. hist., lequel est communiqué à la Coréphae par le préfet de région. Lorsque le min. de la Culture prend l'initiative d'un classement, il demande au préfet de région de recueillir l'avis de la Coréphae et il consulte ensuite la Commission sup. des Mon. hist. Le classement d'un immeuble est prononcé par un arrêté du min. de la Culture. En cas de désaccord du propriétaire, la mesure de classement d'office est prononcée par décret en Conseil d'État. Le classement fait l'objet d'une publication à la *Conservation des hypothèques.* Tout travail de restauration, réparation ou modification sur un monument classé doit avoir l'accord préalable du ministre chargé de la Culture ou de son représentant et peut recevoir une subvention d'env. 40 à 50 %. Le ministre doit être informé de toutes mutations de propriété.

Pour les immeubles inscrits à l'Inventaire supplémentaire, les travaux sont généralement soumis au régime du permis de construire. Le projet doit être transmis au directeur régional des affaires culturelles 4 mois avant le début des travaux. *L'État* peut accorder une subvention d'au max. 40 % du coût des travaux.

■ **Avantages fiscaux.** Les propriétaires privés peuvent déduire de leur revenu imposable l'intégralité des sommes consacrées aux travaux de restauration et d'entretien d'un monument historique classé ou inscrit et ouvert au public ; ils peuvent également déduire les autres charges (frais de gérance, gardiennage, accueil...) selon les modalités d'ouverture au public.

Droits de mutation (loi du 5-1-1988, décret du 21-4-1988) : sont exonérés des droits de mutation à titre gratuit, les biens immeubles par nature ou par destination classés ou inscrits et les biens meubles qui en constituent le complément historique ou artistique, si les héritiers (donataires, légataires) ont conclu une convention avec les ministres chargés de la Culture et des Finances, prévoyant le maintien sur place des éléments du décor et leurs modalités d'accès au public ainsi que les conditions d'entretien des biens exonérés. L'agrément ministériel pour pouvoir bénéficier d'avantages fiscaux est accordé par le directeur départemental des Impôts. Il n'entraîne aucune obligation de conservation particulière, mais seulement celle d'ouvrir le monument à la visite.

☞ Au regard de l'impôt sur le revenu, est considéré comme ouvert à la visite tout immeuble que le public est admis à visiter : soit 50 j/an dont 25 j fériés entre avr. et sept. inclus, soit 40 j en juil., août et sept. Pour bénéficier de l'exonération des droits de succession, ces durées sont doublées.

■ **Expropriation.** Peut être employée par le ministre de la Culture, les communes ou départements, pour sauver un monument historique classé mal entretenu par son propriétaire privé.

■ **Abords.** Lorsqu'un immeuble (bâti ou non bâti) est situé dans le champ de visibilité d'un mon. hist. classé ou inscrit, il ne peut faire l'objet (tant de la part du propr. privé que des collectivités et établissements publics) d'aucune construction nouvelle, démolition, déboisement, transformation ou modification de nature à en affecter l'aspect, sans une autorisation préalable. Toutefois l'exploitation rationnelle et raisonnable d'une plantation est possible.

Classement d'un site : les *commissions départementales des Sites et Paysages* comprennent des représentants des collectivités locales, des personnalités compétentes dans la science de la nature. Les *associations de sauvegarde* peuvent présenter à des commissions des propositions d'inscription ou de classement d'un site. Le classement est prononcé généralement par un arrêté du ministre de l'Environnement. Si l'un des propr. intéressés fait opposition, le classement ne peut être prononcé que par un décret pris en Conseil d'État. Le propr. peut être indemnisé s'il prouve un préjudice « direct, matériel et certain ». **Zones de protection :** autour des sites classés ou inscrits, l'administration peut interdire construction, démolition ou exécution de certains travaux affectant l'utilisation des sols, mais elle ne peut interdire les travaux visant à l'amélioration des exploitations agricoles ou forestières et aux coupes d'arbres, à moins qu'il ne s'agisse de coupes rases.

■ **Protection des objets mobiliers.** Sont inscrits par arrêté du préfet du dép. après avis de la commission dép. des objets mobiliers. Sont classés par arrêté du ministre chargé de la Culture après avis de la Commission supérieure des Monuments historiques. Les objets appartenant à des propriétaires privés ne peuvent être classés. À défaut d'accord, le classement est prononcé par décret en Conseil d'État. Les travaux sont soumis à l'accord de l'inspecteur des monuments historiques.

Architectes en chef des Monuments historiques *Nombre* (1993) : 53. *Nommés* par le ministre de la Culture, ils lui apportent leur concours pour protéger et mettre en valeur le patrimoine (avis, études, surveillance des monuments...). Ils sont obligatoirement maîtres d'œuvre des travaux de restauration sur les immeubles classés si les travaux sont aidés financièrement par l'État. **Inspecteurs généraux.** Architectes ou non, ils assurent des fonctions d'encadrement, d'études et de conseil dans le cadre de la loi du 31-12-1913 sur les monuments historiques. **Architectes des bâtiments de France :** à l'échelon départemental ils donnent un avis sur tous projets de travaux dans les abords de monuments historiques, les sites, les secteurs sauvegardés et les zones de protection du patrimoine architectural et urbain. Ils sont obligatoirement maîtres d'œuvre des travaux de simple entretien ou réparation sur les immeubles classés lorsque les travaux sont aidés financièrement par l'État.

Inventaire général des monuments et des richesses artistiques de la France

Origine. Idée née en 1790. De 1861 à 1910, le Comité des arts et monuments fait paraître les 21 premiers vol. de l'Inventaire général des richesses d'art de la France (dont 14 pour Paris et sa région). Une *Commission nationale d'inventaire,* est créée le 4-3-1964, renouvelée en 1985. (définit les orientations scientifiques du service).

Structures. *Sous-direction de la dir. du Patrimoine.* Coordonne l'activité de 22 services régionaux des dir. régionales des aff. culturelles. Dep. le 14-5-1991, assure la protection du patrimoine au titre de la loi du 31-12-1913 sur les monuments hist.

Missions. Recenser, étudier, protéger et faire connaître toute œuvre qui, par son intérêt artistique, historique ou archéologique, constitue un élément du patrimoine national.

Protection. Le bureau de la protection a pour mission de mettre en œuvre les procédures nationales de classement et de veiller au bon fonctionnement des procédures départementales et régionales d'inscription à l'Inventaire supplémentaire. Au 31-12-1992 : 37 256 immeubles protégés dont 13 200 classés et 24 056 inscrits ; objets classés 12 700. En 1992, 942 mesures de protection ont été prises dont 180 de classement et 762 arrêtés d'inscription.

Réalisations *(au 31-12-1992).* 2 134 843 photographies dont 39 848 clichés photogrammétriques ; 13 585 cartes ; bases de données « Mérimée » sur l'architecture (72 876 documents représentant 371 cantons) ; base de données « Palissy » sur les objets mobiliers (71 640 documents ; 140 cantons) ; 7 477 microfiches reproduisant l'intégralité des 65 026 dossiers ; opérations spécifiques sur le vitrail (13 départements, 1 ville) et le patrimoine industriel (1 arrondissement, 2 cantons).

Centre de documentation à Paris (Hôtel de Vigny, 10, rue du Parc-Royal, 75003), Besançon, Clermont-Fd, Dijon, Lille, Limoges, Montpellier, Nancy, Nantes, Orléans, Poitiers, Rennes, Rouen, Strasbourg, Toulouse.

Personnel (1992) : 280 dans 22 régions et à Paris.

Publications (31-12-1992). *5 vocabulaires* (tapisserie, architecture, sculpture, objets domestiques, mobilier) ; *17 inventaires topographiques* (cantons de Saverne, Guebwiller, Thann, Peyrehorade, Vic-sur-Cère, Sombernon, Carhaix-Plouguer, Belle-Ile-en-Mer, Faouët et Gourin, Lyons-la-Forêt, Aigues-Mortes, Gondrecourt-le-Château, La Ferté-Bernard, l'île de Ré, pays d'Aigues, Viviers, Vic-Bilh) ; *1 « Études du patrimoine » ; 13 « Répertoires des Inventaires » ; 17 « Indicateurs du patrimoine » ; 130 « Images du patrimoine » ; 27 « Cahiers du patrimoine » ; 2 « Documents et méthodes » ; 25 « Itinéraires du patrimoine » ; 140 titres hors collection.*

Nota. – Des inventaires ont été entrepris dans 17 pays d'Europe. [En All. dès 1860 (90 % du territoire répertorié), en Suisse 1927.]

Archéologie

Organisation. Tout sondage ou toute fouille archéologique doit être auparavant autorisé (loi du 27-9-1941 complétée par différents textes dont la loi du 18-2-1989 réglementant l'utilisation des détecteurs de métaux et la soumettant à autorisation). L'État contrôle ces opérations, participe à leur financement et assure lui-même nombre de fouilles de sauvetage sur les sites menacés de destruction. Il dispose dans chaque Direction rég. des affaires culturelles d'un service régional de l'archéologie.

En 1991, 2 035 opérations terrestres dont 1 180 opérations non programmées (661 sondages, 948 sauvetages urgents), 426 programmées (150 sauvetages, 276 fouilles). La Sous-Direction de l'archéologie réalise, depuis 1978, un inventaire des sites archéologiques (au 31-12-1991, inventaire informatisé : 95 583 sites).

Crédits prévus *(en millions de F, 1992).* Équipement 18,45 ; crédits d'intervention ou de subvention 68,24.

Statistiques

■ **Budget** (millions de F). *Travaux d'entretien des mon. classés et inscrits : 1980 :* 49,3 ; *90 :* 142 ; *92 :* 130. *Restauration des monuments classés et inscrits : 1980 :* 372,7 ; *90 :* 1 055 ; *92 :* 1 192.

■ **Besoins en travaux sur les monuments classés.** *Coût total estimé en 1986 :* 6 milliards de F concernant 3 000 monuments (besoins totaux de restauration : 1986 : 5 000 monuments), dont urgents 1,7 milliard.

■ **Dépenses les plus élevées** (1984, en millions de F). Marseille 17,9, Toulouse 15,7, Avignon 9, Strasbourg 8,1, Metz 7,5, Autun 6,9, Lyon 6,8, Bordeaux 4,8, Limoges 3,9, Dijon 3,6.

Villes dépensant le plus par habitant (en F) : Autun 331,1, Château-Thierry 139,9, Lunéville 120,8, Vendôme 114,5, Thouars 105,7, Avignon 100,5. Sinon, la grande majorité dépense moins de 20 F par hab. et par an.

■ **Dépenses des départements** (en millions de F). *1975 :* 68,8 (dont fonctionnement 16,7, équipement 52,1), *81 :* 190,3 (f. 41,8, é. 148,5), *84 :* 313 (f. 87,9, é. 225,1).

■ **Départements ayant dépensé le + en 1984** (en millions de F). Seine-M. 21,2, Hts-de-S. 18,8, Vaucluse 15,4, P.-O. 13,3, Isère 12,9, Vendée 8, Dordogne 7,1, Finistère 6,9, Indre-et-Loire 6,8, Aisne 6,1. *En F par habitant :* P.-O. 39,9, Vaucluse 36, Dordogne 18,9, S.-M. 17,8, Aube 17,5, Yonne 17,2, Vendée 16,4, Isère 13,8, Drôme 13,6, Hts-de-S. 13,5.

■ **Dépenses pour les monuments historiques des villes** (en millions de F). *Enquête sur un échantillon de 109 villes de 10 000 à 150 000 hab., sauf Paris : 1978 :* 73,8 (fonctionnement 21,5, équipement 52,3), *81 :* 192,2 (f. 33,7, é. 95,5), *84 :* 177 (f. 46,6, é. 92,1).

■ **Monuments protégés.** *Au 31-12-1992 :* Selon le type 24 063 inscrits, 13 200 classés dont 87 cathédrales, 4 399 édifices cultuels (sans les chapelles), 632 chapelles, 1 314 antiquités préhistoriques, 523 antiquités historiques, 1 435 châteaux et manoirs (sur 20 000), 495 architectures militaires, 575 établissements monastiques, 540 édifices publics urbains, 1 208 édifices civils privés, 1 377 divers. **Selon l'époque d'origine** (en nov. 1986) : Préhistoire 1 279, av. J.-C. 38, Ier-Xe siècle 616, Xe s. 53, XIe s. 548, XIIe s. 2 352, XIIIe s. 1 002, XIVe s. 631, XVe s. 1 276, XVIe s. 1 512, XVIIe s. 982, XVIIIe s. 739, XIXe s. 152, XXe s. 63, dont champs de bataille, hauts lieux militaires 14, constructions militaires [forts, abris, camps, postes de commandement : villa Savoye [1] (Poissy), maison Picassiette (Chartres), église du Raincy (Seine-St-Denis), chapelle de Ronchamp [1] (Hte-Saône), maison des jeunes et de la culture et stade de Firminy (Loire) [1]] 10. **Selon l'appartenance** (en %, 1990) : communes 60, État et ét. publics 4 (en 1986 : 700 monuments, souvent importants : 89 cathédrales, Le Mont-St-Michel, arc de triomphe de l'Étoile, château de Chambord), propriétaires privés 35, divers 1.

Nota. – (1) Construits par Le Corbusier.

Régions ayant le plus grand nombre de monuments classés (au 31-12-1992) : Bretagne 1 077, Ile-de-France 1 025, Centre 783, Provence-Côte-d'Azur 784, Midi-Pyrénées 765, Bourgogne 742, Rhône-Alpes 731, Poitou-Charentes 714.

■ **Objets protégés** (au 31-12-1992). 86 235 inscrits, 124 842 classés, 816 orgues (instruments) classées, 77 orgues (instruments) inscrites, 543 buffets d'orgue classés, 86 buffets d'orgue inscrits, 5 105 cloches classées, 93 inscrites ; 940 objets du patrimoine industriel, scientifique et technique (dont 42 bateaux, 277 wagons, 91 locomotives).

Organismes divers

■ **Association de la Sauvegarde de l'art français.** 22, rue de Douai, 75009 Paris. *Créée* 9-12-1921 par le duc de Trévise († 9-9-1946) et la Mise de Maillé († 19-11-1972). *Membres :* 1 000. *Pt :* Édouard de Cossé-Brissac (n. 3-9-1929) dep. 1990. *Activités :* aide à la restauration d'églises rurales non classées monument historique antérieures à 1800. Dep. l'origine, plus de 1 000 églises aidées.

■ **Ass. nationale des ass. régionales Études et Chantiers.** 28, rue Duhamel, 35000 Rennes.

■ **Fédération nationale des associations de sauvegarde des sites et ensembles monumentaux (Fnassem).** 20, av. Mac-Mahon, 75017 Paris. Reconnue d'utilité publique. *Fondée* 1967 par Henry de Ségogne. *Pt :* Kléber Rossillon.

■ **Caisse nationale des Monuments historiques et des sites (CNMHS).** Hôtel de Sully, 62, rue St-Antoine, 75004 Paris. *Créée* par la loi du 10-7-1914. *Pt du Conseil d'administration :* Christian Dupavillon (n. 20-5-1940) (directeur : Alain Auclaire). Établissement public chargé de gérer les mon. hist. de l'État. Alimenté essentiellement par droits d'entrée, ventes d'ouvrages, locations, dons et legs.

■ **Centres culturels de rencontre.** Association *créée* 1972 pour développer une politique d'animation permanente dans les mon. hist. *Pt :* Jacques Rigaud. Regroupe 8 mon. : abbayes des Prémontrés à Pont-à-Mousson (M.-et-M.), de Royaumont (Val-d'O.), de Fontevrault (M.-et-L.) ; salines d'Arc-et-Senans (Doubs) ; chartreuse de Villeneuve-lès-Avignon (Gard) ; écomusée du chât. de la Verrerie au Creusot (Loire) ; corderie royale de Rochefort-sur-Mer (Ch.-M.). *Publication :* « Travées ».

■ **Chantiers-Histoire et Architecture Médiévales (CHAM).** 5-7, rue Guilleminot, 75014 Paris. *Créés* 1980. Pt : Christian Piffet. *Adhérents :* 2 000.

■ **Club du Vieux Manoir.** 10, rue de la Cossonnerie, 75001 Paris. Voir p. 1281.

■ **La Demeure historique.** 57, quai de la Tournelle, 75005 Paris. Association professionnelle des propriétaires de mon. hist. privés classés et inscrits. *Créée* 1924 par le Dr Carvallo († 1936), propriétaire de Villandry (I.-et-L.) ; reconnue d'utilité publique 25-1-1965. *Adhér. :* 2 000 + 900 amis (propriétaires d'un mon. hist. classé, inscrit ou susceptible de l'être). *Pt :* H.-F. de Breteuil (n. 5-12-1943).

■ **Ligue urbaine et rurale.** 8, rue Meissonier, 75017 Paris. *Fondée* 1939 par Jean Giraudoux ; reconnue d'utilité publique 1970. *Pt :* Guy de Commines. *Adhérents :* plusieurs milliers. *Intervient* auprès des pouvoirs publics pour parer aux menaces qui pèsent sur paysages et édifices.

■ **Maisons paysannes de France.** 32, rue Pierre Sémard, 75009 Paris. Association reconnue d'utilité publique. *Pt :* M. Maréchal.

■ **Sté française d'archéologie.** Musée des Monuments français, Palais de Chaillot, 75116 Paris. *Fondée* 1834. *Pt :* A. Erlande-Brandenburg. *Membres :* 2 550. *But :* faire connaître par analyse scientif. les mon. anciens. *Publ. trim. :* « Bulletin monumental » ; *annuel :* « Congrès archéologique de Fr. ».

■ **Sté pour la protection des paysages et de l'esthétique de la France (SPPEF).** 39, av. de la Motte-Picquet, 75007 Paris. *Fondée* 1901 par le poète Jean Lahor et l'académicien André Theuriet ; reconnue d'utilité pub. en 1936, agréée au plan nat. *Pt :* Jacques de Sacy. *Adhérents :* plusieurs milliers.

■ **Union Rempart** (Union des associations de chantiers de sauvegarde et d'animation pour la Réhabilitation et l'Entretien des Monuments et du Patrimoine artistique), 1, rue des Guillemites, 75004 Paris. *Créée* 11-7-1966. Reconnue d'utilité publique 13-7-1982. *Pt :* Henri de Lépinay. *Membres :* 150 assoc. organisant 160 chantiers réunissant 5 000 bénévoles. *Publ. :* Collection « Patrimoine vivant » ; « Cahiers techniques ».

■ **Union nationale des associations régionalisées Études et Chantiers.** 33, rue Campagne-Première, 75014 Paris. *Créée* 6-1-1988. *Pt :* Yves Jamont. *Adhérents :* 1 100. *Objectifs :* coordonne et organise des chantiers de volontaires et des chantiers d'insertion en France et à l'étranger pour mise en valeur du patrimoine.

■ **Vieilles Maisons françaises (Les).** 93, rue de l'Université, 75007 Paris. Association de propriétaires de monuments et demeures anciennes et d'amateurs d'art. *Créée* 1958, reconnue d'utilité publique en 1963. *Adhérents :* 18 000. *Édifices :* 8 000 (dont 1 000 ouverts au public). *Pt :* Georges de Grandmaison. *Secr. gén. :* Mme Jacques de Ladoucette. *Publication* Revue sur le patrimoine par département (5 par an) : 33 000 ex.

Concours

■ **Concours annuel des chantiers de bénévoles.** Organisé par la CNMHS. *Créé* 1967. 40 participants par an. *Prix nationaux : 1er* 40 000 F, *2e* 20 000 F, *3e* 10 000 F. *Prix régionaux :* jusqu'à 30 000 F.

■ **Chefs-d'œuvre en péril.** *Créé* 1963 par Pierre de Lagarde (n. 25-3-32) pour récompenser et aider ceux qui ont permis de sauver un monument. A permis de sauver plus de 900 monuments. **Palmarès du concours 1992 :** *1er prix :* fort de l'Esseillon (Savoie). *2e :* château fort de Ventadour (Ardèche). *3e :* St-Félix-de-Montceau (Hérault).

■ **Concours « Le prix du Maire ».** Organisé par la Ligue urbaine et rurale depuis 1983, ouvert aux communes de – de 2 000 hab. ayant fait un effort remarquable d'amélioration et d'utilisation du patrimoine ancien. En 1991, 11 prix totalisant 280 000 F.

■ **Concours SPPEF.** C. annuel pour les municipalités de – de 10 000 hab. soucieuses de mettre en valeur leur patrimoine architectural ou leur site. 7 à 8 prix de 5 000 à 30 000 F.

Location d'un monument historique

(prix à la journée, en F, 1993)

Orangerie de Versailles 300 000 (du 1-6 au 15-10). **Château de Maisons-Laffitte** 16 500 à 32 000. **Conciergerie-Palais St-Louis** 67 000. **Sainte-Chapelle à Paris** 5 400 (concerts classiques uniquement). **Parc de St-Cloud** 12 500 à 23 000. **Domaine de Fontainebleau, Cour d'Henri IV** 5 700, **Parc** 4 000. **Château de Vincennes, Chapelle Royale** 3 600. **Chambord** 11 500 à 19 000. **Ch. de Châteauneuf-en-Auxois** 2 500 à 5 700.

Comment se nomment les habitants de ?

☞ Les appellations ont souvent changé au cours des siècles.

Agde Agathois
Agen Agenais, Agenois
Aigues-Mortes Aigues-Mortais
Aire-sur-l'Adour Aturins. **Sur-la-Lys** Airois, Airiens
Aix-en-Provence Aixois, Aquisextains
Ajaccio Ajacciens
Albens Albanais
Albi Albigeois
Aléria (Corse) Aleriacci
Alès Alésiens
Amboise Amboisiens, Ambaciens
Andelys (Les) Andelisyens
Anet Anétais
Angers Angevins
Angoulême Angoumoisins, Angoumois
Annecy Anneciens, Anniçois
Annonay Annonéens
Antibes Antibois, Antipolitains
Antony Antoniens
Antrain Antrenais
Apremont-la-Forêt Asperomontais
Apt Aptésiens, Aptois
Arbois Arbosiens
Ardres Ardrésiens
Argentan Argentanais
Argenteuil Argenteuillais, Argentoliens
Armagnac Armagnacots
Arques Arquais
Arras Arrageois
Arrou Arroutains
Asco (Corse) Aschesi
Asnières Asniérois
Asnières (Cher) Hannetons
Aspremont-la-Forêt Aspéramontais
Athis-Mons Athégiens, Athémonsois
Aubagne Aubaigniens, Aubains, Aubaniens
Aubenas Albenassiens
Auberive-en-Royans Albaripains
Aubervilliers Albertivilliariens
Aubusson Aubussonnais
Auch Auscitains, Auchois
Auchy-les-Mines Alsiaquois
Augan Alganais
Aulnay-sous-Bois Aulnaisiens
Auneau Aunelliens, Alnélois
Auray Alréens, Alriens
Aurillac Aurillacois
Auriples Auriplans
Auterive Auterivains
Autun Autunois
Auxerre Auxerrois
Avon Avonnais
Avranches Avranchinais, Avranchais, Avranchins
Baccarat Bachamois
Bagnères-de-Bigorre Bagnérais, Bigourdans, Bigourdains. **De-Luchon** Luchonnais
Bagneux Balnéolais
Bagnolet Bagnoletais, Bagnolaisiens
Bagnols-sur-Cèze Bagnolais
Bailleau-l'Évêque Baillolais, Ballotins
Bains-en-Vosges Benous
Balzac Balzatois
Banyuls-sur-Mer Banyulencs, Bagnolais
Bapaume Bapalmois
Barbezieux Barbeziliens
Barcelonnette Barcelonnettains
Bar-le-Duc Barisiens, Barrois. **Sur-Aube** Baralbins, Barsuraubois. **Sur-le-Loup** Barots. **Sur-Seine** Barséquanais, Barrois
Barrettali (Haute-Corse) Barrettalesi
Bas-en-Basset Bassois
Basse-Indre Basse-Indrais
Bastelica Bastilcacci
Batz Batziens
Bayeux Bayeusains, Bajocasses
Beaugency Balgenciens
Beaujeu Beaujolais
Beaulieu-sur-Mer Berlugans
Beaupréau Bellopratains
Beausoleil Beausoleillois
Beauvais Beauvaisiens, Beauvaisins
Beauvoir-en-Royans Belvérois
Bécon Béconnais
Becquet Becquetais
Bédarieux Bédariciens
Bègles Béglais
Beignon Beignonais
Belfort Belfortains
Belgodère Belgodercecci
Bellac Bellacquais, Bellachons
Belle-Isle-en-Mer Bellilois
Belleville Belvillois
Belley Belleysans
Bercq Berckois
Bergues Berguois, Berguerrards
Bernay Bernayen
Berre-l'Étang Berratins
Besançon Bisontins
Besné Besnétins
Bétharram Bétharramites
Bethoncourt Bethoncourtois
Béziers Biterrois
Biarritz Biarrots, Biarottes
Bicêtre Bicêtriens
Billy Billesois
Le Blanc Blancois. **Mesnil** Blancmesnilois
Blay Blaviens
Blaye Blayais
Blois Blésois
Bobigny Balbyniens
Bois-d'Arcy Arcysiens
Bolbec Bolbécais
Bondy Bondynois
Bonnat Bonnachons
Bonneveau Bonnevatiers
Bordeaux Bordelais
Boué Boeyans
Bouille Bouillois
Boulay-Moselle Boulageois
Boulogne-Billancourt Boulonnais. **Sur-Mer** Boulonnais
Bourbon-l'Archambault Bourbonnais
Bourbourg Bourbourgeois, Bourbouriens
Bourganeuf Bourgouniauds
Bourg-de-Péage Péageois. **En-Bresse** Bressans, Burgiens
Bourges Berruyers
Bourget (Le) Bourgetins
Bourg-la-Reine Réginaborgiens, Burgo-Réginiens. **Lès-Valence** Bourcains, Bourquins
Bourgoin Bergusiens. **Jallieu** Berjalliens
Bourg-Madame Guinguettois. **Bourg-Saint-Andéol** Bourgaisins, Bourguesans. **Saint-Maurice** Borains. **Sur-Gironde** Bourgeais
Bourgneuf-en-Retz Bourgoniens
Le Bouscat Bouscatais
Boussac Boussagols
Boussagues Boussagols, Boussaquins
Bouvante-le-Bas Bovantéens. **Le-Haut** Bovaltéens
Bouvran Bouvronais
Boz Burhins
Brest Brestois
Breteuil-sur-Iton Bretoliens. **Sur-Noye** Breteuillois
Brétigny-sur-Orge Brétignolais
Briançon Briançonnais
Briey Briotins
Brignoles Brignolais
Brioude Brivadois
Brive-la-Gaillarde Brivistes
Bron Brondillants
Brou Broutins, Broutains
Bruay-en-Artois Bruaysiens
Brunoy Brunoyens
Bry-sur-Marne Bryards
Bulles Bullois
Bully-les-Mines Bullygeois
Bures-sur-Yvette Buressois

☞ Suite p. 1435.

ŒUVRES

■ **Charte de déontologie.** Adoptée depuis 1990 par 22 organisations qui désignent un censeur chargé d'établir, chaque année, un rapport soumis à la Commission de surveillance du Comité de la Charte. Elles s'engagent à établir des doc. comptables annuels, à les faire certifier par un commissaire aux comptes, et prennent l'engagement de les rendre accessibles par un commentaire simple et clair diffusé auprès des donateurs. *Renseignements :* Comité de la Charte de déontologie des organisations sociales et humanitaires faisant appel à la générosité publique, 21, rue du Fg-St-Antoine, 75011 Paris. *17-10-1992* auteur du mouvement ATD Quart-Monde.

■ **Donations.** *Fondations ou associations rup* sont seules autorisées à recevoir des donations (sommes importantes, titres de Sté, immeubles...) et des legs exemptés de tout droit de mutation ; subordonnées à une autorisation administrative accordée suivant leur importance par arrêté préfectoral ou décret en Conseil d'État ; demande à faire au préfet. *Une association non rup* mais ayant pour but exclusif l'assistance et la bienfaisance peut recevoir des donations et des legs sous réserve d'autorisation admin.

■ **Fiscalité.** Les versements faits par des particuliers à des œuvres ou organismes d'intérêt général ayant un caractère philanthropique, éducatif, scientifique, social ou culturel peuvent être déduits, dans la limite de 1,25 %, du revenu imposable, ou de 5 % s'il s'agit des fondations ou associations reconnues d'utilité publique (rup) ou satisfaisant à des conditions d'intérêt général. Depuis 1990, les dons effectués au profit des organismes qui fournissent gratuitement des repas à des personnes en difficulté ou qui contribuent à favoriser leur logement donnent droit à une réduction de 50 % du montant des dons retenus dans la limite de 560 F pour 1992.

☞ *Nota.* – Rup : reconnue d'utilité publique.

■ **Fondation. Définition** établissement à caractère privé, créé par une ou plusieurs personnes privées dans un but déterminé, financé par des fonds privés. **Création :** demander au min. de l'Intérieur une autorisation expresse, qui sera accordée sous forme de décret pris après avis du Conseil d'État. La création nécessite : une déclaration de volonté du fondateur [donation par acte authentique (acte passé devant notaire), l'acte est exonéré de droits de mutation] et une reconnaissance d'utilité publique (accordée si le but est désintéressé et présente un caractère d'intérêt général, et si la dotation en capital est suffisante pour permettre le fonctionnement régulier de l'œuvre, min. 5 000 000 F). **Fonctionnement** libre. L'État n'exerce de tutelle que sur statuts, règlement intérieur et opérations concernant le patrimoine de la fondation. Pas de membres, donc pas d'assemblée générale des sociétaires, mais un conseil d'administration (composition fixée par les statuts, qui se réunit au moins 2 fois par an). *Peut recevoir* legs, dons, subventions publiques ou privées, *bénéficier* de droits d'entrée (visites, expositions, concerts) et des produits de ventes de publications, reproductions, prix de journée... **Fiscalité** *pas d'impôt sur les sociétés* sauf s'il y a une activité lucrative. *Impôt sur le revenu :* sur le placement de la dotation (loyers, fermages, intérêts, dividendes). *Pas de TVA* sur les ventes (en principe). *Pas de taxe professionnelle. Pas de droits de mutation* sur dons et legs. *Taxe réduite pour les achats d'immeubles sociaux.*

☞ **Fondations philanthropiques.** Aux États-Unis. *Les plus importantes, nombre :* 22 000. *Capitaux (en milliards de $) :* Ford 3,4, John D. and Catherine T. MacArthur 1,5, Robert Wood Johnson 1,2, W.K. Kellog 1,2, Pew Memorial Trust 1,2, Andrew W. Mellon 1,1, Rockefeller 1.

STATISTIQUES

■ **Monde.** En 1989, on estimait qu'il y avait 14 millions de personnes déplacées ou réfugiées, 200 m. d'enfants de – de 15 ans au travail, 450 m. de sous-alimentés, 500 m. de chômeurs, 850 m. d'analphabètes, 1 milliard de pers. sans eau potable et 1 milliard dans des bidonvilles ou sans abri.

■ **France. Dons collectés pour les causes humanitaires.** 9,5 milliards de F (dont associations s'occupant du tiers monde 2,5). *Taux de rendement des appels humanitaires par publipostage : 1988 :* 3 à 4 %, *90 :* 1.

Dons moyens par ménage. 1 076 F par an. *Répartition (en %) :* lutte contre la maladie 54, services sociaux 24, Églises 21, éducation et recherche 18, aide internationale 15, culture, droits de l'homme 5, environnement 5. Bénévoles : 8,3 millions.

Budget 1990-91 (en millions de F) **et** entre parenthèses **part des dons en % dans les ressources.** Croix-Rouge française 2 500 dont 205 pour l'activité associative (8,2), Association des paralysés de Fr. 1 298 (8), Secours catholique 742 (95), Secours populaire 600 (97) (beaucoup de dons en nature difficilement évaluables), Ass. pour la recherche contre le cancer 488 (nc), Ligue contre le cancer 325 (73), Ass. fr. de lutte contre les myopathies 319 (76), Médecins sans frontières 317 (48), CCFD 189 (76), Médecins du monde 145 (63), Restaurants du cœur 140 (50).

Établissements. 800 offrant 33 000 lits. *Coût pour l'État :* 1,8 milliard de F. Aide sociale attribuée au schéma départemental de l'accueil, de l'hébergement et de la réadaptation sociale, et 30 millions de F pour l'hébergement d'urgence inclus dans le programme pauvreté-précarité dont le budget global s'élève à 75 millions en 1993. **Centres de réinsertion** (ouverts toute l'année), à ne pas confondre avec les foyers de jeunes travailleurs ou de type Sonacotra qui accueillent 176 000 personnes (85 % d'hommes dont 50 % de 30-49 ans et qui sont souvent immigrés. **Structures fixes d'accueil de nuit** 5 000 lits. *Gestion :* par des associations dont 3 gèrent env. 50 % : Armée du salut, Emmaüs et Secours catholique et d'autres, comme à Paris, l'Œuvre de la mie de pain (480 lits), Centre d'action sociale protestante, Centre israélite, Bureaux d'aide sociale locaux.

Investissement humanitaire en 1992 des grandes sociétés (en millions de F). Fondation Elf Aquitaine 25, Crédit Mutuel 10, CDC 10, Fond. Crédit Lyonnais 6,5, Rhône-Poulenc-Rohrer 4, EDF 3, BNP 3, Lyonnaise des Eaux-Dumez 2,5, SNCF 2,5, Axa 2, Agf 2, France Télécom 2, Fond. Crédit national 1,9, Caisses d'Épargne 1,6, GDF 1,5, Fond. Paribas 1,5, UAP 1, Usinor-Sacilor 0,5, Promodès 0,5.

■ **Sans-abri et mal-logés en France et,** entre parenthèses, **en Ile-de-France en 1990.** *Source :* SCIC (Sté centrale immobilière de la Caisse des dépôts, déc. 1992). 2 248 000 (425 000) dont exclus du logement 202 000 (35 100) [sans domicile fixe 98 000 (16 500), abris de fortune 45 000 (7 700), centres d'urgence 59 000 (10 900)]. Occupants des logements de substitution (meublés, chambres d'hôtel) 470 000 (120 800). Mal-logés 1 576 000 (269 100) [habitations mobiles 147 000 (21 700), logements « hors normes » 1 429 000].

ŒUVRES GÉNÉRALES

■ **Armée du Salut.** 76, rue de Rome, 75008 Paris. *Fondée* 1865 par Gal William Booth. Soutien moral, spirituel et matériel à toutes personnes en difficulté, sans discrimination de classe sociale, religion ou race. *Secteur évangélisation :* 44 centres, *social :* 38 centres. *Capacité d'accueil* en France 4 000 (*nombre de bénéficiaires* env. 55 000). Chaque année, 2 600 000 repas servis, 2 000 000 de nuits d'hébergement, 4 000 lits permanents, 200 000 soupes de nuit chaque hiver.

■ **Cedias (Centre d'études, de documentation, d'information et d'action sociales).** *Musée social,* 5, rue Las-Cases, 75007 Paris. *Fondé* 1894. Renseignements sur les établissements de placement pour malades, handicapés, personnes âgées, bibliothèque spécialisée, conférences. *Publication :* « Vie sociale ».

■ **Conseil national de la solidarité.** Créé 1988, regroupe 13 associations catholiques françaises, représentant 2 courants, celui du développement humanitaire et celui des missions. *Budget 1990 :* 1,3 milliard de F. *Donateurs :* 1,3 million.

■ **Croix-Rouge. Mouvement international de la Croix-Rouge et du Croissant-Rouge (Croix-Rouge internationale) :** *siège :* Genève. *Emblèmes :* croix rouge sur fond blanc, croissant rouge sur fond blanc. *Principes fondamentaux :* Humanité, Impartialité, Neutralité, Indépendance, Volontariat, Unité et Universalité. Institution humanitaire indépendante, de caractère privé, neutre sur le plan politique, idéologique et religieux. Comprend : *Comité international* (CICR), *fondé* 1863 par cinq Suisses dont Henry Dunant (1828-1910) pour aider les militaires blessés [le 7-9-1759, au cours de la guerre de 7 ans, le marquis de Rougé, lieutenant général des Armées du Roi, avait déjà signé avec le baron de Buddenbrock, major prussien, la « Convention de Brandeburg ». Les adversaires s'engageaient à respecter hôpitaux et lazarets et à ne pas considérer les médecins et leurs auxiliaires comme prisonniers de g.]. Il est formé uniquement de citoyens suisses recrutés par cooptation (25 au max.). Il intervient en temps de conflits armés ou de troubles intérieurs, en faveur des victimes civiles et militaires. Fonde son action sur les Conventions de Genève (1949), leurs Protocoles additionnels (1977), les tr. de droit international ou sur sa propre initiative.

Fédération internationale des Stés de la Croix-Rouge et du Croissant-Rouge *fondée* 1919. En temps de paix, contribue au développement des Stés nationales, coordonne leurs opérations de secours en faveur des victimes de catastrophes naturelles, et aide les réfugiés en dehors des zones de conflit. **Stés nationales de la Croix-Rouge et du Croissant-Rouge :** 153 reconnues par le CICR, regroupant env. 250 000 000 de m ; indépendantes de leurs gouv., elles sont cependant leurs auxiliaires dans le domaine social et humanitaire et en temps de conflits armés.

■ **Croix-Rouge française (CRF).** 1, place Henry-Dunant, 75384 Paris Cedex 08 *fondée* 1864 *(Rup). Pt :* André Delaude (n. 21-4-1921) dep. 26-2-1992 (avant, Georgina Dufoix). **Organisation :** Conseil d'administration : 46 membres dont 25 élus par l'Assemblée générale de la CRF et 21 représentants de ministères, de corps constitués et de grandes organisations nat. 1 Pt et 2 vice-Pts, élus par le conseil d'administration et agréés par le gouv. 101 conseils départ. dirigés par un Pt, assisté d'un conseil, et 1 200 comités locaux, en métropole et dans les DOM. **Personnel :** 100 000 bénévoles et 14 800 salariés (hospitaliers, enseignants, administratifs). Fonctions électives bénévoles. **Ressources :** transitant par l'association 2,9 milliards de F (1991) dont les 4/5 viennent du remboursement par la Séc. soc. des hospitalisations et 1/5 de fonds dont l'association peut disposer pour ses secours et des cotisations des adhérents (500 000) (dons, legs, quête nationale, etc.). Excédent financier : 31 millions de F (malgré un déficit d'exploitation de 43,6 millions de F) en raison de ventes d'actifs. **Activités : Enseignements professionnels :** 106 écoles ou centres de formation prof. dans le secteur sanitaire et social, 9 000 étud. par an. **Formation :** 1ers secours pour 150 000 personnes avec 3 500 médecins, 1 000 instructeurs, 5 000 moniteurs. Formation des bénévoles et du grand public (droit humanitaire, santé, sécurité domestique). **Formation continue :** 90 centres dép. forment 10 000 stagiaires. **Action médico-sociale :** 378 établ. sanitaires et sociaux (10 700 places) 304 activités médico-soc. (dont 47 services de soins à domicile pour personnes âgées, 54 d'aides ménagères et d'auxiliaires de vie et 20 centres médico-soc.). Soins infirmiers dans 110 établ. pénitentiaires. 6 sections sanitaires. Collecte de sang pour 5 hôpitaux parisiens. **Action sociale :** centres d'accueil et d'écoute pour personnes en difficulté. Aide alimentaire. Maintien à domicile des personnes âgées et des handicapés. Vestiaires. Action en faveur des réfugiés et migrants, de l'enfance défavorisée. N[o] Vert d'écoute téléphonique. Participation à la mise en œuvre du RMI. **Urgence :** *individuelle :* cas se présentant ; *collective :* participe au Plan Orsec, 30 000 secouristes actifs et 20 000 des personnels sanitaires et auxiliaires en réserve ; *internationale :* seule ou avec d'autres org. humanitaires, participe aux actions engagées : par la Féd. internat. des Stés de la CR et Croissant-Rouge (catastrophes naturelles) par le CICR (conflits armés). Aide au développement des Stés de CR dans les pays en voie de développement. **Service des recherches :** renseigne familles séparées lors de conflits internat. ou guerres civiles, recherche disparus, réunit familles. **Équipes secouristes :** 30 000 équipiers, 58 024 postes de secours, 6 085 605 heures de bénévolat pour 158 829 pers. secourues. **Jeunesse :** cadre scolaire et au sein des groupes CR Jeunesse : protection de la santé et du milieu environnant, entraide et solidarité, compréhension et amitié internat. **Publications :** « Présence Croix-Rouge » (trim., 30 000 ex.), **Minitel** 3615 Croix-Rouge. **Centre de documentation** 9, rue de Berri, 75008 Paris.

■ **Équipes St-Vincent (Fédération française des)** 67, rue de Sèvres, 75006 Paris. Issues des Confréries de

Charité, *fondées* 1617 à Châtillon-les-Dombes par St Vincent-de-Paul (1581-1660), devenues Équipes St-Vincent en 1968. Membre de l'Association internat. des Charités. *Rup* 1935. France 200 équipes, 8 000 bénévoles. Aide à toute personne en difficulté sans discrimination. Bulletin trimestr. (3 200 ex.).

■ Fondation Claude-Pompidou 42, rue du Louvre, 75001 Paris *fondée* 16-9-1970. *Rup.* Intervention de 1 500 bénévoles dans les clubs du 3e âge, les familles d'enfants handicapés et en milieu hospitalier ; gère 13 établissements de soins, d'hébergement et de rééducation pour personnes âgées, enfants et adultes handicapés.

■ Fondation de France 40, av. Hoche, 75008 Paris. *Créée* 1969. *Rup.* En France, seule fondation collectrice et distributrice de fonds privés en faveur de toutes les activités d'intérêt général : action sociale, culturelle, scientifique et médicale, mise en valeur et protection de l'environnement, aide aux pays du tiers monde et de l'Europe de l'Est. Offre, à toute personne ou entreprise désireuse de poursuivre une activité dans ces domaines, la possibilité de créer sa propre fondation. En 1992, accueille et gère 358 fondations dont 45 pour le compte d'entreprises. Favorise le développement des associations en leur apportant services et conseils. *Publication :* « Fondation de France », trim.

■ Œuvres hospitalières françaises de l'ordre de Malte (OHFOM) 92, rue du Ranelagh, 75016 Paris. *Pt :* Arnold de Waresquiel *créées* 1927. *Rup* 1928. *Interventions :* lutte contre la lèpre, assistance aux handicapés et aux enfants en difficulté, recherche médicale, secours d'urgence, assistance médicale, enseignement sanitaire (ambulanciers, secouristes), aide aux réfugiés et aux sinistrés, ramassage, tri et envoi de médicaments dans les pays en voie de développement. *Donateurs :* 350 000. *Délégués et correspondants en Fr. :* 1 250. *Établissements hospitaliers aidés ou directement gérés par les OHFOM :* 100. *Pays d'intervention en sus de la France :* 79. *Subventions accordées* (1992) : 85 millions de F. *Expédition de médicaments et matériel médical* (1992) : dans 79 pays, 1 373 t d'une valeur de 343 millions de F. *Centres de tri et collecte de médicaments en Fr. :* 125. *Publication :* Hospitaliers (trim.). *Ressources :* dons, legs, quêtes.

■ Secours catholique ou Caritas France 106, rue du Bac, 75341 Paris Cedex 07. *Créé* par Mgr. Rodhain 8-9-1946 lors du pèlerinage à Lourdes de 100 000 anciens prisonniers et déportés. *Statut :* association (loi 1901), rup 1962. Grande cause nationale 1988. Confédéré au sein de *Caritas Internationalis. Conseil d'admin. :* 21 membres. *Pt : 1946* François Charles-Roux. *1961* Jacques de Bourbon-Busset. *1970* Mgr Jean Rodhain. *1977* Robert Prigent. *1983* André Aumonier. *1992* Pierre Boissard. *Secr. gén. 1946* Mgr Jean Rodhain. *1973* Gilbert Cesbron. *1976* Louis Gaben. *1985* M. Fauqueux. *1991 :* Denis Viénot. *Aumonier général :* Père Marie-Paul Mascarello. *Mensuel :* « Messages », 1 150 000 ex. *Mission :* aide à toute personne en difficulté quelles que soient ses opinions politiques ou religieuses, sensibiliser toutes les communautés (chrétiennes et humaines) à l'existence de la pauvreté sous toutes ses formes. 106 délégations diocésaines (métropole et outre-mer), 70 000 volontaires bénévoles. *Budget 91 :* 673,3 millions de F (lui ayant permis de répondre à 636 000 appels à l'aide en France ; 568 opérations internationales, dont 111 d'urgence dans 55 pays, 457 microprojets de développement dans 63 pays, grâce au réseau des Caritas nationales. Minitel 3615 Secours catholique.

■ Secours populaire français (SPF) 9-11, rue Froissart, 75140 Paris Cedex 03. *Créé* 1945. *Rup,* agréé d'éducation populaire, grande cause nationale 1991. *But :* solidarité aux plus défavorisés en France et dans le monde, en toute indépendance et sur la base d'un partenariat fraternel. *Membres :* 818 739, animateurs bénévoles 60 503, permanences d'accueil et solidarité 1 157, implantations dans les départements, 10 125 Médecins du SPF 7 600, salariés : 138. *Budget (1992) :* 652 millions de F, 8 934 t de produits alimentaires distribuées, 245 311 familles, 74 041 personnes isolées aidées, 500 000 journées de vacances offertes, 184 projets d'aide au développement dans 63 pays. *Publications :* « Convergence », mensuel, 713 000 ex., mouvement d'enfants « Copain du Monde » créé 1992. Minitel 3615 SPF.

Autres œuvres

■ Accidentés du travail et handicapés (Fédération nationale) 20, rue de Tarentaise, 42029 St-Étienne cedex 01. *Fondée* 1921. *Secr. gén :* Marcel Royez. 85 groupements départementaux, 1 650 sections locales. *Adhérents :* 300 000. *Objectif :* défense individuelle et représentation collective des personnes handicapées. *Publication :* « A part entière », 300 000 ex.

■ Accueil des villes françaises (pour nouveaux arrivants) 2, rue des Princes, 92100 Boulogne.

■ Accueil et reclassement féminin. **Œuvre des gares** *siège :* 21, av. du Gal-Michel-Bizot, 75012 Paris. Hébergement des femmes majeures, en difficulté, accompagnées de leurs enfants. Foyer pour jeunes filles mineures. Accueil en gares : Est, Nord, Lyon, Montparnasse.

■ Adoption. **Famille adoptive française (La)** 90, rue de Paris, 92100 Boulogne. **Œuvre de l'adoption** 10, rue Philibert-Delorme, 75017 Paris.

■ Aide silencieuse. **Œuvres de la miséricorde.** 149 bis, rue St-Charles, 75015 Paris. Secourt les personnes ayant connu l'aisance, qui à la suite de revers, dissimulent leur misère avec dignité.

■ Alcooliques anonymes 21, rue Trousseau, 75011 Paris. *Créée* 1960. *Membres :* env. 9 000.

■ Alphabétisation. **Comité de liaison pour l'alphabétisation et la promotion (CLAP)** 71-73, rue Broca, 75013 Paris.

■ Aveugles et malvoyants. **Ass. des donneurs de voix** Rup (décret du 28-10-1977). *Bureau nat. :* 95, Grande-rue St-Michel, 31400 Toulouse. Enregistrement de livres sur cassettes. France + de 280 000 ouvrages prêtés en 1993. Bibliothèque sonore, 12, rue Bargue, 75015 Paris. **Ass. française pour la réadaptation des déficients visuels** 3, rue Lyautey, 75016 Paris. Loi 1901. **Ass. nat. des parents d'enfants aveugles ou gravement déficients visuels (ANPEA)** 12 bis, rue de Picpus, 75012 Paris. *Fondée* 1964. *Publication :* « Comme les autres » (trim. en braille et en noir). **Ass. Valentin-Haüy pour le bien des aveugles (AVH)** 5, rue Duroc, 75007 Paris, + de 90 groupes en province. *Fondée* 1889. *Rup* 1891. Prêts gratuits de livres (92 000 en 1992), de partitions en braille et de livres parlés sur cassettes (500 000 par an, 6 500 titres au catalogue). Centres de formation professionnelle et d'aide par le travail. Atelier protégé. Action sociale et culturelle + nombreuses revues. Cinéma (système « Audiovision »). Maison de vacances pour aveugles et leurs familles. Musée. Clubs de loisirs et activités sportives. Vente de matériels adaptés. **Auxiliaires des aveugles** 19, rue du Gal Bertrand, 75007 Paris. Rup *Fondée* 1963. Aides aux étudiants, secrétariat pour les examens, lectures, guidages, visites, enregistrements de cassettes à la demande, activités culturelles et sportives. **Croisade des aveugles** 15, rue Mayet, 75006 Paris. *Rup.* 12 000 membres répartis en 95 groupes locaux en Fr. 12 établissements. **Féd. des aveugles et handicapés visuels de France** (« Les Cannes blanches ») 58, av. Bosquet, 75007 Paris. Rup (décret 27-8-1921). Centres d'aides par le travail, ateliers protégés, foyers résidences pour adultes et aveugles, centres de guidance parentale, sports et loisirs. **Croix-Rouge française** (voir p. 1393 c). **Groupement des intellectuels aveugles ou amblyopes (Giaa)** 5, av. Daniel-Lesueur, 75007 Paris. Rup 1948. 84 délégations départementales. (Bibliothèque : 18 000 ouvrages et 71 périodiques en braille ou sonore, imprimerie braille informatique, professeurs et éducateurs d'aveugles, réadaptation personnalisée, vacances, etc.).

■ Bénévoles. **Centre national du volontariat (CNV)** 127, rue Falguière, 75015 Paris. *Fondé* 1974. Orientation des bénévoles vers les associations grâce à un réseau de centres de volontariat locaux. Formation de bénévoles. *Publication trim. :* « Volontariat au présent ». **Volontariat au service de l'art (Vsart)** 8, rue de Miromesnil, 75008 Paris. *Objectif :* au travers de l'art, nouer des relations humaines avec des personnes en retrait de la société en raison de leur âge, de leur maladie.

■ Cancer. **Ass. pour la recherche sur le cancer (ARC)** 16, av. Vaillant-Couturier, 94800 Villejuif. *Fondée* 1962. *Rup* 1966. *Pt :* Jacques Crozemarie. 3 200 000 adhérents. 2 milliards de F consacrés à la recherche dep. 1980. *Publication :* « Fondamental », trim. (1 500 000 ex.). **Ligue nationale contre le cancer** 1, av. Stéphen-Pichon, 75013 Paris. *Créée* 1918. Rup 1920. *Pt. :* Gabriel Pallez. En 1991, a réparti 189 millions de F dont recherche 134, prévention et dépistage 33, aide aux malades 22. *Publication :* « Vivre », trim. (grand public). **Vivre comme avant** 8, rue Taine, 75012 Paris. *Fondée* 1975. Aide morale aux femmes ayant subi des opérations du sein.

■ Cardiologie. **Fédération française de cardiologie** 50, rue du Rocher, 75008 Paris. *Rup. Pt. :* Pr Pierre Bermadet. *Membres :* + de 2 000 (dont 200 cardiologues). Présente dans 28 assoc. région., + de 100 clubs « Cœur et santé ».

■ Défavorisés. **Action internationale contre la faim (AICF)** 34, av. Reille, 75014 Paris. **ATD Quart Monde** 107, av. Gal-Leclerc, 95480 Pierrelaye. *Fondée* 1957 par le père Joseph Wresinski. Équipes de permanents dans 23 pays, correspondants dans 114 pays. Actions-pilotes : universités populaires, clubs du savoir, bibliothèques de rue, cours aux cent métiers, cités de promotion familiale. *Publications :* « Les Cahiers du Quart Monde » (annuel), « Revue Quart Monde » (trim.), « Feuille de Route » (mens.), « Jeunesse Quart Monde » (mens.), « La Lettre de Tapori » (enfance, mens.). **Centre d'Action Sociale Protestant (CASP)** 20, rue Santerre, 75012 Paris. **Comité catholique contre la faim et pour le développement (CCFD)** 4, rue Jean-Lantier, 75001 Paris. *Créé* 1961. *Rup.* Association composée de 29 mouvements et services de l'Église catholique sous le patronage des évêques de Fr. 99 comités diocésains. 2 500 équipes locales. 250 000 donateurs. *Budget 1993, prév. ;* 183 millions de F dont 29 de cofinancement (CEE, Coopération, Aff. étr., organismes internat.). En 1991, 677 actions d'aide au dévelop. dans 86 pays. Certains lui ont reproché, il y a quelques années, des implications politiques marquées à gauche. *Publication :* « Faim Développement Magazine », 100 000 ex. Revues, dossiers, audiovisuels, jeux, etc. **Emmaüs** 32, rue des Bourdonnais, 75001 Paris. Centre *créé* 1949. *Révélé* en 1953-54 par l'abbé Pierre (nom de résistance de Henri Grouès, n. 5-8-1912, député MRP de M.-et-M. 1945-51, fondateur des chiffonniers d'Emmaüs devenus célèbres en 1954). + de 250 groupements en France, + de 800 dans le monde. Accueil, action éducative, soutien. *Publication :* « Faims et soifs des hommes ». En 1991, ouverture des *boutiques-solidarité* (boîte à lettres, hygiène, aide juridique, etc.). **Féd. française des banques alimentaires** 15, avenue Jeanne-d'Arc, 94110 Arcueil. *Créée* 1985. Groupe 56 banques. Distribution colis ou repas aux associations caritatives et humanitaires de France. En 1992, près de 2 000 bénévoles ont distribué gratuitement à 2 500 associations 2 200 t de denrées valant au prix moyen de gros 300 millions de F (ayant permis la distribution de 44 000 000 repas) fournies par industriels et distributeurs 65 %, CEE 25 %, aide individuelle 10 %. **Fondation abbé Pierre pour le logement des défavorisés** BP 100, 94220 Charenton – CCP 41749 K Paris. **Grand-Cœur** 74 bis, av. Ledru-Rollin, 94170 Le Perreux. **Oeuvre de la miséricorde-Aide silencieuse** 149 bis, rue St-Charles, 75015 Paris. *Créée* 1822. *Rup* 1921. *Pte :* Mme d'Angosse-Mieulle. **Œuvre d'Orient** 20, rue du Regard, 75006 Paris. *Pt :* Bernard de Margerie. **Petits Frères des Pauvres** 64, av. Parmentier, 75011 Paris. **Restaurants du Cœur** 75515 Paris Cedex 15. *Créés* 1985 par Coluche. En 1991, 1 359 centres animés par 11 000 bénévoles ont distribué 27,5 millions de repas à 365 000 bénéficiaires. *Ressources :* 117 millions de F, dont divers 26, ministère des Aff. sociales 14, dons en nature de la CEE 48, des particuliers 35. **Sté philanthropique** 15, rue de Bellechasse, 75007 Paris. *Fondée* 1780. *Rup.* **Sté de St-Vincent-de-Paul-Louise de Marillac** *Siège nat. :* 5, rue du Pré-aux-Clercs, 75007 Paris. *Fondée* 1833 par Frédéric Ozanam (1813-53) et ses compagnons, a fusionné 1969 avec le mouv. féminin Louise de Marillac *fondé* 1909. Env. 850 000 membres en 40 000 « Conférences » dans 125 pays (France 13 770 m., 1300 « Conf. »). *Mission :* service des pauvres. Aide au développement. Amitié entre confrères. Contact direct et personnel. *Publication :* les « Cahiers Ozanam ».

■ Dépressifs. **Solitude et prévention du suicide. SOS Amitié** 11, rue des Immeubles industriels, 75011 Paris. Fédère en France 43 associations régionales dont **SOS Help** BP 23916, 75765 Paris Cedex 16, aide morale en anglais. + de 2 000 bénévoles se relayent au téléphone 24 h/24, pour écouter les personnes en crise. 600 000 appels en 1992. **Phénix,** 6 bis, rue des Récollets, 75010 Paris, 28 r. de Gergovie, 75014. **SOS Suicide** assoc. *créée* 1978. **La Porte ouverte** 21, rue Duperré, 75009 Paris, 4, rue des Prêtres-Saint-Séverin, 75005 Paris. **Urgence psychiatrie,** 110, rue du Cherche-Midi, 75006 Paris. *Créée* 1984 par des médecins. Standard de psychologues au téléphone 24 h/24. *Objet :* déplacement de psychiatres à domicile. **SOS Dépression** Même adresse. **SOS Psy** service d'orientation et de soins psychiatriques pour les allocataires du RMI.

■ Dons d'organes. **Féd. des associations pour le don d'organes et de tissus humains. France Adot.** BP 35, 75462 Paris Cedex 10. *Fondée* 5-8-1969. *Adhérents :* 100 000, 90 associations. *Publication :* « Revivre » (trim.). *Minitel* 3614 Adot.

■ Droits de l'Homme. **Ligue internationale des droits de l'homme** *Créée* 1941. *Membres :* 41 associations dans 26 pays. *Siège :* New York.

■ Éducation. **Aide à la scolarisation des enfants tsiganes et autres jeunes en difficulté (ASET)** 37 r. Gabriel-Hussor, 93230 Romainville. Antennes scolaires mobiles 23. Enseignants 24. 2 500 enfants scolarisés par an. **L'école à l'hôpital Marie-Louise Imbert** 89, rue d'Assas, 75006 Paris. *Créée* 1929 par Marie-Louise Imbert. *Rup.* Enseignement à l'hôpital et à domicile pour enfants malades. **Nouvelle étoile**

des enfants de France (La) 3, rue de Pontoise, 75005 Paris. *Rup.* Dispensaire, PMI, crèches, centre d'accueil mères/enfants, hygiène mentale, placements familiaux, école d'auxiliaire de puériculture. **Villages d'enfants SOS de France** 6, cité des Monthiers, 75009 Paris. **Unicef Comité français** 33, rue Félicien-David, 75781 Paris cedex 16.

■ Enfants. **Comité national de l'enfance** 51, av. Franklin-Roosevelt, 75008 Paris. **Fondation pour l'enfance** 8, rue des Jardins-St-Paul, 75004 Paris. Minitel 3615 code Enfance. Créée 1977 par Anne-Aymone Giscard d'Estaing, épouse du Pt. **Unicef, Comité français** 35, rue Félicien-David, 75016 Paris.

■ Étranger. **Action d'urgence internationale (AUI)** 10, rue Félix-Ziem, 75018 Paris. Agréée par le ministère de la Jeunesse et des Sports. Ass. d'éducation populaire. *Spécialités :* séismes, éruptions volcaniques, inondations, assainissement, etc. *Organisation :* 450 adhérents et 1 200 donateurs. *Publication :* « Action Sud ». **Aide médicale internationale** 119, rue des Amandiers, 75020 Paris. *Fondée* 1979. *Membres :* 1 300. *Budget :* 2,5 millions de F. 50 départs bénévoles par an, pour missions médicales en Afghanistan, Laos, Kurdistan, Colombie, Haïti, Birmanie, Surinam, Tigré, Érythrée, Pakistan, Liban, Sud-Soudan, Liberia, Cambodge, Somalie. **Cimade** (voir réfugiés) soutien technique et financier, partenariat avec des organisations humanitaires locales dans + de 30 pays en voie de développement. **Frères des hommes** 9, rue de Savoie, 75006 Paris (mouvement de coopération et solidarité internationale ; intervient en Asie, Afrique et Amér. latine ; présent dans 25 pays ; sans appartenance politique ni confessionnelle). *Fondé* 16-9-1965 par Armand Marquiset (1900-81). *Membres :* 600. *Publications :* « FDH – Témoignages et Dossiers » (trim. : 30 000 ex.), « Une seule Terre » (bimens. : 1 000 ex.). *Budget intern. :* 15 millions de F. **Médecins sans frontières** 8, rue Saint-Sabin, 75011 Paris. *Créée* 1971. *Rup* 1985. *Adhérents :* 5 600. *Budget :* 320 millions de F [58 % venant de dons privés (740 000 donateurs), 42 % de la CEE ou du HCR]. *Pays d'intervention :* 60 + 6 centres méd.-sociaux en France. *Sections europ. :* 7. *Budget internat. :* 107 millions d'Écus, 1 500 000 donateurs privés. Départs terrain (1992) : 2 525. *Publications :* « MSF » (10 n^os/an), 600 000 ex. ; « Messages » (12 n^os/an), 7 000 ex. **Médecins du Monde** 67, av. de la République, 75011 Paris. *Créée* 1980 par Bernard Kouchner. *Rup.* janv. 1989. *Pt :* Pr. Gilles Brucker. *Adhérents :* 3 500. *Budget 1992 :* 140 millions de F (60 % de dons, 40 % institutionnels). *Missions :* 40 dans le tiers monde + Missions France. *Centres :* 24 médico-sociaux. *Volontaires :* 6 000 actifs dont 600 médecins et infirmières sur le terrain. *Publication :* « Les Nouvelles de MDM. » (trim., 420 000 ex.). **Terre des hommes (France)** 4, rue Franklin, 93200 St-Denis. Appui à des mouvements sociaux et à des projets concrets près de partenaires du Sud. *Fondée* 1963 en Suisse, présente dans 11 pays [All., Danemark, Norvège, Fr., P.-Bas, Belgique, Luxembourg, Suisse (Bâle et Genève), Canada, Liban]. 1 000 *membres.* 10 000 *donateurs,* « projets » dans 25 pays. *Publication :* « Défi » (12 000 ex., trim.). **Les médecins aux pieds nus** 4, rue Chapu, 75016 Paris. *Créée* janvier 1990. *But :* envoyer dans le tiers monde des médecins et naturopathes, capables de traiter les populations en utilisant les pharmacopées locales (plantes, animaux) et des techniques traditionnelles (acupuncture) ou énergétiques.

■ Famille. **Féd. des familles de France** 28, place Saint-Georges, 75009 Paris. *Créée* 22-9-1921. *Adhérents* (1992) : 160 000, regroupés dans 650 associations locales et comités locaux de consommateurs. *Objectif :* défendre les intérêts matériels et moraux des familles. *Publications* sur abonnement : « Familles de France » (trim., 30 000 ex.), « Action familiale » (trim., 2 000 ex.). **Couple et dialogue** 89, rue du Fbg-St-Antoine, 75011 Paris. *Créé* 1971 par Xavier Friocourt. *Objectifs :* accueil, orientation et soutien psychologique des personnes seules ou en couple lors d'une crise ou rupture. *Publication :* « Expressions ».

■ Handicapés. **Ass. de l'amicale des bien-portants et des handicapés** 16, rue Champ-Lagarde, 78000 Versailles. *Créée* 1981 par D. Goglia. *Adhérents :* 350. **Ass. nat. des amis des handicapés physiques** 2, av. Garibaldi, 21000 Dijon. **Ass. nat. des infirmes moteurs cérébraux (Animc)** 41, rue Duris, 75020 Paris. *Créée* 1954. *Rup. Pt :* M. Ayax. En août 1991 : la **Féd. fr. des assoc. des IMC (Ffaimc),** 269, bd Jules Michelet, 83000 Toulon, a été déclarée. *Pte :* Mme Boucard. 25 assoc. régionales IMC, 100 centres gérés + de 2 500 IMC pris en charge. *Publication :* « Écho » (trim.). **Ass. des paralysés de Fr. (Apf)** 17, bd Auguste-Blanqui, 75013 Paris. *Créée* 1933. – *Rup. Adhérents :* 30 000, 40 000 actifs associés, 95 délégations départementales, 15 rég., 156 établ. services à domicile, 7 500 salariés dont 170 assistants sociaux pour 30 000 handicapés et familles. *Publications :* « Faire face » (mens.) ; « Ensemble » (trim.). **Auxilia** 102, rue d'Aguesseau, 92100 Boulogne. *Fondée* 1926. *Rup.* Reclassement et réinsertion des handicapés physiques, des chômeurs et des détenus par l'enseignement à distance (ens. général, du primaire au sup. ; ens. professionnel ; cours gratuits). *Professeurs* 2 000. *Élèves* 3 000 (moitié handicapés, moitié détenus). **Foi et Lumière** 3, rue du Laos, 75015 Paris. *Fondée* 1971. *Membres :* 21 000. **Fondation John Bost** (24130 La Force) *fondée* 1848, *Rup.* Œuvre privée protestante, sanitaire et sociale. Accueille 1 000 handicapés, malades mentaux et personnes âgées. **Fraternité catholique malades et handicapés** 66, rue du Garde-Chasse, BP 9, 93260 Les Lilas. **Groupement pour l'insertion des handicapés physiques (Gihp)** 8, rue des Myosotis, 54500 Vandœuvre. **Office chrétien des personnes handicapées (Och)** 90, av. de Suffren, 75738 Paris Cedex 15. *Fondé* 1963. *Adhérents :* 32 000. *Publication :* « Ombres et Lumière ». **Union nat. des ass. de parents et amis de personnes handicapées mentales (Unapei)** 15, rue Coysevox, 75876 Paris Cedex 18. *Fondée* 1960. *Rup* Grande cause nat. 1990. *Adhérents :* 62 000. Fédère + de 750 associations en France. *Publ. :* Vivre Ensemble, Juris Handicap, Tutelle Infos, Cahiers de l'Éducation, Cahiers du temps libre et des loisirs, Bulletin de Documentation, Cahiers de l'Europe et de la Francophonie, Cahiers du promoteur et du gestionnaire. *Minitel :* 3615 Unapei. **Ass. franco-amér. des volontaires au service des handicapés mentaux (Fava)** 24, rue d'Alsace-Lorraine, 75019 Paris. **Comité d'études, de soins et d'action permanente en faveur des déficients mentaux (Cesap)** 81, rue St-Lazare, 75009 Paris. *Créé* mai 1965. **Union nationale des amis et familles de malades mentaux (Unafam)** 12, impasse Compoint, 75017 Paris. *Fondée* 1963. *Adhérents :* + de 7 000. **Réinsertion. Ass. de placement et d'aide pour jeunes handicapés (Apajh)** 26, rue du Chemin-Vert, 75011 Paris. **Comité national français de liaison pour la réadaptation des handicapés (Cnflrh)** 38, bd Raspail, 75007 Paris. *Fondé* 1961. *Rup. Associations adhérentes :* 50. *Publication :* « Au fil des jours ». *Minitel :* 3615 Handitel. **Ligue pour l'adaptation du diminué physique au travail (Ladapt)** 185 bis, rue Ordener, 75882 Paris Cedex 18. *Fondée* 1929. **Handicap International** 18 r. Gerland, Lyon. *Fondée* 1980.

■ Animations de loisirs en milieu hospitalier. **Animation Loisirs à l'hôpital.** Association. Réadaptation par travail et loisirs. 5, rue de Barye, 75017 Paris.

■ Hôpitaux. **École à l'hôpital Marie-Louise Imbert** (voir p. 1394 c). **Visite des malades dans les établissements hospitaliers (VMEH)** 8 bis, av. René-Coty, 75014 Paris. *Fondée* 1933. *Membres :* 8 000.

■ Isolés. **Œuvre Falret** (hébergement) 52, rue du Théâtre, 75015 Paris. **Frères du Ciel et de la Terre.** 7 et 12, rue Léopold-Bellan, 75002 Paris. *Fondée* 1968.

■ Jeunes. **Les Orphelins apprentis d'Auteuil** 40, rue La Fontaine, 75016 Paris. *Créés* 1886 par l'abbé Louis Roussel. Développés par le Père Daniel Brottier. Fondation d'inspiration chrétienne, *Rup* 1929. Campagne d'intérêt général 1991. Accueille 3 800 jeunes de 6 à 20 ans (40 métiers enseignés, 26 maisons). *Publications :* Revue « À l'écoute », « Badge » et « Synergie ». **Les Enfants des Arts** 14, rue de la Montagne, 92400 Courbevoie. **SOS Enfants sans frontières** 56 r. de Tocqueville, 75017 Paris. *Créée* 1974 par Jacqueline Bonheur. Apolitique et non confessionnelle. *But :* agir partout dans le monde où des enfants sont en danger. **Les Enfants du Malheur** 43 r. Bénard, 74014 Paris. *Créée* 1989. Pour santé et éducation des enfants, soldats, détenus, esclaves, déracinés. **Orphelinat mutualiste de la Police nationale** 19, r. du Renard, 75004 Paris. *Créée* 1921. 670 délégués sur le territoire national, soutenu par 125 000 adhérents et par plus de 100 000 bienfaiteurs. Aide 3 400 orphelins, veuves et participants.

■ Justice. **Bureau de la protection des victimes et de la prévention** Min. de la Justice, 13, pl. Vendôme, 75042 Paris Cedex 01.

■ Lèpre. **Fondation Raoul-Follereau** 31, rue de Dantzig, 75015 Paris. *Créée* 1984 pour soutenir l'action de l'Association fr. créée en 1968 par Raoul Follereau (1903-77). 78 comités et délégations. *Rup.* Soigne 240 000 malades dans 170 centres de traitement, dans 31 pays. 30 000 volontaires participent à la Journée mondiale des Lépreux instituée 1954 par Follereau.

■ Malades. **Maison médicale Jeanne-Garnier** As. des Dames du Calvaire. 55, rue de Lourmel, 75015.

■ Myopathie. **Téléthon** lancé 1987 (1965 aux USA). *Sommes récoltées* (en millions de F) : *1987 :* 195 ; *88 :* 186 ; *89 :* 256 ; *90 :* 307 ; *91 :* 240 ; *92 :* 311. **Assoc. fr. contre les myopathies (AFM),** centrée sur la myopathie de Duchenne (Téléthon 1), étendue aux maladies neuro-musculaires (Tél. 2), génétiques (Tél. 3).

■ Personnes âgées. **Accueil et service-SOS 3e âge** 163, rue de Charenton, 75012 Paris. *Fondée* 1974 pour le maintien à domicile des personnes âgées ou handicapées. A créé en 1990 l'assoc. **Équinoxe,** service de télé-assistance national ; **Cépage** (centre d'étude, de promotion et de création Gérontologique). **Les petits frères des Pauvres** 64, av. Parmentier, 75011 Paris. *Créés* 1946 par Armand Marquiset (29-9-1900/14-7-81). La fondation **Bersabée** *(Rup)* en dépend et s'occupe du logement. **Petites sœurs des Pauvres,** la Tour St-Joseph, 35190 St-Pern. **Télé-entraide région parisienne personnes âgées (Terppa)** 8-10, rue Flatters, 75005 Paris. *Fondée* 1969.

■ Planning familial. **Mouvement français pour le pl. familial** 4, square Saint-Irénée, 75011 Paris.

■ Prison. **Association nat. des visiteurs de prison (ANVP)** 5 (ex. **La visite des détenus dans les prisons OVDP)** 5, rue du Pré-aux-Clercs, 75007 Paris. *Fondée* 1932. *Rup* 1951. *Membres :* 1 200. **Auxilia** (voir p. 772 a). **L'îlot** 130, av. de la République, 75011 Paris. *Fondé* 1969. Accueil sortants de prison et handicapés sociaux. *Centres de réadaptation pour hommes, à Paris :* 54, rue du Ruisseau, 75018 ; 132, av. de la République, 75011. *Centre d'hébergement pour hommes, accueil d'urgence en hiver, distribution de repas chauds et paniers repas :* 29, rue des Augustins, 80000 Amiens. *Résidence pour couples et familles en difficulté :* 71, rue Louis-Thuillier, 80000 Amiens ; *pour couples sortant de prison :* « La Résidence », 6, rue E.-Dequen, 94300 Vincennes.

■ Prostitution. **Mouvement du Nid** 8 bis, rue Dagobert, BP 102, 92116 Clichy Cedex. *Fondé* 1937 par le Père André-Marie Talvas (1907-92). *Publication :* « Prostitution et Société » (trim.), 12 à 15 000 ex.

■ Racisme. **Alliance générale contre le racisme et pour le respect de l'identité française (Agrif)** 12 rue Calmels, 75018 Paris. *But :* combattre le racisme plus spécialement antifrançais et antichrétien. **Ligue intern. contre le racisme et l'antisémitisme (Licra)** 40, rue de Paradis, 75010 Paris. *Fondé* 1927. *Publication :* « Le Droit de vivre » (mens.), voir p. 541 b. **Mouvement contre le racisme, l'antisémitisme et pour la paix (Mrap)** 89, rue Oberkampf, 75011 Paris. *Fondé* 21-5-1949. *Adhérents :* env. 15 000. *Publ. :* « Différences » mens., 10 000 ex.

■ Recherche médicale. **Fondation pour la recherche médicale** 54, rue de Varenne, 75007 Paris. *Fondée* 1962 par le Docteur Escoffier-Lambiotte. *Rup. Délégué gén. :* Jacques Pons. **Institut Carré** 26, rue d'Ulm, 75003 Paris. **Institut Pasteur** 25, rue du Docteur-Roux, 75724 Paris.

■ Réfugiés. **Comité intermouvement auprès des évacués (Cimade)** 176, rue de Grenelle, 75007 Paris. *Créé* 1939. Service œcuménique d'entraide.

■ Religion. **Aide à l'Église en détresse** BP1, 29, rue du Louvre, 78750 Mareil-Marly. **Œuvre des campagnes** 2, rue de La Planche, 75007 Paris. *Fondée* 1857. Dirigée par des laïcs chrétiens pour venir en aide aux curés de campagne les plus démunis. **Œuvre d'Orient** 20, rue du Regard, 75006 Paris. *Fondée* 4-4-1856. Soutient Église et culture française au Proche-Orient et Terre sainte. *Dir. gén. :* Père Jean Maksud. **Œuvre de secours aux églises de Fr. et d'aide aux prêtres** 66, rue de Grenelle, 75007 Paris.

Œuvres pontificales missionnaires (OPM) Association française des oeuvres pontificales missionnaires Propagation de la Foi-St-Pierre Apôtre, 12, rue Sala, 69287 Lyon Cedex 02 ; secrét. nat. : 5, rue Monsieur, 75007 Paris, comprenant : **Œuvre de la propagation de la foi,** fondée 1822 à Lyon, par Pauline Jaricot et **Œuvre de St Pierre Apôtre,** fondée 1889 à Caen par Stéphanie et Jeanne Bigard ; **Enfance missionnaire** (ex. *Œuvre de la Ste-Enfance,* 15, Villa Molitor, 75016 Paris), fondée 1843 par Mgr de Forbin Janson (évêque de Nancy) ; **Union pontificale missionnaire,** fondée 1916 en Italie par le Père Manna, 5, rue Monsieur, 75007 Paris. Elles existent dans 104 pays du monde. SUBSIDES (1991, en millions de F) : 974 (Propagation de la foi, Œuvre de St Pierre Apôtre, Enfance missionnaire). PRESSE OPM : « Solidaires », 100 000 ex. ; « Terres Lointaines », 50 000 ex. ; « Mission de l'Église », 25 000 ex. *Autres revues missionnaires :* « Peuples du Monde », 50 000 ex. ; « Pentecôte sur le monde », 25 000 ex. ; « Pôles et Tropiques », 30 000 ex.

☞ Le nombre des missionnaires originaires du tiers monde ne cesse de s'accroître (Indiens, Malgaches, Japonais, Brésiliens entre autres). Des instituts de missions étrangères se sont ouverts au Mexique, en Colombie, Inde et Corée.

■ Sauvetage. Société nationale de sauv. en mer, 9, rue de Chaillot, 75116 Paris. *Rup.* 1970. *Pt. :* Amiral Leenhardt.

■ Sclérose en plaques. **Association pour la recherche sur la sclérose en plaques (Arsep)** 13, rue Baudoin, 75013 Paris. *Fondée* 1969. *Rup* 1978. *Pt :*

Maurice Doublet. *Pt du comité scientifique :* Pr François Lhermitte.

■ Sida. **Association pour la recherche clinique contre l'Aids-Sida et pour sa thérapeutique (Arcat-Sida)** 17, rue de Tournon, 75006 Paris *fondée* 1985 par les Docteurs Marcel Arrouy (Pt d'honneur) et Daniel Vittecoq. *Pt :* Pierre Bergé. *Publication :* « Sida 89 » (mens.).

■ Sourds. **Ass. nat. des parents d'enfants déficients auditifs (Anpeda)** 10, quai de la Charente, 75019 Paris. *Fondée* 1965 par Josette Chalude (1918). *Pt :* Jean-Pierre Muller. 120 assoc. affiliées. *Publication :* « Communiquer » (bimestriel). **Féd. nat. des sourds de France (Fnsf)** 37-39, rue St-Sébastien, 75011 Paris. **Bureau de coord. des ass. de devenus sourds (Bucodes).** 37-39, rue St-Sébastien, 75011 Paris. **Union nat. pour l'insertion sociale du déficient auditif (Unisda)** 37-39, rue St-Sébastien, 75011 Paris. *Fondée* 1974. *Publication :* « IDDA-Infos » (mens.).

■ Tabagisme. **Comité nat. contre le t. (CNCT).** 66, rue des Binelles, BP 13, 92310 Sèvres. **Ligue contre la fumée du t. en public - les droits des non-fumeurs** 14, rue du Petit-Ballon, 68000 Colmar. *Rup. Membres :* + de 3 000. **Droits des non-fumeurs/Î-de-F.** 15, rue de l'Échiquier, 75010 Paris.

■ Tuberculose. **Comité nat. contre la tuberculose et les mal. respiratoires** 66, bd St-Michel, 75006 Paris.

■ Vacances. **Ass. interprofessionnelle de vacances santé et loisirs de la région parisienne (AIV)** 145, av. Charles-de-Gaulle, 92200 Neuilly-sur-S.

■ Volontariat. **Centre national du volontariat de Paris** (voir p. 1394 b).

POSTES, TÉLÉCOMMUNICATIONS

POSTES

QUELQUES DATES

Antiquité. Chine Services postaux créés vers 4 000 av. J.-C. **Perse** Cyrus avait, selon Hérodote, inventé la poste. **Empire romain** l'empereur Auguste crée une poste d'État : des messagers porteurs de documents officiels ont le droit d'utiliser les relais militaires sur les routes romaines. **Moyen Age** des messagers *intra muros* portent les messages et convocations de communes. **XIII**e **s.** l'université de Paris utilise des *messagers volants* pour permettre aux écoliers provinciaux et étrangers de correspondre avec leur famille (1re mention, 1296). **1455** l'empereur Frédéric III charge Roger Della Torre, transitaire de Bergame, d'organiser un réseau postal. Annobli Bon de Tour et Tassis, puis Pce, ses descendants vendront 3 millions de thalers leur monopole à la Prusse en 1867. **1463** les maisons du Pont Notre-Dame à Paris reçoivent des Nos. **1470-80** Louis XI crée la charge de contrôleur des chevaucheurs de l'Écurie du Roi (1479), ancêtre du surintendant gén. des postes, et un service des relais. La Poste est alors un instrument du pouvoir royal à l'usage exclusif du prince. Des services parallèles fonctionneront encore de nombreuses années. **1506** Louis XII met le service des relais à la disposition de voyageurs. **1576 (nov.)** Henri III met les *Messageries Royales* au service des particuliers. **Sous Henri IV** organisation de la *Poste aux chevaux* pour le transport des personnes. **1627** *1er tarif postal* en France entre Paris et quelques grandes villes. **1630** création de la Surintendance générale des Postes dont les agents sont les « maîtres des Postes », les « maîtres des courriers », les courriers et les commis. **1653** Renouard de Villayer crée la *Petite Poste.* Les lettres de Paris pour Paris, déposées dans une boîte et munies d'un billet de port payé que l'on se procurait au siège de l'organisation, étaient distribuées (3 fois par j) par des facteurs. Expérience éphémère, reprise en 1759 et étendue à plusieurs villes du royaume. **1672** avec Louvois, le service des Postes fait l'objet d'un bail applicable à tout le territoire : la Ferme Générale des Postes. Ainsi apparaissent 2 niveaux d'autorité, un niveau politique, celui du Surintendant qui avait pour mission de fixer les tarifs, de signer les traités internationaux et de veiller à l'application des règlements, et un niveau administratif, celui du Fermier, qui devait organiser et exploiter à son profit le service des Postes. **1708** 1re édition du Livre de Poste renseignant les voyageurs sur les routes en service ; fixe le nombre de postes entre 2 établissements et fournit les bases du paiement dû par les voyageurs. **1760** Piarron de Chamousset réinvente la petite poste de Paris et installe chez des commerçants des *boîtes* servant au dépôt du courrier et dont seul le facteur possède la clé. **1792** 1re instruction générale sur le service des Postes. Un décret crée la Régie nationale des Postes et place Postes et Messageries sous l'autorité d'un Directoire, élu par la Convention nationale. **1801** *un arrêté* attribue définitivement à l'État le *monopole du transport des lettres.* **1804** Frochot crée à Paris un *numérotage régulier.* **1817** création du service des *mandats postaux.* **1819** Almanach du commerce de *Sébastien Bottin* (1764-1853) reprenant l'Almanach du commerce de 1797 par Latynna (fusionné 1853 avec l'Annuaire gén. du commerce de Firmin et Didot). **1823** Paris, les facteurs à pied sont remplacés par des facteurs à cheval : les lettres des départements et de l'étranger sont distribuées avant midi. **1828** les correspondances sont frappées d'un *timbre à date* au départ et à l'arrivée. **1829** création du service des *lettres recommandées* et organisation du service de la *distribution à domicile* dans les communes rurales à partir du 1-4-1830 (le facteur était payé 4 centimes le km à pied) et du *relevage des correspondances* dans toutes les communes de Fr. **1837**-*2-5* une loi pose les bases du *monopole des télécom.* interdisant à quiconque la transmission des signaux. **1848-49** la IIe République adopte le timbre-poste [loi du 30-8-1848 autorisant l'Administration fr. des Postes à vendre au prix de 0,20 F, 0,40 F et 1 F les timbres ou cachets devant servir à l'affranchissement. Avant, l'admin. apposait un timbre humide imprimant la somme à percevoir, ou franco si le port était payé d'avance (affranchir d'avance une lettre paraissant une impolitesse pour le destinataire)], et le tarif unique pour la lettre simple de bureau à bureau. Liaison par câble avec la Corse. *Timbres-poste :* vente obligatoire dans les bureaux de tabac. **1849** impression des timbres confiée à la Commission des monnaies et médailles. Sur 158 268 000 lettres expédiées en 1849, il n'y en eut que 23 740 200 affranchies au moyen de timbres-poste. **1854** loi créant une surtaxe sur les lettres non affranchies. **1859**-*1-6* création de chiffres-taxe mobiles, le % des lettres non affranchies (+ de 40 % en 1854) tombe à 10 % env. en 1860. **1861** Londres, essai de transport de dépêches par tube atmosphérique (exploité 1873). **1866** essai à Paris (1 050 m à ciel ouvert entre la Bourse et le Gd Hôtel) pour dépêches. Paris, poste pneumatique jusqu'au 30-3-1984 (17 h). **1869**-*1-10 1re carte postale :* Autriche.

1870 des *dépêches microfilmées (pigeongrammes)* sont transportées par des *pigeons* pendant la guerre [1 tube de plume de 5 cm (– de 1 g), fixé à l'une des plumes de la queue, pouvait contenir 12 pellicules soit 30 000 dépêches]. 57 pigeons sur 300 rapportèrent 150 000 dépêches officielles et 1 000 000 privées. *« Boules de Moulins » :* des lettres (500 à 1 000 par boule) à destination de Paris assiégé sont enfermées à Moulins (Allier) dans des sphères métalliques de 20 cm, munies d'ailettes et immergées dans la Seine. 55, immergées à Bray-sur-Seine, Thomery et Sannois, entre le 4 et le 31-1-1871 (soit entre 37 500 et 65 000 lettres) se perdirent. [Depuis, une bonne moitié a été repêchée lors de dragages, notamment en 1882, 1910, 20, 51, 52, 68 (St-Wandrille), 82 (Vatteville-la-Rue, S.-Mar.). Si l'Administration n'a pu trouver les descendants éventuels, elle a confié les lettres recueillies au musée de la Poste, voir ci-contre]. A Metz, les armées françaises assiégées utilisent de petits aérostats non montés qui transportent des plis légers (les *« papillons de Metz »*). *« Ballons montés » :* 67 partis de Paris du 23-9-1870 *(le Neptune)* 103 kg de lettres jusqu'au 28-1-1871 *(Gal Cambronne)* 253 kg de lettres, dont 56 transportèrent 3 millions de lettres. -*13-1,* le ballon *(Gal Faidherbe)* emporte 5 chiens habitués à conduire les bœufs rentrant dans Paris pour les abattoirs, on leur mit des colliers dont l'intérieur était bourré de dépêches, aucun n'arriva. **1872**-*20-12* loi sur la correspondance à découvert (1res cartes postales vendues par la poste) ; certaines seront utilisées en cartes annonces publicitaires jusqu'au 1-2-1874. **1874** création de l'*Union générale des Postes* deviendra en 1878 *Union postale universelle.* **1875**-*7-10* arrêté autorisant l'ind. privée à fabriquer des cartes postales. **1881** caisse nat. d'Épargne créée. Carte postale illustrée. Service des colis postaux en France. **1889** l'État prend le *monopole du téléphone,* exploité dès 1880 par des sociétés privées. Une loi consacre l'appellation de ministère des « Postes, Télégraphes et Téléphone ». **1895** la bicyclette est autorisée pour la distribution télégraphique (avec indemnités pour achat et entretien). **1899** grève des facteurs, naissance du syndicalisme dans les services postaux. **1909** 1res automobiles pour transport dépêches à Paris. **1911** 1er transport de courrier par avion par le Français *Henri Pequet* (n. 1888) aux Indes. **1912** 1er vol postal officiel entre Nancy et Lunéville. **1913** le Lt Ronin convoie à bord d'un Morane-Saulnier le courrier à destination de l'Amér. du Sud entre Villacoublay et Pauillac. **1914** création de cartes postales en franchise pour militaires et marins. **1918** création du service des *chèques postaux.* **1919** exploitation de la ligne Toulouse-Rabat par Pierre Latécoère (1883-1943). **1923** création du budget annexe des PTT. **1927** *1er courrier postal aérien* entre USA et France sur l'avion América. Création de la Cie gén. aéropostale. 1ers circuits de poste automobile rurale (transport courrier et passagers). **1928**-*1-3* service commercial régulier avec Amér. du Sud. **1935** création du réseau postal aérien intérieur. **1939**-10-5 *1er vol postal de nuit :* 2 Caudron-Goëland d'Air Bleu (l'un fait Paris-Bordeaux-Pau, l'autre Pau-Bordeaux-Paris). **1941** suppression de la distribution du courrier le dimanche. Affiliation des CCP aux chambres de compensation des banques. Bordeaux, distribution par Juva 4 Renault. **1942** création de 2 Directions gén. distinctes, « Postes » et « Télécommunications », sous la tutelle d'un ministère unique. **1945** bilan de la guerre : 860 établissements postaux (soit 25 %) dont 57 % des centres de tri détruits ou endommagés ; 360 wagons (48 %) perdus ; 220 voitures de Paris (76 %) perdues ; 600 000 sacs postaux (40 %) détruits ou perdus. **1951** Bordeaux, électrotrieuse Schaudel pour trier les paquets-poste (1 200 paquets/heure). **1956** Bordeaux, 1re machine électro-mécanique à trier les lettres. **1957** création du corps des préposés. **1959** le ministère prend le titre de « Postes et Télécommunications », le sigle « PTT » est maintenu. **1960** introduction de la mécanisation du tri (machines électromécaniques). **1962** adoption du jaune (avant bleu) pour boîtes aux lettres et véhicules postaux. **1964** début du codage des adresses postales. **1965** les cachets à date retrouvent le no minéralogique du départ, supprimé en 1875 (2 chiffres). **1966** 1er bureau cedex Paris Brune. **1969** courrier à 2 vitesses : normal et urgent. **1972** lancement du code postal à 5 chiffres. Suppression de la FM (franchise militaire). **1973**

Andorre est le seul pays qui dispose de 2 administrations postales (française et espagnole). Les timbres-poste ont leur valeur faciale en pesetas et en francs. Dep. 1972 (timbres émis par l'Espagne) et 1978 (t. émis par la France), la définition de la figurine est en catalan. Seule l'indication *La Poste* subsiste du côté français. Il y a parité entre les 2 adm. (accords de 1930). L'Esp. a ouvert le 1er bureau à Andorra-la-Vella le 1-1-1928, la Fr. le 16-6-1931. A chaque recette principale sont rattachées 7 agences.

Andorre et le Groenland sont les 2 seuls pays où le courrier local est gratuit.

Nouvelles-Hébrides (ex-Vanuatu) (alors condominium franco-britannique) est le seul pays à avoir utilisé un double système de timbres émis par 2 administrations, avec des motifs identiques mais dans des langues différentes.

Musées de La Poste. *Amélie-les-Bains* (P.-Or.). *Amboise* (I.-et-L.). *Caen* (Calvados). *Marcq-en-Barœul* (Nord). *Nantes* (L.-Atl.). *Paris :* 34, bd de Vaugirard (15e) et 5, rue du Gal-Sarrail (16e). *Riquewihr* (Ht-Rhin). *St-Flour* (Cantal). *St-Macaire* (Gironde). *Toulouse* (Hte-Gar.).

Calendriers des Postes. *1762* le plus ancien c. connu. *1850-17-8* administration des Postes légalise la coutume adoptée par les facteurs de distribuer des cal. à leur profit. Marie Dupuis imprime le 1er cal. des Postes, sous sa forme actuelle, en noir et blanc. *1860* Charles Oberthur reçoit le monopole de la fabrication des almanachs des Postes pour 10 ans. **Principaux éditeurs :** Oberthur, Oller, Jean Lavigne, Eyrelle.

automatisation du tri (lecture optique des adresses, tri automatique). **1984** TGV postal Paris-Lyon. **1987** les bureaux de poste de Paris changent de nom. Le n° du bureau est remplacé par le nom du quartier ou de la rue. **1989** attribution d'un code postal à chaque commune. **1991**-*1-1* Poste et France Telecom passent du statut d'administration à celui d'exploitant autonome de droit public. Soumises à partir de 1994 à une fiscalité proche du droit commun, elles peuvent conclure des contrats avec des clients, investir à l'étranger, fixer leurs tarifs, etc. Elles restent cependant contrôlées par le ministère de tutelle et le Parlement. Le personnel, toujours fonctionnaire, n'est plus soumis aux catégories de grilles de la fonction publique. Un groupement d'intérêt public (GIP) gère les services communs (automobiles) et les œuvres sociales. *Février :* création de la *Sté d'exploitation Aéropostale* (transport de courrier la nuit, passagers le jour). 2 types d'avions utilisés : Boeing 737 et Fokker F 27. **1991-92** *14-12 au 8-2* organisation du parcours de la flamme olympique entre Paris et Albertville. **1992**-*sept.* mise en service d'un HUB (plate-forme d'échanges de frets) postal à Roissy-CDG et Lyon-Satolas.

TIMBRES

PREMIERS TIMBRES

■ **Origine. 1819**-*3-6* les postes sardes émettent un papier postal timbré (les « Cavallini » à 3 sols, 5 sols ou 10 sols). **1840** 1 penny noir et 2 pence bleu mis en vente 1-5 et affranchis 6-5 (112 000 lettres postées ce jour-là). 1 penny noir affranchi le 2-5 a été vendu le 23-3-1991 à Lugano (Suisse) par Harmers 3 400 000 F suisses (13 430 000 FF). Le *timbre-poste* (1 penny noir) est adopté en Angleterre sur l'initiative de sir Rowland Hill (1795-1879), plus tard dir. des Postes. Son projet remontait à 1837, mais James Chalmers, libraire imprimeur, en avait eu l'idée et avait tiré quelques spécimens de timbres (1834-38). **1842-45** *1ers timbres représentant un nom de pays :* émis par le City Despatch Post de New York ; portant la mention États-Unis, ils n'étaient valables qu'à New York. **1843** Brésil (dits œil-de-bœuf) ; Suisse (cantons de Zurich, de Genève et de Vaud). **1847** Trinité, USA, Maurice. **1849** France (1-1) ; Belgique (7-7) ; Bavière (1-11). **1850** Autriche, Hanovre, Prusse, Saxe, Schleswig-Holstein, Espagne, Suisse, etc. *1ers timbres trapézoïdaux :* émis par la Malaisie pour le centenaire de Malacca. **1968**-*oct. timbres polygonaux irréguliers :* émis par Malte.

■ **En France. 1ers timbres de type Cérès** (déesse de l'agriculture et des moissons, gravée par Barre), **1 F vermillon** (1-1-1849) tiré à 1 020 000 ex., retiré de la vente le 1-12 pour éviter des confusions avec le 40 c orange que l'on allait mettre en service. *Estimation :* vermillon vif neuf 500 000 F, oblitéré 150 000 F, vermillon neuf 375/500 000 F, oblitéré 120 000 F. **20 c noir** (1-1-1849) tiré à 41 600 000 ex., supprimé 1-7-1850. Estimé neuf 2 500 à 20 000 F, oblitéré 350 à 4 500 F selon les nuances des couleurs. **20 c bleu,** non émis (il fut tiré du 7-4-1849 au 20-5-1850 à 22 995 000 ex. pour remplacer le 20 c noir sur lequel les oblitérations se voyaient mal, mais la loi du 15-5-1850, modifiant le tarif, le rendit inutile ; on envisagea alors de vendre à 25 c les timbres-poste bleus imprimés à 20 c et inutilisés, mais le min. des Finances s'y refusa). Le stock des 20 c, y compris les surchargés, fut incinéré, sauf quelques feuilles ; le non-surchargé est estimé à 20 000 F et le surchargé à 100 000 F. **25 c** (-1-7-1850) tiré à 45 218 000 ex. **1er timbre tiré à plus de 100 millions d'ex. :** 1 c vert olive émis 1-11-1860 et supprimé 15-10-1862 (170 000 000 d'ex.). **À plus de 1 milliard d'ex. :** 20 c bleu émis le 1-7-1854 et supprimé en oct. 1862. **1re contrefaçon connue** : 4-5-1849. **1er timbre dentelé** : 1862. **1ers cachets** : janv. 1849 ; certains bureaux, dans l'attente de la grille oblitérante officielle, utilisèrent des cachets provisoires de confection locale (croix de Troyes estimée 200 000 F sur 1 lettre, de La Rochelle, rectangle de Béziers, barre de Cherbourg, crochets d'Autun, etc.). **1er timbre en braille :** 30-1-1989 « pour le bien des aveugles », hommage à Valentin Haüy, 2,20 F. **1er carnet de timbres autocollants :** février 1990, « Marianne du Bicentenaire » de Briat, 2,30 F. **Timbres perforés par le public :** réglementés par décision ministérielle le 15-11-1876, interdits dep. loi du 6-12-1954.

COLLECTIONS

■ **Timbres. 1res collections :** 1841-42. **1ers catalogues :** 1861 (Timbres-poste d'Oscar Berger-Levrault et Catalogue des timbres-poste créés dans divers États du Globe, d'Alfred Potiquet). **1er album :** 1862 à Paris. **1ers catalogues avec prix :** Zschiesche et Koder de Leipzig (juil. 1863) ; Arthur Maury (fin 1863). *En France :* 1ers catalogues Yvert et Tellier. *1942,* 1er catalogue Cérès. **1er marchand de timbres :** Jean-Baptiste Moens (1833-1908). **1re vente aux enchères :** 29-12-1865 à l'Hôtel Drouot.

■ **Collectionneurs** USA 20 000 000, URSS 12 000 000, All. féd. 10 000 000, France (+ de 18 ans, en 1988) occasionnels 2 400 000 (permanents 540 000) dont 17 % dépensent + de 1 000 F/an. **Collections célèbres privées** Thomas Keay Tapling ; Frederik Breitfuss ; Pce Rainier de Monaco ; Cte Philippe Arnold de La Rénotière von Ferrari († 20-5-1917, fils du duc de Galliera)(vendue 1921-25 23 286 805 F de l'époque) ; Reine d'Angleterre ; Saul Newbury (Chicago) ; Pce de Liechtenstein ; Steinway (New York) ; Caspary (New York, vendue entre 1955 et 1958, 2 895 148 $) ; Burrus (vendue 1962-64, 1 272 699 £) ; Lilly (vendue 1968, 3 000 000 $) ; Dubus (vendue 5 et 6-10-1989). **Publiques** *Londres,* collection Tapling au British Museum ; *Washington,* Smithsonian Institute ; *Berlin ; La Haye ; Stockholm,* Musée suédois ; *Paris,* Musée de la Poste.

■ **Coût de la collection complète des timbres émis en France pour 1 année** (somme des cotes des timbres neufs). **1982 :** 825 F. **83 :** 450. **84 :** 460. **85 :** 1 150. **86 :** 725. **87 :** 650. **88 :** 650 (59 timbres). **89 :** 640 (55). **90 :** 480 (61). **91 :** 440 (53). **92 :** 167,6 (42).

■ **Commission des programmes philatéliques.** Composée de 20 membres env. nommés par arrêté ministériel, comprend des fonctionnaires de la Poste, des artistes, des représentants de la philatélie et du min. de la Culture, de la presse, du négoce et des usagers. Elle se réunit 2 fois par an et prépare 2 ans à l'avance les programmes philatéliques.

■ **Flammes.** Partie allongée qui accompagne le cachet à date des oblitérations mécaniques. Originellement en forme de drapeau, d'où son nom. À l'origine, le bloc dateur était situé à droite puis, à gauche, pour que la date soit plus lisible, puis à droite, la date étant répétée sous la flamme. Comporte des lignes ondulées (flamme muette), un texte ou une illustration. Environ 1 500 mises en service chaque année en France. **Machines à oblitérer :** Daguin, Flier, Krag, RBV, Secap, Pitueу-Bowes, Chambon, Klein, Klussendorf, machines allemandes en Alsace-Lorraine. Actuellement, les plus utilisées : Secap et Toshiba (toujours muettes). *Collections* par régions ou par thèmes. *Cote :* 300/500 F en moyenne pour 1 000 flammes sur enveloppes. Jeux Olympiques de Paris 1924 : de 300 à 10 000 F la flamme (Colombes 6 000).

■ **Mise en vente anticipée « Premier Jour ».** 1er timbre 20 c Rouget de l'Isle, à Lons-le-Saunier et à Paris, le 27-6-1936 (cote en 1992 : 500 F l'enveloppe). Courante dep. 1950, avec oblitération spéciale « Premier Jour » à partir de 1951 ; modèle standard d'oblitération adopté en 1966.

COURS DES TIMBRES

■ **Évolution.** A poids égal, aucune matière au monde n'a atteint la valeur des timbres. **Timbres d'avant 1900 :** *rares* + de 4 à 6 % l'an en F constants ; *moyens* (10 à 2 000 F) + 5 à 8 % ; *communs* + 4 % ou moins. **Après 1900 :** *oblitérés* (indice 100 en 1910), *1914 :* 91,1 ; *18 :* 64,7 ; *22 :* 173 ; *26 :* 137,7 ; *32 :* 439 ; *44 :* 1 477 ; *48 :* 623,3 ; *78 :* 3 025,8.

Quelques cotes	1955	1970	1993
Fr. 40 c Empire non dentelé obl.	0,15	15	100
30 c Mouchon retouché	7,50	275	1 600
80 c Semeuse lignée	0,20	32,50	275
10 c Minéraline	8,50	250	1 800
Colombe de la Paix (oblit.)	0,75	55	110
2 F Rivière bretonne	2,25	65	300
3,50 F St-Trophime	1,80	60	250
12 F Maréchal Leclerc	0,18	5,50	20
Série des jeux Olympiques 1958	2,60	50	580
Série Napoléon	3	65	425
Série Paul Valéry	2,75	110	1 100
1 F (+ 3 F) Philatec 1964	–	32,50	250
Laos. 50 Pi Sisavang Poste aér.	0,75	250	1 200
Sarre. 15 + 5 Diligence	0,30	110	400
Viêt-nam. Série Bao Long	25	300	250

Source : Yvert et Tellier

■ **Timbres les plus rares. Étrangers. Timbres connus à 1 seul exemplaire : Guyane britannique :** *One cent magenta d'avril 1856,* acheté en 1922, 35 000 £ (env. 100 000 F-or) et en 1943, 45 000 $; il appartenait à J. et H. Slotow (New York), fut vendu, le 24-3-1970, 1 550 000 F à J. Weinberg, et, le 5-4-1980, 850 000 $ (3 845 000 F) à un acheteur anonyme. **Togo allemand :** *1 mark carmin* surchargé en 1915 lors de l'arrivée des troupes franco-anglaises. **Côte du Niger :** *20 shillings* surcharge noire « Oil Rivers ». **USA :** *5 c noir sur bleuté d'Alexandria (Virginie)* appelé *Blue Boy* vendu 1 000 000 de $ par la Maison Feldman de Genève en 1982. **Connus à 2 ex. : N.-Zélande :** *3 pence lilas de 1862.* **Hawaii :** *2 cents bleu de 1851 :* 1 500 000 F. **USA :** *Z Grill :* vendu 2 874 300 F en nov. 1986. **Autres cours exceptionnels : Bavière :** *9 k vert* erreur de couleur, vendu en 1985 dans la vente de Boker 800 000 F. **Chine :** (1878-83) *feuille de 25 exemplaires du 5 candarins,* vendue + de 4 millions en sept. 91. **Grèce :** (1861-62) *bloc de 8 du 5 lepta vert :* + de 100 000 F. **Suède :** (1855) *3 skilling jaune* au lieu de vert (seule variété de couleur connue) : + de 7 millions de F en mai 1990. **Suisse :** lettre recommandée de 1843 affranchie d'une paire du 6 rappen et d'un 4 rappen : 805 000 FS (nov. 1991). **G.-B. :** *Penny black sur enveloppe « Mulready » (2-5-1840) :* 13 600 000 F en mars 1991. (1867-82) *filigrane ancre, papier bleuté gris, 10 shillings,* neuf 180 000 F. **Ile Maurice :** (1847) « Post Office » 3 000 000 F ; *One penny vermillon* 4 000 000 F et *2 pence bleu indigo* 3 000 000 F.

Français : *1849 :* 1 F vermillon terne, 275 000 F ; 1 F vermillon vif, 500 000 F, bloc de 4, 2 500 000 F ; 1 F carmin, neuf, bloc de 4, 325 000 F ; 10 c bistre jaune, tête-bêche 375 000 F ; 10 c bistre verdâtre 525 000 F ; 15 c vert oblitéré 8 500 F. *1850 :* 15 c vert neuf 115 000 F, bloc de 4, 650 000 F ; 15 c vert tête-bêche sur lettre 1 100 000 F. *1869 :* 5 F empire 40 000 F. *1880 :* 1 c noir sur bleu de Prusse 85 000 F neuf. *1932 :* 20 F chaudron clair, Pont-du-Gard dentelé 11, 7 500 F. *Poste aérienne 1928 :* 10 F sur 1,50 F bleu 60 000 F. *Taxe 1859 :* 10 c noir lithographié 120 000 F neuf.

☞ Lettre de Paris du 18-11-1870 par ballon monté affranchie à 80 c, adressée en Chine via l'achemineur Degenaer de Hong Kong, vendue 390 000 F à Itaphil le 28-11-1990.

■ **Timbre ayant la plus haute valeur faciale** (valeur d'affranchissement indiquée) : timbre allemand de 1923 (50 milliards de marks). **La plus faible :** timbre 1/10 de centime Indochine française 1922-39. **Aucune :** voir p. 1389, timbres à validité permanente émis en URSS en 1922 (inflation), USA en 1975 (changement de tarif imminent), *France 19-4-1993.*

■ **Vente de timbres-poste.** *Dans les bureaux de poste :* vente directe ou réservation gratuite des timbres d'usage courant et du programme philatélique. *Dans les points philatélie* (200 en métropole et DOM) : vente directe et réservation gratuite. Outre les t. précédents, t. France de l'Unesco, du Conseil de l'Europe, d'Andorre (Poste française), Monaco et St-Pierre-et-Miquelon, et produits philatéliques de la Poste. *Service philatélique de la Poste* 18, rue François-Bonvin, 75758 Paris Cedex 15 : Abonnement et vente par correspondance. *Agence des timbres-poste d'outre-mer* 85, avenue de La Bourdonnais, 75007 Paris. *Marchés aux timbres : carré Marigny* (dep. 1874), à Paris (jeudi après-midi, samedi et dimanche toute la journée), *place Bellecour* à Lyon (dim. matin), Marseille et Nice (dim. matin). *Bourses aux timbres à l'occasion de manifestations philatéliques nationales* (journées du timbre, Paris et province, etc.). *Marchés spécialisés. Hôtel des ventes.*

☞ **Renseignement.** *Fédération des Stés philatéliques françaises :* 7, rue Saint-Lazare, 75009 Paris ; *Chambre syndicale française des négociants et experts en philatélie* (CNEP) : 4, rue Drouot, 75009 Paris.

FABRICATION

Dimensions. De 1 cm² [Colombie, timbre de 10 cents et 1 peso de Bolívar 1863 (9,5 × 8 mm)] à 30 cm² (USA, timbre pour journaux).

Erreurs historiques. *Longue-vue* (inventée en 1611) *de Christophe Colomb,* timbres de St-Christophe (1903 et 1920). *Drapeau étoilé* (créé 1877) des USA, timbre du centenaire de l'arrivée (1825) des 1ers émigrants norvégiens. *Christophe Colomb* (série Colombus) au moment où il découvre la Terre, est rasé sur le 1 cent et avec barbe sur le 2 cents. *Avion belge* avec immatriculation italienne IB au lieu de OB. *Écailles, au lieu de poils,* sur queue des castors (Canada 1851, 52 et 57). *Croix inclinée* sur la couronne que porte St Étienne (timbre de Hongrie) ne fut endommagée qu'en 1526 et St Étienne vivait v. 1030. *Oreilles à l'envers* du paysan de Basse-Autriche (1935). *Publicité gratuite,* sur le 30 F Fides AOF, pour un bulldozer américain. *Semeuse de France,* lançant son grain anormalement contre le vent et éclairée à l'envers par le soleil (1903). *Timbres de Descartes* avec le « Discours sur la méthode » (au lieu de « de ») (1937). *T. Roosevelt avec 6 doigts* (Monaco, 1942). *1 francs 50* (avec un *s* à franc) sur un timbre rouge de la 1re série Arc-de-Triomphe (imprimée aux USA, 1945). *Partition de Schubert* servant de toile de fond au buste de Schumann (timbre allemand du centenaire) (1956). *2,10 F-St-Valentin* sans valeur faciale, acheté à La Poste 2,50 F, cote actuelle 100 000 F, 18 ex. connus (1985). *0,80 F Picasso* sans valeur faciale, actuellement env. 80 000 F (1975).

Incidents. Diplomatiques : *Timbres de la rép. Dominicaine, du Guatemala, du Nicaragua* portant chacun une carte de ces pays, annexant l'un une partie de Haïti, l'autre le Honduras britannique, le 3e une partie du Honduras. *T. anglais des îles Falkland,* revendiquées par l'Argentine, qui les fait figurer à son tour sur la carte de son pays ; revendiquées également par le Chili. *T. de Bolivie et du Paraguay* représentant la même partie du Chaco qu'ils s'attribuent l'un et l'autre. *Commémorant la bataille d'Angl. :* portent une croix de fer et une croix gammée sous l'effigie de la reine. *T. de Guernesey* plaçant l'île au niveau de l'Espagne. *T. de Polynésie française* dédiés aux Maoris et englobant l'île de Pâques (retirés à la demande du gouv. chilien). *T. de Pol.* représentant une Polynésienne photographiée cassant des noix de coco (retirés à sa demande). *T. du Cameroun commémorant la visite de Mitterrand* en 1983 : nom avec un seul r. *T. représentant Miss Haïti 1960,* valeur faciale 1 gourde (monnaie locale).

Graveurs français les plus célèbres. Albert Decaris (1901-88), membre de l'Institut : t. sur le Pont-Neuf (1978), Marianne de Cocteau (1982), etc. Claude Durieux (n. 22-8-1921), 1er Grand Prix de Rome de gravure. Pierre Bequet (n. 27-10-1932). Jacques Gauthier (n. 16-12-1931). Pierre Gandon (1899-1990) de 1941 à 1989 : Marianne 1945-54, La Liberté guidant le peuple, 1982-89, etc. Jacques Jubert (n. 18-4-1940).

Matériau utilisé. *Papier aluminisé :* Hongrie (1955). *Cire :* no 1 B des Indes anglaises dans lequel sont frappées les armoiries du district de Scinde. *Or :* Gabon (1968). *Soie :* Pologne (1958). *Acier :* Bhoutan (1969). *Bois :* Djibouti (1983) BF no 2.

Réimpression. Certains timbres qui n'étaient plus en cours ont parfois été tirés de nouveau à l'occasion d'une exposition, ou pour un collectionneur bien en cour. Les timbres du type Sage furent réimprimés en 1877-79 (émission des Régents), puis en 1887 (réimpression Granet).

Tête-bêche. Erreur typographique : à l'intérieur d'une feuille de timbres, une figurine est en sens inversé par rapport aux autres.

■ Statistiques

■ **Dans le monde. Espèces de timbres.** *1840-49 :* 47. *1850-59 :* 778. *1860-69 :* 1 851. *1870-79 :* 2 616. *1880-89 :* 4 000. *1890-99 :* 6 875. *1900-09 :* 10 618. *1990 :* 850 000. 7 000 nouveaux timbres sont émis chaque année dans le monde (France : 40 en moy.). Beaucoup d'administrations postales destinent une grande partie de leurs productions à des firmes privées, qui ont le monopole des ventes (ex. : vignettes postales de certains émirats).

■ **France. Consommation** (en millions) : *1844 :* 51,8. *1859 :* 226. *1869 :* 515. *1889 :* 1 300. *1909 :* 3 000. *1973 :* 6 158,5. *1982 :* 7 000. *En 1991 :* le philatéliste a dépensé en moyenne 226 F en France (dans les bureaux de poste). **Ventes** (1991) : *la plus forte :* 27 928 695 timbres « parcours de la flamme » ; *la plus faible :* 1 450 778 « personnage célèbre : Paul Éluard ».

Imprimerie des timbres-poste. *Créée* 1880, installée à l'origine rue d'Hauteville, puis 103, bd Brune, à Paris, a été transférée à Périgueux en 1970. En 1991, elle a travaillé pour 20 pays étrangers. **Émissions** (1991) : *France :* 60 ; *étranger :* 140. **Production commercialisable** (en milliards, 1992) : *timbres-poste :* 4,3 dont en feuilles 2,6, carnets 166, roulettes 518. Étranger : 53. *Timbres fiscaux et vignettes* (Fr. et étr.) : 205.

Consommation de matières premières (en t, 1991) : papier 1 418, encres 98. **Productivité comparée** en France et, entre parenthèses, aux USA : *habitants desservis* par un préposé : 600 (1 282), *objets par tournée* (par an) : 161 922 (606 860), *volume d'objets par habitants* 212 (473), *productivité* de la distribution : 1 (3,75).

Timbres-monnaie

Origine. Émis par des firmes privées, pour pallier (en général, en temps de crise) un manque de métaux (argent, cuivre) ayant entraîné la disparition des pièces de monnaie. *1re émission* (?) *1862* aux USA : capsule de cuivre où était enfermé un timbre, obturée par une feuille de mica. *1915* Russie : timbre-poste imprimé sur papier très épais. *1920-23* France : pour les protéger, on les mit en pochette en papier, puis dans des carnets (commerçants et banques en profitèrent pour faire leur publicité). *1920-29-3* brevet d'invention pour un timbre serti dans un jeton circulaire de métal estampé ou imprimé, recouvert par un disque en mica transparent ou en Cellophane.

Les plus communs : Crédit Lyonnais. **Les plus rares :** Messager, des Galeries Lafayette, du dentifrice de Botot de Levallois-Perret.

■ Courrier

■ Renseignements pratiques

■ **Aérogramme.** Correspondance avion constituée par une feuille de papier convenablement fixée et collée sur tous ses côtés (5 F).

■ **Allô Postexpress.** *Créé* 1984. Service de transport accéléré à l'intérieur des agglomérations, distribution en quelques h des lettres et paquets (poids max. de 5 kg). En Île-de-Fr., couvre Paris, Hauts-de-S., S.-St-Denis, Val-de-M. En province, fonctionne dans certaines villes importantes. Max. 5 kg. **Tarif :** variable selon la distance.

■ **Avis de réception. Tarifs :** 7,70 F en plus de la taxe d'affranchissement d'un envoi recommandé.

■ **Boîte postale.** Les personnes physiques ou morales possédant un domicile ou un établissement dans la circonscription d'un bureau distributeur peuvent retirer leur correspondance à ce bureau. *Fonctionnement :* une clé est remise à l'abonné. Le courrier doit comporter le nom ou la raison sociale de l'abonné, le numéro de la boîte postale et le code postal suivi du nom du bureau distributeur. Les correspondances adressées sous le seul numéro de la boîte, sans indication, sont renvoyées à l'expéditeur avec la mention « inadmis ». **Abonnement :** 250 F par an.

■ **Cartes postales. Tarifs :** *rég. intérieur* c.p. simples 2,40 F, urgentes 2,80 F. *Rég. international :* même tarif que pour les lettres sauf les cartes postales illustrées avec 5 mots de vœux au max. : 2,40 F + surtaxe aérienne éventuelle.

■ **Cedex.** Courrier d'entreprise à distribution exceptionnelle. Dans les villes importantes, définit une entité regroupant les sections spécialisées de distribution (boîtes postales, services publics, vaguemestres, clients importants) auxquelles correspondent des numéros de codes spécifiques collectifs ou individualisés pour en assurer une meilleure distribution.

■ **Changement de tarif.** Le 19-4-1993, commercialisation d'un timbre à validité permanente qui permettra d'affranchir les lettres urgentes de moins de 20 g quel que soit le tarif en vigueur (timbre sans valeur affichée, Marianne rouge).

■ **Chronopost.** *Créé* 1986. Service accéléré en Fr. (max. 25 kg) et pour l'étranger jusqu'à 20 kg en fonction des réglementations étr., commercialisé par la Sté française de messagerie internationale (SFMI), filiale de droit privé, créée par les PTT (capital PTT 66 %, TAT 35). Chaque objet porte un code-barres. *Acheminement :* France en moins de 24 h, étranger 24 à 72 h. *CA (1992) :* 1,73 milliard de F dont 27 % à l'export. **Tarif** (France) : *jusqu'à 2 kg :* 137 F, *2 à 5 kg :* 167 F. *Plis et colis distribués* 60 000 par j (12 millions par an). *Indemnisation :* 440 ECU (3 000 F) ; avec déclaration de valeur et assurance complémentaire : jusqu'à 50 000 F. Seul le préjudice matériel est couvert, soit la valeur de remplacement de l'objet. Les préjudices immatériels ou indirects (conséquences de la perte de l'objet, etc.) sont exclus (bijoux, objets précieux...).

■ **Chronophone.** Ramasse sur simple appel téléphonique. *Spécial 9H :* permet une remise matinale des envois. *Formule J + 1 :* distribution dans la journée entre Paris et 12 métropoles régionales.

■ **Cidex.** Courrier individuel à distribution exceptionnelle. Mis en place en zone rurale, suburbaine et estivale ; les boîtes aux lettres fournies gratuitement aux usagers sont regroupées en batteries et installées en des endroits faciles d'accès (bordure de chemin, place du village...). Réception matinale et régulière du courrier (vers 10 h 30). Pas obligatoire. Env. 900 000 boîtes au 31-12-92.

■ **Code postal.** A 5 chiffres (mis en application depuis le 23-3-1972) : les 2 premiers représentent le no minéralogique du départ., les 3 autres le bureau distributeur (en tout 10 342 en 1991 soit de 30 à 250 par départ.). Triple zéro réservé aux chefs-lieux de départ., double zéro aux autres bureaux importants. Pour les lettres aux particuliers de Paris, Lyon et Marseille, les 2 derniers chiffres sont le numéro de l'arrond. ; 900 : centres de chèques postaux. Depuis 1-3-1989, la Poste a simplifié l'adresse postale. Sur la dernière ligne d'adresse, les 5 chiffres du code postal sont suivis du nom de la commune de destination, siège ou non d'un bureau de distribution ; pour les lieux-dits, la rédaction est maintenue sur 2 lignes. Pour le tri mécanique des plis de moins de 30 g « mécanisables », indexation à droite, le code postal est représenté par 20 bâtonnets verticaux fluorescents roses lisibles par les têtes de lecture électronique. Une autre indexation peut figurer sur l'enveloppe, à gauche de l'indexation acheminement. 19 bâtonnets verticaux traduisent le nom de la voie et le numéro dans la voie, pour un tri automatique préparatoire à la distribution.

Enveloppe de correspondance. Apparue au XVIIe s. Avant, la lettre était seulement pliée, entourée d'un fil de soie fixée par un cachet. *1676* un édit impose une taxe particulière à la lettre sous enveloppe, qui, à cette époque, est coupée sur mesure, à la main. *XIXe (début)* l'enveloppe se généralise et sa fabrication devient industrielle.

Carte-lettre. Inventée par Auguste Maquet, sous le Second Empire.

Monopole. *La Poste a le monopole du transport des lettres* (quel que soit leur poids), *des papiers d'affaires* n'excédant pas 1 kg. *Il n'y a pas de monopole pour le transport des colis,* de la *messagerie,* des *journaux* et des *imprimés* expédiés non clos. Une Sté peut organiser le transport et la distribution de son propre courrier, sous réserve que le service soit assuré à l'aide de son propre personnel salarié, et que celui-ci soit uniquement utilisé à cet effet pendant la durée de cette tâche. Par contre, si elle fait appel à une entreprise de services pour le transport d'envois soumis au monopole, cette dernière ne peut agir qu'illégalement et est passible d'amendes d'un montant de 2 500 F à 5 000 F par pli en infraction. En outre, les plis peuvent être saisis, et remis aux destinataires contre paiement d'une taxe égale à 4 fois la taxe d'affranchissement exigible.

Responsabilité. Celle de la Poste n'est pas engagée en cas de retard ou de perte de courrier ordinaire. Un postier est passible de sanction ou de condamnation (tribunal correctionnel) en cas de révélation consciente du secret professionnel même involontaire ou sans l'intention de nuire. Ce délit est distinct de la *violation des correspondances,* sanctionnée par des textes différents.

Transporteurs privés. Chiffre d'affaires en milliards de F (entre parenthèses, effectifs/avions). UPS 77 (230 000/420), Federal Express 43 (90 000/420), DHL 12 (20 000/110), GDEW (Global Delivery Express Worldwide), « joint-venture » *fondée* 18-3-1992 par 5 postes (Fr., All., P.-B., Suède, Can.) et TNT. *Moyens :* points de vente des postes + moyens logistiques de TNT (18 avions, 370 entrepôts, 6 000 véhicules).

IPC Technologie (filiale de IPC). *But :* développer les systèmes informatiques au sein de la communauté postale européenne.

■ **Colis postal.** Régime international. Poids max. jusqu'à 30 kg selon les pays. **Catégories :** *service rapide : Eurocolis* pour 14 pays européens (délai 2 à 5 j), *Mondiocolis* pour autres pays (3 à 9 j). *Service économique : Viacolis* pour tous pays (10 à 15 j). Transport par avion avec embarquement différé ou par voie de surface. Peuvent être expédiés avec déclaration de valeur, contre remboursement, francs de taxe et de droits, avec avis de non-livraison.

■ **Courrier électronique.** Mis en service en 1982 par France câbles et radio, filiale des PTT, il permet de recevoir sur écran ou sur imprimante les messages que les correspondants ont déposés dans la « boîte aux lettres électronique ». Voir **Câbles** p. 1400 b.

Nota. – Télécopie *Postéclair* (voir p. 1399 b).

■ **Dimensions des envois. Cartes postales et plis non urgents :** *à découvert : min.* 14 × 9 cm, *max.* 15 × 10,7 cm. *Sous env. ou pochette : min.* 14 × 9, *max.* long. + larg. + hauteur = 100 cm (l. max. 60 cm). **Paquets :** *rég. intérieur : min.* une face au moins égale à 14 × 9 cm, *max.* long. + larg. + haut. = 100 cm (l. max. 60 cm). *Intern. : min.* une face au moins égale à 14 × 9 cm, *max.* long. + larg. + haut. = 90 cm (l. max. 60 cm). **Rouleaux :** *min.* long. + 2 diamètres 17 cm (long. min. 10 cm), *max.* 104 cm (long. max. 90 cm).

■ **Écoplis.** Corresp. de toute nature pour lesquelles l'expéditeur accepte un acheminement moins rapide que celui des lettres, présentées sous enveloppe, sous bande et à découvert, poids max. 250 g. Ne peuvent être recommandées, rouleaux non admis. **Tarifs :** *jusqu'à 20 g :* 2,40 F. *50 g :* 3,50 F. *100 g :* 4,20 F. *250 g :* 8 F.

■ **Franchise (correspondances dispensées d'affranchissement).** *Organismes :* Chèques postaux (titulaires d'un compte). Le 28-1-1987, franchise supprimée pour la Sécurité sociale. *Personnalités :* Pt de la Rép. Chancelier (grand) de la Légion d'honneur, de l'ordre de la Libération. Commandant de la place de Paris. Commissaire du gouvernement près le conseil des Prises. Conseil d'État (Vice-Pt, et le Pt du contentieux, Secrétaire général). Conseil constitutionnel (Pt, Secrétaire général). Conseil des Prises (Pt). Cour de cassation (Premier Pt, Procureur gén.). Cour des comptes (Premier Pt, Proc. gén.). Haute Cour de Justice (Premier Pt, Proc. gén.). Cour supérieure d'arbitrage (Pt). Directeurs généraux : des Impôts, de la Caisse des dépôts, des douanes et droits indirects, des manufactures de l'État, de l'Office national des forêts. Dir. de l'Adm. des monnaies et médailles. Gouverneur militaire de Paris. Ministres. Pt de l'Assemblée nat., du Sénat. Pt de la Commission chargée d'établir les listes des candidatures aux bureaux de tabac, de la Commission spéciale de cassation adjointe au Conseil d'État. Procureur de la Rép. près les trib. de grande instance et cours d'assise. Procureurs généraux près les cours d'appel. Secrétaires d'État. *Correspondances déposées à Paris :* Préfet de la région d'Île-de-Fr., Préfet de Paris, directeur de l'Assistance publique, procureur de la Rép. ; *dans leur ressort même :* Commandant de corps d'armée ou de région (r. du comm.), procureurs généraux (r. de la cour d'appel). *Autre dispense :* courriers en braille, certains colis (cassettes) destinés aux aveugles. **Statistiques :** *plis de service et corresp. circulant en franchise* (1991) : 1,66 milliard.

■ **Journaux.** **Tarifs spéciaux :** 10 % du trafic postal en nombre d'objets et 25 % du poids transporté. *Charges (et déficit qu'ils représentent) en millions de F. 1973 :* 1 009 (899). *85 :* 4 479 (2 561). *87 :* 4 705 (3 262). *88 :* 4 760 (3 333). *90 :* 5 500 (3 700).

Nota. – *Journaux* expédiés par les particuliers : *tarif* des plis non urgents (poids max. : 5 kg).

■ **Lettres.** Tous envois à découvert ou sous enveloppe contenant essentiellement de la corresp. ou des papiers pouvant en tenir lieu, poids max. 3 kg. Étiquette ou mention « lettre » obligatoire au-dessus de 20 g pour lettres ordinaires, rouleaux non admis.

Régime intérieur : tarif : *jusqu'à 20 g :* 2,80 F. *50 g :* 4,40. *100 :* 6,70. *250 :* 11,50. *500 :* 16. *1 000 :* 28. *3 000 :* 33. *Lettres :* jusqu'à 20 g sans surtaxe pour les LC (lettres, cartes postales urgentes, valeurs déclarées). Dom-Tom (par avion) 2,80 F ; + de 20 g : dès le 1er g, surtaxe calculée (par 10 g), sur le poids total, Guadeloupe, Guyane fr., Martinique, Réunion, St-Pierre-et-Miquelon, Mayotte : 0,30 F ; N.-Calédonie, Polynésie fr., Terres Australes et Antarctiques fr., Wallis-et-Futuna : 0,70 F.

Régime international : lettres et paquets (affranchis au tarif des lettres ordinaires) sont transportés par la voie la plus rapide, généralement aérienne. **Poids** max. : 2 kg. **Tarifs : Zone 1 :** CEE, Autriche, Suisse, Liechtenstein. **2 :** autres pays d'Europe, Tunisie, Maroc, Algérie. **3 :** autres pays d'Afrique. 4 Amér. du Nord, Proche et Moyen-Orient, Asie centrale. **5 :** Amér. centrale et du Sud, Caraïbes, Asie. **6 :** Océanie.

Ex. jusqu'à	1	2	3	4	5	6
20 g	2,80 F	3,70 F	3,70 F	4,30 F	4,70 F	5,10 F
40	4,50 F	6,70 F	7,50 F	7,90 F	8,70 F	9,50 F
60	6,20 F	10,80 F	11,00 F	12,50 F	14,00 F	15,20 F
80	6,60 F	11,00 F	11,40 F	13,40 F	15,00 F	16,60 F
100	7,50 F	11,00 F	12,00 F	14,00 F	16,00 F	18,00 F
200	20,00 F	20,00 F	26,00 F	26,00 F	30,00 F	34,00 F

■ **Machines à affranchir.** Usage autorisé en France dep. 1923. Au 31-12-92, 245 800 machines en service pour 26,6 milliards de F d'affranchissements en 1992. Distribuées par 5 Stés agréées de la Poste.

■ **Paquets-poste.** Marchandises et échantillons de march. jusqu'à 10 kg en France. Peuvent contenir de la correspondance, des factures, bordereaux d'envoi, etc. **Régime intérieur :** paquet-poste tarif général en extradépartemental et *Colissimo* avec garantie des délais à j + 1 en intradépartemental et j + 2 en extradépartemental. En cas de dépassement de délais, un bon forfaitaire est remis pour l'expédition d'un nouvel envoi Colissimo. Colissimo ne concerne pas Andorre, les secteurs postaux, les relations métropole/ DOM, entre DOM, et les envois expédiés du pays de Gex. **Étranger :** petit paquet jusqu'à 500 g, 1 ou 2 kg selon les relations. Au-dessus sous paquets clos affranchis au tarif des lettres jusqu'à 2 kg. *Le colis postal* permet d'envoyer des marchandises jusqu'à 30 kg selon les pays. **Envois interdits :** objets qui, par leur nature, leur emballage, peuvent présenter du danger pour les agents, salir ou détériorer les corresp. ; matières explosives, inflamm., radioactives et dangereuses ; animaux morts, non naturalisés (ex. : gibier) ; vivants (sauf sangsues, abeilles, vers à soie adressés au Muséum d'hist. nat.) ; objets obscènes ou immoraux et marchandises prohibées, objets exhalant une odeur fétide, etc.

Emballages préformés (payants) : 4 formats disponibles (bureaux de poste) : 200 × 133 × 70 = 5,40 F ; 250 × 170 × 95 = 7,80 F ; 300 × 200 × 120 = 10 F ; 360 × 220 × 145 = 11,50 F.

Tarifs (régime intérieur). **Colicéo : tarif général extradépartemental :** *jusqu'à 250 g :* 9 F. *500 g :* 18. *1 kg :* 22,2. *2 kg :* 28. *3 kg :* 33. *5 kg :* 41. *7 kg :* 51. *10 kg :* 60. **Colissimo : tarif extradépartemental et,** entre parenthèses, **intradépartemental :** *jusqu'à 250 g :* 17 (13). *500 g :* 25 (18). *1 kg :* 32 (22). *2 kg :* 40 (28). *3 kg :* 47 (33). *5 kg :* 53 (41). *7 kg :* 62 (51). *10 kg :* 70 (60).

■ **Père Noël.** Dep. la décision du min. des PTT Jacques Marette en 1962, on répond à chaque lettre au Père Noël par une carte. En 1991, 377 500 lettres reçues dont 3 500 venant de l'étranger (1 500 d'ex-URSS) et env. 600 000 réponses (quand une classe écrit, on répond à chacun).

■ **Postéclair.** *Créé* 1982. Service postal de télécopie. Relie 900 bureaux de poste, les DOM-TOM et 51 pays étrangers. En France, les documents sont remis au destinataire, au bureau de poste, à domicile ou par réception sur télécopieur privé. 1re page 20 F, 1re page seule 18 F, suivantes 16 F. En 1992, 1 354 000 pages émises (dont 18,5 % vers l'étranger).

■ **Poste restante.** Offre la faculté de se faire adresser le courrier dans un bureau de poste de son choix où il sera retiré au guichet moyennant une taxe (journaux 1,30 F, autres 2,50 F), sur présentation d'une pièce d'identité. Les mineurs doivent présenter une autorisation parentale. Courrier gardé 15 j par le bureau de poste.

■ **Pneumatiques.** Supprimés dep. 30-3-1984.

■ **Publiposte.** Pub. directe. *Produits de contact non adressés :* Postcontact, Postcontact ciblé, Postcontact Plus ; *adressés :* Postimpact. *Produits de réponse clients :* correspondance-réponse. **Résultats** (1992). *Messages adressés :* 3,4 milliards, *non adressés :* 4,2.

■ **Rebuts.** Créé 20-12-1748. 12-1-1792, ordonnance royale permettant d'ouvrir les plis. 1967 devient établissement autonome. Relève de la délégation Midi-Atlantique.

■ **Recommandés.** Envois pour lettres, paquets et Colissimo, remboursement en cas de perte ou de spoliation totale, selon le taux choisi. **Tarifs** (en plus de la taxe d'affranchissement). **Régime intérieur :** voir tableau ci-après. **International :** indemnité max. en cas de perte 300 F.

Indemnité forfaitaire en cas de perte, détérioration ou spoliation	Code	Droits (1)	
		Lettres	Paquets
100 F	R 1	16 F	10,00 F
1 000 F	R 2	18 F	12,00 F
3 000 F	R 3	23 F	17,00 F

Nota. – (1) Valeurs déclarées : 22,00 F ; cartes postales urgentes : 16 F ; journaux : 10 F.

Valeurs déclarées. Régime intérieur : tarif R3 des lettres rec. + assurance. *Valeur assurée 4 000 F :* 14 F, *au-dessus :* 1,50 F par 1 000 F ou fraction. *Lettres et boîtes valeur :* max. 5 kg, 25 000 F. *Paquets valeur :* max. 5 kg, 8 000 F. **International :** taxe lettres rec. + assurance 2,50 F par 500 F ou fraction. **Tarif particulier :** *paquets et boîtes valeur : jusqu'à 2 kg ;* taxe des lettres rec., *2-3 kg :* 80 F. *Boîtes valeur : 3-4 kg :* 100 F, *4-5 kg :* 120 F + assurance (jusqu'à 4 000 F : 14 F, au-dessus : 1,50 F par 1 000 F ou fraction).

■ **Réexpédition.** Par le service postal (100 F pour 1 an au max.) ou avec les enveloppes de réexpédition délivrées gratuitement à la poste.

■ **Régime intérieur et assimilé. Régime intérieur :** France métropolitaine, Guadeloupe, Guyane fr., Martinique, Réunion, St-Pierre-et-Miquelon, Mayotte, Andorre, Monaco, postes militaire et navale. **Assimilé :** N.-Cal., Polynésie fr., Terres Australes et Antarctiques fr., Wallis-et-Futuna.

■ **Repostage.** Dépôt du courrier dans un pays différent de celui d'origine, afin de bénéficier de tarifs postaux plus avantageux. Pour remédier à ce détournement de trafic, l'Union Postale Universelle a adopté un nouveau système de tarification des frais terminaux (augmentation de la part du pays de destination et diminution de celle du pays « reposteur ».

■ **Rouleaux.** Assimilés aux paquets-poste : leur longueur + 2 fois leur diamètre ne peut être supérieure à 104 cm ou inférieure à 17 cm. Les envois non normalisés ne sont pas refusés, mais ils pourraient être frappés, à terme, de la taxe du 2e échelon de poids de la catégorie.

Quelques comparaisons

Bureaux (1991). **Nombre total** All. féd. 25 895, Belgique 1 822, Danemark 1 363, Espagne 5 873, *France 16 945,* G.-B. 20 638, Grèce 1 254, Irlande 2 024, Italie 14 411 [1], Luxembourg 106, P.-Bas 2 495 [1], Portugal 7 674. **Par habitant.** Grèce 1 pour 8 186 habitants, P.-Bas 5 952 [1], Espagne 6 640, Belgique 5 481, Danemark 3 787, Italie 4 007 [1], All. féd. 2 421, Luxembourg 3 626, *France 3 331* (dont Paris 12 482, Nord-Pas-de-Calais 5 926, Prov.-Alpes C. d'Azur 4 689, Rh.-Alpes 3 340, Languedoc-Roussillon 2 180, Auvergne 1 800), G.-B. 2 713, Portugal 1 284.

Chiffre d'affaires (en milliards de F, 1991). All. féd. 60,9, Italie 45,5, *France 71,3* [1], G.-B. 48,8, Danemark 6,4 [1], P.-Bas 14,7, Belg. 9,1, Esp. 5,8, Irlande 1,9 [1], Lux. 1,4, Portugal 1,6 [1], Grèce 1,2.

Trafic total (en milliards 1991). All. féd. 16,5, Belg. 3,3, Danemark 1,7, Esp. 5,3, *France 21,4,* G.-B. 15,9, Grèce 0,4, Irlande 0,48 [1], Italie 8,6 [1], Lux. 0,15, P.-Bas 6,5 [1], Portugal 0,7.

Consommation postale (en objets/habitant, 1991). All. féd. 380, Belg. 327, Danemark 336, Esp. 135, *France 380,* G.-B. 284, Grèce 39, Irlande 134 [1], Italie 148 [1], Lux. 377, P.-Bas 438 [1], Portugal 76.

Messages publicitaires. Expédiés en France (en milliards). *1986 :* 2, *89 :* 3. **Reçus par habitant** (1989). USA 219, Suisse 102, Belgique 76, All. féd. 60, *France 50,* G.-B. 38, Portugal 11.

Nombre d'habitants par postier (1991). Grèce 915, Portugal 624, Espagne 555, Irlande 332, G.-B. 238, Italie 243, P.-Bas 251, Luxembourg 219, Belgique 216, *France 190,* All. féd. 224, Danemark 189.

Nota. – (1) 1990.

La Poste

Budget (en milliards de F). **CA** *1987 :* 63,1, *88 :* 63,6, *89 :* 67,4, *90 :* 69,1, *91 :* 72, *92 (est.) :* 74. **Charge de la dette** *1987 :* 4, *90 :* 3,5, *91 :* 4. **Endettement** *1987 :* 39,3, *88 :* 38, *89 :* 36, *90 :* 34, *91 :* 37,2. **Résultat net** *1987 :* 2,5, *88 :* 1,4, *89 :* 1,6, *90 :* 0, *91 :* 0,3, *92 :* 0,006. **Recettes** (1992 en milliards de F). Courrier 51,3, services financiers 20,4 dont Caisse d'Épargne 9,7, CCP 6,6, OPCVM + assurance 1, mandats 0,8. **Investissements** (1991, en milliards de F). 3,3. *Programmes de maintien :* 1,1 ; *de productivité :* 1,1 dont services courrier 0,4, financiers 0,2, réseau 0,3, services administratifs 0,2, réseau multiservices de transmission de données de La Poste (projet MUSE) 0,06 ; *stratégiques :* 1,1 dont présence postale 0,5, extension de la gamme de produits 0,3, recherche et développement 0,2, communication, formation 0,7, plan informatique du courrier 0,4.

Effectifs (en milliers) *1987* 304, *89* 297,4, *90* 300,4, *91* 299,9 (au 31-3-91). Agents titulaires 277 422 (femmes 106 714, hommes 170 708) ; contractuels 243. Temps partiel 15 315 (femmes 13 962, hommes 1 353).

☞ Env. 3 000 facteurs sont mordus par an, 9 fois sur 10 par derrière (12 % au fessier).

France Télécom

Budget (en milliards de F). **CA** *1987 :* 95,5, *88 :* 88,2, *89 :* 95,1, *90 :* 102,9, *91 :* 115,8, [charges d'exploitation 94,9, charges fin. (y compris dotation aux provisions) 13,8, frais de pers. 31,5]. *92 :* 122,6. **Charge de la dette** *1987 :* 13,1, *91 :* 11,8. **Endettement** *1987 :* 114,9, *91 :* 111,6, *92 :* 122,6. **Résultat net** *1987 :* 9,2, *88 :* 1,8, *89 :* 4,5, *90 :* 5,5, *91 :* 2,05, *92 :* 3,3. **Prélèvement de l'État** *1987 :* 14,8, *88 :* 11,3, *89 :* 13,9, *90 :* 14,8, *91 :* 14,5, *92 :* 15.

Cogecom (holding gérant les filiales). EN MILLIARDS DE F : *CA 1991 :* 13,4 ; *92 :* 15,4. *Résultat net 1991 :* 0,318, *92 :* 0,367. *Effectifs 1992 :* 12 654.

■ **Industries des télécommunications. Chiffre d'affaires** (en milliards de F). **Total** *1985 :* 23,3, *86 :* 23,7, *87 :* 23,5, *88 :* 23, *89 :* 23,8, *90 :* 24,4 [dont France 19,8 (dont France Télécom 11,1, export. 4,6], import. 2,2 **Par technique** *1990 :* commutations 8,9 (dont Fr. Télécom 5,6), transmissions, 5,4 (Fr. T. 3,1), terminaux 6 (Fr. T. 2,2).

Commandes enregistrées. Total (en milliards de F, 1990). 25 dont France 20,2 exportations 4,8. **En France** 20,2 (dont Fr. Télécom 11,5).

Effectifs (en milliers). *1985 :* 165, *90 :* 154, *92 :* 155,3.

Syndicats

Élections. La Poste (1989) : inscrits 318 074, votants 274 145, exprimés 251 516, participation 86,19 %. *En %.* CGT 36,94, CFDT 26,66, FO 26,38, CFTC 7,12, CGC 2,91. **France-Télécom** (1991) : inscrits 172 958, votants 146 486, exprimés 134 293, participation 84,7 %. *En %.* CGT 35,8, CFDT 33, FO 20, CFTC 6,9, CGC 4,3.

■ **Téléimpression.** Créée 1988. Permet acheminement électronique, édition, mise sous pli, distribution du courrier déposé par l'expéditeur sous forme numérisée (bande magnétique, disquette, télex...).

■ Quelques statistiques

■ **Aviation postale.** 1er essai officiel le 15-10-1913 (10 kg de lettres convoyées entre Villacoublay et Pauillac). Le réseau postal aérien intérieur de nuit, *créé* en mai 1939 par Didier Daurat (1891-1969), interrompu pendant la guerre, fut rétabli en oct. 1945. En février 1991, la Poste, Air France, Air Inter et la TAT ont créé la Sté d'exploitation aéropostale qui assure le transport de courrier ou de fret la nuit, et de passagers le j, pour le compte des compagnies actionnaires. 22 lignes pouvant transporter 330 t de courrier chaque nuit. *Avions :* Boeing 737 (capacité 16 t, 900 km/h) et Fokker F 27 (capacité 5,5 t, 470 km/h). 16 Boeing et 15 Fokker prévus pour fin 92. **Finances** (1990 en milliards de F) : chiffre d'affaires 73 (prov. 91) ; endettement 34,3 ; bénéfice 1,3 ; investissements 4,5 ; autofinancement 3,1. **Trafic total** (1991, en milliards d'objets) : 21,5.

■ **Bureaux de poste.** *Au 31-12-91 :* 16 917 établ. postaux dont 9 916 recettes de plein exercice, 2 739 recettes rurales (anciennement recettes-distribution), 3 127 agences postales et correspondants postaux, 1 135 guichets annexes. *1987-93 :* 14 000 bureaux sont informatisés, coût 1,8 milliard de F.

Usagers qui ont le moins de chemin à faire pour aller à la poste (1988) : ceux de Paris (1 bureau pour 0,6 km²). *Qui en ont le plus :* ceux des Alpes-de-Haute-Prov. (1 pour 73 km²), Htes-Alpes (1 pour 64 km²), Gers (1 pour 74 km²), Landes (1 pour 57 km²).

■ **Bureaux de tabac.** *Nombre :* 43 000. *Remise sur les timbres : 1810 :* 1 %, *1871 :* 1,5 %, *1983 (mars) :* 2 % [pour la 1re fois ont fait grève (du 4 au 15-3-1983) pour une remise plus forte]. *1985 :* 3 %.

■ **Capacité de tri.** Réseau d'acheminement du courrier : 133 centres de tri, 16 bureaux de poste centralisateurs, équipés de 253 machines à trier les plis mécanisables dont 73 avec un lecteur optique lisant les adresses imprimées ou dactylographiées, les chiffres manuscrits du code postal (correctement formés et positionnés). Moyenne 25 000 plis/heure, 25 machines à trier les paquets.

■ **Distribution.** *Habitants desservis par un préposé :* 773. *Objets par tournée* (par an) : 188 400. *Nombre d'objets par hab. :* 243. *Régions qui ont déposé le plus de lettres* (par hab., en 1988) : Paris 378, Ile-de-Fr. (avec Paris) 168, Alsace 102, Rh.-Alpes 100, Centre et Provence 92, Pays-de-la-Loire 88 ; *le plus grand nombre de paquets :* Nord-P.-de-Calais 20,6 (VPC La Redoute, Les 3 Suisses). Ile-de-Fr. 8. Centre 7,8 (VPC Quelle). Haute-Normandie 7,8.

Lettres : envoyées à l'étranger (1988) : 267 millions (reçues de l'étranger : 349 millions).

Boîtes aux lettres : 24 000 000 env., 26 × 26 × 34 cm.

Délais (sondage Sofres 1993) : *lettres affranchies à 2,50 F :* 78,3 % arrivent le lendemain, 94,9 % dans les 2 j.

■ **Trafic postal (principaux éléments)** (1992, en millions d'objets déposés). *Correspondances :* lettres et cartes urgentes 6 206, recommandés 146, écoplis 3 720, objets avec valeur déclarée 3, journaux et périodiques 2 166. *Messageries :* paquets 323. *Catalogues :* 98. Postimpact 3 258, postcontact 3 747, post-réponse 79. *Plis de service et correspondance en franchise :* 1 642. *Total :* 21 388.

■ Services financiers

☞ Chèques postaux, Caisse nationale d'épargne, voir Finances.

■ **Mandats.** *Mandat-carte :* pour transferts de fonds. Comporte un coupon de correspondance qui parvient au bureau de destination ou au centre de chèques bénéficiaire. *Mandat-lettre :* émis par le service postal contre une somme en espèces et remis à l'expéditeur qui se charge de le transmettre au bénéficiaire en l'insérant dans une enveloppe. Présentation au guichet d'un bureau de poste ou par imputation sur un CCP. *Mandat optique :* servi par l'organisme financier qui le remet au débiteur. *Encaissement à domicile :* tarifs (se renseigner au bureau de poste).

Tarifs. Régime intérieur : *mandats-lettres et,* entre parenthèses, *mandats-cartes (en F). Jusqu'à 1 000 F :* 13 (17,3). *1 000 à 2 000 F :* 15,7 (20). *2 000 à 3 000 F :* 18,4 (22,7). *3 000 à 4 000 F :* 21,1 (25,4). *Au-dessus :* ajouter 2,7 F par 2 000 F ou fraction. *Mandats de versement à un CCP :* v. à son propre compte : gratuit (sauf TOM) ; autres versements : jusqu'à 1 000 F : 8,3, au-dessus : 11,1. *Mandats optiques :* 8 F quel que soit le montant. **Régime international :** *mandats-cartes ordinaires et télégraphiques payables en espèces.* Droits généraux et, entre parenthèses, exceptionnels selon pays. *Jusqu'à 500 F :* 15 (25). *500 à 1 000 :* 22,2 (32,2). *1 000 à 2 000 :* 36,5 (46,5). *2 000 à 5 000 :* 48 (58). *Au-delà de 5 000 :* 56,3 (66,3).

■ **Objets contre remboursement** (France métropolitaine, DOM, Monaco). [Autres relations : se renseigner au guichet]. Taxes d'affranchissement des envois de même catégorie recommandée ou avec valeur déclarée + droit fixe. **Droit** *mandat de versement à un CCP :* 25 F. *Payable en espèces :* 35 F. *Mandat optique :* 19,50 F.

Télécommunications

■ Techniques

■ Utilisées par France Télécom

■ **Câbles à âmes conductrices métalliques.** *1°) De réseaux urbains :* posés en conduite dans les villes, relient les centraux entre eux ou aux abonnés ; *2°) suburbains :* relient, aux centraux, les têtes de lignes venant d'autres villes ; *3°) à grandes distances :* relient les villes entre elles, utilisent, entre autres, les câbles coaxiaux pour grande et très grande distance. **Coaxial.** Comprend un conducteur central en cuivre, un isolant en polyéthylène et un conducteur extérieur concentrique, en cuivre ou en aluminium. Il forme un guide d'ondes qui transmet un signal électrique.

■ **Câbles à fibres optiques.** Utilisés, entre autres, pour la transmission à large bande passante, à longue distance et à débit élevé, et pour les réseaux de télécommunications à intégration de services. **Fibre optique :** fil de verre (ou de plastique) très fin dans lequel on fait passer des signaux lumineux émis par un laser et reçus par une cellule photoélectrique. *Une fibre comprend :* un cœur (dans lequel se propagent les ondes optiques), une gaine optique (qui confine les ondes optiques dans le cœur) et un revêtement de protection. Les fibres sont placées dans des joncs ou tubes qui sont réunis en câble de 6 à 70 fibres et +. *Avantages :* avec un poids, un encombrement et un diamètre (5 à 80 microns) réduits, elle transporte (avec une faible atténuation) plus d'informations qu'un coaxial ; non métallique, elle est insensible aux perturbations électromagnétiques ou électrostatiques et ne peut être ni piratée ni parasitée ; associée à une structure en étoile, elle permet l'interactivité (questions-réponses), la connexion à des médiathèques, l'utilisation des services de la télématique. *Inconvénient :* coût élevé. **Situation en France. Principaux fabricants français :** FOI (Fibres optiques industries) et CLTO (Cie lyonnaise de transmissions optiques), du groupe CGE (capacité de production : 70 000 km par an) ; sous licence Corning Glass Works.

Quelques dates. 1927 câble sous-marin tél. France-G.-B. **1946** 1er câble téléphonique sous-marin (Toulon/Ajaccio) de fabrication française (1 voie téléph.). **1956** TAT1 1er câble coaxial tél. transatlantique Écosse-Terre Neuve, permet d'acheminer 36 communications simultanées (capacité 48 communic.). **1968** projet ITT (G.-B.) : transmission de signaux lumineux sur fibre de verre. **1958** Marseille-Alger. **1959** TAT2. France-USA. **1970** Corning Glass Works (USA) fabrique la 1re fibre optique. **1972** câble prototype sous-marin (Cagnes-sur-Mer/Juan-les-Pins). **1978-79** production ind. **1980** câble (loch Fyne, Écosse) ; *août :* France, 1re liaison, 7 km, entre 2 centraux téléph. (« les Tuileries » et « Philippe-Auguste »). **1982** câble optique sous-marin expérimenté (Juan-les-Pins et Cagnes-sur-Mer). **1984** câble de 80 km sur fonds de + de 1 200 m entre Antibes et Port-Grimaud. Ligne expérimentale sous-marine, 8 km (Portsmouth-île de Wight). **1985** France, 1er réseau expérimental urbain (Biarritz ; câbles de 70 fibres) ; Japon, ligne de 38 km (Hokkaido-Honshu). **1986** Sea Me We 1 (South East Asia, Middle East, Western Europe). Marseille-Singapour (15 000 km). **1986-87** 2e réseau français (Montpellier). **1987** liaison optique Le Mans-La Flèche ; 1er câble optique sous-marin pour exploitation commerciale Marseille/Ajaccio (le plus long du monde : 390 km, sur fonds de 2 500 m, prolongé 1990, vers Sicile, Grèce, Turquie, Israël). **1988** TAT8 de Tuckerton (New Jersey, USA) à Penmarc'h (France) et Widemouth (G.-B.) ; 6 400 km, capacité 7 560 circuits numériques (dont branche française 3 760) à 64 kilobits par seconde. Permet d'acheminer 80 000 communications simultanées, coût 361 millions de F ; appartient à un consortium (dont ATT 34,1 %, British Telecom 15,5, France Télécom 9,8). **1989** TPC 3 USA-Japon 13 235 km ; coût 4,5 milliards de F. **1988-90** Paris-Nantes. **1990** câbles (silice) reliés à des équipements collectifs captant des signaux de satellites. **1992** TAT9 Canada-USA/G.-B.-France-Espagne. MAT 2 (Espagne-Italie, 950 km), EURAFRICA (Maroc-Portugal-France-Madère, 3 200 km), SAT 2 (Madère-Canaries-Afr. du S., 9 150 km), BAR-MAR (Barcelone-Marseille pour les JO, 350 km). **1993** TAT 11 (USA-G.-B.-France, 7 000 km). FLAG (Fibroptic Link Around the Globe) G.-B.-Japon 24 000 km (fibre optique), 120 circuits, 600 000 communications simultanées. **1994** SEA-ME-We (Singapour-Indonésie-Inde-Arabie Saoudite-Égypte-Turquie-Sicile-Tunisie-Algérie-France, 17 800 km), fibre optique, *coût :* 4,2 milliards de F, 80 000 comm. **1995-96** TAT 12 et 13 (USA-G.-B, P-Bas-All.-France).

Quelques dates. 1837 l'Américain Page constate le 1er phénomène acoustique d'origine électrique. **1854** découverte des principes du téléphone par le Français Charles Bourseul. **1876-14-2** Graham Bell (1847-1922, Amér. d'origine anglaise) et Elisha Gray déposent chacun, à 2 h d'intervalle, une demande de brevet de téléphone. **1884** 1res cabines dans bureaux de poste de Paris et certaines villes de province. **1889** nationalisation téléphone en France. **1938** France, automatique pour 45,6 % d'abonnés (Allemagne 84,9, G.-B. 54). **1939** Paris entièrement raccordé à l'automatique (banlieue partiellement). Automatisation de toute la région paris. achevée 1975. **1940-41** *Direction des Télécommunications* créée : télégraphe-télex (Telegraph Exchange), téléphone et liaisons radio rassemblées. **1946** service télex public créé. **1947** Télex : 32 abonnés privés et - de 60 postes en service. **1948** 1er câble coaxial souterrain mis en service (posé en 1939 sur Paris-Toulouse). **1951** 1re liaison par faisceau hertzien (future liaison Paris-Lille). **1968** commutation électronique spatiale avec opération *« Platon »* (prototype lannionnais d'autocommutateur temporel à organisation numérique). Réseau Caducée, 1er spécialisé pour la téléinformatique (ouvert au public 1972). **1972** Lannion, *1er central électronique* français (1er commutateur électronique temporel du monde). **1973** *radiotéléphone sur auto,* péniche ou navire en mer accessible à tous. **1978** *Transmic,* 1er réseau de liaisons spécialisées numériques et support du service Transfix. **1979** dernier central téléphonique de type Strowger (1913-31) démonté. *Transpac,* 1er réseau au monde de transmission de données par paquets. **1980** expérience d'annuaire électronique à St-Malo et Rennes. **1981** expérience Télétel (téléphone-TV) à Vélizy ; débouchera sur le Minitel. **1982** 1re vidéotransmission par fibre optique. Mise à disposition du public des terminaux Minitel 10. **1984** Ariane lance satellite *Télécom,* **1988** Télécom IC. **1985-25-10** (23 h) : 23 000 000 d'abonnés au téléphone changent de nos, désormais 8 chiffres (dont les 6 ou 7 de l'ancien no). **1988-1-1** la Dir. gén. des Télécom. prend le nom de *France-Télécom. Numeris* RNIS (Réseau Universel Numérique à Intégration de Services) s'ouvre en région parisienne. **1990** offert partout en France. **1991** Ariane lance *Télécom 2A.* 17-9 USA une panne dans un central de Manhattan conduit à l'effondrement du système téléphonique (fermeture des 3 aéroports de New York). **1992-15/16-4** Ariane lance *Télécom 2B.*

Production de fibres optiques (sauf câbles sous-marins). Marché intérieur français : *1988 :* 53 000 km. **Budget** (en milliards de F, 1988) : *CA :* 88,1. *Résultat net :* 1,8 (1er exercice avec assujettissement à la TVA en année pleine). *Capacité d'autofinancement* (bilan annuel) : 26,77. *Valeur ajoutée :* 78,2. *Investissement :* 29,2 (2,2 % à la FBCF nationale).

■ **Réseaux câblés de vidéocommunications** (voir **câble** à l'Index).

■ **Comparaisons du câble et du satellite.** Un satellite est garanti pour 10 ans, un câble pour 25 ans (la silice vieillit). Les câbles sous-marins (assez souples pour être relevés sans dommage 3 ou 4 fois dans leur vie) étant vulnérables en zone côtière (risque d'accrochage avec chalut), il faut les enterrer.

■ Services grand public

■ **Abonnement** (1-7-90). *Nouvel abonnement* frais d'accès au réseau : 250 F. *Réattribution d'abonnement* si la ligne est en service ou résiliée depuis - de 6 mois : 150 F. *Redevance mensuelle :* abonnement résidentiel : 39 F (Paris), 33 F (circonscription comptant + de 50 000 abonnements principaux),

28 F (autres circ.) ; abonnement d'affaires (+ de 2 lignes) 95 F. *Fourniture de 1 poste de téléphone ;* dep. le 1-12-86, l'abonné peut l'acheter ou le louer à France Télécom (location et entretien : 24 F par mois pour un poste simple à cadran ou à clavier). *Prises :* 2e gratuite. 3e ou 4e prise installées lors du même déplacement : 80 F. En 1992, près de 1,25 million de postes ont été vendus et + de 3,8 millions loués.

■ **Communications. Tarif France métropole** (1992) : à partir d'un poste d'abonné en métropole, *A :* plein tarif. *B :* 30 % de réduction. *C :* 50 %. *D :* 65 %. **Horaires. Lundi au vendredi :** *6 h - 8 h :* C, *8-12.30 :* A, *12.30-13.30 :* B, *13.30-18 :* A, *18-21.30 :* B, *21.30-22.30 :* C, *22.30-6 :* D. **Samedi :** *6 h - 8 h :* C, *8-12.30 :* A, *12.30-13.30 :* B, *13.30-22.30 :* C, *22.30-6 :* D. **Dimanche et fêtes :** *6 h - 22 h30 :* C, *22.30-6 :* D. **Montant** en F HT (et TTC) : *dans la circonscription :* 0,615 F HT (0,73 F TTC) toutes les 6 min en tarif normal, et toutes les 9, 12, 18 min en réduit. *De voisinage :* 1re zone périphérique de Paris, et Marseille 0,615 (0,73) toutes les 2 min en normal ; pour autres communications, selon la distance (par période indivisible) : 0,615 (0,73) toutes les 72, 45 ou 24 s. *À moyenne et grande distance* (normal) : *à - de 100 km :* 0,615 (0,73) toutes les 24 s, soit 1,54 (1,83) pour 1 min ; *à + de 100 km :* 0,615 (0,73) toutes les 17 s, soit 2,17 (2,58) pour 1 min. **USA** : *lundi au samedi 0 à 2 h* 5,33 F/min (6,32 TTC). *2-12 h* 4,72 (5,60), *12-14 h* 5,33 (6,32), *14-20 h* 6,46 (7,66), *20-24 h* 5,33 (6,32). **Thaïlande, Indonésie :** 16,09 F/min. (19,09 TTC). **CEE** *lundi au vendredi 0-8 h* 2,57 (3,04), *8-21 h 30* 3,79 (4,50), *21 h 30-24 h* 2,57 (3,04). *Samedi* 2,57 (3,04) sauf *8-14 h* 3,79 (4,50). *Dim. et fériés* 2,57 (3,04).

Délai et coût de transfert d'un document. *Lettre* (1 à 2 j) 2,30 F. Transfert de fichiers par Numéris (100 k-octets en 15 s, 0,615 F à 1,236 F HT), *Télex* (5 min et 30 s) 0,42, *EDI* (Échange de Documents Informatisés) (13 s) ligne tél. 0,09, spécialisée 0,07. **Avec l'étranger.** *Prix hors taxe la min.* (à certaines heures), *téléphone et télécopie (page).* All. (21h30-8h) 2,57 (1,29). Brésil (21h30-8h) 10,86 (5,43), Côte-d'Iv. (21h30-24h) 9,22 (4,61). Japon (21h30-8h) 10,86 (5,43). USA (20h-12h) 6,05 (3,03).

☞ **Réforme (1993) :** *Appel local :* 1 unité (0,73 F) toutes les 3 min., *interurbain :* 1 toutes les 19 sec. *Abonnement :* 45 F par mois avec réductions pour faibles consommations.

■ **Facture.** *Taux de contestation* (1991) : 0,26 ‰. **Facturation** *détaillée* possible pour communications tarifées à la durée : sur les lignes rattachées à un central électronique. *1991 :* 25 millions d'usagers ont eu accès à la facturation détaillée (3,17 millions se sont abonnés ; *83 :* 20 400). *D'après l'arrêté du 9-2-1983 :* fournit identité, adresse et no de tél. du destinataire de la facture, date et heure de l'appel, 4 premiers chiffres du no composé, durée de la communication et tarification. *Réclamations :* les services compétents de l'FT peuvent communiquer au destinataire de la facture, ou de son mandataire détenteur d'un mandat spécial, toutes les informations énumérées à l'art. 2 qui sont conservées jusqu'à la fin du délai de prescription. Toutefois, s'ils demandent une copie, les 4 derniers chiffres des nos composés sont occultés. *Coût :* 8 F TTC (par mois pour un minimum de 6 mois jusqu'à 100 communications détaillées, et 10 F par tranche supplémentaire de 100 comm.). **Factures non payées** *contestation et paiement :* pas de coupure, conciliation avec le service consommateur, paiement de la moyenne des 3 dernières factures. *Non-paiement pour la 1re fois :* pas de coupure mais service restreint, conciliation. *Bon payeur dep. 1 an ayant un retard :* si on dépasse les 15 j prévus pour le paiement et le rappel au bout de 23 j, sursis supplémentaire et service restreint. *Difficulté :* appeler le 36 58 pour obtenir un délai. **Délais de paiement** à compter de la date portée sur la facture (soit 15 j après la date d'envoi). La date limite de paiement est celle de l'encaissement du chèque (et non de son expédition).

■ **Numéro d'appel (changement de).** 95 F.

■ **Relevé de compte partiel.** 95 F.

■ **Réseau commercial** (1991). 600 points d'accueil et 184 agences commerciales (appel gratuit en composant le 14).

■ **Téléphone sans fil.** Portée 300 m entre base et combiné (en champ libre et en zone non perturbée) Aria : 1 090 F TTC. Interphone entre base et combiné Aria intercom : 1 390 F TTC (voir aussi p. 1402 a).

■ **Tarifs téléphoniques TTC intracommunautaires** (au 1-1-1993, tarif normal et entre par. réduit, en F). Espagne 6,18 (4,41), Italie 5,42 (4,63), Belgique 4,26 (3,11), France 4,26 (3,04), Suisse 4,24 (3,01), Danemark 3,89 (2,99), Lux. 3,43 (2,74), P.-Bas 3,31 (2,71), G.-B. 3,17 (2,63).

Statistiques

■ **Appels reçus en 1992.** *Service des renseignements* (le 12), 209 millions d'appels servis, *annuaire électronique* (le 11) : 23 millions d'heures de consultation par an (760 millions d'appels servis).

■ **Cabines téléphoniques** *1977 :* 39 000. *80 :* 102 000. *90 :* 170 000 dont 104 000 (1992) publiphones à carte ; points-phones : 60 000 fin 91. *Taux moyen de dérangement (publiphones) :* 0,9 %. *Vandalisme* cabines endommagées *1989* 110 000 (30 000 à remplacer), l'adoption des publiphones à cartes réduit le vandalisme. **Uniphone** [appel gratuit des nos d'urgence et du 3610 (carte Pastel)] : dans zones peu peuplées. En 1992, nouveau service de téléphone destiné aux résidences de vacances (téléséjour).

■ **Circuits interurbains** (fin 90). 668 000. **Internationaux.** 38 400.

■ **Demandes en instance** (au 31-12, en milliers). *1977 :* 1 582. *80 :* 936. *81 :* 799. *82 :* 516. *83 :* 276. *84 :* 184. *85 :* 144. *87 :* 105. *89 :* 113. *90 :* 48,3. *91 :* 3,44 de + (de 2 mois).

■ **Lignes principales. Nombre** (au 31-12, en millions) : *1950 :* 1,4. *60 :* 2,2. *75 :* 7,1. *80 :* 15,9. *85 :* 23,03 (dont équipement électronique 56,3 %). *89 :* 26,94 (82 %). *90 :* + de 28. *91 :* + de 29 (90 %). **Densité pour 100 hab. :** *1950 :* 3,4. *60 :* 4,8. *70 :* 8,4. *75 :* 13,4. *80 :* 29,6. *85 :* 42. *89 :* 46,5. *91 :* 49,9.

■ **Raccordement (délai).** *1974 :* 16 mois. *75 :* 11. *76 :* 10. *77 :* 9. *78 :* 7. *79 :* 5. *80 :* 4. *81 :* 3. *82 :* 2. *Fin 83 :* 1. *84 :* 20,5 j. *85 :* 15,5 j. *86 :* 12,5 j. *90 :* 9,5 j. *91 :* 91,5 % en - de 15 j.

■ **Service qualité.** *Réseau général 1989 :* 67 points, *90 :* 70, *91 :* 75. *Services professionnels fin 1987 :* 30,7 ; *fin 1990 :* 62,9. Le taux de signalisation des dérangements est inférieur à 1 tous les 7 ans en moyenne par ligne. **Vitesse de relève des dérangements :** 86,3 % moins de 2 j ; 99,6 % moins de 8 j.

■ **Taux d'équipement** (au 1-1-92, en %). Ménages 97,2. Patrons de l'industrie et du commerce 104. Prof. libérales et cadres supérieurs 106,8. Cadres moyens 101. Employés 93,7. Agriculteurs 93,7. Ouvriers et personnels de service 89,6. Inactifs 92,2.

■ **Trafic téléphonique** (en milliards d'unités télécom., au 31-12). *1970 :* 15,6. *80 :* 56,5. *88 :* 98,5. *89 :* 105,8. *90 :* 114. *91 :* 128. *92 :* 127. **Plus gros consommateurs de téléphone** (en millions de F, en 1986) **sans les liaisons informatiques :** Direct. gén. des postes 753 ; EDF 458 ; Crédit agricole 237.

☞ Le 1er janvier, le réseau téléphonique est saturé entre minuit et 2 h du matin : sur 3 à 4 millions d'appels 1,3 est possible (un dimanche ordinaire, il y a 325 000 communications à l'heure).

Services du téléphone

■ **Annuaire du téléphone. Statistiques (1992) :** *volumes imprimés* 52,3 dont 10,6 en format réduit (prix de revient gd format 13,10 F, réduit 9,40 F en 1992). *Éditions :* 103 (dont 25 en 2 formats). *Papier consommé :* 51 185 t. *Refus d'y figurer possible :* moyennant redevance mensuelle de 15 F, on sera sur la *liste rouge* (France Télécom ne devra pas communiquer le numéro). Concerne 17 % des abonnés (27 % à Paris). La *liste orange* (gratuite) permet de ne pas recevoir de publicité. **Histoire :** *1819* Sébastien Bottin (1764-1853) dresse une liste des commerçants de Paris. *1857* sa veuve fusionne l'affaire avec Firmin-Didot qui éditait dep. 1838 l'Annuaire Général du Commerce (actuellement Annuaire-Almanach du Commerce et de l'Industrie Didot-Bottin). *1889* la Sté Générale des Téléphones publie une 1re liste : 6 425 abonnés (Paris/banlieue). La Direction des Postes et Télégraphes confie ensuite au privé la publication de cette « liste » qui devra être remise gratuitement à chaque abonné le 15 oct. tous les ans (un bulletin mensuel, gratuit, la tient à jour). *1925* édition confiée à l'Imprimerie nationale. *1926* 1er annuaire par département (*1936,* celui du Gers ou de la Corrèze ne compte que 8 pages). *1979*-26-6 suppression des titres nobiliaires, universitaires, religieux, etc. *1983*-24-6 l'inscription d'un abonné peut comporter à titre gratuit une mention complémentaire qui peut désigner notamment une profession, une catégorie socioprofessionnelle, une fonction élective, un titre ou un grade. L'abonné peut faire inscrire le prénom du conjoint.

Nota. – En région parisienne, la Sté Communication Média Services distribue 8 versions de l'annuaire Soleil (2 500 000 ex., 6 000 annonceurs, CA en millions de F : *1991 :* 15, *92 :* 50, *93 est. :* 80).

■ **Audiphone.** Permet à toute personne disposant d'un poste téléphonique d'écouter un message préalablement enregistré par une autre personne. Ouvert en oct. 1983. **Nombre d'appels enregistrés** (millions) : *1984 :* 32,94. *85 :* 73,76. *88 :* 124. *89 :* 104,5. *92 :* 104.

■ **Carte Télécom. 1o) Carte Pastel :** origine : Reims juin 1983, 1er ticket de conversation de 5 min pour 25 à 50 c. *1984* mise en service. Permet de se faire imputer sur sa facture des communications émises à partir des cabines à carte, de n'importe quel poste, en composant le 3610, et depuis l'étranger (service France direct). *Options :* carte Pastel I « internationale », II « nationale », III « Sélection » (permet d'appeler une liste de 10 numéros max. en France et à l'étranger). *Abonnement annuel (TTC) : I :* 80 F, *II et III :* 65 F (1991 : 910 000 abonnements). **2o) Télécarte :** dep. 1985 *format* 8,5 × 5,5 cm, utilisable dans tous publiphones à cartes. *2 options :* 50 unités (40 F), 120 (96 F). **Origine : 1978** Carte Frantel, phonocarte fabriquée par Landis et Gyr. **1980**-*mai* 1res cartes holographiques mises en service gare Montparnasse, *juin* Cité internationale universitaire. *Nov.* cartes magnétiques émises à Courchevel, Les Ménuires, Val-Thorens. **1985** France Télécom lance la carte à puce (« pyjama », bleu rayé blanc) fabriquée jusqu'à fin 1988. **1986** cartes de vœux de Toffe, Soler, Le Cloarec et Akhras (chargés, chacun, d'en illustrer 2). Ces 8 cartes sont tirées à 380 ex. (dont 150 numérotés et signés par les artistes respectifs). Création de Régie-T, filiale de France Télécom (51 % des parts) et du groupe Publicis (49 %), pour gérer la télécarte en tant que support publicitaire. **1987** Le Cordon (carte d'usage courant, représentant le cordon spiralé rattaché au combiné). **1991** création du Bureau national de vente à Nancy. **Ventes des cartes à puce** (en millions) : *1985 :* 2, *86 :* 8, *87 :* 17, *88 :* 29, *89 :* 43, *91 :* 72, *92 :* 85, *1985-93 est. :* 300.

☞ France Télécom utilise la carte comme espace publicitaire (+ de 1 000 visuels différents). **Collectionneurs :** cartes recherchées à tirage restreint (1 000 ex. au maximum), distribuées par un annonceur à ses clients. *Cote :* 100 à 4 000 F en moyenne. *Records :* « Longuet-Schlumberger », 33 500 F (tirée à 80 ex. à l'occasion d'une visite du ministre dans une usine Schlumberger) ; Frantel 24 500 F ; de vœux (tirées par France Télécom, déc. 1986) chacune à 380 ex. dont 150 numérotés et signés par l'artiste (de *Soler* bleu nuit ou marron, 20/22 000 F ; avec les « Deux Femmes voilées », 30 000. De *Toffe* « Ecce Homo Dial », 20 000. *Akhras,* 25/28 000. *Le Cloarec,* 20 000). *Autres cartes :* chocolat Poulain 720 F, William Saurin 380 F. Une carte neuve vaut plus cher qu'une usagée.

■ **Handicapés. Auditifs :** combiné téléphonique à écoute amplifiée réglable de 15 décibels (location entretien : 20 F/mois). Flash lumineux, accompagnant la sonnerie du téléphone (location-entretien : 15 F/mois). **Visuels et moteurs :** Celesta, poste téléphonique à larges touches pour une lisibilité renforcée. **Moteurs :** poste téléphonique comportant 2 numéros préenregistrés pour appel d'urgence. Peut convenir aux personnes ayant des difficultés à numéroter (location entretien : 35 F/mois). **Ouïe et parole :** le Minitel 1 dialogue avec son flash (voir Vidéotex-Minitel).

■ **Horloge parlante** (voir p. 246 b).

■ **Hôtel, café, bar, restaurant (téléphone à partir d'un).** Fixé par arrêté no 83-73 du 8-12-1983 : 1 F pour toutes les impulsions. 130 % de l'unité Télécom.

■ **Kiosque téléphonique.** Permet avec un téléphone d'avoir accès à 618 services télématiques interactifs ou d'informations téléphonées pour météo, Bourse, jeux, services bancaires ou résultats sportifs. Services développés et exploités par des fournisseurs de services ou des centres serveurs, indépendants. France Télécom assure le recouvrement des coûts de communications dus par les utilisateurs (transport de l'information, gestion de facture et d'utilisation du service), et reverse aux fournisseurs les sommes correspondant à l'utilisation de leurs services. *En 1991 :* 340 millions d'appels.

■ **Mémophone.** Appeler le 36 72, de tout poste téléphonique à touches, ou des cabines publiques, permet sans abonnement de communiquer 24 h sur 24 des messages vocaux. *Coût :* 2 UT + 1/45 sec.

■ **PCV (à percevoir).** Dep. le 1-9-1985, en vigueur seulement pour l'international.

■ **Radiocom 2000 service réseau d'entreprise.** Ouvert début 1986, couverture nationale, permet de communiquer en groupe fermé d'utilisateurs, entre mobiles ou avec une ou plusieurs bases-fil, sur une fréquence exclusive attribuée pendant toute la durée de la communication. Chaque cellule est équipée d'un relais, assure la liaison entre le radiotéléphone et le réseau téléphonique. Lors des déplacements, le radiotéléphone s'identifie successivement auprès des relais rencontrés, ce qui permet de le localiser dans le réseau afin d'acheminer les appels qui lui sont destinés. *Couverture* 85 % du territoire avec près de 1 000 relais. *Tarification* en fonction de la durée. De 21 h 30 à 8 h réduit de 50 % ; pour les communications internationales, la tarification téléphonique en vigueur s'ajoute. L'occupation de la fréquence radio utilisée est facturée au mobile, les 15 1res secondes de la communication étant gratuites. **Service voiture :**

prix mensuel d'abonnement national 55 F, province 250 F, Ile-de-Fr + autoroute du S. 250 F, France N.-E. 168,63 F, Vallée du Rhône 168,63 F, Ile-de-Fr. 168,63 F. *Prix de l'unité mobile* (UM) au 1-1-92 : 0,615 F. *Régime intérieur :* tarif vert 1 UM toutes les 12 s, 3,075 F par min, tarif rouge (comm. établies sur les relais) 1 UM toutes les 6 s, 6,15 F par min. *Régime international et numéros spéciaux* : vert 1 UM toutes les 20 s + RTCP (réseau téléphonique Commuté Public), soit 1,845 F + RTCP par min, rouge 10 s + RTCP, 3,69 F + RTCP par min. *Mobile demandé par tout correspondant (franchise de 15 s acquise au mobile demandé) :* vert 20 s, 1,845 F par min, rouge 10 s, 3,69 F par min. *Numéros gratuits :* 13 dérangements, 14 France Télécom, 15 Samu, 17 Police, 18 Pompiers.

■ **Radiotéléphone.** *1956 :* 1er téléphone de voiture. *1989* (avril) : création d'un réseau privé de téléphonie de la « Générale » sur la région parisienne, Lille, Lyon. **Parc** (fin 1992) : *Radiocom 2 000 :* 330 000. *SFR (Sté franç. du radiotéléphone) :* 53 000 (dont quelques milliers en GSM). *Téléphone dans TGV :* 600. *Alphapage* 150 000. *Eurosignal* 90 000. *Opérator* 50 000. **Coût annuel du téléphone de voiture en F et,** entre parenthèses, **taux de pénétration pour 1 000 hab.** (1990) : G.-B. 1 201 (17,69), Islande 13 235 (33,58), Chypre 15 082 (2,83), Suède 15 652 (46,74), Danemark 15 835 (25,63), Irlande 16 832 (4,15), Norvège 17 151 (45,53), Suisse 17 476 (13,74), Italie 20 172 (1,73), P.-Bas 21 079 (4,2), Autriche 21 113 (7,28), Belgique 21 375 (3,6), Finlande 22 088 (36,03), Portugal 24 259 (0,36), Espagne 26 653 (0,94), Lux. 27 919 (1,26), All. 33 647 (3,19), *France 37 193 (3,76).* **Tarifs** (1992, en F). Lignes SFR (entre parenthèses Radiocom 2 000). *Mise en service* : 237,2 (250). *Redevance annuelle* pour abonnement national 593 (600). *Minute d'appel pour correspondant même région :* tarif vert : 3,49/tarif rouge : 6,98 (3,64/7,3), *autre région :* 2,91/5,82 (3,65/4,38). *Minute d'appel reçu dans région :* 2,18 (2,19/4,38), *hors région :* 2,18 (2,19/4,38). *Réductions tarifaires :* 50 % de 21 h à 8 h (de 21 h 30 à 8 h).

■ **Renseignements téléphoniques.** *A partir d'un poste d'abonné :* 5 unités soit : 0,73 × 5 = 3,65 F (TTC) ; *des cabines publiques :* gratuit.

■ **Répondeurs téléphoniques.** Commercialisés par France Télécom et sa filiale Egt *Fidélis 5 400 :* rép.-enregistreur interrogeable à distance, fonction sélection appels-mixte mémoire statique et microcassette MC 30 790 F TTC. *Fidélis 6 300 :* rép.-enregistreur interrogeable à distance, durée annonce modulable, compteur appels, 2 cassettes MC 60 1 545 F TTC. *Prix microcassette ou cassette* 36 F TTC.

■ **Services du confort téléphonique. Transfert d'appel :** 1,5 million de bénéficiaires au 31-12-1991. La commande du transfert d'appel coûte 1 UT ; la communication, renvoyée du poste de l'abonné vers un autre numéro, est à la charge de celui-ci. **Signal d'appel** pour avertir d'un autre appel quand on est en ligne : 600 000 fin 91. **Conversation à 3 sur la même ligne :** 300 000 fin 91. **Mémo-appel :** 3,65 F par appel. **Facturation détaillée** des consommations téléphoniques 3 170 000 fin 91. **Tarifs** *abonnement mensuel :* 10 F pour 1 service, 15 F pour 2, 20 F pour 3.

■ **Téléphone de poche sans fil** (Bibop). 185 grammes. Utilisable si l'on se trouve à 200 m (max.) d'une borne. Expérimenté à Strasbourg (1-12-91/31-5-92) puis Paris (en juin 93 : 3 000 bornes) ; banlieue 1 000 bornes ; *entre 1993 et 95 :* dans villes de + de 50 000 h. *Coût* (1993) : 1 890 F, 54,50 F/mois d'abonnement, surcoût 83 c/min par appel.

■ **Utilisation de téléphones non agréés.** *Appareil filaire :* 1 300 à 3 000 F d'amende et (ou) emprisonnement de 5 j ou +. *App. radioélectrique* (par ex. téléphone sans cordon) : 2 000 à 200 000 F d'amende et (ou) emprisonnement de 1 à 3 mois (en cas de brouillage, peines doublées). Les agents assermentés des PTT peuvent dresser des procès-verbaux dans les locaux professionnels entre 8 et 20 h. Les officiers de police judiciaire peuvent dresser des procès-verbaux et saisir le matériel sans condition de temps ou de lieu. Le juge peut confisquer les appareils saisis.

■ Vidéotex et Audiotex

☞ **Évolution.** *1980 (juill.)* 55 hab. de St-Malo équipés. *1981 (juill.)* Vélizy Télétel 2 500. *1982 (oct.)* 1er accès professionnel (36-13) Gretel (Dernières Nouvelles d'Alsace) messageries en direct. *1984* kiosque réservé à la presse. *1985 (mai)* annuaire électronique nat. *Sept.* le 36-15 couvre toute la Fr. *1987* ouverture 36-16 et 36-17. *1992 (mai)* ouverture d'Audiotel (service d'accès vocal à la durée).

■ **Annuaire électronique.** Service Télétel d'information accessible 24/24 h en composant le 11 et mis à jour en permanence. Recherche sur critères alphabétique, professionnel ou d'adresse dans les localités importantes. La liste des abonnés par rue est disponible. *Tarif :* gratuit les 3 premières min. et 1 unité Télécom toutes les 2 min. (21,90 F l'heure) ; t. réduits aux mêmes heures que le téléphone.

■ **Minitel.** Marque déposée. Nom de la gamme de terminaux commercialisés par France Télécom, permettant d'accéder à l'annuaire électronique et aux services Télétel. Pour les brancher, il suffit d'une prise électrique 220 V et d'une prise téléphone. **Modèles proposés :** *Minitel 1 :* terminal de base, sans supplément d'abonnement en remplacement des pages blanches de l'annuaire papier. *Minitel 2 :* bistandard, il possède en plus un répertoire de 10 services et un numéroteur intégré permettant l'appel simplifié des services Télétel, et un mot de passe pour verrouiller le Minitel (20 F par mois au 1-1-1993). *Minitel I Dialogue :* permet la conversation par écrit de Minitel à Minitel sur le réseau téléphonique (10 F par mois au 1-1-1993). *Minitel 10 :* intègre les fonctions d'un poste téléphonique moderne et un répertoire de 20 nos (65 F par mois au 1-1-93). *Minitel M 5 :* à écran plat, portatif, destiné aux professionnels, autonome. *Minitel 12 :* alliance d'un Minitel bistandard intelligent et d'un poste téléphonique multifonctions ; répertoire de 51 nos, accès automatique aux services Télétel, répondeur-enregistreur de messages écrits, verrouillages sélectifs par mot de passe (85 F par mois au 1-1-93). Depuis 1991, France Télécom commercialise un fax Agoris qui peut se connecter au Minitel, et permet d'imprimer ses écrans. **Minitels en service** en millions (au 31-12) : *1982 :* 0,01 ; *83 :* 0,12 ; *84 :* 0,5 ; *85 :* 1,3 ; *86 :* 2,24 ; *87 :* 3,37 ; *88 :* 4,23 ; *89 :* 4,7 ; *90 :* 5,6 ; *91 :* 6 ; *92 :* 6,27.

Nombre d'heures dont entre parenthèses **annuaire téléphonique** (en millions) : *1986 :* 37,5 (7,2) ; *87 :* 62,4 (8,9) ; *88 :* 73,7 (13) ; *89 :* 86,5 ; *90 :* 98 (20) ; *91 :* 105 (22) ; *92 :* 100 (23). **Durée moyenne par Minitel et par mois** (en min) : *1986 :* 105,9 ; *87 :* 111,3 ; *88 :* 97 ; *89 :* 93 ; *90 :* 92 ; *91 :* 90 pour 23,8 appels ; *92 :* 89,4 pour 24 appels. **Nombre d'appels :** *1990 :* 862 173 000 ; *92 :* 1 014 millions. **Codes d'appel** (1992) : Télétel 20 112 codes (4 251 centres serveurs) dont 13 000 kiosques. Audiotel 1 890 codes, 10,79 millions d'heures de trafic pour 400 millions d'appels.

Sommes reversées par France Télécom aux fournisseurs de services accessibles sur les kiosques (36-15, 36-16, 36-17, en millions de F) : *1988 :* 1 126, *89 :* 1 492, *90 :* 1 918, *91 :* 2 239, *92 :* 2 500.

■ **Minicom.** 3612, service de correspondance qui permet l'échange de messages par Minitel.

■ **Minitélex.** Télex par Minitel sans équipement supplémentaire, permet de recevoir et d'expédier des télex dans le monde entier (abonnement 60 F/mois).

■ **Point-phone Minitel.** Ass. d'un point-phone et d'un Minitel 2, permet l'accès public aux services Minitel.

■ **Télétel.** Donne accès à plusieurs services (banque, VPC, horaires, météo, vie pratique...) par le réseau téléphonique habituel et le service Télétel qui, grâce au réseau Transpac joint au réseau téléphonique, offre des tarifs indépendants de la distance. **Accès :** *3605 :* numéro vert Télétel, appel gratuit, communication offerte par le fournisseur de service. *3613 :* services professionnels à usage interne, 0,13 F/min, bénéficie de la modulation horaire. *3614* et *3624 :* services professionnels et services à destination du grand public, 0,36 F/min avec modulation horaire. *3615* et *3625 :* kiosque des services tout public. 5 paliers horaires (F/min) 0,36, 0,84, 0,99, 1,27 et 2,19. *3616, 3626, 3617* et *3627* sont les kiosques des services professionnels et d'informations spécialisées, tarif proposé pour le *3616, 3626 :* 0,36, 0,84 et 1,27 ; palier tarifaire du *3617, 3627 :* 0,36, 2,19, 3,42 et 5,48. *3628, 3629 :* kiosques des services d'informations professionnelles. Deux tarifs : 5,48 et 9,06.

■ **Bilan 1992.** 1,76 milliard d'appels dont 0,76 pour l'annuaire électronique. CA télématique : 7 milliards dont Audiotel 1,3.

■ Services professionnels

Réunions à distance

■ **Audioconférence.** Permet des échanges d'informations sonores de haute qualité (bande passante 7kHz) à partir de terminaux spécifiques raccordés au réseau Numéris (2 à 4 groupes). *2 types de services :* service point à point obtenu par numérotation directe sur le terminal (tarif Numéris), un service multipoint permet la mise en relation de 3 à 4 terminaux.

■ **Réunion par téléphone.** Permet de réunir 2 à 20 personnes par téléphone, à partir d'un simple poste téléphonique. Ne nécessite pas d'équipement téléphonique spécifique. *Tarifs :* utilisation 40 F/h/personne ; abonnement mensuel pour un numéro attribué 150 F, donne droit à 30 % de réduction au-delà de 1 200 F HT d'achat mensuel. *Nombre de réunions.* 1987 : 16 600, 90 : 37 161, 1992 : 50 000.

■ **Visioconférence.** Permet à 2 à 5 groupes de dialoguer, de se voir, de se montrer des documents, à l'aide de terminaux mobiles raccordés à Numéris.

Communication de l'écrit

■ **Cartes Fax.** *Coût :* 2 000 à 15 000 F. Transforme un micro-ordinateur en télécopieur. *Nombre (fin 92) :* 50 000.

■ **Télécopieur (fax). Origine : 1859-63** l'abbé Giovanni Caselli, prof. de physique à l'université de Florence, met au point le *pan télégraphe :* utilisé entre Paris et Lyon (4 860 dépêches échangées en 1866 dont 4 853 ordres de bourse), puis il est abandonné. Pouvait transmettre en 10 min un message écrit sur un papier d'au max. 120 cm². *Coût :* 20 centimes-or (*1991 :* 3,80 F) par cm², soit 24 F-or (*1991 :* 455 F) pour 120 cm². Les messages transmis par le télégraphe Morse coûtaient alors 2 F-or (*1991 :* 38 F) les 20 mots. Les utilisateurs au bureau du télégraphe écrivaient leur message avec une encre ordinaire, épaisse (non conductrice) sur un papier d'étain (conducteur) fixé sur un plateau métallique courbe et la machine se mettait en branle. Le pantélégraphe émetteur « lisait » le message, ligne après ligne. Suivant que le stylet courait sur l'encre ou l'étain, il intervenait différemment dans les circuits du télégraphe électrique. L'appareil récepteur était garni d'un papier « trempé d'avance dans une dissolution de cyanoferrure de potassium et de fer ». Lorsque le stylet récepteur (en platine) recevait le signal déclenché par le passage du stylet émetteur sur l'encre du message, il décomposait la dissolution et faisait sur le papier chimique un petit trait bleu de Prusse (cyanure de fer). **1907** *bélinographe* d'Édouard Belin (1876-1963). **Principe :** raccordé à une ligne téléphonique, ordinaire, transmet un document (*vitesse de transmission* d'un document A4 4 lignes mm *groupe 1* 6 min, *2* 3 min, *3* 1 min max., *4* (numérique) possibilité A4 16 lignes mm, en 5 à 6 s). La réception sur le télécopieur du destinataire s'effectue automatiquement. **Coût :** frais forfaitaires d'accès au réseau (250 F) + coût des communications téléphoniques. *Télécopieur :* 2 500 à 40 000 F. **Nombre** (en milliers) : *1975 :* 2, *80 :* 10, 86 : 20, *89 :* 175, *90 :* 600, *91 :* 800, *92 :* 1 100.

■ **Télécourrier. Tarifs :** *abonnement :* 20 F par mois. Message à acheminement normal à destination de la France (métropole et DOM) 6 F, accéléré (métropole, DOM et étranger) 40 à 120 F. **Fonctionnement :** tout détenteur du Minitel peut s'attribuer une boîte aux lettres électronique. Elle permet grâce à une clé et un mot de passe personnalisé de consulter les messages écrits déposés. Une lettre tapée sur le clavier du Minitel avant 19 h (3614 code TLCOR), sera imprimée, mise sous enveloppe et distribuée le lendemain matin. Pour Paris, une lettre expédiée avant 11 h sera distribuée l'après-midi. Un correspondant abonné au télécourrier peut laisser un message dans sa boîte aux lettres électronique. Une copie lui sera remise automatiquement le lendemain matin par le facteur. **Terminaux :** *nombre : 1986 :* 100 000. *88 :* 320 000. *89 :* 580 000. *91 (février) :* 1 000 000. *Prix moyen* (en F). *1986 :* 38 500. *88 :* 36 000. *90 :* 17 000.

■ **Télédisquette.** Norme de transferts de fichiers permettant de faire communiquer tous les types de micro-ordinateurs sur Numéris, quels que soient les logiciels d'émulation utilisés.

■ **Téléimpression.** Mise en service en 1988. Permet le tri, l'acheminement électronique, la confection, la mise sous pli et la distribution par la poste du courrier déposé sous forme numérique (remis par bande ou par disquette magnétique, ou par accès télétex). Accès possible par télétransmission.

■ **Télex. Origine :** de l'anglais *telegraph exchange,* « échange de communications télégraphiques ». **1860** *1er téléscripteur imprimant directement les caractères à la réception* réalisé à Paris par l'Américain Hughes qui n'avait pu trouver d'appui dans son pays. **1875** *multiplex à impulsions codées (MIC)* d'Émile Baudot opérant selon le principe de la numérotation binaire des signaux, tous formés de 5 impulsions successives d'égale durée (moments). Conçu surtout pour partager la même ligne entre plusieurs opérateurs, ce système était encore exploité avant 1939. **1914-18** *téléimprimeur arythmique* aux USA, associe moteur électrique, clavier, codeur, émetteur, enregistreur et traducteur imprimant. **Abonnés** (au 31-12, en millions, en France) : *1950 :* 0,2. *60 :* 4,5. *65 :* 9. *70 :* 25,2. *75 :* 53,7. *80 :* 83,2. *85 :* 124,5 (1 700 dans le monde). *88 :* 150. *89 :* 148,5. *90 :* 140. *91 :* 141. *92 :* 96 000 terminaux. **Tarifs (HT) : frais initiaux :** accès au réseau 300 F (ou 150 F si on reprend une installation en service ou interrompue depuis 1 mois max.) ; installation 273 F. *Redevances mensuelles :* abonnement 174 F ; location-entretien : selon le type d'appareil. **Communications à partir d'un poste d'abonnement** (Fr. métr.). *Entre abonnés d'une*

COMPARAISONS

■ **Régime. USA :** téléphone assuré par des Cies privées ayant des concessions géographiques. La Federal Communications Commission (FCC, niveau national) et les Public Utilities Commissions (au niveau des États) défendent les intérêts des usagers, contrôlent tarifs, qualité du service, bénéfices des compagnies. **Espagne :** téléphone assuré par une société d'économie mixte. **Belgique** et **Suède :** régie publique indépendante.

■ **Tarifs. Abonnement annuel dans la capitale** (en francs français, en mars 1992). All. 1 033,08, Belgique 942,48, Danemark 1 011,12, Espagne 776,52, *France 468,* G.-B. 850,56, Grèce 14 160 (monnaie locale, GRD), Italie 502,20, Norvège 1 343,64, P.-Bas 768,60, Port. 678,60, Suède 700,80, Suisse 1 081,68.

Communication locale, prix minimal en centimes (en mars 1992). All. féd. 78, Belg. 98, Dan. 35, Espagne 24, *France* 73, G.-B. 49, Grèce 6,14 (GRD), Italie 68, Norv. 82, P.-Bas 45 (sans limite de durée), Port. 34, Suède 27, Suisse 43.

Frais de raccordement (en F, 1991). Allemagne 224, Autriche 581, P.-Bas 630, Belgique 686, Italie 917, Irlande 1 113, R.-U. 1 309, Espagne 1 379, Grèce 1 407, Danemark 1 512. *France* (abonnement nouveau) *250 F* (dispense pour les 65 ans et +, allocataires du FNS).

Prix des communications (1993) **locales et nationales** (la minute) : France 0,10 (2,25), G.-B. 0,37 (1,2), All. 0,13 (2,34), Italie 0,16 (2,45).

■ **Téléphone dans le monde au 1-1-1990. Nombre de lignes principales** (en millions) USA 125,8. Japon 52. All. féd. 30. *France 27.* R.-U. (1989) 22,1. Italie 21,2. Canada 14. Espagne 11,9. P.-Bas 6,5. Yougoslavie 3,6. Argentine 3. Pologne (1989) 2,9. Tchéc. 2,2. Algérie 0,75.

Exploitants de réseaux de télécommunications (CA en milliards de $ 1991 et entre parenthèses effectifs en milliers). NTT (Nippon Telegraph and Telecom, Japon) 51,4 [1] (258), DBP Telekom (All.) 33,6 [1] (229), AT et T (American Telegraph and Telephon, USA) 27,6 [1] (317), France Télécom 25,8 [1] (168), BT (British Telecom, G.-B.) 22,6 [1] (210), SIP (Italie) 17,7 (89,5), GTE (USA) 15,65 (161), Bell South (USA) 14,44 (96), Nynex (USA) 13,22 (84), Bell Atlantic (USA) 12,2 (75,7), Ameritech (USA) 10,81, US West (USA) 10,57, Pacific Telesis (USA) 9,89, SouthWestern Bel (USA) 9,33, Sprint (USA) 8,78. **Fabricants de réseaux de télécommunications** (CA en milliards de $, 1991). Alcatel (France) 14,8, AT et T (USA) 12,3, Siemens (All.) 9,9, Northern Telecom (Canada) 8,2, NEC (Jap.) 7,5, Ericsson (Suède) 6,9, GTE (USA) 4, Motorola (USA) 3,6, Bosch (All.) 3,5, Fujitsu (Jap.) 3,3.

Nota. – Alcatel Alsthom (milliards de F, 1992) CA 161,7, carnet de commandes 166, résultats d'exploitation 14,81, cash flow exploitation 15,36, profit net 7,05, dividende en F 14,50. (1) – 1992.

Chiffre d'affaires (en milliards de F). *France : 1990* 24,4, *91* 25, *92* 25,8. *Export. : 1990* 4,5, *91* 5,4, *92* 6,3. *Import. : 1990* 2,2, *91* 2,5, *92* 2,9.

même circonscription tarifaire télex : 0,658 F toutes les 28 s (tarif normal) ou les 56 s (réduit : de 12 h 30 à 14 h et de 18 h à 8 h, dimanches et j fériés toute la j.), *de circ. différentes :* 0,658 F toutes les 18 s (t. normal) ou les 36 s (t. réduit).

■ **Radiomessagerie.** Transmission d'un message à une personne en déplacement munie d'un récepteur de poche spécial (le « pager »).

Système Opérator. Ouvert depuis 1987, norme internationale RDS, permet de recevoir des messages numériques ou alphanumériques sur un récepteur de poche quel que soit l'endroit où l'on se trouve. Les messages sont conservés en mémoire dans le récepteur. *Couverture* France (90 % de la population), couverture FM de Radio-France. *Services : Opérator numéric* recherche de personnes pour adresser des messages numériques de 10 chiffres (numéro de téléphone à rappeler ou code convenu à l'avance), *Opérator text* messages alphanumériques (chiffres ou lettres) de 40 ou 80 caractères. *Services intégrés : messagerie vocale* répondeur enregistreur à distance permet de déposer un message vocal de 30 s, vous êtes averti aussitôt sur votre récepteur ; *boîte aux lettres :* conserve en mémoire pendant 48 h les 10 derniers messages adressés ; *flotte (avec supplément) :* permet en un seul appel de contacter simultanément plusieurs récepteurs ; *service opératrice :* disponible pour l'envoi de messages text. *Tarifs* (HT au 1-9-92, en F) Opérator text et entre parenthèses Opérator numéric : *mise en service* 245 (150), *abonnement mensuel 1 an* 320 (195), *6 mois* 395 (245). *Coût de l'envoi d'un message* (à la charge de l'appelant) *text* opératrice 1,85, minitel 40 caractères 3,69, 80 caractères 4,92, *numéric* opératrice 3,08, téléphone 3,08, minitel 2,46. *Prix des terminaux :* vente *opérator text* 4 490, *opérator numéric* 3 690 ; location 1 an *opérator text* 275/mois, *numéric* 225/mois. *Contrat de maintenance text* 695, *numéric* 595.

Alphapage. Ouvert 1987, norme Pocsag, permet de recevoir instantanément sur un récepteur de poche (ou pager) des messages personnels ou des informations, de manière confidentielle. *Alphapage Bip* 4 abonnements différents peuvent être attribués à un même récepteur. A chacun correspond un signal sonore et lumineux particulier déclenché à partir d'un simple téléphone (en France et à l'étranger). La signification de chaque signal est définie par avance. *Alphapage texte* messages jusqu'à 80 caractères, chiffres ou lettres, transmis à partir d'un Minitel. Plusieurs messages peuvent être mémorisés dans le récepteur. *Alphapage systèmes* pour développer et intégrer dans le système d'information de l'entreprise des services de diffusion périodique de messages personnalisés, spécifiques et conçus sur mesure. Une liaison X25 permet d'accéder directement au serveur Alphapage. *Couverture* agglomérations de + de 50 000 h., grandes zones industrielles, et grands axes routiers, 21 zones de réception différentes regroupées en 7 multi-régions. *Abonnements à la carte* 3 types : régional, multi-régional, national, une fonction transfert peut être momentanément activée. *Option internationale* permet de recevoir ses messages d'Angleterre, Allemagne, Italie et Suisse. *Stockage* permet de mémoriser pendant 24 h tous les messages envoyés, consultable par Minitel (composer le n° du récepteur, et un code confidentiel pour accéder à sa boîte aux lettres), option intégrée dans l'abonnement national 15 et national texte. *Appel de flotte* permet en un seul appel de contacter plusieurs récepteurs. *Tarifs HT* (au 1-9-92) : abonnement mensuel par n° d'appel *Régional service texte* 84 F, *service 15* 74 F, *service Bip* 70 F, *national texte* 400, *15* 255, *Bip* 120, *option stockage texte* 50 F, *service 15* 50 F. *Coût de l'envoi d'un message* (à la charge de l'appelant), *texte 80* 4,92 F, *texte 40* 3,69 F, *15* 2,46 F, *Bip* 0,615 F.

■ **Eurosignal.** Ouvert dep. 1975, permet d'être joint en permanence, grâce à la réception d'un signal sonore ou lumineux sur un récepteur de poche. *Couverture* France (6 zones d'appel ayant chacune un code d'accès particulier), Allemagne, Suisse. Chaque récepteur peut être doté de 4 numéros d'appel distincts, que l'abonné attribue à ses correspondants priviligiés. Pour recevoir des appels, l'utilisateur doit caler son récepteur sur le canal radio A, B, C ou D de la zone dans laquelle il se trouve. Certains appareils effectuent eux-mêmes cette recherche de canaux. Certains sont dotés d'une alarme hors champ. Tout récepteur peut être joint à partir de n'importe quel téléphone. Le centre Eurosignal enregistre l'appel, accuse réception et émet le signal radio correspondant. *Tarifs* frais d'accès au service (prix HT au 1-9-92) numéro d'appel 145 F, abonnement mensuel numéro d'appel national 80 F, international 149,24 F. *Coût des communications* (à la charge de l'appelant) appel national 0,62 F, étranger tarification en vigueur dans la relation considérée.

■ **Euteltracs.** Ouvert dep. juillet 1991, radiomessagerie bilatérale et de localisation fonctionnant avec 2 satellites Eutelsat. *Couverture* Europe, Afr. du N., une partie du Moyen-Orient. *Messages* 4 types : normal, important, urgent, prioritaire. Tarification adaptée, 63 messages peuvent être préprogrammés. Service de localisation permettant de connaître, à 300 m près, la position des véhicules, et de visualiser sur un micro-ordinateur les itinéraires grâce à un système de cartes géographiques intégrées. *Installation* base équipée d'un logiciel QTRACS, exploitable sur un micro-ordinateur. Dans les véhicules, terminal muni d'un écran, module de traitement de l'information, antenne omnidirectionnelle compacte. *Tarifs* prix MCT (Mobile Communication Terminal) au 1-9-92 : 33 000 F installation non comprise. Abonnement annuel 400 F/mobile/mois. Tarifs service mobile vers base : *message normal* 2 F, par caractère 0,03 F, *urgent* 70 F, par caractère 0,03 F ; base vers mobile *message normal* 2 F, par caractère 0,03 F, *prioritaire* 200 F, par caractère 0,03 F. Positionnement demande de la base 2 F.

■ **Inmarsat-C.** Radiomessagerie et transmission de données par 4 satellites géostationnaires couvrant le monde. Ouvert dep. janvier 1991. Plusieurs stations relais (dont celle de Pleumeur Bodou exploitée par France Télécom) permettent de gérer l'ensemble du réseau. Assure la transmission bilatérale de messages ayant jusqu'à 32 000 caractères, service disponible sur abonnement spécifique. *Appel de flotte Fleet Net :* ensemble prédéfini de véhicules ou de navires. *Appel de groupes Safety Net :* service spécifique aux organismes chargés de la sécurité en mer. *Collecte et stockage de données de volume réduit :* les messages sont stockés au centre serveur dans une boîte aux lettres consultable par la base à tout moment. *Transmission de messages d'Etat Status Enquiry :* pour se renseigner sur l'état de leur message.

■ **Itinéris.** Service de radiotéléphone numérique européen. Ouvert dep. 1992 pour couvrir 90 % de la population dès 1995. L'utilisateur dispose d'une carte à microcircuits (format carte de crédit) permettant de l'identifier sur le réseau, son possesseur peut l'utiliser avec n'importe quel terminal GSM, le montant de ses communications étant imputé directement sur sa facture personnelle ou professionnelle. Autres services prévus : interdiction d'appels au départ ou à l'arrivée, télécopie, messages courts jusqu'à 160 caractères alphanumériques. En cas de non-connexion au réseau (téléphone débranché ou hors zone), un service de messagerie vocale enregistrera les messages et les retransmettra au destinataire dès qu'il sera joignable, transmission de données à tous les débits standards jusqu'à 9 600 bits/s, permettra la connexion de micro-ordinateurs portables ou d'accéder à d'autres services de données tels que la messagerie X400 et le vidéotex. *Tarifs* (HT au 1-9-92) : mise en service par abonnement 350 F, abonnement mensuel 360 F, communications *nationales métropole jour* 3 F/min soit 0,5 F/10 s, *nuit et week-end* 2,5 F/min soit 0,5 F/12 s, *départements jour* 5 F/min. soit 0,5 F/6 s, *nuit et week-end* 2,5 F/min. soit 0,5 F/12 s, *internationales :* (supplément ajouté au prix qu'aurait coûté l'appel s'il avait été passé d'un téléphone relié au réseau téléphonique) *métropole sauf 75, 92, 93, 94 jour* 2,4 F/min soit 0,5 F/12,5 s, *nuit et week-end* 2 F/min soit 0,5 F/15 s, *départements 75, 92, 93, 94* 4 F/min soit 0,5 F/7,5 s, *nuit et week-end* 2 F/min soit 0,5 F/15 s.

■ **Praxiphone/Heliophone.** Service de radiotéléphonie privée, destinée aux entreprises. Réseaux radioélectriques à ressources partagées (3RP), adaptés aux communications courtes et intenses au sein des flottes privées. *Régions :* Provence, Rhône-Alpes, Ile-de-Fr. avec Praxiphone, Côte d'Azur, Languedoc, Midi-Pyrénées avec Heliophone.

■ **Liaisons spécialisées.** Offre complémentaire des services commutés, les liaisons spécialisées offrent des liens permanents disponibles 24 h sur 24, qui relient 2 sites ou plus. Réservée à l'usage exclusif de l'utilisateur, chaque liaison présente des avantages de disponibilité de sécurité et de confidentialité, pour acheminer des communications téléphoniques, des données ou des images. Le prix mensuel de la liaison est forfaitaire, ceci permet d'utiliser la liaison aussi longtemps qu'on le désire. Les liaisons numériques Transfix croissent de + de 30 % par an. 55 000 étaient utilisées fin 1992 dans les réseaux d'entreprise. Les liaisons analogiques décroissent d'au moins 5 % par an, et moins de 350 000 liaisons analogiques étaient en service fin 1992.

■ **Numéro azur.** L'abonné appelant paie sa communication (quelle que soit la distance), le prix d'un appel local. L'abonné appelé prend à sa charge le prix de la communication diminuée d'une UT.

■ **Numéro vert.** *Créé* juillet 1983. Communications payables par l'abonné demandé et établies par voie entièrement automatique. Commercialisation possible avec certains pays étrangers dont All., Danemark, P.-Bas, Suède, USA *1987 :* 1ers Nos verts télématiques (36 05). *Abonnés* (au *31-12*) : *1984 :* 3 000. *87 :* 9 000. *89 :* 13 000. *90 :* 14 300. *91 :* 15 000. *92 :* 15 500.

■ **Réseaux spécialisés. Transpac** (fin 1992) véhicule chaque mois env. 3 200 milliards de caractères dont 43 % issus de Télétel. *Nombre d'abonnés :* 108 000. **Colisée-Numéris :** offre de réseau privé virtuel (VPN : virtual private network), 40 réseaux d'entreprises, 1 200 sites (PABX) et 9 000 circuits raccordés. **Numéris ou RNIS** (réseau numérique à intégration de services : *1987,* mis en service expérimental à St-Brieuc (C.-d'Arm.). *1988* Paris. *1990* toute la France est couverte. *1991* 1re application du visiophone professionnel. *Abonnés 1988 :* 300, *1989 :* 1 300, *fin 1991 :* 150 000 canaux vendus. *Fin 1992 :* 350 000 service numérique (64 kbits/s) adapté à la transmission de données, garantit l'intégrité de la fréquence numérique. Service téléphonique permet la transmission de signaux 300-3 400 Hz comme les voies téléphoniques ou les signaux de modems. *Télécopie* 64 kbits groupe 4 permet de transmettre une page A4 en quelques secondes avec la qualité du courrier. *Vidéotex photographique* affiche rapidement des images fixes, de qualité vidéo, avec des commentaires sonores ; transmission à partir d'une prise unique, de textes, voix, données, images. Frais (HT en F) d'accès au réseau au 1-1-92 : 750. *Abonnement de base :* 300. *Coût du trafic :* 0,615 à 2,17 la min. *Nombre d'accès de base (fin 1992) :* 56 000. *Nombre d'accès primaires (fin 1992) :* 7 900. **Transveil :** destiné aux applications de téléaction : télésurveillance, télégestion, monétique. Permet la mise en place d'un réseau de communication entre un prestataire de services et chacun de ses clients avec un haut niveau de sécurité et Transpac. Utilise réseau téléphonique et Transpac.

■ **Écoutes téléphoniques.** Courantes dans la plupart des pays. En France, ne sont légales que si elles sont ordonnées par commission rogatoire d'un juge d'instruction, voir p. 1376. Faciles à réaliser (les fils du téléphone à surveiller sont connectés avec un réseau de câbles qui relient les centraux téléphoniques aux centres d'enregistrement ; et les magnétophones entrent en fonction dès que l'on soulève l'écouteur). Forme la plus difficile à détecter : pose de micros (par ex. : sous le plancher) branchés à un dispositif d'écoute par des fils.

Télégraphe

■ **Quelques dates. 1794** *(28 thermidor, an II ; 15-8).* 1re dépêche télégraphique par le *télégraphe aérien Paris-Lille de Claude Chappe* (n. 1763 ; atteint d'un cancer à l'oreille, se suicide à Paris en se jetant dans le puits de l'hôtel de Villeroy, le 23-1-1805), composé de 3 pièces mobiles, en bois (transmission de la nouvelle de la prise du Quesnoy par les troupes françaises aux Parisiens). Réservé aux communications officielles. Fonctionne le jour et par temps clair. **1837**-*12-7* 1re expérience de télégraphie électrique par 2 Britanniques. **1838** *janv. Samuel Morse* (1791-1872), utilisant les travaux de Volta et d'Ampère, expédie de Morristown (New Jersey) le 1er message télégraphié (Télégraphe électrique Morse). **1844** *transport de courrier par chemin de fer :* 1ers essais sur la ligne Paris-Rouen. **1845** création de 2 bureaux ambulants entre Paris et Rouen. Le télégraphe *Morse* équipe la ligne *Paris-Rouen,* **1846** *Paris-Lille ;* puis en 1851, il est mis à la disposition du public. **1850-5** *câbles télégraphiques sous-marins* Angleterre France. **1852** réseau Chappe 556 stations couvrant 4 800 km en France. **1858**-*5-8* 1er câble transatlantique, cesse de fonctionner en sept. **1861** câble France/Algérie. **1862** câble Angleterre/Inde. **1865** Hughes (Amér.) invente un nouveau code de transmission pour télégraphe. **1866**-*27-7* 1 câble transatlantique nord posé par le *Great Eastern* (G.-B.). **1876** mise au point en France du télégraphe Émile Baudot (1845-1903) (en service jusqu'en 1950). **1879** *(5-2)* création du ministère des Postes et Télégraphes. **1887** l'Allemand *Henri Hertz* (1857-94) révèle les *ondes radioélectriques* qui offrent à la voix humaine un autre support, mais ne se transmettent qu'en ligne droite et en visibilité directe. **1895** en Russie, *Alexandre Popov* (1859-1906) crée l'antenne et envoie le 1er message radio. **1896** l'Italien *Guglielmo Marconi* (1874-1937), utilisant les travaux du Français *Édouard Branly* (1844-1940) sur le révélateur d'ondes, met au point la télégraphie sans fil, ou TSF (voir Index). **1954-61,** 18 *centres automatiques* de télégraphie installés : automatisation entière du réseau. **1974** la *Commutation électronique de messages* apparaît en France au Bureau télégraphique international (en mars 1979 à Paris Bourse pour France-Nord et en septembre 1980 à Marseille Le Canet pour France-Sud).

■ **Télégrammes transmis** (en millions). *1979:* 13,23 ; *80:* 11,15 ; *81:* 10,4 ; *82:* 8,57 ; *83:* 10,6 ; *84: 10,63 ; 85 :* 10,89 ; *89 :* 10,67 ; *91 :* 7,82 ; *92 :* 6,73.

■ **Tarifs.** Télégrammes déposés par télex au format, ou Minitel : minimum de perception 25 mots (adresse gratuite) 28 F, par fraction supplémentaire de 10 mots 7,50 F ; t. dont le dépôt requiert l'intervention d'un agent 33 F et 12 F. *Spéciaux :* télégrammes déposés à l'avance : dans les 10 j ouvrables précédant la date de remise et au plus tard la veille de ce j (dimanche et j fériés non compris dans le calcul de ce délai). Indiquer sur le télégramme la date de remise. 26 F (min. 25 mots) ; par fraction de 10 mots supplémentaires : 5,50 F. *Télégrammes illustrés :* surtaxe par télégramme : 10 F (dont 0,73 F au profit de la Croix-Rouge française).

☞ **Association française des utilisateurs du téléphone et des télécommunications : Afutt,** BP no 1, 92430 Marnes-la-Coquette.

Sapeurs-pompiers

Sécurité civile

■ **Historique. 1951** création du Service national de la protection civile. **1959**-*7-1* organisation générale de la défense civile. **1975** restructuration du service qui devient la Direction de la sécurité civile. **1987**-*22-7* loi d'organisation de la sécurité civile. **1992**-*18-2* la Commission nationale informatique et libertés (CNIL) autorise les sapeurs-pompiers à identifier leurs correspondants téléphoniques afin de réduire le nombre de fausses alertes.

■ **Mission.** Assurer la sécurité des personnes, des biens et de l'environnement contre les risques d'accidents, de sinistres ou de catastrophes de toute nature ; en temps de crise ou conflit : assurer la sauvegarde de la population civile contre les risques qui pourraient la menacer.

■ **Organisation. Direction de la sécurité civile (DSC) rattachée au ministère de l'Intérieur :** *Centre opérationnel de la Direction de la sécurité civile (Codisc)* : assure coordinations au niveau national, voire international. *Centres interrégionaux de coordination opérationnelle de la sécurité civile (Circosc)* implantés à Valabre (B.-du-R.), Lyon, Rennes, Bordeaux, Metz.

Au niveau départemental : Service interministériel des affaires civiles et économiques de défense et de la protection civile sous l'autorité du préfet, Dir. dép. des services d'incendies et de secours (DDSIS), établissements publics dép. gérés par le Pt du Conseil général mais relevant de l'autorité du préfet pour la mise en œuvre opérationnelle des moyens de secours.

■ **Moyens d'intervention. Groupement hélicoptères:** 33 hélicoptères répartis sur 19 bases pour secours médicalisés d'urgence et sauvetages divers (24 Alouettes III, 11 Dauphins, 5 Écureuils) ; 28 bombardiers d'eau regroupés à Marignane pour lutte contre feux de forêts et pollutions par hydrocarbures (11 Canadairs, 13 Trackers, 2 Fokkers 27 et 2 C130 Hercules loués pour la saison des feux de forêts). **Déminage :** centres 19 (477 t de munitions provenant des 2 dernières guerres mondiales ont été récupérées en 1992). **Alerte aux populations :** bureaux généraux d'alerte 6 ; de diffusion d'alerte 42 ; sirènes 4 500 ; équipes de contrôle de la radioactivité 600 ; détecteurs fixes d'alarme de la radioactivité 2 500. **Unités d'instruction et d'intervention de la sécurité civile, sous un commandement unique** (UIISC) : no 1 à Nogent-le-Rotrou (E.-et-L.) ; no 4 à Rochefort (Ch.-Maritime) ; no 5 à Corte (Hte-Corse) ; no 7 à Brignoles (Var). *Effectifs :* 1 859.

Personnels de la Direction de la sécurité civile : 2 858 dont 1 859 militaires (1 418 appelés), 71 officiers et sous-officiers de sapeurs-pompiers, 494 fonctionnaires titulaires, 179 ouvriers d'État, 254 agents sous contrat (207 au seul groupement aérien).

Sapeurs-pompiers (voir ci-contre).

Sapeurs-pompiers

■ **Effectifs (au 1-1-1992).** 239 007 dont sapeurs-pompiers volontaires 201 493, professionnels 22 906, militaires 8 390 [BSPP, MP Marseille], dont 578 pharmaciens, 11 vétérinaires, 6 429 médecins. **Nombre de sapeurs-pompiers pour 1 000 habitants.** De 1,5 (Haute-Garonne) à 16,01 (Haute-Marne).

■ **Centres de secours.** 11 086 dont corps de première intervention 7 068, centres de secours 2 461, centres de secours principaux 538.

■ **Brigade de sapeurs-pompiers de Paris** (Paris, H.-de-S., Seine-St-D., Val-de-M.). **Origine :** *1716* création du poste de directeur des Pompes de la ville de Paris. *1722* création d'une compagnie de gardes-pompes. *1811* formation du bataillon de s.-p. de la Ville de Paris. *1867* devient régiment. *1965* intégré dans l'arme du Génie de l'armée de terre. *1967* devient brigade de s.-p. de P.

Effectifs (1991) : 7 197 (dont 252 officiers, 46 médecins, 1 215 sous-off., 5 684 militaires du rang). *Nombre record de sorties* (23-1-87) : 5 798 (dont 80 % pour faire tomber des blocs de glace des toits ou balcons).

■ **Bataillon de marins-pompiers de Marseille. Origine :** *1719 août,* ordonnance royale confie au préposé de l'Arsenal de Marseille la garde de 4 pompes à la « hollandaise ». *1939-29-7* décret-loi créant le bataillon de marins-pompiers de M., à la suite de l'incendie des « Nouvelles Galeries » d'oct. 1938. **Effectifs** (1-12-92) : 1 567 dont officiers 84 (dont médecins 25), off. mariniers 808, quartiers-maîtres et matelots 675. **Interventions** (1991) : 73 888 dont relevage de blessés 36 830, feux urbains 2 794, feux de forêts et broussailles 773, divers 33 491.

■ **Pompiers communaux et départementaux. Historique :** *1815* organisation souhaitée dans chaque commune d'un service de secours contre incendies et pour sauver personnes et effets. *1831* création au sein de la Garde nationale des compagnies de s.-p. qui peuvent recevoir des armes pour concourir au maintien de l'ordre. *1852* un décret maintient l'incorporation dans la Garde nationale. Les s.-p. sont chargés des incendies, du service d'ordre et de la sécurité. *1871* suppression des gardes nationaux. Organisation spécifique des corps des s.-p. *1903* nouvelle organisation. *1925* les dépenses du service d'incendie rendues obligatoires sont à la charge des communes. *1953* organisation départementale des secours avec centres de secours et corps de 1re intervention. *1982* loi de décentralisation. Les conseils généraux prennent une place importante dans la gestion des DDSIS. **Effectifs** (1-1-92) : 231 517 placés sous l'autorité des collectivités territoriales.

Signification des sirènes

Appel des sapeurs-pompiers : code fixé par arrêté préfectoral. **Code national d'alerte :** *signal modulé par fractions de 7 s d'une durée de 1 min :* mise à l'abri immédiate ; *signal continu de 30 s :* fin d'alerte. **Essais:** 1ers mercredis de chaque mois (1er de chaque mois pair pour Paris, Hts-de-S., S.-St-Denis, Val-de-M.), à 12 h, signal modulé d'une minute par fractions de 7 s, à 12 h 10, signal continu de 30 s. **Signal d'alerte du danger aérien :** 5 modulations (1 minute). *Fin d'alerte :* signal continu de 30 s.

Statistiques

■ **France. Interventions des sapeurs-pompiers** (1991). Total : 2 913 087 sorties. **Incendies :** 303 332 dont feux de forêts 18 400 hectares (13 500 en Corse et dans le Sud-Est), 5 200 départs de feux (2 800 en Corse et S.-E.). **Accidents de la circulation :** 353 167. **Secours à victimes :** 829 300. **Prévention des accidents :** 653 736. **Sorties diverses :** 650 812. **Autres accidents :** 122 740. **Paris, interventions en 1980 et,** entre parenthèses, **en 1991.** Incendies 15 758 (18 602), circulation 13 478 (31 927 dont *blessés légers et sérieux :* 10 405, *graves :* 17 113, *décédés :* 212), secours à victimes 35 287 [156 248 dont 42 168 personnes prises de malaise, 10 993 pers. en ébriété, 1 777 femmes en couches, 136 tombés sur la voie du métro ou du RER, 10 tombés dans une gaine (ascenseur)], assistance à personnes 13 299 (30 709 dont personnes ayant égaré leurs clefs 3 474, menaçant de se jeter dans le vide 35), faits d'animaux 11 395 (10 625 dont essaims de guêpes, abeilles 8 361), eau, gaz, électricité, air comprimé 33 906 (38 073), protection des biens 11 414 (7 395), pollution 331 (154), reconnaissances et recherches 13 163 (24 491), fausses alertes 8 501 (12 553). *Total :* 156 532 (330 777). *Moyenne journ.* 429 (906).

Personnes secourues. Total : 881 341 dont *décédées :* 9 904 (dans incendies 392, accidents circulation 9 324, autres 188), dont *blessées :* 343 953 (incendies 4 222, acc. circ. 334 136, autres 5 595) dont *indemmes :* 24 069. *Autres personnes décédées :* acc. ne nécessitant que des secours à victimes 21 371, suffocations 3 016, acc. en milieu aquatique 1 687, intoxications 747, acc. de montagne 150, autres 15 771. **Morts par incendie** (moy. par million d'habitants 1980-82). USA 28,9. Canada 28,7. Japon 15,5. Autriche 8,7. Pays-Bas 5,9. *France 5,5.*

Incendies (1991). **Nombre :** immeubles 8 202 (44 %), transports 3 842 (20,6), établ. publics 1 321 (7,1), agriculture 464 (2,5), industries 371 (2), entrepôts 138 (0,7), divers 4 264 (22,9). **Causes** (en %) : sources de chaleur diverses 55,89, flammes et foyers découverts 20,99, énergie électrique 10,03, appareils de chauffage non élect. 7,5, moteurs thermiques, véhicules, machines diverses 5,16, gaines et conduites 0,3, explosions 0,05, combustion spontanée de certains prod. 0,02, manipulations dangereuses 0,02. Les incendies se produisent surtout entre 12 h et 23 h, max. entre 17 h et 21 h. **Décédés** 57. **Sapeurs-pompiers blessés ou brûlés** en intervention 450.

SÉCURITÉ SOCIALE

GÉNÉRALITÉS

■ **Part de la protection sociale dans le PIB** (en %, 1990 et, entre parenthèses, 1980). All. 26,4 (28,6), Belgique 29,6 (28,1), Danemark 29,7 (27), Espagne 18 (15,6), *France 28,4 (25,9)*, G.-B. 22,8 (21,7), Grèce 20,2 (13,3), Irlande 22,3 (20,6), Italie 26,4 (22,8), Luxembourg 24,4 (26,4), P.-B. 32,1 (30,4), Portugal 13,4 (14,6).

■ **Origine. 1813** création des caisses de secours pour les accidentés du travail. **1850** de la Caisse nat. des retraites. **1898** couverture des accidents du travail. **1910**-*5-4* retraites ouvrières et paysannes. **1918**-*29-4* Grenoble : caisse de compensation pour les allocations fam. créée à l'instigation d'Émile Romanet (1873-1962). **1930**-*30-4* assurances sociales. **1932**-*11-3* allocations familiales pour les salariés. **1938** pour les agriculteurs exploitants. Création du régime gén. de Sécurité soc. par ordonnances : **1945**-*4-10* : ordonnance créant la SS, fixation d'un cadre ; *19-10* : régime des assurances soc. ; **1946**-*30-1* : accidents du travail ; *22-8* : prestations familiales. **1947** création par les cadres salariés de l'Agirc, Association générale des institutions de retraite complémentaire. **1967** l'ordonnance modifiant le régime général de la SS instaure une gestion paritaire (50 %/50 %) et décide la désignation des administrateurs par leurs organisations ouvrières et patronales. **1974** système de compensations financières entre les divers régimes obligatoires de protection sociale. **1975** loi étendant la SS : prestations en nature de l'assurance maladie et maternité (à compter du 1-7) aux jeunes en quête d'un 1er emploi ; assurance vieillesse à tous ; prestations familiales à toute la population résidant en France.

■ **Organismes. Régimes :** *Salariés* (3 *caisses* : maladie-maternité, invalidité-décès, accidents du travail ; vieillesse ; prestations familiales). *Agricoles. Spéciaux de salariés. Non-salariés. Organismes de retraites complémentaires.* [Caisse nationale, caisses régionales et primaires sont administrées par un conseil d'adm. composé de représent. des employeurs (50 %) et des salariés (50 %), nommés pour 4 ans par décret ou arrêté du ministre de la Santé et de la SS. Des représentants des médecins, chirurgiens-dentistes, pharmaciens, de la Fédération nat. de la mutualité française et des unions d'associations familiales siègent aux conseils d'admin. des caisses régionales et des caisses de la Santé et de la SS avec voix consultative]. **Agence centrale des organismes de Sécurité sociale (Acoss) :** assure la gestion de la trésorerie des risques relevant des 3 caisses. **Union de recouvrement des cotisations de Sécurité sociale et d'allocations familiales (Urssaf).**

Organismes de contrôle : *Direction de l'ass. maladie et des caisses de SS. Dir. gén. de la famille, de la vieillesse et de l'action sociale. Inspection générale. Dir. régionales de SS.*

■ **Personnes couvertes par la Séc. soc.** (en % de la population totale). *1958* : 58. *1964* : 66,2. *1967* : 98. *1976* : 98,5. *Dep. 1978* : 100.

Carte Paris-Santé. *Créée* 1-1-1989 par la Ville de Paris. *But* : faire bénéficier du ticket modérateur tous les Parisiens dépourvus de couverture sociale. *Bénéficiaires* : 50 000 à 80 000. *Attribuée* : par le bureau d'Aide sociale aux mêmes conditions que pour l'aide médicale gratuite (être Parisien, ou étranger en situation régulière résidant à Paris depuis 3 ans au moins, dossier soumis à une commission d'appréciation des ressources). *Plafond* : 4 500 F par mois (personne seule).

Dépenses courantes de protection sociale (en % du PIB, 1989). P.-Bas 30,2, Danemark 29,6, *France 28*, All. 27,3, Belg. 26,7, Lux. 25,6, It. 23,2, Irlande 20,6, G.-B. 20,6, Portugal 18,1, Espagne 17,3, Grèce 16,3.

Dépenses nat. de santé (en % du PIB, 1991). USA 13,4, *France 9,1*, All. 8,5, It. 8,3, P.-Bas 8,3, Belg. 7,9, Nelle-Zélande 7,6, Irlande 7,3, Portugal 6,8, Espagne 6,7, Japon 6,6, G.-B. 6,6, Danemark 6,5, Grèce 5,2.

Dépenses de vieillesse (en % du PIB, 1991). It. 14, Lux. 13, Grèce 12,8 (1989), *France 12,3*, Belg. 11,5, Danemark 11,5, P.-Bas 11,4, All. 10,7, G.-B. 10,2, Espagne 8,4, Portugal 6,8, Irlande 6,3.

☞ *En 1987* : 400 000 personnes ne bénéficiaient d'aucune couverture sociale (chômeurs de plus de 3 ans, inactifs, agriculteurs...).

BUDGET SOCIAL

■ **Définition.** Appelé maintenant « État retraçant l'effort social de la Nation ». Document annexe au projet de loi de finances, il couvre les diverses prestations dont bénéficient les ménages de la part de l'État, des organismes de SS, d'assistance et de promotion sociale : maladie, invalidité, vieillesse, décès, maternité, situation de famille, logement, accidents de travail, maladies professionnelles, événements politiques et calamités naturelles (les congés payés ne sont pas pris en compte).

■ **Budget social global** (en milliards de F, 1992). **Ressources :** 1 769,4. *Cotisations* : 1 419,6 (cotis. sociales effectives 1 278,5, fictives 141,1), *impôts et taxes affectés* : 84,1, *transferts* : 154,9, *contributions publiques* : 77,8, *revenus des capitaux* : 18,9, *autres recettes* : 14,1. **Dépenses :** 1 755,9. *Prestations* 3 097,8 (sociales 1 548,9, légales 1 498,1, extra-légales 39,8, de services sociaux 11), *frais de gestion* : 65,1, *transferts* : 129,2, *frais financiers* : 1,8, *autres dépenses* : 10,9. *Solde* 13,5.

Cotisants actifs (en milliers, en 1993). *Salariés* 18 312 *dont* régime général 13 345, régime des salariés agr. 635, fonctionnaires civils et militaires 2 244, ouvriers d'État 89, collectivités locales 1 485, mines 34, SNCF 192, RATP 39, ENIM 43, EDF-GDF 154, CRPCEN 36, Banque de France 17. *Non-salariés* 2 465 *dont* exploitants agr. 937, ORGANIC 612, CANCAVA 497, CNAVPL+CNBF 395, CAMAVIC 25.

■ **Prestations. Maladie-Maternité. Nombre de personnes protégées** (en milliers, en 1989) : *salariés* : régime général 13,4, salariés agr. 1,82. *Non-salariés* : exploitants agr. 3,33, non-salariés non agr. 3,44.

Principaux postes de dépenses maladie du régime général (en milliards de F, 1992) **:** honoraires médicaux 61,7, soins dentaires 11, hospitalisation (secteurs public et privé) 18,3, autres soins de santé 13,3, pharmacie 51,2, indemnités journalières 22,9, auxiliaires médicaux 17,2, analyses 10,6. *Total maladie* 380,4.

Accidents du travail. Dépenses (en milliards de F, 1992) : 33,6 *dont* rentes 19,2, indemnités journalières 7,4, soins de santé 4,7.

Vieillesse. Bénéficiaires FNS (Fonds national de solidarité) (au 1-1-1990) : 1 297 761. **Dépenses totales** (en milliards, en 1992) : **régime général :** 239,6 dont pensions directes, contributives 216,9, FNS 6,7. **Régimes agricoles :** *salariés* : 24,5 dont pensions directes, contr. 23,7, alloc. supplém. 0,7. *Non-salariés* : 44,3 dont pensions directes, contr. 38,8, alloc. supplém. 5,5. *Non-salariés non agricoles. Industrie et commerce* : pensions et alloc. aux vieux travailleurs 15,7, FNS 0,6. *Artisanat* : pensions et alloc. aux vieux travailleurs 10,5, FNS 0,5. *Subventions de l'État* : remboursements de prestations comme le FNS et l'AAH (Allocation adultes handicapés), ou prise en charge de cotisations, d'autre part des subventions d'équilibre à certains régimes. Les transferts opèrent une redistribution au sein des régimes.

La protection de la vieillesse absorbe plus de 42 % de l'effort social de la nation (soit 506 milliards sur 1 633) et 12 % du PIB. **Causes :** baisse des naissances, augmentation des + de 60 ans (*1959* : 7 millions, *1986* : 9, *2000* : 12, *2040* : 17), rapport défavorable entre actifs et inactifs [2,71 actifs pour 1 retraité en 1984 (4,6 en 1960)], abaissement de l'âge de la retraite à 60 ans (*coût* : *1983* : 1,3 milliard de F, *84* : 5,5, *85* : 8,9, *86* : 11,5, *87* : 13,5), poussée du chômage (100 000 chômeurs représentent un manque à gagner de 1 milliard de F en cotisations pour l'ass. vieillesse).

Retraites des différents régimes. Nombre total (en milliers, en 1990) : *régimes salariés* : régime général 6 300 000, SNCF 364,1, mines 267,2, marins 115,4, CAMR 29,5, EGF 131, RATP 42,3, Banque de France 13,9, Collectivités locales 382 004, fonctionnaires civils et militaires 1 585,4, clercs de notaires 26,4, salariés agricoles 1 738,7, ouvriers de l'État 108. *Non-salariés* : artisans 577,9, commerçants 842,6, professions libérales 117 124, exploitants agricoles 2 064, Camavic 69.

■ **Dépenses nettes** (en milliards de F). *1985* : 1 128, *92* : 1 755,9. **Prestations maladie** (en milliards de F) : *1985* : 314, *90* : 420. **Vieillesse :** *1985* : 549, *90* : 682,3. **Familiales :** *1985* : 108, *90* : 193,2, *91* : 200,1. **Recettes :** *par régimes* : de base *1987* : 1 135, *89* : 1 191, complémentaires *87* : 144, *89* : 146. **Cotisations :** *1985* : 930, *89* : 1 191. **Impôts et taxes :** *1985* : 33,2, *89* : 45.

■ **Dépenses et,** entre parenthèses, **recettes du régime général** (en milliards de F) : *1981* : 413,9 (407,3). *82* : 494,6 (486,9). *83* : 550,9 (562). *84* : 614,8 (631,5). *85* : 657 (670,5). *86* : 716,4 (695,5). *87* : 679 (736). *88* : 778. *89* : 847,1 (847,9). *90* : 912,7 (903,8). *91* : 964,4 (949,3). *92* : 1 018,7 (1 003) dont maladie 477,1 (470,9), vieillesse 297,8 (279,9), allocations familiales 202,1 (208,5), accidents du travail 41,7 (43,7). **Recettes globales :** 1 012,7 dont cotisations 886,6, subventions de l'État 28,6, transferts reçus 27, impôts et taxes 52,1, recettes diverses 4,8). **Solde :** *1981* : – 6,6. *82* : – 7,7. *83* : + 11,1. *84* : + 16,6. *85* : + 13,4. *86* : – 19,9. *87* : – 4,1. *88* : – 10,3. *89* : – 0,4. *90* : – 9,6. *91* : – 16,6. *92* : – 7,2 dont assurance maladie + 1,3, accidents du travail + 1,4, vieillesse – 20,8, famille : + 10,9.

Paiement des dépenses de santé (en % en 1990) : Sécurité sociale 74. Ménages 18,7. Mutuelles 6,2.

Cotisations de Sécurité sociale non recouvrées (au 31-12, en milliards de F, France métropolitaine) : total 65,548 dont antérieurs 14,1, *1986* : 4,232, *87* : 4,929, *88* : 5,270, *89* : 8,030, *90* : 10,791, *91* : 18,196 (2,18 % des cotisations).

■ **Déficit de la Sécurité sociale. Déficit cumulé** (en milliards de F) : *1992* : – 42 ; *93* : – 66 ; *94 (est)* : – 197. **Raisons avancées** par le Dr *Jean Defontaine* (Le Figaro 25-6-1991) : *Alcoolisme* : 33 % du budget de la Séc. soc., 47 % des lits des hôpitaux psychiatriques occupés, 45 % des lits de médecine générale, 90 % des enfants martyrs, 20 % des accidents du travail, 30 % des accidents de la route, 66 % des viols individuels, 76 % des viols de groupe. *Vieillesse* : 45 % des dépenses médicales dans 15 % de la population. *Sida* : lits occupés et thérapeutique lourde. *Anxiété et dépression* : 50 % des médicaments vendus en France, la perte de la religion chrétienne laisse les gens sans consolation ni perspective d'une vie meilleure dans l'au-delà (paradis) : le déprimé recherche le médicament qui lui procure une satisfaction facile car buccale et donc psychanalytiquement très primitive. *Hygiène de vie* : alimentation, refus de sport entraînant des accidents cardio-vasculaires.

■ **Dette de l'État envers la Séc. soc.** *Déplafonnement de la cotisation d'alloc. fam. et réduction du taux* (9 % à 7 %, décidés par le gouv. en faveur de l'emploi) : coût pour la Séc. soc., 1989-90 : partiellement compensé, 1991 : compensation supprimée (coût : 4,1 milliards de F). *Déplafonnement des cotis. d'accidents du travail* : non compensé (coût 1991 : 2 milliards). *RMI* : l'État rembourse à trimestre échu et l'avance doit être faite par les Caisses d'alloc. fam. et la Mutualité sociale agricole qui en supportent les frais de gestion. Les écarts entre les dépenses réalisées et les dotations inscrites dans les lois de finances 1989 et 1990 sont de 2 milliards. *Arriéré* : de 1 milliard

En milliards de F	1988 (solde)	1989 (solde)	1990		1991		1992	
			Dépenses	Solde	Dépenses	Solde	Dépenses	Solde
Accidents du travail .	+ 3,6	+ 3,5	42,9	+ 2,5	44,8	+ 0,6	42,9	+ 1,4
Famille	+ 4,6	+ 3,7	189	+ 3,8	192,8	+ 5,3	199,2	+ 10,9
Maladie	+ 2	– 2,2	418,1	– 9,3	444	– 1,6	477,5	+ 1,3
Vieillesse	– 16,7	– 4,9	262,3	– 6,6	282,8	– 19,4	298,5	– 20,8
Dépenses totales	784	850	912,4	– 9,6	964,4	– 15,1	1 018	– 7,2

des cotisations dues au régime général au titre de l'allocation aux adultes handicapés pour les années antérieures à 1985 (irrécouvrable selon les experts). *Remboursements :* pour l'allocation aux adultes handicapés (16 milliards), l'allocation du FNS (9 milliards), les cotisations d'assurance maladie des fonctionnaires civils et militaires, l'État rembourse l'Acoss avec 50 j de retard par trimestre. L'État verse un acompte chaque trimestre et non chaque mois comme tout employeur ; l'assiette qu'il retient pour le calcul des alloc. fam. est limitée. Des administrations sous-estiment le nombre de leurs agents. Le ministère de la Défense n'a pas payé les cotisations maladie de ses 150 000 agents civils (perte de 8 milliards).

■ **Plans de redressement.** **1967** *août* création de 3 Caisses nat. autonomes (maladie, vieillesse, famille). **1970** *juillet* branche famille excédentaire, 1 % des cotisations d'all. fam. versées aux 2 autres branches, marge bénéficiaire des pharmaciens réduite. **1975** *déc. plan Durafour* réduit la TVA sur produits pharm. (20 à 7 %), déplafonne la part salariale de la cotis. maladie. **1976** *sept. plan Barre* exclut certains médicaments du remboursement (m. de confort), introduit une contribution de l'État (nouvelle vignette auto). **1977** *avril*-**1978** *déc. plans Veil.* Hausse des taux de cotis. des salariés agric. et actifs de + de 65 ans, cotis. d'ass. maladie pour retraités, hausse du ticket modérateur (de 30 à 60 %) sur m. de confort. Réduction du nombre de lits et contrôle des équipements lourds, « numerus clausus » pour étud. en médecine, création de la Commission des comptes de la Séc. soc. **1979** *janvier* mesures d'économie. *(Juillet) Jacques Barrot :* gel des budgets des hôpitaux publics, non-revalorisation des prix de journée de cliniques, blocage des honoraires médicaux. *Déc.* création except. de pharmaciens. **1981** *novembre Nicole Questiaux* instaure cotis. 1 % pour les chômeurs (au-dessus du Smic) et double la taxe sur l'ass. auto versée à l'ass. maladie. **1982** *juin-sept. plans Bérégovoy :* non-revalorisation des indemnités journalières de + de 3 mois, blocage des honoraires médicaux, taxe de 5 % sur publicité pharmaceutique, gel du prix des médicaments. Création du forfait hospitalier à la charge du malade, rabaissement de 70 % à 40 % du remboursement de 1 258 médicaments. Création du budget global généralisé des hôpitaux publics. **1983** *mars-sept. Jacques Delors* crée le prélèvement exceptionnel de 1 % sur les revenus imposables et sur ceux du capital. **1985** *mai-juin Georgina Dufoix* prévoit une hausse du ticket modérateur pour certains soins et le reclassement de 379 médicaments de confort. **1986-87** *Philippe Séguin* adopte 3 plans. Prélèvements exceptionnels sur les revenus de 1985 et 1986, limitation du nombre de personnes remboursées à 100 %, majoration du forfait hospitalier, affranchissement obligatoire du courrier adressé à la Séc. soc., hausse de 2 % du tabac. **1988** *juin Claude Évin* revient sur de nombreuses dispositions des plans Séguin. **1990** *déc.* le Parlement adopte le projet de *contribution sociale généralisée* (CSG) qui entre en vigueur le 1-2-1991. Rendement estimé. *1991 :* 31,4 milliards de F, *92 :* 40,8.

■ **1993, Plan d'urgence.** Le 12e dep. 1977 (en milliards de F). *Modification de la participation des assurés* 10,8 dont baisse du taux de remboursement des honoraires médicaux (70 % au lieu de 75) et des médicaments (65 % ou 35 % au lieu de 70 ou 40 %) 8,2 ; relèvement du forfait hospitalier (de 50 à 55 F) 0,9 ; mise en place d'un ordonnancier bi-zone 1,7 ; *maîtrise de la dépense dans les soins de ville* 10,7 ; *dans le secteur hospitalier* 3,8 ; *pharmaceutique* 1,9 ; *nomenclature et divers* 1,1. *Total rendement 1993/94 :* 32,2. *Augmentation de la CSG de 1,3 point :* rendement (est.) 51.

Ensemble des différents régimes

(en millions de F)	1991	1992	1993	1994
Cotisations effectives	1 206	1 256	1 286	1 324
Cotisations fictives	137	148	160	164
Contributions publiques	74	75	77	82
Impôts et taxes affectés	70	89	88	87
Transferts reçus	144	148	167	166
Revenus des capitaux	19	20	19	20
Autres ressources	14	13	13	14
Ressources courantes	1 664	1 749	1 809	1 858
Prestations	1 458	1 547	1 635	1 720
Frais de gestion	63	65	68	70
Transferts versés	127	133	143	142
Frais financiers	2	3	6	11
Autres emplois	9	11	12	14
Emplois courants	1 659	1 759	1 865	1 957
Solde	5	– 10	– 56	– 99

Source : Rapport (juin 1993) de la Séc. Sociale.

Assurance maladie

Régime général de la Sécurité sociale

Généralités

■ **Personnes concernées.** Applicable à l'ensemble des salariés du secteur privé de l'industrie et du commerce, de l'artisanat, des professions libérales et des gens de maison.

Sont affiliées obligatoirement aux assurances sociales du régime général, quel que soit leur âge et même si elles sont titulaires d'une pension, toutes les personnes, quelle que soit leur nationalité, de l'un ou l'autre sexe, salariés ou travaillant en quelque lieu que ce soit, pour un ou plusieurs employeurs, et quels que soient le montant et la nature de leur rémunération, la forme, la nature ou la validité de leur contrat.

■ **Immatriculation des salariés.** *Numéro matricule.* Exemple : 1 08 04 06 088 046. Il s'agit d'un homme (1) (pour une femme : 2), né en 1908 (08), en avril (04), dans les A.-M. (06), commune de Nice (088).

■ **Immatriculation des employeurs.** Numéro attribué par la Caisse régionale en liaison avec l'Insee (ou n° Siret) (14 chiffres répartis en 2 composantes (dep. le 1-1-75). *1re composante :* n° Siren à 9 chiffres attribué à chaque entreprise ; *2e :* 5 chiffres attribués même dans le cas où l'entreprise ne comporte qu'un seul établissement ; *n° d'activité principale* (code APE) de 4 chiffres, selon la nomenclature des activités écon. de 1974.

Conditions d'ouverture des droits

■ **Assurance maladie.** **Prestations en nature :** avoir occupé un emploi salarié ou assimilé au moins 200 h au cours du trimestre civil (ou des 3 mois de date à date) précédant la date des soins, ou 120 h au cours du mois civil (ou de date à date la précédant). Sinon au moins 1 200 h au cours d'une année civile (A), ce qui ouvre droit aux prestations de 1/4 de l'année B au 31-3 de l'année C.

Prestations en espèces les 6 premiers mois : avoir occupé un emploi salarié ou assimilé pendant au moins 200 h au cours des 3 mois précédant l'interruption de travail *ou* justifier des mêmes conditions d'h. de travail au cours du trimestre civil la précédant ; **au-delà de 6 mois :** avoir été immatriculé depuis 12 mois au moins au 1er j du mois au cours duquel est intervenue l'interruption de travail, et justifier avoir travaillé au moins 800 h au cours des 12 mois précédant l'interruption dont 200 au cours des 3 premiers mois *ou* justifier de ces mêmes conditions d'h de travail au cours des 4 trimestres civils la précédant, ou au cours du 1er de ces trimestres.

■ **Assurance maternité.** Avoir occupé un emploi salarié ou assimilé au moins 200 h au cours des 3 mois précédant le début du 9e mois avant la date présumée de l'accouchement, ou 120 h au cours du mois précédant *ou* justifier des mêmes conditions d'h de travail au cours du trimestre civil, ou du mois civil, précédant cette même date. Justifier en outre de 10 mois d'immatriculation à la date présumée de l'accouchement.

■ **Assurance invalidité.** Avoir été immatriculé depuis 12 mois au 1er j du mois au cours duquel est survenue l'interruption de travail suivie d'invalidité ou la constatation médicale de l'état d'invalidité résultant de l'usure prématurée de l'organisme, et justifier avoir travaillé pendant au moins 800 h au cours des 12 mois précédant l'interruption de travail ou la constatation de l'état d'invalidité résultant de l'usure prématurée de l'organisme, dont 200 h au cours des 3 premiers *ou* justifier des mêmes conditions d'h de travail au cours des 4 trimestres civils ou au cours du 1er de ceux-ci, précédant l'interruption ou la constatation de l'état d'invalidité.

■ **Assurance décès.** Avoir occupé un emploi salarié ou assimilé pendant au moins 200 h au cours des 3 mois précédant la date du décès, et au moins 120 h au cours du mois la précédant *ou* justifier des mêmes conditions d'h de travail au cours du trimestre civil, ou du mois civil, précédant le décès.

☞ **Bénéficiaires des prestations.** Conjoint, enfants, ascendants, descendants, collatéraux et alliés jusqu'au 3e degré du salarié. **N'ont pas droit aux prestations en espèces,** mais peuvent avoir droit aux prestations en nature : *le conjoint légitime* sauf s'il est lui-même assuré social, ou s'il exerce une activité professionnelle pour le compte de l'assuré ou d'un tiers, ou s'il est inscrit au registre des métiers ou du commerce, ou s'il exerce une profession libérale, ou s'il bénéficie d'un régime spécial d'assurance (fonctionnaires, cheminots, EDF-GDF, mineurs, etc.) ; *les enfants non salariés* et à charge jusqu'à 16 ans, 18 ans s'ils sont en apprentissage, 20 ans s'ils poursuivent leurs études ou sont infirmes ou incurables ; *les enfants de moins de 17 ans* à la recherche d'une première activité professionnelle, et inscrits comme demandeurs d'emploi à l'Agence nationale pour l'emploi ; *les ascendants, descendants, collatéraux et alliés* jusqu'au 3e degré s'ils vivent sous le même toit que l'assuré et se consacrent exclusivement aux travaux du ménage et à l'éducation d'au moins 2 enfants de moins de 14 ans à la charge de l'assuré.

L'ancien assuré titulaire d'une pension vieillesse a droit aux prestations en nature de l'ass. maladie.

L'assuré titulaire d'une pension d'invalidité bénéficie pendant son invalidité des mêmes prestations.

Régimes spéciaux

■ **Professions concernées.** Marins et inscrits maritimes [1] ; mineurs et assimilés [1] ; SNCF (les agents des chemins de fer secondaires, d'intérêt général ou local ont appartenu à un régime particulier avec intervention partielle du régime général ; le personnel embauché après le 1-10-54 relève du régime gén.) ; Cie Générale des Eaux ; Banque de France ; clercs et employés de notaires [2] ; RATP ; Caisse nat. de Séc. soc. dans les mines ; ch. de commerce de Paris ; des chemins de fer d'intérêt gén. secondaire et local et des tramways [3] ; militaires de carrière. Fonct. de l'État, magistrats et ouvriers de l'État ; agents EDF et GDF ; théâtres nat. (Opéra, Opéra-Comique, Comédie-Française) ; fonct. départ. et communaux ; étudiants ; grands invalides de guerre, veuves et orphelins de guerre.

Nota. – (1) Affiliés au régime général des All. fam. tout en ayant des caisses particulières. (2) Affiliés au régime général pour accidents du travail et prestations fam. (3) Figurent dans les régimes spéciaux, ou particuliers selon le régime choisi par la collectivité considérée ; affiliés au régime gén. pour prestations familiales.

Régime agricole

■ **Professions concernées.** Salariés et non-salariés des professions agricoles.

■ **Régime des professions indépendantes.** Le régime d'ass. maladie-maternité fixé par le Livre VI, titre 1 du Code de la Sécurité sociale. Personnes assujetties à titre obligatoire : **a) Travailleurs non salariés :** *artisans* inscrits au répertoire des métiers ou exerçant une activité rattachée par décret aux professions artisanales ; *industriels ou commerçants* inscrits au registre du commerce, ou assujettis à une patente commerciale, ou exerçant une activité rattachée par décret aux professions industrielles ou commerciales ; *professions libérales :* médecin du secteur II et non conventionné, dentiste et sage-femme non conventionnés, pharmacien, architecte, expert-comptable, vétérinaire, notaire, avocat, huissier, syndic ou liquidateur judiciaire, courtier-juré d'assurance, greffier, expert devant les tribunaux, ingénieur-conseil, auxiliaire médical, agent général d'assurance, etc. **b) Personnes ayant exercé une activité** *non salariée, non agricole et bénéficiant à ce titre d'une allocation, d'une pension* de vieillesse ou d'invalidité servie par une caisse ou organisme d'allocation vieillesse. **c) Conjoints survivants** des personnes citées en **a,** s'ils bénéficient d'une allocation ou d'une pension de réversion et sont âgés d'au moins 55 ans.

☞ **Effectifs des différents régimes** (1990). **Nombre de cotisants** et, entre parenthèses, **de bénéficiaires.** *Légende :* m. : maladie, d.p. : droits propres, d. : dérivés. **Salariés et assimilés :** *Sal. agricoles :* 621 812 (m. 1 797 000). *Fonctionnaires civils et milit. :* 2 224 976 (d.p. 1 157 640, d. 427 728). *Caisse nat. milit. de Séc. soc. (CNMSS) :* 331 982 (m. 1 092 899). *Fonds spécial des pensions des ouvriers des établ. industriels de l'État (FSPOEIE) :* 94 283 (d.p. 66 489, d. 41 500). *Caisse nat. de retraite des agents des collect. locales (CNRACL) :* 1 446 365 (382 004 dont d.p. 311 209, d. 91 999). *Caisse autonome nat. de Séc. soc. dans les mines (CANSSM) :* actifs et chômeurs (m.) 45 293, actifs, chômeurs, préretraités 44 985 (m. 471 987, droits directs 267 175). *Edf-Gdf* (1992) : 155 250 (d.p. 89 514, d. 40 912). *SNCF :* 205 000 (m. 1 085 200). *RATP* 39 018 (42 245). *Établissement nat. des invalides de la marine (ENIM) :* 59 862 (m. 271 119). *Caisse autonome mutuelle de retraite des chemins de fer d'intérêt local (CAMR)* (1992) : 15 (d.p. 16 379, d. 11 540). *Caisse de retraite et de prévoyance des clercs et employés de notaires (CRPCEN) :* 40 414 (m. 96 235). *Caisse mutuelle d'ass. maladie des cultes (CAMAC) :* 27 646 (66 718). *Caisse mutuelle d'ass. vieill. des cultes (CAMAVIC) :* 30 194 (69 053). *Banque de France :* 16 627 (m. 49 049, d.p. 10 962, d. 2 954). *Assoc. générale des institutions de retraite des cadres (AGIRC) :* 2 634 000 (d.p. 767 000, d. 336 000). *Assoc. des régimes de retraite complémentaire (ARRCO) :* 16 675 000 (d.p. 5 303 000, d. 1 986 000). *Institu-*

tion de retraite complémentaire des agents non titulaires de l'État et des collect. publiques (Ircantec) : 1 850 000 (d.p. 879 000, d. 169 000). *Caisse de prévoyance du personnel des organismes sociaux et similaires (Cpposs) :* 187 090 (retraités, orphelins et invalides 74 824 dont d.p. 64 605, d. 10 219).

Régime des non-salariés : *Exploitants agricoles (Bapsa) :* 810 235 (m.), 1 196 300 (v.) (5 226 742 dont m. 3 162 878, v. 2 063 864). *Caisse nat. d'ass. maladie des travailleurs non salariés non agricoles (Canam)* (1992) : 1 943 014 (m. 3 308 559).

■ **Comptes des différents régimes** 1992 en milliards de F). **Ressources** (dont cotisations) **et,** en italique, **emplois** (dont prestations). **Solde :** *Salariés. Salariés agricoles* 47,8 (26) *47,9 (43),* – 0,1. *Fonctionnaires civils et milit.* 145 (143,9) *145 (131,6),* 0. *Cnmss* 7,8 (6,2) *7,5 (7),* 0,3. *Fspoeie* 7,6 (1,9) *7,6 (7,5),* 0. *Cnracl* 44,4 (41,9) *41,8 (29,6),* 2,6. *Canssm* 24,8 (2,5) *24,9 (24),* – 0,2. *Egf* 16,9 (16,6) *16,5 (15,5),* 0,4. *Sncf* 36,6 (14,6) *36,6 (36),* – 0,05. *Ratp* 4,9 (4,8) *4,9 (4,6),* 0. *Enim* 8,5 (2,1) *8,1 (7,8),* 0,5. *Camr* 1,2 (0,01) *1,2 (1,2),* 0,02. *Crpcen* 3,2 (3,1) *2,8 (2,6),* 0,4. *Camac* 0,8 (0,5) *0,8 (0,7),* 0. *Camavic* 1,5 (0,2) *1,5 (1,4),* – 0,03. *BanquedeFr.* 2,1 (1,9) *2,1 (1,9),* 0,002. *Agirc* 68,5 (51,5) *61,8 (59,2),* 6,7. *Arrco* 125,3 (97,7) *122,9 (116,9),* 2,4. *Ircantec* 5,6 (5,4) *5,2 (4,6),* 0,4. *Cppos* 3,5 (3,6) *3,9 (3,8),* – 0,2. **Non salariés.** *Bapsa* 81,3 (16,8) *81,6 (76),* – 0,3. *Canam* 25,3 (23,1) *26,4 (21,8)* – 1,2.

■ Assurances personnelle et volontaire

Assurance personnelle. Pour les risques et charges maladie et maternité (dep. 1-1-1981). *Bénéficiaires :* toute personne résidant en France et n'ayant pas droit aux prestations en nature d'un régime obligatoire d'assurance maladie-maternité. *Cotisations :* assises sur les revenus, nets de frais, passibles de l'impôt sur le revenu perçu l'année précédente, établies pour période de 1 an du 1-7 au 30-6. *Taux normal* (au 1-7-1992) : 16,15 % jusqu'à 137 760 F/an (sommes des plafonds mensuels 1991) + 12,80 % entre 137 760 et 688 800 F/an (5 fois la somme précédente). *Minimum de cot. :* calculée sur la moitié de la somme des plafonds mensuels (1991 : 68 880 F) soit 11 124 F/an. *Cot. forfaitaires annuelles* (au 30-6-92) : él. de l'enseign. secondaire ou d'établ. agréés, âgés de – de 26 a. 800 F, – de 27 a. 1 059 F ; personnes hospitalisées dep. + de 3 a. 10 458 F. Les cot. peuvent être prises en charge par le régime des prestations familiales ou par l'aide sociale.

Assurance volontaire. Pour les risques vieillesse et invalidité (pour maladie-maternité, ce régime ne concerne plus que les anciens assurés à ce régime avant 3-8-1968). Doit être remplacé par l'assurance personnelle.

Cotisations

■ Régime général

Cotisations normales. *Plafond annuel.* Les salaires sont retenus dans les limites suivantes (sauf pour la part « déplafonnée » d'assurance maladie). *1962 :* 9 600, *70 :* 18 000, *75 :* 33 000, *80 :* 60 120, *82 :* 82 020, *93 (1-7) :* 151 320.

Charges obligatoires sur salaires (en %) **payées par l'employeur, et,** entre parenthèses, **par le salarié** (au 1-7-93). *Sécurité sociale :* assurances maladie, maternité, invalidité, décès [1, 5] 12,8 (6,8), vieillesse [2, 6] 8,2, veuvage [5] (0,1), allocations familiales [5] 5,4. *Construction logement :* participation des employeurs à la construction [3, 5] 0,45, aide au logement (Fnal) toutes entreprises [6] 0,1, entreprises de + de 9 salariés [5] 0,4. *Retraite complémentaire :* non-cadres (minimum) (Arrco) [7] 3 (2), cadres (minimum) tranche A (Arrco) [6] 3 (2), tranche B (Agrirc) entr. créées avant le 1-1-1981 [8] 7,02 (2,34), autres [8] 9,36 (4,68), tranche C (Agrirc) [9] 7,02 (2,34). *Assurance chômage :* 4,71 (2,79) [6], 4,83 (3,37) [8]. *Fonds de garantie des salaires* [12] *:* 0,35. *Apec* [8] *:* 0,036 (0,024). *Taxe d'apprentissage* [4, 5] *:* 0,5. *Participation des employeurs à la formation professionnelle continue* [5] *:* entr. d'au – 10 salariés 1,5, entr. de 6 à 10 salariés 0,45. *Taxe sur les salaires :* employeurs non assujettis à la TVA 4,25 [5], 4,25 [10], 9,35 [13]. *CSG* [11] *:* (2,4).

Nota. – (1) Haut-Rhin, Bas-Rhin et Moselle, le salaire doit comporter une cotisation supplémentaire d'assurance maladie de 1,70 % calculée sur la totalité du salaire. (2) Sur le montant de la cotisation salariale ainsi calculée sera pratiqué un abattement forfaitaire de 42 F par mois du fait de la création de la contribution sociale généralisée. (3) A la charge des entreprises qui ont au moins 10 salariés. (4) Une cotisation supplémentaire de 0,10 % calculée sur la totalité du salaire. (5) Sur la totalité du salaire. (6) De 0 à 12 610 F. (7) de 0 à 37 830 F. (8) De 12 610 à 50 440 F. (9) De 50 440 à 100 880 F. (10) de 3 168,33 à 6 333,33 F. (11) Sur 95 % du salaire brut de 5 %. (12) De 0 à 50 440 F. (13) + de 6 160,83 F.

Cotisations salariales particulières. Services domestiques : calculées sur le nombre d'h effectuées × par le montant du Smic au 1er j du trimestre considéré. En cas d'accord entre salariés et employeurs, peuvent être calculées sur la rémunération effectivement perçue. Accidents du travail 4 % (Alsace-Lorr. 2,2 %).

Autres cotisations particulières : médecins à temps partiel, artistes du spectacle, colonies de vacances. **Stagiaires étrangers, aides familiales :** *cotisation « employeur »* seulement calculée sur une base forfaitaire se référant au Smic. Au 1er j de chaque trim. civil, soit par *semaine* 433, *mois* 1 865, *trimestre* 5 629 au 1-4-1992. **Régimes particuliers :** fonctionnaires, colonies de vacances, taux spéciaux, se renseigner. **VRP cartes multiples** (assurances sociales) **:** *cotisations patronales* (trimestrielles) : dans la limite du plafond trim. (36 450 F au 1-7-92) ; taux : 13,65 + 0,09 % de frais de gestion = 13,74 %, sur tout le salaire 12,6 %. *Cotisations salariales* (trimestrielles) : calculées selon les taux des cotisations salariales du régime général. **Régime « étudiants » :** cotisation forfaitaire assurance maladie : *1991-92 :* 800 F.

■ Régime agricole

Taux global « assurances sociales ». 33,15 % + 2,7 % de frais de gestion à la charge de l'employeur (1,7 % déplafonné, 1 % sous plafond). *Total :* 35,85 %, identique à celui du régime général pour les mêmes cotisations (taux global : 19,60 % maladie + 16,35 % vieillesse + 0,1 % veuvage). Bas-Rhin, Haut-Rhin, Moselle : cotisation suppl. de 1,70 % sur tout le salaire (0,30 % employeur, 1,40 % employé).

Risques ou charges. Taux global et, entre parenthèses, **part employeur/part employé** (en %, en 1991) : veuvage 0,10 (0/0,10) *sur tout le salaire ;* maladie, maternité, invalidité, décès 17,90 (11,10/6,80) *sur tout le salaire ;* vieillesse 13,75 (7,20/6,55) *sur salaire plafonné.*

Évaluation forfaitaire des avantages en nature (au 1-1-90). *Si la rémunération ne dépasse pas le plafond de la SS. Nourriture (par jour)* à 1 repas (min. garanti × 1 = 16,38 F), 2 repas (min. gar. × 2 = 32,78). *Logement par jour. Autres avantages* valeur réelle.

■ Régime des professions indépendantes

Assiettes du 1-4-1993 au 31-3-94. *Actifs :* ensemble des revenus professionnels nets de l'année précédente (assiette de l'impôt sur le revenu). *Retraités :* allocations ou pensions de retraite de base servies au titre d'une activité non salariée non agricole pour l'année en cours (les cotisations étant précomptées directement). Les revenus provenant d'une activité salariée donnent lieu à paiement d'une cotisation au régime des salariés.

Taux et plafonds (1993). *Sur revenus professionnels de 1991 :* pour l'appel de cotisation du 1-4-93 : 3,10 % dans la limite du plafond de la Sécurité sociale (148 320 F) plus 9,75 % dans la limite de 5 fois le plafond (741 600 F). *Sur pensions et allocations :* 3,4 % dans la limite de 5 fois le plafond de la Sécurité sociale au 1-1 ou au 1-7 suivant la période de versement de la pension.

Cotisation minimale. 1-4-1993 au 31-3-94 calculée sur la base d'un revenu égal à 40 % du plafond de la Séc. soc. en vigueur au 1-7-1993.

Exonération. *a)* Pensionné exonéré de l'impôt sur le revenu en raison de ses ressources au titre de l'avant-dernière année civile : pour 1993, revenus de 1991 n'ayant pas excédé 40 500 ou 44 100 F pour les + de 65 ans. *b)* Pour 1993, montant de l'impôt au titre des revenus de 1991 inférieur à 440 F. *c)* Personne percevant au cours de l'année précédente l'un de ces avantages vieillesse : allocation suppl. du FNS ; aux mères de famille ; de vieillesse agricole soumise à conditions de ressources ; aux vieux travailleurs (salariés ou non) ou secours viager ; all. suppl. à ceux aux ressources inférieures à un certain plafond (article L 814.2 du code de la Séc. soc.) ; viagère aux rapatriés âgés. *d)* Personne percevant l'un des avantages ci-dessus tout en exerçant une activité indépendante. *e)* Pensionné d'invalidité.

Chômeurs

Cotisation. Perçue dep. le 1-6-1982 sur les revenus de remplacement, indemnités et allocations servies aux salariés sans emploi relevant du régime général de la SS, du régime des ass. soc. agricoles et des régimes spéciaux (sauf revenus modestes). **Taux** (cotisations d'ass. maladie, maternité, invalidité, décès) : (1,4 % du 1-7-89 au 30-6-90) sur l'ensemble des revenus de remplacement suivants : allocation de base ; spéciale allouée à la suite d'un licenciement pour motif économique ; forfaitaires versées à certains jeunes, femmes ou catégories particulières de chômeurs ; de fin de droits ; spéciale du Fne versée aux bénéficiaires d'une convention du Fne : indemnités de formation versées par les Assedic ; servies par employeurs et entreprises publiques ; spécifique et conventionnelles complémentaires de chômage partiel ; ind. de chômage intempérie : de garantie des dockers ; alloc. de garantie de ressources versées en cas de licenciement ou démission ; conventionnelle versée aux bénéficiaires d'une convention du Fne. Revenus de remplacement versés au titre d'un contrat de solidarité, si cessation anticipée d'activité définitive ou progressive, c'est-à-dire l'alloc. conventionnelle de solidarité (Acs), conventionnelle complémentaire (Acc) et spéciale du Fne.

Exonération. Personnes privées d'emploi, si le montant journalier des avantages versés n'excède pas 1/7 du Smic horaire multiplié par 39 h ; personnes partiellement privées d'emploi si le montant mensuel cumulé de leur rémunération d'activité et de leur revenu de remplacement n'excède pas 1/12 du Smic horaire = 2 028 h (52 sem. × 39 h).

Prestations d'assurance maladie, maternité, invalidité, décès

■ Généralités

■ **Prestations en nature.** Honoraires médicaux : 4 secteurs : *1er) conventionnel avec application des tarifs conventionnels ; 2e) avec possibilité d'utilisation du droit à dépassement permanent (DP) ; 3e) avec possibilité d'application d'honoraires libres (HL) ; 4e) non conventionnel* avec tarif d'autorité.

Médecins (1993, métropole) : C (consultation omnipraticien) 100 F. *Cs* (c. spécialiste) 140 F. *CNPSY* (c. neuro-psychiatre) 210 F. *V* (visite omnipraticien) 105. *Vs* (v. spécialisée) 130. *VN* (majoration v. nuit) 150 F. *VD* (maj. dimanche c'est-à-dire des samedi midi) 110 F. *Z* (actes par électroradiologistes gastro-entérologues) 10,35 F, (par rhumato-pneumologues) 9,50 F. Autres spécialistes omnipraticiens 8,10 F. *Forfait accouchement* simple 1 000 F. Gémellaire 1 160 F. *K* actes chirurgicaux 12,40 F. *KC* 13,50. Surveil. cure thermale 420.

Biologistes (1993, métropole) : B, BP, BM, BR 1,76 F ; KB (prélèvement) 12,40 F ; indemnité de déplacement de base 22 F.

Nota. – (1) Dès le samedi midi pour la visite.

Chirurgiens-dentistes (1993, métropole) : *C* (consultation) 90 F. *V* (visite) 105 F. *D* (acte chirurgiens-dentistes) 12 F. *SCP* (soins conservateurs et prothèses) 14,10 F.

Sages-femmes (1993) : *C* (cons.) 55. *V* (vis.) 76. *SF* (acte spécialisé) 14,90 F. *SFI* (soins infirmiers) 14,30 F. *Accouchement* simple 830 F, gémellaire 985 F. Indemnité déplacement 21 F.

Auxiliaires médicaux (au 30-6-1992 ; IFD : indemnités forfaitaires déplacement) : *AMI* (infirmiers) : 14,30 F. IFD : 8 F. *AMM* (masseurs kinésithérapeutes) 11,55 F. IFD : 11 F. *AMO* (orthophonistes) 13,30 F. IFD : 9,50 F. *AMP* (pédicures) 4,15 F. I.d. zone A 3,30 F, zone B et C 3,10 F. *AMY* (orthoptistes) 13,45 F. IFD : 9,50 F.

Soins dentaires : remboursés d'après la nomenclature (l'accord de la Caisse est nécessaire pour toutes les prothèses et tous les actes d'orthopédie faciale). **Prothèse :** 1) *Appareils fonctionnels :* si le bénéficiaire a moins de 5 couples de prémolaires ou molaires en antagonisme physiologique (les dents de sagesse comptant pour 1/2 couple) ou une édentation du groupe incisivo-canin totale ou partielle. 2) *Thérapeutiques :* peuvent être autorisés, après avis du contrôle médical, lorsqu'un état pathologique du sujet peut être influencé par l'état de la denture, si les conditions fonctionnelles ne sont pas remplies. 3) *Nécessaires à l'exercice d'une profession.*

Nota. – Pour l'orthopédie dentofaciale, la responsabilité de l'assurance maladie est limitée au traitement commencé avant le 12e anniversaire.

■ **Forfait journalier hospitalier.** Exonérations : se renseigner.

■ Régime général

■ **Taux de remboursement sur tarif Séc. soc.** (en %) au 30-12-92. Médecins 75. Auxiliaires médicaux 65. Dentistes (soins et prothèses) 75. Pharmacie : médicaments irremplaçables 100, méd. pour troubles sans gravité 40, autres méd. 70, laboratoire, analyses 70.

Hospitalisation (établ. publics, privés, conventionnés) 80. Actes chirurgicaux 75. Certains produits pharmaceutiques (vignettes bleues) 45. Soins AMM, soins dispensés par masseurs ; AMO par orthophonistes ; AMP par pédicures ; AMY par orthoptistes ; AMI avec analyses, soins infirmiers 65. Certains produits pharm. (vignettes blanches) ; analyses ; FSO (frais de salle opératoire) ; transports ambulances 70. Soins dispensaires, praticiens, dentaires C, V, (consultations, visites, actes radiologiques, etc.) 75. Soins hospitaliers ; titulaire d'une pension vieillesse FNS ; examens de labo. prescrits par l'hôpital, effectués à l'extérieur 80. Médicaments avec croix sur la vignette 100. Le ticket modérateur d'ordre public est abrogé.

■ **Ticket modérateur.** Part des frais restant à la charge de l'assuré ou de sa mutuelle lors du remboursement (20 à 60 %). Il ne joue pas sur les hospitalisations de + de 30 j ou nécessitées par une intervention chirurgicale affectée d'un coefficient au moins égal à 50 ni pour les maladies inscrites sur une liste (30), les arrêts de + de 3 mois, les invalides, les accidentés du travail, les pensionnés de guerre, les affections comportant un traitement prolongé et une thérapeutique coûteuse, sous réserve d'une franchise mensuelle de 80 F. Tiers payant chez les pharmaciens conventionnés ; il est possible de ne payer que le ticket modérateur (30 à 60 %). Présenter carte d'immatriculation, bulletin de salaire (ou attestation d'activité ou titre de pension), justificatif de la Caisse en cas de prise en charge à 100 %.

Nota. – Le 19-6-1985, pour 379 médicaments, le ticket modérateur est passé de 30 à 60 %. Économie estimée à 1,1 milliard de F en 1986.

■ **Prestations en espèces** (au 1-7-1993). Indemnités journalières (IJ) en cas d'arrêt de travail : 50 % du salaire de base. Max. 210,16 F à partir du 31e jour d'arrêt ; si l'assuré a 3 enfants à charge : max. 280,22 F.

Les indemnités journalières pour interruption de travail sont revalorisées au-delà du 3e mois et en cas d'une augmentation générale des salaires. Les ind. journ. maladie sont imposables sauf si elles sont servies au titre d'une affection de longue durée, d'une maternité ou d'un accident de travail.

■ **Accidents du travail (et maladies professionnelles).** Voir p. 1423. **Droits de la victime 1°) PRESTATIONS EN NATURE** (frais médicaux et pharmaceutiques remboursés à 100 %). **2°) INDEMNITÉS : a) journalières :** *les 28 premiers j :* 50 % du salaire réel (max. 756,60 F par j au 1-7-1993). *A partir du 29e j :* 2/3 (max. 1 008,80 F par j au 1-7-1993). **b) Décès :** remboursement des frais funéraires à concurrence de 1/24 du plafond annuel de cotisations (6 305 F au 1-7-93). **c) Incapacité permanente** (au 1-1-92) : pour une incapacité au moins égale à 10 %, 167 815,50 F, rente calculée sur la totalité du salaire annuel ; entre 167 815,50 et 671 262 F : sur 1/3 du salaire réel. **d) Assistance d'une tierce personne :** allocation égale à 40 % du montant de la rente (min. annuel 60 816,02 F au 1-1-92). **e) Accident mortel :** rentes calculées en appliquant, au salaire annuel réduit, ces % (voir plus haut). *Conjoint :* 30 % (50 % en cas d'incapacité de travail ou à partir de 55 ans). *Enfants à charge :* 1 : 15 % ; 2 : 30 % ; par enfant en plus : 10 % (20 % par enfant orphelin de père et de mère). *Revalorisation bisannuelle des rentes au 1-1 et au 1-7. Ascendants.* 10 % (à défaut de conjoint et d'enfants). *Total des rentes allouées aux survivants :* maximum 85 %. **f) Rééducation professionnelle :** *prime de fin de rééducation* (dep. le 1-7-1993) : 4 539,60 à 12 105,60 F. *Prêt d'honneur :* 272 376 F accordé pour 20 a. à 2 % remboursable par annuités égales. *Prix de journée et frais de rééducation :* variables suivant les centres et la rééducation poursuivie, pris en charge par la Caisse primaire d'assurance maladie.

■ Autres prestations

■ **Assurance maternité. Indemnités journalières :** pendant le congé légal de 16 semaines (6 avant, 10 après), égales à 84 % du gain journalier de base limité au plafond. Au 1-7-1993, indemnité journalière max. 353,08. Indemnité journalière min. majorée à compter du 31e j de repos prénatal indemnisé si l'assurée a déjà au moins 3 enfants à charge, soit 42,52 F au 1-1-1992. *Période supplémentaire* indemnisable si la grossesse le nécessite (ne peut être reportée sur la période postnatale). **Prime d'allaitement :** taux fixé par les caisses d'AM. **Remboursement :** des examens médicaux obligatoires et des frais d'accouchement.

■ **Pension d'invalidité.** Montant au 1-7-1993. **Invalides pouvant travailler :** *maximum :* 45 396 F (30 % du plafond cotisations). **Ne pouvant pas :** *max. :* 75 660 F (50 % du plafond cotisations). *Min. :* 15 520 F. *Majoration pour tierce personne :* min. annuel 60 816,02 F. Régime obligatoire d'assurance invalidité-décès : attribution, sous certaines conditions, d'un capital décès (cotisant, orphelin, retraité) par le régime des professions artisanales. Cotisation : 1,45 %. Min. calculé sur 1/5 du plafond annuel de la SS, arrondi aux 1 000 F sup. : 2e sem. 92 : 420,50 F

Cumul possible avec pension militaire, rente AT, pension d'un régime spécial, d'invalidité du rég. des salariés ou des exploitants agricoles dans la limite du salaire perçu par un travailleur valide de la même catég. professionnelle (majoration pour tierce personne n'entrant pas en ligne de compte). **En cas d'hospitalisation,** pension réduite comme en matière d'assurance maladie. **Stage de rééducation professionnelle** ou de réadaptation fonctionnelle possible avec participation de la Séc. soc. aux frais du stage ou de traitement. Possibilité de maintien d'une partie de la pension pendant le stage et 3 ans après.

☞ Avantages vieillesse. Voir Retraite p. 1405.

■ **Capital décès.** *Min. :* 1 513,20 F au 1-7-1993 (1 % du plafond annuel des salaires soumis aux cotisations de SS). *Max. :* 37 830 F au 1-7-1993 (3 fois le plafond mensuel des cotisations de la SS). *Montant :* 90 fois le gain journalier de base de l'assuré. On a 2 ans à compter du décès pour en solliciter le règlement.

■ **Prestations facultatives.** *Prise en charge* éventuelle du ticket modérateur, participation aux frais de transport non pris en charge par l'ass. maladie, attribution de prestations en nature à des ayants droit non visés par le Code. *Attribution* après examen de chaque cas par le conseil d'administration de la Caisse. Aucun recours en cas de refus.

■ **Secours.** Quand les conditions d'ouverture aux prestations légales ou supplémentaires ne sont pas remplies, un secours individuel est accordé après enquête.

■ **Cures thermales.** *Participation :* au titre des prestations supplémentaires aux frais de séjour, de transport de l'assuré ou de ses ayants droit. *Conditions :* 1992 (chiffre majoré de 50 % pour le conjoint et pour chacun des enfants, ascendants et des autres ayants droit à charge, et pour le concubin). *Plafond de ressources pour bénéficier des prestations :* assuré seul : 96 192 F. *Remboursements :* honoraires médicaux (forfait ; remboursement à 75 %) : médecin conventionné 420 F (arrêté du 27-3-90) ; m. non conventionné 45 F. Frais de séjour (forfait ; remboursement à 70 %) : 984 F (en 1993).

■ Régime des professions indépendantes

■ **Taux de remboursement des prestations** (en %). *Honoraires médicaux et paramédicaux :* 50 (en consultations externes de l'hôpital public ou assimilé 70), pour le traitement d'une affection reconnue de longue durée (ALD) : 80 (hôp. 85). Traitements de radiothérapie : 100. *Frais pharmaceutiques :* 50, pour le traitement d'une ALD : 100. *Appareils d'orthopédie et prothèse, frais d'analyses et d'examens de laboratoires :* 50 (hôp. 70), pour une ALD 80 (hôp. 85). Grand appareillage : 100. *Hospitalisation :* 80 les 30 premiers j, 100 à compter du 31e j ou en cas d'acte supérieur ou égal à 50, ou pour une ALD, ou pour hospitalisation des nouveau-nés dans les 30 j suivant la naissance. *Soins et prothèses dentaires :* 50 (hôp. 70), pour une ALD : 80 (hôp. 85). *Frais d'optique :* 50 (hôp. 70), pour une ALD 80 (hôp. 85). *Frais de transport :* même taux que pour traitement ou soins. *Cures thermales hors hospitalisation :* forfait de surveillance médicale : 50 (pour une ALD : 80) (éventuellement : actes médicaux complémentaires : 50, pour une ALD : 80), *en hospitalisation :* 80 (pour une ALD : 100). *Vaccinations obligatoires des enfants :* 50 (hôp. 70). *Soins et éducation spéciale des enfants handicapés :* 100 (nécessité d'une décision de la commission départementale d'éducation spéciale). *Diagnostic et traitement de la stérilité :* 100 (avec accord de la Caisse). *Maternité :* honoraires d'accouchement, examens pré- et postnataux : 100, autres frais au domicile de la femme ou au cabinet du praticien 50 (hôp. 70) (100 % pendant les 4 derniers mois de la grossesse, et pour toutes les dépenses de soins au titre de l'assurance maladie), hospitalisation : 100, examens de surveillance sanitaire des enfants : 100.

■ **Assurance maternité. Prestations en espèces :** *alloc. forfaitaire de repos maternel et indemn. de remplacement :* aux femmes artisans, commerçantes, professions libérales, collaborateurs de travailleurs indépendants.

Montants (1993) : *allocation de repos maternel :* pour naissance 5 780 F ; pour adoption 2 890 F. *Indemnité de remplacement :* pour naissance simple 5 780 F ; état pathologique causé par la grossesse 8 670 F ; naissance multiple 11 560 F ; état pathologique causé par la grossesse et une naissance multiple 14 450 F.

Prestations familiales

■ Généralités

■ **Conditions générales. Résidence :** Français et étrangers résidant en France peuvent bénéficier des prestations familiales. Les étrangers doivent disposer d'un titre de séjour régulier, mais aucune durée de résidence en France ne leur est demandée.

Enfant à charge : les prestations sont versées aux personnes assumant la charge effective et permanente de l'enfant (charge financière, affective et éducative). Elles sont dues tant que dure l'obligation scolaire. Leur service est prolongé : jusqu'à 18 ans pour les enfants non salariés, 20 ans pour ceux placés en apprentissage ; en stage de formation prof. ; poursuivant des études ; ceux qui par suite d'infirmité ou maladie chronique ne peuvent avoir une activité prof. et ceux qui ouvrent droit à l'alloc. d'éducation spéciale. L'ensemble de ces catégories bénéficie des prestations familiales si la rémunération pouvant être perçue est inférieure à 55 % du Smic.

■ **Prestations familiales** (tous régimes, en 1991). **Montants** (en milliards de F) **et,** entre parenthèses, **familles bénéficiaires** (en milliers) : alloc. fam. 63 (4 501), complément fam. 8 (882), alloc. d'éduc. spéciale 1,2 (91), aux adultes handicapés 15 (519), différentielles 0,2 (18), prestations versées à l'étranger 0,3 (116), alloc. parent isolé 3,8 (131), logement 12 (1 117), aide personnalisée au logement 28 (2 381), alloc. de logement social 9,3 (1 036), revenu minimum d'insertion 8,3 (422), alloc. de rentrée scolaire 2 (2 700), de soutien fam. 3,5 (467), pour jeune enfant 19 (1 900), alloc. parentale d'éducation 6 (181), alloc. garde d'enfant à domicile 0,3 (13), prestations DOM 5,7 (262).

■ Cotisations

Employeurs et travailleurs indépendants. Par an. **Assiette :** revenu professionnel retenu au titre de l'avant-dernière année pour le calcul de l'impôt sur le revenu et dans la limite du plafond de Sécurité sociale applicable au 1er janv. de l'année, au titre de laquelle cette cotisation est due (revenu de 1990 retenu dans la limite de 144 120 en 1992). *Taux :* 9 % jusqu'au plafond. **Exonération : 1°)** Personnes dont le revenu professionnel retenu est inférieur au salaire de base annuel retenu pour le calcul des prestations familiales : 1 920,44 × 12 = 23 045,28 F au 1-7-92. **2°)** Travailleurs indépendants qui ont assumé la charge d'au moins 4 enfants jusqu'à 14 ans et ont au moins 65 ans (60 pour la femme veuve ou célibataire, séparée, divorcée, si elle ne vit pas maritalement). **Montant** (voir ci-dessous).

■ Prestations

■ **Allocation compensatrice.** Pour handicapés de + de 16 ans, à l'incapacité min. d'au moins 80 %, ayant besoin d'un tiers pour les actes essentiels de la vie même. **Plafond de ressources :** le même que pour l'allocation aux adultes handicapés. **Montant annuel :** de 24 326,40 à 48 652,81 F (au 1-1-92).

■ **Allocation d'éducation spéciale. Bénéficiaires :** handicapés jusqu'à 20 ans. 1°) à l'incapacité permanente au min. de 80 %, non admis dans un établ. d'éducation spéciale ou pris en charge au titre de l'éd. sp. ; 2°) à l'incapacité permanente au min. de 50 %, admis dans un établ. ou pris en charge par un service d'éducation ou de soins à domicile (sauf placement en internat pris intégralement en charge par l'ass. maladie, par l'État ou par l'aide sociale). **Montant mensuel :** 644 F + complément 1re catégorie 483 F, 2e cat. 1 450 F, 3e cat. 5 226 F.

■ **Allocations familiales.** Versées à compter du 2e enfant à charge. Elles ne sont soumises à aucune condition de ressources.

Montant mensuel (en F, au 1-1-93) *pour 2 enfants :* 644, *3 :* 1 470, *4 :* 2 296, *5 :* 3 122, *6 :* 3 938, *par enfant en + :* 822, *majoration pour enfant âgé de + de 10 ans :* 181, *de + de 15 ans :* 322.

Salaire mensuel d'appoint limite de l'enfant travailleur, étudiant ou apprenti pour ouvrir droit aux all. fam. : 3 166 F depuis le 1-7-92.

Complément familial. Bénéficiaires : ménage ou personne qui assume la charge d'au moins 3 enfants, tous âgés de 3 ans ou +, lorsque ses ressources n'excèdent pas un certain plafond. **Montant du complément familial par mois** pour 3 enfants ou plus de + de 3 ans : 41,65 % de la base des AF 839 F au 1-1-93. *Plafond annuel jusqu'au 30-6-1992 :* avec un enfant 99 374 F, 2 enfants 119 249 F, 3 enfants 143 099 F, au-delà du 3e enfant + 23 850 F par enfant ; plafond majoré de 31 953 F si ménage à 2 revenus ou allocataire isolé.

■ **Allocation aux adultes handicapés. Bénéficiaires :** + de 20 ans, à l'incapacité permanente d'au moins 80 % ne pouvant, compte tenu du handicap, se procurer un emploi et dont les ressources ne dépassent pas un certain plafond [*célibataire :* 36 955 F, *marié non séparé (ou vie maritale) :* 73 910 F, *en plus par enfant à charge :* 18 477,5 F].

Montant mensuel (au 1-1-93) : *taux normal :* 3 130,83 F.

■ **Allocation pour jeune enfant.** Déclaration de grossesse dans les 15 premières semaines : *versement à compter du 1er j du mois suivant le 3e mois de grossesse* (12 semaines de date à date) ; au 3e mois après la naissance, sans condition de ressources ; jusqu'aux 3 ans avec un plafond (99 374 F de revenu net impos. avec 1 enfant à charge, 119 249 F avec 2 enf., 143 099 F avec 3 enf., + 23 850 F par enf. en + ; si ménage à 2 revenus, majoration pour double activité : 31 953 F). Subordonnée à la passation des examens prénataux et postnataux. *Montant mensuel par famille bénéficiaire, à compter du 1-1-93* (46 % de la base de calcul des AF) : 925 F.

■ **Allocation de garde d'enfant à domicile.** Créée par la loi du 29-12-1986. *Conditions :* employer à domicile au moins une personne assurant la garde d'au moins un enfant de – de 3 ans ; exercice d'une activité professionnelle minimale par la personne seule ou les 2 membres du couple. Depuis juillet 1992, cotisations versées directement aux Urssaf par les CAF. *Montant maximal :* 6 000 F/trimestre et par famille, dans la limite du montant des cotisations patronales et salariales acquittées.

■ **Aide à la famille pour l'emploi d'une assistante maternelle agréée** (Afeama). *Conditions :* salaire max. de l'assistante 5 fois le Smic horaire par j et enfant gardé. *Cotisations sociales :* versées directement aux Urssaf par les CAF. *Allocation mensuelle* (au 1-1-93) : pour 1 enfant de moins de 3 ans : 519 F, de 3 à 6 ans : 312 F.

■ **Allocation de logement. A caractère familial :** servie aux pers. bénéficiant d'une prestation familiale ou ayant à charge, soit un enfant qui n'ouvre pas droit aux alloc. familiales, soit un ascendant de plus de 65 ans (ou de 60 ans en cas d'inaptitude au travail), soit un ascendant, descendant, collatéral infirme et ayant de faibles ressources ; aux jeunes ménages sans enfant pendant 5 ans à compter du mariage si chacun des époux a – de 40 ans à la date du mariage ; si l'on est locataire ou sous-loc. ou accédant à la propriété de son logement ; si ce log. répond à certaines conditions de peuplement et de salubrité, et si la personne consacre à son loyer ou à ses mensualités d'accession à la propr. un certain % des ressources totales du foyer. **A caractère social :** dep. le 1-1-93 servie à toute personne ayant une charge de logement, sous seule condition de ressources.

Conditions. Pour avoir droit à l'alloc. de log., il faut consacrer une part min. de ses ressources à son logement, variable selon la situation de chacun. L'alloc. de logement à caractère familial n'est pas cumulable avec celle à caractère social. Lorsque les conditions sont réunies simultanément au titre des 2 prestations, c'est l'alloc. de log. à caractère familial qui est versée. Les alloc. de log. ne sont pas cumulables avec l'aide personnalisée au logement (APL) qui est prioritaire.

■ **Allocation parentale d'éducation.** Peut être versée à toute personne assumant la charge d'au moins 3 enfants dont 1 âgé de – de 3 ans, à condition qu'elle n'exerce aucune activité professionnelle jusqu'à ce que le plus jeune enfant ait atteint l'âge de 3 ans et sous réserve qu'elle ait travaillé au moins 2 ans au cours des 10 années précédant l'arrivée du dernier enfant (ou du 3e) au foyer. Peut être versée à mi-taux en cas de reprise d'une activité à mi-temps entre le 2e et le 3e anniversaire de l'enfant. **Montant mensuel** (en F au 1-1-93) 2 871 F en cas d'arrêt total, 1 436 F en cas de reprise partielle.

■ **Allocation de parent isolé. Bénéficiaire :** toute personne isolée résidant en France, exerçant ou non une activité professionnelle et assumant seule la charge d'au moins un enfant. **Montant** (en F dep. le 1-1-93) : *femme enceinte sans enfant à charge :* 3 021, *parent isolé avec 1 enfant à charge :* 4 028, *par enfant en plus :* 1 007 F.

■ **Allocation de rentrée scolaire. Bénéficiaires :** familles bén. d'une prestation familiale dont les ressources nettes imposables en 1991 n'ont pas dépassé 90 436 F pour 1 enfant, 111 306 F pour 2 enfants, + 20 870 F par enfant en plus. **Montant** (en 1993) versé à la rentrée scolaire, pour chaque enfant inscrit (6 à 18 ans) dans un établissement public ou privé : 403 F.

■ **Allocation de soutien familial.** Pour les personnes isolées, qui ne reçoivent pas la pension alimentaire mise à charge par décision de justice. Versée à titre d'avance, la Caisse étant habilitée à entreprendre les actions nécessaires en vue du recouvrement de la pension. Les CAF peuvent aussi aider tout parent titulaire d'une créance alimentaire, même s'il n'est pas isolé et ne remplit pas les conditions d'attribution de l'allocation de soutien familial. **Montant mensuel** (en F). Parent seul : 604, foyer recueillant : 453.

■ **Allocation veuvage.** Veufs ou veuves brutalement sans ressources. *Conditions :* ayant – de 55 ans, vivant seuls, ayant encore 1 enfant à charge ou ayant élevé 1 enfant pendant au moins 9 ans avant son 16e anniversaire (les enf. adoptés sont assimilés). L'assuré décédé devait avoir la qualité d'assuré au regard du risque veuvage ; le veuf ou la veuve doivent en principe résider en France. **Plafond de ressources** (au 1-1-93) : 10 763 F pour le trimestre précédant la demande (y compris le montant de l'all. veuvage mais non comprises les prestations familiales). **Durée de service :** 3 ans. Une période compl. de 2 ans est prévue dep. le 9-10-87 sous certaines conditions pour les conjoints survivants d'au moins 50 ans à la date du décès de l'assuré-veuvage. **Montant** (au 1-1-93) : 2 870 F par mois la 1re année, 1 885 la 2e, 1 435 la 3e année (ainsi que pendant les 2 a. complémentaires).

■ **Prime de déménagement. Conditions :** emménagement dans un local offrant de meilleures conditions ou mieux adapté si l'on a droit à l'allocation de logement, réservée aux seules familles ayant au moins 3 enfants à charge nés ou à naître, à condition que le déménagement se situe entre le 4e mois de grossesse et le mois précédant le 2e anniversaire de cet enfant. **Montant maximal** (en F au 1-1-93) *familles : 3 enfants, nés ou à naître :* 4 834 ; *par enfant en + :* 403.

Aide sociale légale

☞ **Administrée** par la DDASS (Direction dép. de l'action sanitaire et sociale), alimentée par les collectivités publiques, destinée aux non-bénéficiaires de la Séc. soc. Doit disparaître progressivement avec la généralisation de la Séc. soc. à toute la population.

■ **Aide à l'enfance.** Montant fixé dans chaque département par le conseil général.

■ **Aide à la famille.** Proportionnelle aux ressources et aux charges du demandeur. Ne peut excéder le montant des alloc. familiales versées dans la commune.

■ **Aide juridique.** Voir Index.

■ **Aide médicale** (au 1-1-1992). *Allocation mensuelle* de 1 293,33 F (431,11 F en cas d'hospitalisation) soit 15 520 F par an (5 173,33 F en cas d'hospitalisation), après 3 mois d'admission à l'aide médicale. *Prise en charge* des frais médicaux et pharmaceutiques.

■ **Aide ménagère à domicile.** *Accordée,* dans les communes ayant des services spécialisés, aux 65 ans et + (60 si inaptitude) qui ont besoin, pour demeurer à leur domicile, d'une aide matérielle et ne disposent pas de ressources supérieures à celles prévues pour l'octroi de l'allocation simple d'aide sociale (voir Index). La Commission d'admission fixe, après enquête, la nature des services et leur durée (au max. 60 h par mois), ainsi que la participation horaire des assurés selon leurs ressources (6,20 F à 74,90 F pour ceux qui résident en métropole).

■ **Aide aux personnes âgées** (au 1-1-1992). *Allocation simple d'aide à domicile :* 15 520 F par an. *Plafond des ressources :* 37 320 F par an. *Allocations de logement et de loyer* (voir ci-dessous). *Allocations représentatives des services ménagers :* 60 % du coût des services ménagers ou 30 h d'aide ménagère par mois. *Placement en établissement :* somme mensuelle minimale laissée à la personne placée : 364,20 F par mois ; pension attribuée à la famille d'accueil : montant annuel fixé par le conseil gén. entre l'allocation d'aide à domicile et 80 % du max. de l'alloc. compensatrice aux adultes handicapés, entre 15 520 et 38 922 F au 1-1-92. *Allocation « Ville de Paris » :* attribuée aux + de 65 ans (+ de 60 ans si inaptes au travail) résidant depuis + de 3 ans à Paris. *Plafond de ressources :* se renseigner à sa mairie.

■ **Aide sociale à l'enfance** (ex-Assistance publique). Tutelle des pupilles de l'État, protection des enfants pris en charge jusqu'à 18 ou 21 a. (468 975 enf. bénéficiaires au 1-1-80), PMI (protection maternelle et infantile).

■ **Aide sociale générale.** Pour les personnes aux ressources insuffisantes. *Bénéficiaires :* malades : + de 1 000 000 ; personnes âgées (aide médicale à domicile ou en établissement) : 270 000 ; handicapés : 200 000 ; personnes ou familles en difficulté : 100 000. *Demande :* mairie.

■ **Allocation de loyer.** *Bénéficiaires :* personnes ni âgées ni infirmes aux ressources inférieures à 1 440 F par an (plafond non réévalué dep. 1961).

■ **Allocation militaire.** *Bénéficiaires :* la famille ou l'appelé ayant un certain plafond de ressources calculé selon le nombre de personnes à charge. *Montant mensuel* (au 1-1-92, en F). Allocation principale de 100 à 300, majoration par ascendant de 50 à 100 ; pour enfants à charge : chacun des *2 premiers* 621, 3e enfant 795, chaque enfant *en plus* 795.

Retraite

Age de la retraite

■ **Dans le monde.** Pour les hommes et, entre parenthèses, pour les femmes : C : cumul possible retraite et travail ; B : bonification si pension retardée ; V : vérification des gains pour moduler la pension.

Albanie 60 (55), ex-All. dém. 65 (60), ex-All. féd. C 65 (65), Australie 65 (60), Autriche V 65 (60), Belgique 65 (60), Bulgarie 60 (55), Canada V 65 (65), Danemark CV 67 (67), Espagne 65 (65), États-Unis V 65 (65), Finlande 63 (63), *France CB 60 (60),* Grèce 65 (60), Hongrie 60 (55), Irlande C 65 (65), Israël 65 (60), Italie CB 60 (55), Japon 65 (55), Luxembourg C 65 (65), Norvège 67 (67), Pays-Bas C 65 (65), Portugal 65 (62), Roy.-Uni BV 65 (60), Suède CBV 67 (67), Suisse C 65 (62), Tchécoslovaquie 60 (55), ex-URSS 60 (55), ex-Yougoslavie 60 (55).

■ **En France. Retraités** *1992 (31-12) :* 8 086 190. **Actifs à 75 ans** (en %) : *1962 :* env. 14 ; *1968 :* 8 ; *1975 :* 4 ; *1985 :* 0,2 (60 ans et + : 4, 65 ans et + : 1).

Fonctionnaires civils, ouvriers d'État, agents des collectivités locales. 1°) Peuvent demander et obtenir *leur admission à la retraite à partir de 60 ans (sédentaires) ou 55 a. (actifs).* La jouissance de la pension est immédiate à 60 a. (et 15 a. de services effectifs), 55 avec 15 a. au moins dans un emploi de la cat. B (cas de nombreux enseignants ayant exercé 15 a. ou + comme instituteurs). **2°) Limite d'âge obligatoire.** Fixée plus tard. *Catégorie A (sédentaires) : 1er, 2e et 3e échelons :* 70 ans ; *4e :* 67 ans ; *5e :* 65 ans. *B (actifs) : 1er éch. :* 67 ; *2e :* 65 ; *3e :* 62 ; *4e :* 60. **Recul de limite d'âge pour chargés de famille :** 1 an par *enfant à charge* (max. cat. A 73 ans et B 70). 1 an pour le fonctionnaire qui, à 50 ans, est père de 3 enf. vivants (ou morts pour la France), s'il continue à exercer son emploi sans cumuler cet avantage avec celui ci-dessus, ni reculer la limite au-delà de 71 ans pour la cat. A et 68 pour la B. **Ascendants d'enfants morts pour la France :** 1 an par enfant décédé ainsi.

Prestataires bénéficiaires d'un avantage de vieillesse (1986) : 63,55 % avant 65 ans ; 36,45 après.

Militaires de carrière : *officiers :* après 25 ou 30 ans de carrière ; *non-officiers :* après 15 ans de service. **Mines :** 55 ans (50 après 20 ans de travail au fond). **SNCF :** 55 ans (50 après 25 ans de service dont 15 de conduite). **EDF-GDF :** 60 ans (55 après 25 ans de service). **RATP :** 60 ou 55 ans (50).

Abaissement de l'âge de la retraite : depuis le 1-4-1983 (ordonnance du 26-3-1982) peuvent obtenir au régime général le taux maximal (50 %) tous les salariés ayant cotisé au régime général, âgés de 60 a. qui totalisent, tous régimes de retraite confondus, 37 a. et demi, soit 150 trimestres de périodes d'assurance ou de périodes reconnues équivalentes. L'assuré qui quitte un emploi ou en chômage reçoit, des régimes complémentaires, une pension liquidée également sans abattement. Depuis le 1-4-86, un salarié licencié à partir de 60 ans, inscrit comme demandeur d'emploi et non titulaire d'une retraite, perçoit de l'Assedic une allocation de base (fixe plus 40 % du salaire avec minimum de 57 % du salaire), jusqu'à 150 trimestres d'assurance ou 65 ans.

Contrats de solidarité (avant 60 a.) : ordonnances des 16 et 30-1-1982 pour favoriser les départs en préretraite à condition que de nouvelles embauches soient effectuées. Possibilité supprimée dep. le 31-12-1983. Assuraient en moyenne 70 % du salaire de référence.

Convention de coopération du Fonds nat. de l'emploi (FNE) : les salariés licenciés pour motif économique à partir de 56 a. et 2 mois (exceptionnellement 55 a.) peuvent bénéficier d'un revenu de remplacement d'un montant égal à 65 % du salaire jusqu'au plafond de la Sécurité sociale et 50 % au-delà.

Organisation en France de l'assurance vieillesse

■ Généralités

■ **Principes.** Les régimes de retraite se sont développés à partir de 2 idées. **1°) L'idée d'assurance** qui conduit à rendre les pensions de retraite fonction des cotisations versées par les bénéficiaires au cours de leur vie active. **2°) L'idée de solidarité,** entre actifs et retraités, réalisée par le système de la *répartition :* les pensions versées aux retraités actuels sont financées par les cotisations des actifs actuels.

■ **Situation des régimes** (au 1-7-1990). *Régime général des salariés* 13 724 032 cotisants (7 315 716 retraités). (Au 1-1-1989.) *Régimes particuliers et spéciaux : fonctionnaires et régimes spéciaux* 4 294 225 (3 902 699). *Salariés agricoles* 626 920 (1 655 794). *Exploitants agricoles* 1 304 629 (1 948 827). *Commerçants, artisans, prof. libérales* 3 638 728 (2 121 728).

■ **Fonctionnement.** Tous les salariés, sauf régimes spéciaux, bénéficient d'un régime de retraite de base (régime général de SS) et d'un régime de retraite complémentaire.

■ RÉGIME GÉNÉRAL

■ **Calcul de la pension de retraite.** Les *salariés du régime général* peuvent prendre leur retraite à 60 ans en bénéficiant du « taux plein » de 50 % appliqué au salaire annuel moyen (moy. des 10 meilleurs salaires annuels revalorisés dep. le 1-1-1948), à condition de faire état de 150 trimestres d'assurance au régime général et autres régimes obligatoires, et de périodes reconnues équivalentes, ou d'avoir atteint 65 ans, ou d'être reconnus inaptes au travail à la date de leur demande ; titulaires de la carte de déporté ou interné politique ou de la Résistance ; de la carte de combattant ou ancien prisonnier de guerre, à un âge déterminé en fonction de la durée de leur service militaire ou de leur captivité ; demandant en qualité d'ouvrière mère de 3 enfants, si elles justifient de 30 a. d'assurance. Si l'assuré ne remplit aucune de ces conditions, le taux est minoré.

La pension maximale est bloquée au taux de 50 % du salaire-plafond du régime général : les + de 60 ans qui ont cotisé plus de 37,5 ans ne percevront pas de pensions à un taux supérieur même s'ils continuent de travailler après 60 ans.

Les femmes assurées ayant élevé des enfants pendant 9 ans avant l'âge de 16 ans bénéficient de 2 ans d'assurance gratuite par enfant. En outre, la pension est majorée de 10 % lorsque l'assuré (homme ou femme) a eu ou élevé 3 enfants. Certaines situations (chômage, maladie, périodes militaires) peuvent être assimilées à des périodes d'activité professionnelle.

Chômeurs : indemnisés ou non, ils peuvent bénéficier de la retraite à 60 ans, comme les salariés ; les périodes de chômage sont assimilées, sous certaines conditions, à des périodes d'activité.

Montant de la pension (au 1-7-1993) : *minimum* 35 976,12 F/an pour 150 trimestres d'assurance au régime général. *Max. :* 74 160 F/an (75 660 F au 1-7-93).

■ **Rachat de cotisations.** Depuis mai 1988, de nouveaux délais ont été ouverts pour déposer une demande de rachat de cotisation (jusqu'au 31-12-2002). La loi nº 85-1 274 du 4-12-1985 permet aux rapatriés d'Algérie ou de territoires anciennement placés sous la souveraineté, la tutelle ou la protection de la Fr. d'effectuer des rachats de cotisations en bénéficiant d'une aide de l'État sous certaines conditions de ressources. **Avantages complémentaires :** *majoration pour enfants :* 10 % de la pension. Condition : avoir eu ou élevé 3 enfants pendant au moins 9 ans avant le 16e anniversaire. *Majoration pour conjoint à charge* (+ de 65 ans, 60 si inapte, non titulaire d'un droit propre en assurance vieillesse ou invalidité) : 4 000 F par an si les ressources personnelles du conjoint ne dépassent pas, au 1-1-1993, 34 479,96 F par an. *Majoration pour tierce personne :* pour tit. d'une pension anticipée au titre de l'inaptitude au travail, ou accordée aux anciens déportés ou internés ou anciens combattants et prisonniers de g. ayant un état de santé nécessitant l'assistance d'une tierce personne pour les actes ordinaires de la vie (prouvé avant 65 a.). *Montant :* 62 715,48 F/an au 1-1-93.

■ **Cumul d'une pension au titre de l'inaptitude et d'un emploi.** Réglementé jusqu'à 65 a. Possible si les revenus professionnels ne dépassent pas par trimestre 50 % du Smic. Calculé sur la base de 520 h.

■ **Contribution solidarité. Cessation d'activité professionnelle :** la loi nº 87-39 du 27-1-1987 (art. 34) a abrogé le principe du paiement d'une contribution de solidarité en cas de cumul emploi-retraite. Toutefois, le paiement de la pension reste subordonné à la cessation d'activité professionnelle, c'est-à-dire à la rupture de tout lien professionnel avec le dernier employeur pour les salariés ou la cessation de l'activité pour les non-salariés.

■ **Retraite progressive.** Possible dep. le 1-7-1988. **Condition :** avoir au moins 60 ans ; justifier de 150 trim. d'assurance et de périodes reconnues équivalentes au titre d'un ou plusieurs régimes de retraite de base : régimes général, agricole, non-salariés, étrangers (si un accord de SS signé avec la France). L'activité exercée au titre d'un régime spécial (EDF, SNCF, mines, etc) n'est pas prise en compte pour déterminer la durée d'assurance. **Calcul** selon la formule habituelle : salaire de base × taux × *durée d'ass. au régime général.* **Taux :** obligatoirement 50 %. **Durée :** celle retenue au régime général dans la limite de 150 trimestres. **Montant :** peut être augmenté des compléments de la retraite : majorations pour enfants, pour conjoint à charge et pour tierce personne ; porté au minimum ; ramené au maximum. La retraite progressive ne peut être augmentée, ni de la majoration de l'art. L 814-2 du Code de la SS, ni de l'allocation supplémentaire du Fonds national de solidarité.

PRÉVISIONS 1990-2005

Comparaisons en 1990 et, entre parenthèses, **2010** (en milliards de F). **Prestations et compensations :** 225,25 (587,3). *Cotisations :* 212 (384,4). *Solde à financer :* 13,25 (202,9).

En 2005 : les dépenses d'assurance vieillesse du régime général atteindront 319 milliards de F (60 % de + qu'en 1989).

Financement complémentaire. 135 milliards si les prélèvements sur le revenu imposable (0,4 %) et sur les revenus financiers (1 %) sont supprimés pour 1990, 129,5 milliards s'ils sont maintenus. Si les effectifs salariés ne progressent pas de 3,3 % par an, il faudra augmenter le taux de cotisations de 10,8 %.

Solutions proposées. Une indexation de la revalorisation des pensions sur les salaires nets rapporterait 27 milliards de F, une réforme du montant global des pensions, du mode de calcul et de la revalorisation 54,7 ; il faudrait aussi augmenter les cotisations de 6,5 %.

Participation de l'État. 82 milliards entre 1983 et 1990 dont 13 pour l'Unedic couvrant 1/3 du montant des garanties de ressources et des validations des droits correspondants.

Déficit en milliards de F. *1990 :* 1 ; *1991 :* 1,8. Solde en *1993 :* + 4,3 milliards. **Charges indues.** 8 milliards de F de 1984 à 1990. Env. 300 000 personnes cotisent sans bénéficier des retraites, 150 000 salariés en bénéficient sans cotiser.

Part des dépenses représentées par la retraite complémentaire de 60 à 65 ans (en %). *1990 :* 60, *1992 :* 70, *1993 :* 80.

Rapport cotisants-bénéficiaires. *1960 :* 4,69 cot. pour 1 retraité ; *70 :* 3,13 ; *80 :* 2,79 ; *85 :* 2,10 ; *90 :* 1,93 ; *95 :* 1,81 ; *2005 :* 1,75 ; *2010 :* 1,65.

■ **Pension de réversion.** Due au conjoint survivant non remarié ou au conjoint divorcé non remarié, âgé de 55 ans. *Montant :* 52 % de la pension du défunt ou disparu. *Minimum annuel* (1-1-93) : 16 010 F (si l'assuré totalisait 60 trim. d'assurance au régime général). *Plafond de ressources :* montant annuel du Smic calculé pour 2 080 h à la date de la demande ou du décès, soit 70 845 F/an au 1-1-93. *Cumul avec droits propres* (jusqu'à 73 % du max. de la pension vieillesse) : 55 231,80 F au 1-7-93.

■ **Minimum vieillesse. 1º)** *Montant* (au 1-1-93) pour une personne seule et, entre parenthèses, par pers. d'un ménage lorsque les 2 perçoivent le FNS : 3 130,82 (2 808,32) F par mois, soit 35 570 (33 700) F/an. Il se compose 1º) d'un avantage de base au moins égal au montant de l'Avts soit 1 334,16 F par mois, 16 010/an et constitué par une pension calculée ou une pension portée au minimum ou une allocation. 2º) de l'allocation supplémentaire du Fonds national de solidarité financée par l'État, soit 1 796,66 (1 474,16) F par mois, soit 21 560 (17 460) F/an, majorant la pension de base et complétant le revenu des personnes âgées disposant de faibles ressources. Être âgé de 65 ans ou 60 ans en cas d'inaptitude au travail, résider en France métrop. ou dans un territoire ou département d'outre-mer, être Français ou ressortissant d'un pays ayant passé une convention de réciprocité avec la Fr., avoir des ressources annuelles inférieures à un montant (plafond) fixé par décret, soit au 1-1-1993, 34 480 F pour une personne seule et 67 400 F pour un couple. **2º)** *minimum contributif :* dep. le 1-4-1983. Conditions d'obtention : avoir au – 60 ans, avoir une pension calculée au taux de 50 %, taux 2 998,01 F au 1-1-93 si 150 trimestres, sinon le minimum contributif est proratisé en 150e. Pas de conditions de ressources. Comparaison systématique lors du calcul de la retraite. **Mode d'évaluation des ressources :** toutes les ressources doivent être déclarées, y compris avantages d'invalidité ou de vieillesse, retraites complémentaires, revenus professionnels ou autres sauf valeur des locaux d'habitation effectivement occupés ; valeur des bâtiments de l'exploitation agricole ; prestations familiales ; indemnités de soins aux tuberculeux ; majoration pour aide constante d'une tierce personne ; alloc. de compensation aveugles et grands infirmes ; retraite combattant et pension attachées aux distinctions honorifiques. *Les biens immobiliers et mobiliers actuels, ou que l'intéressé a donnés à ses descendants depuis 5 ans,* sont censés procurer 3 % de leur valeur vénale à la date de la demande. Pour les biens donnés entre 5 et 10 ans, ils sont évalués à 1,5 % de leur valeur. Les biens donnés au cours des 10 années précédant la demande à un autre descendant sont censés procurer une rente viagère calculée sur la base de la valeur de ces biens à la date de la demande. Les ressources prises en considération sont celles des 3 mois précédant la date d'entrée en jouissance dans certaines conditions.

■ **Allocation aux vieux travailleurs salariés (Avts).** Instituée en 1941 pour les anciens salariés qui n'avaient pu se constituer une retraite suffisante. Pratiquement plus attribuée aujourd'hui puisqu'il suffit maintenant d'un trimestre d'assurance pour donner droit à une pension. *Montant principal* (par an au 1-1-93) : 16 010 F (1 334,16 F/mois), plafond de ressources annuelles (alloc. comprise) : personne seule 38 480, ménage 67 400 F.

■ **Secours viager.** Attribué aux veufs ou veuves dont le conjoint décédé bénéficia de l'Avts ou de l'Avtns (alloc. aux vieux trav. non salariés). Mêmes taux et plafonds que l'Avts.

■ **Allocation aux mères de famille.** Pour les femmes ayant élevé au moins 5 enfants et n'ayant pas d'autre alloc. vieillesse. Mêmes taux que l'Avts.

■ **Alloc. spéciale vieillesse.** Attribuée aux personnes non bénéficiaires d'une alloc. de vieillesse. Mêmes conditions et montants que celles de l'Avts.

■ RÉGIME COMPLÉMENTAIRE

■ **Définition.** L'Arrco (Association des régimes de retraites complém.) a été créée en application de l'accord national interprofessionnel de retraite du 8-12-1961 conclu entre CNPF et syndicats. La loi de généralisation du 29-12-1972 a étendu les dispositions de cet accord à tous les salariés et anciens salariés relevant du régime général de SS ou du régime agricole, qui sont depuis affiliés obligatoirement à un régime membre de l'Arrco.

■ **Bénéficiaires.** Tous les salariés et anciens salariés (notamment les cadres pour la partie de salaire inférieure au plafond de la SS) de l'industrie, du commerce des secteurs privés, des mines et du secteur agricole. **Taux contractuel de cotisations** (pour les opérations obligatoires au sens de l'accord du 8-12-1961) : 4 % mais la cotisation appelée représente en fait 4,92 % du salaire en 1991 (5 % en 92) dans la limite du plafond de la SS pour les cadres, et de 3 fois ce même plafond pour les non-cadres. Les institutions réalisent également des opérations supplémentaires correspondant à des fractions de taux excédant 5 %.

■ **Age de départ à la retraite.** Généralement 65 ans dans les régimes relevant de l'Arrco ; 60 ans pour certaines catégories (inaptes au travail, anciens combattants, etc.). Par ailleurs, l'accord du 4-2-1983 permet à certaines de faire valoir leur droit entre 60 et 65 ans, sous réserve de justifier d'une durée d'assurance de 37,5 ans et d'être, au moment de la retraite, salarié en activité, chômeur indemnisé (y compris les bénéficiaires de la garantie de ressources), chômeur non indemnisé mais inscrit à l'Anpe comme demandeur d'emploi dep. au moins 6 mois. Dans les autres cas, la retraite peut être servie par anticipation dès 60 ans (ou 55 ans dans certains cas) ; les allocations sont alors affectées d'un coeff. d'anticipation.

■ **Montant de la retraite.** Prise en compte des périodes de travail accomplies depuis l'âge de 16 ans. Aux droits acquis par cotisation (les périodes de maladie ou de chômage indemnisées sont assimilées), s'ajoutent les droits correspondant aux périodes d'activité effectuées : avant l'adhésion de l'entreprise ou dans une entreprise disparue. La retraite est exprimée en points. Son montant est égal au produit du nombre de points acquis par la valeur du point. Le nombre de points acquis au cours d'une année est obtenu en divisant les cotisations de l'année par le salaire de référence de la même année. Quelques régimes expriment l'allocation en % de salaire.

■ **Droits de réversion. Conditions d'âge :** veuve 50 ans, veuf 65 ans (si le règlement de l'institution le prévoit), sans condition d'âge si au moment du décès ils sont invalides ou ont 2 enfants à charge. La retraite de réversion est supprimée en cas de remariage du bénéficiaire. **Montant de la retraite de réversion :** veuf ou veuve 60 % des droits (sans tenir compte d'éventuels coefficients d'anticipation). Orphelins de père et de mère 50 % jusqu'à 21 ans (25 ans pour l'enfant à charge ou quel que soit son âge pour l'orphelin invalide).

■ **Droits des divorcés.** Si le divorce et le décès ont eu lieu après le 1-7-1980, un partage de la pension de réversion est effectué entre les conjoints et ex-conjoints divorcés non remariés.

■ **Principaux régimes Arrco utilisant le système par points.** Valeur au 1-4-93 et, entre parenthèses, salaire de référence (non-cadres) 1991 ou 92, en F. **Interprofessionnelles :** Agrr 2,418 (20,66). Anep 18,36 (150,26) [4]. Cgis 25,68 (29,9) [1, 4]. Circo 2,54 (20,81). Cirps 2,3324 (20,39). Cri 2,7344 (21,1452) [4]. Fnirr 2,5404 (21,36). Ipris 2,8076 (23,17). Ireps 29,12 (34,515) [2]. Irpsimmec 2,66 (21,71) [4]. Resurca 2,5988 (21,53). Rips 2,12 (18,51). Unirs 2,4256 (20,965). **Professionnelles ou particulières :** Carcept (transports) 38,64 (42,26) [3, 4]. Carpilig (imp. labeur) 2,078 (16,442) [4]. Cnro (bâtiment, TP) 2,5656 (21,8). Cre (expatriés) 2,327 (21,16 en 93). Ircem (empl. de maison) 2,2228 (17,43) [4]. Irrep (VRP) 2,403 (20,26). Isica (aliment.) 3,5841 (28,19). **Autres régimes :** Préfon 0,3792 (4,82). Ircantec 2,19 (14,25).

Nota. – (1) Prix d'achat d'un point Cgis : 199,33 F. (2) d'un point Ireps 241,61 F. (3) d'un point Carcept 290,54 F. (4) 1991.

% du dernier salaire (brut et, entre parenthèses, net) touché pour 37,5 ans de cotisations aux régimes général et complémentaire, et, en italique, pour 37,5 ans de cotisations dans divers régimes. **Non-cadre :** Rt [1] 70 à 72 (80 à 82), *60 à 65 (68 à 74)* ; Pa [2] 70 (79,1), *70 (79,1)* ; Pn [3] 65 (71), *65 (71)* : **Cadre :** Rt 57 à 60 (64 à 67), *50 à 55 (56 à 62)* ; Pa 70 (79,1), *70 (79,1)* ; Pn 58 à 59 (63 à 64), *58 à 59 (63 à 64)*.

Nota. – (1) Rt : retraite totale à 60 ans. (2) Préretraite ancienne formule. (3) Préretraite nouvelle formule.

■ **Action sociale.** Les Institutions Arrco disposent de fonds sociaux qui leur permettent d'attribuer des aides à leurs retraités les plus défavorisés et de financer des investissements à caractère social, amélioration du logement et aide ménagère, équipements destinés aux personnes âgées dépendantes : maison de rééducation, section de cure, Mapa. Une carte d'action sociale délivrée à chaque retraité permet à celui-ci de connaître la caisse de retraite complémentaire (caisse ayant validé la plus longue partie de sa carrière) à laquelle il doit s'adresser pour toute intervention sociale.

☞ *Renseignements :* Cicas. Centres d'information et de coordination de l'action sociale, 33, rue Cardinet, 75017 Paris.

■ **Retraite moyenne des anciens salariés du régime général** (en F mensuels, 1988). *Hommes* 8 481 (dont retr. compl. 4 092). *Femmes* 5 108 (1 571). **Salaire mensuel net en fin de carrière et,** entre parenthèses, **taux de remplacement en %** (1988). *Hommes* 11 360 (74,7). *Femmes* 7 920 (64,5).

■ Retraite des cadres

■ **Définition.** Créée par la Convention collective nat. du 14-3-1947. S'applique au personnel d'encadrement du secteur privé et permet d'acquérir des droits à la retraite en complément de ceux des régimes de la Sécurité soc. et de l'Arrco. L'adhésion au régime des cadres est obligatoire et doit être souscrite auprès de l'une des 55 institutions de retraite adhérentes de l'Agirc (Assoc. gén. des institutions de retraite des cadres).

■ **Cotisations. Base** (1-1-93) : calculées sur la *tranche B,* fraction de salaire comprise entre le plafond de la SS (149 820 F/an) et 4 fois ce plafond (599 280 F), et sur la *tranche C,* part de rémunération comprise entre 4 fois et 8 fois ce plafond (1 198 560 F/an). **Taux :** retraite par répartition. **Régime obligatoire minimal** (en 1992 les cotisations sont appelées à 117 % c.-à-d. majorées de 17 % mais sans effet sur le nombre de points acquis). Taux fixé dans l'entreprise au min. à 8 % de la tranche B (2 % à la charge du salarié, 6 % de l'employeur). À compter du 1-1-1981, taux de 12 % obligatoire pour les entreprises nouvelles. Le taux de 8 % ou 12 % peut être majoré jusqu'à 16 % des tranches B et C. En tranche B, le supplément est réparti par moitié entre l'employeur et le salarié. En tranche C, la répartition relève d'une négociation à l'intérieur de l'entreprise.

Cotisations au « premier franc » : affiliation des participants au régime des cadres à une institution membre de l'Arrco, sur la base d'une cotisation de 4,92 %, sur tranche A (répartition employeur/salarié selon les institutions ; le plus souvent 60/40 % comme à l'Unirs).

Taux de cotisation « décès » : obligatoire. 1,5 % de la tranche A. L'employeur en situation irrégulière est tenu de verser aux ayants droit du cadre décédé une somme égale à 3 fois le plafond annuel de la SS en vigueur lors du décès.

■ **Allocation annuelle de retraite.** Produit du nombre de points acquis en cotisant (ou attribués gratuitement) par la valeur du point en vigueur lors du versement. Le nombre de points acquis au cours d'une année est obtenu en divisant les cotisations de l'année par le salaire de référence ou prix d'achat du point de la même année (en 1992 : 19,23 F).

■ **Valeur du point (Agirc)** (au 1-1-1993). 2,303 F (salaire de référence 19,23). Se renseigner auprès de la Caisse dont on dépend : points gratuits éventuels, cas d'inaptitude, validité de services accomplis avant le 1-4-47, majoration pour enfants, coefficient d'anticipation.

■ **Réversion. La retraite du cadre décédé** est reversée à 50 ans pour les *veuves* (avant si elles ont au moins 2 enfants de moins de 21 ans à charge ou si elles sont invalides au moment du décès de leur époux) ; et à 65 ans aux *veufs de cadres féminins* (avant, dans les mêmes conditions que les veuves). Le conjoint survivant a droit à 60 % de la retraite perçue par le cadre décédé (ou 60 % du montant de celle à laquelle il pouvait prétendre). **Les orphelins** de père et de mère bénéficient d'une réversion de 30 % des points acquis par le cadre décédé, jusqu'à 21 ans ou au-delà s'ils sont invalides. **Les ex-conjoints divorcés non remariés** peuvent bénéficier d'allocations de réversion uniquement si le décès du participant est intervenu postérieurement au 30-6-1980. Elles sont calculées sur la base de 60 % des points acquis par le cadre pendant la durée du mariage.

■ **Age moyen des prises de retraite.** Art. 4 et 4 bis. Cadre ayant effectivement cotisé : *1950 :* 68 ans 5 mois. *60 :* 66 ans 2 mois. *88 :* 62 ans 10 mois. *90 :* 62 ans 5 mois. *91 :* 62 ans 4 mois.

■ **Régimes facultatifs de prévoyance. Assurances facultatives :** *complément du capital décès souscrit par l'entreprise :* assurance complémentaire des frais de maladie, hospitalisation, etc. ; *assurance du risque invalidité ; rente éducation* (en cas de décès du bénéficiaire pour ses enfants à charge).

■ **Plan d'épargne retraite (PER).** Pour tout contribuable, à partir du 1-1-1989. Versements max. 6 000 F/an (pers. seule), 12 000 F/an (couple) (+ 3 000 F/an pour pers. avec au moins 3 enfants à charge). Les sommes doivent être investies en valeurs mobilières (actions, obligations, Sicav) ou en contrats d'assurance vie. Intérêts et plus-value exonérés d'impôt. En fin de plan, le titulaire choisit entre le versement du capital ou d'une rente.

■ **Statistiques. En 1990,** un cadre à la retraite a touché en moyenne 76 % de son dernier salaire net soit 66 % du salaire brut. Le montant moyen de cette retraite était de 165 000 F soit 13 750 F par mois.

% du salaire perçu par les cadres à la retraite (par tranche de salaire, en milliers de F) – *de 12 :* 82, *12 à 14 :* 73, *14 à 16 :* 71, *16 à 20 :* 68,5, *20 à 25 :* 65, *25 à 34 :* 62,5, *+ de 34 :* 58.

Association générale des institutions de retraite des cadres (Agirc). 4, rue Leroux, 75116 Paris. 55 caisses professionnelles et interprofessionnelles. *Au 31-12-1990 :* cotisants 2 634 130, allocataires 1 103 249. **Déficit technique** (milliards de F) : *1992 :* 0,839 (cotisations + 1,7 %, allocations + 6,9 %). *1993 :* – 5. – 7,5 à – 9,5. *94 :*

■ Régimes spéciaux

Origine. Contrairement aux objectifs des ordonnances de 1945 et de la loi de mai 1946, qui prévoyaient l'institution d'une assurance vieillesse unique pour tous les Français, l'État a accepté le maintien ou la création de régimes spéciaux sous la pression des catégories intéressées : mineurs, cheminots, fonctionnaires (qui bénéficiaient d'une assurance vieillesse privilégiée depuis 1890), marins de commerce (qui en avaient une depuis 1668). Leurs institutions furent maintenues « à titre provisoire ». En 1971, l'État a versé 4 383 millions de F pour équilibrer les régimes spéciaux de retraite alors que le régime général ne recevait aucune aide de l'État et participait au financement de la plupart de ces régimes spéciaux. La caisse de retraite des clercs et employés de notaires a même versé plus qu'elle n'a reçu.

■ **Les régimes spéciaux intéressent :** Administrations, services, offices, établissements publics de l'État ; départements et communes ; établ. publics départ., communaux n'ayant pas le caractère industriel et commercial ; activités entraînant l'affiliation au régime d'ass. des marins ; entreprises minières et assim. ; SNCF ; chemins de fer secondaires, locaux, tramways ; expl. de prod. de transport et de distrib. d'énergie électr. et de gaz ; Banque de France ; Opéra, Opéra-Comique et Comédie-Française.

■ **Fonction publique.** *Bénéficiaires :* fonctionnaires civils soumis au statut de la fonction publique, magistrats de l'ordre judiciaire, militaires (tous grades). *Cotisation :* 6 % du traitement. *Droit à pension :* acquis après 15 ans de services (sans condition de durée en cas d'invalidité) ; à – de 15 ans, le fonct. est rétabli dans la situation qui aurait été sienne en cas d'affiliation au régime général de SS. *Entrée en jouissance :* 60 ans (50-55 a. dans certains cas). *Taux :* nombre déterminé d'annuités liquidables, chacune donnant droit à une allocation égale à 2 % des émoluments de base. *Minimum :* traitement brut à l'indice 100 pour 25 a. de service. *Max. :* 37,5 annuités (40 si bonification) ; *majoration :* si le titulaire a élevé 3 enfants ou +.

■ **Industries électriques et gazières.** *Bénéficiaires :* agents ayant 25 a. de services, à partir de 55 a. dans les services actifs et insalubres, à partir de 60 a. dans les services sédentaires. *Calcul de la pension :* 2 % du traitement par annuité.

■ **Mines.** *Bénéficiaires :* mineurs de 55 a. ; l'âge d'ouverture du droit à pension, sans pouvoir être inf. à 50 ans, est abaissé d'un an par tranche de 4 ans de service au fond pour les trav. ayant au – 30 ans d'affiliation. *Pension normale :* pour l'affilié justifiant de 120 trim. de travail à la mine. *Montant :* fixé par texte réglementaire.

■ **Marins du commerce, de pêche et de plaisance.** *Types de pensions d'ancienneté :* dès 50 ans, si l'affilié justifie d'au moins 25 ans de services. Annuités limitées à 25, quel que soit le nombre réel. Pension suspendue en cas de reprise d'activité avant 55 ans. En cas de liquidation différée à 55 ans, rémunération de toutes les annuités dans la limite de 37,5 ; proportionnelle : à partir de 55 ans, si l'affilié justifie d'au moins 15 ans de services ; spéciale : de « carrière courte » à partir d'un trim. révolu de cotisations. Liquidable à partir de l'entrée en jouissance d'une pension acquise au titre d'un autre régime sans que l'entrée en jouissance de la pension spéciale puisse être antérieure à 55 ans. À défaut, à 60 ans. *Calcul des pensions :* sur la base d'un salaire forfaitaire. Valeur annuité : 2 %.

■ **SNCF.** *Bénéficiaires :* agents ayant 25 a. de service valable et 55 ans d'âge (50 ans pour certaines catégories de cheminots). Pension calculée par année de services, à raison de 1/50 de la rémunération de base.

■ Régime agricole

■ **Salariés. Prestations :** comme régime général, sauf pour détermination des périodes d'assurances valables : 1 trimestre est décompté pour tout versement de cotisations correspondant à 50 jours.

■ Régime des professions indépendantes

Professions libérales, industriels, commerçants et artisans ont créé en 1948 des Caisses de retraite autonomes.

■ **Régime légal d'assurance vieillesse des artisans.** *Régime obligatoire pour les artisans et leurs aides familiaux :* autonome, fonctionnant en répartition, géré par la Cancava. Depuis 1973 (loi du 3-7-1972) taux de cotisation et modes de calcul alignés sur ceux du régime vieillesse des salariés pour les périodes postérieures à 1972 (pour les périodes antérieures, fonctionnement par points).

Régime de base : cotisations calculées sur le revenu professionnel de l'assuré de l'avant-dernière année, dans la limite du plafond de la SS en vigueur au moment du versement. Taux 16,16 % au 1-1-1991, 16,35 au 1-1-93. Plafond (au 1-1-1993) 148 320 F. Cotisations (1er semestre 1993) : mini. 557 F ; maxi. 12 125F. Dispense provisoire si interruption d'activité pendant au moins 90 j consécutifs.

Régime complémentaire obligatoire pour les ressortissants du régime des professions artisanales : retraite complémentaire au taux plein dès 60 ans à partir du 1-7-1984. Taux des cotisations : 4,50 % (1er semestre 93 : maxi. 10 012 F, mini. 153). Plafond 444 960 F. Détermination de la retraite complémentaire : valeur du point de retraite (au 1-1-1992) 1,674 F.

Régime obligatoire d'assurance invalidité-décès : garantit des pensions définitives ou temporaires aux artisans invalides, le versement de capitaux aux ayants droit de l'artisan en activité ou retraité ainsi qu'aux orphelins. Cotisation : 1,65 % du revenu professionnel (dep. 1-1-1989). 1er semestre 1993 : mini. 247 F, maxi. 1 224 F.

Régime facultatif de retraite : assurance individuelle des artisans en retraite (créée 1987) : retraite complémentaire facultative gérée en capitalisation.

Le régime des artisans peut attribuer une indemnité de départ et finance différentes formes d'aide au maintien à domicile des artisans âgés et à leur hébergement en maison de retraite.

■ **Régime légal d'assurance vieillesse des commerçants.** Géré par l'Organic. Créé en 1948. Regroupe 1,5 million de travailleurs indépendants du commerce et de l'industrie. Gère à titre obligatoire 3 couvertures et 1 ass. complémentaire facultative. *Régime de base.* Cotisations basées sur revenu prof. (taux 16,35 %) permettent d'acquérir une retraite à 60 ans calculée comme celle des salariés. Pour les cotisations versées avant 1973, retraite calculée en points. *Régime des conjoints :* cotisation (taux 0,5 % jusqu'à 50 440 F de revenu et 1,82 % entre 50 440 et 151 320 F) permet d'obtenir à 65 ans une majoration pour conjoint coexistant égale à 50 % de la retraite de l'assuré et une pension de réversion de 75 %. Le versement intégral de ce complément peut être limité si le conjoint dispose lui-même d'une pension personnelle. *Régime invalidité-décès :* cotisation annuelle 676 F. *Régime complémentaire :* l'Organic peut attribuer aux commerçants à faibles revenus une indemnité de départ à partir de 60 ans. Il finance différentes formes d'aide au maintien à domicile des commerçants âgés et à leur hébergement en maison de retraite.

Assurance vieillesse

■ **Artisans, industriels et commerçants. Assiette :** revenus professionnels non salariés, non agricoles, retenus pour l'assiette de l'impôt sur le revenu mais dans la limite du plafond des cotisations de SS (151 320 F au 1-7-1993). Pour les titulaires d'une pension, rente ou allocation qui exercent une activité non salariée, l'abattement de 10 000 F prévu sur l'assiette des cotisations est supprimé pour les pensions liquidées après le 30-6-84 ; de même que l'exonération des revenus d'activité inférieurs à 11 000 F. **Taux :** 16,35 % au 1-1-93. **Cotisation minimale :** calculée sur 200 fois le Smic en vigueur. Au 1-1993 : 34,06 × 200.

Droits acquis. 1°) Avant 1973 : *retraites calculées en points :* nombre de points acquis par cotisation (variable selon la classe de cotisation choisie) ou attribués gratuitement (reconstitution de carrière, période avant 1949). Pension de réversion pour conjoint survivant. *Valeurs du point de retraite :* régime « artisans » (au 1-1-92) 42,13 F, « industriels et commerçants » (au 1-1-93) 60,04 F. Ces points sont revalorisés au 1-1 et au 1-7. **2°) Depuis 1973 :** *pension de vieillesse :* calculée comme dans le régime général, sur la base du revenu annuel moyen correspondant à l'ensemble des cotisations versées depuis 1973 (à partir de 1983 : les 10 meilleures années depuis 1973) ; même revalorisation annuelle que dans le régime général. Droit éventuel, comme dans le régime général, à : pension pour inaptitude, pension de réversion, majoration pour enfants, allocation supplémentaire du FNS, Avtns.

Allocation minimale : devenue « alloc. aux vieux travailleurs non salariés » (Avtns), égale à l'Avts.

■ **Professions libérales. Allocations vieillesse : cotisation forfaitaire annuelle** (en F, 1993) : agents généraux d'assurance 11 600. Architectes, ingénieurs, techniciens, experts et conseils 10 000. Auxiliaires médicaux 7 288. Chirurgiens-dentistes 10 000. Experts-comptables, comptables agréés, commissaires aux comptes 10 200. Géomètres, experts agricoles et fonciers 11 398. Médecins 9 400. Musiciens, professeurs de musique, artistes, auteurs 8 800. Notaires 12 200. Officiers ministériels, officiers publics et des compagnies judiciaires 11 000. Pharmaciens 10 000. Sages-femmes 9 920. Vétérinaires 10 600. Réduction selon revenu net imposable de 1990 : de 3/4 si revenu ⩽ 46 000 ; de 1/2 si revenu ⩽ 77 500 ; de 1/4 si revenu ⩽ 108 500 F. Cotisation proportionnelle au revenu libéral de 1,4 %, plafonné à 5 fois le plafond de la SS. **Allocation minimale :** mêmes taux et plafonds que l'Avts.

Nota. – Les professions libérales sont aussi assujetties, obligatoirement, à des régimes complémentaires de retraite et de prévoyance.

■ **Allocation vieillesse aux mères de famille.** Mêmes taux et plafond que l'Avts.

■ **Nombre de bénéficiares** (vieillesse, 1990). **Salariés et assimilés.** *Sal. agricoles* 1 738 710. *Fonctionnaires civils et milit.* 1 585 368. *Fonds spécial des pensions des ouvriers des établ. industriels de l'Etat (Fspoeie)* 107 989. *Caisse autonome nat. de Séc. soc. dans les mines (Oanssm),* actifs, chômeurs, préretraités 44 985. *Edf-Gdf* 132 804. *Sncf* 364 100. *Établissements nat. des Invalides de la marine (Enim)* 115 376. *Caisse autonome mutuelle de retraite des chemins de fer d'intérêt local (Camr)* 27 919. *Caisse de retraite et de prévoyance des clercs et employés de notaires (Crpcen)* 26 358. *Banque de France* 13 916. *Assoc. Générale des institutions de retraite des cadres (Agirc)* 1 041 000. *Assoc. des régimes de retraite complémentaire (Arrco)* 7 289 000. *Institution de retraite complémentaire des agents non titulaires de l'État et des collect. publiques (Ircantec)* 147 000. *Caisse de prévoyance du personnel des organismes sociaux et similaires (Cpposs),* retraités, orphelins et invalides 74 824.

Régime des non-salariés. *Exploitants agricoles (Bapsa)* 1 196 300. *Caisse de compensation de l'organisation autonome nat. de l'industrie et du commerce (Organic)* 867 040. *Caisse autonome nat. de compensation de l'ass. vieillesse artisanale (Cancava)* 577 944. *Caisse Nat. Autonome d'ass. vieillesse des prof. libérales (Cnavpl)* 124 436. *Caisse nat. des barreaux français (Cnbf)* 5 559. *Fonds spécial d'alloc. vieillesse* 89 000.

■ **Comptes des différents régimes** (1992 en milliards de F). **Ressources** (dont cotisations) **et,** en italique, **emplois** (dont prestations). **Solde :** *Organic* 17,4 (8,4) *18,3 (17,4),* – 1. *Cancava* 15,9 (9,7) *14,2 (13,4),* 1. *Cnapvl* 15,5 (13,9), *13,5 (11,1),* 2. *Cnbf* 0,7 (0,5) *0,6 (0,5),* 0,1. *Fsav* 5,3 (3,6) *5,3 (2,9),* 0.

■ Préretraite

■ **Préretraite.** *Peuvent en bénéficier :* les salariés licenciés pour motif économique. *Conditions :* leur entreprise doit avoir passé une convention du FNE (Fonds national de l'emploi) avec l'État, avoir au moins 56 ans et 2 mois (exceptionnel : 55 ans), avoir appartenu pendant 10 ans au moins à un ou plusieurs régimes de SS, justifier d'au moins 6 mois d'appartenance à l'entreprise à la date du licenciement, ne pas être chômeur saisonnier, ne pas être en mesure de bénéficier d'une pension de vieillesse pour inaptitude au travail et ne pas demander la liquidation de sa retraite. *Montant :* 65 % du dernier salaire dans la limite du plafond SS, 50 % au-dessus (cette somme ne peut être cumulée avec une autre rente vieillesse). Revalorisée 2 fois par an en janv. et en juillet. *Maximum :* on ne tient pas compte de la partie du salaire dépassant 4 fois le salaire mensuel plafond de la SS. Certaines catégories de personnes ayant démissionné avant l'entrée en vigueur des nouveaux taux continuent à bénéficier du taux à 70 %. *Durée :* jusqu'à l'âge où l'on peut obtenir une retraite à taux plein, donc où l'on totalise 37,5 ans de cotisations et, au plus tard, jusqu'à 65 ans.

Décès de l'allocataire : son conjoint reçoit une somme égale à 8 mois d'allocation + 3 mois pour chaque enfant à charge.

■ **Préretraite progressive.** *Peuvent en bénéficier :* les salariés qui acceptent que leur emploi à plein temps soit transformé en emploi à mi-temps. *Conditions :* avoir + de 55 ans, avoir cotisé au moins 10 ans à la Séc. soc., avoir été employé au moins 6 mois dans l'entreprise, être âgé de – de 65 ans (60 ans si 150 trimestres de cotisation à l'assurance vieillesse), ne pas faire liquider sa retraite, que l'entreprise ait signé un contrat de solidarité de préretraite progressive avec l'État. *Montant :* 30 % du salaire de référence calculé sur les 12 derniers mois de travail.

■ **Mesures spéciales en faveur des personnes âgées :** réduction sur transports en commun [SNCF, avion, région parisienne (anciens combattants ou veuves de guerre 14-18)] ; installation du téléphone en priorité ; réduction dans certains musées et salles de cinéma. *Démunies de ressources :* aide en argent (minimum vieillesse), gratuité sur certains transports en commun, allocation logement ; en cas d'expulsion : le droit à être relogé dans des conditions similaires, prime de déménagement ; installation gratuite du téléphone ; exonération : de la redevance TV, des impôts locaux (taxe foncière et d'habitation), de la cotisation Sécurité sociale des employés de maison.

■ **Adresses utiles. Gérontoscope** (guide pratique d'adresses pour les problèmes du 3e âge) 68, rue de Miromesnil, 75008 Paris. **Fondation nat. de gérontologie** 49, rue de Mirabeau, 75116 Paris. **Centre de liaison, d'étude, d'information et de recherche sur les problèmes des personnes âgées (Cleirpa)** 15, rue Châteaubriand, 75008 Paris. **Institut national de recherche sur la prévention du vieillissement cérébral (INRPVC)** hôpital de Bicêtre, 78, rue du Général-Leclerc, 94270 Le Kremlin-Bicêtre. **Observatoire de l'âge** 1 bis, rue Henri-Rochefort, 75017 Paris.

SYNDICATS

☞ Selon la CISL, de janv. 1990 à mars 1991, 264 syndicalistes ont été assassinés (dont Colombie 138, Afr. du S. 25), et 2 422 arrêtés dans le monde pour avoir tenté de promouvoir les intérêts des travailleurs.

Données générales

■ **Définition.** Association de personnes exerçant la même profession, ou des métiers similaires ou connexes, ou des métiers différents dans une même branche d'activité, et qui a exclusivement pour objet l'étude et la défense des droits et des intérêts matériels et moraux, collectifs ou individuels de l'ensemble de ses membres. Le syndicat peut être d'entreprise ou local.

■ **Droit syndical. Adhésion :** le préambule de la Constitution de 1946, repris par celle du 4-10-1958, proclame : « Tout homme peut défendre ses droits et intérêts par l'action syndicale, adhérer au syndicat de son choix. » Nul n'est tenu d'adhérer à un synd. (ce ne fut obligatoire que durant la période d'application de la Charte du travail, de 1941 à 1944, les syndicats étant alors sous la tutelle de l'État). Un syndiqué peut se retirer du syndicat à tout instant nonobstant toute clause contraire, sans préjudice du droit, pour le syndicat, de réclamer la cotisation afférente aux 6 mois suivant le retrait. Celui qui se retire conserve le droit d'être membre des Stés de secours mutuel et de retraite pour la vieillesse à l'actif desquelles il a contribué par des cotisations ou versements de fonds.

Employeur : *il ne peut prendre en considération l'appartenance à un syndicat* ou l'exercice d'une activité synd. pour arrêter ses décisions (ex. : pour embauchage, conduite et répartition du travail, formation professionnelle, avancement, rémunération et octroi d'avantages sociaux, mesures de discipline et de congédiement). Le chef d'entreprise ou ses représentants ne doivent exercer aucune pression pour ou contre une organisation synd.

Exercice du droit syndical : reconnu dans toutes les entreprises. Dans celles d'au moins 50 salariés, les sections syndicales bénéficient d'avantages matériels. Un crédit global est alloué à la section : 10 h/an (entr. d'au – 500 salariés), 15 h/an (au – 1 000).

Toute personne se réclamant de la section peut : collecter librement les cotisations synd. dans l'entreprise pendant le temps et sur les lieux de travail, afficher librement les communications synd. sur lesquelles l'employeur ne dispose d'aucun droit de contrôle ni de censure préalable, diffuser tracts et publications dans l'entreprise aux heures d'entrée et de sortie du travail, inviter dans le local synd. des personnalités extérieures sans autorisation préalable de l'employeur s'il s'agit de personnalités synd.

Toute entrave *apportée intentionnellement* à l'exercice du droit synd., à la constitution des sections synd., à la libre désignation des délégués synd. est punie d'une amende de 2 000 à 20 000 F, et d'un emprisonnement de 2 mois à 1 an.

Des conventions collectives, des accords d'entreprise ou des accords particuliers peuvent comporter des clauses plus favorables que la loi.

Réunion des adhérents de chaque section. 1 fois par mois dans l'enceinte de l'entreprise en dehors des heures et locaux de travail (modalités à fixer par accord avec l'employeur). Dans les entreprises de + de 200 salariés, un local commun doit être mis à la disposition des sections ; dans celles de + de 1 000 sal., chacune a droit à son local. Les modalités d'aménagement et d'utilisation du local sont à fixer avec l'employeur.

☞ **Affichage des communications syndicales.** Libre sur des panneaux propres à chaque section (modalités à fixer par accord avec l'employeur) et distincts de ceux affectés aux délégués du personnel et au comité d'entreprise. Un exemplaire doit être communiqué simultanément à l'employeur. **Publications et tracts syndic.** Libre distribution dans l'entreprise aux heures d'entrée et de sortie du travail.

■ **Politique.** La loi du 28-10-1982 autorise le débat politique au sein des entreprises : le contenu des publications et tracts synd. diffusés dans l'entreprise est librement déterminé par l'organisation synd. représentative, sous la seule réserve des dispositions relatives à la presse ; des personnalités extérieures à l'entr., synd. ou non, peuvent être invitées dans l'entr. par les sections synd. ou le comité d'entr. (l'accord du chef d'entr. n'est requis que pour les personnes non synd. pour les réunions hors du local synd. ou du comité d'entreprise) ; comité d'entr. peut organiser dans son local des réunions d'informations internes au personnel sur des problèmes d'actualité, c.-à-d., le cas échéant, sans lien avec les problèmes spécifiques de l'entr. ; il s'occupe d'œuvres sociales et aussi d'activités culturelles.

■ **Cotisations syndicales.** Réduction d'impôts possible (30 % du montant de ces cotisations versées aux syndicats représentatifs, dans la limite de 1 % du revenu brut).

Représentativité syndicale

■ **Salariés.** Tout syndicat affilié à une centrale syndicale représentative sur le plan national (CGT, CGT-FO, CFDT, CFTC et CGC) est, de plein droit, considéré comme représentatif dans l'entreprise, quel que soit le nombre de ses adhérents ou le nombre de ses sympathisants dans l'entreprise. Ces centrales peuvent constituer une section synd. commune à toutes les catégories de personnel, quelle que soit la taille de l'entr., désigner un (ou plusieurs) représentant synd. au comité d'entreprise, même si elles n'y ont aucun élu, désigner les candidats du 1er tour, désigner les membres du comité de groupe. Pour accéder à ce droit, les autres synd. doivent faire la preuve de leur représentativité dans l'entreprise en répondant à 5 critères (repris par la loi du 13-11-1982) : effectifs (nombre d'adhérents), indépendance (vis-à-vis de l'employeur), cotisations (importance et régularité de leurs versements), expérience et ancienneté, attitude patriotique pendant l'Occupation. La jurisprudence a dégagé 2 autres critères : activité et influence réelle du syndicat.

■ **Employeurs.** CNPF (Conseil national du Patronat français), CGPME (Conféd. générales des petites et moyennes entreprises) et organisations représentant les artisans (CNAM et CAPEB, SNPM).

■ **Pouvoirs.** Seuls les synd. reconnus comme représentatifs peuvent signer les conventions de caractère national et interprofessionnel. Ils sont consultés lors de l'élaboration du Plan, représentés au Conseil économique et social, à la Commission supérieure des conventions collectives, aux prud'hommes. Ils ont seuls le droit de présenter des candidats au 1er tour des élections professionnelles.

■ **Ressources.** *Cotisations* des membres (taux fixé par les statuts ou l'assemblée générale). L'employeur n'a pas le droit de prélever les cotisations synd. sur les salaires de son personnel et de les payer à la place de celui-ci. *Soutiens* divers (dons de l'État).

Délégué syndical

■ **Statut.** Représentant désigné d'un syndicat auprès du chef d'entreprise. Il peut discuter et signer les accords avec celui-ci. Ses fonctions ne peuvent se substituer à celles des délégués du personnel ou membres de comités d'entreprise. Doit avoir 18 ans accomplis, n'avoir encouru aucune condamnation privative du droit de vote politique, travailler dans l'entreprise depuis 1 an au moins (4 mois en cas de création d'entreprise ou ouverture d'établissement). Dans les entreprises de – de 50 salariés, un délégué du personnel peut faire fonction de dél. synd. Dans celles de – de 300 sal., le dél. synd. est de droit représentant synd. au comité d'entreprise ; il peut être également membre de ce comité, à condition de renoncer à sa fonction de représentant synd. **Protection particulière :** le dél. synd. ne peut être licencié qu'après avis conforme de l'inspecteur du travail. Sa mise à pied immédiate peut être prononcée provisoirement en cas de faute grave, mais sous peine de nullité elle doit être motivée et notifiée à l'inspecteur dans les 48 h de prise d'effet. Si l'inspecteur refuse le licenciement, la mise à pied et ses effets sont annulés. La même procédure est applicable au licenciement d'un dél. ayant exercé pendant 1 an, 1 an après sa cessation de fonction. En cas d'annulation de l'autorisation administrative de licenciement, le dél. peut réintégrer l'entreprise s'il le désire. **Conditions pour être éligible :** avoir 21 ans au moins et 1 an d'ancienneté, et n'avoir encouru aucune condamnation entraînant la privation du droit de vote. Peut être étranger.

☞ Représentants syndicaux aux CE et aux CCE sont pris parmi les délégués synd. et cumulent les 2 fonctions. Le nombre de dél. synd. que chaque synd. peut désigner en fonction de l'effectif doit faire l'objet d'un décret. Le synd. peut désigner un dél. synd. supplémentaire au collège, s'il a au moins 1 élu dans ce collège.

■ **Statistiques. Nombre de délégués** *par section syndicale :* 1 de 50 à 1 000 salariés, 2 de 1 001 à 3 000, 3 de 3 001 à 6 000, 4 au-delà. **Nombre de délégués syndicaux en 1989 :** 41 460 dont CGT 11 930, CFDT 10 200, CGT-FO 7 674, CFE-CGC 5 625, CFTC 3 124, autres 2 907. **Temps de fonction rémunérée** *par délégué :* min. 10 h par mois pour les entreprises de 50 à 150 sal., 15 h pour 151 à 500 sal. Au moins 20 h pour + de 500 sal. (art. L 412-20).

Salariés protégés. Nombre total : 2 millions de mandats (17 % de la pop. active des salariés de l'ind. et du commerce) dont 1 672 950 sal. dont le licenciement ne peut intervenir qu'avec l'autorisation de l'inspecteur du travail, + anciens représentants synd. (6 mois), anciens candidats aux fonctions de représentation élective du personnel (dél. du personnel 6 mois et membre de comité d'entreprise 3 mois), anciens délégués synd. (12 mois après cessation des fonctions), les administrateurs et anciens admin. salariés des organismes de S.sociale et candidats à ces fonctions (3 mois), conseillers prud'hommes (et anciens conseillers) (6 mois).

Statistiques

■ **Dans le monde. Taux de syndicalisation en 1991** (en %) : Suède 85, Finlande 85 [1], Islande 75 à 80 [2, 1], Danemark 73,2, Autriche 60 [1], Norvège 55, Belgique 53, Irlande 52,4, Luxembourg 49,7, Australie 43 [3], G.-B. 41,5, N.-Zélande 40 à 50 [3], Italie 39,6, Canada, Suisse 30 à 40 [2, 1], All. 33,8, Grèce, Portugal 30, Japon 26, P.-Bas 25, Turquie 25 [1], USA 19, Esp. 16, *France 12,* Inde 9 [3].

Nota. – (1) 1988. (2) Varie selon la définition utilisée. (3) 1982-85.

■ **En France. Taux en 1989 et,** entre parenthèses, **en 1981 :** *salariés et non-salariés :* actifs et retraités 11 (20), actifs 14 (28), secteur public 26 (24), privé 8 (18). *Hommes* 15 (29). *Femmes* 7 (11). *25-34 ans* 11 (21), *35-39 a.* 19 (27). *Actifs :* agriculteurs 40 (48), commerçants, artisans, industriels 31 (38), cadres et professions intellectuelles 23 (36), professions intermédiaires 23 (36), employés 7 (22), ouvriers 12 (25). *Proches du* PC 24 (34), PS 12 (23), UDF 12 (16), RPR 9 (19).

Taux de syndicalisation en 1990 (en %) : *entreprises de 10 à 40 salariés :* 6,7 ; *50 à 99 s. :* 12 ; *100 à 499 s. :* 8,2 ; *500 s. et + :* 8,1 ; *moyenne* 8,2.

Effectifs des syndicats : effectifs déclarés (en milliers) et, entre parenthèses, estimés. *Source :* Notes et conjonctures sociales. CFDT 558 (400/500). CFTC 250[1] (100/120). CFE-CGC 264 (80/100). CGT 1 021 (500/600). FEN 375[1] (300/350). FO 910 (350/450). Autres (50/100). Total (1 780/2 230).

Nota. – (1) Adhérents 1990.

Audience aux élections. Voir Comités d'entreprise, délégués du personnel, prud'hommes à l'Index.

Principaux syndicats français

Syndicats ouvriers

■ **CAT (Confédération autonome du travail)** 19, bd de Sébastopol, 75001 Paris. *Issue* d'une scission de la CGT en 1947, confédération en 1953. 15 fédérations. Secteur territorial adhérent à l'Union européenne des communes. **Élections :** 215 000 voix aux él. professionnelles, *élus :* comités d'établissement et délégations 5 700, fonction publique et agents territoriaux 2 900. **Secr. gén. :** Jean Fraleux (22-6-1933). **Cotisants :** *1970 :* 34 000 ; *76 :* 76 800 ; *91 :* 48 200 ; *92 :* 31 200. **Budget total** (fédéral et confédéral) : 1 920 000 F. **Publications :** l'Écho. des fonctionnaires (1953, mens.) 8 000 ex., l'Écho de la fonction publique (1962, mens.) 25 000 ex., l'Élu et délégué autonome (1973, mens.) 8 000 ex., l'Autonome confédérale (1975, trim.) 1 500 ex.

■ **CFDT (Confédération française démocratique du travail)** 4, bd de la Villette, 75955 Paris Cedex 19. *Issue* de la CFTC en 1964. **Secr. gén. :** *1964* Eugène Descamps (17-3-22, secr. CFTC dep. 1961). *1971* Edmond Maire (24-1-31). *1989* Jean Kaspar (10-5-41). *1992* (20-10) Nicole Notat (26-7-47). Affiliée à la CES et à la CISL. **Adhérents** *(au 31-12) : 1965 :* 681 100 ; *71 :* 917 955 ; *76 :* 1 077 731 ; *80 :* 963 220 ; *81 :* 949 350 ; *82 :* 958 990 ; *83 :* 885 671 (+ 81 500 retraités) ; *84 :* 740 940. *Cotisants réguliers (au 31-12). 77:* 828 516 ; *81:* 730 270 ; *82:* 737 700 ; *83:* 681 300 ; *90:* 558 449 ; *91 (juin):* 558 000 ; *92:* 571 000 (ensemble des timbres divisé par 8). **Militants :** 150 000 (19 000 dél. et représentants syndicaux, 60 000 dél. du personnel, 34 000 dél. au comité d'entreprise, 10 000 dél. de CHS, env. 15 000 élus dans la fonction publique, les représentants dans les institutions, les permanents et militants sans mandat dans les commissions de CE). **Budget** (1989) : *ressources en %. Fonctionnement :* part confédérale de la cotisation 70, reversements des membres (17 sièges alloués) du Conseil économique et social (CES) 14, dotations (émoluments des conseillers techniques et des membres de conseils d'admin. des organismes paritaires ou nationalisés) et recettes diverses (intérêts des placements, dons, vente de documents : agenda CFDT, etc.) 15,7. **Ressources extérieures :** *ministère du Travail :* formation des travailleurs appelés à exercer des responsabilités synd. ; des conseillers prud'hommes (4 035 000 F) ; *INFFO (ex. CNIPE) :* formation et information économique des travailleurs (2 360 000 F) ; *convention au titre de la formation professionnelle permanente* (4 325 000 F). En 1989, la cotisation représentait au minimum 0,75 % du salaire mensuel. **Publications :** Syndicalisme CFDT (hebdo) 35 000 ab., CFDT Magazine (mens.), 330 000 ab., CFDT Aujourd'hui (4 parutions/an) 4 000 ab., Action juridique (bimens.) 4 000 ab.

■ **CFTC (Confédération française des travailleurs chrétiens)** 13, rue des Écluses-St-Martin, 75483 Paris Cedex 10. **Histoire :** *fondée* 1er et 2-11-1919. (Les 1ers synd. d'inspiration chrétienne remontent à 1887 : SECI : Synd. des employés du commerce et de l'ind.). *1920* adhère à la CISC devenue en 1968 CMT. *1964* abandonne la référence statutaire à la morale sociale chrét. et crée la CFDT. Néanmoins, la CFTC continue et un arrêt du Conseil d'État (avril 1970) a confirmé son caractère représentatif au niveau national. *1990-sept.* adhère à la CES. **Spécificité :** synd. non confessionnel et indépendant du pouvoir politique ou religieux, s'inspire des principes de la morale sociale chrétienne : dignité et responsabilité de chaque être humain, défense des droits, à la vie, au travail, à la propriété, à la liberté, à la vérité et devoirs correspondants. Rejette théories marxistes de lutte de classes et aspects totalitaires du libéralisme ; entend développer la force contractuelle, considère la grève comme ultime moyen de défense, préconise la médiation en cas de conflit du travail, refuse toute confusion entre responsabilités politiques et synd., défend politique familiale et participation. **Pts :** *1919-40* Jules Zirnheld (1876-1940) ; *45* Georges Torcq ; *48* Gaston Tessier (1887-1967) ; *53* Maurice Bouladoux (1907-77) ; *61* Georges Levard (24-3-12) ; *64* Joseph Sauty (1906-70) ; *70* Jacques Tessier (23-5-11) ; *81* Jean Bornard (4-6-28) ; *90* Guy Drilleaud (2-5-33). **Secr. gén. :** *1919* Gaston Tessier ; *44* Gaston Tessier ; *48* Maurice Bouladoux ; *53* Georges Levard ; *61* Eugène Descamps (17-3-22) ; *64* Jacques Tessier ; *70* Jean Bornard ; *81* Guy Drilleaud ; *90* Alain Deleu (22-6-46). **Publications :** *Mensuels :* La Vie à Défendre (230 000 ex.). Questions Économiques et Sociales (8 000 ex.). Informations confédérales (12 000 ex.). *Hebdo :* La Lettre confédérale (8 000 ex.). **Organisations affiliées :** 2 142 synd., 80 synd. nationaux, 2 410 sections synd., 101 unions départementales, 25 régionales, 266 locales, 30 fédérations, 1 union nationale des ingénieurs cadres et assimilés, 1 des retraités et pensionnés (public. France Retraités Syndicalisme, 60 000 ex.). Est membre cofondateur de l'Orgeco. *Présence :* plus de 250 permanences d'accueil en Fr. et dans les DOM. Minitel : 3614 CFTC. **Adhérents** (milliers) : *1965 :* 50 ; *70 :* 160 ; *86 :* 260 ; *90 :* 250 (dont actifs 192, retraités 58).

■ **CGT (Confédération générale du travail).** 263, rue de Paris, 93100 Montreuil. **Histoire :** *1895* 23/24-9 Congrès de Limoges. 75 délégués (dont 3 femmes corsetières en grève), représentant 28 fédérations, 18 Bourses du travail, 126 syndicats non fédérés, créent une organisation unitaire et collective. Peuvent se confédérer directement syndicats de base, unions et fédérations. Les socialistes non guesdistes, Jean Allemane, Édouard Vaillant, Auguste Keufer jouent un rôle important. *1896* affiliation directe supprimée pour syndicats de base. *1902* Montpellier, 2e congrès se dote d'une base départementale avec les Bourses, et industrielle avec les fédérations sous l'impulsion de Louis Niel. *1906* 8 au 14-10 après avoir échoué dans la grève générale, se donne comme loi

Le nouveau souffle du syndicalisme

au service des salariés et de leur famille

pour une économie au service de l'homme :

- participation aux résultats et aux décisions
- négociation et contrats de paix sociale
- politique familiale
- liberté scolaire
- solidarité avec les plus faibles en France et dans le monde

L'INFO PLUS
SOYEZ LES PREMIERS A SAVOIR
Code d'accès :
3614 CFTC
(accessible à tous 24 h sur 24)
Le Minitel CFTC au service des salariés

13, rue des Écluses Saint-Martin
75483 PARIS Cedex 10

Tél. (1) 44.52.49.00
Fax (1) 44.52.49.18

(Information)

la charte d'Amiens. *1914* 31-7 se rallie à la défense nationale. *1920* exclut les membres des comités syndicalistes révolutionnaires (CSR) qui ont refusé de s'incliner devant la majorité et qui fondent la CGT-U. *1936* 2 au 5-3 réunification au congrès de Toulouse. *1939* 25-9 la Commission administrative exclut les communistes. *1943* 17-4 réunification, accords du Perreux. *Affiliée* FSM. La CES (Confédération européenne des syndicats) a refusé l'affiliation de la CGT en 1980. **Pts :** *1902 :* Victor Griffuelhes (1874-1922) ; *1909 :* Léon Jouhaux [(1879-1954), *12-7* secr. gén. de la CGT, *1919-45* Vice-Pt de Féd. synd. intern., *1936* seul secr. gén. CGT, *1941* arrêté, *1943 mars* livré aux nazis et déporté, *1948* Vice-Pt de la FSM, *1947-54* Pt du Conseil écon., *1947-19-12* démissionne de la CGT et participe à la création de la CGT-FO, *1948-14-4* Pt de la CGT-FO, *1951* P. Nobel] ; *1967 :* Benoît Frachon [(1893-1975), *1926* membre du Comité du PCF, *1936-45* du bureau politique du PCF, *1936* représente la CGT aux accords Matignon, *1941-44* rôle dans la Résistance, *1944* cosecr. gén. avec Jouhaux, *1947-déc.* seul secr. gén., *1967* Pt]. **Secr. gén. :** *1967* Georges Séguy (16-3-27) ; *1982-juin* Henri Krasucki [(n. 2-9-24 à Wolomin, Pologne), pour fuir les persécutions antisémites, se réfugie à Paris avec ses parents (militants communistes) ; ouvrier, puis résistant, *1943* déporté à Auschwitz puis Buchenwald, *1945* ajusteur chez Renault, *1949* secr. de l'UDCGT, *1956* au Comité central du PCF, *1961* au Bureau confédéral de la CGT, *1964* au Bureau politique du PCF. A dirigé « La Vie ouvrière » 22 ans]. *1992-janv.* Louis Viannet (n. 4-3-1933) ancien agent des PTT.

Commission exécutive (élect. 26/31-1-93) : 119 m. (dont 108 communistes), 21 non communistes (dont 5 socialistes) + 9 m. de la Commission financière et de contrôle participent aux réunions. **Effectifs** (milliers, actifs + retraités) : *officiels : 1946 :* 3 952 ; *48 :* 4 429 ; *51 :* 3 615 ; *59 :* 1 624 ; *62 :* 1 993 ; *68 :* 2 032 ; *70 :* 2 333 ; *75 :* 2 378 ; *77 :* 2 322 (dont 305 retraités) ; *80 :* 1 919 (284) ; *83 :* 1 622 (259) ; *90 :* 856 (202) ; *92 :* 710. Estimation d'Antoine Bevord (*le Monde* 14-4-92) : *1970 :* 1 870 ; *75 :* 1 930 ; *80 :* 1 360 ; *85 :* 880 ; *90 :* 600. *Nombre en milliers en 1992 et, entre parenthèses en 1978 :* métallurgie 70 (370), construction 20 (115), santé 35 (85), chimie 25 (85), cheminots 35 (79), PTT 50 (90), commerce 15 (68), agroalim. 16 (62).

Si presque tous les membres du PC choisissent la CGT, celle-ci est composée en majorité d'adhérents non communistes (les communistes y sont env. 200 000 à 250 000). La CGT a le monopole syndical chez les dockers (sauf à Marseille) et les ouvriers de la presse à Paris.

Publications : La Vie ouvrière (120 000 ex.) (*1981 :* 400 000), Peuple (30 000 ex.). **Budget** (1990, en millions de F) : *Recettes :* 40 dont cotisations 23,44 ; Conseil économique 3,55 ; divers 10,41. *Dettes à long terme :* env. 240.

■ **CGT-FO (Force ouvrière)** 198, av. du Maine, 75014 Paris. *Fondée* 19-12-1947, après scission d'avec la CGT en raison des grèves insurrectionnelles décidées en dehors des instances régulières de la CGT par un comité national de grève composé uniquement de communistes. FO fut aidée par Irving Brown (1911-89), dirigeant de l'American Federation of Labor (AFL). **Pt :** le 1er et le seul Léon Jouhaux (1879-1954). **Secr. gén :** *1947 :* Robert Bothereau (1901-85). *1963 :* André Bergeron (1-1-22). [Le 2-2-89, obtient pour son rapport d'activité 63,5 % des voix ; il avait eu 84,5 % (en 1966) et 98,72 % (en 1984)]. *1989 (4-2) :* Marc Blondel (2-5-1938). **Recettes** (en millions de F) : *1977 :* 22,7 ; *81 :* 41,07 ; *85 :* 67,54 ; *90 :* 104,87 dont cotisations 73,7, autres 31,16 (dont solidarité grévistes 2,52, reversement CES 3,50, subvention CFMS 10,30, CEO 6,98, dotations diverses 6,03, produits de placements 1,83). **Effectifs** (milliers actifs + retraités) : estimation d'A. Bevord (*le Monde* 14-4-92) : *1970 :* 605 ; *76 :* 751 ; *80 :* 673 ; *85 :* 483,5 ; *90 :* 428,5. **Affiliée** CISL et CES.

■ **CSL (Confédération des syndicats libres)** 13, rue Péclet, 75015 Paris. *1977* prend la suite de la CFT [Conféd. française du travail, *fondée* 13-12-1959 après la division, en 1952, en plusieurs tendances de la CGSI (Conféd. générale de synd. indépendants, fondée 1949)]. Souhaite l'instauration, à terme, d'un système de « cogestion à la française » dans les entreprises. **Secr. gén.** Auguste Blanc (8-6-1934). **Adhérents :** 180 000. **Publications :** « CSL Magazine » ; « Profil syndical » (hebdo).

■ **UFT (Union française du travail)** 53, rue Vivienne, 75002 Paris. *Fondée* 1975 par réaction contre la politisation des syndicats. **Secr. gén.** Jacques Simakis (dirigeant des synd. indépendants depuis 1949, secr. confédéral 1952), fondateur et secr. gén. de la CFT de 1959 à 1975. **Objectifs :** structure d'accueil des syndicats indépendants et autonomes, est à l'origine de la participation et des accords d'entreprise. **Adhérents :** *1975 :* 70 000. *78 :* 100 000. *81 :* 150 000. *85 :* 160 000. *87 :* 200 000. *88 :* 250 000 (140 000 cotisants). *92 :* 270 000. **Structure :** 19 unions régionales, 17 fédérations professionnelles. **Budget** (1992, millions de F) : 26,7 (dont cotisations 26,5, subventions 0,2). **Publications :** « Liberté syndicale » (50 000 ex.), « Flash infos » (commerce), « L'Indépendant » (alimentation), « L'Aéropresse » (transports et aviation), « Le Courrier des employés d'immeubles » (gardiens et concierges, 20 000 ex.).

■ **CNSF (Confédération nationale des salariés de France-Fédérations nationales des chauffeurs routiers)** 6, 7, 8, rue d'Isly, 75008 Paris. *Créée* 1949 par Francis de Saulieu (1907-87). **Secr. gén.** Jean-Claude Péchin (18-6-32). Comprend des Féd. nat. des chauffeurs routiers et des Féd. de salariés (une par branche de métier). 9 délégations rég. et 400 unions locales. **Cotisants réguliers :** + de 100 000. Antimarxiste, opposée à la lutte des classes.

■ Syndicat de cadres

■ **CFE-CGC (Conféd. fr. de l'encadrement de la Conféd. gén. des cadres CGC)** 30, rue de Gramont, 75002 Paris. *Fondée* 15-10-1944. Nouvelle dénomination dep. 21-5-1981. Le 1-1-1980 l'Union des cadres et techniciens (UCT) a fusionné avec la CGC. **Pt :** *1956* André Malterre ; *1979* Jean Menu (1921-87) ; *1984* Paul Marchelli (n. 1933). **Secr. gén.** Marc Vilbenoit. **Effectifs** (en milliers) : *1947 :* 100 ; *55 :* 120 ; *70 :* 300 ; *76 :* 398,7 ; *80 :* 349 ; *85 :* 254 ; *90 :* 180 ; *91 :* 181. Les adhésions passent par les féd. professionnelles et les syndicats nat. non fédérés (structurés par secteurs nationaux ou géographiques). Les VRP sont regroupés dans la Féd. synd. nat. de la représentation commerciale (FSNRC). **Budget** (en millions de F, 1991) : 64.

■ Syndicats professionnels

■ **Capeb (Conf. de l'artisanat et des petites entreprises du bâtiment)** 46, av. d'Ivry, BP 353, 75625 Paris Cedex 13. *Créée* 1946, par Marcel Lecœur devenue 1949 FNAB (Féd. nat. des artisans du bâtiment) ; et Capeb en 1963. 105 syndicats départementaux. **Adhérents :** 95 000. **Pt :** Robert Buguet. **Secr. gén. :** Patrick Ferrere. *Publication :* Le Bâtiment artisanal (mensuel, 90 000 ex.). *Minitel :* 3615 Probat (grand public), 3616 Capeb (prof.).

■ **CTI (Confédération des travailleurs intellectuels de France)** 17, r. St-Dominique, 75007 Paris. *Fondée* mars 1920. **Pt :** Maurice Letulle (16-10-1923). **Secr. gén. :** Pierre-Julien Dubost. *Regroupe* 200 organisations. **Adhérents :** 500 000.

■ **FEN (Féd. de l'Éducation nationale)** 48, rue La Bruyère, 75009 Paris. *Fondée* 1928, adhère à la CGT jusqu'en 1948, puis autonome **1992**-*6-10* exclusion du Snes (second degré de 73 000 adhérents), SNEP (éducation physique) 9 000, enseignement technique 18 000, celui des minoritaires de l'ex-SNI-PEGC (30 000 à 40 000 à terme) et des adhérents de plusieurs autres syndicats (professeurs d'IUFM, chercheurs scientifiques, personnels de l'enseignement agr.). Congrès de Perpignan (déc. 1992), nouveaux statuts, dissidence Snep, Snetaa (Syndicat national des enseignants du technique). **1993**-*févr.* participe à la création de l'Union nationale des syndicats autonomes (UNSA) avec FGAT, FAT, FMC, FGSOA ; 40 000 adh. **Secr. gén.** Guy Le Néouannic (27-5-1942). *Regroupe* 43 syndicats. **Adhérents :** *1993 :* 255 000. **Budget :** env. 40 millions de F. **Publication :** « FEN-Actualité l'Enseignement public » (bimens.).

■ **FGAF (Fédération générale autonome des fonctionnaires)** 30, av. de la Résistance, 93100 Montreuil. *Fondée* 1949 après scission avec CGT en 1948. **Secr. gén.** Jean-Pierre Gualezzi (29-7-1946). **Adhérents :** 130 000 dans 24 organisations dont la Féd. autonome de l'Éducation nationale et la Féd. aut. de la Défense nationale affiliées 1990, institut de formation synd. agréé. **Budget :** 1 700 000 F. **Publications :** « Les Échos de la Fonction publique » (1949, bim., 30 000 ex.), « FGAF Infos » (mens.).

■ **FNAP (Fédération nationale autonome de la Police)** 21, square St-Charles, 75012 Paris. *Fondée* 1990. *Regroupe* 6 syndicats majoritaires chez les policiers en civil et les personnels administratifs et techn. **Secr. gén.** Alain Brillet. **Adhérents :** 20 000.

■ **FNAR (Féd. nationale des artisans et petites entreprises en milieu rural)** 31, cité d'Antin, 75009 Paris. *Fondée* 1887. *Regroupe* 75 organisations départementales. **Pt :** Dominique Guérin. **Adhérents :** 4 000. **Publication :** « L'Officiel de l'Artisan rural » (trim.).

■ **FNCAA (Féd. nat. du commerce et de l'artisanat de l'automobile)** Immeuble Axe-Nord, 9-11, av. Michelet, 93583 St-Ouen Cedex. *Créée* 1921. **Adhérents :** 15 000 entreprises. **Pt :** René Rigaud. **Publication :** « FNCAA-Actualités » (mens., 15 000 ex.).

LA FEN
SYNDIQUE

les
personnels
de
l'éducation

mais aussi

les
personnels
de
la culture

mais encore

les
personnels
de
la recherche

c'est
une organisation
syndicale
unitaire

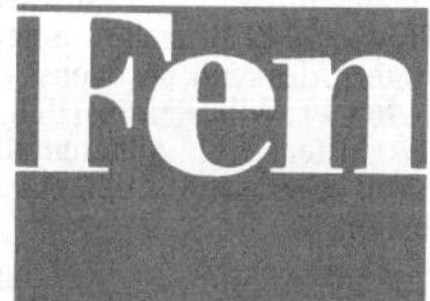

48 RUE LA BRUYERE
75440 PARIS CEDEX 09
téléphone : 42.85.71.01
télex : FENTELX 648 356 F
télécopie : 40.16.05.92

(Information)

■ **FNCRM (Féd. nat. du commerce et de la réparation des cycles et des motocycles)** Immeuble Axe-Nord, 9-11, av. Michelet, 93583 St-Ouen Cedex. **Adhérents :** 4 000 entreprises. **Pt :** Georges Pithioud.

■ **SNIGIC (Synd. ind. des gardiens d'immeubles et concierges)** 53, rue Vivienne, 75002 Paris. *Fondé :* 1960. **Adhérents :** 41 000.

■ Syndicats patronaux

■ **CGAD (Confédération générale de l'alimentation en détail)** 15, rue de Rome, 75008 Paris. *Créée :* 1938 **Pt** Jacques Chesnaud (15-8-1923). **Secr. gén.** Dominique Perrot. *Regroupe* 16 conféd., 85 sections départementales, 500 syndicats départementaux, 200 000 entreprises commerciales et 110 000 artisanales. **Publications :** « Toute l'alimentation » (mensuel) ; « Guide social du Commerçant », « Guide social de l'Artisan » (annuels).

■ **CGPME (Confédération générale des petites et moyennes entreprises)** 10, terrasse Bellini, 92806 Puteaux Cedex. *Créée* oct. 1944 par Léon Gingembre. **Pt :** *1944* Léon Gingembre. *1978* René Bernasconi. *1990* Lucien Rebuffel (10-7-1927). **Secr. gén.** Dominique Barbey (7-11-1933). **Adhérents :** *1991* 135 fédérations rassemblant 80 % des professions de l'industrie, du commerce et des services, et 217 structures départementales ou régionales interprofessionnelles, 1 500 000 entreprises représentées. **Publications :** « La Volonté du commerce, de l'industrie et des prestataires de services » (1946, mensuel), « PMI France », « Flash PME » (mensuel).

■ **CNAMS (Confédération nationale de l'artisanat, des métiers et des services)** 31, cité d'Antin, 75009 Paris. *Créée* 1945. **Pt** Pierre Seassari (17-6-1933). **Secr. gén.** René Dupendant (13-11-1927). **Adhérents :** 100 000 entreprises ; 1 051 syndicats et 30 féd. de métiers. **Publication :** « La Lettre de la CNAMS » (1945, 5 000 ex.).

■ **CNCM (Comité national de liaison et d'action des classes moyennes)** 48, av. Kléber, 75116 Paris. *Créé* 1946 par Roger Millot. **Adhérents :** organisations professionnelles des artisans, de l'agriculture, des cadres, des petites et moyennes entreprises et des prof. libérales **Pt :** Roger Baratte.

■ **CNPF (Conseil national du patronat français)** 31, av. Pierre-Ier-de-Serbie, 75116 Paris. *Créé* 12-6-1946. **Représente** *les entreprises de toutes tailles, de tous secteurs* (industrie, commerce, services) *et statuts* (tout le secteur concurrentiel privé et public) auprès des pouvoirs publics, des syndicats et de l'opinion. Confédération de 85 *organisations prof.* (regroupant les entreprises d'une même profession, regroupées elles-mêmes en 681 chambres syndicales prof.) et *d'unions interprof. territoriales* (rassemblant les entreprises de professions différentes d'un même secteur géographique). Il existe 51 unions patronales locales, 88 départementales et 26 régionales. Au total regroupe plus de 1 million d'entreprises (près de 1 300 000 salariés). **Budget :** 100 millions de F. **Secr. gén. :** Denis Zervudacki (1950).

Histoire. Origine : **1835** *Comité des industriels de l'Est.* **1840** *Union des constructeurs de machines, Comité des intérêts métallurgiques* et *Comité des Houillères.* **1846** fusionnent et constituent l'*Association pour la défense du travail national.* **1864** *Comité des Forges* qui exercera une influence considérable sur tous les milieux industriels jusqu'en 1936. **1901** plusieurs chambres syndicales professionnelles (telles que sidérurgie, fonderie, constructions électrique, navale et mécanique) confient leurs problèmes sociaux à l'UIMMCM (Union des industries métallurgiques, minières et de la construction mécanique). **1919** *Confédération générale de la production française (CGPF)* ; créée à l'initiative du ministre du Commerce, Clémentel, désireux de voir en face de la CGT une organisation patronale unifiée ; rassemble une douzaine de groupes industriels et 1 500 organisations primaires ; 1er Pt : M. Darcy puis en 1926 René Duchemin. **1936** 27 grands groupes, 4 000 organisations primaires ; lors des grèves (des milliers d'usines étant occupées), les patrons, jugeant leur droit de propriété bafoué, commencent par refuser de négocier. Le mouvement se poursuit, certains d'entre eux cèdent. Lambert-Ribot, secr. gén. du Comité des Forges, rencontre Léon Blum et propose des augmentations de salaires en échange de l'évacuation des usines. Duchemin finit par autoriser ses représentants à rencontrer 8 syndicalistes en présence de 4 ministres. De ces discussions naissent les *accords de Matignon.* Le patronat fait des concessions sur libertés syndicales, conventions collectives, salaires, horaires et congés payés. La féd. du textile et les petits patrons désavouent les signataires. *Octobre* Duchemin démissionne ; Claude Gignoux, prof. et journaliste, ex-député et ministre lui succède. La Conf. se transforme en *Confédération générale du patronat français* et se dote d'un service social. **1940**-*9-11* un décret dissout toutes les confédérations. Le gouvernement réorganise les professions dans le cadre d'une économie corporatiste. **1944** *été* abolition de la Charte du travail. **1946**-*26-4* le gouvernement restitue aux syndicats patronaux leurs archives, leur confie la charge de répartir les matières premières, et les incite à rebâtir leur mouvement. *12-6,* création et 1re assemblée générale du CNPF de l'après-guerre. *Pt :* **Georges Villiers. 1948** la CGPME se retire du CNPF mais reste associée aux accords et conventions signés par le CNPF avec les organisations syndicales de salariés. **1965**-*19-1* l'assemblée générale adopte une déclaration en 14 points qui défend les notions de profit et d'autorité dans l'entreprise tout en s'élevant contre le dirigisme étatique. **1966** *Pt :* **Paul Huvelin** (n. 1902). **1968**-*25-5 négociations de Grenelle :* le CNPF accepte de relever le salaire minimum et d'étendre les droits syndicaux mais la Féd. du caoutchouc, entraînée par Michelin, fait sécession. **1968-73** accords nationaux concernant mensualisation, indemnités journalières du congé de maternité, formation professionnelle et garantie de ressources. **1972** *déc.* **François Ceyrac** (n. 1912) élu Pt. **1976** *été,* le CNPF objectif maintien du pouvoir d'achat, mais effort de revalorisation des bas salaires. **1978** François Ceyrac, réélu Pt par une procédure exceptionnelle ; le gouvernement libère les prix industriels entre juin et août. **1979** *janv.* le CNPF demande que soit reconsidéré l'ensemble du financement de la protection sociale (la SS doit retrouver son rôle d'assurance, et ne pas être confondue avec un instrument de politique des revenus), réclame une répartition plus équitable des charges entre État et entreprises. **1980**-*1-1* libération des marges du commerce. *Juin* enlèvement crapuleux du vice-président du CNPF, Michel Maury-Laribière (1920-90) libéré 11 j plus tard. **1981** *mai* le patronat proteste contre les nationalisations confisquant le capital, « inutiles, coûteuses et dangereuses », l'impôt sur les grandes fortunes s'il porte sur l'outil de travail, la loi d'amnistie qui prévoit que des entreprises pourront être obligées de réintégrer des représentants du personnel et des dél. syndicaux qui ont pris part à des affrontements directs et personnels avec des agents de maîtrise, des cadres ou des patrons. *-15-12* **Yvon Gattaz** (17-6-25) [*Ingénieur de* l'Éc. centrale, administrateur du Centre français du commerce ext. (1979-82), du Conseil nat. de la recherche scientifique (1979-82), fondateur et corédacteur de la revue les *Quatre Vérités* (1976-81)] élu Pt. **1982**-*16-1* ordonnance impose 39 h hebdomadaires et 5e semaine de congés. Le CNPF réclame que le financement des allocations familiales ne relève plus des seules entreprises. Il demande une réforme de la taxe professionnelle. *Avril* il obtient du gouvernement qu'il n'impose aucune charge supplémentaire aux entreprises, ni de nouvelles réductions de la durée du travail jusqu'en juillet 1983. *Juin* le gouv. Mauroy bloque 4 mois prix et salaires. Le CNPF proteste (la lutte contre l'inflation repose sur le contrôle du budget de l'État et du budget social de la nation) ; il demande la répercussion du coût des matières 1res et de l'énergie importées, des autorisations de fixation de prix pour les produits nouveaux ou saisonniers, l'abandon de la règle du blocage toute taxe comprise (la TVA étant passée de 17,6 % à 18,6 % au 1-7-82, les prix bloqués imposent aux entreprises une baisse de leurs prix de vente HT). *-15-9* il obtient l'atténuation et le report des mesures de l'impôt sur les grandes fortunes. *Nov.* il refuse toute augmentation des cotisations des entreprises et dénonce la convention de l'Unedic de déc. 1958, modifiée en mars 1979. *-14-12* il organise les « États généraux des entreprises » et mobilise plus de 20 000 chefs d'entreprise, notamment des PME de province. Il estime que l'augmentation des charges des entreprises (cumulant celle des charges sociales, des salaires et du Smic, des frais financiers et des impôts) en juin 1982 à 90 milliards de F sur 12 mois est la cause de « l'effondrement » de notre compétitivité. **1985** *29-11* Jean-Louis Giral vice-Pt démissionne. **1986** *17-3* Yvon Chotard (n. 25-5-1921), 1er vice-Pt, démissionne [fondateur et Pt de 1951 à 56 de la Jeune Chambre économique française, Pt du CFPC (Centre chrétien des patrons et dirigeants d'entreprises) de 1965 à 73, Pt du synd. nat. de l'Édition de 1975 à 79]. *15-4* Guy Brana, vice-Pt, échappe à un attentat. *Déc.* **François Périgot** [(n. 15-2-26), Pt d'Unilever France, Pt de l'Institut de l'Entreprise] élu Pt avec 70 % des voix devant Y. Chotard. Création de 2 commissions nouvelles : compétitivité internationale, progrès du management. **1988** *13-12* Paris, 1er sommet des patronats européens. Approbation d'une Charte des entreprises europ. pour l'Europe. **1989** principales revendications du CNPF : baisse de l'impôt sur les Stés, étalement de la taxe prof., extension du crédit d'impôt-recherche aux PME, amélioration du régime des droits de succession pour la transmission des entreprises, suppression du décalage des remboursements de la TVA. **1990** création de « CNPF International » pour aider les entreprises à exporter. **Principales fédérations du CNPF** (classées selon les cotisations versées) : *UIMM (Union des industries métallurgiques et minières)* 15 000 entreprises. *Féd. fr. des Stés d'assurances* 212 ent., *Féd. nationale du bâtiment* 55 000 ent., *des travaux publics* 5 600 ent., *Union des ind. chimiques* 1 500 ent., *Union des chambres syndicales des ind. du pétrole* 38 ent., *FEFIM (Féd. fr. des ind. du médicament), FIEE (Féd. des ind. électriques et électroniques)* 800 ent., *Association française des banques* 400 ent., *Comité des constructeurs français d'automobiles* 8 constr.

Organes dirigeants : *Assemblée générale* (565 membres dont 535 représentants des membres actifs et 30 représentants des membres associés, 5 personnalités désignées par le Pt) se réunit tous les ans. *Assemblée permanente* (225 m.) se réunit 1 fois par mois. *Conseil exécutif* (35 m.) comprend 21 sièges pour féd. professionnelles, dont la moitié env. pour féd. de faible importance, 9 pour unions patronales, dont 4 représentant en même temps une fédération professionnelle, 5 sièges pour chefs d'entreprise désignés par le Pt du CNPF. *Pt* élu pour 5 ans, renouvelable une fois pour 3 ans (âge limite : 70 ans). *14 vice-Pts* dont 1 vice-Pt trésorier, mandat de 3 ans (âge limite : 70 ans). *Comité statutaire :* ses 7 m., élus par l'Assemblée générale, veillent à l'application des statuts. *Assises nationales :* au moins 1 fois tous les 3 ans.

Dirigeants : *Pt :* François Périgot (12-5-26). *Vice-Pts :* Jean-Claude Achille (6-6-26, Union des ind. chimiques), Louis-Charles Bary (16-9-26, Union des ind. textiles), Pierre Bellon (24-1-30, Pt Sodexho), Guy Brana (18-8-24, Féd. des ind. électriques et électroniques), Jacques Brunier (21-8-29, Féd. nat. du bâtiment), Jacques Dermange (28-11-37, Pt Cons. nat. du commerce), Pierre Guillen (24-1-27, Union des ind. métallurgiques et minières), Jean-Marie d'Huart (25-7-24, Pt Union des ind. métallurgiques et minières), Alain Banzet (28-4-27, Pt Féd. des ind. mécaniques et transformatrices des métaux), Maurice Pangaud (29-8-28, Pt Institut français de gestion), Francis Lepâtre (19-7-25), Philippe Levaux (30-3-35, Féd. nat. des travaux publics), Ernest-Antoine Seillière (20-12-37, Vice-Pt Féd. des ind. mécaniques), Jean-Louis Giral (25-8-34, PDG Dequenne et Giral).

■ **SNPMI (Syndicat national du patronat moderne et indépendant)** 68, avenue de la Grande-Armée, 75017 Paris. **Pt :** Gérard Delval (élu 24-6-85). Séparé de la CGPME en 1979, regroupait les petites industries. S'est élargi au commerce et à l'artisanat. **Adhérents :** 30 000.

■ **UNICAM (Union confédérale artisanale de la mécanique)** Axe-Nord, 9-11, av. Michelet, 93400 St-Ouen. *Créée* 6-2-1978. 4 organisations dont 3 nat. : FNCAA (Féd. nat. du commerce et de l'artisanat de l'automobile) ; FNCRM (Féd. nat. du commerce et de la réparation du cycle et du motocycle) ; GNCR (Groupement nat. des carrossiers réparateurs), et 1 organisation régionale, Camrn (Chambre artisanale de la mécan. gén. de la région Nord). **Pt :** René Stépho (21-2-1924). **Adhérents :** 25 000. **Publications :** « L'Officiel de l'Automobile », « L'Officiel du Cycle et Motocycle ».

■ **UPA (Union professionnelle artisanale)** 73, rue de Provence, 75009 Paris. *Créée* 1975. Composition : Capeb (Artisanat du bâtiment), Cnam (Art. de production et de services), Cgad (Artisanat alimentaire). **Pt :** Albert Léon, Pt de la Cnam. **Adhérents :** env. 250 000.

Mouvements patronaux associés

■ **CFPC (Patrons et dirigeants chrétiens)** (anciennement Centre français du patronat chrétien) 24, rue Hamelin, 75116 Paris. *Créé* 1926. **Pt :** Jacques Vial (1931). **Délégué gén. :** Jacques de Combret (1931). **Membres :** 1 500 adhérents actifs, 171 sections locales ; audience : plus de 5 000 personnes. **Publication :** « Professions et Entreprises ».

■ **CJD (Centre des jeunes dirigeants d'entreprise)** (ex-Centre des jeunes patrons, fondé en 1938). 13, rue Duroc, 75007 Paris. **Pt nat. :** Pierre Garcia. **Secr. gén. :** Marc Gazan. **Sections locales** 114. **Adhérents :** 3 000. **Publication :** « Dirigeant » (5 000 abonnés).

■ **Unicer.** *Créée* 1975 par Léon Gingembre pour la défense de la libre entreprise. 2, av. Marceau, 75008 Paris. **Pt :** Pierre Dubois. **Adhérents :** env. 10 000.

Établissements publics

■ **Chambres de commerce et d'industrie (CCI). Origine :** XVIIe s. **Statut** (légal 9-4-1898) : 21 chambres régionales et 1 Assemblée des Ch. Françaises de comm. et d'ind. (ACFCI, 45, av. d'Iéna, 75116 Paris). 154 Chambres, 9 dans les DOM-TOM, à 64 m. titulaires (sièges répartis par cat. prof.), des m. associés. Établissements publics soumis à la tutelle de l'État, tirant 26 % de leurs ressources des centimes additionnels à la taxe professionnelle. Représentent les intérêts du commerce et de l'industrie auprès des pouvoirs publics. **Activités** *consulaires* (électeurs consulaires 1 500 000, élus cons. 4 200, salariés des CCI 22 000). *Administrent* 68 entrepôts et magasins généraux, Bourses de commerce, ports, 67 maritimes, 41 fluviaux, 47 de plaisance, aéroports, 60 collectent directement ou indirectement le 0,77 % logement, 336 zones d'activités, expositions, 306 établissements d'enseignement (ex. : HEC, 18 écoles sup. de commerce de province, 50 instituts de promotion commerciale), 416 centres de formation continue formant chaque année 295 000 jeunes et adultes. 121 CCI sont concessionnaires d'aéroports et 38 de gares routières. **Personnel** (1991) : 550 ATC (Assistants techniques au commerce), 165 ATH (Ass. tech. à l'hôtellerie) et 680 ATI (Ass. tech. à l'industrie), 600 travaillent au développement des échanges extérieurs du commerce français. **Financement** (1990) 18,2 milliards de F dont ressources propres (droits de scolarité, de port et d'aéroport, taxe d'apprentissage, etc.) 11,2, ressources fiscales (imposition additionnelle à la taxe prof.) 4,1, emprunts 1,9, contributions publiques 1.

■ **Chambres des métiers.** Établissements publics, créés par la loi du 26-7-1925. Instituées par décret. **Nombre :** 104. **Composition :** en général 40 m. élus, dont 24 chefs d'entreprise (en 6 catégories prof. et élus par leurs pairs), 6 compagnons (élus par leurs pairs), 10 chefs d'entreprises (élus par les organisations syndicales représentatives).

■ **Chambres d'agriculture** (voir à l'Index).

Corporations Compagnonnage et syndicats

Moyen Âge. 1res associations ouvrières connues : *confréries religieuses* qui rassemblaient maîtres et compagnons du même métier et semblent avoir existé depuis Charlemagne. *XIIe s. corporations patronales réglées* (1 centaine en 1268, au moment où leurs statuts sont enregistrés dans les Établissements des Métiers de Paris). Les corporations surtout commerçantes (à Paris les Six-Corps : drapiers, épiciers, pelletiers, merciers, orfèvres et bonnetiers) créent un fossé entre maîtres et compagnons dont la condition sociale se dégrade. **De Philippe le Bel à Louis XI** le pouvoir royal transforme la corporation réglée en *corporation jurée* ou *jurande,* qui facilite leur contrôle et permet la perception de taxes pour le Trésor. Le *Compagnonnage* est la réaction des ouvriers à l'autorité du pouvoir et des corporations dominées par les commerçants. Il réunit tailleurs de pierre, charpentiers, menuisiers, serruriers et prof. du bâtiment. **1469** le *Tour de France* apparaît, devient obligatoire et de plus en plus difficile. **1539** grève de 4 mois des typographes lyonnais. **1571** un édit condamne toutes manières de confréries ; inappliqué. **Fin XVIIe s.,** les grandes ordonnances de Colbert étendent le système des jurandes aux métiers les plus importants. L'accès de la maîtrise est soumis à des conditions strictes : origine, âge, religion, stage préparatoire de 10 ans. Cependant, le Compagnonnage continue à prospérer. **Fin XVIIIe s.,** il interdit l'embauche aux non-affiliés, ce qui pousse Turgot à proposer la suppression des corporations. **1791** (2-3) la loi d'Allarde abolit jurandes, maîtrises et corporations. (14-6) la *loi Le Chapelier* interdit aux ouvriers la grève, le droit d'association et de coalition ; décisions confirmées par les art. 291-92 et 414-15 du Code Napoléon. **Sous Napoléon,** les *mutualités* (lutte contre le chômage, accidents du travail) de plus de 10 membres. **Sous la Restauration,** essor nouveau. **1830 à 1840** bagarres sanglantes entre Compagnons du Devoir et Compagnons du Devoir de Liberté. **1831** création de la résistance, nouvelle forme de lutte (dont le Devoir mutuel) après la révolte des canuts (nov.) à Lyon. **1832** 1re *coopérative ouvrière de production* « Association des ouvriers bijoutiers en doré ». **1843**-*10-7* Sté typographique Paris (créée 1839) et Ch. patronale des imprimeurs signent le 1er tarif typo. **1848** (21-3) réconciliation de courte durée. Des formes d'association nouvelles sont proposées (faibles résultats) : *associations coopératives de production* (450 en 1914 – de 20 000 membres) ; *coop. de consommation,* plus prospères, groupant plus d'employés que d'ouvriers ; *Stés de secours mutuel* regroupant des membres de toutes les prof., n'intéressent plus les ouvriers. **1849** loi du 27-11 limitant la liberté de réunion et d'association. **1860** gouv. accorde 10 millions de F aux Stés de secours mutuel mais nomme leurs présidents. **1862** création de fait des Ch. syndicales ou syndicats inspirés des *Trade Unions.* **1864** *Solidarité des ouvriers* du bronze de Paris. **1865** *Résistance des ferblantiers* parisiens. **1866** Ch. syndicale des cordonniers de Paris. **1867** Ch. synd. du bâtiment et du meuble, puis celles des ébénistes, typographes, orfèvres de Paris. **1868** Ch. synd. des peintres, puis des tailleurs de pierre de la Seine, mégissiers, tailleurs, mécaniciens de Paris. **1870** Paris plus de 60 Ch. synd. ouvrières. **1876** (2 au 10/10) 1er congrès ouvrier à Paris. **1879** 1re fédération nat. : Sté gén. des ouvriers chapeliers de Fr. **1881** Féd. fr. des travailleurs du livre fondée. **1884,** loi du 21-3 autorisant le *syndicat prof.* La plupart des syndicats adhèrent au socialisme, on les appelle *« rouges ».* Quelques patrons tentent de leur opposer des syndicats d'ouvriers dociles ; celui de Montceau (1899) a une bannière à gland jaune d'où le surnom de *« jaunes »* donné par leurs adversaires aux syndicats sympathiques aux patrons. **1901** Paul Lanoi, dissident du syndicat des cheminots, fonde à Paris une bourse du travail indépendant. **1902** (mars) 1er congrès de l'Union des synd. jaunes (avec Pierre Lanoir, puis Pierre Bietry) 100 000 adhérents au max. (CGT 500 000) ; devenue extrémiste sera lâchée par le patronat. Les synd. socialistes n'eurent alors plus d'autres concurrents que les stés catholiques d'ouvriers.

Centrales internationales

☞ Selon le CISL : 260 syndicalistes ont été tués en 1992 dans le monde et + de 2 500 emprisonnés en raison de leurs activités syndicales.

■ **CES (Confédération européenne des syndicats)** Rue Montagne-aux-Herbes-Potagères, 37, B-1000 Bruxelles. *Créée* 1973. *Regroupe* 46 organisations de 22 pays et 16 comités synd. de secteurs. **Adhérents :** 45,5 millions (dont CFDT, FO et CFTC ; l'adhésion de la CGT a été refusée). **Pt :** Norman Willis (n. 21-1-33). **Secr. gén. :** Emilio Gabaglio.

■ **CESP (Conseil européen des syndicats de police).** 39 bis, rue de Marseille, 69007 Lyon. *Créé* 1988. *Regroupe* 21 organisations synd. autonomes des policiers européens dans 15 pays représentant 220 000 policiers. Reconnu comme ONG au Conseil de l'Europe. **Pt :** Miguel Martin Pedraz (Esp.). **Secr. gén. :** Roger Bouiller (Fr.).

■ **Confédération européenne des cadres** 30, rue de Gramont, 75002 Paris. *Bureau européen :* 9, rond-point Schuman, Boîte 4, B-1040 Bruxelles. **Adhérents :** organisations nat. dans 10 pays de la CEE et en Autriche, Norvège et Suède et 10 féd. prof. européennes plus 2 en voie de constitution. **Pt :** Henry Bordes-Pages (Fr.). **Secr. gén. :** Fleming Friis Larsen (Dan.).

■ **CIC (Confédération internationale des cadres)** 30, rue de Gramont, 75002 Paris. *Créée* 1951. **Pts.** *1951* Giuseppe Togni (It.) ; *69* André Malterre (Fr. 1909-75) ; *75* Costantino Bagna (It.) ; *76* Philippe Dassargues (Belg.) ; *82* Friedrich Ische (All.) ; *85* Fausto d'Elia (It.). *89* Henry Bordes-Pages (Fr.). **Secr. gén. :** Fleming Friis Larsen (Dan.). **Adhérents :** organisations nat. de 7 pays de la CEE et 5 féd. professionnelles internationales.

■ **CISL (Confédération internationale des syndicats libres), ICFTU (International Confederation of Free Trade Unions)** R. Montagne-aux-Herbes-Potagères, 37-41, 1 000 Bruxelles. *Créée* déc. 1949 après scission de la FSM. **Pt :** C. Leroy Trotman (Barbade). **Secr. gén. :** Enzo Friso (It., n. 1927) dep. 1992. **Adhérents :** (en millions) *1951 :* 52 ; *62 :* 56 ; *82 :* 85 ; *93 :* 113 dans 164 organisations syndicales de 117 pays. Minitel 3615 CSL.

■ **CMT (Confédération mondiale du travail), (WCL)** 33, rue de Trèves, 1040 Bruxelles, Belgique. *Créée* 1920 (Conf. intern. des synd. chrétiens : CISC) devenue CMT en 1968. **Pt :** Willy Peirens (Belgique). **Secr. gén. :** Carl Luis Custer (Arg.). **Adhérents :** 19 000 000 dans 86 pays. 90 organisations nat. et 9 fédérations intern. profession.

■ **FSM (Fédération syndicale mondiale), WFTU (World Federation of Trade Unions).** Prague. *Créée* 1945. **Secr. gén.** Alexander Jarikov (CEI). Conseil gén. tous les 2 ans, Conseil présidentiel (2 sessions par an). **Adhérents** 90 millions (1993). 11 Unions internat. des syndicats de branches.

■ **SPI (Secrétariats professionnels internationaux)** groupent des synd. nat. selon professions (16).

Syndicats patronaux

■ **UIAPME (Union internat. de l'artisanat et des petites et moyennes entreprises).** Uvacim, case postale 1471 CH 1001 Lausanne, Suisse. *Créée* 1947. **Pt** Paul Schnitker (All.). **Secr. gén.** Jacques Desgraz (Suisse). **Adhérents** 10 millions d'entr. (26 pays).

TRAVAIL

POPULATION ACTIVE

DANS LE MONDE

ESCLAVAGE

■ **Définition** (convention de 1926, adoptée par la SDN). « L'esclavage est l'état ou condition d'un individu sur lequel s'exercent les attributs du droit de propriété ou certains d'entre eux. » À l'esclavage se rattachent la servitude pour dette, le *péonage*.

■ **Quelques dates. 1415** les musulmans expulsés d'Espagne se réfugient en Afrique. Les Portugais en font des prisonniers et les vendent à Lisbonne comme esclaves. Les parents des captifs offrent en rançon des esclaves noirs. **1498** selon la bulle du pape Alexandre VI « ... la Terre appartient au Christ et le Vicaire du Christ a le droit de disposer de tout ce qui n'est pas occupé par les chrétiens. Les infidèles ne sauraient être possesseurs d'aucune partie de la Terre ». **1517** Charles Quint autorise le recrutement d'esclaves en Afrique en se prévalant de la thèse du dominicain Las Casas « afin que leur service aux mines et dans les champs permette de rendre moins dur celui des Indiens ». Madrid confie leur transport aux marchands flamands. **1774** le Rhode Island (USA) abolit la traite.

1792 New Hampshire et Danemark abolissent la traite. **1794**-*4-2* (16 pluviôse an II). À l'initiative de l'abbé Grégoire, la France abolit l'esclavage. **1802**-*10-5* Napoléon, Premier Consul, rétablit la traite et l'esclavage. **1803** le Canada abolit la traite. **1815** au Congrès de Vienne, Angl., Autriche, France, Portugal, Russie, Esp. et Suède abolissent la traite, assimilée à la piraterie. Navires de guerre français et anglais ont le droit de visite. Le navire, confisqué, peut être brûlé. **1838** les colons anglais abolissent l'esclavage. **1848**-*27-4* en France (IIe République), Victor Schœlcher (1804-93), sous-secrétaire aux Colonies, signe l'abolition de l'esclavage. Une indemnité de 1 200 F (puis 500 F) par esclave (alors 249 000) est offerte aux propriétaires. **1862** les colons hollandais abolissent l'esclavage. **1874** Cuba, colonie esp., compte encore 396 000 escl. **1887** le Brésil (qui absorbait 100 000 escl. par an) abolit l'esclavage. **1926** Convention de la SDN condamnant l'esclavage. **1930 et 1957** Convention de l'OIT sur l'abolition du travail forcé.

La conférence mondiale sur les réparations à l'Afrique et aux Africains de la diaspora organisée en déc. 1990 à Lagos (Nigeria) a estimé à 25 milliards de $ le montant des « réparations » dues au continent noir pour 5 siècles d'esclavage. Elle a suggéré que l'annulation des dettes africaines soit considérée comme une partie de ces réparations.

De 1511 à 1789, 4 à 5 millions de Noirs ont été déplacés. En **1787**, la traite atteint annuellement 100 000 Noirs (en transportent : Angleterre 38 000, France 31 000, Portugal 25 000, Hollande 4 000, Danemark 2 000).

■ **Statistiques.** En 1992, malgré sa suppression officielle, l'esclavage est encore pratiqué dans de nombreux pays (négligence, inefficacité, corruption de l'adm., ou pauvreté, besoins saisonniers de main-d'œuvre). **Exemples :** *Esclavage traditionnel :* Mauritanie, Soudan (conséquence de la guerre Nord-Sud), 30 à 50 $ par tête. *Servitude pour dettes :* Pakistan (*peshgi*, 20 millions dont 7,5 d'enfants), Inde (15 millions dont 10 d'enfants), Pérou (*enganche* subsistant dans les mines d'or).

■ **Prix.** Un esclave, homme adulte et en bonne santé, est, en Afrique, estimé 10 chameaux (de 25 000 à 50 000 F CFA). Une femme en général le double (les enfants appartiennent au propriétaire de la mère et jamais à celui du père, même lorsqu'ils sont issus d'un mariage et que le père est libre).

TRAVAIL FORCÉ OU OBLIGATOIRE

Définition de l'OIT (convention de 1930). « Travail ou service exigé d'un individu sous la menace d'une peine quelconque et pour lequel l'individu ne s'est pas offert de plein gré. » La Convention concernant l'abolition du travail forcé (adoptée par l'OIT en 1957) oblige les États qui la ratifient à ne jamais recourir au travail forcé ou obligatoire en tant que : a) mesure de coercition ou d'éducation politique ou en tant que sanction à l'égard de personnes qui ont ou expriment certaines opinions politiques ou qui manifestent leur opposition idéologique à l'ordre politique, social ou économique établi ; b) méthode de mobilisation et d'utilisation de la main-d'œuvre à des fins de développement économique ; c) mesure de discipline du travail ; d) punition pour avoir participé à des grèves ou e) mesure de discrimination raciale, sociale, nationale ou religieuse. **Exemples :** Brésil (rabattage par des *gatos* sans possibilité de retour) ; Rép. Dominicaine (rafles pour la récolte de canne) ; Myanmar (recrues militaires). *Travaux « d'intérêt collectif » :* Cuba, Tanzanie.

Enfants. Selon le BIT (1993), env. 200 millions d'enfants dans le monde travailleraient : *Afr. du Sud :* 650 000 Noirs de – de 15 a. dans les fermes. *Ar. Saoudite :* esclavage, vente d'adolescentes, exploitation des jeunes domestiques asiatiques. *Bangladesh :* esclavage, des centaines d'enfants de 7 ans à peine vendus par leurs parents ou enlevés et prostitués. *Brésil :* 45 millions, + de 500 000 prostitués. *CEE :* 2 millions. *Chine :* travaux agricoles. *Colombie :* 3 millions. *États-Unis :* 1 million d'origine mexicaine, 600 000 prostitués. *Haïti :* 100 000 *restaveks*. *Inde :* 175 millions de – de 14 a. *Italie :* + de 500 000. *Mexique :* 10 millions. *Pakistan :* esclavage, 2 millions. *Philippines :* 3,5 millions, 20 000 prostitués. *Soudan :* esclavage. *Sri Lanka :* trafic d'enfants et prostitution. *Thaïlande :* 3 millions, + de 500 000 prostitués.

Âge minimal requis par la législation du travail. *12 a. :* Nigeria. *13 a. :* Royaume-Uni, Thaïlande. *14 a. :* Brésil. *15 a. :* Philippines, Inde. *16 a. :* France. OIT (Convention 138 de 1973 ratifiée par 42 pays sur les 163 de l'OIT) : *15 a.*

STATISTIQUES

☞ Pour le BIT, la population active comprend des personnes ayant travaillé dans un emploi (rémunéré ou à leur propre compte) ne fût-ce que 1 h pendant la semaine de référence ; les personnes ayant un emploi (rémunéré ou à leur propre compte) n'ayant pas travaillé la semaine de référence pour des raisons temporaires ; les aides familiales ayant travaillé 15 h ou plus, ou moins de 15 h pour un motif passager ; les stagiaires rémunérés.

POPULATION ACTIVE

Pays	Total milliers	Femmes		Hommes	
		milliers	% activité	milliers	% activité
Allemagne [1]	31 305,0	12 777,0	39,2	18 528,0	60,8
Australie [4]	8 459,1	3 505,9	52,2	4 953,2	75,6
Autriche [4]	3 536,0	1 449,0	36,0	2 087,0	56,5
Belgique [7]	4 144,3	1 712,1	33,7	2 432,2	50,1
Canada [1]	13 757,0	6 188,0	–	7 569,0	–
Danemark [4]	2 912,4	1 341,4	51,5	1 571,1	62,1
Espagne [1]	15 073,1	5 350,4	27,0	9 722,7	51,4
États-Unis [1]	126 867,0	57 057,0	44,2	69 810,0	56,8
Finlande [1]	2 559,0	1 203,0	46,7	1 356,0	55,7
France [2]	24 661,7	10 714,5	36,7	13 947,2	50,3
Grèce [8]	3 960,8	1 459,7	28,7	2 501,1	50,8
Irlande [6]	1 292,0	397,0	22,6	895,0	51,0
Italie [4]	24 075,0	8 946,0	30,3	15 129,0	54,3
Japon [1]	63 657,5	25 044,3	39,8	38 613,2	63,6
Luxembourg [1]	164,7	58,7	29,9	106,0	56,3
Norvège [1]	2 126,0	963,0	–	1 163,0	–
Nlle-Zélande [3]	1 591,7	694,6	40,6	897,2	53,9
Pays-Bas [1]	7 011,0	2 782,0	–	4 230,0	–
Portugal [4]	4 948,6	2 134,9	39,7	2 813,7	56,7
Roy.-Uni [5]	28 893,0	12 521,0	42,6	16 372,0	58,4
Suède [1]	4 552,0	2 183,0	–	2 369,0	–
Suisse [2]	3 599,5	1 379,2	39,5	2 220,3	65,6
Turquie [1]	21 045,0	6 536,0	23,4	14 509,0	51,4

Nota. – (1) Sondage 1991. (2) Estimation 1991. (3) Recensement 1991. (4) Sondage 1990. (5) Estimation 1990. (6) Sondage 1989. (7) Estimation 1989. (8) Sondage 1988.
Source. – Bit d'après dernier recensement par pays.

ÉVOLUTION PAR ZONE

En millions	1750	1900	1985	2025
Asie du Sud	106	183	592	1 187
Asie orientale	118	207	707	924
Afrique	48	56	214	650
Amérique latine	7	27	140	308
Europe	56	134	226	230
Ex-URSS	20	61	143	175
Amérique du Nord	1	33	130	158
Océanie	1	3	11	17
Monde	*357*	*704*	*2 163*	*3 649*

Source : Bit.

Travailleurs étrangers dans certains pays de l'Ocde (en milliers, 1990). *Source :* rapport SOPEMI 1991. **Allemagne** 2 025,1 (Turcs 680,2 ; ex-Youg. 339 ; It. 199,8 ; Grecs 117,8 ; Esp. 66,3 ; Port. 45,5). **Autriche** 217,6 (ex-Yougoslaves 110,5 ; Turcs 50,5 ; Allemands 13,1). **Belgique** (en 1989) 196,4 (Italiens 60,5 ; Marocains 21,1 ; Espagnols 14,4 ; Turcs 11,4). **France** (voir p 1419). **Luxembourg** (en 1989) 76,2 (ressortissants CEE 71,9 dont Port. 20,5 et Fr. 18,3). **Pays-Bas** 200 (Turcs 41 ; Mar. 27 ; Belg. 24 ; All. 21 ; Brit. 18 ; Esp. 9 ; It. 8). **Suède** 258 (Finl. 75,5 ; ex-Youg. 23 ; Norv. 21,3). **Suisse (sauf saisonniers et frontaliers)** 669,8 (It. 234,3 ; ex-Youg. 84,4 ; Esp. 75,1 ; Port. 55,2 ; All. 53,6 ; Turcs 33,2 ; Français 31,5 ; Autr. 20,9 ; Brit. 9,2 ; Holl. 7).

EN FRANCE

QUELQUES DATES

1791-*17-3* décret d'Allarde qui supprime les *corporations* et proclame la liberté du travail. *-14* et *17-6* la loi Le Chapelier interdit les *coalitions d'ouvriers,* ce que reprend le Code pénal de 1810 (art. 291). **1803**-*12-4* extension à tous les ouvriers de l'obligation du *livret ouvrier.* Tout ouvrier voyageant sans livret est réputé vagabond et condamné comme tel. Les ouvriers deviennent électeurs et éligibles aux conseils de prud'hommes. Cette mesure plusieurs fois rapportée ne sera définitivement abolie qu'en 1890. **1806**-*18-3* 1er *conseil de prud'hommes.* D'abord formés majoritairement de patrons, ils seront paritaires avec la loi du 27-3-1907. **1813**-*3-1* décret interdisant de faire descendre dans les mines des enfants de moins de 10 ans. **1841**-*24-3* loi fixant la durée du travail journ. des enfants dans les ateliers à 12 h de 12 à 16 ans ; à 8 h de 8 à 12 ans. **1848**-*4-3* décret interdisant le marchandage et fixant la journée du travail à 10 h à Paris, à 11 h en province. *-20-8* loi allongeant la durée du travail à 12 h. *10-5* Louis Blanc réclame la création par l'Ass. constituante d'un ministère « du Travail et du Progrès ». Échec. **1852**-*26-3* loi autorisant les *Stés de secours mutuel* sous certaines conditions. **1864**-*25-5* loi accordant la *liberté de coalition.* **1867** loi reconnaissant les coopératives. **1874**-*19-5* loi réduisant la *durée du travail des femmes et des enfants.* Création de l'*Inspection du travail.* **1884**-*21-3* loi Waldeck-Rousseau accordant la *liberté de création des syndicats.* **1886**-*1-4* loi sur les Stés de secours mutuel. **1891** convention d'Arras, *conventions collectives* dans les mines du Nord et du Pas-de-C. **1892**-*2-11* loi fixant la durée du travail des femmes et des enfants à 11 h (femmes et enfants – 18 a.), 12 h (hommes). **1893**-*12-6* loi sur normes d'hygiène et de sécurité du travail. **1895**-*12-1* loi limitant la *saisie des salaires.* **1898**-*2-4* loi sur les *accidents du travail.* **1899** création du Conseil sup. du travail. État reconnaît les délégués syndicaux.

1900-*30-3* loi limitant la durée du travail à 10 h par jour, par étapes de 2 à 4 ans. **1904**-*1-5* loi supprimant les bureaux de placement payants. **1906**-*13-7* loi sur le *repos hebdomadaire. -25-10* Clemenceau crée le *ministère du Travail, de l'Industrie et du Commerce* (1er titulaire René Viviani). **1909**-*28-12* loi garantissant leur emploi aux *femmes en couches.* **1910**-*5-4* loi sur les *retraites ouvrières et paysannes. -28-12* loi rassemblant la législation sous forme de *Code du travail.* **1913**-*17-6* loi instituant le repos des femmes en couches. *-10-7* décret sur l'hygiène et la sécurité. **1914**-*21-3* décret interdisant certains tra-

Population active ayant un emploi

☞ *D'après le recensement de 1990 :* pop. active totale (actifs ayant un emploi, chômeurs et militaires du contingent) : 25,28 millions dont ayant un emploi 22,27, chômeurs 2,78, effectuant le serv. milit. 232 000.

Activité économique	HOMMES & FEMMES			HOMMES		FEMMES	
	Total	dont salariés	dont étrangers	Total	dont étrangers	Total	dont étrangers
TOTAL (actifs ayant un emploi)	22 270,2	18 865,5	1 304,1	12 834,6	943,6	9 435,6	360,6
• **U01.** T01. **Agricult., sylvicult., pêche**	**1 269,6**	**259,0**	**17,9**	**836,4**	**36,4**	**433,2**	**7,4**
• **U02. Industries agricoles et alimentaires**	**631,5**		**27,4**	**399,2**	**18,5**	**232,3**	**8,9**
T02. Industries de la viande et du lait	190,4	180,6	8,6	127,5	6,0	62,9	2,6
T03. Autres industries agricoles et alimentaires	441,1	344,1	18,8	271,7	12,5	169,4	6,3
• **U03. Prod. et distribution d'énergie**	**264,3**		**7,1**	**213,6**	**6,5**	**50,8**	**0,6**
T04. Prod. de combustibles minéraux solides, cokéfaction	24,5	23,1	3,3	23,3	3,3	1,2	0,04
T05. Prod. de pétrole et de gaz naturel	32,2	27,9	1,0	25,1	0,9	7,2	0,2
T06. Prod. et distrib. d'électricité, distribution gaz et eau	207,6	205,9	2,8	165,2	2,3	42,4	0,4
• **U04. Industries des biens intermédiaires**	**1 297,1**		**106,9**	**1 033,2**	**92,9**	**263,9**	**14,0**
T07. Prod. minerais, métaux ferreux, 1re transform. acier	92,2	96,4	7,9	83,2	7,6	9,0	0,2
T08. Prod. minerais, métaux, demi-produits non ferreux	58,2	56,5	4,1	49,7	3,8	8,5	0,3
T09. Prod. matériaux de construction et minéraux divers	155,4	139,5	15,0	129,8	13,8	25,6	1,2
T10. Industrie du verre	60,3	56,5	2,4	48,5	2,0	11,8	0,4
T11. Chimie de base, prod. fils et fibres artif. et synth.	126,9	129,9	6,3	101,8	5,6	25,1	0,7
T13. Fonderie et travail des métaux	461,7	437,7	42,9	377,6	37,8	84,1	5,1
T21. Industrie du papier et du carton	112,3	106,5	6,6	78,5	4,9	33,8	1,7
T23. Industrie caoutchouc, transf. des matières plastiques	230,2	219,4	21,7	164,2	17,2	66,0	4,5
• **U05. Industries des biens d'équipement**	**1 608,3**		**104,4**	**1 229,5**	**89,7**	**378,8**	**14,7**
T14. Construction mécanique	465,2	437,7	28,9	374,8	24,8	90,4	4,1
T15A Construction matériels électrique et électronique professionnels	498,9	466,9	25,5	338,3	19,8	160,6	5,7
T15B Fabric. d'équipement ménager	62,9	64,7	3,2	35,0	2,3	27,9	0,8
T16. Constr. véhic. autom., autres maté. transport terrestre	390,2	360,4	42,0	319,3	38,4	70,8	3,5
T17. Construc. navale et aéronautique, armement	191,1	183,1	4,9	162,1	4,4	29,0	0,5
• **U06. Indus. des biens de consommation**	**1 263,2**		**96,3**	**675,2**	**60,4**	**588,0**	**35,9**
T12. Parachimie et indust. pharmaceut.	200,9	181,9	8,6	105,5	5,6	95,4	3,0
T18. Ind. du textile et de l'habillement	383,9	338,2	45,9	135,3	24,5	248,5	21,4
T19. Indust. du cuir et de la chaussure	78,4	71,4	5,1	30,2	2,9	48,3	2,2
T20. Industries bois et ameublement, industries diverses	338,4	288,1	23,6	242,3	18,5	96,1	5,1
T22. Imprimerie, presse, édition	261,7	231,4	13,1	161,9	9,0	99,8	4,1
• **U07.** T24. **Bâtiment génie civil et agric.**	**1 647,3**	**1 265,3**	**268,8**	**1 514,0**	**264,0**	**133,3**	**4,8**
• **U08. Commerce**	**2 683,6**		**124,3**	**1 373,8**	**79,7**	**1 309,8**	**44,6**
T25. Commerce de gros alimentaire	282,2	240,2	13,0	196,9	9,9	85,3	3,1
T26. Commerce de gros non alimentaire	753,2	688,6	38,7	499,9	28,9	253,3	9,7
T27. Commerce de détail alimentaire	689,8	537,5	32,5	308,9	19,8	380,9	12,7
T28. Commerce de détail non aliment.	958,4	666,5	40,1	368,1	21,0	590,3	19,1
• **U09. Transports et télécommunications**	**1 422,7**		**46,4**	**1 040,2**	**39,7**	**382,5**	**6,7**
T31. Transports	938,0	872,4	43,0	762,4	37,5	175,6	5,5
T32. Télécommunications et postes	484,7	471,2	3,4	277,8	2,2	206,9	1,2
• **U10. Services marchands**	**5 214,0**		**328,4**	**2 380,6**	**194,2**	**2 833,5**	**134,2**
T29. Réparation et commerce de l'auto.	411,1	332,4	25,6	331,0	23,7	80,1	1,9
T30. Hôtels, cafés, restaurants	745,1	536,9	76,6	376,2	50,1	368,9	26,5
T33. Services marchands rendus aux entreprises	1 556,0	1 397,6	109,0	848,3	65,2	707,7	43,8
T34. Services marchands rendus aux particuliers	2 501,8	1 986,7	117,2	825,1	55,2	1 676,7	62,1
• **U11.** T35. **Location et crédit-bail immobilier**	**77,7**	**73,5**	**4,7**	**37,9**	**2,2**	**39,7**	**2,5**
• **U12.** T36. **Assurances**	**164,0**	**157,5**	**3,4**	**66,6**	**1,6**	**97,4**	**1,8**
• **U13.** T37. **Organismes financiers**	**463,4**	**437,0**	**7,9**	**227,2**	**4,2**	**236,2**	**3,7**
• **U14.** T38. **Services non marchands**	**4 263,4**	**4 294,9**	**134,3**	**1 807,3**	**53,6**	**2 456,2**	**80,8**

vaux aux femmes et aux enfants. **1917**-*5-2/17-5* circulaires d'Albert Thomas instituant les *délégués ouvriers* dans les usines d'armement. **1919**-*25-3* loi accroissant l'autorité des conventions collectives, modifiée ultérieurement par les lois des 24-6-1936, 23-12-1946, 11-2-1950 et 13-7-1971. *-23-4* loi fixant la durée du travail à 8 h par jour. *-25-10* loi étendant aux maladies professionnelles le régime protecteur des accidents du travail de 1898.

1920-*12-3* loi reconnaissant aux syndicats le droit de se porter partie civile. **1924** *août* le gouvernement reconnaît aux syndicats le droit de représenter les fonctionnaires : complété 1932. **1928**-*5-4* loi instituant *Assur. sociales.* **1932**-*11-3* loi créant *Alloc. familiales.* **1936**-*8-6 accords de Matignon* (entre CGT et patronat français sous l'égide du gouvernement ; hausse des salaires de 7 à 20 %). *-20-6* loi instituant les congés payés. *-21-6* loi instituant la semaine de 40 h. *-24-6* loi sur les conventions collectives modifiant et complétant la loi du 25-3-1919. *-31-12* loi rendant obligatoire les procédures de conciliation et d'arbitrage dans les contrats collectifs. **1938**-*4-3* nouvelle loi sur conciliation et arbitrage. *-12-11* décrets-lois Daladier-Reynaud portant atteinte à la loi de 40 h, aux conventions collectives, aux statuts des délégués d'entreprise.

1941-*4-10* publication de la *Charte du travail.* Instauration de syndicat unique, obligatoire et officiel. **1945**-*22-2* ordonnance instituant les *comités d'entreprise,* élargie par les lois du 16-5-1946 et du 18-6-1966. *-19-10* ord. réorganisant les institutions de Séc. soc. *-13-12 nationalisation* des Houillères. *Ensuite :* Air France, Banque de France, 4 banques de dépôts, Gaz et Électricité, Assurances (voir p. 686 b,c). **1946** le préambule de la Constitution garantit le *droit de grève.* Protection sociale calquée sur le modèle britannique. *-16-4* loi instituant *délégués du personnel. -11-10* loi créant la *médecine du Travail. -19-10* le statut général des *fonctionnaires* reconnaît leur liberté syndicale. *-30-10* loi sur les *accidents du travail.* **1947**-*14-3* institution du régime prioritaire de *retraites complémentaires* des cadres. Création de l'Agirc.

1950-*7-7* droit de grève accordé aux agents publics. Création de *l'échelle mobile du Smig.* Essor des conventions collectives. **1953**-*9-8* contribution patronale de 1 % à la construction de logements. **1955**-*sept.* accord Renault liant pour la 1re fois les salaires au progrès de la production et portant à 3 semaines les congés payés. **1956**-*27-3* loi rendant obligatoires les *congés payés* de 3 semaines. Création du *Fonds national de solidarité* destiné à renforcer l'aide vieillesse. **1957**-*15-5* régime de retraites des non-cadres (Unirs). **1958**-*19-2* loi instituant un préavis légal de 1 mois en cas de licenciement. *-31-12* convention CNPF / syndicats créant un *régime d'assurance-chômage* (Unedic et Assedic). **1959**-*7-1* ordonnances sur : l'action en faveur des *travailleurs sans emploi ;* la *participation* (facultative) des salariés au bénéfice des entreprises. Formule obligatoire prévue par l'ordon. du 17-8-1967.

1961-*8-12* accord sur généralisation des *retraites des non-cadres.* Association des régimes de retraites complémentaires (Arrco). Signataires : CFDT, CFTC, CGT-FO, CGC. *-29-12* 4 semaines de congés payés chez Renault. **1963**-*18-12* loi créant le *Fonds national de l'emploi.* **1966**-*28-11* création paritaire de l'Apec. *-30-12* Garantie de l'emploi en cas de maternité. **1967**-*13-7* création de l'*Agence nationale pour l'emploi. -17-8* ordonnance sur la *participation* obligatoire aux fruits de l'expansion. **1968**-*21-2* accord avec NPI : versement aux travailleurs en chômage partiel d'une allocation complémentaire aux indemnités d'État. Signataires : CGC, CGT, CGT-FO. *-27-5 constat de Grenelle :* hausse des salaires, engagements tenus par la loi du 28-12 concernant la section syndicale d'entreprise, accords professionnels sur la réduction du temps de travail (voir Quid 1972, p. 795). *-27-12* loi relative à l'exercice du *droit syndical* dans l'entreprise. Liberté de constitution de sections syndicales dans l'entr. **1969**-*10-2* accord national interprofessionnel sur la *sécurité de l'emploi.* Accord avec commissions paritaires de l'emploi au niveau professionnel et interprofessionnel, précisant les modalités de saisine du comité d'entreprise avant tout licenciement collectif pour raisons économiques. Signataires : CFDT, CFTC, CGC, CGT, CGT-FO. *-16-5* loi généralisant les *congés payés* de 4 sem. *– Déc. 1er contrat de progrès* signé à EDF-GDF. *Mensualisation des salaires.*

1970-*2-1* loi instituant le *Smic. -20-4* déclaration commune du patronat et des syndicats sur la *mensualisation. -2-7* accord pour une meilleure indemnisation du *congé-maternité. -9-7* accord sur la *formation* et le *perfectionnement professionnels.* **1971**-*16-7* 3 lois sur *l'apprentissage,* l'*enseignement technologique* et la *formation professionnelle. -30-11/3-12* lois réformant l'allocation de *salaire unique,* majorant les *pensions vieillesse* et la *préretraite* des travailleurs frappés d'inaptitude. **1972**-*27-3* accord national interprofessionnel portant *garantie de ressources* pour les chômeurs de + de 60 ans. **1973**-*19-3* accord sur l'affiliation des jeunes aux régimes de retraites complémentaires, dès leur entrée dans l'entreprise. *-13-7* réforme du *droit de licenciement* obligeant l'employeur à fournir une explication. *-27-12* création de l'Agence nationale pour l'amélioration des conditions de l'emploi (Anact). **1974**-*30-2* création du *Fonds de garantie des salaires* assurant à tous les travailleurs victimes d'une faillite le paiement de leur dû. **1975**-*3-1* et *5-5* loi et décret sur le contrôle des *licenciements économiques. -30-6* loi d'orientation pour les handicapés. *-1-7 retraite à taux plein à 60 ans* pour les travailleurs manuels et les mères de famille ayant élevé 3 enfants ou plus. Conditions : avoir accompli 5 années de travail « manuel » et 42 années de cotisations au régime général de la Sécurité sociale pour les hommes ou 30 années pour les mères de 3 enfants. *-4-7* loi sur la *généralisation de la Sécurité sociale. -11-7* lois définissant les droits des *travailleurs étrangers. -27-12* lois garantissant le versement des salaires en cas de règlement judiciaire et liquidation (complément) ; sur la réduction de la durée légale du travail. **1977** 1er *Pacte pour l'emploi. -12-7* lois sur la *retraite des femmes à 60 ans,* le congé parental d'éducation, le bilan social de l'entreprise. *-10-12* accord national interprofessionnel sur la *mensualisation.* **1978**-*19-1* loi sur la généralisation minimale de la mensualisation. *-17-7* loi interdisant toute mesure discriminatoire pour faits de grève. **1979**-*3-1* loi délimitant les *contrats à durée déterminée. -18-4* accord avec CNPF relatif au versement d'une allocation supplémentaire d'attente aux salariés licenciés pour motif économique.

1980-*22-12* loi sur *l'aide à la création d'entreprise.* **1981**-*7-1* loi garantissant l'emploi après un accident du travail. **1982**-*16-1* ordonnances sur les *contrats de solidarité ;* fixant à *39 h la durée légale* de la semaine de travail et instituant la *5e semaine de congés payés. -5-2* sur les contrats de travail à durée déterminée ; sur le travail temporaire. *-26-3* sur le travail à temps partiel ; fixant l'âge de la retraite à 60 ans ; sur l'insertion des jeunes de 16 à 18 ans. *-28-5* décret sur le droit syndical dans la Fonction publique. *-4-8* loi sur les garanties disciplinaires, le règlement intérieur et le droit d'expression directe et collective. *-28-10* loi sur la réforme et le développement du droit syndical, délégués du personnel, comités. *-13-11* loi réglementant les conflits collectifs et la négociation collective annuelle. *-23-12* loi sur la création de comités d'hygiène, de sécurité et des conditions de travail (CHSCT). Abaissement de l'âge de la retraite à 60 ans au taux plein pour les assurés comptant 150 trim. d'assurance. Droits accrus pour les fonctionnaires. **1983**-*13-7* lois sur les droits et les obligations des fonctionnaires ; sur l'égalité professionnelle des hommes et des femmes. *-26-7* loi de démocratisation du secteur public et nationalisé. Développement des institutions représentatives du personnel et clarification de leur rôle. **1984**-*11-1* loi sur le statut de la Fonction publique d'État. *-24-2* loi sur la formation prof. et les congés de formation. Nouvelle répartition des rôles État-partenaires sociaux au sein de l'Unedic à partir du 1-4-1984. *-5-12* négociations sur la flexibilité du temps de travail et de l'emploi (échec). **1985**-

■ **Exposition nationale du travail. Concours** *créé* 1923. *Officialisé* par arrêté du ministre de l'Éducation nationale, le 25-5-1935. Intéresse env. 220 métiers. Titre : « Un des Meilleurs Ouvriers de France ». *Condition pour participer :* avoir 23 ans minimum. Les étrangers peuvent concourir s'ils justifient de 5 ans au moins d'activité professionnelle en France. Dep. 1924, il y a eu 18 expositions. 6 900 titres décernés. L'exposition de clôture du 19e concours aura lieu à Angers en mai 1994. Le 20e concours s'étendra sur 1994-97. *Renseignements :* Exposition nat. du travail 10, rue St-Roch, 75001 Paris.

20-2 mesures en faveur du travail à temps partiel ; *avril* assouplissement des contrats à durée déterminée (CDD) par un décret prévoyant extension de leur durée et simplification de leur mise en œuvre.

1986-*30-12* loi abrogeant l'autorisation administrative de licenciement. **1987**-*19-6* loi sur l'aménagement du temps de travail. -*10-7* lois favorisant l'emploi des travailleurs handicapés et aménageant le départ à la retraite. -*17-7* décret et arrêté d'application de l'ordonnance du 21-10-1986 sur la participation. -*23-7* loi de réforme de l'apprentissage. **1989**-*31-12* loi prévoyant la prolongation jusqu'au 31-12-90 de l'exonération des cotisations patronales de Séc. soc. pour l'embauche d'un 1er salarié par un travailleur indépendant. **1990**-*14-5* adoption en Conseil des ministres d'un projet de loi visant à modifier l'ordonnance de 1986 relative à la participation et à l'intéressement des salariés aux résultats de l'entreprise (régime obligatoire étendu aux entreprises de 50 à 100 salariés, à partir de l'exercice 91). Selon une enquête Ipsos (mai 90), 81 % des employeurs et 80 % des salariés y seraient favorables.

■ Statistiques globales

Pop. active (1991)	HOMMES		FEMMES	
	Actifs	% (A)	Actives	% (A)
15-19 ans	255 706	12,3	135 109	6,8
20-24 ans	1 352 675	62,3	1 141 601	53,7
25-29 ans	2 035 610	94,0	1 683 568	77,8
30-34 ans	2 081 198	96,9	1 604 173	74,2
35-39 ans	2 070 793	97,2	1 592 667	74,4
40-44 ans	2 133 363	96,8	1 644 623	76,0
45-49 ans	1 575 036	95,6	1 148 440	71,4
50-54 ans	1 241 022	89,5	897 577	64,6
55-59 ans	985 625	68,5	690 110	45,6
60-64 ans	272 105	19,7	247 317	16,0
65-69 ans	76 918	6,4	48 689	3,3
70-74 ans	21 284	2,7	11 578	1,1
75 ans et +	15 617	1,3	11 251	0,5

Nota. – (A) : % d'actifs pour 100 du même groupe d'âge (taux d'activité). *Source :* INSEE.

	Chômage 1992 (%)		Population 1992 (%)	
	H. [1]	F. [2]	H. [1]	F. [2]
Agr. exploitants	0,3	0,4	4,7	3,6
Artisans, commerçants, chefs d'entreprise	2,9	4,2	8,7	5,6
Cadres et prof. intel. sup.	3	4,2	13,8	8,1
Prof. intermédiaires	4,2	6,1	19	19,1
Employés	11	14	11,1	48,1
Ouvriers qualifiés (y compris chauffeurs) Ouvr. non qualifiés Ouvr. agr. Ensemble	37,6	56,1	78,9	27,3

Nota. – (1) Hommes. (2) Femmes.

Actifs, étrangers ayant un emploi en milliers et, entre parenthèses, **% des étrangers, en 1990.** Total 1 297 (5,8) dont ouvriers non qualifiés 436 (15,5), ouvriers qualifiés 333 (9), employés 234 (4) [dont empl. dans commerce et services marchands 135 (5), dans l'ind., BTP et reste du tertiaire 99 (3,1)], professions intermédiaires 109 (2,4), employeurs et indépendants 102 (3,7), cadres et professions libérales 83 (3,2).

Étrangers artisans, commerçants et chefs d'entreprise. Effectifs totaux en miliers et, entre parenthèses, **% des étrangers, en 1990 :** *Artisans* 826 (5,9) [dont maçons, plâtriers 94 (18,3), peintres 57 (10,5), plombiers, couvreurs 52 (4,8), réparateurs automobiles 45 (3,6), menuisiers, charpentiers 41 (4,4), conducteurs de taxi 31 (10,6), transporteurs routiers 31 (4,5), tailleurs, couturiers 18 (11,1)], *commerçants* 756 (5) [dont petits détaillants équipement personnel 105 (4,4), patrons petits restaurants 80 (9), petits détaill. alimentation générale 34 (12,9), patrons cafés, restaurants, hôtels 25 (5,2)], *chefs d'entreprise* 169 (3,6) [dont chefs d'entr., commerçants ayant entre 20 et 50 salariés 40 (4)].

Étrangers dans les métiers de niveau employé. Effectifs totaux en milliers et, entre parenthèses, **% des étrangers, en 1990.** Secrétaires 719 (2,6), assistantes maternelles 261 (4,2), agents de service dans établissements scolaires 220 (2,5), employés admin. d'entreprises sans spécialités particulières 219 (3,4), caissières de magasins 131 (4), vendeurs en équipements de la personne 125 (4,9), vendeurs en ameublement, de disques et de livres 115 (3,6), agents de surveillance, convoyeurs de fonds 106 (7,3), concierges, gardiens d'immeubles 74 (30,9), employés d'hôtellerie 62 (16,6), hôtesses d'accueil et d'information, 37 (4,3), standardistes 37 (3,2).

Étrangers par secteurs d'activité. Effectifs étrangers en milliers et, entre parenthèses, **% des étrangers, en 1990 :** Total 1 618 (6,5) dont tertiaire 647 (4,5), industrie 338 (6,7), chômage 322 (11,5), bâtiment 267 (16,3), agriculture 44 (3,5).

Population totale selon la catégorie socioprofessionnelle en 1990, en milliers, hommes et, entre parenthèses, **femmes.** *Ensemble* 27 565 (29 087) dont élèves et étudiants de 15 ans ou + 2 608 (2 653), anciens ouvriers (y compris agricoles) 1 855 (1 030), ouvr. qualifiés de type artisanal 1 470 (133), de type industriel 1 416 (223), ouvr. non qualifiés de type ind. 1 291 (845), anciens employés 796 (1 879), prof. intermédiaires admin. et commerciales des entreprises 748 (644), techniciens 665 (98), artisans 651 (200), ouvr. non qualifiés de type artis. 647 (285), chauffeurs 604 (18), anciens agriculteurs exploitants 589 (684), anciennes prof. intermédiaires 562 (474), ingénieurs, cadres techniques d'entreprise 533 (68), contremaîtres, agents de maîtrise 531 (43), cadres admin. et commerciaux d'entreprise 530 (229), anciens cadres 448 (131), commerçants et assimilés 437 (359), employés civils, agents de service de la fonction publique 410 (1 588), policiers et militaires 386 (28), anciens artis., commerçants, chefs d'entreprise 380 (394), ouvr. qualifiés de la manutention, du magasinage et transports 375 (34), employés admin. d'entreprise 359 (1 985), professeurs, prof. scientifiques 280 (284), instituteurs et assimilés 264 (493), agric. sur grande exploitation 240 (125), militaires du contingent 230 (1), ouvriers agr. 217 (65), prof. libérales 212 (99), cadres de la fonction publique 207 (81), agric. sur moyenne exploitation 200 (110), agric. sur petite exploitation 198 (140), prof. intermédiaires admin. de la fonction publique 197 (199), personnels des services directs aux particuliers 194 (994), prof. intermédiaires de la santé et du travail social 184 (600), employés de commerce 184 (785), chefs d'entreprise de 10 salariés ou + 149 (28), prof. information, arts et spectacles 97 (72), chômeurs n'ayant jamais travaillé [1] 96 (180), clergé, religieux 28 (20), autres inactifs de – de 60 a. 6 021 (8 880), de 60 a. ou + 135 (1 906).

Nota. – (1) Les chômeurs ayant occupé un emploi auparavant sont classés dans leur ancienne catégorie professionnelle.

■ **Actifs. Nombre total dont,** entre parenthèses, **occupés, en millions :** *1960 :* 19,9 (19) ; *65 :* 20,4 (19,8) ; *68 :* 20,9 (20) ; *70 :* 21,4 (20,6) ; *74 :* 22,3 (21,3) ; *75 :* 22,3 (21,2) ; *80 :* 23,4 (21,6) ; *81 :* 23,5 (21,5) ; *82 :* 23,7 (21,5) ; *83 :* 23,7 (21,5) ; *84 :* 23,9 (21,3) ; *85 :* 23,9 (21,2) ; *86 :* 24 (21,2) ; *87 :* 24,1 (21,3) ; *88 :* 24,1 (21,5) ; *89 :* 24,3 (21,7) ; *90 :* 24,4 (22,3) ; *91 :* 24,6 [22,1 (dont salariés 19 (femmes 8,3), non-sal. 3,1 (f. 1)].

Nota. – Actifs : actifs occupés + chômeurs + militaires du contingent.

Chômeurs (en milliers et entre parenthèses taux de chômage). *1960 :* 276,4 (1,4) ; *65 :* 316,68 (1,5) ; *68 :* 554,3, (2,7) ; *70 :* 529,7 (2,5) ; *74 :* 631,7 (2,8) ; *75 :* 900,6 (4,8) ; *76 :* 993 (4,4) ; *80 :* 1 451 (6,3) ; *81 :* 1 773 (7,4) ; *82 :* 2 800 (8,1) ; *83 :* 2 068 (8,3) ; *84 :* 2 340 (9,7), *85 :* 2 458 (10,2) ; *86 :* 2 517 (10,4) ; *87 :* 2 622 (10,5) ; *88 :* 2 563 (10) ; *89 :* 2 532 (9,5) ; *90 :* 2 504,7 (9,1) ; *91 :* 2 552,6 (9,8) ; *92 :* 2 911 (10,2) ; *93 (avril CVS) :* 3 112 (10,9).

Militaires du contingent (en milliers). *1960 :* 664,2 ; *65 :* 306,3 ; *68 :* 307 ; *70 :* 292,9 ; *74 :* 285 ; *75 :* 288,6 ; *80 :* 264,6 ; *81 :* 267,7 ; *82 :* 265,7 ; *83 :* 259,4 ; *84 :* 256,2 ; *85 :* 256 ; *86 :* 250,3 ; *87 :* 251,1 ; *88 :* 260,9 ; *89 :* 254,1 ; *90 :* 249 ; *91 :* 250.

Actifs étrangers. Par nationalité : *1973 :* 11,9 % de l'ensemble des salariés en France. *85 :* 8,4 %. *88 :* 7,3 %. *90* (en milliers) : 1 620,2 dont Portugais 392,2, Algériens 275,2, Marocains 203,5, Italiens 102,8, Espagnols 97,8, autres pays CEE 87,7, Tunisiens 83,5, Afrique noire 77,2, Turcs 73,1, Cambodg., Laotiens, Vietn. 50,3, ex-Yougoslaves 31, Polonais 11, autres 266,7. **Par catégories socioprof.** (1990, en milliers dont entre parenthèses CEE) : Ensemble 1 620,2 (678,4) ; agric. exploitant 8,6 (6,2) ; artisans commerçants chefs d'entr. 98,4 (46,9) ; prof. libérales 6,5 (2,9) ; cadres et intellectuels 87 (36,9) ; prof. intermédiaires 430,2 (203,7) ; ouvriers 938,5 (375,2). **Ayant un emploi par secteurs** (en milliers, 1990) : 1 304,1 (dont 1 119 salariés), dont services marchands 328,4, bâtiment, génie civil et agr. 268,8, services non marchands 134,3, commerce 124,3, industrie des biens intermédiaires 106,9, ind. des biens d'équipement 104,4, ind. des biens de consommation 96,4, transports et télécommunications 46,8, agr., pêche 43,8, ind. agric. et alim. 27,4, organismes financiers 7,9, produc. et distribution d'énergie 7,1, location et crédit-bail immobiliers 4,7, assurance 3,4. **Qualification** (en 1988 et entre parenthèses en 1973) : salariés qualifiés 50,6 (33,2), OS 33,3 (46), manœuvres et apprentis 16,1 (20,5). **Chômage** (au 31-12-91) : *nombre :* 357 537 dont 32 % en chômage de longue durée (moyenne nationale 29,2 %) ; *CEE* 67 880 dont Port. 37 591, Ital. 10 935, Esp. 10 131 (+ 2,9) ; *non CEE* 289 657 dont Alg. 81 326 (+ 10,5), Maroc 65 441 (+ 14,7), Tunisie 27 082 (+ 8,7), Afr. 41 851 (– 6,1), Turcs 26 214 (– 3,2), ex-Youg. 6 737 (+ 10). Les femmes sont plus nombreuses à vouloir se réinsérer en France (82 contre 74). 5 % seulement sont attirées par une réinsertion dans leur pays d'origine, y compris par l'intermédiaire des aides au retour. **Demandeurs d'asile :** l'autorisation de travail leur est refusée depuis le 1-10-1991 afin de décourager le détournement du droit d'asile par des immigrés « économiques » (exception : les réfugiés d'Asie du sud-est).

■ **Non-actifs** (y compris militaires du contingent et chômeurs pour 100 actifs occupés : *1962 :* 14,5 ; *68 :* 149 ; *75 :* 150 ; *82 :* 153 ; *90 :* 155 (dont *– de 15 ans :* 48 ; *15 à 24 :* hommes 20, femmes 32 ; *55 et + :* 55).

■ **Travailleurs saisonniers. 1970** 135 058. **71** 137 197. **72** 144 492. **73** 142 458. **74** 131 783. **75** 124 126. **76** 121 474. **77** 112 116. **78** 122 658. **79** 124 715. **80** 120 436. **81** 117 542. **82** 107 017. **83** 101 857. **84** 93 220. **88** 70 547. **89** 61 868. **90** 58 249. **91** 54 241 (dont Espagnols 25 971, Portugais 16 568, Polonais 5 916, Marocains 4 304, Tunisiens 745, ex-Youg. 207, autres 530).

■ **Nombre d'établissements par taille d'établissement** (en milliers, au 1-1-1991). *1 à 9 :* 1 090 ; *10 à 49 :* 155,7 ; *50 à 199 :* 28,3 ; *200 à 499 :* 4,90 ; *500 et + :* 1,71. *Total :* 2 472,6. **Entreprises sans salariés** (au 1-1-1991). 1 074 000 dont industries agric. et alimentaires 16 000, autres industries 77 000, BTP 163 000, commerce et réparation 299 000, transp. et comm. 51 000, hôtels-restau. 93 000, immobilier et services aux entreprises 152 000, autres services 223 000.

■ **Évolution de l'emploi de 1960 à 1993.** *Augmentation :* de 1968 à 1982 (env. 230 000 actifs supplémentaires chaque année), ralentie depuis [scolarité plus longue, départ en retraite plus précoce (100 000 à 150 000 personnes chaque année en moins pour le marché du travail)]. A partir de 1975, les créations d'emploi n'absorbent plus la croissance de la population active. *Féminisation :* en 1960, 1 actif sur 3 est une femme ; en 1990, près de 1 sur 2 (43 %). *Vieillissement :* en 1990, 2 actifs sur 3 avaient entre 25 et 50 ans (1970 : 1 sur 2). Selon l'Insee, il y aurait un manque de main-d'œuvre après 2025, en raison du ralentissement de la croissance du nombre d'actifs. Le chômage cependant ne disparaîtrait pas en raison du ralentissement de l'activité économique et de l'inadéquation entre structure de l'offre et demande de travail. *Remèdes :* 1°) recul de 2,5 ans de l'âge de la retraite ; 2°) relèvement du taux de l'activité féminine ; 3°) accueil de 100 000 immigrants par an en moyenne entre 2000 et 2040.

1992 en milliers	1	2	3	4	5	6
Agriculteurs	8	20	80	284	320	277
Artisans	73	81	187	640	478	284
Commerçants Patrons Cadres	1 508	363	405	195	175	66
Profess. intermédiaires	366	1 296	915	1 025	638	280
Employés	81	260	867	2 061	1 551	1 123
Ouvriers qualifiés	7	31	129	1 809	770	1 162
Ouvr. non qualifiés	4	10	52	592	504	1 160
Pop. occupée totale	2 047	2 061	2 635	6 606	4 436	4 352
Chômeurs	97	111	224	779	563	1 028
Pop. active	**2 144**	**2 172**	**2 859**	**7 385**	**4 999**	**5 380**

Nota. – (1) Enseign. sup. long. (2) Bac + 2. (3) Bac. (4) CAP/BEP. (5) BEPC/CEP. (6) Aucun diplôme.

■ **Travailleurs frontaliers français.** *Français par pays d'accueil, entre parenthèses femmes, en % :* Suisse 43 115 (34 %). ex-All. féd. 36 500 (29). Monaco 9 400 (36). Luxembourg 6 140 (23). Belgique 4 840 (31). *Total :* 105 140 (32).

■ **Travail dans la CEE.** Régi pour la majorité des salariés par le principe de la libre circulation et de l'égalité de traitement avec les nationaux. Les ressortissants de la CEE ne sont donc pas tenus d'obtenir une autorisation de travail. Toutefois, s'ils séjournent + de 3 mois en France et désirent travailler, ils doivent être titulaires d'une carte de séjour de ressortissant d'un État membre de la CEE. Au 1-1-1993, la fonction publique (à l'exception des « emplois de souveraineté ») et les professions libérales devront également s'ouvrir aux ressortissants de tous les États membres de la CEE.

Chômage

■ Chômage dans le monde

☞ Les statistiques donnent le nombre de chômeurs recensés. Elles ne tiennent pas compte dans certains pays des chômeurs partiels (travaillant moins de la durée légale) nombreux dans les pays sous-développés. Même dans les pays connaissant un manque de main-d'œuvre, il existe toujours un chômage résiduel : travailleurs instables ou inadaptables (0,25 à 0,3 %), ou non encore reclassés, ou dont la qualification ne correspond pas aux besoins (chômage structurel). Le nombre des chômeurs peut varier considérablement d'un mois à l'autre (de 1 à 4). **Entre 1929 et 1931,** au *max. de la crise,* il y eut aux USA 12 800 000 chômeurs (soit 25 % de la pop. active), en All. 5 580 000 (30 %), G.-B. 2 180 000 (18 %), Italie 1 020 000 (n.c.), Can. 650 000 (21 %), Japon 490 000 (7 %), *France 480 000 (nc)*, Belg. 230 000 (23 %), P.-B. 170 000 (36 %), Suisse 90 000 (13 %).

Pays de l'Est. Prévision BIT : *fin 1992 :* 22 millions de chômeurs dont (CEI 15 dont Russie 6, autres pays 7 dont Pologne 2,9, Tchécoslovaquie 0,75, Hongrie 0,7, Roumanie 1, Bulgarie 0,75). 20 à 30 % des salariés des entreprises d'État devraient être licenciés sans que la production en soit diminuée. **Pays de l'OCDE** (nombre en millions) : *1992 :* 32,5, *93 :* 35,1, *94 (prév.) :* 35,7.

Chômage en %

	1981	1985	1990	1991	1992	1993[2]
Ex-All. féd.	4,3	7,1	4,8	4,2	4,5	5,5[3]
Australie	5,7	8,2	9	9,6	10,8	10,6
Autriche	2,5	3,6	3,3	3,5	3,6	4,4
Belgique	10,9	11,8	7,6	7,5	8,2	9,4[3]
Canada	7,5	10,4	8	10,3	11,2	11,3
Dane.	9,2	8,9	9,6	–	9	11,0
Espagne	14	21,6	16,1	3	18	21[3]
Finlande	5,2	4,9	3,4	7,6	13	13,1
France	*7,4*	*10,1*	*8,9*	*9,5*	*10,2*	*11,5*[3]
G.-B.	11,3	11,4	7	9,1	10,8	11,3[3]
Grèce	2,6	8,3	7,7	–	10	10,2
Irlande	11,3	16,8	13,4	13,9	16,1	19,3
Islande	0,5	1,1	2,3	–	1,2	4
Italie	8,3	9,6	10	10	10,1	10,7[3]
Japon	2,2	2,6	2,1	2,1	2,2	2,3
Luxemb.	1	1,6	1,3	–	1,8	1,5
Norvège	3,6	2,6	5,2	5,5	5,9	6,6
Nlle-Zél.	7,5	3,8	7,5	10,3	10,3	10,6
Pays-Bas	10	10,5	7,5	7	6,7	7,9[4]
Portugal	2	8,5	4,6	4,1	4,1	4,7
Suède	2,5	2,9	1,5	2,7	4,8	6,5
Suisse	0,2	1	0,6	1,2	2,6	3,8
Turquie [1]	20	13,1	10,2	–	10,9	12,5
USA	7,5	7,1	5,4	6,6	7,2	6,9[4]
CEE	8	10,8	8,3	8,7	9,5	10

Nota. – (1) Estimation. (2) Prévisions. (3) mai 1993. (4) avril 1993. *Source :* OCDE.

■ Chômage en France

Définitions

■ **Catégories. 1°) Chômeurs selon la définition du BIT** (adoptée en 1982) : Personnes : a) satisfaisant aux critères suivants : recherche d'un emploi, démarches effectives, disponibilité, absence d'occupation professionnelle au cours de la semaine de référence ; b) disponibles ayant trouvé un emploi qui commence ultérieurement. **2°) Chômeurs selon la définition de l'ANPE :** personnes sans emploi et disponibles pour en occuper un, qui ont fait la démarche de s'inscrire à l'ANPE. **3°) Chômeurs « PSRE » :** population sans emploi, à la recherche d'un emploi, composée de personnes satisfaisant aux 1ers critères de la définition du BIT. **4°) Chômeurs secourus :** travailleurs qui, ayant perdu un emploi, n'en ont pas encore retrouvé d'autre, et (sous certaines conditions de qualification et de temps de recherche) jeunes travailleurs à la recherche d'un 1er emploi. **5°) Demandes d'emploi non satisfaites :** relevées tous les mois dans les agences locales de l'emploi ; s'y inscrivent tous ceux qui y ont intérêt pour trouver un emploi ou pour préserver certains droits (allocations de chômage, Séc. soc.).

■ **Chômeurs conjoncturels : 1°)** Licenciés économiques. **2°)** + de 50 ou 60 ans. **3°)** Handicapés physiques qui vont à l'ANPE. **4°)** Saisonniers. **5°)** Femmes (32 à 40 ans) qui reviennent sur le marché du travail quand leur dernier enfant va à l'école. **6°)** Personnes en transit. **7°)** Asociaux. **8°)** Jeunes.

Demandeurs d'emploi. 1°) *Personnes sans emploi immédiatement disponibles,* cherchant un emploi à temps plein (catég. 1), à temps partiel (cat. 2), à durée déterminée (cat. 3). **2°)** *personnes sans emploi non immédiatement disponibles* (cat. 4), pourvues d'un emploi mais en cherchant un autre (cat. 5). Au-delà de 78 h de travail par mois, le chômeur de cat. 1 doit être classé en cat. 4 ou 5 (décret du 6-2-1992).

Statistiques

☞ **1946-48** pénurie de main-d'œuvre. Demandes d'emploi 35 000 à 70 000. Offres d'emploi 30 000 à 65 000. Chômeurs secourus 12 000. **1949-55** demandes 100 000 à – de 250 000 (1954). Offres de 30 000 (min. 6 500 en 1953). Chômeurs secourus 50 000 à 60 000. **1956-64** équilibre sauf 1958-59 (crise de l'industrie textile). Demandes – de 10 000 (sauf 1959-60). Offres + de 40 000 (sauf début 1959 : 8 000). Chômeurs secourus 20 000 à 25 000 (sauf 1959-60 : 43 000 et 41 000). **1965-68** demandes 100 000 à 250 000 (fin 1967). Offres 35 000 à 24 000 (fin 1967). Chômeurs secourus 36 000 (65) à 63 000 (67). Chômage des cadres (fusions ou concentrations), puis d'ouvriers et de jeunes. **1969-73** légère baisse du chômage (croissance économique). **1974-87** hausse. **1988** stabilisation. **1989** légère baisse (2,3 %) mais allongement de la durée moy. (364 j, soit + 13 j ; 381 en juil. 90). **1990-93** accroissement, baisse de la durée (339 j en févr. 93 ; 390 en mai 90). 11,1 % de la pop. active est au chômage.

■ **Évolution. 1992** *Journées indemnisables :* 10,7 millions (*91 :* 7,6). *Licenciements économiques :* 550 000 (110 000 emplois perdus dans l'industrie). *Chômeurs évités :* équiv. à 250 000 grâce aux mesures d'aide (stages contrats aidés) qui ont touché 1 990 000 personnes en métropole (1 580 000 en 91). *Radiations :* 109 800 (*91 :* 44 342), (motifs : non-réponse aux convocations, absence de recherche, refus d'emplois ou des actions d'insertion proposées). *Exclusion de l'indemnisation :* 39 400. *Chômage partiel :* 10,7 millions de jours indemnisables (*91 :* 7,6), dont 1,22 pour le secteur auto). 1,5 million de salariés touchés pour 5 j en moyenne. **1993** (31-3) : *chômeurs officiels* (catégorie 1) 3 078 300 + 362 100 cat. 2 et 3 (cherchant temps partiel ou CDD) +240 000 indemnisés mais dispensés de recherche + 54 800 licenciés économiques en conventions de conversion + 200 600 préretraites + 220 000 RMI + 500 000 stages ou contrats emploi-solidarité. *Total :* 4 655 800 situations précaires. *En contrats aidés* (exonération de charges apprentissage, exo-jeunes, etc.) : 900 000. **Prévisions** (Insee 7-7-93). Fin 1993 : 400 000 chômeurs en +, taux 12,5 %.

■ **Demandes d'emploi** (cat. 1) (févr. 93 en milliers, entre parenthèses variation en % sur un an). 3 098,2 (+ 5,4). Île-de-France 580,5 (11,2). Champagne-Ardenne 73,3 (5,7). Picardie 100 (6,1). Hte-Normandie 107,4 (– 0,4). Centre 121,9 (4,9). Basse-Normandie 71,9 (0,6). Bourgogne 81,8 (8,6). Nord-Pas-de-Calais 239,1 (3,1). Lorraine 103,4 (5,4). Alsace 57,7 (14). Franche-Comté 47,8 (5,5). Pays de la Loire 173 (1,8). Bretagne 138,5 (– 1,1). Poitou-Charentes 88,5 (– 0,5). Aquitaine 167 (2,9). Midi-Pyrénées 124,2 (3,3). Limousin 31,1 (– 1). Rhône-Alpes 287,5 (13,1). Auvergne 62,4 (– 7,7). Languedoc-Roussillon 147,7 (1,9). Provence-Alpes-Côte d'Azur 280,8 (6,5). Corse 12,9 (– 0,7). DOM ; taux de chômage en % (90) : Guadeloupe 31, Guyane 24, Martinique 32, Réunion 37. **Selon l'âge et le sexe** (mai 93) : – *de 25 ans :* hommes 322,5, femmes 373,8. *25 à 49 a. :* h. 959,1 ; f. 982,1. *50 a. et + :* h. 226,4 ; f. 160,1. **Selon la qualification** (mai 93) : employés qualifiés 1 077, ouvriers qualifiés 601,6, employés non qual. 523, ouvriers spécialisés 382,6, manœuvres 129,7, cadres 172,1, agents de maîtrise et techniciens 163,1, demandes non ventilées 49,1. **Selon les diplômes** (en %, en mars 93) : sans diplôme ou CEP 15,3, BEPC, CAP, BEP 10,5, Bac 9,5, Bac + 2 7, diplôme sup. 5,9.

■ **Chômeurs et préretraités indemnisés tous régimes confondus** (en milliers au 31-12) *1981 :* 1 752,1 ; *85 :* 2 294,3 ; *87 :* 2 327,5 ; *90 (moy.) :* 2 164 ; *91 (moy.) :* 2 336,6 ; *92 (moy.) :* 2 572,4 dont chômeurs 2 220,8, préretraités 217,5, en formation 134,2.

Coût de la politique de l'emploi

(en milliards de F)	1973	1980	1990	1991 [1]
Indemnisation du chômage	1,89	26,15	86,97	101,12
Incitation au retrait d'activité	1,58	11,18	37,95	32,67
Maintien de l'emploi	0,14	2,51	2,97	3,43
Promotion et création de l'emploi	0,5	2,67	14,58	18,23
Incitation à l'activité	0,08	1,39	4,5	4,35
Formation prof.	5,72	19,81	66,28	72,01
Fonctionnement du marché du travail	0,26	1,06	3,8	4,23
Total	*10,17*	*64,77*	*217,9*	*236,04*

Nota. – (1) Dont 69 en allocations de base (1 394 000 bénéficiaires), + 8,5 d'allocations de fin de droits (301 485 bén.), 9,5 d'allocation de solidarité (351 810 bén.), 13,6 d'allocations FNE.

	Taux de chômage par niveau de diplôme (en %)						
	0	1	2	3	4	5	Ensemble
Hommes							
mars 1971	2,1	1,2	1,6	1,2	1,4	1,3	1,5
mars 1980	5,9	3,4	4,6	3,3	3,4	3	4,1
mars 1988	14,9	7,3	7,2	7,3	4,8	3,3	8,1
Femmes							
mars 1971	3,4	2,8	2,6	2,9	2,4	1,5	2,9
mars 1980	12	7,9	9,6	10	7,4	4,4	9,1
mars 1988	21,5	12,4	12,5	13,8	8,9	4,7	12,8

Nota. – Niveau de diplôme : 0 aucun diplôme ou non déclaré. 1 certificat d'études primaires. 2 BEPC seul. 3 CAP ou BEP ou équivalent avec ou sans BEPC. 4 diplôme de niveau *baccalauréat* (y compris brevet professionnel). 5 diplôme de niveau sup. au bac. *Source :* Insee.

■ **Dépenses tous régimes** (en milliards de F) *1981 :* 51,9 ; *85 :* 104 ; *87 :* 105,4 ; *90 :* 107 ; *92 :* 129,3.

■ **Contributions encaissées** (en milliards de F) *1981 :* 29,2 ; *85 :* 71,6 ; *87 :* 84,2 ; *90 :* 108,3 ; *92 :* 118,7.

■ **Unedic** (en milliards de F). **Recettes et,** entre parenthèses, **dépenses.** *1991 :* 86,03 (94,17), *92 :* 95,12 (110,77), *93 :* 112,18 (113,65). **Déficit annuel et,** entre parenthèses, **cumulé :** *1991 :* – 8,14 (– 8,34) ; *92 :* – 15,65 (– 23,99) ; *93* (prévision sur 1,4 % de croissance) : – 1,48 (– 25,47), épongé partie par l'État (aide de 3,15 + 1,7 de bonification d'intérêts d'emprunts), partie par la refonte récente du régime. *Prévision revue en avril 93* (chômage 10,9 %) *fin 93 :* – 37,7 ; *fin 94 :* – 62. Il est question (CFDT, CFTC) de ne plus asseoir les cotisations sur les seuls salaires, mais aussi sur la valeur ajoutée pour soulager les secteurs de main-d'œuvre.

■ **Chômage masculin et,** entre parenthèses, **féminin** (en milliers de personnes). *1975 :* 392 (508,6) ; *80 :* 589,9 (877) ; *90 :* 934,7 (1 261,4) ; *91 :* 1 003 (1 294) ; *92 :* 1 404,4 (1 505,4) ; *93 (mars) :* 1 539,4 (1 527).

■ **Marché du travail. Demandes d'emploi** (cat. 1 + 2 + 3) : 3 440,4 (+ 8). *Par âge* (hommes et, entre parenthèses femmes, en milliers, mai 93) : – *de 25 a. :* 293,1 (324,7), *25 à 49 a. :* 1 001,5 (990,8), *50 a. et + :* 226,9 (157,2). *Par qualification prof. :* employés qualifiés 1 038,9, ouvriers qual. 585,9, employés non qual. 500,4, ouvriers spécialisés 368,5, cadres 173,2, agents de maîtrise, techniciens 164, manœuvres 124, autres 39,3. **Offres d'emploi** (cat. 1) en fin de mois : 46,6 (– 17,8). Total des offres placées au cours du mois (cat. 1 + 2 + 3) : 69,6 (+ 19,1).

Taux du chômage (en %)	Pop. totale		Pop. active		
	1975	1990	1975	1990	1993 [1]
Hommes	2,3	5,0	2,8	6,7	9,4
15 à 24 ans	3,7	5,8	6,3	13,4	21,5
25 à 49 ans	1,9	5,4	1,9	5,7	9,4
50 à 64 ans	1,9	3,2	2,3	5,4	6,7
Femmes	3,1	6,8	6,1	12,0	13,3
15 à 24 ans	5,7	8,2	12,3	22,6	28,4
25 à 49 ans	2,6	7,9	4,6	10,9	12,3
50 à 64 ans	1,4	3,2	3,3	8,0	8,4
Ensemble	2,7	5,9	4,0	9,0	11,1
15 à 24 ans	4,7	7,0	8,9	17,5	24,6
25 à 49 ans	2,2	6,6	2,7	6,5	10,1
50 à 64 ans	1,7	3,2	2,7	6,5	7,3

Nota. – (1) mars.

Comparaison avec l'étranger (1992). **Chômage des jeunes** (en % des chômeurs) : Japon 27,5. All. 14,8. R.-U. 30,1. USA 30,9. Canada 27,7. *France 22,6.* Italie 47,7. **CLD (91) :** Canada 8,3. USA 9,1. Japon 16,4. *France 43,6.* R.-U. 44,4. All. 45. Italie 64,6. **% du PIB affecté à la lutte contre le chômage (1992) :** Japon 0,45. USA 0,85. G.-B. 1,5. Italie 1,52. Canada 2,08. All. 2,25. *France 2,65.*

■ **Chômeurs de longue durée** (fin 1992 en milliers et entre parenthèses fin 1991). *Total* 893,5 (893,1) dont *1 à 2 ans* 559,2 (516,1) ; *2 à 3 ans* 170,8 (177,9) ; *+ de 3 ans* 163,5 (199,1). **Catégories** (en %). *Cadres* 5,6 (4,8) ; *techniciens et AT* 5,4 (4,6) ; *employés qualifiés* 35,1 (35,7) ; *non qualifiés* 17 (17,7) ; *ouvriers qualifiés* 19,1 (17,8) ; *spécialisés* 17,8 (19,4).

■ **Passifs.** *Personnes inscrites à l'ANPE et déclarées n'effectuent pas de démarches pour trouver du travail : 1983 :* 56 000. *86 :* 71 000. *89 :* 69 000. *90 :* 296 000. *92 :* 354 000 ; *n'effectuant aucune démarche (donc classés inactifs) :* 75 % des 60 ans ou +, 59 % des 55-60 a., 44 % des 50-55 a., 29 à 33 % des – de 50 a. Le chômeur inscrit à l'ANPE, qui n'accomplit pas d'« actes positifs de recherche d'emploi », peut être radié pour 2 à 6 mois. 427 000 chômeurs (la plupart des + de 50 a.) seraient dans ce cas. *Chômeurs passifs occupant un emploi au bout de 1 an :* 17 %, *au bout de 2 ans :* 36 % et 22 %.

■ **Création d'emplois.** *1989 :* 233 000 emplois salariés ; *91 :* 51 000.

■ **Étrangers demandeurs d'emploi** (au 31-12-1991). 357 737 dont CEE 67 880 (Portugais 37 591, Italiens 10 935, Espagnols 10 131, autres 9 223), non-CEE 289 657 (Algériens 81 236, Marocains 65 441, Tunisiens 27 082, autres Afr. 41 851, Turcs 26 214, Sud-Est asiatique 14 360, ex-Yougoslaves 6 767, autres 26 616.

■ **Bénéficiaires d'aides** (en milliers, mars 1993). *Régime d'assurance 1 898,1* dont allocation unique dégressive (Aud) 1 031,3, de base exceptionnelle 2,6, fin de droits 105, formation reclassement 84,1. *Régime AGCC,* alloc. spécif. de conversion 54,8. *Stagiaires régime public* 15,5. *Régime de solidarité* 358,5 dont alloc. d'insertion 22,9, alloc. de solidarité spécif. 335,6. *Régime préretraite État 178,8* dont alloc. spéciale FNE 163,6. *Garantie de ressources 16,5* dont gar. licenciement 12,2, démission 4,3. *Total* données brutes 2 522,1 (corrigé des var. saisonnières 2 458,7). *Total bénéficiaires* du fichier nation. des alloc. y compris dépôts de dossiers qui seront indemnisés plus tard rétroactivement 2 854,4 dont chômeurs 2 425,4, pré-retraités 200,6, en formation 228,4.

■ **Bénéficiaires des dispositifs d'insertion** (en millions, entre parenthèses nombre de chômeurs évités). *1985 :* 1 259,5 (754,12). *86 :* 1 521 (892,5). *87 :* 1 857 (973). *88 :* 1 772 (1 113). *92 :* 1 990 (1 170).

■ **Demandeurs d'emploi non indemnisés** (31-12-91). 1 214 026. *1°) Non-demandeurs d'allocations :* chômeurs inscrits à l'ANPE, mais qui n'ont pas renvoyé de demande d'all. à l'Assedic 207 080. *2°) Demandeurs rejetés :* ne remplissant pas les conditions d'ouverture de droits à l'ass. chômage, ni à l'all. d'insertion 402 660, surtout des femmes (65 %) et des jeunes (28,7 %). *Motifs de rejet (en %) :* affiliation insuffisante 44,3 pour assurance chômage, absence de diplôme permettant l'admission au régime d'insertion 40,8. *3°) Demandeurs classés sans suite* 28 338. *4°) Acceptés en indemnisation mais en situation de carence :* 66 222 (93,4 % pour reliquat de congés payés). *5°) Chômeurs ayant épuisé leurs droits à l'indemnisation* 174 577 (56,5 % des femmes en raison de leurs durées moyennes d'indemnisation plus courtes que les hommes et de leur plus grande difficulté de réinsertion sur le marché du travail). *6°) Chômeurs en interruption momentanée d'indemnisation :* 59 663. *7°) Situations indéterminées :* 124 022.

Jeunes demandeurs d'emploi (septembre 90) : 694 000 inscrits à l'ANPE (27,2 % des demandeurs d'emploi) soit par rapport à la pop. active jeune : H 15,4 % (*1985 :* 21,6), F 24 % (30,5). Chaque année, env. 700 000 jeunes sortent du système scolaire. 9 mois plus tard, 400 000 occupent un emploi (y compris TUC et SIVP). *En 1989 :* 27 % des jeunes actifs n'avaient pas trouvé d'emploi 9 mois après leur sortie d'école (*1984 :* 45 %). *En 1986 :* 30 % avaient un emploi stable 3 mois après leur sortie. (*1979 :* 70 %). *Jeunes sans qualification : en 1989 :* 36 % des garçons (*mars 85 :* 54 %) et 51 % des filles (78 %) étaient toujours au chômage 9 mois après leur sortie du système scolaire. *Jeunes du niveau bac : en 1989 :* 60 % des garçons, 61 % des filles avaient un emploi stable. En raison de l'allongement des études, le taux d'activité est passé, de 1984 à 89, de 49 % à 47 % pour les garçons et de 40 % à 33,6 % pour les filles. *Écart annuel entre sortants du système scolaire et embauches : 1979 :* 23 000. *84 :* 300 000. *89 :* 200 000.

■ **Plan Exo-Jeunes** (16-10-1991) : Exonération des charges patronales pour l'embauche, sous contrat à durée indéterminée, des jeunes de 18 à 25 ans non titulaires d'un diplôme équivalent au CAP ou BEP, sous condition d'embauche entre le 15-10-91 et le 31-5-92. Exonération à 100 % sur 12 mois, 50 % les 6 mois suivants. **Nombre** (janv. 1993) : 108 000.

■ **Contrats emploi-solidarité** (CES) : ils remplacent les TUC (travaux d'utilité collective), les PIL et les activités d'intérêt général prévues dans le cadre du RMI. **Employeurs concernés :** collectivités territoriales et leurs groupements, associations, établ. publics, personnes morales chargées de la gestion d'un service public, mutuelles et comités d'entreprise. **Bénéficiaires.** *Prioritaires :* **1°)** demandeurs inscrits à l'ANPE depuis plus de 3 ans, **2°)** chômeurs de longue durée de + de 50 ans, **3°)** bénéficiaires du RMI sans emploi depuis 1 an ou +, **4°)** personnes handicapées ; *Autres :* 18-20 ans titulaires au plus d'un diplôme de niveau V (BEP, CAP) ; demandeurs d'emploi de + de 50 ans ; demandeurs d'emploi inscrits pendant 12 mois au cours des 18 mois qui ont précédé la date d'embauche ; personnes percevant l'allocation de fin de droits ou l'allocation de solidarité spécifique ; titulaires du RMI ou leur conjoint ou concubin ; à titre exceptionnel, personnes ne remplissant pas les conditions, mais qui rencontrent des difficultés particulières d'accès à l'emploi. **Durée du contrat :** de 3 à 12 mois max. (24 pour certains bénéficiaires). *Durée hebdo. :* en principe 20 h. **Aide de l'État** (à partir du 1-8-93) : prise en charge partielle de la rémunération (85 % pour les prioritaires, 65 % pour les autres) ; des frais de formation complémentaire sur une base forfaitaire (22 F par heure de formation, sur la base d'une durée moyenne de 200 h, plafond 400 h). Exonération des cotisations patronales sauf Assedic.

■ **Plan pour l'emploi du 19-9-1990.** *Allégement pour les entreprises* par : **1°)** réduction de taux et déplafonnement des cotisations d'accident du travail (baisse de 0,56 %) ; **2°)** déplafonnement du versement de transport (réduction des taux d'env. 20 % en région parisienne, 10 % en province) ; **3°)** reconduction pour 1 an de l'exonération des cotisations patronales de SS pour l'embauche d'un 1er salarié. **Soutien de l'effort d'investissement des entreprises par : 1°)** réduction du taux d'imposition sur bénéfices réinvestis (baisse de 37 à 34 %) ; **2°)** mesures pour améliorer les fonds propres des PME (prêts au taux plafond de 9,25 %) ; **3°)** baisse du plafonnement de la taxe prof. de 4 à 3,5 % de la valeur ajoutée en 1991. **Utilisation des équipements et temps de travail :** droit à la compensation pour le travail de nuit en salaire ou repos compensateur, institution d'un droit au temps partiel choisi (modalités à définir par conventions collectives). **Développement de la formation professionnelle par : 1°)** crédit d'impôt-formation pour la période 1991-93 (bénéfice du taux majoré à 35 % pour PME et salariés âgés ou peu qualifiés) ; **2°)** aide de l'État pour le remplacement des salariés en formation dans les entreprises de – de 50 salariés (3 000 F par mois sous réserve d'un recrutement externe) ; **3°)** élargissement du crédit-formation aux adultes (30 000 salariés et 45 000 chômeurs + 125 000 jeunes) ; **4°)** création d'un guichet unique départemental des services publics de l'emploi et de la formation. **Aide à l'insertion par : 1°)** soutien aux entreprises d'insertion et aux associations intermédiaires ; **2°)** aide aux chômeurs créateurs d'entreprise. **Réduction des difficultés de recrutement en : 1°)** augmentant les performances de l'ANPE et de l'AFPA ; **2°)** créant des « stages d'accès à l'emploi » (50 000) remplaçant les stages de mise à niveau et les actions de formation du FME ; **3°)** encourageant la mobilité géographique des chômeurs par une aide de l'État et des Assedic.

Plan emploi automne 1991. Favoriser les emplois de proximité : réduction d'impôt de 50 % (salaires + charges) pour l'emploi de travailleurs à domicile ; entreprises de – de 500 salariés n'ayant pas licencié exonérées de charges pour l'embauche définitive d'un jeune de 18 à 25 a.

Mesures récentes (fin 1992-début 1993) : **développement de la formation en alternance :** coût 2,5 milliards (contrats de qualification voir p. 1427 a, d'apprentissage p. 1427 a, d'orientation, d'adaptation). Incitation à recourir au **temps partiel, ou au partage du travail** plutôt qu'au licenciement, voir chômage partiel p. 1422 b et préretraite p. 1422 b. Aides supplémentaires **aux contrats de retour à l'emploi :** v. p. 1427 a. **Soutien général de l'activité économique** (suppression du décalage de remboursement de TVA, emprunt de 40 milliards pour interventions). **Projet de loi** soumis à l'Assemblée le 20-6-93. **Allégement du coût du travail,** en particulier par transfert à l'État des charges d'allocations familiales (5,4 %) : plan étalé sur 5 ans (coût 150 milliards de F) ; 1re tranche dès juill. 93 exonération totale pour les salaires < 1,1 Smic et exonération de 50 % pour salaires compris entre 1,1 et 1,2 fois le Smic (coût 4,5 milliards en 93) ; cette mesure très importante devrait permettre de ralentir les **délocalisations** au moins en Europe. **Accroissement des contrats emploi-solidarité :** + 250 000 pour 1993 (coût 4,2 milliards de F), soit 650 000 CES budgétisés (8 MdF). **Compensation salariale** de l'État aux salariés qui accepteraient des baisses de rémunération (5 % mini.) pour éviter un licenciement économique collectif (compensation 50 % non automatique mais examinée cas par cas, plafond de salaire 19 000 F, plancher d'indemnisation 22 F) ; l'adhésion devra être volontaire et précédée d'un débat social établissant les conditions de sortie du dispositif. *Extension* aux 2e et 3e salariés **des exonérations de charges** pour l'embauche du 1er salarié.

■ **Réinsertion des chômeurs de longue durée (CLD).** *Décret du 3-4-1985 :* les demandeurs, inscrits à l'ANPE depuis plus de 12 mois, bénéficient d'un nouveau type de contrat à durée déterminée. *Avril 1987* nouvelles formules d'aide à l'embauche et de formation, suppression du délai de carence entre assurance et solidarité, extension des conventions de conversion. *Coût du projet* (évaluation) : 4,327 milliards par an. **Programme chômeurs de longue durée :** 1 030 000 ont été reçus en entretien individuel entre févr. et oct. 92. *Propositions à l'issue des entretiens* (en milliers) : emploi 185, formation 95, activité d'intérêt général 125, autres propositions 335 (dont bilan, appui social, réexamen), pas de proposition 290 (pas d'emploi disponible ou grande difficulté d'insertion).

■ Chômage total (Assedic)

Régime d'assurance chômage

Financé par entreprises et salariés, destiné aux chômeurs ayant travaillé suffisamment : allocation de base, allocation de fin de droits (et prolongations individuelles possibles).

■ **Champ d'application.** Métropole et DOM (adapté pour salariés du secteur privé). **Secteur public :** allocations du régime d'assurance servies par l'organisme employeur, ou par l'intermédiaire des Assedic (convention de gestion). Les organismes publics peuvent aussi adhérer au régime d'assurance (sauf État et établ. publics administratifs de l'État qui garantissent les mêmes allocations à leurs agents non titulaires en cas de perte involontaire d'emploi).

■ **Contributions.** *Assiette et plafond :* rémunérations brutes définies pour la taxe sur les salaires. Sont exclues les rémun. des salariés de 65 ans et +.

Cotisations versées à l'Assedic (au 1-8-1993, en %)	Part employeur		Part salariale		Total	
	A 1	B 2	A 1	B 2	A 1	B 2
Cotis. d'ass. chômage	4,18	4,18	2,42	2,97	6,60	7,15
Cotisation ASF 3	1,08	1,20	0,72	0,80	1,80	2,00
Cotisation FNGS 4 ...	0,35	0,35	–	–	0,35	0,35
Total	5,61	5,73	3,14	3,77	8,75	9,50

Nota. – (1) Tranche A : part du salaire ne dépassant pas le montant du plafond de la Sécurité sociale. (2) Tranche B : part comprise entre le plafond de la Séc. soc. et 4 fois ce montant. (3) Association pour la structure financière : créée 1983 pour prendre en charge les garanties de ressources (préretraite) et le surcoût de l'abaissement de l'âge de la retraite pour les régimes de retraite complémentaire. (4) Fonds national de garantie des salaires.

Indemnisation

■ **Inscription.** Après licenciement (ordinaire ou économique), fin de contrat à durée déterminée ou démission pour motif reconnu légitime par l'Assedic. Il faut être inscrit comme demandeur d'emploi, physiquement apte et avoir – de 60 ans (ou + jusqu'à réunir 150 trimestres d'assurance vieillesse, mais 65 ans au plus).

Salaire de référence (sr) : rémunérations soumises aux cotisations au titre des 12 mois civils précédant le dernier j de travail payé (3 ou 6 mois si affiliation inf. à 12 m.), y compris la fraction afférente des primes ou avantages annuels, dans la limite de 46 480 F/mois au 2e sem. 1991.

Sr est égal au quotient du s. de réf. ci-dessus par le nombre de j d'appartenance (ouvrables ou non) au titre desquels ces salaires ont été perçus.

■ **Ancien système** (voir tableau p. 1422).

■ **Nouveau système** (voir tableau p. 1422). La triple allocation (AB, AB exceptionnelle, AFD) est remplacée par une allocation unique, *l'AUD (Allocation unique dégressive).* **Montant d'entrée :** le même que l'AB dans l'ancien système, sous réserve que le droit soit ouvert dans le nouveau (selon durée de cotisation). **Application :** allocataires dont le contrat expire après le 1-7-93 ; dispositions transitoires dès le 1-4-93 pour les salariés licenciés av. le 1-8-92 (reprise de la durée maximale d'indemnisation dans l'ancien système, mais en appliquant au-delà de la durée de base la dégressivité du nouveau système). **Différé d'indemnisation :** 8 j au-delà du *délai de carence* (égal au congé payé restant à courir après inscription) limité à 75 j. **Conséquences :** le nouveau système réduit les prestations et exclut de l'indemnisation 70 000 chômeurs qui ne peuvent justifier de cotisations préalables suffisantes.

Précompte assurance maladie (au 1-3-89) : 1,4 % du revenu de remplacement. Ne peut réduire l'allocation à une somme inférieure à 178 F par jour (au 1-12-90). Participation au financement de la validation des points de retraite complémentaire (à compter du 1-1-90) : 0,6 % du salaire journalier de référence, seuil d'exonération : allocation minimale.

Ancien système d'indemnisation : Allocation de base (AB) et allocation de fin de droit (AFD)

Durée d'affiliation préalable et âge à la RCT [1]	AB droit	AB prolongation	AFD[3] droit	AFD[3] prolongation	Durée max.[8]
3 m. dans les 12 derniers m. [2] ..	3 m. [4]	–	–	–	3 m.
6 m. dans les 12 derniers m. :					
moins de 50 ans ..	8 m. [5]	2 m.	6 m. [6]	1 m.	15 m.
50 ans et + ...	9 m. [5]	6 m.	9 m. [6,7]	3 m.	21 m.
12 m. dans les 24 derniers m. ou **6 m.** dans les 12 derniers m. si 10 ans d'affiliation dans les 15 dernières années :					
– de 50 ans	14 m. [5]	5 m.	12 m. [6]	4 m.	30 m.
50 ans et + ...	18 m. [5]	15 m.	15 m. [6,7]	9 m.	45 m.
24 m. dans les 36 derniers m. :					
de 50 à 55 ans	21 m. [5]	12 m.	15 m. [6,7]	9 m.	45 m.
55 ans et + ...	27 m. [5]	18 m.	18 m. [6,7]	9 m.	60 m.

Nota – (1) RCT : date de la « rupture du contrat de travail », c'est-à-dire le terme du préavis que celui-ci soit effectué ou non. (2) Condition non exigée en cas de licenciement pour fermeture définitive d'un établissement. (3) Prend le relais de l'AB. (4) *Montant minoré*, suivant une affiliation préalable entre 91 j et – de 182 j : allocation journalière = une partie proportionnelle égale à 30,3 % du salaire journalier de référence + 38,74 F. Minimum 93,58 F ; maximum 56,25 % du s.r. (5) *Montant normal*, après affiliation préalable d'au moins 182 j, partie proportionnelle égale à 40,4 % du s.r. + 54,15 F, ou 57,4 % du s.r. si ce calcul est plus avantageux. Minimum 131,01 F ; maximum 75 % du s.r. (6) *Normal :* 81,30 F/j (30-12-91). (7) *Majoré pour chômeurs âgés :* 112,70 F (+ de 52 ans, après 1 an de chômage, si 20 ans d'emplois salariés dont 1 an continu ou 2 ans discontinus au cours des 5 dernières années de travail). Max. : 75 % du salaire de référence (v. plus haut) et montant de la dernière AB versée. (8) Toutes allocations. *Source :* Liaisons sociales.

Nouveau système : AUD

Cas	Durée d'affiliation	Durée d'indemnisation : Taux normal	Taux dégressif [1] (par période de 4 mois)	
1	**4 m.** dans les 8 derniers m.		4 m.	– 25 % [2]
2	**6 m.** dans les 12 derniers m.	4 m.	3 m.	– 15 %
	8 m. dans les 12 derniers m.			
3	– de 50 ans	4 m.	11 m.	– 17 %
4	50 ans et +	7 m.	14 m.	– 15 %
	14 m. dans les 24 derniers m.			
5	– de 25 ans	7 m.	23 m.	– 17 %
6	25-49 ans	9 m.	21 m.	– 17 %
7	50 ans et +	15 m.	30 m.	– 15 %
	27 m. dans les 36 derniers m.			
8	50-54 ans	20 m.	25 m.	– 15 %
9	55 ans et +	27 m.	33 m.	– 8 %

Nota. – (1) Minimum/jour : 83,50 F, 115,74 F pour 52 ans et +. (2) Un abattement de 25 % est appliqué dès le début de l'indemnisation.

Exemple : un chômeur âgé de 25 à 49 ans qui a cotisé durant 14 mois dans les 24 derniers mois sera indemnisé pendant 30 mois : les 12 premiers mois, il touchera 57,4 % de son salaire brut (dans l'hypothèse où cette méthode de calcul lui est plus favorable), puis, tous les 4 mois, pendant les 18 mois restants, son allocation sera diminuée de 17 % avec cependant un plancher de 2 439 F.

■ **Allocation de formation-reclassement.** Pour les bénéficiaires de l'allocation de base qui suivent une formation conforme à l'orientation donnée par l'Anpe et qui correspond à l'une des catégories figurant sur la liste annexée à la convention conclue entre l'État et l'Unedic (84 062 bénéficiaires fin mars 1993). La formation suivie doit durer au moins 40 h dont durée hebdo. au moins 20 h. Elle peut durer jusqu'à 365 j sauf condition d'affiliation spécifique.

Durée d'attribution : comme pour l'allocation de base et de fin de droits, y compris les prolongations éventuelles. *Périodes d'indemnisation :* s'imputent sur la durée de l'allocation de base.

Montant : équivalent à celui de l'all. de base due la veille de l'entrée en stage, majoré de 10 %, soit 133,64 F en 1993.

Mesures spécifiques : pour les travailleurs en cas de stage de plus de un an estimé nécessaire par l'Anpe pour le reclassement.

Régime de solidarité

■ **Allocation d'insertion.** Pour certains demandeurs d'emploi qui n'ont pas assez travaillé pour avoir des allocations basées sur le salaire. Les femmes seules et les jeunes en sont exclus depuis le 1-1-92. **Principaux bénéficiaires : 1°)** *salariés expatriés* sans assurance chômage, justifiant de 182 j d'activité. **2°)** *Détenus libérés,* sauf après certaines condamnations (proxénétisme, stupéfiants...), dans les 12 mois suivant une détention d'au moins 2 mois. **3°)** *Victimes d'accident du travail ou maladie professionnelle* dont le contrat de travail est suspendu en attente de réinsertion ou de reclassement. **4°)** *Rapatriés, apatrides, réfugiés :* dans les 12 mois du rapatriement (avec admission au bénéfice de la loi 61-1439 du 2-12-61), de la demande d'asile ou de la délivrance de la carte de réfugié. Bénéficiaires (mars 93) : 22 873. **Montant mensuel** (au 1-1-1993) : *Célibataire :* 1 311 F pour un revenu inf. à 2 622 F ; 3 393 F moins revenu, si revenu compris entre 2 622 et 3 393 F ; néant au-delà. *Couple :* 1 311 F pour un revenu inf. à 6 556 F ; 7 866 F moins revenu, si revenu compris entre 6 556 et 7 866 F. **Durée :** 6 mois, renouvelable 1 fois.

■ **Allocation de solidarité spécifique.** Pour certains chômeurs de longue durée qui ont épuisé leurs droits aux allocations d'assurance. **Conditions :** justifier de 5 ans d'activité salariée (réduction de 1 an par enfant à charge ou élevé, dans la limite de 3 ans sous certaines conditions) dans les 10 ans précédant la rupture du contrat de travail ; ressources mensuelles (prestations familiales non comprises) inférieures à : 5 104,40 F pour un célibataire ; 10 208,80 F pour un couple ; l'allocation peut être versée sous forme différentielle ; être à la recherche d'un emploi (sauf dispense : accordée sur demande aux + de 55 ans). Peuvent aussi en bénéficier, sans réserve de la condition de ressources, certains marins-pêcheurs rémunérés à la part, dockers occasionnels, artistes auteurs ou interprètes. Bénéficiaires (mars 93) : 335 606. **Montant mensuel :** *Pour un célibataire :* 2 187 F pour un revenu inf. à 2 916 F ; 5 104 F moins revenu, si revenu compris entre 2 916 F et 5 104 F ; néant au-delà. *Pour un couple :* 2 187 F pour un revenu inf. à 8 021 F ; 5 104 F moins revenu si compris entre 8 021 et 10 208 F. **Durée d'attribution :** allocation versée par périodes de 6 mois renouvelables (pour une durée indéterminée, tant que les autres conditions sont remplies, en cas de dispense de recherche d'emploi). À l'exception des catégories particulières, n'est allouée qu'aux chômeurs ayant épuisé leurs droits aux allocations d'assurance chômage. Peut être allouée aux bénéficiaires des allocations d'assurance de 50 ans au moins qui optent pour percevoir cette allocation. **Âge limite :** 60 ans et 150 trim. d'assurance vieillesse (max. : 65 ans ou 150 trimestres réunis).

■ **Préretraite.** Dans le cadre du partage du travail. **Préretraite FNE** alternative au chômage proposée aux salariés âgés lorsque, pour un licenciement collectif, l'entreprise a signé une convention spéciale FNE. *Allocation :* 65 % du salaire brut antérieur dans la limite du plafond de Sécurité soc. (12 610 F au 1-7-93) et 50 % au-delà jusqu'au plafond Assedic (50 440 F au 1-7-93). *Bénéficiaires :* salariés de 56 ans 2 mois ou + (jusqu'à 55 ans par dérogation). **Préretraite progressive** (voir contrats de solidarité p. 1427 a). **Statistiques :** *préretraites FNE 1990 :* 31 250 ; *91 :* 39 000. *Préretraites progressives 1983 :* 254 ; *90 :* 1 050 ; *91 :* 3 600 600.

■ **(RMI) Revenu minimum garanti** (voir Index). **Bénéficiaires (déc. 1992) :** *indemnités Assedic :* 2 735 690 (+ 1,7 % en 1 an) dont demandeurs d'emploi indemnisés 2 354 900 (+ 8,4 %) dont 1 978 200 (+ 15,7 %) dans le cadre du régime d'assurance, 33 300 en allocation d'insertion supprimée pour femmes isolées et jeunes, 343 000 (– 2 %) en alloc. de solidarité spécifique. *En formation :* 176 800 (+ 72 %). *Préretraités :* 203 900 (– 13,3 %).

Chômage partiel

■ **Aide publique.** Allocation « spécifique » par heure de travail perdue au-dessous de la durée légale : 65 % du « minimum garanti » en vigueur au 1-7- de chaque année soit 18 F en févr. 93, 22 F prévu le 1-7-93. **Durée :** 600 h indemnisables en 1993 (arrêté du 19-2-93) pour l'ensemble des branches professionnelles, puis 700 h dès le 1-7-93. Ni majoration pour personne à charge, ni plafond de ressources.

Intempéries (indemnités). Pour les travailleurs du bâtiment et des travaux publics. Versées pour chaque h perdue à partir de la 2e au cours de la même semaine, dans la limite de 9 h par j. *Montant :* les 3/4 de la fraction de salaire inférieurs à 120 % du plafond de Sécurité soc.

■ **Indemnisation employeur complémentaire.** Indemnité horaire égale à 50 % de la rémunération horaire brute, allocation publique comprise, avec plancher de 29 F au 1-2-93 (accord nat. interprofessionnel du 21-2-1968 modifié). **Statistiques** (1992) : 10,7 millions de journées indemnisables touchant 2 millions de salariés pour une durée moy. de 5 j.

Aides aux demandeurs d'emploi

Bons de transport et indemnités de recherche d'emploi par l'Anpe. Dans 4 cas : convocation par l'Anpe ; bénéfice d'une prestation de l'Anpe ; participation (sur proposition de l'Anpe) à une séance d'information préalable à une entrée en stage ; entretien d'embauche avec un employeur pour un emploi d'une durée égale ou sup. à 1 mois. La situation de chaque usager est examinée avant tout déplacement. Indemnité : forfaitaire pour les déplacements supérieurs à 15 km, plafonnée à 1 000 km : 10 F pour chaque tranche de 10 km parcourus.

Emplois aidés. Nombre de bénéficiaires (flux annuel en milliers) en 1992, et entre parenthèses en 1991. Total 1 124,5 (970,6) dont : Exo-jeunes 120,1 (15,9). Apprentissage 120,6 (132,2). Contrats de qualification 104,8 (104,4), d'adaptation 65,1 (91,6), d'orientation (ex-SIVP) 3 (35), de retour à l'emploi (CRE) 103 (105,1), d'emploi solidarité (CES) 558,9 (456,4). **Stages de formation.** Total 544,6 (474,4). Crédit formation individualité (CFI) 150,6 (176). Actions de préqualification 70. Stages 16-25 ans 6 (6,4). Actions d'insertion et de formation (AIF) 270,2 (199,5). Stages de reclassement professionnel 39,9 (47,1), d'accès à l'emploi 34,7 (33,4), FNG femmes isolées 8,4 (12,8). Programme Paque (Préparation Active pour la Qualification à l'Emploi) 34,7. Stages cadres 6,1 (5,6). **Aides aux restructurations et modernisations** (bénéficiaires potentiels) : *total* 101,5 (86,2). Préretraite FNE : alloc. spéciale 48,1 (47,6) ; alloc. mi-temps 1,9 (0,6) ; préretraite progressive 9,7 (7,9). Formation-adaptation 41,8 (30,1). Cellule de reclassement 26,9 (11,7). **Promotion de l'emploi :** *Création d'entreprises :* ACCRE (Aide aux Chômeurs Créateurs d'Entreprises) 49,9 (44,1) ; FDIJ (Fonds Départemental d'Initiative Jeune) 6,3 (6) ; chèques conseil 62,8 (49,9). *Emplois aidés en entreprise :* exonération 1er salarié 79,5 (72,9) ; 2e et 3e salariés (mesure 1992) 4 ; aide au temps partiel (mesure 1992) 32,8 (abattement de 50 % des charges de Sécurité sociale). *Emploi aidé aux ménages :* exonération de charges sociales (n.c.) ; emplois familiaux env. 180 du 1-1-92 au 30-3-93 ; alloc. de garde d'enfants. *Frile* (Fonds Régional d'Initiatives Locales pour l'Emploi) ; convention de promotion locale de l'emploi.

Renseignements pratiques

Absentéisme

Taux d'absence en France

Taux (hors maternité) en 1990 en % des heures ouvrées. Congés non compris, sauf congés conventionnels au-delà du minimum légal et autorisations d'absence.

	Maladie	Accidents du travail	Autres causes	Total
Ouvriers	**4,8**	**1,1**	**1,2**	**7,1**
Femmes	6,2	0,5	1,6	8,3
Hommes	4,3	1,3	1	6,6
Non-ouvriers	**2,8**	**0,2**	**0,8**	**3,8**
Femmes	3,8	0,2	1,1	5,1
Hommes	1,9	0,3	0,6	2,8
Ensemble salariés	**3,7**	**0,6**	**1**	**5,3**
Femmes	4,6	0,3	1,3	6,2
Hommes	3,2	0,8	0,8	4,8
Industrie	**3,9**	**0,5**	**1**	**5,4**
Bâtiment	**3,8**	**1,6**	**1**	**6,4**
Services	**3,4**	**0,5**	**1,1**	**5**

Pays de l'OCDE (1991). Taux (en %, tous congés compris) : Dan. : 13,7 ; P.-Bas : 13,4 ; G.-B. : 13,1 ; Esp. : 9,2 ; Grèce : 8,4 ; *Fr. : 7,7 ;* Port. : 5,7 ; All. : 4,6 ; Irl. : 4,3 ; It. : 4,2 ; Lux. : 3,3 ; Belg. : 2,3. **Causes** (en % des absences) : congés payés 43,7 ; maladie-accidents 24,3 ; non-respect des horaires ou absences non motivées 6,6 ; chômage technique 4,4 ; maternité 3,6 ; intempérie 3,5 ; formation professionnelle 1,9 ; conflits 0,8 ; autres 11,1.

Accidents du travail

Généralités

■ **Accidents du travail.** Survenus quelle qu'en soit la cause *par le fait ou à l'occasion du travail* à tout salarié ou travailleur, à quelque titre ou en quelque lieu que ce soit. Les travailleurs non salariés (artisans, commerçants, professions libérales, bénévoles des organismes d'intérêt général...) ne sont pas garantis sauf souscription d'une « assurance volontaire » par eux-mêmes ou leur employeur.

■ **Accidents de trajet.** Pendant l'aller et retour, de porte à porte, entre le lieu de travail et la résidence (ou tout autre lieu où le travailleur se rend habituellement pour des motifs d'ordre familial), le restaurant (la cantine, ou le lieu où le travailleur prend habituellement ses repas), et dans la mesure où le parcours n'a pas été interrompu ou détourné pour un motif personnel et étranger aux nécessités essentielles de la vie courante.

■ **Indemnisation.** *Forfaitaire.* En cas de faute intentionnelle de l'employeur ou de l'un de ses préposés, la responsabilité civile jouera ; la faute inexcusable de l'employeur ou de l'un de ses « substitués dans la direction » entraîne une réparation plus étendue. Si l'accident est dû à un tiers, la victime a un droit de recours contre celui-ci pour la partie du préjudice non réparée par la SS (*pretium doloris,* préjudice moral, préjudice esthétique, etc.). Si la victime a commis une faute *« inexcusable »,* les réparations seront réduites ; *« intentionnelle » :* aucune réparation.

■ **Responsabilité pénale de l'employeur.** Peut être engagée s'il y a infraction aux dispositions relatives à l'hygiène et à la sécurité, même en l'absence d'un accident (Code du travail).

■ **Sanctions.** *Amende :* 500 à 15 000 F (autant de fois qu'il y a de salariés concernés par l'infraction). *Récidive :* 2 mois à 1 an de prison ; amende 2 000 à 60 000 F. *Non-application des mesures prises par l'inspecteur du travail :* 2 mois à 1 an de prison ; amende 2 000 à 20 000 F. Le cumul des peines du Code du travail, avec celles de même nature du Code pénal, ne peut dépasser le max. de la peine la plus élevée encourue.

■ **Protection de l'emploi.** La loi du 7-1-1981 prévoit notamment la suspension du contrat du salarié accidenté du travail ou victime d'une maladie professionnelle pendant l'arrêt de travail, avec interdiction de licenciement (sauf cas exceptionnels), et reclassement de l'intéressé à son retour, avec droit au même emploi ou à un emploi approprié en cas de diminution de ses capacités. L'ancienneté continue à courir pendant la durée de la suspension.

■ **Prévention.** Les caisses régionales d'assurance maladie peuvent inviter les employeurs exerçant une même activité à pratiquer certaines mesures de prévention. En cas d'inobservation, l'employeur peut être contraint à payer une cotisation supplémentaire [1re infraction, 25 % de la cotisation accidents du travail de l'établissement, 50 % en cas de récidive dans un délai de 3 ans ou de non-réalisation des mesures prescrites dans un délai de 6 mois, 200 % en cas de non-réalisation des mesures prescrites dans l'année après l'imposition de la cotisation supplémentaire (8 mois pour les chantiers temporaires)].

Statistiques

En 1991	Nombre avec arrêt	dont avec IP [1]	Décès	Jours perdus IT [2] millions
Accidents du travail	787 111	68 328	1 082	28,54
Accidents de trajet	91 768	14 500	739	4,77
Maladies professionnelles	5 080	2 802	45	0,44

Taux de fréquence [3] et en ital de gravité [4] : Bâtiment et Travaux publics 71,5, *3,19.* Bois 51,2, *1,55.* Pierres et Terres à feu 48,3, *1,79.* Transports et Manutention 47,1, *2,14.* Alimentation 39,4, *1,18.* Caoutchouc, Papier, Carton 34, *1,11.* Métallurgie 33,6, *0,99.* Eau, Gaz, Électricité 33,1, *1,07.* Textiles 28,3, *0,89.* Livre 18, *0,66.* Cuirs et Peaux 17,9, *0,58.* Interprofessionnel 17,6, *0,62.* Commerces non alimentaires 16,9, *0,60.* Chimie 16, *0,56.* Vêtements 15,8, *0,50.*

Nota. – (1) *IP :* Incapacité permanente donnant lieu à indemnité en capital (IP < 10 %) ou rente (IP > 10 % ; base : salaire perçu dans les 12 mois précédant, mini. 83 910 F au 1-1-92). (2) *IT :* Incapacité temporaire de 24 h ou +. (3) *Taux de fréquence* (nombre d'accidents avec arrêt par millions d'heures travaillées). (4) *Taux de gravité* (nombre de j perdus en IT par milliers d'heures travaillées).

Accidents graves : Intérim 11,5 ‰. Ensemble des salariés 5,9 ‰.

Accidents mortels : *1977 :* 1 838, *80 :* 1 129, *86 :* 978, *88 :* 1 112, *89 :* 1 177, *90 :* 1 213, *91 :* 1 082 (dont BTP 313, transports et manutention 196, métallurgie 105).

■ **Accidents du trajet. Accidents mortels :** *1977 :* 1 206, *80 :* 989, *85 :* 704, *86 :* 648, *87 :* 627, *88 :* 653, *89 :* 662, *90 :* 781, *91 :* 739.

■ **Maladies professionnelles constatées.** *1982 :* 4 395, *86 :* 4 085, *87 :* 3 531, *88 :* 3 972, *89 :* 4 032 (dont affections provoquées par : bruit 791, ciments 358, amiante 492 ; affections péri-articulaires 1 342, allergies 476, silicoses 302, vibrations et chocs 100, bois 107, résines 115), *90 :* 4 417, *91 :* 5 080. *Nombre d'IP :* 2 802.

■ **Décès survenus. Avant consolidation** (avant fixation d'un taux d'incapacité permanente et liquidation d'une rente) : *1980 :* 44, *81 :* 55, *82 :* 43, *83 :* 47, *84 :* 48, *85 :* 49, *86 :* 58, *87 :* 49, *88 :* 64, *90 :* 49 (asbestoses 29, dues au bois 7, rayons X 6, silicoses 3, sidéroses 2, benzolisme 2), *91 :* 45. **Après attribution de rentes :** *1985 :* 138, *86 :* 127, *87 :* 133, *88 :* 125 (dont 63 silicoses, 45 asbestoses).

Sur 10 maladies déclarées, 4 seulement sont reconnues et indemnisées : elles doivent être inscrites au tableau des maladies professionnelles qui suit, avec retard, l'apparition des pathologies déclenchées par le milieu du travail moderne. (Ex. : l'amiante, aux méfaits dénoncés en 1935, n'a été pris en compte en France que dep. 1975). Sont exclues les atteintes psychopathologiques et sont difficilement reconnues, les maladies chroniques (ex. : lombalgies).

■ **Coût moyen.** *Accident ordinaire* (sur les 3 années 1988-89-90 pour l'ensemble des 15 grandes branches d'activité) : 10 187 F. *Accident ayant entraîné une incapacité permanente inférieure à 10 % : 1988 :* 8 639 F, *89 :* 8 872 F, *90 :* 8 823 F ; *égale ou supérieure à 10 % : 90 :* 403 899 F. **Durée moyenne d'arrêt :** *1987 :* 33,2 jours. *88 :* 34,2 jours.

■ **Indemnités journalières.** 50 % du salaire ; à partir du 29e jour : 2/3. Calculées dans la limite d'un plafond (12 360 F au 1-1-93 par mois).

Accidents du travail dans le monde. 110 millions par an, soit 350 000 par j. Environ 180 000 mortels par an (les a. mortels ont doublé ou triplé dans les pays en voie de développement). Dans les pays industrialisés, 1 travailleur sur 10 est victime d'un a. du t. déclaré.

Agence nationale pour l'emploi (ANPE)

Siège. 4, rue Galilée, 93160 Noisy-le-Grand. *Créée* 13-7-1967, modifiée par décret du 23-7-1980 et par ordonnance du 20-12-1986, placée sous l'autorité du ministre du Travail. **Implantation en 1992 :** 750 agences, 52 ETR, 21 agences spécialisées. **Mission.** 1°) Assistance aux personnes à la recherche d'un emploi, d'une formation ou d'un conseil professionnel ; aux employeurs pour l'embauche et le reclassement de leurs salariés. 2°) Participation à la mise en œuvre d'action favorisant la mobilité géographique et professionnelle et l'adaptation aux emplois ; à la mise en œuvre des aides publiques destinées à faciliter l'embauche et le reclassement des salariés ainsi que des dispositifs spécialisés. L'ANPE est sollicitée environ 80 000 fois par jour mais 60 % des entreprises n'y déposeraient pas leurs offres d'emploi.

Budget (en millions de F). *1968 :* 18, *71 :* 125, *75 :* 346, *80 :* 932, *85 :* 2 376, *91 :* 6 300, *92 :* 7 088. **Effectifs** *92 :* 13 990.

Résultats (1992). Demandes d'emplois enregistrées (1 à 5) 5 600 000. Offres d'emplois enregistrées (1 à 4) 1 184 000. Reprise d'emploi 1 725 000. Formation 494 000. Radiations administratives prononcées par l'Anpe : 109 000. L'Anpe ne traite en 1991 que 20 % des offres d'emploi sur l'ensemble de la France (organismes similaires en Suède 45, All. 35, G.-B. 30).

Nota. – Dep. fin 1985, les unités gèrent informatiquement la demande d'emploi, en liaison avec les Assedic. Le pointage physique des demandeurs d'emploi est remplacé par une actualisation mensuelle par correspondance.

Apprentissage

Contrat d'apprentissage. *Objet* obtenir une qualification, du CAP au dipl. d'ingénieur. L'entreprise doit bénéficier d'un agrément délivré par le préfet ou par une commission ad hoc. Il s'engage à assurer la formation de l'apprenti (16 à 26 ans), à l'inscrire dans un CFA, à le présenter aux examens et à lui verser un salaire variant de 25 à 78 % du SMIC en fonction de l'année d'apprentissage et de l'âge de l'apprenti. *Aide :* exonération des charges patronales et salariales (totale pour – de 10 salariés, de Sécurité sociale seulement pour + de 10) et des taxes assises sur les salaires ; crédit d'impôt de 5 000 F (7 000 F si – de 50 salariés) pour contrats conclus entre le 1-7-93 et le 30-6-94. L'employeur reçoit en outre une indemnité forfaitaire du FNIC (Fonds national interconsulaire de compensation) lorsqu'il s'agit d'une entreprise de 10 salariés au plus. *Durée* 2 ans modulables (1 à 3) soit 400 h pour un CAP, 1 500 h pour un BTS ou un bac. prof.

Taxe d'apprentissage. Due par les entreprises industrielles et commerciales. *Taux :* 0,5 % de la masse salariale. *Conditions :* 20 % au moins de la taxe servent au financement de l'apprentissage et 9 % sont versés au FNIC. Les 71 % restants peuvent être affectés librement au financement de dépenses de formation professionnelle.

☞ Voir également p. 1243.

Statistiques. Contrats signés : *1990 :* 131 198 ; *91 :* 132 160, *92 :* 129 616 (dont jeunes filles 1/3). **Jeunes sous contrat d'apprentissage :** *1960 :* 360 000 ; *1972 :* 154 000 ; *1989-90 :* 231 000 ; *1990-91 :* 220 000 (All. 800 000) ; *1991-92 :* 231 624. **Élèves** *en CAP :* 172 969, *BEP :* 10 083, *Brevet professionnel :* 11 296, *Bac pro. :* 5 869, *BTS :* 2 724. **Produit de la taxe d'apprentissage :** 6,01 milliards de F dont 1,01 versé à l'apprentissage et 2,98 à l'enseignement technique et professionnel. *Régions :* 2,21 milliards de F, soit 37 % de leur budget formation. *Centres de formation d'apprentis :* gérés par des organismes privés 52 %, des chambres de métiers 35 %, des établ. publics 7 %, des CCI 9 %, des collectivités territoriales 6 %, conventions nationales 1 %.

Artisan

Définition. Chef d'entreprise du secteur des métiers justifiant du niveau de qualification fixé par le décret du 2-2-1988 (CAP ou diplôme équivalent ou 6 années d'exercice du métier). L'utilisation sans droit du mot artisan ou de ses dérivés vis-à-vis de la clientèle expose à une peine d'amende. Ceux qui ne remplissent pas ces conditions de qualification au moment de leur immatriculation au répertoire des métiers en tant que chefs d'entr. ont vocation à devenir artisan par obtention du diplôme requis ou au bout de 6 années d'exercice du métier. Le secteur des métiers est défini par la dimension de l'entr. (pas + de 10 salariés) et la nature de l'activité (prod., réparation ou prestation de services dans les métiers figurant sur une liste fixée par arrêté). Au sens fiscal le chef d'entr. du secteur des métiers doit être indépendant de ses clients, travailler seul ou avec peu d'ouvriers, tirer son bénéfice principal d'un travail manuel et non de l'emploi de machines ou de la revente de marchandises. Il est alors de statut civil. Tous les chefs d'entr. du secteur des métiers doivent être immatriculés au répertoire des métiers tenu par les chambres de métiers (en général 1 par départ.) ; établ. publics qui ont en charge la défense et la représentation des intérêts du secteur. Les entr. constituées sous forme de Sté doivent également être inscrites au registre du commerce.

Statistiques (1991). *Artisans inscrits au répertoire des Métiers :* 855 000 (dont bâtiment 38 %, services 28,6 %, production 20,2 %, alimentation 13,2 %). *Salariés :* 46,5 % des artisans n'en n'ont aucun. *Emploi :* 2 250 000 (y compris chefs d'entreprise et aides familiaux) soit 9 % de la pop. active, dont 1 245 000 salariés (+ env. 130 000 apprentis) au 31-12-90. *Chiffre d'affaires (1991) :* 642 milliards de F HT. *Part de l'artisanat dans la valeur ajoutée des branches marchandes :* 5,2 %.

Immatriculation et, entre parenthèses, **radiations.** *1980 :* 68 702 (56 370), *85 :* 86 301 (75 280), *90 :* 102 795 (81 323) ; *91 :* 96 348 (91 247).

Formes juridiques les plus courantes. Entreprises individuelles, ou SARL (en particulier SARL de famille) et EURL (entreprises unipersonnelles à responsabilité limitée) (loi du 11-7-1985) ; coopératives artisanales (loi du 23-7-1983 et du 13-7-1992).

Qualification et formation. La liberté d'installation demeure la règle, sauf pour certains métiers réglementés qui nécessitent la possession d'un diplôme (coiffeur, ambulancier, déménageur, contrôleur auto) ou d'une autorisation (taxi). Un stage d'initiation à la gestion, préalable à l'immatriculation au répertoire des métiers, est obligatoire depuis la loi du 23-12-1982. Le titre de *maître artisan,* témoignant d'un niveau supérieur de qualification, est attribué par une Commission régionale des qualifications aux titulaires du brevet de maîtrise (ou équivalent) après 2 ans de pratique professionnelle. Les titulaires de la qualité d'artisan et du titre de maître artisan peuvent utiliser des marques distinctives déposées à l'INPI.

Formation continue : des Fonds d'Assurance Formation (FAF) sont alimentés par une taxe additionnelle à la taxe pour frais des chambres de métiers. **Formation des salariés :** taxe de 0,15 % sur les salaires.

Régime fiscal. *Impôt sur les sociétés :* les coopératives n'y sont pas soumises. Les EURL relèvent de l'impôt sur le revenu mais peuvent opter pour l'impôt sur les sociétés. *BIC et TVA :* possibilité d'opter, selon le chiffre d'affaires, entre les régimes du forfait, du réel simplifié ou du réel normal. Dans les deux derniers cas, l'adhésion à un centre de gestion agréé fait bénéficier l'entreprise d'un abattement fiscal sur le bénéfice (20 % pour la fraction ne dépassant pas 453 000 F) ; l'adhésion permet également une déduction plus importante du salaire versé au conjoint commun en biens (136 200).

Taxe professionnelle. Réduction de la base d'imposition si 3 salariés au plus (1/4 pour 3 ; 1/2 pour 2 ; 3/4 pour 1) ; exonération si l'artisan n'emploie pas d'ouvriers, mais seulement des apprentis. Avantages réservés aux entreprises dont + de la moitié du CA vient de la rémunération du travail, à l'exclusion de la vente de marchandises ou de l'emploi de machines. *Versements sur salaires au titre de l'effort de construction et parfois des transports :* exonération des entreprises de moins de 10 salariés.

Protection sociale. Affiliation obligatoire au régime des prestations familiales et à des régimes particuliers d'assurance vieillesse-invalidité-décès et d'assurance maladie-maternité.

Conjoints du chef d'entreprise (statuts de la loi du 10-7-1982). Choix entre 1°) **Conjoint collaborateur :** mentionné au répertoire des métiers, électeur et éligible à la chambre de métiers, possibilité d'acquérir des droits propres en matière d'assurance vieillesse, notamment par partage de l'assiette des cotisations. 2°) **Conjoint salarié :** déduction fiscale du salaire total si régime de séparation de biens, ou plafonnée à 131 200 F pour les adhérents à un centre de gestion agréé. 3°) **Conjoint associé :** si non salarié, mêmes droits que le chef d'entreprise.

Loi du 21-12-1989 établit un droit de créance en salaire différé au profit du conjoint qui a collaboré gratuitement à l'activité de l'entreprise pendant au moins 10 ans.

Assedic

(Associations pour l'emploi dans l'industrie et le commerce.) Régime d'assurance chômage. Cotisation obligatoire.

Organisation. *Instituées* par une convention du 31-12-1958 entre CNPF et confédérations syndicales ouvrières, convention renouvelée le 24-2-1984. Fédérées dans l'*Unedic* (Union nationale interprofessionnelle pour l'emploi dans l'industrie et le commerce, regroupant 48 Assedic de métropole + le GARP qui collecte les contributions d'Ile-de-Fr. (sauf Seine-et-Marne) + 4 dans les DOM + 1 à St-Pierre-et-Miquelon), 77, rue de Miromesnil, 75008 Paris. *Administrées* par un conseil d'admin. composé en nombre égal de représentants des organisations. *Effectif* (au 31-12-92) : 11 908 agents (Unedic et Assedic). *Établissements affiliés* (au 31-12-91) : 1 330 400. *Salariés garantis* 13 737 700 dont 13 400 400 relevant du Régime et 337 300 exclus. Il faut y ajouter 157 500 établissements de Mutualité agricole (699 500 salariés fin 90), 14 849 collectivités territoriales (117 574 agents), 653 570 employeurs relevant de l'IRCEM (455 900 employés de maison fin 90).

Tous les employeurs sont assujettis au régime d'assurance chômage (les employeurs de gens de maison dep. le 1-1-1980), sauf l'État. Les collectivités locales peuvent faire bénéficier leur personnel non statutaire ou non fonctionnaire d'avantages analogues ou adhérer au régime.

Plafond des rémunérations supportant la cotisation Assedic : 49 440 F par mois du 1-1 au 30-6-93. Les rémunérations des salariés de 65 ans ou des personnes non liées par un contrat de travail, P-DG et administrateurs de Sté anonyme, gérants de SARL, gérants non salariés de succursales, etc., sont exclues.

Cotisation (voir p. 1421).

Nota. – Les expatriés sont couverts par le régime. Pour certains, l'affiliation par leur employeur est obligatoire ; pour les autres, si leur employeur n'a pas demandé l'adhésion facultative ou s'ils n'ont pas adhéré eux-mêmes à titre individuel, ils peuvent prétendre à l'allocation d'insertion versée par l'État dans le cadre du régime de solidarité (43,70 F/j au 1-1-1986).

Budget assurance chômage (1991, en milliards de F). Contributions 79,6, Prestations 81,7. *Ressources :* cotisations employeurs et salariés. *Dépenses :* prestations 95 %, frais de gestion 5 %.

Comité d'entreprise

Composition. Obligatoire dans toutes les entreprises occupant au moins 50 salariés, encouragée en deçà de ce seuil. Comprend le chef d'entreprise ou son représentant, président du comité, et une délégation du personnel. Nombre égal de titulaires et de suppléants. Dans les entreprises de *50 à 74 salariés :* 3 ; *75 à 99 :* 4 ; *100 à 399 :* 5 ; *401 à 749 :* 6 ; *750 à 999 :* 7 ; *1 000 à 1 999 :* 8 ; *2 000 à 2 999 :* 9 ; *3 000 à 3 999 :* 10 ; *4 000 à 4 999 :* 11 ; *5 000 à 7 499 :* 12 ; *7 500 à 9 999 :* 13 ; *+ de 10 000 :* 15.

Élections. *Conditions pour être électeur :* âge min. 16 ans, ancienneté 3 mois. *Candidats :* élus pour 2 ans, 18 ans min., ancienneté un an. Les élections, organisées par le chef d'entreprise, ont lieu par collège : *1er* employés et ouvriers, *2e* agents de maîtrise, techniciens, ingénieurs et cadres. S'il y a au moins 25 cadres salariés, les cadres forment un *3e col.* Parfois, le *1er col.* éclate en 2 : ouvriers et employés. Au 1er tour, les listes de candidats doivent être présentées par les org. syndicales les plus représentatives dans l'entreprise (par l'arrêté du 31-3-1966, CGT, CFDT, CGT-FO, CFTC, CGC), soit CFT, CGSI, UCT, soit non affiliées à une conf. nationale. Il y a 1 2e tour dans les 15 j en cas de carence des org. syndic. au 1er tour ou si le nombre des votants est inférieur à la moitié des électeurs inscrits. Les électeurs peuvent alors voter pour d'autres listes non présentées par les différentes org. synd. ou autres.

Élections de 1991 et entre parenthèses **1989 :** scrutins recensés 13 299 (12 748) ; comités élus 12 503 (12 058) ; carences 796 (690) ; électeurs inscrits 2 529 500 (2 385 300) ; suffrages exprimés 1 612 900 soit 63,8 % (1 538 600/64,5 %). SNCF non prise en compte (scrutin reporté). **Nombre de CE :** *1947 :* 9 200 ; *67 :* 8 618 ; *73 :* 19 663 ; *91 :* 22 982 dont 75 % dans des établissements de – de 200 salariés.

Rôle. Représente les intérêts des salariés. Est informé et consulté sur les questions intéressant la marche générale de l'entreprise, les modifications de son organisation économique et juridique, les mesures touchant les effectifs ou leur structure, les conditions de travail (durée, organisation, congés, règlement intérieur, etc.), l'introduction de nouvelles technologies, la formation, l'hygiène et la sécurité, les prix, les activités sociales. L'employeur doit présenter au comité d'entreprise ou à la commission spéciale, au moins 1 fois par an, un rapport sur la situation et l'évolution des emplois à durée déterminée, sur la durée et l'aménagement du temps de travail.

Commissions obligatoires : formation et aide au logement. **Entreprises de 1 000 salariés et plus :** Création d'une commission économique au sein du CE, comprenant 5 membres du CE dont au moins 1 cadre. Crédit de 40 h/an au maximum. Réunion 2 fois par an au minimum. **D'au moins 300 salariés :** Le CE peut faire appel à des experts extérieurs payés par l'entreprise, et pour ses propres travaux à un expert qu'il rémunère. Dans toute entreprise, possibilité de se faire assister d'un expert-comptable.

Subvention de fonctionnement. Égale à 0,2 % de la masse salariale brute de l'entreprise.

Comités d'entreprises les mieux dotés. Subvention patronale (en millions de F) : *1 500 à 2 000 :* EDF. RATP. *300 à 500 :* SNCF, BNP, ELF. *200 à 300 :* Aérospatiale, Crédit agricole (estimation), Usinor-Sacilor (e), CEA. *150 à 200 :* Renault, Sté Générale, Air France, CGE (e). *100-150 :* Crédit lyonnais, Philips. *Moins de 100 :* CDF, Thomson (e), Générale des Eaux, Saint-Gobain, Michelin, Casino (e), Bouygues (e).

Formation économique et financière. Instituée pour les membres du CE. Stages de 5 j ouvrables au maximum. Financée par le CE.

Peines prévues en cas d'entrave à la constitution d'un comité, à la libre désignation de ses membres ou à son fonctionnement régulier : amende de 2 000 à 20 000 F et emprisonnement de 2 m. à 1 an ou l'une de ces 2 peines ; en cas de récidive peines de 2 ans et 40 000 F.

Licenciement d'un représentant du personnel. Doit être soumis obligatoirement au comité d'entreprise. En cas de désaccord, il ne peut intervenir que sur la décision de l'inspecteur du travail. Toutefois, en cas de faute grave, l'employeur peut prononcer la mise à pied immédiate en attendant la décision définitive. S'il n'y a pas de comité d'entreprise, la question est soumise à l'inspecteur du travail.

Élections aux comités d'entreprises

Suffrages exprimés en %	1978	1980	1990	1991 [1]
CGT	38,6	36,5	24,9	20,4
CFDT	20,4	21,3	19,9	20,5
CFTC	2,7	2,9	3,6	4,5
CGT-FO	10	11	12,8	11,7
CFE-CGC	6,6	6	6,5	6,5
Autres syndicats	5,1	5	5,6	5,6
Non-syndiqués .	16,3	16,8	26,6	30,9

Nota. – (1) Résultats sans la SNCF (scrutin reporté), ce qui minimise les résultats des syndicats.

Comité de groupe. Créé au niveau de la direction des groupes d'entreprises pour permettre aux CE des filiales d'être informés de la stratégie du groupe. Doit être informé de la situation économique du groupe, de l'évolution de l'emploi, des relations financières internes, des comptes et bilans consolidés du groupe. Répartition des sièges entre les élus des collèges électoraux, proportionnellement à leur nombre d'élus. Désignation pour 2 ans par les syndicats.

Comités d'hygiène, de sécurité et des conditions de travail (CHSCT) (loi du 28-12-1982). Obligatoires dans les établissements industriels, agricoles et commerciaux de + de 50 salariés. **Composition :** chef d'établissement ou son représentant, délégation désignée par un collège composé des membres du CE et des délégués du personnel. **Rôle :** prévention des risques. En cas de danger immédiat, l'employeur doit procéder sur-le-champ à une enquête avec les membres du CHSCT et prendre les mesures nécessaires. À défaut d'accord, saisie immédiate de l'inspecteur du travail. Tant que persiste le danger, l'employeur ne peut demander au salarié de reprendre son travail. Aucune sanction ou retenue de salaire ne peut être prise contre le salarié qui refuse de travailler dans une situation présentant un danger grave et imminent.

Conditions de travail des Français

Agence nationale pour l'amélioration des conditions de travail (Anact). 7, bd Romain-Rolland, 92128 Montrouge Cedex. *Créée* 1973. Établissement public sous tutelle du ministère de l'Emploi.

■ **Chèque-vacances.** Créé par l'ordonnance du 26-3-1982. Exonéré de la taxe sur les salaires pour l'employeur et de l'impôt sur le revenu pour le salarié. **Condition :** ne pas être redevable d'une cotisation d'impôt supérieure à 1 000 F avant imputation de l'avoir fiscal, du crédit d'impôt et des prélèvements et retenues non libératoires. **Financement :** *salarié :* versements mensuels obligatoirement répartis sur au moins 8 mois, compris entre 2 et 10 % du SMIC, calculé sur une base mensuelle. *Employeur :* 20 % au minimum, 80 % au + de la valeur libératoire du chèque-vacances. **Comité d'entreprise :** contribution facultative et non limitative. Les chèques-vacances ne sont pas un droit pour le salarié mais sont laissés à l'initiative de l'employeur. Ils ne peuvent être utilisés qu'en France.

■ **Durée du travail** (voir p. 1428).

■ **Horaires. Répartition pour un salarié :** sur 7 jours de 24 h soit 168 h. Nombre d'heures à Paris et, entre parenthèses, en province. *Vie professionnelle :* 57,9 (56,4) dont temps de travail 45,8 (48,8), trajet domicile-travail 8,7 (6,1), temps divers sur le lieu de travail 3,4 (1,5). *Vie privée :* 100,1 (111,6), dont sommeil 54 (52,6), loisirs, enfants 16,5 (16,7), repas à domicile 12,3 (12), soins personnels 5,5, (6), information, formation 5,3 (5,5), activités domestiques 5 (4,4), divers 11,5 (14,4). *Total :* 168 (168).

■ **Hygiène. Aération :** locaux fermés : il faut au moins 7 m³ d'air par personne (10 m³ dans laboratoires, cuisines, chais et magasins, boutiques et bureaux ouverts au public). **Sanitaires :** 1 lavabo eau chaude et froide pour 10 pers., 1 cab. et 1 urinoir par fraction de 20 h. 1 cab. par fraction de 20 femmes. Lorsqu'il y a plus de 50 femmes, des cabinets à sièges pour femmes enceintes sont obligatoires. **Chauffage :** doit être assuré de telle façon qu'il maintienne une température convenable (pas de minimum précis) et ne donne lieu à aucune émanation délétère. **Eau potable :** optimum entre 9° et 12° : elle ne devrait pas dépasser 15° C. Des boissons non alcoolisées sont obligatoires dans certains cas.

■ **Lieu de travail.** *Un changement comportant un transfert de résidence* ne peut être imposé au salarié. L'intéressé qui refuse ne peut être considéré comme démissionnaire.

■ **Nuisances.** Principales pénibilités ressenties en % des salariés en 1991 (et 1984). Station debout 53 (49) ; bruits intenses ou ambiance bruitée 51 (41) ; inhalation de poussières 35 (27) ; charges lourdes 32 (22) ; posture pénible 29 (16) ; marcher beaucoup 28 (17) ; fatigue oculaire 26 (16) ; risque circulation 25 (17) ; fumées 21 (15) ; risque de chute 21 (14) ; r. de projection 20 (14).

■ **Restauration.** Les employeurs ne sont pas tenus de contribuer aux frais de repas de leurs salariés, mais sont obligés de leur fournir un réfectoire si au moins 25 salariés le demandent ou 1 local pour – de 25 salariés ; s'ils emploient + de 50 personnes, ils doivent verser au moins 2 % de la masse salariale au comité d'entreprise qui peut choisir de consacrer tout ou partie de cet argent au financement de titres-restaurant. **Titre-restaurant :** *créé 1954* (début des années 60 en France). *Obligations :* utilisable seulement par des salariés, les j ouvrables (un ticket par j pour régler un repas chaud). *Financement :* valeur max. du titre (1993) 50 F. *Part de l'entreprise :* 50 à 60 % de sa valeur (exonération des charges fiscales et sociales par une ordonnance de 1967, dans la limite d'un plafond de 25 F par jour et par salarié) et 1,5 à 5 % pour les frais d'émission. *Part du salarié :* 40 à 50 %. *Part du restaurateur* (63 000 restaurants acceptant ce mode de paiement qui représente 10 % du chiffre d'affaires de la restauration commerciale, par an) : 0,4 à 0,8 %. *1987 :* titres utilisés par 1,1 million de salariés de 18 000 entreprises.

■ **Travail sur écrans de visualisation.** Un décret du 14-5-1991 impose un examen préalable des yeux et de la vue pour les travailleurs devant être affectés à ce type de travail, un suivi médical régulier et des pauses ou un changement d'activité quotidiens pour ceux qui travaillent une grande partie de la journée sur écran. L'équipement doit respecter certaines normes (définition, luminance, stabilité de l'image).

■ **Travail de nuit. Législation :** interdit aux femmes (sauf accord collectif) dans l'industrie et diverses professions entre 22 h et 5 h et aux – de 18 ans entre 22 h et 6 h (Convention de l'OIT de 1948). La loi du 19-6-1987 introduit des dérogations à l'interdiction du travail de nuit des femmes. Mise en demeure de se conformer à la directive européenne du 9-2-1976 sur l'égalité de traitement entre hommes et femmes, la France a dénoncé (26-2-1992) la convention de l'OIT interdisant le travail de nuit des femmes dans l'industrie. Le projet de loi prévoit en compensation une augmentation des rémunérations, une réduction du temps de travail et un suivi médical avec la possibilité de reprendre un travail de jour. **Statistiques :** *en 1991,* 656 000 personnes (3,5 % de la population active), dont 154 000 femmes, travaillaient habituellement de nuit. Sur 1,8 million de salariés exerçant occasionnellement un travail de nuit, 336 000 sont des femmes, dont 49 % employées et 36 % professions intermédiaires.

■ **Travail dominical.** 3 290 000 personnes (1 sur 5) travaillent au moins 1 dimanche par an. 550 000 (1 sur 30) travaillent + de 40 dimanches par an : commerce, hôtellerie, spectacles, presse, transports, et pour env. la moitié travaillant dans des activités ind., énergétiques, admin. ou agricoles.

L'ouverture des magasins le dimanche a fait l'objet, depuis quelques années, de décisions de justice contradictoires. La Cour européenne de justice a estimé que seuls les gouvernements pouvaient autoriser l'ouverture dominicale, en fonction des « particularités socioculturelles nationales ou régionales ».

Législation : le repos obligatoire du dimanche a été institué par une *loi du 18-11-1814.* Une loi républicaine de 1880 l'abolit comme un legs clérical de la monarchie. La *loi de 1906* interdit le travail des salariés le dimanche mais n'oblige pas les entreprises à fermer. La *loi de déc. 1923,* toujours en vigueur, rend obligatoire la fermeture dominicale des établissements commerciaux, « sauf à prendre en compte des contraintes bien spécifiques de la vie sociale ». La liste des dérogations permanentes du Code du travail a été élargie par un décret du 6-8-1992 aux services d'intérêt général (garde à domicile, péages, services voyageurs, soins), urgences ou dépannage, tourisme, loisirs et culture.

Travailleurs du dimanche (1991) : 20,9 % des salariés, 56 % des trav. indépendants travaillent en permanence ou occasionnellement le dimanche. *% dans chaque branche :* BTP 5 %, assurances 7, biens intermédiaires 15,8, commerce 19,3 (de proximité 42,7, dont boulangerie-pâtisserie 68,6), services publics 21, agro-alim. 30,7, énergie 32,4, services 33,26 (hôtels-cafés-restaurants 52,5, Transports-télécom. 26,5, Services de santé 58,8). *Effectif total :* 3 870 000.

■ **Travail en équipe et à la chaîne. Origine : 1911** un ancien ouvrier devenu ingénieur, *Frederick W. Taylor* (1856-1915, créateur du taylorisme) publie *Scientific Management :* l'entreprise organise le travail de ses employés, minute leurs gestes, décompose les tâches, et détermine les rémunérations en fonction des résultats. Plus les tâches sont simples et de courte durée et plus les chances sont grandes de les voir effectuées correctement. *Carl G. Barth, Henry L. Gantl, CB Thomson, Lilian Gilbreth,* etc., les systématisent. Le système permet d'accroître la productivité et favorise l'emploi peu qualifié. Cependant il apparaît vite que : 1°) l'accroissement de production ne peut être obtenu que par le surmenage ; 2°) l'ouvrier réduit au rang de manœuvre voit sa situation intellectuelle et sociale amoindrie ; 3°) la monotonie du travail et l'absence d'effort intellectuel découragent les meilleurs. **1927-32** recherches d'*Elton Mayo* et de ses disciples de Harvard, sur les employés de la *Western Electric* à Hawthorne. L'intérêt de développer les relations humaines dans les entreprises apparaît. **1929** un ouvrier syndicaliste et essayiste, *Hyacinthe Dubreuil,* publie *Standards* où les thèmes actuels d'*enrichissement des tâches,* de *décentralisation* ou d'*autogestion* sont exposés. **1967** expériences se rattachant à 2 courants : *1°) américain* [leader : Frederick Herzberg, prof. à la Western University de Cleveland (à l'origine de différentes tentatives aux USA et en G.-B.)], cherche à *« enrichir les tâches »* pour que le travailleur motivé puisse réaliser une œuvre utile et personnalisée ; *2°) britannique,* issu des travaux de l'Institut Tavistock, qui a fait école en Scandinavie et s'intéresse à l'interférence des facteurs techn. et sociaux (étude sociotechnique du trav.).

Statistiques (1990): *% de salariés en équipe :* 12,5. Ouvriers en équipe 22,6 (ind. de transformation 45,1, d'équipement 34,2, agro-alim. 33). *Type du travail en équipe* (%) (ensemble et entre par. ouvrier) : continu (jamais d'arrêt) 21,2 (17) ; semi-continu (arrêt week-end) 26,9 (28,3) ; discontinu (arrêt nuit et weed-end 51,9 (54,7).

Des entreprises japonaises (Mitsubishi Electric, Kajima Construction Company) expérimentent une aromatisation de leurs bureaux via le système d'air conditionné. Certains arômes auraient en effet une influence sur l'état physique et mental de l'homme. Le muguet et la menthe, par exemple, augmenteraient la vigilance. On pourrait ainsi diminuer le stress dû au travail et améliorer le taux de productivité et d'efficacité des employés.

Conflits du travail

☞ Le conflit peut être *individuel* (réglé devant les prud'hommes) ou *collectif* (réglé en général par des voies extra-juridictionnelles). Pour qu'un conflit soit collectif, il doit concerner un groupement de salariés ayant la personnalité juridique (ex. syndicat) et l'employeur, et tendre à faire reconnaître des droits pour l'ensemble des travailleurs.

Conflits collectifs du travail : une procédure de médiation peut être engagée par le ministre du Travail à la demande écrite et motivée de l'une des parties, pour tout conflit survenant à l'occasion de l'établissement, du renouvellement ou de la révision d'une convention collective.

■ Grève dans le secteur privé

Définition de la grève. Cessation concertée du travail pour appuyer des revendications que l'employeur ne veut pas satisfaire. Pour qu'il y ait grève, il faut : une *cessation totale du travail* (le ralentissement du travail ou *grève perlée* ne sont pas des grèves ; le caractère licite ou illicite de la grève du zèle est controversé ; les débrayages sont une grève), une *décision préalable concertée des salariés* (ils se placent volontairement hors de leur contrat de travail : l'arrêt de travail d'un seul salarié est une grève s'il se rattache à un mouvement national), une *revendication professionnelle* connue de l'employeur (salaire, conditions de travail, droits collectifs, emploi ; la grève de solidarité avec un salarié est licite ; la grève politique est une faute lourde ; la grève mixte peut être licite si le motif professionnel domine).

Droit de grève. Inscrit dans la Constitution, il est limité par certains principes (ex. continuité du service public, santé et sécurité des personnes et des biens) et des clauses conventionnelles. Ainsi, une grève licite peut devenir abusive et être condamnée par les tribunaux (grève exagérément désorganisatrice, tournante, bouchons). Les *piquets de grève* sont illicites s'ils aboutissent à l'interdiction d'accès à l'entreprise. L'occupation des lieux de travail, parfois tolérée, est souvent considérée comme illicite ; le juge des référés peut ordonner l'expulsion des grévistes en se fondant sur l'atteinte à la liberté du travail, au droit de propriété et au libre exercice de l'industrie. Certains actes commis au cours de la grève constituent des délits : entraves à la liberté du travail, infractions de droit commun commises au cours des grèves (séquestration, violation de domicile, détériorations, vols, diffamation).

Salaire et accessoires. Suspendus pendant l'interruption de travail (sauf si la grève est motivée par une faute de l'employeur), de même pour les primes, calcul des congés payés, etc. Les non-grévistes ont droit à leurs salaires.

Nota. – On appelle *lock-out* la fermeture temporaire de l'entreprise par l'employeur à l'occasion d'un conflit collectif (but : ne pas payer les salaires des non-grévistes, par ex. en cas de grèves tournantes ou bouchons).

■ Grève dans le secteur public

Histoire. Jusqu'en 1940, la grève des agents du service public est considérée comme faute grave. **1946** et **1958** les préambules des Constitutions reconnaissent à tous le droit de grève. **1963 (loi du 31-7,** modifiée par la **loi du 19-10-1982)** institue un statut unique pour tous les participants à la gestion d'un service public, instaure un préavis de grève, interdit les grèves tournantes. Cependant, certains agents n'ont pas le droit de grève, d'autres doivent un service minimum ou peuvent être réquisitionnés. **1983 (loi du 13-7)** droit de grève des fonctionnaires dans le cadre des lois le réglementant. **1987 (28-7)** le Conseil constitutionnel limite aux fonctionnaires de l'État l'application de l'amendement (à la loi du 19-10-1982) Lamassoure réinstituant le « trentième indivisible » : retenue d'une journée de salaire en cas de grève de courte durée (1 h ou quelques min).

■ Quelques dates

1822 grève des charpentiers aboutit à une hausse de salaires pour 10 ans. **1834** *févr./avril* Lyon grève contre une diminution des salaires ; 14 000 métiers touchés. Des spécialités non touchées par la baisse des salaires ont, pour la 1re fois, suivi l'ordre de grève. **1870**-*19/21-1* grève des métallurgistes au Creusot (avec l'ouvrier Assi). *-21-3/5-4* g. des mineurs au Creusot. **1882** *août* g. à Blanzy et Montceau-les-Mines. **1883** à Carmaux. **1886** g. à Decazeville ; un ingénieur, Watrin, est lynché. **1900** nombreuses grèves parfois sanglantes. **1906**-*8/10-4* après avoir échoué dans la g. générale, la CGT se donne comme loi la charte d'Amiens. **1908** grève sanglante de Draveil. **1910** *oct.* échec de la g. des cheminots. **1920** *févr.* id. **1936** *juin* g. et occupations d'usines. *Dans l'année :* 16 907 conflits, 2 423 000 grévistes. **1944**-*12-8* Paris grève de la police. *-19-8* Paris grève générale (insurrection contre Allemands). **1947**-*19/12* en raison des g., la tendance Force ouvrière quitte la CGT et constitue la CGT-FO les *12* et *13-4-1948.* **1953** *août* g. du secteur public (métro, 21 j), arrêtée par l'ordre de reprise de la CFTC et de la CGT-FO. **1963** g. des mineurs commencée le 1-3 pour 48 h, dure 35 j, l'ordre de réquisition annoncé par le gouvernement avant le début des arrêts de travail et signé le 2-3 par le Gal de Gaulle ayant durci cette grève et entraîné des arrêts de travail d'autres catégories de salariés : mineurs de fer, cheminots, personnel de Lacq, etc. **1966** g. de *Sochaux.* **1967** g. de *St-Nazaire.* **1968** *mai-juin* g. générale avec occupation. **1971**-*18-1/2-3* g. de *Batignolles* à Nantes, 44 j ; *-24-4/24-5* g. de *Renault* au Mans, 26 j. **1972**-*16-3/18-5* g. du *Joint français* à St-Brieuc. **1973**-*17-4* affaire *Lip* (Besançon) : 1 280 salariés s'opposent à la liquidation de l'entreprise ; réglée le 24-1-74 par la signature des accords de Dole (survie de l'entreprise, réemploi de la majorité des salariés). **1974** g. des banques, de la Bourse. *Oct.-nov.* g. des PTT, 46 j *(18-10/2-12),* 36 % de grévistes (Paris 50, Province 30). **1975** *févr.-avr.* g. des usines *Renault* (9 sem. pour une augmentation d'env. 40 F par mois). **1976** *oct.-nov.-déc.* g. de la *Caisse d'épargne de Paris.* **1975-77** g. du « Parisien Libéré ». **1980**-*24-10* 100 000 mineurs venus du Nord-Pas-de-Calais, d'Alsace-Lorraine et du Massif central : marche sur Paris (CGT). **1981** *Renault,* grève des OS de Billancourt, 3 sem. *-27/30-3 Air France,* g. des navigants (contestent pilotage à 2 sur Boeing 737). *-15-10* Banques, à propos des salaires et des 35 h. *-29-10/24-11 Caisse d'épargne de Paris. Oct.-nov. Ceraver* (filiale de CGE à Tarbes), g. de 8 sem. pour protester contre 766 licenciements. **1982** *-9 au 24-2* g. à la fromagerie *Besnier d'Isigny* ; un « commando » patronal s'empare des fromages. *-22-3* 100 000 agriculteurs défilent à Paris de la Nation à la porte de Pantin. *Mai-juin* g. de 5 sem. usines *Citroën* d'Aulnay, Asnières, Montreuil, Levallois, St-Ouen. *-30-9* professions libérales : 50 000 défilent à Paris de la place Fontenoy au Palais-Royal. **1984**-*24-1* 3 000 ouvriers des chantiers navals à Paris. *-22-2* routiers : blocus, opérations « Escargot » à Paris sur bd des Maréchaux et périphériques. *-2-3* mineurs : 15 000 manif. (selon organisateurs) à Paris. *-13-4 :* 40 000 Lorrains défilent de la Nation au Champ-de-Mars. **1986** *déc.*-**1987** *janv.* g. SNCF, RATP et EDF, coût 20 milliards de F. *Juin-juillet* g. des contrôleurs aériens. **1988** *févr.-mars* g. d'Air Inter, coût 3 millions de F par j. *Automne* g. des PTT, des Transports. Coût direct ou indirect en Île-de-Fr. : 500 millions de F par j. La g. des agents de conduite de la RATP (oct.) a coûté à l'EDF 350 millions de F. La réduction du prix de la carte orange pour les usagers du RER a coûté à la RATP 200 millions de F. **1989** *juin-oct.* g. des agents des finances et des douanes (la plus importante depuis Mai 68). **1990-91** g. des infirmières.

■ Statistiques

■ **Conflits généralisés.** Cessation collective d'activité résultant d'un mot d'ordre extérieur à l'entreprise ou à l'établissement et pouvant les affecter (dans un ou plusieurs secteurs d'activités) au niveau national, régional ou local : journées d'action nationales, grèves plurisectorielles, grèves de branche de secteur d'activité dans une localité donnée.

	1986	1987	1988	1989	1990	1991
Eff. totaux	679 726	374 016	180 444	106 228	108 000	694 000
Eff. touchés	194 158	135 310	76 831	54 950	55 800	183 000
J. indiv. non trav.	473 830	457 518	147 600	104 190	165 700	168 200

■ **Conflits localisés** (moyenne mensuelle). **Nombre de conflits résolus :** *1987 :* 116, *88 :* 154, *89 :* 145, *90 :* 127, *91 :* 110. **Effectifs touchés** (en milliers) : *1987 :* 84, *88 :* 115,6, *89 :* 94,5, *90 :* 103,4, *91 :* 90,3. *Ayant cessé le travail : 1987 :* 18,7, *88 :* 27,2, *90 :* 18,5, *91 :* 18,8. **Journées non travaillées** (en milliers) : *1987 :* 42,7, *88 :* 91,2, *89 :* 66,7, *90 :* 44, *91 :* 41,4.

■ **Ensemble des conflits. Journées individuelles non travaillées** (J ind.) et **effectifs en grève** (Eg) en milliers. **Nombre de conflits** (Conf.). **En France** *de 1946 à 1991.*

	J ind.	Eg	Conf.		J ind.[3]	Eg	Conf.[1]
46	374	180	523	*69*	2 223	1 444	2 207
47	23 371	2 998	3 598	*70*	1 742	1 080	2 942
48	11 918	6 568	1 374	*71*	4 388	nc	4 318
49	7 292	4 330	1 413	*72*	3 755	2 721	3 464
50	11 710	1 527	2 585	*73*	3 015	2 246	3 731
51	3 294	1 754	2 514	*74*	3 380	1 563	3 381
52	1 733	1 155	1 749	*75*	3 869	1 827	3 888
53	9 722	1 784	1 761	*76*	5 011	2 023	4 348
54	1 140	1 269	1 479	*77*	3 665,9	1 919,19	3 302
55	3 079	792	2 672	*78*	2 200,4	704,8	3 206
56	1 422	666	2 440	*79*	3 656,6	967,2	3 104
57	4 121	2 161	2 623	*80*	1 674,3	500,8	2 107
58	1 138	858	954	*81*	1 495,6	329	2 504
59	1 938	581	1 512	*82*	2 327,2	467,9	3 240
60	1 070	839	1 494	*83*	1 483,6	617,2	2 929
61	2 601	1 270	1 963	*84*	1 357	555	2 612
62	1 901	834	1 884	*85*	884,9	549,1	1 957
63	5 991	1 148	2 382	*86*	1 041,6	455,7	1 469
64	2 497	1 047	2 281	*87*	969,1	359,7	1 457
65	980	688	1 674	*88*	1 242,1	403,2	1 898
66	2 523	1 029	1 711	*89*	904,2	298,5	1 781
67	4 204	2 824	1 675	*90*	693,7	277,8	1 558
68	150 000	nc	nc	*91*	665,5 [2]	408,2	1 320

Nota. – (1) Conflits résolus. (2) + fonction publique 239 000. *Pour 1968 :* évaluation incluant les journées perdues lors des arrêts de travail indirectement liés aux grèves (absence de moyens de transport, rupture des stocks, etc.). Les grèves ont coûté 3 % de la production non agricole, 2,4 % de la prod. totale d'un an. Sans compter mai et juin, il y eut 705 000 j de grève. (3) *En 1992 :* 490 500 j.

Congés (régime légal)

■ **Congés annuels. Durée légale :** ordonnance du 16-1-1982. 30 j ouvrables payés pour 12 mois de travail. Le congé est de 2 j 1/2 ouvrables par mois de travail (ou congés payés pris) entre le 1er juin de l'année précédente et le 31 mai de l'année en cours. Sont considérés comme j ouvrables les j qui ne sont pas consacrés au repos hebdomadaire légal ou reconnus fériés par la loi et habituellement chômés par l'entreprise. **Répartition :** fixée soit par convention ou accord collectif, soit selon les usages après consultation des délégués et du CE. *Durée max.* d'affilée 24 j, la 5e sem. devant être prise à part. *Fractionnement* possible avec l'agrément du salarié sans descendre à – de 12 j mini.

☞ *Les moins de 22 ans* (au 30 avril de l'année en cours) ont toujours droit à 30 j ouvrables, quelle que soit leur ancienneté (indemnisés à raison du travail effectif)..

> Renault avait accordé une 4e semaine de congés payés à partir du 29-12-1962. La mesure se généralisa et fut adoptée au niveau national en 1966.

Jours ouvrables supplémentaires : sauf clauses plus favorables des conventions collectives : pour *les femmes* de moins de 21 ans au 30 avril de l'année précédente : 2 jours par enfant à charge de moins de 15 ans vivant au foyer (1 si le congé principal n'excède pas 6 jours).

■ **Période légale pour prendre son congé.** Du 1er mai au 31 oct. (minimum de 12 j ouvrables, soit 2 sem. au minimum et 4 au maximum en 1 seule fois). Obligation de prendre la 5e sem. à part. *À défaut de convention collective,* la période de congé est fixée par l'employeur en se référant aux usages et en consultant, s'il y a lieu, les délégués du personnel et du comité d'entreprise. Elle doit être connue du personnel au moins 2 mois avant son ouverture. **Bonification :** de 1 à 6 j peuvent être ajoutés pour ancienneté, tâches pénibles, présence au travail, etc. **Conjoints travaillant dans une même entreprise :** ont droit à un congé simultané. **Fractionnement :** *l'employeur* ne peut obliger l'employé (sauf autorisation ministérielle) à fractionner son congé légal. L'employé peut le fractionner, au-delà de 12 j ouvrables mais dans la limite de 24 j (c.-à-d. 5e sem. non comprise). **Congés par anticipation :** légalement interdits. **Ordre des départs :** fixé en tenant compte de la situation de famille et de la durée de services, doit être communiqué à chacun 1 mois au moins avant la date de son départ et affiché au lieu de travail. **Rentrées de congés tardives :** peuvent justifier un licenciement.

Journées de grève : elles ne sont pas à comprendre dans le temps de travail déterminant la durée du congé, mais en pratique elles le sont souvent.

Maladie : un salarié qui tombe malade pendant ses vacances doit reprendre son travail le j de la rentrée, s'il est guéri, et peut réclamer, si le 31 oct. est atteint, une indemnité de congé.

Sommes perçues : soit 1/10 du salaire total perçu l'année de référence, y compris les primes ayant caractère de salaire (sauf les primes annuelles qui feraient double emploi) ; soit une somme égale à ce qui aurait été perçu en cas de travail, pendant le congé, selon l'horaire effectif, h. supplémentaires comprises. Le calcul le plus avantageux doit être retenu.

Si le salarié résilie son contrat avant d'avoir pu bénéficier de son congé, il doit recevoir une indemnité correspondant au congé auquel il a droit d'après le temps passé dans l'entreprise. *Si la résiliation est provoquée par une faute lourde du salarié,* l'indemnité peut ne pas être due.

■ **Autres congés. Congé lié à des activités civiques et sociales :** les salariés administrateurs d'une mutuelle peuvent bénéficier d'un congé de formation non rémunérée d'au max. 9 j ouvrables par an. Les salariés désignés pour représenter des associations fam. auprès de certains organismes doivent disposer du temps nécessaire (dans la limite de 40 h par an) pour se rendre aux réunions auxquelles ils doivent participer.

Les salariés résidant dans une zone touchée par une catastrophe naturelle peuvent bénéficier d'un congé max. de 20 j non rémunérés pour participer aux activités d'organismes aidant les victimes.

Congé d'adoption : lorsque les 2 conjoints assurés sociaux travaillent, l'indemnité journalière de repos versée par la Séc. soc. en cas d'adoption est accordée à la mère ou au père adoptif ; l'autre conjoint doit alors avoir renoncé à son droit de congé.

L'assuré, à qui un enfant est confié en vue de son adoption, peut suspendre son contrat de travail plusieurs semaines ; des indemnités journalières de repos lui seront versées par la Séc. soc., à condition de cesser tout travail salarié pendant la durée d'indemnisation : 10 semaines à compter de l'arrivée de l'enfant au foyer, en cas d'adoption simple ; 12 en cas d'adoptions multiples ; 18 et 20 si du fait de la ou des adoptions, l'assuré, ou le ménage, assume la charge de 3 enfants au moins.

Congé de conversion : permet au salarié menacé de licenciement économique de bénéficier d'une période d'aide au reclassement et d'actions de formation sans rupture avec l'entreprise. En application dans les entreprises de + de 50 salariés. *Durée :* 4 mois. L'employeur verse un min. garanti au salarié (alloc. de conversion).

Congé pour cure thermale : *durée :* 18 à 21 j. Sauf dispositions conventionnelles, l'employeur n'est pas tenu d'accorder un congé, même non payé. Indemnités de Sécurité sociale (50 % du salaire).

Congé éducation : tous les travailleurs et apprentis ont droit, sur leur demande, à 12 j ouvrables par an, en 1 ou 2 fois, non rémunérés, pour un stage dans un centre syndical ou un institut agréé par le ministère du Travail.

Congé d'enseignement et de recherche : 1 an max. Accordé aux salariés qui veulent dispenser un enseignement technologique ou professionnel, ou exercer une activité de recherche (à condition de justifier de 2 ans d'ancienneté). Rémunération suspendue.

Congé de formation économique, sociale et syndicale : *créé* le 1-1-1986, se substitue au congé d'éducation ouvrière *(créé 23-7-1957).* Possibilité pour un salarié de suivre un stage consacré à l'éducation ouvrière et à la formation syndicale, organisé par un organisme habilité à dispenser des formations dans ces domaines (suivi d'enseignement et possibilité d'activités de recherche). *Durée :* 12 à 18 j (animateurs). *Rémunération :* assurée dans les entreprises de + de 10 salariés, jusqu'à hauteur de 0,08 ‰ du montant des salaires annuels versés dans l'entreprise.

Congé individuel de formation : *durée :* 1 an max. à temps plein ou 1 200 h à temps partiel. *Conditions :* 6 mois d'ancienneté ou 2 ans dans la branche. Souvent couplé avec le CFI (voir p. 1431 c).

Congé de maternité (voir p. 1430 c).

Congé parental d'éducation : pendant les 2 ans suivant l'expiration du congé de maternité ou d'adoption, le salarié (femme ou homme) justifiant une ancienneté minimale d'une année à la date de naissance de son enfant ou de l'arrivée au foyer d'un enfant de – de 3 ans, confié en vue de son adoption, a le droit, sous réserve des dispositions propres aux entreprises employant – de 100 salariés, soit de bénéficier d'un congé parental d'éducation durant lequel le contrat de travail est suspendu, soit de réduire sa durée de travail à la moitié de celle applicable à l'établissement. *Durée du congé parental et de la période d'activité à mi-temps :* 1 an au + ; ils peuvent être prolongés 2 fois et prennent fin, au plus tard, au 3e anniversaire de l'enfant ou de son arrivée au foyer, quelle que soit la date de leur début.

Rémunération : non rémunéré, mais indemnités prévues. *En cas de décès de l'enfant ou de diminution importante des ressources du ménage :* le bénéficiaire du congé peut reprendre son activité initiale ou exercer son activité à mi-temps ou à temps partiel ; le salarié exerçant à mi-temps ou à temps partiel pour élever son enfant peut reprendre son activité initiale.

À l'issue du congé, le salarié retrouve son emploi précédent ou un emploi similaire, avec une rémunération au moins équivalente. Le congé entre dans l'ancienneté du salarié pour la moitié de sa durée.

Congé postnatal. *Durée :* 1 an. Équivaut à une démission (contrat rompu) avec bénéfice de la dispense de préavis et priorité en cas de recrutement à l'issue. *Bénéficiaire :* salarié qui ne peut bénéficier du congé parental.

Congé de participation à un jury d'examen : *durée :* temps nécessaire au jury. Rémunération maintenue.

Congés pour événements familiaux : la loi (et non les usages, accords ou conventions collectives) les prévoit : *mariage du salarié* 4 j ; *naissance ou adoption* 3 j ; *décès du conjoint ou d'un enfant* 2 j, *du père ou de la mère* 1 j ; *mariage d'un enfant* 1 j. Des conventions peuvent augmenter la durée prévue.

Congé pour la création d'entreprise : *durée :* 1 an [2 a. si le salarié informe son employeur, par lettre recommandée avec AR (au moins 3 mois avant le terme de la 1re année de congé), de son intention de la prolonger]. *Conditions :* ancienneté d'au moins 36 mois dans l'entreprise [1]. Rémunération suspendue.

Congé sabbatique : *durée :* min. 6 mois, max. 11 mois. *Bénéficiaires :* ancienneté dans l'entreprise d'au moins 36 mois et 6 années d'activité ; ne pas avoir bénéficié, au cours des 6 années précédentes dans l'entreprise, d'un congé sabbatique, d'un congé pour la création d'entreprise ou d'un congé de formation de 6 mois ou +. Rémunération suspendue.

Nota. – (1) Le salarié retrouvera son précédent emploi ou un emploi similaire avec une rémunération au moins équivalente. Il y a des dispositions particulières selon la taille de l'entreprise. Le salarié ne peut invoquer aucun droit à être réemployé avant l'expiration de son congé.

> **Vacances. Nombre de jours (dont congés payés/jours fériés).** All. 40 (29/11), Belg. 38,5 (25/13,5), Esp. 38 (25/13), Lux. 37 (25/12), *France 36,5 (25,5/11),* Dan. 35 (25/10), Grèce 35 (22/13), Port. 35 (22/13), Ital. 33,5 (22,5/11), P.-B. 32,5 (23,5/9), G.-B. 31 (23/8), Irlande 29 (20/9).

☞ Étalement : *% d'entreprises fermées en été ou ayant + de 80 % de l'effectif en vacances : 1982 :* 54 ; *86 :* 37 ; *90 :* 40 ; *92 :* 41,4 (% records : habillement 76, bois 67, transport 63). **A l'étranger :** *USA* et *All.* pas de fermeture, roulement permanent de congés ; *G.-B.* congés étalés sur juin 20 %, juill. 22 %, août 25 %, sept. 14 %.

Contrats

Légende : CDD : Contrat à durée déterminée. CDI : à durée indéterminée.

D'adaptation. CDD de 6 à 12 mois permettant aux jeunes déjà qualifiés de 16 à 25 ans d'acquérir une formation complémentaire adaptée à l'emploi. *Formation* 200 h. *Rémunération* 80 % du Smic à rehausser en fin de CDD ou dès adaptation réalisée. *Aide* 2 000 F par contrat du 1-7-93 au 30-6-94. *Entrées sous contrat* (1992) : 65 100.

De progrès. Formule d'accord entre syndicats et employeurs. Ainsi le 10-12-1969, tous les syndicats (sauf la CGT) ont signé la « convention sociale » de l'EGF prenant effet au 1-1-1970 qui prévoit pour 2 ans : une progression des salaires liée à la croissance du produit national et à la prospérité de l'entreprise, l'engagement des syndicats de ne pas entrer en conflit sur les salaires en conservant cependant la possibilité de dénoncer la convention.

De qualification. CDD de 3 à 6 mois pour jeunes de 16 à 26 ans avec qualification inadaptée ou inexistante. *Formation* égale à 25 % de la durée du contrat, sanctionnée par un diplôme. *Rémunération* selon âge et ancienneté 30 à 75 % du Smic. *Aide* exonération des cotisations patronales de Sécurité sociale + (après le 1-7-93) 5 000 F par contrat de durée < à 18 mois, 10 000 F par contrat de durée > à 18 mois. *Entrées en contrat de qualif.* (1992) : 104 700.

De retour à l'emploi (CRE). *Créés* à titre expérimental par la loi du 13-1-1989 pour favoriser la réinsertion en entreprise des sans-emploi rencontrant des difficultés particulières d'accès à l'emploi (voir bénéficiaires). Toute entreprise signant un contrat de travail de 6 à 18 mois avec l'une de ces personnes est exonérée des cotisations patronales de SS pendant au moins 9 mois et reçoit, dans certains cas, une aide forfaitaire de 10 000 à 20 000 F maximum pour un contrat de travail à temps plein pour les bénéficiaires connaissant les + grandes difficultés d'accès à l'emploi (50 % à la prise d'effet de la convention, le solde à la fin du 6e mois). **Bénéficiaires potentiels :** demandeurs d'emploi inscrits à l'ANPE pendant au moins 12 mois dans les 18 mois précédents ; bénéficiaires de l'allocation de solidarité ; du RMI (ainsi que conjoint ou concubin) ; handicapés physiques concernés par la priorité d'emploi définie par le Code du travail (personnes reconnues handicapées par la Cotorep, titulaires d'une rente d'accident du travail ou de maladie prof. pour une incapacité permanente au moins égale à 10 %, titulaires d'une pension d'invalidité dont le handicap a réduit d'au moins les 2/3 leur capacité de travail, mutilés de guerre et tous les autres bénéficiaires de l'obligation d'emploi prévus à l'art. L 323-3 du Code du travail) ; femmes seules assumant, ou ayant assumé, des charges de famille. *Statistiques :* 105 000 CRE en 1992.

De solidarité. Accords conclus entre État et entreprises dans le cadre de la lutte pour l'emploi. *Objectif :* permettre aux entreprises d'embaucher de nouveaux salariés grâce à une réduction de la durée du travail dans l'entreprise ou à des départs volontaires en préretraite. En contrepartie, les entreprises reçoivent une aide financière de l'État (*en 1983 :* 1 000 F par heure de réduction effective du travail par rapport au 1-9-82). *Conditions de préretraite :* 55 ans ou + sans remplir les conditions de retraite pleine, 10 ans de cotisations salariées, 1 an d'ancienneté. *Allocation :* 30 % du salaire antérieur jusqu'au plafond de SS puis 25 % jusqu'au plafond Assedic.

De travail. En général, lettre d'engagement précisant les conditions de lieu, horaires, fonctions, qualification de l'emploi, rémunération, période d'essai... Peut être à durée indéterminée ou déterminée. *A durée déterminée :* peut être renouvelé 1 fois pour la même durée, au-delà, serait assimilé à un contrat à durée indéterminée. À son issue, l'employeur ne peut pourvoir le même poste de travail avec un nouveau CDD avant expiration d'un délai de carence égal au 1/3 de la durée du contrat, renouvellement inclus.

D'orientation. Contrat à durée déterminée (3 à 6 mois) visant à préqualifier des jeunes de 16 à 23 ans sans diplôme prof. ou baccalauréat. *Formation assurée* 32 h par mois. *Rémunération :* 30 à 65 % du Smic selon âge. *Aide :* exonération des cotisations patronales de Sécurité sociale. *Résultat 1992 :* 1 987 contrats. *Mesures nouvelles* pour les rendre plus attractifs : assouplissement du déroulement et de la procédure ; aide de 2 000 F par mois pendant 3 mois, puis 3 000 F. *Application :* le 1-7-1993.

Emploi-solidarité (CES). *But :* instauré par la loi du 19-12-1989 pour permettre l'insertion de chômeurs par le développement d'activités d'intérêt général (action sociale, environnement, activité culturelle, entretien d'équipements collectifs...) ou des départs à la retraite. *Aide :* les organismes (associations à but non lucratif, collectivités territoriales, établissements publics) signant de tels contrats sont exonérés des cotisations patronales (sauf Assedic) pendant la durée du contrat (CDD de 3 à 12 mois en règle générale, 3 à 24 mois, éventuellement 36 mois pour des personnes ayant des difficultés particulières d'insertion) et reçoivent de l'État une aide égale à 85 % ou 65 % du salaire dans la limite du Smic. **Bénéficiaires potentiels :** chômeurs inscrits à l'ANPE 12 mois ou + dans les 18 mois précédents ; bénéficiaires du RMI (ainsi que conjoint ou concubin) ; handicapés reconnus par la Cotorep et bénéficiaires de l'obligation d'emploi prévu à l'article L 123-3 du Code du travail ; jeunes de 18 à 25 ans titulaires au + d'un diplôme de niveau 5 (CAP, BEP) ; chômeurs de 50 ans ou +. **Nombre :** *sous contrat en janv. 1993 :* 361 000. *Conclus dans l'année 92 :* 558 000.

Convention collective

Définition. Accord relatif aux conditions de travail et aux garanties sociales, conclu entre un ou plusieurs patrons ou organisations patronales et une ou plusieurs organis. syndicales représentatives.

Convention. **Étendue :** par arrêt ministériel publié au *JO*, elle s'impose à tous les employeurs et tous les salariés de la branche ou la profession. L'employeur doit afficher un avis signalant l'existence de la convention, remettre un exemplaire de la convention au comité d'entreprise, aux délégués syndicaux et aux délégués du personnel et en tenir un à la disposition des salariés (mêmes obligations pour la conv. non étendue) ; s'applique dans les entreprises comprises dans le cadre géographique et professionnel concerné, y compris aux salariés des employeurs non syndiqués.

Non étendue : communiquée gratuitement à tout intéressé (greffe du tribunal des prud'hommes ou du tribunal d'instance, direction départementale du Travail, ministère du Travail, organisations syndicales). On peut en obtenir, à ses frais, une copie conforme. A force de loi pour tout employeur de la profession intéressée s'il a signé la convention ou s'il est membre d'une organisation patronale signataire ou adhérente (même s'il a démissionné de cette organisation).

Durée : peut être à durée indéterminée (dénonçable unilatéralement), ou déterminée (non dénonçable, max. 5 ans, tacite reconduction possible la rendant à durée indéterminée). Elle peut donc être renégociée soit parce que caduque (à terme ou dénoncée) soit parce que la convention l'a prévu.

Statistiques (1991) : 37 accords ou conventions collectives de branche et 970 avenants de branche conclus. 6 754 accords d'entreprises signés, concernant env. 2,5 millions de salariés, dont concernant salaires 54 %, durée et aménagement du travail 40,6 %, classifications 5,7 %, institutions représentatives 5,4 %, emploi 3,5 %, droit d'expression 2,3 %, formation professionnelle 2 %, autres 18,5 %. En 1993, 92 % des salariés sont couverts par une CC.

Négociation collective

Obligation de négocier (C. Trav. art. L 131 à L 136, L 132-27 à 29, R 132 à R 136 ; loi 92-1446 du 31-12-92). 1°) *Entreprises où existe une section syndicale représentative :* négociation annuelle sur les salaires, la durée et l'aménagement du temps de travail. 2°) *Au niveau des branches liées par une CC :* salaires tous les ans et révision des classifications tous les 5 ans.

Droit de veto pour toute organisation syndicale ayant obtenu au moins 50 % des voix aux dernières élections du CE. Obligation pour l'employeur de remettre le texte de la convention collective aux membres du CE et aux délégués syndicaux et du personnel. En cas de carence, le ministre du Travail peut autoritairement étendre les conventions collectives d'une branche proche à la branche d'activité où il n'y a pas eu d'accord.

Nouvelles clauses obligatoires : égalité de salaire entre salariés français et étrangers, et entre hommes et femmes ; conditions d'emploi et rémunération des salariés à domicile ; condition d'emploi des travailleurs temporaires.

Création d'entreprises par les demandeurs d'emploi

(Loi du 22-12-1980.) Nature des aides : 1°) Allocation forfaitaire de 16 168 F à 43 000 F en fonction de la durée d'activité salariée antérieure et/ou du statut du demandeur d'emploi indemnisé au titre des Assedic ou du RMI. 2°) Couverture sociale gratuite pendant 6 mois. 3°) Intervention des Assedic pour des prêts et dons. 4°) Chéquiers-conseils cofinancés par l'État pour favoriser le recours aux conseils financiers, fiscaux, etc. 5°) Structures diverses telles que FDIJ (Fonds départemental pour l'initiative des jeunes) et Rile (Réseaux d'initiative locale pour l'emploi). Chéquier-conseil. Bénéficiaires. Les salariés involontairement privés d'emploi qui perçoivent une des allocations versées par les Assedic ainsi que les bénéficiaires du RMI : en cours d'indemnisation, en cours de préavis de licenciement ou remplissant les conditions de reprise du versement des allocations précitées (fin d'une période d'emploi ou de stage). Les intéressés doivent créer ou reprendre une entreprise industrielle, commerciale, artisanale ou agricole, à titre individuel, ou dans le cadre d'une Sté ou d'une Sté coopérative ouvrière de production, ou exercer une activité indépendante non salariée (notamment une profession libérale). Ils doivent exercer le contrôle effectif de l'entreprise créée. (Détenir au minimum 50 % du capital, ou être dirigeant en détenant 1/3 du capital.)

Montant des aides. Allocation forfaitaire 16 168 F à 43 000 F. Prime moyenne (1992) : 32 000 F par chômeur. Majorations pouvant aller jusqu'à 21 500 F quand l'entreprise crée un emploi de salarié dans les 6 mois suivant le début de son activité.

Nombre de chômeurs créateurs d'entreprises. *1980 :* 13 800, *86 :* 71 757, *90 :* 49 316, *91 :* 43 616, *92 :* 49 337. Baisse due à l'obligation faite dep. 1987 de présenter un dossier économique à l'examen de l'administration.

Cumul emploi/retraite

Principe. Limité jusqu'au 31-12-91 par l'ordonnance du 30-3-1982 prorogée en 92. Autorisé jusqu'à 60 ans dans les cas où il est prévu. L'assuré qui demandera à 60 ans la liquidation d'une pension de salarié devra cesser son activité prof. salariée, voire non salariée dans la même entreprise. Ceux qui reprendront ou conserveront une activité salariée et dont les pensions dépasseront un certain seuil (Smic × 4 dans l'année précédant la liquidation) devront payer une contribution de solidarité au régime d'assurance chômage. Statistiques. – *de 60 ans :* env. 250 000 cumulards (dont 75 000 militaires). *60 à 65 a. :* 200 000 (surtout retraités des régimes spéciaux). *+ de 65 a. :* env. 300 000 (non-salariés travaillant à temps partiel et percevant de petits revenus).

Déclarations obligatoires annuelles de l'employeur

■ 1°) Le 31 janvier. **Données sociales** (salaires versés l'année précédente) adressées à l'Urssaf et au centre départemental d'assiette. *Assujettis :* tous.

■ 2°) Avant le 1er février. **Taxe sur les salaires :** *Assujettis :* employeurs (publics ou privés) payant traitements, salaires ou indemnités (exceptions : certaines professions du régime agric., particulier employant personnel domestique), sur modèle 2 460 ou 2 461 (rémunération supér. à 30 000 F) ou 2 464 (régime agricole) ou 2 466 (personne ayant pensions ou rentes viagères). *Taux normal :* 4,25 % des traitements ou salaires, 3 % des pensions. Majoration de 4,25 % pour la fraction annuelle comprise entre 30 000 F et 60 000 F ; 9,35 % pour la fraction sup. à 60 000 F. *Supprimée* depuis le 1-12-1968 pour les employeurs assujettis à la TVA.

Cotisations de Sécurité sociale (déclaration nominative annuelle des salaires ; régularisation annuelle des cotisations).

■ 3°) Avant le 15 février. **Handicapés employés** (priorité d'emploi) : toute entr. de + de 20 salariés (+ de 15 pour une exploitation agricole) âgés de + de 18 ans doit employer, dans une proportion de 10 % de ses effectifs, des ressortissants du code des pensions militaires d'invalidité (pensionnés de g., assimilés, veuves, orphelins de g.) et des trav. handicapés officiellement reconnus comme tels. Sinon, redevance calculée par j de travail effectif et bénéficiaire manquant sur la base du Smic + 25 %.

■ 4°) Avant le 5 avril. **Taxe d'apprentissage. Participation au financement de la formation :** *assujet-*

tis : employeurs ayant + de 10 salariés, modèle 2 483.

■ 5°) Avant le 15 avril. **Participation obligatoire à la construction** (1 %) : *assujettis :* employeurs occupant au min. 10 salariés ; *exclus :* État, collect. publ., établ. publ. admin. et employeurs agricoles.

■ 6°) Le 15 mai. **Bilan social :** adressé à l'inspecteur du travail. Entreprises de 300 salariés ou +.

DÉLÉGUÉS DU PERSONNEL

Statut. Obligatoirement élus pour 1 an (18 ans min., un an d'ancienneté) dans *tous* établissements où sont occupées au moins 11 personnes pendant 12 mois consécutifs ou non au cours des 3 années précédentes. 2 collèges : *1er* ouvriers et employés, *2e* ingénieurs, chefs de service, techniciens, agents de maîtrise et assimilés. *Conditions pour être électeur :* 16 ans min. ; ancienneté : 3 mois. Rôle : présentation des réclamations des salariés. Dans les entreprises de + de 50 salariés où il n'y a pas de comité d'entreprise, ils exercent les fonctions économiques et sociales de celui-ci. En l'absence de comité d'hygiène, de sécurité et des conditions de travail, ils en exercent les fonctions avec les mêmes moyens que celui-ci. Ils bénéficient d'un crédit d'heures supplémentaires.

Nombre (autant de suppléants par tranche). *Entreprises de 11 à 25 salariés :* 1. *26 à 74 :* 2. *75 à 99 :* 3. *100 à 124 :* 4. *125 à 174 :* 5. *175 à 249 :* 6. *250 à 499 :* 7. *500 à 749 :* 8. *749 à 999 :* 9. *A partir de 1 000 salariés :* 1 titulaire et 1 suppléant en + par tranche supplémentaire de 250 salariés. En cas d'absence de comité d'entr. ou de CHSCT (comité d'hygiène, de sécurité et des conditions de travail), le nombre des délégués du personnel est modifié : *50 à 99 :* 4 titul., 4 sup. *100 à 124 :* 5 titul., 5 sup. *En 1985 :* 47,6 % des établissements, regroupant 73,9 % des salariés, avaient des délégués.

Délégués « de site » (loi du 26-10-1982). Prévus dans les établissements occupant - de 11 salariés mais dont l'activité s'exerce sur un site où sont employés durablement au moins 50 salariés : par ex., dans les grands magasins, pour représenter les vendeurs salariés des entreprises dont ils représentent la marque.

% PAR LISTE DES DÉLÉGUÉS DU PERSONNEL ÉLUS SUIVANT LA TAILLE DES ÉTABLISSEMENTS (1988)

Nombre de salariés	Appartenance syndicale en %							
	CGT	CFDT	CFTC	CGT-FO	CFE-CGC	Autr. synd.	Non synd.	Non déclar.
11 à 25 ..	9,4	8,0	2,4	6,7	3,0	3,4	66,4	0,5
26 à 49 ..	12,4	11,3	2,5	7,4	2,8	3,6	58,8	1,3
50 à 74 ..	15,8	13,4	2,2	10,8	4,0	4,1	49,2	0,5
75 à 99 ..	22,2	15,2	1,9	8,3	4,8	5,9	40,7	0,9
100 à 124.	26,5	17,3	3,4	9,6	4,0	2,9	35,7	0,5
125 à 174.	30,8	19	3,6	12,4	5,3	3,9	22,2	2,7
175 à 249.	34,4	22,0	2,2	15,8	4,8	4,3	16,1	0,5
250 à 499.	31,7	22,2	3,5	16,8	9,9	6,7	8,1	1,1
500 à 749.	35,7	25,6	3,1	13,7	10,5	4,6	6,4	0,4
750 à 999.	36,5	26,4	3,3	13,9	10,5	4,6	4,5	0,3
1.000 et +.	37,2	25,0	4,1	14,0	11,0	7,3	1,1	0,2
Ensemble .	**22,7**	**16,4**	**2,8**	**10,9**	**5,4**	**4,5**	**36,4**	**1,0**

DURÉE DU TRAVAIL

■ STATISTIQUES

■ **Durée annuelle conventionnelle du travail en heures** (1-11-92). Japon 2 080, USA 1 912, Portugal 1 899, Suisse 1 865, Grèce 1 848, Irlande 1 817, Lux. 1 800, Suède 1 792, Esp. 1 788, Italie 1 788, G.-B. 1 777, *France 1 771,* Norv. 1 748, Belg. 1 744, P.-B. 1 732, Finlande 1 732, Autr. 1 722, Dan. 1 691, All. 1 667.

■ **Durée annuelle effective** (en 1970 et, entre parenthèses, 1980/1991, en heures par salarié) : agriculture, sylviculture, pêche 1 917 (1 784/1 584), industrie 1 869 (1 711/1 604), bâtiment, génie civil et agricole 2 052 (1 802/1 666), commerce et services marchands 1 842 (1 694/1 591), assurances (91) 1 554, organismes financiers 1 716 (1 678/1 589), services non marchands 1 622 (1 520/1 388). Moyenne 1 821 (1 663/1 537).

■ **Durée hebdomadaire du travail. En Europe** (en h) : *1850 :* 84. *1870 :* 78. *1890 :* 69. *1910 :* 60. *1930 :* 56. *1950 :* 48. *1974 :* 43. *1979 :* 41. *1980 :* 40,8. *1981 :* 40,5. *1982 :* 39,5. *1990 :* 39.

Le salarié moderne subit, si l'on tient compte des trajets, une fatigue proche de l'ouvrier de 1830 habitant à la porte de son usine, où il travaillait 73 h.

Durée légale hebdomadaire et, entre parenthèses, **effective, dans les industries manufacturières** (oct. 1992). All. 48 (37,5), Belg. 40 (37,8), Dan. pas de législation générale (37), Esp. 40 (40), *France 39 (39),* Grèce 40 (40), Irlande 48 (39), Italie 48 (40), Lux. 40 (40), P.-B. 48 (38,75), Port. 48 (42), G.-B. pas de législation générale (38,8), Autriche (38,6), Finlande (40), Norvège 37,5, Suède (40), Suisse 40,5, USA 40.

■ **Durée de repos des Français** (en 1990, en jours). 156 j (5 mois + 3 j) dont week-ends 104, vacances 25, j fériés 10, absentéisme 12 (en moy.), ponts 5 (en moy.).

■ **Semaine de 4 jours.** Tolérée si on respecte la durée max. par jour (v. ci-dessous.). Mise en place dep. le 17-6-1991 à Peugeot-Poissy. 6 300 ouvriers sur 10 000 y travaillent sous le régime des 4/10 (9 h 38 min par jour sur 4 j, au lieu de 7 h 42 min sur 5 j, la durée hebdo. restant de 38 h 30).

■ LÉGISLATION EN FRANCE

■ **Évolution. 1841**-*22-3* journée de travail des enfants de - de 11 ans dans l'industrie 8 h ; 12 à 16 ans 12 h. Adultes par j 14 à 16 h. **1848** *mars* 10 h à Paris, 11 en province. **1849**-*9-9 :* 12 h (dispenses possibles). **1892** *mars* loi de 10 h par j. **1906** institution du repos hebdomadaire. **1919**-*23-4 :* 8 h. **1936**-*21-6* semaine de 40 h au lieu de 48 h (durée max. 54 h). **1966**-*18-6* durée max. de la sem. 54 h (au lieu de 60 dep. 1946). **1971**-*24-12* durée max. 50 ou 46 h (dérogation dans certains secteurs : 57 h). **1974**-*27-12* alignement de la durée du travail et de la rémunération des h supplémentaires en agriculture sur les règles prévues par le Code du travail pour industrie et services. **1981**-*17/18-7* accord national interprofessionnel signé par CNPF et syndicats (sauf CGT et PME) sur 39 h et 5e semaine de congés payés.

■ **Durée légale.** *Hebdomadaire :* 39 h sur 5, 5,5 ou 6 j. Repos hebdomadaire obligatoire de 24 h consécutives min. le dimanche. *Quotidienne :* elle ne peut excéder 10 h, sauf dérogations déterminées par décret, voir ci-dessous (jeunes gens et apprentis 8 h). *Durée max. hebd. :* calculée sur une période de 12 semaines : 46 h (au lieu de 48). Au cours d'une même semaine : 48 h (au lieu de 50) ; dérogations exceptionnelles jusqu'à 60 h.

■ **Heures supplémentaires** (ne concerne pas les cadres). Rétribuées au-delà de la 39e h avec une majoration de : 25 % (40e à 47e h) ou 50 % (au-delà de la 47e h). Les employeurs disposent d'un contingent légal d'h supplémentaires (130 h par an et par salarié). Un contingent supérieur ou inférieur peut être fixé par une convention ou un accord collectif étendu à la condition de ne pas dépasser la limite max. hebd. fixée. Les h supplémentaires effectuées *au-delà* du contingent légal ou conventionnel doivent être autorisées par l'inspection du travail, après avis du comité d'entreprise (ou à défaut des délégués du travail). La loi Séguin du *19-6-1987* prévoit le remplacement du paiement de ces heures par un repos compensateur de 125 à 150 % selon les cas.

Repos compensateur : dans les entreprises de + de 10 salariés (ne concerne pas les cadres), les h supplémentaires, effectuées au-delà de la 42e h par semaine et comprises *dans* le contingent annuel de 130 h, donnent lieu à un repos compensateur égal à 20 % du temps accompli au-delà de la 42e h et 100 % au-delà du contingent. Dans les entreprises de 10 salariés au +, les h suppl., *au-delà* du contingent annuel de 130 h, ouvrent droit à un repos compensateur égal à 50 % des h suppl. ainsi effectuées.

Modulation de la durée : possibilité de faire varier la durée hebdo. par accord de branche étendu ou par accord d'entreprise ou d'établissement, sans lien avec des réductions de durée du travail, à condition de respecter 48 h max. et 39 h de moyenne annuelle.

Récupération : l'employeur peut faire récupérer, en + de l'horaire normal et sans majoration de salaire, les heures collectivement perdues (sous 39 h) pour diverses causes (intempéries, grève, chômage technique, pont, etc.). Les salariés ne peuvent les refuser.

■ **Aménagement du temps de travail. Travail en continu :** en équipes successives. Durée max. sur 1 an : 35 h par semaine travaillée (31-12-1983 au plus tard). *Jours fériés* (11) : chômés et payés, ils ne peuvent donner lieu à récupération.

■ **Cycle.** Permet de répartir les horaires de façon fixe et répétitive, les semaines dépassant 39 h sont compensées par des semaines plus courtes. Le cycle ne peut excéder 8 à 12 semaines et doit se reproduire à l'identique tout au long de l'année.

Horaires individualisés ou **variables :** plages fixes (présence obligatoire) et mobiles (présence à la carte sous réserve du respect du nombre global d'heures travaillées contrôlé par pointage). Autorisé si les représentants du personnel ne s'y opposent pas et après information de l'inspection du travail. Les reports d'heures d'une semaine à l'autre par les salariés sont autorisés sous réserve d'un max. cumulé de 10 h, sauf accords collectifs plus larges. *Temps partiel* (voir p. 1434).

Dérogations : limitées à 10 h par j de travail effectif. Autorisées pour des travaux devant être exécutés dans un délai déterminé, des travaux saisonniers ou impliquant une activité accrue certains j. Le dépassement de la durée max. de 10 h, limité à 2 h, peut faire l'objet d'un accord collectif.

EMPLOYÉS DE MAISON

☞ **Statistiques** (1991). *Employeurs* 626 490. *Salariés* 468 480. Le métier est le plus souvent exercé par des femmes, à temps partiel et de plus en plus pour des tâches spécialisées : gardes d'enfants ou de vieillards, repassage, etc.

Renseignements. *Fepem (Fédération nationale des groupements d'employeurs de personnel employé de maison)* 11 bis, rue d'Alésia, 75014 Paris.

Emplois familiaux. Depuis le 1-4-1987, pour la garde des enfants de - de 3 ans, on peut bénéficier d'une alloc. Dep. le 1-1-1988, l'aide aux personnes invalides ou de + de 70 ans peut donner droit à l'exonération de la part patronale des cotisations de Séc. soc. De plus, on peut bénéficier d'une réduction d'impôt. Dep. fin 1991, un particulier bénéficie d'une réduction d'impôt égale à 50 % du montant des salaires et charges versées pour l'emploi d'un salarié dans la limite de 25 000 F/an sur les revenus de 1992 (soit 12 500 F de réduction d'impôt au maximum).

■ CONDITIONS GÉNÉRALES

■ **Classification. Coefficient 100 :** débutant sans qualification. **110 :** ayant 1 an de pratique (- de 18 a) ou 6 mois de pratique (+ de 18 a), ou titulaire du CEP. **120 :** exécutant des travaux courants et surveillant éventuellement les enfants sous la responsabilité de l'employeur. **130 :** titulaire du CAP ou pouvant exécuter le j une surveillance responsable auprès d'enfants, d'handicapés ou personnes âgées. **140 :** empl. qualifié responsable, titulaire du CAP avec 1 a de pratique, assistant de vie N° 1 (h ou dame de compagnie), garde d'enfants autre que nurse. **150 :** cuisinier qualifié, f. de chambre ou valet de chambre, assistant de vie 2 (empl. s'occupant d'une personne âgée ou d'un handicapé). **160 :** empl. très qualifié, assurant les responsabilités du maître de maison en son absence ; garde-malade de nuit à l'exclusion des soins. **180 :** nurse, gouvernante d'enfant, maître d'hôtel, chauffeur, chef cuisinier ou cuisinière.

■ **Convention collective nationale** applicable dans la métropole dep. le 27-6-1982 et complétée par des annexes départementales. Mise en place de postes d'emploi à caractère familial (veiller au confort moral et physique d'adultes ou d'enfants ; clauses particulières en matière de durée du travail, repos hebdomadaire, garde de nuit, rémunération).

■ **Congés payés.** Ordonnance du 16-1-1982 : 2 j 1/2 ouvrables par mois de travail, quel que soit l'horaire hebdomadaire, l'indemnité ne pouvant être inférieure à ce qu'aurait perçu le salarié s'il avait travaillé pendant ses congés.

■ **Démission de l'employé. Préavis :** *jusqu'à 6 mois d'ancienneté :* 1 semaine, *2 ans :* 2 semaines , *au-delà de 2 ans :* 1 mois. Certaines annexes modifient ces durées. **Indemnité** de congés payés : 1/10 de la rémunération totale perçue au cours de la période de référence (*pour les employés nourris et logés :* le salaire brut comprend la valeur des prestations en nature). L'employeur ne peut retenir d'indemnité compensatrice au cas où l'employé n'effectuerait pas son préavis, mais il peut faire une demande devant les prud'hommes.

■ **Contrat.** A la fin de la période d'essai (1 mois max., spécifiée par écrit), l'employeur doit remettre à l'employé un contrat ou une lettre d'engagement, rédigé sur papier libre.

■ **Durée du travail.** 40 h par semaine. Les heures supplémentaires sont compensées par du repos ou payées avec majoration.

■ **Immatriculation** (Séc. soc.). **Employeur n'ayant jamais eu d'employé de maison :** faire une demande à l'Urssaf du département (région par. : 3, rue Franklin, 93518 Montreuil Cedex) par lettre, en indiquant nom, prénoms, qualité, adresse et date d'embauche. L'Urssaf donnera un numéro d'immatriculation et enverra une formule pour acquitter les cotisations et, à la fin de chaque trimestre civil, une formule de versement. Pour les étrangers, vérifier la validité du titre de séjour et de travail. **Si l'employé n'est pas déjà immatriculé :** le faire immatriculer *pour Paris et la région par.* à la CPAM (départementale) du domicile du salarié ; demander l'imprimé 1202.

L'employé ne peut bénéficier du remboursement des soins médicaux et des indemnités journalières s'il n'a pas pu effectuer au min. 120 h dans le mois précédent ou 200 h dans le trimestre précédant la demande de remboursement, mais il est couvert en cas d'accident du travail et bénéficie des avantages vieillesse. La Mutem (Mutuelle des empl. de maison), 22, rue d'Aumale, 75009 Paris, peut verser à ses adhérents des remboursements de frais médicaux et indemnités journalières complémentaires à la Séc. soc.

Si l'employé refuse d'être immatriculé : parce qu'il bénéficie déjà des prestations par son conjoint assuré social, lui rappeler qu'il ne bénéficie pas par lui d'une retraite personnelle SS ni complémentaire (Ircem), d'indemnités journalières en cas de maladie ou d'accident, ni de pension personnelle d'invalidité et d'accident du travail. Mais l'absence de déclaration n'entraînerait risques et sanctions que pour l'employeur.

Si l'employé a déjà travaillé et a un numéro de SS : faire connaître sa nouvelle résidence au centre de paiement de son nouveau domicile, et relever son numéro de SS et la caisse dont il dépend.

Si l'on engage du personnel temporairement à son lieu de résidence secondaire : se faire immatriculer à l'Urssaf dont dépend la résidence secondaire.

Sanctions pour non-déclaration : *pénales :* amende de 3e classe (max. 10 000 F) par infraction constatée, infligée par le tribunal de police ; récidive, amende de 5e classe (max. 30 000 F); *civiles :* remboursement par l'employeur à la SS des prestations servies par la caisse à l'assuré social. Amendes-majorations, peines de prison : remboursement des prestations.

■ **Licenciement.** L'employeur doit convoquer le salarié à un entretien préalable puis envoyer une lettre recommandée avec accusé de réception énonçant le motif du licenciement. En période d'essai : une lettre constatant que l'essai n'a pas été concluant, pas de délai-congé ; si l'employé a – de 6 mois de présence : délai-congé conventionnel : 1 semaine ; de 6 mois à 2 ans : préavis de 1 mois ; + de 2 ans : 2 mois [certaines annexes départementales prévoient un préavis même pour la période d'essai (48 h)].

Les h pour recherche d'emploi sont données aux employés à temps complet et leur nombre varie avec l'ancienneté du salarié : 2 h/j pendant 6 j ouvrables si l'employé a moins de 2 ans de présence, 2 h/j pendant 10 j ouvrables si l'employé a plus de 2 ans de présence. Certaines annexes départementales modifient la durée de ce temps.

Indemnité de licenciement : obligatoire après 2 ans de présence. Calculée sur la base de 1/10 par année, plus 1/15 après 10 ans. Certaines annexes départementales ont des conditions plus avantageuses, par ex. la région parisienne a maintenu l'avantage acquis des employés à temps complet : 1 mois de salaire brut après 4 ans d'ancienneté, plus 1 semaine par année d'ancienneté jusqu'à 8 ans. Considérée comme dommages et intérêts, cette indemnité ne donne lieu à aucune retenue de SS.

Indemnité compensatrice de congés payés : période de référence du 1er juin au 31 mai de l'année suivante ; on calcule combien de temps l'employé a travaillé entre le 1er juin précédant le renvoi (ou la démission) et la date de départ ; sauf faute lourde, l'employé a droit à la partie de congé payé acquise pendant cette période.

L'employeur peut être condamné à des dommages et intérêts pour rupture abusive du contrat si l'employé apporte la preuve de l'abus de l'employeur ou de la légèreté blâmable dans son licenciement. Seuls les prud'hommes sont habilités à statuer sur les litiges concernant le licenciement abusif.

■ **Maladie.** *L'employé* doit envoyer à l'employeur (dans les 2 j ouvrables) un certificat d'arrêt de travail signé du médecin et prescrivant la durée probable de cet arrêt. *L'employeur* qui ne peut se passer d'une aide (vieillard, femme qui travaille ayant de jeunes enfants) demandera à l'employé de reprendre son travail. A la fin de l'arrêt de travail, l'employé doit reprendre son travail. S'il est hors d'état de le faire, il doit adresser avant sa date de reprise un nouveau certificat. **Pour être remboursé de ses dépenses de maladie :** l'employé doit avoir effectué au min. 200 h de travail dans les 3 mois précédant la date des soins, ou 120 h de travail au cours du mois précédant la date des soins. **Pour être pris en charge par la SS en cas d'arrêt de travail :** *pendant 6 mois :* il doit avoir effectué 200 h de travail dans les 3 mois précédant l'arrêt de maladie ; *au-delà de 6 mois,* justifier : d'une immatriculation à la SS de 12 mois au 1er j du mois précédant l'arrêt et d'au moins 800 h dans les 12 mois précédant l'arrêt, dont 200 h les 3 premiers mois. *Pour l'employé faisant + de 1 200 h dans l'année,* fournir l'attestation d'annualisation des droits, obligatoire.

Indemnité journalière : employé mensuel : 50 % du Smic mensuel si les cotisations sont acquittées sur le forfait. Si les cotisations sont réglées sur le salaire réel, l'ind. est calculée comme pour les autres salariés. Pendant un arrêt de maternité, le contrat est suspendu, l'employée perçoit de la SS 84 % du gain journalier établi comme pour la maladie.

■ **Remplacement.** L'employeur qui ne peut se passer d'une aide peut prendre une remplaçante sous contrat à durée déterminée.

■ **Salaire.** Fixé d'un commun accord entre les parties avec pour min. le salaire conventionnel (revalorisé le 1-10-1992) ; calculé sur 174 h.

■ **Suspension du contrat.** La Convention collective nationale prévoit que le contrat est suspendu : par *rappel sous les drapeaux* ou accomplissement d'*une période militaire ; maladie* pendant 1 semaine dès le début de la période d'essai, 2 s. à la fin de cette période, 2 mois après 2 mois de présence ; *maternité ; accident de travail.* Si l'employé qui a dû être mis en demeure d'exécuter son préavis ne le peut du fait de maladie, il ne sera pas dû d'indemnité compensatrice de préavis. **Logement de fonction :** accessoire du contrat de travail. Tant que le contrat n'est pas rompu, le logement ne peut être repris ; l'employeur peut y loger un remplaçant avec l'accord du salarié. Dans ce cas, l'employeur aura la garde des affaires personnelles de l'employé.

■ **Période d'essai.** Varie selon les annexes de la convention, mais ne peut dépasser 1 mois.

■ **Placement.** Anpe et bureaux de placement privés (contrôlés par le ministère du Travail, et la préfecture de police à Paris, ou la préfecture en province). *Tarifs* (homologués par la chambre syndicale des bureaux de placement autorisés de Paris et des dép., 163, rue Saint-Honoré, 75001 Paris) à la charge de l'employeur : après 30 j de présence de l'employé, 1/6 du salaire du 1er mois, + TVA 23 %. Si l'employé reste moins de 30 j, droit au prorata des j de présence de 2,50 F par j (+ TVA 23 %).

■ **Prestations en nature.** Déduites du salaire brut. *1-10-1992 :* repas 17 F, logement par mois 340 F (par accord paritaire).

■ **Repos hebdomadaire et jour férié.** Seul le 1er mai doit être chômé et payé. La convention collective fixe les autres repos. L'employé a droit à un repos hebdomadaire de 24 h consécutives, en principe le dimanche (du samedi soir au lundi matin). Certaines annexes donnent 1 j supplémentaire, modifient ou suppriment les conditions d'ouverture au droit. Sinon le mode de repos hebd. doit être établi d'un commun accord et notifié dans le contrat individuel.

■ **Retraite complémentaire.** Assurée par l'Ircem (Institution de retraite complémentaire des employés de maison).

■ **Taxe sur les salaires.** Due par l'employeur ayant plusieurs employés, sauf si le nombre d'ascendants de + de 65 ans, d'infirmes, d'enfants de – de 16 ans vivant au foyer est au moins de 4 et le nombre d'employés de 1 ou 2.

■ Aides-ménagères

Bénéficiaires. *65 ans ou + de 60 ans* (si inaptes au travail), participation fixée par le Pt du conseil général, en fonction des ressources plafonnées au 1-1-1992 à 36 070 F par an/personne, 72 140 F pour un ménage. *+ de 70 ans* vivant seule ou avec leur conjoint ou chez leurs enfants dans certaines conditions. *Handicapés, ou ayant à leur charge un enfant handicapé,* bénéficient dep. le 1-1-1988 d'une exonération de la part patronale des cotisations de Séc. sociale à condition d'être eux-mêmes l'employeur. **Nombre :** en 1988, env. 500 000 p. (dont personnes âgées 96,8 %, handicapés 1,7 %, mères de famille surchargées 0,9 %, malades 0,6 %).

Associations. *Fédération nationale des associations d'aide à domicile aux retraités (Fnadar) ;* 103, bd Magenta, 75010 Paris. *Féd. nat. des associations d'aides familiales populaires (FNAAFP) :* 53, rue Riquet, 75019 Paris. *Union nat. des associations d'aide à domicile en milieu rural (UNAADMR) :* 184, rue du Fbg-St-Denis, 75010 Paris. *Union nat. des associations de soins et de services à domicile :* 15, passage St-Sébastien, 75011 Paris.

■ Aides au pair

Définition. Stagiaires-aides familiaux : âgés de 18 à 30 ans, ils doivent avoir un titre de séjour et une autorisation de travail, et justifier de la réalité de leurs études. Effectuent des travaux ménagers en contrepartie du logement et de la nourriture.

Formalités. *Pour régulariser leur situation,* ils doivent présenter au service des Étrangers de la préfecture de police à Paris (si leur domicile est à Paris) le document sous couvert duquel ils sont entrés en France ; acquitter une taxe de visa de régularisation de 50 F (en sont dispensés ressortissants de la CEE, Marocains et Suisses). L'engagement pour accueil délivré par le directeur départemental du Travail (6 mois à 1 an, non prorogeable au-delà de 18 mois) tient lieu d'autorisation de travail. Pour ceux qui viennent pour un court séjour, visa du dir. dép. du Travail sur la demande d'autorisation de travail (lettre).

A l'expiration du visa, sur présentation de l'*engagement pour accueil* et de la justification de leurs études, on remet aux ressortissants de la CEE une *autorisation provisoire de séjour* (aux autres une *carte de séjour temporaire* gratuite, valable 1 an). En cas de scolarité mensuelle ou trimestrielle, carte de séjour temporaire gratuite valable 6 mois et renouvelable.

Le *séjour* au titre de « stagiaire-aide familial » ne peut excéder 18 mois. Au-delà, ils peuvent solliciter leur transformation en *étudiant* ou en *travailleur salarié permanent* (ressortissants de la CEE). Quand le stagiaire a reçu son titre de séjour, il doit déclarer ses changements de domicile au commissariat de police du nouveau domicile.

L'employeur doit, s'il loge le stagiaire (ou aide), le déclarer au commissariat de police de son domicile (ainsi d'ailleurs que pour tout autre étranger qu'il hébergerait à un titre quelconque).

Assurances sociales. Obligatoires. La famille d'accueil verse une cotisation égale au tiers de celle fixée pour les personnes employées dans les services domestiques. *Pour les stagiaires,* l'Accueil familial des jeunes étrangers prend à sa charge une assurance maladie-accident complémentaire.

Normes habituelles. Argent de poche : *au pair :* aucune somme donnée ; *stagiaire :* de 1 000 à 1 500 F au minimum par mois, sans transports dans Paris. En banlieue, transports payés en sus, de la résidence à Paris. **Congés :** journée complète hebdomadaire (dont 1 dimanche obligatoire par mois). En cas d'empêchement fortuit, accord pour 2 demi-journées dans la semaine. **Contrat :** signé entre la famille et le stagiaire, après un essai de 8 j. Permet d'obtenir le permis de séjour. **Logement :** *au pair* ou *stagiaire :* dans l'appartement, ou dans une chambre confortable indépendante. **Travail au pair :** doit en général de 2 à 3 h par j, selon repas offerts et logement [en appartement ou à l'extérieur (en général, chambre dans l'appartement : 2 h par j ; à l'étage du personnel, ch. chauffée 1 h 1/2 ; petit déjeuner 1/2 h)]. *Stagiaires :* 5 h de travail légal par j moyennant repas, logement et argent de poche. Dans les 2 cas, aucun gros travail ménager. Le temps légal peut comprendre 2 à 3 soirs par semaine pour une garde d'enfants, mais pas plus tard que minuit si la chambre est indépendante.

Quelques adresses (Paris). *Ababa,* 8, avenue du Maine, 15e. *Accueil familial des jeunes étrangers,* 23, rue du Cherche-Midi, 6e. *Allô maman poule,* 17, rue d'Armenonville, 92200 Neuilly-sur-Seine. *Amicale culturelle internationale,* 27, rue Godot-de-Mauroy, 9e. *Bureau des élèves de l'Institut d'études politiques,* 27, rue St-Guillaume, 7e. *Centre Richelieu* « Service d'Entraide », 8, place de la Sorbonne, 5e. *Crous,* 39, av. de l'Observatoire, 5e. *Dépann' Familles,* 7, rue Gomboust, 1er. *Fédération nationale des Associations du bureau des élèves des grandes écoles,* 18, rue Dauphine, 6e. *La Grande Sœur,* 18, rue d'Armenonville, 92200 Neuilly-sur-Seine. *Les Grand-mères occasionnelles,* 48, rue des Bergers, 15e. *Institut catholique,* 21, rue d'Assas, 6e. *Interséjours,* 179, rue de Courcelles, 17e. *Kid-Service,* 17, rue Molière, 1er. *Nurses Service,* 33, rue Fortuny, 17e. *Nursing,* 3, rue Cino-Del-Duca, 17e. *Opération Biberon SOS. Étudiant médecin,* 26, rue du Fbg-St-Jacques, 5e.

■ Baby-sitting

Définition. Étudiant(e)s venant contre rémunération surveiller à domicile les enfants quand les parents s'absentent.

Réglementation. Doivent être légalement immatriculés à la Séc. soc., comme les employés de maison : les cotisations doivent être calculées dans les mêmes conditions s'ils sont au service de particuliers qui les rémunèrent directement. S'ils sont rémunérés par un groupement ou une association, les cotisations sont calculées dans les conditions générales. Le *risque d'accident* peut paraître inexistant mais il faut noter les risques d'accidents de trajet. La responsabilité de l'étudiant peut être lourde. Plusieurs associations s'occupant du placement des étudiants chez des particuliers souscrivent des assurances de « responsabilité civile » pour les étudiants. Sinon l'étudiant sera bien avisé de souscrire lui-même pour son compte une assurance de responsabilité civile précisant la garantie des risques découlant de son activité.

☞ Si l'étudiant passe par un organisme, la durée minimale de la garde est généralement de 2 à 3 h. S'il y a plus d'1 enfant à garder, une majoration peut être à prévoir.

■ Travailleuses familiales

Rôle. Accomplit temporairement à domicile les activités ménagères et familiales au foyer des mères de famille ne pouvant assumer leur rôle (ex. : mère hospitalisée ou alitée pour maladie ou maternité), intervient auprès des personnes isolées, âgées, infirmes ou invalides.

Recrutement. Sur le plan local par les associations agréées. Il faut avoir 19 ans, le niveau BEPC et obtenir le certificat de travailleuse familiale. *Formation :* 8 mois (par cours théoriques et stages pratiques). La stagiaire reçoit une bourse lui assurant le statut de salariée sur la base du Smic et souscrit en contrepartie un engagement de travail avec obligation d'accomplir au moins 6 000 h dans les 5 ans suivant le début de la préparation au certificat.

Rémunération. Réglée par une convention collective comme les *conditions de travail* (semaine de 39 h). Les familles contribuent selon leurs ressources, d'après un barème établi avec les caisses d'AF ou d'ass. maladie dont elles relèvent.

Associations agréées. *Association d'aide aux mères de famille,* 12, r. Chomel, 75007 Paris. *Union nat. des ass. d'aides à dom. en milieu rural (UNAADMR),* 184, rue du Fbg-St-Denis, 75010 Paris. *Féd. nat. des ass. de l'aide fam. populaire (Fnaafp),* 53, rue Riquet, 75019 Paris. *Féd. nat. des ass. d'aide fam. à dom. (Fnafad),* 48, bd Sébastopol, 75003 Paris. *Féd. nat. des aides et services des familles (Fnasef),* 5, rue Morère, 75014 Paris. *Union nat. des ass. générales pour l'aide fam. (Unagaf),* 28, pl. St-Georges, 75009 Paris.

Étudiants

■ Étudiants et impôts

Si l'enfant majeur a – de 25 ans, son père peut toujours le considérer comme à sa charge à la condition de faire figurer sur sa déclaration personnelle la rémunération en espèces reçue par son enfant, augmentée de la valeur de la nourriture. Il fait abstraction des avantages constitués par logement et habillement.

Étudiants se livrant occasionnellement à un travail rémunéré. Ils sont imposables. Si l'étudiant est compté à charge par son père, celui-ci doit faire figurer les rémunérations en question sur sa déclaration. Pour les étudiants au pair dans des colonies de vacances ou au sein d'une famille (sans rémunération en espèces ni allocation représentative de frais), la valeur des avantages en nature ne compte pas.

Étudiants et élèves des écoles techniques effectuant des stages dans des entreprises industrielles ou commerciales. Pas imposables si les stages font partie intégrante du programme de l'école ou des études, s'ils présentent un caractère obligatoire, et si leur durée n'excède pas 3 mois.

Bourses d'études. *Pour poursuivre leurs études personnelles :* en général, peuvent être regardées comme de simples secours n'ayant pas le caractère de revenu imposable. *Pour des travaux de recherches :* rémunérations imposables.

Élèves des grandes écoles (St-Cyr, Polytechnique, etc.). Solde, traitement et avantages en nature sont imposables.

■ Étudiants et allocations familiales

Travail rémunéré. L'activité rémunérée de l'étudiant fait perdre à ses parents le bénéfice des AF sauf s'il a 20 ans au max. et poursuit ses études, dans certains cas ; ex. : leçons et répétitions particulières et autres travaux d'enseignement ; emplois à temps partiel ; activités ayant un caractère de formation ; emplois offerts par l'intermédiaire des organismes universitaires (Onisep) et des associations d'étudiants, présentant certaines garanties (en période de vacances, la tolérance est plus large : notamment pour travaux agricoles, colonies de vacances, activités ayant un caractère culturel ou touristique, ex. : guide ou accompagnateur).

La rémunération procurée ne doit pas dépasser les 55 % du Smic par mois (somme calculée en faisant une moyenne sur 6 mois).

Pour les – de 16 ans (âge de fin de la scolarité) et pour les – de 18 a., l'activité salariée n'est admise que pendant le trimestre d'été et la rémunération ne doit pas dépasser 3 fois le salaire mensuel de référence servant de base au calcul des prestations familiales.

Bourses d'études. Cumul généralement accepté pour un emploi à temps partiel lié à l'enseignement (maîtres auxiliaires, d'internat, etc.) à concurrence d'une fois et demie le taux maximal des bourses.

■ Étudiants et Sécurité sociale

■ Étudiant non salarié. **Assurance obligatoire :** *conditions :* être âgé de – de 26 ans au 1er oct. de l'année universitaire (prolongation possible : service militaire, interruption des études par suite de maladie, préparation de certains diplômes, etc.) ; être élève d'un établissement d'enseignement sup., d'une école technique sup., d'une grande école ou d'une classe préparatoire à ces écoles : être Français ou ressortissant d'un pays étranger ayant passé une convention de Séc. soc. avec la France, ou réfugié bénéficiaire de la convention de Genève du 28-7-1951. L'ét. doit être immatriculé auprès de la caisse primaire dont dépend son établissement, par l'intermédiaire de celui-ci, dans les 8 j de son inscription.

Immatriculation : faite durant le 1er trimestre de scolarité, elle rétroagit au 1er oct. (pour les élèves des classes sup. des lycées et collèges, au j de l'ouverture de l'établ., donc éventuellement avant le 1er oct.). Elle ouvre droit aux prestations pour l'année universitaire jusqu'au 30 sept. (pour ceux qui subissent leurs examens aux sessions d'oct. et nov. : jusqu'à la publication des résultats). **Cotisation forfaitaire :** 840 F pour l'année scolaire 1991-92 (les étudiants recevant une aide pécuniaire de l'État sont exonérés).

Prestations : assurées par des mutuelles d'étudiants moyennant une cotisation supplémentaire pour les risques d'accidents survenant du fait et à l'occasion de la scolarité, et la responsabilité civile. Pas de délai minimal d'immatriculation pour avoir droit au remboursement des soins, sauf pour l'assurance maternité (10 mois d'im. à la date de l'accouchement).

■ Étudiant assuré volontaire. Ex. : étudiant de + de 26 ans au 1er oct. de la nouvelle année scolaire et n'ayant pas de prolongation de la limite d'âge. Élève des classes terminales des lycées et collèges ayant + de 20 ans et ne bénéficiant plus de la SS des parents.

■ Étudiant ayant un salaire. Il doit être déclaré à la SS par l'employeur. A droit aux prestations du régime s'il satisfait aux conditions d'ouverture des droits (120 h de travail ou assimilées dans le mois précédant la date des soins ou de l'arrêt de travail, ou 200 h dans le trimestre, 1 j d'inscription à la SS étudiante, 6 h de travail salarié). Ceux qui n'étaient pas inscrits avant à la SS étudiante bénéficient des dispositions en faveur des assurés nouvellement immatriculés et âgés de – de 25 ans [pour les prestations en nature, remboursement des soins : 60 h de travail salarié ou assimilé à la date des soins ; prestations en espèces, indemnités journalières : le minimum de 200 h d'emploi se calcule en tenant compte du temps de travail effectué par l'assuré dont l'étudiant était ayant droit (parents, conjoint assuré social)].

Étudiant qui était déjà à la SS étudiante : bénéficie sans délai des prestations en nature de l'assurance maladie, étant couvert soit par le régime étudiant, soit par le régime salarié ; pour les prestations en espèces, le délai minimal de 200 h s'applique, mais chaque journée d'inscription à la SS étudiante est considérée comme équivalant à 6 h de travail salarié pour l'ouverture des droits aux prestations (interprétation variable suivant les caisses : se renseigner). Si l'activité salariée de l'étudiant apparaît définitive, la section locale déclenche éventuellement le transfert du dossier au bénéfice du centre de Séc. soc. du domicile de l'étudiant salarié.

En cas d'accident du travail : l'étudiant salarié bénéficie des prestations en espèces comme les autres salariés (si l'accident a eu lieu à l'occasion d'un emploi temporaire pendant les vacances d'été et si l'incapacité totale de travailler se poursuit après la rentrée scolaire, il continue à en bénéficier).

■ Stagiaire. **En entreprise, dans le cadre d'une initiation au milieu professionnel :** *s'il est rémunéré :* cotisations des assurés du régime général ; *s'il n'est pas rémunéré :* cotisations patronales établies sur la base de 25 % du Smic (au 1er-1), si gratifications ⩽ à 30 % du Smic. **En formation professionnelle continue :** cotisations ouvrières et patronales dues par l'État pour les stagiaires *rémunérés ou non rémunérés* par l'État, fixées au 1er-1 par assiette horaire forfaitaire (5,15 F au 1-4-90) des taux de droit commun du régime général de la Séc. soc.

■ Étudiant au pair. Il faut le déclarer à la SS, afin de le faire bénéficier des prestations accidents (le régime « étudiant » ne comporte que des prestations maladie). S'il n'est pas déclaré correctement, la SS pourra aller jusqu'à réclamer à l'employeur les prestations maladie versées pour un accident du travail. D'autre part, l'étudiant au pair étant un « préposé », le chef de famille employeur sera présumé responsable de tout dommage causé par l'étudiant aux tiers.

■ Étudiant donnant des répétitions. L'inscription à la Sécurité sociale est aussi nécessaire.

☞ **Quelques adresses pour des petits travaux temporaires.** *Crous* (Centres régionaux des œuvres universitaires et scolaires), ont quelques offres. *CIDJ* (Centre d'information et de documentation jeunesse), 101, quai Branly, 75740 Paris Cedex. *Travaux saisonniers agricoles : Centre de documentation et d'information rurale,* 92, rue du Dessous-des-Berges, 75013 Paris. *Emplois Marketing : Syndicat national pour la vente et le service à domicile,* 42, rue Laugier, 75017 Paris. *Entreprises de travail temporaires :* 2 syndicats professionnels : *Promatt,* 6, bd des Capucines, 75009 Paris. *Unett,* 9, rue du Mont-Thabor, 75001 Paris.

Fardeaux (limites)

Charges [1] (en kg)	*J. gens* 14/16	16/18	*J. filles et femmes* 14/16	16/18	18 et +
Porté	15	20	8	10	25
Brouette	40	40	0	0	40
3 ou 4-roues	60	60	35	35	60
2-roues	130	130	0	0	30
Tricycle à pédales	50	75	0	0	0

Nota. – (1) Véhicule compris.

■ Charge portée manuellement par un homme adulte. Norme de l'OIT (créée 1967) : 55 kg.

■ Charge maximale portable dans le monde en kg. **Par un homme adulte :** Grèce (secteur de la viande) 100. Inde (dockers) 100 (non-syndiqués : 115 à 135). Bangladesh, Pākistān 90. Chine 80. Mexique 56. *France + de 18 ans :* 105 kg max. (charges exceptionnelles), 55 kg (charges habituelles), plus si le travailleur a été reconnu apte par le médecin du Travail. Colombie (construction) 50. Finlande (emballage) 40. Corée (riziculture) 40. **Par une femme :** Thaïlande 30. Japon 30 (travail intermittent), 20 (tr. continu). Philippines 25. Pākistān 23. Tchéc., ex-URSS 15. All. 15 (charges occasionnelles), 10 (tr. continu).

Femmes

Femmes dans la population active

■ **En %, en 1991.** Finlande 48,7. Suède 48,1. Norvège 46,3. Danemark 45,9 [1]. USA 45,6. G.-B. 43,2 [1]. *France 42,9.* Portugal 42,1 [1]. Autriche 41. Japon 40,7. Ex-All. féd. 40,4 [1]. Suisse 38,2. P.-Bas 37,9 [1]. Belgique 37,5 [1]. Grèce 35,2 [1]. Luxembourg 34,4 [1]. Italie 34,2 [1]. Irlande 33,1 [1]. Espagne 31,9 [1]. CEE 39,2.

Nota. – (1) en 1990 (voir Index).

■ **En France : évolution des femmes dans la population active, en % :** *1962 :* 34. *75 :* 37,1. *85 :* 41,6. *88 :* 41,5. *90 :* 42,5. *91 :* 42,9. *2010 (prév.) :* 45,5.

■ Femmes enceintes. **Congé de maternité** (assimilé à une période de travail effectif). DURÉE : pour le *1er ou 2e enfant :* 6 semaines avant la date prévue pour l'accouchement et 10 après (dont 8 obligatoires sur la totalité). *Pour le 3e et + :* 8 sem. avant, 18 après (on peut majorer de 2 sem. le congé prénatal sous réserve de réduire de 2 sem. la durée du congé postnatal). *Prolongation sur certificat médical :* de 2 sem. à partir de la déclaration de grossesse et avant le début du congé ; de 4 sem. après la fin du congé. Le congé de maternité est augmenté en cas de naissances multiples. La salariée bénéficie d'autorisations d'absences sans diminution de salaire pour se rendre aux examens médicaux obligatoires. **Congé sans solde pour allaiter :** 1 h par j pendant un an à compter de la naissance. Le salaire peut être maintenu par la convention collective. **Pour élever son enfant :** congé parental d'éducation pour la salariée ayant au moins un an d'ancienneté. De droit dans les entrepr. de 100 salariés ou plus. Possibilité de travailler à temps partiel (16 à 32 h/sem.) dans les mêmes conditions (loi du 4-1-1984).

Démission : dès qu'elle est en état de grossesse apparente, une femme peut donner sa démission sans préavis. A la suite de son congé de maternité, elle peut rompre son contrat de trav. sans préavis, à condition d'avertir son employeur au moins 15 j avant la fin du congé de maternité par lettre recommandée avec accusé de réception, et disposer ensuite d'une *priorité de réembauchage* pendant un certain temps.

Embauche : une femme n'est pas tenue d'avertir son futur employeur qu'elle est enceinte, et elle est fondée à ne pas répondre aux questions de celui-ci concernant son éventuel état de grossesse.

Indemnité journalière : 84 % du salaire brut plafonné pendant congé de maternité et évent. pendant les 2 sem. suppl. accordées sur certificat médical ; les 4 sem. suppl. accordées sur certif. médical : 50 %.

Licenciement : une femme ne peut être licenciée pendant une grossesse et les 4 semaines qui suivent le congé de maternité, sauf faute grave ou impossibilité de maintenir le contrat non liée à la grossesse. Quel que soit le motif, elle ne peut être licenciée pendant le congé de maternité.

Mutation : sur présentation d'un certificat médical, la salariée peut obtenir un changement d'affectation temporaire. L'employeur peut proposer un changement d'affectation avec l'accord du médecin du travail. Le salaire est maintenu.

Harcèlement sexuel. Selon un sondage CFDT, 8 % des Françaises auraient été harcelées sur leur lieu de travail en 1990. Le Code pénal considère désormais comme un délit « le fait, par quiconque abusant de l'autorité que lui confèrent ses fonctions, d'user de pressions afin d'obtenir des faveurs sexuelles ». *Sanctions disciplinaires.* Il est interdit par le Code du travail de sanctionner un salarié ayant subi ou refusé un harcèlement sexuel ou en ayant témoigné. *Sanctions possibles :* 1 an d'emprisonnement et/ou 100 000 F d'amende.

■ **Rémunération.** En principe égale à celle des hommes pour un travail égal ou de valeur égale (loi Roudy du 13-7-1983). Voir salaires à l'Index.

■ **Repos.** **De nuit :** au minimum : 11 h consécutives. **Hebdomadaire :** min. 24 h et en principe le dimanche sauf exceptions. **Fêtes légales :** trav. interdit le 1er mai (sauf pour certains établissements ou services en raison de la nature de leur activité). Le repos lors des autres j fériés n'est obligatoire que pour les jeunes travailleurs et apprentis de – de 18 ans (sauf exceptions).

■ **Travail.** **Durée hebdomadaire pour 39 h max.** *+ de 18 ans :* 48 h au cours d'une même semaine ou 46 h en moyenne au cours d'une période quelconque de 12 semaines consécutives ; *– de 18 ans :* 39 h ; **journalière max.** *+ de 18 ans :* 10 h ; *– de 18 ans :* 8 h avec un max. de 4 h 30 consécutives. *Dérogations à la durée max.* (journalière et hebdomadaire) possibles sous certaines conditions. **De nuit** (voir p. 1425 a).

Nota. – Magasins de vente et locaux de travail doivent être munis de sièges.

☞ Les femmes en difficulté peuvent bénéficier du contrat de retour à l'emploi ou du contrat emploi solidarité.

Fêtes légales

■ **En France.** **Liste des jours fériés légaux :** *dimanches* (Loi 18 germinal an X, art. 57) ; *Ascension, Assomption, Toussaint, Noël* (Arrêté 29 germinal an X) ; *1er Janvier* (avis Conseil d'État, 23-3-1810) ; *14 Juillet* (L. 6-7-1880) ; *lundi de Pâques* et *lundi de Pentecôte* (L. 8-3-1886) ; *11 Novembre* (anniversaire de l'armistice de 1918) (L. 24-10-1922) ; *1er Mai* (fête du travail) (L. 30-4-1947, modif. par L. 29-4-1948) ; *8 Mai* (jour anniversaire de la victoire de 1945 (L. 2-10-1981). La reddition des armées allemandes à Eisenhower ayant eu lieu le 7-5, et sa ratification dans la nuit du 8 au 9, le 8-5 ne correspond à aucun événement précis. La loi du 7-5-1946 fixa la commémoration de la victoire au 8 si c'était un dimanche ; sinon au 1er dimanche qui suivait. En 1951, le ministre de l'Intérieur, Henri Queuille, décida de la fêter le 8-5 (un mardi). La loi du 20-3-1953 précisa que la République française célébrait annuellement l'*armistice* et que le 8-5 était j férié. Celui-ci fut supprimé par de Gaulle en 1961. Jusqu'en 1968, la commémoration eut lieu le 2e dimanche du mois (sauf en 1965 pour le XXe anniversaire). En 1975, Giscard d'Estaing supprima toute commémoration. Elle fut rétablie, ainsi que le j férié, par le gouvernement Mauroy.

Pour les mineurs : la Sainte-Barbe (4 déc.) est chômée et fériée. En **Alsace-Lorraine,** le vendredi saint est reconnu comme un j férié dans les localités où existe temple protestant ou église mixte.

■ **Repos obligatoire.** *En dehors des conventions collectives, le 1er Mai est le seul j férié pour lequel le repos est légalement obligatoire.* Les autres j fériés, le repos n'est obligatoire *que pour les jeunes* travailleurs et apprentis (– de 18 ans) employés dans l'industrie (la loi ne s'oppose pas à ce que les jeunes hommes travaillent dans les usines à feu continu).

■ **Paiement.** **1er Mai :** payé à tout le monde, mais s'il tombe un dimanche, il n'y a pas d'indemnisation. **Autres j fériés :** *personnel payé au mois* avant la loi de 1978 (arrêté du 31-5-1946) : salaire habituel, sans compter les heures supplémentaires éventuelles effectuées le j chômé. *Salariés mensualisés* (loi du 19-1-1978) : paiement de l'intégralité du salaire (y compris les h supplémentaires éventuelles qui auraient été accomplies le j chômé) si le salarié a 3 mois d'ancienneté dans l'entreprise et 200 h de travail accomplies au cours des 2 mois précédant le j férié ; s'il s'est présenté le dernier j de travail précédant le j férié et le 1er j de travail qui lui fait suite, sauf autorisation d'absence préalablement accordée. Sont exclus de la loi du 19-1-1978 : salariés : agricoles, des entreprises publiques bénéficiant d'un statut législatif ou réglementaire ; travailleurs : à domicile, temporaires, saisonniers, intermittents. *Personnel payé à l'heure :* pas de rémunération pour les h chômées ; les h de travail accomplies le j férié sont payées au tarif normal. Si la convention collective admet le travail un j chômé dans certaines circonstances (commande exceptionnelle par ex.), une indemnisation spécifique ou un repos compensateur est prévu.

Le Premier Mai

Origine **1884**-*nov.* à Chicago (USA), IVe Congrès des *Trade Unions* qui décide qu'à partir du 1-5-1886, la journée normale de travail serait fixée à 8 h et que toutes les organisations ouvrières se prépareraient à cet effet. En Pennsylvanie et dans l'État de New York, le 1er mai était alors le *Moving-day* (j du début de l'année pour transactions économiques et engagements de travail). **1886**-*1-5* aux USA : manifestation des syndicats fédérés pour obtenir la journée de 8 h (env. 5 000 grèves et 340 000 grévistes). **1886-89** aux USA, grèves les 1er mai.

Internationalisation. **1889**-*14/20-7* Congrès international socialiste de Paris : adopte le 1-5 comme j de revendication des travailleurs. Sur proposition de Raymond Lavigne (n. 17-2-1851), le congrès décide d'organiser une manif. internationale à date fixe pour que le même j les ouvriers demandent la journée de 8 h. Le 1-5 est choisi, l'*American Federation of Labor* l'ayant déjà adopté. **1890**-*1-5* en France : dans les tracts appelant à la manif., l'idée d'une fête du travail est souvent associée à la revendication pour les 8 h (sans doute pour entraîner plus de monde). Importantes manif. à Paris, dans 138 villes de province et dans le monde (All., Autriche-Hongrie, Roumanie, Belgique, Hollande, Italie, Pologne, Espagne, G.-B., Suède, Norvège, Danemark, USA). Plusieurs congrès nationaux conseillent que cette manifestation soit renouvelée : Scandinavie et Espagne (août 1890), France et All. (oct. 1890), Italie (nov. 1890), Hongrie (déc. 1890), Portugal et Suisse (janv. 1891). **1891**-*1-5* manif. à l'étranger ; en France à Fourmies (Nord) l'armée tire, 10 †. *16/22-8* congrès socialiste international de Bruxelles donne au 1-5 son caractère annuel et international. Il sera célébré chaque année à partir de 1892. **1906**-*1-5* en France, manif. violente pour obtenir la j de 8 h. A Paris, 800 arrestations et nombreux blessés. **1919**-*25-4* loi rendant obligatoire la j de 8 h. *1-5* pour fêter ces 8 h, manif. importante à Paris, nombreux blessés. **1937**-*1-5* Front populaire, grande manif.

Le muguet du 1er mai. **1890**-*1-5 :* les manifestants portent un petit triangle rouge, symbole de la division de la journée de travail en « trois huit » (travail, sommeil, loisirs). Plus tard, ils fleuriront leurs boutonnières d'églantines, symbole de la foi en la Révolution et fleur traditionnelle du Nord de la France (d'ou le surnom donné aux socialistes v. 1900 : les « églantinards »). **1907 :** le muguet, fleur traditionnelle de l'Île-de-France (Chaville, Meudon) apparaît. **1936**-*1-5 :* on vend des bouquets de muguet cravatés de rouge.

Fête du travail. **1793**-*24-10* dans son rapport sur le Calendrier lu à la Convention, Fabre d'Églantine institue une Fête du travail le 19-9. Saint-Just dans les *Institutions républicaines* établit des fêtes publiques le 1er de chaque mois ; la Fête du travail aura lieu le 1er pluviose (20 ou 31 janv). **1848** la Constitution institue une Fête du travail dans les colonies pour effacer les dégradations dues à l'esclavage ; fixée au 4-3 (abolition de l'esclavage en France et dans les colonies). **1941**-*12-4* loi consacrant le 1er mai comme *fête du Travail et de la Concorde sociale* (chômé, sans perte de salaire, mais 50 % de celui-ci sera versé au Secours national). **1947**-*29-4,* 1er mai : j chômé et payé (donc légalement il n'existe pas de Fête du travail en France, mais un j férié).

■ **Récupération des jours fériés.** Interdite depuis l'ordonnance du 16-1-1982. **« Ponts ».** Il n'y a aucune obligation. Il faut un accord entre employeur et personnel. L'employeur doit demander l'avis du comité d'entreprise, afficher le nouvel horaire et les notifier à l'inspecteur du travail. La récupération (qui s'impose aux salariés) ne peut avoir lieu, en principe, avant le j du « pont ». Seules les h perdues au-dessous de 39 h sont récupérables ; elles sont rémunérées au taux normal sans majoration.

Formation professionnelle continue

■ **Définition** (Livre IX du Code du travail, loi du 31-12-1991). Fait partie de l'éducation permanente. Permet l'adaptation des travailleurs au changement des techniques et des conditions de travail, favorise leur promotion sociale par l'accès aux différents niveaux de la culture et de la qualification prof. et leur contribution au dév. culturel, économique et social. Assurée par État, collectivités locales, établ. publics, d'enseign. public et privé, associations, organisations profess., syndicales et familiales, entreprises.

■ **Types d'actions.** Préformation et prépar. à la vie professionnelle ; adaptation ; promotion ; prévention ; conversion ; acquisition ; entretien ou perfectionnement des connaissances ; bilan de compétences professionnelles et personnelles.

■ **Publics bénéficiaires.** Toutes les personnes engagées dans la vie active : salariés d'entreprises, agents du secteur public (réglementation spéciale), demandeurs d'emploi,... Mesures spéciales en faveur de l'insertion professionnelle des 16 à 25 ans et des demandeurs d'emploi de longue durée (formations en alternance).

■ **Crédit-formation individualisé (CFI).** *Créé 1989* pour les demandeurs d'emploi de 16 à 25 ans, puis étendu aux salariés (1990) et aux demandeurs d'emploi adultes (1991). *1990-4-7* loi instituant un droit à la qualification professionnelle. Le CFI s'adresse en priorité aux sans qual. prof. de niveau V (CAP, BEP) qui souhaitent en acquérir une. Le CFI-salariés, institué en 1990, repose sur la mise en œuvre du congé de bilan de compétence, du congé individuel de formation. *1991* étendu aux demandeurs d'emploi adultes.

Parcours de formation individualisé en 3 étapes : *1°)* bilan des acquis préalables pour élaborer un projet personnalisé de formation. *2°)* suivi personnalisé. *3°)* validation des acquis au terme. *Renseignements : jeunes :* à la structure d'accueil la plus proche de leur domicile (mission locale, permanence d'accueil, d'information et d'orientation) ; *adultes :* ANPE ; *salariés :* doivent obtenir une autorisation d'absence auprès de leur employeur, puis s'adresser à l'organisme paritaire agréé au titre du congé individuel de formation dont ils dépendent (voir ci-dessous).

Le congé de formation. **1°)** *Congé individuel de formation (CIF) :* droit pour tout *titulaire de contrat de travail.* Il faut justifier de 24 mois d'ancienneté, consécutifs ou non, dont 12 dans l'entreprise, obtenir une autorisation d'absence de son employeur (sauf pour les salariés sous contrat à durée déterminée, la formation se déroulant en principe à l'issue du contrat). *Financement :* les organismes paritaires agréés (Opacif) collectent la participation des employeurs. Ils peuvent prendre en charge la rémunération du salarié pendant sa formation (en totalité jusqu'à concurrence de 2 Smic, 80 % pour les rémunérations supérieures), et tout ou partie des frais de formation, selon les règles de gestion de ces organismes. *Durée :* 1 an à plein temps ou 1 200 heures à temps partiel. *Bénéficiaires* (25-1-93) : 146 000 depuis sa création le 25-1-83.

2°) *Congé de formation professionnelle (CFP) :* permet aux *agents de la fonction publique,* qui justifient de 3 années de service, de suivre une formation agréée par le ministre de la Fonction publique. *Financement :* L'agent reçoit une indemnité forfaitaire correspondant à 85 % de son traitement, prise en charge par l'administration concernée.

3°) *Congé de bilan de compétence :* ouvert aux salariés ayant au moins 5 ans d'ancienneté, consécutifs ou non, dont 12 mois dans l'entreprise. *Durée du congé :* 24 h de temps de travail, consécutives ou non, assimilées à une période de travail effectif. Une demande de prise en charge doit être adressée par le salarié à l'organisme paritaire compétent pour le CIF, ou à défaut à l'organisme compétent. L'employeur avance la rémunération et se fait rembourser.

4°) *Autres congés de formation : c. examen, c. jeunes travailleurs, c. de formation économique, sociale et syndicale, c. cadre et animateur de jeunesse.*

☞ Ce droit à la formation garantit un retour dans l'emploi à l'issue de la formation.

■ **Participation des entreprises au financement.** *Assujettis :* toute entreprise quel que soit le nombre de salariés occupés, à l'exception de l'État, des collectivités locales et de leurs établissements publics à caractère administratif. *Montant minimal fixé par la loi. Entreprises de 10 salariés et + : 1,5 % dep. le 1.1.1993* des salaires bruts payés au cours de l'année (en 1990, les entreprises ont consacré 3,2 % de la masse salariale) ; *entreprises de – de 10 sal. :* 0,15 % des salaires bruts payés au cours de l'année ; *travailleurs indépendants, prof. libérales, non-salariés :* 0,15 % du montant annuel du plafond de la SS. *Modalités de versement. Entr. de – de 10 sal., trav. indépendants, prof. libérales, non-salariés :* versement de 0,15 % à un organisme paritaire agréé ou habilité ; *de 10 sal. et + :* financement d'actions de formation au profit de son personnel et/ou versement à des organismes de mutualisation des fonds (Faf, Opacif, Oma). *Modes exonératoires de cette obligation :* financement d'actions de formation à l'intérieur de l'entreprise ; à l'extérieur par voie de conventions de formation. *Versement libératoire :* à des Faf (Fonds d'assurance formation) organisés au sein des professions ; à des organismes agréés au titre du congé individuel de formation Opacif (0,15 %) ; à des organismes dont les programmes d'études et de recherche sont agréés par les pouvoirs publics (max. 10 % du montant de la participation obligatoire) ; à des organismes collecteurs de mutualisation agréés pour le financement des formations alternées ; à des jeunes sans emploi ou à des demandeurs d'emploi.

☞ Voir **Enseignement** p. 1251.

■ **Rémunération des stagiaires. Salariés :** dans le cadre du plan de formation de l'entreprise : maintien du salaire habituel ; dans le cadre du congé individuel de formation : montant décidé par organisme paritaire (100 % ou calcul en fonction du salaire perçu, voir ci-dessus). **Demandeurs d'emploi :** les bénéficiaires de l'alloc. d'ass. chômage perçoivent (à certaines conditions) l'alloc. de formation reclassement (AFR). Les autres perçoivent de l'État ou de la région (à certaines conditions) une rémunération forfaitaire.

■ **Nombre d'actifs ayant participé à des formations professionnelles continues** (1991). 5,5 millions (hors fonction publique). *Coût en milliards de F :* État 24,5, régions 3,3, entreprises 41,2 et 5 pour l'Unedic (100 000 ont participé au financement de la formation pour 3 570 277 salariés en formation et 296,9 millions d'h de stage).

☞ Renseignements. **Centre Inffo.** (ouvert aux entreprises, établissements publics, associations diverses, etc.). **Tour Europe** Cedex 07, 92049 Paris-La Défense + **Minitel** 36 15 Inffo (tout public), 36-16 Forpro (professionnels).

HANDICAPÉS

■ **Législation.** Depuis le 1-1-1991, les entreprises publiques et privées de + de 20 salariés doivent employer au moins 6 % d'handicapés (application d'un accord de branche d'entreprise ou d'établissement, ou conclusion de contrats de sous-traitance avec les établissements protégés agréés) ou verser pour chaque emploi non pourvu une contribution au fonds de développement pour l'insertion professionnelle des hand. *Rémunération :* légalement 20 % max. au-dessous du salaire normal avec garantie de ressources et complément de rémunération ne pouvant excéder 20 % du Smic ni porter les ressources garanties à un niveau supérieur à 130 % du Smic ; une garantie de ressource égale à 100 % du Smic (au lieu de 80 % en 92) a été prévue dans le budget 93. *Déclaration obligatoire* annuelle (au 15 janv.) des effectifs d'handicapés employés. *Formation* (convention d'août 92 avec l'État) : l'AFPA s'engage à accueillir 4 000 handicapés en 1994 au lieu de 2 000 en 92.

■ **Statistiques.** Sur 1 200 000 handicapés de 15 à 60 ans, 560 000 exercent une profession, dont 80 000 en milieu protégé. 75 000 travailleurs sont inscrits comme demandeurs d'emploi ; *% moyen de trav. hand.* (1992) : entreprises privées 3,8, fonction publique d'État 3,2, hospitalière 4,7, territoriale 4,05.

Quota applicable aux travailleurs handicapés dans la CEE (%). Italie 15, France et All. féd. 6, Irlande (secteur bénévole et public), P.-Bas 3,7, G.-B. 3, Espagne, Grèce (fonction publique) 2.

☞ *L'Association Nationale de Gestion du Fonds pour l'Insertion Professionnelle des Handicapés (Agefiph)* a, en 1991, reçu + de 1 000 demandes de financement par mois. *Montants engagés* (en millions de F) *1990 :* 228, *1991 :* 420. *Fonds collectés auprès des entreprises de + de 20 salariés* (millions de F) *1988 :* 320, *90 :* 1 200, *92 :* 1 627.

INSPECTION DU TRAVAIL

Origine. 1841 création d'inspecteurs du travail bénévoles, par une loi relative à la protection des enfants. **1874** création d'un système d'inspection du travail, composé notamment d'inspecteurs départementaux dans une vingtaine de départements, pour contrôler l'application des règles relatives aux conditions de travail dans les entreprises. **1892** *(2-11)* création d'un corps unique d'inspecteurs du travail d'État relatif au travail des enfants, des jeunes filles et des femmes dans les établissements industriels. Les inspecteurs du travail sont rattachés au ministère du Commerce. **1906** création du ministère du Travail. *Attributions actuelles :* ensemble du droit du travail (relations individuelles et collectives du travail, législation sur l'emploi et la formation professionnelle, conditions de travail). **Corps de l'inspection du travail** créé 2-11-1892, réorganisé en 1975, désormais corps interministériel (travail, transports, agriculture). *Services extérieurs du travail et de l'emploi* relèvent du ministère chargé du Travail, 23 directions régionales, 101 départementales et 440 sections d'insp. du tr. Personnel : membres du corps de l'insp. du tr. (dir. et inspecteurs), contrôleurs du tr., agents d'exécution, spécialistes divers (médecins insp., ingénieurs de prévention, économistes, statisticiens).

Statistiques (31-12-91). *Agents* des services déconcentrés du ministère du Travail 8 031 dont : de niveau A 988 (750 directeurs et inspecteurs, 28 médecins-insp., 11 ingénieurs de sécurité, 191 économistes, attachés, chargés de mission ou d'études) ; 2 188 de niveau B (contrôleurs, chefs de section ou de centre) ; autres catégorie 4 855. *Visites de l'inspection* (1991) : 295 185 visites complètes d'établ. occupant 3 755 399 salariés et 8 792 enquêtes d'accident ou maladies professionnelles, 947 303 infractions constatées dont 914 476 ont fait l'objet d'une observation ou d'une mise en demeure et 32 827 d'un procès-verbal. *Suites pénales* (1991) : 7 275 condamnations dont 631 à la prison ; 18 442 amendes. *Nouveaux pouvoirs* (1992) : 377 décisions d'arrêt de travaux sur chantiers dangereux.

JEUNES

☞ Une règlementation spécifique concerne les jeunes jusqu'à 18 ans.

Age minimum pour travailler. Celui où cesse l'obligation scolaire (en principe 16 ans ; exceptions : apprentissage, professions ambulantes, enfants employés occasionnellement pour les spectacles ou travaillant sous l'autorité du père, de la mère ou du tuteur). **Mannequins :** env. 2 000 enfants de 6 mois à 16 ans sont employés par des agences. Une loi du 12-7-1990 assure leur protection (obligation d'une licence pour les agences + un agrément pour l'emploi de mineurs, contrôles + fréquents). Voir aussi p. 1435 travail pendant les vacances.

Capacité dans l'entreprise. *Adhésion à un syndicat* possible à 16 ans (sauf opposition du père, de la mère ou du tuteur). *Électeurs* (comité d'entreprise, délégués du personnel) : 16 ans (et 6 mois d'ancienneté). *Éligibles :* 18 ans. Le mineur peut saisir l'inspection du travail mais seul son représentant légal peut agir devant les prud'hommes.

Congés. Les – de 22 ans ont droit, sur leur demande, à 30 j ouvrables quelle que soit la durée de leur travail effectif pendant la période de référence précédente (j non acquis par le travail non rémunérés).

Durée du travail. 1841-*22-3* loi interdisant de faire travailler des enfants de – de 8 ans ; durée 8 h de 8 à 11 ans ; 12 h de 12 à 16 ; travail de nuit et du dimanche interdits. **1874-*19-3*** âge min. : 12 ans ; durée max. : 12 h ; exception : de 10 à 12 ans les enfants peuvent travailler 6 h. **Actuellement :** 39 h, dérogation exceptionnelle de l'inspecteur du travail pour les heures sup.

Étudiants (voir p. 1430).

Fardeaux (voir p. 1430).

Fêtes légales. Travail interdit, même pour rangement d'atelier, dans usines, manufactures, chantiers, etc. (exception, avec j de repos compensateur, dans usines à feu continu).

Repos de nuit. 12 h au minimum, travail de nuit interdit, sauf dérogation entre 22 h et 6 h.

Salaire. S'il n'y a pas de contrat d'apprentissage écrit, le jeune doit être payé au moins sur la base du Smic (abattement de 20 % avant 17 ans, de 10 % entre 17 et 18 ans sauf s'ils ont 6 mois de pratique professionnelle). Ceux qui travaillent au rendement ou aux pièces ne doivent pas subir ces abattements.

Stages de formation. Jeunes de 16 à 18 ans, sortant de l'école sans formation professionnelle. **Alternée de « qualification » :** formation générale et théorique par un organisme de form., + form. pratique en milieu de travail, durée de 6 mois à 2 ans (dont 30 % en entreprise), indemnité forfaitaire de 646 F pendant 6 mois et 870 F au-delà (+ indemnités de transport et d'hébergement). **Alternée d'insertion :** jeunes rencontrant des difficultés d'insertion professionnelle et sociale (échec scolaire, difficultés personnelles) ; durée max. 10 mois (dont 50 % en entreprise), indemnité forfaitaire (idem, voir ci-dessus). **Orientation collective approfondie :** 4 à 6 semaines (dont 50 % au plus en entreprise), indemn. forfaitaire 535 F par mois.

Travaux dangereux ou immoraux. Interdits aux mineurs.

LIBERTÉS DANS L'ENTREPRISE (LOI DU 4-8-1982)

Règlement intérieur. Obligatoire dans toute entreprise à partir de 20 salariés. Sous peine de nullité, il doit être soumis à titre consultatif au comité d'entreprise (ou aux délégués du personnel) et au CHSCT puis à l'inspecteur du travail. Il ne peut contenir des dispositions contraires aux libertés individuelles (alcootest et fouille sauf cas très précis, ouverture du courrier personnel, journaux interdits, etc.). Il doit contenir les prescriptions HST, les règles de discipline du travail (avec sanctions, mais aussi droits de défense).

Droit d'expression des salariés. Introduit par la loi Auroux. L'employeur doit discuter ses modalités d'exercice avec : sections syndicales, comité d'entreprise, délégués du personnel. En l'absence d'accord durable la négociation doit être reprise tous les ans. L'application des accords doit être examinée tous les 3 ans avec les org. syndic. *Début 1991,* + de 25 000 établissements (2,7 millions de salariés) étaient couverts par un accord sur le droit d'expression. Soit : *établissements de 50 à 99 salariés :* 30 %, *100 à 199 :* 44 %, *200 à 299 :* 59 %, *300 à 499 :* 72, *500 salariés et + :* + de 80 %.

LICENCIEMENT

EN FRANCE

Motifs de licenciement. Cause personnelle : il faut une *cause réelle et sérieuse* (ex. : inaptitude physique à l'emploi, absences répétées, perte de confiance ou insuffisance appuyée sur des faits objectifs). **Cause économique :** *difficultés réelles* entraînant suppression ou transformation de l'emploi, ou *mutation technologique.* La procédure varie selon que le licenciement est individuel ou collectif (2 à 9 salariés ou + de 9 salariés sur 30 j).

■ **Formalités. Le patron qui veut licencier un salarié doit :** 1°) le convoquer à un entretien préalable par lettre recommandée [1] précisant l'objet de l'entretien (licenciement *envisagé* pour motif écon. ou personnel) [sauf cas de lic. économiques de 10 salariés et + sur 30 j] ; le salarié peut se faire assister par une personne inscrite sur la liste de la Direction du Travail. 2°) lui envoyer une lettre rec. [1] 24 h au moins après la conciliation notifiant la décision avec ses motifs [en cas de lic. écon. : au plus tôt 7 j à compter de la date fixée pour l'entretien préalable ou 15 j s'agissant d'un membre du personnel d'encadrement]. 3°) respecter le délai de préavis et les garanties imposées éventuellement par la convention coll. 4°) aviser l'autorité administrative. 5°) aviser le comité d'entreprise (cas de licenciements collectifs). 6°) demander les autorisations préalables (élu, ancien élu, candidat). 7°) remettre un certificat de travail contenant exclusivement la date d'entrée, de sortie et la nature de l'emploi ou, le cas échéant, des emplois successivement occupés, ainsi que les périodes pendant lesquelles ces emplois ont été tenus. Si le salarié réclame des dommages et intérêts pour retard dans la remise de cette pièce, il doit justifier qu'il l'a réclamée et qu'il s'est heurté au refus ou à l'inertie de son employeur. L'employeur peut ajouter des mentions élogieuses mais ne peut indiquer aucun renseignement susceptible de nuire au salarié. 8°) payer salaires dus et indemnités de rupture : congés payés, préavis (en cas de brusque rupture), éventuellement indemnité légale de licenciement (ou conventionnelle). 9°) s'il fait signer un *reçu pour solde de tout compte,* le remettre avec la mention du délai de 2 mois pour dénonciation (le reçu peut être dénoncé dans les 2 mois de la signature par lettre rec. dûment motivée) ; après ce délai, la forclusion ne peut être opposée à l'employé que si la mention « pour solde de tout compte » est écrite de sa main et suivie de sa signature, et si le reçu mentionne le délai de forclusion de 2 mois et sa rédaction en double exem-

■ **Droits du salarié. Indemnité légale :** due à partir de 2 ans d'ancienneté : ne peut être inférieure à une somme calculée sur la base : soit de 20 h de salaires (personnel horaire), soit de 1/10 du mois (personnel mensuel) par année de service dans l'entreprise (calculé sur le salaire moyen des 3 derniers mois). Le droit à cette indemnité part de la date de notification du congédiement mais son exigibilité est reportée à la fin du préavis. **L'indemnité prévue par convention collective** est due si elle est supérieure à l'ind. légale (sinon c'est l'ind. légale). **Préavis :** *à partir de 6 mois d'ancienneté :* 1 mois au min. *Après 2 ans :* 2 mois ou 1 accompagné d'une indemnité légale de licenciement, au choix de l'employeur. *Cadre :* souvent 3 mois (d'après les conventions). *Au-dessous de 6 mois :* cela dépend des usages ou des conventions (en gén. 1 mois pour les mensuels, 1 semaine pour les autres). **Pendant le préavis,** le salarié peut s'absenter tous les j pour trouver un nouvel emploi tant qu'il n'en a pas trouvé (en gén. 2 h par j, rémunérés suivant usages ou conventions). Le droit de s'absenter est également valable en cas de démission du salarié (il cesse dès que celui-ci a trouvé un emploi). **Licenc. sans préavis :** a droit à une indemnité de brusque rupture égale au salaire qui aurait été gagné pendant la durée du préavis y compris les h supplémentaires. Une **faute grave** (négligence entraînant des conséquences graves : vols, coups, blessures et rixes au cours du travail, refus d'obéissance non justifié, absence non autorisée sans justification, retards répétés), fait perdre le droit au préavis et à l'indemnité, mais le coupable ne doit aucune indemnité de préavis à son employeur. Une **faute lourde** fait perdre en outre le droit à l'indemnité de congés payés.

plaire dont 1 remis à l'employé. **10°**) dans les 10 j de son départ, le salarié peut demander (par lettre rec. avec accusé de réception) les causes « réelles et sérieuses » de son licenciement ; l'employeur doit répondre dans le même délai et dans les mêmes formes. **11°**) Une contribution forfaitaire pour « frais de dossier », à la charge de l'employeur, a été instituée à compter du 1-1-1992 pour toute rupture d'un contrat de travail d'une durée supérieure à 6 mois ouvrant droit au versement de l'allocation de base.

Nota. – (1) Ou lettre remise en main propre contre décharge du salarié. Si l'employé refuse sa lettre ou ne va pas la chercher à la poste, le délai-congé part de la date de la 1re présentation de la lettre à son domicile.

☞ Un salarié licencié dans une entreprise sans représentants du personnel est autorisé à se faire assister, lors de l'entretien individuel avec son employeur, par un conseiller extérieur choisi sur une liste établie par le préfet.

■ **Licenciement d'un salarié inapte.** Un salarié ne peut être sanctionné ou licencié en raison de son état de santé ou son handicap, sauf inaptitude à l'emploi constatée par le médecin de travail, le chef d'entreprise étant tenu de faire connaître les motifs s'opposant aux propositions de reclassement du salarié faites par le médecin. L'employeur doit alors verser l'indemnité légale de licenciement ou l'indemnité conventionnelle.

■ **Licenciement abusif.** En cas de litige, le juge apprécie la régularité de la procédure et la valeur des motifs invoqués par l'employeur. *Si seules les formalités de licenciement n'ont pas été respectées :* l'employeur se voit imposer le respect de cette procédure, et une indemnité au salarié variable selon son ancienneté et l'effectif de l'entreprise (env. 1 mois de salaire). *Si le motif du licenciement n'est « ni réel ni sérieux »,* le tribunal peut prononcer la réintégration du salarié, ou à défaut, fixer une indemnité (min. : égale aux 6 derniers mois de salaire si le salarié a + de 2 ans d'ancienneté dans une entreprise de + de 10 salariés), ou ordonner le remboursement aux Assedic des allocations de chômage.

■ **Dispositions spécifiques aux licenciements économiques. Prévention :** l'employeur doit rechercher avant licenciement le *reclassement* interne (entreprise ou groupe) ou externe du salarié ; des dispositions complémentaires sont prises pour les licenciements collectifs. **Convention de conversion :** proposée impérativement pour tout licenciement économique, elle ouvre des possibilités de formation et une meilleure indemnisation (83,4 % du salaire pendant 61 j, puis 70,4 % jusqu'au terme) financée par l'État et les Assedic. *Délai d'acceptation* 21 j ; si le salarié l'accepte, le licenciement s'analyse comme une rupture d'un commun accord, avec indemnité de licenciement et dispense de préavis, l'indemnité compensatrice étant versée aux Assedic. *Bénéficiaires* (mars 93) : 54 776. *Sanction employeur pour non-proposition :* 1 mois de salaire à l'Assedic + responsabilité du préjudice subi par le salarié. **Priorité de réembauchage :** notifiée dans la lettre de licenciement, pour le cas où un poste correspondant aux qualifications du salarié serait ouvert. **Licenciement de 2 à 9 salariés sur 30 j.** Établissement de l'ordre des licenciements selon les critères de convention applicable ; information et consultation du comité d'entr. ou des délégués du personnel sur le projet. Convocation du salarié à un entretien préalable. Notification du lic. au salarié. Information de l'autorité administrative. **Licenciement de 10 salariés ou +** (entreprises de 50 salariés ou +). Même procédure que pour 2 à 9, avec en + présentation d'un *plan social* (à défaut la procédure de licenciement est sans effet) au cours d'une 1re réunion du CE, des contre-propositions pouvant être présentées puis examinées au cours d'une 2e réunion (délai 14 à 28 j selon effectif licencié) obligatoire avant décisions. Le CE peut se faire assister d'un expert-comptable. Le délai de notification varie de 30 à 60 jours selon effectif licencié.

Licenciement économique des + de 55 ans : loi du *10-7-1987 :* les employeurs doivent verser au régime d'assurance chômage une contribution suppl. égale à 3 mois de salaire brut, pour chacun des salariés licenciés. *Exonération :* s'ils ont passé une convention spéciale du FNE (Fonds national de l'emploi) avec l'État, et l'ont proposée aux salariés.

Sanctions : *civiles :* en cas de lic. écon. irrégulier et/ou abusif, l'employeur peut être condamné à verser au salarié : une indemnité inférieure ou égale à un mois de salaire en cas de non-respect de la procédure individuelle ; une indemnité calculée en fonction du préjudice subi en cas de non-respect des procédures applicables aux lic. collectifs pour motifs écon. ; une indemnité sup. ou égale à 6 mois de salaire en l'absence de motif économique réel et sérieux. *Pénales :* si lic. de 10 salariés et + sur 30 j, amende possible de 1 000 à 15 000 F : prononcée autant de fois qu'il y a de salariés inclus dans le licenciement.

En cas de règlement judiciaire ou liquidation des biens : information préalable de l'autorité administrative (pour les entr. de 1 à 10 salariés) ; des représentants du personnel (pour celles de + de 10 sal.).

Des dommages et intérêts peuvent être réclamés par le sal. (en plus des indemnités légales) si l'employeur n'a pas demandé l'autorisation à l'Administration ou attendu que son délai de réponse soit écoulé : montant fixé par le juge.

Couverture sociale : les salariés qui la perçoivent bénéficient des **prestations,** en nature et en espèces, du régime obligatoire d'**assurance maladie, maternité, invalidité et décès,** de la **validité de la durée** du bénéfice de cette allocation au titre de l'**assurance vieillesse,** de la protection contre les **accidents du travail** « survenus par le fait ou à l'occasion des actions favorisant leur conversion », du **superprivilège** des salaires concernant la contribution de l'employeur à l'**allocation de conversion.**

☞ **Période d'essai :** en l'absence d'indications dans la convention collective, salarié et employeur sont libres de fixer la durée de cette période, à condition qu'elle soit raisonnable, claire et précise (arrêts de la C. de cassation du 7.1.1992).

Nombre. Total en milliers (dont économique) *1981 :* 365,1 ; *83 :* 366,2 ; *85 :* 438,3 ; *91 :* 865,8 (473,6), *92 :* 940 (534,3)

Licenciement des représentants du personnel. Personnes concernées et, entre parenthèses, nombre d'autorisations accordées. *89 :* 9 714 (8 290) ; *90 :* 10 816 (9 299) ; *91 :* 13 822 dont 11 333 pour motif écon. (12 086 dont 10 242 motifs écon.). **Répartition des licenciements autorisés selon les syndicats** (1981) : CGT 2 492, CFDT 1 243, FO 712, CGC 507, CFTC 207, autres syndicats 399, non-syndiqués 8 262. *Total* 13 822.

PRUD'HOMMES

■ **Historique. 1806**-*18-3* créés sous forme d'instance de conciliation. **1848**-*27-5 loi* vote de tous les ouvriers et parité entre employeurs et salariés. **Second Empire** conditions restrictives d'âge et d'ancienneté pour l'électorat ; désignation par le pouvoir du président et du vice-président (supprimée en 1880). **1907** *loi :* présidence assurée alternativement par un patron et un salarié ; droit de vote et éligibilité étendus aux femmes ; assistance judiciaire possible. **1979** *loi* généralise les conseils ; compétences étendues à l'ensemble des différends individuels nés du contrat de travail ; crée une section encadrement ; modifie le mode de scrutin ; transfère à l'État les dépenses de fonctionnement. **1982**-*6-5 loi* achève la généralisation territoriale et professionnelle des conseils ; mandats réduits de 6 à 5 ans ; crée un Conseil supérieur de la prud'homie.

■ **Compétence.** Exclusive pour les différends sou levés à l'occasion d'un contrat de travail. Étendue à la métropole et aux DOM, et à toutes les professions. Compétent à charge d'appel quel que soit le chiffre de la demande si l'un des chefs dépasse 18 900 F (décret 29-12-1992, taux fixé annuellement) (art. D 517-1 du Code du travail). Les affaires sont traitées par la section correspondant à l'activité *principale* de l'employeur, sauf pour le personnel d'encadrement et les VRP qui dépendent de la section de l'encadrement. En cas de litige sur l'attribution d'affaire à une section, le Pt du conseil désigne par ordonnance la section compétente. Les décisions prises en application du présent art. sont des mesures d'administration judiciaire non susceptibles de recours (art. L 515-4 du Code du travail). *La loi du 30-12-1986* prévoit que toute section ayant plusieurs chambres doit en avoir une compétente en matière de licenciement économique, et étend la compétence aux conventions de conversion (art. L 516-5 du Code du travail). Lorsque le ressort d'un TGI a plusieurs Conseils de prud'hommes, il est constitué une section agricole rattachée à l'un d'eux. Les tribunaux de grande instance sont incompétents en matière de litige né d'un contrat de travail.

■ **Formation des conseillers.** Organisée par des organismes spécialisés créés par les syndicats. Prise en charge des frais par l'État sous certaines conditions et contrôles. L'absence pour stage de formation d'un conseiller salarié est cumulable avec des absences pour formation syndicale.

■ **Instance.** En 2 phases : **1°**) Tentative de conciliation obligatoire. Les parties doivent comparaître en personne et peuvent se faire assister par : salarié, employeur de la même branche, avocat, délégué syndical, conjoint. Elles peuvent se faire représenter par les mêmes pers. si elles justifient de motifs légitimes (ex. : maladie). Si les 2 parties comparaissent, le bureau entend leurs explications et essaie de les concilier directement, ou en désignant un expert (nomination rare sauf pour la section encadrement) ou 1 ou 2 conseillers rapporteurs qui mettent l'affaire en état d'être jugée ; si la demande n'est pas sérieusement contestable le bureau de conciliation peut ordonner des mesures conservatoires ou provisionnelles : par ex. versement d'une provision sur salaire, sur indemnité de préavis, etc. **2°**) En cas de non-conciliation, l'affaire est renvoyée à la prochaine audience de jugement. *Appel :* si le montant demandé dépasse 18 900 F pour l'un des chefs ou est indéterminé, les parties peuvent faire appel, dans le mois qui suit la notification ou la signification du jugement. Sinon, elles ne peuvent que se pourvoir en cassation dans les 2 mois qui suivent. En cas de jugement ne portant que sur la compétence, seule la procédure du contredit est permise dans les 15 j du prononcé du jugement, quel que soit le montant des chefs de la demande.

Décret du 29-6-1987 : dispositions particulières relatives aux litiges en matière de lic. écon. (art. R 516-45) : l'employeur doit fournir des informations dans les 8 j suivant la convocation à la conciliation. L'art. R 516-46 dispose : la séance de conciliation prévue doit avoir lieu dans le mois de la saisine du conseil.

Procédures particulières : *ex. : loi du 25-01-1985 relative au redressement et à la liquidation des entreprises :* dès qu'un administrateur au redressement judiciaire ou un mandataire liquidateur est nommé, l'affaire doit être programmée directement devant le bureau de jugement et le FNGS sera mis en cause. *Référé prud'homal du Code du travail :* la formation de référé statue dans les cas d'urgence et peut ordonner toutes les mesures qui ne se heurtent à aucune contestation sérieuse. *Désignation d'1 ou 2 conseillers rapporteurs :* si l'affaire n'est pas suffisamment claire pour permettre au Conseil (bureau de conciliation ou de jugement) de prendre sa décision, il peut désigner 1 ou 2 conseillers rapporteurs qui mèneront une enquête et établiront un rapport. *Départage :* si aucune majorité ne peut ressortir au sein d'une formation, celle-ci se déclare en partage de voix et renvoie l'affaire à une autre audience de la même composition et présidée par un juge départiteur (juge d'instance dans le ressort du siège du Conseil).

■ **Statistiques. Nombre** (décret du 9-7-91) : conseils de prud'hommes en métropole et DOM-TOM 289. Conseillers 14 872. *Demandes introduites : 1990 :* 156 327, jugées 147 385, en cours 124 275, référé 42 906 (50 % des interventions en 90 concernent la rupture d'un contrat de travail, 40 la rémunération, 2 la condition des salariés, – de 2 la contestation de sanctions disciplinaires).

■ **Élections.** Pour 5 ans, à la représentation proportionnelle (14 068 389 électeurs inscrits en 92), par collège (employeurs, salariés) et par section (industrie, commerce, agric., activités div., encadrement) avec un minimum de 8 conseillers (rééligibles) dans chaque section (sauf agricole, souvent 6), soit minimum 19 salariés + 19 employeurs par conseil. L'employeur doit maintenir le salaire du conseiller salarié absent pour l'exercice de ses fonctions. Il est remboursé par l'État. *Prochaines élections :* déc. 1997.

Résultats 9-12-1992	Total		Cadres	
	% 4	sièges	% 4	sièges
CGT	33,34	2 430	13,96	167
CFDT	23,81	1 930	23,54	379
FO	20,46	1 611	13,55	195
CFTC	8,58	363	10	105
CGC	6,95	562	27,20	500
CSL 1	4,40	124	3,58	12
UFT 2	0,91	37	0,38	1
Groupe des dix	0,48	24	2,31	16
FGSOA 3	0,13	23	0,07	0
Divers	0,89	65	5,35	6
Total à pourvoir		7 169		1 411
Votants	*40,37*		*39,24*	
Exprimés	*38,87*		*38,54*	
Pourvus		*7 169*	*1 411*	

Nota. – (1) Confédération des syndicats libres ; (2) Union française du travail ; (3) Féd. générale des salariés des organisat. agricoles. (4) % des voix.

Travail à domicile

■ **Rémunération.** *Minimum* le Smic. Si les délais fixés pour la remise du travail imposent plus de 8 h par j ouvrable, majoration de 25 % min. pour les 2 premières h faites, 50 % min. pour les h suivantes ; majoration pour les travaux du *dimanche* ou des *j fériés. Congés payés :* allocation de 8 % (ou selon la convention collective) de la rémunération brute, sous déduction des frais d'atelier, versée avec la rémunération.

■ **Sécurité sociale.** Inscription obligatoire ; mêmes prestations que les autres salariés ; allocations d'aide publique s'il a accompli 1 000 h de travail salarié au cours des 12 mois précédant l'inscription comme demandeur d'emploi ; allocations Assedic.

■ **Plainte.** *Ex. de motifs :* travail très différent de celui annoncé, ou absence de paiement. *S'adresser* à l'inspecteur du travail qui engagera les poursuites devant les tribunaux (procédure gratuite).

■ **Statistiques.** *1900 :* + de 1 million de femmes. *1960 :* 116 000 dont 101 000 femmes. *1980 :* 34 061 dont 29 746 femmes. *1986 :* 42 000 dont 33 600 femmes. *Groupes professionnels :* ouvriers 27 970 f., 3 894 h. Employés : 1 776 f., 421 h. *Principaux secteurs :* textile et habillement, jouet, cuir et chaussure, ameublement, pêche, transformation des matières plastiques, coutellerie, horlogerie.

Travail clandestin

■ Généralités

■ **Différentes formes. Travaux exécutés par des salariés :** *1°) En dehors des horaires normaux,* sans inscription au registre des métiers ou du commerce. *2°) Cumul d'emplois au-delà de la durée maximale du travail ;* les h supplémentaires ne sont pas autorisées au-delà de 54 h pour une période de 12 semaines consécutives (mais en aucun cas + de 60 h par semaine). *3°) Pendant les congés payés. 4°) Pendant les suspensions de travail pour maladie ;* sauf avis du médecin traitant pour la maladie et du médecin-conseil de la caisse primaire pour l'accident du travail. *5°) Pendant les périodes de chômage* (même de courte durée) sans déclaration à l'Anpe (le chômeur perdra les droits à l'indemnisation). *6°) Accompli à l'insu de l'employeur.*

Nota. – Il est interdit d'exercer une activité privée rémunérée à tout *fonctionnaire* ou *assimilé* (agents des offices, établ. ou entreprises publics à caractère commercial ; liste *JO* des 20-8 et 13-9-1964).

☞ Pour être en règle, il faut en particulier : *1°) S'immatriculer au répertoire des métiers ou au registre du commerce* lorsque cette inscription est requise. *2°) S'acquitter des charges fiscales :* TVA, impôt sur les bénéfices, taxe complémentaire de 6 % (si on emploie soi-même des salariés), patente, taxes diverses (apprentissage, etc.). *3°) S'acquitter des charges sociales et personnelles :* alloc. fam., Séc. soc.

Dérogations. 1°) Travaux d'ordre scientifique, littéraire ou artistique et concours apportés aux œuvres d'intérêt général, notamment d'enseignement, d'éducation ou de bienfaisance. **2°) Tr. effectués pour son propre compte ou à titre gratuit** sous forme d'une entraide bénévole (ex. : travaux agricoles saisonniers). **3°) Tr. d'extrême urgence** pour prévenir des accidents imminents ou organiser des mesures de sauvetage.

■ **Obligations de l'employeur.** *Déclaration nominative préalable* à la Sécurité sociale entraînant la suppression de l'attestation d'embauche (1-7-93). *Pour tout contrat de + de 20 000 F* vérifier (sous peine d'être coresponsable) que le cocontractant est en règle (impôts, taxes, charges sociales, etc.).

■ **Statistiques. France :** + de 500 000 personnes en 1993, la majorité dans le BTP et 120 000 dans l'habillement produisent 73 milliards de F et perçoivent chaque année de la main à la main env. 10 milliards de F. *Infractions relevées* (et entre par. PV) *1987 :* 3 215 (1 301) ; *89 :* 9 237 (4 707) ; *90 :* 11 687 (7 187) ; *91 :* 12 558 (7 706). **A l'étranger :** *% de la population active travaillant au noir :* All. féd. 8 à 12, Belg. 19 à 20, Italie 10 à 35, Norv. 40, Suède 13 à 14, USA 10, Youg. 10 à 25.

■ Sanctions des infractions

■ **D'une façon générale aux interdictions liées au travail clandestin :** 2 000 à 200 000 F d'amende ou 2 mois à 4 ans de prison.

■ **A la réglementation du travail. a) Non-inscription au répertoire des métiers ou au registre du commerce :** amende de 1 200 à 3 000 F. Si les travailleurs se qualifient eux-mêmes d'artisans, il y a une circonstance aggravante. **b) Congés payés :** l'action ne peut être intentée que par le maire ou le préfet dans le cas où le travail a causé un préjudice aux chômeurs de la localité. L'employeur peut toujours faire la preuve de sa bonne foi, mais celle-ci n'est pas présumée. Les dommages et intérêts ne pourront être inférieurs au montant de l'indemnité due au travailleur pour son congé payé. **c) Cumul d'occupations :** amendes de 3 à 54 F et, en cas de récidive, de 21 à 54 F, pour chaque journée. L'employeur peut justifier de sa bonne foi s'il produit une déclaration du salarié préalable à son embauchage attestant qu'il n'effectue pas un travail supplémentaire. **d) Travail à l'insu de l'employeur** peut être considéré comme une faute grave justifiant le licenciement sans préavis et permettant une demande en dommages et intérêts de l'employeur.

■ **A la réglementation de la Sécurité sociale. Pour l'employeur. Défaut d'immatriculation :** les *salariés* non immatriculés travaillant pour plusieurs patrons ou de façon occasionnelle sont responsables de leur immatriculation. L'*employeur* est passible d'une amende de 18 à 54 F et du paiement des majorations de retard. L'amende (appliquée autant de fois qu'il y a de personnes employées ainsi) ne peut dépasser 4 500 F. *En cas de récidive* (quand la 1re condamnation est devenue définitive dans les 12 mois antérieurs à la nouvelle infraction) : amende de 60 F à 450 F avec plafond de 30 000 F. **Bulletin de paie inexact :** cela constitue une fraude.

Sanctions civiles : *recours de la Séc. soc. contre l'employeur. Celui-ci* doit rembourser les prestations servies par la SS jusqu'à l'acquittement des cotisations arriérées pour le personnel concerné (suivant la situation du débiteur, la créance peut être réduite). *Autres sanctions :* majorations de retard de 10 % à partir de la date d'exigibilité des cotisations, + 3 % par trimestre ou fraction de trimestre écoulé après l'expiration d'un délai de 3 mois ; la SS dispose d'un privilège sur les biens meubles et immeubles du débiteur. *Le salarié,* s'il n'est pas immatriculé par faute de son employeur, peut se retourner contre l'employeur si la SS ne le prend pas en charge (ex. : maladie de longue durée, maternité ou invalidité). *Des tiers blessés par un salarié* peuvent se retourner contre l'employeur. **Sanctions pénales** (pouvant être évitées si l'on respecte avertissement ou mise en demeure de la SS) : **a) Pour le salarié.** Court le risque de se voir réduire (cotisations insuffisantes) ou supprimer totalement (absence de cotisations) toute prestation. En cas de fraude, amende de 360 à 7 200 F. Le tribunal doit établir l'existence de l'intention frauduleuse. **b) Pour le travailleur indépendant** (non immatriculé à l'assurance maladie-maternité). Majorations de retard, pas de remboursement de prestations, sanctions pénales (non affilié aux régimes obligatoires de vieillesse) : en général paiement rétroactif avec major. de retard et parfois sanctions pénales (amendes).

■ **A la réglementation fiscale.** *Amendes.* Les donneurs d'ouvrage sont solidairement responsables du paiement de la taxe complémentaire (taux 15 %).

■ **Peines complémentaires.** Confiscation des outils, machines, véhicules, etc. ayant servi à commettre l'infraction, et éventuellement de tout produit appartenant au condamné et provenant directement ou indirectement du travail clandestin. Interdiction d'exercer pour une durée maximale de 5 ans. Interdiction du territoire français pour les travailleurs clandestins étrangers ; durée maximale 5 ans. Exclusion des marchés publics (5 ans maximum).

Travail à temps partiel

☞ Voir aussi **chômage partiel** p. 1422 b.

■ **Définition.** Tout horaire inférieur aux 4/5 de la durée légale hebdomadaire du travail (39 h) soit – de 136 h par mois. L'employeur peut proposer des horaires à temps partiel (accord du comité d'entreprise ou des délégués du personnel). Les horaires devront être transmis à l'inspection du travail.

■ **Évolution.** Jusqu'en 92 le travail à temps partiel coûtait en proportion plus cher que le plein temps, en raison des coûts fixes et du plafonnement de certaines cotisations. La loi du 31-12-1992 a pour but d'inciter au temps partiel en réduisant son coût relatif par des abattements de charges (50 % sur la Sécurité sociale), tout en garantissant mieux les droits de ces salariés.

■ **Droits du travailleur.** Les mêmes en matière de salaires, de congés et d'avantages sociaux que le salarié à temps plein. *Salaire* calculé sur la base du nombre d'h travaillées, ne peut être inférieur au Smic. *Congé :* droit ouvert après un mois de travail effectif, quel que soit l'horaire hebdomadaire et calculé, comme pour les salariés à plein temps, sur la rémunération effectivement perçue. Avantages liés à *l'ancienneté* maintenus. En cas de création ou d'aménagement de postes à temps partiel dans l'entreprise, priorité est donnée aux volontaires déjà en place. Droit pour eux de revenir du partiel au complet (loi du 28-1-1981). *Travail intermittent* (sur l'année, cycles de périodes travaillées et chômées) (loi 11-8-1986). Contrat de travail écrit mentionnant durée hebdo., conditions de sa répartition, limites des complémentaires. Un salarié ne peut imposer à son employeur de passer d'un travail à temps plein à un tr. à temps partiel, sauf dans le cadre du congé parental d'éducation.

■ **Statistiques. Quelques pays** (en % du nombre total des travailleurs en 1990) : Italie 5. Autriche 7,2. Finlande 8. Belgique 9,8. Irlande 10,2. *France* 12. Japon 12. All. 13,6. Canada 15,2. Nouv.-Zélande 15,4. USA 17,3. Australie 20,1. Suède 24,4. R.-U. 24,7. Norvège 25,6. **France** (en milliers) : *1983 :* 2 063 (9,6 %) ; *92 :* 2 791 (12,5 %) dont femmes 24,2 %.

Travail temporaire

■ **Législation.** La loi du 2-7-1990 permet d'y recourir pour : *remplacement :* absence ou suspension du contrat de travail d'un salarié ; attente de l'entrée en service effective d'un salarié en contrat à durée indéterminée appelé à remplacer un salarié dont le contrat a pris fin ; rempl. d'un salarié en cas de départ définitif précédant la suppression de son poste de travail. *Surcroît momentané d'activité :* accroissement temporaire ; tâche occasionnelle précisément définie et non durable ; survenance d'une commande except. à l'exportation ; travaux urgents nécessités par des mesures de sécurité. *Travaux temporaires par nature :* emplois à caractère saisonnier et emploi dits d'« usage constant » limités à certains secteurs. **Formalités :** contrat de travail et contrat de prestation doivent mentionner le motif et non le cas pour lequel on fait appel au salarié temporaire. Ce motif doit être assorti de justifications précises telles que, par exemple, le nom et la qualification du salarié remplacé. Lorsque le contrat est conclu pour remplacer un salarié temporairement absent ou dont le contrat de travail est suspendu, pour des emplois à caractère saisonnier ou, enfin, pour lesquels il est d'usage constant de ne pas recourir au contrat à durée indéterminée, le contrat peut ne pas comporter de terme précis ; il est alors conclu pour une durée minimale et a pour terme la fin de l'absence du salarié ou la réalisation de l'objet pour lequel il est conclu.

Contrat : *Entre une entreprise de travail temporaire (ETT) et une entr. utilisatrice :* il doit être rédigé par écrit, pour chaque salarié employé, et, au plus tard, signé dans les 2 j ouvrables suivant la mise à disposition. *Entre l'ETT et le salarié :* mêmes obligations ; il doit mentionner la qualification du salarié, les modalités de sa rémunération, les conditions d'une éventuelle période d'essai, l'absence d'interdiction de l'embauche du salarié par l'utilisateur à la fin de la mission, une clause de rapatriement dans le cas de mission hors du territoire métropolitain.

Mise à disposition anticipée : possible si l'on doit remplacer un salarié temporairement absent, afin de procéder à une mise au courant préalable.

Durée de la mission. *Durée maximale :* 6 à 24 mois selon les cas de recours. Un seul renouvellement possible (pour une durée qui ne peut être supérieure à celle de la période initiale). Le terme peut être reporté jusqu'au surlendemain du j où le salarié de l'entreprise utilisatrice reprend son emploi. Le Code du travail interdit le recours à des contrats temporaires successifs sur un même poste sans respecter le délai du « tiers temps » (égal au tiers de la durée du contrat, renouvellement compris).

Calcul de l'effectif dans l'entreprise utilisatrice : les travailleurs temporaires sont pris en compte au prorata de leur temps de présence dans l'entreprise au cours des 12 mois précédents, sauf s'ils remplacent un salarié absent dans l'entreprise ou dont le contrat de travail est suspendu.

Droits de l'intérimaire : il bénéficie *d'une rémunération minimale* qui ne peut être inférieure à celle du salaire d'embauche de la personne remplacée dans l'entreprise utilisatrice, d'une indemnité de fin de mission (IFM) de 10 %, d'une *indemnité compensatrice de congés payés* (10 % des sommes perçues), des *prestations de la Séc. soc.* dans les conditions de droit commun, de l'*allocation unique dégressive de chômage* s'il peut justifier d'une ancienneté suffisante dans la profession du travail temporaire, d'une indemnisation complémentaire de maladie (à condition de justifier d'un minimum d'h de travail dans la profession). Les intérimaires bénéficient des accords collectifs en matière de formation prof., de prévoyance, indemnisation complémentaire de la maladie et des accidents du travail, droit syndical... **Obligations :** mener sa mission au terme prévu, se conformer au règlement intérieur et aux horaires de travail de l'entreprise, signaler à l'ETT tout accident de travail ou toute indisponibilité due à la maladie.

■ **Statistiques** (voir p. 1473 a).

TRAVAIL PENDANT LES VACANCES

■ **Conditions préalables.** Toute personne peut, dans certaines limites, avoir une occupation rémunérée, sauf le salarié (qui n'a pas le droit d'exercer une activité rémunérée pendant son congé payé).

Age : avoir 16 ans et être libéré de l'obligation scolaire. Dérogation : dans certains spectacles ; 14 ans révolus dans le commerce et l'industrie (stages de formation pratique), 12 ans révolus dans l'agriculture (travaux légers, surveillance d'un parent ou du tuteur), les professions ambulantes (si l'employeur est l'un des parents), pas de limite d'âge dans les établissements familiaux, les orphelinats et institutions de bienfaisance (pas + de 3 h par jour), activités littéraires. *Restrictions pour les - de 18 ans (et les femmes)* dans certains établissements ou pour certains travaux présentant un danger physique ou moral ou excédant leurs forces (y compris l'emploi aux étalages extérieurs des boutiques et magasins).

Formalités : obligations pour l'employeur : notamment de demander une autorisation à l'inspecteur du travail (dans l'industrie et le commerce, entre 14 et 16 ans), de faire une déclaration à l'inspecteur des lois sociales en agriculture (- de 16 ans).

L'autorisation du père ou du représentant légal est nécessaire pour les - de 18 ans (de 16 ans, s'ils sont émancipés).

■ **Conditions de travail. Durée :** 39 h par semaine ou 8 h par j au max. dans l'industrie et le commerce. **Agriculture :** travaux légers pendant les vacances scolaires. *- de 14 ans :* travaux ne dépassant pas 4 h par j : désherbage à la main, cueillette de fleurs, ramassage de légumes, coupe de raisin ; ou travaux ne dépassant pas 8 h par j : moisson et fenaison (à l'exclusion du fauchage à la main, de la conduite de tracteurs et de machines), pesages, mise en bouteilles et étiquetage du vin, ramassage de bois mort et de champignons, gardiennage de petits troupeaux, petit entretien, rangement, p. manu. Le transport de charges lourdes et le trav. au rendement sont interdits. *+ de 14 ans :* travaux légers (ni charges lourdes, ni travail au rendement) ; p. ex. : élevage de vignes, bouchage manuel des bouteilles, gardiennage des troupeaux, nettoyage des basses-cours, conditionnement du miel et de la cire, nettoyage, tri et emballage des huîtres, entretien des sulkys des pistes d'entraînement, nett. du matériel d'exploitation. **Industrie et commerce :** travaux légers, n'entraînant aucune fatigue anormale (interdiction des travaux répétitifs ou effectués dans une ambiance ou à un rythme pénible ; uniquement pendant les vacances scolaires ayant au - 14 j, sous réserve que l'intéressé jouisse d'un repos continu au moins égal à la moitié des vacances). **Rémunération minimale :** Smic et abattement de 20 % ou +. **Repos de nuit :** 12 h au moins.

COMMENT SE NOMMENT LES HABITANTS DE ?

☞ Suite de la page 1392

Bussang Bussenets
Buzançais Buzançaïens
Buzancy Buzancéïens
Cachan Cachanais
Caen Caennais
Cagnes-sur-Mer Cagnois
Cahors Cadurciens
Cahuzac Cahuzagues
Caluire-et-Cuire Caluirards
Calvi Calvais
Cambo-les-Bains Camboards
Cambrai Cambrésiens
Canari (Corse) Canarinchi
Cancale Cancalais
Canteleu Cantiliens
Carlat Carladais, Carladois
Carmaux Carmausins
Caro Carotins
Carpentras Carpentrassiens
Carrières-sous-Poissy Carriérois
Carvin Carvinois
Cassel Casselois
Casteljaloux Casteljalousains
Castelnaudary Chauriens
Castelsarrasin Castelsarrasinois
Castifao Caccianinchi
Castres Castrais
Cateau (Le) Catésiens
Caudry Caudrédiens
Cauterets Cauterésiens
Celle-Saint-Cloud (La) Cellois
Cellé-sur-Braye Celletiers
Céret Céretans
Cergy Cergynois
Cergy-Pontoise Cergypontins
Chagny Chagnotins
Challans Challandas, Challandais
Châlons-sur-Marne Châlonnais
Chalon-sur-Saône Chalonnais
Chalus Châlusiens, Chalussois
Chambéry Chambériens
Chambly Chambliais
Chambon-Feugerolles (Le) Chambonnaires
Chamonix Chamoniards
Champagnole Champagnolais
Champigny-sur-Marne Campinois, Campiniens
Champlitte Chanitois
Champsaur Champsaurins
Chantilly Cantiliens
Chapelle-de-Guinchay (La) Capelins. **Saint-Luc** Chapelains
Charolles Charollais
Charenton-le-Pont Charentonnais
Charité-sur-Loire (La) Charitois
Charleville-Mézières Carolomacériens
Charlieu Charliandins
Chartres Chartrains
Châteaubriant Castelbriantais
Château-Chinon/Château-Chinonais Dunois
Châteaudun Casteldunois, Dunois
Château-Gontier Castrogontériens
Châteaulin Châteaulinois, Castellinois
Châteauneuf-sur-Loire Castelneuviens
Château-Porcien Porcéannais
Châteaurenard Châteaurenardais
Château-Renault Renaudins
Châteauroux Castelroussins, Châteauroussins
Château-Salins Castelsalinois
Château-Thierry Castrothéodoriciens, Castelthéodoriciens
Châteauvillain Castelvillanois
Châtelguyon Châtelguyonnais, Brayauds
Châtellerault Châtelleraudais
Chatelus Castellusiens
Châtenay-Malabry Châtenaysiens
Châtenois Castiniens
Chatou Catoviens
Châtre (La) Castrais
Chaudenay Chaudenais
Chaumont Chaumontais, Chaumontois
Chauny Chaunois
Chelles Chellois
Chenôve Cheneveliers, -ères
Chesnay (Le) Chenaysiens
Chevilly-Larue Chevillais
Chiavari Chiavarins
Chilly-Mazarin Chiroquois
Choisy-le-Roi Choisyens
Choranche Cataranchais. **Les-Bains** Balnocataranchais
Cingal Cinglais
Ciotat (La) Ciotadens
Cîteaux Cisterciens
Clamart Clamartois, Clamariots
Clamecy Clamecycois
Clayes-sous-Bois (Les) Claysiens
Clermont-de-l'Oise Clermontois
Clermont-Ferrand Clermontois
Clermont-l'Hérault Clermontais
Clichy Clichiens. **Sous-Bois** Clichois
Cluny Clunysois
Cluses Clusiens
Cognac Cognaçais
Collioure Colliourencs
Colomiers Columérins
Colmar Colmariens
Colombey-les-Deux-Églises Colombéiens
Combles Comblais
Combourg Combournais, Combourgeois
Combs-la-Ville Comblavillais
Commentry Commentryens
Commercy Commerciens
Compiègne Compiégnois
Concarneau Concarnois
Condé-sur-Noireau Condéens
Condom Condomois
Conflans-Sainte-Honorine Conflanais
Conflent Conflentans
Confolens Confolentais
Corbeil Corbeillois, Corbeillais
Corbeil-Essonnes Corbeillessonnois
Cordes Cordois, Cordais
Cormeilles-en-Parisis Cormeillais
Corté Corténais, Cortinais
Cosnes Cosnois
Corseul Curiosolites
Coudray Coudrions
Coulommiers Columériens
Courbevoie Courbevoisiens
Courneuve (La) Courneuviens
Courtenay Courtiniens
Courville Courvillains
Coutances Coutançais
Crach Craquois
Craon Craonnais
Crécy-sur-Morin Crixiens, Créçois
Creil Creillois
Crépy-en-Valois Crépynois
Créquy Créquois
Crest Crestois, Crétois
Créteil Cristoliens
Creusot (Le) Creusotins
Cricquebœuf Cricquebouviens
Criquetot-Lesneval Criquetotois
Crocq Croquants
Croisic (Le) Croisicais
Croissy-sur-Seine Croissillons
Croix Croisiens
Croix-Rousse (La) Croix-Roussiens
Cubzac Cusaguais
Cuigny Caniaus
Cusset Cussetois
Dammarie-les-Lys Dammariens
Dangeau Dangeotins
Daoulas Daoulasiens
Darney Darnéens
Daumazan-sur-Larize Dalmazanais
Dax Dacquois, Vascons
Denain Denaisiens
Déols Déolois
Deuil-la-Barre Deuillois
Die Diois
Digne Dignois
Digoin Digoinais
Dinan Dinannais
Dol-de-Bretagne Dolois
Dole Dolois
Dorat Dorachons
Douai Douaisiens
Douarnenez Douarnenistes, Douarnesiens
Doullens Doullennais
Dourdan Dourdannais
Draguignan Draguignanais, Dracéniens, Dracenois
Drancy Drancéens
Dreux Drouais, Durocasses
Druy-Parigny Druydes
Ducey Ducéens
Dunois Dunoisons
Dun-sur-Meuse Duniens
Eauze Élusates
Échevis Cavisiens
Écorches Écorchois
Écouché Écubéens, Écouchois
Écully Écullois
Elbeuf Elbeuviens
Elne Illibériens
Épernay Sparnaciens
Épernon Sparnoniens, Épernoniens
Épinal Spinaliens
Épinay-sous-Sénart Spinoliens. **Sur-Seine** Spinassiens
Erquy Réginéens
Espalion Espalionnais
Essai Essuins
Étables-sur-Mer Tagarins
Étampes Étampois
Étretat Étretatais
Eu Eudois
Évreux Ébroïciens
Évry Évryens
Èze Ézasques
Feillens Feillendits
Fère-Champenoise Féretons
Fère-en-Tardennais (La) Laférois
Ferté-Bernard (La) Fertois
Ferté-Langeron (La) Langeronnais
Ferté-Milon (La) Fertois
Feurs Foréziens
Firminy Appelous
Flèche (La) Fléchois
Flers Flériens
Fleurance Fleurantins
Fleury-les-Aubrais Fleuryssois
Foix Fuxéens
Fontainebleau Bellifontains.
Fontaine-En-Beauce Fontainiers
Fontenay-aux-Roses Fontenaisiens. **Le-Comte** Fontenaisiens
Fontevrault Fontevristes
Fontpédrouse Fontpédrousats
Font-Romeu Romeufontains
Forcalquier Forcalquiérens, Folcalquiérais
Forges-les-Eaux Forgions
Fougères Fougerais
Fouras Fourasins, Fourasiens
Fourmies Fourmisiens, Fourmiesiens
Fours Fouriens, Fournipolitains
Fréjus Fréjussiens
Fronsac Fronsadais
Fumay Fumaciens
Gacilly (La) Gacelins
Gagny Gabiniens
Gap Gapençais, Gapençois
Garches Garchois
Garenne-Colombes (La) Garennois
Gavray Gavrayens, Gavrians
Génis Génissois
Gentilly Gentilliens
Gérardmer Géromois
Germigny-l'Évêque Germignois
Gex Gessiens
Gien Giennois
Gisors Gisorciens (nes)
Givet Givetois, Givetains
Givors Givordins
Glandièves Glanatiniens
Grandhoux Grandhoudistes
Granville Granvillais
Grasse Grassois
Grevilly Grevillons
Grigny Grignerot, Grignois
Groix (Ile de) Groisillons
Guéret Guéretois, Guéretais
Haguenau Haguenoviens
Ham Hamois
Hambye Hambions
Harfleur Harfleurais, Harfleurtois
Le Havre Havrais
Havre-de-Grace (Le) Havrais
L'Haÿ-les-Roses Layssiens
Les Herbiers Herbretais
Houdan Houdanais
Houilles Ovillois
Hyères Hyérois
Ile-Saint-Denis Dionisîliens
Ile-de-France Franciliens
Illiers Islériens
Isle-Adam (L') Adamois
Isle-sur-la-Sorgue (L') Islois
Issoudun Issoldunois
Issy-les-Moulineaux Isséens
Ivry-sur-Seine Ivryens
Jœuf Joviciens
Joigny Joviniens
Joué-lès-Tours Jocondiens
Jouy-en-Josas Jovaciens, Jouysotiers
Juilly Juliaciens
Juvigny-sur-Loisou Juvignasiens
Le Kremlin-Bicêtre Kremlinois
Lagny Laniaques, Latignaciens
L'Aigle Aiglons
La-Motte-Fanjas Faniamotteux
Landerneau Landernéens
Landivisiau Landivisiens
Langeac Langadais
Laon Laonnais, Laudunois, Laonnois
Lapalisse Palissois
Latour-de-Carol Carolans
Laval Lavallois
Lavandou (Le) Lavandourains
Lavaur Vauréens
Lavelanet Lavelanétiens, Lavelatiens
La Ville-aux-Dames Gynépolitains
Lens Lensois
Leoncel Cellynois
Lesparre-Médoc Lesparrains
Le Tour Turzerins
Lèves Levriers, Lévois
Liévin Liévinois
Liffol-le-Petit Liffoux, Liffoliens
Lilas (Les) Lilasiens
Limeil-Brévannes Brévannais
Limoges Limougeauds, Limogeots, Limogiens
Limoux Limousans, Limousins, Limouxins
Lisieux Lexoviens
Lison Lisonais
Locminé Locminois
Longjumeau Longjumellois
Longwy Longoviciens
Lons-le-Saunier Lédoniens
Loupe (La) Loupiots, Loupéens
Lourdes Lourdais, Lourdois
Louveciennes Louveciennois, Luciennois
Louviers Lovériens
Lucé Lucéens
Luchon Bagnérais
Luisant Luisantois
Lunay Lunotiers
Lure Lurons, Lurois
Lusignan Mélusins
Luxeuil-les-Bains Luxoviens
Magnac-Laval Magnasais
Maisons-Alfort Maisonnais. **Laffitte** Mansonniens, Maisonnais
Malakoff Malakoffiots, Malakovites

☞ Suite : voir p. 1553.

SPORTS ET JEUX

☞ 1 Français sur 10 pratique un sport de manière régulière. Plus de la moitié des sportifs français ont moins de 18 ans. Sur 5 000 000 de pratiquants, il y a 1 000 000 de femmes.

Près de 15 000 000 de Français n'ont *jamais* pratiqué de sport.

ARTS MARTIAUX

GÉNÉRALITÉS

Les méthodes et moyens de combat en usage au Japon avant l'arrivée du commodore américain Perry en 1853 ont pratiquement disparu devant l'efficacité des armes occidentales. Quelques années plus tard, arcs, sabres, etc., ou méthodes à mains nues réapparaissaient après avoir changé de sens. Les *jitsu* (applications pratiques) devenaient des *do* (voies morales). En 1882, Jigoro Kano inventa le judo en faisant d'une méthode de combat une manière de vivre, et d'une manière de tuer, « la défense du faible contre le fort ».

Les arts martiaux pratiqués aujourd'hui visent à aider le pratiquant à devenir plus généreux, plus ouvert aux autres et plus maître de lui. En dehors des armes « nobles » (arc, sabre, lance, poignard), ils utilisent des accessoires susceptibles d'être efficaces (faux, fléaux, et autres instruments agricoles).

PRINCIPAUX ARTS MARTIAUX

■ **Aïkido.** En japonais, *ai* union, *ki* énergie, souffle, *do* voie. **Principe :** art de combattre à mains nues avec armes ou contre armes. Principe : faire UN avec soi puis avec l'autre. **Créateur :** Morihei Ueshiba (1883-1969). **Entraînement :** défense contre toutes les armes (sauf flèches), ex. : le couteau (tanto), sabre (ken), bâton (jo), sabre de bois (bokken). **Grade :** le dan. **Tenue :** keikogi et hakama, costume traditionnel des Japonais. **Technique :** étude de la chute considérée comme une technique de sauvegarde, recherche de l'énergie autre que la force musculaire, coordination du souffle et de l'exécution de la technique (kokyu). **Pratiquants** (1988) : France 50 000, monde 1 000 000. *Licenciés* (1993) : France env. 50 000.

■ **Armes d'Okinawa.** Au XVIIe s., les Japonais, en annexant l'île d'Okinawa, interdirent les armes connues. Les paysans découvrirent alors dans leurs outils de tous les jours des armes redoutables dont : **nunchaku :** fléau de 2 morceaux de bois, de caoutchouc, cuir ou tissu de 30 à 60 cm reliés par une corde ou une chaîne de 10 cm ; **tonfa :** destiné à décortiquer le riz, manche en bois de chêne ou de teck carré (long. 40 à 60 cm, poids 0,8 à 1,2 kg) ; **sai :** trident en métal ; **kama :** faucille ; **bo** ou **kon :** bâton de 1,80 m ; **nunti :** gaffe ; **sansetsukon :** fléau à 3 branches ; **eku :** rame ; **kue :** houe.

■ **Bo-do et jo-do. Définition :** *bo* = bâton long. 1,80 m ; *jo* = bâton court, 1,28 m, d'où escrime au bâton. Pratiqué généralement en costume par les kendoka et les aïkidoka.

■ **Budo.** Voie des arts martiaux et art d'arrêter les lances. Ensemble des arts martiaux se déclarant comme des *do* (voies vers un enrichissement de l'individu). **Écoles « modernes »** (Europe) : Yoseikan budo créé par Hiroo Mochizuki et École française de budo créée par Jean-Paul Bindel. **Pratiquants** (France) : 4 000.

■ **Iaïdo.** Art de dégainer le sabre. Appelé jadis iaïjutsu. **Pratiquants** (France) : quelques centaines.

■ **Kendo ou « voie du sabre ». Origine :** *XVIe s.,* le maître Ito fonde l'école de sabre unique (Ito Ryu). *1955* 1re rencontre internationale (Japon-USA). *1970* 1er championnat du monde. **Arme :** *shinai :* sabre (env. 1,20 m, poids 500 g) en lamelles de bambou gainées de lanières de cuir [le kendoka frappe de « taille et d'estoc » (uchi et tsuki)]. **Contact :** au moment de frapper, le kendoka pousse le *kiaï* en criant le nom de la partie du corps visée (expiration profonde venant du ventre). **Aire :** 11 m sur 11. **Assaut :** 5 min. *Prolongation :* 3 min., si aucun résultat n'a été obtenu. **Vainqueur :** celui qui a marqué les 2 premiers points (ou 2/1 ou 1/0) à l'issue du temps réglementaire ; *si prolongation,* un seul point suffit pour être vainqueur. **Équipement :** *keikogi* (veste en coton), *hakama* (large pantalon) pour dissimuler la position des pieds, donc les évolutions prévisibles, *men* (éléments rembourrés pour visage, cou et épaules), *kote* (moufles épaisses mains et avant-bras) ; *tare* (hanches et bas-ventre) ; *do* (bambou recouvert de cuir laqué : tronc). **Pratiquants** (licenciés en 1992) : Japon 7 000 000, France 3 000. **Ch. de France :** *Hommes : 90, 91* Pruvost, *92* Isckia, *93* Labru, *Dames : 88, 90* David, *91* Fournier, *92* David, *93* Sazakura, *éq. excellence : 90* Maisons-Alfort, *91* CEPESJA, *92* Maisons-Alfort, *93* CEPESJA. **Ch. d'Europe :** *Éq. 90, 92, 93* France.

■ **18 ki.** *Origine :* Corée. 18 techniques de boxe et d'escrime. **24 ki.** Idem, plus 6 techniques d'équitation.

■ **Ko budo.** Littéralement « vieux budo ». Techniques anciennes, généralement étudiées sous forme de *kata* (exercices préarrangés) et excluant toute forme de compétition. **Formes principales :** 1°) *« agraire »,* voir Armes d'Okinawa. 2°) *« guerrier » à mains nues* qui regroupe les écoles de ju jitsu (takenouchi ryu, yoshin ryu, kito ryu, tenjin shinyo ryu, sosuishitsu ryu, sekiguchi ryu, shibukawa ryu, kushin ryu, etc.) et d'aïki-jitsu (daito ryu, takeda ryu, oshiki uchi, etc.). Les techniques de ces écoles sont restées figées depuis des siècles et ont été transformées par certains maîtres. Ainsi, l'évolution des techniques du ju-jitsu a amené la création du judo et de l'aïki-jitsu celle de l'aïkido. 3°) *« guerrier » avec armes* qui regroupe des écoles comme la Tenshin shoden katori shinto ryu (classée bien culturel national) où le maniement de diverses armes est enseigné simultanément : ken-jitsu (sabre), iai-jitsu (art de dégainer le sabre), bo-jitsu (bâton long), tanto-jitsu (poignard), naginata-jitsu (hallebarde), so-jitsu (lance). Certaines écoles sont spécialisées dans 1 ou 2 armes. L'évolution de ces techniques a entraîné la création du kendo et naginata do où la compétition est pratiquée.

■ **Kyudo ou « voie de l'arc ».** Discipline traditionnelle, accompagnée, dans certains cas, de cérémonies religieuses et de fêtes, destinée à provoquer l'enrichissement intérieur de celui qui la pratique en lui procurant calme, sérénité et harmonie. **Arc :** asymétrique, haut. 2,20 m env. (la poignée étant à la limite du 1/3 moyen et du 1/3 inférieur afin de pouvoir utiliser l'arc à cheval), en bambou et bois, corde en chanvre (en tension, va de 12 à 40 kg), carquois en écorce de cerisier ; (épreuves jusqu'à 60 m, mais on tire généralement des flèches de 1 m, sur une cible en paille placée à 2 m : flèche sans plume ou, à 28 m en papier, flèche avec plumes). **Grades :** 10 *dan. Titres honorifiques :* Kyushi-Hanshi. **Pratiquants** (Japon) 500 000.

■ **Nin-jitsu.** Art du déplacement furtif. Les écoles étaient réservées aux ninja, qualifiés d'agents secrets ou de tueurs à gages. Les ninja étudiaient les techniques de combat à mains nues et avec armes, la pharmacopée, l'art du camouflage et l'hypnose, ce qui leur permettait de réaliser des exploits.

■ **Qwan ki do. Origine :** Viêt-nam, vers 1950. Forme plus spectaculaire du karaté.

■ **Silat. Origine :** Indonésie.

■ **Subyukchigi ou Subakchiki.** Du Coréen, *subak* pastèque. Ressemble au tae kwon do. Utilise les mains plutôt que les pieds.

■ **Sumo.** Codifié vers la fin du XIVe s. Les sumotoris (lutteurs) dépassent souvent 150 kg. **Pratiquants** (Japon) : quelques centaines. **Grade :** suprême : yokozuna ou « grand champion » (Tanikaze : le plus célèbre, mort 1795 : 66 victoires consécutives en tournoi). **Idoles du Japon :** Kitanoumi, Wajima, Chiyonofuji (se retire en 1991), Konishiki, Yasokichi. Jesse Kuhaulua (n. 16-6-44, Hawaïen) a combattu sous le nom de Takamiyama. Akebono. Takahanada. Konishiki. **Aire de combat :** dohyo, carré (surélevé) de 7,27 m de côté dans lequel s'inscrit un cercle de 4,55 m de diamètre. 4 houppes de couleur pendent au-dessous : blanche symbolise printemps, rouge été, bleue l'automne, noire hiver. Les sumotoris portent une sorte de tablier. Ils frappent dans leurs mains, lèvent ensuite les bras montrant qu'ils s'engagent à combattre avec sincérité et loyauté. Puis les 2 sumotoris qui se présentent exécutent un grand écart, le shiko, pour chasser les esprits malfaisants, jettent une poignée de sel au centre du cercle, s'accroupissent, face à face, pour le sonkyo (salut à l'adversaire). Les bras écartés, ils promettent aux dieux de combattre honnêtement (Chiri). 48 techniques avec variantes.

■ **Tae kwon do** (karaté coréen). Du coréen, *tae :* pied, *kwon :* poing et *do :* voie. *Crée* vers 1955. On peut donner des coups de pied au-dessus de la ceinture et des coups de poing au buste, sauf à la gorge et à la figure. Les coups sont vraiment portés, on ne les contrôle pas. *1988* sport de démonstration aux JO. *1992* sport olympique. **Pratiquants :** env. 10 000 000 dans 60 pays.

■ **Viêt-vo-dao. Origine :** Viêt-nam. *Crée* 1955 par Nguyên Duc Môc. Combat à mains nues dans lequel on imite des animaux comme le tigre (balayages, sauts, projections, clés). **But :** recherche de l'harmonie et d'un homme vrai. Sport de défense. Intègre des éléments du bouddhisme, du confucianisme et du taoïsme. France : Fédération française de karaté, tae kwon do et arts martiaux affinitaires.

■ **Vo-viêt-nam. Origine :** Viêt-nam. Introduit 1957 en France par maître Nguyên Duc Môc. **Disciplines :** 18 combats à mains nues et avec armes traditionnelles (bâtons, sabres, lances, etc.). **Fédération** *internat. de Vo-viêt-nam et disciplines affinitaires,* 18, rue Bichat, 75010 Paris.

☞ **Judo** et **karaté,** voir Index.

ATHLÉTISME

GÉNÉRALITÉS

Définition. Sport comprenant un certain nombre d'épreuves (individuelles ou par équipes) de courses à pied, sauts, lancers d'engins et épreuves combinées, l'ensemble étant codifié.

Origine. Du grec *athlos* (combat). *L'Iliade* décrit les courses et les concours de saut organisés lors des funérailles de Patrocle. **VIIIe s. av. J.-C.** Les jeux Olympiques comprenaient 3 courses et le *pentathle* (5 disciplines) : courses, lancers de disque et javelot, saut en longueur et lutte. Le 1er record enregistré fut un saut en longueur d'environ 7,05 m, effectué aux JO de 656 av. J.-C. par un athlète de Sparte nommé Chionis. **1861** 1er club en Angleterre : Mincing Lane AC. **1866** création de l'Amateur Athletic Club, en Angleterre. **1867** les Anglais organisent quelques compétitions à Boulogne. **1875** fondation à Paris du Club des coureurs (Blondel et Gerling). **1883** création du Racing-Club (devenu en 1885 Racing-Club de France). **1884** fondation du Stade français par des lycéens. **1885** 1re participation internationale d'athlètes français à Bruxelles. **1887** création de l'Union des Stés françaises de course à pied, devenue plus tard Union des Stés fr. de sports athlétiques, puis, en 1920, Fédération française d'athlétisme. **1888** 1ers championnats de France à la Croix-Catelan (100 m, 400 m, 1 500 m, 110 m haies). **1896** 9 athlètes du Racing-Club de France participent aux 1ers JO modernes à Athènes. **1912**-*16-7* création de la Féd. internat. d'athlétisme amateur (FIAA). **1923** 1ers Jeux universitaires internationaux à Paris. **1934**

1ers ch. d'Europe à Turin. **1965** 1re Coupe d'Europe des Nations à Stuttgart. **1973** 1re Coupe d'Europe des épreuves combinées (décathlon, pentathlon). **1977** 1re Coupe du Monde par équipes à Düsseldorf. **1981** 1re Coupe d'Europe de marathon à Agen. **1983** 1ers ch. du Monde à Helsinki (jusque-là les JO constituaient les ch. du monde).

Comparaisons des résultats dans le temps. Certaines *sont faussées* par divers éléments. Pour *les courses et les sauts :* utilisation de matériaux synthétiques pour pistes et aires d'élan (dep. 1967) remplaçant les anciennes cendrées. *Saut en hauteur :* remplacement de la fosse de sable par des matelas de mousse rehaussés permettant l'exécution du saut à réception dorsale dit « Fosbury » (inventé par l'Américain vainqueur des JO de 1968). *Saut à la perche :* mêmes matelas de réception et perche en fibre de verre ont permis un gain moyen d'environ 1 m depuis 1961. *Javelot :* les engins nouveaux (Held depuis 1953), meilleurs planeurs, ont permis de gagner 5 à 10 m ; dep. 1986, nouvelles normes.

Records de vitesse (km/h). *Hommes :* 44,912, Carl Lewis au 4 × 100 m (JO 1984). *Dames :* 36,5, Evelyn Ashford au 4 × 100 m (JO 1984).

Extraits des règlements

■ **Courses plates. Courses de vitesse (sprint) :** disputées en couloirs (lignes blanches parallèles distantes de 1,22 m). *60 m* (en salle) et *100 m* sont disputés en ligne droite. Le *200 m* comporte un virage complet. Les lignes de départ sont décalées de façon à égaliser les distances d'un couloir à l'autre (aux USA on court parfois des 200 m en ligne droite).

Vitesse prolongée : *400 m,* couru sur un tour de piste et en couloirs. Les cales de départ *(starting-blocks)* ont été adoptées en 1928 pour les courses de vitesse jusqu'au 400 m.

Demi-fond et demi-fond prolongé : pour le *800 m,* les 100 premiers mètres seulement sont disputés en couloirs avec décalage. Courses classiques *1 500, 3 000 (dames), 5 000* et *10 000 m.* Autres courses reconnues : *1 000, 2 000, 3 000, heure* et *20 000 m.*

Marathon : *42,195 km* (distance séparant Windsor du stade White City à Londres, parcours des JO de 1908). Inspiré par la course légendaire de Philippidès, mort après 4 h de course (Marathon-Athènes : 40 km) pour avoir voulu annoncer aux Grecs leur victoire sur les Perses (490 av. J.-C.).

Relais : les coureurs d'une même équipe se transmettent un bâton cylindrique de 28-30 cm de long, 50 g minimum, 120-130 mm de circonférence (témoin) dans une zone de 20 m limitée par 2 lignes tracées sur le sol. La 1re est située 10 m avant le point de la distance à parcourir, la 2e 10 m après. *Relais messieurs :* 4 × 100 m, 4 × 200 m, 4 × 400 m, 4 × 800 m, 4 × 1 500 m ; *dames :* 4 × 100 m, 4 × 200 m, 4 × 400 m, 4 × 800 m. Le 4 × 100 m se court intégralement en couloirs. Le 4 × 200 m partiellement, les 2 premiers parcours sont disputés en couloirs et les 100 premiers m du 3e ; au 4 × 400 m, le 1er parcours et les 100 premiers m du 2e.

■ **Courses d'obstacles. 3 000 m steeple :** demi-fond. Les coureurs ont à enjamber 28 fois une barrière de 0,914 m et 7 fois la rivière, de 3,66 m de barrière et 0,76 m de profondeur, située au pied d'une barrière (0,914 m) qui la précède. **Haies : 110 m :** 10 haies de 1,06 m (espacées de 9,14 m, la 1re à 13,72 m du départ, la dernière à 14,02 m de l'arrivée), **100 m** *(dames) :* 10 de 0,84 m (espacées de 8,5 m, la 1re à 13 m du départ, la dernière à 10,5 m de l'arrivée). **400 m :** *messieurs :* 10 de 0,91 m (espacées de 35 m, la 1re à 45 m du départ, la dernière à 40 m de l'arrivée) ; *dames :* 10 de 0,762 m (espacées de 35 m, la 1re à 45 m du départ, la dernière à 40 m de l'arrivée).

■ **Concours. Sauts. Hauteur :** l'athlète doit franchir la plus grande hauteur possible en prenant impulsion d'une seule jambe. **Perche :** même principe mais en s'aidant d'une perche (matériau actuellement utilisé : fibre de verre) qu'il plante dans un butoir situé au pied de l'aire de réception. Pour ces 2 sauts verticaux, l'athlète est éliminé après avoir échoué par 3 fois consécutivement, quelle que soit la hauteur tentée. Il a le droit à 3 essais à chaque hauteur. **Longueur :** l'athlète doit franchir la plus grande distance possible en prenant appel sur une planche de 20 cm située au bord d'une fosse de réception ensablée où il se reçoit. **Triple saut :** même principe mais la planche d'appel se situe à 12 ou 13 m du sable et le saut consiste en un cloche-pied suivi de 2 foulées bondissantes. Pour ces 2 sauts longitudinaux, 6 essais maximum (dont les 3 premiers de « qualification », les 3 suivants n'étant accordés qu'aux 8 athlètes en tête).

■ **Lancers. Poids :** sphère métallique de 7,260 kg minimum (messieurs), 4 kg (dames), lancée de l'épaule à une main, à partir d'un cercle cimenté de 2,135 m de diamètre. **Disque :** circulaire avec jante en métal pesant 2 kg minimum (messieurs), 1 kg (dames), lancé d'une seule main d'un cercle de 2,50 m de diamètre. **Marteau :** sphère métallique reliée à une poignée par un câble, l'ensemble pesant au minimum 7,260 kg et mesurant au maximum 1,22 m. On lance d'un cercle cimenté de 2,135 m de diamètre. Pour ces 3 lancers, l'athlète doit sortir du cercle par l'arrière, équilibré, après que l'engin a touché le sol. L'angle des secteurs de chute est de 40°. **Javelot :** métallique, 800 g minimum (messieurs), 600 g (dames), lancé d'un couloir de 30 à 36,50 m de long sur 4 m de large terminé par un arc de cercle qu'on ne peut dépasser. Angle du secteur de chute : 29°. A la chute, doit toucher le sol par la pointe (tête) en premier. Dep. le 1-4-1986, javelot de 800 g, avec centre de gravité déplacé de 4 cm vers l'avant pour diminuer la portance (distance diminuée de 10 %).

■ **Épreuves combinées. Décathlon :** (messieurs) : 10 épreuves disputées dans un ordre particulier en 2 j. successifs. 1er : 100 m, saut longueur, poids, s. hauteur et 400 m. 2e : 110 haies, disque, perche, javelot et 1 500 m. Chaque performance est cotée à une table internationale, le vainqueur étant celui qui totalise le plus de points à l'issue des 10 épreuves. **Heptathlon** (dames) (depuis 1981) : 7 épreuves disputées dans un certain ordre en 2 j. successifs. 1er : 100 m haies, hauteur, poids, 200 m. 2e : longueur, javelot, 800 m. Même principe de cotation que pour le décathlon.

Résultats

Records de France féminins

Juniors

100 m 11"25, O. Sidibé (ANSL Fréjus) 27-7-89. **200 m** 22"94, M.-C. Cazier (Stade Metz EC) 8-8-82. **400 m** 52"52, F. Ficher (CASG) 20-7-85. **800 m** 2'01"79, F. Giolitti (NUC) 29-6-85. **1 000 m** 2'37"2, V. Renties (AS Anzin) 19-8-79. **1 500 m** 4'10"38, F. Giolitti (Nice UC) 19-6-85. **3 000 m** 9'13"15, M.-P. Duros (US Quessoy) 15-7-86. **10 000 m** 34'22" F. Deconihout (Douai) 9-10-91. **100 m haies** 13"07, Monique Éwanje-Épée (Montpellier UC) 22-7-86. **400 m haies** 57"84, C. Nelson (ASL Cayenne) 15-7-90. **Hauteur** 1,95 m, Maryse Éwanje-Épée (Montpellier UC) 4-9-83. **Longueur** 6,44 m, J. Curtet (AC Cannes) 31-5-73. **Triple saut** 12,66 m, V. Labonne (ASLSG) 24-5-91. **Poids** 15,81 m, V. Hanicque (AC Vélizy) 24-6-83. **Disque** 57,50 m, C. Beauvais (Racing CF) 18-8-83. **Javelot** 62,46 m, N. Schoellkopf (SR Obernai) 1-10-83. **4 × 100 m** 44"23, Équipe nationale : (F. Ropars, M. Simioneck, H. Declerck, O. Sidibé) 27-8-89. **4 × 400 m** 3'39"07, Équipe nationale : C. Chanfreau (Toulouse CMS), P. Djaté (CA Pamiers), V. Jaunâtre (AC Roche/Yon), E. Devassoigne ASCIA 10-7-88. **4 × 100 m (club)** 45"91 (AS Air France) C. Canneval, M. Terro, S. Sylvestre, C. Arron 1-5-92. **Heptathlon** 6 113 pts N. Teppe (MJC Salon) 30-6/1-7/90. **Marche : 5 000 m** 22'39"25, N. Marchand (ACD Neuville) 31-7-88.

Cadettes

100 m 11"38, M.-F. Loval (AA Pointe-à-Pitre) 20-8-81. **300 m** 39"62, S. Thiebaud (US Créteil) 4-7-92. **200 m** 23"80, F. Ficher (CASG Paris) 28-5-82. **400 m** 54"48, N. Thoumas (SU Agen) 4-6-79. **800 m** 2'05", S. Foulon (AL Auxi) 28-7-90. **1 000 m** 2'47"12, F. Giolitti (Nice UC) 16-10-82. **1 500 m** 4'19"2, V. Renties (AS Anzin) 19-8-77. **30 min** 8 439 m, F. Deconihout (Ind. NPC) 28-4-90. **100 m haies** 13"55, S. Marot (AC Auch) 7-7-92. **320 m haies** 45"57, I. Dherbecourt (Béthune) 9-7-89. **Hauteur** 1,87 m, M. Éwanje-Épée (MUC) 22-8-81. **Longueur** 6,26 m, Cl. Bouix (AC Annecy) 21-7-63 et C. Hérigault (US Créteil) 12-7-87. **Triple saut** 12,59 m, N. Jacques-Gustave (Neuilly PS) 27-6-92. **Poids** 17,26 m, A. Brouzet (ASPTT Grenoble) 31-5-87. **Disque** 53,74 m, C. Beauvais (Racing CF) 20-6-82. **Marteau** 52,70 m S. Hillera (AS Boulogne) 28-10-92. **Javelot** 61,36 m, N. Teppe (VA Bressans) 3-6-89. **4 × 100 m** 46"88, V. Vidal, F. et C. Cuciz, A. Benezech (ES Viry-Châtillon) 8-6-81. **4 × 1 000 m** 12'00"38, V. Zimber, C. Bury, M. Rusch, E. Fey (Unitas Brumath) 8-7-79. **Heptathlon** 5 811 pts, N. Teppe (VA Bressans) 13/14-5-89. **Marche : 5 000 m** 24'18"2, N. Leksir (GA Ht-Saônois) 27-10-91.

Minimes

80 m 9"6, N. Goletto (CO Brignoles) 31-5-71. **150 m** 18"08, C. Arron (AS Air France) 20-4-88. **500 m** 1'14"82, I. Dherbecourt (Béthune) 25-6-88. **1 200 m** 3'35"6, V. Renties (AS Anzin) 30-6-74. **30 min** 8 063 m, K. Moncelli (AO Charenton) 25-3-90. **80 m haies** 11"44, S. Marot (AC Auch) 27-6-90. **250 m haies** 35"71 F. Mespléde (AC Auch) 24-6-89. **Hauteur** 1,77 m, B. Kaftandjian (USC Caen) 3-6-79 et S. Deveugle (US Valenciennes) 7-6-81. **Longueur** 6,02m, N. Sellier (Médoc AC) 1-6-75. **Triple saut** 12,53 m A. Barlet (SE St-Étienne) 11-7-92. **Poids** 15,24 m, M.A. N'Docko (ASPTT Strasbourg) 11-10-87. **Disque** 43,70 m, N. Nesnas (ES Colombes) 21-6-92. **Marteau** 51 m A. Rondel (PL Pierre-Bénite) 25-10-92. **Javelot** 51,40 m, M. Fiafialoto (Ind. N.-Calédonie) 14-12-80. **4 × 80 m** 38"65 (AS Air France) 11-6-88. **Hexathlon** 4 106 pts, S.Marot (AC Auch) 12/13-5-90. **Marche : 3 000 m** 14'37"4, V. Marande (USM Laval) 24-4-88.

Records de France masculins

Juniors

100 m 10"29, B. Marie-Rose (CA-Ouest) 30-6-84. **200 m** 20"62, B. Cherrier (AAJ Blois) 03-9-72. **400 m** 46"31, G. Bertould (Stade Rennes) 16-10-68. **800 m** 1'47"7, R. Sanchez (Revin AC) 4-7-71. **1 000 m** 2'20"6, D. Bouchard (VS Ozoir-la-Ferrière) 26-5-82. **1 500 m** 3'40"8, J. Boxberger (FC Sochaux) 4-7-68. **3 000 m** 7'58"4, C. Laventure (Stade Vanves) 29-6-83. **5 000 m** 13'58", K. Bouhaloufa (APJS Paris) 15-10-86. **10 000 m** 29'07"99, L. Saudrais (EA Rennes) 26-8-89. **110 m haies** 13"84, D. Philibert (US Créteil) 3-6-89. **400 m haies** 50"39, P. Maran (CC Fort-de-France) 18-7-86. **3 000 m steeple** 8'44"2, J.-L. Taif (Racing CF) 10-5-80. **Hauteur** 2,24 m, D. Detchenique (Dynamic Aulnay Club) 8-7-90. **Perche** 5,62 m, G. Baudoin (Jura Sud) 7-7-91. **Longueur** 7,96 m, G. Ugolini (Stade Reims) 4-10-68. **Triple saut** 16,42 m, G. Sainte-Rose (ASCOIA Fort-de-France) 12-7-87. **Poids (6,250 kg)** 19,08 m, R. Gressier (AS Berck) 16-9-78. **(7,260 kg)** 17,67 m, R. Coquin (AA Pointe-à-Pitre) 21-9-75. **Disque** 56,26 m, P. Journoud (Toulouse UC) 23-7-83. **Marteau** 80,34 m D. Chaussinand (St. Clermont-Ferrand) 24-10-92. **Javelot** 69,78 m, N. Patin (AS Aix) 6-8-89. **4 × 100 m** 39"69, Équipe nationale : P. Thessard (ES Nantes AC), Patrick Barré (Neubourg AC), H. Panzo (IA Fort-de-France), Pascal Barré (Neubourg AC) 6-8-77. **4 × 400 m** 3'08"11, Équipe nationale : C. Zapata, D. Denys, C. Landre, C. Goris 18-7-87. **4 × 100 m (club)** 40"05, J. Chedeville, S. Adam, Patrick et Pascal Barré (Neubourg AC) 22-7-78. **Décathlon** 7 738 pts (11"23, 6,94 m, 13,28 m, 2,13 m, 50"89, 15"04, 41,84 m, 4,50 m, 70,38 m, 5'02"67), W. Motti (AC Cannes) 24/25-7-82. **Marche : 10 000 m** 42'47"4, D. Langlois 4-10-87. **Heure** 13,711 km, D. Langlois (CSC Noisy) 4-10-87.

Cadets

100 m 10"54, M. Genest (TA Rennes) 6-6-76. **200 m** 21"29, P. Barré (Neubourg AC) 11-7-76. **400 m** 47"45, T. Dejean (Clermont-Ferrand) 29-7-89. **800 m** 1'50"2, S. Benfares (ES Nanterre) 18-9-85. **1 000 m** 2'22"9, J. Hector (AS Montferrand) 27-7-85. **1 500 m** 3'49"21, R. Birembaux (St-Amand EC) 12-6-85. **3 000 m** 8'15"04, R. Birembaux (St-Amand EC) 26-6-85. **45 min.** 14,094 km, M. Khelil (EA Bourg-en-Bresse) 19-5-91. **110 m haies** 13"39, Ph. Tourret (SC Aiguillon) 15-7-84. **320 m haies** 40"35, J.-J. Simon (St. Toulouse) 8-6-81. **1 500 m steeple** 4'10"79, J.-N. Pelissier (Nice UC) 9-7-82. **Hauteur** 2,19 m, W. Motti (AC Cannes) 21-8-81 et J. Vincent (ASCOIA Fort-de-Fr.) 21-3-86. **Perche** 5 ,40 m, G. Baudouin (Jura S.) 15-10-89. **Longueur** 7, 76 m, J. Plagnol (E. Nîmes Athl.) 31-5-87. **Triple saut** 15,71 m, G. Sainte-Rose (ASCOIA Fort-de-Fr.) 26-7-86. **Poids** 19,10 m, L. Viudes (Stade Saint-Quentin) 30-6-73. **Disque** 53,50 m, J.-P. Barbe (ASPTT Lyon) 24-10-87. **Marteau** 81,84 m, D. Chaussinand (St-Clermont-Ferrand) 18-5-90. **Javelot** 75,82 m, G. Siakinu-Schmidt (AS Magenta Nouméa) 2-10-91. **4 × 100 m** 42"03, Pousse, A. Ximenes, P. Chazot, G. Chazot (CA St-Étienne) 6-7-75. **4 × 1 000 m** 10'06"62, APJS Paris (Lacroix, Daverio, Pintard, Fernandez) 13-10-85. **Ennéathlon** 7 062 pts (11"24, 7,12 m, 2,15 m, 14"54, 45,22 m, 3,80 m, 64,60 m, 5'10"64), W. Motti (AC Cannes) 27/28-6-81. **Marche : 5 000 m** 21'43"18, S. Lévêque (JS Angoulême) 14-9-86. **45 min** 10 000 m, F. Guest (USM Laval) 2-10-88.

Minimes

80 m 8"98, P. Théophile (Gosier AC) 30-3-85. **150 m** 16"56, D. Felten (ASC Strasbourg) 26-6-77. **500 m** 64"93, T. Dejean (St. Aurillac) 28-6-87. **1 000 m** 2'33"3, N. Aatillah (ESLV) 15-7-92. **1 200 m** 3'10"2, B. Rihet (AC Cannes) 30-6-79. **3 000 m** 8'49"3, A. Crépieux (AS Sin-le-Noble) 23-9-89.

30 min 8 965 m, M. Khelil (EA Bourg-en-Bresse) 30-4-89. 100 m haies 13"02, P. Menneron (ASM Belfort) 26-6-90. 250 m haies 31"01, P. Menneron (ASM Belfort) 21-10-90. Hauteur 2,02 m, M. Droguet (EA Rennes) 28-6-87. Perche 4,71 m, G. Beaudouin (CLA Lons-le-Saunier) 10-10-87. Longueur 7,08 m, J. Plagnol (E. Nîmes A) 8-6-86. Triple saut 14,74 m, H. Elouakkali (ECA Chalon) 21-10-90. Poids 18,06 m, J. Carrière (AL Carhaix-Plouguer) 19-5-76. Disque 49,28 m, H. Yvrard (CS Bourgoin-Jallieu) 19-10-77. Marteau 72,40 m, S. Georges (CA Sedan) 28-9-91. Javelot 69,20 m, D. Richard (Thonon AC) 12-7-92. 4 × 80 m 35"2, Neubourg AC (Adam, Lemesz, P. et P. Barré) 20-10-74. Hexathlon 3 978 pts, P. Champigny (Athlétic 3 Tours) 31-10/1-11-90. Marche. 30 min 6 461 m, J.-B. Poulain (MJ Trouville) 6-10-91. 5 000 m 21'10"5, J.-B. Poulain (MJ Trouville) 6-10-91.

PRINCIPALES ÉPREUVES D'ATHLÉTISME

☞ *Légende.* – (a) Amérique. (b) Europe. (c) Afrique. (d) Océanie. (e) Asie. (1) USA (2) ex-URSS (3) France. (4) G.-B. (5) P.-Bas. (6) All. féd. (7) All. dém. (8) Pologne. (9) Suède. (10) Suisse. (11) Italie. (12) Hongrie. (13) Yougoslavie. (14) Finlande. (15) Tchécoslovaquie. (16) Belgique. (17) Bulgarie. (18) Danemark. (19) Espagne. (20) Roumanie. (21) Autriche. (22) Grèce. (23) Portugal. (24) Jamaïque. (25) Brésil. (26) Maroc. (27) Irlande. (28) Australie. (29) Éthiopie. (30) Chine. (31) Nigeria. (32) Cuba. (33) Mexique. (34) Canada. (35) Norvège. (36) Kenya. (37) Somalie. (38) Djibouti. (39) Pologne. (40) Namibie. (41) Algérie. (42) Allemagne réunifiée. (43) Zambie.

Outre les épreuves citées ci-dessous, il faut énumérer les jeux Olympiques modernes (créés 1896, voir p 1787), les Jeux de l'Empire britannique et du Commonwealth (1930), les Jeux Panaméricains (1951), Jeux Asiatiques (1951), Jeux Africains (1965) irréguliers, Jeux de l'Amérique centrale et des Caraïbes (1926), Jeux Bolívar (réservés dep. 1938 aux nations d'Am. du S. affranchies par lui), Jeux des îles de l'océan Indien (1979), Jeux Méditerranéens (1951), Maccabiades (Israël), Jeux Universitaires (1923), Championnats d'Amérique du S. (1919, irréguliers), Ch. Nordiques et Jeux Balkaniques, Ch. Militaires internationaux annuels, Spartakiades (1955). La plupart ont lieu tous les 4 ans.

■ CHAMPIONNATS DU MONDE EN PLEIN AIR

Lieux : 1er *1983* Helsinki. 2e *1987* Rome. 3e *1991* Tōkyō. Dep. 1991, tous les 2 ans.

■ **Hommes. 100 m. 83** *1* C. Lewis [1] 10"07. *2* C. Smith [1] 10"21. *3* E. King [1] 10"24. **87** *1* Lewis [1] 9"93. **91** *1* Lewis [1] 9"86. *2* Burrell [1] 9"88. *3* Mitchell [1] 9"91. **200 m. 83** *1* C. Smith [1] 20"14. *2* E. Quow [1] 20"41. *3* P. Mennea [11] 20"51. **87** *1* Smith [1] 20"16. *2* Quénéhervé [3] 20"16. *3* Regis [4] 20"18. **91** *1* Johnson [1] 20"01. *2* Fredericks [40] 20"34. *3* Mahorn [34] 20"49. **400 m. 83** *1* B. Cameron [24] 45"05. *2* M. Franks [1] 45"22. *3* S. Nix [1] 45"24. **87** *1* Schoenlebe [7] 44"33. *2* Egbunike [31] 44"56. *3* Reynolds [1] 44"80. **91** *1* Pettigrew [1] 44"57. *2* Black [4] 44"62. *3* Everett [1] 44"63. **800 m. 83** *1* Wulbeck [6] 1'43"65. *2* R. Druppers [5] 1'44"20. *3* J. Cruz [25] 1'44"27. **87** *1* Konchellah [36] 1'43"06. *2* Elliott [4] 1'43"41. *3* Barbosa [25] 1'43"76. **91** *1* Konchellah [35] 1'43"99. *2* Barbosa [25] 1'44"24. *3* Everett [1] 1'44"67. **1 500 m. 83** *1* S. Cram [4] 3'41"59. *2* S. Scott [1] 3'41"87. *3* S. Aouita [26] 3'42"02. **87** *1* Bile [37] 3'36"80. *2* Gonzales [19] 3'38"03. *3* Spivey [1] 3'38"82. **91** *1* Morceli [41] 3'32"84. *2* Kirochi [36] 3'34"84. *3* Fuhlbrugge [42] 3'35"28. **5 000 m. 83** *1* E. Coghlan [27] 13'28"53. *2* W. Schildhauer [7] 13'30"20. *3* M. Vainio [14] 13'30"34. **87** *1* Aouita [26] 13'26"44. *2* Castro [25] 13'27"59. *3* Buckner [4] 13'27"74. **91** *1* Ondieki [36] 13'14"45. *2* Bayesa [29] 13'16"64. *3* Boutayeb [26] 13'22"70. **10 000 m. 83** *1* A. Cova [11] 28'01"04. *2* W. Schildhauer [7] 28'01"18. *3* H.J. Kunze [7] 28'01"26. **87** *1* Kipkoech [36] 27'38"63. *2* Panetta [11] 27'48"98. *3* Kunze [7] 27'50"37. **91** *1* Tanui [36] 27'38"74. *2* Chelimo [36] 27'39"41. *3* Skah [26] 27'41"74. **3 000 m steeple. 83** *1* P. Ilg [6] 8'15"06. *2* B. Maminski [8] 8'17"03. *3* C. Reitz [4] 8'17"75. **87** *1* Panetta [11] 8'8"57. *2* Melzer [7] 8'10"32. *3* Van Dijck [5] 8'12"18. **91** *1* Kiptanui [36] 8'12"59. *2* Sang [36] 8'13"44. *3* Brahmi [41] 8'15"54.

110 m haies. 83 *1* G. Foster [1] 13"42. *2* A. Bryggare [14] 13"46. *3* W. Gault [1] 13"48. **87** *1* Foster [1] 13"21. *2* Ridgeon[4] 13"29. *3* Jackson [4] 13"38. **91** *1* Foster [1] 13"06. *2* Pierce [1] 13"06. *3* Jarrett [4] 13" 25. **400 m haies. 83** *1* E. Moses [1] 47"50. *2* H. Schmid [6] 48"61. *3* A. Kharlov [2] 49"03. **87** *1* Moses [1] 47" 46. *2* Harris [1] 47"48. *3* Schmid [6] 47"48. **91** *1* Matete [43] 47"64. *2* Graham [24] 47"74. *3* Akabusi [4] 47"86.

Hauteur (en m). 83 *1* G. Avdeienko [2] 2,32. *2* T. Peacock [1] 2,32. *3* J. Zhu [30] 2,29. **87** *1* Sjoeberg [9] 2,38 m. *2* Paklin [2] et Avdeienko [2] 2,38. **91** *1* Austin [1] 2,38. *2* Sotomayor [32] 2,36. *3* Conway [1] 2,36. **Longueur (en m). 83** *1* C. Lewis [1] 8,55. *2* J. Grimes [1] 8,29. *3* M. Conley [1] 8,12. **87** *1* Lewis [1] 8,67. *2* Emmyan [2] 8,53. *3* Myricks [1] 8,33. **91** *1* Powell [1] 8,95. *2* Lewis [1] 8,91. *3* Myricks [1] 8,42. **Perche (en m). 83** *1* S. Bubka [2] 5,70. *2* C. Volkov [2] 5,60. *3* A. Tarev [17] 5,60. **87** *1* Bubka [2] 5,85. *2* Vigneron [3] 5,80. *3* Gataulin [2] 5,80. **91** *1* Bubka [2] 5,95. *2* Bagyula [12] 5,90. *3* Tarasov [2] 5,85. **Triple saut (en m). 83** *1* Z. Hoffman [8] 17,42. *2* W. Banks [1] 17,18. *3* A. Agbebaku [31] 17,18. **87** *1* Markov [17] 17,92. *2* Conley [1] 17,67. *3* Sakirkin [2] 17,43. **91** *1* Harrison [1] 17,78. *2* Voloshin [2] 17,75. *3* Conley [1] 17,62. **Poids (en m). 83** *1* E. Sarul [8] 21,39. *2* U. Timmermann [7] 21,16. *3* R. Machura [15] 20,98. **87** *1* Guenthör [10] 22,23. *2* Andrei [11] 21,88. *3* Brenner [1] 21,75. **91** *1* Günthor [9] 21,67. *2* Andersen [35] 20,81. *3* Nilsen [35] 20,75. **Disque (en m). 83** *1* I. Bugar [15] 67,72. *2* L. Delis [32] 57,36. *3* G. Valent [15] 66,08. **87** *1* Schult [7] 68,74. *2* Powell [1] 66,22. *3* Delis [32] 66,02. **91** *1* Riedl [42] 66,20. *2* De Bruin [5] 65,82. *3* Horvath [12] 65,32. **Javelot (en m). 83** *1* D. Michel [7] 89,48. *2* T. Petranoff [1] 85,60. *3* D. Kula [2] 85,58. **87** *1* Raty [14] 83,54. *2* Evsukov [2]. *3* Zelezny [15]. **91** *1* Kinnunen [14] 90,82. *2* Raty [14] 88,12. *3* Sasinovich [2] 87,08. **Marteau (en m). 83** *1* S. Litvinov [2] 82,68. *2* Y. Sedykh [2] 80,96. *3* Z. Kwasny [8] 79,42. **87** *1* Litvinov [2] 83,06. *2* Tamm [2] 80,84. *3* Haber [7] 80,76. **91** *1* Sedykh [2] 81,70. *2* Astapkovich [2] 80,94. *3* Weiss [42] 80, 44. **Décathlon (en points). 83** *1* D. Thompson [4] 8 666. *2* J. Hingsen [6] 8 561. *3* S. Wentz [6] 8 478. **87** *1* Voss [7] 8 680. *2* Wentz [6] 8 461. *3* Tarnovetsky [2] 8 375. **91** *1* O'Brien [1] 8 812. *2* Smith [34] 8 549. *3* Schenk [42] 8 394.

4 × 100 m. 83 *1* USA (E. King, W. Gault, C. Smith, C. Lewis) 37"86. *2* Italie (S. Tilli, C. Simionato, P.F. Pavoni, P. Mennea) 38"37. *3* URSS (A. Prokofiev, N. Sidorov, V. Muraviev, V. Bryzgine) 38"41. **87** *1* USA (McRae, McNeil, Glance, Lewis) 37"90. *2* URSS (Evgeniev, Bryzgin, Murayev, Krylov) 38"02. *3* Jamaïque (Mair, Smith, Wright, Stewart) 38"41. **91** *1* USA (Cason, Burrell, Mitchell, Lewis) 37"50. *2* France (Morinière, Sangouma, Trouabal, Marie-Rose) 37"87. *3* G.-B. (Jarett, Regis, Braithwaite, Christie) 30"09. **4 × 400 m. 83** *1* URSS (S. Lovatchev, A. Trochilo, N. Chernetsky, V. Markin) 3'00"79. *2* All. féd. (E. Skamrahl, J. Vaihinger, H. Schmid, H. Weber) 3'01"83. *3* G.-B. (A. Bennett, G. Cook, T. Bennett, P. Brown) 3'03"53. **87** *1* USA (Everett, Haley, Reynolds, McKay) 2'57"29. *2* G.-B. (Redmond, Akabusi, Black, Brown) 2'58"86. *3* Cuba (Penalver, Pavo, Martínez, Hernández) 2'59"16. **91** *1* G.-B. (Black, Redmond, Regis, Akabusi) 2'57"53. *2* USA (Valmon, Watts, Everett, Pettigrew) 2'57"57. *3* Jamaïque (O'Connor, Morris, Graham, Fagan) 3'0"10. **20 km marche. 83** *1* E. Canto [33] 1 h 20'49". *2* J. Pribilinec [15] 1 h 20'59". *3* E. Yevsukov [2] 1 h 21'06". **87** *1* Damilano [11] 1 h 20'45". *2* Pribilinec [15] 1 h 21'7". *3* Marin [19] 1 h 21'24". **91** *1* Damilano [11] 1 h 19'37". *2* Tchenikov [2] 1 h 19'46". *3* Mysula [2] 1 h 20'22". **50 km marche. 83** *1* R. Weigel [7] 3 h 43'08". *2* J. Marin [19] 3 h 46'42". *3* S. Iung [2] 3 h 49'03". **87** *1* Gauder [7] 3 h 40'53". *2* Weigel [7] 3 h 41'30". *3* Ivanenko [2] 3 h 44'2". **91** *1* Potashov [2] 3 h 53'09". *2* Perlov [2] 3 h 53'09". *3* Gauder [42] 3 h 55'14".

■ **Dames. 100 m. 83** *1* M. Goehr [7] 10"97. *2* M. Koch [7] 11"02. *3* D. Williams [34] 11"06. **87** *1* Gladisch [7] 10"90. *2* Dreschler [7] 11". *3* Ottey [24] 11"04. **91** *1* Krabbe [42] 10"99. *2* Torrence [1] 11"03. *3* Ottey [24] 11"06. **92** *1* Ottey [24] 10"80. *2* Cuthbert [24] 10"89. **200 m. 83** *1* M. Koch [7] 22"13. *2* M. Ottey [24] 22"19. *3* K. Cook [4] 22"37. **87** *1* Gladisch [7] 21"74. *2* Griffith [1] 21"96. *3* Ottey [24] 22"06. **91** *1* Krabbe [42] 22"09. *2* Torrence [1] 22"16. *3* Ottey [24] 22"21. **400 m. 83** *1* J. Kratochvilova [15] 47"99. *2* T. Kocembova [15] 49"59. *3* M. Piningina [2] 49"19. **87** *1* Bryzgina [2] 49"38. *2* Mueller [7] 49"94. **91** *1* Pérec 49"13. *2* Bruer [42] 49"42. *3* Myers [19] 49"78. **800 m. 83** *1* J. Kratochvilova [15] 1'54"68. *2* L. Gurina [2] 1'56"11. *3* E. Podkopaeva [2] 1'57"58. **87** *1* Wodars [7] 1'55"26. *2* Wächtel [7] 1'55"32. *3* Gurina [2] 1'55"56. **91** *1* Nurutdinova [2] 1'57"50. *2* Quirot [32] 1'57"55. *3* Kovacs [20] 1'57"58. **1 500 m. 83** *1* M. Decker [1] 4'00"90. *2* Z. Zaitseva [2] 4'01"19. *3* E. Podkopaieva [2] 4'02"25. **87** *1* Samolenko [2] 3'58"56. *2* Koerner [7] 3'58"67. *3* Gasser [10] 3'59"06. **91** *1* Boulmerka [41] 4'02"21. *2* Dorovskikh [2] 4'02"58. *3* Rogachova [2] 4'02"72. **3 000 m. 83** *1* M. Decker [1] 8'34"62. *2* B. Kraus [6] 8'35"11. *3* T. Kazankina [2] 8'35"13. **87** *1* Samolenko [2] 8'38"73. 2 Pulca [20] 8'39"45. *3* Bruns [7] 8'40"30. **91** *1* Dorovskikh [2] 8'35"82. *2* Romanova [2] 8'36"06. *3* Sirma [36] 8'39"41. **10 000 m. 87** *1* Kristiansen [35] 31'5"85. *2* Zhupieva [2] 31'9"40. *3* Ullrich [7] 31'11"34. **91** *1* McColgan [4] 31'14"31. *2* Zhong [30] 31'35"08. *3* Wang [30] 31'35"99. **100 m haies. 83** *1* B. Jahn [7] 12"35. *2* K. Knabe [7] 12"42. *3* Zagortcheva [17] 12"62. **87** *1* Zagorcheva [17] 12"34. *2* Uibel [7] 12"44. *3* Oschkenat [7] 12"46. **91** *1* Narochilenko [2] 12"59. *2* Devers-Roberts [1] 12"63. *3* Grigorieva [2] 12"69. **400 m haies. 83** *1* E. Fessenko [2] 54"14. *2* A. Ambrozene [2] 54"15. *3* E. Fiedler [7] 54"55. **87** *1* Busch [7] 53"62. *2* Flintoff-King [28] 54"19. *3* Ulrike [7] 54"31. **91** *1* Ledovskaya [2] 53"11. *2* Gunnell [4] 53"16. *3* Vickers [2] 53"47.

Hauteur (en m). 83 *1* T. Bykova [2] 2,01. *2* U. Meyfarth [6] 1,99. *3* I. Ritter [1] 1,95. **87** *1* Kostadinova [17] 2,09. *2* Bykova [2] 2,04. *3* Beyer [7] 1,99. **91** *1* Henkel [42] 2,05. *2* Yelesina [2] 1,98. *3* Babakova [2] 1,96. **Longueur (en m). 83** *1* H. Daute [7] 7,27. *2* A. Cusmir [20] 7,15. *3* C. Lewis [1] 7,04. **87** *1* Joyner-Kersee [1] 7,36. *2* Belevskaya [2] 7,14. *3* Dreschler [7] 7,13. **91** *1* Joyner-Kersee [1] 7,32. Drechsler [42] 7,29. *3* Berezhnaya [2] 7,11. **Poids (en m). 83** *1* H. Fibingerova [15] 21,05. *2* H. Knorrscheidt [7] 20,70. *3* I. Slupianek [7] 20,56. **87** *1* Lisovskaia [2] 21,24. *2* Neimke [7] 21,21. *3* Mueller [7] 20,76. **91** *1* Huang [30] 20,83. *2* Lisovskaia [2] 20,29. *3* Krivelyova [2] 20,16. **Disque (en m). 83** *1* M. Opitz [7] 68,94. *2* G. Murachova [2] 67,44 m. *3* M. Petkova [17] 66,44. **87** *1* Hellmann [7] 71,62. *2* Gansky [7] 70,12. *3* Khristova [17] 68,82. **91** *1* Khristova [17] 71,02. *2* Wyludola [42] 69,12. *3* Mikhalchenko [2] 68,26. **Javelot (en m). 83** *1* T. Liliak [14] 70,82. *2* F. Whitbread [4] 69,14. *3* A. Verouli [22] 65,72. **87** *1* Whitbread [4] 76,64. *2* Felke [7] 71,76. *3* Peters [6] 68,82. **91** *1* Xu [30] 68,78. *2* Meier [42] 68,68. *3* Renk [42] 66, 80. **Heptathlon (en points). 83** *1* R. Neubert [7] 6 714. 2 S. Paetz [7] 6 652. *3* A. Vater [7] 6 532. **87** *1* Joyner [1] 7 128. *2* Nikitina [2] 6 564. *3* Frederick [1] 6 502. **91** *1* Braun [42] 6 672. *2* Nastase [20] 6 493. *3* Byelova [2] 6 448.

4 × 100 m. 83 *1* All. dém. (S. Gladisch, M. Koch, I. Auesswald, M. Goehr) 41"76. *2* G.-B. (J. Baptiste, K. Cook, B. Callender, S. Thomas) 42"71. *3* Jamaïque (L. Hodges, J. Pusey, J. Cuthbert, M. Ottey) 42"73. **87** *1* USA (Brown, Williams, Griffith, Marshall) 41"58. *2* All. dém. (Gladisch, Oschkenat, Behrendt, Goehr) 41"95. *3* URSS (Silusar, Pomoschnikova, German, Antonova) 42"33. **91** *1* Jamaïque (Duhaney, Cuthbest, Mc Donald, Ottey) 41"94. *2* URSS (Kotvum, Malchugina, Vinogradova, Privalova) 42"20. *3* All. (Breuer, Krabbe, Richter, Drechsler) 42"33. **4 × 400 m. 83** *1* All. dém. (K. Walther, S. Busch, M. Koch, D. Rubsam) 3'19"*73*. *2* Tchécosl. (T. Kocembova, Z. Moravcikova, M. Matejkovicova, J. Kratochvilova) 3'20"32. *3* URSS (E. Korban, M. Ivanova, I. Baskakova, M. Piningina) 3'21"*16*. **87** *1* All. dém. (Neubauer, Emmelmann, Mueller, Busch) 3'18"63. *2* URSS (Turchenko, Butnik, Nazarova, Pinigina, Bryzgina) 3'19"50. *3* USA (Dixon, Howard, Bricco, Leatherwood) 3'21"04. **91** *1* URSS (Ledovskaya, Dzhigalova, Nazarova, Bryzgina) 3'18"43. *2* USA (Stevens, Dixon, Miles, Leatherwood) 3'20"15. *3* All. (Rohlander, Krabbe, Wachtel, Breuer) 3'21"25. **10 km marche. 87** *1* Strakhova [2] 44'12"04. *2* Saxby [28] 44'23". *3* Yan [30] 44'42". **91** *1* Ivanova [2] 42"57. *2* Svensson [9] 43"13. *3* Essayah [14] 43"13.

■ COUPE DU MONDE

Créée 1977, tous les 2 ans jusqu'en 1981 ; tous les 4 ans ensuite. **Équipes :** USA, 2 premiers pays de la Coupe d'Europe des Nations, Amérique, Afrique, Asie, Océanie et « reste de l'Europe ».

Hommes. 1977 All. dém. 127 pts, *2* USA 120. **79** *1* USA 119. *2* Europe 112. *3* All. dém. 108. **81** *1* Europe 147. *2* All. dém. 130. *3* USA 127. **85** *1* USA 123, *2* All. dém. 113, *3* URSS 111. **89** *1* USA 133, *2* Europe 127, *3* G.-B. 119. **92** Afrique 115, *2* G.-B. 103, Europe 99. **Dames. 1977** Europe 109 pts. **79** *1* All. dém. 105. *2* URSS 97. *3* Europe 96. **81** *1* All. dém. 120,5. *2* Europe 110. *3* URSS 98. **85** *1* All. dém. 121, *2* URSS 105,5, *3* Europe 86. **89** *1* All. dém. 124, *2* URSS 106, *3* USA 94. **92** ex-URSS 102, *2* Europe 94, *3* Amériques 79.

■ COUPE D'EUROPE DES NATIONS

Créée 1965, annuelle dep. 1993.

Hommes. 1965 *1* URSS *2* All. féd. *3* Pologne. **1967** *1* URSS *2* All. dém. *3* All. féd. **70** *1* All. dém. *2* URSS *3* All. féd. **1973** *1* URSS *2* All. dém. *3* All. féd. **75** *1* All. dém. *2* URSS *3* Pologne. **77** *1* All. dém. *2* All. féd. *3* URSS **79** *1* All. dém. *2* URSS *3* All. féd. **81** *1* All. dém. *2* URSS *3* G.-B. **83** *1* All. dém. *2* URSS *3* All. féd. **85** *1* URSS *2* All. dém. *3* All. féd. **87** *1* URSS *2* All. dém. *3* G.-B. **89** *1* G.-B. *2* All. dém. *3* URSS **91** *1* URSS, *2* G.-B., *3* All.

Dames. 1965 *1* URSS *2* All. dém. *3* Pologne. **67** *1* URSS *2* All. dém. *3* All. féd. **70** *1* All. dém. *2* All. féd. *3* URSS **73** *1* All. dém. *2* URSS *3* Bulgarie. **75** *1* All. dém. **77** *1* All. dém. *2* URSS *3* G.-B. **79** *1* All.

dém. *2* URSS *3* Bulgarie. **81** *1* All. dém. *2* URSS *3* All. féd. **83** *1* All. dém. *2* URSS *3* Tchéc. **85** *1* URSS *2* All. dém. *3* G.-B. **87** *1* All. dém. **89** *1* All. dém. *2* URSS 3e G.-B. **91** *1* URSS, *2* All., *3* G.-B.

Championnats d'Europe en plein air

Hommes. **Créés** en 1932, 1res épreuves en 1934. Tous les 4 ans. Alternent avec les JO. Au moment de la création de la Coupe d'Europe, ont été placés les années impaires, puis replacés tous les 4 ans. **Dames.** **Créés** 1938. Tous les 4 ans dep. 1981.

■ **Hommes. 100 mètres.** **58** Hary [6] 10″3. **62** Piquemal [3] 10″4. **66** Maniak [8] 10″5. **69** Borzov[2] 10″4. **71** Borzov [2] 10″3. **74** Borzov [2] 10″27. **78** Mennea [11] 10″27. **82** Emmelmann [7] 10″21. **86** Christie [4] 10″15. **90** Christie [4] 10″ **200 m.** **58** Germar [6] 21″2. **62** Jonsson [9] 20″7. **66** Bambuck [3] 20″9. **69** Clerc [10] 20″6. **71** Borzov [2] 20″3. **74** Mennea [11] 20″60. **78** Mennea [11] 20″16. **82** Prenzler [7] 20″46. **86** Krylov [2] 20″52. **90** Regis [4] 20″11 **400 m.** **58** Wrighton [4] 46″3. **62** Brightwell [4] 45″9. **66** Gredzinski [8] 46″. **69** Werner [8] 45″7. **71** Jenkins [4] 45″5. **74** Honz [6] 45″04. **78** Hofmeister [6] 45″73. **82** Weber [6] 44″72. **86** Black [4] 44″59. **90** Black [4] 45″08. **800 m.** **58** Rawson [4] 1′47″8. **62** Matuchewski [7] 1′50″5. **66** Matuchewski [7] 1′45″9. **69** Fromm [7] 1′45″9. **71** Arzhanov [2] 1′45″6. **74** Susanj [13] 1′44″1. **78** Beyer [7] 1′43″80. **82** Ferner [6] 1′46″33. **86** Coe [4] 1′44″50. **90** McKean [4] 1′44″76. **1 500 m.** **58** Hewson [4] 3′41″9. **62** Jazy [3] 3′40″9. **66** Tummler [6] 3′41″9. **69** Whetton [4] 3′39″4. **71** Arese [11] 3′38″4. **74** Justus [7] 3′40″6. **78** Ovett [4] 3′35″60. **82** Cram [4] 3′36″49. **86** Cram [4] 3′41″09. **90** Herold [7] 3′28″25. **5 000 m.** **58** Kryzkowiak [8] 13′53″4. **62** Tulloh [4] 13′40″6. **66** Jazy [3] 13′42″8. **69** Stewart [4] 13′44″8. **71** Vaatainen [14] 13′32″6. **74** Foster [4] 13′17″2. **78** Ortis [11] 13′28″50. **82** Wessinghage [6] 13′28″90. **86** Buckner [4] 13′10″15. **90** Antibo [11] 13′22″ **10 000 m.** **58** Kryzkowiak [8] 28′56″. **62** Bolotnikov [2] 28′54″. **66** Haase[7] 28′26″. **69** Haase [7] 28′41″6. **71** Vaatainen [14] 27′52″8. **74** Kuschman [7] 28′25″8. **78** Vaino [14] 27′31″. **82** Cova [11] 27′41″03. **86** Mei [11] 27′56″79. **90** Antibo [11] 27′41″27. **Marathon.** **58** Popov [2] 2 h 15′17″. **62** Kilby [4] 2 h 23′18″. **66** Hogan [4] 2 h 20′4″. **69** Hill [4] 2 h 16′47″. **71** Lismont [16] 2 h 13′9″. **74** Thompson [4] 2 h 13′18″. **78** Mosseiev [2] 2 h 11′57″5. **82** Nijboer [5] 2 h 15′16″. **86** Bordin [11] 2 h 10′54″. **90** Bordin [11] 2 h 14′02″.

110 m haies. **58** Lauer (All.) 13″7. **62** Mikhailov [2] 13″8. **66** Ottoz [11] 13″7. **69** Ottoz [11] 13″5. **71** Siebeck [7] 14″. **74** Drut [3] 13″40. **78** Munkelt [7] 13″54. **82** Munkelt [7] 13″41. **86** Caristan [3] 13″20. **90** Jackson [4] 13″18. **400 m haies.** **58** Lituiev [2] 51″1. **62** Morale [11] 49″3. **66** Frinolli [11] 49″8. **69** Skomorokhov [2] 49″7. **71** Nallet [3] 49″2. **74** Pascoe [4] 48″82. **78** Schmidt [6] 48″51. **82** Schmidt [6] 47″48. **86** Schmid [6] 48″65. **90** Akabusi [4] 47″92. **3 000 m steeple.** **58** Chromik [8] 8′38″2. **62** Roelants [16] 8′32″9. **66** Kudynski [2] 8′26″6. **69** Zelev [17] 8′25″2. **71** Villain [3] 8′25″2. **74** Malinowski [8] 8′15″. **78** Malinowski [8] 8′15″10. **82** Ilg [6] 8′18″52. **86** Meltzer [7] 8′16″65. **90** Panetta [11] 8′12″66. **4 × 100 m.** **58** All. 40″2. **62** All. 39″5. **66** France 39″4. **69** France 38″8. **71** Tchéc. 39″3. **74** France 38″69. **78** Pologne 38″58. **82** URSS 38″60. **86** U.R.S.S. 38″29. **90** France 37″79. **4 × 400 m.** **58** G.-B. 3′7″9. **62** All. 3′05″8. **66** Pol. 3′4″5. **69** France 3′02″3. **71** All. féd. 3′02″9. **74** G.-B. 3′3″3. **78** All. féd. 3′02″00. **82** All. féd. 3′00″51. **86** G.-B. 2′59″84. **90** G.-B. 2′58″22.

Hauteur (en m). **58** Dahl [14] 2,12. **62** Brumel [2] 2,21. **66** Madubost [3] 2,12. **69** Gavrilov [2] 2,17. **71** Chapka [2] 2,20. **74** Toerring [18] 2,25. **78** Yatchenko [2] 2,30. **82** Moegenburg [6] 2,30. **86** Paklin [2] 2,34. **90** Topic [13] 2,34. **Perche (en m).** **58** Landstrœm [14] 4,50. **62** Nikula [14] 4,80. **66** Nordwig [7] 5,10. **69** Nordwig [7] 5,30. **71** Nordwig [7] 5,35. **74** Kichkune [2] 5,35. **78** Trofimenko [2] 5,55. **82** Krupsky [2] 5,60. **86** Bubka [2] 5,85. **90** Gatauline [2] 5,85. **Longueur (en m).** **58** Ter Ovanessian [2] 7,81. **62** Ter Ovanessian [2] 8,19. **66** Davies [4] 7,98. **69** Ter Ovanessian [2] 8,17. **71** Klauss [7] 7,92. **74** Podluzny [2] 8,12. **78** Rousseau [3] 8,18. **82** Dombrowski [7] 8,41. **86** Emmian [2] 8,41. **90** Haaf [6] 8,25. **Triple saut (en m).** **58** Szmidt [8] 16,43. **62** Szmidt [8] 16,55. **66** Stoïkovski [17] 16,67. **69** Saneev [2] 17,34. **71** Drehmel [1] 17,16. **74** Saneev [2] 17,23. **78** Srejovic [13] 16,94. **82** Connor [4] 17,29. **86** Markov [17] 17,66. **90** Voloshin [2] 17,74. **Poids (en m).** **58** Rowe [4] 17,76. **62** Varju [12] 19,02. **66** Varju [12] 19,43. **69** Hoffmann [7] 20,12. **71** Briesenick [7] 21,08. **74** Briesenick [7] 20,50. **78** Beyer [7] 21,08. **82** Beyer [7] 21,50. **86** Guenthoer [10] 22,82. **90** Timmermann [7] 21,32 **Disque (en m).** **58** Piatkowski [8] 53,92. **62** Trusseniev [2] 57,11. **66** Thorith [7] 57,42. **69** Losch [7] 62,62. **71** Danek [15] 63,90. **74** Kahma [14] 63,62. **78** Schmidt [7] 66,82. **82** Bugar [15] 66,64. **86** Ubartas [2] 67,08. **90** Schult [7] 64,58. **Marteau (en m).** **58** Rut [8] 64,68. **62** Szyvotski [2] 69,64. **66** Klim [2] 70,02. **69** Bondartchuk [2] 74,58. **71** Beyer [6] 72,36. **74** Spiridonov [2] 74,70. **78** Sedykh [2] 77,28. **82** Sedykh [2] 81,66. **86** Sedykh [2] 86,74. **90** Astapkovich [2] 84,14. **Javelot (en m).** **58** Sildo [8] 80,18. **62** Lusis [2] 82,04. **66** Lusis [2] 84,48. **69** Lusis [2] 91,52. **71** Lusis [2] 90,68. **74** Siitonen [14] 89,58. **78** Wessing [6] 89,12. **82** Hohn [7] 91,34. **86** Tafelmeier [6] 84,76. **90** Backley [4] 87,30. **20 km marche.** **58** Vickers [4] 1 h 33′09″. **62** Matthews [4] 1 h 35′54″. **66** Lindner [7] 1 h 29′25″. **69** Nihill [4] 1 h 30′49″. **71** Smaga [2] 1 h 2′22″. **74** Golubnichy [2] 1 h 29′30″. **78** Wieser [7] 1 h 23′11″5. **82** Marin [19] 1 h 23′43″. **86** Pribilinec [15] 1 h 21′15″. **90** Blazek [15] 1 h 22′05″ **50 km marche.** **58** Mazinkov [2] 4 h 17′15″. **62** Pamich [11] 4 h 18′42″. **66** Pamich [11] 4 h 18′42″. **69** Hoehne [5] 4 h 13′32″. **71** Soldatenko [2] 4 h 2′22″. **74** Hoehne [7] 3 h 59″5. **78** Llopart [19] 3 h 53′29″9. **82** Salonen [14] 3 h 55′29″. **86** Gauder [7] 3 h 40′55″. **90** Perlov [2] 3h 54′36″

Décathlon (en points). **58** Kuznetzov [2] 7 865. **62** Kuznetzov [2] 8 206. **66** Von Moltke [6] 7 740. **69** Kirst [7] 8 401. **71** Kirst [7] 8 195. **74** Skowronek [8] 8 200. **78** Grebeniuk [2] 8 340. **82** Thompson [4] 8 743. **86** Thompson [4] 8 811. **90** Plaziat [3] 8574.

■ **Dames. 100 mètres.** **58** Young [2] 11″7. **62** Hyman [4] 11″3. **66** Klobukowska [8] 11″5. **69** Vogt [7] 11″6. **71** Stecher [7] 11″4. **74** Szewinzka [8] 11″01. **78** Goehr-Oelsner [7] 11″13. **82** Goehr [7] 11″1. **86** Goehr [7] 10″91. **90** Krabbe [7] 10″89. **200 m.** **58** Janiszewska [8] 24″01. **62** Heine [7] 23″5. **66** Kirzenstein [8] 23″1. **69** Vogt [7] 23″2. **71** Stecher [7] 22″7. **74** Szewinska [8] 22″5. **78** Kondratieva [2] 22″52. **82** Woeckel [7] 22″04. **86** Drechler [7] 21″71. **90** Krabbe [7] 21″45. **400 m.** **58** Itkina [2] 53″7. **62** Itkina [2] 53″4. **66** Chmelkova [15] 52″9. **69** Duclos [3] 51″7. **71** Seidler [7] 52″1. **74** Salin [14] 50″1. **78** Koch [7] 48″94. **82** Koch [7] 48″15. **86** Koch [7] 48″22. **90** Breuer [7] 49″50. **800 m.** **58** Yermolayeva [2] 2′06″3. **62** Kraan [5] 2′02″8. **66** Nikolic [12] 2′02″8. **69** Board [4] 2′01″4. **71** Nikolic [13] 2″. **74** Tomova [17] 1′58″1. **78** Providokhina [2] 1′55″8. **82** Mineieva [2] 1′55″41. **86** Olizarenko [2] 1′57″15. **90** Wodars [7] 1′55″87. **1 500 m.** **69** Jehlickova [15] 4′10″7. **71** Burneleit [7] 4′09″6. **74** Hoffmeister [7] 4′02″. **78** Romanova [2] 3′59″. **82** Dvirna [2] 3′57″8. **86** Agletdinova [2] 4′01″19. **90** Pajkic [13] 4′08″12. **3 000 m.** **74** Holmen [14] 8′55″2. **78** Ulmasova [2] 8′33″2. **82** Ulmasova [2] 8′30″28. **86** Bondarenko [2] 8′33″99. **90** Murray [4] 8′43″06. **10 000 m.** **86** Kristiansen [35] 30′23″25. **90** Romanova [2] 31′46″83. **80 m haies.** **58** Bustrova [2] 10″9. **62** Ciepla [8] 10″6. **66** Balzer [7] 10″7. **100 m haies.** **69** Balzer [7] 13″3. **71** Balzer [7] 12″9. **74** Erhardt [7] 12″7. **78** Klier [7] 12″62. **82** Kalek [8] 12″45. **86** Donkova [17] 12″38. **90** Éwanje-Épée [3] 12″79. **400 m haies.** **78** Zelentsova [2] 45″89. **82** Skoglund [9] 54″58. **86** Stepanova [2] 53″32. **90** Ledovskaya [2] 53″62.

Hauteur (en m). **58** Balas [20] 1,77. **62** Balas [20] 1,83. **66** Tchenchik [2] 1,75. **69** Rezkova [15] 1,83. **71** Gusenbauer [21] 1,87. **74** Witschas [7] 1,95. **78** Simeoni [11] 2,01. **82** Meyfarth [6] 1,97. **86** Kostadinova [17] 2. **90** Henkel [2] 1,99. **Longueur (en m).** **58** Jakobi [6] 6,14. **62** Chelkanova [2] 6,37. **66** Kirszenstein [8] 6,55. **69** Sarna [8] 6,49. **71** Mickler [6] 6,76. **74** Bruzsenyak [12] 6,65. **78** Bardauskene [2] 6,88. **82** Ionescu [20] 6,79. **86** Dreschler [7] 7,27. **90** Drechsler [7] 7,30. **Poids (en m).** **58** Werner [6] 15,74. **62** Prfiess [2] 18,55. **66, 69, 71, 74** Chizova [2] 17,22, 20,43 m, 20,16, 20,78. **78** Splupianek 21,41. **82** Slupianek [7] 21,59. **86** Krieger [7] 21,10. **90** Kumbernuss [7] 20,38. **Disque (en m).** **58** Press [2] 52,32. **62** Press [2] 56,91. **66** Spielberg [7] 57,76. **69** Danilova [2] 59,28. **71** Myelnik [2] 64,22. **74** Myelnik [2] 69. **78** Jahl [7] 66,98. **82** Christova [17] 68,34. **86** Sachse [7] 71,36. **90** Willuda [7] 68,46. **Javelot (en m).** **58** Zatopkova [15] 56,02. **62** Ozolina [2] 54,93. **66** Luttge [7] 58,74. **69** Ranky [12] 56,76. **71** Jaworska [8] 61. **74** Fuchs [7] 67,22. **78** Fuchs [7] 69,16. **82** Verouli [22] 70,02. **86** Whitbread [4] 76,32. **90** Alfrantti [14] 67,68. **Pentathlon (en points).** **58** Bystrova [2] 4 733. **62** Bystrova [2] 4 833. **66** Tikhomirova[2] 4 787. **69** Prokop [21] 5 030. **71** Rosendahl [6] 5 299. **74** Tkachenko [2] 4 776. **78** Papp [12] 4 655. **Heptathlon (en points).** **82** Neubert [7] 6 622. **86** Behmer [7] 6 617 pts. **90** Braun [6] 6688.

4 × 100 m. **58** URSS 45″3. **62** Pologne 44″5. **66** Pologne 44″4. **69** All. dém. 43″6. **71** All. féd. 43″3. **74** All. dém. 42″5. **78** URSS 42″54. **82** All. dém. 42″19. **86** All. dém. 41″84. **90** All. dém. 41″68. **4 × 400 m.** **69** G.-B. 3′30″8. **71** All. dém. 3′29″3. **74** All. dém. 3′25″2. **78** All. dém. 3′21″2. **82** All. dém. 3′19″04. **86** All. dém. 3′16″87. **90** All. dém. 3′21″02′ **Marathon.** **82** Mota [23] 2 h 36′04″. **86** Mota [23] 2 h 28′38″. **90** Mota [23] 2 h 31′27″ **10 km marche.** **86** Diaz [19] 46′9″. **90** Sidoti [11] 44′.

Championnats de France (plein air)

En France, les premières compétitions furent organisées vers 1880 par les élèves des lycées Condorcet et Rollin dans la salle des Pas-Perdus de la gare St-Lazare. Les Ch. de France masculins furent créés le 29-4-1888 (féminins 1918).

■ **Hommes. 100 m** **79** Lejoncour. **80** Panzo. **81, 82, 83** Richard. **84** Marie-Rose. **85, 86** Richard. **87, 88** Morinière. **89** Marie-Rose. **90, 91** Sangouma. **92, 93** Trouabal. **200 m** **78, 79** Barré. **80** Arame. **81** Barré. **82** Lomba. **83, 84** Boussemart. **85** Richard. **86, 87** Marie-Rose. **88** Trouabal. **89** Quénehervé. **90, 91, 92, 93** Trouabal. **400 m** **78, 79** Demarthon. **80** Dubois. **81** Bourdin. **82** Barré. **83** Canti. **84** Quentrec. **85** Canti. **86, 87** Quentrec. **88** Barré. **89, 90, 91** Noirot. **92, 93** Diagana. **800 m** **78, 79, 80** Milhau. **81** Dupont. **82** Marajo. **83, 84, 85** Dupont. **86** Diomar. **87** Collard. **88** Diomar. **89** Vialette. **90** Sillé. **91** Vialette. **92** Cornette. **93** Vialette. **1 500 m** **78, 79** F. Gonzalez. **80** Bégouin. **81, 82** A. Gonzalez. **83** Dien. **84, 85, 86** Thiébaut. **87** Geoffroy. **88, 89, 90** Phélippeau. **91** Nunige. **92** Thiébaut. **93** Dubus. **5 000 m** **79** Coux. **80** Legrand. **81** Bouster. **82** Boxberger. **83** Watrice. **84** F. Gonzalez. **85** Prianon. **86, 87, 88** Arpin. **89** Clouvel. **90** Prianon. **91** Essaïd. **92** Martins. **93** Choumassi. **10 000 m** **78** Bouster. **79** Coux. **80, 81** Bouster. **82, 83, 84** Legrand. **86** Prianon. **87** Legrand. **88** Pantel. **89** Bernard. **90** Arpin. **91** Istweire. **92** Pantel. **93** Essaïd. **110 m haies** **78, 79** Raybois. **80** Drut. **81, 82** Hatil. **83, 84, 85, 86** Caristan. **87** Aubert. **88, 89, 90** Tourret. **91, 92, 93** Philibert. **400 m haies** **79, 80** Chazot. **81, 82** Guillen. **83, 84** Brunel. **85** Gui. **86** Gonigam. **87** Vimbert. **88** Gui. **89** Niaré. **90** Diagana. **91** Moreau. **92** Caristan. **93** Niare. **3 000 m steeple** **78** Lemire. **79** Gauthier. **80, 81, 82, 83, 84, 85** Mahmoud. **86** Debacker. **87, 88** Pannier. **89** Mahmoud. **90, 91** Le Stum. **92** Mahmoud. **93** Brusseau. **Hauteur** **79** Agbo. **80** Tanon. **81** Bonnet. **82, 83, 84** Verzy. **85** Hernandez. **86** Verzy. **87** Gicquel. **88** Hernandez. **89** Vincent. **90** Gicquel. **91, 92** Vincent. **93** Robillard. **Perche** **78, 79** Houvion. **80** Vigneron. **81** Bellot. **82, 83, 84** Quinon. **85** Collet. **86** Vigneron. **87** Salbert. **88, 89** Collet. **90** Salbert. **91, 92** Collet. **93** Calfione. **Longueur** **79** Bohème. **80** Deroche. **81, 82** Pinabel. **83** Deroche. **84** Morinière. **85, 86, 87, 88, 89** Brige. **90** Rapnouil. **91** Lestage. **92, 93** Poussin.

Barème de cotation des épreuves sportives des concours d'entrée aux grandes écoles militaires pour les garçons et, en italique, pour les filles [1]

NOTE	80 m	100 m	600 m	1 000 m	Saut en hauteur (en m)		Lancer de poids (en m)		Grimper 6 m	Grimper 5 m	Natation [2]	
20	*10″7*	11″6	*1′47″*	2′45″9	1,73	*1,40*	14,56	*9,96*	5″4	*5″4*	31″3	*40″4*
19	*10″9*	11″8	*1′49″2*	2′49″3	1,69	*1,36*	13,73	*9,39*	5″8	*5″8*	32″3	*41″7*
18	*11″1*	12″	*1′51″5*	2′52″9	1,64	*1,33*	12,95	*8,86*	6″2	*6″2*	33″4	*43″1*
17	*11″2*	12″2	*1′53″7*	2′56″6	1,60	*1,30*	12,21	*8,35*	6″6	*6″7*	34″4	*44″5*
16	*11″4*	12″4	*1′56″*	3′00″2	1,56	*1,26*	11,51	*7,88*	7″1	*7″2*	35″6	*45″9*
15	*11″6*	12″6	*1′58″3*	3′04″	1,52	*1,23*	10,86	*7,43*	7″7	*7″7*	36″7	*47″4*
14	*11″8*	12″8	*2′00″8*	3′07″9	1,48	*1,20*	10,24	*7,00*	8″2	*8″3*	37″9	*49″*
13	*12″*	13″	*2′03″3*	3′11″9	1,44	*1,17*	9,65	*6,60*	8″8	*8″9*	39″1	*50″5*
12	*12″2*	13″3	*2′05″8*	3′16″	1,40	*1,13*	9,10	*6,23*	9″5	*9″6*	40″4	*52″2*
11	*12″4*	13″5	*2′08″4*	3′20″1	1,36	*1,11*	8,58	*5,87*	10″2	*10″3*	41″7	*53″8*
10	*12″6*	13″7	*2′11″*	3′24″4	1,33	*1,08*	8,09	*5,54*	11″	*11″1*	43″1	*55″6*
9	*12″8*	13″9	*2′13″8*	3′28″8	1,30	*1,05*	7,63	*5,22*	11″8	*12″*	44″5	*57″4*
8	*13″*	14″2	*2′16″4*	3′33″2	1,26	*1,02*	7,20	*4,92*	12″7	*12″9*	45″9	*59″2*
7	*13″3*	14″4	*2′19″2*	3′37″8	1,23	*0,99*	6,79	*4,64*	13″6	*13″9*	47″	*1′01″1*
6	*13″5*	14″7	*2′22″1*	3′42″6	1,20	*0,97*	6,40	*4,38*	14″6	*14″9*	49″	*1′03″1*
5	*13″7*	14″9	*2′25″1*	3′47″3	1,17	*0,94*	6,03	*4,13*	15″7	*16″1*	50″5	*1′05″1*
4	*13″9*	15″2	*2′28″1*	3′52″1	1,13	*0,92*	5,69	*3,89*	16″8	*17″3*	52″2	*1′07″2*
3	*14″2*	15″4	*2′31″2*	3′57″1	1,11	*0,90*	5,37	*3,69*	6 m	*18″6*	53″8	*1′09″4*
2	*14″4*	15″7	*2′34″3*	4′02″3	1,08	*0,88*	5,06	*3,46*	5,5 m	*5 m*	55″6	*1′11″6*
1	*14″7*	16″	*2′37″5*	4′07″5	1,05	*0,86*	4,77	*3,26*	5 m	*4,5 m*	57″4	*1′13″9*

Nota. – (1) En cas de performance intermédiaire, arrondir systématiquement au nombre entier correspondant à la performance immédiatement inférieure et coté sur la table des barèmes. (2) 50 m nage libre.

Records du Monde, d'Europe et de France. Hommes et Dames en plein air (au 26-7-93)

Épreuves	Monde		Europe		France	
Hommes						
100 m	9″86	Carl Lewis (USA août 91).	9″92	Linford Christie (G.-B. 91)	10″02	Daniel Sangouma (COLU 90).
200 m	19″72	Pietro Mennea (Italie 79).	19″72	Pietro Mennea (Italie 79).	20″16	Gilles Quénéhervé (Racing CF 87).
400 m	43″29	Harry Reynolds (USA 88)	44″33	Thomas Schoenlebe (All. dém. 87).	45″07	Olivier Noirot (ASPTT B 91).
800 m	1′41″73	Sebastian Coe (G.-B. 81).	1′41″73	Sebastian Coe (G.-B. 81).	1′43″9	José Marajo (Stade fr. 79).
1 000 m	2′12″18	Sebastian Coe (G.-B. 81).	2′12″18	Sebastian Coe (G.-B. 81).	2′16″6	Philippe Collard (CSC Grande Croix 86).
1 500 m	3′28″86	Nourredine Morcelli (Algérie 92).	3′29″67	Steve Cram (G.-B. 85).	3′33″54	Hervé Phélippeau (APV 90).
Mile	3′46″32	Steve Cram (G.-B. 85).	3′46″32	Steve Cram (G.-B. 85).	3′50″98	José Marajo (Stade fr. 83).
2 000 m	4′50″81	Saïd Aouita (Maroc 87).	4′51″39	Steve Cram (G.-B. 85).	4′56″2	Michel Jazy (CAM 66).
3 000 m	7′28″96	Moses Kiptanui (Kenya 92).	7′32″79	David Moorcroft (G.-B. 82).	7′37″74	Cyrille Laventure (ES Nanterre 90).
5 000 m	12′58″39	Saïd Aouita (Maroc 87).	13′00″41	David Moorcroft (G.-B. 82).	13′14″47	Tony Martins (CMSA 11-8-92).
10 000 m	26′58″38	Yobes Ondieski (Kenya 93).	27′13″81	Fernando Mamede (Port. 84).	27′22″78	Tony Martins (CMSA 92).
20 000 m	56′54″6	Arturo Barrios (Mex. 91).	57′18″4	Dionisio Castro (Port. 90).	58′18″4	Bertrand Itsweire (CMSA 90).
Heure	21,101 km	Arturo Barrios (Mex. 91).	20,944 km	Josephus Hermens (P.-Bas 76).	20,601 km	Bertrand Itsweire (CMSA 90).
25 000 m	1 h 13′55″8	Toshihiko Seko (Japon 81).	1 h 14′16″8	Pekka Paivarinta (Finl. 75).	1 h 15′56″	Dominique Chauvelier (ESSA 92).
30 000 m	1 h 29′18″8	Toshihiko Seko (Japon 81).	1 h 31′30″4	Jim Alder (G.-B. 70).	1 h 31′52″20	Dominique Chauvelier (ESSA 92).
110 m haies	12″92	Roger Kingdom (USA 89).	13″04	Colin Jackson (G.-B. 92).	13″20	Stéphane Caristan (US Créteil 86).
400 m haies	46″78	Kevin Young (USA 92).	47″48	Harald Schmid (All. féd. 82).	48″13	Stéphane Diagana (SA Franconville 92).
3 000 m steeple	8′02″08	Moses Kiptanui (Kenya 92).	8′07″62	Joseph Mahmoud (Fr. 84).	8′07″62	Joseph Mahmoud (CMS Marignane 84).
Hauteur	2,45 m	Javier Sotomayor (Cuba 93)	2,42 m	Patrik Sjoeberg (Suède 87).	2,32 m	Frank Verzy (PL Pierre-Bénite 83).
Perche	6,13 m	Sergei Bubka (ex-URSS 92).	6,13 m	Sergei Bubka (ex-URSS 92).	5,92 m	Jean Galfione (SF 93).
Longueur	8,95 m	Mike Powell (USA 91).	8,86 m	Robert Emmian (URSS 87).	8,26 m	Jacques Rousseau (Racing CF 76).
Triple saut	17,97 m	Willie Banks (USA 85).	17,92 m	Christo Markov (Bulg. 87).	17,45 m	Serge Hélan (CA Montreuil 91).
Poids	23,12 m	Randy Barnes (USA 90).	23,06 m	Ulf Timmermann (All. dém. 88).	20,20 m	Yves Brouzet (Stade fr. 73).
Disque	74,08 m	Jürgen Schult (All. dém. 86).	74,08 m	Jürgen Schult (All. dém. 86).	63,02 m	Patrick Journoud (MJC Salon 88).
Marteau	86,74 m	Yuri Sedykh (URSS 86).	86,74 m	Yuri Sedykh (URSS 86).	79,98 m	Christophe Epalle (93).
Javelot	95,54 m	Jan Zeleny (Tch. 93).	95,54 m	Jan Zeleny (Tch. 93).	84,80 m	Pascal Lefèvre (ASPTT Grenoble 90).
Décathlon	8 891 pts	Dan O'Brien (USA 92).	8 847 pts	Daley Thompson (G.-B. 84).	8 574 pts	Christian Plaziat (PL Pierre-Bénite 90).
4 × 100 m	37″40	Éq. nat. des USA (92) Marsh, Burrell, Mitchell, Lewis.	37″79	Éq. nat de France (90), Morinière, Sangouma, Trouabal, Marie-Rose.	37″79	Éq. nat. (90), Marie-Rose, Sangouma, Trouabal, Morinière.
4 × 200 m	1′19″11	Santa Monica Track Club (92) Marsh, Burrell, Heard, Lewis.	1′21″10	Éq. nat. d'Italie (83), Tilli, Simionato, Bongiorni, Mennea.	1′21″30	Sél. fr. (87), Sangouma, Boussemart, Barré, Canti.
4 × 400 m	2′55″74	Éq. nat. des USA (92) Valmon, Watts, Johnson, Lewis.	2′57″53	Éq. nat. de G.-B. (91). Black, Redmond, Regis, Akabusi.	2′55″74	Éq. nat. (92 JO).
4 × 800 m	7′03″89	Éq. nat. de G.-B. (82) Elliot, Cook, Cram, Coe.	7′03″89	Éq. nat. de G.-B. (82), Elliot, Cook, Cram, Coe.	7′13″6	Éq. nat. (79), Sanchez, Riquelme, Dupont, Milhau.
4 × 1 500 m	14′38″8	Éq. nat. d'All. féd. (77), Wessinghage, Hudak, Lederer, Fleschen.	14′38″8	Éq. nat. d'All. féd. (77), Wessinghage, Hudak, Lederer, Fleschen.	14′48″2	Éq. nat. (79), Begouin, Lequement, Philippe, Dien.
1 heure marche	15 547 m	Josef Pribilinec (Tchéc. 86).	15 547 m	Josef Pribilinec (Tchéc. 86).	15 167 m	Thierry Toutain (GAHS 93).
2 heures marche	29 572 m	Maurizio Damilano (It. 92).	29 572 m	Maurizio Damilano (It. 92).	29 090 m	Thierry Toutain (GAHS 91).
10 km marche	38′48″08	Josef Pribilinec (Tchéc. 86).				
20 km marche	1 h 18′35″2	Stefan Johannson (Suède 92).	1 h 18′35″2	Stefan Johannson (Suède 92).	1 h 21′14″19	Thierry Toutain (GAHS 92).
30 km marche	2 h 01′44″1	Maurizio Damilano (It. 92).	2 h 01′44″1	Maurizio Damilano (It. 92).	2 h 03′56″5	Thierry Toutain (GAHS 91).
Marathon	2 h 06′50″	Belayneh Dinsamo (Éthiopie 88).	2 h 07′12″	Carlos Lopes (Port. 85).	2 h 10′49″	Jacky Boxberger (FCS 85).
50 km marche	3 h 37′41″	Andrei Perlov (URSS 89).	3 h 37′41″	Andrei Perlov (URSS 89).	3 h 49′23″	Martial Fesselier (SMC 92).
Dames						
100 m	10″49	Florence Griffith-Joyner (USA 88).	10″81	Marlies Göhr (All. dém. 83).	10″96	Marie-José Pérec (Stade fr. 91).
200 m	21″34	Florence Griffith-Joyner (USA 88).	21″71	Marita Koch (All. dém. 79) et Heike Dreschler (All. dém. 86).	21″99	Marie-José Pérec (Stade fr. 93).
400 m	47″60	Marita Koch (All. dém. 85).	47″60	Marita Koch (All. dém. 85).	48″83	Marie-José Pérec (Stade fr. 92).
800 m	1′53″28	Jarmila Kratochvilova (Tchéc. 83).	1′53″28	J. Kratochvilova (Tchéc. 83).	1′59″29	Viviane Dorsile (92).
1 000 m	2′30″67	Christine Wachtel (All. dém. 90).	2′30″67	Christine Wachtel (All. dém. 90).	2′36″66	Florence Giolitti (ASPTT Nice 86).
1 500 m	3′52″47	Tatiana Kazankina (URSS 80).	3′52″47	Tatiana Kazankina (URSS 80).	4′05″78	Florence Giolitti (ASPTT Nice 87).
Mile	4′15″61	Paula Ivan (Roum. 89).	4′15″61	Paula Ivan (Roum. 89).	4′28″72	Florence Giolitti (ASPTT Nice 86).
2 000 m	5′28″69	Maricia Puica (Roum. 86).	5′28″69	Maricia Puica (Roum. 86).	5′39″	Annette Sergent (ASU Lyon 86).
3 000 m	8′22″62	Tatiana Kazankina (URSS 84).	8′22″62	Tatiana Kazankina (URSS 84).	8′38″97	M.-Pierre Duros (LPA 89).
5 000 m	14′37″33	Ingrid Kristiansen (Norv. 86).	14′37″33	Ingrid Kristiansen (Norv. 86).	15′16″44	Annette Sergent (ASU Bron 90).
10 000 m	30′13″74	Ingrid Kristiansen (Norv. 86).	30′13″74	Ingrid Kristiansen (Norv. 86).	31′42″83	Rosario Murcia (ASU Bron 92).
100 m haies	12″21	Yordanka Donkova (Bulg. 88).	12″21	Yordanka Donkova (Bulg. 88).	12″56	Monique Éwanje-Épée (US Créteil 90).
400 m haies	52″94	Marina Stepanova (URSS 87).	52″94	Marina Stepanova (URSS 87).	54″93	Chantal Réga (ESME-US Deuil 82).
4 × 100 m	41″37	Éq. nat d'All. dém. (85) Gladisch, Auerswald, Reiger, Göhr.	41″37	Éq. nat d'All. dém. (85), Gladisch, Auerswald, Reiger, Göhr.	42″58	Éq. nat. (92), Pérec, Girard, Sidibe, Bily.
4 × 200 m	1′28″15	Éq. nat. d'All. dém. (80) Göhr, Müller, Wöckel, Koch.	1′28″15	Éq. nat. d'All. dém. (80), Göhr, Müller, Wöckel, Koch.	1′32″17	Sél. nat. (82), Bily, Gaschet, Réga, Naigre.
4 × 400 m	3′15″17	Éq. nat. d'URSS (88) Ledovskaïa, Nazarova, Piniguina, Bryzguina	3′15″17	Éq. nat. d' URSS (88), Ledovskaïa, Nazarova, Piniguina, Bryzguina.	3′25″16	Éq. nat. (90), Ficher, Dorsile, Elien, Pérec.
4 × 800 m	7′50″17	Éq. nat. d'URSS (84), Olizarenko, Gurina, Borisova, Podyalovskaya.	7′50″17	Éq. nat. d'URSS (84), Olizarenko, Gurina, Borisova, Podyalovskaya.	8′22″	Sélect. nat. (75), Jouvhomme, Rooms, Thomas, Dubois.
5 km marche	20′7″52	Beate Anders (All. dém. 90).	20′7″52	Beate Anders (All. dém. 90).	22′26″5	Nathalie Marchand (Racing CF 90).
10 km marche	41′56″23	Nadyezhda Ryashina (URSS 90).	41′56″23	Nadyezhda Ryashkina (URSS 90).	46′09″5	Nathalie Marchand (RCI 92).
Hauteur	2,09 m	Stefka Kostadinova (Bulg. 87).	2,09 m	Stefka Kostadinova (Bulg. 87).	1,96 m	Maryse Éwanje-Épée (M-UC 85).
Longueur	7,52 m	Galina Christiakova (URSS 88).	7,52 m	Galina Christiakova (URSS 88).	6,79 m	Nadine Fourcade (DAC Reims 85).
Triple saut	14,97 m	Iolanda Tchen (ex-URSS 93).	14,97 m	Iolanda Tchen (ex-URSS 93).	13,65 m	Caroline Honoré (SC 93).
Poids	22,63 m	Natalia Lissovskaia (URSS 87).	22,63 m	Natalia Lissovskaia (URSS 87).	17,45 m	Simone Créantor (Stade fr. 84).
Disque	76,80 m	Gabriela Reinsch (All. dém. 88).	76,80 m	Gabriela Reinsch (All. dém. 88).	60,14 m	Agnès Teppe (Stade fr. 92).
Javelot	80 m	Petra Felke (All. dém. 88).	80 m	Petra Felke (All. dém. 88).	64,46 m	Martine Bègue (SF 93).
Heptathlon	7 291 pts	Jackie Joyner-Kersee (USA 88).	7 007 pts	Larissa Nikitina (URSS 89).	6 702 pts	Chantal Beaugeant (GSM Clamart 88).
Marathon	2 h 21′06″	Ingrid Kristiansen (Norv. 85).	2 h 21′06″	Ingrid Kristiansen (Norv. 85).	2 h 29′4″	Rebelo (91).

Triple saut 78 Stievenart. 79, 80 Valétudie. 81 Dorina. 82 83 Valétudie. 84, 85 René-Corail. 86, 87 Hélan. 88 Camara. 89 Hélan. 90 Camara. 91 Hélan. 92, 93 Camara. **Poids** 78, 79 Viudès. 80 Beer. 81, 82 Viudès. 83 Djebaili. 84, 85, 86, 87, 88, 89, 90, 91, 92, 93 Viudès. **Disque** 78, 79, 80, 81 Piette. 82, 83 Niare. 84 Coquin. 85 Niaré. 86 Sellé. 87 Avédissian. 88, 89, 90 Journoud. 91 Selle. 92, 93 Retel. **Marteau** 79 Accambray. 80, 81, 82 Suriray. 83, 84, 85, 86, 87 Ciofani. 88, 89 Khun. 90, 91, 92, 93 Piolanti. **Javelot** 78, 79 Lutui. 80 Leroy. 81, 82 Lutui. 83, 84 Lakafia. 85 Lécurieux. 86 Bertimon. 87, 88, 89, 90, 91, 92, 93 Lefèvre. **20 km marche** 78, 79, 80, 81, 82, 83, 84 Lelièvre. 85 Lafleur. 86, 87, 88 Fesselier. 89, 90, 91 Toutain. 92 Corre. 93 Langlois. **50 km marche** 78 Guebey. 79, 80, 81, 82, 83 Lelièvre. 84 Guebey. 86 Neisse. 87 Terraz. 88 Toutain. 89 Piller. 90 Piller. 91 Fesselier. 92 Corre. 93 Piller. **100 km marche** 81, 82 Lelièvre. 83 Labbé. 84 Lelièvre. 85 Laval. 86 Niesse. 87 Terraz. 88 Piller. 89 Toussaint. 90 Toussaint. 91 Piller. 92 Kieffer. **Décathlon** 78 Leroy. 79 Delaune. 80 Sommero. 81 Leroy. 82, 83 Claverie. 84 Sacco. 86 Blondel. 87, 88, 89, 90. Plaziat. 91 Motti. 92 Blondel. **Pentathlon** 86 Sacco. **Heptathlon** 90 Plaziat.

■ **Dames. 100 m** 78, 79, 80 Réga. 81, 82, 83 Bacoul. 84 Loval. 85 Cazier. 86, 87, 88, 89, 90, 92 Bily. 91 Pérec. 93 Jean-Charles. **200 m** 78, 79, 80 Réga. 81, 82, 83 Bacoul. 84 Gaschet. 85, 86, 87, 88 Cazier. 89 Singa. 90 Ficher. 91 Jean-Charles. 92 Pérec. 93 Nestoret. **400 m** 79 Delachanal. 80, 81 Malbranque. 82 Champenois. 83, 84 Naigre. 85 Ficher. 86 Simon. 87 Ficher. 88 Perec. 89 Ficher. 90 Elien. 91 Dorsile. 92 Devassoigne. 93 Landre. **800 m** 79. 80 Renties. 81, 82, 83 Thoumas. 84 Giolitti. 85, 86 Thoumas. 87, 88 Gourdet. 89 Thoumas. 90 Jaunin. 91 Giolitti. 92 Dorsile. 93 Bitzner. **1 500 m** 78, 79, 80 Renties. 81 Roussel, 82 Rush. 83 Faÿs. 84, 85 Sergent. 86 Froget. 87, 88 Demilly. 89 Duros. 90 Fates, 91 Pongérard. 92 Quentin. 93 Gourdet. Le Guillou.

3 000 m 78 Debrouwer. 79 Loir. 80, 81 Debrouwer. 82 Bouchonneau-Pajot. 83, 84, 85 Sergent. 86 Bonnet. 87, 88 Duros. 89 Fates. 90 Sergent. 91, 92 Duros. 93 Sergent-Palluy. 10 000 m 88 Lelut. 89 Loiseau. 90 Murcia. 91 Clauvel. 92, 93 Murcia. 100 m haies 79 Elloy. 80 Lebeau. 81 Chardonnet. 82 Macchabey. 83 Chardonnet. 84, 85, 86 Elloy. 87 Colle. 88 Piquereau. 89, 90, 91 M. Éwanje-Épée. 92 Piquereau. 93 Girard. 400 m haies 78 Lairloup. 79 Laval. 80, 81 Le Disses. 82 Réga. 83, 84 Le Disses. 85 Huart. 86 Beaugant. 87, 88 Huart. 89 Pérec, 90, 91 Cazier. 92, 93 Nelson. Hauteur 79 Dumon. 80 Prenveille. 81 Rougeron. 82, 83, 84, 85 Éwanje-Épée. 86 Rougeron. 87 Beaugendre. 88 Éwanje-Épée. 89 Beaugendre. 90 Lesage. 91, 92 Fricot. 93 Éwanje-Épée. Longueur 79 Gacon. 80 Curtet. 81 Madkaud, 82 Nilusmas. 83 Legrand. 84 Bonnin. 85 Debois. 86, 87, 88 Fourcade. 89 Colle. 90 Aubert. 91 Leroy. 92 Missoudan. 93 Herigault. Triple saut. 90 Borda. 91 Domain. 92 Borda. 93 Honoré. Poids 78, 79, 80 Bertimon. 81 Créantor. 82, 83, 84 Bertimon. 85, 86, 87 Créantor. 88 Hanicque. 89 Bertimon, 90 Maurice. 91, 92 Lefèbvre. 93 Locuty. Disque 78, 79 Despierre. 80 Raynaud. 81, 82 Accambray. 83, 84 Beauvais. 85 Dupont. 86, 87, 93 Devaluez. 88 Hanicque. 89 Katona. 90 Teppe. 91, 92, 93 Devaluez. Javelot 79 Van Thournout. 80 Bocle. 81, 82 Dupont. 83, 84 Schoellköpf. 85 Fiafialoto. 86 Giardino. 87, 88 Auzeil-Schoellkopf. 89 Bègue. 90, 91 Auzeil. 92, 93 Bègue. 5 km marche 78 Delassaux. 79, 80 Vignat. 81, 82, 83, 84, 85, 86, 87, 88 Griesbach. 89, 90, 91 (10 km) Marchand. 92 Fortain. 93 Leveque. Heptathlon 78, 79, 80, 81, 82, 83 Picaut. 84, 85 Beaugeant. 86 Menissier. 87 Debois. 89, 90, 91 Lesage. 92 Teppe.

■ Ana Ekiden de Paris

Origine. Japon. Perpétue le souvenir des messagers qui allaient de ville en ville au XVIe s. **1917** 1re course de Kyōto à Tōkyō pour fêter le transfert de la capitale. Actuellement, env. 500 courses par an de novembre à mars.

A Paris. Course *créée* en 1990. 40,3 km de Versailles à la tour Eiffel en 6 relais. Equipes mixtes de 6 personnes. **1990** Portugal 1 h 59'4". Abandonnée depuis 1990.

Cross-Country

☞ *Légende.* – (1) G.-B. (2) Belgique. (3) Espagne. (4) Finlande. (5) France. (6) Maroc. (7) Tunisie. (8) Portugal. (9) Yougoslavie. (10) Irlande. (11) USA. (12) Éthiopie. (13) Italie. (14) Norvège. (15) Roumanie. (16) Kenya. (17) Djibouti. (18) ex-URSS. (19) Luxembourg. (20) P.-B. (21) All. dém. (22) Japon. (23) Tanzanie. (24) Australie. (25) Pologne. (26) Mexique. (27) Afr. du S. (28) Japon. (29) Tchéc. (30) Suède. (31) Chine.

■ **Origine.** Couru pour la 1re fois en 1877 à Roehampton (G.-B.). 1er cross-country international : France-Angleterre le 20-3-1898 à Ville-d'Avray. 1er championnat international : en Écosse le 28-3-1903. **Règles.** Parcours en terrain varié de 3 à 12 km. Se pratique surtout l'hiver.

■ **Championnat du monde.** *Créé* 1973, faisant suite à l'« International » qui lui-même avait remplacé le « Cross des Nations » créé en 1903.

Hommes. 1946, 47 Pujazon [5]. **48** Doms [2]. **49** Mimoun [5]. **50** Theys [2]. **51** Saunders [1]. **52** Mimoun [5]. **53** Mihalic [9]. **54** Mimoun [5]. **55** Sando [1]. **56** Mimoun [5]. **57** Sando [1]. **58** Eldon [1]. **59** Norris [1]. **60** Rhadi [6]. **61** Heatley [1]. **62** Roelants [2]. **63** Fowler [1]. **64** Arizmendi [2]. **65** Fayolle [5]. **66** El Ghazi [6]. **67** Roelants [2]. **68** Gammoudi [7]. **69** Roelants [2]. **70** Tagg [1]. **71** Bedford [1]. **72** Roelants [2]. **73** Paivarinta [4]. **74** De Beck [2]. **75** Stewart [1]. **76** Lopes [8]. **77** Shots [2]. **78** Treacy [10]. **79** Treacy [10]. **80, 81** Virgin [11]. **82** Kedir [12]. **83** Délebé [12]. **84, 85** Lopes [8]. **86, 87, 88, 89** N'Gugi [16]. **90, 91** Skah [6]. **92** N'Gugi [16]. **93** Sigei [16]. **Par équipes. 78** Fr. **79, 80** G.-B. **81, 82, 83, 84, 85** Éthiopie. **86, 87, 88, 89, 90, 91, 92, 93** Kenya.

Dames. 1967 Brown [11]. **68** pas couru. **69** Brown [11]. **70** Pigni [13]. **71** Brown [11]. **72** Smith [1]. **73, 74** Pigni [13]. **75** Brown [11]. **76, 77** Valero [3]. **78, 79, 80, 81** Waitz [14]. **82** Puica [15]. **83** Waitz [14]. **84** Puica [15]. **85, 86** Budd [1]. **87** Sergent [5], **88** Kristiansen [14], **89** Sergent [5], **90, 91, 92** Jennings [11]. **93** Dias [8]. **Par équipes. 67** G.-B. **68** pas couru. **69** USA. **70** P.-Bas. **71, 72, 73, 74** G.-B. **75** USA. **76, 77** URSS. **78** Roumanie. **79** USA. **80, 81, 82** URSS. **83, 84, 85** USA. **86** G.-B. **87** USA. **88, 89, 90** URSS. **91** Éthiopie et Kenya. **92, 93** Kenya.

■ **Championnat de France (« National »). Hommes. 1966** Jazy. **67** Tijou. **68** Wadoux. **69, 70, 71** Tijou. **72** Wadoux. **73** Tijou. **74** Rault. **75** Tijou. **76** Boxberger. **77** Tijou. **78** Coux. **79** Levisse. **80** Coux. **81** A. Gonzalez. **82** Watrice. **83** Boxberger. **84, 85, 86** Lévisse. **87, 88, 89** Arpin. **90** Pantel. **91** Le Stum. **92** Rapisarda. **93** Behar. **Dames. 1975, 76, 77, 78, 79** Debrouwer. **80** Bouchonneau. **81** Debrouwer. **82** Lefeuvre. **83, 84** Debrouwer. **85, 86, 87, 88, 89** Sergent. **90** Fates. **91** Duros. **92** Sergent. **93** Ohier.

■ **Cent kilomètres de Millau.** *Créés* en 1972. **1981** Gaudin 6 h 59'. **82** Bellocq 7 h 13'25". **86, 87, 88, 89, 90** Bellocq. **91** Vuillemenot 7 h 0'26". **92** Lennartz 6 h 57'08". **Dames 89, 90, 91** Jouault 8 h 38'8". **92** Salgues 10 h 17'17".

■ **Cross du Figaro.** *Créé* par *Le Figaro* 1961. Ouvert à tous les athlètes masculins et féminins, licenciés ou non. Chaque année en décembre au bois de Boulogne, à Paris. En 1991 : 26 700 engagés (record : 35 849 en 1979).

Cross des « As ». **Hommes 1961, 62, 63, 64** Michel Jazy. **65** Guy Texereau. **66** Jean Wadoux. **67** Noël Tijou. **68** Jean Wadoux. **69** Noël Tijou. **70, 71** Jean Wadoux. **72, 73** Noël Tijou. **74, 75, 76, 77** Jacky Boxberger. **78** Radhouane Bouster. **79, 80, 81** J. Boxberger. **82** Saïd Aouita. **83** Thierry Watrice. **84** Francis Gonzalez. **85, 86** Paul Arpin. **87** Pat Porter. **88** Mohamed Ezzher. **89, 90** Thierry Pantel. **91** Leszek Beblo [25]. **92** Simon Chemoiwyo [16]. **Dames. 82, 83** Lefeuvre [5]. **84** Sergent [5]. **85** Matthys [5]. **86, 87** Duros [5]. **88** Lefeuvre-Étiemble [5]. **89** Fates [5]. **90, 91** Duros [5]. **92** Fates [5].

■ **Vingt kilomètres de Paris.** *Créés* 1979. **Hommes. 1981** 20 000 participants (Bouster *57'35).* **82** Boxberger 57'47". **83** Watrice 57'15". **84** Levisse 57'22". **85** Moore (pas de chronométrage officiel). **86** Salah [17] 57'19". **87** Lambregts [20] 59'31". **88** Levisse [5] 59'34". **89** Pinto [8] 58'46". **90** 25 000 p., Mouhgit [6] 59'15". **91** Pinto [8] 59'28". **92** Arpin [5] et Moughit [6] 57'20". **Dames. 90** Rembert [5] 1 h 10'48". **91** Artemova [18] 1 h 9'37". **92** Ilina [18] 1 h 9'34".

■ **Paris-Versailles** (16,3 km). **Hommes. 1976** Bouster [5]. **77** Carraby [5]. **78** Coux [5]. **79** Lopez [8]. **80** Goater [1]. **81** Spedding [1]. **82** Boxberger [5]. **83** Puttemans [2]. **84** Harrison [1]. **85** Milovsorov [1]. **86** Lévisse [5]. **87** Gonzalez [5]. **88, 89** Lévisse [5]. **90** Béhar [6]. **91** Depret [5]. **92** Ribero [8] 49'23". **Dames. 90, 91** Faÿs [5]. **92** Sabatini [13] 57'56".

Marathon

Nota.– Légende voir Cross.

■ **Marathon. (42,195 km) Championnats du monde.** *Créés* 1983. **Hommes. 83** De Castella [24]. **87** Wakiihuri [16]. **91** Taniguchi [22]. **Dames. 83** Waitz [14]. **87** Mota [8]. **91** Panfil [25].

Coupe du Monde. *Créée* 1985. Tous les 2 ans. **Hommes. Ind. 85, 87** Salah [17]. **89** Metafaria [12]. **91** Tolstikov [18]. **Éq. 85** Djibouti. **87** Italie. **89** Éthiopie. **91** G.-B. **Dames. Ind. 85** Dorre [21]. **87** Ivanova [18]. **89** Marchiano [11]. **91** Mota [8]. **Éq. 85** Italie. **87, 89, 91** URSS.

Championnats d'Europe. *Créé* 1934. **Hommes. 78** Moiseiev [18]. **82** Nijboer [20]. **86, 90** Bordin [13]. **Dames. 82, 86, 90** Mota [8].

Coupe d'Europe. *Créée* 1981. **Hommes. Ind. 81** Magnani [13]. **83** Cierpinski [21]. **85** Heilmann [21]. **88** Kashapov [18]. **Éq. 81** Italie. **83, 85** All. dém.. **88** URSS. **Dames. Ind. 81** Ivanova [18]. **83** Gumerova [18]. **85, 88** Dörre [21]. **Éq. 88** URSS. Abandonnée depuis 1988.

Championnats de France. *Créés* 1921. **Hommes. 80** Bobes. **81** Chauvelier. **82** Faure. **83** Lazare. **84, 85** Joannes. **86** Lazare. **87** Padel. **88** Rachide. **89** Watrice. **90, 91** Chauvelier. **92** Soares. **Dames. 80** Audibert. **81** Navarro. **82** Langlacé. **83** Levesque. **84** Langlacé. **85** Levesque. **86** Bonnet. **87** Mihailovic. **88** Poirot. **89** Houdayer. **90** Rebello-Lelut. **91** Ohier. **92** Bornet.

Marathon de New York. *Créé* 1958. **Hommes. 84. 85** Pizzolato [13]. **86** Poli [13]. **87** Hussein [16]. **88** Jones [1]. **89** Kangas [24]. **90** Wakiihuri [16]. **91** Garcia [26]. **92** Mtolo [27] 2 h 9'28". **Dames. 84, 85, 86** Waitz [14]. **87** Welch [1]. **88** Waitz [14]. **89** Kristiansen [14]. **90** Panfil [25]. **91** Mc Colgan [1]. **92** Ondieki [24] 2 h 24'40".

Marathon de Paris. *Créé* 1976. **Hommes. 84** Salah [17]. **85** Boxberger [5]. **86** Salah [17]. **87** Mekonnen [12]. **88** Mathias [8]. **89, 90** Brace [1]. **91** non disp. **92** Soares [5]. **93** Beblo [25] 2 h 10'46". **Dames. 84** Levesque [5]. **85** Hurst [2]. **86** Lelut [5]. **87** Cobos [3]. **88** Cunha [8]. **89** Kojima [22]. **90** Yamamoto [22]. **91** non disp. **92** Titova [18]. **93** Yoshida [28] 2 h 29'16".

■ **Semi-marathon (21,0975 km). Championnats du monde.** *Créés* 1992. **Hommes. Ind. 92** Masya [16] 1 h 0'24". **Éq. 92** Kenya. **Dames. Ind. 92** McColgan [1] 1 h 8'53". **Éq. 92** Japon.

Championnats de France. *Créés* 1992. **Hommes. 92** Rapisarda 1 h 2'47". **Dames. 92** Rebelo 1 h 12'12".

Semi-marathon de Paris. Hommes. 93 Stefko [29]. **Dames. 93** Lelut [5].

Quelques records

Plus grande distance en 24 h. *Homme :* 272,624 km, Jean-Gilles Boussiquet (Fr. 2/3-5-81). *Femme :* 202,3 km, Annie Van der Meer (P.-Bas) du 30-4 au 1-5-84.

Traversée des USA *Los Angeles-New York* (4 628 km), du 2-4 au 3-6 1972, 53 j 12 h 15 mn par John Lees. Don Shephard (Afr. S.) *New York-Los Angeles* (5 149 miles) 73 j 8 h 20 mn soit 43 miles par jour (en 1864). Pesant 83 kg au départ, il n'en pesait plus que 66 à l'arrivée. *San Francisco-New York,* 4 989 km, Franck Gianino en 46 j 8 h 36 mn du 1-9 au 17-10-1980.

Marche sans interruption. 667,46 km, Tom Benson (G.-B.) en 6 j 12 h 45' du 29-4 au 5-5-1986.

Record des sélections (en équipe de France au 1-1-92). *Hommes :* Mimoun 85, Beer 72, Bernard 67, Husson 65, Allard 62, Colnard 61, Battista, Delecour, Lelièvre et Jazy 59, Macquet et Tijou 56. *Femmes :* Bertimon 68, Créantor 67, Telliez 49, Laborie-Guénard 47, Picaut 47, De Brouwer 45, Griesbach 42, Réga 41.

Marche

Nota. – Légende voir **Cross.**

☞ **Jeux olympiques** (voir p. 1534).

Règles. Sur parcours plat, piste (5 à 20 km), route (20 à 50 km). Il existe un 100 km et une épreuve spéciale (Paris-Colmar). *Distances :* 10, 20, 30, 50, 100 km, 1 h et 2 h. Contact permanent avec le sol.

■ **Coupe du monde.** *Créée* 1961. Tous les 2 ans. **Messieurs. 20 km. 81** Canto [26]. **83** Pribilinec [30]. **85** Marin [5]. **87** Mercenario [26]. **89** Kostiukevitch [18]. **91** Schennikov [18]. **93** García [26]. **50 km. 81, 83** González [26]. **85** Gauder [21]. **87** Weigel [21]. **89** Baker [24]. **91, 93** Mercenario [26]. **Équipes. 81** It. **83** URSS. **85** All. dém.. **87, 89** URSS. **91** It. **93** Mexique.

Dames. 5 km en 81 puis 10 km. 81 Gustavsson [30]. **83, 85** Ju Xu [31]. **87** Krishtop [18]. **89** Anders [21]. **91** Strakhova [18]. **93** Yan-wang [31]. **Équipes. 81** URSS. **83, 85** Chine. **87, 89, 91** URSS. **93** It.

■ **Championnat de France** (voir ci-contre).

■ **Strasbourg-Paris.** *Créé* 1926, devenu **Paris-Colmar** en 1980. 516 km. **1971, 72, 75** Josy Simon [25]. **77** Schouchens [2]. **78** Josy Simon [25]. **79** Roger Quemener [5]. **80, 81** [1] Roger Pietquin [5]. **82** Adrien Pheulpin [5] 66 h 03'49". **83** R. Quemener [5] 64 h 12'. **84** J.-C. Gouvenaux [5] 62 h 31'. **85** R. Quemener [5] 64 h 57'. **86** R. Quemener [5] 62 h 27'. **87** R. Quemener [5] 64 h 59' (moy. 7,97 km/h). **88** R. Quemener [5] 66 h 17' (moy. 7,83 km/h). **89** R. Quemener [5] 64 h 35' (moy. 8,113 km/h). **90** Zbigniew Kapla [25] 64 h 36' (moy. 8,088 km/h). **91** Z. Kapla [25] 64 h 51'57" (moy. 8,05 km/h). **92** Z. Kapla [25] 62 h 38'. **93** N. Dufay [5] 62 h 18".

Quelques athlètes

Date de naissance et spécialité.

☞ *Légende.* – (1) USA. (2) All. dém. (3) Fr. (4) G.-B. (5) Italie. (6) P.-Bas. (7) ex-URSS. (8) Cuba. (9) Taiwan. (10) Australie. (11) All. féd. (12) Japon. (13) Ouganda. (14) Canada. (15) Tchéc. (16) Jamaïque. (17) Pologne. (18) Irlande. (19) Suède. (20) Maroc. (21) Tanzanie. (22) Éthiopie. (23) Kenya. (24) Brésil. (25) Algérie. (26) Tunisie. (27) Finlande. (28) Hongrie. (29) Grèce. (30) N.-Zélande (31) Youg. (32) Roumanie. (33) Belgique. (34) Norvège. (35) Bulgarie. (36) Chine. (37) Haïti. (38) Mexique. (39) Suisse. (40) Nigeria. (41) Portugal. (42) Djibouti. (43) Espagne.

■ Courses

Vitesse (100 m, 200 m, 400 m) + Haies

Abrahams Harold [4] 1899-1978 : 100 m. Akii-Bua John [13] 3-12-1949 : 400 m haies. André Georges (dit Géo André) [3] 1889-1943 : 110 m haies, 400 m haies. André Jacqueline [3] 29-8-46 : 100 m haies. Ashford Evelyn [1] 15-4-57 : 100 m, 200 m. Attlesay Dick [1] 10-5-29 : 110 m haies.

Babers Alonzo [1] 31-10-61 : 400 m. Bally Étienne [3] 17-4-23 : 100 m, 200 m. Balzer Karin [2] 5-6-38 : 80 et 100 m haies. Bambuck Roger [3] 22-11-45 : 100 m, 200 m. Beard Percy [1] 26-1-08 : 110 m haies. Berruti Livio [5] 19-5-39 : 200 m. Besson Colette [3] 7-4-46 : 400 m. Bily Laurence [3] 5-5-63 : 60 m, sprint. Blankers-Koen Fanny [6] 26-4-18 : 100 m, 200 m, 80 m haies. Borzov Valeri [7] 20-10-49 : 100 m, 200 m. Brisco-Hooks Valerie [1] 6-7-60 : 200 m, 400 m. Burrel Leroy [1] 21-2-67 : 100 m. 4×100 m. Busch Sabine [2] 21-11-62 : 400 m haies.

Calhoun Lee [1] 23-2-33 : 110 m haies. Capdevielle Catherine [3] 2-9-38 : 100 m. Caristan Stéphane [3] 31-5-64 : 110 m haies. Carlos John [1] 5-6-45 : 100 m, 200 m. Carr Henry [1] 27-11-42 : 200 m. Carr William Arthur [1] 19-09-66 : 400 m. Casanas Alejandro [8] 29-1-54 : 110 m haies. Cawley Warren J. [1] 6-7-40 : 400 m haies. Cazier M.-Christine [3] 23-8-63 : 200 m. Chardel Michel [3] 15-11-32 : 110 m haies. Chardonnet Michèle [3] 27-10-56. Chi-Cheng [9] 15-3-44 : 200 m, 100 m haies. Christie Linford [4] 2-4-60 : 100 m, 200 m. Cochran Leroy B. [1] 1919-81 : 400 m haies. Cooman Nelli [6] 6-6-64 : 60 m. Cuthbert Betty [10] 20-4-38 : 100 m, 200 m, 80 m haies.

Davenport Willie [1] 8-6-43 : 110 m haies. Davis Glenn [1] 12-9-34 : 400 m haies. Davis Harold [1] 5-1-21 : 100 m, 200 m. Davis Jack [1] 11-9-30 : 110 m haies. Davis Otis [1] 12-7-32 : 400 m. Delecour Jocelyn [3] 2-1-35 : 100 m. De Loach Joe [1] 5-6-67 : 200 m. Demarthon Francis [3] 8-8-50 : 400 m. Devers Gail [1] 19-11-66 : 100 m. Diagana Stéphane [3] 23-7-69 : 400 m haies. Dillard William H. [1] 8-7-23 : 110 m haies, 100 m. Donkova Yordanka [35] 28-9-61 : 100 m. Dorsile Viviane [3] 1-6-67 : 400 m. Dreschler Heike [2] 16-12-64 : 100 m, 200 m. Drut Guy [3] 6-12-50 : 110 m haies. Duclos Nicole [3] 15-8-47 : 400 m. Duriez Marcel [3] 20-6-40 : 110 m haies.

Eastman Benjamin [1] 9-7-11 : 400 m. Eckert Barbel (ép. Wöckel) [2] 21-3-55 : 100 m, 200 m. Egbunike Innocent [40] 30-11-61 : 400 m. Ehrhardt Annelie [2] 18-6-50 : 100 m haies. Elien Evelyne [3] 24-3-64 : 400 m. Elloy Laurence [3] 3-12-59 : 100 m haies. El Moutawaki Nawal [41] 1962 : 400 m haies. Evans Lee [1] 25-2-47 : 400 m. Everett Dany [1] 1-11-66 : 400 m. Éwanje-Épée Monique [3] 11-7-67 : 100 m haies.

Fiasconaro Marcello [5] 19-7-49 : 400 m. Figuerola Enrique [8] 15-7-38 : 100 m. Floyd Stanley [1] 23-6-61 : 100 m. Foster Greg [1] 4-8-58 : haies.

Gladisch Silke [2] 1964 : 100 et 200 m. Goehr Marlies (n. Oelsner) [2] 21-3-58 : 100 m. Greene Charles [1] 21-3-45 : 100 m. Griffith-Joyner Florence [1] 21-12-59 : 100 m, 200 m, 4 × 100 m. Guenard Denise (née Laborie) [3] 13-1-34 : 80 m haies.

Hardin Glenn F. [1] 1910-75 : 400 m haies. Hary Armin [11] 22-3-37 : 100 m. Hayes Robert (dit Bob) [1] 20-12-42 : 100 m. Hemery David [4] 18-7-44 : 400 m haies. Hill Thomas [1] 17-11-49 : 110 m haies. Hines James R. [1] 10-9-46 : 100 m. Hitomi Kinuye [1] 1-1-08 : 100 m. Hunty Shirley [10] 18-7-25 : 100 m, 80 m haies.

Jackson Colin [4] 18-2-67 : 100 m haies. Jenkins David [4] 25-5-52 : 400 m. Jennings Lynn [1] : 10 000 m. Jerome Harry [14] 1940-83 : 100 m. Johnson Ben [14] 30-12-61 : 100 m. Johnson Michael [1] 13-9-67. Jones Louis (Lou) [1] 15-1-32 : 400 m. Joye Prudent [3] 1915-81 : 400 m haies. Juantorena Alberto [8] 3-12-51 : 400 m.

Kaufmann Carl [11] 25-3-36 : 400 m. Kingdom Roger [1] 26-8-62 : 100 m haies. Koch Marita [2] 18-2-57 : 100 m, 200 m, 400 m. Krabbe Katrin [2] 22-11-69 : 100 m, 200 m. Kraenzlein Alvin [1] 1876-1928 : 110 m haies. Kratochvilova Jarmila [15] 26-1-51 : 200 m, 400 m, 800 m.

Larrabee Michael [1] 2-12-33 : 400 m. Lauer Martin [11] 2-1-37 : 110 m haies. Leonard Silvio [8] 20-9-55 : 100 m, 200 m. Lewis Carl [1] 1-7-61 : 100 m, 200 m. Lewis Steve [1] 16-5-69 : 400 m. Lituyev Yuryi [7] 11-4-25 : 400 m haies. Long Maxwell [1] 1878-1959 : 400 m. Lunis Jacques [3] 27-5-23 : 400 m.

MacKay Antonio [1] : 400 m. MacKenley Herbert (dit Hurricane Herbert) [16] 10-7-22 : 400 m. MacRae Lee [1] 23-1-66 : 100 m. Marie André-Jacques [3] 14-10-25 : 110 m haies. Marie-Rose Bruno [3] 20-5-65 : 200 m. Mennea Pietro [5] 28-6-52 : 100 m, 200 m. Metcalfe Ralph [1] 1910-78 : 100 m, 200 m. Milburn Rodney [1] 18-5-50 : 110 m haies. Moore Charles [1] 12-8-29 : 400 m haies. Morale Salvatore [5] 4-11-38 : 400 m haies. Morinière Max [3], 16-2-64 : 100 m. Morrow Robert (Bobby) [1] 15-10-35 : 100 m, 200 m. Moses Edwin [1] 31-8-55 : 400 m haies. Mourlon André [3] 1903-70 : 100 m. Munkelt Thomas [2] 3-8-52 : 110 m haies. Myers Lou [1] 1858-99 : 100 m.

Nallet Jean-Claude [3] 15-3-47 : 400 m, 400 m haies. Nehemiah Reynaldo [3] 24-3-59 : 110 m haies. Noirot Monique [3] 10-10-41 : 400 m. Noirot Olivier [3] 26-8-69 : 400 m.

Ottey Merlene [16] 10-5-60 : 100 m, 200 m. Owens James Cleveland (Jesse) [1] 1913-82 : 100 m, 200 m.

Paddock Charles [1] 1900-43 : 100 m. Pani Nicole (née Montandon) [3] 30-10-48 ; 200 m. Panzo Hermann [3] 8-2-58 : 100 m. Pascoe Alan [4] 11-10-47 : 400 m haies. Patoulidou Paraskevi [22] : 100 m haies. Patton Melvin [1] 16-11-24 : 100 m, 200 m. Pérec M.-José [3] 9-5-68 : 100 m, 200 m. Piquemal Claude [3] 13-3-39 : 100 m, 200 m. Piquereau Anne [3] 15-6-64 : 100 m haies. Poirier Robert [3] 16-6-42 : 400 m haies.

Quarrie Donald [16] 25-2-51 : 200 m. Quénéhervé Gilles [3] 17-5-66 : 200 m.

Rabsztyn Grazyna [17] 20-9-52 : 100 m haies. Radideau Marguerite [3] 2-3-07 : 100 m. Redmond Derek [4] 3-9-45 : 400 m. Réga Chantal [3] 7-8-55 : 100 m, 200 m, 100 m haies, 400 m haies. Reynolds Harry Butch [1] 8-7-64 : 400 m. Rhoden Georges [16] 13-12-26 : 400 m. Richard Antoine [3] 8-9-60 : 100 m. Richter Annegret [11] 13-10-50 : 100 m. Rossley Karin [2] 5-4-57 : 400 m haies. Rudolph Wilma [1] (dite la Gazelle noire) 23-6-40 : 100 m, 200 m.

Sanford James [1] 27-12-57 : 100 m. Sangouma Daniel [3] 7-2-65 : 4 × 100 m. Schmid Harald [11] 29-2-57 : 400 m haies. Schoenbele Thomas [2] 8-6-65 : 400 m. Schoebel Pierre [3] 24-12-42 : 110 m haies. Sempé Gabriel [3] 1-4-01 : 110 m haies. Seye Abdoulaye (dit Abdou) [3] 30-7-34 : 100 m, 200 m. Siebeck Franck [2] 17-8-49 : 110 m haies. Sime David [1] 25-7-36 : 100 m, 200 m. Smith Calvin [1] 8-1-61 : 100 m, 200 m. Smith John [1] 5-8-50 : 400 m. Smith Tommie [1] 5-6-44 : 100 m, 200 m, 400 m. Stanfield Andrew [1] 29-12-27 : 100 m, 200 m. Stecher Renate [2] 12-5-50 : 100 m, 200 m. Stewart Roy [16] 18-3-65 : 100 m. Szewinska Irena (n. Kirszenstein) [17] 24-5-46 : 100 m, 200 m, 400 m.

Taylor Frederick M. [1] 1903-75 : 400 m haies. Telliez Sylvianne [3] 30-10-42 : 100 m, 200 m. Théophile Pascal [3] 22-2-70 : 400 m. Thomson Earl [14] 1895-1971 : 110 m haies. Tisdall Robert [18] 16-5-05 : 400 m haies. Tolan Edward [1] 1908-67 : 100 m, 200 m. Tourret Philippe [3] 8-7-67 : 110 m haies. Towns Forrest [1] 6-2-14 : 110 m haies. Trouabal J.-Charles [3] 20-5-65 : 200 m. Tyus Wyoma [1] 29-8-45 : 100 m.

Valmy René [3] 24-12-21 : 100 m. Walasiewicz Stella [17] 1911-81 : 100 m, 200 m. Watts Quincy [1] 1970 : 400 m. Wefers Bernie [1] 1877 : 100 m, 200 m. Whitfield Malvin [1] 11-10-24 : 400 m. Williams Archibald [1] 01-05-15 : 400 m. Williams Steve [1] 13-11-53 : 100 m, 200 m. Wint Arthur [16] 29-5-20 : 400 m. Witherspoon Mark [1] 3-9-63 : 100 m. Wockel Bärbel [2] 21-3-55 : 200 m. Wykoff Franck [1] 29-10-09 : 100 m. Young Kevin [1] 16-9-66 : 400 m haies. Zagortcheva Ginka [35] 12-4-58 : 100 m haies.

Demi-fond/fond

Légendes cr. : cross, st. : steeple, ma. : marathon.

Ameur Hamoud [3] 6-1-32 : st.-cr. Andersson Arne [19] 27-10-17 : 1 500 m. Aouita Saïd [20] 2-11-60 : 1 500 m, 5 000 m. Arpin Paul [3] 20-2-60 : cross. Arzanov Evgueni [7] 22-4-48 : 800 m.

Bannister Roger [4] 23-3-29 : 1 500 m, mile. Barrios Arturo [38] 12-12-63 : 10 000 m. Bayi Filbert [21] 22-6-53 : st., 1 500 m. Beccali Luigi [5] 19-11-07 : 1 500 m. Bedford Dave [4] 30-12-49 : 10 000 m. Benoit Joan [1] 1957. Bernard Michel [3] 31-12-31 : 1 500 m, 5 000 m. Beyer Olaf [2] 4-8-57 : 800 m. Bikila Abebe [22] 1932-73 : ma. Boulmerka Hassiba [41] : 1 500 m. Boit Mike [23] 1-6-49 : 800 m. Bolotnikov Piotr [7] 8-3-30 : 5 000 m, 10 000 m. Bordin Gelindo [5] 2-4-59 : ma. Bouin Jean [3] 1888-1914 : 5 000 m, 10 000 m, heure, cr. Bouster Radhouane [3] 2-12-54 : 5 000 m, 10 000 m. Boutayeb Moulay Brahim [20] 15-8-67 : 10 000 m. Boxberger Jacky [3] 6-4-49 : 1 500 m. Bragina Lyudmila [7] 24-7-43 : 1 500 m, 3 000 m. Bryzgina Olga [2] : 400 m. Budd Zola [4] 26-5-66 : 1 500 m, 3 000 m, 5 000 m.

Chataway Christopher [4] 31-1-31 : 3 miles, 5 000 m. Chauvelier Dominique [3] 3-8-56 : ma. Cierpinski Waldemar [2] 3-8-50 : ma. Clarke Ronald-William (dit Ron Clarke) [10] 21-2-37 : 5 000 m, 10 000 m. Coe Sebastian [4] 29-9-56 : 800 m, 1 500 m, mile. Cova Alberto [5] 1-12-58 : 5 000 m, 10 000 m. Cram Steve [4] 14-10-60 : 1 000 m, 1 500 m, mile. Cruz Joaquim [24] 12-3-63 : 800 m. Cunha Aurora [41] 1959 : cross, ma. Cunningham Glenn [1] 4-8-09 : 800 m, 1 500 m.

Debele Bekele [22] 12-3-63 : cr. De Brouwer Joëlle [3] 18-10-50 : 3 000 m, cr. Decker Mary [1] 4-8-58 : 1 500 m, 3 000 m. Dinsamo Belayneh [22] 28-6-57 : ma. Doubell Ralph [10] 1-2-45 : 800 m. Dubois Marie-Fr. [3] 25-3-48 : 800 m. Dubus Éric [3] 28-2-66 : mile, 1 500 m, 3 000 m. Dupureur Maryvonne [3] 24-5-37 : 800 m. Duros M.-Pierre [3] 7-6-67 : 3 000 m, cr.

Elliot Herbert [10] 25-2-38 : 1 500 m. El Mabrouk Patrick [3],25 (Fr., Algérie) 30-10-28 : 1 500 m. El Ouafi Boughera [3] 1898-1959 : ma. Ereng Paul [23] : 800 m. Everett Danny [1] 1-11-66 : 800 m, 4×400 m.

Foster Brendan [4] 12-1-48 : 5 000 m, 10 000 m.

Gammoudi Mohamed [26] 11-2-38 : 5 000 m, 10 000 m. Gärderud Anders [19] 28-8-46 : 3 000 m st. George Walter [4] 1858-1943 : mile à heure. Giolitti Florence [3] 31-8-66 : 800 m, 1 500 m. Gonzalez Alexandre [3] 16-3-51 : 1 500 m, 5 000 m. Gonzalez Francis [3] 6-2-52 : 1 500 m. Griesbach Suzanne [3] 22-4-45 : marche. Guillemot Joseph [3] 1899-1975 : 5 000 m, 10 000 m.

Haase Jurgen [2] 19-1-45 : 10 000 m. Haegg Gunder [19] 31-12-18 : 1 500 m, 5 000 m. Hampson Tom [4] 1907-68 : 800 m. Hansenne Marcel [3] 24-1-17 : 800 m. Harbig Rudolf [11] 1913-44 : 800 m. Heino Viljo [27] 1-3-14 : 5 000 m, 10 000 m, fond. Hermens Jos [6] 8-1-1950 : heure, 20 km. Hill Albert [4] 1889-1969 : 800 m, 1 500 m. Hill Ronald (dit Ron) [4] 25-9-1938 : ma. Iharos Sandor [28] 10-3-30 : 1 500 m, 3 000 m, 5 000 m, 10 000 m. Iso-Hollo Volmari [27] 1907-69 : 10 000 m, st. Ivan Paula [32] 20-7-63 : 1 500 m, 3 000 m. Jazy Michel [3] 13-6-36 : 1 500 m, mile, 2 000 m, 3 000 m, 5 000 m. Jipcho Benjamin [23] 1-3-43 : 3 000 m, st.

Kazankina Tatiana [7] 17-12-51 : 800 m, 1 500 m, 3 000 m. Kedir Mohammed [22] 18-9-54 : cr. Keino Kipchoge [23] 17-1-40 : 1 500 m, 3 000 m, 5 000 m, st. Kiptanui Moses [23] 1-10-71 : 3 000 m st. Koech Peter [23] 18-2-58 : 3 000 m st. Kolehmainen Hannes [27] 1889-1967 : ma., 5 000 m, 10 000 m. Konchellah Billy [23] 20-10-61 : 800 m. Kratochvilova Jarmila [15] 26-1-51 : 400 m, 800 m. Kristiansen Ingrid [34] 21-3-56 : 5 000 m, 10 000 m, ma. Krzyszkowiak Zdzislaw [17] 3-8-29 : 3 000 m, 5 000 m, 10 000 m, 3 000 m st. Kusocinski Janusz [17] 1907-40 : 5 000 m, 10 000 m. Kuts Vladimir [7] 1927-75 : 5 000 m, 10 000 m.

Ladoumègue Jules [3] 1906-73 : 1 500 m. Lazare Alain [3] 23-3-52 : ma. Lehtinen Lauri [27] 1908-74 : 5 000 m. Lelièvre Gérard [3] 13-11-51 : 20 km, 50 km marche. Lelut Maria [3] 29-1-56 : ma. Levisse Pierre [3] 21-2-52 : ma. López Carlos [41] 18-2-47 : ma. Louys Spiridon [29] 1872-1940 : ma. Lovelock Jack [30] 1910-49 : 1 500 m.

Mac Kean Tom [4] 27-10-63 : 800 m. Maeki Taisto [27] 2-12-10 : 5 000 m, 10 000 m. Mahmoud Joseph [3] 13-12-55 : 3 000 m st. Malinowski Bronislaw [17] 1951-81 : st. Marajo José [3] 10-8-54 : 800 m. Martin Séraphin [3] 2-7-06 : 800 m, 1 000 m. Matuschewski Manfred [2] 2-9-39 : 800 m. Mekonnen Abebe [22] 5-1-63 : ma. Melinte Doina [32] 27-12-56 : 800 m, 1 500 m. Meredith James [1] 1891-1947 : 800 m. Mimoun Alain [3] 1-1-21 : 5 000 m, 10 000 m, ma., cr. Morceli Nourredine [41] 20-2-70 : 1 500 m. Moorcroft David [4] 10-4-53 : 5 000 m. Mota Rosa [41] 29-6-58 : ma. Murcia Rosario [3] 23-9-64 : 10 000 m. Ngugi John [23] 10-5-62 : cr. Nikolic Vera [31] 23-9-48 : 800 m. Norpoth Harald [11] 22-8-42 : 1 500 m, 5 000 m. Ngugi John [23] 10-5-62 : cr., 5 000 m. Nurmi Paavo [27] 1897-1973 : 1 500 m à 10 000 m. Olizarenko Nadeja [7] 28-11-53 : 800 m. O'Sullivan Marcus [18] 22-12-61 : 1 500 m. Ovett Steve [4] 9-10-55 : 800 m, 1 500 m, mile.

Panetta Francesco [5] 10-1-63 : 3 000 et 10 000 m. Peltzer Otto [11] 1900-68 : 800 m, 1 000 m, 1 500 m. Pizzolato Orlando [5] 30-7-68 : ma. Pirie Gordon [4] 10-2-31 : 3 000 m, 5 000 m. Puica Maricicia [32] 29-7-50 : 1 500 m, 3 000 m. Pujazon Raphaël [3] 12-2-18 : 3 000 m st., 5 000 m, cr. Puttemans Émile [33] 8-10-47 : 3 000 m, 5 000 m. Quentin Frédérique [3] 22-12-69 : 1 500. Quirot Anna-Fidelia [32] : 400 m, 800 m.

Ragueneau Gaston [3] 1881-1978 : cr. Reiff Gaston [33] 24-2-21 : 5 000 m. Ritola Ville [27] 1896-1982 : 5 000 m, 10 000 m, st. Rochard Roger [3] 20-4-13 : 5 000 m. Roelants Gaston [33] 5-2-37 : 3 000 m st.-cr. Rono Henry [23] 12-2-52 : 3 000 m, 5 000 m, 10 000 m, st. Rono Peter [23] 31-7-67 : 1 500 m. Ryun James (dit Jim) [1] 29-4-47 : 800 m, 1 500 m. Salah Ahmed [42] : ma. Salazar Alberto [1] 7-8-58 : ma. Salminen Ilmari [27] 21-9-02 : 10 000 m. Samolenko M. [7] 23-1-63 : 1 500 et 3 000 m. Saxby Kerry [10] 2-6-61 : 3,5 et 10 km. Seko Toshihiko [12] 15-7-56 : ma. Sergent Annette [3] 17-11-62 : cr., 1 500 m, 3 000 m. Sheppard Melvin [1] 1883-1942 : 800 m, 1 500 m. Shorter Frank [1] 31-10-47 : 10 000 m, ma. Shrubb Alfred [4] 1878-1954 : 5 000 m, 10 000 m, heure. Skah Khalid [20] 29-1-67 : cr. Snell Peter [30] 17-12-38 : 800 m, 1 500 m. Soares Louis [3] 24-3-64 : ma. Stewart Ian [4] 15-1-49 : 5 000 m. Strand Lennart [19] 13-6-21 : 1 500 m.

Texereau Guy [3] 14-5-35 : 3 000 m, st. Theato Michel [3] 1877 : ma. Thoumas Nathalie [3] 30-4-62 : 800 m. Tijou Noël [3] 12-12-41 : 10 000 m, cr. Treacy John [18] 4-6-57 : cr., ma. Tulu Derartu [29] 1972 : 10 000 m.

Vaatainen Juha [27] 12-7-41 : 5 000 m, 10 000 m. Van Damme Ivo [33] 1954-76 : 800 m, 1 500 m. Villain J.-Paul [3] 1-11-46 : 3 000 m, st. Villeton Jocelyne [3] 17-9-54 : 10 000 m. Viren Lasse [27] 22-7-49 : 5 000 m, 10 000 m, ma. Virgin Craig [1] 2-8-55 : 10 000 m, cr. Wachtel Christine [2] 6-1-65 : 800 m. Wadoux Jean [3] 29-1-42 : 1 500 m, 5 000 m. Waitz Grete [34] 1-10-53 : 3 000 m, ma. Wakiihuri Douglas [23] 26-9-63 : ma. Walker John [30] 12-1-52 : 1 500 m. Wolde Mamo [22] 12-6-43 : 10 000 m, ma. Wolhuter Richard [1] 23-12-48 : 800 m, 1 500 m. Wooderson Sydney [4] 30-8-14 : 800 m, 1 500 m, 5 000 m. Woodruff John [1] 5-7-15 : 800 m. Wootle David [1] 7-8-50 : 800 m. Yifter Miruts [22] 28-6-47 : 5 000 m, 10 000 m. Zatopek Emil [15] 19-2-22 : 5 000 m, 10 000 m, fond, ma.

■ Sauts

Hauteur. Ackermann (née Witschas) Rose-Marie [2] 4-4-52. Albritton David [1] 13-4-13. Andonova Ludmila [35] 6-5-60. André Géo [3] 1889-1943. Balas Yolanda [32] 12-12-36. Barnay Ghislaine (ép. Bambuck) [3] 8-10-45. Beilschmidt Rolf [2] 8-8-53. Bonnet Franck [3] 3-10-54. Brumel Valeri [7] 14-4-42. Bykova Tamara [7] 21-12-58. Colchen Anne-Marie [3] 8-12-25. Damitio Georges [3] 20-5-24. Davis Walter [1] 5-1-31. Debourse Marie-Christine [3] 24-9-51. Dumas Charles [1] 12-2-37. Éwanje-Épée Maryse [3] 4-9-64. Fosbury Richard D. [1] 6-3-47. Henkel Heike [11] 5-5-64. Horine George [1] 1890-1948. Johnson Cornelius [1] 1913-46. Kostadinova Stefka [32] 25-3-65. Lewden Pierre [3] 1901-89. Madubost Jacques [3] 6-6-44. Matzdorf Pat [1] 26-12-49. Menard Claude [3] 1906-80. Meyfarth Ulrike [11] 4-5-56. Mögenburg Dietmar [11] 15-8-61. Ni Chih-Chin [36] 14-4-42. Osborn Harold [1] 1899-1975. Pakline Igor [7] 15-7-63. Poaniewa Paul [3] 8-11-53. Povarnitsin Victor [7] 15-7-62. Ritter Louise [1] 18-2-58. Sainte-Rose Robert [3] 5-7-43. Simeoni Sarah [5] 19-4-53. Sjöberg Patrick [19] 5-5-65. Sotomayor Javier [8] 13-10-67. Steers Lester [1] 16-6-17. Stones Dwight [1] 6-12-53. Thomas John [1] 3-3-41. Verzy Franck [3] 13-5-61. Wessig Gerd [2] 16-7-59. Wszola Jacek [17] 30-12-56. Yatchenko Vladimir [7] 12-1-59. Zhu Jianhua [36] 29-5-63.

Perche. Abada Patrick [3] 20-3-54. Bell Earl [1] 25-8-55. Bellot Jean-Michel [3] 16-12-53. Bragg Donald (dit Don) [1] 15-5-35. Bubka Sergei [7] 14-12-63. Collet Philippe [3] 13-12-63. D'Encausse Hervé [3] 27-9-43. Galfione Jean [3] 9-6-71. Gataulline Rodion [7] 23-12-65. Gonder Fernand [3] 1883-1969. Gutowski Robert A. [1] 1935-60. Hansen Frederick M. [1] 29-12-40. Hoff Charles [34] 1902. Houvion Philippe [3] 5-10-57. Isaksson Kjell [19] 28-2-48. Kozakiewicz Wladislav [17] 8-12-53. Meadows Earle [1] 29-6-13. Nordwig Wolfgang [2] 28-8-43. Olson Billy [1] 19-7-58. Pennel John [1] 25-6-40. Polyakov Vladimir [7] 17-4-60. Quinon Pierre [3] 20-2-62. Ramadier Pierre [3] 1902-83. Richards Robert [1] 20-2-26. Roberts David [1] 23-7-51. Salbert Ferenc [3] 5-8-60. Seagren Robert [1] 17-10-46. Sillon Victor [3] 23-12-27. Slusarski [17] 19-5-50. Tracanelli François [3] 4-2-51. Tully Mike [1] 21-10-56. Vigneron Thierry [3] 9-3-60. Volkov Konstantin [7] 28-2-60. Warmerdam Cornelius [1] 22-6-15.

Longueur. Bardauskiene Vilma [7] 15-6-53. Beamon Robert [1] 29-8-46. Boston Ralph [1] 9-5-39. Berezhnaia Larissa [2] 28-2-61. Brige Norbert [3] 9-1-64. Cator Sylvio [37] 1900-59. Chistiakova Galina [7] 26-7-62. Curtet Jacky [3] 9-5-55. Cusmir Anisoara [32] 29-6-62. Davies Lynn [4] 20-5-42. De Hart Hubbard W. [1] 1903-75. Dombrowski Lutz [2] 25-6-59. Drechsler Heike [2] 16-12-64. Ducas Odette [3] 4-11-40. Emmian Robert [7] 16-2-65. Ewry Raymond Clarence [1] 1873-1937. Joyner-Kersee Jackie [1] 3-3-62. Hamm Edward [1] 1906-82. Lewis Carl [1] 1-7-61. Long Lutz [11] 1913-43. Myrricks Larry [1] 10-3-56. O'Connor Peter [18] 18-10-72. Owens (V. course). Pani Jacques [3] 21-5-46. Paul Robert [3] 20-4-09. Peacock Eulace [1] 27-8-14. Powell Mike [1] 1964. Prinstein Myer [1] 1878-1928. Robinson Clarence [1] 7-4-48. Rousseau Jacques [3] 10-3-51. Siegl-Thon Sigrun [2] 19-10-54. Steele William [1] 14-7-23. Ter-Ovanessian Igor [7] 19-5-38. Toomey (née Bignal) Mary-Denise [4] 10-2-40. Voigt Angela [2] 18-5-51.

Triple saut. Ahearne Timothy [18] 1886-1968. Battista Eric [3] 14-5-33. Banks Willie [1] 11-3-56. Borda Sylvie [3] 4-9-66. Conley Mike [1] 5-10-62. Da Silva Ferreira [24] 29-9-27. De Oliveira João Carlos [24] 28-5-54. Drehmel Joerg [2] 3-5-45. Ewry Ray [1] 1874-1937. Helan Serge [3] 24-2-64. Hoffman Zdzislaw [17] 27-8-59. Lamitie Bernard [3] 27-6-46. Markov Khristo [35] 27-1-65. Nambu Chuhei [12] 27-5-04. Oda Mikio [12] 30-3-05. Oudmae Jaak [7] 3-9-54. Prudencio Nelson [24] 4-4-44. Saint-Rose Georges [3] 3-9-69. Saneiev Viktor [7] 3-10-45. Schmidt Josef [17] 28-3-35. Tajima Naoto [12] 15-8-12. Tcherbakov Leonid [7] 7-4-27.

■ Lancers

Poids. Albritton Terry [1] 14-1-55. Barnes Randy [1] 16-6-66. Barychnikov Alexandre [7] 11-11-48. Beer Arnjolt [3] 19-6-46. Bertimon Léone [3] 16-8-50. Beyer Udo [2] 9-8-55. Briesenick Hartmut [2] 17-3-49. Brouzet Yves [3] 5-9-48. Chizhova Nadejda [7] 29-9-45. Colnard Pierre [3] 18-2-29. Fibingerova Helena [15] 13-7-49. Fonville Charles [1] 27-4-27. Fuchs James E. [1] 6-12-27. Gummel Margitta [2] 29-6-41. Günthor Werner [39] 1-6-61. Komar Wladyslaw [17] 11-4-40. Long Dallas C. [1] 13-6-40. Losovskaia Natalya [7] 16-7-62. Matson James R. [1] 5-3-45. Nieder William (Bill) [1] 10-8-33. O'Brien Parry [1] 28-1-32. Oldfield Brian [1] 1-6-45. Ostermeyer Micheline [3] 23-12-22. Press Tamara [7] 10-5-37. Rose Ralph W. [1] 1885-1913. Slupianek Ilona [2] 24-9-56. Tchizhova Nadejda [7] 29-9-45. Timmermann Ulf [2] 1-11-62. Torrance Jack [1] 1912-69. Velu Lucienne [3] 1902. Viudès Luc [3]. Woods George [1] 11-2-43. Zhu Jianhua [36] 29-5-63. Zybina Galina [7] 22-1-31.

Disque. Alard Pierre [3] 17-9-37. Bugar Imrich [15] 14-4-55. Consolini Adolfo [5] 1917-69. Danek Ludvik [15] 6-1-37. Dumbadze Nina [7] 23-1-19. Gordien Fortune [1] 9-9-22. Gunthor Werner [39] 1-6-61. Houser Clarence [1] 25-9-01. Iness Simeon [1] 9-7-30. Jahl Evelyne (née Schlaak) [2] 28-3-56. Manoliu Lia [32] 25-4-32. Mauermayer Gisela [11] 24-11-13. Melnik Faina [7] 9-6-45. Milde Lothar [2] 8-1-34. Noel Jules [3] 1903-40. Oerter Alfred [1] 19-9-36. Press Tamara [7] 10-5-37. Piette Frédéric [3] 22-9-46. Schmidt Wolfgang [2] 16-1-54. Schult Jurgen [2] 11-3-60. Sheridan Martin [1] 1881-1918. Silvester Jay [1] 27-8-37. Teppe Agnès [3] 4-5-68. Velu Lucienne (V. poids). Wilkins Mac [1] 15-11-50. Winter Paul [3] 1906-92.

Marteau. Acambray Jacques [3] 23-5-50. Beyer Uwe [11] 14-5-45. Bondartchuk Anatoly [7] 30-5-40. Ciofani Walter [3] 17-2-62. Connolly Harold [1] 1-8-31. Flanagan John [1] 1873-1938. Hein Karl [11] 11-6-08. Husson Guy [3] 2-3-31. Klim Romuald [7] 25-5-33. Krivonosov Mikhaïl [7] 1-5-29. Litvinov Sergei [7] 23-1-58. McGrath Matthew [1] 1878-1941. O'Callaghan Patrick [18] 1905-91. Piolanti Raphaël [3] 14-11-67. Riehm Karl-Heinz [11] 31-5-51. Ryan Patrick (Pat) [1] 1887-1964. Sedykh Yuri [7] 11-5-55. Zsivotzky Gyula [28] 25-2-37.

Javelot. Backley Steven [4] 12-2-69. Danielsen Egil [34] 9-11-33. Demys Michèle [3] 17-9-43. Felke Petra [2] 30-7-59. Fuchs Ruth [2] 14-12-46. Hanisch Wolfgang [11] 6-3-51. Held Frank [1] 25-10-27. Jarvinen Matti [27] 1909-85. Kinnunen Jorma [27] 15-12-41. Kula Danius [7] 28-4-59. Kulcsar Gergely [28] 10-3-34. Lemming Erik [19] 1880-1930. Lillak Tina [27] 15-4-61. Lusis Janis [7] 19-5-39. Macquet Michel [3] 3-4-32. Michel Detlef [2] 13-10-55. Myyrae Jonni [27] 1892-1964. Nemeth Miklos [28] 23-10-46. Nevala Pauli Lauri [27] 30-11-40. Nikkanen Yrjo [27] 31-12-14. Ozolina Elvina [7] 10-8-39. Paragi Ferenc [28] 21-8-53. Pedersen Terje [34] 9-2-43. Petranoff Tom [1] 8-4-58. Raty Seppo [27] 27-4-62. Schmidt Kathryn [1] 29-12-53. Sedykh Yuri [7] 11-6-55. Sidlo Janusz [17] 19-6-33. Siitonen Hannu [27] 18-3-49. Wolfermann Klaus [11] 31-3-46. Zatopkova Dana [15] 19-9-22. Zelezny Jan [15] 1966.

■ Épreuves combinées

Décathlon. Pentathlon. Heptathlon. Avilov Nikolay [7] 6-8-48. Beaugeant Chantal [3] 16-2-61. Bendlin Kurt [11] 22-5-43. Campbell Milton [1] 9-12-33. Debourse Marie-Christine [3] 24-9-51. Guenard Denise [3] 13-1-34. Heinrich Ignace [3] 31-7-25. Hingsen Jürgen [11] 25-1-58. Jenner Bruce [1] 28-10-49. Johnson Dave [1] 7-4-63. Johnson Rafer [1] 18-8-35. Joyner-Kersee Jackie [1] 3-3-62. Khiamialiainen Edouard [7] 21-1-69. Kirst Joachim [2] 29-5-47. Kratschmer Guido [11] 10-1-53. Kuznetsov Vassili [7] 7-2-32. Le Roy Yves [3] 23-2-51. Lesage Odile [3] 28-6-69. Mathias Robert [1] 17-11-30. Morris Glenn [1] 1912-74. Neubert Ramona [2] 26-7-58. O'Brien Dan [1] 18-7-66. Osborn Harold (voir Saut en hauteur). Penalver Antonio [43] 1-12-68. Picaut Florence [3] 25-10-52. Plaziat Christian [3] 28-10-63. Pollak Burglinde [2] 10-6-51. Smith Michael [14] 16-9-67. Teppe Nathalie [3] 22-5-72. Thompson Daley [4] 30-7-58. Thorpe James Francis [1] 1888-1953. Tkatchenko Nadezhad [7] 19-9-48. Toomey William (dit Bill) [1] 10-1-39. Zmelik Robert [15] 18-4-69.

Athlètes pratiquant plusieurs disciplines

Vitesse et demi-fond. Eastman [1] 400 m, 800 m. Fiasconaro [5] 400 m, 800 m. Harbig [11] 400 m, 800 m. Juantorena [8] 400 m, 800 m. Myers [1] 100 m à 800 m. Whitfield [1] 400 m, 800 m. Wint [16] 400 m, 800 m. **Course et concours.** André [3] 110 m et 400 m haies, hauteur. Hitomi [12] 100 m, longueur. Kraenzlein [1] 110 m haies, longueur. Lewis [1] 100 m, 200 m, long. Owens [1] 100 m, 200 m, long. Szewinska [17] 100 m, 200 m, 400 m, longueur.

■ Marche

Bautista Daniel [38] 4-8-52. Canto Ernesto [38] 18-10-59. Damilano Maurizio [5] 6-4-57. Delerue Henri [3] 14-11-39. Fesselier Martial [3] 9-10-61. Fortain Nathalie [3] 12-7-69. Golubnichy Vladimir [7] 2-6-36. Griesbach Suzanne [3] 22-4-45. Höhne Christoph [2] 12-2-41. Kannenberg Bernd [11] 20-8-42. Lelièvre Gérard [3] 13-11-51. Marchand Nathalie [3] 12-7-69. Pamich Abdon [5] 3-10-33. Saxby Kerry [10]. Smaga Nikolay [7] 22-8-38. Schennikov Mikhael [2]. Toutain Thierry [3] 14-6-62. Wang Yang [30] 9-4-71.

Automobile (Sport)

Premières courses

1er concours *(sans classement).* 22-7-1894, en France : *Paris-Rouen,* 126 km, 13 véh. à pétrole, 2 à vapeur ; 1 à vapeur (de Dion) réalise le temps le plus court avec env. 17,78 km/h de moyenne (pas de chronométrage officiel pour la pause-déjeuner obligatoire à Mantes) ; le 1er prix fut néanmoins partagé entre Panhard et Peugeot. **1re course officiellement contrôlée** *Paris-Bordeaux-Paris* du 11 au 13-6-1895, 1 178 km, 16 véh. à pétrole, 5 à vapeur, 1 électrique, vict. de Levassor en 22 h 25', moy. 24,4 km/h ; *Paris-Marseille-Paris* en 1896 ; *Paris-Dieppe* en 1897 ; *Paris-Madrid* en 1903, moy. 105 km/h [arrêtée à Bordeaux par ordre gouvernemental en raison des accidents causés : 15 corporels, 7 † (2 pilotes, 3 mécaniciens, 2 spectateurs)]. **Coupe Gordon-Bennett** Disputée en France (1900, Paris-Lyon par Orléans, 560 km, 19-01-02-05), Irlande (1903), Allemagne (1904). **1er Grand Prix de l'ACF** (Le Mans 26/27-6-1906). Ensuite, apparurent d'autres grands prix nationaux. **1re à traverser le Sahara** 1925, Louise Delongette. **1re femme à remporter le rallye de Monte-Carlo** 1936, Helle Nice.

1res victimes du sport automobile. *Officiellement* Émile Levassor en 1896 : projeté hors de sa voiture à la suite d'une collision avec un chien, il ne termina pas un Paris-Marseille-Paris et mourut 1 an plus tard des suites de ses blessures. *1er accident en pleine course :* Mis de Montaignac en 1897 dans le Paris-Dieppe : ayant voulu se découvrir pour saluer un concurrent qu'il allait dépasser, il l'accrocha et perdit le contrôle de son véhicule.

Quelques grands records

☞ Voir aussi p. 1448.

Vitesse record. 1 019,4 km/h, 4-10-1983, par Richard Noble sur Thrust II (turbine développant 8,5 t de poussée soit 34 000 ch). Le record (1 190,377 km/h, le 18-12-1979) par Stan Barrett n'a pas été homologué, le trajet n'ayant pas été effectué dans les 2 sens. **Sur anneau de vitesse :** 403,878 km/h [Hans Liebold (All. féd.) à Nasdo (Italie) le 5-5-1979 sur un tour de 12,64 km (1"52"67) avec un coupé expérimental Mercedes-Benz (C111-1V)]. **Sur circuit routier :** 262,461 km/h [Henri Pescarolo (Fr.) à Spa-Francorchamps (Belg.) 6-5-1973, tour de 14,10 km sur Matra Simca 670]. *En course :* 249,670 km/h [Pedro Rodriguez et Jackie Olivier à Spa-Francorchamps (Belg.) 9-5-1971, 1 001,10 km en 4 h 01'7" sur Porsche 917-K].

Plus grande accélération. 400 m en 5"63 (vitesse finale : 403,45 km/h) par Garlits en 1979.

Distance parcourue. 1933 mars-juill., en 133 j 17 h 37'38"34, à Montlhéry : 298 298 km à 93,452 km/h par une Citroën Rosalie par 7 pilotes. **1963** à Miramas : 300 000 km (du 10 juill. au 4 nov.) à 106,49 km/h par 7 pilotes se relayant sur une Ford Taunus 12M (7 ch, 4 cyl., traction avant, 4 vitesses).

Types d'épreuves

■ **Épreuves disputées sur circuit.** Épreuves de vitesse et/ou d'endurance disputées sur circuits homologués fermés avec distance ou durée imposées. **Principaux circuits.** *Afr. du S. :* Kyalami. *All. féd. :* Hockenheim, Nürburgring. *Argentine :* Buenos Aires. *Australie :* Adélaïde. *Autriche :* Zeltweg (Oesterreichring). *Belgique :* Spa-Francorchamps, Zolder. *Brésil :* Interlagos (São Paulo), Jacarapegua (Rio). *Canada :* Mosport, Montréal[1]. *Espagne :* Barcelone, Fuengirola [1], Jamara. *États-Unis :* Dallas [1], Daytona, Detroit [1], Indianapolis, Las Vegas[1], Long Beach[1], Riverside, Sebring, Watkins-Glen. *France :* Albi, Bugatti (Le Mans), Clermont-Ferrand[1] (Charade), Croix-en-Ternois, Dijon-Prénois, Folembray, Magny-Cours, Le Mans (circuit des 24 h)[1], Linas-Montlhéry, Nîmes-Ledenon, Nogaro, Pau[1], Paul-Ricard (Le Castellet), Rouen-les-Essarts[1]. *G.-B. :* Brands-Hatch, Donington Park, Mallory Park, Oulton Park, Silverstone, Snetterton, Thruxton. *Hongrie :* Hungaroring. *Italie :* Enna-Pergusa, Imola, Misano, Monza, Mugello, Vallelunga. *Japon :* Fuji, Suzuka. *Monaco. P.-Bas :* Zandvoort. *Portugal :* Estoril. *Suède :* Anderstorp, Kinekulle-Ring, Knutstorp, Mantorp-Park. *Tchécosl. :* Brno[1].

Nota. – (1) Circuits non permanents.

■ **Rallyes.** Épreuves de régularité et d'endurance avec épreuves de classement dans la plupart des cas, se déroulant totalement ou partiellement sur des routes ouvertes à la circulation normale (étroites, sinueuses, glissantes en hiver et rendues difficiles par le brouillard, la pluie ou la neige). Le parcours comprend des étapes spéciales disputées contre la montre sur des portions de routes où toute circulation est interdite. Entre 2 étapes spéciales, les pilotes suivent les itinéraires (secteurs de liaison) dans des conditions de circulation normale au milieu des usagers habituels. Ils doivent respecter le Code de la route et la moyenne imposée. Classement final établi en fonction des temps réalisés dans les secteurs chronométrés et des pénalisations encourues sur route. Le vainqueur est celui dont le total est le plus faible [Monte-Carlo, Safari, Acropole, 1 000 Lacs, San Remo, RAC, Bandama, Côte-d'Ivoire]. Safari et Bandama ne possèdent pas d'épreuves de classement, mais se déroulent selon un parcours à moyenne imposée pratiquement irréalisable (le classement s'effectue en fonction des pénalisations).

Catégories. Rallyes régionaux, fédéraux, nationaux et internationaux.

1er long rallye. *Pékin-Paris* (12 000 km), en 1907 ; organisé par le quotidien de Paris *Le Matin ;* 5 voitures ; départ le 10-6, arrivée du 1er (Prince It. Scipione Borghese sur une Itala) le 10-8. **Le plus long rallye.** *Londres-Sydney,* organisé par les Singapore Airlines (en tout 17 pays), parti de Covent Garden le 14-8-1977, arrivé à Sydney le 28-9 après 13 107 km. Remporté par Andrew Cowan, Colin Malkin et Michael Broad (G.-B.) sur une Mercedes 280 E.

■ **Courses de côtes.** Épreuves de vitesse disputées sur des portions de routes fermées et réservées aux voitures des groupes A à N, sport et formule libre (Ampus, Rossfeld, Mont-Dore, Montseny...). Ces compétitions sont inscrites au calendrier international (FIA) ou national.

Toutes ces épreuves sont réalisées, en France, sous la responsabilité de la Féd. fr. du sport automobile et des associations affiliées.

Catégories de voitures

Catégorie I. V. fabriquées en série destinées à la vente. **Groupe N.** V. de production (ex. Renault 11 turbo). Tourisme de grande série. Produites à 5 000 ex. min. en 12 mois consécutifs. Homologuées par la FISA en v. de tourisme (Groupe A). 4 places min. Changements autorisés répondant à des homologations précises (transmission, suspension, système électrique, freins, carrosserie, moteur et dispositifs de sécurité). **Groupe A.** 1987, remplace le groupe B, v. de tourisme (ex. Mercedes 190 2,3 l). Tourisme de grande production. Produites à 1 000 ex. min. en 12 mois consécutifs. 4 places min. 300 CV, 620 kg et 1 000 cm^3 à 1 400 kg et 5 000 cm^3. Modifications selon homologations FISA (moteur, poids, transmission, suspension, roues, pneus, freins, direction, châssis, système électrique, dispositifs de sécurité). **Groupe B** (1982-87). V. de sport (ex. Peugeot 205 turbo 16). Grand tourisme de sport. Produites à 200 ex. min. en 12 mois consécutifs. 2 places min. 550 CV. Modifications comme pour groupe A ainsi que poids, roues et pneus. Le constructeur a aussi droit à *une évolution* (20 exemplaires plus performants par an). Le 3-5-1986, à la suite de nombreux accidents mortels en rallyes, le Pt de la FISA a décidé, pour le championnat 1987, de supprimer le groupe B et d'annuler la création du **groupe S** (prévu pour remplacer en 1988 le groupe B, 10 ex. voitures d'usines pour les pilotes vedettes, max. 300 CV).

Catégorie II. V. fabriquées à l'unité, uniquement destinées à la compétition. **Groupe C.** V. de sport prototype (ex. Porsche 962). GROUPE C1 : v. de compétition, construites pour courses en circuit fermé, toutes les modifications sont autorisées pour le moteur, max. 100 l de carburant, 850 kg. GROUPE C2 : mêmes règles que pour groupe c1, 700 kg, moins de carburant que pour les c1. **Groupe D.** V. de course de formule internationale. Monoplaces. FORMULE I : courses de vitesse en circuit fermé. Monoplaces à 4 roues, non recouvertes. *Réglementation pour 1991 : carrosserie-châssis,* fond plat, largeur hors tout 215 cm, sol-aileron 100 cm, repose-tête obligatoire ; *moteur* atmosphérique (3 500 cm^3-12 cyl. max.) ; *poids min.* 540 kg ; *réservoir* sans limitation ; *pneumatiques* largeur max. 18 pouces, diam. max. 26 pouces. FORMULE II : n'existe plus. FORMULE III : course de vitesse en circuit fermé. Min. 455 kg. Max. 2 000 cm^3. Max. 4 cylindres. Suralimentation interdite. FORMULE 3000 : créée 1984 (1er championnat en 85) pour remplacer la Formule II, course de vitesse en circuit fermé, max. 3 000 cm^3, 12 cylindres, 9 000 tours/minute (limiteur électronique sur chaque voiture). Env. 450 CV ; 540 kg min, pneus Avon. **Groupe E.** V. de course de formule libre (autres que celle des groupes N, A, B, C, D) ; règlement fixé par les organisateurs.

Attribution des points aux pilotes de F I. *1950-59 :* les premiers marquent 8, 6, 4, 3 et 2 pts, l'auteur du meilleur tour en course 1 pt. *1960 :* le 6e a 1 pt ; suppression du pt au meilleur tour. *1961-90 :* 9 pts au 1er. *1991 :* 10 pts au 1er, puis 6, 4, 3, 2, 1. On comptabilisera 14 résultats et non plus 11 sur les 16 courses (but : inciter les pilotes à terminer).

Mesures de protection. *1952* port du casque. *59* combinaison ignifugée. *69* coupe-circuit, arceau, extincteur. *70* réservoirs souples. *72* harnais. *75* air médical. *82* cellule de survie. *83* interdiction des jupes et imposition du fond plat. *85* crash-test frontal. *88* tests statiques latéraux ; recul du pédalier en arrière de l'axe des roues avant. *89* interdiction des moteurs turbo. *90* sac anti-pénétration pour le réservoir d'essence, augmentation des dimensions et test statique pour l'arceau de sécurité, crash-test statique latéral pour la protection avant. *91* limitation des dimensions des ailerons avant, emplacement imposé du réservoir d'essence entre l'habitacle et le moteur (plus de réservoirs latéraux), nouveaux tests statiques de résistance aux chocs latéraux, amélioration des protections pour toutes les canalisations.

Les *formules nationales* (ex. Formule Renault Turbo) appartiennent aux formules libres et ont une réglementation spéciale (ex. obligation d'utiliser un moteur ou des pièces d'une marque donnée).

Compétitions en circuits

Championnat du monde des conducteurs de Formule I

Créé 1950. Ouvert aux voitures de Formule I. 2 titres sont décernés en fin de saison : *Championnat du monde pilotes :* attribution des points pour les 6 premiers pilotes classés : 10, 6, 4, 3, 2, 1 points. On tient compte de toutes les épreuves. *Ch. du monde constructeurs :* attribution des points pour les 6 premiers classés : 10, 6, 4, 3, 2, 1 points. Les points sont cumulables si un constructeur a 2 v. classées parmi les 6 premières.

Les *Grands Prix* sont disputés sur env. 305 km (sauf Monaco), la durée de l'épreuve ne pouvant excéder 2 h ; 8 à 17 épreuves autorisées par saison (16 en 1993). Les pilotes ont une super-licence (env. 50 dans le monde).

En 1993, 30 voitures inscrites (représentant 16 écuries). Lors de chaque course, 26 pilotes sont admis d'office aux qualifications au vu de leurs résultats de l'année précédente, 9 pilotes doivent subir les préqualifications afin de désigner les 4 meilleurs. Sur les 30 pilotes admis aux qualifications, les 26 premiers participent à la course. En 1990, 8 pilotes de F1 max. par pays.

■ **Champions. 1950** Giuseppe Farina (It.) [1]. **51** Juan Manuel Fangio (Arg.) [1]. **52, 53** Alberto Ascari (It.) [2]. **54, 55, 56, 57** J. M. Fangio (Arg.) [3,4,2,3]. **58** Mike Hawthorn (G.-B.) [2]. **59, 60** Jack Brabham (Austr.) [5]. **61** Phil Hill (USA) [2]. **62** Graham Hill (G.-B.) [6]. **63** Jim Clark (G.-B.) [7]. **64** John Surtees (G.-B.) [2]. **65** J. Clark (G.-B.) [7]. **66** J. Brabham (Austr.) [8]. **67** Dennis Hulme (N.-Z.) [8]. **68** G. Hill (G.-B.) [9]. **69** Jacky Stewart (G.-B.) [10]. **70** Jochen Rindt (Autr.) [9], à titre posthume. **71** J. Stewart (G.-B.) [11]. **72** Emerson Fittipaldi (Br.) [9]. **73** J. Stewart (G.-B.) [11]. **74** E. Fittipaldi (Br.) [12]. **75** Niki Lauda (Autr.) [2]. **76** James Hunt (G.-B.) [12]. **77** N. Lauda (Autr.) [2]. **78** Mario Andretti (USA) [9]. **79** Jody Scheckter (Afr. du S.) [2]. **80** Alan Jones (Austr.) [13]. **81** Nelson Piquet (Br.) [14]. **82** Keke Rosberg (Finl.) [13]. **83** N. Piquet (Br.) [15]. **84** N. Lauda (Autr.) [16]. **85, 86** Alain Prost (Fr.) [16]. **87** N. Piquet (Br.) [17]. **88** Ayrton Senna (Br.) [18]. **89** A. Prost (Fr.) [18]. **90, 91** A. Senna (Br.) [18]. **92** N. Mansell (G.-B.) [19], *2* R. Patrese (It.) [19], *3* M. Schumacher (All.) [20].

☞ *Légende.* – (1) Alfa-Romeo, (2) Ferrari, (3) Maserati, (4) Mercedes, (5) Cooper-Climax, (6) BRM, (7) Lotus Climax, (8) Brabham-Repco, (9) Lotus-Ford, (10) Matra-Ford, (11) Tyrrel-Ford, (12) McLaren-Ford, (13) Williams-Ford, (14) Brabham-Ford, (15) Brabham-BMW, (16) McLaren-TAG, (17) Williams-Honda, (18) McLaren-Honda. (19) Williams-Renault. (20) Benetton-Ford.

■ **Records. Nombre de titres :** Juan Manuel Fangio (5 titres dont 4 consécutifs), Jack Brabham, Jacky Stewart, Niki Lauda, Nelson Piquet, Alain Prost et Ayrton Senna (3 titres).

Nombre de victoires en Grand Prix (1950 au 26-7-1993) : Prost 51, Senna 39, Mansell 28, Stewart 27, Clark et Lauda 25, Fangio 24, Piquet 23, Moss 16, Brabham, Fittipaldi et Hill 14, Ascari 13, Andretti, Reutemann et Jones 12, Hunt, Petterson et Scheckter 10. *Pilotes français.* Prost 51, Arnoux 7, Laffite 6, Pironi 3, Depailler, Jabouille, Tambay et Trintignant 2, Beltoise et Cevert 1.

Champions du monde : *le plus jeune :* Emerson Fittipaldi le 10-9-1972 (25 ans 273 j) ; *le plus vieux :* Juan-Manuel Fangio le 18-8-1957 (46 a 55 j).

Vainqueurs d'un Grand Prix : *le plus jeune :* Bruce Leslie McLaren (G.-P. des USA, le 12-12-1959) 22 ans 104 j ; *le plus vieux :* Tazio Georgio Nuvolari (GP de France le 14-6-1946) 53 ans 240 j.

Par marques (au 26-7-93). Ferrari 103, McLaren 99, Lotus 79, Williams-Renault 65, Brabham 35, Tyrrell 23, BRM 17, Cooper 16, Renault 15, Alfa Romeo 10, Mercedes, Maserati, Vanwall et Matra 9, Ligier 8, Benetton 4, Wolf et March 3, Honda 2, Porsche, Eagle, Hesketh, Penske et Shadow 1.

De participations : Ricardo Patrese, 250 au 26-7-1993. Graham Hill, 176 Grands Prix (184 possibles) du 18-5-1958 au 26-1-1975. Jacques Laffite, 176 au 13-7-1986. Nelson Piquet, 204 au 4-11-1991.

Circuits : *le plus rapide :* Spa. Francorchamps (Belg.) ; rec. du tour : 262,461 km/h le 6-5-73, Henri Pescarolo ; *le plus difficile :* Monaco, dans les rues et sur le port, avec 11 virages et plusieurs côtes sévères ; exige en moyenne 1 600 changements de vitesse.

■ **Publicité.** Jusqu'en 1968, seules les publicités ayant un lien direct avec les sports auto. (pneumatiques, carburants, accessoires) étaient autorisées sur les voitures. Les 1res pub. extra-sportives sont apparues en 1968 sur la Lotus avec Gold Leaf.

Championnat du monde des constructeurs de Formule I

Créé 1958. **58** Vanwall. **59, 60** Cooper-Climax. **61** Ferrari. **62** BRM. **63** Lotus-Climax. **64** Ferrari. **65** Lotus-Climax. **66, 67** Brabham-Repco. **68** Lotus-Ford. **69** Matra-Ford. **70** Lotus-Ford. **71** Tyrrell-Ford. **72, 73** Lotus-Ford. **74** McLaren-Ford. **75, 76, 77** Ferrari. **78** Lotus-Ford. **79** Ferrari. **80, 81** Williams-Ford. **82, 83** Ferrari. **84** McLaren-Porsche. **85** McLaren-TAG-Porsche. **86, 87** Williams-Honda. **88, 89, 90, 91** McLaren-Honda. **92** Williams-Renault.

Nota. – Record de victoires (au 26-7-1993). Ferrari 8, Lotus 7, McLaren 10, Williams 12.

Rétrospective

Vainqueurs et, entre parenthèses, voiture

☞ *Légende :* A : Alfa-Romeo. Ar : Arrows. ArBMW : Arrow-BMW. AF : Arrow-Ford. ATS.B : ATS-BMW. B : BRM. BDA : BMS-Dalara-Ford. BF : Benetton-Ford. Br : Brabham. BrA : Brabham-Alfa-Romeo. BrB : Brabham-BMW. BrF : Brabham-Ford. BJ : Brabham-Judd. BR : Brabham-Repco. C. : Cooper. CC : Copersucar Cosworth. Co : Colt. F : Ferrari. Fo : Ford. L : Lotus. LA : Larrousse Lamborghini. LF : Ligier-Ford. DJ : Dallara-Judd. LH : Lotus-Honda. LR : Ligier-Renault. LoC : Lola-Cosworth. LoF : Lotus-Ford. LoR : Lotus-Renault. LM : Ligier-Matra. M : Mercedes-Benz. Ma : Maserati. Mar : March. MaC : March-Cosworth. MaJ : March-Judd. Mat : Matra. ML : McLaren. MLH : McLaren Honda. MLP : McLaren-Porsche. O : Osella. OF : Onyx-Ford. P : Porsche. R : Renault. RH : RAM-Hart. S : Shadow. Su : Surtees. Sp : Spirit-Art. TAG : Techniques d'avant-garde. T : Talbot. TL : Talbot-Ligier. To : Toleman. Ty : Tyrell. TF : Tyrell-Ford. Van : Vanwall. W : Williams. Wo : Wolf. WH : Williams-Honda. WR : Williams-Renault.

Afrique du Sud. *Créé* 1932. *Circuit :* Kyalami (4,261 km, 72 tours soit 306,792 km) *Record :* 197,731 km/h Mansell (1992). **62** G. Hill (Br). **63, 68** J. Clark (L). **69** J. Stewart (Mat). **70** J. Brabham (Br). **71** Andretti (L). **72** D. Hulme (ML). **73** J. Stewart (Ty). **74** C. Reutemann (Br). **75** J. Scheckter (Ty). **76, 77** N. Lauda (F). **78** R. Peterson (L). **79** Gilles Villeneuve (F). **80** R. Arnoux (R). **81** (non qualificative pour le Ch. du monde, disputée uniquement par les écuries Foca) C. Reutemann. **82** A. Prost (R). **83** R. Patrese. **84** N. Lauda (MLP). **85** N. Mansell (WH). **86-91** non disp. **92** N. Mansell (WR). **93** A. Prost (WR), *2* A. Senna (MLF), *3* M. Blundell (LR).

Allemagne féd. *Créé* 1926. *Circuit :* Hockenheim (6,815 km, 45 tours soit 306,675 km). *Record :* 241,492 km/h Patrese (1992). **60** J. Bonnier (P). **61** S. Moss (L). **62** G. Hill (B). **63, 64** J. Surtees (F). **65** J. Clark (L). **66** J. Brabham (BR). **67** D. Hulme (Br). **68** J. Stewart (Mat). **69** J. Ickx (BrF). **70** J. Rindt (L). **71** J. Stewart (Ty). **72** J. Ickx (F). **73** J. Stewart (Ty). **74** C. Regazzoni (F). **76** J. Hunt (ML). **77** N. Lauda (F). **78** M. Andretti (L). **79** A. Jones (W). **80**

J. Laffite (LM), (LF). **81** N. Piquet (BrF). **82** P. Tambay (F). **83** R. Arnoux (F). **84** A. Prost (MLP). **85** M. Alboreto (F). **86, 87** N. Piquet (WH). **88, 89** A. Senna (MLH). **90** A. Senna (MLH). **91** N. Mansell (WR). **92** N. Mansell (WR). **93** A. Prost (WR), *2* M. Schumacher (BF). *3* M. Blundell (LR).

Argentine. *Disputé* de 1953 à 81. *Circuit :* Buenos Aires (5,968 km). *Record :* 204,066 km/h Piquet (1981). **60** B. Mc Laren (C). **71** C. Amon (Mat) (hors championnat). **72** J. Stewart (Ty). **73** E. Fittipaldi (L). **74** D. Hulme (ML). **75** E. Fittipaldi (ML). **76** annulé. **77** J. Scheckter (Wo). **78** M. Andretti (L). **79** J. Laffite (LF). **80** A. Jones (W). **81** N. Piquet (B).

Australie. *Créé* 1985. *Circuit :* Adélaïde (3,780 km, 81 tours soit 306,180 km). *Record :* 179,831 km/h Senna (1991). **85** K. Rosberg (WH). **86** A. Prost (MLP). **87** G. Berger (F). **88** A. Prost (MLH). **89** T. Boutsen (WR). **90** N. Piquet (BF). **91** A. Senna (MLH). **92** G. Berger (MLH), *2* M. Schumacher (BF), *3* M. Brundle (BF).

Autriche. *Disputé* de 1964 à 87. *Circuit :* Osterreichring (5,942 km). *Record :* 242,207 km/h Mansell (1987). **64** Bandini (F). **70** J. Ickx (F). **71** S. Siffert (BRM). **72** E. Fittipaldi (L). **73** R. Peterson (L). **74** C. Reutemann (Br). **75** V. Brambilla (March 751). **76** J. Watson (Penske). **77** A. Jones (S). **78** R. Peterson (L). **79** A. Jones (W). **80** J.-P. Jabouille (R). **81** J. Laffite (T). **82** E. De Angelis (LoF). **83** A. Prost (R). **84** N. Lauda (MLP). **85, 86** A. Prost (MLP). **87** N. Mansell (WH), *2* N. Piquet (WH), *3* T. Fabi (Fo). **Dep. 88,** non disp.

Belgique. *Créé* 1925. *Circuit :* Spa-Francorchamps (6,974 km, 44 tours soit 306,856 km). *Record :* 226,376 km/h Senna (1991). **50** Fangio (A). **51** Farina (A). **52, 53** Ascari (F). **54** Fangio (Ma). **55** Fangio (M). **56** Collins (F). **57** non disp. **58** Brooks (V). **59** non disp. **60** Brabham (C). **61** P. Hill (F). **62, 63, 64, 65** J. Clark (L). **66** J. Surtees (F). **67** Gurney (Eagle). **68** B. McLaren (ML). **69** annulé. **70** P. Rodriguez (B). **71** J. Stewart (T.-F.). **72** E. Fittipaldi (L). **73** J. Stewart (Ty). **74** E. Fittipaldi (ML). **75, 76** N. Lauda (F). **77** G. Nilsson (L). **78** M. Andretti (L). **79** J. Scheckter (F). **80** D. Pironi (LM). **81** C. Reutemann (W). **82** J. Watson (ML). **83** A. Prost (R). **84** M. Alboreto (F). **85** A. Senna (LoR). **86** N. Mansell (WH). **87** A. Prost (MLP). **88, 89, 90** A. Senna (MLH). **91** A. Senna (MLH). **92** M. Schumacher (BF), *2* N. Mansell (WR), *3* R. Patrese (WR).

Brésil. *Créé* 1972. *Circuit :* 1982 et dep. 1990 Interlagos (São Paulo, 4,325 km, 71 tours soit 307,075 km), autres années : Jacarapegua (Rio, 5,031 km). *Record :* 195,874 km/h Patrese (1992). **72** C. Reutemann (BrF). **73** E. Fittipaldi (ML). **74** E. Fittipaldi (L). **75** C. Pace (Br). **76** N. Lauda (F). **77, 78** C. Reutemann (F). **79** J. Laffite (LF). **80** R. Arnoux (R). **81** C. Reutemann (W). **82** A. Prost (R). **83** N. Piquet (Br). **84, 85** A. Prost (MLP). **86** N. Piquet (WH). **87** A. Prost (MLP). **88** A. Prost (MLH). **89** N. Mansell (F). **90** A. Prost (F). **91** A. Senna (MLH). **92** N. Mansell (WR). **93** A. Senna (MLF), *2* D. Hill (WR), *3* M. Schumacher (BF).

Canada. *Créé* 1961. *Circuit :* Gilles-Villeneuve (Ile Notre-Dame à Montréal, 4,430 km, 69 tours soit 305,670 km). *Record :* 193,720 km/h Berger (1992). **67** J. Brabham (Br). **68** D. Hulme (ML). **69** J. Ickx (BrF). **70** J. Ickx (F). **71** J. Stewart (T.-F.). **72** J. Stewart. **73** Revson (Yardley ML). **74** E. Fittipaldi (ML). **75** annulé. **76** J. Hunt (ML). **77** J. Scheckter (Wo). **78** G. Villeneuve (F). **79, 80** A. Jones (W). **81** J. Laffite (T). **82** N. Piquet (Br.BMW). **83** Arnoux (F). **84** Piquet (BrB). **85** M. Alboreto (F). **86** N. Mansell (WH). **87** non disp. **88** A. Senna (MLH). **89** T. Boutsen (WR). **90** A. Senna (MLH). **91** N. Piquet (BF). **92** G. Berger (MLH). **93** A. Prost (WR), *2* M. Schumacher (BF), *3* D. Hill (WR).

Espagne. *Créé* 1913. *Circuit* (dep. 1986) *:* Jerez-de-la-Frontera (4,218 km, 73 tours soit 307,914 km). *Record :* 179,674 km/h Patrese (1990). Dep. 91, circuit de Catalunya à Barcelone-Montmelo (4,747 km, 65 tours soit 308,555 km). *Record :* 206,299 km/h Patrese (1991). **68** G. Hill (L). **69** J. Stewart (Mat). **70** J. Stewart (March). **71** J. Stewart (Ty). **72, 73** E. Fittipaldi (L). **74** N. Lauda (F). **75** J. Mass (ML). **76** J. Hunt (ML). **77, 78** M. Andretti (L). **79** P. Depailler (LF). **80** A. Jones (W), ne compte pas pour le champ. **81** G. Villeneuve (F). **81** A. Jones (W), course Foca, ne compte pas pour le champ. **82, 83, 84, 85** non disp. **86** A. Senna (LoR). **87** N. Mansell (WH). **88** A. Prost (MLH). **89** A. Senna (MLH). **90** A. Prost (F). **91, 92** N. Mansell (WR). **93** A. Prost (WR), *2* A. Senna (MLF), M. Schumacher (BF).

États-Unis Est [(Watkins-Glen puis Detroit (1982-88) **et Phoenix** (dep. 1989)]. *Créé* 1960. *Circuit :* dans la ville (3,760 km, 81 tours soit 297,27 km). *Record :* 154,394 km/h Alesi (1991). **60** Moss (L). **61** Ireland (L). **62** Clark (L). **63, 64, 65** G. Hill (Br). **66, 67** Clark (L). **68** J. Stewart (Mat). **69** J. Rindt (L Ford). **70** E. Fittipaldi (L). **71** F. Cevert (Ty-Ford). **72** J. Stewart (Ty). **73** R. Peterson (L). **74** C. Reutemann (Br). **75** N. Lauda (L). **76, 77** J. Hunt (ML). **78** C. Reutemann (F). **79** G. Villeneuve (F). **80** A. Jones (W). **81** remplacé par le GP de Detroit. **82** J. Watson (ML-C). **83** M. Alboreto (T-F). **84** N. Piquet (BrB). **85** K. Rosberg (WH). **86** A. Senna (LoR). **87** A. Senna (LH). **88** A. Senna (MLH). **89** A. Prost (MLH). **90** A. Senna (MLH). **91** A. Senna (MLH), *2* A. Prost (F), *3* N. Piquet (BF). **92** non disp.

États-Unis Ouest (Long Beach). *Disputé* de 1976 à 83. **76** C. Regazzoni (F). **77** M. Andretti (L). **78** C. Reutemann (F). **79** G. Villeneuve (F). **80** N. Piquet (BrF). **81** A. Jones (W). **82** N. Lauda (ML). **83** J. Watson (ML). **États-Unis Ouest (Las Vegas).** *Disputé* en 1981-82. **81** A. Jones (W). **82** M. Alboreto (Ty). **États-Unis (Dallas).** Disputé seulement en **84** K. Rosberg (WH), *2* R. Arnoux (F), *3* E. De Angelis (LR).

Europe. *Créé* 1983. **83** N. Piquet (BrB). **84** A. Prost (MLP). **85** N. Mansell (WH), *2* A. Senna (LoR), *3* K. Rosberg (WH). **1986-92** non disp. **93** (Donington, G.-B., 4,023 km, 76 t., 305,748 km). A. Senna (MLF), *2* D. Hill (WR), *3* A. Prost (WR).

France. *Créé* 1906. *Circuit :* 1986-90 Paul-Ricard [Le Castellet, 3,813 km, 80 tours soit 305,040 km ; Record : 198,521 km/h (Mansell 1992)] ; 1991-95, Magny-Cours (Nièvre, 4,250 km, 72 tours soit 306 km). **50** Fangio (A). **51** Fangio-Fagioli (A). **52** Ascari (F). **53** Hawthorn (F). **54** Fangio (M). **55** non disp. **56** Collins (F). **57** Fangio (Ma). **58** Hawthorn (F). **59** Brooks (F). **60** Brabham (C). **61** Baghetti (F). **62** D. Gurney (P). **63** J. Clark (L). **64** D. Gurney (B). **65** J. Clark (L). **66, 67** J. Brabham (BR). **68** J. Ickx (F). **69** J. Stewart (Mat). **70** J. Rindt (L). **71, 72** J. Stewart (Ty). **73, 74** R. Peterson (L). **75** N. Lauda (F). **76** J. Hunt (ML). **77, 78** M. Andretti (L). **79** J.-P. Jabouille (R). **80** A. Jones (W). **81** A. Prost (R). **82** R. Arnoux (R). **83** A. Prost (R). **84** N. Lauda (MLP). **85** N. Piquet (BrB), **86, 87** N. Mansell (WH). **88, 89** A. Prost (MLH). **90** A. Prost (F). **91** N. Mansell (WR). **92** N. Mansell (WR). **93** A. Prost (WR), *2* D. Hill (WR), *3* M. Schumacher (BF).

Nota. – Records de victoires : Louis Chiron, Juan Manuel Fangio (4) et Alain Prost (6).

Grande-Bretagne. *Créé* 1926. *Circuit :* Silverstone (5,226 km, 59 tours soit 308,334 km). *Record :* 227,936 km/h Mansell (1992). **60** Brabham (C). **61** Von Trips (F). **62, 63, 64, 65** J. Clark (L). **66** J. Brabham (BR). **67** J. Clark (L-F). **68** J. Siffert (L). **69** J. Stewart (Mat). **70** J. Rindt (L). **71** J. Stewart (Ty). **72** E. Fittipaldi (L). **73** P. Revson (ML). **74** J. Scheckter (Ty). **75** E. Fittipaldi (ML). **76** N. Lauda (F). **77** J. Hunt (ML). **78** C. Reutemann (F). **79** C. Regazzoni (W). **80** A. Jones (W). **81** J. Watson (ML). **82** N. Lauda (ML-Fo). **83** A. Prost (R). **84** N. Lauda (MLP). **85** A. Prost (MLP), **86, 87** N. Mansell (WH). **88** A. Senna (MLH). **89** A. Prost (MLH). **90** A. Prost (F). **91** N. Mansell (WR). **92** N. Mansell (WR). **93** A. Prost (WR), *2* M. Schumacher (BF), *3* R. Patrese (BF).

Hongrie. *Créé* 1986. *Circuit :* Hungaroring (Budapest, 3,968 km, 77 tours soit 305,536 km). *Record :* 183,329 km/h Boutsen (1991). 1er grand prix disputé dans un pays de l'Est. **86, 87** N. Piquet (WH). **88** A. Senna (MLH). **89** N. Mansell (F). **90** T. Boutsen (WR). **91** A. Senna (MLH). **92** A. Senna (MLH), *2* N. Mansell (WR), *3* G. Berger (MLH).

Italie. *Créé* 1921. *Circuit :* Monza (Milan, 5,8 km, 53 tours soit 307,400 km). *Record :* 257,420 km/h Senna (1991). **60, 61** P. Hill (F). **62** G. Hill (B). **63** J. Clark (L). **64** J. Surtees (F). **65** J. Stewart (B). **66** L. Scarfiotti (F). **67** J. Surtees (Honda). **68** D. Hulme (ML). **69** J. Stewart (Mat-Ford). **70** C. Regazzoni (F). **71** P. Gethin (B). **72** E. Fittipaldi (L). **73, 74** R. Peterson (L). **75** C. Regazzoni (F). **76** R. Peterson (March). **77** M. Andretti (Lotus). **78** N. Lauda (B). **79** J. Sckeckter (F). **80** (disputé à Imola) N. Piquet (B). **81** A. Prost (R). **82** R. Arnoux (R). **83** N. Piquet (BrB). **84** N. Lauda (MLP). **85** A. Prost (MLP). **86, 87** N. Piquet (WH). **88** G. Berger (F). **89** A. Prost (MLH). **90** A. Senna (MLH). **91** N. Mansell (WR). **92** A. Senna (MLH), *2* M. Brundle (BF), *3* M. Schumacher (BF).

Japon. *Créé* 1963. *Circuit :* Suzuka (Nagoya, 5,864 km, 53 tours soit 310,792 km). *Record :* 217,456 km/h Senna (1990). **76** M. Andretti (L). **77** J. Hunt (ML). **78 à 86** non disp. **87** G. Berger (F). **88** A. Senna (MLH). **89** A. Nannini (BF). **90** N. Piquet (BF). **91** G. Berger (MLH). **92** R. Patrese (WR), *2* G. Berger (MLH), *3* M. Brundle (BF).

Mexique. *Créé* 1968. *Circuit :* Rodriguez (Mexico, 4,421 km, 69 tours soit 305,049 km). *Record :* 204,805 km/h Berger (1992). Disputé jusqu'en 1970. Reprise en **86** G. Berger (BMW). **87** N. Mansell (WH). **88** A. Prost (MLH). **89** A. Senna (MLH). **90** A. Prost (F). **91** R. Patrese (WR). **92** N. Mansell (WR), *2* R. Patrese (WR), *3* M. Schumacher (BF). **93** non disp.

Monaco. *Créé* 1929. *Circuit :* dans Monte-Carlo (3,328 km, 78 tours soit 259,584 km). *Record :* 149,119 km/h Senna (1991). **50** Fangio (A). **51,55** non disp. **56** Moss (Ma). **57** Fangio (Ma). **58** Trintignant (C). **59** Brabham (C). **60** Moss (L). **61** non disp. **62** McLaren (C). **63, 64, 65** G. Hill (B). **66** Stewart (B). **67** D. Hulme (Br). **68, 69** G. Hill (L). **70** J. Rindt (L). **71** J. Stewart (Ty). **72** J.-P. Beltoise (BRM). **73** J. Stewart (TF). **74** R. Peterson (L). **75, 76** N. Lauda (F). **77** J. Scheckter (Wo). **78** P. Depailler (Ty). **79** J. Scheckter (F). **80** C. Reutemann (W). **81** G. Villeneuve (F). **82** R. Patrese (BrF). **83** K. Rosberg (WF). **84, 85** A. Prost (MLP). **86** A. Prost (MLP). **87** A. Senna (LH). **88** A. Prost (MLH). **89, 90, 91, 92** A. Senna (MLH). **93** A. Senna (MLF), *2* D. Hill (WR), *3* J. Alesi (F).

P.-Bas. *Disputé* de 1949 à 85. *Circuit :* Zandvoort (4,252 km). *Record :* 199,995 km/h Prost (1985). **60** non disp. **61** Von Trips (F). **62** G. Hill (B). **63, 64, 65** J. Clark (L). **66** J. Brabham (B). **67** J. Clark (L). **68, 69** J. Stewart (Mat-Ford). **70** J. Rindt (L). **71** J. Ickx (F). **73** J. Stewart (Ty). **74** N. Lauda (F). **75** J. Hunt (Hesketh). **76** J. Hunt (ML). **77** N. Lauda (F). **78** M. Andretti (L). **79** A. Jones (W). **80** N. Piquet (BrF). **81** A. Prost (R). **82** D. Pironi (F). **83** R. Arnoux (F). **84** A. Prost (ML). **85** N. Lauda (MLP), *2* A. Prost (MLP), *3* A. Senna (LoR). **Dep. 86,** non disp.

Portugal. *Créé* 1984. *Circuit :* Estoril (4,350 km, 71 tours soit 308,850 km). *Record :* 212,896 km/h Mansell (1990). **84** A. Prost (MLP). **85** A. Senna (LoR). **86** N. Mansell (WH). **87** A. Prost (MLP). **88** A. Prost (MLH). **89** G. Berger (F). **90** N. Mansell (F). **91** R. Patrese (WR). **92** N. Mansell (WR), *2* G. Berger (MLH), *3* A. Senna (MLH).

Saint-Marin. *Créé* 1981. *Circuit :* Ferrari à Imola (5,040 km, 60 tours soit 302,400 km). *Record :* 209,044 km/h Prost (1989). **81** N. Piquet (BrF). **82** D. Pironi (F). **83** P. Tambay (F). **84** A. Prost (MLP). **85** E. De Angelis (LoR). **86** A. Prost (MLP). **87** N. Mansell (WH). **88, 89** A. Senna (MLH). **90** R. Patrese (WR). **91** A. Senna (MLH). **92** N. Mansell (WR). **93** A. Prost (WR), *2* M. Schumacher (BF), *3* M. Brundle (LR).

Suisse. *Disputé* de 1950 à 82. **50** Farina (A). **51** Fangio (A). **52** Taruffi (F). **53** Ascari (F). **54** Fangio (M). **82** K. Rosberg (WF).

Nota. – Le grand prix de Suède n'est plus couru (voir Quid 1981, p. 1598).

■ CHAMPIONNAT D'EUROPE DE FORMULE II

Nota. – La F II a été créée en 1947 pour former les jeunes pilotes de F I. Le championnat d'Europe, couru de 1967 à 1984, était réservé aux pilotes ne faisant pas partie de la liste de notoriété Grand Prix. Les épreuves étaient disputées en 2 ou plusieurs manches et une finale en 2 manches comptant pour le résultat final, ou bien en une seule course. Attribution des points pour les 6 premiers : 9, 6, 4, 3, 2 et 1 pts. Les pilotes de notoriété pouvaient participer sans marquer de points.

Palmarès. 67 J. Ickx [1]. **68** J.-P. Beltoise [1]. **69** J. Servoz-Gavin [1]. **70** C. Regazzoni [2]. **71** R. Peterson [3]. **72** M. Hailwood [4]. **73** J.-P. Jarier [5]. **74** P. Depailler [5]. **75** J. Laffite [6]. **76** J.-P. Jabouille [7]. **77** R. Arnoux [8]. **78** B. Giacomelli [5]. **79** M. Surer [5]. **80** B. Henton [9]. **81** G. Lees [10]. **82** C. Fabi [5]. **83** J. Palmer [10]. **84** 1er M. Thackwel [10], 2e Moreno [10], 3e M. Ferté [6]. **Dep. 84,** remplacé par la F 3 000.

☞ *Légende.* – (1) Matra, (2) Tecno, (3) March, (4) Surtees, (5) March-BMW, (6) Martini-BMW, (7) Elf-Renault, (8) Martini-Renault, (9) Toleman-Hart, (10) Ralt-Honda.

■ CHAMPIONNAT DE FORMULE III, PUIS 3000

Nota. – La F III a été créée en 1950 pour former les jeunes pilotes de F I. En Formule 3 000 (créée 1985, dernière saison en 1993), moteurs bridés par un limitateur électronique, max. 9 000 trs/min, env. 450 CV, max. 540 kg, pneus de marque Avon obligatoires (largeur 24,5).

Championnat d'Europe. *Créé* 1975. **75** L. Perkins (Austr.). **76** R. Patrese (It.). **77** P. Ghinzani (It.). **78** J. Lammers. **79** A. Prost. **80** M. Alboreto. **81** M. Baldi (March-Alfa-Romeo). **82** O. Larrauri (Euroracing-Alfa-R.). **83** G. Martini (Ralt-Alfa). **84** I. Capelli (It., Alfa-Romeo), 2e J. Dumfries (G.-B., Ralt VW). **Dep. 84,** remplacé par la F 3 000.

Championnat international de F 3000. *Créé* 1985. **85** Ch. Danner (ex-All. féd., March). **86** I. Capelli

(It., March). **87** S. Modena (It., March). **88** R. Moreno (Br., Reynard). **89** J. Alesi (Fr., Reynard). **91** Ch. Fittipaldi (Br., Reynard). **92** Luca Badoer (It., Reynard).

Grand Prix de Monaco. *Créé* 1962. **62** P. Arundell [1]. **63** R. Attwood [2]. **64** J. Stewart [3]. **65** P. Revson [1]. **66** J.-P. Beltoise [4]. **67** H. Pescarolo [4]. **68** J.-P. Jaussaud [5]. **69** R. Peterson [5]. **70** T. Trimmer [6]. **71** D. Walker [1]. **72** P. Depailler [7]. **73** J. Laffite [8]. **74** T. Pryce [9]. **75** R. Zorzi [10]. **76** B. Giacomelli [9]. **77** D. Pironi [8]. **78** E. de Angelis [11]. **79** A. Prost [8]. **80** M. Baldi [13]. **81, 82** A. Ferté [13]. **83** M. Ferté [13]. **84** I. Capelli [13]. **86** Y. Dalmas [14]. **87** Artzet [15].

☞ *Légende.* – (1) Lotus, (2) Lola, (3) Cooper, (4) Matra, (5) Tecno, (6) Brabham, (7) Alpine, (8) Martini, (9) March, (10) GRD, (11) Chevron, (12) March-Alfa-Romeo, (13) Martini-Alfa-Romeo, (14) Martini VW, (15) Ralt-VW.

■ Championnat du monde des voitures de sport

Origine. 1953-61 ch. du monde des voitures de sport, titre aux constructeurs. **1962-67**ch. international des constructeurs. **1968-71** ch. internat. des marques, réservé aux voitures de compétition et prototypes. **1972-81** ch. du monde des marques. **1981** introduction d'un ch. des conducteurs. **1982-85** ch. du monde d'endurance. **1986-88** devient ch. du monde des sport-prototypes. **1989** devient ch. du monde des voitures de sport. **1992**-*7-10* suspendu pour 4 ans.

Règlement. Dep. 1982, *voitures* des groupes *C1* (max. 750 kg pour les atmosphériques et 900 kg pour les autres moteurs, 510 litres de carburant pour 1 000 km ou 2 550 pour 24 h), *C2* (min. 750 kg, 370 l pour 1 000 km, 1 815 l pour 24 h), *grand tourisme compétition* (min. 1 000 kg, 510 l pour 1 000 km et 2 250 l pour 24 h). **Épreuves** *Sprint* (180 km avec un pilote, 360 avec 2), *1 000 km ou 24 h.* Seules les 1 000 km et les 24 h comptent pour le ch. du monde des marques. En 1992, 8 épreuves, distance 500 km (sauf sur les 24 H du Mans), un type de moteur (3,5 l atmosphérique). **Points** *Constructeurs :* 20, 15, 12, 10, 8, 6, 4, 3, 2, 1. *Conducteurs : C1* (20, 15, 12, 10, 8, 6, 4, 3, 2, 1), *C2* (22, 17, 14, 12, 10, 8, 6, 5, 4, 3), *GTC* (23, 18, 15, 13, 11, 9, 7, 6, 5, 4).

Résultats (marques). 1953, 54 (sport) Ferrari. **55** (sport) Mercedes. **56, 57, 58** (sport) Ferrari. **59** (sport) Aston-Martin. **60, 61** (sport) Ferrari. **62, 63** (GT) Ferrari. **64, 65** (sport) Ferrari. **66** (sport) Ford. **67** (sport) Ferrari. **68** (sport) Ford. **69, 70, 71** (sport) Porsche. **72** (sport) Ferrari. **73, 74** (sport) Matra-Simca. **75** (sport) Alfa-Romeo. **76, 77, 78, 79** (gr. 5) Porsche. **80** (gr. 5) Lancia. **81, 82, 83, 84, 85** (gr. c) Porsche. **86** Brun-Motosport. **87, 88** Jaguar. **89, 90** Mercedes. **91** Jaguar. **92** Peugeot-Talbot sports.

Résultats (pilotes). 81 Bob Garretson. **82, 83** Jacky Ickx. **84** Stefan Bellof. **85, 86** Hans Stück et Dereck Bell. **87** Raul Boesel. **88** Martin Brundle. **89, 90** Jean-Louis Schlesser. **91** Téodorico Fabi. **92** Yannick Dalmas et Derek Warwick.

■ Championnats de France

Formule I. 74 P. Depailler, 2e J.-P. Beltoise. **75** P. Depailler, 2e J. Laffite. **76** P. Depailler, 2e J. Laffite. **77** J. Laffite, 2e P. Depailler. **78** P. Depailler, 2e J. Laffite. **79** J. Laffite, 2e P. Depailler. **80** J. Laffite, 2e D. Pironi. **81** J. Laffite, 2e A. Prost. **82** D. Pironi, 2e A. Prost. **83** A. Prost. **84** A. Prost. **85** A. Prost. **86** A. Prost, 2e Laffite et Arnoux. **87** A. Prost, 2e P. Streiff. **88** A. Prost. **89** A. Prost et R. Arnoux. **90** A. Prost et J. Alesi. **91** A. Prost et J. Alesi.

Formule II. 74 1er P. Depailler, 2e J. Laffite. **75** J. Laffite, 2e P. Tambay. **76** J.-P. Jabouille, 2e R. Arnoux. **77** R. Arnoux, 2e D. Pironi. **78** J.-P. Jarier, 2e P. Tambay. **79** P. Gaillard. **80** R. Dallest, 2e Gaillard. **81** R. Dallest. **82** P. Streiff, 2e Fabre. **83** P. Streiff, 2e P. Alliot. **84** M. Ferté, 2e P. Streiff. N'existe plus depuis 1984.

Formule III. 1974 à 77 non attribué. **78** A. Prost et J.-L. Schlesser. **79** A. Prost. **80** A. Ferté. **81** P. Streiff. **82** Petit. **83** M. Ferté. **84** O. Grouillard. **85** P.-H. Raphanel. **86** Y. Dalmas. **87** J. Alesi. **88** E. Comas et E. Cheri. **89** J. M. Gounan et L. Daumet. **90** E. Helary et F. Aurel. **91** C. Bouchut et O. Panis.

Voitures de production. 76 J.-P. Beltoise (BMW 3.0 CSi). **77** J.-P. Beltoise (BMW 530 iUS). **78** L. Guitteny (Ford Capri). **79** D. Snobeck (Ford Capri). **80** D. Snobeck (Ford Escort RS). **81** J.-P. Malcher (BMW 530 i). **82** R. Metge (Rover). **83** A. Cudini (Alfa-Romeo GTV 6). **84** D. Snobeck (Alfa-Romeo GTV 6). **85** Bousquet. **86** Lapeyre, 2e Beltoise. Arrêt en 87.

Formule Renault. 68 M. Jean. **69** D. Dayan. **70** F. Lacarrau. **71** A. Cudini. **72** J. Laffite. **73** R. Arnoux. **74** D. Pironi. **75** C. Debias. **76** A. Prost. **77** J. Gouhier. **78** P. Alliot. **79** A. Ferté. **80** D. Morin. **81** P. Renault. **82** G. Lempereur. **83** J.P. Hoursourigaray. **84** Y. Dalmas. **85** Bernard. **86, 87** E. Comas. **88** L. Faure. **89** Panis. **90** E. Collard. **91** O. Couvreur.

Autres compétitions nationales. *Ch. de France* des rallyes, de la montagne, de rallycross, des circuits, des coéquipiers de rallyes, d'autocross, *Coupe Renault* 5 Elf, Talbot Racing Team des rallyes, de l'Avenir, Peugeot Esso 104 ZS des rallyes. *Trophée* des circuits Talbot-Shell, Leyland-Castrol, Opel des rallyes, Visa Citroën-Total des rallyes, Renault des rallyes, Renault Cross Elf.

■ Critériums nationaux

Des Circuits. De la Montagne. Des Rallyes. Féminin des Rallyes. De Formule Renault.

Challenges des copilotes. *Réservés aux pilotes français possédant les licences 2e série (1 étoile), 3e (2 ét.), 4e (3 ét.).*

■ Les 24 Heures du Mans

■ **Origine.** Épreuve d'endurance *créée* le 26-5-1923. En 1956, 75, 89, 90 et 93 ne figura pas au programme du ch. du monde des voitures sport-prototypes.

■ **Classements.** *1°) général à la distance :* représentant le nombre de tours effectués avant la fin + la fraction du tour courue à la 24e heure, fin de l'épreuve, cette distance étant calculée d'après la vitesse moyenne réalisée sur ce dernier tour (qui doit être terminé par le concurrent). Le maximum de temps accordé pour ce dernier tour est de 4 fois le meilleur temps aux essais. Toute voiture arrivée après ce délai est éliminée. *2°) à l'indice au rendement énergétique :* calculé en fonction de la vitesse moyenne réalisée sur la distance parcourue en 24 h, du poids réel de la voiture réservoirs pleins, de la consommation réelle aux 100 km en carburant. Supprimé en 1992. *3°) à l'indice de performance :* supprimé en 1972 (voir Quid 1981). *4°) par catégories* (4 en 1993).

■ **Records. Nombre de partants minimum** 18 (1930), **maximum :** 60 (1950-51-53-55). Maintenant fixé à 55 voitures. **Abandons maximum :** 40 sur 53 (1959), sur 55 (1966), sur 57 (1952-1954). **Victoires :** 6 par le Belge Jacky Ickx ; Porsche 12, Ferrari 9. **Distance** *max. :* 5 337,724 km (Helmut Marko et Gijs Van Lennep en 1971). **Vitesse :** *record des 24 h :* 212,021 km/h (Ludwig-Winter-Barillo 1986) ; *du tour :* 242,093 km/h (3'21"27, Alain Ferté 1989) ; *aux essais :* 252,050 km/h (3'14"8, Hans Stück en 1985) ; *pure :* 405 km/h (Roger Dorchy en 1988).

■ Classement général

Année, constructeur, distance, pilotes, moyenne, nombre de partants et d'abandons.

1923 *Chenard et Walker* 2 209,536 km Lagache-Léonard 92,064 km/h (33 partants, 3 abandons). **24** *Bentley* 2 077,340 km J. Duff-Clément 86,555 km/h (40 p., 23 a.). **25** *La Lorraine* 2 233,982 km Courcelles-Rossignol 93,082 km/h (49 p., 33 a.). **26** *La Lorraine* 2 552,414 km Bloch-Rossignol 106,350 km/h (41 p., 28 a.). [1res tribunes ; le pilote devait effectuer seul les réparations]. **27** *Bentley* 2 369,807 km Benjafield-S.C.H. Davis 98,740 km/h (22 p., 15 a.). [Apparition de la 1re traction avant (Tracta de J.A. Grégoire) ; toutes pièces de rechange doivent être emportées à bord]. **28** *Bentley* 2 669,272 km Barnato-Rubin 111,219 km/h (33 p., 16 a.). [1re participation de constructeurs américains (Chrysler et Stutz)]. **29** *Bentley* 2 843,830 km Barnato-Hrs Birkin 118,492 km/h (25 p., 15 a.). [Circuit réduit à 16,340 km.]

1930 *Bentley* 2 930,663 km Barnato-Kidston 122,111 km/h (18 p., 9 a.). [1re année où des femmes pilotent (Bugatti 1 496 cm³, Mareuse et Siko)]. **31** *Alfa Romeo* 3 017,654 km Lord Howe-Hrs Birkin 125,735 km/h (26 p., 17 a.). [Déchappage des pneus de toutes les Bugatti.] **32** *Alfa Romeo* 2 954,038 km Sommer-Chinetti 123,084 km/h (25 p., 16 a.). [Circuit de 13,492 km avec la route privée de l'ACO.] **33** *Alfa Romeo* 3 144,038 km Nuvolari-Sommer 131,001 km/h (29 p., 14 a.). [Nuvolari bat Chinetti de 400 m.] **34** *Alfa Romeo* 2 886,938 km Chinetti-Etancelin 120,298 km/h (44 p., 21 a.). **35** *Lagonda* 3 006,797 km Hindmarsh-Fontes 125,283 km/h (58 p., 30 a.). **36** *Annulation* (grèves en France). **37** *Bugatti* 3 287,938 km Wimille-Benoist 136,997 km/h (48 p., 31 a.). **38** *Delahaye* 3 180,940 km Chaboud-Tremoulet 132,539 km/h gagnèrent avec une boîte de vitesses défaillante : il ne restait que la prise directe (41 p., 27 a.). **39** *Bugatti* 3 354,760 km Wimille-Veyron 139,781 km/h (42 p., 22 a.). [Prime de 1 000 F à la voiture de tête à la fin de chaque h de course.]

1949 *Ferrari* 3 178,299 km Lord Selsdon-Chinetti 132,420 km/h (49 p., 30 a.). **1950** *Talbot* 3 465,120 km Louis Rosier, J.-L. Rosier 144,380 km/h gagne en conduisant 3 458 km, son fils assurant 27 km (2 tours) (60 p., 32 a.). **51** *Jaguar* 3 611,193 km Walker-Whitehead 150,466 km/h (60 p., 30 a.). **52** *Mercedes Benz* 3 733,800 km Lang-Riess 155,575 km/h (57 p., 40 a.). [Levegh, conduisant seul sa Talbot depuis le départ, casse son vilebrequin à un peu plus de 2 h de la fin (il avait 4 tours d'avance).] **53** *Jaguar* 4 088,064 km Rolt-Hamilton 170,336 km/h (60 p., 34 a.) [1ers freins à disques sur les Jaguar qui, grâce à eux, gagnent la course.] **54** *Ferrari* 4 061,150 km Gonzalès-Trintignant 169,215 km/h, battent Hamilton de 90" (57 p., 40 a.). **55** *Jaguar* 4 135,380 km Hawthorn-Bueb 172,308 km/h (60 p., 39 a.). [3 Mercedes avec freins aérodynamiques. Hawthorn (Jaguar) double Macklin (Austin Healey), Malcolm gêné freine, se déporte, Levegh (Mercedes) l'accroche, s'envole et se retourne sur le talus. L'avant-train explose, la voiture prend feu. Levegh est tué ainsi que 82 spectateurs. Il y a des centaines de blessés. La course continue (pour éviter toute panique). Les Mercedes se retirent à la fin de la 9e h en signe de deuil.] **56** *Jaguar* 4 034,929 km Flockhart-Sanderson 168,122 km/h (52 p., 39 a.). **57** *Jaguar* 4 397,108 km Flockhart-Bueb 183,217 km/h (54 p., 34 a.). **58** *Ferrari* 4 101,926 km P. Hill-Gendebien 170,914 km/h (55 p., 35 a.). **59** *Aston Martin* 4 347,900 km Salvadori-Shelby 181,163 km/h (53 p., 40 a.).

1960 *Ferrari* 4 217,527 km Frère-Gendebien 175,730 km/h (55 p., 35 a.). **61** *Ferrari* 4 475,580 km Gendebien-P. Hill 186,527 km/h (55 p., 33 a.). **62** *Ferrari* 4 461,225 km Gendebien-P. Hill 185,469 km/h (55 p., 37 a.). [Dernière victoire d'une voiture à moteur avant. Admission de voitures « prototypes ».] **63** *Ferrari* 4 561,170 km Scarfiotti-Bandini 190,071 km/h (49 p., 36 a.). [1re participation d'une voiture à turbine (Rover) (moy. : 173 km/h)]. **64** *Ferrari* 4 695,310 km Guichet-Vaccarella 195,638 km/h (55 p., 30 a.). **65** *Ferrari* 4 677,11 km Gregory-Rindt 194,880 km/h (51 p., 37 a.). [Défaite de toutes les voit. d'usine.] **66** *Ford* 4 843,090 km Amon-McLaren 201,196 km/h (55 p., 40 a.). **67** *Ford* 5 232,900 km D. Gurney-A.J. Foyt 218,038 km/h (54 p., 38 a.). **68** *Ford* 4 452,880 km P. Rodriguez-L. Bianchi 185,536 km/h (54 p., 36 a.). [Disputée en sept., aménagement du virage Ford qui modifie un peu la distance, 13,469 km au tour.] **69** *Ford* 4 998,00 km J. Ickx-J. Oliver 208,250 km/h (45 p., 31 a.). [Après 3 h de lutte roue dans roue, la Ford d'Ickx-Oliver bat la Porsche de Hermann-Larrousse d'un souffle.]

1970 *Porsche* 4 607,810 km Attwood-Hermann 191,992 km/h (51 p., 35 a.). 2e Larrousse-Kauhsen (Porsche) 189,248 km/h. 3e Lins-Marko (Porsche) 187,616 km/h [départ : pilotes à bord des véhicules, moteurs arrêtés ; presque tout le parcours fermé par des glissières de sécurité]. **71** *Porsche* 5 335,313 km (record) H. Marko-G. Van Lennep 222,304 km/h (55 p., 35 a.). 2e H. Muller-R. Attwood (Porsche) 221,181 km/h. 3e S. Posey-T. Adamowickz (Ferrari) 205,087 km/h. [Record du tour à 243,905 km/h (départ lancé style Indianapolis)]. **72** *Matra-Simca* 4 691,343 km H. Pescarolo-G. Hill 195,472 km/h (55 p., 18 a.). 2e Cevert-Ganley (Matra-Simca) 4 554,933 km. 3e Jost-Weber (Porsche) 4 428,904 km. [Nouveau tracé de Maison-Blanche. Tour : 13,640 km]. **73** *Matra-Simca* 4 853,945 km Pescarolo-Larrousse 202,247 km/h (55 p., 21 a.). 2e Merzario-Pace (Ferrari) à 6 tours. 3e Jabouille-Jaussaud (Matra) à 24 tours. [Record du tour de 13,640 km en 3'39"6''' à 223,607 km/h par François Cevert (Matra Simca 670 B)]. **74** *Matra-Simca* 4 606,571 km Pescarolo-Larrousse 191,940 km/h (49 p., 20 a.). 2e Muller-Van Lennep (Turbo-Porsche) à 6 tours. 3e Jabouille-Migault (Matra-Simca) à 13 tours. **75** *Gulf-Mirage Ford* 4 595,577 km Ickx-Bell 191,482 km/h (55 p., 30 a.). 2e Chasseuil-Lafosse (Ligier-Ford) à 1 tour. 3e Jaussaud-Schuppan (Gulf Mirage-Ford) à 6 tours. [Admission des Grand Tourisme (GT) de Série et des GT type Le Mans. Les voitures doivent effectuer 20 tours sans se ravitailler.] **76** *Porsche 936 turbo* 4 769,923 km Ickx-Van Lennep 198,746 km/h (55 p., 24 a.). 2e Lafosse-Migault (Mirage-Ford-Cosworth) à 11 tours. 3e De Cadenet-Craft (Lola-Ford) à 12 tours. [Catégories : course biplace, Productions Spéciales, Grand Tourisme, Imsa, Nascar. Apparition de 2 nouvelles cat. type Le Mans : GT de Production et GT Prototypes, sans limitation de cylindrée]. **77** *Porsche 936 turbo* 4 671,630 km Barth-Haywood-Ickx 194,651 km/h. (60 p., 20 a.). 2e Jarier-Schuppan (Mirage-Renault turbo) à 11 tours. 3e Ballot-Lena-Gregg (Porsche 935 turbo) à 27 tours (1er G.5). [Nouveau record du tour par Ickx à 226,494 km/h.] **78** *Renault Alpine A 442 B* 5 044,530 km Jaussaud-Pironi 210,188 km/h (55 p., 16 a.). 2e Wollek-Barth-Ickx-Jost (Porsche 936) à 5 tours. 3e Haywood-Gregg-Mass (Porsche

936) à 5 tours. [Nouveau record du tour par Jabouille à 228,923 km/h.] **79** *Porsche 935* 4 173,930 km Ludwig-Whittington D. et B. 173,913 km/h (55 p., 22 a.). 2e Stommelen-Barbour-Newman (Porsche 935) à 7 tours. 3e Ferrier-Servanin-Trisconi (Porsche 935) à 14 tours.

1980 *Rondeau Cosworth* 4 608,020 km J.-P. Jaussaud-Jean Rondeau, 192 km/h (1er pilote constructeur à gagner dep. 1923) (55 p., 25 a.). 2e Jost-Ickx (Porsche 908/80). 3e J.-M. et Ph. Martin-G. Spice (Rondeau). **81** *Porsche 936 turbo* 4 825,348 km J. Ickx.-D. Bell 201,056 km/h (55 p., 18 a.). 2e Haran-Schlesser-Streiff (Rondeau). 3e Spice-Migault (Rondeau). [mort d'un commissaire de l'ACO et du coureur Jean-Louis Lafosse]. **82** *Porsche 956* 4 899,686 km J. Ickx, D. Bell (204,128 km/h), nouveau record (55 p., 18 a.). 2e Mass-Schuppan (Porsche 956). 3e Haywood-Holbert-Barth (Porsche 956). **83** *Porsche 956* 5 047, 934 km Holbert-Haywood-Vern Schuppan (210,330 km/h) (52 p., 20 a.). 2e Ickx-Bell (Porsche 956). 3e Ma. et Mi. Andretti-Alliot (Porsche 956). **84** *Porsche 956* 4 900, 276 km Pescarolo-Ludwig (204,178 km/h) (53 p., 22 a.). 2e Rondeau-J. Paul Jr-Henn (Porsche 956). 3e Hobbs-Streiff-Van der Merwe (Porsche 956). **85** *Porsche 956* 5 088,507 km Ludwig-Barilla-Winter (212,021 km/h) (53 p., 24 a.). 2e Palmer-Weaver-Lloyd (Porsche 956 Canon). 3e Bell-Struck-Ickx (Porsche 962 Rothmans). **86** *Porsche 962* 4 972,730 km Bell-Stück-Holbert (207,197 km/h) (50 p., 19 a.). 2e Gouhier-Larrauri-Pareja (Porsche 962), 3e Follmer-Morton-Miller (Porsche 956). **87** *Porsche 962* 4 791,777 km Bell-Stück-Al Holbert (199,657 km/h) (48 p., 12 a.), 2e Yver-Lassig-De Dryver (Porsche 962), 3e Raphanel-Courage-Regout (Porsche). **88** *Jaguar XJR 9 LM* 5 332 km Lammers-Wallace-Dumfries (221,665 km/h) (49 p., 25 a.), 2e Stück-Bell-Ludwig (Porsche 962 C), 3e Winter-Dickens-Jelinski (Porsche 962 C). **89** *Sauber-Mercedes* 5 265 km Mass-Reuter-Dickens (219, 990 km/h) (55 p., 19 a.), 2e Baldi-Acheson-Brancatelli (Sauber-Mercedes), 3e Wollek-Stuck (Porsche 962 C).

1990 *Jaguar XJR 12* 4 882,4 km Nielsen-Cobb-Brundle (204,036 km/h) (49 p., 28 a.), 2e Wallace-Lammers-Konrad (Jaguar XJR 12), 3e Needell-Sears-Reid (Porsche 962 Alpha). **91** *Mazda 787 B* 4 923,2 km Weidler-Herbert-Gachot (205,333 km/h) (40 p., 12 a.), 2e Jones-Boesel-Ferté (Jaguar XJR 12), 3e Fabi-Acheson-Wollek (Jaguar XJR 12). **92** *Peugeot 905* 4 787,2 km Warwick-Dalmas-Blundell (199, 340 km/h (29 p., 14 a.), 2e Sekiya-Rapahnel-Acheson (Toyota), 3e Baldi-Alliot-Jabouille (Peugeot 905). **93** *Peugeot 905* 5 100 km (Brabham-Bouchut-Hélary (213,358 km/h), 2e Dalmas-Boutsen-Fabi (Peugeot 905), 3e Alliot-Baldi-Jabouille (Peugeot 905).

Nota. – Record de victoires : Ickx 6, Bell 5, Gendebien et Pescarolo 4.

☞ Classement à l'indice de rendement énergétique supprimé dep. 1992. Voir Quid 1993 p. 1698a.

Epreuves américaines

■ **500 miles d'Indianapolis.** Indiana (USA). **Créée** 30-5-1911. **Longueur :** 804 km soit 200 tours. **Voitures :** 33. **Moteurs admis :** de 2 650 cm³, suralimentés, avec arbre à cames en tête, à 5 250 cm³ non sural., sans arbre à cames en tête. Une voiture consomme 100 l aux 100 km d'un mélange spécial. Sur 52 courses (jusqu'en 1968), il y eut 58 coureurs tués. **Records** (en km/h) : piste (sur 4 tours chronométrés) : 360,430 (Alrie Luyendyk en 1993) ; *de la course :* 274,720 (2 h 55′42″48, Boby Rahal le 31-5-86) ; *tour en course :* 363,018 (E. Fittipaldi, le 13-5-1990), *qualification :* 362,576 km/h (E. Fittipaldi, le 13-5-1990). Le total des primes a atteint, en 1989, 5,7 millions de $.

Palmarès. 80 J. Rutherford (Chapparal-Cosworth). **81** B. Unser (Penske-Cosworth). **82** G. Johncock (Wildcat-Cosworth). **83** T. Sneva (March-Cosworth). **84** R. Mears (id.). **85** D. Sullivan (id.). **86** B. Rahal (id.). **87** Al Unser (id.). **88** R. Mears (Penske-Chevrolet). **89** E. Fittipaldi (id.). **90** A. Luyendyck (Lola Chevrolet). **91** R. Mears (Penske-Chevrolet). **92** Al Unser Jr (Galmer-Chevrolet). **93** E. Fittipaldi (Penske-Chevrolet).

■ **Canam** (Challenge Canada-Amérique). **80** Tambay (Lola). **81** Brabham (Lola et VDS). **82** Al Unser Jr (Frisbee-Chevrolet). **83** J. Villeneuve (Frisbee-chevrolet). **93** E. Fittipaldi (Penske-Chevrolet).

■ **24 heures de Daytona.** *Créé* 1959. **86** Al Holbert, Al Unser et Derek Bell (Porsche 962) 4 079 km (moy. 240,750 km/h). **87** Robinson-Al Unser-Bell (Porsche 962) 4 314 km (moy. 179,5 km/h). **88** Boesel-Nielsen-Brundle (Jaguar XJR-9) 4 191 km (moy. 173,6 km/h). **89** Wollek-Bell-John Andretti (Porsche 962 C) 3 558 km (moy. 147,40 km/h). **90** Jones-Lammers-Wallace (Jaguar XJR-12) 761 tours (moy. 181,162 km/h). **91** Pescarolo-Wollek (Porsche 962 C) 719 tours (moy. 171,652 km/h). **92** Hasemi-Hoshino-Suzuki (Nissan R 91 CP) 762 tours (moy. 180, 635 km/h).

Nota. – Palmarès antérieur. Voir Quid 1982 p. 1715.

La **Targa-Florio** (Sicile 1906-1973), les **Mille Miglia** (Brescia-Rome-Brescia 1927-57) ne sont plus courues (voir Quid 1981, p. 1599).

Rallyes

☞ *Légende.* – (1) Mercedes, (2) Panhard, (3) BMC-Cooper, (4) Citroën, (5) Porsche 911, (6) Alpine-Renault, (7) Lancia Fulvia, (8) Lancia Stratos, (9) Porsche Carrera, (10) Fiat 124 Abarth, (11) Renault 5 Turbo, (12) Opel Ascona, (13) Lancia Abarth Rally, (14) Audi Quattro, (15) Peugeot 205, (16) Lancia-Delta, (17) Ford Escort, (18) Datsun, (19) Fiat 131 Abarth, (20) Fiat 147 Alcool, (21) Talbot Sunbeam, (22) Peugeot 504, (23) Mitsubishi Lancer, (24) Mercedes 5.0 SLC, (25) Toyota, (26) Saab 96 V4, (27) Citroën DS 21, (28) BMW 2002, (29) Renault 11, (30) Golf GTI, (31) Saab 99, (32) Mazda, (33) Peugeot 404, (34) Ford Cortina GT, (35) Volvo PV 544, (36) Ford 20 M, (37) Datsun 1600, (38) Mitsubishi Colt, (39) Datsun 160 J, (40) Ford RS 1800, (41) Talbot Lotus, (42) Ferrari, (43) Osca, (44) Gordini, (45) Matra-Simca 650, (46) Ligier, (47) Ferrari 308 GTB, (48) Opel Manta 400, (49) Porsche, (50) Saab, (51) Ford Sierra Cosworth, (52) Nissan 200 SX, (53) Subaru RX, (54) Opel Kadett, (55) Lancia Delta Integrale, (56) Toyota-Celica, (57) BMW M3, (58) Mitsubishi Starion. (59) Mitsubishi Galant. (60) Mazda. (61) Renault GT Turbo. (62) Toyota Corolla. (63) BMW M3. (64) Renault 5 Turbo. (65) Subaru Legacy. (66) Nissan Sunny. (67) Ford Escort Cosworth. (68) Mitsubishi Lancer.

■ **Championnat du monde des rallyes.** *Ouvert* aux voitures des groupes A, B (jusqu'en 1990), N. *Épreuves (1993) :* pour les constructeurs 10, pour les pilotes 14 (en plus, Suède, N.-Zélande, Côte-d'Ivoire et Espagne). *Longueur :* min. 2 000 km dont au moins 1 000 km de parcours de liaison. *Titres :* 2 sont attribués en fin de saison. Pilotes (attribution des points : 20, 15, 12, 10, 8, 6, 4, 3, 2, et 1 points respectivement aux 10 premiers pilotes classés). Constructeurs (*attribution des points :* 10, 9, 8, 7, 6, 5, 4, 3, 2 et 1 pts respectivement aux 10 premières marques (au cas où une même marque aurait plusieurs voitures classées dans les 10 premières, seule la mieux placée marque des points), auxquels s'ajoutent 8, 7, 6, 5, 4, 3, 2 et 1 pts aux 10 premières voitures de chaque groupe à condition qu'elles figurent parmi les 10 premières du classement général).

Palmarès. Constructeurs. *Créé* 1968. **68** Ford G.-B., *2* Saab. **69** Ford Europe, *2* Porsche. **70** Porsche, *2* Alpine. **71** Alpine-Renault, *2* Saab. **72** Lancia, *2* Fiat. **73** Alpine, *2* Fiat. **74, 75** Lancia, *2* Fiat. **76** Lancia, *2* Opel. **77, 78** Fiat, *2* Ford. **79** Ford, *2* Datsun. **80** Fiat, *2* Ford. **81** Talbot, *2* Datsun. **82** Audi, *2* Opel. **83** Lancia, *2* Audi. **84** Audi, *2* Lancia. **85** Peugeot, *2* Audi. **86** Peugeot, *2* Lancia. **87** Lancia, *2* Audi. **88** Lancia, *2* Ford. **89, 90** Lancia. **91** Lancia, *2* Toyota. **92** Lancia, *2* Toyota.

■ **Coupe FIA des conducteurs de rallyes. 1977** Munari (It.). **78** Alen (Fin.). (Remplacée en 79 par le Ch. du monde des cond. de rallyes.)

Palmarès. Pilotes. *Créé* 1979. **79** Waldegaard (Fin.), *2* Mikkola (Fin.). **80** Röhrl (All. féd.), *2* Mikkola (Fin.). **81** Vatanen (Fin.), *2* Fréquelin (Fr.). **82** Röhrl (All. féd.), *2* Mouton (Fr.). **83** Mikkola (Fin.), *2* Röhrl (All. féd.). **84** Blomqvist (Suè.), *2* Mikkola (Fin.). **85** Salonen (Fin.), *2* S. Blomqvist (Suè.). **86** Kankkunen (Fin.), *2* Alen (Fin.). **87** Kankkunen (Fin.) *2* Biasion (It.). **88** Biasion (It.), *2* Alen (Fin.). **89** Sainz (Esp.), *2* Airikkala (Fin). **90** Sainz (Esp.), *2* Auriol (Fr.). **91** Kankkunen (Fin.), *2* Sainz (Esp.). **92** Sainz (Esp.), *2* Kankkunen (Fin.), *3* Auriol (Fr.). **Record des victoires pilotes** (de 1970 au 1-4-1984) : Hannu Mikkola 17. Waldegaard 15. Röhrl 13. Alen 12. Blomqvist 10. Munari 8. Darniche et Thérier 7. Vatanen, Nicolas, Andersson et Mehta 5. Michèle Mouton [seule femme à avoir remporté un rallye de championnat du monde (San Remo 1981, r. du Portugal, r. Acropole, et r. du Brésil 1982)] et Makinen 4. Salonen et Andruet 3. Ragnotti et Kallstrom, Singh, Clark, Hermann, Warmbold et Lindbergh, Kankkunen et Sainz, 2.

Marques (1968-92) : Lancia 11, Fiat 3, Ford 3, Alpine 2, Audi 2, Peugeot 2, Porsche 1, Talbot 1.

■ **Rallye de Monte-Carlo.** *Créé* 1911. Comprend 3 parties : parcours de concentration, de classement (1re sélection réelle), commun, puis, pour les 60 équipages les mieux classés, le final. **Records.** *De victoires :* Sandro Munari, Walter Röhrl 4, Jean Trévaux 3 ; *de victoires consécutives :* S. Munari et W. Röhrl 3. **70** Waldegaard-Helmer [5]. **71** Andersson-Stone [6]. **72** Munari-Mannucci [7]. **73** Andruet-Biche [6]. **74** Annulé (crise du pétrole). **75** Munari-Mannucci [8]. **76** Munari-Maiga [8]. **77** Munari-Manucci [8]. **78** Nicolas-Laverne [9]. **79** Darniche-Mahé [8]. **80** Röhrl-Geistdorfer [19]. **81** Ragnotti-Andrié [11]. **82, 83** Röhrl-Geistdorfer [13]. **84** Röhrl-Geistdorfer [14]. **85** Vatanen-Haaryman [15]. **86** Toivonen-Cresto [16]. **87** Biasion-Siviero [16]. **88** Saby-Fauchille [16]. **89** Biasion-Siviero [55]. **90** Auriol-Occelli [55]. **91** Sainz-Moya [56]. **92** Auriol-Occelli [55]. **93** Auriol-Occelli [56], *2* Delecour-Grataloup [67], *3* Biasion-Siviero [67].

■ **Rallye Acropole.** *Créé* 1953. **85** Salonen-Harjanne [15]. **86** Kankkunen-Piironen [15]. **87** Alen-Kivimaki [16]. **88** Biasion-Siviero [16]. **89** Biasion-Siviero [55]. **90** Sainz-Moya [56]. **91** Kankkunen-Piironen [55]. **92** Auriol-Occelli [55]. **93** Biasion-Siviero [67], *2* Sainz-Moya [55], *3* Schwartz-Grist [68].

■ **Rallye d'Australie.** *Créé* 1989. **89, 90, 91** Kankkunen-Piironen[55]. **92** Auriol-Occelli [55], *2* Kankkunen-Piironen [55], Sainz-Moya [56].

■ **Rallye du Brésil. 79** Alen-Kivimaki [19]. **80** Hees-Andre [20]. **81** Vatanen-Richards [17]. **82** Mouton-Pons [14], *2* Röhrl-Geistdorfer [12], *3* De Vitta-Muzio [17]. **Dep. 83** non disp.

■ **Rallye d'Argentine. 85** Salonen-Harjanne [15]. **86, 87** Biasion-Siviero [16]. **88** Recalde-Del Buono [16]. **89** Ericsson-Billstam [55]. **90** Biasion-Siviero [55], **91** Sainz-Moya [56]. **92** Auriol-Occelli [55]. **93** Kankkunen-Grist[56], *2* Biasion-Siviero [67], *3* Auriol-Occelli [56].

■ **Rallye Côte-d'Ivoire (ex-Bandama). 85** Kankkunen-Gallagher [25]. **86** Waldegaard-Gallagher [25]. **87** Eriksson-Diekmann [30]. **88** Ambrosino-Le Saux [52]. **89** Oreille-Thimonnier [61]. **90** Tauziac-Papin [59]. **91** Shinozuka-Meadows [59], *2* Tauziac-Papin [59], *3* Stohl-Kaufmann [14]. **92, 93** non disp.

■ **Rallye d'Espagne-Catalogne.** *Créé* 1991. **91** Schwarz-Hertz [56]. **92** Sainz-Moya [56], *2* Kankkunen-Piironen [55], *3* Aghini-Farnocchia [55].

■ **Rallye des 1 000 Lacs (Finlande).** *Créé* 1951. **85, 86** Salonen-Harjanne [15]. **87** Alen-Kivimaki [16]. **88** Alen-Kivimaki [16]. **89** Ericsson-Billstam [59]. **90** Sainz-Moya [56]. **91** Kankkunen-Piironen [55]. **92** Auriol-Occelli [55], *2* Kankkunen-Piironen [55], *3* Alen-Kivimaki [56].

■ **Rallye de Nouvelle-Zélande. 84** Blomqvist-Cederberg [14]. **85** Salonen-Harjanne [15]. **86** Kankkunen-Piironen [15]. **87** Wittmann-Pattermann [16]. **88** Haider-Hinterleitner [54]. **89** Carlsson-Carlsson [32]. **90, 91** Sainz-Moya [56]. **92** Sainz-Moya [56], *2* Liatti-Tedeschini [55], *3* Dunkerton-Gocentas [59].

■ **Rallye Olympus. 86** Alen-Kivimaki [16]. **87** Kankkunen-Piironen [15]. **88** Biasion-Siviero [16], *2* Fioro-Pirollo [16], *3* Buffum-Bellefleur [14]. **Dep. 89** non disp.

■ **Rallye du Portugal. 85** Salonen-Harjanne [15]. **86** Moutinho-Fortes [11]. **87** Alen-Kivimaki [16]. **88** Biasion-Cassina [16]. **89, 90** Biasion-Siviero [55]. **91** Sainz-Moya [56]. **92** Kankkunen-Piironen [55]. **93** Delecour-Grataloup [67], *2* Biasion-Siviero [67], *3* Aghini-Farnocchia [55].

■ **Rallye d'Italie-San Remo. 85** Röhrl-Geistdorfer [14]. **86** Alen-Kivimaki [16]. **87, 88** Biasion-Siviero [16]. **89** Biasion-Siviero [55]. **90, 91** Auriol-Occelli [55]. **92** Aghini-Farnocchia [55], *2* Kankkunen-Piironen [55], *3* Delecour-Grataloup [51].

■ **Rallye de Suède. 85** Vatanen-Harryman [15]. **86** Kankkunen-Piironen [15]. **87** Salonen-Harjanne [32]. **88** Allen-Kivimaki [16]. **89** Carlsson-Carlsson [32]. **90** non disp. **91** Eriksson-Parmander [59]. **92** Jonsson-Backman [56]. **93** Jonsson-Backman [56], *2* Kankkunen-Piironen [56], *3* McRae-Ringer [65].

■ **Safari Rallye (Kenya).** *Créé* 1953. **85** Kankkunen-Gallagher [25]. **86** Waldegaard-Gallagher [25]. **87** Mikkola-Hertz [14]. **88** Biasion-Siviero [16]. **89** Biasion-Siviero [55]. **90** Waldegaard-Gallagher [56]. **91** Kankkunen-Piironen [55]. **92** Sainz-Moya [56]. **93** Kankkunen-Piironen [56], *2* Alen-Kivimaki [56], *3* Duncan-Munro [56].

■ **Lombard-RAC Rallye (Grande-Bretagne).** *Créé* 1927, reconnu dep. 1951. **85** Toivonen-Wilson [16]. **86** Salonen-Harjanne [15]. **87** Kankkunen-Piironen [16]. **88** Alen-Kivimaki [16]. **89** Airikkala-McNamee [59]. **90** Sainz-Moya [56]. **91** Kankkunen-Piironen [55]. **92** Sainz-Moya [56], *2* Kankkunen-Piironen [55], *3* Vatanen-Berglund [65].

■ **Tour de Corse-Rallye de France. 1970** Darniche-Demange [6]. **71** non disp. **72** Andruet-« Biche » [6]. **73** Nicolas-Vial [6]. **74** Andruet-« Biche » [8]. **75** Darniche-

Mahé [8]. **76** Munari-Maiga [8]. **77, 78** Darniche-Mahé [19]. **79** Darniche-Mahé [8]. **80** Thérier-Vial [5]. **81** Darniche-Mahé [8]. **82** Ragnotti-Andrié [11]. **83, 84** Alen-Kivimaki [16]. **85** Ragnotti-Thimonier [11]. **86** Saby-Fauchille [15]. **87** Beguin-Lenne [28]. **88** Auriol-Occelli [51]. **89, 90** Auriol-Occelli [55]. **91** Sainz-Moya [56]. **92** Auriol-Occelli [55]. **93** Delecour-Grataloup [67], *2* Auriol-Occelli [56], *3* Chatriot-Giraudet [56].

■ **Championnat d'Europe des rallyes pour conducteurs.** **1971** Zasada. **72** Pinto. **73** Munari. **74** Röhrl. **75** Verini. **76, 77** Darniche. **78** Carello. **79** Kleint. **80** Zanini. **81** Vudafieri. **82** Fassina. **83** Biasion. **84** Capone. **85** Cerrato. **86** Tabaton. **87** Cerrato. **88** Tabaton.

■ **Championnat de France des Rallyes.** **86, 87, 88** Didier Auriol-Bernard Occelli. **89, 90** François Chatriot.

■ **Tour de France.** *Créé* 1889. Pas de tour en 55, 65, 66, 67 et 68. **1951** Pagnibon-Barraquet [42]. **52** Gignoux-Gignoux [42]. **53** Peron-Bertramier [43]. **54** Pollet-Gauthier [44]. **56** De Portago-Nelson [42]. **57, 58, 59** Gendebien-Bianchi [42]. **60, 61** Mairesse-Berger [42]. **62** Simon-Dupeyron [42]. **63** Guichet-Behra [42]. **64** Bianchi-Berger [42]. **69** Larrousse-Gelin [5]. **70** Beltoise-Todt [45]. **71** Larrousse-Rives [45]. **72** Andruet-« Biche » [42]. **73** Munari-Mannucci [8]. **74** Larrousse-Nicolas-Rives [46]. **75** Darniche-Mahé [8]. **76** Henry-Grobot [9]. **77** Darniche-Mahé [8]. **78** Mouton-Conconi [19]. **79, 80** Darniche-Mahé [8]. **81** Ragnotti-Andrié [11]. **82** Andruet-Bouchetal [47]. **83** Fréquelin-Fauchille [48]. **84, 85** Ragnotti-Thimonier [11]. **87** Annulé par défaut de sponsoring.

Courses de côtes

Championnat d'Europe de la montagne. *Créé* 1957. Réservé aux voitures des groupes 1 à 6. Parcours d'au moins 5 km, dénivellation minimale entre le départ et l'arrivée de 350 m.

Raids

Raid Alger-Le Cap. En 1970, la Renault 12 de Bernard et Claude Marreau et d'Yves Garin, partie du Cap le 5-12 à 14 h, arrivait à Alger le 15-12 à 21 h 14′ après 15 745 km de route à 63,170 km/h de moyenne (battant le record de 62,800 km/h détenu depuis 1958 par le colonel Henri Debrus, le Cdt Robert Monnier et le Lt Robert Clausse).

Paris-Dakar. *Créé* 1978. **1979** 9 000 km, 160 engagés *toutes catégories confondues :* Neveu (Yamaha 500 XT), *2* Comte (Yamaha), *3* Vassard (Honda). **80** *moto* Neveu (Yamaha 500 XT) ; *auto :* Kotulinsky-Luffelman (VW) ; *camion :* Atouat-Boukrif-Kaoula (Sonacome). **81** *moto :* Auriol (BMW GS 800) ; *auto :* Metge-Giroux (Range Rover) ; *camion :* Villeste-Gabrelle-Voillereau (ALM Achar). **82** *moto :* Neveu (Honda 550 XR) ; *auto :* Marreau B.-Marreau C. (Renault 20 Turbo) ; *camion :* Groine-de-Saulieu-Malferiol (Mercedes-Benz V 1700). **83** *moto :* Auriol (BMW) ; *auto :* Ickx-Brasseur (Mercedes) ; *camion :* Groine-de Saulieu-Malferiol (Mercedes 1936 AK). **84** *moto :* Rahier (BMW) ; *auto :* Metge-Lemoyne (Porsche 911) ; *camion :* Lalleu-Durce (Mercedes). **85** *moto :* Rahier (BMW) ; *auto :* Zaniroli-Da Silva (Mitsubishi) ; *camion :* Capito-Capito (Mercedes). **86** 15 000 km, *moto :* Neveu (Honda) ; *auto :* Metge-Lemoyne (Porsche 959) ; *camion :* Yusmara-Minelli (Mercedes-Unimog). **87** 12 397 km dont 8 200 de spéciales ; *moto :* Neveu (Honda) ; *auto :* Vatanen-Giroux (Peugeot 205 T 16) ; *camion :* De Rooy (Daf-360). **88** 12 876 km dont 8 321 km de spéciales et 4 555 km de parcours de liaison ; au départ (1/1), partants : 311 voitures, 183 motos et 109 camions ; 5/1 427 dont 232 v., 105 m., 90 c. ; à l'arrivée (22/1) 151 dont 87 v., 34 m., 30 c. ; le 18/1, la 405 de Vatanen ayant été volée est éliminée ; *moto :* Orioli (Honda), *auto :* Kankkunen-Piironen (Peugeot 205 T 16), *camion :* Loprais-Stachura-Ingmuck (Tatra). **89** 10 831 km (passe par Tunisie et Libye) ; partants : 241 voitures et 155 motos, 76 camions accompagnateurs, pas de course camions ; *auto :* Vatanen-Berglund (Peugeot 405 turbo 16) ; *moto :* Lalay (Honda). **90** 11 416,5 km dont 7 863 de parcours sélectifs. Passe par Libye, Tchad, Niger, Mauritanie, Mali et Sénégal. Partants : 258 autos, 136 motos, 96 camions ; arrivée, 87 autos et camions et 46 motos. *Auto :* Vatanen-Berglund (Peugeot 405 T-16) ; *moto :* Orioli (Caviga) ; *camion :* Villa (Perlini). **91** 9 186 km dont 14 spéciales et 2 étapes de liaison (Libye, Niger, Mali, Mauritanie, Sénégal). *Auto :* Vatanen-Berglund (Citroën ZX) ; *moto :* Peterhansel (Yamaha) ; *camion :* Houssat (Perlini). **92** (23-12-91/15-1-92) devient **Paris-Le Cap** 12 427 km dont 6 701 de parcours sélectifs et 5 726 d'épreuves chronométrées, 11 pays (prologue à Rouen, départ de Paris, traversée Sète-Mustrata en Libye, Syrte, N'Djamena, Bouar, traversée Pointe-Noire-Lobito en bateau, Le Cap). Partants : 143 autos, 99 motos et 101 camions. *Auto :* Auriol-Monnet (Mitsubishi) ; *moto :* Peterhansel (Yamaha) ; *camion :* Perlini-Albiero (Perlini). **93** (1-1 au 16-1), redevient le Paris-Dakar, 8 877 km dont 5 387 de spéciales, Paris-Sète-Tanger-Maroc-Algérie-Mauritanie-Sénégal ; *auto + camion :* Saby-Serieys (Mitsubishi) ; *moto :* Peterhansel (Yamaha).

Nota. – Morts : *1979* 1 motard, 3 journalistes italiens, *82* Ursula Zentsch (journaliste), Bert Osterhuis (motard), 1 enfant malien, *83* Jean-Noël Pineau (motard), *84* 1 spectatrice (au Burkina), *85* 1 enfant (Nigeria), *86* Yasuo Kaneko (motard), Thierry Sabine, Daniel Balavoine, Nathaly Odent (journaliste), François-Xavier Bagnoud (pilote d'hélicoptère), Jean-Paul Le Fur (technicien radio), *87* Henri Mouren (voiture suiveuse), *88* Jean-Claude Huger (motard), 2 enfants et 1 femme, Kees Van Loevezijn (camion) et Patrick Canado (auto). *90* Kaj Salminen (journaliste). *91* Charles Cabane (pilote de camion). *92* Jean-Marie Sounillac et Laurent Le Bourgeois (assistance), Gilles Lalay (motard).

Rallye des Pharaons. *Créé* 1982. **87** *auto :* Vatanen (Peugeot 205 Grand Raid), *moto :* De Pietri (Cagiva). **88** *auto :* Vatanen-Berglund (Peugeot 405), *moto :* Rahier (Suzuki). **89** *auto :* Vatanen-Berglund (Peugeot 405), *moto :* De Petri (Cagiva). **90** *auto :* Auriol-Monnet (Lada), *moto :* De Petri (Yamaha). **91** *auto :* Vatanen-Berglund (citroën ZX), *moto :* La Porte (Caviga). **92** *auto :* Schlesser (Buggy Schlesser), *moto :* Picco (Gilera).

Principaux raids

1893 *Panhard Levassor :* Hippolyte Panhard (23 ans), d'Ivry à Nice.

1907 *Pékin-Paris :* départ le 10-6. Engagés Pce Scipion Borghèse (1872-1927, Itala), Charles Godard (Spyker), Georges Cornier (De Dion-Bouton), Victor Collignon (De Dion-Bouton), Auguste Pons (Tricar Contal). 3 arrivent (vict.. Borghèse arrivé le 10-8). **1908** *New York-Paris :* traverse USA (New York-San Francisco), Alaska, Sibérie, puis route Paris-Pékin (l'hiver en Alaska détourna la route par le Japon et Vladivostok), 6 équipages, départ le 12-2-1908 devant 25 000 personnes, 38 820 km à couvrir. **1920** *traversée du Sahara :* victoire de Fiat. 28 jours, Alger-Tamanrasset, 3 000 km, colonne de 70 h. **1920** *expédition Wanderwell :* 43 pays, 4 continents visités en 7 ans, arrivée à Paris d'Aloha Wanderwell le 5 août 1929. **1926** *1er tour du monde à moto :* Robert Sexé et Henry Andrieux, 25 000 km. **1927** *raid en Rolland-Pilain :* Paris-Saigon par G. Duverne. **1927** *raid du Ct Loiseau :* en Bugatti. **1920** *traversée du Sahara :* 17-12-1920, 6-3-1923. **1924-25** *Croisière noire :* v. Index. **1931-32**-*12-2 Croisière jaune :* v. Index. **1934** *Croisière blanche :* traversée du Canada, 2 000 km.

1988 (12-7 au 2-9) *Paris-Pékin :* organisé par Alain Lafeuillade, 25 voitures, 18 200 km. **1991** *-1/27-9 Paris-Moscou-Pékin* via Berlin, Moscou, Beyneu, Tachkent, Kashi, Dun Hang : 16 135 km. En août 91, annulé pour raisons politiques (putsch en ex-URSS). Doit être disputé du 1 au 27-9-92. **1992** (1/27-9) 16 054 km dont 7 355 km chronométrés. Au départ, 93 autos, 15 motos, 20 camions, 23 camions d'assistance. *Auto-camion :* Pierre Lartigue-Michel Périn (Fr.) Citroën ZX avec 34 h 49′14″ de pénalités. *Moto :* Stéphane Peterhansel (Fr.) Yamaha en 101 h 40′53″. Prochain en août-sept. **1994.**

Écoles de pilotage françaises

Renault-Elf, Circuit Paul-Ricard, route nationale no 8, 83330 Le Beausset. **Winfield,** Circuit Magny-Cours, 1, rue de Nièvre, 58470 Magny-Cours. **Le Mans,** Circuit Bugatti, ACO, Cedex 19, 72040, Le Mans Cedex. **Montlhéry-Linas,** AGACI 212, boulevard Péreire, 75017 Paris. **Nogaro,** ASA Armagnac-Bigorre, BP 24, place de l'Église, 32110 Nogaro. **Vetraz-Monthoux,** 74100 Annemasse. **La Châtre,** École de pilotage F. III, 36400 La Châtre. **Crédit mutuel Croix-en-Ternois,** BP 2, 62130 St-Pol-sur-Ternoise.

Quelques noms

☞ *Légende.* – (1) France. (2) It. (3) USA. (4) N.-Zél. (5) G.-B. (6) ex-All. féd. (7) Autriche. (8) Belg. (9) Suède. (10) Australie. (11) Espagne. (12) Monaco. (13) Écosse. (14) Argentine. (15) Brésil. (16) Suisse. (17) Colombie. (18) P.-Bas. (19) Japon. (20) Hawaii. (21) Mexique. (22) Finlande. (23) Afr. du Sud. (24) Canada. (25) Kenya. (26) Portugal. (27) Finlande.

■ Pilotes de circuit

Nom, prénom, nationalité, date de naissance et éventuellement de décès

ALBORETO Michele [2] 23-12-56. ALESI Jean [1] 11-6-64. ALLIOT Philippe [1] 27-7-54. AMATI Giovana [2] 20-7-62. AMON Chris [4] 20-7-43. ANDRETTI Mario [3] 28-2-40. ANDRETTI Michael [3] 5-10-62. DE ANGELIS Elio [2] 1958-86, † aux essais. ARNOUX René [1] 4-7-48. ASCARI Alberto [2] 1918-55, † aux essais. ATTWOOD Richard [5] 4-4-40. BALDI Mauro [2] 31-1-54. BARBAZZA Fabrizzio [2] 2-4-63. BARILLA Paolo [2] 20-4-61. BARTELS [6] 8-3-63. BEAUMONT Marie-Claude (Charmasson) [1] 17-9-41. BEHRA Jean [1] 1921-59. BELL Derek [5] 31-10-1941. BELLOF Stefan [6] 1957-85. BELMONDO Paul [1] 23-4-63. BELTOISE Jean-Pierre [1] 26-4-37. BENOIST Robert [1] 1895-1944. BERGER Gerhard [7] 27-8-59. BERNARD Eric [1] 24-8-64. BIANCHI Lucien [8] 1934-69, † essais 24 H du Mans. BLUNDELL Mark [5] 8-4-66. BOESEL Raul [15] 4-12-57. BOILLOT Georges [1] 1885-1916. BONNIER Joakim [9] 1930-72, † au Mans. BORGUDD Slim [9] 25-11-46. BOUTSEN Thierry [8] 13-7-57. BRABHAM David [10]. Geoff [10] 20-5-52. Jack [10] 2-4-26. BRAMBILLA Vittorio [2] 11-11-37. BROOKS Tony [5] 25-2-32. BRUNDLE Martin [5] 1-6-59. CAFFI Alex [2] 18-3-64. CAMPARI Guiseppe [2] 1892-1933. CAMPOS Adrian [11] 11-6-60. CAPELLI Ivan [2] 24-5-63. CARACCIOLA Rudolf [6] 1901-59. CECCOTTO Johnny [2] 25-1-56. CHAVES Pedro [26] 27-2-65. De CESARIS Andrea [2] 31-5-59. CEVERT François [1] 1944-73, † aux essais de Watkins Glen. CHEEVER Eddie [3] 10-1-58. CHINETTI Luigi [2]. CHIRON Louis [12] 1899-1979. CLARK Jim [13] 1936-68, † à Hockenheim. COLLINS Peter [5] 1931-58, † au Grand Prix d'Allemagne. COMAS Erik [1] 28-9-63. COURAGE Piers [5] 1942-70, † à Zandvoord.

DALMAS Yannick [1] 28-7-61. DALY Derek [5] 11-3-53. DANNER Christian [6] 4-4-58. DEPAILLER Patrick [1] 1944-80, † à Hockenheim. DONNELLY Martin [5] 26-3-64. DONOHUE Mark [3] 1937-75. DREYFUS René [1] 1905.

ELFORD Vic [5] 10-6-1935. ETANCELIN Philippe [1] 1896-1981. FABI Corrado [2] 12-4-61. FABI Teo [2] 9-3-55. FABRE Pascal [1] 8-1-60. FANGIO Juan Manuel [14] 24-6-11. FARINA Giuseppe (dit Nino) [2] 1906-66. FERTÉ Alain [1] 8-10-55. Michel [1]. FITTIPALDI Christian [15] 18-1-71. Emerson [15] 12-12-1946. Wilson [15] 24-12-1943. FOITEK Gregor [16] 27-3-65. FOYT Anth. Joseph [3] 13-1-35. FRERE Paul [8] 30-1-17. GABBIANI Beppe [2] 2-1-57. GABELITCH Gary [3] 29-8-40. GACHOT Bertrand [6] 22-12-62. GENDEBIEN Olivier [8] 12-1-24. GETHIN Peter [5] 21-2-40. GHINZANI Pier-Carlo [2] 16-1-52. GIACOMELLI Bruno [2] 10-9-52. GIUNTI Ignacio [2] 1941-71, † à Buenos-Aires. GORDINI Amédée [1] 1899-1979. GRAFFENRIED Emmanuel (de) [16] 1919. GROUILLARD Olivier [1] 2-9-58. GUERRERO Roberto [17] 16-11-58. GUGELMIN Mauricio [15] 21-4-63. GURNEY Dan [3] 13-4-31. HAILWOOD Mike [5] 1940-81, † accident de la route. HAKKINEN Mika [27] 28-9-68. HAWTHORN Mike [5] 1929-59, † accident route. HENTON Brian [5] 19-9-46. HERBERT Johnny [5] 27-6-64. HESNAULT François [1] 30-12-56. HILL Graham [5] 1929-75, † accident d'avion. Détenait le record des grands prix disputés (176) [entre le 18-5-58 et le 26-1-75, seul champion du monde vainqueur aux 24 h et aux 500 miles d'Indianapolis]. Phill [3] 20-4-27. HOBBS David [5] 9-6-39. HULME Denis [4] 1936-92. HUNT James [5] 1947-93. ICKX Jacky [8] 1-1-45. JABOUILLE Jean-Pierre [1] 1-10-42. JARIER Jean-Pierre [1] 10-7-46. JAUSSAUD Jean-Pierre [1] 3-6-37. JENATZY Camille [8] 1868-1913. JOHANSSON Stefan [9] 8-9-56. JOHNCOCK Gordon [3] 5-8-36. JONES Alan [10] 2-11-46. JOST Renhold [6] 24-4-37.

LAFFITE Jacques [1] 21-11-43. LAMMERS Jan [18] 2-6-56. LANG Hermann [6] 1909-87. LARINI Nicola [2] 19-3-64. LARRAUDI Oscar [14] 19-8-54. LARROUSSE Gérard [1] 23-5-40. LAUDA Niki [7] 22-2-49. LEES Geoffrey [5] 1-5-51. LETHO Jyrki JARVILETHO dit [27] 31-1-66. LIGIER Guy [1] 12-7-30. McLAREN Bruce [4] 1937-70, † accident à Goodwood. MAIRESSE Willy 1928-69. MANSELL Nigel [5] 8-8-54. MARTINI Pierluigi [2] 23-4-61. MASS Jochen [6] 30-9-46. MEARS Rick [3]. MERZARIO Arturo [2] 11-3-1943. MIGAULT François [1] 4-12-44. MODENA Stefano [2] 12-5-63. MORBIDELLI Gianni [2] 13-1-68. MORENO Roberto [15] 11-2-59. Moss Pat [5]. Moss Stirling [5] 17-9-29. MUSSO Luigi [2] 1924-58, † au GP de France. NAKAJIMA Satoru [19] 23-2-53. NANNINI Alessandro [2] 7-7-59. NAZZARO Felice [2] 1881-1940. NEVE Patrick [8] 13-11-49. NILSSON Gunnar [9] 1948-78. NUVOLARI Tazio [2] 1892-1953. OLIVER Jackie [5] 14-8-1942. ONGAIS Danny [20] 21-5-42.

PACE Carlos [15] 1944-77, † accident d'avion. PALETTI Ricardo [2] 1958-82. PALMER Jonathan [5] 7-11-56. PATRESE Ricardo [2] 17-4-54. PESCAROLO Henri [1] 25-9-42. PETERSON Ronnie [9] 1944-78, † suites accident à Monza. PETTY Richard [3] 2-7-37. PILETTE Teddy [8]

26-7-42. PIQUET Nelson [15] 17-8-52. PIRONI Didier [1] 1952-87, † accident de motonautisme. PIRRO Emmanuele [2] 12-1-62. PROST Alain [1] 24-2-55. [Premier grand prix disputé le 5-7-1981 sur le circuit de Dijon-Prenois. Au 26-7-1993, sur 193 grands prix disputés, 48 victoires dont Brésil 6 (82, 84, 85, 87, 88, 90), Monaco 4 (84, 85, 86, 88), France 6 (81, 83, 88, 89, 90, 93), Autriche 3 (83, 85, 86), Saint-Marin 3 (84, 86, 93), G.-B. 5 (83, 85, 89, 90, 93), Portugal 3 (84, 87, 88), Italie 3 (81, 85, 89), Hollande 2 (81, 84), Belgique 2 (83, 87), Australie 2 (86, 88), Afr. du S. 2 (82, 93), All. 2 (84, 93), Europe 1 (84), Mexique 2 (88, 90), Espagne 3 (88, 90, 93), USA 1 (89), Canada 1 (93).] PRYCE Tom [5] 1949-77, † à Kyalami.

REDMAN Brian [5] 9-3-1937. REGAZZONI Clay Gianclaudio [16] 5-9-1940. REUTEMANN Carlos [14] 12-4-1942. REVSON Peter [3] 1939-74, † à Kyalami. RINDT Jochen [7] 1942-70, † aux essais de Monza. RODRIGUEZ Pedro [21] 1940-71, † à Nuremberg. RONDEAU Jean [1] 1946-85. ROSBERG Keke [22] 6-12-48. ROSIER Louis [1] 1905-56. SCARFIOTTI Ludovico [2] 1933-68, † à Rossfeld. SCHECKTER Jody [23] 29-1-1950. SCHNEIDER Bernd [6] 20-7-64. SCHENKEN Tim [10] 26-9-1943. SCHLESSER J.-Louis [1] 12-9-52. SCHUMACHER Michael [6] 3-1-69. SENNA DA SILVA Ayrton [15] 21-3-60. SERRA Chico [15] 3-2-57. SERVOZ-GAVIN Johnny [1] 18-2-42. SIFFERT Joseph [16] 1936-71, † à Brands-Hatch. SOMMER Raymond [1] 1906-50, † en course. STEWART Jackie [13] 11-6-1939, abandonne la comp. oct. 73. STOMMELEN Rolf [6] 11-7-1943. STREIFF Philippe [1] 25-6-55. STUCK Hans Joachim [6] 1-1-1951. SURER Marc [16] 1951-86. SURTEES John [5] 11-2-34. SUZUKI Aguri [19] 8-9-64. TAMBAY Patrick [1] 25-6-49. TARQUINI Gabriele [2] 2-3-62. THACKWELL Mike [4] 30-3-61. THIRION Gilberte [8] 1928. THOMAS René [1] 1886. TRAUTMANN Claudine [1] 28-11-31. TRINTIGNANT Maurice [1] 30-10-17. UNSER Al [3] 1939. UNSER Bobby [3] 20-2-34. VAN DE POELLE Eric [8] 30-9-61. VARZI Achille [2] 1904-48. VILLENEUVE Gilles [24] 1952-82, † à Zolder. WARWICK Derek [5] 27-8-54. WATSON John [5] 4-5-46. WILLIAMSON Roger [5] 1948-73, † à Zandvoort. WIMILLE Jean-Pierre [1] 1908-49, † en course. WINKELHOCK Manfred [6] 1952-85. WOLLEK Bob [1] 4-11-43. ZANARDI Alessandro [2] 23-10-66.

Pilotes de rallye

AALTONEN Rauno [22]. AIRIKKALA Penti [22]. ALEN Markku [22] 15-2-51. ANDERSSON Ove [9] 3-1-38. ANDRUET Jean-Claude [1] 13-8-42. AURIOL Didier [1] 10-8-58. Hubert [1] 1952. BEGUIN Bernard [1] 24-9-47. BETTEGA Attilio [2] 1953-85. BIASION Massimo [2] 7-1-58. BLOMQVIST Stig [9] 26-1-46. BROOKES Russel [5]. CARLSSON Erik [9]. CLARK Roger [5]. DARNICHE Bernard [1] 28-3-42. EKLUND Per [9] 26-6-46. FALL Tony [9]. FIORIO Alessandro [2] 1965. FREQUELIN Guy [1] 2-4-45. HKIRK Paddy [5]. KALLSTROM Harry [9]. KANKKUNEN Juha [22] 2-4-59. KLEINT Jochi [6]. KULLANG Anders [9] 23-9-43. LAMPINEN Simo [22]. MAKINEN Timo [22] 18-3-38. MEHTA Shekhar [25] 20-6-45. METGE René [1] 23-10-49. MIKKOLA Hannu [22] 24-5-42. MOSS-CARLSSON Pat [5]. MOUTON Michèle [1] 23-6-51. MUNARI Sandro [2] 27-3-40. NICOLAS Jean-Pierre [1] 22-1-45. OCCELLI Bernard [1] 20-5-61. PIOT Jean-François [1] 1945-80. POND Tony [5] 23-11-45. RAGNOTTI Jean [1] 29-8-45. ROHRL Walter [6] 7-3-47. SABY Bruno [1] 23-2-49. SAINZ Carlos [11] 12-4-62. SALONEN Timo [22] 8-10-51. SCHLESSER Jean-Louis [1] 12-9-48. SINGH Joginder [25] 9-2-32. THERIER Jean-Claude [1] 7-10-43. TOIVONEN Henri [22] 1956-86. Pauli [22]. VATANEN Ari [22] 27-4-52. VERINI Maurizio [2] 1942. VINCENT Francis [1]. WALDEGAARD Bjorn [9] 12-11-43. WITTMANN Franz [7].

Aviron

Origine. **Antiquité** *l'Énéide* de Virgile donne la plus ancienne description d'une course d'aviron. **1716** 1re compétition des temps modernes en G.-B., sur la Tamise : la *Doggett's Coat and Badge.* **1818** 1er club d'amateurs en G.-B. **1834** 1res régates en France. **1890** f. de la Fédération fr. des Stés d'aviron. **1896** sport olympique, mais les vagues empêchent le déroulement des épreuves.

Types de bateaux

■ **Bateaux de course (outriggers)** (pour eaux calmes). En bois ou polyester. Avirons supportés par des portants extér. métal. Sièges à coulisse (le rameur a 1 aviron), **En pointe :** *deux de pointe* (11 m), 30 à 35 kg : avec ou sans barreur. *Quatre de pointe* (13 m), 50 à 60 kg : avec ou sans barreur. *Huit de pointe* (18 m), 100 kg : toujours barré (racing eight). **En couple (le rameur a 2 avirons) :** même poids que les en pointe sauf pour le *skiff* (1 rameur avec 2 avirons ; 7 à 8 m, 14 à 18 kg). *Deux de couple* (double sculls). *Quatre de couple* sans barreur. *Huit de couple* (pas de compétition officielle).

■ **Ramaplan.** Entre la planche à voile et le skiff, avec un siège à coulisse et 2 avirons légers.

■ **Yole** (en principe pour la mer ou eaux agitées). Construite à *clins* (lames de bois se chevauchant). Avirons supportés par des dames fixées sur le bord même du bateau. Les *yoles de mer* sont armées en pointe avec barreurs, à 2 rameurs (8,5 × 1 m ; 60 kg) ; 4 (10,5 × 1,05 m ; 90 kg) ; ou 8 (14,5 × 1,15 m ; 150 kg). Les bateaux de mer en couple s'appellent *canoës* [constr. à clins, long. max. : canoë simple (1 rameur) 7 m, double (2) 8 m].

Records

☞ Les diverses qualités d'un plan d'eau et les variations de la vitesse du vent rendent impossible l'établissement de performances absolues. La cadence des coups d'aviron par minute n'est pas significative de la qualité d'un équipage. Tout dépend de la longueur, de la vitesse et de la force du coup d'aviron. **Records non homologués : vitesse** 22,01 km/h par le huit des USA (2 000 m en 5'27"14 à Lucerne le 17-6-1984) ; *cadence* 56 coups d'aviron à la mn par le huit japonais à Henley (1936) ; **course la plus longue :** tour du lac Léman (160 km) par équipes de 4 avec barreur ; le record de l'épreuve : équipe hollandaise Laga Delf en 12 h 52' le 3-10-1982.

Meilleurs temps sur 2 000 m (hommes et en ital. dames). **Skiff** 6'48"08 P. Karppinen (Finl., 85), *7'39"83 C. Linse (All. dém., 84).* **Double scull** 6'12"48 Norv. (76), *6'58"80 All. dém. (85).* **Deux barré** 6'44"92 G.-B. (86). **Deux sans barreur** 6'32"63 All. dém. (82), *7'25"08 Roum. (85).* **Quatre barré** 6'5"21 All. dém. (84), *6'50"08 All. dém. (85).* **Quatre sans barreur** 5'53"65 All. dém. (76). **Quatre de couple** 5'45"97 All. dém. (83), *6'16"31 All. dém. (86).* **Huit** 5'27"14 USA (84), *6'14" All. dém. (85).*

Principales épreuves

Légende. – *a :* skiff ; *b :* 2 de couple ; *c :* 2 sans barreur ; *d :* 2 avec barreur ; *e :* 4 sans barreur ; *f :* 4 avec barreur ; *g :* huit ; *h :* 4 de couple ; *i :* pair oar.

☞ **Jeux Olympiques** (voir p. 1534).

■ **Championnats du monde. Hommes.** *Créés* 1962. Tous les 4 ans jusqu'en 1974. Annuels depuis, sauf année olympique. **79 :** *a :* Finlande ; *b :* Norvège ; *c, d, e, f, h :* All. dém. ; *g (avec barreur) :* All. dém. ; **81 :** *a :* All. féd. ; *b :* All. dém. ; *c :* URSS ; *d :* Italie ; *e :* URSS ; *f :* All. dém. ; *g :* URSS ; *h :* All. dém. **82 :** *a, h, f :* All. dém. ; *b, c :* Norvège ; *d :* Italie ; *e :* Suisse ; *g :* N.-Zél. **83 :** *a, h, e :* All. féd. ; *b, c, d :* All. dém. ; *f, g :* N.-Zél. **85 :** *a :* Finlande ; *b :* All. dém. ; *c, f, g :* URSS ; *d :* Italie ; *e :* All. féd. ; *h :* Canada. **86 :** *a, f :* All. dém. ; *b :* Italie ; *c, h :* URSS ; *d :* G.-B. ; *e :* USA ; *g :* Australie. **87 :** *a, e, f :* All. dém. ; *b :* Bulgarie ; *c :* G.-B. ; *d :* Italie ; *g :* USA ; *h :* URSS. **89 :** *a, c, e :* All. dém. ; *b :* Norvège ; *d :* It. ; *f :* Roumanie ; *g :* All. féd. ; *h :* P.-Bas. **90 :** *a, h :* URSS ; *b :* Autriche ; *c, f :* All. dém. ; *e :* Austr. ; *g :* All. féd. **91 :** *a, f, g :* All. ; *b :* P.-Bas ; *c :* G.-B. ; *d :* It. ; *e :* Australie ; *h :* ex-URSS.

Dames. *Créés* 1974. **79 :** *a :* Roumanie ; *b, c, h :* All. dém. ; *f, g (avec barreuse) :* URSS. **81 :** *a :* Roum. ; *b :* URSS ; *c :* All. dém. ; *f, g, h (avec barreuse) :* URSS. **82 :** *a, b, h, f, g :* URSS ; *c :* All. dém. **83 :** *a, b, c, f :* All. dém. ; *h, g :* URSS. **85 :** *a, b, f, h :* All. dém. ; *c :* Roum. ; *g :* URSS. **86 :** *a, b, h :* All. dém. ; *c :* Roum. ; *g :* URSS. **87 :** *a, b :* Bulgarie ; *c, f, g :* Roum. ; *h :* All. dém. **89 :** *a, g :* Roum. ; *b, c, e, h :* All. dém. **90 :** *a, b, h :* All. dém. ; *c :* All. féd. ; *e, g :* Roum. **91 :** *a, c, e, g :* Canada ; *b, h :* All.

Poids légers. Hommes. *Créés* 1973. **80 :** *a :* All. féd. ; *b :* It. ; *e :* Austr. ; *g :* G.-B. **81 :** *a :* USA ; *b :* It. ; **82 :** *a :* Autr. ; *b, e, g :* It. **83 :** *a :* Dan. ; *b :* It. ; *e, g :* Esp. **84 :** *a :* Dan. ; *b :* It. ; *e, g :* Esp. **85 :** *a :* It. ; *b :* Fr. ; *e :* All. féd. ; *g :* It. **86 :** *a :* Austr. ; *b :* G.-B. ; *e, g :* It. **87 :** *a :* Belg. ; *b, g :* It. ; *e :* All. féd. **89 :** *a :* P.-Bas ; *b :* Autriche ; *e, h :* All. féd. ; *g :* It. **90 :** *a :* P.-Bas ; *e :* All. féd. ; *g, h :* It. **91 :** *a :* Irlande ; *b :* All. ; *e :* G.-B. ; *g :* It. ; *h :* Australie. **92 :** *a, g :* Danemark ; *b :* Australie ; *e :* G.-B. ; *h :* It. **Dames.** *Créés* 1984. **84 :** *a :* All. féd. ; *b :* Dan. ; *e :* All. féd. ; *g :* USA. **85 :** *a :* Austr. ; *b :* G.-B. ; *e :* All. féd. **86 :** *a :* Roum. ; *b, e :* USA. **87 :** *a :* Roum ; *b :* Can. ; *e :* USA. **89 :** *a, b :* USA ; *e :* Chine. **90 :** *a, b :* Danemark ; *e :* Canada. **91 :** *a :* N.-Z. ; *b :* All. ; *e :* Chine. **92 :** *a :* Danemark ; *b :* All. ; *e :* Australie.

■ **Championnats d'Europe.** *Créés* hommes 1893, femmes 1954. Devenus « championnats du monde » en 1974 (voir Quid 1981, résultats p. 1601).

■ **Championnats de France. Hommes.** *Créés* 1892. *a :* **90** Leclerc, **91** Lamarque, **92** Barathay, **93** Lamarque. *b : 89, 90* Di Giovanni-Donette, **91** Pons-Cattaneo, **92** Vera-Barathay. *c :* **89** Lot-Ringo, **90** Lot-Le Lain, **91** Lecointe-Crispon, **92, 93** Rolland-Andrieux. *d :* **90** Ravèra-Godé/Fourf, **91** Rolland-Guérinot/Martin, **92** Lascara-Berthou. *e :* **90** Sanchez-Renault-Nous-Barré, **91** Berthon-Perahia-Lacasa-Schmid, **92** Vergnes-Andrieux-Martigue-Trimouille. *f :* **90** Hautbout-Lavarde-Ezartti-Zuretti, **91** Trimouille-Vergnes-Andrieux-Martigue, **92** Lot-Le Nain-Vibert Vichet-Bernard. *g :* **90** Brunel-Crispon-Lecointe-Fauché-Biblosque-Joly-Bosquet-Lezy, **91** Lot-Dumay-Le Nain-Bernard-Baudet-Ringot-Durez-Fourcroy, **92** Berthou-Perahia-Tomoiaga-Neagu-Lascara-Berthou-Schmidt-Simonin. *h :* **90** Laby-Laby-Rulliat-Portal, **91** Barre-Nous-Sanchez-Renault, **92** Pons-Cattaneo-Bahnaud-Pons.

Dames. *Créés* 1925. *a :* **90** Peyrat, **91, 92** Le Moal, **93** Luzuy. *b :* **89** Chaussivert-Richard, **90** V. et A. Tollard, **91** Lumb-Luzuy, **92** V. et A. Tollard. *c :* **90** Heligon-Briero, **91** Heligon-Briero, **92** Lafon-Jullien, **93** Cortin-Lafitte. *e :* **90** Sal-Rettien-Gossé-Chamberlain, **91** Savodelli-Barrière-Danjou-Lafon, **92** Lafon-Danjou-St-Jean-Faux. *f :* **90** AS Corbeil-Essonnes, **91, 92** non disp. *h :* **90** Luzuy-Matthews-Lumb-Lange, **91** Trimouille-Danjou-Lafon-Deaux, **92** Devaux-Lafon-Danjou-Roye.

■ **Régates de Henley** (G.-B.) Sur 2 111 m. *Créées* 1839. Chaque année le 1er week-end de juillet.

■ **Régates de Lucerne** (Suisse). *Créées* 1891. Les plus importantes régates. 2e dim. de juillet.

■ **Course Oxford-Cambridge.** Disputée par 2 huit de pointe. *Créée* le 10-6-1829 à Henley, la course a lieu maintenant à Londres (entre Henley et Hambledon Lock sur la Tamise) sur 6 840 m (4 miles 1/4). Sur 139 courses courues, Cambridge en a gagné 70, Oxford 68, 1 match nul (1877). En 1912, les 2 bateaux ayant coulé, ils ont recommencé la course. **1986** Cambridge. **87, 88, 89, 90, 91, 92** Oxford. **93** Cambridge.

■ **Course Harvard-Yale** (USA). *Créée* 1852. Disputée entre 2 huit sur 4 miles.

Badminton

Généralités

Origine. Dès l'Antiquité, il existait des jeux de volant en Chine, au Japon et chez les Incas ; le jeu indien du « poona » semble être l'ancêtre le plus proche du badminton. Pratiqué en Europe et en France au XVIIe s. **1873** 1re partie chez le duc de Beaufort à Badminton House (Gloucestershire, G.-B.). **1877** 1res règles (Colonel Selby). **1893** création de la Féd. anglaise. **1899** All England Championships (compétition mondiale majeure jusqu'à 1977). **1902** introduction en France (Le Havre). **1934** création de la Féd. internat. **1978** création de la Féd. française (créée 1934, dissoute sous Vichy). **1988** sport de démonstration aux JO. **1992** sport olympique.

Terrain 13,40 × 6,10 m pour le double (13,40 × 5,18 simple) ; exclusivement joué en salle (haut. : 8 m min.). **Filet :** de 0,76 à 1,524 m du sol au centre, 1,55 m aux poteaux. **Volant :** 4,74 à 5,50 g, portant 16 plumes naturelles de longueur égale (64 à 70 mm), les pointes formant un cercle (diam. 58 à 68 mm), base en liège recouverte de cuir (diam. 25 à 28 mm), bout arrondi. *V. synthétique :* mêmes spécifications, mais tolérance de 10 %. **Raquette :** bois, métal ou synthétique, cordage boyaux ou synthétique, dimensions max. 68 × 23 cm pour l'ensemble, 29 cm pour la tête, 28 × 22 cm pour la partie cordée, poids (non réglementé) 85 à 120 g. **Règles.** Se joue en simple, double ou mixte. *Partie* (env. 1/2 h) en 2 ou 3 manches gagnantes de 15 points (dames 11). *But du jeu :* envoyer le volant au sol dans le camp de l'adversaire. Seul le serveur peut marquer un point. En cas de faute, il perd le service. Le volant de *service* doit passer du premier coup. Pour servir, le joueur doit frapper le volant de bas en haut, en dessous du niveau de sa propre ceinture. Il n'a pas le droit de feinter pour tromper l'adversaire.

Pays pratiquant le plus. Indonésie, Malaisie, Japon, Suède, G.-B. (200 000 joueurs), Danemark, Chine, Corée du S. *En France* 700 clubs, env. 30 000 licenciés.

Principales épreuves

☞ *Légende.* – (1) Danemark. (2) Indonésie. (3) Chine. (4) Corée. (5) Japon. (6) G.-B. (7) Suède. (8)

Suisse. (9) Pakistan. (10) N.-Zélande. (11) ex-URSS. (12) Canada. (13) Australie. (14) France. (15) USA. (16) Singapour. (17) Inde. (18) Belgique. (19) All. féd. (20) Malaisie. (21) P.-Bas. (22) All. réunie dep. 1991.

■ **Championnats du monde.** *Créés* 1977. Tous les 2 ans dep. 1983. **Simple.** *Messieurs* **77** F. Delfs [1], **80** R. Hartono [2], **83** I. Sugiarto [2], **85** J. Han [3], **87, 89** Y. Yang [3], **91** J. Zhao [3], **93** J. Suprianto [2]. *Dames* **77** L. Köppen [1], **80** W. Wiharjo [2], **83** Li Lingwei [3], **85, 87** Han Aiping [3], **89** Li Lingwei [3], **91** Juihong Tang [3], **93** S. Susanti [2]. **Double.** *Messieurs* **77** Tjun Tjun-Wahjudi [2], **80** Hadinata-Chandra [2], **83** Fladberg-Helledie [1], **85** Park-Kim [4]. **87, 89** Li Yongbo-Tian Bingyi [3], **91** J. B. Park-M. S. Kim [4], **93** R. Gunawan-R. Subagja [2]. *Dames* **77** Toganoo-Uneo [5], **80** Perry-Webster [6], **83** Dixi-Ying [3], **85** Aiping-Lingwei [3]. **87, 89** Lin Ying-Guan Weizhen [3]. **91** W. Guan-Q. Nong [3], **93** L.Zhou-Q. Nong [3]. *Mixte* **77** Skovgaard-Köppen [1], **80** Hadinata-Wigoeno [2], **83** Kihlström [7]-Perry [6], **85** Park-Yoo [4], **87** Wang-Shi Fangjing, **89, 91** Park-Chung [4], **93** Lund [1]-Bengtsson [7]. **Par équipes nationales.** *Messieurs* (coupe Thomas, créée 1948) **49, 52, 55, 67** Malaisie. **58, 61, 64, 70, 73, 76, 79, 84** Indonésie. **82, 86, 88, 90** Chine. **92** Malaisie. *Dames* (Coupe Uber, créée 1956) **57, 60, 63** USA. **66, 69, 72, 78, 81** Japon. **75** Indonésie. **84, 86, 88, 90, 92** Chine. *Mixte* (Coupe Sudirman, créée 1989). **89** Indonésie. **91, 93** Corée.

■ **Finale du Grand Prix. Simples.** *Messieurs* **83** Luan [3], **84** Frost [1], **85** Han [3], **86** Yang [3], **87** Xiong [3], **88** Zhang [3], **89** Xiong [3], **90** Kurniawan [2], **91** Zhao [3], **93** Sidek [20]. *Dames* **83** Li [3], **84** Han [3], **85, 86, 87** Li [3], **88** Han [3], **89** Tang [3], **90, 91, 93** Susanti [2]. **Double.** *Messieurs* **87** Li-Tian [3], **88, 89** Sidek-Sidek [20], **90** Hartono-Gunawan [2], **91** Sidek-Sidek [20], **93** Subagja-Mainaki [2]. *Dames* **87, 88** Guan-Lin [3], **89, 90** Tendean-Sulistianingsih [2], **91** Hwang-Chung [4], **93** Lin-Yao [3]. *Mixte* **87** Karlsson-Bengtsson [7], **88** Wang-Shi [3], **89** Hartono-Fajrin [2], **90, 91, 93** Lund-Dupont [1].

■ **Championnats d'Europe.** *Créés* 1968. Tous les 2 ans. **Simple.** *Messieurs* **80** F. Delfs [1], **82** Nierhoff [1], **84, 86** M. Frost [1], **88** D. Hall [6], **90** S. Baddeley [6], **92** Hoyer-Larsen [1]. *Dames* **80** L. Blumer [8], **82** L. Köppen [1], **84, 86** H. Troke [6], **88** K. Larsen [1], **90, 92** P. Nedergaard [1]. **Double.** *Messieurs* **80** Karlsson-Nardin [7], **82** Karlsson-Kihlström [7], **84** Dew-Tredgett [6], **86** Fladberg-Helledie [1], **88** Nierhoff-Kjeldsen [1], **90** Svarrer-Paulsen [1], **92** Lund-Holst [1]. *Dames* **80** Webster-Perry [6], **82** Gilks-Clark [6], **84** Chapman-Clark [6], **86** Clark-Gowers [6], **88, 90** D. Kjaer-N. Nielsen [1], **92** Qing-Magnusson [7]. *Mixte* **80** Perry-Tredgett [6], **82, 84, 86** Gilks-Dew [6], **88** Clark [6]-Fladberg [1], **90** Holst-Mogesen [1], **92** Lund-Dupont [1]. **Équipes mixtes 80** Danemark, **82, 84** G.-B., **86, 88, 90, 92** Danemark.

■ **Championnats de la Plume d'or.** *Créés* 1972. 8 pays membres en 87 : Autriche, Belgique, Espagne, France, Israël, Luxg., Portugal, Suisse. *Vainqueurs :* **72, 73** Tchéc. **74** Belgique. **75** annulé. **76** Suisse. **77, 78** Youg. **79, 80, 81** Belgique. **82** Autriche. **83** annulé. **84, 85, 86** Autriche. **87** Suisse. **88** non disp. **89, 90, 91** France. **92** Portugal.

■ **National ou championnat de France.** *Créé* 1958. **Simple.** *Messieurs* **81** Bertrand, **82** Pitte, **83** Bertrand, **84, 85, 86** Pitte, **87** Renault, **88** Jeanjean, **89, 90** Panel, **91** Thobois, **92** Massias, **93** Thobois. *Dames* **81** Lechalupé, **82** Méniane, **83** Lechalupé, **84, 85, 86** Méniane, **87** Rios, **88** Mansuy, **89** Dimbour, **90, 91** Mol, **92, 93** Dimbour. **Double.** *Messieurs* **81** Farraggi-Truong, **82** Corbel-Lehouerou, **83** Bertrand-Tong, **84, 85** Jeanjean-Pitte, **86** Bertrand-Truong, **87, 88** Jeanjean-Pitte, **89** Pak-Jeanjean, **90, 91** Panel-Renault, **92, 93** Massias-Jeanjean. *Dames* **81** Lechalupé-Bontemps, **82** Lechalupé-Méniane, **83** Lechalupé-Choël, **84** Méniane-Chaboussie, **85, 88** Méniane-Debienne, **87, 88** Brun-Pichard, **89** Mol-Delvingt, **90** Mol-Dimbour, **91** Mol-Delvingt, **92, 93** Lefèvre-Mansuy. *Mixte* **81** Robert-Truong, **82, 83** Lechalupé-Bertrand, **84, 85, 86** Méniane-Bertrand, **87** Truong-Debienne, **88** Bertrand-Méniane, **89, 90** Jorssen-Dimbour, **91, 92** Jeanjean-Delvingt, **93** Dubrulle-Delvingt. **Équipes 82 à 86** Racing Club de Fr., **87** AS Évry, **88** Havre BC, **89** RCF, **90, 91** Issy-les-Moul., **92** Havre BC, **93** CEBA Strasbourg.

■ **Championnats internationaux de France.** *Créés* 1908. Tous les ans. **Simple.** *Messieurs* **81** Baddeley [6], **82** Zubair [9], **83, 84** Kumar [2], **85** Brodersen [1], **86** Harrisson [10], **87** Frederiksen [1], **88** Sugiarto [2], **89** Xiong [3], **90** Foo [20], **91** Dawson [12], **92** Wan [3], **93** Hendrawan [2]. *Dames* **81** Beliassova [11], **82** Julien [12], **83, 84** Poulton [6], **85** M. Hennig [7], **86** McDonald [13], **87** Kim [4], **88** Hwang [4], **89** Li [3], **90** Hwang [4], **91, 92** Piché [12], **93** Yao [3]. **Double.** *Messieurs* **81** Baddeley-Good [6], **82** McDougall-Freitag [12], **83** Ganguli-Singh [17], **84** De Mulder-Van Herbruggen [17], **85** Brodersen-Thomsen [1], **86** Harrisson-Stewart [10], **87** Lee-Kim [4]. **88** Park-Sung [4], **89** Li-Tian [3], **90** Park-Kim [4], **91** Yap-Yap [20], **92** Li-Tian [3], **93** Kantono-Antonius [2]. *Dames* **81** Beliassova-Pogosian [11], **82** Falardeau-Cloutier [12], **83** Frey-Hagemann [19], **84** Poulton [6]-Van Herbruggen [17], **85** Hennig-Johansson [7], **86** Méniane-Lechalupé [14], **87, 88** Hwang-Chung [4], **89** Sun-Zhou [3], **90** Wang-Chung [4], **91** Schmidt-Urben [22], **92** Lao-Cator [13], **93** Lin-Yao [3]. *Mixtes* **81** Tier-Fulton [6], **82** McDougall-Falardeau [12], **83** Kihlström [7]-Perry [6], **85** Lynge-Moies [1], **86** McDonald [13]-Robson [10], **87, 88** Park-Chung [4], **89** Wang-Shi [3], **90** Kim-Chung [4], **91** Keck-Seid [22], **92** Liu-Wang [3], **93** Miranat-Elyza [2].

■ **Champions Français. Messieurs.** BERTRAND, Jean-Claude (5-8-54). GUÉGUEN, Joël (1941). JEANJEAN, Christophe (2-7-63). PITTE, Benoît (28-3-59). PANEL, Franck (15-4-68). RENAULT, Stéphane (1-3-68). THOBOIS, Étienne (20-9-67). TRUONG, Kiet. **Dames.** DEBIENNE, Sylvie (13-12-62). DELVINGT, Virginie (8-7-71). DIMBOUR, Sandra (13-6-70). LECHALUPÉ, Catherine (1950). MANSUY, Élodie (9-7-68). MÉNIANE, Anne (11-6-59). MOL, Christelle (3-1-72). RIOS, Rosita (13-9-68). SONNET, Corinne (18-6-65).

Étrangers. Messieurs. BADDELEY, Steve [6] (1961). DARREN, Hall [6] (25-10-65). FREEMAN, David [15] (1920). FROST, Morten [1] (4-4-58). GUOBAO, Xiong [3] (17-11-62). HALL DAREN, Wall [6] (25-10-65). HARTONO KURNIAWAN, Rudy [2] (18-8-48). HOYER-LARSEN, Poul-Erik [1] (2-9-65). KARLSSON, Stefan [1] (5-11-55). KIM MOON, Soon [4] (29-12-63). KOPS, Erland [1] (1937). LI, Yongbo [3] (18-9-62). PARK, Joo-Bong [4] (5-12-64). SUGIARTO, Icuk [2] (1962). THOMAS George, Allan [6] (1881-1972). TIAN, Bingyi [3] (30-7-63). WONG PENG, Soon [16] (1918). YANG, Yang [3] (2-2-63). ZHAO, Jianhua [3] (21-4-65). **Dames.** HAN, Aiping [3] (22-4-62). HASHAM, Judith [15] (22-10-35). KIM YUN, Ja [4] (15-5-63). LARSEN, Kirsten [1] (14-3-62). LI, Lingwei [3] (4-1-64). MYUNG, Hee Chung [4] (27-1-64). NEDERGAARD, Pernille [1] (5-12-67). ROGER, Iris [15] (1931). SUSANTI, Susi [2] (11-2-71). TANG, Juihong [3] (14-2-69). TROKE, Helen [6] (7-1-64). WEIZHEN, Guan [3]. YING, Lin [3] (10-10-63).

BALLON AU POING

Origine. **Antiquité** « Phaeninda », mêmes règles que le jeu actuel. **2500 ans avant J.-C.** *les Incas jouent au ballon* (en caoutchouc ou en gomme). **Moyen Age** souvent joué en France. **1900** Ligue du Pas-de-Calais. **1911** Féd. des ballonnistes de la Somme. **1935** Féd. française des ballonnistes. **1972** Féd. française de ballon au poing (BP 10, 80097 Amiens Cedex 3).

Ballon. Origine, en peau de mouton renfermant de la bourre, du foin, du son ; on l'appelait esteuf, soule, choule. **XIXe s.** on introduisit dans la peau une vessie de porc ; puis une vessie de caoutchouc. **V. 1880,** on ramène de 8 à 6 le nombre de bandes de cuir ou de segments (chacun formé de 3 peaux de mouton assemblées). **1902** ballon de cuir de vache. **1932** ballon sans boutrole. Seniors 425 à 475 g (circonf. 60 à 65 cm), juniors 350 à 400 g (55 à 60 cm), cadets 300 à 340 g, minimes 180 à 220 g.

Terrain : largeur 12 m, long. 65 m entre les lignes de rapport. Au-delà le ballon ne peut être repris que de volée. 18 mètres séparent la ligne de tir de la corde pour les équipes « Excellence », sinon 15 m.

Équipe. 6 joueurs : 1 foncier (F) frappant la plupart des coups du 1er bond, 2 basses-volées (BV), 1 milieu de corde (MC), 2 cordeliers (C). Selon leur valeur ; excellence, 1re A ou B, 2e ; leur âge : juniors (pas plus de 16 ans). Cadets (pas plus de 14 ans). Minimes (pas plus de 12 ans).

Partie. Le foncier joue le plus grand nombre de coups. La balle est frappée avec le poignet (on peut le protéger d'une bande d'étoffe ou de cuir). Lorsqu'un jeu commence, le foncier livre, au-delà de la corde, dans le camp adverse, qui renvoie le ballon : l'équipe qui commet une faute au cours des échanges donne 15 à l'adversaire. **Fautes.** Tout contact du ballon avec l'arrière du corps, toute réception passive (genre « amorti »). 5, 6 ou 7 jeux (chaque jeu se décomposant ainsi : 15, 30, 40, jeu). Lorsque les 2 équipes sont à égalité à 40 (« 40 à deux »), l'équipe qui marque prend un avantage, qu'elle peut perdre ensuite. **Chasses.** Quand le ballon n'est repris ni de volée, ni au 1er bond, à hauteur de l'endroit où le ballon a été arrêté (à l'intérieur des limites, avec l'une quelconque des parties « avant » du corps), on place un repère ; la chasse est une ligne imaginaire, parallèle à la corde et passant par le point d'arrêt de la balle ; elle remplace provisoirement la corde. Pour disputer une chasse, il faut changer de camp : si le ballon s'arrête au-delà de la chasse, il y a 15 pour le camp qui a livré ; sinon il y a 15 pour l'autre camp.

Épreuves. Championnats de France : finale disputée chaque 15 août à Amiens (Ballodrome de la Hotoie). **Excellence A.** *Créé* 1908. *Équipe et foncier :* **75** Hérissart, Denis. **76** non disputé. **77 à 83** Franvilliers, J. Debart. **84** Hérissart, J.-M. Godebert. **85** Franvilliers, J. Debart. **86** Bertrancourt, D. Gribeauval. **87, 88, 89** Senlis-le-Sec, M. Maisse. **90** Warloy Baillon, P. Attelyn. **91** Dermancourt, E. Bertoux. **92** Beauquesne, P. Lelong. Participent 4 équipes d'Excellence et, dans chacune des catégories inférieures, les équipes vainqueurs de leur secteur.

Poing d'Or. Finale disputée le 1er dimanche de sept. à Amiens. Trophée récompensant la meilleure livrée. **1904** 1er Souland 56,02 m. **83** Henri Masset 55,90. **84** Gérard Lequette 56,75. **85** Alain Denis 57,08. **86** Serge Dillocourt 50,56. **87** Francis Dauthieux 47,56. **88** Éric Bertoux 52,45. **89** Stéphane Decourcelle 51,44. **90** François Debroy 61,50. **91** É. Bertoux 67,70. **92** É. Bertoux 60,10.

Statistiques. *Sociétés en 1992 :* 41 (Somme 40, Pas-de-C. 1). *Licenciés (92) :* 1 290.

BASE-BALL

GÉNÉRALITÉS

Origine. Connu au XVIIIe s. **1846**-18-6, à Hoboken (New Jersey, USA), 1er match selon les règles du 23-9-1845 d'Alexander J. Cartwright (1820-92). **1988** sport de démonstration aux JO. **1992** sport olympique. Pratiqué dans 80 pays par 150 millions de licenciés.

En France (1992). Env. 50 000 pratiquants et 12 122 licenciés dans 260 clubs. Championnat dans chaque catégorie ; d'avril à juin, puis en sept. Saison s'achève vers la fin oct. et reprend en mars. *Féd. fr. de base-ball, cricket et softball,* 73, rue Curial, 75019 Paris.

Règles du jeu. 2 équipes de 9 joueurs sous la direction d'un gérant ou manager. **Catégories.** *Minimes :* 8-12 ans ; *cadets :* 13-15 a. ; *juniors :* 16-18 a. ; *seniors :* 19 a. et +. Partie jouée en 9 manches et prolongation jusqu'à la victoire d'une équipe, une manche correspondant au passage des 2 équipes à l'attaque et à la défense. Pas de match nul. Une partie dure 3 h env. L'équipe dont c'est le tour envoie un à un sur le terrain ses 9 joueurs ou « batteurs ». Le 1er se place sur un des coins du « diamant » appelé « home-plate », qui est la base de départ et d'arrivée des batteurs. Il attend la balle que va lui envoyer du centre du « diamant » le lanceur de l'équipe adverse. 7 des coéquipiers du lanceur sont dispersés autour du carré sur toute la surface du jeu ; le 8e se place derrière le batteur, c'est l'« attrapeur », chargé d'attraper et de renvoyer à l'un de ses coéquipiers la balle lorsqu'elle est manquée par le batteur. Le batteur laisse passer la balle s'il pense qu'elle ne traversera pas la zone de « prises » délimitée par l'espace situé au-dessus du marbre et entre la ligne des genoux et des aisselles du frappeur, ou essaie de la renvoyer hors de portée de ses adversaires. S'il y parvient ou si le lanceur lui a envoyé 4 balles mauvaises, il tente de faire le tour complet du « diamant » pour marquer un point, mais il peut le faire en une seule fois ou en s'arrêtant successivement sur chaque base. Un coureur peut voler une base (sur inattention du lanceur, sur une balle passée par le receveur) lorsque la balle est en jeu. Dès qu'il a atteint la 1re base, il devient coureur, et l'un de ses coéquipiers lui succède comme batteur. Le batteur est éliminé s'il manque successivement 3 balles, si la balle qu'il a frappée est attrapée au vol par un de ses adversaires, si un joueur de l'équipe adverse le touche avec la balle avant qu'il ait atteint la première base, ou si la balle est déjà sur la base avant qu'il y soit parvenu. L'élimination de 3 joueurs de l'équipe battante inverse les rôles.

Terrain. Éventail de 100 à 150 m de côté comportant le *champ extérieur (outfield)* occupé par 3 joueurs et le *champ intérieur,* un carré de 27,43 m *(infield),* par 6 joueurs, où sont placés 3 bases et le « marbre ». Les côtés de ce carré forment les « sentiers » sur lesquels vont courir les joueurs de l'équipe offensive à l'issue de leur tour à la batte.

Équipement. *Balle* (liège et corde, recouverte de peau, 141 à 148 g, circonférence 23 cm, diam. 7,5 cm). Les défenseurs portent un *gant de cuir,* le batteur une *batte* (en bois ou en aluminium, long. 1,06 m, larg. 6,98 cm, diam. 7 cm). L'arbitre et l'attrapeur ont les visage, buste et jambes protégés.

Jet le plus long *homme* 135,88 m (Glen Gorbous, Canada, 1-8-1957), *femme* 90,2 m (Mildred Didrikson, 1914-56, USA, 25-7-1931). **Lancer le plus rapide** 162,3 km/h (Lynn Nolan Ryan, USA, le 20-8-74).

Principales épreuves

☞ **Jeux Olympiques** (voir p.1541).

Championnat du monde (*créé* 1938). **1965** Colombie. **69, 70, 71, 72** Cuba. **73** Cuba (Fiba), USA (Femba). **74** USA. **76, 78, 80** Cuba. **82** Corée. **84, 86, 88, 90** Cuba.

Championnat d'Europe A (*créé* 1954). **54** Italie. **55** Espagne. **56 à 65** P.-Bas. **67** Belgique. **69 à 73** P.-Bas. **75 à 80** Italie. **81** P.-Bas. **83** Italie. **85, 87** P.-Bas. **89, 91** Italie. **93** P.-Bas.

Nota. – 59, 61, 63, 66, 68, 70, 72, 74, 76, 78 non disputé.

Championnat d'Europe B (*créé* 1984). **84** Saint-Marin. **86** All. féd.

Coupe intercontinentale (*créée* 1973). **73** Japon. **75** USA. **77** Corée du Sud. **79** Cuba. **81** USA. **83, 85, 87, 89, 91, 93** Cuba.

Coupe méditerranéenne. Disputée de 1970 à 76. **70, 71** Picadero Barcelone. **72** Filomatic Barcelone. **73, 74** Bernazzoli Parme. **75** FC Barcelone. **76** Germal de Parme.

Coupe d'Europe des Clubs (*créée* 1963). **80** Parme BC. **81** Berchem Stars (Belg.). **82** Parme BC. **83** Berchem Stars (Belg.). **84** Worldvision (Parme). **85** Bologne BC. **86, 87, 88** Worldvision (Parme), **89** Ronson le Noir (Rimini). **90** Haarlem Nicols (P.-Bas). **91** Nettuno (Italie). **92** Parme (It.).

Coupe latine (moins de 23 ans). *Organisée* 1972 et 74. **72** Espagne. **74** Italie.

Coupe du Nord. Disputée entre 1976 et 83. **76** P.-Bas. **78** Belg. **80-81** non disp. **82** France-Belg. ex-aequo.

Championnat de France. Divis I. *Créée* 1975. **75, 76, 77** PUC. **78, 79** Nice UC. **80** PUC. **81** Nice Université Club. **82, 83, 84, 85, 86, 87, 88, 89, 90, 91, 92** PUC. **Divis. II.** *Créée* 1975. **76** Sarcelles. **77** Limeil. **78** Strasbourg. **79** Sarcelles. **80** Meyzieu. **81** Sarcelles. **82** BCF. **83** Pineuilh. **84** Meyrieu. **85** Sarcelles. **86** Nice Dynamics. **87** Thiais.

Basket-ball

Histoire

1891 *créé* au collège YMCA de Springfield (Massachusetts, USA) par James Naismith (professeur d'éducation physique d'origine canadienne, 1861-1939) pour remplacer les séances de gymnastique peu attrayantes l'hiver. S'inspire peut-être du jeu canadien, le *canard sur le rocher*. Répandu rapidement dans le monde grâce aux YMCA. **1932**-*18-6* Féd. internat. de basket ball amateur créée. **1936** introduit aux JO messieurs et **1976** dames.

Règles

■ **Terrain** 28 m × 15 m. **Panneau** largeur 180 cm, haut. 105 ou 120 cm, bord inférieur à 2,75 m du sol. **Panier** diamètre 45 cm, fixé à 3,05 m du sol. **Ballon** poids 600 à 650 g, circonférence 75 à 78 cm.

■ **Équipes.** 2 de 5 joueurs sur le terrain. Chacune a 10 joueurs (12 pour les compétitions de plus de 5 jours) qui peuvent se remplacer à volonté. 2 arbitres dirigent le jeu, leur coup de sifflet rend la balle morte et arrête le jeu. Ils sont assistés d'un chronométreur, d'un marqueur et d'un opérateur des 30 secondes. Celui-ci fait fonctionner son signal chaque fois que l'équipe attaquante n'a pas tiré au panier 30 s après être entrée en possession de la balle.

■ **Partie.** 2 mi-temps de 20 min séparées par un intervalle de 10 min. Chaque arrêt de jeu (ballon hors des limites du terrain, changement de joueur, temps mort, lancer franc, etc.) est décompté. Le manager peut demander 4 temps morts (2 par mi-temps) d'1 min chacun pendant lesquels les ballons morts. En moyenne, une *mi-temps* dure de 35 à 40 min. Une balle mise dans le panier compte 2 points sauf si le tir est tenté derrière la ligne semi-circulaire des 6,25 m (3 pts) et si c'est un lancer franc (1 pt). En cas de match nul, on joue des prolongations de 5 min autant de fois qu'il est nécessaire pour obtenir un résultat positif. La Fiba autorise les féd. nat. à jouer 2 mi-temps de 22 min ou 4 quart-temps de 12 min.

■ **Règles. Progression** (*légende :* b. : ballon, p. : panier, l.f. : lancer franc, j. : joueur). Le b. peut être passé, lancé, frappé, roulé ou dribblé en le faisant rebondir au sol avec une seule main. Il est interdit de faire plus d'un pas avec le b. Après avoir terminé un dribble, le joueur ne doit pas en effectuer un second. Il est interdit pour l'équipe attaquante de revenir dans sa zone arrière (retour en zone) une fois qu'elle a franchi la ligne médiane. **Il est interdit** de frapper le b. avec le poing ; de donner un coup de pied dans le b. ; de rester plus de 3 sec. dans la zone réservée (la règle ne s'applique plus lorsque le b. est en l'air lors d'un tir au p. ou que les j. se disputent le b. au rebond) ; de mettre plus de 5 sec. pour remettre le b. en jeu (touche et l. f.) ; à une même éq. de garder le b. plus de 30 sec. sans tenter un tir.

Un j. attaquant qui se trouve dans la zone réservée ne doit pas toucher le b. lorsque celui-ci est sur sa trajectoire descendante au-dessus du niveau de l'anneau. Il ne doit pas toucher le p. adverse ou le panneau alors que le b. touche l'anneau lors d'un tir au p. *Pénalité :* aucun point n'est accordé et le b. est remis en jeu par les adversaires de l'extérieur du terrain du point de la ligne de touche le plus proche. **Un j. défenseur** ne doit pas toucher le b. lorsque celui-ci, lors d'un tir d'un adversaire, est sur sa trajectoire descendante et qu'il est au-dessus du niveau de l'anneau, lors d'un tir et jusqu'au moment où le b. touche l'anneau et qu'il est visible qu'il ne le touchera pas. Ne doit pas toucher son propre p. ou le panneau, lorsque le b. touche l'anneau lors d'un tir au panier. *Pénalité :* le b. est mort à l'instant de la violation. Le tireur a droit à 1 point dans le cas d'un l. f. et à 2 ou 3 points dans le cas d'un tir en cours de jeu. Le b. est remis en jeu de l'extérieur du terrain, derrière la ligne de fond, comme si le lancer avait été réussi.

■ **Fautes. Principales fautes personnelles** (contact avec un adversaire). *Obstruction,* action qui empêche la progression d'un j. Un j. en possession du b., qui essaie de dribbler entre 2 adversaires ou entre un opposant et une ligne de touche alors qu'il n'a pas « une chance raisonnable » de passer, commet une faute (passage en force). *Faute sur joueur tirant au p. ;* si le p. est réussi, l'arbitre accorde le p. et le tireur a 1 l. f. à tenter en plus ; s'il est manqué, 2 ou 3 l. f. sont accordés au j. lésé. Si un j. attaquant marque un p. et retombe sur un défenseur après son tir, le p. est accordé et une faute inscrite sur le compte de l'attaquant. *Faute multiple,* commise par 2 ou plusieurs j. au même moment sur le même adversaire. Une faute est inscrite sur le compte de chaque j. fautif mais ne donne droit qu'à 2 l. f. pour le j. lésé. *Double faute,* cas où 2 j. adverses commettent l'un sur l'autre une faute au même moment. Il n'y a pas de l. f. mais une remise en jeu par entre-deux « dans le cercle restrictif » plus proche ; une faute est inscrite sur le compte des 2 j. *Faute intentionnelle* (entre la faute normale et la faute disqualifiante qui est de caractère antisportif). Dès qu'une équipe a commis 7 fautes au cours d'une mi-temps, toutes les fautes personnelles suivantes sont sanctionnées par 1 l. f. et un 2e si le 1er est réussi. Tout j. qui commet une faute doit immédiatement lever le bras en se tournant vers la table de marque. En cas de faute intentionnelle après les 2 lancers francs, la balle revient à l'équipe qui a bénéficié des lancers francs au centre du terrain à la ligne médiane.

Fautes techniques. S'adresser à un officiel en termes incorrects ; employer un langage offensant ; agacer un adversaire ou gêner sa vision du jeu en agitant les mains devant ses yeux ; retarder le déroulement de la partie en empêchant la remise immédiate du ballon en jeu ; ne pas lever la main convenablement quand une faute est sifflée contre lui ; changer de numéro sans en avertir le marqueur et l'arbitre ; entrer sur le terrain en tant que remplaçant sans se présenter au marqueur et à l'arbitre. Pour l'entraîneur ou des remplaçants : entrer sur le terrain sans permission. Toutes les fautes techn. donnent droit à 2 l. f. (si la faute techn. est commise sur le terrain, la partie reprend normalement après le 2e l. f. ; si elle est commise par l'entraîneur, après le 2e l. f., la b. est remise en jeu depuis la ligne médiane par l'équipe qui a bénéficié de la faute). Pour une faute pers., le lanceur doit être celui sur lequel la faute a été commise ; pour une faute technique, les lancers sont tentés par un des membres de l'éq. bénéficiaire. Les l. sont tentés dep. la ligne des l. f. ; personne ne doit se trouver dans le cercle restrictif et dans la zone réservée au moment du lancer ; le tireur a 5 sec. pour tenter son shoot.

■ **Balle morte.** Chaque fois qu'un officiel interrompt le jeu, redevient vivante lorsqu'elle est frappée lors d'un entre-deux, quand elle est placée à la disposition du tireur de l. f. ou lorsqu'elle touche un j. sur le terrain après une remise en jeu. **Balle tenue.** Lorsque 2 ou plusieurs adversaires la tiennent fermement d'1 ou des 2 mains. **Balle hors jeu.** Quand elle touche un j. hors des limites, une personne, le sol ou un objet hors des limites du terrain ou les supports ou le dos des panneaux ; le b. est alors remis par l'arbitre à l'éq. adverse.

Panier réussi. *De la plus longue distance :* 28,17 m (Bruce Morris, USA, 8-2-1985). *Le plus de fois de suite :* 2 036 lancers francs (Ted Saint-Martin, USA, 25-6-77). **Record de points marqués par un joueur.** *Dans une partie :* Mats Wermelin (Suède) a marqué les 272 points (à 0) de son équipe (5-2-74, Stockholm). *En championnat de France :* Hervé Dubuisson 11 897 de 1974 à 93. *Dans sa carrière :* 1969 à 1989, Kareem Abdul-Jabbar 38 387 points dans le championnat (saison régulière) de la NBA (USA). **Passes décisives** 9 921 Earvin Johnson (USA, 1991).

Taille des joueurs. *Le plus grand :* Suleiman Ali Nashnush (né 1943) 2,45 m (Libye). *La plus grande :* Ouliana Semenova (n. 8-2-1952) 2,18 m, 127 kg (ex-URSS).

Principales épreuves

Légende. – (1) USA. (2) ex-URSS. (3) Italie. (4) Mexique. (5) Youg. (6) Espagne. (7) France. (8) Tchéc. (9) Israël. (10) Bulgarie. (11) Hongrie. (12) All. féd. (13) Suède. (14) Grèce. (15) Turquie. (16) Pologne. *Vainqueur et vaincu.*

☞ **Jeux Olympiques** (voir p. 1541).

■ Championnats masculins

Championnats du monde. *Créés* 1950. Tous les 4 ans. **50** Argentine, USA. **54** USA, Brésil. **59** Brésil, USA. **62** Annulés. **63** Brésil, Yougoslavie. **67** URSS, Youg. **70** Youg., Brésil. **74** URSS, Youg. **78** Youg., URSS. **82** URSS, USA. **86** USA, URSS. **90** Youg., URSS.

Championnats d'Europe. *Créés* 1935. Tous les 2 ans. **35** Lettonie-Esp. **37** Lituanie-Italie. **39** Lituanie-Lettonie. **46** Tchéc.-It. **47** URSS-Tchéc. **49** Égypte-France. **51** URSS-Tchéc. **53** URSS-Hongrie. **55** Hongrie-Tchéc. **57** URSS-Bulgarie. **59** URSS-Tchéc. **61** URSS-Youg. **63** URSS-Pol. **65** URSS-Youg. **67** URSS-Tchéc. **69, 71** URSS-Youg. **73** Youg.-Espagne. **75, 77** Youg.-URSS. **79** URSS-Israël. **81** URSS-Youg. **83** Italie-Espagne. **85** URSS-Tchéc. **87** Grèce-URSS. **89** Youg.-Grèce. **91** Youg.-It. **93** All.-Russie.

Coupe d'Europe des clubs champions, devenue en 1992 **Ch. d'Europe des Clubs.** *Créée* 1957. **80** Real Madrid [6], Maccabi Tel-Aviv [9]. **81** Maccabi Tel-Aviv [9], Bologne [3]. **82** Cantu [3], Maccabi [9]. **83** Cantu [3], Milan [3]. **84** Rome [3], Barcelone [6]. **85** Zagreb [5], R. Madrid [6]. **86** Zagreb [5], Kaunas [2]. **87, 88** Milan [3], Maccabi [9]. **89** Split [5], Maccabi [9]. **90, 91** Split [5], Barcelone [6]. **92** Partizan Belgrade [5], Badalone [6]. **93** CSP Limoges [7], Trévise [3].

Coupe des coupes, devenue en 1992 **Coupe d'Europe.** *Créée* 1966. **80** Varese [3], Cantu [3]. **81** Cantu [3], Barcelone [6]. **82** Zagreb [5], R. Madrid [6]. **83** Pesaro [3], Villeurbanne [7]. **84** R. Madrid [6], Milan [3]. **85** Barcelone [6], Kaunas [2]. **86** Barcelone [6], Pesaro [3]. **87** Zagreb [5], Pesaro [3]. **88** Limoges [7], Badalone [6]. **89** R. Madrid [6], Caserte [3]. **90** Virtus Bologne [3], R. Madrid [6]. **91** PAOK Salonique [14], Saragosse [6]. **92** PAOK Sal. [14], R. Madrid [6]. **93** Aris Salonique [14], Istanbul [15].

Coupe d'Europe Radivoj Korac. *Créée* 1971. **80** Rieti [3], Zagreb [5]. **81** Juventud Badalone [6], Venise [3]. **82, 83** Limoges CSP [7], KK Sibenik [5]. **84** Orthez [7], Belgrade [10]. **85** Milan [3], Varèse [3]. **86** Rome [3], Caserte [3]. **87** Barcelone [6], Limoges [7]. **88** Real Madrid [6], KK Zagreb [5]. **89** Partizan Belgrade [5], Cantu [3]. **90** Barcelone [6], Pesaro [3]. **91** Cantu [3], Real Madrid [6]. **92** Rome [3], Pesaro [3]. **93** Milan [3], Rome [3].

Championnats de France. Division nationale 1. *Créés* 1949. **78, 79** Le Mans. **80** Tours. **81** Villeurbanne. **82** Le Mans. **83, 84, 85** Limoges. **86, 87** Pau-Orthez. **88, 89, 90** Limoges. **91** Antibes. **92** Pau-Orthez. **93** Limoges.

Coupe de France. *Créée* 1952-53. **53** Villeurbanne. **54, 55** Paris Université Club. **56** CSM Auboue. **57** Villeurbanne. **58** Étoile de Mézières. **59** Étoile de Charleville. **60** AS Denain-Voltaire. **61** Lyon. **62, 63** Paris Univ. Club. **64** Le Mans. **65** Villeurbanne. **66** Nantes. **67** Villeurbanne. **68** non disp. **69, 70** Vichy. **71-81** non disp. **82** St-Brieuc. **83** Challans. **84** Denain. **85, 86** Hyères. **87** St-Quentin. **88** Esquennoy. **89** Nice BC. **90** CS Toulon. **91, 92** Châlons-Champagne.

Coupe de la fédération. 1982, 83 CSP Limoges. **84** Villeurbanne. **85** CSP Limoges. **Dep. 85,** non disputée.

Tournoi des As. 1988 CSP Limoges. **89** Mulhouse BC. **90** Limoges. **91, 92, 93** Pau-Orthez.

MINI-BASKET

Règles du basket aménagées pour les moins de 12 ans. *Terrain* 26 × 14 ou moins si les proportions sont respectées. *Panneau :* 1,20 × 0,90. *Hauteur de l'anneau* 2,60 m. *Balle :* 73 cm de circonf., 500 g. *Temps de jeu :* 4 périodes de 10 min ; les arrêts de jeu ne sont pas décomptés par le chronométreur ; changements de joueurs autorisés au moment des pauses, seulement au cours des 3 prem. périodes ; pas de temps mort, sauf pendant la dernière période (possibilité d'un arrêt d'1 min à chacune des 2 équipes qui peuvent changer de joueurs). *Équipes :* 10 joueurs dont chacun doit jouer au moins 10 min.

■ CHAMPIONNATS FÉMININS

Championnats du monde. *Créés* 1953. Tous les 4 ans. **53** USA-Chili. **57** USA-URSS. **59** URSS-Bulgarie. **64** URSS-Tchéc. **67** URSS-Corée du S. **71** URSS-Tchéc. **75** URSS-Japon. **79** USA-Corée du S. **83** URSS-USA. **87** USA-URSS. **90** USA-Youg.

Championnats d'Europe. *Créés* 1938. Tous les 2 ans. **38** Italie-Lituanie. **50** URSS-Hongrie. **52, 54** URSS-Tchéc. **56** URSS-Hongrie. **58** Bulgarie-URSS. **60** URSS-Bulg. **62** URSS-Tchéc. **64** URSS-Bulg. **66** URSS-Tchéc. **68** URSS-Youg. **70** URSS-France. **72** URSS-Bulg. **74, 76** URSS-Tchéc. **78** URSS-Youg. **80, 81** URSS-Pologne. **82** non disputés. **83, 85** URSS-Bulg. **87** URSS-Youg. **89** URSS-Tchéc. **91** Youg.-It. **93** Esp.-Fr.

Coupe d'Europe des clubs champions, devenue en 1992 **Ch. d'Europe des Clubs.** *Créée* 1958. **80** Turin [3], Pernik [10]. **81** Riga [2], Belgrade [5]. **82** Riga [2], Mineur Pernik [10]. **83** Vicence [3], Düsseldorf [12]. **84** Sofia [10], Vicence [3]. **85** Vicence [3], Riga [2]. **86** Vicence [3], Düsseldorf [12]. **87, 88** Vicence [3], Novossibirsk [2]. **89** Tuzla [5], Vicence [3]. **90** Priolo [3], CSKA Moscou [2]. **91** Cesena [3], Arvika [13]. **92** Valence [6], Kiev [2]. **93** Valence [6], Côme [3].

Coupe Ronchetti. *Créée* 1971. **80** Zagreb [5], Poldiv [10]. **81** Spartak Moscou [2], Zagreb [5]. **82** Spartak Moscou [2], Brno [8]. **83** Budapest [11], Spartak Moscou [2]. **84** Rome [3], Budapest [11]. **85** TSKA Moscou [2], Viterbe [3]. **86** Novossibirsk [2], Budapest [11]. **87** Riga [2], Milan [3]. **88** Kiev [2], Milan [3]. **89** CSKA Moscou [2], Milan [3]. **90** Parme [3], Tuzla [5]. **91** Milan [3], Come [3]. **92** Vicence [3], Priolo [3]. **93** Parme [3], Poznan [16].

Championnats de France. Féminins division nationale 1. *Créés* 1951. **De 68 à 79** Clermont Université Club. **80** Stade français. **81** Clermont UC. **82** Asnières Sport. **83, 84, 85** Stade français. **86, 87** SF. Versailles. **88, 89, 90** BAC Mirande. **91, 92, 93** Challes-les-Eaux.

Coupe de France. **57, 58** AS Montferrand. **60** FC Lyon. Reprise sous le nom de **Coupe de printemps** (National I et meilleures équipes de National II). **82, 83** Stade français. **Coupe de printemps-Challenge Danielle Peter. 84** RCF Paris. **Coupe Danielle Peter. 85** Stade français. **86** Cavigal Nice. **87** AS Montferrand. **88** Challes. **89** St-Clermontois. **90, 91** CSM Bourges.

Tournoi de la Fédération. **91** Challes-les-Eaux. **92** Valenciennes, Orchies. **93** Challes-les-Eaux.

QUELQUES NOMS

☞ *Légende.* – (1) USA. (2) ex-URSS. (3) Israël. (4) Espagne. (5) ex-Youg. (6) Italie. (7) Tchéc. (8) France. (9) Soudan. (10) Espagne. (11) Nigeria. (12) Brésil. (13) Grèce.

ABDUL-JABBAR Kareem [1], 16-4-47. ADAMS Georges [8], 9-3-67. ANTOINE Roger [8], 28-6-29. BALTZER Christian [8], 5-7-36. BARKLEY Charles Wade [1], 20-2-63. BARRAIS André [8], 22-2-20. BARRY Rick [1], 28-3-44. BAYLOR Elgin [1], 16-9-34. BELOSTENNY Alexandre [2], 1959. BELOV Alexandre [2], 1951-78. BELOV Serguei [2], 23-1-44. BERKOWITZ Micky [3], 1954. BERTORELLE Louis [8], 5-8-32. BEUGNOT Éric [8], 22-3-55. BEUGNOT Grégor [8], 7-10-57. BEUGNOT Jean-Paul [8], 25-6-31. BIRD Larry [1], 7-12-56. BIRIUKOV José [4], 3-3-63. BOEL Pierre [8], 4-7-11. BOGUES Tyrone [1], 9-1-65. BOL Manute [9], 16-10-62. BONATO Jean-Paul [8], 23-3-46. BRADENBER Wayne [4], 16-10-45. BRADLEY William (Bill) [1], 28-7-43. BRESSANT Pierre [8], 8-11-59. BRODY Tal [3], 30-8-43. BROOKS Michael [1], 17-9-58. BRUNAMONTI Roberto [6], 14-4-58. BUFFIÈRE André [8], 12-11-22. BUSCATO Francisco [4], 21-4-40. BUSNEL Robert [8], 1914-91. BUTTER Franck [8], 14-9-63. CACHEMIRE Jacques [8], 27-2-47. CHAM Patrick [8], 18-5-59. CHAMBERLAIN Wilton [1], 21-8-36. CHAZALON Jackie [8], 24-3-45. CHOCAT René [8], 28-11-20. COHU Robert [8], 28-8-11. COLLET Vincent [8], 1964. COLLINS Don [1], 28-11-58. CORBALÁN Juan-Antonio [4], 3-8-54. COSIC Kresimir [5], 26-11-48. COUSY Robert [1], 9-8-28. CUMMINGS Kristen [1], 29-8-63. CURRY Denise [1], 22-8-59.

DACOURY Richard [8], 6-7-59. DALIPAGIC Drazen [5], 27-11-51. DANCY Ken [8], 1958. DANEU Ivo [5], 1937. DANILOVIC Pedrag [5], 22-2-70. DEGANIS Jean-Luc [8], 6-3-59. DEGROS Jean [8], 18-11-39. DEMORY Valéry [8], 13-9-63. DESSEMME Jacques [8], 19-9-25. DIVAC Vlad [5], 3-2-68. DOBBELS Didier [8], 1954. DORIGO Maxime [8], 27-9-36. DOUMERGUE Christelle [3], 28-11-63. DREXLER Clyde [1], 22-6-62. DUBUISSON Hervé [8], 8-8-57. ERVING Julius [1], 22-2-50. EWING Pat [1], 5-8-62. FABRIKANT Wladimir [8], 10-4-17. FLOURET Jacques [8], 8-9-07. FREIMULLER Jacques [8], 31-8-29. FREZOT Émile [8], 11-11-16. FULKS Joseph [1], 26-10-21. GADOU Didier [8], 28-9-65. GALIS Nick [13], 23-5-57. GILLES Alain [8], 5-5-45. GOLA Tom [1], 13-1-33. GRANGE Henri [8], 14-9-34. GUIDOTTI Irène [8], 11-3-50.

HAQUET Daniel [8], 9-1-57. HAUDEGAND Roger [8], 20-2-32. HAVLICEK John [1], 8-4-40. HAYES Elvin [1], 17-11-45. HELL Henri [8], 26-4-11. HENDERSON Paul [8], 19-5-56. HERSIN Jean-Louis [8], 10-10-62. HUFNAGEL Frédéric [8], 24-8-60. IVANOVIC Dusko [5], 1-9-57. JAMCHY Doron [3], 1961. JAUNAY Joë [8], 30-5-19. JOHNSON Earvin [1], 14-8-59, s'arrête en 1991 car séropositif. JOHNSON Lee [1], 16-6-57. JONES Mike [1], 10-2-67. JORDAN Michael [1], 17-2-63. KABA Benkali [8], 17-2-59. KHOMITCHOUS Valdemaras [2], 1959. KICANOVIC Dragan [5], 17-8-54. KORAC Radivoj [5] 1938-69. KUKOC Toni [5], 1968. KURLAND Bob [1], 1925. LARROUQUIS Alain [8], 15-6-50. LE RAY Michel [8], 9-2-43. LESMAYOUX Henri [8], 19-12-13. LUCAS Jerry [1], 30-3-40.

MCADOO Robert [1], 25-9-51. MCHALE Kevin [1], 19-12-57. MALFOIS Catherine [8], 5-8-55. MALONE Karl [1], 24-7-63. MALONE Moses [1], 23-3-55. MARAVICH Pete [1] 22-6-48. MARCELLOT Maurice [8], 1-4-29. MARCHULIONIS Charunas [2], 13-6-64. MARZORATI Pierluigi [6], 12-9-52. MAYEUR Bernard [8], 23-2-28. MENEGHIN Dino [6], 18-1-50. MIKAN George [1], 18-6-24. MILLER Cheryl [1]. MONCLAR Jacques [8], 2-4-57. MONCLAR Robert [8], 13-8-30. MORSE Bob [1], 4-1-51. MURPHY Edward [1], 18-12-66. OCCANSEY Hugues [8], 18-12-66. OLAJUWOM Hakeen [10], 21-1-62. ORTEGA Christian [8], 28-4-62. OSTROWSKI Stéphane [8], 7-3-62. PASPALJ Zarko [5], 1966. PASSEMARD Colette [8], 6-1-46. PERNICENI Jean [8], 5-4-30. PERRIER Jacques [8], 12-10-24. PETROVIC Drazen [5], 1964-93. PHILPIS Orlando [1], 30-6-60. QUIBLIER Françoise [8], 27-8-53.

RAT Michel [8], 16-3-37. RIFFIOD Elisabeth [8], 20-7-47. RIGAUDEAU Antoine [8], 17-12-71. RIVA Antonello [6], 28-2-62. ROBERTSON Oscar [1], 24-11-38. ROBINSON David [1], 6-8-65. ROLAND Étienne [8], 31-8-12. RUSSEL William (Bill) [1], 12-2-34. SABONIS Arvidas [2], 19-12-64. SALLOIS Maryse [8], 19-1-50. SAN EPIFANO Antonio [4], 1959. SANTANIELLO Odile [8], 21-12-66. SCHMIDT Oscar [11], 16-2-58. SEMENOVA Ouliana [2], 9-3-52. SÉNÉGAL Jean-Michel [8], 5-6-53. SIBILIO Antonio [4], 1958. SMITH Robert [1], 10-3-55. SPECKER Justy [8], 18-8-19. STAELENS Jean-Pierre [8], 15-6-45. SUKHARNOVA Olga [2], 14-2-55. SZANYIEL Philip [8], 23-12-60. TARAKANOV Serguei [2], 1958. THERON Henri [8], 18-1-31. THIOLON Pierre [8], 17-1-27. THOMAS Isiah [1], 30-4-61. TONDEUR André [8], 9-12-1899. VACHERESSE André [8], 12-10-27. VESTRIS Georges [8], 8-6-59. VOLKOV Alexandre [2], 29-3-64. WALTON William (Bill) [1], 5-11-52. WEST Jerry [1], 28-5-38. WILKINS Dominique [1], 12-1-60. WORTHY James [1], 27-2-61. ZIDEK Jiri [7], 8-2-44.

☞ **Dream team** (équipe américaine aux JO de Barcelone) : Magic Johnson, Larry Bird, Charles Barkley (20-2-1963), Clyde Drexler (22-6-1962), Patrick Ewing, Michael Jordan, Karl Malone (24-7-1963), Chris Mullin (30-7-1963), Scottie Pippen (25-9-1965), David Robinson (6-8-1965), John Stockton (26-3-1962), Christian Laettner (17-8-1969).

BOULES

GÉNÉRALITÉS

Origine. Connues dans l'Antiquité. **XVIIe s.** en G.-B. se pratiquait sur du gazon tondu, les « boulingrins » (de l'anglais *bowling-greens*). **Fin XIXe s. et début XXe s.** se répand en Provence avec le « jeu provençal ». **1907** création de la Pétanque.

Principes. Se jouent avec 2 équipes en individuel (1 contre 1), doublettes (2 contre 2), triplettes (3 contre 3) ou quadrettes (4 contre 4). Consiste à placer ses boules le plus près possible du but. L'adversaire essaie de placer les siennes plus près de ce but ou d'enlever en tirant celles qui le gênent. L'équipe qui a gagné le but le lance et joue la 1re boule. Puis l'équipe qui ne tient pas le point doit jouer jusqu'à ce qu'elle le reprenne ou le détruise. Si, en tirant, une équipe n'a plus de boules, son adversaire joue et essaie de placer d'autres points en pointant ou en tirant les boules qui le gênent. Il peut aussi tirer le but. Toutes les boules étant jouées, une équipe compte autant de points qu'elle a de boules plus proches du but que la meilleure de l'adversaire. Le jeu reprend dans l'autre sens et le but est lancé par l'équipe qui a marqué 1 ou plusieurs points.

But. Diam. de 35 à 37 mm, en bois non ferré, non coloré et non gravé ; sur entente des joueurs, un but coloré peut être utilisé.

SPORT-BOULES (LA LYONNAISE)

■ **Généralités.** Se joue au cadre [partie du terrain (5 m) dans lequel le « but » doit obligatoirement s'arrêter]. **Terrain** (appelé *cadre* ou *jeu*) 2,50 m à 4 m × 27,50 m. On le trace avec une tige de métal de 50 cm. **Boules** diamètre min. 90 mm, max. 110 mm ; poids min. 700 g, max. 1 300 g. Pour les minimes, diamètre min. 88 mm, en métal cémenté, b. en bois, les b. cloutées sont interdites ; les b. employées sont métalliques (bronze ou acier avec possibilité de remplissage). Les b. en matières synthétiques peuvent être utilisées pour l'initiation (84 à 88 mm). La main doit être souple, décontractée. Le lancement doit se faire paume de la main tournée vers le sol, les doigts accolés (les autres méthodes manquent de précision), le bras doit effectuer un mouvement de balancier assez ample, sans être plié. **But** (diam. 35 à 37 mm) lancé de la limite des 12,50 m sur la raie dite pied de jeu, doit s'arrêter à l'intérieur du cadre de 5 m. Les boules lancées de la même limite peuvent déborder sur la zone de 2,50 m juste avant la ligne de fond. Elles ne sont annulées que si elles dépassent cette ligne située à 50 cm de l'extrémité du terrain. On joue alternativement d'un côté puis de l'autre.

Le pointeur lance sa boule vers le but en la faisant rouler sur le sol. Le tireur prend son élan (course de 4 ou 6 appuis) avant de lancer sa boule en l'air en direction de la boule (ou du but) à chasser. Avant qu'il tire, on trace un arc de cercle de 50 cm de rayon devant la boule (ou le but) à chasser. Le coup est bon si la boule de tir tombe à l'intérieur de l'arc de cercle ou directement sur la boule à frapper.

■ **Sortes d'épreuves. Traditionnelle :** placer le max. de boules près du but, puis défendre ses points en chassant, par le tir, les boules de l'adversaire venues près des siennes. But lancé entre 12,5 et 17,5 m à l'intérieur des raies latérales. Le tireur a 7,50 m d'élan et doit lancer sa boule à 50 cm max. de l'objet visé. Quand toutes les boules sont jouées, la *mène* est jouée. On compte les points. L'équipe gagnante lance le but dans l'autre sens du cadre pour une nouvelle mène. Equipes de 1, 2, 3 ou 4 joueurs. Parties de 11 à 13 points.

Moderne : il faut réaliser plus de coups gagnants (tirs ou points) que l'adversaire. Durée, distance, encombrement et alternance variables. 4 sortes : tir de précision (adresse et concentration), t. à cadence rapide (valeur athlétique), t. progressif (adaptation à la distance), t. et point ciblés (maîtrise des fondamentaux). En simple ou double (relais). Durée 5 min. à 1 h. Boules de couleur en plastique (cible claire, obstacles sombres). Tapis à une ou plusieurs alvéoles avec zone ouverte dans un rayon de 50 cm devant la cible (pour permettre le raclage). Compas pour tracer le cercle-cible. Porte-boules (H. 80 cm). Panneaux lumineux. Barème de cotation pour chaque épreuve.

■ **Féd. fr. du sport-boules,** 11, cours Lafayette, 69006 Lyon, *créée* 1980 (origine Union nat. des féd. boulistes 1922, Féd. nat. de boules 1933, Féd. fr. de boules 1942). *1992 :* 119 141 licenciés (Lyon, Dauphiné, Savoie, Auvergne, Pyrénées, Ile-de-France). **Féd. internat. de boules,** 23 pays affiliés.

■ **Épreuves.** *Intern. :* Ch. du monde (créé 1947, tous les 2 ans), ch. d'Europe, rencontres Fr.-It., coupe d'Europe des clubs. *Nat. :* Ch. de France en quadrettes et doublettes, ch. des clubs, ch. de tir.

■ **Champions.** Umberto Granaglia (It.), Mario Suini (It.), Bernard Cheviet (Fr.), Dominique Noharet (Fr.), Philippe Gerland (Fr.).

■ **Records.** *Tir progressif :* 43 touches en 5 min, co-recordmen : Meret (It.), Gerland (Fr.), Novak (Slovénie). 67 boules touchées sur 73 tirées en 8 min. record du monde : Gerland (Fr.). *Tir de précision :* 61 pts (68 possibles) record du monde : Lucas (Fr.). *Tir à cadence rapide :* en 1 h, 409 boules touchées sur 443 tirées, Gerland (Fr., 1990).

PÉTANQUE ET JEU PROVENÇAL

Fédération fr. de pétanque et jeu provençal. *Créée* 1945. 12, cours Joseph-Thierry, 13001 Marseille.

En 1992, 22 ligues et 105 comités départementaux dont 4 DOM (Guadeloupe, Guyane, Martinique, Réunion) et 4 TOM (Polynésie, Nelle-Calédonie, Mayotte, St-Pierre-et-Miquelon) groupant 476 840 licenciés (dont 54 078 femmes, 18 056 juniors, 18 777 cadets et 15 573 minimes). *Comités départementaux principaux :* Hte-Garonne 24 278, B.-du-Rh. 22 113, Hérault 17 433, A.-Mar. 13 450, Gard 13 020, répartis en 7 772 sociétés.

Fédération nationale de pétanque amateur et loisir (FNPAL). *Créée* 1969. Palais Rihour, 59000 Lille. Non habilitée. 6 500 adhérents dans N.-Pas-de-C., Oise, Aisne, Seine-et-Marne, Gers et Somme.

Fédération internationale de pétanque (FIPJP). Membre de la Confédération mondiale sport-boules (CMSB) reconnue par le Comité international olympique (CIO) le 15-10-1986.

■ Pétanque

■ **Généralités. Née** à La Ciotat vers 1910. **Nom :** du provençal « pieds tanqués » (pieds joints et touchant le sol). **Terrains :** se joue sur tous, à une distance comprise entre 6 et 10 m. **Boules métalliques** (de 7,05 à 8 cm de diamètre, poids 650 g à 800 g). Vitesse : 20 à 30 km/h. **But ou cochonnet :** en bois (diam. 25 à 35 mm), lancé d'un cercle de 35 à 50 cm de diam. tracé sur le sol.

Record : en 1991, Christian Fazzino et Philippe Quintais : 991 boules frappées sur 1 000 livrées.

Licenciés. 660 000 dans 36 pays : Algérie, All., Andorre, Australie, Belgique, Cambodge, Canada, Côte-d'Ivoire, Danemark, Djibouti, Espagne, Estonie, États-Unis, Finlande, France, G.-B., Guinée, Hongrie, Israël, Italie, Japon, Luxembourg, Madagascar, Maroc, île Maurice, Mauritanie, Monaco, Norvège, P.-Bas, Portugal, Sénégal, Singapour, Suède, Suisse, Thaïlande, Tunisie.

■ **Championnats de France. Seniors** (*créés* 1946). **Triplettes. 90** Daniel-Milcos-Tournay (Seine-St-D.). **91** Lagarde-Ferrand-Rouquie (Hte-G.). **92** Monard-Racjza-Rochon (Lozère). **Juniors** (*créés* 1956). **85** Rocher-Germain-Ureau (Sarthe). **86** Remiatte D. et L.-Pontinha (Moselle). **87** Guillo-Guyonnet-Robin (Loire). **88** Berthélemy-Ferrazzola-Santiago (B.-du-Rh.). **89** Belhadj-Lopes-Roger (Essonne). **90** Moldt-Ribero-Scarzella (B.-du-Rh.). **91** Buret-Pizolatto-Tartaroli (T.-et-G.). **92** Scarzella-Suppa-Guidone (B. du R.). **Doublettes. 90** Loy-Lessage (Paris). **91** Chaussepied-Robion (L.-A.). **92** Morillon-Robert (Vienne).

Cadets (*créés* 1962). **90** Pasian-Gasc-Barraud (Hérault). **91** Ranquine-Lefler-Cortes (P.-A.). **92** Seguin-Brossard-Arnaudeau (Ch.-mar.).

Minimes (*créés* 1984). **90** Demeillez-Freitas-Pardal (Essonne). **91** Sauvaget-Quentin-Patrack (Hérault). **92** Poulain-Delatte-Lefebvre (Aisne).

Tête-à-tête ou Individuel (*créés* 1966). **90** Fazzino (Allier). **91, 92** Ledantec (Côtes-d'Armor).

Corporatifs (*créés* 1978). **90** Leroy-Rondineau-Olmos (L.-Atl.). **91, 92** Ville-Serres-Rouah (P.-O.).

Féminins (*créés* 1977). **Doublettes. 80** Grimaldier-Martelsat (B.-du-R.). **81, 82, 83** Gros-Innocenti (Var). **84** Dubarry-Pere (H.-P.). **90** Ladenaise-Ferret (Indre). **91** Dole-Dupon (C.-d'O.). **92** J. et G. Rathberger (Hte-Garonne).

■ **Championnats du monde seniors. Messieurs** (*créés* 1959). **59, 61, 63** France. **64** Algérie. **65, 66** Suisse. **71** Espagne. **72** France. **73** Suisse. **74** France. **75** Italie. **76, 77** France. **78, 79** Italie. **80** Suisse (Camelique-Franzin-Savio). **81** Belgique (Hémon-A. Hémon-C. Bergh). **82** Monaco (Bandoli-Cornutello-Calpier). **83** Tunisie (Ferjani-Jabeur-H'Mida). **84** Maroc (Alaoui-Kouider-Safri). **90** Alaoui-Laouija-Moufid (Maroc). **91** France (Schatz-Quintais-Simœs). **92** France (Monard-Fazziko-Foyot). **Jeunes** (*créés* 1987). **87** France (Relle-Remiatte-Bonin-Marchand). **89** France (Dumanois-Ferrazzola-Barthélemy-Roigpons). **91** Belgique. **Dames** (*créés* 1988). **88, 90** Thaïlande (Somjitprasert-Meesup-Thamakord). **92** France (Dole-Kouadri-Virebeyre). **Trophée nat. des vétérans.** *Créé* 1992. **92** Delesol-Robert-Luplade (Gironde).

■ Jeu provençal

Généralités. Boules : les mêmes que pour la pétanque. **Terrain** de 25 m au minimum. **But** (cochonnet ou bouchon), lancé d'un cercle tracé sur le sol à une distance min. de 15 m, max. 21 m. S'il pointe, le joueur fait un pas dans la direction qu'il désire, à partir d'un cercle tracé sur le sol, puis il relève le pied sur lequel il a pris appui et joue en se tenant sur une jambe. S'il tire, il sort de son cercle, fait 3 pas et lance sa boule en plein élan lorsqu'il pose le pied à terre à la fin du 3e bond. **Pratique :** en particulier dans B.-du-Rh., Gard, Vaucluse, A.-de-Hte-P., Htes-Alpes, Alpes-Mar., Var, Hérault, Aude, Région paris., Centre, Nord, Midi-Pyr., Fr.-Comté.

Championnats de France. *Créés* 1946. **Triplette. 90** Escallier-Gnebbano-Martin (Htes-A.). **91** Vladiscovitch-Fortuna-Coste(A.-M.). **92** Lacroix-Aude-Colonna (Htes-Alpes). **Doublette. 85** Lanari-Abad (Ht-Rhin). **86** Ghebbano-Escalier (H.-A.). **87** Quazzolo-Iglesias (Var). **88** Sansenacq-Cassagne (Hérault). **89** Roux-Lepra (B.-du-Rh.). **90** Ozchillers-Venturini (A.-Hte-P.). **91** Sigal-Perret (Gard). **92** Falgayrac-G. Lagarde (T.-et-Garonne).

Nota. – La *boule parisienne* se pratique dans une longue cuvette dont les bords conduisent la boule vers le but. La *boule de fort* (allongée à chaque extrémité), dans l'Ouest et sur les bords de la Loire.

Bowling

Généralités

Nom. De l'anglais *to bowl,* rouler, lancer.

Histoire. 5200 av. J.-C. découverte en 1895, à Nagada, en Égypte, par Sir Flinders Petric, dans la tombe d'un enfant, d'un jeu se composant de 9 petits vases en albâtre ou en brèche, de 3 cubes en marbre blanc et de 4 billes en porphyre. Ce serait le 1er jeu de quilles connu. *Grèce :* pratique d'un jeu consistant à ficher des bâtons en terre. *Rome :* on joue aux *boccie.* **IVe s.** en Allemagne, on joue avec des *kegels* (bâtons servant de quilles) représentant des païens ; avec des pierres, on renverse les *kegels* et on assure ainsi le salut de son âme. **Moyen Âge** pénètre en France. **1623** des émigrants hollandais et allemands introduisent le jeu à 9 quilles *(ninepines)* à New York. Devient rapidement très populaire. **1841** interdit car assimilé à un jeu de hasard. Pour tourner la loi, invention du *tenpines* en ajoutant une 10e quille. **1895** *9-9* fondation de l'American Bowling Congress. **1945** introduit par les soldats américains en Europe. **1957** *21-1* fondation de la Fédération française des sports de quilles qui a une section bowling.

Statistiques mondiales (1992). *Pratiquants* 100 000 000 dont USA 80 000 000 (10 000 000 licenciés), *France 300 000* (14 000 lic.). *Pistes* 210 000 dont USA 150 000, Japon 30 000, Corée 5 200, G.-B. 4 100, Benelux 2 700, All. 2 300, *France 2 000* (117 centres).

Bowling à 10 quilles

■ Règles

But. Renverser le max. de quilles avec une boule. **Piste.** En bois, plate, surface d'élan de 4,57 m, piste de 18,92 m, largeur 1,043 m à 1,066 m, de chaque côté rigole destinée à récupérer les boules mal dirigées, positions des quilles marquées sur le sol (en triangle). **Quilles.** 1,530 à 1,643 kg, hauteur 38,1 cm, numérotées de 1 à 10. Actuellement, des appareils permettent de replacer automatiquement les quilles et de renvoyer les boules. **Boules.** Circonférence 68,5 cm, poids 7,250 kg, diamètre 21,6 cm, surface lisse, 3 trous (pour le pouce, le majeur ou l'index et l'annulaire) pour saisir la boule. **Tenue.** Souliers à semelle tendre, soulier gauche à semelle de cuir et droit à bout de caoutchouc. **Partie.** En 10 jeux. Chaque joueur lance 2 boules aux 9 premiers jeux sauf s'il réussit un *strike.* Au 10e jeu, celui qui réussit un *strike* lance 2 b. supplémentaires, et un *spare* 1 b. Chaque quille abattue compte pour 1 point. Si les 10 q. tombent à la 1re b., c'est un *strike,* le joueur marque 10 points + la valeur des 2 prochaines b. (dans le meilleur des cas, si un joueur fait 12 strikes de suite, il obtient 300 points, score max.). S'il faut 2 coups pour faire tomber les 10 q., c'est un *spare,* le joueur marque 10 points + la valeur de la prochaine b. On appelle *split* l'ensemble des q. restées debout après le lancement de la 1re b. **Bon score :** 120 pour débutant, 170 pour joueur de club.

Records mondiaux. Messieurs : 899 pts en 3 parties (sur 900 possibles) soit 36 strikes, par Thomas Jordan (USA, n. 27-10-66) le 7-3-89. **Dames :** 864 pts par Jeanne Maiden (USA, n. 10-11-57) le 23-11-86.

■ Résultats

■ **Championnats du monde. Messieurs.** *Créés* 1954, tous les 4 ans. *Ind.* **79** Ongtawco [1], **83** Marino [2], **87** Rolland [3]. *Masters.* **79** Bugden [4], **83** Cariello [5], **87** Pieters [6]. *Doubles.* **79** Australie, **83** Australie et G.-B., **87** Suède. *Équipes de 5.* **79** Austr., **83** Finlande, **87** Suède. *Éq. de 3.* **79** Malaisie, **83** Suède, **87** USA.

Dames. *Créés* 1963. *Ind.* **79** De La Rosa [1], **83** Sulkanen [7], **87** Piccini [8]. *Masters.* **79** De La Rosa [1], **83** Sulkanen [7], **87** Hagre [7]. *Doubles.* **79** Philippines, **83** Danemark, **87** USA. *Éq. de 5.* **79** USA, **83** Suède, **87** USA. *Éq. de 3.* **79** USA, **83** All. féd., **87** USA.

■ **Championnats d'Europe.** *Créés* 1962, tous les 4 ans. **Messieurs.** *Ind.* **77** Pujol [3], **81** Maddaloni [8], **85** Rosenquist [7], **89** de Boer [11]. *Masters.* **77** Pujol [3], **81** Strom [9], **85** Rosenquist [7], **89** Strupf [12]. *Doubles.* **77** Norvège, **81** Suède, **85** Finlande, **89** Danemark. *Éq. de 5.* **77** France, **81** All. féd., **85** Finl., **89** Suède. *Éq. de 3.* **77** Norv., **81** P.-Bas, **85** Finl., **89** Dan.

Dames. *Ind.* **77** Hilokowski [10], **81** Andersell [7], **85** Marcuzzo [8], **89** Eriksson [7]. *Masters.* **81** Berndt [7], **85** Larsson [7], **89** Eriksson [7]. *Doubles.* **77** Finlande, **81** Belgique, **85** Suède, **89** Dan. *Éq. de 5.* **77** All. féd., **81** P.-Bas, **85** France, **89** Dan. *Éq. de 3.* **77** Norvège, **81** Belg., **85** Finl., **89** Suède.

☞ *Nota.* – (1) Philipp., (2) Colombie, (3) France, (4) G.-B., (5) USA, (6) Belg., (7) Suède, (8) Italie, (9) Norv., (10) Finl., (11) P.-Bas, (12) All. féd.

■ **Ch. de France.** *Créés* 1959. **Messieurs.** *Ind.* **80** Megalophonos, **81** Reneau, **82** Cayez, **83, 84** Rolland, **85** Beghin, **86** Calonnec, **87** Elliott, **88** Pujol, **89** Augustin, **90** Arama. *Éq. de 5.* **79, 80** IFB Sharks Creil, **81** PEB Nogent, **82** Sharks Creil Valke, **83, 84** Sharks Creil Sorevi, **86** Sharks Creil, **88** BC 31 Toulouse.

Dames. *Ind.* **79** Levrut, **80** François, **81** Noyon, **82** Borie, **83** Crassat, **84** François, **85** Borie, **86** Mugnier, **87** Chevassus, **88** Benhamou, **89** Laville, **90** Taulegne. *Éq. de 4.* **79** AFB Lopez Sharkets, **81** AFB Sharkets Paris, **82** AFEB Nancy, **83** Sharks Sorevi, **84** Sharks Creil Sorevi, **86** Roller Team Paris, **88** BC Marseille.

■ **Coupe de France. Annuelle. Messieurs.** *Créée* 1964, équipes de 5. **79, 80** BC Gennevilliers All Stars, **81** IBM Montpellier, **82** Sharks Creil Valke, **83** Sharks Creil Sorevi, **84** Strike Bowl de Boussy, **87** Sharks Creil, **89** AMF Nîmes.

Dames. *Créée* 1979, équipes de 4. **80** AFB Sharkets, **81** AFEB Nancy, **82** AFB Paris, **84** Sharks Creil Sorevi, ACE Annecy.

Bowling canadien à 5 quilles

Mêmes principes que le bowling à 10 quilles, mais quelques variantes.

Piste 18,30 m de long sur 1,06 m de large. **Boule** caoutchouc durci, sans emplacement pour les doigts, 12,7 cm de diam., tenue entre le pouce et les doigts écartés, un espace devant subsister entre la paume et la boule. **Quilles** en bois avec au plus grand diamètre un anneau de caoutchouc pour amortir le choc de la boule. Elles sont placées en V, celle de tête vaut 5 points, les 2 médianes 3 pts, les 2 arrière 2 pts. Strike et spare valent 15 points.

Boxe

Boxe anglaise

Origine. De l'anglais *to box,* combattre avec les poings. **1715-19** James Figg [(1675-1734), 1,83 m, 84 kg] se proclame champion du monde. **1743** Jack Broughton [(1704-1789), 1,80 m, 90 kg] élabore la 1re réglementation à poings nus. **1751**-8-4 Jack Slack bat Monsieur Petit (1er boxeur français connu). **1790**-29-9 match du siècle Daniel Mendoza [(1764-1836), 1,70 m, 72 kg], Richard Humphries. **1849**-7-2 Tom Hyer (1819-64) bat Yankee Sullivan. **1849** Mik Madden b. Bill Hoves (en 6 h 31, match le + long sans gants). **1860**-17-4 1er championnat du monde : Tom Sayers (Angl.), John C. Heenan (USA) à Farnborough. **1867** John Graham Chambers qualifie la boxe sous le patronage du marquis de Queensberry. **1892**-7-9 1er championnat selon les nouvelles règles. James Corbett bat John Sullivan à la 21e reprise. **1908**-6-12 Jack Johnson 1er champion lourd noir.

■ Généralités

Age limite. France : *amateurs* 13 ans révolus et autorisation des parents ; *professionnels* 20 a. révolus. **Étranger :** USA, Amér. du Sud, G.-B., Extrême-Orient *prof.* à 14 ou 18 a.

Catégories de poids. Aucun combat ne peut être autorisé entre 2 boxeurs si la différence de poids entre eux excède la différence de poids entre les limites max. et min. de la catégorie du boxeur le plus léger. **Boxe professionnelle :** paille 47,600 kg ; mi-mouche

48,988 ; mouche 50,820 ; super-mouche 52,095 ; coq 53,525 ; super-coq 55,338 ; plume 57,152 ; super-plume 58,967 ; léger 61,237 ; super-léger 63,500 ; welter (mi-moyen) 66,678 ; super-welter (super-mi-moyen) 69,850 ; moyen 72,574 ; super-moyen 76,204 ; mi-lourd 79,378 ; lourd-léger 86,182 ; lourd WBA 79,378 ; WBC 86,182. **Amateurs :** mi-mouche 48 kg ; mouche 51 ; coq 54 ; plume 57 ; léger 60 ; super-léger 63 1/2 ; welter 67 ; super-welter 71 ; moyen 75 ; mi-lourd 81 ; lourd + de 81 kg ; super-lourd + de 91 kg.

Coups autorisés. Ceux portés avec le poing fermé sur le devant et les côtés de la face et du corps au-dessus de la ceinture. **Direct :** de son point de départ au point d'impact : visage, cœur, estomac, etc. **Crochet** (en américain **cross** ou **jab**) : coup demi-circulaire frappant mâchoire, carotide, flancs ou creux de l'estomac. **Uppercut :** donné de bas en haut ; crochet vertical. **Swing :** décoché de côté par un mouvement en forme de demi-cercle avec un grand balancement du corps. **Jab :** considéré comme un gauche ; jadis, coup asséné de haut en bas, sur le haut de la poitrine, la base du cou, le nez ou en travers de la bouche. **Hook :** coup demi-circulaire horizontal. **Chop** ou **chopping-blow :** coup frappé à la façon d'un « coup de sabre au ventre ». **Contre :** coup qui, parti après l'attaque adverse, arrive avant celle-ci. A l'origine de la plupart des K.-O. **Esquive :** rotation du torse ou du corps qui permet d'éviter les coups adverses. **Remise :** coup de riposte immédiat à une attaque adverse. **Une-deux :** combinaison de 2 coups (gauche doublé du droit pour un droitier). **Clinch :** corps-à-corps. **Infighting :** combat de près.

Décisions. *Avant la limite :* knock-out lorsque l'un des deux adversaires reste au sol 10 secondes ; arrêt de l'arbitre ; disqualification ; abandon ; no contest. *Dans les limites :* déc. aux points ; match nul.

Délais de repos (en France). *Professionnel :* 10 j pleins de repos entre 2 combats. *Amateur :* 5 sauf pour les championnats nationaux et les JO où il peut faire jusqu'à 2 matches en 24 h. Toute *défaite avant la limite* entraîne un repos obligatoire d'1 mois ; 2 déf. 3 mois ; 3 déf. 1 an et un examen médical avant d'être autorisé à boxer de nouveau.

Durée (en France). Un combat de boxe est divisé en reprises (rounds de 2 ou 3 min, séparés par un intervalle de 1 minute). AMATEURS : *cadets non surclassés :* 3 reprises de 2 min ; *2e série :* 3 de 2 min ou 3 de 3 min ; *1re série :* 3 de 2 min ou 3 de 3 min ou 6 de 2 min ; *série nationale et série internationale :* 3 de 3 min ou 4 de 3 min ou 6 de 2 min. INDÉPENDANTS : 4 de 3 min ou 6 de 2 min ou 6 de 3 min. PROFESSIONNELS : reprises par combat ainsi limitées : *3e série :* 6 reprises de 3 min ou 8 de 3 min si le boxeur a au moins 5 combats à son palmarès ; toutefois, pour rencontrer un 2e série internationale en 8 reprises, il devra avoir au moins 8 combats à son palmarès ; *2e série* et *2e série intern. :* 10 de 3 min ; *1re série* 12 de 3 min. Lors d'un match comptant pour l'attribution d'un titre, le nombre des reprises est fixé par la réglementation propre à cette compétition.

Équipement. GANTS : *amateurs 42 à 67 kg :* 8 onces (227 g) ; *autres cat. :* 10 onces (284 g). *Professionnels :* jusqu'aux moyens : 8 onces ; autres cat. : 10 onces. Les championnats sans gants de boxe se sont arrêtés en 1892. BANDAGES : souples pour se protéger des fêlures ou fractures (pas obligatoire). COQUILLE, PROTÈGE-DENTS ET CASQUE : obligatoires pour les amateurs contre les coups bas.

Irrégularités. Frapper au-dessous de la ceinture ; frapper ou fouetter avec : gant ouvert, paume de la main, poignet, avant-bras, coude, tranchant ou côté extérieur de la main ; frapper en pivotant en arrière ; frapper un adversaire à terre ou qui est en train de se relever ; tenir l'adversaire ; passer les bras sous ceux de l'adversaire ; donner des coups de pied, des coups de tête ou d'épaule ; utiliser les genoux, lutter ou bousculer l'adversaire ; frapper volontairement sur les reins dans les corps-à-corps ; le dessus ou le derrière de la tête ou dans le dos de l'adversaire ; un adversaire engagé dans les cordes du ring ; se cacher dans ses gants en refusant le combat ; tenir d'une main la corde du ring pour frapper ou esquiver ; esquiver en abaissant la tête au-dessous du niveau de la ceinture de l'adversaire ; frapper en sautant ; parler en boxant.

Jugement. Rendu par un arbitre juge unique ou par 3 juges dont l'un fait fonction d'arbitre. Décisions sans appel sauf erreur dans le décompte des points. Aux JO, 5 juges donnent la décision ; l'arbitre ne fait que diriger le combat.

Ring. Dimensions 4,90 m à 6,10 m au carré limité par 3 ou 4 hauteurs de cordes.

Quelques records

Boxeurs devenus rapidement champions. *James J. Jeffries* est devenu champion du monde des poids lourds après seulement 12 combats. *Jeff Fenech* devint champion du monde des coqs à son 7e combat professionnel. *Saensar Muangsurin* au 3e combat.

Poids lourds. Champion du monde. Le plus jeune : *Mike Tyson* en 1986 à 20 ans 4 mois et 22 jours. **Le plus longtemps :** *Joe Louis* (Noir américain 1914-81) (ch. lourds 11 ans 8 mois et 7 j du 22-6-1937 au 1-3-1949). *Cassius Clay* (Noir américain) alias Mohammed Ali (n. 17-1-42 ; 1,90 m ; 98,5 kg) domina de 1964 à 1978. Déchu de son titre pour refus, le 28-4-1967, de servir au Viêt-nam, il le reprit le 30-10-74. Il fut battu le 15-2-78 par l'Américain Leon Spinks (n. 11-7-53), plus léger de 12 kg. **Invaincu :** *Rocky Marciano* (1-9-23) le seul invaincu pendant sa carrière professionnelle (1947-56), sur 49 combats gagnés, en gagna 43 par knock-out. *Primo Carnera* (26-10-1906-67), 1,96 m, pesant 122 kg, sur 100 combats en gagna 86, en perdit 13, 1 match nul. Dans un championnat poids lourds, *Max Baer* (1909-59) l'envoya au tapis 11 fois, en 1934.

Moyens. *Carlos Monzón* (Argentin n. 7-8-42 ; 1,83 m) domina les poids moyens de 1970 à 1977. Il disputa 102 combats pour 61 victoires par K.-O, 28 aux points, 8 nuls, 1 sans décision, 3 défaites (la dernière le 9-10-64). Il s'est retiré invaincu ayant battu son successeur le Colombien Rodrigo Valdés 2 fois le 26-6-76 et le 30-7-77. **Le moins longtemps :** *Dave Sullivan,* 46 j, du 26-9 au 11-11-1898. **Le plus petit :** *Tommy Burns* en 1908, 1,70 m. **Le plus léger :** *Robert Prometheus Fitzsimmons (1862-1817),* 75 kg.

La plus grande différence de poids entre 2 adversaires pour le championnat mondial : 39 kg. *Carnera* (122 kg), *Loughran* (29-11-1902, 83 kg).

Le plus long combat avec gants [110 rounds (7 h 19 min)] 6 au 7-4-1893 à La N.-Orléans (USA) : *Andy Bowen/Jack Burke.* Pas de vainqueur. **Le plus court :** 4-11-1947 Minneapolis : *Pat Browson* mis K.-O à la 4e s par Mike Collins.

Réalisa le plus de knock-out. *Archie Moore* (n. 13-12-1913) : 145.

Champions du monde morts de blessures reçues sur le ring : *Benny Paret* le 3-4-1962 après combat le 24-3 ; *Davey Moore* (n. 1933) 25-3-1963 après combat le 21-3. 263 boxeurs (amateurs ou prof.) morts dans le monde des suites d'un combat, de 1945 au 25-5-1969.

Trucages. *Carpentier* avoua dans ses Mémoires que son match contre Battling Siki, le 24-9-1922, était minutieusement réglé : le Noir, que Carpentier aurait pu mettre KO en 1 ou 2 rounds, devait « se coucher » au 5e round ; mais Carpentier se brisa la main droite et Siki en profita pour le mettre knock-out. *Marcel Cerdan,* lors d'un combat à New York en 1947 contre Harold Green, se blessa à la main droite ; le médecin de service (qui avait misé sur Green comme on le sut plus tard) lui fit une piqûre de Novocaïne truquée, donc à effet nul ; Cerdan gagna quand même.

☞ *Bob Fitzsimmons* (Anglais) a remporté *3 titres de champion du monde :* moyens (sur Jack Dempsey 1895-1983), lourds (J.J. Corbett 17-3-1897), lourds-légers (George Gardner 25-11-1903) ; *Henry Armstrong* (1912-88, plumes, légers et welters). *Ray Sugar Robinson* (1920-89) regagna le titre de *champion du monde 4 fois. Sonny Liston* (1932-71) avait des poings larges de 38 cm. *Mario D'Agata* était sourd-muet ; *Henri Greb* (1894-1926) borgne ; *Eugène Criqui,* (1893-1977) blessé à la guerre, avait une mâchoire d'argent.

Principales épreuves

Championnats du monde [1]

☞ *Légende.* – (1) Sauf indication, les champions sont Américains. (2) France. (3) Irlande. (4) G.-B. (5) Canada. (6) Grèce. (7) Philipp. (8) Cuba. (9) Suisse. (10) Danemark. (11) Mex. (12) Panamá. (13) Nigeria. (14) Afr. du S. (15) Australie. (16) Italie. (17) Brésil. (18) Japon. (19) Argentine. (20) Thaïlande. (21) Corée du S. (22) Colombie. (23) All. féd. (24) Porto Rico. (25) Ghana. (26) Nicaragua. (27) Venezuela. (28) Autriche. (29) Espagne. (30) Yougoslavie. (31) Bahamas. (32) Ouganda. (33) Jamaïque. (34) P.-Bas. (35) Rép. dominicaine. (36) Norvège. (37) Indonésie. (38) Belgique. (39) Suède. (40) Trinité-et-Tobago. (41) îles Vierges. (42) Tunisie. (43) All. (44) Bulgarie. (45) Corée du S. (46) ex-URSS. (47) Venezuela. (48) Bulgarie. (49) Roumanie.

(a) New York State Athletic Commission. (b) World Boxing Association, créée 1962. (c) World Boxing Council, créée 1963. (d) National Boxing Association. (e) International Boxing Federation, créée 1983. (f) World Boxing Organization, créée 1988. (g) unifié.

Il n'y a pas d'organisation mondiale professionnelle reconnue par tous : au niveau européen, l'*European Boxing* regroupe les fédérations d'Europe occidentale ; au niveau mondial, il y a 3 groupements : *World Boxing Association* (WBA fondée 1962, ancienne National Boxing Association f. 1920 ; contrôle la plus grande partie de la boxe de l'Am. du N. et du S. et de l'Extrême-Orient), *World Boxing Council* [WBC, f. févr. 1963, comprend Fédération européenne, British Boxing Board of Control (BBBC), Union d'Am. latine et Oriental fed.], *New York State Athletic Commission* (NYAC) et *World Boxing Organization* (WBO f. 1988). WBA et WBC ont reconnu entre elles 2 titres de champion du monde communs : poids moyen et welter.

Poids lourds [1] (toutes catég.). *Disputés* dep. 1882. **82** John L. Sullivan (1858-1918). **92** James J. Corbett (1866-1933). **97** Bob Fitzsimmons [4] (1862-1917). **99** James J. Jeffries (1875-1953). **1905** Marvin Hart (1876-1931). **06** Tommy Burns (1891-1955). **08** Jack Johnson (1878-1946, accident de voiture). **15** Jesse Willard (1881-1968). **19** Jack Dempsey (1895-1983, 1,86 m, 86 kg). **26** Gene Tunney (1898-1978). **28** (sans titulaire). **30** Max Schmeling [43] (n. 28-9-05). **32** Jack Sharkey (n. 6-10-02). **33** Primo Carnera [16] (1906-67). **34** Max Baer (1909-59). **35** James J. Braddock (1905-74). **37** Joe Louis Barrow (1914-81). **49** Ezzard Charles (1921-75). **50** Lee Savold [4], Ezzard Charles. **51** Jersey Joe Walcott (3-1-1914). **52** Rocky Marciano (Rocco Francis Marchegiano, blanc, 1923-69, † accident d'avion). **56** Floyd Patterson (n. 4-1-1935). **59** Ingemar Johansson [39] (n. 22-9-32, Suède). **60** F. Patterson. **62** Sonny Liston (1932-71, assassiné). **64** Cassius Clay (n. 17-1-42). **65** Ernie Terrell [b]. Mohammed Ali [c]. **68** Joe Frazier [c]. Jimmy Ellis [b]. **70** Joe Frazier (n. 12-1-44). **73** George Foreman (n. 22-1-46). **74** C. Clay, alias Mohammed Ali [b,c]. **78** Leon Spinks [c] (n. 11-7-53), Ken Norton [c] (n. 9-8-45), Larry Holmes [c] (1949-73, 1,93 m, 98 kg). **79** Mohammed Ali [b,c], L. Holmes [c], John Tate [b]. **80** J. Tate [b], L. Holmes [c], Mike Weaver [b]. **81** L. Holmes [c], M. Weaver [b,c]. **82** L. Holmes [c], Michael Dokes [b]. **83** L. Holmes [c], M. Dokes [b], Gerrie Coetzee [14,b]. **84** Tim Witherspoon [c], Pinklon Thomas [c], L. Holmes [e], Greg Page [e]. **85** P. Thomas [c], Tony Tubbs [b], M. Spinks [e]. **86** T. Witherspoon [b], Trevor Berbick [5,c], James Smith [b], Mike Tyson [c], M. Spinks [e]. **87** M. Tyson [b,c,e], Tony Tucker [e]. **88** M. Tyson [b,c,e]. **89** M. Tyson [b,c,e], Francesco Damiani [f,16]. **90** James Douglas [b,c,e], Evander Holyfield [b,c,e], M. Tyson [b,c,e], Ray Mercer [f]. **91** M. Tyson [b,c,e], E. Holyfield [b,c,e], R. Mercer [f], Michael Moorer [f]. **92** E. Holyfield [b,c,e], Riddick Bowe [b,c,e], Lennox Lewis [4,e]. **93** R. Bowe [b,e], L. Lewis [4,e], Tommy Morrison [f].

Lourds-légers [1]. *Disputés* dep. 1979. **1979** Marvin Camel [c]. **80** Carlos de León [24,c]. **82** Oswaldo Ocasio [6,b], C. de León [24,c], S.T. Gordon [c]. **83** S.T. Gordon [c], O. Ocasio [24,b], C. de León [24,c], M. Camel [e]. **84** C. de León [24,c], O. Ocasio [24,b], Lee Roy Murphy [e], Piet Crous [14,b]. **85** Alfonso Ratliff [c], Dwight Muhammad Qawi [b], Bernard Benton [c], L. R. Murphy [e]. **86** C. de León [24,c], D.M. Qawi [b], L. R. Murphy [e], Evander Holyfield [b], Ricky Parkey [e]. **87** E. Holyfield [b,e], C. de León [24,c], Ricky Parkey [e]. **88** C. de León [24,c], E. Holyfield [b,c,e]. **89** Taoufik Belbouli [2,b], C. de León [24,c], Glenn McCrory [4,e], Robert Daniels [b], Richard Pultz [f]. **90** C. de León [24,c], Magne Havnaa [36,f], Massimiliano Duran [16,c], Jeff Lampkin [e]. **91** Bobby Czycz [b], Anaclet Wamba [2,b], James Warring [e], Magne Haunaa [36,f]. **92** A. Wamba [2,b], B. Czycz [b], J. Warring [e], Alfred Cole [e], Tyrone Booze [f]. **93** Markus Bott [23,f], A. Cole [2], A. Wamba [2,b].

Mi-lourds [1]. *Disputés* dep. 1903. **03** Jack Root, George Gardner, Bob Fitzsimmons [4]. **05** Phil Jack O'Brien. **12** Jack Dillon. **16** Battling Levinski. **20** *Georges Carpentier* [2]. **22** *Battling Siki* [2]. **23** Mike Mc Tigue [3]. **25** Paul Berlenbach. **26** Jack Delaney. **27** Jimmy Slaterry [a], Tommy Loughran. **30** J. Slaterry. **32** George Nichols. **33** Bob Godwin, Maxie Rosenbloom. **34** Bob Olin. **35** John Henry Lewis. **38** Tiger Jack Fox. **39** Melio Bettina, Len Harvey [4], Billy Conn. **41** Anton Christoforidis [6]. **46** Gus Lesnevich. **48** Freddie Mills [4]. **50** Joe Maxim. **52** Archie Moore. **61** Harold Johnson, A. Moore. **62** Harold Johnson. **63** Willie Pastrano. **65** José Torres. **66** Dick Tiger [13]. **68** Bob Foster [b] (n. 1939). **71** Vincent Rondon [b], B. Foster [c]. **75** John Conteh [4,c], Victor Galindez [19,b]. **77** Miguel Angel Cuello [19,c]. **78** Maté Parlov [30,c], Marvin Johnson [c]. **79** Victor Galindez [19,b], Matthew S. Muhammad [c], Mike Rossman [c], M. Johnson [b]. **80** M. S. Muhammad (ex. M. Franklin) [b]. **81** Eddie Mustafa Muhammad (ex. E. Gregory). **82** Dwight Braxton. **83-84** Michael Spinks [b,c]. **85** M. Spinks [c], Slobodan Kacar [30,e], J.B. Williamson [c]. **86** Marvin Johnson [b], Dennis Andries [4,c], Bobby Czycz [e]. **87** B. Czycz [e], Thomas Hearns [c], Leslie Stewart [40,b], Virgil Hill [b], Charles Williams [e], Don Lalonde [5,c]. **88** Virgil Hill [b], Don Lalonde [5,c], Sugar Ray Leonard [c], C. Williams [e]. **89** Dennis Andries [4,c], Jeff Harding [15,c], C. Williams [e], Michael Moorer [f], Virgil Hill [b].

90 Michael Moorer [f], Jeff Harding [15,c], V. Hill [b]. **91** Thomas Hearns [b]. C. Williams [e], J. Harding [15,c], Leonzer Barber [f]. **92** Iran Barkley [b], J. Harding [15,c]. **93** V. Hill [b], L Barber [f], H. Maske [23,e].

Super-moyens [1]. **84** Murray Sutherland [5,e], Chong-Pal Park [21,e]. **85, 86, 87** Chong-Pal-Park [21,b,e]. **88** Fulgencio Obeimejias [27,b], Sugar Ray Leonard [c], Graciano Rocchigiani [23,e], Thomas Hearns [f]. **89** In-Chul Baek [21,b], S. R. Leonard [c]. **90** Lindell Holmes [e], *Christophe Tiozzo* [2,b], T. Hearns [f]. **90** Mauro Galvano [16,c]. **91** Pat Lawford [c], Victor Cordoba [12,b], Darin Van Horn [e], Chris Eubank [4,f], M. Galvano [16,c]. **92** Iran Barkley [e], Chris Eubank [4,f], M. Galvano [16,c], Michael Nunn [4,b], Nigel Benn [4,c]. **93** James Toney [e], C. Eubank [4,f], M. Nunn [4,b]. M. Benn [4,c].

Moyens [1]. *Disputés* dep. 1884. **84-90** Jack Dempsey. **91** Bob Fitzsimmons [4]. **1898** Tommy Ryan. **1907** Stanley Ketchel. **08** Billy Papke, S. Ketchel. **10** Billy Papke. **11** Johnny Thompson, B. Papke [4]. **13** Frank Klaus, George Chip. **14** Al Mac Coy. **17** Mike O'Dowd. **20** Johnny Wilson. **23** Harry Greb. **26** Tiger Flowers, Mickey Walker. **31** Gorilla Jones [d]. **32** *Marcel Thil* [2,a] (NBA et EBU tient jusqu'au 23-9-37), Ben Jeby [a]. **33** G. Jones [d], Lou Brouillard [a], Vince Dundee [a]. **34** Teddy Yarosz [a]. **35** Babe Risko [a]. **36** Freddie Steele [a,d]. **37** Fred Apostoli [a]. **38** Al Hostack [d], Solly Krieger [d]. **39** Ceferino Garcia [7,a] puis A. Hostack [d]. **40** Ken Overlin [a], Tony Zale [d] (tenant jusqu'au 16-7-47). **41** Billy Soose [a]. **47** Rocky Graziano. **48** T. Zale, *Marcel Cerdan* [2]. **49** Jake La Motta. **51** Ray Sugar Robinson [a], Randy Turpin [4], R. S. Robinson [a]. **53** Carl Olson. **55** R. S. Robinson [a]. **57** Gene Fullmer [d], R. S. Robinson, Carmen Basilio. **58** R. S. Robinson [a]. **59** G. Fullmer [d], R. S. Robinson [a]. **60** G. Fullmer [d], Paul Pender [a]. **61** G. Fullmer, Terry Downes [4,a]. **62** G. Fullmer, Dick Tiger [13], Paul Pender [a]. **63** D. Tiger, Joey Giardello. **65** D. Tiger [13]. **66** Émile Griffith [41]. **67** Nino Benvenuti [16] (n. 1938), É. Griffith [41]. **68** N. Benvenuti. **70** Carlos Monzón [19,b,c] (n. 7-8-42). **77** Rodrigo Valdés [22,b,c]. **78, 79** Hugo Corro [19,b,c]. **80** Vito Antuofermo [16,b,c]. **81** Alan Minter [4,b,c]. **82** Marvin Hagler. **83** M. Hagler [b,c]. **84, 85, 86** M. Hagler [a,b,c]. **87** Ray Leonard [a,b,c], Frank Tate [e], Sumbu Kalambay [16,b], Thomas Hearns [c]. **88** F. Tate [e], Kalambay [16,b], Iran Barkley [c], Michael Nunn [e]. **89** M. Nunn [e], Roberto Duran [12,c], Doug De Witt [f], Mike McCallum [33,b]. **90** M. McCallum [b], Nigel Benn [4,f], Julian Jackson [41,c], Chris Eubank [4, f]. **91** M. McCallum [b], James Toney [e], J. Jackson [41,c], Gerald Mc Clellan [f]. **92** J. Toney [e], J. Jackson [41,c], Reggie Johnson [b]. **93** R. Johnson [b], Gerald McClellan [c], Roy Jones [e].

Super-welters [1]. *Disputés* dep. 1962. **62** Denny Moyer [b]. **63** Ralph Dupas [16,b], Sandro Mazzinghi. **65** Nino Benvenuti [16,b]. **66** Kim Ki-Soo [21]. **68** S. Mazzinghi [16,b]. **69** Freddie Little. **70** Carmelo Bossi [16]. **71** Koichi Wajima [18,b]. **74** Oscar Alvarado. **75** Miguel de Oliveira [17,c], Elisha Obed [31,c]. **77** Wilfredo Benitez [24,c], Eckhard Dagge [23,b], Rocky Mattioli [16,c], Eddie Gazo [26,b], Elisha Obeb [31,c]. **78** R. Mattioli [16,c]. **79** Maurice Hope [4,c]. **81** Ayub Kalule [32,b], Ray Leonard [b]. **82** Wilfredo Benitez [24,c]. **83** Roberto Durán [12,b], Thomas Hearns [c]. **84** T. Hearns [c], Mark Medal [e], Mike McCallum [4,b], Carlos Santos [24,e]. **85** M. McCallum [b], T. Hearns [c], C. Santos [e]. **86** T. Hearns [c], M. McCallum [33,b], Duane Thomas [c], Buster Drayton [e]. **87** B. Drayton [e], M. McCallum [33,b], Matthew Hilton [5,e], Gianfranco Rosi [16,c], Julian Jackson [41,b], Lupe Aquino [11,c]. **88** Don Curry [c], Robert Hines [5,e], J. Jackson [41,b], John David Jackson [f]. **89** Darrin van Horn [e], *René Jacquot* [2,c], John Mugabi [32,c], Gianfranco Rosi [16,e], J. Jackson [41,b], John David Jackson [f], Terry Norris [c]. **90** G. Rosi [16,e]. **91** T. Norris [c], *Gilbert Délé* [2,b], G. Rosi [16,e], Vinnie Pazienza [e], J. D. Jackson [f]. **92** T. Norris [c], J. D. Jackson [f], G. Rosi [16,e]. **93** G. Rosi [16,e], Julio César Vasquez [19,c], T. Norris [c].

Welters [1]. *Disputés* dep. 1888. **40** Fritzie Zivic. **41** Fred « Red » Cochrane. **46** Marty Servo, Ray Robinson. **47** R. Robinson. **51** R. Robinson, Johnny Bratton [d], Kid Gavilan [d]. **54** Johnny Saxton. **55** Tony De Marco, Carmen Basilio. **56** C. Basilio, J. Saxton, C. Basilio. **57** C. Basilio. **58** Virgil Akins, Don Jordan. **59** D. Jordan. **60** Benny Paret [8]. **61** Emile Griffith, B. Paret [8]. **62** B. Paret [8], E. Griffith (n. 1938). **63** Luis Rodriguez [8], E. Griffith. **64** E. Griffith. **66** Curtis Cokes. **69** José Napoles [11,c]. (n. 13-4-40). **70** Billy Backus. **71** J. Napoles [11,c] **75** Angel Espada [24,b], John Stracey [4,c], Carlos Palomino [11,c], José Pipino Cuevas [11,b]. **79** Masashi Kudo [18,c]. **80** Ayub Kalule [32,b], Maurice Hope [4,c]. **81** Thomas Hearns [b], Sugar Ray Leonard [c]. **82** S. R. Leonard [c]. **83** Donald Curry [b], Milton Mc Crory [c]. **84** M. Mc Crory [c], D. Curry [b]. **85** D. Curry [b,c]. **86** Lloyd Honeyghan [4,b,c,e]. **87** Mark Breland [b], L. Honeyghan [4,c,e], Marlon Starling [b], Jorge Vaca [11,c]. **88** L. Honeyghan [4,e], Simon Brown [33,e], Marlon Starling [b], Tomas Molinares [22,b]. **89** Mark Breland [b], M. Starling [c], Genaro León [11,f], Simon Brown [e]. **90** M. Breland [b], Aaron Davis [b], Maurice Blocker [c], Manning Galloway [f], Meldrick Taylor [b]. **91** Simon Brown [c,e], M. Galloway [f], Meldrick Taylor [b], Maurice Blocker [e], James Mc Girt [c]. **92** Crisanto Espana [47,b], M. Galloway [f]. **93** J. Mc Girt [c], Gert-Bo Jacobsen [10,f], P. Whitaker [c], C. Espana [47,b], Felix Trinidad [24,e].

Super-légers [1]. *Disputés* dep. 1922. **80** Antonio Cervantes [22,c]. **80** Saoul Mamby [33,c]. **81** Aaron Pryor [b]. **82** S. Mamby [33,b]. **83** A. Pryor [b], Leroy Haley [c], Bruce Curry [c]. **84** Johnny Bumphus [b], Bill Costello [c], Gene Hatcher [b], A. Pryor [e]. **85** Ubaldo Sacco [19,b], Lonnie Smith [c], A. Pryor [e]. **86** Patrizio Oliva [16,b], Tsuyoshi Hamada [18,c], Gary Hinton [e], René Arredondo [11,c], Joe Manley [e]. **87** P. Oliva [16,b], Tsuyoshi Hamada [18,c], Terry Marsh [4,e], Juan Martin Coggi [19,b], Ray Mayweather [c]. **88** R. Mayweather [c], J. McGuirt [e], Meldrick Taylor [e], Juan Martin Coggi [19]. **89** Hector Camacho [24,f], M. Taylor [e], J. Cesar Chávez [11,c], M. Coggi [19,b], Livingston Bramble [b]. **90** H. Camacho [24,f], J. Cesar Chávez [11,c,e], J. Martin Coggi [19,b], Loreta Gaza [b]. **91** Greg Haugen [f], J.-C. Chávez [11,c,e], H. Camacho [24,f], Edwin Rosario [24,b], Rafael Pineda [22,e]. **92** J.-C. Chávez [11,c], R. Pineda [22,e] Carlos Gonzales [11,f], Pernell Whitaker [e], Morris East [7,b]. **93** J.-M. Coggi [19,b], J.-C. Chavey [11,c], Charles Murray [e].

Légers [1]. *Disputés* dep. 1886. **1886** Jack Mc Auliffe [3]. **96** George Kid Lavigne. **99** Franck Erné [9]. **1902** Joe Gans. **08** Battling Nelson [10]. **10** Ad. Wolgast. **12** Willie Ritchie. **14** Freddie Welsh [4]. **17** Benny Leonard. **25** Jimmy Goodrich, Rocky Kansas. **26** Sammy Mandell. **30** Al Singer, Tony Canzoneri. **33** Barney Ross. **35** T. Cansoneri. **36** Lou Ambers. **38** Henry Armstrong. **39** L. Ambers. **40** Lew Jenkins. **41** Sammy Angott [d]. **43** Bob Montgomery [a], Beau Jack [a]. **44** B. Montgomery [a], Juan Zurita [11,d]. **45** Ike Williams [d]. **47** I. Williams [d]. **51** James Carter. **52** Lauro Salas [11], J. Carter. **53** J. Carter. **54** Paddy De Marco, J. Carter. **55** J. Carter, Bud Smith. **56** B. Smith, Joe Brown. **57** J. Brown. **62** Carlos Ortiz. **65** Ismael Laguna [12], C. Ortiz. **68** Carlos-Teo Cruz. **69** Mando Ramos. **70** Ismael Laguna [12], Ken Buchanan [4,b]. **72** Roberto Durán [12,b]. **74** Ishimatsu Suzuki [18,c]. **76** Estebán de Jesús [24,c]. **78** R. Durán [12,b,c]. **79** Jim Watt [4,c]. **80** Ernesto España [27,b]. **81** James Hilmer Kenty [b], Sean O'Grady [b], Claude Noel [40,b], Arturo Frias [b]. **82** Alexis Arguello [26,c]. **83** Ray Mancini [b], Edwin Rosario [24,c]. **84** Charlie Choo Brown [e], E. Rosario [24,c], Harry Arroyo [e], Livingston Bramble [b], José Luis Rámirez [11]. **85** Harry Arroyo [e], L. Bramble [b], Hector Camacho [24,c], Jimmy Paul [e]. **86** E. Rosario [24,b], H. Camacho [24,c], L. Bramble [b], Jimmy Paul [e], Gregg Haugen [e]. **87** E. Rosario [24,b], Vinnie Pazienza [e], José Luis Rámirez [11,c], J. Cesar Chávez [11,b], Greg Haugen [e]. **88** J. L. Rámirez [11,c], J. C. Chávez [11,b,c], Greg Haugen [e]. **89** Pernell Whitaker [e,c], E. Rosario [24,b], Amancio Castro [22,f], Mauricio Accves [11,f]. **90** Pernell Whitaker [e,c,b], Dingaan Thobela [14,f]. **91** Anthony Jones [g], D. Thobela [14,f], P. Whitaker [e,c,b]. **92** Miguel-Angel Gonzalez [11,c], Giovanni Parisi [16,f], Tony Lopez [b]. **93** Freddy Pendleton [e], T. Lopez [b], G. Parisi [16,f].

Super-plume [1]. *Disputés* dep. 1921. **79, 80** S. Serrano [24,c]. **80** A. Arguello [26,b]. **81** Yatsutsune Uehara [18,b]. **82** Rafael Limón [11,c], Cornelius Boza-Edwards [32,c], Roland Navarette [7,c]. **83** Roger Mayweather [b], Hector Camacho [24,c]. **84** Rocky Lockridge [b], Julio Cesar Chávez [11,c]. **85** Rocky Lockridge [b], Wilfredo Gómez [24,b], J. C. Chávez [11,c], Lester Ellis [e], Barry Michael [15,e]. **86** J. C. Chávez [11,c], Alfredo Layne [12,b], Brian Mitchell [14,b], B. Michael [15,e]. **87** J. C. Chávez [11,c], B. Mitchell [14,b], B. Michael [15,e], Rocky Lockridge [e]. **88** B. Mitchell [14,b], R. Lockridge [e], Azumah Nelson [25,c], Tony Lopez [e]. **89** T. Lopez [e], B. Mitchell [14,b], Azumah Nelson [25,c], Juan Molina [24,e,f], Kamel Bouali [42,f]. **90** J. Molina [24,e], B. Mitchell [14,b]. **91** A. Nelson [25,c], T. Lopez [e], B. Mitchell [14,e], Genaro Hernandez [f], Kamel Bou Ali [42,f]. **92** Daniel Londas [2,f], Jimmi Bredhal [10,f], G. Hernandez [b], A. Nelson [25,c]. **93** J. Molina [13,e], A. Nelson [25,c].

Plume [1]. *Disputés* dep. 1889. **1889** Ike O'Neil Weir. **90** Billy Murphy, Young Griffo [15]. **91** George Dixon. **96** Frankie Erné [9]. **97** G. Dixon [5], Solly Smith. **98** Dave Sullivan, G. Dixon. **1900** Terry Mac Govern. **01** Abe Attel, Young Corbett. **04** Abe Attel. **12** Johnny Kilbane. **23** *Eugène Criqui* [2], Johnny Dundee. **25** Louis Kid Kaplan. **27** Benny Bass. **28** Tony Canzoneri, *André Routis* [2]. **29** Battling Battalino. **32** Tommy Paul [d], puis Kid Chocolate [8,a]. **33** Freddie Miller [d], puis K. Chocolate. **34** F. Miller. **36** Petey Sarron [a,d] puis Mike Belletoise [a]. **37** Babbie Arizmendi [11,a], Henry Armstrong. **38** Joe Archibald [a]. **40** Harry Jeffra [a], Petey Scalzo [d]. **41** J. Archibald [a], Charly Wright [a], Ritchie Lemos [d], Jack Wilson [d]. **42** Willy Pep [a]. **43** Jackie Callura [d], Phil Terranova [d]. **44** Sal Bartolo [d]. **46** W. Pep. **48** Sandy Saddler. **49** W. Pep. **50** S. Saddler. **57** Hogan Kid Bassey [13]. **59** Davey Moore. **63** Sugar Ramos [8]. **75** Alexis Arguello [26,b], David Kotey [25,c]. **77** Danny Lopez [c], Rafael Ortega [12,b], Cecilio Lastra [29,b]. **78, 79, 80** Eusebio Pedroza [12,b]. **80** Salvador Sánchez [11,c]. **81** E. Pedroza [12,b]. **82** Juan Laporte [24,c]. **83** E. Pedroza [12,b], J. Laporte [24,c]. **84** Min-Keun Oh [45,e], Wilfredo Gómez [24,c], E. Pedroza [12,b], Azumah Nelson [25,c]. **85** E. Pedroza [12,b], Min-Keun Oh [45,e], Barry Mc Guigan [4,b], A. Nelson [25,c], Kee Young Chung [21,e]. **86** B. Mc Guigan [4,b], Kee Young Chung [21,e], Steve Cruz [b], A. Nelson [25,c], Antonio Rivera [24,e]. **87** A. Nelson [25,e], Antonio Esparragoza [27,b], A. Rivera [24,e]. **88** Calvin Grove [e], Jeff Fenech [15,e], Antonio Esparragoza [27,b], Jorge Paez [11,e], **89** Jeff Fenech [15,c], A. Esparragoza [27,b], Jorge Paez [11,e], Maurizio Stecca [16,f], Louis Espinoza [f]. **90** Jorge Paez [11,e], A. Esparragoza [27,b], Marcos Villanasa [11,c], Maurizio Stecca [16,f]. **91** Park Young-Kyun [21,b], Troy Dorsey [e], M. Stecca [16,f], Paul Hodkinson [3,c], Manuel Medina [11,e]. **92** M. Medina [11,e], P. Hodkinson [3,c], P. Young-Kyun [21,b], Colin Mc Millan [4,f], Ruben Palacio [22,f]. **93** P. Hodkinson [3,c], Tom Johnson [e], P. Young-Kyun [21,b], Steve Robinson [4,f], Goyo Vargas [11,c].

Super-coq [1]. *Disputés* dep. 1976. **1976** Rigoberto Riasco [12,c], puis Royal Kobayashi [18,c], Dom Yum Kyun [21,c]. **77** Dom Yum Kyun [21,c], Soo Hwang Hong [21,b], Ricardo Cardona [22,b]. **78** Wilfredo Gómez [24,c]. **79, 80** R. Cardona [22,b]. **80** W. Gómez [24,c]. **81** Sergio Palma [19,b]. **82** W. Gómez [24,c]. **83** Aldo Cruz [35,b], Bobby Berna [7,e]. **84** Loris Stecca [16,c], Seung-In Suh [21,e], Victor Callejas [24,b], Jaime Garza [c], Juan Meja [c]. **85** Kim-Ji-Won [21,e], V. Callejas [24,b], Guadalupe Pintor [11,c], J. Meza [c], G. Pintor [11,c]. **86** Samath Payakaroon [20,c], Kim-ji-Won [21,e]. **87** Louis Espinoza [c], Jeff Fenech [15,c], Sung-Hoon-Lee [21,e], Julio Gervacio [35,b]. **88** Daniel Zaragoza [11,c], Juan José Estrada [11,b], José Sanabria [27,e]. **89** *Fabrice Bénichou* [2,e], J. J. Estrada [11,b], Kenny Mitchell [f], Daniel Zaragoza [11,c], Valerio Nati [16,f]. **90** Welcome N'cita [14,e], Orlando Fernández [24,f], Luis Mendoza [22,b], Pedro Decima [19,c]. **91** Kiyoshi Hatanaka [18,c], L. Mendoza [22,b], Jesse Benavides [f], Raúl Perez [11,b], Daniel Zaragoza [11,c], W. N'Cita [14,e]. **92** *Thierry Jacob* [2,c], Wilfredo Vasquez [24,b], W. N'Cita [14,e]. Tracy Patterson [c], Duke McKenzie [4,f], Kennedy Mc Kinney [e]. **93** W. Vasquez [24,b]. **93** T. Patterson [c], K. Mc Kinney [e], Daniel Jimenez [24,f], W. Vasquez [24,b].

Coq [1]. *Disputés* dep. 1856. **1887** Tommy Kelly. **90** George Dixon. **92** Billy Plimmer. **94** Jim Barry. **99** Terry Mc Govern. **1901** Harry Harris. **02** Harry Forbes. **03** Frankie Neil, Joe Bowker [4]. **05** Jimmy Walsh. **10** Johnny Coulon. **14** Kid Williams. **17** Peter Herman. **20** Joe Lynch. **21** P. Herman, Johnny Buff. **22** Joe Linch. **24** Abe Goldstein puis Cannonball Martin. **25** Phil Rosenberg. **27** Charles Bud Taylor [d]. **28** Bushy Graham [a]. **29** Al Brown [12]. **34** Sixto Escobar [d]. **35** Lou Salica [d], S. Escobar [24,d], Baltazar San Schilli [29]. **36** Tony Marino, S. Escobar [24]. **37** Harry Jeffra. **40** L. Salica. **42** Manuel Ortiz. **47** Harold Dade, M. Ortiz. **50** Vic Toweel [14]. **52** J. Carruthers. **53** Jimmy Carruthers [15]. **54** *Robert Cohen* [2]. **56** Mario D'Agata [16]. **57** *Alphonse Halimi* [2]. **59** Joe Becerra [11]. **61** Eder Jofre [17]. **65** Masahiko Fighting Harada [18]. **68** Lionel Rose [15]. **69** Rubén Olivares [11]. **70** Jesús Chucho Castillo [11]. **71** R. Olivares. **72** Rafael Herrera [11], Enrique Pinder [12]. **73** Romero Anaya [11,b], Arnold Taylor [14,b]. **74** Rodolfo Martinez [11,c], Soo Hawn Hong [21,b]. **75** Carlos Zarate [11,c], Alfonso Zamora [11,b]. **77, 78** Carlos Zarate [11,c]. **79, 80** Jorge Luján [11,b]. **80** Jeff Chandler, José Guadalupe Pintor [11,c]. **81** Julian Solis [24,b]. **82** J. G. Pintor [11,c]. **83** Jeff Chandler [b], Alberto Davila [c]. **84** Richard Sandoval [b], A. Davila [c]. **85** Richard Sandoval [b], Miguel Lora [22,c], Jeff Fenech [15,e]. **86** José Canizales [b], Bernado Pinango [27,b], Miguel Lora [22,c], J. Fenech [15,e]. **87** Chang-Yung-Park [21,b], Miguel Lora [22,c], Kelvin Seabrooks [e], Wilfredo Vasquez [24,b]. **88** Kelvin Seabrooks [e], Wilfredo Vasquez [24,b], Miguel Lora [22,c], Raúl Perez [11,c], Moon Sung-Kil [21,b], Orlando Canizales [e]. **89** O. Canizales [e], Israel Contera [27,f], Khaokor Galaxy [20,b], M. Sung-Kil [21,b], R. Perez [11,c], Lusito Espinoza [7,b]. **90** O. Canizales [e], R. Perez [11,c]. **91** Duke McKenzie [4,f], O. Canizales [e], I. Contrera [27,b], Joichino Tatsuyoshi [18,c]. **92** Victor Rabanales [11,c], O. Canizales [e], Rafael del Valle [24,f], Jorge Eliecer Julio [22,b]. **93** V. Rabanales [11,c], Byung Jong-Il [45,c], J. E. Julio [22,b], Rafael del Valle [24,f].

Mouche [1]. *Disputés* dep. 1916. **76** Alfonso López [12,b], M. Canto [11,c], Gustavo Espadas [11,b]. **77** G. Espadas [11,b], M. Canto [11,c]. **78** G. Espadas [11,b], M. Canto [11,c], Betulio González [27,b], M. Canto [11,c]. **79** B. González [27,c], M. Canto [11,c], Chang Hee Park [21,c], Chang Hee Park, Luis Ibarra [12,b], Chang Hee Park. **80** Kim Thae Shik [21,b], Chang Hee Park, Shoji Oguma [18,c], Tae Shik Kim [21,b], Shoji Oguma [18,c], Peter Mathebula [14,b]. **81** Shoji Oguma [18,c], Santos Laciar [19,b], Antonio Avelar [11,c], Luis Ibarra, A. Avelar, Juan Herrera [11,b]. **82** Prudencio Cardona [22,c], Santos Laciar [19,b], Freddie Castillo [11,c], S. Laciar [19,b], Eleoncio Mercedes [35,c]. **83** S. Laciar [19,b], Charli Magri [4,c], Frank Cedeno [7,c], Soo-

Chun Kwon [21,e]. **84** Koji Kobayashi [18,c], S. Laciar [b], Soo-Chun Kwon [21,e], Gabriel Bernal [11,c], Sot Chitalada [20,c]. **85** Soo-Chun Kwon [21,e], S. Chitalada [20,c], S. Laciar [6], Hilario Zapata [12,b], Chong Kwan Chung [21,e]. **86** Bi-Won Chung [21,e], H. Zapata [12,b], S. Chitalada [20,c], Hee Sup-Shin [21,e]. **87** Fidel Bassa [22,b], S. Chitalada [20,c], Dodie Penalosa [7,e], Chang-Ho-Choi [21,e]. **88** Rolando Bohol [7,e], Kim Yong-Kang [21,c], F. Bassa [22,b], Duke McKenzie [4,e]. **89** F. Bassa [22,b], S. Chilada [20,c], D. McKenzie [4,e], Kim Yong-Kan [21,c], Elvis Álvarez [22,f], Dave McAuley [4,e]. **90** S. Chilada [20,c], D. McAuley [4,e], Yol-Woo [21,b], Yukito Tamakuma [18,b], Isidro Perez [11,f]. **91** Muangchai Kittikasem [20,c], Kim Yong-Kang [45,b], D. Mc Auley [4,e], Isidro Perez [11,f]. **92** M. Kittikasem [20,c], Pat Clinton [4,f], Kim Yong-Kang [45,b], Rodolfo Blanco [22,e], Yuri Arbachakov [46,c]. Aquiles Guzman [47,b], P. Stibangprachan [20,e], David Griman [47,b]. **93** P. Stibangprachan [20,e], Youri Arbachakov [46,c].

Mi-mouche [1]. *Disputés* dep. 1975. **1975** Franco Udella [16,c], Jaime Ríos [b], Luis Esteba [27,c]. **76** J. Rios [c], L. Esteba [c], Juan José Guzmán [35,b], L. Esteba [c], Yoko Gushiken [18,b], L. Esteba. **77** Y. Gushiken [18,b], L. Esteba. **78** Y. Gushiken, Freddy Castillo [11,c], Y. Gushiken [18,b], Netrnoi Vorasing [20,c], Kim San Jun [21,c], Y. Gushiken [18,b]. **79** Kim Sung Jun, Y. Gushiken [18,b]. **80** Shigeo Nakajima [18,c], Y. Gushiken [18,b], Hilario Zapata. **81** Pedro Flores [11,b], H. Zapata [12,c], Kim Hwan-Jin [21,b], Katsuo Tokashiki [18,b]. **82** Amado Ursua [11,c], K. Tokashiki, Tadashi Tomori [18,c], K. Tokashiki, Hilario Zapata. **83** K. Tokashiki [18,b], Lupe Madera [11,b], Chang Jung Koo [21,c], Doddie Penalosa [7,e]. **84** Chang Jung-Koo [21,c], Francisco Quiroz [35,b], D. Penalosa [7,e]. **85** Joey Olivo [b], Chang-Jung-Koo [21,c], D. Penalosa [7,e], Myung-Woo Yuh [21,b]. **86** Myung-Woo Yuh [21,b], Chang Jung-Koo [21,c], Choi-Jun-Hwan [21,e]. **87** Jum-Hwan [21,e], Yuh-Myung-Woo [21,b], Chang-Jung-Koo [21,c], Choi-Jum-Hwan [21,e]. **88** Tacy Macalos [7,e], Yuh-Myung-Woo [21,b], Germán Torres [11,c]. **89** Humberto Gonzáles [11,c], M. Macalos [7,e], José de Jesús [24,f], Muancgchai Kittikasem [20,e], Yol-Woo-Lee [21,c], Yuh Myung-Woo [21,b]. **90** H. Gonzáles [11,c], Michael Carbajal [e], J. de Jesús [24,f]. **91** H. Gonzáles [11,c], Yuh Myung-Wo [45,b], M. Carbajal [e], J. de Jesús [24,f]. **92** M. Carbajal [e], Hiroki Ioka [18,b], Alli Galvez [46,g], H. Gonzáles [11,c]. **93** M. Carbajal [e,c].

Super-mouche [1]. *Disputés* dep. 1980. **80** Rafael Orono [27,c]. **81** Chul Ho Kun [21,c]. **82** Jiro Watanabe [18]. **83** Jiro Watanabe [18,b], Payao Pooltarat [20,c], Joo-Do Chun. **84** J. Watanabe [18,c,b], Joo-Do Chun [21,e], Payao Pooltarat, Kaosai Galaxy. **85** Joo-Do Chun [21,e], Kaosai Galaxy [20,b], Jiro Watanabe [18,e], Ellyas Pascal [e]. **86** Cesar Polanco [35,e], K. Galaxy [20,b], Gilberto Roman [11,c], E. Pascal [37,e]. **87** Santos Laciar [19,c], G. Román [11,c], K. Galaxy [20,b], Chang-Tae-Il [21,e], Sugar Baby Rojas [22,c], Éllyas Pical [37,e]. **88** K. Galaxy [20,b], G. Román [11,c], E. Pical [37,e]. **89** José Ruiz [24,f]. **90** K. Galaxy [20,b], E. Pical [37,e], G. Roman [11,c], Nana Konadu [25,c], Juan Polo [22,e], Moon Sung-Kil [20,c], Robert Quiroga [e]. **91** K. Galaxy [20,b], Moon Sung-Kil [20,c], R. Quiroga [e], J. Ruiz [24,f]. **92** R. Quiroga [e], Moon Sung-Kil [20,c], Johnny Bredhal [10,f], Katsuya Onizuka [18,b]. **93** Julio Cesar Borbao [11,e], M. Sung-Kil [20,c], J. Bredhal [10,f].

Paille [1]. *Disputés* dep. 1987. **1987** Iroki Ioka [18,c], Kuyung Yon-Lee [21,e]. **88** Leo Gomez [27,b], Nata Katwanchaï [20,c], Samuth Sithnarvelpol [20,e]. **89** Kim Bong-Jun [21,b], Nico Thomas [37,e], Napa Katwanchaï [20,c], S. Sithnarvelpol [20,e], Choip Jeum-Hwan [21,c], Eric Chávez [7,e], Hideyuki Ohashi [18,c]. **90** Ricardo López [11,c], Farlan Lookmingkwan [20,e], Rafael Torres [35,f]. **91** R. López [11,c], F. Lookmingkwan [20,e], Choi Hi-Yong [45,b], R. Torres [35,f]. **92** F. Lookmingkwan [20,e], Choi Hi-Yong [45,b], R. López [11,c], Manny Melchior [7,e], Rattanapol Sowvorapin [20,e]. **93** R. Lopez [11,c], Chana Parpoein [20,b], R. Sowvorapin [20,e].

Championnats professionnels

Europe

Poids lourds. 90 Jean Chanet [2], Lennox Lewis [4]. **91** L. Lewis [4]. **92** vacant. **Lourds légers. 89, 90** Anaclet Wamba [2]. **91** Johnny Nelson [4]. **92** Akim Tafer [2], Norbert Ekassi [2]. **93** Akim Tafer [2]. **Mi-lourds. 90** E. Nicoletta [2], Tom Collins [4]. **91** Gracciano Rocchigiani [43]. **92** Jevgenyil Vorobjov [44]. **Super-moyens. 90** Mauro Galvano [16]. **91** James Cook [4]. **92** Franck Nicotra [2], Vincenzo Nardiello [16]. **93** Ray Close [3]. **Moyens. 90** Patrizio Kalembay [16]. **91** Sumbu Kalemboy [16]. **Super-welters. 89, 90** Gilbert Delé [2]. **91** Freddy Skouma [2], Mourad Louati [34], Jean-Claude Fontana [2]. **92** F. Skouma [2], L. Boudouani [2]. **93** L. Boudouani [2]. **Welters. 90** Antoine Fernandez [2], Kirkland Laing [4]. **90, 91, 92** Patrizio Oliva [16]. **92** Tex N'Kalankete [2], Ludovic Proto [2]. **93** Gary Jacobs [4]. **Super-légers. 90, 91** Pat Barret [4]. **92** Valéry Kayumba [2], François Fico [2]. **93** V. Kayumba [2]. **Légers. 89, 90** Policarpo Diaz [29]. **91** Antonio Renzo [16]. **92, 93** J.-Baptiste Mendy [2]. **Super-plume. 89, 90, 91** Daniel Londas [2]. **92** Jimmy Bredhal [10], Regilio Tuur [34]. **93** Jacobin Yoma [2]. **Plume. 89, 90** Paul Hodkinson [4]. **91, 92** Fabrice Benichou [2], Maurizio Stecca [16]. **93** Hervé Jacob [2], M. Stecca [16]. **Coq. 90** Duke McKenzie [4], Thierry Jacob [2]. **91** T. Jacob [2]. **92** Johnny Bredhal [10]. **93** Vincenzo Belcastro [16]. **Mouche. 90** Pat Clinton [4]. **91, 92** Salvatore Fanni [16], Reagan [4].

France

Poids lourds. 78, 79, 80, 81 Lucien Rodriguez. **85** Dominique Nato. **86** Taoufik Balbouli. **87** Damien Marignan. **88, 89** Jean Chanet. **90** Vacant. **91** Jean Weis. **92** François Yrius. **Lourds-légers** (*créés* 1987). **87** Babouli. **89** vacant. **90** Akim Tafer. **Mi-lourds. 78, 79, 80, 81** Hocine Tafer. **83, 84, 85, 86** Richard Caramanolis. **87** Rufino Angulo. **88** R. Caramanolis. **89** Eric Nicoletta. **90** Christophe Girard. **91** Fabrice Tiozzo. **92** Christophe Girard. **Super-moyens. 90** Étienne Obertan. **91, 92, 93** Robert Boudouani. **Moyens. 78, 79** Gratien Tonna. **80, 81** Jacques Chinon. **83** Pierre-Frank Winterstein. **85, 86, 87** Pierre Joly. **88** André Mongelema. **89** Frédéric Sellier. **90, 91** Bertin M'Bayo. **92** Alain Seillier. **Super-welters. 84** Germain Le Maître. **85** Saïd Skouma. **86** Yvon Segor. **87** René Jacquot. **88, 89** Gilbert Delé. **90** Jean-Claude Fontana. **91** Martin Camara. **92** Bernard Razzano. **Welters. 84** Jean-Marie Touati. **85** Brahim Messaoudi. **86, 87** J.-M. Touati. **88** Alain Cuvillier. **89** Daniel Bicchieray. **90** Charles Baou. **91** Ludovic Proto. **92** Daniel Bicchieray. **Super-légers. 77** Claude Lormeau. **79** vacant. **80** Jo Kimpuani. **84, 85, 86** Tex N'Kalankete. **87** Karim Rabbi. **88** Madjib Madjoub. **89** Roland Leclercq. **90** Jean-Pierre Scigliano. **91** Karim Rabbi. **Légers. 78, 79, 80** Didier Kowalski. **83, 84, 85** Frédéric Geoffroy. **86** Alain Simoes. **87, 88** Maillot. **89** A. Simoes. **90** Angel Mona. **91** Jean-Baptiste Mendy. **92** Charles Baou. **Super-plume. 78** Roger Martin, Georges Cotin puis Maurice Apeang. **79, 80** Charles Jurietti. **81** Francis Bailleul. **83, 84** Michel Siracusa. **85, 86** Daniel Londas. **89** vacant. **90** Jacobin Yoma. **91, 92** Areski Bakir. **Plume. 78** Michel Lefebvre. **79** Gérard Jacob. **80** Laurent Grimbert. **81** Guy Caudron. **82, 83** Kamel Djadda. **84, 85** Farid Gallouze. **86** Marc Amand. **87** Bruno Jacob. **88** Farid Benredjeb. **89, 90, 91** Guy Bellehigue. **92** Mehdi Labdouni. **92** Guy Bellehigue. **Coq. 79, 80** Guy Caudron, **81** Jean-Jacques Souris. **85** vacant. **86** Louis Gomis. **87** Thierry Jacob. **88, 89** Alain Limarola. **90, 91** Lionel Jean. **93** Akim Ouchen. **Mouche. 79, 80** vacant. **81** Dominique Piedeleu. **83** Antoine Montero. **85** Alain Limarola. **86** vacant. **87** Limarola. **89, 90, 91** vacant.

Championnats amateurs

Nota. – (1) USA, (2) Cuba, (3) ex-URSS, (4) Canada, (5) Yougo., (6) All. dém., (7) Roumanie, (8) Uruguay, (9) Nigeria, (10) Porto Rico, (11) Corée du S., (12) Pologne, (13) Kenya, (14) Bulgarie, (15) It., (16) Hongrie, (17) P.-Bas, (18) Irlande, (19) Roumanie, (20) Suède, (21) All. dep. 91, (22) France, (23) Nigeria.

Jeux Olympiques. Voir p. 1541.

Monde. *Créés* 1974. Tous les 4 ans. **Poids super-lourds. 82** Biggs [1], **86** Stevenson [2], **89, 91, 93** Balado [2]. **Lourds. 74, 78** Stevenson [2], **82** Yagubkin [3], **86, 89, 91, 93** Savon [2], **93** Jacobs [13]. **Mi-lourds. 74** Parlov [5], **78** Soria [2], **82, 86** Romero [2], **89** Maske [6], **91** May [21], **93** Gargey [8]. **Moyens. 74** Riskiyev [3], **78** Gomez [2], **82** Comas [2], **86** Allen [1], **89** Kurnyavka [3], **91** Russo [15], **93** Hernandez [8]. **Super-mi-moyens. 74** Garbey [2], **78** Savchenko [3], **82** Koshkin [3], **86** Espinosa [2], **89** Akopkokhyan [3], **91** Lemus [2], **93** Vastag [49]. **Mi-moyens. 74** Correa [2], **78** Rachov [3], **82** Breland [1], **86** Gould [1], **89** Vastag [7], **91** Sierra [2], **93** Hernandez [8]. **Super-légers. 74** Kalule [8], **78** Lvov [3], **82** Garcia [2], **86** Shishov [3], **89** Ruzhnikov [3], **91** Czyu [3], **93** VInent [8]. **Légers. 74** Solomin [3], **78** Andeh [23], **82** Herrera [2], **86** Horta [2], **89** Gonzalez [2], **91** Rudolph [21], **92** Austin [8]. **Plume. 74** Davis [1], **78** Herrera [2], **82** Horta [2], **86** Banks [1], **89** Khamatov [3], **91** Kirkorov [14], **93** Todorov [48]. **Coq. 74** Gomez [10], **78** Horta [2], **82** Favors [1], **86** Sung-Kil [11], **89** Carrion [2], **91** Todorov [14], **93** Christov [48]. **Mouche. 74** Rodriguez [2], **78** Srednicki [12], **82** Alexandrov [3], **86** Reyes [2], **89** Arbachakov [3], **91** Kovacs [16], **93** Font [8]. **Mi-mouche. 74** Hernandez [2], **78** Muchoki [13], **82** Mustafov [14], **86** Torres [2], **89, 91** Griffin [1], **93** Munchian [46].

Europe. Tous les 2 ans. **Super-lourds. 83** Damiati [15], **85** Somodi [16], **87, 89** Kadden [6], **91** Belousov [3]. **Lourds. 83, 85** Jagubkin [3], **87, 89, 91** Van der Lidje [17]. **Mi-lourds. 83** Kochanovski [3], **85** Shanovasov [3], **87** Vaulin [3], **89** Lange [6], **91** Michalczewski [21]. **Moyens. 83** Melnik [3], **85, 87, 89** Maske [6], **91** Ottke [21]. **Super-mi-moyens. 83** Laptev [3]. **85** Tirum [6], **87** Richter [6], **89, 91** Akopokhian [3]. **Mi-moyens. 83** Galkin [3], **85** Akopokhian [3], **87** Shishov [14], **89** Menheret [6], **91** Welin [20]. **Super-légers. 83** Shishov [3], **85** Melmert [6], **87** Abaddjev [14], **89** Ruznikov [3], **91** Tziu [3]. **Légers. 83, 85** Tchuprenski [14], **87** Nazarov [3], **89** Tsziu [3], **91** Nistor [19]. **Plume. 83** Nurkasov [3], **85** Hatchatrian [3], **87** Razarian [3], **89** Kirkorov [14], **91** Griffin [18]. **Coq. 83** Alexandrov [3], **85** Sinric [5], **87** Hritov [14], **89, 91** Todorov [14]. **Mouche. 83** Lessov [14], **85** Berg [6], **87** Teurs [6], **89** Arbachakov [3], **91** Kovacs [16]. **Mi-mouche. 83** Mustafov [14], **85** Bveitbart [6], **87** Munchian [3], **89** Hristov [14], **91** Marinov [14].

France. Super-lourds. 86 Tumataaroa, **87** Avac, **88** Debah, **89** Salles, **90** Kingbo, **91** Salles, **92** Avaé, **93** Tadjer. **Lourds. 85** Chanet, **86** Gitton; **87, 88** Tafer, **89** Delord, **90, 91, 92** Mendy, **93** Allouane. **Mi-lourds. 85** Macrez, **86** Le Champion, **87** Mugerin, **88** Khalid, **89** Ouedraogo, **90** Aouissi, **91** Zouglech, **92** Guilmot, **93** Zouglech. **Super-moyens. 91** Boudouani. **Moyens. 85** Tiozzo, **86, 87** Maimoun, **88** Tiozzo, **89** Grasso, **90** Hope, **91** Girard, **92, 93** Mendy. **Super-mi-moyens. 85** Dèle, **86, 87** Boudouani, **88, 89** Claudot, **90** Cherefi, **91, 92** Gomis, **93** Cissokho. **Mi-moyens. 85, 86** Boudouani, **87** Hattab, **88** Boudouani, **89** Vaste, **90** Bennagem, **91** Meunier, **92** Bennagem, **93** Cazeaux. **Super-légers. 85** Lavouiray, **86** Vaste, **87** Samalingue, **88** Proto, **89, 90** Rahilou, **91** Cazeaux, **92** Frémond, **93** Mouchi. **Légers. 85** Duarte, **86** Samalingue, **87** Merle, **88** Scigliano, **89** Yoma, **90** Cheklal, **91, 92** Wartelle, **93** Ardjouni. **Plume. 85** Tormos, **86, 87, 88** Murin, **89, 90** Lifa, **91** Lorcy, **92** Murin, **93** Chinon. **Coq. 85** T. Jacob, **86** H. Jacob, **87, 88** Augustin, **89** Vivish, **90** Wartelle, **91, 92** Medjkoune, **93** Wartelle. **Mouche. 85** Jacob, **86** Leclercq, **87** Savarino, **88, 89, 90** Desavoye, **91** Sahour, **92** Inom, **93** Guérault. **Mi-mouche. 85** Guillo, **86** Desavoye, **87** Guillo, **88** Wartelle, **89, 90** Guillo, **91** Guerault, **93** Inom.

Champions du monde français [1]

Mouche. Émile Pladner (1906-80), ch. du 2-3 au 18-4-1929 (47 j). Young Perez (Victor) (1911-42) 1931-32. **Super-coq WBC.** Thierry Jacob (n. 8-3-65), 1992. **Coq.** Robert Cohen (n. 1930) 1954 et 56. Alphonse Halimi (n. 1932) 1957 et 60. **Super-plume WBO.** Daniel Londas (n. 17-5-54), 1992. **Plume.** Eugène Criqui (1893-1977) 2-6-1923. André Routis (1900-69) 1928-29. **Moyens.** Marcel Thil (1904-68) 1932 et 37. Édouard Tenet (n. 1907) 1937. Marcel Cerdan (22-7-1916/27-10-49) 1948-49 ; sur 108 combats professionnels entre 1936 et 49, il ne fut battu que 4 fois. **Super-moyen.** Christophe Tiozzo (n. 1-6-63) 1990 (WBC). **Mi-lourds.** Georges Carpentier (1894-1975) 1920-22. Battling Siki (Louis Phal) (1897-1950) 1922. **Super-welters WBC.** René Jacquot (n. 28-7-1961), ch. du 11-2 au 8-7-1989. Gilbert Delé (n. 1-1-1961) 1991 (WBA). **Super-coq IBF.** Fabrice Bénichou (n. 5-4-1965) 1989. **Lourd-léger WBA.** Taoufik Balbouli (n. 10-4-1959) 1989. **Lourd-léger WBC.** Anaclet Wamba (n. 6-1-1960), 1991.

Nota. – (1) Champions du monde de l'International Boxing Union (sauf indication contraire).

Boxe française

Généralités

Histoire. 1820 née dans le faubourg parisien de la Courtille, elle s'appelait alors la *« savate »,* ou le *« chausson »* lorsqu'il s'agissait d'enseignement militaire **V. 1830** après avoir étudié la boxe anglaise à Londres, Charles Lecour ajoute la technique des poings à celle des pieds et crée la boxe française. **1877** Joseph Charlemont (1839-1914) publie le 1er livre technique de boxe française. **1899** combat historique de Charlemont (qui l'emporta) contre l'Anglais Jerry Driscoll, champion de boxe anglaise. **V. 1900** enseignée dans armée, écoles et sociétés sportives, devient sport national. **V. 1940** concurrencée par la boxe anglaise professionnelle, décline. **1965** renouveau. **1973** *9-12 Féd. nat. de boxe fr.* créée deviendra en 1976 la *Féd. fr. de boxe française-savate et disciplines assimilées* (25, bd des Italiens, 75002 Paris). **1985** *23-3 Féd. internat. de boxe fr.-savate* créée.

Pays pratiquants : Algérie, All., Angleterre, Argentine, Australie, Belgique, Brésil, Bulgarie, Cameroun, Canada, Chine, Croatie, Espagne, *France*, Hongrie, Ile Maurice, Italie, Liban, Madagascar, Maroc, P.-Bas, Pologne, Portugal, Roumanie, Sénégal, Suède, Suisse, Turquie, ex-URSS, USA. **Pratiquants célèbres :** Alexandre Dumas, Eugène Sue, Théophile Gautier, Honoré Daumier, Courteline, Georges Carpentier, Hemingway, etc.

Licenciés et clubs. *1975 :* 3 000 l. (120 c.). *78 :* 6 000 (300). *81 :* 14 000 (400). *85 :* 21 000 (590). *92 :* 22 991 (600). *93 :* 24 605 (650).

Règles

■ **Généralités. Définition :** sport de combat utilisant les pieds et le devant des poings pour donner des coups. **Enceinte** (ring) : carré de 4,90 m min. à 6 m max. de côté. Plancher recouvert de feutre et entouré de trois rangs de cordes placés à 40, 80 et 130 cm du sol. **Équipement :** *gants :* en cuir, de 6 (171 g) à 12 (342 g) onces selon les catégories, à manchettes protégeant poignet et avant-bras sur env. 10 cm. *Bandage des mains :* autorisé. *Chaussures :* en cuir, tige et empeigne souple montant jusqu'à la cheville, sans œillets, lacées de façon que le nœud soit derrière le pied. *Tenue intégrale :* fuseau d'une pièce, sans manches, couvrant le buste et les jambes. *Protections :* protège-dents, coquille, jambières, casque, protège-poitrine (pour les femmes). *Pesée :* obligatoire avant chaque rencontre.

■ **Pratiquants.** Appelés *tireur* et *tireuse.* Répartis en **catégories** selon l'âge et le poids. **Âges :** poussins 10-11 ans, benjamins(es) 12-13, minimes 14-15, cadets(tes) 16-17, juniors 18-20, seniors 21-35, vétérans + de 35. **Poids** (en kg). *Seniors messieurs et dames* mouche 48-51 inclus ; coq 51-54 ; plume 54-57 ; super-plume 57-60 ; léger 60-63 ; super-léger 63-66 ; mi-moyen 66-70 ; super-mi-moyen 70-74 ; moyen 74-79 ; mi-lourd 79-85 ; lourd + de 85. Répartis aussi en **grades** selon les progrès techniques et la valeur en compétition. **Degrés techniques.** *1er degré :* gant bleu ; *2e :* vert ; *3e :* rouge ; *4e :* blanc ; *5e :* jaune ; *6e :* gant argent technique 1er degré ; *7e :* GAT 2e degré ; *8e :* GAT 3e degré. **Valeur combative.** *1er degré :* gant de bronze ; *2e :* gant argent compétition 1er degré ; *3e :* GAC 2e ; *4e :* GAC 3e ; *5e :* GAC 4e ; *6e :* GAC 5e. *Grades honorifiques :* gant vermeil et g. d'or. Indiqués par un bracelet de 2 cm de large de couleur, cousu autour du gant droit.

■ **Classement.** En séries, selon résultats en compétition. **Messieurs :** *4 séries :* 3e série (assaut), 2e (combat 2e série), 1re et série nationale (combat). **Dames :** *4 séries :* 3e, 2e (assaut), 1re et série nat. (assaut et combat avec protections ; protège-tibias et casque).

■ **Technique. Coups de pieds :** *3 principes :* fouetté, jeté-direct et balancé ; *6 catégories :* fouetté, revers fouetté, chassé, revers balancé, revers groupé, coup de pied bas. **Coups de poings :** *2 principes :* jeté-direct et balancé ; *4 catégories :* direct, crochet, uppercut, swing. **Interdictions :** coups donnés à la nuque, à l'arrière et au-dessus de la tête, au triangle génital, au dos, et pour les femmes à la poitrine. Au début du combat, on se place en *garde.*

■ **Rencontres.** 3 sortes selon le niveau technique. *Assaut,* jugé sur technique et précision des coups portés. *Combat 2e série,* ajoute à l'assaut une énergie suffisante pour que les coups soient portés avec efficacité (port du casque et des jambières obligatoire). Hors-combat possible, noté de 0 à 6 pour la technique et le style, et de 0 à 4 pour la combativité et l'efficacité. *Combat 1re série et série nat. ;* port du casque et des jambières interdit, même critère de jugement, mais à partir d'un jugement de valeur étalonné de 1 à 3 par reprise. *Duo,* évolution à 2 (hommes, dames, mixte), basé sur la coopération technique. Se déroulent en 2, 3, 4 ou 5 reprises de 1 min 30 ou 2 min séparées par un *arrêt* de 1 min. Exemples : seniors hommes : 5 reprises de 2 min en série nat. et rencontres internat. ; dames : 4 r. de 2 min en champ. de France. **Décisions.** Victoire par hors combat ou « aux points », match nul ou non-combat, arrêt de l'arbitre, abandon, disqualification.

Résultats

■ **Coupe du Monde. Messieurs.** *Créée* 1989. **Coq 89** Balog [5]. **Super-plume 89** Farina [1]. **Super-léger 89** Fourrier [1]. **Mi-moyen 89** Eguzkiza [3]. **Moyen 89** Hoost [4]. **Mi-lourd 89** Simmons [6].

■ **Championnats du Monde. Messieurs.** *Créés* 1991. **Coq 91** Dobaria [1]. **Plume 91** Skalecki [1]. **Super-plume 91** Farina [1]. **Léger 91** Soncourt [1]. **Super-léger 91** Pennacchio [1]. **Mi-moyen 91** Panza [1]. **Super-mi-moyen 91** Teyssen [4]. **Moyen 91** Germany [1]. **Mi-lourd 91** Gottfrois [1]. **Lourd 91** Gordeau [4].

■ **Championnats d'Europe. Messieurs.** *Créés* 1970. **Coq 86** non disputé. **88** Sabatier [1]. **90** Dobaria [1]. **92** Kolovlev [8]. **Plume 86** Peltier [1]. **88, 90** Skalecki [1]. **92** Boukhari [1]. **Super-légers 86** Leduigou [1]. **88, 90** Fourrier [1]. **92** Pennacchio [1]. **Légers 86, 88** Sylla [1]. **90** Soncourt [1]. **92** Chouaref [1]. **Moyens 86** Ducros [1]. **88** Hoost [4]. **90** Postel [1]. **92** Barrato [1]. **Mi-moyens 86** Hyppolyte [1]. **88, 90** Panza [1]. **92** Salvador [1]. **Super-mi-moyens 86** Noccentini [2]. **88** May [1]. **90** Umek [7]. **92** El Mouhoud [1]. **Super-plume 86** Mercadier [1]. **88** Benghafour [1]. **90** Farina [1]. **92** Sansse [1]. **Mi-lourds 86, 88** Holland [4]. **90, 92** Gottfrois [1]. **Lourds 86** Brunet [1]. **88, 90** Gordeau [4]. **92** Roger [1].

Nota. – (1) France. (2) Italie. (3) Esp. (4) P.-Bas. (5) Hongrie. (6) USA. (7) Belg. (8) ex-URSS.

■ **Championnats de France. Messieurs.** *Créés* 1965. **Mouche. 93** Fuentes. **Coq 82** Guillard. **83** Oulieu. **84** Mezière. **85, 86** Borg. **87** Djadda. **88** Saïdani. **89** Tremel. **90, 91** Dobaria. **92, 93** Boucher. **Plume 82** Benketache. **83** Abella. **84** Djadda. **85, 86** Abella. **87** Angielzik. **88, 89, 90, 91** Skalecki. **92** Masdoua. **93** Boukari. **Super-plume 82** Marie. **83** Benghafour. **84** Mezaache. **85, 86, 87** Benghafour. **88** Dreinaza. **89** Farina. **90** Chouaref. **91, 92** Farina. **93** Deliron. **Légers 82** Sylla. **83** Mouth. **84, 85, 86, 87, 88** Sylla. **89** Soncourt. **90** Nisole. **91** Soncourt. **92, 93** Chouaref. **Super-légers 82, 83, 84** Dakhlaoui. **85, 86** Leduigou. **87** Dakhlaoui. **88** Fourrier. **89** Pennacchio. **90** Fourrier. **91, 92** Pennachio. **93** Younsi. **Mi-moyens 82** Santoncini. **83** Favre. **84** Santoncini. **85, 86** Malis. **87, 88, 89** Panza. **90** Benard. **91** Le Bellour. **92, 93** Salvador. **Super-mi-moyens 82, 83, 84** Paturel. **85, 86** May. **87** Ortega. **88** May. **89** Félicie-Dellan. **90** Bentayeb. **91** May. **92** Aït El Mouhoud. **93** Zinghem. **Moyens 82** Tardits. **83** Ducros. **84, 85, 86, 87, 88** Postel. **89** Ducros. **90, 91, 92, 93** Germany. **Mi-lourds 82, 83, 84, 85, 86, 87, 88** Mazoué. **89** Deviveiros. **90, 91, 92** Gottfrois. **93** Simon. **Lourds 82** Chebab. **83** non disp. **84, 85, 86** Bangui. **87** Gabriel. **88** Farcy. **89** Duquesnoy. **90** Lefort. **91** Delors. **92, 93** Roger.

Dames. *Créés* 1982. **Mi-légères 85** Vernet, **87, 88** Le Louer. **89, 90** non disp. **91, 92** Le Louer. **93** Matile. **Mouche 85** Pelletier. **87** Skalecki. **88** Perrotel. **89** Le Louer. **90** Skalecki. **91, 92, 93** Ducros. **Coq 85** Quaglino. **87** Suire. **88** Joseph. **89** Skalecki. **90** Perrotel. **91** Joseph. **92** Perrotel. **93** Joseph. **Plume 85** Zephir. **88** Gueusguin. **89, 90** Joseph. **91** Suire. **92** Joseph. **93** Suire. **Super-plume 85** Plano. **88** Zephir. **89, 90** Gueusguin. **91** Detant. **92** Geusquin. **93** Dufant. **Légères. 89** Henin. **90, 91** Geiger. **Super-légères 89** Braun. **90** non disp. **91** Braun. **92, 93** Geiger.

Canne et bâton

■ **Canne de combat.** *Origine :* France. Sport pratiqué avec une tige de châtaignier de 95 cm de long, poids 120 à 125 g, sous forme d'assauts de plusieurs reprises de 2 min (2, 3 ou 4 pour les finales hommes) ; 1 arbitre et 3 juges ; le gagnant est celui qui a réussi le plus grand nombre de touches valables. *Coups principaux :* brisé, croisé tête, croisé bas, latéral croisé, latéral extérieur, enlevé. *Zones de frappe :* tête, flancs (hommes), jambes. *Protections obligatoires :* casque avec bourrelets spéciaux, gants avec manchette renforcée, tunique et pantalon matelassés, coquille. **Licenciés en France** (1991) 1 500. **Clubs** (1991) 103.

Championnat de France. *Créé* 1981. **Messieurs : 81, 82** M. Boréanaz. **83** Rozier. **84** Marra. **85** Filipowski. **86** M. Debille. **87** B. Dubreuil. **88** M. Debille. **89** Dubreuil. **90** Aguesse. **91** Dubreuil. **92, 93** Haouzi. **Dames : 83, 84** Borril. **85, 86, 87** Lebrun, **88, 90, 91, 92** Delclos. **93** Perdreau.

■ **Bâton français.** Même maniement. Pratiqué à 2 mains, avec un bâton en châtaignier d'1,40 m de long tenu à une extrémité. Poids : 350 à 400 g. Pas de compétitions, uniquement entraînement et démonstration.

■ **Comité national de canne et bâton,** 25, bd des Italiens, 75002 Paris.

Canoë-kayak

Histoire

Origine. Canoë : Indiens du Canada qui l'utilisaient comme moyen de transport ; creusé dans un tronc, puis fait en écorce de bouleau et en résine ; position à genoux ; mû par 1 ou 2 équipiers armés d'une pagaie simple. **Kayak :** Esquimaux du Groenland, d'Alaska et du Labrador qui l'utilisaient pour la chasse et la pêche ; armature en os de renne et en bois recouverte de peau de phoque ; ponté, muni d'une jupe imperméable serrée à la taille, ce qui permet de chavirer et de se rétablir *(esquimautage)* ; position assise ; mû par 1 équipier armé d'une pagaie double. En eaux vives, depuis qu'ils sont construits en résine, les canoës esquimautent aussi.

1865 introduits en Europe par l'Écossais John MacGregor († 1891). **1924**-*19/20-1 Internationale Representantschaft für Kanusport ;* **1946**-*9-6* devient la *Féd. internat. de canoë.* **1931**-*21-7 Féd. française.*

Disciplines

☞ *Légende.* – C : canoë, K : kayak ; le chiffre indique le nombre d'équipiers. Dames en K seulement.

■ **Course en ligne.** Parcours d'une certaine distance, en opposition directe avec les autres concurrents, le plus rapidement possible. En eau calme. Pour le sprint (500 et 1 000 m), 9 couloirs délimités par des bouées. Pour le fond (10 000 m), boucle de 2 000 m env.

Bateaux (long. max. en cm, en ital. larg. min. en cm, entre parenthèses poids min. en kg). **K1** 520 *51* (12), **K2** 650 *55* (18), **K4** 1 100 *60* (30), **C1** 520 *75* (16), **C2** 650 *75* (20), **C4** 650 *85* (35).

Épreuves. JO. Voir p. 1542. *Résultats :* en temps. **Records** JO *1980,* lors du 1 000 m, K 4 soviétique, 250 premiers m à 21,15 km/h. *1988,* K 4 hongrois, 1 000 m en 3'0"20 soit 19,98 km/h.

■ **Slalom.** Parcours avec le minimum de pénalités et dans le temps le plus court, contre la montre, en eaux plus ou moins agitées suivant le niveau de la compétition. Distance de 600 m max. comportant 25 portes max. (voir vocabulaire). Durée 3 à 4 min. 2 manches : seule la meilleure est retenue pour le classement final. **Bateaux** (long. minimum en cm, en ital. larg. min. en cm, entre parenthèses poids minimum en kg). **K1** 400 *60* (9), **C1** 400 *70* (10), **C2** 458 *80* (15). Casque et gilet de sauvetage obligatoires. Bateaux rendus insubmersibles et munis de poignées à la poupe et à la proue pour la sécurité.

Épreuves. JO (voir p. 1542). **Ch. du monde** voir p. 1458. *Résultats :* en points = temps de parcours en secondes + pénalisations (5 ou 50 points par faute commise).

■ **Descente.** Appelée *course en rivière sportive.* Parcours, contre la montre, d'une portion de rivière mouvementée (eau vive) en descendant le courant. Une manche de 3 à 5 km. Dure environ 20 min. **Bateaux** (long. max. en cm, en ital. larg. min. en cm, entre parenthèses poids min. en kg). **K1** 450 *60* (10), **C1** 430 *70* (11), **C2** 500 *80* (18). Casque et gilet de sauvetage obligatoires. Bateaux insubmersibles, poignées à la proue et à la poupe pour la sécurité. **Épreuves. Ch. du monde.** Résultats : en temps.

■ **Kayak-polo. Équipes :** 2 de 5 joueurs doivent marquer des buts en poussant la balle avec leur pagaie ou leurs mains. **Plan d'eau** (en extérieur ou piscine) de 20 m sur 40 m. **Buts** cadre de 1 m de côté à travers lequel le ballon doit passer. **Kayak :** 2,50 à 3 m de long, 50 à 60 cm de large, min. 10 kg. **Ballon** de football en mat. synthétique. 2 mi-temps de 5 min. **Casque** et gilet de sauvetage oblig. + pagaies de sécurité.

■ **Disciplines diverses. Canotage. Marathon :** canoë ou kayak sur rivières de classe I et II, 20 à 40 km, parfois 400 km. **Randonnée nautique :** canoë ou kayak. Sur rivières de classes I à III, fleuves, canaux et lacs. **Activités d'eau vive :** sur rivières de classes III et IV tourisme sportif, et V et VI haute rivière et saut de chutes. **Kayak de mer :** randonnée le long des côtes ou traversée. Bateau de 5 m à étrave relevée, équipé de caissons étanches, lignes de vie, pagaies de rechange. **Kayak de vague ou surf sur les vagues :** bateau de 2 à 2,50 m, muni d'ailerons. Mêmes figures que celles des surfers. **Expéditions.**

☞ **Classification des rivières :** *I* eau courante, *II* eau vive, *III et IV* haute rivière, *V* rivière extrême (pour audacieux et entraînés), *VI* à la limite des possibilités humaines et matérielles.

Vocabulaire

Appel : manœuvre provoquant le déplacement latéral du bateau vers le point où la pagaie appuie dans l'eau. **Appui :** appui d'une face de la pagaie sur la surface de l'eau. **Arrêt contre-courant :** arrêt dans une zone de contre-courant afin de faire demi-tour vers l'amont. **Bac :** partir d'un point situé sur une rive en vue d'en atteindre un autre sur l'autre rive, situé à la même hauteur. **Contre-courant :** courant en sens inverse du fil principal de l'eau et situé derrière un obstacle. **Dénager :** aller en arrière. **Écart :** manœuvre provoquant le déplacement latéral du bateau qui se trouve chassé par le travail de la pagaie contre son franc-bord (ou tout près de celui-ci). **Esquimauter :** après chavirage, ne pas quitter son bateau et le rétablir en position de navigation par mouvements synchronisés du corps et de la pagaie. **Gîter :** incliner son bateau dans le sens latéral. **Jupe ou jupette :** toile plastifiée fixée autour de la taille et sur le bateau pour assurer l'étanchéité. **Porte (en slalom) :** plan figuré par 2 perches suspendues au-dessus de l'eau par une potence attachée à une girafe ou à un câble allant d'une rive à l'autre. Si les 2 perches sont annelées vert et blanc, la porte doit être passée en descendant le courant ; rouge et blanc, passée en remontant le courant. Chaque porte montre un numéro dans le sens du passage qui indique l'ordre dans lequel les portes doivent être passées. La position du bateau pénétrant dans la porte est au gré du concurrent (par la poupe ou la proue). **Propulser :** aller de l'avant.

Reprise de courant : quitter une zone de contre-courant pour regagner le courant principal en faisant un demi-tour vers l'aval.

RÉSULTATS

☞ *Légende.* – (1) ex-URSS. (2) All. dém. (3) G.-B. (4) N.-Zél. (5) Australie. (6) All. féd. (7) Hongrie. (8) USA. (9) France. (10) Roumanie. (11) Norvège. (12) Tchécosl. (13) Suède. (14) Youg. (15) Canada. (16) Danemark. (17) Bulgarie. (18) Italie. (19) All. dep. 1991. (20) Espagne. (21) Rép. Tch.

☞ **Jeux olympiques** (voir p. 1542).

CHAMPIONNATS DU MONDE

En ligne (tous les ans, sauf lors des JO) dep. 1938. *Slalom* dep. 1949 (tous les 2 ans) et *descente de rivière* dep. 1959 (tous les 2 ans, années impaires). Seniors des 2 sexes sans limitation inférieure d'âge.

■ **Course en ligne.** *Créées* 1938. **Messieurs. Sur 500 m. K 1. 81, 82, 83** Parfenovitch [1]. **85** Stahle [2]. **86** West [3]. **87** McDonald [4]. **89** Hunter [5]. **90** Kalesnik [1]. **91** Crichlow [15]. **K 2. 81, 82** Parfenovitch-Superata [1]. **83** Fischer-Wohllebe [2]. **85** Ferguson-Mc Donald [4]. **86** Scholl-Pfrang [6]. **87** Csipes-Fidel [7]. **89** Bluhm-Gutsche [2]. **90** Kalesnik-Tischenko [1]. **91** Roman-Sanchez [20] **K 4. 81, 82** URSS. **83, 85, 86** All. dém. **87, 89, 90** URSS. **91** All. **C 1. 81, 82** Heukrodt [2]. **83** Olaru [10]. **85, 86, 87** Heukrodt [2]. **89, 90, 91** Slivinskiy [1]. **C 2. 81** Foltan-Vaskuti [7]. **82, 83** Ljubek-Nisovic [14]. **85, 86** Sarusi-Vaskuti [7]. **87** Libik-Smith [15]. **89, 90** Juravskiy-Reneyskiy [1]. **91** Palisz-Szabo [7]. **C 4. 89, 90, 91.** URSS.

Sur 1 000 m. K 1. 81, 82, 83 Helm [2]. **85** Csipes [7]. **86** West [3]. **87** Barton [8]. **89** Gyulay [7]. **90, 91** Holmann [11]. **K 2. 81, 82** Parfenovitch-Superata [1]. **83** Fischer-Wohllebe [2]. **85** Boccara-Boucherit [9]. **86** Stoain-Velea [10]. **87** Ferguson-Mc Donald [4]. **89, 90, 91** Bluhm-Gutsche [2,19]. **K 4. 81** All. dém. **82** Suède. **83** Roumanie. **85** Suède. **86, 87, 89, 90, 91** Hongrie. **C 1. 81** Papki [2]. **82** Schmidt [2]. **83** Baresa [1]. **85** Klementiev [1]. **86** Marencu [10]. **87** Heukrodt [2]. **89, 90, 91** Klementiev [1]. **C 2. 81, 83** Patzaichin-Simionov [10]. **82** Kis-Jaldu [7]. **85** Heukrodt-Schuck [2]. **86** Kis-Vaskuti [7]. **87** Gurin-Weshko [1]. **89** Frederiksen-Nielson [16]. **90, 91** Papke-Spelly [2,19]. **C 4. 89, 90, 91** URSS.

Sur 10 000 m. K 1. 81 Ramussen [11]. **82** Janic [10]. **83** Ramussen [11]. **85** Barton [8]. **86** Csipes [7]. **87** Barton [8]. **89** Szabo [12]. **90** Boccara [9]. **91** Barton [8]. **K 2. 81** Asipkovitch-Romanovski [1]. **82** Lefoulon-Bregeon [9]. **83** Jackson-Williams [3]. **85** Berger-Edholm [13]. **86** Kulcsar-Gindl [7]. **87** Boccara-Boucherit [9]. **89** Abraham-Hodosi [7]. **90** Lawler-Bourne [3]. **91** Boccara-Boucherit [9]. **K 4. 81, 82, 83** URSS. **85** Hongrie. **86, 87, 89, 90** URSS. **91** All. **C 1. 81, 82** Wichmann [7]. **83, 85** Vrolovec [12]. **86** Macarencu [10]. **87** Heukrodt [2]. **89** Klementiev [1]. **90, 91** Bohacs [7]. **C 2. 81, 82** Patzaichin-Simionov [10]. **83** Buday-Vaskuti [7]. **85** Ljubek-Nisovic [14]. **86** Kis-Vaskuti [7]. **87** Gurin-Weshko [1]. **89, 90** Frederiksen-Nielson [16]. **91** Gyulay-Petervari [7].

Dames. *Créées* 1938. **Sur 500 m. K 1. 81, 82, 83, 85** Fischer [2]. **86** Gesheva [17]. **87** Schmidt [2]. **89** Borchert [2]. **90** Idem [18]. **91** Borchert [19]. **K 2. 81** Kuhn-Fischer [2]. **82** Fischer-Streussel [2]. **83, 85** Kuhn-Fischer [2]. **86** Povazsan-Meszaros [7]. **87** Schmidt-Notnagel. **89** Notnagel-Singer [2]. **90, 91** Von Seck-Portwich [2]. **K 4. 81, 82, 83, 85** All. dém. **86** Hongrie. **87, 89, 90** All. dém. **91** All.

Sur 5 000 m. K 1. 89, 90 Borchert [2]. **91** Idem [18]. **K 2. 89** Bunke-Portwich [2]. **90, 91** Portwich-Von Seck [2,19].

■ **Slalom. Messieurs. K 1. 81, 83, 85** Fox [3]. **87** Prijon [9]. **89** Fox [3]. **91** Pearce [3]. **93** Fox [3]. **K 1 équipes. 81, 83** G.-B. **85** All. féd. **87** G.-B. **89** Youg. **91** Fr. **93** G.-B. **C 1. 81, 83** Lugbill [8]. **85** Hearn [8]. **87, 89** Lugbill [8]. **91, 93** Lang [19]. **C 1 équipes. 81, 83, 85, 87, 89, 91** USA. **93** Slovénie **C 2. 81** Garvis-Garvis [8]. **83** Haller-Haller [8]. **85** Kuppers-Klein [6]. **87** Calori-Calori [9]. **89** Hemmer-Loose [6]. **91** Adisson-Forgues [9]. **93** Simek-Rohan [21]. **C 2 équipes. 81** G.-B. **83, 85** Tchéc. **87, 89, 91** France. **93** Rép. Tch. **Dames. K 1. 81** Deppe [6]. **83** Scharmann [3]. **85** Messelhausser [6]. **87** Scharmann [3]. **89** Jerusalmi [9]. **91** Micheler [19]. **93** Jerusalmi [9]. **K 1. équipes. 81, 87** All. féd. **83, 85, 89, 91, 93** France. **Mixtes. C 2. 81** G.-B. **83** Youg. **85** Tchéc. **87, 89, 91** France.

■ **Descente de rivière. Messieurs. K 1. 81** Benezit [9]. **83, 85** Previde [18]. **87** Goetchy [9]. **89** Previde [18]. **91** Gickler [19]. **K 1 équipes. 81, 87, 89** France. **83, 85** All. féd. **91** It. **C 1. 81, 83, 85, 87** Zok [9]. **89** Jelenc [14]. **91** Crnkovic [14]. **C 1 équipes. 81, 83, 85, 89** France. **87** All. féd. **91** Youg. **C 2. 81** Hayne-Jacquet [9]. **83** Madore-Lieupart [9]. **85, 87** Durand-Ponchon [9]. **89** Masle-Grobisa [14]. **91** Archambault-Caslin [9]. **C 2 équipes. 81, 83, 85** France. **87, 89** All. féd. **91** All. **Dames. K 1. 81** Gardette [9]. **83** Stupp [6]. **85** Wahl [6]. **87** Gardette [9]. **89** Kleinhenz [9]. **91** Wahl [19]. **K 1 équipes. 81, 83, 85** All. féd. **87, 89, 91** France.

CHAMPIONNATS DE FRANCE

En ligne dep. 1934, *slalom* dep. 1946, *rivière sportive* dep. 1955.

■ **Course en ligne. Messieurs. Sur 500 m. K 1. 86, 87** Lasak. **88** Boccara. **89** Lubac. **90** Aubertin. **91** Lasak. **92** Lioult. **K 2. 87** Petitbout-Berruyer. **91, 92** Bregeon-Berthon. **C 1. 86** Hoyer. **87, 88, 89** Boivin. **90, 91** Sylvoz. **92** Renaud. **C 2. 87** Bettin-Ruiz. **91** Bernard-Boivin. **92** S. et J. Hoyer.

Sur 1 000 m. K 1. 86 Legras. **87** Petitbout. **88** Boccara. **89** Lubac. **90** Boucherit. **91, 92** Brégeon. **K 2. 86** Bergeron-Vavasseur. **87** Petitbout-Berruyer. **88** Loridan-Henri. **91, 92** Bregeon-Berthon. **K 4. 86** ACBB. **87** Vavasseur-Legras-Berton-Duhec. **88** Beuvry ANPA. **91** Aubertin-Gentil-Rouffet-Laubignat. **92** Bregeon-Berthon-Peraux-Duhec. **C 1. 86** Hoyer. **87** Boivin. **88, 89** Hoyer. **90** Sylvoz. **91** Hoyer. **92** Sylvoz. **C 2. 86** Hoyer-Hoyer. **87** Bettin-Ruiz. **88** Pernet-Etchenagucia. **91** Bernard-Boivin. **92** Renaud-Varin. **C 4. 91** Bernard-Boivin-Huguet-Ribeiro. **92** Bettin-Aubert-Grare-Le Leuch.

Sur 10 000 m. K 1. 86 Boucherit. **90, 91** Boccara. **K 2. 86** Boucherit-Hanot. **87** Lasak-Gentil. **91** Boucherit-Briand. **92** Bregeon-Berthon. **K 4. 86** Nevers. **87** Loyau-Guerton-Gentil-Bourdellat. **91** Bregeon-Berthon-Vavasseur-Duhec. **92** Boulogne. **C 1. 86** Renaud. **90, 91** Hoyer. **C 2. 86** Hoyer-Hoyer. **87** Beffin-Ruiz. **91, 92** Hoyer-Hoyer. **C 4. 91** Bernard-Boivin-Huguet-Ribeiro. **92** Nevers.

Dames. Sur 500 m. K 1. 86 Verpy. **87** Vandamme. **88** Basson. **89** Bayle. **90, 91, 92** Goetschy. **K 2. 86, 87** Cuvilly-Vandamme. **88** Mathevon-Laurent. **91** Bregeon-Duhec. **92** Miossec-Le Roux. **K 4. 86** Boulogne SM. **87** Grosjean-Laurent-Basson-Verpy. **88** Mathevon-Laurent-Carre-Grosjean. **91** Mayer-Lutz-Bauman-Fried. **92** Bregeon-Duhec-Molveau-Chanvry.

Sur 3 000 m. K 2. 86 Cuvilly-Vandamme. **87** Grosjean-Jules. **88** Crispon-Jules. **Sur 5 000 m. K 1. 90** Jules. **91** Bregeon. **K 2. 91** Miossec-Leroux. **92** Bayle-Kunc.

■ **Slalom. Messieurs. K 1. 86** Prigent. **87** Régnier. **88** Latimier. **89** Curinier. **90** Fondeviolle. **91** Brissaud. **92** Régnier. **C 1. 86** Sennelier. **87, 88, 89** Avril. **90** Delamarre. **91** Avril. **92** Faloci. **C 2. 86** Saïdi-Delrey. **87, 88** Saïdi-Daval. **89** Daille-Lelièvre. **90, 91** Adisson-Forgues. **92** Lelann-Lefriec. **Dames. K 1. 86** Boixel. **87** Jerusalmi. **88** Loubié. **89, 90, 91** Jerusalmi. **92** Grange-Prigent. **Mixtes. C 2. 88** Houlier-Sénéchal. **89** Beloin-Delandes. **90** Gilles-Gaillot. **91** Chassigneux-Lambour.

■ **Descente de rivière. Messieurs. K 1. 86** Benezit. **87** Masson. **88** Goetschy. **89** Vitali. **90** Graille. **91** Masson. **92** Graille. **C 1. 86, 87** Zok. **88** Benamrouche. **89** Bataille. **90** Masson. **91, 92** Rouvel. **C 2. 86** Bernard-Rigaut. **87** Durand-Ponchon. **88** Alaphilippe-Puyfouilhoux. **89** Andrieux-Babin. **90** Alaphilippe-Puyfouilhoux. **91, 92** Faysse-Ross. **Dames. K 1. 86** Menetrey. **87** Bringard. **88** Kleinhenz. **89** Bringard. **90** Kleinhenz. **91, 92** Bringard. **C 2. 91, 92** Charbonnier-Saliou.

QUELQUES NOMS

Messieurs. ADISSON Frank [9] (24-7-69). ARCHAMBAULT Éric [9]. BARTON Greg [8] (1960). BENEZIT Claude [9] (2-9-55). BETTIN Joël [9] (14-12-66). BLUHM Karl [19]. BOCCARA Philippe [9] (6-7-59). BOIVIN Olivier [9] (6-6-65). BOUCHERIT Pascal [9] (7-8-59). BOUDEHEN Jean [9] (1939-82). BOUKHALOV Nikolay [17]. BREGEON Bernard [9] (6-7-62). CALORI Jacques [9] (1-4-59). CALORI Pierre [9] (1-4-59). CARLIN Thierry [9]. DRANSART Georges [9] (12-5-24). DURAND Jean-François [9] (23-7-59). EBERHARDT Henri [8] (1910-75). FERGUSON Ian [4] (20-7-52). FORGUES Wilfried [9] (22-12-69). FOX Richard [3]. FREDRIKSON Gert [13] (21-11-19). GOETSCHY Antoine [9] (27-1-63). GUTSCHE Torsten [19]. HELM Rüdiger [2] (6-10-56). HOYER Didier [9] (3-2-61). LASAK Olivier [9] (28-3-67). LEBAS Alain [9] (10-11-53). LEGRAS Daniel [9] (28-12-57). LOBANOV Youri [1] (29-9-52). LUBAC Pierre [9] (17-2-68). MASSON Yves [9] (1962). PAPKE Ulrich [19]. PARFENOVICH Vladimir [1] (2-12-58). PATZAICHIN Ivan [10] (26-11-49). PETITBOUT Christophe [9] (21-12-67). PONCHON Jean-Luc [9] (2-7-57). PREVIDE-MASSARA Marco [18]. RENAUD Philippe [9] (23-11-62). SYLVOZ Pascal [9] (31-7-65). VAVASSEUR Didier [9] (7-2-61). VERGER Luc [9] (28-5-52). ZOK Gilles [9] (25-5-54).

Dames. ARNAUD Sylvie [9] (14-5-62). BASSON Béatrice [9] (29-6-58). BREGEON Bernadette [9]. BRINGARD Aurore [9]. CUVILLY Sylvie [9] (10-1-65). FISCHER Birgit [2] (25-2-62). GARDETTE Dominique [9] (10-6-54). GRANGE Marie-Françoise [9] (9-6-61). JERUSALMI Myriam [9] (24-10-61). KLEINHENZ Sabine [9] (8-6-62). LE CANN Marie-Pierre [9] (13-3-62). PINAIEVA Ludmilla [1] (14-1-36). PORTWICH Ramona [19]. SCHMIDT Birgit [2] (25-2-62). VANDAMME Virginie [9] (19-10-66). VON SECK Anke [19]. WAHL Karin [6].

PRATIQUE

■ **Athlètes olympiques. 1988 :** *Messieurs :* Renaud, Bettin, Hoyer, Sylvoz, Lazak, Brégeon, Boccara, Boucherit, Vavasseur, Petitbout, Lubac, Legras. *Dames :* Basson, Cuvilly, Leroux, Vandamme. **Licenciés.** *1978 :* 12 659. *81 :* 23 500. *84 :* 34 300. *85 :* 43 000. *86 :* 44 000. *92 :* 24 177.

■ **Principaux sites. Course en ligne :** Marne, bassin de dérivation de Vaires/Marne (Val-de-M.), Seine, bassin de dérivation de Mantes (autour de Paris et en aval), Loire (retenue de Roanne), Allier (retenue de Vichy), Mulhouse, Nevers, Bretagne (ret. de Mur-de-Bretagne), Choisy-le-Roi (bassin nation.), Tours, Boulogne-sur-Mer (ret. du bass. à flots).

Slaloms et descente en course ou tourisme : *débit naturel :* Rouvre (Norm.), Scorff et Elle (Bret.), Cousin et Serein (Morvan), Hte-Seine et Armançon (Champ.), Petit et Grand Morin, boucles de la Marne (près de Paris), Ardèche, Tarn, Var, les Gaves, les Nives, Allier moyen et bas, Loire, Garonne. En été, riv. alpines (Durance, Severaisse, Guil, Ubaye-Dranse, Guisanne, Bonne, Arve, Giffre, Buech), riv. cévenoles (Hérault, Vis, Luech, Gardons, Cèze) et provençales (Aigues, Ouvèze, Roanne, Loup). Torrents corses (au printemps).

Débits assurés par lâchures EDF ou par délestage accidentel : Cure et Chalaux (Morvan), haut Allier, Vézère, Rhue, haute Dordogne (Massif central), Neste d'Aure (Pyrénées), Roya, Bréda, Isère, Verdon (Alpes), Orne (Normandie).

Tourisme de randonnée et découverte : Loire, courants landais, Loue, Doubs, Dordogne, Lot, Célé, Baïse, Gartempe, Aveyron, Allier, Tarn, Ardèche, Rhône (avant Lyon), Garonne (à partir de Carbonne), etc.

CHAR À VOILE

GÉNÉRALITÉS

■ **Sur glace.** Pratiqué aux P.-Bas, puis aux USA au XIXe s. Peu pratiqué en France. **Bateau sur patins.** 1er dessin connu 1768. Carcasse, avec mât orientable, glissant sur patins, voilure 7 m², 140 kg, vitesse 140 km/h. Le plus grand fut l'Icicle (21 m de long, *voilure* 99 m², en 1870). *Record* 230 km/h : John Buckstaff en 1938 aux USA (vitesse possible avec vent de 115 km/h). Peu pratiqué en France.

■ **Sur sable. Histoire. Antiquité,** Chine et Égypte. **1595** connu sur les plages de la mer du Nord. **1898** *1ers chars à voile sportifs* construits en Belgique, à La Panne, par les frères Dumont et en **1905** en France par Cazin et Blériot. **1909** *1res compétitions.* **1913** internationale à Berck, puis Hardelot, 43 pilotes dont Blériot et son « Aéroplage ». **1967** *1er raid international* (Sahara : Colomb-Béchar-Nouakchott, 2 500 km, 24 pilotes). **1969** *1re croisière des oasis* Laghouat-El Goléa via Ghardaïa (500 km) ; 12 chars, 24 pilotes ; vainqueurs : Collinet-Flament (France). **1972** Zouerate-Dakar (1 500 km) en solitaire (Christian Nau, n. 27-9-1944, à bord du Saint-Louis). **1976** volcan de la Fournaise (Réunion) par C. Nau. **1977** raid aux îles Kerguelen (C. Nau). **1983** open intern. Tunisie Speed Sail (21-28 oct.) Y. Boussenart (B.) ; raid au Groenland (C. Nau). **1985** traversée de la vallée de la Mort (USA), 170 km en 4 j, tout terrain, à la voile (60 %), en pédalant (20 %), à pied (10 %) et en escaladant (10 %) par C. Nau (*alt. :* de + de 1 000 m à – 86 m, temp. 47° à l'ombre).

Chars. Catégories. *Classe I* (voilure : 17,60 m²), *II* (11,30 m²). *III* (7,35 m², 100 kg, 180 km/h 20 000 F, pour les compétitions). *IV* (6,5 m², 60 kg, 90 km/h, 20 000 F). *V,* (5 m², 40 kg, 70 km/h, 5 000 à 12 000 F. peut être construit par un amateur), *VII* (speed sail, landboard ou planche à roulettes, planche à voile sur pneus, env. 2 500 F).

Records. Vitesse : *France* Christian Nau (107 km/h, Le Touquet, 22-3-81), *monde* Bernard Lambert (env. 151 km/h)). **Distance :** Octor-Robin-Morel (1 281 km en 24 h, 1983) ; *classe VII* Jacques Sotty (77,888 km/h sur 50 m, 1988), Jean-Christophe Villedieu (85,55 km/h sur 50 m, 1989). *Mini 4* Lucie François, Marc François et Xavier Faucon (871,6 km en 24 h les 1 et 2-3-1993).

Courses. *Sur circuit.* 6 manches de 20 à 30 min. (env. 15, 30, 40, 50 km selon la vitesse du vent). Pour championnats de France et d'Europe, possibilité d'éliminer la plus mauvaise course.

■ **Fédérations.** *Internat. de sand et land yachting* (fondée 1962) ; *fr. de char à voile* (f. 1964 ; en 1992, 80 clubs et 4 025 licenciés) ; *Speed sail* (rattachée en 1979 à la FFCV).

Nota. – **Train à voile. 1987** *mars* Christian Nau et J.-Luc Wibaux (n. 17-6-1958) traversent le Sahara mauritanien (652 km), 3 wagonnets à voile sur la voie ferrée des trains minéraliers **1988** *Nov.* traversée des Andes boliviennes (274 km), wagonnet à 2 voiles. **1989,** Nau traverse la Sierra Nevada double wagonnet à 4 voiles avec des cinéastes. **1992**-*22-2* Nau bat le record de vitesse : 71, 41 km/h sur ligne du futur TGV-Nord à Baron (Oise).

Résultats sur sable

Champions du monde en titre. Tous les 4 ans, sauf classe VII. **Messieurs. Classe II. 80** P. Demuysère (B.), **81** Ameele (B.). **III. 75** Houtseager (Belg.). **80, 81, 87** Lambert (Fr.). **IV. 80** S. Mason (G.-B.), **81** Shakleton (G.-B.). **V. 80** McCullough (Irl.), **81** White (G.-B.), **87** Krischer (Fr.). **VII. 83** Boussemard (Belg.), **84** Peckes (Belg.), **85** Gambier (Belg.), **86** annulé, **87** Six (Fr.), **88, 90, 91** Isambourg (Fr.). **Dames : 75-80** M.-P. Passet (Fr.), **81** V. Ellis (G.-B.), **87** Touati (Fr.), **90, 91** P. Isambourg (Fr.).

Champions d'Europe en titre. *Créés* 1963. **Messieurs. Classe I. 1973, 74** Bertrand Defland. Dep. 74, non disp. **II. 73** Jean-Jacques Sensey. **74, 75, 77** John Healey (G.-B.). **78** J. Lowe (USA). **79** Gasneele (B.). **81** Ameele (B.). **III. 68** Demuysere (Belg.). **69** Houillez (Fr.). **71** Grassy (All. féd.). **72** Houtseager (Belg.). **73, 74** M. Morel (Fr.). **75** A. Houtsaeger (B.). **77** R. Bellanger (Fr.). **75** N. Embroden (USA). **79, 80, 81, 82, 83** B. Lambert (Fr.). **84** Eickstaëdt (All. féd.). **85** B. Lambert (Fr.), **86** Eickstaëdt (All. féd.). **87, 88, 91, 92** Lambert (Fr.). **IV. 78** A. Descamps (Fr.). **79** S. Mason (G.-B.). **81** Schakelton (G.-B.). **V. 81, 82** White (G.-B.). **83** Normand (Fr.). **84, 85** Krischer (USA). **86** White (G.-B.). **87, 88** Krischer (USA). **91** White (G.-B.). **92** Krischer (USA). **VII. 81** Spriet (Fr.). **82** Boussemard (Belg.). **83, 84** Six (Fr.). **85** Isambourg (Fr.). **86** annulé. **87** Six (Fr.). **88, 91** Isambourg (Fr.). **92** Coppens (Belg.). **Dames : V. 73.** Dominique Sommier. **75** M.-P. Passet. **78, 79, 81** B. Ellis (G.-B.). **83** G. Wulf (All. féd.). **86** Thompson (G.-B.). **87, 88** Touati (Fr.). **VII. 88** Six (Fr.). **89, 90** Isambourg (Fr.). **91** Coppens (Belg.).

Champions de France. *Créés* 1959. **Messieurs. Classe III. 74, 75** R. Bellenger. **76** B. Lambert. **77** J.-L. Collinet. **78, 79, 80, 81, 82, 83, 84, 85, 86, 87** B. Lambert. **88** Octor. **89** Malfoy. **90, 91, 92** Lambert. **IV. 78** P. Giret. **79** D. Lemaître. **80, 81** J.-P. Ville. **V. 83** M. Garrel. **84** Krischer. **85** Vaillant. **86** Defresne. **87, 88** Krischer. **89** Saint-Venant. **90** Isambourg. **91, 92** Jack. **VII. 81, 82** Spriet. **83, 84** Six. **85, 86** Isambourg. **87** annulé. **91** Jeannessen. **92** Isambourg. **Dames. 74** V. Ribaud. **75** D. Sommier. **76** M.-P. Passet. **77** C. Collinet. **78** M.-P. Passet. **79** C. Collinet. **V. 83** P. Cautin-Bouvier. **84** M.-P. Passet David. **85, 86, 87, 88** C. Touati. **89** Saint-Venant. **VII. 86** Campion. **88** annulé. **89, 90** Isambourg. **91** Lefevre. **92** Isambourg.

Coupe du monde. Classe VII. Messieurs. 90, 91 Isambourg. **Dames. 90** Isambourg. **91** Lefevre.

Coupe d'Europe. Classe VII. Messieurs. 91 Isambourg (Fr.). **92** Coppens (Belg.). **Dames. 91, 92** Lefevre (Fr.).

Courses internationales. *6 h de Berck* 250 km, *3 h de Hardelot, rallye Wissant-Calais, Internationale « jeunes ».*

Chasse

Modes de chasse

Chasse à tir

■ **Modes.** Devant soi (billebaude), en battue, à l'approche, à l'affût, au gabion (utilisation de formes autorisées), à courre, à la passée, aux chiens courants, au furet [1], en punt, à la hutte, à la tonne, au hutteau, au grand duc [2], au miroir [2], au vol (faucons, éperviers, autours), sous terre (déterrage), au filet, à la glue.

Nota. – (1) Sur autorisation préfectorale. (2) Interdit par la loi.

■ **Armes utilisées. Fusils. Calibre :** théoriquement le calibre 1 serait celui d'une arme tirant une balle de 489,5 g (ancienne livre de plomb). Le 12 est le cal. d'une arme tirant des balles d'un diamètre calculé tel qu'on puisse faire 12 projectiles semblables dans 1 livre de plomb. Calibres usuels : 12, 16 et 20. **Longueur :** *canon :* 70 cm en général (au-delà de 75 cm la portée n'augmente plus avec la longueur). *Chambre :* 65 à 70 mm. **Portée :** *max. normale* (distance à laquelle les plombs retombent au sol ; si les plombs s'agglutinent, la portée max. augmente accidentellement) *plomb n° 1* 350 m, *2* 330, *4* 280, *6* 240, *7* 220, *8* 200 ; *balle* 1 200-1 500 m. **Carabine.** Portée : *b. de c. rayée* 2 000 à 4 000 m. **Effets :** une balle de carabine (7 × 64, 9,3 × 74) peut tuer un gibier à 200 m, une cartouche de fusil lisse à 20-35 m.

Nota. – Les oiseaux d'eau sont victimes de saturnisme (intoxication chronique par le plomb) : canards et oies ingèrent du plomb lors de leur recherche de nourriture ou de grit (sable, gravier destiné au broyage des aliments) d'où perte d'équilibre, atrophie musculaire, amaigrissement, nécrose du cœur, etc. et souvent mort dans les 3 semaines. Usage du plomb pour chasse au gibier d'eau interdit : Australie, Canada, Danemark, Norvège, P.-Bas, USA.

Vitesse (plomb ou balle de fusil à canon lisse). A la sortie du canon, 370 m/s (vitesse moyenne). Il faut 1/10 de s pour atteindre un gibier à 40 m (le perdreau a pu se déplacer de 2 m, le lièvre de 1 m). Compte tenu du temps de réaction du chasseur, il faut tirer de 2 à 4 m devant (parfois 7 m et + sur perdreau par grand vent).

Beaucoup de munitions de chasse (à plombs) actuelles donnent, à 2,50 m de la bouche du canon, une vitesse de 400 m/s, souvent néfaste pour un bon groupement, sinon une force de pénétration accrue. Phénomène dû à la qualité des poudres et des amorçages, la bourre à jupe. Beaucoup de Stés reviennent pour la chasse à des bourres grasses (feutre graissé ou mixtes : liège paraffiné + feutre) (moindre recul, gerbes plus larges avec une bonne répartition des plombs). **Sur gros gibier :** on utilise de plus en plus des carabines à canon rayé ou des doubles express à monoprojectile (balle), vitesse moyenne 800 m/s (à la bouche) pour des calibres compris le plus souvent entre 7 mm et 9,3 mm.

Nota. – En 1985, 700 à 750 millions de cartouches ont été tirées dont 400 en France pour la chasse.

Quelques dates. 1818 *fusil à piston* (le chien frappe sur une capsule fulminante pour assurer la mise à feu). **1845** *f. à percussion centrale* (utilisant la cartouche à amorçage central de Pottet). **1848** *f. à percussion centrale sans chien extérieur.* **1870** *Greener* (G.-B.) commercialise le *choke* (rétrécissement de la bouche du canon améliorant la portée et régularisant la dispersion des plombs). **1871** *Murcott* (G.-B.) dépose le brevet *hammerless* (système perfectionné de percussion sans chien extérieur). *Éjecteurs automatiques* (inventés en G.-B.). **1880** *f. automatique* (inventé par les frères Clair de St-Étienne, système abandonné depuis). **1897** *Darne* (France) : à canon fixe, la culasse coulisse automatiquement. **1910** *Browning* (USA) : automatique moderne.

Marques renommées. Belgique : *Browning* 17 000 à 18 000 F. *Lebeau-Couraly et Francotte.* **G.-B. :** *Holland-Holland* (fondée en 1825), *Purdey* (1814) et *Boss* (1812) fabriquent à eux trois 220 à 250 fusils par an, 1ers prix : fusil 180 000 F, paire 600 000 F. **France :** *Gastinne-Renette* (fondée 1812) : fusils sur mesure : 150 000 à 250 000 F. *Granger* (St-Étienne) : seul fabricant français de fusils à platines (130 000 à 150 000 F). **Italie :** *Piotti, Fabbri, Rizzini, Cosmi* (seul automatique à canon basculant existant), *Dezensani, Abbiatico, Salvinelli* fabriquent à l'unité comme en G.-B.

■ **Arc.** Le 27-2-1989, la cour d'appel de Paris a estimé que l'arc est un instrument de chasse interdit dans la réglementation actuelle. Par arrêt du 19-11-1991, la Cour de cassation a estimé qu'elle était légale.

☞ *Féd. fr. et européenne des chasseurs à l'arc.* 33, rue de la Haie-Cop, 93308 Aubervilliers.

Chasse sous terre ou déterrage

Pratiquée autour d'un terrier avec des pioches, bêches, fourches, pelles, sondes et barres à mine.

Animaux chassés : renard, blaireau, ragondins, etc. On introduit un seul chien (un 2e empêcherait le 1er de reculer dans le cas d'une charge) qui fixera l'animal à l'accul à l'extrémité d'une galerie. Puis, en se guidant sur les aboiements, on creuse de manière à déboucher sur la croupe du chien. *Durée :* 1 h 30 à 3 h et +. **Nombre d'équipages en France :** 80, avec des meutes de 2 à 6 chiens (en général fox-terriers, parfois teckels). **Association des déterreurs :** 19, rue Legendre, 75017 Paris.

Fauconnerie et autourserie

Art de capturer un gibier sauvage dans son milieu naturel à l'aide d'un rapace affaité (dressé) à cet effet. On distingue *haute volerie* (oiseaux de haut-vol : gerfaut, faucon sacre, faucon pèlerin) et *basse volerie* (autour, épervier).

Oiseaux. En France, les rapaces sont protégés depuis 1972, et un arrêté du 17-4-1981 fixe la liste des oiseaux protégés, dont destruction, capture, naturalisation, transport, vente, achat, etc. sont interdits, en application de la loi du 10-7-1976 sur la protection de la nature. Un arrêté du 30-1-1985 a fixé les conditions d'autorisation de désairage d'épervier et d'autour des palombes. Un arrêté du 30-7-1981 (modifié par arrêté du 14-3-86) réglemente l'utilisation des rapaces pour la chasse au vol.

Associations. Association nationale des fauconniers et autoursiers français 20, bd Clos Monplaisir, 84140 Montfavet. **Groupement des fauconniers et autoursiers du Sud-Ouest** Rocher des Aigles, Rocamadour, 46500 Gramat. **Club de chasse au vol d'Aquitaine** 41, l'Orée du Bois, 33138 Lanton.

Pratiquants (1993). 250 à 300 en France.

Vénerie

■ **Animaux chassés. Cerf :** durée 2 h 30 à + de 5 h ; au dernier moment, quand l'animal arrêté fait face aux chiens pour tenir « les abois », il est servi à l'arme blanche ou à l'arme à feu, puis il est dépecé ; les abats, recouverts de la peau de l'animal, sont donnés aux chiens (c'est la curée). En compagnie du piqueur, le maître d'équipage remet à une personne qu'il veut honorer le pied antérieur droit de l'animal (ce sont les « honneurs »). **Sanglier :** durée 5 à 6 h. **Chevreuil :** plusieurs heures. **Renard :** 2 h env. : à la curée les honneurs sont rendus avec la queue et parfois le masque. **Lièvre :** plusieurs h, 15 à 20 km parcourus. Chasse à pied difficile : l'animal repasse plusieurs fois sur sa trace puis s'en écarte d'un bond de 4 m, court sur le goudron qui ne retient pas son odeur, se laisse porter par le courant d'une rivière ou retient son odeur, caché dans une ornière (la « rase »).

■ **Bouton de vénerie.** Louis XIV le 1er adopta une tenue de vénerie (bleue à parements cramoisis) gardant le bouton de livrée de sa maison (bois recouvert d'étoffe rouge, brodé d'une fleur de lys d'or). Au XVIIIe s., la Vénerie royale porta un bouton d'or « à cul de panier » ou « mille points » ; sous Louis XVI : bouton « au cerf », en or estampé monté sur bois. Peu à peu les équipages eurent leurs boutons personnels. Le plus ancien serait celui du Cte de Poter chassant à Chantilly (fin XVIIIe s.).

■ **Chiens. Nombre par meute et races principales.** GRANDE VÉNERIE : *Cerf* 50 à 100 chiens (min. 30 par chasse) ; Anglo-Français tricolores, Poitevins, Anglo-Français blanc et noir, Billys. *Sanglier* 70 à 80 (min. 30 par chasse) ; Anglo-Français tricolores ou fox-hounds. *Chevreuil* env. 40 (min. 20 par chasse) ; Poitevins, Français noir et blanc, Français tricolores, plus rarement les Billy. PETITE VÉNERIE : *Lièvre* 20 à 25 (12 à 15 par chasse) ; Beagles, Beagles-harriers, Harriers, Petits griffons, Basset artésien normand, Fauve de Bretagne, Bleu de Gascogne, Bruno du Jura, Basset hound et Anglo-Français de petite vénerie.

Taille des chiens : *de cerf, chevreuil ou sanglier :* 60 à 72 cm ; *de lièvre :* 45 à 56 cm. **Saisons :** un chien peut faire 6 ou 7 saisons au chevreuil, un peu moins au cerf, beaucoup moins au sanglier. Un chien fait en moyenne 40 à 50 km par chasse. **Nourriture :** 1 fois par j (pour 100 chiens, on compte env. 500 kg de viande impropre à la consommation humaine par semaine et 600 kg de céréales par mois).

■ **Participants.** Au moins 12 000 personnes à cheval, env. 6 500 boutons [*le b. d'équipage* est habilité à faire acte de chasse (port de la trompe, du fouet et éventuellement de la dague), d'après les ordres du maître d'équipage et du piqueux, se distingue de loin par la tenue, de couleur différente selon les équipages], 100 000 suiveurs, 1 500 salariés ; 15 000 chiens ; 8 200 chevaux utilisés régulièrement ou occasionnellement. Plus d'un million de personnes suivent épisodiquement les chasses à titre gracieux en auto, moto, vélo ou à pied.

■ **Équipages français** (1991-92). Cerf 35, sanglier 18, chevreuil 81, renard 90 (animal de vénerie dep. 1979), lièvre à pied 127. *Grande Vénerie* (se pratiquant à cheval) : cerf, chevreuil, vautrait (sanglier), renard, loup. *Petite Vénerie* (se pratiquant en général à pied, au pas de gymnastique, sur 15 à 20 km) : lièvre. *Meute la plus ancienne :* équipage Champchevrier (1815).

Prises : *Équipage de cerf* (10 000 à 15 000 ha) env. 30 pour 50 sorties par saison. *Chevreuil* (5 000 ha) env. 12 pour 45 sorties. *Lièvres :* 1 fois sur 3 pour les meilleurs équipages. Est. 1989-90 : 800 cerfs, 450 chevreuils, 400 sangliers, 300 renards, 600 lièvres.

Budget annuel d'un équipage : 300 000 à 400 000 F (location du territoire, salaire du piqueur, homme d'écurie, garde, entretien de 3 ou 4 chevaux). *Cheval* 5 000 à 20 000 F à l'achat, + entretien 550 à 600 F par mois (parfois 1 000 F). *Tenue :* bottes sur mesure 3 500 F (en caoutchouc sur mesure 500 F), culotte sur mesure 600 F (300 F en confection), redingote 3 500 F. Un bouton (membre d'un équipage) dépensera de 5 000 à 10 000 F par an selon les frais engagés par l'équipage et le nombre d'adhérents.

■ **Lieux de chasses. En France :** env. 1 250 000 ha de forêts et plaines dont massifs domaniaux (adjugés par l'ONF) 470 000, forêts privées 200 000, plaines et boqueteaux 100 000 (renards, lièvres). **Régions :** *Cerf :* Ile-de-France, Normandie, Centre. *Chevreuil :* Pays de la Loire, Poitou, Aquitaine. *Sanglier :* Centre, Auvergne. *Lièvre :* Pays de la Loire, Centre, Normandie et Ile-de-France. Env. 300 chasses par semaine de début octobre à fin mars.

■ **Sté de vénerie :** regroupe 7 000 veneurs. **Association française des équipages de vénerie :** 350 maîtres d'équipage, 10, rue de Lisbonne, 75008 Paris.

■ Trompes

Nota. – On parle de *cor* à l'armée et de *trompe* à cor à la chasse.

Origine. V. 1680 la « trompe de chasse » remplaça cors, cornets, huchets, etc. Un chaudronnier parisien aurait, dit-on, trouvé le moyen d'enrouler sur lui-même un long tube de cuivre mince et cônique (en y coulant du plomb fondu). Sous Louis XIV, trompe de 2,27 m enroulée à 1 tour 1/2, sonnant en « ut mineur ». **V. 1705** la Dampierre 4,545 m à 1 tour 1/2. **1729,** la Dauphine 4,545 m à 2 tours 1/2, sonnant en « ré ». **V. 1818** la d'Orléans 4,545 m à 3 tours 1/2 en « ré » (diam. 35 cm, la plus courante aujourd'hui). **Dep. le XIXe s.,** autres trompes, Maricourt, enroulée à 6 ou 8 tours, en « ré ». Autres enroulements, serrés : Lorraine, Étron.

Airs de chasse. Les 1ers (dus à Philidor l'aîné) remontent à 1705, les fanfares à 1723 (1ers dues au Mis de Dampierre). **Fanfares :** environ 1 000 répondent aux normes du ton Vénerie.

Féd. internationale des Trompes de France. 43, rue de la Bretonnerie, 45000 Orléans. *Pt :* Cte Gérard de La Rochefoucauld. *Créée* 1928 par Gaston de Marolles. Regroupe 3 000 sonneurs (150 Stés françaises et étrangères).

Gibier

On appelle **gibier** l'ensemble des espèces non domestiques qui, par nature ou par tradition, sont chassables. Ainsi, chiens, chats, pigeons voyageurs et certains animaux non domestiques comme taupes, souris, grenouilles, etc. ne sont pas des gibiers.

■ Animaux chassables

Arrêté ministériel du 26-6-1987 (J O du 20-9-1987). L'article R. 224-7 du Code rural permet cependant aux préfets d'interdire la chasse de certaines espèces pour permettre la reconstitution du peuplement.

■ **Mammifères.** 23 espèces. Belette [1]. Blaireau. Chamois ou Isard. Cerf élaphe. Cerf sika. Chevreuil. Chien viverrin. Daim. Fouine. Hermine [1]. Lièvre brun. L. variable. Lapin de garenne. Marmotte. Mouflon. Martre [1]. Putois [1]. Renard. Rat musqué. Ragondin. Raton-laveur. Sanglier. Vison d'Amérique.

Nota. – (1) Peuvent être tués, mais non transportés ou naturalisés. La naturalisation de la fouine est réglementée.

■ **Oiseaux.** 65 espèces. Alouette des champs. Barge à queue noire. B. rousse. Bécasse des bois. Bécasseau maubèche. Bécassine des marais. B. sourde. Caille des blés. Canard chipeau. C. colvert. C. pilet. C. souchet. C. siffleur. Chevalier aboyeur. C. arlequin. C. combattant. C. gambette. Colin de Californie. C. de Virginie. Courlis cendré. C. corlieu. Eider à duvet. Faisans de chasse. Foulque macroule. Fuligule milouin. F. milouinan. F. morillon. Garrot à œil d'or. Gélinotte des bois. Grive draine. G. musicienne. G. mauvis. G. litorne. Harelde de Miquelon. Huîtrier-pie. Lagopède alpin. Macreuse brune. M. noire. Merle noir. Nette rousse. Oie cendrée. O. des moissons. O. rieuse. Perdrix bartavelle. P. grise. P. rouge. Pigeon biset. P. colombin. P. ramier. Poule d'eau. Pluvier argenté. P. doré. Râle d'eau. Sarcelle d'été. S. d'hiver. Tétras-lyre (coq maillé). Tétras urogalle (Grand coq maillé). Tourterelle des bois. T. turque. Vanneau huppé.

Oiseaux dont le tir peut être autorisé en période d'ouverture de la chasse (art. R. 227-27 du Code rural). Corbeau freux. Corneille noire. Étourneau sansonnet. Geai des chênes. Pie bavarde.

Nota. – Le commerce de tous ces oiseaux est interdit, sauf pour 6 espèces (colvert, étourneau, faisan, perdrix grise et rouge, pigeon ramier).

■ Animaux protégés en France

Arrêté du 17-4-1981 (JO du 19-5-) (art. L. 211-1 et suivants du Code rural), modifié.

■ **Mammifères. Sont interdits** (sur le territoire national et en tout temps) : destruction, mutilation, capture ou enlèvement, naturalisation des mammifères de ces espèces non domestiques (vivants ou morts), transport, colportage, utilisation, mise en vente, vente ou achat. *Chiroptères :* chauve-souris. *Insectivores :* desman des Pyrénées, hérisson d'Europe, h. d'Algérie, musaraigne aquatique. *Rongeurs :* écureuil, castor. *Carnivores :* genette, loutre, vison d'Europe, ours, chat sauvage, lynx d'Europe. *Ongulés :* bouquetin. *Pinnipèdes* (arrêté du 29-2-1980) : veau marin, phoque gris, phoque moine.

Sont interdits [sur tout le territoire national et en tout temps (art. R. 211-1 et ss. du Code rural)] : mutilation, naturalisation des mammifères de ces espèces non domestiques (vivants ou morts), transport, colportage, utilisation, mise en vente, vente ou achat des spécimens détruits, capturés ou enlevés sur tout le territoire national. *Carnivores :* martre, fouine (mais celui qui la capture peut la transporter et la naturaliser pour son usage personnel), belette, hermine, putois.

Nota. – Un arrêté du 15-5-1986 modifié fixe la liste en Guyane, et des arrêtés du 17-2-1989, en Guadeloupe, Martinique et Réunion.

■ **Oiseaux. Sont interdits** sur tout le territoire métropolitain et en tout temps : destruction ou enlèvement des œufs et des nids, destruction, mutilation, capture ou enlèvement, naturalisation des oiseaux d'espèces non domestiques suivantes ou, qu'ils soient vivants ou morts, leur transport, leur colportage, leur utilisation, leur mise en vente, leur vente ou leur achat : *Gaviiformes :* plongeons et grèbes. *Procellariiformes :* puffins, fulmars, pétrels. *Pélécaniformes :* fous de Bassan, cormorans. *Ciconiiformes :* hérons, butors, aigrettes, blongios ; cigogne blanche, cigogne noire, ibis falcinelle, spatule blanche, flamant rose. *Ansériformes :* cygnes, oies des neiges, bernaches, tadornes, fuligule nyroca, harles, érismature à tête blanche. *Falconiformes :* accipitridés, falconidés, pandionidés, vulturidés. *Gruiformes :* grue cendrée, marouette, râle des genêts, outardes. *Charadriiformes :* chevalier guignette, bécasseaux (sauf bécasseau maubèche), échasse blanche, avocette, œdicnème criard, glaréoles, courvite. *Lariformes :* labbes, goélands (sauf l'argenté), mouettes (sauf la rieuse), sternes, guifettes. *Alciformes :* petit pingouin, guillemots, mergule nain, macareux moine. *Columbiformes :* ganga cata. *Cuculiformes :* coucous. *Strigiformes :* rapaces nocturnes. *Caprimulgiformes :* engoulevents. *Apodiformes :* martinets. *Coraciiformes :* martin pêcheur, guêpier d'Europe, rollier d'Europe, huppe fasciée. *Piciformes :* pics, torcol familier. *Passériformes :* alouette calandrelle, calandre, cochevis huppé, alouette lulu, hausse-col, hirondelles, pipits, bergeronnettes, pies grièches, jaseur boréal, cincle plongeur, troglodyte mignon, accenteurs, traquets, merle de roche, merle bleu, rouge-queue, rouge-gorge, rossignol philomèle, gorge bleue, merle à plastron, fauvettes, pouillots, hypolaïs, rousserolles et phragmites, locustelles, cisticole des joncs, roitelets, gobe mouches, mésange à moustaches, mésanges, sittelles, tichodrome, grimpereaux, becs croisés, gros bec, verdier, pinsons, tarin, chardonneret, sizerins et linottes, serin cini, venturon montagnard, bouvreuil, bruant proyer, bruant jaune, bruant fou, bruant zizi, moineau friquet, moineau soulcie, niverolle, loriot jaune, casse-noix, crave à bec rouge, chocard à bec jaune, grand corbeau.

ROC (Rassemblement des opposants à la chasse). BP 261, 02106 St-Quentin Cedex. Pt : Professeur Th. Monod. Association nationale pour la défense des droits des non-chasseurs et le respect de la nature, propose la création de refuges (où la chasse serait interdite et diverses restrictions), de remplacer la chasse à courre par le *drag* (parcours d'obstacles avec chevaux et chiens effectué à la suite d'un homme traînant une peau de renard à distance) pratiquée en Angleterre et en Irlande. Souhaite l'interdiction de chasser dans un rayon de 350 m autour des lieux de vie (maisons, campings, stades,...).

Ligue française pour la protection des oiseaux (LPO) La Corderie royale, BP 263, 17305 Rochefort Cedex. *Pt :* Alain Bougrain-Dubourg. Protège les espèces rares et menacées, gère des réserves naturelles, achète des espaces menacés (marais de l'O., basses vallées angevines).

Association nat. pour la protection des animaux sauvages et du patrimoine naturel. BP 34, 26270 Loriol. *Créée* 1980. *Pt. :* Alain Clément. *Membres* (1992) 17 000. Spécialisée dans le droit de l'environnement. Fait nommer et assermenter des gardes-chasse bénévoles sur les terrains de son conservatoire européen « ESPACE » (4 000 ha en 1992) acquis ou gérés par convention avec les propriétaires. Service juridique pour la protection des oiseaux migrateurs et la réhabilitation des animaux classés nuisibles.

Fonds d'intervention pour les rapaces 29, rue du Mont-Valérien, 92210 St-Cloud.

Grands tétras : arrêté du 11-4-1991 interdit en Alsace, Franche-Comté, Lorraine et Rhône-Alpes la destruction ou l'enlèvement de leurs œufs et de leurs nids, leur destruction, leur mutilation, leur capture, leur enlèvement ou leur naturalisation ainsi que leur vente ou leur achat qu'ils soient vivants ou morts.

Sont interdits (arrêté du 20-12-1983) : l'exportation sous tous régimes douaniers (à l'exception du transit de frontière à frontière sans rupture de charge et du régime de perfectionnement actif) : colportage, mise en vente, vente, achat des spécimens vivants ou morts détruits, capturés ou enlevés sur tout le territoire national, de toutes espèces d'oiseaux non domestiques considérées comme gibier dont la chasse est autorisée (sauf canard colvert, étourneau sansonnet, faisans de chasse, perdrix grise, rouge et pigeon ramier).

Nota. – L'arrêté du 15-5-1986 fixe la liste des oiseaux protégés en Guyane et les arrêtés du 17-2-1989 en Guadeloupe, Martinique et Réunion.

■ Animaux nuisibles

■ Leur destruction est prévue par les art. R. 227-5 et suivants, R 227-6, R227-7, R 227-8 et suivants du Code rural. Le ministre chargé de la chasse, après avis du CNCFS, établit une liste d'animaux susceptibles d'être classés nuisibles dans les départements. Chaque année, les préfets déterminent les espèces nuisibles localement (après constatation des dégâts ou pour les prévenir), les périodes, formalités et lieux de destruction à tir. *Méthodes autorisées :* déterrage, tir, piégeage et oiseaux de chasse en vol. Les préfets peuvent aussi autoriser des battues administratives organisées par le lieutenant de louveterie.

■ **Animaux susceptibles d'être classés nuisibles** (arrêté du 30-9-1988, JO du 2-10-1988). **Mammifères :** belette, chien viverrin, fouine, lapin de garenne, martre, putois, ragondin, rat musqué, raton laveur, renard, sanglier et vison d'Amérique. **Oiseaux :** corbeau freux, corneille noire, étourneau sansonnet, geai des chênes, pie bavarde, pigeon ramier.

■ Principaux animaux de la faune sauvage

Alouette des champs ou commune. *Poids* 30 g. *Couvée* 6 à 8 œufs ou commune (mai à fin juin. 15 j). *Vit* dans étendues plates et herbues, dunes, pâturages, (ex. terrains d'aviation).

Avocette à nuque noire. 42, aile repliée 23, envergure 80. Charadriiforme blanc et noir, au fin bec retroussé. Environ 16 000 nichent en Europe (lagunes littorales) dont 1 550 en France (Picardie, Normandie, Char.-Mar., Camargue, etc.).

Bécasse des bois ou commune. *Poids* 300 à 400 g. *Long.* 35 cm. *Plumage* couleur feuilles mortes, *pattes* rosées, *bec* env. 7 cm de long. *Accouplement* févr.-mars. *Couvée* 3 à 5 œufs (20 à 23 j). *Petit :* bécasseau. *Nourriture* vers de terre, larves, petits mollusques. Fientes (miroirs) en forme d'œufs au plat au centre vert. *Vient* du Nord de l'Europe début oct., reste env. 6 sem., repart vers le Sud ou l'Ouest (Bretagne) fin nov. Revient en févr.-mars. A la chute du jour, les mâles volent dans les bois en poussant des cris doux, ils *croulent*. En mars, à la croule, mâles et femelles se cherchent, et dep. le 28-2-1980 la chasse à la croule et le tir à la passée sont interdits. Des bécasses à bec court ou brévirostres ont été signalées assez souvent ces dernières années (action des pesticides ? mutation ? sous-espèce naissante ?).

Bécassine. *Long.* 25 à 27 cm, *bec* 6 à 7 cm, *envergure* 44 à 47 cm. Brune avec dos et tête rayés clair, ventre blanc. *Vit* au bord des marais, niche en France, migre en Afrique. *Nourriture* vers, mollusques. *Petit* bécau.

Bernache cravant. 58, aile repliée 34, envergure 115, poids 1,5 kg. Petite oie sombre des régions arctiques. Se nourrit de zostères. 100 000 à 130 000 hivernent en France, entre Picardie et bassin d'Arcachon.

Blaireau. *Long.* 90 cm (dont queue 15 cm). *Poids max.* 20 kg. *Rut* janv. à mars. *Implantation de l'œuf* différée 10 mois. *Gestation* proprement dite 2 mois. *Mise bas* fév. *Portée* 2 à 7. *Nourriture* omnivore (racines, fruits, mulots, vers, larves). *Terrier* en terrain boisé, 3 chambres (maire, fosse, accul).

Bouquetin. *Poids* 75 à 110 kg. *Long.* 1,40 à 1,50 m. *Taille* au garrot 65 à 85 cm. *Rut* déc.-janv. *Mise bas* 1 à 2 (mai-juin). Animal protégé. *Vit* dans les Alpes. Réintroduction à l'étude dans les Pyrénées.

Caille des blés. *Poids* 120-150 g. *Long.* 17 cm. *Vol* court (100 m) à 1 ou 2 m du sol. La nuit en migration, plus de 500 km. Fin août, migre au Sahel. Revient en France fin avril pour nicher dans les blés verts. *Couvée* 6 à 12 œufs (16 à 21 j). Les petits (cailleteaux) se dispersent dès 5 semaines.

Canards de surface. Plongent peu ou pas. Plumage plus vif chez le mâle. Bande de couleur *(miroir)* nettement tranchée sur l'aile. S'envolent en bondissant hors de l'eau, sans courir à la surface (sauf le canard siffleur). Nagent la queue hors de l'eau. *Nourriture* surtout végétale. **Principales espèces nichant en France : colvert** [poids 800 à 1 400 g, envergure 80 à 95 cm, mâle : bec jaune à onglet noir, tête verte, collier blanc sur le cou, poitrine chocolat, miroir bleu sur l'aile, pattes orange, femelle : plumage brun, seule la femelle fait « coin-coin », le mâle émettant un chuintement, vole en V, ponte fin févr. à avril, 10 à 15 œufs (28 j), 2e ponte en mai-juin si la 1re nichée est détruite, petit de 8 semaines sachant voler *(halbran),* mâle *(malard),* femelle *(bourre),* arrive oct. à déc., repart févr.-mars, nourriture (surtout la nuit, graines, plantes aquatiques ou terrestres : céréales, glands, graines, insectes, mollusques, vermisseaux), attiré par plans d'eau peu profonds (30 cm)] ; *sarcelle d'hiver* (310 g, envergure 59 à 63 cm, vole en zigzag, mâle à tête acajou, tache verte autour de l'œil, femelle beige, niche en Europe, migre en Afrique, nage sous l'eau) ; *s. d'été* (plus grosse, sourcil blanc, bandes blanches sur l'aile, plastron brun annelé de noir, ventre clair, niche en France, migre, couvée d'env. 12 œufs) ; **siffleur** (aussi appelé *vigeon* ou *penru,* plus petit que le colvert, bec bleu, mâle avec une mèche dorée sur la tête, femelle avec jabot à dessins noirs, le mâle siffle, la femelle lance un appel discret) ; **pilet** (mâle à tête acajou, cou blanc, flancs gris, longue queue, femelle beige, queue pointue, bec gris) ; **souchet** (ou louchard, bec en forme de cuiller, mâle à tête vert foncé, œil jaune, flancs acajou, femelle brune) ; **chipeau** (mâle à tête beige et corps gris, femelle avec côtés du bec orange, taches blanches sur les ailes pour les 2) ; **Tadorne de Belon.** 60, aile repliée 31, envergure 120, poids 1,2 kg. Gros canard maritime. Niche dans terriers de lapins, dunes : en France, Manche, Camargue, etc.

Canards plongeurs ou **fuligules** (de *fuligula :* suie). Plongent et nagent sous l'eau pour chercher leur nourriture, surtout animale (larves, crustacés, mollusques) sauf pour le milouin. S'envolent en courant à la surface de l'eau. Corps trapu. Pattes très en arrière du corps. Tête enfoncée dans les épaules. Palmures très larges. **Principales espèces : milouin** (tête acajou, ventre blanc, bec gris-bleu, pattes grises, yeux rouges) ; **morillon** (tête et dos noirs, ventre blanc, femelle plus foncée, la huppe du mâle tombe dans le cou) ; **milouinan** (mélange des 2 précédents, bec plus large, mâle à dos et flancs blancs, femelle brune avec tour du bec blanc) ; **garrot** (noir et blanc, tache claire sur la joue du mâle) ; **harles** (3 sortes : grand h. ou h. bièvre et h. huppé avec becs longs et pointus et tête sombre etharle piette blanc et noir à bec court) ; **macreuses** (3 sortes : m. brune, m. à lunettes et m. noire ; *noire,* mâle : dessus du bec orange, caroncule, envol au ras de l'eau sur 30 m ; *brune,* mâle : bec supérieur orangé, virgule blanche sur l'œil, régions côtières) ; **nyroca** (tête et cou rouge, peu abondant) ; **eider à duvet** (canard édredon ou à duvet, tête noire avec raie blanche, arrive en oct. dans les baies).

Cerf élaphe (ou cerf d'Europe). *Poids* cerf 130 à 180 kg (biche 80 à 110 kg). *Longueur.* 1,90 à 2,30 m (1,70 à 2,10 m). *Hauteur* au garrot 1,20 à 1,40 (1 à 1,20). *Rut* 20 j fin sept.-mi-oct. *Gestation* 8 mois. *Portée* 1, rarement 2. La femelle met bas à partir de 2 ou 3 ans jusqu'à 12 ou 13 ans. *Jeune mâle : faon* jusqu'à 6 mois, *hère* jusqu'à 1 an, *daguet* (2 a., 2 dagues), *cerf* (2 a. et +), *2e tête* (3 a., 4 cors et plus), *3e tête* (4 a., 6 cors et plus), *4e tête* (5 a., 8 cors et plus), *10 cors jeunement* (6 a., 10 cors et plus), *10 cors* (7 a., 12 cors), *vieux 10 cors, vieux cerf, grand vieux cerf. Bois* tombent de fin févr. à avril et repoussent en 4 ou 5 mois (de 3 à 8 kg en Europe). Le trophée peut valoir jusqu'à 25 000 et même 50 000 F. *Jeune femelle : faon* jusqu'à 1 a., *bichette* de 1 à 2 a., *biche* 2 a. et +. Une biche avec son faon est dite *suitée,* quand elle ne peut plus en avoir elle est *bréhaigne. Nourriture* en forêt (7 à 12 kg par j d'herbe, bourgeons, feuilles, tiges d'arbustes et d'arbrisseaux, glands, faînes, châtaignes), prairies et champs (céréales, crucifères). Le *mâle* brame lors du rut ; ceux de plus de 2 ans vivent seuls ou par petits groupes (sauf à la période du rut). Les *biches* vivent en groupes (hardes) avec les jeunes.

Chamois dans les Alpes (**isard** dans les Pyrénées). *Poids* chamois 25 à 40 kg (Carpates 60), isard 30-35. *Long.* 1,25 à 1,40 m. *Taille* au garrot 70 à 85 cm. *Cornes* étui noir poussant sur des chevilles osseuses, ne tombent pas, plus grêles et moins recourbées chez la femelle, poussent fortement jusqu'à 4 ans. *Polygame. Rut* nov-déc. *Gestation* 25 sem. env. *Portée* 1 chevreau, rarement 2 (mai-juin). *Mâle* bouc. *Femelle* chèvre. *Jeune* faon ou chevreau. *Vit* entre 800 et 2 500 m d'alt. en hardes conduites par des femelles, atteignant parfois 50 têtes en nov.

Chat sauvage (chat forestier). *Poids* jusqu'à 8 kg. *Accouplement* mi-janv.-fin fév. *Mise bas* avril-mai (1 à 6 petits). *Nourriture* surtout petits rongeurs. *Rare* en dehors du quart N.-E. de la France. Protégé.

Chevaliers. Oiseaux migrateurs limicoles (recherchant vase et terrain marécageux), bec droit ou légèrement relevé, un peu plus long que la tête, pattes rouges [*ch. gambette* (mer et marais), *arlequin* (eau douce)], vertes [*ch. aboyeur* (mer et marais), *cul-blanc* (eau douce), *guignette* (eau douce), *sylvain* (eau douce)], jaunes [*gambette jeune* (mer et marais), *ch. combattant* (mer)].

Chevreuil. *Poids* 15 à 30 kg. *Pelage* roux l'été, gris brun l'hiver. *Bois* (développement lié au cycle sexuel) tombent fin oct.-début nov., sont repoussés fin janv. et restent en velours (couverts de peaux) jusqu'à mi-avril. *Rut* juill.-août. Brocard polygame. Développement de l'embryon bloqué jusqu'en déc. *Gestation* 9 mois et demi. *Mise bas* mai-juin. *Portée* 1re 1 petit, les suivantes 2, rarement 1 ou 3. *Petit* faon, puis à 6 mois, chevrillard, *Mâle* brocard à 1 an. *Femelle* chevrette. Elle peut avoir son 1er petit à 2 ans. *Nourriture* herbe, céréales, bourgeons, feuilles d'arbrisseaux, fruits forestiers, ronces, lierre. *Miroir* (ou rose) tache postérieure en forme de rein ou de haricot (mâle) ou de cœur (femelle). Rusé, se défend au change, voie très légère. Se multiplie en France grâce au plan de chasse.

Coq de bruyère (voir Tétras).

Corbeau freux. 46 cm, aile repliée 28/34, poids 360 à 670 g. Omnivore. Livrée noire avec reflets métalliques. Zône grisâtre dénudée autour du bec chez l'adulte. Les couples s'unissent pour toute leur vie, nichent en colonie (10 à quelques centaines) dans la moitié nord de la France. Dortoirs en fin d'automne. L'hiver, peut se rencontrer dans toute la Fr. *Ponte* 3 à 7 œufs, *incubation* 16 à 18 j.

Courlis cendré. *Hauteur* 55 cm. Seul grand échassier dont le tir est permis.

Daim. *Poids* 65 kg. *Hauteur* au garrot 1 m. *Rut* oct.-nov. *Mise bas* 1 ou 2 (fin juill.). *Bois* du mâle jusqu'à 7 kg. *Femelle* daine. *Jeune* faon, brocard à 1 an. En France, presque uniquement en élevage.

Élan. *Poids* 400 kg. *Taille* 2,50 m au garrot. *Rut* sept. *Bois* chute déc. à févr., refaits en juill. *Vit* en forêt marécageuse (Russie, Pologne, Pays du N.).

Faisan commun. *Nom* Oiseau de Phase, fleuve se jetant dans la mer Noire d'où il est originaire. *Coq :* 75 à 85 cm, 1,4 à 1,5 kg, tête verte, masque rouge, poitrine éclatante, bec blanc. *Poule :* 53 à 62 cm, 1,1 à 1,2 kg, beige uniforme avec dessins noirs. *Reproduction* parade avril à juin. *Couvée* 10 à 16 œufs (23 à 25 j) ; si le 1er nid est détruit, la poule peut recoqueter (5 à 8 œufs). *Incubation* 24 j. Identification au plumage vers 7 semaines. *Vit* 3 à 6 ans. Le jeune *faisandeau* prend le plumage adulte à 5 mois, on dit qu'il est *maillé,* vit en compagnie jusqu'à l'automne. *Nourriture* jeune (insectes, larves, œufs de fourmis, vermisseaux, etc.), adulte (surtout graines, fruits, châtaignes, glands, herbes). Se *branche* le soir.

Faisan vénéré. Origine Chine du N. *1831* rapporté en G.-B. par John Reeves. *Poids* 1 à 2 kg. *Plumage* dos brun-jaune, ventre brun-rouge, tête blanche avec masque noir, queue d'env. 1,50 m. *Vit* dans les bois. *Couvée* 8 à 12 œufs par an, pas de 2e ponte.

Geai des chênes. *Long.* 33 cm, aile repliée 18 cm, envergure 53 cm. Plumage brun, avec plaques blanches et bleues sur les ailes. Croupion blanc. Cri rauque. Amateur de glands.

Gélinotte. *Poids* 350 à 450 g. *Long.* 35 cm. *Formation des couples* oct.-nov. *Couvée* 7 à 12 œufs (3 sem.).

Grives. *Pontes* 2 ou 3 par an. *Couvée* 4 à 6 œufs (14 à 16 j). *Espèces en France : musicienne* (taille d'un petit merle, dos brun, poitrine blanche mouchetée de noir, quelques plumes orangées sous les ailes, aime manger du raisin), *mauvis* ou *espagnole* (plus petite, sourcil blanc, plumes rousses sous les ailes), *litorne* ou *tia-tia* (manteau gris-bleu, poitrine mouchetée de noir, cri ressemblant à un gloussement), *draine* (la plus grosse, dos brun, poitrine blanche tachetée de noir, aime le gui). *Nourriture* baies, fruits (raisin), genièvre, cornouiller... Migrateur.

Grouse (lagopède d'Écosse). *Poids* jusqu'à 200 à 250 g max. *Taille* 60 à 70 cm. *Vit* dans les tourbières *(moors)* à bruyère et airelles (l'été), en plaine (l'automne). Pas acclimatée en France.

Grue cendrée (Europe du Nord). 114 cm, aile repliée 54/61, envergure 250, poids 4/5 kg. Échassier migrateur, au printemps, se dirige vers les toundras du Nord. *Se nourrit* de fruits sauvages, graines et plantes aquatiques, insectes, amphibiens, reptiles. *Ponte :* 1 à 3 œufs, *incubation :* 4 semaines. Cri : en coup de trompette dont l'onomatopée est à l'origine du nom de l'espèce. Protégée.

Lagopède des Alpes (perdrix des neiges, ou tétras blanc ou jalabre). *Poids* 400 à 500 g. *Long.* 35 cm. *Plumage* blanc l'hiver, gris l'été. *Monogame. Appariement* printemps. *Ponte* fin mai, 5 à 9 œufs (22-24 j). *Vit* à plus de 2 000 m (Alpes, Pyrénées). *Densité* très faible.

Lapin de garenne. Polygame. *Long.* 42 cm. *Poids* 1 à 2 kg. *Gestation* 30 j. *Portées* 4 à 8 par an, de 4 à 10 lapereaux (35 à 45 g, aveugles, sans poils) ; la lapine met bas généralement dans une *rabouillère* (terrier à une seule issue). Les jeunes, nés en début d'année, peuvent se reproduire à leur tour à partir de 6 mois. L'espèce a été décimée à partir de 1952, presque partout, par la myxomatose (virus de Sanarelli transmis par des piqûres de puces et de moustiques ; sévit surtout l'été). Le professeur Armand-Delille (1874-1963), membre de l'Académie de médecine, avait inoculé le virus à quelques lapins de sa propriété de Maillebois (E.-et-L.). En 1954, il sera condamné à verser 500 F de dommages-intérêts à un éleveur habitant à 70 km (sur 1 million demandé) ; les autres plaignants regroupés en association seront déboutés. VHD (Virus Hemmoragic Disease) : maladie virale grave apparue récemment. *Vit* 2 à 3 ans, en familles de 2 à 7, à env. 300 m de son refuge, cantonné sur env. 350 ha. *Nourriture :* végétale variée.

Lièvre commun ou brun. *Poids* 2 à 5 kg. *Longueur* 55 cm. *Rut (bouquinage)* dès janv. (polygame). La femelle peut être fécondée à nouveau avant d'avoir mis bas. *Gestation* 41 j. *Portées* 2 à 5 par an de 2 à 5 petits. *Naissance* févr. à sept. *Mâle* bouquin. *Femelle* hase. *Vit* 7 à 8 a. *Nourriture* végétale variée. Réingère certaines de ses caecotrophes (crottes prélevées directement à l'anus) riches en protéines, bactéries et vitamines. *Petit* levraut. Naît couvert de poils, les yeux ouverts, peut se déplacer presque immédiatement. Allaitement : env. 1 mois, 1 fois par j, 1 h après le coucher du soleil. *Voie* légère. Ruse : souvent à l'eau et sur les routes. *Vitesse de pointe* 60 km/h. *Vit* partout jusqu'à 2 000 m.

Lièvre variable ou blanchon (noms populaires : oreillard, bossu, bouquin, capucin). *Poids* 2,5 kg. *Bouquinage* dès fin février (le lièvre est polygame). *Portées* 2, de 2 à 4 petits. *Naissance* de mai à sept. *Pelage* gris cendré (été), blanc (hiver), extrémité des oreilles noire. *Vit* à plus de 1 500 m dans les Alpes.

Loup. *Poids* 35 à 45 kg. *Long.* 1,50 m (queue 40 cm). *Taille* au garrot 75 à 80 cm. Yeux obliques. Couleur variable. Chasse les ongulés à la course. Charognard. *Gestation* 9 sem. (4 à 6 *louveteaux,* qui de 1 à 2 ans sont *louvarts*). En 1993, env. 100 000 loups dans 14 pays. A disparu progressivement d'Europe occid. sauf quelques dizaines de têtes en All., Espagne et en Italie (Abruzzes, Apennin). *Loups tués : 1823* 2 131, *1883* 1 306, *1890* 61, *1897* 189 (surtout Hte-Vienne et Charente), *1910* - de 50, *1923* disparition dans l'Est, *1939* dans le Centre-Ouest (1923-39 : 23 observations connues). *Domaines :* Lozère, Limousin, Angoumois, Haute-Marne, Hte-Saône. Quelques loups signalés en France durant les hivers rigoureux (authenticité douteuse). Dernier tué le 27-12-1987 à Fontan (Alpes-Mar.). Non protégé en France (n'existe pas officiellement).

Louvetiers. Remontent aux Capitulaires de 800 et 813 de Charlemagne. Réorganisés sous François Ier. *1814* devenus lieutenants de louveterie, organisent leur destruction, *1882* instituent une prime de 40 à 200 F par animal tué. Le terme a été gardé, il y a un lieutenant de louveterie par secteur soit 4 à 30 par dép. nommé par le préfet pour 3 ans. Organise des battues aux animaux qui causent des dommages (sangliers, renards, lapins, etc.).

Loutre. *Long.* 60 à 95 cm (queue 25 à 50 cm). *Poids* 7 à 11 kg. Pattes palmées. Vie amphibie. *Gestation* 12 sem. *Mise bas* mars (3 ou 4 petits). *Terrier (catiche)* au bord de l'eau. *Nourriture* poisson, grenouilles, rats, oiseaux d'eau. Côte atlantique, confins Limousin et Auvergne. Rare. Protégée en France. Réintroduite Suisse et All.

Lynx. *Taille* au garrot 60 cm (N. de l'Europe) et 50 cm (Espagne, Portugal). *Rut* fin février à début avril. *Gestation* 9 à 10 sem. (2 à 5 petits). *Territoire de chasse* de 7 000 à 50 000 ha (Tchécosl.). Présent Jura, , Alpes du N., Pyrénées (rare). Réintroduction en cours dans les Vosges (12 de 1983 à 87 et 4 en 1990). Protégé en France.

Marmotte. *Poids* 4 à 8 kg (vieux mâles). *Pelage* gris-roux, queue fournie, incisives supérieures souvent découvertes. *Accouplement* Europe : mai. *Gestation : 33/34* j. *Portée :* 4 ou 5. *Vit* en famille autour de profonds terriers, passe la mauvaise saison (octobre à avril) en léthargie entrecoupée de courts réveils (1 j par mois pour uriner). *Nourriture* herbe. Se dresse constamment sur ses pattes pour surveiller ; dès qu'elle entend un bruit suspect, elle lance un sifflement aigu pour avertir ses congénères (quand elle reconnaît un aigle, son sifflement est différent et toute la communauté se réfugie sous terre). Vue très fine. *Territoire :* quelques centaines de mètres autour de son refuge. Commune entre 1 500 et 2 500 m dans les Alpes (acclimatation réussie dans les Pyrénées).

Martre. *Poids* 500 à 1 600 g. *Accouplement :* de juin à août. *Implantation de l'œuf différée :* 8 mois. *Gestation proprement dite :* 2 mois. *Mise bas :* mars à mai (2 à 7 petits). *Nourriture :* petits rongeurs (écureuils), oiseaux forestiers et leurs œufs, fruits, insectes. Commune dans l'est de la Fr., plus rare à l'ouest.

Merle noir. *Long.* 25 cm, aile repliée 12 cm, envergure 38 cm. *Mâle* noir, bec jaune ; *femelle* et immature plus bruns. Bon chanteur. 4 espèces en Europe. 2 grandes : la draine (26) et la litorne (25) ; 2 plus petites : la mauvis (20) aux flancs roux vifs et la musicienne (22), la plus fréquente. *Poids* env. 90 g. *Ponte* 2 ou 3 par an en avril-mai et juin. *Couvée* 3 à 6 œufs (12 à 14 j). Le merle à plastron, qui vit en altitude, est protégé.

Mouflon de Corse. *Poids* 25 à 30 kg. *Hauteur* au garrot 70 cm. *Cornes* jusqu'à 85 cm. Ne tombent pas. *Polygame. Rut* nov.-déc. *Naissance* 1 jeune, rarement 2, le plus souvent de mars à mai. *Vit* en harde (Sardaigne, Hérault : massif de l'Espinouse, Corse et zones montagneuses de moy. altitude dans Alpes, Puy-de-Dôme, s. du Massif central et Pyrénées-Or.).

Oie sauvage. *Envergure* 1,40 à 1,60 m. *Poids* 5 kg. *Couvée* 5 à 8 œufs (4 sem.). Revient l'hiver (vol triangulaire) en grand nombre si l'hiver est rigoureux. *Nourriture* herbivore. *Plusieurs variétés* : o. rieuse (tache blanche au front, pattes orange, barres noires irrégulières sur le ventre), o. des moissons (bec noir et jaune orange, plumes plus sombres), o. cendrée (envergure 170 cm, poids 3,5 kg, bec orange, pattes roses, plumes claires, bord de l'aile gris pâle), o. bernache (noire, collier blanc), o. à bec court (non chassable), o. naine (non chassable).

Outarde barbue (grande outarde). *Envergure* 1,70 à 2,20 m. *Poids* 4 à 10 kg. Vivant jusqu'au XIXe s. dans les plaines de Champagne et du Poitou ; subsiste dans quelques régions d'Espagne centrale et d'Europe centrale et orientale. Protégée en France.

Outarde canepetière (petite outarde). Migratrice. Dans le Midi sept. à nov. Repasse mars-avril. Protégée en France.

Perdrix Bartavelle. Ressemble à la perdrix rouge. *Vit* entre 1 000 et 3 000 m d'alt. Alpes uniquement. En régression.

Perdrix grise. *Poids* 350 g. *Appariement* févr.-mars. *Ponte* avril-mai. *Couvée* 15 à 22 œufs (23 j) mais, en France, comme beaucoup de nids sont détruits, on aura après l'hiver de 160 à 300 perdrix si on ne les chasse pas. *Mâle* coq ou bourdon (s'il est en surnombre). *Femelle* poule ou chanterelle [les petites plumes de l'épaule ont des stries claires transversales en forme de croix de Lorraine (mâle : 1 strie longitudinale)]. *Jeune* perdreau ou pouillard. *Vit* 8 à 10 a. dans les plaines céréalières, en compagnies jusqu'à la reproduction, puis en couples. *Nourriture* jusqu'à 3 semaines : insectes, petites proies animales, ensuite s'ajoutent graines et verdure. **En France.** *Aires :* historique 355 000 km², actuelle 347 000 dont en % : densité « normale » 40,6 %. *Couples* 923 500 en 1980. *Perdrix d'élevage :* 4 à 6 millions lâchées par an. Pour 100 p. lâchées en août, 37 sont encore en vie en novembre si elles n'ont pas été chassées, sinon 14 (23 ayant été tuées par les chasseurs). En août suivant, si elles n'ont pas été chassées, 2 % semblent survivre.

Perdrix rouge. *Poids* 400 à 500 g. *Bec et pattes* rouges, gorge blanche, poitrine bleue. *Femelle* très difficile à distinguer. *Appariement* janv.-mars. *Couvée* 8 à 15 œufs jaunâtres piquetés de brun roux. *Incubation* 22 j. Le mâle est plus grand, avec ergot à chaque patte. *Vit* dans le sud de la France et en Espagne.

Pigeon Biset de ville. *Long.* 32 cm, aile replié 22 cm, envergure 62 cm. Descend de pigeons domestiques redevenus sauvages. **Colombin** même taille, plumage gris-bleu, niche dans les trous d'arbres ou entre les pierres.

Pigeon ramier (appelé **palombe** au S. de la Garonne). 40 cm, aile repliée 25, envergure 75. *Poids* 450 à 600 g. *Robe* gris-bleu, poitrine rosée, pattes rouges, cravate blanche sur le cou, queue barrée de noir. Commun dans les parcs. Nid de brindilles dans les arbres. *Couvées* 2 ou 3/an, mars à août, de 2 œufs couvés par les 2 sexes (15 à 17 j). *Nourriture* graines, fruits (glands), feuilles. *Migrateur. Passage des palombes* à certains cols des Pyrénées ou du Massif central (oct.-nov. et lors du retour en févr.-mars) ; chassée en oct.-nov. et en févr.-mars si elle est classée « nuisible » par arrêté préfectoral.

Palombière : abri à terre ou perché sur un arbre (jusqu'à 5 chasseurs). En partent des fils avec lesquels les chasseurs provoquent des battements d'ailes de palombes vivantes (attachées dans les arbres alentour). Ces battements incitent les vols de palombes sauvages qui passent à venir se poser. Dans certains cols pyrénéens, on rabat le vol en les faisant se prendre dans un filet. En 1993, 5 à 12 % ont été capturées par les chasseurs.

Poule d'eau. *Poids* 250 à 300 g. Brune noire, bec rouge, queue blanche qui se dresse en éventail. *Vit* dans les marais. *Accouplement* avril-mai. *Couvée* 5 à 10 œufs (22 j).

Râle des genêts. *Couvée* 6 à 10 œufs (21 j). *Vient* d'Afrique début mai, reste jusqu'à fin sept.-oct. Rarissime en France. Protégé.

Renard. *Poids* 5 à 9 kg. *Longueur* 85 à 120 cm (dont 30 à 40 cm de queue), *hauteur* du garrot 30 cm. *Accouplement* janvier à mars. *Gestation* 8 sem. *Portée* 2 à 8. *Mise bas* fin mars à mai. *Petit* renardeau. *Vit* 12 à 15 a. Occupe souvent les terriers de blaireaux ou de lapins. *Omnivore* (fruits, racines, levrauts, batraciens, campagnols, volailles). *Voie* très forte mais légère (disparaît vite : s'il prend 15 min d'avance sur les chiens, ceux-ci se perdent et ne peuvent plus rien sentir). Commun dans toute la France (vecteur de la rage). Pose de pièges réglementée.

Renne (appelé **caribou** en Amérique). *Poids* jusqu'à 110 kg. *Taille* au garrot 1,20 m. *Bois* (dans les 2 sexes) envergure jusqu'à 1,50 m ; 1 andouiller aplati vers le bas (1 au-dessus palmé jusqu'à 30 pointes). *Rut* juill. à oct. *Gestation:* 192 à 246 j. *Portée:* 1 ou 2. Ruminant. *Vit* en troupeau, dans régions polaires (URSS 2 200 000, Scandinavie 500 000, Canada 300 000).

Sanglier. *Poids* 1 an : 25 à 40 kg ; 2 a. : 50-70 ; 3 a. : 80-100 ; 4 a. : 100-120. Sous la peau, couche de graisse appelée *sain. Polygame. Long.* 1,50 m. *Hauteur* garrot 80 cm. *Accouplement* oct.-janv. *Gestation* 4 m. *Portée* 1 ou 2 par an de 3 à 10. *Femelle* laie commence à produire v. 18 mois. *Jeunes* marcassins en livrée (blond-roux rayé de noir), à 6 m. *bête rousse* sans rayures, 1 an *bête de compagnie* (noir ou gris), jeune accompagnant un solitaire *page,* 2 a. et demi *ragot,* 3-4 a. *tiers-an,* 2-3-4 *quartenier,* 4 à 5 *vieux-sanglier, grand sanglier, grand vieux-sanglier* ou *solitaire*. Vers 1 an, les *défenses* (canines inférieures) commencent à poindre, elles s'aiguisent en se frottant contre les canines supérieures *(grès)*. Défenses et grès sont appelés *crocs* chez la femelle. *Vit* 10 à 15 ans. Laies et mâles (jusqu'à 2 ans) en compagnies (jusqu'à 20). *Nourriture* omnivore [racines et tubercules (pommes de t.), herbe, céréales, fruits (glands, châtaignes), lapereaux, souris, vers, charognes]. Peut causer d'importants dégâts aux cultures.

Sarcelles (voir **canards**).

Tétras (grand). *Mâle* 70-90 cm, aile repliée 40, envergure 120, poids 3 à 7 kg. Plumage sombre. *Femelle* brune, plus petite. *Polygame. Parades nuptiales* fin avril début juin (4 semaines) ; à l'aurore, le mâle, d'abord perché sur une branche, puis à terre, émet des cris en devenant sourd et aveugle quelques secondes. En Europe centrale, on le chasse en profitant de ces instants pour s'approcher de lui (pratique interdite en France). *Couvée* 6 à 9 œufs (25-29 j). *Petit :* grianneau. *Vit* entre 500 et 1 800 m d'alt. dans les forêts (Vosges, Jura, Pyrénées). *Nourriture* baies, jeunes herbes, graines, bourgeons et aiguilles de résineux l'hiver. Chasse interdite en Lorraine, Alsace, Fr.-Comté, Rh.-Alpes.

Tétras-lyre (petit coq de bruyère). *Poids* 1 000 à 2 500 g. *Long.* 60 à 65 cm. *Envergure* 80. *Queue* en forme de lyre chez le mâle. *Plumage* noir (femelle brune). *Polygame. Parades nuptiales* à terre, mi-avril à mi-mai (surtout). *Couvée* 6 à 9 œufs (24-28 j). *Vit* entre 1 400 et 2 500 m d'alt. dans les zones de lisière ou de clairière (Alpes du N. et du S.). *Nourriture* baies, jeunes herbes, pousses et bruyère, graines, insectes, vermisseaux, aiguilles de pins et sapins.

Tourterelle des bois. Migrateur proche du pigeon (hiver en Afrique, printemps et été en Europe). *Couvées* 2 de 2 œufs (mai et juill.). Max. 27 cm. Fauve à gorge rosée. Actuellement, on en rencontre en France, moins qu'autrefois à cause du déchaumage des terres à blé et de la disparition des haies. En milieu urbain, nombreuses tourterelles turques originaires d'Asie mineure.

Chasse : *jusqu'en 1920,* capture au filet, puis chasse au fusil, et dep. 1945 au pylône [mirador en bois, 3 400 recensés (loués 4 500 à 12 000 F pour la saison)].

1969 arrêté ministériel interdisant la chasse. *1970-72* art. 336 du Code rural permettait de contourner la loi (chasse autorisée en enclos attenant à une habitation en tous temps). *1973* chasse autorisée en mai par le préfet de Gironde (arrêté annulé en *1974*). *1974* classée nuisible par le min. de l'Environnement. *1976*-10-7 loi sur la protection de la nature interdisant le tir des migrateurs à partir d'enclos. *1979* avril directive européenne sur la protection des oiseaux sauvages pendant leur migration de printemps et leur nidification (entre en application en *1981*). *1982* (24-4) *83, 84* arrêtés du min. de l'Environnement autorisant la chasse en mai en Gironde (annulés par le Conseil d'État 7-12-1984 et mars 85). *1987* Féd. des chasseurs de Gironde condamnée par le tribunal de grande instance de Bordeaux pour incitation à délit (jugement confirmé par la cour d'appel en mars *1990*). 8-4 cour de Luxembourg accuse la France de ne pas appliquer la directive européenne sur les oiseaux. *1990-2-5* l'Ass. des sauvaginiers du S.-O., l'Union girondine de défense des chasses traditionnelles et le Comité de défense de la chasse à la tourterelle en mai en Gironde sont condamnés à verser 12 000 F à la LPO et à la Sepanso.

■ **Accroissement moyen annuel par femelle** Assez stable chez le grand gibier : cerf de 0,5 à 0,6, chevreuil 0,6 à 0,8, chamois 0,2 à 0,4. Varie selon les conditions météorologiques chez d'autres espèces : sanglier 1 à 4, faisan 2 à 5, lapin 3 à 10, lièvre 2 à 5, perdrix grise 1 à 8, perdrix rouge 1 à 6, canard colvert 2 à 6, etc., de mauvaises conditions aggravant la mortalité des jeunes ou diminuant les ressources alimentaires.

■ **Densité de gibier. Grand gibier.** Les densités supportables sont plus fortes dans les forêts feuillues, régulièrement exploitées (nombreuses coupes pour la régénération de la forêt), entrecoupées de clairières ou à contour irrégulier, que dans les forêts résineuses, et particulièrement celles traitées en futaie régulière, ou dans les autres grands massifs insuffisamment exploités. Varient en fonction du sol, de l'essence, du traitement de la forêt, de l'âge des peuplements. Pour 100 ha, cerf : 0,5 à 5, chevreuil : 3 à 30, chamois : 4 à 15, mouflon : 1 à 10.

Petit gibier. Dépendent du milieu (type d'agriculture, sol, climat, etc.). En France pour 100 ha : perdrix grise jusqu'à 30 couples et plus, perdrix rouge 20 couples, faisan 50 poules, lièvre 50.

■ **Proportion de mâles et de femelles.** Généralement proche de 1 sur 1 à la naissance. Chez certaines espèces, un des deux sexes peut être plus sensible aux facteurs de mortalité naturelle.

■ **Vitesse moyenne.** En mètres/sec. Bécasse 10-12, caille 10-17, colvert 20-25, faisan 14, lapin 12, lièvre 12, perdreau 13-15, sarcelle 30.

ORGANISATION

■ **Au niveau national.** Dépend du *ministre de l'Environnement* assisté par le *Conseil national de la chasse et de la faune sauvage* (CNCFS) créé par décret du 27-4-1972 (art. R 221-1 à 221-7 du Code rural), dont l'avis est consultatif.

■ **Au niveau départemental.** Fait partie des attributions des *préfets* assistés pour les décisions techniques des directions départementales de l'agr. et de la forêt. Chacun est assisté d'un *conseil départemental de la chasse et de la faune sauvage* créé par décret du 7-3-1986, art. R 221-27 à 221-37 du Code rural (à Paris, le conseil assiste le préfet de police). Les conseils dressent la liste des nuisibles pour le département et formulent des avis sur les projets d'arrêtés fixant les périodes d'ouverture de la chasse dont la compétence relève des préfets dep. le décret du 14-3-1986 (art. 224-3 du Code rural).

■ **Autres organismes. Office national de la chasse,** 85 bis, av. de Wagram, 75017 Paris. *Créé* par décret du 27-4-1972 (art. L 221.1, R 221.8 à 221.23 du Code rural). Établissement public administratif sous tutelle du ministre chargé de l'Environnement. *Missions :* maintenir et améliorer le capital cynégétique, effectuer des recherches, enseignements et réalisations en faveur de la faune sauvage, participer à la police de la chasse, indemniser les dégâts du grand gibier, organiser l'examen du permis de chasser, coordonner l'activité des féd. départementales de chasseurs. *Budget* (92) 520 millions de F, financé par les redevances perçues lors de la validation annuelle du permis de chasser et des licences de chasse des étrangers. *Employés* (92) 1 643 dont 1 422 gardes nationaux.

Fédérations départementales des chasseurs (art. L 221-2 à 221-7 du Code rural). *Créées* 1941. Soumises au contrôle de l'Administration. Établissements privés collaborant à une mission de service public. Regroupent tous les chasseurs du département ayant acquitté leur cotisation et tous les détenteurs d'un droit de chasse ayant adhéré volontairement. Doivent réprimer le braconnage, aménager des réserves, protéger la reproduction du gibier. Les Pts sont nommés pour 3 ans par le min., sur proposition du conseil d'administration. **Union nationale des fédérations départementales des chasseurs (UNFDC),** 48, rue d'Alésia, 75014 Paris : a créé la **Fondation nationale pour la protection des habitats de la faune sauvage** qui achète, aménage et gère des territoires afin de les mettre en réserve.

Associations communales de chasse agréées (Acca). *Créées* par la loi Verdeille du 10-7-1964, qui ne s'applique pas au Bas-Rhin, Haut-Rhin et Moselle. Englobent les droits de chasse sur les territoires de la commune situés à + de 150 m des maisons, inférieurs à une certaine superficie (20 ha au min. pour plaine et bois ; 100 ha en montagne ; 3 ha pour les marais non asséchés) et non clos. Ces minimums sont, dans certains des départements où une Acca doit exister dans chaque commune, doublés ou triplés. Les droits de chasse leur sont dévolus, même contre le gré des propriétaires (gratuitement si le propriétaire ne tirait aucun revenu de la chasse, sinon contre indemnité).

Il ne peut y avoir qu'une Acca par commune. Elle doit mettre en réserve au moins 1/10 de son territoire. Sont membres de droit de l'Acca à leur demande, lorsqu'ils ont un permis de chasser validé : les apporteurs de droits de chasse (si, ne chassant pas, ils ne sont pas titulaires d'un permis, ils ne paient aucune cotisation) qu'ils aient fait leur apport volontairement ou non, leurs conjoint, ascendants et descendants directs, quel que soit leur nombre, les fermiers ou métayers cultivant une parcelle donnant lieu à leur apport à l'Acca, les personnes domiciliées dans la commune ou y ayant une résidence pour laquelle elles sont inscrites depuis au moins 4 ans au rôle des Contributions directes.

À l'exception des apporteurs de droits de chasse non chasseurs considérés comme « membres de droit », les adhérents de l'Acca paient une cotisation selon la catégorie à laquelle ils appartiennent. L'Acca doit, en outre, accueillir 10 % min. de chasseurs étrangers à la commune (ils paient une cotisation + élevée). Les Acca bénéficient par rapport aux autres associations de chasse de nombreux avantages (ex. : aide financière de l'Office nat. de la chasse).

Sociétés communales de chasse. Associations loi de 1901. Les chasseurs d'une commune y adhèrent et peuvent chasser sur son territoire.

Groupement d'intérêts cynégétiques (GIC). Associations loi de 1901 regroupant des détenteurs de droits de chasse (Stés communales, Acca, privés) et destinées à mieux gérer de vastes territoires (1 000 à 10 000 ha ou plus). Gestion commune, mais chacun continue à ne chasser que chez lui. 10 % des chasseurs et 9 % du territoire chassable français (1988). En forte progression.

Groupement national pour la promotion du tir cynégétique et sportif. Association nationale composée des représentants élus des chasseurs, des tireurs, des négociants et fabricants en armes et munitions. **Saint-Hubert club de France.** 10, rue de Lisbonne, 75008 Paris. *Créé 1901.* Regroupe des chasseurs.

LÉGISLATION

■ DROIT DE CHASSE

■ **Appartenance.** *Au propriétaire de la terre.* Celui-ci peut céder son droit à un autre (même sans bail).

Fermier et métayer peuvent chasser personnellement sur le fonds loué. Ce droit ne peut être cédé. S'ils ne le désirent pas, ils doivent le dire au bailleur par lettre recommandée avec accusé de réception avant le 1er janvier précédant chaque campagne de chasse (la renonciation doit être renouvelée chaque année). Il leur est absolument interdit de chasser le « gibier d'élevage » nourri, gardé, protégé, et dont la reproduction est favorisée. Le propriétaire (ou son locataire) peut réglementer, dans une certaine mesure, l'exercice de ce droit de chasser du fermier (nombre des j de chasse, espèce, sexe ou nombre des pièces de gibier en vue de sa protection et de l'amélioration de la chasse) dans la mesure où il s'impose les mêmes restrictions ; le fermier doit respecter ces restrictions sauf décision contraire du tribunal paritaire (si elles étaient jugées excessives). Même s'il exerce son droit de chasser, le fermier peut demander au bailleur ou au détenteur du droit de chasse (dans le cas où la responsabilité de ce dernier se trouverait engagée) réparation des dommages causés par le gibier.

Cas particuliers : *Moselle, Bas-Rhin et Ht-Rhin :* le droit de chasse, régi par la loi du 7-2-1881, est administré par la commune pour le compte des propriétaires. Le droit de chasser du fermier ou du métayer n'est pas prévu dans la loi. Pour chaque territoire communal, la chasse est, par voie d'adjudication publique, louée pour 9 ans. Le propriétaire d'un territoire de 25 ha au moins d'un seul tenant (5 ha pour les lacs et les étangs) peut conserver son droit de chasse mais, dans de nombreux cas, il doit alors en payer la valeur à la commune. Les parcelles inférieures à 25 ha sont réunies en lots de 200 ha au moins, mis en location par la commune. Dep. 1820, une taxe de luxe est perçue par le Trésor. L'Association des chasseurs en forêts perçoit une cotisation de 10 % du montant des loyers pour indemniser les dégâts des sangliers (% pouvant être révisé en cas de sinistres importants dans le département). Le gros gibier n'est chassé qu'à balle.

☞ *Il est interdit de chasser :* 1) là où l'on ne possède pas le droit de chasser (dans les communes où existe une Acca, le chasseur doit se renseigner pour savoir où il peut aller) ; 2) dans les localités, sur les routes et chemins publics et voies de chemins de fer ; 3) dans les réserves de chasse. *Il est interdit de tirer :* 1) en direction des habitations à portée de fusil ; 2) sur les terres portant des récoltes, sauf consentement du propriétaire de celles-ci.

Appartenance du gibier : un chasseur devient le propriétaire du gibier qu'il a tué. *Si le gibier tiré va mourir sur le terrain d'autrui*, il peut aller le ramasser mais devra abandonner son fusil et son chien. *Le gibier trouvé mort* appartient à celui qui l'a trouvé si le chasseur ne le recherche plus. *Le gibier mortellement blessé* appartient au chasseur qui l'a blessé, même si un autre chasseur achève l'animal (à condition que le chasseur ayant blessé l'animal le poursuive) ; *légèrement blessé* (gibier pouvant s'échapper) appartient à celui qui l'attrape et l'achève.

Un gibier pris par un chien devient immédiatement la propriété du maître du chien.

■ **Plan de chasse.** *1963* créé pour limiter les prélèvements de grands animaux en voie de disparition. Facultatif. *1979* obligatoire pour cerf, chevreuil, daim et mouflon. *1985* loi montagne permet d'en instaurer un pour le chamois. *1988* 30-12 loi permettant d'en créer pour d'autres espèces (faisans, lièvres, perdrix, sangliers, etc.). *1989* 31-7 arrêté ministériel : plan obligatoire pour chamois et isard. *1992*-10-1 arrêté permettant aux préfets d'instaurer des plans de chasse pour d'autres espèces sur tout ou partie du territoire. Le nombre d'animaux des espèces concernées pouvant être prélevés sur un territoire de chasse est fixé chaque année avant l'ouverture par le préfet, sur avis d'une commission comprenant des chasseurs, des forestiers et des agriculteurs. Les détenteurs de droits de chasse reçoivent autant de dispositifs de marquage ou de bracelets que d'animaux auxquels ils ont droit. Un bracelet doit être fixé sur l'animal pris, avant tout transport. À la fermeture, chaque détenteur doit rendre compte de l'exécution de son plan de chasse. La surface pour les attributions de grand gibier varie selon la densité des animaux dans le massif considéré, les possibilités nourricières de ce massif, les risques de dégâts aux cultures environnantes ou aux plantations, l'objectif poursuivi (favoriser une espèce ou la contenir). En 1993, pour le grand gibier, les titulaires d'un plan de chasse ont dû payer (taxe encaissée par l'ONC et destinée à indemniser les agriculteurs ayant subi des dégâts causés par le grand gibier ou les sangliers) : cerf 427 F, daim 208 F, mouflon 144 F, chevreuil et cerf sika 75 F.

■ ÉPOQUES DE CHASSE

■ **Chasse à courre, à cor et à cri.** Chaque année du 15-9 au 31-3 (la **vénerie sous terre** ferme le 15-1).

■ **Chasse à tir et au vol. Ouverture :** en général, entre le 1er et le 4e dimanche de septembre. Souvent la chasse au faisan, à la perdrix et au lièvre est retardée ; celle au chevreuil et au cerf, autrement qu'à l'approche, n'ouvre fréquemment qu'un mois plus tard. L'article R. 224 du Code rural fixe un cadre dans lequel chaque préfet doit inscrire les périodes d'ouverture (variant selon les régions, à cause du climat, et les espèces, à cause des données biologiques). Pour le **gibier d'eau :** la date est fixée par le ministre et peut être anticipée par rapport à l'ouverture générale (actuellement, dans env. 40 départements, elle ouvre entre le 16-7 et début sept.). La CEE souhaite qu'elle ouvre lorsque tous les oiseaux sont volants. Quand la chasse au gibier d'eau est seule ouverte, on ne peut chasser que sur fleuves, rivières, canaux, réservoirs, étangs, lacs et marais non asséchés, et sur le domaine public maritime dans les départements côtiers. Il est interdit de tirer sur les terrains momentanément inondés ou sur un simple ruisseau, et de tirer du gibier d'eau posé en plaine ou volant au-dessus d'elle. Le chasseur doit tirer au-dessus de la nappe d'eau.

Fermeture générale : de mi-janvier à fin février selon les départements. Après la période d'ouverture générale, quand elle se termine avant la fin fév., on peut encore dans de nombreux départements chasser le gibier d'eau (colvert jusqu'au 31 janv., d'autres espèces jusqu'à fin fév., sur la zone de chasse maritime, les fleuves, canaux, réservoirs, étangs, lacs et marais non asséchés), la bécasse et autres gibiers de passage (grive, palombe) dans certaines conditions, des espèces classées nuisibles (ex. : sanglier, lapin).

■ **Heures de chasse.** La *chasse de nuit* est interdite (quand l'œil humain ne peut plus discerner les objets ; Bas-Rhin, Haut-Rhin et Moselle, la nuit s'achève et commence 1 h avant et 1 h après l'heure légale du lever et du coucher du soleil).

■ **Temps de neige.** Il est interdit de chasser. Le préfet peut toutefois autoriser par temps de neige la chasse au gibier d'eau, l'application du plan de chasse légal, la vénerie, la chasse au sanglier, au lapin, au renard et au pigeon ramier.

■ INFRACTIONS DE CHASSE

■ **Permis. Défaut du port :** amende de 30 à 250 F. **Permis non valable pour le temps et le lieu où l'on chasse :** 3 000 à 6 000 F.

■ **Chasse sur le terrain d'autrui.** 3 000 à 6 000 F d'amende. S'il touche une maison habitée ou servant à l'habitation et s'il est entouré d'une clôture continue faisant obstacle à toute communication, amende de 180 F à 15 000 F et emprisonnement de 6 j à 3 mois. *Délit commis la nuit* : 360 F à 15 000 F, empris. 3 mois à 2 ans, sans préjudice de plus fortes peines prévues par le Code pénal. Poursuite d'office exercée par le ministère public sur plainte de la partie intéressée quand l'infraction est commise dans un terrain clos attenant à une habitation ou sur des terres non encore dépouillées de leurs fruits.

■ **Chasse en temps prohibé ou dans les réserves de chasse.** Amende de 3 000 à 6 000 F et emprisonnement de 10 j à 1 mois : pour ceux qui seront détenteurs, ou trouvés munis, hors de leur domicile, de *filets, engins ou autres instruments de chasse prohibés* par le Code rural et les textes réglementaires ; en un temps de chasse prohibée, auront mis en vente, vendu, acheté ou colporté du gibier ; auront, en toute saison, mis en vente, vendu, acheté, transporté ou colporté, ou même acheté sciemment du gibier tué à l'aide d'engins ou instruments prohibés ; auront employé des drogues ou appâts de nature à enivrer le gibier ou à le détruire ; auront chassé avec appeaux, appelants (dérogation pour la chasse aux oiseaux d'eau) ou chanterelles.

☞ Ces peines pourront être doublées en cas de chasse pendant la nuit sur les terrains d'autrui avec des instruments et moyens prohibés, ou si les chasseurs étaient munis d'une arme apparente ou cachée (6 000 à 15 000 F et 6 j à 4 mois de prison). Les amendes prononcées pour un acte de chasse effectué dans un lieu, un temps ou au moyen d'engins prohibés seront majorées de 50 % au profit du Fonds de garantie. Les peines *seront toujours portées au maximum* si les délits ont été commis par des gardes champêtres, techniciens et agents de l'État et de l'Office nat. des forêts, chargés des forêts, et des gardes-chasse maritimes.

■ **Peines complémentaires.** Confiscation des filets, engins et autres instruments de chasse, des avions, automobiles ou autres véhicules utilisés pour le délit. Destruction des instruments de chasse prohibés, confiscation des armes *(sauf dans le cas où l'infraction aurait été commise par un individu muni d'un permis de chasser dans le temps où la chasse est autorisée).* Si les armes, filets (sauf dérogation comme pour la chasse au pigeon-ramier dans les Pyrénées), engins, instruments de chasse ou moyens de transport n'ont pas été saisis, le délinquant peut être condamné à les représenter ou à en payer la valeur. Le permis de chasser peut être suspendu par l'autorité judiciaire en cas d'homicide involontaire ou de coups et blessures involontaires survenus à l'occasion d'une action de chasse ou de destruction d'animaux nuisibles. Les tribunaux peuvent priver l'auteur de l'infraction du droit de conserver ou d'obtenir un permis de chasser pour au max. 5 ans en cas de condamnation pour une infraction de chasse, ou pour homicide involontaire, ou pour coups et blessures involontaires survenus à l'occasion d'une action de chasse ou de destruction d'animaux nuisibles. En cas de condamnation pour l'une des infractions de chasse, et lorsque l'infraction aura été commise avec un véhicule à moteur, les tribunaux peuvent suspendre le permis de conduire des auteurs de l'infraction, qu'ils soient ou non conducteurs du véhicule, pour au max. 3 ans.

Permis de chasser

■ **Formalités. Examen du permis** (créé par la loi du 14-5-1975, existe dep. 1976). *Age minimal :* 15 ans au 31-3 de l'année de l'examen, mais on ne peut faire valider son permis qu'à partir de 16 ans (on ne peut donc chasser avant cet âge). *Inscription :* remplir imprimé et y apposer les timbres fiscaux acquittant le montant du droit d'examen (80 F) (mairies ; pour Paris, Préfecture de police), l'adresser au préfet de son domicile avant le 31-3 de l'année de l'examen, en joignant : fiche individuelle d'état civil, 2 enveloppes timbrées, attestation de participation à un stage de formation pratique (art. R. 223-3 du Code rural). Si la demande concerne un mineur, elle est formulée par le père, la mère ou le tuteur. *Examen :* présenter à l'entrée une attestation de participation à un stage de formation pratique (validité 2 ans). Les refusés (env. 25 %) ne peuvent se représenter que l'année suivante. S'il manque un point, et que l'on a correctement répondu à toutes les questions éliminatoires, admission à la session complémentaire suivante de l'année en cours. Pour les Français de l'étranger, session spéciale prévue.

Permis : délivré individuellement et à titre permanent à la préfecture du domicile (à Paris, Préfecture de police). Fournir certificat de réussite à l'examen, pièce d'identité, justification de domicile et 2 photos d'identité, déclaration au sujet des causes d'incapacité ou d'interdiction pouvant faire obstacle à la délivrance du permis de chasser ; régler un droit de timbre de 200 F.

Visa : le chasseur doit faire viser et valider annuellement son permis (1er juillet-30 juin) à la mairie de la commune où il est domicilié, réside, est propriétaire foncier ou possède un droit de chasser (à Paris, Préfecture de police). *Présenter :* permis de chasser, attestation d'assurance chasse (pour les mineurs de 16 à 18 ans, autorisation des parents ou tuteur), récépissé de la Fédération départementale des chasseurs du département de validation constatant le versement de la cotisation statutaire pour la campagne de chasse considérée, déclaration au sujet des causes d'incapacité ou d'interdiction pouvant faire obstacle au visa du permis de chasser.

Validation (campagne 1993-94) : à la perception (à Paris, à la régie de recettes de la Préf. de police). Validation départementale 248 F, nationale 937 F, redevance cynégétique nationale « gibier d'eau » en complément, permettant la chasse au gibier d'eau pendant la période précédant l'ouverture générale, de la chasse maritime en tout temps d'ouverture 66 F, red. complémentaire permettant le passage de la red. départ. en red. nationale 685 F. Pour une 2e ou une 3e validation départ. demandée simultanément avec la 1re, le timbre au profit de l'État et la taxe communale (48 + 22) seront acquittés 1 seule fois.

Dep. la saison 1992-93, le porteur d'un permis nat. allant chasser (petit et grand gibier) dans un département autre que celui où il a adhéré doit acquitter un timbre, « cotisation d'accueil ». Dans certains dép., pour chasser le grand gibier, il doit en plus être muni du timbre « dégâts de gibier ». Avant la chasse, il doit coller les timbres sur le permis.

■ **Incapacités et interdictions.** *Visa non accordé :* – de 16 ans ; mineurs non émancipés de + de 16 ans (demande par leur père, mère ou tuteur) ; majeurs en tutelle, non autorisés à chasser par le juge des tutelles (au tribunal d'instance) ; personnes privées du droit de port d'armes ou qui n'ont pas exécuté les condamnations prononcées contre elles pour infractions de chasse ; condamnés interdits de séjour, atteints d'une affection médicale ou d'une infirmité rendant dangereuse la pratique de la chasse ; alcooliques dangereux ; personnes venant de subir certaines condamnations (art. 223-20 du Code rural). Les condamnés pour infraction de chasse ou pour homicide involontaire ou pour coups et blessures involontaires survenus à l'occasion d'une action de chasse ou de destruction d'animaux nuisibles peuvent être privés, par les tribunaux, du droit de conserver ou d'obtenir un permis de chasser durant 5 ans au max. Obligation dans ce cas de repasser l'examen.

Statistiques

■ **En Europe. Nombre de chasseurs** (1989, en milliers) : *France 1 721,* Italie 1 500, Espagne 1 050, G.-B. 800, Grèce 300, All. féd. 265, Danemark 170, Portugal 150, Irlande 120, P.-Bas 36, Belgique 28,5, Luxembourg 2,6. **% de chasseurs par rapport à la population :** *France 3,2,* Espagne 2,8, Italie 2,6, Suède 2,6, G.-B. 2, Autriche 1,2, All. féd. 0,4. Belg. 0,3.

■ **En France. Nombre de chasseurs** (milliers de permis validés) : *1830 :* 44. *1930 :* 1 610. *60 :* 1 726. *75 :* 2 210. *80 :* 2 064. *85 :* 1 865. *91 :* 1 700.

Caractéristiques. *Source :* enquête du Comité national d'Information chasse-nature (UNDC 1985). **Catégorie :** agriculteurs 18,3, ouvriers 19,7, retraités 15,8, commerçants et artisans 9,6, cadres moyens 13,1, employés 13,9, professions libérales, cadres supérieurs et industriels 7,2, divers 2,4. **Statut :** propriétaires 52,3, locataires 24,7, actionnaires 15,9, invités 8,6, permissionnaires 6,1. **Régime juridique :** chasse communale 72, privée 15,5, domaniale 3,3, sans réponse 9,2. **Type de permis :** p. départemental 90, national 10. **Gibier préféré :** de bois 62, plaine 53,3, de passage 42,8, d'eau 13, grand gibier 16,7. **Territoire :** plaine 76,5, bois 72,7, zone humide 10,4. **Mode de chasse :** chien d'arrêt devant soi 61,7, à la billebaude (rencontre) 26,3, en battue 24,6, aux chiens courants 8,5, à la hutte 5,1, en barque 3,3, divers 6,9. **Fréquence** *1 fois/sem.* 47,6, *2* 31,1, *+ de 2* 13,8, *1 fois/mois* 4,3, *tous les 15 j* 1,9, *autres* 1.

■ **Fusils de chasse** (équipement des ménages en %). **Par catégories :** agriculteur 53 ; artisan, commerçant, industriel 29 ; ouvrier 18 ; cadre sup., prof. libérale 17 ; employé 15 ; inactif 14 ; cadre moyen 12. *Ensemble 18.* **Par régions :** Aquitaine, Limousin 34 ; Midi-Pyrénées 31 ; Centre, Poitou-Charentes 27 ; Languedoc-Roussillon, Auvergne 25 ; Picardie 23 ; Provence-Côte d'Azur, Corse 22 ; Basse-Normandie 21 ; Rhône-Alpes 20 ; Champagne-Ardenne 19 ; Bourgogne 18 ; Haute-Normandie, Pays de la Loire, Franche-Comté 17 ; Bretagne 14 ; Nord 12 ; Lorraine 11 ; Île-de-France 9 ; Alsace 6. *France 18.*

■ **Accidents.** Année, nombre d'accidents, tués, blessés. *1976 :* 234 a. (63 t./183 bl.). *80 :* 125 (29/96). *81 :* 107 (25/79). *82 :* 99 (30/67). *83 :* 111 (33/75). *84 :* 108 (28/78). *85 :* 95 (26/67). *87 :* 64 (17/47).

Collisions véhicules et grands animaux : *heure des collisions :* 54 % entre 5 h et 8 h, et 17 h et 21 h (h solaire). **Grands animaux tués :** *1985 :* 3 578 dont chevreuils 2 857 (79,8 %), sangliers 389 (10,9), cerfs 308 (8,6), chamois 2, cerfs sika 2, mouflons 2. *1986 :* 4 500.

Dégâts du gibier : *nombre de dossiers financés par les chasseurs et,* entre parenthèses, *remboursements en millions de F. 1980 :* 17 596 (36,6), *85 :* 21 223 (63,7), *91 :* 40 362 (142,3).

■ **Poids économique de la chasse** (1992, source UNFDC). 11 739 millions de F (soit env. 6 500 F par chasseur, génère 27 460 emplois) dont secteur réglementaire 646 (358 F par chasseur ; 3 400 emplois), droits de chasse 1 700 (960 F ; 5 500 empl.), équipement 2 017 (1 120 F ; 7 960 empl.), cynocynégétique 4 374 (2 430 F ; 8 250 emp.), services 2 727 (1 518 F), information 199 (110,5 F), vénerie 70 (1 300 emp.).

Balance commerciale de la chasse en France (1984, millions de F) : fusils – 256, viande de gibier – 159, cartouches – 48, gibier vivant – 33, tourisme cynégétique – 15.

■ **Chasse payante.** Prix par jour et par fusil (exemples). *En battues* (12 à 15 fusils) : tableau jusqu'à 150 pièces : 1 500 à 5 000 F ; *devant soi :* chasseur seul 1 000 à 2 000 F. *Au sanglier* (en parc, 15 à 16 fusils ; 5 à 6 traques jour) : 1 500 F.

■ **Safaris et shikars.** Organisés avec des guides en Afrique (safaris) ou en Inde (shikars). Le tireur paye une taxe d'abattage selon la cotation du trophée (exemple en F suivant les pays : éléphant 17 000 en Rép. centrafricaine, 20 000 au Cameroun, élan de Derby 100 000, panthère 100 000, buffle 1 200 en Rép. centr.), n'a droit qu'à un nombre limité d'animaux (souvent une seule pièce pour le gros gibier). En Bulgarie, taxe proportionnelle au nombre d'oiseaux tirés ; ours 25 000 à 200 000. Au Tchad (francs CFA), panthère 250 000, éléphant et lion 200 000.

■ **Prix du gibier vivant** (en F, 1991). **Gibier de repeuplement : Lièvres** *d'Europe centrale* (repris sauvages) ; couple : *déc.* 1 314, *janv.* 1 474 ; trio : *déc.* 2 547, *janv.* 2 868. *De France (élevage) ;* couple : *déc.* 1 050, *janv.* 1 250. **Faisans** *de France (élevage) ;* pièce : *nov.* 76, *déc.* 79, *févr.* 82. *D'Europe centrale* (repris sauvages) ; pièce : *déc.* 95, *janv.* 103, *févr.* 109, *mars* 119. **Perdrix rouges ou grises** *de France (élevage) ;* couple : *nov.* 164, *janv.* 175, *févr.* 185. *Grises sauvages ; janv.* 185, *fév.* 195, *mars* 210. **Lapins** de garenne purs (de reprise) ; *trio :* 540.

☞ *Source :* Office français de gibier de repeuplement (importe des pays de l'Est et du Danemark).

Nota. – Aucun gros animal ne peut entrer en France sans avoir subi une quarantaine.

■ **Prix de vente du gibier mort au MIN de Rungis** (1982). **A plume** (F/pièce) : *Perdreau* français 39,07, importé 30,17. *Faisan* coq 35,46 (importé 28,85) ; poule 30,14 (imp. 25,61). *Perdrix* 27,57. *Canard* sauvage 23,83. **A poil** (F/kg) : *Chevreuil* 39,35. *Lièvre* 32,44 (imp. frais 25,26, congelé 13,98). *Daim* 26,23. *Sanglier* petit 25,52, gros 26,32. *Lapin* 18,57 (importé frais 18,36, congelé 10,17).

■ **Prélèvement possible par les chasseurs** (pour 100 animaux vivant à l'ouverture sur un territoire, s'ils désirent en retrouver autant l'année suivante). Cerfs 20, chamois et isards 12, chevreuils 20 à 25, faisans communs 50 (laisser un coq pour 3 ou 4 poules), lièvres 50, perdrix grises 40, perdrix rouges 50, sangliers 50.

■ **Tableau de chasse annuel français** (est. 1989, en milliers). 40 000 dont cerfs 10, chamois-isards 6, chevreuils 120, daims 0,25, mouflons 0,75, sangliers 70, lapins 6 300, pigeons, palombes et tourterelles env. 6 000, lièvres 1 600, faisans env. 6 000, perdrix 3 300, canards 2 000, grives 13 000, bécasses 1 300, cailles 64.

■ **Importations françaises de gibier vivant** (Nombre de pièces, 1988-89). *Lièvres* 49 064 (dont Hongrie 23 997, Tchécoslovaquie 13 860, Pologne 5 655, Roumanie 2 318, Espagne 3 054, Danemark 180). *Faisans* 34 239 [1] (dont Pologne 23 321 [1], Tchéc. 6 100 [1], Hongrie 4 818 [1]). *Perdrix* 10 450 [1] (du Dan.). *Gros gibier* 118 [1] (dont Dan. 100 [1], Hongrie 15 [1], Belgique 3 [1]).

Nota. – (1) 1985-86.

Montant (en milliers de F, 1985-86) : 21 916 dont Hongrie 11 273 (lièvres 18 895), Tchéc. 7 190 (l. 6 746), Pologne 3 452 (l. 2 721).

Origine (1989-90) : Hongrie 13 793, Tchécoslovaquie 13 063, Pologne 4 230, Espagne 1 200.

Grands fusils

Lord Grey tua, en 59 ans, près d'un million de pièces, jusqu'à 880 faisans ou 420 grouses en une journée. **Le marquis de Ripon** (Angl. 1852-1923) 556 000 oiseaux ; 245 000 pièces en 55 ans. **Le maharadjah Dhuleep Singh,** 780 perdreaux dans la journée. **Le Cte Clary** (France 1876-1923), 316 160 pièces dont *oiseaux :* faisans 112 543, perdreaux 60 216, oiseaux des marais et de mer 16 876, corbeaux 14 904, grouses 5 881, canards et sarcelles 4 701, alouettes 3 399, rapaces 2 255, pies 2 025, geais 1 913, cailles 1 615, grives 1 574, tourterelles 1 546, bécassines 673, bécasses 618, râles 195, oies sauvages 7, pintades 6, dindons sauvages 4, paons 2, cygne 1, aigle 1 ; *autres :* lapins 48 555, lièvres 16 402, chevreuils 438, cerfs, biches 242, sangliers 156, chats sauvages 122, renards 39, daims 2, loups 2, renne 1. Divers 16 987.

☞ *En Autriche,* chez le Cte Trautmannsdorf, 7 fusils tuèrent en 1 jour (sept. 1887) 1 cerf, 205 lapins, 209 faisans, 1 018 lièvres, 1 612 perdreaux, soit au total 3 045 pièces. *En Nouvelle-Zélande* (où 100 000 cerfs sont tués par an), 2 fusils peuvent tuer 100 cerfs par j en les traquant en hélicoptère.

Cyclisme

Bicyclette

Origine. 1813 invention de la 1re machine ayant 2 roues en ligne par le baron Drais von Sauerbronn (All., 1785-1851) : *draisienne* propulsée par les jambes s'appuyant alternativement sur le sol. **1861** *pédale* adaptée à la roue avant d'une draisienne par Pierre Michaux (1813-83), invention revendiquée par le Français Galloux (1837). **1866** *1er brevet* de vélocipède à pédale, déposé à Washington par le Français Pierre Lallement. **1868** *1er club cycliste :* Véloces club de Rouen, Paris, Toulouse. *-31-5* **1re course** de vélocipède (2 km) : parc de St-Cloud à Paris ; *vainqueur :* James Moore (Anglais, 1847-

1935). **1869**-*7-11* 1er Paris-Rouen. **1880** l'Anglais Starley lance une bicyclette à roue arrière motrice grâce à une *chaîne.* **1881**-*6-2* Union vélocipédique de France créée. *-25-9 1er Championnat de France.* **1887** l'Écossais John Boyd Dunlop (1840-1912), vétérinaire à Belfast, invente *pneumatique* et valve. **1890** Robertson en G.-B. et Michelin en France le rendent démontable. **1900**-*14-4 Union cycliste internat créée.* **1905** dérailleur de Paul de Vivie [vulgarisé par l'industriel Lucien Juy (1899-1976)]. **1940**-*20-12* l'UVF devient la Fédération fr. de cyclisme. **1979** vélo profil aérodynamique, permet à 45/50 km/h une réduction de 50 % (soit 100 Watts) de la résistance offerte par la machine seule. Utilisé en 1980 dans des épreuves officielles (contre la montre). **1983** pédale de sécurité dans laquelle s'encastre la chaussure. **1992**-*1-1* casque obligatoire pour toutes compétitions, sauf professionnelles.

Vélo de course. En général 36 rayons (Anquetil s'est servi de roues à 24 r.). *Boyaux* 100 à 300 g, gonflés à l'hélium lors de tentatives contre les records. *Braquet* 47 et 51 dents (pédalier), 14 à 18 (roue arrière). *Développement* de 47 × 18 (5,37 m) à 51 × 14 (7,78 m), parfois 56 × 14 (8,74) dans le Bordeaux-Paris. Dep. 1984, roues lenticulaires, braquets jusqu'à 40 × 23 (Tour de France) et 54 × 12 (contre la montre). *Diamètre roue* 68 cm.

Développement (D) ou **braquet.** Distance parcourue lorsque la pédale a fait un tour complet :

$$D = R \times \frac{P}{p}.$$

R : circonférence de la roue, P : nombre de dents au pédalier, p : au pignon arrière. Ex. : un 51 × 15 (51 dents au plateau, 15 au pignon arrière) a un dév. de 7,26 m :

$$\frac{P\ 51}{p\ 15} \text{ soit } 3{,}4 \times R\ 2{,}136 = 7{,}26 \text{ m.}$$

Cadence idéale du grimpeur escaladant une rampe : 48 à 55 tours de pédale/minute.

Vitesse (records en km/h). 79,47, Ralph Therrio (USA)1977. *Sur tricycle aérodyn.* 87,60, Jan Russel et Butch Stanton (USA). *Vélo caréné.* 105,386 Californie, Fred Markham 11-5-1986. *Derrière une voiture de course.* 245,077, John Howard 20-7-1985 à Bonneville (USA) ; rec. de France : 204,778 à Fribourg (All.), 12-7-1962. José Meiffret (Fr., 1913-83).

Pistes. Composées de 2 lignes droites plates et de 2 virages relevés à 35° au minimum. *Largeur* 5 à 8 m ; *long.* 200 à 500 m. *Pistes en cendrée :* pistes d'athlétisme utilisées par les cyclistes qui ne peuvent, par sécurité, les emprunter fréquemment. **Vélodromes** *à ciel ouvert* (environ 80 en France) : pistes en ciment ou bois ; de 250 à 500 m ; *couverts,* les *« Vel d'Hiv » :* 3 en France : Grenoble 210 m, piste en bois ; **Palais Omnisports** Paris-Bercy qui remplace depuis 1984 le P. des Sports de Paris démoli en 1959, 250 m ; Bordeaux 250 m, piste en bois.

ÉPREUVES SUR PISTE

VÉLODROME

Piste. En général, 250, 333,33 ou 400 m de long. Largeur 5 m min. pour le sprint, sinon 7 m min. En plein air ou couverte. En béton, asphalte ou bois. Composée de 2 lignes droites parallèles reliées par des virages plus ou moins relevés.

TYPES D'ÉPREUVES

Course de vitesse. Sur 3 tours pour les pistes de 333,33 m et moins, et 2 tours pour les + de 333,33 m. Se court le plus souvent à 2, en 2 manches et une belle éventuelle à partir des 1/4 de finale exclusivement. *Sprint* sur 1 000 m (en réalité sur les 200 derniers m, seuls officiellement chronométrés). Les sprinters cherchent à s'abriter derrière l'adversaire le plus longtemps possible pour surgir dans les derniers mètres. Par calcul, ils se livrent à des séances de *surplace* pour contraindre l'adversaire à démarrer le premier. *Champions professionnels les plus titrés :* Koiji Nakano (sprinter japonais), Jeff Scherens (Belge) (7 fois champion du monde de 1932 à 1947), Antonio Maspes (Ital.) (7 fois de 1955 à 1964), Thorwald Ellegaard (Danois) (6 fois de 1901 à 1911), Piet Moeskops (Holl.) (5 f. de 1921 à 1926), Lucien Michard (Fr.) (4 fois de 1927 à 1930). *Champion amateur :* Daniel Morelon (Fr.) (7 f. champion du monde amateur de 1966 à 1975 et champion olympique en 1968 et 1972).

Tandem. Se déroule techniquement selon le règlement de la vitesse. Sur 1 500 m, ou distance la plus proche.

Kilomètre. Disputée individuellement ou à 2, sur 1 000 m contre-la-montre, avec départ arrêté.

Poursuite individuelle. 2 coureurs sont placés respectivement à la corde, au milieu des lignes droites. L'enjeu consiste pour chacun à rejoindre l'autre, ou tout au moins à réduire l'intervalle qui l'en sépare. Les vainqueurs de chaque série sont qualifiés pour le tour suivant, jusqu'aux 1/4 de finale, 1/2 finale, et finale. Distance à parcourir 2 km : cadets juniors : 3 amateurs seniors : 4, professionnels : féminines 5 ; juniors 2 et seniors 3.

Poursuite olympique. 2 équipes de 4 coureurs sont placées au milieu des lignes droites et parcourent 4 km.

A l'issue des 4 000 m, le temps de l'équipe est pris sur le 3e homme. Les équipes victorieuses de chaque série sont qualifiées pour le tour suivant.

Élimination. Épreuve individuelle. Selon la longueur de la piste, tous les 1, 2 ou 3 tours, le coureur passant le dernier la ligne d'arrivée est éliminé et doit s'arrêter. La victoire se joue entre les 2 derniers coureurs restant en piste.

Course aux points. Épreuve individuelle sur 20 km cadets, 30 juniors et féminines juniors-seniors, 50 amateurs seniors et professionnels. Le vainqueur est celui qui a parcouru la plus grande distance (en tours complets). Les coureurs terminant dans le même tour sont départagés au nombre de points obtenus lors des sprints intermédiaires (disputés approximativement tous les 1 500 m), soit 5 points. On considère qu'un tour est pris lorsque le ou les coureurs rejoignent la queue du peloton principal.

Keirin. En fonction du nombre d'engagés, épreuve organisée selon la formule « séries qualificatives, repêchages » pour finir par une finale à 8 ou 9 coureurs max. Pour les pistes de 250 m et moins, il n'est admis que 6 coureurs. L'ensemble des manches éliminatoires et la finale se disputent sur 5 tours (pistes de 333,33 m et –) et 4 (+ de 333,33 m). Lors des 1ers tours, l'allure est réglée par un entraîneur motocycliste (entraîneur-derny) sur la base de 35 km/h. L'avant-dernier tour, l'entraîneur porte progressivement la vitesse à 45 km/h, puis quitte la piste sur ordre du commissaire de course (juge de keirin). Le 1er coureur qui franchit la ligne d'arrivée est déclaré vainqueur.

Handicap. Départs à des distances différentes de la ligne de départ selon la valeur des coureurs pour égaliser les chances. Le plus fort part de la ligne de départ et essaie de rattraper ses adversaires.

Omnium. 6 à 10 coureurs en plusieurs manches (élimination – poursuite individuelle – course aux points – km contre-la-montre avec départ lancé, etc). Classement par addition des points attribués, ou des places obtenues dans chacune des manches.

Demi-fond. Disputée derrière un entraîneur à moto sur 50 km (amateurs seniors) et 1 h de course (professionnels). Motos équipées d'un rouleau à distance réglable pour permettre de faire varier la vitesse limite susceptible d'être atteinte par les coureurs (appelés *stayers*) ; ceci par sécurité (compte tenu de l'inclinaison des virages), et pour rendre également la course plus sélective. Classement à la distance. La roue avant de la bicyclette est plus petite, sa fourche est retournée vers l'avant. *Stayers français connus :* Georges Sérès (1884-1951), Robert Grassin (1898-1980), Georges Paillard (12-7-1904), Charles Lacquehay (1897-1975), Jean-Jacques Lambolay (19-9-1922), Raoul Lesueur (1912-81), André Raynaud (1904-37), tous champions du monde. Après 1945, l'Espagnol Timoner (1-1-1928) fut 6 fois champion du monde.

BOL D'OR

Épreuve (disparue) courue sur 24 h. Régulièrement remportée jusqu'en 1914 par Léon Georget (qui parcourait jusqu'à 914 km en 24 h). On désigne actuellement par « Bol d'or » toute épreuve d'endurance (quel que soit le sport).

Course à l'américaine. Par équipes de 2 se relayant à volonté. Relais à la poussée ou « la main dans la main ». Classement sur le même principe que pour la course aux points. Distance 25 à 100 km. **Six Jours** (en anglais : Madison Race). *Les plus anciens* New York 1899 (au Madison Square), Boston 1901, Philadelphie 1902, Pittsburgh 1908. **Allemagne** : *Berlin* dep. 1909, *Brême* 1910, *Cologne* 1928, *Dortmund* 1926, *Francfort* 1911, *Munich* 1933, *Munster* 1950. **Belgique :** *Anvers* 1934, *Bruxelles* 1912, *Gand* 1922. **France :** *Paris* 1913 à 1958, et depuis 1984 (record 4 467,580 km Goulet [13]-Fogler [17] sur les Français Dupré-Lapize en 1913, jamais amélioré même avec les équipes à 3 hommes), *Grenoble* dep. le 25-1-1971 (actuellement, chaque j est limité à 3 ou 4 h de course), *Lille* 1960, *Marseille* 1928, 30, 32, 33, *Nice* 1928, *Toulouse* 1906. **Pays-Bas :** *Groningue* 1970, *Rotterdam* 1936. **Italie :** *Milan* 1927. **Suisse :** *Zurich* 1954.

Disputée par équipes de 2 sur 6 soirées consécutives. Plusieurs disciplines de la piste dont l'américaine, qui en est la course essentielle. Classement final établi sur la base du classement de la course à l'américaine, auquel s'ajoutent les bonifications (tours et points) obtenues dans les épreuves intermédiaires (vitesse, élimination, poursuite, etc.). *Vainqueur :* l'équipe qui a effectué le plus grand nombre de tours complets durant les 6 jours. Les points marqués départagent les équipes ayant le même nombre de tours.

PRINCIPALES ÉPREUVES

☞ *Légende.* – (1) Fr. (2) Belg. (3) P.-Bas. (4) Suisse. (5) G.-B. (6) Ital. (7) All. féd. (8) Esp. (9) Lux. (10) Dan. (11) Port. (12) Suède. (13) Australie. (14) Japon. (15) ex-URSS. (16) All. dém. (17) USA. (18) Tchéç. (19) Irlande. (20) Colombie. (21) Pologne. (22) Écosse. (23) Norvège. (24) Autriche. (25) Liechtenstein. (26) Canada. (27) N.-Zél. (28) All. dep. 91. (29) Mexique.

PROFESSIONNELS

■ **Championnat du monde. Vitesse.** *Créé* 1895. **78, 79, 80, 81, 82, 83, 84, 85, 86** Nakano [14]. **87** Tawara [14]. **88** Pate [13]. **89** Golinelli [6]. **90** Hubner [16]. **91** Hall [13] (déclassé pour dopage) puis Colas [1]. **92** Hubner [28]. **Poursuite sur 5 km.** *Créé* 1939. **78** Braun [7]. **79** Oosterbosch [3]. **80** Doyle [5]. **81, 82** Bondue [1]. **83** Bishop [13]. **84, 85** Oersted [10]. **86** Doyle [5]. **87** Oersted [10]. **88** Piasecki [21]. **89** Sturgess [5]. **90** Ekimov [15]. **91** Moreau [1]. **92** McCarthy [17]. **Sprint.** *Créé* 1980. **80, 81** Clark [13]. **82** Singleton [26]. **83** Freuler [4]. **84** Dill Bundi [4]. **85** Freuler [4]. **86** Vaarten [2]. **87** Honda [14]. **88, 89** Golinelli [6]. **90** Hubner [16]. **Course aux points.** *Créé* 1980. **80** Fourne [2]. **81, 82, 83, 84, 85, 86, 87** Freuler [4]. **88** Wyder [4]. **89** Freuler [4]. **90** Biondi [1]. **91** Ekimov [15]. **92** Risi [4]. **Demi-fond.** *Créé* 1895. **78** Peffgen [7]. **79** Venix [2]. **80** Peffgen [7]. **81** Kos [3]. **82** Venix [3]. **83** Vicini [6]. **84** Schutz [7]. **85, 86** Vicini [6]. **87** Huerzler [4]. **88** Clarck [13]. **89** Renosto [6]. **90** Brugna [6]. **91** Clark [13]. **92** Steiger [4].

■ **Championnat de France. Poursuite 5 km. 78** Bossis. **79, 80** Hosotte. **81, 82, 85, 86** Bondue. **87** Colotti. **88** Marie. **Vitesse. 78, 79** Daniel. **80** Morelon. **81, 82** Castaing. **84** Duclos-Lassalle. **85** Cahard. **86, 87, 88** Da Rocha. **89** Magné. **Demi-fond. 78** Dupontreue. Ne figure plus depuis 1979. **Course aux points. 88** Biondi. **89** Magnien.

■ **Six jours de Grenoble. 77** Moser [6]-Pijnen [3]. **78** Sercu [2]-Thurau [7]. **79** Moser [6]-Pijnen [3]. **80** Thevenet [1]-Clark [13]. **81** Sercu [2]-Freuler [4]. **82** Vallet [1]-Frank [10]. **83** Gisiger [4]-Clerc [1]. **84** Vallet [1]-Frank [10]. **85** Tourne [2]-De Wilde [2]. **86** Moser [6]-Doyle [5]. **87** Vallet [1]-Mottet [1]. **88** Mottet [1]-Hermann [25]. **89** Clark [13]-Duclos-Lassalle [1]. **90** Fignon [1]-Biondi [1]. **92** Duclos-Lassalle [1]-Bincoletto [6].

■ **Six jours de Paris. 84** Vallet [1]-Frank [10]. **85** Tourné-De Wilde [2]. **86** Vallet [1]-Clark [13]. **87** non disp. **88** Clark [13]-Doyle [5]. **89** Mottet [1]-De Wilde [2].

AMATEURS

■ **Championnats du monde. Vitesse. Hommes** (*créé* 1893). **78** Tkac [18]. **79** Hesslich [16]. **81, 82** Kopilov [115]. **83, 85** Hesslich [16]. **86** Hubner [16]. **87** Hesslich [16]. **89, 90** Huck [16]. **91** Fiedler [28]. **Dames** (*créé* 1958). **78, 79** Tsareva [15]. **80** Novarra-Rebert [17]. **81** Ochowitz [17]. **82, 83, 84** Paraskevin [17]. **85** Nicoloso [1]. **86** Rothenburger [116]. **87, 89** Salumiae [15]. **90** Young-Paraskevin [15]. **91** Haringa [3].

Poursuite. Hommes (*créé* 1946). **4 km. 78** Macha [16]. **79** Makarov [15]. **81, 82** Macha [16]. **83** Koupovets [15]. **85, 86** Ekimov [15]. **87** Umaras [15]. **89** Ekimov [15]. **90** Berz in [15]. **91** Lehmann [28]. **Dames** (*créé* 1958). **3 km. 88, 89** Longo [1]. **90** Van Moorsel [3]. **91** Rossner [28]. **Olympique hommes** *(par équipes)* (*créé* 1962). **78, 79, 81** All. dém. **82** URSS. **83** All. féd. **85** Ital. **86** Tchécosl. **87** URSS. **89** All. dém. **90** URSS. **91** All.

Demi-fond (*créé* 1893). **Hommes. 78** Podlesch [77]. **79** Pronk [3]. **80** Mineboo [3]. **81** Pronk [3]. **82** Mineboo [3]. **83** Podlesch [7]. **84** de Nijs [3]. **85** Dotti [6]. **87** Gentili [6]. **88** Colamartino [6]. **89, 90, 91** Koenigshofer [24]. **92** Podlesch [28].

Kilomètre (*créé* 1966). **Hommes. 78, 79, 81** Thoms [7]. **82** Schmidtke [7]. **83** Kopilov [15]. **85** Glucklich [16]. **86** Malchow [16]. **87** Vinnicombe [13]. **89** Glucklich [16]. **90** Kiritchenko [15]. **91** Moreno [8].

Tandem (*créé* 1966). **Hommes. 78** Vackar [18]-Mazal [18]. **79** Cahard [1]-Dépine [1]. **80, 81, 82** Kucirek [18]-Martinek [18]. **83** Vernet-Dépine [1]. **84** Greil-Weber [7]. **85, 86** Rehounek [18]-Voboril [18]. **87, 88, 89** Colas-Magne [1]. **90** Capitano-Paris [6]. **91** Pokorny-Raasch [28]. **92** Capitano-Paris [6].

Individuels par points. *Créé* 1976. **Hommes. 50 km. 78** De Jonckhare [6]. **79** Slama [18]. **80** Sutton [13]. **81**

Haueisen [16]. **82** Pohl [16]. **83** Marcussen [10]. **85** Penc [18]. **86** Frost [10]. **87** Ganecy [15]. **89** Satybaldiev [15]. **90** Mc Glede [24]. **91** Risi [4]. **Dames. 30 km. 88** Hodge [5]. **89** Longo [1]. **90** Holliday [22]. **91, 92** Haringa [3].

Nota. - 1980, 1984, 1988. Certaines épreuves n'ont pas eu lieu en raison des JO.

Records du monde sur piste

☞ *Légende.* - (40) Milan (Vigorelli). (41) Rome (Vél. Olymp.). (42) Wuppertal-Elberfeld. (43) Montlhéry (piste de vitesse, n'est plus utilisée). (44) Mexico (Centre Sportif Olymp.). (45) Erevan. (46) Irkoutsk. (47) Zurich-Oerlikon (Hallenstadion). (48) Bruxelles (P. des Sports). (49) Paris (Vél. d'Hiv.). (50) Anvers (Sportpalais-Merksem). (51) St-Étienne. (52) Berlin-Est (Hal). (53) Avec multiplication de 54 × 15 soit 7,69 m de développement, Anquetil avait parcouru, le 27-9-67, 47,493 km, mais son record n'avait pas été homologué, car il avait refusé le contrôle antidopage. (54) Bassano del Grappa. (55) Brno. (56) Copenhague (Ordrup). (57) Moscou. (58) Tbilissi. (59) Leicester. (60) Munich. (61) Vienne. (62) St-Sébastien. (63) Montréal. (64) Rotterdam. (65) La Paz. (66) Medelin. (67) Colorado Springs. (68) Grenoble. (69) Séoul. (70) Stuttgart. (71) Paris-Bercy. (72) Bordeaux. (73) Valence (Esp.). (74) Bordeaux.

En plein air

■ **Records masculins professionnels. Départ arrêté sans entraîneur. 1 km** *1'5"100* R. Efrain (Col.) [65] (1986). **5 km** *5'44"700* G. Braun (All.) [65] (12-1-86). **10 km** *11'39"720* F. Moser (It.) [44] (19-1-84). **20 km** *23'21"592* F. Moser (It.) [44] (23-1-84). **100 km** *2 h 14'2"51* O. Ritter (Dan.) [44] (18-11-71). **1 heure** *32,325 km* Henri Desgrange (Fr.) 1893, 1er record vélo de piste de 13,5 kg. 52,270 km Chris Boardman (G.-B.) [74] (23-7-93). 51,15135 km Francisco Moser (It.) [44] (23-1-84) à 2 260 m et 49,801 93 (3-10-86) au niveau de la mer. Vélo 7,4 kg, développement 8,17 m (57 × 15), cadre plongeant, roues à flasques en résine, sans rayons. 1968 Ole Ritter (Dan.) [vélo 7,11 kg, (48,653 km) développement 7 m 69 (54 × 15), manivelles 175 mm, roues à 28 rayons]. 1972, *Eddy Merckx :* 5 kg 900, pneus de 90 et 110, dévelop. 7 m 93 (52 × 14), manivelles de 175 mm, roue avant à 28 rayons, arrière à 32. **Lancé sans entraîneur. 200 m** *10"567* (1986) et **1 km** *58"269* (1986) R. Efrain (Col.) [65]. **500 m** *26"776* (1989) P. Boyer (Fr.) [65].

Arrêté avec entraîneur moto. 100 km *1 h 10'27"42* et **1 heure** *85 067 m :* Renato Renosto (It.) (1988).

■ **Records masculins amateurs. Arrêté sans entraîneur. 1 km** *1'02"091* M. Malchow (All. dém.) [44] (28-8-86). **4 km** *4'28"838* P. Ermenault (Fr.) [73] (28-7-92). 18-9-87. **5 km** *5'38"083* C. Boardman [59] (22-8-92). **10 km** *11'54"906* H.-H. Oersted [44] (31-10-79). **20 km** *24'35"630* **et 1 heure** (en altitude) 49,946 km Frey (USA) [67] (1991). **100 km** *2 h 11'21"43* B. Meister (Sui.) [47] (17-7-86). **Lancé sans entraîneur. 200 m** *10"118* M.Hubner (All. dém.) (27-8-86). **500 m** *26"993* O'Reilly (USA) [65] (23-11-85). **1 000 m** *58"510* id. [44] (23-11-85).

Arrêté avec entraîneur. 50 km *35'21"108* (6-5-87), **100 km** *1 h 10'50"940* (6-5-87) et **1 heure** *84 710 m* (6-5-87). A. Romanov (URSS).

■ **Records féminins amateurs. Arrêté sans entraîneur. 1 km** *1'14"249* E. Salumiae (URSS) (17-5-84). **3 km** *3'38"190* J. Longo (Fr.) (5-10-89) [44]. **5 km** *6'14"130* J. Longo (Fr.) [44] (27-9-89). **10 km** *12'59"435* (1989) [44], **20 km** *25'59"883* (1989) [44] **et 1 heure** *46 352 m* en altitude (1-10-89) [44], *43 587 m* au niveau de la mer (30-9-86) J. Longo (Fr.). **100 km** *2 h 28'26" 259* F. Galli (It.) (26-10-87). **Lancé sans entraîneur. 200 m** *11"079* O. Sliousareva (Russie) (10-2-93). **500 m** *30"496* E. Salumiae (URSS) (24-4-88). **1 km** *1'10"463* id.[45] (15-5-84).

Nota. - Les records du monde ne sont pas nécessairement les meilleures performances. Ils doivent en effet être réussis dans des tentatives officielles. Les performances enregistrées dans toutes les autres compétitions, y compris les championnats du monde, ne sont pas prises en considération.

Sur piste couverte

■ **Records masculins professionnels. Départ arrêté sans entraîneur. 1 km** *1'04"147* Pate (Austr.) (1989). **5 km** *5'39"316* V. Ekimov (URSS) [57] (1990). **10 km** *11'50"36* (13-5-88), **20 km** *24'12"28* (16-10-87) et **1 heure** *50 359 m* (21-5-88) F. Moser (It.).

Lancé sans entraîneur. 200 m *10"099* Adamachvili (URSS) (1990) [57]. **500 m** *27"350* M. Huebner (All.) [70] (18-1-92). **1 000 m** *1'01"23* P. Sercu (B) [50] (3-2-67).

Arrêté avec entraîneur moto. 100 km *1 h 10'14"363* et **1 heure** F. Rompelberg (P.-Bas) (30-6-86).

■ **Records masculins amateurs. Départ arrêté sans entraîneur. 1 km** *1'02"823* Vinnicourbe (Austr.) (1989). **4 km** *4'28"900* Ekimov (URSS) [57] (1986). **5 km** *5'43"514* (1987) [57]. **10 km** *11'31"96* (1989). **20 km** *23'14"553* (1989) **et 1 heure** *49,672 km* (1986) V. Ekimov (URSS) [57]. **100 km** *2 h 11'20"478* Loupalenko (URSS) (1989). **Lancé sans entraîneur. 200 m** *10"123* (1987) [57] Kouche (URSS). **500 m** *26"649* (1988) et **1 km** *58"364* A. Kiritchenko (URSS) (28-5-88).

Avec entraîneur. 50 km *32'56"746,* **100 km** *1 h 05'58"031* et **1 heure** *91 131 m* A. Romanov (URSS) (21-2-87).

■ **Records féminins amateurs. Départ arrêté sans entraîneur. 1 km** *1'11"503* M. Humbert (Fr.) [72] (23-5-92). **3 km** *3'40"264* J. Longo (Fr.) (2-11-92) [68]. **5 km** *6'1"608* (1-11-91) [68]. **10 km** *12'54"260* (1989) [71]. **20 km** *26'58"152* (1986) [68] **et 1 heure** *45 016 m* (1989) [57] J. Longo (Fr.). **100 km** *2 h 31'30"430* M. Havik (P.-B.) [64] (19-9-83). **Lancé sans entraîneur. 200 m** *11"148* Enioukhina (URSS) (1990) [57]. **500 m** *29"655* (1987) [57] et **1 km** *1'5"232* (1987) [57] E. Salumiae (URSS).

Épreuves sur route

☞ **Jeux olympiques** (voir p. 1542).

Légende : voir p. 1465 c.

Types d'épreuves

Classique. Course de ville à ville, disputée en ligne (tous les coureurs partent ensemble). Ex. : Paris-Roubaix.

Course par étapes. 2 à 21 ou 22 étapes (2 à 22 j). Classement : par addition des temps journaliers (parfois classements annexes : meilleur grimpeur, par points des sprinters). Disputée par équipes nat. ou de marques. Ex. : Tour de France.

Contre-la-montre. Chaque coureur part séparément. Peut aussi se disputer par équipes (ex. 2 coureurs dans le Trophée Barrachi, 4 aux ch. de France, du Monde et aux JO). Classement au temps pris selon les cas sur le 2e, 3e ou 4e coureur franchissant la ligne.

Course en circuit. Sur une journée, parcourir un certain nombre de fois un circuit. Ex. : ch. de France et du Monde.

Critérium. Organisé après le Tour de France pour faire connaître les vedettes. Env. 80 km sur des circuits de 800 m à 4 km max.

Principales épreuves professionnelles

Coupe du monde individuelle

Créée 1989. **Épreuves :** 12 ; en 1992, Milan-San Remo, Tour de Lombardie, Paris-Roubaix, Paris-Tours, Tour des Flandres, Liège-Bastogne-Liège, Amstel Gold Race (P.-Bas), San Sebastian (Esp.), Ch. de Zurich, Wincanton Classic (G.-B.), Gd Prix des Amériques (Can.), Finale FICP contre la montre. Les 12 premiers de chaque épreuve marquent de 50 à 5 points. **Résultats : 89** *Ind.* Kelly [19], 2e Rominger [4], 3e Sorensen [10] ; *par équipes* PDM (P.-Bas), 2e Helvetia (Suisse), 3e Histor Sigma (Belg.). **90** *Ind.* Bugno [3], *2* Dhaenens [2], *3* Kelly [19] ; *par éq.* PDM, *2* Helvetia , *3* Panasonic. **91** 13 épreuves (finale au GP des nations) *Ind.* Fondriest [6], *2* Jalabert [1], *3* Sörensen [10]. **92** 12 épreuves *Ind.* Ludwig [28], *2* Rominger [4], *3* Cassani [6]. *Par éq.* Panasonic, *2* Buckler, *3* Ariostea.

Coupe de France Peugeot-cycles

Créée 1992. **Épreuves :** 12 ; Tour du Ht-Var, Cholet-Pays de Loire, GP de Rennes, GP de Denain, Paris-Camembert, Tour de Vendée, Trophée des Grimpeurs, Classique des Alpes, A travers le Morbihan, GP Ouest-France Plouay, GP de Fourmies, GP d'Isbergue. Les 12 premiers de chaque épreuve marquent de 50 à 5 pts. Les Français marquent les points correspondant à leurs places.

Tour de France

Quelques dates. Créé 1903 par Henri Desgrange (1865-1940), directeur du journal *l'Auto,* sur une idée de Geo Lefèvre : 6 étapes (2 428 km), 60 participants, 21 arrivants. Les uns concourent pour le classement général, les autres participent aux étapes de leur choix. **1904,** 6 étapes (2 248 km), 88 participants, 27 arrivants ; les 4 premiers, dont Garin, sont disqualifiés ainsi que 8 autres concurrents ; l'épreuve a donné lieu à des incidents et à un attentat. **1911,** Duboc est victime d'un empoisonnement (attentat qui ne sera pas démasqué). **1975,** 1er transbordement en avion (Clermont-Ferrand-Nice). **1982** (7-7), lors de l'étape Orchies-Fontaine-au-Pire, la course est arrêtée à Denain par des manifestants d'Usinor. **1988,** suppression du prologue (créé 1967).

Départ de l'étranger. 1954 Amsterdam, **1958** Bruxelles, **1965** Cologne, **1973** La Haye, **1975** Charleroi, **1978** Leiden (P.-Bas), **1987** Berlin, **1989** Luxembourg, **1992** Saint-Sébastien (Espagne). **Équipes. 1903-29** de marque, **1930-61** nationales, **1962-66** de marque, **1967-68** nationales, **dep. 1969** de marque. **Longueur du tour** *le plus long :* 5 745 km (1926), *les plus courts :* 2 428 km (1903), 2 388 km (1904). **Étapes.** *Nombre :* de 6 (1903) à 31 (1937). *La plus longue :* 488 km (Les Sables-d'Ol.-Bayonne, 1919). **Participants.** *Nombre : le plus :* 210 (1986), *le moins :* 60 (1903, 1905 et 1934). **Arrivants.** *Nombre : le plus* 151 (1988), *le moins* 11 (1919).

Vainqueurs depuis l'origine. 1903 Garin [1] en 94 h 33 mn, 2e Pothier [1] en 97 h 22 mn. **04** Cornet [1]. **05** Trousselier [1]. **06** Pottier [1]. **07, 08** Petit-Breton [1]. **09** Faber [9]. **10** Lapize [1]. **11** Garrigou [1]. **12** Defraye [2]. **13, 14** Thys [2]. **19** Lambot [2]. **20** Thys [2]. **21** Scieur [2]. **22** Lambot [2]. **23** H. Pélissier [1]. **24, 25** Bottecchia [6]. **26** Buysse [2]. **27, 28** Franz [9]. **29** Dewaele [2]. **30** Leducq [1]. **31** Magne [1]. **32** Leducq [1]. **33** Speicher [1]. **34** Magne [1]. **35** R. Maès [2]. **36** S. Maès [2]. **37** Lapébie [1]. **38** Bartali [6]. **39** S. Maès [2]. **47** Robic [1]. **48** Bartali [6]. **49** Coppi [6]. **50** Kubler [4]. **51** Koblet [4]. **52** Coppi [6]. **53, 54, 55** Bobet [1]. **56** Walkowiak [1]. **57** Anquetil [1]. **58** Gaul [9]. **59** Bahamontès [8]. **60** Nencini [6]. **61, 62, 63, 64** Anquetil [1]. **65** Gimondi [6]. **66** Aimar [1]. **67** Pingeon [1]. **68** Jan Janssen [3]. **69** 1er Merckx [2] (24 ans), 2e Pingeon [1] à 17'54". **70** 1er Merckx [2], 2e Zoetemelk [3] à 12'41", 3e Petterson [5]. **71** 1er Merckx [2], en 96 h 45'14", 2e Zoetemelk [3] à 9'51"1, 3e Van Impe [2]. **72** 1er Merckx [2] en 108 h 17'18", 2e Gimondi [6] à 10'41", 3e Poulidor [1] à 11'34". **73** 1er Ocaña [8] en 122 h 25'34", 2e Thévenet [1] à 15'51", 3e Fuente [8]. **74** 1er Merckx [2] en 116 h 16'58", 2e Poulidor à 8'4", 3e Carril [8]. **75** 1er Thévenet [1] en 114 h 35'31", 2e Merckx [2] à 2'47", 3e Van Impe [2] à 5'1". **76** 1er Van

Jacques Anquetil. (8-1-1934 à Mont-St-Aignan-18-11-1987). De 1951 à 69, il a gagné *9 fois* le Grand Prix des Nations (53, 54, 55, 56, 57, 58, 61, 65, 66), *5* Tour de France (57, 61, 62, 63, 64) et Paris-Nice (57, 61, 63, 65, 66), *4* Critérium national (61, 63, 65, 67) et Critérium des As (59, 60, 63, 65), *3* Champ. de poursuite pro. (55, 56, 57), *2* 4 j de Dunkerque (58, 59), Tour d'Italie (60, 64) et Dauphiné libéré (63, 65), *1* Champ. de Fr. amateur sur route (52), Tour de Catalogne (57), T. d'Espagne (63), Liège-Bastogne-Liège (66), Bordeaux-Paris (65), Gand-Wevelgem (64), T. de Sardaigne (66), T. des Pays basques (69) et record du monde de l'heure (56).

Eddy Merckx. (17-6-1945 à Meensel-Kiezegem, Belgique). Gagne 525 courses et toutes les classiques, sauf Paris-Tours (devenu Tours-Versailles) et Bordeaux-Paris. Il a gagné *7 fois* Milan-San Remo (66, 67, 69, 71, 72, 75, 76) et le Super Prestige (69 à 75), *5* Tour de France (69, 70, 71, 72, 74 ; record de victoires d'étape 34 et de port de maillot jaune 96 j), Tour d'Italie (68, 70, 72, 73, 74) et Liège-Bastogne-Liège (69, 71, 72, 73, 75), *4* champion. du monde sur route (amateur 64 et prof. 67, 71, 74) et Tour de Sardaigne (68, 71, 73, 75), *3 fois* Paris-Nice (69, 70, 71), Paris-Roubaix (68, 70, 73) et la Flèche wallonne (67, 70, 72), *2* Tour de Belgique (70, 71), T. de Lombardie (71, 72), Het Volk (71, 73) T. des Flandres (69, 75), *1* Tour d'Espagne (73), T. de Suisse (74) et Paris-Bruxelles (73), et record de l'heure (72).

Bernard Hinault. (14-11-1954 à Yffiniac). Professionnel en 1975. *Principaux succès :* **1975 :** t. de la Sarthe, Ch. de France de poursuite. **76 :** t. d'Indre-et-Loire, t. de l'Aude, Paris-Camembert, tour du Limousin, Ch. de France de poursuite. **77 :** Gand-Welvegem, Liège-Bastogne-Liège, Grand Prix des Nations, Critérium du Dauphiné, T. du Limousin. **78 :** Champ. de France, T. d'Espagne, T. de France, Critérium Nat., Grand Prix des Nations. **79 :** Flèche wallonne, Critérium du Dauphiné, T. de France, Gd Prix des Nations, T. de Lombardie, lauréat du Trophée Super-Prestige, T. de l'Oise, Circuit de l'Indre. **80 :** Ch. du monde, T. d'Italie, T. de Romandie, Liège-Bastogne-Liège, lauréat du Trophée Super-Prestige. **81 :** Amstel Gold Race, Paris-Roubaix, Critérium du Dauphiné, T. de France, lauréat du Trophée Super-Prestige, Critérium Internat. de la route. **82 :** T. de Corse, T. d'Armor, T. d'Italie, T. du Luxembourg, T. de France, Gd Prix des Nations, Critérium des as. **83 :** Flèche wallonne, T. d'Espagne. **84 :** Gd Prix des Nations, T. de Lombardie, 4 J. de Dunkerque. **85 :** T. d'Italie, T. de France. **86 :** T. du Colorado (Coors Classic).

Impe[2] en 116 h 22'23", 2e Zoetemelk[3] à 4'14", 3e Poulidor[1] à 12'08". **77** 1er Thévenet[1] en 115 h 38'30", 2e Kuiper à 48", 3e Van Impe[2] à 3'32". **78** 1er Hinault[1] en 108 h 18', 2e Zoetemelk[3] à 3'56", 3e Agostinho[11] à 6'54". **79** 1er Hinault[1] en 103 h 6'50", 2e Zoetemelk[3] à 3'7", 3e Agostinho[11] à 26'53", **80** 1er Zoetemelk[3] en 109 h 19'14", 2e Kuiper[3] à 6'55", 3e Martin[1] à 7'56". **81** 1er Hinault[1] en 96 h 19'38", 2e Van Impe[2] à 14'34", 3e Alban[1] à 17'4". **82** 1er Hinault en 92 h 8'46", 2e Zoetemelk à 6'21", 3e Van de Velde à 8'59" **83** 1er Fignon en 105 h 7'52", 2e Arroyo à 4'04", 3e Winnen à 4'09". **84** 1er Fignon en 112 h 3'40", 2e Hinault à 10'32", 3e LeMond à 11'45". **85** 1er Hinault, 2e LeMond à 1'42", 3e Roche à 4'29". **86** 1er LeMond, 2e Hinault à 3'10", 3e Zimmermann à 10'54". **87** 1er Roche[19] en 115 h 27'42", 2e Delgado[8] à 40", 3e Bernard[1] à 2'13". **88** 1er Delgado[8] en 84 h 27'53", 2e Rooks[3] à 7'13", 3e Parra[20] à 9'58". **89** 1er LeMond[12] en 87 h 38'35", 2e Fignon[1] à 8", 3e Delgado[8] à 3'34". **90** 1er LeMond[12] en 90 h 43" 20, 2e Chiapucci[3] à 2'16", 3e Breukink[3] à 2'29". **91** [3 918,9 km, 22 étapes, 2 transports (avion : St-Herblain-Pau 17-7 ; TGV : Mâcon-Melun 28-7), 22 équipes, 198 coureurs]. 1er Indurain[8] en 101 h 1'20" (moyenne 38,792 km/h), 2e Bugno[6] à 3'36", 3e Chiapucci[6] à 5'56". **92** 3 983 km dont 900 à l'étranger (Esp., Belg., Lux., All., Suisse, It.), 21 étapes plus prologue. 1er Indurain[8] en 100 h 49'30" (moyenne 39,504 km/h), 2e Chiapucci[6] à 4'35", 3e Bugno[6] à 10'49". **93** 3 800 km, prologue plus 20 étapes et 2 j et demi de repos, passe en Espagne et Andorre. 1er Indurain[8] en 95 h 57'9", 2e Rominger[5] à 4'59", 3e Jaskula à 5'48".

Age. Les plus âgés : Firmin Lambot (36 ans et 4 mois en 1922). Henri Pélissier (34 ans et 5 mois en 1923). Gino Bartali (34 ans en 1948), seul coureur qui ait gagné le Tour à 10 ans d'intervalle. **Le plus jeune :** Henri Cornet (19 ans et 354 j en 1904). Sur 51 vainqueurs en 1975, 17 avaient 30 ans ou plus ; 24 de 25 à 29 ; 10 de 20 à 24.

Ayant gagné. 5 fois le Tour : Anquetil (1957, 61, 62, 63, 64), Merckx (1969, 70, 71, 72, 74), Hinault (1978, 79, 81, 82, 85). **3 fois :** Thys (1913, 14, 20), Bobet (1953, 54, 55), LeMond (1986, 89, 90), Indurain (91, 92, 93). **Les Tours d'Italie et de France :** Coppi, Anquetil, Merckx, Hinault, Roche, Indurain la même année. **Les Tours d'Italie et de France et le Grand Prix des Nations** (contre la montre) : Hinault la même année.

Maillot jaune. Créé le 19-7-1919 (de la couleur du journal l'Auto, organisateur jusqu'en 1939). **1er à le porter :** Eugène Christophe (1885-1970). **Vainqueurs du Tour ne l'ayant jamais porté :** Robic (1947) et Janssen (1968). **L'ayant porté tout le Tour :** Bottecchia (1924), Franz (1928), Maès (1935), Anquetil (1961). [Avant sa création : **1re place de bout en bout :** Garin (1903), Trousselier (1905), Garrigou (1911), Thys (1914)].

Moyenne horaire. *La plus faible :* 23,958 km/h (Bottecchia 1924) ; *la plus forte :* 39,504 km/h (Indurain 1992).

Nationalité. Sur 78 épreuves (de 1903 à 1992) : 36 victoires françaises, 18 belges, 8 ital., 4 luxemb., 5 espagnoles, 2 suisses, 2 hollandaises, 3 américaines, 1 irlandaise.

■ **Seconds. 6 fois :** Zoetemelk[3] (1970, 71, 76, 78, 79, 82). **3 fois :** Garrigou[1] (1907, 09, 13) ; Poulidor[1] (1964, 65, 74). **Écarts entre le 1er et le 2e :** *Le plus grand* 2 h 49'45" en 1964 ; *les plus petits :* 8" en 1989 (Le Mond-Fignon), 38" en 1968 (Janssen-Van Springel), 40" en 1987 (Roche-Delgado), 48" en 1977 (Thévenet-Kuiper), 55" en 1964 (Anquetil-Poulidor).

■ **Grand prix de la montagne. Créé** 1933. **Meilleurs grimpeurs. 1933** V. Trueba[8]. **34** R. Vietto[1]. **35** F. Vervaecke[2]. **36** J. Berrendero[8]. **37** Vervaecke[2]. **38** G. Bartali[6]. **39** S. Maes[2]. **47** P. Brambilla[6]. **48** G. Bartali[6]. **49** F. Coppi[6]. **50** L. Bobet[1]. **51** R. Geminiani[1]. **52** F. Coppi[6]. **53** J. Lorono[8]. **54** F. Bahamontes[8]. **55, 56** C. Gaul[9]. **57** G. Nencini[6]. **58, 59** F. Bahamontes[8]. **60, 61** I. Massignan[6]. **62, 63, 64** F. Bahamontes[8]. **65, 66, 67** J. Jiménez[8]. **68** A. Gonzáles[8]. **69, 70** E. Merckx[2]. **71, 72** L. Van Impe[2]. **73** P. Torres[8]. **74** D. Perurena[8]. **75** L. Van Impe[2]. **76** G. Bellini[6]. **77** L. Van Impe[2]. **78** M. Martinez[1]. **79** G. Battaglin[6]. **80** R. Martin[1]. **81** L. Van Impe[2]. **82** B. Vallet[1]. **83** L. Van Impe[2]. **84** R. Millar[5]. **85** L. Herrera[16]. **86** B. Hinault[1]. **87** L. Herrera[16]. **88** S. Rooks[7]. **89** G.-J. Theunisse[3]. **90** T. Claveyrolat[1]. **91, 92** C. Chiapucci[6]. **93** Rominger[4]. De 1933 à 92, Federico Bahamontes et Lucien Van Impe 6 fois *roi de la montagne,* Sean Kelly 4 fois, Julio Jimenez 3 fois. De 1933 à 92, pour l'Espagne 15 victoires, Belgique 11, Italie 13, France 8, All. 3, Lux. 2, G.-B. 1, P.-B. 1.

Tour de France, dames

Créé 1984. **84** Marianne Martin[17]. **85** Maria Canins[6], *2* Longo[1], *3* Odin[1]. **86** Canins[6], *2* Longo[1], Thompson. **87** Longo[1] en 27 h 33'36", *2* Canins[6] à 2'52", 3e Enznauer[7] à 12'14". **88** Longo[1] en 22 h 41'38", *2* Canins[6] à 1'20", *3* Hepple[13] à 13'4". **89** Longo[1] en 21 h 59'38", *2* Canins[6] à 8'44". *3* Thompson[12] à 12'24". **90** remplacé par le **Tour de la CEE.** Marsal[1]. **91** Schop[3]. **92** Van Moorsel[3].

Championnat du monde sur route

Créé 1927. **71** (Mendrisio) Merckx[2]. **72** (Gap) Basso[6]. **73** (Barcelone) Gimondi[6]. **74** (Montréal) Merckx[2]. **75** (Yvoir) Kuiper[3]. **76** (Ostuni) Maertens[2]. **77** (San Cristóbal) Moser[6]. **78** (Nürburgring) Gerrie Knetemann[3]. **79** (Valkenburg) Jan Raas[3]. **80** (Sallanches) Hinault[1]. **81** (Prague) Maertens[2]. **82** (Goodwood) Saronni[6]. **83** (St-Gall) LeMond[17]. **84** (Barcelone) Criquelion[2]. **85** (Montello) Zoetemelk[3]. **86** (Colorado Springs) Argentin[6]. **87** (Villach) Roche[19]. **88** (Renaix) Fondriest[6]. **89** (Chambéry) LeMond[17]. **90** (Utsunomina) Dahenens[2]. **91** (Stuttgart) Bugno[6]. **92** (Benidorm) Bugno[6].

Tour de l'Avenir

Créé 1961 par Jacques Goddet et Félix Lévitan ; réservé aux amateurs, couru par équipes nationales. 1961-80 open, dep. 1981 amateurs. Devenu en 1986 le **Tour de l'Avenir de la CEE**, de 1987 à 90 **Tour de la Communauté européenne** et redevient en 1982 le **Tour de l'Avenir**. Durée : 15 j. Parcours plus court que celui du Tour de France.

Vainqueurs. 61 De Rosso[6]. **62** Gómez del Moral[8]. **63** Zimmermann[1]. **64** Gimondi[6]. **65** Díaz[8]. **66** Denti[6]. **67** Robini[1]. **68** Boulard[1]. **69** Zoetemelk[3]. **70** non disp. **71** Ovion[1]. **72** Den Hertog[4]. **73** Baronchelli[6]. **74** Martinez[8]. **75** non disp. **76** Nilsson[12]. **77** Schepers[2]. **78, 79** Soukhoroutchenkov[15]. **80** Florez[20]. **81** Simon[1]. **82** LeMond[17]. **83** Ludwig[16]. **84** Mottet[1]. **85** Ramirez[20]. **86** Indurian[8]. **87** Madiot[1]. **88** Fignon[1]. **89** Lino[1]. **90** Bruyneel[2]. **91** non disputé. **92** Garel[1].

■ Autres grandes épreuves

Épreuves par étapes

Tour d'Italie (Giro). Créé 1909. **70** Merckx[2]. **71** Petterson[12]. **72, 73, 74** Merckx[2]. **75** Bertoglio[6]. **76** Gimondi[6]. **77** Pollentier[2]. **78** De Muynck[2]. **79** Saronni[6]. **80** Hinault[1]. **81** Battaglin[6]. **82** Hinault[1]. **83** Saronni[6]. **84** Moser[6]. **85** Hinault[1]. **86** Visentini[6]. **87** Roche[19]. **88** Hampsten[17]. **89** Fignon[1]. **90** Bugno[6]. **91** Chiccioli[6]. **92, 93** Indurain[8]. **Record** 37,488 km/h (Nencini 1957).

Tour d'Espagne (Vuelta). Créé 1935. **70** Ocaña[8]. **71** Bracke[2]. **72** Fuente[8]. **73** Merckx[2]. **74** Fuente[8]. **75** Tamames[8]. **76** Pesarrodona[8]. **77** Maertens[2]. **78** Hinault[1]. **79** Zoetemelk[3]. **80** Ruperez[8]. **81** Battaglin[6]. **82** Lejarreta[8]. **83** Hinault[1]. **84** Caritoux[1]. **85** Delgado[8]. **86** Pino[8]. **87** Herrera[20]. **88** Kelly[19]. **89** Delgado[8]. **90** Giovanetti[6]. **91** Mauri[8]. **92, 93** Rominger[4]. **Record** 2 921 km à 39,843 km/h (Pingeon 1969).

Tour de Belgique. Créé 1908. **70, 71** Merckx[2]. **72** Swerts[2]. **73** Mortensen[10]. **74** Swerts[2] (record : 39,535 km/h). **75** Maertens[2]. **76** Pollentier[2]. **77** Planckaert[2]. **78** Dierickx[2]. **79** Willems[2]. **80** Knetemann[3]. **81** Wijnands[3]. **82** annulé. **86** Emonds[2]. **88** Maassen[3]. **89** Yates[5]. **90** Maassen[3].

Tour de Suisse. Créé 1933. **69** Adorni[6]. **70** Poggiali[6] (*record :* 1 634 km à 37,228 km/h). **71** Pintens[2]. **72** Pfenninger[4]. **73** Fuente[8]. **74** Merckx[2]. **75** De Vlaeminck[2]. **76** Kuiper[3]. **77** Pollentier[2]. **78** Wellens[2]. **79** Wesemael[2]. **80** Beccia[6]. **81** Breu[4]. **82** Saronni[6]. **83** Breu[4]. **84** Zimmermann[4]. **85** Anderson[13]. **86, 87** Hampsten[12]. **88** Wechselberger[24]. **89** Breu[4]. **90** Kelly[19]. **91** Roosen[2]. **92** Furlan[6]. **93** Saligari[6].

Paris-Nice. Créé 1933. **69, 70, 71** Merckx[2]. **72, 73** Poulidor[1]. **74, 75** Zoetemelk[3]. **76** Laurent[1]. **77** Maertens[2]. **78** Knetemann[3]. **79** Zoetemelk[3]. **80** Duclos-Lassalle[1]. **81** Roche[19]. **82 à 88** Kelly[19]. **89, 90** Indurain[8]. **91** Rominger[4]. **92** Bernard[1]. **93** Zülle[4].

Critérium du Dauphiné libéré. Créé 1947. **70** Ocaña[8]. **71** Merckx[2]. **72, 73** Ocaña[8]. **74** Santy[1]. **75, 76** Thévenet[1]. **77** Hinault[1]. **78** Pollentier[2]. **79** Hinault[1]. **80** Van de Velde[1]. **81** Hinault[1]. **82** Laurent[1]. **83** Simon[1]. **84** Ramirez[20]. **85** Anderson[13]. **86** Zimmermann[4]. **87** Mottet[1]. **88** Herrera[16]. **89** Mottet[1]. **90** Millar[5]. **91** Herrera[20]. **92** Mottet[1]. **93** Dufaux[4].

Midi libre. Créé 1949. **70** Ricci[1]. **71** Merckx[2]. **72** Guimard[1]. **73** Poulidor[1]. **74** Danguillaume[1]. **75** Moser[6]. **76** Meslet[1]. **77** Panizza[6]. **78** Bertolotto[6]. **79** Saronni[6]. **80, 81, 82, 83** Bernaudeau[1]. **84** Garde[1]. **85** Contini[6]. **86** Criquielion[2]. **87** P. Esnault[1]. **88** Criquielion[2]. **89** Simon[1]. **90** Rué[1]. **91** Duclos-Lassale[1]. **92** L. Leblanc[1]. **93** M. Fondriest[6].

Autres courses. Quatre Jours de Dunkerque. Créés 1955. **83** Van Vliet[2]. **84** Hinault[1]. **85** Vandenbroucke[2]. **86** De Wolf[2]. **87** Frison[2]. **88** Poisson[1]. **89** Mottet[1]. **90** Roche[19]. **91** Mottet[1]. **92** Ludwig[28]. **93** Desbiens[1]. **Tour de Luxembourg. 82** Hinault[1]. **83** Didier[9]. **84** Lavaine[1]. **85** Teun Van Vliet[3]. **86** Rooks[3]. **87** Lilholt[10]. **88** Pelier[1]. **89** Cornelise[3]. **90** Lavaine[1]. **91** Theunisse[3]. **92** Dojwa[1]. **93** Sciandri[6]. **Tour de Romandie (Suisse). 81** Prim[12]. **82** Wilmann[23]. **83, 84** Roche[19]. **85** Muller[4]. **86** Criquielion[2]. **87** Roche[19]. **88** Veldscholten[3]. **89** Anderson[13]. **90** Mottet[1]. **91** Rominger[4]. **92** Hampsten[17]. **93** Richard[4]. **Tour de Catalogne. 80** Van de Velde[3]. **81** Rupierez[8]. **82** Fernández[8]. **83** Recio[8]. **84** Kelly[19]. **85** Millar[22]. **86** Kelly[19]. **87** Pino[8]. **88** Indurain[8]. **89** Lejarreta[8]. **90** Cubino[8]. **91, 92** Indurain[8].

Épreuves en lignes

Amstel Gold Race. Créé 1966. **66** Stablinski[1]. **67** Den Hartog[3] (*record :* 43,711 km/h). **68** Steevens[3]. **69** Reybrouck[2]. **70** Pintens[2]. **71** Verbeeck[2]. **72** Planckaert[2]. **73** Merckx[2]. **74** Knetemann[3]. **75** Merckx[2]. **76** Maertens[2]. **77, 78, 79, 80** Raas[3]. **81** Hinault[1]. **82** Raas[3]. **83** Anderson[13]. **84** Hanegraaf[3]. **85** Knetemann[3]. **86** Rooks[3]. **87** Zoetemelk[7]. **88** Nijdam[3]. **89** Van Lancker[2]. **90** Van der Poel[3]. **91** Maassen[3]. **92** Ludwig[28]. **93** Jaermann[4].

Paris-Brest-Paris. Créé 1891. **1891** (Terront, 1 200 km à 16,814 km/h), **1901** (Garin, 22,995), **1911** (Georget, 23,893), **1921** (Mottiat[2], 21,771), **1931** (Opperman[13], 24,121), **1948** (Hendrickx[2], 28,405), **1951** (Diot, 1 182 km à 30,362 km/h).

Paris-Roubaix. Créé 1896. **70** Merckx[2]. **71** Rosiers[2]. **72** De Vlaeminck[2]. **73** Merckx[2]. **74, 75** De Vlaeminck[2]. **76** De Meyer[2]. **77** De Vlaeminck[2]. **78, 79, 80** Moser[6]. **81** Hinault[1]. **82** Raas[3]. **83** Kuiper[3]. **84** Kelly[19]. **85** Madiot[1]. **86** Kelly[19]. **87** Vanderaerden[2]. **88** De Mol[2]. **89** Wampers[2]. **90** Planckaert[2]. **91** Madiot[1]. **92, 93** Duclos-Lassale[1]. **Record** 45,129 km/h (Post 1964).

Paris-Tours. Créé 1901, devenu **Blois-Chaville** en 1974 (Grand Prix d'Automne), puis **Créteil-Chaville** en 1985, et de nouveau **Paris-Tours** en 1988. **Parcours** 234 à 347 km. **70** Tschan[7]. **71** Van Linden[2]. **72** Van Tyghem[2]. **73** Van Linden[2]. **74** Karstens[2], déclassé pour dopage, 1er Moser[6]. **75** Maertens[2]. **76** De Witte[2]. **77** Zoetemelk[3]. **78** Raas[3]. **79** Zoetemelk[3]. **80** Willems[2]. **81** Raas[3]. **82** Vandenbroucke[2]. **83** Peeters[2]. **84** Kelly[19]. **85** Peeters[2]. **86** Anderson[13]. **87** Van der Poel[3]. **88** Pieters[3]. **89** Nijdam[3]. **90** Sorensen[10]. **91** Capiot[2]. **92** Redant[2]. **Record** 45,029 km/h (Karstens 1965).

Paris-Bruxelles. Créé 1893. **73** Merckx[2]. **74** Demeyer[2]. **75** Maertens[2] (*record :* 46,998 km/h). **76** Gimondi[6]. **77** Peeters[2]. **78** Raas[3]. **79** Peeters[3]. **80** Gavazzi[6]. **81** De Vlaeminck[2]. **82** Hanegraaf[3]. **83** Prim[12]. **84** Vanderaerden[2]. **85** Van der Poel[3]. **86** Bontempi[6]. **87** Arras[2]. **88** Golz[7]. **89** Nijdam[3]. **90** Ballerini[6]. **91** Holm[10]. **92** Sorensen[10].

Tour des Flandres. Créé 1907. **70** Leman[2]. **71** Dolman[1]. **Record** 268 km à 43,225 km/h. **72, 73** Leman[2]. **74** Bal[3]. **75** Merckx[2]. **76** Planckaert[2]. **77** De Vlaeminck[2]. **78** Godefroot[2]. **79** Raas[3]. **80** Pollentier[2]. **81** Kuiper[3]. **82** Maertens[2]. **83** Raas[3]. **84** Lammerts[3]. **85** Vanderaerden[2]. **86** Van der Poel[3]. **87** Criquielion[2]. **88** Plankaert[2]. **89** Van Hooydonck[2]. **90** Argentin[6]. **91** Van Hooydonck[2]. **92** Durand[1]. **93** Museeuw[2].

Flèche wallonne. Créée 1936. **70** Merckx[2]. **71** De Vlaeminck[2]. **72** Merckx[2]. **73** Dierickx[2]. **74** Verbeeck[2]. **75** Dierickx[2]. **76** Zoetemelk[3]. **77** Moser[6]. **78** Laurent[1]. **79** Hinault[1]. **80** Saronni[6]. **81** Willems[2]. **82** Beccia[6]. **83** Hinault[1]. **84** Andersen[10] (*record :* 39,538 km/h). **85** Criquielion[2]. **86** Fignon[1]. **87** Leclercq[1]. **88** Golz[7]. **89** Criquielion[2]. **90, 91** Argentin[6]. **92** Furlan[6].

Grand prix de Francfort. Créé 1962. **62** Desmet[2]. **63** Junkermann[7]. **64** Roman[2]. **65** Stablinski[1]. **66** Hoban[5]. **67** Van Rijckegham[2]. **68** Beugels[3]. **69** Pintens[2]. **70** Altig[7]. **71** Merckx[2]. **72** Bellone[1]. **73** Pintens[2]. **74** Godefroot[2]. **75** Schuiten[3]. **76** Maertens[2]. **77** Knetemann[3] (*record :* 41,996 km/h). **78** Braun[7]. **79** Willems[2]. **80** Baronchelli[6]. **81** Jos Jacobs. **82, 83** Peeters[2]. **84, 85** Anderson[13]. **86** Wampers[2]. **87** Lauritzen[23]. **88** Dernies[2]. **89** Wampers[2]. **91** Bruyneel[2]. **92** Van den Abeele[2]. **93** Sorensen[10].

Milan-San-Remo. Créé 1907. **Record** 288 km à 44,805 km/h (Merckx 1967). **70** Dancelli[6]. **71, 72** Merckx[2]. **73** De Vlaeminck[2]. **74** Gimondi[6]. **75, 76** Merckx[2]. **77** Raas[3]. **78, 79** De Vlaeminck[2]. **80** Gavazzi[6]. **81** De Wolf[2]. **82** Gomez[1]. **83** Saronni[6]. **84** Moser[6]. **85** Kuiper[3]. **86** Kelly[19]. **87** Maechler[4]. **88, 89** Fignon[1]. **90** Bugno[6]. **91** Chiapucci[6]. **92** Kelly[19]. **93** Fondriest[6].

Liège-Bastogne-Liège. Créé 1892. **70** De Vlaeminck[2]. **71, 72, 73 record** 236 km à 37,869 km/h

Merckx [2]. **74** Pintens [2]. **75** Merckx [2]. **76** Bruyère [2]. **77** Hinault [1]. **78** Bruyère [2]. **79** Thurau [7]. **80** Hinault [1]. **81** Fuchs [4]. **82** Contini [6]. **83** Rooks [3]. **84** Kelly [19]. **85, 86, 87** Argentin [6]. **88** Van der Poel [3]. **89** Kelly [19]. **90** Van Lancker [2]. **91** Argentin [6]. **92** De Wolf [2]. **93** Sorensen [10].

Tour de Lombardie. Créé 1905. **70** Bitossi [6]. **71, 72** Merckx [2]. **73** Merckx [2] déclassé, Gimondi [6]. **74** De Vlaeminck [2]. **75** Moser [6]. **76** De Vlaeminck [2]. **77** Baronchelli [6]. **78** Moser [6]. **79** Hinault [1]. **80** De Wolf [2]. **81** Kuiper [3]. **82** Saronni [6]. **83** Kelly [19]. **84** Hinault [1]. **85** Kelly [19] (*record :* 255 km à 41,208 km/h). **86** Baronchelli [6]. **87** Argentin [6]. **88** Mottet [1]. **89** Rominger [4]. **90** Delion [1]. **91** Kelly [19]. **92** Rominger [4].

Boucles de la Seine [1]. **Créées** 1945 (non disputé dep. 1974). **Record** 41,211 km/h (Anastasi 1964).

Championnat de France sur route [1]. **Créé** 1907. **61** Poulidor. **62, 63, 64** Stablinski. **65** Anglade. **66** Theillière. **67** Letort (déclassé). **68** Aimar. **69** Delisle. **70** Gutty (déclassé). **71** Hézard (déclassé). **72** Berland. **73** Thévenet. **74** Talbourdet. **75** Ovion. **76** Sibille. **77** Tinazzi. **78** Hinault. **79** Berland. **80** Villemiane. **81** Beucherie. **82** Clère. **83** Gomez. **84** Fignon. **85** Leclercq. **86** Y. Madiot. **87** M. Madiot. **88, 89** Caritoux. **90** Louviot. **91** De Las Cuevas. **92** Leblanc. **93** Durand.

Nota. – (1) Tous Français.

Critérium international [1]. **Créé** 1932 (jusqu'en 1980 Critérium national). **69** Bellone. **70** Chappe. **71, 72** Poulidor. **73** Danguillaume. **74** Thévenet. **75** Esclassan. **76** Béon. **77** Chassang. **Record** 38,840 km/h. **78** Hinault. **79** Zoetemelk [2]. **80** Laurent. **81** Hinault. **82** Fignon. **83, 84** Kelly [3]. **85** Roche [3]. **86** Zimmerman [4]. **87** Kelly [19]. **88** Breukink [2]. **89** Indurain [8]. **90** Fignon. **91** Roche [3]. **92** Bernard. **93** Breukink [2].

Nota. – (1) Tous Français sauf : (2) P.-Bas. (3) Irlande. (4) Suisse.

Championnat de Zurich. *Créé* 1914. **82, 83** Van der Poel [3]. **84** Anderson [13]. **85** Peters [2]. **86** Da Silva [11]. **87** Golz [7]. **88** Rooks [3]. **89** Bauer [26]. **90** Mottet [1]. **91** Museew 2. **92** Ekimov [15].

Classique de St-Sébastien. *Créé 1981.* **81, 82** Lejarreta [8]. **83** Criquielion [2]. **84** Ruttimann [4]. **85** Van der Poel [3]. **86** Gaston [8]. **87** Lejarreta [8]. **88** Theunisse [3]. **89** Zadrobilek [24]. **90** Indurain [8]. **91** Bugno [6]. **92** Alcala [29].

Grand Prix des Amériques (Montréal, Canada). *Créé* 1988. **88** Bauer [26]. **89** Muller [4]. **90** Ballerini [6]. **91** Van Lancker [2]. **92** Echave [8].

Wincanton Classic. *Créé* 1989 en G.-B. **89** Maassen [3]. **90** Bugno [6]. **91** Van Lancker [2]. **92** Ghirotto [6].

Gênes-Nice (voir Quid 1982 p. 1731).

Épreuves contre la montre

Grand Prix des Nations. Créé 1932, couru sur 140 km jusqu'en 1955. **67, 68** Gimondi [6] (*record :* 47,518 km/h). **69, 70** Van Springel [2]. **71** Ocaña [8]. **72** Swerts [2]. **73** Merckx [2]. **74, 75** Schuiten [3]. **76** Maertens [2]. **77, 78, 79,** Hinault [1]. **80** Vandenbroucke [2]. **81** Gisiger [4]. **82** Hinault [1]. **83** Gisiger [4]. **84** Hinault [1]. **85** Mottet [1]. **86** Kelly [19]. **87, 88** Mottet [1]. **89** Fignon [1]. **90** Wegmuller [5]. **91** Rominger [4]. **92** Teyssier [1].

Nota. – Anquetil [1] a gagné 9 fois, de 1953 à 58, et en 61, 65, 66.

Grands Prix de Lugano, de Belgique, de Forli, voir Quid 1981, p. 1615 c.

Trophée Baracchi (avant amateur, relais). **Créé** 1949. **70** G. et T. Petterson [12]. **71** Ocaña [8]-Mortensen [10]. **72** Merckx [2]-Swerts [2]. **73** Gimondi [6]-Rodriguez (Colombie). **74** Moser [6]-Schuiten [3]. **75** Moser [6]-Baronchelli [1]. **76** Maertens [2]-Pollentier [2]. **77** Barone [6]-Johansson [12]. **78** Schuiten [3]-Knudssen [23]. **79** Moser [6]-Saronni [6]. **80** Vandenbroucke [2]-De Wolf [2]. **81** Gisiger [4]-Demierre [4]. **82** Gisiger [4]-Visentini [6]. **83** Gisiger-Contini [6]. **84** Moser [6]-Hinault [1]. **85** Moser [6]-Oersted [10]. **86** Saronni [6]-Piasecki [21]. **87** Leali [6]-Ghirotto [6]. **88** Piasecki-Lang [21]. **89** Fignon-Marie [1]. **90** Golz [1]-Cordes [7].

Épreuves derrière entraîneurs

Bordeaux-Paris. Créé 1891. **Parcours** 551 à 620 km. **70** Van Springel [2]. **71, 72** non disp. **73** Mattioda [1]. **74** Van Springel [2] et Delépine [1] (2 vainqueurs, Van Springel ayant parcouru davantage de km à la suite d'une erreur de parcours). **75** Van Springel [2]. **76** Godefroot [2]. **77, 78** Van Springel [2]. **79** Chalmel [12] (*record :* 584,5 km à 47,061 km/h). **80, 81** Van Springel [2]. **Dep. 89** non disp.

Classique des Alpes. Créée 1991. Remplace Bordeaux-Paris. **91** Mottet [1].

Principales épreuves amateurs

■ **Championnat du monde sur route.** Annuel sauf années olympiques. **Hommes.** *Créé* 1921. **81** Vedernikov [17]. **82** Drogan [16]. **83** Raab [16]. **85** Piasecki [21]. **86** Ampler [16]. **87** Vivien [1]. **89** Halpuczok [21]. **90** Gualdi [3]. **91** Rjakinski [15]. **Dames.** *Créé* 1958. **80** Heiden [17]. **81** Enzenauer [7]. **82** Jones [5]. **83** Berglund [12]. **85, 86, 87, 89** Longo [1]. **90** Marsal [1]. **91** Van Morseel [3].

Par équipes (contre la montre). Hommes 100 km. *Créé* 1962. **79, 81** All. dém. **82** P.-Bas. **83, 85** URSS **86** P.-Bas. **87** Italie. **89** All. dém. **90** URSS. **91** Italie. **Dames 50 km.** *Créé* 1987. **87** URSS. **88** Italie. **89** URSS. **90** P.-Bas. **91** France.

■ **Championnat de France sur route. Hommes. 81** Dalibard. **82** Biondi. **83** Bernard. **84-85** Amardeilh. **86** Carlin. **87** Guazzini. **88** Bodin. **89** Dubois. **90** Mozelle. **91** Davy. **92** Hervé. **93** Delbove. **Dames.** *Créé* 1951. **81, 82, 83, 86, 87, 88, 89** Longo. **90** Marsal. **91** Clignet. **92** Longo. **93** Clignet.

Par équipes (contre-la-montre). Hommes. 85 km. 92 Bretagne. **Dames. 50 km. 92** Aquitaine.

■ **Course de la Paix.** Organisée par les pays de l'Est. *Créée* 1948. **81** Zagreddinov. **82** Ludwig [16]. **83** Boden [16]. **84** Soukhoroutchenkov [17]. **85** Piasecki [21]. **86** Ludwig [16]. **87, 88, 89** Ampler [16]. **90** Svorada [18]. **92** Wesemann [28].

Cyclo-cross

Généralités

Abréviation de cross-country cyclo-pédestre : course d'env. 3 000 m à bicyclette et à pied à travers la campagne sur un parcours constitué de routes, bois, labours, prairies, déclivités, descentes rapides mais non dangereuses. *Courses au temps :* seniors professionnels 1 h, amateurs 50 min. ; juniors 40 min. *Période des courses :* oct. à mars. *1902-16-5* 1er championnat de France. *1924* 1er critérium international qui devient en *1950* championnat du monde.

Épreuves

Légende : voir p. 1465 c.

■ **Championnats du monde. Open (1950-66). 50** Jean Robic [1]. **51, 52, 53** Roger Rondeaux [1]. **54, 55, 56, 57, 58** André Dufraisse [1]. **59** Renato Longo [6]. **60, 61** Rolf Wolfshohl [7]. **62** R. Longo [6]. **63** R. Wolfshohl [7]. **64, 65** R. Longo [6]. **66** Éric De Vlaeminck [2].

Amateurs. Individuels. *Créés* 1967. **67** Michel Pelchat [1]. **68** Roger De Vlaeminck [2]. **69** René Declercq [2]. **70, 71** Robert Vermeire [2]. **72** N. de Deckere [2]. **73** Klauss Thaler [7]. **74, 75** R. Vermeire [2]. **76** Thaler [7]. **77** Vermeire [2]. **78** Liboton [2]. **79** Ditano Vito [6]. **80** Fritz Saladin [4]. **81, 82** Milos Fisera [18]. **83, 84** Radomir Simunek [18]. **85** Mike Kluge [7]. **86** Vito di Tano [6]. **87** Kluge [7]. **88** Camerda [18]. **89** Glajza [18]. **90** Busser [4]. **91** Frischknecht [4]. **92** Pontoni [6]. **93** Djernis [10]. **Par équipes.** *Créé* 1979. **79** Pologne. **80** Suisse. **81** It. **82, 83, 84** Tchéc. **85** Suisse. **86** Belgique. **87** Tchéc. **88** Suisse. **89** Tchéc. **90, 92** Suisse.

Professionnels. Individuels. *Créés* 1967. **67** R. Longo [6]. **68, 69, 70, 71, 72, 73** Éric De Vlaeminck [2]. **74** Van Damme [2]. **75** Roger De Vlaeminck [2]. **76** Albert Zweifel [4]. **77, 78, 79** Zweifel [4]. **80** Roland Liboton [2]. **81** J. Stamsnijder [3]. **82, 83, 84** Roland Liboton [2]. **85** Klaus-Peter Thaler [7]. **86** Zweifel [4]. **87** Thaler [7]. **88** Richard [4]. **89** De Bie [2]. **90** Baars [3]. **91** Simunek [18]. **92** Kluge [28]. **93** Arnould [1].

■ **Championnats de France. Professionnels open : 86** M. Gayant. **87** Y. Madiot. **88** C. Lavainne. **89** D. Arnould. **90** C. Lavainne. **91** B. Le Bras. **92** D. Pagnier. **93** D. Arnould. **Amateurs : 86** R. Bleuze. **87** L. Cailleau. **88, 89** B. Lebras. **90** A. Daniel.

BMX-bicross

Origine. BMX = *bicycle motocross.* **V. 1970** sur côte Ouest des USA par des pilotes de moto-cross. **1978** introduit en France. **Organisation.** *Association fr. de bicrossing* (59, Fbg-Saint-Nicolas, 21200 Beaune). *Créée* 8-3-1981. 12 000 licenciés et 400 clubs. Gérée dep. 1989 par la Féd. fr. de cyclisme.

Règles. Catégories une par année d'âge. *Experts :* 7 à 25 ans et +, *juniors :* 6 ans et – à 25 ans et +, *filles :* 7 ans et – à 25 ans et +, *cruisers :* 12/13 ans à 40 ans et +, *semi-professionnels :* Superclasse 20 et 24 pouces. **Motocross à vélo** *bicross :* roues de 20 pouces. Moto de cross sans moteur. *Cruiser :* bicross avec roues de 24 pouces. **Équipement** casque, tenue de cross, gants, baskets. **Piste** 250 à 400 m. Départ et arrivée distincts. 5 à 8 obstacles. Largeur 10 m au départ, se rétrécissant jusqu'à 6 m. Départ d'une butte, à 8 coureurs (lâcher d'une grille). Sprint de moins de 1 mn. 3 manches qualificatives, puis 1/4, 1/2 et finales selon le nombre d'engagés par catégorie.

Championnat du monde. 1986 Italie. **87** Bordeaux. **88** Belgique. **89** São Paulo. **90** Espagne. **91** Norvège. **92** Brésil. **93** P.-Bas. **94** USA. **95** Colombie.

Championnat de France. *National* pour Superclasses (9 épreuves) ; *régional* pour experts, filles et cruisers (6 épreuves régionales, 2 demi-finales, une finale nationale) ; *départemental* ou au niveau de la ligue pour juniors (6 épreuves, 2 demi-finales, une finale nationale). *Épreuves :* env. 400 par an avec les courses promotionnelles, dont le Bicross Indoor de Bercy, Bicross Tour et Bicrossland.

Vélo tout terrain (VTT)

Origine. V. 1970 en Californie, utilisation de vieux vélos adaptés. **1976** 1res courses de descente au N. de San Francisco, les *Repack Races* (où on doit recharger, *to repack,* les tambours en graisse) ; s'arrêtent en 1984. **1979** apparition des appellations *mountain bike* et *all terrain bike.* **1983** *mai* introduit en France par Stéphane Hauwette. *-6-8* démonstration à La Plagne. *Sept.* Association fr. de mountain bike créée. **1984** *mai* 1er Paris-Deauville en 3 j. *Oct.* 1er Roc d'Azur entre Ramatuelle et St-Tropez, vict. de Larbi Midoun. **Vélo :** guidon droit et large. Commandes sur le cintre. Roue de 26 pouces. Pneus en général crantés, parfois lisse (pour rouler en ville). Frein à tambour. Vitesses. Selle rembourrée. Versions : ville, ville-campagne, tout terrain, montagne. **Disciplines :** descente, cross-country, rallye, trial. **Commission nat. du VTT** 3, villa des Sablons, 92200 Neuilly-sur-Seine.

Championnats du monde. Descente. Messieurs. 87 Overend [1]. **91** Iten [2]. **92** Cullinam [1]. **Dames. 91** Bonazzi [3]. **92** Furtado [1]. **Cross country. Messieurs. 87** Overend [1]. **91** Tomac [1]. **92** Djernies [4]. **Dames. 91** Mathes [1]. **92** Furst [2].

Championnats d'Europe. *Créés* 1991. **Descente. Messieurs. 92** Sprich [5]. **Dames. 92** Buchwieser [5]. **Cross country. Messieurs. 92** Uebelhardt [2]. **Dames. 92** Furst [2].

Nota. – (1) USA. (2) Suisse. (3) It. (4) Danemark. (5) All.

Championnats de France. *Créés* 1987. **Descente. Messieurs. 91** Taillefer. **92** Vouilloz. **93** Krasniak. **Dames. 91, 92** Fiat. **Cross country. Messieurs. 91** Noël. **92** Lebras. **Dames. 88, 89, 90, 91, 92** Eglin. **93** Segura.

Cyclotourisme

Quelques dates. 1891 : Alcide Bouzigues effectue Paris-Lannemezan (975 km) en 8 j. **1896 :** 1er raid officiel de 200 km, Rome-Naples, par 9 Italiens. **1898**-*16-1 :* Vito Pardo crée à Rome l'Audax italiano, organisateur des 1ers brevets audax (audacieux) de 200 km (cyclistes capables d'effectuer 200 km entre lever et coucher du soleil). **1904** Henri Desgrange (1865-1940), directeur de l'Auto et promoteur du Tour de France, fonde les Audax français.

Randonnée cycliste. Activité sportive de plein air sans esprit de compétition où seule compte la lutte avec soi-même pour acquérir l'endurance à l'effort prolongé. Le cyclotouriste peut arriver, par des brevets d'entraînement organisés par la Féd. franç. de cyclot. (8, rue Jean-Marie-Jégo, 75013 Paris), à parcourir d'une seule traite de très grandes distances.

Parmi les *activités les plus caractéristiques :* Provence (Pâques), Concentration nationale de Pentecôte, Semaine fédérale de cyclotourisme (août, 10 000 participants), Paris-Brest-Paris (3 200 participants en 1991), Diagonales de France et randonnées Mer-Montagne, brevet Cyclo-Montagnard français, brevet des Provinces françaises, brevet de Cyclotourisme national, séjours à l'étranger, Tour de France.

Adeptes en France. Membres 115 000, clubs 3 000.

Conseils pratiques. *Selle* réglée afin que la jambe tendue mais sans raideur puisse poser son talon déchaussé sur la pédale. *Guidon,* randonneur, hauteur sensiblement identique à celle de la selle. Distance entre selle et guidon égale à celle de l'avant-bras du cycliste, la main ouverte, le coude appuyé sur le bec de selle, le bout des doigts arrivant à l'axe du guidon. *Manivelles* 16,5 cm pour un entrejambe de moins de 80 cm et 17 cm au-dessus. Ainsi le cycliste aura la poitrine bien dégagée (respiration), le buste incliné à environ 45°. *Pédalage,* cadence moyenne 70 tours/minute. *Développement,* 2 ou 3 plateaux à l'avant (pédalier) et 4 ou 5 dentures à l'arrière (roue libre) ; dév. principal de 5 m env. soit : 44 × 17, ou 46 × 19, ou 48 × 20 ; on pourra ainsi avoir : 48 × 46 × 30 (ou 28) à l'avant et 15 × 17 × 19 × 21 (ou 22) × 23 (ou 26) à l'arrière.

Autres disciplines

Free style. *V. 1970* créé aux USA sur les pistes de skate. *V. 1980* introduit en France. *Vélo :* 20 pouces, appui-pieds avant et arrière, rotor pour rotation à 360° du guidon, forme spécifique du cadre et du guidon. Figures exécutées au sol, sur une rampe ou dans les airs. Programme libre de 1 min 30 à 3 min selon les cat.

Cycle-balle. Hommes uniquement. Se joue en salle (équipes de 2) ou en plein air (éq. de 6). Ballon en étoffe (diam. 17 cm, 500 g). Périodes de 2 à 7 min. **Balle** doit être dirigée vers le but par les roues. Seul le gardien de but peut la toucher avec les mains. Populaire en Allemagne, Autriche, Suisse, Tchécoslovaquie.

Cyclisme artistique. En salle. Individuel, duo, duo mixte, quadrilles en équipes (4 ou 6 personnes). Programme de 6 min.

Polo-vélo. Inventé par le capitaine Wood (G.-B.). *1925* introduit en France. 2 équipes de 5 joueurs (gardien, arrière et 3 avants) et 2 remplaçants. *Terrain :* herbe, 80 à 110 m × 40 à 60 m (surface de réparation 15 × 7 m, point de penalty à 10 m dans l'axe des buts, ligne médiane avec un cercle central de 10 m de rayon). *Buts :* 5 m de large 2,75 m de haut, parfois munis de filets. *Vélo spécial :* fourches avant et arrière raccourcies, roues de 600 mm de diam., rayons renforcés, pignon fixe à l'arrière, développement 3,50 m max. *Maillet :* non commercialisé, fabriqué par le joueur. *Ballon :* cuir ou plastique, diam. 13 à 15 mm. **Partie :** 2 mi-temps d'1/2 h et 5 min de pause, prolongations possibles de 2 fois 10 min, puis tir de penalty. On peut frapper la balle avec le maillet, les roues, la tête.

Vélo-trial. Pratiqué par les jeunes ne pouvant se servir de motos. Consiste à franchir les obstacles et reliefs naturels en ville ou à la campagne.

Quelques noms

☞ *Légende.* – Tous Français, sauf (1) All. féd. (2) Espagne. (3) Italie. (4) Belgique. (5) Suisse. (6) Luxembourg. (7) P.-Bas. (8) Suède. (9) G.-B. (10) Portugal. (11) ex-URSS. (12) USA. (13) Danemark. (14) Australie. (15) Japon. (16) Colombie. (17) Irlande. (18) Canada. (19) All. dém. (20) Mexique. (21) Norvège. (22) All. dep. 1991.

Abdujhaparov Djamolidine [11] 28-2-64. Adorni Vittorio [3] 14-11-37. Aerts Jean [4] 8-9-1907. Agostinho Joaquim [10] 1942-84. Aimar Louis 5-1-11. Aimar Lucien 28-4-41. Alban Robert 9-2-52. Alcala-Callegos Raul [20] 3-5-64. Altig Rudi [1] 18-3-37. Ampler Uwe [13] 11-8-64. Andersen Kim [13] 20-2-58. Philip [14] 20-3-58. Anglade Henri 9-7-33. Anquetil Jacques 1934-87. Archambaud Maurice 1906-55. Argentin Moreno [3] 17-12-60. Aucouturier Hippolyte 1876-1944. Arnaud Dominique 19-5-55. Arnould Dominique 19-11-66. Bagot Jean-Claude 9-3-58. Bahamontes Federico [2] 9-6-28. Baldini Ercole [3] 26-1-33. Balmamion Franco [3] 11-1-40. Baronchelli Giambattista [3] 6-9-53. Bartali Gino [3] 17-7-14. Barteau Vincent 18-3-62. Basso Marino [3] 1-6-45. Bauer Steve [18] 12-6-59. Beghetto Giuseppe [3] 8-10-39. Bellenger Jacques 25-12-27. Bernaudeau Jean-René 8-7-56. Bernard Jean-François 2-5-62. Bevilacqua Antonio [3] 1918-72. Binda Alfredo [3] 1902-86. Biondi Laurent 19-6-59. Bitossi Franco [3] 1-9-40. Blanchonnet Armand 1903-68. Bobet Jean 22-2-30. Louison 1925-83. Bondue Alain 8-4-59. Bontempi Guido [3] 12-1-60. Bottechia Ottavio [3] 1894-1927. Boussard Hervé 1966. Bouvatier Philippe 12-6-64. Bracke Ferdinand [4] 25-5-39. Braun Gregor [1] 31-12-55. Breu Beat [5] 23-10-57. Breukink Eric [7] 1-4-64. Bruyneel Johan [4] 23-8-64. Bugno Gianni [3] 14-2-64. Burton Beryl [9] 12-5-37. Buysse Lucien [4] 1892-1980. Camusso Francesco [6] 8-3-08. Canins Maria [3] 4-6-49. Capiot Johan [4] 12-4-64. Caput Louis 1921-85. Caritoux Éric 18-8-60. Carlesi Guido [3] 6-11-36. Carrara Émile 1925-92. Castaing Francis 22-4-59. Cerami Joseph (Pino) [3] 28-4-22. Chaillot Louis 2-3-14. Chapatte Robert 14-10-22. Chiappucci Claudio [3] 28-2-63. Chioccioli Franco [3] 25-8-59. Christophe Eugène 1885-1970. Cippolini Mario [3] 22-3-67. Civry (de) Frédéric 1861-93. Clark Danny [14] 30-8-51. Claveyrolat Thierry 31-3-59. Clere Régis 15-8-56. Clignet Marion 1964. Cloarec Yvon 13-5-60. Colas Fabrice 21-7-64. Colotti J.-Claude 1-7-61. Coppi Fausto [3] 1919-60. Cornillet Bruno 8-2-63. Criquielion Claude [4] 11-1-57. Daems Émile [4] 4-4-38. Dancelli Michele [3] 8-5-42. Danguillaume Jean-Pierre 14-12-46. Danneels Gustave [4] 1913-76. Darrigade André 24-4-29. Debaets Gérard [4] 1899-1959. De Bie Danny [4] 23-1-60. Debruyne Alfred [4] 21-10-30. De Las Cuevas Armand 26-6-68. Delgado Pedro [2] 14-4-60. Delion Gilles 5-8-66. Delisle Raymond 11-3-43. De Mol Dirk [4] 4-11-59. Dernies Michel [4] 6-1-61. De Roo Johan [4] 5-8-37. Derycke Germain [4] 1929-78. Desgrange Henri 1865-1940. De Vlaeminck Éric [4] 23-3-45. Roger [4] 24-8-47. De Wilde Étienne [4] 23-3-58. De Wolf Alfons [4] 22-6-56. Dirk [4] 16-1-61. Dhaenens Rudy [4] 10-4-61. Dill-Bundi Robert [5] 18-11-58. Doyle Tony [9] 5-5-58. Duclos-Lassalle Gilbert 25-8-54. Durand Jacky 10-2-67.

Egg Oscar [5] 1890-1961. Ekimov Vlatcheslav [11] 4-2-66. Esclassan Jacques 3-9-48. Faber François [6] 1887-1915. Faggin Leandro [3] 1933-70. Faucheux Lucien 12-8-60. Fignon Laurent 12-8-60. Florez Alfonso [16] 1952-92. Fondriest Maurizio [3] 15-1-65. Fore Noël [4] 23-12-32. Forestier Jean 7-10-30. Fornara Pasqua [3] 29-3-25. Frank Gert [13] 15-3-56. Frantz Nicolas [6] 1899-1985. Freuler Urs [5] 6-11-56. Frey Jensen Morgens [13] 2-7-41. Friol Émile 1881-1916. Furlan Giorgio [3] 9-3-66. Gambillon Geneviève 30-6-54. Garin Maurice 1871-1957. Garrigou Gustave 1884-1963. Gaul Charly [6] 8-12-32. Gautheron Isabelle 3-12-63. Gauthier Bernard 22-9-24. Gayant Martial 16-11-62. Geminiani Raphaël 12-6-25. Gerardin Louis 1912-82. Gimondi Felice [3] 29-9-42. Giovanetti Marco [3] 4-4-62. Girardengo Costante [3] 1893-1978. Godefroot Walter [4] 2-7-43. Golinelli Claudio [3] 1-5-62. Golz Rolf [1] 30-9-62. Graczyk Jean 26-5-33. Grosskost Charly 5-3-44. Guerra Leargo [3] 1902-63. Guimard Cyrille 20-1-47.

Hampsten Andrew [12] 7-4-62. Harris Reginald [9] 31-3-20. Hassenforder Roger 23-7-30. Hermans Mathieu [7] 9-1-63. Herrera Luis [16] 4-5-61. Hesslich Lutz [19] 17-1-59. Hinault Bernard 14-11-54. Hoste Franck [4] 29-8-55. Hubner Michael [1] 8-4-59. Idée Émile 19-7-20. Impanis Raymond [4] 19-10-25. Indurain Miguel [2] 16-7-64. Jalabert Laurent 30-11-68. Janssen Jan [7] 19-5-40. Jimenez Julio [2] 28-10-34. Kaers Karel [4] 1914-72. Kappes Andreas [22] 23-12-65. Kelly Sean [17] 24-5-56. Kint Marcel [4] 20-9-14. Kiritchenco Alexandre [11] 1967. Knetemann Gerrie [7] 6-3-51. Koblet Hugo [5] 1925-64 (acc. de voit.). Konyshev Dimitri [11] 18-2-66. Kubler Ferdinand [5] 24-7-19. Kuiper Hennie [7] 3-2-49. Lambot Firmin [4] 1886-1964. Lapébie Guy 28-11-16. Lapébie Roger 16-1-11. Lapize Octave 1887-1917. Laurent Michel 10-8-53. Lauritzen Dag-Otto [21] 12-9-56. Lavainne Christophe 22-12-63. Lazarides Apo 16-10-25. Leblanc Luc 4-8-66. Leclercq J.-Claude 27-7-62. Leducq André 1904-80. Lejaretta Marino [2] 11-5-57. Leman Eric [4] 17-7-46. LeMond Greg [12] 26-6-60. Liboton Roland [4] 6-3-57. Linart Victor [4] 1889-1977. Lino Pascal 13-8-66. Longo Jeannie 31-10-58. Louviot Philippe 14-3-64. Ludwig Olaf [19] 13-4-60. Maassen Frans [7] 27-1-65. Madiot Marc 16-5-59. Yvon 21-6-62. Maechler Erich [5] 24-8-60. Maertens Freddy [4] 13-2-52. Maes Romain [4] 1913-83. Sylvère [4] 1909-66. Magne Antonin 1904-83. Magné Frédéric 5-2-69. Magni Fiorenzo [3] 7-12-20. Mahé François 2-9-30. Marco Giovanetti [3] 4-4-62. Maréchal Jean 27-10-10. Marie Thierry 25-6-63. Marsal Catherine 20-1-71. Martin Raymond 22-5-49. Maspes Antonio [3] 14-1-32. Mauri Melchior [2] 8-4-66. Maye Paul 1913-87. Merckx Eddy [4] 17-6-45. Michard Lucien 1903-85. Millar Robert [9] 13-9-58. Moore James [9] 1849-1935. Moreau Francis 21-7-65. Morelle Frank 13-8-64. Morelon Daniel 24-7-44. Moser Francesco [6] 19-6-51. Motta Gianni [3] 12-3-43. Mottet Charly 16-12-62. Musseeuw Johan [4] 13-10-65. Nakano Koichi [15] 14-11-55. Nencini Gastone [3] 1930-80. Nicoloso Isabelle 13-2-61. Nijdam Jell [7] 16-8-63. Ocana Luis [2] 9-6-45. Ockers Constant (dit Stan) [4] 1920-55. Odin Cécile 4-10-65. Oersted Hans-Erik [13] 13-12-54. Oosterbosch Bert [7] 1957-89. Ovion Régis 3-3-49. Parra Fabio [16] 22-11-59. Peeters Ludo [2] 9-8-53. Pélissier Charles 1903-59. Francis 1894-1959. Henri 1889-1935. Pensec Ronan 10-7-63. Petit-Breton, Mazan Lucien dit, 1883-1917. Pieters Peter [7] 2-2-62. Pingeon Roger 28-8-40. Pino Alvaro [2] 17-8-56. Planckaert Eddy [4] 23-9-58. Plattner Oscar [5] 17-5-22. Poblet Miguel [2] 18-3-28. Poisson Pascal 29-6-58. Post Peter [7] 12-11-33. Poulain Gabriel 1884-1953. Poulidor Raymond 15-4-36.

Raab Uwe [19] 16-7-62. Jan [7] 8-11-52. Rault Jean-François 8-6-58. Rebry Gaston [4] 1905-53. Richard Pascal [5] 16-3-64. Ritter Ole [13] 29-8-41. Rivière Roger 1936-76. Rjakinski Viktor [11] 15-10-67. Robic Jean 1921-80. Roche Stephen [17] 28-11-59. Rolland Antonin 3-9-24. Rominger Toni [5] 27-3-61. Ronsse Georges [4] 1906-69. Rooks Steven [7] 7-8-60. Rousseau Michel 5-2-36. Rué Gérard 7-7-65. Salumiae Erika [11] 1962. Saronni Giuseppe [3] 22-9-57. Scheerens Joseph 1909-86. Schotte Albéric (dit Brik) [4] 7-9-19. Schuiten Roy [7] 16-12-50. Schulte Guerrit [7] 1916-92. Sercu Patrick [4] 27-6-44. Simon Pascal 27-9-56. Simpson Tom [9] 1937-67. Sorensen Rolf [13] 26-4-65. Soukoroutchenkov Sergei [11] 10-8-56. Speicher Georges 1907-78. Stablinski Jean 21-5-32. Sterckx Ernest [4] 1922-75. Suter Henri [5] 1899-1978. Teisseire Lucien 11-12-19. Terront Charles 1857-1932. Theunisse Gert-Jan [7] 14-1-63. Thévenet Bernard 10-1-48. Thoms Lothar [19] 18-5-56. Thurau Dietrich [1] 9-11-54. Thys Philippe [4] 1890-1971. Trentin Pierre 15-5-44. Trousselier Louis 1881-1939. Umaras Gintautas [11] 1963. Vallet Bernard 18-1-54. Van der Aerden Eric [4] 11-2-62. Van Der Poel Adri [7] 17-6-59. Van Est Whilhem [7] 25-3-23. Van Hooydonck Edwig [4] 4-3-66. Van Impe Lucien [4] 20-10-46. Van Lancker Eric [4] 30-4-61. Van Looy Rik [4] 20-12-33. Van Morseel Leontien [7] 22-3-70. Van poppel J.-Paul [7] 30-9-62. Van Springel Herman [4] 14-8-43. Van Steenbergen Rik [4] 9-9-24. Van Vliet Arie [7] 1916. Verschuren Adolf [4] 10-7-22. Vietto René 1914-88. Visentini Roberto [6] 2-6-1957. Walkowiak Roger 2-3-27. Wampers J.-Marie [4] 7-4-59. Wegmuller Thomas [5] 28-9-60. Winnen Peter [7] 5-9-57. Wolfshohl Rolf 27-12-38. Yates Sean [9] 18-5-60. Zaaf Abdelkader 1919-86. Zimmerman Urs [5] 29-1-59. Zoetemelk Joop [7] 3-12-46.

Escrime

Généralités

■ **Histoire. Origine.** Antiquité (Chine, Assyrie, Égypte, Inde, Israël, Grèce, Perse, Rome, Japon), et durant tout le Moyen Âge. **Des origines au XIe s.** le but est de tuer (guerre, tournoi, duel). **XVe s.** apparition de l'escrime moderne en Espagne. **XVIe s.** parution de nombreux traités en Italie et en France. **V. 1780** La Boessière invente le masque. **1896** sport inscrit aux JO. **1906** *20-12* fondation de la Féd. des salles d'armes et sociétés d'escrime de France qui deviendra la FFE. **1913** *29-11* fond. de la Féd. internat. d'escrime. **1931** expérimentation du 1er appareil de contrôle électrique. **1991** fond. de l'Union européenne d'escrime.

■ **Langue.** Officielle, *le français,* quel que soit le pays de l'épreuve et la nationalité des juges.

■ **Terrain.** *Largeur :* 1,80 à 2 m. *Longueur :* 14 m plus dégagement.

■ **Armes.** Peuvent être d'*estoc* (touche portée avec la pointe de la lame), de *taille* (avec le tranchant de la lame) ou de *contre-taille* (avec le dos de la lame).

Fleuret. Arme d'estoc, long. max. 1,10 m dont 90 cm pour la lame, poids max. 500 g. *Surface valable :* devant, du sommet du col aux plis de l'aine ; dans le dos, du col au sommet des hanches, tête, bras et épaules sont exclus. Touche doit être portée avec la pointe. Dep. 1955, arbitrage à l'appareil électrique, le coup porté sur une surface non valable allume une lampe blanche, sur une surface valable une lampe rouge ou verte.

Épée. Arme d'estoc, long. max. 1,10 m dont 90 cm pour la lame, poids max. 770 g. *Surface valable :* tout le corps y compris masque et chaussures. *Touche* doit être portée avec la pointe de l'arme. *Arbitrage* à l'appareil électrique allumant une lampe verte ou rouge si la touche est valable.

Sabre. Arme d'estoc, de taille et de contre-taille, long. max. 1,05 m dont 88 cm pour la lame, poids max. 500 g. *Surface valable :* le haut du corps au-dessus de la ceinture, masque et bras compris, devant et derrière. Touche peut être portée avec pointe, tranchant et dos de la lame. *Arbitrage* à l'appareil électrique allumant une lampe verte ou rouge pour signaler la touche.

■ **Équipement.** Doit protéger l'escrimeur. Tout blanc. Veste avec col, pantalon s'arrêtant au genou, mi-bas, chaussures, cuirasse de protection sous la veste (pour les femmes, protège-poitrine), un gant dont la manchette doit recouvrir la moitié de l'avant-bras. En cas d'arbitrage à l'appareil électrique, une cuirasse métallique recouvre la veste sauf à l'épée. Sur le visage, masque formé d'un treillis dont les mailles ont au max. 2,1 mm et les fils 1 mm de diam. avant étamage.

■ **Durée des assauts.** Aux 3 armes : matches en 5 touches, durée 6 min en poules, ou 2 manches de 5 touches et éventuellement une belle en élimination directe.

Principales épreuves

☞ **Jeux olympiques** (voir p. 1543).

Légende. – (1) ex-URSS. (2) Hongrie. (3) Suède. (4) Italie. (5) France. (6) Roumanie. (7) All. féd. (8)

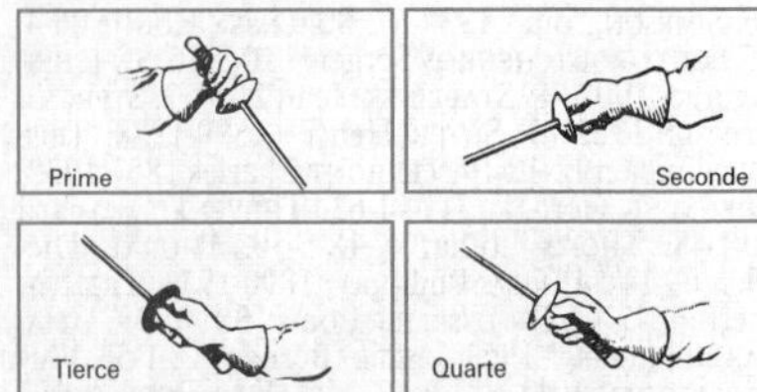

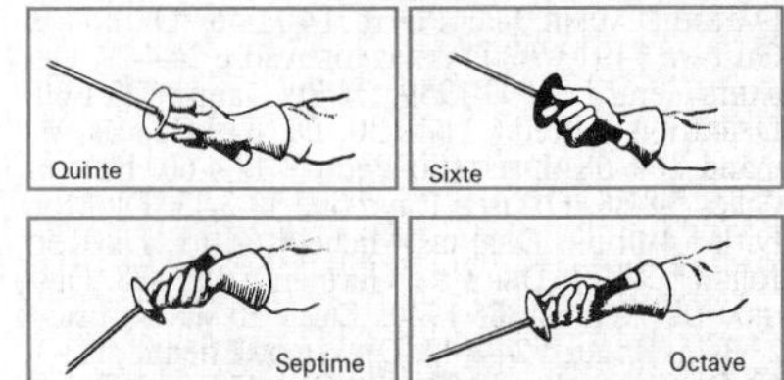

Suisse. (9) Suède. (10) Pologne. (12) Chine. (13) Bulgarie. (14) Suisse. (15) Espagne. (16) Cuba. (17) All. dep. 1991.

Championnats du Monde

Créés 1937. Tous les ans, sauf années olymp.

■ **Fleuret. Hommes. Ind. 81** Smirnov [1] ; **82, 83** Romankov [1] ; **85** Numa [4] ; **86** Borella [4] ; **87** Gey [5] ; **89** Koch [7] ; **90** Omnès [5] ; **91** Weissenborn[17] ; **93** Koch [17]. **Par éq. : 81, 82** URSS ; **83** All. féd. ; **85, 86** Italie ; **87** All. féd. ; **89** URSS ; **90** It. ; **91** Cuba ; **93** All. **Dames. Ind. : 81** Hanisch [7] ; **82** Giliazova [1] ; **83** Vaccaroni [4] ; **85** Hanisch [7] ; **86** Fichtel [7] ; **87** Tufan [6] ; **89** Velitchko [1] ; **90** Fichtel [7] ; **91** Trillini [4] ; **93** Bortólozzi [4]. **Par éq. : 81** URSS ; **82, 83** Italie ; **85** All. féd. ; **86** URSS ; **87** Hongrie ; **89** All. féd. ; **90, 91** It. ; **93** All.

■ **Épée. Hommes. Ind. : 81** Szekely [2] ; **82** Pap [2] ; **83** Bormann [7] ; **85** Boisse [5] ; **86** Riboud [5] ; **87** Fischer [7] ; **89** Pereira [15] ; **90** Gerull [7] ; **91** Chouvalov [1] ; **93** Kolobkov [1]. **Par éq. : 81** URSS ; **82, 83** *France* ; **85, 86** All. féd. ; **87** URSS ; **89, 90** It. ; **91** URSS ; **93** It. **Dames. Ind. : 89** Straub [14] ; **90** Chappe [16] ; **91, 92** Horvath [2] ; **93** Ermakova [1]. **Par éq. : 89** Hongrie ; **90** All. féd. ; **91, 92, 93** Hongrie.

■ **Sabre. Hommes. Ind. : 81** Wodke [10] ; **82** Krovopouskov [1] ; **83** Etropolski [13] ; **85** Nebald [2] ; **86** Mindirgassov [1] ; **87** Lamour [5] ; **89** Kirienko [1] ; **90** Nebald [2] ; **91, 93** Kirienko [1]. **Par éq. : 81, 82** Hongrie ; **83, 85, 86, 87, 89, 90** URSS ; **91, 93** Hongrie.

Nota. – **Coupe des Nations.** Classement effectué à l'issue d'un ch. du monde sur les finalistes aux 4 armes pour désigner la meilleure nation. **Tournoi des 7 nations.** En All. féd., 7 meilleures équipes nat. selon le classement des ch. du monde de l'année précédente.

Autres épreuves

Championnat d'Europe *créé* 1921. Jusqu'en 1935, servait de ch. du monde. Reprise en 1981. Tous les ans. **Coupe du monde** *créée* 1972. Prend en compte 5 à 7 tournois selon les armes. Sert à désigner le meilleur tireur de l'année. **Masters** *créés* 1986. Réunit les 8 premiers de la coupe du monde. **Coupe d'Europe des clubs champions** *créée* 1965. **Ch. du monde des moins de 20 ans** *créés* 1950. **Coupe du monde des moins de 20 ans. Ch. du monde des moins de 17 ans** *créés* 1987.

Grands tournois. Fleuret : *Masculin :* Challenge Brut de Fabergé, ancien Martini (Paris), Coupe Giovannini (Bologne, puis Venise), Ch. UAP, souvenir Rommel (Paris), Côme, Budapest, Rome. *Féminin :* Ch. Martini (Turin), Tournoi de Goeppingen, T. de Minsk, Ch. Jeanty (Marseille), T. de Côme, T. de Budapest, T. de Leipzig. **Épée :** *Masculine :* Coupe Spreafico, puis Carrocio dep. 77 (Legano), Ch. BNP, souvenir Monal (Paris), Coupe de Heidenheim, T. de Berne, Ch. Martel (Poitiers) ; Montréal, Londres, Arnheim. *Féminine :* St-Maur, Kattowice, Ipswich, Tauberbishosein, Hongrie, Legano. **Sabre :** Trophée Luxardo, Ch. Finski, Coupe Hungaria, T. de Hanovre, Nancy, Moscou, Sofia.

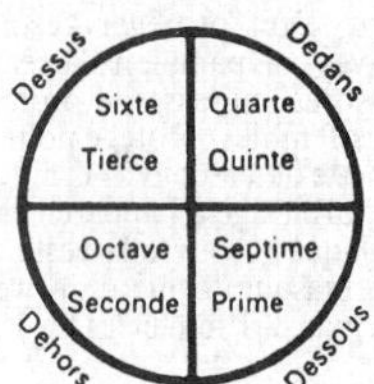

☞ Dans chacune des *4 lignes* (dedans, dessus, dessous, dehors), il peut y avoir *2 positions* suivant que la main qui porte l'arme se trouve en pronation (paume en dessous) ou bien en supination (paume en dessus).

Championnats de France

■ **Fleuret. Hommes. Ind.** (*Créés* 1896) : **80** Flament ; **81** Pietruszka ; **82** Omnès ; **83** Pietruszka ; **84, 85** Omnès ; **86** Conscience ; **87** Omnès ; **88** Laurie ; **89, 90** Lhotellier ; **91, 92** Omnès. **Par éq. : 80** CE Melun ; **81** CE Charenton ; **82, 83** Racing Club de France ; **84, 85** CE Melun ; **86, 87** RCF ; **88, 89** CE Melun ; **90, 93** La Tour d'Auvergne ; **91** RCF.

Dames. Ind. (*Créés* 1921) : **80** Trinquet ; **81** Begard ; **82** Brouquier ; **83** Begard ; **84, 85, 86** Modaine ; **87** Brouquier ; **88, 89** Modaine ; **90** Spennato, **91** Meygret ; **92** Wurth. **Par éq. : 80, 81, 82** OGC Nice ; **83, 84** Racing CF ; **85** St-Maur ; **86, 87** RCF **88** OGC Nice ; **89** Le Chesnay ; **90, 92** RCF ; **93** La Tour d'Auvergne.

■ **Épée. Hommes. Ind.** (*Créés* 1896) : **80** Riboud ; **81** Picot ; **82** Riboud ; **83, 84** Boisse ; **85** Srecki ; **86** Lenglet ; **87** Boisse ; **88** Riboud ; **89** Lenglet ; **90** Srecki ; **91** Boisse ; **92** Srecki. **Par éq. : 80** Masque de fer Lyon ; **81, 82** Racing Club de France ; **83** MDF Lyon ; **84** RCF ; **85** St-Maur ; **87** St-Gratien ; **88** St-Maur ; **89** St-Gratien ; **90** Levallois ; **91** St-Gratien ; **92, 93** Levallois.

Dames. Ind. (*Créés* 1986) : **86** Bénon ; **87** Thénault ; **88** Bénon ; **89** Delemer ; **90** Moressée ; **91** Hauteville ; **92** Bénon. **Par éq. : 89, 90, 91** Levallois ; **92** St-Gratien.

■ **Sabre. Hommes. Ind.** (*Créés* 1900) : **80, 81, 82, 83, 84, 85** Lamour ; **86** Granger-Veyron ; **87, 88, 89** Lamour ; **90** Ducheix ; **91, 92** Lamour. **Par éq. : 80, 81, 82** La Française ; **83** Tarbes ; **84, 85** RCF ; **86, 87, 88** US Métro ; **89, 90, 91, 92** RCF.

Quelques noms

☞ *Légende.* – Tous Français sauf indication. (1) ex-URSS (2) Italie. (3) Pologne. (4) Hongrie. (5) All. féd. (6) Suède. (7) Cuba. (8) Suisse. (9) Bulgarie. (10) All. dep. 1991.

Bégard Isabelle 7-7-60. Behr Mathias [5] 1-4-55. Belova-Novikova Elena [1] 28-7-47. Benon Brigitte 1963. Bergard Isabelle 7-7-60. Boisse Philippe 18-3-55. Bonnin Philippe 30-1-55. Borella Andrea [2] 23-6-61. Bormann Elmar [5] 18-1-57. Brodin Jacques 22-12-46. Brouquier Véronique 28-5-57. Bujdoso Imre [4] 1959. Cerioni Stefano [2] 1964. Cervi Frederico [2] 9-7-61. Chevchenko Dimitri [1] 13-11-67. Cipressa Andrea [2] 16-12-63. Conscience Philippe 27-1-61. Couderc Laurent 5-6-69. Dal zotto Fabio [2] 17-7-57. Delpla Frédéric 9-11-64. Delrieu Philippe 10-8-59. Ducheix Franck 11-4-62. Ducret Roger 1888-1962. Elek Ilona [4] 1907-88. Etropolski Vassili [9] 18-3-59. Fekete Christine 7-3-58. Fichtel Anja [5] 7-8-68. Flament Didier 4-1-51. Fonst Ramon [7] 1883-1959. Fuchs Jenö [4] 1882-1954. Funkenhauser Zita [5] 1966. Gardas Hubert 17-4-57. Gaudin Brigitte 15-4-58, Lucien 1886-1934. Gerevitch Aladar [4] 16-3-10. Gey Mathias [5] 7-7-60. Gilyazova Nailya [1] 2-1-53. Gorokhova Galina [4] 31-8-38. Groc Patrick 6-9-60. Guichot Pierre 12-2-63. Hanisch Cornelia [5] 12-5-52. Harmenberg Johann [6] 8-9-54. Hein Harald [5] 19-4-50. Henry J.-Michel 14-12-63. Herbster Claudette 28-3-46. Hocine Youssef 7-8-65. Jolyot Pascal 26-6-58. Karpati Rudolf [4] 17-7-20. Kirienko Grigori [1] 1956. Krovopouskov Vicor [1] 29-9-48. Kulcsar Gyözö [4] 18-10-40. Lambert Olivier 3-5-71. Lamour Jean-François 2-2-56. Leclerc Franck 1963. Lenglet Olivier 20-2-60. Leroux Robert 22-8-67. Lhotellier Patrice 8-6-66. Magnan Jean-Claude 4-6-41. Mayer Helena [5] 1910-53. Mangiarotti Edoardo [2] 7-4-19. Mindirgassov Sergueï [1] 1960. Modaine Laurence 28-12-64. Montano Aldo [2] 23-11-10. Muzio Christine 10-5-51. Nadi Nedo [2] 1894-1952. Nazlimov Vladimir [1] 1-11-45. Nebald György [4] 1957. Noël Christian 13-5-45. Numa Mauro [2] 18-11-61. Omnès Philippe 6-8-60. Oriola Christian (d') 3-10-28. Paramarov Serge [1] 16-9-45. Pawlowski Gerzy [3] 25-10-32. Pécheux Michel 1911-85. Pesza Tibor [4] 15-11-35. Picot Patrick 22-9-51. Puccini Alessandro [2] 8-8-68. Pusch Alexander [5] 15-5-55. Quivrin Patrick 1952. Revenu Daniel 5-12-42. Riboud Philippe 9-4-57. Rejtö-Ujlaki Ildiko [4] 11-5-37. Romankov Alexandre [1] 7-11-53. Salesse Michel 3-1-55. Schwarzenberger Ildiko [4] 9-9-51. Schacherer-Elek Ilona [4] 1907-88. Schreck Uli [10] 11-3-61. Sidorova Valentina [1] 4-5-54. Smirnov Valeri [1] 1954-82. Srecki Eric 2-7-64. Stankovitch [1] Vassili 25-4-46. Straub Anja [8] 1968. Szabo Bence [4] 1959. Trillini Giovanna [2] 1970. Trinquet Pascale 11-8-58, Véronique 15-6-56. Vaccaroni Dorina [2] 24-9-63. Weidner Thorsten [10] 29-12-67. Wurtz Marie-Hortense 12-5-70.

Football

Quelques dates

Origine. Antiquité, nombreux jeux de balle au pied : *aporrhaxis* et *phéninde* (Athènes), *épiscyre* (Sparte), *uranie* (Phéacie). **Moyen Age** *choule* et *soule.* **Renaissance** *giuco del Calcio* créé. **XIX**e **s.** apparition sous sa forme actuelle dans les « public schools » anglaises (Cheltenham, Rugby, Eton, Harrow, etc.). **1848** 1re codification par les étudiants de Cambridge. **1863**-*26-10 Football association* fondée par des étudiants réunis à la taverne Freemason de Liverpool. **1872** 1re Coupe d'Angleterre. 1er club français : Le Havre Athletic Club. **1889** 1re ch. national en Angleterre. **1904**-*1-5* 1re rencontre internat. France Belgique (3-3), Bruxelles. -*21-5* Féd. internat. de football (Fifa) créée. **1919**-*7-4* Féd. franç. de football créée. **1932** champ. professionnel en France.

Principales règles

■ **Généralités. Terrain :** *longueur* 90 à 120 m ; *largeur* 45 à 90 m ; *But :* hauteur 2,44 m, largeur 7,32 m. **Ballon :** circonférence 68 à 71 cm, 396 à 453 g, pression 1 kg/cm. **Joueurs :** 2 équipes de 11 dont 1 gardien de but et en général 3 remplaçants. **2 juges de touche** assistent l'**arbitre** en lui signalant à l'aide d'un drapeau les passages du ballon au-delà des lignes (touches, corners, sorties de but, buts) et les hors-jeu.

Partie. 2 mi-temps de 45 min séparées par un repos de 5 min (porté en gén. à 15 min sur décision de l'arbitre). **Prolongation :** 2 mi-temps supplémentaires de 15 min en cas d'égalité si le match nécessite un vainqueur (uniquement seniors en Coupe). **Tir au but :** une série de 5 penaltys par équipe est tirée en cas d'égalité après les prolongations.

Coup d'envoi. Choix du côté tiré au sort par l'arbitre, en présence des 2 capitaines, avec une pièce de monnaie. Au moment du coup d'envoi donné par 2 joueurs de la même équipe, les autres joueurs n'engageant pas devront se trouver à 9,15 m du ballon. Le jeu reprend ainsi après chaque but. Après la mi-temps, les joueurs changent de côté et le coup d'envoi est donné par l'autre équipe.

Corner. Coup de pied de coin. Remise en jeu au pied accordée à l'équipe attaquante, dont une tentative a été dégagée par un joueur de l'équipe défendante hors des limites du terrain, côté but.

Touche. Remise en jeu d'un ballon ayant quitté le terrain par les côtés latéraux. Effectuée à la main, à l'endroit où le ballon est sorti, par un joueur de l'équipe opposée à celle du joueur ayant touché le ballon en dernier lieu.

■ **Principales règles. Hors-jeu :** un joueur est hors-jeu s'il est plus rapproché de la ligne de but adverse que le ballon au moment ou celui-ci est envoyé, sauf si : le joueur se trouve dans sa propre moitié de terrain ; s'il a au moins 2 adversaires plus rapprochés que lui de leur propre ligne de but ; si le ballon a été joué en dernier lieu par un adversaire ; s'il reçoit directement le ballon sur une remise en jeu : « 6 mètres », corner, touche ou entre-deux ; si l'arbitre estime que la position n'influe pas sur le jeu. *Sanction :* pour toute infraction, un coup franc indirect est accordé à l'équipe qui défend, tiré à l'endroit où le joueur a été signalé hors-jeu.

Fautes et incorrections : il est interdit de toucher la balle de la main sauf pour les 2 gardiens de but dans leur surface de réparation respective. Sont sanctionnés d'un coup franc, les actes intentionnels visant à frapper ou essayer de frapper un adversaire, le faire tomber ou essayer de le faire tomber, le charger brutalement ou dangereusement, tacler par derrière, tenir par le maillot ou le bras. *Sanctions :* toute faute produite dans sa propre surface de réparation entraîne un penalty pour l'équipe adverse. En dehors de la surface, les fautes graves (portant atteinte à l'intégrité d'un joueur ou à l'esprit du jeu) sont sanctionnées d'un coup franc direct (permettant le tir au but direct) ; les autres par un coup franc indirect (nécessitant une passe avant le tir au but).

■ **Tactiques. Quinconce** (2 arrières, 3 demis, 5 avants). « Méthode classique ». Créée début XXe s. **WM** (3 arr., 2 dem., 2 inters, 3 av.), créé v. 1930 par Johnny Hunter, en réaction à l'application de la règle du hors-jeu moderne (1925), et appliqué par Herbert Chapman à Arsenal. **4-2-4** (4 arr., 2 dem., 4 av.), créée 1952 par Gustav Sebes, entraîneur de Hongrie, développée par les Brésiliens (de 1958 à 70). **Verrou** (1 arr. en couverture [libéro], 3 arr., 2 dem., 4 av.). Marquage de zone, créée pour la Coupe du monde 1938 par l'entr. Suisse, Karl Rappan.

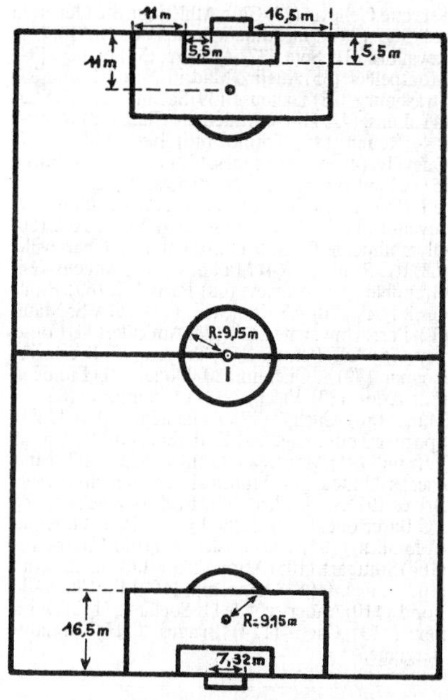

Devenue **béton ou catenacio** (1 libéro, 3 arr., 3 dem., 3 av.). Marquage individuel, créée par Helenio Herrera à l'Inter Milan vers 1960. **4-3-3** créée par le Brésil en 1962, pour la Coupe du monde. Relancée par l'Ajax d'Amsterdam en 1970. Notion d'attaquant et de défenseur abandonnée au profit de possession ou perte du ballon. **4-4-2** tactique des années 1980, appliquée encore aujourd'hui.

Principales épreuves internationales

Légende. – Af. : Afrique. Alg. : Algérie. All. : Allemagne. Am. C. : Amérique centrale. Arg. : Argentine. Austr. : Australie. Aut. : Autriche. Belg. : Belgique. Br. : Brésil. Bul. : Bulgarie. Col. : Colombie. Dk : Danemark. Ei. : Eire. Esp. : Espagne. Fr. : France. Gr. : Grèce. Hong. : Hongrie. Isl. : Islande. It. : Italie. Nor. : Norvège. Por. : Portugal. Rou. : Roumanie. Su. : Suède. Tché. : Tchécoslovaquie. Ur. : Uruguay. Youg. : Yougoslavie. Pol. : Pologne.

☞ **Jeux olympiques** (voir p. 1543).

■ **Coupe du monde.** *Créée* 1928, disputée pour la 1re fois en 1930. Tous les 4 ans. Vainqueurs et vaincus. Finale (en italique) et demi-finales. Depuis 1974 finale et match pour la 3e place. Résultats et lieu du match. **30** *Uruguay-Argentine (4-2).* Arg.-USA (6-1). Ur.-Yougoslavie (6-1) ; tous les 3 à Montevideo. **34** *Italie-Tchécoslovaquie (2-1 Rome).* Tché.-All. (3-1 Rome). Italie-Autriche (1-0 Milan). **38** *It.-Hong. (4-2 Paris).* Hong.-Suède (5-1 Paris). It.-Br. (2-1 Marseille). **50** *Ur.-Brésil (2-1 Rio).* Br.-Su. (7-1 Rio). Ur.-Esp. (2-2 São Paulo). Br.-Esp. (6-1 Rio). Ur.-Su. (3-2- São Paulo). Su.-Esp. (3-1 São Paulo). **54** *All.-Hong. (3-2 Berne).* All.-Aut. (6-1 Bâle). Hong.-Ur. (4-2 Lausanne). **58** *Br.-Su. (5-2 Stockholm).* Br.-Fr. (5-2 Stockholm). Su.-All. (3-1 Göteborg). (Fr. 3e en battant l'Allemagne 6-3). **62** *Br.-Tché. (3-1 Santiago).* Br.-Chili (4-2 Santiago). Tché.-Youg. (3-1 Vina del Mar). **66** *G.-B.-All. (4-2 Wembley).* G.-B.-Por. (2-1 Wembley). All.-URSS (2-1 Liverpool). **70** *Br.-Ital. (4-1 Mexico).* Br.-Ur. (3-1 Guadalajara). It.-All. féd. (4-3 Mexico, après prolongation). **74** *All. féd.-P.-Bas (2-1 Munich).* Pologne-Br. (1-0 Munich). **78** *Arg.-P.-Bas (3-1 Buenos Aires).* Br.-It. (2-1 Buenos Aires). **82** *It.-All. féd. (3-1 Madrid).* Pol.-Fr. (3-2 Alicante). **86** *Arg.-All. féd.* (3-2 Mexico). Fr.-Belg. (4-2 Puebla). **90** *All. féd.-Arg.* (1-0 Rome). It.-Angl. (2-1 Bari). **94** 17-6 au 17-7 aux USA. **98** en France. **2002** candidatures : Japon, Chine, Corée du S., Arabie S.

Meilleurs buteurs de chaque coupe du monde : J. Fontaine (Fr.) *13 buts* (1958). Kocsis (Hong.) *11* (1954). G. Muller (All.) *10* (1970) et *4* (1974). Eusebio (Port.) *9* (1966). Stabile (Arg., 1930), Leonidas (Brésil, 1938), Adémir (Br., 1950) *8*. Lato (Pol.) *7* (1974). Kempes (Arg., 1978), Rossi (It., 1982), Lineker (G.-B., 1986), Schillaci (It., 1990) *6*. Jerkovic (Youg.) *5* (1962). Schiavo (It., 1934), Nejedly (Tché., 1934), Conen (All., 1934) *4*.

■ **Championnat d'Europe des Nations. Créé** 1958. Les 2 premières épreuves (1960 et 1964) se sont appelées Coupe d'Europe des Nations. **60** URSS b. Youg. 2-1. **64** Esp. b. URSS 2-1. **68** It. b. Youg. 2-0. **72** All. féd. b. URSS 3-0. **76** Tchéc. b. All. féd. 2-2 (5-4 aux penaltys). **80** All. féd. b. Belg. 2-1. **84** Fr. b. Esp. 2-0. **88** P.-B. b. URSS 2-0. **92** Danemark b. All. 2-0. **96** en G.-B.

■ **Coupe d'Europe des Clubs champions (C1). Créée** 1955. **85** Juventus b. Liverpool 1-0. **86** Steaua Bucarest b. FC Barcelone 0-0 (2-0 aux penaltys). **87** FC Porto b. Bayern M. 2-1. **88** PSV Eindhoven b. Benfica 0-0 (6-5 aux penaltys). **89** Milan AC b. Steaua Bucarest 4-0. **90** Milan AC b. Benfica 1-0. **91** Étoile de Belgrade b. Olympique de Marseille 0-0 (5-3 aux penaltys). **92** FC Barcelone b. Sampdoria de Gênes 1-0 (après prolongations). **93** Olympique de Marseille b. Milan AC 1-0.

■ **Coupe d'Europe des Clubs vainqueurs de Coupe (C2). Créée** 1960. Réservée aux clubs ayant remporté la coupe de leurs pays respectifs. **85** Everton b. Rapid Vienne 3-1. **86** Dynamo Kiev b. Atletico Madrid 3-0. **87** Ajax Amsterdam b. Lokomotiv Leipzig 1-0. **88** FC Malines b. Ajax Amsterdam 1-0. **89** Barcelone b. Sampdoria Gênes 2-0. **90** Sampdoria Gênes b. Anderlecht 2-0. **91** Manchester b. Barcelone 2-1. **92** Werder Brême b. Monaco 2-0. **93** Parme b. Anvers 3-1.

■ **Coupe de l'UEFA (C3).** Issue de la Coupe des Villes de Foires. **Créée** 1955. Réservée aux clubs ayant terminé aux premières places du championnat, immédiatement derrière le champion national. **85** Real Madrid b. Videoton 3-0 puis 0-1. **86** Real Madrid b. FC Cologne 5-1 puis 0-2. **87** IFK Göteborg b. Dundee United 1-1 puis 1-0. **88** Bayer Leverkusen b. Español Barcelone 3-0 puis 0-3 (3-2 aux penaltys). **89** Naples b. Stuttgart 2-1 puis 3-3. **90** Juventus b. Fiorentina 3-1 puis 0-0. **91** Inter Milan b. Roma 2-0 puis 0-1. **92** Ajax b. Juventus 2-2 puis 0-0. **93** Juventus b. Borussia Dortmund 1-3, puis 3-0.

■ **Matches internationaux français. 88-89** Fr. et Tchécoslovaquie 1-1 [1]. Fr. b. Norvège 1-0 [1]. Chypre et Fr. 1-1 [1]. Youg. b. Fr. 3-2 [1]. Eire et Fr. 0-0 [1]. Écosse b. Fr. 2-0 [1]. Fr. et Youg. 0-0 [1]. Fr. et Norv. 1-1 [1]. Fr. b. Écosse 3-0 [1]. Fr. b. Chypre 2-0 [1]. **90** Fr. b. Islande 2-1 [3]. Fr. b. Tché. 2-1 [3]. Fr. b. Albanie 1-0 [3]. **91** Fr. b. Esp. 3-1 [3]. Fr. b. Alb. 5-0 [3]. Fr. b. Tché. 2-1 [3]. Fr. b. Esp. 2-1 [3]. Fr. b. Isl. 3-1 [3]. **92** Angl. b. Fr. 2-0. Fr.-Belg. 3-3. Bulg. b. Fr. 2-0 [1]. Fr. b. Autriche 2-0 [1]. Fr. b. Finlande 2-1 [1]. **93** Fr. b. Israël 4-0. Fr. b. Autriche 1-0. Fr. b. Suède 2-1.

Nota. – (1) Coupe du monde. (2) Coupe d'Europe des Nations. (3) Champ d'Europe des Nations.

■ **Championnat du monde des clubs.** Titre officieux. Coupe intercontinentale (Toyota Cup). *Créé* 1960. Non disp. 1975 et 78. Oppose le vainqueur de la *Coupe d'Europe des Clubs champions* (C1) au vainqueur de la *Coupe Libertadores* (coupe des Champion d'Amér. du S.). **1960** Real Madrid [1], **61** Penarol [2], **62, 63** Santos [3], **64, 65** Inter Milan [4], **66** Penarol [2], **67** Racing [5], **68** Estudiantes [5], **69** Milan AC [4], **70** Feyenoord [6], **71** Nacional [2], **72** Ajax [6], **73** Independiente [5], **74** Atletico Madrid [1], **76** Bayern Munich [7], **77** Boca Junior [5], **79** Olimpia [8], **80** Nacional [2], **81** Flamengo [3], **82** Penarol [2], **83** Gremio [3], **84** Independiente [5], **85** Juventus de Turin [4], **86** River Plate [5], **87** FC Porto [9], **88** Eindhoven [6], **89, 90** Milan AC [4], **91** Belgrade [10].

Nota. – (1) Espagne. (2) Uruguay. (3) Brésil. (4) Italie. (5) Argentine. (6) P.-Bas. (7) Allemagne. (8) Paraguay. (9) Portugal. (10) Yougoslavie.

■ **Football américain.** *Né* à Harvard en 1875. Dérivé du rugby traditionnel. **2 équipes** (attaque et défense) de 11 joueurs (sur le terrain) casqués et protégés par un équipement spécial (10 kg). **Terrain** 109,70 × 48,80 m, divisé en tranches de 4,60 m. **Balle** ovale (long. 27,3 à 28,6 cm, circonf. 52,5 à 54,3 cm), se joue au pied lors du coup de pied d'engagement *(kick off)*, du coup de pied au but *(field goal)* et du coup de pied de transformation. Dans les autres phases de jeu, elle est le plus souvent portée à la main (passes, courses). N'importe quel joueur peut plaquer un adversaire, même si celui-ci n'a pas le ballon. **Partie** 4 périodes de 15 min. L'équipe d'attaque (offensive) doit couvrir 9,10 m (10 yards) en 4 tentatives *(downs)*. L'offensive doit faire avancer le ballon jusque dans la zone d'en-but adverse, par des courses, ou des passes avant (1 seule autorisée par tentative) et ainsi de suite jusqu'au touché (*touch down*, 6 points), qu'elle transformera au pied (1 point) ou à la main (2 points). Si à la 3e tentative, elle n'a pas franchi le 9,10 m, elle peut (à la 4e tentative) dégager la balle au pied *(punt)*, ou, si elle est assez près des poteaux adverses (ils se situent derrière la zone d'en-but), tenter un coup de pied au but (*field goal*, 3 points). Les contacts entre joueurs offensifs et défensifs non porteurs du ballon ne peuvent être que des percussions ou des blocages effectués à l'aide des épaules, des avant-bras, des mains sur le buste ou les jambes. Le porteur de ballon peut être plaqué par les défenseurs présents sur le terrain. 5 à 7 arbitres sur le terrain (vestes rayées noir et blanc). Signalent les fautes par des drapeaux jaunes (pénalisées par le recul sur le terrain de l'équipe coupable). Chaque équipe peut inscrire 42 à 45 joueurs sur la feuille de match.

Au Canada, même jeu mais terrain 160 × 70 yards ; 12 joueurs sur le terrain pour chaque équipe ; 3 tentatives (downs) pour effectuer 9,10 m (10 yards). **Nombre de blessés par an.** *Dans les 20 000 équipes de lycées :* 1 000 000 ; *dans les 900 équipes univ. :* 70 000. En 1905, chez les professionnels, il y avait eu 18 morts et 159 blessés.

Arena football. Variante du football américain. Joué à l'intérieur ou extérieur d'une enceinte fermée. Terrain : 60 × 25 yards. 2 équipes de 8 joueurs sur le terrain.

Flag football. Suit en grande partie les règles du football américain. Pas de placage. Jeu s'arrête lorsqu'on a enlevé le drapeau *(flag)* de la ceinture du porteur de ballon. Terrain 80 × 40 yards. Généralement 7 joueurs par équipe sur le terrain, mais parfois 8, 9, 10 ou 11.

World bowl. Créé 1991. **91** London Monarchs.

Championnat des USA (super bowl, *créé* 1967). *90* 49 ers San Francisco bat Broncos (Denver) 55-10. *91* New York Giants bat Buffalo Bills 20-19. *92* Washington Redskins bat Buffalo Bills 37-24. *93* Dallas Cow Boys bat Buffalo Bills 52-17.

Europe. *1985* European football league créée. *Coupe d'Europe des clubs champions* (Eurobowl), annuelle (91, 92 Crusaders Amsterdam). *Championnat d'Europe des nations,* équipes nationales, tous les deux ans (89, 91 G.-B.).

France. *1981* introduit. **Féd. française de Football amér.** Créée 1983 (*1993* env. 6 000 pratiquants, 80 clubs). **Championnat de France** en 2 divisions : 1re Casque d'Or, créée 1982 (**82** Spartacus Paris, **83** Anges bleus de Joinville, **84** Jets de Paris, **85, 86, 87** Castors Paris, **88, 89, 90, 91, 92** Argonautes d'Aix), 2e Casque d'Argent, 3e Casque de Bronze. **Champ. de Fr. de Flag Football** (pour les – de 16 ans).

■ **Football australien. Codifié** 1868. **Terrain** ovale. **Ballon** analogue à celui du rugby (L : 28 à 30 cm. Périmètre : 76 à 79 et 58 à 62 cm). **Équipes** 18 joueurs, plus 2 remplaçants. 15 occupent des positions définies et marquent directement un adversaire. Les 3 autres (1 roover et 2 followers) représentent les éléments mobiles. **Partie** lorsque le ballon passe dans le goal post, il y a *behind* (1 point). Si l'attaquant réussit à faire passer la balle entre les 2 poteaux verticaux (sans barre transversale), il y a *goal* (6 points).

■ **Football féminin. Reconnu** en France dep. 29-3-1970. **Licenciées** (1992) All. 488 139, France 24 784, monde 1 623 892. **Coupe du Monde :** créée 1991. **1991** USA. **Ch. de France :** créé 1974. **90** VGA St-Maur bat Poissy 3-0. **91** FC Lyon bat VGA St-Maur 1-1 (4 tirs aux buts à 2). **92** Juvisy bat CS St-Brieuc 3-2. **93** FC Lyon.

■ **Football gaélique. Réglementé** 1884. **Terrain.** 170 × 90 m. **Équipes.** 15 joueurs. **Partie** 2 *mi-temps* de 30 min. Tous les coups sont permis. On marque des points en faisant pénétrer le ballon dans un but de 6,40 m de large sur 2,40 m de haut, ou en le faisant passer au-dessus.

Principales épreuves nationales

■ Championnat de France

Saison 1993-94. 1re division : 20 équipes soit 38 matches (19 aller, 19 retour). Le classement se fait aux points : victoire 2 points, nul 1 point, défaite 0 point. Le vainqueur joue la Coupe d'Europe des clubs champions ; les 2e, 3e et 4e la Coupe de l'UEFA. Pas de barrages. Les 2 derniers descendent en 2e div. et sont remplacés par les 1ers des groupes A et B de 2e div. (2 fois 20 clubs).

Clubs de 1re division 1993-94. Angers, Auxerre, Bordeaux, Caen, Cannes, Lens, Le Havre, Lille, Lyon, Marseille, Martigues, Metz, Monaco, Montpellier-Hérault, Nantes, Paris-St-Germain, St-Étienne, Sochaux, Strasbourg, Toulouse.

Vainqueurs du champ. de France professionnel (1re div.). Créé 1932. **33** Ol. Lille. **34** Sète. **35** Sochaux.

Catastrophes

1964-23-5 *Lima (Pérou)* : 320 †, 1 000 blessés. Rencontre de qualification Pérou-Argentine pour les JO ; un but refusé au Pérou qui lui permettait d'égaliser déclenche une émeute. Un incendie se déclare à même le stade.

1967-17-9 *Kayseri (Turquie)* : 40 † (dont 27 à coups de couteau), 600 bl. Échauffourées supporters Kayseri/Siwas (but contesté).

1968-23-6 *Buenos Aires (Arg.)* : 80 †, 150 bl. Match River-Plate-Boca Juniors, les supporters du 1er club allument des feux de joie, le public croit à un incendie, panique aux portes, dont l'une est bloquée par les tourniquets d'entrée.

1969-25-6 *Kirikhala (Turquie)* : 10 †, 102 bl. Bagarres et coups de feu. **25-12** *Bukavu (Zaïre)* : 27 †, 52 bl. Les portes du stade s'ouvrent après l'arrivée du Pt Mobutu. La foule s'engouffre.

1971-2-1 *Glasgow (G.-B.)* : 66 †, 108 bl. Match du derby de Glasgow, Celtic contre Rangers, un but de dernière minute amène une partie du public qui quittait le stade à remonter dans les tribunes, se heurtant aux partants. Bousculade.

1974-11-2 *Le Caire (Égypte)* : 48 †, 47 bl. 80 000 personnes veulent assister au match équipe cairote-Dukla Prague dans le stade Zamalek (capacité 40 000). Une grille s'effondre.

1982-21-10 *Moscou (Russie)* : stade Loujniki 340 †, bousculade, demi-finale coupe l'UEFA.

1985-11-5 *Bradford (G.-B.)* : 53 †, 18 disparus, 200 bl. Incendie dans les tribunes, match championnat d'Angl. de division 3, Bradford/Lincoln. **29-5** *Bruxelles (Belg.), stade du Heysel* : 39 † (26 Italiens, 4 Belges, 2 Français et 1 Anglais, 6 non identifiés), 600 bl., finale de la coupe d'Europe Juventus de Turin-Liverpool. Des supporters anglais écrasent des Italiens contre le mur des tribunes, nombreux tués par étouffement. *20-6* l'Union europ. des ass. de football suspend la participation des clubs anglais aux compétitions europ. pour une durée indéterminée.

1988-12-3 *Kathmandou (Népal)* : orage de grêle, panique. 72 †, 27 bl. **21-5** *Wembley (G.-B.)* : 1 †, 90 bl., match Angl.-Écosse.

1989-15-4 *Sheffield (G.-B.)* : 95 †, 200 bl., bousculade demi-finale coupe Liverpool-Nottingham Forest. **29-9** *Amsterdam* 2 bombes : 19 bl.

1992-16-3 *Yémen*, autorités suspendent « sine die » le championnat national de foot après violences de 2 j Sanaa et Aden. 2 †, 20 bl. vandalisme des milliers de supporters. **5-5** *Bastia (Hte-Corse) stade Furiani* : 15 †, 2 265 bl., effondrement d'une tribune provisoire demi-finale Coupe de France (Marseille-Bastia).

☞ *Le 30-9-1990* un footballeur est tué par la foudre lors d'une rencontre à Villiers-sur-Orge avec Montgeron (*en 1976*, joueur de rugby tué ainsi sur le stade de Montferrand P.-de-D.).

36 RC Paris. **37** Marseille. **38** Sochaux. **39** Sète. **40** Rouen (Nord), Nice (Sud-Est), Bordeaux (Sud-Ouest). **41** Red Star (N), Marseille (S). **42** Reims (N), Sète (S.). **43** Lens (N), Toulouse (S). **44** Artois-Lens. **45** Rouen (N), Lyon (S). **46** Lille OSC. **47** Roubaix-Tourcoing. **48** Marseille. **49** Reims. **50** Bordeaux. **51** Nice. **52** Nice. **53** Reims. **54** Lille OSC. **55** Reims. **56** Nice. **57** St-Étienne. **58** Reims. **59** Nice. **60** Reims. **61** Monaco. **62** Reims. **63** Monaco. **64** St-Étienne. **65, 66** Nantes. **67, 68, 69, 70** St-Étienne. **71, 72** Marseille. **73** Nantes. **74, 75, 76** St-Étienne. **77** Nantes. **78** Monaco. **79** Strasbourg. **80** Nantes. **81** St-Étienne. **82** Monaco. **83** Nantes. **84, 85** Bordeaux. **86** Paris-St-Germain. **87** Bordeaux. **88** Monaco. **89, 90, 91, 92, 93** Marseille.

Meilleurs buteurs du championnat de France (nombre de buts marqués). **70** H. Revelli (St-Étienne) 28 ; **71** Skoblar (Marseille) 44 ; **72** id. 30 ; **73** id. 26 ; **74** Bianchi (Reims) 43 ; **75** Onnis (Monaco) 30 ; **76** Bianchi (Reims) 30 ; **77** Bianchi (Paris SG) 28 ; **78** id. 37 ; **79** id. 27 ; **80** Onnis (Monaco), Kostedde (Laval) 21 ; **81** Onnis (Tours) 24 ; **82** id. 29 ; **83** Halilhodzic (Nantes) 27 ; **84** Garande (Auxerre) ; Onnis (Toulon) 21 ; **85** Halilhodzic (Nantes) 28 ; **86** Bocande (Metz) 23 ; **87** Zenier (Metz) 18 ; **88** Papin (Marseille) 19. **89** id. 22. **90** id. 30. **91** id. 23. **92** id. 27. **93** Boksic (Marseille) 23.

Coupe de France

■ **Généralités. Finale jouée** la 1re fois le 5-5-1918 sur le terrain (aujourd'hui disparu) de la *Légion St-Michel,* rue Olivier-de-Serres, devant 2 000 spectateurs. Depuis, finale à Colombes, puis au Parc des Princes. **Affluence maximale** (dep. le début) 61 722 spectateurs (1950 Colombes).

■ **Vainqueurs. 5 fois :** Marceau Sommerlinck (1946-47-48-53-55), Bathenay (74, 75, 77, 82, 83) ; **4 fois :** Baratte (46-47-48-53), Bereta (68-70-74-76), Boyer (19-24-26-27), Dupuis (36-39-40-45), Nicolas (21-22-23-28), Revelli Hervé (68-70-75-77).

Villes souvent victorieuses. Paris 18 fois : *Red Star 5* (1921, 22, 23, 28, 42). *Racing 5* (1936, 39, 40, 45, 49) ; *Paris-St-Germain 3* (82, 83, 93), *CASG 2, Olympique 1, CAP 1, Club Français 1* ; **Marseille** *11* (1924, 26, 27, 35, 38, 43, 69, 72, 76, 89, 90) ; **St-Étienne** *6* (1962, 68, 70, 74, 75, 77) ; **Lille** *5* (1946, 47, 48, 53, 55) ; **Monaco** *5* (1960, 63, 80, 85, 91) ; **Lyon** *3* (1964, 67, 73).

Clubs souvent victorieux. 10 fois : Ol. de Marseille. **6 :** St-Étienne. **5 :** Lille OSC, RC Paris, Red Star. **3 :** PSG, Bordeaux, Ol. Lyonnais. **2 :** CASG, Metz, Nancy, OGC Nice, Reims, Rennes, Sedan, Sète, Strasbourg.

Vainqueurs et vaincus de la Coupe de France dep. sa création. **1918 :** Olympique de Pantin b. FC Lyon 3-0. **19 :** CASG b. Ol. de Paris 3-2 (prolongation). **20 :** CA Paris b. Le Havre 2-1. **21 :** Red Star b. Ol. de Paris 2-1. **22 :** Red Star b. Rennes 2-0. **23 :** Red Star b. Sète 4-2. **24 :** Marseille b. Sète 3-2 (prol.). **25 :** CASG b. Rouen 1-1, puis rejoué 3-2. **26 :** Marseille b. Valentigney 4-1. **27 :** Marseille b. Quevilly 3-0. **28 :** Red Star b. CA Paris 2-0. **29 :** Montpellier b. Sète 2-0. **30 :** Sète b. Racing Club de France 3-1. **31 :** Club Français b. Montpellier 3-0. **32 :** Cannes b. RC Roubaix 1-0. **33 :** Excelsior b. RC Roubaix 3-1. **34 :** Sète b. Marseille 2-1. **35 :** Marseille b. Rennes 3-0. **36 :** Racing Club de Paris b. Charleville 1-0. **37 :** Sochaux b. Strasbourg 2-1. **38 :** Marseille b. Metz 2-1 (prol.). **39 :** Racing CP b. Lille 3-1. **40 :** Racing CP b. Marseille 2-1. **41 :** Bordeaux b. Fives 2-0. **42 :** Red Star b. Sète 2-0. **43 :** Marseille b. Bordeaux 2-2 puis rej. 4-0. **44 :** Nancy-Lorraine b. Reims Champagne 4-0. **45 :** Racing CP b. Lille 3-0. **46 :** Lille b. Red Star 4-2. **47 :** Lille b. Strasbourg 2-0. **48 :** Lille b. Lens 3-2. **49 :** Racing CP b. Lille 5-2. **50 :** Reims b. Racing CP 2-0. **51 :** Strasbourg b. Valenciennes 3-0. **52 :** Nice b. Bordeaux 5-3. **53 :** Lille b. Nancy 2-1. **54 :** Nice b. Marseille 2-1. **55 :** Lille b. Bordeaux 5-2. **56 :** Sedan b. Troyes 3-1. **57 :** Toulouse b. Angers 6-3. **58 :** Reims b. Nîmes 3-1. **59 :** Le Havre b. Sochaux 2-2, puis rej. 3-0. **60 :** Monaco b. St-Étienne 4-2 (prol.). **61 :** Sedan b. Nîmes 3-1. **62 :** St-Étienne b. Nancy 1-0. **63 :** Monaco b. Lyon 0-0, puis rej. 2-0. **64 :** Lyon b. Bordeaux 2-0. **65 :** Rennes b. Sedan 2-2, puis 3-1. **66 :** Strasbourg b. Nantes 1-0. **67 :** Lyon b. Sochaux 3-1. **68 :** St-Étienne b. Bordeaux 2-1. **69 :** Marseille b. Bordeaux 2-0. **70 :** St-Étienne b. Nantes 5-0. **71 :** Rennes b. Lyon 1-0. **72 :** Marseille b. Bastia 2-1. **73 :** Lyon b. Nantes 2-1. **74 :** St-Étienne b. Monaco 2-1. **75 :** St-Étienne b. Lens 2-0. **76 :** Marseille b. Lyon 2-0. **77 :** St-Étienne b. Reims 2-1. **78 :** Nancy b. Nice 1-0. **79 :** Nantes b. Auxerre 4-1 (prol.). **80 :** Monaco b. Orléans 3-1. **81 :** Bastia b. St-Étienne 2-1. **82 :** Paris-S-G b. St-Étienne 2-2 (6 tirs au but à 5). **83 :** Paris-S-G b. Nantes 3-2. **84 :** FC Metz b. Monaco 2-0 (prol.). **85 :** Monaco b. Paris-S-G 1-0. **86 :** Bordeaux b. Marseille 2-1 (prol.). **87 :** Bordeaux b. Marseille 2-0. **88** Metz b. Sochaux 1-1 (5 tirs au but à 4). **89 :** Marseille b. Monaco 4-3. **90 :** Montpellier b. Racing Paris I 2-1 (prol.). **91 :** Monaco b. Marseille 1-0. **92 :** finale annulée (v. Catastrophes), coupe non attribuée ; Monaco, vainqueur de la seule demi-finale, participe à la Coupe des vainqueurs de Coupes. **93 :** PSG b. Nantes 3-0.

■ **Clubs de 2e division ou de catégories inférieures ayant atteint les quarts de finale. 1970** Limoges, Paris-Neuilly. **71** Blois, Monaco, Dunkerque. **72** Avignon, Lens. **73** Avignon. **74** Paris-S.-G. **75** aucun. **76** Angers. **77** Lorient. **78** aucun. **79** Gueugnon, Auxerre, Angoulême, Avignon. **79-80** Orléans, Montpellier, Paris Football Club, Auxerre. **80-81** Montpellier, Martigues. **81-82** Toulon. **82-83** Guingamp, Racing Paris 1. **83-84** Mulhouse, Cannes. **84-85** St-Étienne. **86-87** Alès, Reims. **87-88** Sochaux, Quimper, Reims, Châtellerault. **88-89** Orléans, Rennes, Mulhouse, Beauvais. **89-90** Avignon.

Quelques noms

Joueurs français

☞ *Légende.* – (1) Béziers. (2) St-Étienne. (3) Nîmes. (4) Olympique Marseille. (5) Lille. (6) Nice. (7) Avignon. (8) St-Tropez. (9) Union Sportive Phocéenne. (10) Besançon. (11) Nantes. (12) Monaco. (13) Atletico Bilbao. (14) Real Madrid. (15) Racing-Club de France. (16) Rennes. (17) Paris-St-Germain. (18) Racing-Club de Paris. (19) Stade Français. (20) Angers. (21) Tours. (22) Olympique de Lyon. (23) Reims. (24) Metz. (25) Bordeaux. (26) Ajaccio. (27) Servette Genève. (28) Club Athlétique Sté Générale (CASG). (29) Club Athlétique de Paris (CAP). (30) Levallois. (31) Sète. (32) Auxerre. (33) Nancy. (34) Montpellier. (35) Atletico Madrid. (36) Orléans. (37) Strasbourg. (38) Toulouse. (39) Sedan. (40) Red Star. (41) Lens. (42) Havre Athlétique Club. (43) Naples. (44) Rouen. (45) Torino. (46) Inter Milan. (47) Quevilly. (48) Valenciennes. (49) Fives. (50) Bastia. (51) Club Français. (52) Martigues. (53) Leeds United. (54) Aix-en-Pr. (55) Cannes. (56) Toulon. (57) Juventus Turin. (58) Varèse. (59) Milan AC. (60) Olympique de Paris. (61) Lorient. (62) Charleville. (63) RC Roubaix. (64) Mulhouse. (65) Amiens. (66) Grenoble. (67) Annecy. (68) Paris FC. (69) Étoile des 2 Lacs. (70) AS Française. (71) VGA St-Maur. (72) Paris Université Club. (73) Amicale. (74) Fontenay. (75) ASF Perreux. (76) Troyes. (77) Brest. (78) Colmar. (79) St-Quentin. (80) Douai. (81) Limoges. (82) Arles. (83) Valence. (84) Chambéry. (85) Le Mans. (86) Clichy. (87) Angoulême. (88) Union Sportive Tourcoing. (89) Karlsrhue. (90) Clermont-Ferrand. (91) Montceau. (92) CA Vitry. (93) Manchester United. (94) Montréal. (95) Neuchâtel. (96) Brives. (97) Bischwiller. (98) Excelsior Roubaix. (99) FC Barcelone. (100) Gallia FC. (101) La Garenne-Colombes. (102) US Parisienne. (103) Cherbourg. (104) Stuttgart. (105) Aston Villa. (106) Galatasaray. (107) Laval. (108) Guingamp. (109) La Chaud-de-Fond. (110) Anderlecht. (111) Sochaux. (112) Quimper. (113) Caen. (114) Bruges. (115) Atalante Bergame.

ABBES Claude, 24-5-27 [1,2]. ADAMS J.-Pierre, 10-3-48 [3]. ALCAZAR Joseph, 1911 [4,5,6,7,8,9]. ALPSTEG René, 3-12-20 [2,10]. AMISSE Loïc, 9-8-54 [11]. AMOROS Manuel, 1-2-62 [12,4]. ANATOL Manuel, 8-5-03 [13,14,15]. ARTELESA Marcel, 2-7-38 [12,4]. ANGLOMA Jocelyn, 7-8-65 [16,5,17,4]. ASTON Fred, 16-5-12 [18,19,20,21]. AUBOUR Marcel, 17-6-40 [22,6,16,23]. AYACHE William, 10-1-61 [11,17,4,11,18,3,55]. AZNAR Emmanuel, 23-12-15 [4]. BAILLOT Henri, 13-12-24 [24,25,37]. BARATTE Jean, 1923-86 [5]. BARATELLI Dominique, 26-10-47 [26,6,17]. BARD Henri, 1842-1951 [27,18,28,29]. BARONCHELLI Bruno, 13-1-57 [11]. BARREAU Gaston, 1883-1958 [30]. BARTHEZ Fabien, 28-6-71 [38,4]. BATHENAY Dominique, 13-2-54 [2,17,31]. BATON Zacharie, 1886 [5]. BATS Joël, 4-1-57 [111,32,17]. BATTEUX Albert, 2-6-19 [23,2,33,4]. BATTISTON Patrick, 12-3-57 [24,2,25,12]. BAUMANN André, 1898 [15,28]. BAYROU Georges, 1883 [31]. BEAUDIER Henri, 1919 [29]. BECK Yvan, 29-10-09 [31,2]. BELLONE Bruno, 14-3-62 [12,55,34]. BEN BAREK Larbi, 1917-92 [4,19,35,4]. BERDOLL Marc, 6-4-53 [20,4,36]. BERETA Georges, 15-5-46 [2,4]. BERGEROO Philippe, 13-1-54 [37,5,38]. BERNARD Pierre, 27-6-32 [25,39,3,2,40]. BERTRAND-DEMANES Jean-Paul, 23-5-52 [11]. BIANCHERI Henri, 1932 [20,111,12]. BIBARD Michel, 30-11-58 [11,17]. BIEGANSKI Guillaume, 1932 [5,41]. BIGOT Jules, 22-10-15 [5,2]. BIGUE Maurice, 1892 [29]. BIHEL René, 2-9-16 [42,5,4,37]. BIJOTAT Dominique, 3-1-61 [12,25,12]. BILOT Charles, 1890 [29]. BLANC Laurent, 19-11-65 [34,43,3]. BLANCHET Bernard, 1-12-43 [11]. BLIARD René, 18-10-32 [23,44,40]. BOLI Basile, 2-1-67 [32,4]. BONGIORNI Émile, 1921-49 [29,18,45]. BONIFACI Antoine, 4-9-31 [6,46,19]. BONNARDEL Philippe, 28-7-1899 [40,47,28]. BONNEL Joseph, 4-1-39 [34,48,4]. BOSQUIER Bernard, 19-6-42 [111,2,4]. BOSSIS Maxime, 26-6-55 [11,18,11]. BOURBOTTE François, 24-2-13 [49,5]. BOYER Jean, 2-2-01 [28,4]. BRACCI François, 3-11-51 [4,37,25,44,1]. BRAVO Daniel, 9-2-63 [31,6,12,6,17]. BROISSART José, 20-2-47 [18,39,2,50,3]. BROUZES Just, 1894 [28,40]. BRUEY Stéphane, 11-12-1932 [18,12,20]. BUDZINSKI Robert, 21-5-40 [41,11]. BURON Jean-Louis, 1934 [44,4]. CANNELLE Fernand, 1882 [51]. CANTHELOU Jacques, 1904 [44]. CANTONA Éric, 24-5-66 [32,52,32,4,25,4,3,53,93]. CAPELLE Maurice, 1905 [18,31]. CARDIET Louis, 20-6-43 [16]. CARNUS Georges, 13-8-42 [54,2,4]. CASONI Bernard, 4-9-61 [55,18,56,4]. CASTANEDA Jean, 20-3-57 [2,4]. CAZENAVE Hector, 1915 [111]. CHANTREL Augustin, 1907 [40,65]. CHARDAR André, 1906 [29,31,3,18]. CHAYRIGUES Pierre, 1892-1965 [40]. CHEUVA André, 1908 [49,5]. CHIESA Serge, 25-12-50 [22]. CHORDA André, 20-2-38 [6,25]. CHRISTOPHE Didier, 10-12-56 [12,5,38,16]. CISOWSKI Thadée, 16-2-27 [24,18]. COCARD Christophe, 23-11-67 [32]. COLONNA Dominique, 4-9-28 [34,19,6,23]. COMBIN Nestor, 29-12-40 [22,57,58,45,59]. COSSOU Lucien, 29-1-36 [22,12]. COSTE Christian, 23-2-49 [5,23]. COTTENET Maurice, 11-2-1895 [60,55]. COURIOL Alain, 24-10-58 [12,17]. COURTOIS Roger, 1912-72 [111]. CRUT Édouard, 1901 [4,6]. CUISSARD Antoine, 19-7-24 [61,2,55,6,16]. CYPRES Gaston [29]. DALGER Christian, 18-12-49 [12,56]. DARQUES Louis, 1896 [60]. DARUI Julien, 1916-87 [62,5,40,63]. DAUPHIN Robert, 1905 [19]. DEDIEU René, 1899 [31,3,34]. DÉFOSSÉ Robert, 19-6-09 [5]. DELADERIÈRE Léon, 26-6-27 [33,38]. DELFOUR Edmond, 1-11-07 [19,18]. DELMER Célestin, 15-2-07 [64,65,63,40]. DEREUDDRE René, 22-6-30 [63,38,41,11,66]. DESCHAMPS Didier, 15-10-68 [11,4]. DEVAQUEZ Jules, 1899-1971 [60,4,6]. DEVIC Émilien, 1888 [29,18]. DIAGNE Raoul, 10-11-10 [18,67,38]. DI LORTO Laurent, 1909-89 [4,111]. DI MECO Éric, 7-9-63 [4,12]. DI NALLO Fleury,

20-4-43 [22,40,34]. DJORKAEFF Jean, 27-10-39 [22,4,68]. DJORKAEFF Youri, 9-3-68 [66,37,12]. DOBRASE Frédéric, 17-5-55 [41,10,87,50,77,21,1,81,111]. DOMENECH Raymond, 20-1-52 [22,37,17,25]. DOMERGUE Jean-François, 23-6-57 [25,5,22,38,4]. DOMERGUE Marcel, 16-11-01 [28,31,3,40]. DOUIS Yvon, 16-5-35 [5,42,12,55]. DOYE André, 1924 [41,38,25]. DROPSY Dominique, 9-12-51 [48,37,25]. DUBLY Raymond, 5-11-1893 [63]. DUCRET Jean, 2-11-1887 [69,5,19,70]. DUHART Pierre [111]. DUPUIS Maurice, 4-2-14 [18]. DURAND Jean-Philippe, 11-11-60 [38,25,4]. EMON Albert, 24-6-53 [4,23,12,56,55]. ETTORI J.-Luc, 29-7-55 [12]. FARGEON Philippe, 24-6-64 [25]. FERNANDEZ Luis, 2-10-59 [17,18,55]. FERRERI J.-Marc, 26-12-62 [32,25,32,4]. FERRIER René, 7-12-36 [2]. FINOT Louis, 28-7-09 [71,72,51,29,111,16,23,6,18,65,40,19,73,74,75]. FIROUD Kader, 11-10-20 [38,2,3]. FLAMION Pierre, 13-12-24 [23,4,22,76]. FLOCH Louis, 28-12-47 [16,12,68,17,77]. FOIX Jacques, 26-11-30 [18,2,6,38,2]. FONTAINE Just, 18-8-33 [6,23]. FREY André, 1919 [24,38]. GABRILLARGUES Louis, 1-6-14 [31,111,93,3,63]. GALLAY Maurice, 1902 [4]. GAMBLIN Lucien, 1890-1972 [40]. GARANDE Patrice, 27-11-60 [36,32,11,2]. GARDE Rémi, 3-4-66 [22]. GEMMRICH Albert, 13-2-55 [37,25,5,6]. GENGHINI Bernard, 18-1-58 [34,2,12,27,4,25]. GÉRARD René, 14 [34]. GIANESSI Lazare, 9-11-25 [79,63,12]. GINOLA David, 25-1-67 [77,17]. GIRARD René, 4-4-54 [3,25]. GIRESSE Alain, 2-9-52 [25,4]. GLOVACKI Léon, 19-2-28 [80,76,23,12,2]. GONDET Philippe, 17-5-42 [19,11]. GOUJON Yvon, 21-1-37 [61,2,34,16,81,44]. GRAVIER Ernest, 26-8-1892 [29,31,40,28,3,82]. GRÉGOIRE Jean, 20-7-22 [83,84,66,19]. GRILLET Pierre, 21-3-32 [18,38,11]. GRILLON André, 1-11-21 [85,25,86,30,19,18]. GRUMELON Jean, 1923-91 [16,6,12,42]. GUILLAS Roland, 23-9-36 [25,2,87,66,44,20,61]. GUILLOU Jean-Marc, 20-12-45 [20,6,64]. GUY André, 3-3-41 [111,2,22,5,16,56]. HANOT Gabriel, 1889-1968 [88,70]. HAUSSER Gérard, 18-3-39 [37,89,24]. HEISSERER Oscar, 18-7-14 [37,18]. HERBET Yves, 17-8-45 [39,110,40,23,33,7]. HERBIN Robert, 30-3-39 [6,2]. HEUTTE François, 21-2-38 [44,5,18,2]. HIDALGO Michel, 22-3-33 [12]. HON Louis, 11-9-24 [71,19,15,19]. HUCK Jean-Noël, 20-12-48 [37,6,17,64,37]. HUGUES François, 14-8-1896 [40,16]. HUGUET Guy, 3-8-23 [90,2,6]. IBRIR Abder, 10-11-19 [25,38,4]. JANVION Gérard, 21-8-53 [2,17,1]. JODAR Jean-François, 2-12-49 [23,22,37,91]. JONQUET Robert, 3-5-25 [23,37]. JORDAN Gusti, 21-2-09 [18]. JOURDA Albert [51,31]. JOURDE Henri [92]. JOUVE Roger, 11-3-49 [6,37]. KAELBEL Raymond, 31-1-32 [93,37,12,42,23,37]. KARGU (Kargulewiecz) Édouard dit, 16-12-25 [25]. KASTENDEUCH Sylvain, 31-8-63 [24,40,24]. KAUCSAR Joseph, 20-9-04 [34]. KELLER Frédéric, 1910 [37]. KÉRUZORÉ Raymond, 17-6-48 [108]. KOPA (Kopaszewski, dit) Raymond [13-10-31 à Nœux-les-Mines (Pas-de-Calais). *Clubs :* Angers (1949-51), Reims (51-56 puis 59-68), Réal Madrid (56-59). *Palmarès :* 3e Coupe du monde 1958. Coupe d'Europe des clubs ch. 1957, 1958, 1959. Ch. de France 1953, 1955, 1960, 1962. Ch. d'Espagne 1957, 1958. *Distinctions :* Ballon d'or du meilleur joueur européen 1958.]. KORB Pierre, 20-04-08 [64,34]. LACOMBE Bernard, 15-8-52 [22,2,25]. LAMA Bernard, 7-4-63 [5,77,24,41,17]. LAMIA Georges, 14-3-33 [6,16]. LANGILLER Marcel, 2-6-08 [29,63,40,2]. LARIOS J.-François, 27-8-56 [2,50,35,94,95,22,37,6]. LARQUÉ J.-Michel, 8-9-47 [2,17]. LAURENT Jean, 10-12-06 [29,111,51,16,38]. LAURENT Lucien, 10-12-07 [29,111,51,64,16,37,35,10]. LECH Georges, 2-6-45 [41,111,23]. LEMERRE Roger, 18-6-41 [39,11,33,41,40]. LEMOULT Jean-Claude, 28-8-60 [17,34]. LEROND André, 6-12-30 [55,22,19]. LEROUX Yvon, 19-4-60 [77,12,11,17]. LESUR Henri [88]. LIBERATI Ernest, 22-3-08 [65,49,111,48,4,96]. LIEB Jean, 1904 [97,22,64]. LIETAER Noël, 1908 [88,98]. LLENSE René, 14-7-13 [31,2]. LOPEZ Christian, 15-3-53 [55,2,38,34]. LOUBET Charly, 26-1-46 [55,19,6,4]. LOUIS Xerxès, 21-10-26 [22,41]. MAES Eugène, 1890-1945 [40]. MAHJOUB Abderrhaman, 25-4-29 [18,6,18,34]. MAHUT Philippe, 4-3-56 [76,24,2,18,112,45]. MAIRESSE Jacques, 1904 [31,40,37]. MARCEL J.-Jacques, 13-6-31 [111,4,18,56]. MARCHE Roger, 5-3-24 [23,18]. MARTINI Bruno, 25-1-62 [32,33,32]. MARTINS Corentin, 11-7-69 [77,32]. MARYAN (Synakowski Maryan dit), 14-3-36 [39,19,?(Belg.),23,39]. MATTLER Étienne, 1905-86 [111]. MEKLOUFI Rachid, 12-8-36 [2]. MERCIER Robert, 1909 [51,18]. MESNIER Paul, 1884 [29]. MEZY Michel, 15-8-48 [3,5,34]. MICHEL Henri, 28-10-47 [11]. MOIGNEU Henri, 1887 [88]. MOIZAN Alain, 18-11-53 [87,12,22,2,50,55]. MOLITOR Marco, 1949 [37,6]. MULLER Lucien, 3-9-34 [37,38,23,15,99]. NICOLAS Jean, 1913 [44]. NICOLAS Paul, 1899-1959 [100,40,65]. NOVI Jacky, 18-7-46 [3,4,17,37]. OLIVIER Maurice, 1886 [69]. OLMETA Pascal, 4-7-61 [50,56,18,4,22]. PARDO Bernard, 19-12-60 [5,77,2,56,25,4,17]. PAPI Claude, 1949-83 [50]. PAPIN J.-Pierre, [5-11-63. *Clubs :* Valenciennes, INF, Bruges, Marseille, Milan AC. *Palmarès :* 3e de la Coupe du monde 1986. Coupe de Belgique 1986. Ch. de France 1989, 90, 91, 92, Ch. d'Italie 93. Coupe de France 1989. Meilleur buteur champ. France 1988, 89, 90, 91, 92. *Distinctions :* Ballon d'or du meilleur joueur européen en 1991.]. PASSI Gérald, 21-1-64 [34,38,12,2]. PAVILLARD Henri, 15-8-05 [19]. PÉAN Éric, 10-9-63 [5,25]. PÉCOUT Éric, 17-2-56 [11,12,24,37,113]. PENVERNE Armand, 26-11-26 [23]. PETIT Emmanuel, 22-9-70 [12]. PETIT Jean, 25-9-49 [38,12]. PEREZ Christian, 13-9-63 [3,34,17,12]. PIANTONI Roger, 26-12-31 [33,23,6]. PINEL Marcel, 1908 [40]. PLATINI Michel [21-6-55 à Jœuf (M.-et-M.). *Clubs :* AS Jovicienne (1966-72), AS Nancy-Lorraine (72-79), AS Saint-Étienne (79-82), Juventus de Turin (82-87). *Palmarès :* 648 matches prof., 348 buts. 72 sél. en équipe de Fr. (27-3-76 au 29-4-87) 41 buts (record). 3e de la Coupe du Monde 1986. Ch. d'E. des Nations 1984, Coupe d'E. des clubs ch. 1985, Coupe d'E. des clubs vainqueurs de coupe 1984, Coupe intercontinentale des nations 1985, des clubs 1985, Super-Coupe d'E. 1984. Ch. de Fr. 1981, Coupe de Fr. 1978. Ch. d'Italie 1984, 1986, Coupe d'It. 1983. *Distinctions :* Ballon d'or du meilleur joueur européen en 1983, 84, 85. Meilleur buteur Ch. d'E. des Nations 1984. Ch. d'It. 1983, 84, 85]. POULLAIN Fabrice, 27-8-62 [11,17,12]. PROUFF Jean, 12-9-19 [16,49,23,44,54]. QUITTET Claude, 12-3-41 [111,6]. REMETTER François, 8-8-28 [24,111,25,81,37,66]. REPELLINI Pierre, 27-10-50 [2]. REVELLI Hervé, 5-5-46 [2,6]. REVELLI Patrick, 22-6-51 [2,111,55]. REY André, 22-1-48 [37,24,6]. RIGAL Jean, 12-12-1890 [101]. RIO Patrice, 15-8-48 [44,11,16]. RIO Roger, 13-2-13 [44]. ROCHETEAU Dominique, 14-1-55 [2,17,38]. RODZIK Bruno, 29-5-35 [23,6]. ROSTAGNI Jean-Paul, 14-1-48 [55,12,68,25,6]. ROUSSET Gilles, 22-8-63 [111,22]. ROUYER Olivier, 1-12-55 [33,37,22]. ROYET Paul [102]. RUMINSKI César, 13-6-24 [42,5]. RUST Albert, 10-10-53 [111]. SAHNOUN Omar, 18-8-55 [11,25]. SALVA Marcel, 1-10-22 [18]. SAUVAGE Paul, 17-3-39 [81,23,48,81]. SAUZÉE Franck, 28-10-65 [4,12,115]. SCHARWATH René, 1904 [37,98,15]. SILVESTRE Franck, 5-4-67 [111,22]. SIMBA Amara, 23-12-61 [17,55,17]. SIMON Jacques, 20-3-41 [103,11,25,40]. SINIBALDI Pierre 29-2-24 [23,22,11]. SIX Didier, 21-8-54 [48,41,4,114,37,104,64,105,24,37,48,106]. SOLER Gérard, 29-3-54 [111,12,25,38,50,5,16]. SOLLIER Henri, 1840 [92]. SOMMERLYNCK Marceau, 4-1-22 [49,5]. SONOR Luc, 15-9-62 [24,111]. SPECHT Léonard, 16-4-54 [37,25]. STOPYRA Yannick, 9-1-61 [111,16,38,25]. STRAPPE André, 23-2-28 [5,42,11,50]. SWIATEK Jean, 11-12-21 [25]. SYNAEGHEL Christian, 28-1-51 [2,24]. TASSIN Robert, 1902 [15]. TEMPET Jean-Pierre, 31-8-54 [41,107,64,48]. THÉPOT Alex, 1906-89 [77,30,40]. TIBEUF Philippe, 17-6-62 [108,2]. TIGANA Jean, 23-6-55 [56,22,25,4]. TOURÉ José, 24-4-61 [11,25,12]. TRÉSOR Marius, 15-1-50 [26,4,25]. TRIBOULET Marcel, 1890 [30]. TUSSEAU Thierry, 19-1-58 [11,25,18]. UJLAKI Joseph, 10-8-29 [3,19,6,18]. VAAST Ernest, 28-10-22 [30,18,27,18,16,40]. VAHIRUA Pascal, 9-3-66 [32]. VANCO Marcel, 1885 [29]. VANDOOREN Jules, 1908-84 [5,40,23]. VASCOUT Henri [92]. VEINANTE Émile, 12-6-07 [24,18]. VERCRUYSSE Philippe 28-1-62 [41,25,4,3]. VERLET Jules, 1884 [29]. VERRIEST Georges, 15-7-09 [63]. VIALLEMONTEIL Henri, 1884 [92]. VIGNAL René, 12-8-26 [1,38,18]. VILLAPLANE Alexandre, 1905 [31,3,15]. VINCENT Jean, 29-11-30 [5,23]. WALLET Urbain, 1901 [65]. WENDLING Jean, 29-4-34 [37,38,23]. WILD Jacques, 1905 [19]. WISNIESKI Maryan, 1-2-37 [41,111,2,109]. XUEREB Daniel, 22-5-59 [22,41,17,34,4]. ZÉNIER Bernard 21-8-57 [33,24,25,4,24]. ZIMAKO Jacques, 28-12-51 [50,2,111,50].

JOUEURS ÉTRANGERS

☞ *Légende.* – (1) Suisse. (2) Brésil. (3) Portugal. (4) Hongrie. (5) Uruguay. (6) Italie. (7) Belgique. (8) Argentine. (9) G.-B. (10) Youg. (11) All. féd. (12) Suède. (13) Irlande du N. (14) Tchéc. (15) ex-URSS. (16) Bulgarie. (17) Hongrie. (18) Mexique. (19) P. de Galles. (20) Hollande. (21) Pologne. (22) Esp. (23) Autr. (24) Écosse. (25) Angleterre. (26) Mali. (27) Danemark. (28) Pérou. (29) Chine. (30) Ghāna. (31) Colombie. (32) Sénégal. (33) Cameroun. (34) Liberia.

ABEGGLEN André [1], 7-3-1909-44. ABEGGLEN Max [1], 11-4-02. ADEMIR [2], 8-11-22. AGUAS José (José Pinto Carvalho dos Santos dit) [3], 9-11-31. ALBERT Florian [4], 15-9-41. ALBERTO Carlos (Carlos Alberto Torres dit) [2], 17-7-47. ALLOFS Klaus [11], 8-10-57. ALTAFINI José [2], 27-8-38. ALTOBELLI Alessandro [6], 28-11-55. AMALFI Yeso [2], 6-12-25. AMANCIO Amara Varelos [22], 17-10-39. AMARILDO (Tavares de Silveira dit) [2], 29-6-39. ANASTASI Pietro [6], 7-4-48. ANDRADE José Léandro [5], 1898-1954. ANDREOLO Michele [6], 1912. ANOUL Léopold [7], 19-8-22. ANTENEN Charles [1], 13-11-29. ANTOGNONI Giancarlo [6], 1-4-54. ARDILES Osvaldo [8], 3-8-52. ARMFIELD Jimmy [9], 21-9-35. AUGUSTO José (Pinto de Almeida Augusto) dit [3], 13-4-37. BALL Alan [9], 12-5-45. BANKS Gordon [9], 30-12-37. BARESI Franco [6], 8-5-60. BARNES John [9], 7-11-65. BEARA Vladimir [10], 2-11-28. BECKENBAUER Franz, surnom : "Kaiser Franz" [11], 11-9-45. BELANOV Igor [15], 20-4-60. BELL Joseph-Antoine [33], 8-10-54. BERGMARK Orvar [12], 16-11-30. BERGOMI Giuseppe [6], 22-12-63. BEST George [13], 22-5-46. BETTEGA Roberto [6], 27-12-50. BIANCHI Carlos [8], 26-4-49. BICAN Josef [14], 1913. BICKEL Fred [1], 2-5-18. BLANCHFLOWER Danny [13], 10-2-26. BLANKENBURG Horst [11], 10-7-47. BLOKHINE Oleg [15], 5-11-52. BOCANDE Jules [32], 25-11-58. BOJKOV Stephan [16], 1924. BONIEK Zbigniew [21], 3-3-56. BONIPERTI Giampiero [6], 4-7-28. BOZSIK Jozsef [17], 22-11-1925/78. BRAINE Raymond [7], 28-4-1907/61. BREHME Andreas [11], 9-11-60. BREITNER Paul [11], 5-9-51. BRIEGEL Hans-Peter [11], 11-10-55. BRITO Hercules Ruas [2], 9-8-39. BUCHWALD Guido [11], 24-1-61. BURRUCHAGA Jorge [8], 9-10-62. BUTRAGUENO Emilio [22], 22-7-63. CABRINI Antonio [6], 8-10-57. CAPELLE Jean [7], 26-10-13. CARBAJAL Antonio [18], 7-6-29. CARTER Raich Horatio [9], 21-12-13. CAUSIO Franco [6], 1-2-49. CEREZO Antonio [2], 21-4-55. CEULEMANS Jan [7], 28-2-57. CHARLES John [19], 27-12-31. CHARLTON Bobby [9], 11-10-37. CHARLTON Jacky [9], 8-5-35. CHESTERNEV Albert [15], 13-8-41. CHISLENKO Igor [15], 8-9-39. CHUMPITAZ Hector [28], 12-4-43. COPPENS Henri [7], 29-4-30. CORSO Mario [6], 25-8-41. CRUIJFF Johan [20], 25-4-47. CUBILLA Luis [5], 28-3-40. CURKOVIC Ivan [10], 15-3-44. CZIBOR Zoltan [17], 1929. DAHLEB Mustapha [31], 13-1-52. DALGLISH Kenny [24], 4-3-51. DASSAEV Rinat [15], 13-6-57. DEAN Bill « Dixie » [9], 1907. DEYNA Kazimierz [21], 1947-89. DIDI (Waldyr Pereira dit) [2], 8-10-28. DIRCEU José [2], 15-6-52. DI STEFANO Alfredo [8], 4-7-26. DUNAI Antal [17], 21-3-43. DURKOVIC Vladimir [10], 6-11-38. EDSTROEM Ralph [12], 7-10-52. EUSEBIO (Ferreira Da Silva dit) [3], 25-1-43.

FACCHETTI Giacinto [6], 18-7-42. FAZEKAS Laszlo [17], 15-10-47. FILLOL Ubaldo [8], 21-7-50. FINNEY Tom [9], 5-4-22. FORSTER Karl-Heinz [11], 25-7-58. FRANCESCOLI Enzo [5], 12-11-61. FRANCIS Trevor [9], 19-4-54. FRIENDRICHSEN [2] (1 326 buts, record mondial). GADOCHA Robert [21], 10-1-46. GARRINCHA (Manoel Francisco dos Santos dit) [2], 1936-83. GENTILE Claudio [6], 27-9-53. GENTO Francisco [22], 21-10-33. GERSON (De Oliveira Nunes) dit [2], 11-1-41. GILMAR (dos Santos Neves dit) [2], 22-8-30. GOMES Fernando [3], 22-11-56. GRAZIANI Francesco [6], 16-12-52. GREN Gunnar [12], 1920-91. GULLIT Ruud [20], 1-9-62. GUSTAVSSON Bengt [12], 13-1-28. HALILHODZIC Vahid [10], 15-10-52. HAMRIN Kurt [12], 19-11-34. HANAPPI Gerhard [23], 16-2-29. HAPGOOD Eddie [9], 1909-73. HAPPEL Ernst [23], 1925-92. HIDEGKUTI Nandor [17], 3-3-22. HODDLE Glenn [9], 27-10-57. HRUBESCH Horst [11], 17-4-51. HUGUES Mask [19], 1-11-63. HURST Geoff [9], 8-12-41. JAIRZINHO (Ventura Filho Jaïr dit) [2], 25-12-44. JEKOV Petar [16], 10-10-44. JENNINGS Pat [13], 12-6-45. KALTZ Manfred [11], 6-1-53. KEEGAN Kevin [25], 14-2-51. KEITA Salif [26], 6-12-46. KEIZER Piet [20], 14-6-43. KEMPÈS Mario [8], 15-7-54. KHIDIATULINE Vaguiz [15], 3-2-59. KLINSMANN Jurgen [11], 30-7-64. KOCSIS Sandor [17], 1929-79. KOEMAN Ronald [20], 21-3-63. KRANKL Johann [23], 14-2-53. KROL Rudi [20], 23-3-49. KUBALA Lazlo [14,17,22], 1-6-27. LARSEN Henrik [27], 17-5-66. LAUDRUP Michael [27], 15-6-64. LATO Grzegorz [21], 8-4-50. LAW Denis [24], 24-2-40. LAWTON Tommy [25], 6-10-19. LEAO Emerson [2], 11-7-49. LÉONIDAS DA SILVA [2], 11-11-10. LIDDELL William [24], 10-1-22. LIEDHOLM Nils [12], 8-10-22. LINEKER Gary [25], 30-11-60. LITTBARSKI Pierre [11], 16-4-60. LOFTHOUSE Nat [9], 27-8-25. LUBANSKI Wlodzimierz [21], 28-2-47. LUQUE Leopoldo [8], 3-5-49.

MAGNUSSON Roger [12], 20-3-45. MAIER Sepp (Maier Joseph dit) [11], 28-2-44. MARADONA Diego [8], 30-10-60, [1991-29-3 la Féd. italienne de foot. annonce qu'on a trouvé des traces de cocaïne dans ses urines (suspendu par la FIFA le 6-4) ; arrêté le 26-4 à Buenos Aires pour détention de cocaïne ; remis en liberté 28-4 (caution de 20 000 $)]. MALDINI Paolo [6], 26-6-68. MASOPUST Josef [14], 9-2-31. MATTHAUS Lothar [11], 21-3-63. MATTHEWS Stanley [9], 1-2-15. MAZURKIEWICZ Ladisla [5], 14-2-45. MAZZOLA Sandro [6], 8-11-42. MAZZOLA Valentino [6], 1919-49. MEAZZA Giuseppe [6], 23-8-10. MEES Victor [7], 26-1-27. MEREDITH William [19], 7-8-1876/1958. MICHEL José [22], 23-3-63. MIKHAILITCHENKO Alexei [15], 30-3-63. MILLA Roger [33], 25-5-52. MOORE Robert, dit Bobby [9], 1941-93. MOZER Carlos [2], 19-8-60. MULLER Gerd [11], 3-11-45. NEESKENS Johan [20], 15-9-51. NEJEDLI Ildrich [14], 1909. NETTO Igor [15], 1930. NETZER Gunther [11], 14-9-44. NORDAHL Gunnar [12], 19-10-21. NORDQVIST Björn [12], 6-10-42. NOVAK Ladislav [14], 5-2-31. NYERS Étienne [17], 23-3-24. OCWIRK Ernst [23], 7-3-26. OLSEN Morten [27], 14-8-49. OVERATH Wolfgang [11], 29-9-43. PANCEV Darko [10], 17-9-65. PASSARELLA Daniel [8], 25-5-53. PELÉ (Edson Arantès do Nascimento dit) [2] [23-10-40 à Tres Coraçoes (Minas Gerais). *Clubs :* Santos (1956-74), Cosmos New York (74-77). *Palmarès :* 1 281 buts (sur le 1er mille : 1 fois 8 buts, 7 × 5 buts, 28 × 4, 76 × 3, 146 × 2, 320 × 1 but). 85 sél. en équipe du Br. (7-7-57 au 18-8-71). Ch. du Monde 1958, 62, 70. Ch du Monde des Clubs 62, 63. Coupe d'Amér. du S. des Clubs 61, 62, 69. Ch. du Brésil 59, 63, 64, 68. Ch. São Paulo 58, 60, 61, 62, 64. Ch. USA 77. Coupe du Br. 68. Tournoi Rio-São Paulo 59, 61, 63, 64, 66. Meilleur buteur ch. São Paulo 57 à 66 et 74. Désigné meilleur joueur de tous les temps en 1971]. PELÉ Abedi Ayew [30], 5-11-62. PFAFF J-Marie [7], 4-12-52. PIOLA Silvio [6], 29-9-13. PIRRI José [22], 11-3-45. PLANICKA Frantisek [14], 27-4-1904. PUSKAS Ferenc [17], 2-4-27. RAHN Helmut [11], 16-8-29. RAÏ (Raimundo Vieira de Souza Oliveira dit) [2], 15-5-65. RATS Vassili [15], 25-3-61. REP Johnny [20], 25-11-51. RESENBRINCK Robby [20], 3-7-47. RIJKAARD Frank [20], 30-9-62. RIVA Luigi [6], 7-11-44. RIVELINO Roberto [2], 1-1-46. RIVERA Gianni [6], 18-8-43. ROBSON

Brian [9], 11-1-57. ROCHA Pedro Virgilio [5], 3-12-42. ROSSI Paolo [6], 23-9-56. RUMMENIGGE Karl-Heinz [11], 25-9-55. RUSH Ian [19], 20-10-61. SALNIKOV Sergueï [15], 1925. SANCHEZ Hugo [18], 11-7-58. SANTOS Djalma [2], 27-2-29. SANTOS Nilton [2], 16-5-27. SAROSI Georges [17], 15-8-13. SCHIAFFINO Juan Alberto [5], 28-7-25. SCHNELLINGER Karl Heinz [11], 31-3-39. SCHUMACHER Harald [11], 6-4-54. SCHUSTER Bernd [11], 22-12-59. SCIFO Enzo [7], 19-12-66. SCIREA Gaetano [6], 1953-89. SEELER Uwe [11], 5-11-36. SHILTON Peter [9], 18-9-49. SIMONSEN Allan [27], 15-12-52. SINDELAR Mathias [23], 1903. SIVORI Omar [8], 2-10-35. SKOBLAR Josip [10], 11-3-41. SOCRATES (Vieira de Souza Oliveira dit) [2], 19-2-54. STABILE Guillermo [8], 17-1-06. SUAREZ Luis [22], 2-5-35. SUSIC Safet [10], 14-4-55. SVENSSON Karl [12], 11-11-25. SWIFT Frank [9], 14-12-14. TARDELLI Marco [6], 24-9-54. TOSTAO (Eduardo Gonçalvès Andrade dit) [2], 25-1-47. VALDERRAMA Carlos [31], 2-9-61. VALDO (Candido Filho dit) [2], 12-1-64. VAN BASTEN Marco [20], 31-10-64. VAN HIMST Paul [7], 2-10-43. VAVA (Edvaldo Isidio Neto) [2], 20-11-34. VERCAUTEREN Frank [7], 28-10-56. VIALLI Gian Luca [6], 9-7-64. VOGTS Berti [11], 30-12-46. VÖLLER Rudi [11], 13-4-60. VUKAS Bernard [10], 1-5-27. VUJOVIC Zlatko [10], 26-8-58. WADDLE Chris [9], 14-12-60. WALTER Fritz [11], 31-10-20. WEAH George [34], 1-10-66. WRIGHT Billy [9], 6-2-24. YACHINE Lev [15], 22-10-1929/90. YUXIN Xie [29], 1-12-68. ZAGALO Mario [2], 1932. ZAMORA Ricardo [22], 21-1-01. ZAVAROV Alexander [15], 26-4-61. ZICO (Arthur Antunes Coimbra) dit [2], 3-3-53. ZITO (Miranda José Ely dit) [2], 8-8-32. ZOFF Dino [6], 28-2-42. ZUBIZARETTA Andoni [22], 23-10-61.

Arbitres (au 30-5-1992). 1 245 494 dans le monde dont 20 376 en France (7 internationaux).

Associations affiliées à la Féd. Fr. de Football (30-5-1992) : 21 873.

Licenciés (en millions 1991). Chine 20,5, Inde 8,27, Indonésie 5,51, All. 5,37, Iran 4,05, USA 3,43, Corée (Sud) 3,26, G.-B. 3,26, Japon 2,11, France 1,71 (1,95 y compris dirigeants et arbitres). *Monde :* 83,91 (dont 60 668 professionnels).

Recettes de la Coupe du monde de football (en millions de F). **1974 :** 116, **78 :** 173, **82 :** 383, **86 :** 564, **90 :** 880 (dont droits TV 372, billets 293, publicité 215).

Recettes publicitaires de l'équipe de France de football (en millions de F). **1978** (Coupe du monde en Argentine) 2,4, **1982** (Coupe du monde en Espagne) 11,5, **1984** (Champ. d'Europe des nations en France) 13, **1986** (Coupe du monde au Mexique) 17, **1992** (Ch. d'Europe des nations en Suède) 15.

Compte d'exploitation des 20 clubs de 1re division, 1990-91 (en millions de F, chiffres arrêtés au 20-6-91 et, entre parenthèses, chiffres 1985-86). Recettes 1 470 dont TV et divers 526 (100), publicité 339 (70), subventions collectivités locales 335 (100), recettes spectateurs 270 (190). Dépenses 1 600 dont salaires et charges 830 (350). Résultat d'exploitation – 130. Situation nette (solde actif - passif) – 450 (20).

Dettes des 56 clubs professionnels (en milliards de F). *1990 :* 1 ; *91(-30-6) :* 0,62.

Principaux budgets du football français (1991-92, en millions de F). Olympique de Marseille 250, Paris-St-Germain 120, AS Monaco 110 (est.), Montpellier-Hérault 100, AS Cannes 100, Olympique Lyonnais 100, FC Nantes 70, AS St-Étienne 70, RC Strasbourg 60, SC Toulon 50, RC Lens 50, AJA Auxerre 50, SMC Caen 47, Toulouse FC 45, Nîmes Olympique 45, AS France-Lorraine-Nancy 45, Bordeaux 45, FC Metz 44, HAC Le Havre 41, Stade rennais FC 40.

GOLF

GÉNÉRALITÉS

Origine. XIIIe s. né en Écosse. **1744** 1er Club de golfeurs. Honourable Company of Edinburgh Golfers (cap., l'écrivain Sir Walter Scott). **1850** se répand en Europe et USA. **1856** à Pau plus ancien club eur. fondé hors d'Écosse. **1900 et 1904** sport olympique. **1912** création de l'Union des golfs de France. **1932** devient Féd. fr. de golf.

Balle. Blanche ou de couleur. Poids max. 45,93 g. Diam. min. 42,67 mm. 384 alvéoles. Peut atteindre 250 km/h au départ d'un drive ; balles angl. et amér. sont utilisées en France. La balle américaine est obligatoire en compétition.

Clubs. Cannes servant à lancer la balle. Quel que soit le matériau utilisé, ils se divisent en *bois* [numérotés de 1 (le *driver* qui sert aux départs, a une face d'attaque verticale et porte à 190-210 m) à 7] et en *fers* [numérotés de 1 à 10 plus le *sand wedge* (pour les bunkers)]. Les clubs portant un petit numéro sont les plus fermés ; ils s'ouvrent de manière régulière à mesure que leur numéro augmente. On ne peut utiliser plus de 14 clubs.

Définitions. Divot : morceau de gazon enlevé par la canne en même temps que la balle. **Drive :** coup de longue distance joué du départ. **Par :** chaque trou doit être joué dans un nombre idéal de coups déterminé, appelé « par ». Pour un trou long de 228 m max., le « par » est de 3. Il est de 4 jusqu'à 434 m et, au-dessus, de 5. *Trou réussi* en 3 coups de moins que le « par » : *albatros ;* en 2 : *eagle ;* en 1 : *birdie.* **Terrain :** 18 trous (5,8 à 6,3 km), espacés de 100 à 500 m répartis sur 30 à 60 ha. *Green :* terrain de 150 à 500 m² spécialement aménagé autour du trou. *Fairway :* parcours tondu situé entre le départ et le green. *Rough :* terrain bordant le fairway où la végétation est à l'état naturel. *Bunker :* obstacle contenant du sable, généralement placé autour du green. *Practice :* terrain réservé à l'entraînement et à l'initiation. **Putting :** action de faire rouler la balle vers le trou (10,8 cm de diam. et 10 cm min. de prof.) sur le green avec la canne appelée « putter ». **Tee :** petite cheville de bois ou de plastique enfoncée dans le sol par le joueur pour surélever la balle au départ.

Formes. Stroke play : on additionne tous les coups joués pour parvenir à boucler le parcours. Toutes les grandes épreuves se disputent suivant cette formule, surtout chez les professionnels. **Match play :** oppose 2 joueurs ou 2 équipes par élimination directe ; chaque trou compte séparément, et le joueur de l'équipe qui gagne le plus grand nombre de trous sur un parcours l'emporte. **Foursome :** 2 joueurs par équipes jouent chacun 1 coup sur 2 avec la même balle. Joué en match play ou en medal play. **Fourball :** dérivé du foursome, chacun des 4 joueurs disposant de sa balle, et le meilleur score de l'équipe entrant en ligne de compte pour chaque trou. **Greensome** *(ou greensome-foursome) :* 2 joueurs par équipe jouant chacun 1 balle au départ. La meilleure balle est choisie et les compétiteurs jouent ensuite 1 coup sur 2.

Classement. Chaque joueur amateur est *classé* de – 2 à 36. Le bon joueur est celui qui réalise le *par* et a 0 de handicap. Celui qui a un handicap de – 2 joue mieux que le *par. En medal-play,* on retranche du score final le handicap de chaque joueur pour effectuer le classement. En *match play,* on répartit les 3/4 de la différence entre les handicaps des 2 joueurs en présence sur les trous les plus difficiles (ex. : si un joueur classé 2 rencontre un joueur classé 10, ce dernier bénéficiera de 1 point d'avance à chaque départ des 6 trous les plus difficiles du parcours). Les professionnels jouent sans handicap *(scratch).*

Frais. *Équipement :* chaussures cloutées ou avec reliefs en caoutchouc 200 à 2 000 F, gants env. 100 F, série de 14 clubs 3 000 à 15 000 F, sac 350 à 1 000 F, chariot 380 à 800 F. *Droits d'inscription* à un club. *Golfs privés :* voir p. 591. *Publics de la région parisienne :* abonnement annuel « multigolfs » 4 500 F, semainier 2 000 F (couple 3 000 F). Green fee : semaine 90 à 200 F, week-end 80 à 300 F.

Règles. Code établi à l'origine par le *Royal and Ancient Club of St Andrews* (club écossais fondé en 1754). Il s'agit, à partir d'une base de départ, de mettre la balle dans les trous (en général 18), avec le moins de coups possible. Le parcours dure env. 3 h pour 5,8 à 6,3 km. Une balle doit être jouée où elle se trouve. On ne peut pas déplacer les obstacles adhérant au sol (pierres, arbrisseau, racine, etc.). Une balle qui sort du jeu doit être remise à l'endroit où celle-ci était précédemment jouée. Elle entraîne alors une pénalité. Le joueur qui ne trouve pas sa balle après 5 min de recherches doit rejouer une nouvelle balle, tout en tenant compte des coups joués avec la balle perdue. On joue toujours en premier lieu la balle la plus éloignée du trou.

■ **Records. Ace ou trou réussi en un coup** *de la plus longue distance :* 408 m (Robert Mitera, 7-10-1965, USA). *Le plus grand nombre pour un joueur :* 68 de 1967 à 1985 (Harry Lee Bonner, USA). 16 joueurs ont réalisé à la suite 2 trous en 1 coup. **Drive** 471 m (par Michael Hoke Austin le 25-9-1974).

■ **Statistiques. Golfeurs :** nombre (et entre parenthèses nombre de parcours, au 1-1-92). All. 161 400 (329), Australie 962 560 (1 456), Autriche 17 309 (55), Belgique 22 915 (49), Canada 3 800 000 (1 750), Danemark 44 280 (71), Espagne 64 870 (131), USA 27 800 000 (13 951), G.-B. 2 350 000 (2 253), *France 207 651 (458) au 1-1-93,* Italie 36 500 (117), Japon 13 750 000 (1 800), P.-Bas 59 000 (68), Portugal 4 100 (26), Suède 315 000 (257), Suisse 19 544 (39).

☞ **Swin. Origine** le *chôle* joué avec des crosses et le *mail* avec des boules et des maillets. Inventé par M. de Vilmorin, avant 1939. Repris par son fils Laurent. *1985 avril* discipline associée de la fédération de golf. **Règles** les mêmes qu'au golf. **Terrain** plus restreint, ne nécessitant pas de tonte parfaite. *Canne* tête triangulaire permettant 3 types de frappe (soulever la balle, lui faire prendre une faible hauteur, la faire rouler). Même mouvement (swing). **Balle** souple en mousse pesant 42 g. **Trous** indiqués par des drapeaux, diam. 30 cm. **Clubs** (1993) 80. **Renseignements** swin, Parc de loisirs, BP 35, 28160 Brou.

Parcours pour 1 000 joueurs : Portugal 6,34. Italie 3,21. Autriche 3,18. *France 2,16.* Belgique 2,14. Allemagne 2,04. Espagne 2,02. Suisse 2. Danemark 1,6. Australie 1,51. P.-Bas 1,15. G.-B. 0,96. Suède 0,82. USA 0,5. Canada 0,46. Japon 0,13. **Joueurs pour 1 000 h :** Canada 144,49. Japon 111,79. USA 111,38. Australie 57,3. G.-B. 41,01. Suède 37,06. Danemark 8,68. P.-Bas 3,96. *France 3,44.* Suisse 2,96. Belgique 2,34. Autriche 2,28. Allemagne 2,06. Espagne 1,66. Italie 0,63. Portugal 0,39.

France. Parcours : *1982 :* 134, *89 :* 249, *90 :* 305, *91 :* 378 (dont 80 publics), *92 :* 421, *93 :* 458.

Prix d'un 18 trous : 150 millions de F.

Nota. -5-10-1990 inauguration du Golf National de Guyancourt en Yvelines [45 trous dont un parcours de championnat de 18 trous (*Albatros*), un 18 trous (*l'Aigle*) et un 9 trous d'initiation (*l'Oiselet*)].

Licenciés : *1981 :* 43 613, *85 :* 76 837, *91 :* 194 714 dont hommes 110 583 (56,78 %), femmes 54 513 (28), H. juniors (– 22 a.) 21 183 (10,88), f. juniors 8 455 (4,34), *93 :* 207 651.

Par département de résidence : le moins : Lozère 86, Creuse 148, Meuse 181, Lot 270, Hte-Loire 285. Le plus : Paris 25 600, Hts-de-Seine 15 257, Yvelines 11 632, étrangers 6 075, Gironde 5 645.

Vente. *Records :* XVIIe s. : une balle de golf remplie de plumes 14,85 £ ; 1990-20-7 : une balle de golf 55 £ ; 1991-19-7 : une balle de golf 44 £.

PRINCIPALES ÉPREUVES

☞ *Légende.* – (1) Australie. (2) Afr. du S. (3) Argentine. (4) Canada. (5) G.-B. (6) Japon. (7) N.-Zélande. (8) USA. (9) Italie. (10) France. (11) Brésil. (12) Espagne. (13) Suède. (14) Zimbabwe. (15) Irlande. (16) Écosse. (17) Suisse. (18) Allemagne féd. (19) Belgique. (20) Chine. (21) Afr. du S. (22) T'ai-wan. (23) Colombie. (24) Suède. (25) Mexique. (26) Fidji.

TOURNOIS AMATEURS

■ **Championnat du monde** (tous les 2 ans). **Hommes Eisenhower Trophy** (*créé* 1958). **76** G.-B. **78, 80, 82** USA. **84** Japon. **86** Canada. **88** G.-B. **90** Suède. **92** N.-Zélande. **Dames** *(créé* 1964). **Espiritu Santo Trophy.** *Créé* 1964. **64** France. **66, 68, 70, 72, 74, 76** USA. **78** Austr. **80, 82, 84** USA. **86** Espagne. **88, 90** USA. **92** Espagne.

■ **Championnat d'Europe** (tous les 2 ans). **Hommes** *(créé* 1959). **59, 61** Suède. **63** Angleterre. **65, 67** Irl. **69, 71, 73** Angl. **75, 77** Écosse. **79, 81** Angl. **83** Irl. **85** Écosse. **87** Irlande. **89** Angl. **90** Italie. **91** Angl. **93** Galles. **Individuels** (*créé* 1986). **86** Haglund [13]. **88** Ecob [1]. **Dames** (*créé* 1967). **67** Angl. **69** *France.* **71, 73** Angl. **75** *France.* **77** Angl. **79** Irl. **81** Suède. **83** Irl. **85** Angl. **87** Suède. **89** France. **91, 92, 93** Angl. **Individuels. 86** Koch [18]. **88** Descamps [19]. **90** Koch [18]. **91** Bourson [10]. **92** Morley [5]. **93** Stensrud [13].

■ **France. International** (*créé* 1904.) **Hommes 80** A. Gresham [4]. **81, 82** F. Illouz [10]. **83, 84** A. Godillot [10]. **85, 86** R. Taher. **87** F. Lindgren [24]. **89** G. Shemano [8]. **91** P. Johns [5]. **Dames** (*créé* 1909) **80** M.-L. De Lorenzi-Taya [10]. **81** C. Mourgue d'Algue [10]. **82** M.-L. De Lorenzi-Taya [10]. **83** R. Lautens [17]. **84** L. Chen [20]. **85, 86** M. Campomanes. **87** S. Louapre [10]. **88** C. Mourgue d'Algue [10]. **89** E. Orley [17]. **91** D. Bourson [10]. **92** E. Knuth [12]. **Jeunes gens 76** G. Tunner [6]. **77** Brand [16]. **78** G. Knuttson [13]. **79** A. Webster [16]. **80** A. Oldcorn [5]. **81** A. Stubbs [5]. **82** non disp. **83, 85** S. Bottomley [5]. **86** Y. Beamontes. **87** A. Hare [5]. **90** J. Dahlstrom. **91** O. Moussenaux. **J. filles International Coupe Esmond 80** Lautens [17]. **81** Decercq [10]. **82** C. Soules [10]. **83** E. Dahllof [13]. **84** C. Soules. **85** P. Johnson. **86** E. Tamarit. **87** S. Croce. **88** S. Chapcott. **89** S. Mendiburu [10]. **90** E. Knuth [12]. **91** S. Mendiburu [10]. **92** E. Knuth [12].

National, *créé* 1923. **78, 79, 80** A. Godillot. **81** T. Planchin. **82** A. Godillot. **83** L. Lassalle. **84** Y. Houssin. **85** J.-F. Remesy. **86** J. Van de Velde. **87** G. Brizay. **88** Barquez. **89** Cevaer. **90** Vignal. **91** F.

Cupillard. **92** N. Joakimides. **93** Mikaël Dieu. **Dames.** *Créé* 1923. **80** E. Berthet. **81** C. Soulès. **82** E. Berthet. **83** M.-L. de Lorenzi-Taya. **84, 85** C. Soulès. **86** M.-L. de Lorenzi-Taya. **87** S. Louapre. **88** Marty. **89** Bourtayre. **90** D. Bourson. **91** V. Michaud. **92** P. Meunier. **93** S. Louapre-Pfeiffer.

Tournois professionnels

■ **1°) Les Majors (4 grands tournois). US Masters** (*créé* 1934, se déroule à Augusta, Géorgie, USA ; 72 trous medal-play). **Messieurs : 80** S. Ballesteros [12]. **81** T. Watson [8]. **82** C. Stadler [8]. **83** S. Ballesteros [12]. **84** B. Crenshaw [8]. **85** B. Langer [18]. **86** J. Nicklaus [8]. **87** L. Mize [8]. **88** S. Lyle [16]. **89, 90** N. Faldo [5]. **91** I. Woosnan [5]. **92** F. Couples [8]. **93** B. Langer [18].

Open américain. Messieurs (*créé* 1895 ; 72 trous, medal-play ou 18 trous, play-off) : **80** J. Nicklaus [8]. **81** D. Graham [1]. **82** T. Watson [8]. **83** L. Nelson [8]. **84** F. Zoeller [8]. **85** A. North [8]. **86** R. Floyd [8]. **87** S. Simpson [8]. **88, 89** C. Strange [8]. **90** H. Irwin [8]. **91** P. Stewart [8]. **92** T. Kite [8]. **93** L. Janzen [8]. **Dames** (*créé* 1946). **80** A. Alcott [8]. **81** P. Bradley [8]. **82** J. Alex [8]. **83** J. Stephenson [1]. **84** H. Stracy [8]. **85** K. Baker [8]. **86** J. Geddes [8]. **87** L. Davies [5]. **88** L. Neumann [13]. **89, 90** B. King [8]. **91** M. Mallon. **92** P. Sheehan [8].

Open britannique. Messieurs (*créé* 1860 ; dep. 1972, 72 trous, medal-play). **80** T. Watson [8]. **81** R. Rogers [8]. **82, 83** T. Watson [8]. **84** S. Ballesteros [12]. **85** S. Lyle [16]. **86** G. Norman [1]. **87** N. Faldo [5]. **93** G. Norman [1]. **88** S. Ballesteros [12]. **89.** M. Calcavecchia [8]. **90** N. Faldo [5]. **91** I. Baker-Finch [1]. **92** N. Faldo [5]. **93** G. Norman [1]. **Dames** *créé* 1976. **80, 81** D. Massey [8]. **82** M. Figueras-Dotti [12]. **83** non disp. **84** A. Okamoto [6]. **85** B. King [8]. **86** L. Davies [5]. **87** A. Nicholas [5]. **88** C. Dibnah [1]. **89** J. Geddes [8]. **90** H. Alfredsson [24]. **91** P. Grice Whitaker. **92** P. Sheehan [8].

Championnat de l'Association des professionnels américains (US-PGA Tour). **Messieurs** (*créé* 1916 ; 72 trous, medal-play) : **80** J. Nicklaus [8]. **81** L. Nelson [8]. **82** R. Floyd [8]. **83** H. Sutton [8]. **84** L. Trevino [8]. **85** H. Green [8]. **86** B. Tway [8]. **87** L. Nelson [8]. **88** J. Sluman [8]. **89** P. Stewart [8]. **90** W. Grady [1]. **91** J. Daly [8]. **92** N. Price [14]. **Dames** (US-LPGA) (*créé* 1955). **80** S. Little [8]. **81** D. Caproni [8]. **82** J. Stephenson [8]. **83, 84** P. Sheehan [8]. **85** N. Lopez [8]. **86** P. Bradley [8]. **87** J. Geddes [8]. **88** S. Turner [8]. **89** N. Lopez [8]. **90** B. Daniel. **91** M. Mallon.

■ **2°) Les épreuves par équipes. World Cup** (Coupe du monde). (*Créée* 1953). De 1953 à 66, s'appelle *Canada Cup.* 72 trous, medal-play. Se dispute par équipes nationales de 2 joueurs. **80** Canada. **81** non disp. **82** Espagne. **83** USA. **84** Espagne. **85** Canada. **86** non disp. **87** Pays de Galles. **88** USA. **89** Australie. **90** All. **91** Suède. **92** USA.

Ryder cup. Messieurs. (*Créée* 1927). Tous les 2 ans, alternativement en Europe et en Amérique ; dep. 1979, 28 matches dont 16 doubles et 2 simples. **79, 81, 83** USA. **85, 87** Europe. **89** égalité. **91** USA. Prochains : 1993 Esp., 95 USA, 97 Esp. **Dames** (Solheim cup). (*Créée* 1990.) Tous les 2 ans. **90** USA. **92** Europe.

■ **3°) Les championnats du monde. Messieurs.** *Créés* 1990 par Mark Mc Cormack. **Dames.** *Créés* 1980 par Mc Cormack. Se disputent aux USA. Dep. 87, 16 meilleures joueuses. **89** B. King [8]. **90** C. Gerring [8]. **92** L. Neumann [13].

■ **4°) Le Tour européen. Trophée Lancôme** (Golf de St-Nom-la-Bretèche, France ; *créé* 1970 ; 72 trous, medal-play). **80** L. Trevino [8]. **81, 82** D. Graham [1]. **83** S. Ballesteros [12]. **84** S. Lyle [16]. **85** N. Price [2]. **86** S. Ballesteros [12] et B. Langer [18] ex-aequo. **87** I. Woosnam [5]. **88** S. Ballesteros [12]. **89** E. Romero [3]. **90** J.-M. Olazabal [12]. **91** F. Nobilo [3]. **92** M. Roe [5].

Open d'Allemagne (*créé* 1911 ; 72 trous, medal-play). **80** M. Mc Nulty [2]. **81, 82** B. Langer [18]. **83** C. Pavin [8]. **84** W. Grady [1]. **85, 86** B. Langer [18]. **87** M. Mc Nulty [2]. **88** S. Ballesteros [12]. **89** B. Langer [18]. **90, 91** M. Mc Nulty [14]. **92** V. Singh [26].

Open d'Espagne (*créé* 1945 ; 72 trous, medal-play). **80** E. Polland [5]. **81** S. Ballesteros [12]. **82** S. Torrance [16]. **83** S. Lyle [16]. **84** B. Langer [18]. **85** S. Ballesteros [12]. **87** N. Faldo [5]. **88** M. James [5]. **89** B. Langer [18]. **90** R. Davis [1]. **91** E. Romero [3]. **92** A. Sherborne [5]. **93** Haeggman [13].

Open de France. Messieurs (*créé* 1906 ; 72 trous, medal-play). **80** G. Norman [1]. **81** S. Lyle [5]. **82** S. Ballesteros [12]. **83** N. Faldo [5]. **84** B. Langer [18]. **85, 86** S. Ballesteros [12]. **87** J. Rivero [12]. **88, 89** N. Faldo [5]. **90** P. Walton [15]. **91** E. Romero [3]. **92** M. Angel-Martin [12]. **93** C. Rocca [9]. **Dames** (*créé* 1987). **87** L. Neumann [13]. **88** M.-L. de Lorenzi-Taya [10]. **89** Strudwick [5].

Open de Hollande (*créé* 1912 ; 72 trous, medal-play). **80** S. Ballesteros [12]. **81** H. Henning [2]. **82** P. Way [5]. **83** K. Brown [16]. **84** B. Langer [18]. **85** G. Marsh [1]. **86** S. Ballesteros [12]. **87** G. Brand Jr [16]. **89** J.-M. Olazabal [12]. **90** S. Mc Allister [16]. **91** P. Stewart [8]. **93** Montgomerie [16].

Open d'Italie (*créé* 1925 ; 72 trous, medal-play). **80** M. Manelli [9]. **81** J.M. Canizares [12]. **82** M. James [5]. **83** B. Langer [18]. **84** S. Lyle [16]. **85** M. Pinero [12]. **86** D. Feherty [15]. **87** S. Torrance [5]. **88** G. Norman [1]. **90** R. Boxall [5]. **91** G. Parry. **92** S. Lyle [5]. **93** G. Turner [7].

Open du Portugal (*créé* 1953). **80, 81** non disputé. **82, 83** S. Torrance [16]. **84** T. Johnstone. **85** W. Humphreys. **86** M. Mac Nulty [2]. **87** R. Lee [5]. **88** M. Harwood [5]. **89** I. Woosnan [5]. **90** M. Mc Lean [5]. **91** Richardson [5]. **92** Rafferty [15]. **93** Gilford [5].

Open de Scandinavie (*créé* 1973). **81** S. Ballesteros [12]. **82** B. Byman [8]. **83** S. Torrance [16]. **84** I. Woosnam [5]. **85** I. Baker-Finch [1]. **86** G. Turner [7]. **87** Brand [5]. **88** S. Ballesteros [12]. **89** R. Rafferty [15]. **90** C. Stadler [8]. **91** C. Montgomerie [16]. **92** N. Faldo [5].

Open de Suisse (*créé* 1923 ; 72 trous, medal-play). **80** N. Price [14]. **81** M. Pinero [12]. **82** I. Woosnam [5]. **83** N. Faldo [5]. **84** J. Anderson [4]. **85** C. Stadler [8]. **86** J.-M. Olazabal [12]. **87** A. Forsbrand. **88** C. Moody [5]. **89** R. Rafferty [15]. **90** Rafferty [15]. **91** J. Hawkes [2].

Sun Alliance (*créé* 1980-81). **81** N. Faldo [5]. **82** T. Jacklin [5]. **83** S. Ballesteros [12].

Open de Madrid (72 trous, medal-play). **80** S. Ballesteros [12]. **81** M. Pinero [12]. **82** S. Ballesteros [12]. **83** S. Lyle [16]. **84, 86** H. Clark [16]. **87** I. Woosnam [5]. **88** D. Cooper [5]. **89** S. Ballesteros [12]. **90** B. Langer [18]. **91** A. Sherbone [5].

Hennessy Ladies Cup (*créée* 1985). Femmes uniquement. **85** J. Stephenson [1]. **86** K. Leadbetter [8]. **87** K. Douglas [5]. **88, 89** M.-L. de Lorenzi-Taya [10]. **90** T. Johnson [5]. **91, 92** H. Alfredsson [13]. **93** Neumann [13].

France

Championnat de France professionnel (*créé* en 1968) (*challenge P.E. Guyot*). **80** Garaïalde. **81** P. Léglise. **82** J. Garaïalde. **83, 84** Ducoulombier. **85** J. Garaïalde. **86** M. Tapia. **87** Lamaison. **88** Besanceney. **89** G. Watine. **90** C. Hoffstetter. **91** T. Planchin. **92** T. Levet. **93** A. Gontard.

Grand prix de l'APGF (*créé* 1946). **80** M. Damiano [10]. **81** M. Tapia [10]. **82** J. Garaïalde [10]. **83** Ducoulombier. **84** B. Pascassio. **85** M.A. Farry. **86** O. Léglise. **87** Watine. **88** T. Levet. **89** G. Watine. **90** J.-L. Schneider. **91** T. Levet. **92** A. Lebouc.

Omnium national (*créé* 1913). **80** P. Léglise. **81** P. Cotton. **82** G. Watine. **83** non disp. **86** E. Dussart. **87** J. Garaïalde. **88** P. Palli. **90** T. Levet. **91** E. Giraud. **92** R. Sabarros. **93** E. Giraud.

Quelques noms

☞ Voir légende 1474 c.

Aaron Tommy [8] 1937. Archer George [8] 1939. Baiocchi Hugh [2] 1946. Baker-Finch Ian [1] 24-10-60. Ballesteros Severiano [12] 9-4-57. Barber Jerry [8] 1916. Barnes Brian [5]. Bean [8]. Bembridge Maurice [8] 1945. Bevione Franco [9] 1926. Bolt Tommy 1918. Bonallack Michaël 1935. Boros Julius [8] 1920. Bourson Delphine [10]. Bradley Pat [8] 24-3-51. Brewer Gay [8] 1932. Burke Jack 1923. Burkemo Walter [8] 1919. Burns Gorge [8] 1949. Carlian Michel [10]. Carr Joseph [15] 1922. Casper William Earl [8] 24-6-31. Charles Robert [7] 1936. Chung Chen Tze [22]. Claes Joncke. Cole Boby [3] 1948. Collenot Chantal [10] 1951. Coody Charles [8] 1937. Cotton Henry [5] 1907-87, Patrick [10] 1953. Couples Fred [8] 1960. Crenshaw Ben [8] 1952. Cros Claudine [10] 24-10-40. Patrick [10] 12-10-43. Davies Laura [5] 5-10-63. Dassu Baldovino [10] 1953. Demaret James Newton [8] 1910. Dussart Emmanuel [10] 17-2-64. Edmond Olivier [10]. Faldo Nick [5] 18-7-57. Farry Marc-Antoine [10] 3-7-59. Faukner Max [5] 1916. Finsterwald Dow [8] 1929. Fleck Jack [8] 1922. Floyd Raymond [8] 2-9-42. Ford Doug [8] 1922. Furgol Ed [8] 1917. Gaham Lou [8] 1938. Gancedo José [12] 31-3-38. Garaïalde Jean [10] 2-10-34. Geiberger Al [8] 1937. Gilles Viny [8] 1943. Goalby Bob [8] 1931. Godillot Alexis [10] 1943. Gonzales Jaime [14]. Grady Wayne [1] 26-7-57. Graham David [1]. Green Hubert [8] 1946. Guldahl Ralph [8] 1912. Hagen Walter [8] 1892-1969. Hamon Claude [10] 1921. Harbert Melvin R. [8] 1915. Harper Chandler [8] 1914. Hayes Dale [3] 1952. Heard Johnny [8] 1952. Heathcoat-Amory Lady [5] 1901. Hebert Jay [8] 1923, Lionel [8] 1920. Hogan Ben [8] 13-8-12. Huggett Brian [5] 1936. Irwin Hale [8] 1945. Jacklin Antony [5] 7-7-44. January Don [8] 1929. Jones Robert [8] 1902-71. Keiser Herman [8] 1915. King Betsy [8]. Kite Tom [8] 9-12-49. Lacoste Catherine [10] 27-6-45. Lagarde Roger [10] 1934. Lamaze Henri (de) [10] 2-8-18. Langer Bernhard [18] 27-8-57. Leadbetter Kelly [8] 1958. Lema Anthony David [5] 1934-66. Littler Gene [8] 1930. Locke Arthur d'Arcy [5] 1917-87. Lopez Nancy [8] 6-1-57. Lorenzi-Taya (de) Marie-Laure [10] 21-1-61. Lyle Alexander dit Sandy [5] 9-2-58. Mangrum Lloy [8] 1914. Massy Arnaud [1] 1877-1950. Maura Ivan [12]. Mendiburu Sandrine [10] 15-10-72. Michaud Valérie [10]. Middlecoff Cary [8] 6-1-21. Miller Johnny [8] 29-4-47. Mize Larry [8]. Moerman Jacques 31-3-27. Moody Orville 1934. Morris Tom junior [5] 1851-75, Tom senior [5] 1821-1908. Mourgue d'Algue Cecilia [10] 4-8-46, Gaëtan [10] 1-6-39. Nagle Kelvin [1] 1920. Nelson Byron [8] 4-2-12, Larry [8] 1948. Nichols Bobby [8] 1936. Nicklaus Jack [8] 21-1-40. Norman Gregory John, dit Greg [1] 10-2-55. North Andy 9-3-50. Olazabal José Maria [12] 5-2-66. Oosterhuis Peter [5] 3-5-48. Ouimet Francis de Sales [8] 1893-1967. Owen Simon [7] 1950. Palli Anne-Marie [10] 18-4-55. Palmer Arnold [8] 10-9-29. Pascassio Bernard [10] 23-5-47. Pendaries Marc [10] 26-6-66. Picard Henry [8] 1906. Planchin Tim [10] 23-5-59. Player Gary [2] 1-11-35. Ploujoux Philippe [10] 20-2-55. Polland Eddie [5] 1947. Rafferty Ronan [15]. Rankin Judy [8] 18-2-45. Regard Frédéric [10] 12-8-60. Reid Dale [16] 20-3-57. Rivero José [12] 20-9-55. Romero Eduardo [3] 1954. Rosburg Bob [8] 1926. Saint-Sauveur Segard Lally [10] 4-4-21. Sarazen Gene [8] 27-2-02. Simpson Scott [8] 17-9-55. Smith Horton [8]. Snead Sam [8] 27-5-12. Sota Ramon [12] 1939. Stephenson Jane [1]. Stewart Payne [8]. Stockton David [8] 1942. Strange Curtis [8] 20-1-55. Swaelens Donald [8] 1935-75. Tapia Michel [10] 7-3-53. Taylor Reginald [2] 1928. Thomson Peter [5] 23-8-39. Trevino Lee [8] 1-12-39. Underwood Hall [8] 1945. Vagliano André 1896-1971. Van de Velde Jean [10] 29-5-66. Varangot Brigitte [10] 1-5-40. Venturi Ken [8] 1931. Vicenzo (de) Roberto [3] 14-4-23. Wadkins Jerry Lonston [8] 1961. Wall Art [8] 1923. Watine Gery [10] 8-8-53. Watson Thomas [8] 4-9-49. Weiskopf Tom [8] 9-11-42. Whitworth Kathy [8] 27-9-39. Wood Craig [8] 1901-68. Woosnam Ian [5] 2-3-58. Young Tom [5] 1851-75. Zoeller Fuzzy 11-11-51.

Classement mondial (avril 92). *1* Couples, *2* Olazabal, *3* Woosnam, *4* Faldo, *5* Ballesteros, *6* Langer, *7* Norman, *8* Stewart, *9* Azinger, *10* Mc Nulty.

Classement français (déc. 92). *1* Van de Velde, *2* Levet, *3* Farry, *4* Besanceney, *5* Pendariès, *6* Lebouc, *7* Regard, *8* Watine, *9* Remesy, *10* Sabarros.

Gymnastique

Gymnastique artistique

Généralités

■ **Nom.** Du grec *gumnos,* nu, car les athlètes s'exerçaient nus. Ne pas confondre la gymnastique (discipline de compétition) et l'éducation physique.

■ **Histoire.** Pratiquée dans l'Antiquité (Chine, Inde, Égypte, Grèce, Rome) pour la santé et comme entraînement militaire. **Moyen Âge,** abandonnée sous la pression de l'Église, sauf par la noblesse et les saltimbanques. **XVIe-XVIIIe s.** de nombreux auteurs (Mercurialis, Rabelais, Luther, Montaigne, Rousseau, Mme de Genlis, Tuccaro) insistent sur son importance. **XIXe s.** renouveau avec les écoles *allemande* [Friedrich Ludwig Jahn (1778-1852) et Johann Guts-Muths (1759-1839)], *suisse* [Jean-Henri Pestalozzi (1746-1827) et Phocion-Heinrich Clias (1782-1854)], *suédoise* [Per-Henrik Ling (1776-1839)], *anglaise* [Thomas Arnold (1795-1842)], *tchèque* [Miroslav Tyrš (1832-84) et Hindrich Fügner (1822-65)], *française* [Francisco Amoros (1770-1848, qui ouvre en 1820 le gymnase civil et militaire de Grenelle), Georges Demenÿ (1850-1917) et Georges Hébert (1875-1957)]. **1873** *28-9* Fédération française créée. **1881** *23-7* Féd. internat. créée. **1896** inscrite au JO (pour les hommes). **1928** pour les femmes. **1982** Union europ. créée.

■ **Règles. Agrès.** *Masculins :* cheval d'arçons (L 1,60 m, l 35 cm, h des arçons 12 cm, h totale 1,05 m), barres parallèles (h 1,75 m, L 3,50 m), barre fixe (h 2,40 à 2,80 m, L 2,40 m, diam. 28 mm), anneaux (accrochés à un portique de 5,50 m de h et 2,80 à 2,90 m de l, anneaux de 18 cm de diam. accrochés par des sangles et des câbles). *Féminins :* barres asymétriques (h 2,30 à 2,50 m et 1,45 à 1,60 m, L 2,40 m, écartement 65 à 145 cm, porte-main à section ronde), poutre (L 5 m, L 110 à 13 cm, h 1,40 m, espace 1,10 à 1,30 m). *Mixtes :* saut de cheval (h 1,35 m pour les hommes et 1,20 m pour les femmes,

L 1,60 m, l 35 cm, utilisé en long pour h. et en large pour f., tremplin et piste d'élan), exercices au sol (sur un praticable de 12 m sur 12 m, accompagnement musical pour f. ; H : 50 à 70 s, D : 1 min. 10 à 1 min. 30). **Concours** (JO et ch. du monde) : *1* : titre par équipe ; exercices libres et imposés ; classements par équipe, individuel qui désigne les participants au concours 2, et individuel par engin qui désigne les participants au concours 3. *2* : titre individuel ; finale des 36 meilleurs gymnastes ; exercices libres. *3* : titres par appareil (6 pour les hommes et 4 pour les femmes) ; finale aux engins ; exercices libres. Dep. 1992, ch. du monde par spécialité : chaque nation peut présenter 5 hommes et 5 femmes, mais en engage seulement 3 par appareil ; les 16 1ers (2 par nation) participent aux demi-finales, les 8 1ers à chaque engin à la finale ; seule la note de la finale sert au classement. **Code de pointage :** publié tous les 4 ans par la FIG. Notes de 0 à 10 points.

■ **Quelques chiffres. Monde** *1993* 114 fédérations affiliées à la FIG, 10 300 000 H. et 19 200 000 F. **France. Clubs :** *1875 :* 10. *1923 :* 1 300. *53 :* 981. *87 :* 1 325. *91 :* 1 400. **Licences :** *1900 :* 66 600. *30 :* 50 000. *50 :* 47 000. *60 :* 50 000. *70 :* 85 000. *80 :* 103 000. *90 :* 146 480. *91 :* 158 258. *92 :* 158 500.

■ Principales épreuves

☞ **Jeux olympiques** (voir p. 1543).

Légende. – (1) Japon. (2) ex-URSS. (3) USA. (4) Hongrie. (5) All. dém. (6) All. féd. (7) Roumanie. (8) Chine. (9) Tchécoslovaquie. (10) Bulgarie. (11) It. (12) Suisse. (13) All. (14) Corée du S. (15) Corée du N.

■ **Championnats du monde.** *Créés* 1903. Mêmes règles que pour les JO. Dep. 1992, par appareil. **Hommes. Équipes. 74, 78** Japon. **79, 81** URSS. **83** Chine. **85, 87, 89, 91** URSS. **C.G. individuels. 74** Kasamatsu [1]. **78** Andrianov [2]. **79** Ditiatine [2]. **81** Korolev [2]. **83** Bilozerchev [2]. **85** Korolev [2]. **87** Bilozerchev [2]. **89** Korobchinski [2]. **91** Misutin [2]. **92** non disp. **93** Scherbo [2]. **Sol. 74** Kasamatsu [1]. **78, 79** Thomas [3]. **81** Korolev [2]. **83, 85** Tong Fei [8]. **87** Yun [8]. **89, 91, 92** Korobchinski [2]. **93** Misutin [2]. **Arçons. 74, 78, 79** Magyar [4]. **81** Nikolay [5]. **83** Bilozerchev [2]. **85** Moguilny [2]. **87** Bilozerchev [2] et Borkai [4]. **89** Moguilny [2]. **91** Belenky [2]. **92** Scherbo [2], Pae [15] et Li [8]. **93** Pae [15]. **Anneaux. 74** Andrianov [2] et Grecu [7]. **78** Andrianov [2]. **79, 81** Ditiatine [2]. **83** Bilozerchev [2]. **85** Li Ning [8] et Korolev [2]. **87** Korolev [2]. **89** Aguilar [6]. **91** Misutin [2]. **92** Scherbo [2]. **93** Chechi [11]. **Saut. 74** Kasamatsu [1]. **78** Shimizu [1]. **79** Ditiatine [2]. **81** Hemman [5]. **83** Akopian [2]. **85** Korolev [2]. **87** Yun [8] et Kroll [5]. **89** Behrend [6]. **91, 92** You [14]. **93** Scherbo [2]. **Barres parallèles. 74, 78** Kenmotsu [1]. **79** Conner [3]. **81** Gushiken [1] et Ditiatine [2]. **83** Artemov [2] et Yun [8]. **85** Kroll [5] et Moguilny [2]. **87, 89** Artemov [2]. **91** Li [8]. **92** Li [8] et Voropaev [2]. **93** Scherbo [2]. **Barres fixes. 74** Gienger [6]. **78** Kasamatsu [1]. **79** Thomas [3]. **81** Tkatchev [2]. **83** Bilozerchev [2]. **85** Tong Fei [8]. **87** Bilozerchev [2]. **89** Li [8]. **91** Li [8] et Buechner [13]. **92** Misutin [2]. **93** Charkov [2].

Dames. *Créés* 1934. **Équipes. 74, 78** URSS. **79** Roumanie. **81, 83, 85** URSS. **87** Roumanie. **89, 91** URSS. **C. G. individuels. 74** Touricheva [2]. **78** Mukhina [2]. **79** Kim [2]. **81** Bitcherova [2]. **83** Yurchenko [2]. **85** Schouchounova [2] et Omelianchik [2]. **87** Dobre [7]. **89** Boginskaïa [2]. **91** Zmeskal [3]. **92** non disp. **93** Miller [3]. **Saut. 74** Korbut [2]. **78** Kim [2]. **79** Turner [7]. **81** Gnauck [5]. **83** Stoyanova [10]. **85, 87** Schouchounova [2]. **89** Dudnik [2]. **91** Milosovici [7]. **92** Onodi [4]. **93** Piskoun [2]. **Barres asymétriques. 74** Zinke [5]. **78** Frederick [3]. **79** Ma Yanhong [8] et Gnauck [5]. **81, 83** Gnauck [5]. **85** Fahnrich [5]. **87** Silivas [7]. **89** Fan [8] et Silivas [7]. **91** Gwang [14]. **92** Milosovici [7]. **93** Miller [3]. **Poutre. 74** Touricheva [2]. **78** Comaneci [7]. **79** Cerna [9]. **81** Gnauck [5]. **83** Mostepanova [2]. **85** Silivas [7]. **87** Dobre [7]. **89** Silivas [7]. **91** Boginskaia [2]. **92** Zmeskal [3]. **93** Milosovici [7]. **Sol. 74** Touricheva [2]. **78** Kim [2] et Mukhina [2]. **79** Eberle [7]. **81** Ilyenko [2]. **83** Szabo [7]. **85** Omelianchik [2]. **87** Schouchounova [2]. **89** Silivas [7] et Boginskaïa [2]. **91** Bontas [7] et Tchusovitria [2]. **92** Zmeskal [3]. **93** Miller [3].

■ **Coupe du monde.** *Créée* 1975. Tous les 4 ans dep. 1982, 2 ans depuis 1990, épreuve individuelle sur invitation, 3 concurrents par pays. **Hommes. C.G. individuels. 75, 77** Andrianov [2]. **78, 79** Ditiatine [2]. **80** Makuts [2]. **82** Li Ning [8]. **86** Korolev [2] et Li Ning [8]. **90** Belenki : [2]. **Sol. 75** Kajiyama [1]. **77** Andrianov [2]. **78** Bruckner [5]. **79** Kasamatsu [1]. **80** Bruckner [5]. **82, 86** Li Ning [8]. **90** Scherbo [2]. **Arçons. 75** Magyar [4]. **77** Markelov [2]. **78** Magyar [4]. **79** Conner [3]. **80** Bruckner [5]. **82, 86** Li Ning [8] et Moguilny [2]. **90** Li [8]. **Anneaux. 75** Tsukahara [1]. **77** Andrianov [2]. **78, 79** Ditiatine [2]. **80** Huang Yubin [8]. **82** Li Ning [8]. **86** Korolev [2]. **90** Belen [2]. **Saut. 75** Shamugia [2]. **77** Markelov [2]. **78** Shimizu [1]. **79** Barthel [5]. **80** Bruckner [5]. **82** Li Ning [8], **86** Korolev [2], Kroll [5] et Tippelt [5]. **90** Scherbo [2]. **Barres parallèles. 75, 77** Andrianov [2]. **78** Azarian [2]. **79** Kenmatsu [1]. **80** Li Yuejiu [8]. **82** Korolev [2]. **86** Korolev [2]. Mogilnyi [2] et Xu Zhiqiang [8]. **90** Belenki [2]. **Barres fixes. 75** Tsukahara [1]. **77** Markelov [2]. **78, 79** Gienger [6]. **80** Makuts [2]. **82** Tong Fei [8] et Li Ning [8]. **86** Korolev [2]. **90** Belenki [2].

Dames. C. G. individuels. 75 Touricheva [2]. **77. 78** Filatova [2]. **79, 80** Zakharova [2]. **82** Bitcherova [2]. **86** Schouchounova [2]. **90** Boginskaïa [2]. **Saut. 75** Touricheva [2]. **77, 78** Shaposhnikova [2]. **79** Comaneci [7]. **80** Zakharova [2]. **82** Yurchenko [2]. **86** Schouchounova [2]. **90** Onodi [4]. **Barres asymétriques. 75** Touricheva [2]. **77** Mukhina [2]. **78, 79** Kraker [5]. **80, 82** Gnauck [5]. **86** Schouchounova [2]. **90** Lisenko [2]. **Poutre. 75** Touricheva [2]. **77** Mukhina [2]. **78** Cerna [9]. **79** Eberle [7]. **80** Naimoushina [2]. **82** Yurchenko [2]. **86** Omelianchik [2]. **90** Yang [8]. **Sol. 75** Touricheva [2]. **77, 78** Filatova [2]. **79** Comaneci [7]. **80** Gnauck [5]. **82** Bicherova [2]. **86** Schouchounova [2] et Voinea [2]. **90** Boginskaïa [2].

■ **Championnats d'Europe.** Tous les 2 ans. 3 concurrents par pays. Compétitions individuelles. Exercices libres seulement. **Hommes.** *Créés* 1955. **C. G. individuels. 81** Tkatchev [2]. **83, 85** Bilozerchev [2]. **87** Liukine [2]. **89** Korobchinsky [2]. **90** Moguilny [2]. **92** Korobchinsky [2]. **Sol. 81** Korolev [2]. **83** Petkov [10]. **85** Bilozerchev [2]. **87** Liukine [2]. **89** Korobchinsky [2]. **90, 92** Scherbo [2]. **Arçons. 81, 83** Guczoghy [4]. **85** Bilozerchev [2]. **87** Liukine [2]. **89, 90** Moguilny [2]. **92** Korobchinsky [2]. **Anneaux. 81** Korolev [2]. **83** Petkov [2]. **85** Bilozerchev [2]. **87** Moguilny [2]. **89** Behrendt [5]. **90, 92** Chechi [11]. **Saut. 79, 81** Makuts [2]. **83** Bilozerchev [2]. **85** Kroll [5]. **87** Korolev [2]. **89** Moguilny [2]. **90, 92** Scherbo [2]. **Barres parallèles. 79, 81** Makuts [2]. **83** Korolev [2]. **85** Bilozerchev [2]. **87** Liukine [2]. **89** Hristozov [10]. **90** Giubellini [12] et Moguilny [2]. **92** Supola [4]. **Barre fixe. 79, 81** Tkatchev [2]. **83** Bilozerchev [2]. **85** Bilozerchev [2] et Borkai [4]. **87** Liukine [2]. **89** Wecker [5]. **90** Scherbo [2]. **92** Charipov [2] et Weckes [13].

Dames. *Créés* 1957. **C. G. individuels. 81** Gnauck [5]. **83** Bitcherova [2]. **85** Schouchounova [2]. **87** Silivas [7]. **89, 90** Boginskaïa [2]. **92** Gutsu [2]. **Saut. 81** Grigoras [7]. **83** Bitcherova [2]. **85, 87** Schouchounova [2]. **89, 90** Boginskaïa [2]. **92** Gutsu [2]. **Barres asymétriques. 81** Gnauck [5]. **83** Szabo [7]. **85** Schouchounova [2] et Gnauck [5]. **87** Silivas [7]. **89** Onodi [4]. **90** Boginskaïa [2] et Pasca [7]. **92** Gutsu [2]. **Poutre. 81** Gnauck [5]. **83** Agache [7]. **85** Omelianchik [2]. **87** Silivas [7]. **89** Potorac [7] et Dounik [2]. **90, 92** Boginskaïa [2]. **Sol. 81** Gnauck [7]. **83** Bitcherova [2]. **85** Schouchounova [2]. **87** Silivas [7]. **89** Boginskaïa [2] et Silivas [7]. **90** Boginskaïa [2]. **92** Geogean [7].

■ **Championnats de France. Hommes.** *Créés* 1890. **C. G. individuels. 1981** M. Boutard. **82** L. Barbieri. **83, 84** J.-L. Cairon. **85, 86** L. Barbieri. **87** J.-L. Cairon. **88, 89** S. Cauterman. **90** P. Casimir. **91** J.-C. Legros. **92** Guelzec. **Par appareil. Cheval d'arçons. 81, 83, 84** J. Def. **85** J.-L. Cairon. **86** Barbieri. **87** Mattioni. **88** Cauterman. **89, 90, 91, 92** Casimir. **Anneaux. 81** W. Moy. **83** L. Barbieri. **84** Cairon. **85** Barbieri. **86** Marcus. **87, 88** Richard. **89** Marcus. **90** Richard. **91** Soullijaert. **92** Darrigade. **Sol. 78** Moy. **79** Barbieri. **80** Vatuone. **81** L. Barbieri. **83, 84** Ph. Vatuone. **85, 86** Barbieri. **87** Mahmoudi. **88** Nivon. **89** Casimir. **90** J.-C. Legros. **91** S. Geria. **92** Cordier. **Saut de cheval. 81, 83** Ph. Vatuone. **84** Barbieri. **86** Mattioni. **87** Cairon. **88** Guelzec. **89** Casimir et Chevalier. **90, 91** J.-C. Legros. **92** Dumont. **Barres parallèles. 81** G. Jamet. **83** L. Barbieri et J.-L. Cairon. **84** Vatuone. **85** C. Carmona. **86** Machetto. **87** Mattioni. **88** Carmona. **89, 90** Casimir. **91** Richard. **92** Casimir. **Barre fixe. 81** L. Barbieri. **83** J.-L. Cairon et Ph. Vatuone. **84** Suty. **85** S. Machetto. **86** Barbieri. **87** Mattioni. **88** Petit. **89, 90, 91** Chevalier. **92** Cordier.

Dames. *Créés* 1942. **C. G. individuels. 81, 82, 83, 84** C. Ragazzacci. **85** V. Guillemot. **86, 87, 88** K. Boucher. **89, 90, 91** K. Mermet. **92** C. Maigre. **Par appareil. Saut de cheval. 80** Tudesco. **81** V. Sanguinetti. **83** C. Ragazzacci. **84** Laborderie. **85, 86, 87** K. Degret. **88, 89, 90** K. Mermet. **91** K. Boucher. **92** K. Boucher et Drahi. **Barres asymétriques. 81** V. Fiandrino. **83** V. Guillemot. **84** C. Ragazzacci. **85** V. Guillemot. **86** Giroux. **87** Romano. **88** Mermet. **89, 90** Rolland. **91** K. Mermet. **92** Colson et C. Maigre. **Poutre. 81** V. Grandjean. **83** C. Ragazzacci. **84** Laborderie. **85** Robert. **86** Bauduin. **87** Boucher. **88** Mermet. **89** Noël. **90** Mermet. **91** Machado et Rolland. **92** Machado et C. Maigre. **Sol. 81** C. Ragazzacci. **83, 84, 85** F. Laborderie. **86, 87** Boucher. **88** Romano. **89** Micheli. **90, 91** Colson. **92** Legros.

■ Quelques noms

Légende. – (1) ex-URSS. (2) Espagne. (3) All. dém. (4) Italie. (5) Tchécoslovaquie. (6) Yougoslavie. (7) Roumanie. (8) USA. (9) Canada. (10) All. féd. (11) Japon. (12) Hongrie. (13) Chine. (14) Finlande. (15) Autriche. (16) Suisse. (17) Pologne. (18) Bulgarie.

■ **Étrangers.** Andrianov Nikolai [1] 14-10-52. Artemov Vladimir [1] 7-12-64. Azarian Albert [1] 1929. Édouard [1] 1-12-59. Braglia Alberto [4] 1893-1954. Behrendt Holger [3] 29-1-64. Bilozerchev Dimitri [1] 22-12-66. Bitcherova Olga [1] 26-10-66. Blume Joachim [2] 1933-59. Boginskaïa Svetlana [1] 9-2-73. Bontas Cristina [7] 5-12-73. Bouchard Franck [3] 1962. Bragilia Alberto [4] 1893-1954. Bruckner Roland [3] 14-12-55. Caslavska Vera [5] 3-5-42. Cerar Miroslav [6] 28-10-39. Cerna Vera 17-5-63. Chackline Boris [1] 27-1-32. Chaguinian Grant [1] 1923. Chunyang Li [13] 2-2-68. Comaneci Nadia [7] 12-11-61 (1976 : 15 ans, 1,53 m, 41 kg, + jeune ch. olymp.). Conner Bart [8] 28-3-58. Dagget Tim [8] 22-5-62. Davidova Yelena [1] 7-8-61. Delassalle Philippe [9] 18-7-58. Diamidov Sergei [1] 9-7-43. Ditiatine Alexandre [1] 7-8-57. Dobre Aurélia [7] 23-10-71. Dudnik Olessia [7] 16-11-72. Dunavska Adriana [18] 21-4-70. Eberle Emilia [7] 4-3-64. Endo Yukio [11] 3-10-50. Eyser George [8] 1871. Fei Tong [13] 25-3-61. Filatova Maria [1] 19-7-61. Frederick Marcia [8] 4-1-63. Frey Konrad [10] 1909-74. Gaylord Mitch [8] 5-3-63. Geiger Jurgen [10] 19-5-59. Gherman Marius [7] 14-7-67. Gienger Eberhard [10] 25-7-51. Gnauck Maxi [3] 10-10-64. Goodwin Michelle [8] 3-4-66. Goto Kiyoshi [11] 20-10-55. Grabolle Régina [3] 18-5-65. Grecu Danut [7] 26-9-50. Grigoras Christina [7] 1966. Grozdova Stevtlana [1] 24-1-59. Guczoghy Gyorgy [12] 3-3-62. Gushiken Koji [11] 12-11-56. Gutsu Tatiana [1]. Hartung Jim [8] 6-7-60. Heida Anton [8] 1878. Hemman Ralf Peter [3] 8-12-58. Hoffmann Lutz [3] 30-1-59. Ulf [3] 8-9-61. Homna Fumio [11] 30-1-48. Hristozov Kalofer [18] 19-3-69. Huang Yubin [13] 1958. Huhtanen Veikko [14] 1919-76. Ilienko Nathalia [1] 26-3-67. Janz Karin [3] 17-2-52. Jing Li [13] 23-2-70. Johnson Kathy [8] 3-9-59. Kajitani Nobuyoki [11] 3-5-55. Kajiyama Hiroshi [11] 3-6-53. Kato Sawao [11] 11-10-46. Kasamatsu Shigeru [11] 16-7-47. Keleti Agnès [12] 9-6-21. Kenmotsu Eiso [11] 13-2-48. Kim Nelly [1] 29-7-57. Kim Tatiana [1] 28-7-68. Korbut Olga [1] 16-5-55. Korobchinsky Igor [1] 16-8-69. Korolev Yuri [1] 28-8-62. Kraker Steffi [3] 21-4-60. Kroll Sylvio [3] 29-4-65.

Labakova Jana [5] 26-1-66. Latynina Larissa [1] 27-12-34 (la plus titrée : 18 méd. dont 9 d'or aux JO). Lenhardt Julius [15] 1875-1962. Li Jing [3] 23-2-70. Li Ning [3] 8-9-63. Liukine Valeri [1] 17-12-66. Li Xiaoping [13] 19-9-62. Li Yeyuiu [13] 19-11-57. Mack Eugène [16] 1907-78. Ma Yanhong [13] 1964. Magyar Zoltan [12] 13-12-53. Makuts Bogdan [1] 4-4-60. Mc Namara Julianne [8] 10-11-65. Menichelli Franco [4] 3-8-41. Miez Georges [16] 21-9-07. Miller Shanon [8]. Mills Phoebe [8] 2-11-72. Misnik Alla [1] 1966. Misiutin Grigori [1] 29-10-70. Moguilny Valentin [1] 18-12-65. Moukhina Elena [1] 1-6-60. Muratov Valentin [1] 30-8-28. Naimuschika Elena [1] 19-11-64 (1,53 m, 42 kg). Nakayama Akinori [11] 1-3-43. Nikolay Jurgen [3] 13-12-56. Nikolay Michael [3] 13-12-56 (jumeau de Jurgen). Ono Takashi [11] 26-7-31. Onodi Henrietta [12] 22-5-74. Palassou Roy [8] 5-6-63. Panova Bianka [18] 27-5-70. Retton Mary-Lou [8] 24-1-58. Reusch Michel [16] 1913-89. Rigby Cathy [8] 12-12-52. Ruhn Mélita [7] 19-4-65. Scherbo Vitaly [1] 13-1-72. Schwarzmann Alfred [10] 23-3-12. Schumann Carl [10] 1869-1946. Senff Birgit [3] 3-12-65. Shaposhnikova Natalia [1] 24-6-61. Shimizu Junichi [11] 29-7-53. Schouchounova Elena [1] 23-5-69. Shugurova Galina [1] 1955. Silivas Daniela [7] 9-5-70. Skaldina Oksana [1] 24-5-72. Stadler Joseph [16] 1919-91. Stukely Léon [6] 1898. Szabo Ecaterina [7] 22-1-66. Szajna Andrezej [17] 30-9-49. Tabak Jiri [5] 8-8-65. Talavera Tracy [8] 1-9-66. Thomas Kurt [8] 29-3-56. Thummler Dorte [3] 29-10-71. Titov Yuri [1] 27-11-35. Tkatchev Alexandre [1] 4-11-57. Toneva Krassimira [18] 23-6-65. Tong Fei [13] 25-3-61. Topalova Silvia [18] 7-3-64. Touricheva Ludmilla [1] 7-10-52. Tchukarin Viktor [1] 1921-84. Tsukahara Mitsuo [11] 22-12-47. Turner Dumitruta [7] 12-2-64. Ungureanu Theodora [7] 13-11-60. Voronine Mikhail [1] 26-3-45. Widmar Peter [8] 6-3-61. Wu Jiani [13] 23-4-66. Yanhong Ma [13] 21-3-64. Yongyang Chen [13] 23-4-66. Yun Lou [13] 23-6-64. Yurchenko Natalia [1] 26-1-65. Zakharova Stella [1] 12-7-63. Zemanova Radka [5] 5-12-63. Zhiquiang Xu [13] 4-3-63. Zhu Zeng [13] 1962. Zmeskal Kim [8]. Zuchold Erika [3] 19-3-47.

■ **Français.** Barbieri Laurent 30-10-60. Bernard Sophie 27-7-68. Boerio Henri 13-6-52. Boquel Yves 10-3-55. Boucher Karine 28-7-72. Boutard Michel 21-4-56. Boutet Patrick 14-12-51. Cadot Marie Laurence 7-7-68. Cairon Jean-Luc 14-2-62. Cauterman Stéphane 26-12-68. Chevalier Christain 18-12-66. Colson Marie-A. 21-5-76. Cottel Stéphanie 17-2-72. Coulon-Sicot Danièle 24-3-35. Darrigade Sébastien 20-3-72. Decoux Bernard 9-9-56. Deuza Christian 9-1-44. Dot Raymond 20-12-26. Farjat Bernard 7-9-45. Fiandrino Valérie 26-10-62. Giroux Carole 27-1-68. Guelzec Fabrice 21-3-68. Guiffroy Christian 21-1-47. Guillemot Véronique

13-2-67. HERMANT Pascal 11-5-57. JAMET Gilles 31-3-59. KOLOKO Éric 1-11-50. LALU Marcel 1882-1951. LEGROS J.-Claude. 15-12-66. LEMOINE Alexandra. LETOURNEUR Évelyne 13-9-47. MACHADO Virginie 1-6-76. MAGAKIAN Arthur 11-11-25. MAIGRE Chloé 24-12-74. MARCUS Olivier 15-7-67. MARTINEZ Joseph 1878-1945. MATTIONI Patrick 18-2-66. MAYER Marc 9-4-66. MERMET Karine 12-7-74. MICHELI Valérie 19-3-68. MOY Willi 13-6-56. PAYSSE Pierre 1873-1938. PELLERIN Cécile 8-12-67. RAGAZZACCI Corinne 27-1-69. RAMAMONJISOA Colombe 3-1-67. ROLLAND Jenny 7-1-75. SAHUC Chrystelle 9-2-75. SANDRAS Gustave 1872-1951. SANGUINETTI Véronique 16-4-64. SEGUIN Albert 1891-1948. SEGGIARO Chantal 4-4-56. SOLLANS Barbara 23-2-72. STUTZ Ingrid 9-5-74. SUTY Joël 4-7-60. TORRES Marco 1888. VATUONE Philippe 13-4-62. WEINGAND André.

GYMNASTIQUE RYTHMIQUE ET SPORTIVE (GRS)

GÉNÉRALITÉS

■ **Histoire. Tendances : 1°)** *esthétique et expression du mouvement,* François Delsarte (1811-71, Fr.), théories diffusées principalement aux USA par Geneviève Stebbins et Hedwig Kallemeyer (Allemandes) ; **2°)** *gymnastique scientifique hygiénique et esthétique* de Besse Mesendiek (Allem.), adepte du Suédois Ling et du Danois Muller ; **3°)** *gymnastique rythmique* du Fr. Jacques Dalcroze (1865-1950) et de Rudolf Bobe et Heinrich Medau (All.) ; **4°)** *écoles de danse* d'Isadora Duncan (1878-1929), Rudolf Von Laban et Marie Wigmann. *En France,* Irène Popard (1894-1950), adepte de l'École Duncan, l'associera aux méthodes Jacques Dalcroze et Georges Demenÿ (1850-1917) pour fonder « une Gymnastique Harmonique ». **V. 1950** se développe en Europe de l'Est. **1984** inscrite aux JO en concours ind.

■ **Principes** gym. féminine, se pratique à mains libres ou avec de petits engins, l'acrobatie y est interdite, s'accompagne de musique. **Ballon** caoutchouc ou plastique souple. Diam. 18 à 20 cm. Poids 400 g min. **Cerceau** bois ou plastique, diam. intérieur 80 à 90 cm, 300 g min. **Corde** chanvre, longueur proportionnée à la taille de la gymnaste. **Massues** bois ou matière synthétique, 150 g min. pour chaque massue. **Ruban** baguette en bois, bambou, plastique, fibre de verre. Diam. 1 cm max., longueur 50 à 60 cm y compris l'anneau de fixation du ruban (35 g minimun, 6 m minimun). **Concours** individuel : 1 à 1 minute 30. Ensemble : 2 à 2 minutes 30, 6 gymnastes.

PRINCIPALES ÉPREUVES

☞ **Jeux olympiques** (voir p. 1543).

Légende. – (1) Japon. (2) ex-URSS. (3) USA. (4) Hongrie. (5) All. dém. (6) All. féd. (7) Roumanie. (8) Chine. (9) Tchécoslovaquie. (10) Bulgarie. (11) Chine pop. (12) Biélorussie.

■ **Championnats du monde.** *Créés* 1963. Tous les 2 ans. **Équipes. 1967** URSS. **69, 71** Bulgarie. **73** URSS. **75** Italie. **77, 79** URSS. **81, 83, 85, 87, 88** Bulgarie. **91** Espagne. **C.G. individuels. 63** Szavinkova [2]. **65** Micechova [9]. **67** Karpoukhina [2]. **69, 71** Guigova [10]. **73** Shugurova [2] et Guigova [10]. **75** Rischer [6]. **77, 79** Deriugina [2]. **81** Ralenkova [10]. **83, 85** Gueorguieva [10]. **87** Panova [10]. **88** Anguelova [10]. **91** Skaldina [2]. **92** Kostina [2]. **Sols mains libres. 63** Szavinkova [2]. **65** Kravtchenko [2]. **67** Sereda [2]. **69** Guigova [10]. **71** épreuve supprimée. **Exercices avec engins. 63** Szavinkova [2]. **65** Micechova [9]. **67** épreuve supprimée. **Cerceau. 67, 69, 71, 73** Guigova [10]. **75** Hiraguschi [1] et Rischer [6]. **77** Shugurova [2]. **79** non disp.. **81** Ignatova [10]. **83** Ralenkova [10]. **85** non disp. **87** Panova [10] ; **88** Dimitrova [10]. **91** Timochenko [2]. **92** Kostina [2] et Lukyanenko [12]. **Corde. 67** Sitniaska [9]. **69** Shugurova [2]. **71** Guigova [10]. **73, 75** non disp. **77** Shugurova [2]. **79** Guiourova [2]. **81** Ignatova [10]. **83** non disp. **85** Gueorguieva [10]. **87** Panova [10]. **88** Anguelova [10]. **91** Timochenko [2]. **92** Kostina [2] et Lukyanenko [12]. **Ballon. 69** Shugurova [2]. **71** J.S. Duck [11]. **73** Shugurova [2]. **75** Rosenberg [6]. **77** Shugurova [2]. **79** Gabashvili [2]. **81** non disp. **83** Beloglazova [2] et Ignatova [10]. **85** Ignatova [10] et Gueorguieva [10]. **87** non disp. **91** Timochenko [2]. **92** Kostina [2]. **Ruban. 71** Nazmutdinova [2]. **73** Shugurova [2]. **75** Rischer [6]. **77** Deriugina [2]. **79** Tomas [2]. **81** Devina [2]. **83** Gueorguieva [10] et Beloglazova [2]. **85** Panova [10] et Beloglazova [2]. **87** Panova [10]. **88** Anguelova [10]. **91, 92** non disp. **Massues. 73** Shugurova [2]. **75** Rosenberg [6]. **77** non disp. **79** Bosanka [9]. **81** Ralenkova [10]. **83** Gueorguieva [10] et Ignatova [10]. **85** Ignatova [10] et Gueorguieva [10]. **87** Panova [10]. **88** Anguelova [10]. **91** Timochenko [2]. **92** Kostina [2].

■ **Championnats d'Europe.** *Créés* 1978. Tous les 2 ans. **Équipes. 78, 80** Bulgarie. **82** URSS. **86, 88, 90, 92** Bulg. **C.G. individuels. 78** Shugurova [2]. **80** Raeva [10]. **82** Ralenkova [10] et Kutkaite [2]. **84** Ralenkova [10] et Beloglazova [10]. **86** Panova [10] et Ignatova [10]. **88** Timochenko [2], Dunauska [10] et Koleva [10]. **89** Timochenko [2]. **90** Timochenko [2] et Baitcheva [2]. **92** Petrova [10]. **Cerceau. 78** non disp. **80** Raeva [10]. **82** Ralenkova [10]. **84** Ralenkova [10] et Ignatova [10]. **86** non disp. **89** Skaldina [2]. **90** non disp. **92** Timochenko [2]. **Corde. 78** Shugurova [2]. **80** Raeva [10]. **82** Ralenkova [10]. **84, 86** non disp. **89** Dunavska [10]. **90** non disp. **Ballon. 78** Deriugina [2]. **80, 82** non disp. **84** Ralenkova [10]. **86** non disp. **89** Timochenko [2]. **90** non disp. **92** Kostina [2] et Timochenko [2]. **Ruban. 78** Shugurova [2]. **80** Ignatova [10]. **82** Kutkaite [2]. **89** Timochenko [2]. **90** non disp. **92** Skaldina [2]. **Massues. 78** non disp. **80** Raeva [10]. **82** Kutkaite [2]. **84** Ralenkova [10] et Gueorguiva [10]. **86-90** non disp. **92** Kostina [2] et Timochenko [2].

■ **Coupe du monde.** *Créée* 1983. Tous les 4 ans. **Équipes 1983** URSS. **86** Bulgarie. **90** URSS. **C.G. individuels. 83, 86** Ignatova [10]. **90** Skaldina [2]. **Cerceau. 83** Ignatova [10]. **90** Skaldina [2]. **Ballon. 83** Ralenkova [10]. **86** Ignatova [10]. **90** Skaldina [2]. **Ruban. 83** Kutkaite [2]. **86** Panova [10]. **90** Marinova [10]. **Massues. 83** Ralenkova [10]. **86** Ignatova [10]. **Corde. 83** non disp. **86** Ignatova [10]. **90** Skaldina [2].

■ **Championnats de France.** *Créés* 1971. **Individuel. 85, 86** Walle. **87** Walle, Serre et Cottel. **88** Cottel. **89** Retuerto. **90** Cottel. **91, 92** Sahuc. **Corde. 85** Walle. **87** Serre. **88, 89, 90** Cottel. **91** Staels. **92** Degrange. **Ruban. 85** Walle. **87, 88, 89, 90** Cottel. **91** Moreno. **Massues. 85** B. Augst. **87** Serre. **88, 89** Sahuc. **90** Croix. **91** Staels. **92** Degrange. **Ballon. 85** Walle. **88** Sahuc. **89, 90** Cottel. **91, 92** Sahuc. **Cerceau. 87, 88** Cottel. **89** Sahuc. **90** Barazon. **91** Sahuc. **92** Degrange.

AUTRES GYMNASTIQUES

AEROBIC

Histoire. Méthode développée par le Dr Kenneth H. Cooper dans *L'Aerobic* (1968), *Le Nouvel Aerobic* (1970) et *Aerobic pour les femmes* (1972). S'adresse aux aviateurs, puis à tout le monde. *1978* J. Sorensen crée l'aerobic-danse. *1981* Jane Fonda (n. 21-12-1937) crée le work-out. *1981* introduit en France.

Définition. Gymnastique rapide aux mouvements enchaînés sur une musique disco activant la respiration et l'oxygénation des tissus. Exercices physiques classiques et exercices destinés à fortifier cœur et poumons.

TAI-CHI CHUAN

Définition. Prononcer *tat'chi.* Le *chi* est l'énergie vitale. Art martial, souvent devenu gymnastique qui se développe en Chine, Europe et USA (voir p. 143). Série de séquences (ou suites) de mouvements circulaires (pour économiser l'énergie), très doux, très lents (parfois rapides), coordonnés et continus, synchronisés avec la respiration et avec la pensée consciente. Le but est de contrôler l'énergie du corps. Une des écoles propose 8 séquences codifiées groupant 175 mouvements.

Fédération française des Tai-chi chuan traditionnels BP 55301, 75028 Paris Cedex 01. **Féd. fr. de Karaté** 122, rue de la Tombe-Issoire, 75014 Paris.

HALTÉROPHILIE

GÉNÉRALITÉS

■ **Origine. Grèce antique,** les athlètes s'exterminent en tenant dans chaque main une masse de plomb appelée *Halteria* (balancier). **Jusqu'au XIXe s.,** reste du domaine des hercules de foire. **1891,** 1er classement mondial amateur à Londres. **1896,** création de l'Haltér. Club de France. **1914,** de la Fédération fr. des poids et haltères. **1920,** de la Féd. intern. **1973** suppression du *développé* (dangereux, arbitrage difficile).

■ **Mouvements.** *Arraché :* la barre est élevée à bout de bras, d'un seul temps, au-dessus de la tête. *Épaulé-jeté :* la barre est élevée à hauteur de l'épaule, puis projetée à bout de bras au-dessus de la tête. Pour que l'arbitre donne le signal « à terre », le concurrent doit avoir les pieds sur la même ligne et conserver une immobilité complète. Chaque concurrent a 3 essais par mouvement pour arriver à son maximum. La progression entre chaque exercice ne doit pas être inférieure à 2,5 kg entre chacun des 3 essais (même lors des tentatives de record) par mouvement. L'addition des meilleures performances dans chaque mouvement constitue le total olympique. Records du monde et nationaux ne sont homologués que lorsqu'ils sont battus de 500 g au minimum. Entre l'appel de l'athlète et le levé, 1 min (2 min s'il tente 2 mouvements à la suite). Pour les levés consécutifs, signal donné après 30 s. 3 arbitres jugent la compétition qui se déroule sur un plateau en bois de 4 × 4 m (si l'athlète en sort, ses performances sont considérées comme nulles). Les athlètes s'enduisent les mains de *magnésie* pour améliorer la « serre » de la barre et éviter la transpiration. La *ceinture en cuir* (max. 12 cm de largeur) qui consolide la région lombaire est réglementaire. Les *poignets de force* sont tolérés. *Barre :* 1,31 m minimum entre les disques, longueur totale 2,20 m, diamètre 28 mm.

■ **Catégories de poids.** *1886 :* 1, *1902 :* 3, *09 :* 4, *68 :* 7, *69 :* 10, *77 :* 10. *A partir du 1-1-1993* pour lutter contre le dopage, la Féd. internat. change les cat. (entre parenthèses, anciennes cat., en kg). **Messieurs :** 54 (52), 59 (56), 64 (60), 70 (67,5), 76 (75), 83 (82,5), 91 (90), 99 (100), 108 (110), + de 108 (+ de 110). **Dames :** 46 (44), 50 (48), 54 (52), 59 (56), 64 (60), 70 (67,5), 76 (75), 83 (82,5), + de 83 (+ de 82,5).

■ **Quelques exploits. Sur le dos** (le poids étant sur des tréteaux), record de « porter » sur les épaules : homme 2 844 kg en 1957 (Paul Anderson, Américain, n. 1932, 165 kg) ; femme 1 616 kg en 1895 (Joséphine Blatt, Américaine, 1869-1923).

Puissance : Paul Anderson (USA, n. 17-10-1932, 165 kg), le 15-6-1955 : *développé couché* 284 kg, *flexion des jambes barre à la nuque* 544,32 kg, *soulevé de terre à 2 mains* 371,95 kg, *total* 1 200,27 kg. Hermann Goerner (All., 1891-1956), à Leipzig, le 20-7-1920, *soulevé de terre à une main* 333 kg, le 29-10-1920, *à deux mains* 360 kg. *Levée d'un poids mort à 2 mains :* homme 371 kg (Paul Anderson) ; femme 178,9 (Jan Suffolk Todd, Amér., en 1975 ; avant, Jeanne de Vesley, Fr., 177 kg le 14-10-1926) ; *à une main* 335 kg (H. Gorner).

PRINCIPAUX RÉSULTATS

Légende. – (1) Ex-URSS. (2) France. (3) USA. (4) Finlande. (5) All. féd. (6) Japon. (7) Belgique. (8) Cuba. (9) Iran. (10) Bulgarie. (11) Suisse. (12) Corée du N. (13) Pologne. (14) Tchécoslovaquie. (15) Autriche. (16) Hongrie. (17) Chine. (18) All. dém. (19) Roumanie. (20) Égypte. (21) G.-B. (22) Hongrie. (23) Italie. (24) Turquie. (25) Espagne. (26) Grèce. (27) Corée du S. (28) Portugal. (29) Colombie. (30) All.

■ **Coupe du Monde. Messieurs.** *Créée* 1980. **80** Szalai [22]. **81** Russev [10]. **82, 83** Blagoev [10]. **84, 85, 86** Suleimanov [10], **87** Petrov [10], **88** Botev [10], **89** Liu Shoubin [17], **90** Ivanov [10], **91** Yotov [10], **92** Kakhiasvili [1]. **Dames. 92** Trendafilova [10].

Ch. du Monde. Dames. *Créés* 1987. **44 kg : 87** Jun [17]. **88, 89** Fen [17]. **90** Wu [17]. **91** Xing Fen [17]. **92** Guan Hong [17]. **48 kg : 87, 88, 89** Xiaoyu [17]. **90** Cai [17]. **91** Rifatova [10]. **92** Liu Xiuhua [17]. **52 kg : 87** Zangqun [17]. **88, 89** Liping [17]. **90** Liao [17]. **91, 92** Peng Liping [17]. **56 kg : 87** Aihong [17]. **88** Na [17]. **89** Liwei [17]. **90** Wu [17]. **91** Sun Caiyan [17]. **92** Tsankov [10]. **60 kg : 87** Xinling [17]. **88** Yang [17]. **89** Na [17]. **90** Christoforidou [26]. **91** Han Litia [17]. **92** Li Hongyn [17]. **67,5 kg : 87** Lijuan [17]. **88, 89** Qiusiang [17]. **90** Wang [17]. **91** Lei Li [17]. **92** Gao Lijuan [17]. **75 kg : 87, 88** Hongling [17]. **89, 90** Trendafilova [10]. **91** Zhang Xiaoli [17]. **92** Hua Ju [17]. **82,5 kg : 87** Marshall [3]. **88** Yanxia [17]. **89** Hongling [17]. **90** Urutia [29]. **91** Li Hong-Ling [17]. **92** Zhang Xiaoli [17]. **+ de 82,5 kg : 87, 88, 89** Changmei [17]. **90, 91, 92** Li Yajuan [17]. **Équipe 91** Chine.

Ch. d'Europe. Dames. 44 kg : 88 Sforza [23]. **89** non disp. **90, 91, 92** Foldi [16]. **48 kg : 88** Duarte [28]. **89** Sotoca [25]. **90** Romano [25]. **91** Rifatova [10]. **92** Mincheva [10]. **52 kg : 88** Hougton [21]. **89, 90** Stoeva [10]. **91** Georgieva [10]. **92** Simova [10]. **56 kg : 88** Fawteath [21]. **89** Georgieva [10]. **90, 91** Yankova [10]. **92** Georgieva [10]. **60 kg : 88, 91** Christoforidi [26]. **89** non disp. **92** Kirilova [10]. **67,5 kg : 88** Valkhana [10]. **88** non disp. **89** Trendafilova [10]. **91** Rose [21]. **92** Trendafilova [10]. **75 kg : 88** Trendafilova [10]. **89** non disp. **90** Takacs [16]. **91** Trendafilova [10]. **92** Andonopoulou [26]. **82,5 kg : 88** Takacs [16]. **89** non disp. **90** Oakes [21]. **91, 92** Leppaluoto [4]. **+ de 82,5 kg : 88** Maleshkova [10]. **89** non disp. **90** Ilieva [10]. **91** Takacs [16], **92** Gripurko [1]. **Éq. : 88** Bulg. **89** non disp. **90** Bulg. **91** non disp. **92** Bulg.

Ch. de France. Dames. 44 kg : 88, 90 Martin-Bouko. **91, 92, 93** Mayot. **48 kg : 88** non affecté. **90** Begot. **91, 92** Yu Hing. **93** Machefaux. **52 kg : 88** Victorni. **90** Busset. **91** Reymond. **92, 93** Dussoyer. **56 kg : 88** Busset. **90** Cuenne. **91, 92** Genna. **93** Tack. **60 kg : 88** Boiron. **90** Roche. **91, 92** Hage. **93** Roche. **67,5 kg : 90** Dubois. **91, 92** Roche. **93** Mary. **75, 82,5 et + de 82,5 kg : 88, 90 et 92** non aff. **75 kg :**

Records d'haltérophilie (au 31-12-92, en kg)

Messieurs

Catégories en kg	Épreuves[1]	Monde		France	
52	a.	121	He Zhuoqiang [2] (92)	98	E. Bonnel (92)
	é.-j.	155,5	I. Ivanov [3] (91)	120	E. Bonnel (92)
	T.	272,5	I. Ivanov [3] (89)	215	E. Bonnel (92)
56	a.	135	S. Liu [1] (91)	112,5	L. Fombertasse (92)
	é.-j.	171	N. Terziiski [3] (87)	147,5	L. Fombertasse (92)
	T.	300	N. Shalamanov [3] (84)	260	L. Fombertasse (92)
60	a.	152,5	N. Suleimanoglu [4] (88)	120,5	B. Maier (84)
	é.-j.	190	N. Suleimanoglu [4] (88)	155,5	J.-C. Chavigny (82)
	T.	342,5	N. Suleimanoglu [4] (88)	272,5	J.-C. Chavigny (81)
67,5	a.	162	Kim Men-Nam [9] (90)	150	D. Senet (81)
	é.-j.	200,5	M. Petrov [3] (87)	180,5	N. Lasora (84)
	T.	355	M. Petrov [3] (87)	322,5	D. Senet (80)
75	a.	170	A. Guentchev [3] (87)	153	C. Plançon (92)
	é.-j.	215,5	A. Varbanov [3] (87)	191	S. Sageder (92)
	T.	382,5	A. Varbanov [3] (88)	342,5	C. Plançon (92)
82,5	a.	183	A. Zlatev [3] (86)	160	C. Plançon (92)
	é.-j.	225	A. Zlatev [3] (86)	195	C. Plançon (92)
	T.	405	Y. Vardanian [5] (84)	355	C. Plançon (92)
90	a.	195,5	B. Blagoev (83)	160	C. Plançon (92)
	é.-j.	235	A. Khrapaty [5] (88)	195	C. Plançon (92)
	T.	422,5	V. Solodov [5] (84)	355	C. Plançon (92)
100	a.	200,5	N. Vlad [6] (86)	170,5	F. Tournefier (88)
	é.-j.	242,5	A. Popov [5] (88)	220,5	F. Tournefier (90)
	T.	440	Y. Zakharevitch [5] (83)	387,5	F. Tournefier (92)
110	a.	210	Y. Zakharevitch [5] (88)	170	F. Tournefier (92)
	é.-j.	250,5	Y. Zakharevitch [5] (88)	217,5	P. Gourrier (92)
	T.	455	Y. Zakharevitch [5] (88)	387,5	P. Gourrier (92)
+ 110	a.	216	A. Krastev [3] (87)	165	F. Baron (91)
	é.-j.	266	L. Taranenko [5] (88)	203	G. Koller (82)
	T.	475	L. Taranenko [5] (88)	357,5	J.-F. Hiller (82)

Dames

Catégories en kg	Épreuves[1]	Monde	
44	a.	77,5	F. Xing [2] (92)
	é.-j.	102,5	F. Xing [2] (92)
	T.	180	F. Xing [2] (92)
48	a.	83	S. Liao [2] (92)
	é.-j.	105,5	S. Liao [2] (92)
	T.	187,5	L. Xiuhua [2] (92)
52	a.	87,5	L. Peng [2] (92)
	é.-j.	115	L. Peng [2] (92)
	T.	202,5	L. Peng [2] (92)
56	a.	95	Z. Juhua [2] (92)
	é.-j.	120	Z. Juhua [2] (92)
	T.	215	Z. Juhua [2] (92)
60	a.	100	S. Yuanghong [2] (92)
	é.-j.	125	L. Hongyun [2] (92)
	T.	222,5	L. Hongyun [2] (92)
67,5	a.	105,5	L. Li [2] (92)
	é.-j.	132,5	L. Li [2] (92)
	T.	237,5	L. Li [2] (92)
75	a.	107,5	H. Ju [2] (92)
	é.-j.	140	H. Ju [2] (92)
	T.	242,5	X. Zhang [2] (91)
82,5	a.	110,5	Z. Lina [2] (92)
	é.-j.	145	Z. Lina [2] (92)
	T.	255	Z. Lina [2] (92)
+ 82,5	a.	115	Y. Li [2] (92)
	é.-j.	150	Y. Li [2] (92)
	T.	265	Y. Li [2] (92)

Légende : (1) a. : arraché, é.-j. : épaulé-jeté, T. : Total. (2) Chine. (3) Bulgarie. (4) Turquie. (5) ex-URSS. (6) Roumanie. (7) USA. (8) Colombie. (9) Corée du N.

Nota. – Pour être homologués, les records doivent être établis aux JO, ch. du monde ou d'Europe.

91 Hanicque. **92** Mary. **93** Lise. **82,5 kg : 91** non affecté. **93** Thomassin. **+ 82,5 kg : 91, 92, 93** Iskin.

Jeux olympiques. Voir p. 1543.

Championnats du Monde. Messieurs. *Créés* 1891. Annuels sauf années olympiques. **52 kg : 89, 90, 91** Ivanov [10]. **56 kg : 91** Byung Kwan [27]. **60 kg : 91** Suleymanoglu [24]. **67,5 kg : 91** Yotov [10]. **75 kg : 91** Lara [8]. **82,5 kg : 91** Samadov [1]. **90 kg : 91** Sirstov [1]. **100 kg : 91** Sadikov [1]. **110 kg : 91** Akoev [1]. **+ de 110 kg : 91** Kurlovitch [1]. **Équipe : 91** URSS.

Ch. d'Europe. Messieurs *Créés* 1896. **54 kg : 91** Ciharean [19]. **92** Minchev [10]. **93** Ivanov [10]. **59 kg : 91** Suleymanoglu [24]. **92** Ivanov [10]. **93** Peszalov [10]. **64 kg : 91, 92** Peszalov [10]. **93** Czanka [16]. **70 kg : 91, 92, 93** Iotov [10]. **76 kg : 89** Orazdourdiev [1]. **90** Kuznietsov [1]. **91** Socaci [19]. **92** Kuznietsov [1]. **93** Kapanatsian [1]. **83 kg : 89** Kunev [10]. **90, 91** Orazdourdiev [1]. **92** Samadov [1]. **93** Blischik [1]. **91 kg : 89, 90** Kharpatiy [1]. **91** Chakarov [10]. **92, 93** Kakhiasvili [1]. **99 kg : 89** Stefanov [10]. **90** Kopitov [1]. **91** Sadikov [1]. **92** Tajmazov [1]. **93** Rubin [1]. **108 kg : 89, 90** Botev [10]. **91** Akoev [1]. **92** Kachurin [1]. **93** Taimazov [1]. **+ de 108 kg : 89, 90** Kurlovitch [1]. **91** Taranenko [1]. **92** Kolev [10]. **93** Nerlinger [30]. **Équipe : 89** Bulgarie. **90, 91, 92** URSS.

Ch. de France. Ind. *Créés* 1901. **52 kg : 89, 90, 91** Gasparik. **92, 93** Bonnel. **56 kg : 89** Fombertasse. **90, 91** Balp. **92** Fasulo. **93** Fombertasse. **60 kg : 89** Gondran. **90** Fombertasse. **91** Arnou. **92** Fombertasse. **93** Rasmi. **67,5 kg : 89, 90, 91** Elyabouri. **92** Collinot. **93** Elyabouri. **75 kg : 89** Sageder. **90, 91** Aubouy. **92** Elyabouri. **93** Michel. **82,5 kg : 89, 90, 91, 93** Plançon. **92** Scandella. **90 kg : 89, 90, 91** Graillot. **93** Scandella. **100 kg : 89, 90** Tournefier. **91, 92, 93** Kretz. **110 kg : 89** Kretz. **90** Roland. **91** Baron. **92, 93** Tournefier. **+ de 110 kg : 84-91** non disp. **92** Baron. **93** Roland. **Équipe.** *Créés* 1992. **92** Clermont-Sports.

Quelques noms

Alexeiev Vassili [1] n. 7-1-42 (ancien bûcheron ; 1,87 m, 145 kg, tour de poitrine 150 cm, de cuisse 80 cm, de biceps 55 cm), 1970-77 bat 80 records du monde. Anderson Paul [3] 17-10-32. Baszanowski Waldemar [13] 15-8-35. Bednarski Robert [3] 1944. Blagoev Blagoi [10] 19-12-56. Cadine Ernest [2] 1893-1978. Cassiau Daniel [2] 21-2-61. Chun Byung-Kwan [27]. Dame Jean [2] 1897-1970. Davis John [3] 1921-81. Debuf Jean [2] 31-5-24. Decottignies Edmond [2] 1893-1963. Dube Joseph [3] 15-2-44. Duverger René [2] 1911-83. Elliot Launceston [21] 1874-1930. Eltouny Khadr [20] 1915-56. Ferrari Henri [2] 1912-75. Földi Imre [16] 8-5-38. Fombertasse Laurent [2] 26-1-68. Fouletier Jean-Paul [2] 1-7-39. François Roger [2] 1900-49. Fulla Pierre [2] 19-5-38. Gance Henri [2] 17-3-1888. Gerber Roger [2] 28-12-33. Gondran Lionel [2] 5-11-66. Gourrier Pierre [2] 2-3-47. Guidikov Borislav [10]. Herbaux Raymond [2] 22-10-19. He Zhuoquiang [17]. Heuser Juergen [18] 13-3-53. Hostin Louis [2] 21-4-08. Ivanov Ivan [10] 1971. Jabotinski Leonid [1] 28-1-38. Kangasniemi Kaarlo [4] 4-2-41. Kangasniemi Kauko [4] 18-11-42. Khrapati Anatoli [1] 1963. Khristov Valentin [10] 15-3-56. Kono Thomas [3] 27-6-30. Krastev Anton [10]. Kretz Jean-Marie [2] 20-1-58. Kunz Joachim [18]. Kurlovitch Alexander [1]. Kuznetsov Alexander [1]. Lahdenranta Kaveli [4] 20-3-42. Larget Charles [2] 20-1-58. Levecq Roger [2] 24-8-35. Liu Shoubin [17]. Maier Bruno [2] 14-7-61. Maier Rolf [2] 16-12-36. Mang Rudolf [5] 17-6-50. Marinov Sevladin [10]. Militossian Israel [1]. Miyake Yoshinobu [6] 24-11-39. Namdjou Mahamoud [9] 22-9-18. Oberburger Norbert [23] 1-12-60. Paterni Marcel [2] 22-9-36. Petrov Mikhail [10]. Pissarenko Anatoli [1] 22-9-36. Plançon Cédric [2]. Reding Serge [7] 1941-75. Rigert David [1] 12-3-47. Rigoulot Charles [2] 1903-62 [(fut l'un des premiers haltérophiles très connus. 1,73 m, 103 kg, cou 47 cm, poitrine 1,32 m, ceinture 97 cm, bras 47 cm, av.-bras 39 cm, cuisse 70 cm, mollet 47 cm). Bat 56 records du monde (sur 11 mouvements) en amateurs de 1920 à 25, et en professionnels de 1925 à 32. Meilleures performances : amateur : arraché du bras droit 101 kg (22-2-1925), à 2 bras 126,5 kg (28-6-1925), épaulé et jeté à 2 bras 161,5 kg (28-6-1925) ; professionnel : arraché du bras droit 116 kg (14-4-1930), du bras gauche 100,5 kg (1-2-1929), à 2 bras 143 kg (4-5-1931), épaulé et jeté à 2 bras 182,5 kg (1-2-1929). Champion olympique à 21 ans, on l'appela à l'époque « l'homme le plus fort du monde ». Il se blessa et fut ensuite une grande vedette de catch]. Rusev Yanko [10] 1-12-58. Schemanski Norbert [3] 30-5-24. Senet Daniel [2] 26-6-53. Shalamanov (devenu Suleimanoglu) Naim [10], puis [24] 23-11-67. Steinbach Josef [15] 1879-1937. Suleimanov Hafiz [1] 1967. Suvigny Raymond [2] 1903-45. Talts Jan [1] 1-8-43. Taranenko Leonid [1] 13-6-56. Terme Aimé [2] 25-9-45. Tournefier Francis [2] 28-2-64. Urrutia Roberto [8] 7-12-56. Varbanov Alexander [10] 1964. Vardanian Youri [1] 13-6-56. Vincent François [2] 10-4-36. Vlad Nicu [19] 1-11-63. Vlassov Yuri [1] 5-12-35. Vorobjiev Arkadij [1] 3-10-24. Weaver Paul n.c. Wu Shude [17] 18-9-59. Zakharevitch Youri [1] 18-8-63. Zlatev Asen [10] 23-5-60. Zdrazila Hans [14] 3-10-41.

Handball

Généralités

Nom. De l'allemand, *Hand* main et de *ball.* Se prononce donc *handbal* (consonance germanique) et non pas *handbol* (consonance anglaise).

Histoire. Origine *Hazena* tchèque, *handbold* danois et *balle au but* allemande. **1919** l'Allemand Karl Schellenz adapte la balle au but (à laquelle jouent les femmes) pour les hommes et crée le handball à 11. **V. 1919** pour des raisons climatiques, dans les pays scandinaves apparaît le handball à 7 en salle. **1925** apparaît en France (Alsace et Franche-Comté) dans les clubs ouvriers. **1928**-*4-8* Fédération internat. de handball amateur créée. **1936** aux JO (messieurs, à 11). **1941** *juill.* Féd. française de handball (FFHB) créée. **1959** disparition du handball à 11.

Règles (handball à 7). **Terrain :** 40 m sur 20 m. *Buts :* h. 2 m, l. 3 m. **Ballon :** *messieurs :* circonférence 58 à 60 cm, 425 à 475 g ; *dames :* 54 à 56 cm, 325 à 475 g. **Équipes :** 2 de 7 joueurs dont 1 gardien et 5 remplaçants. 2 *mi-temps* de 30 min avec une pause de 10 min (seniors). Consiste à marquer le plus de buts possibles en envoyant à la main le ballon dans le but adverse. Pour jouer, il ne faut pas faire plus de 3 pas avec le ballon, le toucher avec la jambe ou le pied, sinon : coup franc. Un *attaquant* qui pénètre dans la *surface de but* reçoit un coup franc : s'il marque, le but est annulé. Mais il peut sauter au-dessus de la surface de but à condition de relâcher la balle avant de reprendre contact avec le sol. Le *gardien* peut arrêter la balle avec les pieds. Il peut jouer dans le champ, hors de sa surface de but, mais devient alors un joueur comme les autres. Il y a 2 *arbitres* pour un match.

Principales épreuves

☞ **Jeux olympiques** (voir p. 1544).

Légende. – (1) Tchéc. (2) Suède. (3) Roumanie. (4) All. dém. (5) All. féd. (6) Hongrie. (7) ex-Yougoslavie. (8) ex-URSS. (9) Danemark. (10) Pologne. (11) Islande. (12) Suisse. (13) Espagne. (14) Autriche. (15) All. dep. 91. (16) France.

■ **Championnat du monde** (1er, 2e et 3e). **Masculins.** 1er championnat 1938 Berlin puis création officielle en 1952. Tous les 4 ans. **38** All., Autriche, Suède. **54** Suède, All. féd., Tchéc. **58** Suède, Tchéc., All. unifiée. **61** Roum., Tchéc., Suède. **64** Roum., Suède, Tchéc. **67** Tchéc., Dan., Roum. **70** Roum., All. dém., Youg. **74** Roum., All. dém., Youg. **78** All. féd., URSS, All. dém. **82** URSS, Youg., Pol. **86** Youg., Hongrie, All. dém. **90** Suède, URSS, Youg. **93** France, Russie, Suède.

Féminins. *Créés* 1957. **57** Tchéc., Hong., Youg. **62** Roum., Dan., Tchéc. **65** Hong., Youg., All. féd. **71** All. dém., Youg., Hong. **73** Youg., Roum., URSS. **75** All. dém., URSS, Hong. **78** All. dém., URSS, Hongrie. **82** URSS, Hong., Youg. **86** URSS, Tchéc., Norvège. **90** URSS, Youg, All. dém.

■ **Coupe de la Fédération internationale.** *Créée* 1982. **Messieurs 82** Vfl Gummersbach [5]. **83** Il Saporozhye [8]. **84** TV Grosswallstadt [5]. **85** Minaur Baia Mare [3]. **86** Raba Vasas Etö Györ [6]. **87** Granitas Kaunas [8]. **88** Minaur Baia Mare [3]. **89** Düsseldorf [5]. **90** Kuban Krasnodar [8]. **91** CSKA Moscou [8]. **92** Wallau-Massenheim [15].

Dames. 82 IHK Tresnjevka Zagreb [7]. **83** Automobilist Baku [8]. **84** Chimistul Vilcea [3]. **85** ASK Vorwärts Frankfurt/Oder [4]. **86** SC Leipzig [4]. **87** Budocnost Titograd [7]. **88** Egle Vilnius [8]. **89** Chimistul Vilcea [3]. **90** ASK Vorwärts Frankfurt [4]. **91** Lokomotive Zagreb [7]. **92** Leipzig [15]. **92** Bucarest [3].

■ **Coupe d'Europe des champions. Messieurs** *créée* 1957. **85** Metaloplastika Sabac [7] b. Athletico Madrid [13] 30-20. **86** Metaloplastika Sabac [7] b. Wybrzeze Gdansk [10] 30-23. **87** SKA Minsk [8]. **88** CSKA Moscou [8]. **89** SKA Minsk [8]. **90** SKA Minsk [8]. **91** FC Barcelone [13]. **92, 93** Zagreb [7]. **Dames** *créée* 1961. **85** Spartak Kiev [8] b. R. Belgrade [7]. **86** Spartak Kiev [8] b. Stünta Bacau [3]. **87, 88** Spartak Kiev [8]. **89, 90** Hypobank Sudestadt [14]. **91** Lutzellinden [15]. **92, 93** Hypo Suedstadt [14].

■ **Coupe d'Europe des vainqueurs de coupes. Messieurs** *créée* 1975. **85** FC Barcelone [13] b. CSKA Moscou [8] 27-20. **86** Grosswallstadt [5] b. FC Barcelone [13] 21-19. **87** CSKA Moscou [8]. **88** SKA Minsk [8]. **89** Tusem Essen [5]. **90** Santander [13]. **91** Milbertshofen [15]. **92** Bramaz Veszprem [6]. **93** OM Vitrolles [16].

Dames *créée* 1976. **85** Buducnost Titograd [7] b. Druzslevnik Iopolnik [1]. **86** R. Belgrade [7] b. Engelskirchen [5]. **87, 88** Kuban Krasnodar [8]. **89** Stiinta Bacau [3]. **90** Rostov [8]. **91, 92** Radnicki Belgrade [7].

■ **Championnat de France. Masculins A 11 :** *créés* en 1941-42 avec 2 zones, Nord et Sud ; **à 7 :** *créé* en 1952-53, champ. unique (3 divisions). Dep. 1984-85, le champ. div. nationale I est constitué d'une poule unique de 10 clubs. Le club terminant 1er du classement est déclaré champ. **Résultats** (Division nationale I). **78, 79, 80** Stella Sports St-Maur. **81, 82** USM Gagny. **83** US Ivry. **84** SMUC. **85, 86, 87** USM Gagny. **88** Nîmes. **89** Créteil. **90, 91** Nîmes. **92** Vénissieux. **93** Nîmes.

Féminins. 85 USM Gagny. **86** Issy. **87** USM Gagny. **88** ES Besançon. **89, 90** Metz. **91, 92** Gagny. **93** Metz.

■ **Coupe de France. Messieurs** *créée* 1957. En 1977 et de 1979 à 84, appelée **Challenge de France. 80** RC Strasbourg. **81** ESM Gonfreville-l'Orcher. **82** US Ivry. **83, 84, 85, 86** USAM Nîmes. **87** USM Gagny. **88** non disp. **89** US Créteil. **90** Girondins de Bordeaux. **91, 92** Vénissieux. **93** OM Vitrolles.

Dames. 80, 81 PUC. **82** Bordeaux EC. **83** US Dunkerque. **84** PTT Strasbourg. **85** USM Gagny. **86, 87** Stade Français-Issy-les-Moulineaux. **88** non disp. **90** Metz.

Quelques noms

☞ *Légende.* – (1) Roumanie. (2) Tchéc. (3) France. (4) All. féd. (5) ex-URSS. (6) ex-Yougoslavie. (7) Tunisie.

Aggoune Rachid [3] 24-9-49. Alba Pierre [3] 3-2-48. Anpilogov Alexandre [5] 18-1-54. Bouaouli Hacène [3] 29-5-63. Birtalan [1] 28-4-44. Boulle Patrick [3] 20-4-57. Boutinaud Véronique [3] 17-5-64. Brunet Jean-Jacques [3] 1943. Buccheit Raoul [3] 26-4-50. Cailleaux Éric [3] 4-5-58. Carite Jean-Pierre 12-11-45. Channen Guy [3] 15-12-52. Chastanier Maurice [3] 1931-82. Chenko Michail [5] 19-5-50.

Debureau Philippe [3] 25-4-60. Deckarm [4] 1953. Derot Gilles [3] 10-5-63. Deschamps Dominique [3] 18-4-58. Desroses Philippe [3] 28-11-57. Druais Jean-Luc [3] 1947. Esparre Claude [2] 30-10-60. Etcheverry Jean-Pierre [3] 1939. Ferignac Jean [3] 27-9-36. Fleury Joël [3] 19-5-19. Gaffet Bernard [3] 5-4-59. Gallant Claude [3] 1945. Gardent Philippe [3] 15-3-64. Gatu [5] 20-4-44. Gaudion Marcel [3] 12-1-24. Geoffroy Jean-Michel [3] 29-9-55. Germain Jean-Michel [3] 1945. Goupy Jean [3] 24-1-34. Gruia Georghe [1] 1940. Hager Daniel [3] 27-8-63. Hofmann [4] n.c. Houlet Fr.-Xavier [3] 8-7-69. Iljin Vassili [5] 8-1-49. Isakovic Mile [6] 17-1-58. Lagarrigue Sylvie [3] 13-4-60. Laplagne Jean-Paul [3] 8-8-44. Lathoud Denis [3] 13-1-66. Legrand Jean-Louis [3] 10-2-49. Lelarge Christian [3] 1947.

Mahe Pascal [3] 15-12-63. Mares Vojteck [2] 1936. Martin Carole [3] 18-1-55. Medard Philippe [3] 10-6-59. Meyer Gilles [3] 22-3-53. Monthurel Gaël [3] 22-1-66. Munier Laurent [3] 30-9-66. Nita André [3] 5-9-49. Nouet Sylvain [3] 24-5-56. Ouerghemmi Slimane [7] 20-6-67. Perez Frédéric [3] 19-7-61. Perreux Thierry [3] 4-3-63. Pluen Jacques [3] 1929. Portes Alain [3] 31-10-61. Portes Maurice [3] 1938. Quintin Éric [3] 22-1-67. Richard Michel [3] 5-10-45. Richard René [3] 6-11-42. Richardson Jackson [3] 14-9-69. Rignac Bernard [3] 4-6-50. Rochepierre Michel [3] 6-9-21. Sagna Claude [3] 21-3-31. Sellenet André [3] 25-5-40. Sellenet Bernard [3] 29-3-49. Serinet Jean-Michel [3] 23-3-56. Silvestro Jean-Louis [3] 24-9-39. Taillefer Jacques [3] 13-6-46. Tchernyshev Jewgeni [5] 22-2-47. Thiebaut J.-Luc [3] 29-12-60. Trijoulet Dominique [3] 1951. Tristant Denis [3] 23-1-64. Turtschina Sinaida [5] 17-5-46. Volle Frédéric [3] 4-2-62. Waltke Dieter [4] 1954. Zhuk [5] n.c.

Handisport

■ **Histoire. V. 1945** à l'hôpital de Stoke Mandeville (G.-B.), le Pr Ludwig Guttmann utilise le sport comme thérapeutique des blessés de la colonne vertébrale. **1951** 1ers jeux de Stoke Mandeville pour handicapés en fauteuil roulant. **1954** Philipe Berthe crée l'Amicale sportive des mutilés de France (ASMF). **1960** 1ers JO pour handicapés à Rome. Conseil internat. de sport pour hand. créé. **1967** Féd. internat. de sport pour hand. créée. **1970** 1ers jeux mondiaux pour hand. à St-Étienne.

■ **Sports pratiqués. Athlétisme** en fauteuil roulant et debout. **Ball-trap** id. **Basket-ball** en fauteuil roulant. **Boules** en fauteuil roulant et debout. **Biathlon. Canoë k. Cyclisme** solo pour hand. physiques, tandem pour hand. visuels. **Équitation. Escrime** en fauteuil roulant. **Football. Goal-ball. Haltérophilie** (développé, couché). **Judo. Natation. Plongée. Randonnée. Ski nautique. Ski** alpin et nordique. **Sports aériens. Sports nautiques. Tennis. Tennis de table** en fauteuil roulant et debout. **Tir** à la cible. **Tir à l'arc. Volley-ball** debout. **Torball. Yoga.**

■ **Classifications.** Sportifs en fauteuil roulant (paraplégiques, tétraplégiques et assimilés poliomyélitiques), aveugles et mal-voyants, amputés, infirmes moteurs cérébraux, handicapés divers.

■ **Fédération fr. handisport,** 18, rue de la Glacière, 75013 Paris. A regroupé le 17-12-1976 la FFSHP (Féd. fr. de sport pour hand. physiques, fondée 1963) et la FFOHP (Féd. fr. omnisport des hand. phys., fondée 1972).

Hippisme et sports équestres

Chevaux

■ Noms

Foal (*laiton* en vieux français). Jeune cheval jusqu'au 1er janvier de l'année qui suit celle de sa naissance. **Weanling** nom du foal après le sevrage (vers 6 mois) jusqu'au 1er janvier de l'année suivante. **Yearling** (*antenais* en vieux français). Jeune cheval du 1er janv. au 31 déc. de l'année qui suit celle de sa naissance. **Poulain, pouliche** jeune cheval ou jument jusqu'au 31 déc. de sa 3e année. **Poulinière** jument en carrière de reproducteur au haras. **Poulinière suitée** jument suivie de son foal. **Hongre** cheval castré. **Inbred** ou **Inbreding** (consanguin en français). Cheval dont le père et la mère possèdent un ancêtre commun plus ou moins rapproché. Ex. : un cheval est « inbred 2 × 3 sur » tel étalon quand celui-ci figure dans son ascendance, à la 2e génération par son père et à la 3e par sa mère.

■ Races d'équidés (reconnues en France)

■ **Races de chevaux de sang. Pur-sang** *(anciennement pur-sang anglais).* PS (race internationale de course au galop, 1 seul croisement possible (PS × PS). Cheval issu d'un père et d'une mère, eux-mêmes de pur sang (race obtenue par le croisement d'étalons orientaux avec des juments anglaises d'origines diverses). Les pur-sang descendent de 3 chefs de race, *Byerley Turk* (né 1689), *Darley Arabian* (né 1705), *Godolphin Arabian* (né 1724), par leurs descendants en ligne mâle : *Hérod* (né 1758), *Matchem* (né 1748), *Éclipse* [n. 1764, le jour d'une éclipse de soleil (remporta 27 courses sur 27) ; sa descendance, qui comporte 36 gagnants de l'Arc de Triomphe (Hérod 7, Matchem 2) est aujourd'hui la plus nombreuse]. Les produits ainsi obtenus montrèrent des qualités si remarquables pour la course que les Anglais enregistrèrent leurs naissances sur un livre spécial ; le *General Stud-Book* (1er volume publié en 1808), puis le Stud-Book fut fermé : n'y furent plus inscrits que les produits issus de parents eux-mêmes inscrits. Les autres pays où des pur-sang anglais avaient été importés ouvrirent eux-mêmes des Stud-Books [1er Stud-Book français (créé 1833) publié en 1838 par le ministère de l'Agriculture].

Arabe. AR (race amélioratrice de la plupart des races chevalines du monde, 1 seul croisement possible (AR × AR). Plus ancienne race de chevaux de selle. Issue de la péninsule arabique. Se répand dans les pays conquis par les musulmans. A l'origine, cheval de guerre, sobre et résistant, vivant avec la tribu. Pendant des siècles il améliora les chevaux élevés en Europe en vue de la guerre ou de la selle. Au XVIIIe s., à l'origine du pur-sang anglais. Au XXe s., cheval de courses, ch. de sport et, plus récemment, ch. de raid équestre d'endurance et ch. de « show ». Très développé en Amérique où il est utilisé dans toutes ces spécialités.

Trotteur français. TF (race de course au trot, 1 croisement possible, TF × TF). Inscrit au Stud-Book dep. 1958. Nom donné autrefois en France aux chevaux participant aux courses au trot. Appelé longtemps *demi-sang trotteur,* apparut en Normandie milieu XIXe s. à partir de chevaux anglo-normands croisés à l'origine avec des pur-sang anglais (procurant la vitesse et l'influx nerveux) et des norfolks anglais (améliorant le mécanisme du trot) puis, plus tard, avec des trotteurs américains. De 1907 (1re publication par Louis Cauchois, directeur de *La France chevaline*) à 1937 (fermeture), les chevaux furent inscrits au Stud-Book lorsqu'ils avaient réalisé une performance.

Anglo-arabe. AA (produit des croisements entre le pur-sang, l'arabe et l'anglo-arabe). Les AA ne possédant pas 25 % de sang arabe figurent au Stud-Book AA et sont appelés AA de complément. Race de sport, d'extérieur et de course (Sud-Ouest). *Origine :* croisements de juments de pur sang anglais avec des étalons de race arabe, pratiqués à partir de 1740 par le gd-duc Christian IV des Deux Ponts, pour produire des chevaux de chasse à courre. En France, le vétérinaire E. Gayot (directeur du Haras de Pompadour, puis dir. gén. des Haras) est considéré comme le « père » de l'anglo-arabe. Les chevaux turc *Aslan* (ramené d'Égypte par Bonaparte) et arabe *Massoud* (importé par M. de Portes sous Louis XVIII) servirent 3 juments de pur sang anglais *Selim Mare, Comus Mare* et *Daer.* Avec *Prisme* (1890-1917), on estima que les caractéristiques de la race étaient fixées.

Les 1ers sujets, obtenus par croisement direct entre les races arabe et pur sang, furent inscrits dans le registre (ou Stud-Book) des anglo-arabes institué en 1882. Des intercroisements s'étant effectués entre pur-sang, arabes et anglo-arabes, la teneur en sang arabe des produits varia de 1 à 57,8 % et, en 1914, l'Administration des haras décida de qualifier *« anglo-arabe »* le cheval possédant au moins 25 % de sang ar. et n'ayant, dans 6 de ses ascendants directs, que des pur-sang, des ar. ou des « demi-sang anglo-ar. ». Dep. 1992, Stud-Book ouvert aux chevaux possédant à la 4e génération 15 ascendants sur 16 anglo-arabes, arabes ou pur-sang, le 16e devant être d'une race de sang reconnue en France.

Selle français. SF issus dep. la monte 1993 du croisement entre au moins un reproducteur selle français et un reproducteur inscrit au Stud-Book (PS, TF, AR et AA ou facteur de selle français). Au surplus, les chevaux de selle (CS) peuvent, dep. 1983, devenir SF au titre de leurs performances et de celles de leur famille. Race ayant des aptitudes sportives et, en particulier, pour le saut d'obstacles, le SF fortement amélioré par le PS brille également dans les courses au galop, notamment à obstacles. *Origine :* anciennes races de service françaises (la plus importante était fixée en Normandie), améliorées par des croisements avec des races plus affinées (pur-sang, trotteur français, arabe et anglo-arabe) pour aboutir à un cheval de selle appelé autrefois *demi-sang vendéen, charolais, normand, angevin, charentais,* etc.

La Normandie était réputée pour ses chevaux. En 1663, Colbert importa des étalons *Barbes* afin d'améliorer la race locale et de fournir des chevaux de selle pour l'armée. Puis importa des étalons danois en vue de la production du *carrossier.* L'Administration des haras systématisa l'amélioration par des reproducteurs anglais de demi-sang et de pur-sang. Les premiers géniteurs employés furent des *norfolks* qui, au fur et à mesure des progrès de la race, furent remplacés par des anglo-normands. En 1898, fut créée la *Sté du cheval de guerre,* qui fusionna ensuite avec la *Sté hippique française.* L'emploi du pur-sang dans la production du cheval de selle fut consacré et défini par la formule « du sang sous la masse ». L'appellation actuelle « selle français » regroupe tous les anciens demi-sang d'origines connues inscrits au livre généalogique de cette race.

☞ *AQPS (autre que pur sang) :* chevaux de selle français particulièrement sélectionnés pour les courses (plates et obstacles). Obtenus par des croisements répétés de juments de selle français avec des étalons pur sang. Sigle utilisé dans le programme des courses par opposition aux courses ouvertes à tous les chevaux ou réservées aux pur-sang.

Facteur de selle français : juments CS - OI (origine inconnue) ou « selle étrangère », admises comme « facteurs de SF » soit (CS uniquement) au titre de leur ascendance (jusqu'à 1983), soit sur avis de la commission du Stud-Book.

Cheval de selle (CS). Produit d'un étalon PS - AR - TF - AA ou SF et d'une jument CS ou d'origine soit étrangère, soit inconnue. Également produit d'un étalon PS - TF - AA ou SF et d'une ponette ou d'un étalon PS, AR ou AA avec une jument TF ou d'un étalon TF avec une jument PS, AR ou AA depuis la monte 1993. *Races étrangères de chevaux de selle.* 4 reconnues en France : Arabe Shagya, Barbe, Lipizzan, Lusitanien.

Poneys. Étalons poneys avec des ponettes et des juments de sang donnent, en général, des poneys, ainsi que le croisement d'un étalon arabe avec une ponette. S'ils répondent aux critères déterminés pour chaque race, les produits sont inscriptibles aux livres généalogiques correspondants ; sinon, ils sont qualifiés « poneys » sans autre précision, et ne figurent dans aucun Stud-Book. *13 races reconnues :* Connemara, Dartmoor, Fjord de Norvège, Français de Selle, Haflinger, Highland, Islandais, Landais, Merens, New-Forest, Pottok, Shetland, Welsh.

Camargue (1 seul croisement). Produit d'un étalon Camargue avec une jument Camargue ou de type Camargue.

■ **Races de chevaux de trait.** *Ardennais :* élevé dans N.-E., Massif central et S.-E. *Trait du Nord :* issu du Trait Belge et du Boulonnais, élevé dans Hainaut français. *Auxois :* issu du S.-O. de la C.-d'Or, s'étend dans Yonne et S.-et-L. *Boulonnais :* issu du Bas et du Ht Boulonnais, du Calaisis et de la région dunkerquoise. *Breton :* issu du nord de la Bretagne : « Sommier » et du bidet de la Montagne « Roussin ». *Comtois :* variété d'une grande race germanique, a longuement débordé la Franche-Comté. *Percheron :* regroupe, en sus du Percheron d'origine, les traits : Berrichon - Nivernais - Du Maine - Augeron - Bourbonnais - de la Loire et de la S.-et-L. *Divers :* croisements entre chevaux de trait de races différentes, ainsi qu'entre chevaux de trait et chevaux de sang. *Cob :* race de Normandie, plus léger, ancêtres communs avec le Normand, issu d'une race de sang et d'une race lourde.

■ **Baudets et mulassiers.** Âne du Poitou, Mulassier « poitevin ».

Le Sire (Système d'identification répertoriant les équidés, créé 26-7-1976) répertorie toutes les races de chevaux et poneys reconnues en France (sauf Shetlands).

■ **Naissances dans le monde en 1991. Pur-sang :** 116 812 dont (en %) USA 33, Austr. 17, Jap. 9, Arg. 7, Irl. 6, G.-B. 5, N.-Zél. 4,5, Brés. 4, *France 3*, Afr. du S. 3, Can. 2,5. **Trotteur :** 74 799 (89) dont (en %) USA 21, *France 17*, Austr. 14, Suède 10, It. 8, Can. 7, N.-Zél. 7, Norv. 4, All. 3,5.

Élevage en France

Pur-sang (1992). **Élevage :** sur 3 150 élevages, 15 regroupent au moins *21* poulinières, 206 de *6 à 20* et 2 929 de *5* ou –. Régions : Normandie, Anjou, S.-O. (Pau). **Trotteur français :** sur 8 219 éleveurs, 30 regroupent au moins *21* poulinières, 199 de *9 à 20*, 3 119 de *2 à 8* et 4 871 de *1 seule* jument. Régions : surtout Normandie et O.

Étalons (1992). Pur-sang 535 (dont 82 nationaux). TF 882 (65). Arabes 579 (62). AA 281 (212). SF 545 (278). Poneys 798 (80). Camargue 92 (10). Lusitanien 74 (0). Barbe 32 (10). Shagya 2 (0). Lipizzans 8 (0).

Poulinières saillies. Races de sang (1992) : 65 944 pour produire 6 518 pur-sang, 20 665 trotteurs, 1 236 Arabes, 3 532 Anglo-Arabes, 18 742 selle français, 557 Camargue, 215 Barbe, 21 Lipizzans, 6 290 chevaux de selle et 7 289 poneys. **De trait** (1991) : 30 411 pour produire 1 342 Ardennais, 299 Trait du Nord, 82 Auxois, 476 Boulonnais, 2 789 Bretons, 1 358 Cob, 2 100 Comtois, 1 462 percherons, 18 407 Trait.

Poulinières saillies (1991). 92 232 dont (en %) génératrices de chevaux de trait 31,37, de sang 59,83, de poneys et de races étrangères reconnues 8,8. (En 1992) *Pur-sang* 8 410 (dont 6 518 par du pur-sang). *TF* 22 586 (dont 20 665 par du TF). *Arabes* 1 262 (dont 1 236 par de l'Ar.). *AA* 3 632 (dont 2 065 par de l'AA). *SF* 14 321 (dont 12 249 par SF). *Ponettes* 8 680.

Produits nés en France (est. 1991) : pur-sang 3 790, trotteurs français 11 200, arabes 780, anglo-arabes et de complément 2 100, selle français 9 560, Camargue 340, chevaux de selle 2 720, poneys 4 200.

Haras nationaux. 1665 organisés par Colbert : mise en dépôt chez des particuliers des étalons achetés par l'État pour « servir à l'amélioration de la production chevaline ». Haras royal fondé à Montfort-L'Amaury (Yvelines). **1714-28** création du H. du Pin (Orne) remplaçant le « H. de Normandie » ; avec celui de Pompadour (Corrèze) fondé en 1761, constituent le « H. du Roi » ; création ensuite du H. de Rosières (Lorraine) incorporé à l'Administration des h. en 1764. **1790** suppr. de l'Administration des h. **1806** rétablie. **Sous Louis XVIII,** Le Pin devient École des H. et dépôts d'étalons. **Sous Napoléon III,** disparaissent ; l'armée manquera de chevaux pendant la g. de 1870. **1874** loi Bocher rétablissant les h. pour « faciliter la reproduction du cheval en coordonnant les efforts des éleveurs, en permettant les saillies de leurs juments, et en les aidant par l'attribution de secours en argent. ». **1961** *Conseil sup. de l'élevage.* Remplace le Conseil sup. des haras (1874). **1991** *Conseil sup. du Cheval* créé. **Organisation :** relève du min. de l'Agriculture. **Contrôleurs** (avant inspecteurs). **Circonscriptions** (23, dans les grandes régions d'élevage) comprenant divers établissements (dépôts d'étalons) dirigés par des ingénieurs du Génie rural et des Eaux et Forêts (dep. 1982) ou des ingénieurs en agronomie. Lors de la reproduction (mars-juill.), les étalons nationaux (de l'État) sont répartis dans les *stations de monte* de chaque circonscription (255 en 1993, y compris les dépôts d'étalons eux-mêmes).

Prix

■ **Achats. Conditions.** Un cheval de course peut être acheté directement chez l'éleveur ou le propriétaire ou par l'intermédiaire d'un marchand ou d'un courtier : 1°) *à l'amiable ;* 2°) *à l'issue d'une course à réclamer :* les chevaux y ayant participé peuvent être acquis par soumission écrite. Tous les concurrents sont à vendre aux enchères pour un montant min. dit « taux de réclamation ». Les enchères sont déposées après la course, et les chevaux déclarés acquis aux plus offrants. Le supplément éventuel de l'offre par rapport au taux de réclamation va à la Sté organisatrice (Fonds de courses). Il y a env. une course à réclamer en lever de rideau de chaque réunion de courses dans la rég. parisienne. Les chevaux coûtent en général de 40 000 à 300 000 F ; 3°) *aux enchères publiques : Pur-sang yearlings :* Deauville fin août (406 vendus, 609 présentés, prix moyen 235 472 F), octobre (232 v., 314 p., 43 461 F). *Trotteurs yearlings :* Deauville août (224 v., 390 p., 63 902 F). *Chevaux de sport :* vente mixte de Bois-le-Roi (98 v., 101 p., 93 900 F), St-Lô (80 v., 110 p., 33 437 F), Poitiers (78 v., 109 p., 31 833 F).

Prix moyens aux enchères de Deauville (ventes de « sélection » et ventes normales, en milliers de F). *1975 :* 51 (prix record 610). *80 :* 133 (1 800). *81 :*176 (1 950). *82 :* 202 (3 700). *83 :* 199 (4 600). *84 :* 238 (7 600). *85 :* 287 (9 000). *87 :* 265 (6 000). *88 :* 269,93 (2 600). *89 :* 325,75 (6 500). *90 :* 285,83 (6 500). *91 :* 260 (4 000). *92 :* 231,6.

■ **Quelques records.** Mondial : 85 000 000 de F (au Kentucky en 1983 pour un yearling) ; européen : 4 000 000 de £ (Londres, 1983). *Sea Bird,* après avoir gagné plus de 3 millions de F en 1968, fut loué comme étalon 7,5 millions de F pour les 5 premières années de monte. Mort en 1973, il rapporta + de 10 millions de F à son propriétaire. *Lyphard* et *Caro,* vendus, en 1977, 24 645 000 F et 18 000 000 de F.

Chevaux syndiqués (mis en copropriété) comme étalon. **1970** *Nijinsky,* gagnant de la triple couronne anglaise (2 000 guinées, Derby, St-Léger) pour 30 millions de F. **72-73** *Secrétariat* (meilleur cheval américain) 30 millions de F. **75** *What a Pleasure* 36 millions de F. **77** *Seattle Slew* 60 millions de F. **79** *Spectacular Bird* 120 millions de F. **81** *Storm Bird* 180 millions de F. **82-83** *Conquistador Cielo* 36 millions de $. **83** *Shareef Dancer* 336 millions de F. *Shergar,* syndiqué en 1981 pour 336 millions de F, a été kidnappé en févr. 1983 ; les ravisseurs réclamèrent 24 millions de F de rançon (ils en obtinrent 14,5 en avril). Jamais retrouvé, probablement mort.

Meilleurs étalons français (1992) (selon gains en course en France de leurs produits, en milliers de F) : Fabulous Dancer 11 399, Pampabird 10 450, Bikala 9 573.

■ **Frais d'entretien et d'entraînement.** Pur-sang à Chantilly et Maisons-Laffitte : env. 10 000 F par mois (province 6 500 F) ; moins pour un trotteur. Un yearling courant au plus tôt vers 24 mois revient à 80 000 F (frais avant de pénétrer sur une piste).

■ **Saillie. Prix moyen** (en F) : *cheval de trait* 300 ; *étalon* de Selle Français ou Anglo-Arabe 500 à 20 000, très bon étalon + de 10 000, pur-sang 1 000 à 200 000. **Record** (1992) : *Saumarez* 200 000 F. *Mon Tourbillon* (trotteur) 100 000 F. *Northern Dancer* (1961) a eu 634 foals dont 295 vendus comme yearlings pour 183 758 632 $. En 1965, ses saillies valaient 15 000 $, en 1985 1 million de $. **Nombre :** un étalon saillit en moyenne 20 juments par saison de monte (les meilleurs jusqu'à 130).

Records

■ **Performances. Saut. Hauteur : 1906** 2,35 m Conspirateur (Cap. Grousse). **1912** (17-8) 2,35 m Biskra (F. de Juge Montespieu) et Montjoie III (René Ricard). **1933** (10-4) 2,38 m Vol au vent (Lt Christian de Castries, futur G[al]). **1938** (27-10) 2,44 m Ossopo (Cap. Antonio Guttierez, Ital.). **1949** (5-2) 2,47 m Huaso ex-Faithfull (15 ans) (Cap. José Larraguidel Morales, Chilien). **1973** (21-10) *France* 2,41 m Tancarville (Michel Parrot). **Longueur 1975** (25-4) 8,40 m Something (André Ferreira).

■ **Vitesse. Moyenne** (en km/h) pas 6 à 8, trot 10 à 48, galop 15 à 62. **Records. Départ lancé** (sur piste en liège abritée du vent) 1 000 m : *galop* 53″6, *trot* 1′14″ (Watt). **Randonnée** 100 km 4 h 21′ (1902, le Norvégien Smith Krelland). **Courses** *d'obstacles :* 52/53 km/h. *En plat :* 65 km/h sur 1 000 m, 57 km/h sur 3 000 m. *Trot attelé :* 1′10″ au km dans une course de 1 mile (1 609 m). *Longchamp :* 55″50 Adraan le 11-5-80 dans le prix de St-Georges. *Deauville :* 1′22″90 Helen Street le 26-8-84 dans le prix du Calvados. *Chantilly :* 2′5″90 Lypharita le 16-6-85 dans le prix de Diane-Hermès.

■ **Endurance.** Voiture légère attelée, 302,81 km en 24 h (en 1901).

Quelques chiffres en France

■ **Centres équestres enseignant l'équitation.** En 1992, 1 115 associations loi 1901 et 3 128 établissements prof. (écoles élémentaires d'équitation et maîtres de manège) dont 457 poney-clubs. Env. 81 297 chevaux et poneys. En 1991, 256 078 licences FFE, 183 189 licences DNSE et 20 477 licences de compétition. En 1992, 255 889 licences.

■ **Chevaux** (1988). Env. 500 000 chevaux de sang et de trait dont expl. agr. 331 500, centres équestres 66 500, de course 24 300.

■ **Commerce** (1991, nombre et, entre parenthèses, valeur en millions de F). **Importations :** pur-sang 841 (138,5). Trotteurs 38 (0,9). Chevaux de selle 1 395 (25,8). Poneys 131 (0,7). **Exportations :** pur-sang 460 (60,5). Trotteurs : 372 (n.c.). Chevaux de selle 796 (n.c.). Poneys 158 (n.c.).

■ **Courses.** (1991) *Concurrents :* galop 12 106, trot 13 665. *Épreuves :* plat 4 347, obstacles 2 157, trot 9 761. *Sommes distribuées* (prix et allocations, en millions de F en 1991) : courses plates 452, à obstacles 231, au trot 762. *Prime aux éleveurs (total courses : plat + obstacles + trot) :* 160. *Sociétés de courses :* 264 ; *réunions :* 2 224.

■ **Financement du « secteur cheval » en France. Pari mutuel.** Prélèvement légal sur les sommes engagées par les parieurs (27,70 % en 1991), autofinancement de l'institution des courses et profit à l'État et aux collectivités locales ainsi qu'au secteur cheval dans son ensemble via l'Administration des haras nationaux. Sur une mise de 100 F en 1991, 72,30 F reviennent aux parieurs gagnants, 15,91 à l'État, 11,16 à l'Institution des courses, 0,63 à l'Administration des haras pour l'encouragement à l'élevage et au commerce, le développement de l'équitation (dotation des compétitions équestres et implantation de centres hippiques) et le fonctionnement des dépôts d'étalons nationaux. *Montant des enjeux* (en milliards de F). *1985 :* 29,6 (dont prélèvement légal 8,7). *90 :* 37,7 (10,6). *91 :* 38,5 (10,6). *92 :* 37,2.

■ **Emplois relevant du secteur cheval** (1991). Env. 70 000 dont élevage 20 000, ind. hippophagique 20 000, stés de courses 11 000, entraînement 8 000, établissements équestres 7 000, vétérinaires 1 200, Administration des haras nationaux 1 043, maréchaux-ferrants 780, négociants 600, organismes administratifs d'élevage-commerce et utilisations 150.

Sports équestres

■ **Origine.** vi[e] **s. avant J.-C.,** en Asie centrale, on emploie selle, mors et étriers. **Moyen Age,** en Europe, joutes sportives et tournois. **XVIe s.,** 1res académies d'art équestre en Italie. **XVIIe s.,** création de l'École française d'équitation par Salomon de La Broue (1530-1610) et Antoine de Pluvinel (1555-1620), écuyer de Louis XIII ; François de La Guérinière (1688-1751), « père de l'équitation française », publie l'« École de cavalerie » en 1733 à Paris. **XIXe s.,** apparition du jumping. **1900,** concours de dressage aux JO.

■ **Disciplines. 1°) Saut d'obstacles** (ou **jumping**). *Parcours où l'aptitude à l'obstacle est le facteur déterminant :* jugés au barème A avec ou sans chrono ; 2 barrages au max. *Parcours où la puissance du cheval est le facteur déterminant :* au barème A sans chrono, barrages successifs. *Parcours où la vitesse et la maniabilité sont les facteurs déterminants :* au barème A (4 points par obstacle renversé) ; ou C (fautes décomptées en seconde). *Épreuves à caractère particulier :* règles ou barèmes spéciaux (puissance, parcours de chasse, épreuve à l'américaine, relais...).

2°) Concours complet. 3 compétitions sur 3 j. *Dressage :* sur carrière de dimensions olympiques. But : prouver le calme, la mise en main, la soumission du cheval, l'aptitude du cavalier à le manier. *Parcours de fond :* steeple et cross, max. 26 km, de tracé sinueux sur terrain accidenté. Env. 30 obstacles naturels. Chutes et refus pénalisés. Vitesse imposée. *Saut d'obstacles :* concours hippique normal.

3°) Dressage. Terrain de 60 × 20 m, plat. Destiné à développer les aptitudes naturelles du cheval, la franchise du pas, le soutenu du trot, la légèreté, la régularité des allures ; le soutien de la main, l'engagement de l'arrière-main. En France, les concours nationaux comprennent les reprises les plus difficiles. Enchaînement de 20 figures imposées (reprises).

4°) Disciplines non olympiques. Voltige académique, chorégraphie de + en + élaborée, se mêle à la voltige sportive, inspirée de la Dkiguitowka ou des genres similaires du folklore. **Épreuves :** concours par équipes (programme de 6 figures imposées, programme libre de 5 min). Individuelles. Des pas de deux (programme imposé et libre), disputé à 2. **Attelage** *Commission fédérale d'attelage* (25, rue de Tolbiac, 75013 Paris). *Association française d'attelage.* Créée 1973. 1 000 membres. **Épreuves :** *concours complet* d'attelage à 1, 2 et 4 chevaux ou poneys ; épreuve de présentation et de dressage ; marathon (parcours d'extérieur), championnats du monde 42 km, épreuves nationales 20-25 km ; maniabilité ; *rallyes* de tourisme attelé ; *examens de guide.* **Raids**

Ride and run. *Créé* vers 1970 aux USA. **1987-*11-10*** à Maisons-Laffitte, 1re course en France (50 km). Consiste pour 2 concurrents et 1 cheval à chevaucher et à courir alternativement pour parcourir le plus rapidement possible 50 à 80 km en se relayant au min. 6 fois.

Trait-tract (*banei-keiba* en japonais). Courses de chevaux lourds, type percheron, qui tirent des traîneaux lestés de 600 à 800 kg.

d'endurance en vogue début XXe dans les régiments de cavalerie, en plein développement en Europe. **Épreuve :** parcourir 20 à 160 km/j. **Horse ball** (voir p. 1530). **Polo** (voir p. 1503).

☞ **En France.** *Voltige :* 410 voltigeurs licenciés ont disputé 41 épreuves. *Attelage :* 280 meneurs licenciés se sont produits dans 29 concours. *Horse ball :* 294 équipes de joueurs ont disputé 980 matchs. *Polo :* 101 joueurs ont disputé 27 tournois. *Endurance :* 1 551 partants dans 321 épreuves officielles. *Équirando :* rallye intern., obligations : parcourir au – 100 km (env. 3 j de randonnée) et être à l'heure au rendez-vous. *Trec* (techniques de randonnée équestre de compétition). *Créé* 1985. Parcours d'orientation : 60 km d'itinéraire inconnu, tronçon avec vitesses à respecter (6 à 12 km/h), maîtrise des allures de voyage (pas rapide, galop, lent), parcours d'obstacles naturels.

Monte en amazone : femme qui monte « à fourches », les 2 jambes du même côté de sa monture. *L'Association nat. des am. traditionnelles* compte + de 400 membres.

Principales épreuves

☞ **Jeux olympiques** (voir p. 1542).

Légende. – (1) Espagne. (2) All. féd. (3) Italie. (4) France. (5) G.-B. (6) Canada. (7) Argentine. (8) USA. (9) ex-URSS. (10) Suisse. (11) Danemark. (12) Autriche. (13) P.-Bas. (14) N.-Zél. (15) Hongrie. (16) Finlande. (17) All. dep. 91.

■ **Coupe du monde-Volvo. Saut d'obstacles.** *Créée* 1979. **79** Simon [12]. **80** Homfeld [8]. **81** Matz [8]. **82** Smith [8]. **83** Dello Joio [8]. **84** Deslauriers [6]. **85** Homfeld [8]. **86** Burr-Leneham [8]. **87** Burdsall [8]. **88, 89** Millar [6]. **90, 91** Whitaker [5]. **92** Fruhmann [12]. **93** Beerbaum [17].

Dressage. *Créée* 1985. **85, 86** Jensen [11]. **87-88** Stückelberger [10]. **89** Otto-Crépin [4]. **90** Rothenberger [2]. **91** Kyrklund [16]. **92** Bartels [13]. **93** Theodorescu [17].

■ **Coupe des Nations (Coupe Gucci dep. 1989, puis Trophée HCS).** *Créée* 1947. **80** France. **81, 82** All. féd. **83** G.-B. **84** All. féd. **85, 86** G.-B. **87, 88** France. **89** G.-B. **90** All. féd. **91** G.-B. **93** All.

■ **Championnats du monde.** Tous les 4 ans. **Saut d'obstacles. Individuels mixtes** dep. 1978. **78** Wiltfang [2]. **82** Koof [2]. **86** Greenhough [6]. **90** Navet [4]. **Messieurs** 1953. **53** Goyoaga [1]. **54, 55** Winkler [2]. **56, 60** d'Inzeo [3]. **66** d'Oriola [4]. **70** Broome [5]. **74** Steenken [2]. **Dames** 1965. **65** Coakes [5]. **70, 74** Lefèbvre-Tissot [4]. Dep. non disputé : concours mixte. **Équipe. 78** G.-B. **82** France. **86** USA. **90** France.

Concours complet. *Créé* 1966. **Ind. 66** Moratorio [12]. **70** Gordon-Watson [5]. **74, 78** Davidson [8]. **82** Green [5]. **86** Leng [5]. **90** Tait [14]. **Équipe. 66** Irlande. **70** G.-B. **74** USA. **78** Canada. **82, 86** G.-B. **90** N.-Zél.

Dressage. *Créé* 1966. **Ind. 66** Neckermann [2]. **70** Petouchkova [9]. **74** Klimke [2]. **78** Stückelberger [10]. **82** Klimke [2]. **86** Grethe-Jensen [11] **90** Uphoff [2]. **Équipe. 66** All. féd. **70** URSS. **74, 78, 82, 86, 90** All. féd.

Voltige. Messieurs. 86 Otto [2]. **90** Lehner [2]. **Dames. 86, 90** Bernhard [2]. **Équipe. 86** All. féd. **90** Suisse.

Attelage à 4. *Créé* 1972. Tous les 2 ans. **Ind. 72** Dubey [10]. **74** Fülöp [15]. **76** Abonyi [15]. **78, 80** Bardos [15]. **82** Velstra [13]. **84** Juhasz [15]. **86** Velstra [13]. **88** Chardon [13]. **90** Aarts [4]. **Équipe. 72, 74** G.-B. **76, 78** Hongrie. **80** G.-B. **82** P.-Bas. **84** Hongrie. **86, 88, 90** P.-Bas. **Attelage à 2.** *Créé* 1983. **Ind. 83** Gregory [5]. **85** Meinecke [2]. **87** Kecskerneti [15]. **89** Hochgeschorz [6]. **91** Ulrich [10]. **Équipe. 83** P.-Bas. **85** Suisse. **87** All. féd. **89** Hongrie. **91** USA.

Endurance. Ind. 86 Schuler. **90, 92** Hart [8]. **Équipe. 86** USA. **90** G.-B. **92** France.

Polo. 80 à 87 The Falcon.

■ **Championnats d'Europe.** Tous les 2 ans. **Saut d'obstacles.** *Créé* 1957. **Dep. 1974,** suppression de l'épreuve féminine. **Ind. 79** Wiltfang [2]. **81, 83, 85** Schockemöhle [2]. **87** Durand [4]. **89** Whitaker [5]. **91** Navet [4]. **Équipe. 79** G.-B. **81** All. féd. **83** Suisse. **85, 87, 89** G.-B. **91** P.-Bas.

Concours complet. *Créé* 1953. **Ind. 79** Hagensen [11]. **81** Schmutz [10]. **83** Bayliss [5]. **85, 87, 89** Holgate-Leng [5]. **91** Stark [5]. **Équipe. 79** Irlande. **81** G.-B. **83** Suède. **85, 87, 89, 91** G.-B.

Dressage. *Créé* 1963. **Ind. 79** Theurer [12]. **81** Schulten-Baumer [2]. **83** Jensen [11]. **85** Klimke [2]. **87** Otto-Crépin [4]. **89** Uphoff [2]. **91** Werth [17]. **Équipe. 1965-89** All. féd. **91** All.

Voltige. Ind. Messieurs. 91 Focking [17]. **Dames. 91** Berger [17]. **Équipe. 91** Suisse.

Endurance. Ind. 89 Mercier [4]. **91** Edgar [5]. **Équipe. 89** France. **91** G.-B.

■ **Championnats de France. Dressage.** *« Seniors ». Créé* 1954. **80, 81** Margit Otto-Crépin. **82, 83, 84, 85** Dominique d'Esmé. **86** Philippe Limousin. **87** D. d'Esmé. **88, 89** M. Otto-Crépin. **90, 91** Marina Van den Berghe. **92** D. d'Esmé.

« Juniors ». Créé 1972. **80, 81** Pascaline Bayard. **82, 83** D. Brieussel. **84** France Le Comte. **85** M. Léonardi. **86** Fauconnier. **89, 90** Florence Lenzini. **91** Stéphanie Collier.

Concours complet. *« Seniors ». Créé* 1949. **80** Thierry Lacour. **81** J.-Y. Touzaint. **82** T. Lacour. **83, 84** Pascal Morvillers. **85, 86, 87** M.-C. Duroy. **88** Jean Teulère. **89** Pierre Michelet. **90** J. Teulère. **91** J.-Y. Touzaint. **92** Michel Bouquet.

« Jeunes cav. ». **83** Christophe Pic. **84** Nicolas Dugué. **85** Jean-Lou Bigot. **89** Francine Boes. **90** Xavier Labaisse.

« Juniors ». Créé 1967. **80** Gaël Sebillau. **81, 82** L. Joubert. **83** Valérie Darmoise. **84** Jean-Lou Bigot. **85** Christophe Certain. **89** Rodolphe Scherer. **90** Rodolphe Sarrazin. **91** F. Bourny.

Saut d'obstacles. *Créé* 1950. *Cavaliers :* **80** Frédéric Cottier. **81** L. Elias. **82** Pierre Durand. **83** Michel Robert. **84** Gilles de Balanda. **85** M. Robert. **86** P. Durand. **87** Hervé Godignon. **88** Roger-Yves Bost. **89** H. Godignon. **90** Édouard Couperie. **91** M. Robert. **92** Éric Navet.

Cavalières : **79, 80, 81** Catherine Bonnefous. **83** Renée Pierre. **84** Sophie Poilvet. **85** Sophie Tramoni. **86** Adeline Wirth. **87** Sophie Pelissier. **88** Roche. **89** Crystel Chrétien. **90** Catherine Pinon. **91** Eugénie Legrand. **92** Chrystel Ribe.

« Juniors » : **80** Patrice Delaveau. **81, 82** P. Delaveau. **83** Pascale Wittmer. **85** Eugénie Legrand. **86** Carine Dussaut. **89** Cédric Angot. **90** Jauffray Favier. **91** Stéphane Dufour.

« 2e catégorie » : **83** Yannick Patron. **84** C. Roguet. **85** T. Touzaint. **86** Berenhole. **89** Duvinage. **90** Denis Troussier. **91** Michel Cizeron. **92** Rage.

Attelage à 4 chevaux. 89, 90, 91 Gérard Saint-Beuve ; **à 2 chevaux. 91** Sanudo.

Voltige. *Hommes.* **89, 90** Arnaud Thuilier. **91** Alban Flipo. *Dames.* **89** Flora Giorgio. **90** Sophie Larmoyer. **91** Clémence Picot.

Raids d'endurance. 89, 90 Jack Begaud. **91** Bénédicte Atger.

■ **Audi Masters.** *Créé* 1981. *But :* découvrir le meilleur « maître-cavalier » en saut d'obstacles français de l'année. **82** P. Caron, **83, 84, 85** F. Cottier, **86** M. Robert, **87** H. Bourdy, **88** (10 concurrents) P. Durand, **1989** supprimé.

■ **Losanges d'or Renault.** *Créés* 1989. Succèdent à l'Audi Masters. *But :* Épreuve en 3 étapes (vitesse, puissance, épreuve grand prix). Consacre, parmi les 10 meilleurs cavaliers français d'obstacles, celui qui aura su se constituer l'écurie (3 chevaux) la plus performante et se sera montré le meilleur pilote et le meilleur préparateur. **89** E. Navet, **90** H. Godignon, **91** non disp.

■ **Masters de Paris.** *Créé* 1991. **91** M. Robert. **92** R.-Y. Bost.

☞ **Jappeloup** (août 1975/5-11-1992) né d'un trotteur (Tyrol) et d'un pur-sang (Vénérable) 1,56 m au garrot, acheté 30 000 F à 6 ans par Pierre Durand, fut champion de Fr. (1982-86), d'Eur. (87), olympique (88, méd. d'or indiv., méd. de bronze par équipe), ch. du monde (90, méd. d'or par équipe).

Quelques noms

☞ *Légende.* – (1) G.-B. (2) Italie. (3) ex-URSS. (4) Espagne. (5) France. (6) Suisse. (7) Irlande. (8) Portugal. (9) USA. (10) Australie. (11) Canada. (12) Argentine. (13) Pologne. (14) Brésil. (15) All. féd. (16) N.-Zélande.

ALLHUSEN Derek Swithin [1] 1914. ANDERSON John Brinker [1] 1930. ANGIONI Stefano [2] 1939. ANNE, Princesse d'Angleterre [1] 1950. ASMUSSEN Cash ( ) [9]. ASRATYAN Rudolph [3] 1941. AVEYRO Luis Jaime, duc d' [4] 1942. BACKHOUSE Ann Sophia [1] 1940. BAILLIE John David Storrie [1] 1948. BALANDA Gilles (de) [5] 29-5-50. BENTEJAC Dominique [5] 6-8-44. BEST Greg [9] 1964. BLICKENSTORFER Arthur [6] 1935. BOEUF Dominique [5]. BOHORQUES Y PEREZ DE GUZMAN José de [4] 1935. BOST Roger-Yves [5] 20-10-65. BOURDY Hubert [5] 5-3-57. BRENNAN Thomas [7] 1940. BROOME David 5-1-40. CALLADO Henrique [8] 1920. CAMPION Edward [7] 1937. CAPRILLI Frederico [2] 1868-1907. CARON Patrick [5] 12-6-50. CASTELLINI Gualtiero [2] 1940. CHABROL Jérôme [5] 3-7-31. CHAPOT Frank Davis [9] 1932. CHAPOT Mary Wendy [9] 1944. CHEVALIER Bernard [5] 4-10-12. COAKES Marion (MOULD) [1] 1947. COBCROFT Brien William [10] 1934. COCHENET Michel [5] 1927. COTTIER Frédéric [5] 5-2-54. DAVIDSON Bruce [9] 31-12-49. DAWES Alison Selena [1] 1944. DAY Jim [11] 2-7-46. DEEV Pavel [3] 1942. DELIA Carlos [12] 1923. D'ESMÉ Dominique [5] 26-12-45. D'INZEO Piero [2] 4-3-23. D'INZEO Raimondo [2] 8-2-25. DURAND Pierre [5] 15-12-31. DURAND Pierre [5] 16-2-55. DUROY Marie-Christine [5] 27-3-57. DURSTON-SMITH Tom [1] 1944. FAIT M. [16] 1961. FARGIS Joe [9]. FLAMENT Dominique [5] 1946. FLETCHER Graham [1] 1951. FREEMAN Kevin [9] 21-10-41.

GENESTE Bernard [5] 1934. GODIGNON Hervé [5] 22-4-52. GORDON-WATSON Mary Diana [1] 1948. GREENOUGH Gail [11] 1960. GUIGNARD Guy [5]. GUYON Jean-Jacques [5] 21-12-32. HEADF Freddy. HILL Albert Edwin [1] 1927. HOFFMAN Carol Isabelle [9] 1942. HOMFELD Conrad [9] 25-12-51. HOUSSIN Marc [5] 28-6-40. JONQUÈRES D'ORIOLA Pierre [5] 1-2-20. JOUSSEAUME André [5] 1894-1961. KLIMKE Reiner [15] 14-1-36. KOECHLIN-SMYTHE Patricia Rosemary [1] 1928. KOWALCZYK Jan [13] 1941. KUSNER Kathryn Hallowell [9] 21-3-40. LEDERMANN Alexandra [5] 14-5-69. LEFEBVRE J. voir Tissot-Lefebvre [5]. LEFRANT Guy [5] 1923. LE GO Jack [5] 1931. LE ROLLAND [5] 15-5-43. LE ROY Jehan [5] 1923. LESAGE Xavier [5] 25-10-1885. LINSENHOF Liselotte n.c. LITHGOW William [1] 1920. LLEWELLYN Henry Morton [1]. MANCINELLI Graziano [2] 1937-92. MEADE Richard [1] 4-12-38. MILLAR Ian [1] 1945. MOORE Ann Elisabeth [1] 1950. MORATORIO Carlos [12] 1932. MORGAN Lawrence Robert [10] 1915. NAVET Éric [5] 9-5-59. OLIVER Alan [1] 1932. OTTO-CRÉPIN Margit [5] 9-2-45. PAGE Michael Owen [9] 23-9-38. PARKER Bridgett [1] 1939. PAROT Hubert [5] 23-5-36. PESSOA Nelson [14] 16-12-35. PHILIPPS Mark Anthony [1] 1948. ROBERT Michel [5] 24-12-48. ROBESON Peter David [1] 1929. ROZIER Marcel [5] 22-3-1936. ROZIER Philippe [5] 5-2-63. SAINT-MARTIN Yves [5] 1941, se retire en 1987 après 15 cravaches d'or et 3 300 victoires. SCHOCKEMÖHLE Alvin [15] 29-5-37. SCHOCKEMÖHLE Paul [15] 22-3-45. SHAPIROT Neal [9] 1945. SMITH Mélanie [9]. SMITH Robert Harvey [1] 1939. STARK Ian [5] 1954. STEENKEN Hartwig [15] 23-7-41. STEINKRAUS William Clarke [9] 12-10-25. STEVENS Stewart [1] 1950. STUCKELBERGER Christine [6] 22-5-47. TEULÈRE Jean [5] 24-2-54. TISSOT-LEFEBVRE Janou [5] 14-5-1945. TODD Mark [16]. UPHOFF Nicole [15] 25-1-67. WELDON Frank [1] 1913. WERTH Isabelle [15]. WHITACKER John [1] 5-8-55. WITHACKER Michael [1] 17-3-60. WILLCOX Sheila [1] 1936. WILTFANG Gerd [15] 17-2-47. WINKLER Hans Gunter [15] 24-7-26. WOFFARD James Cunningham junior [9] 3-11-44. WUCHERPHENNIG Elisabeth Ann [1] 1937.

Cadre noir

Origine. *1814 :* Louis XVIII annexe à l'école de Saumur un manège académique dont le Mis Ducroc de Chabannes et M. Cordier devinrent les 1ers écuyers. *1825 :* cavalerie à Saumur ; à la création du manège, Cordier institue la tenue, habit à basques noires, rehaussé d'aiguillettes et de broderies d'or, ainsi que le « lampion » porté en bataille, qui demeure la coiffure du Cadre noir. Le G[al] L'Hotte fixe la doctrine de l'École française : « Le cheval calme, en avant, droit, puis... léger ».

École nationale d'équitation : Saumur, sur les plateaux de Terrefort et de Verrie. *Créée* 1972, autour du Cadre noir et placée sous la tutelle du min. de la Jeunesse et des Sports. *Moyens :* env. 450 chevaux en boxes individuels, 10 carrières olympiques, env. 50 km de pistes aménagées, plusieurs centaines d'obstacles, 5 manèges olympiques dont le + grand d'Europe. L'écuyer en chef est familièrement appelé par les élèves « le Grand Dieu ».

Écuyers en chef du Cadre noir. 34 dep. l'origine. Dep. 1945 : Grand Écuyer désigné par ses élèves comme le Grand Dieu ; pour lui seulement le manège des écuyers ouvrait sa porte à 2 battants (34 Grands Dieux).

Maîtres du Cadre noir (dep. 1945). *1945 :* L[t]-C[el] MARGOT. *1958 :* C[el] Patrice LAIR. *1964 :* C[el] de SAINT-ANDRÉ. *1972 :* C[el] de BOISFLEURY. *1974 :* C[el] BOUCHET. *1975 :* C[el] DURAND. *1984 :* C[el] de BEAUREGARD. *1991 :* C[el] CARDE.

Courses de chevaux

Quelques dates

■ Angleterre

1603 1res courses. Jacques Ier (1566-1625) édifie les 1ers hippodromes gazonnés, dont Newmarket.

Prix : sonnettes d'or et d'argent ; le vainqueur est nommé *Gagneur de cloche.* **1660** Charles II (1630-1685) réglemente le calendrier, conditions d'âge et poids de monte. **1709** J. Weatherby commence à publier les résultats dans les *Racing Calendars.* **1711** courses *Plates d'York :* le prix de la course consiste en une pièce d'orfèvrerie (piece of plate). **1751** Jockey Club fondé. **1801** le colonel St-Léger crée à Doncaster la course portant son nom, le plus vieux « classique » du monde (2 miles = 3 200 m pour chevaux de 3 ans). Lord Derby aménage un hippodrome sur les landes d'Epsom, où il fonde les Oaks (1,5 mile pour pouliches) et le Derby (1,4 furlong mile, pour chevaux de 3 ans), couru pour la 1re fois en 1830. **1801** Gold Cup (2,5 miles pour chevaux de 4 ans et au-dessus) fondée sur terrain d'Ascot qui appartient à la famille royale. **1809** 1res Mille et Deux Mille Guinées à Newmarket.

France

Historique. V. 1370 courses données à l'occasion des foires ou fêtes locales à Semur-en-Auxois. **Sous Louis XIV** courses avec paris importants ; on courait sur toutes distances, parfois jusqu'à 60 km. **1776** *nov.* courses dans la plaine des Sablons. **1788** *1re course officielle :* Prix du Plateau du Roi (3 000 ou 4 000 m), réservée aux juments fr. et étrangères. **Sous la Révolution** au Champ-de-Mars, courses antiques (à pied, à cheval, en char). **1805** courses départementales (Orne, Corrèze, Seine, Morbihan, C.-du-Nord, H.-Pyr.) pour chevaux entiers et juments nés en Fr. (4 000 m), couronnées par un Grand Prix disputé à Paris (Limoges fut un des 1ers centres de courses de chevaux, plus tard les C.-du-N.). **1819** Prix Royal créé. **1823** Prix du Dauphin et de l'Hippodrome du Pin créés. **1830**-*4-3, 1er steeple-chase* à Jouy. **1832** Houel organise une *course au trot* monté (gagnée en 2 min 32 s au km). **1833**-*11-11* fondation, sous le patronage des ducs d'Orléans et de Nemours, de la *Sté d'encouragement pour l'amélioration des races de chevaux en France,* et du *Jockey Club.* Le duc d'Aumale loue à long terme les pelouses de Chantilly. **1835** *1res courses de haies.* Un peu plus tard, on aménage des hippodromes spécial. à la Croix-de-Berny, Craon, Dieppe, Pau, etc. **1836** *Prix du Jockey Club créé.* Normandie : épreuves de sélection au trot pour animaux de service. **1837** *Prix du Cadran* créé. **1840** *Poule d'Essai.* **1841** *Poule des produits.* **1843** *Prix de Diane.* **1857** 1re Sté de trot importante créée à Caen. *-17-4 Longchamp* inauguré pour courses plates. **1863** *Grand Prix de Paris* créé. *Sté des steeple-chases* créée (1er Pt : le Pce Murat entouré du Cte de Juigné et de MM. de Montgomery et de La Haye-Jousselin). Hippodrome à Vincennes, sur le plateau de Gravelle. **1864** *Sté pour l'amélioration du cheval fr. de 1/2 sang,* fondée par le Mis de Croix. Hippodrome de Deauville. **1866** *Sté sportive d'encouragement* fondée par Eugène Adam et Maurice Papin. *-16-5* arrêté (dit maréchal Vaillant, min. de l'Agriculture) délègue aux 3 stés mères (plat, obstacle, trot) le pouvoir d'édicter la réglementation technique des courses sur tout le territoire. **1873** Hippodrome d'Auteuil ouvert. **1882** *Sté de sport de France* créée par Cte Greffulhe. **1891** *-2-6* loi interdisant aux stés de courses de faire des bénéfices et les soumettant au contrôle de l'État, en contrepartie leur accorde le monopole de l'organisation des courses publiques et des paris sur les hippodromes. Seules les épreuves ayant pour but exclusif l'amélioration de la race chevaline seront autorisées ; création du *Pari mutuel* sur l'hippodrome.

1920 *Prix de l'Arc de triomphe* créé. **1921** les courses de Deauville, fondées 1864 par le duc de Morny, passent sous l'obédience de la Sté d'encour. **1930**-*16-4* loi étendant les dispositions de la loi du 2-6-1891 au Pari mutuel urbain. **1935** *1ers sweepstakes en Fr.* (Grand Prix de Paris et Prix de l'Arc de triomphe). **1945** internationalisation des principales épreuves françaises de sélection de la race pure. **1984** Darie Boutboul, 1re femme à gagner le tiercé.

Sociétés mères. *Sté d'encouragement pour l'amélioration des races de chevaux en France* (fondée 1833), a fusionné avec *Sté des steeple-chases de France* (fondée 1863). **Galop :** *Sté d'encouragement et des steeple-chases de France,* créée 13-2-1992, 46, place Abel-Gance, 92655 Boulogne Cedex. **Trot :** *Sté d'encouragement à l'élevage du cheval français,* 7, rue d'Astorg, 75008 Paris.

Sortes de courses

Plat (galop). La distance à couvrir dans une course est la même pour tous les concurrents, la notion essentielle étant le poids. En raison des différences de développement physique dues à l'âge, les plus âgés portent des surcharges, appelées le *poids pour âge.* Ex. : un 4 ans portera, selon l'époque de l'année et selon les distances, 8, 10 ou 15 livres de plus qu'un 3 ans. En octobre, sur 1 600 m, lorsque les 2 ans rencontrent leurs aînés, la différence de poids pour âge entre un 2 ans et un 4 ans est de 22 livres. **Courses classiques :** les chevaux de même âge portent le même poids (les femelles portant 3 livres de moins que les mâles). **Courses à conditions :** les chevaux sont ou non qualifiés, selon qu'ils ont ou non remporté tel ou tel prix, ou telle ou telle somme d'argent [gains de l'année et (ou) de l'année précédente]. En outre, le poids augmente en fonction des victoires ou des sommes gagnées antérieurement selon les conditions de la course (ex. : un cheval ayant gagné 100 000 F dans sa carrière portera 3 kg de plus que les autres ; s'il a gagné 300 000 F, 5 kg, etc.) ; ceux qui n'ont pas remporté de prix ou gagné la somme fixée par les conditions de la course peuvent bénéficier de décharges. *Handicaps :* le handicapeur attribue des poids dans le but d'égaliser les chances de gagner de chaque concurrent.

Courses de groupe. Classées par un accord international en fonction de leur importance dans le circuit de sélection, sans tenir compte des allocations. En 1992, France 107, G.-B. 106, All. 38, Italie 38, Irlande 34. Il en existe aussi aux USA et en Australie.

Courses particulières. Certaines épreuves comportent des conditions particulières, par ex. montes réservées à une catégorie déterminée de cavaliers (apprentis, militaires, gentlemen, cavalières) ou de chevaux (ch. de l'armée).

Réclamers. Voir p. 1480 (Prix).

Prix de courses, ou « encouragements ». *Prix de courses :* attribué aux propriétaires des 4 ou 5 premiers de chaque épreuve. Allocation au vainqueur de 20 000 F pour une petite course de province et de 5 000 000 de F pour l'Arc de triomphe.

Prime « aux propriétaires » : supplément de 50 %, accordé en plat aux propr. de chevaux nés et élevés en France dans certaines courses en cas de victoire ou place. Cette mesure a été supprimée en obstacles et n'a pas lieu d'exister pour le trot où seuls sont admis en France les « nés et élevés ». *Prime aux éleveurs :* versée dans certaines épreuves, par le Fonds commun, aux éleveurs des chevaux nés et élevés en France qui obtiennent une victoire ou une place. Montant selon épreuves : 10 à 25 % de l'allocation perçue par le propr. S'applique au galop, quelle que soit la nationalité de l'éleveur. Joue également pour certaines grandes épreuves à l'étranger.

Indemnités diverses versées aux propr. : indemnité pour transport des chevaux vers hippodromes, indemnités pour chevaux non classés (500 F à Auteuil), indemnités d'abattage en courses (20 000 F à Auteuil), etc.

Obstacles. Haies : en gén. passées dans la foulée, la barre étant à 0,50 m et la haie proprement dite dépassant de 0,50 m, on « brosse » au-dessus de la barre au travers de la haie. **Rivière :** à Auteuil, 6 m de largeur (haie 1,50 m, eau 4,50 m et 1 m de hauteur). **Longueur :** *steeple-chases :* 3 000 m : au min. 8 obstacles, dont 4 différents, choisis parmi : banquette, barrière fixe, barrière fixe avec brook, bull finch, double barrière, douve, mur en pierre, mur en terre, open ditch, oxer ou rivière. **Courses de haies :** 2 500 m : 7 haies au moins, à l'exclusion de tout autre obstacle. Au-delà, un obstacle en plus par allongement de 300 m. **Cross-country :** les chevaux quittent un moment la piste permanente pour une piste provisoire à travers champs comportant aussi des obstacles.

Trot. Courses classiques : réservées aux meilleurs, tous les concurrents partent à distance égale ; *parcours les plus utilisés :* 2 250 m, 2 600 m, 2 800 m. Dans les courses avec départ à l'autostart, départ sur 1 ou 2 lignes selon le nombre. **Prix de série :** des reculs gradués de 25 m en 25 m sont imposés aux chevaux ayant gagné, dans leur carrière, le plus d'argent. En général, les 5 ans « rendent » 25 m aux 4 ans, et 50 m aux 3 ans (Uranie ou Amazone rendirent 100 m ; Ozo et Buffet II, 75 m). Les *rendements en fonction de l'âge* varient selon la distance de la course et l'époque.

En général, on court sur les *obstacles* en janvier, en février (à Pau), de mars à juill., un ou deux dimanches en été, puis de sept. à la mi-déc., et en *plat* de févr. à mi-déc. Un galopeur peut participer à des courses de plat et d'obstacles dans une même saison.

Les *chevaux de trot* courent de 2 à 9 ou 10 ans, atteignant leur plénitude vers la 5e année ; les *ch. de galop,* de 2 à 4 ans.

Handicaps. Le handicapeur répartit les chevaux engagés sur des distances diverses, de 12 en 13 m, à son gré. Certains chevaux partiront à 2 600 m, pour égaliser les chances des concurrents, d'autres à 2 612, 2 625, 2 637, 2 650 m.

Quelques définitions

Canter galop d'allure réduite d'un cheval à l'entraînement, ou se rendant au départ sur la piste. **Champ** lot de chevaux disputant une course. **Dead-heat** chevaux classés ex aequo lorsque le juge à l'arrivée n'a pu les départager. **Départ** *trot :* donné aux élastiques tendus en travers de la piste, au signal « partez » on lâche les élastiques ; parfois, donné à l'*autostart :* les chevaux sont rangés derrière les ailes déployées d'une automobile qui, au poteau de départ, démarre à 120 km/h et replie ses ailes d'acier. *Plat :* les chevaux sont rangés dans des stalles de départ qui s'ouvrent toutes ensemble, ou derrière des élastiques qui sont lâchés sur l'ordre du starter. *Obstacles :* le *starting gate* (ensemble d'élastiques) se lève instantanément, sur un déclic du starter. **Distances à l'arrivée** intervalles séparant les chevaux. Mesures utilisées : nez, courte tête, tête, courte encolure, encolure, demi-long., 3/4 de long., 1 long. (de cheval, soit env. 2 m), 1 long. et demie, 2, 2 et demie, 3, 4, 5, 6, 8, 10, 15 et loin (pour tout intervalle supérieur). **Flyer** de « to fly » : voler. Cheval affectionnant les courtes distances (1 000 à 1 400 m).

Jockey *plat,* poids de 46 à 54 kg pour 1,55 m ; *d'obstacles,* jusqu'à 60 kg pour 1,60 à 1,70 m. Pesé avec selle, tapis de selle et collier de chasse (serviette numérotée, œillères, cravache, bride dont font partie muserolle, alliance et martingale, ne sont pas pesées). Pour parfaire le poids qu'il doit porter, le jockey ajoute dans les poches d'un tapis, placé sous la selle, des feuilles de plomb en quantité suffisante ou utilise une selle plus ou moins lourde. N'a pas le droit de parier ni d'accepter de l'argent, comme présent, d'une personne autre que celle qui l'emploie. Sauf s'il est également entraîneur, il ne peut être propriétaire ni en totalité, ni en partie, et sa femme ne peut pas l'être non plus (sauf dérogation).

Jockey Club cercle fondé en France en 1834. Pour y être admis, il fallait être membre de la Sté d'encouragement. En 1840, cette règle fut inversée. Encore maintenant, un certain nombre des membres du Comité de la Sté d'encouragement sont pris parmi les membres du cercle. En Angl., le JC assure l'organisation des courses plates (comme la Sté d'encouragement en Fr.), mais il a confié son secrétariat à une société (Weatherby and Sons). Voir Index.

Juge au départ ou starter donne le départ. S'il décide que le départ est non valable, il lève son drapeau ; le porte-drapeau placé sur la piste à 200 m env. après le départ répète ce geste ; il le maintient levé. Les jockeys doivent alors arrêter leurs chevaux et revenir directement se placer sous les ordres du juge. Celui-ci peut décider qu'un cheval refusant d'entrer dans sa stalle ne prend pas part à la course.

Lads chargés de l'entretien et de l'entraînement des chevaux.

Pari particulier course disputée entre 2 chevaux par convention spéciale entre leurs propriétaires. Assez fréquent au XIXe s. Un des derniers et des plus célèbres opposa, le 19-5-1924 à St-Cloud, Épinard à Sir Gallahad (qui, recevant 5 kg de son adversaire, le battit d'une courte encolure).

Poule de produits épreuve disputée par des chevaux de 3 ans pour laquelle les engagements se font quand le cheval est yearling ; avant 1966, c'était avant la naissance du cheval. *9 courses :* Prix Greffulhe, Hocquart, Noailles, Poule d'essai des poulains, Poule d'essai des pouliches, Prix de Lupin, du Jockey Club, de Diane et Prix St-Alary.

Walk-over quand un seul cheval prend part à l'épreuve par suite du retrait de ses adversaires. Pour être considéré comme vainqueur, il doit effectuer le parcours et remplir les conditions de la course et celles exigées par le Code des courses.

Courses plates en France

Généralités

Réunions (1992). 4 363 courses plates dont 1 284 organisées sur les hippodromes des stés de courses parisiennes : St-Cloud (307), Évry (257), Maisons-Laffitte (252), Longchamp (252), Deauville (149), Chantilly (43), Vichy Sport de France (24), et 3 079 courses sur les 188 hipp. de province (Corse incluse).

Chevaux. Ayant gagné le plus (en F). Carrière complète : *Allez France* (1970 par Sea Bird) 6 254 156

(75). *All Along* (1979 par Targowice) 16 855 476 (83). *Triptych* (1982 par Riverman) 16 920 617 (88). **Dans une même année depuis 1949 : galop 4 ans et au-dessus :** *Triptych* 8 052 844 (87). *Subotica* 5 880 000 (92). *Carroll House* 5 000 000 (89). *Dahlia* 2 877 694 (74). *Sagace* 2 840 000 (84). *Gold River* 2 682 000 (81). **Trot :** *Ouras i* (au 28-1-89) 17 959 895. *Idéal du Gazeau* 1 637 000 (81). *Jorky* 1 532 000 (80). **3 ans :** *Le Glorieux* 9 346 107 (87). *Suave Dancer* 8 082 550 (91). *Trempolino* 8 604 200 (87). *Saumarez* 6 742 250 (90). *Sassafras* 3 277 866 (70). *Youth* 3 108 510 (76). *Sea Bird* 3 012 652 (65). **Femelles :** *Miesque* 7 527 756 (87). *Three Troikas* 2 920 000 (79). **Ayant gagné le plus en 1992 (plat). 2 ans :** *Master Piece* (Piaget) 1 596 000 F, *Zafonic* (Morny, Salamandre) 1 580 000, *Tenby* (Grand Critérium) 1 200 000. **3 ans :** *Polytain* (Jockey Club) 2 768 000, *Jolypha* (Diane, Vermeille) 2 700 000, *Urban Sea* (Piaget) 2 400 000. **4 ans :** *Subotica* (Arc de triomphe) 5 880 000, *Pistolet Bleu* (G P de St-Cloud) 2 150 000, *Vert Amande* (M. de Nieuil) 1 770 000.

■ **Éleveurs (meilleurs de plat). Primes** (en milliers de F). **70** Bon G. de Rothschild 156. **71** Bon F. Dupré et Mme 456. **72** Bon G. de Rothschild 326. **73** id. 398. **74** Marcel Boussac 525. **75** W. Stora 370. **76** Dayton Ltd 668. **77** id. 1 061. **78** J. et P. Wertheimer 865. **79** A. Pfaff 857. **80** A. Head 700. **81** J. et Suc. P. Wertheimer 1 291. **82** SA Aga Khan 1 144. **83** Dayton Ltd 873. **84** id. 873. **85** A. Head et Sté Aland 636. **86** id. 1 063. **87** SA Aga Khan 1 099. **88** J.-L. Lagardère 754. **89** S. Niarchos 845. **90** J.-L. Lagardère 1 212. **91** Wertheimer J. et Frères 1 288. **92** P. de Moussac 1 775, J.-L. Lagardère 1 102, Wertheimer et Frères 916, S. Niarchos 840.

■ **Entraîneurs de plat. Meilleurs gains** (en millions de F). **70** F. Mathet (1908-83) 6,8. **71** id. 7,4. **72** G. Watson 6,8. **73** F. Mathet 8,6. **74** A. Penna 8,3. **75** A. Head 7,3. **76** F. Boutin 8,4. **77** F. Mathet 10,8. **78** F. Boutin 9,1. **79** id. 13,2. **80** id. 10,1. **81** id. 11,1. **82** F. Mathet 13,3. **83** F. Boutin 13,8. **84** id. 16,6. **85** P.L. Biancone 18,4. **86** Mme C. Head 17,8. **87** A. Fabre 19,9. **88** id. 22,8. **89** id. 30,6. **90** id. 23,9. **91** id. 29,7. **92** id. 37, E. Lellouche 19,7, F. Boutin 17,6, J.-C. Roucret 14,7.

Meilleurs entraîneurs en 1992 (nombre de victoires). J.-C. Rouget 222, H.-A. Pantall 157, A. Fabre 140. E. Lellouche 89.

■ **Jockeys de plat. Classement d'après leurs victoires : 70** F. Head 117. **71** id. 132. **72** id. 103. **73** Y. Saint-Martin 117. **74** id. 121. **75** id. 125. **76** id. 109. **77** P. Paquet 108. **78** A. Gibert 116. **79** P. Paquet 116. **80** F. Head 122. **81** Y. Saint-Martin 125. **82** F. Head 137. **83** Y. Saint-Martin 125. **84** F. Head 134. **85** C. Asmussen 148. **86** id. 119. **87** G.-W. Moore 102. **88** C. Asmussen 200. **89** id. 147. **90** id. 140. **91** D. Bœuf 143. **92** T. Jarnet 124.

■ **Propriétaires. Classement d'après les gains** (en millions de F, entre parenthèses, nombre de victoires) : **70** A. Plesch 3,9 (24). **71** Mme F. Dupré 4,1 (39). **72** Mme P. Wertheimer 4,9 (44). **73** D. Wildenstein 8 (87). **74** id. 9,3 (74). **75** S. Wertheimer 7,3 (61). **76** D. Wildenstein 6,1 (42). **77** id. 5,7 (47). **78** J. Wertheimer 7. **79** Aga Khan 6,1 (97). **81** id. 6,9. **82** id. 8,6 (77). **83** S. Niarchos 9,6. **84** id. 11,6. **85** D. Wildenstein 12,9. **86** Aga Khan 8,7 (65). **87** id. 9,4 (52). **88** M^ise^ de Moratalla 7,1 (67). **89** Cheik al-Maktoum 15,8 (61). **90** id. 15,6. **91** D. Wildenstein 14,72. **92** Cheik al-Maktoum 16,9, K. Abdullah 14,2, D. Wildenstein 10,6, S. Niarchos 7,2.

D'après le nombre de victoires : 82 Aga Khan 77, M^ise^ de Moratalla 61, S. Niarchos 58. **83** S. Niarchos 76, M^ise^ de Moratalla 63, S. Khalifa 62. **84** Aga Khan 83, S. Niarchos 71, S. Khalifa 49. **85** S. Niarchos 74, J. Bedel 65, Aga Khan 57. **86** S. Niarchos 73, Aga Khan 61, J. Bedel 53. **87** Aga Khan 52. **88** M^ise^ de Moratalla 67. **89** Cheik al-Maktoum 61, M^ise^ de Moratalla 52, J.-C. Seroul 52, S. Niarchos 40, Aga Khan 38. **90** Cheik al-Maktoum 56. **91** Cheik al-Maktoum 70. **92** Cheik al-Maktoum 98, K. Abdullah 68, C. Gour 50, Aga Khan 43.

■ PRINCIPALES ÉPREUVES

☞ *Légende.* – C : Chantilly ; D : Deauville ; F : courses réservées aux femelles ; L : Longchamp ; M : Marseille ; ML : Maisons-Laffitte ; SC : St-Cloud ; V : Vincennes ; Vic. : Vichy. Distance en m et allocations au premier en 1992 (en milliers de F).

■ **Galop. Courses pour 2 ans :** Gd Critérium (L 1 600) 1 200. P. Morny (D 1 200) 1 000. P. de la Salamandre (L 1 400) 500. P. Marcel Boussac (L 1 600) 800. Critérium de St-Cloud (SC 2 000) 500. **2 ans et au-dessus :** P. de la Forêt (L 1 400) 500. P. de l'Abbaye de Longchamp (L 1 000) 700. **3 ans :** P. du Jockey Club. *Créé* 1836 (C 2 400) 2 500. P. Vermeille (L 2 400) 1 000. P. Lupin (L 2 100) 400. Gd P. de Paris (L 2 000) 1 500. P. Saint-Alary (L 2 000) 400. Poule d'essai des Poulains (L 1 600) 1 000 id. Des Pouliches (L 1 600) 1 000. P. Greffulhe (L 2 100) 250. P.P. Hocquart (L 2 400) 300. P. Noailles (L 2 200) 250. P. Eugène Adam (SC 2 000) 400. P. de Malleret (L 2 400) 300. P. Guillaume d'Ornano (D 2 000) 300. P. de Flore (SC 2 100) 200. P. Pénélope (SC 2 100) 200. **3 ans et au-dessus :** P. de l'Arc de Triomphe (L 2 400) 5 000. Gd P. de Saint-Cloud (SC 2 400) 1 500. P. du Conseil de Paris (L 2 400) 300. P. Royal Oak (L 3 100) 400. Gd P. de Deauville (D 2 700) 500. P. Jean de Chaudenay (SC 2 400) 300. P. Jacques Le Marois (D 1 600) 1 000. P. du Moulin de Longchamp (L 1 600) 900. Gd P. de Marseille (M 2 000) 300. P. Maurice de Nieul (SC 2 500) 400. P. Kergorlay (D 3 000) 250. P. Messidor (ML 1 600) 200. Gd P. de Vichy (Vic. 2 400) 250. Coupe de Maisons-Laffitte (ML 2 000) 200. P. de Royallieu (L 2 500) 300. P. Quincey (D 1 600) 200. P. Fille de l'Air (SC 2 100) 200. P. de Pomone (D 2 700) 250. **4 ans et au-dessus :** P. Ganay (L 2 100) 500. P. du Cadran (L 4 000) 500. P. Dollar (L 1 950) 300. P. d'Harcourt (L 2 000) 250. P. Gontaut-Biron (D 2 000) 200. P. Gladiateur (L 4 000) 220. P. Foy (L 2 400) 200. P. d'Ispahan (L 1 850) 500.

■ **Courses au trot. Pour 4 à 10 ans :** P. d'Amérique (V 2 600) 2 000 au 1er. P. Cornulier (V 2 600) 1 250 au 1er. P. de Paris (V 3 200) 900 au 1er. P. de France (V 2 100) 1 000. **4 à 6 ans :** P. des Centaures (V 2 250) 600. P. de Sélection (V 2 325) 600. **5 ans :** Critérium des 5 ans (V 3 000) 700. P. de Normandie (V 3 000) 700. **4 ans :** Critérium des 4 ans (V 2 800) 800. P. du Pt de la Rép. (V 2 800) 800. **3 à 5 ans :** P. de l'Étoile (V 2 275) 600. P. des Élites (V 2 275) 600. **3 ans :** Critérium des 3 ans (V 2 600) 750. P. de Vincennes (V 2 600) 750.

■ RÉTROSPECTIVES

☞ *Légende.* – Année. Cheval vainqueur. Propriétaire et cote (rapport entre les probabilités de perdre et celles de gagner qu'offre un cheval).

GRAND PRIX DE PARIS (PLAT)

■ **Origine. Palmarès global :** 123 épreuves disputées dep. l'origine (31-5-1863, le poulain anglais « The Ranger », vainqueur, gagna 100 000 F) et remportées par des produits français 91, britanniques 24, américains 6, italien 1, hongrois 1 ; dont 111 par des poulains et 10 par pouliches. 1re grande épreuve internationale fondée en 1863 par la Sté d'encouragement, confrontant ainsi sur une plus longue distance les chevaux qui se sont distingués dans les épreuves classiques du printemps et les stayers. **Jour** dernier dimanche de juin à Longchamp. Pour poulains entiers et pouliches de 3 ans. Poids 56 kg. **Distance** sur 2 000 m dep. 1987. **Prix** 1 500 000 F en 1993.

■ **Gagnants depuis 1970 (cheval et propriétaire). 70** Roll of Honour (Earl A. Scheib) 73/10. **71** Rheffic (Mme F. Dupré) 14/10. **72** Pleben (Bon de Redé) 6/1. **73** Tennyson (F.W. Burmann) 4/1. **74** Sagaro (G.A. Oldham) 47/10. **75** Matahawk (Mme É. Stern) 14/1. **76** Exceller (N.B. Hunt) 4/10. **77** Funny Hobby (Mme Th. Carally) 18/1. **78** Galiani (A. Ben Lassin) 97/1. **79** Soleil Noir (Bon G. de Rothschild) 8/10. **80** Valiant Heart (H. Michel) 18/1. **81** Glint of Gold (P. Mellon). **82** Le Nain jaune (Bon G. de Rothschild). **83** Yawa (E. Holdings). **84** At Talaq (H. Al Maktoum). **85** Sumayr (Aga Khan). **86** Swink (N.B. Hunt). **87** Risk Me (L.H. Norris). **88** Fijar Tango (M. Fustok). **89** Dancehall (T. Wada). **90** Saumarez (B. McNall). **91** Subotica (O.Lecerf). **92** Homme de Loi (P. de Moussac).

Records. Spectateurs 166 654 en 1926 dont pesage 34 445, pavillon 12 552, pelouse 119 657. **Concurrents** *le plus :* 26 (1949), *le moins :* 5 (1864). **Engagements** 914 (1969). **Temps** *le plus rapide sur 3 000 m :* Phil Drake, 1955 (3′8″ 2/5 soit à 54,4 km/h) ; *3 100 m :* Dhaudevi, 1968 (3′18″ 60/100). **Cote** 125/1 (Reine Lumière 1925). **Dotation** Tennyson, 1973, 1 098 200 F. **Victoires** *Écuries :* Blanc 7 vict., Édouard ou Guy de Rothschild 6, Bon A. de Schickler, Dupré 4, Delamarre, Volterra-St-Alary 3. *Entraîneurs :* Mathet 7, Bonaventure 4, Carver, Watson 3, Pollet 2, Fabre 2. *Jockeys* (depuis 1918) : F. Palmer 4 (1950-52-54-55), St-Martin 4 (1965-66-76-85), Poincelet 3 (1957-58-63), Garcia 2 (1956-61), Flavien 2 (1959-61), Head 2 (1968-69), T. Jarnet (1991-92). *Propriétaires ayant gagné 2 années consécutives :* duc de Castries (1884, 85), Edmond Blanc (1891, 92 ; 1895, 96 ; 1903, 04), Bon A. de Schickler (1893, 94), Mme Léon Volterra (1955, 56), F. Dupré (1965, 66).

☞ *Gladiateur* († 1876) qui, en 1865, gagna en Angl. le Derby d'Epsom, les Deux Mille Guinées et le St-Léger et, en France, le Gd Prix de Paris, a sa statue à Longchamp.

PRIX DE L'ARC DE TRIOMPHE (PLAT)

Origine couru pour la 1re fois en 1920. **Jour** 1er dimanche d'oct. à Longchamp. **Distance** 2 400 m. Pour chevaux entiers et juments de 3 ans et au-dessus (les 3 ans portent 3 kg de moins que les + âgés, les femelles 1,5 kg). **Prix** (1992, en F). 5 000 000 + 1 objet d'art, 2 000 000, 1 000 000, 500 000. *Primes aux éleveurs* (en F) : 625 000, 250 000, 125 000, 62 500. **Poids** : 3 ans, 56 kg ; 4 ans et + : 59 kg. En 1992, 182 engagements. Sponsorisé par la chaîne hôtelière italienne Ciga dep. 1987. *Courses rivales :* USA Breeder's Cup Turf (450 000 $ au gagnant) ; Japan Cup.

Gagnants depuis 1970 (cheval et propriétaire). 70 Sassafras (A. Plesch) 19/1. **71** Mill Reef (P. Mellon) 7/10. **72** San San (Ctesse Batthyany) 18/1. **73** Rheingold (R.K. Zeisel) 8/1. **74** Allez France (D. Wildenstein) 15/10. **75** Star Appeal (W. Zeitelhack) 111/1. **76** Ivanjica (J. Wertheimer) 9/1. **77** et **78** Alleged (R. Sangster). **79** Three Troïkas (Mme A. Head) 10/1. **80** Detroit (R. Sangster). **81** Gold River (J. Wertheimer). **82** Akiyda (Aga Khan). **83** All Along (D. Wildenstein). **84** Sagace (D. Wildenstein). **85** Rainbow Quest (K. Abdullah). **86** Dancing Brave (K. Abdullah). **87** Trempolino (P. de Moussac). **88** Tony Bin (Gaucci del Bono). **89** Carroll House (A. Balzarini). **90** Saumarez (McNall). **91** Suave Dancer (H. Chalhoub). **92** Subotica (O. Lecerf).

Records. Engagements. 213 (1986). **Partants** 30 (1967). **Vitesse** 2′26″30 Trempolino (1987). **Rapport** 111/1 (Star Appeal en 75).

Victoires des chevaux. 6 concurrents l'ont emporté 2 fois : Ksar (1921, 22), Motrico (1930, 32), Corrida (1936, 37), Tantième (1950, 51), Ribot (1955, 56), Alleged (1977, 78). *14 pouliches ont gagné :* Pearl Cap (1931), Samos (1935), Corrida (1936, 37), Nikellora (1945), Coronation (1949), la Sorellina (1953), San San (1972), Allez France (1974), Ivanjica (1976), Three Trois Kas (1979), Detroit (1980), Gold River (1981), Akiyda (1982), All Along (1983). *17 concurrents étrangers* ont battu les Français : *G.-B. 1920* Comrade. *75* Star Appeal. *Irl. 23* Parth. *48* Migoli. *58* Ballymoss. *69* Levmoss. *73* Rheingold. *88* Tony Bin. *89* Carroll House. *Italie. 29* Orthello. **33** Crapon. *55-56* Ribot. *61* Molvedo. *USA 71* Mills Reef. *77-78* Allegred. *85* Rainbow Quest. *86* Dancing Brave.

Propriétaire. Épreuves. *A gagné 6 fois :* M. Boussac (en 1936, 37, 42, 44, 46 et 49). **Entraîneurs.** *3 ont gagné 4 fois :* Semblat, Mathet, A. Head. **Jockeys.** *4 ont gagné 4 fois :* Doyasbère, F. Head, Saint-Martin, Eddery. *3 fois :* Semblat, Elliot, Camici-Poincelet, Piggott. *Premiers favoris* ont triomphé 25 fois en 69 épreuves.

PRIX DE DIANE

Origine couru depuis 1843. **Jour** dimanche après le Jockey Club, en juin, à Chantilly. **Distance** 2 100 m. **Prix** 1 400 000 F. **Gagnants depuis 1968 (cheval et propriétaire). 68** Roselière (Mme Bridgland) 138/10. **69** Crepellana (M. Boussac) 91/10. **70** Sweet Mimosa (S. Mc Grath) 23/1. **71** Pistol Packer (Mme A. Head) 4/1. **72** Rescousse (Bon de Redé) 27/2. **73** Allez France (D. Wildenstein) 12/10. **74** Highclere (SM Reine Élisabeth II) 47/10. **75** non couru. **76** Pawneese (D. Wildenstein) 7/2. **77** Madelia (D. Wildenstein) 5/4. **78** Reine de Saba (J. Wertheimer) 3/10. **79** Dunette (Mme Harry A. Love) 10/6. **80** Mrs Penny (E.N. Kronfeld) 5/10. **81** Madam Gay (Kelleway) 11/2. **82** Harbour (Aland) 12/10. **83** Escaline (Mme John Fellows) 11/1. **84** Northern Trick (S. Niarchos). **85** Lypharita (L.T. al-Swaidi). **86** Lacovia (G.-A. Oldham). **87** Indian Skimmer (A. Maktoum). **88** Restless Kara (J.-L. Lagardère). **89** Lady in Silver (A. Karim). **90** Rafha (P^ce^ A. Faisal). **91** Caerlina (K. Nitta). **92** Jolypha (K. Abdullah). **93** Shemaka (Aga Khan).

PRIX DU JOCKEY CLUB (PLAT)

Origine couru depuis 1836, dit aussi Derby français. **Jour** 1er dimanche de juin à Chantilly. **Distance** 2 400 m. Poulains et pouliches de 3 ans. **Prix** 2 500 000 F. **Gagnants depuis 1970 (cheval et propriétaire). 70** Sassafras (A. Plesch) 22/10. **71** Rheffic (Mme F. Dupré) 21/2. **72** Hard to Beat (J. Kashiyama) 36/10. **73** Roi Lear (Mme P. Wertheimer) 11/2. **74** Caracolero (Mme M.-F. Berger) 42/1. **75** Val de l'Orne (J. Wertheimer) 5/2. **76** Youth (N.B. Hunt) 4/1. **77** Crystal Palace (Bon G. de Rothschild) 6/4. **78** Acamas (M. Boussac) 3/1. **79** TopVille (Aga Khan) 3/10. **80** Policeman (F.E. Tinsley) 3/1. **81** Bikala (Ouaki) 20/10. **82** Assert (R. Sangster) 22/10. **83** Caerleon (R. Sangster) 7/4. **84** Darshaan (Aga Khan). **85** Mouktar (Aga Khan). **86** Bering (Mme A. Head). **87** Natroun (Aga Khan). **88** Hours After (Mme de Moratalla). **89** Old Vic (Cheik Al Maktoum). **90** Sanglamore (K. Abdullah). **91** Suave Dancer (H. Chalhoub). **92** Polytain (Mme B. Houillon).

Records. Propriétaires *ayant gagné plusieurs fois :* M. Boussac 11 ; Cte F. de Lagrange 8 ; A. Lupin 6 ; E. Blanc, Bon A. de Schickler 5 ; Lord Seymour,

H. Delamare, A. Aumont, Aga Khan 4 ; E. Martinez de Hoz 3. *Ayant gagné consécutivement :* Lord Seymour (1836-37-38), Bon A. de Schickler (1892-93), H. Delamare (1866-67), A. Lupin (1850-51), Cte F. de Lagrange (1858-59 ; 1878-79 ; 1881-82), Duc de Castries (1883-84), W.K. Vanderbilt (1908-09), M. Boussac (1938-39 ; 1944-45), Aga Khan (1984-85). **Entraîneurs** *ayant compté le plus grand nombre de succès depuis 1900 :* Ch. Stern 6 victoires, F. Mathet, F. Carter 5. **Jockeys** *ayant compté le plus grand nombre de succès dep. 1900 :* G. Stern, Y. St-Martin 6, C. Elliot, Ch. Semblat, F. Head 4. **Chevaux :** *nombre de partants le plus élevé :* 28 en 1942.

Prix d'Amérique (trot attelé)

Origine fondé le 1-2-1920. **De 1920 à 1928,** tous les concurrents partaient de 2 500 m. **1929** 1er rendement de distance de 50 m, appliqué à *Uranie.* **1930** distance de 2 600 m, désormais classique. **1960 et années suivantes :** recul de 25 m pour tout gagnant du P. d'Amérique à Vincennes ; de 50 m pour tout cheval ayant gagné plusieurs fois l'épreuve. **1965** suppression des rendements de distance. **1985** distance de 2 650 m. **Jour** dernier dimanche de janvier, à Vincennes. **Chevaux** 4 à 10 ans. **Prix (en 1993)** 4 000 000 de F dont 2 000 000 au 1er. **Gagnants depuis 1970 (cheval et propriétaire). 70** Toscan (P. de Montesson). **71,72** Tidalium Pelo (Roger Lemarié). **73** Dart Hanover (écurie Fläkt). **74** Delmonica Hanover (D. Miller). **75,76,77** Bellino II (M. Macheret). **78** Grandpré (P.-D. Allaire). **79** High Echelon (P. de Senneville). **80** Eléazar (A. Weisweiller). **81** Idéal du Gazeau (P.-J. Morin). **82** Hymour (J.-P. Dubois). **83** Idéal du Gazeau (P.J. Morin). **84** Lurabo (M. Macheret). **85** Lutin d'Isigny (M.-G. Cornière). **86, 87, 88** Ourasi (R. Ostheimer). **89** Queila Gédé (R. Baudron). **90** Ourasi (R. Ostheimer) en 1′ 15″ 2/10 (record). **91** Ténor de Bauné (J.-B. Bossuet). **92** Verdict Gédé (G. Dreux). **93** Queen L (Écurie Ringen).

Records. Propriétaires ayant gagné plusieurs fois : H. Levesque 5 ; Cte Orsi Mangelli, M. Macheret, R. Ostheimer 4 ; F. Vanackère, H. Céran-Maillard 3 ; Mme Vanlandeghem, S. Karle, L. Olry-Roederer, J. Cabrol, A.-V. Bulot, D. Palazzoli, R. Massue, R. Lemarié, P.-J. Morin.

Jockeys ayant gagné 8 fois : J.-R. Gougeon (1966, 68, 75, 76, 77, 86, 87, 88), **6 fois :** A. Finn (24, 35, 37, 38, 39, 51), **3 fois :** V. Capovilla (26, 27, 28), R. Céran-Maillard (45, 46, 55), Ch. Mills (34, 56, 57), J. Fromming (64, 65, 74), M.-M. Gougeon (70, 84, 90). **2 fois :** Th. Monsieur (20, 21), Th. Vanlandeghem (30, 33), O. Dieffenbacher (31, 32), Riaud (58, 59), J. Mary (71, 72), J.-P. Dubois (79, 82), E. Lefèvre (81, 83).

Chevaux ayant gagné 4 fois : Ourasi (1986, 87, 88, 90). **3 fois :** Uranie (26, 27, 28), Roquépine (66, 67, 68), Bellino II (75, 76, 77). **2 fois :** 14. **Ayant gagné la même année le P. de Cornulier** *(monté, 2 600 m)* **et le P. d'Amérique** *(attelé, 2 600 m) :* Venutar (1949), Masina (1961), Tidalium Pelo (1972), Bellino II (1975-76) ; **les 3 Grands Internationaux** *(créés en 1956, au trot attelé) :* Gélinotte (1956, 57), Jamin (1959), Bellino II (1976). **Vitesse :** Ourasi (mâle, 10 ans) 1′15″ 2/10 (1990).

Courses d'obstacles en France

☞ *Légende.* – A : Auteuil. E : Enghien. Distance en m et allocations au premier en 1992 (en milliers de F).

Steeple-chases

Courses pour 5 ans et plus Gd Steeple-ch. de Paris (A 5 800) 1 000. P. du Pt de la Rép. (A 4 700) 600. P. La Haye-Jousselin (A 5 500) 600. P. Montgomery (A 4 700) 500. P. Georges Courtois (A 4 400) 500. P. Murat (A 4 400) 450. P. Hennessy (A 4 300) 280. P. Ingré (A 4 400) 350. P. R. Clermont-Tonnerre (A 4 300) 300. P. Troytown (A 4 400) 350. P. des Drags (A 4 300) 240. P. Lutteur III (A 4 300) 300. **4 ans et plus** Gd Steeple-ch. d'Enghien (E 5 000) 450. **4 ans** P. Maurice Gillois (Gd Steeple-ch. des 4 ans) (A 4 400) 500. P. Ferdinand Dufaure (A 4 100) 450. P. Jean Stern (A 4 100) 400. P. James Hennessy (A 4 100) 230. P. Duc d'Anjou (A 3 500) 280. P. Triquerville (A 4 100) 230. P. Fleuret (A 4 100) 280. P. Morgex (A 4 100) 260. **3 ans** P. Congress (A 3 500) 240.

Courses de haies

Courses pour 5 ans et + Gde C. de H. d'Auteuil (A 5 100) 400. P. Maréchal Vaillant (A 4 100) 180. P. J. Granel (A 4 100) 220. P. de la Croix Dauphine (A 3 600) 230. P. Juigné (A 3 600) 250. P. L. Rambaud (A 4 100) 320. P. Hypothèse (A 3 900) 300. P. A. Masséna (A 4 100) 180. P. Mortemart (A 4 300) 200. P. P[ce] d'Écouen (A 4 100) 220. **4 ans et +** Gd Prix d'Automne (A 4 100) 350. G[de] C. de H. de Printemps (A 4 100) 350. P. Léon Olry-Roederer (A 4 300) 400. P. Chakhansoor (A 3 600) 240. P. Léopold d'Orsetti (G[de] C. de haies d'Enghien 3 800) 250. **4 ans** P.R. du Vivier-G[de] C. de haies des 4 ans (A 4 100) 500. P. Gérald de Rochefort (A 3 900) 320 P. G. de Pracomtal (A 3 900) 280. P. Alain de Goulaine (A 3 600) 180. P. Amadou (A 3 900) 360. P. J. d'Indy (A 3 600) 200. P. C. de Tredern (A 3 600) 220. P. M. Antony (A 3 600) 200. **Course de haies d'été des 4 ans** P. A. du Breil (A 3 900) 300. **3 ans** P. Cambacérès (G. C. de haies des 3 ans) (A 3 600) 350. P. G. de Talhouet-Roy (A 3 600) 300. P. Fifrelet (A 3 600) 270. P. Wild Monarch (A 3 000) * 150. P. Finot (A 3 500) * 150.

Nota. – * poulains, ** pouliches.

Grand Steeple-chase de Paris

Origine. Couru dep. 1901. *Jour :* mi-juin à Auteuil. **Chevaux** de 5 ans et plus. **Distance** 6 500 m jusqu'en 1980, dep. 81 : 5 800 m. **Montant** (93) 1 000 000 de F. **Gagnants** propriétaire et cote. **70** Huron (M. B. Larrousé) 11/10. **71** Pot d'Or (M. R. Weill) 14/10. **72** Morgex (Mme M. Marie) 82/10. **73** Giquin (Mme M.F. Berger) 7/1. **74** Chic Type (M.G. Murray) 41/4. **75** Air Landais (Mme M.-C. Frolich) 45/2. **76** Piomarès (M.J. Kaida) 11/1. **77** Corps à Corps (Bon Thierry de Zuylen de Nyevelt). **78** Mon Filleul (M. J.C. Weill) 76/10. **79** Chinco (M.-G. Campanella) 13/2. **80** Fondeur (Albert Bézard) 26/10. **81** Isopani (M.P. David) 8/1. **82** Metatero (G. Margogne) 5/1. **83** Jasmin II (M. Thibault) 5/2. **84** Brodi Dancer (Mme C. Diallo) 96/10. **85** Sir Gain (Mme L. Belotti) 8/10. **86** Otage du Perche (M. Lamotte d'Argy) 82/10. **87** Oteuil SF (Mme R. Saulais) 6/4. **88, 89, 90** Katko (P. de Montesson). **91** The Fellow (M[ise] de Moratalla). **92** El Triunfo (Mme M. Montauban). **93** Ucello I (M[ise] de Moratalla).

Statistiques

Propriétaires. Classement selon les gains (en F). **90** M[ise] de Moratalla 4 716 375, **91** id. 6 149 437. **92** id. 5 295 625, J.-C. Evain 4 664 562, D. Wildenstein 4 654 125.

Éleveurs (meilleurs). Primes (en F). **90** B. Cyprès 437 687. **91** Vte de Soultrait 386 512. **92** N. Pelat 337 991, M. Bourgneuf 332 281, B. Boutboul 328 836.

Jockeys. 90 Ch. Pieux 66 victoires. **91** Ph. Chevalier 98. **92** Ch. Pieux 66.

Entraîneurs (meilleurs). Gains (en F). **90** J.-P. Gallorini 17 584 872. **91** id. 24 935 810. **92** id. 23 421 814.

Chevaux (ayant gagné le plus dans l'année) (en F). **90** Ucello II 1 998 750. **91** Ubu III 1 840 000, The Fellow 1 790 000, Rose or No 1 520 000. **92** Kadalko 1 850 000.

Quelques hippodromes de province

Statut. 265 hippodromes ont fonctionné en 1991 [2 170 réunions (Paris 469, province 1 701]. Amiens (Somme) [1]. Angers (M.-et-L.) [2]. Argentan (Orne) [2]. Avignon (Vaucl.) [3]. Bordeaux (Gironde) [2]. Caen (Calv.) [5]. Cagnes (A.-M.) [2]. Carpentras (Vaucl.) [1]. Cavaillon (Vaucl.) [6]. Clairefontaine-Deauville (Calv.) [3]. Compiègne (Oise) [3]. Craon (May.) [3]. Dax (Landes) [2]. Dieppe (S.-Mar.) [3]. Divonne-les-Bains (Ain) [2]. Durtal (M.-et-L.) [3]. Feurs (Loire) [3]. Fontainebleau (S.-et-M.) [3]. Hyères (Var) [2]. La Capelle (Aisne) [2]. Le Croisé-Laroche (Nord) [2]. Le Lion d'Angers [3]. Le Touquet (P.-de-C.) [3]. Limoges (Hte-V.) [12]. Lyon (Rhône) [2]. Marseille (B.-du-Rh.) [2]. Mont-de-Marsan (Landes) [2]. Nancy (M.-et-M.) [2]. Nantes (L.-Atl.) [3]. Nort-sur-Erdre (L.-Atl.) [2]. Pau (Pyr.-Atl.) [11]. Pompadour (Corrèze) [10]. Pornichet-La Baule (L.-Atl.) [2]. Rambouillet (Yv.) [3]. Reims (Marne) [7]. Rouen (S.-Mar.) [2]. Royan-La Palmyre (Ch.-Mar.) [2]. Saint-Malo (I.-et-V.) [3]. Strasbourg (B.-Rh.) [2]. Tarbes (H.-Pyr.) [9]. Toulouse (H.-Gar.) [2]. Verrie-Saumur (M.-et-L.) [2]. Vichy (Allier) [3].

Principales spécialités. P : Plat. O : Obstacles. T : Trot. E : Centre d'entraînement.

Nota. – (1) PT. (2) POTE. (3) POT. (4) PO. (5) T. (6) PTE. (7) T. (8) P. (9) O. (10) POE. (11) OE. (12) TE.

Courses de chevaux à l'étranger

☞ *Légende.* – (1) Principales courses plates. (2) Juments. F : course réservée aux juments.

■ **Allemagne** [1]. **Baden-Baden** *Grosser Preis von Baden,* 3 ans et +, 2 400 m, 300 000 DM. **Cologne** *Preis von Europa,* 3 ans et +, 2 400 m, 260 000 DM. **Dortmund** *Deutsches St Leger,* 3 ans, 2 800 m, 120 000 DM. **Düsseldorf** *Grosser Preis von Berlin,* 3 ans et +, 2 400 m, 200 000 DM. **Gelsenkirchen** *Aral-Pokal,* 3 ans et +, 2 400 m, 235 000 DM. **Hambourg** *Deutsches Derby* (1869), 3 ans, 2 400 m, 230 000 DM. **Mulheim** *Preis der Diana,* 3 ans (femelles), 2 200 m, 175 000 DM.

■ **Australie** [1]. **Sydney** *AJC Derby* (1861) 3 ans, 2 400 m, *AJC Doncaster Handicap* (1866) 3 ans et +, 1 600 m, *Sydney Cup* (1866) 3 ans et +, 3 200 m, *AJC Epsom Handicap* (1868) 3 ans et +, 1 600 m. **Melbourne** *Caulfield Cup* (1879) 3 ans et +, 2 400 m, *Melbourne Cup* (1851) 3 ans et +, 3 200 m. *Victoria Derby* (1855) 3 ans, 2 500 m.

■ **États-Unis** [1]. **Aqueduct** *Wood Memorial,* 3 ans, 1 800 m, 500 000 $. **Belmont** *Belmont Stakes* (1867), 3 ans, 2 400 m, 350 000 $. *Coaching Club American Oaks,* F 3 ans, 2 400 m, 250 000 $. *Woodward,* 3 ans et +, 1 800 m, 500 000 $. *Man O'War,* 3 ans et +, 2 200 m, 500 000 $. *Jockey Club Gold Cup,* 3 ans et +, 2 400 m, 1 000 000 de $. **Churchill Dows** *Kentucky Derby* (1875), 3 ans, 2 000 m, 350 000 $. **Hialeah** *Flamingo,* 3 a., 1 800 m, 250 000. **Pimlico** *Preakness Stakes* (1873), 3 ans, 1 900 m, 350 000 $. **Santa Anita** *SA Derby,* 3 ans, 1 800 m, 500 000 $. **Woodbine** *Rothman International,* 3 ans et +, 2 400 m, 750 000 $.

Nota. – 9 chevaux ont remporté aux USA la Triple Couronne en gagnant le Kentucky Derby, le Preakness Stakes et le Belmont Stakes. En trot attelé, Lutin d'Isigny (Fr.) est champion du monde depuis 1984 et a remporté en 1985 la Challenger Cup.

■ **Grande-Bretagne. PRINCIPALES COURSES PLATES : Ascot Heath** *King George VI and Queen Elizabeth Diamond Stakes* (1951), 3 ans et +, 2 400 m, 300 000 £. **Doncaster** *St Leger Stakes* (1776), 3 ans, 2 800 m, 150 000 £. **Goodwood** *Sussex Stakes,* 3 ans et +, 1 600 m, 125 000 £. **Newmarket** *2 000 Guineas Stakes* (1809), 3 ans, 1 600 m, 120 000 £. *1 000 Guineas Stakes* (1814), 3 ans, 1 600 m, 120 000 £. **Royal Ascot** *Gold Cup* (1807), 3 ans et +, env. 4 000 m, 1 Coupe de 750 £ + 140 000 £. *Juddmont International,* 3 ans et +, 2 000 m, 200 000 £.

PRINCIPALE COURSE D'OBSTACLES : Liverpool *Grand National* (Steeple-chase 7 200 m). 80 000 £. Couru depuis 1837. Début avril, réservé aux 7 ans et +, 7 220 m, 30 obstacles [dont le Beecher's Book (vitesse record 9′20″2 en 1935, hauteur côté enlever 1,60 m, côté réception 2,40 m, largeur 4 m fossé compris)]. 1er cheval français gagnant : Lutteur III (à James Hennessy, 1909). Il y eut 66 partants en 1929. En 1911, un seul concurrent sur 26 termina la course ; en 1951, 3 sur 36 firent la course sans chute. **Résultats dep. 1940** Bogskar. **41 à 45** non couru. **46** Lovely Cottage. **47** Caughoo. **48** Sheila's Cottage [2]. **49** Russian Hero. **50** Freebooter. **51** Nickel Coin [1]. **52** Teal. **53** Early Mist. **54** Royal Tan. **55** Quare Times. **56** ESB. **57** Sundew. **58** Mr What. **59** Oxo. **60** Merryman II. **61** Nicolaus Silver. **62** Kilmore. **63** Ayala. **64** Team Spirit. **65** Jay Trump. **66** Anglo. **67** Foinavon. **68**

Derby d'Epsom *Fondé* 1780 par le 12e Cte de Derby). *Chevaux :* 3 ans. *Distance :* 2 400 m. *Prix* 600 000 £. *Jour :* 1er mercredi de juin. *Gagnant :* 1re année (1780) : Diomed (à sir Charles Bunbury). 1er cheval français : Gladiateur (1865), 2e : Pearl Diver (au Bon de Waldner) (1948). Le 7-6-1913, Miss Emily Davidson, suffragette, se jeta sous un cheval et mourut de ses blessures. **Records :** 56,42 km/h (2 413 m en 2″33′8) par Mahmoud (à l'Aga Khan) qui gagna à 100 contre 8 en *1936.* 2″33′9 Reference Point en 1987. **Résultats dep. 1940 : 1940** Pont l'Évêque [1]. **41** Owen Tudor [1]. **42** Walting Street [1]. **43** Straight Deal [1]. **44** Ocean Swell [1]. **45** Dante [1]. **46** Airbone [1]. **47** Pearl Diver [2]. **48** My Love [2]. **49** Nimbus [1]. **50** Galcador [2]. **51** Arctic Prince [1]. **52** Tulyar [3]. **53** Pinza [1]. **54** Never Say Die [1]. **55** Phil Drake [2]. **56** Lavandin [2]. **57** Crepello [1]. **58** Hard Ridden [3]. **59** Parthia [1]. **60** St Paddy [1]. **61** Psidium [1]. **62** Larkspur [3]. **63** Relko [2]. **64** Santa Claus [3]. **65** Sea Bird II [2]. **66** Charlottown [1]. **67** Royal Palace [1]. **68** Sir Ivor [3]. **69** Blakeney [1]. **70** Nijinsky [4]. **71** Mille Reef [4]. **72** Roberto [4]. **73** Morston [1]. **74** Snow Knight [1]. **75** Grundy [1]. **76** Empery [4]. **77** The Minstrel [1]. **78** Shirley Heights [1]. **79** Troy [3]. **80** Henbit [1]. **81** Shergar [5]. **82** Golden Fleece [4]. **83** Teenoso [4]. **84** Secreto [4]. **85** Slip Anchor. **86** Shahrastani [4]. **87** Reference Point [1]. **88** Kahgasi [4]. **89** Nashwan [4]. **90** Quest for Fame [1]. **91** Generous [3]. **92** Dr. Devious.

Nota. – Pays de naissance du cheval : (1) G.-B. (2) Fr. (3) Irl. (4) USA. (5) Pakistan.

Red Alligator. **69** Highland Wedding. **70** Gay Trip. **71** Specify. **72** Well to do. **73, 74** Red Rum. **75** L'Escargot. **76** Rag Trade. **77** Red Rum. **78** Lucius. **79** Rubstic. **80** Ben Nevis. **81** Aldaniti. **82** Grittar. **83** Corbières. **84** Hallo Dandy. **85** Last Suspect. **86** West Tip. **87** Maori Venture. **88** Rhyme « N » Reason. **89** Little Polveir. **90** Mr. Frisk. **91** Seagram. **92** Party Politics.

AUTRES COURSES : **Cheltenham** *The Waterford Crystal Champion Hurdle Challenge Trophy,* c. de h., 60 000 £. *The Queen Mother Champion Steeple-Chase,* s.-c., 35 000 £. *The Sun Alliance,* s.-c., 35 000 £. *The Tote Cheltenham Gold Cup Steeple-Chase,* s.-c., 85 000 £. **Kempton** *King George VI,* s.-c., 72 000 £.

■ **Irlande** [1]. **Curragh** *The Irish 1 000 Guineas* (1922), F 3 ans, 1 600 m, 200 000 £ au moins. *The Irish 2 000 Guineas* (1921), 3 ans, 1 600 m, 220 000 £ au moins. *The Irish Derby* (1866), 3 ans, 2 400 m, 600 000 £. *The Irish Oaks* (1895), F 3 ans, 2 400 m, 200 000 £. *The Irish St Leger* (1916), 3 ans, 2 800 m, 150 000 £ au moins.

■ **Italie** [1]. **Derby Italiano** (1884) 3 ans, 2 400 m, 400 millions de lires. **Gran Premio d'Italia** 3 ans, 2 400 m, 170 millions de lires. **Gran Premio del Jockey Club** (1921) 3 ans et +, 2 400 m, 350 millions de lires. **Gran Premio di Milano** (1924) 3 ans et +, 2 400 m, 250 millions de lires. **Oaks d'Italia** 3 ans (femelles), 2 200 m, 170 millions de lires. **Premio del Presidente della Reppublica** 3 ans et +, 2 000 m, 110 millions de lires. **Premio Roma** 3 ans et +, 2 000 m, 170 millions de lires.

HOCKEY SUR GAZON

GÉNÉRALITÉS

Nom. Mot anglais signifiant *crosse.* Viendrait de l'ancien français *hocquet,* bâton crochu, houlette de berger.

Histoire. Antiquité jeux de crosse connus. **Perse** on joue au *tchangon* à pied ou à cheval. **Moyen Age** on joue en G.-B. et France. **Vers 1880** codification en G.-B. **1908** inscrit aux JO (messieurs seulement). **1920**-*13-11* Féd. fr. de hockey créée. **1924** *7-1* Féd. internat. créée.

HOCKEY EN PLEIN AIR

■ RÈGLES

Équipes. 2 de 11 joueurs ou joueuses (et 5 remplaçants). **Équipement.** *Balle :* en plastique, de différentes couleurs, 156 à 163 g, 22,4 à 23,5 cm de circonférence. *Crosse ou stick :* surface plate sur le côté gauche, 340 à 790 g, dimension telle qu'elle pourra passer dans un anneau de 5,10 cm de diam. *Tenue :* chemise, short, bas, chaussures à crampons. Jupe obligatoire pour les femmes. Les gardiens peuvent porter plastron, guêtres, sabots, gants, casque, masque, protège-coudes.

Terrain. 91,40 m *(ligne de côté)* × 55 m *(ligne de but).* Partagé en 2 par la *ligne du centre.* A 22,90 m des lignes de but, *lignes des 22,90 m. 2 buts* de 3,66 m de large, 2,14 m de haut, 1,20 m de profondeur à la base et 91 cm au sommet. Munis de filets et d'une planche de but de 46 cm de haut pour arrêter la balle. Devant chaque but, demi-cercle de 14,63 m de rayon appelé *cercle d'envoi.*

Jeu. 2 périodes de 35 minutes, séparées par un repos de 5 à 10 min. Mise en jeu au centre du terrain, passe en retrait à un partenaire. Un but est marqué lorsque la balle franchit les poteaux verticaux et horizontaux du but, et si elle a été frappée par un joueur attaquant avec sa crosse à l'intérieur du cercle d'envoi. Chaque joueur doit avoir sa crosse en main. La balle ne peut être stoppée intentionnellement par une partie quelconque du corps. Il est défendu de tenir la crosse d'un adversaire, de l'attaquer par la gauche, à moins de jouer la balle. Le gardien de but est autorisé à jouer la balle avec son corps uniquement dans sa zone. *2 corners :* le grand (déviation involontaire du défenseur dans ses 22 m) et le petit (faute volontaire dans ses 22 m ou involontaire dans la zone). L'obstruction est interdite. Les actions brutales sont sanctionnées. Toute faute volontaire d'un défenseur dans le cercle et toute faute involontaire sur tir au but est sanctionnée par un *penalty-stroke* tiré à 6,40 m du centre du but. Pour ne pas être hors jeu, l'attaquant doit se trouver avant la ligne des 22 m adverse, sinon avoir la balle devant lui ou en contrôle, ou avoir 2 adversaires entre lui et la ligne de but adverse. Toute faute non sanctionnée par un penalty, petit corner ou grand corner, est sanctionnée par un coup franc.

Sur petit corner, le gardien ne peut se coucher avant le 1er tir de l'attaquant adverse. Interdiction du *chip* (longue balle aérienne). Le gardien peut dégager la balle avec la crosse sans limitation de hauteur.

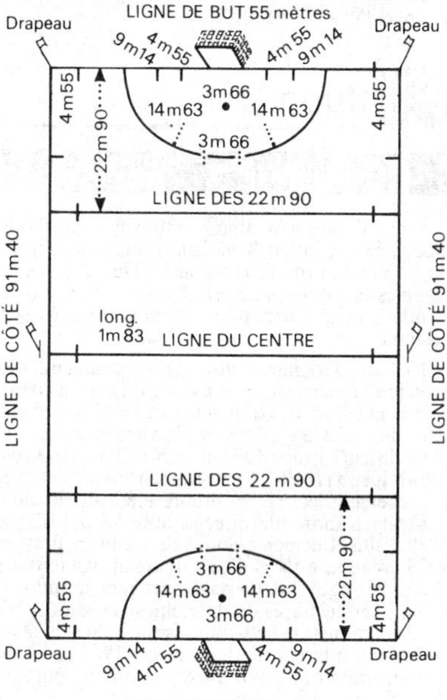

■ RÉSULTATS

☞ *Légende.* (1) Espagne, (2) All. féd., (3) G.-B., (4) P.-Bas, (5) ex-URSS.

■ **Jeux olympiques.** Voir p. 1544.

■ **Coupe du monde. Messieurs.** *Créée* 1971. **71** Pakistan, **73** P.-Bas, **75** Inde, **78, 82** Pakistan, **86** Australie, **90** P.-Bas. **Dames** (Trophée Josselin de Jong). *Créée* 1974. **74** P.-Bas, **76** All. féd., **78** P.-Bas, **81** All. féd., **83, 86, 90** P.-Bas., **91** All.

■ **Championnats d'Europe.** Tous les 4 ans. **Messieurs.** *Créés* 1970. **70** All. féd., **74** Espagne, **78** All. féd., **83, 87** P.-Bas. **Dames.** *Créés* 1984. **84, 87** P.-Bas. **Dep. 87** non disp.

■ **Coupe d'Europe. Messieurs.** *Créée* 1970. **70** All. féd., **74** Espagne, **76** All. féd., **78** All. féd., **83, 87** P.-Bas, **91** All. **Dames.** *Créée* 1975. **75** Berlin, **77, 81** All. féd., **84, 87** P.-Bas, **91** Angleterre.

■ **Coupe d'Europe des clubs champions. Messieurs.** *Créée* 1969. **69, 70** Club Egara Tarrasa [1], **71, 72, 73, 74, 75** Francfort [2], **76, 77, 78** Southgate [3], **79, 81** HC Klein Zwitserland [4], **80** Slough HC [3], **81** Klein Zwitserland [4], **82, 83** Alma Ata [5], **84** Frankental [2], **85** Atletico Tarrasa [1], **86** Kampong Utrecht [4], **87** Bloemendaal [4], **88, 89, 90, 91, 92, 93** Uhlenhorst Mülheim [2]. **Dames.** *Créée* 1974. **74** Harvestchuder Hambourg [2], **75, 76, 77, 78, 79, 80, 81, 82** AHBC Amsterdam [4], **83** HGC La Haye [4], **84, 85, 86, 87** HGC Wassenaar [4], **88, 89, 90** Amsterdam [4], **91** HGC La Haye [4], **92** Amsterdam [4]. **93** Russelheim [2].

■ **Coupe des vainqueurs de coupes. Messieurs. 90** Hounslow [3]. **92** HGC La Haye [4]. **Dames. 92** Sutton [3].

■ **Coupe intercontinentale. Messieurs** (Trophée Air Marshall Nur Khan). *Créée* 1977. **77** Pologne, **81** URSS, **85** Espagne, **89** P.-Bas. **Dames.** *Créée* 1983. **83** Irlande, **85** URSS, **89** Corée du S.

■ **Championnat de France. Messieurs.** *Créé* 1899. **80** FC Lyon, **81, 82** Amiens SC, **83** Racing Club de France, **84** Lille HC, **85** RCF, **86, 87, 88, 89** Amiens SC, **90, 91, 92, 93** RCF. **Dames.** *Créé* 1923. **80, 81, 82** Stade français, **83** Amiens SC, **84, 85, 86, 87, 88, 89, 90, 91, 92** Stade fr. **93** Amiens SC.

■ **Coupe de France. Messieurs.** *Créée* 1933. **84** Amiens SC, **85** Lille HC, **86** CA Montrouge, **87** Lille HC, **88** Amiens SC, **89** RCF, **90, 91, 92** Lille HC. **93** CA Montrouge.

■ **Joueurs français internationaux ayant le plus de sélections. Messieurs.** Bruno Delavenne 149, Stéphane Mordac 128, Patrick Burtschell 125, Christophe Delavenne 116, Franck Chirez 110, Christian Barrière 110, Martin Catonnet 106, Georges Liagre 103, Gilles Verrier 98, Alain Tetard 89, Claude Windal 89. **Dames.** Blandine Delavenne 111, Anne-B. Busschaert 102, Sophie Etchepare 89, Sophie Llobet 86, Marie-Ange Prabel 83, Carole Teffri 83, Letitia Doutiraux 55, Mary-Line Hatté 55, Sophie Lejossec 52.

HOCKEY EN SALLE

■ GÉNÉRALITÉS

Origine. Apparu vers 1950 pour pouvoir jouer en hiver. Règles fixées le 3-2-1952 par les Allemands, Danois et Autrichiens. **Terrain** 36 à 44 m × 18 à 22 m. Sur les longueurs, planche de 10 cm sur 10 cm légèrement inclinée pour renvoyer la balle. Séparé en 2 par la ligne médiane. *Buts :* 3 m de large, 2 m de haut avec filets. En face de chacun, cercle d'envoi de 9 m de rayon. **Équipement** balle et crosse, voir Hockey en plein air. Tenue idem : pas de chaussures à crampons. **Jeu** 2 périodes de 20 min séparées par un repos de 5 à 10 min. *Règles* à peu près semblables à celles du h. en plein air ; shoot interdit ; pas de hors-jeu.

■ RÉSULTATS

■ **Coupe d'Europe. Messieurs.** *Créée* 1974. **74, 76, 80, 84, 88, 90** All. féd. **91** All. **Dames.** *Créée* 1975. **75, 77, 81, 85, 88, 90** All. féd. **93** All.

■ **Championnat de France. Messieurs.** *Créé* 1968. **68** FC Lyon. **69** Lyon OU. **70, 71** Lille HC. **72** Lyon OU. **73** Stade fr. **74** Lille HC. **75** Stade fr. **76** Cambrai HC. **77** CA Montrouge. **78** Stade fr. **79** Lille. HC **80** FC Lyon. **81** Lille HC. **82, 83** Amiens SC. **84** RCF. **85** Lille HC. **86, 87, 88, 89** Amiens SC. **90** CA Montrouge. **91** Amiens SC. **92** Lille HC. **93** CA Montrouge.

Dames. *Créé* 1972. **72** SA Mérignac. **73** Stade fr. **74, 75** FC Lyon. **76, 77, 78** La Baumette d'Angers. **79, 80** Stade fr. **81** La Baumette d'Angers. **82** Amiens SC. **83** St-Malo. **84, 85** Amiens SC. **86** Stade fr. **87, 88** Amiens SC. **89** Stade fr. **90, 91, 92, 93** Amiens SC.

HOCKEY SUR ROULETTES

■ GÉNÉRALITÉS

Origine. V. 1880 créé en G.-B. [rink (ou roller) hockey]. **1913** 1res règles. **1992** sport de démonstration aux JO. **Patinoire** 17 à 20 m × 34 à 40 m, entourée d'une barrière de 20 cm de haut. 2 *buts* de 1,55 m de large, 1,05 m de haut et 91 cm de prof. Devant les buts, lignes des 60 cm, et à 5,50 m, ligne délimitant le rectangle de la zone de penalty. Au milieu du terrain, ligne médiane divisée en 2 par le point centre. **Joueurs** 2 équipes de 5 patineurs dont un gardien de but et 5 remplaçants. Ils portent des *patins* à roulettes et des *crosses* (max. 540 g, 91 à 1,14 m de long, 5 cm de diam.). Protège-genoux autorisés pour tous, de plus, le gardien peut avoir casque, masque et gants. **Balle** 165 g, circonférence 23 cm. **Jeu** 2 périodes de 20 min séparées par une pause de 3 min. Il faut marquer des buts en maniant la balle avec la crosse ; on peut arrêter la balle avec tout le corps sauf avec les mains. **Record** *durée :* 108 h (Eckard, Australie, 1913). *Vitesse :* 70 km/h.

■ RÉSULTATS

■ **Championnats du monde. Groupe A. Messieurs.** *Créés* 1936. Tous les 2 ans. Dep. 89, années impaires. **80** Espagne, **82** Portugal, **84** Argentine, **86, 88** Italie, **89** Espagne.

■ **Championnats d'Europe. Messieurs.** *Créés* 1926. **81, 83, 85** Espagne, **87** Portugal, **90** Italie, **92** Portugal. **Dames.** *Créés* 1989. **89** P.-Bas.

■ **Championnats de France. 91, 92** St-Omer.

HOCKEY SUR GLACE

GÉNÉRALITÉS

Origines *pour certains Européens,* dérivé du jeu de « la crosse » (XIIIe s.) d'origine française, transformé par les Hollandais en « Ken Jaegen » ; *pour les Nord-Américains,* dérivé du *bandy,* inventé par les Indiens Hurons sur le lac Ontario ; *pour les Anglo-Saxons,* dérivés du *shinney* (anglais), du *shinty* (écossais) ou du *hurley* (irlandais). **1855** 1re ligne de hockey sur glace à Kingston (Ontario). **1894** 1er club fr. Hockey club de Paris. **1908** Ligue internat. créée. **1942** Fédération fr. créée.

Joueurs USA 2 300 000, Canada 2 000 000 dont 90 000 licenciés au Québec, ex-URSS 650 000, Tchéc. 120 000 licenciés, *France 11 000 licenciés.*

Patinoire 26 à 31 m sur 56 à 61 m. *Buts :* haut. 1,22 m, largeur 1,83 m.

Équipement *crosse :* 135 cm (maximum du talon au bout du manche et 37 cm max. du talon au bout de la lame). *Palet* (ou *puck* ou *rondelle*) : caoutchouc vulcanisé, 170 g, disque de 2,54 cm d'épaisseur et de 7,62 cm de diamètre ; peut atteindre 190 km/h. *Masque :* sur le gardien de but, *casque* obligatoire pour tous les joueurs. *Protection faciale* obligatoire en France jusqu'aux juniors. *Coût :* équipement hockeyeur 700 à 2 500 F, gardien de but 6 000 à 7 500 F. **Équipe.** 20 joueurs au max., mais chaque équipe n'en a que 6 à la fois sur la glace : 1 gardien de but, 2 arrières et 3 avants qui peuvent se faire remplacer à n'importe quel moment. Changement à peu près toutes les 1 ou 2 min, de préférence à l'occasion d'un arrêt de jeu. Le *joueur le plus rapide* (l'Américain Bobby Hull, n. 1939) a atteint 44,7 km/h. **Match.** 3 périodes de 20 min, déduction faite des arrêts de jeu. Jugé par 1 arbitre, 2 juges de lignes et 1 chronométreur.

Jeu de sa zone de défense, l'équipe A peut pratiquer la passe en avant jusqu'à la ligne rouge sans encourir de faute. Si un joueur se trouve au-delà de la ligne rouge quand il reçoit le palet qui vient de sa zone de défense, il est *hors jeu.* Dans la *zone neutre,* passes autorisées sans tenir compte de la ligne rouge. Dans la *zone d'attaque,* le palet doit pénétrer le premier. Si un joueur se trouve dans cette zone avant de recevoir le palet, il est hors jeu. *Dégagement interdit :* l'arbitre ne siffle cette faute que lorsque l'équipe à la défense touche le palet la première. Tout *shoot* (lancer) doit être effectué après la ligne rouge, sinon le shoot est considéré comme un dégagement interdit, sauf si le palet passe dans la zone de but.

Les arbitres arrêtent le jeu quand il y a : hors-jeu de ligne rouge, bleue ; dégagement interdit ; faute de jeu quand un joueur retient le palet dans sa main ou quand le gardien de but le retient plus de 3 s ; quand le palet coincé par exemple entre 2 joueurs est injouable ou en dehors des limites.

Pénalités *mineure :* le fautif va en prison pour 2 min et son équipe joue à 5 contre 6. Si elle encaisse un but, la pénalité s'arrête aussitôt. *Majeure :* le joueur est exclu pour 5 min. *De méconduite :* dure 10 min et souvent s'ajoute à la pénalité majeure. Pendant 5 min, l'équipe du fautif joue à 5, et, pendant les 10 min suivantes, à 6 sans que le joueur puni puisse entrer sur la glace. Quand l'arbitre siffle une pénalité, il en fait connaître les raisons.

Épreuves

☞ **Jeux olympiques** (voir p. 1538).

■ **Championnat du monde A.** *Créé* 1920. **1920, 24, 28, 30, 31, 32** Canada. **33** USA. **34, 35** Canada. **36** G.-B. **37, 38, 39** Can. **47** Tchéc. **48** Can. **49** Tchéc. **50, 51, 52** Can. **53** Suède. **54** URSS. **55** Can. **56** URSS. **57** Suède. **58, 59** Can. **60** USA. **61** Can. **62** Suède. **63, 64, 65, 66, 67, 69, 70, 71** URSS. **72** Tchéc. **73, 74, 75** URSS. **76, 77** Tchéc. **78, 79** URSS. **80** USA. **81, 82, 83, 84** URSS. **85** Tchéc. **86** URSS. **87** Suède. **88, 89, 90** URSS. **91, 92** Suède. **93** Russie.

■ **Championnats d'Europe. Messieurs** *Créés* 1910. Tous les ans, sauf années olympiques (dep. 1980). **81, 82, 83, 85, 86, 87, 89, 90** URSS. **Dames. 91** Finlande.

■ **Coupe Stanley.** *Créée* 1893 (équipes américaines et canadiennes). **1970** Boston Bruins. **71** Can. de Montréal. **72** Boston Bruins. **73** Can. de Montréal. **74, 75** Philadelphia Flyers. **76 à 79** Can. de Montréal. **80 à 83** New York Islanders. **84, 85** Edmonton Oilers. **86** Can. de Montréal. **87, 88** Edmonton Oilers. **89** Calgary Flames. **90** Edmonton Oilers. **91, 92** Pittsburgh Penguins. **93** Can. de Montréal.

■ **Championnat de France.** *Créé* 1904. *Organisation : Nat. A :* 1re phase, oct. à déc., 8 équipes dont 6 se qualifient ; 2e phase, janv., poule finale (play-off) avec 6 équipes. *Nat. B :* 2 poules géographiques de 8, *2e série* ou *Nat. C :* environ 50 clubs. **Résultats.** *Nat. A :* **80** Tours. **81, 82** Grenoble. **83** St-Gervais. **84** Megève. **85, 86,** St-Gervais. **87, 88** Mont Blanc. **89** Français volants. **90** Rouen. **91** Grenoble. **92, 93** Rouen. *Nat. B :* **80** Lyon. **81** Épinal. **82** Amiens. **83** Caen. **84** Français volants. *Nat. C :* **82** Français volants. **83** Viry-Châtillon. **84** Nice. **85** Amiens.

Meilleurs joueurs

Canadiens professionnels. Hull Bobby (1939), Orr Bobby, Howe Gordon (31-3-28), Hodge Ken, Esposito Phil (2-2-42), Beliveau Jean (31-8-31), Lafleur Guy (1950), Perreault Gil, Lapointe Guy (18-3-48). **France.** Almasy Peter (11-2-61), Barin Stéphane (8-1-71), Botteri Stéphane (27-7-62), Bozon Philippe (30-11-66), Crettenand Yves (21-4-62), Dijan Jean-Marc (29-3-66), Foliot Patrick (1-3-64), Fournier Guy (30-1-62), Guricka Ivan (n. 1943), Lang Paul (n. 1944), Le Blond Bernard (n. 1957), Lemoine Jean-Philippe (12-7-58), Maric Daniel (11-6-57), Rey Philippe (n. 1954), Richer Antoine (29-8-61), Treille Philippe (12-7-1958), Vassieux Jean (n. 1950), Ville Christophe (15-6-63), Ylonen Petri (2-10-62).

Judo

Généralités

Nom. Donné par Jigoro Kano à la méthode enseignée par lui au Kodokan (école pour l'étude de la Voie). Prononcer *djioudo.* Du japonais *ju* (souplesse, non-résistance) et *do* (chemin, voie). *Judoka :* celui qui pratique le judo. *Judogi :* son costume.

Histoire. Origine *Ju-jitsu* (*jitsu* technique). Les *samouraïs* (guerriers japonais) ont, du XIIIe au XIXe s., créé et amélioré des techniques de combat à mains nues destinées à leur assurer la victoire en cas de perte de leurs armes. **1877** un universitaire japonais, Jigoro Kano (1860-1938), commence recherches et entraînement, et crée sa propre méthode, le *judo.* **1882** *févr.* Kano fonde son école, le *Kodokan* à Tōkyō. **1889** visite et démonstrations de Kano en France. **1935** création à Paris du 1er dojo par Mikinosuke Kawaishi (1889-1969), venu enseigner le judo. Il invente les ceintures de différentes couleurs. **1947** *-5-12* création de la Féd. française de judo et ju-jitsu. **1952** Féd. internat. de judo créée. **1964** sport de démonstration aux JO. **1988** j. féminin sport de démonst. aux JO.

Pratiquants. Japon : 3 000 000 (actifs). *France 800 000* [(actifs) 460 000 licenciés (dont 35 000 ceintures noires) dont 21 % femmes (plus 2 800 licenciés de kendo)]. All. féd. 150 000. Italie 40 000. G.-B. 38 000. Belg. 35 000. URSS. 25 000. Espagne 25 000. All. dém. 18 000. Tchéc. 15 000. Suède 14 000. Suisse 10 000. Autriche 8 000. Youg. 7 000. Danemark 4 000. Hongrie 4 000. Pologne 3 000. Norvège 3 000. Bulgarie 2 000. Israël 2 000. Irlande 2 000.

Règles

Principe. S'allier à la force contraire pour la dominer. Si une personne de force 10 pousse un adversaire de force 7, ce dernier sera renversé. Mais si l'homme de force 7 cède à la poussée en gardant son équilibre, il fera perdre sa stabilité au plus fort. Les forces, au lieu de se soustraire, s'ajoutent.

Dojo (salle d'entraînement). Se compose de vestiaires, de douches et de *tatamis* (tapis sur lequel se déroule le combat, bâche tendue et recouvrant une couche de feutre, kapok ou paille de riz, il doit être ferme sous les pieds et souple en profondeur pour amortir les chutes). **Surface de compétition :** 14 × 14 m min., 16 × 16 m max. Recouverte de tatamis en général verts. Le centre forme la *surface de combat* (9 × 9 m min., 10 × 10 m max.), autour se trouve la *zone de danger* (bande de 1 m de couleur rouge) et à l'extérieur la *surface de sécurité* (2,50 à 3 m).

Judogi. En coton blanc ou écru. *Veste :* en tissu lourd, avec revers capitonnés, elle recouvre la moitié des cuisses, les manches recouvrent la moitié des avant-bras. *Pantalon :* en tissu léger, recouvre la moitié des mollets. *Ceinture :* en tissu, env. 2,50 m de long, 4 à 5 cm de large, doit faire 2 fois le tour de la taille et être nouée par un nœud plat, sa couleur indique le grade. Les femmes portent en plus sous la veste un tee-shirt blanc. On combat pieds nus.

Entraînement. Apprentissage *position de départ* (verticale, pieds écartés) ; *saisies* (par le col de la veste) ; *déséquilibres* (7 directions : avant, avant-droit, latéral droit, arrière-droit, arrière-gauche, latéral gauche, avant-gauche) ; *chutes* (*ukemi :* avant, latérale, arrière) ; *techniques de progression* adaptées à chaque niveau (projection, contrôle, étranglement, luxation) ; *projections* (30 techniques), *immobilisations* (11 variantes), *étranglements* (7 var.), *luxations* (6 var.).

Kata (formes), exercices stylisés illustrant les techniques du judo. Les prises se déroulent toujours dans le même ordre. Il faut les savoir par cœur et atteindre la perfection des mouvements.

Il se termine par les *randori* ou combats libres sans vainqueur et sans limite de temps.

Grades. Valident la progression de l'enseignement. Marqués par la couleur de la ceinture (différente en Europe et au Japon). Il existe 6 *kyu* (élèves) et 12 *dan* (degrés). **Ceinture** *attribuée par les professeurs de clubs : Blanche :* 6e kyu, débutant, durée env. 2 mois. *Jaune :* 5e kyu, 3 mois. *Orange :* 4e kyu, 5 mois. *Verte :* 3e kyu, 6 mois. *Bleue :* 2e kyu, 8 mois. *Marron :* 1er kyu.

Par le Comité national des grades qui préside aux examens. Noire : 1er, 2e, 3e, 4e et 5e dan. *Noire ou rouge et blanche :* 5e, 6e et 7e. *Noire ou rouge :* 8e, 9e, 10e et 11e. *Blanche large :* 12e (seul J. Kano obtint le 12e dan et à titre posthume). En France, il y a 2 9e dan (les Japonais Awasu et Michigami) et 5 8e dan français (Pariset, Courtine, Midan, Pelletier et Gruel). Pour présenter la ceinture noire 1er dan, il faut avoir 15 ans révolus et 1 an de ceinture marron, 2e dan : 17 ans et 6 mois de 1er dan, 3e dan : 19 ans, 1 a. de 2e d., 4e dan : 22 ans, 18 mois de 3e d., 5e dan : 26 ans et 2 a. de 4e d. L'examen comprend 3 épreuves : technique, kata et compétition. Pour le 6e dan, il faut avoir 35 ans révolus, être 5e dan depuis 10 ans min. et avoir obtenu le 4e dan en compétition ; la commission examine le dossier, puis fait passer un examen technique. Les degrés supérieurs ne sont pas portés en France.

On peut obtenir des grades sans compétition. Conditions : 25 ans révolus, 2 ans de ceinture marron pour le 1er dan, 3 dans le 1er pour le 2e, 4 dans le 2e pour le 3e, 5 dans le 3e pour le 4e, 7 dans le 4e pour le 5e. On passe un examen de progression, de kata et de randori.

Combat de compétition. Il dure de 2 à 5 min selon les catégories, et commence par le salut debout (à 4 m l'un de l'autre). Le combat a lieu *debout* avec projections *(nage-waza)* et déséquilibres *(ikuzushi, tsukuri, kake)* et *au sol (ne-waza)* avec contrôles *(katame-waza),* immobilisations *(osae komi),* clés et étranglements *(shime).*

Lorsqu'un combattant porte une projection techniquement réussie et que l'adversaire est tombé nettement sur le dos avec force et vitesse, ou si l'un des 2 combattants tient 30 s l'autre au sol en immobilisation ou porte une strangulation ou une clé, l'arbitre annonce *ippon* et met fin au combat. Si un combattant porte un mouvement presque parfait, mais qui n'a pas complètement mis l'adversaire sur le dos, l'arbitre annoncera *waza-ari* (avantage). 2 *waza-ari* valent *ippon.* S'il n'y a pas eu d'*ippon* (point) à la fin du temps réglementaire, le vainqueur est celui qui a marqué le plus d'avantages techniques (*yuko :* avantage, ou *koka :* petit avantage). Si aucun n'a marqué d'avantages, les juges désignent le vainqueur en levant un drapeau. Il n'y a possibilité de match nul *(hiki-wake)* qu'au cours d'une compétition par équipes. Si un judoka veut abandonner *(kiken)* quand il subit une immobilisation, une clé ou un étranglement, il doit frapper avec sa main ou son pied plusieurs fois son corps, celui de son adversaire ou le tapis.

Termes de l'arbitre. Pour diriger le combat : *Hajime* commencez. *Matte* arrêtez. *Sono-mama* ne bougez plus. *Yoshi* continuez. *Toketa* plus d'immobilisation. *Hanteï* décision. *Sore madé* terminé. *Yosei-gashi* vainqueur par décision. *Hiki-waké* match nul. **Pour annoncer la valeur technique :** *Koka. Yuko. Waza-ari* avantage. *Awazaté-ippon. Sogo-gashi. Osaekomi* immobilisation. **Pour annoncer les pénalités :** *Shido* (en valeur koka). *Chui* (yuko). *Keïkoku* (waza-ari). *Hansoku-maké* (ippon).

Catégories de poids. Hommes. *Super-légers :* moins de 60 kg. *Mi-légers :* 60 à 65. *Légers :* 65 à 71. *Mi-moyens :* 71 à 78. *Moyens :* 78 à 86. *Mi-lourds :* 86 à 95. *Lourds :* + de 95. **Dames.** *Super-légères :* – de 48 kg. *Mi-légères :* 48 à 52. *Légères :* 52 à 56. *Mi-moyennes :* 56 à 61. *Moyennes :* 61 à 66. *Mi-lourdes :* 66 à 72. *Lourdes :* + de 72 kg. Il existe également un championnat « toutes catégories ».

Principales épreuves

☞ **Jeux olympiques** (voir p. 1544).

Légende. – (1) Japon. (2) P.-Bas. (3) France. (4) ex-URSS. (5) All. féd. (6) All. dém. (7) G.-B. (8) Espagne. (9) Youg. (10) Pologne. (11) Hongrie. (12) Autriche. (13) Italie. (14) Suisse. (15) Belgique. (16) Roumanie. (17) Australie. (18) Bulgarie. (19) Corée du S. (20) USA. (21) Venezuela. (22) Roumanie. (23) Chine. (24) Tchéc. (25) Finlande. (26) Cuba. (27) All. réunie dep. 1991. (28) Israël.

■ **Masters.** *Créés* 1988 pour remplacer l'épreuve toutes catégories supprimée aux JO. **88** Vachon [3].

■ **Championnats du monde. Messieurs.** *Créés* 1956. Tous les 2 ans. *1956-61* disputés toutes catégories, *1965* 4 cat., *1967-75* 6 cat., *dep. 1979* 8 cat. *1963* et *1977,* non disp. **Toutes catégories. 56** Natsui [1]. **58** Sone [1]. **61** Geesink [2]. **65** Inokuma [1]. **67** Matsunaga [1]. **69, 71** Shinomaki [1]. **73** Ninomiya [1]. **75** Uemura [1]. **79** Endo [1]. **81** Yamashita [1]. **83** Saïto [1]. **85** Masaki [1].

87, 89, 91 Ogawa [1]. **Par catégories. Super-légers.** 79 Rey [3]. 81 Moriwaki [1]. 83 Tletseri [4]. 85 Hosokawa [1]. 87 Kim [19]. 89 Totikashvili [4]. 91 Koshino [1]. **Mi-légers.** 79 Solodouchine [4]. 81 Kashiwasaki [1]. 83 Solodouchine [4]. 85 Sokolov [4]. 87 Yamamoto [1]. 89 Becanovic [9]. 91 Quellmalz [27]. **Légers.** 65 Matsuda [1]. 67 Sigioka [1]. 69 Sonoda [1]. 71 Kawaguchi [1]. 73, 75 Minami [1]. 79 Katzuki [1]. 81 Park [19]. 83 Nakanishi [1]. 85 Ahn [19]. 87 Swain [20]. 89, 91 Koga [1]. **Mi-moyens.** 67, 69 Minatoya [1]. 71 Tsuzawa [1]. 73 Nomura [1]. 75 Nevzorov [4]. 79 Fujii [1]. 81 Adams [7]. 83, 85 Hikage [1]. 87 Okada [1]. 89 Byung-ji [19]. 91 Lascau [27]. **Moyens.** 65 Okano [1]. 67 Maruki [1]. 69 Sonoda [1]. 71, 73, 75 Fujii [1]. 79 Ultsch [6]. 81 Tchoullouyan [3]. 83 Ultsch [6]. 85 Seisenbacher [12]. 87, 89 Canu [3]. 91 Okada [1]. **Mi-lourds.** 67 N. Sato [1]. 69, 71 Sasahara [1]. 73 Sato [1]. 75 Rougé [3]. 79, 81 Khubuluri [4]. 83 Preschel [6]. 85, 87 Sugai [1]. 89 Kourtinadze [4]. 91 Traineau [3]. **Lourds.** 65 Geesink [2]. 67 Ruska [2]. 69 Suma [1]. 71 Ruska [2]. 73 Takagi [1]. 75 Endo [1]. 79, 81, 83 Yamashita [1]. 85 Cho [19]. 87 Veritchev [4]. 89 Ogawa [1]. 91 Kossorotov [4].

Dames. *Créés* 1980. 8 catégories. **Toutes catégories.** 80, 82, 84, 86 Berghmans [15]. 87 Gao [23]. 89 Rodriguez [26]. 91 Zhuang [23]. **Super-légères.** 80 Bridge [7]. 82, 84, 86, 89 Briggs [7]. 87 Li [23]. 91 Nowak [3]. **Mi-légères.** 80 Hrovat [12]. 82 Doye [7]. 84 Yamagushi [1]. 86 Brun [3]. 87, 89 Rendle [7]. 91 Giungi [13]. **Légères.** 80 Winklbauer [12]. 82 Rodriguez [3]. 84 Burns [20]. 86 Hugues [7]. 87, 89 Arnaud [3]. 91 Blasco [8]. **Mi-moyennes.** 80 Staps [2]. 82 Rottier [3]. 84 Hernandez [21]. 86, 87 Bell [7]. 89 Fleury [3]. 91 Eickhoff [27]. **Moyennes.** 80 Simon [12]. 82, 84, 86 Deydier [3]. 87 Schreiber [5]. 89, 91 Pierantozzi [13]. **Mi-lourdes.** 80 Triadou [3]. 82 Classen [5]. 84 Berghmans [15]. 86 De Kok [2]. 87 Tanabe [1]. 89 Berghmans [15]. 91 Kim Mi-Jung [19]. **Lourdes.** 80 De Cal [13]. 82 Lupino [3]. 84 Motta [13]. 86, 87, 89 Gao [23]. 91 Moon Ji Yoon [19].

■ **Championnats d'Europe. Messieurs.** *Créés* 1951. *1951-55* classement par dan, *1957-61* par dan et poids, *dep. 1962* par poids. **Toutes catégories.** 80 Van de Wall [15]. 81 Reszko [10]. 82 Tiurin [4]. 83, 84 Parisi [3]. 85 Van der Groeben [5]. 86 Stohr [6]. 87 Veritchev [4]. 88 Gordon [7]. 89 Salonen [25]. 90 Tolnai [11]. 91 Bereznitski [4]. 92 Muller [27]. 93 Khakhaleichvili [4]. **Légers.** 80 Vlad [16]. 81 Lehmann [6]. 82 Gamba [13]. 83 Melillo [3]. 84, 85 Namgalaurin [4]. 86 Haftos [11]. 87 Blach [10]. 88 Ruiz [8]. 89 Korhonen [25]. 90 Schumacher [5]. 91 Dott [27]. 92 Haimberger [12]. 93 Dgebouadze [4]. **Super-légers.** 77 Pogorelov [4]. 78, 79, 80 Mariani [13]. 81 Dziemianiuk [10]. 82, 83, 84, 85 Tletseri [4]. 86 Csak [11]. 87 Roux [3]. 88, 89 Totikachvilli [4]. 90, 91 Pradayrol [3]. 92, 93 Gusseinov [4]. **Mi-légers.** 80 Reissmann [6]. 81 Nicolae [16]. 82 Reissmann [6]. 83 Rey [3]. 84 Alexandre [3]. 85 Serban [22]. 86 Sokolov [4]. 87 Hansen [3]. 88, 89, 90 Carabetta [3]. 91 Born [14]. 92 Campargue [3]. 93 Kosmynine [4]. **Moyens.** 80 Iatskevitch [4]. 81 Bodaveli [4]. 82 Iatskevitch [4]. 83, 84, 85 Pesniak [4]. 86 Seisenbacher [12]. 87, 88, 89 Canu [3]. 90 Legien [10]. 91 Lobenstein [27]. 92, 93 Tayot [3]. **Mi-moyens.** 80 Adams [7]. 81 Petrov [18]. 82 Fratica [16]. 83, 84, 85 Adams [7]. 86 Wieneke [5]. 87, 88, 89, 90 Varaev [4]. 91 Wurth [2]. 92 Spittka [27]. 93 Yandzi [3]. **Mi-lourds.** 72 Parisi [3]. 73 Rougé [3]. 74 Zuvela [9]. 75 Lorenz [6]. 76 Khouboulouri [4]. 77, 78 Lorenz [6]. 79 Khouboulouri [4]. 80 Rougé [3]. 81 Vachon [3]. 82 Kostenberger [12]. 83 Divisenko [4]. 84 Neureuther [5]. 85, 86 Van de Walle [15]. 87 Kurtanidze [4]. 88 Sosna [24]. 89 Koustanidze [4]. 90 Traineau [3]. 91 Meyer [2]. 92, 93 Traineau [3]. **Lourds.** 80 Tivrin [4]. 81 Veritchev [4]. 82 Stohr [6]. 83 Biktachev [4]. 84 Von der Grobben [5]. 85 Veritchev [4]. 86 Wilhem [2]. 87 Cioc [22]. 88 Veritchev [4]. 89 Kubacki [10]. 90 Kosorotov [4]. 91 Sthoer [27]. 92 Moller [27]. 93 Khakhaleichvili [4]. **Équipes** (en nov. ch. d'Europe des Nations). *Créés* 1951. 80 France. 81 non disp. 82 France. 83 URSS. 84 France. 85 URSS. 86 France. 87 URSS. 88 France. 89, 90, 91 URSS. 92 France.

Dames. *Créés* 1975. 8 catégories. **Toutes catégories.** 80, 81 Classen [55]. 82 Simon [12]. 83 Berghmans [15]. 84 Lupino [3]. 85 Van Unen [2]. 86 De Kok [2]. 87, 88 Berghmans [15]. 89 Seriese [2]. 90, 91 Van der Lee [2]. 92, 93 Seriese [2]. **Super-légères.** 75 Briggs [7]. 76 Hrovat [12]. 77 Hillesheim [5]. 78 Briggs [7]. 79 Bouthemy [3]. 80 Briggs [7]. 81 Fridrich [5]. 82, 83, 84 Briggs [7]. 85 Colignon [3]. 86, 87 Briggs [7]. 88 Gal [3]. 89, 90, 91, 92 Nowak [3]. 93 Perlberg [27]. **Mi-légères.** 80 Montagutti [13]. 81, 82 Hrovat [12]. 83 Doyle [7]. 84 Hrovat [12]. 85 Doger [3]. 86, 87 Brun [3]. 88 Giungi [13]. 89 Ronkainen [25]. 90 Rendle [7]. 91 Gal [2]. 92 Cusak [7]. 93 Muñoz [8]. **Légères.** 80, 81 Winklbauer [12]. 82 Rodriguez [3]. 83 Winklbauer [12]. 84 Bell [7]. 85, 86 Rodriguez [3]. 87, 88, 89, 90 Arnaud [3]. 91 Blasco [8]. 92, 93 Fairbrother [15]. **Mi-moyennes.** 80 Di Toma [13]. 81 Hughes [7]. 82 Reiter [12]. 83 Hughes [7]. 84 Rottier [3]. 85 Olechnowicz [10]. 86 Bell [7]. 87 Olechnowicz [10]. 88 Bell [7]. 89 Fleury [3]. 90 Gomez [8]. 91 Nagy [11]. 92 Olechnovicz [10]. 93 Arad [28]. **Moyennes.** 80 Pierre [3]. 81 Mil [15]. 82 Simon [12]. 83 Di Toma [13]. 84, 85, 86 Deydier [3]. 87 Han [2]. 88 Schreiber [5]. 89 Pierantozzi [13]. 90 Schreiber [5]. 91 Beauruelle [3]. 92 Pierantozzi [13]. 93 Dubois [3]. **Mi-lourdes.** 80, 81, 82 Triadou [3]. 83 Berghmans [15]. 84 Classen [5]. 85 Berghmans [15]. 86, 87 De Kok [2]. 88, 89 Berghmans [15]. 90 Krueger [5]. 91, 92, 93 Meignan [3]. **Lourdes.** 80, 81 De Cal [13]. 82 Van Unen [2]. 83 Motta [13]. 84 Van Unen [2]. 85 Bradshaw [7]. 86 Maksymow [10]. 87 Paque [3]. 88, 89 Seriese [2]. 90 Cicot [3]. 91 Maksymov [10]. 92 Goudarenko [4]. 93 Van der Lee [2]. **Équipes** (*Créé* 1985, ch. d'Europe des Nations). 85, 86, 87 France. 88 G.-B. 89 France. 90 G.-B. 91, 92 France.

■ **Coupe d'Europe des clubs champions.** *Créée* 1974. 80 JC Maisons-Alfort. 81 Wolffburg. 82 JC Villiers-le-Bel. 83, 84 JC Russelsheim [5]. 85, 86, 87 US. Orléans. 88 Racing Club de France. 89, 90 US Orléans. 91 Racing CF. 92 SC Berlin [27].

■ **Championnats de France. Messieurs.** *Créés* 1943. **Toutes catégories.** 80, 81, 82 Vachon. 83 Parisi. 84 Berthet. 85, 86 Vachon. **Dep.** 87 non disp. **Super-légers.** 80 Rey. 81 Maurel. 82 Rincourt. 83 Lebaupin. 84 Douet. 85, 86 Roux. 87 Le Sonn. 88, 89 Pradayrol. 90 Moreau. 91 B. Carabetta. 92 Bikindou. 93 Harismendy. **Mi-légers.** 80 Hansen. 81, 82, 83 Rey. 84, 85 Alexandre. 86 Hansen. 87 Giallurachis. 88 B. Carabetta. 89 Boirie. 90 Nechar. 91 B. Carabetta. 92, 93 Nechar. **Légers.** 80 Véret. 81 Danielli. 82 Dyot. 83 Melillo. 84 Dyot. 85 Guillaume. 86, 87 Melillo. 88 Caytan. 89 Bozo. 90 Melillo. 91 Taurines. 92 Abdoune. 93 Rosso. **Mi-moyens.** 80, 81, 82 Novak. 83 Menu. 84, 85, 86 Novak. 87 Berthet. 88 Tayot. 89 Berthet. 90 Amoussou. 91 Libert. 92 Musquin. 93 Yandzi. **Moyens.** 80 Tripet. 81 Tchoullouyan. 82 Sanchis. 83 Canu. 84, 85 Fournier. 86, 87 Canu. 88 Perrier. 89 Canu. 90 Tayot. 91 Geymond. 92 Tayot. 93 Borderieux. **Mi-lourds.** 80 Rougé. 81, 82, 83, 84 Vachon. 85 Jalladon. 86, 87, 88 Vachon. 89 Fournier. 90 Demarche. 91 Fournier. 92 Traineau. 93 Agostini. **Lourds.** 80, 81 Del Colombo. 82, 83 Parisi. 84 Del Colombo. 85 Bessé. 86 Vachon. 87 Del Colombo. 88 Bessé. 89 Del Colombo. 90 Bessé. 91, 92 Douillet. 93 Rognon. **Par équipes.** 80, 81, 82, 83 JC Villiers-le-Bel. 84 US Orléans. 85 Racing Club de France. 86 JCVB. 87, 88 AC Boulogne-Billancourt. 89 USO. 90 Maisons-Alfort. 91 RCF. 92 USO. 93 RCF.

Dames. *Créés* 1974. **Toutes catégories.** 80 Deydier. 81 Rodriguez. 82 Deydier. 83 Vigneron. 84 Deydier. 85 Vigneron. 86, 87 Deydier. Deydier. 88 Cicot. 89 Meignan. 90 Rey. **Super-légères.** 80 Bechepay. 81 Lecoq. 82 Colignon. 83 Boffin. 84 Baudry. 85 Lebbhi. 86 Boffin. 87, 88 Dupond. 89 Boffin. 90 Dupond. 91 Nowak. 92 Meloux. 93 Dupond. **Mi-légères.** 80 Poutre. 81, 82, 83 Doger. 84 Brun. 85 Doger. 86 Brun. 87 Toumani. 88 Brun. 89 Beina. 90 Toumani. 91 Boffin. 92 Dupond. 93 Nowak. **Légères.** 80 Trucios. 81, 82 Rodriguez. 83 Arnaud. 84, 85, 86 Rodriguez. 87, 88 Arnaud. 89 Fackeure. 90 Arnaud. 91 Lost. 92, 93 Magnien. **Mi-moyennes.** 80 Deydier. 81, 82, 83 Rottier. 84 Bardin. 85 Rottier. 86, 87 Géraud. 88 Rottier. 89, 90 Fleury. 91, 92 Philippe. 93 Petit. **Moyennes.** 80 Pierre. 81 Barlemond. 82 Dekarz. 83, 84 Deydier. 85 Lionnet. 86 Deydier. 87 Lionnet. 88, 89 Lecat. 90, 91 Beauruelle. 92, 93 Dubois. **Mi-lourdes.** 80, 81, 82 Triadou. 83 Vigneron. 84 Cicot. 85 Lupino. 86 Meignan. 87 Batailler. 88, 89, 90, 91 Meignan. 92, 93 Sionneau. **Lourdes.** 80 Fouillet. 81 Vigneron. 82 Loore. 83, 84 Lupino. 85 Carlus. 86, 87, 88 Paque. 89 Lupino. 90, 91, 92, 93 Cicot. **Par équipes.** *Créé* 1991. 91 Orléans. 92 ACBB. 93 LSC Levallois.

■ **Tournois internationaux** à l'initiative de chaque pays organisateur, avec les meilleurs judokas mondiaux, sans titre officiel en jeu (ex. : Paris et Tbilissi en févr. en ex-URSS).

Quelques noms

Messieurs. Neil ADAMS [7] (27-9-58). KEUN-BYOUNG Ahn [19] (22-2-62). Marc ALEXANDRE [3] (31-10-59). Bertrand AMOUSSOU [3] (29-5-66). Guy AUFFRAY [3] (8-2-45). Jean-Michel BERTHET [3] (27-2-60). Remi BERTHET [3] (31-10-47). Jean-Pierre BESSE [3] (11-8-64). André BOURREAU [3] (3-12-34). Jean-Claude BRONDANI [3] (2-2-44). Benoît CAMPARGUE [3] (9-3-65). Fabien CANU [3] (23-4-60). Bruno CARABETTA [3] (27-7-66). Vladimir CHESTAKOV [4] (30-1-61). CHOCHOSVILI [4]. Jean-Paul COCHE [3] (25-7-47). Henri COURTINE [3] (11-5-30). Laurent DEL COLOMBO [3] (27-4-59). Bertrand DEMAISIN [3] (27-10-68). David DOUILLET [3] (17-2-69). Serge DYOT [3] (21-1-60). François FOURNIER [3] (10-2-61). Shozo FUJII [1] (12-5-50). Anton GEESINK [2] (6-4-34). Jean-Louis GEYMOND [3] (1966-91). Lionel GROSSAIN [3] (12-2-38). Jean-Pierre HANSEN [3] (3-12-57). Thierry HARISMENDY [3] (1971-93). Jean de HERDT [3] (1923). Takao KAWAGUCHI [1] (13-7-50). Mahito KIMURA [1] (1917). Witali KUZNETZOV [4] (16-2-41). Jacques LEBERRE [3] (21-9-37). Waldemar LEGIEN [10] (23-8-63). Georges MATHONNET [3] (4-2-67). Marc MEILING [5] (22-3-62). Richard MELILLO [3] (24-6-59). MIFUNE [1] (1885-1965). Hiroshi MINATOYA [1] (17-10-43). Jean-Jacques MOUNIER [3] (12-6-49). Shokichi NATSUI [1] (1926). Gunther NEUREUTHER [5] (6-8-55). Michel NOWAK [6] (30-6-62). Naoga OGAWA [1] (1968). Bernard PARISET [3] (12-2-29). Angelo PARISI [3] (3-1-53). Arnaud PERRIER [3] (2-1-62). Anton PESNIAK [4]. Philippe PRADAYROL [3] (16-6-66). Thierry REY [3] (1-6-59). Jean-Luc ROUGÉ [3] (30-5-49). Patrick ROUX [3] (29-4-62). Wilhem RUSKA [2] (29-8-40). Hitoshi SAITO [1] (2-1-61). Juha SALONEN [25] (16-10-61). Fumio SASAHARA [1] (28-3-45). Noboyuki SATO [1] (12-1-44). Peter SEISENBACHER [12] (26-3-60). Yoshinori SHIGEMATSU [1] (8-2-51). Masatoshi SHINOMAKI [1] (20-9-43). Youri SOKOLOV [4] (23-2-61). Koji SONE [1] (1929). Pascal TAYOT [3] (15-3-65). Bernard TCHOULLOUYAN [3] (12-4-53). Khazret TLETSERI [4]. Stéphane TRAINEAU [3] (16-9-66). Hizashi TSUZAWA [1] (8-6-49). Christian VACHON [3] (29-12-58). Pierre VACHON [3] (29-6-60). Roger VACHON [3] (29-8-57). Alexandre VAN DER GROEBEN [5] (5-10-55). Robert VAN DE WALLE [15] (20-5-54). Bachir VARAEV [4] (23-2-64). Grigory VERITCHEV [4] (4-4-57). Patrick VIAL [3] (24-12-46). Laurent VILLIERS [3] (20-1-49). Franck WIENECKE [5] (31-2-62). YAMASHIKI [1] (1924). Yasuhiro YAMASHITA [1] (1-6-57).

Dames. Christine ARNAUD [3] (5-2-63). Aline BATAILLER [3] (26-10-65). Isabelle BEAURUELLE [3] (28-1-68). Diane BELL [7] (11-10-63). Ingrid BERGHMANS [15] (24-8-61). Fabienne BOFFIN [3] (29-11-63). Karen BRIGGS [7] (11-4-63). Dominique BRUN [3] (7-5-64). Christine CICOT [3] (10-9-64). Irène DE KOK [2]. Brigitte DEYDIER [3] (12-11-58). Martine DUPONT [3] (19-4-67). Catherine FLEURY [3] (18-6-66). Sengliang GAO [23]. Cécile GÉRAUD [3] (13-2-68). Édith HROVAT [12]. Claire LECAT [3] (6-7-65). Natalina LUPINO [3] (13-6-63). Laetitia MEIGNAN [3] (25-6-60). Cécile NOWAK [3] (22-4-67). Isabelle PAQUE [3] (8-5-64). Béatrice RODRIGUEZ [3] (19-10-59). Martine ROTTIER [3] (12-6-55). Angelica SERIESE [2]. Jocelyne TRIADOU [3] (31-5-54).

Karaté

Généralités

■ **Histoire.** **VIe s.** créé en Chine par Bodhidharma qui vient d'Inde et y introduit le bouddhisme dhyana. Méthode d'entraînement physique qui parfait les exercices bouddhiques. Enseignée uniquement aux initiés. **V. Xe s.** introduit à Okinawa et se développe sous le nom de *karaté* [école de la main *(té)* vide *(kara)*]. **V. 1600** l'Okinawa-Te, méthode où les membres sont employés comme de véritables armes, apparaît dans l'île d'Okinawa, sous occupation japonaise. **V. 1920** le maître Gichin Funakoshi l'introduit au Japon et fonde sa méthode, le *Shotokan* ; d'autres styles de base sont nés depuis : le *Goju-Ryu* et le *Shito-Ryu* (association jap. créée 1948), *Wado-Ryu, Kyokushinkai*. **1957** *1re école fr.* créée à Paris.

■ **Caractère.** Utilisation rationnelle des armes naturelles du corps (poings, coudes, tranchant de la main, etc.). But : mise hors de combat de l'adversaire dans le minimum de temps. Coups donnés avec poings et pieds en attaques circulaires ou directes tenant compte des principes d'équilibre et de dynamique du corps ; puissance d'impact obtenue par l'utilisation simultanée de différentes parties du corps suivie d'une tension de ces parties au moment du choc. L'efficacité n'est atteinte que par un long entraînement (sur sac ou cibles). Le *kiaï*, cri impressionnant pour le néophyte, correspond à l'expiration profonde au moment de l'attaque ou du blocage. **Règles** attaques contrôlées en fonction de la violence des mouvements pratiqués. *Durée des combats :* en moy. 3 et 5 min pleines ; les adversaires portent une ceinture de couleur en dehors de leur grade normal (arbitrage : rouge et blanc).

■ **Pratiquants.** *Monde* : 15 000 000 env. *France* (1992) 180 000 licenciés.

Principales épreuves

☞ *Légende.* – (1) Espagne. (2) Finlande. (3) All. féd. (4) Japon. (5) Suède. (6) G.-B. (7) Suisse. (8) P.-Bas. (9) USA. (10) France. (11) Italie. (12) Brésil. (13) Belgique. (14) Norvège. (15) ex-Youg. (16) Écosse. (17) Danemark. (18) Turquie. (19) All. réunie dep. 1991. (20) Australie.

■ **Championnats du monde. Hommes.** *Créés* 1970. **Par catégories. Super-légers :** 80 Abad [1]. 82 Vayrynen [2]. 84 Betzien [3]. 86 Nakano [4]. 88 Shaher [3]. 90 Ronning [14]. 92 Bugur [18]. **Légers :** 80 Maeda [4]. 82 Suzuki [4]. 84 Malave [5]. 86 Kondo [4]. 88 Stephens [6]. 90 Azumi [4]. 92 Rubio [1]. **Mi-moyens :** 80 Gonzales [1]. 82 Nishimura [4]. 84 Collins [6]. 86, 88 Masci [10]. 90 Alagas. 92 Thomas [6]. **Moyens :** 80 Sadao [4]. 82 Gomez [7]. 84 Stelling [8]. 86 Leeuwin [8]. 88 Hayashi [4]. 90 Tamaru [4]. 92 Otto [6]. **Mi-lourds : 80** Hill [9]. **82, 84** Mac Kay [6]. 86 Tapol [10]. 88 Josepa [8]. 90, 92 Egea [1]. **Lourds : 80** Montana [10]. 82 Thompson [6]. 84 Atkinson [6]. 86 Charles [6]. 88 Pinda [10]. 90 Pyrée [10]. 92 Peakall [20]. **Toutes catégories : 80** Ricciardi [11]. 82 Muraze [4]. 84 Pinda [10]. 86 Dagfelt [5]. 88 Egea [1]. 90 Tramontini [10] et Pyrée [10]. 92 Hayashi [4]. **Par équipes. 82, 84, 86, 88, 90, 92** G.-B.

Dames. *Créés* 1980. **Légères : 82, 84** Berger [10]. 86 Kauri [2]. 88, 90 Hasama [4]. 92 Machin [20]. **Moyennes : 82** Yamakawa [4]. 84 Konishi [4]. 86 Varelius [4]. 88 Kimura [4]. 90 Amghar [10]. 92 Samuel [6]. **Lourdes : 82, 84, 86, 88** Van Mourik [8]. 90, 92 Belhriti [10].

■ **Championnats du monde Kata.** *Créés* 1980. **Hommes. 80** Okada [4]. 82 Koyama [4]. 84, 86, 88 Sakumoto [4]. 90 Aihara [4]. 92 Sanz [1]. **Par équipes. 86, 88, 90, 92** Japon.

Dames. 80 Okanima [4]. 82 Mie [4]. 84, 86 Nakayama [4]. 88, 90, 92 Mimura [4]. **Par équipes. 86** Taiwan. 88, 90, 92 Japon.

■ **Championnats d'Europe. Hommes. Par catégories. Super-légers : 81** Castellvi [1]. 82 Marques [7]. 83 Stephens [6]. 84 D'Agostino [11]. 85 Ronning [14]. 86 Gomez [1]. 87 Fairclough [6]. 88 Ronning [14]. 89 Dovy [10]. 90 Keil [5]. 91 Gomez [1]. 92 Dovy [10]. 93 Luque [1]. **Légers : 78, 83** Coulter [6]. 79, 81 Di Luca [11]. 80 Arsenal [1]. 82 Abad Cebolla [1]. 84 Timonen [2]. 85 Abad Cebolla [1]. 86 Malave [5]. 87 Timonen [2]. 88 Muffato [11]. 89 Lupo [10]. 90 Muffato [11]. 91 Stephens [6]. 92 Rubio [1]. 93 Ronning [14]. **Mi-moyens : 80** Gonzales [1]. 81 Masci [10]. 82 Aguado [1]. 83 Kaunisinaki [2]. 84 Rodriguez [1]. 85 Mossel [8]. 86 Thomas [6]. 87 Degli-Abatti [11]. 88 Otto [6]. 89, 90 Pellicer [10]. 91 Alagas [18]. 92 Rivano [8]. 93 Oggianu [11]. **Moyens : 80** Poley [8]. 81 Martinez, Amillo [1]. 82 Amillo [1]. 83 Merino [1]. 84 Leewin. 85 Martinez [1]. 86 Serfati [10]. 87 Hallman [5]. 88 Gibson [16]. 89 Lentini [11]. 90 Dietl [3]. 91 Blanco [1]. 92 Herrero [1]. 93 Sariyannis [19]. **Mi-lourds : 80, 82, 84** Pettinella [10]. 81 Mossel [8]. 83 Pirttiosa [2]. 85, 86 Egea [1]. 87 MacKay [16]. 88, 89, 90 Egea [1]. 91 Etienne [6]. 92, 93 Alstadseather [14]. **Lourds : 80** Carbilla. 81, 83 Ruggiero [10]. 82 Atkinson [6]. 84 Charles [6]. 85 Zazo [1]. 86 Usenagic [15]. 87 Pinda [10]. 88, 89, 90 Pyrée [10]. 91 Roddie [16]. 92 Tomao [10]. 93 Idrizi [15]. **Toutes catégories : 80, 84** Ruggiero [10]. 81, 82 Charles [6]. 83 Egea [1]. 85 Pinda [10]. 86 Torres [1]. 87 Moreau [10]. 88 Daggfeldt [17]. 89 Josepa [8]. 90 Sailsman [6]. 91 Otto [6]. 92 Dietl [19]. 93 Le Hetet [10]. **Par équipes. 86** Espagne. 87, 88 Écosse. 89 Suède. 90 G.-B. 91 Espagne. 92 G.-B.

Dames. Légères : 82 Fillios [10]. 83 Rayes [6]. 84 Berger [10]. 85 Girardet [10]. 86 Berger [10]. 87 Laine [2]. 88 Girardet [10]. 89 Sneff [8]. 90 Di Cesare [11]. 91, 92 Laine [2]. 93 Mazurier [10]. **Moyennes : 82, 83, 84, 85** Morris [6]. 86, 87 Samuels [6]. 88 Dutreip [1]. 89 Samuels [6]. 90 Hahn [3]. 91 Mc Cord [16]. 92 Samuels [6]. 93 Schafer [19]. **Lourdes : 82** Joffroy [10]. 83, 84, 85, 86, 87, 88 Van Mourik [8]. 89, 90, 91 Belhriti [10]. 92 Wiegartner [19]. 93 Olsson [5]. **Par équipes. 1978, 79** P.-Bas. 80, 81 France. 82 P.-Bas. 83 G.-B. 84 Italie. 85 G.-B. 86, 87 Italie. 88, 89 Finlande. 90 G.-B. 91 France. 92 G.-B.

■ **Championnats d'Europe Kata.** *Créés* 1980. **Hommes. 80** Maronjort [11]. 81 Ruffini [11]. 82 Fischer [10]. 83 Medina [1]. 84 Marchini [11]. 85 Karamitso [3]. 86, 87, 88, 89, 90 Marchini [11]. 91, 92 Sanz [1]. **Par équipes. 80, 81, 82,** It. 83 Espagne. 84, 85, 86, 87, 88, 89, 90 It. 91, 92, 93 France.

Dames. 80 Ferrero [11]. 81 Sasso [11]. 82 Roman [1]. 83 Moreno [1]. 84 Rayes [6]. 85 Hackner [3]. 86, 87, 88, 89 Restelli [11]. 90 San Narciso [1]. 91 Schreiner [3]. 92 San Narciso [1]. **Par équipes. 80, 81** It. 82 Suède. 83 France. 84, 85 Espagne. 86, 87, 88, 89 It. 90, 91, 92, 93 Esp.

■ **Coupe d'Europe des clubs. 86** Arguelles (Esp.). Devient **championnat d'Europe des clubs. 87** SIK (France). 88 Mabuni (Esp.). 92 SIK (France).

■ **Championnats de France. Hommes. Super-légers : 82, 83** Khatiri. 84, 85 Vallé. 86, 87 Khatiri. 88, 89 Dovy. 90 Khatiri. 91, 92, 93 Dovy. **Légers : 80** Saidane. 81, 82, 83 Goffin. 84 Dorville. 85, 86 Goffin. 87 Dorville. 88 Goffin. 89, 90 Lupo. 91, 92 Gallo. 93 Biamonti. **Mi-moyens : 80, 81** Bilicky. 82 Gérard. 83 Sigliano. 84 Signat. 85 Serfati. 86, 87 Gérard. 88 Masci. 89 Pellicer. 90 Goffin. 91 Benjamin. 92, 93 Anselmo. **Moyens : 80** Luconi. 81 Moreau. 82, 83 Serfati. 84 Moreau. 85, 86 Serfati. 87 Giacinti. 88 Serfati. 89 Messasaoudi. 90 Giacinti. 91 Chantron. 92 Giacinti. 93 Chantron. **Mi-lourds : 80** Tapol. 81 Pyrée. 82, 83, 84 Pettinella. 85 Tapol. 86 Pinar. 87 Allifax. 88 Pettinella. 89 Lacoste. 90 Pinna. 91 Cherdieu. 92 Gomis. 93 Pinna. **Lourds : 80** Micholet, 81, 82 Ruggiero. 83, 84 Pyrée. 85 Ruggiero. 86 Pyrée. 87 Pinda. 88 Pyrée. 89 Tomao. 90 Pyrée. 91, 92 Le Hetet. 93 Tomao. **Toutes catégories : 71, 72, 73** Valéra. 74 Mami. 75 Valéra. 76 Pivert. 77 Montama. 78 Pivert. 79 Montama. 80, 81, 82, 83, 84, 85 Ruggiero. 86 Masci. 87, 88 Pinda. 89 Tramontini. 90 Serfati. 91 Ihlé. 92 Tomao. 93 Le Hetet. **Par équipes. 79** Savigny-s.-Orge. 80 Marseille. 81 Clouange. 82, 84 CKF. 83, 85 SIK Paris. 86 Épinay. 87, 88, 89, 90 SIK 1 Paris. 91 IKE Lyon. 92, 93 Enghien.

Dames. *Créés* 1981. **Légères : 81, 82, 83** Berger. 84 Thouze. 85 Depolier. 86, 87 Girardet. 88, 89 Masurier. 90 Carraz. 91 Terrine. 92 Trottin. 93 Lacroix. **Moyennes : 81, 82, 83, 84, 85** Sarkis. 86 Morel. 87 Daubé. 88 Sarkis. 89, 90, 91, 92, 93 Amghar. **Lourdes : 81, 82** Joffroy. 83 Martinez. 84 Le Calvez. 85 Macquet. 86 Bruno. 87 Giraudet. 88 Lutin. 89, 90 Belhriti. 91 Legros. 92 Gonzalès. 93 Jean-Pierre. **Par équipes. 87, 88** Samouraï 1 lyonnais. 89 UJ Marseille. 90 MKC Cambrai. 91 Zanchin Bordeaux. 92 SIK 1 Ile-de-France. 93 Sarrebourg.

■ **Championnats de France Kata.** *Créés* 1975. **Hommes. 80, 81, 82, 83** Fisher. 84, 85 Chan Liat P. 86 Fisher. 87, 88 Chan Liat F. 89, 90 Mazaka. 91, 92 Riccio. 93 Mazaka. **Par équipes. 80, 81, 82, 83** IDF Paris. 84, 85 Réunion. 86 IDF Paris. 87, 88, 89, 90 Réunion. 91, 92, 93 CKF.

Dames. 80, 81 Sarkis. 82 Delgas. 83 Sarkis. 84, 85, 86, 87, 88 Chan Liat M. 89 Pyrée. 90, 91 Chan Liat M. 92, 93 Bernard. **Par équipes. 80, 81** Guadeloupe. 82 Normandie. 83 Guadeloupe. 84, 85, 86, 87, 88 Réunion. 89 IDF Paris. 90, 91 Réunion. 92, 93 SIK Paris.

■ **Championnats de France. Karaté « contact ».** Protection de la face et des extrémités (gants de boxe et chaussures spéciales). *Créés* 1980, supprimés 1988. Voir Quid 1992 p. 1755.

QUELQUES NOMS

■ **Fondateur du karaté.** Gichin FUNAKOSHI (1869-1957). **Grands maîtres japonais.** OYAMA, OSHIMA, KASE, MURAKAMI, NANBU, SUZUKI, MOCHIZUKI, AMADA, GOYEN, YAMAGUSHI (1907).

■ **Grands champions.** FITFINS et HIGGINS (Brit.), LEMMENS (Belg.), REEBERG et KOTZEBUE (Holl.), OZAKA et HAYAKAWA (Jap.), STEVENS, BLANKS et EVANS (USA). **Étrangers :** José-Manuel EGEA [1] (1964). H. KANAZAWA [4] (1936). Luis Tazaki WATANABE [12] (1946). Gogen YAMAGUSHI [4] (1967). Gus VAN MOURIK [8]. **Français :** Monique AMGHAR (19-5-63). Catherine BELRHITI (10-8-62). Patrice BELRHITI (25-5-62). Sophie BERGER (18-9-60). Marc DE LUCA, Francis DIDIER (1949). Damien DOVY (31-12-66). Paul GIACINTI (2-12-63). Catherine GIRARDET (16-3-64). Joseph GOFFIN (11-9-53). Gilbert GRUSS (1942). Mohamed KHATIRI (25-12-61). Alain LE HETET (19-12-64). Didier LUPO (7-1-65). Jean-Luc MAMI (1941). Thierry MASCI (22-7-59). Maryse MAZURIER (25-2-64). Jean-Luc MONTAMA. Didier MOREAU (24-1-62). Roger PASCHY (1944). Bruno PELLICER (8-8-60). François PETITDEMANGE (1941). Claude PETTINELLA (22-3-60). Pierre PINAR (7-5-62). Emmanuel PINDA (7-6-61). Christophe PINNA (18-3-68). Marc PYRÉE (2-2-60). Patrice RUGGIERO (22-11-55). Laurent SAIDANE. Nicole SARKIS (10-9-55). Guy SAUVIN (1942). Serge SERFATI (26-12-55). Alain SETROUK (1941). Jacques TAPOL (19-5-55). Serge TOMAO (11-5-70). Dominique VALÉRA (10-2-43). Rudolph VALLE (4-8-60).

LUTTE

LUTTES GRÉCO-ROMAINE ET LIBRE

GÉNÉRALITÉS

Nom. Du latin *luctari.* L'appellation *gréco-romaine* est impropre, car elle est d'origine française. On devrait plutôt parler de lutte à main plate. Appelée *l. classique* ou *l. française* à l'étranger.

■ **Histoire. Origine.** De tout temps, les hommes ont lutté pour assurer leur survie. **708 av. J.-C.** lutte introduite aux 18e JO. Victoire d'Euribate de Sparte. **V. 1845** renaissance en France grâce à Exbrayat, un ancien grognard de l'Empire, qui tient une baraque foraine, institue la règle de ne pas porter de prises au-dessous de la ceinture et interdit prises et torsions douloureuses. **1912** fondation de la Féd. internat. de lutte amateur. **1913-*25-4*** Féd. fr. créée. **1978** règlements fr. pour lutte féminine.

■ **Règles. Définition :** combat au corps à corps de 2 lutteurs. **But :** déséquilibrer l'adversaire et lui faire toucher le sol des 2 épaules. **2 styles :** *s. gréco-romain* (seules les prises entre la tête et la ceinture sont permises, prises et torsions douloureuses sont interdites) et *s. libre* (les prises de jambes sont permises). **Tapis :** circulaire de 9 m de diam. **Tenue :** maillot à bretelles rouge ou bleu, chaussures montant sur la cheville. **Durée du combat :** période de 5 min en temps réel. **Catégories :** poids max. 48 kg, 52, 57, 62, 68, 74, 82, 90, 100 et 130. **Victoire** acquise par *tombé* (omoplates au sol), *supériorité technique* (10 points de différence), ces deux types de victoires arrêtant le match ; *aux points* (meilleur total des points attribués), *par disqualification* (après 3 avertissements à l'adversaire). Les points sont attribués au cours du combat par un juge, qui note de 1 à 5 les actions et les prises accomplies par chaque lutteur. Si à la fin de la durée de l'assaut aucun lutteur n'est tombé, la décision est donnée aux points au lutteur en ayant obtenu le plus grand nombre ; il n'existe plus de match nul. En cas d'égalité, une prolongation immédiate est ordonnée jusqu'au 1er point ou jusqu'à la disqualification. Des points de classement sont attribués après chaque décision ; ils servent à départager 2 ou plusieurs concurrents éliminés dans un même tour dans un tournoi ou un championnat (est éliminé tout lutteur ayant eu 2 défaites). Compétition avec élimination directe et repêchage simple.

PRINCIPALES ÉPREUVES

☞ *Légende.* – (1) Bulg. (2) All. dém. (3) Roum. (4) Hongrie. (5) ex-URSS. (6) Youg. (7) Finl. (8) Tchéc. (9) Jap. (10) USA. (11) All. féd. (12) Suède. (13) Pol. (14) Turquie. (15) Corée du N. (16) Turquie. (17) Cuba. (18) Norvège. (19) France. (20) Italie. (21) Corée du S. (22) Iran. (23) Chine. (24) All. dep. 1991. (25) Venezuela.

■ **Jeux olympiques.** Voir p. 1544.

CHAMPIONNATS DU MONDE

■ **Lutte gréco-romaine** (*créés* 1950).

Messieurs. 48 kg : 85 Alakherdiv [5]. 86, 87 Allakhverdlev [5]. 89, 90 Kouchesenko [5]. 91 Goun [21]. **52 : 85** Ronningen [18]. 86 Dudiaev [5]. 87 Roque [17]. 89, 90 Ignatenko [5]. 91 Martinez [17]. **57 : 85** Balov [1]. 86 Ivanov [1]. 87 Mourier [19]. 89 Ivanov [1]. 90, 91 Yildiz [11]. **62 : 85** Vanguelov [1]. 86 Madjidov [5]. 87 Vanguelov [1]. 89 Msjidou [5]. 90 Oliveras [17]. 91 Martynov [5]. **68 : 85** Negrisan [3]. 86 Dzusulfalakjan [5]. 87 Abaev [5]. 89 Pasarelli [2]. 90 Dougouchiev [5]. 91 Dugatchiev [5]. **74 : 85, 86** Mamiachvili [5]. 87 Salomaki [7]. 89 Tourlukhanov [5]. 90, 91 Iskamdarian [5]. **82 : 85** Daras [13]. 86 Komarony [4] et Daras [13]. 87 Komarony [4]. 89 Komaromi [4]. 90, 91 Farcas [4]. **90 : 85** Mouk [10]. 86 Manina [13]. 87 Popov [5]. 89, 90, 91 Bullmann [2]. **100 : 85** Dimitrov [5]. 86 Gaspar [4]. 87 Guedekhaouri [5]. 89 Himmel [11]. 90 Demiaschkievish [5]. 91 Milian [17]. **130 : 85** Rostoroski [5]. 86 Johansson [12]. 87 Rostoroski [5]. 89, 90, 91 Karelin [5].

■ **Lutte libre** (*créés* 1949).

Messieurs. 48 kg : 85 Uljamin [5]. 86, 87 Li Jae Sik [15]. 89 Jong-Shin [21]. 90 Martinez [17]. 91 Orudzhev [5]. **52 : 85** Jordanov [1]. 86 Kim Yong Sik [15]. 87, 89 Jordanov [1]. 90 Torkan [22]. 91 Jones [10]. **57 : 85, 86, 87** Belogasov [5]. 89 Sik-Kim [15]. 90 Puerto [17]. 91 Smal [5]. **62 : 85** Aleksjev [5]. 86 Isaev [5]. 87, 89, 90, 91 Smith [10]. **68 : 85, 86, 87** Fadzaev [5]. 89 Boudayeu [5]. 90, 91 Fadzaev [5]. **74 : 85, 86** Cascaret [17]. 87 Varaev [5]. 89 Monday [10]. 90 Sofiyadi [1]. 91 Khadem [22]. **82 : 85** Shultz [10]. 86 Modoszian [5]. 87 Shultz [10]. 89 Jabraylov [5]. 90 Rohyna [8]. 91 Jackson [10]. **90 : 85** Sherr [10]. 86, 87, 89, 90, 91 Khardatsev [5]. **100 : 85** Erdene [5]. 86, 87 Khadartsev [5]. 89 Atavov [5]. 90, 91 Khabelov [5]. **130 : 81, 82, 83** Khasimikov [5]. 85 Gobegichvili [5]. 86 Baumgartner [10]. 87 Khadartsev [5]. 89 Soleimani [22]. 90 Gobegichvili [5]. 91 Schroeder [24].

Dames (*créés* 1987). **44 kg : 90** Yashimura [9]. 91 Zhong [23]. 92 Pan Yan [23]. **47 : 90** Pedersen [12]. 91 Yamamoto [9]. 92 Zhong [23]. **50 : 87** Halvorsen [18]. 90, 91 Poupon [19]. 92 Saunders [10]. **53 : 87, 90** Van Gucht [19]. 91 Zhang [23]. 92 Yzaguirre [25]. **57 : 87** Dourthe [19]. 90 Hoïe [18]. 91 Lugo [25]. 92 Sakamoto [9]. **61 : 90, 91** Siffert [19]. 92 Barlie [18]. **65 : 87** Herlin [19]. 90 Wu Mei Ling [23]. 91 Iigima [9]. 92 Wang [23]. **70 : 87** Jean [19]. 90 Iwama [9]. 91 Urano [9]. 92 Guevara [25]. **75 : 87** Rossignol [19]. 90 Urano [9]. 91, 92 Liu [23].

CHAMPIONNATS D'EUROPE

■ **Lutte gréco-romaine** (*créés* 1925). **Messieurs. Par nations** (nombre de points). **85** URSS 55. Roumanie 32. Pologne 32. **86** URSS 53, Bulgarie 42, Roumanie 25. **92** ex-URSS 60, All. 56, Bulgarie 53.

Individuels. 48 kg : 85 Tzenov [1]. 86 Samitaev [5]. 87 Maenza [20]. 88 Ronningen [18]. 89 Scherer [11]. 90 Souvourov [5]. 91 Farago [4]. 92 Ronningen [18]. 93 Gulev [5]. **52 : 85** Kierpacz [13]. 86 Dioudaev [5]. 87 Kalashnikov [5]. 88 Ignatenko [5]. 89 Rizvanovic [6]. 90 Ronningen [18]. 91 Tzenov [1]. 92 Ker-Mkrtytcham [5]. 93 Ayvazov [5]. **57 : 85** Arutjunjan [5]. 86 Kalemulin [5]. 87 Pehkonen [7]. **88** Chestakov [5]. **89** Pehkonen [7]. **90** Mourier [19]. **91** Ignatenko [5]. **92** Yildiz [24]. **93** Lindgeren [7]. 62 : **85** Madjidov [5]. **86** Sipos [4]. **87** Atanasov [1]. **88** Bodi [4]. **89** Wolny [13]. **90, 91** Atmakine [5]. **92, 93** Martinov [1]. 68 : **85** Prohudin [5]. **86** Dzulfakian [5]. **87** Abajev [5]. **88, 89** Repka [4]. **90** Dougoutchiev [5]. **91** Madzhidov [5]. **92** Yalouz [19]. **93** Takarve [5]. 74 : **85** Rusu [3]. **86** Memiasvilli [5]. **87** Turlyhanov [5]. **88** Detziev [5]. **89** Tenev [1]. **90** Kornbaek [12], **91** Ichandarian [5]. **92** Constantin [3]. **93** Tchglev [5]. 82 : **85** Batalov [5]. **86** Kamaromi [4]. **87** Nasevitch [5]. **88, 89** Mamiachvili [5]. **90** Zander [11]. **91** Farkas [5]. **92, 93** Zander [24]. 90 : **85** Kaniguine [5]. **86** Komtjev [1]. **87** Popov [5]. **88** Iordanov [1]. **89** Popov [5]. **90, 91** Potapov [5]. **92** Bullman [24]. **93** Olsson [12]. 100 : **85** Fodorenko [5]. **86** Tertei [6]. **87** Wasilew [1]. **88** Fodorenko [5]. **89** Wronski [13]. **90** Fodorenko [5]. **91** Demiashkevich [5]. **92** Wronski [13]. **93** Demiashkevich [5]. 130 : **85** Rostoroski [5]. **86** Dinov [1]. **87** Rostoroski [5]. **88, 89, 90, 91, 92, 93** Karelin [5].

■ **Lutte libre** (*créés* 1929). **Messieurs. Par nations** (nombre de points). **85** URSS 55. Bulg. 35. All. dém. 33. **86** URSS 54, Bulg. 39, All. dém. 22.

Individuels. Messieurs. 48 kg : **85** Gogolev [5]. **86** Dorzou [5]. **87** Nedkov [1]. **88** Gogolev [5]. **89** Medzlumine [5]. **90** Rasovan [3]. **91** Heugabel [24]. **92** Rasovan [3]. **93** Nedkov [1]. 52 : **85** Jordanov [1]. **86** Dimitrov [1]. **87, 88, 89** Jordanov [1]. **90** Trstena [6]. **91** Togusov [5]. **92** Tzenov [1]. **93** Orel [16]. 57 : **85** Stefan [1]. **86** Calchev [1]. **87, 88** Beloglazov [5]. **89** Ak [16]. **90** Paulou [1]. **91, 92** Oumakhanov [5]. **93** Musaoglu [16]. 62 : **85** Remus [2]. **86, 87** Isaev [5]. **88** Sarkisian [5]. **89** Kambarou [1]. **90** Lyding [11]. **91** Kaplan [14]. **92** Schillaci [20]. **93** Azizov [5]. 68 : **85** Fadzaev [5]. **86** Magomedov [5]. **87, 88** Fadzaev [5]. **89** Kasabov [1]. **90** Seker [14]. **91, 92** Schwabenland [24]. **93** Zozrov [5]. 74 : **85** Polamarev [5]. **86, 87, 88** Varaev [5]. **89, 90** Gadzichanov [5]. **91** Leipold [24]. **92** Jelev [1]. **93** Backhaus [24]. 82 : **85** Vorobiev [5]. **86, 87** Nanev [1]. **88** Vorobiev [5]. **89** Lohuna [8]. **90** Gstauttner [2]. **91** Jabrailov [5]. **92** Ozturk [14]. **93** Kelekhsaev [5]. 90 : **85** Tibilov [5]. **86** Oganisian [5]. **87, 88** Khadartsev [5]. **89, 90** Kasibekov [5]. **91, 92** Khadartsev [5]. **93** Tedeev [5]. 100 : **85** Khabelov [5]. **86** Caraduchev [1]. **87, 88** Khabelov [5]. **89, 90** Sabeev [5]. **91** Kayali [14]. **92** Khabelov [5]. **93** Sabejew [24]. 130 : **85** Gobegichvili [5]. **86** Schroeder [2]. **87** Tourmanidze [5]. **88** Khadartsev [5]. **89** Barbut [1]. **90, 91, 92** Schroeder [2]. **93** Demir [16].

Dames (*créés* 1988). **1988. 40 kg** : Delvaux [19]. 47 : Cheurfi [19]. 50 : Poupon [19]. 53 : Vangucht [19]. 57 : Sagon [19]. 61 : Siffert [19]. 65 : Kleven [18]. 70 : Jean [19]. 75 : Rossignol [19].

Championnats de France

■ **Lutte gréco-romaine. Messieurs** (*créés* 1919). **48 kg** : **85, 86, 87, 88, 89, 90** Ganachaud. **91, 92, 93** Almeida. 52 : **85, 86** Robert. **87** Belguidoum. **88** Pineau. **89** Robert. **90, 91, 92, 93** Belguidoum. 57 : **85, 86** Mourier. **87** Robert. **88, 89** Cardey. **90** Robert. **91, 92, 93** Ghilmanou. 62 : **85, 86** Naboulet. **87, 88, 89** Mourier. **90, 91** Mokkedem. **92, 93** Bastien. 68 : **85, 86, 87, 88** Jalabert. **89, 90, 91, 92** Yalouz. **93** Tudesca. 74 : **85, 86, 87** Mischler. **88** Parent. **89** Jasko. **90** Riemer. **91, 92, 93** El-Haddad. 82 : **85, 86** Meiss. **87** Dedieu. **88, 89, 90, 91, 92** Mischler. **93** Strugen. 90 : **85** Court. **86** Marx. **87** Meiss. **88** Merckel. **89** Welzer. **90, 91** Meiss. **92, 93** Turcot. 100 : **85** Belmer. **86, 87** Manhart. **88, 89** Deforest-Biscioni. **90** Kolahi. **91** Welzer. **92** Vescan. **93** Welzer. 130 : **85** Lasvaud. **86, 87** Belmer. **88, 89, 90** Yung. **91** Dabrowski. **92** Yung. **93** Cruceanu.

■ **Lutte libre** (*créés* 1919). **Messieurs. 48 kg** : **85** Eyermann. **86** Seco. **87** Bahuet. **88, 89, 90** Ganachaud. **91** Ismali. **92** Bahuet. **93** Almeida. 52 : **85, 86** Bourdin. **87, 88, 89** Mas. **90** Benheridja. **91** Bahuet. **92, 93** Legrand. 57 : **85, 86** Lobrutto. **87, 88** Mercader J. **89, 90** Bourdin. **91** Benméridja. **92, 93** Bourdin. 62 : **85** Curi. **86** Arjomandi. **87, 88, 89, 90** Berger. **91** Carp. **92** Kaltchev. **93** Lamothe. 68 : **85, 86, 87** Santoro. **88, 89, 90** Chazeix. **91, 92** Santoro. **93** Mischler. 74 : **85** Gourdin. **86** Brulon. **87, 88** Beudet. **89** Brulon. **90, 91** Beudet. **92** Kostadinov. **93** Chazeix. 82 : **85** Mege. **86** Legrand. **87** Andanson. **88, 89, 90, 91** Legrand. **92** Karavelov. **93** Legrand. 90 : **85, 86, 87, 88, 89, 90, 92** Stanciu. **91, 92, 93** Rombouts. 100 : **85, 86, 87, 88, 89, 90** Kolahi. **91, 92** Oganessian. **93** Lamoureux. 130 : **85, 86** Colliard. **87** Weber. **88** Jung. **89** Bergin. **90** Yung. **91** Gaieb. **92** Drouillot. **93** Cruceanu.

Dames. 44 kg : **86** Delvaux. **87** Pomart. **88, 89** Delvaux. **90** Pommart. **91, 92, 93** Trapet. 47 : **86** Dumont. **87** Philibert. **88, 89** Cheurfi. **90** Saibi. **91** Desaintjean. **92** Cheurfi. **93** Touchi. 52, **puis** 50 : **86** Vangucht. **87, 88, 89, 90, 91, 92** Poupon. **93** Gomis. 53 : **86** non disp. **87, 88, 89, 90** Vangucht. **91** Vauthier. **92** Pluquet. **93** Cannaferina. 56, **puis** 57 : **86** Maret. **87, 88** Dourthe. **89** Sagon. **90, 91, 92** Roy. **93** Brethes. 60, **puis** 61 : **86, 87** Sagon. **88** Siffert. **89** Bricard. **90** Siffert. **91, 92** Dourthe. **93** Dourthe. 65 : **86** Legleut. **87** Herlin. **88** Stenier. **89** Blind. **90, 91** Thome. **92** Blind. **93** Thome. 70 : **86, 87, 88, 89** Jean. **90** Simonet. **91** Machnik. **92** Hansen. **93** Blind. + de 70 : **86, 87, 88** Rossignol. **89, 90** Rade. **91** Primprenelle. **92, 93** Civit.

■ Quelques noms

Étrangers. Abilov Ismaël [1] 9-6-51. Absaidov Saipulla [5] 14-7-55. Abushev Magomedgasan [5] 10-11-59. Andersson Frank [12] 9-2-56. Andersson Lief [12] 13-10-49. Andiev Soslan [5] 21-4-52. Baloshin Nikolaï [5] 8-6-49. Baumgartner Bruce [10]. Beloglazov Sergeï [5] 16-9-56. Berceanu Gheorghe [3] 28-12-49. Davidian Nelson [5] 6-4-50. Dietrich Wilfried [11]. Fadzaev Arsen [5]. Hackenschmidt Georges-Karl [5] 1877-1968. Johansson Ivar [12] 1903-79. Karelin Alexandre [5]. Khabelov Leri [5]. Khadartsev Aslan [5] 1972-90. Khadersev Makharbek [5]. Kocsis Ferenc [4] 8-7-53. Kolev Ivan [1] 17-4-51. Koltchinsky Alexandr [5] 20-2-55. Korban Guennady [5] 1-2-49. Kozma Istvan [4] 1939-70. Madjidov Kamandar [5]. Maenza Vicenzo [20]. Mamiachvili Mikhaïl [5] 1963. Medved Alexandr [5] 16-9-37. Oganesjan Sanasar [5] 5-2-60. Peterson John Allan [10] 22-10-48. Resantsev Valeri [5] 8-10-46. Ronningen Jon [18]. Rusu Stefan [3] 2-2-56. Smith John [10] 1965. Tarnenko Leonid [5] 13-6-56. Tediashvili Levan [5] 15-3-48. Tomov Alexander [1] 3-4-49. Ushkempirov Zaksylik [5] 6-5-51. Watanabe Osamu [9] 21-10-40. Wehling Heinz-Helmut [2] 8-9-50. Westergren Carl [12] 1895-1958. Zlatev Asen [1] 1960.

Français. Abrial Franck 18-3-64. Andanson Christophe 12-7-57. Aurine René 1916-80. Ballery Georges 18-7-37. Ballery Michel 5-4-52. Belguidoum Salah 4-5-68. Berger Alain 11-11-65. Beudet Bruno 26-9-64. Bielle Roger 26-8-28. Blind Emmanuelle 23-5-70. Bouazzat Béchir 1908-44. Bouchoule André 23-5-48. Bourdin Thierry 30-10-62. Brulon Eric 2-9-60. Carbasse Georges 29-9-44. Chambellan Jean-Pierre 7-10-58. Court Jean-François 1-9-57. Deglane Henri 1902-75. Deloor Daniel 11-9-40. Deloor Julien 22-7-20. Deloor Michel 17-12-42. Delvaux Valérie 4-1-67. Dourthe Isabelle 24-1-63. Émelin Daniel 25-2-55. Gourdin Jean-Marc 27-3-60. Grangier Michel 2-4-48. Herlin Brigitte 9-8-66. Jalabert Gilles 27-9-58. Jung Serge 16-3-67. Kouyos Charles 10-2-28. Lacaze Lionel 24-3-55. Legrand Alcide 17-2-62. Lo Brutto Diego 26-8-53. Meiss Henri 12-11-63. Mercader Jean-Pierre 18-3-55. Mercader Michel 18-9-57. Mischler Martial 6-7-64. Mokkedem Faouzi (5-10-63). Mourier Patrice 11-4-62. Pacôme Charles 1902-78. Poilvé Émile 1903-63. Poupon Martine 20-1-65. Riemer Yvon 5-10-70. Robert Serge 2-5-63. Robin Daniel 31-5-43. Rossignol Patricia 25-10-56. Sagon Jocelyne 7-6-60. Santoro Gérard 16-10-61. Schiermeyer Pierre 27-9-38. Siffert Brigitte. Stanciu Martin 17-8-57. Taberna Pierre 21-8-44. Toulotte Théodule 21-12-50. Van Gucht Sylvie 30-11-62. Yalouz Ghani 1968. Zoete André 30-8-31.

Autres luttes

■ **Catch.** De *catch as catch can* attrape comme tu peux. *Origine :* USA. En France, considéré davantage comme un spectacle que comme un sport. Forme de lutte libre. Toutes les prises, même douloureuses, sont permises, sauf quelques exceptions.

■ **Lutte bretonne** ou **gouren.** Pratiquée en Bretagne, Cornouaille britannique et Écosse. *Tenue :* pieds nus, culotte courte, chemise en toile à manches courtes serrée par une ceinture. *Victoire (lamm) :* acquise par le lutteur qui projette son adversaire sur le dos en restant lui-même debout. Combat en 7 min. Surtout à base de crocs-en-jambe.

■ **Sambo.** *Mot :* du russe *samozashchita* (auto-défense) et des initiales de *bez oruzhiya* (sans armes). *Origine :* URSS, synthèse des meilleures techniques de luttes folkloriques pour créer une méthode d'entraînement de l'armée. *1966* reconnu comme 3e style de lutte par la Fila. *Tenue :* maillot sans bretelle, veste en toile à épaulettes saillantes fermée par une ceinture, l'ensemble étant rouge ou bleu ; chaussures de lutte. *Combat :* 2 périodes de 3 min séparées par 1 min de pause. On peut saisir tout le corps y compris la veste, employer les prises de lutte gréco-romaine et libre ainsi que les prises douloureuses aux bras et jambes, et les immobilisations. *Victoire :* acquise en renversant son adversaire sur le dos tout en restant debout, en le faisant abandonner sur prise douloureuse ou aux points. *Compétitions :* ch. du monde, d'Europe et de France.

■ **Sumo.** Voir Arts martiaux p. 1436.

■ **Turquie.** 2 formes de luttes : l'une sèche *(karakuçak)*, l'autre à l'huile *(yagli guresh)*. *Tenue :* culotte en cuir souple allant jusqu'en dessous du genou. Dans le yagli, le corps et la culotte sont enduits d'huile. *Combat :* attaques permises sur tout le corps, combat à terre ou debout. Lutteurs répartis en 2 groupes. Dès qu'un lutteur est éliminé, le vainqueur s'oppose au vainqueur d'un autre combat jusqu'à la finale. *Victoire* à celui qui réussit à mettre le « ventre » de son adversaire face au soleil ou à faire 3 pas en le portant.

Montagne

☞ **Les sports de montagne** recouvrent : l'*alpinisme* qui consiste à gravir des parois rocheuses et à progresser dans des terrains escarpés, glaciaires ou enneigés ; la *randonnée en montagne* sur ou hors sentiers à l'exception des terrains de l'alpinisme ; le *ski d'alpinisme* ou *de montagne* en dehors du domaine sécurisé des stations ; l'*escalade sportive* en sites naturels aménagés ou sur des structures artificielles d'escalade (SAE) ou de glace (SAG) (env. 1 000 en France). Dep. 1988, des compétitions de difficulté et de vitesse sont organisées selon un règlement de l'Union internationale des associations d'alpinisme. Plusieurs centaines de km sont actuellement équipées dans les falaises ; les *expéditions lointaines* qui demandent des capacités d'accoutumance à l'altitude et de résistance.

Acclimatement. Durée nécessaire pour un adulte : – de 3 000 m : quelques j ; 4 000 à 5 000 m : 2 semaines ; + de 5 000 m : plusieurs semaines. Un alpiniste très bien acclimaté peut séjourner quelques j à + de 8 000 m, quelques h au sommet de l'Everest (8 848 m, pression réduite au tiers de la normale), alors qu'un homme placé brutalement dans des conditions semblables (caisson, dépressurisation d'un avion) perd connaissance et meurt rapidement. Une montée trop rapide peut entraîner un œdème pulmonaire ou cérébral pouvant être mortel.

Modifications physiologiques. La diminution de la pression d'oxygène dans l'air inspiré en altitude est compensée, à *court terme,* par l'augmentation des rythmes cardiaque et respiratoire, à *long terme,* par une redistribution sanguine, augmentation considérable du nombre de globules rouges permettant le transport d'oxygène par le sang, des modifications intracellulaires mal connues permettant aux cellules de s'adapter, etc. *Au-delà de 5 500 m env.,* la compensation ne permet plus la survie permanente : on observe progressivement une perte de poids avec fonte musculaire, disparition de l'appétit, insomnies, maux de tête, nausées, œdème pulmonaire ou cérébral, perte de conscience. Le sang des hommes et des animaux vivant en haute altitude (Bolivie, Pérou, Tibet : plus de 5 000 m dans certaines régions) est plus riche en globules rouges que celui des hommes de la plaine. On observe un accroissement apparent du nombre des globules rouges dès le début d'une ascension en haute montagne, par hémoconcentration. L'augmentation réelle est beaucoup plus lente et demande plusieurs semaines.

Épreuves. L'alpinisme ne figure pas au programe des JO. Cependant, en 1992, une épreuve d'escalade sportive a été organisée à Chambéry, en prélude aux JO d'Albertville.

Championnat du monde d'escalade. 1er c. officiel organisé en oct. 1991 à Francfort (All.) sur mur haut de 15 m et large de 26 m. **Vainqueur** François Legrand (Fr.), 2e Yuji Hirayama (Jap.), 3e Guido Koestermeyer (All.).

Pratiquants en France. Alpinisme 150 000. Escalade 850 000.

Guides et clubs

■ **Guides** (loi Mazeaud). **Classes :** accompagnateur de moyenne montagne ; aspirant guide ; guide de haute montagne. **Diplômés :** env. 4 000 en France. **Formation :** Ensa (Chamonix). *Brevet d'État d'escalade* créé 1989.

■ **Quelques dates. 1823** 1re Cie de guides à Chamonix. **1857** Club alpin italien et C.A. suisse. **1865** Sté Ramond (club de montagne) au pied du cirque de Gavarnie (Pyrénées). **1866** Club jurassien. **1869** Clubs alpins allemand et autrichien. **1872** Club des Vosges. **1873** Club des Carpates (Hongrie). **1874** Club alpin français et Sté alpine de Cracovie. **1919** Groupe de Hte montagne créé par l'élite des grimpeurs français. **1932** Union internat. des associations d'alpinisme.

Accidents

■ **Catégories.** *Les plus nombreux* (touchant les néophytes) résultent d'imprudences, de la non-observation des règles de sécurité (erreur d'orientation, manque d'équipement, méconnaissances des techniques de protection, mépris des prévisions météo) ; *quelques-uns* concernent des alpinistes confirmés, engagés dans des ascensions difficiles.

■ **Statistiques. France. Tués.** *1978 :* 93. *79 :* 119. *80 :* 153. *81 :* 122. *82 :* 104 dont en alpinisme 48, ski alpin 40, randonnée alpine 16. *83 :* 117. *87 :* 145. *88 :* 171. *89 :* 185. *90 (au 1-5) :* 58. **Répartition (alpinisme) :** plus de 80 % par beau temps ; 82 % en juill.-août-sept. (dont juill.-août 71 %), 55 % en neige et glace, 32 % en rochers, 13 % terrain mixte. Env. 56 % des accidents et des morts sont dus aux chutes, glissades (dévissage). A peu près autant d'accidents en montée qu'en descente (souvent plus facile).

■ AVALANCHES

■ **Types.** *De neige récente :* se produisent pendant la chute de neige ou peu après, dès que la pente ne peut contenir la neige accumulée. Neige de faible cohésion, peut être à caractère de plaque friable, de neige poudreuse avec aérosol, ou de coulée si la superficie et l'épaisseur restent modestes ; *de plaque avec de la neige plus ancienne :* la transformation des cristaux, qui se détruisent partiellement et se compactent (effet du poids ou du vent), rend la strate solide et forme une plaque instable, qu'une surcharge peut mettre en mouvement (cas de la plaque à vent, principale cause des accidents) ; *de fonte (neige très humide ou mouillée) :* lors d'un redoux avec pluie, et au printemps, la neige gorgée d'eau s'alourdit au point de se décrocher.

■ **Protection. Permanente** *défense passive :* par déviation (tunnel ou galerie, toit-tremplin, étraves, tournes et digues de déviation), freinage ou dissipation d'énergie (coins, tas freineurs, murs d'arrêt en fin de course). *Active :* par retenue (râteliers, claies, croisillons, filets, pieux, palissades, terrasses ou banquettes), par modification des lieux de dépôt de la neige (barrières à vent, panneaux virevent orientables, toits-buses) ou de la surface du sol (reboisement). **Temporaire** *déclenchements préventifs :* au pied par skieurs expérimentés ; à l'explosif lancé à la main (charges de 2,5 kg) ou largué par hélicoptère, transporté par câbles (Catex), tiré par lanceur (avalancheur, avec projectile flèche, explosif liquide autostérilisable), par explosion d'un mélange d'oxygène et de propane (Gazex).

Prévision : bulletin journalier de risque du 15 déc. au 30 avr. par départements. Drapeau à damier noir et jaune dans les stations en cas de risque.

■ **Ensevelis. Accidents en France :** *1975 :* 11 morts ; *76 :* 41 ; *77 :* 29 ; *78 :* 32 ; *79 :* 22 ; *80 :* 32 ; *81 :* 57 ; *82 :* 28 ; *83 :* 36 ; *84 :* 28 ; *85 :* 45 ; *86 :* 40 ; *87 :* 24 ; *88 :* 24 ; *89 :* 17 ; *90 :* 22 ; *91 :* 47 ; *92 :* 28 ; *93 (au 15-3) :* 14. **Chances de survie :** à moins de 2 m pendant *1/2 h :* chances importantes, *1 h :* 40 %, *2 h :* 20 %. A plus de 3 m, *1 h :* 20 %, *2 h :* 0 %. **Recherche.** *Sonde métallique :* de 4 m par éléments de 1 m. 20 hommes entraînés sondent rapidement 1 ha (60 % de chances de retrouver l'enseveli) en 4 h et minutieusement (100 % de chances de le retrouver) en 20 h pour une profondeur d'ensevelissement de 2 m (85 % des ensevelis le sont à moins de 2 m). *Chien :* met 1/2 h à 1 h pour chercher sur 1 ha. *Appareils de recherche de victimes en avalanche (Arva) :* émetteur-récepteur (fréquences 457 kHz) efficace pour localiser la victime, dimensions 12 × 8 × 2 cm, poids 300 g, portée de 30 à 60 m ; répondeur passif, languette ou carte répondeuse, nécessitant système émetteur et récepteur encombrant (5 kg dont antenne).

■ **Personnel spécialisé diplômé.** *Artificiers déclencheurs d'avalanches* 2 050 ; *observateurs nivo-météorol.* 995 ; *servants de l'engin avalancheur* 145 ; *responsables chargés de la sécurité* 190 ; *équipes cynophiles* (maîtres-chiens et chiens) 150.

Formation par l'Anena (15, rue Ernest-Calvat, 38000 Grenoble).

ASCENSIONS CÉLÈBRES

■ EUROPE

Vers 1280 *Canigou* (2 786 m) par le roi d'Aragon Pierre III. **1336** *Mont Ventoux* (1 912 m) par Pétrarque (It.). **1492**-*26-6 Mont Aiguille* (*Mons inaccessibilis,* 2 097 m) par un gentilhomme lorrain, Antoine de Ville, seigneur de Domjulien, chef des « écheleurs » de l'armée de Charles VIII, avec l'écheleur Renaud Jubié, 4 prêtres et plusieurs chasseurs de chamois. Vers la même époque, Léonard de Vinci aurait gravi le *Monboso ;* un professeur de l'univ. de Zurich, Conrad Gesner, le *mont Pilatus* (2 132 m).

1760 *Brévent* (2 526 m) par Horace Bénédict de Saussure (prof. de philosophie, physicien et minéralogiste, 1740-1799). Il promet ensuite une prime pour l'ascension du mont Blanc à partir duquel il espère découvrir le secret de la formation géologique des Alpes. **1786**-*8-8 Mont Blanc ;* voir encadré ci-dessus.

1802-*12-8 Mont Perdu* (3 350 m, Pyrénées) Ramond de Charbonnières. **1811** *Jungfrau* (4 158 m) par 4 Suisses. **1820**-*20-8* accident de la caravane conduite par le Dr Hamel. **1828**-*Mont Pelvoux,* pointe Durand (3 932 m) : A. A. Durand, officier géographe, Jacques-Étienne Mathéoud, Alexis Liotard (ils escaladent probablement aussi la pointe Puiseux, 3 946 m). **1829** *Finsteraarhorn* (4 275 m), point culminant de l'Oberland, par 4 Suisses. **1839** *Aiguille centrale d'Arves :* frères Magnin, chasseurs de chamois de Valloire (Savoie). **1842** *Pic d'Aneto* (3 404 m), point culminant des Pyrénées : 6 personnes. **1855** *Mont Rose* (Pointe Dufour, 4 633 m) ; 9 Anglais et guides. **1858** *Dom des « Mischabel »* (4 545 m) : 4 pers., Angl. et guides suisses. *Eiger* (3 974 m) : 3 pers. **1859** *Alestschorn* (4 195 m) : Tuckett, Angl. et 3 guides. **1860** *Grand Paradis* (4 061 m) : 2 Angl., 2 guides français. **1861** *Weisshorn* (4 505 m) : Tyndall et 2 guides sui. **1862** *Dent Blanche* (4 357 m) : 4 Angl. et guides. **1864** *Barre des Écrins* (4 101 m) : Whymper et 4 pers. **1865** *Grandes Jorasses,* Pointe Whymper (4 184 m) : Whymper et 2 guides suisses. *Aiguille Verte* (4 121 m) : Whymper et 2 guides suisses. *Cervin* (4 477 m) *15-7 :* caravane Whymper, 7 pers. dont 4 avec le guide Michel Croz meurent à la descente. **1868** *Grandes Jorasses,* Pointe Walker (4 208 m) : Walker et 3 pers. *Elbrouz* (5 642 m) : D.W. Freshfields (Angl.). *Kasbek* (5 043 m) : D.W. Freshfields. **1877** *la Meije* (Grand Pic, 3 983 m) par 3 Français, les guides Pierre Gaspard et son fils conduisant Boileau de Castelnau. **1878** *Grand Dru* (3 754 m) : 2 Angl. et 2 guides suisses. *Petit Dru* (3 733 m) : 3 guides chamoniards. **1881** *Grépon* (3 484 m) *3-8 :* Mummery, Burgener (guide suisse) et Venetz (porteur) ; naissance de l'alpinisme sportif qui se passe des objectifs scientifiques ou d'exploration. *Chimborazo* (6 272 m) : Whymper. **1882** *Aiguille du Géant* (4 013 m) : Ital. et Angl. ; emplois de broches de fer scellées. **1889** *les Grands Charmoz* (3 456 m) : 6 personnes. **Fin du XIXe s.** presque tous les grands sommets alpins sont gravis : la technique s'améliore (pitons, mousquetons, étriers).

1911 *Grépon,* versant Mer de Glace : G.W. Young et le guide Joseph Knubel. **1912 et 1913** *la Meije,* face S. ; *les Écrins,* paroi N.-O. ; arête de *Coste Rouge* à l'Aile froide (cordée Mayer-Dibona). **1927** *aiguille du Plan* face N. (Armand Charlet). **1931 à 1939** ascension de parois difficiles, en particulier les faces nord. **1931** *Cervin* (frères Schmid de Munich). **1933** *Cima Grande di Lavaredo* face N. (2 999 m) en 3 j (3 Italiens). **1934** *la Meije* face S. du Grand Pic (Pierre Allain et Raymond Leininger, 2 Parisiens fondateurs de l'école de Fontainebleau). **1935** *Grandes Jorasses* (All. Meier et Peters) face N. dans la tempête. **1935** (P. Allain et R. Leininger) face N. *Drus.* **1936** face N.-O. *l'Aile Froide* (cordée Gervasutti-Devies). **1937** *Piz Badile,* face N.-E. (5 Ital. conduits par Cassin dont 2 morts d'épuisement à la descente). **1938** *Rateau* face N. (cordée Madier-Fourastier). *-4-8 Grandes Jorasses* (4 208 m), face N., éperon Walker : 3 It. (Cassin, Esposito, Tizzoni). *Eiger,* face N. : All. Heckmair et Vorg ; Autr. Harrer et Kasparek. **1951** *Grand Capucin du Tacul* (700 m verticaux ou surplombant) ; Walter Bonatti. **1952** *Drus,* face O. :

MONT BLANC

1786-*8-8* après plusieurs recherches d'itinéraires, Jacques Balmat (1762-1834, cultivateur et cristallier), 1er guide de haute montagne, et le Dr Michel Paccard. **1787**-*3-8* Horace Benedict de Saussure (1740-99) avec 19 personnes (payant chacune 5 louis). **Après 1800** ascension tentée régulièrement. **Actuellement** escaladé chaque été par 2 000 à 3 000 alpinistes (la plupart sans guide) (le 15-8-1979, 300 personnes ont atteint la cime). Par beau temps, la montée ne présente pas de difficultés techniques. Le grimpeur doit être entraîné à la marche et habitué à l'usage des crampons. Le mauvais temps arrive parfois rapidement (vent de 150 km/h, température de – 40 °C, brouillard et neige effaçant les traces). *Record de vitesse :* août 1987, Laurent Smaghe en 6 h 47 min. *En 1922,* Morand a escaladé le dôme final sur une moto (il s'était fait déposer au refuge du Goûter par hélicoptère). **1975** *Mont Blanc* Christel Bochatay (Fr.) 8 ans. **1988**-*10-7* Pierre Tardivel, descente à skis du versant italien. *-5-8 Chamonix-mont Blanc-Chamonix* Laurent Smagghebat en 5 h 29' 30". **1989**-*9/10-2 Mont Blanc,* versant italien en 19 h, C. Profit. **1990**-*20-7 Chamonix-mont Blanc-Chamonix,* Pierre-André Gobet, record en 5 h 10' 14". **1991**-*6-8 Mont Blanc* Valérie Schwartz (7 ans, Suisse). **1992**-*15/16-8* Brigitte Chambron bat le record du tour du mont Blanc, 170 km en 22 h 59' 22".

CONQUÊTE DE L'EVEREST

Historique. Avant 1950 tentatives par le versant tibétain, le Népal étant fermé aux étrangers. 1ers : *1873* (Gal brit. C.G. Bruce). *1921* C.K. Howard-Bury atteignit le col Nord (6 985 m), 1 mort. *1922* usage de bouteilles d'oxygène [(expédition brit. dirigée par C.G. Bruce ; Somervell atteint 8 170 m et G.I. Finch 8 325 m) ; 7 sherpas tués par avalanche]. *1924* exp. dirigée par C.G. Bruce (*4-6* E.F. Norton atteint 8 572 m ; G.L. Mallory et A. Irvine atteignent peut-être le sommet mais disparaissent). *1933* exp. Ruttledge (Brit.) ; W. Harris et F. Smythe arrêtés à 8 573 m. *1934* 1re tentative en solitaire : W. Wilson disparaît. *1936* Ruttledge (abandonne au col Nord). *1938* exp. W. Tilman (Brit.) : échec. *1947* 2e solitaire : E. Deman (Canad., disparaît). **Entre 1950 et 53** 1res tentatives du côté népalais : 4 échecs : *1950* Ch. Houston et W. Tilman. *1951* K. Becker-Larsen (Danois), solitaire parti du Népal, contourne le massif en franchissant le col de Nang-pa, atteint le col Nord et gagne Darjeeling. *1952 (printemps)* exp. suisse de E. Whyss-Dunant, avec Norgay Tenzing chef sherpa ; atteint 8 500 m (record du côté nép.), doit rebrousser chemin ; *(automne)* exp. suisse avec G. Chevalley.

■ **1re réussite versant népalais. 1953** exp. brit. dirigée par le col. John Hunt (n. 26-6-1910 ; sera anobli), par la cascade de glace du Khumbu jusqu'au col Sud (8 000 m), puis l'escalade de l'arête S.-E. (appelée depuis « la voie normale ») ; sommet atteint le 29-5 par Edmund Percival Hillary (n. 20-7-1919) et le sherpa Norgay Tenzing (1914-86, né au Népal, vécut à Darjeeling en Inde), victoire coïncidant avec le couronnement d'Élisabeth II. **2e : 1956** exp. suisse, versant nép., par le col Sud ; 2 cordées au sommet : *23-5* J. Marment et E. Schmied, *24-5* R. Reist et H.V. Gunten, tous Suisses. **3e : printemps 1963** versant nép. Plus forte expédition jamais entreprise : USA : 19 montagnards, 47 sherpas, 900 porteurs.

■ **1re réussite versant tibétain. Printemps 1960** 3 Chinois au sommet : Wang Fou Chou, Chou Ying Hua et sherpa tib. Gompa. Pas de détails publiés. **1re réussite par arête Ouest : 22-5** T. Hornbein, W. Unsoeld et une cordée **via col Sud :** *1-5* J. Whittaker et Ngawang Gombu. *22-5* B. Bishop et J. Arstad. **1re traversée de l'arête O. au versant S.-E.** (appelée voie normale via col Sud) : **24-9-1975** Doug Scott et Dougal Haston (G.-B.). **1re victoire sans oxygène : 8-5-1978** par Reinhold Messner (n. 17-9-44) et Peter Habeler (n. 22-7-42), par col Sud, vers. nép. **1re réussite hivernale : 17-2-1980** Lesek Cichy (n. 1950) et Krzystof Wielicki (n. 1949) par col Sud (– 30° à – 60 °C, vent 150 km/h). **1re par la face nord : 3-5-1980** Yasuo Kato (n. 1949). **1re réussite en solitaire : 20-8-1980** Reinhold Messner. **1re par la face sud-ouest du Hidden Peak : 2-5-1982** Valeri Khomitov, Vladimir Pytchkov et Youri Golodov. **1re réussite en solitaire et en moins de 24 h : 27-9-1988** Marc Batard en 22 h 24'. **1re descente à skis : 27-9-1992** Pierre Tardivel.

Conquêtes : 283 par 253 différents montagnards dont Népal 42 (63 victoires) Japon 28 (33 v.), USA 28 (29 v.), Chine 16, Inde 13 (14 v.), All. féd. 13, URSS 11, Corée du S. 10, *France 9* [Pierre Mazeaud, Jean Afanassieff et Nicolas Jaeger, le 15-10-1978 ; Jean-Pierre Frachen, Gérard Vionnet, Jean-Marc Boivin et Michel Metzger (sans oxygène), le 26-9-1988 ; Marc Batard le même jour, mais indépendamment, en « solo » et sans oxygène et Serge Koenig le 8-10-1988 + Christine Janin en 1990], Espagne 9, Suisse 9, G.-B. 8, Autriche 7, Pologne 7, Youg. 7 (8 v.), Italie 6 (7 v.) Australie 6, Norvège 6, Bulgarie 5, Canada 4, Tchécosl. 3, Nouvelle-Zél. 3, Mexique 2 et P.-Bas 1.

Ont réussi 6 fois : 1 Sherpa nép. (Ang Rita, n. 1947, en 1983, 84, 85, 87, 88, 90, sans oxygène) ; *5 fois :* 1 Sherpa nép. (Sungdare, † accidentellement mais pas en cours d'exp., en oct. 1989).

Premières femmes ayant réussi : 9. *1975*-16-5 Junko Tabei (Jap., n. 22-9-39), *1975*-26-5 Phuntong (Tibéto-Chin.), *1978*-16-10 Wanda Rutkiewicz (Pol.), *1979*-2-10 Hannelore Schmatz (All. féd.) mourut en bivouaquant à la descente, à 8 400 m, *1984*-23-5 Bachendra Pal (Ind.), *1986*-10-5 Sharen Wood (Canada), *1988*-2-10 Stancy Allison et Peggy-Joan Luce (USA), *1988*-14-10 Lydia Bradley (Nlle-Zél.), *1990*-5-10 Christine Janin (1re Fr.). Toutes par le versant népalais sauf Phuntong.

Plus jeune : Zébulon Roche (Fr.) 17 ans (1990). *Plus vieux :* Richard Bass (USA) 55 ans et 130 j (1985).

4 Français. **1955** *août Drus,* pilier S.-O. : en solitaire, Walter Bonatti. **1959**-*22-7 Cervin,* face N. : solitaire par Dieter Machart. **1961** *Eiger,* face N. en hiver : équipe austro-all. **1962** *Cervin,* face N. en hiver : Hilti von Allmen et Paul Etter. **1985**-*26-7, en 24 h* et **1987**-*12/13-3, en 40 h 54 min* Christophe Profit enchaîne *Grandes Jorasses, Eiger* et *Cervin.* **1986**-*17-3* Jean-Marc Boivin enchaîne en 17 h aidé, d'une aile delta, 4 faces nord (Aiguille verte, Droites, Courtes et Grandes Jorasses). **1989** *Chamonix-Zermatt* à skis en 19 h 11″, Denit Pivot. **1992**-*9-3 Eiger* face N. en hiver, Catherine Destivelle (Fr.).

Nota. – L'alpinisme se pratiquait autrefois surtout en été. Les difficultés de l'alpinisme hivernal sont le froid (– 20 °C ou – 30 °C en Europe), la brièveté des jours et l'enneigement des parois.

Autres continents

Hauteur des sommets en mètres et 1re ascension.

■ **Afrique. 5 895 Kibo (Kilimandjaro)** *1887* H. Meyer (All.). **5 199 Kenya** *1899* McKinder (Angl.). **5 119 Ruwenzori** *1906* Duc des Abruzzes (Ital.).

■ **Amérique. 6 768 Huascaran** *1932* E. Kinzl, E. Schneider, etc. **6 959 Aconcagua** *1897* Zurbriggen (Sui.). *1954* face sud, Berardini et éq. fr. **6 550 Tupungato** *1897* M. Zurbriggen (Sui.). **6 194 McKinley** *1913* H. Stuck (Amér.). **5 542 Popocatepetl** *1591* D. de Ordas (Esp.). **3 441 Fitz Roy** *1952* G. Magnone, L. Terray (Fr.).

■ **Antarctique. 4 897 Vinson.** *1992* Christine Janin.

■ **Asie. 8 846,10 m (mesure faite en 1993, avant estimée à 8 848 Everest** (voir encadré p. 1490).

Bilan : *Tentatives :* 162 entre 1873 et nov. 1989 dont 65 succès (versant népalais 58, chinois 13), 97 échecs (v. nép. 44, chin. 53).

Karakorum ou Karakoram (massif), *1909,* exploration par le duc des Abruzzes. **Pic K2** (ou Mt Godwin Austen ou Chogo Ri en tibétain), le plus haut sommet du Karakorum, *31-7-1954* Compagnoni et Lacedelli après 4 tentatives (It.,), assaut 70 j. **8 586 Kangchenjunga,** *25-5-1955* Brown et Band (G.-B.), après 6 tentatives. Assaut 47 j. **8 516 Lhotse,** *18-5-1956* Luchsinger et Reiss (Suisse), assaut 45 j. **8 463 Makalu I,** *15-5-1955* Franco et éq. fr., assaut 47 j. **8 201 Cho Oyu,** *19-10-1954* Tichy (Autr.) et Pasang (Nép.), assaut 31 j. **8 172,** *13-5-1960* éq. austro-népalo-sui., assaut 52 j. **8 163 Manaslu,** *9-5-1956* (Japonais). Après 4 tentatives, assaut 50 j. **8 126 Nanga Parbat,** *3-7-1953* Hermann Buhl (Autr.) en solitaire, sans oxygène et sans équipement spécial. Après 10 tentatives, assaut 42 j. Env. 30 personnes moururent dans différentes tentatives. *1980 14-7* Hans Egel (All.) versant O., fait les derniers m en solitaire. **8 091 Annapurna I,** *3-6-1950* les Français : Maurice Herzog (n. 15-1-19), Louis Lachenal (1921-55), 1er 8 000 m conquis, assaut 18 j. *1980,* Yves Morin descendant à ski du sommet de l'Annapurna mourut suspendu à une corde fixe dans un passage délicat. **8 068 Gasherbrum I** ou **Hidden Peak,** *5-7-1958* (Amér.), assaut 36 j. *7-7-1956* Moravec (Autr.), assaut 46 j. **8 047 Broad Peak,** *9-6-1957* H. Bahl (Autr.), assaut 28 j. **8 013 Xixa Pangma** ou **Gosainthan,** *2-5-1964* (Chine), assaut 47 j. **7 816 Nanda Devi,** *1936* Tilman (Angl.). **7 710 Jannu** ou **Khumbakarnu,** *1962* Lionel Terray et équipiers français.

☞ **Quelques records. Montagne la plus haute encore inviolée :** Zemu Gap Peak (7 780 m) dans l'Himalaya, 31e sommet du monde. **Paroi la plus abrupte :** face N.-E. du Half Dome, Yosemite (Californie, USA), 975 m de large sur 670 m de haut, ne s'écarte jamais de + de 14° de la verticale. Escaladée pour la 1re fois en 5 j par Royal Robbins, Jerry Galwas et Mike Sherrik, en juillet 1957. **Vitesse :** Marc Batard parcourut en une nuit 3 grands itinéraires dans l'envers du mont Blanc : la Major, la Sentinelle rouge et la Brenva. **Endurance :** Jacques Sangnier (46 ans) a franchi en courant 24 cols entre 2 000 et 3 200 m de l'Arc alpin en 20 étapes. Il a parcouru 580 km sur une dénivellation totale dépassant 24 000 m.

Quelques noms

☞ *Légende.* – (1) France (2) Italie (3) Autriche (4) All. féd. (5) USA. (6) N.-Zél. (7) Japon. (8) G.-B. (9) Suisse. (10) Pologne (11) Youg.

Alpinistes actifs. Jean Afanassief [1] (1953). Yves Astier [1]. Louis Audoubert [1]. Marc Batard [1]. Patrick Berault [1]. Tomo Cesen [11]. Patrick Cordier [1]. Jean Coudray [1]. François Damilano [1]. Catherine Destivelle [1]. Michel Fauquet [1]. Christine Janin [1] (1re française ayant conquis l'Everest). Jean-Christophe Lafaille [1]. Laurence de La Ferrière [1] (1957), 1re femme à avoir atteint sans oxygène 8 505 m (Yalungkang en 1984). Ehrardt Loretan. François Marsigny [1]. Chantal Mauduit [1]. Reinhold Meissner [2] (17-9-44) ; en 1986, le 1er à avoir gravi les 14 sommets de l'Himalaya de plus de 8 000 m. Christophe Moulin [1]. Michel Piola [1]. Claude et Yves Remy [1]. Junko Tabei. Fred Wimal [1].

Les grands noms de l'alpinisme. Pierre Allain [1] (n.c.). Pierre Béghin [1] (1951-92). Lucien Bernardini (n. 1930). Jean-Marc Boivin [1] (1951-90). Walter Bonatti [2] (n. 22-6-1930). Chris Bonington [8] (n.c.). Hermann Buhl (1924-57) [4]. Riccardo Cassin [2] (1909). Armand Charlet [1] (1900-75). Emilio Comici (1901-40) [2]. Jean Couzy [1] (1923-58). René Desmaison [1] (1932). Hans Dülfer (1893-1915) [5]. Jean Franco [1] (1917-72). Giusto Gervasutti [1] (1909-46). Peter Habeler [4]. John Harlin [6] (1935-66). Anderl Heckmair (1906) [5]. Toni Hiebeler [5] (1927). Nicolas Jaeger [1] (1946-80). Yasuo Kato [7] (1949-82). Jerzy Kukuczka [10] (en 1987, égale le record de Meissner, † 1989). Louis Lachenal [1] (1921-55). George Leigh Mallory [8] (1886-1924). Franc Lochmatter † (n.c.) [9]. Alexis Long (1959-92). Albert Frédérick Mummery [8] (1855-96). Robert Paragot [1]. Georges Payot [1]. Giovanni Bastita Piaz [2] (1879-1948). Y. Pollet-Villard [1] (1929-81). Paul Preuss [9] (1889-1913). Gaston Rebuffat [1] (1921-85). Alan Rouse [8] († 1986). Wanda Rutkiewicz (n.c.-1992). Ryan [8]. Douglas Scott [8]. Yannick Seigneur [1]. Lionel Terray [1] (1921-65). Willo Welzenbach †. Edward Whymper [8] (1840-1911).

Motocyclisme

☞ Voir Motocyclette à l'Index.

Généralités

■ **Fédération française de motocyclisme.** 74, avenue Parmentier, 75011 Paris. *Licenciés* (91) : 26 000.

■ **Marques célèbres.** *Entre les 2 guerres,* marques britanniques : Sunbeam, Matchless AJS (7 R. de 350 cc), Vélocette, Norton (500 cc « Manx »). *Après la guerre,* marques italiennes : Guzzi (250 cc, 350 cc), Gilera (500 cc), Meccanica Verghera (38 titres de champion du monde des constructeurs). *Depuis 1961 :* japonaises : Honda, Yamaha, Suzuki, Kawasaki.

■ **Records. Vitesse. A l'heure :** 512,733 km/h de moyenne départ lancé (meilleur essai : 513,165 km/h) à Bonneville Salt Flats (Utah, USA) par Donald A. Vesco (USA, n. 8-4-39) le 28-8-1978 sur sa Lightning Bolt carénée de 6,4 m de long propulsée par 2 moteurs de 1 016 cc Kawasaki.

1 km lancé 13″90 (258,99 km/h) Coluche (Fr., 1944-86), 29-9-85 sur Yamaha 750 cc. **1 km départ arrêté** 16″68 (215,83 km/h) Henk Vink (P.-B., n. 24-7-39), 24-7-77 sur Kawasaki 4 cylindres 984 cc à compresseur. **100 km départ arrêté** 25″44′74 (203,04 km/h) Mike Hailwood (2-2-1964) sur MV-Augusta 500 cc. **1 000 km** 205,933 km/h par les It. Mandracci, Patrignani, Trabalzini, 30-10-69 sur Guzzi. **Parcours** 50 000 km en 19 j à 109,4 km/h par des officiers français sur une Yacco Gnome-et-Rhône à Montlhéry, du 19-6 au 8-7-39. **Course** G. Meier (ex-All. féd.) BMW 215,6 km/h en 1934. **Saut** Record : 84, 30 m par Alain Prieur (Fr.) 9-10-88 à Grenoble.

Plus longue distance sur circuit. 4 444,8 km (moy. 185,2 km/h) par les Français Jean-Claude Chemarin et Christian Léon les 14 et 15-8-75 sur une Honda 4 cylindres 941 cm³. **Endurance sur terrain de cross** 61 h 54′47″ par Alain Fieuw (Belg.) du 20 au 22-6-86 sur Yamaha TT 250 ; **tout terrain en double** (relais toutes les heures) 100 h 58′12″, les Français Joël Conductier (n. 29-3-59) et Philippe Hutin (n. 1955), 2 600 km sur Kawasaki 600 KLR (circuit de Beauvoisin, Gard) du 13 au 16-6-86.

Épreuves

■ **Origine. 1897** 1re course Paris-Dieppe. **1907**-*28-5* séries des Auto-cycle Union Tourist Trophy (île de Man, G.-B.). **1920** 1er Grand Prix en France.

■ **Types. Courses : de côte** sur route. Les concurrents partent isolément toutes les minutes. Championnat de la montagne 50 à 125 cm³, 126 à 250 cm³, 251 à 500 cm³, 501 à 1 300 cm³, side-cars jusqu'à 500 cm³ ; **sur glace** avec pneus équipés de longs clous, carburant alcool ou méthanol ; **de vitesse** sur circuit fermé à revêtement dur et continu.

Enduro. Épreuve d'endurance et de régularité en terrain varié sur des sentiers forestiers ou des chemins de terre non carrossables. Comme le rallye : moyenne exigée et épreuves de vitesse.

Grass-track. Sur piste ovale, gazonnée. Les concurrents (4 ou 6) disputent plusieurs manches au nombre de tours limité.

Moto-ball. Dérivé du football, pratiqué sur des motos d'une cylindrée inférieure à 250 cm³. Se déroule en 4 périodes de 25-20-20-25 min. Équipe de 5 joueurs : 3 avants, 1 arrière, 1 gardien de but (1 ou 2 remplaçants devant être prévus).

Moto-cross. Sur une piste fermée et très accidentée avec de fortes dénivellations et variations de pentes.

Rallye (ou circuit de régularité). Sur route libre et non gardée, au kilométrage bien déterminé et aux horaires rigoureusement minutés. Comporte fréquemment une course de côte ou de vitesse pure pour départager les ex aequo.

Speedway. Sur piste ovale assez courte. Sol en cendrée, sable, terre, etc., pratiquement plat. 4 ou 6 pilotes lâchés ensemble tournent sur l'ovale en grand dérapage contrôlé. *Motos :* 500 cm³ monocylindriques dépourvues de boîte de vitesses.

Trial. Parcours de 80 à 120 km (souvent une boucle, à parcourir 2 ou 3 fois) parsemés d'obstacles naturels. Une moyenne de 20 km/h est imposée. En arrivant à une *zone contrôlée* (ou *non-stop*), le pilote va reconnaître le terrain à pied. *Pénalisations* (points) : pied posé au sol : 1 ; poser 2 fois le pied : 2 ; plusieurs touchés des pieds : 3 ; chute ou arrêt dans le non-stop avec les 2 pieds au sol : 5 ; par minute de retard à l'arrivée : 0,1. En cas d'ex aequo, on tient compte du plus grand nombre de non-stop réussis sans faute et, au besoin, des non-stop exécutés avec un pied au sol ou plusieurs touchés des pieds au sol.

Quelques résultats

☞ *Légende.* – (1) Espagne. (2) P.-Bas. (3) All. féd. (4) Suède. (5) G.-B. (6) Finlande. (7) Italie. (8) Suisse. (9) Canada. (10) Venezuela. (11) Australie. (12) USA. (13) Belgique. (14) URSS. (15) France. (16) Japon. (17) Afr. du S. (18) Brésil. (19) Autr. (20) N.-Zélande. (21) Irlande.

A : Amstrong. Ap : Aprillia. B : Bultaco. Be : Beta. BF : Byblos Fior. C : Cobas. Ca : Caviga. Ch : Chevalier. D : Derbi. F : Fantic. G : Garelli. H : Honda. I : Italjet. K : Kawasaki. Kr : Kreidler. Krau : Krauser. M : Minarelli. Mo : Motobécane. Mon : Montessa. Mor : Morbidelli. O : Ossa. P : Pernod. Po : Portal. S : Suzuki. St : Stock exp. Y : Yamaha. Z : Zundapp.

■ **Bol d'Or.** *Créé* 1922, abandonné de 61 à 68, repris en 69. Course de vitesse toutes catégories, qui dure 24 h. **Lieux : 1922** Vaujours (près de Livry-Gargan), **23 à 26** St-Germain (C. des Loges), **27** Fontainebleau, **28 à 39** St-Germain (C. de la ville), **47 à 51** St-Germain, **52 à 60, 69-70** Montlhéry, **dep. 71** Le Mans, puis Le Castellet. **Palmarès : 1990** Vieira [15]-Mattioli [15]-Mertens [13] (H), moy. 143,883 km/h ; carambolage : 2 †, 4 bl. **91** Veira [15]-Duhamel [9]-Battistini [15] (K), moy. 161,475 km/h. **92** Rymer-Fogarty-Hislop [5] (K) ; 2e Veira-Battistini-d'Orgeix [15] (K) ; 3e Bertin-Morillas-Depuniet [15] (H).

■ **24 h du Mans.** *Créées* 1978. Classement à la distance. **1990** Veira [15]-Mattioli [15]-Mertens [13] (H). **91** Monneret [15]-Bonhuil [15]-Nicotte [15] (4). **92** (22/26-5) Fogarty [5]-Rymer [5]-Simul [13] (K). En marge de la course, 9 motards ont été tués par accident hors circuit. **93** Veille [15]-Morillas [15]-Morrison [5] (K), 2e Puniet [15]-Lentaigne [15]-Duhamel [9], 3e Soulon [15]-Amalric [15]-Ferrer [15] (H).

■ **Paris-Dakar.** Voir Automobile, p. 1448.

■ **Tour de France.** Connu de 1973 à 1981.

■ **Championnats du monde.** *Créés* 1949. Grands Prix : épreuves disputées à l'échelon mondial, regroupant les catégories 50 (dep. 1962), 80, 125, 250, 500 + side-car 500. Attribution des points pour les 10 premiers de chaque course : 15, 12, 10, 8, 6, 5, 4, 3, 2, 1. Total portant sur les points obtenus dans un certain nombre de Grands Prix (en général, la moitié des épreuves plus une). Parallèlement, *champ. du monde des constructeurs* (même formule), sans tenir compte des pilotes.

Modifications du règlement technique. 1949 interdictions de tout système d'alimentation forcée de type compresseur, d'utiliser un autre carburant que celui vendu dans le commerce. *1958* interdiction des carénages intégraux. *1970* interdiction (pour les 125 et 250 cc) d'utiliser des moteurs de plus de 2 cylindres et des boîtes de vitesses de plus de 6 rapports.

50 cm³ (*Créés* 1962), **puis 80 cm³ dep. 84. 89** Herreros [1] (D). **Dep. 90** non disp.

125 cm³. *Créés* 1949. **90, 91** Capirossi [7] (H). **92** Gramigni [7] (Ap).

250 cm³. *Créés* 1949. **90** Kocinski [12] (Y). **91, 92** Cadalora [7] (H).

350 cm³. *Créés* 1949. Supprimés en 1983.

500 cm³. *Créés* 1949. **86** Lawson [12] (Y). **87** Gardner [11] (H). **88** Lawson [12] (Y). **89** Lawson [12] (H). **90, 91, 92** Rainey [12] (Y).

F 1. 80, 81 Crosby [20] (S.). **82, 83, 84, 85, 86** Dunlop [21] (H). **87** Ferrari [7] (Y). **88** Fogarty [5] (H). **89** non disputé.

Side-cars. *Créés* 1949. **90** Michel [15]-Birchall [5] (Krau). **91** Webster-Simmonds [5] (Krau). **92** Biland-Waltisperg [8] (LCR).

750 cm³ (prix FIM). *Créés* 1977. Pas de ch. dep. 1980.

Endurance. *Créés* 1980. **90, 91** Veira (K). **92** Rymer [5]-Fogarty [5] (K).

Moto-cross. 500 cm³. *Créés* 1957. **90** Geboers [13] (H). **91, 92** Jobé [13] (H). **250.** *Créés* 1962. **90** Puzar [7] (S). **91** Parker [12] (S). **92** Schmit [12] (H). **125.** *Créés* 1975. **90** Schmit [12] (S). **91** Everts [13] (S). **92** Albertijn [2](H). **Side-cars.** *Créés* 1980. **88, 89** Huesser-Huesser.

Trial. *Créés* 1975. **89, 90, 91** Tarres [1] (Be). **92** Ahvala [6] (Ap).

■ **Championnats de France.** *Créés* 1960.

Vitesse. Internationaux 750 cm³. 80 P. Pons (Y), **81** M. Fontan (Y) (plus de catégorie 750). **500. 88** R. Nicolle (H). **89** B. Gitton (BF). **90** Lecointe (S). **250. 88** B. Bonhuil (H). **89.** A. Morillas (Y). **90** Jeandat (H). **125. 89** J.C. Selini (MBA). **90** Ciffréo (H). **80. 85, 87** Bordes (SCRAB). **50. 80** J. Hutteau (ABF). **81, 82** P. Kambourian (St). **Side-cars 88** Golemba/Robert-Baillon. **89, 90, 91** Millet. Debroux (Krau). **Production. 88** Crine (S). **89** Veira (H). **90** Mounier (Y).

Nationaux 750 cm³. 80 A. Magro (Y). **81** P. Bissiana (Y) (plus de cat. 750). **500. 88** C. Arciero. **89** P. Ramassamy. **90** Dia (Ch). **250. 88** D. Bordeaux (H). **89** A. Dua (H). **90** Fantoni (Y). **125. 88** Jeandat (H). **89** Prion (H). **90** Ciffréo (H). **80. 88** J. Jeandat. **89** O. Prion. **90** Ciffréo (Mor). **50. 82** Vanzetto (Mon). Sides-car **88** Lacour-Marais (S). **89** Lacour-Carrière (S). **90** Bay-Alibaux (Krau).

Moto-cross. Internationaux 500 cm³. 88 J. Vimond (Y). **89** J. Vimond (H). **90** J. Vimond (K). **250. 88, 89, 90** Kervella (H). **92** Guédard (K). **125. 88** J.-M. Bayle (H). **89, 90, 92** Y. Demaria (Y). **Side-cars 88** Mecene-Morgan. **89, 90** Thomas-Lebouquin (H). **90** Mecene-Morgan.

Trial. Internationaux 88, 89 T. Michaud (SWM). **90, 91** Berlatier (Be). **Nationaux 88** T. Michaud (SWM). **89, 90** Pradier (Ap). **92** Camozi.

Enduro. Internationaux plus de 125 cm³. 89 Peterhansel (Y). **90** Lalay (S). **91** Merva (H). **92** Esquirol (HVA).

■ **Enduro du Touquet.** *Créé 1974.* **92** Guédard [15] (K). **93** Delépine [13] (H).

■ **ISD 1984** (Hollande). *Or* Gilles Lalay ; *argent* G. Albaret, E. Berthet-Rayne, A. Boissonnade, T. Castan, J.-P. Charles, F. Guérand, M. Morales, S. Peterhansel, P. Poyard, D. Tirard, T. Viardot ; *bronze* T. Charbonnier, J.-P. Raymond, M. Roche.

Quelques noms

Agostini, Giacomo (It., 11-6-42). Baldé, Jean-François (Fr., 20-11-50). Bayle, J.-Michel (Fr., 1-4-69). Bertin, Guy (Fr., 1954). Burgat, Gilles (Fr., 1961). Caldora, Luca (It., 17-5-63). Capirossi, Loris (It., 4-4-73). Chemarin, Jean-Claude (Fr., 6-5-52). Criville, Alex (Esp. 4-3-70). Fontan, Marc (Fr., 26-10-56). Gardner, Wayne (USA, 11-10-59). Gobers, Eric (Belg., 5-8-62). Gresini, Fausto (It., 23-1-61). Hailwood, Mike (G.-B., 1940-81). Igoa, Patrick (Fr., 1959). Jobe, Georges (Belg., 6-1-61). Kocinski, John (USA, 20-3-68). Lalay, Gilles (Fr., 1962-92). Lavado, Carlos (Ven., 25-5-56). Lawson, Eddie (USA, 3-11-58). Malherbe, André (Belg., 1957). Mamola, Randy (USA, 10-11-59). Mang, Anton (All. féd., 29-9-49). Martínez, Jorge (Esp.). Mattioli, J.-Michel (Fr., 20-12-59). Michaud, Thierry (Fr., 11-9-63). Miller, Samuel Hamilton (G.-B., 11-11-35). Morales, Marc (Fr., 12-3-58). Neveu, Cyril (Fr., 20-9-56). Nicool, Kurt (G.-B., 15-11-64). Nieto, Angel Roldan (Esp., 25-1-47). Orioli, Eddy (Fr., 5-12-62). Parnell, Keith (G.-B., 1936). Pons, Patrick (Fr., 1952-80). Pons Sito (Esp., 9-11-60). Rainey, Wayne (USA, 23-10-60). Read, Phil (G.-B., 1-3-39). Redman, James A. (Zim., 8-11-31). Robert, Joël (Belg., 23-10-43). Roberts, Kenny (USA, 31-12-51). Roche, Raymond (Fr., 21-2-57). Roth, Reinhold (All. féd., 4-3-53). Rougerie, Michel (Fr., 1950-81). Ruggia, J.-Philippe (Fr., 20-10-65). Sarron, Christian (Fr., 27-3-55). Sarron, Dominique (Fr., 27-8-59). Schwantz, Kevin (USA, 19-6-64). Sheene, Barry (G.-B., 11-9-50). Smith, Jeffrey Vincent (G.-B., 14-10-34). Spencer, Freddie (USA, 20-12-61), Strijbos, Dave (P.-Bas, 8-11-67). Tarres, Jordi (Esp.). Thorpe, David (G.-B., 29-10-62). Van der Ven, Kees (P.-B.). Veira, Alex (Fr., 14-12-56). Vesco, Don (USA, 8-4-39). Vimond, Jacky (Fr., 18-7-61).

Motonautisme

Généralités

Source : Union internationale motonautique.

■ **Origine. 1885** Fernand Forest met au point sur le *Volapuck* un moteur vertical à 2 pistons opposés. **1887** Gottlieb Daimler, 1re démonstration de bateau à moteur à essence. *Lenoir* canot à un moteur 4 temps à compression préalable. **1888** Forest, moteur de 4 groupes de 8 cylindres, soit 32 cylindres en étoile. **V. 1889** création de l'Hélice Club de France. **1896** le Cte Faramond de La Fajole fait construire le *Fleur de France,* un moteur 40 ch. **1900** Exposition internationale, 1res grandes manifestations (Argenteuil, Le Havre et Meulan). **1902**-*17-8* 1re traversée de l'Atlantique [capitaine Newmann et son fils (16 ans)] en 36 j. sur l'*Abriel Abbot Low* de 11,60 m avec un seul moteur à pétrole. **1903** 1re course en pleine mer (Calais-Douvres) et 1er championnat international. Coupe challenge Marius Dubonnet : course de 100 km dans le bassin de Poissy. **1904** International Sporting Club de Monaco crée 1er meeting des 1ers racers de 8 m, moteurs 300 ch. **1904** course Calais-Douvre. **1905** *Panhard Levassor* (15 m, 16 cylindres en 4 moteurs, 5 t) atteint 58 km/h. **1908** Association internationale de yachting automobile créée. **1922** Fédération française de motonautisme créée.

■ **Bateaux.** 2 catégories : *en-bord* (moteur fixé à l'intérieur de la coque) et *hors-bord* (sur le tableau arrière, partie mécanique et hélice étant immergée).

Séries internationales. En-bord course (ex-racers). **R 1000** (cylindrée du moteur jusqu'à 1 000 cm³ inclus), **R 1500** (1 000 à 1 500), **R 2000** (1 500 à 2 000), **R 2500** (2 000 à 2 500), **R 5000** (2 500 à 5 000), **R 7000** (5 000 à 7 000), **R ∞** (+ de 7 000). Coque et carène libres. Long. 4,20 m à 7,60 m. Poids 300 kg à 1 100 kg. Cockpit obligatoire. **Sport. E 1000** (– de 1 000), **E 1500** (1 000 à 1 500), **E 2000** (1 500 à 2 000), **E 2500** (2 000 à 2 500), **E 5000** (2 500 à 5 000), **E 7000** (5 000 à 7 000), **E ∞** (+ de 7 000).

Hors-bord course. O 175 (– de 175), **O 250** (175 à 250), **O 350** (250 à 350), **O 500** (350 à 500), **O 700** (500 à 700), **O 850** (700 à 850), **O 1000** (850 à 1 000), **O 1500** (1 000 à 1 500), **O 2000** (1 500 à 2 000), **O 3000** (2 001 à 3 000), **O ∞** (+ de 3 000). Coque et carène libres. Long. 3,90 m à 5,30 m. Poids 250 kg à 520 kg. Cockpit obligatoire. **Sport. S 175** (– de 175), **S 250** (175 à 250), **S 350** (250 à 350), **S 550** (350 à 550), **S 750** (550 à 750), **S 850** (750 à 850), **S 1000** (850 à 1 000), **S 1500** (1 000 à 1 500), **S 2000** (1 500 à 2 000), **S 3000** (2 001 à 3 000), **S ∞** (+ de 3 000). Coque libre.

Classes (coque en V). T 850 (750 à 850), **T 750** (550 à 750), **T 550** (400 à 550), **T 400** (251 à 400), **T 250** (– de 250). Monocoque uniquement. Long. 4,25 à 3,50 m. Larg. 1,40 à 1,30 m. Poids 200 kg à 110 kg. Creux 0,40 m à 0,35 m.

Pneumatiques. P 550 (– de 500), **P 750** (550 à 750). Long. 3,70 m à 4,20 m. Larg. 1,60 m à 1,70 m. Poids 65 kg à 75 kg. **A coque rigide. P 550 RH** (– de 550), **P 750 RH** (551 à 750), **P 850 RH** (751 à 850).

Jets. Standard. 440, 550, 650 et 750 cm³, biplace. **Limited (F 2).** 550, 650 et 750. **Modified (F 1).** 550, 650, et X 2, biplace. **Wetbike.** 800 et 1 000.

Aéroglisseurs. Formule 3 (– de 250), **F 2** (– de 500), **F 1** (+ de 500), **F S** (illimitée), **F Junior** (cylindrée limitée pour ne pas dépasser 50 km/h).

Modélisme naval. Classe FSR V 3,5 (– de 3,5 cm³, propulsion marine). **FSR V 6,5** (3,51 à 6,5, propulsion marine). **FSR V 15** (6,51 à 15, propulsion marine). **FSR V 35** (moteur à essence, allumage par étincelles, 15 à 35 cm³, propulsion marine). **Cl. promosport** (mêmes caractéristiques de FSR V 15, mais réservée aux licenciés dep. moins de 3 ans).

Courses

■ **Courses principales. Offshore.** *Championnats du monde :* Trophée Sam Griffith (créé 1967, devient en 1976 les champ. du monde). *Championnats d'Europe* (classes 1 et 2, créés 1964, classe 3). *Gd Prix Allemagne. Viareggio-Bastia-Viareggio* (créé 1964, Italie, juillet), *Cowes-Torquay* (créé 1962, G.-B., août), *Naples-Messine* (créé 1975, It., juillet). *Key West.*

En circuit. *Coupe d'Europe. Coupe du monde. Championnat continental d'endurance. Championnats du monde. Trophée Buysse* (créé 1961). *Trophée Boucquey* (créé 1977). *Harmsworth Cup* (créé 1903). *Coupe d'Europe, Grand Prix des Nations. Canon Trophy. Record de vitesse en pleine mer. 24 h de Rouen* (créés 1962, 1er mai).

■ **Course la plus longue.** Marathon off shore de Londres à Monte-Carlo qui se courut sur 2 947 milles (4 742 km) en 14 étapes du 10 au 25-6-1972. *Vainqueurs* Mike Bellamy, Eddie Charter et Jim Brooks en 71 h 35′56″ (moyenne 66,240 km/h) sur un canot anglais H.T.S.

■ **Championnat du monde. 1992. O 850** Bertels [8]. **F 1** Bocca [8]. **Offshore cl. I** Ragazzi [8], **II** Scioli [8], **III 1,3** Rudstrom [25], **III 2** Jenyey [7], **III 4** Holmes [7], **III 6** Ove Ugland [25].

1992 (circuit, sur une journée). O 250 Konig [22]. **O 350** Menta [8]. **O 500** Trombetta [8]. **OSY 400** Nomura [16]. **HR 1000** Hoone [7]. **R 2000** Lambri [8]. **O 700** Steineder [2]. **S 550** Cserni [21]. **S 750** Roggiero [8]. **S 850** Pennanen [11]. **T 400** Liltved [25]. **T 550** Molina [27]. **T 850** Rayasio [8].

■ **Championnats d'Europe. 1992. O 500** Landini [8]. **S 850** Ruggiero [8]. **Offshore cl. I** Capoferri [8], **II** Scioli [8], **III 1** Visentin [8], **III 1,3** Rueness [25], **III 2** Gagna [8], **III 4** Frode [11], **III 6** Boni [8].

1992 (circuit sur une journée). O 250 Hellen [11]. **O 350** Mammucari [8]. **O 700** Imrashovsky [12]. **OSY 400** Dickfors [11]. **S 660** Niemi [11]. **S 750** Roggiero [8]. **T 400** Sundsdal [25]. **T 550** Lofreda [8]. **T 850** Ravasio [8]. **HR 1000** Sciulze [22].

■ **Courses pour bateaux de plaisance. Trophée Mario Agusta.** *Créé* 1973. Attribué au motonaute qui a parcouru, dans l'année, avec le même bateau, le plus grand nombre de milles marins en un ou plusieurs déplacements, en mer ou sur rivière. *Vainqueurs.* **91** J. Medveckv, **92** Y. Hrivmak.

Trophée croisière Sanz Pinal. *Créé* 1973. Attribué au motonaute ayant parcouru la plus longue distance lors d'une croisière individuelle de 30 j. max. *Vainqueurs.* **91** D. Broz, **92** V. Sedivy.

Autres trophées : Alfred Buysse, John Ward, Boucquey, D. Konig.

Records du monde de vitesse

Vitesse en km/h, année, canot et pilote.

■ **Propulsion classique. 149,35** *1928 :* Miss America VII Gar Wood [1]. **158,80** *30 :* Miss England II Henry Segrave [1]. **166,51** *31 :* Miss England II Kaye Don [2]. **177,38** *32 :* Miss America IX Gar Wood [1]. **192,68** Miss England III Kaye Don [2]. **200,90** Miss America X Gar Wood [2]. **208,40** *37 :* Blue Bird Malcolm Campbell [2]. **210,68** *38.* **228,10** *39 :* Blue Bird II Malcolm Campbell [22]. **258,01** *50 :* Slo-Mo-Shun IV Stan S. Sayres [21]. **287,26** *52.* **296,95** *57 :* Miss Supertest II A.C. Asbury [3]. **302,14** Hawaii-Kaï III Jack Regas [21]. **314,35. 322,54** *62 :* Miss U.S. 1 (Staudach/Merlin) Ray Duby [1].

Par réaction (fusées-jets). 325,61 *1955 :* Blue Bird Donald Campbell [2]. **348,02. 363,12** *56.* **384,74** *57.* **400,18** *58.* **418,98** *59 :* Blue Bird III Donald Campbell [2]. **444,72** *64 :* Blue Bird IV Donald Campbell [2]. **459** *67 :* Hustler Lee Taylor [1]. **464,45** *77.* **511,11** *78 :* Hydroplane Westinghouse Ken Warby [10].

Par hélice aérienne. 120,53 *1923 :* Marcel Besson *Canivet* [4]. **137,87** *24 :* Hydroglisseur Farman *J. Fischer* [4]. **155,87** *51 :* Centro Spar Venturi [5]. Classe périmée.

Par diesel. *Vitesse* **218,26,** *1985 :* Carlo Bonomi [8]. *Fond* **157,84,** *1986 :* C. Bonomi [8]. *1 heure* **151,53,** *1986 :* C. Bonomi [8]. *2 heures* **144,46,** *1978 :* F. Buzzi [8].

■ **Hors-bord de course classe OI. 210,90** *1966 :* Starflite 4 (Mc Donald) Gerry Walin. **3 000 S. 196,65** *1990 :* Bertil Wik. **0500. 183,92** *1990 :* Mike Smith. **T850. 129,04** *1990 :* Mike Heston. **Off II. 197,30** *1992 :* Andrea Bonomi **190,08** *1992 :* G. Rampezzotti. **Off III 6L. 184,80** *1990 :* Neil Holmes. **4L. 156,27** *1990 :* Geoff Purves. **4L. 131,45** *1990 :* Judy Salvidge (record féminin). **B2L. 149,16** *1992 :* Joseph Trombley. **S 2 000. 167,11** *1992 :* Valérie Desmare. **O 3 000. 190,98** *1992 :* Patrice Kabatski. **S 3 000. 176,26** *1992 :* Claude Tomella.

☞ En 1992, le *Destriero* (67 m), équipage 14 personnes, propulsé par des turbones a traversé l'Atlantique (est-ouest) en 58 h 34 min 4 s (3 000 milles en consommant 700 t de fuel).

Nota. – Le 4 janvier 1967, D. Campbell, avant de se tuer, avait atteint 515 km/h.

Légende. – (1) URSS. (2) All. féd. (3) France. (4) USA. (5) Suisse. (6) Finlande. (7) G.-B. (8) Italie. (9) Argentine. (10) Australie. (11) Suède. (12) Tchécoslovaquie. (13) P.-Bas. (14) Brésil. (15) Autriche. (16) Japon. (17) All. dém. (18) Belgique. (19) Yougoslavie. (20) Pologne. (21) Hongrie. (22) Danemark. (23) Norvège. (24) Chine. (25) Norvège. (26) Bulgarie. (27) Espagne.

NATATION

Origine. Pratiquée de tout temps. **1603** Japon, obligatoire dans les écoles. **Fin XVIIIe s.** à la mode en G.-B. **1837** 1res courses en G.-B. **1858**-*9-2* compétitions internationales à Melbourne (Australie). **1896** admise aux 1ers JO. **1899** 1er ch. de France. **1908** création de la Féd. intern. de nat. amateur, **1920**-*20-11* de la Féd. fr. de nat. et de sauvetage.

PRINCIPALES ÉPREUVES

☞ **Jeux olympiques** (voir p. 1545).

Légende. – (1) USA. (2) Austr. (3) Fr. (4) Suède. (5) It. (6) P.-Bas. (7) All. féd. (8) All. dém. (9) Afr. du S. (10) Hongrie. (11) ex-URSS. (12) Écosse. (13) Japon. (14) G.-B. (15) Canada. (16) Finl. (17) Tchéc. (18) Danemark. (19) Allemagne (avant 1945 et depuis 1990). (20) Belgique. (21) Youg. (22) Brésil. (23) Bulgarie. (24) Roumanie. (25) Pologne. (26) Espagne. (27) Chine. (28) Surinam. (29) Norvège.

CHAMPIONNATS DU MONDE

(*Créés* 1973)

■ **Hommes. Nage libre. 50 m : 86** Jager [1] 22″ 49. **91** Jager [1] 22″16. **100 m : 73** Montgomery [1] 51″708. **75** Coan [1] 51″25. **78** Mc Cagg [1] 50″24. **82** Woithe [8] 50″18. **86** Biondi [1] 48″94. **91** Biondi [1] 49″18. **200 m : 73** Montgomery [1] 1′53″02. **75** Shaw [1] 1′51″04. **78** Forrester [1] 1′51″02. **82** Gross [7] 1′49″84. **86** Gross [7] 1′47″92. **91** Lamberti [5] 1′47″27. **400 m : 73** De Mont [1] 3′58″18. **75** Shaw [1] 3′54″88. **78** Salnikov [11] 3′51″94. **82** Salnikov [11] 3′51″30. **86** Henkel [7] 3′50″5. **91** Hoffmann [19] 3′48″04. **1 500 m : 73** Holland [1] 15′31″859. **75** Shaw [1] 15′28″92. **78** Salnikov [11] 15′3″99. **82** Salnikov [11] 15′1″77. **86** Henkel [7] 15′5″31. **91** Hoffmann [19] 14′50″36. **25 km : 91** Hundeby [1] 5h 1′45″78.

Dos. 100 m : 73 Matthes [8] 57′477. **75** Matthes [8] 58′15. **78** Jackson [1] 56″36. **82** Richter [8] 55″95. **86** Polianski [11] 55″58. **91** Rousse [1] 55′23. **200 m : 73** Matthes [8] 2′1″87. **75** Verreszto [10] 2′5″05. **78** Vassallo [1] 2′2″16. **82** Carey [1] 2′0″82. **86** Polianski [11] 1′58″78. **91** Lopez-Zubero [26] 1′59″52.

Brasse. 100 m : 73 Hencken [7] 1′4″23. **75** Wilkie [14] 1′4″26. **78** Kusch [7] 1′3″56. **82** Lundquist [1] 1′2″75. **86** Davis [15] 1′2″71. **91** Rozza [10] 1′1″45. **200 m : 73** Wilkie [14] 2′19″28. **75** Wilkie [14] 2′18″23. **78** Nevid [1] 2′18″37. **82** Davis [15] 2′14″77. **86** Szabo [10] 2′14″27. **91** Barrowman [1] 2′11″23.

Papillon. 100 m : 73 Bobertson [15] 55″69. **75** Jagenburg [1] 55″63. **78** Bottom [1] 54″30. **82** Gribble [1] 53″88. **86** Moralès [1] 53″54. **91** Nesty [28] 53″29. **200 m : 73** Backaus [1] 2′3″32. **75** Forrester [1] 2′1″95. **78** Bruner [1] 1′59″38. **82** Gross [7] 1′58″95. **86** Gross [7] 1′56″53. **91** Stewart [1] 1′55″69.

4 nages. 200 m : 73 Larsson [4] 2′8″36. **75** Hargitay [10] 2′7″72. **78** Smith [15] 2′3″65. **82** Sidorenko [11] 2′3″30. **86** Darnyi [10] 2′1″57. **91** Darnyi [10] 1′59″36. **400 m : 73** Hargitay [10] 4′31″11. **75** Hargitay [10] 4′32″57. **78** Vassallo [1] 4′20″05. **82** Prado [22] 4′19″78. **86** Darnyi [10] 4′18″98. **91** Darnyi [10] 4′12″36.

Relais. Nage libre. 4 × 100 m : 73 USA 3′27″18. **75** USA 3′24″85. **78** USA 3′19″74. **82** USA 3′19″26. **86** USA 3′19″89. **91** USA 3′17″15. **4 × 200 m : 73** USA 7′33″22. **75** All. féd. 7′39″44. **78** USA 7′20″82. **82** USA [1] 7′21″09. **86** All. dém. 7′15″91. **91 All.** 7′13″50. **4 nages. 4 × 100 m : 73** USA 3′49″49. **75** USA 3′49″. **78** USA 3′44″63. **82** USA 3′40″84. **86** USA 3′41″25. **91** USA 3′39″66.

■ **Dames. Nage libre. 50 m : 86** Costache [24] 25″28. **91** Zhuang [26] 25″47. **100 m : 73** Ender [8] 57″542. **75** Ender [8] 56″50. **78** Krause [8] 55″68. **82** Meineke [8] 55″79. **86** Otto [8] 55″5. **91** Haislett [1] 55″17. **200 m : 73** Rothammer [1] 2′4″99. **75** Babashoff [1] 2′2″50. **78** Woodhead [1] 1′58″53. **82**. Verstappen [6] 1′59″53. **86** Fredrich [8] 1′58″26. **91** Lewis [2] 2′0″48. **400 m : 73** Greenwood [1] 4′20″28. **75** Babashoff [1] 4′16″87. **78** Wickham [2] 4′06″28. **82** Schmidt [8] 4′8″98. **86** Friedrich [8] 4′7″45. **91** Evans [1] 4′8″63. **800 m : 73** Galligaris [5] 8′52″973. **75** Turrall [2] 8′44″75. **78** Wickham [2] 8′24″94. **82** Linehan [1] 8′29″48. **86** Strauss [8] 8′28″24. **91** Evans [1] 8′24″05. **25 km : 91** Taylor-Smith [2] 5 h 21′5″53.

RECORDS DE NATATION AU 8-8-93

	RECORDS DU MONDE		RECORDS D'EUROPE		RECORDS DE FRANCE	
HOMMES						
Nage libre						
50 m	21″81	Tom Jager (90) [1]	22″21	Alexander Popov (92) [2]	22″39	Christophe Kalfayan (93)
100 m	48″42	Matt Biondi (88) [1]	48″93	Alexander Popov (93) [2]	49″18	Stephan Caron (91)
200 m	1′46″69	Giorgio Lamberti (89) [5]	1′46″69	Giorgio Lamberti (89) [5]	1′49″19	Stephan Caron (88)
400 m	3′45	Evgueni Sadovyi (92) 2	3′45	Evgueni Sadovyi (92) [2]	3′52″12	Christophe Marchand (90)
800 m	7′46″60	Kieren Perkins (92) [13]	7′50″64	Vladimir Salnikov (86) [2]	8′09″01	Christophe Bordeau (89)
1 500 m	14′43″48	Kieren Perkins (92) [13]	14′50″36	Jorg Hoffmann (91) [6]	15′21″45	Franck Iacono (88)
Brasse						
100 m	1′00″95	Karoly Guttler (93) [21]	1′01″29	Norbert Rozsa (91) [7]	1′02″80	Christophe Vossart (92)
200 m	2′10″16	Mike Barrowman (92) [1]	2′11″23	Norbert Rozsa (92) [7]	2′14″56	Cédric Pénicaud (91)
Dos						
100 m	53″86	Jeff Rouse (92) [1]	54″67	Martin Lopez-Zubero (91) [12]	55″18	Franck Schott (92)
200 m	1′56″57	Martin Lopez-Zubero (91) [12]	1′56″57	Martin Lopez-Zubero (91) [12]	2′00″60	David Holderbach (91)
Papillon						
100 m	52″84	Pablo Morales (86) [1]	53″08	Michael Gross (84) [9]	54″11	Franck Esposito (93)
200 m	1′51″69	Melvin Stewart (91) [1]	1′48″17	Giorgio Lamberti (89) [5]	1′57″58	Franck Esposito (93)
4 nages						
200 m	1′59″36	Tamas Darnyi (91) [7]	1′59″36	Tamas Darnyi (91) [7]	2′02″70	Frédéric Lefèvre (90)
400 m	4′12″36	Tamas Darnyi (89) [7]	4′12″36	Tamas Darnyi (91) [7]	4′23″27	Frédéric Lefèvre (90)
Relais N. libre						
4 × 100 m	3′16″53	Jacobs, Dalbey, Jager, Biondi (88) [1]	3′17″11	Khnykin, Prigoda, Taianovitch, Popov (91) [2]	3′19″16	Éq. nat. (92)
					3′25″02	RCF (91)
4 × 200 m	7′11″95	Lepikov, Pychnenko, Taianovitch, Sadovyi (92) [2]	7′11″95	Lepikov, Pychnenko, Taianovitch, Sadovyi (92) [2]	7′19″86	Éq. nat. : Marchand, De Fabrique, Poirot, Bordeau (93)
					7′31″33	RCF (90)
Relais 4 nages						
4 × 100 m	3′36″93	Berkoff, Schroeder, Biondi, Jacobs (88) [1]	3′38″56	Éq. nat. ex-URSS (92)	3′40″51	Éq. nat. (92) : Schott, Caron, Vossart, Gutzeit
					3′47″47	D. Toulouse OEC (89)
DAMES						
Nage libre						
50 m	24″79	Yang Wenyi (92) [8]	25″28	Tamara Costache (86) [10]	25″36	Catherine Plewinski (92)
100 m	54″48	Jenny Thompson (91) [1]	54″57	Franziska Van Almsich (93) [6]	55″11	Catherine Plewinski (89)
200 m	1′57″55	Heike Friedrich (86) [3]	1′57″55	Heike Friedrich (86) [3]	1′59″88	Catherine Plewinski (92)
400 m	4′03″85	Janet Evans (88) [1]	4′05″84	Anke Mœhring (89) [3]	4′12″76	Cécile Prunier (88)
800 m	8′16″22	Janet Evans (89) [1]	8′19″53	Anke Moehring (87) [3]	8′39″20	Cécile Prunier (88)
1 500 m	15′52″10	Janet Evans (88) [1]	16′13″55	Astrid Strauss (84) [3]	16′36″28	Karyn Faure (89)
Brasse						
100 m	1′07″91	Silke Hoerner (87) [3]	1′07″91	Silke Hoerner (87) [3]	1′10″14	Pascaline Louvrier (87)
200 m	2′25″92	Anita Nall (92) [1]	2′26″71	Silke Hoerner (88) [3]	2′30″89	Audrey Guérit (92)
Dos						
100 m	1′00″31	Krisztin Egerszebi (91) [7]	1′00″31	Krisztin Egerszebi (91) [7]	1′04″39	Roxana Maracineanu (93)
200 m	2′06″62	Krisztin Egerszebi (91) [7]	2′06″62	Krisztin Egerszebi (91) [7]	2′16″00	Roxana Maracineanu (93)
Papillon						
100 m	57″93	Mary Meagher (81) [1]	59″	Kristin Otto (88) [3]	59″01	Catherine Plewinski (92)
200 m	2′05″96	Mary Meagher (81) [1]	2′07″82	Cornelia Polit (83) [3]	2′12″94	Cécile Jeanson (93)
4 nages						
200 m	2′11″65	Lin Li (92) [8]	2′11″73	Ute Geweniger (81) [3]	2′17″99	Céline Bonnet (91)
400 m	4′36″10	Petra Schneider (82) [3]	4′36″10	Petra Schneider (82) [3]	4′49″96	Catherine Magnier (88)
Relais N. libre						
4 × 100 m	3′39″46	Haslett, Torres, Martino, Thompson (92) [1]	3′40″57	Otto, Stellmach, Bofinger, Seick (86) [3]	3′47″04	Éq. nat. (89) : Plewinski, Jardin, Dechâtre, Delord
					3′52″66	D. Toulouse (91)
4 × 200 m	7′55″47	Stellmach, Strauss, Moehring, Friedrich (87) [3]	7′55″47	Stellmach, Strauss, Moehring, Friedrich (87) [3]	8′12″60	Éq. nat. : Plewinski, Prunier, Dechâtre, Jardin (87)
					8′27″49	D. Toulouse (91)
Relais 4 nages						
4 × 100 m	4′02″54	Loveless, Nall, Ahmann-Leighton, Thompson (92) [1]	4′03″69	Kleber, Geweniger, Geissler, Meinecke (84) [3]	4′12″59	Éq. nat. : Maracineanu, Leblond, Plewinski, Blaise (93)
					4′22″51	D. Toulouse OEC (91)

Nota. – (1) USA. (2) ex-URSS. (3) All. dém. (4) G.-B. (5) Italie. (6) Allemagne. (7) Hongrie. (8) Chine. (9) All. féd. (10) Roumanie. (12) Espagne. (13) Australie.

☞ Depuis 1957, la Féd. internat. ne reconnaît que les records obtenus dans une piscine de 50 m et de 55 yards ; depuis 1969, que dans une piscine de 50 mètres ; dep. le 3-3-1991, la FJNA reconnaît les records du monde en petit bassin (25 m).

Dos. 100 m : 73 Richter [8] 1′05″427. **75** Richter [8] 1′3″30. **78** Jezek [1] 1′2″55. **82** Otto [8] 1′1″30. **86** Mitchell [1] 1′1″74. **91** Egerszegi [10] 1′1″78. **200 m : 73** Belote [1] 2′20″52. **75** Treiber [8] 2′15″46. **78** Jezek [1] 2′11″93. **82** Sirch [8] 2′9″91. **86** Sirch [8] 2′11″37. **91** Egerszegi [10] 2′9″15.

Brasse. 100 m : 73 Vogel [1] 1′13″748. **75** Anke [1] 1′12″73. **78** Bogdanova [11] 1′10″31. **82** U. Geweniger [8] 1′9″14. **86** Gerasch [8] 1′8″11. **91** Frame [2] 1′8″81. **200 m : 73** Vogel [8] 2′40″01. **75** Anke [8] 2′37″25. **78** Kachushite [11] 2′31″42. **82** Varganova [11] 2′28″82. **86** Hoerner [8] 2′27″40. **91** Volkova [11] 2′29″53.

Papillon. 100 m : 73 Ender [8] 1′2″531. **75** Ender [8] 1′1″24. **78** Pennington [1] 1′0″20. **82** Meagher [1] 59″41. **86** Gressler [8] 59″51. **91** Hong [27] 59″68. **200 m : 73** Kother [8] 2′13″76. **75** Kother [8] 2′13″82. **78** Caulkins [1] 2′9″87. **82** Geissler [8] 2′8″66. **86** Meagher [1] 2′8″41. **91** Sanders [1] 2′9″24.

4 nages. 200 m : 73 Hubner [8] 2′20″51. **75** Heddy [1] 2′19″80. **78** Caulkins [1] 2′14″07. **82** Schneider [8] 2′11″79. **86** Otto [8] 2′15″56. **91** Lin Li [27] 2′13″40. **400 m : 73** Wegner [8] 4′57″51. **75** Tauber [8] 4′52″76. **78** Caulkins [1] 4′40″83. **82** Prado [22] 4′19″78. **86** Nord [8] 4′43″75. **91** Lin Li [27] 4′41″45.

Relais nage libre. 4 × 100 m : 73 All. dém. 3′52″35. **75** All. dém. 3′49″37. **78** USA 3′43″43. **82** All. dém. 3′43″97. **86** All. dém. 3′40″57. **91** USA 3′43″26. **4 × 200 m : 86** All. dém. 7′59″33. **91** All. 8′2″56. **Relais 4 nages. 4 × 100 m : 73** All. dém. 4′16″84. **75** All. dém. 4′14″74. **78** USA 4′8″21. **82** All. dém. 4′5″88. **86** All. dém. 4′4″82. **91** USA 4′6″51.

CHAMPIONNATS D'EUROPE

(*Créés* 1889, interrompus de 1904 à 1925, repris en 1926, tous les 2 ans)

■ **Hommes. Nage libre. 50 m : 87** Woithe [8] 22″66. **89** Tkatchenko [11] 22″64. **91** Rudolph [19] 22″33. **100 m : 81** Johansson [4] 50″55. **83** Johansson [4] 50″20. **85** Caron [3] 50″20. **87** Lodziewski [8] 49″79. **89** Lamberti [5] 49″24. **91** Popov [11] 49″18. **200 m : 81** Kopliakov [11] 1′51″23. **83** Gross [7] 1′47″87. **85** Gross [7] 1′47″95. **87** Holmertz [4] 1′48″44. **89** Lamberti [5] 1′46″69. **91** Wojdat [25] 1′48″10. **400 m : 81** Petric [21] 3′51″63. **83** Salnikov [11] 3′49″80. **85** Dassler [8] 3′51″52. **87** Dassler [8] 3′48″95. **89** Wojdat [25] 3′47″78. **91** Sadoyyi [11] 3′49″02. **1 500 m : 81** Salnikov [11] 15′9″17. **83** Salnikov [11] 15′8″84. **85** Dassler [8] 15′8″56. **87** Henkel [7] 15′2″33. **89** Hoffmann [8] 15′1″52. **91** Hoffmann [19] 15′2″57.

Dos. 100 m : 81 Wladar [10] 56″72. **83** Richter [8] 56″10. **85** Polianski [11] 55″24. **87** Zabolotov [11] 56″06. **89** Lopez-Zubero [26] 56″44. **91** Lopez-Zubero [26] 55″30. **200 m : 81** Wladar [10] 2′0″10. **83** Zabolotov [11] 2′1″. **85** Polianski [11] 1′58″50. **87** Zabolotov [11] 1′59″35. **89** Battistelli [5] 1′59″96. **91** Lopez-Zubero [26] 1′58″66.

Brasse. 100 m : 81 Kis [11] 1′03″44. **83** Julpa [11] 1′3″32. **85** Moorhouse [14] 1′2″99. **87** Moorhouse [14] 1′2″13. **89** Moorhouse [14] 1′01″71. **91** Rosza [10] 1′1″49. **200 m : 81** Julpa [11] 2′16″15. **83** Moorhouse [14] 2′17″49. **85** Volkov [11] 2′19″53. **87** Szabo [10] 2′13″87. **89** Gillingham [14] 2′12″40. **91** Gillingham [14] 2′12″55.

Papillon. 100 m : 81 Markowski [11] 54″39. **83** Gross [7] 54″. **85** Gross [7] 54′02. **87** Jameson [14] 53″62. **89** Szukala [25] 54″47. **91** Koulikov [11] 54″22. **200 m :**

81 Gross [7] 1′59″19. **83** Gross [7] 1′57″05. **85** Gross [7] 1′56″65. **87** Gross [7] 1′57″59. **89** Darnyi [10] 1′58″87. **91** Esposito [3] 1′59″59.

4 nages. 200 m : 81 Sidorenko [11] 2′3″41. **83** Franceschi [5] 2′2″48. **85** Darnyi [10] 2′3″23. **87** Darnyi [10] 2′0″56. **89** Darnyi [10] 2′01″03. **91** Sorensen [18] 2′2″63. **400 m : 81** Fessenko [11] 4′22″77. **83** Franceschi [5] 4′20″41. **85** Darnyi [10] 4′20″70. **87** Darnyi [10] 4′15″42. **89** Darnyi [10] 4′15″25. **91** Sacchi [5] 4′17″81.

Relais 4 nages. 4 × 100 m : 81 URSS 3′44″23. **83** URSS 3′43″79. **85** All. féd. 3′43″59. **87** URSS 3′41″51. **89** URSS 3′41″44. **91** URSS 3′40″68. **Nage libre. 4 × 100 m : 81** URSS 3′21″48. **83** URSS 3′20″88. **85** All. féd. 3′22″18. **87** All. dém. 3′19″17. **89** All. féd. 3′19″68. **91** URSS 3′17″11. **4 × 200 m : 81** URSS 7′23″41. **83** All. féd. 7′20″40. **85** All. féd. 7′19″23. **87** All. féd. 7′13″10. **89** It. 7′15″39. **91** URSS 7′15″96.

■ **Dames. Nage libre. 50 m : 87** Costache [24] 25″50. **89** Plewinski [3] 25″63. **91** Osygus [19] 25′80. **100 m : 81** Metschuck [8] 55″74. **83** Meineke [8] 55″18. **85** Friedrich [8] 55″71. **87** Otto [8] 55″38. **89** Meissner [8] 55″38. **91** Plewinski [3] 56′20. **200 m : 81** Schmidt [8] 2′00″27. **83** Meineke [8] 1′59″45. **85** Friedrich [8] 1′59″55. **87** Friedrich [8] 1′58″24. **89** Stellmach [8] 1′58″93. **91** Jakobsen [18] 2′0″29. **400 m : 81** Diers [8] 4′08″58. **83** Strauss [8] 4′8″07. **85** Strauss [8] 4′9″22. **87** Friedrich [8] 4′06″39. **89** Mœhring [8] 4′5″84. **91** Dalby [29] 4′11″63. **800 m : 81** Schmidt [8] 8′32″79. **83** Strauss [8] 8′32″12. **85** Strauss [8] 8′32″45. **87** Mœhring [8] 8′19″53. **89** Mœhring [8] 8′23″99. **91** Dalby [29] 8′32″08.

Dos. 100 m : 81 Kleber [8] 1′02″81. **83** Kleber [8] 1′01″71. **85** Weigang [8] 1′2″16. **87** Otto [8] 1′1″86. **89** Otto [8] 1′1″86. **91** Egerszegi [10] 1′0″31. **200 m : 81** Polit [8] 2′12″55. **83** Sirch [8] 2′12″05. **85** Sirch [8] 2′10″89. **87** Sirch [8] 2′10″20. **89** Hase [8] 2′12″46. **91** Egerszegi [10] 2′6″62.

Brasse. 100 m : 81 Geweniger [8] 1′08″60. **83** Geweniger [8] 1′08″51. **85** Gerasch [8] 1′08″62. **87** Hoerner [8] 1′07″91. **89** Bœrnicke [8] 1′9″55. **91** Rudkovskaia [11] 1′9″05. **200 m : 81** Geweniger [8] 2′32″41. **83** Geweniger [8] 2′30″64. **85** Bogomilova [23] 2′28″57. **87** Hoerner [8] 2′27″49. **89** Bœrnicke [8] 2′27″77. **91** Rudkovskaia [11] 2′29″50.

Papillon. 100 m : 81 Geweniger [8] 1′00″40. **83** Geissler [8] 1′00″31. **85** Grebler [8] 59″46. **87** Otto [8] 59″52. **89** Plewinski [3] 59″08. **91** Plewinski [3] 1′0″32. **200 m : 81** Geissler [8] 2′08″50. **83** Polit [8] 2′07″82. **85** Alex [8] 2′11″78. **87** Nord [8] 2′8″85. **89** Nord [8] 2′9″33. **91** Jakobsen [18] 2′12″87.

4 nages. 200 m : 81 Geweniger [8] 2′12″64. **83** Geweniger [8] 2′13″07. **85** Nord [8] 2′16″07. **87** Sirch [8] 2′15″04. **89** Hunger [8] 2′13″26. **91** Hunger [19] 2′15″53. **400 m : 81** Schneider [8] 4′39″30. **83** Nord [8] 4′39″95. **85** Nord [8] 4′47″08. **87** Lung [24] 4′40″21. **89** Hunger [8] 4′41″82. **91** Egerszegi [10] 4′39″78.

Relais 4 nages. 4 × 100 m : 81 All. dém. 4′09″72. **83** All. dém. 4′05″79. **85** All. dém. 4′06″93. **87** All. dém. 4′4″05. **89** All. dém. 4′7″40. **91** URSS 4′8″55. **Nage libre. 4 × 100 m : 81** All. dém. 3′44″37. **83** All. dém. 3′44″72. **85** All. dém. 3′44″48. **87** All. dém. 3′42″58. **89** All. dém. 3′42″46. **91** P.-Bas 3′45″36. **4 × 200 m : 87** All. dém. 7′55″47. **89** All. dém. 7′58″54. **91** Danemark 8′5″90.

Coupe d'Europe

(Créée 1969)

■ **Hommes. 69** All. dém. **71** URSS. **73** All. dém. **75, 76, 79, 80, 81, 82, 83** URSS. **84** All. dém. **85, 86, 89** All. féd.

■ **Dames. 69, 71, 73, 75** All. dém. **76** URSS. **79, 80, 81, 82, 83, 84, 85, 86, 89** All. dém.

Championnats de France

(Créés 1899)

■ **Hommes nage libre. 50 m : 92** Graye 23″61. **93** Dumesnil 23″67. **100 m : 86** Caron 51″24. **87** Caron 51″53. **88** Caron 50″09. **89** Caron 50″90. **90** Caron 50″68. **91** Caron 49″18. **92** Fourmy 52″30. **93** Barnier 51″87. **200 m : 86** Caron 1′51″41. **87** Neuville 1′52″20. **88** Depickère 1′51″05. **89** Kalfayan 1′51″70. **90** Bordeau 1′51″07. **91** Poirot 1′51″71. **92** Faure 1′53″36. **93** Barnier 1′52″43. **400 m : 86** Iacono 3′56″87. **87** Iacono 3′59″51. **88** Iacono 3′55″14. **89** Journet 3′55″12. **90** Marchand 3′53″77. **91** Bordeau 3′56″77. **92** Faure 3′58″15. **93** Orsoni 3′57″73. **1 500 m : 86** Iacono 15′38″9. **87** Cardineau 15′34″70. **88** Iacono 15′21″45. **89** Marchand 15′39″67. **90** Marchand 15′37″80. **91** Faure 15′45″48. **92** Rioual 15′45″99. **93** Sanson 15′40″74.

Dos. 50 m : 92 Masanelli 27″12. **93** Braize 27″15. **100 m : 86** Delcourt 58″04. **87** Schott 58″73. **88** Boucher 58″27. **89, 90, 91** Schott 56″32 ; 58″13 ; 57″63. **92** Dubreuil 58″41. **93** Masanelli 57″49. **200 m : 86** Delcourt 2′5″30. **87** Schott 2′7″54. **88, 89, 90, 91** Holderbach 2′4″28 ; 2′5″02 ; 2′3″62 ; 2′4″23. **92** Joncourt 2′3″27. **93** Maillebuan 2′5″25.

Brasse. 50 m : 92, 93 Latocha 29″50 ; 29 ″07. **100 m : 86** Pata 1′5″77. **87** Deneuville 1′4″97. **88, 89, 90, 91** Pénicaud 1′4″48 ; 1′3″65 ; 1′3″46 ; 1′3″64. **92** Rémy 1′4″32. **93** Latocha 1′3″65. **200 m : 86** Pata 2′22″10. **87** Leblanc 2′19″60. **88, 89, 90, 91** Pénicaud 2′17″43 ; 2′16″63 ; 2′15″56 ; 2′14″5. **92, 93** Rey 2′17″61 ; 2′17″27.

Papillon. 50 m : 92 Neuville 25″53. **93** Dubrasquet 25″23. **100 m : 86** Depickere 55″21. **87** Gutzeit 55″85. **88** Depickere 54″88. **89, 90, 91** Gutzeit 55″02 ; 55″51 ; 54″78. **92** Dubrasquet 55″97. **93** Abrard 56″51. **200 m : 87, 88, 89** Bordeau 2′2″60 ; 2′1″14 ; 2′2″94. **90, 91** Esposito 2′1″26 ; 2′1″28. **92** Corpel 2′5″. **93** Abrard 2′2″72.

4 nages. 200 m : 86 Gutzeit 2′5″89. **87** Gutzeit 2′5″52. **88** Bordeau 2′33″99. **89** Lefèvre 2′4″35. **90** Lefèvre 2′2″70. **91** Marchand 2′5″51. **92** Marchand 2′4″12. **93** Rey 2′6″69. **400 m : 86** Bordeau 4′29″02. **87** Bordeau 4′28″4. **88** Bordeau 4′23″75. **89** Lefèvre 4′28″. **90** Bordeau 4′23″31. **91** Bordeau 4′28″03. **92** Marchand 4′27″97. **93** Rey 4′28″93.

Relais. Nage libre : 4 × 100 m : 86 CN Marseille 3′32″76. **87** Toulouse OEC 3′30″73. **88** RCF 3′26″42. **89** RCF 3′26″93. **90** RCF 3′26″26. **91** RCF 3′25″02. **92** Toulouse 3′29″85. **93** RCF 3′29″46. **4 × 200 m : 86** Toulouse OEC 7′45″53. **87** Toulouse OEC 7′41″60. **88** Toulouse OEC 7′35″45. **89** RCF 7′33″62. **90** RCF 7′31″33. **91** RCF 7′38″36. **92** CN Marseille 7′43″13. **4 nages : 4 × 100 m : 86** Toulouse OEC 3′55″72. **87** Racing CF 3′51″07. **88** Racing CF 3′48″48. **89** Toulouse OEC 3′47″47. **90, 91, 92, 93** RCF 3′50″24 ; 3′51″18 ; 3′50″54 ; 3′51″72.

Interclubs. 85-86 D. Toulouse OEC. **87, 89** Natation 66 Canet. **91, 92, 93** Racing CF.

■ **Dames. Nage libre. 50 m : 92** Guittet 27″. **93** Kamoun 26″89. **100 m : 86, 87** Kamoun 57″48 ; 57″27. **88, 89** Plewinski 57″56 ; 57″61. **90** Dechatre 57″92. **91** Kamoun 58′13″. **92** Lortet 58″98. **200 m : 86, 87, 88, 89, 90** Prunier 2′3″64 ; 2′3″77 ; 2′0″76 ; 2′2″25 ; 2′2″60. **91** Giraudon 2′4″44. **92** Astruc 2′5″15. **93** Wirth 2′6″94. **400 m : 86, 87, 88, 89, 90** Prunier 4′18″38 ; 4′15″78 ; 4′12″76 ; 4′16″36 ; 4′16″87. **91** Wirth 4′22″15. **92** Astruc 4′19″63. **93** Wirth 4′21″15. **800 m : 86, 87** Faure 8′50″58 ; 8′46″3. **88** Prunier 8′39″20. **89, 90** Faure 8′43″99 ; 8′46″94. **91** Wirth 8′52″53. **92** Astruc 8′49″80.

Dos. 50 m : 92, 93 Kempf 30″50 ; 30″94. **100 m : 86** Jardin 1′6″43. **87** Guillou 1′05″59. **88** Guillou 1′5″01. **89** Guillou 1′5″84. **90** Guillou 1′16″13. **91, 92** Maracineanu 1′5″82 ; 1′4″75. **93** Kempf. 1′5″. **200 m : 86** Magnier 2′18″46. **87** Guillou 2′18″81. **88** Magnier 2′18″08. **89, 90** Guillou 2′20″56 ; 2′19″88. **91** Maracineanu 2′19″. **92** Joncourt 2′18″07.

Brasse. 50 m : 92 Heinrich 33″20. **93** Chuiton 33″30. **100 m : 86, 87** Louvrier 1′11″11 ; 1′10″87. **88** Bojaryn 1′13″60. **89** Louvrier 1′12″86. **90** Guerit 1′12″62. **91** Louvrier 1′13″36. **92** Heinrich 1′12″71. **93** Chuiton 1′12″53. **200 m : 86, 87** Louvrier 2′36″59 ; 2′33″53. **88, 89** Bojaryn 2′36″17 ; 2′34″94. **90** Guerit 2′33″33. **91** Guerit 2′32″85. **92** Brémond 2′32″71.

Papillon. 50 m : 92 Kamoun 28″56. **93** Bui Duyet 28″45. **100 m : 86, 87, 88, 89** Plewinski 1′2″67 ; 1′1″32 ; 1′0″92 ; 1′1″03. **90, 91** Jeanson 1′1″32 ; 1′2″42. **92** Davot 1′5″09. **93** Bui Duyet 1′2″75. **200 m : 86** Supiot 2′18″22. **87, 88** Supiot 2′18″60 ; 2′15″63. **89, 90, 91** Jeanson 2′14″96 ; 2′13″94 ; 2′15″91. **92, 93** Angelot 2′16″ ; 2′17″31. **250 m : 92** Kamoun 2′28″56.

4 nages. 200 m : 86 Louvrier 2′20″58. **87** Louvrier 2′19″16. **88** Wirth 2′21″57. **89** Bensimon 2′18″92. **90** St-Cyr 2′20″49. **91** Delord 2′21″14. **92** Wirth 2′21″26. **93** Bremond 2′22″35. **400 m : 86** Magnier 4′52″94. **87** Magnier 4′53″91. **88** Magnier 4′50″29. **89** Magnier 4′56″51. **90** St-Cyr 4′55″81. **91** Wirth 4′57″89. **92** Angelot 4′52″72. **93** Cessou 4′57″99.

Relais. Nage libre : 4 × 100 m : 86, 87 CS Clichy 4′1″23 ; 3′55″86. **88, 89, 90** Clichy 92 3′55″87 ; 92 3′56″68 ; 92 3′55″81. **91** Toulouse 3′52″66. **92** Clichy 3′55″57. **93** CS Clichy 3′59″. **4 × 200 m : 86, 87, 88** CS Clichy 8′2″97 ; 8′32″46 ; 92 8′31″92. **89** Nat 66 Canet 8′36″76. **90** Clichy 92 8′29″33. **91** Toulouse 8′27″49. **92** Cannes 8′34″17. **93** Clichy 8″33′74. **4 nages : 4 × 100 m : 86** SN Charleville 4′27″67. **87** CS Clichy 4′25″31. **88** Clichy 92 4′25″62. **89** Charleville-M. 4′29″13. **90** CN Marseille 4′22″96. **91** Toulouse 4′25″86. **92, 93** Clichy 4′24″07 ; 4′25″69.

Interclubs. 86, 87 CS Clichy. **88** Natation 66. **89** Clichy 92. **91** D. Toulouse OEC. **92, 93** Clichy 92.

Quelques noms

Andraca Pierre [3] 25-9-58. Anke Hannelore [8] 8-12-57. Arvidsson Par [4] 27-2-60. Babashoff Shirley [1] 31-1-57. Baron Bengt [4] 6-3-62. Barrowman Mike [1]. Baumann Alex [15] 21-4-64. Bensimon Laurence [3] 24-1-63. Berger Guylaine [3] 12-4-56. Berjeau Jean-Paul [3] 21-6-53. Berlioux Monique [3] 12-11-23. Biondi Matt [1] 6-10-65. Boiteux Jean [3] 20-6-33. Bonnet Céline [3] 3-2-76. Bordeau Christophe [3] 3-8-68. Borg Arne [4] 1901-87. Borios Olivier [3] 23-6-59. Bottom Joseph [1] 18-4-55. Boucher Renaud [3] 7-8-64. Boutteville Yvan [3] 27-4-62. Bozon Gilbert [3] 19-3-35. Brighita Emith [6] 15-4-55. Bruner Michael L. [1] 23-7-56. Burton Michael J. [1] 3-6-47. Buttet Serge [3] 14-12-54. Calligaris Novella [5] 27-12-54. Carey Rick [1] 13-3-63. Capron Anne [3] 18-2-69. Caron Christine [3] 10-7-48. Caron Stéphane [3] 17-1-66. Caulkins Tracy [1] 11-1-63. Christophe Robert [3] 22-2-38. Clug Patricia [3] 17-10-60. Combet Bernard [3] 21-9-53. Costache Tamara [24]. Crapp Lorraine [2] 17-10-38.

Darnyi Tamas [10] 3-6-67. Delcourt Frédéric [3] 14-2-64. Den Ouden Willie [6] 27-9-14. Depickere Ludovic [3] 29-7-69. De Varona Donna [1] 26-4-47. Devitt John [2] 4-2-37. Dibiasi Klaus [5] 6-10-47. Diers Ines [8] 2-11-63. Duprez Bénédicte [3] 8-8-51. Écuyer René [3] 4-9-56. Ederle Gertrude [1] 23-10-06. Egerszegi Kristina [10] 16-8-74. Ender Kornelia [8] 25-10-58. Esposito Franck [3] 13-4-71. Evans Janet [1] 28-8-71. Falandry Sophie [3] 14-9-61. Fassnacht Hans [7] 28-11-50. Faure Karyn [3] 5-5-69. Ferguson Cathy [1] 17-7-48. Forrester William [1] 18-12-57. Fraser Dawn [2] 4-9-37, réalise le 100 m en 1 min 2 s (1956), record du monde. Frost Héda [3] 15-9-36. Furniss Bruce [1] 27-5-57. Furniss Steven [1] 21-12-52. Gaines Ambrose [1] 17-2-59. Gao Min [27]. Geissler Ines [8] 16-2-63. Gerasch Sylvia [8] 16-3-69. Geweniger Ute [8] 24-2-64. Goodell Brian [1] 2-4-59. Goodhew Junean [14] 27-5-57. Gottvallès Alain [3] 22-3-42. Gould Shane [2] 23-11-56. Gross Michael [7] 17-6-64. Guérit Audrey [3] 1-3-76. Gutzeit Bruno [3] 2-3-66. Gyamarti Andrea [10] 15-5-54. Hall Gary [1] 7-8-51. Hargitay Andras [10] 17-3-56. Hencken John [1] 29-5-54. Hermine Muriel [3] 3-9-63. Hoffmann Jorg [17] 29-1-70. Holderbach David [3] 19-2-71. Hveger Raghnild [18] 10-12-20. Iacono Franck [3] 14-6-66. Jagger Tom [1]. Jany Alex [3] 5-1-29. Jardin Véronique [3] 15-9-66. Jezek Linda [1] 10-3-60. Jongejans Edwin [6]. Journet Laurent [3] 5-2-70.

Kachushite Lina [11] 1-1-63. Kahanamoku Duke [1] 1890-1968. Kalfayan Christophe [3] 26-5-65. Kalinina Irina [11] 8-2-59. Kamoun Sophie [3] 8-6-67. Karashuchite Lina [11] 1-1-63. Knacke Christine [8] 1962. Konrads John [2] 21-5-42. Kopliakov Serge [11] 23-1-59. Kother-Gabriel Rosemarie [8] 27-2-56. Krause Barbara [8] 7-7-59. Lacombe Laurence [3] 1-8-69. Lacour Sandra [3] 5-6-67. Lamberti Giorgio [5] 28-1-69. Lazzaro Marc [3] 10-1-55. Leamy Robin [1] 1961. Lefèvre Frédéric [3] 23-4-70. Le Noach Sylvie [3] 2-7-55. Lineham Kim [1] 1962. Lodziewski Sven [8] 1966. Louganis Greg [1] 29-1-60. Louvrier Pascaline [3] 28-9-71. Lundquist Steve [1] 20-2-61. Luyce Francis [3] 13-2-47. Madison Helen [1] 1913-70. Magnier Christine [3] 31-10-68. Mandonnaud Claude [3] 2-4-50. Matthes Roland [8] 17-11-50. Meagher Mary T [1] 27-10-64. Menu Roger Philippe [3] 30-6-48. Metschuck Caren [8] 27-9-63. Meyer Deborah [1] 14-8-52. Mingxia Fu [27] 1979. Mitchell Betsy [1] 15-1-66. Montgomery James P. [1] 24-1-55. Moorhouse Adrian [14] 24-5-64. Morken Gabriel [7] 1959. Mosconi Alain [3] 9-9-49. Muir Karen [9] 16-9-52. Naber John [1] 20-1-56. Nakache Alfred [3] 1915. Nalliod Jérôme [3] 29-7-66. Nelson Sandra [1] 20-3-56. Nesty Anthony [28] 1967. Noël Fabien [3] 5-1-59. Otto Kristin [8] 7-2-65. Pata Thierry [3] 12-2-65. Paulus William [1] 1961. Pénicaud Cédric [3]. Perkins Kieren [2] 14-8-73. Pierre Frédéric [3] 3-7-69. Plewinski Catherine [3] 12-7-68. Poirot Catherine [3] 9-4-63. Polianski Igor [11]. Pollack Andréa [8] 8-5-61. Popov Alexandre [11] 1970. Prozumenchikova Galina [11] 26-11-48. Prunier Cécile [3] 28-8-69.

Reinisch Rica [8] 6-4-65. Richter Ulrike [8] 17-6-52. Rose Murray [2] 6-1-39. Rouse Jeff [1] 6-2-70. Rousseau Michel [3] 8-6-49. Sadovy Evgueni [11], Salnikov Vladimir [11] 21-5-60. Savin Xavier [3] 15-6-60. Schneider Petra [8] 11-1-63. Schollander Donald [1] 30-4-46. Schott Franck [3] 16-5-70. Schuler Karine [3] 29-11-69. Shaw Tim [1] 8-11-57. Sidorenko Alexander [11] 27-5-60, asthmatique. Skinner Jonty [9] 1954. Spitz Mark [1] 10-2-50 (7 méd. d'or aux JO 1972, battant 7 records du monde). Stephan Véronique [3] 28-9-63. Sterkel Gill [1] 27-5-61. Susini Annick (de) [3] 17-5-60. Tanaka Satoko [13] 1942. Taris Jean [3] 1909-77. Tauber Ulrike [8] 16-6-58. Testuz Sylvie [3] 4-6-59. Thumer Petra [8] 29-1-61. Treiber Birgit [8] 26-2-60. Vallerey Georges [3] 1927-54. Van Almsick Franziska [19] 1978. Vassallo Jesse [1] 9-8-61. Vasseur Paul [3] 10-10-1884. Verraszto Zoltan [10] 15-3-56. Vial Anne [3] 5-9-63. Weissmuller John [1] 2-6-04/21-1-84 (Tarzan) réalisa le 1er 100 m en moins d'1 mn (58,6 s le 9-7-1922). Wickham Tracey [2] 24-11-62. Wilkie David [12] 8-3-54. Williams Peter [9] 20-6-68. Wirth M.-Pierre [3] 6-8-69. Woithe Joerg [8] 11-4-63. Wojdat Artur [25] 20-5-68. Woodhead Cynthia [1] 7-2-64. Xu Yanemi [27] 1971. Yamanaka Tsuyoshi [13] 18-1-39. Zhuang Yong [27] 1972. Zins Lucien [3] 14-9-22.

MARATHON

■ **Organisation.** La Fédération mondiale professionnelle de natation « Marathon » (*créée* en 1963) (Dennis Matuch c/o Swimming World, PO Box 45 457 Los Angeles Californie 90 045 USA) attribue chaque année, depuis 1964, les titres de champions du monde de marathons professionnels (Messieurs et Dames) par un classement aux points sur une série d'épreuves. **Formes :** *circuit* (ovales ou triangulaires) ; *traversée d'un bras de mer, d'un estuaire ou d'un lac ; descente de rivière ; bordure de côte.* **Distances :** 16 à 60 km.

Avant 1964, certains marathons étaient considérés comme des champ. mondiaux : le *Canadian National* (dont la distance et le montant des prix ont souvent varié), le tour de l'île d'*Atlantic City* et *Capri-Naples*.

■ **Principaux marathons et, entre crochets, meilleurs résultats.** *Lac St-Jean* (Québec) 33 km [John Kinsella, USA, 7 h 13'35" en 1978] ; *lac Michigan* (26 km) en circuit ; *Capri à Naples* 30 km [Ahmed Youssef, Égypte, 7 h 14'42" en 1975] ; *Mar del Plata* (Argentine) 37 km en mer ; *Le Caire* 32 km (Nil) ; *Santa Fé* (Argentine) 62 km dans le Parana ; *Atlantic City* (USA) 37 km en mer autour de l'île [James Barry, USA, 7 h 18'38" en 1979].

Marathons amateurs : *lac Windermere* (Angleterre) 16 km. **Longs parcours individuels (« raids ») en traversée de détroit ou de lac :** *Gibraltar* 14 km [José Da Freitas, Portugal, 3 h 4"15'] ; *détroit de San Pedro* (de Los Angeles à l'île Catalina) 30 km [Penny Dean, USA, 7 h 15'55"]. **Raids réussis par un seul nageur :** *canal de Panama* 80 km Mihir Sin (Indien) en 1966 en 34 h 15' ; *Bahamas-Floride* 142 km Diana Nyad (USA), 27 h 28' en 1980.

■ **Records sur 24 h en bassin de 50 m.** *Hommes :* Evan Bazzy (Austr.) 96,7 km en 1987 ; Bertrand Malègue (Fr.) 87,528 km en 1980. *Femmes :* Irène Van der Laan (P.-Bas) 80, 825 km en 1982.

☞ *En 1984,* Bernard Bougroin et Patrick Benoit (Fr.) ont descendu le Mississippi, 1 700 km, en 23 j.

Nota. – Les courants (en rivière et en mer) peuvent allonger ou raccourcir les parcours ; une température trop basse ou trop haute gêne les nageurs.

■ **Champions du monde. Hommes. 1964, 65** Abd El Latif Abou Heif (Égypte). **66** Guilio Travaglio (It.). **67** Horatio Iglesias (Arg.). **68** Abou Heif (Ég.). **69** Horatio Iglesias (Arg.). **70** John Schans (Holl.). **71, 72, 73** H. Iglesias (Arg.). **74** John Kinsella (USA). **75** Claudio Plitt (Arg.). **76, 77, 78, 79** John Kinsella (USA). **80, 81** Paul Asmuth (USA). **Femmes. 63** Marty Sinn (USA). **64 à 68** Judith de Nijs-Van Berkel (All.). **69** Patti Thompson (Can.). **70** Judith de Nijs-Van Berkel (All.). **71, 72** Shadia El Rageb (Égypte). **73** Corrie Dixon (Holl.). **74** Diana Nyad (USA). **75** Angela Marchetti (Arg.). **76** Cynthia Nicholas (Can.). **77, 78** Lorren Passfield (Can.). **79** Penny Dean (USA). **80, 81** Christine Cossette (Can.).

TRAVERSÉE DE LA MANCHE

■ **Nombre de tentatives depuis 1875.** 6 255 par 4 318 personnes (dont 432 : 283 H, 140 F de 46 pays, couronnées de succès). La traversée (32 km) s'effectue généralement entre le cap Gris-Nez (France) et Douvres (G.-B.). Le sens France-G.-B. est le plus facile, mais le sens G.-B.-France est le plus « fréquenté ». C'est le « raid » de natation le plus prisé en raison des difficultés rencontrées (eau froide, mer agitée d'une manière imprévisible, brouillards impromptus, passages fréquents de navires, nappes d'huile, goémon). Les conditions varient et aucune tentative ne peut être comparée à une autre. Les nageurs se couvrent de lanoline (les nageurs rapides se servent de vaseline ou d'huile d'olive).

■ **1res traversées connues. Masculines.** *Sens Angleterre-France. 1815* un Italien, Jean-Marie Saletti, soldat de Napoléon, prisonnier des Anglais, se serait évadé d'Angl. à la nage. *1875* (24/25-8) capitaine Mathew Webb (Anglais, 1848-83) en 21 h 45' de Douvres à Calais. Plusieurs fois déporté par les vagues, il parcourut env. 61 km. Webb mourut en tentant de traverser le Niagara (il est enterré à plus de 11 km des chutes, à l'endroit où son corps fut retrouvé). *1911* (6-9) Thomas Burgess (n. en G.-B., habitant en France dep. 1889) en 22 h 35' après 20 tentatives ; entre-temps 70 tentatives avaient échoué. *1923* Henry Sullivan (USA) en 26 h 50' (la plus longue). *Sens France-Angl. 1923* (12-8) Enrico Tiraboshi (It., habitant l'Argentine) en 16 h 33'. *1926* (9-9) *1er Français :* Georges Michel en 11 h 5'. **1re traversée en papillon.** *1989* Vicki Keith (Can.) en 23 h 33'. **Féminine.** *Sens France-Angl. 1926* (6-8) Gertrude Ederlé (n. 23-10-06, USA) en 14 h 39'. *Sens Angl.-France. 1951* (11-9), Florence Chadwick (n. 1918, USA) 16 h 19'.

1er aller et retour non-stop. *1961* (20/22-9) Antonio Abertondo (n. 1919, Argentine) en 43 h 10' ; il avait, au début de sa carrière, descendu le Mississippi sur 419 km. *1965* (sept.) Ted Erikson (USA) en 30 h 3'. *1970* Kevin Murphy (G.-B.) en 35 h 10'. *1975* Jon Erikson (USA, fils de Ted) en 30 h. *1re femme : 1977* (sept.) Cynthia Nicholas (Can., 19 ans) en 19 h 55'. **Triple traversée.** Homme : *1987* Philip Rush (N.-Z.) en 28 h 21' (Angl.-Fr. 7 h 55', Fr.-Angl. 8 h 15', Angl.-Fr. 12 h 11') ; femme : *1990* Alison Streeter (G.-B.) en 34 h 40' (Angl.-Fr. 10 h 36', Fr.-Angl. 10 h 35', Angl.-Fr. 13 h 29').

■ **Records. Vitesse. France-Angl. :** *Homme :* Richard Davey (G.-B.) 8 h 5' (1988). *Femme :* Alison Streeter (G.-B.) 8 h 48' (1988). **Angl.-France :** *Femme :* Penny Lee Dean (USA) 7 h 40' (1978). *Homme :* Philip Rush (N.-Zél.) 7 h 55' (1987). **Aller et retour.** *Femme :* Susie Maroney (Austr.) 17 h 14' (1991). *Homme :* Philip Rush (N.-Zél.) 16 h 10' (1987). **Le plus grand nombre de traversées.** *Homme :* 31 (Michael Read, G.-B.). *Femme :* 20 (Alison Streeter, G.-B.). **Les plus jeunes.** *Garçon :* Thomas Gregory (G.-B., 11 ans et 11 mois) 11 h 54' (Fr.-Angl., 1988). *Fille :* Samantha Druce (12 a. 119 j) 15 h 27' (1983, Angl.-Fr.). **Aller et retour.** Jon Erikson (15 a., USA), 30 h (1975). **Les plus âgés.** *Homme :* Clifford Batt (67 a. et 240 j, Austr.) 18 h 37' (1987, Fr.-Angl.). *Femme :* Stella Taylor (45 a. 350 j, USA) 18 h 15' (1975, Angl.-Fr.).

■ **Traversées diverses. Sous-marine :** Fred Baldasare (n. 1924, USA) 67 km en 18 h 1' *(1962).* Alimenté par une bouteille d'air comprimé chargée tous les 3/4 d'h. **Voiture-amphibie :** Jacob Baulig et Wilhelm Pickel (All. féd.) 7 h 30' *(29-5-1935).* **Hydrosphère** (ballon avec enveloppe en caoutchouc et des hélices) : Charles Flourens (cap Gris-Nez à Douvres) 13 h 47' *(28-10-1934).* **Gilet de sauvetage :** Capitaine Paul Boyton (cap Gris-Nez à Sud Foreland) 23 h 30' *(29-5-1875).* **Ski nautique :** Alain Crompton (aller et retour Douvres-Calais) 3 h *(15-8-1955).* **Matelas pneumatique :** Clarence N. Mason, 6 h *(1-9-1936).* **Aviron :** 6 officiers [Douvres à Boulogne 6 h *(1845)*] ; Rev. S. Swann [Douvres à France 3 h 50' *(12-9-1911)*] ; Georges Adam, 70 ans [Boulogne à Folkestone 6 h *(1950)* (en 1905 il l'avait réalisée en 7 h 45')].

PISCINES

■ **Bassin de compétition.** *Longueur :* 50 m. *Largeur :* 21 m min. *Couloirs :* 8 de 2,50 m chacun (plus 50 cm de chaque côté), délimités par des cordes soutenues par des flotteurs d'une couleur distincte, pour les 5 premiers et 5 derniers mètres, du reste des flotteurs. Au fond de la piscine, et à chaque couloir, une ligne guide les concurrents. *Profondeur : min.* 1,80 m (pour JO et champ. du monde). A 5 m de chaque virage, une corde est tendue au-dessus de la piscine pour orienter les nageurs de dos. A 15 m de la ligne de départ, est suspendue une corde qui doit tomber – en cas de faux départ – pour arrêter les nageurs.

Plots de départ antidérapants (50 × 50 cm, avec un angle d'inclinaison vers le bassin ne dépassant pas 10°), placés de 50 cm minimum à 75 cm maximum au-dessus de l'eau. Pour les départs de dos, les nageurs prennent appui sur des poignées placées entre 30 cm et 60 cm au-dessus du niveau de l'eau.

Nombre. En France, en 1992, env. 300 000 piscines familiales, 1 000 d'hôtels, 1 000 de collectivités non publiques. *Au 1-1-83. Piscines publiques* 3 496, dont couvertes 749, tous temps 559, mixtes 199, de plein air 1 989. *Fin 1979. Bassins* 4 775 dont couverts ou tous temps 1 793, de plein air 2 982. Env. 30 noyades d'enfants en bas âge par an.

■ **Quelques chiffres** (France, 1989). *Dimension :* 50 à 60 m² en moy. *Constructeurs :* 800. *Utilisation :* 4 à 5 mois par an en plein air. *Prix :* construction 100 000 à 140 000 F selon le matériau [le béton carrelé est plus cher que le polyester ou le liner (poche de PVC souple)] ; fonctionnement : mise en eau 500 F, appoint d'eau 150 F, électricité 200 F ; traitement chimique 2 000 F par saison, ou par électrolyse 8 000 à 9 000 F à l'achat plus l'électricité chaque année, aspirateur automatique (achat) 5 000 à 15 000 F, chauffage de l'eau (Nord) : 5 000 à 10 000 F/an.

PLONGEON

Records officieux (volontaires). 94,50 m (env.) le 10-7-1921 Terry (cascadeur) saute *d'un avion* dans l'Ohio River (Louisville, Kentuky) ; 75 m (*du pont George Washington,* New York) le 11-2-1968 par Jeffrey Kramer (24 ans) ; 53,90 m ; *Villers-le-Lac* (Doubs) le 30-3-1987 par Olivier Favre ; *Acapulco* (Mexique), des professionnels plongent de 36 m de haut dans une eau profonde de 3,66 m.

Sortes. Il existe plus de 100 plongeons différents. Départ d'un tremplin (1 à 3 m) ou d'une plate-forme de haut vol (5 à 10 m). Répartis en 6 groupes : plongeons avant, arrière, renversé, retourné, tire-bouchon, en équilibre. Chacun peut être exécuté groupé, carpé ou droit.

☞ **Jeux olympiques** (voir p. 1546 a).

Championnats du monde. *Créés* 1973. **Hommes. Tremplin : 82, 86** Louganis [1]. **1 m : 91** Jongegans [6]. **3 m : 91** Ferguson [1]. **Haut vol : 78, 82, 86** Louganis [1]. **91** Shuwei [27]. **Dames. Tremplin : 82** Meyer [1]. **86** Gao Min [27], **1 m : 91** Gao Min [27], **3 m : 91** Gao Min [27]. **Haut vol : 82** Wyland [1]. **86** Chen Li [27]. **91** Fu Mingxia [27].

Championnats d'Europe. *Créés* 1927. **Hommes. Tremplin 1 m : 91** Semeniyk [11] ; **3 m : 81** A. Portnov [11]. **83** Georgiev [23]. **85** Drozjin [11]. **87, 89** Killat [7]. **91** Killat [19]. **Haut vol : 81, 83** D. Ambartsumyan [11]. **85** Knuths [8]. **87, 89** Chogovadze [11]. **91** Timoshinin [11]. **93** Sautin [11]. **Dames. Tremplin 1 m : 91** Baldus [19] ; **3 m : 81** Z. Tsurulnikova [11]. **83** Baldus [8]. **85** Tsurulnikova [11]. **87** Jongejans [6]. **89** Babkova [11]. **91** Lashko [11]. **93** Baldus [19]. **Haut vol : 81** K. Zipperling [8]. **83** Lobankina [11]. **85** Stasvlevitch [11]. **87** Miroshina [11]. **89** Wetzig [8]. **91** Miroshina [11].

Championnats de France. *Créés* 1907. **Hommes. Tremplin : 83, 84, 86** A. Bahon. **87, 88** Nalliod. **89, 90** Duvernay. **91** Nalliod. **92, 93** Duvernay. **Haut vol : 86** Bouriat. **87** Pierre. **88, 89** Bouriat. **90** Pierre. **91** Bouriat. **92, 93** Pierre. **Dames. Tremplin : 82, 83, 84, 86, 87, 88** C. Izacard. **89, 90** Laemlé. **91** Danaux. **92** Laemlé-Petitjean. **93** Ponthus. **Haut vol : 85, 86, 87, 88,** Jaillardon. **89, 90** Laemlé. **91** Jaillardon. **92, 93** Danaux.

NATATION SYNCHRONISÉE

☞ **Jeux Olympiques** (voir p. 1546 a).

Origine. Australie vers 1912, se développe aux USA après 1920, en France en 1947. Sport féminin : exécution de figures séparées (ayant chacune un coefficient de difficulté) et enchaînées. Compétitions à une nageuse (soli), à 2 (duo), en équipe (max. 8).

Championnats du monde. *Créés* 1978. **Solo : 82** T. Ruiz (USA). **86** Waldo (Can.), **91** Fréchette (Can.). **Duo : 78, 82, 86** Canada. **91** USA. **Équipes : 82, 86** Canada. **91** USA.

Championnats d'Europe. *Créés* 1974. **Solo : 81, 83, 85** C. Wilson (G.-B.). **87** M. Hermine (Fr.). **89** Falasinidi (URSS). **91** Sedakova (URSS). **Duo : 81, 83** G.-B. **85** Worisch-Edinger (Austr.). **87** Hermine-Schuler (Fr.). **89** Schuler-Aeschbacher (Fr.). **91** Sedakova-Kozlova (URSS). **Équipes : 81, 83** G.-B. **85, 87, 89** Fr. **91** URSS.

Championnats de France. *Créés* 1950. **Solo : 90** Schuler. **91** Capron. **92** Dyroen (USA open). **93** Aeschbacher. **Duo : 91** Capron-Miermont (Fr.). **92** (open) Dyroen-Dudduth (USA). **93** Bruckert-Schuler. **Équipes : 90** RCF. **91** Aix. **92** (open) USA. **93** Paris-Racing.

PARACHUTISME SPORTIF

GÉNÉRALITÉS

■ **Origine. Avant J.-C.** des parasols auraient été utilisés en Chine par des acrobates. **1502** (apr. J.-C.) projet de parachute de L. de Vinci. **1783** *26-12* expérience de Louis-Sébastien Lenormand à Montpellier (avec 2 parasols). **1797** *22-10* (1er Brumaire an VI) André-Jacques Garnerin (1769-1823) saute d'un ballon (à 680 m) avec un engin de son invention (brevet du 11-10-1802) au-dessus de la plaine Monceau à Paris. **1798**-*10-11* Jeanne-Geneviève Labrosse (1775-1847) devient la 1re femme parachutiste. **1815** *27-9* Élisa Garnerin (n. 1791), nièce d'André-Jacques, saute d'un ballon (env. 3 500 m) devant le roi de Prusse. Elle prend le titre d'*aéroporiste* et fait plus de 40 descentes de 1815 à 1836. **1912** *1/10-3 1ers sauts d'un avion* par le capitaine Albert Berry, à St-Louis (USA). **1913** *19-8* le Français Pégoud est le 1er pilote seul à bord à abandonner son appareil. **1919** *28-4 1re descente « à ouverture retardée » :* Leslie Irving ; *juin* certaines escadrilles de l'aviation allemande ont des parachutes de sauvetage. **1930** développement du *parachutisme militaire* en URSS (1er saut de groupe le 18-8-33). **1938** 1re descente en chute libre de plus de 10 000 m Jean Niland [ou James Williams (Fr.)]. **1946** le *parachutisme civil* se développe en

URSS et France. **1955** *1re éjection à vitesse supersonique* (Smith, USA).

■ Techniques. **Parachute de sport :** 9 à 15 kg, 2 voilures (plus suspentes) et sac-harnais. *Voilures :* de type « aile ». *Équipements :* dorsal-ventral ou « tout dans le dos ». **Vitesse :** un corps humain en position horizontale atteint, après une chute d'env. 500 m, 190 km/h (stabilisation de la vitesse), en position verticale (plus de 300 km/h). Après 8 s de chute libre, la vitesse se stabilise, pesanteur et résistance de l'air s'équilibrent. Les parachutes modernes peuvent avoir une vitesse de descente verticale d'env. 2 m/s et une vitesse horizontale de 10 à 15 m/s. **Altitude max. de saut :** env. 4 500 m sans inhalateur d'oxygène (12 000 m avec). Au-delà, un équipement pressurisé est indispensable. **En chute libre :** les parachutistes peuvent faire des évolutions comparables à celles des nageurs, par ex. se rejoindre. La figure record du monde a réuni 200 parachutistes.

Parachute ouvert : par l'hypersustentation relevant de l'écoulement de l'air sur la partie supérieure (extrados) de la voilure de profil « aile », en modifiant sa forme avec des commandes de manœuvre, on peut faire varier sa vitesse et se diriger. Les parachutes actuels de type « aile » permettent de « planer » sur de grandes distances.

■ Parachutisme ascensionnel. Décollage sous parachute tracté par automobile, bateau ou treuil, la descente s'effectue dès la fin de la traction. Sport d'initiation au parachutisme « conventionnel » pour les moins de 16 ans et discipline de compétition en précision d'atterrissage.

■ Parapente. Né en 1978 au sein du parachutisme sportif. Voilures rectangulaires de type « aile » permettant des décollages à partir de pentes moyennes ou fortes. Utilisé pour des vols en montagne et pour s'entraîner à la précision d'atterrissage sur des cibles aménagées. Ne nécessite ni avion, ni pliage, ni formation préalable à la chute libre. (Voir vol libre)

☞ L'Airodrum de Groodonia à Rümlang (Suisse) (fournissant une poussée d'air à 180 km/h) permet de s'exercer sans parachute.

■ En France. **Conditions.** *Saut d'avion :* avoir 15 ans révolus (examen médical spécifique pour les 15-16 ans, présenter au médecin habilité un test de Risser, un cliché de la charnière lombo-sacrée et un cliché main-poignet), avoir l'autorisation parentale pour les mineurs, un certificat médical de non-contre-indication à la pratique du parachutisme sportif délivré par un médecin habilité par la FFP, être titulaire d'une licence fédérale et d'une assurance délivrée par les associations agréées par la FFP. *Parachutisme ascensionnel et parapente :* âge min. 12 ans, mêmes conditions sauf examen médical spécifique.

Lieux : 55 centres-écoles en Métropole et Outre-Mer sous l'égide de la Féd. fr. de parachutisme (35, rue St-Georges, 75009 Paris). **Pratiquants en France** (1992) : licenciés 25 360. 486 617 sauts effectués. **Accident.** En 1988 : 0,3 mortel pour 1 000 licenciés, ou 1 accident mortel pour 52 500 sauts.

Compétitions

Disciplines officielles

Précision d'atterrissage. Saut exécuté à partir de 1 000 m ; il faut venir toucher un plot de 5 cm de diamètre au centre d'une cible de graviers ou sable. Le « carreau », soit 0,00 cm, est la performance optimale. Les distances sont mesurées électroniquement jusqu'à 16 cm. **Épreuves** *individuelle :* un seul concurrent saute à chaque passage de l'avion, chaque concurrent choisit son point de départ de l'avion ; *par équipe :* 4 concurrents sautent au même passage. Afin d'éviter des arrivées simultanées sur la cible, les équipiers conviennent d'ouvrir leur parachute à des altitudes différentes et évoluent en cours de descente pour se présenter à l'atterrissage avec un décalage de 10 à 20 sec. La performance de l'équipe est le total des distances des équipiers.

Voltige individuelle. Série de rotations horizontales et verticales à effectuer dans le minimum de temps, tout en respectant une assiette du corps et les axes de référence (sinon pénalités données en secondes et fractions de secondes). Le chuteur doit exécuter : un tour horizontal dans un sens et en sens inverse, puis un saut périlleux arrière (ensemble à enchaîner 2 fois de suite). Les grands champions effectuent les 6 figures (à env. 240 km/h) en – de 7 sec. [*Record du monde :* Éric Lauer (Fr.) 5 s. 56/100e)].

Vol relatif. Discipline d'équipe consistant à réaliser en chute libre, à 4 ou 8 parachutistes, une *séquence* de figures imposées ou tirées au sort. L'équipe doit exécuter toutes les figures dans l'ordre prescrit et peut éventuellement recommencer la séquence autant de fois qu'elle le peut. Toute figure réussie accorde 1 point jusqu'au temps limite de 35 secondes en équipe à 4, ou 50 sec. en équipe à 8. *Hauteurs de sauts :* 3 000 m et 4 000 m. Au-delà du temps limite, les équipiers se séparent pour ouvrir leur parachute en toute sécurité. *Record* (23-10-1992, USA) 200 parachutistes à 5 000 m exécutent 1 figure.

Voile contact. Pratiqué à partir de 2 000 à 2 500 m, permet d'effectuer des vols de groupe, parachute ouvert, en s'accrochant par les mains ou les pieds à la voilure d'un partenaire. Seules les « ailes volantes » sont utilisables. **Épreuves** *séquence à 4* (enchaînement imposé ou tiré au sort de figures à exécuter le max. de fois dans la limite de 4 min) ; *rotations à 4* (saut à 2 000 m, réalisation d'une superposition de voilures à 4, puis l'équipier du dessus se détache pour rejoindre la base de la formation ; chaque figure à 4 marque 1 point jusqu'à la limite de 3 min) ; *vitesse à 8* (saut, à 2 500 m, de 8 équipiers qui doivent réaliser dans le minimum de temps une formation à 8 et la tenir 20 sec. dans la limite de 4 min).

Para-ski. Épreuves de slalom géant (1 ou 2 manches) et de précision d'atterrissage (5 ou 6 sauts).

Résultats

■ Championnats du monde. Organisés par la FAI tous les 2 ans. *Années impaires :* vol relatif et para-ski ; *années paires :* précision d'atterrissage/voltige individuelle et voile contact.

Précision d'atterrissage. Hommes *créés* 1951. **86** Valiounas [4]. **88** non attribué. **90** Mirt [8]. **92** Vedmoch [9]. Dames *créés* 1956. **86** Stearns [5]. **88** Olser [3]. **90** Vinogradova [2]. **92** Nuntarom [10].

Voltige. Hommes. **86, 88** Eilenstein [4]. **90** Bernachot [7]. **92** Lauer [7]. Dames. **80** Chvatchko [2]. **82** Walkhoff [4]. **84** Harzbecker [4]. **86** Vares [5]. **88** Gartner [4]. **90** Lepezina [2]. **92** Baer [11].

Combiné. Hommes. **80** Oumachev [2]. **82** Wiesner [4]. **84** Eilenstein [4]. **86** Pavlata [2]. **88** non attribué. **90** Razomazov [2]. Dames. **80** Walkhoff [4]. **82** Kortcheva [2]. **84** Harzbecker [4]. **86** Vares [5]. **88** Gartner [4]. **90** Bar [4].

Nota. – (1) Belgique. (2) ex-URSS. (3) Canada. (4) All. dém. (5) USA. (6) Chine. (7) France. (8) Youg. (9) Tchéc. (10) Thaïlande. (11) All.

Vol relatif. A 4. **85** USA. **87, 89, 91** France. A 8. **75, 77, 79, 81, 83, 85, 87, 89, 91** USA.

Voile contact. Séquence à 4. **86, 88, 90, 92** France. Rotation à 4. **86, 88** Chine. **90** USA. **92** France. Vitesse à 8. **86** France. **88** USA. **90** Autriche. **92** USA.

■ Championnats de France. *Créés* 1953, tous les 2 ans jusqu'en 1961, annuels depuis.

Précision d'atterrissage. Hommes. **85** Jean Dermine (15-5-50). **86** Marsal. **87** Franck Bernachot (18-5-62). **88** Lubbé. **89** Lauer. **90** Bernachot. **91** Feron. **92** Lubbé. Dames. **85** Le Roy. **86** De Pury. **87** Trouillet. **88** Desrat. **89** Trouillet. **90, 91** Carjuzaa. **92** Glanard.

Voltige. Hommes. **85** Dermine. **86, 87, 88, 89** Bernachot. **90** Lubbé. **91** Bernachot. **92** Hénaff. Dames. **85** De Pury. **86** Suteau. **87** Carjuzaa. **88** Peter. **89** Sterbik. **90, 91** Glanard. **92** Sterbik.

Combiné. Hommes. **85** Dermine. **86, 87, 88, 89, 90** Bernachot. **91** Eugène. **92** Lubbé. Dames. **85, 86** De Pury. **87** Carjuzaa. **88** Desrat. **89** Sterbik. **90** Carjuzaa. **91** Glanard. **92** Sterbik.

Vol relatif. A 4. **85, 86, 87** Bergerac Coca-Cola. **88** Puc. **89, 90** Puc/Tag/Nice. **91, 92** Essonne. A 8. **85** Paris-Parachutes de France. **86** EIS (Fontainebleau)/Bergerac Coca-Cola. **87** Paris (Baron Informatique)/Télé 7 Jours. **88, 89, 90** Puc. **91, 92** Htes-Alpes / Puc.

Voile contact. Séquence à 4. **86** Puc I. **87** Cerp Languedoc-Médit. **88** Asul (Lyon). **89** EIS (Fontainebleau). **90** Gap Tallard. **91** Armée Air / Fatac. **92** Lyon. Rotation à 4. **85** Puc/Par. de Fr. **86, 87** Puc I. **88** Chartres. Vitesse à 8. **85** Puc/Caen. **86, 87** Puc. **88** Asul (Lyon). **89** Gap Tallard. **90** Gap/Angers. **91, 92** Armée Air.

Records

Records du monde officiels. **Voile-contact :** *Grande formation :* 37 parachutistes superposés (16-8-1992, Brienne-le-Château, France) ; *séquence à 4 :* 12 points réalisés sur un saut par Castella, Gau, Girardin, Picaud (Fr.) (31-7-1989, Vichy, Fr.) ; *8 vitesse :* 43″29 (1986, Gatton, Australie). **Vol relatif :** *Grande formation dames :* 100 parachutistes dont 25 françaises (14-8-1992, au Luc, Fr.). **Voltige :** *individuelle :* Éric Lauer, 5″56 sur un saut (28-7-1990, Altenstadt, All. féd.).

Records d'altitude. *Officieux :* 31 151 m Joseph W. Kittinger (capitaine américain 32 ans), 16-8-1960, il sauta d'un ballon et atterrit 13′8″ plus tard après une chute libre de 25 617 m (4′38″). *Officiels :* 25 808 m 7-6-1960, Pyotr Dolgev (Russe). *En apnée :* 11 000 m sept. 1988, Jean-Bernard Bonnet (Français).

Record de chute libre. 24 540 m E. Andreyev (Russe), 1-11-1962. *Records féminins :* 14 800 m E. Fomitcheva (Russe), 26-10-1977 ; 12 080 m Colette Duval (Française), 23-5-1956. *Vitesse :* 539 km/h Bruno Gouvy (Français), 1989.

Record classe G2C (précision d'atterrissage avec ouverture immédiate à 2 000 m) Gilbert Pupin, Édouard-D. Beaussant et Jean-Pierre Pauzat (Français), 11-12-1967.

Plus grande chute sans parachute. En janvier 1942 : le lieutenant russe Chissov tombe de 6 705 m sur le bord neigeux d'un ravin et n'est que blessé. Le 23-3-1944, Nicolas Stephen, aviateur de la RAF, tombe de 5 490 m, chute amortie par un sapin et une couche de neige.

Plus grand nombre de sauts. Env. 14 650, Roch Charmet (Fr.) en févr. 1989.

☞ En mai 1993, l'aspirant Didier Dahran, parachutiste descendant normalement, a été aspiré plus de 2 h de 500 à 7 000 m par un courant ascensionnel dans un cumulo-nimbus ; il put ouvrir son ventral et fut retrouvé à 60 km de l'endroit où il avait sauté.

Base-jump. Vient de **base** : (**b** : *building,* **a** : *antenna* antenne, cheminée, **s** : *span* pont, téléphérique, **e** : *earth* falaises, barrage) et **jump** saut.

Saut en chute libre avec parachute plié que l'on ouvre le plus tard possible. *V. 1980* pratiqué aux USA, puis interdit car trop dangereux. *1990* introduit en France. Se pratique à partir de ponts, falaises ou montagnes.

Patinage

Généralités

Origine. Très ancienne. **XIIe s.** on patinait sur des os en Scandinavie. **V. 1600** patins en métal. **XVIIIe s.** 1res courses de patinage de vitesse en Hollande. **1742** Skating Club d'Edimbourg (le plus ancien club créé). **1772** traité de Robert Jones. **1813** « Le vrai patineur, ou les principes sur l'art de patiner avec grâce » de J. Garcin. **1850** patin métallique d'E.W. Bushnell (USA), sans bois ni lanière. **1876** *1re patinoire artificielle :* Glaciarium de Chelsea (Londres, G.-B.). **1882** invention à Vienne de *l'axel* par Axel Paulsen. **1892** *Union internationale de patinage* créée. Paris, *le Pôle Nord,* patinoire artif. **1893** Paris, *Palais de glace.* **1909** inv. du *salchow* par Ulrich Salchow. **1910** de la *boucle* par Werner Rittberger. **1913** du *lutz* par Alois Lutz. **1925** *double boucle* par Karl Schafer. **1928** *double salchow* par Gillis Grafstroem et Montgomery Wilson. **1942** *Féd. française* créée. **1944** *double lutz* par Richard Button. **1945** *double axel* par Richard Button. **1952** *triple saut* (boucle) en compétition par Richard Button. **1962** *triple lutz* par Donald Jackson à Prague. **1978** *triple axel* par Vern Taylor. **1986** *quadruple saut* par Jozef Sabovcik.

Patinage artistique. Épreuves avec *figures imposées* (6 tirées au sort parmi 41, chacune devant être exécutée 3 fois sur chaque pied, sans pause), *figures libres* (durée dames 4 min, et messieurs et couples 4 min 30) et un *libre-imposé.*

Axel : le patineur se tourne en avant pour sauter, exécute l'axel et retombe en arrière. *Autres sauts :* en sautant en arrière. Pour les différencier, regarder : pied de départ et pied d'arrivée, position de la carre du patin. **Salchow :** départ dedans arrière, retombée dehors arrière sur le pied contraire à celui du départ. **Boucle** (ou **rittberger**) : départ dehors arrière, arrivée dehors arrière sur le pied de départ. **Lutz :** départ dehors arrière avec piqué de la pointe du pied libre tourné en contre-rotation de la courbe d'impulsion, arrivée dehors arrière sur le pied qui a piqué. **Flip :** départ dedans arrière piqué, retombée en dehors arrière sur le pied qui pique. **Toe loop** (ou boucle piquée) : départ dehors arrière, aidé d'un piqué, dans le sens de rotation de l'impulsion initiale, retombée en dehors arrière sur le pied d'élan. *Total des sauts possibles* (avec doubles et triples sauts) : 22.

Danse sur glace. En couple, sans saut porté, avec danses imposées, libres et de création ; même genre de calcul que pour patinage artistique.

Records de patinage de vitesse (26-7-93)

Épreuves	Records du monde		Records de France	
Messieurs				
500	36″02	D. Jansen (USA 93)	38″19	Nicouleau (88)
1 000	1′12″58	I. Zhelezovski (URSS 89)	1′16″32	H. Van Helden (88)
1 500	1′52″06	André Hoffmann (All. dém. 89)	1′55″61	H. Van Helden (88)
3 000	3′57″52	Johann Olav Koss (Norv. 90)	4′08″11	H. Van Helden (84)
5 000	6′38″77	J.O. Koss (Norv. 93)	6′57″69	H. Van Helden (88)
10 000	13′45″54	J.O. Koss (Norv. 91)	14′34″84	H. Van Helden (88)
Combiné court	145,945 pts	I. Zhelezovski (URSS 89)	155,305 pts	Nicouleau (88)
Combiné long	160,454 pts	G. Kemkers (P.-B. 90)	165,385 pts	H. Van Helden (88)
Dames				
500	39″10	Bonnie Blair (USA 88)	42″49	M.-F. Van Helden (88)
1 000	1′17″65	C. Rothenburger (All. dém. 88)	1′26″84	Dumont (89)
1 500	1′59″30	K. Kania-Enke (All. dém. 86)	2′11″01	S. Dumont (87)
3 000	4′10″80	Gunda Kleeman (All. 90)	4′32″34	M.-F. Van Helden (88)
5 000	7′14″13	Y. Van Gennip (P.-B. 88)	8′00″40	S. Dumont (88)
10 000	15′25″25	Y. Van Gennip (P.-B. 88)		
Combiné court	159,435 pts	Bonnie Blair (USA 89)	174,500 pts	M.-F. Van Helden (86)
Combiné long	172,018 pts	Adeberg (All. 90)	186,577 pts	M.-F. Van Helden (88)

Nota. – La *Course des onze villes* en Hollande (200 km) n'a eu lieu que 12 fois, de 1909 à 1963, et en 1985, car il faut une glace assez épaisse et pas de neige. En 1912, il y avait 60 patineurs ; en 1963, 10 000 ; en 1985, 16 000 (la course est ouverte à tous). Le record fut battu en 1985, en 6 h 46 min 47 s, par Eefert von Bentem. Il y a des courses similaires en Suède et en Norvège.

Patinage de vitesse. Principales épreuves. **Messieurs** 500 m, 1 000 m, 1 500 m, 3 000 m, 5 000 m, 10 000 m, combiné (4 épreuves, sauf aux JO où il y a 5 médailles en jeu pour les hommes et 4 pour les dames). **Dames** 500 m, 1 000 m, 1 500 m, 3 000 m, combiné 4 épreuves et sprint pour h. et d. sur 500-1 000 m (2 fois). **Sur courte piste.** Créé 1980.

Quelques chiffres en France. Licenciés *(1987)* : 26 964 ; **clubs** : 212. **Patinoires** *(1983)* : 120 ; 21 dans la région parisienne. *Dimensions max.* : 61 m × 31 m (Paris : Pailleron 56 × 26, Molitor 52 × 22, Montparnasse 56 × 26, Eaubonne 58 × 28, Boulogne 60 × 30).

Principales épreuves

☞ **Jeux Olympiques** (voir p. 1537).

Légende. – (1) USA. (2) Autriche. (3) Tchéc. (4) Suède. (5) ex-URSS. (6) All. dém. (7) Canada. (8) P.-Bas. (9) G.-B. (10) Norvège. (11) France. (12) Hongrie. (13) Suisse. (14) All. féd. (15) Japon. (16) Corée du S. (17) All. dep. 1991. (18) Italie. (19) Chine.

Patinage artistique

■ **Championnats du monde. Messieurs.** *Créés* 1896. **85** Fadeev [5]. **86** Boitano [1]. **87** Orser [7]. **88** Boitano [1]. **89, 90, 91** Browning [7]. **92** Petrenko [5]. **93** Browning [7]. **Dames** *Créés* 1906. **85** Katarina Witt [6]. **86** Debie Thomas [1]. **87, 88** Witt [6]. **89** Midori Ito [15]. **90** Trenary [1]. **91, 92** Yamaguchi [1]. **93** Baiul [5]. **Couples** *Créés* 1908. **85** Valova-Vassiliev [5]. **86, 87** Gordeiva-Grinkov [5]. **88** Valova-Vassiliev [5]. **89, 90** Gordeiva-Grinkov [5]. **91, 92** Mishukuteniok-Dmitriev [5]. **93** Brasseur-Eisler [7]. **Danse** *Créés* 1952. **85, 86, 87, 88** Bestemianova-Burkin [5]. **89, 90** Klimova-Ponomarenko [5]. **91** Isabelle et Paul Duchesnay [11]. **92** Klimova-Ponomarenko [5]. **93** Usova-Zhulin [5].

■ **Championnats d'Europe. Annuels. Messieurs.** *Créés* 1891. **85, 86** Sabovchik [5]. **87, 88, 89** Fadeev [5]. **90, 91** Petrenko [5]. **92** Barna [3]. **93** Dmitrenko [5]. **Dames.** *Créés* 1930. **85, 86, 87, 88** Witt [6]. **89** Leistner [14]. **90** Grossmann [6]. **91, 92, 93** Bonaly [11]. **Couples.** *Créés* 1930. **85, 86** Valova-Vassiliev [5]. **87** Selezneva-Makarov [5]. **88** Gordeieva-Grinkov [5]. **89** Selezneva-Makarov [5]. **90** Gordeieva-Grinkov [5]. **91, 92,** Mitchkovtienko-Dimitriev [5]. **93** Eltsova-Bushkov [5]. **Danse.** *Créés* 1964. **85, 86, 87, 88** Bestemianova-Burkin [5]. **89, 90, 91, 92** Klimova-Ponomarenko [5]. **93** Usova-Zhulin [5].

■ **Championnats de France. Messieurs.** *Créés* 1908. **85** F. Fedronic. **86** L. Depouilly. **87** P. Roncoli. **88** F. Lipka. **89, 90, 91, 92, 93** E. Millot. **Dames.** *Créés* 1909. **85 à 88** A. Gosselin. **89, 90, 91, 92, 93** S. Bonaly. **Couples. 85, 86** Vaquero-Manaud. **87** Mauger-Vandenberghe. **88** Binsse-Mbomyinshutu. **89** Bonaly-Vandeberghe. **90, 91** non disp. **92** Haddad-Prive. **93** Leray-Lipka. **Danse.** *Créés* 1948. **86** Paliard-Courtois. **87** I. et P. Duchesnay. **88** Yvon-Paluel. **89, 90** I. et P. Duchesnay. **91** Yvon-Paluel. **92** Moniotte-Lavanchy.

Patinage de vitesse

■ **Championnats du monde annuels. All round** (combiné). **Messieurs.** *Créés* 1889. **85, 86** Vergeer [8]. **87** Guljajev [5]. **88** Flaim [1]. **89** Visser [8]. **90, 91** Koss [10]. **92** Sighel [18]. **Dames.** *Créés* 1911. **85** Schöne [6]. **86, 87, 88** Enke-Kania [6]. **89** Moser [6]. **90** Boermer [6]. **91** Kleemann [17]. **92, 93** Niemann [17].

Sprint. Messieurs. 85, 86 Jelezovski [5]. **87** Kuroiwa [15]. **88** Jansen [1]. **89** Jelezovski [5]. **90** Bae [16]. **91, 92** Jelesovski [5]. **Dames. 85** Rothenberger [6]. **86, 87** Enke-Kania [6]. **88** Rothenberger [6]. **89** Blair [1]. **90** Hauck [6]. **91** Garbrecht [17]. **92** Qiaobo [19].

Short track (Piste courte). *Créés* 1978, reconnus officiellement en 1981. **Messieurs. 85** Kawai [15]. **86** Ishihara [15]. **87** Daignault [7] et Kawai [15]. **88** Van der Velde [8]. **89** Daignault [7]. **90** Lee [16]. **91** O'Reilly [9]. **93** Kim [16]. **Éq. 91** Japon. **92** Corée du S. **93** It. **Dames. 85** Shishii [15]. **86** Blair [1]. **87** Shishii [15]. **88, 89, 90** Daigle [7]. **91** Lambert [7]. **92** Kim [17]. **Éq. 91** Canada. **92** Corée du S. **93** It.

■ **Championnats d'Europe. Annuels. All round. Messieurs.** *Créés* 1891. **85, 86** Vergeer [8]. **87** Guliaiev [5]. **88** Gustafson [4]. **89** Visser [8]. **90** Veldkamp [8]. **91** Koss [10]. **92, 93** Zandstra [8]. **Dames. 86, 87, 88** Schöne-Ehrig [6]. **89, 90, 91** Kleeman [6]. **92** Niemann [17]. **93** Hunyady [2].

Short track. Messieurs. 92 O'Reilly [9]. **Éq. 92** Angl. **Dames. 92** Canclini [18]. **Éq. 92** Russie.

■ **Championnats de France. Annuels. All round. Messieurs. 85 à 88** H. Van Helden. **89** T. Fagot. **90** H. Van Helden. **91, 92** Lamberton. **93** Kuentz. **Dames. 85, 86** M.-F. Vivès-Van Helden. **87, 88, 89** Dumont. **90** M.-F. Van Helden. **91** Busson. **92** Van Helden.

Sprint. Messieurs. 85 Vernier. **86** Nicouleau. **87** Vernier. **88** Parayre. **89** Lamberton. **90** Vernier. **91** Lamberton. **92** Parayre. **93** Koninck. **Dames. 85** M.-F. Vivès-Van Helden. **86** Dumont. **87** V. Lautier. **88** Broisse. **89, 90, 91, 92** Busson. **93** Lagocki.

Short track. Messieurs. 80 M. Bella. **81** M. Bella et E. Michon. **82, 83, 85** M. Bella. **84** M. Bella et Drave. **86, 87** E. Michon. **88, 89, 90** M. Bella. **91** M. Bella et Ingrès. **92** Mouraux. **93** Ingrès. **Dames. 80** C. Doreau. **81** V. Delsignore. **82** Y. Geggroy et Ribaut. **83, 84** Leblond. **85, 86, 87** Dumont. **88** Barriza. **89, 90** Leyssieux. **91, 92** Rubini. **93** Daudet.

Quelques noms

Patinage artistique. Belousova Ludmila [5] 22-11-35. Bestemianova Natalia [5] 6-1-60. Biellmann Denise [13] 11-12-62. Boitano Brian [1] 22-10-63. Bonaly Surya [11] 15-12-73. Bowman Christophe [1] 30-3-67. Browning Kurt [7] 18-6-66. Brunet Pierre [11] 1902-91. Burkin Andrei [5] 10-6-57. Button Dick [1] 18-7-29. Calmat Alain [11] 31-8-40. Cousins Robin [9] 17-8-57. Curry John [9] 9-9-49. Dean Christopher [9] 27-7-58. Du Bief Jacqueline [11] 4-12-30. Duchesnay Isabelle [11] 18-12-63. Duchesnay Paul [11] 31-7-61. Fadeev Alexandre [5] 4-1-64. Fleming Peggy [1] 27-7-48. Giletti Alain [11] 11-9-39. Gordeiva Ekaterina [5] 22-5-71. Gorshkov Alexandre [5] 8-10-46. Gosselin Agnès [11] 21-11-67. Grafström Gillis [4] 1893-1938. Grinkov Sergueï [5] 4-2-67. Hamill Dorothy [1] 26-7-56. Hamilton Scott [1] 28-8-58. Hassler Nicole [11] 6-1-41. Heiss Carol [1] 20-1-40. Henie Sonja [10] 1912-69. Hoffmann Ian [6] 26-10-55. Hubert Laetitia [11] 23-6-74. Ito Midori [15] 13-8-69. Jenkins David [1] 29-6-36. Joly (ép. d'A. Brunet) Andrée [11] 1902-93. Julin Alexandre [5] 20-7-63. Kerrigan Nancy [1] 13-10-69. Klimova Marina [5] 22-7-66. Kovalev Vladimir [5] 2-2-53. Leistner Claudia [14] 15-4-65. Lynn Janet [1] 6-3-56. Mc Kellen [1] 26-9-53. Mederic Axel [11] 29-5-70. Nepela Ondrej [3] 1951-89. Orser Brian [7] 1961. Oulanov Alexei [5] 4-11-47. Pachomova Ludmila [5] 1946-86. Péra Pätrick [11] 17-1-49. Petrenko Viktor [5] 27-6-69. Poetzsch Anette [6] 3-9-60. Ponomarenko Serguei [5] 6-10-66. Protopopov Oleg [5] 16-7-32. Rigoulot Dany [11] 1944. Rodnina Irina [5] 12-9-49. Salchow Ulrich [4] 1877-1949. Seyfert Gabrielle [6] 23-12-48. Simond J.-Christophe [11] 29-4-60. Thomas Debie [1] 1967. Torvill Jayne [9] 7-10-57. Trenary Jill [1] 1-8-68. Ussova Maia [5] 22-5-64. Valova Elena [5]. Vassiliev Oleg [5]. Witt Katarina [6] 3-12-65. Yamaguchi Kristi [1] 12-7-71. Zagorodniuk Viacheslav [5] 11-8-72. Zaitsev Alexandre [5] 16-6-52.

Patinage de vitesse. Bella Marc [11] 7-10-61. Blair Bonnie [1] 1964. Boucher Gaétan [7] 10-5-58. Burka Sylvia [7]. Dumont Stéphanie [11] 5-2-68. Enke-Kania Karin [6] 20-6-61. Fagot Thierry [11] 26-10-67. Granath Johan [4]. Gustafson Thomas [4] 28-12-59. Heiden Beith [2] 1959. Heiden Eric [1] 14-6-58, devient cycliste. Ivangine Martine [11] 1947. Karlstad Geit [10]. Koss Johan-Olaf [10] 1969. Kouprianoff André [11] 1938. Kulikov Evgueni [5] 25-5-50. Lambert Nathalie [7]. Lamberton Thierry [11] 18-10-66. Lucas Françoise [11] 15-3-39. Maier Fred Anton [10] 1943. Niemann-Kleemann Gunda [17]. Ronning Frode [10]. Rothenburger Christa [6] 1960. Sadchikova Liubov [5] 1951. Schöne Ehrig Petra [6]. Skoblikowa Lydia [5] 8-3-39. Thunberg Clas 1893-1973. Tourne Richard [11] 1951. Van Gennip Yvonne [8] 1965. Van Helden Hans [11] 27-4-48. Verkerk Cornelius [8] 1941. Vivès-Van Helden Marie-France [11] 30-9-59. Veldkamp Bart [8]. Voronina Inge [5] 1936-66. Young Sheila [1] 14-10-50. Zhelezovski Igor [5].

Paume

■ **Origine.** Au début, on renvoyait la balle avec le creux de la main. Remonte à l'Antiquité. **Moyen Age :** se développe. *France :* jeu national, après avoir été surtout pratiqué sur les chantiers des cathédrales et dans les monastères. **1292** à Paris 13 paumiers ou fabricants de pelote. **XVIe s.** 250 salles de courte paume. François Ier fut un brillant champion. **1592** ordonnance royale en 24 articles (1res règles). **Sous Henri IV** 500 jeux. Très populaire : devient le lieu d'enjeux et de débauche. **Sous Louis XIV** mal vu par l'Église, puis interdit par le roi, se trouve réservé à la noblesse, donne naissance au billard. **XVIIe s.** la vogue décline ; en Europe (notamment Angleterre et Écosse) il prend le nom de tennis. **Fin du XIXe s.** on l'adapte en Angleterre au gazon en plein air et on l'appelle *lawn-tennis* (les lignes extérieures représentent à peu près les murs du jeu de paume qui se joue en salle spécialement agencée et sous un toit d'env. 10 m de haut).

■ **Longue paume.** Aujourd'hui pratiquée essentiellement en Picardie (nombreuses Stés dans la Somme et Oise), à Paris (jardin du Luxembourg). Le rebot basque et la balle au tambourin à Montpellier en descendent. **Terrain :** en plein air, 60 m min. × 11 à 14 m, pas de filet mais une tresse de 2 mm d'épaisseur posée sur le sol (2 tresses formant une zone neutre pour le 1/1 et le 2/2). Balle en liège de 16 à 20 g. **Raquette** à petit tamis et long manche. Les parties se jouent en *enlevée* [en simple, double ou équipes de 4, la tresse centrale *(corde)* ou la zone neutre tient lieu de filet. En 5 jeux, constitués de quinzes, formule reprise par le tennis] ou en *terrée* [à 6 contre 6 et en 7 jeux, la corde n'intervient que pour le service, le *tir,* la balle pouvant être ensuite renvoyée à terre]. Le tir est placé contre le vent pour un meilleur équilibre entre les 2 camps. Quand la balle n'est pas renvoyée à la volée ou au 1er bond, on marque une *chasse* à la hauteur où la balle est arrêtée après le 2e bond : le point est acquis lorsque les joueurs ayant changé de côté disputent à nouveau ce coup en envoyant la balle au-delà du niveau de la chasse, ou dans la défensive, en l'empêchant de l'atteindre.

Championnats de France. *Créés* 1892. **92. Hommes :** 1/1 Hervé Lesturgez, 2/2 St-Christ, 4/4 Rosières. 6/6 Rosières. **Dames :** 1/1 Corinne Marier, 2/2 Montdidier, 6/6 Montdidier-Ferrières.

■ **Courte paume.** En anglais, *court tennis.* Ancêtre du *lawn-tennis.* **Terrain :** couvert ou découvert 28,50 à 30 m de long × 9,30 à 9,80 m de large et 10 m env. de haut. *Carreau* (sol) en dalles de pierre ; au milieu *filet* (haut. 0,92 m au centre, 1,50 m aux bouts). **Raquettes** asymétriques, un peu plus petites que les raquettes modernes de tennis. **Balles** (65 à 70 g) en chiffon recouvertes de drap. **Points et sets** comptés comme au tennis, mais une balle de paume non touchée avant son 2e rebond sur le carreau met le point en suspens. C'est une *chasse* mise en jeu ultérieurement selon des modalités particulières ; elle entraîne le changement de service bien que le jeu ne soit pas terminé ; l'absence de chasse permet de garder le service plusieurs jeux d'affilée. Les rebonds sur les murs sont libres et jouent un rôle important, surtout entre le 1er et le 2e rebond sur le carreau. Des *ouverts* formant *galerie* sous les toits sont tendus de filets pour arrêter la course de la balle qui, en y pénétrant, ou bien fait chasse ou bien fait point gagnant (galerie du « dedans », « derrière » galerie côté « devers », grille). **Jeux :** France (74 *ter,* rue Lauriston, 75016 Paris, et Mérignac, Gironde), il reste 22 jeux inutilisés ; G.-B. une vingtaine ; USA 7 et Australie 4. **Adeptes** G.-B. 2 000, USA 1 500, Australie 2 000, *France 80.*

Championnats du monde. Messieurs. Simples. 1928-54 Pierre Etchebaster (Fr.). **55-57** James Dear (G.-B.). **57-59** Albert Johnson (G.-B.). **56-69** Northrup Knox (USA). **69-72** G. H. Pete Bostwick (USA). **72-75** Jimmy Bostwick (USA). **76-81** Howard Angus (G.-B.). **81-87** Chris Ronaldson (G.-B.) **dep. 87** Wayne Davies (Austr.). **Dames. Simples** *Créés* 1985. **85, 87** Judy Clarke (Austr.). **89** Penny Fellows (G.-B.). **Doubles.** *Créés* 1985. **85** Judy Clarke et Annie Link (Austr.). **87** Lesley Ronaldson et Katrina Allen (G.-B.). **89** Alex Warren-Piper et Melissa Briggs (G.-B.).

Coupe Bathurst. *Créée* 1899. 4 matches de simple et 1 de double. Amateurs. Tous les 4 ans. *Dep. 1899* vict. de la G.-B. devant USA, Fr., Austr.

Grand prix de Paris Marcel Dupont. *Créé* 1976. Tournoi international open, réservé aux 20 meilleurs joueurs mondiaux.

Championnat de France amateur (Raquette d'or). *Créé* 1901. **1976-85** B. Sarlangue. **Amateur 2e série** (Raq. d'argent). *Créé* 1901. **1976-82** P. Sarlangue. **83** D. Newman. **84** A. Hahn. **Coupe Gould Eddy** (Ch. de France, double open). *Créé* 1904. **1987** Lovel (G.-B.) et Mears (Austr.). **Ch. de France open.** *Créé* 1976. **1981** B. Sarlangue. **82** D. Grozdanovitch. **83** P. Sarlangue. **Depuis 84** non disp.

PÊCHE

RÉGLEMENTATION

PÊCHE À LA LIGNE EN EAU DOUCE

☞ **La loi sur la pêche** du 29-6-1984, entrée en vigueur le 1-1-1986, s'applique à tous les cours d'eau, canaux, ruisseaux et plans d'eau avec lesquels ils communiquent.

Associations agréées de pêche et de pisciculture (AAPP) env. 4 200 groupées en 92 *Fédérations départementales* et en une *Union nationale des Fédérations départementales des AAPP* (17, rue Bergère, 75009 Paris) gèrent la pêche en France.

■ **Conseil supérieur de la pêche (CSP).** Établissement public national à caractère administratif. Sous la tutelle du min. de l'Environnement et du min. des Finances. *Budget :* env. 200 millions de F. Conseil d'administration présidé par le Directeur de l'Eau. *Personnel:* 650 gardes-pêche (formés à l'école du CSP au Paraclet dans la Somme), 80 ingénieurs, techniciens et administratifs.

■ **Carte de pêche et taxes.** Il faut adhérer à une AAPP pour l'obtenir (cotisation, env. 150 F par an, due automatiquement pour l'année quelle que soit la date où l'on prend sa carte). **Taxe piscicole annuelle.** Montant en 1993 : *pêcheurs professionnels à temps plein ou partiel* 740 F, *amateurs* aux engins et aux filets sur eaux du domaine public et compagnons de pêcheurs professionnels 135 F, sur eaux de 1re catégorie 135 F, aux lignes et à la vermée sur eaux de 2e cat. 44 F, *pêcheurs au lancer,* à la mouche artificielle, au vif, au poisson mort ou artificiel, aux lignes de fond, à la balance à écrevisses ou à crevettes, au carrelet, à la bouteille ou carafe à vairons, de grenouilles 135 F ; *pêcheurs appartenant à plusieurs catégories* assujettis pour le seul montant de la taxe au taux le plus élevé. *Suppléments :* pour truites de mer 80 F ; saumons 550 F, avec 4 bagues pour les amateurs ; 80 F par bague, pour professionnels (le pêcheur de saumons doit être muni d'un carnet de pêche nominatif) ; civelle 200 F avec tamis d'un diamètre et d'une profondeur inf. à 50 cm, 1 050 F si tamis de dimensions supérieures.

☞ Cartes, timbres et bagues sont délivrés par les AAPP et leurs dépositaires, souvent des négociants en articles de pêche. *Dispenses :* titulaires de la carte d'économiquement faible, grands invalides de guerre ou du travail, titulaires d'une pension de 85 % et au-dessus, conjoints de membres ayant acquitté la

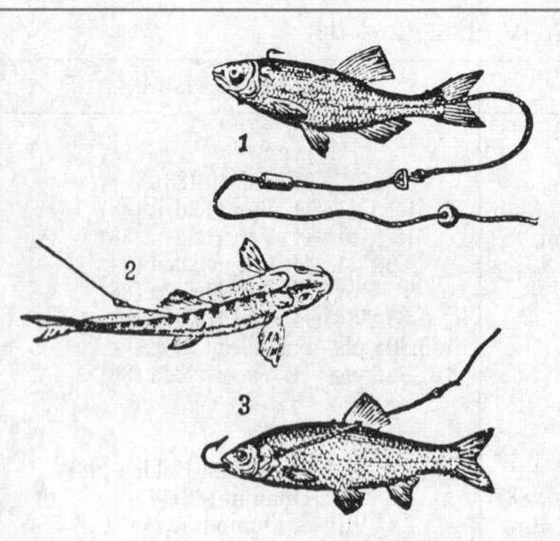

Pêche au vif (en ferrage du poisson) : 1 sur le côté. 2 sur le dos. 3 par la nageoire dorsale et l'ouïe.

Nombre en France. 1 pêcheur pour 12 ou 13 hab. (USA 1 p. 7, Belgique 60, Italie 200, All. féd. 700).

Env. 3 400 000 pêcheurs dont 1 887 385 (pêcheurs à la ligne, pêcheurs amateurs aux engins et aux filets), et 962 pêcheurs professionnels ont acquitté en 1990 la taxe piscicole. 1 000 000 exonérés (conjoints, enfants, etc.) et 500 000 pratiquant dans les eaux closes ou sur certains plans d'eau où la loi ne s'applique pas. **Lieux de pêche.** 500 000 km de rives dont 4 680 km de canaux domaniaux, 11 800 km de cours d'eau navigables ou rayés de la nomenclature, plus de 250 000 km de cours d'eau non domaniaux et plus de 250 000 ha de lacs, retenues et étangs privés dont 30 000 ha du domaine public. Ce qui fait pour chaque pêcheur en moy. 70 m de berge et 500 m^2 de lac ou d'étang, et 2 kg de poisson par saison.

Chiffre d'affaires de la pêche à la ligne. Env. 11 milliards de F. **Budget du pêcheur en 1992.** Env. 4 500 F par an.

taxe, mineurs jusqu'à 16 ans et appelés pendant leur service national, sont dispensés de la taxe piscicole (s'ils ne pêchent qu'avec une seule ligne équipée de 2 hameçons simples au plus, pêche au lancer exceptée) et d'acheter le timbre supplément saumon ou truite de mer. Ils peuvent pêcher dans les eaux du domaine public et les lacs où le droit de pêche appartient à l'État et dans les eaux du domaine des particuliers (avec la permission de ceux-ci).

■ **Droit de pêche** *appartient à l'État* dans cours d'eau et lacs domaniaux (navigables ou non, canalisés ou non), les lacs de retenues des barrages hydroélectriques construits et exploités par EDF, les lacs du domaine privé de l'État ; *à des particuliers* dans cours d'eau et plans d'eau non domaniaux. Les propriétaires riverains sont en même temps propriétaires du lit, mais pas de l'eau ni du poisson qui s'y trouve. Ces eaux sont classées en 2 catégories piscicoles : *1re catégorie* eaux peuplées de salmonidés (truites, saumons, ombles, ombres, etc.) déterminée par arrêté ministériel, *2e catégorie* autres eaux peuplées de blancs (gardons, rotengles, brèmes, chevesnes, carpes, tanches, etc.) et de carnassiers (brochets, perches, etc.).

■ **Possibilités.** Tout pêcheur, membre d'une AAPP, remplissant les conditions ci-dessus, peut pêcher dans tous les lots détenus par son AAPP (loués à l'État ou à des particuliers), sur les lots loués à l'État [pratique de la pêche avec lignes (max. 4 en 2e cat. et 3 en 1re cat.), et balances (6 au max.)], sur les lots loués à l'État [4 lignes max. en 2e cat. et une en 1re cat.].

Il peut pêcher gratuitement dans toutes les eaux où le droit de pêche appartient à l'État avec une ligne (pêche banale), quel que soit le siège de l'AAPP où il a réglé la taxe piscicole et indépendamment des droits individuels ou collectifs qu'il peut détenir. *Conditions :* a) de la rive ou en marchant dans l'eau dans les cours d'eau du domaine public classés en 1re catégorie piscicole ; b) de la rive ou en marchant dans l'eau ou en bateau, dans les cours d'eau domaniaux classés en 2e cat. pisc., ainsi que dans les plans d'eau, quelle que soit leur cat. ; c) de la rive seulement, pour le saumon (sauf sur certains parcours).

Le pêcheur peut pêcher sur cours d'eau et plans d'eau non domaniaux, partout où, à titre personnel, il possède un droit de pêche en qualité de riverain, et partout où le propr. riverain lui accorde à titre personnel le droit de pratiquer la pêche chez lui (4 lignes max. en 2e cat. et 1 en 1re).

■ **Dates d'ouverture.** Fixées par décret, mais ces périodes peuvent être raccourcies par les préfets.

Eaux de 1re catégorie. *6-3 au 5-9 :* Ardèche, Côtes-d'Armor, Manche. *6-3 au 12-9 :* Aveyron, Calvados

PRINCIPAUX POISSONS D'EAU DOUCE PÊCHÉS EN FRANCE

On rencontre en France environ 70 espèces de poissons d'eau douce.

Taille et poids maximaux habituels (il est impossible d'indiquer avec certitude des records de prise mondiaux ou même français). Période de reproduction :

Ablette : 12 à 16 cm (25 g), mai-juin. *Alose (grande) :* 50 cm (3 kg), avril-mai. *Alose finte* [1]*:* 35 cm (1 kg), mai-juin. *Alose du Rhône* [2]*:* 40 cm (2 kg), mai-juin. *Anguille* [3]*:* 1,5 m (4 kg), févr. à juill. *Apron :* 10 à 15 cm, févr. à avr. *Athérine* [5]*:* 8-9 cm, printemps. *Barbeau commun :* 70 cm (+ de 10 kg), mai à juill. ; *méridional :* 30 cm max. *Black-bass :* 50 cm (3 kg 1/2), mai à juill. *Blageon ou suiffe :* 15 à 18 cm (50 g), printemps. *Bouvière :* 8 cm, avril-mai. *Brème :* 70 cm (5 kg), avril-mai ; *bordelière :* moins de 22 cm. *Brochet* [4]*:* 1 m (10 kg), févr.-mars. *Cagnette ou blennie :* 10 à 14 cm, été. *Carassin :* 25 à 30 cm, juin. *Carpe* [6]*:* 1 m et + (25 à 30 kg), mai à août. *Chabot :* 11 cm, mars-avril (pêche interdite). *Chevesne :* 60 cm (6 kg), mai-juin. *Corégone :* 30 à 50 cm (1 à 3 kg). *Cristovomer. Écrevisse américaine* [7]*:* 14 cm, ponte oct. à déc., éclosion mai-juin ; *à pieds blancs :* 12 à 13 cm, *id. à pieds rouges* [2]*:* 16 à 18 cm. *Eperlan* [14]*:* 30 cm, janv. à avril. *Épinoche :* 6 à 8 cm, mars à mai. *Esturgeon* [9]*:* 2,2 m (100 kg). *Féra :* 30 à 50 cm, février. *Flet* [10]*:* 45 cm, printemps. *Gambusia :* 4 à 6 cm, toute l'année. *Gardon :* 25 cm (+ de 750 g), mai-juin. *Goujon :* 15 à 18 cm, avr. à juill. *Gravenche :* 15 à 35 cm, déc.-janv. *Grémille :* 15 à 18 cm, avril. *Hotu :* 15 à 45 cm et + (2 kg), mars à mai. *Huchon :* 0,8 à 1,6 m (10 kg), mars-avril. *Ide :* 50 cm (4 kg), avril-mai. *Lamproie de Planer :* 25 cm ; *fluviale* [12]*:* 25 à 60 cm, mai-juin ; *marine* [11]*:* 1 m (2 kg), mai-juin. *Loche de rivière :* 8 à 10 cm, avril-mai ; *d'étang :* 30 cm, avril à juin ; *franche :* 10 à 21 cm, avril-mai. *Lotte :* 30 cm à 1 m (500 g et +), janv. *Muge cabot* [3]*:* 60 cm (3 kg), automne-hiver ; *capiton (mulet)* [3]*:* 40 cm (2 kg), automne-hiver. *Omble chevalier :* 50 cm (2 kg), déc. *Ombre :* 40 cm (1 à 2 kg), printemps. *Perche :* 15 à 50 cm (3 kg), mi-mars à juin ; *soleil :* 100 à 150 g, mai-juin. *Poisson-chat :* 40 cm (500 g) mai-juin. *Rotengle :* 36 cm (0,5 kg), mai-juin. *Sandre :* 1,20 m (+ de 10 kg), avril. *Saumon :* 1,50 m (17 kg), nov. à janv. ; *de fontaine :* 40 cm (2 kg), nov. *Silure glane :* 4 m (200 kg), mai-juin. *Soffie :* 25 cm (150 g), avril-mai. *Spirlin :* 15 cm, mai-juin. *Tanche :* 60 cm (+ de 3 kg), mai à juill. *Truite arc-en-ciel :* 60 cm et + (5 kg) ; *fario :* + de 50 cm (18 cm riv. mont., 23 cm autres eaux) (500 g à 3 kg), oct. à janv. ; peut atteindre 8 à 10 kg dans certains lacs. *Vairon :* 9 cm, mai-juin. *Vandoise :* 25 à 30 cm (1,2 kg), mars à mai.

Nota. – (1) Vit en mer, se reproduit en eau douce (France : Loire, Garonne, Adour). (2) Vit en Méditerranée, se reproduit en eau douce. (3) Pond en mer près des Bermudes ; les larves dérivent vers les embouchures des fleuves et, transformées en civelles puis en anguilles, remontent les rivières. (4) Prise de 1,80 m signalée. (5) Pond en eau douce. (6) Vit env. 30 ans. (7) Rare. (8) Très rare (Alpes, Morvan, Vosges). (9) Vit en mer, se reproduit en eau douce (France : Gironde et Garonne, parfois Bas-Rhin, Rhône et Adour) ; ses œufs donnent le caviar. (10) Monté en eau douce en juillet, regagne la mer en octobre ; se nourrit normalement et se reproduit en eau salée. (11) Vit en mer, se reproduit en eau douce (France : Loire, Adour, Garonne, Rhône). (12) Reste plus longtemps en eau douce. (13) Pond en mer, vit en eau douce. (14) Vit en mer, pond aux embouchures des fleuves.

MANIÈRES DE PÊCHER

Au coup. La plus courante. Canne de 3 à 10 m et flotteur servant à suivre le mouvement de la ligne. Un coup de poignet assure la prise du poisson. **Pêche à l'anglaise.** Canne de 3 à 4 m munie d'anneaux et équipée d'un moulinet. Permet de pêcher en se trouvant à 20 ou 30 m du bord. Permet de capturer de plus gros poissons (carpes) sur des fils fins. **Pêche au lancer.** Canne courte (env. 2 m) équipée d'un moulinet. L'appât est un leurre métallique ou en bois. On récupère le fil pour rendre le leurre, l'appât ou l'esche attractif pour le poisson. Exige plus de déplacements de la rive aux lieux de la prise finale. **Pêche à la mouche.** En principe pour truite, saumon et ombre commun. Canne souple d'env. 2 m et ligne lourde 2 à 3 m, ligne en fuseau, sans plombage.

(zone A), Cantal, Hte-Loire, Lozère, Morbihan. *6-3 au 19-9 :* Allier, Alpes-de-H.-P., Alp.-Mar., Ariège, Aude, B.-du-Rhône, Charente, Charente-Mar., Cher, Corrèze, Corse, Creuse, Dordogne, Eure-et-L., Finistère, Gard, Hte-Garonne, Gers, Gironde, Hérault, Ille-et-V., Indre, Indre-et-L., Landes, Loire-et-C., Loire, Loiret, Lot, Lot-et-G., Maine-et-L., Mayenne, Orne, Puy-de-Dôme, Pyr.-Atl., Htes-Pyr., Pyr.-Or., Sarthe, Deux-Sèvres, Tarn, Tarn-et-G., Var, Vaucluse, Vienne, Hte-Vienne. *6-3 au 3-10 :* Htes-Alpes, Drôme, Isère, Savoie, Hte-Savoie. *20-3 au 19-9 :* Calvados (zone B), Côte-d'Or, Nièvre, Rhône, Saône-et-L., Vosges, Yonne. *20-3 au 3-10 :* Ain, Ardennes, Aube, Doubs, Jura, Marne, Hte-Marne, Meurthe-et-M., Meuse, P.-de-Calais, B.-Rhin, H.-Rhin, Hte-Saône, Seine-et-M., Yvelines, T. de Belfort, Essonne, Val-d'Oise. *27-3 au 3-10 :* Eure, Nord, Oise, Seine-Mar., Somme. *27-3 au 3-11 :* Aisne. Selon les départements, 5 à 20 captures par jour, poisson de 18 à 25 cm.

Eaux de 2e catégorie. Autorisée toute l'année (sauf aux engins et filets : fermée entre le 19-4 et le 11-6).

Ouvertures spéciales. *Brochet :* variable selon départements. *Anguille d'avalaison :* 1er-1/15-2, 1er-10/31-12. *Corégone :* 1er-1/15-11. *Truites autres que la truite de mer, l'omble ou saumon de fontaine, l'omble chevalier, le cristivomer :* en 2e cat., ne peut être pratiquée que pendant la période d'ouverture fixée pour les eaux de 1re cat. du département où l'on pêche. Dep. 1990, la truite arc-en-ciel se pêche toute l'année dans les rivières de 2e cat. *Civelle (alevin d'anguille ayant environ 7 cm de longueur) :* eaux 2e cat. : 1er-11/15-3, voire jusqu'au 15-4 sur décision du ministre chargé de la pêche en eau douce. *Ombre commun :* du 3e samedi de mai au 31-12 dans 1re cat. classés comme cours d'eau principalement peuplés d'ombres communs ou, en l'absence de classement, jusqu'à la fin du temps d'ouverture de 1re cat. applicable dans le département où l'on pêche. Seule l'Ain, en aval du barrage de Convert, a été classée principalement peuplée d'ombres communs. Pour les eaux de 2e cat., ouverte du 3e samedi de mai à la fin de l'année. *Écrevisse autre que l'écrevisse américaine :* variable selon départements. *Grenouille verte et rousse :* période d'ouverture de 1re cat. dans les eaux de 1re cat. ou de 2e cat. dans les eaux de 2e cat. (sauf pendant 2 mois, fixés par le préfet et correspondant à l'époque de reproduction). *Saumon et truite de mer :* fixées annuellement par le min. de l'Environnement.

Heures. Autorisée dep. 1/2 h avant le lever du soleil jusqu'à 1/2 h après son coucher.

■ **Taille minimale du poisson.** Certains ne peuvent être pêchés et doivent être rejetés à l'eau si leur longueur est inférieure à 1,80 m : esturgeon ; 0,70 : huchon ; 0,50 : saumon ; 0,45 : brochet ; 0,40 [1] : sandre [1] ; 0,35 : truite de mer, cristivomer ; 0,30 : aloses, ombre commun, corégone ; 0,25 : lamproies marine et fluviatile ; 0,23 : truites (sauf truite de mer, omble ou saumon de fontaine, omble chevalier), black-bass ; 0,20 [1] : mulet ; 0,09 : écrevisses sauf écrevisse américaine.

Nota. – (1) Dans les eaux de 2e cat. Pas de taille limite dans les eaux de 1re cat., car ils sont carnassiers, prédateurs de la truite.

Longueur mesurée du bout du museau à l'extrémité de la queue [écrevisses de la pointe de la tête (pinces et antennes non comprises) à l'extrémité de la queue déployée]. Pas de longueur minimale pour les autres poissons. Dans les eaux des régions montagneuses ou à sol pauvre en chaux, désignés par arrêté, les truites et saumons de fontaine peuvent, exceptionnellement, être pêchés à partir de 18 cm. 2 autres tailles réglementaires possibles sont fixées par le préfet : 20 et 25 cm. Se renseigner sur place.

■ **Nombre de captures.** Limitées pour les salmonidés (surtout saumon et truite de mer).

■ **Lieux de pêche interdits.** Vannages, échelles à poissons, 50 m en aval des ouvrages établis sur les eaux où le droit de pêche appartient à l'État, 50 m en amont et en aval des ouvrages établis sur les cours d'eau classés à saumon.

■ **Commercialisation du poisson.** Interdite aux pêcheurs amateurs. Amende de 1 000 à 10 000 F.

■ **Renseignements.** *Conseil supérieur de la pêche,* 134, av. Malakoff, 75016 Paris. *Fédération française de pêche au coup,* 25, route de Brissac, 49610 Murs-Érigné. Pêche au coup en eau douce, organise les compétitions. *Fédédération française des pêcheurs sportifs mouche,* 5, rue Jules-Verne, BP 49, 69741 Genas Cedex.

Pêche de loisir en mer

■ **Conditions.** Possible toute l'année, de jour et de nuit, le long des côtes, mais il faut se conformer aux instructions concernant les zones militaires, portuaires ou insalubres et aux dispositions réglementaires visant la conservation des fonds (ex. taille minimale du poisson pêché). Interdiction de vendre les prises.

■ **Pêche à pied.** Sans formalité, on peut pêcher à la ligne tenue à la main, ramasser à la main des crustacés et des coquillages, pêcher avec des lignes de fond (possibilité d'interdiction si la sécurité l'exige). Pour la pêche avec filets et autres engins réglementaires, sauf épuisette, panier, casier, haveneau de plage dont l'emploi n'est subordonné à aucune formalité, une autorisation préalable de l'autorité maritime locale est nécessaire en mer du Nord, Manche et Atlantique. En Méditerranée, une déclaration suffit.

■ **Pêche en bateau.** *Engins autorisés :* lignes gréées pour l'ensemble d'un max. de 12 hameçons, 2 palangres munies chacune de 30 hameçons au max., 2 casiers à crustacés, 1 foene, 1 épuisette ou salabre. Toutefois sont autorisés : en mer du Nord, Manche et Atlantique : un trémail de 50 m. de long max., sauf dans les estuaires, les eaux salées des fleuves et les rivières affluant à la mer ; en Méditerranée : on peut utiliser une grappette à dents destinée à la capture de coquillages.

■ **Pêche sous-marine. Age min. :** 16 ans. **Déclaration :** obligatoire et gratuite [l'envoyer au Quartier des Affaires maritimes d'une ville côtière et conserver le récépissé de déclaration (les membres d'une fédération d'associations de pêcheurs sous-marins reconnue par le min. chargé de la Marine marchande en sont dispensés)]. Permet de pêcher 1 an sur tout le littoral de la France continentale ou de la Corse. **Assurance :** responsabilité civile obligatoire. **Prescriptions :** ne pas utiliser d'appareil permettant de respirer en plongée (amende 3 000 à 6 000 F), de fusil à gaz comprimé autrement que par la force de l'utilisateur, des foyers lumineux ; ne pas détenir en même temps, sur le navire, scaphandre autonome et engins de pêche sous-marine (sauf dérogation, amende 3 000 à 6 000 F) ; ne pas chasser entre coucher et lever du soleil, à moins de 150 m des navires ou des embarcations de pêche ainsi que des filets signalés par des balisages ; ne pas prendre le poisson capturé dans d'autres engins de pêche ; ne pas vendre les prises. Utiliser une foene ou un fusil pour capturer les crustacés ; tenir un fusil chargé hors de l'eau. *Pêcheurs sous-marins non déclarés :* risquent une contravention de 20 à 150 F.

Poissons chassés en Méditerranée. Dans l'ordre des profondeurs (petits à grands fonds). *Blade :* près des sars, dans les failles sombres. *Girelle :* toujours isolée. *Serran :* brun rouge. *Rouquier :* vit sous les roches. *Rouget :* fonds sablonneux. *Rascasse :* dans la pierraille ; appelée chapon lorsqu'elle est grosse et rouge. *Saupe :* par groupes. *Poulpe :* près des côtes ou dans les récifs et épaves. *Congre :* caché pendant le jour. *Sar :* dans les trous, entassements rocheux ; appelé mouraguette en Provence. *Daurade :* isolée, au ras des algues, clairières ensoleillées. *Corb :* vit en colonies peu nombreuses, dans les failles ou sous les roches profondes. *Mulet :* se cache dans les trous (ragues). *Loup :* solitaire ou en bandes à la saison du frai, capture facile. *Mérou :* tête très volumineuse. *Denti :* rarement rencontré. *Liche :* peut atteindre 40 kg.

Renseignements. *Fédération française des pêcheurs en mer,* Résidence Alliance, Centre Jorlis, 64600 Anglet.

Pelote basque

Généralités

■ **Origine.** Descend de l'ancien jeu de paume français. Mentionnée pour la 1re fois au XVe s. S'est développée à partir du XVIIIe s. et surtout au XIXe s. avec l'invention du *chistera* d'osier et châtaignier (inventé en 1857 par Gaintchiki Harotcha). Pratiquée aujourd'hui en Amérique, Espagne et France (notamment dans le Sud-Ouest).

■ **Aires de jeu. Fronton place libre :** très répandu au Pays Basque, en plein air, mur de 10,50 m de haut, aire de jeu en ciment et terre battue de 35 à 100 m de long et 16 m de large. **Fronton mur à gauche :** en général couvert, comprend 3 murs (devant, à gauche et au fond), env. 10 m de haut, aire de jeu de 10 m de large et 36 m de long pour le fronton court et 54 m pour le fronton long ou *jaï alaï* (jeu allègre). **Trinquet :** couvert, aire de jeu de 9,30 m sur 28,50 m, 10 m de haut ; on joue sur les 4 murs, nombreuses chicanes (chilo, pan coupé, tambour, filet) rendant le jeu spectaculaire.

■ **Balle** *(pelote).* Noyau en filaments de caoutchouc spécial (para) tendus et serrés fortement, entouré de fils de laine et recouvert d'une enveloppe de cuir simple ou double (peau de chèvre) découpée en forme de 8. *Vitesse :* 302 km/h, José Ramon Areitio le 3-8-1979 à Newport (USA).

■ **Spécialités. Main nue.** *Pelote française :* fronton place libre ou trinquet, 1 ou 2 joueurs par équipe, pelote (62 mm de diam., 90 g) ; *espagnole :* fronton mur à gauche, 1 ou 2 joueurs, pelote (65 mm, 105 g). Le *pelotari* se sert uniquement de sa main pour frapper la pelote.

Chistera. En France. *Fronton* place libre de 80 m de long, on renvoie la balle avec le *chistera* (gant cuir terminé par panier en osier, 63 à 68 cm de long, 500 à 600 g) dont la courbure forme une poche qui facilite la réception et le blocage de la pelote (66 mm, 128 g, cuir). *Équipes* de 3 joueurs.

Cesta punta. Se joue sur un *jaï alaï* avec un grand *chistera* et des *pelotes* spéciales (64 mm, 125 g, parchemin). *Équipes* de 2 ou 1 joueur (pour le pari).

Joko garbi (jeu pur). Surtout pratiqué en France. *Fronton* place libre d'au moins 50 m de long. *Gant* plus petit que le chistera (58 cm de long, osier, 350 à 400 g), sa courbure moins appuyée permet de renvoyer la balle (65 mm, 120 g, cuir) dès réception et rend le jeu très rapide. *Équipes* de 3 joueurs (2 si l'on joue mur à gauche).

Rebot. Le plus ancien des jeux de pelote. *Place libre* de 90 à 100 m divisée en 2 rectangles inégaux. Même *gant* que pour le joko garbi. *Pelote* (72 mm, 130 g, cuir). 2 équipes de 5 joueurs. Jeu direct comme le tennis. *Partie* en 13 jeux comptés 15, 30, 40 et jeu.

Pasaka. Très ancien, probablement issu de la courte paume. En *trinquet* avec un filet médian (1,20 m de haut). *Pelote* (90 mm, 245 g, cuir). *Équipes* de 2 joueurs. *Jeu* direct, le gant permet de renvoyer la pelote par un coup glissé instantané. Même compte des points qu'au rebot.

Pala. Uniquement en France. On frappe la pelote avec la *pala,* sorte de battoir en bois de 10 cm de large et 50 cm de long. *Place libre. Pelote* (60 mm, 100 g, cuir). *Équipes* de 2 joueurs.

Pala corta. *Fronton* mur à gauche. *Pala* plus courte et plus légère. *Pelote* (60 mm, 90 g, cuir). *Équipes* de 2 joueurs.

Paleta. Pelote de cuir. Origine esp. *Trinquet* ou fronton mur à gauche. *Paleta* 12,5 cm de large, 50 cm de long. *Pelote* (40 mm, 52 g, cuir). *Équipes* de 2 joueurs. **Pelote gomme.** *Paleta* 70 cm de large et 50 de long. *Pelotes :* internationale (*balin* ou *argentine,* 30 mm, 35 g, caoutchouc, creuse), espagnole (35 mm, 45 g, caoutchouc, pleine). *Équipes* de 2 joueurs.

Xare. *Trinquet. Raquette* 16 cm de large et 55 de long, munie d'un filet de corde (le *xare*) non tendu. Pelote (55 mm, 80 g, cuir). *Équipes* de 2 joueurs.

Frontenis. Très répandu au Mexique. *Fronton* mur à gauche court. *Raquette* ressemblant à une raquette de tennis (poids 400 à 500 g, 22 cm de large, 70 cm de long). *Pelote* (25 mm, 45 g, caoutchouc, creuse). *Équipes* de 2 joueurs.

Résultats

☞ **Jeux olympiques : 1992** Barcelone, sport de démonstration (voir p. 1547).

■ **Championnats du monde.** Tous les 4 ans dep. 1952, en Europe ou en Amérique. *Participants :* Argentine, Brésil, Chili, Espagne, France, Mexique, Philippines, Uruguay, USA, Italie, Venezuela. **Trinquet :** *main nue : ind.* Mexique, *main nue par éq.* Fr., *xare* (raquette argentine) Fr., *paleta pelote de gomme pleine (dames)* Fr., *de cuir* Argentine, *de gomme creuse* Arg. ; *fronton mur à gauche (36 m) : main nue 2 à 2, ind., pala corta, paleta pelote de cuir et cesta punta* Esp. ; *fronton mur à gauche (30 m) : frontenis* Esp., *frontenis (dames)* Mex., *paleta pelote de gomme creuse* Mex.

■ **Championnats de France place libre (1992).** *Rebot seniors* Aviron Bayonnais, *interligues* St-Martin-Salies. *Joko garbi seniors* Aviron Bayonnais, *interligues* St-Pierre-d'Irube. *Chistera seniors* Biarritz, *interligues* Biarritz. *Main nue seniors* Aviron Bayonnais. *Grosse pala seniors* PC Orthez, *interligues* La Gélosienne. *Paleta pelote gomme* Orok Bat-Anglet. *Paleta pelote cuir* Toulouse OAC.

Trinquet (1992). *Paleta pelote gomme pleine* St-Pée UC, *creuse* Ciboure. *PPG féminine* Ustaritz. *Xare* St-Jean-de-Luz. *Main nue par équipes* Baïgorry *et ind.* Mendionde. *PP cuir* Guéthary.

Fronton mur à gauche (1992) 36 m. *Pala corta* Aviron Bayonnais. *Joko garbi seniors* Aviron Bayonnais, *interligues* AS Hossegor. *Main nue* Bayonne. *Paleta pelote de cuir* A. Bayonnais.

Quelques noms

AGUER J.-B. AGUIRE. APESTEGUY Joseph *dit* Chiquito de Cambo (1881-1955). ARBILLAGA. ARCE Amédée. BEHESKA. BICHENDARITZ. CHATELAIN. DONGAITZ Léon (1886). DURRUTY Étienne. ETCHART. FAGOAGA. HARAMBILLET Jean-Baptiste (1917). HARAN GARMENDIA. LADUCHE Joseph. LEMOINE Jean. SAINT-MARTIN Prosper. UNHASSOBISCAY. URRUTY Jean (19-10-13). ZUGASTI.

Plaisance

Bateaux

Statistiques

■ **Grandes flottes de plaisance.** (1989) USA 15 203 000, Canada 1 148 000, Suède 1 234 500, *France 775 451,* Norv. 800 000, G.-B. 567 200, All. féd. 858 363, Finl. 626 500, Italie 574 350 (88), P.-Bas 410 352, Japon 212 115 (87), Suisse 109 589.

☞ Flotte française (31-8-1992). 795 216 navires immatriculés, dont 556 568 à moteurs, 237 445 voiliers et 1 203 divers. 575 151 navires de moins de 2 tx et 220 065 de plus de 2 tx. *Répartition* (31-8-1992). Marseille 329 203, Rennes 162 307, Le Havre 119 139, Bordeaux 107 264, Nantes 77 303. Env. 60 000 b. non immatriculés naviguent sur les voies intérieures, ou aux formalités non remplies (dont 1 400 petites embarcations), ou à moyen de propulsion indéterminé.

Immatriculations. *1980 :* 34 302. *81 :* 30 551. *85 :* 21 337. *87 :* 20 779. *88 :* 22 978, *89 :* 21 075. *90 :* 21 700. *91 :* 19 676. *92 :* 19 765 (dont Marseille 8 817, Rennes 3 873, Le Havre 2 872, Bordeaux 2 430, Nantes 1 773).

Matériaux (en % navires immatriculés du 1-10-88 au 30-9-89). Plastique 70,4 ; pneumatique 24,5 ; bois 3,3 ; métal 1,3 ; contreplaqué 0,5. **Moteurs** (en %). Hors-bord 67,5, fixe 25,3 ; relevable 2,9 ; turbine 4,3. **Puissance (%).** - de 10 ch 33,8 ; 10 à 50 : 27,3 ; 50 à 100 : 16,2 ; 100 à 150 : 8,1 ; 150 et + : 14,6.

Principaux quartiers d'immatriculation pour l'ensemble de la flotte (navires immatriculés au 31-8-1992). Toulon 90 095, Nice 63 585, Marseille 53 507, Sète 52 062, Arcachon 30 975, Port-Vendres 29 406, St-Malo 28 904, St-Nazaire 28 296, Rouen 27 580, Caen 26 237.

■ **Accidents et événements en mer. Bilan de la Société nationale de sauvetage en mer.** *Personnes secourues : 1990 :* 9 501. *91 :* 10 298. *92 :* 10 301 (dont véliplanchistes *90 :* 2 270, *91 :* 2 474, *92 :* 2 012). *Bateaux assistés : 90 :* 2 660, *91 :* 2 787, *92 :* 2 951. *Personnes sauvées : 90 :* 663. *91 :* 754. *92 :* 769.

Sécurité des loisirs nautiques (1-1 au 31-8-1992). 2 462 opérations (concernant 6 308 personnes dont 47 décédées et 6 disparues) dont navires à moteurs 914, voiliers 970, engins de plage 285, fausses alertes 293, planches à voile 278, baignade 153 (91), plongée bouteille 65, pl. apnée 21, véhicules à moteur 15.

Types

Navigation (selon dimensions, construction et armement, près des côtes ou petites traversées). Titre de nav. délimitant les zones de nav. autorisées et la catégorie de nav. attribuée aux embarcations lors de leur approbation par la Commission nat. de sécurité de la nav. de plaisance. Le matériel de sécurité doit correspondre alors à la catégorie indiquée sur le titre de navigation.

■ **Bateaux à moteur non habitables. Dinghy** (canot pour moteurs hors-bord, jusqu'à 6,50 m environ : 20 000 à 80 000 F (sans moteur). **Runabout** (canot à moteur Z drive ou en ligne, jusqu'à 9 m environ, 230 à 3 000 kg). 220 000 F (avec moteur).

■ **Bateaux à moteur habitables. Day cruiser** (5 à 11 m environ, 300 à 5 000 kg) : 40 000 à 250 000 F avec moteur. **Cabin cruiser** (moteur à transmission en Z – Z drive – ou en ligne droite – moteur in board à essence ou diesel ; 5 à 9 m : 500 à 2 400 kg) : 60 000 à 400 000 F. Habitabilité réelle à partir de 7 à 8 m. **Vedettes et yachts.** De 400 000 à 6 000 000 de F et plus. A partir de 10 m et de 4 000 kg.

Yachts les plus chers du monde. Nom, propriétaire, longueur en m, prix en millions de F. *Abdul Aziz* : Fahd d'Arabie (159 m) 350/450. *Atlantis* : Stavros Niarchos (113 m) 120/150. *Nabila* : Donald Trump (87 m) 100/200. *Britannia* : Amirauté britannique (Famille royale) lancé 1953 (138 m, 5 769 t, équipage 250) 70/120. *New Horizon L :* Prince Léon de Lignac (59 m) 70. *My Gaël III :* Gérald Ronson (67 m) 70.

■ **Bateaux à voile** (voir **Voile** p. 1522).

Fiscalité 1993

Tout propriétaire de bateau doit acquitter chaque année, avant le 1-4, un droit de francisation et de navigation calculé sur tonnage du bateau et puissance administrative du moteur.

■ **Droit sur la coque** (en F). *- de 3 tonneaux inclus :* exonération, *3 à 5 tx inclus :* 222 (+ 151 par tx ou fraction de tx au-dessus de 3), *5 à 8 tx inclus :* 222 (+ 106), *8 à 10 tx inclus : + de 10 ans :* 222 (+ 106), *- de 10 ans :* 222 (+ 207), *10 à 20 tx inclus : + de 10 a. :* 222 (+ 98), *- de 10 a. :* 222 (+ 207), *+ de 20 tx : + de 10 a. :* 222 (+ 93), *- de 10 a. :* 222 (+ 207).

■ **Droit sur le moteur. Calcul de la puissance administrative.** *A essence :* P = 0,00015 × N × D ² × L × 30 ; *diesel :* même opération par 0,7 (N : nombre de cylindres. D : alésage en cm. L : course piston en cm).

Droit (en F, par CV au-dessus du 5e) : *5 à 6 CV inclus :* exonération. *6 à 8 CV :* 54 par CV au-dessus du 5e. *9 à 10 :* 68 ; *11 à 20 :* 136 ; *21 à 25 :* 151, *26 à 50 :* 172 ; *51 à 99 :* 190 ; *100 CV et + :* 297 par CV.

■ **Abattement pour vétusté.** Concerne les droits sur coque et moteur. Pour bateaux de *10 à 20 ans :* - 25 %, *20 à 25 a. :* 50 %, *+ de 25 a. :* 75 %.

■ **Droits de timbre.** Certificat d'immatriculation 70 F, de jaugeage 70 F, permis de navigation 70 F, permis de conduire et certificat de capacité 300 F, droit d'examen 200 F.

Permis de conduire

■ **Nombre de permis délivrés.** *Total au 31-8-92 :* 1 049 517 ; *du 1-9-91 au 31-8-92 :* 91 502.

■ **Permis en mer. Obligatoire** dep. le 1-1-1993 pour tous les bateaux à moteur et véhicules nautiques à moteur (jets, scooters de mer, etc.) dont la puissance réelle max. totale est supérieure à 4,5 kW (6 CV). Donne uniquement le droit de piloter à titre d'agrément. Le permis n'est pas exigé des étrangers lorsqu'ils naviguent en transit sur leur bateau. Pour commander un b. de plaisance à titre lucratif, la qualification de capitaine professionnel est exigée. **Types :** *Carte mer :* conduite de jour d'un navire à moteur de 2 tjb max., d'une puissance comprise entre 4,5 kW (6 CV) et 36,9 kW (50 CV), à moins de 5 milles d'un abri. *Permis mer :* conduite de tout navire à moteur (sauf les surmotorisés et aéroglisseurs, mentions spéciales prévues).

Conditions requises. Age : min. 16 ans, les personnes de 14 à 16 ans peuvent conduire un navire à moteur sous réserve d'être accompagnées d'un titulaire de permis, membre d'une fédération sportive. **Aptitude physique** (déclaration sur l'honneur sur modèle réglementaire) : *Carte mer :* acuité visuelle 6/10 d'un œil et 4/10 de l'autre ou 5/10 de chaque œil (verres correcteurs ou lentilles cornéennes admis), sens chromatique satisfaisant. Acuité auditive satisfaisante, prothèse tolérée. Membres supérieurs, fonction de préhension satisfaisante. Membres inférieurs, intégrité des 2 m. ou d'un seul avec appareillage mécanique de l'autre. État neuropsychiatrique et vasculaire satisfaisant, pas de perte de connaissance ni de crise d'épilepsie. *Permis mer :* acuité visuelle 6/10 d'un œil et 4/10 de l'autre ou 5/10 de chaque œil [verres correcteurs admis sous réserve de verre organique, d'un système d'attache des lunettes et d'une 2e paire de lunettes de rechange à bord ; lentilles précornéennes admises sous réserve du port de verres protecteurs neutres sur les lentilles (engins découverts) et d'une paire de verres correcteurs de rechange à bord]. Le permis ne peut être délivré aux borgnes que 1 an seulement après la perte de l'œil sous réserve que l'œil sain ait un minimum de 8/10 avec ou sans correction. Sens chromatique satisfaisant (reconnaissance des couleurs). Acuité auditive : voix chuchotée perçue à 0,50 m de chaque oreille, voix haute à 5 m (prothèse auditive tolérée). Membres supérieurs pouvant assurer de façon satisfaisante des fonctions de préhension nécessaires au pilotage. En cas de prothèse, elle doit être reconnue satisfaisante et les systèmes de commande du moteur et de la barre doivent avoir été modifiés en fonction. Intégrité des 2 membres inférieurs ou de l'un des membres et appareillage mécanique satisfaisant de l'autre, sinon présenter un examen et, en cas de succès, être accompagné d'une personne sans infirmité (ne possédant pas forcément le permis). Bon état de santé.

Examen. Épreuves pratiques et théoriques (écrites ou orales). **Pièces à fournir :** demande d'inscription sur modèle réglementaire précisant la catégorie du permis demandé et portant un timbre fiscal de 200 F, 1 photo d'identité, timbre fiscal de 300 F, fiche d'état civil ou photocopie d'une pièce d'identité officielle et récente, certificat d'aptitude physique de moins de 6 mois (permis mer seul), photocopie du permis de conduire en eaux intérieures si le candidat en est titulaire. **S'adresser :** au Bureau de la Navigation de plaisance, secrétariat d'État à la Mer, 3, place de Fontenoy, 75007 Paris ; au quartier des Affaires maritimes ; dans un centre de préparation à l'examen du permis de conduire en mer.

☞ Au 1-1-1993, les titulaires des permis A, B et C (obligatoires dep. 15-3-1966) gardent leurs prérogatives. Les titulaires du permis A pourront obtenir le permis mer après une épreuve théorique de navigation. La limite des 25 tonneaux n'est plus opposable aux titulaires du permis B. Jusqu'au 1-1-1994, délivrance sans examen d'une carte mer spéciale (avec navigation de nuit) pour les personnes utilisant un navire de plaisance à moteur de 6 à 10 CV dep. au moins 3 ans au 1-1-1993.

Réglementation

Tout navire doit être immatriculé auprès d'un quartier des affaires maritimes. Les + de 2 tjb doivent en plus être francisés par la douane.

■ **Immatriculation.** Obligatoire pour tous les navires et engins de plaisance dont la puissance motrice max. est supérieure à 3 kW sauf engins considérés comme « engins de plage ». Selon sa nature (voiliers ou navires à moteur), son tonnage, sa puissance, un navire de plaisance doit porter des marques extérieures d'identité sur sa coque.

■ **Catégories de navigation.** *1re cat.* toutes navigations, *2e* à moins de 200 milles d'un abri, *3e* 60 milles, *4e* 20 milles, *5e* 5 milles, *6e* 2 milles. Le certificat de construction indique la cat. max. autorisée pour l'embarcation. Elle est portée sur le titre de navigation.

■ **Armement.** *A moins de 5 milles d'un abri* avoir à bord ancre ou grappin, 2 avirons, 1 chaumard avant pour amarrage, feux de signalisation (en cas de sortie nocturne), lampe torche étanche (même de jour), écope, gilets ou brassières de sauvetage. *Navigation au grand large :* bouée, brassières de sauvetage, harnais de sécurité, extincteur, pompe à bras, seau de 10 l, ancre, gaffe, avirons. 20 m de filin, écope, ancre flottante, jeu de voiles complet, baromètre, thermomètre, sonde à main, signaux fumigènes, pavillon national, pavillons N et C (liste non exhaustive).

Ports de plaisance en France

Situation juridique

Depuis le 1-1-1984, et en vertu des lois de décentralisation des 7-1- et 22-7-1983, les communes ont une compétence de droit commun pour créer, aménager et exploiter les ports maritimes affectés exclusivement à la plaisance. 228 ports de plaisance existant à cette date ont été ainsi «mis à disposition» gratuite. Les départements ont compétence sur les installations de plaisance existantes dans les ports de commerce et de pêche dont ils ont la charge dep. le 1-1-1984 (304 ports décentralisés). L'État conserve sa compétence sur les équipements de plaisance des ports autonomes et des ports d'intérêt national. Communes, départements et État peuvent concéder l'établissement et l'exploitation des ouvrages et installations portuaires à des personnes publiques ou privées.

Mais, pour garantir l'affectation au service public portuaire, il ne peut être établi sur les dépendances mises à disposition que des ouvrages, bâtiments ou équipements ayant un rapport avec l'exploitation des ports ou de nature à contribuer à l'animation et au développement de ceux-ci. En l'absence de schémas de mise en valeur de la mer, les créations et extensions de ports sont décidées sur demande de la collectivité, par le préfet, après avis du Conseil régional.

Pour la police des ports de plaisance, les autorités décentralisées ont compétence pour prendre des règlements particuliers, qui doivent être compatibles avec le règlement général de police qui relève de l'État, et pour veiller à leur exécution.

La disposition de longue durée de places à quai peut être donnée contre un versement destiné à financer le 1er établissement du port. Un certain nombre de places doivent être réservées aux plaisanciers de passage, et dans certains cas, aux usagers (pêcheurs professionnels, associations sportives, etc.). Les piétons ont librement accès à tous les ports de plaisance.

Statistiques

■ **Nombre de ports** (au 1-7-1991). 228 concédés. Postes d'accostage disponibles sur le littoral français : env. 120 000 places. *Jusqu'en 1960*, il y avait très peu de ports de plaisance : les navires s'abritaient dans les ports de pêche. *1965 :* 20 000 places pour 25 000 bateaux.

Nota. – Sur l'Atlantique, 6 ports de pl. ont été financés avec capitaux privés, dont 2 en Gironde et 1 en Loire-Atlantique ; un 7e est en construction dans le Calvados. Sur la Méditerranée, 30 ports financés par le privé.

■ **Grands ports de plaisance** (nombre de places en 1992). **Côte atlantique et Manche.** Arcachon 2 249, Le Crouesty 2 000 ; La Baule 919 ; Cap-Breton-Hossegor-Seignosse 780 ; Courseulles 750 ; Port-Deauville 776 ; Le Havre 1 140 ; Oranville 870 ; Ouistreham 650 ; Pornic 960 ; La Rochelle 3 200 ; St-Valéry-en-Caux 580 ; La Trinité-sur-Mer 950. **Méditerranée.** Antibes 1 230 ; Bandol 1 350 ; Beaulieu-sur-Mer 780 ; Bormes-les-Mimosas 950 ; Le Canet 1 000 ; Cannes Marina 1 750 ; C.-Pierre Canto 602 ; C.-Vieux Port 760 ; Cap d'Agde 2 200 ; Cavalaire 900 ; La Ciotat 640 ; Golfe Juan 1 550 ; La Grande-Motte 2 200 ; Hyères 1 350 ; Marines-de-Cogolin 1 550 ; Marseille Friout 1 500, M.-Pointe-Rouge 1 200 ; M.-Vieux-Port 3 200 ; La Napoule 1 000 ; Palavas-les-Flots 620 ; Port-Camargue 2 081 ; Port-Grimaud 1 100 ; St-Cyprien 1 364 ; St-Laurent-du-Var 1 087 ; St-Raphaël 1 600 ; St-Tropez 850 ; Ste-Maxime 764 ; Toulon 2 342 ; Vallauris 790.

■ **Prix** (en 1993, pour un 10 m). **Location annuelle d'un emplacement** 2 500 à 30 000 F. **Amodiation de poste à quai de longue durée** (concession pour durée déterminée) 90 000 à 300 000 F + 2 500 à 15 000 de charges annuelles.

Conseil supérieur de la navigation de plaisance et des sports nautiques. 19, rue La Boétie, 75008 Paris. *Crée* **Fédération nat. des associations de plaisanciers.** 48, rue Émile-Combes, 78800 Houilles. **Féd. fr. des ports de plaisance,** 72, rue de la République, 13002 Marseille.

Tourisme fluvial en France

Conditions de navigation

■ **Dimensions admises pour les bateaux. Voies navigables de la Manche à la Méditerranée, du Nord et de l'Est.** *Longueur :* 38,50 m. *Largeur :* 5 m. *Tirant d'eau :* 1,80 m (canal du Nivernais 30, 1,20), *d'air :* 3,50 m (mât à rabattre le cas échéant) ; souterrain de Pouilly-en-Auxois, canal de Bourgogne 3,10 m ; canal du Nivernais 2,70 m. **Canal du Midi.** 30 m × 5,50 m. *T. d'eau :* 1,60 m, *d'air* dans l'axe : 3 m ; sur les bords : 2 m. **Canal latéral à la Garonne.** *Longueur :* 38,50 m. *Largeur :* 5,80 m. *Tirant d'eau :* 1,80 m, *d'air :* dans l'axe du bateau 3,50 m, sur les bords 2,50 m. **C. reliant Manche/océan Atlantique entre St-Malo et Nantes.** 25,80 × 4,50 m *T. d'eau :* 1,20 m, *d'air :* 2,50 m. **C. Nantes à Brest en Finistère** (de Carhaix à Châteaulin). 26 m × 4,60 m. *T. d'eau :* 1,50 m, *d'air :* 3,50 m. **Maine, Mayenne, Oudon, Sarthe.** 30 m × 5 m. *T. d'eau :* 1,40 m (Maine : 1,60 m), *d'air :* 3 à 4 m suivant sections.

■ **Arrêts et restrictions de navigation.** *En cas de sécheresse prolongée* (tirant d'eau réduit ou interruption totale) ; *en période de crue* (forte pluviosité, fonte des neiges) ou *de glace* (surtout dans le Nord et l'Est) ; *pendant les périodes de « chômages ».* Le programme des travaux nécessitant la fermeture de certaines voies ou sections de voies navigables est établi au début de chaque année. Se renseigner auprès des services locaux de navigation ou au ministère chargé des Transports.

■ **Horaires de fonctionnement des écluses.** *1er oct. au 30 nov. :* 7 h-18 h. *1er déc. au 31 janv. :* 7 h-17 h 30. *Février :* 7 h-18 h. *Mars :* 7 h-19 h. *1er avril au 30 sept. :* 6 h 30-19 h 30. *Seine* de Port-à-l'Anglais (V.-de-M.) à Cléon (S.-M.) : toute l'année de 7 à 19 h, entre Rouen et la limite de la mer (confluent de la Risle), navig. de plaisance interdite la nuit. *Rhône* à l'aval de Lyon, toute l'année de 5 h à 21 h. *Canal du Midi, c. de Bourgogne,* horaires selon les saisons. *Fonctionnement interrompu sur tout le réseau :* Noël, Pâques, 11 nov., 1er mai et 14 juillet ; *sur certaines voies :* Pentecôte, 1er nov., 1er janvier.

■ **Vitesse de marche des bateaux à propulsion mécanique.** Règlements particuliers. En général en km/h : fleuves et rivières : 10 à 25 ; canaux et dérivations de rivières canalisées : 6 à 10 ; Rhône : 35 ; Basse-Seine : 18 [du pont périphérique aval (point km 8,79) au point km 233] et 12 [du point km 233 au pont Jeanne-d'Arc à Rouen (pt km 242,4)].

Plans d'eau en France

■ **Surface totale.** *187 710 ha (1 877 km²)* aménagés ou aménageables pour la navigation de plaisance, dont Aquitaine 61 784, Rhône-Alpes 38 396, Languedoc 23 250, Pays de la Loire 10 453, Provence-Côte d'Azur 8 349, Auvergne 6 123, Midi-Pyrénées 5 245, Région parisienne 4 856, Limousin 4 705, Champagne 4 345, Bretagne 4 240, Fr.-Comté 3 430, Bourgogne 2 874, Lorraine 2 579, Alsace 2 438, Centre 2 000, Nord 791, Hte-Normandie 671, Basse-Normandie 581, Picardie 390, Poitou-Charente 210.

■ **Principaux plans d'eau** (1992, superficie en ha et, entre par., nº du département). Lac Léman (partie française) 23 400. Étang de Berre 15 530 (13). Lac de Carcans-Hourtin 6 000 (33). Étang de Salses et de Leucate 6 000 (66). Lac de Cazaux-Sanguinet 5 608 (33). Lac du Der-Chantecoq 4 800 (51). Bassin de Thau 4 500 (34). Lac du Bourget 4 462 (73). Étang de Bages et de Signan 3 800 (11). Plan d'eau sur la Loire 3 750 (49). Biscarosse 3 500 (40). Lac de Savines 3 000 (05). Retenue de Serre-Ponçon 2 835 (05). Lac d'Annecy 2 700 (74). Lacanau 2 620 (33). Plan d'eau sur la Loire 2 500 (49). Lac de St-Cassien 2 500 (83). Lac de Ste-Croix 2 800 (04). Lac de la forêt d'Orient 2 300 (10). Usine de la Rance 2 200 (35). Lac du Temple 2 000 (10). Rhône vif 2 000 (30). Barrage de Vouglans 1 600 (39). Bort-les-Orgues 1 400 (15). Étang de Layrolles 1 300 (11). Pareloup 1 259 (12). Barrage de Salagou 1 100 (34). Lac de Vassivière 1 100 (23). Retenue de Gabarit-Grandval 1 070 (15). Sarrans 1 000 (15). Grandval 880 (15). Retenue de Castillon 880 (04). Souston 760 (40). Stock 750 (54). Retenue du Chastang 750 (19). Lac d'Aiguebelette 750 (73). L'Aigle 725 (15). Gondrexange 670 (54). Mt-Cenis 668 (73). Barrage de Monteynard 657 (38). Chambon-Eguzon 620 (36). Der-Champaubert aux Bois 617 (51).

Réglementation en eaux intérieures

■ **Immatriculation.** Auprès d'une des commissions de surveillance. Obligatoire pour bateaux affectés au transport de marchandises dont le port en lourd est supérieur à 20 t métriques et pour ceux dont le déplacement est supérieur à 10 m³.

■ **Inscription en plaisance.** Obligatoire pour bateaux avec moteur de 6 CV et +(décret du 20-8-1991) ou d'une long. de 5 m et + (arrêté du 25-9-1992). Le numéro inscrit sur la coque et précédé des lettres de la ville où siège la Commission de surveillance (Li : Lille, Ny : Nancy, Pa : Paris, To : Toulouse, STC : Strasbourg, Nt : Nantes, Ly : Lyon, Ro : Rouen, Ne : Nevers, Bd : Bordeaux).

■ **Permis de navigation.** Délivré après une visite effectuée par un délégué de la Commission de surveillance aux bateaux (moteur de 10 CV et + pour bateaux de plaisance et autres bateaux de marchandises et passagers) qui souhaitent naviguer sur les voies d'eaux intérieures.

■ **Jaugeage.** Doit déterminer le déplacement max. admissible d'un bateau et les déplacements à des plans de flottaison donnés. Le jaugeage des bateaux destinés au transport de marchandises peut permettre de déterminer le poids de la cargaison d'après l'enfoncement.

■ **Permis de conduire** (certificat de capacité). En sont dispensés les conducteurs de bateaux non habitables de (– de 5 m de long à – de 20 km/h). Age min. 17 ans et demi. *Catégories : C :* coche de plaisance (long. inférieure ou égale à 15 m, vitesse de – de 20 km/h). *PP :* péniche de plaisance (+ de 15 m, 20 km/h). *S :* bateau de sport (conçu pour pratiquer une activité sportive, + de 20 km/h). *A :* bateau automoteur, remorqueur, pousseur isolé, pousseur menant un convoi de 55 m de long max. et 11,40 m de large max. *R :* bateau effectuant une opération de remorquage. *CP :* pousseur menant un convoi de + de 55 m de long et 11,40 m de large. *MD :* bateau transportant des matières dangereuses. *P :* bateau transportant des passagers.

■ **Péage de plaisance.** Décret du 20-8-1991. Les plaisanciers transporteurs et autres utilisateurs des voies navigables doivent acquitter un péage lorsqu'ils utilisent les voies navigables gérées par Voies navigables de France. Payable à la semaine, pour 45 j, ou à l'année.

■ **Commission de surveillance de Paris.** 24, quai d'Austerlitz, 75013 Paris.

Bureau de la Navigation de la Seine, 2, quai de Grenelle, 75732 Paris Cedex 15.

Quelques précisions

Avis de partance. Recommandés (à remplir dans tous les ports) ; transmis par les capitaineries au CROSS (Centre régional opérationnel de surveillance et de sauvetage) de la région. Avertir une personne de ses projets (horaires, description du navire, escales, etc.) et la prévenir de son arrivée.

Balisage. Marques. Latérales. *A bâbord :* marques rouges cylindriques, voyant cylindrique rouge, feu rouge rythmé (laissées à bâbord). *A tribord :* vertes, coniques, voyant conique vert, feu vert rythmé (laisées à tribord). **Cardinales.** *On passe au Nord :* noire en haut et jaune en bas, voyant formé de 2 cônes noirs superposés, pointe en haut, feu blanc scintillant continu. *A l'Est :* noires en haut et en bas, bande jaune au milieu, voyant formé de 2 cônes noirs superposés par la base, feu blanc à 3 scintillements. *Au Sud :* jaune en haut et noire en bas, voyant formé de 2 cônes noirs superposés, pointes en bas, feu blanc à 6 scintillements suivis d'un éclat long. *A l'Ouest :* jaunes en haut et en bas, bande noire au milieu, voyant formé de 2 cônes noirs opposés par le sommet, feu blanc à 9 scintillements. *Marques de danger isolé :* ne pas naviguer autour des marques rouge et noire, voyant formé de deux sphères noires superposées, feu blanc deux éclats. *D'eaux saines :* on peut naviguer tout autour des marques à bandes verticales rouge et blanche, voyant formé d'une sphère rouge, feu blanc isophase à occultation, ou à éclats longs, qui indiquent le milieu d'un chenal ou l'approche d'une embouchure. *Marques spéciales :* jaune, feu jaune, voyant jaune en forme de « X », signification variable indiquée sur les cartes marines, les arrêtés préfectoraux affichés sur les plages ou tout autre règlement (ex. : balisage de plages, pêche interdite, câbles téléphoniques, canalisations, etc.).

Brassières de sauvetage. Doivent être portées constamment surtout sur un dériveur pour un maximum de sécurité.

Chavirage. Ne pas tenter de regagner la rive à la nage. Les embarcations de – de 5 m sont munies de réserves de flottabilité qui maintiennent le navire à flot et permettent de s'accrocher en attendant les secours. Rester groupés, pour être plus facilement repérés par les sauveteurs.

Démarrage. Toujours ouvrir le compartiment moteur avant le démarrage. Si vous possédez un ventilateur de cale, actionnez-le au moins pendant 5 min avant le démarrage. Si de l'essence est répandue à bord, nettoyez-la soigneusement ; un peu d'essence dans les fonds suffit à créer une atmosphère explosive.

Harnais de sécurité. A porter sur les voiliers de croisière. Un équipier tombé à la mer par mauvais temps n'est que rarement récupéré.

Ligne de mouillage. Obligatoire pour toutes les embarcations. Permet d'éviter de dériver vers le large en cas de panne de moteur, manque de vent, etc.

Météo (prévisions). Bulletins diffusés 2 fois par j par France Inter ; transistors possédant la « bande marine » : bulletins des stations côtières PTT ; consulter aussi les bulletins affichés en divers endroits (capitaineries des ports, clubs, etc.) ; téléphoner à certains serv. locaux de la météo. nat. (en particulier les aérodromes).

Naufrage. Sur des sujets en excellente santé, d'un âge moyen, vêtus normalement, plongés dans une eau très calme, il y a 50 % de probabilité de perte de connaissance, et donc vraisemblablement de noyade au bout de : 15 à 30 min dans de l'eau à 5 degrés ; 1 h à 1 h 30 à 10° ; 2 h 30 à 3 h à 17° ; + de 24 h à 23° (mais présence de squales dans eaux tropicales). Ces délais peuvent être réduits car tout effort physique effectué dans l'eau froide provoque un épuisement rapide. Aussi doit-on rester accroché à son bateau, et le port d'un gilet de sauvetage maintenant la tête hors de l'eau est-il indispensable. Une *combinaison de plongée* réduit la déperdition calorique : elle permet de multiplier par 3 ou 4 la durée du séjour dans l'eau avant la perte de connaissance.

Pêche en mer. Autorisée pour les plaisanciers ayant un titre de navigation avec un nombre limité d'engins (expressément autorisés par les Aff. maritimes) pour des poissons de taille réglementaire [12 hameçons, 2 palangres, 2 casiers, 1 foene, 1 épuisette ou salabre, un trémail de 50 m max. (en mer du N., Manche, Atlantique), une grapette à dents (en Méditerranée)]. Il est interdit de pêcher dans les ports et de vendre le produit de sa pêche.

Personnes à bord (nombre). Ne doit pas être supérieur à celui indiqué sur la plaque apposée par le constructeur.

Plongeurs sous-marins. Ils signalent leur présence au moyen de la lettre « A » du Code international des signaux (pavillon blanc et bleu) ou par un pavillon rouge avec une diagonale blanche ou une croix de St-André blanche. Passer avec précaution à 100 m au moins du signal.

Priorité. Les bateaux à moteur doivent laisser la priorité aux voiliers sauf dans les chenaux des ports. Les planches à voile considérées comme engins de plage ne bénéficient d'aucune priorité.

Sécurité des baigneurs. Zones de protection, souvent balisées par des bouées sur une bande littorale de 300 m de large. Des chenaux traversiers (d'environ 25 m de large) interdits aux baigneurs peuvent permettre à des activités nautiques la traversée de la zone des 300 m (motonautisme, ski nautique, planche à voile, etc.).

Signaux de détresse (fusées, feux à main). Leur emploi injustifié constitue une infraction. Tout navire percevant un signal de détresse doit porter assistance immédiate.

Ski nautique et engins tractés. Il faut 2 personnes obligatoirement à bord, l'une se consacrant à la conduite, l'autre à la surveillance du skieur ou de l'engin. Interdit dans les zones de baignade. Chenaux de départ réservés aux skieurs.

Vitesse maximale. 5 nœuds à moins de 300 m du bord effectif des eaux et 10 nœuds dans certaines rades (St-Tropez, Cannes). Limitations prévues par arrêté des Affaires maritimes dans des zones particulières.

PLANCHE À VOILE

GÉNÉRALITÉS

■ **Origine. 1950** en Californie des régates de planches. **1958** réinventée par l'Anglais Peter Chilvers. **1965** l'Américain Newman Darby monte une voile sur un surf. **1968** *27-3* les Américains James Robert Drake et Henry Hoyle Schweitzer déposent la marque de *Windsurfer* (planche de surf munie d'une dérive et d'un wishbone, pied de mât articulé). **1970** introduite en France. **1974** fondation de l'Association fr. des windsurfers. **1974** 1ers championnats du monde. **1984** introduction aux JO (uniquement régate monotype Winglider). **1988** aux JO en division II sur monotype Lechner fourni.

■ **Caractéristiques.** Chavirable mais insubmersible. Se dirige en maintenant et en orientant la voile par un arceau, bôme en arc de cercle appelé « wishbone ». **Types :** STANDARD, *long.* 3,65 m ; *larg.* 0,65 m ; *tirant* 0,60 m ; *voile* 5,4 m² ; *mât* 4,2 m en époxy ; *wishbone* en alu. ; *cardan* en teck-inox ; *poids* 29 kg ; *construction* en polyéthylène polyuréthane. JUNIOR, *long.* 3,65 m ; *larg.* 0,65m ; *tirant* 0,60 m ; *voile* 4 m² ; *mât* 3,6 m en alu. ; *wishbone* en alu. ; *cardan* en plastique ; poids 22 kg ; *construction* en polyéthylène polyuréthane. **Vitesse** pouvant atteindre 15 nœuds par des vents de force 5. **Coût** 4 000 à 9 000 F. *Fun-board :* planche de 2,40 à 2,70 m, spécialisation vitesse, saut des vagues.

■ **Ventes en France** (en milliers). **1981 :** 110. **82 :** 120. **83 :** 95. **84 :** 80. **85 :** 75. **86 :** 70. **87 :** 65. **88 et 89 :** 60. **Pratiquants en France** (83) 450 000 pour 300 000 planches.

■ **Réglementation.** Pas de permis. Obligation de respecter les couloirs réservés, sinon, dans la bande des 300 m réservés aux baigneurs, vitesse de 5 nœuds max. (9 km/h). Ne pas s'éloigner à plus d'un mille (sauf dérogation pour compétition par ex. et à condition de ne pas être seul). La planche à tribord a priorité sur celle à babord. Celle au vent doit laisser passer celle sous le vent. En cas de dérive, le sauvetage en mer demande 500 F.

■ **Accidents. 1985** 82 morts ou disparus. **86** 92.

Arnaud de Rosnay (1946-84). **1979** *août* traverse le détroit de Behring (96 km). **1980** *13-8* en 12 j îles Marquises, atoll d'Athé près de Tahiti. **1982** *juill.* record de la traversée de la Manche en 1 h 4 min. **1983** *janv.* des Caraïbes à Puerto Rico. *12-11* détroit de Gibraltar aller et retour. **1984** *janv.* Floride à Cuba par mer très forte (160 km ; 7 h). *31-7* Japon au cap Sakhaline (43 km, 3 h). *21-11* disparaît en voulant traverser le détroit de Formose (entre Chine et T'ai-wan, env. 160 km). Le vent (60 km/h) était bien orienté. Il avait emporté 2 boîtes de boisson à l'orange, un miroir de détresse, un sifflet, du colorant, mais ni balise Argos, ni rations de survie.

PRINCIPALES ÉPREUVES

■ **Compétitions. Régates :** monotype (matériel identique pour tous) ou open (toutes marques, avec jauge précise). **Fun board :** slaloms, course racing, vagues (sauts et surf) ou longue distance.

■ **Records. Distance sans escale :** *Yann Roussel* (Fr.) 518,56 km de la Martinique aux Grenadines. *Arnaud de Rosnay* (Fr.) de Nuku-Hiva (Marquises) 31-8-1980 à Ahé le 11-9, 600 miles à 2,33 nœuds, durant 257 h (controversé). *Christian Marty* (Fr.) de Dakar (12-12-81 à Kourou (Guyane) (18-1-82) (4 950 km) en 37 j 16 h 25 min. *Sergio Ferrero* (It.), Caraïbes (6-6-82), Barbade (30-6-82) 24 j. **Vitesse** (km/h) : *83,96* Thierry Bielak (Fr.) le 24-4-1993 Stes-Maries-de-la-Mer *73,52* Élisabeth Coquelle (Fr.) 17-7-1991, Tarifa (Esp.). *Officieux :* 54,3 Olivier Augé (Fr.) 1983. Michael Pucher (Autr.) 59,92 le 17-4-1985 à Port-St-Louis-du-Rhône (vent force 9).

■ **Traversée. 1985** *(16/6-23/7) :* 1er (New York-Cap Lizard-Brest) (planche de 8,20 m sur 1,90 m, 800 kg, 9,44 m × 18,78 m, 2 voiles) par Frédéric Beauchêne et Thierry Caroni. **86** *(23-1/17-2) :* Stéphane Peyron et Alain Pichavant, Dakar-Guadeloupe, planche tandem (long. 9,20 m, larg. 11,20 m, 400 kg, 2 voiles). **87** *(10-6/26-7) (46 j 2 h) :* Stéphane Peyron, en solitaire, New York-La Rochelle (6 500 km), planche de 7 m. *(12 et 13-5) :* Frédéric Beauchêne, Douvres-Calais 1 h 35 min, Nice-Calvi 13 h 30 min, et Tanger-Tarifa (Espagne) 1 h 40 min. **88** *(29-7/23-8) :* Stéphane Peyron atteint le pôle Nord magnétique après 650 km.

■ **Championnats de planches à voile. Du monde. Hommes.** *Lourds.* **81** Vanggaard [8]. **82, 83, 84** Guillerot [1]. **85** Davidson [2]. **86** Bringdal [4]. **87** Kendler [5]. **88** de Pedrini [6]. **89** Pelteau [1]. *Plumes.* **81** Van den Bergh [8]. **82, 83, 84** Nagy [1]. **85** Piegelin [1]. **86** Nagy [1]. **87** Quintin [1]. **88** Piegelin [1]. **89** Quintin [1]. *Dep. 90, cat. unique.* **90** Quintin [1]. **91** Edgington [2]. **92** David [1]. **Dames. 81** Berner [8]. **82** Maus [1]. **83, 84** Graveline [1]. **85** Salles [1]. **86, 87** Hogen [3]. **88** Capart [1]. **89** Seigne [1]. **90** Way [2]. **91, 92** M. Herbert [1].

D'Europe. Hommes. *Lourds.* **82** Guillerot [1]. **83** Chaudoy [1]. **84** Knoth [7]. **85** Davidson [2]. **86** Bringdal [4]. **87** Muzellec [1]. **88** Aballea [1]. **89** Ruelland [1]. *Plumes.* **82** Calvet [1]. **83** Nagy [1]. **84, 85** Calvet [1]. **86** Nagy [1]. **87** non validé. **88** Kelbert [1]. **89** Van den Abeel [7]. *Dep. 90, cat. unique.* **90** Quintin [1]. **91** Pols [8]. **Dames. 82** Graveline [1]. **83, 84, 85** Salles [1]. **86, 87** Hogen [3]. **88** Capart [1]. **89** Hogen [3]. **90** Lelièvre [1]. **91** M. Herbert [1]. **92** Hogen [3].

Nota. – (1) France. (2) G.-B. (3) Norvège. (4) Suède. (5) Autriche. (6) Italie. (7) Belgique. (8) P.-Bas. (9) Canada. (10) USA. (11) Australie.

De France. Annuels. **Hommes.** *Lourds.* **84** Piegelin. **85** Querrien. **86** Nin. **87** Colmas. **88** Aballea. **89** Pelleau. *Plumes.* **84** Nagy. **85** Piegelin. **86** Quintin. **87** Cadre. **88** Chavigny. **89** Ruelland. *Dep. 90, cat. unique.* **90** Belot. **91, 92** David. **Dames. 84, 85** Maus. **86** Capart. **87, 88** Grasset. **89** Capart. **90** François. **91, 92** Herbert.

■ **Coupe de funboard. Du monde.** *Créée* 1983. 5 épreuves [slalom, vagues (saut et surf), course racing disputées au Japon, USA, P.-B., Fr., All. féd.]. **Hommes. 83, 84, 85, 86, 87** Naish [10]. **88, 89, 90, 91** Dunkerbeck [8]. **Dames. 83, 84, 85, 86** Lelièvre [1]. **87** Graveline [9]. **88, 89** Lelièvre [1]. **90** Dunkerbeck [8]. **91** non disp.

Ch. de France. *Créés* 1985. **Hommes. 87** Terütehau. **88** Belbeoc'h. **89** Pendel. **90** Piegelin. **91** Albeau. **Dames. 87** Lelièvre. **88, 89** Salles. **90** A. Herbert. **91** M. Herbert.

☞ *Aux Stes-Maries-de-la-Mer,* un canal creusé en 1988 (1,3 km × 25 m) sert à établir des records. *A Bercy* (Paris), mise en place pour funboard d'un bassin de 80 × 30 m, env. 1 m de prof., 26 ventilateurs produisant des vagues.

PLANCHE À VOILE SUR 4 ROUES (SPEED-SAIL)

Planche de 1,55 m de long, sur articulations sensibles au déplacement latéral du poids du corps, avec roues gonflables (diam. 38 cm), mât ultra-léger (long. 3,50 m) et voilure de 5,20 m. Démontable (tient dans un coffre de voiture). 50 à 90 km/h. **Fonctionnement :** comme le wind-surf, mais au lieu de passer devant la voile pour tourner, on ne se sert que de ses bras et du déplacement de son propre poids. **Prix** *(1985) :* 2 500 à 4 000 F. **Licenciés :** 3 500 en France.

Championnats de France. *81 :* Marcq. **D'Europe.** *81 :* Spriet (Fr.). *83 :* Ph. Sik.

PLONGÉE, EXPLORATION SOUS-MARINES

GÉNÉRALITÉS

■ **Origine. V. 1860** 1er appareil de plongée réalisé par les Français Rouquayrol et Denayrouze. **1935** le commandant Yves Le Prieur et Jean Painlevé créent le 1er club de plongée sous-marine (d'abord Club des scaphandres et de la vie sous l'eau, puis Club des sous-l'eau). **1948** 8 clubs, 718 plongeurs. **1955** *17-6* Fédération française d'études et de sports sous-marins (FFESSM) regroupe la féd. créée 1948 par le Pt Borelli et la Féd. fr. des activités sous-marines créée par le Dr Clerc. **1959** C^dt^ Jacques-Yves Cousteau fonde la Conf. mondiale des activités subaquatiques (en 1990, 83 pays et 4 500 000 plongeurs). **1991** 1 657 clubs et 130 647 licenciés à la FFESSM. 3 800 moniteurs.

■ **Principaux parcs nationaux sous-marins.** *États-Unis, Espagne* (îles Médas), *Italie* (Punta Tresino-Calabre, îles d'Ustica et de Montecristo), *France* [réserves Cerbère-Banyuls (Pyr.-Or.) ; Scandola Corse ; Port-Cros ; lac de St-Cassien (Montauroux, Var) ; parc nat. de Carry-le-Rouet (B.-du-Rh.)].

■ **Techniques.** Plongée en « apnée » (pêcheurs de perles ou d'éponges) ; *XVIe s. :* cloches à plongée ; *XIXe s. :* scaphandre à casque (air fourni par une pompe en surface), développement du travail en caisson et découverte des problèmes de la vie en atmosphère comprimée (décompression) ; *1930 :* scaphandres autonomes (bouteilles sur le dos) ; *1960-62 :* plongée à saturation [capitaine Bond (Amér.) et le C^dt^ Cousteau (Fr., 11-6-1910)] ; depuis, développement des « maisons sous la mer », puis « sur la mer » (le plongeur vit en pression dans un grand caisson sur un bateau ; la tourelle de plongée ou sous-marin porte-plongeurs, toujours en pression, peut être immergée à la prof. de travail, puis être ramenée à bord et joue le rôle d'un ascenseur).

■ **Accidents de plongée.** *Ivresse des profondeurs (narcose) :* peut apparaître dès 30 m et varie selon les individus. Manifestations : euphorie, altération des facultés de raisonnement et de coordination. Souvent confondue avec le *coup d'oxygène* (descente rapide). *Décompression :* en cas de remontée trop brutale ou accidentelle, le processus d'élimination du gaz diluant (azote, hélium, hydrogène) dissous est perturbé ; les bulles de gaz inertes telles que l'azote libérées dans l'organisme provoquent des troubles assez graves ; aussi doit-on remonter par paliers. Des tables de plongée indiquent les paliers à effectuer en fonction de la profondeur atteinte et du temps passé sous l'eau dans des conditions normales. Les paliers (de 3 m en 3 m) peuvent atteindre de longues durées. La vitesse de remontée ne doit pas dépasser 15 à 17 min en plongée autonome. Des travailleurs sous-marins, en plongée à saturation, mettent 21 j de décompression pour une plongée à 450 m avec respiration de mélange oxygène-hélium ou oxygène-hydrogène-hélium.

■ **Conséquences.** Signes bénins (vertiges) disparus en une semaine, paralysies majeures (paraplégies et tétraplégies) régressent lentement (plusieurs années, avec hospitalisation supérieure à un an).

■ **Chasse au « trésor ».** Si l'on découvre des *biens culturels maritimes* [gisements, épaves ou vestiges présentant un intérêt préhistorique, archéologique ou historique situés dans le domaine public maritime ou au fond de la mer dans la zone contiguë (entre 12 et 24 miles)], on doit les laisser en place et prévenir dans les 48 h la direction des Affaires maritimes. Si le propriétaire n'est pas retrouvé dans les 3 ans, le bien appartient à l'État (le découvreur reçevra une récompense). Pour faire des fouilles, il faut une autorisation administrative. Amendes prévues pour les contrevenants.

■ **Photo sous-marine.** Sous l'eau, il est difficile de photographier au-delà de 6 m (maximum 10 m) sans lumière artificielle. Jaune, orange et rouge sont absorbés par l'eau à partir de 10 m. Au-delà de 20 m, seuls subsistent le bleu et le vert. On retrouve les couleurs du spectre en employant la lumière artificielle (projecteur, etc.). Chaque année, Festival mondial de l'image sous-marine à Antibes, Festival internat. du film maritime et d'exploration de Toulon (dep. 1955), Okeanos à Montpellier (dep. 1989), championnats du monde et de France, Trophée Jacques Dumas (dep. 1987).

Ch. du monde. 90 France (Di Meglio et Debatty).

■ **Quelques profondeurs (en m).** *Corail* noble (Méditerranée) : 35 et +. *Algues* (limites) : Océan 50,

Méditerranée 100. Plateau continental (limite) : 200. *Temp.* voisine de 13° (Médit.) : 300. *Pénétration solaire* (noir absolu) : 495. *Pêche* (commerciale) : 500. *Radiations vertes* (au luxmètre) : 500, *bleues :* 1 000. *Cellules vég.* (Adriatique) : 1 200. *Poisson* (Careproctur Amblystomopsis) : 7 200. *Animaux divers :* 10 190. *Bathyscaphe* Trieste, 23-1-1960 (fosse Challenger) : 10 916 ± 50 ; Piccard (Suisse) et Walsh (USA) ; Archimède (fosse Kouriles, Japon) : 9 552 (Marine France-CNRS).

Code de communication en plongée

Signaux internationaux. *1* Tout va bien. *2* Remonte ! ou je remonte. *3* Descends ! ou je descends. *4* Je n'ai plus d'air. *5* Je n'arrive pas à ouvrir ma réserve, ouvre-moi ma réserve ! *6* Ça ne va pas normalement ! *7* Détresse – j'ai besoin d'aide ! (signal de surface). *8* J'ai ouvert ma réserve. *Nuit. 9a* Loin de l'interlocuteur : tout va bien. *9b* Près de l'interlocuteur : tout va bien. *10* Quelque chose ne va pas. *11* Je suis essoufflé ! *12* Rapprochez-vous de moi, regroupez-vous !

Chaque signal donné doit obligatoirement être suivi d'une réponse signal 1 apportant sans équivoque la preuve de sa parfaite compréhension. Les signaux 4, 5 et 7 commandent l'aide *immédiate* du plongeur qui les aperçoit.

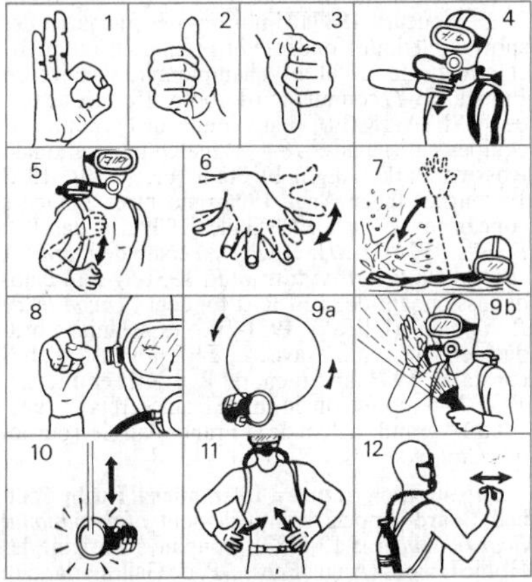

Records de plongée

Dep. 1970, la Confédération mondiale des activités subaquatiques ne reconnaît pas ces records afin d'éviter que des tentatives trop risquées ne se multiplient. Cependant, la Féd. italienne de plongée sous-marine contrôle les records.

■ **Apnée statique** (sans oxygénation préalable). *Monde :* Umberto Pelizzari (It.) 7′02″90 (1990). *France :* Jean-Michel Bader 6′40″ (90). *1 h non stop :* Andy Le Sauce (Fr.) 57′02″ (92) à raison d'1′45″ d'immersion pour 5″ de récupération.

■ **Apnée dynamique. En piscine.** *Avec palmes.* Distance : Umberto Pelizzari (It.) 147 m (91). Vitesse max. sur 50 m : Qui-Rong Liu (Chine) 14″95 (92). *Sans palme.* Sur 50 m : Jean-Noël Moine (Fr.) 28″90 (92). Sur 24 h non stop : Francis Bruschini (Fr.) 23,225 km (soit env. 17 h en immersion).

En lac. *Altitude 1 500 et moins.* Roland Specker (Fr.) 48 m (92).

En mer. *A poids constant* (descente et remontée à l'aide des palmes, traction des bras le long du câble-guide interdite). Messieurs : record du monde Umberto Pelizzari (It.) 70 m (92) ; de France Franck Messegué 62 m (89). Dames : record du monde Deborah Andollo (Cuba) 60 m (92) en bipalmes [Rosana Maïorca (It.) 58 m (92) en monopalme]. Sur 24 h non stop : Franck Messegué (Fr.) est descendu, en 1992, 234 fois à plus de 20 m (soit plus de 10 km d'apnée au total). *A poids variable.* Descente à l'aide d'une gueuse, remontée à l'aide des palmes, traction des bras interdite : record du monde Umberto Pelizzari (It.) 95 m (91). Descente à l'aide d'une gueuse, remontée à l'aide d'une bouée : Messieurs, record du monde Umberto Pelizzari (It.) 118 m (91) (le Cubain Francisco Ferreira a réussi 120 m en 92 mais hors contrôle officiel de la Féd. italienne) ; record de France Jacques Mayol 105 m (83) ; Dames, record du monde Angela Bandini (It.) 107 m (89).

■ **Durée.** *Avec appareil respiratoire :* Pierre Passot 236 h, Fr., en piscine, au Salon nautique de Paris, 1983.

■ **Avec tourelle de plongée.** En saturation, 6 plongeurs Comex et Marine nationale (dont Jacques Verpeaux et Gérard Vial), ont séjourné 20 min à – 501 m (record du monde), le 20-10-77 (opération « Janus IV ») avec mélange oxygène-hélium (Héliox).

■ **Expérience de plongée fictive en caisson. 1980** 3 Américains sont restés 24 h sous une pression de 66 atmosphères (prof. fict. 650 m). L'expérience a commencé le 6-3-80, la décompression le 15-3, et s'est achevée vers le 30-3. **1981** 2 Américains descendent à – 686 m (plongée simulée). **1983** du 30-5 au 9-7 : record simulation avec plongée en eau. Expérimentation *Entex IX :* Ohrel et Raude ont vécu 42 j en caisson, dont 20 j au-delà de 450 m et 2 j à 610 m, avec plongée en eau de 2 h à 450 m (6 j), 520 m (1 j), 570 m (1 j), 613 m (2 j) ; décompression de 23 j. **1986** du 22-11 au 18-12, *Hydra VI* au centre Hyperbare de la Comex à Marseille, 8 plongeurs travaillent en eau jusqu'à 560 m, en saturation un mélange oxygène-hélium-hydrogène. **1988** *Hydra VIII*, 6 plongeurs, 28-2-1988, travaux à – 520 m pendant 5 j, avec intervention à 431 m. **1989** du 9-10 au 21-12, *Hydra IX*, le plongeur vit 48 j (dont 2 à 300 m, 23 à 225 m, 23 à 200 m) en saturation dans le centre Hyperbare Comex (mélange oxygène-hélium-hydrogène). **1990** 6-5, 3 plongeurs vivant dep. le 30-4 dans une habitation pressurisée sont sortis 4 h 11 min après avoir quitté le compartiment humide du Sous-marin d'Assistance à Grande Autonomie (Saga). **1992** 20-11 *Hydra X*, Théo Mavrostomos, plongeur de la Comex, – 701 m (pression 70 bars) en caissons hyperbares.

■ **Immersion en grotte sous-marine.** En sept. 1970, les Italiens Lamberto Ferri-Ricchi et Carlo Dernini ont parcouru 470 m dans la galerie Cala Gonone, dans le golfe d'Orossi, sur la côte est de la Sardaigne, et ont couvert 1 080 m en grotte.

Plongée professionnelle

Législation. Décret du 29-3-1990. Arrêtés du 28-1-1991 (formation), du 28-3-1991 (surveillance médicale) et de juin 1991 (équipements). Catégories de travailleurs hyperbares : scaphandriers A et B, hyperbaristes C et D. **Classes 1 :** jusqu'à 40 m, **2 :** 60 m en autonome et narguilé à l'air, **3 :** plus de 60 m avec narguilé, bulle de plongée, tourelle et sous-marin.

Durée. En 8 h un homme peut travailler 5 à 6 h entre 40 et 150 m, 2 à 4 h entre 150 et 300 m, le restant des 8 h étant consacré à la décompression.

Saturation. Plongée avec séjour sous pression supérieur à 24 h. *Durée de séjour dans l'eau :* au max. 6 h par 24 h. *Totale autorisée :* 3 à 4 semaines décompression comprise (séjour en saturation).

Il est plus avantageux de maintenir les plongeurs sous pression, puisqu'ils n'auront à se soumettre qu'à une seule séance de décompression finale. Des plongeurs remontent sur le navire de surface après chaque séance de travail au fond, mais passent directement d'une tourelle ou d'un sous-marin porte-plongeurs pressurisés dans un caisson-vie où ils séjournent à une pression équivalente à la profondeur de travail.

Organisations. *Institut nat. de la plongée prof.* et *Bureau de normalisation des activités aquatiques et hyperbares (BNAAH),* Port de la Pointe-Rouge, 13008 Marseille. *Syndicat nat. des entrepreneurs de travaux immergés (SNETI),* 16, rue Marie-Curie, 27780 La Garenne-sur-Eure. *Synd. prof. des activités subaquat. (SPAS)* BP 38, 66190 Collioure. *Association nat. des moniteurs de plongée,* 62, av. des Pins-du-Cap, 0660 Antibes.

Travailleurs sous-marins (1988). G.-B. 1 900, *France 6 000* (91), Danemark 600, Norvège 500, Espagne 500, P.-Bas 500, Italie 350, All. féd. 260, Suède 200, Belgique 100, Finlande 50.

Nage avec palmes

Histoire. *1933* Louis de Corlieu met au point des « propulseurs de sauvetage » et en *1936* des palmes de plongée. *V. 1960* 1res compétitions en URSS, France et Italie. *1970* apparition de la monopalme.

Palme. En forme de queue de dauphin. H. 58 à 62 cm, L. 70 à 76 cm.

Compétitions. *Eau libre :* mer, lacs, rivières : messieurs 8 km, dames 5. *Piscine :* en apnée (50 m), nage libre (100, 200, 400, 800 et 1 500 m, 1 mille marin ; pas plus de 15 m en apnée par longueur de bassin), en immersion scaphandre (100, 400 et 800 m ; le nageur pousse devant lui une bouteille d'air comprimé de 1, 3 ou 7 l selon la distance).

Records du monde (au 1-4-1993, messieurs et dames). **Apnée.** *50 m :* Q. R. Liu (Chine) 14″ 95, X. Zheng (Chine) 17″ 13. **Nage libre.** *100 m :* S. Akhapov (ex-URSS) 36″ 44, X. Y. Fu (Chine) 41″ 78. *200 m :* V. Koudriaev (ex-URSS) 1′ 23″ 86, O. Travnikova (ex-URSS) 1′ 33″ 95. *400 m :* V. Koudriaev (ex-URSS) 3′ 05″ 07, O. Travnikova (ex-URSS) 3′ 25″ 86. *800 m :* S. Akhapov (ex-URSS) 6′ 33″ 10, Jin (Chine) 7′ 12″ 40. *1 500 m :* M. Yakovlev (ex-URSS) 12′ 45″, S. Wu (Chine) 13′ 57″ 08. *1 850 m :* M. Yakovlev (ex-URSS) 16′ 04″ 70, S. Uspenskaïa (ex-URSS) 17′ 32″ 49. **Immersion scaphandre.** *100 m :* Q. R. Liu (Chine) 33″ 80, S. Y. Zheng (Chine) 37″ 92. *400 m :* B. Jacobsen (Dan.) 2′ 54″ 14. C. Cheng (Chine) 3′ 09″ 33. *800 m :* B. Jacobsen (Dan.) 6′ 11″ 74. C. Cheng (Chine) 6′ 39″ 75. **Relais.** *4 × 100 m :* ex-URSS 2′ 30″ 19, Chine 2′ 53″ 80. *4 × 200 m :* ex-URSS 5′ 47″ 15, Chine 6′ 30″ 88.

Pêcheurs de perles. *Aux Touamotou,* le plongeur effectue env. 40 plongées par j (dont parfois 12 de suite), de 30 à 40 m de prof., ramène env. 150 à 200 coquillages. *Au Japon,* env. 30 000 pêcheuses de perles (de 11 à 60 ans, les *amas*) plongent entre 6 et 30 m (sauf depuis peu ; utilisent lunettes ou masque facial). Récoltent surtout coquillages, algues comestibles. Les femmes sont supérieures aux hommes grâce à leur couche plus épaisse de graisse sous-cutanée. Les hommes manœuvrent les embarcations.

Pêche sous-marine

☞ Voir **Plaisance** p. 1500.

Associations. Fédération française d'études et sports sous-marins, *délégation parisienne :* 16, bd Ney, 75018 Paris ; *siège* : 24, quai Rive-Neuve, 13007 Marseille. **Syndicat nat. des moniteurs de plongée-CIDP,** 1, avenue des Marronniers, 93400 Saint-Ouen. **Confédération mondiale des activités subaquatiques,** 47, rue du Commerce, 75015 Paris. **Association nat. des moniteurs de plongée (guides de la mer),** 62, a. des Pins-du-Cap, 06600 Antibes. **Féd. sportive et gymnique du Travail (FSGT),** 14, rue Sandicci, 93508 Pantin cedex.

Polo

Généralités

Origine. Xe s. av. J.-C. dans l'épopée persane de Firdusi appelée *Shah-name,* porte le nom de *Shaugan.* Joué pour le bon plaisir du sultan Mahmud de Ghazni. Importé en Inde par Subuktigin (père de Mahmud de Ghazni). Découvert par les planteurs de thé anglais et les officiers de cavalerie dans le N.-O. de l'Inde. **1869** 1er match en G.-B. joué par le 10e hussards stationné à Hounslow près de Londres. **1880** joué en France à Dieppe. **1892** création du Polo de Bagatelle. Très populaire en Argentine, Angl., Amérique du S. et aux Indes. **V. 1900** introduit en Argentine et aux USA. **1921**-*15-12* Féd. fr. des polos de France créée.

Règles. Pelouse gazonnée de 275 × 145 m. **Équipes :** 2, généralement de 4 cavaliers (ayant un handicap de – 2 à + 10), portant chacun un maillet en bambou à manche flexible (long. 1,30 m) tenu de la main droite. **Contrôle :** 1 ou 2 arbitres à cheval ; un juge-arbitre de chaise hors du terrain, sa décision est déterminante en cas de désaccord entre les 2 arbitres ; 2 juges de but derrière chaque but. **Partie :** arbitre lance une balle de bois ou plastique (8,5 cm de diam., 120 à 130 g) entre les 2 équipes alignées côte à côte. Celle qui place la balle dans le but adverse (2 poteaux de 3 m d'un écartement de 7,50 m) marque un point. Après chaque but, on change de côté. *Partie* durée max. 60 min en 4, 5, 6 ou 8 périodes *(chukkas* ou *chukkers)* de 7 min + 30 s si la balle est encore en jeu, intervalles de 3 min. **Paddock Polo :** à 2 éq. de 3 joueurs sur terrain 150 × 75 m. **Qualités requises :** bon cavalier, assiette, mains souples, courage, self-contrôle, esprit d'équipe, réflexes rapides. Pas de contre-indications d'âge. Peu de femmes y jouent.

Renseignements. *Union des polos de France,* Bagatelle, Bois de Boulogne, 75016 Paris. **Statistiques.** France (1990) : 25 clubs et 400 licenciés.

☞ On peut aussi jouer à bicyclette et à pied.

Épreuves

Championnat du monde. *Créé* 1987. **87** Argentine. **89** USA.

Championnat du polo de Paris. **Open cup** offerte au polo de Paris en juin 1884 par le Hurlingham Club. **90** *Los Indios Centaures* [P. Cornet-Épinat, S. Belisha, M. Goti, R. Pando]. **91** *La Collection Van Cleef et Arpels* [A. Touret, E. Garboua, J. Zavaletta, S. Belisha]. **92** *La Cadonne* [G. Charloux, R. de La Pradelle, Q. Charloux, H. Zaprida].

Championnat mondial de polo de Deauville. *Créé* 1895 par le duc de Gramont. **Coupe d'or** *créée* 1950 par François André. **90, 91** *Los Indios Centaures* [P. Cornet-Épinat, E. Heguy, A.P. Heguy, P. Scott]. **92** *Viquel Polo Team* [A. Touret, A. Diaz Alberdi, G. Donozo, E. de l'Etoille].

Championnat de France. **90** *Polo Club de Giscours* [G. Tari, L. Tari, G. Charloux (cap.), B. Couturié]. **91** *Labegorce* [A. Perrodo (cap.), S. Macaire, J. Wade]. **92** *Domont Polo de Manine* [A. Clairet, C. Sacchetini, C. Anier, C. Solart].

Meilleurs joueurs mondiaux. Benjamin Araya (Arg.), Alejandro Diaz Albredi (Arg.), G. Donozo (Chili), Carlos, Guillermo Gracida (Mex.), Eduardo, Gonzalo, Horacito, Marcoq Heguy (Arg.), Howard, Julian Hipwood (G.-B.), Christian Laprida (Arg.), Lionel, Stéphane Macaire (Fr.), Pete Merlos (Arg.), Alfonso, Gonzalo Pierez (Arg.), Ernesto Trotz (Arg.).

Rugby à XIII

Généralités

Nom. En France, jusqu'en 1941 et dep. 1988 : *Rugby à XIII* ; de 1947 à 88 : *Jeu à XIII*.

Histoire. **1883-90** voir Rugby à XV. **V. 1890** dissensions en G.-B. entre clubs du Nord qui souhaitent rembourser à leurs joueurs le manque à gagner dû aux entraînements et aux matches et ceux du Sud qui défendent l'amateurisme pur. **1895**-*20-9* 20 clubs se retirent de la *Rugby Union* et forment la *Northern Rugby Union* qui refuse le professionnalisme, mais accepte le remboursement des frais. **1897** adoption de la mêlée pour la remise en jeu. **1906** pour rendre le jeu plus rapide, suppression de 2 avants. **1908** suppression de la mêlée ouverte, remplacée par le tenu. **1922** la *Northern Rugby Union* devient la *Rugby Football League*. **1933** contacts des Anglais avec des journalistes français et Jean Galia, ancien joueur à XV disqualifié par la Féd. fr. de Rugby pour professionnalisme. *-31-12* match exhibition au stade Pershing à Paris devant 20 000 spectateurs. **1934**-*5-3* début de la tournée en G.-B. des *pionniers* (16 joueurs recrutés par Jean Galia et exclus de la FFR). *-6-4 Ligue fr. de Rugby à XIII* fondée. **1941**-*19-12* dissolution par le min. de l'Éducation nat. pour professionnalisme. **1943**-*2-10* le gouvernement d'Alger rétablit le *Rugby à XIII*. **1947**-*22-2* la Ligue devient la *Féd. fr. de Jeu à XIII* (30, rue de l'Échiquier, 75010 Paris).

Terrain 100 m × 68 m max. *En-but* 6 à 11 m. **Ballon** ovale, gonflé à l'air, en cuir ou autre matière approuvée, 410 g, long. 28 cm, petit périmètre 59 cm, grand 74 cm. **Joueurs** maillots numérotés de 1 à 17 (13 joueurs et 4 remplaçants) pour une identification plus aisée. Bas. Chaussures à crampons. Certaines protections sont autorisées.

Règles. **Jeu** 2 mi-temps de 40 min plus les arrêts de jeu, coupées par une pause de 5 min. **Principe :** 2 équipes de 13 joueurs essaient de marquer essais et pénalités sur l'équipe adverse. **Tenu :** quand le joueur, porteur de la balle, est plaqué. Le plaqué talonne la balle pour le coéquipier qui fait office de relanceur derrière lui. Adversaire et partenaire doivent se trouver à 5 m du tenu. Au 6e tenu joué par une même équipe, il y a un tenu dit de transition. **Touché :** si la balle sort directement (sans toucher le terrain de jeu), il y a mêlée à 10 m, face au point de sortie en touche. **Mêlée :** formation 3, 2, 1 obligatoire. La ligne du hors-jeu se situe à 5 m derrière les pieds du dernier joueur de la mêlée. **Pénalité :** peut se jouer pour soi, en but, ou en coup de pied de volée. Dans ce cas, si la balle sort directement en touche, l'équipe bénéficie du tap-penalty (2e phase de la pénalité). Posé au sol à 10 m face au point de sortie, le ballon est jouable dans n'importe quelle direction. **Hors-jeu :** tout joueur placé devant un partenaire qui joue le ballon est hors jeu, il l'est également s'il ne respecte pas certaines distances de reprise du jeu. **En avant :** ballon joué avec les mains prenant la direction du ballon mort adverse (passe ou maladresse). **Envoi et renvoi :** le ballon doit généralement passer 10 m et toucher le terrain de jeu.

Décompte des points. *Essai* 4 pts ; *but* 2 (transformation ou pénalité) ; *drop-goal* 1.

Licenciés (1993). Australie 600 000, G.-B. 150 000, N.-Zélande 80 000, N.-Guinée 35 000, *France 25 000.*

Principales épreuves

Goodwin Trophy. Série de 3 tests avec l'Australie. **1951** France 2 victoires, 1 défaite. **1955** Fr. 2 vict., 1 déf. **1960** Fr. 1 vict., 1 match nul, 1 déf. **1964** Fr. 3 déf. N'est plus disputé dep. 64.

Coupe du monde. *Créée* 1953 entre France, G.-B., Australie, N.-Zélande. **1954** (en Fr.) : *1* G.-B., *2* Fr., *3* Aus., *4* N.-Z. **57** (Aus.) : Aus., G.-B., N.-Z., Fr. **60** (G.-B.) : G.-B., Aus., N.-Z., Fr. **68** (Aus. et N.-Z.) : Aus., Fr., G.-B. N.-Z. **70** (G.-B.) : G.-B., Aus., Fr., N.-Z. **72** (Fr.) : G.-B., Aus., Fr., N.-Z. **1975** remplacée par le **championnat du monde.** Joué en matches aller et retour entre 5 nations (Australie, Angl., Fr., N.-Zél., Galles). **75 :** Aus., Angl., Galles, N.-Zél., Fr. **77 :** Aus., G.-B., N.-Zél., Fr. **1978-84 :** remplacé par des tournées. **1985-88 :** à nouveau disputé sur 4 ans en N.-Zél. ; Aus.-N.-Zél. 25-12. **1989-92** Aus.-G.-B. 10-6.

Compétition internationale France A. **84-85** G.-B. b Fr. 5 à 4 ; Fr. b. G.-B. 24 à 16. **85-86** N.-Z. b. Fr. 22 à 0 ; N.-Z. b. Fr. 22 à 0 ; G.-B. b. Fr. 24 à 10 ; Fr. et G.-B. 10 à 10. **86-87** Aus. b. Fr. 44 à 2 ; Aus. b. Fr. 52 à 0 ; G.-B. b. Fr. 52 à 4 ; G.-B. b. Fr. 20 à 10. **87-88** Fr. b. PNG (Papouasie-N.-Guinée) 21 à 4 ; G.-B. b. Fr. 28 à 14 ; G.-B. b. Fr. 30 à 12. **88-89** G.-B. b. Fr. 20 à 10 ; G.-B. b. Fr. 30 à 8. **89-90** N.-Z. b. Fr. 16 à 14 ; N.-Zél. b. Fr. 34 à 0 ; G.-B. b. Fr. 8 à 4 ; Fr. b. G.-B. 25 à 18. **90-91** Aus. b. Fr. 60-4 et 20-4 ; G.-B. b. Fr. 45-10 et 60-4 ; N.-Z. b. Fr. 60-6 et 32-10 ; Fr. b. PNG 20-18. **91-92** Fr. b. ex-URSS 26-6 ; Fr. b. PNG 28-14 ; G.-B. b. Fr. 30-12 ; G.-B. b. Fr. 36-0 ; G.-B. b. Fr. 35-6 ; Fr. b. CEI 28-8. **92-93** Fr. b. CEI 38-4 ; G.-B. b. Fr. 18-17 ; G.-B. b. Fr. 48-6 ; G.-B. b. Fr. 72-6.

Tournoi européen. *Créé* 1934, devient en **1950** *Challenge Jean-Gallia.* **1950** Angl., **51, 52** France, **53** autres nationalités, **54** Angl., **56** autres nationalités, **70, 75** Angl., **77** Fr., **78, 79, 80** Angl., **81** Fr. **Dep. 81,** non disp.

Coupe de France (coupe Lord Derby). *Créée* 1935. **88** US Le Pontet-St-Estève 5/2. **89** Avignon-US Le Pontet 12/11. **90** Carcassonne-St-Estève 22/8. **91** St-Gaudens b. Pia 30/4. **92** St-Gaudens b. Carpentras 22-10. **93** St-Estève b. XIII Catalan 12/10.

Championnat de France (trophée Max-Rousie). *Créé* 1935. **88** Le Pontet-XIII Catalan 14/2. **89** St-Estève-US Le Pontet 23/4. **90** St-Estève-Carcassonne 24/23. **91** St-Gaudens b. Villeneuve 10/8. **92** Carcassonne b. St-Estève 11/10. **93** St-Estève b. XIII Catalan 9/8.

Joueurs

Aillières Georges [1], 3-12-34. Atoï Lauta [5]. Barthe Jean [1] 22-7-32. Beetson Arthur [2] 21-1-45. Belcher Gary [2]. Bell Dean [4]. Benausse Gilbert [1], 21-1-32. Bernabé Thierry [1]. Bescos Marcel [1] 28-6-37. Bevan Brian [2] 24-4-24. Botica Fraho [4]. Bourrel Freddy [1]. Bourret Jean-Marc [1], 19-5-57. Bradshaw Tommy [3], 11-12-21. Brousse Élie [1], 28-8-21. Butignol Thierry [1], 7-12-60. Cabestany Didier [1], 13-5-69. Chamorin Pierre [1]. Chantal Max [1]. Churchill Clive [2]. Clar Jean-Pierre [1], 27-2-42. Cootes John [2], 1941. Cros Jean-Pierre [1], 10-6-41. Davies Jonathan [3]. Delaunay Guy [1], 24-9-60. De Nadai Francis [1], 19-4-47. Divet Daniel [1], 11-12-66. Drumond Dess [3]. Dumas Gilles [1], 14-12-62. Edwards Shaun [3]. Entat Patrick [1], 18-9-64. Fages Pascal [1]. Fox Neil [3], 4-5-39. Fraisse David [1], 20-12-68. Fulton Robert [2], 1-9-47. Gallia Jean [1], 1905-49. Garry Jack [2]. Gasnier Reginald [2], 3-5-41. Gee Kenn [3]. Goodway Andy [3]. Grahan Mark [4], 29-9-55. Gregory Andy [3]. Greseque Yvan [1], 20-7-53. Hanley Ellery [3]. Harv Stanley [5]. Hermet Didier [1], 19-12-49. Iro Kevin [4]. Jimenez Antoine [1], 9-5-29. Kila Tony [5]. Laforgue Guy [1], 13-4-58. Leuluai James [4]. Macalli Christian [1], 21-8-58. Maïque Michel [1], 13-7-48. Mantoulan Claude [1], 1936-83. Meninga Mal [2]. Merquey Jacques [1], 26-9-29. Millward Roger [3], 16-9-47. Molinier Jacques [1], 29-1-67. Molinier Michel [1], 28-5-47. Montgaillard Pierre [1]. Murphy Alex [3], 22-4-39. Numapo Bal [5]. Offiah Martin [3]. Pierce Wayne [2]. Platt Andy [3]. Pons Cyrille [1], 28-11-63. Ponsinet Édouard [1], 18-11-23. Price Ray [2]. Puig Aubert [1] (il a réussi un coup de pied de 62 m et a le record français des points marqués), 24-3-25. Rabot Jean-Luc [1], 3-10-60. Raper John [2], 12-4-39. Ratier Hugues [1] 4-1-60. Roosebrook Joël [1], 1-5-54. Rousié Max [1], 1912-59. Rysman Gus. [3], 21-3-11. Schofield Garry [3]. Sorensen Kurt [4]. Sterling Peter [2]. Sullivan Jim [3], 1903-77. Todd Brent [4]. Valentine Dave [3]. Valero Thierry [1]. Verdes Daniel [1], 10-5-62. Vergniol Eric [1], 10-4-68. Wally Lewis [2]. Ward Kevin [3]. West Graeme [4]. Zalduendo Charles [1], 17-8-52.

Nota. – (1) Français. (2) Australien. (3) Britannique. (4) N.-Zélandais. (5) Papouasie-N.-Guinée.

Rugby à XV

Généralités

Nom. Collège de Rugby (Warwickshire, Grande-Bretagne) où il a été inventé.

Histoire. **Origines.** Jeux pratiqués en Grèce *(épiscyre, phénindre, aporrhaxis, uranie),* à Rome *(harpastum),* au Moyen Âge *(calcio* en Italie, *soule* en France et en G.-B.) et dans les temps modernes (*football* en G.-B.). **1823** *nov.* William Webb Ellis (1807-72), élève à la *public school* de Rugby, commet une infraction aux règles du football (il s'empare de la balle à la main) et crée un nouveau jeu. **1841** officialisation de cette nouvelle règle. **1843** 1er club en G.-B. (Guy's Hospital). **1846**-*7-9* adoption des 1res règles écrites par les élèves de Rugby. **1863**-*26-10* 7 clubs fondent la *Football Association. -8-12* les partisans des règles de Rugby la quittent. **1871** la *Rugby Football Union* (fondée le 26-1) adopte le 24-6 les 59 lois du jeu. *-7-3* 1er match internat. Écosse-Angl. à Édimbourg (1-0). **1872** au Havre, de jeunes Anglais le pratiquent. **1879** terrain fixé à 100 m × 68,57 m. **1875** on passe de 20 à 15 joueurs. **1887** l'Union des stés françaises des sports athlétiques fondée le 27-1 réunit surtout rugby et athlétisme. **1890** 1er championnat scolaire en France. *-29-11* commission de football fondée au sein de l'USFSA. **1892** 1er championnat de Fr. limité aux équipes parisiennes. *-18-4* 1er match international : Rosslyn Park (Angl.) b. Stade Fr. (21-0). **1893** 1re tournée fr. en Angl. **1906** rencontres annuelles conclues avec Angl., **1908** Galles, **1909** Irlande, **1910** Écosse. **1920**-*11-10* le Rugby se sépare de l'USFSA et fonde la *Féd. française de R.* **1931**-*24-1* 14 clubs démissionnent de la FFR et fondent l'*Union fr. de R. amateur* (UFRA). **1931**-*13-2* les 4 Unions brit. décident de rompre avec la FFR à cause d'abus constatés. **1933** lancement du R. à XIII en France. **1939**-*24-6* supression du ch. de France, rétabli 1942. **1968** 1er grand chelem de la France dans le Tournoi des Cinq Nations.

Organisation du rugby. **International Rugby Football Board** (appelé habituellement *l'International Board*), *fondée* 5-12-1887, groupait à l'origine les Home Unions (Angl., Écosse, P. de Galles, Irlande), l'Angl. assurant la représentation des Unions du Commonwealth (Afr. du S., Australie, N.-Zélande). Depuis leur autonomie, celles-ci ont leur représentation propre. En 1978, la France a été admise. Chacun des 8 pays est représenté par 2 membres. **Conférence des 5 Nations** (4 Home Unions et la Fédération fr. de rugby) *créée* 1971, traite des questions concernant le Tournoi des 5 Nations. **Féd. internat. de rugby amateur (Fira)**, *fondée* 2-1-1934, placée sous la direction de la France, a la charge d'une partie du rugby international. **Féd. française de rugby**, *fondée* 11-10-1920. 7, cité d'Antin, 75009 Paris.

Joueurs (en milliers et, entre parenthèses, nombre de clubs). Angl. 300 (1 702), Japon 180 (3 000), *France (29-2-92) 217 (1 765),* N.-Zél. 170 (1 000), USA 45 (1 000), Galles 40 (578), Écosse 25 (250), Argentine 21 (198), Italie 15,2 (265), Roumanie 13,4 (197), Fidji 11 (600), Australie 10 (250), Canada 10 (192), Irl. 10 (210), Tonga 2,3 (70), Zimbabwe 1 (30).

Règles

■ **Principe.** 2 équipes de 15 joueurs doivent marquer le plus de points possible en portant, passant ou bottant le ballon. **Terrain :** max. 100 m × 69 m, min. 96 m × 66 m. *Barre horizontale du but* à 3 m du sol ; *montants* distants de 5,60 m. **Ballon :** ovale, formé de 4 panneaux de cuir ou autres matériaux, long. 28 à 30 cm, grand périmètre 76 à 79 cm, petit p. 58 à 62 cm, poids 400 à 440 g.

■ **Joueurs.** Shorts, bas et chaussures à crampons, maillots numérotés de 1 à 15 selon la fonction. *Arrière :* 15 ; *trois-quarts* (de gauche à droite) : 11, 12, 13, 14 ; *demi d'ouverture :* 10 ; *demi de mêlée :* 9 ; *avants* (formation 3, 2, 3) : 3e ligne (de gauche à droite) 6, 8, 7, 2e ligne 4 et 5, 1re ligne 1, 2 et 3 ; *avants* (formation 3, 4, 1) : 3e ligne 8, 2e ligne (de gauche à droite) 6, 4, 5, 7, 1re ligne 1, 2 et 3.

■ **Jeu.** 2 mi-temps de 40 min plus les arrêts de jeu, pause de 5 min. Marquer des *essais* en portant le ballon au-delà de la ligne de but adverse et marquer

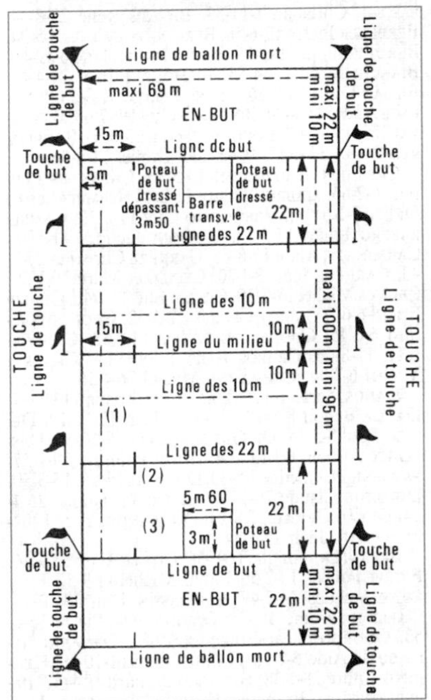

des *buts* par-dessus la barre transversale. *Transformation de l'essai en but :* après l'essai, coup de pied placé ou tombé, accordé sur une ligne parallèle à la ligne de but, en face du point où l'essai a été marqué. *Drop-goal marqué* lorsque, en cours de jeu, un joueur bien placé « botte » le ballon qu'il tenait en main après l'avoir laissé rebondir, et le fait passer entre les poteaux, au-dessus de la barre transversale. *Arrêt de volée :* reconnu lorsqu'un joueur qui se trouve derrière la ligne des 22 mètres bloque le ballon, botté par un joueur adverse, en gardant les 2 pieds au sol. Le joueur doit valider son geste en criant « marque ». Cette action ne rapporte pas de points, mais fait bénéficier son auteur de l'initiative d'un nouveau départ du jeu.

■ **Points.** *1 essai* 5 points ; *1 transformation* 2 ; *1 but* (sur pénalité ou en drop-goal) 3. *Record des points* marqués en 1 saison par des joueurs : Robin Williams en 1974-75 (P. de Galles) : 597 pts ; Sam Doble en 1971-72 (G.-B.) : 581.

■ **Mêlée. Ordonnée :** dans chaque équipe, le talonneur et les 2 piliers se prennent par les épaules, puis entrent en contact, épaule contre épaule, avec les 3 joueurs adverses. Ils doivent être fermement liés entre eux, le talonneur encerclant avec ses bras le corps de ses piliers au-dessous des aisselles et chaque pilier encerclant de la même manière avec son bras le corps du talonneur. Tous les autres joueurs de la mêlée (les 2 deuxième-ligne et les 3 troisième-ligne) doivent être liés au moins avec un bras et une main au corps du partenaire. En position de poussée, les joueurs de 1re ligne ont les 2 pieds au sol, les positions des têtes doivent être alternées entre les joueurs de chaque camp, le pilier gauche de chaque équipe ayant la tête en dehors de la mêlée. Avant d'introduire le ballon en mêlée, celle-ci doit être stable et axée par rapport au terrain. Là, le demi de mêlée de l'équipe non fautive lance le ballon sous le « dôme » ainsi formé, le ballon peut être ainsi ratissé par le talonneur ou gagné à la poussée par l'un des 2 camps. Sur ces mêlées ordonnées, les demis de mêlée peuvent suivre la progression du ballon dans le camp où celui-ci se trouve.

Maul (ballon porté), **spontanée** (b. au sol) **ou mêlée ouverte** (b. au sol) : mêmes règles qu'en mêlée ordonnée, mais aucun joueur n'a le droit de suivre le ballon dans le camp adverse.

■ **Touche.** Reconnue quand le ballon ou le porteur a franchi ou touché les limites latérales du terrain. Les joueurs se placent sur 2 rangs, perpendiculairement aux côtés du terrain, au point de sortie de la balle si celle-ci a été bottée des 22 m ou si elle a rebondi dans le champ de jeu avant de sortir ; dans le cas contraire, la touche est jouée au point de départ du ballon. Les joueurs qui participent à la touche n'ont pas le droit de franchir la ligne de remise de jeu qui sépare les 2 alignements, tant que la touche n'est pas terminée.

La touche est terminée quand le b. est passé, tapé vers l'arrière ou botté ; lancé au-delà des 15 m ; le porteur du b. s'est dégagé de l'alignement ; si un maul ou une mêlée ouverte s'est formé et les pieds des joueurs de ce regroupement ont franchi la ligne de remise en jeu ; le b. devient injouable.

La touche est limitée en profondeur par les 2 lignes parallèles situées à 5 et 15 m. L'équipe qui fait la remise en jeu détermine le nombre de joueurs qui vont y participer. La touche n'est pas terminée tant que le ballon n'a pas touché un joueur ou le sol.

Tous les joueurs qui ne participent pas à la touche doivent se tenir au moins à 10 m en arrière de la ligne de jeu qui sépare les 2 alignements. Ils doivent rester à 10 m tant que la touche n'est pas terminée, sauf pour une remise en jeu au-delà des 15 m. En ce cas, ils peuvent s'élancer dès que le ballon quitte les mains du lanceur.

■ **Fautes et sanctions. En-avant :** quand un joueur propulse le ballon avec la main ou le bras en direction de la ligne de ballon mort. Toutefois, il n'y a pas d'en-avant quand un joueur contrôle mal un b. et le rattrape avant qu'il ait touché le sol ou un autre joueur. *Sanctions. 1°) en-avant involontaire :* mêlée au point de faute avec introduction par l'équipe adverse. *2°) volontaire :* coup de pied de pénalité.

Tenu : quand le porteur du b., immobilisé au sol par un ou plusieurs adversaires, ne lâche pas ou ne passe pas immédiatement le b. *Sanction :* coup de pied de pénalité au point de faute.

Hors-jeu : un joueur, placé en avant du b. joué par un partenaire, ne doit pas faire acte de jeu. Le hors-jeu peut se produire dans le *jeu courant, lors d'une mêlée spontanée ou d'un maul et lors d'une touche.* Un joueur hors jeu peut être remis en jeu. *Par sa propre action :* il doit dans le jeu courant se replier derrière le joueur de son équipe qui a botté ou passé le b. le dernier ; lors d'une mêlée spontanée ou d'un maul, tout joueur hors jeu ne peut être remis en jeu. L'arbitre doit laisser l'avantage à l'équipe qui possède le ballon. S'il n'y a pas gain de terrain ou avantage : coup de pied de pénalité. Être hors jeu quand un partenaire a le ballon ne sert à rien. *Par l'action d'un adversaire* (à condition de n'être pas à moins de 10 m de celui-ci) *porteur du b. :* dès qu'il a parcouru 5 m ou lorsqu'il botte, passe ou lâche le b. Lorsque le joueur hors jeu est à moins de 10 m de l'adversaire, il doit se retirer à plus de 10 m. *Sanction :* coup de pied de pénalité à la faute ou mêlée au point de départ si c'est à la suite d'un coup de pied.

Obstruction : il est interdit d'empêcher un adversaire d'aller vers le b. Un joueur porteur du b. ne peut pas charger au travers de ses partenaires faisant écran. *Sanction :* coup de pied de pénalité.

Jeu déloyal, incorrection : il est défendu de frapper un adversaire, de plaquer prématurément, à retardement ou de manière dangereuse. *Sanction :* coup de pied de pénalité (si la faute a lieu sur un joueur qui a botté le b., l'équipe non fautive peut choisir entre une pénalité au point de faute ou de chute) ; essai de pénalisation ; exclusion du fautif en cas de récidive.

Faute technique ou faute vénielle : *en touche :* implique un coup de pied de pénalité situé sur la ligne des 15 m ; si une touche n'est pas droite l'équipe adverse peut soit demander à la refaire, soit demander une mêlée ; dans ce cas le ballon change de main. *En mêlée :* mauvaise introduction, pied levé du N° 2 : sanctionné par un coup de pied franc. Tout le reste (ex. : retarder la formation de la mêlée, jeu dangereux, etc.) par un coup de pied de pénalité.

Coup de pied de pénalité : tapé directement vers le but adverse. Il peut être exécuté placé (ballon posé au sol), tombé (drop-goal) ou de volée. Tous les joueurs de l'équipe du botteur doivent se trouver derrière le ballon. Dès que la faute est sifflée par l'arbitre, les joueurs de l'équipe sanctionnée doivent courir sans délai pour se replier à 10 m du point de faute. Si l'équipe fautive commet une infraction pendant que la pénalité est jouée, une nouvelle pénalité sera accordée 10 m en avant (jusqu'à la limite de 5 m de la ligne de but). Si l'infraction est commise par l'équipe du botteur, une mêlée avec introduction adverse sera ordonnée au point où la pénalité avait été accordée. **Coup de pied franc ou pénalité différentielle** (depuis 1977) : ne peut être tapé directement en direction du but adverse. Le joueur qui joue le coup franc peut donner un long coup de pied à suivre ou en touche, ou un petit coup de pied et reprendre le b. lui-même pour le passer à un partenaire qui pourra tenter un drop-goal.

Emblèmes des équipes les plus célèbres. *France :* coq, *Galles :* 3 plumes d'autruche et non le poireau qui est l'emblème du pays de Galles, *Écosse :* chardon, *Angleterre :* rose, *Irlande :* trèfle, *All-Blacks :* N.-Zél., fougère argentée, *Springboks :* Afr. du S., sorte d'antilope, *Wallabies :* Australie, kangourou, *Pumas :* Argentine.

Terrains les plus célèbres. *Arms Park :* Cardiff, P. de Galles. *Eden Park :* Auckland, N.-Zélande. *Ellis Park :* Johannesburg, Afr. du S. *Lansdowne Road :* Dublin, Irl. *Murrayfield :* Édimbourg, Écosse. *Parc des princes* et *Colombes :* Paris. *Twickenham :* Londres.

Coupe du monde

Messieurs. *Créée* 1987. Idée du journaliste australien David Lord. Tous les 4 ans. **1987** du 22-5 au 20-6 en Australie et N.-Zél. 16 nations invitées (Angl., Argentine, Australie, Canada, Écosse, France, Fidji, Galles, Irlande, Italie, Japon, N.-Zél., Roumanie, Tonga, USA, Zimbabwe). Phase éliminatoire de 4 poules de 4 nations pour qualifier les deux 1ers de chaque groupe, quarts de finale et finale. N.-Zél. bat Fr. 29-9. **1991** (oct.-nov., en France et G.-B.) 37 nations dont 16 jouent la phase finale. 32 matches en G.-B., 8 en France. Australie b. Angl. 12-6. **1995** en Afr. du S.

Tournoi des Cinq Nations

De 1883 à 1910, ne concerne que les 4 Unions britanniques. Dep. 1910, sont admis : France (F), Angleterre (An.), Pays de Galles (G), Écosse (E) et Irlande du S. (Ir.). Pas de tournoi de 1915 à 1919 et de 1932 à 1946. *Classement :* d'après les points obtenus à l'issue des 4 matches. 1 victoire = 2 pts ; 1 nul = 1 pt ; 1 défaite = 0 pt. Une équipe qui remporte les 4 matches réalise le Grand Chelem. Celle des 4 nations britanniques qui est victorieuse des 3 autres remporte la Triple Couronne.

■ Résultats généraux depuis 1910

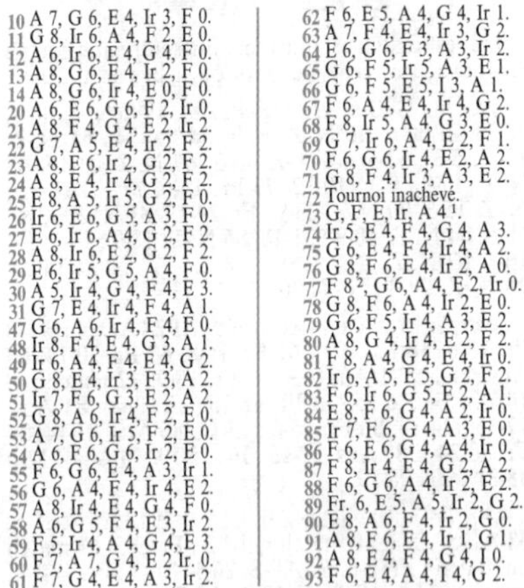
10 A 7, G 6, E 4, Ir 3, F 0.
11 G 8, Ir 6, A 4, F 2, E 0.
12 A 6, Ir 6, E 4, G 4, F 0.
13 A 8, G 6, E 4, Ir 2, F 0.
14 A 8, G 6, Ir 4, E 0, F 0.
20 A 6, E 6, G 6, F 2, Ir 0.
21 A 8, F 4, G 4, E 2, Ir 2.
22 G 7, A 5, E 4, Ir 2, F 2.
23 A 8, E 6, Ir 2, G 2, F 2.
24 A 8, E 4, Ir 4, G 2, F 2.
25 E 8, A 5, Ir 5, G 2, F 0.
26 Ir 6, E 6, G 5, A 3, F 0.
27 E 6, Ir 6, A 4, G 2, F 2.
28 A 8, Ir 6, E 2, G 2, F 2.
29 E 6, Ir 5, G 5, A 4, F 0.
30 A 5, Ir 4, G 4, F 4, E 3.
31 G 7, E 4, Ir 4, F 4, A 1.
47 G 6, A 6, Ir 4, F 4, E 0.
48 Ir 8, F 4, E 4, G 3, A 1.
49 Ir 6, A 4, F 4, E 4, G 2.
50 G 8, E 4, Ir 3, F 3, A 2.
51 Ir 7, F 6, G 3, E 2, A 2.
52 G 8, A 6, Ir 4, F 2, E 0.
53 A 7, G 6, Ir 5, F 2, E 0.
54 A 6, F 6, G 6, Ir 2, E 0.
55 F 6, G 6, E 4, A 3, Ir 1.
56 G 6, A 4, F 4, Ir 4, E 2.
57 A 8, Ir 4, E 4, G 4, F 0.
58 A 6, G 5, F 4, E 3, Ir 2.
59 F 5, Ir 4, A 4, G 4, E 3.
60 F 7, A 7, G 4, E 2 Ir. 0.
61 F 7, G 4, E 4, A 3, Ir 2.
62 F 6, E 5, A 4, G 4, Ir 1.
63 A 7, F 4, E 4, Ir 3, G 2.
64 E 6, G 6, F 3, A 3, Ir 2.
65 G 6, F 5, Ir 5, A 3, E 1.
66 G 6, F 5, E 5, I 3, A 1.
67 F 6, A 4, E 4, Ir 4, G 2.
68 F 8, Ir 5, A 4, G 3, E 0.
69 G 7, Ir 6, A 4, E 2, F 1.
70 F 6, G 6, Ir 4, E 2, A 2.
71 G 8, F 4, Ir 3, A 3, E 2.
72 Tournoi inachevé.
73 G, F, E, Ir, A 4 (1).
74 Ir 5, E 4, F 4, G 4, A 3.
75 G 6, E 4, F 4, Ir 4, A 2.
76 G 8, F 6, E 4, Ir 2, A 0.
77 F 8 (2), G 6, A 4, E 2, Ir 0.
78 G 8, F 6, A 4, Ir 2, E 0.
79 G 6, F 5, Ir 4, A 3, E 2.
80 A 8, G 4, Ir 4, E 2, F 2.
81 F 8, A 4, G 4, E 4, Ir 0.
82 Ir 6, A 5, E 5, G 2, F 2.
83 F 6, Ir 6, G 5, E 2, A 1.
84 E 8, F 6, G 4, A 2, Ir 0.
85 Ir 7, F 6, G 4, A 3, E 0.
86 F 6, E 6, G 4, A 4, Ir 0.
87 F 8, Ir 4, E 4, G 2, A 2.
88 F 6, G 6, A 4, Ir 2, E 2.
89 Fr. 6, E 5, A 5, Ir 2, G 2.
90 E 8, A 6, F 4, Ir 2, G 0.
91 A 8, F 6, E 4, Ir 1, G 1.
92 A 8, E 4, F 4, G 4, I 0.
93 F 6, E 4, A 4, I 4, G 2.

Nota. – (1) 1re fois que toutes les équipes ont terminé à égalité. (2) La France a gagné sans encaisser un seul essai et en gardant la même équipe.

■ **Grands Chelems** (4 victoires sur 4 matches joués). **1908** [1] G. **09** [1] G. **11** G. **13** An. **14** An. **21** An. **23** An. **24** An. **25** E. **28** An. **48** Ir. **50** G. **52** G. **57** An. **68** Fr. **71** G. **76** G. **77** Fr. **78** G. **80** An. **81** Fr. **84** E. **87** Fr. **90** E. **91, 92** An.

Nota. – (1) Avant l'ouverture officielle du Tournoi des 5 Nations.

■ Résultats particuliers depuis 1950

■ **France-Angleterre. 50** Fr. 6-3. **51** Fr. 11-3. **52** An. 6-3. **53** An. 11-0. **54** Fr. 11-3. **55** Fr. 16-9. **56** Fr. 14-9. **57** An. 9-5. **58** An. 14-0. **59** match nul 3-3. **60** nul 3-3. **61** nul 5-5. **62** Fr. 13-0. **63** An. 6-5. **64** An. 6-3. **65** An. 9-6. **66** Fr. 13-0. **67** Fr. 16-12. **68** Fr. 14-9. **69** An. 22-8. **70** Fr. 35-13. **71** nul 14-14. **72** Fr. 37-12. **73** An. 14-6. **74** nul 12-12. **75** Fr. 27-20. **76** Fr. 30-9. **77** Fr. 4-3. **78** Fr. 15-6. **79** An. 7-6. **80** An. 17-13. **81** Fr. 16-12. **82** An. 27-15. **83** Fr. 19-15. **84** Fr. 32-18. **85** nul 9-9. **86** Fr. 29-10. **87** Fr. 19-15. **88** Fr. 10-9. **89** An. 11-0. **90** An. 26-7. **91** An. 21-19. **92** An. 31-13. **93** An. 16-15.

■ **France-Écosse. 50** E. 8-5. **51** Fr. 14-12. **52** Fr. 13-11. **53** Fr. 11-5. **54** Fr. 3-0. **55** Fr. 15-0. **56** E. 12-0. **57** E. 6-0. **58** E. 11-9. **59** Fr. 9-0. **60** Fr. 13-11. **61** Fr. 11-0. **62** Fr. 11-3. **63** E. 11-6. **64** E. 10-0. **65** Fr. 16-8. **66** nul 3-3. **67** E. 9-8. **68** Fr. 8-6. **69** E. 6-3. **70** Fr. 11-9. **71** Fr. 13-8. **72** E. 20-9. **73** Fr. 16-13. **74** E. 19-6. **75** Fr. 10-9. **76** Fr. 13-6. **77** Fr. 23-3. **78** Fr. 19-16. **79** Fr. 21-17. **80** E. 22-14. **81** Fr. 16-9. **82** E. 16-7. **83** Fr. 19-15. **84** E. 21-12. **85** Fr. 11-3. **86** E.

18-17. **87** Fr. 28-22. **88** E. 23-12. **89** Fr. 19-3. **90** E. 21-0. **91** Fr. 15-9. **92** E. 10-6. **93** Fr. 11-3.

■ **France-Pays de Galles.** **50** G. 21-0. **51** Fr. 8-3. **52** G. 9-5. **53** G. 6-3. **54** G. 19-13. **55** G. 16-11. **56** G. 5-3. **57** G. 19-13. **58** Fr. 16-6. **59** Fr. 11-3. **60** Fr. 16-8. **61** Fr. 8-6. **62** G. 3-0. **63** Fr. 5-3. **64** nul 11-11. **65** Fr. 22-13. **66** G. 9-8. **67** Fr. 20-14. **68** Fr. 14-9. **69** nul 8-8. **70** G. 11-6. **71** G. 9-5. **72** G. 20-6. **73** Fr. 12-3. **74** nul 16-16. **75** G. 25-10. **76** G. 19-13. **77** Fr. 16-9. **78** G. 16-7. **79** Fr. 14-13. **80** G. 18-9. **81** Fr. 19-15. **82** G. 22-12. **83** Fr. 16-9. **84** Fr. 21-16. **85** Fr. 14-3. **86** Fr. 23-15. **87** Fr. 16-9. **88** Fr. 10-9. **89** Fr. 31-12. **90** Fr. 29-19. **91** Fr. 36-3. **92** Fr. 12-9. **93** Fr. 26-10.

■ **France-Irlande.** **50** nul 3-3. **51** Ir. 9-8. **52** Ir. 11-8. **53** Ir. 16-3. **54** Fr. 8-0. **55** Fr. 5-3. **56** Fr. 14-8. **57** Ir. 11-6. **58** Fr. 11-6. **59** Ir. 9-5. **60** Fr. 23-6. **61** Fr. 15-3. **62** Fr. 11-0. **63** Fr. 24-5. **64** Fr. 27-6. **65** nul 3-3. **66** Fr. 11-6. **67** Fr. 11-6. **68** Fr. 16-6. **69** Ir. 17-9. **70** Fr. 8-0. **71** nul 9-9. **72** Ir. 24-14. **73** Ir. 6-4. **74** Fr. 9-6. **75** Ir. 25-6. **76** Fr. 26-3. **77** Fr. 15-6. **78** Fr. 10-9. **79** nul 9-9. **80** Fr. 19-18. **81** Fr. 19-13. **82** Fr. 22-9. **83** Ir. 22-16. **84** Fr. 25-12. **85** nul 15-15. **86** Fr. 29-9. **87** Fr. 19-13. **88** Fr. 25-6. **89** Fr. 26-21. **90** Fr. 31-12. **91** Fr. 21-13. **92** Fr. 44-12. **93** Fr. 21-6.

■ **Soit par nations.** **France-Angleterre** (dep. 1906) : 68 matches joués (dont 7 nuls). Ang. 37 vict. Fr. 24. **France-Écosse** (dep. 1910) : 63 m. joués (dont 2 nuls). Fr. 31 vict. E. 30. **France-Pays de Galles** (dep. 1908) : 68 m. joués (dont 3 nuls). G. 38 vict. Fr. 27. **France-Irlande** (dep. 1909) : 67 m. joués (dont 5 nuls). Fr. 37 vict. Ir. 25.

Autres matches internationaux de la France

■ Test-matches

Un test-match est une rencontre entre une équipe en tournée et celle du pays où a lieu la tournée.

Avec les All-Blacks (N.-Zélande). **1906** N.-Z. 38-8. **25** N.-Z. 30-6. **46** N.-Z. 14-9. **54** Fr. 3-0. **61** N.-Z. 13-6 ; 5-3 ; 32-3. **64** N.-Z. 12-3. **67** N.-Z. 21-15. **68** N.-Z. 12-9 ; 9-3 ; 19-12. **73** Fr. 13-6. **77** Fr. 18-13 ; N.-Z. 15-3. **79** N.-Z. 23-9 ; Fr. 24-19. **81** N.-Z. 13-9 ; 18-6. **84** N.-Z. 10-9 ; 31-18. **86** N.-Z. 18-9 ; 19-7. Fr. 16-3. **87** N.-Z. 29.9 [1]. **89** N.-Z. 25-17 ; N.-Z. 34-20. **90** N.-Z. 24-3 ; N.-Z. 30-12.

Avec les Wallabies (Australie). **1928** Aus. 11-8. **48** Fr. 13-6. **58** Fr. 19-0. **61** Fr. 15-8. **67** Fr. 20-14. **68** Aus. 11-10. **71** Aus. 13-11 ; Fr. 18-9. **72** match nul 14-14 ; Fr. 16-15. **76** Fr. 18-15 ; Fr. 34-6. **81** Aus. 17-15 ; 24-14. **83** Fr. 15-6 ; 15-15. **86** Aus. 27-14. **87** Fr. 30-24 [1]. **89** Aus. 32-15 ; Fr. 25-19. **90** Aus. 21-9 ; 48-31 ; Fr. 28-19.

Avec les Springboks (Afr. du S.). **1913** Af.-S. 38-5. **52** Af.-S. 25-3. **58** match nul 3-3 ; Fr. 9-5. **61** match nul 0-0. **64** Fr. 8-6. **67** Af.-S. 26-3 ; 16-3 ; Fr. 19-14 ; match nul 6-6. **68** Af.-S. 12-9 ; Af.-S. 16-11. **71** Af.-S. 22-9 ; match nul 8-8. **74** Af.-S. 13-4 ; 10-8. **75** Af.-S. 38-25 ; 33-18. **80** Af.-S. 37-15. **92** Af.-S. 20-15 ; Fr. 29-16. **93** Af.-S.-Fr. 20-20 ; Fr.-Af-S. 18-17.

Avec les Pumas (Argentine). **1949** Fr. 5-0 ; 12-3. **54** Fr. 22-8 ; 30-3. **60** Fr. 37-3 ; 12-3 ; 29-6. **74** Fr. 20-15 ; 31-27. **75** Fr. 29-6 ; 36-21. **77** Fr. 26-3 ; match nul 18-18. **82** Fr. 25-12 ; Fr. 13-6. **85** Arg. 24-16 ; Fr. 23-15. **86** Arg. 15-13 ; Fr. 22-9. **88** Fr. 18-15. Arg. 18-6. Fr. 29-9. Fr. 28-18. **92** Fr. 27-12 ; Fr. 33-9 ; Arg. 24-20.

■ Autres matches avec...

Allemagne. **1927** Fr. 30-5 ; All. 17-16. **28** Fr. 14-3. **29** Fr. 24-0. **30** Fr. 31-0. **31** Fr. 34-0. **32** Fr. 20-4. **33** Fr. 38-17. **34** Fr. 13-9. **35** Fr. 18-3. **36** Fr. 19-14 ; Fr. 6-3. **37** Fr. 27-6. **38** All. 3-0 ; Fr. 8-5. **82** Fr. 53-15. **Angleterre.** **1947** An. 6-3. **48** Fr. 15-0. **49** An. 8-3. **Écosse.** **1947** Fr. 8-3. **48** É. 9-8. **49** É. 8-0. **87** m. nul 20-20 [1]. **Fidji.** **1964** Fr. 21-3. **87** Fr. 31-16 [1]. **Galles.** **1945** G. 8-0. **46** Fr. 12-0. **47** G. 3-0. **48** Fr. 11-3. **49** Fr. 5-3. **G.-B.** **1940** G.-B. 36-3. **45** Fr. B. Army Rugby Union 21-9 ; Empire brit. 27-6 ; Galles 8-0. **46** Fr. b. British Empire Services 10-0. **Irlande.** **1946** Fr. 4-3. **47** Fr. 12-8. **48** I. 13-6. **49** Fr. 16-9. **Italie.** La France est toujours gagnante. **1937** 43-5. **52** 17-8. **53** 22-8. **54** 39-12. **55** 24-0. **56** 16-3. **57** 38-6. **58** 11-3. **59** 22-0. **60** 26-0. **61** 17-0. **62** 6-3. **63** 14-12. **64** 12-3. **65** 21-0. **66** 21-0. **67** 60-13. **Japon.** **1973** Fr. 30-18. **Maoris.** **1926** M. 12-3. **Roumanie.** **1924** Fr. 61-3. **38** Fr. 11-8. **57** Fr. 18-15 ; Fr. 39-0. **60** R. 11-5. **61** match nul 5-5. **62** R. 3-0. **63** match nul 6-6. **64** Fr. 9-6. **65** Fr. 8-3. **66** Fr. 9-3. **67** Fr. 11-3. **68** R. 15-14. **69** Fr. 14-9. **70** Fr. 14-3. **71** Fr. 31-12. **72** Fr. 15-6. **73** Fr. 7-6. **74** R. 15-10. **75** Fr. 36-12. **76** R. 15-12. **77** Fr. 9-6. **78** Fr. 9-6. **79** Fr. 30-12. **80** R. 15-0. **81** Fr. 17-9. **82** R. 13-9. **83** Fr. 26-15. **84** Fr. 18-3. **86** Fr. 25-13 ; 20-3. **87** Fr. 55-12 [1] ; 49-3. **88** Fr. 16-12. **91** Fr. 33-21. **Tchécoslovaquie.** **1956** Fr. 28-3. **68** Fr. 19-6. **USA.** **1920** Fr. 14-5. **24** U. 17-3. **76** Fr. 33-14. **91** Fr. 41-9 ; Fr. 10-3. **Zimbabwe.** **1987** Fr. 70-12 [1].

Nota. – (1) Coupe du monde.

Championnat de France

Organisation. En 1992-93, le championnat regroupe 96 clubs répartis en groupe A (4 poules de 8) et B (B 1 et B 2, 8 poules de 8). Les 6 premiers du groupe A sont qualifiés pour les 16e de finale. Les 8 équipes qui les rejoignent en 16e sont les vainqueurs de 2 barrages. 1er barrage : 2 premiers de chaque poule du groupe B contre 2 derniers de chaque poule du groupe A ; 2e b. : vainqueurs du 1er barrage contre les 7e et 8e de chaque poule du groupe 4.

Le vainqueur du championnat de France reçoit le *bouclier de Brennus,* dû sans doute à Charles Brennus (1859-1943), maître graveur et Pt d'honneur de la Fédération française de rugby.

Résultats. *Créés* 1892. **1892** Racing Club de Fr. **93, 94, 95** Stade français. **96** Olympique. **97, 98** SF. **99** Stade bordelais. **1900** RCF. **01** S. bordelais **02** RCF. **03** SF. **04, 05, 06, 07** S. bordelais UC. **08** SF **09** S. bordelais. **10** FC Lyon. **11** S. bordelais UC. **12** S. Toulousain. **13** Aviron bayonnais. **14** AS Perpignan. **16** S. Toul. **17** S. Nantais UC. **18** RCF. **19, 20** Stadoceste tarbais. **21** US Perpignan. **22, 23, 24** S. Toul. **25** US Perpignan. **26, 27** S. Toul. **28** Section paloise. **29** US Quilian. **30** SU Agen. **31** RC Toulon. **32, 33** Lyon OU. **34** Aviron bayonnais. **35** Biarritz olympique. **36** RC Narbonne. **37** CS Vienne. **38** USA Perpignan. **39** Biarritz olymp. **43** Aviron bay. **44** USA Perpignan. **45** SU Agen. **46** Section paloise. **47** S. toul. **48** FC Lourdes. **49, 50** Castres olymp. **51** US Carmaux. **52, 53** FC Lourdes. **54** FC Grenoble. **55** USA Perpignan. **56, 57, 58** FC Lourdes. **59** RCF. **60** FC Lourdes. **61** AS Béziers. **62** SU Agen. **63** S. Montois. **64** Section paloise. **65, 66** SU Agen. **67** Montauban. **68** Lourdes (désigné au bénéfice des essais). **69** Bègles. **70** La Voulte-Montferrand 3-0. **71** Béziers-Toulon 15-9. **72** Béziers-Brive 9-0. **73** Tarbes-Dax 18-12. **74** Béziers-Narbonne 16-14. **75** Béziers-Brive 13-12. **76** Agen-Béziers 13-10. **77** Béziers-Perpignan 12-4. **78** Béziers-Montferrand 31-9. **79** Narbonne-Bagnères 10-0. **80** Béziers-Stade toulousain 10-6. **81** Béziers-Bagnères 23-13. **82** Agen-Bayonne 18-9. **83** Béziers-Nice 14-6. **84** Béziers-Agen 21-21 (3-1 aux tirs aux buts). **85** Toulouse-Toulon 36-22 (après prol.). **86** Toulouse-Agen 16-6. **87** Toulon-Racing 15-12. **88** Agen-Tarbes 9-3. **89** Toulouse-Toulon 18-12. **90** Racing-Agen 22-12. **91** Bègles-Toulouse 19-10. **92** Toulon-Biarritz 19-14. **93** Castres-Grenoble 14-11.

Autres épreuves

Coupe de France. *Créée* 1906, supprimée en 1951. A été rejouée en 1984 (Toulouse-Lourdes 6-0) et 1986 (Béziers-Aurillac 18-6).

Challenge du Manoir. *Créé* 1931. **1932** Agen. **33** Lyon OU. **34** Toulon et Stade toulousain ex æquo. **35** USA Perpignan. **36** Aviron bayonnais. **37** Biarritz. **38** Montferrand. **39** Pau. **53** Lourdes. **54** Lourdes. **55** USA Perpignan. **56** Lourdes. **57** Dax. **58** Mazamet. **59** Dax. **60-61-62** Mont-de-Marsan. **63** Agen. **64** Béziers. **65** Cognac. **66-67** Lourdes. **68** Narbonne. **69** Dax. **70** Toulon. **71** Dax. **72** Béziers. **73-74** Narbonne. **75** Béziers. **76** Montferrand. **77** Béziers. **78-79** Narbonne. **80** Bayonne. **81** Lourdes. **82** Dax. **83** Agen. **84** Narbonne. **85** Nice. **86** Montferrand. **87** Grenoble. **88** Toulouse. **89-90-91** Narbonne. **92** Agen. **93** Toulouse.

Nota. – 5 équipes ont réalisé le doublé Championnat et Challenge du Manoir la même année : Béziers (72, 75, 77), Lourdes (53, 56), Perpignan (55), Lyon (33) et Narbonne (79).

Autres épreuves. *Ch. de l'Espérance* (SC Tulle), *ch. Béguère* (FC Lourdais), *ch. Cadenat* (AS Béziers). *Coupe de l'Avenir* créée 1942, devenue *Coupe Taddeï* (juniors). *Coupe Frantz-Reichel* créée 1931. *Coupe René-Crabos* créée 1950.

Grands joueurs

■ Français

Aguirre Jean-Michel 2-11-51. Albaladejo Pierre 13-2-33. Andrieu Marc 19-9-59. Astre Richard 28-8-48. Averous Jean-Luc 22-10-54. Azarete Jean-Louis 8-5-45.

Barrau Max 26-11-50. Barthe Jean 22-7-32. Basquet Guy 13-7-21. Bastiat Jean-Pierre 11-4-49. Belascain Christian 1-11-53. Benesis René 29-8-44. Berbizier Pierre 17-6-58. Bergougnan Yves 8-5-24. Bérot Philippe 29-1-65. Bertranne Roland 6-12-49. Bianchi Jérôme 4-4-55. Biemouret Paul 11-4-43. Bilbao Louis 14-9-56. Blanco Serge 31-8-58. Boniface André 14-8-34. Boniface Guy 1937-68. Bonneval Éric 19-11-63. Bouquet Jacques 3-6-33. Bourgarel Roger 21-4-47. Bustaffa Daniel 11-1-56.

Cabanier Jean-Michel 13-5-36. Cabannes Laurent 6-2-64. Cabrol Henri 11-2-47. Camberabero Didier 9-1-61. Camberabero Guy 17-5-36. Camberabero Lilian 15-7-37. Cantoni Jacques 11-5-48. Carminatti Alain 17-8-66. Carrère Christian 27-7-43. Carrère Jean 5-4-30. Cécillon Marc 30-1-59. Çelaya Michel 27-7-30. Cester Élie 27-7-42. Champ Éric 8-6-62. Charvet Denis 12-5-62. Cholley Gérard 6-6-45. Codorniou Didier 13-2-58. Condom Jean 15-8-60. Crabos René 1899-1964. Crauste Michel 6-7-34. Cremaschi Michel 26-4-56.

Danos Pierre 4-6-29. Darrouy Christian 13-1-37. Dauga Benoît 8-5-42. Dauger Jean 12-11-19. Dedieu Paul 8-5-35. De Gregorio Jean 9-12-35. Desclaux Joseph 1-2-12. Dintrans Philippe 29-1-57. Domenech Amédée 3-5-33. Dospital Pierre 15-5-50. Dourthe Claude 20-11-48. Dubroca Daniel 25-4-54. Dufau Gérard 27-8-24. Du Manoir Yves 1904-28. Dupuy Jean 25-5-34.

Erbani Dominique 16-8-56. Estève Alain 15-9-46. Estève Patrick 14-2-59. Fabre Michel 11-9-56. Fouroux Jacques 24-7-47. Gachassin Jean 23-12-41. Gallion Jérôme 4-4-55. Garuet Jean-Pierre 15-6-53. Gourdon Jean-François 8-9-54. Gruarin Arnaldo dit Aldo 5-2-38. Haget Francis 1-10-49. Herrero André 28-1-38. Herrero Bernard 19-9-57. Imbernon Jean-François 17-10-51. Iracabal Jean 6-7-41. Jaureguy Adolphe 1898-1977. Joinel Jean-Luc 21-8-53.

Labazuy Antoine 9-2-29. Lacaze Claude 5-3-40. Lacroix Pierre 23-1-35. Lafond Jean-Baptiste 29-12-61. Lagisquet Patrice 4-9-62. Laporte Guy 15-12-52. Lasserre Jean-Claude 12-5-38. Lasserre Michel 21-1-40. Lasserre René 1895-1965. Le Droff Jean 22-6-39. Lescarboura J.-Patrick 19-1-61. Lira Maurice 1941-86. Lorieux Alain 26-3-56. Lux Jean-Pierre 9-1-46.

Martine Roger 3-1-30. Maso Joseph 27-12-44. Melville Éric 27-6-61. Mesnel Franck 30-6-61. Mias Lucien 28-9-30. Moga Alban 1923-83. Moncla François 1-4-32. Noves Guy 5-2-54. Ondarts Pascal 1-4-56. Orso Jean-Charles 6-1-58. Paco Alain 1-5-52. Palmié Michel 1-12-51. Paparemborde Robert 8-7-48. Pique Jean 17-9-35. Prat Jean 1-8-23. Prat Maurice 17-9-28.

Rancoule Henri 6-2-33. Rives Jean-Pierre 31-12-52. Rodriguez Laurent 25-6-60. Romeu Jean-Pierre 15-4-48. Roques Alfred 17-2-25. Roumat Olivier 16-6-66. Rousié Max 1912-59. Sangalli François 8-9-52. Sella Philippe 14-2-62. Serrière Patrick 7-7-60. Skrela Jean-Claude 1-10-49. Spanghero Claude 16-6-48. Spanghero Walter 21-12-43.

Thiers Pierre 16-4-14. Trillo Jean 27-10-44. Vannier Michel 1931-91. Vaquerin Armand 1951-93. Vigier Robert 1926-86. Villepreux Pierre 5-7-43. Viviès Bernard 3-9-53. Yachvili Michel 25-7-46.

■ Étrangers

☞ *Légende.* – (1) Angleterre. (2) Écosse. (3) Pays de Galles. (4) Irlande. (5) Australie. (6) N.-Zélande. (7) Afrique du Sud. (8) Italie. (9) Argentine.

Andrew Rob [1] 18-2-63. Batty Grant [6] 1951. Beaumont Bill [1] 1952. Bennett Phil [3] 24-10-48. Botha Naas [7] 27-2-58. Brand Gerry [7] 8-10-1906. Bruce Doug [6] 1947. Butterfield Jeff [1] 9-8-29.

Calder Finlay [2] 20-8-57. Campbell-Lamerton M.J. [2] 1933. Campese David [5] 21-10-62. Carling Will [1] 12-12-65. Carmichael Alexander [2] 2-2-44. Catchpole Kenneth William [5] 21-6-39. Caulton Ralph Walter [6] 1937. Chalmers Creg [2] 15-10-68. Chisholm D.H. [2] 1937. Claassen Johan [7] 23-9-29. Clarke Donald Barry [6] 10-11-33. Clarke Jan James [6] 1932. Cobner J.J. [3] 1948. Cook Albert E [6]. 1901-77. Craven Daniel [7] 1909-93.

Dalton Andy [6] 1951. Davies Jonathan [3] 24-10-62. Davies Mervyn [3] 9-12-46. Davies T.G.R. [3] 1946. Dawes John [3] 29-9-40. Dawson A. Ronnie [4] 1933. Deans Colin [2] 1955. De Villiers David Jacobas [7] 10-7-40. De Villiers Henry Oswald [7] 10-3-45. Dick Malcolm John [6] 1941. Donaldson Mark [6] 1955. Dooley Wade [1] 2-10-57. Duckham David [1] 28-6-46. Du Preez Frederick Christoffel [7] 28-11-35. Edwards Gareth [3] 12-7-47. Ellis Hendrick Jakobis [7] 1941. Engelbrecht Jan Pieter 10-11-38. Evans Eric [1] 1-2-21.

Farr-Jones Nicholas [5] 18-4-62. Faulkner Charly [3] 1943. Fenwick Steve [3] 1952. Fox Grant [6] 8-6-62. Frame John [2] 1946. Gallagher John [6] 29-1-64. Gibson Mike [4] 3-12-42. Going Sidney [6] 19-8-43. Gould Arthur [3] 1864-1919. Graham David John [6] 1936. Gravell Raymond [3] 12-9-51. Gray Kenneth Francis [6] 1938. Greyling Pieter Johannes [7] 16-5-42.

HAEDEN Andy [6] 29-9-50. HARE William [1] 29-11-52. HASTINGS Gavin [2] 3-1-62. HAWTHORNE Philip [5] 24-10-43. HENDERSON Noël J. [4] 1933. HEREWINI Farlane Alexander [6] 1938. HILLER Robert [1] 1942. HODGKINSON Simon [1]. HOPWOOD Douglas [7] 1935. HORTON Nigel [1] 1948.

IFWERSEN Karl D. [6] 1893-1967. IRVINE Andy [2] 16-9-51. JARDEN Ronald A. [6] 1929-77. JOHN Barry [3] 6-1-45. JONES Cliff [3] 1913. JONES Kenneth [3] 30-12-21. JONES Michael [6] 8-4-65. JONES Peter [6] 13-9-36. KAVANAGH J. Ronnie [4] 1932. KEANE Maurice I. [4] 1949. KEARNS Phil [5] 27-7-67. KENNEDY Kenneth [4] 10-5-42. KIERNAN Michael [4] 17-1-61. KIERNAN Tom [4] 7-1-49. KIRK David [6] 5-10-60. KIRKPATRICK Ian [6] 24-5-46. KIRWAN John [6] 12-2-64. KNIGHT Lawrie [6] 1949. KYLE John Wilson dit [4] 10-2-26.

LAIDLAW Christopher Robert [6] 1944. LAIDLAW Frank [2] 1940. LAIDLAW Roy [2] 5-10-53. LARTER Peter [1] 1944. LOANE Mark [5]. LOCHORE Brian [6] 3-9-40. LYNAGH Michael [5] 25-10-63.

Mc BRIDE William [4] 6-6-40. McGANN Barry John 1948. McHARG Alistair [2] 1944. McLAUCHLAN Ian [2] 1943. McLEAN Paul 1953. Mc LOUGHLIN Ray 24-8-39. Mc NEILL Hugo [4] 16-9-58. MARAIS Johannes [7] 21-9-41. MARQUES David [1] 9-12-32. MARTIN Allan 1948. MEADS Colin Earl [6] 3-6-36. MEXTED Murray [6] 1953. MILLAR Sydney [4] 1935. MOLLOY Mick [4] 1943. MORKEL Gerhard [7] 1888-1959. MOURIE Graham [6] 8-9-52. MULCAHY William 1935. MULLEN Karl [5] 1926. MULLER Hennie 1922-77. MURPHY Noel A. [4] 1937. MYBURGH Johannes Lodewikus [7] 24-8-36.

NATHAN Waka [6] 1940. NEARY Tony [1] 1949. NEL Philip [7] 17-6-02. NEPIA George [6] 1905-86. NICHOLLS Gwynn [3] 1875. NICHOLLS Mark [6] 1901-72. NORSTER Robert [3] 1957. O'DRISCOLL John [4] 26-11-53. O'REILLY Anthony [4] 7-5-36. PASK Alun [3] 1939. PEDLOW A. Cecil [4] 1934. POIDEVIN Simon [5] 31-10-58. PORTA Hugo [9] 11-9-51. POULTON-PALMER Ronald [1] 1889-1915. PORTA Hugo [9] 11-9-51. PRICE Brian [3] 1937. PRICE Graham [3] 24-11-51.

QUINNELL Derek [3] 1950. RICHARDS Dean [1] 11-7-63. ROBERTSON Bruce [6] 1952. RUTHERFORD John [2] 4-10-55. SHELFORD Wayne [6] 13-12-57. SCOTLAND Kenneth [2] 1936. SEELING Charles [6] 14-5-1883. SLATTERY Fergus [4] 12-2-49. SMITH Ian [2] 1903. SMITH Johnny [6] 1922-74. SOLE David [2] 8-5-62. SQUIRE Jeff [3] 1952. STAGG Peter [3] 1941. STEPHEN Rees [3] 1922. STEWART Alian James 1942. STOOP Adrian Dura [1] 27-3-1883.

TANNER Haydn [3] 1917. TELFER Jim [2] 1941. THORBURN Paul [3] 24-11-62. THORNETT John [5] 30-3-35. TREMAIN Kelwin [6] 1938. TREW Bily [3] 1880.

UNDERWOOD Rory [1] 19-6-63. VAN WYK Christian [7] 5-11-23. VISAGIE Petrts [7] 16-4-43. WAKEFIELD William [1] 1898-1983. WALLACE William [6] 2-8-1878. WATKINS Stuart [3] 1941. WESTON Mike [1] 1938. WHEEL Geoff [3] 1952. WHETTON Gary [6] 15-12-59. WHINERAY Wilson James [6] 1935. WILLIAMS Bryan [6] 3-10-50. WILLIAMS John P.R. [3] 2-3-49. WINDSOR Bobby [3] 1948. WINTERBOTTOM Peter [1] 31-5-60. WOOLLER Wilfred [3] 1912. YOUNG Dennis 1930. ZANI Francisco [8] 24-10-38.

RUGBY FÉMININ

Histoire. **1908** 1re rencontre en France. **1965** 1res équipes fondées en France. **1970** Association française de rugby féminin f. **1972** championnat de France créé. **1984**-*23-5* L'AFRF devient Féd. fr. de rugby féminin qui intègre la FFR en juill. **1989**.

Licenciées en France. (fév. 1992) 1 941.

Coupe du monde. *Créée* 1991. **91** USA.

Coupe d'Europe. *Créée* 1988. **88** 4 équipes. Fr.-P.-Bas 13-3, Fr.-It. 16-3, Fr.-G.-B. 8-6.

Championnat de France. *Créé* 1972. **72** Asvel. **73** Auch. **74** Bourg-en-Bresse. **75, 76, 77, 78, 79, 80** Toulouse. **81** Bourg-en-B.-Tournus 10-3. **82** Toulouse-Bourg-en-B. 7-0. **83** La Teste-Bourg-en-B. 10-0. **84** Toulouse-Tournus 10-0. **85** Toulouse-Bourg-en-B. 6-0. **86** La Teste-Toulouse 8-0. **87** La Teste-Tournus 16-4. **88** La Teste-Bourg-en-B. 8-0. **89** Bourg-en-B.-Romagnat. **90** Saint-Orens-Bourg-en-B. **91** Chilly-Mazarin-St-Orens 3-0.

Tests-matches de l'équipe de France avec : Hollande. 82 Holl. 0-4. **83** Fr. 10-0. **84** Holl. 0-3. **85** Fr. 20-0. **90** Holl. 0-10. **Italie. 85** It. 0-0. **86** Fr. 12-0. **87** It. 4-16. **G.-B. 86** 8-14. **87** Fr. 28-6. **89** G.-B. 13-0.

SKI

GÉNÉRALITÉS

ORIGINE

On a trouvé en Suède un ski dans un marais datant d'env. 3000 av. J.-C. (ski de Hoting conservé à Stockholm). **1853** diffusion du ski en Autriche et Allemagne. **1855** en N.-Zélande ; le lieutenant Windham introduit en France des skis de Norvège ; il est suivi par Henri Duhamel, le docteur Pilet à Colmar, le docteur Étienne Payot à Chamonix (1897). **1867** 1er grand concours de ski à Christiania (Nor.). **1880** apparition du *ski en forme de taille de guêpe* qui permet virages et conduite (inventé par le Norvégien Sondre Nordheim). **1888** Fidtjof Nanssen (1861-1930) traverse à skis le Groenland. **1889** *1er brevet pour des fixations de ski.* **1895** essais du commandant Windham au Lautaret. **1896** *1er club de ski français* (Ski club des Alpes). **1897** *12-2 1re expérience de ski alpin en France,* lieut. Widman (28e bat. des chasseurs alpins) : ascension (en 7 h) et descente (en 1 h 30) du Mt-Guillaume (Htes-Alpes). **1900** introduction du ski dans les troupes alpines à Briançon. **1902** 1res courses, descentes libres à Davos. **1903** à Adelboden. **1904** la garde suisse du St-Gothard adopte les skis. Création de l'École normale de ski par le min. de la Guerre. **1907** *1er concours international de ski en France,* organisé par le Club alpin fr., à Montgenèvre, participation exclusive de militaires. **1911**-*7-1* Arnold Lunn organise le « Challenge Roberts of Kandahar » à Montana. **1922** *1re école de ski* à St Anton (méthode de l'Arlberg). 1er slalom moderne à Mürren. **1924** *1ers JO d'hiver* à Chamonix (ski nordique uniquement) ; Féd. intern. (FIS) et Féd. française de ski créées. **1927** école de ski de St-Moritz. **1931** 1ers ch. du monde à Mürren (Suisse) organisés par Lunn qui fait reconnaître les disciplines alpines par la FIS. **1936** JO à Garmisch-Partenkirchen, introduction des disciplines alpines.

SKI ALPIN

■ **Origine.** **1896** 1res règles quand Mathias Zdarsky (Autr. 1856-1940) codifie la technique. L'Autr. Hannes Schneider (1890-1955) fixe ensuite les données de l'école de l'*Arlberg* [*christiania, stem-christiania* (du verbe *stemmen :* appuyer)]. **1938** Paul Gignoux et Émile Allais fixent la méthode de l'*École française,* fondée sur le *virage parallèle* (né v. 1930), grâce à l'Autrichien Toni Seelos. **1957** Jean Vuarnet et Joubert parlent de *vissage-angulation* (mécanisme de pivotement) et utilisent les principes de pénétration dans l'air en proposant une position de recherche de vitesse dite de l'*œuf.* Viennent ensuite *christiania léger, virage christiania-slalom* (1960). Puis, *virages évasion* et *GT* (1976). Actuellement, *virages Performances* et *GTE* faisant appel aux effets directionnels : dérapé, glissé ou coupé (1988).

■ **Épreuves. Types. Descente :** *créée* 7-1-1911 par sir Arnold Lunn à Montana. Le skieur doit franchir des portes (chaque montant est constitué par 2 piquets reliés par un rectangle de 0,75 m de large × 1 m de haut, bleu (hommes) ou alterné bleu et rouge (dames). *Piste :* larg. min. 30 m, dénivellation 800 à 1 000 m (messieurs), 500 à 700 m (dames), pour championnats du monde, coupe du Monde-FIS, coupe d'Europe.

Slalom : *1er* à Mürren (Suisse) janvier 1922. *Départ:* à discrétion du comité de course (pour la coupe du monde, 1 coureur en course). *Piste :* dénivellation 180 à 220 m (dames 120 à 180 m), 1/4 de la piste doit présenter une dénivellation supérieure à 30 %. *Portes :* pour les messieurs 55 à 75, dames 40 à 60 (largeur : 4 à 6 m, piquets hauts de 1,80 m au-dessus de la neige avec 3 à 4 cm de diamètre). Le skieur doit franchir toutes les portes sous peine de disqualification. *Courses* en 2 manches, sur 2 parcours différents. Le skieur peut reconnaître le parcours avant la course en montant ou en descendant, mais sans emprunter le tracé. *Classement* par addition des temps des 2 manches.

Slalom géant : *1950*-13-3 apparaît aux champ. du monde à Aspen (USA). *1976* se court en 2 manches comme le spécial. *Portes :* 2 piquets reliés par un rectangle de couleur de 75 × 50 cm. Nombre : 12 à 15, large : 4 à 8 m. **Slalom parallèle,** 2 skieurs luttent simultanément sur 2 parcours similaires et changent de parcours pour la 2e manche, une « belle » pouvant éventuellement être disputée. 1er Aspen 6-12-1968. **Super-géant** (G[1], créé 1982, 1re course 1987) en 1 manche, casque obligatoire. *Piste :* terrain vallonné, dénivelé *messieurs* 500 à 650 m, *dames* 350 à 500 m, largeur min. 30 m, largeur des portes de 6 à 12 m.

Combiné alpin : *pour JO et les championnats du monde :* épreuves de descente, slalom spécial, slalom géant et combiné alpin (descente et s. spécial). ; *pour épreuves classiques* (Lauberhorn, Hahnenkamm, Kandahar, etc.). descente et slalom spécial. On additionne les points correspondant aux résultats des différentes épreuves ; calculés selon les barèmes de la FIS en partant du temps effectué par le vainqueur de chaque épreuve (chiffre zéro). Les 1/100 de seconde et les secondes qui le séparent de ses suivants sont transformés en points pour chacun d'eux et affectés d'un coefficient, calculé d'après la durée de la course et les différences de temps. Le vainqueur est celui qui a le plus faible total de points.

Grande classique : en dehors des JO, des championnats du monde et de la coupe du monde, chaque nation peut en organiser une chaque année, reconnue par la FIS et comptant pour la coupe du monde. ORGANISATEURS : *Autriche* Badgastein, Schruns ou Kitzbühel, *Canada* à Mt-Ste-Anne ou Vancouver, *États-Unis* Aspen, Vail ou Waterville, *France* Val-d'Isère, Megève, St-Gervais, Chamonix, Morzine, Courchevel, *Italie* Cortina, Madonna di Campiglio, Sportinia ou Val Gardena, *Suisse* Laax, St-Moritz, Wengen ou Grindelwald, *Tchéque (Rép.)* Vysoké Tatry.

Kandahar : un ancien officier de l'armée des Indes, Lord Roberts of Kandahar (1832-1914), dota la 1re course de descente, l'Arlberg-Kandahar (aujourd'hui Kandahar), organisée le 6-1-1911 à Montana (auj. Crans-Montana). K. de diamant attribué aux skieurs classés 5 fois dans les 3 premiers de la descente, du slalom ou du combiné (ou 4 fois si le palmarès comporte une victoire au combiné). James Couttet, François Bonlieu, Marysette Agnel et Karl Schranz ont remporté 2 fois le K de diamant.

■ **Enseignement. Épreuves de progression enfants. Flocon :** *1.* Chasse-neige glissé. *2.* Parcours de type nordique facile. *3.* Trace directe face à la pente. **1re étoile :** *1.* Trace directe en traversée simple. *2.* Pas tournants à la sortie d'une trace directe sur pente faible. *3.* Enchaînement de 7 ou 8 virages élémentaires sur un tracé coulé. **2e étoile :** *1.* Dérapage en biais contrôlé sur pente moyenne. *2.* Pas tournants vers l'amont. *3.* Descente technique sur pente moyenne en virages parallèles de base imposés par 4 à 5 piquets. Enchaînement terminé en ski libre. Note inférieure à 9, éliminatoire pour la descente. **3e étoile :** *1.* Slalom chronométré. Ouverture 20″ environ. Dénivelé 40 à 50 m, longueur 100 m. Trace simple. La note 0 correspond à un temps double de celui de l'ouvreur, 20 au temps de l'ouvreur. *2.* Trace directe 3e degré terminée par un dérapage frein. Descente technique en virages skis parallèles. Pente moyenne, virages imposés par 4 à 5 piquets et de rayons moyens. Enchaînement terminé ski libre (virages courts ou godille). Une note inférieure à 9 est éliminatoire.

Épreuves de performance. Tests des Écoles de ski français. Chamois de France (créé par Charles Diebold, 1897-1987) : *slalom.* Tracé 300 à 350 m. Dénivelé 150 à 200 m. Portes en fonction du profil du terrain. Temps de base min. 30″. % autorisé en + du temps de base : or 5, vermeil 15, argent 25, bronze 50, cabri 70. **Flèche :** *slalom géant :* tracé 700 à 800 m ; dén. 200 à 250 m ; portes 25 à 35 ; temps de b. 45″. % aut. : or 5, v. 15, a. 25, b. 50, fléchette 70. **Fusée :** *descente :* tr. 800 à 1 000 m ; dén. 200 à 300 m ; portes 15 à 20. T. de b. 40″ à 60″. % aut. : or 5, v. 10, a. 15, b. 30. **Vitesse de pointe :** tr. 300 à 500 m ; dén. 150 à 250 m ; petites pentes max. 40 %. Suivant le mode de chronométrage, vitesse appréciée instantanément sur 10 ou 100 m. **Ski** or, argent, bronze, réussir des performances dans 3 spécialités parmi : *chamois, flèche, fusée, lièvre, aiglon.*

■ **Règles.** Le skieur en aval a la priorité sur le skieur amont. Le stationnement est prohibé dans goulets, passages étroits, sous talus ou bosses.

SKI NORDIQUE

■ **Épreuves** (types). **Biathlon.** Comprend une course de fond (cross-country à ski) entrecoupée de 2 ou 4 séances de 5 tirs à la carabine. On ajoute au temps de la course 1 minute de pénalisation ou 1 tour de pénalisation (circuit de 150 m par tir manqué). *Types d'épreuves. Hommes :* 20 km individuel (4 tirs), 10 km sprint (2 tirs), 20 km par équipes (4 tirs), relais 4 × 7,5 km. *Dames :* 15 km ind. (4 tirs), 7,5 km ind. sprint (2 tirs).

Combiné nordique. Comprend une épreuve de saut (70 m) et une de fond (15 km). Les points acquis dans l'épreuve de saut donnent l'ordre et le handicap de départ pour l'épreuve de fond. Comprend aussi une épreuve de relais (saut 70 m, fond 3 × 10 km) et une épreuve de sprint (saut 70 m, fond 15 km, par équipes de 2).

Courses de fond. L'altitude ne peut dépasser 1 800 m et les dénivellations ne peuvent être excessives. Les concurrents partent toutes les 30 s et suivent un parcours délimité en luttant contre la montre. Pour les relais, tous les concurrents du 1er relais partent ensemble. Le classement s'effectue *aux temps.* Skis légers, étroits, sans carres, de conception moderne (fibre de verre et de carbone ; structure nid d'abeille). Le pied, moulé dans une chaussure souple et peu montante, est fixé uniquement par l'avant. Dep. 1985, 2 techniques : *classique :* pas alternatif, skis traditionnels fartés pour la retenue ; *libre :* pas de patineur, skis plus courts fartés pour la glisse et chaussures montantes.

Course de Vasa (89 km, Suède), commémore la piste suivie en 1520 par les Dalécarliens pour rejoindre le roi Gustav Vasa afin de lui demander de combattre les Danois et de rétablir l'indépendance de la Suède. *Créée* 1922. Réunit 12 000 concurrents. *Record :* 3 h 48'55" (Bengt Hassis 2-3-1986). En 1978, gagnée pour la 1re fois par un Fr. : J.-P. Pierrat. **Marcia Longa** (70 km, Italie, 7 500 concurrents). **Traversée du Vercors** (53 km, France) 2 000 concurrents par équipes de 2. **Foulée blanche** (3 courses : 7,20 et 42 km, de Méandre à Autrans, Isère). En *92,* sur 42 km : 1er Guy Balland. Env. 10 000 participants. *93* non disp. **Transjurassienne** (76 km, Lamoura-Mouthe). *92* Grandclément (Fr.) 3 h 24'09".

Marathon. 602,640 km en 45 h 45 mn : Chip Bennet (USA) les 18/19-4-1984. **Marathon des neiges.** Env. 300 km. *90* Toussuire en 8 h 32'38".

Raids. L'un des plus connus (ski de randonnée) est celui de la « *Haute Route* » qui relie en plusieurs journées Chamonix à Zermatt (Suisse).

■ **Piste de fond.** Préparée avec des engins spécifiques, elle doit être aménagée de façon la plus naturelle possible, avec des parties vallonnées, des montées et des descentes variées. Longueur, dénivelés et montées totales cumulées varient suivant âge et sexe.

■ **Enseignement. Tests des Écoles de ski français. Progression enfants. Flocon fond :** *1.* Marche, changement de direction en terrain plat, avec passages imposés et poussée simultanée. *2.* Trace directe 1er degré. *3.* Chasse-neige glissé. **1re étoile fond :** *1.* Marche glissée. *2.* Changements de direction entre quelques piquets sur pente faible, sans l'aide de bâtons. *3.* Trace directe 2e degré avec passage de creux et bosses, terminée par un chasse-neige. **2e étoile fond :** *1.* Petit circuit avec enchaînement, pas glissé, poussée simultanée, pas de un et changement de direction. *2.* 4 virages chasse-neige, enchaînés par deux changements de direction en pas tournants aval. *3.* Descente en trace directe en traversée. **3e étoile fond :** *1.* Petit circuit, enchaînements techniques, pas de un et deux, passage creux et bosses, changement de direction. *2.* Passage imposé de 4-6 portes en virage élémentaire. *3.* Pass. imp. en pas tournants, avec accélération et relance du mouvement (4 portes).

Progression adultes. Trace de France. Bronze : marche glissée. Trace directe 1er degré. Poussée simultanée. Changement de direction. Chasse-neige glissé. Montée en escalier. **Argent :** pas glissé. Poussée simultanée. Trace directe 2e degré. Descente en traversée. Changement de direction : pas tournant, virage chasse-neige. Montée en ciseaux. Pas de patineur. **Or :** pas alternatif en terrain plat, en montée. Pas de un, pas de deux. Passages creux et bosses. Descente 3e degré. Pas tournants. Dérapage. Virage élémentaire. Pas de patineur.

Épreuves de performance. Le Lièvre de France. *Hommes :* 2 boucles de 2,5 km (5 km). *Enfants* (de 15 ans) et *dames :* 2,5 km. *% autorisé en plus du temps de base.* Or 5, Vermeil 15, Argent 25, Bronze 50, Levrault 70, Blanchot 100.

Nota. – Dep. le 9-1-1985, pour faire du ski de fond en France, il faut être muni d'un badge destiné à financer l'aménagement des pistes.

■ Ski de saut

■ **Piste de saut.** Aménagée artificiellement. Comprend piste d'élan, tremplin, piste de réception et de dégagement (doit être homologuée par la FIS).

Types de tremplins. *Petits tremplins d'entraînement et d'exhibition :* permettant des sauts de 40-50-60 m. *Tremplins de 90 m-120 m :* officiels pour Coupe du Monde, JO et Ch. du Monde. *Géants de vol à skis :* permettant des sauts de 180 m et plus (record du monde (89) 195 m (tr. de Planika, Youg. ; Kulm, Autr. ; Obersdorf, Allem.). La FIS a limité les sauts à 10 % au-delà du point critique, limitant tous les records à 132 m.

■ **Épreuves.** Réservées aux hommes. Se disputent aux tremplins de 70 et 90 m. Un jury de 5 juges cote les sauts en fonction de leur longueur et du style. On retient les 2 meilleurs sauts de chaque concurrent.

■ **Enseignement. Tests des Écoles de ski français. Aiglon :** saut à skis sur un tremplin permettant de réaliser des sauts de base de 20 m environ. Réussir au moins 2 sauts sans chute sur les 3 autorisés. *% en moins du saut de base.* Or 10, Argent 25, Bronze 50. On doit être équilibré à la réception et jusqu'à l'entrée de l'aire de dégagement (plat d'arrêt). Poser ou toucher la neige avec 1 main ou 2 mains est considéré comme une chute et ne permet pas l'homologation de la distance (1 chute au virage d'arrêt n'entre pas en ligne de compte). L'usage des bâtons est proscrit.

■ Skiathlon

Triathlon des neiges. *Créé* 1985 par Jean-Loup Courtier. Ski alpin (10 000 m de descente), ski de fond (10 km) et course à pied (8 km).

Résultats

☞ **Jeux olympiques** (voir p. 1537).

Légende. – (1) All. (2) All. féd. (3) All. dém. (4) Autr. (5) Bulg. (6) Can. (7) Esp. (8) Finl. (9) Fr. (10) It. (11) Liech. (12) Norv. (13) Pol. (14) Austr. (15) St-Marin. (16) Suède. (17) Suisse. (18) Tchéc. (19) URSS. (20) USA. (21) Youg. (22) Lux. (23) Australie. (24) URSS dep. 91. (25) Japon.

■ Championnats du monde

Créés **1931. 1950** tous les 4 ans (2 ans après les JO). **1985** tous les 2 ans (années avant et après JO).

Ski alpin

■ **Messieurs. Descente. 48** Oreiller [9]. **50, 52** Colo [10]. **54** Pravda [4]. **56, 58** Sailer [4]. **60** Vuarnet [9]. **62** Schranz [4]. **64** Zimmermann [4]. **66, 68** Killy [9]. **70, 72** Russi [17]. **74** Zwilling [4]. **76** Klammer [4]. **78** Walcher [4]. **82** Weirather [4]. **85** Zurbriggen [17]. **87** Mueller [17]. **89** Tauscher [2]. **91** Heinzer [17]. **93** Lehmann [17], 2e Skaardl [12], 3e Kitt [20].

Slalom spécial. 48 Reinalter [17]. **50** Schneider G. [17]. **52** Schneider O. [4]. **54** Eriksen [12]. **56** Sailer [4]. **58** Rieder [4]. **60** Hinterseer [4]. **62** Bozon [9]. **64** Stiegler [4]. **66** Senoner [10]. **68** Killy [9]. **70** Augert [9]. **72** Fernandez-Ochoa [7]. **74** Thoeni [10]. **76** Gros [10]. **78, 82** Stenmark [16]. **85** Nilsson [16]. **87** Woerndl [2]. **89** Nierlich [4]. **91** Girardelli [22]. **93** Aamodt [12], 2e Girardelli [22], 3e Stangassinger [4].

Slalom géant. 50 Colo [10]. **52, 54** Eriksen [12]. **56, 58** Sailer [4]. **60** Staub [17]. **62** Zimmermann [4]. **64** Bonlieu [9]. **66** Périllat [9]. **68** Killy [9]. **70** Schranz [4]. **72, 74** Thoeni [10]. **76** Hemmi [17]. **78** Stenmark [16]. **82** Mahre [20]. **85** Wasmeier [2]. **87** Zurbriggen [17]. **89, 91** Nierlich [4]. **93** Aamodt [12], 2e Salzgeber [4], 3e Wallner [16].

Combiné alpin. 48 Oreiller [9]. **54** Eriksen [12]. **56, 58** Sailer [4]. **60** Périllat [9]. **62** Schranz [4]. **64** Leither [1]. **66, 68** Killy [9]. **70** Kidd [20]. **72** Thoeni [10]. **74** Klammer [4]. **76** Thoeni [10]. **78** Wenzel [11]. **82** Vion [9]. **85** Zurbriggen [17]. **87, 89** Girardelli [22]. **91** Eberharter [4]. **93** Kjus [12], 2e Aamodt [12], 3e Girardelli [22].

Super-géant. *Créé* 1987. **87** Zurbriggen [17]. **89** Hangel [17]. **91** Eberharter [4], 2e Aamodt [12], 3e Piccard [9]. **93** non disp.

■ **Dames. Descente. 48** Schlunegger [17]. **50, 52** Jochum [4]. **54** Schöpfer [17]. **56** Berthod [17]. **58** Wheeler [6]. **60** Biebl [1]. **62, 64** Haas [4]. **66** Schinegger [4] : a rendu sa médaille à M. Goitschel [9] en 1988. **68** Pall [4]. **70** Zryd [17]. **72** Nadig [17]. **74** Proell [4]. **76** Mittermaier [2]. **78** Moser-Proell [4]. **82** Sorensen [6]. **85** Figini [17]. **87, 89** Walliser [17]. **91** Kronberger [4]. **93** Pace [6], 2e Loedemel [12], 3e Haas [4].

Slalom spécial. 48 Frazer [20]. **50** Rom [4]. **52** Lawrence-Mead [20]. **54** Klecker [4]. **56** Colliard [17]. **58** Björnbakken [12]. **60** Heggtveit [6]. **62** Jahn [4]. **64** Goitschel [9]. **66** Famose [9]. **68** Goitschel [9]. **70** Lafforgue [9]. **72** Cochran [20]. **74** Wenzel [11]. **76** Mittermaier [2]. **78** Soelkner [4]. **82** Hess [17]. **85** Pelen [9]. **87** Hess [17]. **89** Svet [21]. **91** Schneider [17]. **93** Buder [4], 2e Parisien [20], 3e Eder [4].

Slalom géant. 50 Rom [4]. **52** Lawrence-Mead [20]. **54** Schmith-Couttet [9]. **56** Reichert [1]. **58** Wheeler [6]. **60** Ruegg [17]. **62** Jahn [4]. **64, 66** Goitschel [9]. **68** Greene [6]. **70** Clifford [6]. **72** Nadig [17]. **74** Serrat [9]. **76** Kreiner [6]. **78** Epple [2]. **82** Hess [17]. **85** Roffe [20]. **87, 89** Schneider [17]. **91** Wiberg [11]. **93** Merle [9], 2e Wachter [4], 3e Ertl [1].

Combiné alpin. 48 Beiser [4]. **54** Schöpfer [17]. **56** Berthod [17]. **58** Dänzer [17]. **60** Heggtveit [6]. **62, 64, 66** Goitschel [9]. **68** Greene [6]. **70** Jacot [9]. **72** Proell [4]. **74** Serrat [9]. **76** Mittermaier [2]. **78** Moser-Proell [4]. **82, 85, 87** Hess [17]. **89** McKinney [20]. **91** Bournissen [17]. **93** Vogt [1], 2e Street [20], 3e Wachter [4].

Super-géant. 87 Walliser [17]. **89, 91** Maier [4]. **93** Seizinger [1], 2e Eder [4], 3e Loedemel [12].

Ski nordique

■ **Messieurs. 10 km. 91** Langli [12]. **93** Kirchner [1]. **10 km classique. 93** Siversten [12]. **15 km libre. 91** Daehlie [12]. **15-18 km. 29** Saarinen [8]. **30** Rustadstuen [12]. **31** Gröttumsbraaten [12]. **33** Englund [16]. **34** Nurmela [8]. **35** Karppinen [8]. **37** Bergendahl [12]. **38** Pitkänen [8]. **39** Kurikkala [8]. **50** Astrom [16]. **54, 58** Hakulinen [8]. **62** Roennlund [16]. **66** Eggen [12]. **70** Aslund [12]. **74** Myrmo [12]. **78** Luszczek [13]. **82** Braa [12]. **85** Haerkonen [8]. **87** Albarello [10]. **89** style classique : Kirvesniemi [8], s. libre : Svan [16]. **91** (15 km classique) Elden [12]. **93 15 km** *style* Daehlie [12], *cl.* Elden [12]. **30 km. 78** Saveliev [19]. **82** Ericksson [16]. **85** Svan [16]. **87** Wassberg [16]. **30 km cl. 89** Smirnov [19]. **91** Svan [16]. **93** Daehlie [12]. **50 km. 50** Eriksson [16]. **54** Kuzin [19]. **58, 62** Jernberg [16]. **66** Eggen [12]. **70** Oikarainen [8]. **74** Crimmer [3]. **78** Lundbaeck [16]. **82** Wassberg [16]. **85** Svan [16]. **87** De Zolt [10]. **89** Svan [16]. **91, 93** Mogren [16].

Relais 4 × 10 km. 78 Suède. **82** URSS. **85** Norvège. **87, 89** Suède. **91** Norvège. **4 × 7,5 km. 93** It.

Saut. Grand tremplin 90 m. 62 Recknagel [2]. **66** Wvijola [12]. **70** Napalkov [19]. **74** Aschenbach [3]. **78** Raisanen [8]. **82** Nykaenen [8]. **85** Bergerud [12]. **87** Felder [4]. **89** Puikkonen [8]. **91** Kuttin [4]. **93** Bredesen [12]. **120 m. 91** Petek [21]. **Tremplin 70 m. 50** Bjornstad [12]. **54** Pietikainen [8]. **58** Karkinen [8]. **62** Engen [12]. **66** Wirkola [12]. **70** Napalkov [19]. **74** Aschenbach [3]. **78** Buse [3]. **82** Kogler [4]. **85** Weissflog [4]. **87** Parma [18]. **89** Weissflog [3]. **91** non disp. **93** Harada [25]. **Par éq. 82** Norv. **85, 87** Finl. **89, 91** Autriche.

Biathlon. 10 km *Créé* 1974. **74** Suutarinen [8]. **75** Kruglov [19]. **77** Tikhonov [19]. **78, 79, 81** Ulrich [3]. **82, 83** Kvalfoss [12]. **85** Roetsch [3]. **86** Medvetzev [19]. **87** Roetsch [3]. **89** Luck [3]. **90, 91, 93** Kirchner [3]. **20 km.** *Créé* 1958. **58** Wiklund [16]. **59** Melanin [19]. **61** Huuskonen [8]. **62, 63** Melanin [19]. **65** Jordet [12]. **66** Istad [12]. **67** Muratov [19]. **69, 70** Tikhonov [19]. **71** Speer [3]. **73** Tikhonov [19]. **74** Suutarinen [8]. **75, 77** Ikola [8]. **78** Lirhus [12]. **79** Siebert [3]. **81** Ikola [8]. **82, 83** Ulrich [3]. **85** Kaschkarov [19]. **86** Medvetsev [19]. **87** Roetsch [3]. **89** Kvalfoss [12]. **90** Medvestev [19]. **91** Kirchner [1]. **93** Zingerle [10]. **Par éq. 89** URSS. **90** All. dém. **91** It. **93** All. **Relais. 3 × 10 km. 91** Autr. **4 × 7,5 km. 66, 67** Norv. **69, 70, 71, 73, 74** URSS. **75** Finl. **77** URSS. **78, 79, 81, 82** All. dém. **83, 85, 86** URSS. **87, 89** All. dém. **90** Italie. **91** All.

Combiné. 50 Hasu [8]. **54** Sternersen [12]. **58** Korhonen [8]. **62** Larsen [12]. **66** Kaelin [13]. **70** Rygl [18]. **74** Legiersky [13]. **78** Winkler [3]. **82** Sandberg [12]. **85** Weinbuch [2]. **87** Loekken [12]. **89** Elden [12]. **91** Lundberg [12]. **93** Ogiwara [25]. **Par éq. 82** All. dém. **85, 87** All. féd. **89** Norvège. **91** Autr. **93** Japon.

■ **Dames. 5 km. 62** Koltchina [19]. **66** Boyarskikh [19]. **70, 74** Kulakova [19]. **78** Takalo [8]. **82** Aunli [12]. **85** Boe [12]. **87** Matikainen [8]. **Dep. 89** supprimé. **5 km classique. 91** Dybendah [12]. **93** Lazutina [24]. **10 km. 62, 66** Koltchina [19]. **70** Oljunina [19]. **74** Kulakova [19]. **78** Amosova [19]. **82** Aunli [12]. **85** Boe [12]. **87** Jahren [12]. **89, 91** Vialbe [19]. **93** Belmondo [10]. **15 km cl. 93** Vialbe [19].

Classique 89 Kirvesniemi [8]. **91** Dybendah [12]. **15 km classique.** *Créé* 1989. **89** Matikainen [8]. **91** Vialbe [19]. **20 km. 78** Amosova [19]. **82** Smetanina [19]. **85** Nykkelmo [12]. **87** Westin [16]. **Dep. 89 30 km. 89** Vialbe [19]. **91** Egorova [19]. **93** Belmondo [10]. **Relais 3 × 5 km. 54, 58, 62, 66** URSS. **4 × 5 km. 70, 74** URSS. **78** Finlande. **82** Norvège. **85, 87** URSS. **89** Finlande. **91** URSS. **93** Russie. **4 × 5 km. 93** Russie. **4 × 7,5 km. 93** Tchéc.

Biathlon. 5 km. *Créé* 1984. **84** Chernyshova [19]. **85** Grönlid [12]. **86** Parve [19]. **87** Golovina [19]. **88** Schaar [2]. **Puis 7,5 km. 89, 90** Evelbakk [12]. **91** Nykkelmo [12]. **93** Bedard [6]. **Ind. 10 km.** *Créé* 1984. **84** Chernyshova [19]. **85** Parve [19]. **86** Korpela [16]. **87** Grölind [12]. **88** Elvebakk [12]. **Puis 15 km. 89** Schaaf [2]. **90** Davydova [19]. **91, 93** Schaaf [1]. **Par éq. 15 km. 89, 90, 91** URSS. **93** France. **Relais. 3 × 5 km. 84, 86, 87, 88, 89** URSS. **Puis 3 × 7,5 km. 90, 91** URSS.

■ Coupe du monde

Créée 11-8-1966 (1re 1967). Classement aux points.

Ski alpin

■ **Classement général. Messieurs. 67, 68** Killy [9]. **69, 70** Schranz [4]. **71, 72, 73** Thoeni [10]. **74** Gros [10]. **75** Thoeni [10]. **76, 77, 78** Stenmark [16]. **79** Luescher [17]. **80** Wenzel [11]. **81, 82, 83** Mahre [20]. **84** Zurbriggen [17]. **85, 86** Girardelli [22]. **87, 88** Zurbriggen [17]. **89** Girardelli [22]. **90** Zurbriggen [17]. **91** Girardelli [22]. **92** Accola [10]. **93** Girardelli [22], 2e Aamodt [12], 3e Heinzer [17]. **Dames. 67, 68** Greene [6]. **69** Gabl [4]. **70** Jacot [9]. **71 à 75** Moser-Proell [4]. **76** Mittermaier [2]. **77** Morerod [17]. **78** Wenzel [11]. **79** Moser-Proell [4]. **80** Wenzel [11]. **81** Nadig [17]. **82** Hess [17]. **83** Mc Kinney [20]. **84** Hess [17]. **85** Figini [17]. **86, 87** Walliser [17]. **88** Figini [17]. **89** Schneider [17]. **90, 91, 92** Kronberger [4]. **93** Wachter [4], 2e Seizinger [1], 3e Merle [9].

■ **Classement par disciplines. Messieurs. Descente : 67** Killy [9]. **68** Nenning [4]. **69, 70** Schranz [4]. **71, 72** Russi [17]. **73, 74** Collombin [17]. **75 à 78** Klammer [4]. **79, 80** Mueller [17]. **81** Weirather [4]. **82** Podborski [6]. **83** Klammer [4]. **84** Raeber [17]. **85** Hoeflehner [4]. **86** Wirnsberger [4]. **87, 88** Zurbriggen [17]. **89** Girardelli [22]. **90** Hœflehner [4]. **91, 92, 93** Heinzer [17].

Slalom spécial. 67 Killy [9]. 68 Giovanoli [17]. 69 Augert [9]. 70 Russel [9]. 71, 72 Augert [9]. 73, 74 Thoeni [10]. 75 à 81 Stenmark [16]. 82 Mahre [20]. 83 Stenmark [16]. 84, 85 Girardelli [22]. 86 Petrovic [21]. 87 Krizaj [21]. 88 Tomba [10]. 89, 90 Bittner [2]. 91 Girardelli [22]. 92 Tomba [10]. 93 Fogdoe [16].

Slalom géant. 67, 68 Killy [9]. 69 Schranz [4]. 70 Thoeni [10]. 71 Russel [9]. 72 Thoeni [10]. 73 Hinterseer [4]. 74 Gros [10]. 75, 76 Stenmark [16]. 77 Hemmi [17]. 78 à 81 Stenmark [16]. 82, 83 Mahre [20]. 84, 85 Girardelli [22]. 86 Gaspoz [17]. 87 Zurbriggen [17]. 88 Tomba [10]. 89, 90 Furuseth [12]. 91, 92 Tomba [10]. 93 Aamodt [12].

Combiné. 75 Thoeni [10]. 76 Tresch [17]. 77 Ferstl [3]. 78 non couru. 79 Lüscher [17]. 80 à 83 Mahre [20]. 84, 85 Wenzel [11]. 86 Wassmeier [2]. 88 (pas de classement officiel) Strolz (plus de pts). 89, 90 non disp. 91 Girardelli [22]. 92 Accola [10].

Super-géant. *Créé* 1986. 86 Wassmeier [2]. 87, 88, 89, 90 Zurbriggen [17]. 91 Heinzer [17]. 92 Accola [10]. 93 Aamodt [12].

■ **Dames. Descente :** 67 Goitschel [9]. 68 Mir [9] et Pall [4]. 69 Drexel [4]. 70 Mir [9]. 71 à 75 Moser-Proell [4]. 76, 77 Totschnig [4]. 78, 79 Moser-Proell [4]. 80, 81 Nadig [17]. 82 Gros-Gaudenier [9]. 83 de Agostini [17]. 84 Walliser [17]. 85 Figini [17]. 86 Walliser [17]. 87, 88, 89 Figini [17]. 90 Gutensohn-Knopf [2]. 91 Bournissen [17]. 92 Kronberger [4]. 93 Seizinger [1].

Slalom spécial. 67, 68 Goitschel [9]. 69 Gabl [4]. 70, 71, 72 Lafforgue [9]. 73 Émonet [9]. 74 Zechmeister [2]. 75 Morerod [17]. 76 Mittermaier [2]. 77 Morerod [17]. 78 Wenzel [11]. 79 Sackl [4]. 80 Pelen [9]. 81 à 83 Hess [17]. 84 Mc Kinney [20]. 85 Figini [17]. 86 Steiner [4]. 87 Schmidhauser [17]. 88 Steiner [4]. 89, 90 Schneider [17]. 91 Kronberger [4]. 92, 93 Schneider [17].

Slalom géant. 67, 68 Green [6]. 69 Cochran [20]. 70 Jacot [9] et Macchi [9]. 71, 72 Moser-Proell [4]. 73 Kaserer [4]. 74 Wenzel [11]. 75 Moser-Proell [4]. 76 à 78 Morerod [17]. 79 Kinshofer [2]. 80 Wenzel [11]. 81 Mc Kinney [20]. 82 Epple [2]. 83 Mc Kinney [20]. 84 Hess [17]. 85 Kiehl [2]. 86, 87 Schneider [17]. 88 Svet [21]. 89 Schneider [17]. 90 Wachter [4]. 91 Schneider [17]. 92, 93 Merle [9].

Combiné. 75 Moser-Proell [4]. 76 Mittermaier [2]. 77 Wenzel [11]. 79 Moser-Proell [4]. 80 Wenzel [11]. 81 Nadig [17]. 82 Epple [2]. 83 Wenzel [11]. 85 Oertli [17]. 86, 87 Walliser [17]. 88 (comme les Messieurs) Steiner [4]. 89, 90 non disp. 91 Kronberger [4]. 92 Gimther [17].

Super-géant. 86 Kiehl [2]. 87 Walliser [17]. 88 Figini [17]. 89, 90, 91, 92 Merle [9]. 93 Seizinger [1].

Ski nordique

Ski de fond. *Créé* 1982. **Messieurs.** 82 Koch [20]. 83 Zavialov [19]. 84 à 86 Svan [16]. 87 Mogren [16]. 88, 89 Svan [16]. 90 Ulvang [12]. 91 Smirnov [19]. 92, 93 Daehlie [12]. **Dames.** 82 Aunli [12]. 83 Hamalainen [8]. 86 à 88 Matikainen [8]. 89 Vialbe [19]. 90 Lazutina [19]. 91, 92 Vialbe [19]. 93 Egorova [24].

Saut à skis. Messieurs. 80 Neuper [14]. 81, 82 Kogler [14]. 83, 86 Nykaenen [8]. 87 Opaas [12]. 88 Nykaenen [8]. 89 Bokloev [16]. 90 Nikkola [8]. 91 Felder [4]. 92 Nieminen [8]. 93 Goldberger [4].

Combiné. Messieurs. 86 Weinbuch [2]. 87 Loekken [12]. 88 Sulzenbacher [4]. 89 Bredesen [12]. 90 Sulzenbacher [4]. 91 Lundberg [12]. 92 Guy [9]. 93 Ogiwara [25].

Biathlon. Messieurs. 77 Tikhonov [19]. 78 Ulrich [3]. 79 Siebert [3]. 80 à 82 Ulrich [3]. 83 Angerer [2]. 84, 85 Roetsch [3]. 86 Schmisch [4]. 87 Roetsch [3]. 89 Kvalfoss [12]2. 90, 91 Tchepikov [19]. 92 Tyldum [12]. 93 Löfgren [16]. **Dames.** 88 Elvebakk [12]. 89 Golovina [19]. 90 Adamichkova [19]. 91 Davidova [19]. 92, 93 Restzova [24].

■ Coupe d'Europe

Ski alpin

Créée 1972.

Messieurs. 1972 Pegorari [10]. 73 Radici [10]. 74 Witt-Dorring [4]. 75 Amplatz [10]. 76 Conforfola [10]. 77 Popangelov [5]. 78 David [4]. 79 Halsnes [12]. 80 Kerschbaumer [10]. 81 Riedelsperger [4]. 82 Strolz [4]. 83 Johnson [20]. 84 Koelbichler [4]. 85 Genolet [17]. 86 Nierlich [4]. **Dames.** 1972 Serrat [9]. 73 Couttet [9]. 74 Matous [15]. 75 Kuzmanoga [18]. 76 Hauser [4]. 77 Konzett [11]. 78 Loike [4]. 79 Dahlum [12]. 80 Gfrerer [4]. 81 Haight [6]. 82 Stolz [2]. 83 Gruenigen [17]. 84 Wachter [4]. 85 Buder [4]. 86 Bournissen [17].

■ Championnats de France

Ski alpin

■ **Messieurs. Slalom spécial.** 81 Fontaine. 82 Tavernier. 83, 84 Bouvet. 85 Gaidet. 86 Bouvet. 87 Pieri. 88 Bouvet. 89 Simond. 90 Bianchi. 91 Schmidt. 92 Bianchi. 93 Dimier, 2e Simond, 3e Amiez.

Slalom géant. 81 Lamotte. 82 Perez-Villanueva (Esp.) et Hirt (All. féd.). 83 à 85 Tavernier. 86 Gaidet. 87, 88 Tavernier. 89 Noviant. 90 Duvillard. 91 Feutrier. 92 Gentina. 93 F. Piccard, 2e I. Piccard, 3e Dimier.

Descente. 81 Vion. 82 Verneret. 83 Vuilliet. 84 Vion. 85 Alphand. 86 Rey. 87 Alphand. 88 Duvillard. 89, 90 Alphand. 91 Crétier. 92 non disp. 93 Crétier, 2e Plé, 3e Duvillard.

Super-géant. 87 Piccard. 88 Alphand. 89 Crétier. 90 Noviant. 91 Saioni. 92 Duvillard. 93 Duvillard, 2e Crétier, 3e Vidal.

Combiné. 87, 88 Alphand. 89 Schiele. 93 Crétier.

■ **Dames. Slalom spécial.** 80, 81, 82, 83 Pelen. 84 Guignard. 85, 86 Pelen. 87 M. Mogore-Tlalka. 88 P. Chauvet. 89, 90 Filliol. 91 Masnada. 92 Masnada. 93 Fabre, 2e de Pourtalès, 3e Schielé.

Slalom géant. 81 Serrat. 82 Barbier. 83 Serrat. 84 Barbier. 85 Merle. 86 Pelen. 87 Merle. 88, 89 Quittet. 90 Chedal. 91 Masnada. 92 Guignard. 93 Piccard, 2e Cavagnoud, 3e Merle.

Descente. 81, 82 Gros-Gaudenier. 83 Waldemeier. 84 Gros-Gaudenier. 85 Emonet. 86 Quittet. 87 Merle. 88 Filliol. 89 Bouvier. 90 Chedal. 91 Cavagnoud, 2e Masnada, 3e Gatel. 92, 93 non disp.

Super-géant. 88, 89 Quittet. 90 Merle. 91 Masnada. 92 Montillet. 93 Cavagnoud, 2e Montillet, 3e Suchet.

Combiné. 87 Merle. 88 Quittet. 89 Cavagnoud. 91 Masnada.

Ski nordique

■ **Messieurs. 10 km.** 91, 92, 93 Rémy. **15 km.** 77 à 82 Pierrat. 83 Durand-Poudret. 84 D. Locatelli. 85 Jaussaud. 86 Locatelli. 87 Pierrat. 88 Thomas. 89 Rémy. 90 Balland. 91 Azambre. 92 Balland. **30 km.** 77 à 82 Pierrat. 83 Henriet. 84 Locatelli. 85 Jaussaud. 86 Poirot. 87 Pierrat. 88 Remy. 89, 90 Pierrat. 91, 92, 93 Rémy. **50 km.** 79 à 82 Pierrat. 83 Henriet. 84 Locatelli. 85 Locatelli et Pierrat (ex æquo). 86 Grandclément. 87 Pierrat. 88 Balland. 89 Locatelli. 90 Pierrat. 91, 92 Balland. 93 Azambre.

Relais 4 × 10 km. 81 Vosges (Thierry, Reichenbach, Badonnel, Pierrat). 82 Vosges (Badonnel, Poirot, Reichenbach, Pierrat). 84, 85 Dauphiné (Rousset, Durand-Poudret, Bonthoux, Locatelli). 86 Dauphiné (Saillet, Bonthoux, Bulle, Locatelli). 87 Vosges (Bonthoux, Azambre, Bulle, Locatelli). 88 Jura (Reymond, Ferreux, Balland, Tinguely). 89 Vosges (Humber, Rémy, Guy, Pierrat). 90 Jura I (Ferreux, G. et H. Balland, Grandclément). 91 Vosges. 92 Jura I (Grandclément, Sanchez, G. et H. Balland).

Saut grand tremplin (90 m). 81 Guillaume. 84 F. Trèves. 85 Colin (70 m). 85 Colin. 86 Berger. 87 Girard. 89 Mollard. 90 non disp. 91 Arpin. **Saut spécial. Ind.** 93 Jean-Prost. **Éq.** 93 Savoie.

Combiné. 88 Guillaume. 89 Guy. 90 non disp. 91 Repellin. 92, 93 Guy.

■ **Dames. 5 km.** 90, 91, 92, 93 Mancini. **10 km.** 77, 78 Subot. 79, 80 Dabudyck. 81 à 84 Subot. 85 Galland. 86 Frasse-Sombet. 87, 88 Mancini. 89 Giry. 90 Mancini. 91 Villeneuve. 92, 93 Mancini. **15 km.** 91 Mancini. **20 km.** 81, 82, 83 Subot. 84 Gindre. 85 Galland. 86, 87 Claude. 88, 89, 90 (30 km) Mancini. 91 Guilbaud. 92 Giry-Rousset. 93 Villeneuve.

Relais. 3 × 5 km. 81 Dauphiné (Bernard, Devaux, Subot). 82 Mt-Blanc (Missillier, Robert, Dabudyck). 83 Dauphiné. 84 Mt-Blanc (Missillier, Ruel, Dabudyck). 85 Vosges I (Claudel, Claude, Didier-Laurent). 86 Jura (Gindre, Frasse-Sombet, Mancini). 87 Alpes de Provence (Grenier, Briand, Claret). 88 Jura (Gindre, Galland, Mancini). 89 Dauphiné (Villeneuve, Giry, Doussière). **4 × 5 km.** 90 Dauphiné I (Doussière, Villeneuve, Giry, Geymond). 91 Dauphiné. 92 Dauphiné (Doussière, Giry-Rousset, Geymond, Villeneuve).

■ **Biathlon. Messieurs. 10 km.** 85 Epp. 86, 87 Mougel. 88 Claudon. 89, 90, 91 Flandin. 92 Bouthiaux. **15 km.** 90 Flandin. **20 km.** 85 Epp. 86, 87, 88 Claudon. 89 Gerbier. 90 Laurent. 91 Flandin. 92, 93 Bailly-Salins. **Relais 3 × 7,5 km.** 85, 87 Vosges. 89 Savoie.

Dames. 7,5 km. 85, 87, 88, 89, 90, 91 Claudel. 92 Niogret. **10 km.** 88, 89, 90, 91 Claudel. 92 Niogret. **15 km.** 93 Niogret.

■ Stations de sports d'hiver

■ En France

Station la plus basse. St-Maurice/Moselle (Vosges) 550 m. **Les plus hautes.** Tignes 2 100, La Plagne 2 100, Val-Thorens 2 050, Montgenèvre 1 850, Avoriaz 1 800, Isola 1 800. **La plus longue descente sur piste balisée.** Alpe-d'Huez : piste du glacier de Sarenne (16 km).

Nombre de lits (1993, en milliers). La Plagne 45, Megève 43, Chamonix 56, Courchevel 32, Alpe-d'Huez 32, Tignes 30, 2-Alpes 30, Serre-Chevalier 30, Méribel 28, Les Arcs 28, Val-d'Isère 25, Les Ménuires 22, Villard-de-Lans 20, St-Lary-Soulan 19, La Clusaz 19, Val-Thorens 18, St-Gervais 18, Font-Romeu 18.

Équipement 1993 (101 stations adhérant à l'Association des maires de stations françaises de sports d'hiver). *Légende :* altitude en m (station point bas et plus haute remontée), nombre de pistes de + de 300 m de dénivelée, km de pistes de fond, nombre de remontées.

Les Aillons (S.) 950-1 850 m, 27 p., 50 km, 23 ts. *Allos-le-Seignus* (A.-H.-P.) 1 400-2 425 m, 20 p., 25 km, 12 ts. *Alpe-d'Huez* (I.) 1 450-3 350 m, 106 p., 40 km, 87 ts. *Alpe du Grand-Serre* (I.) 1 400-2 200 m, 32 p., 20 km, 20 ts. *Les Arcs* (S.) 1 600-3 326 m, 112 p., 15 km, 79 ts. *Arèches-Beaufort* (S.) 780-2 100 m, 23 p., 43 km, 13 ts. *Auris-en-Oisans* (I.) 1 600-2 175 m, 19 p., 15 km, 14 ts. *Auron* (A.-M.) 1 600-2 450 m, 44 p., 4 km, 27 ts. *Aussois* (S.) 1 500-2 750 m, 20 p., 10 km, 11 ts. *Autrans* (I.) 1 050-1 670 m, 16 p., 160 km, 15 ts. *Avoriaz* (H.-S.) 1 750-2 460 m, 35 p., 40 km, 40 ts. *Ax-les-Thermes* (A.) 720-2 400 m, 26 p., 17 ts. *Barèges* (H.-P.) 1 250-2 340 m, 28 p., 31 km, 25 ts. *Bellecombe* (S.) 1 150-2 030 m, 30 p., 8 km, 17 ts. *Bessans* (S.) 1 740-2 200 m, 4 p., 80 km, 4 ts. *Beuil-les-Launes* (A.-M.) 1 400-2 000 m, 16 p., 50 km, 8 ts. *Le Bonhomme* (V.) 830-1 235 m, 11 p., 83 km, 11 ts. *Bonneval-sur-Arc* (S.) 1 800-3 000 m, 21 p., 10 ts. *La Bresse-Hohneck* (V.) 900-1 350 m, 38 p., 41 km, 30 ts. *Briançon* (H.-A.) 1 200-2 800 m, 18 p., 11 ts. *Les Carroz* (H.-S.) 1 140-2 480 m, 34 p., 64 km, 17 ts. *Cauterets-Lys* (H.-P.) 1 000-2 350 m, 23 p., 25 km, 18 ts. *Chamonix* (H.-S.) 1 035-3 840 m, 64 p., 40 km, 45 ts. *Chamrousse* (I.) 1 650-2 255 m, 36 p., 55 km, 27 ts. *Châtel* (H.-S.) 1 200-2 200 m, 47 p., 30 km, 47 ts. *La Clusaz* (H.-S.) 1 100-2 600 m, 75 p., 60 km, 56 ts. *Le Collet-d'Allevard* (I.) 1 450-2 100 m, 24 p., 12 km, 13 ts. *Combloux* (H.-S.) 900-1 850 m, 31 p., 15 km, 25 ts. *Les Contamines* (H.-S.) 1 165-2 500 m, 34 p., 25 km, 25 ts. *Le Corbier* (S.) 1 500-2 260 m, 14 p., 25 km, 23 ts. *Courchevel* (S.) 1 100-2 707 m, 92 p., 50 km, 68 ts. *Crest-Voland-Cohennoz* (S.) 1 150-1 650 m, 26 p., 7 km, 17 ts. *Les Deux-Alpes* (I.) 1 650-3 600 m, 75 p., 20 km, 64 ts. *Flaine* (H.-S.) 1 575-2 500 m, 46 p., 10 km, 31 ts. *Flumet* (S.) 1 000-2 030 m, 20 p., 25 km, 11 ts. *Font-Romeu* (P.-O.) 1 550-2 200 m, 29 p., 50 km, 28 ts. *La Foux-d'Allos* (A.-H.-P.) 1 800-2 600 m, 38 p., 2 km, 22 ts. *Gérardmer* (V.) 770-1 150 m, 29 p., 38 km, 23 ts. *Les Gets* (H.-S.) 1 170-2 002 m, 61 p., 25 km, 56 ts. *Gourette* (P.-A.) 1 400-2 400 m, 37 p., 23 ts. *Le Grand-Bornand* (H.-S.) 1 000-2 100 m, 42 p., 50 km, 40 ts. *Gresse-en-Vercors* (I.) 1 205-1 800 m, 20 p., 68 km, 16 ts. *Les Houches* (H.-S.) 1 010-1 900 m, 19 p., 35 km, 15 ts. *Isola 2 000* (A.-M.) 1 800-2 610 m, 44 p., 5 km, 23 ts. *Les Karellis* (S) 1 600-2500 m, 25 p., 40 km, 18 ts. *Lans-en-Vercors* (I.) 1 020-1 880 m, 19 p., 90 km, 16 ts. *Luz-Ardiden* (H.-P.) 710-2 450 m, 32 p., 5 km, 19 ts. *Méaudre* (I.) 1 000-1 600 m, 17 p., 95 km, 10 ts. *Megève* (H.-S.) 1 113-2 350 m, 60 p., 65 km, 42 ts. *Les Menuires* (S.) 1 800-2 850 m, 62 p., 28 km, 54 ts. *Méribel* (S.) 1 450-2 910 m, 73 p., 33 km, 47 ts. *Métabief* (D.) 880-1 430 m, 30 p., 250 km, 33 ts. *Mijoux-Lelex-La Faucille* (Ain) 900-1 680 m, 33 p., 180 km, 29 ts. *Montgenèvre* (H.-A.) 1 860-2 680 m, 39 p., 25 km, 24 ts. *La Mongie* (H.-P.) 1 800-2 500 m, 34 p., 30 ts. *Le Mont-Dore* (P.-de-D.) 1 050-1 850 m, 29 p., 30 km, 19 ts. *Morillon* (H.-S.) 700-2 200 m, 15 p., 70 km, 8 ts. *Morzine-Avoriaz* (H.-S.) 1 000-2 460 m, 73 p., 60 km, 70 ts. *La Norma* (S.) 1 350-2 750 m, 25 p., 6 km, 18 ts. *Orcières-Merlettes* (H.-A.) 1 450-2 650 m, 46 p., 97 km, 30 ts. *Les Orres* (H.-A.) 1 550-2 770 m, 34 p., 40 km, 23 ts. *Peisey-Vallandry* (S.) 1 300-2 400 m, 23 p., 43 km, 16 ts. *Peyragudes* (H.-P.) 1 600-2 400 m, 35 p., 16 ts. *Piau-Engaly* (H.-P.) 1 850-2 500 m, 35 p., 21 ts. *La Plagne* (S.) 1 250-3 250 m, 119 p., 96 km, 112 ts. *Pralognan-la-Vanoise* (S.) 1 410-2 360 m, 20 p., 25 km, 14 ts. *Pra-Loup* (A.-H.-P.) 1 500-2 500 m, 28 p., 10 km, 33 ts. *Praz-de-Lys/Sommand* (H.-S.) 650-1 800 m, 43 p., 82 km, 21 ts. *Praz-sur-Arly* (H.-S.) 1 036-1 900 m, 20 p., 25 km, 14 ts. *Puy-St-Vincent* (H.-A.) 1 400-2 700 m, 25 p., 15 km, 15 ts. *Risoul* (H.-A.) 1 850-2 750 m, 107 p., 66 km, 54 ts. *La Rosière* (S.) 1 100-2 400 m, 33 p., 12,5 km, 18 ts. *Les Rousses* (J.) 1 100-1 680 m, 43 p., 220 km, 40 ts. *St-François Longchamp* (S.) 1 350-2 550 m, 32 p., 17 ts. *St-Gervais* (H.-S.) 850-2 350 m, 51 p., 38 km, 38 ts. *St-Lary-Soulan* (H.-P.) 830-2 450 m, 36 p., 15 km, 31 ts. *St-Maurice-sur-Moselle* (V.) 550-1 250 m, 11 p., 50 km, 8 ts. *St-Pierre-de-Chartreuse* (I.) 900-1 800 m, 19 p., 50 km, 14 ts. *Les Saisies* (S.) 1 600-1 950 m, 21 p., 90 km, 24 ts. *Samoëns* (H.-S.) 720-2 480 m, 30 p., 70 km, 17 ts. *Le Sauze* (A.-H.-P.) 1 400-2 440 m, 35 p., 15 km, 24 ts. *Les 7-Laux* (I.) 1 350-2 400 m, 54 p., 36 km, 35 ts. *Serre-Chevalier* (H.-A.) 1 200-2 800 m, 94 p., 45 km, 67 ts. *Superbagnères-Luchon* (H.-G.) 630-2 260 m, 23 p., 30 km, 17 ts. *Superbesse* (P.-de-D.) 1 050-1 850 m, 27 p., 95 km, 21 ts. *Superdévoluy* (H.-A.) 1 455-2 510 m, 61 p., 44 km, 31 ts. *Superlioran* (C.) 1 160-1 850 m, 40 p., 25 km, 24 ts. *Thollon-les-Memises* (H.-S.) 950-1 960 m, 14 p., 50 km, 18 ts. *Tignes* (S.) 1 550-3 650 m, 61 p., 16 km, 51 ts. *La Toussuire* (S.) 1 450-2 400 m, 26 p., 25 km, 18 ts. *Valberg* (A.-M.) 1 650-2 025 m, 48 p., 50 km, 27 ts. *Val-Cenis* (H.-S.) 1 400-2 800 m, 31 p., 50 km, 23 ts. *Val-Fréjus* (S.) 1 500-2 730 m, 20 p., 2 km, 13 ts. *Val-d'Isère* (S.) 1 850-3 550 m, 67 p., 15 km, 50 ts. *Valloire* (S.) 1 430-2 600 m, 85 p., 40 km, 33 ts. *Valmeinier* (S.) 1 500-2 575 m, 85 p., 40 km, 33 ts. *Valmorel* (S.) 1 400-2 550 m, 51 p., 20 km, 29 ts. *Val-Thorens* (S.) 2 300-3 300 m, 55 p., 3 km, 31 ts. *Vars* (H.-A.) 1 650-2 750 m, 107 p., 66 km, 54 ts. *Ventron* (V.) 630-1 200 m, 10 p., 15 km, 8 ts. *Villars-de-Lans* (I.) 1 050-2 170 m, 37 p., 150 km, 37 ts.

Nota. – A. : Ariège. A.-H.-P. : Alpes-de-Hte-Provence. A.-M. : Alpes-Mar. C. : Cantal. D. : Doubs. H.-A. : Htes-Alpes. H.-G. : Hte-Garonne. H.-P. : Htes-Pyrénées. H.-R. : Haut-Rhin. H.-S. : Hte-Savoie. I. : Isère. J. : Jura. P.-A. : Pyrénées-Atlantiques. P.-de-D. : Puy-de-Dôme. P.-O. : Pyrénées-Orientales. S. : Savoie. V. : Vosges.

En Europe

Légende : nom de la station en italique, altitude en m entre parenthèses, pistes balisées en km.

Allemagne. *Berchtesgaden* (530-1 800) 28,5. *Garmisch-Partenkirchen* (708-2 964) 60. **Autriche.** *Badgastein* (1 083-2 246) 70. *Igls* (900-2 247) 14. *Innsbruck* (579-2 343). *Kitzbühel* (800-2 000) 90. *St Anton* (1 304-2 811) 70. *Zell am See* (757-2 000) 60. **Italie.** *Cervinia-Breuil* (2 050-3 500). *Cortina* (1 224-3 243) 100. *Courmayeur* (1 224-3 456). *Ortisei* (1 236-2 450). **Suisse.** *Anzère* (1 500-2 420) 30. *Arosa* (1 750-2 639) 65. *Crans-sur-Sierre* (1 500-3 000) 150. *Davos* (1 560-2 844) 303. *Gstaad* (1 100-3 000). *Montana-Vermala* (1 500-3 000) 50. *St-Cergue* (1 050-1 680) 12. *Saint-Moritz* (1 856-3 303) 380. *Verbier* (1 500-3 023) 100. *Villars* (1 300-2 200) 50. *Zermatt* (1 620-3 500) 120.

Divers

Accidents. Ski : *1985-86 :* 18 000 (pour 6 500 000 skieurs, soit 0,03 %). 40 % d'entorses. 50 % de collisions. *Morts* (1986-87) : 24 dont 21 randonneurs.

Remontées mécaniques : 1961-*29-8 :* un avion à réaction coupe le câble de la télécabine de la vallée Blanche, 6 †, 25 personnes bloquées des h au-dessus du vide. **1962**-*18-3 :* rupture du bras reliant la benne au câble à La Clusaz, le j de la mise en marche, 35 blessés. **1965**-*25-12 :* une benne s'ouvre au Puy-de-Sancy, 6 †, 12 blessés. **1972**-*13-7 :* Betten-Bettmerald (Suisse) : 13 †. *25-10 :* 2 bennes se heurtent en cours d'essai aux Deux-Alpes, 9 †. **1976**-*11-3 :* Cavalese (It.), rupture d'un câble porteur : 42 †. **1986**-*27-12 :* Les Orres (Htes-A.) chute de 2 cabines, 36 bl., rupture tête de pylône. **1987**-*1-3 :* Luz-Ardiden (Htes-Pyr.) rupture massif d'ancrage en béton d'un pylône d'arrivée, 6 †, 87 bl. **1989**-*13-1 :* Vaujany (Isère) 8 †, chute cabine en cours d'essais. **1990**-*1-6 :* Tiflis (Géorgie) 15 †, 45 bl., rupture câble.

Canon à neige. Groupe de motopompes et de ventilateur ou de compresseur d'air. La neige est obtenue par la pulvérisation de l'eau qui se cristallise au contact de l'air à – 3 °C. Rendement en fonction de la température, de l'hygrométrie et du système utilisé : en une heure, couche de 10 cm d'épaisseur sur 100 m² pour – 2 °C ; 300 m² pour – 10 °C. *Coût (1989) :* 70 000 F. *Nombre (1989) :* 694. *Puissance installée (1991) :* 58 371 Kw/h.

Domaine skiable (km²) **et,** entre parenthèses, **enneigement par an** (j). USA 9 500 (100), *France 1 950 (170),* Italie 1 350 (150), Autriche 1 050 (160), Suisse 950 (160), All. féd. 450 (160), Canada n.c. (180).

En 1990, dans les Alpes françaises, 41 000 pistes (soit 120 000 km).

Pistes. Les + longues : *12,23 km :* Weissfluhjoch-Küblis à Davos (Suisse). *20,9 km* (hors piste) : de l'aiguille du Midi à Chamonix, vallée Blanche. **Descente la + raide :** Pierre Tardivel en 1990, face N. des Courtes (Chamonix).

Professions du ski en France. 250 bureaux écoles du ski français, 50 centres de collectivités, 11 000 moniteurs dont 850 monitrices d'enfants, 500 moniteurs guides et 150 entraîneurs, 14 500 employés aux pistes et aux remontées mécaniques.

Randonnée. En 63 j (9/3-11/5-1986), le docteur Jean-Louis Étienne (n. 1947) va seul mais avec assistance radio et avion à skis de l'île de Ward Hunt au pôle Nord (750 km) en tirant un traîneau de 50 kg.

Records. Saut : *194 m :* Piotr Fijas (Pol.) le 14-3-87 à Planica (Youg.). *110 m :* Tiina Lehtola (Finl.) le 29-3-1981 à Ruka (Finl.).

Vitesse moyenne en course : Egon Schopf (Autr.) 1948 sur la Marmolada (Italie) 96,264 km/h. Léo Lacroix (Fr.) 1966 à Courchevel 98,820 km/h. J.-C. Killy (Fr.) 1966 à Portillo 101,448 km/h.

☞ Aux JO de 1968, J.-C. Killy (Fr.) atteignit 86,79 km/h et Olga Pall (Autr.) 77,08 km/h.

Remontées (France). Nombre. *1945 :* 50 ; *60 :* 400 ; *70 :* 1 809 ; *80 :* 3 270 ; *85 :* 3 672 ; *86 :* 3 724 ; *87 :* 3 818 ; *88 :* 3 934 ; *89 :* 4 015 ; *90 :* 4 052 ; *91 :* 4 043,; *92 (est.) :* 4 063.

Caractéristiques du parc France (1991). *Composition :* 2 986 téléskis, 802 télésièges, 148 télécabines, 60 téléphériques (dont 8 double monocâbles), 20 funiculaires, 4 chemins de fer à crémaillère, 8 ascenseurs et 9 engins divers.

Répartition géographique (en %, 1991) : Savoie 31,5, Hte-Savoie 21, Alpes du S. 17, Isère-Drôme-Ardèche 13,7, Pyrénées 10, Jura 2,6, Massif central 2,1, Vosges 2.

Utilisation : 3 080 km de remontées (797 km de dénivelée totale), débit 3 294 000 personnes/h, ont été parcourus par 7 000 000 de skieurs (dont 1 200 000 étrangers) ayant fait 50 000 000 de journées de ski et effectué 650 000 000 de passages. *Emploi :* 3 500 permanents et 11 000 saisonniers. *CA : 90* 2,15 milliards de F ; *91* 3,5 ; *92* 3,9.

Coût de construction (en millions de F, 1992) téléski 0,5 à 2, télésiège 6 à 15, télécabine 30 à 60, funiculaire 80 à 150 ; engin de damage 0,3 à 1,2.

Ski Joering. Origine scandinave. Le skieur se fait traîner par un cheval au moyen de 2 rênes reliées entre elles par une pièce de toile très résistante pour ne pas être aveuglé par la neige soulevée par les sabots (en Laponie : *tolking*). *Record derrière un avion :* 175,788 km/h (Reto Pitsch à St-Moritz), 1956.

Skieurs. Allemagne fédérale : 4 500 000 skieurs (60 000 vont en France, 560 000 en Autriche et 250 000 en Suisse). **Belgique :** 100 000 (en France, 55 000). **France :** *83-84 :* 6 000 000 ; *85-86 :* 5 000 000 (dont ski de fond 2 500 000 en 86) ; *88 :* 5 millions ; *89 :* 6 millions ; *91 :* 7 millions ; *adhérents de la Féd. fr. : 1924 :* 5 167 ; *1938-39 :* 48 922 ; *1950-51 :* 57 376 ; *1960-61 :* 188 448 ; *1971-72 :* 639 075 ; *1980-81 :* 590 867 ; *86 :* 890 000 (dont 310 000 femmes) ; *87 :* 1 040 000 ; *88 :* 760 000. **G.-B. :** 150 000 (75 000 en Autriche, 25 000 en Suisse, 30 000 en France). **Japon :** 10 000 000. **Monde :** 60 000 000 (s. alpin 75 %, de fond 25 %).

% de départ aux sports d'hiver par rapport à la population du pays : Suisse 42,4 ; Autriche 36 ; All. féd. 10,1 ; *France 9,2 ;* USA 5,6 ; Japon 5,2 ; Canada 5,2 ; Italie 5,1.

Ventes (paires, en milliers, 1991-92). **Skis :** Rossignol-Dynastar (Fr. *créés* 1911) 1 535, Atomic-Dynamic (Autr.) 700, Elan (Youg.) 580 (91), Head (Autr.) 550, Fisher (Autr.) 500, Blizzard (Autr.) 440, Kastle (Autr.) 300 (91), K2 (USA) 425 ; *par pays* (1990-91) : Japon 1 200, USA 1 150, All. féd. 730, *France 520,* Autriche 440, It. 420, Canada 420, Suisse 390, Suède 190, Youg. 150.

Chaussures : Nordica (It.) 1 650, Salomon (Fr.) 900, Raichle (Suisse) 700, Alpina (Youg.) 400, Rossignol (Fr.) 492, Dachstein (Autr.) 200, et en 1990-91 : Koflach (Autr.) 330, Caber (It.) 280, Lange (It.) 250, Dynafit (Autr.) 180, Trappeur (Fr.) 180.

Ventes mondiales (1990-91, en milliards de F). 12,5 dont skis alpins 4,5, chaussures de s. alpin 3,5, fixations 2,5, skis-chaussures-fixations de ski de fond 1,5, bâtons 0,5.

Kilomètre lancé

Piste d'env. 1 500 m. Pente forte (77 % à La Clusaz). **Skis** de 2,40 m assez lourds. On ne calcule la vitesse que sur une portion de la distance.

Records du monde (km/h) : *233,615 :* Philippe Goitschel (France) 21-4-93 Les Arcs (Fr.). *219,245 :* Tarja Mulari (Finl.) 22-2-92 Les Arcs. **Records de France.** *233,615 :* Ph. Goitschel 21-4-93 Les Arcs. *211,143 :* Jacqueline Blanc 16-4-88 Les Arcs. **Unijambiste.** *185,567 :* Patrick Knaff (Fr.) 16-4-88 Les Arcs.

Championnat du monde. Hommes : 1980-85 Weber (Autr.). **86** Leppala (Finl.). **90** Goitschel (Fr.). **Dames : 86** Culver (USA). **89** annulé. **90** Kulven (USA).

Coupe du monde. Hommes : 91 Prufer (Fr.). **92, 93** Goitschel (Fr.). **Dames : 91** Malari (Finl.). **92, 93** Saarikettu (Finl.).

Championnats de France. Hommes : 89 Goitschel, **91** Bollon, **92** Billy. **Dames : 89** Isnard, **91** Bonfanti, **92** Béguin.

☞ Le 1-6-1990, Pierre Tardivel (Fr., 26-11-63) descend à skis la face N. du Pain de Sucre dans les Aiguilles de Chamonix.

Ski artistique

Origine. V. 1920 l'All. Fritz Rauel adapte au ski les figures du patinage. **1929** il publie « Nouvelles Possibilités du ski ». **V. 1960** lancé par les Suisses Roger Staub et Art Furrer, l'Allemand Hermann Gollner et le Norvégien Stein Eriksen. **1970** 1re compétition. **1979** reconnu par la Féd. internationale. **1988** sport de démonstration aux JO. **1992** sport olympique.

Disciplines. Saut (tremplin, pente de 67°, propulse à env. 12 m de haut, puis sauts périlleux et vrilles). **Bosses** (descente d'une piste de 250 m très pentue et bosselée). **Ballet** (figures sautées, glissées et gymniques sur thème musical et pente faible de 11 à 16°).

Résultats. *Légende.* (1) France. (2) Canada. (3) Finlande. (4) USA. (5) It. (6) Suède. (7) All. féd. (8) Suisse. (9) URSS. (10) Norvège. (11) Australie.

Coupe du monde. *Créée* 1980. **Messieurs. Saut. 86** Méda [1]. **87, 89** Rozon [2]. **90** Bacquin [1]. **91** Meda [1]. **92** Laroche [2]. **93** Langlois [6]. **Bosses. 86, 87** Kellokumpu [3]. **89** Carmichael [4]. **90** Grospiron [1]. **91** Allamand [1]. **93** Brassard [2]. **Ballet. 87** Reitberger. **90** Franco [5]. **91, 92** Khristiensen [10]. **Combiné. 87** Laboureix [1]. **89** Simboli [2]. **90, 91** Laboureix [1]. **Final. 89** Carmichael [4]. **92** Grospiron [1]. **93** Brassard [2]. **Dames. Saut. 86** Hernskog [6]. **87, 89, 90** Reichart [7]. **92** Marshall [12]. **93** Tcherjazova [24]. **Bosses. 87, 89** Monod [1]. **90, 91** Weinbrecht [4]. **93** Hattestad [12]. **Ballet. 87** Rossi [1]. **90** Kissling [8]. **91** Breen [4]. **92** Kissling [8]. **Combiné. 87, 89, 90, 91** Kissling [8]. **Final. 89** Monod [1]. **92** Weinbrecht [4]. **93** Hattestad [10].

Championnats du monde. *Créés* 1986. **Messieurs. Saut. 86, 89** Langlois [2]. **91, 93** Laroche [2]. **Bosses. 86** Berthon [1]. **89, 91** Grospiron [1]. **93** Brassard [2]. **Ballet. 86** Schabl [7]. **89** Reitberger [7]. **91** Spina [4]. **93** Becker [9]. **Combiné. 86** Laroche [2]. **89** Simboli [2]. **91, 93** Shupelstov [9]. **Dames. Saut. 86** Quintana [4]. **89** Lombard [1]. **91** Sementchuk [9]. **93** Tscheriazova [24]. **Bosses. 86** Tiampo [4]. **89** Monod [1]. **91** Weinbrecht [4]. **93** Hattestad [10]. **Ballet. 86, 89** Bucher [4]. **91, 93** Breen [4]. **Combiné. 86** Kissling [8]. **89** Palenik [4]. **91** Schmid [8]. **93** Kubenk [6].

Championnats de France. Messieurs. Saut. 89, 90, 91, 92 Bacquin. **Bosses. 88** Grospiron. **89** Bertrand. **90** Gilg. **91** Berthon. **92** Grospiron. **93** Ougier. **Ballet. 88** Bouvarel. **89** Gilg. **90, 91, 92, 93** Becker. **Combiné. 88** Bouvarel. **89, 90** non disp. **91** Laboureix. **92** Grand. **Dames. Saut. 90** Gilg. **91** Lombard. **92** Cattelin. **Bosses. 88** Monod. **89** Gaspar. **90** Collomb-Clerc. **91** Gaspar. **92** Monod. **93** Cattelin. **Ballet. 88** Rossi. **89, 90, 91, 92** Fechoz. **93** Tartinville. **Combiné. 88** Granier. **89** Lombard. **90, 91, 92** Cattelin.

Quelques noms

Ski alpin

Aamod Kjetil-André (1972) [12]. Accola Paul (20-2-67) [17]. Allais Émile (25-2-12) [9]. Allamand Olivier (31-7-69) [9]. Anzi Stefano (22-5-49) [10]. Arpin Michel (29-12-35) [9]. Attia Caroline (4-7-60) [9]. Augert Jean-Noël (17-8-49) [9].

Bachleda Andrej (21-1-47) [13]. Barnier Anouk (4-3-71) [9]. Bianchi Patrice (10-4-69) [9]. Biebl Heidi (17-2-41) [2]. Bittner Armin (28-11-64) [2]. Bonlieu François (1937-73) [9]. Bonnet Honoré (1919) [9]. Bournissen Chantal (6-4-67) [17]. Bouvier Nathalie (31-9-69) [9]. Bozon Charles (1932-64) [9]. Bozon Michel (1950-70) [9].

Cavagnoud Régine (27-6-67) [9]. Chauvet Patricia (11-5-67) [2]. Chedal Cathy (14-6-68) [9]. Cochran Barbara Ann (4-1-51) [20]. Collombin Roland (1951) [17]. Colo Zeno (1920-93) [10]. Compagnogni Deborah (1971) [10]. Couttet James (18-7-21) [9]. Couttet Lucienne (27-11-26) [9]. Cranz Christl (1-7-14) [1].

De Agostini Doris (28-4-58) [17]. Debernard Danielle (21-7-54) [9]. Duvillard Adrien (7-11-34) [9] et (8-2-68) [9]. Duvillard Henri (23-12-47) [9].

Eberharter Stefan (24-3-69) [4]. Émonet Patricia (22-7-56) [9]. Ericksen Stein (11-12-28) [12]. Famose Annie (16-6-44) [9]. Fernández-Ochoa Blanca (22-4-63) [7]. Fernandez-Ochoa Francisco (25-2-50) [7]. Ferstl Sepp (6-4-54) [2]. Feutrier Alain (12-2-68) [9].

FIGINI Michela (7-4-66) [17]. FILLIOL Béatrice (12-5-70) [9]. FROMMELT Willi (18-11-52) [11]. FURUSETH Ole-Christian (7-1-67) [12].

GABL Gertrud (1946) [4]. GASPOZ Joël (25-9-62) [17]. GIORDANI Claudia (27-10-55) [10]. GIRARDELLI Marc (18-7-63) [22]. GOITSCHEL Christine (9-6-44) [9]. GOITSCHEL Marielle (28-9-45) [9]. GOITSCHEL Philippe [9]. GOOD Ernst (14-1-50) [17]. GREENE Nancy (11-5-43) [6]. GROS Piero (30-10-54) [10]. GROSFILLEY Bernard (3-8-49) [9]. GROS-GAUDENIER Marie-Cécile (18-6-60) [9]. GROSPIRON Edgar (17-3-69) [9]. GUIGNARD Christelle (27-9-62) [9].

HAAS Christl (1943) [4]. HEIDEGGER Klaus (19-8-57) [4]. HEINZER Franz (11-4-62) [17]. HEMMI Heini (17-1-49) [17]. HESS Erica (6-3-62) [17]. HOEFLEHNER Helmut (24-11-59) [4].

JACOT Michèle (5-1-52) [9]. JAUFFRET Louis (21-2-43) [9]. JOHNSON Bill (30-9-60) [20]. KASERER Monica (11-5-52) [4]. KIDD William W. (13-4-43) [20]. KIEHL Marina (12-1-65) [2]. KILLY Jean-Claude (30-8-43) [9]. KINSHOFER Christa (24-1-61) [2]. KLAMMER Franz (3-12-53) [4]. KREINER Kathy (4-5-57) [6]. KRONBERGER Petra (21-2-69) [4]. LACROIX Léo (26-11-37) [9]. LAFFORGUE Britt (5-11-48) [9]. LAFFORGUE Ingrid (5-11-48) [9]. LEDUC Thérèse (4-1-34) [9]. LEE-GARTNER Kerrin [6].

MACCHI Françoise (12-7-51) [9]. MACCOY Penny (1945) [20]. MACKINNEY Steve (1953) [20]. MAC KINNEY Tamara (16-10-62) [20]. MADER Gunther (24-6-64) [4]. MAHRE Phil et Steve (10-5-57) [20]. MAIER Ulrike (22-10-67) [4]. MASNADA Florence (16-12-68) [9]. MAUDUIT Georges (3-12-40) [9]. MERLE Carole (24-1-64) [9]. MILNE Malcolm (1949) [14]. MIR Isabelle (2-3-49) [9]. MITTERMAIER Rosi (5-8-50) [2]. MOREROD Lise-Marie (16-4-56) [17]. MOSER-PROELL Anne-Marie (27-3-53) [4]. MULLER Peter (6-10-57) [17].

NADIG Marie-Thérèse (8-3-54) [17]. NAGEL Judy (1951) [20]. NELSON Cinthia (19-8-55) [20]. NIERLICH Rudolph (1966-91) [4]. NONES Franco (1-2-41) [10]. NOVIANT Jérome (24-1-65) [9].

OERTLI Brigitte (10-6-62) [17]. ORCEL Bernard (2-4-45) [9]. OREILLER Henri (1925-62) [9]. ORTLIEB Atrick [4]. PATTERSON (n.c.) [20]. PELEN Perrine (3-7-60) [9]. PERCY Karen (10-10-66) [6]. PÉRILLAT Guy (24-2-40) [9]. PÉRILLAT Jocelyne (3-5-55) [9]. PICCARD Franck (19-9-64) [9]. PLANK Herbert (3-9-54) [10]. PLE Christophe (29-4-66) [9]. QUITTET Catherine (22-1-64) [9].

REY Jean-François [9]. ROSSAT-MIGNOT Roger (24-9-46) [9]. ROUVIER Jacqueline (26-10-49) [9]. RUSSEL Patrick (22-12-46) [9]. RUSSI Bernard (20-8-48) [17].

SAILER Anton (19-11-35) [4]. SAIONI Christophe (1-2-69) [9]. SCHIELE Armand (7-6-67) [9]. SCHNEIDER Vreni [17] (26-11-64). SCHRANZ Karl (18-11-38) [4]. SEELOS Toni (4-11-11) [4]. SERRAT Fabienne (5-7-56) [9]. SIMOND François (27-9-69) [9]. SKAARDAL Atle (17-2-66). STEINER Rosita (14-6-63) [4]. STENMARK Ingemar (18-3-56) [16]. STEURER Florence (1-11-49) [9]. STROLZ Hubert (26-6-62) [4]. SVET Mateja (16-8-68) [21].

TAUSCHER Hansjorg (15-9-67) [2]. THOENI Gustavo (28-2-51) [10]. TOMBA Alberto [10] (19-12-64). TOTSCHNIG Brigitte (30-8-54) [4]. TRESCH Walter (4-5-48) [17]. TYLDUM Paul (28-2-42) [12].

VEDENINE Viatcheslav (1941) [19]. VEICH Michaël (1956) [2]. VION Michel (22-10-59) [9]. VUARNET Jean (18-1-33) [9]. WACHTER Anita (12-2-67) [4]. WASMEIR Markus (9-9-63) [2]. WALCHER Josef Seep (8-12-54) [11]. WALLISER Maria (27-5-65) [17]. WENZEL Andreas (18-3-58) [11]. WENZEL Hanny (14-12-54) [11]. WERNER Wallace Bud (1935) [20]. WIBERG Pernilla (15-10-70) [16]. WOLF Sigrid (14-2-64) [4]. ZIMMERMANN Egon (8-2-39) [4]. ZURBRIGGEN Pirmin (4-2-63) [17].

■ Ski nordique

ARBEZ Victor (17-5-34) [9]. AUNLI-KVELLO Berit (9-6-56) [12]. BELMONDO Stefania [10]. BELOUSSOV Vladimir (4-7-46) [19]. BIRGER Ruud [12] (23-8-11). BRIAND Anne (2-6-68) [9]. CARARRA Benoît (1926-93) [9]. CLAUDEL Véronique (22-12-66) [9]. DAEHLIE Bjorn (1967) [12]. EGGEN Gjermund (5-6-41) [12]. EGOROVA Ljubov [24]. ENGAN Thorleif [12]. FLANDIN Hervé (1966) [9]. GIRARD Xavier (14-2-70) [9]. GRIMMER Gerhardt [3] (6-4-52). GUILLAUME Sylvain (6-7-68) [9]. GUSTAFSON Tomas (28-12-59) [16]. GUSTAFSON Toini (17-1-38) [8]. GUY Fabrice (30-12-68) [9]. HAMALAINEN Maria-Lisa (10-8-55) [8]. HAUG Thorleif (1907) [8]. JERNBERG Sixten (6-2-39) [16]. KAKULINEN Veikko (4-1-25) [8]. KARLSON Niels (25-6-17) [16]. KIRCHNER Mark [1]. KOCH William [20] (7-6-55). KOGLER Armin (4-9-59) [4]. KULAKOVA Galina (29-4-42) [19]. KVALFOSS Erik (1961) [12]. LAZUTINA Larissa [24]. LUKKARINEN Marjut [8]. LUNDSTROEM Martin (30-5-18) [16]. MAENTYRANTA Eero (20-11-37) [8]. MANCINI Isabelle (1967) [9]. MATHIEUX Dominique (3-5-53) [9]. MATIKAINEN Marjo (1965) [8]. MEDVEDEV Valeri [19]. MISERSKY Antje [1]. MOUGEL Francis (7-5-60) [9]. MOUGEL Yvon (25-5-55) [9]. NIEMINEN Toni (1976) [8]. NONES Franco (1-2-41) [10]. NYKAENEN Marti [8] (17-7-63). PIERRAT Jean-Paul (3-7-52) [9]. POIROT Gilbert (21-9-44) [9]. PROKOUROROV Alexeï (25-3-64) [19]. RASKA Jiri (4-2-41) [18]. REPELLIN Francis (4-3-69) [9]. RESTZOVA Anfissa (1965) [24]. ROETSCH Franz Peter (1964) [3]. ROMAND Paul (25-9-30) [9]. RUUD Asbjörn (6-10-19) [12]. RUUD Sigmund (30-12-07) [12]. SCHAAF Petra [1]. SMETANINA Raisa (29-2-52) [19]. SULZENBACHER Klaus (1965) [4]. SVAN Gunde (12-1-62) [16]. TIKHONOV Alexandre (2-1-47) [19]. TIKHONOVA (13-6-64) [19]. TORMANEN Juoko (10-4-54) [8]. ULLRICH Frank (24-1-58) [3]. ULVANG Vegard (1963) [12]. VALBE Elena (1968) [24]. VEDENINE Viatcheslav (1-10-41) [19]. VENTSENE Vida [19] (28-5-61). WASSBERG Thomas (23-3-56) [16]. WEHLING Ulrich (8-7-52) [3]. WEISSFLOG Jens [4]. VIALBE Elena [19]. ZIMIATOV Nikolaï (28-6-55) [19].

Ski nautique

Généralités

Sources : Fédération française de ski nautique, 16, rue Clément-Marot, 75008 Paris. *Féd. internat. de ski naut.*, Laynes House, 526 Watford Way, London NW7 4RS (G.-B.).

■ **Quelques dates. 1921** *1ers essais* individuels puis collectifs sur le lac d'Annecy par une section de chasseurs alpins. Développements sur la Côte d'Azur (Juan-les-Pins). **1946**-*27-7* Union mondiale de ski n. créée. **1947** Féd. française de ski n. créée.

■ **Pratiquants.** Plusieurs dizaines de millions dans le monde. France, 250 000 (dont 13 000 licenciés).

■ **Matériel. Ski :** *tourisme,* 180 cm, 3,5 kg ; *saut,* 180 cm mais plus larges ; *figures,* 90 à 115 cm de long. ; *slalom,* dit *mono,* 150 à 180 cm. La largeur ne doit pas dépasser 30 % de la longueur.

Traction : *bateau* (5 à 6,10 m ; large 1,80 à 2,50 m, *hors-bord,* puissance 50 à 200 CV ou *in-bord,* puiss. 100 à 280 CV), doit être muni d'un mât central où se fixe la *corde* de longueur variable suivant les disciplines. *Le palonnier* recouvert de caoutchouc antidérapant est relié à la corde de traction.

■ **Réglementation.** 2 personnes à bord (conducteur et personne surveillant le skieur).

■ Disciplines

■ **Figures.** Cotées suivant difficulté. Le concurrent doit en passer un max. au cours de 2 passages de 20 sec. Effectuées sur 1 ou 2 skis sans dérives. **Records du monde.** *Hommes :* Tory Baggiano (USA) 11 030 pts (90). Patrice Martin (Fr.) 11 630 pts (oct. 92). *Dames :* Tawn Larsen (USA) 8 580 pts (92). [France : Odile Flubacker 6 740 (24-7-83)].

■ **Saut.** *Tremplin :* larg. 3,70 à 4,30 m, long. hors de l'eau 6,4 à 6,7 m, sous l'eau 1 m. **Records du monde.** *Hommes :* Sammy Duvall (USA) en 1992 (Fr. Pierre Carmin, 56,40 m le 7-9-1986). *Dames :* Deena Mapple (USA) 47,5 m en 1988 (Fr. Chantal Sommer, 37,40 m).

■ **Slalom.** *Jalonné* par 6 bouées disposées en quinconce, 3 de part et d'autre d'un chenal de 2,3 m de largeur. *Largeur totale* du parcours : 23 m. *Longueur :* 259 m. *Distance entre 2 bouées d'un même côté :* 82 m. *Vitesse* (H : 49 à 58 km/h, D : 43 à 55 km/h) augmente de 3 km/h à chaque parcours réussi, jusqu'à la vitesse max., la *corde* (21 à 11 m) est ensuite réduite progressivement jusqu'à ce que le skieur tombe ou ne contourne pas de façon réglementaire la bouée en question. *Est vainqueur* celui qui a contourné correctement le plus grand nombre de bouées. **Records du monde.** *Hommes :* Andy Mapple (G.-B.) 3,5 bouées à 10,25 m en 91 (Fr. Patrice Martin 4 à 10,75 m). *Dames :* Suzi Graham (Can.) et Deena Mapple (USA) 1 bouée à 10,75 m en 90 (Fr. : Chantal Sommer, 2 à 12 m).

■ **Ski pieds nus** (*barefoot*). On part sur 1 ski en prenant appui sur l'eau avec le pied libre, puis on quitte l'autre ski. Vitesse min. 50 à 60 km/h pour que l'eau soit suffisamment dure sous les pieds. Un canot automobile ou un hors-bord de 100 CV min. est indispensable. **Épreuves :** distance à parcourir ou durée déterminée (chutes tolérées), slalom, figures et sauts.

■ Records

■ **Vitesse maximale.** *Homme :* 239,59 km/h, Grant Torranus (Austr.) en 1984. *Dame :* 178,81 km/h, Donna Patterson Brice (USA) le 21-8-77.

■ **Record de distance à ski nautique.** 2 126 km Steve Fontaine (USA, 24/26-10-88).

Principales épreuves

☞ *Légende.* – (1) Italie. (2) USA. (3) Venezuela. (4) G.-B. (5) All. féd. (6) France. (7) URSS. (8) Suède. (9) Canada (10) Autriche. (11) Australie.

■ **Championnats du monde.** *Créés* 1949. Tous les 2 ans. **Hommes. Slalom : 81** Mapple [4]. **83, 85, 87** Lapoint [2]. **89** Mapple [4]. **91** Lowe [2]. **92** Battleday [4]. **Saut : 79, 81** Hazelwood [4]. **83** Duvall [2]. **85** Carrington [11]. **87** Duvall [2]. **89** Carrington [11]. **91** Neville [11]. **92** Alessi [1]. **Figures : 81, 83** Pickos [2]. **85, 87** Martin [6]. **89** Benet [6]. **92** Martin [6]. **Combiné : 81, 83, 85, 87** Duvall [2]. **89, 91, 92** Martin [6].

Dames. Slalom : 77, 81, 83 Todd [2]. **85** Duvall [2]. **87, 89** Laskoff [2]. **91, 92** Kjellander [8]. **Saut : 81** Carasco [3]. **83** Tood [2]. **85, 87** Brush [2]. **89** Mapple [2]. **91** Slone [2]. **92** Grebe [10]. **Figures : 81** Brush [2]. **83** Ponomareva [7]. **85** McClintock [9]. **87** Roumjantzeva [7]. **89, 91** Larsen [2]. **92** Roumjantzeva [7]. **Combiné : 81** K. Roberge [2]. **83** Carasco [3]. **85** Neville [11]. **87** Brush [2]. **89** Mapple [2]. **91** Neville [11]. **92** Roumjantzeva [7].

Équipe. *Créés* 1957. **1957-89** USA. **91** Canada.

■ **Championnats d'Europe.** *Créés* 1947. Tous les ans. **Hommes. Slalom : 81** Kjellander [5]. **82** Mapple [4]. **83, 84** Kjellander [8]. **85** Martin [6]. **86** Hazelwood [4]. **87** Carmin [6]. **88** Mapple [4]. **89, 90, 91, 92** Battleday [4]. **Saut : 80, 81, 82, 83, 84** Hazelwood [4]. **85** Oberleitner [10]. **86** Hazelwood [4]. **87** Alessi [1]. **88** Carmin [6]. **89, 90, 91, 92** Alessi [1]. **Figures : 78, 79, 80, 81, 82** Martin [6]. **83** Battleday [4]. **84, 85** Martin [6]. **86** Carmin [6]. **87** Martin [6]. **88** Alessi [1]. **89** Martin [6]. **90** Benet [6]. **91** Leforestier [7]. **92** Martin [6]. **Combiné : 78, 79, 80, 81, 82, 83** Hazelwood [4]. **84, 85** Martin [6]. **86** Hazelwood [4]. **87, 88, 89, 90, 91** Alessi [1]. **92** Martin [6].

Dames. Slalom : 80, 81 Amade-Escot [6]. **82** Kjellander [8]. **83** Sommer [7]. **84, 85** Kjellander [8]. **86, 87** Morse [4]. **88** Kjellander [8]. **89, 90** Roumjantzeva [7]. **91** Roberts [4]. **92** Kjellander [8]. **Saut : 81** Morse [4]. **82** Hulme [4]. **83, 84** Morse [4]. **85** Robert [4]. **86, 87, 88, 89** Morse [4]. **90, 91, 92** Grebe [12]. **Figures : 79, 80, 81, 82** Roumjantzeva [7]. **83** Seigneur [6]. **84** Ponomareva [7]. **85** Roumjantzeva [7]. **86** Seigneur [6]. **87** Ameljanchik [7]. **88, 89** Roumjantzeva [7]. **90** Amelyanchyk [7]. **91** Pavlova [8]. **92** Roumjantzeva [7]. **Combiné : 81, 82** Roumjantzeva [7]. **83** Carlman [4]. **84** Ponomareva [7]. **85** Kjellander [8]. **86** Roberts [4]. **87** Roumjantzeva [7]. **88** Kjellander [8]. **89** Roumjantzeva [7]. **90** Roberts [4]. **91** Pavlova [8]. **92** Roumjantzeva [7].

Classement par nation. 78, 79, 80, 82, 83, 84, 85, 86 G.-B., **87** URSS, **90** France.

■ **Championnat de France. Hommes. Slalom : 81** R. Henry. **82** Pierre Carmin. **83** Henry. **84** P. Martin. **85** Carmin. **86** P. Martin. **87, 88** Henry. **89, 90** Carmin. **91** Le Gall. **92** Gamzukoff. **Saut : 81, 82** P. Carmin. **83** Perez. **84** P. Martin. **85, 86** Carmin. **87** Verrue. **88** Carmin. **90, 91, 92** Perez. **Figures : 80, 81, 82** T. Benet. **83, 84, 85, 86** P. Martin. **87** Benet. **88** Seigneur. **89** Martin. **90, 91, 92** Benet. **Combiné : 80, 81, 82** P. Carmin. **83** Legall. **84, 85, 86** P. Martin. **87** Carmin. **88** Cambray. **89** Martin. **90** Carmin. **91** Cambray. **92** Carmin.

Dames. Slalom : 80, 81 Amade. **82** Sommer. **84** Seigneur. **85, 86** Detelder. **87** Ballestro. **88, 89, 90, 91** Seigneur. **92** Jamin. **Saut : 80, 81, 82, 83, 84** Sommer. **85, 86, 87** Seigneur. **88** Escolano. **90** Chapiron. **91** Venet. **92** Chapiron. **Figures : 80** Sommer. **81** M.-P. Seigneur. **82** Besombes. **83, 84** Flubacker. **85** Besombes. **86, 87** Savin. **88** Besombes. **89** Savin. **90, 91** Seigneur. **92** Dumont. **Combiné : 80** Amade. **81** Seigneur. **82, 83, 84** Sommer. **85, 86, 87** Seigneur. **88** Paillard. **89** Seigneur. **90, 91** Savin. **92** Dumont.

Quelques noms

France. AMADE Ch. BENET Aymeric (1972). CAMBRAY Gilles. CARMIN Pierre (8-2-61). DUFLOT Dany. GAUTIER Pascale. HENRY Hervé. JAMIN Jean-Michel. LEFORESTIER Nicolas (1963). MARTIN Patrice (24-5-64). MAURIAL Sylvie. MULLER Jean-Marie. PARPETTE Jean-Yves. SAVIN Frédérique (21-2-71). SEIGNEUR Marie-Pierre (27-12-64). SOMMER Christian. TILLMENT Jacques. VAZEILLE Maxime. **Monde.** ALESSI Andrea. BRUSH Deena [2]. CARASCO Maria Victoria [3]. DUVALL Sammy [2]. GRIMDITCH Wayne [2]. HAZELWOOD Mike [4] (14-4-58). KEMPTON Allan [2]. LAPOINT Kris [2]. LOWE Lucky. MENDOZA Alfredo [3]. PICKOS Corry [2]. SHAKEFORD [2]. SHETTER-ALLAN Liz [2] (12-7-47). STEARNS Chuk [2]. SUAREZ Carlos [3]. SUYDERHOUD Mike [2]. STEEWARD WOOD Janette [4]. WORTHGTON Willa [2]. ZUCCHI Roby [1].

Spéléologie

Lieux explorés

☞ *Légende :* (1) France. (2) Autriche. (3) Espagne. (4) Italie. (5) Mexique. (6) Suisse. (7) Pologne. (8)

Youg. (9) Iran. (10) ex-URSS. (11) Maroc. (12) Liban. (13) USA. (14) G.-B. (15) P. de Galles. (16) Papouasie. (17) Cuba. (18) Tchécosl. (19) Grèce. (20) Venezuela. (21) Guatemala. (22) Pérou. (23) Malaisie. (24) Algérie. (25) Oman. (26) Belize. (27) Turquie. (28) Irlande. (29) Australie. (30) Chine.

■ **Gouffres les plus importants au monde** (profondeur en m, 1-4-1992). Réseau Jean-Bernard (Hte-Savoie [1]) 1 602, Lamprechtsofen (Salzbourg [2]) 1550, Vjačeslav Pantjukhina (Bzybskij [10]) 1 508, sistema del Trave (Asturies [3]) 1 441, gouffre Mirolda (Hte-Savoie [1]) 1 436, Laminak Oateak (Navarre [3]) 1 408, sistema Cuicateca (Oaxaca [5]) 1 386, Boj-Bulok [10] 1 380, Snežnaja (Abkhazie [10]) 1 368, sistema Huautla (Oaxaca [5]) 1 353, réseau de la Pierre-Saint-Martin ([1,3]) 1 342, réseau Fromagère-Berger (Isère [1]) 1 271, T 27 (Asturies) 1 255, Ceki (Slovénie) 1 245, Platteneck-Bergerhöhle-Cosa Nostra Loch (Salzbourg [2]) 1 245, V. V. Iljukhina (Arabika [10]) 1 240, abisso Ulivifer (Toscane [4]) 1 230, Schwersystem (Salzbourg [2]) 1 219, Complesso Corchia-Fighiera (Toscane [4]) 1 215, Akemati (Puebla [5]) 1 200, brezno Velike Raspoke (Slovénie [8]) 1 198, sistema Arañonera (Huesca [3]) 1 185, Çukurpinar düdeni (Içel [27]) 1 180, Dachstein-Mammuthöhle (Autr. [2]) 1 180, Jubilaümsschacht (Salzbourg [2]) 1 173, sima 56 de Andara (Cantabrique [3]) 1 169, Kijahe Xontjoa (Oaxaca [5]) 1 160, anou Ifflis (Djurdjura [24]) 1 159, gouffre du Bracas de Thurugne n° 6 (Pyr.-Atl. [1]) 1 157, abisso Vive Le Donne (Lombardie [4]) 1 156, sistema Badalona (Huesca [3]) 1 149, sistema del Xitu (Asturies [3]) 1 148, Arabikskaja (Arabika [10]) 1 100-1 200, Schneeloch (Salzbourg [2]) 1 101, sistema GESM (Malaga [3]) 1 098, Jägerbrunntrogsystem (Salzbourg [2]) 1 078, sistema Ocotempa (Puebla [5]) 1 070, pozo della Neve (Molise [4]) 1 050, torca de Urriello (Cantabrique [3]) 1 022, Siebenhengste-Hohganthöhlensystem (Berne [6]) 1 020, Herbsthöle [2] 1 020, Akemabis (Puebla [5]) 1 015, système de la Coume d'Hyouernède (Hte-Gar. [1]) 1 004.

Cavités d'au moins 40 km de longueur (longueur en km ; au 1-3-1992). Mammoth Cave System (Kentucky [13]) 560, Optimističeskaja (Ukraine [10]) 183, Hölloch (Schwyz [6]) 137, Siebenhengste-Hohganthöhlensystem (Bern [6]) 127, Jewel Cave (Dakota du S. [13]) 123,771, Ozernaja (Ukraine) 111, gua Air Jernih (Sarawak [23]) 100, 500, Wind Cave (Dakota du S. [13]) 96,883, Lechuguilla Cave (Nouv. Mexique [13]) 93, 664, système de la Coume d'Hyouernède (Hte-Gar. [1]) 90,496, sistema de Ojo Guareña (Burgos [3]) 89,071, Zoluškao Fisher Ridge Cave System (Kentucky [13]) 85,500, sistema Purificación (Tamaulipas [5]) 76,332, Friars Hole Cave System (Virginie occ. [13]) 68,824, Hirlatzhöhle (Autr. [2]) 67,600, Easegill Cave System (Cumbria-Lancashire [14]) 66, Organ Cave System (Virginie occ. [13]) 60,51, Mamo kananda (SHP [16]) 54,8, système de la Dent de Crolles (Isère [1]) 54,094, Kap-Kutan/Promežutočnaja (Ouzbékistan) 54, red del Silencio (Cantabria [3]) 53, sistema Huautla (Oaxaca [5]) 52,653, Raucherkarhöhle (Autr. [2]) 52,300, réseau de la Pierre-St-Martin [1] 52,077, Toca da Boa Vista (Brésil) 49, réseau de l'Alpe (Isère/Sav. [1]) 46,183, Crevice Cave (Missouri [13]) 45,385, complesso Corchia-Fighiera (Toscane [4]) 45, Dachstein-Mammuthöhle (Autr. [2]) 44,8, Cumberland Caverns (Tennessee [13]) 44,444, ogof Ffynnon Ddu (Galles du S. [14]) 43, Peştera Vîntului (Roumanie) 42,165, Eisriesenwelt (Salzbourg [2]) 42, Bol'šaja Orešnaja (Russie) 42.

Grandes cavités non calcaires. Granite, gneiss : Greenhorn Cave (Californie [13]) – 152 m, TSOD Cave (New York [13]) 3 977 m. **Quartzite :** sima Aonda (Bolívar [20]) – 362 m, Magnet Cave (Afr. du S.) 2 030 m. **Gypse :** rhar Dahredj (Guelma [22]) 212 m, Optimističeskaja (Ukraine) 183 000 m. **Lave, basalte :** Leviathani Cave (Kibwezi, Kenya) – 408 m et 12 400 m. **Sel :** mearat Malham (Israël) – 135 m et 5 447 m. **Glace :** Paradise Ice Cave (Washington [13]) 16 093 m et Moulin de Kapisigdlit (Groenland) – 130 m. **Schiste-micaschiste :** voragine del Cervo Volante (Piémont [4]) - 148 m et gruta dos Ecos (Goiás, Brésil) 1 380 m.

Puits naturels d'au moins 300 m (au 1-3-92). Höllenhöhle [2] 450, Minye [16] 417, Abatz [10] 410, Provatina [19] 389, sótano del Barro [5] 364, Zlatorog (Slovénie) [8] 358, Stierwascherschacht [2] 351, sima Aonda [20] 350, Mavro Skiadi [19] 341, sótano de las Golondrinas [5] 333, sótano de Tomasa Kiahua [5] 330, Aphanizekolezia [1] 328, puits Lépineux [1] 320, Nare [16] 310, pozzo Mandini [4] 310, nita Xonga [5] 310, pozo Vicente Alegre [3] 309, Altes Murmeltier [2] 307, pozo La Jayada [3] 306, Pot II [1] 302, gouffre Touya de Liet [1] 302, pozo Juhué [3] 302, abisso Enrico Revel [4] 299.

Cavités les plus élevées (altitude en m). Grotte de Rakhiot Pic (Nanga Parbat, Cachemire) 6 645. Cueva de Saco [22] 4 800. Cueva de Sanson Machay [22] 4 500, de Pachacayo [22] 4 500, de Laurichoca [22] 4 400. Rangkulškaja [10] 4 400 (– 350), Cueva de Taypunta [22] 4 000. Sima de Milpu [22] (– 407) 3 992. Cueva de Chirimachay [22] 3 720. Ghar Parau [9] (– 751) 3 100. Aven de la Cascade du Marboré [1] 3 050, de la Mortice [1] 2 950 à 3 010. Gr. du Mont-Cenis (Alpes [1]) 2 680. Rotloch 6 2 560. Abisso Gaché (Alpes [4]) 2 525. Drachenloch [6] 2 427. Aven du Triglav [8] 2 426. Gouffre S.C. 3 (entrée sup. de la Pierre-St-Martin) 2 093.

Grands vides souterrains. *Selon la surface projetée (en milliers de m²) :* Sarawak chamber (lubang Nasib Bagus [23]) 162,7, Gebihe Chamber [30] env. 150, torca del Carlista [3] 76,6, Majlis al Jinn [25] (700 × 300 m et 70 m de haut). 58, Belize chamber (actun Tun Kul [26]) 50, salle de la Verna (Pierre-St-Martin [1]) 45,3. *Selon le volume (en milliers de m³) :* doline de Luse [16] 60, uvala d'Ora [16] 29, puits-doline de Minye [16] 26, sima mayor de Sarisariñama [20] 18, sótano del Barro [5] 15.

La plus importante résurgence. Dumanli [27], débit moyen 50 m³/s (min. 25 m³/s) ; actuellement, noyée sous 120 m d'eau (lac de barrage). **La plus célèbre fontaine intermittente.** Fontestorbes (Ariège), période env. 1 h. **Les plus grandes stalactites.** Nerja, près de Malaga [3], 59 m de haut. *Indépendante la plus longue :* 11,60 m, Poll an Jonain [28].

■ **Grands systèmes hydrologiques. Les plus longs** (en km) : Homat Bürnü düdenleri, Yedi Miyarlar [27] 75. Gouffre de la Belette, fontaine de Vaucluse [1] 46. Skocjanske jame, Il Timavo [8,4] 40. **Les plus grandes percées hydrologiques** (en m). Cuicateca-rio Santo Domingo [5] 2 450 m, Napra-Mchista [10] 2 345 m., V.V. Iljukhina, Reproa [10] 2 308, Snežnaja, Khipsta [10] 2 070, Beta [1], Russenbach [6] 1 754, gouffre du Pourtet, Bentia (Pierre-St-Martin) [1] 1 662, Ural'skaja, Mačaj [10] 1 800, Lamprechtsofen [2] 1 600.

■ **Plongées souterraines** (en m). **Les plus profonds siphons :** nacimiento del Rio Mante [5] - 264, fontaine de Vaucluse [1] (Vaucluse) - 250 (sondée à 308 m), fontaine supérieure de Tourne [1] (Ardèche) - 140, résurgence de la Touvre [1] (Char.) - 148. **Les plus longs siphons :** doux de Coly [1] (Dordogne) 4 055, Chips hole [13] (Floride) 3 333, siphon n° 2 de Cocklebiddy Cave [29] (Nullarbor Plain) 2 550, émergence sous-marine de Port-Miou [1] (B.-du-Rh.) 2 210. **Les plus longues cavités noyées :** Sullivan Cheryl Sinte [13] (Floride) 12 500, Cathedral Falmouth Cave System [13] (Floride) 10 229, Lucayan Caverns (Bahamas) 9 184, Peacock Springs Cave System [13] (Floride) 6 507.

☞ **En France. Cavernes** 30 000 dans le calcaire (400 à 500 dans granit, grès et autres).

SPÉLÉOLOGUES

■ **Les plus connus. All. féd.** D. Gebauer, J. Hasenmayer, M. Laumanns. **Argentine.** C. Benedetto. **Autriche** Hanke (1840-91), Lindner (XIXᵉ s.), Marinitsch, Müller, Schmidl (XIXᵉ s.), G. Stummer, H. Trimmel. **Belgique** C. Ek, Y. Quinif, P. d'Ursel. **Brésil** Auler, Collet, Haim, M. Le Bret, Martin (1932-86), Rubbioli, Slavec **Canada** D. Ford, S. Worthington. **Espagne** A. Eraso, C. Puch. **France** D. André, Ph. Audra, Y. Aucant, Louis Balsan (1903-88), André Bourgin (1904-68), Norbert Casteret (1897-1987), C. Chabert, Pierre Chevalier (1905), P. Courbon, J.-C. Dobrilla, M. Douat, Ph. Drouin, P. Dubois, M. Duchêne, J.-L. Fantoli, Eugène Fournier (1871-1941), J.-C. Frachon, Bernard Gèze (1913), Henri Guérin (1901-81), René Jeannel (1879-1965), Robert de Joly (1887-1968), R. Laurent, Guy de Lavaur (1903-86), F. Le Guen, B. Lismonde, R. Maire, J.-P. Mairetet (1941-88), G. Marbach, Edouard-Alfred Martel (1859-1938), C. Mouret, Jean Noir (1917-58), J.-François Pernette (2-9-1954), F. Poggia, S. Puisais, J. Rodet, J. Sautereau de Chaffe, Jean Susse (1905-82), Félix Trombe (1906-85), Albert Vandel (1894-1980). **G.-B.** A. Eavis, J. Middeton, D. St-Pierre, A. C. Waltham. **Hongrie** A. Kosa, D. Balàzs. **Italie** G. Badino, L. V. Bertarelli (1859-1926), E. Boegan (1875-1939), P. Forti. **Liban** Anavy, S. Karkabi. **Mexique** Lazcano. **Pérou** Garcia Rosell. **Pologne** Mikuszevski, Pulina. **Roumanie** I. Giurgiu, C. Goran, E. Racovitza (1868-1947). **Suède** R. Sjoberg, L. Tell. **Suisse** V. Aellen, M. Audetat, A. Bögli, J.-C. Lalou, P. Strinati. **Turquie** M. Aktar, T. Aygen. **URSS** Dubljanskij, V. Klimchouk, V. Kisseljov. **USA** Brucker, W. Halliday, H. C. Hovey (1833-1914), Palmer, Raines, Sprouse, Watson. **Venezuela** F. Urbani.

■ **Séjours de longue durée. Sous terre.** *Le plus long : Milutin Veljkovic* (Youg., né 1935) : 463 j (24-6-1969 au 30-9-1970) grotte des monts Svrljig (Youg.). *Michel Siffre* (Fr., n. 1939) 62 j (16-7 au 17-9-1962) gouffre de Scarasson entre Tende et Limone (Italie), 205 j (14-2 au 5-9-1972 dans Midnight Cave (Texas). *Maurizio Montalbini* (It.) 210 j (1987) grotte du Vent Frasassi, près d'Ancône. *Véronique Le Guen* (Fr, † 1990) 111 j (10-8 au 29-11-1988) aven du Valat-Nègre (Aveyron) à 82 m sous terre. *Pascal Barrier* (Fr.) 100 j (1992) grotte de la Cocalière (Gard).

☞ **Canyonning. V. 1980** introduit en France. Descente de canyons en combinaison étanche (nage, marche, descente sur corde).

■ **Union intern. de spéléologie (UIS).** Rassemble 52 pays. **Féd. française de spéléologie.** 130, rue St-Maur, 75011 Paris. 570 clubs, 7 693 adhérents. **Féd. spélé de la communauté europ. (FSCE).** F. 8-9-90. *Pt :* Bernhard Krauthausen (all.). Rassemble 12 pays.

TAUROMACHIE

CORRIDA

■ **Origine. Début du Moyen Age** 2 sortes de combat en Espagne : chasse aux taureaux, sans règle ni rituel ; le combat à cheval, pratiqué par les nobles organisant entre eux des joutes équestres pendant lesquelles ils attaquent le taureau à la lance. **Fin du XIIIᵉ s.** les 2 types fusionnent quand la noblesse organise les fêtes publiques de taureaux à l'occasion de solennités importantes. **XVIIᵉ s.** apogée du combat équestre ; les cavaliers emploient le *rejon* (sorte de javelot en bois flexible) et vont, au galop, au devant du taureau au lieu de l'attendre. **XVIIIᵉ s.** la noblesse se désintéresse de l'arène pour plaire à Philippe V formé à Versailles : les toreros à pied commencent à jouer un rôle important (surtout en Aragon, Navarre). En Andalousie, les hommes du peuple se servent d'abord du *rejon* abandonné par les nobles ; puis, d'anciens bouviers introduisent la *garrocha* (ancêtre de la pique actuelle). Ils se font aider par des toreros à pied qui exécutent les manœuvres. **1853** *août* 1ʳᵉ corrida en France, à Bayonne, devant Napoléon III. **1904**-*24-7* dernier combat de fauves (dans une cage, tigre contre taureau) aux arènes de Sᵗ-Sébastien. **1951**-*24-4* loi indiquant que la corrida est légale en France dans les villes de « tradition ininterrompue » pendant plus de 10 ans (29 communes).

■ **Pays pratiquants.** *Sous sa forme habituelle :* surtout en Espagne, Amérique latine et France. *Rejoneo :* divertissement aristocratique des 1ᵉʳˢ temps équestres où le combat du taureau est assuré par un cavalier *(rejoneador)*. Pratiqué au Portugal et en Espagne (surtout depuis 1969).

■ **Saison. Espagne** (mars à oct. inclus). *Feria de Séville* (après Pâques). *Gde Semaine de Madrid* ou *Feria de la San Isidro* (mai, en 91, 26 corridas). *Pampelune, Feria del Toro* (début juill.). *Valence* (fin juill.). *Málaga* (début août). *Vitoria* (début août). *Bilbao* (sem. suivant le 15 août). *Linares* (fin août). *Albacete, Salamanque, Valladolid, Barcelone* (sept.). *Saragosse* (oct.). **Nombre : 89 :** 467 c et 1 211 n. **90 :** 541 c. et 499 n. **91 :** 532 c. et 478 n.

France (mars à début oct.). *En 1992 :* 167 spectacles taurins (Nîmes 18, Dax 6, Floirac 2, Mont-de-Marsan 5, Vic-Fezensac 3, Béziers 7, Arles 11, Bayonne 5, Palavas 2, Alès 3, Aire 2) dont 113 corridas, corridas et novilladas avec picadors.

☞ 10 toreros français ont été inculpés le 31-12-1992 pour avoir tué un taureau et blessé 2 autres les 26/27-6-1992, la veille d'une corrida à St-Sever (Landes) où ils n'étaient pas engagés.

■ **Arènes. 1707** arènes en bois et démontables. Séville, a. de l'Arsenal. **1749** construction d'arènes permanentes en maçonnerie (vieille plaza de Madrid, démolie en 1874). **1761** a. de Séville. **1764** a. de Saragosse. **1785** a. de Ronda. **1796** a. d'Aranjuez.

Principales arènes Mexique Mexico (la Monumentale, plaza Deportes) 48 000 places ; El Toreo 26 000. **Espagne** plus de 400 arènes, dont 40 de plus de 10 000 places. Madrid 23 000. Barcelone 20 000. Pampelune 19 000. Murcie 18 000. Valence 17 000. Alicante 15 000. Grenade 14 000. Saragosse 13 000. Séville 13 000. La 1ʳᵉ arène permanente fut celle de Madrid (1749). **France** Nîmes, amphithéâtre (Gard) 20 000. Béziers (Hér.) 14 000. Arles (B.-du-R.) 12 000. Fréjus 12 000. Bayonne (P.-Atl.) 11 000. Dax (Landes) 8 000. Mont-de-Marsan (Landes) 8 000. Vic-Fezensac (Gers) 6 000.

■ **Déroulement des corridas** (course de taureaux). 3 parties précédées du *paseo* (défilé). **1. Les picadores.** Entrée du taureau. Passes de cape (en percale et soie rose et jaune) pour juger le taureau. Les picadores réduisent la puissance du taureau. **2. Les banderilles.** Bâtonnets ronds (long. 70 cm), ornés de papier de couleur découpé et munis d'un crochet de 4 cm en forme de harpon, qui se clouent par paires sur le haut du garrot du taureau. Posées par les peones (éventuellement le matador). *B. courtes* (l. 25 à 30 cm) : réservées à la pose en *al quiebro*. *B. de feu :* une amorce de fulminate met le feu à des pièces d'artillerie disposées le long des hampes, provoquant la déflagration (ne sont plus posées). *« Veuves » :* band. de couleur noire aux harpons plus longs que la normale, sont un signe de honte pour le taureau qui a refusé les piques. **3. La faena de muleta et mise à mort.** Passes de muleta (morceau de flanelle rouge monté sur un bâton de 50 cm) du matador avant la mise à mort. **Mise à mort.** En général, la course en comprend 6. Interdite en France, sauf dans les villes qui peuvent se réclamer d'une tradition tauromachique vieille d'au moins 50 ans (loi de 1952) : pratiquement toutes les villes au sud d'une ligne allant de Bordeaux à Fréjus, plus Vichy. Au Portugal, depuis un décret de 1928 : les taureaux sont achevés au mousqueton dans le toril, en dehors du public.

■ **Personnes présentes. Torero :** tout homme présent dans l'arène (*toreador,* employé en France, n'est utilisé que par les profanes). **Alguazil :** vêtu de noir à la mode du règne de Philippe II, précède les combattants dans le défilé *(paseo)* ; chargé de la police de la piste ; donne au préposé du toril la clé qu'il reçoit à la volée du président de la course, et transmet les ordres de ce dernier aux toreros pendant le combat.

Matador : principal acteur ; il tue les taureaux. Son costume pèse jusqu'à 10 kg et coûte parfois jusqu'à 27 000 F. Il porte la *montera* (coiffe). Un matador fait parfois plus de 110 courses par an (El Cordobès en 1970 : 121). Les plus célèbres gagnent de 100 000 à 500 000 F par course, mais doivent payer leur *cuadrilla* (équipe de 2 picadors et 3 banderilleros). L'*alternative* est une consécration officielle donnée sur la plaza de Madrid (ou confirmée si la cérémonie a déjà eu lieu en province). Le *novillero* devient alors *matador de toros.*

Picador : monté sur un cheval protégé, pique les taureaux. **Banderillero :** pose les banderilles. **Novillero :** torero débutant, combat les novillos (jeunes taureaux de 3 ans). **Rejoneador :** torée et tue à cheval (son cheval n'est pas protégé).

Présidence. Revient, en Espagne, au gouverneur civil qui délègue son autorité ; en France, à une notabilité que l'on veut honorer ou à un aficionado notoire. Quand il accorde l'*oreille du taureau* à un matador, il élève un *mouchoir blanc.* Le *mouchoir vert* ordonne le remplacement d'un animal défectueux (boiterie, défaut de vue, cornes abîmées) ; le *rouge* ordonne de poser les band. noires ; le *vert* accorde un tour d'honneur à la dépouille d'un animal particulièrement brave. Un timbalier et 2 clairons, face à la présidence, surveillent les gestes de celle-ci et sonnent les changements de phases du combat.

☞ En 1992, il y avait 133 matadors d'alternative, 128 novilleros et 39 rejoneadores espagnols + 1 517 toreros subalternes et 443 toreros étrangers.

En 1992 : 129 matadors ont toréé en Europe dont 113 Espagnols, 6 Portugais, 6 Français, 2 Colombiens, 1 Équatorien, 1 Vénézuélien.

■ **Quelques termes. Brega :** travail des subalternes (peons). **Brindis :** offrande de la mort du taureau par le matador à une personne de l'assistance ou à toute l'arène. **Citar :** citer, appeler le taureau pour provoquer sa charge. **Faena :** travail du matador. **Lidia :** combat. **Parar :** attendre de sang-froid ladite charge. **Pelea :** combat du taureau et plus particulièrement à la pique. **Quite :** action de détourner le taureau du cheval et de secourir un camarade en danger. **Recoger :** recueillir, retenir l'animal en fin de passe pour enchaîner la passe suivante. **Suerte :** chance mais aussi les multiples épisodes du combat : banderilles, piques, mises à mort. **Templar :** accorder le mouvement du leurre en parfait synchronisme avec la vitesse de charge de son adversaire.

■ **Taureaux.** Élevés dans la *ganaderia.* La caste dominante en Espagne et Portugal a été créée par le comte de Vistahermosa en Andalousie fin XVIIIe s.

Age. *A 3 ans,* novillo ; 325 kg min., peut combattre dans les petites courses *(novilladas)* avec toreros débutants. *A 4 ans, toro de lidia ;* il sait se servir de ses cornes. Un taureau combattu dans les arènes de 1re catégorie doit peser au moins 460 kg et avoir 4 ans (on dit « 5 herbes »). Les *toros de bandera* à la bravoure exceptionnelle, sont surnommés *t. à oreilles »* car leurs oreilles sont souvent données en récompense à ceux qui les ont tués. On en voit 25 à 40 par an.

Taureaux d'aujourd'hui. La fièvre aphteuse, la consanguinité excessive, la raréfaction de l'étendue du territoire qui leur était réservé et l'excès d'aliments composés mis à leur disposition qui les dispense de rechercher leur nourriture ont diminué leur résistance physique. Plus jeunes, manquant de puissance pour renverser la masse constituée par le picador et sa monture protégée par un lourd caparaçon, ils ne supportent guère plus de 2 ou 3 piques, desquelles ils sortent souvent ébranlés. A la fin du XIXe s., où l'on combattait des bêtes de 5 et 6 ans, où les chevaux n'étaient pas protégés, il en allait autrement.

Nombre de taureaux tués (en Espagne, France et Portugal) : de 7 000 à 7 500 taureaux ou novillos par an dans les corridas régulières, et 4 000 novillos environ dans les courses sans picadores réservées aux aspirants-matadors.

Principales ganaderias et, entre parenthèses, **année de 1re présentation de taureaux à Madrid :** Domecq (2-8-1790). Miura (30-4-1849). Romero (8-4-1888). Martin (29-5-1919). Gonzales (26-5-1935). De Domecq (18-5-1966). Yonnet, seul Français (2-8-1991).

Prix : *le lot de 6 taureaux :* de 140 000 à 220 000 F et + ; *les plus réputés :* les Miura (élevage créé en 1842) et les Victorino Martin (600 000 à 950 000 F).

Taureaux célèbres : *Almendrito,* 22-8-1876, prit 43 piques. *Libertado,* 23-12-1864, prit 36 p. et tua 6 chevaux. *Gordito,* 26-7-1869, prit 30 p. et tua 21 chevaux. *Caramelo* 8 ans 17-6-1867, prit 27 p. et blessa grièvement le picador Gallardo et le matador José Ponce. *Azuleio,* 24-6-1857, prit 23 p., tua 9 chev., fut gracié et survécut. *Civilon* lécha la main de son éleveur et fut gracié (1936). *Bravio* provoqua la panique du matador Saleri. *Jaqueton* fut gracié mais dut être achevé en piste car il avait un poumon perforé et des lésions importantes à la nuque. *Pamado* franchit 14 fois la barrière et provoqua la déroute du matador Lagartijo. *Granizo* la sauta 22 fois à Madrid et tenta de la resauter à 6 reprises. *Cucharrero* que Lagartijo mit une demi-heure à tuer.

Taureaux meurtriers : *Perdigon* tua El Espartero (27-5-1894). *Bailador* José Gomez « Gallito » (16-5-1920). *Pocapena* Granero (7-5-1922). *Islero* Manolete (28-8-1947). *Cuchareto* José Falcon (1-8-1974). *Avispado* Francisco Rivera Paquirri (25-9-1984). *Burleo* El Yiyo (30-8-1985). *Cavatisto* Manolo Montolin banderillo († 5-1992).

■ **Matadors célèbres. En activité,** en 1992 [année de naissance (n.) et de début d'activité] : *Curro Romero* (Francisco Romero Lopez, n. 1-12-1933), alternative 18-3-59, revenu en 1980 après une retraite de 7 ans, blessé le 30-5-80 par un taur. de 530 kg. *Rafael de Paula* (n. 1940). *Palomo Linares* (n. 1947). *Manolo Cortès* (n. 1948). *Curro Vazquez* (n. 1951). *Julio Robles* (n. 1952), 1972 gravement blessé, août 90 tétraplégique, reprise improbable. *Manzanares* (José Maria Dols Abellan, n. 1953, 1972). *José Luis Galloso* (n. 1953). *José Antonio Campuzano* (n. 1954). *Tomas Campuzano* (n. 1957). *Juan Antonio Ruiz. Victor Mendes* (n. 1958) 1981. *José Ortega Cano* (n. 1958). *Luis Francisco Espla* (n. 1958) 1976. *Emilio Munoz* (n. 1962). *Emilio Oliva* (n. 1963). *José Miguel Arroyo Joselito* (n. 1969). *Roberto Dominguez* (1972). *Manili* 1976. *Patrick Varin* (n. 1956). *Richard Milian* 1981. *César Rincon* (n. 1965) 1982. *Rafi Camino* (1987). *Mike Litri* Miguel, fils de Miguel Baez Espuny (n. 8-9-1968) 8-9-1987. *El Fundi* (Jose Pedro Prados) (1987). *Niño de la Taurina* 1988. *Julio II Aparicio* (n.1969) 1990. *Fernandez Meca* 1989. *Denis Loré* 1990. *Jesulin de Ubrique* 1990. *Paco Ojeda* (n. 1955) 1988, reprend en 91. *Fernando Camara* 1990. *Enrique Ponce* 1990. *Bernard Marsella* 1990. *Antonio Manuel Punta* 1991. *Pareja Obregon* 1991. *Felipe Martins* (1991). *Finito de Cordoba* (1991). *Chamaco II* (Antonio Borrero n. 28-7-1972.) 1992. *Mario Jimenez* (n. 1970) 1992. *Domingo Valderrama* (n. 1971) 1992. *Manolo Sanchez* (n. 1971) 1992. *San Gilen* (n. 1970) 1992. *Sanchez Mejias* (n. 1967) 1992.

Morts ou retirés : *Joselito* (José Gómez Ortega dit, 8-5-1895, tué le 16-5-1920 par le taureau *Bailador*) alternative 1912, 680 corridas. *Juan Belmonte Garcia* (14-4-1892-suicide par amour 8-4-1962) al. 1913, 60 novilladas, 675 corridas. *Domingo Ortega* (López Ortega dit, 25-2-1906/8-5-1988). *Manolete* (Manuel Rodriguez Sanchez dit, 4-7-1917, blessé 28-8-1947 par *Islero,* meurt le 29), al. 2-7-1939. *Carlos Arruza,* (Carlos Ruiz Camino dit ; mexicain, 17-2-1920/accident voiture 20-5-1966) al. 1-12-1940. *Luis Miguel Dominguin* (n. 9-12-1926) al. 2-8-1944. *Julio Aparicio Martinez* (n. 13-2-1932) al. 12-10-1950. *Litri* (Miguel Baez Espuny dit, n. 5-10-1930) al. 12-10-50. *Antonio Ordoñez* (Antonio Ordoñez Araujo dit, n. 6-2-1932) al. 28-6-51. *Manolo Vasquez* (Manuel Vasquez Garces dit, n. 21-8-1930) al. 6-10-51. *Cesar Giron* (Venezuela, n. 13-6-1933, tué accident voiture 19-10-1971) al. 28-9-52. *Pedrés* (Pedro Martinez dit, n. 11-2-1932) al. 12-10-52. *Chamaco I* (Antonio Borrero Morano dit, n. 13-9-1935) al. 14-10-56. *Paco Camino* (Francisco Camino dit, n. 15-12-1940) al. 17-3-60. *El Viti* (Santiago Martin Sanchez dit, n. 1948) al. 13-5-61. *El Cordobés* (Manuel Benítez Pérez dit, n. 4-5-1936) al. 25-5-63, 121 corridas. *Paquirri* (Francisco Rivera Pérez dit, 24-3-1948, tué oct. 1984 par un taureau) al. 11-8-66. *Antonete* (Antonio Chenel Albaladejo dit, n. 1934) al. 8-3-53. *Paco Ojeda* (n. 6-10-1955) al. 22-7-79. *Espartaco* (Juan Antonio Ruiz dit, n. 3-10-1962) al. 1-8-79. *José Mata* (1940-1971). *José Falcon* (1944-74), tués par un taureau. *Bienvenida* (Antonio Mejias, 1922-75). *Jaime Ostos* (n. 1933). *Puerta* (n. 1941). *Francisco Ruiz Miguel* (1950-89). *Angel Teruel* (n. 1950). *El Yiyo* (José Cubero dit, 1964-85, tué par un taureau). *El Niño de la Capea* (1953-88). *Damaso Gonzalez* (n. 1948, se retire 1990). *El Nimeño II* [Christian Montcouquiol, (n. 10-3-54), al. 1977, gravement blessé 10-9-89, se suicide le 25-11-91].

Records : *Lagartijo* (1841-1900) a tué 4 867 taureaux. *Bienvenida* a toréé 32 ans (1942-74). *Belmonte* pendant 26 saisons (1909-37), a fait 3 000 mises à mort et a été encorné 50 fois. *Dominguin* aurait tué 2 900 taureaux. *Guerrita* (en 1895) en tua 18 en 1 journée dans 3 villes différentes. *Luis Freg* (Mex. 1888-1934) a été blessé 80 fois, a reçu 4 extrêmes-onctions, est mort noyé.

Femmes matadoras : *Patricia Mc Cormick* (Amér. années 50). *Beta Trujillo* (Colomb. années 60). *Raquel Martinez* (Mex. 1981).

■ **Rejoneadores célèbres. En activité :** *Angel* 1926 et *Rafael Peralta, Alvaro Domecq Romero, José Samuel « Lupi », Manuel Vidrié, Joao Moura* 1959, *Marie Sara* (n. 1964) 1991. **Retirés :** *Antonio Cañero ; Alvaro Domecq Diaz* 1940 ; *Conchita Cintron* (Péruvienne n. Chili 9-8-22) retirée 1-10-1950.

■ **Classement des toreros** (nombre de corridas et, entre parenthèses, nombre d'oreilles, 1992) : *Enrique Ponce* 100 (110), *César Rincon* 82 (80), *Victor Mendez* 75 (54), *Joselito* 69 (67), *Litri* 63 (63), *Paco Ojeda* 62 (25), *Ortega Cano* 61 (56), *Jesulin de Ubrique* 60 (84), *Espartaco* 59 (59), *Roberto Dominguez* 53 (23).

☞ *Bibliogr. : Histoire de la corrida en France* (Auguste Lafront). *Dictionnaire tauromachique* (Paul Casanova et Pierre Dupuy). *Pour ou contre la corrida, la Passion taurine, les Démons intérieurs et les Échelles de la mort, le Costume de lumières* (Roger Dumont).

COURSE LANDAISE

Origine. Très ancienne, 1er témoignage 1547. **Régions.** Béarn, Gers, Landes.

Principe. Pratiquée avec les taureaux jusqu'en 1900 env. puis avec des vaches landaises issues d'élevages espagnols, portugais et camarguais auxquelles, en 1905, on plaça des tampons dans les cornes. *Arène :* en forme de fer à cheval. Chaque cuadrilla (appartenant au ganadero) est composée de 7 toreros : 1 *sauteur* (élément très attractif), 1 ou 2 *entraîneurs* (1 entraînant la vache dans le terrain adéquat et l'y maintenant jusqu'à ce que l'écarteur soit en mesure de provoquer et d'écarter l'animal ; le second attirant l'attention de la bête avec un mouchoir, afin d'éviter son retour inopiné), 1 *teneur de corde* (ou *cordier* qui doit prévoir la charge de la vache et ce que va réaliser l'écarteur ; en fonction d'un écart qui sera fait « en dedans » ou à « l'extérieur », il doit doser l'appel de la corde, indispensable pour le bon déroulement de la suerte ; il doit être prêt à intervenir si l'écarteur est en difficulté) ; plusieurs *écarteurs* (en pantalon blanc, avec un drap de couleur enroulé plusieurs fois autour de leur taille, chemise blanche, gilet de velours et boléro aux épaulettes avec broderie d'or et d'argent, souliers de cuir à tige montante). Un jury pointe les écarts.

Principales suertes. *Écart à l'extérieur :* l'écarteur, les bras levés, au centre de la piste, provoque la charge de la vache par des sifflets et des cris. Lorsque l'animal n'est plus qu'à quelques mètres, il saute, prend appui sur un pied, pivote dans un minimum de terrain et exécute son écart, pieds réunis sur la pointe, en infléchissant le corps afin d'éviter d'être bousculé par l'animal. *La feinte :* l'écarteur amorce un mouvement du buste du côté opposé où il va tourner. Quand la vache parvient à sa hauteur, il rectifie son mouvement et pivote en esquivant uniquement par la cambrure des reins. *La feinte tourniquet :* tour complet du torero sur lui-même au moment où s'élance la bête, se termine de la même façon que la feinte simple. *Sauts à pieds joints, périlleux, saut de l'ange.*

Vedettes de la course landaise. Jean-Claude Ley, Darracq II, Bergez, Ramuntchito, Henri Duplat (sauteur, tué lors d'une fête), Michel Agruna, Ribeiro, Michel Dubos, Lafitte, Marc-Henri, Alain Nogues. *Champion de France des écarteurs :* Didier Laplace (1984), Didier Bordes (1985), Jean-Pierre Rachou (1986, 87, 88), Didier Goueyte (1989 et 90), Christophe Dussau (1991), Thierry Bergamo (1992).

En 1982 : au Vieux-Boucau (Landes), Duvaquier (19 ans) a été paralysé à vie. *Le 27-7-1987* Bernard Huguet a été tué à Montfort-en-Chalosse.

Principaux éleveurs de vaches landaises. Deyris, Descazeaux, Labat, Larrouture, Latapy, Lines, Maigret, Pussacq.

Course camarguaise

Origine. **1402** *27-3* Le roi Louis II d'Anjou fait combattre en Arles un lion contre un taureau dans la cour de l'archevêché. **V. 1445** jeux de foire dans lesquels on doit terrasser le taureau. **V. 1500** les valets de ferme organisent des courses de taureaux dans des arènes fermées par des charrettes et autres matériels d'exploitation. **V. 1900** apparition de règles. Appelée successivement *course libre, course à la cocarde* puis *course camarguaise*.

Règles. **Taureau :** 3 à 15 ans. Effectue plusieurs courses par an. Il n'y a pas de mise à mort. En général, dans une course, 6 taureaux courent chacun 15 min. max. pour défendre leurs *attributs* (cocarde, ruban rouge de 2 cm env. placé au centre du front, 2 glands ou pompons de laine blanche fixés à la base des cornes par un élastique) fixés à leurs cornes par une *ficelle* dite de *fouet* faisant 5 ou 6 tours autour de chacune. **Razeteur** doit « raser » le taureau au plus près et lui ravir les attributs dans l'ordre cité ci-dessus en faisant un *razet* (arc de cercle qui le mène devant l'animal) et avec un *crochet* (muni de 4 barres d'acier de 10 cm env. reliées entre elles et se terminant par 4 dents de 1 cm). Il obtient ainsi des points. Ensuite, il se met à l'abri. Tenue blanche (chemisette, pantalon et tennis). **Tourneur** assiste le razeteur. Doit essayer de placer le taureau dans la meilleure position possible pour que le razet réussisse. **Présidence** annonceur et assistant qui dirigent la course.

Éleveurs *(Manadiers).* **Manades anciennes :** Combet-Granon, Pouly, Raynaud, Baroncelly, Papinaud, Saurel, Lescot, Viret ; **actuelles :** Lafont, Laurent, Blatière, Fabre-Mailhan, Guillierme, Saumade, Espelly, Chauvet, Ribaud, Raynaud, Languedoc, Cuille, Janin, Lebret, Pantaï, Chapelle, Lapeyre.

Taureaux célèbres. *Morts ou retirés* : Lou Pare, Lou Prouvenço, Lou Bandot, Le Sanglier (manade Combet-Granon, a un monument au Cailar dans le Gard), Le Clairon (Combet-Granon, à Beaucaire dans le Gard, statue), Sarraie, Gandar, Vovo (H. Aubanel, aux Stes-Maries-de-la-Mer, tête naturalisée), Régisseur, Cosaque, Tigre, Loustic, Vergezois, Rami, Charlot, Goya (Laurent, à Beaucaire, statue), Segren, Ventadour, Rousset, Pascalet (statue à Lunel), Caleu, Samouraï, Saint-Hilaire, Ourrias. **1991** : Filou, Barraie, Gazian, Banco, Sangar, Président, Jaguar, David, Vidocq, Galant, Galisson, Tavan.

Razeteurs célèbres. **Morts ou retirés :** Robert, Heraud dit le Pissarel, Laplanche, Rey, Fidani, Soler, Pascal, San Juan, Falomir, César, Marchand, Canto, Barbeyrac, Volle, Castro, Dumas, G. Rado, P. Meneghin, Pellegrin, J. Siméon, J. Jouanet. *Mortellement blessés :* Bossis (1883), Melette (1924), Berbédès (1928), Bastide (1932), Grebaud (1932), Villela (1948), Tosi (1954), Ramos (1958), Canto (1965), Jauffrès (1986). **1991** : Chomel, Ferrand, L. Mezy, F. Durand, O. Arnaud, T. Felix, D. Messeguer.

Régions. Gard, Bouches-du-Rhône, Hérault. **Arènes.** Nîmes, Arles, Lunel, Beaucaire, Châteaurenard, Mouries, Le Grau-du-Roi, Marsillargues.

Compétitions. *Trophée taurin* du Midi-Libre-Le-Provençal (3 catégories : AS, AS GR. 2, avenir) se déroule sur toute la saison et sur toutes les courses. *Trophées Pescalune, des Maraîchers, Palme d'or, San Juan, Trident d'Or, des Olives vertes,* se déroulent sur quelques courses pendant la saison. *Cocarde d'Or* (sur un jour). En fin de saison, on décerne le Trophée taurin au meilleur taureau (le *Biou d'or*). La *cocardière d'or* à la meilleure vache.

☞ *Fédération française de la course camarguaise,* 8, rue Tedenat, 30000 Nîmes.

Tennis

Généralités

Histoire

Origine. Dérivé du jeu de paume. Nom : du vieux français *tenetz,* utilisé par les joueurs de paume lors du service. En anglais, paume se dit *tennis* et tennis *lawn-tennis.* **1874** *23-2* le major anglais Walter Clopton Wingfield dépose un brevet pour le *sphairistike* qui se joue sur herbe, sur terrain en forme de sablier (rétréci à la hauteur du filet) avec des raquettes et des balles en caoutchouc ; pour la marque on compte de 15 en 15 comme à la paume. **1877** change de nom pour *lawn-tennis. -9/16-7 1er tournoi* disputé à Wimbledon. *1er club français* créé à Paris, le Decimal club. **1878** Lawn tennis club de Dinard créé. **1913** *1-3* Féd. Internat. de L.-t. (FILT) créée. **1920** *1-11* Féd. fr. de L.-t. créée (devient en 1976 Féd. fr. du tennis en raison de la loi du 31-12-75 sur l'emploi du français). **1967** *5-10* la Féd. anglaise abolit la distinction amateurs et professionnels : tournoi *open.* **1968** *30-1* la FILT vote en faveur des open. *24-4 1er tournoi open* à Bornemouth (G.-B.) ; *mai* Roland-Garros devient open. **1972** 50 joueurs fondent l'Association des Professionnels du Tennis. **1988** réinscrit aux JO (était inscrit en 1896).

Règles

Terrain. Appelé *court* [en anglais enclos de l'ancien français *court* (ancienne forme de cour)]. 35 à 42 m sur 17,5 à 21 m. **Surface de jeu :** en simple, 23,77 × 8,23 m double, 23,77 × 10,97 m (s'ajoutent les 2 couloirs de 1,37 m). **Lignes :** médiane, de service, de fond, de côté, tracées sur le sol pour délimiter les zones de jeu. *Surfaces :* gazon naturel ou synthétique, terre battue, ciment, asphalte enrobé, bois, béton, matières synthétiques. **Filet :** longueur en simple 10,6 m, double 12,8 m ; hauteur 1,07 m sur les côtés et 0,91 m au centre ; suspendu entre 2 poteaux par câble recouvert d'une bande de tissu blanc ; retenu au centre par une sangle blanche.

Raquette. **Longueur :** senior 66 à 81,28 cm, junior 62 à 65,9 cm, cadet 58 à 61,9, mini moins de 57,9. **Largeur :** 31,75 cm. **Poids :** de 12,50 onces (340,19 g, très léger, femmes) à 14,53 onces (412 g, très lourd, hommes en 92 Zaq Wilson de Jim Courier 368, de Stefan Edberg 378, Mizuno d'Ivan Lendl en 1992). **Matériaux :** bois (frêne à 90 %, hêtre pour raidir, noyer pour habillage, érable pour nervosité sous forme de lattes encollées), alliages métalliques (duralumin) v. 1950, fibre de verre (entièrement ou avec un cadre en bois), carbone, raramide, boron, kevlar. **Cordage :** boyaux naturels [mouton ou bœuf, (idée de Babolat, lyonnais, fabricant de cordes à musique) il faut 2 intestins pour une garniture] ou synthétiques (nylon) ; grosseur appelée jauge : *7,5* (115 à 120-100 mm), *8* (120 à 125-100 mm), *8,5* (125 à 130-100 mm), *9* (130 à 140-100 mm) ; tension : boyau naturel 22 à 26 kg, nylon 18 à 22 kg [champions 30 à 40 (en 1992 Monica Seles 37,8, Zœcke 37,3, Motta 15, Sawamatsa 12,5)].

Balle. Noyau de caoutchouc dans lequel est injecté de l'air comprimé (0,98 kg/cm²) ou un produit chimique, revêtement en feutre (en 1924 a remplacé la flanelle cousue). **Diamètre :** 6,35 à 6,67 cm. **Poids :** 56,7 à 58,5 g. **Rebond :** 1,346 à 1,473 m, quand la balle tombe d'une hauteur de 2,54 m sur du béton. **Couleur :** jaune (70 % du marché français, 98 % américain), blanche (20 %), et orange (10 %, non reconnue par la FIT).

Tenue. A dominante blanche, chaussures en caoutchouc sans talon, chaussettes, chemise, short ou jupette.

Jeu. **But :** 2 joueurs en simple ou 4 en double se tenant de chaque côté du filet essaient de faire passer la balle de l'autre côté, dans les limites du court, de façon que l'adversaire ne puisse la renvoyer. **Épreuves :** Simple messieurs, simple dames, double messieurs, double dames, double mixte. **Durée :** Pas de limite. Un match se joue en 5 ou 3 manches (ou *set*) pour les seniors-messieurs et 3 pour les seniors-dames et les autres catégories d'âge. La partie se termine quand l'un des joueurs a remporté 3 manches sur 5 (ou 2 sur les 3). Le jeu est continu du 1er service à la fin du match ; avec un arrêt de 25 s. entre chaque échange et 1 min. 25 s. à chaque changement de côté, ainsi qu'un repos de 10 min. après la 3e manche pour les messieurs (2e pour les dames). L'arbitre peut arrêter la partie.

Officiels de l'arbitrage : 1 juge-arbitre, des arbitres de chaise assistés de juges de lignes, de fautes de pied et de filet.

Service : le 1er qui lance la balle est le *serveur,* son adversaire le *relanceur.* Le serveur placé derrière la ligne de fond et entre la marque centrale et la ligne de côté entame le jeu en envoyant la balle par-dessus le filet dans le carré de service opposé. Il sert alternativement derrière la moitié droite et la moitié gauche du court, en commençant à droite dans chaque jeu. Pour le service, la balle doit être jetée en l'air et frappée de la raquette avant qu'elle n'ait touché le sol. Pendant qu'il sert, le joueur ne peut changer de position. La balle de service doit passer au-dessus du filet et toucher le sol en diagonale dans le carré de service opposé et compris les lignes déterminant le cours. Si la balle est mauvaise ou si le serveur enfreint une règle, une 2e balle de service lui est accordée. S'il y a faute à nouveau, le serveur perd le point. Lorsque la balle servie touche le filet et tombe cependant dans le carré de service, elle est *let* et elle est à remettre. Elle est également *let* si elle a été servie avant que le relanceur soit prêt. Le relanceur doit attendre le rebond de la balle pour la relancer. Au jeu suivant le service passe au relanceur.

Décompte des points : les points sont comptés en jeux (*game* en anglais) et manches. Le 1er point marque 15, le 2e 30, le 3e 40. Le 4e donne le jeu, sauf si les 2 joueurs ont 3 chacun et sont à égalité. Dans ce cas, le point suivant marqué par un joueur lui donne l'avantage. S'il marque à nouveau un point, il s'adjuge le jeu. Sinon l'avantage est détruit (égalité) et la partie continue jusqu'à ce qu'un joueur réussisse 2 points successifs. Le 1er joueur (ou la 1re équipe) gagnant 6 jeux remporte le set. Si les adversaires sont à égalité à 5-5, la partie se poursuit jusqu'à ce que l'écart soit de 2 jeux (sauf matches où le tie break est appliqué).

Tie break (en anglais « brise l'égalité » ; en français « jeu décisif ») : système conventionnel de fin de set utilisé dans les tournois quand le score atteint 6 partout dans un set à l'exception du set décisif. On remporte le tie break avec 7 points à condition d'avoir 2 points d'avance.

Perte du point : un point est perdu : lorsque le joueur ne renvoie pas la balle par-dessus le filet avant qu'elle ait touché 2 fois le sol ; s'il la renvoie de telle façon qu'elle retombe en dehors des limites du court ou si elle touche un objet en dehors du terrain ; s'il envoie la balle dans le filet ; s'il frappe la balle 2 fois ; s'il touche le filet avec son corps ou sa raquette avant que la balle n'ait rebondi une 2e fois de l'autre côté du filet ; s'il gêne volontairement les mouvements de son adversaire. Un retour est bon si la balle rebondit dans le court adverse après avoir touché le filet.

Changement de côté : à la fin du 1er et du 3e jeu et ainsi alternativement jusqu'à la fin du set. Un changement de côté à l'issue d'un set n'a lieu que si le nombre total des jeux de cette manche est impair. Sinon le changement s'effectue après le 1er jeu.

Double : *l'équipe devant servir* au 1er jeu (a, b) décide quel joueur servira (a). La paire adverse (x, y) décide de même pour le 2e jeu (x). Le joueur de la 1re équipe, qui n'a pas servi au 1er jeu (b), le fera au 3e et ainsi de suite. Le même ordre sera gardé durant chaque manche. *La paire recevant* dans le 1er jeu (x, y) décide qui, de x ou de y, recevra le 1er (x). Ce joueur reçoit tous les 1ers services des jeux impairs. De même la paire devant recevoir dans le 2e jeu (a, b) décide quel joueur (b) recevra le 1er service des jeux pairs. Dans chaque jeu les partenaires reçoivent alternativement. *Lors d'un tie break,* chaque paire sert alternativement et n'importe quel joueur de chaque paire peut recevoir.

Quelques termes. **Ace :** balle de service que le relanceur peut toucher, mais ne peut relancer dans les limites du court. Réussir un *ace* permet de gagner un point avec une balle de service. **Amorti :** revers, volée ou coup droit dont le geste est amorti au moment de l'impact avec la balle, destiné à « déposer » la balle à proximité immédiate du filet. **Avantage :** lorsqu'au cours du jeu, les 2 adversaires sont à égalité de points, à 40 partout, le point suivant donne l'avantage à l'un des joueurs. **Balle coupée ou chopée :** frappée de haut en bas, ce qui lui imprime un mouvement de rotation d'avant en arrière. **Balle let :** au service, on la remet au 1er ou 2e service, du moment que la balle était tombée bonne (après avoir touché le filet), dans le carré de service ; en toute circonstance, si la balle est bonne, rejouer ; on dit let pour interrompre le jeu si l'on n'est pas prêt. Balle let à remettre si le joueur gêné dans l'exécution de son coup par quelque chose ne dépendant pas de son contrôle. **Balle liftée ou brossée :** frappée de bas en haut, ce qui lui imprime un mouvement de rotation d'arrière en avant. Le lift accélère le mouvement de la balle vers le sol après le rebond. **Break :** prendre le service de l'adversaire sans perdre le sien, d'où un avantage de 2 jeux. **Coup droit :** exécuté du fond du court après que la balle a bondi une fois par terre et sur le côté droit du joueur (pour un gaucher, effectué sur le côté gauche). **Demi-volée :** jouer dès que la balle touche le sol. **Drive :** balle longue exécutée après un rebond. **Jeu blanc :** gagné sans que l'adversaire ait marqué un point. **Jouer petit bras :** jouer sur le point de gagner brusquement saisi par le trac. **Lob :** coup droit, revers, volée ou demi-volée destiné à faire passer la balle au-dessus de l'adversaire monté au filet. **Out** (dehors en anglais) : balle sortie des limites. **Passing-shot :** coup droit, revers, volée ou demi-volée destiné à passer le joueur monté au filet ou, pour le moins, le gêner au maximum dans l'exécution de sa volée. **Revers :** coup exécuté du fond du court après le rebond de la balle et sur la gauche du joueur (pour un gaucher, le revers est effectué à droite). **Scratch :** sanction à l'égard d'un joueur qui ne s'est pas présenté en temps voulu, il est déclaré battu et son adversaire vainqueur par *walk-over* (forfait). **Slice :** effet de balle coupée au service.

Tennis en France

Clubs. **Nombre :** *1950 :* 1 410. *60 :* 1 056. *70 :* 1 607. *80 :* 4 822. *85 :* 9 000. *90 :* 10 206. **Principaux clubs et nombre de licenciés :** RCF (Paris) : 3 657, Cacel Nice (Côte d'Azur) : 2 186, AS Meudonnaise (Hts-de-S.) : 2 131, AS Bois de Boulogne (Paris) : 2 099, Stade Fr. 1961.

Courts. *1962 :* 3 050 ; *70 :* 5 492 ; *80 :* 15 000 ; *85 :* 21 500 ; *90 :* 33 947.

Joueurs. **Licenciés :** *1950 :* 53 347 ; *60 :* 71 019 ; *65 :* 105 882 ; *70 :* 167 110 ; *75 :* 311 382 ; *80 :* 801 054 ; *85 :* 1 324 137 ; *90 :* 1 360 000 ; *91 :* 1 363 962.

Classement 1re série. *1992 :* 29 joueuses, 46 joueurs. *Total des classés toutes séries : 1992 :* 254 800 dont 65 900 joueuses, 188 900 joueurs.

Quelques records

■ Champions les plus jeunes. **Professionnelles :** Kathy Rinaldi (24-3-67) 1981 à 14 ans et 4 mois ; Andrea Jaeger (n. 1965) 1980 à 14 a. et 8 mois. **Wimbledon :** Charlotte Dod (1871-1960) 1887 à 15 a. et 285 j. Boris Becker 1985 à 17 a. et 227 j. Richard Dennis Ralston (USA, n. 1942) remporta le double messieurs avec Rafael Osuna (mexicain, 1938-69) 1960 à 17 a. et 341 j. **Roland-Garros :** Ken Rosewall 1953 à 18 a. et 7 m. C. Truman 1959 à 18 a. et 5 m. Bjorn Borg 1977 à 18 a. Mats Willander 1982 à 17 a. et 288 j. Michael Chang, 1989 à 17 a. et 109 j. Steffi Graf, 1987, à 17 a., 11 m. et 23 j. Arantxa Sanchez, 1989 à 17 a. et 6 m. Monica Seles, en 1990 à 16 a. et 189 j.

■ Matches les plus longs. Simple Messieurs. **Match :** *126 jeux :* R. Taylor (G.-B.) b. W. Gasiorek (Pol.) 27-29, 31-29, 6-4, à Varsovie en 1966. **Set.** *70 jeux :* John Brown (Austr.) b. Bill Brown (USA) 36-34, 6-1, à Kansas-City en 1960. *116 h 24 min.* du 22 au 27-5-83 entre Mark Humes et Chris Long (USA). Dames. **Match :** *62 jeux :* Kathy Blake (USA) b. Elena Subirats (Mex.) 12-10, 6-8, 14-12, à Locust Valley en 1966. **Set :** *36 jeux :* Billie Jean Moffitt-King (USA) b. Christine Truman (G.-B.) 6-4, 19-17. Wigthman cup, Cleveland, en 1963.

Double Messieurs. **Match :** *147 jeux :* Dick Leach et Donald Dell (USA) b. Len Schloss et Tom Mozur 3-6, 49-47, 22-20, à Newport 67. **Set :** *96 jeux :* D. Leach-D. Dell (USA) b. L. Schloss-T. Mozur (USA) 3-6, 49-47, 22-20 (Newport 1960). Dames. **Match :** *81 jeux :* Nancy Richey et Carole Graebner (USA) b. Justina Bricka et Carol Hanks (USA) 31-33, 6-1, 6-4, à Orange en 1964. **Set :** *64 jeux :* N. Richey-C. Graebner (USA) b. J. Bricka-C. Hancks (USA) 31-33, 6-1, 6-4 (South Orange 1964).

Mixte. **Match :** *71 jeux :* Bill Talbert et Margaret du Pont (USA) b. Bob Falkenburg et Gertrude Moran (USA) 27-25, 5-7, 6-1. **Set :** *52 jeux :* M. du Pont-B. Talbert (USA)-G. Moran-R. Falkenburg (USA) 27-25, 5-7, 6-1 (Forest Hills 1948).

Une partie en simple a duré 30 h 30 min. les 10 et 11 mai 1975 à Beltsville (Maryland, USA).

■ Tie breaks les plus longs. *26 points à 24* à Wimbledon le 1-7-1985 en double ; *21 à 19* double des championnats d'Égypte en mars 83 ; *20 à 18, 3e set :* B. Borg (Suède) B. Lall (Inde) 6-3, 6-4,9-8 (Wimbledon 1973) ; *19 à 17 2e set :* Mark Cox (G.-B.) R. Emerson (Austr.) 4-6, 7-6, 7-6 (Dallas 1971).

■ Points les plus longs. Cari Hagey et Colette Kavanagh (11 ans), 51 min. 30 s (1977). La rencontre dura 3 h 35 min. Entre Mlles Ricard et Marot (3e point des tie breaks, balle renvoyée 989 fois au-dessus du filet) 1 h 19 min. le 28-3-1981 à Roland-Garros.

■ Victoires **(séries les plus longues).** Margaret Court a remporté 24 tournois du Grand Chelem de 1960 à 73. Sur terre battue, Chris Evert : 118 victoires consécutives et 23 tournois dep. le 12-8-1973.

■ Service le plus rapide (km/h). Boris Becker (All. féd. le 27-10-1985) 269. **Vitesses de balles enregistrées dans le circuit ATP en 1992 :** Richard Krajicek 212, Marc Rosset (Suisse) 209, Guy Forget (Fr.) 208, Michael Stich (All.) 207, Alberto Mancini (Arg.) 206.

■ **Jeu le plus long dans un tournoi officiel seniors.** 31 min. avec 37 égalités entre Anthony Fawcett (Rhodésien) et Keith Glass (G.-B.) le 26-5-75 aux championnats du Surrey (G.-B.).

Principales épreuves

☞ **Jeux olympiques 1896 à 1924** inscrit au programme. **1984** sport de démonstration. **1988** réinscrit. **Résultats** (voir p. 1546).

☞ Légende des nationalités. **Individuel :** (1) Australie. (2) France. (3) Angleterre. (4) Espagne. (5) USA. (6) Tchéc. (7) Youg. (8) Roumanie. (9) Afr. du S. (10) Égypte. (11) Brésil. (12) Hongrie. (13) Suède. (14) Italie. (15) ex-URSS. (16) N.-Zélande. (17) Chili. (18) Mexique. (19) Pays-Bas. (20) All. féd. (21) Paraguay. (22) Argentine. (23) Japon. (24) Rhodésie. (25) Inde. (26) Uruguay. (27) Autriche. (28) Suisse. (29) Danemark. (30) Équateur. (31) Belgique. (32) Pologne. (33) Colombie. (34) Irlande. (35) Bulgarie. (36) Pérou. (37) Israël. (38) Canada. (39) Haïti. (40) Venezuela. (41) Porto Rico. (42) Iran.

Par équipe : All : Allemagne féd. AS : Afr. du Sud. At : Autriche. Au : Australie. Be : Belgique. Ch : Chili. E : Espagne. F : France. G : Grande-Bretagne. In : Inde. It : Italie. Ja : Japon. Me : Mexique. P : Pays-Bas. Rou : Roumanie. S : Suède. Tch : Tchécoslovaquie. U : USA. Ur : URSS.

■ Circuit professionnel

Grand Prix. *Créé* 1970 par John Kramer. Messieurs. **70** Richey. **71** Smith. **72, 73** Nastase. **74, 75** Vilas. **76** Ramirez. **77** Vilas. **78** Connors. **79, 80** McEnroe. **81** Lendl. **82** Connors. **83** Wilander. **84** McEnroe. **85, 86, 87** Lendl. **88** Wilander. **89** Lendl. **90, 91** Edberg. **92** Courier. Dames. **77, 78, 79** Evert. **80** Mandlikova. **81, 82, 83, 84, 85, 86** Navratilova. **87, 88, 89** Graf. **90, 91** Seles.

☞ Messieurs. Dep. 1990, le Grand Prix est remplacé par l'ATP Tour (Association du Tennis Professionnel qui organise les tournois. Cependant, la FIT continue de contrôler les 4 tournois du Grand Chelem, la Coupe Davis et la Coupe du Grand Chelem. Dames. L'association des joueuses (Women's Tennis Association) n'a pas fait sécession. Le circuit est régi par le Conseil professionnel (représentants de la WTA, de la FIT et des organisateurs). Les tournois du Grand Chelem font partie du circuit.

Coupe du Grand Chelem. *Créée* 1990 par la FIT pour équilibrer l'influence de l'ATP sur le tennis. Qualification sur les résultats obtenus dans les 4 tournois majeurs de l'année. 16 meilleurs joueurs. **1990** (Munich) Sampras b. Gilbert. **1991** (Munich) Wheaton b. Chang. **1992** (Munich) Stich b. Chang.

Champion du monde de la FIT. Vainqueur désigné par un jury de 3 personnes (anciens champions). Messieurs. **78, 79, 80** Borg. **81** McEnroe. **82** Connors. **83, 84** McEnroe. **85, 86, 87** Lendl. **88** Wilander. **89** Becker. **90** Lendl. **91** Edberg. **92** Courier. Dames. **78** Evert. **79** Navratilova. **80, 81** Evert-Lloyd. **82, 83, 84, 85, 86** Navratilova. **87, 88, 89, 90** Graf. **91, 92** Seles.

■ Coupe Davis

■ Fondée par l'Américain Dwight Filley Davis (1879-1945) et jouée pour la 1re fois en 1900. Équipes masculines. Annuelle. Jusqu'en 1971, le tenant de la Coupe ne jouait qu'un match ultime (le Challenge Round), où il mettait son trophée en jeu sur son terrain contre le gagnant des éliminatoires. Depuis 1972, le tenant de la Coupe participe à la compétition depuis ses débuts au même titre que les autres nations. La finale se compose de 4 simples croisés et 1 double.

■ Résultats. **1900** U-G 5-0. **01** non disp. **02** U-G 3-2. **03** G-U 4-1. **04** G-Be 5-0. **05, 06** G-U 5-0. **07** Au-G 3-2. **08** Au-U 3-2. **09** Au-U 5-0. **10** non disp. **11** Au-U 5-0. **12** G-Au 3-2. **13** U-G 3-2. **14** Au-U 3-2. **15-18** non disp. **19** Au-G 4-1. **20** U-Au 5-0. **21** U-Ja 5-0. **22** U-Au 4-1. **23** U-Au 4-1. **24** U-Au 5-0. **25** U-F 5-0. **26** U-F 4-1. **27** F-U 3-2. **28** F-U 4-1. **29** F-U 3-2. **30** F-U 4-1. **31** F-G 3-2. **32** F-U 3-2. **33** G-F 3-2. **34** G-U 4-1. **35** G-U 5-0. **36** G-Au 3-2. **37** U-G 4-1. **38** U-Au 3-2. **39** Au-U 3-2. **40-45** non disp. **46** U-Au 5-0. **47** U-Au 4-1. **48** U-Au 5-0. **49** U-Au 4-1. **50** Au-U 4-1. **51** Au-U 3-2. **52** Au-U 4-1. **53** Au-U 3-2. **54** U-Au 3-2. **55, 56** Au-U 5-0. **57** Au-U 3-2. **58** U-Au 3-2. **59** Au-U 3-2. **60** Au-It 4-1. **61** Au-It 5-0. **62** Au-Mexique 5-0. **63** U-Au 3-2. **64** Au-U 3-2. **65** Au-E 4-1. **66** Au-Indes 4-1. **67** Au-Esp. 4-1. **68** U-Au 4-1. **69** U-Rou 5-0. **70** U-All 5-0. **71** U-Rou 3-2. **72** U-Rou 3-2. **73** Au-U 5-0. **74** A.S.-In, forf. **75** Suède-Tch 4-1. **76** It-Chili 4-1. **77** Au-It 3-1. **78** U-G 4-1. **79** U-It 5-0. **80** Tch-It 4-1. **81** U-Arg. 3-1. **82** U-France 4-1. **83** A-S 3-2. **84** S-U 4-1. **85** S-All 3-2. **86** Au-S 3-2. **87** S-In 5-0. **88** All-S 4-1. **89** All-S 3-2. **90** U-Au 3-2. **91** France-U 3-1 (dernier match non disp. ; dernière vict. en 1932). **92** U-Suisse 3-1.

Simple le plus long. *86 jeux :* A. Ashe C. Kuhnke 6-8, 10-12, 9-7, 13-11, 6-4 (Cleveland 1970). Double le plus long. *122 jeux :* A. Smith-Erik Van Dilen-Patricio Cornejo-Jaime Fillol 7-9, 37-39, 8-6, 6-1, 6-3 (Little Rock 1973).

■ Coupe de la Fédération internationale

■ Fondée par la Féd. Internat. de Lawn-tennis à l'occasion de son 50e anniversaire et jouée pour la 1re fois en 1963. Équipes féminines. Annuelle. Se dispute sur 1 semaine et dans la même ville. La finale se compose de 2 simples et 1 double.

■ Résultats. **1963** U-Au 2-1. **64** Au-U 2-1. **65** Au-U 2-1. **66** U-All 3-0. **67** U-G 2-1. **68** Au-P 3-0. **69** U-Au 2-1. **70** Au-All 3-0. **71** Au-G 3-0. **72** AS-G 2-1. **73** Au-AS 3-0. **74** Au-U 2-1. **75** Tch-Au 3-0. **76** U-Au 2-1. **77** U-Au 2-1. **78** U-Au 2-1. **79** U-Au 3-0. **80** U-Au 3-0. **81** U-G 3-0. **82** U-All 3-0. **83** Tch-All 2-1. **84** Tch-At 2-1. **85** Tch-U 2-1. **86** U-Tch 3-0. **87** All-U 2-1. **88** Tch-Ur 3-2. **89** Tch-Ur 2-1. **90** USA-URSS 2-1. **91** Esp. **92** All.-Esp. 2-1. **93** Esp.-Au.

■ Tournois du Grand Chelem

Grand Chelem. Formule empruntée au bridge, joueur ayant remporté, dans la même saison, les 4 grands tournois internationaux (Fr., G.-B., USA, Australie). Utilisée la 1re fois en 1933 par John Kieran dans le *New York Times* à propos de Jack Crawford qui ne le remporta pas (échoua à Forest Hills).

Joueurs l'ayant réalisé. **Messieurs :** *1938* Budge, *1962* (amateur) et *1969* (professionnel) Laver. **Dames :** *1953* Connolly, *1970* Court, *1984* Navratilova, *1988* Graf.

■ Internationaux de Grande-Bretagne (Wimbledon)

■ Simple messieurs (*créé* 1877). **46** Petra 2/Brown 5. **47** Kramer 5/Brown 5. **48** Falkenburg 5/Bromwich 1. **49** Schroeder 5/Drobny 10. **50** Patty 5/Sedgman 1. **51** Savitt 5/McGregor 1. **52** Sedgman 1/Drobny 10. **53** Seixas 5/Nielsen 29. **54** Drobny 10/Rosewall 1. **55** Trabert 5/Nielsen 29. **56** Hoad 1/Rosewall 1. **57** Hoad 1/A. J. Cooper 1. **58** A. J. Cooper 1/Fraser 1. **59** Olmedo 5/Laver 1. **60** Fraser 1/Laver 1. **61** Laver 1/McKinley 5. **62** Laver 1/Mulligan 1. **63** McKinley 5/Stolle 1. **64, 65** Emerson 1/Stolle 1. **66** Santana 4/Ralston 5. **67** Newcombe 1/Bungert 20. **68** Laver 1/Roche 1. **69** Laver 1/Newcombe 1. **70** Newcombe 1/Rosewall 1. **71** Newcombe 1/Smith 5. **72** Smith 5/Nastase 8. **73** Kodes 6/Metreveli 5. **74** Connors 5/Rosewall 1. **75** Ashe 5/Connors 5. **76** Borg 13/Nastase 8. **77, 78** Borg 13/Connors 5. **79** Borg 13/Tanner 5. **80** Borg 12/McEnroe 5. **81** McEnroe 5/Borg 13. **82** Connors 5/McEnroe 5. **83** McEnroe 5/Lewis 16. **84** McEnroe 5/Connors 5. **85** Becker 20/Curren 5. **86** Becker 20/Lendl 6. **87** Cash 1/Lendl 6. **88** Edberg 13/Becker 20. **89** Becker 20/Edberg 13. **90** Edberg 13/Becker 20. **91** Stich 20/Becker 20. **92** Agassi 5/Ivanisevic 7. **93** Sampras 5/Courier 5.

Simple dames (*créé* 1884). **46** Betz 5/Brough 5. **47** Osborne 5/Hart 5. **48** Brough 5/Hart 5. **49, 50** Brough 5/du Pont. **51** Hart 5/Fry 5. **52** Connolly 5/Brough 5. **53** Connolly 5/Hart 5. **54** Connolly 5/Brough 5. **55** Brough 5/Fleitz. **56** Fry 5/Buxton 3. **57** Gibson 5/Hard. **58** Gibson 5/Mortimer 3. **59** Bueno 11/Hard 5. **60** Bueno 11/Reynolds 9. **61** Mortimer 3/Truman 3. **62** Susman 5/Sukova 6. **63** Smith-Court 1/Moffitt 5. **64** Bueno 11/Smith-Court 1. **65** Smith-Court 1/Bueno 11. **66** King 5/Bueno 11. **67** King 5/Jones 3. **68** King 5/Tegart 1. **69** Jones 3/King 5. **70** Smith-Court 1/King 5. **71** Goolagong 1/Smith-Court 1. **72** King 5/Goolagong 1. **73** King 5/Evert 5. **74** Evert 5/Morozova 15. **75** King 5/Cawley 1. **76** Evert 5/Cawley 1. **77** Wader 3/Stove 19. **78, 79** Navratilova 8/Evert 5. **80** Goolagong 1/Evert 5. **81** Evert 5/ Mandlikova 6. **82** Navratilova 5/Evert-Lloyd 5. **83** Navratilova 5/Jaeger 5. **84, 85** Navratilova 5/Evert-Lloyd 5. **86** Navratilova 5/Mandlikova 6. **87** Navratilova 5/Graf 20. **88, 89** Graf 20/Navratilova 5. **90** Navratilova 5/Garrison 5. **91** Graf 20/Sabatini 22. **92** Graf 20/Seles 7. **93** Graf 20/Novotna 6.

■ Double messieurs (*créé* 1879). **46** Brown 5-Kramer 5. **47** Falkenburg 5-Kramer 5. **48** Bromwich 1-Sedgman 1. **49** Gonzales 5-Parker 5. **50** Bromwich 1-Quist 1. **51, 52** McGregor 1-Sedgman 1 **53** Hoad 1-Rosewall 1. **54** Hartwing 1-Rose 1. **55** Hartwig 1-Hoad 1. **56** Hoad 1-Rosewall 1. **57** Mulloy 5-Patty 5. **58** Davidson 15-Schmidt 5. **59** Emerson 1-Fraser 1. **60** Osuna 1-Ralston 5. **61** Emerson 1-Fraser 1. **62** Hewitt 1-Stolle 1. **63** Osuna 18-Palafox 18. **64** Hewitt 1-Stolle 1. **65** Newcombe 1-Roche 1. **66** Fletcher 3-Newcombe 1. **67** Hewitt 1-McMillan 1. **68, 69** Roche 1-Newcombe 1. **70** Newcombe 1-Roche[1]/Rosewall[1]-Stolle[5]. **71** Laver[1]-Emerson[1]/Ashe[5]-Ralston[5]. **72** Hewitt[9]-McMillan[9]/Smith[5]-Van Dillen[2]. **73** Connors[5]-Nastase[8]/Cooper[1]-Fraser[2]. **74** Newcombe[1]-Roche[1]/Lutz[5]-Smith[5]. **75** Gerulaitis[5]-Mayer[5]/Dowdeswell[24]-Stone[1]. **76** Gottefried[5]-Ramirez[18]/Case[1]-Masters[1]. **77** Case[1]-Masters[1]/Alexander[1]-Dent[1]. **78** McMillan[9]-Hewitt[9]/McEnroe[5]-Fleming[5]. **79** McEnroe[5]-Fleming[5]/Gottfried[5]-Ramirez[18]. **80** McNamee[1]-McNamara[1]/Lutz[5]-Smith[5]. **81** Fleming[5]-McEnroe[5]/Lutz[5]-Smith[5]. **82** McNamara[1]-McNamee[1]/Fleming[5]-McEnroe[5]. **83** Fleming[5]-McEnroe[5]/Tim et Tom Gullikson[5]. **84** Fleming[5]-McEnroe[5]/Cash[1]-McNamee[1]. **85** Gunthardt[13]-Taroczy[12]/Cash[1]-Fitzgerald[1]. **86** Nyström[13]-Wilander[13]/Donnelly[5]-Fleming[5]. **87** Flach[5]-Seguso[5]/Casal[4]-Sanchez[4]. **88** Flach[5]-Seguso[5]/Fitzgerald[1]-Jarryd[13]. **89** Jarryd[13]-Fitzgerald[1]/Leach[5]-Pugh[5]. **90** Leach[5]-Pugh[5]/Aldrich[9]-Visser[9]. **91** Fitzgerald[1]-Jarryd[13]/Fraser[22]-Lavalle[18]. **92** McEnroe[5]-Stich[20]/Grabb[5]-Reneberg[5]. **93** Woodbridge[1]-Woodforde[1]/Connell[38]-Galbraith[5].

Double dames (*créé* 1899, challenge round de 1899 à 1912). **46** Brough[5]-Osborne[5]. **47** Hart[5]-Tood[5]. **48, 49, 50** du Pont[5]-Brough[5]. **51, 52, 53** Fry[5]-Hart[5]. **54** Brough[5]-du Pont[5]. **55** Shilcock-Mortimer[3]. **56** Buxton[5]-Gibson[5]. **57** Gibson[5]-Hard[5]. **58** Gibson[5]-Bueno[11]. **59** Arth-Hard[5]. **60** Bueno[11]- Hard[5]. **61** Hantze[5]-Moffitt[5]. **62** Susman[5]-Moffitt[5]. **63** Bueno[11]-Hard[5]. **64** Smith-Court[1]-Turner[1]. **65** Bueno[11]-Moffitt[5]. **66** Bueno[11]-Richey[5]. **67, 68** Casals[5]-King[5]. **69** Smith-Court[1]-Tegart[1]. **70, 71** Casals[5]-King[5]. **72** King[5]-Stove[19]/Dalton[1]-Durr[2]. **73** King[5]-Casals[5]/Durr[2]-Stove[19]. **74** Goolagong[1]-Michel[5]/Gourlay[1]-Krantzcke[1]. **75** Kyomura[5]-Sawamatsu[23]/Durr[2]-Stove[1]. **76** Evert[5]-Navratilova[6]/King[5]-Stove[19]. **77** Cawley[1]-Russel[5]/Stove[9]-Navratilova[6]. **78** Reid[1]-Turnbull[1]/Jausovec[7]-Ruzici[8]. **79** King[5]-Navratilova[6]/Stove[19]-Turnbull[1]. **80** Jordan[5]-Smith[5]/Casals[5]-Turnbull[1]. **81** Navratilova[6]-Shriver[5]/Jordan[5]-Smith[5]. **82** Navratilova[5]-Shriver[5]/Joran[5]-Smith[5]. **83** Navratilova[5]-Shriver[5]/Casals[5]-Turnbull[1]. **84** Navratilova-Shriver[5]/Jordan[5]-Smith[5]. **85** Jordan[5]-Smylie[1]/Navratilova[5]/Shriver[5]. **86** Navratilova[5]-Schriver[5]/Mandlikova[6]-Turnbull[5]. **87** Kohde-Kilsh[20]-Sukova[6]/Negelsen[29]-Smylie[1]. **88** Graf[20]-Sabatini[22]/Zvereva[15]-Savchenko[15]. **89** Novotna[6]-Sukova[6]/Savchenko[15]-Zvereva[15]. **90** Novotna[6]-Sukova[6]/Smylie[1]-Jordan[5]. **91** Savchenko[15]-Zvereva[15]/Fernandez[5]-Novotna[6]. **92** Fernandez[5]-Zvereva[15]/Novotna[6]-Savchenko[15]. **93** Fernandez[5]-Zvereva[15]/Neiland[15]-Novotna[6].

Double mixte (*créé* 1900. Challenge Round de 1900 à 1912). **46** Brown[5]-Brough[5]. **47, 48** Bromwich[5]-Brough[5]. **49** Sturgess[2]-Summers[5]. **50** Sturgess[2]-Brough[5]. **51, 52** Sedgman[1]-Hart[5]. **53, 54, 55** Seixas[5]-Hart[5]. **56** Seixas[5]-Fry[5]. **57** Hard[5]-Rose[1]. **58** Howe[1]-Coghlan. **59, 60** Laver[1]-Hard[5]. **61** Stolle[1]-Turner[1]. **62** Fraser[1]-du Pont[5]. **63** Fletcher[1]-Smith-Court[1]. **64** Stolle[1]-Turner[1]. **65, 66** Fletcher[3]-Smith-Court[1]. **67** Davidson[13]-King[1]. **68** Fletcher[3]-Smith-Court[1]. **69** Stolle[1]-Jones[2]. **70** Nastase[8]-Casals[1]. **71** Davidson[1]-King[5]. **72** Nastase[8]-Casals[1]. **73, 74** Davidson[1]-King[5]. **75** Riessen[5]-Court[1]. **76** Roche[1]-Durr[2]/Stockton[5]-Casals[2]. **77** Hewitt[9]-Stevens[9]/McMillan[9]-Stove[9]. **78** Stove[9]-McMillan[9]/King[5]-Ruffels[1]. **79** Stevens[9]-Hewit[5]/Stove[9]-McMillan[9]. **80** Austin[5]-Austin[5]/Edmonsson[1]-Fromholtz[1]. **81** McMillan[9]-Stove[9]/Austin[5]-Austin[5]. **82** Smith[5]-Curren[9]/Turnbull[1]-Lloyd[3]. **83** Lloyd[3]-Turnbull[1]/Denton[5]-King[5]. **84** Lloyd[3]-Turnbull[1]/Jordan[5]-Denton[5]. **85** McNamee[1]-Navratilova[5]/Fitzgerald[1]-Smylie[1]. **86** Jordan[5]-Flash[5]/Navratilova[5]-Gunthardt[28]. **87** Durie[3]-Bates[3]/Provis[1]-McNamee[1]. **88** Stewart[5]-Garrison[5]/Cahill[1]-Provis[1]. **89** Pugh[5]-Novotna[6]/Kratzmann[1]-Byrne[1]. **90** Leach[5]-Garrison[5]/Pugh[5]-Novotna[6]. **91** Fitzgerald[1]-Smylie[1]/Pugh[5]-Novotna[6]. **92** Savchenko[15]-Suk[6]/Ozemans[19]-Eltingh[19]. **93** Woodforde[1]-Navratilova[5]/Nijssen[19]-Bollegraf[15].

■ Internationaux de France (Roland-Garros)

Créés 1891 et réservés aux joueurs résidant en France ; se déroulent au Stade Français. *1925* s'ouvrent à tous les amateurs et prennent le nom d'Internationaux. *1928* inauguration du Stade Roland-Garros (aviateur, 1888-1918, membre du Stade Fr.).

■ **Simple juniors jeunes gens** (*créé* 1947). **47** Brichant/Roberts[3]. **48** Nielsen[5]/Brichant. **49** Molinari[2]/Maillet[2]. **50** Dubuisson[2]/Pillet[2]. **51** Richardson/Mezzi[31]. **52** Rosewall[1]/Grinda[2]. **53** Grinda[2]/Andries. **54** Emerson[1]/Grinda[2]. **55** Gimeno[4]/Belkhodja. **56** Belkhodja/Laver[1]. **57** Arilla[4]/Renavand[2]. **58** Bucholz[5]/Bresson. **59** Buding[2]/Mandarino[11]. **60** Buding[20]/Gisbert[4]. **61** Newcombe[1]/Contet[2]. **62** Newcombe[1]/Koch[11]. **63** Kalogeropoulos/Koch[11]. **64** Richey[5]/Goven[2]. **65** Battrick[2]/Goven[2]. **66** Korotkoff[15]/Guerrero[4]. **67** Proisy[2]/Tavares[11]. **68** Dent[1]/Alexander[1]. **69** Munoz[4]/Thamin[2]. **70** Herrera/Thamin[2]. **71** Barazutti[14]/Warboys[3]. **72** Mottram[3]/Pinner[20]. **73** Pecci[21]/Slozill. **74** Casa/Marten. **75** Roger-Vasselin[1]/Elter[20]. **76** Gunthardt[28]/Clerk[22]. **77** McEnroe[5]/Kelly[1]. **78** Lendl[6]/Hjertqvist[13]. **79** Kirshnan[25]/Testerman[5]. **80** Leconte[2]/Tous[4]. **81** Wilander[13]/Brown[5]. **82** Benhabiles[2]/Courteau[2]. **83** Edberg[13]/Février[2]. **84** Carlsson[13]/Kratzman[1]. **85** Izaga[36]/Muster[27]. **86** Perrez-Roldan[22]/Grenier[2]. **87** Perrez-Roldan[22]/Stoltenberg[1]. **88** Pereira[41]/Larson[13]. **89** Santoro[2]/Palmer[5]. **90** Gaudenzi[14]/Enqvist[13]. **91** Enqvist[13]/Martinelle[13]. **92** Pavel[8]/Navarra[14]. **93** Carretero[4]/Costa[4].

Simple juniors jeunes filles (*créé* 1953). **53** Brunon[2]/de Chambure[2]. **54** de Chambure[2]/Monnot. **55** Redl/Baumgarten. **56** Launay[2]/Lieffrig[2]. **57** Buding[29]/Seghers[2]. **58** Gordigiani[14]/Galtier[2]. **59** Cross/Rucquoy[31]. **60** Durr[2]/Rucquois[31]. **61** Ebbern[1]/Courteix[2]. **62** Dening[1]/Ebbern[1]. **63** Salfati[2]/Van Zyll[9]. **64** Seghers[2]/Subirats[18]. **65** Emanuel[9]/Subirats[18]. **66** de Roubin[2]/Cristiani[2]. **67** Molesworth[3]/Montano[18]. **68** Hunt[1]/Izopajtyse[15]. **69** Sawamatsu[23]/Cassaigne[2]. **70** Burton[3]/Tomanova[6]. **71** Granatourova[15]/Guedy[2]. **72** Tomanova[6]/Jausovec[7]. **73** Jausovec[7]/Marsikova[6]. **74** Simionescu[8]/Barker[3]. **75** Marsikova[6]/Mottram[3]. **76** Tyler[3]/Zoni[14]. **77** Smith[5]/H. Strachonova[6]. **78** Mandlikova[6]/Rotschild[5]. **79** Sandin[13]/Piatek[20]. **80** Horvath[5]/Henry[5]. **81** Gadusek[5]/Sukova[6]. **82** Maleeva[35]/Barg[5]. **83** Paradis[2]/Spence[5]. **84** Sabattini[22]/Maleeva[35]. **85** Garrone[14]/Van Rensburg[9]. **86** Tarabini[22]/Provis[1]. **87** Zvereva[15]/Pospisilova[6]. **88** Halard[2]/Farley[5]. **89** Capriati[5]/Sviglerova[6]. **90** M. Maleeva[35]/Ignatieva[15]. **91** Smashonova[15]/Gorrochategui[22]. **92** De Los Rios[21]/Suarez[22]. **93** Hingis[28]/Courtois[31].

Simple messieurs (*créé* 1891). **46** Bernard[2]/Drobny[10]. **47** Asboth[12]/Sturgess[9]. **48** Parker[5]/Drobny[10]. **49** Parker[5]/Patty[5]. **50** Patty[5]/Drobny[10]. **51** Drobny[10]/Sturgess[9]. **52** Drobny[10]/Sedgman[1]. **53** Rosewall[1]/Seixas[5]. **54** Trabert[5]/Larsen[5]. **55** Trabert[5]/Davidson[13]. **56** Hoad[1]/Davidson[13]. **57** Davidson[13]/Flam[5]. **58** Rose[1]/Ayala[17]. **59** Pietrangeli[14]/Vermaak[9]. **60** Pietrangeli[14]/Ayala[17]. **61** Santana[4]/Pietrangeli[14]. **62** Laver[1]/Emerson[1]. **63** Emerson[1]/Darmon[2]. **64** Santana[4]/Pietrangeli[14]. **65** Stolle[1]/Roche[1]. **66** Roche[1]/Gulyas[12]. **67** Emerson[1]/Roche[1]. **68** Rosewall[1]/Laver[1]. **69** Laver[1]/Rosewall[1]. **70** Kodes[6]/Franulovic[7]. **71** Kodes[6]/Nastase[8]. **72** Gimeno[4]/Proisy[2]. **73** Nastase[8]/Pilic[7]. **74** Borg[13]/Orantes[4]. **75** Borg[13]/Vilas[22]. **76** Panatta[14]/Solomon[5]. **77** Vilas[2]/Gottfried[5]. **78** Borg[13]/Vilas[22]. **79** Borg[13]/Pecci[21]. **80** Borg[13]/Gerulaitis[5]. **81** Borg[13]/Lendl[6]. **82** Wilander[13]/Vilas[22]. **83** Noah[2]/Wilander[13]. **84** Lendl[6]/McEnroe[5]. **85** Wilander[13]/Lendl[6]. **86** Lendl[6]/Pernfors[13]. **87** Lendl[6]/Wilander[13]. **88** Wilander[13]/Leconte[2]. **89** Chang[5]/Edberg[13]. **90** Gomez[30]/Agassi[5]. **91** Courier[5]/Agassi[5]. **92** Courier[5]/Korda[6]. **93** Bruguera[4]/Courier[5].

Simple dames (*créé* 1897). **46** Osborne[5]/Betz[5]. **47** Todd[5]/Hart[5]. **48** Landry[2]/Fry[5]. **49** Osborne-DuPont[5]/Adamson[2]. **50** Hart[5]/Todd[5]. **51** Fry[5]/Hart[5]. **52** Hart[5]/Fry[5]. **53** Conolly[5]/Hart[5]. **54** Conolly[5]/Bucaille[2]. **55** Mortimer[3]/Knode[5]. **56** Gibson[5]/Mortimer[3]. **57** Bloomer[3]/Knode[5]. **58** Kormoczi[12]/Bloomer[3]. **59** Truman[3]/Kormoczi[12]. **60** Hard[5]/Ramirez[18]. **61** Haydon[3]/Ramirez[18]. **62** Smith-Court[1]/Turner[1]. **63** Turner[1]/Haydon-Jones[3]. **64** Smith-Court[1]/Bueno[11]. **65** Turner[1]/Smith-Court[1]. **66** Jones[3]/Richey[5]. **67** Durr[2]/Turner[1]. **68** Richey[5]/Jones[3]. **69** Smith-Court[1]/Haydon-Jones[3]. **70** Smith-Court[1]/Nielsen[5]. **71** Goolagong[1]/Gourlay[1]. **72** King[5]/Goolagong[1]. **73** Smith-Court[1]/Evert-Lloyd[5]. **74** Evert-Lloyd[5]/Morozova[15]. **75** Evert-Lloyd[5]/Navratilova[6]. **76** Barker[3]/Tomanova[6]. **77** Jausovec[7]/Mihai[8]. **78** Ruzici[8]/Jausovec[7]. **79** Evert-Lloyd[5]/Turnbull[1]. **80** Evert-Lloyd[5]/Ruzici[8]. **81** Mandlikova[6]/Hanika[20]. **82** Navratilova[5]/Jaeger[5]. **83** Evert-Lloyd[5]/Jausovec[7]. **84** Navratilova[5]/Evert-Lloyd[5]. **85, 86** Evert-Lloyd[5]/Navratilova[5]. **87** Graf[20]/Navratilova[5]. **88** Graf[20]/Zvereva[15] **89** Sanchez[4]/Graf[20]. **90** Seles[7]/Graf[20]. **91** Seles[7]/Sanchez[4]. **92** Seles[7]/Graf[20]. **93** Graf[20]/Fernandez[5].

■ **Double messieurs** (*créé* 1891). **46** Bernard[2]-Pétra[2]. **47** Fannin-Sturgess[9]. **48** Bergelin[14]-Drobny[10]. **49** Gonzalès[5]-F.A. Parker[5]. **50** Talbert[5]-Trabert[5]. **51, 52** McGregor[1]-Sedgman[1]. **53** Hoad[1]-Rosewall[1]. **54, 55** Seixas[5]-Trabert[5]. **56** Candy[1]-Perry[1]. **57** Anderson[1]-Cooper[1]. **58** Cooper[1]-Fraser[1]. **59** Pietrangeli[14]-Sirola[14]. **60** Emerson[1]-Fraser[1]. **61** Emerson[1]-Laver[1]. **62** Emerson[1]-Fraser[1]. **63** Emerson[1]-Santana[4]. **64** Emerson[1]-Fletcher[1]. **65** Emerson[1]-Stolle[1]. **66** Graebner[5]-Ralston[5]. **67** Newcombe[1]-Roche[1]. **68** Rosewall[1]-Stolle[1]/Laver[1]-Emerson[1]. **69** Newcombe[1]-Roche[1]/Emerson[1]-Laver[1]. **70** Nastase[8]-Tiriac[8]/Ashe[5]-Parasell[5]. **71** Ashe[5]-Riessen[5]/Fairley[5]-MacMillan[9]. **72** Hewitt[9]-McMillan[9]/Cornejo[17]-Fillol[17]. **73** Newcombe[1]-Okker[19]/Connors[5]-Nastase[8]. **74** Crealy[1]-Parun[16]/Smith[5]-Lutz[5]. **75** Gottfried[5]-Ramirez[18]/Alexander[1]-Dent[1]. **76** McNair[5]-Stewart[5]/Ramirez[18]-Gottfried[5]. **77** Gottfried[5]-Ramirez[8]/Fibak[32]-Kodes[6]. **78** Pfister[5]-Mayer[5]/Higueras[4]-Orantes[4]. **79** G. et S. Mayer[5]/Case[1]-Dent[1]. **80** Amaya[5]-Pfister[5]/Gottfried[5]-Ramirez[18]. **81** Gunthardt[28]-Taroczy[12]/Moor[5]-Teltscher[5]. **82** Stewart[5]-Taygan[5]/Gildermeister[17]-Prajoux[17]. **83** Jarryd[13]-Simonsson[13]/Stewart[5]-Edmondson[1]. **84** Leconte[2]-Noah[2]/Slozil[6]-Smid[6]. **85** Edmondson[1]-Warwick[1]/Glickstein[37]-Simonsson[13]. **86** Smid[6]-Fitzgerald[1]/Edberg[13]-Jarryd[13]. **87** Seguso[5]-Jarryd[13]/Forget[2]- Noah[2]. **88** Gomez[30]-E. Sanchez[4]/Fitzgerald[1]-Jarryd[13]. **89** Grabb[5]-McEnroe[5]/Bahrami[43]-Winogradsky[2]. **90** Sanchez[4]-Casal[4]/Ivanisevic[7]-Korda[6]. **91** Jarryd[13]-Fitzgerald[1]/Leach[5]-Pugh[5]. **92** Hlasek[28]-Rosset[28]/Adams[1]-Olhouskiy[15]. **93** Jensen L.[5]-Jensen M.[5]/Goellner[20]-Prinosil[20].

Doubles dames (*créé* 1907). **46, 47** Brought[5]-Osborne[5]. **48** Hart[5]-Todd. **49** DuPont[5]-Brought[5]. **50, 51, 52, 53** Hart[5]-Fry[5]. **54** Connolly[5]-Hopman[1]. **55** Fleitz[9]-Hard[5]. **56** Gibson[5]-Buxton[3]. **57** Bloomer[3]-Hard[5]. **58** Ramirez[18]-Reyes[18]. **59** Reynolds[9]-Schuurman[9]. **60** Bueno[1]-Hard[5]. **61** Reynolds[9]-Schuurman[9]. **62** Price-Reynolds[9]-Schuurman[9]. **63** Jones[3]-Schuurman[9]. **64, 65** Smith-Court[1]-Turner[1]. **66** Smith-Court[1]-Tegart[1]. **67** Durr[2]-Sherriff. **68** Durr[1]-Jones[3]. **69** Durr[2]-Jones[3]/Smith-Court[1]-Richey[5]. **70** F. Durr[2]-Chanfreau[2]/King[5]-Casals[5]. **71** Chanfreau[2]-F. Durr[2]/Gourlay[1]-Harris[1]. **72** King[5]-Stove[19]/Shaw[3]-Truman[3]. **73** Smith-Court[1]-Wade[3]/Durr[2]-Stove[19]. **74** Evert[5]-Morozova[15]/Chanfreau[2]-Ebbinghaus[20]. **75** Evert[5]-Navratilova[6]/Anthony[6]-Morozova[15]. **76** Lovera[2]-Bonicelli[26]/Harter[5]-Masthoff[20]. **77** Teeguarden[5]-Marsikova[6]/Fox[1]-Gourlay[5]. **78** Jausovec[7]-Ruzici[8]/Bowrey[5]-Lovera[2]. **79** Stove[19]-Turnbull[1]/Durr[2]-Wade[3]. **80** Jordan[5]-Smith[5]/Madruga[22]-Villagran[22]. **81** Harford[9]-Fairbank[9]/Reynolds[5]-Smith[5]. **82** Navratilova-Smith[5]/Casals[4]-Turnbull[1]. **83** Fairbank[9]-Reynolds[5]/Jordan[5]-Smith[5]. **84** Navratilova[5]-Shriver[5]/Kohde[20]-Mandlikova[6]. **85** Navratilova[5]-Shriver[5]/Kohde-Kilsch[20]-Sukova[6]. **86** Navratilova[5]-Temesvari[12]/Graf[20]-Sabatini[22]. **87** Shriver[5]-Navratilova[5]/Graf[20]-Sabatini[22]. **88** Navratilova[5]-Shriver[5]/Kohde-Kilsch[20]-Sukova[6]. **89** Savchenko[15]-Zvereva[15]/Sabatini[22]-Graf[20]. **90** Novotna[6]-Sukova[6]/Savchenko[15]-Zvereva[15]. **91** Fernandez[5]-Novotna[6]/Paz[22]-Sabatini[22]. **92** Zvereva[15]-Fernandez[5]/Martinez[4]-Sanchez[4]. **93** Fernandez[5]-Zvereva[15]/Neiland[15]-Novotna[6].

Double mixte (*créé* 1902). 46 Betz[5]-Patty[5]. **47** Summers-Sturgess[9]. **48** Todd[5]-Drobny[7]. **49** Summers-Sturgess[9]. **50** Scofield-Morea. **51, 52** Hart[5]-Sedgman[1]. **53** Hart[5]-Seixas[5]. **54** Conolly[5]-Hoad. **55** Hard[5]-Forbes. **56** Long-Ayala[17]. **57** Puzejova-Javorsky. **58** Bloomer[3]-Pietrangeli[14]. **59** Ramirez[18]-Knight[3]. **60** Bueno[5]-Howe[1]. **61** Hard[5]-Laver[1]. **62** Schuurman[9]-Howe[1] **63, 64, 65** Smith-Court[1]-Fletcher[3]. **66** Van Zyl[9]-MacMillan[9]. **67** King[5]-Davidson[13]. **68** Durr[2]-Barclay[2]. **69** Smith-Court[1]-Riessen[5]/Durr[2]-Barclay[2]. **70** King[5]-Hewitt[9]/Durr[2]-Barclay[2]. **71** Durr[2]-Barclay[2]/Shaw[3]-M. Lejus[15]. **72** Goolagong[1]-Warwick[27]/Durr[2]-Barclay[2]. **73** Durr[2]-Barclay[2]/Stove[19]-Dominguez[2]. **74** Navratilova[6]-Molina[22]/Darmon[2]-Lara[18]. **75** Bonicelli[24]-Koch[11]/Teagarden[5]-Fillol[17]. **76** Kloss-Warwick[27]/Boshoff[9]-Dowdeswell[24]. **77** Carillo-McEnroe[5]/Mihai[8]-Molina[22]. **78** Tomanova[6]-Slozil[6]/Ruzici[8]-Dominguez[2]. **79** Turnbull[1]-Hewitt[9]/Tiriac[8]-Ruzici[8]. **80** Smith[5]-Martin[5]/Tomanova[6]-Birner[6]. **81** Jaeger[5]-Arias[5]/Stove[18]-McNair[5]. **82** Turnbull[1]-Lloyd[3]/Monteiro[11]-Motta[11]. **83** Jordan[5]-Teltscher[5]/Allen-Strode[5]. **84** Smith[5]-Stockton[5]/Minter[1]-Warder[1]. **85** Navratilova[5]-Gunthardt[28]/Smith[5]-Gonzalez[21]. **86** Jordan[5]-Flach[5]/Fairbanks[9]-Edmonson[1]. **87** Shriver[5]-Sanchez[4]/MacNeil[5]-Stewart[5]. **88** MacNeil[5]-Lozano[18]/Schultz-Schapers[19]. **89** Bollegraf[19]-Nijssen[19]/Sanchez[4]-De La Pena[22]. **90** Sanchez[4]-Lozano[18]/Provis[1]-Visser[9]. **91** Sukova[6]-Suk[6]/Vis[19]-Haarhuis[19]. **92** Sanchez[4]-Woodbrige[1]/McNeil[5]-Shelton[5]. **93** Manikova[15]-Olhovskiy[15]/Reinach[9]-Visser[9].

■ Internationaux des États-Unis (Flushing Meadow)

Origine. Messieurs : *1881* Newport, *1915* Forest Hills, *1978* Flushing Meadow.

Dames : *1887* Philadelphie, *1921* Forest Hills, *1978* Flushing Meadow.

Simple messieurs (*créé* 1881). **90** Sampras [5]/Agassi [5]. **91** Edberg [13]/Courier [5]. **92** Edberg [13]/Sampras [5].

Simple dames (*créé* 1887). **90** Sabatini [22]/Graf [20]. **91** Seles [6]/Navratilova [5]. **92** Seles [6]/Sanchez [4].

Double messieurs (*créé* 1881). **90** Aldrich [9]-Visser [9]/Annacone [5]-Wheaton [5]. **91** Fitzgerald [5]-Jarryd [13]/Davis [5]-Pate [5]. **92** Grab [5]-Reneberg [5]/Jones [5]-Leach [5].

Double dames (*créé* 1890). **90** Fernandez [5]-Navratilova [5]/Novotna [1]-Sukova [1]. **91** Shriver [5]-Zvereva [15]/Novotna [6]-Savchenko [15]. **92** Fernandez [5]-Zvereva [13]/Novotna [6]-Savchenko [15].

Double mixte (*créé* 1892). **90** Smylie [1]-Woodbridge [1]/Zvereva [15]-Pugh [5]. **91** Nijssen [19]-Bollegraf [19]/A. et E. Sanchez [4]. **92** Proves [1]-Woodforde [1]/Sukova [6]-Nijssen [19].

■ Internationaux d'Australie (Flinders Park)

Lieu *1905* Kooyong. *1988* Flinders Park.

Simple messieurs (*créé* 1905). **90** Lendl [6]/Edberg [13]. **91** Becker [20]/Lendl [6]. **92, 93** Courier [5]/Edberg [13].

Simple dames (*créé* 1923). **90** Graf [20]/Fernandez [5]. **91** Seles [7]/Novotna [6]. **92** Seles [7]/Fernandez [5]. **93** Seles [7]/Graf [20].

Double messieurs (*créé* 1905). **90** Aldrich [9]-Visser [9]/Connel -Michibata [38]. **91** Davis [5]-Pate [5]/Mc Enroe [5]-Wheaton [5]. **92** Woodforde [1]-Woodbridge [1]/Leach [5]-Jones [5]. **93** Visser [9]-Warder [1]/Fitzgerald [1]-Jarryd [13].

Double dames (*créé* 1922). **90** Novotna [6]-Sukova [6]/Fendick [5]-Fernandez [5]. **91** Fendick [5]-Fernandez [5]/Novotna [6]-Fernandez [41]. **92** Sukova [6]-Sanchez [4]/Fernandez [5]-Garrison [5]. **93** Fernandy [5]-Zvereva [15]/Shriver [5]-Smilie [1].

Double mixte (*créé* 1922). **90** Pugh [5]-Zvereva [15]/Leach [5]-Garrison [5]. **91** Bates [3] -Duric [3]/Davis [5]-White [5]. **92** Woodforde [1]-Provis [1]/Woodbridge [1]-Sanchez [4].

■ Tournoi des Masters

Créé 1970. Annuel. Ouvert aux 8 joueurs en tête du classement des grands prix de l'année. 1990 : devient le Ch. de l'ATP Tour.

Simple messieurs. 70 Smith. **71, 72, 73** Nastase. **74** Vilas. **75** Nastase. **76** Orantes. **77** Connors. **78** McEnroe. **79, 80** Borg. **81** Lendl. **82** Lendl/McEnroe. **83, 84** McEnroe/Lendl. **85, 86** Lendl/Becker. **87** Lendl/Wilander. **88** Becker/Lendl. **89** Edberg/Becker. **90** Agassi/Edberg. **91** Sampras/Courier. **92** Becker/Courier.

Double messieurs. 85, 86 Edberg-Jarryd. **87** Mecir-Smid. **88** Leach-Pugh. **89** Grabb-McEnroe. **90** Forget-Hlasek. **91** Fitzgerald-Jarryd. **92** Woodbridge-Woodforde.

Simple dames. 77, 78 Evert. **79** Navratilova. **80** T. Austin. **81** Evert. **82** Navratilova. **83** Mandlikova. **84 à 86** Navratilova. **87** Graf. **88** Sabatini. **89** Graf. **90, 91, 92** Seles.

Double dames. 92 Sanchez/Sukova.

■ Open de Paris (Bercy)

Créé 1986.

Simple messieurs. 86 Becker/Casal. **87** Mayotte/Gilbert. **88** Mansdorf/Gilbert. **89** Becker/Edberg. **90** Edberg/Becker. **91** Forget/Sampras. **92** Becker/Forget.

Double messieurs. 86 Fleming-McEnroe. **87** Hlasek-Mezzadri. **88** Annacone-Fitzgerald/Grabb-Rennsburg. **90** Davis-Pate/Cahill-Kratzmann. **91** Fitzgerald-Jarryd/Leach-Jones. **92** J. et P. McEnroe/Galbreith-Visser.

■ Championnats de France nationaux

Simple messieurs (*créé* 1951). **70** Chanfreau. **71,72,73,74** Jauffret. **75** Goven. **76** Proisy. **77** Jauffret. **78** Caujolle. **79, 80** Noah. **81** Noah/Tulasne. **82** Noah/Leconte. **83, 84** Tulasne/Portes. **85** Forget/Dadillon. **86** Benhabilès/Van den Daele. **87** Champion/Fleurian. **88** Forget/Winogradsky. **89** Winogradsky/Soulès. **90** Soulès/Grenier.

Simple dames (*créé* 1951). **69,70,71,72** Chanfreau. **73** Fuchs. **74,75** Chanfreau. **76** Simon. **77** Rual. **78** Simon. **79** Lovera. **80** Simon. **81** Lovera/Thibault. **82** Tanvier/Vernhes. **83** Herreman/Suire. **84** Herreman/Demongeot. **85** Tauziat/Paradis. **86** Herreman/Niox-Château. **87** Suire/Dechaume. **88** Laval/Quentrec. **89** Demongeot/Herreman. **90** Tanvier/Testud.

Double messieurs (*créé* 1950.). **70** Barclay-Contet. **71** Finale non disputée. **72-73** Dominguez-Proisy. **74** Beust-Contet. **75** Goven-Deblicker. **76,77** Beust-Contet. **78** Bedel-Noah. **79, 80** Noah-Portes. **81** Bedel-Roger-Vasselin. **82** Leconte-Moretton. **83** Brunet-Fritz. **84** Forget-Courteau/Piacentile-Benhabilès. **85** Potier-Vanier/Champion-Winogradsky. **86** Benhabilès-Fleurian/Courteau-Delaitre. **87** Champion-Fleurian/ Lesage-Piacentile. **88** Delaitre-Grenier/Courteau-Pioline. **89** Leconte-Winogradsky/Pham-Piacentile. **90** Gilbert-Grenier/Boetsch-Courteau.

Double dames (*créé* 1951). **70** Chanfreau-Durr. **71** Chanfreau-Fuchs. **72** Chanfreau-Darmon. **73** Darmon-Fuchs. **74** Chanfreau-Darmon. **75, 76, 77, 78, 79, 80** Darmon-Lovera. **81** Beillan-Thibault. **82** Duxin-Glinel. **83** Calleja-Lovera. **84** Amiach-Herreman/Thibault-Phan Thanh. **85** Herreman-Amiach/Paradis-Suire. **86** Demongeot-Tauziat/Amiach-Suire. **87** Paradis-Phan Thanh/ Amiach-Herreman. **88** Suire-Tanvier/Dechaume-Herreman. **89** Suire-Demongeot/Herreman-Paradis. **90** Etchemendy-Herreman/Ballet-Romand.

Double mixte (*créé* 1951). **70** Dürr-Barclay/Chanfreau-Beust. **71** Lieffrig-Contet/Chanfreau-Joly. **72** Fuchs-N'Godrella/Darmon-Chanfreau. **73** Fuchs-N'Godrella/Guédy-Dominguez. **74** Guédy-Dominguez/Fuchs-N'Godrella. **75** Darmon-Chanfreau/Sheriff-Dominguez. **76** Lovera-Beust/Darmon-Chanfreau. **77** Guédy-Dominguez/Darmon-Haillet. **78** Lovera-Beust/Guédy-Dominguez. **79** Lovera-Beust/Darmon-Paul. **80** Beillan-Dominguez/Darmon-Hagelauer. **81** Lovera-Naegelen/Suire-Pham. **82** Tanvier-Noah/Amiach-Haillet. **83** Suire-Pham/Thibault-Toulon. **84** Amiach-Forget/Etchemendy-Bernelle. **85** Paradis-Février/C. et J. Vanier. **86** Suire-Pham/Etchemendy-Piacentile. **87** Suire-Pham/Etchemendy-Winogradsky. **88** Stenger-Delaitre/Suire-Pham. **89** Demongeot-Delaitre/Romand-Pech. **90** Suire-Delaitre/Housset-Dadillon.

Simple jeunes gens (*créé* 1945). **60** Barclay. **61** Contet. **62** Beust. **63** Grozdanovitch. **64, 65, 66** Goven. **67** Proisy. **68** Bernasconi. **69** Lovera. **70** Caujolle. **71** Borfiga. **72** Haillet. **73** Gauvain. **74** Roger-Vasselin. **75** Casa. **76** Moretton. **77** Noah. **78** Chiche. **79-80** Potier. **81** Courteau. **82** Hamonet. **83** Février. **84** Champion. **85** Delaitre. **86** Gilbert. **87** Pedros. **88** Raoux. **89** Guardiole. **90** Gauthier. **92** Hanquez.

Simple jeunes filles (*créé* 1946). **60** Durr. **61** Salfati. **62** Langanay. **63** Spinoza. **64** Venturino. **65** de Roubin. **66** Cazaux. **67** Montlibert. **68** Sarrazin. **69** Brochard. **70** Fuchs. **71** Guedy. **72** Beillan. **73-74** Simon. **75** Dupuy. **76** Jodin. **77** Bureau. **78-79** Franch. **80** Amiach. **81** Gardette. **82** Bonnet. **83** Phan-Than. **84** Damas. **85** Calmette. **86** Niox-Château. **87** Laval. **88** Villani. **89** Testud. **90** Fusai. **92** Pitkowski.

■ Joueurs

■ Classement des meilleurs joueurs

La plupart des fédérations établissent un classement national. Sur le plan international, certains journalistes spécialisés établissent des classements officieux.

■ **Champions du monde.** Titre décerné par la Féd. intern. depuis 1978. **Messieurs. 78, 79, 80** Borg [13]. **81, 82, 83, 84** McEnroe [5]. **85, 86, 87** Lendl [6]. **88** Wilander [13]. **89** Lendl [6]. **Dames. 78** Evert [5]. **79** Navratilova [5]. **80, 81** Evert [5]. **82, 83, 84, 85, 86** Navratilova [5]. **87, 88, 89** Graf [20]. **Juniors.** *Garçons :* **78** Lendl [6]. **79** Viver [38]. **80** Tulasne [2]. **81** Cash [1]. **82** Forget [2]. **83** Edberg [13]. **84** Kratzmann [1]. **85** Pistolesi [14]. **86** Sanchez [4]. *Filles :* **78** Mandlikova [6]. **79** Piatek [5]. **80** Mascarin [5]. **81** Garrison [5]. **82** Rush [5]. **83** Paradis [2]. **84** Sabatini [22]. **85** Garrone [14]. **86** Tarabini [22].

Le titre de champion du monde avait été décerné en juin 1914 à Tony Wilding (N.-Zél.) après sa victoire sur André Gobert.

■ **Classement ATP** (au 27-7-1993). Créé en 1973. **Messieurs.** *1* Sampras [5], *2* Courier [5], *3* Edberg [13], *4* Becker [20], *5* Bruguera [4], *6* Stich [20], *7* Lendl [6], *8* Chang [5], *9* Krajicek [19], *10* Ivanisevic [7], *11* Korda [6], *12* Medvedev [15], *13* Muster [27], *14* Novacek [6], *15* Pioline [2]. *Taille moyenne des 10 premiers :* 1,88 m (en 72 : 1,78 m).

Classement WTA (au 20-7-1993) : **joueuses professionnelles** *1* Graf [20], *2* Seles [7], *3* Sanchez [4], *4* Navratilova [5], *5* Sabatini [22], *6* Martinez [4], *7* Fernandez [5], *8* Novotna [6], *9* Capriati [5], *10* Huber [2].

Classement français 1992. Messieurs. *1* Forget, *2* Leconte, *3* Boetsch, *4* Pioline, *5* Santoro, *6* Gilbert, *7* Delaitre, *8* Champion, *9* Raoux, *10* Simian. **Dames.** *1* Tauziat, *2* Pierce, *3* Halard, *4* Paradis, *5* Dechaume, *6* Van Lottum, *7* Demongeot, *8* Testud, *9* Mothes, *10* Fusai.

■ Quelques noms

Abdesselam Robert [2] (27-1-20). Agassi Andre [5] (29-4-70, 1,80 m). Agenor Ronald [40] (13-11-64). Aguilera Juan [4] (22-3-62). Aldrich Peter [9] (7-9-65). Alexander John [1] (4-7-51). Amaya Victor [5] (2-7-54). Amiach Sophie [2] (10-11-63). Amritraj Vijay [25] (14-12-53). Annacone Paul [5] (20-3-63). Arias Jimmy [5] (16-8-64). Asboth Jozsef [12] (18-9-27). Ashe Arthur [5] (1943-93) a révélé le 8-4-92 être atteint du Sida (sans doute contaminé en 1983 par transfusion). Austin Tracy [5] (12-12-62). Barazzutti Corrado [14] (19-2-53). Barclay Jean-Claude [2] (30-12-42). Barker Sue [3] (19-4-56). Barthès Pierre [2] (13-9-41). Bassett Carling [39] (1968). Bates Jeremy [3] (19-6-62). Becker Boris [20] (22-11-67, 1,94 m). Bedel Dominique [2] (20-2-57). Benhabilès Tarik [2] (5-2-65). Berger Jay [5] (26-10-66). Bernard Marcel [2] (18-5-14). Betz Pauline [5] (6-8-19). Beust Patrice [2] (3-9-1944). Boetsch Arnaud [2] (1-4-69). Borg Björn [13] (6-6-56). Borotra Jean [2] (13-8-98). Boussus Christian [2] (5-3-08). Brookes Norman [1] (1877-1968). Brough Althea [5] (11-3-23). Brugnon Jacques [2] (1895-1978). Bruguera Sergi [4] (4-1-71). Budge Donald [5] (13-6-15). Bueno Maria Esther [5] (11-10-39). Cahill Darren [1] (2-10-65). Calleja M.-Christine [2] (14-1-64). Capriati Jennifer [5] (28-3-76). Carlsen Kenneth [29] (17-4-73). Carlsson Kent [13] (3-1-68). Casal Sergio [4]. Casals Rosemary [5] (16-9-48). Cash Pat [1] (27-5-65). Caujolle Jean-François [2] (31-3-53). Cawley-Goolagong Evonne [1] (31-7-51). Champion Thierry [2] (31-8-66). Chang Michael [5] (22-2-72, 1,73 m). Chanfreau Jean-Baptiste [2] (17-1-47). Cherkasov Andrei [15] (4-7-70). Chesnokov Andreï [15] (2-2-1966). Clerc José Luis [22] (16-8-58). Cochet Henri [2] (1901-87). Connolly Maureen [5] (1934-69). Connors Jimmy (James) [5] (2-9-52, 1,78 m gaucher a gagné 109 tournois). Contet Daniel [2] (31-1-43). Cooper Ashley [1] (15-9-36). Costa Carlos [4] (22-4-68). Courier Jim [5] (17-8-70). Court Margaret [1] (16-7-42). Courteau Loïc [2] (6-1-64). Cramm Gottfried Von [20] (1909-76). Crawford John [1] (22-3-08). Curren Kevin [5] (2-3-58). Darmon Pierre [2] (14-1-34). Darmon Rosa Maria [18] (23-3-39 née Reyes). Darsonval Henri [2] (20-6-91). Deblicker Éric [2] (17-4-52, 1,72 m). Dechaume Alexia [2] (3-5-70). Decugis Max [2] (1882-1978). Delaitre Olivier [2] (1-6-67). Demongeot Isabelle [2] (11-3-66). Dent Phil [1] (14-2-50). Destremau Bernard [2] (11-2-17). Dibbs Eddie [5] (23-2-51). Dod Charlotte [3] (1871-1960). Doherty Reginald [3] (1874-1910) et Lawrence [3] (1876-1919). Dominguez Patrice [2] (12-1-50). Drobny Jaroslav [6,10,3] (12-10-21). Drysdale Cliff [9] (26-5-41). Durr Françoise [2] (25-12-42).

Edberg Stefan [13] (19-1-66). Edmondson Mark [1] (28-6-54). Emerson Roy [1] (3-11-36). Enquist Thomas [13] (13-3-74). Evert-Lloyd Chris [5] (21-12-54). Fairbank Rosalyn [9] (2-11-60). Fernandez Marie-Jo [5] (19-8-71). Ferreira Wayne [9] (15-9-71). Fibak Wojtek [32] (30-8-52). Fillol Jaime [17] (3-6-46). Fitzgerald John [1] (28-12-60). Flach Ken [5] (24-5-63). Fleming Peter [5] (21-1-55). Fleurian J-Philippe [2] (11-9-65). Fontang Frédéric [2] (18-3-70). Forget Guy [2] (4-1-65). Franulovic Zeljko [7] (13-6-47). Frazer Neale [1] (3-10-33). Fritz Bernard [2] (5-10-53). Fromberg Richard [1] (28-4-70). Fromholt Dianne [1] (10-8-56). Fry Shirley [5] (30-6-27). Garrison Zina [5] (16-11-63). Gentien Antoine [2] (1906-69). Gérulatis Vitas [5] (26-7-54). Gibson Althea [5] (25-8-27). Gilbert Brad [5] (9-8-61). Gilbert Rodolphe [2] (12-12-68). Gildemeister Hans [17] (9-2-56). Giméno Andres [4] (3-8-37). Gobert André [2] (1890-1951). Goellner Marc [20] (22-9-70). Gomez Andres [30] (27-2-60). Gonzalès Ricardo dit Pancho [5] (9-5-28). Goolagong Evonne [1] (31-7-51). Goré Arthur [3] (1868-1928). Gottfried Brian [5] (27-1-52). Goven Georges [2] (26-4-48). Grabb Jim [5] (14-4-64). Graf Stephanie dite Steffi [20] (14-6-69). Grinda Jean-Noël [2] (5-10-36). Gustafsson Magnus [13] (3-1-67). Haillet Robert [2] (26-9-31). Halard Julie [2] (10-9-70). Hanika Sylvia [20] (30-11-59). Hard Darlene [5] (6-1-36). Hart Doris [5] (20-6-25). Heldman Julie [5] (8-12-45). Herreman Nathalie [2] (28-3-66). Hewitt Bob [1] (12-1-40). Higueras Jose [4] (1-3-53). Hingis Martina [28] (30-9-80). Hlasek Jakob [28] (12-11-64). Hoad Lewis [1] (23-11-34). Holm Henrik [13] (22-8-68). Hopman Harry [1] (1906-85). Hunt Lesley [1] (29-5-50). Ivanisevic Goran [7] (13-9-71). Jacobs Helen [5] (6-8-08). Jaeger Andrea [5] (4-6-65). Jaite Martin [22] (9-10-64). Jarryd Anders [13] (13-7-61). Jauffret François [2] (9-2-42). Jausovec Mima [7] (20-7-56). Johnston William [5] (1894-1946). Jones Ann [3] (17-10-38). Karbacher Bernd [20] (3-4-

68). King Billie Jean [5] (22-11-43). Kodès Jan [6] (1-3-46, 1,78 m). Kohde-Kilsch Claudia [20] (11-12-63). Korda Petr [6] (23-1-68, 1,90 m, gaucher, 70 kg). Krajicek Richard [19] (6-12-71). Kramer Jack [5] (1-8-21). Krickstein Aaron [5] (2-8-67). Kriek Johan [5] (5-4-58). Krishnan Ramesh [25] (5-6-61). Kulti Nicklas [13] (22-4-71).

Lacoste Jean-René [2] (2-7-04). Lambert-Chambers Dorotha [3] (1878-1960). Laver Rodney dit Rod [1] (9-8-38, 1,70 m). Leconte Henri [2] (4-7-63). Lendl Yvan [6], puis naturalisé [5] (7-3-60). Lenglen Suzanne [2] (1899-1938). Lovera Gail [1] (3-4-45). Lutz Bob [5] (29-8-47). McEnroe John [5] (16-2-59), Patrick [5] (1-7-66). McLoughlin Maurice [5] (1890-1957). McNamee Paul [1] (12-11-54). McNeil Lori [5] (18-12-63). Maleeva Katerina [35] (7-5-69), Magdalena [35] (1-4-75), Manuela [35] (14-2-67). Mancini Alberto [22] (20-5-69). Mandlikova Hana [1] (19-2-62). Mansdorf Amos [37] (20-10-65). Marble Alice [5] (19-13-90). Markus Gabriel [22] (31-3-70). Martinez Conchita [4] (16-4-72). Masur Wally [1] (13-5-63). Mathieu Simone [2] (1908-80). Maurer Andreas [20] (8-3-58). Mayotte Tim [5] (3-8-60). Mecir Miloslav [6] (19-5-64). Medvedev Andreï [15] (31-8-74). Molinari Jean-Claude [2] (28-4-31). Morozova Olga [15] (22-2-49). Muster Thomas [27] (2-10-67). Nastase Ilie [8] (19-7-46). Navratilova Martina [5] (18-10-56). Newcombe John [1] (23-5-44). Noah Yannick [2] (18-5-60). Novacek Karel [6] (30-3-65). Novotna Jana [6] (2-10-68). Nystrom Joakim [13] (10-2-63). Okker Tom [19] (22-2-44). Orantès Manuel [4] (6-2-49). Osborne Margaret [5] (épouse du Pont) (4-4-18).

Panatta Adriano [14] (9-7-50). Paradis Pascale [2] (24-4-66). Parker Frank [5] (31-1-16). Patty Budge [5] (11-2-24). Pecci Victor [21] (15-10-55). Pelizza Henri [2] (21-3-20), Pierre [2] (1917-74). Perez-Roldan Guillermo [22] (20-10-69). Pernfors Mikael [13] (16-7-63). Perry Fred [3] (18-5-09). Petchney Mark [3] (1-8-70). Pétra Yvon [2] (1916-84). Pham Thierry [2] (28-6-62). Pierce Mary [2] (15-1-75, 1,75 m). Pietrangeli Nicola [14] (11-9-33). Pilet Gérard [2] (15-9-33). Pilic Nicola [7] (27-8-39). Pioline Cedric [2] (15-6-69). Portes Pascal [2] (8-5-59). Proic Goran [7] (4-5-64). Prpic Goran [7] (4-5-64). Proisy Patrick [2] (10-9-49). Provis Nicole [1] (22-9-69). Quentrec Karine [2] (21-10-69). Raoux Guillaume [2] (14-2-70). Ralston Dennis [5] (27-7-42). Ramirez Raul [18] (10-6-53). Rémy Paul [12] (17-2-23). Reneberg Richey [5] (5-10-65). Renshaw Ernest [3] (1861-99) et William [3] (1861-1904). Richards Renée [5] (19-8-34). Richey Cliff [5] (31-12-46), Nancy [5] (23-8-42). Riggs Robert [5] (25-2-18). Rinaldi Cathy [5] (24-3-67). Roche Tony [1] (17-5-45). Roger-Vasselin Christophe [2] (8-7-57). Rose Mervyn [1] (23-1-30). Rosewall Ken [1] (2-11-34). Rosset Marc [28] (7-11-70, 1,96 m). Rostagno Derrick [5] (25-10-65). Ruzici Virginia [8] (31-1-55). Ryan Elizabeth [5] (1892-1979). Sabatini Gabriella [22] (16-5-70). Sampras Pete [5] (12-8-71). Sanchez Arantxa [4] (18-12-71), Emilio [4] (29-5-65, 1,68 m, 52 kg), Javier [4] (1-2-68). Santana Manuel [4] (10-5-38). Santoro Fabrice [2] (7-12-72). Savchenko Larissa [15] (27-1-66). Sedgman Frank [1] (29-10-27). Ségura Pancho [30] (20-6-21). Seguso Robert [5] (1-5-63). Seixax Victor [5] (30-8-23). Seles Monica [7] (2-12-73, 1,77 m, gauchère). Shriver Pamela [5] (4-7-62). Siemerink J. [19] (14-4-70). Simon Brigitte [2] (1-11-56). Skoff Horst [27] (22-8-68). Smid Tomas [6] (20-5-56). Smith Stan [5] (14-12-46, 1,92 m). Solomon Harold [5] (17-9-52). Steeb Carl-Uwe [20] (1-9-67). Stich Michael [20] (18-10-68). Stolle Frederick [1] (8-10-38). Stöve Betty [19] (24-6-45). Sukova Helena [6] (23-2-65). Sundstrom Henrik [13] (29-2-64). Svensson Jonas [13] (21-10-66). Tanner Roscoe [5] (15-10-51). Tanvier Catherine [2] (28-5-65). Taroczy Balazs [12] (9-5-54). Tauziat Nathalie [2] (17-10-67). Teltscher Eliot [13] (15-3-59). Testud Sandrine [2] (3-4-72). Tilden William [5] (1893-1953). Tiriac Ion [8] (9-5-39). Trabert Tony [5] (16-8-30). Tulasne Thierry [2] (12-7-63). Turnbull Wendy [1] (26-11-52). Ulrich Torben [29] (4-10-28). Vanjer Corinne [2] (20-9-63). Vanjer Jérôme [2] (2-11-57). Van Lottum Noëlle [2] (12-7-70). Van Ryn John [5] (30-6-06). Vilas Guillermo [22] (17-8-52). Vines Ellsworth [5] (29-9-11). Volkov Alexander [15] (3-3-67). Wade Virginia [3] (10-7-45). Westphal Michael [20] (1965-91). Wheaton David [5] (2-6-69). Wilander Mats [13] (22-8-64). Wilkinson Tim [5]. Wills Helen [5] (6-10-05). Winogradsky Eric [2] (22-4-66). Woodforde Mark [1] (23-9-65). Zvereva Natalia [15] (16-4-71).

Nota. – On appela Borotra, Brugnon, Cochet, Lacoste : les Mousquetaires.

Tennis de table

Généralités

Origine. **Vers 1880** apparaît en Angleterre (raquette de volant, balle en liège ou en caoutchouc). **1897** 1ers championnats nationaux en Hongrie. **1899** connu sous le nom de *Gossima.* **1900** appelé *ping-pong* (du bruit produit sur la raquette du genre tambourin), nom déposé v. 1891 par John Jacques de Croydon, utilisé par la maison anglaise Hamley et breveté par la maison américaine Parker frères (raquette recouverte d'une couche de caoutchouc grené, balle en celluloïd). Après une certaine vogue, le jeu disparut. **1921** 1er championnat d'Angleterre. Tennis de table (nom donné pour en finir avec les récriminations des propriétaires du mot ping-pong). **1924** raquette en caoutchouc à picots due à l'Anglais Goode. **1926** Féd. internat. créée. **1927**-*30-3* Féd. française créée. **1988** inscrit aux JO.

Licenciés. Chine 10 000 000, URSS 3 000 000, All. 685 000, Indonésie 385 000, Japon 300 000, G.-B. 220 000 (Angleterre 200 000, Galles 10 000, Irlande 5 000, Écosse 3 000, Jersey-Guernesey 700), Tchécoslovaquie 110 000, *France (1993) 150 000* (dont 19 000 femmes ; env. 3 000 000 de pratiquants).

Règles

Terrain. Salle : de 12 × 6 m à 14 × 7 m pour les championnats internationaux. *Sol :* parquet en bois dur, non glissant, non blanc et non réfléchissant. **Table :** 274 × 152,5 cm à 76 cm du sol. N'importe quelle matière. Parfaitement plane. Une balle lâchée de 30,5 cm doit rebondir à 22 à 25 cm. Couleur foncée (souvent vert ou blanc) et mate. Au bord, ligne blanche de 2 cm de large. Au centre, ligne centrale de 3 mm de large. **Filet** vert, bande blanche en haut. Partie supérieure à 15,25 cm (autrefois 17,50 cm) au-dessus de la surface de jeu avec bordure blanche de 15 mm max. et extrémités attachées à un support vertical extérieur à 15,25 cm du bord de la table. **Balle** blanche ou jaune, sphérique en celluloïd ou plastique. *Poids* 2,40 à 2,53 g. *Diamètre* 37,2 à 38,2 mm ; *la plus rapide :* 170 km/h (selon M. Sklorz) ; 96 km/h pour le Chinois Chuang Tsé-Toung. **Raquette** forme, poids et dimension variables. Palette en bois recouverte de caoutchouc à picots ou « sandwich » (couche uniforme de caoutchouc cellulaire recouvert de caoutchouc ordinaire à picots : picots vers l'extérieur : back side, vers l'intérieur : soft). Une face rouge, l'autre noire.

Partie. A 2 ou 4 joueurs. *Manche :* gagnée par le joueur ou la paire atteignant le 1er 21 points, à moins que les 2 camps n'arrivent chacun à 20 pts. Le vainqueur sera celui marquant le 1er 2 points de + que l'adversaire. *Partie :* au meilleur des 3 ou 5 manches. Le jeu doit se poursuivre sans interruption (sauf arrêt autorisé à chaque changement de service), mais le joueur (ou la paire) peut demander entre chaque manche un repos de 2 min.

Points. Marqués par un joueur quand : son adversaire ne réussit pas un service correct ; ne réussit pas un retour correct ; frappe la balle en dehors de son tour, en doubles ; touche la surface de jeu de sa main libre pendant un échange ; un vêtement ou un objet porté par son adversaire vient en contact avec la balle avant que celle-ci ait dépassé la ligne de fond ou les lignes latérales sans avoir touché la surface de jeu (« obstruction ») ; son adversaire (ou ce qu'il porte) touche le filet ou ses supports, ou s'il déplace la surface de jeu pendant que la balle est en jeu.

Règle d'accélération. La durée d'une manche étant fixée à 15 mn, à l'expiration de ce délai (sauf si les joueurs ou les paires ont chacun marqué au moins 19 pts), ou à tout autre moment auparavant, à la demande unanime des joueurs concernés, l'arbitre arrête le jeu qui doit se poursuivre selon la règle d'accélération. Le *serveur* est alors contraint de marquer le point en 13 coups, service compris ; s'il n'y parvient pas, son adversaire gagne le point. Le service change après chaque point et la manche se poursuit jusqu'à 21 pts (avec écart normal de 2 pts).

Quand l'expiration du délai de 15 min. se produit en cours d'échange, le service sera au dernier serveur. Si elle se produit lorsque la balle n'est plus en jeu, le service sera au dernier relanceur. Les retours sont comptés à haute voix au moment de la frappe du relanceur, par un officiel autre que l'arbitre. Après 13 retours corrects, le point va au camp du relanceur.

Changement de service. En simple et double, chaque fois qu'un total de 5 points a été marqué. *Service en double :* le joueur servant le 1er d'une paire (1a) sert en direction du joueur qui servira le 1er de l'autre équipe (2a) ; 2a sert ensuite à 1b, le partenaire de 1a ; 1b sert en direction du 4e joueur, 2b, et 2b sert vers 1a.

A partir de 20 partout ou suivant la règle d'accélération, l'ordre de service est inchangé mais chaque joueur ne sert qu'une seule fois à son tour jusqu'à la fin de la manche. Le joueur, ou la paire servant en 1er dans une manche, reçoit en 1er dans la suivante. Dans chaque manche de double, l'ordre initial de réception est opposé à celui de l'ordre précédent, mais la paire au service choisit toujours son serveur. Dans la dernière manche d'un double, la paire à la réception change l'ordre de réception dès qu'une paire atteint 10 points. Toute erreur au service ou à la réception doit être corrigée lorsqu'elle est remarquée. Tous les points marqués restent acquis.

Balle à remettre. Échange à l'occasion duquel aucun point n'est marqué. Cela se produit quand : sur le service la balle touche le filet ou ses supports ; un service se fait alors que le receveur ou son partenaire n'est pas prêt ; un joueur ne réussit pas un retour correct à la suite d'un incident échappant à sa responsabilité (ex. faute d'un spectateur ou bruit soudain) ; la balle se brise en cours d'échange ; un échange est interrompu pour redresser une erreur dans l'ordre de jeu ou de camp lors du passage à la règle d'accélération ; une balle ou une personne étrangère au jeu pénètre dans l'aire de jeu.

Épreuves

☞ **Jeux olympiques** (voir p. 1546).

Légende. – (1) Autriche. (2) Chine. (3) G.-B. (4) Hongrie. (5) Japon. (6) Tchéc. (7) Suède. (8) USA (9) Roumanie. (10) URSS (11) Corée du Nord. (12) France. (13) Yougoslavie. (14) P.-B. (15) All. (16) Corée du S. (17) Bulgarie. (18) Pologne. (19) Grèce. (20) Belg.

■ Championnats du monde

Créés 1926. Années impaires.

■ **Équipes. Messieurs** *(Coupe Swaythling créée* 1926 en mémoire de Lady Swaythling, mère du Pt fondateur de la Féd. intern.). Hongrie 12 fois, Chine 10, Tchécoslovaquie 6, Japon 7, Autriche 1, USA 1, G.-B. 1, Suède 3. **1954, 55, 56, 57, 59** Japon ; **61, 63, 65** Chine ; **67, 69** Japon ; **71** Chine ; **73** Suède ; **75, 77** Chine ; **79** Hongrie ; **81, 83, 85, 87** Chine ; **89, 91, 93** Suède.

Dames *(Coupe Marcel Corbillon créée* 1934, en mémoire du donateur, Pt de la Féd. fr. 1933-35). Japon 8 fois, Roumanie 5, Chine 9, Tchéc. 3, All. féd. 2, USA 2, G.-B. 2, Corée du Sud 1. **1955, 56** Roumanie ; **57, 59, 61, 63** Japon ; **65** Chine ; **67** Japon ; **69** URSS ; **71** Japon ; **73** Corée du S. **75, 77, 79, 81, 83, 85, 87, 89** Chine ; **91** Corée (unifiée). **93** Chine.

■ **Individuels. Simple messieurs.** **47** Vana [6]. **48** Bergmann [3]. **49** Leach [3]. **50** Bergmann [3]. **51** Leach [3]. **52** Satoh [5]. **53** Sido [4]. **54** Ogimura [5]. **55** Tanaka [5]. **56** Ogimura [5]. **57** Tanaka [5]. **59** Jung Kuo-tuan [2]. **61, 63, 65** Chuang Tse-Tung [2]. **67** Hasegawa [5]. **69** Ito [2]. **71** Bengtsson [7]. **73** Hsi En Ting [2]. **75** Jonyer [4]. **77** Kohno [5]. **79** Ono [5]. **81, 83** Guo Yuehua [2]. **85, 87** Jiang Jialiang [2]. **89** Waldner [7]. **91** Persson [7]. **93** Gatien [12].

Simple dames. **47, 48, 49** G. Farkas [4]. **50, 51, 52, 53, 54, 55** A. Rozeanu [9]. **56** T. Okawa [5]. **57** F. Eguchi [5]. **59** K. Matsuzaki [5]. **61** Chiu Chung-hui [2]. **63** K. Matsuzaki [5]. **65** N. Fukazu [5]. **67** S. Morisawa [5]. **69** T. Kowada [5]. **71** Lin Hui Ching [2]. **73** Hu Yu Lan [2]. **75, 77** Pak Yung Sun [11]. **79** Ge Xinai [2]. **81** Tong Ling [2]. **83, 85** Cao Yanhua [2]. **87** He Zhili [2]. **89** Qiao Hong [2]. **91** Deng Yaping [2]. **93** Hyun Jung [16].

■ **Double. Messieurs.** **77** Liang Ko-liang-Li Chen Shih [2]. **79** Surbek-Stipancic [13]. **81** Li Chen Shih-Cai Zhenhua [2]. **83** Surbek-Kalinic [13]. **85** Appelgren-Carlsson [7]. **87** Chen Longcan-Wei Qingguang [2]. **89** Rosskopf-Fetzner [15]. **91** Karlsson-Von Scheele [7]. **93** Wang Tao-Lu Lin [2].

Dames. **77** Pak Yong-Ok [11]-Yang-Ying [2]. **79** Zhang Li-Zhang Deying [2]. **81** Zhang Deying-Cao Yanhua [2]. **83** Jian Ping-Dai Lili [2]. **85** Dai Lili [2]-Geng Lijuan [2]. **87** Jung Hwa-Young Ja [11]. **89** Qiao Hong-Deng Yaping [2]. **91** Chen Zihe-Gao Jun [2]. **93** Liu Wei-Qiao Yunping [2].

Mixte. **77** Secrétin-Bergeret [12]. **79** Liang Geliang-Ge Xinai [2]. **81** Xie Saike [9]-Huang Jungun [2]. **83** Guo Yuehua-Ni Xialian [2]. **85** Cai Zhenhua [2]-Cao Yanhua [2]. **87** Hui Jun-Geng Lijuan [2]. **89** Yoo Nam-Kyu-Hyun Jung-Hwa [16]. **91** Wang Tao-Liu Wei [2].

■ Coupe du monde

■ **Individuels. Messieurs.** *Créée* 1980. **80** Guo Yuehua [2]. **81** Klampar [4]. **82** Guo Yuehua [2]. **83** Appelgren [7]. **84** Jiang Jialiang [2]. **85** Chen Xinhua [2]. **86** Chen Longcan [2]. **87** Teng Yi [2]. **88** Grubba [18]. **89** Ma Wenge [2]. **90** Waldner [7]. **91** Persson [7]. **92** Mawenge [2].

■ **Double.** *Créée* 1990, tous les 2 ans. **Messieurs. 90** Yoo Nam Kyu-Kim Ki Taek [16]. **92** Yo Nam Kyu-Kim Taek Soo [16]. **Dames. 90** Jung Hwa Hyun-Hong Cha Ok [16]. **92** Deng Yaping-Qiao Hong [2].

■ **Équipes.** *Créée* 1990. **Messieurs. 90** Suède. **91** Chine. **Dames. 90, 91** Chine.

Coupe d'Europe des nations

Créée 1991. Annuelle, réservée aux 8 meilleures formations européennes. **91, 92** All. **93** Suède.

Championnats d'Europe

Créés 1958. Années paires.

■ **Équipes. Messieurs. 58, 60** Hongrie. **62** Youg. **64, 66, 68, 70, 72, 74** Suède. **76** Youg. **78** Hongrie. **80** Suède. **82** Hongrie. **84** France. **86, 88, 90, 92** Suède. **Dames. 58** G.-B. **60** Hongrie. **62** All. **64** G.-B. **66** Hongrie. **68** All. **70** URSS **72** Hongrie. **74, 76** URSS **78** Hongrie. **80** URSS **82** Hongrie. **84** URSS **86** Hongrie. **88** URSS **90** Hongrie. **92** Roumanie.

■ **Individuels. Messieurs. 58, 60** Berczik [4]. **62** Alser [7]. **64, 66** Johansson [7]. **68** Surbek [10]. **70** Alser [7]. **72** Bengtsson [7]. **74** Orlowski [6]. **76** Secrétin [12]. **78** Gergely [4]. **80** Hilton [3]. **82** Appelgren [7]. **84** Bengtsson [7]. **86** Persson [7]. **88, 90** Appelgren [7]. **92** Rosskopf [15]. **Dames. 58, 60** Koczian [4]. **62** Simon [15]. **64** Foldi-Koczian [4]. **66** Alexandru [9]. **68** Vostova [6]. **70, 72** Rudnova [10]. **74** Magos [4]. **76** Hammersley [3]. **78** Magos [4]. **80** Popova [10]. **82** Vriesekoop [14]. **84** Popova [10]. **86** Batorfi [5]. **88** Bulatova [10]. **90** Guergueltcheva [17]. **92** Vriesekoop [14].

■ **Double. Messieurs. 58** Stipec-Vyhnanovsky [6]. **60** Sido-Berczik [4]. **62** Markovic-Ieran [13]. **64** Miko-Stanek [13]. **66** Alser-Johansson [7]. **68** Stipancic-Vecko [13]. 70 Stipancic-Surbek [10]. **72** Jonyer-Rosas [4]. **74** Jonyer-Klampar [4]. **76** Bengtsson-Johansson [7]. **78** Orlowski [6]-Gergely [4]. **80** Secrétin-Birocheau [12]. **82** Surbek-Kalinic. **84** Surbek-Kalinic [13]. **86** Waldner-Lindh [7]. **88** Appelgren-Waldner [7]. **90** Lupulescu-Primorac [13]. **92** Persson-Lindh [7]. **Dames. 58** Roseanu-Zeller [9]. **60** Roseanu-Alexandru [9]. **62, 64** Rowe-Shannon [3]. **66** Koczian-Jurik [4]. **68** Luzova-Karlikova [10]. **70** Rudnova-Grinberg [10]. **72, 74** Magos-Lotaller [4]. **76** Hammersley-Howard [3]. **78** Alexandru-Mihut [9]. **80** Popova-Antonian [10]. **82** Bulatova-Kovalenko [10]. **84** Popova-Antonian [10]. **86** Bulatova-Kovtun [10]. **88** Batorfi-Urban [4]. **90** Batorfi-Wirth [4]. **92** Fazlic-Perkucin [4].

Mixte. 84 Secrétin [12]-Popova [10]. **86** Pansky-Hrachova [6]. **88** Lupulescu-Fazlic [13]. **90** Gatien-Wang [12]. **92** Creanga [19]-Badescu [9].

Coupe d'Europe des clubs champions

80 Vasutas Budapest [4]. **81** Spartacus Budapest [4]. **82, 83** Reutlingen [15]. **84** Simix Julich [15]. **85** AZS Gdansk [18]. **86** ATSV Sarrebruck [15]. **87, 88**, Zugbrucke Grenzau [15]. **89** Borussia Düsseldorf [15]. **90** Levallois UTT [12]. **91, 93** Borussia Düsseldorf [15].

Championnats de France

Créés 1928.

■ **Simple. Messieurs. 77, 78, 79, 80, 81, 82** Secrétin. **83, 84, 85** Renversé. **86** Secrétin. **87** Renversé. **88, 89** Gatien. **90** Mommessin. **91, 92, 93** Gatien. **Dames. 77** Bergeret. **78** Thiriet. **79, 80** Daviaud. **81** Germain. **82** Daviaud. **83** Bergeret. **84** Abgrall. **85** Germain. **86** Thiriet. **87** Daviaud. **88** Coubat. **89, 90, 91** Wang. **92, 93** Coubat.

■ **Double. Messieurs. 77** Secrétin-Vinitzki. **78, 79** Birocheau-Canor. **80** Martin-Hoffstetter. **81** Parietti-Renversé. **82** Birocheau-Constant. **83** Renversé-Parietti. **84** Secrétin-Gernot. **85, 86** Secrétin-Farout. **87, 88** Gatien-Birocheau. **89** Mommessin-Secrétin. **90, 91** Marmurek-Chila. **92** Gatien-Mommessin. **93** Chatelain-Chila. **Dames. 77** Donne-Germain. **78, 79** Daviaud-Germain. **80, 81** Thiriet-Grillet. **82** Bergeret-Lecler. **83** Germain-Thiriet. **84, 85** Daviaud-Monteux. **86, 87** Thiriet-Germain. **88, 89** Wang-Thiriet. **90** Coubat-Yquel. **91** Wang-Thiriet. **92** Creuze-Derrien. **93** Coubat-Plaisant.

Mixte. 77 Purkart-Bergeret. **78, 79, 80** Secrétin-Bergeret. **81, 82** Martin-Thiriet. **83** Birocheau-Monteux. **84** Parietti-Daviaud. **85** Farout-Germain. **86, 87** Martin-Thiriet. **88, 89** Gatien-Wang. **90** Eloi-Derrien. **91** Marmurek-Coubat. **92** Hucliez-Aubry. **93** Marmurek-Coubat.

■ **Équipes. Messieurs. 86, 87** Trinité. **88, 89, 90, 91, 92, 93** Levallois. **Dames. 87, 88** Kremlin-Bicêtre. **89, 90, 91, 92** ACBB. **93** Montpellier.

Quelques noms

Abgrall Béatrice [12] (10-5-61). Amouretti Guy [12] (27-2-25). Appelgren Mikael [7] (15-10-61). Barna Victor [3] (1911-72). Barouh Marcel [12] (16-1-34). Bengtsson Stellan [7] (26-7-52). Beolet Huguette [12] (13-12-19). Bergeret Claude [12] (19-10-54). Bergmann Richard [3]. Birocheau Patrick [12] (23-9-55). Bulatova Fliura [10] (7-9-63). Cao Yanhua [2]. Chilla Patrick [12] (27-11-69). Chuang Tse-Toung [2]. Constant Jean-Denis [12] (1956). Coubat Emmanuelle [12] (1-4-70). Dai Lili [2]. Daviaud Nadine [12] (31-7-60). Douglas Desmond [3] (20-7-55). Fetzner Steffen [15] (17-8-69). Gatien J.-Philippe [12] (16-10-68). Germain Patricia [12]. Guo Yue-hua [2]. Hague-nauer Michel [12] (22-1-16). Hammersley Jill [3]. Kalinic Zoran [13]. Leach Johnny [3] (n.c.). Lecler Yvelyne [12] (15-6-51). Lindh Erik [7] (24-5-64). Lo-chueng Tsun [4] (8-10-63). Marmurek Olivier [12] (12-12-69). Martin Christian [12] (1959). Mathieu Christiane [12] (14-4-34) (Watel). Mommessin Didier [12] (26-8-67). Nemes Olga [15] (1968). Ogimura Ichiro [5] (n.c.). Orlowski Milan [6]. Persson Jorgen [7] (22-4-66). Popova Valentina [10]. Pream Carl [3] (1967). Purkart Vincent [12] (25-6-36). Renversé Patrick [12] (1-11-59). Rioual Martine (Le Bras) [12] (28-2-45). Rooskopf Jorg [15] (22-5-69). Saive J.-Michel [20] (17-11-69). Secrétin Jacques [12] (18-3-49). Surbek Dragutin [13] (8-8-46). Thiriet Brigitte [12] (11-8-56). Tong Ling [2]. Vriesekoop Bettina [14] (13-8-61). Waldner Jan-Ove [7] (30-10-65). Wang Xiao-Ming [12] (14-6-63). Weber Jean-Paul [12] (12-7-48). Xialian [2]. Yuehua [2].

Tir à la cible

☞ *Légende.* (1) ex-URSS. (2) Chine. (3) France. (4) Hongrie. (5) Danemark. (6) Bulgarie. (7) All. (8) Italie. (9) Youg. (10) Tchéc. (11) Norvège. (12) Suède. (13) Suisse. (14) Roumanie. (15) Espagne.

Généralités

Origine. 1466 1re Sté de tir à Lucerne (Suisse). XVIe s. apparition en France des Stés de tir. **V. 1860** 1res Stés de tir en Suisse. **1886** la France crée l'Union des Stés de tir. **1896** admis aux 1ers JO. **1897** 1ers championnats du monde (à Lyon). **1907** l'Union internationale de tir créée.

Licenciés en France. 1968 25 000. **75** 55 000. **80** 95 000. **86** 135 000. **89** 127 578. **92** 130 000.

Pistolet

■ **Armes. Pistolet automatique.** Arme de poing munie d'un système de répétition comprenant un magasin, un ensemble à glissière (culasse), un mécanisme (leviers et ressorts) mis en action par la main et par une partie de l'énergie libérée par la cartouche. Certains ont un canon fixe, d'autres un canon à court recul (utilisé pour la plupart des armes dont le canon mesure plus de 10 cm). *Percussion :* 1) soit le percuteur est propulsé par un ressort, un ergot commandé par la détente libère le percuteur ; 2) soit le percuteur est inerte ; un marteau (chien) frappe le percuteur en l'envoyant brutalement en avant. Le percuteur vient toujours frapper une amorce enflammant la poudre contenue dans la cartouche. *Détente :* à double action quand elle permet de percuter plusieurs fois de suite sans réarmer ; à simple action quand le mécanisme de percussion doit être armé manuellement. *Canon :* longueur de 4 à 20 cm. *Chargeur :* contient 7 à 15 cartouches (7 pour le PA. Colt 45, 15 pour le MAB P 15). *Calibre :* nombreux, du 22 LR au 44 Magnum.

Revolver (to revolve : tourner). Arme de poing dont l'approvisionnement se fait par un barillet (magasin rotatif). Les revolvers sont à simple ou à double action. Calibres : du 22 LR au 45 Long Colt.

Épreuves. Pistolet. P 10 M. P. à air comprimé. *Cible* à 10 m. *Tir* 60 plombs en 2 h 15. **P. vitesse olympique. P. 22 Short.** *Cible* 5 pivotantes à 25 m. *Tir* 60 coups en 2 séries chacune de 30 (chacune décomposée en 2 séries de 5 coups tirés en 8″, 2 séries de 5 coups tirés en 6″, 2 séries de 5 coups tirés en 4″). **P. Standard. P. 22 LR.** *Cible* 25 m. *Tir* 60 coups : 20 coups, 4 fois 5 balles en 150″ ; 20 c., 4 fois 5 b. en 20″ ; 20 c., 4 fois 5 b. en 10″. **P. Sport.** P., revolver de gros calibre (22 LR pour Dames et Juniors). *Cible* fixe et pivotante à 25 m. *Tir* 30 coups « visé » en 6 séries de 5 balles en 6″. 30 « duels » en 6 séries de 5 (3 s pour chaque balle, la cible pivotante s'effaçant durant 7 s entre chaque coup). **P. libre. P. à 1 coup 22 LR.** *Cible* 50 m dont le ⌀ central a un diamètre de 50 mm. *Tir* 15 coups d'essai et 60 balles en 2 h 30, en 6 séries de 10 coups.

■ **Résultats : Pistolet à 10 m.**

Championnats du monde. Messieurs. Ind. 85 Beutter [13], **86** Basinsky [1], **87** Papanitz [4], **89** Pylianov [1], **90** Tobar [4], **91** Potteck [7]. **Eq. 85, 86, 87, 89, 90, 91** URSS.

Dames Ind. 85 Dobrancheva [1], **86** Volker [1], **87** Brajkovic [9], **89** Salukvadze [1], **90** Sekaric [9], **91** Logvinienko [1]. **Eq. 85, 86, 87** URSS, **89** All., **90, 91** URSS.

Championnats d'Europe. Messieurs. Ind. 86 Kokorev [1], **87, 88** Bassinsky [1], **89** Babii [14], **90** Salukvadze [1], **91** Schumann [7], **92** Kokorev [1]. **Eq. 86, 87, 88, 89, 90** URSS, **91** Pologne. **92** ex-URSS.

Dames Ind. 86 Sekaric [9], **87** Cvetkov [1], **88** Breker [3], **89, 90** Smirnova [1], **91** Serra-Tosio [3], **92** Sekaric [9]. **Eq. 86** Suède, **87, 88, 89, 90** URSS, **91** France **92** Youg.

Championnats de France. Messieurs. 88 Bernard, **89** Cola, **90** Wolbert, **91** Cola, **92** Harang, **93** Gagne. **Dames. 88** Manchon, **89, 90** Serra-Tosia, **91** Manchon, **92** Serra-Tosio, **93** Manchon.

Carabine

■ **Épreuves C. 60 balles « couché » ou match anglais :** C. libre de petit calibre (22 LR). *Cible* à 50 m (⌀ 10 = 12 mm). Durée 1 h 30.

C. Libre (3 positions) 3 × 40 : C. libre de petit calibre (22 LR). *Cible* 50 m (⌀ 10 = 12 mm). *Tir* 5 h 15, 120 coups (40 « couché » 1 h 30 ; 40 « debout » 2 h ; 40 « genou » 1 h 45). **C. Libre (3 positions) 3 × 20** (réservée aux Dames et Juniors) : *arme et cible* idem ci-dessus. *Tir* 2 h 30, 60 coups (20 « couché », 20 « debout », 20 « genou »). **C. 300 M (libre et standard) :** C. libre gros calibre : *cible* 300 m. *Tir* 120 coups en 5 h 15 : 40 c. « couché » 1 h 30, 40 c. « debout » 2 h, 40 c. « genou » 1 h 15. **C. standard gros calibre :** *cible* 300 m. *Tir* 60 coups en 2 h 30 : 20 c. « couché », 20 c. « debout », 20 c. « genou ». **C. 10 M (debout) :** C. à air comprimé. *Cible* 10 m. *Tir* 60 plombs en 2 h 15 maximum.

■ **Résultats. Championnat du monde. Dames. C. standard. 60 balles couché :** *ind.* Florian (Hongr.), *éq.* Youg. **120 balles, 3 positions :** *ind.* Letcheva (Bulg.), *éq.* Bulg. **C. à air comprimé :** *ind.* Letcheva (Bulg.), *éq.* Finlande.

Championnats d'Europe. 1991. Hommes. 60 balles couché *juniors :* ind. Duvier [5], éq. Danemark ; *seniors :* ind. Christensen [5], éq. Danemark. **3 × 40** *juniors :* ind. Pletickosic [9], éq. Yougoslavie ; *seniors :* ind. Maksimovik [9], éq. Yougoslavie. **Dames. 60 balles couchés :** *Juniors :* ind. Ivosev [9], éq. Yougoslavie ; *dames :* ind. Letcheva [6], éq. Bulgarie. **3 × 20.** *Juniors :* ind. Matova [6], éq. Bulgarie ; *dames :* ind. Ivosev [9], éq. Yougoslavie.

■ **Résultats : carabine à 10 m.**

Championnats du monde. Messieurs. Ind. 85 Heberlé [3], **86** Riederer [7], **87** Ivanov [1], **89** Amat [3], **90** Riederer [7], **91** Stenvaag [11], **92** Maksimovic [9]. **Équipe 85** France, **86** All., **87** URSS, **89** France, **90** All., **91** Norvège, **92** Autriche.

Dames Ind. 85 Florian [4], **86, 87, 89** Letcheva [6], **90** Joo [4], **91** Florian [4], **92** Valcova [6]. **Équipe 85** bulg. **86** Finlande, **87, 89** Bulg., **90** USA, **91, 92** URSS.

Championnats d'Europe. Messieurs. Ind. 86 Weber [3], **87** Berthelot [3], **88** Petikian [1], **89** Botchkarev [1], **90, 91** Amat [3]. **93** Badiou [3]. **Équipe 86** France, **87** France et URSS, **88** URSS et Youg., **89, 90** URSS, **91** Norvège. **93** Russie.

Dames Ind. 86 Karlsson [12], **87** Letcheva [6], **88** Joo [4], **89, 90** Tcherkasova [1], **91** Seledhova [1]. **Équipe 86** Suède, **87** URSS, **88** Hongrie, **89, 90** URSS, **91** Hongrie.

Championnats de France. Messieurs. 88 Amat, **89** Badiou, **90** Berthelot, **91, 92, 93** Badiou. **Dames. 88, 89** Decharne, **90** Auprêtre, **91** Bontemps, **92** Lefevre, **93** Decharne.

Cible mobile

Nota. – Dep. 1989, cible mobile (avant, dite *sanglier courant*).

■ **Épreuves.** La cible parcourt un trajet rectiligne, face au tireur, de droite à gauche et de gauche à droite alternativement, en 2 vitesses : lente (VL) 5″ ; rapide (VR) 2,5″. Elle doit être tirée à chaque passage. On ne peut épauler avant son apparition.

Discipline. Olympique 10 M : *Distance* 10 m. *Trajet cible* 2 m. *Car.* à air comprimé 4,5 mm et lunette de visée obligatoire. *Tir* 1re série : 30 coups en VL ; 2e : 30 en VR. **50 m :** *Trajet cible* 10 m. *Carabine* 22 LR, alimentation coup par coup et lunette de visée obligatoire. *Tir* 1re série : 30 coups en VL, 2e : 30 en VR. **« Vitesse mixte » :** *Distance* 50 m. *Trajet cible* 10 m. *Car.* 22 LR, alimentation coup par coup et lunette de visée obligatoire. *Tir* le tireur ne connaît pas la vitesse de passage (lente ou rapide) : 1re série : 20 coups ; 2e : 20 (10 coups VL et 10 coups VR. Ordre de succession non connu. Pas plus de 5 coups successifs dans la même vitesse). **De chasse armes d'épaule et de poing :** *1° Ar. à canon lisse :* fusil de chasse calibre 12 ou 16, pas de lunette de visée. *Distance* 50 m. *Trajet cible* 10 m. *Tir* 10 coups en VL + 10 en VR (même ordre que Discipline Mixte). *2° Ar. à canon rayé :* carabine chasse - calibre min. 6 mm. *Distance* 50 m. *Tir* 1re série : 20 coups vitesse mixte. *C. Ar. de point :* pistolet ou revolver de gros calibre. *Distance* 35 m. *Tir* 1re série : 20 coups vitesse « mixte ».

■ **Résultats. Ch. du monde. 83** Dedov [1] et Kadenatsi [1]. **84** Li [2]. **86** Luzov [1]. **87** Tricoire [3]. **89** Solti [4]. **90** Kruzer [7]. **91** Racansky [10].

Ch. d'Europe. Ind. 85 Reczeli [4]. **87** Tricoire [3]. **89** Avramenko [1]. **90** Heiestad [5]. **91** Avramenko [1]. **92** Vassiliev [1]. **Équipe 85** Hongrie. **87** Tchéc. **89** URSS. **90, 91** Hongrie. **92** ex-URSS.

Ch. de France. 83 Gasquet. **84** Tricoire. **85** Abihssira. **86, 87, 88** Tricoire. **89** Chartron. **90, 91** Abihssira. **93** Tricoire.

AUTRES TIRS À LA CIBLE

■ **Bench Rest Shooting. Tir de précision sur appui :** tireur assis à une table ou banc de tir. Arme reposée sur des sacs de sable ou un support spécial. On doit grouper les impacts sur le plus petit espace possible de la cible (quelques mm). Armes d'épaule, de haute précision, lunette télescopique de fort grossissement. Cibles à 100, 200 et exceptionnellement 300 m.

Championnats de France : 85. Carabine lourde 100 m Serain, 200 m Octo. C. légère 100 m Cauvain, 200 m Grosse.

■ **Poudre noire.** Armes anciennes d'époque ou répliques se chargeant à la poudre noire.

Arme de poing : *cible fixe.* 13 coups en 1/2 heure à distance de 25 m. Cible UIT pistolet. Seuls les 10 meilleurs impacts sont retenus. Armes : pistolet à silex ou à percussion (épreuves Cominazzo et Kuchenreuter) et revolvers à percussion (épreuves Colt et Mariette). **D'épaule :** *cible fixe.* Fusil ou carabine à canon lisse ou rayé se chargeant par la bouche peuvent être réglementaires, civiles, à percussion, à silex ou à mèche suivant les épreuves. 13 coups dont seuls les 10 meilleurs retenus. ÉPREUVES : *Miquelet* fusil réglementaire à silex, canon lisse, position « debout », 50 m. *Maximilien* f. ou carabine à silex, canon rayé, position « couché », 100 m. *Minie* f. réglementaire à percussion, canon rayé, 100 m. *Whitworth* f. ou car. à percussion, 100 m. *Walkyrie* f. ou car. à percussion, 100 m, épreuve féminine. *Tanegashima* mousquet à mèche lisse, 50 m. *Vetterli* arme libre (mèche, silex ou percussion) 50 m. *Cible mobile* fosse simplifiée, en 20 plateaux, fusil à silex (épreuve Manton), à percussion (épr. Lorenzoni).

Championnats de France : 89. *Miquelet : arme d'origine* Rossero, *réplique* Boussinot. *Maximilien : O.* Guichardot, *R.* Bernard. *Minie : O.* Ropars, *R.* Rousseau. *Whitworth : O.* Galero, *R.* Schneider. *Cominazzo : O.* Degert, *R.* Gimenez. *Kuchenreuter : O.* Journet, *R.* Regnier. *Colt :* Journet. *Walkyrie : O.* Galero, *R.* Pietri. *Mariette : R.* Becker. *Tamegashima :* Bernard. *Vetterli : O.* Ropars, *R.* Huchelman. *Hizadai :* Bernard. *Manton : O.* Berthasson, *R.* Aguilla. *Lorenzoni : O.* Briole, *R.* Bouvet.

DBS CUP Compétition internationale : 82. *Miquelet :* Musar. *Vettali :* Blumenauer. *Minie :* Ropars. *Cominazzo :* Bambach. *Kuchenreuter :* Bucher. *Colt :* Deparis. *Par équipe :* France.

■ **Silhouettes métalliques.** Position libre mais les tireurs sont le plus souvent couchés ou assis. *Arme* pistolet ou revolver de gros calibre à canon long. *Tir* 40 coups [10 à 50 m sur 10 cibles de « poulet » (chiken). 10 à 100 m sur 10 « sanglier » (javelina). 10 à 150 m sur 10 « dindon » (turkey). 10 à 200 m sur 10 « mouflon » (ram)]. Le projectile doit renverser la cible. Position debout.

Championnats de France : 86 *Position libre. Pistolet production :* G. Bernard. *Revolver :* M. Vincent. *Unlimited :* M. Boulanger.

■ **Arbalète.** *A. 10 M :* poids max. 6 kg. *Trait* ⊘ e 4,5 mm. *Tir* 40 coups. *Cible* ⊘ du 10 : 1 mm. *B. 30 M :* poids max. 10 kg. *Trait* ⊘ 6 mm. *Tir* 60 coups (30 « debout », 30 « genou »).

Championnats de France : Messieurs. 91, 92 Christnacher. **93** Maquin. **Dames. 91** Raybaut, **92** Muller. **93** Moris.

TIR AUX ARMES DE CHASSE

FOSSE

■ **Description.** Équipées d'appareils de lancement pouvant distribuer des plateaux sous des angles différents. Le tireur ignore l'appareil qui va envoyer le plateau. Selon la fosse, les vitesses de retombée sont variables. *Tireurs placés* à 15 m de la fosse. **Plateaux :** 11 cm de diam., 25 à 28,5 mm de hauteur, 100 à 110 g. **Arme :** fusil de chasse, calibre 12 max., cartouches 70 mm (2,3/4 pouces), charge 32 g, diamètre max. des plombs 2,5 mm.

■ **Types d'épreuves. Fosse olympique :** *appareils de lancement* 15 (5 groupes de 3). Chaque groupe peut lancer des plateaux sous 3 angles différents. *Longueur de lancement* plan horizontal : 75 m (+ ou – 5 m) ; hauteur à 10 m de l'appareil : 1,50 m à 3,50 m, la trajectoire ne devant pas dévier de plus de 45°. *Plateaux :* 200, la compétition se déroulant par groupes de 6 tireurs en séries de 25 plateaux. Le tireur peut tirer 1 ou 2 cartouches sur chaque plateau.

Fosse universelle : *appareil de lanc.* 5. *Longueur du lancement* sous tous les angles de direction et de hauteur : 70 m (+ ou – 5 m). *Hauteur* à 10 m de l'appareil : 1,50 à 3,50 m. Les appareils peuvent modifier puissance de projection, orientation et hauteur de la trajectoire des plateaux (qui ne doit pas s'écarter de plus de 20°). *Plateaux :* 200 en séries de 25. **Fosse américaine.** *Appareil de lanc.* 1. *Plateaux* 100 (séries de 10).

■ **Résultats. Championnats du monde. Fosse olympique :** *créés* 1970. **Messieurs. Ind. : 70** Carrega [1] 197/200. **71** Carrega [1] 198/200. **73** Andrushkim [3] 196/200. **74** Carrega [1] 199/200. **75** Primrose [4] 197/200. **77** Azkire [6] 197/200. **78** Valduvi [6] 198/200. **79** Carrega [1] 194/200. **81** A. Asanov [3] 197/200. **82** Giovannetti [2] et Valduvi [6] 197/200. **83** Primrose [4] 188/200. **85, 86** Bednarik [11]. **87** Benelli [2]. **90** Erikson [5]. **Équipe : 74** France 578/600. **75** USA 388/400. **77** Italie 575/600. **78** USA 580/600. **79** Italie 568/600. **81** URSS 572/600. **82** Italie 587/600. **85, 86, 87** Italie. **90** France. **91** Usieto [15]. **Dames. Ind. : 85** Li Chuan [12]. **86** Gao [12]. **87** Yin Weiping [12]. **91** Usieto [15]. **Équipe : 85** Chine. **86** URSS. **87** Chine.

Championnats d'Europe. Fosse olympique. *Créés* 1967. **Messieurs. Ind. : 67** Cassiano [2]. **68** Carrega [1]. **69** Baud [1]. **70** Alipov [3]. **71** Bassagni [2]. **72** Smelczynski [7]. **73** Valduvi [6]. **74** Azkue [6]. **75** Carneroli [2]. **76** Smelczynski [7]. **77** Asanov [3]. **78, 79** Hoppe [1] 194/200. **80** Ochotski [3]. **81** Blondeau [1]. **82** Cioni [2] 199/200. **83** Numella [9] 199/200. **84** Sancho-Navarro [6] 199/200. **85** Jacobson [10] 148. **86** Cioni [2] 218/225. **87** Dammer [8] 217. **88** Pera [2]. **89** Venturini [2] 222. **90** Chebanov [3]. **91** Pouzol [1] 195. **92** Conti [2] 218. **Équipe : 67** Suède. **68** France. **69** Italie. **70** URSS. **71** Italie. **72** Espagne. **73** France. **74, 75** Italie. **76** France. **77** URSS. **78** Italie. **79** URSS. **80** URSS. **81** URSS 584/600. **82** URSS 584/600. **83** Italie 436/450. **84** Esp. 441/450. **85** Ital. 438. **86** Ital. 434/450. **87** Ital. **88** URSS. **89** Ital. 441/450. **91** Fr. 758. **92** Ital. 431. **Dames. Ind. : 90** Schishirina [3]. **91** Toledo [16]. **92** Shishirina [3]. **Équipe : 90** France, **91** France 526, **92** ex-URSS 407.

Championnats de Fr. Fosse olympique. *Créés* 1884. **Messieurs. Ind. : 1966** Minois. **67** Candelo. **68** Carrega. **69** Baud. **70, 71** Carrega. **72** Baud. **73** Guigues. **74** Blondeau. **75, 76** Carrega. **77** Roccia. **78** Blondeau. **79** Carrega. **80** Moine. **81** Demarle. **82** Blein 194/200. **83** Carrega 196/200. **84** Carrega 199/200. **85** Guelpa 197/200. **86** Blein 196/200. **87, 88** Gerin. **89** Gros. **90** Mannoni. **Dames. Ind. : 90** Bernard.

■ **Nombre record en 1 h.** Joseph Wheater avec 5 fusils et 7 chargeurs 1 308 le 21-9-1957. En 42'22"5, il en avait touché 1 000. **Proportion.** 299 sur 300 A. V. Lumniczar (Hongrois, en 1933). 100 sur 100 (record de France, G. S. Blanc, 1955).

Record du monde de tir à la fosse olympique sur 24 h. Le 14/15-6-1986, Armand Chateauneuf (n. 1936) casse 8 091 plateaux sur 9 012 avec 10 842 cartouches (2 044 plateaux de plus que l'ancien record). *Moyenne de réussite :* 89,72 %.

■ **Quelques noms.** Jean-Jacques BAUD [1] 1947. Pierre CANDELO [1] 9-4-1934. Michel CARREGA [1] 1933. Paul COLAS [1] 1880. Pierre COQUELIN DE LISLE [1] 1900. Michèle DELAVIE [1] 8-9-1944. Ho JUN-LI [13] 1946. Jacques MAZOYER [1] 1910. Michel PRÉVOST [1] 7-8-1925. Angeloao SCALZONE [2] 1931. Ragnar SKANAKER [14] 1934. Hubert VOILQUIN [1] 1923. Konrad WIRNHIER [15] 1927. John WRITER [5] 1944.

Nota. – (1) France. (2) Italie. (3) ex-URSS. (4) Canada. (5) USA. (6) Esp. (7) Pol. (8) All. dém. (9) Finl. (10) Dan. (11) Tchéc. (12) Chine. (13) Corée du Nord. (14) Suède. (15) All. féd. (16) Port.

PARCOURS DE CHASSE

■ **Description.** Stand équipé d'un nombre d'appareils projecteurs de plateaux suffisant pour que les tireurs puissent tirer dans les mêmes conditions qu'à la chasse au gibier naturel : devant soi, rasants et montants, en battue, traversards et demi-traversards, en plaine ou au bois, gênés ou non par les arbres ou des massifs d'arbustes. *Position debout, fusil désépaulé* jusqu'à l'apparition du ou des plateaux. *Pas de tir* délimités par des carrés de 0,91 m de côté ou des cercles de 1 m de diamètre. Tir par groupe de 6 tireurs en séries de 25 plateaux, simples, doublés simultanés et doublés dits au coup de fusil dans lesquels le 2e plateau n'est envoyé qu'au coup de fusil tiré sur le 1er plateau. Discipline gérée par la Féd. fr. du ball-trap, 10, rue de Lisbonne, 75008 Paris.

■ **Résultats. Championnats du monde. Seniors : 81** J.C. Meng, **82** M. Polet (Belg.). **83** Manjot (Fr.). **84** Cowler (G.-B). **85** Simpson (G.-B.). **86** Delaroche (Fr.). **87** Smith (G.-B.). **88** Bidwell (G.-B.). *Équipes :* **83, 84, 85** G.-B. **86** Fr. **87** G.-B. déclassée, 2e Fr. **88** Fr. **Juniors : 81** C. de Lorenzi, **82** Dodd (G.-B.). **83** Dopp (G.-B.). **84, 85** Foster (G.-B.). **86** Whitelock (G.-B.). **87** Papworth (G.-B.). **Dames : 81** C. Meng, V. Mary, **82-83** Hillyer (G.-B.). **84** Ch. en Afr. du S. nombreux forfaits dont la France. **85** Battut (Fr.). **86** Hillyer (G.-B.). **87** Eyre (G.-B.). **88** Hillyer (G.-B.).

Championnats d'Europe. Seniors : 81 M. Riboulet, **82** D. Lawton. **83** Come (Fr.). **84** Smith (G.-B.). **85** J.-M. Cloquemin (Fr.). **86** Simpson (G.-B.). **87** Smith (G.-B.) *Équipes :* **83-84** G.-B. **85** Fr. **86** G.-B. **Juniors : 81** C. de Lorenzi, **82** Y. Brottier (Fr.). **83** De Lattre (Belg.). **84** Foster (G.-B.). **85** Cloquemin (Fr.). **86** Whitelock (G.-B.). **Dames : 81** C. Meng, **82** M. Roux (Fr.). **83** Hillyer (G.-B.). **84, 85** Pfister (All. féd.). **86** Eyre (G.-B.).

Championnats de France. 84 *Seniors* Riboulet. *Juniors* Meng. *Dames* de Lorenzi.

SKEET

SKEET OLYMPIQUE

■ **Description.** Parcours comprenant 2 baraques de lancement, l'une haute (PULL), l'autre basse (MARK), distantes de 40 m env. Des baraques partent des plateaux aux trajectoires bien définies et constantes. Les tireurs se déplacent sur 7 postes de tir équidistants placés sur un demi-cercle. Les fosses de lancement se trouvent à chaque extrémité du diamètre. Un 8e poste se trouve au centre du diamètre du demi-cercle. On tire des plateaux PULL ou MARK ou des doubles simultanés PULL/MARK ou MARK/PULL. Le tireur ne peut épauler qu'à l'apparition du plateau. **Armes et munitions :** fusil de chasse, calibre 12 max., cartouche 70 mm, charge 32 g, diam. max. des plombs 2 mm. Une seule cartouche par plateau lancé à partir de 2 fosses (une haute, une basse) situées à droite et à gauche d'un terrain en arc de cercle (rayon 19,20 m, base 36,80 m se trouvant à 5,49 m du centre), chaque concurrent occupant successivement 8 positions fixes. Tir par groupes de 6 tireurs en séries de 25 plateaux par tireur (13 lancers simples et 6 doubles).

■ **Résultats. Championnats du monde** (créés 1970). Tous les ans sauf années olympiques. **Ind. : Messieurs 72** Tzaranov [1]. **73** Andreev [1]. **74** Gawlikowski [2]. **75** Tzaranov [1]. **77** Seiffert [3]. **78** Brunetti [7]. **79** Justesen [3]. **81** Annaisvili [1]. **82** Carlisle [9]. **83** Dryke [9]. **85** Hochwald [10]. **86** Dryke [9]. **87** Monakov [1]. **89** Giovannangelo [7]. **90** Benelli [7]. **91** Rossetti [7]. **Dames 85** Carlisle [9]. **86** Demina [1]. **89** Zhang [11]. **Équipes : Messieurs 72, 73, 74** URSS. **75** All. dém. **77** USA. **78** Italie. **79** USA. **81** Italie. **82, 83, 85** USA. **86** Italie. **87** URSS. **89** Italie. **90** Tchéc. **Dames 85, 86, 87, 89** Chine.

Championnats d'Europe. Messieurs. Ind. : 69 Penot [4]. **70** Socharski [2]. **71** Karlson [5]. **72** Andreev [1]. **73** Zhengti [1]. **74** Petitpied [4]. **75** Ramussen [3]. **76** Avalos [6]. **77** Aliev [1]. **78** Garagnani [7]. **79** Rossetti [4]. **80** Panacek [8]. **81** Zhgenty [1]. **82** Rossetti [4] et Penot [4]. **83** Horwald [10]. **84** Hala [8]. **85** Thorwaldsson [5]. **86** Giardin [7]. **87** Tcerkasov [1]. **88** Delac [4]. **89** Durbesson [4]. **90** Rossetti [7]. **91** Wegner [7]. **Équipes : 69** URSS. **70** All. féd. **71** Espagne. **72, 73, 74** URSS. **75** Suède. **76** Danemark. **77, 78** URSS. **79** P.-Bas. **80, 81** URSS. **82** Tchéc. **83, 84, 85** URSS. **86** Ital. **87** URSS. **88**

Tchéc. **89** P.-Bas. **90** Finlande. **91** Tchéc. **Dames. Ind. 89** Wilczynska [2]. **90** Dlomina [1]. **91** Igaly [4]. **Équipes 89** Pol. **90** URSS. **91** Hongrie.

Nota. – (1) URSS. (2) Pologne. (3) Danemark. (4) France. (5) Suède. (6) Espagne. (7) Italie. (8) Tchéc. (9) USA. (10) All. dém. (11) Chine.

Championnats de France (individuels). Messieurs. 1966 Cassagrande. **67, 68** A. Plante. **69, 70** Penot. **71** J.-P. Roncari. **72, 73, 74** Penot. **75** Otet. **76** Mangin. **77** Petitpied et B. Rossetti. **78** Simon. **79** Penot. **80** Rossetti. **81** Petitpied. **82-83** Rossetti. **84** Petitpied. **85** Rocheteau. **86** Rossetti. **87, 88** Tyssier. **89** Durbesson. **90** Faucheux. **92** Delac **Dames. 90** Blot. **92** Pignon.

Skeet de chasse. Description : 20 plateaux se limitent aux postes 2, 3, 4, 5 et 6. Chaque planche de 20 plateaux se tire d'abord en 10 simples (position de départ épaulée ou non, au choix du tireur). Puis, aux mêmes postes en 5 tirs doubles. Au coup de fusil, le 2e plateau ne part que lorsque le 1er coup a été tiré. Trajectoire moins tendue que pour le skeet olympique. Discipline abandonnée par la FFT.

TIR À L'ARC

GÉNÉRALITÉS

Quelques dates. 825 l'évêque de Soissons crée les Cies de tir à l'arc françaises. Perdent leur importance militaire avec l'apparition de l'arquebuse. Dissoutes à la Révolution, elles réapparurent sous l'Empire. **1898** Féd. fr. créée. **1928** Féd. fr. de tir à l'arc créée. **1931** Féd. int. de tir à l'arc créée à Lodz (Pologne). **1972** reconnu discipline olympique.

Statistiques. En France : *Pays d'arc :* Oise, Aisne, Somme, Marne, Nord, Est de Paris. *Tireurs :* 100 000. *Licenciés :* 45 000. *(non licenciés appartenant aux clubs :* 10 000, *pratiquant hors de toute organisation :* 60 000). *Clubs :* 1 600 (+ de 160 dans la région paris., dans 27 ligues). *Compétition :* 1 000 par an.

MATÉRIEL

Tir. Sur cibles : puissance de propulsion de l'arc 7 à 25 kg, hauteur de 1,5 à 1,8 m. **De chasse :** puissance 16 à 32 kg, hauteur 1,2 à 1,5 m. **De loisir :** puissance hommes 13,5 kg, femmes 11 kg. **Enfants :** puissance 2 à 7 kg, hauteur 1 m à 1,25 m. *Pour choisir son arc :* connaître son *allonge :* le bras à l'horizontale dans l'alignement des épaules, la main verticale le pouce en dessus, mesurer sur le bras en partant de la base du cou jusqu'à la 1re phalange du pouce en partant du poignet et son œil directeur pour savoir si on est droitier ou gaucher.

Nota. – En termes techniques, puissance en livres anglaises et haut. en pouces.

Arcs utilisés en France. Bois, fibre de verre et carbone-céramique. *Débutants,* force de 16 à 20 livres, précision jusqu'à 30 m. *Adolescents et j. filles* 25 à 40 livres, précision jusqu'à 70 m ; h. 36 à 50 livres env. permettant le tir aux distances olympiques. *Taille :* 1,55 à 1,75 m. *Prix d'un arc :* 600 à 10 000 F. Carquois 70 à 500 F. Corde dacron (résistant) 25 F, kevlar (+ rapide) 40 F. *Flèches* (coupées sur mesure) 20 à 60 F. *Flèche carbone* 40 à 100 F.

Stabilisateurs (tiges et poids de différentes longueurs posés par l'archer suivant la sensation recherchée). Absorbent et retardent les vibrations parasites transmises à la poignée par les branches, au lâcher de la corde. *Prix :* 60 à 1 000 F. *Viseur :* 55 à 1 000 F.

DISCIPLINES

DISCIPLINES INTERNATIONALES

Tir FITA (Féd. Internat. de Tir à l'Arc). Phase de qualification de la discipline olympique. Sur terrain plat. Blasons divisés en 10 zones de 5 couleurs différentes, chiffrées de 1 à 10. 36 flèches à chaque distance par volées de 3. *Hommes :* 90 et 70 m sur cible de 1,22 m de diam, puis 50 et 30 m sur cible 0,80 m. *Femmes :* 70 et 60 m sur cible 1,22 m, puis 50 et 30 m sur cible 0,80 m. Total 144 flèches. Max. de 1 440 points. CONCOURS (2 fois 144 flèches) en 1 ou 2 jours. *Épreuves :* dep. 1986. Compétition en 2 phases : *éliminatoire* ouverte à tous les engagés, les 24 meilleurs scores sont retenus sur un FITA classique ; *finale* avec élimination progressive et remise des compteurs à zéro à chaque étape, jusqu'à la finale. Les archers tirent 36 flèches à chaque stade de la compétition [9 par distance (90, 70, 50 et 30 m chez les hommes et 70, 60, 50 et 30 m chez les femmes)]. *1/8e* de finales : 24 archers (ordre de tir : 90, 70, 50, 30 m), *1/4e :* 18 (30, 50, 70, 90 m), *1/2e :* 12 (90, 70, 50, 30 m), *finale :* 8 (30, 50, 70, 90 m).

A partir des JO de Barcelone, nouveau réglement. Phase de qualification id. (144 flèches et accession au tableau final). *1/16e de finales :* 32 archers dans un tableau par élimination directe en fonction de leur place en qualification. En finale 2 archers, 12 flèches. A chaque phase finale, 12 flèches. 1 distance : 70 m. Durée de la finale : 1/4 d'h. Épreuve par équipe : *1/8e de finales :* 16 équipes, tableau par élimination directe. 27 flèches par équipe à 70 m. A chaque volée, les équipiers disposent de 3 min chacun pour se succéder sur le pas de tir et tirer 3 flèches, soit en moy. 1 min par archer. Le chronomètre ne s'arrête pas entre 2 archers.

Tir par équipe. *1/2 finales :* 12 meilleures équipes de 3 tireurs (corde de tir : 90, 70, 50, 30 m), *finale :* 8 équipes (corde de tir : 30, 50, 70, 90 m).

Tir en salle. Pratiqué dep. 1972, essentiellement l'hiver (gymnase ou hall fermé). *Tirs :* 2 fois 30 flèches, au choix de l'organisateur, à 25 ou 18 m, par volées de 3 flèches. Dep. 1990, organisation de phases finales, tableau par élimination directe (duels sur 15 flèches, les 16 premiers accèdent aux finales). *Cibles :* identiques à celles du Fita, mais 60 cm de diam. pour les arcs classiques et 40 cm pour les arcs à poulies à 25 m et 40 cm pour les arcs classiques à 18 m. Dans les phases finales, les archers tirent sur des blasons trispots (3 petites cibles dont les zones de 1 à 5 pts ont été supprimées, destinées à recevoir chacune une flèche). 2 phases : par distance et phase finale sur 15 flèches.

Tir en campagne. Pas olympique. Parcours complet (24 implantations de cibles) établi sur un terrain varié. Emprunté par des pelotons comprenant en moy. 4 archers (hommes et femmes). La moitié du parcours (12 cibles) est dit *parcours aux distances connues* (distances affichées à chaque poste de tir), l'autre *parcours aux distances inconnues* (distance à évaluer par les archers). Selon la taille du blason, la distance à apprécier se situe entre 5 et 60 m. Blasons, comportant 5 cercles concentriques, noir, gris et blanc, ayant 80, 60, 40 et 20 cm selon les distances. Chaque archer tire 3 flèches par étape du parcours (total : 72). Une compétition internationale se déroule sur 2 j. : 1er parcours complet avec distances inconnues ; 2e avec distances connues. 3 catégories donnant lieu à classements : *tir libre* ou *tir avec viseur,* (équipement similaire au tir Fita) et *tir sans viseur* ou *bare-bow,* (arc nu sans dispositif de visée), arcs à poulies ou compound. Finales sur 6 cibles, ouvertes aux 4 meilleurs archers de chaque catégorie. Compteurs remis à zéro.

DISCIPLINES NATIONALES

Beursault. Se pratique seulement en France (surtout dans les régions du« Pays d'arc » : Picardie et région parisienne), sur 2 buttes de tir, face à face, à 50 m, placées entre 2 rangées d'arbres. Tir effectué alternativement d'une butte à l'autre. *Cible* 45 cm de diam. *Partie* en 40 flèches par tireur, chaque flèche fichée à l'intérieur de la cible compte pour un *honneur ;* au centre de ce diamètre, un cercle noir de 20 mm permet de mesurer les coups les plus près, du centre de la flèche au centre du cercle noir, à l'aide du « palmer d'archer », au 1/20 de mm. *Classement* sur le nombre de flèches en cibles (honneurs), les points servant à départager les ex aequo.

Fédéral. Tir sur des cibles de couleur (comme pour le Fita), distances 50 et 30 m. 72 flèches. Score max. 720 points.

Parcours nature (ancien tir de Chasse). Sur des blasons animaliers placés à des distances de 5 à 40 m. La partie centrale de l'animal est appelée « *zone tuée* » et la partie extérieure « *zone blessée* ». 30 s pour tirer 2 flèches de 2 pas de tir différents.

DISCIPLINES DE LOISIR

Tir clout ou **tir au drapeau.** Allie tir à très longue distance et tir de précision. Série de 30 flèches, tirées à 165 m pour les h. et 115 m pour les femmes. 2 volées de 3 flèches, non prises en compte, sont accordées pour estimation avant le début du tir. Le blason clout est circulaire (d. 15 m), divisé en 5 zones de 1,5 m de largeur. Le centre (marqué par un drapeau de couleur vive, le clout) a au max. 80 cm de long. et 30 cm de large, et doit être fixé à une hampe de bois blanc, plantée verticalement dans le sol. La valeur des flèches qui ne se piquent pas dans la terre sera déterminée par la position de la pointe. Celles qui se piquent dans le clout sont comptées 5.

Archerie-Golf. Archers et golfeurs s'associent sur un parcours de golf. Ils doivent approcher du *green* en un min. de coups : l'un avec son arc et sa flèche, l'autre avec son club et sa balle. Sur le *green,* l'archer fait tomber 1 balle de 15 cm en équilibre sur un trépier, le golfeur envoie sa balle dans un trou de même dimension.

Ski-Arc « Biathlon ». Pratiqué dans Alpes et Pyrénées. Connu au Canada. Parcours de ski de fond et tir en campagne. Sur circuit d'env. 15 km, des postes de tir sont répartis. Chronométrage et résultats de tir s'additionnent.

RECORDS ET RÉSULTATS

☞ *Légende.* – (1) Belg. (2) Fr. (3) Pol. (4) ex-URSS. (5) USA (6) Italie. (7) Suède. (8) All. féd. (9) Corée du S. (10) Finl. (11) Autriche. (12) G.-B. (13) Suisse. (14) Can. (15) Japon. (16) Chine. (17) P.-B. (18) Australie. (19) Espagne. (20) Danemark.

Records de distance. Arc à la main : 1 126,19 m par Alan Webster [12] le 2-10-1982. **Au pied :** 1 854,40 m par Harry Drake [5] le 24-10-1971. [889,43 m par le sultan Selim III (1761-1808) en 1798.]

TIR OLYMPIQUE

☞ **Jeux olympiques** (voir p. 1546).

Championnats du monde. *Créés* 1931. Tous les 2 ans. **Hommes : 81** Laasonen [10]. **83, 85** Mc Kinney [5]. **87** Esheev [4]. **89** Zabrodsky [4], **91** Fairweather [18]. **Dames : 81** Butuzova [4]. **83** Hokim [9]. **85** Soldatova [4]. **87** Xaigjun [16]. **89** S.N. Kim [9], **91** Kim [9]. **Par équipes : Hommes : 81, 83** USA. **85** Corée du S. **87** All. féd. **89** URSS. **91** Corée du S. **Dames : 81** URSS. **83** Corée du S. **85, 87** URSS. **89, 91** Corée du S.

Championnats d'Europe. *Créés* 1968. **Hommes : 85** Leontiev [4] 1 172. **86** Poikolainen [10] 1 224. **87** Prokoplu [4] 1 164. **88** Leontiev [4] 317. **90** Zabrodsky [4] 335. **92** Flute [2] 307. **Par équipes : 85** URSS 3 477. **86** URSS 3 608. **87** URSS 3 470. **88** URSS 960. **90** URSS 984. **92** ex-URSS 927. **Dames : 85** Marfel [4] 1 160. **86** Arzhanikova [4] 1 260. **87** Arzhanikova [4] 1 150. **88** Arzhanikovan [4] 311. **90** Nasaridze [4] 330. **92** Kurivishvili [4] 316. **Par équipes : 85** URSS 3 417. **86** URSS 3 727. **87** URSS 3 425. **88** URSS 943. **90** URSS 987. **92** ex-URSS 856.

Championnats de France. *Créés* 1957. **Hommes : 85** Loyen 1 263. **86** Baron 1 265. **87** Loyen 1280. **88** Douis 1 249. **89** Heck 1 299. **90** Felipe 322. **91** Felipe. **92** Torres 324. **Dames : 85** Musy 1 235. **86** Bazin 1 271. **87** Pellen 1272. **88** Maillet 1 200. **89** Maupin 1 261. **90** Gabillard 312. **91** Bonal. **92** Dodemont 315.

TIR EN SALLE

Championnats du monde. *Créés* 1991. **Arc à poulie : Hommes : 91** Assay [5], **93** Ethridge [5]. **Dames : 91** Panico [6], **93** Low [5]. **A. classique : Hommes : 91** Flute [2], **93** Metrofanov [4], **Dames : 91** Valeeva [4], **93** O'Donnell [5].

Championnats d'Europe. *Créés* 1983. Tous les 2 ans. **Hommes : 83** Esheev [4] 1 168. **85** Leontiev [4]. **87** Prokopiv [4]. **89** Verstegen [17]. **Par équipes : 83, 85, 87, 89,** URSS. **Dames : 83** Butuzova [4]. **85** Marfel [1]. **87** Arzhannikova [4]. **89** Valeeva [4]. **Par équipes : 83, 85, 87, 89** URSS.

Championnats de France. *Créés* 1973. **Hommes : 85** Loyen 1 154. **86** Venant 1 155. **87** Colmaire 1 148.

RECORDS (AU 27-7-1993)

	Monde				France			
	H		D		H		D	
Grand total (max. 1 440 pts)	Esheev [4]	1 352	Cho [9]	1 375	S. Flute	1 324	S. Bonal	1 321
90/70 m (max. 360)	Esheev [4]	330	Kim [9]	345	T. Venant	317	C. Pellen	322
70/60 m (max. 360)	Yamamoto [15]	344	Kim [9]	347	T. Venant	338	N. Hibon	334
50 m (max. 360)	Mc Kinney [5]	345	Cho [9]	338	S. Flute	338	L. Maupin	326
30 m (max. 360)	Vasquez Megido [19]	358	Edens [12]	357	O. Rouillard	356	S. Bonal	352
Par équipes (max. 4 320)	Zabrodsky, Shikarev, Esheev (URSS)	3 963	Cho-Lee [9]	4 094	Flute-Tompin	3 888	Hibon-Bonal-Gabilland	3 860
Tour final	Esheev [4]	345	Kim [9]	346	O. Rouillard	342	C. Pellen	335

88 Franclet 1 163. **89** Felipe 1 159. **90** Weis 1 154. **91** Flûte (classique), Schneider (a. à poulies). **92** Torres (cl.), Bissiriex (a. à p.) **93** Flute (cl.), Humez (a. à p.). **Dames : 85** Sochard 1 099. **86** Marest 1 122. **87** Bazin 1 128. **88** Pellen 1 124. **89** Pellen 1 134. **90** Denovillers 1 120. **91** Hibon (cl.), Dufour (a. à p.). **92** Bonal (cl.), Fabre (a. à p.). **93** Pellen (cl.), Joignier (a. à p.). **Par équipes** (*créés* 1980) : **Hommes : 85** Arcachon 4 691. **86** Nîmes 4 782. **87** Arcachon 4 799. **88** Clermont-Ferrand 4 675, **89** Clermont-Ferrand. **90** Montfermeil 3 743. **91** Clermont-Ferrand 3 690. **92** Quimper 3 646. **Dames : 90** St-Étienne 3 504. **91** Villiers/Marne 3 591. **92** Villiers/Marne 3 732.

Tir en campagne

Championnats du monde. *Créés* 1969. Tous les 2 ans. **Tir libre : Hommes : 90** Barrs [5] 97, **92** Barrs [5] 73. **Dames : 90** Perriou [2] 88, **92** Perriou [2] 67. **Arc nu : Hommes : 90** Palmer [7] 78, **92** Rosenberg [7] 62. **Dames : 90** Visconti [2] 86. **92** Visconti [2] 53. **Arc à poulies : Hommes : 90** Ulmer [5] 101, **92** Ludin [7] 78, **Dames : 90** Shepherd [12] 91, **92** Kessler [20] 69.

Championnats d'Europe. *Créés* 1971. **82 et 86.** Les ch. du monde sont aussi ch. d'Europe. **Hommes : 80** Bjerendal [7] 947. **84** Bjerendal [7] 963. **Dames : 80** Jussila [10] 856. **84** Goodal [12] 869.

Championnats de France. *Créés* 1969. Tous les ans. **Tir libre (avec viseur) : Hommes : 90** Laury, **91** Boistard, **92** Laury. **Dames : 87, 88, 89, 90, 91** Pellen, **92** Ferriou.

Arc nu (sans viseur). Hommes : 89, 90 Maranzana, **91** Legrand, **92** Maranzana. **Dames : 90** Adnet, **91** Visconti, **92** Boussière.

Arc à poulie. Hommes : 90 Blin, **91** Guyon, **92** Humez. **Dames : 90** Fabre, **91** Dardennes, **92** Chapelain.

Trampoline

Généralités

Origine. 2 trapézistes (les « Due Trampoline ») auraient eu l'idée d'utiliser l'élasticité du filet de protection pour terminer leur exhibition par des sauts acrobatiques. **1934** Georges Nissen et Larry Griswold reprennent le principe. Sera utilisé principalement par l'Armée pour l'entraînement des pilotes d'avion et parachutistes. **1948** USA 1ers championnats nationaux (officiels 1955) **1955** importation en Europe du matériel made in USA. **1964** Féd. intern. créée. **1965** Féd. fr. des sports au Trampoline de compétition. **1985** Féd. fr. de tir et de sports acrobatiques.

Normes des trampolines de compétitions (janv. 1991). *Toiles :* bandes tissées cousues : longueur 428 cm, largeur 214 cm, larg. des bandes en tension 0,6 cm. *Cadre :* 505 × 291 cm. *Suspension :* à 1,15 m du sol ; 120 ressorts ; ressorts et cadre doivent être recouverts par des protections absorbant les chocs. A chaque extrémité, banquettes de sécurité recouvertes de tapis de réception, minimum 300 × 200 × 20 cm. *Hauteur libre des salles de compétitions :* 8 m à partir du sol. Les adultes s'élèvent à 7,80 m au cours des chandelles d'élan. *Sécurité :* sauter au moins avec 4 pareurs autour du trampoline. Aucun obstacle à moins de 5 m des extrémités et 2 m sur les côtés. **Mouvements principaux.** Sauts verticaux (groupés, carpés...) ; positions de base : assis-à genoux-ventre-dos, vrilles élémentaires et combinaisons des positions de base ; saltos simples, doubles, triples, quadruples... ; saltos avec vrilles : combinaisons de s. et de v.

Quelques termes. Adolph ou Ady : salto avant et 3 vrilles 1/2. **Back :** salto arrière. **Ball out :** salto avant depuis le dos. **Barani :** salto avant avec 1/2 vrille. **Chandelle :** saut corps vertical, membres supérieurs au-dessus de la tête, membres inférieurs tendus et réunis. **Cody :** salto arrière depuis le ventre. **Front :** salto avant. **Full :** salto avec vrille (vrille-rotation 360° autour de l'axe longitudinal). **Double full :** 1 salto avec 2 vrilles. **Fliffis :** double salto avec vrille. **Half :** demi-vrille. **In :** 1/2 vrille (indique la figure réalisée dans le 1er salto). **Out :** indique que la figure désignée est réalisée dans le dernier salto. **Pull over :** salto arrière parti du dos. **Randolf ou randy :** salto avant avec 2 1/2 vrilles. **Rudolf ou rudy :** salto avant avec 1 vrille 1/2. **« Tison »** ou **« Full Full Full » :** *créé* par Richard Tison. Réalisé par Lionel Pioline, saut le plus difficile : 1,80 pt. Triple salto arrière avec 1 vrille dans chaque salto. **Triffis :** salto avant avec 1 1/2 vrille ; triple salto avec vrille.

Épreuves

Programme. Comprend des compétitions individuelles, synchronisées (2 H., 2 F.) et par équipes (4 compétiteurs). Chacun réalise un exercice imposé et un libre (composés de 10 sauts différents) pour les épreuves qualificatives. Les 10 meilleurs sont qualifiés en finale où ils effectuent un 2e exercice libre. Exercices notés en exécution (coefficient 3) et en difficulté, appréciée selon la quantité de saltos et de vrilles réalisée. Les meilleurs sauteurs mondiaux obtiennent 13 pts en difficulté. Record : Igor Gelimbatovski 14,20 pts (1986).

Championnats du monde. *Créés* 1964. **Hommes :** *Individuels.* **80** Matthew [2]. **82** Furrer [2]. **84, 86** Pioline [3]. **88** Krasnoschapka [4]. **90, 92** Moskalenko [4]. *Éq.* **86** All. féd. **90** URSS. *Synchronisés.* **80** Matthews-Furrer [2]. **82** Calderon-Ranson [1]. **84, 86, 88** Bogatchev-Krashnoshapka [4]. **90** Polyarush-Nestrelyai [4]. **92** Moskalenko-Daniljchenko [4]. **Dames :** *individuelles.* **80, 82** Keller [6]. **84** Shotton [2]. **86** Lushina [4]. **88** Rossoudan [4]. **90, 92** Merkulova [4], *Éq.* **86, 90** URSS. *Synchronisées.* **80** Bahr-Kruswicki [5]. **82** De Ruiter-Van Diermen [10]. **84** Shotton-Mc Donald [2]. **86** Lushina-Merkulova [4]. **88** Kolomiets-Rossoudan [4]. **90** Lushina-Merkulova [4]. **92** Lyon-Holmes [2].

Coupe du monde des champions. *Créée* 1981. **Hommes : 90** Moskalenko [4]. **91** Polyarush [4]. **Dames : 90** Lushina [4] et Holmes [2]. **91** Holmes [2]. **Par équipes : 81** All. féd. **83** All. féd. **84** G.-B.

Championnat d'Europe. Hommes : *ind.* **85** Krasnoschapka [4], **86** Poliarush [4], **87** Krasnoschapka [4]. *Synchro* **85** Nestrelai-Galimbartovski [4], **87** Bogachev-Krasnoschapka [4]. *Éq.* **85, 86, 87** URSS. **Dames :** *ind.* **85** Holmes [2], **86** Robert [3], **87** Kolomiev [4]. *Synchro* **85** Bahr-Kruswicki [5], **87** Merkulova-Luchina [4]. *Éq.* **85** URSS., **86** Pologne., **87** URSS.

Championnats de France. Hommes : *ind.* **80, 81** Pioline. **82** Foulard. **83, 84, 85, 86** Pioline. **87** Barthod. **88, 89** Schwertz. **90** Barthod. **91** Guérard. **92, 93** Schwertz. *Synchro.* **89** Barthod-Schwertz. **90** Guérard-Martin. **91** Guérard-Schwertz. **92** Schwertz-Hennique. **Dames :** *ind.* **80, 81, 82, 83** Conte. **84** Leroy. **85, 86, 87** Treil. **88** Leroy, **89** Guidicelli. **90, 91, 92, 93** Treil. *Synchro.* **89** Guidicelli-Treil. **90** Moreno-Besseige. **91** Moreno-Trouche. **92** Treil-Trouche.

Quelques noms en France

Bataillon Jean-Michel (1-4-55). Bataillon (née Richer) Véronique (22-12-55). Barthod Hubert (12-2-65). Cola Daniel (27-2-62). Conte Nadine (24-7-63). Lebris Gilles (14-5-55). Leroy Nathalie (28-9-67). Manfray Laurent (18-9-63). Péan Daniel (14-6-63). Pioline Lionel (10-8-65). Schwertz Fabrice (25-4-70). Sogny Gilles (25-4-64). Tison Richard (17-8-56). Treil Nathalie (7-6-65).

Autres disciplines

■ **Acrosport.** Main à main acrobatique. Réalisé en musique sur un praticable de 12 m sur 12 m. Les compétiteurs effectuent des porters, des figures acrobatiques, seuls ou avec partenaire(s), des passages chorégraphiques. *Équipes :* couple féminin, masculin, mixte ; trio féminin, 4 hommes. *Pays pratiquants :* URSS, Bulgarie, Chine, Japon, Corée, G.-B.

Championnats du monde. Messieurs Duo : 92 Chine. **Quatuor : 92** ex-URSS. **Dames Duo : 92** ex-URSS. **Trio : 92** ex-URSS et Bulgarie. **Mixte Duo : 92** Chine.

Championnats de France. Messieurs Duo : 92 Chal de Beauvais-Lebaut. **Mixte : 89** Billard-Lelogeais, **90** Voyeux-Hommais, **91, 92** Weingand-David. **Quatuor : 92** Chal de Beauvais-Maussier-Berthet-Montbaudouin. **Dames Duo : 89** Richard-Weingand, **90,** Guérin-Avisse. **92** Jeanvoine-Joret. **Trio : 89** Blavet-Cordier-Debernardy, **90** Boulon-Debernardy-Cordier, **91** Messina-Balvet-Richard. **92** Laslaz-Richard-Schwertz.

■ **Double mini-trampoline.** *Créé* 1974. Longueur 285 cm, largeur 72 cm, hauteur 43 à 60 cm. Réalisation de sauts acrobatiques avec 2 ou 3 contacts maximum avec la toile ; le dernier saut se terminant au sol sur un tapis de réception.

Championnats du monde. Messieurs : 76 Merriott [1], **78** Ransom [1], **80** Lotz [11], **82, 84, 86** Austine [12], **88** Wareham [12]. **Dames : 76, 78** Hennessy [1], **80** Fairchid [1], **82** Tough [13], **84** Dreier [5], **86** Lehmann [5], **88** Jensen [12].

■ **Tumbling.** Acrobatie au sol sur piste élastique : longueur 2 500 cm à 2 700 cm, largeur 150 cm. Vient de l'anglais « to tumble » (faire des culbutes). Caractérisé par l'enchaînement, à rythme rapide, d'éléments acrobatiques en rotation avant, arrière ou latérale, avec ou sans appui des mains au sol. Exercices de souplesse, d'équilibre ou roulades, sont interdits. *Exercice le plus difficile :* double salto arrière avec 3 vrilles (Steve Elliot, USA, ch. du monde en 1982). *Pays pratiquants :* USA, ex-URSS, Chine, *France,* Pologne, Bulgarie, ex-Tchéc.

Championnats du monde. Messieurs : *ind.* **80** Eckberg [1]. **82, 84** Elliott [1]. **86** Hardy [1]. **88, 90** Eouzan [3]. **92** Kryzhakovsky [4]. **Éq. 86** USA. **88, 90** France. **92** USA. **Dames :** *ind.* **80** Contour [1]. **82, 84, 86** Hollembeak [1]. **88** Cunningham [1]. **90, 92** Robert [3]. **Éq. 86, 88, 90, 92** France.

Coupe du monde. *Créée* 1981. **Messieurs : 87** Eouzan [3]. **90** Akachine [4]. **Dames : 87** Jagneux [3]. **90** Robert [3].

Championnats d'Europe. *Créés* 1985. **89. Messieurs :** *ind,* Eouzan [3]. *Éq.* Pologne. **Dames :** *ind.* Robert [3]. *Éq.* France.

Championnats de France. Messieurs : 85, Semmola, **86, 87,** Eouzan, **88** Semmola, **89, 90** Eouzan, **91** Salcines, **92** Eouzan. **Dames : 85, 86, 87** Jagueux, **88** Legentil, **89, 90, 91, 92** Robert.

Nota. – (1) USA (2) G.-B. (3) France. (4) ex-URSS (5) All. féd. (6) Suisse. (7) Pologne. (8) Chine. (9) Autriche. (10) P.-Bas. (11) Afr. du S. (12) Australie. (13) Canada.

Voile

Généralités

■ **Nom.** *Yacht* du néerlandais *jaghen* pourchasser, poursuivre.

■ **Histoire. XVIe s.** Yacht désigne, aux P.-Bas, un bateau de guerre léger et rapide. **Début XVIIe s.** P.-Bas, 1ers yachts sur eaux intérieures. **1660** Charles II, roi d'Angl., reçoit le yacht *Mary* en cadeau des P.-Bas. **1661** 1re régate en Angl. entre bateaux de Charles II et du Duc d'York (Greenwich-Gravesend et retour), Vict. d'*Anne.* **1720** Water club de Cork (Irlande) créé. **1749** le Prince de Galles (futur Charles III) créé un trophée pour 12 bateaux de plaisance sur le parcours Greenwich bateau-phare de Nore (estuaire de la Tamise) et retour. **1838** Ste des régates du Havre créée. **1867**-*15-6* l'amiral Rigault de Genoully crée la Sté d'encouragement pour la navig. de plaisance qui deviendra le Yacht Club de Fr. **1900** sport olympique. **1907** International Yacht Racing Union (IYRU) créée. **1925** Ocean Racing Club créé en G.-B. (devient ensuite le RORC). **1947** Philippe Viannay crée Centre nautique des Glénans.

■ **Organisation.** Sport amateur. Pas de statut professionnel. Env. 80 féd. nationales adhèrent à l'International Yacht Racing Union.

En France. *Féd. française de voile* (FFV), 55, av. Kléber, 75784 Paris Cedex 16. *Clubs* 1 382. *Écoles de voile* 350. *Licenciés* (1990) 180 000. *Pratiquants* env. 1 000 000.

Records

■ **Vitesse. 1er Record officiel :** 16,5 nœuds (30,6 km/h), Schooner *Rainbow* (1898) 36,04. **Actuellement :** 66,78 km/h, Prao *Crossbow II* (17-11-1980).

Records (mars 1993). **Catégories : A (10 à 13,94 m²) : hommes :** Russel Long (USA) 43,55 nœuds (1992), **dames :** Caroline Ducato (USA) 17,81 nœuds (92). **B (13,94 à 21,84 m²) :** dimon McKeon (Australie) 44,65 nœuds (93). **C (21,84 à 27,88 m²) :** Simon McKeon (Aus.) 39,24 nœuds (93). **D :** Jean Saucet (Fr.) 37,82 nœuds (92).

■ **Traversée la plus rapide de l'Atlantique Nord.** Chronométré du phare d'Ambrose (New York) au cap Lizzard (G.-B.). Les records sur une traversée ne sont pas très significatifs pour les spécialistes, car ils dépendent des conditions atmosphériques.

Record commercial (13/26-2-1903). 12 j 6 h (moy. 10,54 no., soit 19,52 km/h), Philadelphie (USA) à Cherbourg : *La Rochejaquelein* (trois mâts nantais transportant du charbon, long. 85 m, 2 200 tonneaux, 29 h. d'équipage, cap. Ernest Durand).

Record de l'Atlantique. [USA (Phare d'Ambrose, New York)-G.-B. (Cap Lizard), 3 087 miles]. **Équipage : 1866** 1re officielle goélette *Henrietta* 13 j 21 h. **1905** Charly Barr et 50 h d'équipage (USA), goélette *Atlantic* (57 m) : 12 j 4 h 1'7" (moy. 10,4 nœuds).

1980 Éric Tabarly (Fr.) trimaran *Paul Ricard :* 10 j 5 h 14′20″ (moy. 12,29 n.). **1981** Marc Pajot (Fr.) catamaran *Elf Aquitaine :* 9 j 10 h 6′34″ (moy. 13,05 n). **1984** Patrick Morvan (France), catamaran *Jet Services III :* 8 j 16 h 36′. **1986** Loïc Caradec et Philippe Facque (Fr.), catamaran *Royale :* 7 j 21 h 5′. **1987 (12 au 21-6)** Philippe Poupon (France), trimaran *Fleury-Michon :* 7 j 12 h 50′ (moy. 15,8 n). **1988 (24 au 31-5)** Serge Madec et 6 équipiers, catamaran *Jet Services V :* 7 j 6 h 30′ (moy. 16,9 n). **1990 (3-6)** Serge Madec et 4 éq. *Jet Services V* en 6 j 13 h 3′52 (moy 19,5 n.).

En solitaire : 11 j 11 h 46′36″ : Bruno Peyron (catamaran *Ericsson*) 1987. 9 j 21 h 42′ : Florence Arthaud (trimaran *Pierre Ier*) (2-7 au 2-8-1990). 9 j 19 h 22′ : Bruno Peyron (catamaran *Pays de Loire-Commodore* (28-7-1992).

■ **New York-San Francisco par le cap Horn. 1854** Clipper *Flying Cloud* 89 j 8 h. **1989** Warren Luhrs (USA), sloop *Thursday's Child* 13 836 miles en 80 j 19 h. Kolesnikovs (Canada); trimaran *Great America* en 76 j.

■ **San Francisco-Boston par le cap Horn. 1853** 76 j 6 h. **1993** trimaran de 16 m de Rich Wilson et Bill Biewenga (USA) 69 j 19 h 45 ′.

■ **Tour du monde à la voile. Par équipage :** 133 j (1975-76), *Great-Britain* (ketch brit. 24 m). **En solitaire :** 169 j (1975-76), *Manureva* (Alain Colas). 129 j 19 h 17 mn 8 s (1986-87), *Kriter-Brut-de-Brut* (Philippe Monnet). 125 j 19 h 32′33″ (1988-89), *Un autre regard* (Olivier de Kersauson). 109 j 8 h 48′ (1989-90) *Ecureuil d'Aquitaine* (Titouan Lamazou).

■ **Traversée Afrique-Amérique (4 000 milles). La plus rapide en solitaire** (1971) : 22 j 8 h, *Gipsy Moth V* (Sir Francis Chichester).

■ **Vitesses maximales pour voiliers courants.** *Dériveurs de compétition* (FD ou 505) : env. 18 n. (33,33 km/h) ; *planches à voile :* env. 8 n. (14,81 km/h) ; *voiliers habitables :* env. 12 n. (22 km/h) ; *multicoques :* 20 n. et + (37 km/h).

Depuis 1970 ont été mises en place 2 bases de vitesse (Weymouth, G.-B., et Hawaii, USA) pour les tentatives officielles de record de vitesse pure. Dep. sept. 1981, une base de vitesse est installée à Brest. Il y a aussi une base aux Stes-Maries-de-la-Mer.

☞ **Records de survie. En radeau :** *Poom Lim* [12], 1942. Naufragé, dérive sur l'Atlantique central 130 j. **En canot pneumatique :** *Alain Bombard* (n.27-10-1924), 1952. 27 ans, sur *L'Hérétique,* 4,60 m sur 1,90 m avec une petite voile de canoë. Sans eau ni vivres ; Monaco-Tanger avec un compagnon (Jack Palmer, G.-B.). Las Palmas-La Barbade seul en 64 j, 12 h. **En radeau de sauvetage :** après le naufrage du sloop *Auralyn,* Maurice et Maralyn Bailey, 117 j. **Dans un canot de survie :** Steve Callahan (USA), participe à la mini-transat de 1981, fait naufrage et dérive 76 j jusqu'aux Antilles.

Trophée Jules-Verne (tour du monde en 80 j). Créé 1993. Ligne : cap Lizzard-Ouessant. **1993**-20-4 catamaran *Commodore-Explorer* (Bruno Peyron et 4 équipiers) 79 j 6 h 15′ 56″ [50 692,9 km (27 372 milles), moyenne 14,39 nœuds (26,6 km/h)].

Quelques définitions

Abattée changement de cap d'un bateau. **Adonner** le vent adonne lorsqu'il tourne favorablement à la marche du navire. **Affaler** amener une voile. **Allure** orientation du bateau par rapport au vent. 5 allures : *le plus près,* en remontant contre le v. ; *v. de travers* (v. dans la voile à 45°) ; *largue,* avec v. portants (3/4 arrière par exemple) ; *grand largue ; v. arrière,* venant de l'arrière. **Amener** faire descendre ou abaisser une voile ou une vergue. **Amer** se dit de tout objet fixe et visible permettant aux navigateurs de reconnaître la côte. **Amure** point situé aux coins inférieurs d'une voile. La voile est fixée de manière rigide au pont du navire par ce point. Un voilier est tribord amures ou bâbord amures selon qu'il reçoit le vent par tribord ou par bâbord. **Ardent** voilier ayant tendance à lofer plutôt qu'à garder son cap. **Apparaux de mouillage** matériel utilisé lors du mouillage. **Artimon** mât arrière.

Bâbord côté gauche du navire quand on regarde de l'arrière vers l'avant (tribord, côté droit du navire). **Barres de flèches** entretoises latérales placées sur le mât et écartant les haubans. **Bau** pièce de l'armature transversale de la coque (*maître bau :* la plus large). **Bôme** pièce en métal ou en bois maintenant la base de la grand voile. **Border une voile** tendre la partie inférieure de celle-ci. **Brasse** mesure donnant la profondeur de l'eau : 1,83 m.

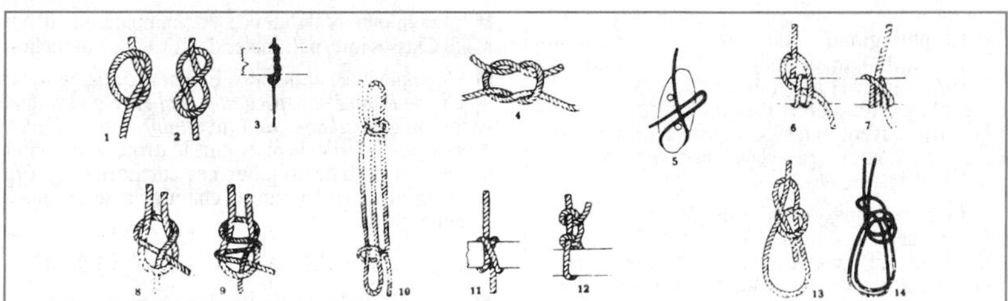

Différentes sortes de nœuds : 1 demi-nœud, 2 nœud d'arrêt, 3 nœud de bois, 4 nœud plat, 5 nœud d'ancre, 6 nœud de bonnette, 7 cabestan avec 1 tour mort supplémentaire, 8 nœud d'écoute, 9 nœud d'écoute double, 10 nœud de jambe de chien, 11 demi-clef à capeler ou cabestan, 12 deux demi-clefs, 13 nœud de chaise, 14 nœud de chaise double.

Cabestan treuil vertical placé sur le pont d'un navire utilisé pour diverses manœuvres. **Capeler** fixer la boucle d'une amarre ou d'un cordage. **Mettre à la cape** par gros temps, réduire la voilure, diminuer la vitesse. **Cambuse :** lieu de stockage des vivres. **Caréner** nettoyer, réparer, peindre les œuvres vives d'un navire. **Choquer** laisser mollir un cordage. **Clins** coque en bois sur laquelle les différents bordés se recouvrent. **Cockpit** creux dans le pont où se tient l'équipage, protégé par ses hiloires. Dit « étanche et autovideur » s'il renvoie à la mer l'eau qui y pénètre. Souvent poste de barre extérieur. **Contre-bordier** navire faisant une route parallèle à un autre, mais dans le sens opposé. **Coque** corps flottant du bateau, composé de la carène, des flancs et du pont.

Cordages (ou **bouts**, prononcer boutte) toutes amarres, filins, etc. *Ajut :* mettre 2 c. bout à bout pour en former un plus long. *Aussière :* fort c. pour amarre ou remorque. *Balancine :* cordage soutenant l'extrémité d'un tangon. *Bout :* morceau de c. *Draille :* c. le long duquel peut glisser une voile. *Drisse :* c. servant à hisser pavillon, voile, vergue ou corne. *Écoute :* c. permettant de tendre ou de fixer la partie inférieure d'une voile sous le vent. *Filin :* c. ou câble d'acier. *Ralingue :* c. fixé tout autour d'une voile afin de la rendre plus résistante à l'action du vent de face et à la traction des manœuvres.

Dérive aileron vertical escamotable qui supplée l'absence de quille. Déviation de la route suivie par le navire. **Dériveur** petit voilier sans quille avec dérive rentrante. **Drosse** câbles qui transmettent les mouvements de la barre à l'axe du gouvernail. **Duc-d'albe** poteaux de bois permettant au navire de s'amarrer.

Écoutille ouverture carrée située au milieu du pont et fermée par des panneaux de bois ou de métal. **Écubier** ouverture par laquelle passe la chaîne de l'ancre. **Embraquer** raidir un cordage. **Empanner** faire passer la bôme d'un bord à l'autre au vent arrière. **Empenneler** mouiller ensemble 2 ancres d'inégale grosseur. **Épisser** assembler 2 cordages en entrecroisant leurs torons. **Espars** longue pièce de bois employée comme mât, beaupré, vergue... **Étambot** prolongement arrière de la quille, pouvant porter le gouvernail, ou l'aileron de gouvernail, et soutenant le tableau arrière, s'il y a lieu. **Étarque** voile complètement hissée. **Etraye** prolongement avant de la quille, où se rejoignent les bordés des flancs, et formant la proue.

Faseyer voile recevant mal le vent, pas assez tendue, battant légèrement. **Foc** voile d'évolution triangulaire. **Franc-bord** sur la coque, distance entre le niveau de l'eau et le pont. **Genois** grand foc. **Gite** inclinaison sur bâbord ou tribord sous l'action du vent, de la houle, ou par un manque de stabilité du navire. **Gréement** ensemble des cordages, des manœuvres et des poulies indispensables aux mâts et aux vergues d'un voilier. **Hauban** câble assurant la tenue transversale du mât. **Jusant** courant de marée descendante. **Ketch** voilier à mâts.

Largue vent de travers. **Grand largue** vent de 3/4 arrière. **Lofer** gouverner un voilier de façon que celui-ci se rapproche « au plus près » de la direction d'où vient le vent (lof : côté du vent). *Virer lof pour lof,* c'est virer de bord avec vent arrière. **Louvoyer** courir successivement des bordées tribord amures et bâbord amures en virant de bord vent devant. **Marnage** différence de niveau entre la haute et la basse mer. **Œuvres vives** parties de la coque en dessous de la ligne de flottaison. **Œuvres mortes** parties non immergées de la coque. **Priorité** au bateau le plus lent ; sous la même amure, pr. au bateau naviguant sous le vent ; sous une amure différente, pr. à celui qui est tribord amure (les voiliers sont prioritaires sur les bateaux à moteur).

Refuser le vent refuse lorsqu'il se rapproche de l'axe du bateau par l'avant. **Ridoir** appareil permettant de tendre un cordage, une chaîne... **Ris** partie d'une voile dans le sens de sa largeur. **Roof** partie habitable qui dépasse du pont. **Roulis** oscillation d'un bateau dans le sens de sa largeur. **Safran** partie immergée du gouvernail. **Sancir** se dit d'un bateau qui chavire par l'avant lorsque, par grosse mer, son étrave plonge et provoque le chavirage. **Skipper** chef de bord. **Spinnaker** voile triangulaire. Sert au vent arrière.

Tangage oscillation d'un navire dans le sens de sa longueur. **Tangon** tube servant à écarter le coin au vent du spinnaker. **Tirant d'eau** distance entre la ligne de flottaison du navire et le dessous de sa quille. **Tonture** courbure longitudinale de la ligne de pont d'un bateau. Généralement concave - dans ce cas, les extrémités sont relevées par rapport au milieu du pont - elle peut être convexe : on parle alors de tonture inversée. **Tourmentin** petit foc de mauvais temps, très robuste. **Trapèze** comprend un câble d'acier, un crochet et une ceinture. Destiné à l'équipier d'un dériveur pour lui permettre de se mettre en rappel très à l'extérieur du bord.

Varangue pièce triangulaire de la charpente de coque. **Vent debout** un voilier est vent debout quand son avant se trouve dans la direction d'où souffle le vent. Il vire de bord vent debout quand son étrave passe de l'allure du plus près tribord amures au plus près bâbord amures ou inversement. **Virer** haler une chaîne ou un cordage au moyen d'un cabestan. **Winch** tambour à engrenages permettant de démultiplier l'effort.

Bateaux

■ Types de voiliers

■ **Selon l'habitabilité. Voiliers non habitables :** navigation de jour et sur plan d'eau abrité[1]. Poids 50 à 1 000 kg. **Dériveurs légers :** 2 à 8 m (4 500 à 40 000 F). **Quillards :** 5 m à 9,50 m (5 000 à 100 000 F). **Multicoques de compétition :** 4 à 8 m (10 000 à 60 000 F). **Planches à voile :** 2 700 à 15 000 F.

Nota. – (1) Navig. interdite aux – de 2 tonneaux à plus de 5 milles des côtes pour les + de 300 kg, à plus de 2 milles pour les – de 300 kg.

Voiliers habitables : voilier ayant une cabine pouvant abriter 2 personnes min. **Dériveurs :** voilier sans quille doté d'une dérive relevable, 11,70 à 15 m (400 à 6 500 kg ; 15 000 à 400 000 F) ; navigation (5 zones définies par l'Administration et dépendant de leurs taille et armement de sécurité) de la sortie de jour et de la petite croisière côtière à la semi-hauturière. **Quillards :** 5 à 30 m (400 à 25 000 kg ; 50 000 à 1 500 000 F) ; toute navigation.

■ **Selon la coque. Monocoques :** (1 seule coque). **Multicoques :** 4 à 26 m (400 à 7 000 kg ; 20 000 à 4 000 000 F) ; 2 coques pontées *(catamaran),* 3 coques *(trimarans),* trimarans à 1 seul flotteur situé sous le vent de la coque principale *(prao).*

■ **Selon le gréement. Cat boat :** 1 mât, 1 voile. **Sloop :** 1 mât, gd-voile, foc. **Cotre :** 1 mât, grand-voile, foc, ou foc et clinfoc et trinquette. **Ketch :** grand mât, artimon en avant de la barre, grand-voile, foc trinquette, artimon, 1 voile d'étai. **Schooner** ou **goélette :** 2 mâts, le plus grand étai en arrière. **Yawl :** grand mât, tape-cul derrière la barre, gd-voile, foc trinquette, tape-cul, 1 voile d'étai.

■ **Selon la jauge (rating) sportive. 1°) Jauge monotype.** Construits à partir d'un plan de base dessiné par un architecte, donnant des caractéristiques invariables : longueur, largeur, poids, plan de voilure, plan de formes, etc. Tous les bateaux d'un même type sont dits des monotypes et appartiennent à une classe, par ex. : classe des 420, 470, 505, Vaurien, FD, etc. Il y a plusieurs classes avec une appellation donnée par l'IYRU : *C. olympiques :* Finn, 470, FD, Star, Soling, Tornado, planche à voile (dep. 1984), Europe (dériveur solitaire, à partir de 1992). *C. internationales Quillards :* Dragon, E. 22, H. Boat, Tempest, 5,50 m. *Dériveurs :* Contender, Enterprise, Europe, Fireball, Flying Junior, 420, Yole OK, Optimist, 14 Pieds, Cadet, 505, Laser, Lightning, Snipe, Vaurien. *Multicoques :* Dart, classe A, classe C.

Le plus grand yacht privé fut le *Savarona* (4 600 t, 124 m de long, 170 h. d'équipage). Terminé en 1931 à Hambourg pour Mrs. Emily Roebling Cadwalader. Il coûta 4 millions de dollars. Il fut revendu en 1938 au gouvernement turc. Les frais d'équipage s'élevaient chaque année à 500 000 $.

Le plus grand yacht à voile est le *Sea Cloud* (ex-Hussar) : 106 m, 4 mâts, voilure de 30 voiles de 3 160 m²; construit en 1930 à Kiel pour l'épouse du milliardaire américain Edward Hutton, il a été réaménagé en yacht de croisière en 1978-79 à Hambourg : 40 cabines pour 80 passagers. (A 1 mât, ce fut le *Reliance* 43,84 m de long, voilure 1 501 m².)

La plus grande voile : voile parachute spinnaker du *Ranger* de Vanderbilt (1937) : 1 672 m².

2°) **Jauge.** En *course-croisière,* pour permettre à des bateaux aux caractéristiques différentes de pouvoir courir entre eux, on a défini une formule mathématique qui tient compte des principaux facteurs de vitesse ou de ralentissement du voilier : longueur à la flottaison, largeur, franc-bord, tirant d'eau, surface de voilure, déplacement, etc. Cette formule donne une longueur, exprimée en pieds : la *jauge* ou *rating.* Pour comparer 2 bateaux on détermine, à partir du rating (R), le temps nécessaire au bateau pour parcourir un mille marin ; c'est le *Basic speed figure.* On l'obtient par la formule B.S.F. = $\frac{5\,143}{\sqrt{R} + 3,5}$ secondes par mille. Pour calculer le **temps compensé,** on détermine la longueur de la course en traçant une route moyenne, puis connaissant le BSF, le temps nécessaire pour parcourir cette distance théorique. Seul système actuel de jauge universel, *IOR* (International Offshore Rule) est établi par l'ORC (Offshore Rating Council) rattaché à l'IYRU. Il remplace les anciennes jauges (j. RORC, CCA, CGL, JOG, etc.). Cependant, on utilise encore la formule de jauge internat. J.I., en particulier pour les voiliers 12 m J.I. utilisés pour la Coupe de l'America.

Classes de la jauge IOR I : bateaux de 33 à 70 pieds de rating. II : 29 à – de 33. III : 25,5 à – 29. IV : 23 à – 25,5. V : 21 à – 23. VI : 19,5 à – 21. VII : 17,5 à – 19,5. VIII : 16,5 à – 17,5.

En France les bateaux sont jaugés par la FFV et courent régulièrement en Manche, Atlantique et Méditerranée dans des épreuves nat. et internat.

3°) **Cas particuliers.** *Croiseurs à handicap :* voiliers qui se placent entre les voiliers de régate pure et de haute mer ; il existe des séries trop nombreuses et pas assez étoffées pour que les courses se disputent entre bateaux d'une même série. La FFV et, depuis 1972, certaines autres fédérations europ., ont mis en place des tableaux de temps rendus de croiseurs côtiers qui utilisent un handicap pour permettre à des bateaux disparates de courir entre eux.

Principales courses

Jeux olympiques

■ **Compétitions.** Sous forme de régates autour de 3 bouées. Appelées *triangle olympique.* Départ et arrivée au près. *1er bord :* louvoyage vers une bouée au vent, *2e :* au large, tribord amures, *3e :* au large, bâbord amures, *4e :* comme le 1er, *5e :* descente vent arrière vers la bouée sous le vent, *6e :* louvoyage vers la bouée au vent.

■ **Séries olympiques.** En 1996, 10 classes de bateaux. *Soling :* quillard à 3 équipiers. *Star :* quillard à 2 éq. *Tornado :* catamaran à 2 éq. *Laser :* solitaire open. *470 :* dériveur. *470 :* dériveur en double féminin. *Finn :* solitaire. *Europe :* solitaire féminin. *INCO One Design :* planche à voile H. et F.

Régates (courses en circuit)

De l'italien *regata :* défi. Circuit fermé, généralement triangulaire, sur parcours abrité d'env. 10, 12 milles marins. *Régates de classes :* réservées à des bateaux de même classe, *interclasses :* bateaux de différentes cl. groupés à l'intérieur de tables des temps rendus par famille en D1, D2, D3, D4, D5.

■ **Spi Ouest-France** *créé* 1979. Annuel, le week-end de Pâques, à la Trinité-sur-Mer. Bateaux habitables IOR, CHS, handicap national, monotypes. Série de régates côtières et de triangles ol. **Semaine de la Rochelle** annuelle, en mai. Pour dériveurs. **De Cowes (G.-B.)** *créée* 1826. Annuelle en août. **De Kiel (All.)** *créée* 1882. Surtout dériveurs et quillards. **De Block-Island (USA)** *créée* 1971. Années impaires. Pour habitables IOR, IMS, PHRF.

■ **Championnats du monde et championnats d'Europe.** Classes internationales de l'IYRU, 7 manches.

■ **Championnats nationaux.** En France 2 catégories : *A) Ch. de France par spécialités (Solitaire ou Double) et par catégories d'âge (Minime, Junior, Senior, Cadet, Féminin).* La FFV se réservant le droit de désigner les classes de bateaux pour ces catégories. *B) Ch. nationaux* que peut organiser chaque classe nationale retenue par la FFV.

America's Cup (Coupe de l'America)

■ **Origine. 1851**-*22-8* à l'occasion de l'Exposition universelle, le 1er club de voile américain, le New York Yacht Club (NYYC), envoie le schooner *America* (voile en coton moins déformable que le lin anglais) en Angleterre participer à la *Coupe de la Reine* autour de l'île de Wight pour une coupe (en argent, 3 827 g) offerte par le Royal Yacht Squadron. Il bat largement les 14 yachts anglais dont le cutter *Aurora* de 8 minutes, remportant le trophée qui porte son nom.

■ **Évolution des règles. 1929** adoption de la classe J de la jauge universelle (23,16 m de long. max.). **1956** pour diminuer les coûts de construction, nouvelle jauge dite 12 m J. I. (env. 20 m de long), mais la règle de 1887 n'est pas abrogée. **1983** Coupe Louis Vuitton créée. **1987** Michael Fay (banquier néo-zél.) défie les Américains avec un monocoque de 90 pieds (37 m), 27,43 m à la flottaison, 7,92 m de large, 6,40 m de tirant d'eau et un mât. S'appuyant sur *l'Acte de Donation de la Coupe (Deed of Gift)* du 24-10-1887 par Georges G. Schuyler, dernier survivant du syndicat de la goélette *America,* qui stipule que les bateaux doivent mesurer 45 à 90 pieds à la flottaison, la cour suprême de New York déclare, le 25-11-1987, que le San Diego Yacht Club doit relever le défi.

Conditions. A l'origine, un seul challenger dont le défi est accepté par le défenseur (détenteur de la coupe). Actuellement, on organise des éliminatoires.

En 1986-87, 13 *challengers* ont demandé à relever le défi [USA 6, G.-B. 1, France 2 (French Kiss, Challenge France), Canada 1, Italie 2, N.-Zélande 1]. Chacun a rencontré tous les autres 3 fois au cours du Robin Round, permettant de sélectionner les 4 meilleurs qui ont disputé les demi-finales, le 1er étant opposé au 4e et le 2e au 3e sur 7 régates (victoire au 1er ayant remporté 4 manches). Les 2 finalistes se sont rencontrés sur 7 régates (victoire au 1er ayant remporté 4 manches) et le vainqueur a reçu la coupe Louis Vuitton et le droit d'affronter le défenseur. Les 6 défenseurs avaient le droit de relever le défi au meilleur de 9 régates.

En 1987, la coupe a été organisée par le Yacht Club de Perth, en Australie, à Freemantle. Chaque régate a été disputée sur un parcours de 24,5 milles (44,6 km) entre 3 bouées, couvert normalement en 3 et 4 h. Les concurrents ont effectué une remontée contre le vent, un retour vent arrière, un triangle complet (une remontée et 2 bords de largue), une remontée, un vent arrière et une remontée.

En sept. 1988, course au large de San Diego (Californie). 1re régate : remontée de 20 milles contre le vent, puis retour vent arrière. 2e : triangle olympique de 13 milles de côté. En cas d'égalité, on se serait départagé sur le parcours de la 1re régate. Le 25-3-1989, le juge de New York disqualifia le vainqueur (Stars and Stripes) pour « viol de l'esprit du règlement » (bateau trop moderne). Le 19-9, la cour d'appel de New York lui rendit la coupe, jugement confirmé le 26-4-1990.

En 1992, course au large de San Diego (Californie). 2 phases : *Coupe Louis Vuitton :* doit permettre de désigner le challenger. A partir du 25-1-92, les 9 challengers (3 Australie, 1 Espagne, 1 France, 1 Italien, 1 Japon, 1 N.-Zélande, 1 Suède) disputent les éliminatoires sous forme de duels (matches racing). *5 étapes : 1er Round Robin :* coefficient 1 pt, *2e :* 4 pts, *3e :* 8 pts. Les 4 totalisant le max. de points sont qualifiés pour les *demi-finales.* Chacun rencontre 3 fois les autres soit 9 régates. Les 2 ayant le plus de victoires disputent la *finale* de la Coupe L. Vuitton. Finale en 9 régates. Ville de Paris a été éliminé par New-Zealand en demi-finales. Le finaliste Il Moro de Venezia a éliminé New Zealand. *Coupe de l'America :* le defender américain (désigné après une série de régates entre America 3 et Stars and Stripes tenant du titre) est opposé au challenger en 7 régates. Victoire au 1er qui en remporte 4.

Bateaux. A partir de 1992, la *Class America* remplace les 12 m J. I. Long. 23 m, larg. 5,5 m, déplacement min. 1,6 t, haut du mât 32,5 m, grand-voile 300 m², spi 450 m², tirant d'eau 4 m, vitesse (10 nœuds de vent) 9,5 n. 15 équipiers.

■ **Résultats.** Vainqueur (défenseur), et vaincu (challenger). **1870** Magic [1], Cambria [2]. **71** Columbia et Sapho [1], Livonia [2]. **76** La Madeleine [1], Countess of Dufferin [2]. **81** Mischief [1], Atlanta [2]. **85** Puritain [1], Genesta [2]. **86** Mayflower [1], Galatea [2]. **87** Volunteer [1], Thistle [2]. **93** Vigilant [1], Valkyrie II [2]. **95** Defender [1], Valkyrie III [2]. **99** Columbia [1], Shamrock [2]. **1901** Columbia [1], Shamrock II [2]. **03** Reliance [1], Shamrock III [2]. **20** Resolute [1], Shamrock IV [2]. **Classe J. 1930** Enterprise [1], Shamrock V [2]. **34** Rainbow [1], Endeavour [2]. **37** Ranger [1], Endeavour II [2]. **12 mètres J I. 1958** Columbia [1], Sceptre [2] 4-0. **62** Weatherly [1], Gretel [3] 4-1. **64** Constellation [1], Sovereign [2] 4-0. **67** Intrepid [1], Dame Pattie [3] 4-0. **70** Intrepid [1], Gretel II [2] 4-1. France et Gretel II, disputèrent une épreuve éliminatoire pour 70). **74** Courageous [1], Southern Cross [3] 4-0 ; le France avait été battu aux essais. **77** Courageous [1], Australia [3] 4-0 ; le France et Sverige (Suède) avaient été battus aux essais. **80** Freedom [1], Australia [3] 4-1 qui avait battu France III qui avait battu Lion Heart (G.-B.). **83** Liberty [1], Australia II [3] 3-4. **87** Kookaburra III [3], Stars and Stripes [1] 0-4. **88** Stars and Stripes [1], New Zealand [4] 2-0. **92** America [3,1] – Il Moro di Venezia [5] 4-1.

Nota. – (1) USA. (2) G.-B. (3) Australie. (4) N.-Zélande. (5) Italie.

☞ *Au 1-6-1992 :* participations à la finale et, entre par., victoires de 1851 à 1992. USA 28 (27), G.-B. 16, Australie 8 (1), Canada 2, N.-Z. 1, Italie 1. Prochaine Coupe en 1995.

Courses au large

Epreuves pendant lesquelles les concurrents ne sont pas en vue du comité de course. Instructions remises avant le départ. Pas de contrôle en mer. En général, plus de 150 milles. Souvent organisées par l'Offshore Racing Council (ORC).

Légende : (1) Italie. (2) Irlande. (3) France. (4) G.-B. (5) Danemark. (6) Norvège. (7) N.-Z. (8) Australie. (9) All. (10) P.-Bas. (11) Grèce. (12) Afr. du S. (13) USA. (14) Norvège. (15) Mexique. (16) Canada. (17) Pologne. (18) Belgique. (19) Bermudes. (20) Argentine. (21) Suisse.

■ **Les Ton Cups. 1898** créées par le Cercle de la Voile de Paris. **1899** 1re sur la Seine à Meulan entre un bateau français et un b. britannique. **Jusqu'en 1903,** à Cowes (G.-B.) entre un fr. et un brit. 1906 disputée sur 6 M JI. **1962-65** non disp. **1965** disputée au Havre, en baie de Seine, 22 pieds de rating RORC mas., 3 bateaux par nation, classement individuel. **1967** Two Ton Cup créée (supprimée 1981). **1968** *Half Ton Cup* créée par la Sté des Régates de la Rochelle pour les 18 pieds rating RORC (8,80 à 9,80 m). **1970** Quarter Ton Cup créée à la Rochelle. **1974** Three Quarter Ton Cup créée. **1975** Norme IOR remplace RORC. **1978** Mini Ton Cup créée, épreuves côtières, uniquement de jour.

One Ton Cup. Créée 1965, jauge admise max. 22 pieds (6,70 m). **80** Filo da Torcere [1]. **81** Justice III [2]. **82** non disp. **83** Linda [3]. **84** Passion II [3]. **85** Jade [4]. **86** Andelstanken [5]. **87** Fram X [6]. **88** Propaganda [7]. **89** Finzi [1].

Three Quarter Ton Cup. 80 Maligawa [3]. **81** Soldier Blue [5]. **82** Little Du [5]. **83** Botta Dritta III [1]. **84** Positron [9]. **85** Green Piele 85 [5]. **86** Indulgence [4]. **87** Jelfix [10]. **88** Okyalos IV [11]. **89** Costopoulos [11].

Half Quarter Ton Cup. 80 Ar Bigouden [3]. **81** King One [3]. **82** Atlantic II [11]. **83** Freelance [3]. **84** C. [3]. **85** Antheor [3]. **86** C [3]. **87** René Chateau Vidéo [3]. **88** Skip Elf Aquitaine [3]. **89** Pointet [3].

Quarter Ton Cup. 80 Bullit [3]. **81** Laycdon Protis [3]. **82** Quartermaster [8]. **83** non disp. **84** Comte de Flandres [3]. **85** Royal Flush [12]. **86** Comte de Flandres [3]. **87, 88** McDonald's [5]. **89** Businello [1].

Mini Ton Cup. 80 Mr Bill Dog [13]. **81, 82** Gullisara [1]. **83** Khinispri [9]. **84** Ligule [1]. **85** Creola [1]. **86** Witchie [14]. **87** Mannaggia [1]. **88** For Sale [14]. **89** Baudo [1].

■ **Courses en solitaire autour du monde. Golden Globe Race** devenu en 1982 **BOC challenge. 1968-69** *créé* par le *Sunday Times.* Départ d'un port brit. au choix et entre juin et oct. Tour du monde sans escales par les caps de Bonne-Espérance et Horn. Retour au port de départ. Le vainqueur reçoit le Golden Globe Trophy et 5 000 £. 9 au départ. *1er Swahili* (Robin Knox-Johnston [4]), en 313 j, seul à arriver après 30 123 milles. Bernard Moitessier a abandonné et poursuivi un tour du monde et demi. Donald Crowhurst est mort en mer. **1982-83** 4 étapes : Newport-Le Cap (7 100 milles)-Sydney (6 900 milles)-Rio-Newport (5 300 milles). Sponsor : British Oxygen Company. 17 au départ, 10 à l'arrivée. Monocoques de 17 m max. *1er Crédit-Agricole II* (Philippe Jeantot [3]) en 159 j 2 h 26 mn. **1986-87** même parcours qu'en 1982. 25 au départ, 15 à l'arrivée. *Classe I :* long. 18,28 m, monocoque, *cl. II :* long. 15,24 m. *1er Crédit-Agricole III* (Philippe Jeantot [3]) en 134 j 5 h 23 mn. **1990-91** départ de Newport, 3 escales : Le Cap, Sydney, Punta del Este (27 000 milles). 24 au départ. *1er Groupe-Sceta* (Christophe Auguin [3]) en 120 j 22 h 36 mn. **1994-95** 5 escales.

Vendée Globe-Challenge. *Créé* 1989. **1989-90** départ des Sables d'Olonne, Canaries, Cap de Bonne-Espérance, sud de la N.-Z., Cap Horn, Recife, Sables d'Olonne (soit le tour de l'Antarctique), env. 23 605 milles et 138 j prévus. Pas d'escales, pas d'assistance. Monocoques de 18,28 m max. (60 pieds). 13 au départ. *1er Ecureuil d'Aquitaine* (Titouan Lamazou [3]) en 109 j 8 h48 mn 50 s (24 911 milles, moy. 9,49 nœuds). *2e Lada-Poch* (Loïck Peyron [3]) en 110 j 1 h 18 mn. *3e 36.15 Met* (J.-Luc Van den Heede [3]) en 112 j 1 h 14 mn. **1992-93,** devient le **Vendée-Globe.** Départ le 22-11 des Sables-d'Olonne, env. 25 000 milles, passages obligatoires : Canaries, île Heard (à tribord), point fictif 59° 30' S-119° O (à tribord), entre île Diego Ramirez et Cap Horn. 14 au départ ; Nigel Burgess (G.-B.) se noie au large de l'Espagne. *1er Bagages Superior* Alain Gautier [3] en 110 j 2 h 22' 35", *2e Sifap-Helvim* (Jean-Luc Van der Helde [3]), *3e Fleury-Michon* (Philippe Poupon [3]).

■ **Course autour du monde en équipage. Whitbread.** *Créée* 1973 par les Anglais. *Sponsor :* brasseries Whitbread. Tous les 4 ans. Porsmouth-Cap de Bonne Espérance-Cap Horn-Porsmouth. Escales : Le Cap, Sydney et Rio. Multicoques interdits. Bateaux de 30 à 70 pieds IOR. Min. 5 équipiers. **1973-74** 17 au départ. 27 120 milles. 3 concurrents disparaissent en mer. *1er Sayula II* (Ramon Carlin [15]) en 144 j 10 h. **1975-76** *Course des clippers* en souvenir des transports de marchandises vers l'Australie. 4 au départ. *1er Great Britain II* (équipage de militaires angl.) avec 67 j 5 h à l'aller et 66 j 22 h au retour. **1977-78** Porsmouth-Le Cap-Auckland-Rio-Porsmouth. Bateau de 33 pieds IOR min. 15 au départ. *1er Flyer* (Cornelis Van Rietschoten [10]) en 134 j 12 h. **1981-82** Porsmouth-Le Cap-Auckland-Mar del Plata-Porsmouth, 29 au départ. Eric Tabarly a participé aux 2 dernières étapes de la course, mais n'a pas été classé, le lest de sa quille étant en uranium appauvri. *1er Flyer II* (Cornelis Van Rietschoten [10]) en 120 j 6 h. **1985-86** Porsmouth-Le Cap-Auckland-Punta del Este-Porsmouth. 26 180 milles. 15 au départ. *1er L'Esprit d'Equipe* (Lionel Péan [3]) en 117 j 14 h. **1989-90** Southampton-Punta del Este-Freemantle-Auckland-Punta del Este-Fort Lauderdale-Angleterre. 32 932 milles (60 990 km). Bateau de 24 à 25 m de long. 15 au départ. *1er Steinlager* (Peter Blake [7]) en 128 j 9 h 40 mn. **1993-94** départ le 25-9 de Southampton, 32 000 milles.

■ **Courses transatlantiques.** *1re :* 1866, à la suite d'un pari lors d'un dîner à New York. 3 bateaux : *Vesta* (Pierre Lorillard), *Fleetwing* (George et Franklin Osgood) et *Henrietta* (James Gordon). Départ des USA le 11-12. *1er Henrietta* qui arrive le 25-12-1866.

Transat en équipage. Départ d'un port américain ou des Bermudes vers Europe. *1re :* 1886, New York-Ile de Wight. *Dernière :* 1975.

Transat des Alizés. *Créée* 1981 par Guy Plantier. En équipage. Amateurs sur monocoques de série. **1981** Classes : 11-12, 12-14 et 14-17 m. Possibilité d'utiliser un moteur. Parcours de concentration Pornichet-Casablanca ou Hyères-Casablanca, puis Casablanca-Pointe-à-Pitre. 130 au départ. **1984** 2e édition. **1987** 180 au départ. *1er Juno* [1]. **1991** parcours de concentration Lorient-Puerto Sherry (près de Cadix) et La Ciotat-Puerto Sherry, puis traversée vers Pointe-à-Pitre. *1er Levrier des Mers* (Aerius). José Goncalves (paraplégique) et Yann Natier arrivent 14e sur 54.

ARC. Transat en équipage.

Transat en double Le Point-Europe 1. *Créée* 1979. Lorient-Bermudes-Lorient, 5 700 milles, sans escale. Tous les 4 ans. **1979** 40 au départ. *1er VSD* (Gilles Gahinet et Eugène Riguidel [3]) en 34 j 6 h 32 mn. **1983** 45 multicoques et 9 monocoques. *1er Charente Maritime* (Pierre Follenfant et J.-François Fountaine 3) en 22 j 9 h 1 mn. Didier Bestin disparaît en mer le 9-6. **1987** Lorient-St-Pierre-et-Miquelon (escale de 5 j) - Lorient (4 380 milles). Maxi-monocoques : formule I (60 pieds ou 18,30 m et +) ou f. II (– de 60 pieds). 11 au départ. *F I : 1er Malboro* (Christian Fehlmann [3]) en 19 j 8 h 0 mn 33 s. *F II : 1er Le Monde de la Mer* (Alain Gabbay [3]) en 23 j 11 h 42 mn 54 s. **1989** Lorient-St-Barthélemy-Lorient, 6 810 milles. Monocoques IOR M 1 (+ de 18,28 m) et M 2 (18,28 m ou –), monocoques open M 3 (15 à 28 m) et multicoques F 1 (18,28 à 22,85 m) et F 2 (15,24 à 18,28 m). Les open font l'aller direct, les 4 IOR et les 13 multicoques doivent passer par le canal du Faïal (entre les Açores). A l'arrivée, régate autour de St-Barthélemy. *1er Charal* (Bruno Peyron et J. Vincent [3]) en 23 j 13 h 39 mn 14 s.

Twostar. Transat en double. *Créée* 1981. Plymouth-Newport (Rhode Island). Bateaux de 25,90 m max. **1981** 76 au départ. *1er Brittany Ferries* (Chay Blyth et Robert James 4) en 14 j 13 h 54 mn. **1986** 64 au départ. *1er Royale II* (Loïc Caradec et Olivier Despaigne [3]) en 13 j 6 h 12 mn. Non disputée depuis.

Routes pour traverser l'Atlantique Nord

(Distances Plymouth-New York)

Orthodromie. *2 810 milles (5 224 km).* Arc de grand cercle : le plus court chemin pour aller d'un point à un autre sur la sphère terrestre. 20 à 25 % de vents debout d'une force moyenne de 4 Beaufort. Passage au nord du courant du Gulf Stream (défavorable) à l'arrivée sur Terre-Neuve, courant du Labrador. Traversée à l'arrivée de zones d'icebergs et des brumes de Terre-Neuve, fait passer entre la côte et l'île de Sable. Route la plus courte, la plus rapide, la plus dure et la plus inconfortable, il faut sans cesse recalculer le cap à suivre.

Loxodromie. *2 920 milles (5 407 km).* Route suivie par un bateau qui se déplace sur la sphère terrestre en conservant un angle de route constant avec les méridiens. Vents contraires, gros temps. Navigation dans le courant contraire du Gulf Stream à l'arrivée. Un peu moins de vents debout que sur l'orthodromie, moins de risque d'icebergs à l'atterrissage. Chemin plus long que sur l'orthodromie, courants contraires à l'arrivée.

Route d'Hasler. *3 130 milles (5 796 km). Avantages :* sur une bonne partie du parcours vents favorables. *Inconvénients :* route plus longue que l'orthodromie. Atterrissage avec des vents forts contraires. Traversée d'une zone d'icebergs, brumes, froid.

Route des Açores. *3 520 milles (6 537 km).* Peu de gros temps, peu de vents contraires, navigation confortable (très peu de bords à tirer). Longueur plus importante, risque de calme.

Route des Alizés. *4 200 milles (7 778 km).* Petit temps, pas de vent debout ou très peu, pas de gros temps, du soleil et des brises portantes. Pratiquement aucune chance de victoire.

La Baule-Dakar ou Course des Amaldies. Transat en double. *Créée* 1981. 3 200 milles. **1981** tous types de bateaux. *1er Elf-Aquitaine* (Marc Pajot [3]). **1983** tous types de bateaux. *1er Charente-Maritime* (Pierre Follenfant [3]). **1987** multicoques de 22, 80 m max. 13 au départ. *1er Lada-Poch* (Loïc Peyron et Jacques Delorme [3]). **1991** en solitaire. 13 bateaux dont 5 monocoques (vont directement vers les Canaries et Dakar, 2 466 milles) et 8 multicoques (passent par les Açores, 3 075 milles). *Mono : 1er Bagages Superior* (Alain Gautier [3]) en 10 j 18 h 4 mn. *Multi : 1er RMO* (Laurent Borugnon [3]).

Québec-Saint-Malo. 2 896 milles. *Créée* 1984 par Michel Etevenon. Tous les 4 ans. **1984** transat en double. 49 au départ. *1er Royale* (Loïc Caradec-Olivier Despaigne [3]). **1988** transat en double. *Maxi catamaran : 1er Jet Services V* (Serge Madec [3]) en 7 j 21 h 35' (record). *Multicoque : 1er Elf Aquitaine* (Jean Maurel [3]) en 11 j 44'. **1992** transat en équipage. *8 monocoques* (dont 3 maxi-monocoques) : *1er Merit-Cup* (maxi-monocoque de Pierre Fehlmann [21]) en 10 j 15 h 44'. *7 multicoques : 1er Primagaz* (Laurent Bourgnon [3]) en 8 j 5 h 49'.

Ostar, puis C-Star et Europe 1-Star. Transat en solitaire. Origine 1891 Sea Serpent [Si Lawlor bat Mermaid (William Andrews, 4,60 m) en 45 j de Boston (USA) à Covernol (G.-B.).]. De Plymouth (G.-B.) à Newport (Rhode Island), 2 810 milles (5 000 km). *Créée* 1957 par le Cel H. G. Hasler. Sponsor : Journal *Observer* d'où le nom *Ostar* (star : Single-hand TransAtlantic Race, course transatlantique en solitaire). Tous les 4 ans. Bateaux de 18,30 m max.

Prix de la Transat. *Pen-Duick Trophy :* attribué au skipper du 1er bateau ayant une flottaison supérieure à 14,02 m (commémore le Pen-Duick IV d'Alain Colas devenu *Manureva*). *Gipsy Moth Trophy :* au skipper du 1er bateau arrivé ayant une flottaison entre 8,50 m et 14,02 m (en souvenir du Gipsy Moth III de Chichester). *Jester Trophy* (nom du seul bateau qui ait couru toutes les transat.) : au skipper du 1er bateau arrivé à Newport ayant une flottaison de – de 8,50 m. **Résultats : 1960** 5 au départ. *1er Gipsy Moth III* (Sir Francis Chichester [4]) en 40 j 12 h 30 mn, *2e Jester* (Blondie Hasler [4]) 48 j 12 h 02 mn, *3e Cardinal Vertue* (David Lewis [16]) 55 j 0 h 50 mn. **1964** *1er Pen-Duick II* (Eric Tabarly [3]) 27 j 3 h 56mn, *2e Gipsy Moth III* (Sir Francis Chichester [4]) 29 j 23 h 57 mn, *3e Akka* (Valentine Howells [4]) 32 j 18 h 8 mn. **1968** 35 au départ. *1er Sir Thomas Lipton* (Geoffroy Williams [4]) 25 j 20 h 33 mn, *2e Voortrekker* (Bruce Dalling [12]) 26 j 13 h 42 mn, *3e Cheers* (Tom Follet [13]) 27 j 0 h 13 mn. **1972** *1er Pen Duick IV* (Alain Colas [3]) 20 j 13 h 15 mn, *2e Vendredi 13* (J.-Yves Terlain [3]) 21 j 5 h 14 mn, *3e Cap 33* (J.-Marie Vidal [3]) 25 j 5 h 14 mn. **1976** 125 participants. *1er Pen-Duick VI* (Eric Tabarly [3]) 23 j 20 h 12 mn, *2e The Third Turtle* (Michael Birch [16]) 24 j 20 h 39 mn (vainqueur du *Jester Trophy* et du classement en temps corrigé), *3e Spaniel* (Kazimierz Jaworski [17]) 25 j 0 h 40 mn, *4e Club Méditerranée* (Alain Colas [3]) 24 j 3 h 36 mn (+ 58 h de pénalisation pour aide à St-John de Terre Neuve). **1980** 110 au départ (max. prévu par le réglement). Bateaux de 17 m max. *1er Moxie* (Philipp Weld [13]) 17 j 23 h 12 mn (record), *2e Three Legs of Mann III* (Nick Keig [4]) 18 j 6 h 4 mn, *3e Jean's Foster* (Philipp Stegall [13]) 18 j 6 h 4mn (1er du Gipsy Moth Trophy). **1984** *1er Umupro Jardin V* (Yvon Fauconnier [3]) 16 j 6 h, *2e Fleury Michon VI* (Philippe Poupon [3]) 16 j 12 h 25 mn, *3e Elf Aquitaine II* (Marc Pajot [3]) 16 j 12 h 48 mn, *4e Paul Ricard* (Eric Tabarly [3]) 16 j 14 h 21 mn. **1988 C-Star** (le sponsor devient Carlsberg). 97 au départ. *1er Fleury Michon IX* (Philippe Poupon [3]) 10 j 9 h 15 mn 9 s, *2e Laiterie Mont-St-Michel* (Olivier Moussy [3]) 11 j 4 h 17 mn, *3e Lada Poch II* (Loïck Peyron [3]) 11 j 9 h 02 mn. **1992 Europe 1-Star** (le sponsor devient Europe 1). 67 au départ. *1er Fujicolor II* (Loïck Peyron [3]) 11 j 1 h 35 mn, *2e Hte-Normandie* (Paul Vatine [3]) 12 j 7 h 49 mn, *3e Banque-Populaire* (Francis Joyon [3]) 12 j 9 h 14 mn.

Route du Rhum. Transat en solitaire. *Créée* 10-2-1977 par Maurice Etevenon et *l'Equipe.* Tous les 4 ans en novembre. Open (ouverte à tous les voiliers de 35 à 85 pieds, 10,668 à 25,908 m et, dep. le 1-1-87, à ceux de 22,91 m). Pas de limitation de jauge. Saint-Malo-Pointe-à-Pitre (3 592 milles ou 7 200 km). **Résultats : 1978** *1er Olympus Photo* (Michael Birch [16]) en 23 j 6 h 57 mn. **1982** *1er Elf-Aquitaine* (Marc Pajot[3]) en 18 j 1 h 38 mn. **1986** *1er Fleury Michon* (Philippe Poupon [3]) en 14 j 15 h 57 mn 15 s. **1990** *1er Pierre Ier* (Florence Arthaud [3]) en 14 j 10 h 10 mn. **1994-*6-11*** départ.

Mini-Transat. Transat en solitaire. *Créée* 1977 par l'Anglais Bob Salmon. **Résultats : 1977** *1er* (Daniel Gilard [3]). **1983** reprise par l'Association *Voile 6,50* créée par le journaliste J.-Luc Garnier. 1 ou 2 navigateurs. Monocoques de 6,50 m max. Concarneau-Fort-de-France (3 600 milles). Tous les 2 ans. *1er* (Stéphane Poughon [3]). **1985** *1er Aquitaine* (Yves Parlier [3]). **1987** Concarneau-Ténérife-Fort-de-France. *1er EXA* (Gilles Chiorri [3]). **1989** même parcours. *1er Tom Pouce* (Philippe Vicariot [3]). **1991** Douarnenez-Ténérife-Fort-de-France. 1ere étape : 68 au départ, 2e 52. *1er GMT Entrepose* (Damien Grimont [3]). **1993** Brest-Madère-St-Martin.

Transat de la caisse de retraite AGRR Lorient-St-Barthélemy. *Créée* 1992. **1992** Lorient-Las Palmas (escale de 96 h), départ vers St-Barth. avec le même écart qu'à l'arrivée aux Canaries. Les 16 participants courent sur des monocoques First class Figaro Solo de 9,14 m. En double. *1er Sill-Plein-Fruit-France III* (Michel Desjoyeaux-Jacques Caraes [3]).

■ **Admiral's Cup** et dep. 1989 **Champagne Mumm Admiral's Cup.** *Créée* 1957 par Sir Myles Wyatt, amiral du RORC. 1957 3 bateaux anglais contre 3 américains. 1959 ouverture aux P.-Bas et à la France, pas d'Américains. Actuellement, années impaires en août. Considérée comme le ch. du monde de course au large. Chaque nation engage 3 bateaux (en 1991, 3 ratings imposés : 50, 45 et 40 pieds). Associe une série de régates côtières et de courses au large. *6 courses :* Channel Race (200 milles dans la Manche avec retour à Cowes), 2 triangles ol. dans la baie de Christchurch, 1 course côtière dans le Solent, le Fastnet, 1 course de 40 milles dans l'Est du Solent. **Résultats : 1971** G.-B. **73** All. féd. **75, 77** G.-B. **79** Australie. **81** G.-B. **83, 85** All. féd. **87** N.-Zélande. **91** France.

■ **Fastnet.** *Créée* 1925 par Weston Martyr (7 partants), *1er Jolie-Brise.* En août, tous les 2 ans (dep. 1933), années impaires, alterne avec la course des Bermudes. Bateaux : min. 9,10 m (21 pieds IOR), max. 25 m (70 pieds IOR). 605 milles. Départ de Cowes, descente du Solent, tour du rocher du Fastnet au S.-O. de l'Irlande, retour par le S. du Bishop Rock, le cap Lizard et arrivée à Plymouth. **Résultats : 1977** *1er IMP* (Dave Allen [13]). **79** 303 au départ (dont 57 concurrents et 246 voiliers spectateurs). Tempête de force 12 (vents de 100 km/h, vagues de 10 à 15 m), 23 voiliers coulés, 136 personnes sauvées par les hélicoptères de la Royal Navy, 19 noyés. *1er Tenacious* (Ted Turner [13]). **81** *1er Mordicus* (C. Caillère [18]). **83** *1er Condor* (Bob Bell [19]). **85** *1er Panda* (Peter Whip [4]). **87** *1er Juno* (Mike Peacock [4]). **89** *1er Great News* [13]. **91** *1er Corum-Saphir* [3].

■ **Course des Bermudes.** *Créée* 1906 par Thomas Flemming Day (660 milles de Brooklyn aux Bermudes). 1906-10 tous les ans. 1923 rétablie, départ de New-London (Connecticut). 1936 Newport

(Rhode Island) adopté comme port de départ. Actuellement, en juin, années paires, 635 milles, arrivée à St-David's Head (Bermudes). **Résultats : 1980** *Holger Danske* (J. Wilson [13]). **82** *MHS : Brigadoon III* (R. W. Norton [13]), *IOR : Carina* (Richard Nye [13]). **84** *MHS : Pamir* (Francis H. Curren Jr [13]), *IOR : Merry Tought* (Jack King [13]). **86** *IMS : Puritan* (Donald Robinson [13]), *IOR : Silver Star* (David Clark [13]). **88** *IMS : Cannonball* (Charles Robertson [13]), *IOR : Congere* (Bevin Koeppel [13]).

■ **Autres courses françaises**

Course des Açores. Tous les 4 ans. Falmouth (S.-O. de la G.-B.) à Punta Delgada (Açores), escale de 10 j., retour. Env. 2 600 milles. En double ou en solitaire. Bateaux de 12 à 24 m.

Course en solitaire Le Figaro-Relais et Châteaux. *Créée* 1970 par Eugène Dautriche sous le nom de Course de l'Aurore. 1980 devient Course en solitaire du Figaro. Tous les ans en août. 4 étapes, env. 1 500 milles, France-Angl., Irlande-Esp. et retour. Bateaux : half tonners (21,7 pieds soit env. 9 m), monocoques. **Résultats : 1970** Joan de Kat. **71** Michel Malinovsky. **72** Jean-Marie Vidal. **73** Gilles Lebaud. **74** Eugène Riguidel. **75-76** Guy Cornou. **77** Gilles Gahinet. **78** Gilles Lebaud. **79** Patrick Eliès. **80** Gilles Gahinet. **81** Sylvain Rosier. **83** Lionel Péan. **84** C. Cudennec. **85** Philippe Poupon. **86** Christophe Aguin. **87** Jean-Marie Vidal. **88** Laurent Bourgnon. **89** Alain Gautier. **90** Laurent Cordelle. **91** Yves Parlier. **92** Michel Desjoyeaux.

Tour de France à la voile. *Créé* 1978 par Bernard Decré. 1990 devient le Ch. de France Open de course au large. Tous les ans, de mi-juill. à mi-août. De Dunkerque à Menton (env. 1 300 milles), 24 étapes au large (8 en Manche, 8 en Atlantique et 8 en Méditerranée) et 6 triangles ol. Env. 40 bateaux identiques courant sous les couleurs de villes ou de régions. Équipages de 21 m., 8 à 10 participent à chaque étape. **Résultats : 1985** Côtes-du-N. **1987, 88** Sète. **89** non disp. **90** Wasquehal.

Open UAP de la CEE, ancienne **Course de l'Europe.** *Créée* 1985 par Gérard Petipas. Tous les 2 ans. Env. 3 500 milles par étape. **Résultats : 1985** 8 étapes de Kiel à Porto Cervo. *Classe I : Crédit agricole* (Philippe Jeantot [3]), *Cl. II : Apricot* (T. Bullimore [4]), *Cl. III : Lada-Poch* (Loïc Peyron [3]). **87** 8 étapes de la Haye à San Remo, 3 500 milles, 14 bateaux au départ. *Cl. I (18,28 à 22,95 m) : Jet Services V* (Daniel Gilard [3]), *Cl. II (15 à 18,28 m) : Grundig* (T. Caroni). **89** 6 étapes de Hambourg à Toulon, *Cl. I : Jet Services V* (Serge Madec [3]), *Cl. II : Elf Aquitaine* (Jean Maurel [3]). **91** Lorient-Torquay (G.-B.)- Dun Laoghaire (Irl.)- Lisbonne-Barcelone-Marseille-Santa-Margherita-Ligure (It.). 11 au départ. *Multicoques (60 pieds, 3 479 milles) : RMO* (Laurent Bourgnon [3]), *monocoques 70 pieds, 2 639 milles) : Safilo* (G. Falck et Alain Gabbay [3]). **93** La Rochelle-Giron (Esp.)-Cherbourg-Rotterdam-Copenhague-Helsinki-Stockholm. 4 classes : *Multicoques (Fujicolor* Loïck Peyron), *maxi-monocoques (New-Zealand-Endeavour* Grant Dalton), *60 pieds Open (Ville-de-Cherbourg* Halvard Mavire), *60 pieds WOR (Galicia 93* De la Grandera).

■ **Courses en Méditerranée**

Sardinia Cup. *Créée* 1978. Années paires, en sept. À Porto-Cervo (Sardaigne). Par équipes. 4 manches : course de 300 milles (Porto-Cervo, Porquerolles et retour par les Bouches de Bonifaccio), course au large de 145 milles vers l'île d'Asinara (N.-O. de la Sardaigne), parcours côtier de 28 milles, 2 triangles ol. **Résultats : 1978** Italie. **80** USA. **82** It. **84** All. féd. **86** G.-B. **88** All. féd.

Giraglia. *Créée* 1953. Annuelle, en juill. 250 milles. Départ de St-Tropez ou Toulon, virer le phare de la Giraglia (N. de la Corse), retour à San Remo. Parfois dans le sens inverse.

Middle Sea Race. *Créée* 1969 par Jimmy White et Alan Green (Anglais résidant à Malte). Annuelle, début oct. 612 milles. Départ de la Valette, contourner les îles de Lampedusa, de Pantelleria, tour de la Sicile, retour à la Valette.

Nioulargue. *Créée* 1981 par Patrice de Colmont (Fr.). Annuelle, en oct. pendant 2 semaines. À St-Tropez. Course entre yachts.

■ **Courses dans le Pacifique**

Sydney-Hobart. *Créée* 1945 par le capitaine John Illingworth (G.-B.). Classe IOR. Annuelle, en déc. 630 milles d'Australie en Tasmanie (Sydney, côte de N.-Galles du S., détroit de Bass, côte de Tasmanie, rivière du Derwent jusqu'à Hobart). **Résultats : 1980** *Ceramco* (NZ Round The World comm. [7]). **81** *Zeus II* (J.R. Dunstan [8]). **82** *Scallywag* (L. Abrahams [8]). **83** *Indian Pacific* (J. Eyles et G. Heuchmer [8]). **85** *Sexacious* (G. Appleby [8]). **86** *Ex-Tension* (A. Dunn [8]). **87** *Sovereign* (B. Lewis [8]). **91** *Brindabella* [8]. **92** *Endeavour New-Zeland* [7].

Transpac. *Créée* 1906. À travers le Pacifique.

Traversées célèbres

■ Atlantique

D'ouest en est. 1er avec un équipier : *Webb* [13] ; 1856 ; sur une baleinière. 2es *Hudson* [13] et *Fitch* [13] avec une chienne ; sur canot ponté de 7,9 m, 3 mâts, 8 voiles en trapèze et 3 focs ; de New York à Deal en 35 j. **1er en solitaire :** *Alfred Johnson* [16] pêcheur de Shake Harbor (N.-Écosse) ; 1876 ; de Shake Harbor à Abercastel (P. de Galles) en 46 j ; sur le *Centennial,* doris sans quille de 6,10 m × 1,8 m, ponté, lesté de gueuses, 1 mât, 4 voiles. **1ers à la rame :** *George Harbo* et *Frank Samuelson* partis 7-6-1896 de New York, arrivant aux îles Scilly 55 j après et remontent la Seine jusqu'à Paris (moyenne de 56 milles/j). **1er seul en bateau à rames :** *John Fairfax* [4] ; 20-1 au 19-7-1969 ; 5 600 km des Canaries à la Floride. **1er en kayak :** *Romer* [9] ; 1928 ; du cap Vincent (Portugal) aux Canaries puis à St-Thomas (Antilles), perdu ensuite sur la route de New York ; *Deutsches Sport,* kayak en toile de 6 × 0,95 m avec petite voilure de ketch 5 m². **Par une femme seule :** *Ann Davidson* [4] ; 1952-53 ; écrivain, 38 ans ; de Plymouth (G.-B.) à New York par Casablanca, Las Palmas, Dominique, Miami, New York ; sur *Felicity Ann,* sloop marconi de 7 × 2,15 m, tirant d'eau 1,40 m. **En pirogue :** *Liberia,* primitive en bois de 7,5 m. *Hannes Lindemann* [9] ; 1955-56 ; de Las Palmas à Ste-Croix (Antilles).

D'est en ouest. 1er seul par le sud : *Alain Gerbault* [3] (1893-16-12-1941 à Timor, ingénieur et tennisman) ; 1923 départ de Cannes ; de Gibraltar (15-5) à New York (15-9) en 101 j ; sur *Fire Crest,* cotre français, construit en 1892, 11 × 2,6 m, 3 500 kg de plomb sous quille et 300 kg de lest intérieur. **1er seul par le nord :** *R.D. Graham* [4], capitaine ; 1934 ; de Bantry à St-Jean-de-Terre-Neuve en 24,5 j, puis navigation solitaire dans les eaux du Labrador, Bermudes et retour ; sur *Emmanuel,* cotre de 9,15 × 2,58 m. **Seul au moteur :** *Marin-Marie* [3] ; du 23-7 au 10-8-1936 ; de New York aux îles Chausey en 18 j 16 h ; sur *Arielle,* 13 × 3,45 m, quille en fonte de 2 500 kg, 5 000 l de gasoil, moteur diesel 50 CV, vitesse 8 nœuds, gouvernail automatique. Type de traversée très rare car les voiliers pourvus d'un moteur auxiliaire ne peuvent charger, en sus des vivres et de l'eau nécessaires, que peu de combustible. La précédente traversée avait été effectuée par *Newman* et son fils de 16 ans. **Record de la traversée à la rame en équipage.** *La Mondiale :* Long. 15,60 m, 4 t, 8 postes de rameurs, 6 couchettes, équip. 11 français ; départ 25-3 de Santa-Cruz de la Palma (Canaries) arrivée 29-4 à Trois-Ilets (Martinique) : 35 j 8 h (ancien record 73 j 6 h) soit 2 567 milles (4 754 km). Vitesse moy. 3 nœuds (5,5 km/h).

■ Pacifique

D'est en ouest. 1er en solitaire : *Bernard Gilboy* [13] ; 1882-83 ; de San Francisco aux parages de l'Australie, sans escale (6 500 milles, 164 j) ; recueilli à court de vivres ; sur *Pacific,* goélette de 6 m.

D'ouest en est. 1ers en solitaire : *Fred Rebell,* Letton ; 1931-33 ; charpentier ; 45 ans au départ ; de Sydney (Australie) à Los Angeles (USA) en 372 j ; sur *Elain,* dériveur à clin, 6 × 2,15 m, non ponté, sans moteur. *Alain Gerbault* [3] ; 1932 ; sur *Alain-Gerbault,* sloop marconi norvégien de 10,45 × 3,2 m, tirant d'eau 1,9 m, quille de 4 t en plomb, pas de moteur.

Expéditions de Thor Heyerdahl

Expédition du Kon-Tiki (1948). Liaison Pérou-Polynésie, avec 6 équipiers, pour prouver que les Indiens péruviens auraient pu aller peupler les îles polynésiennes du Pacifique Sud (les prédécesseurs des Incas et les ancêtres de certains Polynésiens actuels ayant adoré le même dieu solaire, *Kon-Tiki*). *Durée :* 101 j. *Distance :* 8 000 km.

Traversée de l'Atlantique avec un équipage à bord d'un radeau (en tiges de papyrus liées par des cordes sans un seul clou, sans armature, réalisé par des artisans du lac Tchad sur le modèle des bateaux égyptiens figurant sur les bas-reliefs des sépultures). *But :* prouver que les anciens Égyptiens auraient pu découvrir l'Amérique 2 500 ans avant Christophe Colomb, 2 000 ans avant les Vikings. *1re tentative* (1969) : le *Râ I,* après plus de 5 000 km, se retrouvait, par suite de manœuvres, et de chargement, en situation critique à 900 km à l'est de l'île de la Barbade (Antilles) à 250 km du s.-est de la Martinique. *2e tentative* (1970) : le *Râ II* atteignit la Barbade en 57 j après 6 270 km, en se laissant entraîner par le courant et les alizés.

Expédition du Tigris (1977-78). Navigation sur l'océan Indien à partir de l'Irak pour voir jusqu'où ont pu aller les Sumériens (300 à 2000 av. J.-C.). Bateau en panneaux de roseaux cueillis en Irak d'après un procédé ancestral (long. 18 m, larg. 6 m, haut. 3 m, mât 10 m). Équipage international (11 membres).

Traversées à la rame de Gérard d'Aboville. 1°) *Atlantique* de Cap Cod (USA) à Brest (Fr.) en 1980 en 71 j 23 h sur le *Capitaine Cook (canot en bois de 5,60 m de long),* 5 chavirages. 2°) *Pacifique* de Soshi (Japon) (11-7-1991) à Ilwaco (Etata de Washington, USA, 21-11-91 à 21 h 03) soit 6 290 milles (env. 10 000 km et 1 000 000 coups de rame) sur *Sector* architecte Jean Berret, 8 m de long, 1,80 m de larg max., 150 kg à vide et 160 kg de nourriture lyophilisée, 3 paires d'avirons de 3 à 3,20 m, 3 dérives assurent la stabilité, 3 ancres flottantes pour éviter de reculer, 3 ballasts permettent de redresser en cas de chavirage (env. 30 chavirages), dessalinisateur actionné par le siège coulissant].

■ Tours du monde

■ **En solitaire sans moteur. Joshua Slocum** [13] (Canadien naturalisé américain) ; 1895-98 ; 51 ans au départ ; de Yarmouth à Newport par le cap Horn et le cap de Bonne-Espérance ; sur *Spray,* sloop puis yawl de 11,20 × 4,32 m, tirant d'eau 1,27 m. **Harry Pidgeon** [13] ; 2 tours 1921-25 et 1932-37 ; *Islander,* seabird de 10,50 × 3,20 m, tirant d'eau 1,50 m. **Alain Gerbault** [3] de Cannes (25-4-23) [par New York (15-9), avec escale à Gilbraltar du 15-5 au 6-6), revient passer 8 mois à Paris, revient à New York, fait réparer son bateau 2 mois et demi, repart de New York le 1-11-24, passera par Panama, Tahiti, N.-Hébrides, Le Cap] au Havre (31-7-29) ; *Firecrest,* cotre franç. 11 × 2,60 m, tirant d'eau 1,80 m. **Vito Dumas** [20] ; 1942-43 ; *Legh II,* ketch de 9,55 × 3,30 m, tirant d'eau 1,70 m. **Al Petersen** [13] ; 1948-52 ; ouvrier métallurgiste ; par Panamá et la mer Rouge ; cotre de 10,05 m. **John Guzzwel** [4] ; 1956-58 ; 25 ans au départ (le plus jeune circum navigateur) ; sur *Trekka,* yawl de 6,25 m (le plus petit bateau ayant fait le tour du monde). **Peter Iangwald** [13] (Norv. naturalisé) ; 1959-64 ; sur *Dorothéa,* cotre de 9,45 m. **Sir Francis Chichester** [4] ; du 27-8-66 au 28-5-67 ; *Gypsy Moth IV,* ketch en bois moulé, poids 10,5 t, long. 16,20 m, larg. 3,15 m, voilure 102,90 m². **Chay Blyth** [4] ; 1970-71 ; *British Steel,* ketch de 17,70 m × 3,60 m ; sans escale d'E. en O. 292 j. **Alain Colas** [3] ; 1973-74 (169 j) ; *Manureva, ex-Pen-Duick,* trimaran, long. hors-tout 21,24 m, long. 20,12 m, tirant d'eau 0,80 m. **David Scott Cowper** [4] ; 1979 ; 225 j. **Henryk Jaskula** [17] ; voilier en bois de 14 m. **Yves Pestel** [3], 1979-80 ; voilier le plus petit engagé dans cette course (*Spica,* 9 m × 3,12 m) ; parti le 5-7-79, chavire en juin 1980 après avoir doublé le cap Horn le long des côtes argentines. **Philippe Jeantot** [3], 1982-83, *Crédit agricole,* 159 j. **Dodge Morgan** [13], 1986, *American-Promise,* 145 j 22 h 22'. **Philippe Monnet** [3], 10-12-86/19-4-87, *Kriter-Brut-de-Brut,* 129 j 19 h 19' 10". **Olivier de Kersauson** [3], 1988-89, *Un autre regard,* 125 j 19 h 32'33".

Avec moteur. Edward Miles [13] ; 1928-32 ; d'O. en E. par la mer Rouge et Panamá, très rare ; *Sturdy et Sturdy II,* 11,20 × 3,30 m ; tirant d'eau 1,45 m, moteur diesel 20 CV. **Louis Bernicot** [3] ; 1936-38 ; 52 ans au départ ; par Magellan et Le Cap ; *Anahita* 12,50 × 3,50 m, tirant d'eau 1,70 m, petit moteur. **Alfred Petersen** [13] ; 1948-52 ; *Stornoway,* cotre Colin Archer, long. 10,05 m, petit moteur. **A. Hayter** [4] ; 1950-55 ; colonel ; par la mer Rouge, contre la mousson, Panamá ; yawl à corne de 9,75 m. **Marcel Bardiaux** [3] ; 1950-58 ; sur les *Quatre-Vents,* sloop marconi de 9,38 × 2,70 m, tirant d'eau 1,45 m, moteur 5-7 CV. **Jean Gau** [13] (Français naturalisé) ; 1953-57 ; 51 ans au départ ; ketch de 11 × 3 m, tirant d'eau 1,40 m, moteur 20 CV. **Ed Allcard** [1] ; 1961-63 ; par cap Horn.

■ **Avec compagnon momentané. Sans moteur : Jacques-Yves Le Tourmelin** [3] ; 1949-52 ; 28 ans au départ ; un équipier jusqu'à Papeete, ensuite seul ; *Kurun,* cotre norv. de 10 × 3,55 m, tirant d'eau 1,60 m. **Tom Steele** [13] ; *Adios,* ketch. **Avec moteur : Tom Murnan** [13] ; 1947-52 ; 51 ans au départ ; sa femme avec lui par moments ; *Seven Seals II,* yawl en acier 9,15 m, 2 moteurs de 25 CV.

■ **Couples. Sans moteur. Joseph Merlot** [3] ; 1950-56 ; ingénieur ; avec sa femme et un enfant né en route ; sur un bateau de régates de 6 m de jauge ; par Panamá et Le Cap.

■ Autres grandes premières

1er solitaire certaine : *J.M. Crenston* [13] ; 1849 ; de New Bedford à San Francisco par le cap Horn ; 13 000 milles en 226 j ; *Toccra,* cotre de 12,30 m. **1er raid seul avec un enfant :** Blanco [15] et sa fille de 8 ans ; 1931 ; de Barcelone à Tahiti par Panamá ; sur *Evalu,* goélette de 11,25 × 3,35 m, avec moteur. **1re liaison en solitaire de l'Atlantique au Pacifique par le Nord :** Willy de Roos ; 1977 ; sur *Williwaw,* ketch en acier de 13 m.

Quelques noms

Nota. – Tous Français sauf indications.

Aboville Gérard d'(5-9-45). Arthaud Florence (28-10-57). Autissier Isabelle. Bardiaux Marcel (1910). Bernicot Louis (1883-1952). Bertrand John (1959) USA. Birch Michael (1-11-31) Can. Blyth Clay (1941) Écosse. Bombard Alain (27-10-24). Bouet Marc (1952). Buffet Marcel (14-5-22). Cadot Albert (1901-72). Caradec Loïc (1948, disparu 1986). Chéret Bertrand (23-5-37). Chichester Francis (1901-72) G.-B. Colas Alain (1943, disparu 1978). Conner Denis (16-9-42) USA. Delfour Pierre (1934). Desjoyeaux Michel (1965). Dumas Vito (1900-66) Arg. Elvstrom Paul (24-1-30) Dan. Fauroux Jacques (1945). Fauroux Marie-Claude (1931). Fogh (1939) Dan. Follenfant Pierre. Gabbay Alain (1959). Gahinet Gilles (1949-84). Gerbault Alain (1893-1941). Gilard Daniel (1949-87). Gilboy Bernard (1852-1906) USA. Gliksman Alain (19-9-32). Haegeli Patrick (1945). Hénard Nicolas (1964). Fr. Hériot Virginie (1889-†). Heyerdahl Thor (1915) Norv. Jeantot Philippe (8-5-52). Johnson Alfred (1850-1933) USA. Kersauson Olivier de (20-7-44). Kuwheide Willy (1938) All. Lacombe Jean (1919). Lamazou Titouan (1955). Lebrun Jacques (20-9-10). Le Tourmelin Yves (2-7-20). Loizeau Éric (3-10-49). Madec Serge (1956). Malinovsky Michel (10-3-42). Mankin Valentin (1941) URSS. Marin-Marie (1901-87). Maury Serge (24-7-46). Melges Harry (26-1-30) USA. Moitessier Bernard (1925). Morvan Patrick. Musto K. (1928) (G.-B.). Noverraz Louis (1902) Suisse. Pajot Marc (21-9-53). Pajot Yves (20-4-52). Parisis Jean-Claude (1948). Pattison Rodney (5-8-43) G.-B. Péan Lionel (1957). Pestel Yves (1955). Peyron Loïc (1-12-59). Philippon Xavier (26-8-59). Pidgeon Harry (1874-1955) USA. Plant Mike († 1992) USA. Poupon Philippe (1954). Riguidel Eugène (24-11-40). Slocum Joshua (1844-1909) USA. Tabarly Éric (24-7-31). Terlain Jean-Yves (1944). Turner Ted (1935) USA. Viant André (1920). Vidal Jean-Marie (1945). Williams Geoffrey (1944) G.-B. Weld Phil (1914) USA.

Vol à voile

Généralités

Origine. 1856 *déc.* 1er vol en planeur, en bois et toile, envergure de 15 m, *Jean-Marie Le Bris* (Fr. 1817-72) : mousse, matelot, puis maître de cabotage, copie un albatros. Des poulies permettent de modifier la voilure et le déplacement du corps de contrôler l'appareil. Se lance de la plage de Ste-Anne-la-Palud, utilisant un ber monté sur un tombereau et tiré par un cheval. **1857** *mars* dépose un brevet. **1891-96** *Otto Lilienthal* (All.) réalise plus de 2 000 vols. **1922** 1er vol d'une heure, *Martens* (All.). **1922** *Alexis Maneyrol* (Fr.) vole 3 h et demie. **1923** 1er vol de 50 km, *Schulz* (All.). **1925** 1er vol de 10 h, *Masseaux* (Fr.). **1934** 1er vol de 300 km, *Ludwig Hofmann* (All.). **1937**-*5/29-8* 1er concours en France. **1952** record de durée en monoplace 56 h 15″, *Charles Atger* (Fr.).

Principes. Utilise les courants *ascendants* de l'atmosphère [*thermiques* (dus à l'échauffement du sol par le soleil, altitude accessible 2 000 à 3 500 m, 8 000 à 10 000 m en cas d'orage) ; *dynamiques* (dus à la déflection du vent vers le haut par la présence d'un relief, altit. accessible 100 à 200 m au-dessus du sommet du relief)] qui peuvent se combiner ; *ondulatoires* (dans certaines conditions, une ondulation entretenue se forme sous le vent des reliefs ; altit. accessible 10 000 à 15 000 m).

Planeurs. Plastique, métal, fibre de carbone ou de verre, bois. *Poids :* 200 à 600 kg. *Envergure* 15 à 24 m. *Places* 1 à 3. *Vitesses* utilisables : 70 à 280 km/h.

Records. Altitude : 14 938 m Robert Harris (USA) le 17-2-1986. **Distance** *en aller et retour :* 1 646,48 km T.L. Knauff (USA) le 25-4-83. *En ligne droite* 1 500 km, de Vinon (Var) à Fès (Maroc) Gérard et Jean-Noël Herbaud le 17-4-1992 en 13 h 30 min., sur biplace-ASM 25 : record de distance libre et de distance avec but fixé. **Vitesse** *sur triangle de 100 km :* 195,3 km/h I. Renner (Austr.) le 14-12-1982. *750 km :* 188,407 km/h H.W. Grosse (All. féd.) le 8-1-1985. *1 000 km :* 145,328 km/h H.W. Grosse (USA) le 3-1-1979.

Statistiques. Pilotes monde : 120 000 (Allemagne 40 000, France 23 000). **Planeurs** monde : 26 000 (All. 8 000, France 1 600). **Clubs** France : 175.

Résultats

☞ *Légende.* – (1) France. (2) Danemark. (3) Italie. (4) Finlande. (5) G.-B. (6) Australie. (7) Suède. (8) P.-Bas. (9) USA. (10) All. féd. (11) Pologne. (12) Tchéc.

■ **Championnats du monde.** *Créés* 1937. Tous les 2 ans. **Messieurs. Standard : 81** Schroeder [1]. **83** Oye [2]. **85** Brigliadori [3]. **87** Kunttinen [4]. **89** Aboulin [1]. **91** Selen [8]. **Libre : 81** Lee [5]. **83, 85, 87** Renner [6]. **89** Lopitaux [1]. **91** Centka [11]. **Course : 81** Ax [7]. **83** Musters [8] et Striedieck [9]. **85** Jacobs [9]. **87** Spreckley [5]. **89** Gantenbrink [10]. **91** Edwards [6].

■ **Championnats d'Europe. Messieurs. Standard : 84** Lopitaux [1]. **86** Gantenbrink [10]. **88, 90** Trziak [11]. **92** Kepka [11]. **Libre : 84** Lherm [1]. **86, 88** Holigans [10]. **90** Eberhard [8]. **92** Lherm [1] **Course : 84** Delylle [1]. **86** Pare [8]. **88** Lherm [1]. **90** Chenevoy. **92** Gerbaud [1]. **Club : 90** Dedera [12]. **92** Gerbaud.

Dames. Standard : 85 Moroko [1]. **Course : 85** Weinrich [10].

■ **Championnats de France.** *Créés* 1966. **Messieurs. Standard : 81** Reculé. **82** Schroeder. **84** Lopitaux. **86** Aboulin. **87** Chenevoy. **88** Hauss. **89** Caillard. **90** Aboulin. **91** Henry. **92** Schroeder. **Distance standard. 91** Streicher. **Course : 81** Mercier. **82** Henry. **84** Gerbaud. **86** Schroeder. **87** Lopitaux. **88** Lherm. **89** non disp. **90** Gerbaud. **92** Janzam. **Club : 89** Chenevoy. **90** Aboulin. **92** Lopitaux. **15 mn. 91** Flament. **Distance 15 mn. 91** Dubreuil.

Nota. – 83, 85 non disputés.

Vol libre

■ Deltaplane

■ **Origine. 1948** l'Américain Francis Melvin Rogallo, travaillant pour la Nasa, fabrique des prototypes d'ailes en forme de delta. **1964** Bill Moyes et **1969** Bill Bennett les mettent au point. **Matériel :** structure en aluminium haubanné, voile en dacron (surface env. 15 m², long. 3 m, enverg. 10 m). Le pilote est suspendu sous l'appareil à l'aide d'un harnais. Décollage : tracté derrière voiture ou U.L.M., en montagne en courant pour prendre son envol. **Pratiquants (libéristes) dans le monde :** 150 000 (*France* 27 169, 472 clubs, 109 écoles). **Coût :** 8 000 à 15 000 F.

Nota. - (1) Autriche. (2) N.-Zélande. (3) Australie. (4) All. féd. (5) USA. (6) Brésil. (7) G.-B. (8) Irlande. (9) Norvège. (10) France. (11) Tchéc.

■ **Championnats du monde. Messieurs** *créés* 1976. **Ind. 76** *Classe I :* Steinbach [1], *II :* Dolore [2], *III :* Battle [3]. **79** *I* Guggenmos [4], *II* Miller [5]. **81** *I* Lopes [6], *II* Bird [2]. **83** Moyes [3]. **85** Pendry [7]. **88** Duncan [3]. **89, 90** Whittal [7], **91** Suchanek [11]. **Par équipes : 76** Autriche, **79** Fr., **81** G.-B., **83** Australie, **85** G.-B., **88** Australie, **89, 90, 91** G.-B.

Nota.- En 1987, des ch. du monde **Féminins : ind.** Leden [7], *par équipes :* G.-B. Reprise en 93.

■ **Championnats d'Europe.** *Créés* 1980. *Classe I :* **80-81** Gérard Thévenot [10]. **82** A. Hughes [7]. *II :* **80-81** Mike de Glanville [10]. **82** Hart l[1]. **Par équipes : 82** G.-B. Suisse, Norvège. **84** G.-B., All. féd., Autriche. **86** Pendry [7].

■ **Ch. de France. 80** M. de Glanville. **81** K. Kohmstedt. **82** G. Thévenot. **83** *nationale A :* G. Thévenot, *B :* R. Rothmuller. **84** *A :* M. de Glanville, *B :* P. Gérard. **85** *A :* Desbrandes, *B :* Desbrandes. **86** *A :* G. Thevenot, *B :* R. Repelin. **87** G. Thévenot. **88** A. Chauvet. **89** P. Gérard. **90** A. Palmarini.

■ **Records. Distance en ligne droite. Aile rigide,** *messieurs :* 223,70 km, William Reynolds [5] (27-6-88) ; **flexible,** *messieurs :* 487 km, Larry Tudor [5] (1992), *dames :* 263,627 km, Katherine Yardley [5] (13-7-89).

Distance à but fixé. A. flexible, *messieurs :* 348,7 km, Larry Tudor [5] (30-1-88), *dames :* 201,123 km, Liavan Mallin [8] (6-7-89).

Distance aller et retour. A. flexible, *messieurs :* 310,302 km, Geoffrey Loyns [7] et Larry Tudor [5] (26-6-88), *dames :* 131,96 km, Tover Buas-Hansen [9] (6-7-89).

Distance en triangle. A. flexible, *messieurs :* 161 km, Drew Cooper [3] (10-6-89), *dames :* 101 km, Jenney Canderton [3] (22-1-90).

Gain d'altitude. A. rigide, *messieurs :* 3 820 m, Rainer Scholl [4] (5-8-85). **A. flexible,** *messieurs :* 4 343,4 m, Larry Tudor [5] (4-8-85), *dames :* 3 657 m, Tover Buas-Hansen [9] (6-7-89).

■ Parapente

■ **Origine. 1978**-*27-6* 1er vol à Mieussy, sur la pente du Perthuiset (Hte-Savoie), par Jean-Claude Betemps, Gérard Bosson et André Bohn. **1986** se développe.

■ **Matériel.** Issu du parachute rectangulaire, type aile. Actuellement, voiles elliptiques très effilées. Équipement : env. 6 kg, tient dans un sac à dos. **Principe :** consiste à évoluer en parachute, voilure ouverte, après un décollage voile déployée à partir d'un site de montagne, ou en plaine avec des vols tractés.

■ **Record. Distance :** 281 km en Afr. du S. par Alex Low.

■ **Championnats du monde.** *Créés* 1989. **Messieurs. 89** Kossen (Autriche). **91** Whittall (G.-B.). *Équipes :* **89** France. **Dames. 91** Amman (Autriche). *Équipes : Messieurs* **91** Suisse. **Ch. d'Europe.** *Créés* 1988. **88** *individuel :* Maret (Suisse), *éq.* Suisse. **Ch. de France. Messieurs :** *créés* 1987. **87** Gali, **88** Barboux, **89** Claret-Tournier, **90** Remond, **91, 92** Berod. **Dames. 89** Lemaire. **90** Rey. **91, 92** Dieuzede.

☞ **Féd. française de vol libre,** 4, rue de la Suisse, 06000 Nice. *Créée* 1974. *Licenciés* (1992) : 27 169 (dont 1991 parapents 16 388).

Accidents mortels. En France : De 1975 à janv. 1979 : 511 (20 †). *1980 :* 10. *81 :* 6. *82 :* 8. *83 :* 7. *84 :* 7. *85 :* 5. *86 :* 4. *87 :* 4. *88 :* 10. *91 :* 6 (sur 543). *92 :* 7 (sur 549).

Volley-ball

Généralités

■ **Origine. 1895** imaginé par William G. Morgan (USA), exporté grâce à l'YMCA. **1913** figure aux 1ers jeux Orientaux de Manille. **1917** introduit en France par les troupes amér. **1929** 1er tournoi internat. à Cuba. **1936** création de la Féd. fr. de V.-B. **1947** création de la Féd. intern. de V.-B. à Paris. **1964** Jeux Olympiques.

■ **Terrain.** 18 m × 9. *Poteaux* distants de 10 à 11 m. *Filet :* 9,50 × 1 m de large ; partie supérieure à 2,43 m (h. seniors et juniors), 2,24 m (d. seniors et juniors). **Ballon :** 270 g (+ou –10 g) ; circ. 66 cm (+ ou –1 cm). **Équipes :** 12 joueurs dont 6 sur terrain. **Partie :** gagnée par l'équipe qui remporte 3 sets. En cas d'égalité de sets (2-2), le set décisif (5e) est joué en *tie-break* selon le système de la marque continue. Set gagné par l'équipe qui marque la 1re 15 points avec un écart de 2 points. En cas d'égalité à 14/14, le jeu continue jusqu'à ce qu'un écart de 2 points soit atteint (16-14, 17-15). Après une égalité 16-16, l'équipe qui marque le 17e point gagne le set avec seulement un point d'écart. Quand une équipe fait une faute de service, ne renvoie pas le ballon ou commet une autre faute, l'adversaire gagne l'échange de jeu (rallye) : si elle sert, elle marque un point et continue à servir ; si elle reçoit le service, elle gagne le droit de service, sans marquer de point (changement de service). Dans le set décisif, si l'équipe au service gagne un échange, elle marque un point et continue à servir, si c'est l'équipe en réception celle-ci gagne le droit au service et marque un point.

■ **Principe.** Tenter de faire tomber le ballon sur le sol adverse ou faire commettre une faute à l'adversaire (ex. : toucher le filet, franchir la ligne médiane, toucher le ballon et l'envoyer rebondir à l'extérieur du terrain). Dans ces cas, il y a perte du service si l'on était en possession du service ou gain du point pour l'adversaire si celui-ci avait le service, sauf dans le 5e set pendant lequel les points sont marqués sur son service et sur le service adverse. Le nombre de touches dans une équipe est limité à 3 (le contre ne compte pas comme une passe), il est interdit de tenir le ballon.

■ **Licenciés.** *Dans le monde :* (principalement URSS, Chine et Japon), + de 140 000 000 de joueurs licenciés (80 % des joueurs sont des universitaires). *En France :* 92 941, amateurs, 1 790 clubs affiliés (mai 91).

Principales épreuves

☞ **Jeux olympiques** (voir p. 1547).

Légende. – (1) ex-URSS. (2) Roumanie. (3) Pologne. (4) Tchéc. (5) Bulgarie. (6) Hongrie. (7) All. dém. (8) Italie. (9) All. féd. (10) France. (11) P.-Bas. (12) USA. (13) Youg.

Coupe intercontinentale : *créée* 1992. Messieurs et dames. 1ere en nov. 93 au Japon.

Championnats du monde. Messieurs : *créés* 1949. **1949, 52** URSS. **56** Tchéc. **60, 62** URSS. **66** Tchéc. **70** All. dém. **74** Pologne. **78, 82** URSS. **86** USA. **90** It. **Dames :** *créés* 1949. **49, 52, 56, 60** URSS. **62, 67** Japon. **70** URSS. **74** Japon. **78** Cuba. **82, 86** Chine. **90** All.

Championnats d'Europe. Tous les 2 ans. **Messieurs :** *créés* 1948. **1967, 71, 75, 77, 79, 81, 83, 85, 87** URSS. **89** Italie. **91** URSS. **Dames :** *créés* 1949. **58-79** URSS. **81** Bulgarie. **83** All. dém. **85** URSS. **87** All. dém. **89, 91** URSS.

Coupe du monde. Messieurs : *créée* 1965. **1965** URSS. **69** All. dém. **77, 81** URSS. **85** USA. **89** Cuba. **91** URSS. **Dames :** *créée* 1973. **1973** URSS. **77** Japon. **81, 85** Chine. **89, 91** Cuba.

Coupe du printemps. Championnat de l'Europe occidentale. **Messieurs :** *créée* 1962. **80, 81, 82** Grèce. **83** P.-Bas. **84** Esp. **85** France. **86, 87** All. féd. **88** Suède. **89** Finlande. **90** Grèce. **91** Pologne. **Dames :** *créée* 1968. **79, 80** All. féd. **81** P.-Bas. **82** France. **83, 84** All. féd. **85, 86** France. **87, 88** All. féd. **89** Grèce. **90** Turquie.

Coupe d'Europe des clubs champions. Messieurs : *créée* 1960. **80** Klippan Torino [2]. **81** Dynamo de Bucarest [2]. **82, 83** CSKA Moscou [1]. **84, 85** Santal Parme [8]. **86, 87, 88, 89** CSKA Moscou [1]. **90** Modène [2]. **91** CSKA Moscou [1]. **92** Ravenne [8]. **Dames :** *créée* 1961. **80** Étoile Rouge de Prague [4]. **81, 82, 83** Ouralotchka Sverdlovsk [1]. **84** CSK Sofia [5]. **85** Alma Ata [1]. **86** CSK Moscou [1]. **87** Ouralotchka Sverdlovsk [1]. **88** Ravenne [8]. **89, 90** Ouralotchka Sverdlovsk [1]. **91** Zagreb [13]. **92** Ravenne [8].

Coupe d'Europe des vainqueurs de coupe. *Créée* 1973. **Messieurs : 80** Panini Modena [8]. **81** Ch. Bratislava [4]. **82, 83** Automobilist Leningrad [1]. **84** Turin [8]. **85** Dynamo de Moscou [1]. **86** Panini Modena [8]. **87** Tartarini Bologne [8]. **88** Palma Pallavolo [8], **89, 90** Maxicorno Parme [8]. **91** Gabeca Montichiari [8]. **92** CSK Moscou [1]. **Dames : 80, 81** Vasas Budapest [6]. **82** CSK Sofia [5]. **83** Medine Odessa [1]. **84, 85** Dynamo de Berlin [7]. **86** Ouralotchka Sverdlovsk [1]. **87** Kommunal Minsk [1]. **88** CSKA Moscou [1]. **89, 90, 91** Alma-Ata [1]. **92** Pérouse [8].

Coupe confédérale. *Créée* 1981. **Messieurs : 81** AS Cannes [10]. **82** Starlift Voorburg [11]. **83, 84, 85** Panini Modena [8]. **86** Falconara [8]. **87** Enermix Milan [8]. **88, 89** Automobilist Leningrad [1]. **90** Mœrs [9]. **91** Trévise [8]. **92** Parme [8]. **93** Trévise [8]. **Dames : 81** SV Lohhof. **82** USC Munster [9]. **83** SGJDZ Feuerbach [9]. **84** Victoria Bari [8]. **85** Victoria Augsbourg [9]. **86** Nelsen [8]. **87** Modène [8]. **88** Ancône [8]. **89** Cuccine [8]. **90** Orbita [8]. **91** Pescopagano Matera [8]. **92** Modène [8]. **93** Rome [8].

Championnat de France de Nationale I. Messieurs : *créé* 1938. **79, 80** Asnières-Sport. **81, 82, 83** Cannes. **84** Asnières. **85** Grenoble. **86** Cannes. **87, 88, 89** Fréjus. **90, 91** Cannes. **92** Fréjus. **93** Asnières. **Dames :** *créé* 1941. **79, 80** ASSU Lyon. **81, 82, 83, 84, 85, 86** Clamart. **87, 88, 89, 90, 91, 92** RC France. **93** Riom.

Coupe des As (coupe de France). Messieurs : *créée* 1984. **84** Asnières, **85** Cannes, **86, 87** Fréjus, **88** Sète, **89** Fréjus, **90** Bordeaux, **91, 92** Fréjus. **93** Cannes. **Dames :** *créée* 1986. **86, 87** Clamart, **88, 89, 90** Fréjus, **91** Riom. **92, 93** RC France.

Quelques noms

Nota. – Tous français sauf indications.

ARROYO Fred 1937. BARONNET Didier 1947. BLAIN Philippe 20-5-60. BOILOT Évelyne 1959. BOULAY Brigitte 1952. BOUVIER Éric 5-1-61. BOUZIN-MORANA Marie-Christine. CHAMBERTIN Laurent. CLAIDAT Catherine 1966. COMTE Michel 1943. DANIEL Éric 30-4-57. DEVOS Lionel 1960. DI GIANTOMASO Guy 1953. DUFLOS Patrick 29-12-65. DUJARDIN François 1-2-23. FABIANI Alain 14-9-58. FAURE Stéphane 11-1-57. FOLCHERIS Janine. GENSON Michel 1947. GRANDVORKA Séverin 1947. JURKOVITZ Jean-Marc 20-4-63. KIRALY Karch [12] 1960. KONDRA Vladimir [1] 16-11-50. LEBLEU M.-Christine 1959. LESAGE Brigitte 1964. MAZZON Hervé 12-6-59. MENEAU Christophe 31-1-68. MENIAS Janine DE 1932. MIGUET Jean-Loup 1956. N'GAPETH Eric 17-7-59. POWERS Pat [12] 1958. PRAWERMAN Anabelle 1963. QUISTORFF Agnès 1963. RAGUIN-BOUVIER Dominique 1952. ROSSARD Olivier 31-8-65. ROUSSELIN Marc 1951. SAVIN Alexandre [1] 1957. SPINOSI Françoise 1929. TILLIE Laurent 1-2-63. ZAITSEV Vlatcheslav [1] 1952.

Water-polo

Généralités

■ **Origine. 1869** né en G.-B. **V. 1870** 1re codification. **1895** pratiqué en France. **1900** inscrit aux JO.

■ **Règles.** 2 *équipes* de 13 joueurs, dont 7 dans l'eau et 6 remplaçants. *But* 3 m de large, haut. 90 cm au-dessus de l'eau si 1,50 m de prof. ou plus et 2,40 m au-dessus du fond du bassin si prof. de moins de 1,50 m. *Ballon* 400 à 450 g. *Bassin :* 8 à 20 m de large, 20 à 30 m de long, 1 à 1,80 m de profondeur. Pour les dames, max. 25 m de long sur 17 m de large. *Matches* en 4 périodes de 7' de jeu effectif séparées par un intervalle de 2'.

■ **Résultats. Championnats du monde. Hommes :** *créés* 1973. **73** Hongrie. **75** URSS. **78** Italie. **82** URSS. **86, 91** Yougoslavie. **Dames :** *créés* 1986 **86** Australie. **91** P.-Bas.

Coupe du monde (ou coupe FINA). *Créée* 1979. **Hommes : 79** Hongrie. **81** URSS. **82, 83** All. féd. **86, 87** Youg. **91** USA. **93** It. **Dames : 79** USA. **80** P.-Bas. **81** Canada. **82-87** non disp. ; **88, 89, 91** P.-Bas. **93** USA.

Championnats d'Europe. Hommes : *créés* 1926. **77** Hongrie. **81** All. féd. **83, 85, 87** URSS. **89** All. féd. **91** Youg. **93** It. **Dames : 85, 87, 89** Pays-Bas. **91** Hongrie. **93** Pays-Bas.

Coupe d'Europe des clubs champions. *Créée* 1963. **Hommes : 87** Pescara, **88** Berlin, **89, 90** Zagreb, **91** Split. **Dames : 91** Budapest.

Championnats de France. Hommes : 1973-91 CN Marseille. **92, 93** Cacel Nice. **Dames :** *Créés 1984 :* **84-85** RCF. **86 à 93** Dauphins de Créteil.

Statistiques françaises

■ Licences sportives et nombres de clubs

(Nombre de licences en 1990 et, entre parenthèses, de clubs en 1987)

Fédérations olympiques. Athlétisme 129 515 (clubs 1 690). Aviron 38 963 (271). Badminton 22 000 (n.c.). Base-ball 10 446 (151). Basket-ball 345 353 (4 574). Boxe 13 000 (554). Canoë-kayak 39 100 (747). Cyclisme 89 200 (2 281). Équitation 239 909 (1 385). Escrime 31 710 (740). Football 1 860 949 (22 829). Gymnastique 146 476 (1 234). Haltérophilie 22 525 (732). Handball 179 840 (2 537). Hockey 9 587 (128). Judo 456 431 (4 950). Lutte 9 178 (246). Natation 142 818 (1 231). Pentathlon 200 (7). Ski 550 500 (n. c.). Sports glace 26 300 (212). Tennis 1 363 000 (9 487). Tennis de table 127 000 (4 765). Tir 127 578 (2 118). Tir à l'arc 35 372 (1 333). Voile 180 000 (1 415). Volley 97 152 (1 675).

Non olympiques. Aïkido 39 500 (542). Automobile 50 200 (220). Balle au tambourin 1 621 (36). Ballon au poing 915 (37). Ball-trap 12 810 (456). Boxe américaine 8 000. Boxe française 20 353 (587). Char à voile 3 700 (47). Courses d'orientation 53 000 (190). Football américain 4 500. Golf 181 447 (432). Javelot sur cible 2 815 (101). Jeu à XIII 30 300 (306). Joutes 3 300 (74). Karaté 175 000 (n. c.). Longue paume 1 604 (45). Motocyclisme 32 414 (1 085). Motonautisme 3 996 (87). Parachutisme 28 000 (370). Patinage à roulettes 19 100 (273). Paume 610 (19). Pelote basque 14 000 (260). Rugby 243 500 (1 775). Sambo 7 003. Ski nautique 13 600 (198). Squash 26 000 (248). Surf 4 773 (85). Trampoline 8 964 (75). Triathlon 10 172 (278). Twirling baton 9 538 (549).

Parasportives et loisirs. Aéromodélisme 16 114 (423). Aéronautique 50 650 (537). Aérostation 630. Billard 17 060 (421). Boules 127 000 (3 381). Cyclotourisme 105 100. Danse sportive 37 893. Étude sport sous-marin 117 000 (1 372). Montagne 124 230 (2 033). Pêche au coup 6 754 (495). Pêcheurs sportifs 1 250 (48). Pêcheurs en mer 12 166 (181). Pétanque 496 100 (7 801). Planeur-ULM 5 300 (201). Quilles 19 800 (300). Raquet-ball 450. Randonnée 255 252 (687). Sauvetage en mer (secourisme) 11 800 (202). Spéléologie 7 535 (553). Vol à voile 20 000 (159). Vol libre 23 405 (320).

Multisports. FFEPM 135 070 (2 418). FFEP PGV 313 263. FSCF 194 726 (2 161). FSGT 286 519 (3 873). FFST 26 500. Léo Lagrange 90 000. Police française 25 000. Retraite sportive 15 100. Sport rural 75 136 (1 165). Ufolep 436 200 (12 189). USFEN 24 982.

Handicapés. Handisport 11 023 (272). Sport adapté 16 364 (386). Sourds de France 2 465 (61).

Scolaires et universitaires. FNSU 74 583 (552). UGSEL 657 558 (3 134). UNSS 800 171 (8 694). Usep 895 054 (15 102).

Total. 12 837 140 dont féd. ol. 6 294 102, non ol. 1 010 835, para-sportives et loisirs 1 450 889, multisports 1 622 496, handicapés 29 852, scolaires et universitaires 2 427 366.

Sports divers

■ **Aérobic** (voir **Gymnastique,** p. 1475).

■ **Aéroglisseur léger.** Amphibie à coussin d'air. Propulsion aérienne (hélices carénées). Hauteur de franchissement d'obstacles abrupts, sans ralentissement, 20 cm. Montée de rampes de 60 %. 1 à 4 personnes. *Poids* 100 à 300 kg. *Vitesse* 60 à 140 km/h. *Prix :* manufacturé, 35 000 à 100 000 F ; construction amateur 7 000 à 20 000 F. *Classement F 3 :* + de 250 cm³. *F 2 :* + de 500 cm³. *F 1 :* illimitée. *S :* 1 moteur de cylindrée quelconque, 1 ventilateur de diam. max. 0,80 m. *Utilisations :* Cours d'eau non navigables, marais, terrains mouvants.

Compétitions : CHAMPIONNATS DU MONDE : 1 manche tous les 2 ans. D'EUROPE : 1 manche dans chaque pays adhérent de l'European Hovercraft Federation. DE FRANCE : 5 manches de 4 courses par formule. D'EUROPE : 3 de 4 courses par formule. Sur circuit amphibie, 50 % eau, 50 % terre, de 2,5 km en 5 à 7 tours.

■ **Bandy.** Origine écossaise *(shinty),* joué en Angl. à la fin du XIXe s., et en Irlande *(ice hurling).* Sur glace avec crosse, il a donné naissance au hockey sur glace. Populaire en Scandinavie et Pologne. *Terrain* 90 à 110 × 45 à 65 m en plein air ; 45 à 61 m × 26 à 30 m sur patinoire. *Buts* long. 3,5 m, haut. 2,1 m. *Balle* 58 à 62 g, diam. 6 cm.

■ **Billard américain.** 2.72 × 1.50 m. 15 billes numérotées et une bille blanche. Plusieurs règles du jeu.

8 pool : *créé* par Barie Denton. 2.13 × 1.21 m. 16 billes (1 blanche. 1 noire. 7 rouges. 7 jaunes). La blanche est remise en jeu en cours de partie.

■ **Billard français. Origine :** variété de croquet pratiqué sur le sol avec des arceaux. En G.-B., It., France et Esp., règles semblables (boules en bois de 10 cm de diam., manipulées par un bâton en bois recourbé appelé *ball-yard* en G.-B., *virlota* en Esp., *biglia* en It. et *bilhard* en France). Peu à peu on joue sur une table en conservant les mêmes règles. **1469** 1re table de billard construite en France pour Louis XI (8 pieds de long, 4 de large, poids 618 livres, dalle en pierre recouverte de 4 aulnes de drap d'Elbeuf). **1550-1630** développement en Fr. **1588** 1er traité imprimé à Paris. **1634** *16-5* 1re utilisation du mot *académie* pour salle de billard. **1636** Richelieu crée pour la noblesse l'Académie royale, rue du Temple, on y enseigne le billard. **XVIIe s.** les médecins de Louis XIV lui conseillent le billard pour faciliter la digestion. **Jusqu'au XVIIIe s.** les femmes jouent autant que les hommes. **1790** parties jouées en 30 points (et non plus 16) ; 800 salles à Paris. **Début XIXe s.** le mace disparaît. **1823** Mingaud invente le *procédé* (rondelle de cuir au bout de la queue, ce qui permet de nouveaux coups). **1835** adoption en G.-B. des bandes de caoutchouc et de l'ardoise. **1850** jeu à 3 billes en France. **1873** 1er championnat du monde professionnel, victoire du Français Garnier. **1903** *mars* Fédération française créée. **1928** Union mondiale créée.

Table : en chêne ou pierre calcaire, puis marbre. Dep. milieu XIXe s. en ardoise (1836 en France). *Dimensions standard :* (en m) : 2,40, 2,60, 2,80 (la + utilisée), 3,10. *Poids :* 2,40 m : 550 kg, 3,10 : 1 100. *Dimensions hors-tout :* pour 2,80 m : 1,53 × 2,80 ; 3,10 : 1,70 × 3,10. *Délimitation de surface de jeu :* par opposition de bandes de caoutchouc hautes de 36 à 37 mm. *Hauteur entre sol et surface supérieure du cadre :* 0,75 à 0,80 m. Tapis en drap de laine. *Prix :* pour 2,40 m : 20 000 F ; 3,10 m : 35 000. **Salle** *dimension minimale (en m) :* pour 2,40 : billard de 5,10 × 4 ; 3,10 : 6 × 4,50. *Plusieurs billards : distance min. d'un mur :* 1,40 m avec distance entre billards de 1,25 m. **Billes :** 61 à 61,5 mm de diamètre. 2 blanches dont une marquée d'un point et 1 rouge.

A l'origine, en ivoire, actuellement en matière synthétique, (sel de baryum, formol et phénol) plus souples. *Prix moyen jeu de billes :* 400 F. **Queue :** érable, 1,30 à 1,40 m, 460 à 600 g. *Canon* ou *fût :* le diamètre plus important que celui de la flèche, donne du poids à la queue ; il est en 2 parties pour pouvoir insérer entre les 2 des bagues d'acier qui en modifient le poids. *Flèche,* partie haute, se visse sur le fût, diamètre 10 à 13 mm, au bout virole en plastique blanc recouverte d'un *procédé* (rondelle de cuir qui permet de mieux contrôler la bille). John Carr (G.-B.) eut l'idée d'enduire le procédé de craie en poudre pour augmenter l'adhérence. *Prix d'une queue :* « non démontable » 200 F, avec variation de poids et d'équilibre + de 2 500 F.

Nota. – Le *chevalet* (position de la main gauche sur le tapis) permet de soutenir et de guider la queue avant de frapper la bille.

Nombre de billards en France : *1812 :* 550, *1840 :* 1 100, *1930 :* 4 000, *1991 :* 2 314. **Licenciés :** Japon 1 500 000, France (92) 17 593 (clubs 597).

Modes de jeu : *Partie libre :* caramboler les 2 autres billes pour que le point compte et faire la série la plus longue. *Bande :* toucher une bande avant de faire le point. *Trois bandes :* en toucher 3. *Jeux de cadre :* billard divisé par des tracés faits sur le tapis soit à 47 cm des bandes, soit à 71 cm. *Disciplines : 47/1* (à un coup) où il n'est pas possible de faire plus de 1 point dans 1 carré sans sortir 1 des 2 autres billes de ce cadre. *47/2* (sortir 1 bille du carré après 2 points réussis dans le cadre). *71/2* idem. *Pentathlon :* réunit 47/1, 71/2, la libre ; bande et 3 bandes. *Billard artistique :* réussir des coups imposés formant des figures spectaculaires. **Fautes :** faire sauter une ou plusieurs billes hors du billard ; toucher une bille avec un objet quelconque ; jouer avant que les billes ne soient immobiles ; jouer sans toucher le sol au moins avec un pied ; faire sur la bande des points de repère ; queuter (il y a *queutage* lorsque le *procédé* est encore en contact avec la bille du joueur, quand celle-ci rencontre soit la 2e bille, soit une bande).

Épreuves : CHAMPIONNATS DU MONDE **:** dep. 1918 (cadre 45/2), 1929 (cadre 71/2) ; CHAMPIONNATS D'EUROPE **:** dep. 1926 (45/2) ; CHAMPIONNATS DE FRANCE : 1925 (libre), 1924 (45/2), 1924 (71/2). COUPE DU MONDE **:** (3 bandes) dep. 1986.

■ **Billard Snooker.** *Créé* 1875 par des officiers anglais de l'armée des Indes. *1927* championnats du monde. 3,84 × 2,60 m. Comprend 6 blouses (ou poches), 1 à chaque coin et 1 au milieu de chacune des 2 grandes bandes. Selon les coups réussis, le joueur marque 2 ou 3 points. *But :* blouser avec une queue et une boule blanche 21 autres boules (15 rouges, 1 noire, 1 bleue, 1 jaune, 1 verte, 1 rose, 1 brune) dans 6 poches disposées aux 4 coins de la table et au milieu des 2 principales bandes latérales.

■ **Champions du monde : 1987, 88, 89** Steve Davis, **90** Stephen Henry.

■ **Billes.** Fabriquées par l'usine Blacons de Crest (Drôme), en terre, sauf le *calot* (plus gros, servant de cible) en pierre.

Jeu du triangle : *terrain* 5 m × 2 m plat, en terre, sans obstacles, délimité par cordelette. A l'extrémité du périmètre et à 80 cm env. du bord, on trace un triangle de 45 cm de côté délimité par un élastique. On y place 15 billes en terre de 16 mm de diam. *La bille* des joueurs a 17 mm max. et une couleur différente de celles se trouvant dans le triangle. On la tient entre le pouce et l'index, le dos de la main touche terre. Se joue en simple ou en doublette.

Ring : plateau de bois circulaire de 1,90 m de diamètre placé à 10 cm du sol, recouvert de 2 à 3 mm de sable fin et sec. On place au centre du ring 49 billes en terre, de 16 mm de diamètre serrées en forme de cercle. Équipes de 2, 3 ou 4 joueurs. Les joueurs sont assis face à face sur des chaises numérotées. Un joueur éliminé sort du champ et laisse sa chaise vide. Chacun a une bille de tir de 19 mm de diamètre maximum.

Championnats du monde : tous les 2 ans. **86, 88** France.

Licenciés : USA 200 000. G.-B. 50 000. *France 2 000* (dont 160 femmes) surtout dans le Sud-Est.

Meilleurs joueurs : J.-P. Benoît, R. Garnodier, M. Guichard, L. Lacombe, J.-P. Picard, L. Sourbier.

■ **Bird sail** (voile oiseau). Brevet déposé en 1980. Voile convexe, formée de morceaux de tissu en forme de trapèze cousus ensemble, munie de 2 fenêtres transparentes, tendue sur une armature en tube. 3 tubes en forme de triangle et reliés à l'armature permettent de se diriger. Grâce à cette voile, on peut se déplacer sur l'eau avec une planche munie d'une dérive, sur terre avec des patins à roulettes, sur neige avec des skis ou sur glace avec des patins. La voile étant libre, le corps sert de mât.

■ **Bobsleigh.** *Créé* 1888, en Suisse, par un Anglais, Wilson Smith. A l'origine véhicule forestier. De l'anglais *to bob* (secouer) et *sleigh* (traîneau). **Pistes** Cervinia, Cortina, Igls, Koenigsee (1re piste à réfrigération artificielle construite au monde), Lake Placid Winterberg, La Plagne (1991), St-Moritz, Sinaia, Oberhof. **Féd. internationale** créée 1923. **Langue officielle :** français.

Compétition : sur 4 patins de 70 cm, largeur des patins 8 mm bob à 2, 12 mm bob à 4 (pour le diriger) et des freins en râteau pour limiter la vitesse : frein arrière à main (interdit dans les virages) ; il est interdit de freiner en cours de compétition sous peine d'élimination ; *longueur* 3,80 m à 4 pl. et 2,70 à 2, *largeur* 0,67 m entre les patins ; *poids max.* avec équipiers : 385 kg à 2 et 630 kg à 4. *Les bobbeurs* ont des casques et ne doivent pas porter de lest sur eux. *Épreuves* en 4 manches : concurrents répartis par tirage au sort. Départ donné lancé.

Disciplines. Bob sur route : neige damée ou gelée, bob presque toujours surélevé, patins de 12 à 16 mm. *Routes à bob en France* Macot-la Plagne (Savoie), Thones (Hte-Sav.), Briançon (Htes-Al.). **Sur piste :** en glace vive, sol, parois et murs, virages relevés jusqu'à 90°, long. 1 200 à 1 500 m, rayon des virages tel qu'il sera impossible d'excéder plus de 3 s une force centrifuge de 4 g, dénivellation de 110 m, 6 virages au min., 4 courbes et 1 labyrinthe.

Principales épreuves. JEUX OLYMPIQUES (voir p. 1538). CHAMPIONNATS DU MONDE. **Boblet (ou bob à 2)** *créé* 1931 : **77, 78, 79** Suisse. **81** All. dém.. **82, 83** Suisse. **85, 86** All. dém.. **87** Suisse. **89** All. dém. **90** Suisse. **91, 93** All. **Bob à 4** *créé* 1924 : **77, 78** All. dém. **79** All. féd. **81** All. dém. **82, 83** Suisse. **85** All. dém. **86, 87, 89, 90** Suisse. **91** All. **93** Suisse.

COUPE DU MONDE. *Créée* 1984. **85** Fischer [1]. **86** Fasser [2]. **87** Roy [3]. **88** Appelt [4]. **89** Weder [2]. **90** Poikans [5]. **91, 92** Appelt [4].

Nota.- (1) All. féd., (2) Suisse, (3) USA, (4) Autriche, (5) URSS.

CHAMPIONNATS D'EUROPE. **Bob à 2 : 86, 87, 88** All. dém. **89, 90** Suisse. **Bob à 4 : 86** Suisse. **87** All. dém. **88** All. féd. **89, 90** Aut. **92** All. CHAMPIONNATS D'EUROPE **sur piste naturelle** *créé* 1981 à Thonesmanigod (Hte-Savoie) par le Français Jacques Christaud. **A 2 : 89** France. **A 4 : 89** Italie.

CHAMP. D'EUROPE SUR ROUTE (piste naturelle). **Bob à 2 : 81** Fr. **82** Suisse. **83** It. **84** Suisse. **85** Autr. **86, 87** It. **88** Autr. **89, 90** Suisse. **A 4 : 81** Fr. **82** Suisse. **83, 84, 85** It. **86** Fr. **87, 88** It. **89, 90** Autr. **91** Suisse.

CHAMP. DE FRANCE SUR ROUTE. **Piste naturelle :** *Bob à 2 :* **85, 86, 87, 88** Thones. **89** non disp. (pas de neige). **91** Macot. *Bob à 4 :* **85** Thones. **86** Voiron. **87** La Plagne. **88** Thones. **89** non disp. (pas de neige). **90, 91** La Plagne A. **Piste olympique :** *Bob à 2 :* **87, 88** Voiron. **89** La Plagne. **90** Flacher-Klinnik. **92, 93** Flacher-Robert. *Bob à 4 :* **92** La Plagne 1.

Quelques noms : Jean d'AULAN (Fr.). Jean-Yves BARRACHIN (Fr.). Gérard CHRISTAUD (Fr.). Jacques CHRISTAUD (Fr.). Edward EAGAN (USA, 1897-1967). Bernhardt GERMESHAUSEN (All. dém., 21-8-51). Wolfang HOPPE (All. dém., 14-11-57). Eugenio MONTI (n. 23-1-1928, It.). Meinhardt NEHMER (All. dém., 13-7-41). Erich SCHAERER (Suisse).

■ **Boomerang. Origine :** Australie (100 à 300 g), Égypte, Europe. *1969* Association de boomerang d'Australie créée. *1971* 1ers championnats d'Australie. *1978* modèle MK-1 (120 g) en résine de synthèse. Engin de chasse, de pêche ou de jeu. **Pratiquants :** quelques centaines de milliers dans le monde (en *France 10 000*). **Épreuves :** distance, endurance, durée de vol, plus grande distance atteinte avant retour au lanceur, précision de retour, séries de rattrapages à la main, combinés. *Tournois* chaque année en Australie, USA, Europe. **Records du monde :** *durée de vol dans les 100 m :* Fridolin Frost (All.) 1'24"67 (1989). *De vol illimitée :* Dennis Joyce (USA) 2'59"94 (1987). *Distance contrôlée avant retour :* Michel Dufayard (Fr.), 149,12 m (1992), Christian Jabet (Fr.) 149 m (15-4-1989). *Vitesse :* Gregory Bisiaux (Fr.) 15"03 (1991). *Rattrapages consécutifs acrobatiques :* Stéphane Marguerite (Fr.) 801 (26-11-1989).

France-Boomerang Association : B. P. 62, 91002 Évry Cedex. **La Pérouse-Boomerang-club de France :** *fondée* 1980. 6, rue des États-Généraux, 78000 Versailles. **Musée** à Lure (Hte-Saône).

■ **Broomball on ice** (ou balai-ballon sur glace). Joué sur glace avec les mêmes règles que le hockey sur glace ; sans patins et avec un balai à la place de la crosse et une balle à la place du palet.

■ **Caber.** Consiste à lancer le plus loin possible un tronc d'arbre ou une poutre de plus de 4 m de long (caber). On le porte comme un drapeau, puis on le lance, le bout le plus fin servant de pivot lors de la chute et marquant la distance franchie. 3 essais. Surtout pratiqué en Écosse.

■ **Cerf-volant. Origine** (env. 2000 av. J.-C.) : Chine. Permet d'entrer en contact avec les dieux. Passe au Japon, Corée, Indonésie, Inde, Arabie, Europe. **1749** l'Écossais Alexander Wilson mesure avec eux la température de l'atmosphère. **1752** Benjamin Franklin étudie la foudre et crée le paratonnerre. **1888** Alexander Batut prend les 1res photos aériennes. **1907** Union des cerfs-volantistes de France créée. **1990** 1er ch. de France de cerf-volant pilotable (figures imposées, libres et ballet). **Matériaux :** autrefois bambou et papier. Actuellement, aluminium, carbone, Kevlar, Mylar, fibre de verre, graphite, toile de spinaker. (Tyvek) **Catégories :** plat ou à dièdre (losange, carré, rond) ; cellulaire composé de plusieurs éléments ou cellules (box, poly, tétraèdre) ; sans armature de type parapente (parafoil, stratoscope) ; pilotable à 2 ou 4 fils ; pouvant atteindre plus de 120 km/h ; trains de cerfs-volants (spécialité d'Extrême-Orient). **Pratique** (1990) : plus de 10 000 en France. **Ventes** (1990) : 160 000 en France dont un tiers pilotables. **Records :** *Altitude* (non homologué) : 11 554 m par Steven Flack, USA. *Durée* 180 h 17' du 21 au 29 août 1982, USA. *Longueur* 1 043 m. *Puissance* 331 kg de traction. *Surface* 553 m². *Vitesse* 184 km/h. *Train en fil* 2 233 cerfs-volants, *pilotable* 253 c.-v.

Féd. fr. de cerf-volant *créée* 1986, 52, rue Galilée, 75008 Paris. **Féd. internat. de cerf-volant** *créée* 1989 avril. **Cerf-volant-club de France** *créé* 1977, B.P. 186, 75623 Paris Cedex 13 (700 m. au 30-3-1993).

■ **Courses de lévriers** *(greyhound racing).* **Épreuves : chiens** en général 6 (max. 8) par course. *Casaque* de couleur numérotée (no 1 à la corde). *Vitesse* d'un lévrier 60 km/h (plus lent pour l'afghan). **Courses :** en ligne ou avec handicap-distance (1 m = 1/8 de seconde), en plat et quelquefois en obstacles. Boîtes de départ s'ouvrant automatiquement au passage du chariot supportant le *leurre* (en forme de lièvre ; le chariot glisse sur un rail ou est entraîné par un câble). **Distances :** 200 à 1 000 m (whippets 250 à 1 250 m, greyhounds 400 à 600 m). **Pistes** *(cynodromes) :* ligne droite, en U, en anneau ou en « escargot ».

En France. *1re course* organisée par Eugène Chapus à Bagatelle le 28-11-1879. Un cynodrome fixe a existé à Courbevoie de 1933 à 1951. En 1982, 17 Stés ont tenu 280 réunions avec pari mutuel dont une partie sur les cynodromes fixes de Carnoux, Octeville, Normanville, Maulevrier, Mont-de-Marsan, Lyon, Cabourg. **Propriétaires** (14 Stés autorisées à faire courir) 495 ; *chiens* (possédant leur « certificat d'aptitude ») 414 greyhounds, 731 whippets, 81 afghans, 11 galgos. *Pari mutuel,* autorisé sur le cynodrome uniquement, gagnant et jumelé. *Enjeux* 1982 montant 9 135 750 F ; même prélèvement que pour les courses de chevaux.

Nota. – Ne pas confondre avec le *coursing,* sorte de chasse à courre avec lièvre et lévriers.

■ **Courses de traîneaux à chiens. Origine :** *fin XIXe s.,* devient un sport en Amérique du N. **Pays pratiquants :** Canada, Norvège, USA (Alaska), Suisse, All. féd., *France,* Italie, Autriche, Suède, Finlande, Amér. du S. **Chiens** husky de Sibérie, groenlandais, malamute, samoyède, races locales. **Vitesse :** 30 à 40 km/h. **Épreuves** *traîneau :* portant un homme (appelé *musher*), tiré par 3 à 14 chiens. *Pulka scandinave :* ski de fond derrière 1 à 3 chiens attelés à une *pulka* (petite luge). Distances sprint 6 à 18 km, moyennes et longues 50 à 100 km par jour.

Principales courses. *La Pesse* (Jura), 150 km en 3 étapes. *Iditarod ou route du sérum* (Alaska, d'Anchorage à Nome), créée 1973 par Joe Redington, 1 800 km, annuelle, rappelle l'épidémie de diphtérie de 1925 pendant laquelle des traîneaux se relayèrent pour apporter des vaccins. *Alpirod,* créée 1988, 1 000 km en 11 étapes à travers Autriche, All. féd. Suisse, France, Italie. *Eurotrophée performance,* créé 1983, en oct.-nov. dans une ville de l'O. (Caen, Nantes, Le Mans...), hors neige.

Nota. – Au printemps 1988, Jean-Louis Étienne (Fr.), Goeff Sommers (G.-B.), Will Steger (USA), Keizo Funatsu (Jap.), Victor Boyarski (URSS) et Bernard Prud'homme (Fr.), avec 32 chiens de traîneau, ont traversé le Groenland du sud (Narssarssuaq, départ le 18-4) au nord (79° N-60° O, arrivée le 16-6) soit 6 300 km.

Fédération française de pulka et traîneau à chiens : rue des Moraines, Veraz, 01170 Gex. Env. 40 clubs. Réservée aux chiens nordiques de race pure. **Des sports de traîneau et de ski-pulka :** Le Buchin, 01800 Villieu. Environ 30 clubs.

■ **Courses d'orientation. Origine :** *1850* Suède. **Règles :** course individuelle en terrain varié, sur un parcours matérialisé par des postes que le concurrent doit découvrir dans un ordre imposé, par des cheminements de son choix, en se servant d'une carte. Peut se pratiquer à pied, à cheval ou à vélo tout terrain en été, et à ski de fond en hiver. **Fédération française**

de course d'orientation (300 000 pratiquants), B.P. 220, 75967 Paris Cedex 20. **Pratique :** 36 pays. **Compétition :** 450 manifestations annuelles.

■ **Cricket.** **Nom :** viendrait de l'ancien français *criquet,* bâton planté en terre et servant de but. **Histoire :** *1550* se développe en Angleterre. *1709 (29-6)* 1er match inter-comtés entre Kent et Surrey à Dartford Brent. *1744* le London Cricket Club rédige les 1res règles. *1787* Marylebone Cricket Club (MCC) créé. *1788, 1835, 1884, 1947, 1980, 1990* et *1992* (révisions des règles). *1900* inscrit aux JO de Paris. **Pratique :** Afr. du Sud. Angleterre (sport national). Antilles anglaises. Australie. *France* : env. 20 clubs dont Standard Athletic Club à Meudon-la-Forêt et Cricket-Club de Thoiry. Inde. N.-Calédonie. N.-Zélande. Pakistan. **Terrain :** pelouse ovale d'env. 75 m de rayon au centre de laquelle se trouve la zone de jeu (20 ×3,66 m), à chaque extrémité 2 guichets (3 piquets de 81,5 cm de haut répartis sur 22,8 cm de large et surmontés de 2 pièces de bois de 11 cm qui tombent sous les chocs). **Joueurs :** 2 équipes de 11. Chemise blanche ou crème, pantalon de flanelle, casquette à visière (si besoin), gants pour le batteur et le gardien, protège-jambes, ceinture protectrice, souliers à crampons. **Balle :** très dure, en cuir rouge, avec coutures, circonférence 23 cm, poids 172 g. **Batte :** en bois de saule, poignée de caoutchouc, long. 96,5 cm, larg. de la pelle 10,8 cm, poids 1,028 kg. **Durée du match :** selon le niveau de 1 à 5 j, à raison de 6 h par j, coupées par des pauses pour les repas (tous les joueurs doivent en général passer 2 fois à la frappe). **Jeu :** victoire à l'équipe ayant marqué le plus de courses (*runs* aller-retour) de batteur d'un guichet (but) à l'autre tandis que la balle est en jeu. Le batteur est éliminé quand le guichet est abattu ou quand la balle est reprise en l'air par un joueur de l'équipe adverse.

Épreuves principales. Messieurs : *G.-B. :* ch. d'Angleterre (County Championship), Sunday League (Axa Equity and Law), Benson and Hedges Cup, *Afr. du S. :* Currie Cup, *Australie :* Sheffield Shield, *Antilles :* Shell Shield, *N.-Zélande :* Plunket Shield/Shell Trophy, *Inde :* Ranji Trophy. *Coupe du monde. Test-matches :* rencontres internationales entre Angleterre, Australie, Antilles, Inde, Pakistan, N.-Zélande, Sri Lanka, Zimbabwe. **Dames :** *Coupe du monde.*

■ **Croquet.** **Origine :** anglaise, dérivé du *jeu de mail* français. Le jeu consiste à faire passer des boules de bois sous des arceaux avec des maillets. *Joueurs (maximum) : 8. Roquer :* se dit du joueur qui en poussant sa boule en touche une autre. Il peut alors jouer une 2e fois en *croquant* (en plaçant la boule roquée contre la sienne sur laquelle il pose son pied pour la bloquer).

Nota. – Le *croquet association* (pays anglo-saxons) se joue sur un terrain de 32 × 25,6 m et les règles sont différentes.

■ **Curling.** **Origine :** *1510 1er club* formé à Kilsyth (Écosse). *1924* JO de Chamonix, sport de démonstration. *1924 Féd. française de curling créée. 1988 et 92* sport de démonstration aux JO. **Règles :** se joue sur glace avec des pierres (appelées *stones*) rondes et concaves sur le haut et le bas (19,86 kg), munies de poignées démontables, venant de l'île d'Ailsa Craig (Écosse). Pour polir la glace, on utilise des *brosses* en Europe, des *balais* au Canada et aux USA. *Cible ou maison :* cercle de 1,83 m de rayon à 38,43 m du lanceur, formé de 3 cercles concentriques et du centre appelé *tee.* **Équipes :** 2 de 4 joueurs lançant chacun 2 pierres alternativement par *end* ou manche. **Partie :** en 10 ends.

Épreuves. Coupe Strathcona, *créée* 1903, se joue entre Écosse et Canada ; vainqueurs : Can. en 1903, 09, 12, 23, 38, 57, 65 ; Éc. : 1921, 48, 50. **Championnats du Monde,** *créés* 1959, *Scotch Cup* (sponsor : Scotch Whisky Association), *dep. 1968 : Silver Broom* (sponsor : Air Canada, puis dep. 1988 Hexagon). HOMMES : **89, 90** Can. **91** Écosse. **92** Suisse. **93** Canada. JUNIORS : **91** Écosse. DAMES : **90, 91** Norvège. **93** Canada. **Championnats d'Europe,** HOMMES : **90** Suède, **92** All. DAMES : **90** Norvège. **92** Suède. **De France** (dep. 1925), HOMMES : **81** Megève. **82** Belfort. **83** Strasbourg. **84, 85, 86, 87, 88, 89, 90, 91** Megève. **92** Meudon, **93** L'Alpe-d'Huez. DAMES : **84, 85** Mont-d'Arbois, **86, 87, 88, 89, 90, 91, 92** Megève.

☞ **Eisschiessen :** forme de curling joué en Allemagne, Autriche, Italie (Tyrol S.), Suisse, Tchéc., Youg. ; *disque* de bois cerclé de fer, 5 à 6 kg, poignée (haut. totale max. 35 cm dont poignée 15 à 20 cm, corps 6 à 13 cm, diam. 27 à 29 cm). **Jam Can Curling :** variante canadienne. Se joue avec des pots de confiture remplis de ciment.

■ **Deck-tennis.** Souvent pratiqué sur le pont des paquebots. **Terrain :** *simples* 3 à 4,60 m × 9,10 à 12,20 m, *doubles* 4,3 à 4,6 m × 8,5 à 10,4 m. **Principes :** lancer un anneau de caoutchouc de 18 cm de diamètre au-dessus d'un filet tendu à 1,52 m du sol, sans le heurter. Le joueur qui attrape l'anneau doit le relancer sans changer de main et sans bouger les pieds. Un joueur perd un point quand l'anneau touche le sol dans les limites de son propre camp. Une ligne tracée à 90 cm du filet délimite une *zone neutre* dans laquelle l'anneau ne peut pas tomber. On compte les points comme au tennis (d'où son nom d'*annotennis*).

■ **Décathlon olympique moderne.** 10 épreuves sportives choisies parmi les sports partiqués en France et réparties sur un an. *2 disciplines obligatoires :* course à pied, natation. *8 disciplines libres :* athlétisme (course, saut, lancer), natation (vitesse, demi-fond, sauvetage), locomotion (marche, cyclisme, patinage sur roulettes, course d'orientation), force (grimper, haltérophilie, parcours), nautique (aviron, canoë, kayak), adresse (tir, bowling, sport collectif comme basket, football, rugby), neige et glace (ski alpin et de fond, randonnée nordique, patinage de vitesse), brevet ou classement (tennis, judo, karaté, escrime, équitation, alpinisme, gymnastique, voile, planche, plongée, ski nautique, patinage artistique, randonnée alpine, golf, tennis de table, tir à l'arc). *Conditions particulières :* pas plus de 3 courses d'athlétisme, pas plus de 3 brevets ou classements, pas plus d'une épreuve par discipline. Performances notées de 10 à 1 100 pts. Obtention d'un certificat (moins de 5 000 pts) ou d'un diplôme (plus de 5 000 ; médaille de bronze min. 6 000, d'argent 7 000, or 8 000, trophée du décathlonien 9 000). *Comité nat. du décathlon ol. moderne,* Maison du sport français, 1, av. de la Porte de Gentilly, 75640 Paris cedex 13.

Championnats de France. MESSIEURS : **87, 88** Divaret, **89, 90, 91, 92** Rhein. DAMES : **87** Van Helden, **88** Dumont, **89, 90, 91, 92** Van Helden.

■ **Échasses.** En patois landais, appelées *tchanques* et formées de la jambe (*escasse* d'où le mot) et de l'étrier (*ampaleyre* ou *paouse pé*). **Histoire : 1891** Sylvain Dornon va de Paris à Moscou (2 945 km) en 58 j (moy. journalière 50 km). 1re course Bordeaux-Biarritz et retour, 498 km en 6 j et 8 h. **1976** Paris-Bruxelles par 2 Landais de Seignosse. **1980** Joe Bowen de Los Angeles au Kentucky 4 840 km du 20-2 au 26-7. **1981** John Russel (USA) fait 31 pas sur des échasses de 12 m de haut, pesant chacune 18 kg. **1984** Vieux-Boucau/Sète, 520 km en 12 j, Serge Bélestin et Vincent Graciette. Bordeaux/Paris 560 km en 8 j, Patrick Larrieu. *Record de l'heure* seul en piste, Serge Bélestin : 13,93 km. *1985* Bordeaux/Genève 720 km en 11 j, Patrick Larrieu. **Échasses** en bois (haut. 0,60 à 1,30 m) fixées aux jambes par des lanières de cuir. **Échassiers** (France) : 480 répartis dans 27 groupes landais, dont 180 sont licenciés course. **Compétitions :** *catégories :* seniors 8 à 12 km ; juniors 6 à 10 km ; cadets 2 à 5 km ; féminines 6 à 10 km ; courses de relais (chaque équipe comprend 5 concurrents qui couvrent 1 km chacun) ; marathon (42 km). Souvent dans les Landes (finale à Dax en sept.). **Marathon de la Grande Lande :** *créé* 1971, 42 km. *1985* Vincent Graciette (12,413 km/h).

■ **Faustball.** **Terrain :** 50 × 20 m, séparé par une corde tendue à 2 m du sol. **Équipes :** 2 de 5 joueurs. **Ballon :** circonférence 65 à 71 cm, 300 à 350 g, frappé du poing. **Jeu :** le ballon peut rebondir 3 fois et être touché à 3 reprises par 3 équipiers différents avant d'être renvoyé sans toucher la corde. Il ne peut tomber dans une *zone neutre,* délimitée par une ligne tracée à 3 m de la corde centrale. Un point par faute de l'adversaire. *Partie :* 2 fois 15 min.

■ **Footbag.** Football joué avec une petite balle de cuir remplie de billes en plastique.

■ **Frisbee.** **Origine : 1871** William Russel Frisbie († 1903) fonde à Bridgeport (Connecticut) une usine de gâteaux, la *Frisbie Pie Company.* **1946** l'Américain Walter Morrisson ayant vu des étudiants et des militaires jouer avec des moules à tartes de la *Frisbie* met au point un disque volant en bakélite, le *Pluto platter.* **1955** la Sté californienne Wham'O lui achète les droits de son moule. Elle crée **1967** l'*International Frisbee Association. 1967* 1er championnat du monde à Pasadena. *Association française de frisbee* créée, devient 1982 Fédération (1, av. F.-Mauriac, 94000 Créteil).

Disque : polyéthylène moulé. Poids, diam. et profil variant selon lancer et jeu. Le poids du bord d'attaque est plus lourd que la surface portante et le rapport diam./poids étudié pour donner un max. d'aérodynamisme. Fabriqués par la Wham'O. **Différents lancés :** back-hand ou revers, side-arm ou coup droit (les 2 lancers les plus utilisés), overhand, thumber ; reprise : 1, 2 mains, derrière le dos, la tête, en nail delay. **Compétitions :** *individuelles :* distance, précision, temps maximal en l'air, lancer-course-reprise, disc-golf, figures libres, discathlon. *Par équipes :* guts, double-disc-court, Ultimate (joué 25 min. à 7 contre 7, consiste à rattraper le disque dans la zone de but adverse. **Terrain :** 110 × 37 m comprend 1 zone de jeu de 55 m, et 2 zones de but de 25 m. La progression sur le terrain se fait par passes, le lanceur ne devant pas marcher avec le disque, l'équipe adverse devant intercepter les passes. Les contacts sont interdits et il n'y a pas d'arbitre. Les fautes sont annoncées par les joueurs.

Statistiques : *joueurs :* + de 8 000 000 [dont licenciés 3 000 000 (dont France 1 500)] ; *équipes d'Ultimate :* 1 000 (France : 200 licenciés, env. 12 clubs).

Records. Monde : *distance* 190,07 m, Sam Ferrans (USA, 1988), *temps max. en l'air* 16,72 s, Don Cain (USA), *lancer-course-reprise* 92,64 m, Hiroshi Oshima (Japon), *précision* 21/28 Tom Kennedy (USA) et Langdon Mead (G.-B.). **Europe :** *D.* 166,42 m Morten Sandorff (Dan.), *TMA* 14,07 s Mangus Nordin (Suède), *LCR* 79,82 m Nigel Thompson (G.-B.), *P.* 21/28 Langdon Mead (G.-B.). **France :** *D.* 131,27 m Michel Maisonnave (1990), 90,95 m Anne-Sophie Devos (1990). *TMA* 11"78 Joël Jouet (1990), 7"05 A.-S. Devos (1990), *LCR* 65,40 m M. Maisonnave (1989), *P.* 15/28 Fabrice Lemenon (1988).

Ch. de France d'Ultimate : 89 Hot Frisbee Club Paris. **90, 91** Sun Frisbee Club Créteil.

■ **Funsaki.** **Origine :** Asie du S.-E. **Balle :** en cuir de forme allongée. **En solitaire :** sert à se détendre ou à se muscler. **À 2 ou 4 :** on peut y jouer avec les règles du volley ou du tennis et un filet de badminton.

■ **Halfcourt.** **Origine :** Australie. **Terrain :** 18 × 9 m. Revêtement : Halfkit de Sommer ou tous matériaux excepté gazon, bois et terre battue ; surface de jeu (12,76 × 6,43 m) d'une couleur différente (intérieur bleu, extérieur vert). *Filet* à 78,5 cm de haut au centre et 82,5 cm aux poteaux. *Poteaux* séparés de 7 m. *Zones neutres* 2 de 3,75 m² de chaque côté du filet. *Ligne de service* à 75 cm de la ligne de fond de court. **Raquette :** 50 cm de long, 16 cordes verticales et 17 horizontales, tension 11 kg. **Balle :** 63 mm, 36 à 37 g. **Règles particulières :** dans la zone « 1 », où l'angle d'attaque est le meilleur, le serveur bénéficie d'une balle de service ; dans la zone « 2 » de 2 balles (angle plus fermé). Il sert avec un pied au sol, derrière la ligne de service. *Matches* en 2 sets gagnants de 8 jeux avec tie-breaker à 8 jeux partout. Chaque jeu comprend 4 points avec écart de 2 points francs. Pour remporter le jeu il faut gagner 4 points. S'il y a 3 points partout, le receveur choisit de quel côté il va recevoir le prochain service (à droite ou à gauche). Le joueur qui gagne le point remporte le jeu. Le décompte numérique sera utilisé tout au long du jeu.

En France. Pratiquants (1992) : env. 50 000. **Terrains :** 1 500. **Clubs :** 120.

Ch. de France. *Créé* 1984. MESSIEURS : **simples : 84** Brunet, **85** Mateo, **86** Mouflet, **87, 88, 89, 90** Mateo ; **doubles : 85, 86** Brumelot-Marest, **87** Mateo-Mouflet, **88** Brumelot-Marest, **89** Mateo-Marest, **90** Brumelot-Marest. DAMES : **simples :** 84 Camerlo, **85** Klein, **86, 87, 88, 89** Mateo, **90** Catella.

Fédération française de halfcourt. Parc des Sports, 91650 Breuillet.

■ **Hockey subaquatique.** *Créé* v. 1950 par l'Anglais Alan Blake pour entraîner des plongeurs sportifs. Se joue, en apnée, au fond d'une piscine (22 à 25 m × 12 à 15 m, 2 à 4 m de prof.). *Équipes* 2 de 10 joueurs dont 6 dans l'eau et 4 remplaçants équipés d'un masque, de palmes, d'un tuba, d'un bonnet noir ou blanc, d'une crosse de la couleur du bonnet (250 à 340 mm de long) et d'un gant. Il faut marquer des buts en envoyant un palet en plomb (1,5 kg, diam. 10 cm) dans le but adverse grâce à la crosse (long. 30 cm). *Manches* en 33 min. divisées en 2 périodes de 15 min. avec une mi-temps de 3 min. *Ch. de France. 92* Pontoise.

■ **Horse ball.** **Origine :** *XVIIe s.* Argentine, les gauchos jouent avec un canard mort *(pato)* enveloppé dans un sac de cuir en guise de ballon. Tous les coups sont permis. *1796* l'Église excommunie les joueurs et refuse d'enterrer les morts au jeu. *1953* sport national (*balle* en cuir munie de 6 poignées) ; *but :* filet vertical à 2,70 m du sol. *1978* codifié en France par Jean-Paul Depons. **Terrain :** (65 m × 25 m), 2 buts à 3,5 m de haut et 1 m de diam. **Équipes :** 2 de 6 joueurs (4 sur le terrain en même temps) à cheval, casque, genouillères. *Partie :* 2 périodes de 10 min, mi-temps de 3 min. **Balle :** de football junior munie de 6 anses en cuir. Après ramassage au sol, passes, touches et remises en jeu comme au rugby. Tir au but après 3 passes entre 3 joueurs. **Pratiquants :** France, env. 400 équipes, Belgique, Portugal, Italie, G.-B., All., Espagne.

■ **Hydrospeed.** *Créé* 1978 par Claude Puch. **Luge :** en polyéthylène destinée à la nage en torrent, long.

95 cm, larg. 65 cm, haut. 30 cm. Bulbe frontal avec étrave, 2 poignées à l'intérieur pour le tenir, 2 flotteurs latéraux qui enserrent le bassin du nageur, coque de catamaran remplie de mousse expansée. Le nageur allongé sur l'hydrospeed porte palmes, combinaison, genouillères, gants, chaussons, casque. **Pratiquants** (1991) env. 5 000 en Europe. **Ch. de France.** *Créés* 1990.

■ **Jeu de balle au tambourin. Origine :** jeu de paume. *1955* les Français, influencés par la découverte du jeu italien, abandonnent le système du jeu des chasses pour lui substituer un règlement dit « jeu ouvert ». *1988 Féd. intern.* créée.

Tambourin cercle de 28 cm tendu d'une peau en nylon et muni d'une poignée en cuir. **Battoir** pour la mise en jeu (batterie), cercle de 18 cm de diam., muni d'un manche (0,70 à 1 m). **Balle** caoutchouc (diam. 61 mm, 75 g). **Terrain** (80 m × 18 m). Divisé en 2 camps par une ligne médiane appelée « basse ». *Équipes* 2 de 5 joueurs dont 2 devant (cordiers), 1 au milieu (tiers), 2 au fond. **Règles :** envoyer la balle dans le camp de l'adversaire sans que celui-ci puisse la renvoyer. Toute balle jouée à la volée ou au premier bond tombant dans la limite du camp adverse est comptée comme bonne. Points comptés de 15 en 15 jusqu'à 45 et le jeu. Il y a avantage (à 45-45). *Partie* en 16 jeux. Tous les 3 jeux, les équipes changent de camp et mettent en jeu [(battent) toujours du même côté du terrain]. **Jeu en salle** (1900). **Terrain** de handball, 2 équipes de 3 joueurs, tambourin insonorisé, balles de mini-tennis.

Pratiquants. France. *Licenciés :* env. 1 500 (+ scolaires), 40 clubs, et env. 1 300 (loisirs) ; surtout en Hérault, Var, Charente, B.-du-R., Nord-Pas-de-Calais, Aude, Alpes-Mar. **Étranger.** St-Marin, Suisse, Italie, USA, Argentine, All. féd., Écosse, Brésil, Égypte, Espagne, Maroc.

Épreuves. COUPE D'EUROPE DES CLUBS, *créée* 1993. CHAMPIONNATS DE FRANCE. COUPE DE FRANCE. MATCHES INTERNAT. (dont Fr.-Italie). Équipes réparties en 9 séries. *Éq. de 1re série :* Cournonsec, Balaruc-les-Bains, Cournonterral, Gignac, Vendémian, *séries inférieures :* Bessan, Cazouls d'Hérault, Grabels, La Rochelle, Lavérune, Le Causse, Les Pennes-Mirabeau, Mèze, Montarnaud, Montpellier, Pignan, Sète, Valenciennes, Vendémian, Usclas. *Match international féminin (1er) :* It.-Fr. le 1-9-1985 à Cavrasto (It.).

Féd. française du jeu de balle au tambourin (FFJBT), BP 5526, 34071 Montpellier Cedex 3.

■ **Jogging.** Course à petite vitesse. Quand la gorge commence à brûler, quand le rythme respiratoire s'élève, on manque d'oxygène, il faut ralentir. **Records :** l'Irlandais Tom MacGraith parcourut New York-San Francisco, 4 901 km, en 53 j 7 min (92,5 km/j). En 1980, Jacques Martin, ingénieur français, rallia Alger à Zinder, 3 300 km dont la traversée du Sahara en 50 j (66 km/j).

■ **Joggling** (course en jonglant). *Record :* 42,2 km en 3 h 57 min 35 s, en jonglant sans interruption avec 3 balles, par Michel Lauzière (Canada), le 30-5-1982.

■ **Jorky-ball. Origine : 1987** inventé par Gilles Paniez (Fr.). Mélange de football en salle, squash et billard. **Terrain :** 47 m², entouré de murs. **Équipes :** 2 de 2 joueurs. S'affrontent balle au pied et peuvent se servir des murs. **Partie :** en 2 sets gagnants de 11 buts chacun, si égalité 3e set de 15 buts. **Fédération fr. de jorky-ball :** 13, rue Édouard-Herriot, 02320 Anizy-le-Château.

■ **Karting. Origine :** *V. 1950* des militaires américains sur une base aérienne reçoivent par erreur une livraison de tondeuses à gazon et fabriquent un *go-kart* avec des moyens de fortune (tubes de chauffage central, roues de queues d'avions, moteur de tondeuse à gazon). *V. 1960* introduction en France. Des pilotes chevronnés (Prost, Arnoux, Bousquet, Cheever, Alesi, etc.) ont commencé par le karting.

Formules : DÉBUTANT : moteur admission par jupe de piston, 100 cm³, pneus étroits, gomme dure, pneus pluie interdits. NATIONALES : *1* (moteurs 100 cm³, admission par clapets), *2* (100 cm³, par valve rotative), *3 ou 125 série* (125 cm³, refroidissement par air, monocylindre, issus de la série, châssis munis de freins à disques sur les roues avant). INTERNATIONALES : *sans boîte de vitesse* (formules A et K 135) ; *avec* [*C* (125 cm³, mono ou bi-cylindre expérimentaux, pneus, châssis libres), *E 250* ou *super kart* (engin carrossé)].

Épreuves. CHAMPIONNATS DU MONDE. *Créés* 1964 : *super 100 :* Collard (Fr.). **90** *F K* Magnussen (Dk), *F A* Munkholm (Dk). **91** *F K* Trulli (It.), *F A* Manetti (It.). **92** *FK* Rossi (It.), *FA* Gianniberti (It.).

CHAMPIONNATS D'EUROPE. *Créés* 1963 : **1963** France ; **64 à 66** Italie ; **67** France ; **68 à 71** All. féd. ; **73 à 76** Italie ; **77** All. féd. ; **78** G.-B. ; **79** Suisse ; **80** Autr. ; **82** G.-B ; **84** Italie ; **85** Bott (Dan.) ; **86** Muller (Fr.) ; **87** Zanardi (It.) ; **88** Gemmo (It.). **92** *FK* Beggio (It.), *FA* Parrilla (It.). CHAMPIONNATS DE FRANCE. *Créés* 1960 : **National I. 80** Leret, **81** Raphanel, **82** Estre, **83** Lompech, **84** Baral, **85** Aiello, **86** Touroute, **87** Coubard, **88** Vassort, **89** Pettinari, **90** Coubard, **91** Orsini (It.). Comporte 12 catégories.

Statistiques (France). 13 330 licenciés, 280 clubs, 17 ligues régionales, 90 pistes permanentes et env. 200 circuits occasionnels. 400 épreuves par an.

■ **Korfbal. Origine :** du hollandais *korf,* panier. *1902* développé à Amsterdam par Nico Broekhuysen pour élever ensemble filles et garçons. *1920* et *28* sport de démonstration aux JO. *1933 (11-6)* Fédération internat. créée. *1993 (15-3)* reconnu par le CIO.

Principes. Mixité, coopération, non-violence. **Terrain :** 20 × 40 m en salle, 30 × 60 m plein air, divisé en 2 zones. **Ballon :** très proche du no 5 de football (425 à 475 g). **Match :** 2 fois 30 min. *Équipe :* 2 de 8 joueurs (4 femmes et 4 hommes). *Partie :* dans chaque éq. 2 F et 2 H débutent en attaque, 2 H et 2 F en défense. Tous les 2 buts, les joueurs changent de zone et de fonction. Il est interdit de courir ou de dribbler avec la balle, ou de la toucher au pied. L'attaquant doit se libérer de son opposant (de même sexe) avant de tirer au but (panier placé à l'intérieur du terrain et accroché à un poteau à 3,50 m du sol). Le tir en position couverte est interdit : « couvert » signifie que le défenseur est au max. à une longueur de bras de son adversaire, plus près du panier que lui, qu'il le regarde et qu'il tente effectivement de bloquer la balle. On marque un point par panier réussi. **Pratiquants :** 29 pays. *Dep. 1980* se développe en France au sein de l'Ufolep, 3, rue Récamier, 75341 Paris cedex 07 ; 450 licenciés en 28 associations.

Épreuves. CH. DU MONDE : 78, 84, 87 : P.-Bas, 91 : Belg. JEUX MONDIAUX : *85, 89, 93 :* P.-Bas. COUPE D'EUROPE : annuelle dep. 1985, *92 :* St-Étienne, *93 :* Dordrecht (P.-Bas).

■ **Lacrosse. Découvert** par Jacques Cartier (pratiqué par les Indiens d'Amér. du Nord). **Règles :** 2 équipes de 7, 10 ou 12 joueurs doivent faire pénétrer une balle (circonf. 19,7 à 20,3 cm, 135 à 150 g) lancée à l'aide d'une crosse (de 0,91 m à 1,83 m de long), à laquelle est fixé un filet triangulaire de 17 cm à 30 cm de large, dans un but carré fermé par un filet (1,83 m de côté et 2,10 m de prof.). *Partie :* hommes en 4 périodes de 15 à 20 min ; femmes en 2 mi-temps de 25 min. **Pratique :** USA, G.-B., Hong Kong, Australie, Canada, Tchécoslovaquie, Inde, Japon.

■ **Luge. Origine :** 1re piste de luge construite à Davos. *1883* 1re compétition internationale. *1957* Fédération intern. de luge fondée. *1964* Sport olympique. *1980* 40 licenciés en France. Piste artificielle non réfrigérée à Villard-de-Lans (JO de 68), réfrigérée à la Plagne (JO de 92). **Luge de course** (simple 22 kg, double 24 kg dirigée par les pieds et 2 courroies ou poignées tenues par le pilote), pistes de 1 000 à 1 500 m avec au moins une douzaine de tournants (le coureur est couché sur le dos). *Catégories* sur piste et sur route (dep. 1980 ; piste des Plans à St-Gervais). **Record de vitesse :** 137,4 km/h, Asle Strand [7] le 1-5-82.

Épreuves. Jeux Olympiques (voir p. 1538). **Ch. du monde :** *créés* 1955. *Monoplace Hommes :* **81** Sergej Danilin [3]. **83** Miroslav Zajonc [4]. **85** Michael Walter [1]. **87** Markus Prock [6]. **89** Georg Hackl [5]. **90** Prock [6]. **91** Huber [2]. **93** Suchow [9]. *Dames :* **81** Milita Sollman [1]. **83, 85** Steffi Martin [1]. **87** Carstin Schmidt [1]. **89** Susi Erdmann [1]. **90** Antipova [3]. **91** Ederman [8]. *Biplace Hommes :* **81** B. et U. Hann [1]. **83, 85, 87** J. Hoffmann-J. Pietsch [1]. **89** S. Krausse-J. Behrendt [1]. **90** Raffl-Hubert [2]. **91** Krausse-Berendt [8]. **D'Europe :** *créés* 1914 (hommes), 1928 (femmes). *Monoplace Hommes :* **90** Mueller [1]. **91, 92** Friedl [1]. **93** Blasbichler [2]. *Dames :* **90, 91, 92** Erdmann [1]. *Biplace Hommes :* **90, 91, 92** Raffi-Huber [2]. **93** Betemps-Herin [2].

Quelques champions : Susi EDERMANN [1], Otrun ENDERLEIN [1], Georg HACKL [1], Paul HILDEGARTNER [2], Jörg HOFFMANN [1], Thomas KÖHLER [1] (25-6-40), Jens MÜLLER[1] (1965), Doris et Angelika NEUNER [2], Markus PROLK [6], Hans-Jörg RAFFT [2]. Hans RINN[1] (19-3-53), Manfred SCHMIDT [6] (6-6-44), Margit SCHUMANN[1] (14-9-52), Milita SOLLMANN [1], Steffi WALTER [1] (17-9-62), Anton WINKLER.

Nota. – (1) All. dém. (2) Italie. (3) URSS. (4) Canada. (5) All. féd. (6) Autriche. (7) Suède. (8) All. dep. 1990. (9) USA.

■ **Motoneige.** *Raid Haricana* (long chemin en indien) créé 1990 au Canada. En 1992, 2 500 km, équipes de 3 motos.

■ **Paddle-tennis.** Fédération fr. de paddle-tennis (1, place du Capitole, 31000 Toulouse), créée 1989. **Terrain :** 10 m × 20 m, murs arrières, sur les côtés, murs plus bas et terminés par des grillages. Filet. **Raquette :** ovale, ajourée, petit manche. **Balles :** de tennis. **Jeu :** surtout en double. Service à la cuillère diagonalement. On reprend la balle après un rebond sur le sol ou les murs. **Point :** comme au tennis.

■ **Patinage aquatique.** Imaginé vers 1900.

■ **Patins à roulettes. Origine : V. 1760** inventé à Londres par John Joseph Merlin (n. 1735 à Huy près de Liège, † 1803 à Londres) ; patins munis de roulettes métalliques. **1789** France, « patins à terre » [Maximillian Lodewijik Van Lede (1759-1834) d'origine holl.]. **1819**-*12-11* Petibled (Fr.) dépose le 1er brevet de patins à 3 roues en ligne, en métal, bois ou ivoire et munis à l'arrière d'une vis servant d'arrêtoir. **1823** Robert John Tyers (Angl.) : patins *volito* (« je voltige » en latin). 5 roues en laiton ou fonte, butée avant, courroies pour les fixer à la chaussure. Pour pouvoir tourner, seules 1 ou 2 roues peuvent toucher le sol simultanément. **1825** August Löhner : patins à semelle en bois, 3 roues en laiton, la roue avant ne peut tourner que dans un sens à cause d'un système anti-recul. **1828**-*26-7* Jean Garcin (Fr) : brevet du *Cingar* (anagramme de Garcin) ou patin à éclisses. 3 roulettes en ligne, cuivre ou corne. Éclisses fixées au mollet qui évitent de se tordre les chevilles. Fabriqués jusqu'en 1839. « École du cingar » près du bassin de la Villette (sol en dalles). James Leonard Plimpton (Amér.) : patins à glace à 4 lames parallèles (2 avant, 2 sous le talon) orientables par inclination du pied ; *rocking skate* (patin à bascule) : semelle en bois, 4 roues en bois, 2 essieux mobiles grâce à des articulations [pour éviter l'usure, il place une bague de bronze dans l'essieu ; une vis sans fin permet de lubrifier ; pas vendus au public, réservés aux patinoires *(skatingring)* qui les louent aux patineurs ; *1867* présentés en France à l'Exposition universelle ; importés ensuite ; fin XIXe s., mode aux USA puis en France]. **1848** Louis Legrand (Fr.) créé modèle à roues doubles pour femmes et débutants. **1852** John Gidman (Angl.) : patins sur roulement à billes, 4 roues (1 avant, 1 arrière, 2 latérales). Son invention passe inaperçue. **1884** Levant Marvin Richardson (Amér.) : reprend l'idée des roulements à bille [essieux fixes, système de Plimpton perfectionné (coussinets cylindriques en caoutchouc qui ramènent les essieux en position d'équilibre)]. **Fin XIXe s.** cycles-patins ou patins-bicyclettes. **1906** Constantin (Fr) : patins à moteur. **1910** Féd. des patineurs à roulettes de Fr. (FPRF) créée, 1er championnat de France sur piste (*1933* sur route). **1924** Féd. internat. de patinage à roulettes créée. **1925** FPRF dissoute. **1926** Féd. fr. de rink-hockey créée : *1937* 1ers ch. du monde. **Après 1945** Féd. fr. de patinage à roulettes devient Féd. fr. des sports de patinage à Roulettes, puis en *1990* Féd. fr. de roller-skating (4, av. des Champs, 91130 Ris-Orangis). **1979** nouvelle vogue due aux roues en polyuréthane. **1992** sport de démonstration aux JO.

Spécialités officielles. Artistique, vitesse et hockey sur roulettes (voir p. 1485) ; autres variantes : disco, grande randonnée, marathon, roller derby (1935 inventé à Chicago, appelé en France roller-catch), saut d'obstacles avec tremplin, patinage acrobatique sur piste de skateboard, slalom, etc.

Patinage artistique. Championnats du monde : *créés* 1947. *Messieurs :* **80, 81, 82** Butzke [1], **83** Helme [2], **84, 85** Biserni [3], **86** Tolomini [3], **87, 88, 89** Guerra [3]. *Dames :* **80, 81** Ernest [2], **82, 83, 84** Bruppacher [2], **85, 86, 87** Sartori [3], **88, 89** Del Vinaccio [3]. *Couples :* **80, 81, 82** Price-Kneisley [4], **83, 84, 85, 86** Arishita-Jerue [4], **87, 88** Trevisani-Mezzadri [3], **89** DeMotte-Armstrong [4]. **Danse.** *Couples :* **80** Carels-Achenbach [2], **81, 82** Howard-Smith [4], **83, 84** Golub-Famiano [4], **85** Hass-Steudte [2], **86** Myers-Danks [4], Ferando-Walsh [4], **88** Wulf-Mitzlaff [2], **89** Goody-Viola 4.

Nota. – (1) All. dém., (2) All. féd., (3) It., (4) USA.

Champions de France. Individuels : 77, 78, 79, 80. Pascal Eberlin et Françoise Léonard. **81, 82** P. Eberlin et L. Vieille-Mecet. **83** Eberlin et C. Dessaigne. **84, 85** Pacouret et Dessaigne. **90** R. Blondel et M. Albareil.

Patinage de vitesse. Sur piste de 200 à 400 m ou circuits routiers, sol lisse mais non glissant, distances de 0,3 à 20 km. **Records : Monde et** entre parenthèses **France :** HOMMES : *Sur route : 300 m* Antoniel (It.) 24″997 (F. Peyron 25″489), *500 m* Sarto (It.) 40″910 (T. Penot 47″21), *5 000 m* De Persio (It.) 7′32″462 (S. Nacibide 8′26″230), *100 km* (Aurelio Olivan 3 h44′22″34). *Sur piste : 300 m* Galliazzo (It.) 25″248 (Peyron 26″567), *500 m* de Persio (It.) 41″233 (F. Peyron 45″199), *5 000 m* De Persio (It.) 7′32″462 (F. Peyron 7′57″7). *100 km* (le 31-8-1985, Philippe Le Corvec, en 3 h 41 mn 48 s 75). FEMMES : *Sur route : 300 m* Canafoglia (It.) 26″794 (S. Gravouil 29″449), *5 000 m* Monteverde (It.) 8′17″ (S. Gravouil 9′20″7). *Sur piste : 300 m* De Cesaris (It.) 26″986 (Gravouil 28″449), *500 m* De Cesaris (It.) 44″404 (Ledoux 50″117), *5 000 m* Canafoglia (It.) 7′48″508 (Ledoux 8′48″13). **Championnats du monde :** *créés* 1937. **88**

Modélisme

■ Modèles réduits. **Pratiquants :** 2 000 000 en France.

■ Aéromodélisme. **Origine :** les 1ers avions furent des modèles réduits (Otto Lilienthal). **1930** moteurs à explosion, diesels 2 temps de 10 cm³ fonctionnant avec un mélange d'éther et d'huile. **1933** 1re revue spécialisée française (*Le Modèle réduit d'avion*). Avion de 60 cm, en rotin et lamelles de peuplier, moteurs à caoutchouc qu'on enroulait ; à piston parfois animé par une petite bouteille d'air comprimé, gonflée à la pompe à vélo. **V. 1945** vol circulaire, appareil relié au pilote grâce à 2 câbles d'env. 16 m. **1951** radiocommande. Aujourd'hui, on peut agir simultanément sur 8 commandes ou plus : gouvernail de queue (direction et profondeur), ailerons, carburateurs, aérofreins, volets de courbure, train d'atterrissage, lumières, phares, largage de bombes ou mitrailleuses factices. Moteurs 2 temps, puissance 1 à 25 CV, 10 000 à 30 000 tours min. grâce à un mélange méthanol-huile, ou essence super pour moteur dépassant 50 cm³. **Catégories :** *voltige :* appareils d'envergure moyenne de 1,70 m ; *avions de vitesse :* envergure 1,20 à 1,50 m ; *gros modèles :* moteurs dépassant 50 cm³, envergure 6 m. **Prix :** kit de 1 000 à 15 000 F, moteur 1 000 F pour 10 cm³ de 2 CV, radiocommande 1 000 à 7 000 F. **Records :** *avion :* vitesse 343,92 km/h, distance (ligne droite) 455,23 km, altitude 8 208 m ; *planeur :* vitesse (base 50 m) 390,92 km/h. *hélicoptère :* vitesse 138,515 km/h, distance 115 km, altitude 2 940 m.

Pratiquants : 18 000 licenciés, 610 clubs regroupés dans la Féd. française d'aéromodélisme, 52, rue Galilée, 75008 Paris. Les Israéliens ont pu détecter des missiles Sam 6 dans le Sinaï, grâce à des avions de 25 kg à moteur de 50 à 80 cm³ porteurs d'une caméra vidéo.

■ Automodélisme. **Échelles : 1/8 (de piste ou tout-terrain) :** 2,8 kg, long. 60 cm, réservoir 125 cm³, autonomie 13 min, vitesse 60 à 100 km/h, moteur à explosion 2 temps (30 000 t/min), cylindrée 3,5 cm³, carburant : mélange d'alcool méthylique et huile de ricin ; coût : 1 200 à 5 000 F + boîtier de radiocommande + moteur env. 1 500 F. **Au 1/12 moteur électrique :** vitesse jusqu'à 70 km/h, batterie NiCad (6 × 1,2 V), coût : 1 000 à 2 000 F + radiocommande env. 1 000 F. **Au 1/10 électrique, tout-terrain.**

Pratiquants : *Groupement national de modélisme automobile radiocommandée (GNMARC)* 9, rue A.-Lahaye, 93170 Bagnolet. *Clubs 300. Licenciés 5 300.*

Records mondiaux : modèles tournant au bout de câbles d'acier sur piste circulaire de 52 m. En km/h. *1re catégorie* (10 cm³) : L. Torrey (USA) 325,256 ; *2e* (5 cm³) E. Piotti (It.) 291,404 ; *3e* (2,5 cm³) A. Veiner (ex-URSS) 274,851 ; *4e* (1,5 cm³) A. Karpuzikov (ex-URSS) 251,818.

Épreuves : *Championnats du monde, d'Europe, nationaux.*

Collections : échelle 1/160 à 1/12 avec dominante 1/87 et 1/43. *Production* industrielle (Solido, Majorette) ou artisanale (env. 50 marques), jouets anciens au 1/43 (Dinky-Toys) ou en tôle (Citroën). Env. 50 clubs en France. *Association française de l'automobile miniature,* BP 40, 78230 Le Pecq. Publie : *L'Argus de la Miniature.*

■ Modélisme ferroviaire. **Échelles : « 0 » (zéro) :** rapport de 1/43,5 par rapport au réel, écartement de 32 mm pour la voie normale, réservée aux collectionneurs, env. 10 000 F ; **« H0 »** *(de l'anglais « half-0 », demi-zéro) :* écartement de 16,5 mm pour la voie normale, rapport de réduction de 1/87, adopté par 80 % des amateurs, wagons à moins de 50 F, locomotives à 100 F ; **« N » :** écartement de 9 mm, réduction de 1/160 ; **« Z » :** écartement de 6,5 mm, réduction de 1/220, env. 35 000 pratiquants.

■ Modélisme naval maquettes fixes et navigantes, électriques ou à moteur thermique. Expositions et démonstrations. **Compétitions** maquettes, voiliers, racers, off-shore et toutes catégories radiocommandées. Championnats de France et internationaux. **Fédération française de modélisme naval :** Musée de la Marine, Palais de Chaillot, 75116 Paris, *créée* 1963, 110 clubs, 1 200 licenciés.

MESSIEURS : *500 m :* Galliazzo (It.), *1 500 m :* Sarto (It.), *5 000 m :* Galliazzo (It.). DAMES. *500 m et 1 500 m :* Canafoglia (It.), *5 000 m :* Lucchese (It.). **91** *10 km piste :* Gicquel (Fr.).

Grande randonnée. *Du 15-6 au 25-8-1985 :* B. Boyer, F. Lemoine, J.-P. Le Boedec, G. Rossignol ont fait le tour de France (3 681 km) en 45 étapes de 80 à 155 km. *Du 5-7 au 6-9-1986 :* B. Boyer, J.-P. Le Boedec, G. Rossignol, V. Blévin et C. Ratinet ont couvert 4 524 km d'Olympie (Grèce) à St-Brieuc (France). Jean-Pascal Jubault, Antoine de Givenchy et Philippe Le Corvec ont parcouru l'Amérique d'est en ouest (1983), du nord au sud (1984), l'Alaska (1985), le Brésil (1987).

Paris sur roulettes. *Créé* 1981 (1 500 participants). Le 27-4-1986, 15 km (bois de Boulogne), 15 000 participants.

☞ **Roller-skate. Origine :** USA, roues en polyuréthane, souvent associées à une chaussure type basket. **Pratique :** *1979 :* 28 millions d'Américains l'utilisaient comme moyen de transport. **Pistes :** 6 000. **Paires :** *Prix :* 200 à 2 000 F (France).

■ Peloc. Entre le badminton et le chistera. 2 arcs lanceurs courbes et un volant à plumes.

■ Pentathlon moderne. **Origine** du grec, *penta* cinq et *athlon* combat. **708 av. J.-C.** *pentathle* inscrit aux JO (saut en longueur, lancer du disque et du javelot, course, lutte). **1912** sur proposition de Pierre de Coubertin, inscrit aux JO modernes. **1948** Union internat. du pentathlon moderne créée (1955 Union internat. du PM et du biathlon).

Règles : individuel (seniors et juniors hommes, seniors et juniors dames) et par équipes (3 hommes) 5 épreuves dans un ordre donné sur 4 ou 5 j. Classement d'après les points obtenus dans chaque discipline. Pour chacune, norme de 1 000 points (sauf équitation : 1 100). **Équitation :** concours hippique de 600 m avec 15 obstacles dont un double et un triple, cheval tiré au sort, à parcourir en 1 min 43 s. **Escrime :** poule unique à l'épée en une touche. **Tir au pistolet :** 22 long rifle, à 25 m sur silhouettes mobiles de 1,60 m de haut apparaissant 3 s toutes les 7 s, 4 séries de 5 balles. **Natation :** *Hommes* 300 m nage libre à parcourir en 3 min 54 s ; *Dames* 200 m en 2 min 40 s. **Cross-country :** terrain varié, une seule boucle, départ toutes les 30 s, *seniors Hommes* 4 km, *juniors* H. 3 km, *Dames* 2 km, temps min. H. 14 min 15 s, D. 7 min 40 s.

Épreuves. CHAMPIONNATS. DU MONDE. **Seniors,** tous les ans (sauf années olympiques) *créés* 1949. *Ind. :* **81** Pyciak-Peciak [1], **82** Masala [2], **83** Starostin [3], **85** Miszer [4], **86** Massullo [2], **87** Bouzou [9], **89** Fabian [4], **90** Tiberti [2]. **91** Skrypaszek [1]. *Éq. :* **81** Pologne, **82, 83, 85** URSS, **86** It., **87, 89** Hongr., **90, 91** URSS. *Relais par éq. : créé* 1989, **89, 91** Hongrie. **Juniors :** *créés* 1965. *Ind. :* **81** Starostin [3], **82** Khorishlo [3], **83** Fabian [4], **84** Shvarts [3], **85** Jagorasvili [3], **86** Guilly [9], **87** Garasimovitch [3]. **88** Katona [4], **89** Zenovka [3], **90** Katona [4]. *Éq. :* **81, 82** URSS, **83** Hongrie, **84, 85** URSS, **86** Hongrie, **87, 88, 89** URSS. **Féminins :** *créés* 1981. *Ind. :* **81** Ahlgren [5], **82** Norman [6], **83** Chornobrywy [7], **84** Jakovleva [3], **85** Kotowska [1], **86, 87** Kisseleva [3], **88** Idzi [1], **89** Norwood [10], **90, 91** Fjellerup [11], **92** Kowalewska [1]. *Éq. :* **81, 82, 83** G.-B., **84** URSS, **85** Pol., **86** Fr., **87** URSS, **88, 89, 90, 91, 92** Pol.

D'EUROPE. **Seniors :** *Ind.* **87** Demeter [4], **89** Jagorashvili [3], **91** Madaras [4], **93** Fabian [4]. *Éq.* **87** Tchéc., **91, 93** Hongrie. **Féminins :** *créés* 1989. *Ind.* **89** Idzi [1], **91** Dolgatcheva [3], **93** Raisner [12]. *Éq.* **89** Pologne, **91** URSS, **93** All.

DE FRANCE. *Créés* 1920. **Seniors : 84, 85** Boube. **86, 87** P. Four. **88** Guyomarch. **89, 90** Ruer. **91** Clercq. **92** Ruer. **Juniors : 84** Guyomarch. **85** Clergeau. **86** Morato. **87, 88** Clergeau. **Féminins : 84, 85, 86, 87, 88.** Moressée. **89** Delemer. **90** Moressée. **91** Delemer. **92** Moressée.

☞ **Quelques noms.** Andras BALCZO [4] (16-8-38). Didier BOUBE [9] (13-2-57). Joël BOUZOU [9] (30-10-55). Alain CORTES [9] (7-7-52). Caroline DELEMER [9] (11-3-65). Eva FJELLERUP [11]. Paul FOUR [9] (13-2-56). Bruno GENARD [9] (22-2-61). Jean-Pierre GIUDICELLI [9] (20-2-43). Raoul GUEGEN [9] (20-6-47). Lucien GUIGUET [9] (26-9-42). Franck GUILLY [9] (24-1-67). Lars HALL [5] (30-4-27). Nathalie HUGENSCHMITT [9] (9-7-66). Pavel LEDNEV [3] (25-3-43). P. MASALA [2]. Sophie MORESSÉE [9] (3-4-62). NORWOOD Lori [10]. Igor NOVIKOV [3] (19-10-29). Boris ONISCHENKO [3] (19-9-37). Janusz PECIAK-PYCIAK [1] (9-2-49). Christophe RUER [9] (3-7-65). Anatoli STAROSTIN [3] (18-1-60). Sven THOFELT [5] (19-5-04).

Nota. – (1) Pologne. (2) Italie. (3) URSS. (4) Hongrie. (5) Suède. (6) G.-B. (7) Canada. (8) Bulgarie. (9) France. (10) USA. (11) Danemark. (12) All.

■ Platform-tennis. *Créé* 1928 aux USA par James Cogswell et Fessenden Blanchard. **Terrain :** bois sur pilotis (pour pouvoir ôter la neige) 9,14 × 18,28 m. Surface indifférente sauf gazon et terre battue. **Grillage :** 3,65 m de haut, très tendu pour renvoyer la balle. **Filet :** 86 cm de haut. **Raquette :** bois, métal ou fibre, courte et ovale, tamis plein percé de trous et cerclé de métal, parfois attachée au poignet par dragonne. **Balle :** mousse, 6,35 cm, 75 g. **Règles :** points comme au tennis, service avec une seule balle au-dessus de la tête, smash un peu différent, balle pouvant rebondir sur le grillage.

En France : env. 100 terrains et 650 licenciés en 1987. **Joueur n° 1 français : 80** B. Chartier, **81, 82** F. Lescuyer, **83, 84, 85** F. Lescuyer et B. Mallet, **86, 87** F. Lescuyer. **Championnats de France : 81, 82** F. Lescuyer, **83** B. Mallet, **84, 85, 86** F. Lescuyer.

■ Quille. **Origine :** connu dans l'Antiquité, très populaire au Moyen Age. **Quilles :** actuellement plus de 100 variétés de 20 cm à 1 m de haut. 3 à 12 quilles par jeu ; en général 9, notamment dans les *2 jeux intern.* (asphalte et schere) ou 10 (bowling), et *5 jeux fédérés français* (q. de 9, q. de 8, q. de 6, q. de St-Gall, q. au maillet). **Projectile :** galet, bâton ou le plus souvent boule de bois (en gaïac de St-Domingue, vera du Venezuela, quebracho d'Argentine...) ou de plastique de 10 à 27 cm de diamètre (poids 0,66 à 11,6 kg). Certaines sont pleines, d'autres ont 1 ou plusieurs trous pour les doigts. **Terrain :** 4 à 30 m. **Fédération française des sports de quilles,** 18, rue Dufour, 80000 Amiens.

■ Racquet ball. **Histoire** *1950,* créé aux USA sous le nom de paddle-racquet par Joe Sobek. *1970* nom actuel. *1982* introduit en France. *1983* f. de la Féd. française. **Terrain :** court fermé par 4 murs de 12,20 m de long, 6,10 m de large et 6,10 m de haut. On utilise 6 surfaces (murs, sol, plafond). **Raquette :** petit manche, grand tamis. **Balle :** 5,7 cm de diam., pression 2 kg, bleue. Vitesse env. 250 km/h. **Partie :** 2 sets en 15 pts gagnants. 2, 3 ou 4 joueurs.

Épreuves. CHAMPIONNATS DU MONDE. *Créés* 1982. **Messieurs : 82** Andrews (USA), **84** Harvey (Can.), **86** Inoue (USA), **88** Roberts (USA), **90** Inoue (USA). **Dames : 82** Baxter (USA), **84** Dee (USA), **86** Baxter (USA), **88, 90,** Stupp (Can.).

CHAMPIONNATS DE FRANCE. **Messieurs :** *simples :* **85** Ospital, **86** Incaby, **87, 88, 89** Ospital, **90, 91** Lecomte ; *doubles : 85* Ospital-Deleurme, **86** Etcheveste-Idiart, **87** Ospital-Incaby, **88, 89** Idiart-Etcheveste, **90** Lecomte-Etcheveste. **91** Lecomte-Lataillade. **Dames :** *simples :* **85** Idiart, **86** Novion, **87** Lassalle, **88, 89, 90** Novion, **91** Castets ; *doubles :* **89** Gastambide-Lassale, **90** Novion-Idiart, **91** Castets-Venard.

Fédération française des associations de racquetball, 26 ter, rue Nicolaï, 75012 Paris.

■ Raft ou rafting. **Nom** en anglais (en français : radeau). Signifie aussi *Radeaux associatifs de fleuves et torrents.* **Origine :** XIXe *s.* utilisés lors de la conquête de l'Ouest (USA). *1944* débarquement : pneumatiques utilisés. *1945* rentrés aux USA, utilisés pour descendre rivières ou torrents de montagne. **Méthode :** 6 passagers dont le *rafter* qui guide et les équipiers qui aident en pagayant. *Chocs :* amortis par les boudins. **Épreuves :** essais libres, essais chronométrés, épreuve sur 25 km.

■ **Saut à l'élastique (benji).** Saut dans le vide de 50 à 150 m à partir d'un pont (ex. : pont du Sautet à Corps, 140 m), d'un viaduc, d'un monument, d'une grue, accroché par un élastique avec un câble comptant de 600 à 800 brins solidarisés tous les 20 cm par des bandelettes nouées ; à chaque extrémité câble arrêté par 2 mousquetons ; prix : 10 000 à 20 000 F. Introduit en France par Alan John Hacklet (N.-Zélande) en 1986. Interdit le 20-7-1989 après 3 accidents mortels. Reprise le 18-9-1989.

■ Saut de barils. Sur glace. **Origine :** hollandaise. **Pratiqué :** aux USA, Canada et en Europe. **Vitesse possible :** 65 km/h (au décollage) et 80 km/h (en l'air). **Record :** Yvon Jolin (Canada) a sauté 18 barils accolés soit 8,96 m de long le 11-4-1980.

■ Scooter des mers (jet-ski). *Long.* 2 m ; 30 à 50 ch., env. 60 km/h. *Conduit* debout ou assis.

Réglementation en France. Au-dessus de 10 CV : permis de conduire en mer. Déclaration de bon usage obligatoire. *Scooter :* doit être immatriculé ; carénage d'hélice ; système d'arrêt automatique du moteur ou de giration lente en cas de chute ; compartiment étanche pour 2 feux à main ; anneau et corde de remorquage. *Utilisable :* de jour ; entre 300 m et 1 mille du rivage ; dans la zone des 300 m, respecter les règles locales (chenal, etc.), vitesse max. 5 nœuds ; pilote min. 15 ans, entre 15 et 18 a. sous contrôle du propriétaire, doit porter un gilet de sauvetage.

■ Skate-bike. 3 roues. Pour avancer, on tire sur 2 câbles qui l'actionnent.

■ **Skate-board ou roll-surf, planche à roulettes.** Né en Californie en 1962 avec Mickey Munoz et Phil

Edwards. Les surfeurs le pratiquaient quand l'absence de vagues leur interdisait le surf sur l'eau (équilibre identique). **Planche :** bois lamellé (7 plis), recouverte de "grip" antidérapant. Jusque vers 1985, fibre de verre et aluminium. *Roues :* uréthane ou polyuréthane, avec roulements à billes, largeur 20 à 40 mm, diam. 47 à 65 mm. *Essieux (trucks) :* embase métallique (aluminium et magnésium). *Protections :* casque, genouillères, coudières, protège-poignets.

Compétitions : disciplines reconnues par la Féd. fr. de surf et skate : rampes, mini-rampes, street (modules disposés sur une surface plate reconstituant les obstacles de la rue), slalom (géant, spécial, parallèle), freestyle (figures techniques sur fond musical).

Championnats de France. *Créés* 1977. **91** *rampe :* William Petrucci, *street :* Jérémie Daclin, *freestyle :* Patrick Bermudez, *slalom :* Dieter Fleischer.

Comité national de Skate. 337, route des Wets, 59500 Douai. (1992) *Licenciés :* 3 104. *Pratiquants :* env. 350 000. *Clubs :* 291.

Skate-parcs. Équipements en bois (rampes, mini-rampes, modules de street) sur une surface plane bitumée. *Principaux parcs :* Toulouse, Lyon, Paris, région parisienne, Pau, Rennes. Parc en béton à Izon (Gironde). Les skate-parcs en béton de Paris ont été détruits au début des années 80 (La Villette, Béton Hurlant).

Records. Vitesse : 115,53 km/h, Richard Brown (USA) le 17-6-1979. **Saut en hauteur :** 1,67 m, Trevor Baxter (G.-B.) le 14-9-1982 ; **en longueur :** 5,18 m (17 tonneaux) Tony Alva (USA) le 25-9-1977. **Endurance :** 28 h 3′, Christian Rosset (Suisse) les 1/2-12-1984.

☞ **Wind skating. Origine :** Californie. **Skate :** ou patins à roulettes et voile montée sur un cadre en aluminium que l'on peut maintenir à la main si l'on est sur patins ou fixer avec un pivot sur le skate.

☞ Il y a eu des skates à moteur (30 km/h).

■ **Skeleton. Origine :** *1884-85* construction à St-Moritz en Suisse du *Cresta Run* (de St-Moritz à Celerina en passant par le hameau de Cresta, 1 212 m, 157 m de dénivelé). *1887* St-Moritz Tobogganing Club créé. *1928 et 48* participe aux JO. **Luge :** le coureur est à plat ventre sur une plaque d'acier munie de 2 patins et de 2 poignées. Il peut freiner et se diriger avec des souliers griffus ou en bougeant. Env. 140 km/h. **Cresta Run :** 2 parties : *Grand National* dep. 1885, 1 212,25 m dep. le haut de la piste, dénivellation 157 m, record (92) Christian Bertschinger (Suisse) 50″41 ; *coupe Curzon* dep. 1910, 890,20 m (dep. lieu nommé Junction), 101,2 m, record (91) C. Bertschinger 41″45.

■ **Ski-bob.** Vélo muni de 2 skis de 10 à 12 cm de large dont l'un mobile à l'avant. Petits skis (50 cm) aux pieds. **Origine :** *1951 28-1* 1re épreuve, à Kefersfelden (Bavière, All.). *1954 30-1* 1er championnat d'All. féd. *1961 14-1* Féd. internat. de ski-bob (FISB) créée. Populaire en Autr. et Allemagne. **Record :** 166,40 km/h [Erich Brenter (Autr.) à Cervinia (It.) en 1964]. **Champ. du monde :** *créés* 1967. **Coupe du monde :** *créée* 1978. **Champ. d'Europe :** *créés* 1963.

■ **Skidoo.** « Moto » des neiges ; atteint 30 km/h.

■ **Snowboard.** Skate-board sur neige.

■ **Snowsurf.** Surf sur neige.

■ **Softball. Origine : 1887** inventé par George Hancock (USA), appelé *kitten-ball* ou *mush-ball. 1926* nommé *softball* par Walter Hakanson. **Règles :** version du base-ball se jouant sur un terrain plus réduit. Moins violent. *Équipes :* 2 de 9. *Balle* (177 à 198 g, diam. 9,5 cm) doit être jetée par le bas.

Championnats du monde. Messieurs : *créés* 1966. **66, 68** USA. **72** Canada, **76** égalité USA, Canada et N.-Zélande, **80** USA, **84** N.-Zélande, **88** USA. **Dames :** *créés* 1965. **65** Australie, **70** Japon, **74, 78** USA, **82** N.-Zélande, **86** USA.

Championnat féminin. Europe (*créé* 1979) : **79 à 84** P.-B. **86, 87** It., **88** P.-B. **Europe des Clubs** (*créé* 1978). **78** Terrasvogel (P.-B.). **79** HHC Haarlem (P.-B.). **80, 81** Terrasvogel (P.-B.). **82** Bloemendaal (P.-B.). **83, 84, 85, 86** Terrasvogel (P.-B.). **France : 77** St-Germain. **78** NUC. **79, 80, 81** Woody's Nice. **82, 83** FEJP Meyzieu. **84** Woody's Nice. **85** PUC. **86** Dynamics Nice. **87** PUC. **88, 89** Nice. **90** Savigny/Orge. **91, 92** Nice.

■ **Squash.** Mot anglais signifiant s'écraser. **Origine : 1815** Harrow (G.-B.) : les élèves lançaient des balles contre les murs du vestiaire ; **1830** 2 gentlemen en prison pour dettes réinventent le jeu de rackets. *1925* réapparaît à Rowakali (Pakistan). **1981**-*17-1* Féd. française de squash raquettes. **1988** devenue F.F. de squash. **Court :** pièce close de 9,75 m sur 6,40 m et hauteur illimitée. *Limite de jeu supérieure :* mur frontal à 4,57 m du sol ; arrière à 2,13 m ; m. latéraux : ligne rejoignant limites frontale et arrière. Mur frontal : ligne de service à 1,78 m, inférieure de jeu à 0,48 m. **Raquette :** 68,5 cm, 230 g env. tamis 19,5 cm de large. **Balle :** 40,5 mm de diam., 28,349 g. **Match :** à 2 joueurs en 5 jeux. Il faut avoir le service pour marquer un point. Le 1er arrivé à 9 gagne le jeu. Si le score est de 8-8, celui qui n'a pas le service décide si le jeu se termine en 9 ou 10. Le score peut donc être 9-8, 10-8, 10-9. *Partie :* 3/4 d'h (correspond à la dépense énergétique faite en 2 h de tennis, 4 h de golf ou 8 km de course à pied) ; au niveau mondial 1 h. **Pratiquants** (1991) : 17 000 000 dont G.-B. 3 600 000, USA, All. féd. 1 800 000, Australie 1 000 000, Égypte, *France 220 000* (dont en 1990 23 000 licenciés, 1 150 courts), Suède 120 000, Pakistan 60 000 (18 000 licenciés, 600 courts).

Épreuves. Championnats du monde Open. *Créés* 1976. **Messieurs :** *Ind. :* **76, 77, 79, 80** Hunt, **81, 82, 83, 84, 85** Jahangir Khan, **86** Ross Norman, **87** Jansher Khan, **88** Jahangir Khan, **89, 90, 91, 92** Jansher Khan. *Par équipes :* **75** G.-B., **77** Pakistan, **79** G.-B., **81, 83, 85, 86, 87** Pak. **89, 91** Austr. **Dames :** *Ind. :* **76, 77, 78, 79** McKay, **81** Thorne, **83** Cardwell, **84, 85, 86, 87** Devoy, **89** M. Le Moignan, **90, 91** Devoy. *Par équipes :* **79** G.-B., **81, 83** Australie, **85, 87, 89, 90** G.-B., **92** Australie.

Amateurs. *Créés* 1967. **Messieurs :** *Ind. :* **67, 69, 71** Hunt, **73** Nancarrow, **75** Shawcross, **77** Ahmed, **79** Jahangir Khan, **81** Bowditch, **83, 85** Jahangir Khan. *Par équipes :* **67, 69, 71, 73** Australie, **75** G.-B., **77** Pak., **79** G.-B., **81, 83, 85, 87** Pakistan, **89** Australie. **Dep. 87,** compétition par éq. uniquement.

Championnats d'Europe par équipes. Messieurs : 73 à 91 G.-B. (sauf **80** et **83** Suède). **92** Écosse. **93** Angl. **Dames : 78 à 93** G.-B.

Championnats de France. Messieurs : *créés* 1975. **75** Grozdanovitch. **76** Quennouelle. **77, 78, 79** Grozdanovitch. **80** Baulac. **81, 82** Clauss. **83, 84** Chautard. **85** Claudel. **86, 87** Flynn. **88, 89, 90, 91, 92** Elstob. **93** Bonétat. *Par équipes :* **85** St-Cloud. **86** Front de Seine. **87, 88, 89** Carnaux-Tours, **90, 91, 92, 93** St-Cloud. **Dames :** *créés* 1978. **78** Millet. **79** Guilbaud. **80, 81, 82** Teuilières. **83** Amigorena. **84** Lebossé. **85** Amigorena. **86** Castets. **87** Lebossé. **88, 89, 90, 91, 92, 93** Castets. *Par équipes :* **85, 86, 87** Biarritz. **88** Stade français. **89** Lorient. **90, 91** St. Français. **92** Lagny. **93** St-Cloud.

Joueurs célèbres. Gamal *Awad* (Égypte, 8-9-55). John *Barrington* (G.-B., 40). Corinne *Castets* (Fr.). Éric *Claudel* (Fr., 20-12-65). Stuart *Davenport* (N.-Z., 21-9-62). Susan *Devoy* (N.-Z., 64). Chris *Dittmar* (Austr., 16-1-64). John *Elstob* (Fr., 61). Denis *Grozdanovitch* (Fr.). Geoffrey *Hunt* (Austr., 11-4-47). Famille *Khan* (Pak.) dep. 50. Jahangisit, dit Jahangir Khan (10-12-63). Roshan (son père) ch. du monde en 55. Hashim (1915) et Azam (ses cousins) ch. du m. en 51 et 56. Jansher Khan (Pakistan, 15-6-69, sans lien de parenté). Heather *McKay* (Austr., 31-7-41). Rodney *Martin* (Austr., 17-10-65). Ross *Norman* (N.-Z., 7-1-59).

■ **Surf. Origine :** Iles Hawaii, Pacifique : selon la légende, épreuve réservée aux postulants au trône. **1778** Signalé par Cook aux îles Sandwich. **1808** plus ancienne planche connue (env. 5 m et 100 kg). *Début* ***XIX****e* **s.,** colonisation de Hawaii par les Américains ; sous la pression des missionnaires calvinistes, le surf, pratiqué presque nu, disparaît. **1900** réapparaît à Hawaii (Duke Kahanamoku en fait, voir Natation), puis se répand en Californie (1915), Australie et dans le monde (après 1945, avec le développement des matières plastiques). **1936** en France, des Biarrots (Georges Hennebute, Henri Hiriart et les frères Villalonga) essaient une planche à Miramar. **1945** nouvel essai de Paul Priéto, Jacques Rott et Birac. **1959** 1er club français (Waikiki surf club). **1964** Féd. française de surf et skate créée.

Planche : en général mousse de plastique (6 kg, l. 1,75 à 2,10 m, largeur 0,5 m). **Pratique :** partout où des vagues déferlent en rouleaux réguliers [ex. : côte basque (vagues de 0,5 à 4 m de haut)]. Le surfer, après avoir gagné le large allongé sur sa planche en se propulsant avec les bras, utilise la pente de la vague déferlante et, debout, regagne le rivage en évoluant le + longtemps possible. En se perfectionnant, on arrive à évoluer au point de déferlement de la vague, ce qui permet la plus grande vitesse d'exécution des virages et des figures. *Pratique :* Tahiti, Hawaii, Californie, Australie, Nouvelle-Zélande, Afr. du Sud, Pérou, Japon, Brésil, G.-B., Espagne, Maroc, *France (env. 20 000* pratiquants dont 5 000 licenciés).

Championnats du monde. Amateurs : *créés* 1964. **Messieurs. 80** Scott [1], **82** Curren [2], **84** Farnsworth [2], **86** Sainsbury [1], **88** Gouveia [3], **90** Tahutini [5], **92** Frost [1]. **Dames. 80** Swarzstein [2], **82** Gill [1], **84** Aragon [2], **86** Nixon [1], **88** Menczer [1], **90** Newman [1]. **92** McKenzie [1]. **Par équipes. 92** Australie. **Professionnels :** créés 1976. **Messieurs. 80, 81, 82,** Richards [1], **83, 84** Caroll [1], **85, 86** Curren [1], **87** Hardman [1], **88** Lynch [1], **89, 90** Potter [4], **91** Curren [1], **92** Slater [2]. **Dames : 80, 81** Oberg [6], **82** Beacham [2], **83** Mearig [2], **84, 85, 86** Zamba [2], **87** Botha [7], **88** Zamba [2], **89** Botha [7].

Ch. d'Europe. *Créés* 1970. **Messieurs : 81** Semmens [4], **83** Russel [4], **85** Fernandez [5], **87** Sanford [5], **89** Poupinel [5]. **91** Piter [5]. Équipes. **85, 87, 90** France. **Dames : 91** Joly [5].

Nota. – (1) Australie, (2) USA, (3) Brésil, (4) G.-B., (5) France, (6) Hawaii, (7) Afr. du Sud.

Ch. de France. *Créés* 1965. **Messieurs : 80, 81** Sansoube, **82** Barland, **83** Harehoe et Graciet, **84** David, **85, 86** Harehoe, **87** Sanford, **88** Saint-Jean, **89** Harehoe, **90** Piter, **91, 92** Martin.

☞ **Body board :** inventé par le Californien Tom Morey. Planche de 1,30 m sur laquelle on s'allonge. Utilisation de palmes. **Body surfing :** consiste à se faire ramener par la vague déferlante sans aucun accessoire. Pratiqué dans le golfe de Gascogne. **Knee board :** à genoux sur une planche d'env. 1,50 m, utilisation de palmes. **Planking :** avec une petite planche en contreplaqué recourbée, existe depuis 1930, peu pratiqué. **Skimboard :** consiste à glisser le plus loin possible sur la dernière vague près du rivage. **Skurf :** tiré par un bateau à moteur sur une planche (1,50 × 0,5 m, 4,7 kg), pieds calés dans 2 sangles. **Wave-ski :** planche de 5 à 12 kg, 2 m env., insubmersible. Assis sur un siège, ceinturé, pieds bloqués dans des fixations, on avance avec une pagaie.

■ **Tchouk-ball. Nom :** tchŏck : bruit du ballon glissant sur le filet. Mis au point par le Dr Hermann Brandt (n. 1897, Suisse) en 1970. **Terrain :** 40 × 20 m. **Ballon** (54 à 60 cm, 325 à 475 g) : lancé sur un cadre de renvoi métallique (1 × 1 m) incliné et posé au sol, au centre duquel est tendu un filet élastique. Rebondit symétriquement, sans toucher le cadre, en miroir. **Équipes :** 2 de 12 joueurs dont 9 sur le terrain, jouent alternativement, la balle étant récupérée, après rebond sur le cadre avant qu'elle ne touche le sol, par l'éq. adverse de celle qui a tiré. **But du jeu :** faire rebondir la balle dans un secteur inoccupé par l'adversaire, de telle façon qu'elle ne soit pas récupérée (+ 1 pt). *Partie :* 3 tiers-temps de 12′ (dames) ou 15′ (messieurs). **Pratiquants** (milliers) : Taiwan 20, G.-B. 8, *France 8,* Suisse 5, Japon 4, All. 2, Corée du S. 2, Argentine 2, Tunisie-Maroc 2, Autriche 1, Pologne 1, Belgique 1. Algérie, USA, Philippines, Australie. **Féd. fr.** *Créée* 27-2-1971. 25, rue de l'Yser, 67000 Strasbourg.

Grands stades

Nombre de places

Stade	Places
São Paulo (Brésil) Maracana	165 000
Rio de Janeiro (Brés.) Gd Maracana	155 000
Pyongyang (Corée du N.) Rungnado	150 000
Glasgow (G.-B.)	150 000
Belo Horizonte (Brésil) Magalhaes Pinto	125 000
São Paulo (Brésil) Morumbi	120 000
Lisbonne (Portugal) Da Liz	120 000
Jakarta (Indonésie) Senayan	120 000
Madrid (Espagne)	120 000
Londres (G.-B.) Wembley	120 000
Ann Arbor (Michigan, USA)	120 000
Fortaleza (Brésil) Castelão	119 000
Recife (Brésil) Arruado	115 000
Mexico (Mexique) Azteca	115 000
Barcelone (Espagne) Nou Camp	115 000
Bucarest (Roum.)	110 000
Pasadena (Calif., USA)	107 000
Philadelphie (Penns., USA)	105 000
Los Angeles (Calif., USA)	105 000
Berlin (All.) Stade olymp.	105 000
Moscou (URSS) Stade Lénine	102 000
Le Caire (Égypte) Nasser	100 000
Calcutta (Inde) Eden Garden	100 000
Calicut (Inde) Corporation	100 000
Téhéran (Iran) Azadi	100 000
Belgrade (Youg.) Red Star	100 000
Kiev (ex-URSS) Central	100 000
Leipzig (All.)	100 000
Melbourne (Australie) Stade olymp.	100 000
Varsovie (Pologne)	100 000
Rome, (Italie) Stade olymp.	100 000

☞ **A Paris** (porte d'Auteuil), le *parc des Princes* est un stade ouvert de 49 329 places, réalisé à partir de structures géantes constituées par les plus grands porte-à-faux précontraints au monde. La construction d'un grand stade était prévue à Melun-Sénart pour 1998 (coût env. 3 milliards de F). **A Prague**, le *stade des Sokols,* « aire de démonstration de masses », peut accueillir jusqu'à 240 000 spectateurs. 30 000 gymnastes peuvent s'y produire ensemble.

☞ **Stade couvert le plus grand.** Astrodrome de Houston : 66 000 places pour un match de boxe, 45 000 à 150 000 places pour base-ball ou football.

Championnats du monde. *Créés* 1984. **84, 87, 90** Taiwan.

■ **Tobogganing.** Les Romains utilisaient leurs bou-cliers (transport ou divertissement). Dans les Alpes, on pratiquait la *ramasse* (sur des peaux de bœuf ou des traîneaux grossiers). **Nom** de l'algonquin *tobaakum,* traîneau à l'avant recourbé des Indiens mic-macs (Canada). *Formé* de plusieurs planches de bois recourbées à un bout. Sans patins, il glisse à même le sol. Long. 2 m ; larg. 0,50 m ; sur les côtés, 2 rampes pour se tenir. S'il transporte une personne, celle-ci est couchée sur le côté et dirige à l'arrière avec le pied et en soulevant l'avant ou en déplaçant son corps. S'il en transporte plusieurs, toutes sont assises sauf une couchée pour diriger. **Spécialités :** voir *bobsleigh, luge, skeleton.*

■ **Triathlon. Origine :** *Pentathlé* Grèce ancienne (5 combats, en grec *athlon,* disque, javelot, saut en longueur, course et lutte). **1902** Joinville-le-Pont (Val-de-M.), épreuve nommée *Les 3 Sports* (course à pied, à bicyclette, canoë). **1920** nouvelle formule : course (4 km), vélo (12 km), natation (traversée de la Marne). **1945** Poissy, *Course des débrouillards,* puis *Course des Touche-à-Tout.* **1974** *avril* près du lac Tahoe (Californie), la Board Bikes and Boat Triathlon propose : ski de fond (8 km), cyclisme (8 km), kayak (8 km). **1975** *mai* triathlon de Fiesta Island (Californie : natation 800 m, cyclisme 8 km, course 8 km). **1982** en France (Nice). **1989**-*1-4* Union internat. créée. **Règles :** ordre des épreuves immuable, pas de décompte de temps entre les épreuves. **1991** discipline ol. **1996** inscrit aux JO. **Distances :** *sprint* natation 750 m, cyclisme 20 km, course 5 km ; *olympique* 1,5 km, 40 km, 10 km ; *moyenne* 2,5 km, 80 km, 20 km ; *longue* 3,5 km, 120 km, 30 km ; *Ironman* 3,8 km, 180 km, 42,195 km.

Résultats. HAWAII OU IRONMAN. *Créé* 1977 par John Collins. De 1978 à 80, île de Oahu, dep. 81 de Kona. *Messieurs :* **78** Haller [1], **79** Warren [1], **80** Scott [1], **81** Howard [1], **82 fév.** Tinley [1], **82 oct., 83, 84** Scott [1], **85** Tinley [1], **86, 87** Scott [1], **88** Molina [1], **89** (record : 8 h 9'9"), **90, 91, 92** Allen [1]. *Dames :* **79** Lemaire [1], **80** Beck [1], **81** Sweeney [1], **82 fév.** Mc Cartney [1], **oct.** Leach [1], **83, 84** Puntous [2], **85** Ernst [1], **86** Newby-Fraser [9], **87** Baker [3], **88, 89, 90, 91, 92** Newby-Fraser [9].

NICE. *Créé* 1982. Natation 3,2 km puis 4 km dep. 88, cyclisme 120 km, course 32 km. *Messieurs :* **82, 83, 84, 85, 86** Allen [1], **87** Wells [3], **88** Barel [4], **89, 90, 91, 92, 93** Allen [1]. *Dames :* **82** Brooks [1], **83** Buchanan [1], **84** Cannon [1], **85** Baker [3], **86** Buchanan [1], **87** Hanssen [1], **88** Baker [3], **89, 90, 91, 92** Newby-Fraser [9], **93** Mouthon [5].

INTERNAT. DE PARIS. *Créé* 1986. **Dist. olympique.** *Messieurs :* **86** Lecrique [5], **87** Blondell [6], **88, 89** Barel [4], **90** Lessing [7], **91** Rampteau [5]. *Dames :* **87** Coope [7], **88** Baker [3], **89** Coope [7], **90, 91** Mouthon [5].

DÉFI MONDIAL DE L'ENDURANCE. Triple Ironman. *Créé* 1988. Natation 11,4 km, cyclisme 540 km, course 126,58 km. **90, 91, 92** Erhart [12].

COUPE DU MONDE. *Créée* 1991.

CHAMPIONNATS DU MONDE. *Créés* 1989. **Dist. olympique :** *Messieurs :* **89** Allen [1], **90** Welsh [10], **91** Stewart [10], **92** Lessing [7]. *Dames :* **89** Baker [3], **90** Symers [1], **91** Ritchie [2], **92** Jones [10]. **Par éq.** *Messieurs :* **89** USA, **90, 91** Australie, **92** Canada. *Dames :* **89, 90** USA, **91** Canada, **92** Australie.

CH. D'EUROPE. *Créé* 1985. **Dist. olympique :** *Messieurs : Ind.* **85, 86, 87, 88** Barel [4], **89** Cordier [5], **90** Harmblock [6], **91** Lessing [7], **92** Smith [7], **93** Lessing [7]. **Éq. 87** France, **89** P.-Bas, **90** Belg. **92** G.-B. **93** All. *Dames : Ind.* **85** Kremer [8], **86** Paulus [6], **87** Coope [7], **88** Springman [7], **89** Mortier [8], **90** Sijbesma [4], **91** Mouthon [5]. **92** Krolik [8]. **93** West hoff [14]. **Éq. 87** G.-B., **89, 90** All. féd., **91** Suisse, **92, 93** All.

Moy. dist. *Messieurs : Ind.* **85** Zijerveld [4], **86** Barel [4], **87** Cook [7], **88** Barel [4], **89** non disp., **90** Blondel [6], **91** Van Zelst [4], **92** Cook [7]. **Éq. 87** G.-B., **90** P.-Bas, **92** G.-B. *Dames : Ind.* **85** Paulus [6], **86, 87, 88** Coope [7], **89** non disp., **90** Mouthon [5], **91** Sijbesma [4], **92** De Ruiesher [6]. **Éq. 87** G.-B., **90, 92** France.

Longue dist. *Messieurs :* **85** Stam [4], **86** Lonnqvist [13], **87** Koenders [4], **88** non disp., **89** Koenders [4], **91** Van Zelst [4]. *Dames :* **86** Springman [7], **87, 89** Coope [7], **88** non disp., **91** Sijbesma [4].

Nota. – (1) USA. (2) Canada. (3) N.-Z. (4) P.-Bas. (5) France. (6) Belg. (7) G.-B. (8) All. féd. (9) Zimbabwe. (10) Australie. (11) Finlande. (12) Autriche. (13) Finlande. (14) All. dep. 1991.

CH. DE FRANCE. Sprint. *Messieurs :* **91, 92** Methion ; *dames :* **91** Gresset, **92** Delemer. **Dis. ol.** *Messieurs :* **85** Belaubre, **86** Millet, **87** Methion, **88** Girard, **89, 90, 91, 92, 93** Methion ; *dames :* **85, 86, 87** Malherbe, **88** Muguet, **89** Rouchon, **90, 91, 92, 93** Mouthon. **Moy. dis.** *Messieurs :* **85** Cordier, **86** Methion, **87** Lecrique, **88** Cauchois, **89, 90** Lecrique ; *dames* **85, 86, 87,** Malherbe, **88** Poncelet, **89** Meignin, **90** Rouchon. **Longue dist.** *Messieurs :* **85, 86, 88** Cordier, **87** Niquet, **89, 90** Plantin, **92** Rivière ; *dames :* **85, 86** Malherbe, **87, 88, 89** Poncelet, **90, 92** Damiani.

Fédération française de triathlon, *créée* 1989, remplace le **Conadet** (Comité nat. pour le développement du tr., *créé* 1984), 50, bd de Strasbourg, 75010 Paris. *Licenciés* (1990) :20 000.

■ **Twirling baton.** De l'anglais, *to twirl,* faire tourner rapidement son poignet, et par extension faire tourner un bâton. Au départ, majorettes portant bottes et shako qui animent des fêtes. Devient de plus en plus une activité gymnique et sportive (gymnastique, danse, maniement du bâton) et s'ouvre aux hommes et aux femmes, en individuel ou en équipe. **Fédération française :** BP 31, 54190 Villerupt.

■ **Vol musculaire** (voir p. 1667).

Shiatsu et Do-in

■ **Origine :** Shiatsu : massage. Do-in : automassage (pression du doigt).

■ **But.** Détendre, défatiguer, améliorer ou guérir diverses affections (digestives, rhumatologiques, nerveuses, etc.), rééquilibrer l'individu dans son ensemble. *Principes :* ouvrir le corps à la libre circulation de l'énergie interne (le Ki des Japonais, le Chi des Chinois, le Prana des yogis, le Pneuma des Grecs anciens). En détendant, en étirant, en assouplissant le corps, surtout en pressant les *tsubos* ou points situés sur les méridiens d'acupuncture et correspondant à des fonctions et à des organes.

Par des pressions exercées dans un ordre donné, avec une intensité variable, en rythme avec la respiration du « receveur » et selon ses réactions, on débloque cette énergie et, suivant le mode d'action, on tonifie ou on disperse. **Renseignements.** *Groupe d'études des techniques traditionnelles,* 20, rue Guynemer, 94120 Fontenay-sous-Bois.

Yoga

■ **Définition.** Mot sanskrit signifiant *union* ; venant de la racine *yuj,* « réunir 2 animaux sous le même joug », afin de pouvoir les diriger vers le but fixé. Ce joug symbolise la manière d'« ajuster », par étapes progressives, le corps et la fonction psycho-mentale en vue d'atteindre la libération définitive de toute forme de souffrance (*moksha*).

Né en Inde avant l'ère chrétienne, le Yoga était l'enseignement pratique et philosophique transmis oralement d'un mode de vie transformé par la manière de voir *(darshana).* Des 6 darshana, ou systèmes philosophiques orthodoxes de la pensée indienne *(Sānkhya :* énumération, *Yoga, Nyāya :* logique, *Vaisheshika :* particularité, *Mimānsā :* discussion sur les rites, *Vedānta :* discussion sur les Veda) seuls, la Mimāmsā et le Vedānta sont purement d'origine théiste. **Principales approches du yoga. Bhakti-Yoga :** voie de la dévotion, union de la personne avec sa divinité d'élection, s'adresse aux personnes ayant une foi intense ; **karma-yoga :** voie de l'action, perfection dans les actes par détachement du fruit de l'acte, s'adresse aux personnes d'action ; **jnana-yoga :** voie de la Connaissance, s'adresse aux personnes attirées vers le raisonnement intellectuel et la spéculation rationnelle. **Pratique du yoga en Occident.** S'appuie sur 2 textes : les *Yoga-sūtra de Patanjali* englobant toutes les formes de yoga ; l'enseignement qu'il transmet est aussi appelé raja-yoga ou yoga royal. Le *Hatha-yoga Pradipika :* représentant les 2 aspects théorique et pratique du yoga. La définition de l'état de yoga comme l'arrêt des perturbations du mental, les causes de la dispersion du mental, le moyen pour supprimer son agitation incessante, la discipline (comprenant 8 membres) à observer lorsqu'on ne peut garder la stabilité de l'esprit, les effets (siddhi ou accomplissements) obtenus par l'application constante – effets qu'il faut se garder de rechercher pour eux-mêmes, sous peine de perdre de vue le but final et enfin *Kaivalya,* (le détachement suprême ou la libération) sont exposés en 4 chapitres.

■ **Hatha-yoga.** Le plus recherché par les Occidentaux. Le *hatha-yoga Pradipika* reprend un enseignement ancien préconisant la discipline du corps et de l'esprit sans violence. Il vise, grâce à une pratique progressive de différents moyens de purification du corps physique et de la fonction mentale, à l'union des 2 tendances opposées du souffle vital (mouvement ascendant et descendant). Moyens les plus courants : *āsana* ou posture (pour obtenir la stabilité et la légèreté physique), *prānāyama* ou contrôle du souffle [pour maintenir le Prānā (souffle vital) dans le corps, par le contrôle conscient de la respiration] et *mudra* ou unification des ressources psychologiques et spirituelles (diriger le mental dans une direction donnée). Le *yogin* (pratiquant de yoga) devra aussi avoir une hygiène de vie et une alimentation équilibrées.

Hatha-yoga, yoga de Patanjali, mènent aussi au *Samādhi* ou « enstase » (état de méditation qui n'est pas une extase ; les sens de perception et le mental ont simplement inversé leur tendance ordinaire vers la dispersion). Le yogin n'est plus perturbé par le plaisir ou la douleur. Ayant maîtrisé ses sens, son esprit, son souffle, il atteint la perfection en yoga. Une pratique incomplète, non adaptée et mal comprise peut causer des déséquilibres physiques et psychiques.

Renseignements. *Féd. franç. de hatha-yoga,* 50, rue Vaneau, 75007 Paris. *Féd. nat. des enseignants du Yoga,* 3, rue Aubriot, 75004 Paris. *Féd. interrégionale de Hatha-yoga,* 36, rue du Fbg-St-Honoré, 75008 Paris.

Records d'endurance

Course de grand raid. A Newton (Afr. du Sud), 248 km en 14 h 6' en 1934.

Cyclisme. *Sur piste :* 125 h (Assandrao Halyalkar, 22 ans, Bombay, 1953). *Sur bicyclette montée sur rouleaux :* Belgique, 223 h. *Hors piste :* 187 h 28' (Vivekananda Selva Kumar Anandan, Sri Lanka, 2 au 10-5-1979), sans interruption autour du parc de Vihara Maha Devia à Colombo.

Danse. 5 148 h 28'30" du 29-8-1930 au 1-4-1931, Mike Ritof et Edith Boudreaux, USA ; les danseurs devaient faire des pas de 25 cm et ne pouvaient fermer les yeux plus de 15 s.

Équilibrisme. 6 mois sur fil tendu à 30 m au-dessus du sol (Henry's à St-Étienne, 1973).

Marche sur les mains. 1 400 km, Johann Hurlingen (Autriche).

Rétablissements à 2 mains. 78 à la barre fixe (l'Anglais A. Lewis en 1913) ; **à 1 main :** 27 par l'Américaine Lillian Leitzel (dans les années 1930).

Soif et déshydratation. La soif se manifeste à partir d'une perte de 1 à 1,5 litre d'eau ; le liquide extracellulaire diminue de volume en même temps que sa concentration, notamment en sodium, augmente. Par pression osmotique, l'espace extra-cellulaire « pompe » l'eau des cellules.

La déshydratation s'accompagne de troubles psychiques bénins (pour 3 à 4 litres de perte hydrique) ou graves (à partir de 5 l, on peut délirer et avoir des hallucinations). Les muqueuses se dessèchent. On ne peut plus saliver. La tension baisse, la température augmente. Le coma précède la mort qui survient à partir de 6 à 10 litres de déshydratation.

Stylite. Frank Perkins occupa 399 j du 1-6-1975 au 4-7-1976 une cahute de 2,43 m sur 2,43 m au sommet d'un poteau télégraphique (USA). Saint Siméon Stylite (521-597) a vécu les 45 dernières années de sa vie sur une colonne de 20 m de haut, large de 1,5 m, près d'Antioche (Syrie).

Survie en mer. *Radeau* 130 j sur un radeau (23-11-1942/5-5-1943) : le steward brit. Poon Lim après que son bateau eut été coulé dans l'Atlantique. Alain Bombard (n. 27-10-24), sur l'*Hérétique,* (4,6 m avec une petite voile de canoë), sans eau ni vivres ; Monaco-Tanger avec un compagnon, puis Las Palmas-la Barbade seul en 64,5 j en 1952.

Tractions. 6 006 en 4 h (Charles Lunster, 16 ans, USA, le 7-10-1965).

Jeux Olympiques

Généralités

■ **Origine. Avant J.-C. 884** date probable de la création de l'*Ekecheiria* (trêve) par Iphitos, roi d'Élide, Lycurgue de Sparte et Cléosthène de Pisa. On trouve des jeux analogues décrits dans *l'Iliade :* le chant XXIII dit comment Achille les a organisés devant le bûcher sur lequel va brûler le corps de Patrocle, afin d'apaiser et de réjouir l'âme du mort. *L'Iliade* décrit les 4 types d'épreuves qui, sous des modes divers, sont toujours disputées : course athlétique, pugilat, lancers et course hippique. Héraklès aurait institué les Jeux d'Olympie et, après avoir vaincu à la course, aurait consacré à Zeus, son père, un site consacré primitivement à Kronos. **776** 1re Olympiade historique. **724** à l'épreuve du stade s'ajoute celle du double stade ou diaulique (384,54 m). **720** course longue ou dolique. **708** pentathlon et lutte. **688** pugilat. **680** course de chars à 4 chevaux (quadrige). **576** les colonies grecques participent aux Jeux. À partir de **572,** la Grèce entière se rassemble régulièrement à Olympie chaque fois que 99 mois lunaires sont révolus depuis la dernière Olympiade. Le calcul se basait aussi sur un calendrier de 8 ans calculé sur la concordance des mois solaires et lunaires. La date était fixée plusieurs mois à l'avance par les *hellanodikès,* magistrats suprêmes des Jeux. 3 *spondophores* choisis parmi les notables de la cité allaient en porter la nouvelle. N'importe qui, sauf les femmes mariées, pouvait y assister, mais pour y participer, il fallait être Grec. Les cités suspendaient toute action guerrière pendant la trêve olympique. **520** course en armes. **468** durée portée à 5 j. **72** 1re victoire d'un Romain, Gaios (Caius), en course. **68** courses de chevaux montés disparaissent. **Apr. J.-C. 369** Barasdates, roi d'Arménie, de 374 à 378, dernier vainqueur (pugilat) dont le nom nous soit parvenu. **393** l'empereur Théodose Ier, sous l'influence de saint Ambroise, évêque de Milan, qui les jugea impies interdit tous les jeux. **522** et **551** tremblements de terre détruisent ce qui reste d'Olympie. **1829** l'expédition de Morée dont fait partie le Français Abel Blouet découvre, sous 3 à 6 m de sable, l'emplacement du temple de Zeus et les 3 fragments de métopes qui sont au Louvre (*1875* fouilles systématiques de l'Allemand Ernst Curtius). **1859** tentative de rénovation des Jeux sous l'égide d'un riche Grec d'origine roumaine, Zappas. **1870** 2e tentative, plusieurs attractions non sportives. **1875 et 89** tentatives. **1892**-*25-11* en Sorbonne : Pierre Frédy, baron de Coubertin (1863-1937), annonce que sur une base conforme aux conditions de la vie moderne, il pense au rétablissement des jeux Olympiques. **1894**-*23-6* un congrès international, réuni à Paris, vote à l'unanimité le rétablissement des Jeux et la constitution d'un Comité international. **1896** 1ers Jeux de l'Olympiade à Athènes. **1924** 1ers Jeux d'hiver à Chamonix. **1948** les Jeux d'hiver s'ouvrent largement au ski alpin. **1986**-*14-10* le CIO décide de décaler, à partir de 1994, les Jeux d'hiver qui auront lieu tous les 4 ans en alternance avec les Jeux de l'Olympiade. **1991**-*1-1* réunification des comités olympiques all.

■ **Spectateurs. Jeux de l'Olympiade et,** entre parenthèses, **Jeux d'hiver. 1896** Athènes n.c. **1900** Paris n.c. **04** St-Louis n.c. **08** Londres env. 300 000 s. **12** Stockholm 327 288 s. **20** Anvers 349 689 s. **24** Paris 592 958 s. (*Chamonix* 32 862 s., 10 044 b.v.). **28** Amsterdam 357 425 s. (*St-Moritz* 29 832 b.v.). **32** Los Angeles 1 247 580 v. (*Lake Placid* 80 000 v., 78 310 b.v.). **36** Berlin 3 769 892 v. (*Garmisch* 234 529 v., 543 155 b.v.). **48** Londres n.c. (*St-Moritz* 59 037 b.v.). **52** Helsinki 1 376 512 s. (*Oslo* 541 407 s.p., 533 413 b.v.). **56** Melbourne 1 341 483 b.v. (*Cortina* 157 731 b.v.). **60** Rome 1 463 091 b.v. (*Squaw Valley* 249 653 b.v.). **64** Tokyo 1 975 723 v. (*Innsbruck* 1 073 000 v., 479 684 b.v.). **68** Mexico n.c. (*Grenoble* 337 731 b.v.). **72** Munich 3 116 092 b.v., 505 827 b.v. (*Sapporo* 621 232 b.v.). **76** Montréal 2 488 448 b.v. et b.d. (*Innsbruck* env. 1 400 000 s., 732 726 b.v.). **80** Moscou 5 466 321 b.v. et b.d. (*Lake Placid* 433 320 b.v.). **84** Los Angeles 5 797 923 s., 5 775 000 b.v. et b.d. (*Sarajevo* 646 000 s., 433 784 b.v.). **88** Séoul n. c. (*Calgary* 1 338 199 s., 1 812 780 b.v.).

Nota. – n.c. non connu. *s.* spectateurs. *v.* visiteurs. *b.v.* billets vendus. *s.p.* spectateurs payants. *b.i.* billets imprimés. *b.d.* billets distribués.

■ **Principe** : le mouvement olympique doit : promouvoir le développement des qualités physiques et morales qui sont les bases du sport ; éduquer par le sport la jeunesse, dans un esprit de meilleure compréhension mutuelle et d'amitié contribuant ainsi à construire un monde meilleur et plus pacifique ; faire connaître universellement les principes olympiques suscitant ainsi la bonne volonté internationale ; convier les athlètes du monde aux JO qui comprennent les Jeux de l'Olympiade et les JO d'hiver. Les JO ont lieu tous les 4 ans. Le terme « Olympiade » désigne la période de 4 ans qui débute avec les Jeux de l'Olympiade et se termine avec l'ouverture des Jeux de l'Olympiade suivante. Olympiades et JO se comptent à partir de 1896 même si, à la date d'une Olympiade, les Jeux n'ont pu avoir lieu.

■ **Devise** : proposée par Pierre de Coubertin : *Citius, altius, fortius* (en latin : plus vite, plus haut, plus fort). Inventée entre 1890 et 1900 par un dominicain français, le père Henri Didon (1840-1900). **Emblème** : anneaux olympiques entrelacés (inaugurés sur le drapeau olympique au XXe anniversaire du CIO en 1914) symbolisant l'union des 5 continents, la primauté de l'esprit mondial sur les nationalismes (5 couleurs : bleu, jaune, noir, vert, rouge). Hissé pour la 1re fois aux Jeux d'Anvers (1920).

Flamme : proposée par Théodore Lewald, adoptée par le CIO en 1934. 1er parcours organisé pour l'été en 1936 aux Jeux de Berlin et pour l'hiver en 1952 aux Jeux d'Oslo. 1er parcours dep. Olympie en 1964 aux jeux d'Innsbruck.

Serment olympique : « Au nom de tous les concurrents, je promets que nous prendrons part à ces JO en respectant et suivant les règles qui les régissent, dans un esprit de sportivité, pour la gloire du sport et l'honneur de nos équipes. » (Charte olympique 1992.)

■ **Organismes** : **Comité international olympique (CIO)** : dirige le mouvement olympique. Aucune discrimination n'y est admise à l'égard d'un pays ou d'une personne pour des raisons raciales, de sexe, religieuses, politiques ou autres. *États membres en 1993* : 185 (réunification de l'All. et du Yémen, Afr. du S. réintégrée conditionnellement dep. mars 1991). **Présidents.** *1894* Demetrius Vikelas (Gr., 1835-1908), *1896* Pierre de Coubertin (Fr., 1863-1937), *1925-42* Henri de Baillet-Latour (Belg., 1876-1942), *1946* J.-Sigfrid Edstroem (Suède, 1870-1964), *1952* Avery Brundage (USA, 1887-1975), *1972* Lord Killanin (Irl., n. 30-7-1914), *1980* Juan Antonio Samaranch (Esp., n. 17-7-1920).

Comité national olympique et sportif français (CNOSF). *Créé* le 23-2-1972 par la fusion du *Comité national des sports* (CNS, créé 1908, rassemblant les fédérations sportives franç.) et du *Comité olympique français* (COF, créé 1911, au sein du CNS) représente la France au CIO. **Comités régionaux** (CROS, 30) et **départementaux** (CDOS, 96). **Fédérations** 83 : 27 olympiques, 36 nationales, 15 affinitaires et 5 scolaires et universitaires. **Pt** : Henri Sérandour (n. 1937). 1, av. de la Porte-de-Gentilly, 75640 Paris Cedex 13.

Contrôles de féminité. Test à partir d'un frottis de la muqueuse buccale introduit en 1968 aux JO de Grenoble. On recherche dans le noyau des cellules la présence d'un chromosome X inactif, ce qui démontre l'existence de 2 chromosomes X chez les femmes. Dep. 1992, on utilise la génétique moléculaire pour analyser l'ADN amplifié et rechercher les gènes sur le chromosome Y. Permet de vérifier la présence ou l'absence d'un gène de masculinité. En France, le Comité d'éthique et le Conseil de l'ordre des médecins sont contre l'emploi de ce test.

■ **Dopage** : une liste de substances interdites est établie par le CIO + procédure pour la sélection des athlètes à contrôler, la prise des échantillons et leur analyse. Lors des JO, des contrôles sont effectués en principe sur les 4 premiers athlètes, plus un certain nombre par tirage au sort. Les échantillons d'urine sont analysés par un laboratoire accrédité par le CIO. *Principale méthode* : chromatographie en phase gazeuse/spectrométrie de masse, couplée avec un ordinateur qui permet d'analyser 2 000-2 500 échantillons prélevés pendant les JO. En cas de contrôle positif, une 2e analyse est effectuée en présence des intéressés sur un 2e échantillon gardé en réserve. Si

MÉDAILLES GAGNÉES PAR LA FRANCE

JO d'hiver	Or	Argent	Bronze
1924 Chamonix	–	–	1
1928 St-Moritz	1	–	–
1932 Lake Placid	1	–	–
1936 Garmisch	–	–	1
1948 St-Moritz	1	1	1
1952 Oslo	–	–	1
1956 Cortina d'Amp.	–	–	–
1960 Squaw Valley	1	–	2
1964 Innsbruck	3	4	–
1968 Grenoble	4	3	2
1972 Sapporo	–	1	2
1976 Innsbruck	–	0	1
1980 Lake Placid	–	–	1
1984 Sarajevo	–	1	2
1988 Calgary	1	–	1
1992 Albertville	3	5	1

JO de l'Olympiade	Or	Argent	Bronze
1896 Athènes	6	4	2
1900 Paris	19	31	24
1904 Saint Louis	–	1	–
1908 Londres	5	5	8
1912 Stockholm	6	4	3
1920 Anvers	9	20	12
1924 Paris	13	14	10
1928 Amsterdam	6	10	5
1932 Los Angeles	10	5	4
1936 Berlin	7	6	6
1948 Londres	10	6	13
1952 Helsinki	6	6	6
1956 Melbourne	4	4	6
1960 Rome	–	2	3
1964 Tōkyō	1	8	6
1968 Mexico	7	3	5
1972 Munich	2	4	7
1976 Montréal	2	3	4
1980 Moscou	6	5	3
1984 Los Angeles	5	7	16
1988 Séoul	6	4	6
1992 Barcelone	8	5	16

PALMARÈS ÉTÉ + HIVER (1896-1992)

Nations	Total des médailles	Or	Argent	Bronze
USA	1 989	819	635	535
ex-URSS	1 544	525	436	553
Allemagne	1 156	377	395	384
All. (1896 à 1964)	371	108	140	123
All. (dep. 1991)	108	43	31	34
All. dém. (1968-88)	517	192	164	161
All. féd. (1968-88)	212	67	81	94
G.-B.	605	179	215	211
France	*543*	*146*	*179*	*198*
Suède	534	166	165	203
Italie	438	164	140	134
Finlande	402	134	122	146
Hongrie	400	133	122	144
Norvège	300	102	104	94
Japon	282	91	92	99
Australie	258	80	78	100
Suisse	244	66	94	84
Canada	242	59	81	102
Roumanie	221	60	70	91
Pologne	221	48	66	107
Pays-Bas	216	61	70	85
Autriche	193	50	72	71
Tchécoslovaquie	175	51	59	65
Bulgarie	169	41	68	60
Danemark	154	32	62	60
Belgique	133	36	49	48
Chine	117	36	43	38
Corée du Sud	102	33	27	42
Yougoslavie [1]	90	26	33	31
Cuba	90	37	27	26
Grèce	69	17	26	26
N.-Zélande	65	26	11	28
Afr. du Sud	55	16	18	21
Turquie	53	26	15	12
Espagne	50	18	19	13
Argentine	47	13	19	15
Mexique	40	9	13	18
Kenya	39	13	13	12
Brésil	39	9	8	20
Iran	33	4	12	17
Jamaïque	26	4	13	9
Estonie	23	7	0	10
Corée du Nord	22	6	5	11
Égypte	18	6	6	6
Irlande	18	5	6	7
Inde	14	8	3	3
Liechtenstein	14	3	4	7
Éthiopie	13	6	1	6
Portugal	13	2	4	7
Mongolie	13	0	5	8
Pakistan	10	3	3	4
Maroc	9	4	2	3
Uruguay	9	2	1	6
Nigeria	9	0	4	5
Venezuela	8	1	2	5
Chili	7	0	5	2
Trinité	7	1	2	4
Luxembourg	7	3	4	0
Philippines	7	0	2	5
Lettonie	6	0	4	2
Colombie	6	0	2	4
Indonésie	6	2	3	1
Ouganda	5	1	2	2
Tunisie	5	1	3	1
Porto Rico	5	0	1	4
Ghana	4	0	1	3
Pérou	4	1	3	0
T'ai-wan	4	0	2	2
Thaïlande	4	0	1	3
Algérie	4	1	0	3
Bahamas	3	1	0	2
Croatie	3	0	1	2
Lituanie	2	1	0	1
Surinam	2	1	0	1
Cameroun	2	0	1	1
Haïti	2	0	1	1
Islande	2	0	1	1
Israël	2	0	1	1
Panamá	2	0	0	2
Tanzanie	2	0	2	0
Namibie	2	0	2	0
Slovénie	2	0	0	2
Antilles néerl.	1	0	1	0
Bermudes	1	0	0	1
Chili	1	0	1	0
Costa Rica	1	0	1	0
Côte-d'Ivoire	1	0	1	0
Djibouti	1	0	0	1
Rép. Dominicaine	1	0	0	1
Guyana	1	0	0	1
Îles Vierges	1	0	1	0
Irak	1	0	0	1
Liban	1	0	1	0
Monaco	1	0	0	1
Niger	1	0	0	1
Sénégal	1	0	1	0
Singapour	1	0	1	0
Sri Lanka	1	1	0	0
Zimbabwe	1	1	0	0
Syrie	1	0	1	0
Zambie	1	0	0	1
Malaisie	1	0	0	1
Qatar	1	0	0	1

Nota. – (1) En 1992, Serbie, Monténégro et Macédoine.

Jeux paralympiques

Pour handicapés physiques et visuels

Origine : *créés* 1960 sur proposition de sir Ludwig Guttmann (Jeux d'été). Jeux d'hiver : 1976. **Organisation :** réservés aux handicapés physiques ou visuels (amputés, aveugles, infirmes moteurs, cérébraux ou en fauteuil roulant, ou tout autre handicap).

Ils ont lieu tous les 4 ans dans le pays organisateur des JO pour sportifs valides, sauf en 1968 (en raison d'impératifs médicaux dus à l'altitude de Mexico) et 1980 (Moscou n'ayant pas pu les organiser dans le contexte du moment).

Sports paralympiques (1992). **Été.** Athlétisme. Basket-ball. Boules. Cyclisme tandem ; solo. Escrime. Football à 7. Goal-ball. Haltérophilie. Judo. Natation. Tennis. Tennis de table. Tir à l'arc. Tir à la cible. Volley-ball. **Hiver.** Biathlon. Ski alpin et nordique.

Rétrospective. Jeux d'été. 1960 Rome (ville organisatrice) 300 participants (10 pays) ; **64** Tōkyō 400 (22) ; **68** Tel-Aviv 750 (29) ; **72** Heidelberg (ex-All. féd.) 1 000 (43) ; **76** Toronto 1 500 (45) ; **80** Arnhem (P.-Bas) 1 800 (48) ; **84** New York 2 000 (52), et Stoke Mandeville (G.-B.) 1 400 (52) ; **88** Séoul (Corée) 4 000 (67) ; **92** Barcelone env. 4 000 (85).

Jeux d'hiver. 1976 Ornskoldsvik (Suède) 250 (14) ; **80** Geilo (Norvège) 350 (18) ; **84** Innsbruck 500 (22) ; **88** Innsbruck 700 (22) ; **92** Tignes-Albertville 644 (24).

Résultats 1992. *Albertville :* 235 médailles dont USA 45, All. 38, ex-URSS 21, Autriche 20, *France 19 (or 6, arg. 4, br. 9),* Suisse 15. *Barcelone :* 812 dont *France 105.*

Nota. – En 1992, en marge des paralympiques ont eu lieu des *Jeux pour handicapés mentaux* (sept. à Madrid, 2 500 athlètes, 75 pays, 5 sports : athlétisme, natation, football à 5 en salle, basket, tennis de table) et des *Special Olympics* (oct. à Barcelone, 3 700 handicapés mentaux de 30 pays, 13 sports dont athlétisme, gymnastique, natation, cyclisme, football en salle, basket).

la 1re analyse est confirmée par la 2e, la commission médicale du CIO propose une sanction à la commission exécutive du CIO, qui prend la décision finale.

■ **Tricheries** *(exemples)* **: 1972** l'Américain Rick Demont est privé de sa médaille d'or pour le 400 m nage libre (il avait absorbé de l'éphédrine). Les cyclistes hollandais de l'épreuve du 100 km contre la montre sont déclassés de la 3e place (Van Den Hoek avait absorbé de la coramine). **1976** un Soviétique du pentathlon moderne exclu des Jeux pour avoir truqué le système électrique de son fleuret. 2 haltérophiles bulgares et un polonais disqualifiés. **1984** 11 cas de contrôle positif, dont 2 concernant des médaillés.

Statistiques

■ **Budget** (en millions de $). **Los Angeles (1984) :** effectif : 412,59 dont droits TV 286,76, billets revenu brut 155,86 (r. net 139,83). **Séoul (1988)** *bilan* recettes 850,7, dépenses 729 ; bénéfices 121,7. **Albertville** (1992) (prévisions en millions de F). *Dépenses :* 3 947 dont installations sportives 951,1, technologie 533, hébergement 455,5, médias 463, organisations 1 395, divers 105, frais financiers 44. *Recettes :* 3 947 dont droits TV 1 236, commercialisation 1 145, monnaies 50, billets 144, prestations fournies 68, revente matériels 61, participations publiques 823, hébergement 278, prod. financiers divers 142.

☞ **Droits de Télévision** (en millions de $ USA = CBS, NBC et ABC). *Source :* CIO. **Jeux de l'Olympiade : 1960 :** 1,1 dont USA 0,3, Europe 0,6. **64 :** 1,5 dont Japon 1,5. **68 :** 9,7 dont USA 4,5, Europe 1. **72 :** 17,8 dont USA 13,5, Europe 1,7. **76 :** 34,8 dont USA 25, Europe 4,5. **80 :** 87,9 dont USA 72, Europe 5,6. **84 :** 286 dont USA (ABC) 225, Europe 19,5. **88 :** 402 dont USA (NBC) 300, Japon (NHK) 52, Europe (Eurovision) 28, Australie (Network) 6,8, Am. latine (OTI) 3, 15 pays d'Asie (Asia Broadcasting Union) 1,5, Hong Kong (Asia TV) 0,9. **92 :** 570 dont USA (NBC) 401, Europe 90. **Jeux d'hiver : 1960 :** 0,05 dont USA 0,05. **64 :** 0,9 dont USA 0,6, Europe 0,3. **68 :** 2,6 dont USA 2, Europe 0,5. **72 :** 8,4 dont USA 6,4, Europe 1,2. **76 :** 11,6 dont USA 10, Europe 0,8. **80 :** 20,7 dont USA 15,5, Europe 2,6. **84 :** 102,6 dont USA 91,5, Europe 4,1. **88 :** 324 dont USA (ABC) 309, Europe (Eurovision) 5,7. **92** (est.) : 550 dont USA (NBC) 401, Europe (Eurovision) 90, Canada (CBC) 10, Japon (NHK) 9, Australie (Nine Network) 8,5. **94** (est.) : 430 dont USA (CBS) 300, Europe 24.

Jeux Olympiques d'hiver

Nombre d'épreuves aux JO d'hiver. Total et, entre parenthèses, masculines, féminines et couples. **1924** 15 (13, 1, 1). **28** 12 (10, 1, 1). **32** 14 (12, 1, 1). **36** 17 (14, 2, 1). **48** 22 (17, 4, 1). **52** 22 (16, 5, 1). **56** 24 (17, 6, 1). **60** 26 (16, 9, 1). **64** 33 (21, 11, 1). **68** 33 (22, 11, 1). **72** 33 (22, 11, 1). **76** 37 (23, 12, 2). **80** 38 (24, 12, 2). **84** 39 (24, 13, 2). **88** 46 (28, 16, 2). **92** 57 (32, 23, 2).

Sports de démonstration (1992) *Curling :* M, D. *Ski de vitesse :* M-D. *Ski acrobatique :* M-D, ballet et saut. **Sports d'exhibition en 1988.** *Ski par des handicapés :* slalom géant pour amputés au-dessus du genoux, ski de fond pour aveugles 5 km.

■ **Sports disparus.** Courses de traîneaux à chiens, patrouilles militaires, skeleton.

■ **Rétrospective.** Année, ville organisatrice, participants, nations représentées. **1924** Chamonix (Fr.) 294 (16). **28** St-Moritz (Sui.) 464 (25). **32** Lake Placid (USA) 242 (17). **36** Garmisch-Partenkirchen (All.) 669 (28). **48** St-Moritz (Sui.) 878 (28). **52** Oslo (Norv.) 694 (30). **56** Cortina d'Ampezzo (It.) 820 (32). **60** Squaw Valley (USA) 666 (30). **64** Innsbruck (Autr.) 933 (36). **68** Grenoble (Fr.) 1 293 (37). **72** Sapporo (Jap.) 1 128 (35). **76** Innsbruck (Autr.) (défection de Denver, USA) 1 261 (37). **80** Lake Placid (USA) 1 283 (37). **84** Sarajevo (Youg.) 1 490 (49). **88** Calgary (Canada). 1 759 (57). **92** Albertville (France) 2 060 dont 585 femmes (64). *Budget du COJO :* 4 201 millions de F. *Déficit* 279 millions de F. *Sites* Albertville (ouverture, clôture, patinage, anneau de vitesse), Val-d'Isère (ski alpin messieurs sauf slalom spécial), Les Ménuires (slalom spécial messieurs), Méribel (ski alpin dames, hockey), Les Saisies (ski nordique, biathlon), Courchevel (saut, entraînement hockey, combiné nordique), La Plagne (bobsleigh, luge), Tignes (ski artistique), Les Arcs (ski de vitesse), Pralognan (curling), Brides-les-Bains, (village olympique), Moutiers (radio-TV). La Léchère (presse). **94** *17-27/2* Lillehammer (Norv.). **98** Nagano (Japon). **2002** candidature de Sotchi (Russie).

Jeux de l'Olympiade

■ **En 1992 : 25 sports.** 257 épreuves dont M 159, D 86, mixte 12. **En 1996 :** 27 sports.

Sports de démonstration (1992). Pelote basque, rink hockey, taekwondo.

■ **Sports disparus.** Boxe française, canot à moteur, criquet, croquet, football américain, golf, gymnastique suédoise, lacrosse, paume, polo à cheval, rackets, real tennis, tir à la corde, roque, rugby, vol à voile. **Concours d'art :** architecture (1912-48), littérature et musique (1912-48), peinture (1912-48), reliefs et médailles (1928-48), sculpture (1912-48).

■ **Rétrospective.** Année, ville organisatrice, nombre de participants et de nations représentés : **1896** Athènes 295 (13) [1]. **1900** Paris 1 077 (21) [1]. **04** St Louis 554 (12) [1]. **08** Londres 2 034 (22) [1]. **12** Stockholm 2 504 (28) [1]. **16** Berlin : annulés. **20** Anvers 2 591 (29) [1]. **24** Paris 3 075 (44) [1]. **28** Amsterdam 2 971 (46) [1]. **32** Los Angeles 1 331 (38) [1]. **36** Berlin 3 980 (49) [2]. **40** Helsinki : annulés. **44** Londres : annulés. **48** Londres 4 062 (58) [1]. **52** Helsinki 5 867 (69) [1]. **56** Melbourne 3 342 (67) [2] ; Stockholm (29). **60** Rome 5 396 (84) [3]. **64** Tōkyō 5 586 (94) [3]. **68** Mexico 6 626 (113) [1]. **72** Munich 7 894 (122) [3]. **76** Montréal 6 189 (88). **80** Moscou 5 923 (81) [3]. **84** Los Angeles 7 055 (140). **88** Séoul 9 417 (160). **92** Barcelone 10 033 (172). **96** Atlanta. **2000** Candidats : Berlin, Brasilia, Istanbul, Manchester, Pékin, Sydney, (décision du CIO le 23-9-93).

Nota. – Vainqueurs officieux. (1) USA. (2) Allemagne. (3) ex-URSS.

■ **Exclusion ou boycott. 1920** All. et Autriche exclues. **1924** All. exclue. **1948** All. et Japon exclus. **1956** Espagne, Suisse et Pays-Bas boycottent pour protester contre l'intervention soviétique à Budapest, Égypte à cause de Suez et Chine à cause de Taiwan. La Suisse est revenue sur sa décision, mais pour des raisons techniques n'a pas pu participer. Liban et Irak n'ont pas participé, à cause de l'attitude de l'Australie envers le Moyen-Orient. **1968** ex-All. féd. et ex-All. dém. concourent séparément. **1976** la plupart des pays africains membres du CIO boycottent pour dénoncer la participation de la N.-Zélande (accusée de collaborer avec l'Afrique du Sud qui est exclue du CIO dep. 1970). Guyane et Irak se retirent par solidarité, et Taiwan pour des raisons politiques (ne veut pas être appelé rép. de Chine). (5 pays sont partis après que leurs athlètes ont participé à quelques compétitions et 21 sans avoir laissé leurs athlètes concourir.) **1980** 63 États boycottent (dont USA) pour protester contre l'invasion soviétique en Afghanistan. **1984** 18 États boycottent (Afghanistan, Albanie, ex-All. dém., Angola, Bolivie, Bulgarie, Corée du N., Cuba, Éthiopie, Hongrie, Iran, Laos, Mongolie, Pologne, Tchécosl., ex-URSS, Viêt-nam, Yémen du S.) car la sécurité des athlètes n'est pas assurée. **1988** invitations faites par le CIO (et non plus comme avant par le comité d'organisation). Déclinent l'invitation : Cuba, Éthiopie, Nicaragua, Corée du N. Ne répondent pas : Albanie, Seychelles. Madagascar ne participe pas car souhaitait que les Jeux soient organisés par les 2 Corées. L'Afr. du Sud n'est pas invitée car dep. 1970 elle n'a pas de Comité national olympique.

■ **Participation française. 1976** 182 athlètes, **80** 143, **84** 252, **88** 286.

Résultats des Jeux Olympiques d'hiver

☞ *Légende.* (1) Afrique du Sud. (2) Allemagne dém. (2a) Allemagne. (3) Allemagne féd. (4) Argentine. (5) Australie. (6) Autriche. (7) Belgique. (8) Brésil. (9) Bulgarie. (10) Canada. (11) Corée du Nord. (12) Corée du Sud. (13) Cuba. (14) Danemark. (15) Égypte. (16) Eire. (17) Espagne. (18) Estonie. (19) Éthiopie. (20) Finlande. (21) France. (22) G.-B. (23) Grèce. (24) Hongrie. (25) Inde. (26) Iran. (27) Irlande. (28) Italie. (29) Jamaïque. (30) Japon. (31) Kenya. (32) Liechtenstein. (33) Luxembourg. (34) Mexique. (35) Mongolie. (36) Norvège. (37) N.-Zélande. (38) Ouganda. (39) Pakistan. (40) P.-Bas. (41) Pérou. (42) Pologne. (43) Portugal. (44) Roumanie. (45) Suède. (46) Suisse. (47) Tanzanie. (48) Tchécoslovaquie. (49) Thaïlande. (50) Trinité-et-Tobago. (51) Tunisie. (52) Turquie. (53) Ukraine. (54) ex-URSS. (55) USA. (56) Venezuela. (57) ex-Yougos-

Palmarès des JO d'hiver

Nations	1972				1976				1980				1984				1988				1992			
	O	A	B	T	O	A	B	T	O	A	B	T	O	A	B	T	O	A	B	T	O	A	B	T
All. dém.	4	3	7	*14*	7	5	7	*19*	9	7	7	*23*	9	9	6	*24*	9	10	6	*25*	10	10	6	*26*
All. féd.	3	1	1	*5*	2	5	3	*10*	0	2	3	*5*	2	1	1	*4*	2	4	2	*8*				
Autriche	4	3	2	*0*	2	2	2	*6*	3	2	2	*7*	0	0	1	*1*	3	5	2	*10*	6	7	8	*21*
Bulgarie	1	0	0	*1*					0	0	1	*1*												
Canada	0	1	0	*1*	1	1	1	*3*	0	1	1	*2*	2	1	1	*4*	0	2	3	*5*	2	3	2	*7*
Chine																					0	3	0	*3*
Corée du N.																					0	0	1	*1*
Corée du S.																					2	1	1	*4*
Espagne	1	0	0	*1*																	0	0	1	*1*
Finlande	0	4	1	*5*	2	4	1	*7*	1	5	3	*9*	4	3	6	*13*	4	1	2	*7*	3	1	3	*7*
France	*0*	*1*	*2*	*3*	*0*	*1*	*1*	*2*	*0*	*0*	*1*	*1*	*0*	*1*	*2*	*3*	*1*	*0*	*1*	*2*	*3*	*5*	*1*	*9*
G.-B.					1	0	0	*1*	1	0	0	*1*	1	0	0	*1*								
Hongrie									0	1	0	*1*												
Italie	2	2	1	*5*	1	2	1	*4*	0	2	0	*2*	2	0	0	*2*	2	1	2	*5*	4	6	4	*14*
Japon	1	1	1	*3*					0	1	0	*1*	0	1	0	*1*	0	0	1	*1*	1	2	4	*7*
Liechtenstein	1	2	2	*5*	0	0	2	*2*	2	2	0	*4*	0	0	2	*2*	0	0	1	*1*				
Luxembourg																					0	2	0	*2*
Norvège	2	5	5	*12*	3	3	1	*7*	1	3	6	*10*	3	2	4	*9*	0	3	2	*5*	9	6	5	*20*
N.-Zélande																					0	1	0	*1*
Pays-Bas					1	2	3	*6*	1	2	1	*4*					3	2	2	*7*	1	1	2	*4*
Pologne	1	0	0	*1*																				
Suède	1	1	2	*4*	0	0	2	*2*	3	0	1	*4*	4	2	2	*8*	4	0	2	*6*	1	0	3	*4*
Suisse	4	3	3	*10*	1	3	1	*5*	1	1	3	*5*	2	2	1	*5*	5	5	5	*15*	1	0	2	*3*
Tchécoslovaquie	1	0	2	*3*	0	1	0	*1*	0	0	1	*1*	0	2	4	*6*	0	1	2	*3*	0	0	3	*3*
ex-URSS	8	5	3	*16*	13	6	8	*27*	10	6	6	*22*	6	10	9	*25*	11	9	9	*29*	9	6	8	*23*
USA	3	2	3	*8*	3	3	4	*10*	6	4	2	*12*	4	4	0	*8*	2	1	3	*6*	5	4	2	*11*
Yougoslavie													0	1	0	*1*	0	1	2	*3*				

Nota. – Le CIO ne reconnaît pas les tableaux de médailles.

lavie. (58) Guyane. (59) Bermudes. (60) Liban. (61) Chine. (62) T'ai-wan. (63) Colombie. (64) C.-d'Iv. (65) Maroc. (66) Islande. (67) Zambie. (68) Nigeria. (69) Porto-Rico. (70) Cameroun. (71) Alg. (72) Syrie. (73) Sénégal. (74) Djibouti. (75) Philippines. (76) Surinam. (77) Costa Rica. (78) Chili. (79) Iles Vierges. (80) Antilles néerlandaises. (81) Brunei. (82) Jordanie. (83) Malaysia. (84) Namibie. (85) Qatar. (86) Bahamas. (87) Lituanie. (88) Slovénie. (89) Estonie. (90) Israël. (91) Croatie. (92) Indonésie. (93) Lettonie. (94) Koweït. (95) Arménie.

SKI ALPIN

■ Messieurs. Descente. **48** *Oreiller* [21] *2'55"*. **52** Colo [28] 2'30"8. **56** Sailer [6] 2'52"2. **60** *Vuarnet* [21] *2'6"*. **64** Zimmermann E. [6] 2'18"6. **68** *Killy* [21] *1'59"85.* **72** Russi [46] 1'51"43. **76** Klammer [6] 1'45"73, Russi [46] 1'46"6, Plank [28] 1'46"59. **80** Stock [6] 1'45"50, Wirnsberger [6] 1'46"12, Podborski [10] 1'46"62. **84** Johnson [55] 1'45"59, Mueller [46] 1'45"86, Steiner [6] 1'45"95. **88** Zurbriggen [46] 1'59"63, Mueller [46] 2'0"14, *Piccard* [21] *2'1"24.* **92** Ortlieb [6] 1'50"37, *Piccard* [21] *1'50"42,* Mader [6] 1'50"47.

Slalom spécial. **48** Reinalter [46] 2'10"3. **52** Schneider [6] 2'. **56** Sailer [6] 3'14"7. **60** Hinterseer [6] 2'8"9. **64** Stiegeer [6] 2'11"13. **68** *Killy* [21] *1'39"73.* **72** Fernández-Ochoa [17] 1'49"27. **76** Gros [28] 2'3"29, G. Thoeni [28] 2'3"73, Frommelt [32] 2'4"28. **80** Stenmark [45] 1'44"26, Mahre [55] 1'44"76, Luthy [46] 1'45"06. Appelé **slalom** dep. 84.

Slalom. **84** P. Mahre [55] 1'39"41, S. Mahre [55] 1'39"62, *Bouvet* [21] *1'40"20.* **88** Tomba [28] 1'39"47, Woerndl [3] 1'39"53, Frommelt [32] 1'39"84. **92** Jagg [36] 1'44"39, Tomba [28] 1'44"67, Tritscher [6] 1'44"85

Slalom géant. **52** Eriksen [36] 2'25". **56** Sailer [6] 3'0"1. **60** Staub [46] 1'48"3. **64** *Bonlieu* [21] *1'46"71.* **68** *Killy* [21] *3'29"28.* **72** G. Thoeni [28] 3'9"62. **76** Hemmi [46] 3'26"97, Good [46] 3'27"17, Stenmark [45] 3'27"41. **80** Stenmark [45] 2'40"74, Wenzel [32] 2'41"49, Enn [6] 2'42"51. **84** Julen [46] 2'41"18, Franko [57] 2'41"41, Wenzel [32] 2'41"75. **88** Tomba [28] 2'6"37, Strolz [6] 2'7"41, Zurbriggen [46] 2'8"39. **92** Tomba [28] 2'06"98, Girardelli [33] 2'07"30, Aamodt [36] 2'07"82.

Super-géant. **88** *Piccard* [21] *1'39"66,* Mayer [6] 1'40"96, Eriksson [45] 1'41"08. **92** Aamodt [36] 1'13"04, Girardelli [33] 1'13"77, Thorsen [36] 1'13"83.

Combiné. **88** Strolz [6] 36,55 pts, Gstrein [6] 43,45 pts, Accola [46] 48,24 pts. **92** Polig [28] 14'58, Martin [28] 14'90, Locher [46] 18'16.

☞ Épreuve supprimée. **Combiné descente-slalom. 36** Pfnur [2a] 4'51"8 + 2'26"6. **48** *Oreiller* [21] *2'55" + 2'22"3.*

■ Dames. **Descente. 48** Schlunegger [46] 2'28"3. **52** Jochum-Beiser [6] 1'47"1. **56** Berthod [46] 1'40"7. **60** Biebl [3] 1'37"6. **64** Haas [6] 1'55"39. **68** O. Pall [6] 1'40"87. **72** M.-T. Nadig [46] 1'36"68. **76** R. Mittermaier [3] 1'46"16, B. Totschnig [6] 1'46"48, Nelson [55] 1'47"50. **80** Moser-Proell [6] 1'37"52, Wenzel [32] 1'38"22, Nadig [46] 1'38"36. **84** Figini [46] 1'13"36, Walliser [46] 1'13"41, Charvatova [48] 1'13"53. **88** Kiehl [3] 1'25"86, Oertli [46] 1'26"61, Percy [10] 1'26"62. **92** Lee Gartner [10] 1'52"55, Lindh [55] 1'52"61, Wallinger 1'52"64.

Slalom spécial. **48** Fraser [55] 1'57"2. **52** Lawrence-Mead [55] 2'10"6. **56** Colliard [46] 1'52"3. **60** Heggveit [10] 1'49"6. **64** *C. Goitschel* [21] *1'29"86.* **68** *M. Goitschel* [21] *1'25"86.* **72** B. Cochran [55] 1'31"24. **76** R. Mittermaier [3] 1'30"54, C. Giordani [28] 1'30"87, H. Wenzel [32] 1'32"20. **80** Wenzel [32] 1'25"09, Kinshofer [3] 1'26"50, Hess [46] 1'27"89. Appelé **slalom** dep. 84.

Slalom. **84** Magoni [28] 1'36"47, *Pelen* [21] *1'37"38,* Konzett [32] 1'37"50. **88** Schneider [46] 1'36"69, Svet [57] 1'38"37, Kinshofer-Guetlein [3] 1'38"40. **92** Kronberger [6] 1'32"68, Coberger [37] 1'33"10, Fernandez-Ochoa [17] 1'33"35.

Slalom géant. **52** Lawrence-Mead [55] 2'6"8. **56** Reichert [3] 1'56"5. **60** Ruegg [46] 1'39"9. **64** *M. Goitschel* [21] *1'52"24.* **68** N. Greene [10] 1'51"97. **72** M.-T. Nadig [46] 1'29"90. **76** K. Kreiner [10] 1'29"13, R. Mittermaier [3] 1'29"25, *D. Debernard* [21] *1'29"95.* **80** Wenzel [32] 2'41"66, Epple [3] 2'42"12, *Pelen* [21] *2'42"41.* **84** Armstrong [55] 2'20"98, Cooper [55] 2'21"38, *Pelen* [21] *2'21"40.* **88** Schneider [46] 2'6"49, Kinshofer-Guetlein [3] 2'7"42, Walliser [46] 2'7"72. **92** Wiberg [45] 2'12"74, Roffe [55] 2'13"71, Wachter [6] 2'13"71.

Super géant. **88** Wolf [6] 1'19"03, Figini [46] 1'20"03, Percy [10] 1'20"29. **92** Compagnoni [28] 1'21"22, *Merle* [21] *1'22"63,* Seizinger [29] 1'23"19.

Combiné. **88** Wachter [6] 29,25 pts, Oertli [46] 29,48 pts, Walliser [46] 51,28 pts. **92** Kronberger [6] 2'55, Wachter [6] 19'39, *Masnada* [21] *21'38.*

☞ Épreuve supprimée. **Combiné descente-slalom. 36** Cranz [2a] 5'32"4 + 94"12. **48** Beiser [6] 2'29"1 + 130"5.

SKI ARTISTIQUE

■ Messieurs. **Bosses. 92** *Grospiron* [21], Allamand [21], Carmichael [55].

■ Dames. **Bosses. 92** Weinbrecht [55], Kojevnikova [54], Hattestad [36].

SKI NORDIQUE

■ Messieurs. 15 kilomètres **(18 km jusqu'en 1952). 24** Haug [36] 1 h 14'31". **28** Groettumsbraaten [36] 1 h 37'1". **32** Utterstroem [45] 1 h 23'7". **36** Larsson [45] 1 h 14'38". **48** Lundstroem [45] 1 h 13'50". **52** Brenden [36] 1 h 1'34". **56** Brenden [36] 49'39". **60** Brusveen [36] 51'55"5. **64** Maentyranta [20] 50'54"1. **68** Groenningen [36] 47'54"2. **72** Lundback [45] 45'28"24. **76** Bajukov [54] 43'58"47, Belaiev [54] 44'1"10, Koivisto [20] 44'19"25. **80** Wassberg [45] 41'57"63, Mieto [20] 41'57"64, Aunli [36] 42'28"62. **84** Anders Swan [45] 41'25"6, Karvonen [20] 41'34"9, Kirvesniemi [20] 41'45"6. **88** Deviatiarov [54] 41'18"9, Mikkelsplass [36] 41'33"4, Smirnov [54] 41'48"5. 10 km. **92** Ulvang [36] 27'36", Albarello [28] 27'55"2, Majback [45] 27'56"4.

Poursuite. **92** Daehlie [36] 1 h 05'37"9, Ulvang [36] 1 h 06'31"3, Vanzetta [28] 1 h 06'32"2.

30 kilomètres. **56** Hakulinen [20] 1 h 44'6". **60** Jernberg [45] 1 h 51'3"9. **64** Maentyranta [20] 1 h 30'50"7. **68** Nones [28] 1 h 35'39"2. **72** Vedenine [53] 1 h 36'31"15. **76** Saveliev [53] 1 h 30'29"38, Koch [55] 1 h 30'57"84, Garanine [54] 1 h 31'9"29. **80** Zimiatov [54] 1 h 27'2"80, Rochev [54] 1 h 27'34"22, Lebanov [9] 1 h 28'03"87. **84** Zimiatov [54] 1 h 28'56"3, Zavialov [54] 1 h 29'23"3, Swan [45] 1 h 29'35"7. **88** Prokourorov [54] 1 h 24'26"3, Smirnov [54] 1 h 24'35"1, Ulvang [36] 1 h 25'11"6. **92** Ulvang [36] 1 h 22'27"8, Daehli [36] 1 h 23'14", Langli [36] 1 h 23'42"5.

50 kilomètres. **24** Haug [36] 3 h 44'32". **28** Hedlünd [45] 4 h 52'3". **32** Saarinen [20] 4 h 28'. **36** Viklund [45] 3 h 30'11". **48** Karlsson [45] 3 h 47'48". **52** Hakulinen [20] 3 h 33'33". **56** Jernberg [45] 2 h 50'27". **60** Haemaelaeinen [20] 2 h 59'6"3. **64** Jernberg [45] 2 h 43'52"6. **68** Ellefsaeter [36] 2 h 28'45"8. **72** Tyldum [36] 2 h 43'14"75. **76** Formo [36] 2 h 37'30"5, Klause [2] 2 h 38'13"21, Soedergren [45] 2 h 39'39"21. **80** Zimiatov [54] 2 h 27'24"60, Mieto [20] 2 h 30'20"52, Zavjalov [54] 2 h 30'51"52. **84** Wassberg [45] 2 h 15'55"8, Swan [45] 2 h 16'00"7, Karvonen [20] 2 h 17'04"7. **88** Svan [45] 2 h 4'30"9, De Zolt [28] 2 h 5'36"4, Gruenenfelder [46] 2 h 6'1"9. **92** Daehlie [36] 2 h 03'41"5, De Zolt [28] 2 h 04'39"1, Vanzetta [28] 2 h 06'42"1.

4 × 10 kilomètres. **36** Finl. 2 h 41'33". **48** Suède 2 h 32'8". **52** Finl. 2 h 20'16". **56** ex-URSS 2 h 15'30". **60** Finl. 2 h 18'45"6. **64** Suède 2 h 18'34"6. **68** Norv. 2 h 8'33"5. **72** ex-URSS 2 h 4'47"94. **76** Finl. 2 h 7'59"72, Norv. 2 h 9'58"36, ex-URSS 2 h 10'51"46. **80** ex-URSS 1 h 57'3"46, Norv. 1 h 58'45"77, Finl. 2 h 0"18. **84** Suède 1 h 55'06"3, ex-URSS 1 h 55'16"5, Finl. 1 h 56'31"4. **88** Suède 1 h 43'58"6, ex-URSS 1 h 44'11"3, Tchéc. 1 h 45'22"7. **92** Norvège 1 h 39'26", Italie 1 h 40'52"7, Finlande 1 h 41'22"9.

Saut. 70 m. **64** Kankkonen [20]. **68** Raska [48]. **72** Kasaya [30]. **76** Aschenbach [2], Danneberg [2], Schnabl [6]. **80** Innauer [6], Deckert [2] et Yagi [30]. **84** Weissflog [2], Nykanen [20], Puikkonen [20]. **88** Nykanen [20], Ploc [48], Malec [48]. **92** non disp.

Saut. 90 m. **24** Thams [36]. **28** Andersen [36]. **32, 36** Ruud [36]. **48** Hugsted [36]. **52** Bergmann [36]. **56** Hyvarinen [20]. **60** (80 m) Recknagel [2]. **64** (80 m) Engan [36]. **68** Beloussov [54]. **72** Fortuna [42]. **76** Schnabel [6], Innauer [6], Glass [2]. **80** Tormanen [20], Neuper [6], Puikkonen [20]. **84** Nykanen [20], Weissflog [2], Ploc [48]. **88** Nykanen [20], Johnsen [36], Debelak [57]. **92** Vettori [6], Hollwarth [6], Nieminen [20]. **Par équipes. 88** Finl., Youg., Norv. **92** non disp.

Saut. 120 m. **92** Nieminem [20], Hollwarth [6], Kuttin [6]. **Par équipes. 92** Finl., Autr., Tchéc.

Combiné nordique. **Saut et fond. 24** Haug [36]. **28, 32** Groettumsbraaten [36]. **36** Hagen [36]. **48** Hasu [20]. **52** Slattvik [36]. **56** Sternesen [36]. **60** Thoma [3]. **64** Knutsen [36]. **68** Keller [3]. **72** Wehling [2]. **76** Wehling [2], Hettich [3], Winkler [2]. **80** Wehling [2], Karjalainen [20], Winkler [2]. **84** Sandberg [36], Karjalainen [20], Ylipulli [20]. **88** Kempf [46], Sulzenbacher [6], Levandi [54]. **92** *Guy* [21], *Guillaume* [21], Sulzenbacher [6]. **Par équipes. 88** All. féd., Suisse, Autr. **92** Japon, Norvège, Autriche.

■ Dames. 5 kilomètres. **64** Boyarskich [54] 17'50"5. **68** Gustafsson [45] 16'45"2. **72** Kulakova [54] 17'0"5. **76** Takalo [20] 15'48"69, Smetanina [54] 15'49"73, Baldicheva [54] 16'14"82. **80** Smetanina [54] 15'06"92, Riihivuori [20] 15'11"96, Jeriova [48] 15'23"44. **84** Haemaelainen [20] 17'04", Aunli [36] 17'14"1, Jeriova [48] 17'18"3. **88** Matikainen [20] 15'4"4, Thikonova [54] 15'5"53, Ventsene [54] 15'11"1. **92** Lukkarinen [20] 14'13"8, Egorova [54] 14'14"7, Valbe [54] 14'22"7.

10 kilomètres. **52** Wideman [20] 41'40". **56** Kosyryeva [54] 38'11". **60** Gusakova [54] 39'46"6. **64** Boyarskich [54] 40'24"3. **68** Gustaffsson [45] 36'46"5. **72** Kulakova [54] 34'17"82. **76** Smetanina [54] 30'13"41, Takalo [20] 30'14"28, Kulakova [54] 30'38"61. **80** Petzold [5] 30'31"54, Riihivuori [20] 30'35"05, Takalo [20] 30'45"25. **84** Haemaelainen [20] 31'44"2, Smetanina [54] 32'02"9, Pettersen [36] 32'12"7. **88** Ventsene [54] 30'8"3, Smetanina [54] 30'17", Matikainen [20] 30'20"5. **15 km. 92** Egorova [54] 43'20"8, Lukkarinen [20] 43'29"9, Valbe [54] 43'42"3.

Poursuite. **92** Egorova [54] 40'07"7, Belmondo [28] 40'31"8, Valbe [54] 40'51"7.

20 kilomètres. **84** Haemaelainen [20] 1 h 01'45", Smetanina [54] 1 h 02'26"7, Jahren [36] 1 h 03'13"6. **88** Tikhonova [54] 55'53"6, Reztsova [54] 56'12"8, Smetanina [54] 57'22"1. **30 km. 92** Belmondo [28] 1 h 22'30"1, Egorova [54] 1 h 22'52", Valbe [54] 1 h 24'13"9.

4 × 5 kilomètres **(3 × 5 km jusqu'en 72). 56** Finl. 1 h 9'1". **60** Suède 1 h 4'21"4. **64** URSS 59'20"2. **68** Norv. 57'30". **72** URSS 48'46"15. **76** URSS 1 h 7'49"75, Finl. 1 h 8'36"57, All. dém. 1 h 9'57"95. **80** All. dém. 1 h 2'11"10, URSS 1 h 3'18"30, Norv. 1 h 4'13"50. **84** Norv. 1 h 6'49"7, Tchéc. 1 h 7'34"7, Finl. 1 h 7'36"7. **88** URSS 59'51"1, Norvège 1 h 1'33", Finlande 1 h 1'53"8. **92** ex-URSS 59'34"8, Norvège 59'56"4, Italie 1 h 0'25"9.

BIATHLON

■ Messieurs. 10 kilomètres. **80** Ulrich [2] 32'10"69, Alikin [54] 32'53"10, Aljabiev [54] 33'09"16. **84** Kvalfoss [36] 30'53"8, Angerer [3] 31'02"4, Jacob [2] 31'10"5. **88** Roetsch [2] 25'8"1, Medvedtsev [54] 25'23"7, Tchepikov [54] 25'29"4. **92** Kirchner [2a] 26'02"3, Gross [2a] 26'18", Eloranta [20] 26'26"6.

20 kilomètres. **60** Lestander [45] 1 h 33'21"6. **64** Melanjin [54] 1 h 20'26"8. **68** Solberg [36] 1 h 13'45"9. **72** Solberg [36] 1 h 13'55"5. **76** Kruglov [54] 1 h 14'12"16, Ikola [20] 1 h 15'54"10, Elijarov [54] 1 h 16'5"57. **80** Aliabiev [54] 1 h 8'16"31, Ullrich [2] 1 h 8'27"79, Rosch [2] 1 h 11'11"73. **84** Angerer [3] 1 h 11'52"7, Roetsch [2] 1 h 13'21"4, Kvalfoss [36] 1 h 14'02"4. **88** Roetsch [2] 56'33"3, Medvedtsev [54] 56'54"62, Passler [28] 57'10"12. **92** Redkine [54] 57'34"4, Kirchner [2a] 57'40"8, Lofgren [45] 57'59"4.

Relais 4 × 7,5 kilomètres. **68** URSS 2 h 13'2"4. **72** URSS 1 h 51'44"9. **76** URSS 1 h 57'55"64, Finl. 2 h 1'45"58, All. dém. 2 h 4'8"61. **80** URSS 1 h 34'3"27, All. dém. 1 h 34'56"99, All. féd. 1 h 37'30"26. **84** URSS 1 h 38'51"7, Norv. 1 h 39'03"9, All. féd. 1 h 39'05"1. **88** URSS 1 h 22'30", All. féd. 1 h 23'37"4, Italie 1 h 23'51"5. **92** All. 1 h 24'43"5, ex-URSS 1 h 25'06"3, Suède 1 h 25'38"2.

■ Dames. 7,5 kilomètres. **92** Restzova [54] 24'29"2, Misersky [2a] 24'45"1, Belova [54] 24'50"8.

15 kilomètres. **92** Misersky [2a] 51'47"2, Pecherskaia [54] 51'58"5, Bedard [10] 52'15".

Relais 3 × 7,5 kilomètres. **92** *France 1 h 15'55"6,* All. 1 h 16'18"4, ex-URSS 1 h 16'54"6.

PATINAGE ARTISTIQUE

■ Messieurs. **08** Salchow [45]. **20, 24, 28** Grafstroem [45]. **32, 36** Schaefer [6]. **48, 52** Button [55]. **56** H. Jenkins [55]. **60** D. Jenkins [55]. **64** Schnelldorfer [3]. **68** Schwarz [6]. **72** Nepela [48]. **76** Curry [32], Kovalev [54], Cranston [10]. **80** Cousins [32], Hoffman [2], Tickner [55]. **84** Hamilton [55], Orser [10], Sabovtchik [48]. **88** Boitano [55], Orser [10], Petrenko [54]. **92** Petrenko [54], Wylie [55], Barna [48].

■ Dames. **08** Syers [22]. **20** Julin-Mauroy [45]. **24** Planck-Szabo [6]. **28, 32, 36** Henie [36]. **48** Scott [10]. **52** Altwegg [22]. **56** Albright [55]. **60** Heiss [55]. **64** Dijkstra [40]. **68** Fleming [55]. **72** B. Schuba [6]. **76** D. Hamill [55], Leeuw [40], Errath [2]. **80** Poetzsch [2], Fratianne [55], Lurz [3]. **84** Witt [2], Sumners [55], Ivanova [54]. **88** Witt [2], Manley [10] Thomas [55]. **92** Yamaguchi [55], Ito [30], Kerrigan [55].

■ Couples. **08** Hubler-Burger [2a]. **20** L. et W. Jakobsson [20]. **24** Engelman-Berger [6]. **28** *A. Joly-P. Brunet* [21]. **32** *A. Brunet-P. Brunet* [21]. **36** Heber-Baier [2a]. **48** Lannoy-Baugniet [7]. **52** R. et P. Falk [3]. **56** Schwarz-Oppelt [6]. **60** Wagner-Paul [10]. **64, 68** Beloussova-Protopopov [54]. **72** Rodnina-Ulanov [54]. **76** Rodnina-Zaitsev [54], Kermer-Oesterreich [2], Gross-Kagelmann [2]. **80** Rodnina-Zaitsev [54], Cherkasova-Shakrai [54], Mager-Bewersdorff [2]. **84** Valova-Vassiliev [54], K. et P. Carruthers [55], Selezneva-Makorov [54]. **88** Gordeeva-Grinkov [54], Velova-Vassiliev [54], Watson-Oppegard [55]. **92** Mitchkouteniok-Dimitriev [54], Betchke-Petrov [54], Brasseur-Eisler [10].

■ **Danse.** **76** Pakhomova-Gorskhov[54], Moiseeva-Minenkov[54], O'Connor-Millns[55]. **80** Linichuk-Karponosov[53], Regoczy-Sallay[24], Moiseeva-Minenkov[54]. **84** Torvill-Dean[22], Bestemianova-Bukin[54], Klimova-Ponomarenko[54]. **88** Bestemianova-Bukin[54], Klimova-Ponomarenko[54], Wilson-McCall[10]. **92** Klimova-Ponomarenko[54], *P. et I. Duchesnay*[21], Usova-Zhulin[54].

☞ **Épreuve supprimée. Figures spéciales.** 08 Panin[54].

Patinage de vitesse

■ **Messieurs. 500 m. 24** Jewtraw[55] 44". **28** Thunberg[20] et Evensen[36] 43"4. **32** Shea[55] 43"4. **36** Ballangrud[36] 43"4. **48** Helgesen[36] 43"1. **52** Henry[55] 43"2. **56** Grichine[54] 40"2. **60** Grichine[54] 40"2. **64** McDermott[55] 40"1. **68** Keller[3] 40"3. **72** Keller[3] 39"44. **76** Kulikov[58] 39"17, Muratov[53] 39"25, Immerfall[55] 39"54. **80** Heiden[55] 38"03, Kulikov[53] 38"37, De Ber[40] 38"48. **84** Fokitchev[54] 38"19, Kitazawa[30] 38"30, Boucher[10] 38"39. **88** Mey[2] 36"45, Ykema[40] 36"76, Kuroiwa[30] 36"77. **92** Mey[2a] 37"14, Kuroiwa[30] 37"18, Inoue[30] 37"26.

1 000 m. 76 Mueller[55] 1'19"32, Didriksen[36] 1'20"45, Muratov[53] 1'20"57. **80** Heiden[55] 1'15"18, Boucher[10] 1'16"68, Lobanov[53] et Roenning[36] 1'16"91. **84** Boucher[10] 1'15"80, Khlebnikov[54] 1'16"63, Engelstad[36] 1'16"75. **88** Gouliaev[54] 1'13"03, Mey[2] 1'13"11, Gelezovsky[54] 1'13"09. **92** Zinke[2a] 1'14"85, Kim[12] 1'14"86, Miyabe[30] 1'14"92.

1 500 m. 24 Thunberg[20] 2'20"8. **28** Thunberg[20] 2'21"1. **32** Shea[55] 2'57"5. **36** Mathisen[36] 2'19"2. **48** Farstad[36] 2'17"6. **52** Andersen[36] 2'20"4. **56** Grichine[54] et Mikhailov[54] 2'8"6. **60** Aas[36] et Grichine[54] 2'10"4. **64** Antson[54] 2'10"3. **68** Verkerk[40] 2'3"4. **72** Schenk[40] 2'2"96. **76** Storholt[36] 1'59"38, Kondakov[54] 1'59"97, Van Helden[40] 2'0"87. **80** Heiden[55] 1'55"44, Stenshjemmet[36] 1'56"81, Andersen[36] 1'56"92. **84** Boucher[10] 1'58"36, Khlebnikov[54] 1'58"83, Bogiev[54] 1'58"89. **88** Hoffmann[2] 1'52"06, Flaim[55] 1'52"12, Hadschieff[6] 1'52"31. **92** Koss[36] 1'54"81, Sondra[36] 1'54"85, Visser[40] 1'54"90.

5 000 m. 24 Thunberg[20] 8'39". **28** Ballangrud[36] 8'50"5. **32** Jaffee[55] 9'40"8. **36** Ballangrud[36] 8'19"6. **48** Liaklew[36] 8'29"4. **52** Andersen[36] 8'10"6. **56** Chilkov[53] 7'48"7. **60** Kositchkine[53] 7'51"3. **64** Johannesen[36] 7'38"4. **68** Maier[36] 7'22"4. **72** Schenk[40] 7'23"61. **76** Stensen[36] 7'24"48, Kleine[40] 7'26"47, Van Helden[40] 7'26"54. **80** Heiden[55] 7'02"29, Stenshjemmet[36] 7'3"28, Oxholm[36] 7'5"59. **84** Gustafson[45] 7'12"28, Malkov[54] 7'12"30, Schoefisch[2] 7'17"49. **88** Gustafson[45] 6'44"63, Visser[40] 6'44"98, Kemkers[40] 6'45"92. **92** Karlstad[36] 6'59"97, Zandsta[40] 7'02"28, Visser[40] 7'04"96.

10 000 m. 24 Skutnabb[20] 18'4"8. **28** Interrompue et annulée. **32** Jaffee[55] 19'13"6. **36** Ballangrud[36] 17'24"3. **48** Seyffarth[45] 17'26"3. **52** Andersen[36] 16'45"8. **56** Ericsson[45] 16'35"9. **60** Johannesen[36] 15'46"6. **64** Nilsson[45] 15'50"1. **68** Hoeglin[45] 15'23"6. **72** Schenk[40] 15'1"35. **76** Kleine[40] 14'50"59, Stensen[36] 14'53"30, Van Helden[40] 15'2"20. **80** Heiden[55] 14'28"13, Kleine[40] 14'36"03, Oxholm[36] 14'36"60. **84** Malkov[54] 14'39"90, Gustafson[45] 14'39"95, Schoefisch[2] 14'46"91. **88** Gustafson[45] 13'48"20, Hadschieff[6] 13'56"11, Visser[40] 14'05"55. **92** Veldkamp[40] 14'12"12, Koss[36] 14'14"58, Karlstad[36] 14'18"13.

☞ **Épreuve supprimée. Combiné 4 courses. 24** Thunberg[20].

■ **Dames. 500 m. 60** Haase[2] 45"9. **64** Skoblikova[53] 45". **68** Titova[54] 46"1. **72** A. Henning[55] 43"33. **76** S. Young[55] 42"76, C. Priestner[10] 43"12, T. Averina[53] 43"17. **80** Enke[2] 41"78, Poulos-Mueller[55] 42"26, Petrusheva[54] 42"42. **84** Rothenburger[2] 41"02, Enke[2] 41"28, Chive[54] 41"50. **88** Blair[55] 39"10, Rothenburger[2] 39"12, Kania-Enke[2] 39"24. **92** Blair[55] 40"33, Ye[61] 40"51, Luding[2a] 40"57.

1 000 m. 60 Guseva[54] 1'34"1. **64** Skoblikova[54] 1'33"2. **68** Geijssen[40] 1'32"6. **72** M. Pflug[3] 1'31"40. **76** Averina[54] 1'28"43, Poulos[55] 1'28"57, S. Young[55] 1'29"14. **80** Petrusheva[53] 1'24"10, Poulos-Mueller[55] 1'25"41, Albrecht[2] 1'26"46. **84** Enke[2] 1'21"61, Schoene[2] 1'22"83, Petrousseva[54] 1'23"21. **88** Rothenburger[2] 1'17"65, Kania-Enke[2] 1'17"70, Blair[55] 1'18"31. **92** Blair[55] 1'21"90, Ye[61] 1'21"92, Garbrecht[2a] 1'22"10.

1 500 m. 60 Skoblikova[54] 2'25"2. **64** Skoblikova[54] 2'22"6. **68** Mustonen[20] 2'22"4. **72** D. Holum[55] 2'20"85. **76** Stepanskaya[53] 2'16"58, S. Young[55] 2'17"60, Averina[40] 2'17"96. **80** Borckink[40] 2'10"95, Visser[40] 2'12"35, Becker[2] 2'12"38. **84** Enke[2] 2'03"42, Schoene[2] 2'05"29, Petrousseva[54] 2'05"78. **88** Van Gennip[40] 2'0"64, Kania-Enke[2] 2'0"82, Ehrig[2] 2'1"49. **92** Boerner[2a] 2'05 "87, Niemann[2a] 2'05"92, Hashimoto[30] 2'06"88.

3 000 m. 60 Skoblikova[54] 5'14"3. **64** Skoblikova[54] 5'14"9. **68** Schut[40] 4'56"2. **72** C. Baas-Kaiser[40] 4'52"14. **76** Averina[54] 4'45"19, Mitscherlich[2] 4'45"23, Korsmo[36] 4'45"24. **80** Jensen[36] 4'32"13, Becker[2] 4'32"79, Heiden[55] 4'33"77. **84** Schoene[2] 4'24"79, Enke[2] 4'26"33, Schoenbrunn[2] 4'33"13. **88** Van Gennip[40] 4'11"94, Ehrig[2] 4'12"09, Zange[2] 4'16"92. **92** Niemann[2a] 4'19"90, Warnicke[2a] 4'22"88, Hunyady[6] 4'24"64.

5 000 m. 88 Van Gennip[40] 7'14"13, Ehrig[2] 7'17"12, Zange[2] 7'21"61. **92** Niemann[2a] 7'31"57, Warnicke[2a] 7'37"59, Pechstein[2a] 7'39"80.

Patinage sur piste courte

■ **Messieurs. 1 000 m. 92** Kim[12] 1'30"76, Blackburn[10] 1'31"11, Lee[12] 1'31"16. **Relais. 5 km. 92** Corée 7'14"02, Canada 7'14"06, Japon 7'18"18.

■ **Dames. 500 m. 92** Turner[55] 47"04, Li[61] 47"08, Hwang[11] 47"23. **Relais. 3 km. 92** Canada 4'36"62, USA 4'37"85, ex-URSS 4'42"69.

Bobsleigh

Bob à deux. 32 USA 8'14"74. **36** USA 5'29"29. **48** Suisse 5'29"2. **52** ex-All. féd. 5'24"54. **56** Italie 5'30"14. **60** non disputé. **64** G.-B. 4'21"90. **68** Italie 4'41"54. **72** All. féd. 4'57"07. **76** All. dém. II 3'44"42, All. féd. I 3'44"99, Suisse I 3'45"70. **80** Suisse II 4'9"36, All. dém. II 4'10"93, All. dém. I 4'11"08. **84** All. dém. II 3'25"56, All. dém. I 3'26"04, URSS II 3'26"16. **88** URSS 3'53"48, All. dém. I 3'54"19, All. dém. II 3'54"64. **92** Suisse 4'03"26, All. 4'03"55, All. 4'03"63.

Bob à quatre. 24 Suisse 5'45"54. **28** USA 3'20"50. **32** USA 7'53"68. **36** Suisse 5'19"85. **48** USA 5'20"10. **52** All. féd. 5'07"84. **56** Suisse 5'10"44. **60** non disputé. **64** Canada 4'14"46. **68** Italie 2'17"39. **72** Suisse 4'43"70. **76** All. dém. 3'40"43, Suisse 3'40"89, All. féd. 3'41"37. **80** All. dém. I 3'59"92, Suisse I 4'0"87, All. dém. II 4'0"97. **84** All. dém. I 3'20"22, All. dém. II 3'20"78, Suisse I 3'21"39. **88** Suisse 3'47"51, All. dém. 3'47"58, URSS 3'48"26. **92** Autr. 3'53"90, All. 3'53"92, Suisse 3'54"13.

Luge

■ **Messieurs. Monoplace. 64** Koehler[2] 3'26"77. **68** Schmid[6] 2'52"48. **72** Scheidel[2] 3'27"58. **76** Guenther[2] 3'27"688, Fendt[3] 3'28"196, Rinn[2] 3'28"574. **80** Glass[2] 2'54"796, Hildgartner[28] 2'55"372, Winkler[3] 2'56"545. **84** Hildgartner[28] 3'4"258, Danilin[54] 3'4"962, Doudin[54] 3'5"012. **88** Muller[2] 3'5"548, Hackl[3] 3'5"916, Kartchenko[54] 3'6"274. **92** Hackl[2a] 3'02"363, Prock[6] 3'02"669, Schmidt[6] 3'02"942.

Biplace. 64 Autr. 1'41"62. **68** All. dém. 1'35"85. **72** ex æquo All. dém. et It. 1'28"35, All. dém. 1'29"16. **76** Rinn-Hahn[2] 1'25"604, Brandner-Schwarm[3] 1'25"889, Schmidt-Schachner[6] 1'25"919. **80** Rinn-Hahn[2] 1'19"331, Gschnitzer-Brunner[28] 1'19"606, Fluckinger-Schrott[6] 1'19"795. **84** Stangassinger-Wembacher[3] 1'23"620, Belooussov-Belyakov[54] 1'23"660, Hoffmann-Pietzsch[2] 1'23"887. **88** Hoffmann-Pietzsch[2] 1'31"940, Krausse-Behrendt[2] 1'32"039, Schwab-Staudinger[2] 1'32"274. **92** Krausse-Behrendt[2a] 1'32"053, Mankel-Rudolph[2a] 1'32"239, Raffl-Huber[28] 1'32"298.

■ **Dames. Monoplace. 64** Enderlein[2] 3'24"67. **68** Lechner[28] 2'28"66. **72** A.M. Muller[2] 2'59"18. **76** Schumann[2] 2'50"621, Ruehrold[2] 2'50"846, Demleitner[3] 2'51"056. **80** Zozulia[53] 2'36"537, Sollmann[2] 2'37"657, Amantova[53] 2'37"817. **84** Martin[2] 2'46"570, Schmidt[2] 2'46"873, Weiss[2] 2'47"248. **88** Walter[2] 3'03"973, Oberhoffner[2] 3'04"105, Schmidt[2] 3'4"181. **92** D. Neuner[6] 3'06"696, A. Neuner[6] 3'06"769, Edermann[2a] 3'07"115.

Hockey

■ **Messieurs. 20, 24, 28, 32** Canada. **36** G.B. **48, 52** Canada. **56** ex-URSS. **60** USA. **64, 68, 72, 76** ex-URSS. **80** USA, ex-URSS, Suède. **84** ex-URSS, Tchéc., Suède. **88** ex-URSS, Finlande, Suède. **92** ex-URSS, Canada, Tchéc.

Skeleton

■ **Messieurs. 28** Heaton[55] 3'1"8. **48** Bibbia[28] 5'23"2.

Sports de démonstration 1992

■ **Ski acrobatique. Messieurs. Sauts.** Laroche[10], Fontaine[10], *Meda*[21]. **Ballet.** *Becker*[21], Kristiansen[36], Spina[55]. **Dames. Sauts.** Brand[46], Lindgren[45], Simchen[2a]. **Ballet.** Kissling[46], *Fechoz*[21], Petsold[55].

■ **Ski de vitesse. Messieurs.** *Prufer*[21] *229,299 km/h, Goitschel*[21] 228,717, Hamilton[55] 226,700. **Dames.** Mulari[20] 219,245, Pettersen[36] 212,892, Kolarova[46] 210,526.

■ **Curling. Messieurs.** Suisse, Norvège, USA. **Dames.** All., Norvège, Canada.

Résultats des Jeux de l'Olympiade (été)

Légende : voir p. 1536.

Athlétisme

■ **Messieurs. 100 m. 96** Burke[55] 12". **00** Jarvis[55] 11". **04** Hahn[55] 11". **08** Walker[1] 10"8. **12** Craig[55] 10"8. **20** Paddock[55] 10"8. **24** Abrahams[22] 10"6. **28** Williams[10] 10"8. **32** Tolan[55] 10"3. **36** Owens[55] 10"3. **48** Dillard[55] 10"3. **52** Remigino[55] 10"4. **56** Morrow[55] 10"5. **60** Hary[2a] 10"2. **64** Hayes[55] 10". **68** Hines[55] 9"95. **72** Borzov[54] 10"14. **76** Crawford[50] 10"06, Quarrie[29] 10"08, Borzov[54] 10"14. **80** Wells[22] 10"25, Leonard[13] 10"25, Petrov[9] 10"39. **84** Lewis[55] 9"99, Graddy[55] 10"19, Johnson[10] 10"22. **88** Lewis[55] 9"92, Christie[22] 9"97, Smith[55] 9"99. **92** Christies[22] 9"96, Fredericks[84] 10"02, Mitchell[55] 10"04.

200 m. 00 Tewkesbury[55] 22"2. **04** Hahn[55] 21"6. **08** Kerr[10] 22"6. **12** Graig[55] 21"7. **20** Woodring[55] 22". **24** Scholz[55] 21"6. **28** Williams[10] 21"8. **32** Tolan[55] 21"2. **36** Owens[55] 20"7. **48** Patton[55] 21"1. **52** Stanfield[55] 20"7. **56** Morrow[55] 20"6. **60** Berruti[28] 20"5. **64** Carr[55] 20"3. **68** Smith[55] 19"8. **72** Borzov[54] 20". **76** Quarrie[29] 20"23, Hampton[55] 20"29, Evans[55] 20"43. **80** Mennea[28] 20"19, Wells[22] 20"21, Quarrie[29] 20"29. **84** Lewis[55] 19"80, Baptiste[55] 19"96, Jefferson[55] 20"26. **88** Deloach[55] 19"75, Lewis[55] 19"79, Silva[8] 20"04. **92** Marsh[55] 20"01, Fredericks[84] 20"13, Bates[55] 20"38.

400 m. 96 Burke[55] 54"2. **00** Long[55] 49"4. **04** Hillman[55] 49"2. **08** Halswell[22] 50". **12** Reidpath[55] 48"2. **20** Rudd[1] 49"6. **24** Liddell[22] 47"6. **28** Barbutti[55] 47"8. **32** Carr[55] 46"2. **36** Williams[55] 46"5. **48** Wint[29] 46"2. **52** Rhoden[29] 45"9. **56** Jenkins[55] 46"7. **60** O. Davis[55] 44"9. **64** Larrabee[55] 45"1. **68** Evans[55] 43"8. **72** Matthews[55] 44"66. **76** Juantorena[13] 44"26, Newhouse[55] 44"40, Frazier[55] 44"95. **80** Markin[54] 44"60, Mitchell[5] 44"84, Schaffer[2] 44"87. **84** Babers[55] 44"27, Tiacoh[64] 44"54, McKay[55] 44"71. **88** S. Lewis[55] 43"87, Reynolds[55] 43"93, Everett[55] 44"09. **92** Watts[55] 43"50, Lewis[55] 44"21, Kitur[31] 44"24.

800 m. 96 Flack[5] 2'11". **00** Tysoe[22] 2'1"2. **04** Lightbody[55] 1'56". **08** Sheppard[55] 1'52"8. **12** Meredith[55] 1'51"9. **20** Hill[22] 1'53"4. **24** Lowe[22] 1'52"4. **28** Lowe[22] 1'51"8. **32** Hampson[22] 1'49"7. **36** Woodruff[55] 1'52"9. **48** Whitfield[55] 1'49"2. **52** Whitfield[55] 1'49"2. **56** Courtney[55] 1'47"7. **60** Snell[37] 1'46"3. **64** Snell[37] 1'45"1. **68** Doubell[5] 1'44"3. **72** Wottle[55] 1'45"9. **76** Juantorena[13] 1'43"50, Van Damm[7] 1'43"86, Wohlhuter[55] 1'44"12. **80** Ovett[22] 1'45"4, Coe[22] 1'45"9, Kirov[54] 1'46". **84** Cruz[8] 1'43", Coe[22] 1'43"64, Jones[55] 1'43"83. **88** Ereng[31] 1'43"45, Cruz[8] 1'43"90, Aouita[65] 1'44"06. **92** Tanui[31] 1'43"66, Kiprotch[31] 1'43"70, Gray[55] 1'43"97.

1 500 m. 96 Flack[5] 4'33"2. **00** Bennett[22] 4'6"2. **04** Lightbody[55] 4'5"4. **08** Sheppard[55] 4'3"4. **12** Jackson[22] 3'56"8. **20** Hill[22] 4'1"8. **24** Nurmi[20] 3"53"6. **28** Larva[20] 3'53"2. **32** Beccali[28] 3'51"2. **36** Lovelock[37] 3'47"8. **48** Eriksson[45] 3'49"8. **52** Barthel[33] 3'45"1. **56** Delany[27] 3'41"2. **60** Elliot[5] 3'35"6. **64** Snell[37] 3'38"1. **68** Keino[31] 3'34"9. **72** Vasala[20] 3'36"3. **76** Walker[37] 3'39"17, Van Damme[7] 3'39"27, Wellmann[3] 3'39"33. **80** Coe[22] 3'38"4, Straub[2] 3'38"8, Ovett[22] 3'39". **84** Coe[22] 3'32"53, Cram[22] 3'33"40, Abascal[17] 3'34"30. **88** Rono[31] 3'35"96, Elliot[22] 3'36"15, Herold[2] 3'36"21. **92** Cacho Ruiz[17] 3'40"12, El Basir[65] 3'40"62, Sulaiman[85] 3'40"69.

Palmarès des Jeux de l'Olympiade (été)

Nations	1972				1976				1980				1984				1988				1992			
	O	A	B	T	O	A	B	T	O	A	B	T	O	A	B	T	O	A	B	T	O	A	B	T
Afr. du Sud																					0	2	0	2
Algérie													0	0	2	2					1	0	1	2
All. dém.] All.	20	23	23	66	40	25	25	90	47	37	41	125					37	35	30	102	33	21	28	82
All. féd.]	13	11	16	40	10	12	17	39					17	19	23	59	11	14	15	40				
Antilles néerl.																	0	1	0	1				
Argentine	0	1	0	1													0	1	1	2	0	0	1	1
Australie	8	7	2	17	0	1	4	5	2	2	5	9	4	8	12	24	3	6	5	14	7	9	11	27
Autriche	0	1	2	3	0	0	1	1	1	2	1	4	1	1	1	3	1	0	0	1	0	2	0	2
Bahamas																					0	0	1	1
Belgique	0	2	0	2	0	3	3	6	1	0	0	1	1	1	2	4	0	0	2	2	0	1	2	3
Bermudes					0	0	1	1																
Brésil	0	0	2	2	0	0	2	2	2	0	2	4	1	5	2	8	1	2	3	6	2	1	0	3
Bulgarie	6	10	5	21	6	9	7	22	8	16	16	40					10	12	13	35	3	7	6	16
Cameroun													0	0	1	1								
Canada	0	2	3	5	0	5	6	11					10	18	16	44	3	2	5	10	6	5	7	18
Chili																	0	1	0	1				
Chine													15	8	9	32	5	11	12	28	16	22	16	54
Chine libre																					0	1	0	1
Colombie	0	1	2	3									0	1	0	1	0	0	1	1	0	0	1	1
Corée du N.	1	1	3	5	1	1	0	2	0	3	2	5									4	0	5	9
Corée du S.	0	1	0	1	1	1	4	6					6	6	7	19	12	10	11	33	12	5	12	29
Costa Rica																	0	1	0	1				
Côte-d'Ivoire													0	1	0	1								
Croatie																					0	1	2	3
Cuba	3	1	4	8	6	4	3	13	8	7	5	20									14	31	11	6
Danemark	1	0	0	1	1	0	2	3	2	1	2	5	0	3	3	6	2	1	1	4	1	1	4	6
Djibouti																	0	0	1	1				
Domin. (Rép.)													0	0	1	1								
Égypte													0	1	0	1								
Espagne	0	0	1	1	0	2	0	2	1	3	2	6	1	2	2	5	1	1	2	4	13	7	2	22
Estonie																					1	0	1	2
Éthiopie	0	0	2	2					2	0	2	4									1	0	2	3
Finlande	3	1	4	8	4	2	0	6	3	1	4	8	4	3	6	13	1	1	2	4	1	2	2	5
France	2	4	7	13	2	3	4	9	6	5	3	14	5	7	16	28	6	4	6	16	8	5	16	29
G.-B.	4	5	9	18	3	5	5	13	5	7	9	21	5	10	22	37	5	10	9	24	5	3	12	20
Ghana	0	0	1	1																	0	0	1	1
Grèce	0	2	0	2					1	0	2	3	0	1	1	2	0	0	1	1	2	0	0	2
Guyana									0	0	1	1												
Hongrie	6	13	16	35	4	5	13	22	7	10	15	32					11	6	6	23	11	12	7	30
Îles Vierges																	0	1	0	1				
Inde	0	0	1	1					1	0	0	1												
Indonésie																	0	1	0	1	2	2	1	5
Iran	0	2	1	3	0	1	1	2									0	1	0	1	0	1	2	3
Irlande									0	1	1	2	0	1	0	1					1	1	0	2
Islande													0	0	1	1								
Israël																					0	1	1	2
Italie	5	3	10	18	2	7	4	13	8	3	4	15	14	6	12	32	6	4	4	14	6	5	8	19
Jamaïque	0	0	1	1	1	1	0	2	0	0	3	3	0	1	2	3	0	2	0	2	0	3	1	4
Japon	13	8	8	29	9	6	10	25					10	8	14	32	3	6	5	14	3	8	11	22
Kenya	2	3	4	9									1	0	1	2	5	2	2	9	2	4	2	8
Lettonie																					0	2	1	3
Liban	0	1	0	1					0	0	1	1												
Lituanie																					1	0	1	2
Malaisie																					0	0	1	1
Maroc													2	0	0	2	1	0	2	3	1	1	1	3
Mexique	0	1	0	1	1	0	1	2	0	1	3	4	2	3	1	6	0	0	2	2	0	1	0	1
Mongolie	0	1	0	1	0	1	0	1	0	2	2	4					0	0	1	1	0	0	2	2
Namibie																					0	2	0	2
Niger	0	0	1	1																				
Nigeria	0	0	1	1									0	1	1	2					0	3	1	4
Norvège	2	1	1	4	1	1	0	2					0	1	2	3	2	3	0	5	2	4	1	7
N.-Zélande	1	1	1	3	2	1	1	4					8	1	2	11	3	2	8	13	1	4	5	10
Ouganda	1	1	0	2					0	1	0	1												
Pakistan	0	1	0	1	0	0	1	1					1	0	0	1	0	0	1	1	0	0	1	1
Pays-Bas	3	1	1	5	0	2	3	5	0	1	2	3	5	2	6	13	2	2	5	9	2	6	7	15
Pérou													0	1	0	1	0	1	0	1	0	1	0	1
Philippines																	0	0	1	1	0	0	1	1
Pologne	7	5	9	21	7	6	13	26	3	14	15	32					2	5	9	16	3	6	10	19
Porto Rico					0	0	1	1					0	1	1	2					0	0	1	1
Portugal					0	2	0	2					1	0	2	3	1	0	0	1				
Qatar																					0	0	1	1
Roumanie	3	6	7	16	4	9	14	27	6	6	13	25	20	16	17	53	7	11	6	24	4	6	8	18
Sénégal																	0	1	0	1				
Slovénie																					0	0	2	2
Suède	4	6	6	16	4	1	0	5	3	3	6	12	2	11	6	19	0	4	7	11	1	7	4	12
Suisse	0	3	0	3	1	1	2	4	2	0	0	2	0	4	4	8	0	2	2	4	1	0	0	1
Surinam																	1	0	0	1	0	0	1	1
Syrie													0	1	0	1								
T'ai-wan													0	0	1	1								
Tanzanie									0	2	0	2												
Tchécosl.	2	4	2	8	2	2	4	8	2	3	9	14					3	3	2	8	4	2	1	7
Thaïlande					0	0	1	1					0	1	0	1	0	0	1	1	0	0	1	1
Trinité					1	0	0	1																
Tunisie	0	1	0	1																				
Turquie	0	1	0	1									0	0	3	3	1	1	0	2	2	2	2	6
ex-URSS	50	27	22	99	49	41	35	125	80	69	46	195					55	31	46	132	45	38	29	112
USA	33	31	30	94	34	35	25	94					83	61	30	174	36	31	27	94	37	34	37	108
Venezuela					0	1	0	1	0	1	0	1	0	0	3	3								
ex-Yougoslavie [1]	2	1	2	5	2	3	3	8	2	3	4	9	7	4	7	18	3	4	5	12	0	1	2	3
Zambie													0	0	1	1								
Zimbabwe									1	0	0	1												

Nota. – (1) En 1992, Serbie, Monténégro et Macédoine.

A Barcelone : *2 médailles de bronze* sont en jeu dans chaque catégorie en boxe, judo, babminton et tennis de table. Il peut y avoir des ex aequo, donc plusieurs médailles d'un même métal. *3 médailles de bronze* ont été décernées en saut en hauteur. *Pas de médaille de bronze* en haltérophilie 82,5 kg.

---

5 000 m. **12** Kolehmainen [20] 14′36″6. **20** *Guillemot* [21] *14′55″6.* **24** Nurmi [20] 14′31″2. **28** Ritola [20] 14′38″. **32** Lehtinen [20] 14′30″. **36** Hockert [20] 14′22″2. **48** Reiff [7] 14′17″6. **52** Zatopek [48] 14′6″6. **56** Kuts [54] 13′39″6. **60** Halberg [37] 13′43″4. **64** Schul [55] 13′48″8. **68** Gammoudi [51] 14′5″. **72** Viren [20] 13′26″4. **76** Viren [20] 13′24″76, Quax [37] 13′25″16, Hildenbrand [3] 13′25″38. **80** Yifter [19] 13′21″, Nyambui [47] 13′21″6, Maaninka [20] 13′22″. **84** Aouita [65] 13′5″59, Ryffel [46] 13′7″54, Leitao [43] 13′9″20. **88** Ngugi [31] 13′11″70, Baumann [3] 13′15″52, Kunze [2] 13′15″73. **92** Baumann [2a] 13′12″52, Bitok [31] 13′12″71, Bayisa [19] 13′13″03.

10 000 m. **12** Kolehmainen [20] 31′20″8. **20** Nurmi [20] 31′45″8. **24** Ritola [20] 30′23″2. **28** Nurmi [20] 30′18″8. **32** Kusocinski [42] 30′11″4. **36** Salminen [20] 30′15″4. **48** Zatopek [48] 29′59″6. **52** Zatopek [48] 29′17″. **56** Kuts [54] 28′45″6. **60** Bolotnikov [54] 28′32″2. **64** Mills [55] 28′24″4. **68** Temu [31] 29′27″4. **72** Viren [20] 27′38″4. **76** Viren [20] 27′40″38, Lopes [43] 27′45″17, Foster [22] 27′54″92. **80** Yifter [19] 27′42″7, Maaninka [20] 27′44″3, Kedir [19] 27′44″7. **84** Cova [28] 27′47″54, McLeod [22] 28′06″22, Musyoki [31] 28′6″46. **88** Boutaib [65] 27′21″46, Antibo [28] 27′23″55, Kimeli [31] 27′25″16. **92** Skah [65] 27′46″70, Chelimo [31] 27′47″72, Abebe [19] 28′0″07.

110 m haies. **96** Curtis [55] 17″6. **00** Kraenzlein [55] 15″4. **04** Schule [55] 16″. **08** Smithson [55] 15″. **12** Kelly [55] 15″1. **20** Thompson [10] 14″8. **24** Kinsey [55] 15″. **28** Atkinson [1] 14″8. **32** Saling [55] 14″6. **36** Towns [55] 14″2. **48** Porter [55] 13″9. **52** Dillard [55] 13″7. **56** Calhoun [55] 13″5. **60** Calhoun [55] 13″8. **64** Jones [55] 13″6. **68** Davenport [55] 13″3. **72** Milburn [55] 13″24. **76** *Drut* [21] *13″30,* Casanas [13] 13″33, Davenport [55] 13″38. **80** Munkelt [2] 13″39, Casanas [13] 13″40, Puchkov [54] 13″44. **84** Kingdom [55] 13″20, Foster [55] 13″23, Bryggare [20] 13″40. **88** Kingdom [55] 12″98, Jackson [22] 13″28, Cambell [55] 13″38. **92** McKoy [10] 13″12, Dees [55] 13″24, Pierce [55] 13″26.

400 m haies. **00** Tewkesbury [55] 57″6. **04** Hillman [55] 53″. **08** Bacon [55] 55″. **12** non disputé. **20** Loomis [55] 54″. **24** Morgan-Taylor [55] 52″6. **28** Burghley [27] 53″4. **32** Tisdall [27] 51″7. **36** Hardin [55] 52″4. **48** Cochran [55] 51″1. **52** Moore [55] 50″8. **56** Davis G. [55] 50″1. **60** Davis G. [55] 49″3. **64** Cawley [55] 49″6. **68** Hemery [22] 48″12. **72** Akii-Bua [38] 47″82. **76** Moses [55] 47″64, Shine [55] 48″69, Gavrilenko [54] 49″45. **80** Beck [2] 48″70, Arkhipenko [54] 48″86, Oakes [27] 49″11. **84** Moses [55] 47″75, Harris [55] 48″13, Schmid [3] 48″19. **88** Philipps [55] 47″19, Dia Ba [73] 47″23, Moses [55] 47″56. **92** Young [55] 46″78, Graham [29] 47″66, Akabusi [22] 47″82.

3 000 m steeple. **00** Orton (1) [55] 7′34″4. **04** Lightbody (1) [55] 7′39″6. **08** Russel (2) [22] 10′47″8. **12** non disputé. **20** Hodge [22] 10′0″4. **24** Ritola [20] 9′33″6. **28** Loukola [20] 9′21″8. **32** Iso-Hollo (3) [20] 10′33″4. **36** Iso-Hollo [20] 9′3″8. **48** Sjostrand [45] 9′4″6. **52** Ashenfelter [55] 8′45″4. **56** Brasher [22] 8′41″2. **60** Kryszkowiak [42] 8′34″2. **64** Roelants [7] 8′30″8. **68** Biwott [31] 8′51″. **72** Keino [31] 8′23″6. **76** Gaerderud [45] 8′08″3, Malinovski [42] 8′09″11, Baumgartl [2] 8′10″36. **80** Malinovski [42] 8′9″7, Bayi [47] 8′12″5, Tura [19] 8′13″6. **84** Korir [31] 8′11″80, *Mahmoud* [21] *8′13″31,* Diemer [55] 8′14″06. **88** Kariuki [31] 8′05″51, Koech [31] 8′06″79, Rowland [22] 8′07″96. **92** Birir [31] 8′08″84, Sang [31] 8′09″55, Mutwol [31] 8′10″74.

Nota. – (1) Sur 2 500 m. (2) Sur 3 200. (3) Par erreur, les concurrents du 3 000 m steeple couvrirent un tour de plus.

Saut en hauteur. **96** Clark [55] 1 m 81. **00** Baxter [55] 1 m 90. **04** Jones [55] 1 m 80. **08** Porter [55] 1 m 905. **12** Richard [55] 1 m 93. **20** Landon [55] 1 m 935. **24** Osborn [55] 1 m 98. **28** King [55] 1 m 94. **32** McNaughton [10] 1 m 97. **36** Johnson [55] 2 m 03. **48** Winter [5] 1 m 98. **52** Davis [55] 2 m 04. **56** Dumas [55] 2 m 12. **60** Chavlakadze [54] 2 m 16. **64** Brumel [54] 2 m 18. **68** Fosbury [55] 2 m 24. **72** Tarmak [54] 2 m 23. **76** Wszola [42] 2 m 25, Joy [10] 2 m 23. Stones [55] 2 m 21. **80** Wessig [2] 2 m 36, Wzsola [42] 2 m 31, Freitmuth [2] 2 m 31. **84** Mœgenburg [3] 2 m 35, Sjœberg [45] 2 m 33, Jlanhua [61] 2 m 31. **88** Avdeenko [54] 2 m 38, Conway [55] 2 m 36, Povarnitsyne [54] 2 m 36. **92** Sotomayor [13] 2 m 34, Sjœberg [45] 2 m 34, 3[e] Partyka [42], Forsythe [5] et Conway [55] 2 m 34.

Saut en longueur. **96** Clark [55] 6 m 35. **00** Kraenzlein [55] 7 m 18. **04** Prinstein [55] 7 m 34. **08** Irons [55] 7 m 48. **12** Gutterson [55] 7 m 60. **20** Petterson [45] 7 m 15. **24** Hubbard (de Hart) [55] 7 m 44. **28** Hamm [55] 7 m 73. **32** Gordon [55] 7 m 64. **36** Owens [55] 8 m 06. **48** Steele [55] 7 m 82. **52** Biffle [55] 7 m 57. **56** Bell [55] 7 m 83. **60** Boston [55] 8 m 12. **64** Davies [22] 8 m 07. **68** Beamon [55] 8 m 90. **72** Williams [55] 8 m 24. **76** Robinson [55] 8 m 35, Williams [55] 8 m 11, Wartenberg [2] 8 m 02. **80** Dombrowski [2] 8 m 54, Paschek [2] 8 m 21, Podluzny [54] 8 m 18. **84** Lewis [55] 8 m 54, Honey [5] 8 m 24, Evangelisti [28] 8 m 24. **88** Lewis [55] 8 m 72, Powell [55] 8 m 49, Myricks [55] 8 m 27. **92** Lewis [55] 8 m 67, Powell [55] 8 m 64, Greene [55] 8 m 34.

Saut à la perche. **96** Hoyt [55] 3 m 30. **00** Baxter [55] 3 m 30. **04** Dvorak [55] 3 m 50. **08** Cooke [55] 3 m 71, Gilbert [55] 3 m 71. **12** Babcock [55] 3 m 95. **20** Foss [55] 4 m 09. **24** Barnes [55] 3 m 95. **28** Carr [55] 4 m 20. **32** Miller [55] 4 m 31. **36** Meadows [55] 4 m 35. **48** Smith [55] 4 m 30. **52** Richards [55] 4 m 55. **56** Richards [55] 4 m 56. **60** Bragg [55] 4 m 70. **64** Hansen [55] 5 m 10. **68** Seagren [55] 5 m 40. **72** Nordwig [2] 5 m 50. **76** Slusarski [42] 5 m 50, Kalliomaeki [20] 5 m 50, Roberts [55] 5 m 50. **80** Koziakiewicz [42] 5 m 78, Volkov [54] 5 m 65. **84** *Quinon* [21] *5 m 75,* Tully [55] 5 m 65, *Vigneron* [21] *5 m 60.* **88** Bubka [54] 5 m 90, Gataoulline [54] 5 m 85, Egorov [54] 5 m 80. **92** Tarassov [54] 5 m 80, Trandenkov [54] 5 m 80, Garcia Chico [17] 5 m 75.

Triple saut. **96** Connolly [55] 13 m 71. **00** Prinstein [55] 14 m 47. **04** Prinstein [55] 14 m 35. **08** Ahearne [22] 14 m 92. **12** Lindblom [45] 14 m 76. **20** Tuulos [20] 14 m 50. **24** Winter [5] 15 m 525. **28** Oda [30] 15 m 21. **32** Nambu [30] 15 m 72. **36** Tajima [30] 16 m. **48** Ahman [45] 15 m 40. **52** Da Silva [8] 16 m 22. **56** Da Silva [8] 16 m 35. **60** Schmidt [42] 16 m 81. **64** Schmidt [42] 16 m 85. **68** Saneiev [54] 17 m 39. **72** Saneiev [54] 17 m 35. **76** Saneiev [54] 17 m 29, Butts [55] 17 m 18, De Oliveria [8]

16 m 90. **80** Uudmae [54] 17 m 35, Saneiev [54] 17 m 24, De Oliveira [8] 17 m 22. **84** Joyner [55] 17 m 26, Conley [55] 17 m 18, Connor [22] 16 m 87. **88** Markov [9] 17 m 61, Lapchine [54], 17 m 52, Kovalenko 17 m 42. **92** Conley [55] 18 m 17, Simpkins [55] 17 m 60, Rutherford [86] 17 m 36.

Poids. **96** Garrett [55] 11 m 22. **00** Sheldon [55] 14 m 10. **04** Rose [55] 14 m 81. **08** Rose [55] 14 m 21. **12** McDonald [55] 15 m 34. **20** Pothola [20] 14 m 81. **24** Houser [55] 14 m 99. **28** Huck [55] 15 m 87. **32** Sexton [55] 16 m. **36** Woellke [2a] 16 m 20. **48** Thompson [55] 17 m 12. **52** O'Brien [55] 17 m 41. **56** O'Brien [55] 18 m 57. **60** Nieder [55] 19 m 68. **64** Long [55] 20 m 33. **68** Matson [55] 20 m 54. **72** Komar [42] 21 m 18. **76** Beyer [2] 21 m 05, Mironov [54] 21 m 03, Barychnykov [54] 21 m. **80** Kiseliev [54] 21 m 35, Barychnykov [54] 21 m 08, Beyer [2] 21 m 06. **84** Andrei [28] 21 m 26, Carter [55] 21 m 09, Laut [55] 20 m 97. **88** Timmermann [2] 22 m 47, Barnes [55] 22 m 39, Günthör [46] 21 m 99. **92** Stulce [55] 21 m 70, Doehring [55] 20 m 96, Lykho [54] 20 m 94.

Disque. **96** Garret [55] 29 m 15. **00** Bauer [24] 36 m 04. **04** Sheridan [55] 39 m 28. **08** Sheridan [55] 40 m 89. **12** Taipale [20] 45 m 21. **20** Niklander [20] 44 m 685. **24** Houser [55] 46 m 15. **28** Houser [55] 47 m 32. **32** Anderson [55] 49 m 49. **36** Carpentier [55] 50 m 48. **48** Consolini [28] 52 m 78. **52** Iness [55] 55 m 03. **56** Oerter [55] 56 m 36. **60** Oerter [55] 59 m 18. **64** Oerter [55] 61 m. **68** Oerter [55] 64 m 78. **72** Danek [48] 64 m 40. **76** McWilkins [55] 67 m 50, Schmid [2] 66 m 22, Powell [55] 65 m 70. **80** Rachupkin [54] 66 m 64, Bugar [48] 66 m 38, Delis [13] 66 m 32. **84** Danneberg [3] 66 m 60, Wilkins [55] 66 m 30, Powell [55] 65 m 46. **88** Schult [2] 68 m 82, Oubartas [54] 67 m 48, Danneberg [3] 67 m 38. **92** Hubertas [87] 65 m 12, Schult [2a] 65 m 94, Moya Sandoval [13] 64 m 12.

Javelot. **08** Lemming [45] 54 m 835. **12** Lemming [45] 60 m 64. **20** Myyra [20] 65 m 78. **24** Myyra [20] 62 m 96. **28** Lundqvis [45] 66 m 60. **32** Jarvinen [20] 72 m 71. **36** Stoeck [2a] 71 m 84. **48** Rautayaara [20] 69 m 77. **52** Young [55] 73 m 78. **56** Danielsen [36] 85 m 71. **60** Tzybulenko [54] 84 m 64. **64** Nevala [20] 82 m 66. **68** Lusis [54] 90 m 10. **72** Wolfermann [3] 90 m 48. **76** Nemeth [24] 94 m 58, Siitonen [20] 87 m 92, Megelea [44] 87 m 16. **80** Kula [54] 91 m 20, Makarov [54] 89 m 64, Hanisch [2] 86 m 72. **84** Haerkœnen [20] 86 m 76, Ottley [22] 85 m 74, Eldebrink [45] 83 m 72. **88** Korjus [20] 84 m 28, Zelezny [48] 84 m 12, Raty [20] 83 m 26. **92** Zelezny [48] 89 m 66, Räty [20] 86 m 60, Backley [22] 83 m 38.

Marteau. **00** Flanagan [55] 49 m 73. **04** Flanagan [55] 51 m 23. **06** non disputé. **08** Flanagan [55] 51 m 92. **12** McGrath [55] 54 m 74. **20** Ryan [55] 52 m 875. **24** Tootell [55] 53 m 295. **28** O'Callaghan [16] 51 m 39. **32** O'Callaghan [16] 53 m 92. **36** Hein [2a] 56 m 49. **48** Nemeth [24] 56 m 07. **52** Csemarrk [24] 60 m 34. **56** Connolly [55] 63 m 19. **60** Rudenkov [54] 67 m 10. **64** Klim [54] 69 m 74. **68** Zsivotsky [24] 73 m 36. **72** Bondartchuk [54] 75 m 50. **76** Sedyh [54] 77 m 52, Spiridonov [54] 76 m 08, Bondartchuk [54] 75 m 48. **80** Sedykh [54] 81 m 80, Litvinov [54] 80 m 64, Tamm [54] 78 m 96. **84** Tiainen [20] 78 m 08, Riehm [3] 77 m 98, Ploghaus [3] 76 m 68. **88** Litvinov [54] 84 m 80, Sedykh [54] 83 m 76, Tamm [54] 81 m 16. **92** Abduvaliev [54] 82 m 54, Astapkovitch [54] 81 m 96, Nikouline [54] 81 m 38.

Décathlon. **04** Kiely [55]. **12** Thorpe [55]. **20** Loevland [36]. **24** Osborn [55]. **28** Yrjola [20]. **32** Baush [55]. **36** Morris [55]. **48, 52** Mathias [55]. **56** Campbell [55]. **60** Johnson [55]. **64** Holdord [2a]. **68** Toomey [55]. **72** Avilov [54]. **76** Jenner [55], Kratschmer [3], Avilov [54]. **80** Thompson [22], Kutsenko [54], Zhelanov [54]. **84** Thompson [22], Hingsen [3], Wentz [3]. **88** Schenk [2], Voss [2], Steen [10]. **92** Zmelik [48], Peñalver [17], Johnson [55].

Marathon. **96** Louys [23] 2 h 58'50". **00** *Theato* [21] *2 h 59'45"*. **04** Hicks [55] 3 h 28'53". **08** Hayes [55] 2 h 55'18"4. **12** McArthur [1] 2 h 36'54"8. **20** Kolehmainen [20] 2 h 32'35"8. **24** Stenroos [20] 2 h 41'22"6. **28** *El Ouafi* [21] *2 h 32'57"*. **32** Zabala [4] 2 h 31'36". **36** Son [30] 2 h 29'19"2. **48** Cabrera [4] 2 h 34'51"6. **52** Zatopek [48] 2 h 23'3"2. **56** *Mimoun* [21] *2 h 25'*. **60** Abebe [19] 2 h 15'16"2. **64** Abebe [19] 2 h 12'11"2. **68** Wolde [19] 2 h 20'26"4. **72** Shorter [55] 2 h 12'19"8. **76** Cierpinski [2] 2 h 09'55", Shorter [55] 2 h 10'45"8, Lismont [7] 2 h 11'16"2. **80** Cierpinski [2] 2 h 11'3", Nijboer [40] 2 h 11'20", Dzhumanazarova [54] 2 h 11'35". **84** Lopes [43] 2 h 09'21", Treacy [27] 2 h 09'56", Spedding [22] 2 h 09'58". **88** Bordin [28] 2 h 10'32", Wakiichuri [31] 2 h 10'47", Salah [74] 2 h 10'59". **92** Hwang [11] 2 h 13'23", Morishita [30] 2 h 13'45", Freigang [22] 2 h 14'.

4 × 100 m. **12** G.-B. 42"4. **20** USA 42"2. **24** USA 41". **28** USA 41". **32** USA 40". **36** USA 39"8. **48** USA 40"6. **52** USA 40"1. **56** USA 39"5. **60** All. féd. 39"5. **64** USA 39". **68** USA 38"2. **72** USA 38"19. **76** USA 38"33, All. dém. 38"66, URSS 38"78. **80** URSS 38"26, Pol. 38"33, *Fr. 38"53*. **84** USA 37"83, Jamaïque 38"62, Can. 38"70. **88** URSS 38"19, G.-B. 38"28, *France 38"40*. **92** USA 37"40, Nigeria 37"98, Cuba 38".

4 × 400 m. **08** USA 3'29"4. **12** USA 3'16"6. **20** G.-B. 3'22"2. **24** USA 3'16". **28** USA 3'14"2. **32** USA 3'8"2. **36** G.-B. 3'9". **48** USA 3'10"4. **52** Jamaïque 3'3"9. **56** USA 3'4"8. **60** USA 3'2"2. **64** USA 3'0"7. **68** USA 2'56"1. **72** Kenya 2'59"8. **76** USA 2'58"65, Pol. 3'1"43, All. féd. 3'1"98. **80** URSS 3'1"1, All. dém. 3'1"3, It. 3'4"3. **84** USA 2'57"91, G.-B. 2'59"13, Nigeria 2'59"32. **88** USA 2'56"16, Jamaïque 3'0"3, All. féd. 3'0"56. **92** USA 2'55"74, Cuba 2'59"51, G.-B. 2'59"73.

20 km marche. **56** Spirin [54] 1 h 31'27"4. **60** Golubnichniy [54] 1 h 34'7"2. **64** Matthews [22] 1 h 29'34". **68** Golubnichniy [54] 1 h 33'58"4. **72** Frenkel [2] 1 h 26'42"4. **76** Bautista [34] 1 h 24'40"6, Reimann [2] 1 h 25'13"8, Frenkel [2] 1 h 25'29"3. **80** Damilano [28] 1 h 23'35"5, Pochinchuk [54] 1 h 24'45"4, Wieser [2] 1 h 25'58"2. **84** Canto [34] 1 h 23'13", Gonzalès [34] 1 h 23'20", Damilano [28] 1 h 23'26". **88** Pribilinec [48] 1 h 19'57", Weigel [2] 1 h 20'0", Damilano [28] 1 h 20'14". **92** Plaza Montero [17] 1 h 21'45", Leblanc [10] 1 h 22'25", De Benedictis [28] 1 h 23'11".

50 km marche. **32** Green [22] 4 h 50'10". **36** Whitlock [22] 4 h 30'41"4. **48** Ljunggren [45] 4 h 41'52". **52** Dordoni [28] 4 h 28'7"8. **56** Read [37] 4 h 30'42"8. **60** Thompson [22] 4 h 25'30". **64** Pamich [28] 4 h 11'12"4. **68** Hoehne [2] 4 h 20'13"6. **72** Kannenberg [3] 3 h 56'11"6. **76** non disputé. **80** Gauder [2] 3 h 49'24", Llopart [17] 3 h 51'25", Ulvchenko [54] 3 h 56'32". **84** Gonzalez [34] 3 h 47'26", Gustafsson [45] 3 h 53'19", Belluci [28] 3 h 53'45". **88** Ivanenko [54] 3 h 38'29", Weigel [2] 3 h 38'56", Gauder 3 h 39'45". **92** Perlov [54] 3 h 50'13", Carbajal [34] 3 h 52'9", Weigel [2a] 3 h 53'45".

Hauteur sans élan. **00** Ewry [55] 1 m 65. **04** Ewry [55] 1 m 60. **08** Ewry [55] 1 m 575. **12** Adams [55] 1 m 63. **Longueur sans élan.** **00** Ewry [55] 3 m 21. **04** Ewry [55] 3 m 476. **08** Ewry [55] 3 m 335. **12** Tsiklitiras [23] 3 m 37. **Triple saut sans élan.** **00** Ewry [55] 10 m 58. **04** Ewry [55] 10 m 54.

Poids des 2 mains. **12** Rose [55] 27 m 70. **Poids de 56 livres.** **04** Desmarteau [10] 10 m 46. **12** non disputé. **20** Mc Donald [55] 11 m 265. **Disque à l'antique.** **08** Sheridan [55] 38 m. **Disque des 2 mains.** **12** Taipale [20] 82 m 86. **Javelot style libre.** **08** Lemming [45] 54 m 45. **Javelot des 2 mains.** **12** Saaristo [20] 109 m 42.

Triathlon. **04** Emmerich [55]. **Pentathlon.** **12** Thorpe [55]. **20** Lehtonen [20]. **24** Lehtonen [20].

☞ **Épreuves supprimées.** **60 m. 00** Kraenzlein [55] 7". **04** Hahn [55] 7". **5 miles. 08** Voigt [22] 25'11"2. **Cross country individuel. 12** (8 000 m) Kolehmainen [20] 45'11"6. **20** (8 000 m) Nurmi [20] 27'15". **24** (10 000 m) Nurmi [20] 32'54"8. **3 000 m (par équipes). 12** USA. **20** USA. **24** Finl. **3 miles (par équipes). 08** G.-B. **5 000 m (par équipes). 00** G.-B./Austr. **Cross country (par équipes). 04** New York AC. **06-08** non disputé. **12** (8 000 m) Suède. **20** (10 000 m) Finl. **24** (10 000 m) Finl. **200 m haies. 00** Kraenzlein [55] 25"4. **04** Hillman [55] 24"6. **4 000 m steeple. 00** Rimmer [22] 12'58"4. **3 000 m marche. 20** Frigerio [28] 13'14"2. **3 500 m marche. 08** Larner [22] 14'55". **1 000 m marche. 12** Goulding [10] 46'28"4. **20** Frigerio [28] 48'6"2. **24** Frigerio [28] 47'49". **28-36** non disputé. **48** Mikaelsson [45] 45'13"2. **52** Mikaelsson [45] 45'2"8. **10 miles marche. 08** Larner [22] 1 h 15'57"4.

■ **Dames. 100 m.** **28** Robinson [55] 12"2. **32** Walasiewicz [42] 11"9. **36** Stephens [55] 11"5. **48** Blankers-Koen [40] 11"9. **52** Jackson [5] 11"5. **56** Cuthbert [5] 11"5. **60** Rudolph [55] 11". **64** Tyus [55] 11"4. **68** Tyus [55] 11". **72** Stecher [2] 11"07. **76** Richter [3] 11"08, Stecher [2] 11"13, Helten [3] 11"17. **80** Kondratieva [54] 11"06, Goehr [2] 11"07, Auerswald [2] 11"14. **84** Ashford [55] 10"97, Brown [55] 11"13, Ottey-Page [29] 11"16. **88** Griffith-Joyner [55] 10"54, Ashford [55] 10"83, Drechsler [2] 10"85. **92** Devers [55] 10"82, Cuthbert [29] 10"83, Privalova [54] 10"84.

200 m. **48** Blankers-Koen [40] 24"4. **52** Jackson [5] 23"7. **56** Cuthbert [5] 23"4. **60** Rudolph [55] 24". **64** McGuire [55] 23". **68** Swezinska-Kirszenstein [42] 22"5. **72** Stecher [2] 22"4. **76** Eckert [2] 22"37, Richter [3] 22"39, Stecher [2] 22"47. **80** Wockel [2] 22"03, Bochina [54] 22"19, Ottey [29] 22"20. **84** Brisco-Hooks [55] 21"81, Griffith [55] 22"04, Ottey-Page [29] 22"09. **88** Griffith-Joyner [55] 21"34, Jackson [29] 21"72, Drechsler [2] 21"95. **92** Torrence [55] 21"81, Cuthbert [29] 22"02, Ottey [29] 22"09.

400 m. **64** Cuthbert [5] 52". **68** *C. Besson* [21] *52"*. **72** Zehrt [2] 51"08. **76** Szewinska [42] 49"29, Brehmer [2] 50"51, Streidt [2] 50"55. **80** Koch [2] 48"88, Kratochvukiva [48] 49"46, Lathan [2] 49"66. **84** Brisco-Hooks [55] 48"83, Cheeseborough [55] 49"05, Cook [22] 49"02. **88** Bryzguina [54] 48"65, Müller [2] 49"45, Nazarova [54] 49"90. **92** *Pérec* [21] *48"83*, Bryzgina [54] 49"05, Restrepo Gaviria [63] 49"64.

800 m. **28** Radke [2a] 2'16"8. **32-56** non disputé. **60** Chevcova [54] 2'4"3. **64** Packer [22] 2'1"1. **68** Manning [55] 2'0"9. **72** Falck [3] 1'58"55. **76** Kazankina [54] 1'54"94, Chtereva [9] 1'55"42, Zinn [2] 1'55"60. **80** Olizarenko [54] 1'53"42, Minieva [54] 1'54"9, Providokhina [54] 1'55"5. **84** Melinte [44] 1'57"60, Gallagher [55] 1'58"63, Lovin [44] 1'58"83. **88** Wodars [2] 1'56"10, Wachtel [2] 1'56"64, Gallagher [55] 1'56"91. **92** Van Langen [40] 1'55"54, Nurutdinova [54] 1'55"99, Quirot Moret [13] 1'56"80.

1 500 m. **72** Bragina [54] 4'1"04. **76** Kazankina [54] 4'5"48, Hofmeister [2] 4'6"02, Klapezinski [2] 4'6"09. **80** Kazankina [54] 3'56"6, Wartenberg [2] 3'57"8, Olizarenko [54] 3'59"6. **84** Dorio [28] 4'3"76, Melinte [44] 4'3"76, Puica [44] 4'4"15. **88** Ivan [44] 3'53"96, Baikauskaite [54] 4'0"24, Samolenko [54] 4'0"3. **92** Boulmerka [71] 3'55"30, Rogacheva [54] 3'56"91, Qu [61] 3'57"08.

3 000 m. **84** Puica [44] 8'35"96, Sly [22] 8'39"47, Williams [10] 8'42"14. **88** Sumolenko [54] 8'26"53, Ivan [44] 8'27"15, Murray [82] 8'29"02. **92** Romanova [54] 8'46"04, Dorovskikh [54] 8'46"85, Chalmers [10] 8'47"22.

10 000 m. **88** Bondarenko [54] 31'05"21, Mc Colgan [22] 31'08"44, Joupieva [54] 31'19"82. **92** Tulu [19] 31'06"02, Meyer [1] 31'11"75, Jennings [55] 31'19"89.

100 m haies. **72** Ehrhardt [2] 12"59. **76** Schaller [2] 12"77, Anisimova [54] 12"78, Lebedeva [54] 12"80. **80** Komisova [54] 12"56, Klie [2] 12"63, Langer [42] 12"65. **84** Fitzgerald-Brown [55] 12"84, Strong [22] 12"88, Turner [55] 13"06. **88** Donkova [9] 12"38, Siebert [2] 12"61, Zakiewicz [3] 12"75. **92** Patoulidou [23] 12"64, Martin [55] 12"69, Donkova [9] 12"70.

400 m haies. **84** El Moutawakil [65] 54"61, Brown [55] 55"20, Cojocaru [44] 55"41. **88** Flintoff-King [5] 53"17, Ledovskaia [54] 53"18, Fiedler [2] 53"63. **92** Gurnell [22] 53"23, Farmer-Patrick [55] 53"69, Vickers [55] 54"31.

Saut en hauteur. **28** Catherwood [10] 1 m 59. **32** Shiley [55] 1 m 657. **36** Csak [24] 1 m 60. **48** Coachman [55] 1 m 68. **52** Brand [1] 1 m 67. **56** McDaniel [55] 1 m 76. **60** Balas [44] 1 m 85. **64** Balas [44] 1 m 90. **68** Rezkova [48] 1 m 82. **72** Meyfarth [3] 1 m 92. **76** Ackermann [2] 1 m 93, Simeoni [28] 1 m 91, Blagoeva [9] 1 m 91. **80** Simeoni [28] 1 m 97, Kielan [42] 1 m 94, Kirst [2] 1 m 94. **84** Meyfarth [3] 2 m 02, Simeoni [28] 2 m, Huntley [55] 1 m 97. **88** Ritter [55] 2 m 03, Kostadinova [9] 2 m 01, Bykova [54] 1 m 99. **92** Henkel [2a] 2 m 02, Astafei [44] 2 m, Quintero [13] 1 m 97.

Saut en longueur. **48** Gyarmati [24] 5 m 69. **52** Williams [37] 6 m 24. **56** Kresinska [42] 6 m 35. **60** Krepkina [54] 6 m 37. **64** Rand [22] 6 m 76. **68** Viscopoleanu [44] 6 m 82. **72** Rosendahl [3] 6 m 78. **76** Voigt [2] 6m 72, McMillan [55] 6 m 66, Alfeiva [54] 6 m 60. **80** Kolpakova [54] 7 m 06, Wujak [2] 7 m 04, Skachko [54] 7 m 01. **84** Cusmir-Stanciu [44] 6 m 96, Ionescu [44] 6 m 81, Hearnshaw [22] 6 m 80. **88** Joyner-Kersee [55] 7 m 40, Drechsler [2] 7 m 22, Tchistiakova [54] 7 m 11. **92** Drechsler [2a] 7 m 14, Kravets [54] 7 m 12, Joyner-Kersee [55] 7 m 07.

Poids. **48** *Ostermeyer* [21] *13 m 75*. **52** Zybina [54] 15 m 28. **56** Tychekevitsch [54] 16 m 59. **60** T. Press [54] 17 m 32. **64** T. Press [54] 18 m 14. **68** Gummel [2] 19 m 61. **72** Chizhova [54] 21 m 03. **76** Christova [9] 21 m 16, Chizhova [54] 20 m 96, Fibingerova [54] 20 m 67. **80** Slupianek [2] 22 m 41, Krachvskaya [54] 21 m 42, Pufe [2] 21 m 20. **84** Losch [3] 20 m 48, Loghin [44] 20 m 47, Martin [5] 19 m 19. **88** Lisovskaia [54] 22 m 24, Neimke [2] 21 m 07, Li [61] 21 m 06. **92** Kriveleva [54] 21 m 06, Huang [61] 20 m 47, Neimke [2a] 19 m 78.

Disque. **28** Konopacka [42] 39 m 62. **32** Copeland [55] 40 m 58. **36** Mauermayer [2a] 47 m 63. **48** *Ostermeyer* [21] *41 m 92*. **52** Romashkova [54] 51 m 42. **56** Fikotova [48] 53 m 69. **60** Ponomaryeva [54] 55 m 10. **64** T. Press [54] 57 m 27. **68** Manoliu [44] 58 m 28. **72** Melnik [54] 66 m 52. **76** Schlaak [2] 69 m, Vergova [9] 67 m 30, Hinzmann [2] 66 m 84. **80** Jahl [2] 69 m 96, Petkova [9] 67 m 90, Lesovaya [54] 67 m 40. **84** Stalman [40] 65 m 36, Deniz [55] 64 m 86, Craciunescu [44] 63 m 64. **88** Hellmann [2] 72 m 30, Gansky [2] 71 m 88, Hristova [9] 69 m 74. **92** Marten [13] 70 m 06, Khristova [9] 67 m 78, Costian [5] 66 m 24.

Javelot. **32** Didrikson [55] 43 m 68. **36** Fleischer [2a] 45 m 18. **48** Bauma [6] 45 m 57. **52** Zatopkova [48] 50 m 47. **56** Yaunzeme [54] 53 m 86. **60** Ozolina [54] 55 m 98. **64** Penes [44] 60 m 54. **68** Nemeth [24] 60 m 36. **72** Fuchs [2] 63 m 88. **76** Fuchs [2] 65 m 94, Becker [3] 64 m 70, Schmidt [55] 63 m 96. **80** Colon [13] 68 m 40, Gunba [54] 67 m 76, Hommola [2] 66 m 56. **84** Sanderson [22] 69 m 56, Lillak [20] 69 m, Whitbread [22] 67 m 14. **88** Felke [2] 74 m 68, Whitbread [22] 70 m 32, Koch [2] 67 m 30. **92** Renk [20] 68 m 34, Shikolenko [54] 68 m 26, Forkel [20] 66 m 86.

4 × 100 m. **28** Canada 48"4. **32** USA 46"9. **36** USA 46"9. **48** P.-Bas 47"5. **52** USA 45"9. **56** Austr. 44"5. **60** USA 44"5. **64** Pol. 43"6. **68** USA 42"8. **72** All. féd. 42"81. **76** All. dém. 42"55, All. féd. 42"59, URSS 43"09. **80** All. dém. 41"60, URSS 42"10, G.-B. 42"43. **84** USA 41"65, Can. 42"77, G.-B. 43"11. **88** USA 41"98, All. dém. 42"09, URSS 42"75. **92** USA 42"11, ex-URSS 42"16, Nigeria 42"81.

4 × 400 m. **72** All. dém. 3'23". **76** All. dém. 3'19"23, USA 3'22"81, URSS 3'24"24. **80** URSS 3'20"02,

All. dém. 3'20"04, G.-B. 3'27"05. **84** USA 3'18"29, Can. 3'21"21, All. féd. 3'22"98. **88** URSS 3'15"18, USA 3'15"51, All. dém. 3'18"29. **92** ex-URSS 3'20"20, USA 3'20"92, G.-B. 3'24"23.

Heptathlon. **84** Nunn [5], Joyner [55], Everts [3]. **92** Joyner-Kersee [55], Belova [54], Braun [22].

Marathon. **84** Benoit [55] 2 h 24'52", Waitz [36] 2 h 26'18", Mota [43] 2 h 26'57". **88** Mota [43] 2 h 25'40", Martin [5] 2 h 25'53", Dörre [2] 2 h 26'21". **92** Yegorova [54] 2 h 32' 41", Arimori [30] 2 h 32'49" ; Moller [37] 2 h 33'59".

10 km marche. **92** Chen [61] 44'32", Nikolaeva [54] 44'33", Li [61] 44'41".

☞ Épreuves supprimées. **80 m haies. 32** Didriksen [55] 11"7. **36** Valla [28] 11"7. **48** Blankers-Koen [40] 11"2. **52** Strickland [5] 10"9. **56** Strickland [5] 10"7. **60** Press [54] 10"8. Balzer [2] 10"5. **68** Caird [5] 10"3. **Pentathlon. 64** I. Press [54]. **68** Becker [3]. **72** Peters [22]. **76** Siegl-Thon [2], Laser [2], Pollack [2]. **80** Tkachenko [54], Rukavishnikova [54], Kuragina [54].

AVIRON

■ Messieurs. Skiff. **00** *Barrelet* [21] *7'35"6*. **04** Greer [55] 10'8"4. **08** Blackstaffe [22] 9'26". **12** Kinnear [22] 7'47"6. **20** Kelly [55] 7'35". **24** Beresford [22] 7'49"2. **28** Pearce [5] 7'11". **32** Pearce [5] 7'44"4. **36** Schafer [2a] 8'21"5. **48** Wood [5] 7'24"4. **52** Tyukalov [54] 8'12"8. **56** Ivanov [54] 8'2"5. **60** Ivanov [54] 7'13"96. **64** Ivanov [54] 8'22"51. **68** Wienese [40] 7'47"80. **72** Malishev [54] 7'10"12. **76** Karppinen [20] 7'29"03, Kolbe [3] 7'31"67, Dreifke [2] 7'38"03. **80** Karppinen [20] 7'9"61, Yakusha [54] 7'11"66, Kersten [2] 7'14"88. **84** Karppinen [20] 7'0"24, Kolbe [3] 7'2"10, Mills [10] 7'10"38. **88** Lange [2] 6'49"86, Kolbe [3] 6'54"77, Verdonk [37] 6'58"66. **92** Lange [2a] 6'51"40, Chalupa [48] 6'52"93, Bronlewski [42] 6'56"82.

Double-scull. **04** USA 10'3"2. **20** USA 7'9". **24** USA 6'34". **28** USA 6'41"04. **32** USA 7'17"40. **36** G.-B. 7'20"80. **48** G.-B. 6'51"30. **52** Argent. 7'32"20. **56** URSS 7'24". **60** Tchéc. 6'47"50. **64** URSS 7'10"66. **68** URSS 6'51"82. **72** URSS 7'01"77. **76** F. Hansen-A. Hansen [36] 7'13"20, Baillieu-Hart [22] 7'15"26, Schmied-Bertow [2] 7'17"45. **80** Dreifke-Kroeppelien [2] 6'24"33, Stanulov-Pancic [57] 6'26"34, Vochoska-Pecka [48] 6'29"07. **84** Enquist-Lewis [55] 6'36"87, Crois-Deloof [7] 6'38"19, Stanulov-Pancic [57] 6'39"59. **88** Florijn-Rienks [40] 6'21"13, Schwerzmann-Bodenmann [46] 6'22"59, Martchenko-Iakoucha [54] 6'22"87. **92** Hawkins-Antonie [5] 6'17"32, Jonke-Zerbst [6] 6'18"42, Zwolle-Rienks [40] 6'22"82.

Deux sans barreur. **04** USA 10'57". **08** G.-B. 9'41". **24** Holl. 8'19"4. **28** All. 7'6"4. **32** G.-B. 8'. **36** All. 8'16"1. **48** G.-B. 7'21"1. **52** USA 8'20"7. **56** USA 7'55"4. **60** URSS 7'02"1. **64** Canada 7'32"94. **68** All. dém. 7'26"56. **72** All. dém. 6'53"16. **76** J. Landvoigt-B., Landvoigt [2] 7'23"31, Coffey-Staines [55] 7'26"73, Van Roye-Strauss [3] 7'30"03. **80** Landvoigt frères [2] 6'48"01, Pimenov frères [54] 6'50"50, Carmichaël-Wiggin [22] 6'51"47. **84** Toma-Iosub [44] 6'45"39, Lasurtegui-Climent [17] 6'48"47, Woestmann-Moellenkamp [36] 6'51"81. **88** Holmes-Redgrave [22] 6'36"84, Neagu-Dobre [44] 6'38"06, Presern-Mujkic [57] 6'41"01. **92** Redgrave-Pinsent [22] 6'27"72, Hoeltzenuein-von Ettinshausen [2a] 6'32"68, Cop-Zbegelj [88] 6'33"43.

Deux avec barreur. **00** P.-Bas 7'34"2. **20** It. 7'56". **24** Suisse 8'39". **28** Suisse 7'42"6. **32** USA 8'25"8. **36** All. 8'36"9. **48** Dan. 8'0"5. **52** *Fr. 8'28"6*. **56** USA 8'26"1. **60** All. 7'29"14. **64** USA 8'21"23. **68** It. 8'4"81. **72** All. dém. 7'17"25. **76** Jaehrling-Ulrich [2] 7'58"99, Bekhterev-Shurkalov [54] 8'1"82, O. Svojanosky-P. Svojanosky [48] 8'3"28. **80** Jaehrling-Ulrich [2] 7'2"54, Pereverzev-Kryuchkin [54] 7'3"35, Celent-Mrduljas [57] 7'4"92. **84** Abbagnale Frères [28] 7'5"99, Tomoiaga-Popescu [44] 7'11"21, Espeseth-Still [55] 7'12"81. **88** C. et G. Abbagnale-Di Capua [28] 6'58"79, Streit-Kirchhoff-Rensch [2] 7'0"63, Holmes-Redgrave-Sweeney [22] 7'1"95. **92** J. Searle-G. Searle-Herbert [22] 6'49"83, C. Abbagnale-G. Abbagnale-Di Capua [28] 6'50"98, Popescu-Taga-Raducanu [44] 6'51"58.

Quatre de couple. **76** All. dém. 6'18"65, URSS 6'19"89, Tchéc. 6'21"77. **80** All. dém. 5'49"81, URSS 5'51"47, Bulg. 5'52"38. **84** All. féd. 5'57"55, Austr. 5'57"98, Canada 5'59"07. **88** It. 5'53"37, Norv. 5'55"08, All. dém. 5'56"13. **92** All. 5'45"17, No. 5'47"09, It. 5'47"33.

Quatre sans barreur. **04** USA 9'05"8. **08** G.-B. 8'34". **24** G.-B. 7'8"6. **28** G.-B. 6'36". **32** G.-B. 6'58"2. **36** All. 7'1"8. **48** It. 6'39". **52** Youg. 7'16". **56** Canada 7'8"8. **60** USA 6'26"26. **64** Dan. 6'59"30. **68** All. dém. 6'39"18. **72** All. dém. 6'24"27. **76** All. dém. 6'37"42, Norv. 6'41"22, URSS 6'42"52. **80** All. dém. 6'8"17, URSS 6'11"81, G.-B. 6'16"58. **84** N.-Z. 6'3"48, USA 6'6"10, Dan. 6'7"72. **88** All. dém. 6'03"11, USA 6'5"53, All. féd. 6'6"22. **92** Australie 5'55"04, USA 5'56"68, Slovénie 5'58"24.

Quatre avec barreur. **00** All. 5'59". **12** All. 6'59"04. **20** Suisse 6'54". **24** Suisse 7'18"4. **28** It. 6'47"8. **32** All. 7'19". **36** All. 7'16"02. **48** USA 6'50"3. **52** Tchéc. 7'33"4. **56** It. 7'19"4. **60** All. 6'39"12. **64** All. 7'00"44. **68** N.-Z. 6'45"62. **72** All. féd. 6'31"85. **76** URSS 6'40"22, All. dém. 6'42"70, All. féd. 6'46"96. **80** All. dém. 6'14"51, URSS 6'19"05, Pol. 6'22"52. **84** G.-B. 6'18"64, USA 6'20"28, N.-Z. 6'23"68. **88** All. dém. 6'10"74, Roum. 6'13"58, N.-Zél. 6'15"78. **92** Roum. 5'59"37, All. 6'0"34, Pologne 6'03"27.

Huit. **00** USA 6'9"8. **04** USA 7'50". **08** G.-B. 7'52". **12** G.-B. 6'15". **20** USA 6'2"6. **24** USA 6'33"4. **28** USA 6'3"2. **32** USA 6'37"6. **36** USA 6'25"4. **48** USA 5'56"7. **52** USA 6'25"9. **56** USA 6'35"2. **60** All. 5'57"18. **64** USA 6'18"23. **68** All. féd. 6'07". **72** N-Zél. 6'08"94. **76** All. dém. 5'58"29, G.-B. 6'0"82, N-Zél. 6'3"51. **80** All. dém. 5'49"05, G.-B. 5'51"92, URSS 5'52"66. **84** Canada 5'41"32, USA 5'41"74, Austr. 5'43"40. **88** All. féd. 5'46"05, URSS 5'48"01, USA 5'48"26. **92** Canada 5'29"53, Roum. 5'29"67, All. 5'31".

☞ Épreuve supprimée. **Quatre de pointe barré. 12** Dan. 7'47".

■ Dames. Skiff. **76** Scheiblich [2] 4'5"56, Lind [55] 4'6"21, Antonova [54] 4'10"24. **80** Toma [44] 3'40"69, Makhina [54] 3'41"65, Schroeter [2] 3'43"54. **84** Racila [44] 3'40"68, Geer [55] 3'43"89, Haesebrouck [7] 3'45"72. **88** Behrendt [2] 7'47"19, Marden [55] 7'50"28, Gueorguieva [9] 7'53"65. **92** Lipa [44] 7'25"54, Bredael [7] 7'26"64, Laumann [10] 7'28"85.

Double-scull. **76** Otsetova-Yordanova [9] 3'44"36, Jahn-Boesler [2] 3'47"86, Kaminskaite-Ramoshkene [54] 3'49"93. **80** Popova-Khloptseva [54] 3'16"27, Westphal-Linse [2] 3'17"63, Homeghi-Rosca Racila [44] 3'18"91. **84** Oleniuc-Popescu [44] 3'26"75, N. et G. Hellemans [40] 3'29"13, S. et D. Laumann [10] 3'29"82. **88** Peter-Schroeter [2] 7'0"48, Lipa-Cogeanu [44] 7'04"36, Ninova-Madina [9] 7'06"03. **92** Koeppen-Boron [2a] 6'49", Cochelea-Lipa [44] 6'51"47, Gu-Lu [61] 6'55"16.

Deux sans barreuse. **76** Kelbecheva-Grouicheva [9] 4'1"22, Noack-Dahne [2] 4'1"64, Eckbauer Einoder 4'2"35. **80** Klier-Steindorf [2] 3'30"49, Koscianska-Dluzewska [42] 3'30"95, Kubatova-Barbulova [9] 3'32"39. **84** Arba-Horvat [44] 3'32"60, Craig-Smith [10] 3'36"06, Becker-Volkner [3] 3'40"50. **88** Arba-Homeghi [44] 7'28"13, Stoyanov-Berberova [9] 7'31"95, Payne-Hannen [37] 7'35"68. **92** McBean-Heddle [10] 7'06"22, Werremeier-Schwerzmann [2a] 7'07"96, Seaton-Pierson [55] 7'08"11.

Quatre barré. **76** All. dém. 3'45"08, Bulg. 3'48"24, URSS 3'49"38. **80** All. dém. 3'19"27, Bulg. 3'20"75, URSS 3'20"92. **84** Roum. 3'19"30, Canada 3'21"55, Austr. 3'23"29. **88** All. dém. 6'56"0, Chine 6'58"78, Roum. 7'01"13. Non barré. **92** Canada 6'30"85, USA 6'31"86, All. 6'32"33.

Quatre de couple avec barreuse. **76** All. dém. 3'29"99, URSS 3'32"49, Roum. 3'32"76. **80** All. dém. 3'15"32, URSS 3'15"73, Bulg. 3'16"10. **84** Roum. 3'14"11, USA 3'15"57, Dan. 3'16"02. **88** All. dém. 6'21"06, URSS 6'23"47, Roum. 6'23"81. **92** All. 6'20"18, Roum. 6'24"34, ex-URSS 6'25"07.

Huit. **76** All. dém. 3'33"32, URSS 3'36"17, USA 3'38"68. **80** All. dém. 3'3"32, URSS 3'4"29, Roum. 3'5"63. **84** USA 2'59"80, Roum. 3'0"87, P.-Bas 3'2"92. **88** All. dém. 6'15"17, Roum. 6'17"44, Chine 6'21"83. **92** Canada 6'02"62, Roum. 6'06"26, All. 6'07"80.

BADMINTON

■ Messieurs. **Simple. 92** Budi-Rusuma [92], Wiranata [92], Suter-Lauridsen [14] et Susanto [92]. **Double. 92** Kim-Park [12], Hartono-Gunawan [92], R. et J. Sidek [83] et Li-Tian [61].

■ Dames. **Simple. 92** Susanti [92], Bang [12], Huang [61] et Tang [61]. **Double. 92** Hwang-Chung [12], Guan-Nong [61], Gil-Shim [12] et Lin-Yao [61].

BASE-BALL

92 Cuba, Taipeh, Japon.

BASKET-BALL

■ Messieurs. **36, 48, 52, 56, 60, 64, 68** USA. **72** URSS. **76** USA, Youg., URSS. **80** Youg., It., URSS. **84** USA, Esp., Youg. **88** URSS, Youg., USA. **92** USA, Croatie, Lituanie.

■ Dames. **76** URSS, USA, Bulg. **80** URSS, Bulg., Youg. **84** USA, Corée du S., Chine. **88** USA, Youg., URSS. **92** ex-URSS, Chine, USA.

BOXE

Mi-mouche (moins de 48 kg). **68** Rodriguez [56]. **72** Gedo [24]. **76** Hernandez [13], Uk Li [11], Pooltarat [49] et Maldonado [69]. **80** Sabirov [54], Ramos [13], Hjuseinov [9], Byong Uk [11]. **84** Gonzalez [55], Todisco [28], Mwila [67]. **88** Hristov [9], Carbajal [55], Serantes [75]. **92** Garcia [13], Bojinov [9], Velasco [75].

Mouche. **04** Finnegan [55]. **20** Genara [55]. **24** La Barba [55]. **28** Kocsis [24]. **32** Enekes [24]. **36** Kaiser [2a]. **48** Perez [4]. **52** Brooks [55]. **56** Spinks [22]. **60** Torok [24]. **64** Atzori [28]. **68** Delgado [34]. **72** Kostadinov [9]. **76** Randolph [55], Duvalon [13], Torosyan [54], Blazynski [42]. **80** Lessov [9], Mirochnichenko [54], Varadi [24], Russel [27]. **84** McCrory [55], Redzepovski [57], Can [52]. **88** Kim [12], Tews [2], Gonzales [34]. **92** Chol Su Choi [11], Sanchez [13], Austin [55].

Coq. **04** Kirk [55]. **08** Thomas [22]. **20** Walker [1]. **24** Smith [1]. **28** Tamagnini [28]. **32** Gwynne [10]. **36** Sergo [22]. **48** Csik [24]. **52** Hamalainen [20]. **56** Behrendt [2]. **60** Grigoryev [54]. **64** Sakurai [30]. **68** Sokolov [54]. **72** Martinez [13]. **76** Jo Gu [11]. Mooney [55], Cowdel [22], Rybakov [54]. **80** Hernandez [13], Pinango [56], Antony [58], Cipere [44]. **84** Stecca [28], Lopez [34], Walters [10]. **88** McKinney [55], Hristov [9], Julio Rocha [63]. **92** Johnson [13], McCullough [16], Sik Li [11].

Plume. **04** Kirk [55]. **08** Gunn [22]. **20** *Fritsch* [21]. **24** Fields [55]. **28** Van Klaveren [40]. **32** Robledo [4]. **56** Casanovas [4]. **48** Formenti [28]. **52** Zachara [48]. **56** Safronov [54]. **60** Musso [28]. **64** Stepaschkin [54]. **68** Roldan [34]. **72** Kousnetsov [54]. **76** Herrera [13], Nowakowski [2], Kosedowski [42], Paredes [34]. **80** Fink [2], Horta [13], Ribakov [54], Kosedovski [42]. **84** Taylor [55], Konyegwachie [68], Peraza [56]. **88** Parisi [28], Dumitrescu [44], Lee [12]. **92** Tews [2a], Reyes Lopez [17], Soltani [71].

Légers. **04** Spanger [55]. **08** Grace [22]. **20** Mosberg [55]. **24** Nielsen [14]. **28** Orlandi [28]. **32** Stevens [1]. **36** Harangi [24]. **48** Dreyer [1]. **52** Bolognesi [28]. **56** McTaggart [22]. **60** Pazdzior [42]. **64** Grudzien [42]. **68** Harris [55]. **72** Szczepanski [42]. **76** H. Davis [55], S. Cutov [44], Solomin [54], Rusevski [57]. **80** Herrera [13], Demanienko [54], Nowakowski [2], Adach [42]. **84** Whitaker [55], Ortiz [69], Ebanga [70]. **88** Zuelow [2], Cramne [45], Enkhbat [35]. **92** De La Hoya [55], Rudolph [2a], Bayarsaikhan [35].

Super-légers. **52** Adkins [55]. **56** Engibarian [54]. **60** Nemecek [48]. **64** Kulej [42]. **68** Kulej [42]. **72** Seales [55]. **76** Léonard [55], Aldama [13], Kolev [9], Szczerba [42]. **80** Oliva [28], Konakbaev [54], Aguilar [13], Willis [22]. **84** Page [55], Umponmaha [49], Puzovic [57]. **88** Janovski [54], Cheney [5], Gies [3]. **92** Vinent [13], Leduc [10], Goeran Kjall [20].

Welters (mi-moyens). **04** Young [55]. **20** Schneider [10]. **24** Delarge [7]. **28** Morgan [37]. **32** Flynn [55]. **36** Suvio [20]. **48** Torma [48]. **52** Chychia [42]. **56** Linca [44]. **60** Benvenuti [28]. **64** Kasprzyk [42]. **68** Wolke [2]. **72** Correa [13]. **76** Bachfeld [2], Gammaro [56], Stricek [3], Zilbermann [44]. **80** Aldama [13], Mugabi [38], Kruger [2], Szczerda [42]. **84** Breland [55], An [12], Nyman [20]. **88** Wangila [31], *Boudouani* [21], Gould [55]. **92** Carruth [16], Hernandez-Sierra [13], Chenglai [49].

Super-welters (super mi-moyens). **52** Papp [24]. **56** Papp [24]. **60** McLure [55]. **64** Lagutin [54]. **68** Lagutin [54]. **72** Kottysch [3]. **76** Rybicki [42], Kacar [57], Garbey [13], Savchenko [54]. **80** Martinez [13], Kochkin [2], Kastner [48], Franek [48]. **84** Tate [55], O'Sullivan [10], Zielonka [3]. **88** Park [12], Jones [55], Woodhall [22]. **92** Lemus Garcia [13], Delibas [40], Mizsei [24].

Moyens. **04** Mayer [55]. **08** Douglas [22]. **20** Mallin [22]. **24** Mallin [22]. **28** Toscani [28]. **32** Barth [55]. **36** *Despeaux* [21]. **48** Papp [24]. **52** Patterson [55]. **56** Chatkov [54]. **60** Crook [55]. **64** Popenchenko [54]. **68** Finnegan [22]. **72** Lemechev [54]. **76** M. Spinks [55], Riskiev [54], Nastac [44], Martinez [13]. **80** Gomez [13], Savchenko [54], Silaghi [44], Rybicki [28]. **84** Shin [12], Hill [55], Zaoui [71]. **88** Maske [2], Marcus [10], Sande [31]. **92** Hernandez [13], Byrd [55], Johnson [10].

Mi-lourds. **20** Eagan [55]. **24** Mitchell [22]. **28** Avendano [4]. **32** Carstens [1]. **36** *Michelot* [21]. **48** Hunter [1]. **52** Lee [55]. **56** Boyd [55]. **60** Clay [55]. **64** Pinto [28]. **68** Pozniak [54]. **72** Parlov [57]. **76** L. Spinks [55], Soria [13], Gortat [42], Dafinoiu [44]. **80** Kacar [57], Skrzecz [42], Bauch [2], Rojas [13]. **84** Josipovic [57], Barry [37], Moussa [71]. **88** Maynard [55], Chanavazov [54], Skaro [57]. **92** May [2a], Zaoulitchnyi [54], Beres [24].

Lourds. **84** Biggs [55], Damiani [28], Wells [22]. **88** Mercer [55], Baik [12], Vanderlijde [40]. **92** Savon-Fabre [13], Izonritei [68], Tua [37].

Super-lourds. **04** Berger [55]. **08** Oldman [22]. **20** Rawson [22]. **24** Von Porat [36]. **28** Jurado [4]. **32** Lovell [4]. **36** Runge [2a]. **48** Iglesias [4]. **52** Sanders [55]. **56** Rademacher [55]. **60** De Piccoli [28]. **64** Frazier [55]. **68** Foreman [55]. **72** Stevenson [13]. **76** Stevenson [13], M. Simon [44], Tate [55], Hill [59]. **80** Stevenson [13], Zaev [54], Leval [24],

Fanghanel[2]. **84** Tillman[55], Dewit[10], Van Derlijde[40]. **88** Lewis[10], Bowe[55], Mirochnitchenko[54]. **92** Mendez[13], Igbineghu[68], Nielsen[14].

CANOË-KAYAK

Nota. – Une seule discipline : course en ligne.

■ **Messieurs. Canoë monoplace. 500 m. 76** Rogov[54] 1′59″23, Wood[10] 1′59″58, Ljubek[57] 1′59″60. **80** Postrekhin[54] 1′53″37, Lubenov[9] 1′53″49, Heukrodt[2] 1′54″38. **84** Cain[10] 1′57″01, Jakobsen[14] 1′58″45, Olaru[44] 1′59″86. **88** Henkrodt[2] 1′56″42, Slivinskii[54] 1′57″26, Marinov[9] 1′57″27. **92** Bou Khalov[9] 1′51″15, Slivinski[54] 1′51″40, Heukrodt[2a] 1′53″.

Canoë biplace. 500 m. 76 Petrenko-Vinogradov[54] 1′45″81, Gronowicz-Opara[42] 1′47″77, Buday-Frey[24] 1′48″35. **80** Foltan-Vaskutti[24] 1′43″39, Patzaichin-Capusta[44] 1′44″12, Ananiev-Likov[9] 1′44″83. **84** Ljubek-Nisovic[57] 1′43″67, Potzaichin-Simionov[44] 1′45″68, Miguez-Suarez[17] 1′47″71. **88** Reneiski-Jouravski[54] 1′41″77, Dopierala-Lbik[42] 1′43″61, *Renaud-Bettin*[21] *1′43″81.* **92** Masseikov-Dovgalenok[54] 1′41″54, Papke-Spelly[2a] 1′41″68, Marinov-Stoyanov[9] 1′41″94.

Canoë monoplace. 1 000 m. 36 Amyot[10] 5′32″1. **48** Holecek[48] 5′42″. **52** Holecek[48] 4′56″3. **56** Rotman[44] 5′5″3. **60** Parti[24] 4′33″93. **64** Eschert[2] 4′35″14. **68** Tatai[24] 4′36″14. **72** Patzaichin[44] 4′8″94. **76** Ljubek[57] 4′9″51, Urchenko[54] 4′12″57, Wichmann[24] 4′14″11. **80** Lubenov[9] 4′12″38, Postrekhin[54] 4′13″53, Leue[2] 4′15″02. **84** Eicke[3] 4′6″32, Cain[10] 4′8″67, Jakobsen[14] 4′9″51. **88** Klementiev[54] 4′12″78, Schmidt[2] 4′15″83, Boukhalkov[9] 4′18″94. **92** Boukhalov[9] 4′05″92, Klementjevs[93] 4′06″60, Zala[24] 4′07″35.

Canoë biplace. 1 000 m. 36 Tchéc. 4′50″1. **48** Tchéc. 5′7″1. **52** Dan. 4′38″3. **56** Roum. 4′47″4. **60** URSS 4′17″94. **64** URSS 4′4″64. **68** Patzalchin-Covaliov[44] 4′7″18. **72** Chessuynas-Lobanov[54] 3′52″60. **76** Petrenko-Vinogradov[54] 3′52″76, Danielov-Simionov[44] 3′54″28, Budai-Frey[24] 3′55″66. **80** Patzaichin-Simionov[44] 3′47″65, Heukrodt-Madeja[2] 3′49″93, Yurchenko-Lobanov[54] 3′51″28. **84** Potzaichin-Simionov[44] 3′40″60, Ljubek-Nisovic[57] 3′41″56, *Hoyer-Renaud*[21] *3′48″01.* **88** Reneiski-Jouravski[54] 3′48″36, Heukrodt-Spelly[2] 3′51″44, Dopierala-Lbik[42] 3′54″33. **92** Papke-Spelly[2a] 3′37″42, Nielsson-Frederiksen[14] 3′39″26, *Hoyer-Boivin*[21] *3′39″51.*

Kayak monoplace. 500 m. 76 Diba[44] 1′46″41, Sztanity[24] 1′46″95, Helm[2] 1′48″30. **80** Parfenovich[55] 1′43″43, Sumegi[5] 1′44″12, Diba[44] 1′44″90. **84** Ferguson[37] 1′47″34, Moberg[45] 1′48″13, *Bregeon*[21] *1′48″41.* **88** Gyulay[24] 1′44″82, Stähle[2] 1′46″38, MacDonald[37] 1′46″46. **92** Kolehmainen[20] 1′40″34, Gyulay[24] 1′40″64, Holmann[36] 1′40″71.

Kayak biplace. 500 m. 76 Mattern-Olbricht[2] 1′35″87, Nagorny-Romanovsky[54] 1′36″81, Serghei-Malihin[44] 1′37″43. **80** Parfenovich-Chukhrai[54] 1′32″38, Menendez-Del Riego[17] 1′33″65, Helm-Olbricht[2] 1′34″. **84** Ferguson-Mac Donald[37] 1′34″21, Bengtsson-Moberg[45] 1′35″26, Fisher-Morris[10] 1′35″41. **88** Ferguson-MacDonald[37] 1′33″98, Nagaev-Denissov[54] 1′34″15, Abraham-Csipes[24] 1′34″32. **92** Bluhm-Gutsche[2a] 1′28″27, Freimut-Kurpiewski[42] 1′29″84, Rossi-Dreossi[28] 1′30″

Kayak monoplace. 1 000 m. 36 Hradetzky[6] 4′22″9. **48** Fredriksson[45] 4′33″2. **52** Fredriksson[45] 4′7″9. **56** Fredriksson[45] 4′12″8. **60** Hansen[14] 3′53″. **64** Pettersson[45] 3′57″13. **68** Hesz[24] 4′2″63. **72** Shaparenko[54] 3′48″06. **76** Helm[2] 3′48″20, Csapo[24] 3′48″84, Diba[44] 3′49″65. **80** Helm[2] 3′48″77, *Lebas*[21] *3′50″20*, Birladeanu[44] 3′50″49. **84** Thompson[37] 3′45″73, Janic[57] 3′46″88, Barton[55] 3′47″38. **88** Barton[55] 3′55″27, Davies[5] 3′55″28, Wohllebe[2] 3′5″55. **92** Robinson[5] 3′37″26, Holmann[36] 3′37″50, Barton[55] 3′37″93.

Kayak biplace. 1 000 m. 36 Autr. 4′3″8. **48** Suè. 4′7″3. **52** Finl. 3′51″1. **56** All. féd. 3′49″6. **60** Suè. 3′34″73. **64** Suè. 3′38″54. **68** URSS 3′37″54. **72** URSS 3′31″23. **76** Nagorny-Romanovski[54] 3′29″1, Mattern-Olbricht[2] 3′29″33, Bako-Szabo[24] 3′30″36. **80** Parfenovich-Chukhrai[54] 3′26″72, Szabo-Joos[24] 3′28″49, Misione-Menendez[17] 3′28″66. **84** Fisher-Morris[10] 3′24″22, *Bregeon-Lefoulon*[21] *3′25″97*, Kelly-Kenny[5] 3′26″80. **88** Barton-Bellingham[55] 3′32″42, Ferguson-Mac Donald[37] 3′32″73, Foster-Graham[5] 3′33″76. **92** Bluhm-Gutsche[2a] 3′16″10, Olsson-Sundquist[45] 3′17″70, Kotowicz-Bialkowski[42] 3′18″86.

Kayak à quatre. 1 000 m. 64 URSS 3′14″67. **68** Norv. 3′14″38. **72** URSS 3′14″02. **76** URSS 3′8″69, Esp. 3′8″95, All. dém. 3′10″76. **80** All. dém. 3′13″76, Roum. 3′15″35, Bulg. 3′15″46. **84** N.-Zél. 3′2″28, Suède 3′2″81, *Fr. 3′3″94.* **88** Hongr. 3′0″20, URSS 3′01″4, All. dém. 3′2″37. **92** All. 2′54″18, Hongrie 2′54″82, Australie 2′56″97.

Slalom. Canoë monoplace. 92 Pollert[48] 113,69 pts, Marriott[22] 116,48, *Avril*[21] *117,18.* **Canoë biplace. 92** Strausbaugh-Jacobi[55] 122,41, Simek-Rohan[48] 124,25, *Adisson-Forgues*[21] *124,38.* **Kayak monoplace. 92** Ferrazzi[28] 106,89, *Curinier*[21] *107,06,* Lettmann[29] 108,52.

☞ **Épreuves supprimées. Canoë monoplace.** 10 000 m. 48 Capek[48] 1 h 2′5″2. **52** Havens[55] 57′41″1. **56** Rottman[44] 56′41″. **Canoë biplace. 10 000 m. 36** Tchéc. 50′33″5. **48** USA 55′55″4. **52** *Fr. 54′8″3.* **56** URSS 54′2″4. **Kayak monoplace. 10 000 m. 36** Krebs[2a] 46′1″6. **48** Fredriksson[45] 50′47″7. **52** Strömberg[20] 47′22″8. **56** Fredriksson[45] 47′43″4. **Kayak biplace. 10 000 m. 36** All. 41′45″. **48** Suè. 46′9″4. **52** Finl. 44′21″3. **56** Hong. 43′37″. **Kayak monoplace (Relais 4 × 500 m). 60** All. 7′39″4. **Slalom : canoë monoplace. 72** Eiben[2] 315,84 ; **canoë biplace. 72** Hofmann-Amend[2] 310,68 ; **kayak monoplace. 72** Horn[2] 268,56 ; **kayak pliant : monoplace 10 000 m. 36** Hradetzky[6] 50′1″2 ; **biplace 10 000 m. 36** Johansson-Bladström[45] 45′48″9.

■ **Dames. Kayak monoplace 500 m. 48** Hoff[14] 2′31″9. **52** Saimo[20] 2′18″4. **56** Dementjeva[54] 2′18″9. **60** Seredina[54] 2′8″08. **64** Khvedosink[54] 2′12″87. **68** Pinaeva[54] 2′11″09. **72** Ryabchinskaya[54] 2′3″17. **76** Zirzow[2] 2′1″05, Korshunova[54] 2′3″07, Rajnai[24] 2′5″01. **80** Fischer[2] 1′57″96, Ghecheva[9] 1′59″48, Melnikova[54] 1′59″66. **84** Andersson[45] 1′58″72, Schuttpelz[3] 1′59″93, Derckx[40] 2′0″11. **88** Guecheva[9] 1′55″19, Schmidt[2] 1′55″31, Dylewska[42] 1′57″38. **92** Schmidt[2a] 1′51″60, Koban[24] 1′51″96, Dylewska[42] 1′52″36.

Kayak biplace. 500 m. 60 URSS 1′54″76. **64** All. féd. 1′56″95. **68** All. féd. 1′56″44. **72** URSS 1′53″50. **76** Gopova-Kreft[54] 1′51″15, Pfeffer-Rajnai[24] 1′51″69, Koster-Zirzow[2] 1′51″81. **80** Genauss-Bischof[2] 1′43″88, Alexeyeva-Trofimova[54] 1′46″91, Rakusz-Zakarias[2] 1′47″95. **84** Andersson-Olsson[45] 1′45″25, Barre-Holloway[10] 1′47″13, Idem-Schuttpelz[3] 1′47″32. **88** Schmidt-Nothnagel[2] 1′43″46, Guecheva-Paliiska[9] 1′44″06, Derckx-Cox[40] 1′46″0. **92** Portwich-von Seck[2a] 1′40″29, Gunnarsson-Andersson[45] 1′40″41, Koban-Donusz[24] 1′40″81.

Kayak à quatre. 500 m. 84 Roum. 1′38″34, Suède 1′38″87, Can. 1′39″40. **88** All. dém. 1′40″78, Hongr. 1′41″88, Bulg. 1′42″63. **92** Hongrie 1′38″32, All. 1′38″47, Suède 1′39″79.

Slalom. Kayak monoplace. 92 Micheler[2a] 126,41 pts, Woodward[5] 128,27, Chladek[55] 131,75.

☞ **Épreuve supprimée. Slalom. Kayak monoplace. 72** Bahmann[3] 364,50.

CRICKET

1900 G.-B.

CROQUET

1900 1 balle *Aumoitte*[21]. **2 balles** *Waydelick*[21]. **Doubles** *Fr.* **04 Roque** Jacobus[55].

CYCLISME

■ **Messieurs. Vitesse (1 000 m). 96** *Masson*[21]. **00** *Taillandier*[21]. **08** (épreuve annulée). **20** Peeters[40]. **24** *Michard*[21]. **28** *Beaufrand*[21]. **32** Van Egmond[40]. **36** Merkens[2a]. **48** Ghella[28]. **52** Sacchi[28]. **56** *Rousseau*[21]. **60** Gaiardoni[28]. **64** Pettenella[28]. **68** *Morelon*[21]. **72** *Morelon*[21]. **76** Tkac[48], *Morelon*[21], Geschke[2]. **80** Hesslich[2]. *Cahard*[21], Kopylov[54]. **84** Gorski[55], Vails[55], Sakamoto[30]. **88** Hesslich[2], Kovche[54], Neiwand[5]. **92** Fiedler[2a], Neiwand[5], Harnett[10].

Kilomètre contre la montre. Sur piste départ arrêté. **96** *Masson*[21] *24″*. **28** Hansen[14] 1′14″2. **32** Gray[5] *1′13″*. **36** Van Vliet[40] 1′12″. **48** *Dupont*[21] *1′13″5.* **52** Mockridge[5] 1′11″1. **56** Faggin[28] 1′9″8. **60** Gaiardoni[28] 1′7″27. **64** Sercu[7] 1′9″59. **68** *Trentin*[21] *1′3″91.* **72** Fredborg[14] 1′6″44. **76** Grunke[2] 1′5″92, Vaarten[7] 1′7″51, Fredborg[14] 1′7″61. **80** Thoms[2] 1′2″955, Panvilov[54] 1′4″845, Weller[29] 1′5″241. **84** Schmidtke[3] 1′6″104, Harnett[10] 1′6″436, *Colas*[21] *1′6″649.* **88** Kiritchenko[54] 1′4″499, Vinnicombe[5] 1′4″784, Lechner[3] 1′5″114. **92** Moreno[17] 1′03″342, Kelly[5] 1′04″288, Hartwell[55] 1′04″753. (La vitesse contre la montre a été disputée en 1896 sur 333,33 m ; depuis 1928 sur 1 000 m.)

Poursuite par équipes (4 000 m). 08 G.-B. 2′18″6. **20** It. 5′20″. **24** It. 5′15″. **28** It. 5′1″8. **32** It. 4′53″. **36** *Fr. 4′45″.* **48** *Fr. 4′57″8.* **52** It. 4′46″1. **56** It. 4′37″4. **60** It. 4′30″90. **64** All. 4′35″67. **68** Dan. 4′22″44. **72** All. féd. 4′22″14. **76** All. féd. 4′21″06, URSS, G.-B. **80** URSS 4′15″68, All. dém. 4′19″68. Tchéc. ab. des It. **84** Austr. 4′25″99, USA 4′29″85, All. féd. 4′25″60. **88** URSS 4′13″31, All. dém. 4′14″09, Austr. 4′16″02. **92** All. 4′08″791, Australie 4′10″218, Dan. 4′15″860. (La poursuite a été disputée en 1900 sur 1 500 m et en 1908 sur 1 810,47 m ; depuis 1920 sur 4 km.)

Poursuite individuelle (4 000 m). 64 Daler[48] 5′4″75. **68** *Rebillard*[21] *4′41″71.* **72** Knudsen[36] 4′45″74. **76** Braun[3] 4′47″61, Ponsteen[40] 4′49″72, Huschke[2] 4′52″71. **80** Dill-Bundi[46] 4′35″66, *Bondue*[21] *4′42″96*, Orsted[14] 4′36″54. **84** Hegg[55] 4′39″35, Golz[3] 4′43″83, Nitz[55] 4′44″03. **88** Umaras[54] 4′32″0, Woods[5] 4′35″0, Dittert[2] 4′34″17. **92** Boardman[22], Lehmann[2a], Anderson[37].

Course aux points. 84 Ilegems[7], Messerschmidt[3], Youshimatz[34]. **88** Frost[14], Peelen[40], Ganeev[54]. **92** Lombardi[28], Van Bon[40], Mathy[7].

Course sur route (individuelle). 96 Konstantinidis[23] 3 h 23′31″ (87 km). **12** Lewis[1] 10 h 42′39″ (320 km). **20** Stenquist[45] 4 h 40′1″8 (175 km). **24** *Blanchonnet*[21] *(188 km) 6 h 20′48″.* **28** Hansen[14] 4 h 47′18″ (168 km). **32** Pavesi[28] 2 h 28′05″6 (100 km). **36** *Charpentier*[21] *(100 km) 2 h 33′5″.* **48** *Beyaert*[21] *(194,6 km) 5 h 18′12″6.* **52** Noyelle[7] 5 h 6′3″4 (190,4 km). **56** Baldini[28] 5 h 21′17″ (187,7 km). **60** Kapitonov[54] 4 h 20′37″ (175,3 km). **64** Zanin[28] 4 h 39′51″63 (194,8 km). **68** Vianelli[28] 4 h 41′25″24 (196,2 km). **72** Kuiper[40] 4 h 14′37″ (182,4 km). **76** Johansson[45] 4 h 46′52″, Martinelli[28] 4 h 47′23″, Nowicki[42] 4 h 47′23″ (175 km). **80** Soukhorouchenkov[54] 4 h 48′28″, Lang[42] 4 h 51′26″, Barinov[54] 4 h 51′26″ (189 km). **84** Grewal[55] 4 h 59′57″, Bauer[10] 4 h 59′57″, Lauritzen[36] 5 h 18″. **88** Ludwig[2], Gröne[3], Henn[3]. **92** Casartelli[28], Dekker[40], Ozols[93].

100 km sur route (par équipes) contre la montre. 12 Suè. (320 km) 44 h 35′33″06. **20** *Fr. (175 km) 19 h 16′43″02.* **24** *Fr. (188 km) 19 h 30′14″.* **28** Dan. (168 km) 15 h 09′14″. **32** It. (100 km) 7 h 27′15″02. **36** *Fr. (100 km) 7 h 39′16″02.* **48** Belg. (194,6 km) 15 h 58′17″04. **52** Belg. (190,4 km) 15 h 20′46″06. **56** *Fr. (187,7 km) 16 h 10′36″.* **60** It. (100 km) 2 h 14′33″53. **64** P.-Bas (109,89 km) 2 h 26′31″19. **68** P.-B. (104 km) 2 h 07′49″6. **72** (100 km) URSS 2 h 11′17″8, Pol. 2 h 11′47″5, P.-Bas 2 h 12′27″1. **76** (100 km) URSS 2 h 8′53″, Pol. 2 h 9′13″, Dan. 2 h 12′20″. **80** (101 km) URSS 2 h 1′21″74, All. dém. 2 h 2′53″2, Tchéc. 2 h 2′53″9. **84** Italie 1 h 58′28″, Suisse 2 h 2′38″, USA 2 h 2′46″. **88** All. dém. 1 h 57′47, Pol. 1 h 57′54, Suède 1 h 59′47. **92** All. 2 h 01′01″39, Italie 2 h 02′39″, *France 2 h 05′25″.*

☞ **Épreuves supprimées. 1 tour (603,4 m). 08** Johnson[22] 51′2″. **5 000 m. 08** Jones[22] 8′36″2. **10 000 m. 96** *Masson*[21] *17′54″2.* **04** Schlee[55] 13′08″2. **20 000 m. 08** Kingsbury[22] 34′13″6. **50 000 m. 20** George[7] 1 h 16′43″2. **24** Wilems[40] 1 h 18′24″. **100 km. 96** *Flameng*[21] *3 h 08′19″2.* **08** Bartlett[22] 2 h 41′48″6. **12 heures. 1896** Schmal[6] 314 997 m. **Tandem 2 000 m. 08** *Fr.* **20** G.-B. **24** *Fr.* **28** P.-Bas. **32** *Fr.* **36** All. **48** It. **52** Austr. **56** Austr. **60** It. **64** It. **68** *Fr.* **72** URSS.

■ **Dames. Course sur route. 84** Carpenter-Phinney[55] 2 h 11′14″, Twigg[55] 2 h 11′14″, Schumacher[3] 2 h 11′14″. **88** Knol[40], Nichaus[3], Zilporitee[54]. **92** Watt[5], *Longo*[21], Knol[40].

Vitesse. 88 Saloumiae[54], Rothenburger[2], Paraskevin-Young[55]. **92** Saloumiae[89], Neumann[2a], Haringa[40].

Poursuite individuelle. 92 Rossner[2a], Watt[5], Twigg[55].

ÉQUITATION

■ **Dressage. Individuel.** 12 Bonde[45]. **20** Lundblad[45]. **24** Von Linder[45]. **28** Von Langen[2a]. **32** *Lesage*[21]. **36** Pollay[2a]. **48** Moser[46]. **52, 56** St Cyr[45]. **60** Filatov[54]. **64** Chammartin[46]. **68** Kizimov[54]. **72** Lisenhoff[3]. **76** Stueckelberger[46], Boldt[3], Klimke[3]. **80** Theurer[6], Kovchov[54], Ugriumov[54]. **84** Klimke[3], Jensen[14], Hofer[46]. **88** Uphoff[3], *Otto-Crepin*[21], Stückelberger[46]. **92** Uphoff[2a], Werth[2a], Balkenhol[2a].

Par équipes. 28 All. **32** *Fr.* **36** All. **48** *Fr.* **52, 56** Suè. **64, 68** All. féd. **72** URSS. **76** All. féd., Suisse, USA. **80** URSS, Bulg., Roum. **84** All. féd., Suisse, Suède. **88** All. féd., Suisse, Can. **92** All., P.-B., USA.

■ **Concours complet. Individuel. 12** Nordlander[45]. **20** Morner[45]. **24** Van Zyip[40]. **28** Pahud de Mortanges[40]. **32** Pahud de Mortanges[40]. **36** Stubbendorf[2a]. **48** *Chevalier*[21]. **52** Von Blixen-Finecke[45]. **56** Kastenman[45]. **60** Morgan[5]. **64** Checcoli[28]. **68**

Guyon[21]. **72** Meade[22]. **76** Coffin[55], Plumb[55], Schultz[3]. **80** Roman[28], Blinov[54], Salnikov[54]. **84** Todd[37], Stives[55], Holgate[22]. **88** Todd[37], Stark[22], Leng[22]. **92** Ryan[5], Blocker[2a], Tait[37].

Par équipes. 12, 20 Suè. **24, 28** P.-Bas. **32** USA. **36** All. **48** USA. **52** Suè. **56** G.-B. **60** Austr. **64** It. **68, 72** G.-B. **76** USA, All. féd, Austr. **80** URSS, It., Mex. **84** USA, G.-B., All. féd. **88** All. féd., G.-B., N.-Zél. **92** Australie, N.-Z., All.

■ **Sauts d'obstacles. Individuel. 00** Haegeman[7]. **12** *Cariou*[21]. **20** Lequio[28]. **24** Gemuseus[46]. **28** Ventura[48]. **32** Nishi[30]. **36** Hasse[45]. **48** Mariles Cortes[34]. **52** *Jonquères d'Oriola*[21]. **56** Winkler[3]. **60** R. d'Inzeo[28]. **64** *P. Jonquères d'Oriola*[21]. **68** Steinkraus[55]. **72** Mancinelli[28]. **76** Schockemöhle[3], Vaillancourt[10], Mathy[7]. **80** Kowalczyk[42], Korolkov[54], Perez Heras[34]. **84** Fargis[55], Homfeld[55], Robbiani[46]. **88** *Durand*[21], Best[55], Huck[3]. **92** Beerbaum[2a], Raymakers[40], Dello Joio[55].

Par équipes. 12, 20, 24 Suè. **28** Esp. **32** (non disputé). **36** All. **48** Mex. **52** G.-B. **56, 60, 64** All. féd. **68** Can. **72** All. féd. **76** *Fr.*, All. féd., Belg. **80** URSS, Pol., Mex. **84** USA, G.-B., All. féd. **88** All. féd., USA, *Fr.* **92** P.-B., Autriche, *France*.

☞ **Épreuves supprimées. Manège indiv. 20** Bonckaet[7]. **Par équipes. 20** Belg. **S. en long. 00** Van Langendonck[7] 6,10 m. **Haut. 00** *Gardère*[21] 1,85 m.

ESCRIME

■ **Messieurs. Fleuret individuel. 96** *Gravelotte*[21]. **00** *Coste*[21]. **04** Fonst[13]. **12, 20** Nadi N.[28]. **24** *Ducret*[21]. **28** *Gaudin*[21]. **32** Marzi[28]. **36** Gaudini[28]. **48** *Buhan*[21]. **52, 56** *D'Oriola*[21]. **60** Zdanovitch[54]. **64** Franke[42]. **68** Drimba[44]. **72** Woyda[42]. **76** Dal Zotto[28], Romankov[54], *Talvard*[21]. **80** Smirnov[54], *Jolyot*[21], Romankov[54]. **84** Numa[28], Behr[3], Cerioni[28]. **88** Cerioni[28], Wagner[2], Romankov[54]. **92** *Omnès*[21], Goloubitski[54], Gil[13].

Fleuret par équipes. 04 Cuba. **20** It. **24** *Fr.* **28** It. **32** *Fr.* **36** It. **48, 52** *Fr.* **56** It. **60, 64** URSS. **68** *Fr.* **72** Pol. **76** All. féd., It., *Fr.* **80** *Fr.*, URSS, Pol. **84** It., All. féd., *Fr.* **88** URSS, All. féd., Hong. **92** All., Cuba, Pologne.

Épée individuel. 00, 04 Fonst[13]. **08** *Alibert*[21]. **12** Anspach[7]. **20** *Massard*[21]. **24** Delporte[7]. **28** *Gaudin*[21]. **32** Cornaggia-Medici[28]. **36** Riccardi[28]. **48** Cantone[28]. **52** Mangiarotti[28]. **56** Pavesi[28]. **60** Delfino[28]. **64** Kriss[54]. **68** Kulcsar[24]. **72** Fenyvesi[24]. **76** Pusch[3], Hehn[3], Kulcsar[24]. **80** Harmenberg[45], Kolczonay[24], *Riboud*[21]. **84** *Boisse*[21], Vaggo[45], *Riboud*[21]. **88** Schmitt[3], *Riboud*[21], Chouvalov[54]. **92** *Srecki*[21], Kolobkov[54], *Henry*[21].

Épée par équipes. 08 *Fr.* **12** Belg. **20** It. **24** *Fr.* **28** It. **32** *Fr.* **36** It. **48** *Fr.* **52, 56, 60** It. **64, 68, 72** Hongr. **76** Suè., All. féd., Suisse. **80** *Fr.*, Pol., URSS. **84** *Fr.*, All. féd., It. **88** *Fr.*, All. féd., URSS. **92** All., Hongr. ex-URSS.

Sabre individuel. 96 Georgiadis[23]. **00** *De la Falaise*[21]. **04** Diaz[13]. **08** Fuchs[24]. **12** Fuchs[24]. **20** Nadi N.[28]. **24** Posta[24]. **28** Tersztyansky[24]. **32** Piller[24]. **36** Kabos[24]. **48** Gerevitch[24]. **52** Kovacs[24]. **56, 60** Karpati[24]. **64** Pezsa[24]. **68** Pawlowski[42]. **72** Sidiak[54]. **76** Krovopuskov[54], Nazlymov[54], Sidiak[54]. **80** Krovopuskov[54], Burtsev[54], Gedovari[54]. **84** *Lamour*[21], Marin[28], Westbrook[55]. **88** *Lamour*[21], Olech[42], Scalzo[28]. **92** Szabo[24], Marin[28], *Lamour*[21].

Sabre par équipes. 08, 12 Hong. **20, 24** It. **28, 32, 36, 48, 52, 56, 60** Hongr. **64, 68** URSS. **72** It. **76** URSS, It., Roumanie. **80** URSS, It., Hongr. **84** It., *Fr.*, Roum. **88** Hongr., URSS, It. **92** ex-URSS, Hongr., *France*.

☞ **Épreuves supprimées. Masters fleuret 96** Pyrgos[23], **00** *Mérignac*[21]; **épée 00** *Ayat*[21]. **Amateurs et masters épée 00** *Ayat*[21]. **Masters sabre 00** Conte[28]. **Stick individuel 04** Van Zo Post[55].

■ **Dames. Fleuret individuel. 24** Osiier[14]. **28** Mayer[2a]. **32** Preiss[6]. **36, 48** Elek[24]. **52** Camber[28]. **56** Sheen[22]. **60** Schmid[2]. **64** Rejto[24]. **68** Novikova[54]. **72** Ragno-Lonzi[28]. **76** Schwarczenberger[24], Collino[28], Belova[54]. **80** *Trinquet*[21], Maros[24], Wyezosanska[24]. **84** Jujie[61], Hanisch[3], Vaccaroni[28]. **88** Fichtel[3], Bau[3], Funkenhauser[3]. **92** Trillini[28], Hui Feng[61], Sadovskaia[54].

Fleuret par équipes. 60 URSS. **64** Hongrie. **68, 72** URSS. **76** URSS. *Fr.*, Hongr. **80** *Fr.*, URSS, Hongr. **84** All. féd., Roum., *Fr.* **88** All. féd., It., Hongr. **92** Italie, All., Roumanie.

FOOTBALL

00 G.-B. **04** Canada. **08, 12** G.-B. **20** Belg. **24, 28** Uruguay. **36** It. **48** Suè. **52** Hongr. **56** URSS. **60** Youg. **64, 68** Hongr. **72** Pol. **76** All. dém., Pol., URSS. **80** Tchéc., All. dém. URSS. **84** *Fr.*, Brésil, Youg. **88** URSS, Brésil, All. féd. **92** Espagne, Pologne, Ghana.

GOLF

■ **Messieurs. 00** Sands[55]. **04** Lyon[10]. **Dames. 00** Abbott[55]. **Équipes. 04** USA.

GYMNASTIQUE

■ **Messieurs. Concours général individuel. 00** *Sandras*[21]. **04** Lenhart[6]. **08, 12** Braglia[28]. **20** Zampori[28]. **24** Stukelj[57]. **28** Miez[46]. **32** Neri[28]. **36** Schwarzmann[2a]. **48** Huhtanen[20]. **52, 56** Tchoukarine[54]. **60** Shaklin[54]. **64** Endo[30]. **68, 72** Kato[30]. **76** Andrianov[54], Kato[30], Tsukahara[30]. **80** Ditiatin[54], Andrianov[54], Deltchev[9]. **84** Gushiken[30], Vidmar[55], Li Ning[61]. **88** Artemov[54], Lioukine[54], Bilozertchev[54]. **92** Stcherbo[54], Misioutine[54], Belenki[54].

Par équipes. 04 USA. **08** Suè. **12, 20, 24** It. **28** Suis. **32** It. **36** All. **48** Finl. **52, 56** URSS. **60, 64, 68, 72** Japon. **76** Japon, URSS, All. dém. **80** URSS, All. dém., Hongr. **84** USA, Chine, Japon. **88** URSS, All. dém., Japon. **92** ex-URSS, Chine, Japon.

Anneaux. 96 Mitropoulos[23]. **04** Glass[55]. **24** Martino[28]. **28** Stukelj[57]. **32** Gulak[55]. **36** Hudec[48]. **48** Frey[46]. **52** Shaguinian[54]. **56, 60** Azarian[54]. **64** Hayata[30]. **68, 72** Nakayama[30]. **76** Andrianov[54], Ditiatin[54], Grecu[44]. **80** Ditiatin[54], Tkatchev[54], Tabak[48]. **84** Koji Gushiken[30], Li Ning[61], Gaylord[55]. **88** Behrendt[2] et Bilozertchev[54], Tippelt[2]. **92** Stcherbo[54], Li[61], Xiaosahuang Li[61] et Wecker[2a].

Barre fixe. 96 Weigartner[2a]. **04** Heida[55] et Henning[55]. **24** Stukelj[57]. **28** Miez[46]. **32** Bixler[55]. **36** Saarvala[20]. **48** Stalder[46]. **52** Gunthard[46]. **56, 60** Ono[30]. **64** Shakhlin[54]. **68** Nakayama[30] et Voronine[54]. **72** Tsukahara[30]. **76** Tsukahara[30], Kenmotsu[30], *Boerio*[21], Gienger[3]. **80** Deltchev[9], Ditiatin[54], Andrianov[54]. **84** Shinji Morisue[30], Tong Fei[61], Koji Gushiken[30]. **88** Artemov[54] et Lioukine[54], Behrendt[2]. **92** Dimas[55], Misioutine[54] et Wecker[2a].

Barres parallèles. 96 Flatow[2a]. **04** Eyser[55]. **24** Guttinger[46]. **28** Vacha[48]. **32** Neri[28]. **36** Frey[2a]. **48** Reusch[46]. **52** Eugster[46]. **56** Tchoukarine[54]. **60** Shakhlin[54]. **64** Endo[30]. **68** Nakayama[30]. **72** Kato[30]. **76** Kato[30], Andrianov[54], Tsukahara[30]. **80** Tkatchev[54], Ditiatin[54], Buckner[2]. **84** Conner[55], Kajtani[30], Gaylor[55]. **88** Artemov[54], Lioukine[54], Tippelt[2]. **92** Stcherbo[54], Jing Li[61], 3[e] Korobtchinski[54], Linyao Guo[61] et Matsunaga[30].

Cheval d'arçon. 96 Zutter[46]. **04** Heida[55]. **24** Wilhelm[46]. **28** Hanggi[46]. **32** Pelle[24]. **36** Frey[2a]. **48** Aaltonen[20], Huhtanen et Savolainen[20]. **52** Tchoukarine[54]. **56** Shakhlin[54]. **60** Shakhlin[54] et Ekman[20]. **64, 68** Cerar[57]. **72** Klimenko[54]. **76** Magyar[24], Kenmotsu[30], Andrianov[54] et Nikolay[2]. **80** Magyar[24], Ditiatin[54], Nicolaï[2]. **84** Li Ning[61], Vidmar[55], Daggett[55]. **88** Ex aequo : Gueraskov[9], Borkai[24] et Bilozertchev[54]. **92** Stcherbo[54] et Pae[11], Wecker[2a].

Exercices au sol. 32 Pelle[24]. **36** Miez[46]. **48** Pataki[24]. **52** Thoresson[45]. **56** Mouratov[54]. **60** Aihara[30]. **64** Menichelli[28]. **68** Kato[30]. **72** Andrianov[54]. **76** Andrianov[54], Martchenko[54], Kormann[55]. **80** Bruckner[2], Andrianov[54], Ditiatin[54]. **84** Li Ning[61], Tou Yun[61], Koji Sotomura[30]. **88** Kharikov[54], Artemov[54], Lou[61]. **92** Xiao Li[61], Misioutine[54] et Iketani[30].

Saut de cheval, en longueur. 96 Schuman[2a]. **04** Heida[55] et Eyser[55]. **24** Kriz[55]. **28** Mack[46]. **32** Guglielmetti[28]. **36** Scharzmann[2a]. **48** Aaltonen[20]. **52** Tchoukarine[54]. **56** Mouratov[54] et Bantz[3]. **60** Shakhlin[54] et Ono[30]. **64** Yamashita[30]. **68** Voronine[54]. **72** Koeste[2]. **76** Andrianov[54], Tsukahara[30], Kajiyama[30]. **80** Andrianov[54], Ditiatin[54], Bruckner[2]. **84** Lou Yun[61], Li Ning[61], Koji Gushiken[30]. **88** Lou[61], Kroll[2], Park[12]. **92** Stcherbo[54], Misioutine[54], Ok Ryul Yoo[12].

☞ **Épreuves supprimées. Saut de cheval en largeur. 24** *Seguin*[21]. **Massues. 04** Hennig[55]. **32** Roth[55]. **Combiné : 4 épreuves 04** Heida[55] ; **9 épreuves 04** Spinnler[46]. **Montée à la corde. 96** Andriakopoulos[23]. **04** Eyser[55]. **24** Supcik[48]. **32** Bass[55]. **Culbute. 32** Wolfe[55]. **Barres parallèles (équipes). 96** All. **Barre fixe (équipes). 96** All. **Exercices libres et appareils (équipes). 12** Nor. **Système suédois (équipes). 12** Suè.

■ **Dames. Concours individuel. 52** Gorokhovsjaia[54]. **56, 60** Latynina[54]. **64, 68** Caslavska[48]. **72** Touritcheva[54]. **76** Comaneci[44], Kim[54], Touritcheva[54]. **80** Davidova[54], Gnauck[2] et Comaneci[44]. **84** Retton[55], Szabo[44], Pauca[44]. **88** Chouchounova[54], Silivas[44], Boguinskaia[54]. **92** Goutsov[54], Miller[55], Milosovici[44].

Par équipes. 28 P.-Bas. **36** All. **48** Tchéc. **52, 56, 60, 64, 68, 72** URSS. **76** URSS, Roum., All. dém. **80** URSS, Roum., All. dém. **84** Roum., USA, Chine. **88** URSS, Roum., All. dém. **92** ex-URSS, Roumanie, USA.

Poutre. 52 Bochtcharova[54]. **56** Keleti[24]. **60** Bosakova[48]. **64** Caslavska[48]. **68** Kuchinskaya[54]. **72** Korbut[54]. **76** Comaneci[44], Korbut[54], Ungureanu[44]. **80** Comaneci[44], Davidova[54], Chapochnikova[54]. **84** Szabo[44], Pauca[44], Johnson[55]. **88** Silivas[44], Chouchounova[46], Potorac[44]. **92** Lyssenko[54], Lu[61], Miller[55].

Barres asymétriques. 52 Korondi[24]. **56** Keleti[24]. **60, 64** Astakhova[54]. **68** Caslavska[48]. **72** Janz[2]. **76** Comaneci[44], Ungureanu[44], Egervari[24]. **80** Gnauck[2], Éberle[44], Kraker[2], Filatova[54] et Ruhn[44]. **84** Ma[61], McNamara[55], Retton[55]. **88** Silivas[44], Kersten[2], Chouchounova[54]. **92** Lu[61], Goutsou[54], Miller[55].

Saut de cheval. 52 Kalinchouk[54]. **56** Latynina[54]. **60** Nikolaeva[54]. **64, 68** Caslavska[48]. **72** Janz[2]. **76** Kim[54], Touritcheva[54] et Dombeck[2]. **80** Chapochnikova[54], Kraker[2], Ruhn[44]. **84** Szabo[44], Retton[55], Agache[44]. **88** Boguinskaia[54], Potorac[44], Silivas[44]. **92** Onodi[24], Milosovici[44], Lyssenko[54].

Exercices au sol. 52 Keleti[24]. **56** Keleti[24] et Latynina[54]. **60, 64** Latynina[54]. **68** Petrik[54] et Caslavska[48]. **72** Korbut[54]. **76** Kim[54], Touritcheva[48], Comaneci[44]. **80** Kim[54] et Comaneci[44], Chapochnikova[54] et Gnauck[2]. **84** Szabo[44], McNamara[55], Retton[55]. **88** Silivas[44], Boguinskaia[54], Doudeva[9]. **92** Milosovici[44], Onodi[24], 3e Goutsou[54], Bontas[24] et Miller[55].

Rythmique (GRS). 84 Fung[10], Staiculescu[44], Weber[3]. **88** Lobatch[54]. Dounavska[9], Timochenko[54]. **92** Timochenko[54], Pascual-Garcia[17], Straldina[54].

☞ **Épreuve supprimée. Exercices par équipes avec appareil portable. 52** Suè. **56** Hongr.

HALTÉROPHILIE

Mouche. 72 Smalcerz[42] 337,5 kg. **76** Voronine[54] 242,5 kg, Kozsegi[24] 237,5 kg, Nassiri[26] 235 kg. **80** Osmolaliev[54] 245 kg, Chon[11] 245 kg, Gyong Si[11] 245 kg. **84** Guoquiang Zeng[61] 235 kg, Peishun Zhou[61] 235 kg, Karushito Manabe[30] 232,5 kg. **88** Marinov[9] 270 kg, Chun[12] 260 kg, Z. He[61] 257,5 kg. **92** Ivanov[9] 265 kg, Lin Qisheng[61] 262,5 kg, Ciharean[44] 252,5 kg.

Coq. 48 De Pietro[55] 307,5 kg. **52** Oudodov[54] 315 kg. **56** Vinci[55] 342,5 kg. **60** Vinci[55] 345 kg. **64** Vakhonine[54] 357,5 kg. **68** Nassiri[26] 367,5 kg. **72** Foeldi[24] 377,5 kg. **76** Nourikian[9] 262,5 kg, Cziura[42] 252,5 kg, Ando[30] 250 kg. **80** Nunez[13] 275 kg, Sarkissian[54] 270 kg, Denbonczyk[42] 265 kg. **84** Shude Wu[61] 267,5 kg, Runming Lai[61] 265 kg, Masahiro Kotaka[30] 252,5. **88** Mirzoian[54] 292, Y. He[61] 287, Liu[61] 267. **92** Byung-Kwan[12] 287, Liu Shoubin[61] 277, Luo Jianming[61] 277.

Plume. 20 De Haes[7] 220 kg. **24** Gabetti (1)[28] 402,5 kg. **28** Andrysek[6] 287,5 kg. **32** *Suvigny*[21] *287,5 kg*. **36** Terlazzo[55] 312,5 kg. **48** Fayard[15] 332,5 kg. **52** Tchimiskian[54] 337,5 kg. **56** Berger[55] 352,5 kg. **60** Minaev[54] 372,5 kg. **61** Miyake[30] 397,5 kg. **68** Miyake[30] 392,5 kg. **72** Nourikian[9] 402,5 kg. **76** Kolesnikov[54] 285 kg, Todorov[9] 280 kg, Hirai[30] 275 kg. **80** Mazine[54] 290 kg, Dimitrov[9] 287 kg, Seweryn[42] 282,5 kg. **84** Weiquiang Chen[61] 282,5 kg, Radu[44] 280 kg, Wen-Yee Tsai[62] 272,5 kg. **88** Suleymanoglu[52] 342,5 kg, Topourov[9] 312,5 kg, Ye[61] 287,5 kg. **92** Suleymanoglu[52] 320 kg, Peshalov[9] 305 kg, Yinggiang[61] 295 kg.

Légers. 20 Neyland[18] 257,5 kg. **24** *Decottignies*[21] *440 kg*. **28** Haas[6] 322,5 kg. **32** *Duverger*[21] *325 kg*. **36** Mesbah[15] 342,5 kg et Fein[6] 342,5 kg. **48** Shams[15] et Fein[6] 360 kg. **52** Kono[55] 362,5 kg. **56** Rybak[54] 380 kg. **60** Bushuev[54] 397,5 kg. **64** Baszanowski[42] 432,5 kg. **68** Baszanowski[42] 437,5 kg. **72** Kirzinov[54] 460 kg. **76** Kaczmarek[42] 307,5 kg, Korol[54] 305 kg, *Senet*[21] *300 kg*. **80** Roussev[9] 342,5 kg, Kunz[2] 335 kg, Pachov[9] 325 kg. **84** Jing Yuan[61] 320 kg, Socaci[44] 312,5 kg, Gronman[20] 312,5 kg. **88** Kunz[2] 340 kg, Militossian[54] 337,5 kg, Li[61] 325 kg. **92** Militossian[54] 337,5 kg, Yotov[9] 327,5 kg, Behm[2a] 320 kg.

Moyens. 20 *Gance*[21] *245 kg*. **24** Galimberti[28] 492,5 kg. **28** *Roger*[21] *335 kg*. **32** Ismayr[2a] 345 kg. **36** El Touni[15] 387,5 kg. **48** Spellman[55] 390 kg. **52** George P.[55] 400 kg. **56** Bogdanovski[54] 420 kg. **60** Kourynov[54] 437,5 kg. **64** Zdrazila[48] 445 kg. **68** Kourentsov[54] 475 kg. **72** Bikov[9] 485 kg. **76** Mitkov[9] 335 kg, Militosyan[54] 330 kg, Wenzel[2] 327,5 kg. **80** Zlatev[9] 360 kg, Pervyi[54] 357,5 kg, Kolev[9] 345 kg.

84 Radschinsky[3] 340 kg, Demers[10] 335 kg, Cioroslan[44] 332,5. **88** Guidikov[9] 375 kg, Steinhoefel[2] 360 kg, Varbanov[9] 357,5 kg. **92** Kassapu[54] 357,5 kg, Lara Rodriguez[13] 357,5 kg, Myong Nam[11] 352,5 kg.

Mi-lourds. **20** *Cadine*[21] *290 kg.* **24** *Rigoulot*[21] *502,5 kg.* **28** Nosseir[15] 355 kg. **32** *Hostin*[21] *365 kg.* **36** *Hostin*[21] *372,5 kg.* **48** Stanczyk[55] 417,5 kg. **52** Lomakin[54] 417,5 kg. **56** Kono[55] 447,5 kg. **60** Palinski[42] 442,5 kg. **64** Plyukfeider[54] 475 kg. **68** Selistky[54] 485 kg. **72** Jenssen[36] 507,5 kg. **76** Shary[54] 365 kg, Blagoev[9] 362,5 kg, Stoichev[9] 360 kg. **80** Vardanian[54] 400 kg, Blagoev[9] 372,5 kg, Poliacik[48] 367,5 kg. **84** Becheru[44] 355 kg, Kabbas[5] 342,5 kg, Isaoka[30] 340. **88** Arsamakov[54] 377,5 kg, Messzi[24] 370 kg, Lee[12] 367,5 kg. **92** Dimas[23] 370 kg, Siemion[42] 370 kg, 3e non décerné.

Lourds-légers. **52** Schemansky[55] 445 kg. **56** Vorobiev[54] 462,5 kg. **60** Vorobiev[54] 472,5 kg. **64** Golovanov[54] 487,5 kg. **68** Kangasniemi[20] 517,5 kg. **72** Nikolov[9] 525 kg. **76** Rigert[54] 382,5 kg, James[55] 362,5 kg, Chopov[9] 360 kg. **80** Baczako[24] 377,5 kg, Alexandrov[9] 375 kg, Mantek[2] 370 kg. **84** Vlad[44] 392,5 kg, Petre[44] 360 kg, Mercer[22] 352,5 kg. **88** Khrapatyi[54] 412,5 kg, Moukhamediarov[54] 400 kg, Zawada[42] 400 kg. **92** Kakhiachvili[54] 412,5 kg, Syrtsov[54] 412,5 kg, Wolczaniecki[42] 392,5 kg.

100 kg. **80** Zaremba[48] 395 kg, Nikitin[54] 392,5 kg, Fernandez[13] 385 kg. **84** Misler[3] 385 kg, Gropa[44] 382,5 kg, Niemi[20] 367,5 kg. **88** Kouznetsov[54] 425 kg, Vlad[44] 402,5 kg, Immesberger[3] 395 kg. **92** Tregoubov[54] 410 kg, Taimazov[54] 402,5 kg, Malak[42] 400 kg.

Lourds. **72** Talts[54] 580 kg. **76** Khristov[9] 400 kg, Zaitsev[34] 385 kg, Semerdjiev[9] 385 kg. **80** Tarenko[54] 422,5 kg, Khristov[9] 405 kg, Szakai[24] 390 kg. **84** Oberburger[28] 390 kg, Tasnadi[44] 380 kg, Carlton[55] 377,5. **88** Zakharevitch[54] 455 kg, Jacso[24] 427,5 kg, Weller[2] 425 kg. **92** Weller[54] 432 kg, Ahoev[54] 430 kg, Botev[9] 417,5 kg.

Super-lourds. **96** **1 main** Elliot[22] 71 kg, **2 mains** Jensen[14] 111,5 kg. **04** **2 mains** Kakousis[23] 111,7 kg, **toutes catégories** Osthoff[55]. **20** Bottino[28] 270 kg. **24** Tonani[28] 517,5 kg. **28** Strassberger[20] 372,5 kg. **32** Skobla[48] 380 kg. **36** Manger[2a] 410 kg. **48** Davis[55] 452,5 kg. **52** Davis[55] 460 kg. **56** Anderson[55] 500 kg, Salvetti[4] 500 kg. **60** Vlassov[54] 537,5 kg. **64** Zhabotinsky[54] 572,5 kg. **68** Zhabotinsky[54] 572,5 kg. **72** Alexeiev[54] 640 kg. **76** Alexeiev[54] 440 kg, Bonk[2] 405 kg, Losch[2] 387,5 kg. **80** Rakhmanov[54] 440 kg, Heuser[2] 410 kg, Rutkowski[42] 407,5 kg. **84** Lukin[5] 412,5 kg, Martinez[55] 410 kg, Nerlinger[3] 397,5 kg. **88** Kourlovitch[54] 462,5 kg, Nerlinger[3] 430 kg, Zawieja[3] 415 kg. **92** Kourlovitch[54] 450 kg, Taranenko[54] 425 kg, Nerlinger[2a] 412,5 kg.

Nota. – (1) Outre les trois mouvements classiques : arraché, développé et jeté à deux bras, il y avait l'arraché et le jeté à un bras. Les vainqueurs auraient réussi les totaux suivants aux trois mouvements classiques : Gabetti : 260 kg ; Decottignies : 277,5 kg ; Galimberti : 320 kg ; Rigoulot : 322,5 kg ; Tanani : 342,5 kg. (2) Un seul mouvement.

HANDBALL

■ **Messieurs.** **36** All. **72** Youg. **76** URSS, Roum., Pol. **80** All. dém., URSS, Roum. **84** Youg., All. féd., Roum. **88** URSS, Corée du S., Youg. **92** ex-URSS, Suède, *France*.

■ **Dames.** **76** URSS, All. dém., Hongr. **80** URSS, Youg., All. dém. **84** Youg., Corée du S., Chine. **88** Corée du S., Norv., URSS. **92** Corée du S., Norvège, ex-URSS.

HOCKEY SUR GAZON

■ **Messieurs.** **08** Angl. **20** G.-B. **28, 32, 36, 48, 52, 56** Inde. **60** Pakistan. **64** Inde. **68** Pakistan. **72** All. féd. **76** N.-Zél., Austr., Pakistan. **80** Inde, Esp., URSS. **84** Pakistan, All. féd., G.-B. **88** G.-B., All. féd., P.-Bas. **92** All., Australie, Pakistan.

■ **Dames.** **80** Zimbabwe, Tchéc., URSS. **84.** P.-Bas, All. féd., USA. **88** Austr., Corée du S., P.-Bas. **92** Espagne, All., G.-B.

JUDO

■ **Messieurs. Super-légers.** **80** *Rey*[21], Rodriguez[13], Emizh[54] et Kincses[24]. **84** Hosokawa[30], Kim[12], Eckersley[22], Lidie[55]. **88** Kim[12], Asano[55], Hosokawa[30] et Totikachvili[54]. **92** Gousseinov[54], Yoon[12], Koshino[30] et Trautmann[2a].

Mi-légers. **80** Solodukhin[54], Damdin[35], Nedkov[9] et Pawlowski[42]. **84** Matsuoka[30], Hwang[12], *Alexandre*[21], Reiter[6]. **88** Lee[12], Pawlowski[42], *Carabetta*[21] et Yamamoto[30]. **92** Sampaio[8], Csak[24], Quellmalz[2a] et Planas[13].

Légers. **64** Nakatani[30]. **72** Kawaguchi[30]. **76** Rodriguez[13], Chang[12], Tunczik[24] et Mariani[28]. **80** Gamba[28], Adams[22], Lehmann[2] et Davaadaiai[35]. **84** Byeong-Reun[12], Gamba[28], Onmura[8], Brown[22]. **88** *Alexandre*[21], Loll[2], Swain[55] et Tenadze[54]. **92** Koga[30], Hjtos[24], Smaga[90] et Chung[12].

Mi-moyens. **72** Nomura[30]. **76** Nevzorov[54], Kuramoto[30], *Vial*[21] et Talaj[42]. **80** Khabareli[54], Ferrer[13], *Tchoullouyan*[21] et Heinke[2]. **84** Wieneke[3], Adams[22], *Nowak*[21] et Fratica[44]. **88** Legien[42], Wieneke[3], Brechot[2] et Varaev[54]. **92** Yoshida[30], Morris[55], Byung-Joo[12] et *Damaisin*[21].

Moyens. **64** Okano[30]. **72** Sekine[30]. **76** Sonoda[30], Dvoinikov[54], Obadov[57], Park[12]. **80** Roethlisberger[46], Aszcuy[13], Ultsch[2], Iatskevitch[54]. **84** Seisenbacher[6], Berland[55], Nose[30] et Carmona[8]. **88** Seisenbacher[6], Chestakov[54], Spijkers[40] et Osako[30]. **92** Legien[42], *Tayot*[21], Gill[10] et Okada[30].

Mi-lourds. **72** Chochosvili[54]. **76** Ninomiya[30], Kharshiladze[54], Roethlisberger[46] et Starbrook[22]. **80** Van de Walle[7], Khubuluri[54], Lorenz[2] et Numan[40]. **84** Ha[12], Vieira[8], Fridriksson[66] et Neureuther[3]. **88** Miguel[6], Meiling[3], Van de Walle[7] et Stewart[22]. **92** Kovacs[24], Stevens[22], Meijer[40] et Sergeev[54].

Lourds. **64** Inokuma[30]. **72** Ruska[40]. **76** Novikov[54], Neureuther[3], Coage[55] et Endo[30]. **80** *Parisi*[21], Zaprianov[9], Kovacevic[57] et Kocman[48]. **84** Saito[30], *Parisi*[21], Cho[12] et Berger[10]. **88** Saito[30], Stoehr[2], Cho[12] et Veritchev[54]. **92** Khakhaleichvili[54], Ogawa[30], *Douillet*[21] et Csosz[24].

Toutes catégories. **64** Geesink[40]. **72** Ruska[40]. **76** Uemura[30], Remfry[22], Chochishvili[54] et Cho[12]. **80** Lorenz[2], *Parisi*[21], Ozsvar[24] et Mapp[22]. **84** Yamashita[30], Rawshan[15], Cioc[44] et Schnabel[3]. **88** Cat. supprimée.

■ **Dames. Super-légères.** **92** *Nowak*[21], Tamura[30], Savon[13] et Senyurt[52].

Mi-légères. **92** Martinez[17], Mizoguchi[30], Rendle[22] et Li[61].

Légères. **92** Blasco[17], Fairbrother[22], Tateno[30] et Morales[13].

Mi-moyennes. **92** *Fleury*[21], Arad[90], Zhang[61] et Petrova[54].

Moyennes. **92** Reve[13], Pierantozzi[28], Rakels[7] et Howey[22].

Mi-lourdes. **92** Mi-Jung[12], Tanabe[30], *Meignan*[21] et De Kok[40].

Lourdes. **92** Xiayan[61], Rodriguez[13], *Lupino*[21] et Sakane[30].

LACROSSE

04 Canada. **08** Canada.

LUTTE LIBRE

Jusqu'à 48 kg. **04** Curry[55]. **72** Dmitriev[54]. **76** Issaev[9], Dmitriev[54], Kudo[30]. **80** Pollio[28], Jang[11], Kornilaev[54]. **84** Weaver[55], Irie[30], Gab-Do Son[12]. **88** Kobayashi[30], Tzonov[9], Karamtchakov[54]. **92** Kim Il[11], Jong Shin-Kim[11], Ozoudjov[54].

Jusqu'à 52 kg. **04** Menhert[55]. **48** Viitala[20]. **52** Gemici[52]. **56** Tsakalamannidze[54]. **60** Bilek[52]. **64** Yoshida[30]. **68** Nakata[30]. **72** Kato[30]. **76** Takada[30], Ivanov[54], Jeon[12]. **80** Beloglazov[54], Stecyk[42], Selimov[9]. **84** Tristena[57], Jong-Hyu Kim[12], Takada[30]. **88** Sato[30], Trstena[9], Togouzov[54]. **92** Li[12], Jones[55], Jordanov[9].

Jusqu'à 57 kg. **04** Niflot[55]. **08** Mehnert[55]. **24** Pihlajamaki[20]. **28** Makinen[20]. **32** Pearce[55]. **36** Zombori[24]. **48** Akar[52]. **52** Ishii[30]. **56** Dagistanli[52]. **60** McCann[55]. **64, 68** Uetake[30]. **72** Yanagida[30]. **76** Umin[54], Bruchert[2], Arai[30]. **80** Beloglazov[54], Li[12], Ouinbold[35]. **84** Tomiyama[30], Davis[55], Eui-Kon-Kim[12]. **88** Beloglazov[54], Mohammadian[26], Noh[12]. **92** Diaz[11], Smal[54], Sik Kim[12].

Jusqu'à 62 kg. **04** Bradshaw[55]. **08** Dole[55]. **20** Ackerly[55]. **24** Reed[55]. **28** Morrisson[55]. **32** Pihlajamaki K.[20]. **36** Pihlajamaki K.[20]. **48** Bilge[52]. **52** Sit[52]. **56** Sasahara[30]. **60** Dagistanli[52]. **64** Watabane[30]. **68** Kanedo[30]. **72** Abdulbekov[54]. **76** Yang[12], Oidov[35], G. Davis[55]. **80** Abuchev[54], Doukov[9], Hadjiioannidis[23]. **84** Lewis[55], Akaishi[30], Jeug-Keun Lee[12]. **88** Smith[55], Sarkissian[54], Chterev[9]. **92** Smith[55], Mohammadian[26], Martinez[13].

Jusqu'à 68 kg. **04** Roehm[55]. **08** Relwyskow[22]. **20** Antilla[20]. **24** Vis[55]. **28** Kapp[18]. **32** *Pacome*[21]. **36** Karpati[24]. **48** Atik[52]. **52** Anderberg[45]. **56** Habibi[26]. **60** Wilson[55]. **64** Dimov[9]. **68** Ardabili[26]. **72** Gable[55]. **76** Pinigin[54], Keaser[55], Sugawara[30]. **80** Absaidov[54], Yankov[9], Sejdi[57]. **84** In-Tak-You[12], Rein[55], Rauhala[20]. **88** Fadzaev[54], Park[12], Carr[55]. **92** Fadzaev[54], Dotchev-Getzov[9], Akkaishi[30].

Jusqu'à 74 kg. **04** Erickson[55]. **24** Gehri[46]. **28** Haavisto[20]. **32** Van Bebber[55]. **36** Lewis[55]. **48** Dogu[52]. **52** Smith[55]. **56** Ikeda[30]. **60** Blubaugh[55]. **64** Ogan[52]. **68** Atalay[52]. **72** Wells[55]. **76** Date[30], Barzegar[26], Dziedzic[55]. **80** Angelov[9], Davaajav[35], Karabin[48]. **84** Schultz[55], Knosp[3], Sejdi[57]. **88** Monday[55], Varaev[54], Sofiadi[9]. **92** Jang Soon[11], Monday[55], Azghadi[2a].

Jusqu'à 82 kg. **08** Bacon[22]. **20** Leino[20]. **24** Hagmann[46]. **28** Kyburz[46]. **32** Johansson[45]. **36** *Poilvé*[21]. **48** Brand[55]. **52** Tsimakouridze[54]. **56** Stanchev[9]. **60** Gungor[52]. **64** Gardjev[9]. **68** Gurevitch[54]. **72** Tediashvili[54]. **76** J. Peterson[55], Novojoilov[54], Seger[3]. **80** Abilov[9], Aratsilov[54], Kovacs[24]. **84** Schultz[55], Nagashima[30], Rinke[10]. **88** Han[12], Gencalp[52], Lohyna[48]. **92** Jackson[55], Jabraijlov[54], Azghadi[26].

Jusqu'à 90 kg. **20** Larsson[45]. **24** Spellman[55]. **28** Sjostedt[45]. **32** Mehringer[55]. **36** Fridell[45]. **48** Wittenberg[55]. **52** Palm[45]. **56** Takhti[26]. **60** Atli[52]. **64** Medved[54]. **68** Ayik[52]. **72** B. Peterson[55]. **76** Tediashvilli[54], B. Peterson[55], Morcov[44]. **80** Oganesyan[54], Neupert[2], Cichon[42]. **84** Banach[55], Ohta[30], Loban[22]. **88** Khardartsev[54], Ota[30], Kim[12]. **92** Khardartsev[54], Simsek[52], Campbell[55].

Jusqu'à 100 kg. **72** Yarigin[54]. **76** Yarygin[54], Hellickson[55], Kostov[9]. **80** Mate[54], Tchervenkov[9], Strnisko[8]. **84** Banach[55], Atiyeh[72], Puscasu[44]. **88** Puscasu[44], Khabelov[54], Scherr[55]. **92** Khabelov[54], Balz[2a], Kayali[52].

Plus de 100 kg. **04** Hansen[55]. **08** O'Kelly[22]. **20** Roth[46]. **24** Steele[55]. **28, 32** Richthoff[45]. **36** Palusalu[18]. **48** Bobis[24]. **52** Mekokichvill[54]. **56** Kaplan[52]. **60** Dietrich[3]. **64** Ivanitsky[54]. **68, 72** Medved[54]. **76** Andiev[54], Balla[24], Simon[44]. **80** Andiev[54], Balla[24], Sandurski[42]. **84** Baumgartner[55], Molle[10], Taskin[52]. **88** Gobedjichvili[54], Baumgartner[55], Schroeder[2]. **92** Baumgartner[55], Thue[10], Gobedjichvili[54].

LUTTE GRÉCO-ROMAINE

Jusqu'à 48 kg. **72** Berceanu[44]. **76** Shumakov[54], Berceanu[44], Anghelov[9]. **80** Uchkenplirov[54], Alexandru[44], Seres[24]. **84** Maenza[28], Sherer[3], Saito[30]. **88** Maenza[28], Glab[42], Tzenov[9]. **92** Koutcherenko[54], Maenza[28], Amita[13].

Jusqu'à 52 kg. **48** Lombardi[28]. **52** Gourevitch[54]. **56** Soloviev[54]. **60** Pirvulescu[44]. **64** Hanahara[30]. **68, 72** Kirov[9]. **76** Konstantinov[54], Ginga[44], Hirayama[30]. **80** Blagidze[54], Racz[24], Miadenov[9]. **84** Miyahara[30], Aceves[34], Dae-Du Bang[12]. **88** Ronningen[36], Miyahara[30], Lee[12]. **92** Ronningen[36], Ter-Mkretchian[54], Kyung Kap[11].

Jusqu'à 57 kg. **24** Putsepp[18]. **28** Leutcht[2a]. **32** Brendel[2a]. **36** Lorincz[24]. **48** Pettersen[45]. **52** Hodos[24]. **56** Vyroupaiev[54]. **60** Karavaev[54]. **64** Ighiguchi[30]. **68** Varga[24]. **72** Kazakov[54]. **76** Ukkola[20], Frgic[58], Mustafin[54]. **80** Serikov[54], Lipien[42], Ljungbeck[45]. **84** Passarelli[3], Masaki Eto[30], Holidis[23]. **88** Sike[24], Balov[9], Holidis[23]. **92** Han-Bong[11], Yildiz[2a], Zetian[61].

Jusqu'à 62 kg. **12** Koskelo[20]. **20** Friman[20]. **24** Anttila[20]. **28** Vali[18]. **32** Gozzi[28]. **36** Erkan[52]. **48** Oktav[52]. **52** Pounkine[54]. **56** Makinen[20]. **60** Sille[52]. **64** Polyak[24]. **68** Rurua[54]. **72** Markov[9]. **76** K. Lipien[42], Davidian[54], Reczi[24]. **80** Mijiakis[23], Toth[24], Kramorenko[54]. **84** Weon-Kee Kim[12], Johansson[45], Dietsche[46]. **88** Madjdov[54], Vanguelov[9], An[12]. **92** Pirim[52], Martinov[54], Delis[13].

Jusqu'à 68 kg. **08** Porro[28]. **12, 20** Vare[20]. **24** Friman[20]. **28** Keresztes[24]. **32** Malmberg[45]. **36** Koskela[20]. **48** Freij[45]. **52** Safine[54]. **56** Lehtonen[20]. **60** Koridze[54]. **64** Ayvaz[52]. **68** Munemura[30]. **72** Khishamutdinov[54]. **76** Nalbadian[54], Rusu[44], Wehling[2]. **80** Rusu[44], Suppron[42], Skiold[45]. **84** Lisjak[57], Sipila[20], Martinez[55]. **88** Djoulfalakian[54], Kim[12], Sipila[20]. **92** Repka[24], Dougoutchiev[54], Smith[55].

Jusqu'à 74 kg. **32** Johansson[45]. **36** Svedberg[45]. **48** Andersson[45]. **52** Szilvasi[24]. **56, 60** Bayrak[52]. **64** Koletsov[54]. **68** Vesper[2]. **72** Macha[52]. **76** Bykov[54], Macha[52], Helbing[3]. **80** Kocsis[24], Bikov[54], Huhtala[20]. **84** Salomaki[20], Tallroth[45], Rusu[44]. **88** Kim[12], Tourlykhanov[54], Tracz[42]. **92** Iskandarian[54], Tracz[42], Kornbakk[45].

Jusqu'à 82 kg. **08** Martensson[45]. **12** Johansson C.[45]. **20** Westergren[45]. **24** Westerlund[20]. **28, 32** Kokkinen[20]. **36** Johansson[45]. **48, 52** Gronberg[45].

56 Kartosia [54]. **60** Dobrev [9]. **64** Simic [58]. **68** Metz [2]. **72** Hegedus [24]. **76** Petkovic [57], Tchebokcharov [54], Kolev [9]. **80** Korban [54], Dolgowicz [42], Pavlov [9]. **84** Draica [44], Thanopoulos [23], Claeson [45]. **88** Mamiachvili [54], Komaromi [24], Kim [12]. **92** Farkas [24], Stepien [42], Tourlykhanov [54].

Jusqu'à 90 kg. **08** Weckmann [20]. **12** Ahlgren [45] et Bohling [20]. **20** C. Johansson [45]. **24** Westergren [45]. **28** Moustafa [15]. **32** Svensson [45]. **36** Cadier [45]. **48** Nilsson [45]. **52** Grondahl [20]. **56** Nikolaev [54]. **60** Kis [52]. **64, 68** Radev [9]. **72** Retzansev [54]. **76** Rezantsev [54], Ivanov [9], Kwiecinski [42]. **80** Novenyi [24], Kanygin [54], Dicu [44]. **84** Fraser [55], Matei [44], Anderson [45]. **88** Komchev [9], Koskela [20], Popov [54]. **92** Bullmann [2a], Basar [52], Kogouachvilli [54].

Jusqu'à 100 kg. **72** Martinescu [44]. **76** Balbochine [54], Goranov [9], Skrzylewski [42]. **80** Raikov [9], Bierla [42], Andrei [44]. **84** Andrei [44], Gibson [55], Terteljie [57]. **88** Wronski [42], Himmel [3], Koslowski [55]. **92** Perez [13], Koslowski [55], Demiachkievitch [54].

Plus de 100 kg. **96** Schumann [20]. **08** Weisz [24]. **12** Saarela [20]. **20** Lindfors [20]. **24** *Deglane* [21]. **28** Svensson [45]. **32** Westergren [45]. **36** Palusalu [18]. **48** Kirecci [52]. **52** Kotkas [54]. **56** Parfenov [54]. **60** Bogdan [54]. **64, 68** Kozma [24]. **72** Roschin [54]. **76** Kolchinski [24], Tomov [9], Codreanu [24]. **80** Kolchinski [54], Tomov [9], Bchara [60]. **84** Blatnick [55], Memisevic [57], Dolispchi [44]. **88** Kareline [54], Guerovski [9], Johansson [45]. **92** Kareline [54], Johansson [45], Grigoras [44].

Motonautisme

08 open *Thubron* [21], **8 m** Thornycroft-Redwood [22], **moins de 60 pieds** Thornycroft-Redwood [22].

Natation

■ Messieurs. 50 m nage libre. **88** Biondi [55] 22"14, Jager [55] 22"36, Prigoda [54] 22"71. **92** Popov [54] 21"91, Biondi [55] 22"09, Jager [55] 22"30.

100 m nage libre. **96** Hajos [24] 1'22"2. **04** Halmay [24] 1'2"8. **08** Daniels [55] 1'5"6. **12** Kahanamoku [55] 1'3"4. **20** Kahanamoku [55] 1'00"4. **24** Weissmuller [55] 59". **28** Weissmuller [55] 58"6. **32** Miyazaki [30] 58"2. **36** Csik [24] 57"6. **48** Ris [55] 57"3. **52** Scholes [55] 57"4. **56** Henricks [5] 55"4. **60** Devitt [5] 55"2. **64** Schollander [55] 53"4. **68** Wenden [5] 52"2. **72** Spitz [55] 51"22. **76** Montgomery [55] 49"99, J. Babashoff [55] 50"81, Nocke [3] 51"31. **80** Woithe [2] 50"40, Holmertz [45] 50"91, Johansson [45] 51"29. **84** Gaines [55] 49"80, Stockwell [5] 50"24, Johansson [45] 50"31. **88** Biondi [55] 48"63, Jacobs [55] 49"8, *Caron* [21] *49"*62. **92** Popov [54] 49"02, Borges [8] 49"43, *Caron* [21] *49"50.*

200 m nage libre. **00 (220 yards)** Lane [5] 2'25"2. **04 (id.)** Daniels [55] 2'44"2. **68** Wenden [5] 1'55"2. **72** Spitz [55] 1'52"78. **76** Furniss [55] 1'50"29, Naber [55] 1'50"50, Montgomery [55] 1'50"58. **80** Kopliakov [54] 1'49"81, Krylov [54] 1'50"76, Brewer [5] 1'51"60. **84** Gross [3] 1'47"44, Heath [55] 1'49"10, Fahrner [3] 1'49"69. **88** Armstrong [5] 1'47"25, Holmertz [45] 1'47"89, Biondi [55] 1'47"99. **92** Sadovyi [54] 1'46"70, Holmertz [45] 1'46"86, Kasvio [20] 1'47"63.

400 m nage libre. **96 (500 m)** Neuman [6] 8'12"6. **04 (440 yards)** Daniels [55] 6'16"2. **08** Taylor [22] 5'36"8. **12** Hodgson [10] 5'24"4. **20** Ross [55] 5'26"8. **24** Weissmuller [55] 5'4"2. **28** Zorilla [4] 5'1"6. **32** Crabbe [55] 4'48"4. **36** Medica [55] 4'44"5. **48** Smith [55] 4'41". **52** *Boiteux* [21] *4'30"7.* **56** Rose [5] 4'27"3. **60** Rose [5] 4'18"3. **64** Schollander [55] 4'12"2. **68** Burton [55] 4'9". **72** Demont (déclassé) [55] 4'0"26. **76** Goodell [55] 3'51"93, Shaw [55] 3'52"54, Raskatov [54] 3'55"76. **80** Salnikov [54] 3'51"31, Krylov [54] 3'53"24, Stukolkin [54] 3'53"95. **84** Di Carlo [55] 3'51"23, Nykkanen [55] 3'51"49, Lemberg [5] 3'51"79. **88** Dassler [2] 3'46"95, Armstrong [5] 3'47"15, Wojdat [42] 3'47"34. **92** Sadovyi [54] 3'45", Perkins [5] 3'45"16, Holmertz [45] 3'46"77.

1 500 m nage libre. **96 (1 200 m)** Hajos [24] 18'22"2. **00 (1 000 m)** Jarvis [22] 13'40"2. **04 (1 mile)** Rausch [2a] 27'18"2. **08** Taylor [22] 22'48"4. **12** Hodgson [10] 22'. **20** Ross [55] 22'23"2. **24** Charlton [5] 20'6"8. **28** Borg [45] 19'51"8. **32** Kitamura [30] 19'12"4. **36** Terada [30] 19'13"7. **48** McLane [55] 19'18"5. **52** Konno [55] 18'30"3. **56** Rose [5] 17'58"9. **60** Konrads [5] 17'19"6. **64** Windle [5] 17'1"7. **68** Burton [55] 16'38"9. **72** Burton [55] 15'52"58. **76** Goodell [55] 15'2"40, Hackett [55] 15'3"91, Holland [5] 15'4"66. **80** Salnikov [54] 14'58"27, Chaev [54] 15'14"30, Metzker [5] 15'14"49. **84** O'Brien [55] 15'5"20, Di Carlo [55] 15'10"59, Pfeiffer [3] 15'12"11. **88** Salnikov [54] 15'0"40, Pfeiffer [3] 15'2"69, Dassler [2] 15'6"15. **92** Perkins [5] 14'43"48, Housman [5] 14'55"29, Hoffmann [2a] 15'02"29.

100 m dos. **04 (100 yards)** Brack [2a] 1'16"8. **08** Bieberstein [2a] 1'24"6. **12** Hebner [55] 1'21"2. **20** Kealoha [55] 1'15"2. **24** Kealoha [55] 1'13"2. **28** Kojac [55] 1'8"2. **32** Kiyokawa [30] 1'8"6. **36** Kiefer [55] 1'5"9. **48** Stack [55] 1'6"4. **52** Oyakawa [55] 1'5"4. **56** Theile [5] 1'2"2. **60** Theile [5] 1'1"9. **68** Matthes [2] 58"7. **72** Matthes [2] 56"58. **76** Naber [55] 55"49, Rocca [55] 56"34, Matthes [2] 57"22. **80** Baron [45] 56"53, Kuznetsov [54] 56"99, Dolgov [54] 57"63. **84** Carey [55] 55"79, Wilson [55] 56"35, West [10] 56"49. **88** Suzuki [30] 55"5, Berkoff [55] 55"18, Polianski [54] 55"20. **92** Tewksbury [10] 53"98, Rouse [55] 54"04, Berkoff [55] 54"78.

200 m dos. **00** Hoppenberg [2a] 2'47". **64** Graef [55] 2'10"3. **68** Matthes [2] 2'9"6. **72** Matthes [2] 2'2"82. **76** Naber [55] 1'59"19, Rocca [55] 2'0"55, Harrigan [55] 2'1"35. **80** Wladar [24] 2'1"93, Verraszto [24] 2'2"40, Kerry [5] 2'3"14. **84** Carey [55] 2'0"23, *Delcourt* [21] *2'1"75*, Henning [10] 2'2"37. **88** Polianski [54] 1'59"37, Baltrusch [2] 1'59"60, Kingsman [37] 2'0"48. **92** Lopez-Zubero [17] 1'58"47, Selkov [54] 1'58"87, Battistelli [28] 1'59"40.

100 m brasse. **68** Mac Kenzie [55] 1'7"7. **72** Taguchi [30] 1'4"94. **76** Hencken [55] 1'3"11, Wilkie [22] 1'3"43, Ivozaytis [54] 1'4"23. **80** Goodhen [22] 1'3"34, Miskarov [54] 1'3"82, Evans [5] 1'3"96. **84** Lundquist [55] 1'1"65, Davis [10] 1'1"99, Evans [5] 1'2"97. **88** Moorhouse [22] 1'2"4, Guttler [24] 1'2"5, Volkov [54] 1'2"20. **92** Diebel [55] 1'01"50, Rozsa [24] 1'01"68, Rogers [5] 1'01"76.

200 m brasse. **08** Holman [22] 3'9"2. **12** Bathe [2a] 3'1"8. **20** Malmroth [45] 3'4"4. **24** Skelton [55] 2'56"6. **28** Tsuruta [30] 2'48"8. **32** Tsuruta [30] 2'45"4. **36** Hamuro [30] 2'41"5. **48** Verdeur [55] 2'39"3. **52** Davies [5] 2'34"4. **56** Furukawa [30] 2'34"7. **60** Mulliken [55] 2'37"4. **64** O'Brien [5] 2'27"8. **68** Munoz [34] 2'28"7. **72** Hencken [55] 2'21"55. **76** Wilkie [22] 2'15"11, Hencken [55] 2'17"26, Colella [55] 2'19"20. **80** Julpa [54] 2'15"85, Vermes [24] 2'16"93, Miskarov [54] 2'17"28. **84** Davis [10] 2'13"34, Beringer [5] 2'15"79, Dagon [46] 2'17"41. **88** Szabo [24] 2'13"52, Gillingham [22] 2'14"12, Lopez [17] 2'15"21. **92** Barrowman [55] 2'10"16, Rozsa [24] 2'11"23, Gillingham [22] 2'11"29.

100 m papillon. **68** Russell [55] 55"9. **72** Spitz [55] 54"27. **76** Vogel [55] 54"35, Bottom [55] 54"50, Hall [55] 54"56. **80** Arvidsson [45] 54"92, Pyttel [2] 54"94, Lopez-Zubero [17] 55"13. **84** Gross [3] 53"08, Morales [55] 53"23, Buchanan [5] 53"85. **88** Nesty [76] 53", Biondi 53"1, Jameson [2] 53"30. **92** Morales [55] 53"32, Szukala [42] 53"35, Nesty [76] 53"41.

200 m papillon. **56** Yorzyk [55] 2'19"3. **60** Troy [55] 2'12"8. **64** Berry [5] 2'6"6. **68** Robie [55] 2'8"7. **72** Spitz [55] 2'0"7. **76** Brunner [55] 1'59"23, Gregg [55] 1'59"54, Forrester [55] 1'59"96. **80** Fesenko [54] 1'59"76, Hubble [22] 2'1"20, Pyttel [2] 2'1"39. **84** Sieben [5] 1'57"04, Gross [3] 1'57"40, Vidal Castro [56] 1'57"51. **88** Gross [3] 1'56"94, Nielsen [14] 1'58"24, Mosse [37] 1'58"28. **92** Stewart [55] 1'56"26, Loader [37] 1'57"93, *Esposito* [21] *1'58"51.*

200 m quatre nages. **68** Hickcox [55] 2'12". **72** Larsson [45] 2'7"17. **84** Baumann [10] 2'1"42. **88** Darnyi [24] 2'0"17, Kühl [2] 2'1"61, Iarochtchouk [54] 2'2"40. **92** Darnyi [24] 2'0"76, Burgess [55] 2'0"97, Czene [24] 2'01".

400 m quatre nages. **64** Roth [55] 4'45"4. **68** Hickcox [55] 4'48"4. **72** Larsson [45] 4'31"98. **76** Strachan [55] 4'23"68, McKee [55] 4'26"90, Smirnov [54] 4'26"90. **80** Sidorenko [55] 4'22"89, Fesenko [55] 4'23"43, Verraszto [24] 4'24"24. **84** Baumann [10] 4'17"41, Prado [8] 4'18"45, Woodhouse [5] 4'20"50. **88** Darnyi [24] 4'14"75. **92** Darnyi [24] 4'14"23, Namesnik [55] 4'15"57, Sacchi [28] 4'16"34.

4 × 100 m nage libre. **64** USA 3'33"2. **68** USA 3'31"7. **72** USA 3'26"4. **84** USA 3'19"03. **88** USA 3'16"53, URSS 3'18"33, All. dém. 3'19"82. **92** USA 3'16"74, ex-URSS 3'17"56, All. 3'17"90.

4 × 200 m nage libre. **08** G.-B. 10'55"6. **12** Austr. 10'11"6. **20** USA 10'4"4. **24** USA 9'53"4. **28** USA 9'36"2. **32** Japon 8'58"4. **36** Japon 8'51"5. **48** USA 8'46". **52** USA 8'31"1. **56** Austr. 8'23"6. **60** USA 8'10"2. **64** USA 7'52"1. **68** USA 7'52"3. **72** USA 7'35"78. **76** USA 7'23"22, URSS 7'27"97, G.-B. 7'32"11. **80** URSS 7'23"50, All. dém. 7'28"60, Brésil 7'29"30. **84** USA 7'15"69, All. féd. 7'15"73, G.-B. 7'24"78. **88** USA 7'12"51, All. dém. 7'13"68, All. féd. 7'14"35. **92** ex-URSS 7'11"95, Suède 7'15"51, USA 7'16"23.

4 × 100 m 4 nages. **60** USA 4'5"4. **64** USA 3'58"4. **68** USA 3'54"9. **72** USA 3'48"16. **76** USA 3'42"22, Canada 3'45"94, All. féd. 3'47"29. **80** Austr. 3'45"70, URSS 3'45"92, G.-B. 3'47"71. **84** USA 3'39"30, Canada 3'43"23, Austr. 3'43"25. **88** USA 3'36"93, Canada 3'39"28, URSS 3'39"96. **92** USA 3'36"93, ex-URSS 3'38"56, Canada 3'39"66.

Plongeons du tremplin. **08** Zurner [2a]. **12** Gunther [2a]. **20** Kuehn [55]. **24** White [55]. **28** Desjardins [55]. **32** Galitzen [55]. **36** Degener [55]. **48** Harlan [55]. **52** Browning [55]. **56** Clothworthy [55]. **60** Tobian [55]. **64** Sitzberger [55]. **68** Wrightson [55]. **72** Vasin [54]. **76** Boggs [55], Cagnotto [28], Kosenkov [54]. **80** Portnov [54], Giron [34], Cagnotto [28]. **84** Louganis [55], Tan [61], Merriott [55]. **88** Louganis [55], Tan [61], Li [61]. **92** Lenzi [55], Tan [10], Saoutine [54].

Plongeons de haut-vol. **04** Sheldon [55]. **08** Johansson [45]. **12** Aderz [45]. **20** Pinkston [55]. **24** White [55]. **28** Desjardins [55]. **32** Smith H. [55]. **36** Wayne [55]. **48, 52** Lee S. [55]. **56** Capilla [34]. **60, 64** Webster [55]. **68** Dibiasi [28]. **72** Dibiasi [28]. **76** Dibiasi [28], Louganis [55], Aleynik [54]. **80** Hoffmann [2], Aleinik [54], Ambartsumian [54]. **84** Louganis [55], Kimball [55], Li [61]. **88** Louganis [55], Xiong [61], Mena [34]. **92** Shuwei Sun [61], Donie [54], Ni Xiong [61].

Water-polo. **00** G-B. **04** USA. **08, 12, 20** G.-B. **24** *Fr.* **28** All. **32, 36** Hongr. **48** It. **52, 56** Hongr. **60** It. **64** Hongr. **68** Youg. **72** URSS. **76** Hongr., It., P.-Bas. **80** URSS, Youg., Hongr. **84** Youg., USA, All. féd. **88** Youg., USA, URSS. **92** Italie, Espagne, ex-URSS.

☞ Épreuves supprimées. **50 yards nage libre. 04** Halmay [24]. **100 m nage libre pour marins. 96** Matokinis [23]. **800 m nage libre. 04** Rausch [2a]. **4 000 m nage libre. 00** Jarvis [22]. **400 m brasse. 04** Zacharias [2a]. **12** Bathe [2a]. **20** Malmroth [45]. **200 m par équipes. 00** All. **4 × 50 yards nage libre. 04** USA. **Obstacle. 00** Lane [5]. **Nage sous l'eau. 00** *Vendeville* [21]. **Plongeon pour la distance. 04** Dickey [55]. **Plongeon simple. 12** Adlerz [45]. **20** Wallman [45]. **24** Eve [5].

■ Dames. 50 m nage libre. **88** Otto [2] 25"49, Yang [61] 25"64, Meissner [2] 25"71. **92** Yang [61] 24"79, Zhuang [61] 25"08, Martino [55] 25"23.

100 m nage libre. **12** Durack [5] 1'22"2. **20** Bleibtrey [55] 1'13"6. **24** Lackie [55] 1'12"4. **28** Osipovitch [55] 1'11". **32** Madison [55] 1'6"8. **36** Mastenbroek [24] 1'5"9. **48** Andersen [14] 1'6"3. **52** Szoke [24] 1'6"8. **56** Fraser [5] 1'2". **60** Fraser [5] 1'1"2. **64** Fraser [5] 59"5. **68** Henne [55] 1'. **72** Neilson [55] 58'59. **76** Ender [2] 55"65, Priemer [2] 56"49, Brigitha [40] 56"65. **80** Krause [2] 54"79, Metschuck [2] 55"16, Diers [2] 55"65. **84** Steinseifer [55] 55"92, Hogshead [55] 55"92, Verstappen [40] 56"08. **88** Otto [2] 54"93, Zhuang [61] 55"47, *Plewinski* [21] 55"49. **92** Zhuang [61] 54"64, Thompson [55] 54"84, Van Almsick [2a] 54"94.

200 m nage libre. **68** Meyer [55] 2'10"5. **72** Gould [5] 2'3"56. **76** Ender [2] 1'59"26, S. Babashoff [55] 2'1"22, Brigitha [40] 2'1"40. **80** Krause [2] 1'58"33, Diers [2] 1'59"64, Schmidt [2] 2'1"44. **84** Wayte [55] 1'59"23, Woodhead [55] 1'59"50, Verstappen [40] 1'59"69. **88** Friedrich [2] 1'57"65, Poll [77] 1'58"67, Stellmach [2] 1'59"1. **92** Haislett [55] 1'57"90, Van Almsick [2a] 1'58", Kieglass [2a] 1'59"67.

400 m nage libre. **20** Bleibtrey [55] 4'34". **24** Norelius [55] 6'2"2. **28** Norelius [55] 5'42"8. **32** Madison [55] 5'28"5. **36** Mastenbroek [40] 5'26"4. **48** Curtis [55] 5'17"8. **52** Gyenge [24] 5'12"1. **56** Crapp [5] 4'54"6. **60** Von Saltza [55] 4'50"6. **64** Duenkel [55] 4'43"3. **68** Meyer [55] 4'31"8. **72** Gould [5] 4'19"04. **76** Thumer [2] 4'9"89, S. Babashoff [55] 4'10"46, B. Smith [10] 4'14"60. **80** Diers [2] 4'8"76, Schneider [2] 4'9"16, Schmidt [2] 4'10"86. **84** Cohen [55] 4'7"10, Hardcastle [22] 4'10"27, Croft [22] 4'11"49. **88** Evans [55] 4'3"85, Friedrich [2] 4'5"94, Möhring [2] 4'6"62. **92** Hase [2a] 4'7"18, Evans [55] 4'7"37, Lewis [5] 4'11"22.

800 m nage libre. **68** Meyer [55] 9'24". **72** Rothhammer [55] 8'53"68. **76** Thumer [2] 8'37"14, S. Babashoff [55] 8'37"59, Weinberg [55] 8'42"60. **80** Ford [5] 8'28"90, Diers [2] 8'32"55, Dahne [2] 8'33"48. **84** Cohen [55] 8'24"95, Richardson [55] 8'30"73, Hardcastle [22] 8'32"60. **88** Evans [55] 8'20"20, Strauss [2] 8'22"9, McDonald 8'22"93. **92** Evans [55] 8'25"52, Lewis [5] 8'30"34, Henke [2a] 8'30"99.

100 m papillon. **56** Mann [55] 1'11". **60** Schuler [55] 1'9"5. **64** Stouder [55] 1'4"7. **68** Mac Clements [5] 1'5"5. **72** Aoki [30] 1'3"34. **76** Ender [2] 1'0"13, Pollack [2] 1'0"98, Boglioli [55] 1'1"17. **80** Metschuck [2] 1'0"42, Pollack [2] 1'0"90, Knacke [2] 1'1"44. **84** Meagher [55] 59"26, Johnson [55] 1'0"19, Seick [3] 1'1"36. **88** Otto [2] 59"0, Weigang [2] 59"45, Qian [61] 59"52. **92** Qian [61] 58"62, Ahmann [55] 58"74, *Plewinski* [21] *59"01.*

200 m papillon. **68** Kok [40] 2'24"7. **72** Moe [55] 2'15"57. **76** Pollak [2] 2'11"41, Tauber [2] 2'12"50, Gabriel [2] 2'12"86. **80** Geissier [2] 2'10". **44** Schoenrock [2] 2'10"45, Ford [5] 2'11"66. **84** Meagher [55] 2'6"90, Phillips [5] 2'10"56, Beyermann [3] 2'11"91. **88** Nord [2] 2'9"51, Weigang [2] 2'9"91, Meagher [55] 2'10"80. **92** Sanders [55] 2'08"67, Wang [61] 2'09"01, O'Neill [5] 2'09"03.

100 m dos. **24** Bauer [55] 1'23"2. **28** Braun [40] 1'22". **32** Holm [55] 1'19"4. **36** Senff [40] 1'18"9. **48** Harup [14] 1'14"4. **52** Harrison [1] 1'14"3. **56** Grinham [22] 1'12"9. **60** Burke [55] 1'9"3. **64** Ferguson [55] 1'7"7. **68** Hall [55] 1'6"2. **72** Belote [55] 1'5"78. **76** Richter [2] 1'1"83, Treiber [2] 1'3"41, Garapick [10] 1'3"71. **80** Reinisch [2] 1'0"86, Kleber [2] 1'2"07, Riedel [2] 1'2"64. **84** Andrews [55] 1'2"55, Mitchell [55] 1'2"63, De Rover [40] 1'2"91. **88** Otto [2] 1'0"89, Egerszegi [24] 1'1"56, Sirch [2] 1'1"57. **92** Egerszegi [24] 1'0"68, Szaho [24] 1'01"14, Loveless [55] 1'01"43.

200 m dos. 68 P. Watson [55] 2'24"8. 72 Belote [55] 2'19"19. 76 Richter [2] 2'13"43, Treiber [2] 2'14"97, Garapick [10] 2'15"60. 80 Reinisch [2] 2'11"77, Polit [2] 2'13"75, Treiber [2] 2'14"14. 84 De Rover [40] 2'12"38, White [55] 2'13"04, Patrascolu [44] 2'13"29. 88 Egerszegi [24] 2'9"29, Zimmermann [2] 2'10"61, Sirch [2] 2'11"45. 92 Egerszegi [24] 2'07"06, Hase [2a] 2'09"46, Stevenson [5] 2'10"20.

100 m brasse. 68 Bjedov [58] 1'15"8. 72 Carr [55] 1'13"58. 76 Anke [2] 1'11"16, Rusanova [54] 1'13"04, Koshevaia [54] 1'13"30. 80 Geweniger [2] 1'10"22, Vasilkova [54] 1'10"41, Nielson [14] 1'11"16. 84 Van Staveren [40] 1'9"88, Ottenbrite [10] 1'10"69, *Poirot* [21] *1'10"70*. 88 Dangalakova [9] 1'7"95, Frenkevan [9] 1'8"74, Hörner [2] 1'8"83. 92 Roudkovskaia [54] 1'08", Nall [55] 1'08"25, Riley [5] 1'09"25.

200 m brasse. 24 Morton [22] 3'33"2. 28 Schrader [2a] 3'12"6. 32 Dennis [5] 3'6"3. 36 Maehata [30] 3'03"3. 48 Van Vliet [40] 2'57"2. 52 Szekely [24] 2'51"7. 56 Happe [2a] 2'53"1. 60 Lonsborough [22] 2'49"5. 64 Prozumenchikova [54] 2'46"4. 68 Wichman [55] 2'44"4. 72 Whitfield [5] 2'41"71. 76 Koshevaia [54] 2'33"35, Iurchenia [54] 2'36"08, Rusanova [54] 2'36"32. 80 Kachuschite [54] 2'29"54, Varganova [54] 2'29"61, Bogdanova [54] 2'32"39. 84 Ottenbrite [10] 2'30"38, Rapp [55] 2'31"15, Lempereur [7] 2'31"40. 88 Hörner [2] 2'26"71, Huang [61] 2'27"49, Frenkevan [9] 2'28"34. 92 Iwasaki [30] 2'26"65, Lin [61] 2'26"85, Nall [55] 2'26"88.

200 m quatre nages. 68 Kolb [55] 2'24"7. 72 Gould [5] 2'23"7. 84 Caulkins [55] 2'12"64. 88 Hunger [2] 2'12"59, Dendeberova [54] 2'13"31, Lung [44] 2'14"85. 92 Lin [61] 2'11"65, Sanders [55] 2'11"91, Hunger [2a] 2'13"92.

400 m quatre nages. 64 De Varona [55] 5'18"7. 68 Kolb [55] 5'8"5. 72 Neall [5] 5'2"97. 76 Tauber [2] 4'42"77, Gibson [10] 4'48"10, B. Smith [10] 4'50"48. 80 Schneider [22] 4'36"29, Davies [22] 4'46"83, Czopek [42] 4'48"17. 84 Caulkins [55] 4'39"24, Landells [5] 4'48"30, Zindler [3] 4'48"57. 88 Evans [55] 4'37"76, Lung [44] 4'39"46, Hunger [2] 4'39"76. 92 Egerszegi [24] 4'36"54, Lin [61] 4'36"73, Sanders [55] 4'37"58.

4 × 100 m nage libre. 12 G.-B. 5'52"8. 20 USA 5'11"6. 24 USA 4'58"8. 28 USA 4'47"6. 32 USA 4'38". 36 P.-B. 4'36". 48 USA 4'29"2. 52 Hongr. 4'24"4. 56 Austr. 4'17"1. 60 USA 4'8"9. 64 USA 4'3"8. 68 USA 4'2"5. 72 USA 3'55"19. 76 USA 3'44"82, All. dém. 3'45"50, Canada 3'48"81. 80 All. dém. 3'42"71, Suè. 3'48"93, P.-B. 3'49"51. 84 USA 3'43"43, P.-B. 3'44"40, All. féd. 3'45"56. 88 All. dém. 3'40"63, P.-B. 3'43"39, USA 3'44"25. 92 USA 3'39"46, Chine 3'41"60 et All. 3'41"60.

4 × 100 m 4 nages. 60 USA 4'41"1. 64 USA 4'33"9. 68 USA 4'28"3. 72 USA 4'20"7. 76 All. dém. 4'7"95, USA 4'14"55, Canada 4'15"22. 80 All. dém. 4'6"67, G.-B. 4'12"24, URSS 4'13"61. 84 USA 4'08"34, All. féd. 4'11"97, Canada 4'12"98. 88 All. dém. 4'3"74, USA 4'7"90, Canada 4'10"49. 92 USA 4'02"54, All. 4'05"19, ex-URSS 4'06"44.

Plongeons du tremplin. 20 Riggin [55]. 24 Becker [55]. 28 Meany [55]. 32 Coleman [55]. 36 Gestring [55]. 48 Draves [55]. 52, 56 McCormick [55]. 60, 64 Kramer [2]. 68 Gossick [55]. 72 King [55]. 76 Chandler [55], Kohler [2], Potter [55]. 80 Kalinina [54], Proeber [2], Guthke [2]. 84 Bernier [10], McCormick [55], Seufert [55]. 88 Gao [61], Li [61], McCormick [55]. 92 Gao [61], Lachko [54], Baldus [2a].

Plongeons de haut-vol. 12 Johansson G. [45]. 20 Fryland Clausen [14]. 24 Smith [55]. 28 Pinkston [55]. 32, 36 Hill-Poynton [55]. 48 Draves [55]. 52, 56 McCormick [55]. 60 Kramer [2]. 64 Busch [55]. 68 Duchkova [58]. 72 Knape [45]. 76 Vaytsekhovskaia [54], Knape [45], Wilson [55]. 80 Jaschke [2], Emirzyan [54], Tsotadze [54]. 84 Zhou [61], Mitchell [55], Wyland [55]. 88 Xu [61], Mitchell [55], Williams [55]. 92 Mingwia Fu [61], Mirochina [55], Clark [55].

Natation synchronisée. Solo. 84 Ruiz [55], Waldo [10], Motoyoshi [30]. 88 Waldo [10], Ruiz-Conforto [55], Kotani [30]. 92 Babb-Sprague [55], Frechette [10], Okuno [30]. **Duo.** 84 Costie-Ruiz [55], Hambrook-Kryczka [10], Kimura-Motoyoshi [30]. 92 Josephson-Josephson [55], Vilagos-Vilagos [10], Okuno-Takayama [30].

Paume

08 Jay Gould [55].

Pentathlon moderne

Nota. – Messieurs uniquement.

■ **Individuel.** 12 Liliehook [45]. 20 Dyrssen [45]. 24 Lindman [45]. 28 Thofelt [45]. 32 Oxenstierna [45]. 36 Handrick [2a]. 48 Grut [45]. 52, 56 Hall [45]. 60 Nemeth [24]. 64 Török [24]. 68 Ferm [45]. 72 Balczo [24]. 76 Pyciak-Peciak [42], Lednev [54], Bartu [48]. 80 Starostin [54], Szombathelyi [24], Lednev [54]. 84 Masala [28], Rasmusson [45], Massulo [28]. 88 Martinek [24], Massulo [28], Iagorachvili [54]. 92 Skrzypaszek [42], Mizser [24], Zenovka [54].

■ **Par équipes.** 52 Hongr. 56 ex-URSS. 60 Hongr. 64 ex-URSS. 68 Hongr. 72 ex-URSS. 76 G.-B., Tchéc., Hongr. 80 ex-URSS, Hongr., Suè. 84 Italie, USA, *Fr.* 88 Hongr., Italie, G.-B. 92 Pologne, ex-URSS, Italie.

Polo

1900 G.-B. 08 G.-B. 20 G.-B. 24 Arg. 36 Arg.

Rackets

08 simples G-B, doubles G-B.

Rugby

1900 *Fr.* 08 Austr. 20 USA b. *Fr.* 24 USA b. *Fr.*

Tennis

Hommes

■ **Plein air. Simple.** 96 Boland [27]. 00 Doherty [22]. 04 Wright [55]. 08 Ritchie [22]. 12 Winslow [1]. 20 Raymond [1]. 24 Richards [55]. 84 Edberg [45], Maciel [34]. 88 Mecir [48], Mayotte [55], Edberg [45] et Gilbert [55]. 92 Rosset [46], Arrese [17], Ivanisevic [91] et Cherkasov [54]. **Double.** 96 Irlande. 00 G.-B. 04 USA. 08 G.-B. 12 Afr. du Sud. 20 G.-B. 24 USA. 88 Flach-Seguso [55], Sanchez-Casal [17], Mecir-Srejber [48] et Edberg-Jarryd [45]. 92 Becker-Stich [2a], Ferreira-Norval [1], Ivanisevic-Prpic [91] et Frana-Miniussi [4]. **Double mixte.** 00 G.-B. 12 All. 20 *Fr.* 24 USA.

■ **Courts couverts. Simple.** 08 Gore [22]. 12 *Gobert* [21]. **Double.** 08 G.-B. 12 *Fr.* **Double mixte.** 12 G.-B.

Dames

■ **Plein air. Simple.** 00 Cooper [22]. 08 Chambers [22]. 12 *Broquedis* [21]. 20 *Lenglen* [21]. 24 Wills [55]. 84 Graf [3], Goles [57]. 88 Graf [3], Sabatini [4], Garrison [55] et Maleeva [9]. 92 Capriati [55], Graf [2a], Sanchez [17] et Fernandez [55]. **Double.** 20 G.-B. 24 USA. 88 Shriver-Garrison [55], Novotna-Sukova [48], Smylie-Turnbull [5] et Graf-Kohde-Kilsch [3]. 92 M. J. et G. Fernandez [55], Sanchez-Martinez [17], McQuillan-Provis [5] et Meskhi-Zvereva [54].

■ **Courts couverts. Simple.** 08 Eastlake [22]. 12 Hannam [22].

Tennis de table

■ **Messieurs. Simple.** 88 Yoo [12], Kim [12], Lindh [45]. 92 Waldner [45], *Gatien* [21], Mawenge [61]. **Double.** 88 Chen-Wei [61], Lupulesku-Primorac [57], Ahn-Yoo [12]. 92 Lu Lin-Wang Tao [61], Fetzner-Roskopf [2a], Kang Hee-Lee Chul [11].

■ **Dames. Simple.** 88 Chen [61], Li [61], Jiao [61]. 92 Deng Yaping [61], Qiao Hong [61], Hyun Jung [11]. **Double.** 88 Hyun-Yang [12], Chen-Jiao [61], Fazlic-Perkucin [57]. 92 Deng Yaping-Qiao Hong [61], Chen Zihe-Gao Jun [61], Li Bun-Yu Sun [11].

Tir

■ **Messieurs. Carabine air comprimé 10 m.** 84 *Heberlé* [21], Kronthaler [6], Dagger [22]. 88 Maksimovic [57], *Berthelot* [21], Riederer [3]. 92 Fedkine [54], *Badiou* [21], Riederer [2].

Carabine petit calibre (3 positions). 52 Kongshaug [36]. 56 Bogdanov [54]. 60 Shamburkin [54]. 64 Wigger [55]. 68 Klingner [3]. 72 Writer [55]. 76 Bassham [55], M. Murdock [55], Seibold [3]. 80 Vlassov [54], Hartstein [2], Johansson [45]. 84 Cooper [22], Nipkow [46], Allan [22]. 88 Cooper [22], Allan [22], Ivanov [54]. 92 Petikian [95], Foth [55], Koba [30].

Carabine petit calibre (position couchée). 08 Garnell [22]. 12 Hird [55]. 20 Nuesslein [55]. 24 *Coquelin de Lisle* [21]. 32 Ronnmark [45]. 36 Rogeberg [36]. 48 Cook [55]. 52 Sarbu [44]. 56 Ouellette [10]. 60 Kohnke [3]. 64 Hammerl [24]. 68 Kurka [48]. 72 Li [11]. 76 Smieszek [3], Lind [3], Lushchikov [54]. 80 Varga [24], Heilfort [2], Zapianov [9]. 84 Etzel [55], *Bury* [21], Sullivan [22]. 88 Varga [48], Cha [12], Zahonyi [24].

Carabine match anglais. 92 Lee [12], Stenvaag [36], Pletikosic [57].

Fosse olympique. 00 *De Barbarin* [21]. 08 Ewing [10]. 12 Graham [55]. 20 Arie [55]. 24 Halasy [24]. 52 Genereux [10]. 56 Rossini [28]. 60 Dumitrescu [44]. 64 Mattarelli [28]. 68 Braithwaite [22]. 72 Scalzone [28]. 76 Haldeman [55], Silva-Marques [43], Baldi [28]. 80 Giovannetti [28], Iambulatov [54], Damme [2]. 84 Giovannetti [28], Boza [41], Carlisle [55]. 88 Monakov [54], Bednarik [48], Peeters [7]. 92 Hrdlicka [48], Watanabe [30], Venturini [28].

Pistolet de tir rapide (vitesse ol.). 96 Phrangudis [23]. 00 *Larrouy* [21]. 08 Van Asbrock [7]. 12 Lane [55]. 20 Paraense [8]. 24 Bailey [55]. 32 Morigi [28]. 36 Van Oyen [2a]. 48, 52 Takacs [24]. 56 Petrescu [44]. 60 McMillan [55]. 64 Linnosvuo [20]. 68, 72 Zapedzki [42]. 76 Klaar [2], Wiefel [2], Ferraris [28]. 80 Ion [44], Wiefel [2], Pétritsch [6]. 84 Kamachi [30], Ion [44], Bies [20]. 88 Kouzmine [54], Schumann [2], Kovacs [24]. 92 Schumann [2], Kouzmine [93], Vokhmianine [48].

Pistolet libre (50 m). 96 Paine [55]. 00 Roederer [46]. 12 Lane [55]. 36 Ullman [45]. 48 Vasquez [41]. 52 Benner [55]. 56 Linnosvuo [20]. 60 Gustchin [54]. 64 Markhanen [20]. 68 Kosykh [54]. 72 Skanaker [45]. 76 Potteck [2], Vollmar [2], Dollinger [6]. 80 Melentev [54], Vollmar [2], Diakov [9]. 84 Haifeng Xu [61], Skanaker [45], Yifu Wang [61]. 88 Babü [44], Skanaker [45], Bassinski [54]. 92 Loukachik [54], Wang [61], Skanaker [45].

Pistolet à air comprimé. 88 Kiriakov [9], Buljung [55], Xu [61]. 92 Wang [61], Pyjianov [54], Babii [44].

Skeet. 68 Petrov [54]. 72 Wirnhier [3]. 76 Panacek [48], Swinkels [40], Gawlikowski [42]. 80 Rasmussen [14], Carlsson [45], Castrillo [13]. 84 Dryke [55], Rasmussen [14], Scribani-Rossi [28]. 88 Wegner [2], De Iruarrizaga [78], Guardiola [17]. 92 Shan [61], Yarur [41], Rossetti [28].

Cible courante. 00 *Debray* [21]. 72 Zhelezniak [54]. 76 Gazov [54], Kedyarov [54], Grezkiewicz [42]. 80 Sokolov [54], Pfeffer [2], Gasov [54]. 84 Yuwei Li [61], Bellingrodt [63], Shiping Huang [61]. 88 Heiestad [36], Huang [61], Avramenko [54]. 92 Jakosits [2a], Asrabaev [54], Racansky [48].

☞ **Épreuves supprimées. Fusil libre.** 96 Karasevdas [23]. 08 Millner [22]. **Équipes.** 08 Nor. 12 Suè. 20, 24 USA. **3 positions.** 96 Orphanidis [23]. 08 Helgerud [36]. 12 *Colas* [21]. 20, 24 Fisher [55]. 48 Grunig [46]. 52 Bogdanov [54]. 56 Borissov [54]. 60 Hammerer [6]. 64, 68 Anderson [55]. 72 Wigger [55].

Fusil militaire. 300 m, 3 positions. 00 Kellenberger [46]. 12 Prokopp [24]. **300 m debout.** 00 Madsen [14]. 20 Osburn [55]. **300 m à genoux.** 00 Staheli [46]. **300 m couché.** 00 *Paroche* [21]. 20 Olsen [36]. **600 m couché.** 20 Johansson [45]. **600 m n'importe quelle position.** 20 *Colas* [21]. **Équipes.** 00 Suisse. 08 USA. 12 USA. 20 Dan., USA.

Petit calibre. 08 Fleming [22] et Styles [22]. 12 Carlberg [45].

Carabine miniature. Équipes. 08 G.-B. 12 Suè. et G.-B. 20 USA.

Cerf courant. 1 projectile, individuel. 08, 12 Swahn [45]. 20 Olsen [36]. 24 Boles [55]. **1 projectile, équipes.** 08, 12 Suè. 20, 24 Nor. **2 projectiles, ind.** 08 Winans [55]. 12 Lundeberg [45]. 20, 24 Lilloe-Olsen [36]. **2 projectiles, éq.** 20 Nor. 24 G.-B. **1 et 2 projectiles.** 52 Larsen [36]. 56 Romanenko [54].

Pigeons. Argile, équipes. 08 G.-B. 12, 20, 24 USA. **Vivants.** 00 Lunden [7].

Revolver militaire. Équipes 00 Suisse. 08 USA. 12 Suè. et USA. 20 USA.

■ **Dames. Pistolet de tir sportif.** 84 Thom [10], Fox [55], Dench [5]. 88 Saloukvadze [54], Hasegawa [30], Sekaric [57]. 92 Logvinenko [54], Li [61], Munkhbayar [35].

Pistolet à air comprimé. 88 Sekaric [57], Saloukvadze [54], Dobrantcheva [54]. 92 Logvinenko [54], Sekaric [57], Grozdeva [9].

Carabine air comprimé 10 m. 84 Spurgin [55], Gufler [28], Wu [61]. 88 Chilova [54], Sperber [3], Maloukhina [54]. 92 Yeo [12], Letcheva [9], Binder [57].

Carabine petit calibre. 84 Xiaoxuan [61], Holmer [3], Jewell [55]. 88 Sperber [3], Letcheva [9], Tcherkassova [54].

Carabine 3 × 20. 92 Meili [55], Matova [9], Ksiazkiewicz [42].

Tir à l'arc

■ **Messieurs. Individuel.** 72 Williams [55]. 76 Pace [55], Michinaga [30], Ferrari [28]. 80 Poikolainen [20], Isachenko [54], Ferrari [28]. 84 Pace [55], McKiney [55], Yamamoto [30]. 88 Barrs [55], Park [12], Echeev [54]. 92 *Flute* [21], Chung [12], Terry [22].

Par équipes. 88 Corée du S., USA, G.-B. 92 Espagne, Finlande, G.-B.

☞ Épreuves supprimées. **Cordon doré : 50 m 00** *Herouin* [21] ; **33 m 00** Van Innis [7]. **Au chapelet : 50 m 00** *Mougin* [21] ; **33 m 00** Van Innis [7]. **Sur la perche : à la herse 00** *Foulon* [21] ; **à la pyramide 00** *Grumiaux* [21]. **Double york round. 04** Bryant [55]. **Double american round. 04** Bryant [55]. **Team round. 04** USA. **York round. 08** Dod [22]. **Style continental. 50 m 08** *Grisot* [21]. **Cible-oiseau fixe. 20** Van Moer [7]. **Grand oiseau. 20** Cloetens [7]. **Libre-oiseau mobile : 28 m 20** Van Innis [7] ; **33 m 20** Van Innis [7] ; **50 m 20** *Brulé* [21] ; **équipes 28 m** P.-B. ; **33 m** Belg. ; **50 m** Belg.

■ Dames. **72** Wilber [55]. **76** Ryon [55], Kovpan [54], Rustamova [54]. **80** Losaberidze [54], Butuzova [54], Meriluoto [20]. **84** Seo Hyang-Soon [12], Hi Lingjuan [61], Kim Jin-Ho [12]. **88** Kim [12], Wang [12], Yun [12]. **92** Cho [12], Kim [12], Valeeva [54].

Par équipes. **88** Corée du S., Indonésie, USA. **92** Corée du S., Chine, ex-URSS.

☞ Épreuves supprimées. **Petite distance. 04** Howell [55]. **Grande distance. 04** Howell [55]. **50 et 60 yards. 08** Newall [22]. **Par équipes. 04** USA.

Tir à la corde

1900 Suè. **04** USA. **08** G.-B. **12** Suè. **20** G.-B.

Volley-ball

■ Messieurs. **64, 68** URSS. **72** Jap. **76** Pol., URSS, Cuba. **80** URSS, Bulg., Roum. **84** USA, Brésil, Italie. **88** USA, URSS, Arg. **92** Brésil, P.-B., USA.

■ Dames. **64** Jap. **68 72** URSS. **76** URSS, Jap., Corée du N. **80** URSS, All. dém., Bulg. **84** Chine, USA, Japon. **88** URSS, Pérou, Chine. **92** Cuba, ex-URSS, USA.

Yachting

☞ (Les catégories de bateaux admis varient d'une olympiade à l'autre.)

1900 : *6 m (2 t) :* Suisse « Lerina » à H. de Pourtalès ; *8 m (3 t) : France « Ollé » à Exshaw ; 10 m :* Allemagne « Aschenbrodel » à Wiesner ; *plus de 10 m : France « Esterel ».* **08 :** *6 m, 7 m, 8 m, 12 m :* G.-B. **12 :** *6 m : Fr. 8 m :* Norv. *10 m :* Suè. *12 m :* Norv. **1920 :** *6 m :* Belg. (type anc.). *6 m :* Norv. (type nouv.). *6 m 50 :* P.-Bas (type n.). *7 m :* G.-B. (type anc.). *8 m :* Norv. (type anc.). *30 m :* Suè. *40 m :* Suè. **24 :** *6 m :* Norv. *8 m :* Norv. **28 :** *6 m :* Norv. **32 :** *6 m :* Suè. *8 m :* USA. *« Star » :* USA. *« Racer » : Lebrun* [21]. **36 :** *6 m :* G.-B. *8 m :* It. *« Star » :* All. **48 :** *6 m :* USA. *« Dragon » :* USA. *« Star » :* USA. *« Swallow » :* G.-B. *« Firefey » :* Elvstrom [14]. **52 :** *5 m 50 :* USA. *6 m :* Norv. *« Dragon » :* Norv. *« Star » :* It. *« Racer » :* Elvstrom [14]. **56 :** *5 m 50 :* Suè. (« Rush V »). *« Finn » :* Elvstrom [14]. *« Sharpie » :* N.-Z. (« Jost »). *« Star » :* USA (« Kathleen »). *« Dragon » :* Suè. (« Slaghoken II »). **60 :** *« Finn » :* Elvstrom [14]. *« Flying Dutchman » :* Norv. *« Star » :* URSS. *« Dragons » :* Grèce. *5 m 50 :* J.L. : USA. **64 :** *« Finn » :* Kuhweide [3]. *« Flying Dutchman » :* N.-Z. *« Star » :* Bahamas. *« Dragon » :* Dan. *5 m 50 :* Australie. **68 :** *« Finn » :* Mankin [54]. *« Flying Dutchman » :* Pattisson-Smith [22]. *« Star » :* North [55]. *« Dragon » :* Friedrich [55]. *« 5,50 m » :* Sundelin [45]. **72 :** *« Finn » : Maury* [21]. *« Flying Dutchman » :* Pattisson [22]. *« Star » :* Forbes [5]. *« Tempest » :* Mankin [54]. *« Soling » :* Melges [55]. *« Dragon » :* Cuneo [5]. **76 :** *« Finn » :* Schumann [2], Balashov [54], Bertrand [5]. *« Flying Dutchman » :* J. Diesch-E. Diesch [3], Pattisson-Houghton [22], Conrad-Rickert [8]. *« Tornado » :* White-Osborn [22], McFaull-Rothwell [55], Spengler-Schmall [3]. *« Tempest » :* Albrechtsson-Hansson [45], Mankin-Akimenko [54], Conner-Findlay [55]. *« 470 » :* Huebner-Bode [3], Gorostegui-Millet [17], Brown-Ruff [5]. *« Soling » :* Jensen-Hansen-Bandolowski [14], Kolius-Hoepfner-Glascow [55], Below-Engelhardt-Zachries [2]. **80 :** *« Finn » :* Rechardt [20], Mayrhofer [6], Balachov [54]. *« Flying Dutchman » :* Abascal, Noguer [17], Wilkins, Wilkinson [27], S. Detre, Z. Detre [24]. *« Tornado » :* Welter, Bjorstroem [8], Due, Kjergrad [14], Marstrom, Ragnarsson [45]. *« Star » :* Mankin, Muzichenko [54], Raudaschl, Ferstl [6], Georla, Praboni [28]. *« 470 » :* Soares, Penido [8], Borowski, Swensson [2], Lindgren, Tallberg [20]. *« Soling » :* Jensen-Bandolowski-Hansen [14], A. et B. Budnikov-Polayakov [54], Boudouris-Gavrilis-Rapanakis [23]. **84 :** *« Windglider » :* Van den Berg [40], Steele [55], Kendall [37]. *« Finn » :* Coutts [37], Bertrand [55], Neilson [10]. *« 470 » :* Doreste-Molina [17], Benjamin-Steinfeld [55], Peponnet-Pillot [21]. *« Flying Dutchman » :* McKee-Buchan [55], McLaughlin-Bastet [10], Richards-Allam [22]. *« Star » :* Buchan-Erickson [55], Griese-Marcour [3], Gorla-Peraboni [28]. *« Soling » :* Haines-Trevelyan-Davis [55], Grael-Adler-Senfft [8], Foch-Kerr-Calder [10]. *« Tornado » :* Sellers-Timms [37], Smyth-Glaser [55], Cairns-Anderson [5]. **88 :** *« Finn » :* Doreste [17], Holmberg [79], Cutler [37]. *« 470 » : Peponnet-Pillot* [21], Tyniste-Tyniste [54], Shadden-McKee [55]. *« Flying Dutchman » :* Bojsen Moller-Gronborg [14], Pollen-Bjorkum [36], McLaughlin-Millen [10]. *« Star » :* Mc Intyre-Vaile [22], Reynolds-Haenel [55], Grael-Falcao [8]. *« Soling » :* Schümann-Flach-Jaekel [2], Kostecki-Baylis-Billingham [55], Bank-Mathiasen-Secher [14]. *« Tornado » :* Le Deroff-Henard [21], Timms-Sellers [37], Grael-Freitas [8]. *« Planche à voile » :* Kendall [37], Boersma [80], Gebhardt [55]. **92 : Messieurs :** *« Finn » :* Garcia [17], Ledbetter [55], Monk [37]. *« 470 » :* Calafat-Sanchez [17], Reeser-Burnham [55], T. et N. Toniste [89]. *« Flying Dutchman » :* Espagne, USA, Danemark. *« Soling » :* Danemark, USA, G.-B. *« Tornado » :* Loday-Hénard [21], Smith-Notary [55], Booth-Forbes [5]. *« Star » :* Reynolds-Haenel [55], Davis-Cowie [37], McDonald-Jespersen [10]. *« Planche à voile » :* David [21], Gebhardt [55], Kleppich [5]. **Dames :** *« 470 » :* Zabell-Guerra [17], Egnot-Shearer [37], Isler-Healy [55]. *« Europa » :* Andersen [36], Via Dufresne [17], Trotman [55]. *« Planche à voile » :* N.-Zélande (Kendall), Chine, P.-Bas.

☞ Épreuves supprimées. **Classes.** 5 tonneaux, 5-1 t., 1-2 t., 2-3 t., 3-10 t., 10-20 t., open. **Mètres.** 5,5, 6, 6 (classification de 1907), 6,5, 7, 8, 8 (cl. 1907), 10, 10 (cl. 1907), 10, 10 (cl. 1907), 10 (cl. 1919), 12, 12 (cl. 1907), 12 (cl. 1919). **Mètres carrés.** 12, 30, 40. **Hirondelle. Dragon. Tempête.**

Sports de démonstration 1988

■ Baseball. **Messieurs.** USA, Japon, Porto Rico.

■ Taekwondo. **Messieurs.** *50 kg :* Kwon [12], Moreno [55], Torroella [34]. *54 kg :* Ha [12], Garcia [17], Darraj [81]. *58 kg :* Ji [12], Sanabria [17], Danesh [27]. *64 kg :* Chang [12], Yagiz [52], Kamal [82]. *70 kg :* Park [12], Sanchez [17], Jurado [34]. *76 kg :* Chung [12], D'Oriano [28], Wu [62]. *83 kg :* Lee [12], Hussein [15], Woznicki [3]. *+ de 83 kg :* Kim [55], J.-S. Kim [12], Alvarez [17].

Dames. *43 kg :* Chin [62], Lee [12], Marathamuthu [83]. *47 kg:* Choo [12], Naranjo [17], Pai [62]. *51 kg :* Chen [61], Holloway [55], Lopez [17]. *55 kg :* Christensen [14], Tan [52], Dolls [17]. *60 kg :* Hee [55], Schwartz [14], Van Duren [40]. *65 kg :* Limas [55], Kim [12], Bistuer [17]. *70 kg :* Kim [12], De Jongh [40], Navaz [17]. *+ de 70 kg :* Love [55], Jang [12], Franssen [10].

■ Judo. **Dames.** *48 kg :* Li [61], Esaki [30], Reardon [5]. *52 kg :* Rendle [22], *Brun* [21], Giungi [28]. *56 kg :* Williams [5], Liu [61], *Arnaud* [21]. *61 kg :* Bell [22], Roethke [55], Mochida [30]. *66 kg :* Saaki [30], *Deydier* [21], Hartl [6]. *72 kg :* Berghmans [7], Bae [12], Classen [3]. *+ de 72 kg :* Seriese [40], Gao [61], Sigmund [3].

Sports de démonstration 1992

■ Rink-hockey. **Messieurs.** Argentine, Espagne, Italie.

■ Pelote basque. **Messieurs.** *Main nue. Ind.* Espagne, *France,* Cuba ; *Double* Esp., *France,* Mexique. *Paleta* Esp., Mexique, Argentine. *Paleta corta* Esp., Mexique, Cuba. *Frontenis* Mexique, Esp., Argentine. *Cesta punta* Esp., *France,* Mexique. *Main nue double trinquet* Mexique, Esp., *France. Pelote cuir* Argentine, Esp., *France. Pelote gomme* Argentine, *France,* Esp. **Dames.** *Frontenis* Mexique, Esp., Cuba.

■ Taekwondo. **Messieurs.** *Mi-mouches :* Salim [14], Moreno [55], Sesmilo [17] et Aji [26]. *Mouches :* Colina [56], Talumewo [92], Seo [12] et Wang [62]. *Coqs :* Santamaria [34], Najem [10], Alise [28] et Fernandez [75]. *Plumes :* Kim [12], Boyali [52], Jung [10] et Massaccesi [28]. *Légers :* Martos [17], Askari [26], Khali [21] et Chou [62]. *Super-légers :* Ha [12], Lee [10], Somesarayi [26] et Al Qaimi [94]. *Moyens :* Perez [55], Godoy [17], Ibrahim [15] et Sbeihi [82]. *Lourds :* Kim [12], Oghenejobo [68], Hosking [5] et Hassan [15].

Dames. *Mi-mouches :* Lo [62], Kurnia [92], Broadbent [22] et Amarillas [34]. *Mouches :* Cazorla [17], Muggiri [28], Tan [52] et Poindexter [55]. *Coqs :* Hwang [12], Murray [55], *Noble* [21] et Hii [83]. *Plumes :* Tung [62], Ergin [52], Weaver [34] et Lucero [75]. *Légères :* Chen [62], Susilawati [92], Jeung [12] et El Ouacef [65]. *Super-légères :* Morales [17], *Geffroy* [21], Vettese-Baert [10] et Laney [55]. *Moyennes :* Lee [12], King [10], Parmley [5] et Drosidou [23]. *Lourdes :* Ruiz [17], Graham [37], Love [55] et Carmona [56].

Épreuves d'athlétisme pour handicapés

■ Messieurs. **1 500 m fauteuil roulant. 88** *Badid* [21] 3'33"51, Van Winkel [7] 3'33"61, Blanchette [55] 3'34"37. **92** *Issorat* [21] *3'13"92,* Nietlispach [46] 3'14"07, Noe [55] 3'14"76.

■ Dames. **800 m en fauteuil roulant. 88** Hedrick [55] 2'11"49, Hansen [14] 2'18"29, Cable-Brooks [55] 2'18"68. **92** Hansen [14] 1'55"62, Driscoll [55] 1'56"56, Wetterström [45] 1'56"57.

Jeux méditerranéens. Idée lancée en 1948 par Mohamed Taher Pacha (1879-1970, vice-Pt du CIO et Pt du CO égyptien), pour réunir les athlètes du bassin méditerranéen. **1951** 1ers à Alexandrie, 10 nations, 734 concurrents. **1961** Comité internat. des JM créé. **1967** Ve Jeux à Tunis, ouverts aux femmes. **1983** Casablanca. **1987** Lattaquié. **1991** Athènes. Jusqu'en 91, tous les 4 ans, depuis tous les 2 ans. **1993** XIIe Jeux à Agde-Languedoc-Roussillon, 19 sites, 28 pays, 3 500 athlètes ; sur 703 médailles, *France 195,* It. 126, Espagne 89, Grèce 66, Turquie 65.

Jeux

Jeux de cartes

■ Origine. Très ancienne. Connus en Chine vers le Xe s. Semblent liés au développement du papier et de la gravure sur bois. Arrivent en Europe (via le Proche-Orient) v. 1370 et s'y répandent très vite. 3 types de « couleurs » émergent dès le XVe s. : françaises (cœurs, piques, trèfles, carreaux), latines (coupes, épées, bâtons, deniers), germaniques (cœurs, feuilles, glands, grelots). V. 1430, en Italie, naissent les *tarots :* cartes ordinaires auxquelles est jointe une série dite « triomphes » ou « atouts ».

Les plus anciens jeux conservés (XVe s.) sont souvent des fantaisies d'artistes, richement enluminées. Toutes les techniques de la gravure ont été utilisées en Europe, alors qu'en Inde on peint encore les cartes (généralement rondes) à la main. Outre les cartes chinoises, il existe des cartes japonaises, empruntées aux Portugais au XVIe s.

■ Désignation. **Cœur** *roi* Charles (Charlemagne, emp. d'Occident), *dame* Judith (héroïne de la Bible), *valet* Lahire (officier du roi Charles VII). **Pique** *roi* David (roi d'Israël), *dame* Pallas (Athéna, déesse protectrice des arts), *valet* Ogier (héros de chansons de geste). **Carreau** *roi* César (emp. romain), *dame* Rachel (héroïne de la Bible), *valet* Hector (héros de la g. de Troie). **Trèfle** *roi* Alexandre (Grèce-Perse), *dame* Argine (fille du roi d'Argos), *valet* Lancelot (héros des romans de la Table ronde).

■ Musées. *Musée français de la carte à jouer* (Issy-les-Moulineaux) ; *Museo del Naipe Fournier* (Vitoria, Espagne) ; *Deutsches Spielkarten-Museum* (Leinfelden-Echterdingen, All.) ; *Nationaal Museum van de Speelkaart* (Turnhout, Belgique) ; *Spielkartenmuseum* (Altenburg, All.) ; *The Playing Card Museum* (Cincinnati, Ohio, USA).

■ Production (en millions, 1991). France-Cartes au total 33, SA Héron 8,8, importation 7,5.

Le plus ancien fabr. français : Baptiste-Paul Grimaud, établi en 1848, introducteur des cartes à coins ronds à partir de 1858. Quasi-monopole de 1910 à 1945.

■ **En France.** **Ventes** (1988). Env. 33 millions de jeux (dont fabriqués en Fr. 26, à l'étranger 7).

■ **Prix de jeux anciens.** *Flamand du XVe s.* 1 000 000 de F. *Jeux anciens (d'avant 1914)* 400 à 30 000 F.

■ Bridge

Généralités

■ **Origine. XVe s.** Né avec le tarot, le principe de l'atout est adapté aux cartes ordinaires et nommé *triomphe.* Se répand en Espagne *(triunfo),* en Allemagne *(Trumpf)* et en Angleterre [*French trump :* « triomphe française »] (XVIe s.). Chaque joueur reçoit alors 5 cartes et l'atout est désigné par la retourne. **Début XVIIe s.,** *English trump,* dit aussi *whisk :* 12 cartes données à chacun. **1674,** codifié devient *whist (de whist:* chut). **1742** Edmund Hoyle publie un traité de whist. **V. 1750,** introd. sur le continent, avec les termes *partner* (« partenaire ») et *slam* (« chelem »). **1780,** whist « bostonien » ou *boston :* enchères par levées. **V. 1810,** apparition de la hiérarchie des couleurs (boston de Fontainebleau). **V. 1818,** du sans-atout (le « quatre-couleurs » du boston de Lorient). **XIXe s.,** variantes : bridge à trois avec un mort (décrit par Deschapelles en 1842), contre et surcontre, formes élémentaires d'enchères. **V. 1885,** apparition du *bridge,* en Angleterre sous la forme « Biritch » (qui n'existe pas en russe). Adopté aux USA et en France. **V. 1890,** *bridge aux enchères* (*auction bridge,* **v. 1900**), l'atout est désigné par le donneur qui peut passer pour déléguer ce choix à son partenaire (d'où l'explication par l'anglais *to bridge* « jeter un pont ») ; *bridge-plafond,* seul le joueur qui demande la manche marque la prime correspondante. **V. 1925,** Harold Vanderbilt et Ely Culbertson mettent au point le *bridge-contrat (contract bridge) :* le camp qui remporte l'enchère ne marque que ce qu'il a annoncé. Introduction de la notion de vulnérabilité. **1932** Féd. mondiale de b. créée. **1933** Féd. française de Bridge créée. **1935** 1ers championnats du monde. Après l'essor des enchères « naturelles », succès dans les années 50, des systèmes conventionnels (trèfles romain, napolitain, monaco, etc.), puis triomphe de la « majeure cinquième » (ouverture avec 5 cartes à pique ou à cœur). **1949** Charles Goren (USA, 1901-91) invente une nouvelle méthode de comptage (*Point-count bridge).*

	Marque du bridge-contrat	Non contré	Contré	Surcontré
Colonne des Tricks	*Chaque trick (levée) demandé et fait :*			
	à Trèfle ou à Carreau	20	40	80
	à Cœur ou à Pique	30	60	120
	à Sans Atout :			
	Le 1er	40	80	160
	Chacun des suivants	30	60	120
	100 points de tricks font une manche			

		Non Vulnérable	Vulnérable
Colonne des Honneurs	*Levées supplémentaires :*		
	Non contrées	Valeur du trick	
	Contrées	100	200
	Surcontrées	200	400
	Contrats contrés ou surcontrés et réussis :		
	Bonification	50	
	Levées manquantes :		
	Non contrées	50	100
	Contrées :		
	La 1re	100	200
	Les suivantes	200	300
	A partir de la 4e levée	300	
	Surcontrées :		
	La première	200	400
	Les suivantes	400	600
	A partir de la 4e levée	600	
	Dans une couleur d'atout :		
	4 honneurs dans une seule main		100
	5 honneurs – une –		150
	A Sans Atout : 4 As dans une seule main		150
	Petit Chelem : non vulnérable		500
	vulnérable		750
	Grand Chelem : non vulnérable		1 000
	vulnérable		1 500

■ **Points de partie.** En 2 manches : 700 ; en 3 manches : 500. *Partie interrompue :* le gagnant d'une manche marque 300.

■ **Jeux possibles.** 635 013 559 600 « mains ». Factorielle 52 (nombre total de cartes)/Factorielle 13 (nombre de c. d'un joueur) × Factorielle 39 (nombre de c. détenues par les autres j.). **Coups différents.** + de 50 milliards de milliards de milliards.

Cartes manquantes d'une couleur

Répartition probable chez les adversaires

Vous avez dans votre camp	Il y a chez l'adversaire	Répartition entre les deux adversaires	
11 cartes ..	2 cartes	1-1	52 fois sur cent
		2-0	48 –
10 – ..	3 –	2-1	78 –
		3-0	22 –
9 – ..	4 –	3-1	50 –
		2-2	40 –
		4-0	10 –
8 – ..	5 –	3-2	68 –
		4-1	28 –
		5-0	4 –
7 – ..	6 –	4-2	48 –
		3-3	36 –
		5-1 ou 6-0	16 –
6 – ..	7 –	4-3	62 –
		5-2	31 –
		6-1 ou 7-0	7 –
5 – ..	8 –	5-3	47 –
		4-4	33 –
		6-2, 7-1 ou 8-0	20 –

■ **As et honneurs.** 4 as dans la même main toutes les 379 donnes en moyenne ; 5 honneurs d'atout toutes les 2 019 donnes et 4 toutes les 93 ; 4 honneurs chez l'un et le 5^e chez l'autre, toutes les 279.

Un joueur a en relevant son jeu : 30,38 % de chances de trouver 0 as ; 43,84 : 1 as ; 21,35 : 2 as ; 4,12 : 3 as ; 0,26 : 4 as. **Les as ont des chances :** *1111* (soit 1 dans chaque main) : 10,55 ; *2110 :* 58,43 ; *2200 :* 13,48 ; *3100 :* 16,48 ; *4000 :* 1,06.

■ **Couleurs. Chances d'avoir des couleurs longues** (en %) : 35,08 (4 c.). 44,33 (5 c.). 16,54 (6 c.). 3,54 (7 c.). 0,47 (8 c.). 0,04 (9 et +). **Des couleurs courtes :** Chicane 5,10. Une 30,55. Deux 53,81. Trois 10,54.

■ **Scores les plus hauts possibles. Chute de l'adversaire** ayant demandé 7 levées à la couleur ou 7 sans atout qui est contré et surcontré et vulnérable. S'il ne fait aucune levée ; 1re levée de chute 400, 12 levées de chute suivantes (à 600 points) 7 200, tous les honneurs 150, *total 7 750.* **Annonce réussie :** un sans atout, contré, surcontré, vulnérable et l'on réussit toutes les levées : 1re levée (40 × 4) 160, 6 levées suppl. (400 × 6) 2 400, 2e robre gagnant 700, tous les honneurs 150, réalisation du surcontré 50 (plus haut score possible) 3 460.

Principales épreuves

Championnats du monde. Messieurs *(Coupe des Bermudes). Créée* 1950, annuelle, puis actuellement tous les 2 ans. **50-51** USA, **53-54** USA, **55** G.-B., **56** Fr., **57-59** Italie, **61-63** Italie, **65-67** Italie, **69** Italie, **70-71** USA, **73-75** Italie, **76-77** USA, **79** USA, **81** USA, **83** USA, **85** USA, **87** USA, **89** Brésil, **91** Islande. **Dames** *(Coupe de Venise).* **74** USA, **76** USA, **78** USA, **81** G.-B., **85** G.-B., **87** USA, **89** USA, **91** USA.

Olympiades mondiales par éq. de 4. *Créées* 1960. Tous les 4 ans. **Messieurs. 60** France, **64, 68, 72** Italie, **76** Brésil, **80** Fr., **84** Pologne, **88** USA. **92** France. **Dames. 60** Égypte, **64** G.-B., **68** Suède, **72** It., **76, 80, 84** USA, **88** Danemark, **92** Autriche.

Ch. du monde open par paires. *Créés* 1962. Tous les 4 ans. **Messieurs. 62** Fr., **66** P.-Bas, **70** Autriche, **74** USA, **78** Brésil, **82, 86** USA, **90** Brésil. **Dames. 62, 66** G.-B., **70** USA, **74** G.-B., **78, 82, 86, 90** USA.

Ch. du monde open par équipes *(Coupe Rosenblum).* Tous les 4 ans. **78** Pologne, **82** Fr., **86** USA, **90** All.

Ch. d'Europe open. *Créés* 1932. **87, 89** Suède, **91** G.-B., **93** Pologne. **Ch. d'Europe dames.** *Créés* 1932. **87** France, **89** P.-Bas, **91** Autriche, **93** Suède. **Ch. d'Europe mixte par paires.** *Créés* 1990. **90, 92** France ; **par équipes : 90** France. **Ch. d'Europe individuel.** *Créés* 1992. *Messieurs.* **92** P. Gawrys (Pol.). *Dames.* **92** M. Erhart (Autr.).

Joueurs

Classement publié tous les ans par la Féd. fr. de bridge. Basé sur le nombre de points d'expert et de performances gagnés dans les championnats. *4 séries :* non classés, 4e, 3e, 2e et 1re séries subdivisées : Trèfle, Carreau, Cœur, Pique, Promotion. **Meilleurs joueurs mondiaux.** Belladona Giorgio, Branco Marcello, Chagas Gabriel, Culbertson Ely (Amér. 1891-1955), Eisenberg Billy, Forquet Pietro, Garozzo Benito, Hamilton, Hamman Robert, Mahmood Zia, Meckstroth Jef, Reese Terence, Rodwell Eric, Ross, Rubin, Sharif Omar, Soloway Paul (Amér., n. 1909), Stayman Sam, Wolf Bob. **Meilleurs joueurs français. Hommes :** Abecassis Michel, Adad Pierre, Albarran Pierre (1893-1960), Aujaleu Maurice, Bacherich René, Boulenger Jean-Michel (1934-86), Bourchtof Gérard, Chemla Paul, Corn Michel, Covo Félix, Cronier Philippe, Delmouly Claude, Desrousseaux Gérard (1927-89), Faigenbaum Albert, Ghestem Pierre, Jaïs Pierre (1913-88), Lebel Michel, Leehhardt François, Levy Alain, Mari Christian, Meyer Jean-Paul, Mouiel Hervé, de Nexon Robert (1891-1967), Paladino Fivo, Pariente Jacques, Perron Michel, Pilon Dominique, Poubeau Dominique, Quantin J.-Christophe, Reiplinger Robert, Romanet Bertrand, Roudinesco Jean-Marc, Soulet Philippe, Stetten Jacques, Stoppa Jean-Louis, Szwarc Henri, Theron Georges (1922-70), Tintner Léon, Trezel Roger (1918-86), Vial Edmond. **Femmes :** Allouche-Gaviard Danièle, Bessis Véronique, Blouquit Claude, Bordenave Hélène, Chevalley Ginette, Cohen Nadine, Cronier Bénédicte, Delor Élisabeth, Guillaumin Catherine, Hugon Élisabeth, Kitabgi Anne-Marie, Lise Colette, Pigeaud Fabienne, Saul Catherine, Serf Marianne, Sussel Andrée, Valensi Odile, Willard Sylvie, Zuccarelli Hélène.

Nombre de joueurs. *France* 3 000 000 (250 000 pour épreuves homologuées par la Féd. fr. de bridge), 75 000 adhérents à la féd. *USA* et *Canada* 200 000 affiliés à la féd. **Clubs.** *France* env. 1 100 affiliés à la féd. mais il en existe d'autres non affiliés.

■ Autres jeux

■ **Aluette.** *Origine :* Espagne. Introduit en France au XVe s. Se joue avec 48 cartes spéciales, les couleurs étant remplacées par des catégories (denier, coupe, bâton, épée). Des mimiques codifiées permettent de faire connaître son jeu à son partenaire.

■ **Barbu** (ou Bambu). *Origine :* début du XXe s. Jeu de levées à l'envers. Il faut respecter 7 contrats ayant des règles et des objectifs propres.

■ **Bataille.** *Origine :* v. 1820. Jeu élémentaire reposant sur le mécanisme de la levée. Se joue à 2 avec un jeu de 32 ou 52 cartes. Les 4 couleurs sont équivalentes. Ordre : As, Roi, Dame, Valet, 10, 9... On prend une carte avec une carte plus forte.

■ **Belote** (ou belotte). *Origine :* Europe centrale et Hollande *(Klaverjas).* Introduit en France au début du XXe s. Se joue à 2 ou à 4 (par équipes de 2) avec un jeu de 32 cartes. Jeu de levées et de combinaisons. *But :* faire le max. de points. *Ordre :* As, 10, Roi, Dame, Valet, 9, 8, 7. Sauf dans la couleur d'atout : Valet, 9, As, 10, Roi, Dame, 8, 7. *Variantes :* belote bridgée : fait intervenir l'annonce de Sans-Atout, Contre et Surcontre ; belote contrée : les joueurs proposent au cours des annonces de faire un certain nombre de points minimal à une couleur donnée. *Pratique* (France) : 35 000 000 dont en compétition env. 4 000 000. *Féd. française de belote* créée 1984 a organisé les 1res coupes de France le 27-4-1986.

■ **Bésigue.** *Origine :* Limousin, dérivant du *mariage* ou de la *Brisque.* Apparaît v. 1840 ; se joue à 2 avec 2 jeux de 32 cartes. Jeu de levées et de combinaisons. Le nom est la réunion de la dame de pique et du valet de carreau.

■ **Canasta.** Panier en espagnol. Inventé en Uruguay v. 1940. Se joue à 4 avec 2 jeux de 52 cartes et 4 jokers. Il faut se débarrasser de ses cartes (reçues ou tirées d'un talon après défausse) en formant des séries de cartes d'une même valeur allant du brelan (3) à la canasta (7).

■ **Crapette.** Entre le jeu de carte et la réussite. Se joue à 2 avec 2 jeux de 52 cartes, le but étant de se débarrasser le 1er de toutes ses cartes.

■ **Écarté.** Apparu en France début XIXe s. Dérive de la *Triomphe* (connu au XVe s.). 2 joueurs. Jeu de levées dans lequel on peut écarter certaines cartes.

■ **Gin-rummy.** Variante du *rami.* 2 joueurs. Se joue avec 2 jeux de 52 cartes et sans joker. Il faut se débarrasser de ses cartes en formant des brelans (3 cartes) ou des suites.

Flush royal	4	649 739 à 1
Autre flush	36	72 192 à 1
Carré	624	4 164 à 1
Full	3 744	69 à 13
Couleur	5 108	508 à 1
Quinte	10 200	254 à 1
Brelan	54 912	46 à 1
Deux paires	123 552	20 à 1
Une paire	1 098 240	4 à 3
Rien	1 302 540	1 à 1
Total	*2 598 960*	

■ **Manille.** *Origine :* Espagne. Surtout répandu dans le midi de la France (très populaire au XIXe s.). Plusieurs variantes. *Manille parlée :* avec 32 cartes [ordre décroissant : 10 (dit manille) vaut 5, as (dit manillon) vaut 4, Roi 3, Dame 2, Valet 1]. Se joue à 3, 4, 5 ou 6. Jeu de levées dans lequel il faut réaliser le max. de points.

■ **Nain jaune.** *Origine* incertaine. Connu au XVIIIe s. sous le nom de *Lindor.* 3 à 8 joueurs. Se joue avec 52 cartes, des jetons et un plateau sur lequel sont représentées les *belles cartes* (au centre, le 7 de carreau tenu par un nain jaune qui est la carte maîtresse, aux angles le 10 de carreau, le valet de trèfle, la dame de pique et le roi de cœur). Un joueur fait *grand opéra* quand il peut se défaire de toutes ses cartes. Il prend alors toutes les mises du carton et reçoit des joueurs autant de jetons qu'ils ont de cartes en main.

■ **Piquet.** Sans doute très ancien, aurait été pratiqué par Charles VII. 2 joueurs. Se joue avec 32 cartes. Jeu de combinaisons et de levées.

■ **Poker.** Né en Louisiane au début du XIXe s. Le mot vient de l'anglais pour « tisonnier » (le joueur attise son partenaire). Se joue en principe à 4 joueurs (ou à 5) et avec un jeu de 52 cartes. La durée de la partie se fixe avant de commencer. *Ordre des cartes* (dans chacune des 4 couleurs) : As, Roi, Dame, Valet, 10, 9... *But :* exposer la combinaison de cartes la plus forte. Définitions. *Flush royal :* 5 cartes d'une même couleur qui se suivent. *Carré :* 4 c. de même valeur. *Couleur :* 5 c. d'une seule couleur qui ne se suivent pas. *Full :* 1 brelan (3 c. de même valeur) et 1 paire (2 c. de même valeur). *Séquence (ou quinte) :* 5 c. qui se suivent mais de couleur quelconque. Probabilités : nombre de mains possibles et chances d'avoir de telles mains.

■ **Rami.** *Origine :* Amérique latine v. 1920. 2 à 6 joueurs. Se joue avec 52 cartes et 1 joker. Jeu de combinaisons dont le but est de se débarrasser de toutes ses cartes *(faire rami).*

■ **Réussite ou patience.** 1 seul joueur qui doit placer ou employer ses cartes selon un ordre ou des combinaisons déterminées.

■ **Reversi.** Introduit en France au XVIe s. Se joue à 4 avec 48 cartes (on ôte les 10). Il faut faire le moins de levées et le moins de points possible ou faire toutes les levées *(faire reversi).*

■ **Tarots.** Nom utilisé pour la 1re fois en 1519. *Origine :* début du XVe s. dans les cours princières d'Italie du N. (appelé *trionfi*). Les plus anciens datent d'env. 1430. *V. 1500* introduit en France et *v. 1750* en All. où l'on change les images contre des couleurs françaises et des scènes conservées aujourd'hui. *Fin XVIIIe s.* sert à la divination.

3, 4 ou 5 joueurs. Jeu spécial de 78 cartes. *4 couleurs :* pique, trèfle, cœur et carreau (ou coupe, épée, bâton, denier) de 14 cartes chacune (roi, dame, cavalier, valet et 10 cartes de points). Le roi est la plus forte, l'as la plus faible. S'y ajoutent *21 atouts* (numérotés de 1 à 21) autrefois ornés de figures allégoriques et aujourd'hui de scènes profanes. La 78e carte, l'*excuse,* peut être jouée à tout moment en remplacement de n'importe quelle carte. Les *3 bouts* sont l'excuse, l'atout 21 et l'atout 1.

But du jeu : faire des levées contenant le maximum de points. Un joueur s'engage à réaliser un contrat précis, ses adversaires se liguent contre lui.

■ **Jeux de cartes divers.** **Ambigu,** pratiqué au XVIIIe s. **Bassette,** venu d'Italie (XVe s.), joué sous Louis XIV, interdit 1680. **Boston,** sorte de whist aux enchères né au moment de l'Indépendance américaine. **Brelan,** à la mode aux XVIIe et XVIIIe s., il faut y obtenir 3 cartes de même valeur. **Brusquembille** (ou brisque), v. 1700, ancêtre du bézigue. **Comète,** prédécesseur du *nain jaune,* vers 1700. **Hombre,** 1er jeu à enchères, Espagne v. 1600, répandu à partir de 1660. **Huit américain,** jeu d'élimination récent. **Lansquenet,** type de cartes v. 1550, puis nom d'un jeu surtout joué au XVIIe s. **Pharaon,** issu de la bassette, jeu de hasard le plus joué au XVIIIe s. **Prime,** préfiguration du poker, très goûtée au XVIe s. **Trente et quarante,** plus ancien jeu de casino encore joué, connu XVIIe s. **Triomphe,** 1er jeu de levées avec atout, donnera naissance à l'écarté. **Whist,** voir bridge.

■ **Jeux étrangers.** **Cribbage,** anglais très joué dans les pubs. Se joue à 2 avec 52 cartes. **Euchre,** né aux USA, créateur du joker. **Jass,** belote suisse avec 36 cartes. **Klaverjas,** hollandais, origine de la belote. **Mus,** poker basque. **Pinochle,** bézigue américain. **Romé,** allemand, 55 cartes (y compris 3 jokers). **Scopa,** italien, très populaire. **Sechsundsechzig** (66), bézigue allemand. **Skat,** allemand, 3 joueurs et 32 cartes. **Tressette,** jeu de levées sans atout, italien. **Tute,** le plus joué en Espagne.

Scrabble

Généralités

Origine. Breveté 1948 par l'Américain James Brunot. Inspiré du *« it »* inventé 1931 par Alfred Moscher Butts (architecte américain, 1900-93). Apparut en Angleterre et en France en 1951. Jeu de mots.

Règles françaises. *Sont admis :* tous les mots figurant dans l'Officiel du Scrabble (éd. Larousse), les verbes pouvant se conjuguer. *Sont refusés :* préfixes et symboles chimiques, abréviations, mots qui n'y sont pas présentés isolément. *Pluriels :* les mots variables peuvent se mettre au pluriel sauf les lettres des alphabets étrangers (grec en particulier), les notes de musique, les 4 points cardinaux. Sont indiqués dans l'« Officiel du Scrabble », les *mots invariables,* les *pluriels multiples* (émails ou émaux, santals ou santaux...), les pluriels particuliers des mots d'origines étrangères (hobbys ou hobbies, etc.), les tableaux de *conjugaisons* de tous les verbes. Pour les verbes très défectifs, les formes admises sont indiquées.

K, W, X et Y, qui valent 10 en France, ne valent que 5, 4, 8 et 4 en Angl. (grande fréquence).

Fédération française de Scrabble. 96, bd Pereire, 75017 Paris. Fondée 1973. En 1992, 8 600 licenciés dans 700 clubs. **Pratiquants.** Selon l'Ifres, le Scrabble est la distraction préférée de 42 % de Français devant les mots croisés (41 %), la belote (38 %), les échecs (12,5 %), le bridge (7,5 %).

Épreuves

Championnats du monde francophone. *Créés* 1972. *Individuel :* **72** H. Wouters [1]. **73** A. Lempereur [1]. **74** M. Selis [1]. **75** M. Charlemagne [2]. **76** M. Selis [1]. **77** J.-M. Bellot [2]. **78** Yvon Duval [1]. **79** B. Hannuna [2]. **80** V. Labbé [2]. **81** J.-H. Muracciole [2]. **82, 83** M. Duguet [2]. **84** B. Hannuna [2]. **85** M. Duguet [2]. **86** P. Bellosta [2]. **87, 88** M. Duguet [2]. **89** P. Levart [2]. **90** M. Treiber [2]. **91, 92** C. Pierre [1].

Nota. – (1) Belgique. (2) France.

Ch. de France. *Individuel :* **1976** P. Spaeter. **77** J.-C. Bouet. **78** J.-M. Bellot. **79, 80** B. Hannuna. **81, 82, 83, 84, 85, 87** M. Duguet. **88** B. Caro. **86, 89, 90** P. Vigroux. **91** F. Maniquant. **92** P. Vigroux.

Échecs

Généralités

Origine. *Nom :* du persan *Shah* (roi). « Échec et mat » signifiant « le roi est mort ». *Né aux Indes* aux VIe-VIIe s. ; introduit en Europe par les Arabes, il y a subi ses dernières modifications : augmentation de puissance de la dame, introduction du roque et de la prise en passant. Les Chinois jouent au *Xiang-qi* (importé par les Arabes) et les Japonais au *Shogi* (apparu XVIe s.). **Valeurs :** on estime que la Dame vaut 9 pions, la Tour 5, le Fou ou le Cavalier 3. **Jeu possible :** les 10 premiers coups d'une partie peuvent être joués d'env. 170 000 milliards de milliards de milliards de manières.

Organisation. **Fédération internationale des échecs** (FIDE). *Pt :* F. Campomanès. *Fondée* 1924 à Paris (*siège* Lucerne). Groupe 125 fédérations dont : ex-URSS 4 000 000 de joueurs, All. 110 000, Yougoslavie 100 000, USA 55 000, Hongrie 41 000, Tchéc. 34 200, Suède 33 080, P.-Bas 33 000, *France 30 000* (sept. 1993), Pologne 28 000, Philippines 27 000, Argentine 18 440, Espagne 15 000, G.-B. 12 000, etc. **Féd. française** (FFE). *Pt :* Jean-Claude Loubatière, *fondée* 1921, 480, rue Centrayrargues, 34000 Montpellier.

Épreuves

Nota. – (1) All., (2) USA, (3) Autriche, (4) Cuba, (5) France, (6) P.-Bas, (7) ex-URSS, (8) G.-B., (9) Chine.

En compétition, le temps de réflexion de chaque concurrent est limité par une pendule différentielle. Cadence internationale 40 coups en 2 h, puis 20 coups à l'heure. L'ordinateur « DEEP THOUGHT » peut battre 99,9 % de tous les joueurs du monde. Il peut analyser 5 000 000 de coups par seconde.

■ **Championnats du monde.** La Féd. intern. décerne les titres internationaux. 300 grands maîtres dont ex-URSS 65, Yougoslavie 41, USA 33, All. féd. 18, Hongrie 16, Bulgarie 13, Angleterre 10, Argentine 10, *France 4* ; plus de 1 000 maîtres internat. dont Youg. 94, URSS 76, *France 28.*

Le titre de champion du monde est disputé tous les 2 ans entre le tenant du titre et son challenger qui se qualifie à la suite de tournois et matches éliminatoires.

Messieurs. **1886-94** Wilhelm Steinitz [3] (1836-1900), **1894-1921** Emmanuel Lasker [1] (1868-1941), **1921-27** José Capablanca [4] (1888-1942), **1927-35** Alexandre Alekhine [5] (naturalisé fr. 1927, 1892-1946), **1935-37** Max Euwe [6] (1901-81), **1937-46** A. Alekhine [5], **1948-57** Mikhail Botvinnik [7] (n. 1911), **1957-58** Vasiliy Smyslov [7] (n. 1921), **1958-60** M. Botvinnik [7], **1960-61** Mikhail Tal (1936-92) [7], **1961-63** M. Botvinnik [7], **1963-69** Tigran Petrosian [7] (1929-84), **1969-72** Boris Spassky [7] (n. 30-1-37), **1972-75** Robert Fischer [2] (n. 9-3-43, n'ayant pas défendu son titre, la Fide l'attribue en juin 75 à A. Karpov), **1975-85** Anatoly Karpov [7] (n. 23-5-51), **1985, 86, 87 et 90** Gary Kasparov [7] (n. 13-4-63) garde son titre. **1993 officiel :** sept.-oct. aux P.-Bas. et à Oman, Karpov [7] contre Timman [6], **non officiel :** sept.-oct. à Londres, organisé par le *Times*, Kasparov [7] contre Short [8].

Dames. **1927-44** Vera Menchik [8] (1906-44), **1950-53** Lyudmila Rudenko [7] (1904-86), **1953-56** Yelizaveta Bykova [7] (1913-89), **1956-58** Olga Rubtsova [7] (n. 1909), **1958-62** Y. Bykova [7], **1962-78** Nona Gaprindashvili [7] (n. 1941), **1978-91** Maya Chiburdanidzé [7] (n. 1961), **dep. 1991** Xie Jun [9] (n. 1970), **1994** prochain ch.

Championnat du monde (équipes de 6 joueurs). Disputé pour la 1re fois à Lucerne en déc. **1985 :** 1er URSS, 2e Hongrie, 3e Angl., 4e France. **89 :** 1er URSS, 2e Youg., 3e Angl.

■ **Olympiades (par équipes).** Actuellement tous les 2 ans. **Messieurs.** *Créées* 1927. **27, 28** Hongrie, **30** Pologne, **31, 33, 35, 37** USA, **39** All., **50** Youg., **52, 54, 56, 60, 62, 64, 66, 68, 70, 72, 74** URSS, **76** USA, **78** Hongrie, **80, 82, 84, 86, 88, 90** URSS, **92** Russie. **Dames.** *Créées* 1957. **57, 63, 66, 69, 72, 74** URSS, **76** Israël (sans l'URSS et les pays de l'Est car avaient lieu à Haïfa), **78, 80, 82, 84, 86** URSS, **88, 90** Hongrie, **92** Géorgie.

■ **Coupe du monde.** Série de 6 tournois entre avril 1988 et sept. 89 disputés par 25 grands maîtres. **88-89** Kasparov [7]. **91-93** non disp. (manque de sponsors).

■ **Championnats de France.** Officiels depuis 1914. **1970** Maclès. **71** Letzelter. **72** Haïk. **73** Benoît. **74** Letzelter. **75** Todorcevic. **76** Chevaldonnet. **77** L. Roos (fait unique au monde : participation de 3 autres membres de la famille Roos). **78** Giffard. **79** Kouatly. **80, 81** Seret. **82** Giffard. **83** Haïk. **84, 85** Seret. **86** Mirallès. **87** Bernard. **88** Andruet. **89** Mirallès. **90, 91** Santo-Roman. **92** Apicella.

■ **Coupe de France.** **1976** Jouy-en-Josas. **77** Issy-les-Moulineaux. **78** Toulouse. **79** Evry. **80, 81, 82, 83** Strasbourg. **84** Cannes. **85, 86** Strasbourg. **87** Clichy. **88** Dortan. **89** Montpellier. **90** Strasbourg. **91** Lyon. **92** Clichy. **93** Lyon.

Joueurs

Quelques joueurs célèbres. Henri IV, Gustave-Adolphe et Charles XII de Suède, la marquise de Sévigné, Voltaire, J.-J. Rousseau, Robespierre, Napoléon, Alfred de Musset, Leibniz, Euler, Raymond Poincaré, Einstein, Humphrey Bogart, Stanley Kubrick.

Grands maîtres. Système de classement bisannuel publié par la Féd. int. d'échecs qui attribue des points (dits points Elo du nom de l'inventeur) aux joueurs en fonction de leurs résultats. **Joueurs** (au 1-6-1993) Anatoly Karpov (Russe, 23-5-51) 2 760, Anand (Inde) 2 725, Kramnik (Russe) 2 710, Ivantchouk (Russe) 2 705, Chirov (Lettonie) 2 685, Salov (Russe) 2 685, Guelfand (Biélorusse) 2 670, Bareiev (Russe) 2 660, Gueorguiev (Bulgare) 2 660, Epichine (Russe) 2 655. **Joueuses** (au 1-1-1993) Judith Polgar (Hongroise, grand-maître à 15 ans) 2 595, Zsuzsa Polgar (Hongroise) 2 560, Pia Cramling (Suède) 2 525, Chiburdanidzé (Russe) 2 510, Xie Jun (Chine) 2 470.

Meilleurs Français. **Joueurs** (au 1-6-1993) Lautier (n. 12-4-1973) 2 620, Vaïsser 2 580, Boris Spassky (double nationalité franco-russe) 2 565, Dorfman 2 555, Murrey 2 530, Kouatly 2 520, Olivier Renet 2 505, Koch 2 500, Bauer 2 485, Manuel Apicella 2 475. **Joueuses** (au 1-1-1993) Flear 2 185, Gervais 2 185, Roos 2 180, Fruteau 2 160, Mora 2 160.

Meilleurs joueurs du monde avant 1850. Ruy Lopez (Esp., 1570-75), Leonardo (It., 1575-87), Greco (Esp., 1622-34), puis les Français de 1750 à 1850 : Philidor (1726-95), Deschapelles (1780-1847), La Bourdonnais (1797-1840) et Saint-Amant (1800-72). La suprématie mondiale fut ensuite disputée par Staunton (Angl., 1810-74), et Adolph Anderssen (All., 1818-79) ch. 1851-58 et 1862-66, Paul Morphy (USA, 1837-84) ch. 1858-62.

Jeux de société

Abalone. Jeu de stratégie créé 1987 par les Français Michel Lalet (n. 1953) et Laurent Lévi (n. 1955). 2 joueurs. Plateau hexagonal portant 14 boules en verre noires et 14 blanches. Victoire à celui qui a éjecté 6 boules adverses (pour cela, il faut faire un *sumito* c'est-à-dire avoir dans le même alignement plus de boules que lui).

Backgammon. Variante du jacquet et du trictrac. Jeu de dés dans lequel 2 joueurs (blanc et noir) essaient de sortir leurs 15 pions avant ceux de l'adversaire. Le plateau de jeu (*tablier* ou *trictrac, board* en anglais) comprend 24 cases en forme de triangle (*flèches*) groupées en 4 compartiments (*jans*). Chaque joueur a devant lui 2 *jans* (intérieur et extérieur). Les pions se déplacent de flèche en flèche dans le sens des aiguilles d'une montre pour les blancs et dans le sens inverse pour les noirs selon le lancer des 2 dés. Si à la fin de la partie, un joueur a sorti tous ses pions et l'autre aucun, la partie est double (*gammon*), s'il reste encore un pion adverse sur la barre ou dans le jan intérieur, elle est triple (*backgammon*).

Dames (jeu de). A la française : 1er traité d'Antonio Torquemada (1547) ; 1er traité français de Pierre Mallet (1668). Les dames seraient une transformation du jeu d'échecs. A l'origine tous les pions s'appelaient dames, et le pion transformé en dame, *dame damée* (recouverte d'une autre dame), puis simplement dame à la fin du XVIIe s. *Principe :* 64 cases, 12 pions sur 3 rangées ; le pion ne peut prendre qu'en avant ; la dame prend aussi en arrière. **A la polonaise :** *créé* 1723 par un officier du Régent qui jouait dans un café de l'hôtel de Soissons avec un Polonais. *Principe :* damier de 100 cases ; chaque joueur joue avec 20 pions noirs ou blancs disposés sur 4 rangées ; le pion peut prendre en tout sens ; la dame peut prendre en diagonale à toute distance. Victoire à celui qui a pris les pions de son adversaire. Règles appliquées par la Féd. internat.

Dés. *Moyen Age* très en vogue (en bois, corne, os, ivoire), il existe une corporation des *déciers. 1524* dés interdits (ordonnance de St Louis). *Probabilités en un seul coup avec 2 dés de faire : 2* 35 à 1. *3* 17 à 1. *4* 11 à 1. *5* 8 à 1. *6* 31 à 5. *7* 5 à 1. *8* 31 à 5. *9* 8 à 1. *10* 11 à 1. *11* 17 à 1. *12* 35 à 1.

Dominos. *Origine :* Europe au XVIIIe s. Comporte 28 pièces, chacune étant divisée en 2 et portant les différentes combinaisons de points de 0 à 6. On appelle *doubles* ceux dont les 2 parties portent le même nombre. 2 à 4 joueurs prennent 7 dominos, les pièces restantes constituant éventuellement le talon. Le 1er joueur pose un domino, puis chacun à tour de rôle doit essayer de poser un domino à l'une des extrémités du jeu. Le joueur qui réussit à poser tous ses dominos gagne la manche et marque la somme de tous les numéros marqués sur les dominos restant à ses adversaires.

Go. Jeu de stratégie originaire de Chine et introduit en Europe au XIXe s. Se pratique sur un plateau carré (*go-bang*) comportant 19 lignes verticales et 19 horizontales formant 361 intersections. Chacun des joueurs dispose d'un nombre illimité de pions (ou *pierres*) noirs ou blancs. Chacun à son tour pose des pions de manière à délimiter des territoires (zones vides entourées de pierres d'une même couleur).

Jacquet. *Créé* dans la 2e moitié du XVIIIe s., version simplifiée du trictrac. Jeu à 2 sur une table divisée en 2 compartiments (et 4 *jans*) sur lesquels sont dessinées 24 flèches alternativement claires et sombres. On joue avec 15 dames de 2 couleurs différentes.

Jeu de l'oie. Selon la légende, inventé par Palamède pour abréger les longueurs du siège de Troie. Très à la mode au XVIIIe s. Se joue avec 2 dés sur un plateau représentant une spirale comportant 63 cases illustrées. Toutes les 9 cases se trouvent les figures de l'oie. Il faut atteindre le 1er la dernière case sans tomber dans les pièges.

Jeux de rôles. *Pratiquants :* USA 8 000 000, *France 200 000* (dont 20 000 fervents). **Donjons et Dragons (D & D) :** *créé* 1973 par Gary Gigax, inspiré par « le Seigneur des anneaux » roman fantastique de John Revel Ronald Tolkien. **L'Appel de Cthulhu** de Lovecraft, auteur de romans fantastiques. **Légendes :** mythologies celtes. **Maléfices :** production française. **Féerie :** *créé* par Philippe Mercier. **Empires galactiques** de François Nédelec. **Shadowrun. Fédération française des jeux de simulations stratégiques et tactiques :** 150, av. d'Italie, 75013 Paris.

Mah-jong. Apparu en 1850 en Chine. Comprend 144 pièces ou *tuiles* dont *tuiles ordinaires* de 1 à 9 (4 séries de Bambous, 4 de caractères et 4 de cercles), *honneurs simples* 4 vents (Est, Sud, Ouest, Nord), *h. supérieurs* 4 dragons (rouges, verts, blancs), *h. suprêmes* (4 fleurs, 4 saisons). Les jetons de marque valent 2, 10, 100 et 500 points. Jeu de combinaison ressemblant au rami. 4 joueurs. Victoire à celui qui fait *mah-jong* [réunissant dans sa main 4 groupes de 3 ou 4 tuiles (brelan de 3 tuiles semblables, carré de 4 tuiles, séquence de 3 tuiles se suivant)].

Mastermind. Inventé par l'Israélien Mardecai Maerowitz en 1970. Jeu de déduction. 2 joueurs, chacun compose un code de 4 couleurs que l'adversaire cherche à découvrir par propositions successives.

Monopoly. Inventé par l'Américain Charles B. Darrow (1889-1967) en févr. 1933, en reprenant des rues d'Atlantic City (New Jersey). Il faut acheter, vendre ou louer des immeubles jusqu'à ce qu'un joueur arrive au monopole. **Ventes** (1935-87). USA 250 000 000, *France 9 000 000* (env. 400 000 par an). **Ch. du monde.** *Créé* 1985. Tous les 3 ans. **85** Jason Bunn (G.-B.). **88** Ikyo Hiyakuta (Japon). **92** Joost van Oztenn (P.-Bas). Dans l'édition européenne lancée en 1992, les aéroports remplacent les gares, la rue la plus chère (40 000 écus) est le Kurfüstendamm de Berlin (la rue de la Paix 3 200).

Mots croisés. *Créés* XIXe s. par Arthur Wynne (G.-B.). Apparus 21-12-1913 dans le *New York World.*

Othello. *Origine :* Reversi, recréé 1971 par Goro Hasegawa (Japon). Lancé 1973. 2 joueurs. Grille de 8 × 8 cases. 64 pions réversibles. Il faut à la fin de la partie avoir le plus de pions de sa couleur. *Joueurs :* Japon 25 000 000, Angleterre 500 000, *France 300 000* (dont 250 000 affiliés à la Fédération fr. Othello). *Champion du monde* (1984) Paul Ralle, Français (16 ans).

Pictionary (de l'anglais *picture* et *dictionary*). *Créé* 1986 par Rob Angel (Canadien vivant à Seattle, USA). Deviner un mot à l'aide d'un croquis.

Pong. Tennis sur écran. 1er jeu-vidéo, inventé 1972 par Noland Buschnel (USA) qui créa Atari.

Rubik's cube. *Inventé* 1979 par le Hongrois Ernö Rubik. Composé de 27 cubes, dont les 6 faces ont une teinte différente. 43 252 003 274 489 856 856 000 combinaisons. *Records monde :* 22'95" pour reconstituer le Rubik's cube. *France :* 28'6".

Trivial Pursuit (chasse aux petites choses). *Créé* 1982 par des journalistes canadiens : Chris Haney et Scott Abbott. Adapté en français en janv. 1984. Jeu de connaissances. Il faut parvenir à la fin d'un parcours en répondant à des questions. *Ventes dans le monde :* 50 000 000 (au 1-1-1987) ; en France *84 :* 20 000 ; *85 :* 150 000 ; *86 :* 600 000 ; *87 est. :* 1 000 000. 32 adaptations en 18 langues.

Nota. – Selecta (BP 11, 01150 Lagnieu), mensuel (1 600 ex.), aide à trouver les réponses aux concours.

Jeux de hasard

☞ *Le Code civil* refuse la notion de jeu et la dette de jeu. *Le Code pénal* interdit les jeux d'argent et de hasard (article 410). Une loi dérogatoire pourtant les autorise (loi du 15-6-1907 modifiée par l'ordonnance du 7-1-1959 et le décret du 22-12-1959). L'ouverture d'un casino peut être autorisée par le min. de l'Intérieur. Le jeu fait vivre env. 200 000 personnes. Les gains aux jeux de hasard sont exonérés d'impôts ; mais, s'ils sont placés, ils sont normalement imposés.

Sommes jouées par les Français (en milliards de F, 1992). PMU 34,5, Française des Jeux 30,2 [dont (en %) jeux instantanés (Tac o Tac, Banco, Poker, Black Jack, Millionnaire) 49 (23 en 91), Loto 47 (71 en 91), Tapis Vert 2, pronostics sportifs 2], Casinos 3.

Française des jeux *Capital* (en %) : État 72 ; salaires, émetteurs, courtiers 28. **En milliards de F :** *Chiffres d'aff. : 1991 :* 21,3 ; *92 :* 30,2 ; *93 (prév.) :* 33,2 (avec lancement du Bingo le 15-6-93 et du Keno le 10-9-93). *Bénéfices 1991 :* 0,326 ; *92 :* 0,545. *Rapport pour l'État : 1992 :* 8,5.

Prélèvements de l'État

Pour 100 F prélevés	Loto	PMU			Total
		Tiercé	Quarté	A j [4]	
Part du Trésor	71,2	60,9	64,5	36,5	54,9
Droits de timbre	10,8	13 [1]	11,9 [1]	21,3 [1]	16,4
TVA	10,8	2,2 [2]	2 [2]	3,6 [2]	
		4,4 [3]	4,1 [3]	7,3 [3]	8,4
Jeunesse et Sports	7,2	1,3	1,2	2,1	1,7
Adduction d'eau		5,3	6,1	10,7	8,2
Ville de Paris		4,7	2,9	5,3	4,7
Élevage (1)		6,5	4,9	10,6	3,8
Protection de la nature		1,7	1,4	2,6	1,9

Nota. – (1) Sur ticket PM. (2) Sur part sociétés. (3) Sur parieurs. (4) Autres jeux de chevaux.

Fiscalité des gains. (Loi de Finances rectificative du 11-7-86). Les sommes gagnées ne sont pas imposables car l'impôt a été retenu à la source. *Prélèvement fiscal* (en %) : sur les mises Loto sportif 32, Loto 30, Tapis Vert 25, Millionnaire, Poker et Black Jack 22, Banco 17,5. Sur les sommes gagnées au Loto et Loto sportif, prélèvement variable selon les tranches (en %) *5* de 5 000 à 100 000 F, *10* de 100 000 à 500 000, *15* de 500 000 à 1 million, *20* de 1 à 2 millions, *25* de 2 à 5 millions, *30* au-dessus de 5 millions. Le gagnant perçoit une somme nette. La Loterie nationale était exonérée.

Loterie nationale

■ **Origine. Antiquité** à Rome, après banquet ou spectacle ; Néron offre des esclaves ou des villas ; Héliogabale donne à certains gagnants un chien crevé ou des mouches mortes. **XVIe s.** Gênes choisit ses chefs au hasard sur une liste de 90 personnes. Se répand dans les Flandres, « lot. de charité » tirées à Malines (1519), Louvain (1520) et Lille (1527). **1530** 1re lot. publique à Florence. Reprise à Rome et Venise. **1539**-*21-5* édit de Châteaurenard : François Ier concède à Jean Laurent le soin d'établir une lot. appelée *blanque,* à charge de verser au Trésor royal 2 000 livres. **1660** lot. royale lors du mariage de Louis XIV. **1759** « loteries de charité » (Marseille, Lyon, Tours...). **1776**-*30-6* lot. royale créée pour arrêter l'exportation de l'argent qui va se placer à l'étranger dans les lot. plus séduisantes que les nôtres. **1793**-*15-11* supprimée. **1797**-*8-9* rétablie (lot. nat. puis impériale, puis royale). **1836**-*31-5* supprimée (sauf bienfaisance). **1930** *loi du 29-4* autorisant le gouvernement à permettre aux communes de faire des lot. pour « l'acquisition de matériel d'incendie ou pour l'organisation d'extinction d'incendie ». **1933**-*31-5* Lot. nationale créée. Ses bénéfices iront à la Caisse de retraite des Anciens Combattants (billets des Gueules cassées) et aux victimes des calamités agricoles. *-7-11* 1er tirage au Trocadéro ; le 1er gagnant du gros lot (5 millions de F de l'époque) est un coiffeur de Tarascon : Paul Bonhoure († 1961). *A partir de 1945,* placée sous l'autorité du ministre des Finances (bénéfices comptabilisés dans le budget général). Les émetteurs de billets sont alors la Lot. nationale pour les billets entiers et les Associations de mutilés, anciens combattants et victimes de guerre (Gueules cassées, Fédération Maginot...) pour les dixièmes. Des mutuelles (Conf. des débitants de tabac, Mutuelle des PTT, Mutuelle du Trésor) et des établ. privés pourront plus tard faire les mêmes opérations. **1976**-*29-9* pour la 1re fois, no 00 000 sorti au tirage ; no 100 000 est pris en considération. **1990**-*13-12* dernier tirage de la Lot. nat. avant suppression.

■ **Tirages.** Effectués en public, à Paris, au moyen de sphères fonctionnant automatiquement, brassant des boules en caoutchouc plein avec, en incrustation, les chiffres nécessaires pour la formation des numéros gagnants. Les tirages du *Tac o Tac* étaient retransmis en direct à la télévision.

Billet entier (prix) : 10, 20, 92, 184 F en 1989.

Gros lot (montant) : *Tac o Tac :* 4 000 000 de F, *Bicentenaire :* 2 000 000 de F, *autres tranches :* 10 000 000 de F.

Tranches : *Bicentenaire :* un seul type de billet commercialisé, le dixième à 10 F. Gros lot : 2 millions de F. Sur chaque billet est repris un des 4 thèmes révolutionnaires retenus : mois du calendrier révolutionnaire, grands événements de 1789, artistes vivant au temps de la Révolution, principaux personnages. *Tranches diverses :* Fête des Mères, Vendredi 13... émises chaque année à 184 F le billet entier et 20 F le dixième. L'Arlequin a été arrêté en 1984, les tranches du Sweepstake et du Suspense en 1987.

Tac o Tac (1er tirage 25-1-1984). Loterie instantanée se combinant à la Loterie nationale classique. Billets en 2 parties offrant 2 chances de gagner : la 1re partie (à gratter) permet de gagner immédiatement (gros lot 300 000 F) ; la 2e participe à un tirage télévisé (gros lot 4 000 000 de F). 92 F le billet entier, 10 F le dixième. Hebdomadaire dep. le 1-9-1984.

■ **Statistiques. Joueurs :** 12 à 15 millions achetant 1 ou 2 dixièmes par an ; 7 millions de billets de Tac o Tac étaient vendus chaque semaine. **Lots payés :** en 1988, env. 1,6 milliard de F (placement des billets : 3,7 milliards de F). **Courtiers :** ils reçoivent les billets et approvisionnent 27 000 détaillants, vendeurs ambulants, magasins spécialisés, débitants de tabac, dépositaires de presse.

Loto national

☞ Ne pas confondre avec le *loto* qui se joue avec des cartons et des pions numérotés.

■ **Origine.** *Nom :* de l'italien *lotto,* lot. **1955**-*9-10* 1er loto du N.-O. créé en Rhénanie (Nord-Westlotto, suivi d'autres dans la plupart des Länder). **1976**-*19-5* 1er tirage en France. **1979**-*1-1* rejoint la Loterie nat. dans la Sté de la Loterie nat. et du Loto nat. (Sté d'économie mixte) qui devient janv. **1989** France-Loto. L'État possède 72 % du capital, les émetteurs de dixièmes 20 %, les salariés 5 %, les courtiers 3 %. L'État détient également la majorité à l'assemblée gén. des actionnaires et au conseil d'adm. **1991**-*12-9* France-Loto devient la Française des Jeux.

■ **Principe.** On coche d'une croix 6 numéros parmi les 49 qui se trouvent sur chaque grille. *Tirage* (49 boules en caoutchouc, 72 g, dans une sphère scellée) : *1976-84* 1 tirage (mercredi). *1984* (7-3) 2 tirages (mercredi et samedi). Les joueurs peuvent participer au tirage du mercredi seulement ou aux 2 tirages. Dans ce cas, le même bulletin participe aux 2 tirages. Pour le tirage du samedi seulement : *bonus* si une même grille comporte uniquement 3 bons numéros + le complémentaire ; les gains de cette grille sont doublés. *1990-15-9* 4 tirages (2 le mercredi, 2 le samedi).

■ **Bulletins. Simples :** 8 grilles groupées par 2 ; chacune a 49 cases numérotées. On peut miser autant de grilles que l'on veut, remplir autant de bulletins que l'on désire. *Mise* correspondante à chaque groupe de 2 grilles, mercredi seulement : 2, 4, 6 ou 8 F ; mercredi et samedi : 4, 8, 12 ou 16 F. **Multiple :** une seule grille sur laquelle on peut cocher 7, 8, 9 ou 10 numéros. Les numéros ainsi choisis forment 7, 28, 84 ou 210 ensembles différents de 6 numéros. Mises correspondantes, mercredi seulement : 7, 28, 84 ou 210 F ; mercredi et samedi : 14, 56, 168 ou 420 F. **Abonnement :** *simple* permet de faire participer les 8 grilles d'un bulletin simple au tirage de 5 mercredis consécutifs ou 10 tirages consécutifs (mercredi + samedi) ; *multiple* permet de faire participer un bulletin multiple 7, 8 ou 9 numéros pendant 5 mercredis consécutifs ou 10 tirages consécutifs (mercredi + samedi). Plus de 90 % des joueurs du mercredi participent au tirage du samedi.

■ **Gains.** Payables sur présentation du reçu informatique rendu au joueur après validation. Le volet A, justificatif du jeu et du paiement, est enregistré, microfilmé, puis mis sous scellés dans un centre de traitement informatique (Vitrolles et Moussy).

■ **Probabilités de gains.** *5e rang* ceux qui ont trouvé 3 bons numéros, *4e* 4, *3e* 5, *2e* 5 et le numéro complémentaire, *1er* 6 numéros du tirage.

Rang	*Probabilité*	1 chance sur
1er - 6 numéros	1/13 983 816	1/13 983 816
2e - 5 + compl.	6/13 983 816	1/ 2 330 636
3e - 5 numéros	258/13 983 816	1/ 55 491
4e - 4 numéros	13 545/13 983 816	1/ 1 032
5e - 3 numéros	246 820/13 983 816	1/ 57
	260 624/13 983 816	1/ 54

Un joueur qui jouerait toutes les possibilités (13 983 816) devrait écrire sans erreur 84 millions de croix et faire valider 2 300 000 bulletins (ou 665 896 grilles à 210 F, soit, seulement, près de 6,7 millions de croix). Il lui faudrait miser en contrepartie 14 millions de F et il gagnerait 1 fois le gros lot, 6 fois le 2e lot et ainsi de suite. Si un joueur avait ainsi misé pour le tirage du 3-9-1980, il aurait gagné : *1er rang* 819 704 F, *2e* 711 847, *3e* 1 093 806, *4e* 1 426 288, *5e* 2 468 200, total de 6 519 845 F (perte 7 463 971 F).

Lorsque les numéros d'un loto sont de petits chiffres, dans la 1re trentaine, on a plus de gagnants. Beaucoup de joueurs cochent les croix correspondant à des anniversaires.

Fréquence de sortie. Jusqu'au tirage du 25-3-1989 inclus. **Le plus souvent :** *48 :* 151 fois ; *38 :* 148 ; *26 :* 147 ; *34 :* 145 ; *40 :* 144 ; *25 :* 143 ; *16 :* 142 ; *27 et 31 :* 141 ; *12, 18 et 28 :* 140. **Le moins souvent :** *47 :* 112 fois ; *10 et 13 :* 119 ; *46 :* 120 ; *41 :* 121 ; *29 :* 122 ; *2, 9 et 44 :* 124 ; *1, 4, 11 et 33 :* 125. *Du 1-1 au 25-3-1989, 17 et 27 :* 6 fois, *4 et 10 :* 1 fois.

■ **Gros lot.** Pour gagner, il faut que les 6 numéros sortis au tirage correspondent à tous ceux cochés dans une même grille. Les gains sont exempts d'impôts sur le revenu et payables au porteur sans qu'il ait à justifier son identité.

■ **Statistiques. Effectifs** (France-Loto, y compris circuit commercial) 3 500. **Points de vente** (Loto : 13 500 en 1989).

■ **Enjeux et bulletins.** *31-12-88 :* 327 183 898 F pour 16 598 940 bulletins joués. **Record de participation.** 19 094 520 bulletins déposés (15-2-1984). **Répartition des enjeux du loto (1989).** En % : gagnants 51, puissance publique et frais de fonctionnement 49.

■ **Mises.** En 1979, 1 F par grille et 54,6 % des sommes réparties entre les gagnants. En 1993, mise du mercredi 1 F, du samedi 2 F, prélèvement de l'État 46,75 %, reste donc 53,25 % à répartir.

Répartition de la part des mises attribuée aux gagnants.

Part de « galette »	Mercredi 1er tirage	Mercredi 2e tirage	Samedi 1er tirage	Samedi 2e tirage
Rang 1	13,00 %	20,70 %	31,40 %	47,70 %
Rang 2	6,10 %	6,10 %	3,10 %	3,10 %
Rang 3	20,50 %	20,50 %	10,30 %	10,30 %
Rang 4	21,50 %	21,50 %	13,00 %	13,00 %
Rang 5	31,20 %	31,20 %	25,90 %	25,90 %
Fond de super-cagnotte [1]	7,70 %	–	16,30 %	–
Total	100 %	100 %	100 %	100 %

Nota. – (1) C'est la part de report du premier tirage sur le second.

Mises encaissées (en millions de F) : *1981 :* 7 234,5. *1982 :* 7 755,2. *1983 :* 8 375,8. *1984 :* 10 976,9. *1985 :* 11 804. *1986 :* 11 778. *1987 :* 11 467. *1988 :* 11 564. *1989 :* 12 000.

■ **Gagnants** (1992). Chaque semaine, en moyenne 13 000 000 de bulletins validés dont 3 700 000 gagnants. 73 personnes ont gagné plus de 10 millions de F, 50 de 10 à 20, 19 de 20 à 30, 3 de 30 à 40 et 1 plus de 40.

Gros gagnants. *De mai 1976 à mars 1989,* 2 920 personnes ont gagné plus de 1 million de F, 142 plus de 5 millions et 27 plus de 10 millions. Un détaillant de Villers-le-Lac (Doubs) a enregistré 8 fois le gros lot. **Records.** *1977 (9-11)* 8 313 833,40 F ; *80 (26-3)* 9 330 410 F [Mme Arlette Hentinger, 31 ans, habitant La Ciotat ; avait joué depuis des mois, chaque semaine, et pour 7 F, les mêmes numéros (4, 10, 18, 35, 41, 46, et 27 comme numéro complémentaire)] ; *1981 (févr.)* M. et Mme Zambelli, retraités (Toulon) : 9 775 886,80 F avec une grille simple ; *1984 (11-1)* 38 employés de l'usine Moulinex de Falaise (Calvados) 12 368 658 F avec 5 bulletins multiples. 36 ont touché 312 687 F chacun et les 2 autres 625 375 F, ayant misé double ; *(nov.)* Serge (cuisinier, 25 ans) et Louisa (serveuse, 20 ans) travaillant dans le même restaurant parisien : 10 158 535 F ; *29-12* Sandrine Grognet (18 ans, Eure) : 10 583 640 F. *1985 (16-1)* anonyme de Martigues (B.-du-Rh.) : 10 748 490 F ; *(16-2)* Jacqueline Bas (Doubs) : 10 563 030 F (avec multiple à 14 F) ; *(21-12)* anonyme d'Orly : 17 086 035 F (multiple à 14 F). *1986 (14-5)* 2 joueurs de la région parisienne : 32 353 055 F (bulletin simple à 16 F). *1988 (8-8)* J.-P. Gimello (Nice) : 17 687 190 F (bulletin à 14 F). *1988 (24-12) :* anonyme de Nancy : 33 456 975 F (bulletin abonnement à 280 F). *1989 (nov.) :* Thierry Khalifa (Marseille) 18 580 000 F. *1990 (30-6)* anonyme : 33 000 000 de F ; *(5-8)* anonyme de Besançon 33 000 000 de F ; *(29-9)* Bernadette Gœury 39 929 370 F ; *oct.* supercagnotte, 3 personnes, 119 683 665 F ; *déc.* supercagnotte, 2 frères de Perpignan, 53 000 000 de F. *1993 (24-4)* 54 845 655 F anonyme du Morbihan.

Loto sportif

Origine. 1985 *avril,* lancé comme multisports, *juin* interrompu, *27-9* consacré au football. 16 matches retenus. La part de chance est constituée par un tirage au sort de 7 matches sur 16 : ce sont « les 7 numéros de la Chance ». **1988**-*16-7* nouvelle formule basée sur 13 matches.

Principe. Prévoir les résultats de 13 matches de chaque loto sportif en cochant la case 1 ou 2 selon l'équipe gagnante choisie, ou pour un match nul, la case N. La part de chance est constituée par un numéro-pactole tiré au sort en direct à la télévision. Tous les gagnants dont le reçu de jeu comporte le numéro-pactole doublent leur gain. En cas de match annulé, la rencontre est considérée comme gagnante quelle que soit la case cochée. 3 rangs de gains : 13, 12 et 11 bons pronostics. En cas d'absence de gagnants à 13, les grilles comportant 10 bons pronostics sont gagnantes et ainsi de suite. **Bulletins.** A gauche, une grille qui reproduit la liste des 13 matches avec en fin de ligne les 3 cases à cocher 1-N-2 ; à droite les 18 possibilités de mise (de 5 F à 1 080 F). **Record d'enjeux de participation.** *6-12-1985 :* 91 218 395 F (7 480 491 bulletins joués). **Répartition (en %).** Gagnants 50, frais de fonctionnement 13, État et sport 37. **Répartition pour chaque catégorie de gains** (11 à 13) : 30 %, les 10 % restants sont affectés au numéro-pactole. **Gros lots.** *Record (3-8-1987) :* 14 464 721 F pour un joueur anonyme de Grasse avec un bulletin à 1 080 F.

Jeux instantanés

■ **Taco Tac.** *Créé* janv. 1984. Au grattage, possibilité de gagner de 10 à 30 000 F et, au tirage (le jeudi) de 10 à 400 000 F. Sur 1 000 000 de tickets émis, 136 000 permettent de gagner 10 F, et 10 : 30 000 F.

■ **Tapis vert.** *Créé* 15-10-1987. Jeu de contrepartie basé sur les cartes. Cocher 4 cases (1 par couleur) sur une grille comportant 32 cases (de l'as au 7 dans les 4 couleurs pique, cœur, carreau, trèfle). Traitement informatique des bulletins. *Tirage.* Tous les jours à 20 h 35 sur TF 1 (validation jusqu'à 19 h 30, 14 h le dimanche). *Bulletins.* 6 tables de 2 à 187 F. *Possibilités de jeu :* 1, 3 et 7 jours. *Gains. 4 cartes exactes :* 1 000 fois la mise, *3 c. :* 30 fois, *2 c. :* 2 fois. Paiement dès le lendemain. Le *carré d'as* est sorti le 29-3-1988 (22 000 joueurs ont gagné 105 millions de F), le *carré de valets* le 8-8-1988 (10 000 joueurs ont gagné 54 millions de F).

■ **Banco.** *Créé* mai 1990. Grattage donne immédiatement la somme gagnée (5 à 5 000 F). Ticket à 5 F. Env. 8 millions de tickets vendus par semaine.

■ **Millionnaire.** *Créé* 30-9-1991. Associe grattage (10 à 50 000 F) et, si le bulletin porte les 3 écrans magiques de la TV, tirage (100 000 à 1 000 000 F). Tirage à la TV, en présence d'un huissier, grâce à une roue divisée en 100 segments (*8* rapportent 1 million de F, *14* de 100 000 à 600 000 F, *16* 500 000 F, 400 000 F, 300 000 F et 200 000 F). Env. 20 millions de tickets vendus par semaine à 10 F pièce. Sur 500 000 tickets émis, 1 seul comporte les 3 symboles, 87 500 font gagner 10 F (donc remboursés).

■ **Poker.** *Créé* juin 1992. Gratter 5 cartes, si 3 cartes identiques apparaissent on gagne la somme indiquée sur le côté du ticket. Coût 10 F. Gain max. 100 000 F.

■ **Black Jack.** *Créé* juin 1992. Gratter 3 jeux, la case banque et la case gain. Si un jeu présente un chiffre plus élevé que celui de la case banque, on gagne la somme inscrite dans la case gain. Coût 10 F. Gain max. 100 000 F.

■ **Bingo.** *Créé* 15-6-1993. Coût 10 F.

Pari mutuel

■ Généralités

■ **Origine. 1891**-*2-6* le Pari mutuel sur l'hippodrome (PMH) est légalisé. **1930**-*16-4* son extension, Pari mutuel urbain (PMU), est autorisée. **1931**-*28-12* pari mutuel autorisé sur les courses de lévriers. **1954**-*22-1* 1er tiercé (mis au point par André Carrus). **1976**-*26-2* 1er quarté. **1987** 1er quarté plus. **1989**-*12-9* 1er quinté plus.

■ **Organisation.** Le PMU est un « groupement d'intérêt économique sous la tutelle des ministres de l'Agriculture et du Budget et relève d'un contrôleur d'État ». Il est constitué entre les Stés de courses parisiennes : *Sté d'encouragement et des steeple chase de France* (Hipp. de Longchamp, Chantilly, Deauville, Auteuil, Pau), *Sté d'encouragement à l'élevage du cheval français* (Vincennes, Caen), *Sté sportive d'encouragement* (St-Cloud, Maisons-Laffitte, Enghien), *Sté de sport de France* (Évry, Vichy), et les S[tés] de province bénéficiant du PMU (36 réunions pour 5 sociétés). Il existe 266 S[tés] de province. *Employés* (1993) : 2 180.

■ **Book** (ou *bookmaker*). Personne qui propose ou accepte des paris à cote fixe. Activité interdite en France et dans de nombreux pays (USA), autorisée dans d'autres (G.-B., Belgique, Italie, All. féd.).

Enjeux des courses de chevaux dans le monde (1990, en milliards de F, total dont entre parenthèses bookmakers). Japon 161,9, USA 71,9, G.-B. 46 (45,3), *France 37,6,* Australie 37,3, Hong Kong 31,1, Grèce 12,9, Italie 12,3 (10,1), Canada 8,7, Afr. du S. 6,3 (1,6), Suède 5,7, Corée 4,2, All. féd. 2,4, Malaisie-Singapour 2,4, N.-Zélande 1,9, Argentine 1,4, Norvège 1,2, Irlande 1,1. *Monde 447.*

Enjeu moyen annuel par hab. dans les courses de chevaux [1990, en F, et entre parenthèses part reversée au parieur (PMU uniquement) en %]. Hong Kong 5 425 (81,68), Australie 2 224 (84), Japon 1 314 (74,29), Grèce 1 293 (79,18), G.-B. 806 (80,20), Suède 682,5 (73,08), *France 672 (71,98),* N.-Zélande 583 (78,69), Canada 332 (70,04), Irlande 310,5 (78,47), Norvège 297 (66,83), USA 291 (66,83), Afr. du S. 171 (79).

Statistiques

■ **Chiffre d'affaires du PMU** (en milliards de F). *1988* : 33,8 ; *89* : 34,1 ; *90* : 35,5 ; *91* : 35,3 ; *92* : 34,5. **Valeur moyenne de chaque enjeu :** *91* : 30,60 F ; *92* : 28,40 F.

■ **Répartition en jeux PMU** (en %, 1992). Paris simples 11,2 ; reports 2 ; couplés et jumelés 25,5 ; trios 5,2 ; tiercé 15,8 ; quarté plus 14,1 ; quinté plus 26,2. **Formulaires PMU traités** (1992) : 1,05 milliard.

■ **Tiercés. Nombre :** *1954* : 56 ; *70* : 77 ; *90* : 212 ; *92* : 216. **Enjeux :** *1er tiercé (1954)* : 28 000 F ; *90* : 7 927 693 327 F ; *92* : 5 507 334 491 F (*record* : prix d'Amérique 30-1-83 : 155 420 760 F).

■ **Quarté Plus. Nombre :** *1987* : 26 ; *88* : 112 ; *90* : 160 ; *92* : 216. **Enjeux :** *90* : 8 196 661 920 F ; *92* : 4 947 946 963 F (*record* 29-1-89 à Vincennes : 70 463 406 F).

■ **Quinté plus. Nombre :** *1989* : 15 ; *90* : 52. **Enjeux :** *90* : 2 609 106 500 F ; *92* : 9 071 767 156 F.

■ **Record des sommes gagnées. Tiercé :** *Prix du Pt de la Rép. (à Auteuil) 21-4-1957* : combinaison 20-18-19 (Quimilgrey-Junia-Xanthor). Les 116 gagnants dans le désordre (6 491 960 AF) se sont partagé toutes les mises, soit + de 750 000 000 AF (prélèvement déduit). S'il y avait eu 1 seul gagnant dans l'ordre exact, il aurait touché environ 50 % des mises (suivant le prélèvement en cours) soit 375 000 000 AF et les 115 gagnants dans le désordre auraient touché 3 250 000 AF pour une mise de 200 AF. *Grande course de haies de Printemps* (Auteuil, 7-4-1985) : combinaison 14-21-19-11 (Bridore-Orélienne-Prince Wo) 36 851,90 F pour 1 F.

☞ Le 17-7-1988, à Maisons-Laffitte, le juge ayant interverti les nos, le PMU paie la combinaison 14-8-11 au lieu de la combinaison gagnante 14-8-5 (payée ensuite également par le PMU).

Quarté : *(à Vincennes) 1-9-1988* : combinaison 1-4-17-2 (Rando, Rama, Rex du Chesnay, Ramadan) 760 694,80 F pour 1 F. **Quarté Plus :** *Prix du Vivarais (à Vincennes) 7-5-1988* : combinaison 7-14-20-9 (Réel Chonan, Royal Bellemois, Rosé Thé, Robin de la Forêt) 364 818,30 F pour 1 F. **Quinté Plus :** *Prix St-Germain (à Enghien) 13-3-1990* : combinaison 12-13-10-5-3 (Quasimodo, Raichman, Qualis Mab, Rosco de Jonceray) 866 465 F pour 1 F. *12-9-1992* : combinaison 18-11-2-7-1, *à Vincennes,* 10 225 107 F pour 10 F.

■ **Postes d'enregistrement PMU.** (1992). 7 110 points PMU et 168 points courses. **Salariés.** 2 180. Automatisation fin mars 1988.

En 1992, 9 Stés ont tenu 490 réunions avec pari mutuel, etc.

■ **Prélèvements légaux** (en %, 1992). *PMH* Paris 20,36 (dont 10,5 pour la Sté organisatrice) ; province 21,032 % (dont 11,72 pour la Sté). *PMU* Paris 20,50 dont 10,357 pour la Sté ; province 20,429 (dont 10,229 pour la Sté et le reste à l'État).

A partir du rapport de 30 fois la mise, l'État perçoit un supplément de 6,80 à 23,15 % selon le rapport et le type de pari, les bénéfices sur centimes (résultant de l'arrondissement des rapports à l'issue des calculs de répartition) sont à nouveau affectés au budget général pour tous les paris enregistrés pour les Stés de Courses parisiennes. Ils restent acquis aux Stés de Courses de prov. pour leurs propres enjeux. En 1992, les Stés de Courses ont versé 6 188 millions de F à l'État et aux organ. publics et sociaux.

☞ En France en 1992, sur 100 F joués au PMU : 71,92 vont aux gagnants et 28,04 sont prélevés (pour sociétés de courses 10,43, État 17,73, État hors secteur cheval 16,31, État secteur cheval 0,63, fonds commun élevage et courses 0,79).

Paris

■ **Différents modes.** *PMH pari simple (gagnant ou placé), jumelé, trio, triplet et quartet ; PMU pari simple (gagnant ou placé), par report (g. ou p.) : couplé (g. ou p.), trio, tiercé* (créé 1954), *quarté* (créé 1976), *quarté plus* (créé 1987), *quinté plus* (créé 1989) *2 sur 4* (créé 15-6-1993, mise 20 F, choisir 2 chevaux, on gagne s'ils sont dans les 4 premiers quel que soit l'ordre d'arrivée). *Minimum d'enjeux* 10 F, trio, tiercé et quarté 5 F. PMH 10 F, quarté plus 6 F, quinté plus 10 F. *Maximum d'enjeux* tiercé, quarté, quarté + et quinté + : 20 fois le min. ; couplé : 200 fois ; trio : 120 fois ; pari simple : pas de max.

Nombre de combinaisons possibles sur n partants :

Couplé et jumelé : $\frac{n(n-1)}{2}$;

Tiercé dans l'ordre d'arrivée exact n (n – 1) (n – 2) [6 fois moins dans le désordre]. *Ex. :* tiercé dans l'ordre pour une course de 15 partants : 15 (15-1) (15-2) = 15 × 14 × 13 = 2 730. Un parieur n'a donc théoriquement qu'1 chance sur 2 730 de désigner les 3 premiers dans l'ordre exact d'arrivée.

Quarté plus : ordre exact : n (n – 1) (n – 2) (n – 3) ; 24 fois moins dans le désordre.

Quinté plus : ordre exact : n (n – 1) (n – 2) (n – 3) (n – 4). 120 fois moins dans le désordre.

Nota – Le Derby, mis en place le 18-9-1985, a été vite abandonné. Il fallait, les mercredis, trouver tous les gagnants des 7 premières courses d'une réunion.

Jeux de casino

Types de jeux

Origine du mot. De l'italien *Casino* (maison de campagne).

Baccara banque. Jeu de cercle. La banque (baccara à 2 tableaux) se joue avec 6 jeux de 52 cartes placés dans un sabot. Le banquier joue contre les pontes répartis au 1er tableau situé à sa droite, et au 2e tableau à sa gauche. Au 1er coup, les cartes sont tenues sur chaque tableau par les 1ers pontes à la droite et à la gauche du banquier. Les pontes doivent se prononcer au 1er tableau puis au 2e. S'il n'a pas abattu, l'ayant main doit poser ses cartes sur le tapis après avoir parlé ; elles ne pourront être retournées qu'après l'annonce du point du banquier. Sur chaque tableau, les cartes passent au joueur suivant dès que l'ayant main a perdu le coup. Les points sont comptés selon la valeur nominale des cartes, l'as comptant pour 1 et tous les dix et figures pour 0. Si le total dépasse 10, on déduit 10 ou les multiples de 10, par exemple 2 six valent 2 et trois sept valent 1. Le banquier donne 2 cartes alternativement en commençant par le ponte du tableau de droite et en terminant par lui-même. Les joueurs sont tenus de se conformer au tableau de tirage.

Tableau de tirage des pontes : le ponte demande une carte s'il a baccara (0), 1, 2, 3 ou 4. Il tire ou reste à son choix s'il a 5. Il reste s'il a 6 ou 7. Il abat s'il a 8 ou 9. Aussitôt que les pontes ont annoncé, le banquier retourne ses cartes, il tire ou reste en tenant compte de sa propre main et des cartes données aux pontes.

Black jack (ou vingt-et-un). Connu au XVIIe s. Se joue avec 6 jeux de 52 cartes, avec un croupier et un nombre indéterminé de joueurs (ou pontes). Le but consiste à obtenir « black jack » c'est-à-dire 21 points avec 2 cartes. A défaut, le joueur doit s'efforcer d'obtenir 21 points avec plusieurs cartes ou de s'en approcher. Celui qui dépasse 21 a perdu. Les joueurs déposent leurs enjeux. Puis le croupier distribue une carte à chacun, une à lui-même puis une 2e à chaque joueur. Celui-ci peut demander d'autres cartes. Les joueurs étant servis, le croupier se sert une 2e carte. L'as vaut 1 ou 11 points (selon la volonté du détenteur), les figures valent 10 pts, les cartes numérales gardent leur valeur. Le joueur faisant black jack (21) avec ses 2 premières cartes reçoit 1 fois 1/2 le montant de sa mise. Les titulaires d'une place « assise » pontent à tous les coups, le croupier plaçant les cartes devant chaque enjeu ; si le joueur est plus près de 21 que le banquier, il est payé, sinon le croupier encaisse la mise. Seul le joueur assis devant une case peut décider du jeu pour cette case. D'autres joueurs peuvent miser avec lui sur cette case si le total des mises ne dépasse pas le max. autorisé.

■ **Casinos dans le monde. Nombre,** entre parenthèses **nombre de visiteurs** en millions et, en italique **produit brut des jeux** en milliards de F. USA 167 (52) *70* (uniquement Las Vegas et Atlantic City), *France 138,* 136 en 93, *(1,9) 1,* G.-B. 115 (n.c.) *3,3,* All. féd 31 (7,5) *3,* Espagne 22 (3,5) *1,4,* Autriche 11 (1,8) *0,5,* Portugal 8 (n.c.) *1,1,* P.-Bas 6 (2,1) *0,6,* Macao 5 (n.c.) *1,7,* Italie 4 (2,3) *1,4,* Monaco 2 (n.c.) *0,7.*

Nota. – Le 2-4-1990, ouverture à Atlantic city (New Jersey, USA) du Taj Mahal, casino construit par Donald Trump ; 3 000 machines à sous, 167 tables de jeu.

Machines à sous (nombre août 1991). Espagne 304 000, All. 173 000, G.-B. 117 000, *France* (au 25-2-1992) *5 007* dont La Tour de Salvagny 300, Cannes-Croisette 282, Nice-Rhul 230, Deauville 225, Évian 200, Trouville 200, Divonne 190, Forges-les-Eaux 185, Amnéville 180, Canet-Plage 160, La Baule 150, Aix-Grand Cercle 100, La Grande-Motte 100, Gosier 100, Ouistreham 100, Pornichet 100, Royan 100, Le Touquet 4. S. 100, La Roche-Posay 98, St-Raphaël 98. En France (27-4-1993) 8 000 dans 98 casinos.

■ **Casinos en France.** Réglementés par la loi du 15-6-1907. Réunis dans le Syndicat des casinos de France.

Boule. Une bille est lancée dans une cuvette circulaire avec 9 trous numérotés de 1 à 9 : le 5 est jaune ; 1, 3, 6 et 8 sont noirs ; 2, 4, 7 et 9 sont rouges. On peut jouer un numéro plein ou une chance simple : pair ou impair, manque (numéros 1 à 4) ou passe (6 à 9), rouge ou noir. *Gain :* pour les numéros pleins 7 fois, autres possibilités 1 fois.

Chances simples : un joueur qui ne mise que sur le noir (nos 1, 3, 6, 8), le rouge (2, 4, 7, 9), le pair (2, 4, 6, 8), l'impair (1, 3, 7, 9) ne peut avoir que 4 chances sur 9 de gagner (le 5 n'étant pas compté).

Numéro plein : le joueur a 1 chance sur 9 de voir sortir son numéro et il lui est payé 8 fois (la mise plus 7). L'espérance mathématique est de 8/9.

Chemin de fer. Jeu de cercle. Se joue avec 6 jeux de 52 cartes placés dans un sabot après avoir été mêlés par le croupier et coupés par un joueur. Les joueurs jouent entre eux, le détenteur du sabot est le banquier, les autres les pontes. Le 1er banquier est le joueur assis à la droite du croupier. La banque tourne ensuite dans l'ordre des numéros. Le banquier met en jeu une somme comprise dans des limites prévues. Le croupier annonce le montant du banco et les joueurs se prononcent dans l'ordre de leurs numéros. *Banco seul :* un joueur couvre seul le montant de la banque et joue contre le banquier. *Banco avec la table :* un joueur couvre la moitié du montant de la banque, l'autre moitié peut être couverte par les autres joueurs. Les cartes sont données au joueur ayant fait l'annonce. Celui-ci a la priorité sur les autres joueurs pour l'éventuel banco seul suivi. *Banco la table marche :* un joueur couvre au moins la moitié du banco et complète les enjeux après tout le monde, s'il y a lieu. Il a les mêmes prérogatives que dans le cas précédent. *La main suit :* quand le banquier a perdu. *La main passe :* quand le banquier le décide. Dans ce cas, elle est rachetée au taux dans l'ordre des numéros de la table, elle est ensuite proposée aux joueurs debout ; à défaut, elle est mise aux enchères par le croupier. Le banquier peut prendre un associé dans sa main ; chaque joueur ne peut s'associer plus d'une fois avec un banquier au cours d'un tour de sabot. L'associé du banquier peut racheter la main au taux, mais ne peut participer aux enchères. Le joueur ayant racheté une main au taux est tenu, au premier coup, de donner la totalité du banco. L'as compte pour 1 et tous les dix et figures pour 0. Si le total dépasse 10, on déduit 10 ou les multiples de 10, par exemple 2 six valent 2, 3 sept valent 1. Le banquier donne 2 cartes alternativement en commençant par le ponte. Les joueurs, banquier ou pontes, sont tenus de se conformer au tableau de tirage. *Tableau de tirage du ponte :* le ponte demande une carte s'il a baccara (0), 1, 2, 3 ou 4. Il tire ou reste à son choix s'il a 5. Il reste s'il a 6 ou 7. Il abat s'il a 8 ou 9. Quand le ponte a annoncé, le banquier retourne ses cartes ; il tire ou reste en tenant compte de sa propre main et de la carte qu'il a donnée.

Machine à sous. V. 1890 inventée en France. **1909**-*22-6* circulaire les taxant de 10 F par an. **1911** 120 000 appareils en France. **1938**-*31-8* interdiction totale. **1988** de nouveau autorisée.

Punto y banco. Jeu de cartes proche de la banque ouverte. Autorisé en France dep. 1987.

Roulette. Plateau mobile, avec cylindre de 56 cm de diam., divisé en 37 cases correspondant aux 36 numéros + le zéro (18 rouges, 18 noirs, 18 pairs, 18 impairs ; les numéros 1 à 18 sont manque, 19 à 36 passe). Le plateau est lancé alternativement dans un sens puis, au coup suivant, en sens inverse. Une bille est lancée dans le sens inverse de la rotation du plateau.

Le joueur touchant un numéro plein reçoit 35 fois sa mise (1 chance sur 37) ; un cheval (2 num.) 17 fois ; une transversale (3 num.) 11 fois ; un carré (4 num.) 8 fois ; 4 premiers num. 8 fois ; un sixain (6 num.) 5 fois ; une douzaine ou une colonne (12 num.) 2 fois. Chances simples (jeu, pair, impair, rouge, noir, manque, passe : 18 num.) 1 fois ; mise à cheval sur 2 colonnes ou 2 douzaines (24 num.) 0,5 fois. Numéro zéro 35 fois.

Maximums autorisés à la roulette

aux tables minimum :	10 F	20 F	50 F
Sur :			
1 plein	300	600	1 500
1 cheval	600	1 200	3 000
1 transversale	1 000	2 000	5 000
1 carré	1 200	2 400	6 000
1 sixain	2 000	4 000	10 000
1 col. ou douz.	5 000	10 000	25 000
1 chance simple	10 000	20 000	50 000
2 col. ou 2 double	20 000	40 000	100 000

Roulette américaine. Comporte 36 numéros et 2 zéros. Moins favorable : le joueur paie 35 fois la mise un numéro qui en vaut 37 (soit un prélèvement double), la maison ramasse entièrement les mises sur les égalités (rouge, noir, manque, passe, pair, impair) lorsque sort le zéro ou le double zéro. Les rapports des enjeux sont les mêmes qu'à la roulette.

Roulette anglaise. Même principe que la r. américaine. Tapis et cylindre français sans double zéro.

Trente-et-quarante. Se joue avec 6 jeux de 52 cartes. Valeur des cartes : figures 10, as 1, la valeur marquée pour les autres. Le croupier étale une 1re rangée de cartes appelée la noire, jusqu'à ce que le total atteigne au moins 31. Puis il étale une 2e, la rouge. La rangée la plus près de 30 gagne. Si la 1re carte de la série noire est de la même couleur que la série gagnante, on dit que *Couleur* gagne ; si elle est de l'autre couleur, c'est *Inverse* qui gagne. *Chances :* inscrites sur un tapis (où sont déposées les mises). Simples, payées à égalité (1 fois la mise), qui sont noirs, rouges, couleurs inverses. Chaque coup entraîne l'annonce de 2 chances : noir et couleur, noir et inverse, rouge et couleur, rouge et inverse. Le casino prélève 1 % environ. Pour le joueur, 0,912175 % quand la mise est « assurée ».

Vingt-trois. Roulette dont les numéros ont des rapports différents : 1, 2, 3, 4 rapportent 23 fois la mise, 5 à 11 : 11 fois, et 12, 13, 14 : 7 fois.

Produit brut total des jeux (exercice du 1-11 au 31-10, en millions de F). **1985-86** 842, **90-91** 2 400, **91-92** 3 031 dont machines à sous 1 861, roulette française 364,1, Black Jack 304,6, roulette anglaise 202,7, boule 131,8, punto y banco 71,1, chemin de fer 30,8, roulette amér. 21,5, craps 16,9, trente-et-quarante 14,5, banque 11,3, vingt-trois 0,02.

Produit des jeux (1990-91, en millions de F). Deauville 257, Divonne 255, Cannes-Croisette 247, Nice-Ruhl 226, Enghien 184, Cannes-Carlton 157, Évian 142, Amnéville 123, Charbonnières 92, Dunkerque 41, Cassis 38, Mandelieu 34, Pau 32, Luc-sur-Mer 30, Aix-en-Provence 29, Forges-les-Eaux 24, Niderbronn 23, Trouville 23, Chamonix 21, St-Amand 17, Annecy 16, Le Boulou 15, Lons-le-Saunier 15, Aix-Grand-Cercle 14, La Grande-Motte 14, St-Raphaël 14, Biarritz 14, Pornichet 12, Agde 11, Gosier 10, Palavas 10, Cannes-Palm Beach 9, Canet-Plage 9, Arcachon 8, Dieppe 8, Cherbourg 8, Bandol 8, St-Gilles 8, Menton 7, Trois-Ilets 7, St-Pierre 6, Santenay 6, Carry-le-Rouet 6, Vichy-Elysée 6, St-Denis 6, La Roche-Posay 5, Amélie-les-Bains 5, les Sables-Sports 5, Montrond 4, St-François 4, Le Touquet-4 S 4, Vichy-Grand Casino 4, Vittel 4, Royan 4, Perros-Guirrec 3, La Baule 3, Cabourg 3, Luxeuil 2, Calais 2, La Rochelle 2, Brides 2, Dinard 2, Grandville 2, Aix-les-Bains N. Cas. 2, Gérardmer 2, Les Sables-Grand cas. 2, Le Touquet-Pal. 2, Port-Mahon 2, Besançon 2, Ajaccio 1, Megève 1, St-Valery 1, Port-Barcarès 1, Étretat 1, Bagnoles-de l'Orne 1, Cap-Breton 1, Font-Romeu 1, St-Paul-les-Dax 1, Vichy-Grand Café 1, St-Jean-de-Monts 1, Antibes 1, Le Tréport 1, Chatelaillon 1, Bagnères-Luchon 1, La Ciotat 1, St-Malo 1, Quiberon 1, Hossegor 1, Andernos 1, Vals-les-Bains 1.

Le 1-3-1989, fermeture par le ministre de l'Intérieur des Casino-club de : Nice, Beaulieu, La Rochelle, Royat-Chamallières, Vichy, Bandol, La Batelière ; 30-4-1989 : Menton, Plombières.

☞ Le casino peut ne pas recevoir un joueur lors de sa 1re visite, a le droit d'exclure un joueur ou d'interdire pour 1 soirée l'entrée de la salle de jeux ; en pratique pour tenue négligée, ivresse. L'interdiction pour tricherie est prononcée par l'État (elle concerne tous les casinos et pour toujours). Sont également interdits les mineurs, les gens en tutelle, en curatelle, privés de leurs droits civiques, les fonctionnaires ou militaires en uniforme. Un joueur peut, pour lutter contre sa faiblesse, se faire interdire volontairement l'entrée des casinos. Cette interdiction d'une durée de 5 ans est irréversible. (En France, près de 5 000 personnes sont interdites de jeu dont plus de la moitié le sont volontairement). Au cas où l'exclusion ou le refus d'admission d'un joueur est prononcé par la direction du casino de sa propre initiative, avis en est donné immédiatement, avec les motifs, au commissaire de police, chef du service des renseignements généraux, chef de la circonscription où se trouve le casino.

Flipper. *Origine :* XIXe s. le billard anglais ou bagatelle. **1929** John Sloan propose à la In and Outdoor Games Inc. le Whoopee. **1931** Richard T. Moloney crée le Ballyhoo. Sté amér. Bally crée le Rockelite. **1938** Samuel Gensberg invente le Beam-Light. **1947** apparition du mot flipper avec le Bermuda et le Humpty Dumpty.

Jackpot. USA. *Record :* 40 millions de $ (356 millions de F) grâce au report d'une semaine sur l'autre des lots gagnants non attribués, le 1-9-1985 à Chicago (Illinois) ; Michael Wittowski (28 ans, imprimeur) recevra 2 millions de $ (17,8 millions de F) chaque année pendant 20 ans (moins 22,5 % d'impôts). Près de 23 millions de billets avaient été vendus pour le tirage. Le vendeur du billet gagnant a reçu 400 000 $ de récompense. **France.** *Record :* 1 246 297,30 F à Deauville en nov. 1988.

Juke-box. 1889 gramophone à cylindres public, muni de 4 écouteurs. **1906** phonographe Automatic Entertainer se remontant à la main. **1926** gramophone électrique. **1928** audiophone avec choix de 8 disques. **1941** disques à la verticale. **1948** le MIOOA avec 100 disques au choix. **1950** le MIOOB, 1er pour 45 t. **En service :** *1965* 26 456 ; *70* 31 818 ; *80* 45 471 ; *84* 32 000.

Comment se nomment les habitants de ?

☞ Suite de la page 1435

Malestroit Maltrais
Mamers Mamertins
Manou Manouiots
Mans (Le) Manceaux, Mansois
Mantes-la-Jolie Mantais. **La-Ville** Mantevillois
Marans Marandais
Marcq-en-Baroeul Marcquois
Marle Marlois
Marly Marlytrons. **Le-Roi** Marlychois
Martigues Martégal, Martigal (aux), Martegallais
Marseille Marseillais, Massiliens
Martigues Martégaux, Martegallais
Masevaux Masopolitains
Masseube Massylvains
Massy Massicois
Mauguio Melgoriens
Meaux Meldois
Melun Melunais, Mélodunois
Ménilmontant Ménilmontants
Mérignac Mérignanais
Metz Messins
Meung-sur-Loire Magdunois
Meyzieu Majolans
Mézières Macériens
Millas Millassous
Millau Millavois
Mirebeau-en-Poitou Mirebalais
Mirecourt Mirecurtiens
Mirepoix Mirapisciens, Mirepiciens
Mitry-Mory Mitryens
Moissac Moissagais
Monaco Monégasques
Moncourtour-de-Bretagne Moncontourais, Moncourtourois
Mondoubleau Mondoubleiotiers
Mons-en-Baroeul Monsois
Montaigu Montacutains, Montaigusiens
Montargis Montargois
Montauban Montalbanais
Montay Montagnards
Montceau-les-Mines Montcelliens
Mont-de-Marsan Montois
Montdidier Montdidériens
Montélimar Montiliens
Montereau Monterelais
Montereau-faut-Yonne Monterelais
Mont-et-Marré Mont-et-Marrois
Montferrand Ferrandois
Montfort-l'Amaury Montfortois
Montigny-en-Cambrésis Montignaciens. **Le-Bretonneux** Igny Montais. **Le-Gannelon** Montrognons
Montmorency Montmorencéens
Montmorillon Montmorillonnais
Montpellier Montpelliérains
Montreuil Montreuillois
Montrouge Montrougiens
Mont-Saint-Aignan Mont-Saint-Aignanais. **Saint-Michel** Montois
Morsang-sur-Orge Morsaintois
Morteau Mortuaciens
Moulins Moulinois
Mureaux (Les) Muriautins
Muret Muretains
Nancy Nancéiens
Nantua Nantuatiens, Nantuates
Nemours Nemouriens
Neufchâteau Néocastriens
Neuilly-Plaisance Nocéens. **Sur-Marne** Nocéens. **Sur-Seine** Neuilléens, Neuillistes
Nevers Neversois, Nivernais
Nice Niçois, Niçards
Niort Niortais
Nœux-les-Mines Noeuxois
Nogent-le-Rotrou Nogentais
Noisy-le-Grand Noiséens. **Le-Sec** Noiséens
Nuits-Saint-Georges Nuitons
Oignies Oigninois
Orange Orangeois
Oriol-en-Royans Oroyens
Orléans Orléanais
Ornans Ornaciens, Ornanais
Orquevaux Orquevoux, Orquevons
Orsay Orcéens
Orvault Orvaltais
Ouessant Ouessantins
Oullins Oullinois
Outreau Outrelois
Paimbœuf Paimblotins, Paimblotains
Palais Palantins
Palaiseau Palaisiens
Pamiers Appaméens, Apaméens
Pantin Pantinois
Paray-le-Monial Parodiens
Patay Patichons
Pau Palois
Paulmy Palmisois
Pavillons-sous-Bois (Les) Pavillonnais
Pecq (Le) Alpicois
Périgueux Périgourdins, Pétrocoriens
Perreux-sur-Marne (Le) Perreuxiens
Petit-Quevilly (Le) Quevillais
Pézenas Piscénois
Pierre-Bénite Pierre-Bénitains
Pierrefitte-sur-Seine Pierrefittois
Pierres Pierrotins
Pithiviers Pithivériens, Pituérais
Pitres Pitriens
Plaisir Plaisirois
Plessis-Robinson (Le) Hibous, Robinsonnais. **Plessis-Trévise** Plesséens
Pluméliau Pluméliens
Poil Poilus
Poilcourt Poilcourtois
Poissy Pissiaçais, Poissiais, Pisciaçais
Poitiers Poitevins
Poix du Nord Podéens
Pont-à-Mousson Mussipontains
Pontarlier Pontisaliens
Pont-Audemer Pontaudemériens. **Bellanger** Tous-loins. **De-Roide** Rudipontains. **De-Vaux** Pontevallois. **En-Royans** Ponténois. **Labbé-Lambour** Pont-Labbistes. **L'Évêque** Pontépiscopiens
Pontlevoy Pontileviens
Pont-Saint-Esprit Spiripontains
Pouzauges Poudaugeois
Port-de-Bouc Port-de-Boucains. **Sur-Saône** Portusiens
Prades Pradéens
Pré-Saint-Gervais (Le) Gervaisiens
Privas Privadois
Provins Provinois
Puiseaux Puisotins, Puisatins
Puteaux Putéoliens, Putelliens
Puy (Le) Ponots, Aniciens, Podots
Quesnoy (Le) Quercitains
Quillebœuf Quillebois
Raincy (Le) Raincéens
Rambervillers Rambuvetais
Rambouillet Rambolitains
Ré (Ile de) Rhétais
Reims Rémois
Remiremont Romarimontains
Réole (La) Réolais
Ribeauvillé Ribeauvilléens, Ribeaupierrettes
Ricamarie (La) Ricamandois
Riez Réiens, Riézois
Rillieux-la-Pape Rilliards
Riom Riomois
Ris-Orangis Rissois
Rive-de-Gier Ripagériens
Rocamadour Amadouriens
Rochechinard Sinarupiens
Rochefort Rochefortais
Rochelle (La) Rochelais
Roche-sur-Faron (La) Rochois
Roche-sur-Yon (La) Yonnais
Rodez Ruthénois, Ruthéniens
Romans Romanais
Romilly-sur-Seine Romillons
Ronchamps Ronchampois
Roscoff Roscovites, Roscoviens
Rosny-sous-Bois Rosnéens
Royan Royannais
Royat Royatois, Royatais
Roye Régnaquains
Rueil-Malmaison Rueillois
Rumilly Rumilliens
Sables-d'Olonne (Les) Sablais, Olonnais
Sablé-sur-Sarthe Saboliens, Sablésiens
Saillans Salliniens
Saint-Acheul Acheuléens
Saint-Affrique Saint Affricains, Saint Affriquains
Saint-Aignan-sur-Cher Saint-Aignanais
Saint-Amand-les-Eaux Amandinois. **De-Longpré** Saint-Amandinois. **De-Vendôme** Saint-Amandinois. **Montrond** Saint-Amandois
Saint-André Andrésiens. **En-Royans** Androyens. **Les-Vergers** Driats
Saint-Avold Saint-Avoldiens, Nabariens
Saint-Bonnet-le-Château Saint-Bonnitains
Saint-Brévin-les-Pins Brévinois
Saint-Brieuc Briochins, Briochains
Saint-Cassien Cassianites
Saint-Chamond Saint-Chamonais, Couramiauds
Saint-Chély-d'Apcher Barrabans
Saint-Claude Sanclaudiens
Saint-Cloud Clodoaldiens
Saint-Coulomb Coulombins
Saint-Denis Dyonisiens, Saint-Dionysiens
Saint-Dié Déodatiens
Saint-Dizier Bragards
Saint-Émilion Sémélionais
Saint-Étienne Stéphanois
Saint-Étienne-du-Rouvray Stéphanais
Saint-Flour Sanflorains, Saint-Flouriens
Saint-Fons Saint-Foniards
Saint-Gaudens Saint-Gaudinois
Saint-Germain-en-Laye Saint-Germanois
Saint-Herblain Herblinois
Saint-Honoré-les-Bains Saint-Honoréens
Saint-Jacut-de-la-Mer Jaguiats
Saint-Jean-d'Angély Angériens. **De-Losne** Losnais. **De-Luz** Luziens. **De-Maurienne** Mauriennais, Saint-Jeanins. **En-Royans** Rouannais, Roynnais, Jeannairois. **De-la-Ruelle** Stéoruellans
Saint-Julien-en-Genevois Juliénois
Saint-Junien Saint-Juniauds, Saint-Juniaux
Saint-Just-de-Claix Clajussiens
Saint-Laurent-Blangy Imercuriens. **De-la-Salanque** Laurençans. **Du-Var** Laurentins. **En-Royans** Lauroyens, Laurennois
Saint-Léonard Saint-Léonardiens
Saint-Lô Saint-Lois, Laudois, Laudiens, Laudiniens
Saint-Louis Ludoviciens
Saint-Loup-sur-Semouse Lupéens
Saint-Macaire Macariens
Saint-Malo Malouins
Saint-Martin Martiniens
Saint-Martin-le-Colonel Columartains, Columartins
Saint-Maur-des-Fossés Saint-Mauriens
Saint-Max Maxois
Saint-Michel-des-Déserts Désertiers
Saint-Mihiel Sammiellois
Saint-Nazaire Nazairiens
Saint-Nicaise Nicaisiens
Saint-Nicolas-de-Port Portois. **En-Forêt** Nicoforestiers
Saint-Omer Audomarois
Saint-Ouen Audoniens. **L'Aumône** Saint-Ouennais
Saint-Papoul Saint-Papouliens, Saint-Papoulois
St-Paul-Trois-Châteaux Tricastinois
Saint-Péray Saint-Pérollais
Saint-Pierre-des-Corps Corpopétrussiens
Saint-Pol-de-Léon Saint-Politains, Léonais. **Sur-Mer** Saint-Polois. **Sur-Ternoise** Saint-Polais, Paulopolitains
Saint-Pons Saint-Ponais
Saint-Priest San-Priau (x)
Saint-Pourçain-sur-Sioule Saint-Pourcinois, Sanpourcinois
Saint-Quentin Saint-Quentinois, Quentois
Saint-Raphaël Raphaëlois
Saint-Romans-en-Royans Romanairois
Saint-Souplet Sulpiciens
Saint-Thomas-en-Royans Thomérois
Saint-Tropez Tropéziens
Saint-Vallier Valloiriens, Saint-Valliérois
Saint-Yrieix-la-Perche Arédiens
Sainte-Eulalie-en-Royans Aulayens
Sainte-Foy-lès-Lyon Sainte-Foyens
Sainte-Geneviève-des-Bois Génovéfains
Sainte-Marie Samaritains
Ste-Menehould Ménehouldiens, Ménéhildiens
Saintes Saintais, Santois
Stes-Maries-de-la-Mer Saintois
Sainte-Savine Saviniens
Salency Salenciens
Salers Sagraniers
Sales Salésiens
Sallanches Sallanchards
Salon-de-Provence Salonnais
Salses Salséens
Sarlat Sarladais
Saulieu Sédélociens
Saulzoir Salicetains
Saulx-les-Chartreuse Salucéens
Savigny-sur-Orge Savignyens, Excelsiens, Saviniens

☞ Suite (voir p. 1887).

L'ÉCONOMIE

SOCIÉTÉS

☞ Voir aussi le chapitre Dernière heure.

Source : Le Nouvel Économiste (octobre 1992).

Légende : (1) USA. (2) P.-Bas. (3) G.-B. (4) Japon. (5) Italie. (6) Mexique. (7) All. féd. (8) France. (9) Brésil. (10) Venezuela. (11) Suisse. (12) Inde. (13) Taiwan. (14) Espagne. (15) Irlande. (16) Belgique. (17) Danemark. (18) Luxembourg. (19) Corée du S. (20) Malaisie.

PREMIERS GROUPES MONDIAUX EN 1991

Légende : effectifs en milliers entre parenthèses et chiffre d'affaires consolidé (* non consolidé) en milliards de F 1991.
(a) informatique. (b) aviation. (c) chimie. (d) électronique. (e) divers. (f) sidérurgie. (g) alimentation. (h) automobile. (i) pétrole.

- General Motors [1, h] (756,3) ... 694,9
- Exxon [1, i] (101) ... 580,8
- Royal Dutch Shell [2, i] (133) ... 577,9
- Ford Motor [1, h] (332,7) ... 502,4
- Toyota Motor [4, h] (105) ... 426,7
- IBM [1, a] (344,6) ... 369,3
- Iri [5, e] (408,1) ... 363,4
- General Electric [1, d] (284) ... 340,2
- Hitachi [4, d] (324,3) ... 326
- British Petroleum [3, i] (115,2) ... 324,4
- Daimler-Benz [7, h] (379,3) ... 323
- Mobil [1, i] (67,5) ... 321,4
- Matsushita Electric Indust. [4, d] (242,2) ... 312,8
- Philip Morris [1, g] (166) ... 271,7
- Nissan Motor [4, h] (143,9) ... 269,5
- Volkswagen [7, h] (260,1) ... 259,5
- Fiat [5, h] (288) ... 256,9
- Siemens [7, d] (402) ... 248,2
- Eni [5, e] (131,2) ... 231,4
- Unilever [2, e] (292) ... 230,7
- Samsung Group [19, d] (187,4) ... 219,9
- Ei Du Pont de Nemours [1, c] (133) ... 214,8
- Texaco [1, i] (40,2) ... 212
- Chevron [1, i] (55,1) ... 207,8
- Elf Aquitaine [8, i] (87) ... 200,7
- Nestlé [11, g] (201) ... 198,7
- Toshiba [4, d] (168) ... 198,3
- Veba [7, e] (117) ... 194,5
- Tokyo Electric Power [4, e] (40,1) ... 193 *
- Honda Motor [4, h] (86) ... 184,4
- Philips [2, d] (240) ... 172
- Edf [8, e] (119,3) ... 171,4 *
- Renault [8, h] (147,2) ... 166
- Chrysler [1, h] (100) ... 165,9
- Boeing [1, b] (159,1) ... 165,5
- Abb Asea Brown Boveri [11, e] (214,4) ... 163,1
- Sony [4, d] (119) ... 160,5
- Hoechst [7, c] (179,3) ... 160,4
- Psa Peugeot Citroen [8, h] (156,8) ... 160,2
- Alcatel Alsthom [8, e] (213,1) ... 160,1

Premiers bénéfices (en milliards de F). Exxon [1] 31,6. Royal Dutch Shell [2] 23,9. Philip Morris [1] 17. General Electric [1] 14,9. Merck [1] 12. Bristol-Myers Squibb [1] 11,6. Unilever [2] 11,5. Hanson [3] 11. Mobil [1] 10,8. Glaxo Holdings [3] 10,3. Procter & Gamble [1] 10. Toyota Motor [4] 10. Elf-Aquitaine [8] 9,8. Nestlé [11] 9,7. Petronas [20] 9,3. British Gas [3] 9,2. Coca-Cola [1] 9,1. Boeing [1] 8,8. Amoco [1] 8,4. Johnson & Johnson [1] 8,2.

PREMIÈRES ENTREPRISES EUROPÉENNES EN 1991

Légende : chiffre d'affaires consolidé (* non consolidé) en milliards de F 1991.

Agroalimentaire

- Unilever [2] ... 230,7
- Bat Industries [3] ... 118
- Grand Metropolitan [3] ... 87
- Feruzzi Finanziaria [5] ... 80,9
- Hanson [3] ... 76,5
- Bsn [8] ... 66,1
- Allied-Lyons [3] ... 53,3
- Gallaher [3] ... 46,5
- Hillsdown Holdings [3] ... 46,3
- Eridania [5] ... 45,9
- Béghin-Say [8] ... 40,9
- Dalgety [3] ... 39,6
- Bass [3] ... 38,1
- Associated British Foods [4] ... 34,9

Bois-Papier

- Feldmuehle Nobel [7] ... 31,3
- Arjo Wiggins Appleton [3] ... 24,7
- Buhrmann-Tetterode [2] ... 16,8
- Pwa Papierwerke [7] ... 14,9
- Stora Feldmuehle [7] ... 13,6
- Bowater [3] ... 12,6
- Jefferson Smurfit Group [15] ... 11,1
- Ja-Mont [2] ... 9,8
- Vrg-Groep [2] ... 9,5
- La Cellulose du Pin [8] ... 8,3
- Haindl Papier [7] ... 8,2
- Cartiere Burgo [5] ... 7,9
- Melitta [7] ... 6,8
- KNP [2] ... 6,4
- Grupo Torraspapel [14] ... 5,5
- Aussedat Rey [8] ... 5,3
- Welle [7] ... 4,2
- Kaysersberg [8] ... 4
- Lapeyre [8] ... 4
- Nordland Papier [7] ... 3,9 *
- La Rochette [8] ... 3,7

Chimie

- Hoechst [7] ... 160,4
- Basf [7] ... 158,7
- Bayer [7] ... 144,2
- Ici [3] ... 124,2
- Rhône-Poulenc [8] ... 83,8
- Saint-Gobain [8] ... 75,1
- Michelin [8] ... 67,6
- Enichem [5] ... 61,1
- Akzo [2] ... 50,9
- Elf Atochem [8] ... 50
- Smithkline Beecham [3] ... 46,6
- Pirelli [5] ... 45,6
- Henkel [7] ... 43,9

Commerce

- Tengelmann [7] ... 158,8
- Rewe-Handelsgruppe [7] ... 140,8
- Spar International [2] ... 134
- Leclerc [8] ... 106,5
- Carrefour [8] ... 100,4
- Intermarché [8] ... 98
- J. Sainsbury [3] ... 86,5
- Promodes [8] ... 76,4
- Tesco [3] ... 70,6
- Otto-Versand [7] ... 68,3
- Asko Deutsche Kaufhaus [7] ... 61,1
- Ahold [2] ... 60,7
- Franz Haniel & Cie [7] ... 58,3
- Stinnes [7] ... 58,3
- Karstadt [7] ... 58,2

Communication-Loisirs

- Bertelsmann [7] ... 54,2
- Wpp Group [3] ... 50,5
- Fininvest [5] ... 45,9
- Saatchi & Saatchi [3] ... 40,4
- Thorn Emi [3] ... 39,3
- Hachette [8] ... 30,4
- Havas [8] ... 26,5
- Euro rscg [8] ... 23,1
- The Rank Organisation [3] ... 21
- Aegis [3] ... 21
- Publicis [8] ... 19,9
- Polygram Internat. [2] ... 19,1
- Ard [7] ... 18,8
- Rai [5] ... 18
- Reed International [3] ... 16,2

Construction

- Bouygues [8] ... 64,3
- Sge [8] ... 44,7
- Iritecna ex-italstat [5] ... 40,9
- Philipp Holzmann [7] ... 37,4
- Poliet [8] ... 35,7
- Trafalgar House [3] ... 33,4
- Tarmac [3] ... 32,1
- Lafarge Coppée [8] ... 31,6
- Rmc Group [3] ... 27,8
- Sae [8] ... 27,3
- Gtm Entrepose [8] ... 26,9
- Amec [3] ... 23,3
- Hochtief [7] ... 21,9
- Spie-Batignolles [8] ... 21,6
- Fcc [14] ... 19,8

Équipement électrique – Électronique

- Siemens [7] ... 248,2
- Philips [2] ... 172
- Alcatel Alsthom [8] ... 160,1
- Alcatel Nv [2] ... 109,9
- General Electric Cy [3] ... 93,9
- Thomson [8] ... 71,3
- Btr [3] ... 67,1
- Schneider [8] ... 59
- Gec Alsthom [8] ... 52,5
- bm Deutschland [7] ... 50,3
- eg [7] ... 47,6
- Siemens Nixdorf Informations [7] ... 41,2
- Finmeccanica [5] ... 40,6
- Ibm uk. [3] ... 39,6
- Ibm France [8] ... 39,5
- Olivetti [5] ... 39,1
- Bicc [3] ... 37,7
- Thomson-Csf [8] ... 35,2
- Bull [8] ... 33,5
- Philips Gmbh [7] ... 33,1
- Thomson Cons. Élect. [8] ... 31,2

Matériel de transport

- Daimler-Benz [7] ... 323
- Volkswagen [7] ... 259,5
- Fiat [5] ... 256,9
- Mercedes-Benz [7] ... 228,2
- Renault [8] ... 166
- Psa Peugeot Citroën [8] ... 160,2
- Robert Bosch [7] ... 114,2
- British Aerospace [3] ... 105,1
- Autos Peugeot [8] ... 102,1
- Bmw [7] ... 101,5
- Opel [7] ... 92,3 *
- Ford-Werke [7] ... 76 *
- Autos Citroën [8] ... 70,8
- Ford Motor Ltd [3] ... 61,6
- Audi [7] ... 50,4 *

Mécanique

- Mannesmann [7] ... 82,7
- Man [7] ... 64,7
- Hoesch [7] ... 34,4
- Thyssen Industrie [7] ... 28,4
- Deutsche Babcock [7] ... 24,9
- Linde [7] ... 23,5
- Rochling [7] ... 18,4
- Mannesmann Demag [7] ... 18
- Carl-Zeiss-Stiftung [7] ... 15,6
- Kloeckner-Humboldt-Deutz [7] ... 14
- Fag Kugelfischer G. Schaefer [7] ... 13,2
- Tomkins [3] ... 12,7
- Liebherr Holding [7] ... 11,8

Métaux

- Iri [5] ... 363,4
- Thyssen [7] ... 124,3
- Usinor Sacilor [8] ... 97,2
- Preussag [7] ... 86,5
- Viag [7] ... 80,2
- Péchiney [8] ... 74,4
- Metallgesellschaft [7] ... 72
- Fried, Krupp [7] ... 51,5
- The Rtz Corporation [3] ... 48,6
- Ilva [5] ... 48,2
- British Steel [3] ... 45,7
- Degussa [7] ... 45,4
- Péchiney International [8] ... 45,1
- Sollac [8] ... 35,6
- Thyssen Stall [7] ... 35,5

Produits d'extraction

- Royal Dutch Shell [2] ... 577,9
- British Petroleum [3] ... 324,3
- BP Oil [3] ... 236,9
- Eni [5] ... 231,4
- Elf Aquitaine [8] ... 200,7
- Veba [7] ... 194,5
- Edf [8] ... 171,4 *
- Rwe [7] ... 149,9
- Total [8] ... 143
- Enel [5] ... 123,8 *
- Ini [14] ... 108,7
- British Gas [3] ... 104,3
- Repsol [14] ... 91,8
- Ruhrkohle [7] ... 84
- Petrofina [16] ... 75,7

Services

- Deutsche Telekom [7] ... 160,1 *
- Générale des Eaux [8] ... 134,9
- British Telecom [3] ... 132,7
- France Télécom [8] ... 115,8 *
- Stet [5] ... 104,4
- Sip [5] ... 88,5 *
- Lyonnaise des Eaux-Dumez [8] ... 87,5
- Postdienst [7] ... 83,3
- La Poste [8] ... 73 *

Telefonica de España [14]. 54,7 *
The Post Office [3] 51,2
Royal Ptt Nederland [2] 43,7
Cable & Wireless [3] 31,6

Textile-Habillement

Coats Viyella [3] 19,4
Akzo Faser Und Polymere-Enka [7] 12,9
Bernard Tapie Finances [8] 12,3
Adidas [7] 11,4
Snia Bpd [5] 10,5
Benetton Group [5] 10,5
Chargeurs [8] 10,3
Dmc [8] 9
Groupe André [8] 8,7
Chargeurs Textiles [8] ... 7,9
Louis Vuitton [8] 7,2

Transport-Tourisme

Sncf [8] 73
Deutsche Bundesbahn [7]. 72
Air France [8] 57,6
Lufthansa [7] 54,7
British Airways [3] 52
P&O Steam Navigation [3]. 48,7
Ladbroke Group [3] 37,7
Schenker-Rhenus [7] 37,4
British Railways Board [3] 31,3
Bolloré Technol. [8] 27,9
Alitalia [5] 26,7
Forte [3] 26,5
Klm Royal Dutch Airlines [2] 23,9
Whitbread [3] 23,7
Sceta [8] 21
Iberia [14] 20,8

Premières entreprises françaises en 1991

Légende : entre parenthèses : effectifs en milliers et chiffre d'affaires consolidé (* : chiffre d'affaires non consolidé) en milliards de F 1991.

Agroalimentaire

Bsn (59,1) 66,1
Béghin-Say (Eridania I) (16,1) 40,1
Nestlé France (Nestlé Ch) (17,4) 24,3
Lvmh (14,6) 22
Besnier (9,4) 18,2
Sodiaal (7,9) 17,5
Unilever France (Unilever Nl) (8,8) ... 16,1 *
Pernod Ricard (11,1) ... 15,2
Uln (6) 15,2
Socopa (4,6) 13,5
Source Perrier (Nestlé, Ch) (15,3) 13,2
Seita (6,5) 12,8
Saint-Louis (8,8) 10,5
Sopad-Nestlé (Nestlé France) (5,8) . 10,3 *
Uncaa (0,9) 10,2
Champagne Céréales (1,4) 10
Bongrain (Soparind) (8,4) 9,7
Arcadie (3,2) 8,8
Pomona (4,6) 8,1
Coopagri bretagne (2,9) . 8
Guyomarc'h (Fin Paribas) (4,4) 7,4
Unicopa (3,9) 7,1
Fromageries Bel (La Carbonique) (6,2) 6,8
Doux (6,7) 6,7
Gervais Danone France (Bsn) (3,1) .... 6,7 *
Rémy et Cointreau (Orpar) (3,3) 6,7
Cana (3,3) 6,6
Jas Hennessy et Cie (Lvmh) (2,7) 6,2
Brasseries Kronenbourg (Bsn) (2,7) .... 5,8 *
Générale Sucrière (Saint-Louis) (1,9) .... 5,6 *
Ortiz-Miko (Safral) (6,5) 5,4
Casino Production (Casino) (2,3) 5,2
Guyomarc'h Nutrition Animale (Guyomarc'h) (2,5) 5,1
Cedilac-Candia (Sodiaal) (1,9) 4,9
Euralim (Saint-Louis) .. 4,8
Unisabi (Mars, usa) (1,1) .... 4,8 *
Vital-Sogéviandes (2,5) . 4,5
Bonduelle (4,4) 4,3
Sanders (Emc) (1,9) 4,3
Groupe Cecab (2,6) 4,2
Groupe Even (1,9) 3,9
Champagne Moët et Chandon (Lvmh) 3,8
Cooperl (1,2) 3,7
Bsa Bourgoin (3,7) 3,6
Financière de Saint-Gérand (0,5) 3,6
Alliance Agro-Alimentaire (2,2) 3,5
Vitréenne d'Abattage (1,4) .... 3,5 *
Sabim (Casino Product.) (1) .... 3,4 *
Miko (Ortiz-Miko) (3,8) . 3,4 *
Caves et Product. de Roquefort (2,6) 3,3
Eaux Minérales d'Évian (1,8) .... 3,3 *
G.H. Mumm et Cie (Seagram. Cdn) (1,3) 3,2

Premiers bénéfices (en milliards de F). Lvmh 3,7. Bsn 3,4. Pernod Ricard 1. St-Louis 0,8. Béghin-Say 0,8. Nestlé France 0,7. Unilever France 0,4. Bongrain 0,3. Perrier 0,3. Besnier 0,3.

Premiers exportateurs. Bsn 33,9. Béghin-Say 31,9. Lvmh 18,3. Pernod Ricard 7,4. Source Perrier 7,1. Ulm 5,8. Champagne Céréales 5,5. Rémy Cointreau 5,2. Bongrain 5,1. Doux 4,6.

Bois-Papier

Cellulose du Pin (St-Gobain) (8,6) 8,3
Aussedat Rey (Int. Paper usa) (4,6) 5,3
Kaysersberg (Ja-Mont nl) (2,3) 4
Lapeyre (Poliet) (3,4) ... 4
La Rochette (3,7) 3,7
Sibille (2,5) .... 3 *
Sibille-Dalle (Sibille) (2,2) 2,8
Socar (Cellulose Pin) (2,8) .... 2,7 *
Stora Feldmuehle Corbenhem (Stora Feldmuhle, Rfa) (1,5) 2,6
Gascogne Sa (2,3) 2,3
Peaudouce (Molnlyckes) (2,2) .... 2,3 *
Isoroy (Pinault) (2,7) ... 2,2
Otor (4,7) 2,1
Jacques Parisot (3,1) ... 2
La Chapelle Darblay (Kymmene sf) (1,2) 1,9
Cia (Pinault) (2,9) 1,7
Cascades (Cascades Inc. Cdn) (1,4) 1,7
Matussière et Forest (1,6) 1,6
Gaspard Fournitures de Bureau (1,1) .... 1,5 *
Papet. Sibille Stenay (Sibille-Dalle) .... 1,4 *
Kayserberg Packaging (DavidS. Smith, G.-B.) (1,3) .... 1,4 *
Papeteries de Clairefontaine (Ch. Nusse) (1,1) 1,4
Papeterie de Montrevrain (Arjo wiggins, G.-B. (0,3) 1,4
Kymmene France (Kymmene sf) (0,2) .... 1,3 *
Rol Rougier Océan Landex (St-Gobain) (1,8) .. 1,3*
Papeteries de Condat (Cellulose Pin) (1,2) .. 1,3 *
Cdra (La Rochette) (0,7) .... 1,3 *
Packart (Nord-Est) (1,9) . 1,2
Cgp (Novalliance) (1,7) . 1,2
Seribo (1,6) 1,2

Premiers bénéfices (en milliards de F). Lapeyre 0,3. Aussédat Rey 0,1. Jacques Parisot 0,1. Kaysersberg 0,1. Papet. Clairefontaine 0,1. Charfa 0,1. Cellulose du Pin 0,1. Papeteries de l'Aa 0,09. gascogne 0,08. Guerimand Voiron 0,08.

Premiers exportateurs. Cellulose du Pin 2,9. Aussédat Rey 1,8. Sibille 1,6. Stora Feldmuehle Corbehem 1,2. La Rochette 1,1. Cascades 1. Peaudouce 0,8. Stracel 0,7. Papeteries Canson Montgolfier 0,7. Isoroy 0,6.

Chimie

Rhône-Poulenc (89,1) ... 83,8
Saint-Gobain (104,7) 75,1
Michelin (135,6) 67,7
Elf Atochem (Elf Aquit.) (33,7) 50
L'Oréal (Gesparal) (29,9) 33,4
L'Air liquide (28) 31,8
Rhône-Poulenc Santé (Rhône-Poulenc) 29,2
Manufacture Fse Pneu Michelin (Michelin) (44,2) 22,5
Elf Sanofi (Elf Aquit.) (24,4) 19,6
Sanofi Santé & Bio Activités (Elf Sanofi) 17,8
Emc (13,5) 15,9
Roussel Uclaf (Frse Hoechst) (16,4) 14,3
Bayer en Fr. (Bayer Rfa) (4,8) 13,3
Basf Fr. (Basf Rfa) (3,5) 9,9
Sommer Allibert (12,4) . 9,5
Ici Fr. (Ici G.-B.) (3,9) .. 8,7
Kodak-Pathé (Eastman Kodak USA) (7,5) 7,8
Solvay (Solvay B.) (8,9) . 7,8
Ciba-Geigy en Fr. (Ciba-Geigy Ch) (4,6) 7,7
Hutchinson (Total) (12,9) 7,5
Procter & Gamble Fr. (Procter Gamble USA) (2,1) 7,5
Shell Chimie (Shell Fr.) (2,3) .... 7 *
Française Hoechst (Hoechst RFA) (2,3) .. 6,6
Laboratoires Yves Rocher (Sanofi) (7,5) 6,3
Française Exxon Chemical (Exxon USA) (1,7) 5,9
Bic (8,5) 5,7
Institut Mérieux (Rhône-Poulenc) (6,8) 5,7
Rhône-Poulenc Agrochimie (Rhône-Poulenc) (1,9) .... 5,5 *
Grande Paroisse (Elf Atochem) (3,5) .... 5,4 *
Du Pont de Nemours Fr. (Du Pont USA) (1,5) .. 5,4 *
Bp Chemicals (Bp France) (0,5) .... 5,1 *
Bayer Fr. (Bayer en Fr.) (0,6) .... 5,1 *
Verrerie Cristallerie d'Arques (8,7) .... 5 *
Laboratoires Msd-Chibret (Merck USA) (1,7) 4,9 *
Snpe (7,3) .... 4,8 *
Enichem Fr. (Enichem I) (0,7) 4,7
3M Fr. (3M USA) (3,7) . 4,7
Burelle (5,9) 4,5
Scpa (Emc) (0,3) .... 4,3 *
Henkel Fr. (Henkel Rfa) (2,2) 4,2
Lever (Unilever Nl) (1,6) 4,1 *
Pierre Fabre Participations (5,4) 4,1
Compagnie Plastic Omnium (Burelle) (5,3) .. 4
Roche en Fr. (Roche ch) (3,6) 3,9
Hydro Azote (Norsk Hydro. N) (2,1) 3,9
Colgate-Palmolive (Colgate-Palmolive USA) (1,7) .... 3,8 *
Dunlop Fr. (5) 3,8
Pneus Kléber (Michelin) (7,6) 3,6
Sanofi Bio-Industries (Elf Sanofi) (3,7) 3,5
Synthelabo (L'Oréal) (4,4) 3,5

Premiers bénéfices (en milliards de F). Saint-Gobain 2,5. L'Air liquide 2,2. L'Oréal 2,2. Rhône-Poulenc 2. Elf Atochem 1,5. Elf Sanofi 1. Roussel Uclaf 0,6. Bic 0,4. Smithline Beecham 0,3. Du Pont De Nemours Fr. 0,3.

Premiers exportateurs. Rhône-Poulenc 65. Michelin 54,5. St-Gobain 54,4. Elf Atochem 31,5. L'Air liquide 22,6. L'Oréal 21,8. Elf Sanofi 11,8. Roussel Uclaf 9,2. Emc 7,4. Bic 4,7.

Commerce

Leclerc (51,1) 106,5
Carrefour (76,2) 100,6
Intermarché (65) 98
Promodès (47,2) 76,4
Casino (44,2) 42,4
Samu Auchan 40
Système U Centrale Nat. (22,5) 37,5
Pinault (34,2) 36,3
Cora 35
Groupe Printemps (30,2) 31,3
Docks de Fr. (24) 29,4
Cie fin., Sucres et Denrées (0,8) 28
Ocp (6) 27
Galeries Lafayette (36,2) 25,5
Euromarché (Viniprix) (16,7) 25,5
Rallye (19,3) 24
Comptoirs Modernes (15,9) 21,1
Sonepar Distribution (12,2) 20,1
Continent Hypermarchés (Promodes) .... 17,9 *
La Redoute (Printemps) (16,7) 17,4
Jean Soufflet (1,5) 16,5
Nouvelles Galeries Réunies (Gal. Lafayette) (19,1) 14,2
Sucden Kerry (Fin. Sucden) (0,5) 13,6
Point P (Poliet) (8,5) ... 12,9
Daval (Usinor-Sacilor) (0,1) .... 12,7 *
Valor (Sollac) (0,2) .... 12,2 *
3 Suisses Intern. (7,5) ... 11,1 *
Cargill (Cargill USA) (0,8) .... 10,7 *
Sigma (0,6) 10,5
Minemet (Imétal) 10,1
Hyperallye (Rallye) .. 10 *
Ile-de-Fr. Pharmaceutique (2,3) 9,8
Cerp Rouen (3,1) .... 9,6 *
Erpi (2,1) 8,9
Darty (7,3) 8,8
Castorama-Dubois Invest. (9,9) 8,8
Scoa (6,7) 8,1
But (4,5) 8
La Redoute Catalogue (La Redoute) (6,5) .... 7,9 *
Descours & Cabaud (6,5) 7,7
Pum Station Service Acier (Cockerill Samb., B) (3,9) 7,7
Fnac (Gmf) (6,3) 7,4
Conforama (Pinault) (5,3) 7,2
Alsacienne de Supermarchés (6,4) 7
Distriservice (Cora) (0,01) .... 6,9 *
Docks de Fr. Ruche picarde (Docks de Fr.) (5,2) .... 6,4 *
Sogara (3,2) .... 6,2 *

Cie continentale fr. (Cont. Grain USA) (0,07) ... 6 *
Leroy Merlin (Samu Auchan) (6) ... 5,9
Sapec-Groupe Domaxel (5) ... 5,9
Merkuria Sucden (Fin. Sucden) ... 5,6
Palais de la Nouveauté (Monoprix) (4,1) ... 5,6
Genty Cathiard (Rallye) (5,4) ... 5,5
Ugap (0,9) ... 5,2 *
Gyenne et Gascogne (3,5) ... 5,1
Doc de Fr. Ouest (Docks de Fr.) Docks de France Cofradel (Docks de Fr.) (4,4) (4,3) ... 5,1
Prisunic (Printemps) ... 5,1
Cfao (Pinault) (4,2) ... 5 *
France-Printemps (Printemps) (5,1) ... 5 *
Docks de Fr. Paris (Docks de Fr.) (2,8) ... 4,7 *
Au Bon Marché (Fin. Agache) ... 4,7
Interagra (Sepromec) (0,8) ... 4,6
Comptoirs Modernes Normandie (Compt. modernes) ... 4,5 *
Sopradis (Rallye Super) ... 4,4 *
Sogramo (Carrefour) ... 4,3 *

Premiers bénéfices (en milliards de F). Printemps 1,9. Carrefour 1,2. Au Bon Marché 1,2. Darty 0,6. Casino 0,5. Pinault 0,5. Promodes 0,4. Docks de Fr. 0,3. Comptoirs modernes 0,3. Galeries Lafayette 0,3.

Premiers exportateurs. Carrefour 30,6. Promodes 30,5. Cie fin. Sucres et Denrées 20,6. Daval 12,7. Sonepar Distribution 11,3. Jean Soufflet 10,7. Pinault 10,1. Minemet 8,5. Sigma 7,9. Cargill 6,4.

Communication-Loisirs

Hachette (Marlis) (28,5) ... 30,4
Havas (12,5) ... 26,5
Euro RSCG (5,7) ... 23,1
Publicis (5,8) ... 19,9
Carat (Aegis, GB) (0,6) ... 10,8
Information et Publicité (Havas) (0,8) ... 8,2
Groupe Hersant ... 7,5
Canal + (1,6) ... 7
TF1 (1,5) ... 6,5
Avenir Havas Media (Havas) (6,4) ... 6,4
Groupe de la Cité (9) ... 6,3
Euro Disneyland (2,3) ... 6,2
Cep Communication (7,1) ... 5,6
Publicis Conseil (Publicis) ... 4,3
Office d'Annonces (2,7) ... 4,2 *
France 3 (3,3) ... 4 *
TDF (Fr. Télécom) (4,1) ... 3,7 *
Pari Mutuel Urbain (2,3) ... 3,6 *
France 2 (1,3) ... 3,4 *
France Loisirs (1,3) ... 3,3 *
Fcab (0,9) ... 3,1
Salomon (2,6) ... 3
SNC Edi 7 ... 2,6 *
Nmpp (7,5) ... 2,4 *
Europe 1 Communication (1,7) ... 2,3
Radio France (3,1) ... 2,2 *
Imprimeries Jean Didier (1,8) ... 2,2
Prisma Presse (Gruner + Jahr. RFA) (0,5) ... 2,2
Imprimerie nationale (2) ... 2
Éditions P. Amaury (1,7) ... 1,9
La Française des Jeux (0,6) ... 1,9 *
Comareg (Havas) (4,4) ... 1,8
Bayard-Presse (1,7) ... 1,8
Société des Bains de Mer (2,7) ... 1,7 *
Lintas-Paris (France Ccpm) (0,2) ... 1,7
Public. Filipacchi (0,9) ... 1,7
Havas Régies (Havas) (1,1) ... 1,7
Interdeco Régie (0,2) ... 1,6
RFP ... 1,5 *
Skis Rossignol (2,3) ... 1,5
Synergie-Équateur (Euro RSCG) (0,3) ... 1,3
Dauphin Ota (1,4) ... 1,3
Sport 2000 (1,5) ... 1,3
Danel Ferry (Apax Partners) (1,4) ... 1,3
Ouest France (Sipa) (1,7) ... 1,3 *
Groupe Sud-Ouest (2,3) ... 1,3
Emi France (Thorn Emi) (0,5) ... 1,2
Gaumont (Cinepar) (1,1) ... 1,2
La Hutte (0,1) ... 1,2
Publications Vie catholique (1,2) ... 1,2
Le Monde (1) ... 1,2
La Voix du Nord (2,2) ... 1,1 *
Affichage Giraudy (Financière 1) (1,1) ... 1,1
Rochefortaise Communication (1,5) ... 1,1
La Cinq (0,9) ... 1,1 *
Sélection du Reader's Digest (Reader's Digest. USA) (0,5) ... 1 *
Éditions Atlas (De Agostini bv. nl) ... 1 *
Groupe Expansion ... 1
Cogedipresse (Pub. Filipacchi) ... 1 *
Expand (1,5) ... 0,9
Livre de Paris (Hachette) (1,9) ... 0,9 *
Larousse (Groupe de la Cité) ... 0,9
Rfo (1,4) ... 0,9 *
Régie 7 (0,07) ... 0,9 *
Librairie Ernest Flammarion (Edi 5) (0,9) ... 0,9
Librairie Fernand Nathan (Groupe de la Cité) ... 0,9 *
Presses de la Cité (Groupe de la Cité) ... 0,9
Trigano (1,2) ... 0,9
Éditions Masson (Fimalac) ... 0,9
Sapeso (1,2) ... 0,9 *
Serp (Hersant) ... 0,9
Fep (Hachette) ... 0,9 *
Midi libre (1,3) ... 0,8
Metrobus (0,2) ... 0,8
Ip Presse (Information Pub) (0,1) ... 0,8
Métropole Télévision M6 (0,5) ... 0,7 *
Sad ... 0,7 *
Marie-Claire (Prouvost) (0,3) ... 0,7
SFP (1,4) ... 0,7 *
Nice-Matin (0,8) ... 0,7 *
L'Est Républicain (1,2) ... 0,7 *
La Dépêche du Midi (1,3) ... 0,6
Dernières Nouvelles d'Alsace (Quillet) (1,1) ... 0,6 *
Mattel France (Mattel. USA) (0,1) ... 0,6 *
La République du Centre-Ouest (1,7) ... 0,6 *
Majorette (1,4) ... 0,6
Héliogravure Jean Didier (Jean Didier) (0,4) ... 0,6 *
Spir Communication ... 0,6
Berger-Levrault (0,9) ... 0,6
Le Grand Livre du Mois (0,3) ... 0,6
UGC ... 0,5 *
Le Républicain lorrain (0,8) ... 0,5 *
Bordas (Groupe de la Cité) ... 0,5
Les Échos (Pearson G.-B.) (0,4) ... 0,5
Office Spécial de Publicité (Ipp) ... 0,5 *
Imprimerie Hélio-Corbeil (Hachette) (0,4) ... 0,5 *
Régie 1 ... 0,5 *
Excelsior Publications (0,4) ... 0,5
Tonka France (Tonka Internat. USA) (0,2) ... 0,5 *
Éditions du Seuil (0,4) ... 0,5
L'Alsace (Crédit Mutuel) (0,9) ... 0,5
Espace 3 Publicité (France 3) ... 0,5 *
Les Publications du Moniteur (Cep) ... 0,5
Le Provençal (Hachette) ... 0,5 *
Smoby (0,6) ... 0,5 *
Imprimerie Cino Del Duca (Maxwell. G.-B.) (0,4) ... 0,4
Film Office (0,06) ... 0,4 *
Superjouet (0,03) ... 0,4 *
Snpc Libération (Saip) (0,4) ... 0,4 *
Éditions Hatier (0,3) ... 0,4 *
Institut National Audiovisuel (1) ... 0,4 *
Radio Monte-Carlo (Sofirad) (0,5) ... 0,4 *
Hélicolor (Cubic. CH) ... 0,4
Sedpp (Hachette) (0,1) ... 0,4 *
Manchette Publicité (Hachette) ... 0,4 *
France-Rail Publicité (Sncf) (0,1) ... 0,4 *
Partenaires (P&A) (0,6) ... 0,4
Moselle Vieillemard (0,5) ... 0,4
Éditions Techniques (0,5) ... 0,4 *
F. Berchet (0,4) ... 0,4
L'Usine nouvelle (Cep) ... 0,4 *
Nrj (0,2) ... 0,4

Premiers bénéfices (en milliards de F) Canal Plus 1,1. Havas 1. France Loisirs 0,4. TF1 0,3. La Française des Jeux 0,3. Cep Communication 0,3. Euro Disneyland 0,2. Groupe de la Cité 0,2. Société des Bains de Mer 0,2. Prisma Presse 0,2.

Premiers exportateurs. Hachette 15,7. Euro RSCG 11,1. Publicis 11,1. Havas 7,9. Salomon 2,8. Fcab 1,4. Skis Rossignol 1,2. Groupe de la Cité 1,1. Cep Communication 1. Superjouet 0,4

Construction

Bouygues (82,4) ... 64,3
Sge (Cie Gale Eaux) (75,5) ... 44,7
Poliet (Paribas) (35,4) ... 35,7
Lafarge Coppée (30,8) ... 31,6
Sae (25,5) ... 27,3
Gtm-Entrepose (Lyonnaise-Dumez) (39,6) ... 26,9
Spie-Batignolles (Schneider) (33,9) ... 21,6
Sogea (Sge) (29) ... 17,7
Dumez (Lyonnaise-Dumez) (31,7) ... 17
Ciments Français (Poliet) (18,2) ... 16,4
Cegelec (Alcatel Alsthom) (27,1) ... 15,9
Fougerolle (19,6) ... 12,4
Colas (Bouygues) (22,3) ... 12,4
Entreprise Jean Lefebvre (Gtm Entrepose) (11,2) ... 7,8
L'entreprise industrielle (12,5) ... 7,4
Screg Routes et tp (Screg) (9,1) ... 7
Scic (C3d) (4,2) ... 6,8
Bouygues Immobilier (Bouygues) (1,3) ... 6,7
Cbc (Cie Gale Eaux) (4,9) ... 6,6
Gtm-Btp (Gtm Entrepose) (6,9) ... 6,3
Gtie (Cie Gale Eaux) (11) ... 5,7
Imétal (6,6) ... 5,6
Cochery Bourdin Chausse (Sge) (7,7) ... 5,6
Dumez Fr. (Dumez) (6,7) ... 5,5
Asf Autoroutes Sud de France (3,6) ... 5,4 *
Pelège (2,1) ... 5,4
Groupement Foncier Français (0,4) ... 5,2
Vicat (3,7) ... 5,1
Ciments Lafarge (Lafarge Coppée) (2,1) ... 4,7 *
Saep (Sae) (4,3) ... 4,6
Arena (Cimen. Français) (4,2) ... 4,5
Gerland (BP France) (5,6) ... 4,2
Kaufman & Broad France (Kaufman & Broad USA) (0,3) ... 4,1
Les Nouveaux Constructeurs (1) ... 4,1
Bouygues Offshore (Bouygues) ... 4
Cedest (Cgip) (2,4) ... 4
Spie Construction (Spie-Bat.) (4,8) ... 3,9
Campenon Bernard (Sge) (5,6) ... 3,8
Lafarge Nouveaux Matériaux (Lafarge Coppée) (3,5) ... 3,6
Autoroutes Paris-Rhin-Rhône (1,9) ... 3,5
Rmc France (Rmc G.-B.) (2,2) ... 3,5
Scr (Fougerolle) (4,8) ... 3,4
Etex (5,5) ... 3,4
Solétanche (3,3) ... 3,4 *
Sacer (SITP) (5,2) ... 3,4
Genest (5,1) ... 3,4
Smac Acieroid (Screg) (4,7) ... 3,3
Beugnet (3,7) ... 3,3
Cie immobilière Phénix (Cie Gale Eaux) (3,5) ... 3,3
Dragages et Travaux Publics (screg) (3,8) ... 3,1
Viafrance (SGE) (3,8) ... 2,9
Cogedim (Paribas) (0,4) ... 2,9
Quillery (2,9) ... 2,9
France Construction (Bouygues) ... 2,8 *
Sade (Sahide) (4,1) ... 2,8 *
Cofiroute (Cofiparco) (1,7) ... 2,7 *
Sari-Seeri (Cie Gale Eaux) ... 2,7
Nord France (Philip Holzmann. RFA) (3,2) ... 2,6

Premiers bénéfices (en milliards de F). Lafarge Coppée 1,2. Poliet 0,9. Emgp 0,6. Bouygues 0,6. Seefimeg 0,5. Sge 0,5. Simco 0,4. Fougerolle 0,4. Vicat 0,4. Cofiroute 0,4.

Premiers exportateurs. Bouygues 18,9. Sge 18,9. Lafarge Coppée 18,3. Dumez 10,1. Poliet 8,8. GTM-Entrepose 7,9. Sae 7,7. Cegélec 7,6. Spie-Batignolles 5,9. Imétal 2,6.

Énergie-Extraction

Elf Aquitaine (Erap) (87) ... 200,7
Edf (119,3) ... 171,4 *
Total (46) ... 143
Total Raffinage Distribution (Total) ... 55 *
Gaz de Fr. (26,5) ... 49,4 *
Cea-Industrie (Cea) (37,3) ... 38,9
Elf Antar Fra. (Elf Aquitaine) (5,1) ... 32,7 *
Groupe Shell Fr. (Royal D. Shell. Nl) (6,4) ... 27,8
Esso Saf (Exxon. USA) (3,1) ... 23,6
Société des Pétroles Shell (Shell Fr.) (2,6) ... 23,6 *
BP Fr. (BP G.-B.) (6,4) ... 23,3
Cogema (Cea-Industrie) (15,9) ... 21,7
Elf Aquitaine Prod. (Elf Aquitaine) (8) ... 12,5 *
Mobil Oil Fr. (Mobil USA) (1,5) ... 9,9 *
Charbonnages de Fr. (19,6) ... 9,8
Fina Fr. (Petrofina B.) (0,7) ... 9,3 *
Carfuel ... 7 *
Eurodif (Cogema) (0,03) ... 5,2 *
Primagaz (2,3) ... 5,1
Houillères Bassin de Lorraine (Cdf) (14) ... 4,7 *
Worex (Esso Saf) (0,4) ... 4,2 *
Agip française (Agip Petroli I) (0,4) ... 3,8

Urbaine des Pétroles (Elf Antar F.) (0,04) ...... 3,7 *
Labruyère Distribution (Labruy. Eberlé) (0,3) 3,2
Cie Générale de Géophysique (3,6) 2,8
Dyneff (0,04) ...... 2,8 *
Thévenin et Ducrot (0,3) 2,8
Elf Antargaz (Elf Antar F.) (0,8) ...... 2,8 *
Électricité de Strasbourg (1) ...... 2,4 *
Totalgaz (Total) (0,7) ...... 2,4 *
Elf Lubrifiants (Elf Antar F.) (1) ...... 2,4 *
Blanzy Ouest (Cie Gale Eaux) (2,7) 2,2
Houillères Centre et Midi (Cdf) (4,3) ...... 2 *
Essences et Carburants Fr. (0,09) 1,9
Bianco Produits pétroliers (Elf Antar F.) (0,2) ...... 1,5 *
Picoty (0,2) ...... 1,5 *
Pétroliers réunis de l'Ouest (Elf Antar F.) (0,4) ...... 1,3 *
Streichenberger Distribution (BP Fr.) ...... 1,3 *
Fbfc ...... 1,3 *
Shp (1,7) 1,3

Premiers bénéfices (en milliards de F). Elf Aquitaine 9,8. Total 5,8. Edf 1,4. Cea Industrie 1,3. Gaz de Fr. 1. Esso Saf 0,8. BP Fr. 0,7. Esso Rep 0,2. Primagaz 0,2. Fina Fr. 0,1.

Premiers exportateurs. Elf Aquitaine 126,3. Total 95,8. Edf 12,7. Cea-Industrie 11. Esso Saf 8. BP Fr. 5,6. Groupe Shell Fr. 5,3. Primagaz 2,6. Cie Générale de Géophysique 2,5. Fina Fr. 2,4.

■ Équipement électrique-Électronique

Alcatel Alsthom (213,1) 160,1
Thomson (105) 71,3
Schneider (Spep) (101,1) 59
Gec Alsthom (79,5) 52,5
Ibm Fr. (Ibm USA) (19,3) 39,5
Thomson-Csf (Thomson) (44,5) 35,2
Bull (39,9) 33,5
Thomson Consumer Electronics (Thomson) (54,1) 31,2
Alcatel Cable (Alcatel-Alsthom) (17,8) 24,2
Philips en Fr. (Philips Nl) (17,8) 24,2
Matra (21,3) 22,7
Merlin Gérin (Schneider) (33,3) 20,5
Framatome (14,4) 14,2
Cdme (Pinault) (9,3) 13,9
Alcatel Cit (Alcatel Alsthom) (14,7) ...... 12,1 *
Sagem (Coficem) (15,1) 11,7
Télémécanique (Schneider) (15,2) 10,2
Legrand (18,9) 9,9
Alcatel Business Systems (Alcatel Alsthom) (13,8) 9,7
Radiotechnique (5,6) 8,9
Philips Électro. Grand Public (Radiotechnique) (4,5) ...... 8,7 *
Moulinex (14,8) 8,4
Hewlett-Packard Fr. (Hewlett-Packard USA) (3,8) ...... 8,1 *
Groupe Seb (10,4) 8,1
Sony Fr. (Sony Jap.) (2,9) ...... 7,7 *
Digital Equipment Fr. (Digital Equip. USA) (4,5) 7,2
Siemens en Fr. (Siemens RFA) (7,1) ...... 7,2 *
Rank Xerox (Rank Xerox Ltd G.-B.) (5,2) 6,7
Sat (Sagem) (8) 6,3
Spie-Trindel (Spie-Bat.) (11,6) ...... 6,2 *
Matra Communication (Matra) (7,8) 6
Zénith Data Systems (Bull) (2,9) 5,9
Electrolux (Electrolux S) (6,2) 5,7
Thomson Électroménager (Thomson) (6,1) 5,1
Philips Composants (Philips Fr.) (3,7) ...... 4,1 *
Métrologie Intern. (2,4) 4
Dassault Électronique (Dassault Ind) (4,1) 3,9
Transpac (Cogecom) (1) ...... 3,8 *
Philips Éclairage (Philips Fr.) (3,7) 3,8
Schlumberger Industries (Schlumberger And.) (4,6) ...... 3,7 *

Premiers bénéfices (en milliards de F). Alcatel Alsthom 6,2. Gec Alsthom 2. Framatome 1. Ibm Fr. 0,8. Legrand 0,7. Philips en Fr. 0,6. Transpac 0,5. Schlumberger Industries 0,5. Groupe Seb 0,3. Sagem 0,3.

Premiers exportateurs. Alcatel Alsthom 109. Thomson 48,9. Gec Alsthom 36,8. Schneider 29,3. Bull 21,6. Ibm Fr. 18. Matra 9,8. Philips en Fr. 7,4. Moulinex 6,7. Legrand 5,7.

■ Matériel de transport

Renault (147,2) 166
Psa Peugeot Citroën (156,8) 160,2
Auto Peugeot (Psa) (81,2) 102,1
Auto Citroën (Psa) (57,1) 70,8
Aérospatiale (43,3) 48,6
Fiat en Fr. (Fiat I) (14,8) 31,3
Renault Véhicules Ind. (Renault) (28,1) 27,4
Snecma (26,7) 23,9
Valeo (27) 19,9
Ford Fr. (Ford Motor USA) (4,5) 17,4
Dassault Aviation (14,4) 15,9
Ebf (18,2) 11,4
Vag Fr. (Volkswagen RFA) (0,8) ...... 11,3 *
Mercedes-Benz Fr. (Mercedes-Benz RFA) (2,1) ...... 10,6 *
General Motors Fr. (General Motors USA) (5,2) 9,9
Sté Com. Citroën (Auto Citroën) (4,2) ...... 9,9 *
Robert Bosch en Fr. (Bosch RFA) (5,7) 9,7
Labinal (17,4) 9,6
Bertrand Faure (Ebf) (14) 8,8
Fiat Auto Fr. (Fiat en Fr.) (1) ...... 8,7 *
Ecia (Psa) (10,4) 7,8
Française de Mécanique (5,1) ...... 7 *
Bendix Europe (Allied-Signal USA) (8,2) 6,3
Arianespace (0,3) ...... 5,9 *
Sextant Avionique (Atev) (8,4) 5,6
Iveco Fr. ex-Iveco Unic (Fiat en Fr.) (2,6) ...... 5,2 *
Sep (Snecma) (3,9) ...... 4,5 *
Bmw Fr. (Bmw RFA) (0,4) ...... 4,5 *
Lucas Fr. (Lucas Industrie G.-B.) (5) 4,2
Usines Chausson (4,5) ...... 4 *
Maubeuge Construction (Renault) ...... 4 *
Matra Automobile (Matra) (3,2) ...... 4 *
Autodistribution (3,6) 3,8
Cie Européenne d'Accumulateurs (Fiat en Fr.) (4,9) 3,4
Sylea (Labinal) (5,8) 3,2
France Véhicules Industriels (Rvi) (1,9) 3,2
Sonauto (Porsche RFA) (0,5) 3,1
Richard Nissan (0,2) ...... 3 *
Rover Fr. (Rover Group G.-B.) (0,2) ...... 3 *
Turbomeca (Labinal) (4) ...... 2,8 *

Premiers bénéfices (en milliards de F). Psa Peugeot Citroën 5,5. Renault 3,1. Valeo 0,5. Ford France 0,3. Matra Automobiles 0,2. Aérospatiale 0,2. Bmw France 0,2. Arianespace 0,2. Labinal 0,2. Dassault Aviation 0,1.

Premiers exportateurs. Psa Peugeot Citroën 89,2. Renault 85,9. Aérospatiale 31,5. Snecma 13,7. Valeo 11,2. Groupe Fiat en Fr. 10,1. Dassault Aviation 7,4. Ebf 6,3. Arianespace 5,9. Ford France 5,8.

■ Mécanique

Giat Industries (17,6) 11,2
Smae (Peugeot-Citroën) (5,7) ...... 9,8 *
Strafor Facom (14,3) 8,8
Nord-Est (10,4) 7,9
Fives-Lille (7,8) 6,5
Case Poclain (Tenneco Case USA) (5) ...... 5,6 *
Legris Idustries (6,1) 5,6
Dynaction (7,9) 5,5
Essilor Intern. (13) 5,5
Skf Fr. (Skf S) (4,5) 3,8
Celcius ex-Cich (Blue Circle G.-B.) (4,3) 3,5
De Dietrich (7,2) 3,4
Fichet-Bauche (Cnm) (6,8) 3,2
Fcb (Fives-Lille) (2,8) 3,1
John Deere (Deere USA) (1,4) ...... 2,4 *
Facom (Strafor Facom) (3,6) 2,4
Brisard (4,8) 2,4
Cofreth (Ufiner) (2,8) ...... 2,4 *
Renault Agriculture (Renault) (0,9) ...... 2,2 *
Snr Roulements (Renault) (3,1) ...... 2 *
Caterpillar Fr. (Caterpillar USA) (1,7) ...... 2 *
Sfpi (3,1) 1,9
Saf (L'Air Liquide) (3) 1,9

Premiers bénéfices (en milliards de F). Legris Industries 0,3. Strafor Facom 0,2. Fives-Lille 0,2. Chaffoteaux et Maury 0,1. Sicli 0,1. Saunier Duval 0,1. Essilor International 0,1. Acto 0,1. Sidel 0,1. De Dietrich 0,1.

Premiers exportateurs. Giat Industries 5,4. Strafor-Facom 5. Fives-Lille 4,2. Essilor International 3,9. Nord-Est 3,5. Legris Industries 3,5. Case Poclain 2,8. Celsius ex-Cich 2,1. Skf France 2. Dynaction 2.

■ Métaux

Usinor-Sacilor (97,8) 97,2
Péchiney (69) 74,4
Péchiney Intern. (Péchiney) (38) 45,1
Sollac (Usinor-Sacilor) (25,2) 35,6
Carnaudmetalbox (31,7) 25,5
Ugine Sa (Usinor-Sacilor) (12,4) 16,2
Unimétal (Usinor-Sacilor) (7,9) 11,3
Aluminium Péchiney (Péchiney) (3,8) ...... 9,3 *
Pont-à-Mousson (Saint-Gobain) (9,6) 8,4
Péchiney Rhenalu (Péchiney) (4,6) 7,6
Vallourec (9) 6,5
Fimalac (3,9) 6,2
Cie fin. du Valois (11,5) 6,1
Lille Bonnières et Colombes (Fimalac) (3,2) 5,4
Metaleurop (Preussag Rfa) (4,8) 4,8
Comptoir Lyon-Allemand-Louyot (Lille Bonnières) (2,5) 4,8
Le Fer Blanc (Sollac) (0,07) ...... 4,6 *
Vallourec Industrie (Vallourec) ...... 4 *
Nozal (Usinor-Sacilor) (2,4) 3,9
Cableries de Lens (Alcatel Cable) (0,8) ...... 3,7 *
Tréfimétaux (Europa Metalli I) (2,4) ...... 3,2 *
Cie Fr. des Ferrailles (1,3) 3,2
Ascométal (Usinor-Sacilor) (2,7) ...... 3,1 *
Alcatel Cuivre (Alcatel Cable) (0,8) 3,1
Steelcase Strafor (5,8) 2,9
Gts Industries (Usinor-Sacilor) (0,7) ...... 2,8 *
Imphy (Ugine) (3,1) 2,7
Hardy-Tortuaux (Arbed L) (1,6) 2,6
Péchiney Électrométallurgie (Péchiney) (2,4) ...... 2,4 *
Eramet-Sln (Erap) (2,7) 2,4
Haironville (Cockerill Samb. B) (1,5) 2,2
Alusuisse-Lonza France (Alusuisse-Lonza. CH) (1,7) 2,2
Péchiney Emballage Aliment. (Péchiney Inter.) 2,2
Tefal (Seb) (1,9) ...... 2,2 *
Trouvay et Cauvin (1,7) 2
Coulée Continue de Cuivre (0,1) ...... 1,8 *
Ugine-Savoie (Ugine) (1,4) ...... 1,7 *
Creusot-Loire Industrie (Usinor-Sacilor) (1,9) ...... 1,6 *
Groupe Genoyer ex-Phocéenne (1,3) 1,6
Alcan Fr. (Alcan Cnd) (1,7) 1,5
Gfi-Industries (Cid) (2,7) 1,5
Allevard Industries (Usinor-Sacilor) (1,9) 1,5
Tréfilunion (Usinor-Sacilor) (1,4) ...... 1,5 *
Slpm (Sollac) (0,6) ...... 1,4 *
Longométal (Usinor-Sacilor) ...... 1,3 *
Afe (2,5) 1,3
Unimétal de Normandie (Usinor-Sacilor) (1,3) ...... 1,3 *
Montupet (2,4) 1,3
Fabrique de Fer de Maubeuge (Boel B) (0,5) ...... 1,2 *
Cmb Alimentaire Bmi (Carnaudmetalbox) (0,7) ...... 1,2 *
Cisatol (Sollac) (0,3) ...... 1,2 *
Fortech (Usinor-Sacilor) (1,5) ...... 1,1 *
Valexy (Usinor-Sacilor) (0,6) ...... 1,1 *
Thyssen Aciers Spéciaux (Thyssen RFA) (0,5) ...... 1,1 *
Almet (Péchiney Rehn) (0,6) ...... 1,1 *
Ferembal (Viatech. USA) (0,9) 1,1
Gpri (Usinor-Sacilor) (1,1) 1,1
Aubert & Duval (2,5) ...... 1,1 *
Gillette Fr. (Gillette USA) (0,3) ...... 1 *
Manoir Industries (Strafor Facom) (1,8) ...... 1 *
Cmb Alimentaire Bma (Carnaudmetalbox) (0,7) ...... 1 *
Forcast International (Usinor-Sacilor) (1) 1
Van Leer Fr. (Van Leer Nl) (1,1) 0,9

Premiers bénéfices (en milliards de F). Carnaudmetalbox 0,9. Péchiney 0,8. Pont-a-Mousson 0,5. Vallourec 0,4. Eramet-Sln 0,4. Cie financière du Valois 0,2. Fimalac 0,1. Tefal 0,1. Gillette-France 0,1. Cableries de Lens 0,1.

Premiers exportateurs. Usinor-Sacilor 64. Péchiney 60,9. Carnaudmetalbox 19,1. Pont-a-Mousson 5,8. Vallourec 3,7. Metaleurop 3,2.

Compagnie financière du Valois 2,4. Steelcase Strafor 1,9. Tréfimétaux 1,8. Eramet-Sln 1,8.

■ Services

Générale des Eaux (198,6) 134,9
France Télécom (156) .... 115,8 *
Lyonnaise des Eaux-Dumez (120) 87,5
La Poste (300) .... 73 *
Cogecom (France Télécom) (12,3) 13,4
Ecco (84 12
Ecs (Sté Générale) (1,7) 10,9
Cap Gemini Sogeti (18) 10
Cie Générale de Chauffe (Cie Gale Eaux) (12,5) 9,2
Ecco Travail Temporaire (Ecco) (62,9) 9,2
Bis (79) (38,9) 8,3
Manpower Fr. (Manpower USA) (39,9) 6,8
Saur (Bouygues) (10,2) 6,7
Technip (5,4) 6,5
Ufiner (Lyonnaise-Dumez) (6) 6,1
Novalliance (12) 5,8
Montenay (Cie Gale. Eaux) (10,8) 5,5
Cgea (Cie Gale Eaux) (16,7) 5,4
Bis Fr. (Bis) (31,2) .... 5 *
Sema Group (7,5) 4,1
Sita (Lyonnaise-Dumez) (14,2) 3,8
Europcar International (4,8) 3,8
Adia Fr. (Adia Inter. Ch) (20,3) 3,4
Degremont (Lyonnaise-Dumez) (2,3) 3,3
Sligos (Crédit Lyonnais) (5,4) 3,2
Office national des Forêts (14,5) .... 3,1 *
Ogf (Lyonnaise-Dumez) (8,6) 2,8
France Télécom Logiciels (Cogecom) 2,7
Pompes Funèbres Générales (Ogf) (8,2) 2,7
Onet (26,2) 2,7
Promodata (Locafrance) (0,3) .... 2,6 *
Cie des Eaux et de l'Ozone (Cie Gale Eaux) (3,2) 2,5
Sgn Réseau Eurysis (Cogema) (1,2) .... 2,4 *
Gsi (3,4) 2,4
Cise (St-Gobain) (3) 2,2
Axime (3,8) 2,1
Rmo tt 2

Premiers bénéfices (en milliards de F). Générale des Eaux 2,6. France Télécom 1,6. Lyonnaise des Eaux-Dumez 1,2. Cap Gemini Sogeti 0,6. Cogecom 0,3. Ecco 0,3. Technip 0,3. Sgn 0,2. Sligos 0,2. Novalliance 0,2.

Premiers exportateurs. Lyonnaise des Eaux-Dumez 36,7. Générale des Eaux 36,5. Cap Gemini Sogeti 6,1. Technip 5,6. France Télécom 5,3. Ecs 5,2. Saur 3,3. Sema Group 2,4. Cogecom 2. Ecco 1,2.

■ Textile-Habillement

Bernard Tapie Finances (10,1) 12,3
Chargeurs (11,5) 10,3
Dmc (11,5) 9
Groupe André (14,2) 8,7
Chargeurs Textiles (Chargeurs) (8,3) 7,9
Louis Vuitton (Lvmh) (5,2) 7,2
Louis Vuitton Malletier (Louis Vuitton) 4,6
Bidermann Intern. (9,1) 4,4
Damart (4,6) 3,7
Vev (5,8) 3,6
Éram (7,1) 3,5
Rhône-Poulenc Fibres (Rhône-Poulenc) (2,9) .... 2,6 *
Bata (Leader. Ch) (5,5) 2,4
Hermès Intern. (2,4) 2,4
Dim (Sara Lee. USA) (4,5) .... 2,2 *
Devanlay (4,2) 2,1
Adidas-Sarragan Fr. (Btf) (1,7) .... 1,8 *
Groupe Zannier (3,2) 1,8
Groupe Porcher Textile (2,4) 1,6
Bacou (1) 1,6
Intexal (Vev) (1,9) 1,1
Vestra Groupe (2,9) 1,1
A. Dewavrin Fils & Cie (0,04) .... 1 *
Chaussures Bally Fr. (Bally Ch) (1,7) .... 1 *
Jallatte (André) (1,8) 0,9
Naf-Naf (0,5) 0,9
Decroix (Safid) (2) 0,9
Saic-Velcorex (Dmc) .... 0,9 *
Delsey (Ebf) (1,5) 0,8
Bidermann Production (Bidermann) .... 0,8 *
Kenzo (0,4) 0,8
Michel Thierry (0,9) 0,8
Chipie (0,3) 0,8
Montaigne Diffusion (Devanley) .... 0,8 *

Premiers bénéfices (en milliards de F). Louis Vuitton 1,3. Devanlay 0,4. André 0,4. Chargeurs 0,4. Dim 0,2. Christian Dior 0,1. Dewavrin Fils & Cie 0,1. Eram 0,1. Lancel-Sogedi 0,9. Naf-Naf 0,8.

Premiers exportateurs. Chargeurs 7,1. Dmc 6,6. Louis Vuitton 6,3. Bidermann Intern. 3,4. Groupe André 1,6. Hermès Internat. 1,5. Vev 1,4. Damart 1,4. Rhône-Poulenc Fibres 1,3. Groupe Porcher Textile 1,2.

■ Transport-Tourisme

Sncf (226,8) 73
Air France (65) 57,6
Bolloré Technologies (23,9) 27,9
Sceta (Sncf) (25,3) 21
Scac Delmas Vieljeux (Bolloré) (16,8) 16,6
Ratp (39) .... 16,1 *
Accor (82,4) 14
Cgmf (13,9) 13
Air Inter (Air France) (10,9) .... 10,4 *
Sodexho (38,9) 8,9
Uta (Air France) (8,4) 8,5
Cie Gén. Calberson (Scta) (10,5) 8
Club Méditerranée (24,8) 7,8
Gondrand (2,2) .... 7,8 *
Cgm (Cgmf) (4,4) 7,2
Gefco (Psa) (4,8) 7
Havas Tourisme (Havas) (1,7) 6,5
Eurest (Ciwlt. B) (20,8) 6,4
Saga (Grand Palais) (7,5) 5,5
Aéroports de Paris (6,6) .... 5,3 *
Transports Dubois (2,3) 5,1
Sélectour Voyages (1,5) 5
Gti (Navigat. Mixte) (18,3) 4,9
Seavt Wagons-Lits Tourisme (Ciwlt. B) (1) 4,7
Sernam (Sncf) (6,6) .... 4,5 *
Nouvelles Frontières 4,5
Cat (Renault) (1,5) 4,2
Financière de l'Atlantique (Cgmf) (6,6) 4
Taittinger (6,3) 3,7
Stef (Cgmf) (6,6) 3,5
Groupe du Louvre (Taittinger) (6) 3,3

Premiers bénéfices (en milliards de F). Cat 1. Accor 0,9. Taittinger 0,9. Bolloré Technologies 0,8. Trapil 0,7. Bai Brittany Ferries 0,7. Aéroports de Paris 0,4. Gefco 0,4. Sodexho 0,2. Nouvelles Frontières 0,1.

Premiers exportateurs (en milliards de F). Air France 23,8. Sncf 17,6. Bolloré Technologies 15,5. Cgmf 6,9. Club Méditerranée 5,8. Accor 5,8. Sodexho 5,3. Nouvelles Frontières 3,9. Eurest 3,3. Seavt Wagons-Lits Tourisme 2,3.

Principaux secteurs économiques

Ameublement

☞ Voir aussi **Beaux-Arts :** mobilier (p. 392).

■ **Europe. Production des principaux pays d'Europe** (milliers d'écus en 1990). Allemagne 14 334 700, Italie 7 873 500, France 5 825 200, G.-B. 5 074 100, Espagne 2 901 400.

■ **France. Entreprises** (1990). 865 de + de 20 salariés. **Par produits.** Meubles meublants 277, mobilier métallique et plastique 128, sièges 116, cuisines 109, divers meubles 102, literie 74, bureaux 59. **Principaux fabricants.** *Gr. Parisot* (Manuf. vosgienne de meubles, SNJP-Jacques Parisot, Sièges de France, Lansalot) 3 100 salariés. *Steelcase Strafor* (Strafor, Airborne) 2 300. *Dumeste* (Dumeste-La finition du siège, ITA, Steiner, Savoyarde du meuble-Mont-Blanc, Simmons) 2 100. *Epeda-Bertrand Faure* (Epeda, Mérinos) 1 700. *Dunlop S.A.* (Dunlopillo, Tréca) 1 500. *Samas* (Ergam Roneo, Sansen) 1 400. *MDV* (Bonnet Sofiseb, Lafa, Ranger, Collomb, Éguizier, ICM) 1 400. *Atal* (Atal, Linguanotto, Cousin Malbran) 1 400. *Roset* (Roset, Cinna) 780.

Effectifs (1990). 74 587 pour 865 entreprises de + de 20 salariés, 82 000 environ pour les + de 10. **Chiffre d'aff.** (1991) 40,7 milliards de F dont mobilier de bureau 10,4, meubles meublants 8,8, literie 5,8, cuisines, salles de bain 5,7, sièges 5,1, divers 3,7, jardins 1,2.

Commerce (milliards de F, 1991). **Import.** 17,05 (d'Italie 6,7, All. féd. 2,5, UEBL 2,5, Espagne 1). **Export.** 8 (vers : All. féd. 1,6, UEBL 1,2, Suisse 0,9, G.-B. 0,8).

Consommation (milliards de F). *1989 :* 68,6, *90 :* 72,1, *91 :* 69,9. *92 :* 72,2.

Bijouterie, joaillerie, orfèvrerie

Statistiques globales

Entreprises. Bijouterie, Joaillerie, Orfèvrerie, Cadeau, Diamants et Perles et activités s'y rattachant : *détaillants* 8 500 (1992), *fabricants* y compris artisans 4 375.

Effectifs. *Détaillants :* 20 000, *fabricants :* 25 750 (dont hommes 12 850, femmes 12 900) dont Paris 14 940 ; province 10 000.

Chiffre d'affaires (HT à la production, 1992). 14,6 milliards de F.

Bijouterie, joaillerie

☞ **Or :** numéro atomique 79 (symbole Au), métal natif jaune, très dense, le + ductible et le + malléable de tous les métaux, se trouve souvent dispersé en paillettes, en particulier dans le quartz, extrait par cyanuration ou amalgamation. **Couleurs les plus courantes selon l'alliage** (en %) : *blanc* or 75, nickel 12,5, zinc 25, *fin* chimiquement pur, *gris* or 75, nickel 14, cuprozinc 11, *jaune* or 75, argent 12,5, cuivre 12,5, *rose* or 75, argent 5, cuivre 20, *rouge* or 90, cuivre 10.

■ **Bijouterie en or. Titre utilisé :** *en France :* sous l'Ancien Régime, le métal d'un alliage était divisé en 24 parties et l'on exprimait en carats le nombre de parties d'or fin qu'il contenait : 18 carats égalent 18 parties d'or fin sur 24 parties, soit 750 millièmes sur 1 000. Ce « carat » désigne donc un rapport (celui

Titres de l'or et contrôles légaux

‰ d'or	916,66	833	750	585	500	375	333	Contrôles	
Titre en carats	22	20	18	14	12	9	8	*a priori*	*a posteriori*
Allemagne			*	*		*	*		*
Belgique		*	*	*					*
Danemark			*	*			*		*
Espagne			*	*				*	
France	* [1]	* [2]	*			[4]		*	
G.-B.	*		*	*		*		*	
Grèce	*		*	*	*	*			*
Irlande	*		*	*		*	*	*	
Italie			*	*	*		*		*
Luxembourg		*	*	*				*	
Pays-Bas	*	*	*	*				*	
Portugal				* [3]				*	

Nota. – (1) 920 ‰. (2) 840 ‰. (3) 800 ‰. (4) A partir de 1993. (Source : syndicat St-Éloi).

utilisé pour les pierres précieuses désigne un poids de 0,20 g). **En plaqué or :** alliage à base de cuivre recouvert d'or par laminage (plaqué or laminé) ou par électrolyse (plaqué or galvanique). *Épaisseur moyenne minimale d'or : bijouterie : 3* μm, horlogerie 5 μm. En 1992, Fix (CA 105 MF en 91) a vendu des bijoux Caraïs en or 9 carats, recouverts d'or 18 carats. **En argent :** *titre utilisé :* 800 ou 925. **Fantaisie :** utilise des matières non précieuses aux revêtements divers.

■ **Joaillerie. Utilise** *pierres précieuses* (diamant, rubis, saphir et émeraude), *fines* (améthyste, turquoise, topaze...), *perles fines* et *de culture,* et métal précieux comme support. **Principaux joailliers français :** *Boucheron* [fondé 1858 ; chiffre d'aff. : 288 millions de F (HT, 1989) dont Europe 28,8 %, Moyen-Orient

Le *Service officiel de la Garantie créé* le 19 brumaire, an VI, sous l'autorité du ministère du Budget, contrôle le titre des métaux précieux employés en bijouterie, joaillerie, orfèvrerie et horlogerie. Les articles importés et ceux fabriqués en France doivent avoir les *poinçons : du fabricant* apposé par celui-ci (ou poinçon d'importateur pour les articles étrangers) ; *de garantie* apposé par le Service officiel après vérification du titre des objets en métal précieux (minimum, en millièmes : platine 950, argent 800, or 750). Voir également p. 411.

23,2, Japon-Extr.-Orient 20,8, *France 14,2*], *Chaumet* (aurait succédé à Nitot installé 1870, repris 1987 par Javestcorp groupe américano-saoudien), *Fred, Mauboussin* (successeur de J.-Bap. Naury qui ouvrit en 1827), *Mellerio* (dits Meller, famille d'orfèvres ou joailliers dep. 1613), *Van Cleef & Arpels* (maison ouverte place Vendôme 1906), *Cartier*, (CA 1991-92 consolidé englobe Cartier, Piaget et Baume-Mercier : 6,65 milliards de F dont en % horlogerie 48, joaillerie 23, accessoires et « Must » 12, cuir 10, parfum 7), etc.

Harry Winston († 1978). Sté établie à New York 1932, a eu en sa possession 60 des 303 gros diamants répertoriés.

■ **Localisation (France).** **Bijouterie or :** Paris, Lyon, Valence, Bordeaux, Angoulême, Saint-Amand (Cher), Strasbourg, Marseille, Nice, Lille, Besançon, Clermont-Ferrand et Brioude. **Argent, plaqué or :** Région paris., Maine-et-Loire (Saumur), Ardèche, Haute-Savoie (bracelets-montres). **Fantaisie :** Région paris., Haute-Savoie, Région lyonnaise. **Tailleurs de diamants** (diamantaires) **ou de pierres de couleur** (lapidaires) : Jura et Paris.

Orfèvrerie

Définition. Fabrication des objets destinés au service et à l'*ornementation de la table :* couverts, plats, services divers, etc. ; à la *décoration intérieure :* candélabres, coupes, cendriers, etc. ; ou à l'*exercice du culte :* ciboires, calices, etc. Seules les fabrications de couverts sont très industrialisées.

Utilise des métaux variés : *argent massif* (titre en France : 925 millièmes), *métal argenté* (alliage de cuivre, zinc, nickel appelé maillechort, qui est recouvert d'argent fin par électrolyse, satisfaisant à la norme NF D 29004 et portant un poinçon carré), *étain* (poteries, timbales, plats), *acier inoxydable* (couverts et platerie). L'*orfèvrerie de fantaisie* recouvre des productions diverses (nécessaires de toilette, poudriers, étuis de rouge à lèvres, briquets, etc.).

Production française (1991, en t). Ouvrages en or 33,9, argent 40,2, platine 0,06.

Caoutchouc

Quelques dates

■ **Caoutchouc naturel.** **XVIIIe s.** 1res études à caractère scientifique des Français La Condamine et Fresneau. Les Français Macquer et Hérissant dissolvent avec de l'éther ou de l'essence de térébenthine le c. coagulé. **Début XIXe s.** l'Anglais Hancock découvre les effets de la mastication du caoutchouc qui augmente sa plasticité et facilite sa mise en forme ultérieure. **V. 1839** Hancock et l'Américain Charles Goodyear découvrent la *vulcanisation* du c. (moyen de le faire passer, sous l'action combinée du soufre et de la chaleur, d'un état plastique à un état élastique irréversible). **1853** Hiram Hutchinson (USA 1808-69) achète brevets de Goodyear pour bottes et chaussons. **1854** ouvre 1re usine en Europe à Langlée (Loiret). **1876** des graines recueillies au Brésil donnent naissance aux 1ers hévéas implantés à Ceylan et qui sont à l'origine des plantations. Le Brésil s'opposant à leur exportation pour conserver le monopole du c., des essais avaient été tentés avec d'autres plantes, notamment avec le koksaghyz (sorte de pissenlit) mais les rendements à l'ha furent environ 10 fois inférieurs à ceux des hévéas. **V. 1980-83** recherches sur le gayule, arbuste d'origine mexicaine dont l'exploitation serait mécanisable (le rendement est encore le tiers de celui de l'hévéa).

■ **Caoutchoucs synthétiques.** **1915** l'Allemagne met au point un c. synthétique ; elle en produit env. 2 500 t avant le 11-11-1918. **1939** Allemagne et USA intensifient leurs recherches (l'All. étant soumise au blocus et les USA se voyant privés par le Japon du c. naturel d'Extrême-Orient). **1958** la France commence à produire des c. synthétiques. Production actuellement assurée par : *CdF Chimie* (ville : Carling, département : 57). *Cie du Polyisoprène synthétique* (Oudalle ; St-Romain-de-Colbosc, 76). *Distugil* (Champagnier ; le Pont-de-Claix, 38). *Firestone France* (Port-Jérôme ; Lillebonne, 76). *Goodyear* (Sandouville, 76). *Michelin* (Bassens, 33). *Polysar France* (La Wantzenau, 67). *Rhône-Poulenc Polymères* (Ribecourt-Dreslincourt, 60). *Shell Chimie* (Berre-l'Étang, 13). *Socabu* (N.-D.-de-Gravenchon, 76).

Classification

■ **Caoutchoucs à usages généraux. 1°) Caoutchouc naturel.** De l'indien : *cao* (bois) et *ochu* (pleurer). Quand on pratique une incision (saignée) dans l'écorce de l'*hévéa,* un liquide laiteux *(latex)* s'écoule goutte à goutte, composé de 2/3 d'eau et 1/3 de caoutchouc. En acidifiant légèrement, le latex coagule, libérant sous forme solide le caoutchouc qu'il renferme en suspension. *Rendement des hévéas* (kg/ha/an) : de semis tout-venant 600, sélectionnés 2 000 à 2 500, quelques espèces expérimentales 3 000. *Traitement :* le latex est filtré puis coagulé. Après laminage, les feuilles de caoutchouc sont séchées et fumées au feu de bois pour leur assurer une bonne conservation. Les feuilles fumées sont pressées en balles constituant la matière première utilisée dans l'industrie du caoutchouc.

2°) Caoutchoucs synthétiques. *Polyisoprène :* même composition chimique et caractéristiques voisines de celles du c. naturel. *Polybutadiène :* souvent mélangé au c. naturel ou à un c. synthétique d'usage général afin d'améliorer la résistance à l'usure. *Polybutadiène-styrène :* le plus utilisé, notamment dans les pneumatiques.

■ **Caoutchoucs spéciaux.** Synthétiques obtenus par polymérisation ou copolymérisation de monomères variés conférant des propriétés particulières. **Polychloroprène :** bonne résistance à la chaleur, aux acides, bases et oxydants, bonne tenue à l'huile ; souvent utilisé dans l'industrie chimique, pour les pièces exposées aux intempéries, par suite de sa bonne tenue à l'ozone et au soleil. **Polybutadiène-nitrile acrylique :** excellente résistance à l'essence et aux huiles, surtout pour les teneurs élevées en nitrile acrylique. **Polyisobutylène-isoprène ou caoutchouc butyl :** grande résistance au vieillissement ; inertie chimique ; très bonne imperméabilité aux gaz, d'où son emploi dans les chambres à air de pneumatiques. **Copolymère et terpolymère d'éthylène-propylène :** acceptent des taux élevés de charges et de plastifiants ; excellente tenue au vieillissement. **Polyéthylène chlorosulfoné :** très bonne tenue au vieillissement ; utilisé dans l'enduction des tissus.

■ **Caoutchoucs très spéciaux.** Réservés à des emplois particuliers (prix élevé ou difficulté de mise en œuvre). **Fluorés, acryliques et siliconés :** très bonne tenue à la chaleur ; vieillissement excellent ; utilisés dans certains joints. **Polysulfures :** très bonne résistance aux huiles et aux solvants, notamment le benzène. **Polyuréthanes :** très bonnes propriétés physiques.

Matières premières utilisées dans la transformation du caoutchouc. *Caoutchoucs bruts,* naturels ou synthétiques ; *noirs de carbone,* carbon black, obtenus par combustion ou décomposition thermique de gaz naturels ou d'hydrocarbures ; la finesse des particules (quelques microns) a une influence déterminante sur leur action (donnent aux mélanges des propriétés mécaniques exceptionnelles qui ont permis notamment d'améliorer la résistance à l'usure des pneumatiques) [*principaux producteurs :* Ashland Chemical (France) (Port-Jérôme). Cabot France (Berre-l'Étang). Cofrablack (Ambès)] ; *produits chimiques autres que caoutchouc* (agents vulcanisants, accélérateurs de vulcanisation, antioxygènes, plastifiants, stabilisants, agents mouillants, gonflants pour la préparation des c. cellulaires, pigments, charges renforçantes, solvants, etc.) ; *textiles et métaux ferreux* pour armatures.

Statistiques

Dans le monde

■ **Consommation de caoutchouc brut** (y compris ind. des câbles électriques, papier, peintures, crêpes semelles) (en millions de t). *1955 :* 3,4 ; *60 :* 4,5 ; *70 :* 8,6 ; *75 :* 10,4 ; *80 :* 12,6 ; *83 :* 12,2 (dont, en % : USA 20,8, Japon 11,1, All. féd. 4,7, *France 3,5,* Italie 2,9, G.-B. 2,8, Canada 2,3, autres 51,9).

■ **Production** (en millions de t). **Caoutchouc naturel :** *1920 :* 0,37 ; *38 :* 0,89 ; *55 :* 1,95 ; *60 :* 2,03 ; *70 :* 3,1 ; *75 :* 3,1 ; *80 :* 3,84 ; *83 :* 4,02 ; *89 :* 4,92 ; *90 :* 5,15 ; *91 :* 5,44 (dont Thaïlande 1,37, Indonésie 1,35, Malaysia 1,25, Inde 0,33, Chine 0,28, Philippines 0,2), *92 :* 5,45 (dont Thaïlande 1,47) ; **synthétique :** *1938 :* 0,02 ; *55 :* 1,54 ; *60 :* 2,45 ; *70 :* 5,89 ; *75 :* 6,85 ; *80 :* 8,69 ; *91 :* USA 2,19, Japon 1,37, All. 0,51, *France 0,47,* Chine 0,33, Italie 0,30, G.-B. 0,27, Brésil 0,23, P.-Bas 0,22 ; *92 :* 8,88.

■ **Pneumatiques.** **Production** (en millions de t, 91) : USA 210,6 (90). Japon 153,8. *France 57,6 (90).* All. 48,2 (92). Ex-URSS 48,2. Chine 38,7. Italie 33 (90). Corée du S. 32,7. Brésil 29,1 (90). G.-B. 28,5. Mexique 12. **Chiffre d'affaires mondial** (en milliards de $, 90) : Michelin Goodrich Uniroyal 10,5, Bridgestone Firestone 9,1, Goodyear 8,3, Continental General 4,2, Pirelli 3,9, Sumitomo Dunlop 3,7. **Marché mondial du pneu** (en %) : Michelin 20, Bridgestone 16,5, Goodyear 16, Continental 7, Pirelli 6,5, Sumitomo 6, autres 28.

■ **Grandes firmes.** **Michelin :** *1889* créée par Edouard et André Michelin. *1891* 1er pneu démontable (bicyclette). *1923* pneu basse pression. *1930* pneu sans chambre. *1934* Pierre Michelin (fils d'Édouard) devient Pt de Citroën. Regroupe les principaux créanciers de Citroën. *1937* pneu métalic (avec fil d'acier). *1946* pneu radial. *1989* rachète Uniroyal Goodrich (1,5 milliard de $, 9 usines). *1er prod.* de pneus du monde (env. 18 % de la prod.). *Usines :* 71 dans 16 pays dont (1989) 24 en France (Clermont-Ferrand 5), Eur. occid. 21, USA 6, Canada 3, Brésil 2, Afrique 2, Asie 3 (Corée, Japon, Thaïlande). *Réseau commercial* dans 142 pays (85 % des ventes hors de France). *Effectif : 1990 :* 140 826 (*1989 :* 119 000 dont 37 000 en France). M. a produit en 1989, chaque jour, plus de 645 000 pneus de 3 300 types différents, 170 000 chambres à air, 50 000 roues, + de 700 t de fils d'acier, soit 3 millions de km ; 70 000 cartes et guides. *Chiffre d'aff.* (milliards de F) : *1989 :* 55,2 ; *90 :* 62,7 ; *91 :* 67,65. *Résultats : 1989 :* + 2,65 ; *90 :* – 4,81 ; *91 :* 0,78. *Endettement net : 1991 :* 27,8.

Dunlop : *1888* John Boyd Dunlop dépose le brevet du 1er pneumatique. *1893* installation en France et en Allemagne. *1909* au Japon. *1920* aux USA. *1984* Sumitomo Rubber Industries prend le contrôle de Dunlop France, du secteur pneu. de Dunlop Angleterre et Dunlop Allemagne et des Stés de vente en Eur. ; *1986* création de Dunlop USA. *Usines :* 12 (Europe 6, Japon 4, USA 2). *Effectif :* 20 000. *Chiffre d'aff. : 1991 :* 4,52 milliards de F dont pneu. 80 %.

Firestone-Bridgestone : *1900* créé par Harvey Firestone. *1922* pneu « ballon » basse pression. *1930* pneu agraire. *1955* tubeless. *1988* racheté 2,6 milliards de $ par Bridgestone (Japon). *Usines :* 37 (dont France 1). *Effectif :* 83 000. *Chiffre d'aff. 1991 :* 14 milliards de $.

Goodyear : *chiffre d'aff.* (en milliards de $, 1990) : 11,3 ; *pertes* 0,038. *Effectif :* 100 000.

Pirelli : *1872 fondé* à Milan. A racheté Armstrong. *Usines* 146 dans 19 pays. *Effectif :* 65 000. *Chiffre d'aff. : 1991 :* 45 milliards de F, dont (en %) : câbles (1er dans le monde) 40,6, pneu. (5e dans le monde, 2e en Eur.) 40,1, divers (dont matelas) 19,3.

Continental : *1871 fondé* à Hanovre. *1988* rachète General Tire. *Usines :* 47 dans 16 pays. *Effectif :* 50 000. *Chiffre d'aff. : 1990 :* 28,8 milliards de F, dont (en %) : pneu. 75, caout. ind. 20. 4e r. dans le monde, 2e en Eur.

En France

■ **Structures.** **Branche « pneumatiques »** 9 entreprises de fabrication, 21 établissements : *Continental :* Sarreguemines ; *Dunlop :* Amiens, Montluçon ; *Firestone France :* Béthune ; *Goodyear :* Amiens ; *Hutchinson :* Montargis, Persan ; *Kléber pneumatiques :* Toul, Troyes ; *Michelin :* Clermont-Ferrand, Blanzy, Blavozy, La Chapelle-St-Mesmin, Cholet, Joué-les-Tours, La Roche-sur-Yon, Poitiers, Roanne, St-Doulchard ; *Uniroyal :* Clairoix ; *Wolber :* Soissons ; entreprises de rechapage. **« Caoutchouc industriel »** 250 entreprises (80 % dans moitié nord de la Fr.).

■ **Chiffre d'affaires** (en milliards de F). *1980 :* 20,6 (pneu 12,7, caout. industriels 7,9), *83 :* 25,5 (p. 16,3, i. 9,2), *87 :* 31,6 (p. 22,2, i. 9,4). **Commerce** (en milliards de F) *1980 :* imp. 4 (exp. 7,8), *83 :* imp. 5,6 dont pneus 2,9, caout. ind. 2,8 (exp. 11 dont pneus 8,1, c. ind. 2,9), *87 :* 3 (2,4).

■ **Consommation** (en milliers de t). *1980 :* **caoutchouc brut naturel et synthétique** 476,9 **(noirs de carbone** 225,9) ; *82 :* 395,2 (192,1) ; *83 :* 408,1 dont c. naturel 161,1, synthétique 247 (203,7) ; *87 :* env. 500. **Pneus :** 35 à 36 millions soit 445 000 t (voitures de tourisme 170, poids lourds 140, camionnettes 40, engins agricoles 35, de génie civil, avions 20, chambres à air 20, pneus défectueux 15, procédés de recyclage 5. **Récupération** (milliers de t) : 124 dont rechapage 72, poudre pour chaussée 16, construction 9, divers 12.

■ Effectifs. *1980* : 98 400 ; *83* : 82 000 ; *87* : 73 922.

■ Production. **Pneumatique** (en millions de pièces, 1988) : *enveloppes* 65,6 dont voit. de tourisme et assimilées 54, cycles et motocycles (vélos, cyclomoteurs, vélomoteurs, motos, scooters et karts) 12,8, transports routiers (camionnettes, camions et autobus) 4,5, non routiers (agraires, génie civil, avions et manutention) 2,1 ; *chambres à air* 25,5.

Caoutchouc ind. (en milliers de t, 1983) : 301,7 dont mélanges vendus en l'état 27,2, rubans adhésifs 22,4, tubes et tuyaux 21,5, semelles, talons, plaques 19,5, courroies et bandes transporteuses 13,8, tapis et revêtements de sols 11,8, hygiène et chirurgie 7,7, tissus enduits 7,3, enduits et mastics 6,7, petits bandages 5,7, garnissage de cylindres 1,3, articles de sport 0,6, garnissage anticorrosif 0,5, ébonite 0,3, autres 155,4.

Rechapage (en milliers d'enveloppes, 1983) : 2 548 dont voitures de tourisme et assimilées 1 303, camionnettes légères 204, poids lourds 979, autres 62.

CHIMIE

GÉNÉRALITÉS

■ QUELQUES DATES

1766 *production de l'acide sulfurique* (procédé des chambres de plomb). **1791** *fabrication de la soude* (procédé *Leblanc*). **1868** *fabrication de la soude caustique* par le procédé à l'ammoniaque *Solvay.* Puis production industrielle de l'*acide sulfurique* et de la *soude* par *Kuhlmann.* **1900** *synthèse de l'acide sulfurique* par le procédé de contact (on fait passer du gaz sulfureux à l'état d'anhydride sulfurique en l'oxydant au moyen de l'oxygène de synthèse en présence d'une masse platinée ou imprégnée de vanadium). **1914** *synthèse de l'ammoniac* par les Allemands Haber et Bosch à partir de l'azote atmosphérique et de l'hydrogène venant du gaz à l'eau, du gaz de cokerie ou de l'électrolyse de l'eau. Procédé perfectionné par divers savants, dont le Français Georges Claude (1870-1960) en 1918. **1925** *synthèse des hydrocarbures* (rendant possible notamment la fabrication des huiles de graissage et des corps gras alimentaires du type margarine, de l'alcool méthylique et du caoutchouc GRS). **Dep. 1925** polymères synthétisés : nombreuses applications (matières plastiques, fibres textiles, caoutchouc synth., etc.). Ex. : *1928* polyéthylène, *1931* polychlorure de vinyle (PVC), *1937* polyamide 6-6 (nylon), *1938* polystyrène, *1939* polytétrafluoroéthylène (téflon), *1940* fibre polyester, *1943* streptomycone, *1954* résine polypropylène, *1959* tranquillisants, *1973* synthèse des pyréthrinoïdes.

■ ÉLÉMENTS NATURELS DE BASE

Chimie minérale. *Soufre* et son dérivé l'acide sulfurique. *Eau de mer* et *sel de carrière* dont on extrait le chlorure de sodium avec toute la gamme des dérivés sodiques. *Air* dont on extrait les gaz dont il est composé. *Charbon, pétrole* et gaz naturel. *Calcaire* et phosphates. *Minerais métalliques.*

Chimie organique (chimie du carbone, du pétrole, du gaz naturel). *Acétylène, éthylène, propylène, phénol, butylène, isobutylène, butadiène, méthanol de synthèse.* A partir de ces produits seront fabriqués : matières plastiques, textiles artificiels, caoutchouc, produits pharmaceutiques, solvants, peintures, détergents, insecticides, etc.

LA CHIMIE DANS LE MONDE

Sources. Féd. chimiques nat. et CEFIC.

Chiffres d'affaires [1]. USA 287,5 [2], Japon 183,4 [2], All. 99,9, *France 66,1,* G.-B. 51, Italie 50,3, Belgique/Lux. 27,9, Pays-Bas 24,3, Suisse 15,6, Suède 7,8.

Importations [1]. Europe de l'Ouest 171,7 (dont All. 34,6, *France 22,7,* Italie 21,2, G.-B. 19,5, Belgique/Lux. 17,6, Pays-Bas 13,9, Espagne 11,5, Suisse 7,4, Suède 5,1). USA 22,5 [2]. Japon 16 [2]. Canada 7 [2].

Exportations [1]. Europe de l'Ouest 198,4 (dont All. 50,1, *France 27,* G.-B. 24,7, Pays-Bas 23,1, Belgique/Lux. 20,9, Suisse 13,3, Italie 12,5, Espagne 6,3). USA 43 [2]. Japon 17,5 [2]. Canada 5,1 [2].

Nota – (1) En milliards de $ en 1991. (2) 1990.

Effectifs salariés (en milliers). Europe de l'Ouest 2 113 (dont All. 594, G.-B. 303, *France 265,* Espagne 240, Italie 215, Belgique/Lux. 99, P.-Bas 92, Suisse 72, Autriche 54, Suède 40). USA 1 089. Japon 408. Canada 90.

Principaux groupes. **Chiffre d'aff. et,** entre parenthèses, **résultat net** (en milliards de F, 1991) : Du Pont [3] 217,1 (12,6), BASF [1] 159 (3,7), Hœchst [1] 151,2 (5), Bayer [1] 142 (6,3), Ici [2] 127,2 (6,5), Dow Chemical [3] 109 (7,5), Ciba-Geigy [5] 78,9 (4), Rhône-Poulenc [4] 78,8 (1,9), Johnson & Johnson [3] 61,2 (6,2), Bristol-Myers Squibb [3] 57,2 (9,5), Norsk Hydro [6] 53,8 (2,5), Monsanto [3] 49,3 (3), Sandoz [5] 48,4 (3,8), Smithkline-Beecham [2] 47,1 (8,4), Merck [3] 42,6 (9,7), Solvay [7] 41,6 (2,4), Union Carbide [3] 41,5 (1,7), Sumitomo Chemical [7] 40,9 (0,8), Henkel [1] 40,4 (1,3), Roches [5] 37,9 (3,7).

Nota. – (1) All. (2) G.-B. (3) USA (4) France. (5) Suisse. (6) Norvège. (7) Japon.

LA CHIMIE EN FRANCE

Source : Union des industries chimiques.

■ Données globales. **Chiffre d'aff.** (en milliards de F, hors taxes) : *1980* : 159,4 ; *85* : 285,8 ; *86* : 273,3 ; *87* : 285,1 ; *88* : 318,4 ; *89* : 346 ; *90* : 349 ; *91 (est.)* : 373 dont chimie de base 161 (organique 123, minérale 38), parachimie 118, pharmacie humaine et vétérinaire 94. **Investissements** (en milliards de F) : *1988* : 17 ; *89* : 19,9 ; *90* : 24,9 ; *91 (est.)* : 23. **Main-d'œuvre :** *1981* : 285 060 ; *85* : 262 340 ; *90* : 266 400 ; *91* : 265 300.

■ Production. **Chimie minérale** (en milliers de t, 1991). *Produits chimiques de base :* Acide sulfurique (en SO_4H_2) 3 551,5. Soude caustique (en NaOH) 1 333,1. Chlore gazeux 1 270,2. Acide chlorhydrique (en HCL à 21° B) 622,7. *Industrie de l'azote :* Ammoniac (en N) 1 602,6. *Engrais phosphatés et composés :* E. phos. pour livraisons et fabrication d'e. composés 444,5. Acide phosphorique pour e. 430,5. E. composés 5 454. *Gaz comprimés (en millions de m³) :* Oxygène 1 989,3. Acétylène dissous 8. Hydrogène 415,6. Azote 1 751,9. Argon 58,3. *Divers :* Oxyde de zinc 40,1.

Chimie organique (en milliers de t, 1991). *Produits organiques de base :* Formol 43,5. Éthylène 2 454. Propylène 1 730. Butadiène 286. *Plastiques* 4 399,5 dont résines phénoplastes 59,9, aminoplastes 163, alkydes 41. Polyesters non saturés 76,7. Polystyrène standard et choc 372. Polyéthylène basse densité 911,8, haute 261,6. Polypropylène 785. Polychlorure de vinyle 1 054,2. *Caoutchoucs synthétiques* 472,3. *Benzols et dérivés* (y compris prod. pétrolière) : Benzène 719. Toluène 26.

■ Parachimie (en milliers de t, 1991). *Explosifs* 37,7 dont : encartouchés 14,5, en vrac 23,2. *Colles* 424,1 dont : colles fusibles 36,3, ciments-colles 135,3, colles mastics 2,3. *Savons* 70. *Détergents* 1 328,6. *Peintures, vernis et encres d'imprimerie :* peintures et vernis en émulsion 127,5, glycérophtaliques 169,9. Peintures et vernis aux autres résines artificielles et synthétiques 281,7. Mastics, enduits, peintures et vernis bitumeux 36,1. Encres d'imprimerie (y c. diluants et adjuvants pour encres) 64,4.

■ Commerce (en milliards de F, 1991). **Exp. et,** entre parenthèses, **imp.. :** produits organiques 36,5 (35,4), matières plastiques 22,9 (22,2), huiles essentielles, parfums/cosmétiques 20 (3,4), pharmacie 18,7 (10,6), matières odorantes 7,3 (8,3), produits inorganiques 7,3 (7,4), désinfectants, insecticides 6,1 (6,7), produits entretien 4,8 (4,2), photographiques 4,6 (6,2), caoutchoucs synth. 3,5 (2,1), huiles, eaux distillées 3 (1,9), colles 2,3 (1,7). *Balance : 1984 :* + 25 ; *91 :* 24 (*exp.* 152, *imp.* 128). Par grandes zones (en milliards de F, 1991). **Exp. :** 152,4 *dont* CEE 93,2, autres pays 59,2 : USA 8, Suisse 7,2, Japon 3,7, Ex-URSS 1,6, Algérie 1,4, Autriche 1,4, Hong Kong 1,3, Maroc 1,1. **Imp. :** 128,4 *dont* CEE 91,2, autres pays 37,2 : USA 12,2, Suisse 8,1, Japon 3,9, Suède 1,7, Autriche 1.

COLLE

■ **Traditionnelle :** à partir de substances naturelles végétales, animales ou minérales ; obtenue sous forme liquide, après avoir fait bouillir, par ex., des arêtes de poisson (sécotine), des os d'animaux, de l'amidon de maïs ou des fécules de pommes de terre (dextrines). **Modernes ou produits adhésifs de synthèse :** souvent dérivés de produits pétroliers. 2 formes : colles prenant par simple échauffement (*néoprène*), colles n'adhérant que par l'intermédiaire de réactions chimiques. Ex. : *colles polymérisées* qui se durcissent au contact de l'humidité en provoquant une modification structurale des molécules, ou les *époxy* prenant grâce à un durcisseur (utilisées pour le collage en aéronautique). On peut, avec les *colles acryliques,* provoquer l'adhésion des matériaux sous l'eau. Les *colles cyano-acrylates* remplacent les points de suture en chirurgie (application plus rapide, cicatrices plus discrètes).

ENGRAIS

Source : Syndicat national de l'industrie des engrais.

■ CATÉGORIES PRINCIPALES

■ Engrais azotés. **Minéraux :** surtout fabriqués à partir de la synthèse de l'ammoniac, obtenu par la combinaison de l'azote, extrait de l'air, et de l'hydrogène provenant du gaz naturel. On distingue : les engrais *ammoniacaux* (sulfate d'ammoniaque et urée), *nitriques* et surtout *ammoniacaux-nitriques* (ammonitrates et solutions azotées). **Organiques** [d'origine animale : *guano* du Pérou (excréments d'oiseaux et débris de poissons), déchets industriels (corne, laine, poissons, etc.) ou d'origine végétale] : utilisés surtout sur cultures maraîchères, vignes, arbres fruitiers. Ils entrent aussi dans la fabrication d'engrais organo-minéraux. **Production d'azote** (en milliers de t, 1990-91) : Chine 14 915, USA 13 552, URSS 13 094, Inde 6 993, Canada 2 683, P.-Bas 1 875, *France 1 524,* ex-All.-féd. 1 165, G.-B. 980, Japon 957. *Monde 82 270.*

■ Engrais phosphatés. Ils proviennent : 1°) *des scories de déphosphoration :* sous-produits de la fabrication de l'acier ; 2°) *des phosphates naturels :* soit employés directement après avoir été finement broyés, soit solubilisés par un acide (chlorhydrique, sulfurique, phosphorique) pour produire notamment les superphosphates. **Production. Anhydride phosphorique** (P_2O_5) (1990-91, milliers de t.) : USA 10 095, URSS 8 961, Chine 4 196, Inde 2 089, Brésil 1 057, *France 921,* Pologne 467, Japon 429, Roumanie 387, Canada 348. *Monde 38 906.* **Phosphate naturel** (1991, milliers de t) : USA 40 011, Maroc 17 814, Tunisie 6 400, Jordanie 4 433, Israël 3 370, Togo 2 965, Afr. du Sud 2 943. *Monde* (résultats partiels) *82 516.*

■ Engrais potassiques. Obtenus à partir de minerais naturels (sylvinite, kaïnite, carnalithe, etc.) constitués de sels de potassium, de sodium et parfois magnésium. *Principaux :* chlorure de potassium (séparé par procédés physiques), sulfate de potassium. **Production** (1990-91, en milliers de tK_2O) : URSS 9 037, Canada 7 520, All. 4 462, Israël 1 295, *France 1 292,* USA 1 008. *Monde 26 720.*

■ Engrais composés. Ils apportent 2 ou 3 éléments majeurs (azote, anhydride phosphorique, potasse). On distingue : *les engrais obtenus par mélange mécanique* de matières premières simples solides et se présentant sous forme pulvérulente ou granulée : il s'agit surtout de e. binaires PK ; *produits directement par action chimique (e. complexes)* entre des mat. premières et des produits intermédiaires (phosphates naturels, ammoniac, acide nitrique, sulfurique, phosphorique, chlorure de potassium, etc.) : e. complexes ternaires NPK, binaires NP ou NK ; *fluides :* liquides ou en suspension.

■ LES ENGRAIS EN FRANCE

■ Production (en milliers de t, 1990-91). Azotés 1 513 (N), ammoniac 1 598, phosphatés 977 et acide phosphorique 486, potassiques 1 095, ternaires NPK 3 284.

■ Consommation (1990-91, en milliers de t d'éléments fertilisants) 5 684 dont azote (N) 2 483 anhydride phosphorique (P_2O_5) 1 349, potasse (K_2O) 1 842.

■ Utilisation d'engrais (en kg par ha cultivé, 1990-91) : 203 dont azote 89, anhydride phosphorique 48, potasse 66. *Comparaison* (1991) : P.-Bas 280, Belg. 268, Danemark 227, *France 185 ;* All. 179, G.-B. 136, Irlande 121, Grèce 120, Italie 104.

■ Principales sociétés. Grande Paroisse SA, Hydro Azote, Sté commerciale des potasses et de l'azote (filiale d'EMC-Entreprise minière et chimique), Cedest Engrais, Groupe Roullier.

Matières plastiques

Sources : Féd. française des industries transformatrices de plastique, Synd. prof. des producteurs de matières plastiques.

Généralités

■ **Définition.** Matière modelable ou moulable. De nos jours, désigne de hauts polymères de synthèse susceptibles ou non de se ramollir par élévation de la température.

■ **Quelques dates. Jusqu'au milieu du XIXe s.,** tirées de substances naturelles travaillées à la température normale (glaise, cire, mastic) ou après chauffage (corne, écaille, gomme-laque, ambre, etc.). **1870** l'Américain J.W. Hyatt réalise chimiquement le *celluloïd,* à base de nitrate de cellulose et de camphre. **1884** le Cte Hilaire de Chardonnet (Fr.) dépose le 1er brevet de fil en mat. artificielle (nitrocellulose). **1900** en faisant agir le formol sur la caséine du lait convenablement hydratée, on obtient la *galatithe.* **1907** le Belge Baekeland obtient, à partir du formol et du phénol chauffés en autoclave, une résine synthétique, la *bakélite.* **1925 et après** les découvertes se multiplient.

■ **Classification.** 1°) **Matières thermoplastiques :** soumises à l'action de la chaleur, subissent un ramollissement et redeviennent pâteuses ; refroidies, elles retrouvent l'état solide initial. Elles sont théoriquement réutilisables indéfiniment. Résistantes à l'action de nombreux agents chimiques.

Polychlorure de vinyle : inerte chimiquement. Utilisation : emballages, canalisations d'eau et téléph., industrie chimique, câbleries électriques. *Polyéthylènes :* flexibles, translucides, résistant aux agents chimiques. Ut. : articles ménagers, jouets, emballages, sacs, sachets, films agricoles, BTP. *Polypropylène :* bonne résistance à la température et aux chocs. Ut. : cordages, auto, art. ménagers. *Polystyrène et copolymères de styrène :* mise en œuvre facile, aspect esthétique. Ut. : emballages, jouets, art. mén., films photo, isolants dans le bâtiment (sous forme alvéolaire). *Polyamides :* diélectriques, propriétés mécaniques excellentes. Ut. : textiles, pièces industrielles. *Résines acryliques* (plexiglas, altuglas) : transparentes, coloris variés. Ut. : cockpits d'avion, enseignes, mobilier.

2°) **Matières thermodurcissables :** soumises à l'action de la chaleur, deviennent dures et ne se ramollissent plus par la suite. Se solidifient sous l'action combinée de catalyseurs, de durcisseurs et de la chaleur. Insensibles généralement aux agents chimiques et notamment aux solvants.

Polyesters : fabriqués à partir de glycols, styrène, d'anhydrides phtalique et maléique ; combinés à la fibre de verre ; résistance mécanique élevée. Utilisation : coques de bateaux, carrosseries automobiles, cuves, éléments de bâtiment, cannes à pêche. *Polyépoxydes :* fabriqués à partir de bis-phénol A, de chlorhydrine et d'amines ; mêmes utilisations que polyesters, plus résistants. *Résines glycérophtaliques :* utilisation : peintures, vernis. *Aminoplastes :* urée ou mélamine et formol, dureté de surface, diélectriques, aspect esthétique : utilis. : ind. électrique, art. ménagers, plaques stratifiées. *Phénoplastes :* diélectriques, résistent à l'abrasion et aux chocs et au feu. Utilisation : ind. électrique, abrasifs.

■ **Techniques de transformation.** Par moulage, compression, injection, extrusion, calandrage, rotation, etc., à partir de poudres ou de granulés. Dans le moulage par injection, la matière est chauffée et ramollie avant d'être introduite sous pression dans le moule. Après solidification, la pièce moulée est éjectée hors du moule. Films, feuilles et profilés sont obtenus par extrusion de la matière ramollie à travers une filière. Bouteilles et corps creux sont soufflés dans un moule à l'état pâteux. Les grands corps creux peuvent être fabriqués par rotomoulage (moule chauffé tournant à faible vitesse). Production de certaines pièces par formage à partir de feuilles préalablement ramollies et pressées dans un moule. Des pièces simples peuvent être usinées à partir de demi-produits (feuilles, planches, rondins).

Procédés spéciaux avec les résines polyesters et polyépoxydes liquides. Ainsi, les résines polyesters mélangées à de la fibre de verre peuvent être moulées à froid, par contact (coques de bateaux).

Statistiques

Dans le monde

■ **Production** (en milliers de t, 1991). USA 28 492, Japon 12 802, Allemagne 8 996, *France 4 399,* P.-Bas 3 853, Belgique 3 039, Italie 3 020, G.-B. 2 252, Espagne 1 988, Autriche 943, Suède 737, Portugal 437, Norvège 425, Finlande 360, Suisse 157.

■ **Consommation** (en milliers de t, 1991). USA 26 539, Japon 11 647, Allemagne 8 509, Italie 4 230, *France 3 732,* G.-B. 3 374, Espagne 2 130, Belgique 1 503, P.-Bas 1 188, Autriche 993, Suède 822, Suisse 605, Danemark 513, Portugal 382, Finlande 345, Norvège 296. **Par habitant** (en kg, 1991) : Belgique [1] 151, All. 133, Autriche 127,3, USA 102, Dan. 101, Suisse [1] 96,5, Japon 93,7, Italie 74,2, Finl. 69, Canada 69, *France 66,* Israël 63,5, G.-B. 58,8, Espagne 54,8, Hongrie 32, Nlle-Zél. 31,2, Afr. du Sud 16,5, Roumanie 8, Équateur 6,7 [1], Inde 1,1.

Nota. – (1) 1990.

En France

■ **Effectif.** 139 000 personnes travaillent à la production et transformation des mat. plastiques.

■ **Production** (en milliers de t, 1991). 4 399,5 (dont thermoplastiques 80 %, thermodurcissables 8 %, divers 12) dont phénoplastes 59,8, aminoplastes 163, alkydes 41, polyesters insaturés 76,2, polyéthylène BDR 742,9, p. BDL 168,9, p. HD 261,6, polypropylène 785, polystyrène 372, expansible 151,5, PVC 1 054,1, vinyliques 45, polymeth/acryliques 110, divers 367,8.

■ **Commerce extérieur** (en milliers de t, 1989). *Import.* 2 413,7. *Export.* (91) 3 029. **Consommation** (en milliers de t, 1990, est.). 3 975 dont phénoplastes 60, aminoplastes 198, alkydes 90, polyesters insaturés 84, polyéthylène BDR 595, p. BDL 170, p. HD 480, polystyrène 258, p. expansible 105, PVC 910, vinyliques 60, polymeth/acryliques 120, divers 495.

Utilisations principales (en milliers de t). *Emballage* 1 246 (dont films, sacs et feuilles 575, bouteilles et flacons 375, tubes et pots 230, capsules, bouchons et couvercles 66). *Bâtiment* 600 (dont tubes et canalisations 260, mousse d'isolation 111, profilés divers 90). *Automobile* 350 (sur 5 000 à 6 000 pièces composant une auto, 1 200 à 1 500 sont en plastique).

Dégradation. *Biodégradation :* seuls les matériaux cellulosiques et certains polymères spéciaux, en général sensibles à l'eau, peuvent être détruits facilement par les micro-organismes. *Photodégradation :* destruction par les agents naturels possible pour certains polymères, surtout intéressante dans le domaine agricole (films de paillage en polyéthylène par ex.).

Matières plastiques et énergie. Grâce à leurs caractéristiques (légèreté, facilité d'entretien, souplesse de conception des pièces, etc.), les mat. plastiques présentent souvent pour une même unité d'usage (ou service rendu) un bilan énergétique total plus favorable que celui d'autres matériaux. D'où leur développement dans l'auto. (réduction de la consommation grâce à l'allégement des véhicules), l'isolation thermique, les cultures sous abri, etc.

Matériaux composites. Nés dans les années 1950. Composés d'un squelette, le renfort (fibres de verre, carbone, aramide) et d'un corps, la matrice : aussi solides que les alliages métalliques mais plus légers.

Savon

Quelques dates. Antiquité lessives faites de cendres et de graisses, saponaire, argile à foulon et détergents minéraux. Mot latin désignant la préparation moussante utilisée par Germains et Celtes : mixture à base de graisse de chèvres ou de suif et de cendres de bouleau. **Moyen Age** savon, produit d'un alcali (d'origine arabe, alkali désigne la plante maritime que nous appelons soude, d'où l'on tirait jusqu'à la fin du XVIIIe s. le produit du même nom) sur un corps gras, vraisemblablement introduit en Europe par les Croisés. **XIIe s.** 1res fabriques renommées en Espagne et Italie : savon de Naples, Alicante, Gênes, Bologne, Venise. **Milieu XVe s.** savonneries à Marseille (46 fin XVIIe). *Évolution :* utilisation des corps gras végétaux pour remplacer les corps gras animaux, emploi de la chaux pour transformer les carbonates alcalins en potasse et en soude. Un savon est mou si on utilise de la potasse ou dur si on emploie de la soude. **XVIIe s. 1791** Nicolas Leblanc invente la *soude caustique,* fonde la « Franciade », 1re soudière. **XIXe s.** 1ers savons sous marque et emballage. **1930** détergents de synthèse (sans huiles végétales ni graisses animales).

Procédés utilisés. En France du XVIIe s. à l'époque moderne on fabrique le s. blanc (dit de Marseille) « *à la petite chaudière* » : pâte cuite et brassée sans épuration, produit souvent médiocre ; « *à la grande chaudière* » : *1°) empâtage :* mélange du corps gras et d'une lessive de soude, solution aqueuse d'un alcali, porté et maintenu un certain temps en ébullition ; *2°) relargage :* on ajoute à la pâte obtenue une lessive de cuite liquide qui sépare la glycérine dont l'excès gênerait le séchage du savon ; *3°) cuite :* pâte de savon obtenue après relargage et additionnée d'une lessive salée, puis portée à ébullition plusieurs h ; lessive utilisée soutirée par un robinet à la base de la chaudière ; *4°) façonnage :* la pâte du s. prête à l'emploi est séchée à l'air dans de gros moules ou « mises » en attendant d'être assez dure pour être façonnée et marquée ; du XVIIe s. au milieu XIXe s. on coupait les blocs de s. au fil et on les marquait à la main.

Le savon issu de ces opérations peut être blanc si la soude est pure ou coloré si elle ne l'est pas. A partir du savon en copeaux, on prépare les s. de toilette et savonnettes en ajoutant au savon broyé des parfums et des corps adoucissants ; le façonnage se fait à la presse. Actuellement le s. est préparé avec des suifs ou des huiles végétales. Blanchissement sous vide à 100° dans une chaîne continue automatisée en acier inoxydable. Séchage (également en chaîne) fait passer le savon de 63 à 70 ou 80 % d'acides gras. Coupe, moulage, conditionnement sont aussi automatisés.

Composants

■ **Tensioactifs** (ou agents de surface, ou détergents). Donnent aux lessives leur pouvoir mouillant et émulsionnant (permettent aux particules solides ou grasses de rester en suspension dans l'eau de manière stable). Doivent être biodégradables à plus de 90 % dans un certain délai, avec une tolérance de 10 %. *Savon :* en cas d'excès de calcaire, forme un dépôt insoluble qu'on retrouve sur le linge, à base végétale, biodégradables (en 3 à 5 j.). *Détergents :* de synthèse dérivés du pétrole, plus toxiques et moins biodégradables. *Exemples : TPS* (alkylbenzène sulfonate ramifié interdit, et remplacé en partie par le *LAS* (alkylbenzène sulfonate linéaire), peu biodégradable. Anioniques ou non ioniques, même moindres inconvénients, mais toxiques, sauf le *NPE* (Nonylphénoléthoxylate).

■ **Anti-calcaires** (adoucissants). Retiennent le calcaire des eaux dures, qui gênerait l'action des tensioactifs (ex : tripolyphosphate de sodium, toxique pour l'environnement). *Zéolites :* d'origine minérale (silico-aluminates), retiennent le calcaire : effet complété par l'adjonction à faibles doses d'anti-redéposants comme les phosphonates et de polycarboxylates. Peu biodégradables et difficiles à doser. *NTA* (acide nitrilotriacétique) : accusé d'être cancérigène (par confirmé). Inconvénient : freine élimination des métaux lourds dans les stations d'épuration. Autorisé dans les lessives suisses, à concurrence de 5 %. En France, les formules sans phosphates n'en comportent généralement pas. *EDTA* (acide éthylène diaminotétracétique) : origine pétrochimique. A faible dose, stabilise les métaux lourds. S'élimine moins bien que le *NTA* (biodégradabilité inférieure à 20 %). *Citrates :* les plus chers. Rapidement inactivés au-dessus de 50° C.

Détachants. *Par oxydation (blanchiment)* (perborate) : décolore les taches oxydables dans les lessives en poudre, et surtout pour des températures élevées (60° C et +). Libère de l'oxygène et du bore, toxique pour plantes aquatiques. Nécessite un adjuvant stabilisateur, TAED, qui active le blanchiment dès 40° C. Percarbonate moins utilisé. *2°) par hydrolyse* (enzymes) : digèrent les taches protéiniques (sauce, sang...), efficaces jusqu'à 60° C.

Auxiliaires du lavage. *Azurants optiques :* d'origine pétrochimique, se dégradent assez vite à la lumière du jour, en des particules très persistantes, toxiques. *Silicates :* préviennent la corrosion des machines à laver.

☞ En sept. 1991, *Que Choisir* a appelé au boycott des lessives phosphatées. Les tests démontrant à son avis que les phosphates n'étaient plus nécessaires pour laver correctement le linge, sur 22 lessives sans phosphates, 3 contenaient des substances indésirables et les moins polluantes lavaient le moins bien.

Lessive Saint-Marc. Créée 1902 par Raoul Saint-Marc. Savon-résine fabriqué à partir de dérivés terpéniques (produits hydrocarburés qu'on trouve sur les essences naturelles) recueillis sur les pins landais : « cendre lessive Saint-Marc ». Composée de cristaux de soude supprimant les graisses qui collent les taches. Contient savon de résine de pin aidant à la dissolution des corps gras et parfumant le produit.

Consommation 1979 : 550 t ; *83* : 2 500 ; *90* : 212 000 t. **Utilisation :** voitures, avions, raquettes de tennis, forages pétroliers, etc.

Savons et détergents

En France

Production (en t, 1991). *Savons* 110 236. *Détergents* en poudre 651 583, liquides 622 788.

Consommation par an et par hab. (en g, 1991). **Savons :** 1 738, de toilette 581, de ménage 341. Autres savons 816 (dont produits spéciaux pour les mains des mécaniciens 289, liquides 227, industriels 192, paillettes et copeaux ménagers 87, mous 21). **Détergents :** 23 166, poudre 10 853 (textiles 9 350, vaisselle 1 010, nettoyage 493) ; liquides 12 046 (nettoyage 3 871, rinçage textiles 3 164, textiles 2 511, vaisselle 2 500). Autres usages industriels 267.

Part de marché des poudres à laver (en %, 1986). Procter et Gamble (USA) 30, Lever (P.-Bas) 27, Henkel (All. féd.) 20, Colgate-Palmolive (USA) 17, Caubet-Tensia (Belg.), Menuel-Problanc (France) 6.

Principaux groupes

Colgate Palmolive. Filiale de Colgate Palmolive Co (New York). **Chiffre d'aff.** (France, 1992) : 4,1 milliards de F. **Effectif :** 1 576. **Filiales** *rattachées à la France :* Cotelle S.A, Maroc, Côte-d'Ivoire, Sénégal, Cameroun. **Détergents linge :** Axion 2 (ultra, color, liquide), Gama (ultra), Génie (gel), Paic (main, douceur poudre et liquide). **Adoucissants textiles :** Soupline (S. feuille, Ultra doux, Éco. recharge S.). **D. vaisselle :** Palmolive (sensitive skin), Paic citron. **D. lave-vaisselle :** Galaxy (gel, liquide rinçage, sel régénérant). **Produits d'entretien :** Ajax (poudre, crème, vitres, salle de bain, liquide), Javel Lacroix (Javel Plus, Lacroix WC, Javel fraîcheur tonique). **Savons :** Cadum (créé 1912, affiche du bébé par Machils, Sté fusionnée avec Palmolive 1952), Palmolive, Donge, Cléopatra, crème de bain et douche Palmolive. **Dentifrice :** Colgate, Ultra-Brite, Tonigencyl, Colgate rinçage, brosses à dents Colgate, Veadent, Plax et Actibrush. **Mousses à raser et shampooings :** Palmolive, shampooing Respons, Prairial. **Déodorants :** OE. **Emballages ménagers :** Scel'O'Frais. Détergents d'entretien pour professionnels.

Henkel France. Filiale de Henkel KGaA (Düsseldorf). **Chiffre d'aff.** (France, 1992) : 6,8 milliards de F. **Effectif :** 3 590. **Détergents et produits d'entretien :** Super-Croix, X-Tra, Le Chat Machine, Mir Couleurs, Mir Express, Mir Laine, Mini Mir, Minidou, Bref, Bref Javel net, Somat, Décap'Four, PPZ Moquette, Miror, Argentil, Savons Le Chat, Atlas, Rex Citron. **Cosmétiques et hygiène corporelle :** Fa, Diadermine, City, Tera-Xyl, Le Chat Toilette, Le Chat Mousse, Mont-Saint-Michel, Vademecum, Scorpio, Activ, Denivit. **Colles et adhésifs grand public et bâtiment :** Metylan, Ovalit, Ponal, Fastic, Sista, Tangit, Pattex, Perfax, gamme Rubson ; **industriels :** Optal, Synta, Technomelt, Liofol, Omnifit, Chemosil. **Produits d'après-vente automobile :** Blackson, Teroson. **Chimie des métaux :** P3 Neutrapon, P3 Dultan, Magnustrip, P3 Almeco, P3 Prevox, Ferrosil, Carclin, P3 Nexo.

Lever. Filiale d'Unilever (Londres/Rotterdam), avec Astra-Calvé, EGF (Elida Gibbs-Fabergé) etc. **Chiffre d'aff.** (France, 1992) : 4,6 milliards de F. **Effectif :** 1 550. **Lessives :** Coral (poudre, poudre micro, liquide), Omo (poudre, poudre micro, liquide, liquide micro, éco-recharge poudre et liquide, Omo color), Persil (poudre, poudre micro, liquide, liquide micro, éco-recharge poudre et liquide), Skip (poudre, poudre micro, liquide, liquide micro éco-recharge poudre et liquide, Skip color poudre et liquide), Lux paillettes, Wisk liquide. **Détergents vaisselle, main :** Lux, Soleil citron ; **machine :** gamme Sun. **Nettoyants ménagers :** Cif (crème, multi-usages, mousse), Vigor, Domestos. **Savons :** Lux beauté, Soleil toilette, Dove. **Parfumerie :** Lux (gel douche, bain moussant), Dove (gel douche, bain moussant). **Adoucissant textile :** Cajoline standard, concentré, à diluer, éco-recharge. **Lever industriel :** détergents pour ind. et collectiv.

Procter & Gamble France. Filiale de Procter & Gamble Co (Cincinnati, Ohio). **Chiffre d'aff. consolidé** (1992) : 8,1 milliards de F. **Effectif** 2 300. **Lessives :** Ariel (classique, sans phosphates, liquide, poudre ultra, ultra-liquide, poudre ultra-color, color liquide ultra), Vizir (classique, ultra), Dash 2 en 1 (poudre ultra, liquide, ultra-liquide), Bonux (main, machine, poudre ultra, liquide, ultra-liquide). **Nettoyants ménagers :** Mr. Propre (régulier, éco-recharge, crème, Salle de bain), Spic, Viakal. **Adoucissants textiles :** Lénor (régulier, éco-recharge, lénorette). **Couches-culottes :** Pampers Phases. **Protections féminines :** Always. **A travers les filiales :** Procter & Gamble Hygiène-Beauté France : Pétrole Hahn, Pantène, Vidal Sassoon Wash & Go, Oil of Olaz, Camay, Zest, Monsavon, Biactol. Laboratoire Lachartre : Vicks, Hégor, Roger-Cavaillès, Milton, Clearasil. Blend-a-Pharm : Blend-a-Myl.

Peintures et encres d'imprimerie

☞ **Autrefois,** les peintures blanches contenaient souvent 20 % de carbonate de plomb appelé céruse (soluble en milieu acide, donc dans la salive). Peuvent provoquer des cas de saturnisme (parfois mortels). Fabrication industrielle et artisanale interdite depuis 1913 et 1948. **Peinture** composée de pigments dispersés dans une résine avec additifs et diluée dans un solvant ou dans l'eau. **Pigments** grains d'origine pétrochimique, minérale ou métallique, de l'ordre du micron, de formes différentes pour répondre à certains effets décoratifs. *Blanc :* souvent obtenu par des pigments de dioxine de titane. *Jaune, orange et vert :* pigments à base de plomb, zinc, cuivre et cadmium. **Matières de charge** (talc, kaolins) diminuent la qualité de la peinture. **Produits auxiliaires** *siccatifs* pour accélérer le séchage (du plomb) ; *fongicides* toxiques, à proscrire à l'intérieur d'une habitation ; *résines* servent de liant, peuvent former un film continu et solide après application. **Diluants** liquides volatifs qui dissolvent [white-spirit pour résines glycérophtaliques (ou alkydes ; appelées aussi, de façon impropre, peinture « à l'huile ») : issues d'une réaction chimique entre glycérine et anhydride phtalique], ou diluent (eau pour les acryliques) les résines pour rendre la peinture fluide et faciliter son application. Ils s'évaporent lors du séchage. Prendre garde aux risques d'incendie, réactions allergiques, maux de tête et symptômes de « crise de foie », intoxications. Dessèche la peau, provoque irritations, passe dans le sang à travers l'épiderme.

■ **Dans le monde. Production de peintures et vernis** (en milliers de t, 1987) : All. féd. 1 305, Italie 708, G.-B. 702, *France 675,* Espagne 327, P.-Bas 253, Suède 203, Belgique 154,5, Danemark 150, Autriche 126, Suisse 123, Portugal 104, Finlande 96, Norvège 80.

Principales Stés (chiffre d'aff. peinture mondial 1988, en milliards de F ; *source :* Fipec). ICI [1] 6, BASF [2] 6, AKZO Coatings [4] 6, Casco Nobel [5] 5, PPG [3] 4, Kemira [7] 3,5, Hoechst [2] 3, Total Peinture [6] 2,5, Courtaulds [1] 2,5, Petrofina [8] 2, Jotun [9] 2, Du Pont [3] 2, Beckers [5] 2.

Nota. – (1) G.-B. (2) All. féd. (3) USA. (4) P.-Bas. (5) Suède. (6) France. (7) Finl. (8) Belg. (9) Norv.

Consommation de peintures et vernis (en kg/habitant, 1986). Danemark 25,9. USA 21,1 [4]. Suède 22,6. Suisse 20,4. Norvège 19,5. All. féd. 19,4. Finlande 17,9. Autriche 16,1. Belg. 15 [7]. P.-Bas 15,3. Italie 11. *France 10,8.* Port. 9,2 [7]. G.-B. 7,2. Espagne 7,6 [7].

Nota. – (1) 1974. (2) 1975. (3) 1976. (4) 1977. (5) 1979. (6) 1980. (7) 1983. (8) 1984.

■ **En France. Livraisons** (peintures, vernis et couleurs fines, en milliers de t, 1992). Peintures et vernis aux résines artificielles et synthétiques 289,1, glycérophtaliques 150,3, en émulsion 127, revêtements épais 74,3, mastics, enduits, peint. et vernis bitumineux 40,2, peint. et vernis à l'huile et div. 15,9, autres mastics et enduits 134,8, adjuvants et préparations div. 38,6, couleurs fines 2,7. *Total 957,6* (dont peint. film mince et revêtements épais 656,6). **Commerce extérieur** (en milliards de F). **Imp.** *86 :* 2,09 ; *90 :* 3,56 ; *91 :* 3,77 ; *92 :* 3,84. **Exp.** *86 :* 2,17 ; *90 :* 2,82 ; *91 :* 3,09 ; *92 :* 3,28.

Industrie pharmaceutique

Dans le monde

Nombre de présentations (1989). **Étranger :** All. féd. 22 700, Italie 10 300, Espagne 9 500, G.-B. 6 000. **France :** *1930 :* 25 000, *59 :* 20 000. *1989 (est.) :* 8 500 pour 4 200 produits et 3 000 principes actifs de base.

Production (en milliards de $, 1989). USA 44,5, Japon 31,2, All. féd. 11, *France 9,1,* Italie 8,4, G.-B. 4,5, Canada 3,5, Espagne 3,3, Brésil 2,5.

Chiffre d'affaires médicaments (en milliards de $, 1992). Glaxo [2] 7,2. Merck [1] 7,2. Bristol-Myers-Squibb [1] 5,9. Hoescht [3] 5,4. Ciba-Geigy [4] 4,6. Sandoz [4] 4,4, Smith-Kline-Beecham [2] 4,4. Bayer [3] 4,3. Roche [4] 4,1. Eli Lilly [1] 4. American Home Products [1] 4. Rhône-Poulenc Rorer [5] 3,8. Johnson et Johnson [1] 3,8. Pfizer [1] 3,8. Abbott [1] 3,5.

Grossistes-répartiteurs (chiffres d'aff. en milliards de $ en 1991) McKesson [1] 7. OCP 5 4,7. Bergen Brunswig [1] 4. Foxmeyer [1] 3,4. Gehe [3] 2,7. Alco [1] 2,6. Anzag [3] 2,3. Sanacorp [3] 2. Bindley Western [1] 2. Schulze [3] 1,9.

Nota. – (1) USA. (2) G.-B. (3) All. féd. (4) Suisse. (5) France.

Principaux pays exportateurs (en milliards de F, 1989). All. féd. 2,73, G.-B. 2,40, Suisse 2,21, *France 2,13,* UEBL 0,97, USA 0,97, Pays-Bas 0,72, Danemark 0,71, Italie 0,56, Japon 0,16.

■ **Consommation mondiale de produits pharmaceutiques** (1989). 25,78 milliards de $ dont en % USA 27, Japon 19, All. féd. 6,7, Italie 5,1, G.-B. 2,8. Can. 2,1. Esp. 2. Autres 30,2.

Médicaments les plus vendus dans le monde. Chiffre d'affaires (milliards de $, 1991 ; *source :* Glaxo, L'Expansion) : Azantac [1,9] 2,9, Adalate [4,10] 1,7, Renitec [3,11] 1,6, Capoten [3,12] 1,5, Keforal [6,13] 1,2, Tenormine [2,14] 1,1, Tagamet [1,15] 1,1, Voltarène [5,16] 1,1, Cardizem-Herbesser [7,17] 1,1, Ventoline [8,9] 0,9.

Nota. – *Indications* (1) Ulcère. (2) Bétabloquant. (3) Hypertension. (4) Angine de poitrine. (5) Anti-inflammatoire. (6) Antibiotique. (7) Angine. (8) Asthme. *Fabricants* (9) Glaxo. (10) Bayer. (11) Merck. (12) Bristol-Myers. (13) Lilly. (14) ICI. (15) Smithkline. (16) Ciba-Geigy. (17) Marion.

☞ **Aspirine (acide salicylique)** *prod. :* 34 000 t (dont Fr. 1 500 t) ; *ventes mondiales :* 11 milliards de F. **Gardénal :** phényléthylmalonylurée employé contre les insomnies nerveuses appelé Luminal par Bayer et Gardénal par Poulenc-Frères à partir de 1920. **Pastille Valda :** inventée 1904 par Henri Canonne à Paris. **Pastille Vichy :** inventée 1825 par M. Darcet (extrait par évaporation les principes actifs de l'eau de Vichy et en fait des pastilles aromatisées aux essences naturelles), forme octogonale en 1834 ; 3 000 t produites/an. **Jouvence de l'abbé Soury :** créée 1764 par Gilbert Soury, abbé normand (1732-1810), faite de 11 plantes médicinales et destinée à améliorer la circulation sanguine. Au XIXe s. son arrière-petit-neveu, Magloire Dumontier, la commercialisa.

En France

Généralités

■ **Chiffre d'affaires.** *Médicaments à usage humain* [milliards de F, HT (prov.)] : *1990 :* 76,3 ; *91 :* 82,2. *Résultat net* comptable : *1990 (est.) :* 3,4 %.

> **Spécialités médicales.** Elles ne peuvent faire l'objet de publicité directe auprès du public, seule l'information des praticiens est permise dans des conditions définies par décret. Certaines ne peuvent être vendues que sur prescription médicale (ordonnance) ; l'ordonnance des stupéfiants doit être établie sur un carnet à souche spécial. **Grand public.** Peuvent faire l'objet, après visa du min. de la Santé, d'une publicité directe auprès du public ; non remboursées par la Sécurité sociale. Représentent 8 % du chiffre d'affaires de l'ind. pharmaceutique.

Laboratoires. *Nombre : 1950 :* 1 960 ; *70 :* 880 ; *80 :* 392 ; *90 :* 362 ; *91 :* 353. *Effectifs : 1990 :* 80 000 dont ouvriers et employés 38,7 %, visiteurs médicaux et VRP 20,5 %, cadres 20,5 %, techniciens et agents de maîtrise 18,8.

Recherche (1990). 12 % du CA, 10,5 milliards de F autofinancés par les entreprises. **Coût de développement d'un nouveau médicament** (en millions de $) *1976 :* 54 ; *82 :* 87 ; *90 :* 231. Sur la période 1975-89, la France se situait au 3e rang derrière USA et Japon pour la découverte de nouveaux principes actifs ayant abouti à des médicaments. Sur 10 000 molécules synthétisées, 1 seule devient un médicament ; les principes actifs qui entrent dans la composition des produits pharmaceutiques sont presque toujours issus de recherches effectuées depuis 7 à 10 ans.

Consommation pharmaceutique des ménages (1991). **Montant** (en millions de F) : *1970 :* 10,7 ; *75 :* 20,3 ; *80 :* 33,7 ; *85 :* 64,2 ; *90 :* 95,1 ; *91 :* 102,7. *Par personne* (en F) *1970 :* 211 ; *80 :* 625 ; *90 :* 1 699 ; *91 :* 1 812. **Facteurs principaux :** *âge* (enfants en bas âge et personnes âgées), *socioculturel* (consommation plus importante en ville qu'à la campagne, chez les cadres que chez les fonctionnaires, employés, ouvriers et salariés agricoles). **Selon le mode d'action** (1990, % du marché total) : thérapeutiques cardiovasculaires 26,8, digestives 9,8, antibiotiques, anti-infectieux et antiparasitaires 10,9, antalgiques (y compris anti-inflammatoires non stéroïdiens) 9,2, antianémiques, fortifiants et modificateurs de terrain 3,8, appareil respiratoire (voie générale) 8,4, hypnotiques et psychotropes 6,9.

■ **Distribution.** En 1990, env. 18 sociétés de répartition, 228 points de vente, 21 595 officines (70 pharmacies mutualistes et 73 pharmacies minières).

Les grossistes-répartiteurs doivent avoir en stock 2/3 des produits et en valeur un mois de stock, être en mesure de les livrer au plus tard dans les 24 h.

Chiffre d'aff. moyen des pharmacies (en millions de F, HT, 1990) : *– de 1,8 million de F* : 7 %. *1,8 à 3* : 18. *3 à 3,7* : 20. *3,7 à 4,7* : 20. *4,6 à 5,2* : 10. *5,2 à 5,9* : 10. *5,9 à 8* : 10. *+ de 8* : 5.

% du CA hors taxes par catégorie de produits : spécialités normales 80,4, publiques 4,7, pansements 3,2, parfumerie 3,2, laits 2,3, prod. diététiques (sauf laits) 2,1, accessoires 1,8, droguerie, conditionnés 1,3, préparations 0,5, analyses, locations 0,3, récipients 0,2. *Source :* Le Pharmacien de France.

Principaux groupes

Rhône-Poulenc. 1er groupe chimique fr., 7e mondial. *CA consolidé 1992 :* 81,7 milliards de F (dont 58 % de ventes à l'étranger). *Effectif* (92) : 83 283 (dont 35 913 en Fr.). ACTIVITÉS *(CA en %, 1992) :* santé 37,3, intermédiaires organiques et minéraux 17,3, spécialités chimiques 16,5, fibres et polymères 15, agro 12,4, autres 1,5. *Secteur Santé :* Rhône-Poulenc Rorer, Pasteur Mérieux, Sérum et vaccin/Connaught, Rhône-Mérieux (créé 1897 par Marcel Mérieux, ancien collaborateur de Pasteur, *CA consolidé 1992 :* 6,3), Rhône-Poulenc, Animal Nutrition. Activités (en %) : pharmacie humaine 71, sérums et vaccins 12, nutrition animale 9, vétérinaire 7, divers 1.

Hoechst AG. *Filiales françaises :* Sté française Hoechst. *CA 1992 :* 2,9 milliards de F. *Effectif :* 2 960. FILIALES : Roussel-Uclaf. (à 54,50 %) ; pour la santé humaine : lab. Roussel, Cassenne, Diamant, Houdé ISH, Sopharga, Clintec, Lutsia ; vég. et animale : Procida, Distrivet ; Collectorgane ; Lunettes Solar et Foster Grant. FIL. LABO. : *Hoechst* (à 100 %) : Sapb Hoechst Behring.

Sanofi. Filiale à 51 % d'Elf Aquitaine, 2e groupe pharm. français. *CA 1992 :* 21,4 milliards de F, dont 60 % hors de France (présence mondiale de 40 milliards de F au travers de Stés affiliées et de licenciés). *Effectif total* (y compris affiliés) : 38 480 dont 18 100 à l'étranger.

Santé humaine Sanofi Pharma (57 % des ventes) : Sanofi Winthrop (issu de l'alliance avec Sterling Winthrop), Sanofi Diagnostics Pasteur. *Bio-activités :* SBI (arômes et additifs alim. auxiliaires laitiers, arômes de parfumerie, gélatine à usage alim. pharmac. et photo.) (1er producteur mondial) ; *Santé Nutrition animale* (Semences : Rustica, Kingroup) ; *Santé animale* : 2e rang en France ; *5e Quartier* (collecte et transformation de sous-produits de viande et poisson), Ste Française Maritime, Soprorga ; participation dans Entremont. *Parfums et Produits de beauté :* Sanofi Beauté (Van Cleef & Arpels, Oscar de la Renta, Roger & Gallet, Stendhal) ; participations dans Nina Ricci et Yves Rocher.

Synthélabo. *CA consolidé* (en milliards de F, 1992) : 6,3 (dont pharmacie 91 %, biomédical 16 %). *Effectif* (1992) : 6 790 (dont recherche 1 435). *Recherche et développement :* 987 millions de F, soit 16 % du CA.

Autres laboratoires. *Groupe Servier* (français) comprenant lab. Servier, Biopharma et Euthérapie ; *M.S.D.-Chibret* (USA) filiale de Merck Sharp et Dohme ; *Ciba-Geigy* (Suisse) ; *groupe Smith-Kline Beecham* (USA) comprenant lab. SKF, Allergan, Dulcis ; *groupe Lipha* (français) avec filiales Lipha, Anphar-Rolland, Aron, Medicia, Oberval, Pharminter et Ceprophar ; *groupe Hoffman-Laroche* et *Sandoz.*

Dentifrice (1987). *Répartition des ventes Grandes surfaces* 78 % [dont (%) Lever (Elida-Gibbs) (Signal, Pepsodent, Très Près, Gibbs) 36, Colgate (Colgate, Tonigencyl, Ultrabrite) 30, Henkel (Teraxyl, Fluoryl) 11, Beecham (Aquafresh 3) 9, Divers (Émail Diamant, Vademecum, Teelak...) 14]. *Pharmacie* 22 % [dont (%) Goupil (Fluocaril, Fluondontyl, Parogencyl) 33, Pharmascience (Sanogyl) 10, Blendapharm (Blendamyl) 8, Parke-Davis (Emoform) 6, Pierre Fabre (Elavdium) 5, Rhône-Poulenc (Spécia) 4, Divers (Arthrodont, Sensodyne, Homeodent...) 34].

Biotechnologie

Définition. *Met en jeu* les phénomènes propres aux organismes vivants : réactions enzymatiques, fermentation, oxydation, photosynthèse, synthèse des protéines et de diverses autres substances indispensables à la vie (vitamines, enzymes, etc.). *Substrats* micro-organismes (bactéries, moisissures, levures), certains de leurs constituants intracellulaires (enzymes), cellules végétales et anim. en culture *in vitro.*

Technique. *Par fermentation discontinue ;* dans un bioréacteur rempli de milieu nutritif et micro-organismes ; après un certain temps, la réaction est interrompue ; le fermentateur est nettoyé, stérilisé, enfin

SNPE (Sté nat. des poudres et explosifs). Histoire : *1336* Philippe VI octroie une charte aux fabricants de poudre, placés sous l'autorité du Grand Maître des Arbalétriers. *1540* François Ier interdit l'exportation du salpêtre. *1547* Henri II impose les collectivités pour la fourniture du salpêtre. *1582* corps de commissaires et contrôleurs des Poudres créé. *1665* Ferme des poudres et salpêtres créée. *1775* remplacée par la Régie royale des poudres. *1791* Agence des poudres et salpêtres créée. *1797* loi du 13 fructidor An V : monopole d'État sur la fabrication des poudres. *1816* organisation du Service des poudres. *1875* autorisation donnée au secteur privé de fabriquer dynamite et poudres à base de nitroglycérine. *1970, 3-7* réforme du régime des poudres et substances explosives. *1971, 8-3* SNPE créée. Groupe SNPE : défense, chimie, matériaux. *CA :* 5 milliards de F. Usines 7, centre de recherches 1, Filiales ind. ou commerciales en France et à l'étranger 35.

rechargé. *Continue :* les matériaux de base de la réaction sont introduits sans interruption dans le fermentateur, et la récupération des produits est permanente ; les étapes de la transformation s'effectuant simultanément et à la même vitesse.

Génie génétique. On insère de l'ADN étranger sur le génome d'une espèce donnée pour obtenir, dans cette espèce, un caractère héréditaire codé par l'ADN greffé.

Ciment

Source : Syndicat national des fabricants de ciment et de chaux.

Généralités

Quelques dates

1817 le Français Louis Vicat (1786-1861) explique que l'aptitude de certaines chaux maigres à durcir sous l'eau vient de la présence d'argile dans les calcaires traités (« hydraulicité »). **1824** l'Écossais J. Aspdin pousse la température de cuisson du mélange calcaire-argile jusqu'au début de fusion et obtient une sorte de roche, dénommée clinker qui, par broyage, donne le ciment. **1856** début de l'industrie du ciment en France.

Techniques de fabrication

■ **Matériaux.** *Ciment :* vient du latin *cementum* (agglomérat de moellons et de pierres utilisé avec des mortiers de chaux et de pouzzolane dans la maçonnerie). Dans l'Antiquité, on utilisait comme « liants » des pâtes d'argile ou de la chaux, employées pures ou en mélange avec du sable ou de la pouzzolane (de la ville italienne Pouzzoles. Roche volcanique se présentant sous la forme de scories et de cendres, elle donne avec la chaux un composé stable à l'eau). La chaux pouvait être facilement obtenue par la cuisson de calcaire à une température relativement peu élevée, suivie de « l'extinction » de la *chaux vive* résultant de cette opération. La « *chaux grasse* » fut ainsi pratiquement le seul liant utilisé, avec le plâtre, jusqu'au début du XIXe s. *Ciments naturels :* réalisés à partir de roches où argiles et calcaires sont déjà naturellement mélangés. *C. artificiels,* (presque toute la production) : obtenus par la cuisson à haute température d'un mélange de calcaire (v. 80 %) et d'argile (20 %).

■ **Procédés.** Dépend du matériel existant, du degré d'humidité de la matière et de la consommation d'énergie. **Voie sèche :** les constituants argileux et calcaires sont concassés, broyés, séchés et dosés avant d'être homogénéisés par des moyens pneumatiques. Ils sont de plus en plus homogénéisés avant broyage, pour assurer une certaine régularité de composition du mélange cru.

Voie semi-sèche : la poudre obtenue est humidifiée et agglomérée sous forme de granules dans lesquels on incorpore le charbon pulvérisé quand la cuisson s'effectue au four vertical. Dans d'autres cas, les granules sont introduits dans une installation de cuisson comprenant une grille mobile de décarbonation et un four rotatif court.

Voie humide : les matières premières sont broyées avec de l'eau (environ 40 %) ou délayées dans des bassins ; les corrections de composition sont effectuées dans des cuves où l'homogénéisation est réalisée par air comprimé ou agitation mécanique.

Voie semi-humide : la pâte crue, obtenue comme en voie humide, est essorée avec des filtres-presses jusqu'à 20 % d'eau, puis extrudée en bâtonnets de 2 cm de diamètre qui sont ensuite introduits dans une installation de cuisson à grille comme pour la voie semi-sèche.

Cuisson. Effectuée en général dans des fours rotatifs avec charbon, fuel ou gaz, anciennement dans des fours verticaux avec du charbon. Le mélange de calcaire et d'argile subit, vers 1 450 °C, un commencement de fusion et de vitrification et se présente à la sortie du four en granules, le *clinker,* qui, très finement broyé avec addition d'un peu de gypse, donne le ciment. L'évolution récente de la cuisson du cru a été marquée par l'introduction de la précalcination dans un calcinateur en amont du four, à la base du préchauffeur où ont lieu jusqu'à 90 % des calcinations. Laitier de haut fourneau, cendres volantes de centrales thermiques, pouzzolanes peuvent être ajoutés lors du broyage pour donner différentes qualités.

Production

Source : Synd. français de l'ind. cimentière.

■ **Monde. Principaux producteurs** (en millions de t, en 1991) : Chine 218,5, ex-URSS 130,5, Japon 89,4, USA 65,1, Inde 50, Italie 40,8, Corée du S. 38,5, All. 31,1. Espagne 27,9, Brésil 26,9, Turquie 26,3, Mexique 25,1, *France 25.*

Principales Stés. *CA 1991* (en milliards de F) : Lafarge-Coppée 31,6, Italcementi-Ciments français 23,75, Holdenbank 22, Onoda 15,8, Mitsubishi Mining 14,8, Blue Circle 11,1, Heidelberg Zement 7, Dickerhoff 7, CBR 7.

■ **En France** (1992). **Production :** 21,6 millions de t (dont 2 exp.). *Nombre de cimenteries :* 41 et 7 centres de broyage. *Effectifs :* 7 000. *CA :* 12,5 milliards de F HT. **Consommation :** 21,5 millions de t. **Exp. :** 2 millions de t.

Principales Stés (en millions de t, 1991) : Ciments Lafarge et Laf. Fondu Internat. 9,4. Cim. Français 7,9. Vicat 4,1. Origny 2,4. Cedest 1,7.

Construction électrique, électronique et mécanique

Sources : Féd. syndicales.

Construction électrique et électronique

Dans le monde

■ **Production mondiale** (1992) 1 013 Md de $ dont en % : informatique 23, logiciels et services 18, matériels professionnels 10, télécommunications 9, composants actifs 9, électrique grand public 9, composants passifs 7, mesure 5, productique 5, bureautique 3, médical 2.

■ **Principaux fabricants mondiaux de matériels électroniques et informatiques. Chiffre d'aff. et,** entre parenthèses, **résultat net** (en milliards de F, 1992) : Hitachi 377 (3,8), Matsushita 353 (1,9), IBM 340,5 (– 25,8), Toshiba 231 (1), Sony 199 (1,8), Philips 175,5 (– 2,7), Nec 175 (– 2,2), Fujitsu 173 (– 1,6), Mitsubishi 163 (1,4), Alcatel-Alsthom 161,7, Hewlett-Packard 86,5 (2,9), Digital Equipment 73,4 (– 14,7), Unisys 44,4 (1,9), Siemens-Nixdorf 44,3 (– 1,7), AT & T/NCR 37,6 (résultat d'exploitation 1,5), Apple 37,4 (2,8), Bull 30,2 (– 4,7), Olivetti 28,2 (– 2,3), Compacq 21,1 (1,1).

☞ **Thomson Consumer Electronics.** *CA* (1992) : 30,5 milliards de F. *Marques en Europe :* Thomson, Brandt, Saba, Nordmende (Thomson Technology), Telefunken, Ferguson (Thomson Technology). *Aux USA :* RCA, General Electric, Proscan. *Ventes 1992* (en milliers d'appareils) : tubes TV 9 400, télév. 7 100, magnétoscopes 3 200, camescopes 540.

En France

■ **Généralités. Chiffre d'affaires** (hors taxes, en milliards de F). *1985 :* 233 ; *88 :* 266 ; *90 :* 302 dont biens d'équipements 241 (électriques 41, informatiques 80, télécommunications 25, matériels prof. électronique 45) ; biens de consommation 33 (app. radio-récepteurs et téléviseurs 8, frigo, machines à laver + autres app. ménagers 16, lampes électr. 2) ; biens intermédiaires 28 (composants passifs 12, tubes et semi-conducteurs 11).

Commerce extérieur (milliards de F, FOB). **Exp.** *1985:* 103 ; *88:* 126 ; *90:* 144 [vers (en %) Allemagne 18,7, Italie 11,8, G.-B. 9,4, P.-Bas 5,6, Espagne 5,4] ; **Imp.** *1985 :* 93 ; *88 :* 135 ; *90 :* 156 [de (en %) USA 18,5, Allemagne 18,4, Japon 14, Italie 10, G.-B. 8,2]. **% des exp. dans le chiffre d'aff.** (1990) : 47,61.

Nombre d'entreprises (1990) : 1 500.

Effectif (en milliers). *1985 :* 453 ; *88 :* 399 ; *90 :* 390 dont (en %) cadres et employés 57 (dont ingénieurs 20), ouvriers 43 (en 1982 49 et 51).

Électronique grand public (en milliards de F, 1992) *import./export :* produits vidéo (TV, magnétoscopes, camescopes, jeux vidéo) 12,42/6,5, autoradios 1,52/1,03, haute-fidélité 2,9/1,34, produits audio 1,81/0,2, supports magnétiques vierges 2,77/10,8.

Marché français (en milliards de F, 1991) : 34, *92 :* 32,33. Livraisons des industriels présents en France : 15,6. *En milliers d'exmplaires en 1991/90 : vidéo :* vidéo téléviseurs couleur 3 370 (3 500), magnétoscopes 2 175 (2 300), caméscopes 650 (550). *Hi-Fi et compacts :* éléments séparés (amplis) 500 (500), compacts 1 080 (1 080), total chaines (hi-fi éléments) 1 580 (1 580), tuners 370 (370), platines-disques (turn-tables) 330 (340), platines-laser (CD players) audio 1 800 (1 750), platines-magnéto 420 (420), platines-laser (CDV) 70 (40). *Audio :* radios-magnétophones 1 750 (1 850), radios-réveils 1 600 (1 650), baladeurs 2 900 (3 100), radios-portables (non combiné) 950 (950), magnétocassettes 350 (390). *Autoradios* 2 950 (3 250).

Industries mécaniques et transformatrices des métaux

Généralités. Réunissent les professions produisant biens d'équipement, pièces, organes ou éléments mécaniques destinés à la consommation intermédiaire des autres industries et à la consommation finale des ménages, à l'exclusion de la construction électrique, auto, navale et aéronautique. Les productions vont de la centrale nucléaire au roulement à billes, de la machine-outil commandée par ordinateur au microscope, du robot au moteur diesel.

Dans le monde

■ **Production** (en milliards d'écus, 1992). USA 366,8. CEE 309,9. Japon 182,4. Allemagne 143,5, G.-B. 49,5. *France 46,1.* Italie 30,7. Autres pays CEE 40,1.

En France

Production (en milliards de F). **Exp.** entre parenthèses **et Imp.** en italique : *1985* 241,9 (102) *88,3* ; *90* 329,6 (141,4) *156,4* ; *91* 319,4 (144,4) *154,7* ; *92* 315,5 [1] (148,7) *146,4*.

Nota. – (1) Dont travail des métaux 134,4, équipement mécanique 146,8, matériels de précision 34,4.

Entreprises (en %, 1992). *De 20 à 49 salariés :* 64,2, *de 50 à 99 :* 19,5, *de 100 à 199 :* 8,8, *de 200 à 499 :* 4,6, *500 et + :* 2,9.

Effectifs (en milliers). *1980 :* 577,4 ; *90 :* 546,3 ; *91 :* 532,7 ; *92 :* 520,3 dont (en %) Rhône-Alpes 18, Région par. 16, Nord-P.-de-C. 6,5, autres régions 59,5.

Machines-outils

■ **Quelques dates. XVIIIe s.** 1res mach.-outils. Fr. **1751** machine à raboter de Focq. **1760** perceuse et tour à charioter. **1795** tour à fileter. **XVIIIe s.** (milieu), 1res machines (tours, fraiseuses, aléseuses) adaptées pour travail des métaux. **1840** 1re organisation professionnelle : Union des constructeurs. **1847** 1er catalogue de machines-outils françaises. **1850** 5 000 machines à vapeur en service. **1914** 1ers producteurs : USA et Allemagne. Fr. au 7e rang.

■ **Statistiques (France). Production** (en milliards de F, 1990) : 8,1. **Exp.** : 3,5. **Effectif** : 11 900.

Outils connectés 8 227 194 dont postes téléphon. 7 802 316, télex, télécopie 115 433, terminaux 234 159, ordinateurs (hors micro) 75 286. **Outils globalement non connectés** (hors micro-ordinateurs) 10 990 310 dont machines comptables 41 897, reprogr. et microgr. 642 274, écriture (y compris traitement de textes) 2 078 945.

Marché français (1991). 461 millions de F, 279 000 unités, dont personnel 213 500, professionnel 66 000 (compactes 38 900, dont sans écran 27 100, avec écran 11 800 ; standard 27 100, dont sans écran 22 200, avec écran 4 900).

Électroménager

Dans le monde

■ **Principales sociétés. Chiffre d'aff. et,** entre parenthèses, **résultat net** (en milliards de F, 1991). Electrolux [3] 40, Whirlpool [1] 36 (0,4), General Electric [1] 31, Bosch-Siemens [2] 22, Maytag [1] 16,6 (0,5).

Nota. – (1) USA. (2) All. (3) Suède.

■ **Production** (en milliers d'unités, 1984). **Appareils encastrables : Fours :** Singapour 1 000, Italie 730, *France 264* [7], Japon 325, Espagne 295,5, USA 269, G.-B. 65. **Hottes :** Japon 8 047, Italie 1 875, All. féd. 627, *France 270* [7]. Turquie 60, Brésil 29, Danemark 21,5. **Plaques de cuisson :** Japon 5 769, Italie 950, USA 911, *France 624* [7], Espagne 394,5. G.-B. 51.

Appareils frigorifiques domestiques (entre parenthèses % de congélateurs) : USA 6 800 (16), URSS 5 700 (0), Italie 5 600 (28), Japon 5 100 (2), All. féd. 2 700 (30), Corée 1 800 (0), Brésil 1 600 (0), G.-B. 1 400 (19), All. dém. 1 300 (30), Youg. 1 200 (47), Espagne 1 000 (20), Suède 600 (27), Danemark 900 (88).

Aspirateurs : USA 7 900, Japon 6 156, All. féd. 3 910, URSS 3 813, G.-B. 2 141, *France 1 708* [7], All. dém. 1 248, Italie 1 075, Pologne 927, Tchéc. 528, Youg. 410, Canada 289, Brésil 285, Danemark 159.

Chauffe-eau électriques [2] **:** USA 3 200. Italie 2 870. All. féd. 1 723. *France 829* [7]. Espagne [5] 675. All. dém. 635. Algérie 199.

Climatiseurs : Japon 4 435, USA 3 500, T'ai-wan 408, Malaisie 177, Italie 168, Corée du Sud 78, Afr. du Sud 53.

Cuisinières : A gaz : USA 1 736, Italie 1 435, Corée 1 074, Pologne 687, *France 185* [7], Argentine 337, Tchéc. 268, Turquie 224, All. féd. 174, Japon 147, Hongrie 105, Youg. 100. **Électriques et mixtes :** Japon 8 000, USA 3 224, All. féd. 978, G.-B. 802, Italie 675, Youg. 580, T'ai-wan 473, Espagne 415, *France 250* [7], All. dém. 207, Australie 160, Venezuela 150.

Fers à repasser (1988) : USA [6] 8 000. All. féd. 4 516. Japon [1] 3 634. *France 3 544* [7]. Italie 3 625. G.-B. [5] 1 372. Canada [1] 694.

Lave-linge : Chine 5 783, Japon 5 277, USA 4 745, URSS 4 534, Italie 3 525, All. féd. 1 692, G.-B. 1 410, *France 1 276* [7], Esp. 806, Pologne 730, Mexique 600, All. dém. 525, Youg. 480, Brésil 450, Canada 320, *Monde 35 845.*

Lave-vaisselle : USA 3 488, All. féd. 1 128, Italie 485, Canada 300, *France 226* [7], Suède 170, Bulgarie 130, Espagne 76, *Monde 6 067.*

Machines à coudre [3] **:** Japon 3 853. Italie 820. All. féd. 447. Esp. 227. *France 200* (m. à tricoter 35).

Mixeurs : USA 4 587. Italie 1 655. All. féd. 914. (France robots ménagers 3 323).

Rasoirs électriques (1981) : All. féd.[2] 3 785. Japon[4] 2 777. *France*[3] *2 358.* G.-B.[2] 1 290. Canada[1] 551. Italie[4] 290.

Nota. – (1) 1967. (2) 1968. (3) 1973. (4) 1977. (5) 1981. (6) 1982. (7) 1987. (8) 1983.

Parts de marché en Europe (en %). Electrolux/AEG 24,5, Eurodom [GEIE constitué sept. 1990, *CA :* 16,7 milliards de F dont Thomson, Fagor (Esp.), GDA (General Domestic Appliances, G.-B.), Ocean (Elfi)] 19,3, Bosch-Siemens (All. 15,9, Philips-Whirpool 13,4. Effi (marque Ocean ; filiale d'Elfi SpA, *CA* d'Ocean 3,2 milliards de F, 2 825 salariés) a racheté 66 % de Thomson électroménager en déc. 1992 pour 2,3 milliards de F.

En France

Chiffre d'affaires (en milliards de F). **Production** *1982 :* 13,1 ; *85 :* 14 ; *90 :* 17,8 ; *91 :* 19,2 ; *92 :* 19,3. **Exportations et,** entre parenthèses, **importations** (en milliards de F). *1985 :* 5,9 (8,2) ; *86 :* 6,3 (9,9) ; *87 :* 6,3 (11,4) ; *88 :* 7,7 (13) ; *89 :* 9,1 (14,4) ; *90 :* 9,9 (14,6) ; *91 :* 11,4 (14,6) ; *92 :* 11,7 (14,5). **Marché français** *1990 :* 22,2 ; *91 :* 22,3 ; *92 :* 22,1.

Production (en milliers, 1991). Fers à repasser 6 408, friteuses 3 974, cafetières 3 142, aspirateurs 2 414, fours à micro-ondes 1 834, lave-linge 1 550, grille-pain 1 547, couteaux électriques 1 169, moulins à café 800, chauffe-eau électriques 754, ouvre-boîtes 613, réfrigérateurs 428 (1987), fours électriques 324, tables de cuisson électriques 264, cuisinières gaz 208, tables de cuisson mixtes 199, tables de cuisson gaz 191, congélateurs 153 (1987), hottes aspirantes 129, lave-vaisselle 94, cireuses 56.

Commerce (en milliers, 1991). **Imp. :** appareils de chauffage indép. 1 865 (*1965* 291, *69* 1 016, *70* 723, *87:* 1 309), appareils de cuisson 1 768, lave-linge 867, lave-vaisselle 527, chauffe-eau élect. 394. **Exp. :** fers à repasser 5 787, appareils de cuisson 1 727, sèche-cheveux 680, appareils de chauffage ind. 604, lave-linge 598, réfrigérateurs 174, chauffe-eau élect. 127, lave-vaisselle 88.

■ **Taux d'équipement des ménages** (en %, 1992). Réfrigérateurs 98, fers à repasser 96, aspirateurs 90, lave-linge 90, cuisinières 87, sèche-cheveux 80, cafetières électriques 80, mixeurs 75, grille-pain 66, couteaux électriques 58, moulins à café 58, rasoirs pour homme 48, hottes aspirantes 48, grille-viande 45, congélateurs 45, appareils à raclettes 42, mini-fours 41, préparateurs culinaires 41, fours à micro-ondes 38, friteuses 37, lave-vaisselle 34, tables de cuisson 31, fours 26, presse-agrumes et centrifugeuses 26, sèche-linge 18, brosses à dents électriques 16.

■ **Consommation apparente** (en milliers d'appareils) en 1985, 1990, 1992. Aspirateurs 2 179/2 731/2 460, cafetières 1 962/2 840/2 930, chauffe-eau électriques 1 078/1 051/950, congélateurs 671/750/750, convecteurs fixes et panneaux rayonnants 3 339/2 864/2 460, cuisinières 927/883/830, fers à repasser 2 387/3 594/3 910, fours à encastrer et compacts 597/708/620, fours à micro-ondes 238/1 404/1 280, friteuses 415/700/710, grille-pain 636/1 053/1 340, grille-viande 258/278/190, hottes aspirantes 579/908/730, lave-linge 1 551/1 935/1 965, lave-vaisselle 492/787/720, poêles à combustibles solides et liquides 218/124/165, préparateurs culinaires 711/834/760, radiateurs à gaz 242/101/100, radiateurs électriques mobiles 1 547/1 434/1 940, rasoirs 1 198/1 286/1 190, réfrigérateurs 1 529/2 158/1 950, sèche-cheveux 1 943/2 028/2 155, sèche-linge 136/469/540/ tables de cuisson 574/834/860.

■ **Principales sociétés.** Sur 150 fabricants, 20 réalisent 80 % du chiffre d'aff. total.

Gros appareils ménagers : 3 groupes réalisent 90 % du marché : 1°) *TEM* [Thomson Électroménager, devenu filiale du groupe Elfi (Italie) fin déc. 1992] 28 % du marché français des gros appareils ménagers (lave-linge, sèche-linge, réfrigérateurs, congélateurs, lave-vaisselle, cuisinières, fours, tables de cuisson, micro-ondes). *Chiffre d'aff.* (1992) : 6,1 milliards de F. *Ventes* (1992) : 3 200 000 appareils. *Marques :* Thomson, Brandt, Vedette, Sauter, Thermor et de Dietrich. *Effectifs :* 7 500.

2°) *Groupe Philips-France* devenu *Whirlpool* (marques *Philips, Schneider, Laden, Ignis, Radiola*) : 18 % du marché du réfrigérateur, 20 % de la machine à laver.

3°) *Groupe Electrolux-France.* Produits blancs (Arthur Martin, Faure, Electrolux, Zanussi). Ventes (1992) : 383 000 appareils de cuisson, 436 000 de lavage (lave-linge, séchoirs, lave-vaisselle), 404 500 en froid (réfrigérateurs, congélateurs). *Aspirateurs* (Tornado, Progress, Lux). Ventes (1992) : 444 502 appareils. *Chiffre d'aff.* (1992) : 3,2 milliards de F. *Effectif* (1992) : 3 922.

Petit électroménager. 1°) *Groupe Seb.* Marques : Calor, Rowenta, Seb, Téfal 1er mondial pour anti-adhésifs, autocuiseurs, friteuses électr. 2e mondial pour fers vapeur, grille-pain. *Chiffre d'aff.* (milliards de F) *90* 7,49 ; *91* 8,07 ; *92* 8,28 (dont 65 % hors de France, 15 % en Allemagne). 27 filiales commerciales à l'étranger. *Effectif* (31-12-92) : 10 100.

2°) *Moulinex. Fondé* Jean Mantelet (1900-91 ; Pt jusqu'en 1990). *1932* a lancé le 1er moulin à légumes à Bagnolet (Sté Moulin-légumes). *1937* usine à Alençon. *1954* nom : Moulinex. *1989 :* rachat de Swan et Girmi. *1991 :* de Krups. *Chiffre d'aff.* (milliards de F) : *Moulinex 90* 5,96 ; *91* (avec Krups) 8,36, (sans 6,68) ; *92* 8,2 dont 80 % hors de France. *Salariés :* 15 000. *Usines :* 23 dont France 13, G.-B. 2, Espagne 2, Irlande 2, Mexique 1, Allemagne 1, Italie 1, Égypte 1.

Horlogerie

☞ **Histoire** (voir p. 245).

Dans le monde

■ **Production de montres et mouvements** (en millions de pièces). *1970 :* 200 ; *82 :* 370 (quartz digital 153, analogique 67, mécanique 150) ; *91 :* 828 ; *92 :* 877 (quartz analogique 524, digital 224, mécanique 129) dont Japon 374, Hong Kong 175, Suisse 145.

En valeur (en milliards de F) : *1992 :* 41,35 dont Suisse 24,07, Hong Kong 6,47, Japon 5,16, divers 5,65.

Plusieurs millions de fausses montres suisses sont fabriquées dans le monde chaque année. Préjudice : + de 1 milliard de F suisses.

Pour lutter contre la contrefaçon de montres suisses, une ordonnance stipule que, pour porter le nom suisse, une montre doit posséder un mouvement suisse. L'emboîtage et le contrôle final devront être effectués en Suisse.

☞ *Nota.* – De Swiss Watch créée en 1983 par la SMH Sté de micro-électronique et d'horlogerie (fabriquant alors Certina, Longines, Omega, Tissot) par Nicolas Hayek, Ernest Tomke et Jacques Müller. Chiffre d'aff. de SMH (milliards de F suisse) *1991 :* 2,3 ; *92 :* 2,8 (dont 30 % de Swatch).

France

■ **Branches de l'industrie horlogère. Petit volume** (montres et composants) : principalement dans le Doubs. La plupart des entreprises achètent les pièces détachées : mouvements et habillage. Vendent le produit fini sous leur marque (Airin, Ambre, Clyda, Péquignet, Jaz, Laurent Dodane, Michel Herbelin, Yéma, Pierre Lannier, Cofram, Vuillemin-Régnier, Saint-Honoré, Taboo-Taboo, Christian Bernard) ou celle de couturiers ou de grossistes distributeurs.

Le dernier fabricant important de mouvements (France-Ébauches) fabrique des mouvements électroniques (montres à quartz analogiques/à aiguilles).

Composants de l'habillage (boîtes, cadrans, couronnes, verres, aiguilles, bracelets).

■ **Gros volume. Horlogerie domestique :** réveils, pendulettes, pendules et horloges de distribution de l'heure, mouvements d'horlogerie terminés. **H.Technique :** enregistreurs de présence, compteurs de temps, interrupteurs horaires, horloges de commutation, etc., plus répartie (Région parisienne, Alsace, Hte Normandie, Pays de la Loire, Franche-Comté), entreprises intégrées : Bodet (Trémentines), L'Épée (Ste-Suzanne), Odo (Morbier), La Vedette (Saverne), Lambert (St-Nicolas-d'Aliermont), Uti (Paris), Schlumberger (Besançon), etc.

■ **Chiffre d'affaires (HT)** (en millions de F, 1992). *Petit volume :* 2 069 dont fabricants de montres 1 041 (dont export 357), de composants 1 028 (exp. 734). *Gros volume :* 536 (exp. 198) dont horlogerie domestique 217, technique 287, p. dét. et divers 32. *Bracelets :* 444 (exp. 239). *Total :* 3 049.

■ **Effectif** (31-12-92) : 7 164.

■ **Montres et mouvements** (en millions de pièces). **Production globale** *1963 :* 6. *70 :* 14,6. *75 :* 16,7. *80 :* 21,6 (dont à quartz [1] 1,9). *85 :* 20,1 (11,7). *90 :* 23,1 (22,3). *91 :* 20,3 (19,7). **Imp.** [2] **:** *1965 :* 0,4. *70 :* 0,8. *75 :* 2,7. *80 :* 13,3. *85 :* 25,1 (dont électr. ou électron. 23). *88 :* 51,3 (49,6). *90 :* 40,4 (38,3). *91 :* 36,7 (34,5). **Exp.** [2] **:** *1965 :* 1,9. *70 :* 5. *75 :* 10,1. *85 :* 6,2 (dont électr. ou électron. 4,4). *88 :* 7,5 (6,3). *90 :* 6 (5,6). *91 :* 4,9 (4,7). *92 :* 5,3 (5). **Mise à la consommation en France** *1975 :* 9,2. *80 :* 13,3. *85 :* 25,7. *86 :* 36,9. *87 :* 34,4. *88 :* 45. *89 :* 39,1. *90 :* 33,7. *91 :* 32,1. *92 :* 37 (dont mécaniques 2,6, électr. ou électron. 34,4).

Nota. – (1) A partir de 1980, montres essentiellement analogiques. (2) N.c. colis postaux.

☞ **Affaire LIP.** (*1867* fondée, *1958* 1re montre électronique. *1972* 1re montre à quartz. *1973 (mai)* faillite. *1974* relance (échec). *1984* marque rachetée par Kiplé à la SCOP (Sté coopérative ouvrière de production), *1990 (21-5)* Kiplé en liquidation judiciaire. *1991* reprise par J.-Claude Sensemat (Lip France).

Piles et accumulateurs

■ **Accumulateurs. Types :** *accumulateurs non alcalins :* plomb, bioxyde de plomb (électrolyte à base d'acide sulfurique), inventés en 1859 par Planté. *Alcalins :* nickel – cadmium, nickel – fer, argent – zinc (à l'étude nickel – zinc) (électrolyte à base de potasse), fabrication inspirée des inventions d'Edison et de Jungner, apparut en 1910. **Débouchés :** démarrage de moteurs, traction électrique ; transport ferroviaire et aérien (démarrage et sécurité) ; équipement milit. ; télécom. ; informatique-bureautique ; équip. de sécurité (éclairage-secours de process) ; équip. autonomes électro-portables (électroménager, jardinage, bricolage, jouets...). **Chiffre d'affaires** (HT, 1992) : acc. non alcalins + alcalins 4 804 MF.

Fabricants : *non alcalins :* CEAC (Cie européenne d'acc. électriques) marques : Fulmen, Dinin, Tudor ; CFEC (Cie française d'électro-chimie) 50 % du marché marques : Steco. TS Batteries. Acc. Huitric, Delco Remy/General Motors France, Hoppecke, Oldham, Chloride – Baroclem, filiale de Varta. *Alcalins :* Saft, filiale de la CGE (95 % du marché), Aglo.

■ **Piles électriques. 1799** inventées par le comte Alessandro Volta (It. 1745-1827). V. **1860** diffusées après les travaux de Georges Leclanché (Fr. 1839-82) sur la pile saline au bioxyde de manganèse (technique encore la plus répandue). **1914** M. et Mme Courtecuisse créent, au 6 rue Marcadet Paris 18e, des piles électriques. L'Armée britannique en France passe une commande (« Wonderful » : merveilleuse) d'où Wonder. **1956** version alcaline de la pile zinc/bioxyde de manganèse (capacité environ 2 fois supérieure à la pile saline). En association avec l'anode de zinc, des versions utilisant oxyde d'argent, oxyde mercurique ou oxygène de l'atmosphère sont également largement utilisées. **1960-70** nombreux couples utilisant la plupart du temps le lithium. Ces piles, dont les tensions sont soit égales, soit environ le double de celles des piles classiques, se conservent plus longtemps que ces dernières et résistent aux températures extrêmes. En les associant avec le magnésium, les piles utilisant un halogénure d'argent ou de cuivre trouvent un emploi dans le sauvetage en mer. Entrent en fonctionnement par immersion dans l'eau.

Chiffre d'affaires (1992) : piles 1 027,1 millions de F. *Fabricants français :* Resf ; Piles Wonder ; Piles Mazda ; Saft (industrielles) ; Piles Varta (groupe allemand). *Marques étrangères :* Duracell (USA) ; Ucar (USA) ; National (Japon) ; Philips ; Kodak ; Panasonic.

■ **Environnement (répercussions).** *Piles :* teneur en mercure tend vers zéro. *Salines et alcalines :* mercure éliminé. Piles à l'oxyde de mercure : teneur 30 % de mercure. Piles à l'oxyde d'argent : env. 0,5 à 1 %. *Acc. nickel-cadmium :* forte teneur en cadmium.

Robotique

■ **Origine.** Un *robot industriel* est un manipulateur reprogrammable et multifonctionnel, capable de manipuler des outils, pièces, matériaux et dispositifs spécialisés au cours de mouvements variables et programmés pour une variété de tâches, à la différence des machines qui ne peuvent en exécuter qu'un seul type. *1re génération :* robots programmables et asservis à trajectoire continue ou point à point, dont le cycle de travail se répète sans modification (ex. robot vertical, horizontal, portique, scara...). *2e :* manipulateurs automatiques programmables capables d'analyser les modifications de leur environnement et de réagir en conséquence. Il peut en résulter une modification partielle du cycle opératoire (ex. manipulation avec reconnaissance de forme, assemblage avec contrôle d'effort, soudage avec suivi de joint...). *3e :* robots utilisant des ressources comme celles de l'intelligence artificielle pour assimiler des instructions globales proches du langage naturel, capables d'une interprétation exhaustive de leur environnement et de prendre des décisions d'action en conséquence (ex. robots d'intervention en milieux hostiles, robots autonomes multiservices...).

■ **Robots installés** (en unités, 1990). Japon 274 210. URSS 64 204 (définition différente). USA 41 304. ex-All. féd. 28 240. Italie 12 500. *France 8 551.* G.-B. 6 418. Tchécoslovaquie 7 160. Suède 3 791. Espagne 2 197. Belgique 1 603. Suisse 1 525. Australie 1 490. Singapour 1 389. Chine-Taiwan 1 293. P.-Bas 1 031. Pologne 532.

Couture et mode

Source : Chambre syndicale de la couture parisienne.

Quelques dates

■ **Maisons « Couture-Création ».** 21 en 1992 (dont date de fondation en italique). *1890* Lanvin. *1919* Jean Patou. *1924* Chanel. *1932* Nina Ricci. *1937* Carven. *1942* Grès. *1945* Pierre Balmain. *1947* Christian Dior. *1949* Ted Lapidus. *1950* Pierre Cardin. *1951* Givenchy. *1952* Guy Laroche. *1953* Louis Feraud. Lecoanet (Didier, n. 8-4-1955), Hemant (Sagar, n. 1957). *1962* Philippe Venet (n. 1931). Yves Saint-Laurent. *1965* Emanuel Ungaro (n. 18-2-1933). *1968* Torrente (Rosette Met). *1971* Jean-Louis Scherrer (n. 19-2-1935). *1977* Hanae Mori (Jap., n. 1926). *1978* Per Spook (Norv., n. 1939). *1987* Christian Lacroix (n. 1952).

■ **Évolution de la mode. V. 1350** pourpoint et chausses pour homme, robe longue pour femme. **1461** (17-3) texte le + ancien mentionnant le béret. **1789** la carmagnole, veste courte et cintrée, à double rangée de boutons, originaire de Carmagnole en Italie, passe en Provence avec les ouvriers piémontais, les fédérés marseillais en introduisent l'usage à Paris, donne son nom au chant révolutionnaire. **1796** John Charles Spencer († 1834) raccourcit son vêtement de soirée en coupant les basques brûlées près d'une cheminée. La mode prendra.

Début XIXe s. influence de Leroy, ancien coiffeur (1763-1814) surnommé le Michel-Ange de la mode. **1823** brevet de Charles *Mackintosh* († 1843) pour un tissu imperméabilisé. **1834** *Gibus* met au point un système d'articulation permettant d'obtenir un haut-de-forme. **1841** Alexis Lavigne fonde un cours de couture (actuellement *Esmod). **1850** la *crinoline* en tissu (de cuir de cheval mélangé à du coton et du lin) est remplacée par une crinoline en jupons cerclés. **1852** lord *Raglan* (1788-1855) lance un manteau pelisse qu'il porte en Crimée. **1854** James Brudnell lord *Cardigan* part pour la guerre de Crimée avec une veste en laine sans col ni revers (sera à la mode en 1868). **1856** *Burberry* lance la gabardine (guerre de 1914-18, appelée *trench-coat).* **1857** Guiseppe *Borsalino* crée un chapeau de feutre (à Alexandrie, Italie). **1858** Charles Frédéric *Worth* (1825-95), Anglais fixé à Paris, fonde la maison Worth (7, rue de la Paix, Paris 2e). Présentation des modèles créés sur des mannequins vivants (1er à le faire). La crinoline atteint son envergure maximale. **1859** le *Mac Farlane* (manteau sans manche à grand collet), cape (en anglais Inverness, ville d'Écosse), est lancé. **1862** la crinoline s'aplatit sur le devant et se développe en long par derrière. **1866** la jupe-jupon à large ruche dans le bas, sans arceau, remplace la crinoline. **1875** des peintres portent la *lavallière* (cravate à large nœud formant 2 coques) portée autrefois par la duchesse de La Vallière (1644-1710). **1880** la taille s'allonge progressivement. Les corsages moulent le buste. **1885** la jupe à plis verticaux concurrence la jupe drapée. **1888** 4 sœurs (dont Marie Gerber, † 1927, Marthe, Régina et Joséphine) fondent la maison *Callot* sœurs, spécialisée dans lingerie et parures de dentelles. **1889** 1er *soutien-gorge* imaginé par Cadolle. **1890** *Jeanne Lanvin* (1867-1946) crée des chapeaux (certains atteignent 1,87 m d'envergure) ; puis organise une maison de couture (22, fbg St-Honoré, Paris 8e). **1891** *Jeanne Paquin* (1869-1936, née Becker) avec son mari Isidore Paquin, homme d'affaires, monte sa maison 3, rue de la Paix. Les manches se gonflent. **1895** maison Callot sera en 1913 reprise par Marie Gerber, devient une véritable maison de couture. **1897** petites manches bouffantes pour la soirée et jaquettes longues genre Directoire. **1898** *Jacques Doucet* (19-2-1853-1929) hérite de son père ; la maison date de 1875 et se distingue par dentelles, fins plissés et broderies délicates. Jupe cloche.

1900 Paris devient le centre de la mode. Costume tailleur. **1904** *Paul Poiret* (1879-1944) fonde sa maison 5, rue Auber. **1906,** la transfère 37, rue Pasquier. Gaine de Poiret (non élastique). **1908,** 107, fg St-Honoré. *Mariano Fortuny* (1871-1949) crée la robe « Delphos ». **1909** Poiret crée la « ligne assouplie » avec taille sous la poitrine. **Vers 1910** ligne cintrée disparaît, retour à taille haute, robes entravées. **1911** *Nicole Groult* (1887-1967), sœur de Poiret, ouvre sa maison de couture. *Rosine* de Paul Poiret, 1er parfum « Couture ». **1913** *Paquin,* 1re couturière à recevoir la Légion d'honneur, à faire des défilés de mode « shows ». **1914-18** vêtements courts et vagues. Coupe en biais de *Madeleine Vionnet* (1876-1975). Apparition du manteau. Étienne Valton crée à Troyes la *culotte petit bateau.* **1919** Gabrielle *Chanel* (19-8-1883-1971), dite « Coco », ouvre sa maison, rue Cambon, et crée le tailleur. 1er costume de sport. *Edward Molyneux* (Irlandais, 1891-1974) s'installe 14, rue Royale. 1re collection *Jean Patou* (1887-1936). **1920** la robe est un tuyau. **1924** *Norman Hartnell* (1901-79) ouvre à Londres. **1925** taille sur les hanches avec jupe très courte, perles et paillettes ; décolleté très bas dans le dos. Chapeaux cloches sur cheveux coupés très courts. **1928** *Elsa Schiaparelli* (1890-1973) commence le « Sportswear ». 1ers vêtements de cuir *Hermès.* **1929** jupes rallongent avec pans sur côtés ou traînes. **Années 1930** *bermuda* (la police des Bermudes porte le short anglais. Les touristes américains les imitent). Knickerbocker, pantalons de golf resserrés sur les mollets, bouffants, portés à l'origine par les pionniers hollandais de New York. **1932** *Nina Ricci* (14-1-1882-1970) s'installe 20, rue des Capucines. **1933** *gaine* (élastique) *Scandale* de Robert Perrier qui fabriquait des ceintures orthopédiques dep. les années 20 (nom d'un parfum dont il aurait vu la réclame). *René Lacoste* (champion de tennis surnommé aux USA le Crocodile, à la suite d'un pari avec Pierre Guillou, capitaine de l'équipe de Fr. de tennis, Lacoste avait gagné une valise en croco) dépose sa marque (polo, chemisette de tennis à double maille piquée, mis au point par le bonnetier André Gillier ; label crocodile dessiné par Robert George, ami de Lacoste ; 20 km de fibres de coton, 230 g ; en couleur dep. 1951). **1934** Alix Czereskou (n. 1910), prend le nom d'artiste de son mari, *Grès* en 1942, fonde la maison Alix, fg St-Honoré. **1935** Schiaparelli 21, place Vendôme, crée une des 1res « boutiques ». **1937** *Cristobal Balenciaga* (1895-1972) s'installe 10, av. George-V. *Jacques Fath* (1912-54) présente sa 1re collection au public. 1er *carré Hermès* (casques et plumets) 90 × 90 cm ; 75 g. **1938** création du *bas nylon* aux États-Unis (Dupont de Nemours). **1941** *Jacques Griffe* (n. 1917) fonde sa maison, rue Gaillon. **1942** *Grès* s'installe rue de la Paix. **1943** tee-shirt porté par les soldats américains. Bustier de

Marcel Rochas. **1944** Jacques Fath s'installe av. Pierre-Ier de Serbie. *Madame Carven* (Carmen de Tommaso, veuve de René Grog n. 31-8-1909, 1,55 m) lance sa maison de couture. **1945** *Albert Lempereur* (n. 1902) se consacre au « prêt-à-porter ». *Pierre Balmain* (10-5-1914/82) ouvre sa maison rue François-Ier. Guêpière de Marcel Rochas. **1946**-*3-6 Réard* présente à la piscine Molitor un maillot 2 pièces. Le *7-7* il en dépose la marque sous le nom de *bikini* (18 j après l'explosion expérimentale atomique sur cet atoll). **1947** *Lucien Lelong* ferme. *Pierre Cardin* (n. 2-7-1922) fonde sa maison. *Christian Dior* (1905-57) ouvre sa maison de couture 30, av. Montaigne. *-12-2,* collection *« New-look »*, épaules arrondies, buste mis en valeur par des guêpières, taille fine, hanches accentuées, jupes rallongées et larges, soutenues par des jupons de tulle. **1949** *Ted Lapidus* (n. 23-6-1919) ouvre sa maison. **1950-60** le jean s'impose (voir ci-dessous), mode du twin-set (chandail et veste coordonnés). **1950** Jacques Griffe succède à Molyneux 5, rue Royale. *Robe sac* de Balenciaga. **1951** collection Pierre Cardin. **1952**-*4-1 Hubert de Givenchy* (n. 20-2-1927 ; 1,96 m) ouvre. **1953** thermolactyl *Damart* en chlorofibre lancé par les frères Joseph, Paul et Jules Despature à Roubaix. **1954** *Elsa Schiaparelli* se retire. *Worth* vendue à Paquin. *Coco Chanel* (71 ans) tailleur tweed avec blouse. « Robe bulles » de *Pierre Cardin.* Ligne H de Dior. **1955** robe-tunique de Balenciaga. Mme Carven crée Carven Junior. *Bas sans couture.* Ligne Y de Dior. **1955-60** duffle-coat, manteau en gros drap rugueux, souvent muni d'un capuchon, fermé par des brandebourgs et des boutons en forme d'olives, à l'origine destiné à des marins, fabriqué à Duffel, près d'Anvers. **1957** Christian Dior meurt. *Yves Saint-Laurent* (n. 1-8-1936) lui succède. *Guy Laroche* (1921-89) s'installe av. Montaigne. **1958** 1er tailleur Saint-Laurent, ligne trapèze. Cardin révolutionne la mode masculine. Invention du collant. **1959** *Mary Quant* (n. 11-2-1934) ouvre une boutique King's Road à Londres. **1960**-*26-2* 1re collection masculine Cardin présentée au Crillon par des étudiants. *Louis Féraud* (n. 13-2-1920) 88, fg Saint-Honoré. Révolution avec tissus synthétiques. Jupe courte, coupe *Mary Quant.* **1961** Saint-Laurent s'installe rue La Boétie. Collection Jean-Louis Scherrer. *Laura Ashley* (1925-85) crée sa 1re robe (1re boutique à Londres 1967). **1962**-*29-1* 1re collection de Saint-Laurent. *Jacqueline* (n. 11-8-1928) et *Élie* (n. 1925) *Jacobson* ouvrent « Dorothée Bis » rue de Seine. 1re collection de Jean-Louis Scherrer. *Philippe Venet* (n. 22-5-1929) fonde sa maison. **1963** *Jean Cacharel* (n. 30-3-1932) fonde sa Sté. **1964** *Dim* universalise le collant grâce à la couleur. Dim venait des bas Dimanche créés en 1953 par Gilbert Gilberstein († 1976) à Troyes. **1965** 1re collection *André Courrèges* (n. 9-3-1923), minijupe et pantalon. *Paco Rabanne* (Francisco Rabaneda Cuervo ; Esp., n. 18-2-1934) crée des robes rondelles de plastique. *Kenzo* 1er créateur japonais à Paris (n. 1940) s'installe en Fr. *Léon Duhamel* (n. 14-8-1935) lance l'« En-cas » (de pluie) qui devient le K-Way. **1967** *Serge Lepage* (n. 1936) installe sa maison. Chemisiers en liberty de Cacharel. **1968** Dim popularise le collant. *Sonia Rykiel* (n. 25-5-1930) ouvre une boutique rue de Grenelle. 1re collection de *Chantal Thomass* (n. 5-9-1947). **1969** retour à l'artisanat : vêtements anticonformistes. *Mme Torrente-Mett* ouvre une boutique av. Matignon. **1970** 1er défilé de *Kenzo* Takada. **1973** 1re collection *Issey Miyaké* (Jap., n. 24-9-1938) à Paris. **1974** 1re boutique d'*Anne-Marie Beretta* (n. 1936). **1975** accent mis sur la silhouette, retour vers le classique. **1976** 1re collection de *Jean-Paul Gaultier* (n. 24-4-1952). **1979** Cardin organise le 1er défilé de mode à Pékin. **1984** *Marc Audibet* utilise le *Lycra* (fibre élastique) pour des robes. **1985** Cardin lance la veste « espace ». Jack Lang à l'Assemblée nationale dans un costume de *Thierry Mugler* (n. 1948) avec « col Mao ». **1986** vêtement ample, veste à large carrure, jupe raccourcie, superposition de différents styles de vêtements. La mode masculine se féminise (col châle, pinces...). **1988**-*8-8* † de *Robert Ricci* (n. 29-7-1905) à 83 ans (fils de Nina). **1989**-*10-5 Marc Bohan* (n. 22-8-1926) directeur artistique de Christian Dior est remplacé par Gianfranco Ferré. **1990** Alain Chevalier (PDG) annonce que Balmain abandonne la haute couture. **1992-93** style grunge, vague musicale devenue mode vestimentaire, chemises à carreaux, superpositions mal assorties, robes pendouillantes. **1993** 8-7 *Lanvin* suspend son activité haute couture.

☞ Blue-jean [de Genoese (Génois en anglais)] tissu de coton, appelé aussi Dencan (fabriqué à Nîmes au XIXe pour des toiles de bâche). *En 1853,* Oscar Levi-Strauss, Bavarois, taille un pantalon dans la toile de tente qu'il vendait aux chercheurs d'or de Californie. En 1870, Davis invente les rivets. Le tissu de coton, le « Denim », venait de Nîmes. Teint jusqu'à 13 fois dans de l'indigo (blue = bleu), il habillait les marins de Gênes.

Statistiques

■ **Chiffre d'affaires mondial** (1986, sous les griffes des couturiers avec filiales et licenciés à l'étranger, parfums exclus). 20 milliards de F dont (81) : prêt-à-porter femme 2,196 (40 % à l'exportation), accessoires 1,778 (60 %), prêt-à-porter homme 1,320 (25 %), couture et boutique 1,884 (50 %).

■ **Principales Stés d'habillement européen** (chiffre d'aff. 1991, en milliards de F). Benetton (It.) 10,2, Gruppo GFT (It.) 7,2, Steilmann (All.) 4,98, Coats Viyella (G.-B.) 4,98, Escada (All.) 4,62, Bidermann (Fr.) 4,36, Devanlay-Indreco (It.) 3,65, Gruppo Marzotto (It.) 2,86, Burberry's (G.-B.) 1,49 (au 31-3-92).

■ **Prêt-à-porter. Principaux exportateurs :** Italie, All. féd., *France,* USA, G.-B., Japon.

■ **Prêt-à-porter féminin en France. Entreprises** 2 200 au sein de la Fédération du p.-à-p. fém. **Effectifs** 51 962. **Chiffre d'aff.** (en milliards de F H.T.) *1980 :* 11,7. *87 :* 20,6. *90 :* 24. *91 :* 24,3. *92 :* 24,7. **Exp.** *1980 :* 3,7. *85 :* 7. *90 :* 10,9. *91 :* 11,41. **Imp.** *85 :* 4,7. *90 :* 9,3. *91 :* 10,4.

Créateurs de mode faisant du prêt-à-porter : Angelo Tarlazzi, Anne-Marie Beretta, Azzedine Alaia, Balenciaga, Cerruti, Chantal Thomass, Chloé, Claude Montana, Dorothée Bis, Emmanuelle Khanh, Hermès, Jacqueline de Ribes, Jean-Charles de Castelbajac, Jean-Paul Gaultier, Karl Lagerfeld, Kenzo, Popi Moreni, Sonia Rykiel, Tan Giudicelli, Thierry Mugler. La plupart des maisons de création ont créé des Stés distinctes pour cette activité et pour leurs parfums. La *boutique* offre des prix plus compétitifs. On y vend foulards, robes, parfums, gants, lingerie portant la « griffe » de la Maison.

■ **Chiffre d'affaires** (en millions de F). **Saint-Laurent** *(1991) :* 3 060 (bénéfice net 232, résultat d'expl. 376), parfums 25 052, couture 558 (dont haute couture 33, fourrures 42, licences 342, boutiques 137), racheté en 1992 par Sanofi 3,7 milliards de F (+ dettes 1,5 milliard de F). **Nina Ricci :** 1 250 [dont parfums 70 % (Air du Temps 65 %), couture 25 % (masculine *92 :* 25,4)]. **Kenzo** *(1992) :* 900 (dont parfums 250), racheté par Bernard Arnault en juin 1993. **Carven** *(1988) :* 200. **Balmain** *(1990) :* 140 (dont 2/3 couture) [acheté (sept. 89) 550 millions de F à Erich Fayer par Alain Chevalier, revendu (mai 90) 50 à Fayer]. **Scherrer :** *1989* 150, *92 :* 140 [dont haute couture 21, prêt-à-porter 60, détail boutiques 30, royalties 22 (25 % provenant des parfums concédés à Unilever), divers 6]. *Pertes (1992) :* 40. Maison de couture créée en 1971, cédée en 1990 à Seibu et Hermès. J.-L. Scherrer a été remplacé par Erik Mortensen (66 ans) qui avait pris le relais de Balmain en 1982. **Courrège :** 80. **Givenchy :** *1982 :* 170, *91 :* 900 (dont couture 220 dont 100 de redevances de licences). **Lapidus :** *1991 :* 50, *92 :* 110.

Haute couture. Statut créé *1945*, il faut présenter 2 collections par an d'au - 75 modèles, employer 20 ouvrières au minimum dans les ateliers et présenter les modèles à une clientèle particulière. Au 1-1-1993 nouveaux statuts : 10 ouvrières, 50 modèles. **Chiffre d'affaires** (en milliards de F) : haute couture 0,28, prêt-à-porter 2,26, accessoires 2,46, parfum 9.

Clientes haute couture (monde) : *V. 1938 :* 300 000. *V. 1970 :* 20 000.

Effectifs : *1945 :* 12 000 ouvrières (106 maisons), *92 :* 988. *Heures de travail :* pour une robe 35 à 80, tailleur 40 à 60, robe longue brodée 150 à 200, manteau de fourrure env. 200.

■ **Mannequins.** Taille (moyenne) : 1,73 à 1,79 m. **Top model :** tour de poitrine/taille/hanche (en cm, 1992). Cindy Crawford (1,81 m) 92/62/92, Elle Mac Pherson (1,88 m) 92/61/92, Claudia Schiffer (1,80 m) 95/62/92.

■ **Dé d'or.** *Créé* 1976. *1990* Paco Rabanne devant Christian Lacroix. *1991* Claude Montana pour Lanvin, devant Erik Mortensen pour Balmain.

■ **Robes de collection.** *Cours en vente publique* (déc. 1990, en F) : robe du soir de Charles James (1948) 190 000, robe de bal de Chanel (1957-58) 60 000.

Chiffre d'affaires (1991, en millions de F). Bidermann Int. 4 320, Zannier 1 770, Creeks 699, Albert 623, Alain Manoukian 602, Devernois 296, Jullien 273, Gérard Pasquier 243, Clayeux 144.

Effectifs du textile-habillement en France (milliers). *1970 :* 765 (dont textile 452, habillement 313), *80 :* 527 (text. 290, hab. 237), *90 :* 361 (text. 196, hab. 165).

Cuir

Technique

■ **Généralités. Caractères de la peau brute :** peau séparée du corps de l'animal, dite « peau en poil », face *externe* ou côté « poil » (côté fleur sur le cuir fini) ou épiderme, *interne* ou « côté chair » ou derme. Derme et épiderme sont séparés par la membrane « hyaline » ou vitrée qui constitue la « fleur » sur le cuir tanné. Le derme : feutrage de fibres (les cellules conjonctives se détruisant rapidement après la mort de l'animal) ; les fibres blanches faites de collagène, substance se transformant en colle sous l'action de l'eau bouillante, et gonflant sous l'action des acides minéraux et organiques dilués ou des alcalis caustiques ; les fibres jaunes ou élastiques, composées d'écastine, résistant à l'action de l'eau bouillante et se dissolvant sous l'action des enzymes du suc pancréatique. Elles donnent au cuir fermeté et nervosité.

Conservation des peaux : en les séchant ou en les salant et en les refroidissant.

Travail de rivière : s'effectuait autrefois au bord et dans les cours d'eau. *Reverdissage* ou *trempe* en bassin (actuellement, au tonneau) : nettoyage des peaux brutes, réhydratation avec adjonction éventuelle de produits dégraissants et mouillants.

Pelanage : épilation des peaux avec des produits solubilisant la racine du poil et provoquant un gonflement qui permettra une plus grande fixation ultérieure des produits tannants. Agents utilisés : surtout chaux et sulfure de sodium. On peut pelaner en pelains, au tonneau, et par enchaucenage. Après le pelanage, les peaux sont nettoyées sur la *face externe (fleur)* par *ébourrage* (mécanique ou réalisé par un simple rinçage au tonneau) et par un ou plusieurs façonnages (à la main ou mécaniques) ; *interne (chair)* par écharnage (autrefois à la main, aujourd'hui à la machine ; élimine chairs et graisses adhérentes). Les peaux, dites *en tripe,* sont *déchaulées* avec des agents chimiques acides qui agissent comme neutralisants. Le déchaulage peut être accompagné d'opérations de *prétannage,* de *picklage,* de *confitage,* qui se rattachent directement aux opérations de tannage. Les peaux peuvent ensuite être *refendues en tripe* (1er égalisage de l'épaisseur avant le tannage). Toutes ces opérations peuvent être automatisées et rapides grâce aux foulons spéciaux.

■ **Tannage.** *Végétal :* utilisé pour les cuirs à semelles, bourrellerie, sellerie, maroquinerie, etc. Réalisé en bassin (basserie), en foulons, en fosses. Dure de 1 à 2 j, à plusieurs mois : en fosse avec : écorce de chêne (le tan). En brasserie et au foulon, avec des extraits tannants végétaux concentrés (châtaignier, quebracho, mimosa, etc.). On utilise maintenant des procédés dits *en bain de court* et *à sec.*

Aux sels minéraux : chrome (surtout pour cuirs et dessus de chaussures : vachette box et boxcalf ; maroquinerie, vêtements, ganterie et articles de protection), formol, fer, silice, zirconium, tanins synthétiques. Le tannage se fait au foulon ; il est au chrome pur (bichromates, sulfates de chrome, etc.) ou combiné (chrome synthétique ou chrome végétal). Le plus souvent précédé d'un prétannage ou d'un picklage. La fixation est rapide. Le matériel est de plus en plus automatisé.

Combinés (dits double et triple tannage) : pour certaines peaux, en particulier celles destinées à l'équipement, l'ameublement et l'usage industriel. Se fait avec extraits tannants végétaux, composés minéraux, huiles animales, végétales ou minérales. En mégisserie, on utilise le *chamoisage* (traitement à l'huile de poisson sur des peaux non tannées au préalable) ou le tannage à l'alun traditionnel pour doublures, vêtements, ganterie et tous produits mégis.

■ **Mégisserie.** Travail des petites peaux (ovins, caprins, reptiles, poissons). Les étapes de transformation des peaux sont les mêmes mais les produits employés diffèrent : passage des peaux dans un confit composé autrefois de crottes de chien, aujourd'hui d'un ferment. Tannage à l'alun (mélange d'alun, de farine et de jaunes d'œufs salés) au chrome, sumac, gombie, huile de poisson. Mordonsage au moyen de sels ammoniacaux effectué avant la teinture.

Finissage. *Opération en humide :* certaines sont ou relèvent d'un tannage complémentaire (*neutralisation :* cuirs au chrome, *retannage, teinture, nourriture) :* elles se font au foulon. D'autres sont mécaniques (*sciage, dérayage, contre-écharnage,* et en général toutes opérations dites de *mise au vent* et de *corroyage*). *A l'eau* pour resserrer les fibres du cuir et en rendre la fleur plus lisse et lui donner ainsi fermeté et imperméabilité ou *en gros* par incorporation de matières grasses. Elles se font sur des cuirs *mis en humeur* par essorage. Les chutes de sciage sont dénommées *croûtes :* finies ensuite comme les fleurs, en lisse, imprimé, velours ou bien verni.

Séchage : à l'air ou dans des tunnels ventilés et chauffés. Pour les peaux à dessus, on utilise (seuls ou réunis) surtout le cadrage, le séchage sur glaces et sous vide. En général, on procède à une première sèche, puis à une certaine réhumidification et enfin à un séchage de fond.

Opération à sec. Cuirs à semelles : terminaison du corroyage effectué au stade humide avec mise au vent et retenage, et, après triage, du battage et du cylindrage. *Autres cuirs :* teinture et laquage à la brosse, à la machine à rideau et par pulvérisation ; travaux sur machines dits blanchissage, lissage, satinage, impression, liégeage, palissonnage, glaçage, lustrage, brossage, etc., sur matériels appropriés. Les cuirs sont finis à la fois sur fleur et sur chair. La fleur est présentée mate, demi-mate ou brillante, lisse ou imprimée, voire glacée (chevreau glacé). Finitions spéciales modernes : finissages crispé, fripé, froissé, etc. Fabrications : Velours, Nappa et Nubuck. Vernis : à base de vernis naturels, laque polyuréthane ou plaquage vinyle. Les cuirs se présentent ou en pleine fleur lisse ou imprimée (grainée), ou en fleur dite *corrigée,* après l'opération appelée *ponçage* effectuée à la machine à poncer.

■ **Maroquinerie.** A l'origine, au XVe s. on importe le maroquin ou cuir du Maroc, cuir fin, souple et mou, teint mais non verni, fabriqué avec des peaux de boucs ou de chèvres.

CHAUSSURES

■ GÉNÉRALITÉS

Origine. Antiquité sandales avec semelles de cuir ou de bois tenues par des lanières croisées ou nouées (bas-reliefs et papyrus de l'ancienne Égypte) ; bottines de cuir (Mèdes, Perses) ; cothurnes (Syriens) ; brodequins lacés (Lydiens, Phrygiens) ; bottes au mollet (Chinois). Grecs et Romains réalisèrent toutes sortes de chaussures. **Xe s.** (France) : la chaus. se généralise avec la profession de *cordouannier* (travaillant le cuir de Cordoue). **XIIIe s.** matières employées : velours, soie, satin, taffetas... **Sous Henri IV** construction enveloppante et dotée d'une semelle rigide pouvant recevoir un talon indépendant. **1809** invention de la machine à clouer. **1829** mach. à coudre à point de chaînette par *Thimonnier.* **1850** 1re usine mécanique. **1858** mach. à monter les semelles directement à la tige (Lyman Blacke). **1893** l'industriel Alexis *Godillot* (1816-93) donne son nom à une forme de chaussure utilisée par l'armée. **1952** vulcanisation et soudé liant semelle et chaussure.

Matériaux. Cuirs et peaux (bovins, caprins, ovins, équidés, peaux diverses telles que phoques, reptiles...) : à dessus, dessous et pour doublures. Cuirs bruts de bovins et veaux traités par les tanneurs ; peaux d'ovins et de caprins traités dans les mégisseries et venant d'Australie, N.-Zél., Argentine, Afr. du S. en peaux épilées (sous forme de *cuirots* ou doublures) ou lainées (à délainer à Mazamet). **Textiles :** tissus pour dessus et doublures, feutres pour pantoufles, cordes de jute ou sisal pour espadrilles. **Caoutchouc et plastique :** du naphta et du benzène on obtient PVC, polyuréthane, caoutchouc synthétique livrés sous forme de plaques à découper et de granulés, fibres acryliques. **Fournitures variées :** fils, talons, contreforts, bouts en cuir, carton, clous, colles, prod. de finissage. **Accessoires :** lacets, œillets, crochets, boucles, ornements.

Techniques. *Cousu* (tige et semelle), *soudé* (semelle fixée par collage sur la tige), *vulcanisé* (semelage obtenu à partir d'un granulé de caoutchouc, moulé et fixé à la tige par la vulcanisation), *injecté* (semelage ou chaussure entière obtenus par introduction sous pression dans un moule d'un produit fluide ou préalablement plastifié par chauffage).

LE CUIR EN FRANCE

Commerce extérieur (cuir et articles manufacturés en millions de F, 1992). **Imp. et,** entre parenthèses, **exp. :** 22 692 (14 061). *Cuirs et peaux brutes, chaulées, picklées :* 776 *d'*Australie 301,8, G.-B. 67,3, USA 61,5, ex-All. féd. 61,2 (1 843 *vers* Italie 1 254,3, Esp. 123,7, Turquie 75) ; *simplement tannées :* 424 *d'*Ital. 108,7, Inde 45,2, ex-All. féd. 24,1, Bangladesh 21,1 (178 *vers* ex-All. féd. 29,4, Tunisie 23,5, Maurice 23,1) ; *finies :* 2 809 *d'*Ital. 1 255,1, ex-All. féd. 191,8, P.-Bas 159,5, Esp. 145,4 (1 974 *vers* Ital. 266,4, Corée du S. 195,4, ex-All. féd. 161,1). *Chaussures :* 12 026 *d'*Ital. 4 273, Portug. 1 244,9, Esp. 973,5 (5 034 *vers* ex-All. féd. 826,7, Belg-Lux. 586,1, Italie 457,7, USA 298,4). *Maroquinerie :* 3 965 *de* Chine 1 373,4, Ital. 698,2, Corée du S. 217,9 (4 403 *vers* Japon 1 156,4, Hong kong 728,7, USA 444,5). *Ganterie :* 335,1 *de* Chine 98,7, Inde 36,4, Pakistan 36,2, Ital. 24,1, (52,4 *vers* ex-All. féd. 8,4, Belg.-Lux. 4,6, USA 4,4). *Vêt. de cuir :* 1 596 *de* Turquie 597,9, Inde 235,3, Pakistan 208,4, Corée du S. 85,4 (328 *vers* Japon 43,8, Belg.-Lux. 38,5, Esp. 36,3, ex-All. féd. 28,2). *Sièges en cuir :* 2,659 *d'*Ital. 1 769,3, ex-All. féd. 167,8, Belg.-Lux. 152,2 (275 *vers* Ital. 76,8, Suisse 41, ex-All. féd. 36,1, Belg.-Lux. 31,4).

1992, la France a exporté 80 % de la production de cuirs bruts de bovins (cuirs lourds) et 70 % des peaux brutes de veaux ; import. pour 80 % cuirs et peaux bruts légers (notamment d'ovins) pour chaussures, maroquinerie, vêtement. L'Italie achète à la France 65 % des cuirs bruts et réexporte vers elle env. 45 % du volume importé de cuirs finis et 28 % du volume importé des chaussures.

Production (1992). 142 986 t de pièces de cuir et peaux brutes, 169 [1] millions de paires d'art. chaussants ; 12 477 t de cuirs finis ; 16 608 t de peaux finies ; 6,5 [1] millions de paires de gants (ville, sport, protection) ; 3,6 [1] millions de sacs à main (dont 60 % en cuir).

Nota. – (1) 1991.

	CA [1]	Entreprises	Effectifs
Négoce du cuir ..	2 175 [2]	58 [2]	751 [2]
Tannerie	1 499 [3]	40 [3]	1 796 [3]
Mégisserie	1 628 [3]	126 [3]	2 764 [3]
Chaussures	17 399 [2]	296 [2]	36 316 [2]
Ganterie	561 [2]	56 [2]	1 476 [2]
Maroquinerie ...	5 110	298	13 236

Nota. – (1) Chiffres d'affaires hors taxes en millions de F. (2) 1991. (3) 1992.

Abattages contrôlés (en milliers de têtes, 1992). Porcins 21 431,1, ovins 7 227,4, gros bovins 4 545,4, veaux 2 305,3, caprins 412,3, équidés 44,1.

Maroquinerie (production annuelle en 1991). Sacs en cuir 2 100, petite maroquinerie en cuir (portefeuilles...) 7 100, ceintures, ceinturons en cuir 5 400, serviettes, cartables en cuir 477. *Importations* (92) sacs en cuir 2 082, serviettes, cartables en cuir 888. *Exportations* (92) sacs en cuir 17 066, serviettes, cartables en cuir 151.

■ **Mégisserie** (production 1992, en milliers de peaux). *Ovins* 14 533 dont peaux pour vêtements 9 322, doublure 1 870. *Caprins* 2 075 dont peaux dessus chaussure 901, doublure 668. *Porcins* 606. *Reptiles et autres peaux* 942. **Imp.** (en milliers de m², 1992). Ovins 1 232, caprins 763, porcins 3 337. **Exp.** Ovins 6 962, caprins 503, porcins 2 920.

■ **Cuirs et peaux bruts** (en t, 1991). Bovins 105 167, veaux 19 897, ovins 16 803, équidés 936, caprins 183. **Imp.** 109 103. **Exp.** 195 090.

■ **Tannerie** (production en t, 1992). Bovins 10 745 dont cuirs à semelle 798, vendus au poids 154, vendus à la surface 9 793. Veaux 1 732. **Exp.** *de cuirs tannés finis* (1992) : bovins 4 996, veaux 938. **Imp.** *de cuirs finis* (1992) : bovins 16 732, veaux 489.

☞ Le cuir le plus cher du monde après le crocodile est la peau d'autruche : 2 300 F le m² (veau 450 F).

■ LA CHAUSSURE EN FRANCE

Chiffre d'affaires (HT en milliards de F). *1981 :* 11,9. *85 :* 18. *88 :* 15,4. *89 :* 16. *90 :* 16,9. *91 :* 17,4 (export. 4,8) dont (en %) : Pays de Loire 31,4, Alsace 14,2, Aquitaine 11,9, Rhône-Alpes 11,3, Lorraine 7.

Entreprises. *1985 :* 405. *89 :* 320. *90 :* 328. *91 :* 296 dont 164 ont – de 50 ouvriers. **Effectif** (1991) : 36 310 dont ouvriers 29 679 (77 994 salariés en 1971). **Principales Stés** (chiffre d'aff. 1989 en milliards de F) : André 9,6 (groupe dont chauss. 5,9). Eram 2,9. Adidas France 2,6. Bata 2,2. Bally France 0,67 (1988). Charles Jourdan 0,53 (90). Mephisto 0,42. Stephane Kelian 0,34.

☞ **Grands distributeurs de chaussures dans le monde** (chiffre d'aff. en milliards de F, 1991). Melville (USA) 51,1, Brown (USA), 9,5, Edison (USA) 7,6, André (Fr.) 5,9, Clark (G.-B.) 5,8, British Shoe (G.-B.) 5,3, Salamander (All.) 4,7, Eram (Fr.) 3,5.

Production (millions de paires). **Chaussures** *1965 :* 153. *70 :* 151. *75 :* 171. *80 :* 155. *85 :* 154. *90 :* 124. *91 :* 114,4. **Pantoufles** *1960 :* 71. *65 :* 44. *70 :* 46. *75 :* 58. *80 :* 51. *85 :* 45. *90 :* 53. *91 :* 54,8.

■ **Commerce** (en millions de paires, 1992). **Imp. :** 277 dont CEE 82 (dont Italie 55, Portugal 12, Espagne 11, All. 2) ; hors CEE 144 (dont Chine 71, Indonésie 13, Thaïlande 11, Corée du S. 10, Taiwan 4, Maroc 4, Brésil 3). **Exp. :** 61 dont CEE 42 (dont All. 17, Belg.-Benelux 8, Espagne 6, G.-B. 3, Italie 3, P.-Bas 3) ; hors CEE 19 (dont Suisse 3, Moyen-Orient 1,7, USA 1, Japon 0,8). **Balance commerciale** (en milliards de F). *1975 :* + 0,3 ; *80 :* – 1,19 ; *85 :* – 2,69 ; *90 :* – 6,8 ; *91 :* – 7,8 ; *92 :* – 7.

■ **Localisation.** *Cholet :* gamme étendue. *Alsace :* chaussures lourdes ; se diversifie. *Région parisienne :* ch. de luxe. *Fougères :* ch. de femmes et de confort. *Romans :* articles de qualité. *Midi pyrénéen :* ch. d'enfants, espadrilles. *Poitou, Charentes, Limousin, Niort, Périgueux :* pantoufles, ch. de femmes et articles d'été. *Isère :* ch. de montagne et d'après-ski.

■ **Marques (principales).** Adidas, Aigle, André-Weston, Babybotte-Le Loup Blanc, Bally, Bata, Eram, Gep-Gepy, Jourdan-Christian Dior, Kickers, Labelle-Ted Lapidus, Méphisto, Mod'8, Myrys, Noël, Paraboot, Palladium, Solaria, Stephane Kelian, Clergerie, Jeva, Semelflex.

■ **Paires consommées par habitant et par an.** *1960 :* 3,7. *70 :* 3,7. *75 :* 4,6. *80 :* 5,1. *85 :* 5,3. *91 :* 6,04 (All. 5,43, G.-B. 5,26, Esp. 3,73, Italie 2,53).

■ **Prix d'une chaussure classique.** *Prix de revient du fabricant :* matières premières 40 %, main-d'œuvre directe et charges sociales 30 %, frais généraux 18 %, frais de commercialisation 9 %, marge nette 3 %, coefficient prix de vente au détail 2,10.

☞ **Charentaise :** apparue sous Louis XIV, en feutre, découpée dans les chutes de tissu des pèlerines de la Marine royale. Semelle : cuir (1850), caoutchouc (1933). **Paraboot :** v. 1920, chausse les forts des Halles puis les pompiers, agents d'EDF-GDF, soldats, bûcherons et facteurs. *Créée* par Rémy Richard-Pontvert avec du caoutchouc importé de Para (Brésil). **Pataugas :** inventée 1945 par Elissabide à Mauléon (P.-A.). A l'origine, toile kaki, semelle en caoutchouc cranté. **Richelieu :** chaussure basse à lacets, nom apparu après 1930. **J. M. Weston :** nom inventé par Eugène Blanchard (bottier à Limoges, en 1924).

GANTERIE DE PEAU

■ **Origine.** Les 1res corporations de gantiers (datant de 1342) s'installèrent surtout dans des régions où se pratiquait l'élevage intensif de chevreaux et de moutons, et où les rivières possédaient une eau pure propre au tannage : Dauphiné, sud de la Champagne, Massif central (autour de Millau et de St-Junien).

■ **Peaux utilisées.** Veau, chevreuil, renne, antilope, phoque, singe, chien, pécari, chèvre, chevreau, mouton, agneau, dinde (que l'on utilisait au Moyen Âge sous le nom de « cuir de poule »), outarde, pingouin, autruche... Coupé à la main et aux ciseaux, le gant de ville nécessite la participation de 15 pers. différentes de la coupe à la finition définitive (le gant de protection coupé au bloc ne nécessite pas une main-d'œuvre aussi qualifiée).

DENTELLE

CATÉGORIES

■ **Dentelle à l'aiguille.** Forme de broderie existant en Orient au Moyen Âge, introduite en Occident par les Croisés. **1540** vogue sur les costumes (fraise, manchette, col...) et en ameublement (lit, carrosses...). **1620-64** nombreux édits pour en limiter le port. **1665** Colbert crée des manufactures à Arras, Le Quesnoy, Reims, Sedan, Château-Thierry, Loudun, Aurillac, Alençon. **XVIIIe s.** vogue. **Révolution** arrêt de la fabrication. **XIXe s.** Napoléon la relance. **1903-5-7** loi organisant l'apprentissage. **1934** suppression de l'enseignement. La tradition continue. **1989** création du CAP « Arts de la dentelle » – fuseau et aiguille – (préparation en 3 ans). **Principales :** points de Venise, d'Argentan, d'Alençon, de France, de Bruxelles, de Sedan, d'Angleterre et dentelle Reticella. **Point d'Alençon :** le dessin fait à l'encre sur papier est reporté sur un parchemin par *piquage* à la main (les trous suivent le tracé du dessin). Ce parchemin (teinté en vert pour le repos des yeux), placé sur un support de toile, permettra de faire la *trace* à l'aide de 2 aiguilles travaillant simultanément. Le *réseau* est une sorte de tulle fait à l'aiguille (une minuscule aiguille à coudre), avec un fil de lin très ténu. Fleurs, feuillages, volutes et bordures sont réalisés en *rempli* (mailles tortillées beaucoup plus serrées). Pour les *modes,* l'ouvrière dessine avec son aiguille. Elle tend des fils, les festonne, les garnit de picots, eux-mêmes festonnés. La *brode,* ou petit feston qui sertit le motif, repasse sur tous les contours du dessin (simple à l'intérieur du motif, picotée pour les bords extérieurs). Dernières opérations : levage, régalage, assemblage et luchage (pour libérer la dentelle du parchemin, la mettre au net et la débarrasser des fils brisés par le rasoir), assembler de manière invisible et solide les parties ; ou incruster les motifs sur napperon ou mouchoir, ou faire le montage sous cadre.

■ **Dentelle aux fuseaux.** La plus ancienne (au Musée des tissus de Lyon, dentelles découvertes à Memphis en 2000 av. J.-C.). Technique transmise par les Arabes. Sur un *métier* ou *carreau* (coussin, pupitre, boule) on pose une carte lyonnaise dont les perforations ont suivi le tracé d'un dessin, puis on fixe les fils avec des épingles et on entrecroise les fils des différents fuseaux (buis, if, prunier, poirier, merisier, os, formes diverses). Les points sont retenus par des épingles que la dentellière change de place chaque fois que le travail avance. **Principales :** Chantilly noir, Valenciennes, Gênes, Flandres, Malines, Bruxelles, Auvergne, Bayeux, Le Puy-en-Velay.

■ **Diverses. Au crochet :** avec du fil de coton. *Principales :* d'Irlande, d'Art. **À la navette** (ou frivolité) : en utilisant ses doigts et 1 ou 2 navettes. **Au métier** (ou Ténériffe) : on tend des fils sur les dents d'un métier en métal, puis on les relie par des points de reprise et des nœuds. **Brodée :** sur fond ou filet. **Macramé :** succession de nœuds faits à la main.

Fabrication

Mécanique. Métiers inventés à Nottingham (Angl.) en 1767. Quiconque tente d'en importer en France est passible de la peine de mort, mais des producteurs anglais en font en contrebande, en pièces détachées, et s'installent dans la ville française la plus proche, St-Pierre-lès-Calais. Les métiers ont d'abord reproduit le réseau ou tulle sur lequel on appliquait des motifs, puis (2e moitié du XIXe s.), et dans leur fonctionnement, en le multipliant, le mouvement des fils que la dentellière aux fuseaux fait sur son carreau. **Types de métiers.** *M. Leavers et Bobin Jacquard* (m. à chariots et bobines) ; *à fuseaux mécaniques,* Rachel, m. à maille. **Principaux centres.** *France :* Calais, Caudry (Nord), Le Puy-en-Velay. *G.-B. :* Nottingham (1767). *Italie :* Milan et sa région. *Espagne :* Barcelone. *USA :* Providence (Rhode Island).

À la main. Régions. *Nord de la France :* Arras (dep. Charles Quint), Bailleul (dep. XVIIe s.), Lille (dep. avant 1582), Valenciennes (dep. avant le XVIe s.). *Normandie :* Bayeux, Le Havre, Honfleur, Bolbec, Eu, Fécamp, Dieppe, Alençon (vers 1650), Argentan (dep. le XIVe s.). St-Malo dep. Colbert, *Massif central :* Hte-Loire (en particulier Le Puy-en-Velay), Ardèche, Puy-de-D., Loire. **Étranger.** *Allemagne* (Saxe, Bavière, Hesse, Bohême, Berlin, Erzgebirge, Harz). *Belgique* (Bruxelles, Bruges, Malines, Gand, Anvers, Ypres, Binche, Audenarde, Alost, Termonde). *Russie. Mexique. Canada. Chili. Brésil. Angleterre. Danemark. Espagne. Pays-Bas. Hongrie. Italie. Suède. Tchécosl. Turquie. Finlande. Suisse. Espagne.*

Ateliers actuels. À l'aiguille. Point d'Alençon : *Atelier national* (fabrication et restauration), rue Jullien ou rue Camille Vidant, 61000 Alençon. **Au fuseau :** *Atelier Conservatoire nat.* (fabrication, restauration et vente), 2, rue Duguesclin, 43000 Le Puy-en-Velay ; *Centre d'enseign. de la d. au fuseau : Pte :* Éliane Laurence 2, rue Duguesclin, 43000 Le Puy-en-Velay. *Centre normand de la d. au fuseau-main :* hôtel du Doyen, rue Rambert-Leforestier, 14400 Bayeux. *Organisation internationale de la d. au fuseau et à l'aiguille (OIDFA) :* 7, rue Louis-le-Grand, 75002 Paris.

Disques

Grandes dates

1807 *Thomas Young* (1773-1829 ; Angl.) présente un cylindre animé d'un mouvement rotatif et enduit de noir de fumée qui inscrit les vibrations d'un corps sonore. **1857** *Édouard Léon Scott de Martinville* (1811-79, Fr.) invente le *phonautographe* qui enregistre sur du noir de fumée des vibrations acoustiques, mais ne peut les reproduire. **1876** *Graham Bell* (1847-1922, Amér.) et *Manuel* construisent le 1er microphone. **1877**-*16-4 :* le poète *Charles Cros* (1842-88, Fr.) envoie à l'Académie des sciences de Paris la description du paléophone à cylindre et à disque. *Thomas Edison* (1847-1931, Amér.) invente en Amérique simultanément un système qui permet d'enregistrer et de reproduire les sons. *10-10 :* l'abbé *Lenoir* propose à Cros le terme de phonogramme. *10-12 : Werner von Siemens* (1816-92, All.) obtient le brevet du haut-parleur électronique. **1878**-*19-2 : Charles Cros* obtient le brevet du phonogramme. *1-5 : Cros* dépose le brevet d'un cylindre à sillon hélicoïdal, du disque à sillon spiralé, de la gravure verticale ou latérale des sillons et d'un nouveau système électrique d'enregistrement et de reproduction. **1881** *Edison* réalise un appareil commercial enregistrant et lisant des cylindres de cire. **1886**-*4-5 : Graham* et *Chichester Bell* (Amér.) obtiennent le brevet du graphophone à cylindre de cire, gravure par outil tranchant, conduits acoustiques de lecture et pavillon. **1887** *Émile Berliner* (1851-1929, All.) invente et réalise aux USA le 1er *disque* [flan de zinc de 30 cm de diamètre enduit de cire (78 tours/minute)] ; il fonde la Deutsche Grammophon Gesellschaft. **1893** 1ers *disques duplicatés par pressage* (17,70 cm, 70 tours/min) mis en vente par la Deutsche Grammophon. *Émile Lioret* (1848-1938, Fr.) invente le moulage de cylindres incassable, et crée la 1re usine d'appareils en Fr. **1894** les frères *Pathé* [Français ; Émile (1860-1937) et Charles (1863-1957)] créent la 1re grande Sté fr. de phonographes. **1897** *Eldridge Johnson* (1867-1945, Amér.) perfectionne le gramophone par un moteur à ressort, une aiguille lectrice, un diaphragme et un pavillon acoustique. **1898** *Valdemar Poulsen* (1869-1942, Dan.) invente l'enregistrement sur fil magnétique (il faudra attendre 40 ans sa vulgarisation). **1895-1900** création de l'*industrie phonographique* en Amérique et Europe. **1899** Gramophone acquiert un tableau de Francis Barraud représentant un chien, Nipper, qui pleure en écoutant la voix de son maître devant le cornet d'un gramophone.

1900 appareil à enregistrement magnétique : *le télégraphone.* **1902-06** le disque l'emporte sur le cylindre. **1911** fondation des Archives de la Parole qui deviendront la *Phonothèque nationale* en 1938. **1919** débuts de la Radiodiffusion. **1926** la firme Victor adopte la *gravure électrique :* disque de 30 cm de diamètre, 34 spires au cm et vitesse de 78 tours/min ; 4 min (au lieu de 2) d'audition par face. **1927** vidéodisque (voir à l'Index). **1928** *Fritz Pfleuner* invente en All. la *bande magnétique.* **1928-36** disques de *longue durée* de plus de 30 cm de diamètre à sillon large (33 t/min. Usage professionnel). **1929** Sir Lewis (G.-B.) crée la firme Decca qui commercialise le 1er gramophone portable. **1931** 1re tentative de microsillon chez Victor, échec. *Blumlein* (G.-B.) réalise l'enregistrement stéréo. **1932-35** BASF invente bandes en plastique. **1935** AEG (constructeur all.) 1er *magnétophone.* **1944** *haute-fidélité* (lancée en G.-B. : Full Frequency Range Recording). **1945** remplacement de la cire par une laque (brevet français) enduisant un flan en aluminium. **1946**-*21-6* USA apparition du *microsillon* (Columbia) : recherches de *René Snepvangers* et de *Peter Goldenmark* (33t/min) (1er : *Concerto pour violon* de Mendelssohn, la *4e Symphonie* de Tchaïkovski et *South Pacific).* **1947** 1ers magnétophones dans studios. **1949** nouveau disque 17 cm de diamètre à 45 t/min (RCA). **1951** 1er 44 t vinyle pressé en France à l'usine de Pathé de Chatou (Yvelines). **1957** enregistrement stéréophonique commercialisé. Le disque 78 t/min est abandonné.

1963 1er *magnétophone* à cassettes (El 3 300 Philips). **1968** généralisation de la stéréophonie aux disques 33 1/3 t/min pour être utilisable sur les appareils monophoniques (disques *stéréocompatibles ou gravure universelle*). **1970** *tétraphonie* (4 canaux) aux USA. **1976** *Thomas G. Stockham* junior améliore le repiquage des anciens enregistrements par ordinateur ; la mise en mémoire de son commence à remplacer l'enregistrement classique sur bande magnétique (USA, Japon). **1983** Compact disque (audionumérique) commercialisé en Fr., voir ci-contre. **1987** cassette audionumérique (Dat) commercialisée au Japon. **1990** développement du *Karakoe* (juke box permettant de chanter sur un air préenregistré). **1993**-*3-5* fabrication du 45 tours abandonnée.

Types de disques

■ **78 tours/min** (abandonné). *Diamètre* 25 et 30 cm. *Lecture* avec des pointes d'acier (anciens lecteurs), ou en saphir ou en diamant de 75 microns (lecteurs modernes). *Durée d'une face de 30 cm :* 4 min 30 s. *Sillon* (largueur) : 100 à 150 microns. *Nombre de spires* par cm : 36.

■ **Microsillons.** *Diamètre* 17 cm (45 tours/min), 25 ou 30 cm (33 tours/min). *Durée d'une face de 30 cm :* 25 à 30 min ; *de 17 cm :* 6 à 10 min. *Pointe de lecture :* 13 à 18 microns. *Sillon* (largueur) : 50 à 110 microns. Abandonnés 1993.

■ **Compact disque (disque audionumérique). 1969** la Nasa remplace le système d'enregistrement des sons classiques par le système numérique. **1979** entente (Philips, Sony, Hitachi, JVC) pour standard unique. **1982** *oct.* lancé au Japon. **1983** *mars* Europe.

Description : *diamètre* 12 cm. L'information musicale est, à l'intérieur du disque, protégée par une couche de plastique transparent. *Vitesse linéaire de lecture* 1,3 m/s. *Capacité sur une face :* jusqu'à 1 h 16 min d'enregistrement. **Avantages :** qualité sonore, bande passante exceptionnelle, élimination des perturbations dues à la rotation du disque (pleurage et scintillement), dynamique (rapport entre le son le plus fort et le plus faible) élevée. Rapport signal sur bruit de + de 90 dB [meilleurs disques non compacts (analogiques) au max. 45 dB]. Absence de distorsion (inférieure à 0,005 % à 0 dB). Usure nulle. Sensibilité quasi nulle à la poussière ou aux traces de doigts. **Principes :** dans un disque ordinaire, les vibrations (variations de pression) sont inscrites de manière analogique, les ondulations du sillon suivant exactement les variations de la pression sonore. Les ondes gravées ainsi sur le disque sont transformées en ondes électriques par le phonolecteur, puis en ondes sonores par le haut-parleur. *Dans le disque compact,* on ne transmet plus le contour entier de l'onde, mais on échantillonne (code) l'onde sonore à une cadence de 44 100 fois par s sous forme d'impulsion binaire (en anglais PCM : *pulse coded modulation*) dont la valeur caractérise l'amplitude de l'onde à cet instant ; ces impulsions sont décodées de façon optique par le faisceau lumineux d'un laser. Un générateur électrique fabrique à la même fréquence une tension élec. proportionnelle à cette suite de nombres. À la réception, on reconvertit le nombre en tension électrique pour retrouver une onde aussi pure qu'au départ. Ils peuvent contenir l'équivalent de 600 millions de caractères (600 000 feuillets 21 × 29,7).

■ **Types CD (Compact Disc). CD-A** (Compact Disc audio) inventé par Philips et Sony, commercialisé 1982, disque 8 et 12 cm de diamètre, peut être lu sur des lecteurs de CD-Audio et sur les nouveaux lecteurs CD-Photo et de CD-I. **CD-E** (effaçable ; ex. MOD : Magneto Optical Disc, de Thomson). **CD-I** (Interactif, 1988 : Philips lecteur commercialisé par Philips, se branche sur la télévision, peut être relié à une chaîne hi-fi. Une télécommande pilote les programmes. Le lecteur peut lire des disques compacts audio, des disques compacts photo, à terme, des films en rajoutant une cartouche. Disque 12 cm, capacité 250 000 pages dactylographiées ou 72 min de film. *Prix lecteur* 5 000 f, *programmes* 180 et 420. **Data-Discman ou livre électronique** Sony (705 g, écran 6,7 cm sur 5,6, 10 lignes de 30 caractères), peut afficher des textes, des graphiques en noir et blanc, clavier 26 lettres de l'alphabet et quelques touches de fonction, logiciel recherches par mots clés ou menus, lire des disques compacts audio de 8 cm de diamètre (capacité 100 000 pages dactylographiées), être relié à un poste de télévision. *Prix* 3 490 à 4 490 F, *CDRom* 350 F. **CD-R** (à enregistrement unique). **CD-Photo** lancé 1992 par Kodak, stocke des photographies. Le lecteur se branche sur le téléviseur, peut se connecter sur un micro-ordinateur, et lire des CD-Audio. **CD-ROM** (Read only memory, à lecture seulement, 1985) [ex. Data Discman, lecteur de disques de 8 cm de 200 mégaoctets (200 millions de caractères)]. Le lecteur lit des CD-Audio, Laser Disc de 12 cm de diamètre, des CD-Photo. **CD-V** [vidéo-disque (1987) ; 3 formats : *clip* (12 cm de diamètre pour 6 min d'images + 20 min de son) ; *20* (20 cm de diam., 2 fois 20 min d'images et de son) ; *30* (30 cm de diam., 2 fois 1 h d'images et de son). 1er modèle (12 cm sur une seule face, 20 min de son, 6 d'images), rebaptisé Laser Disc (enregistré sur 2 faces), 2 formats 20 cm (40 min de son et d'images), 30 cm (120 min). *Prix lecteur* 4 000 F, *disques* 250 à 600. Le lecteur se branche sur un téléviseur et une chaine hi-fi, peut lire les CD-Audio. **Digital Audio Tape** (DAT) inventé 1987 par Matsushita, cassette audio-numérique, n'a pas connu, hors Japon, le succès escompté, car son format rend son lecteur incompatible avec des K7 traditionnelles. **DCC** (Digital Compact Cassette) lancée par Philips (durée en auto-reverse 60, 90 ou 120 min), lecteur affiche un texte d'informations sur chaque plage en cours de diffusion d'une DCC préenregistrée. *Mini Disc* lancé 1992, disquette de 68 × 72 millimètres, effaçable et enregistrable selon le principe magnéto-optique inventé en 1876. *Prix lecteur enregistreur* 3 000 F, *Mini Disc vierge* 70 F.

☞ **DDD :** enregistrement, mixage/montage et gravure numériques (« digital » en anglais). **ADD :** enregistrement analogique après numérisation enregistrée. **AAD :** repiquage sur CD d'un enregistrement.

■ **Vidéodisques** (voir à l'Index).

■ **Disques codes. Principe :** compression de la dynamique à l'enregistrement, amplification à la lecture, pour éliminer la quasi-totalité du bruit de fond résiduel dû à la gravure et à la lecture analogique. **2 systèmes : DBX :** disques utilisables seulement avec le décodeur adéquat. **CX (CBS) :** disques lus sur toutes les platines mais performants seulement avec un décodeur CX. *Avantages :* très bonne dynamique et bruit de fond faible. *Coût* du décodeur : env. 700 F. Pourrait être incorporé sur toutes platines comme le Dolby ou d'autres réducteurs de bruit.

FABRICATION D'UN DISQUE

■ ÉTAPES

■ **Enregistrement.** En studio. Sur plusieurs pistes (16 à 32) qui sont ensuite « mixées » sur un pupitre de mélange qui permet des corrections de timbre et des adjonctions de réverbération artificielle (en assurant un bon équilibrage entre les instruments) et donnent 2 pistes sonores : voix gauche et droite d'un disque stéréophonique (ou additionnées pour un disque monophonique). On peut enregistrer les instruments en plusieurs séances : ex. batterie et cuivres, puis autres instrumentistes qui joueront en écoutant au casque l'enregistrement précédent, enfin le soliste. Presque toujours en tétraphonie.

■ **Gravure ou transcription.** Sur disque d'aluminium recouvert de triacétate de cellulose (dit acétate) posé sur une platine lourde percée de nombreux orifices. Le burin (rubis taillé) trace dans l'acétate un sillon de 20 à 50 microns pour un disque stéréophonique. Les vibrations sonores déplacent le burin (amplitude 1 micron). La bande magnétique est lue successivement par 2 têtes, séparées par une distance correspondant à env. un demi-tour de disque (la 1re lecture renseignant sur l'intensité sonore de ce qu'on devra graver). Une bobine convertit en force magnétique les variations de courant venant de la lecture. L'acétate gravé est recouvert par galvanoplastie d'une fine couche d'argent conductrice. On obtient ensuite par électrolyse un négatif, le *père* où une ligne en relief remplace le sillon. Une nouvelle électrolyse fait passer du *père* à la *mère* qui est en creux et peut être lue pour un contrôle. Une autre donnera la *matrice* qui servira au pressage. Un acétate donne un seul *père*, un *père* donne jusqu'à 10 *mères* qui produiront chacune de 10 à 50 *matrices*. Une matrice presse 500 disques de haute-fidélité et 8 000 à 10 000 de variétés.

Gravure stéréo : la tête de lecture d'un pick-up peut se déplacer verticalement et horizontalement. La *gravure stéréo* utilise ces 2 possibilités pour graver 2 informations différentes. Pour que le disque puisse être lu par une *tête monophonique* (sensible aux seuls déplacements horizontaux), on grave horizontalement la somme des signaux gauche et droite, et verticalement leur différence. Pour la *quadriphonie* – ou *tétraphonie* – on utilisait 4 sources sonores : avant gauche, avant droite, arrière gauche, arrière droite, simultanément gravées.

Système à modulation : on grave en stéréo normale la somme des 2 signaux de gauche et celle des 2 signaux de droite. Les différences correspondantes sont « modulées » avant d'être gravées ; leurs sons audibles sont transformés en ultrasons. À la lecture, des filtres sépareront ces ultrasons qui seront transformés en sons audibles et recombinés. La gravure des ultrasons est difficile.

■ **Pressage.** Soit : 1°) *Par compression* (env. 200 atmosphères) entre 2 matrices d'une boule de chlorure et d'acétate de vinyle colorée en noir (la gravure sera plus visible) et chauffée pour qu'elle soit plus fluide. 2°) *Par injection* dans un moule dont les matrices forment les 2 flans. On évite ainsi les pertes de matière par les bords et l'on gagne du temps (15 s au lieu de 25), mais la reproduction est moins bonne.

■ **Défauts.** L'enregistrement magnétique introduit un bruit de souffle et un certain type de distorsion, la fabrication du disque d'autres bruits, claquements, grésillements, souffle, la lecture des distorsions.

CHAÎNE ÉLECTRONIQUE

Chaîne « Hi-Fi » (de l'anglais *High Fidelity*). COMPOSITION : 1°) *1 platine tourne-disque* (avec tête de lecture) : comprend une pointe (qui suit les déformations gravées dans le sillon du disque) caractérisée par le rapport signal sur bruit (bonne suspension, notamment systèmes à contre-platine), isolation du moteur (à entraînement direct, par courroie) ; éviter les cellules légères sur bras lourds (25 à 30 g) ; peut être complétée par un lecteur de disque audionumérique. Actuellement, cette platine est complétée ou remplacée par un *lecteur de « compact disques »*. 2°) *1 platine cassette* (avec dispositif de lecture) ou 1 platine double-cassette, comportant un dispositif de lecture et un dispositif d'enregistrement-lecture sur bande magnétique. L'information est stockée. 3°) *1 tuner radiophonique :* une antenne reçoit les ondes émises par les émetteurs radiophoniques, caractérisée par sa sensibilité (capacité à capter des émissions), le rapport signal sur bruit (élimination du bruit de fond), sa sélectivité (rapport de capture, réjections de « canal adjacent », de « fréquence image », de « modulations d'amplitude » contre les parasites), le taux de distorsion, la bande passante (intensité égale des aigus et graves). 4°) *1 microphone.* 5°) *1 amplificateur.* 6°) *des enceintes,* en général 2, contenant souvent 3 haut-parleurs. La bande passante d'une bonne chaîne Hi-Fi doit contenir le domaine 20-16 000 Hz. **Généralisation :** de nombreuses chaînes électroniques comprennent : un capteur dans le bloc fonctionnel d'entrée, un dispositif électronique comprenant l'amplificateur, un organe de sortie (haut-parleur, voyant lumineux).

ÉDITION PHONOGRAPHIQUE

■ DANS LE MONDE

■ **Ventes. Phonogrammes** (en millions de $, 1991 : valeur au prix de détail TTC) USA 7 834. Japon 3 435,6. Allemagne 2 574,1. G.-B. 2 311,7. *France 1 632,4.* Italie 695,5. Espagne 680,2, Canada 650,6. P.-Bas 600,2. Mexique 527,6. Australie 498,7. Brésil 415. Suisse 369,4. Belgique 337,2. Suède 332,5. Autriche 288,7. Inde 273,5. Corée du S. 272,2. Taiwan 216,7. Turquie 209,1. Finlande 167,3. Norvège 157,6. Afrique du S. 150,7. Thaïlande 123,6. Argentine 119. Danemark 94. Indonésie 89,4. Hong Kong 83,4. Grèce 83,4. *Total monde* 25 813,7.

45 t, entre parenthèses **33 t** et en italique **cassettes** (en millions d'unités) G.-B. 36 (12,9) *66,8.* USA 22 (4,8) *360.* France 14,5 (1,2) *37,4.* Allemagne 10,3 (23,3) *75,8.* Belgique 4,9 (0,4) *3,1.* Suède 3,7 (6) *4,5.* P.-Bas 2,4 (1,3) *2,7.* Colombie 1,6 (3,8) *1,8.* Autriche 1,4 (3) *4.* Philippines 1,2 (0,2) *5,3.* Suisse 1 (0,5) *5,4.*

Disques compacts (en millions d'unités, 1991) : USA 333,3. Japon 299. Allemagne 102,1. *France 65,4.* G.-B. 62,8. P.-Bas 39,2. Canada 21,4. Italie 19,8. Australie 19,2. Suisse 14,5. Espagne 13,3. Belgique 13. Suède 11,2. Mexique 9,1. Autriche 8,4. Norvège 7,5. Brésil 7,5. Taiwan 7,1. Hong Kong 5,8. Danemark 4,6. Finlande 4,3. Corée du S. 2,7. Afrique du S. 2,4. Singapour 2,2. Portugal 2,1. Argentine 1,7. Tchécoslovaquie 1,5. Grèce 1,1. Venezuela 1. Malaisie 0,9. Israël 0,9. *Monde 1 092,4.* **Vente en % (par rapport à la vente de disques,** en %, 1990) : P.-Bas 79,7. *France 61,2.* All. 51,1. Belg. 50,5. Italie 48,7. G.-B. 39,6. Danemark 38,6. Portugal 37,5. Espagne 27,6. Irlande 21,4. Grèce 10,7.

Marché mondial (en %, 1991) : Sony-CBS 19,5. Polygram 17,5. WEA 15,5. EMI 15,5. BMG 14. Virgin (racheté par EMI en 1992) 5. Autres 13.

■ **Taux de la TVA** (en %) [audio-disques et bandes, Vidéo vente et location (V et VL)]. Allemagne 14. Australie 20. Autriche 20. Belgique 25 (VL 19). Danemark 22. Espagne 12 (VL 4). Finlande 16 (V 16). *France 18,6.* G.-B. 15. Grèce 16. Irlande 25. Italie 9. Luxembourg 12. N.-Zélande (Audio 20, Vidéo 30). Norvège 20. P.-Bas 18,5. Portugal 16. Suède 23,46. Suisse 9,3. USA (taxes sur le prix de vente varient selon les états).

■ **Enregistrements pirates (en millions de $ au prix de détail des produits pirates et,** entre parenthèses, **en millions d'unités vendues** 1991). Amér. du N. 367,9 (36,6). Europe 387 (94,4). Amér. latine 164,2 (83,5). Afrique 117,8 (30,7). Asie, Australie 312,9 (173,8).

■ **Cassettes pirates** (en % du marché, 1990). Pologne 94. Paraguay 78. Kenya 76. Amérique centrale 70. Pérou 65. Équateur 63. Bolivie 61. Afrique du S. 60. Côte-d'Ivoire 58. Colombie 57. Mexique 56. Hongrie 55. Thaïlande 50. Arabie S. 49. Ghana 45. Grèce 44. Tchécoslovaquie 42. Nigeria 36. Venezuela 33. Chine 33. Malaisie 31. Philippines 30. Indonésie 30. Corse du S. 29. Argentine 26. Brésil 25. Égypte 22. Italie 21. Zimbabwe 20. P.-Bas 19. Taiwan 18. Irlande 13. Turquie 13. Uruguay 13. Chili 11. Allemagne 11. USA 9. Belgique 9. Israël 8. Espagne 8. Portugal 7. Australie 6. Suisse 4. Norvège 4. *France 4.* Suède 3. Autriche 3. Finlande 2. G.-B. 2. Singapour 2. Danemark 1.

■ EN FRANCE

■ **Vente de phonogrammes en milliards de F.** *1991 :* 5,8 (CD audio 4,28 ; cassettes 1,3 ; 45 tours 0,09 ; 33 t. 0,05 ; vidéomusique 0,12). **En millions d'unités. Compacts :** *1985 :* 2,4 ; *90 :* 56,2 ; *91 :* 67 ; *92 :* 75,7. **CD singles** *92 :* 5. **Cassettes :** *1970 :* 1,2 ; *75 :* 7,4 ; *85 :* 20,7 ; *90 :* 42 ; *91 :* 40 ; *92 :* 36,2. **Cassettes 2 titres :** *92* 5. **45 t. singles :** *70 :* 29,4 ; *75 :* 57,7 ; *80 :* 54,3 ; *85 :* 57,6 ; *90 :* 24,8 ; *92 :* 5,9. **33 t. 30 cm :** 70 : 21,1 ; *75 :* 52,2 ; *80 :* 64,3 ; *85 :* 57,6 ; *90 :* 24,8 ; *92 :* 0,2.

■ **Prix d'un CD** (en %). Détaillant 19,5. Distribution (messagerie, force de vente) 19,5. TVA 18,6. Publicité, promotion 9,8. Fabrication, pressage, pochette 9,28. Interprète 6,5. Droits d'auteur 6,5. Frais généraux 6,5.

■ **Disques d'or. Seuils de vente 45-tours et,** entre parenthèses : **33-tours (30 cm), disques compacts et musicassettes** (au 1er trimestre 1991 et entre parenthèses au 1er trim. 1989, en milliers). *Disque d'argent* (crée 1985) 125 (200), *d'or* (créé 1973) 250 (400) (100), *de platine* 500 (800) 800 (300), *double platine* (600), *triple platine* (900), *de diamant* (1 000). On ne compte pas les rééditions en série économique ni les ventes à l'exportation ; le nombre de cassettes vendues peut être cumulé aux ventes de 33 t. correspondantes ; en cas d'un double album, on compte le nombre d'albums et non pas de disques. Si la vente correspondante en cassettes se fait sous la forme de 2 cassettes séparées, le nombre de ces cassettes est divisé par 2.

■ **Hit Parade.** D'oct. 1968 à déc. 1977, le *Hit Parade national* du Disque des sociétés membres du SNEPA ne concernait que les disques de variétés. 30 disques étaient classés selon les ventes déclarées par les éditeurs et vérifiées par un expert-comptable. Sur 225 disques classés en 1976, 1 disque avait totalisé plus de 800 000 ex. vendus, 4 entre 700 000 et 800 000, 7 entre 600 000 et 700 000, 5 entre 500 000 et 600 000, 10 entre 400 000 et 500 000.

■ **Top 50.** Créé 1984 par Europe 1 et approuvé par le SNEP. Classement hebdomadaire des 50 meilleures ventes de 45 t (comptées dans les points de vente par un inst. de sondage, sous l'autorité de la Commission de contrôle du SNEP).

Nota. – Le 24-10-1979, à Londres, Paul Mc Cartney a reçu un disque en rhodium offert par Norris Mc Whitter, directeur du *Guinness Book of Records,* pour récompenser le plus grand succès de tous les temps (43 chansons écrites de 1962 à 1978, vendues à plus de un million d'ex. chacune), le plus grand nombre de disques d'or (42 avec les Beatles, 17 avec les Wings, 1 avec Billy Preston), et les meilleures ventes de disques (env. 100 millions d'albums et 100 millions de singles).

■ **Sociétés.** 58 groupées au sein du Syndicat national de l'édition phonographique (SNEP). **Effectifs** 3 500 (non compris vente et imprimerie).

Polygram (Philips et Siemens, 50 % chacun). **Chiffre d'aff.** (1992) : 2,77 milliards de F (sur Polydor Phonogram et Barclay) dont disques 2, vidéo 0,15, VPC Dial 0,62. **Marques propres :** Philips, Fontana, Vertigo, Mercury, Barclay (dep. 1988) ; *licenciées ou distribuées :* Charisma, E.C.M. Records, Rocket Records, Who's Who, Adele, etc.

Sony Music (dep. 1-1-91, avant CBC). **Chiffre d'aff.** (1992) : 1,2 md de F dont disques 1,14, vidéo 0,06. **Marques :** CBC, Epic, Squat.

EMI (Pathé-Marconi) France. *Créée* 1886 par les frères Pathé. *Chiffre d'aff. :* 683 MF. Depuis 1936, filiale à 87 % du groupe anglais Thorn EMI. *Effectifs* 560. *Studios* Boulogne. *Usine de pressage* à Chatou. *Filiales :* Pathé-Marconi SA, Éditions musicales Francis Day EMI. Marques représentées env. 80 (Columbia, EMI, Pathé, La Voix de son maître, Ducretet-Thomson).

■ **Marché français de l'édition musicale** (est. 1991, en %). Polygram 35, EMI, Pathé, Virgin 19,5, Sony Music 18, Warner et Carrère 12.

Industrie phonographique. Chiffres d'aff. (en milliards de F) : *vente de phonogrammes : 1970 :* 0,49 ; *75 :* 1,17 ; *80 :* 2,3 ; *85 :* 2,83 ; *91 :* 5,6.

Par canaux de distribution en 1991, % des quantités vendues (*source :* Nielsen/Ipsos) : spécialistes 44 dont disquaires spécialisés indépendants 10, chaînes de disquaires (Nuggets, Madison, Music Way) 6, multi-spécialistes (Fnac, Virgin) 28. Généralistes 56 dont grands magasins 4, non spécialistes (super et hypermarchés) 50, divers (VPC) 2.

Redevances immatérielles (perception des droits, de reproduction, de diffusion et de communication au public des œuvres, en 1992) : 4,4 milliards de F.

Nombres d'œuvres déposées à la Sacem : *1987 : 64 000 ; 91 :* 80 000.

■ **Département de la phonothèque nationale et de l'audiovisuel.** (Bibliothèque nationale) 2, rue de Louvois, 75002 Paris. Né de la fusion en 1976 de la Phonothèque nationale, créée 1938, et du Service audiovisuel de la Bibliothèque nationale. *Collections :* « Archives de la Parole » et documents inédits dep. 1891, versements de documents collectés par des chercheurs ; outre les dons et les achats, reçoit le dépôt légal des phonogrammes dep. 1940, des vidéogrammes dep. 1975 et des œuvres cinématographiques dep. 1977. *Fonds encyclopédique :* 1 100 000 phonogrammes des origines à nos jours, 16 000 vidéogrammes et 12 000 œuvres cinématographiques. **Entrées**

par dépôt légal (1990) : 17 213 dont *disques noirs 25-30 cm* 3 196, *17 cm* 1 490 ; *compacts 12 cm* 7 841, *8 cm* 199 ; *cassettes* 4 487. **Catalogues** (1990) : base nationale de données des phonogrammes et des vidéogrammes Leda depuis 1982, plus de 1 million d'accès, 100 000 références. Commercialisation sous forme de CD-ROM.

■ **Midem** (Marché international du disque et de l'édition musicale). *Créé* 1966 à Cannes. *1989 :* 1 860 Stés représentées (59 pays).

Appareils électroacoustiques

■ Dans le monde

Électronique grand public. Chiffre d'aff. (en milliards de F) : Matsushita-JVC (Japon) 70, Philips (P.-B.) 55, Sony (Japon) 42, Thomson-GE (F.) 40, Hitachi (Japon) 35.

Hi-Fi (vendues, nombre en milliers, en 1986). Appareils compacts (1 seul app.) ou, entre parenthèses, chaînes. G.-B. 1 220 (550). All. féd. 700 (770). *France 400 (390).* P.-Bas 210 (315). Italie 100 (210). Espagne 175 (195). *CEE 2 954 (2 556).*

Appareils à lecture laser (vente en milliers, 1986). USA 1 800. Japon 1 500. *France 320. CEE 2 700.*

■ En France

■ **Production en France** (en millions de F, 1986). Électrophones 8,5. Magnétophones 40,6. Chaînes + éléments de chaînes 341.

■ **Principales marques étrangères. Magnétophones :** Philips, Grundig. Telefunken, Sony, Akaï. **Électrophones :** Philips, Grundig, Telefunken, ITT (Schaub-Lorenz, Océanic, Sonolor), Dual. **Chaînes :** Philips, Grundig, Telefunken, Kenwood, Sony, Pioneer, Technics. **Vidéocassettes :** Philips, Sony, Nivico (JVC), Sanyo, Hitachi, IVC

■ **Commerce** (en millions de F, 1986). **Exp. :** Électro. 3,7. Magnéto. 71,7. Chaînes + éléments de chaînes 291,7. **Imp. :** Électro. 33,4. Magnéto. 564,2. Chaînes + éléments de chaînes 1 161,3.

■ **Consommation apparente** (en millions de F, 1986). Électro. 48,2. Magnéto. 684,5. Chaînes + éléments de chaînes 1 522,1.

■ **Marché des chaînes électroacoustiques** (en milliers d'unités). **Platines, disques mécaniques :** *1978 :* 420, *81 :* 890, *87 :* 340, *88 :* 280, *90 :* 340. *Lecteurs de disques compacts (laser) : 83 :* 25, *85 :* 105, *88 :* 1 050, *90 :* 1 750. **Platines cassettes :** *78 :* 245, *81 :* 905, *85 :* 450, *88 :* 250, *90 :* 440. **Tuners :** *78 :* 123, *81 :* 700, *88 :* 240, *90 :* 370. **Électrophones :** *80 :* 503, *85 :* 256. **Magnétophones à cassettes (non combinés) :** *80 :* 2 225, *87 :* 1 377. **Radiomagnétophones :** *80 :* 1 150, *88 :* 2 220 (dont mono 320). **Baladeurs (Walkman) :** *81 :* 350, *88 :* 2 700, *90 :* 3 100. **Radioréveils :** *87 :* 1 700, *90 :* 1 650.

■ **Parc français** (en milliers, 1989). Électrophones 9 177. Magnétophones 14 777. Chaînes + éléments de chaînes 6 816. Radiocassettes (1985) 9 635. Appareils à lecture laser 1 030. Baladeurs 2 000. Magnétoscopes (90) 10 050.

■ **Caméras vidéo. Marché apparent :** *1979 :* 19, *80 :* 32, *85 :* 57 (caméras + camescopes), *87 :* 146, *89 :* 380, *90 :* 550. **Parc** (en service) : *1980 :* 45, *85 :* 265, *87 :* 440, *89 :* 967, *90 :* 1 417. **Taux d'équipement :** *1980 :* 0,2 %, *85 :* 1,3, *87 :* 2,1, *89 :* 4,5, *90 :* 6,5. **Vidéocassettes** (en milliards de F) : *1990 :* 1,57, *91 :* 2,12 (dont films 70 %, documents et titres divers 30 %).

Eau

☞ **Eau** corps pur de formule H_2O. **Eau de baryte** saturée d'hydroxyde de baryum Ba $(OH)_2$. **Eau céleste** solution ammoniacale d'un sel cuivrique Cu_2^+. **Eau de chaux** saturée d'hydroxyde de calcium Ca $(OH)_2$. **Eau de chlore** solution aqueuse de dichlore. **Eau dure** contenant une quantité importante d'ions calcium Ca_2^+ ou magnésium Mg_2^+. **Eau forte** nitrique (acide). **Eau de Javel** solution aqueuse résultant de l'action du dichlore sur la soude et contenant un mélange de chlorure et d'hypochlorite de sodium. **Eau lourde** contenant du deutérium, molécules D.20, et molécules H_DO. **Eau minérale** voir p. 1573. **Eau oxygénée** solution aqueuse de peroxyde de dihydrogène H_2O_2. **Eau permutée** les ions Ca_2^+ et Mg_2^+ ont été remplacés par des ions Na^+ par passage sur un échangeur d'ions (zéolithe, résine échangeuse). **Eau précieuse** lotion antiseptique et calmante, créée fin XIXe s. par Dépensier, pharmacien à Rouen. **Eau régale** mélange de 2 volumes d'acide chlorhydrique et d'un volume d'acide nitrique (solutions concentrées du commerce) qui dissout les métaux nobles comme le platine ou l'or. **Eau de Seltz** solution de dioxyde de carbone CO_2 sous pression dans l'eau [imitation de l'eau naturelle des sources de Seltz (Prusse) : *1741* William Browning, *1775* Venel (Montpellier), *1778* Bergmann (Suède), *1837* Savaresse invente le vase siphon, *1840-50* expansion]. **Eau thermale** (voir p. 1572, et aussi Environnement à l'Index).

Source : Synd. professionnel des distributeurs d'eau et exploitants de réseaux d'assainissement et divers, Ville de Paris, Sagep.

Stock hydrique mondial

■ **Total** 1 342 409 250 km³ dont : **Eaux salées :** *océans* 1 304 000 000 ; *mers intérieures et lacs salés* 105 000. **E. douces utilisables** *de surface :* fleuves et rivières 1 250 (à un instant donné, mais la valeur des débits annuels moyens de tous les cours d'eau du monde doit dépasser 35 000 km³), lacs 124 000 [dont Baïkal (Sibérie) 23 000] ; *souterraines* jusqu'à 800 m de profondeur 4 000 000, de 800 à 4 000 m de profondeur 4 600 000 ; *humidité du sol* 66 000. **Non directement utilisables :** *glaciers et calottes polaires* 29 500 000 ; *humidité atmosphérique* 13 000. **Cycle de l'eau** (milliers de km³ par an) : évaporation des océans 361-425, des eaux terrestres 62-71, eaux d'écoulement des continents vers les océans 37-40, précipitations des océans 324-385, sur les terres 99-120. **Précipitations annuelles moyennes** (en mm) : océans 870 (évaporation 970 mm). Continents 670 (évaporation 420 mm, écoulement 250 mm).

■ **Volume disponible actuellement par hab.** (en m³). *France 4 600,* USA 2 200, ex-URSS 1 800.

Besoins en eau

L'homme est composé d'eau pour 66 % (melon d'eau 97 %, méduse 95 %, pomme de terre 91 %, carotte 89 %, ver de terre 80 %, truite 80 %, homard 79 %, poule 74 %, lapin 74 %, bœuf 53 %, graines de tournesol séchées 5 %.)

■ **Besoins physiologiques.** L'eau est *indispensable à tous les êtres vivants.* On peut jeûner 1 mois sans danger considérable, mais on ne peut être privé totalement d'eau plus de 48 h sans risque. L'eau nous permet d'éliminer nos déchets par l'urine, de lutter contre la chaleur par sudation et ventilation pulmonaire, transporter des vitamines hydrosolubles qui seront, grâce à l'eau, mieux absorbées par la muqueuse intestinale. Une perte d'eau de 12 % peut provoquer la mort. En cas de manque total d'eau, de graves troubles apparaissent dès le 3e j et la mort suivra au plus tard entre le 5e et le 6e j (*records d'endurance :* en 1957 le long du Rio Grande une femme a résisté 6 j, immobile, sans boire ; son mari, parti à la recherche de secours, était mort en route).

Un enfant de moins de 2 ans a besoin de 3 fois plus d'eau qu'un adulte (140 ml par kg de poids et par j). Ensuite, les besoins d'eau s'ajustent à peu près aux besoins caloriques (1 g d'eau par cal.) soit : *2 ans* 1 000 à 1 200 cal. (1 à 1,2 l d'eau), *10 a.* 1 500 à 2 000 cal. (1,5 à 2 l), *15 à 20 a.* 3 000 à 3 500 cal. (3 à 3,5 l).

Un adulte normal (70 kg, activité moy.), en climat tempéré *élimine* 2,5 à 2,7 l d'eau par j (sous forme d'urine 1,5, par la peau 0,6 à 0,7, les poumons 0,4, l'élimination fécale 0,1). *Il les récupère* par la boisson (1 à 1,5 l) et l'eau des aliments (0,8 à 1 l). *Un mineur de fond* peut perdre jusqu'à 15 l de sueur par j.

■ **Besoins ménagers et industriels** [litres d'eau (par hab., et par j)]. Pays peu développés 40, Europe 150 à 300, USA 400. Plus de 1 200 millions d'hommes sont dépourvus du min. élémentaire de 20 l d'eau potable par jour. *Pays en voie de dév.* 3 sur 5 ne disposent pas d'eau potable, 1 sur 4 est desservi par un système d'assainissement.

Pour obtenir 1 l de bière il faut 25 l d'eau, 1 kg de ciment 35 l, papier 250 à 500, acier 300 à 600, fourrage 1 100, blé 1 500, alcool (1 l) 2 700, riz 4 500, streptomycine 4 000 000.

Besoins des ménages par jour (en litres). 150 dont : boisson et cuisine 3, toilette 10, bain et douche 45, lavage du linge 20, vaisselle 10, WC 45, nettoyage ménager 8, jardinage 6, lavage auto 3.

Demande en eau en m³ par habitant et par an. Population rurale 12 à 50 ; maison individuelle 100 ; immeubles collectifs dont HLM 60, grand luxe 200, bureaux 25 ; Paris 150 ; Lyon 140 ; New York 500.

L'eau en France

■ **Ressources de l'eau. Pluie :** 750 à 800 mm de hauteur par an, soit 440 km³ (440 milliards de m³) dont 264 s'évaporent, reste 176 km³ ; [écoulement des fleuves, des rivières et des nappes souterraines vers la mer, venant du Rhin et du Rhône (en amont de nos frontières) 25 km³]. *Disponible* par personne et par an 4 000 m³ (Angl. 2 200 m³, All. 2 600, P.-Bas 6 500, Suède 22 000). Le débit de la Seine varie de 680 m³/s à 185 m³/s en année normale et peut descendre à 60 m³ en année sèche. L'Hérault de 95 m³/s à 8,7 m³/s, à 3,5 m³ en année sèche. **Nappes alluviales :** Alsace surfaces 2 800 km², réserves 50 milliards de m³ (la plus importante d'Europe), Bassins aquitain et parisien, massifs karstiques (Grands Causses, Jura, Languedoc, Provence).

■ **Prélèvement** (en milliards de m³/an). *Total* 37,2 (dont 6,6 de nappe souterraine et 30,6 d'eau de surface), prélevés par distributeurs d'eau potable 5,9, centrales électr. 21,3, agriculteurs 4,5, ind. non desservies par un distributeur 4,9, divers 4,8.

■ **Principales utilisations** (en milliards de m³/an, 1987). *Ménages* 3 d'eau potable (dont 1,6 rejeté dans les réseaux d'assainissement), *agriculteurs* 4,5, *centrales électr.* 19,5, *entreprises non raccordées* 5,2, raccordées aux réseaux des distributeurs d'eau potable 0,8. **Pertes et fuites (– de 25 %)** 1,3 sur les réseaux des distributeurs d'eau potable.

Usages domestiques. *Consommation domestique par jour et par habitant* (en litres) USA 630, G.-B. 260, Suède 210, France 200 (dont en % bains, douches 39, sanitaires 20, lavage linge 12, lavage vaisselle 10, voiture, jardins 6, préparations aliments 6, boisson 1), Allemagne 196, Inde 60. **Usages industriels.** Quantité prélevée 37 milliards de m³ dont 8 effectivement consommés. *Secteurs d'utilisation en France des prélèvements et, entre parenthèses, des consommations (en %) :* EDF 46 (19), industrie 16 (3), ménages 13 (9), canaux, mines 13 (33), agriculture 12 (37). *Utilisation dans les centrales électriques (1990).* Source d'énergie hydroélectrique : production 61 TWh (sur une production totale de 433 TWh), réalisée dans les Alpes 72 %, Centre 17 %, Pyrénées 11 %. Sources de refroidissement des centrales thermiques : en circuit ouvert, l'eau extérieure (de mer ou de rivière) est prélevée et rejetée en continu. Pour un réacteur nucléaire de 900 MW, débit d'eau de 41 m³/s, échauffement 10,8 °C. par kWh de production, volume 164 l, évaporation 1,55 l. En circuit fermé, l'eau après utilisation est refroidie dans des réfrigérants atmosphériques puis recyclée, chaleur évacuée à 20 % par échauffement de l'air et à 80 % sous forme de chaleur latente d'évaporation, débit d'appoint de 0,3 à 8 m³/s. Centrale nucléaire de 900 MW, prélèvement moyen de 3 l/kWh, évaporation 2,1 l/kWh. *Agriculture* 1,15 million d'ha irrigués en Fr. en 1988 dont 48 % pour le maïs.

■ **Distribution publique d'eau potable en France** (en litres par j et par hab., 1987). Eau prélevée 283, eau consommée 214, dont usages domestiques 149.

■ **Consommation** (moyenne en l à chaque utilisation). Chasse d'eau 11. Arrosage jardin 17 par m². Douche 60. Lave-vaisselle 80. Lave-linge 120. Lavage voiture 190. Baignoire 150.

■ **Test.** Le 26-11-1992, *l'Événement du Jeudi (l'Edj)* et *Le Journal de Mickey* offraient à leurs lecteurs un testeur d'eau : 7 937 lecteurs de *l'Edj* ont testé la teneur en nitrates ; 13 737 lecteurs du *Journal de Mickey* la dureté en calcaire. La Sofrès a analysé les résultats : 2 700 000 Français reçoivent une eau impropre, (dépassant le seuil critique de 50 mg de nitrates/litre) dans : Deux-Sèvres, Vienne, Côte-d'Or, Drôme, Nièvre, Tarn-et-Garonne, Vendée et Yonne. 5 départements (Corrèze, Finistère, Loire, Puy-de-Dôme, Hte-Vienne) ont de l'eau douce. 24 (Allier, Ardèche, Cantal, Côtes-d'Armor, Hte-Garonne, Gironde, Ille-et-Vilaine, Landes, Loir-et-Cher, Loire-Atlant., Hte-Loire, Lot, Maine-et-L., Manche, Mayenne, Meurthe-et-M., Morbihan, Nièvre, Htes-Pyrénées, Pyr.-Orient., Hte-Saône, Tarn, Vendée, Vosges) mi-douce. Les autres, calcaire (Ariège, Bouches-du-Rhône, Creuse et Lozère n'ayant pas envoyé de réponses suffisantes n'ont pas été comptés).

■ **Régime des eaux. Eaux appartenant à la collectivité :** *domaniales :* cours d'eau navigables ou flottables (fleuves et rivières) ou qui ne le sont plus, mais sont restés classés dans le domaine public fluvial ; bras de ces cours d'eau, même s'ils ne sont ni navigables ni flottables. *Est navigable* fleuve ou rivière sur lequel peuvent circuler péniches, bateaux autres que petites embarcations (canoë, pneumatique). *Est flottable* fleuve ou rivière pouvant supporter flottage de radeaux ou de trains (pièces de bois assemblées).

Écoulement naturel des eaux : eaux qui coulent naturellement. Eaux des canaux de navigation (ex. : canal du Rhône et du Rhin), des étangs ou réservoirs d'alimentation des ports publics.

Eaux courantes : *rivières :* sur des propriétés privées, le lit appartient pour moitié aux propriétaires riverains, mais l'eau ne leur appartient pas, ils n'ont qu'un droit d'usage. *Eaux soumises à un régime mixte :* le lit appartient pour moitié aux riverains, le droit d'usage appartient à l'État et non aux riverains ; eaux de pluie, de source, infiltrations, résurgences, eau de la fonte des neiges. *Sont exclues :* les eaux usées (ménagères et industrielles).

Chaque propriétaire doit recevoir les eaux venant des fonds voisins. Il ne peut s'y opposer en élevant une digue ou un mur. Le propriétaire du fonds supérieur peut modifier cet écoulement si cela n'entraîne pas de préjudice supplémentaire pour son voisin. *Litiges:* jugés par le tribunal de grande instance.

Eaux pluviales : « Chacun peut user et disposer des eaux pluviales qui tombent sur son fonds » sans causer de dommage au fonds inférieur. **Eaux tombant sur les toits :** on doit les rejeter sur son terrain ou sur la voie publique.

Eaux de source : celui qui possède une source peut en user à volonté dans les limites et pour les besoins de son héritage. *Exceptions : 1°) Si la source donne naissance à un véritable cours d'eau :* il ne peut détourner les eaux de leur cours naturel au préjudice des usagers inférieurs. *2°) Si le propr. inférieur a prescrit l'usage de l'eau* (ex. : réalisé un ouvrage sur le terrain où jaillit la source), depuis au moins 30 ans. *3°) Si l'usage de l'eau de la source est nécessaire aux habitants de la localité :* une commune peut exproprier le terrain ou la partie du terrain où jaillit la source. *Litiges :* jugés par le tribunal d'instance, sauf s'il y a expropriation (le juge de l'expropriation est compétent). *Le préfet établit par arrêté* (après avis de l'hydrogéologue agréé) : un *périmètre de protection immédiate* autour de la source (où les terrains sont expropriés) ; *rapprochée* (où peuvent être interdits forages, exploitations de carrières, épandages d'engrais chimiques, etc.) ; *éloignée* (où sont seulement réglementées les activités pouvant polluer le sous-sol). Ces servitudes donnent lieu à indemnité fixée par le juge de l'expropriation (surtout pour le 1er et le 2e périmètres).

■ **Servitudes d'eau en milieu rural. Aqueduc :** passage souterrain pour amener l'eau potable nécessaire à ses besoins, ou l'eau nécessaire à l'irrigation de ses terres ou à son exploitation (agricole, industrielle, commerciale ou simplement domestique). Les canalisations ne peuvent passer sous les maisons ni dans les jardins ou les cours attenants aux habitations. Si les voisins ou les autres propr. concernés refusent, s'adresser au trib. de grande instance qui fixe les conditions du passage. **Écoulement :** l'eau devenue « eau usée » après usage dans la maison ou dans l'exploitation (agricole, industrielle, etc.) peut être acheminée vers le collecteur ou le fossé public par une canalisation passant à travers les terrains inférieurs. **Appui :** on peut obtenir du propr. de la rive opposée d'une rivière ou d'un ruisseau le droit d'appuyer sur la rive opposée un ouvrage nécessaire à la prise d'eau (par ex. : un barrage), moyennant indemnité s'il y a lieu. Les bâtiments, cours et jardins attenant aux habitations ne supportent pas ce droit d'appui. Ce droit ne peut être demandé et obtenu que pour l'irrigation des terres et non pour un autre usage (industriel, commercial, domestique). **Drainage :** on peut envoyer les eaux en excès vers un cours d'eau ou toute autre voie d'écoulement (fossé, etc.) en passant dans les terrains intermédiaires (souterrains ou à ciel ouvert). Une servitude ne peut être invoquée au profit des habitations en ville.

Étangs et canaux : alimentés par une « eau courante », ils obéissent aux règles concernant les eaux courantes (voir ci-dessus). Le propriétaire qui possède les 2 rives peut : installer un barrage qui empêche le passage des bateaux ; déplacer le lit de la rivière (à condition de rendre la rivière à son lit naturel, là où s'arrête sa propriété). Extraire les produits naturels (sables, pierres, etc.) à condition de ne pas causer de dommage au fonds inférieur (par ex. : en entraînant un déplacement du lit de la rivière chez son voisin). Après utilisation il doit restituer une eau non polluée. Les tiers peuvent normalement naviguer sur la rivière même s'ils ne sont pas propriétaires riverains, à condition de ne pas accoster sur la rive (ils pénétreraient alors sur la propriété d'autrui). Cette possibilité est annulée si les riverains ont mis des grillages et des barrages.

Eau potable

■ **Qualités.** Réglementées par les normes européennes (reprises dans le décret français du *3-1-1989* modifié en 1990 et 1991). Cette législation fr. comporte : des *obligations de résultats :* 62 paramètres doivent être contrôlés : 4 organoleptiques (couleur, turbidité, odeur, saveur) ; 15 physico-chimiques ; 24 substances indésirables en trop forte quantité (ex. nitrates...) ; 13 substances toxiques (métaux lourds, pesticides) ; 6 paramètres microbiologiques. Pour chaque paramètre, la réglementation fixe aux distributeurs d'eau une teneur à ne pas dépasser (concentration maximale admissible) ; et des *obligations de moyens :* normes eaux brutes, périmètres de protection, traitements adaptés, traitements agréés, réactifs agréés, matériaux agréés, obligation de désinfection, de surveillance.

Les eaux potables conformes aux normes du ministère de la Santé ne sont pas identiques. Elles contiennent ainsi de nombreux sels dissous et leur composition chimique peut varier suivant leur « gîte » naturel.

■ **Dureté.** Une eau dure contient une quantité importante de sels de calcium et de magnésium. Les eaux qui ont traversé certains terrains calcaires du N. de la Fr. sont dures ; celles issues des terrains granitiques de Bretagne ou du Massif central sont douces. Les eaux dures moussent difficilement, déposent du tartre si on les chauffe mais ne sont pas nocives pour la santé. Les eaux douces moussent facilement et ne déposent pas de tartre à chaud (mais peuvent poser des problèmes de corrosion). **Titre hydrotimétrique.** Détermine la dureté de l'eau.

Quantités de sels de calcium ou de magnésium dont la dissolution dans 1 l d'eau correspond à 1 degré hydrotimétrique français (en mg/l) : *$CaCl_2$* 11,1, *$CaCO_3$* 10, *chaux vive : Ca O* 5,6, *Mg* 0,4, *chlorure de magnésium : $Mg\ Cl_2$* 9,5, *$Mg\ SO_4$* 12. *Équivalences :* degré hydrotimétrique français = 0,56° allemand = 0,°7 anglais.

Adoucisseur d'eau. L'eau dure traverse une résine spéciale. Les grains de résine échangent et le calcium et le magnésium de l'eau par le sodium. Lorsque chacun des grains est saturé, l'eau ne peut plus être adoucie. Il faut alors faire passer une eau très chargée en sodium (sel marin raffiné) qui régénère les grains. Une eau titrant moins de 30 degrés se passe d'adoucisseur.

Si l'adoucissement de l'eau est souhaitable pour certains appareils ménagers, une eau complètement adoucie n'est pas conseillée pour la boisson ou l'alimentation.

■ **Traitements classiques d'une eau de rivière.** Exemple : usine de Morsang-sur-Seine. *Prélèvement d'eau brute de Seine :* élimination des particules de + de 1 mm par prise d'eau sous la surface, dégrillage puis tamisage. *Prétraitement :* pour éviter la préchloration afin de ne pas former des composés du chlore avec l'ammoniac (chloramine donnant un goût désagréable) et avec des produits organiques (chlorophénols, chlorobenzènes, trichlorométhanes...), certains de ces composés étant toxiques ou suspects d'être cancérigènes. On effectue la chloration après élimination de l'ammoniac et des matières organiques. *Coagulation-floculation-décantation :* problème : les particules de - de quelques µm sont chargées négativement et en suspension stable. Neutralisation des charges négatives par Al^{3+} [solution de $Al_2(SO_4)_3$] qui précipite en $Al(OH)_3$ à la surface des particules (coagulation) : 3 à 17 g Al_2O_3/m^3. Grossissement des particules par agglomération : floculation par un polymère (polyacrylamide anionique). Décantation : l'eau traverse par percolation une masse de boue constituée par les particules déjà séparées. *Traitements complémentaires :* filtration sur sable : élimination des derniers flocs : 1 m d'épaisseur de sable, vitesse de filtration : 13 m/h. *Ozonation* O_3 résiduel : 0,4 mg/l, contact avec l'eau : 10 minutes. En général l'ozone est obtenu par décharge électrique à la fréquence de 800 Hz dans l'oxygène ou l'air (ou un mélange des deux) entre des tubes concentriques séparés de 1 à 2 mm qui constituent les électrodes. Le tube extérieur est en acier inoxydable, le t. intérieur en verre (qui sert de diélectrique) métallisé. Un ozoneur contient quelques centaines de tubes. Le refroidissement est assuré par un courant d'eau. *Capacités de production :* + de 150 kg de O_3/h, concentration en O_3 10 % dans l'oxygène. Consommation d'énergie pour 1 t d'ozone de 2 kWh dans l'air à 8 kWh dans l'oxygène. *Filtration sur charbon actif :*adsorbe les matières organiques solubles et permet l'élimination des goûts, pesticides, hydrocarbures, détergents ; épaisseur : 1,30 m, vitesse : selon la filière, 7 à 10 volumes d'eau traversent 1 volume de charbon en 1 h. *Désinfection finale* par Cl_2 : teneur du Cl_2 résiduel de 0,10 mg/l. *Correction de pH :* solution de NaOH ou de H_2SO_4 pour éviter les problèmes liés au CO_2 dissous dans l'eau afin d'obtenir une eau ni agressive, ni incrustante. *Contrôle de la qualité de l'eau traitée :* à Nandy, à 5 km en amont de la prise d'eau : suivi en continu de 18 paramètres : pH, résistivité, température, turbidité, oxygène dissous, NH_3, radioactivité β, COT, hydrocarbures, absorption UV à 254 nm, 6 métaux lourds, toxicité globale par test poisson (ichtyotest). Contrôle en continu du process : turbidité, pH, dose réactifs, ozone et chlore résiduels. Analyse quotidienne à chaque étape du traitement et au refoulement. **Traitement des eaux à l'aide de membranes :** ultrafiltration (pores de 3 à 10 nm) ou nanofiltration (pores d'environ 1 nm). Jusqu'à présent réservée au traitement d'eaux souterraines, commence à être utilisée pour celui d'eaux de surfaces. **Verdunisation :** purification par incorporation de faibles doses de chlore au cours d'un brassage énergique (utilisée vers la mi-septembre 1916, à Verdun).

Distribution de l'eau

■ **Types.** *Régie :* l'eau est gérée par la collectivité [communes ou syndicat de communes (25 % de la population)]. *Concession :* la commune confie la gestion de l'eau à une personne privée qui réalise et entretient le réseau et en assure l'exploitation. *Affermage :* la commune assure le financement du réseau mais en confie exploitation et entretien à une personne privée ; la collectivité perçoit alors une surtaxe communale qui assure l'amortissement des installations. Quel que soit le type d'installation, les tarifs sont fixés par délibération du Conseil municipal.

☞ Station de traitement d'eau potable, la plus importante : Choisy-le-Roi 800 000 m³/j [à Los Angeles (USA) 2 500 000 m³/j].

■ **Distribution de l'eau potable.** *Quantité. En France :* 5 milliards de m³/an (réseau 550 000 km) dont en % eau de source 43, de forage 43, de surface 14. *Points de prise d'eau* 31 166 (dont eau souterraine 30 106). *Effectif employé :* 40 000. *A Paris :* 1 million de m³/jour soit 250 l/hab./jour, pour une capacité installée de 1,4 million de m³ (réseau de 1 800 km). 60 % provient d'eau de sources et de forages, d'origines diverses, amenée à l'aide de 4 aqueducs (longueur totale 600 km). *Source la plus éloignée :* 156 km *Armentière* (Yonne). 40 % d'eau de surface de la Seine et de la Marne traitée à Ivry (100 000 m³/jour), Orly (300 000 m³/j) et St-Maur (210 000 m³/j). En Ile-de-France : 4,5 millions de m³ dont eau de surface 75 % (réseau 18 594 km, volume de réservoirs 2 266 000 m³).

Répartition du marché (en %) **dans l'alimentation en eau potable (1990) et,** entre parenthèses, **assainissement (1987) en France.** Régies communales 26 (53), CGE 35 (22), Lyonnaise des Eaux-Dumez 23 (16), Saur (Bouygues) 9,6 (4), Cise (St Gobain) 6,5 (2).

Chiffres d'affaires (en milliards de F). **Cie générale des eaux :** *1987 :* 52 ; *90 :* 116,8 ; *91 :* 135 ; *92 :* 143 dont : distribution d'eau 36, énergie 32,1, propreté 8,9, bâtiment et travaux publics 42,6, immobilier 13,5, communication, santé et services collectifs 9,7. *Bénéfices : 1987 :* 1 ; *90 :* 2,2 ; *91 :* 2,6 ; *92 :* 2,9. *Effectifs 1991 :* 198 550 (dans 2 000 entreprises). **Lyonnaise des eaux-Dumez :** *1992 :* 90,4 dont : aménagement et construction 38,1, eau, services et holding 28,7, distribution d'eau 10,9, affaires industrielles et financières 9,8.

■ **Prix. Structure moyenne** (en %) : part eau potable 55 % ; part d'assainissement 31 ; pollution perçue par les agences financières de bassin 6 ; de prélèvement AFB 1 ; du fond national d'aide pour le développement des adductions d'eau 1 ; *TVA 5.* Si la gestion est affermée, prix de base et redevance assainissement font apparaître une surtaxe communale, syndicale ou districale. **Prix du m³** d'eau potable TTC : *moyen* 9 F [extrême : de 0,39 F Sté Tulle (A.-de-H.-P.), à 13,17 F Quiberon (Morbihan)]. *Paris* (1-1-1992) : 8,522 dont redevances eaux usées 3,822, part Sagep 2,284, part distributeurs 1,710, TVA 0,371, redevance Agence de l'Eau 0,23, fonds de développement des adductions d'eau rurales 0,105. **Coût moyen total de l'eau par m³ en 1992 et,** entre parenthèses, **1991, en F :** Allemagne 7,52 (7,2), Australie 6,91 (6,89), *France 5,79 (5,48),* G.-B. 5,18 (4,62), P.-Bas 5,6 (4,56), Finlande 4,7 (4,45), Belgique 6,42 (4,35), Suède 4,43 (4,3), Irlande 2,97 (2,89), USA 2,39 (2,22), Canada 1,86 (1,72), Norvège 2,09 (1,71).

☞ *Par an :* un robinet qui fuit goutte à goutte perd 50 m³ d'eau ; une chasse d'eau de w-c 100 m³.

■ **Agence de l'eau.** Établissements publics créés par la loi sur l'eau de déc. 1964 partageant la France en

6 bassins hydrologiques : Artois-Picardie, Seine-Normandie, Rhin-Meuse, Loire-Bret., Adour-Garonne et Rhône-Méditer.-Corse. Ils ne se substituent pas aux maîtres d'œuvre (État, collectivités locales, Stés privées), mais accordent subventions et prêts pour les ouvrages améliorant quantité et qualité de l'eau. Perçoivent des redevances calculées en fonction de la pollution émise (50 à 80 F par kg de matière polluante) et des quantités d'eau utilisées.

Financement. Moyens publics ou privés, souvent les collectivités avec l'aide des agences financières de bassin, des départements du ministère de l'Agriculture, des conseils généraux.

Investissements (1992-96 et, entre parenthèses, 1987-91, en milliards de F). 81 (44) dont : pollution domestique (épuration des eaux) 43 (23), alimentation en eau potable 15 (9,6), pollution industrielle 11 (6,4), pratiques agricoles 3,6 (0), milieu naturel 2,4 (1), amélioration de la ressource 6 (4).

Épuration des eaux usées

La pollution des eaux usées est définie par un indicateur synthétique de matières organiques : l'équivalent-habitant (Eh) correspondant à 57 g de matière organique.

■ **Production d'eaux usées en France** 150 millions d'Eh dont 55 venant des hab. réels, 95 correspondant à l'activité économique (par ex. 1 t de papier correspond à 100 à 300 Eh, 1 000 l de bière à 700 à 2 300 Eh).

■ **Méthodes.** *Prétraitement* de dégrossissage, dégrillage, pour éliminer les matières les plus volumineuses ; *traitement primaire* de décantation éliminant 50 % des matières en suspension et 30 % des mat. organiques ; *tr. secondaire* biologique dégradant ces mat. organiques par des bactéries travaillant en milieu aérobie (boues activées, lits bactériens, disques biologiques, biofiltres immergés, lagunage) ; *tr. tertiaire*, après passage dans un décanteur secondaire, parfois nécessaire pour éliminer certains produits particuliers ou pour que le rejet soit conforme aux normes du milieu récepteur [tr. physico-chimiques ou biologiques (filtration, nitrification-dénitrification, déphosphatation)]. *Lagunage :* épuration de leur passage dans différents bassins grâce à l'action naturelle des bactéries (dégradation et transformation des matières organiques). Peu coûteux (énergie solaire, pas d'emploi de produits chimiques), efficace mais nécessite de grandes surfaces (1 ha minimum pour 1 100 à 1 700 habitants).

■ **Stations d'épuration. Nombre :** *1970 :* 1 400 ; *80 :* 7 240 ; *90 :* 11 500. **Capacité totale de traitement** (1990) : 62 millions d'équivalents-habitants. Achères (2e du monde après Chicago) au N.-O. de Paris peut traiter 2 110 000 m³/j d'effluents (50 % des besoins de l'agglomération parisienne). Nice (690 000 Eh), Valenton (1 600 000 Eh), Marseille (1 630 000 Eh) et Grenoble (500 000 Eh), etc. Une station d'assainissement produit, en moyenne, par j et par habitant, 2,8 l de boue à 20 g/l de matière sèche soit, par an, en France 3 millions de t de boue qui donnent 600 000 t de matière sèche dont 40-50 % vont en décharge, 40-50 % sont répandus en agriculture et 15 % incinérés. 60 % des hab. sont reliés à un réseau d'assainissement (Allemands de l'Ouest 87 %).

Dessalement de l'eau

■ **Principaux types de procédés.** *Distillation :* procédé le plus ancien. Échauffement jusqu'à ébullition de l'eau et condensation de la vapeur (eau presque pure). *Osmose inverse :* l'eau salée est pressurisée le long des membranes qui laissent passer l'eau mais arrêtent les sels. En cas de faible salinité, on utilise aussi électrodialyse et échangeurs d'ions.

■ **Production d'eau dessalée.** Principalement dans la péninsule Arabique, 70 % des besoins en eau des pays du Golfe viennent d'une quarantaine d'usines de dessalement d'eau de mer fournissant 4 milliards de m³/j dont près de 50 % en Arabie Saoudite. L'eau de mer (35 à 50 g de sel/l) est plutôt distillée, les eaux saumâtres (1 à 10 g/l) sont traitées par osmose inverse. Capacités installées par distillation 70 %, osmose inverse 25, électrodialyse 5.

Thermalisme et eaux minérales

Généralités

■ **Origine.** Les eaux minérales sont de l'eau de pluie infiltrée qui en traversant les roches se charge en calcium, magnésium, sodium, potassium, etc. et parfois en gaz liés au volcanisme comme l'hélium, l'argon, le gaz carbonique et qui rejaillit 30 à 50 000 ans plus tard. En arrivant à la surface, la pression et la température baissent, une oxygénation partielle et une dilution (par les eaux des nappes superficielles) se produisent. Des forages profonds permettent de l'éviter. *Ex. :* Badoit captée à 154 m (granit).

Gaz contenu. Vichy : 3 l de gaz carbonique pour 1 l d'eau à la pression atmosph.

■ **Classement des eaux.** Les eaux thermales peuvent se définir par leur origine géologique, leurs propriétés physiques et leur efficacité curative. Elles peuvent, selon leur nature, être utilisées soit sur le lieu de la source pour des cures thermales qui comportent des soins externes ou internes, soit, après embouteillage, comme eaux destinées à la consommation.

1°) **Eaux hyperthermales** (au sens propre du mot, c'est-à-dire chaudes), oligo- et polymétalliques, radioactives et radifères. *Ex. :* Chaudes-Aigues (Cantal) 81 °C (record d'Europe) ; Plombières (Vosges) 72 °C ; Bourbonne-les-Bains (Hte-M.) 66 °C ; Bains-les-Bains (Vosges) 51 °C ; Aix-les-Bains (Savoie) 47°. 2°) **Eaux froides oligométalliques** *Ex. :* Divonne-les-Bains (Ain) 7 °C, Évian (Hte-S.), Thonon (Hte-Savoie), etc. 3°) **Eaux sulfatées calciques ou magnésiennes** *Ex. :* Vittel (Vosges), Contrexéville (Vosges), Dax (Landes), etc. 4°) **Eaux sulfatées sodiques** *Ex. :* Miers-Alvignac (Lot). 5°) **Eaux sulfureuses** *Ex. :* Amélie, Molitg, Luchon (Hte-G.). 6°) **Eaux carboniques** *Ex. :* Vichy (Allier), Vals-les-Bains (Ardèche), Châtelguyon (P.-de-D.). 7°) **Eaux chlorurées sodiques** *Ex. :* Salies-de-Béarn (P.-A.). 8°) **Eaux arsenicales, ferrugineuses, cuivreuses** *Ex. :* La Bourboule (P.-de-D.), Saint-Christau (P.-A.). En fait, ces différents éléments physico-chimiques se combinent, d'où une gamme variée d'indications thérapeutiques.

■ **Quelques définitions. Crénothérapie :** du grec « krênê », source, utilisation thérapeutique des propriétés et des éléments divers des eaux minérales. **Fangothérapie :** de « fangus », boue. Traitement par les boues. **Griffon :** lieu exact où l'eau d'une source vient affleurer le sol. **Minéralisation :** contenu en substances dissoutes d'une eau. En France, « eau minérale » n'est pas synonyme d'« eau minéralisée » (ayant une forte concentration en sels minéraux : calcium, magnésium). Les Allemands ne considèrent une eau comme « minérale » que si elle contient + de 1 000 mg par litre de sels minéraux dissous. Certaines contiennent de l'arsenic. D'autres sont trop riches en sodium (à déconseiller aux hypertendus, cardiaques et à ceux qui souffrent d'affections rénales) ou en fluor (efficace contre la carie dentaire) à des doses variant entre 0,6 et 1,5 mg par j, mais néfaste à + de 2 mg (risque de fluorose : taches ou noircissement de l'émail) et au-dessus de 6 mg (menace tissus osseux) ; une quinzaine d'eaux minérales dépassent 1,5 mg par litre. **Parafangothérapie :** traitement utilisant une boue sèche dans la paraffine fondue. **Pélothérapie :** traitement par les boues. **Radioactivité** (en Bq) : Vichy-Célestins (Allier) 3,44, Vichy-Hôpital (Allier) 4,07, Vichy-Grande Grille (Allier) 4,44. Les eaux minérales peuvent arracher des éléments radioactifs aux roches traversées : essentiellement du potassium 40, principal responsable de la radioactivité bêta, du radium 226 et de l'uranium naturel, émetteurs alpha et gamma. La réglementation française n'en donne plus la concentration maximale admissible dans l'eau de boisson (en 1988, elle était de 0,37 Bq par litre). **Thermalite :** propriété d'une eau naturelle qui émerge entre 35° et 50° (en deçà, elle est dite hypothermale, au-delà, elle est dite hyperthermale).

■ **Eaux de source.** Eau d'origine souterraine, microbiologiquement saine et protégée contre les risques de pollution, embouteillées sur place, sans aucun traitement.

Env. 1,2 milliard de litres consommés en 1992 en France, produits par env. 100 sources, exploitées par 47 Stés produisant de 5 à 100 millions de bouteilles (Roxane, CGES). La plupart des producteurs sont indépendants, sauf Pierval, (Pont-St-Pierre, Eure) appartenant à Vittel ou source St-Lambert (Yvelines, à Perrier). S'exportent rarement. Frais de transport : de 7 à 15 c par bouteille. Rentabilisent leur production avec sodas, jus de fruits (20 à 30 % du tonnage, 50 % du chiffre d'affaires).

Certaines sources sont proches de zones urbanisées ou d'agriculture intensive et quelques-unes ont dû fermer pour cause de pollution (nitrates, hydrocarbures), ex. : Langoat (Côtes-d'Armor), Montégut (près de Toulouse ; fin 1986), Katell Roc (Morbihan). Il est normal de trouver en petit nombre certains types de germes banals dans les nappes souterraines (pseudomonas, flavobactérium, acinétobacter...).

■ **Eaux de source gazéifiées.** (Vitelloise, Volviliante, Roxanaise, les Genêts...). On mélange, avec un carbonateur, un gaz carbonique artificiel avec de l'eau.

■ **Eaux rendues potables par traitement.** Traitement par UV avant le décret du 10-6-1989, dites eaux de table. Env. 30 communes du Morbihan ont obtenu une dérogation pour distribuer une eau dont la contenance en nitrates dépassait le seuil autorisé, sinon toute la région était privée d'eau. À Châteauroux (Indre), fin févr. 1990, 60 000 personnes ont été invitées à ne plus consommer l'eau du robinet (les égouts s'étaient écoulés dans la nappe souterraine).

■ **Thermalisme en Europe. Allemagne :** 300 sites. 5 200 Ml dont *Apollinaris,* Rhénanie-Polskina. Découverte 1852, Gerolsteiner Sprudel. **Belgique :** 700 Ml, *Spa,* 300 sources dont Spa Reine, la + ancienne, la moins minéralisée d'Europe ; *Spa Marie-Henriette,* gazeuze ; *Spa Barisart,* gazéifiée par adjonction de gaz carbonifié ; Chevron (Bru). **Espagne :** 1 890 Ml, 70 % plates. **Italie.** 400 stations thermales, 280 sans embouteillage ; 5 450 Ml ; *San Pellegrino* (3 sources) gazeuze additionnée de gaz carbonique naturel. **Portugal.** 278 Ml ; 75 % plates.

Nota. – Ml : millions de l.

Thermalisme en France

Quelques chiffres

■ **Sources minérales.** 1 200 reconnues et autorisées (quand l'Académie nat. de médecine leur a reconnu des propriétés thérapeutiques). La plupart sont déclarées d'intérêt public. Aucune source d'eau minérale ne peut être exploitée sans une autorisation préalable du min. de la Santé. 15 laboratoires régionaux en dépendant effectuent des prélèvements et la DDASS contrôle l'hygiène de l'usine. **Stations classées :** 100 (dans 40 départements). **Établissements thermaux :** 104 dont une trentaine fonctionnent toute l'année. **Médecins thermaux :** 600.

■ **Statut. Propriétés de l'État :** gestion directe, Aix-les-Bains ; *exploitation concédée,* Bourbonne, Plombières, Vichy, Bourbon-l'Archambault. **Du département :** *expl. concédée,* Le Mont-Dore, St-Amand... **De la commune :** *régie directe,* Balaruc, Digne, Luchon, Royat ; *expl. concédée,* Aix-en-Provence, Capvern, Enghien-les-Bains, St-Gervais. **D'hospices :** *expl. concédée,* Bourbon-Lancy, Vals... **Privées :** Allevard, Amélie, Bagnoles-de-l'Orne, Barbotan, Cambo, Châtelguyon, Eugénie, Évian, Gréoux, Jenzac, La Roche-Posay, Molity, St-Christan, St-Laurent.

■ **Curistes** (1990). 640 182 (pour 100 stations répertoriées). Dax 54 970. Aix-les-B. 45 527. Amélie-les-B. 30 575. Luchon 29 418. Balaruc 30 144. Gréoux 26 013. Royat 21 811. Barbotan 22 852. La Bourboule 21 814. Châtelguyon 16 663. Vichy 13 303. Bagnoles-de-l'Orne 16 808. Bourbonne 14 380. Le Mont-Dore 14 212. Cauterets 12 194. Brides-les-B. 12 261. Aix-Marlioz 7 024. Ax-les-Thermes 10 166. Allevard 9 183. Digne 11 500.

■ **Chiffres d'affaires des stations** (1988). 12,75 milliards de F.

Principales stations thermales

Légende. Altitudes en mètres, affections soignées : (1) Artères, cœur, veines. (2) Dermatoses. (3) Diabète, goutte, obésité. (4) Estomac. (5) Foie. (6) Gynécologie. (7) Intestins. (8) Lymphatisme, anémie. (9) Os et articulations. (10) Reins et voies urinaires. (11) Rhumatismes. (12) Système nerveux. (13) Voies respiratoires. (14) Phlébologie. (15) Affect. psychosomatiques. P Station permanente. Nombre de curistes en 1991.

Ain *Divonne-les-B.* 519 mètres (12-15) P 3 702 curistes. **Allier** *Bourbon-l'Archambault* 260 (6-11) P 5 338. *Néris-les-Bains* 5 826 (6-11-12-15) 7 385. *Vichy* 260 (3-4-5-7) P 12 784. **Alpes-de-Hte-Pr.** *Digne* 698 (11-13) 10 299. *Gréoux-les-Bains* 360 (9-11-13) P 27 168. **Alpes-Maritimes** *Berthemont* 1 000 (2-11-13) 1 170. **Ardèche** *Neyrac* 450 (2-11) 900. *St-Laurent-les-B.* 840 (11) 878. *Vals-les-bains* 2 754 (3-4-5) 3 206. **Ariège** *Aulus* (10) 273. *Ax-les-Thermes* 720 (11-13) P 10 140. *Ussat* (6-12-15) 2 689. **Aude** *Alet* 206 (5-7) 150. *Rennes-les-Bains* 320 (11) 1 605. **Aveyron** *Cran-*

■ **Perrier. Origine.** La source appartenait à Louis Perrier, médecin qui fut maire de Nîmes. En 1894, le docteur Perrier achète la source des Bouillens, étudie les propriétés de l'eau, perfectionne la mise en bouteilles. En 1903, il persuade son commanditaire, Saint-John Harmsworth, un Anglais qui testait les eaux, d'acheter la source. Celui-ci, frère de lord Northcliff, propriétaire du *Daily Mail,* vendit ses parts dans l'édition pour acquérir la source. La compagnie de la source Perrier fut fondée en 1906. Paralysé des jambes en 1907 dans un accident de voiture, Saint-John Harmsworth eut l'idée de donner à la bouteille la forme des massues indiennes avec lesquelles il développait ses muscles des bras.

Autrefois, la source Perrier jaillissait naturellement à travers une couche d'argile de 5 m dans la mare des Bouillens à Vergèze (Gard) en dégageant du gaz carbonique. Aujourd'hui, elle est pompée à 22 m de profondeur dans une zone où 3 eaux se rencontrent : **1°)** eau peu profonde venant de la traversée par les pluies des alluvions de la plaine de la Vistrenque, **2°)** eau venant du sous-sol calcaire des garrigues de Nîmes, **3°)** eau plus profonde, chaude et riche en gaz carbonique, d'origine volcanique (3,5 l par l d'eau) ; à la pression atmosphérique de 0,8 l par l d'eau. Jusqu'en 1956, le gaz était recueilli sous des cloches de captage placées au-dessus de la mare et réintroduit dans l'eau. Aujourd'hui, le gaz vient de forages entre 60 et 400 m et est réintroduit à raison de 3,5 l par litre d'eau. Il y a + de 50 millions de bulles par litre. **Chiffre d'affaires** (milliards de F). *1989:* 16,72, *90 :* 13,63 (dont eau minérale et de table 8,66, produits laitiers 3,32, divers 1,65), *91 :* 13,10. En 1989, Perrier a cédé Lactel et une participation minoritaire dans Lindt, en 1990 Acova (chauffage), boissons rafraîchissantes sans alcool [Oasis, Attol, Gini, Bali, et Sté Abel Bresson (sirop)], et un certain nombre d'actifs fonciers. Le 9-2-1993, Nestlé a annoncé la cession au groupe Castel pour 750 millions de F de la Sté commerciale des eaux du bassin de Vichy (St-Yorre, Vichy Célestins...) et des eaux minérales de Thonon-les-Bains, qui appartenaient à Perrier. L'ensemble des sources St-Yorre, Vichy Célestins, Thonon, Châteauneuf, Regina, Charrier, Rozana, Ganties et Sargentale avait réalisé en 1991 un chiffre d'aff. de + de 620 millions de F.

☞ **Contrexéville :** *CA (1991) :* 2 milliards de F, 819 millions de litres vendus, 16 % du marché français des eaux plates, 1 400 salariés. **Vittel :** *CA (1991) :* 1,9 milliard de F, 853 millions de litres vendus, 13 % du marché français des eaux plates, 1 300 salariés. **Vichy :** *CA (1991) :* 212 millions de F dont (en %) eau minérale 67, thermalisme 14, redevances, pastilles et cosmétiques 11, activités hôtellières 8.

■ **Incidents :** le *14-2-1990,* **Perrier** a décidé de retirer du marché 160 millions de bouteilles commercialisées dans 750 000 points de vente dans le monde [certaines pour avoir contenu de 8 à 17 microgrammes de benzène (norme US : 5) ; proportions non nocives pour la santé]. *Coût total :* 1 milliard de F (+ Coût de la campagne de relance : 0,222 dont 0,142 aux USA).

Le 20-2-1990, **Hépar** a retiré du marché toutes ses bouteilles (1 à 2 millions).

sac 300 (11) 2 401. **B.-Rhin** *Morsbronn et Nierderbronn-les-B.* 192 (6-11-12) 5 562 et 4 375. *Pechelbronn* 150 (6-11) (1990) 639. **Bouches-du-Rhône** *Aix-en-Pr.* 177 (1-6-11) P (1990) 3 844. *Les Camoins* (11-13) 4 084. **Cantal** *Chaudes-Aigues* 750 (9-11) 2 394 **Char.-Mar.** *Jonzac* (11) 2 720. *Rochefort* (2-11-14) P 8 169. **Corse** *Guagno-les-Bains, Pietrapola* 338, *Zigliera* 121 curistes. **Côte-d'Or** *Maizières* 350 (2-11-15) 161 (1989, fermés 1990-91). **Creuse** *Evaux-les-Bains* 469 (6-11-14) 2 309. **Drôme** *Montbrun* (13) 451. *Propiac* (5-6-8) 108 (en 1989). **Gard** *Les Fumades* (2-6-13) 2 788. **Gers** *Aurensan* 250 (10-11) 180. *Barbotan* 130 (11-14) P 21 377 (fermée du 27-6 au 15-7-1991 ; 20 † asphyxiés le 27-6, émanation d'oxyde de carbone (goudron déversé au cours de travaux ?). *Castera-Verduzan* (4-5) 443.

Haute-Garonne *Barbazan* 450 (3-4-10) 391. *Luchon* 630 (11-13) 28 585. *Salies-du-Salat* 300 (6-8-9) 1 828. **Haute-Marne** *Bourbonne-les-B.* 270 (9-11) 14 443. **Hautes-Pyrénées** *Argelès-Gazost* 462 (6-1-14) 1 359. *Bagnères-de-Bigorre* 550 (11-12-13-15) 6 557. *Barèges* 1 240 (9-11) 2 530. *Beaucens* 480 (11) 804. *Capvern* 475 (5-10) 5 968. *Cauterets* 932 (2-11-13) P 11 450. *St-Lary* (11-13) 1 960. *Luz St-Sauveur* 711 (1-6-14) 1 550. **Haute-Saône** *Luxeuil-les-Bains* 294 (1-6-14) 2 540. **Haute-Savoie** *Évian* 500 (3-10) 2 200. *St-Gervais-les-Bains* 808 (2-13) 3 802. *Thonon-les-Bains* 425 (10) P 707. **Hérault** *Avène* (2) 556. *Balaruc* (6-11) 31 444. *Lamalou* 200 (11-12) P 4 683. **Isère** *Allevard-les-Bains* 475 (13) 9 231. *Uriage* 416 (2-11) 7 000. **Jura** *Lons-le-Saunier* 255 (6-8) 2 436. *Salins-les-B.* 349 (6-8) P 880 (en 1989).

Landes *Dax* 12 (11) P 56 203. *Eugénie-les-Bains* 86 (3-7-10-11) 4 531. *Préchacq* (11) 1 859. *Saubusse* 10 (11) 1 367. *Tercis-les-Bains* 42 (2-11-13) P 2 278. *Saint-Paul-les-Dax* (11-14) P 9 557. **Loire** *Montrond-les-Bains* 370 (3-4) 1 323. *Sail-les-Bains* 310 (2) 195 (pas de fonctionnement en 1990-91). **Lot** *Miers-Alvignac* 360 (5). **Lozère** *Bagnols-les-Bains* 913 (1-11) 1 769. **Moselle** *Amneville* (11-13) P 12 740. **Nièvre** *Pougues-les-Eaux* 192 (3-5). *Saint-Honoré-les-Bains* 320 (8-13) 5 009. **Nord** *Saint-Amand* 37 (11-13) 2 024 (1989). **Orne** *Bagnoles-de-l'Orne* 225 (1-6-9-14) 16 894. **Puy-de-Dôme** *La Bourboule* 850 (2-8-13) 20 681. *Châteauneuf* 380 (11) 659. *Châtelguyon* 400 (5-7) 15 374. *Le Mont-Dore* 1 050 (13) 13 646. *Royat* 450 (1) 20 651. *Saint-Nectaire* 700 (8-10) 1 017. **Pyrénées-Atlantiques** *Cambo-les-Bains* 65 (11-13) 5 854. *Eaux-Bonnes* 750 (8-13) 1 162. *Eaux-Chaudes* 656 (8-11-13) 1 820. *Saint-Christau* 320 (2) 703. *Salies-de-Béarn* 54 (6-8-9) P 2 387. **Pyrénées-Orientales** *Amélie-les-Bains* 240 (11-13) P 33 122. *Boulou (Le)* 89 (4-5) 1 701. *Molitg-les-Bains* 450 (2-3-11-13) 1 429. *La Preste* 1 130 (10-7) 3 427. *Vernet-les-Bains* 650 (11-13) 4 249. **Rhône** *Charbonnières* (6-11) P 1 010. **Saône-et-Loire** *Bourbon-Lancy* 240 (1-6-11) 3 215. **Savoie** *Aix-les-Bains* 258 (9-11-13-14) P 45 321. *Aix-Marlioz* (13) S 7 166. *Brides-les-Bains* 570 (3-5) 12 617. *Challes-les-Eaux* 327 (6-13) 4 857 (en 1989). *La Léchère-les-Bains* 436 (1-6-14) 8 250. *Salins-Moutiers* 493 (6-8). **Seine-Maritime** *Forges-les-Eaux* 165 (8) 2. **Val-d'Oise** *Enghien-les-Bains* (11-13) P 3 560. **Vienne** *La Roche-Posay* 75 (2) P 9 283. **Vosges** *Bains-les-Bains* 325 (1) 2 341. *Contrexéville* 350 (3-5-10) 1 694. *Plombières* 450 (6-7-11) 6 252. *Vittel* 340 (3-5-10) P 4 492.

EAUX MINÉRALES NATURELLES EMBOUTEILLÉES

■ **Principaux groupes.** *Perrier :* possède marques Contrex, St-Yorre, Vichy, Plancoët et quelques sources régionales comme Chateldon (rachetée à la famille de Pierre Laval). *BSN :* Évian, Badoit, Volvic. *Nestlé :* Vittel (Hépar et Grande Source, Essar, Bonne Source depuis 1992), Pierval, Vittelloise, Abatilles.

■ **Consommation annuelle par hab.** (en litres, 1991, en comptant les eaux de sources). Italie 103, *France 99,* Belgique 87, Allemagne 87, Espagne 54, Portugal 37.

■ **Production** (en millions de litres, 1991). Italie 6 000. Allemagne 5 680. *France 5 192* (dont export 963). Espagne 1 636. Belgique 665. Autriche 530. Suisse 440. G.-B. 296. Portugal 281. *Total CEE :* 19 750. *Total général :* 20 720.

Nota. – France *1938* 30 ; *40* 300 ; *53* 700 ; *67* 2 000.

■ **Ventes en France** (en millions de litres, 1991). 4 229 (dont 82 % plates, 18 % gazeuses) dont en 1990 Évian 1 300, Vittel 853, Contrex 819, Volvic 746, Perrier 328, Badoit 274, St-Yorre 177, Hépar 106, Vichy 61, Vals 24. Après OPA de Nestlé sur Perrier, Nestlé 37, BSN 32, Castel 20, *autres* 10.

Marché français des eaux minérales. Eaux gazeuses (1991, en %) : *Nestlé :* Perrier 24, St-Yorre 20, Vichy Célestins 7, Vittelloise 5, *BSN :* Badoit 29, *autres* 15 dont régionales (Vals et Vernière). **Eaux plates :** *Nestlé :* Contrexéville 16, Vittel 13, Hépar 2, *BSN :* Évian 19, Volvic 10,5, autres 39,5. **Prix de revient d'une bouteille d'eau minérale en plastique Vittel (1,5 l) en % :** coût de production 44, frais généraux 16, publicité, promotion 12, remises au commerce 10, bénéfice net 7, impôts, charges except. 6, frais financiers, taxes 5.

■ **Quelques précisions** (Ml = millions de l). **Badoit** (St-Galmier, Loire, 1837, embouteillage industriel par un fermier, Saturnin Badoit) 260 Ml. **Charrier** (Allier), la moins minéralisée 0,8 Ml. **Châtelaine** (P.-de-D.), source Sergentale, radioactive 2,77 becquerels. **Contrex** (Vosges) (1954 Perrier) 850 Ml. **Évian** (Hte-S., 1830 1er embouteillage en cruche de terre sous cachat) rachetée par BSN en 1971, la + consommée au monde, 1,3 million de bouteilles. **Hépar** (Vosges, Vittel). **Rozana** (P.-de-D., 1933), la + riche en magnésium. **St-Yorre** (1850, bassin de Vichy, Allier). **Vichy Célestins** (Allier) 60 Ml (Grande Grille, Hôpital). Le groupe compte 14 émergences, dont 9 situées sur la commune, 6 utilisées en cure de boisson. *Température d'émergence :* Hôpital 33,9 °C, Célestins 17,3, Chomel 40,4, Grande Grille 40,5, Lucas 25, Parc 19,3. Vichy et ses eaux appartiennent à l'État, mais les eaux minérales embouteillées et les établissements thermaux sont gérés par la Cie fermière de Vichy qui fait partie du groupe Perrier.

Sources : Chambre syndicale des eaux minérales et Synd. nat. des établ. thermaux de France.

EMBALLAGES

■ **Monde. Marché de l'emballage de grande consommation** (1989) : 110 milliards de $ dont alimentaire 51, boisson 26, entretien et divers 20, cosmétologie et soins corporels 13.

Consommation annuelle d'emballages (1988, en kg/habitant) : Danemark 159, Belgique-Lux. 149, France 135, ex-All.féd. 123, P.-Bas 115, Italie 111, Irlande 106, G.-B. 99, Espagne 88, Portugal 63, Grèce 44.

■ **France. Production** (en milliers de tonnes, et entre parenthèses, chiffre d'affaires en milliards de F, en 1991) : carton ondulé 2 260 (13). Papiers pour ondulé 2 300 (5,9). Carton 662 (3). Cartonnages 1 214,3 (14,8). Papier d'emballage 433,2 (2,8). Boîtes, emballages, bouchages métalliques (92) 641 (7,3), emballages bois, caisses et palettes, tonnellerie (1,4), films, sacs plastiques 470 (6,5), emballages plastique rigide 290 (8,6), verre d'emballage 3 289,6 (13,6), emballages souples 220 (6). **Verre creux mécanique** (1991) : 3 757,9 dont bouteilles et bonbonnes 2 759, flacons et pots industriels 512,7, gobeleterie 468,2, bocaux 17,9. *Verre ménager recyclé* (1991) 987. **Aérosols :** *production* (en millions d'unités en 1992) : 590,4 dont *emballages métalliques* (produits pour le corps 299 ; la maison 145 ; pharmaceutiques 61 ; alimentaires 5,4 ; techniques et ind. 35). *Emballages en verre* (parfumerie et pharmacie) 45.

FOURRURE

Source : Féd. nat. de la fourrure.

GÉNÉRALITÉS

■ **Caractéristiques d'une fourrure.** Il existe 2 sortes de poils : la *bourre,* duvet court qui soutient le *jarre,* poil proprement dit qui recouvre la bourre. Parfois, on éjarre la fourrure (on arrache mécaniquement le poil superficiel, ex. : castor, loutre rasée). Ensuite on rase parfois la bourre ou on la taille pour que le duvet ait partout la même longueur. La longueur du duvet constitue les 2/3 de celle du jarre.

La *mue* (changement de poil) s'étend du printemps à l'automne. Le duvet devient plus épais et sert à protéger le long poil.

■ **Travail du fourreur.** A partir de *peaux apprêtées* et *lustrées :* assortiment des peaux de mêmes couleurs, travail des peaux pour modifier leurs formes (ex. l'allonge pour vison et autres fourrures), assemblage des peaux, clouage et coupe. Après avoir humecté les peaux, on les cloue avec des agrafes sur une planche et on y dessine les contours du patron. Le travail diffère selon les fourrures. Le vison peut se travailler de 2 manières : *l'allonge :* procédé long et coûteux ; on pratique env. 60 incisions diagonales dans chacune des peaux, puis on recoud la peau afin de lui donner la forme requise. *Le travail à plat :* consiste simplement à coudre une peau avec une autre peau.

■ **Soins.** La chaleur faisant sécher l'huile de la peau et rendant cuir et poils fragiles et cassants, il faut conserver l'été les fourrures en chambre froide à un degré hygrométrique approprié. Ne jamais vaporiser de parfum : l'alcool rend les poils cassants et peut dénaturer la couleur. Se méfier des housses étanches en plastique : le manque d'air provoque souvent une fermentation car la fourrure doit respirer ; une fourrure mouillée doit être accrochée dans un endroit où l'air peut circuler.

PRINCIPALES FOURRURES

☞ 90 % des fourrures utilisées viennent d'élevages.

Astrakan (mouton de Perse) agneau de la race Boukhara. Vient surtout d'ex-URSS et d'Afghanistan (Boukhara Karakul) : 6 500 000 peaux ; boucles très plates ayant l'aspect moiré du breitschwanz. Noir, gris et du S.-O. africain (astrakan swakara) : 4 700 000 peaux ; peau très brillante et moirée, style breitschwanz ; gris, marron et blanc. **Belette** (mustélidé sauvage) (Am. du N., Europe, Asie) pelage brun. **Belette-vison** (Japon, Chine, sauvage). **Blaireau (sau-**

vage) gris, jaunâtre, tête et gorge blanches, bande noire de chaque côté de la face, ventre noir. Breitschwanz vient d'un agneau prématuré (mise bas avant terme non provoquée). Ex-URSS ou S.-O. africain. Peau très brillante et très moirée, très peu de peaux peuvent être commercialisées.

Castor brun roussâtre, duvet serré, couvert de longs jarres (Canada) ; poil court, fourrure solide, cuir épais ; se fait surtout rasé et éjarré. Longévité : + de 10 ans. Chat sauvage proche du lynx. Chèvre longs poils gris. Chevreau et chevrette de Chine moiré, blanc, gris ou noir. Chinchilla originaire de Pérou, Bolivie, Chili ; longévité : 8 à 15 ans ; poils fins, soyeux, gris ardoise au gris clair. Coyotte (ou loup des prairies) fourr. longue, gris pâle avec poils noirs le long du dos. Écureuil (*petit-gris* ou *vair*) (ex-URSS, Chine) roux acajou ou du gris au noir, ventre blanc jaunâtre. Glouton marron foncé à bandes claires, peau luisante et serrée, très épaisse. Guépard (Asie). protégé. Hélicte petite belette d'Asie. Hermine **(fourrure la plus chère)** (ex-URSS, Canada) marron clair en été, blanc en hiver, bout de la queue noir. Jaguar (Amérique) fauve orangé, parsemé de taches annulaires noires, protégé. Kolinski entre martre et putois ; couleur naturelle jaune canari ; cuir plus fragile que celui du vison ; Asie et Sibérie fournissent les meilleures qualités.

Lama guanaco (Amér. du S.) toison longue et soyeuse, brun rouge sur la partie supérieure du corps, blanche sur poitrine, ventre, pattes. Provenance Chili. Lapin (France) de garenne ou domestique, poil assez long et serré, en général souple et chaud, peu solide, naturel ou rasé, lustré de façon castor ou loutre ; gris, blanc, beige, ou lustré noir, longévité : 4 à 7 ans. Lapin chinchilla rappelle le chinchilla sauvage, tacheté de jaune et de noir, souple, solide et chaud. Lièvre plus ou moins laineux. Loup (Sibérie, Canada, USA, Asie) cuir fin et résistant ; pelage plus ou moins épais suivant régions ; en général gris fauve plus ou moins mélangé de noir avec une raie noire longitudinale sur le dos et les jambes de devant. Les plus beaux sont les loups « polaires » (loup blanc de Sibérie, loup gris clair de la baie d'Hudson). Loutre fourrure brillante, chaude, duvet très soyeux. Loutre de mer (ex-URSS, Uruguay, Alaska) poil très fin, fourni, cuir souple ; du brun clair au brun foncé, longévité : 15 à 20 ans. Loutre du Kamchatka (Kouriles, Kamchatka, îles Aléoutiennes) animal protégé, peau plus grande, lâche et souple, poils courts, mous, duveteux avec quelques jarres intercalés ; à l'âge adulte, brun foncé à chatoiement argenté. Lynx du Canada dos plat, rouge brique, ventre tacheté ; de Sibérie flancs blancs et fournis, plus apprécié (qualité du poil et couleur plus blanche).

Marmotte (Europe, Amér. du N.) poil long, un peu rude, pelage épais et solide, aspect naturel, du gris roussâtre au noir ; long. 7 à 10 ans. Martre commune (Pays de l'Est) fourr. solide, dense, couleur variable ; Zibeline (Amér. du N.) brun foncé, taches jaunâtres sur le cou ; de roche. Mouton agneau. Murmel (ex-URSS et Chine) marmotte dont la fourrure ressemble à celle de la martre. Espèce la plus appréciée M. de Tarabagan (ville centralisant les peaux).

Ocelot (Am. centrale et Sud, Mexique) chat sauvage, pelage varié, rayé, gris moucheté de points fauves cerclés de noir. Protégé. Ondatra (voir rat musqué) (Canada, N. des USA et dep. 1905 France, ex-URSS, Sibérie) pelage ressemblant à celui du castor ; épais, doux, brillant, brun en dessus, gris en dessous. Opossum *d'Amérique :* poil long avec pointe noire, couleur variable, cuir léger et résistant, *d'Australie :* pelage fourni, serré, de nuance grise plus ou moins foncée, poils ras et laineux d'un gris beige, fourr. solide, légère, souple, naturelle ou lustrée ; rasée, ressemble au ragondin. Orignal (élan) brun, poils courts. Otarie ou ours de mer (*furseal*) gris, brun ; appelée aussi phoque à oreilles : 2 groupes : lions de mer et ours de mer. Improprement appelées phoques à fourrure (fur-seal.) La peau de bonne qualité est généralement éjarrée pour son usage en pelleterie ; la peau tannée et apprêtée est vendue sous l'appellation imméritée de « loutre de mer » ; n'a cependant rien de commun avec la loutre du Kamchatka. 2 espèces principales : le « seal » d'Alaska et l'ours de l'hémisphère austral. Ours blanc, brun ou noir, poils longs.

Pékan brun foncé. Phoque [protégés par la Convention de Washington] poils ras, fourr. veloutée, très dense (300 000 fibres au pouce carré) ; *annelé :* gris-brun avec des marques noires en forme d'anneaux sur le dos ; Arctique ; *du Groenland :* dessin en forme de selle sur le dos ; blanc jusqu'à 3 semaines, gris clair adulte ; se reproduit dans la baie du St-Laurent et au large du Labrador ; *côtier :* gris sombre sur le dos, ventre gris pâle avec de nombreuses taches noires ou brun foncé. *Veau marin ou chien de mer* (Arctique et N. de l'Atlantique et du Pacifique) ; le plus connu, gris fauve, plus clair ventralement, taché ou marbré de brun ; *du Groenland ou ranger* (banquise des mers arctiques), tacheté de noir et blanc ; *moine ou « blue backs »,* plus grand, subtropical et même tropical. Putois cousin du vison ; jaune, jarres noirs sur une longueur plus ou moins grande, ventre brun.

Ragondin (Pérou, Chili, Bolivie, Argentine, Paraguay, Uruguay, USA, France) jarres brillants, longs et passablement durs ; gris jaunâtre au roux vif, s'emploie dans sa couleur naturelle ou lustrée. Rat musqué (ou ondatra) pelage ras, très souple, fin et serré ; tons roux, des brunâtre à reflets mordorés ; ventre jaune clair ; solide. *Ondatra du S.* (Louisiane, N.-Mexique, Arizona, Texas); *du N.* (autres États des USA et Canada) ; éjarré et lustré noir, donne la « loutre d'Hudson » du commerce ; longévité : 8 à 12 ans. Raton laveur dénommé *racoon* par les Américains. Les meilleurs viennent de la baie d'Hudson et de la vallée de l'Ohio ; ceux du Michigan sont plus clairs, ceux du Missouri plus petits ; pelage gris, queue annelée de brun et de blanc, museau et dessus des yeux blanchâtres. Renard pelage variable selon habitat et climat ; Am. du N., Pologne, ex-URSS ; produisent des renards argentés, bleus, gris. Dep. 1979, en Scandinavie, les peaux de renards sont vendues sous le label Saga. Les plus gros élevages sont finlandais. *R. bleu :* très rare à l'état sauvage. *R. croisé :* bande noire le long du dos (Canada et Scandinavie) : extrême Nord : *le r. polaire* a la robe entièrement blanche pendant l'hiver. *R. rouge* (nord de l'Alaska, du Labrador, du Kamchatka). *R. argenté* (Canada, Pol., ex-URSS) : longévité 8 à 12 a.

Sconse (moufette) soyeux, brun et blanc, large queue très fournie. Tigre fauve orangé, ventre blanc, rayures noires ; protégé. Viscache (lièvre des pampas) sombre avec bandes blanches et noires sur le museau. Vison (d'élevage) (Scandinavie, ex-URSS, USA, Canada, P.-Bas, France) 32 mutations différentes, du noir au blanc en passant par les gris-bleu, marron et beige rosé. *USA :* marques déposées Emba et Blackglama, 4 200 000 peaux. *Scandinavie :* 17 millions de peaux dont beaucoup reçoivent le label Saga et Saga Selected. *Ex-URSS* 12 millions de peaux dont 50 % exportées. La plus réputée : Norka. Zèbre poils ras, fourrure très souple, raies claires et sombres alternées. Zibeline (Sibérie, Europe, Asie, USA, Canada) poil soyeux et brillant, parfois parsemé de poils argentés. Meilleures provenances : Transbaïkalie (peaux « bargouzines »). France : label « Opéra » : 1 000 000 de peaux. Zorinos (Amér. du Sud) plus roux et plus petit que le sconse (voir ci-dessus).

Pelleterie

Elle se subdivise en *pelleterie sauvage* (animaux chassés ou piégés) et *p. d'élevage* (vison, astrakan, chinchilla, ragondin, marmotte, renard, castor, etc.).

Principaux marchés. Scandinavie (Copenhague, Oslo, Helsinki). New York, Montréal, St-Pétersbourg, Francfort, P.-Bas (avant 1914 : Leipzig et Londres).

Principales associations (vison). **Canada :** CMBA (Canadian Mink Breeders Association) : visons Canada majestic mink et Canada mink. **USA :** Emba (Mink Breeders Association) : visons de mutation et Blackglama (vison noir) ; vison extra noir des éleveurs de la Great Lakes Mink Association. **Russie :** Sojuzpushnina. 80 % des fourrures russes se vendent aux enchères de St-Pétersbourg, 3 ventes par an (janvier, juillet, octobre). **Europe :** Saga. **France :** Association fr. des éleveurs de visons (label Opéra). **Afr. du S. :** astrakans Swakara.

Ventes aux enchères. *1re vente :* 1672 à Londres, par la Cie des « Gentilshommes Aventuriers d'Angleterre commerçants dans la baie d'Hudson ». *Actuellement :* Montréal, New York, Russie, Chine, Scandinavie.

Charte de la fourrure. Signée par la France le 4-11-1976 après accord entre la Féd. nat. de la fourrure et l'AJEPNE (Assoc. de journalistes et écrivains pour la protection de la nature et de l'environnement). En 1977, une commission consultative (scientifiques, protecteurs de la nature, fourreurs) a été créée pour en assurer l'application.

Convention de Washington. Réglemente les échanges internationaux des espèces de faune et de flore sauvages, menacées ou en voie de disparition (ex. : tigre, léopard des neiges, loutre géante, loutre de la Plata, léopard nébuleux). 59 pays l'ont ratifiée. Entrée en vigueur en France le 17-9-1978.

La fourrure en France

■ Animaux. **Lapins domestiques :** la France est le 1er producteur (60 millions par an, dont 80 % exportés). *Peaux apprêtées* imitent les p. de castors, loutres, visons, pelleteries tachetées ou fantaisie. *Peaux* dites de *coupe,* de qualité inférieure, sont rasées : les poils sont utilisés par la chapellerie ou la filature ; les déchets de peaux (fines lamelles) – pattes, têtes, oreilles – sont vendus aux fabricants de colle et d'engrais. **Visons** (1991) : 1 000 000 de peaux, 55 élevages dont 2 en Bretagne, 1 en Charente (climat et proximité de la mer leur sont propices).

■ Fourreurs (1986). 1 800 (8 000 salariés). 1°) **Négoce :** 30 pelletiers (180 salariés) ; *collecteurs* (demi-grossistes) et *classeurs* (grossistes) en peaux brutes de lapins ; exportateurs ; 400 salariés, 80 % de leur prod. exportée. 2°) **Industriels :** 10 apprêteurs-lustreurs (4 usines représ. 90 % de la prod.) assurent tannerie et teinture des pelleteries brutes. 3°) **Utilisateurs de pelleteries :** 146 confectionneurs en gros (surtout à Paris), 1 754 fabricants détaillants dont 50 % d'artisans. **Professionnels de la fourrure :** *1939 :* 25 000, *91 :* 4 000. **Chiffre d'aff. :** *1991 :* 6 milliards de F.

Imprimerie en France

Source : Féd. franç. de l'imprimerie et des ind. graphiques.

Imprimeries de presse. Réalisent les quotidiens. En 1979 (prov.). **Entreprises :** 476 de + de 10 salariés, employant 52 757 salariés. **Chiffre d'aff. :** 20 419 millions de F (HT).

Imprimeries de labeur et entreprises spécialisées [de photogravure, reliure-brochure, du secteur ind. (entreprises de 10 salariés et +)]. **Entreprises** (1990) : *Secteur artisanal :* env. 8 000 [*salariés :* env. 38 000. *Chiffre d'aff.* (millions de F) : 15] ; *industriel :* 2 206 [représentant (en %) 93 du tonnage total imprimé, 79 du CA total, 71 de l'effectif total, 23 de la population totale entreprise, et ayant consommé au total 2 480 531 t dont (en %) en offset 78, hélio 17,5, typographie 4, divers procédés 0,5] dont labeur 1 860 ; photogravure 265 ; reliure-brochure 143. *Salariés :* 86 425 dont labeur 72 056 ; reliure-brochure 7 506 ; photogravure 6 863. **Chiffre d'aff.** (milliards de F HT) : 50 740 dont labeur 44 494 ; reliure-brochure 2,43 ; photogravure 3,81. *Répartition* (en %) : imprimés publicitaires 19,9 ; imprimés de continu 14,2 ; adm. et commerciaux 11,9 ; publications périodiques 14,6 ; de conditionnement 10,2.

Papier et carton mis en œuvre (1986). *1 792 580 t* dont en %, offset 78 ; héliogravure 16 ; typographie 6.

☞ **La rame :** 500 feuilles (ou 20 mains de 25 f.), est l'unité de vente du papier en gros. Le poids des 500 f. constitue le poids de la rame, déterminé par le grammage et le format.

Informatique (Traitement automatique de l'information)

Grandes dates

1580 (ou 1614 ?) John Napier de Marcheston (1550-1617, Écosse) : *logarithmes.* **1623** Bacon : *code binaire.* Wilhelm Schickard (1592-1635, peste), prof. à Tübingen : *machine faisant les additions, et de manière partiellement automatique les multiplications.* **1632** (?) Oughtred (Angl.) : *règle à calcul* (ou 1671 S. Partridge). **1640-52** Pascal (France) : *machine à calculer* permettant l'addition (et la soustraction par complément). **1666** Moreland (Angl.) : multiplication par additions successives. **1762** France : contrôle de métiers à tisser par *carton perforé.* **1770** Hahn (Allem.) : *1re machine à calculer exécutant directement les 4 opérations* (fondée sur le cylindre denté inventé par Leibniz en 1671). Basile Bouchon (1725), Jacques de Falcon (1728), Jacques de Vaucanson (1745) : *cartes perforées.* **1804** métier à tisser de Jacquard. **1837** Charles avec la *machine analytique* (jamais complètement construite), Babbage Charles (Angl., 1792-1871) définit les grands principes des calculatrices électroniques. **1841** machine à calculer circulaire du Dr Roth. **1864** George Boole (Angl., 1815-64) : *calcul binaire.* **1880-90** Hollerith Powers (USA) : *1re machine à cartes perforées utilisée* (recensement américain de 1890). **A partir de 1880 :** Hopkins, Burroughs, Sundstrand, etc. (USA);

CGI,
LE SERVICE INFORMATIQUE AUX ENTREPRISES

❑ Aujourd'hui l'informatique est partout, dans la vie quotidienne comme au cœur des systèmes technologiques les plus complexes, civils ou militaires. Les ordinateurs sont seuls visibles mais naturellement inertes. C'est le logiciel qui leur fournit à chaque instant leur logique de fonctionnement. Économiquement, le logiciel représente désormais la majeure partie des investissements en la matière.

❑ La naissance de CGI a coïncidé avec la mise en place des premiers calculateurs électroniques. Au cours de ces 40 ans, ces ordinateurs ont vu leurs possibilités s'accroître de façon spectaculaire. La complexité des problèmes traités a suivi un chemin parallèle. Les hommes de CGI ont donc été conduits, les premiers au monde, à se doter de méthodes et d'outils pour construire rationnellement les logiciels destinés à leurs clients. Cette approche vient d'obtenir une reconnaissance mondiale par la récente intégration de CGI dans le groupe IBM.

❑ En 1993, CGI se situe dans le peloton de tête des SSII (Sociétés de Services et d'Ingénierie Informatique). Son métier consiste à conseiller les entreprises et à les assister par tous moyens dans la construction des systèmes d'information sur lesquels reposent désormais leur gestion et leur fonctionnement quotidiens.

❑ Avec 4 000 collaborateurs répartis dans une douzaine de pays (Europe et Amérique du Nord), avec des clients dans le monde entier, CGI réalise 2 milliards de francs de chiffre d'affaires (dont plus de 35 % à l'export).

❑ CGI se distingue par son offre de « Conseil Intégral ». Elle propose aux plus grandes entreprises comme aux PMI ses actions de conseil de direction et ses capacités d'ingénierie « sur mesure » en informatique de gestion. Elle participe à la construction des grands systèmes temps réel (aérospatial, défense, télécommunications). Ses progiciels, solutions pré-industrialisées, sont destinés tant à l'automatisation de domaines précis (gestion des ressources humaines et financières, gestion industrielle) qu'à l'industrialisation de la production du logiciel (atelier de génie logiciel). Avec des ventes qui se comptent en centaines de millions de dollars, ils figurent en bonne place au palmarès des produits les plus vendus dans le monde.

CGI INFORMATIQUE

30, rue du Château-des-Rentiers
75640 Paris Cedex 13
Tél. : 40 77 20 00 - Fax : 40 77 22 22

(Information)

Scheutz, Wiberg (Suède) ; Odhnen (Allem.) ; Bollée (France) ; Kelvin (Angl.) ; Jahnz (Suisse) ; mise au point de plusieurs machines à calculer avec ou sans clavier, imprimantes ou non, et de machines « comptables ». **1885** Hermann Hollerith (1860-1929) : mise au point de la carte perforée. **1906** De Forrest et J. Bryce (USA) : industrialisation des *tubes à vide.* **1914** Thomas John Watson (1874-1954) crée l'International Business Machines Co (IBM) en reprenant la Tabulating Machines Co, fondée par Hollerith. **1921** Fredrik Rosing Bull : machine à statistiques à cartes perforées. **1940** *circuit imprimé.* **1942** *diodes au germanium.* **1943** Alain Turing : énoncé des principes des ordinateurs. Warren MacCulloch et Walter Pitts : mise en évidence de certaines analogies entre composants des machines à calculer et ceux du cerveau, les neurones. **1944** Pr Aiken et IBM (USA) : calculateur automatique Mark 1 (Université Harvard). **1946**-*15-2* Eniac (Electronic Numerical Integrator and Computer), 1er calculateur électronique, inauguré [réalisé par une équipe de la More School de l'université de Pennsylvanie, dirigée par Prosper Eckert (1919) et John Mauchly (n. 1903 à Budapest); pèse 30 t, comprend 17 468 tubes électroniques, 70 000 résistances, 10 000 capacités, 1 500 relais, 6 000 commutateurs. Il fallait tourner à la main chaque commutateur et brancher pour chaque opération des centaines de câbles ; consommait 150 000 W (2 000 fois plus rapide que le Mark 1), les relais électromécaniques étaient remplacés par des circuits électroniques à bascule et pour la 1re fois des impulsions électriques étaient utilisées pour mettre les lampes à vide en position allumée ou éteinte, ouverte ou fermée]. Système de code binaire inventé par John von Neumann (Budapest 1903-57) (1re construction : l'Edvac (Electronic Discrete Variable Computer, 1er calculateur à programme enregistré). **1947** Eckert-Mauchly (USA) fondent une petite Sté, qui devient Univac. **1948** Bardeen (n. 1908) Brattain Schockley (USA) : industrialisent le *transistor.* **1949** Wilkes (Angl.) : 1er calcul auto-électr. à programme enregistré Edsac. IBM (USA) : commercialisation du CPC, calculateur automatique à carte-programme. **1950** mémoires vives à tores de ferrite. **1951** (USA) : 1res machines à usage civil : Univac 1, mis au point par Eckert et Mauchly, refusé par IBM et accepté par Remington. De 1952 à 1954 contrôle tout le marché civil ; Gamma 3, 1er calculateur électronique de la Sté Bull. **1952** IBM (USA) : 701 calcul. automatique. Von Neumann-Burks, Goldstine (USA) : calcul. auto-électr. à Princeton. **1955** 1er calculateur transistorisé. Jacques Perret donne le nom d'ordinateurs à la 2e génération de calculateurs. **1957** Bull : Gamma 60 à traitement et entrées-sorties simultanés. *Disque magnétique.* **1958** Frank Rosenblatt : perceptron (1re machine bâtie sur le principe neuronal). **1959** *Circuit intégré.* IBM : ordinateur 1401. Sté SEA (Bull) : Cab 500, calculateur scientifique individuel de bureau. **1960** IBM 7070. **1962** Philippe Dreyfus invente le mot informatique. 3e génération (développement des composants électroniques). **1964** IBM 360, 1er ord. à circuit intégré. **1966** calculatrice de poche. **1967** série Iris, 1re gamme de la CII-France. Années **1968** mémoires à semi-conducteurs, **1970** révolution mini-informatique. IBM série 370 ; General Electric vend à Honeywell ses participations dans Bull. *Disquettes.* **1972** IBM : généralisation de la mémoire virtuelle. *Microprocesseur* (Sté Intel) **1973** France 1er micro-ordinateur du monde, le Micral N commercialisé par la Sté R 2 E. *Circuit intégré à haut degré d'intégration* (puce LSI, Large Scale Integration). IBM réalisation expérimentale de *mémoires à bulles magnétiques* et de *circuits à jonction Josephson (effet tunnel) ;* mémoire virtuelle, multiplication et multitraitement ; création d'Unidata. **1974** architectures distribuées. *Carte à puce* de Roland Moreno. **1978** réseau de transmission Transpac. **1979** architecture de réseau DSA de CII-HB. Micropackaging de CII-HB. **1983** *Circuit intégré à très haut degré d'intégration* (puce VLSI, Very Large Scale Integration). Apple lance la souris. **1987** IBM PS/2 (Personal System). **1990** ATT : ord. fonctionnant à la lumière, composé de 32 commutateurs optiques et de 8 diodes laser. Les transistors optiques (Symmetric-self-electro Optic-Effect Devices ou S-SEED) réfléchissent en la modifiant très vite la quantité de lumière émise par un faisceau laser et peuvent « fabriquer » ainsi l'équivalent de 0 et de 1 à une vitesse théorique de milliards de fois par seconde. Les rayons laser pouvant se croiser sans interférence, on peut réaliser des circuits plus plats. **1991** Distributed Computing Model de Bull.

Technique

☞ **Unités utilisées. Bit** (abréviation de *binary digit :* unité d'information contenue dans le choix entre oui et non) ; 1 kilobit : 1 024 bits. **Octet** (unité d'information correspondant à 1 lettre ou à 1 chiffre et égale à 8 bits).

■ Ordinateurs

Définition. Machines automatiques de traitement de l'information permettant de conserver, d'élaborer et de restituer des données sans intervention humaine en effectuant sous le contrôle de programmes enregistrés des opérations arithmétiques et logiques.

Composition

Un système informatique se compose du *matériel* (*hardware* en anglais) : ensemble de constituants et d'organes physiques, et du *logiciel* (*software) :* ensemble des programmes nécessaires. Les *ordinateurs* regroupent autour d'une unité centrale arithmétique et logique des unités : d'*entrée* des informations et des programmes à traiter ; de *mémoire ;* de *sortie* des résultats.

■ **Unité centrale** (ou unité de logique). Fait 3 sortes d'opérations : transferts d'information d'un endroit à un autre de la machine ; opérations arithmétiques ; comparaisons de valeurs numériques. Le cœur de l'unité centrale est le microprocesseur. Risc microprocesseur développé par IBM utilisant un jeu d'instructions réduit (Reduced Instruction Set) aux plus courantes par rapport aux microprocesseurs traditionnels Cisc (à jeu d'instructions complexe) ; plus simple, le microprocesseur est alors plus rapide (55 à 75 %) ; les appels (rares) aux instructions complexes sont traités par des sous-programmes du logiciel.

■ **Programme (logiciel).** Ensemble des instructions permettant de faire exécuter par un ordinateur un travail donné, soit automatiquement, soit au cours d'un « dialogue » utilisateur/machine dans lequel le logiciel fait également l'interface. Il enregistre dans la mémoire, détermine l'intervention des unités d'entrée, commande calculs et choix à effectuer, décide de la consultation des mémoires et met en route les unités de sortie. Préparé par des programmeurs qui utilisent *divers langages* (+ de 4 000 furent proposés) : exemples : *Fortran* (Formula Translator), conçu 1955 par John Backus (IBM, USA), *Algol* (Algorithmic Language par groupe de travail international présidé par Van Winjgarden), *Cobol* (Common Business Oriented Language), créé 1960, *Basic* (Beginners All Purpose Symbolic Instruction Code), créé 1965 par John Kemeny et Thomas Kurz, *PL/1* (Programming Language), diffusé 1966, *Gap 1* (générateur automatique de programme), *Pascal,* créé 1969 par Niklaus Wirth (Suisse). *C :* créé v. 1970 par Dennis Ritchie. *Forth :* créé 1971 par Charles Moore. *Prolog* (programmer en logique) : créé 1973 par Alain Colmerauer (Français). *Ada :* créé 1979 par Ichbiach (1815-52) [d'Ada Augusta, comtesse Lovelace (fille de lord Byron), qui traduisait pour Babbage le compte rendu des travaux de celui-ci qu'avait publié en français L. F. Ménabrea en 1842]. *Modula* (1979), *Turbo Pascal* (1983).

■ **Mémoires.** Centrales (à accès quasi instantané) ou périphériques (plus lent ; l'information y est stockée sous forme de perforation de carte ou de bande de papier ou de polarisation magnétique de bande ou disque magnétiques), ou de mise en jeu de déplacement de particules électriques (technologie à semi-conducteurs). *Les mémoires* peuvent être à accès : – *direct : mémoire centrale* (ferrite ou semi-conducteur ou conducteur) : de quelques nanosecondes à des millisecondes ; – *semi-direct* (disques magnétiques) : 20 à 100 millisecondes (pour la transmission et la sauvegarde des informations) ; – *séquentiel* (capacité : quelques millions d'octets, accès en millisecondes).

Les *mémoires centrales réelles* ont une capacité de 96 000 à 2 milliards d'octets (correspondant au contenu de plus de 470 000 livres de 400 pages bien remplies). Les *mémoires virtuelles* [combinaisons de mémoire centrale et auxiliaire (sur disque)] ont une capacité déterminée par l'utilisateur.

Mémoires vives [*Mev* (en anglais *Ram* : Random access memory)] : m. de travail accessibles à l'utilisateur ; leur contenu est perdu lorsque l'ordinateur est éteint. *Dram* (Dynamic Random Access Memory) : m. à semi-conducteurs, conservent les informations enregistrées tant qu'elles sont sous tension. *Sram* (Static Random Access Memory) : m. de type statique très rapides, n'ont pas besoin d'être réactivées pour conserver leurs instructions. **Mémoires mortes** [*Mem* (en anglais *Rom* : Read only memory)] : m. permanentes stockant des données ou programmes non modifiables par l'utilisateur ; *programmables par un utilisateur : Prom* (programmables 1 seule fois), *Eprom* (Erasable Programmable Read Only Memory) : reprogrammables par irradiation de rayons ultraviolets ; peu onéreuses mais d'emploi peu aisé. *E²Prom :* impulsions électriques ; équipent autoradios ou tuners de chaînes hi-fi. *Flash Eprom :* compromis entre Eprom et E²Prom. **Mémoires permanentes ou de stockage :** conservent leur contenu, ordinateur éteint (disques, disquettes, bandes...).

■ **Entrée des informations.** Sur place ou à distance *(télétraitement)* par : *frappe sur un clavier* (vitesse de la dactylographie) ; *carte perforée* (en voie de disparition, 2 000 cartes à la min) ; *minidisque :* 3 800 enregistrements (1 à 128 cartes par min) ; *bande magnétique* (10 000 à 330 000 cartes à la seconde selon le type de dérouleur) ; *recueil d'informations analogiques :* vitesse en temps réel ; *lecture directe* (optique ou magnétique) de caractères imprimés ou manuscrits (8 000 à 24 000 cartes à la min).

■ **Unités de sortie.** Peuvent, sur place ou à distance, produire des résultats : *enregistrés sur bande* magnétique ou *sur disque* magnétique (vitesse : voir plus haut entrée) ; *imprimés* à « l'impact » (jusqu'à 2 000 lignes par min) ; « sans impact » (13 000 lignes par min) ; *affichés* sur écran cathodique ; *parlés* (par recomposition artificielle de la voix humaine à partir d'une information numérique).

☞ **Caractéristiques des unités de stockage** (temps d'accès et volumes moyens stockés en millions d'octets). *Unité de stockage (type 3850) :* 50 000 à 272 000 ; *de bandes magnétiques : 15 s., X. Disque amovible : 50 ms,* 20 à 1 000, *fixe : 10 ms,* 0,5 à 20. *Cassette : 10 s.,* 0,1. *Disquette : 400 ms,* 0,25 à 1.

Densité (nombre de bits par cm²). *1959 :* 1 000. *74 :* 1 000 000. *79 :* 10 000 000. *84 :* 100 000 000.

Évolution

1re génération (1944-46). A lampes triodes encombrantes, rapidité de calcul et mémoire limitées. **2e (1958).** A transistors. Plus petits, remplacent les tubes et permettent des performances élevées. **3e (1964).** Des micromodules microscopiques rassemblent sur quelques mm² des circuits transistorisés. *Avantages :* temps de conception et de mise au point réduit ; prix de revient inférieur ; plus grande surface d'aptitude aux modifications ; meilleure fiabilité et entretien plus facile. Permettent de nouveaux langages simplifiés. **4e (1970)** *Miniaturisation à niveau d'intégration élevé* (Large Scale Integration-LSI) ou *très élevé* (Very Large Scale Integration-VLSI) améliorent capacités et rapidité. Une seule pastille (dite *puce*) peut contenir plusieurs centaines de milliers de transistors (600 000 par puce). Elle peut avoir la même puissance de calcul qu'un ordinateur moyen des années 60 qui occupait une pièce entière.

Projets. *Japonais : 1er ordinateur* pouvant effectuer 10 milliards d'opérations par seconde ; mémoire de 1 milliard d'octets. *2e (5e génération) :* machines ne fonctionnant pas en séquentiel, selon les principes de von Neumann, mais organisées en parallèle ; calculant à la vitesse de 10 milliards d'opérations par s et pouvant raisonner ; bâties autour de circuits d'arséniure de gallium ou de matériaux supraconducteurs.

Marisis : machine parallèle, réunion de plusieurs Isis et de 1 Marianne (1988), plus puissante que le Cray X-MP ; moins puissante que le Cray 2 (ses performances seront 50 fois inférieures à celle du super-ordinateur japonais prévu).

On étudie des mémoires *holographiques,* des mémoires à *plasma* (fondées sur l'utilisation de gaz ionisés), des mémoires *ferro-acoustiques,* des mémoires à *bulles magnétiques* [contenance 1 048 576 bits (ou unités d'information) sur 2 cm². *Principe :* on soumet à un champ magnétique faible les « régions » magnétisées (bulles minuscules) des métaux magnétiques (comme le fer), pour les orienter (« polariser ») dans un sens ou dans l'autre selon l'état binaire (0 ou 1) de l'information à stocker].

L'*ovonique* (effet Ovshinsky), qui permet d'utiliser le verre à la place des semi-conducteurs en germanium et silicium, va se développer.

Comparaison

Cerveau humain (12 milliards de neurones). Peut enregistrer 1 million de milliards (10^{15}) de *bits.* Une mémoire à ferrite de taille supérieure : 32 millions (32×10^6).

Gros ordinateurs. Exécutent simultanément [« en parallèle », et non plus l'une après l'autre (« séquentiellement »)] plusieurs opérations qui concourent à la résolution du même problème. *Coût :* 25 millions de $. *Vitesse de calcul* en mégaflops (Mflop : 1 million d'opérations flottantes par seconde [une opération flottante représente une addition effectuée sur des nombres décimaux écrits à l'aide d'une mantisse (chiffres après la virgule dans un nombre décimal, donc compris entre 0 et 1) et d'une puissance entière de 10. Ex. : 5 720 s'écrira 0,5720 x 10^4]).

Paragon XP/S-35 : 1,5 m de haut, 4 m de long, 4 t, 36 milliards d'opérations par seconde. **Connection Machine 5 :** livrée début 1992 au centre militaire de Los Alamos, 1 000 processeurs rapides en parallèle, 137 milliards d'opérations/s, 200 millions de F, Oak Ridge (Oregon). *Connexion Machine* de Thinking Machine Corporation, sortie en 1980, 64 000 processeurs simples, 2 milliards d'opérations/s.

Supercalculateurs prévus : de Justin Rattner, 150 milliards d'opérations/s, 1 m de long, 500 kg. **Convex Cl.** [1984, de Convex Computer (Sté fondée en 1982 par Robert Paluck et Steven Wallach)], vitesse : 100 mégaflops, prix : 500 000 $.

Micro-ordinateurs. Construits à partir de circuits intégrés microprocesseurs, 4,8 ou 16 bits et capacité mémoire de 8 à 1 000 K.

■ Quelques définitions

■ **Antiope** (acquisition numérique et télévisualisation d'images organisées en pages d'écriture). Service français de vidéotex de télé. (pages de 24 lignes de 40 caractères, diffusées sur le réseau), pouvant représenter lettres, chiffres ou graphismes simples. Le téléviseur doit être équipé d'un décodeur. **Coût :** 10 000 F env. (plus tard 500 F). France 2 propose, du mardi au vendredi, un « magazine » d'une centaine de pages d'informations diverses. En G.-B., journal sur la BBC (procédé Ceefax).

■ **Banques de données.** Ensemble d'informations structurées, stockées sur ordinateur et accessibles par l'intermédiaire d'un terminal. Diffusées par des « centres serveurs » équipés d'ordinateurs. Accès : les usagers appellent par téléphone les réseaux publics de transmission de données (Transpac pour la France, Euronet au niveau européen, Telenet ou Tymnet aux USA...).

Statistiques (France 1982) : *producteurs* 457, *banques de données* 810. *Coût de la consultation :* variable suivant la nature de l'information. Ex. : références bibliographiques, coût horaire d'interrogation 350 à 500 F. Banques de données factuelles ou textuelles 400 à 800.

■ **Bureautique.** Automatisation des tâches du bureau pour l'élaboration, la transmission, la réception, l'archivage et la recherche de documents, textes, images (vocales ou auditives).

■ **Connectique.** Technologie des contacts, fils, etc.

■ **Disques magnétiques. Capacité** [Ko : milliers d'octets (mots de 8 caractères), Mo, millions d'octets, Go (gigaoctet) : 1 milliard d'o.], **disquettes :** 320, 360, 720 Ko, 1,2 ou 1,4 Mo. **Disque laser** CD Rom 600 Mo. **Certains disques durs :** 1 Go. Disque dur tourne à 250 tour/min ou s. **Certaines unités à base de cartouches magnétiques :** plusieurs téraoctets (1 000 milliards). **Laser :** temps d'accès plus lent (1 seconde) et le support est non réinscriptible. Compacité, tient bien dans le temps, faible coût de production, **Don** (disque optique numérique) vierge ; support d'archivage qui ne peut être enregistré qu'une seule fois ; technique *Worm* (Write Once, Read Many ; 1 seule écriture, plusieurs lectures) ; peut stocker 1 Go par face ; disque de 12 Go à l'étude.

■ **Enseignement assisté par ordinateur (EAO).** L'ordinateur interroge l'élève qui répond à l'aide du clavier, l'ordinateur poursuit si la réponse est bonne, ou revient à la partie mal assimilée.

■ **Interface.** Permet de faire communiquer entre eux des machines, des langages informatiques, des systèmes différents. Peut être un matériel ou un logiciel. Il traduit des caractéristiques en d'autres caractéristiques.

■ **Microprocesseur (puce, en anglais chip).** Inventé 1971 par Ted Hoff. Contient des circuits électroniques intégrés imprimés sur une seule pastille de silicium (semi-conducteur, bon marché). Remplit toutes les fonctions d'un des éléments de base d'un ordinateur ou d'un terminal. Plus les composants sont rapprochés, plus le microprocesseur travaille vite, et plus il possède de circuits électron., plus sa puissance est élevée. **Fabrication :** des circuits sont dessinés sur une grande feuille ; ce dessin réduit est projeté sur une plaquette recouverte d'une substance que la lumière attaque là où il n'y a pas de trait. Actuellement, la distance minimale séparant 2 traits est de 2 à 3 micromètres. On ne pourra guère aller au-delà : la lumière créant une courbe sinueuse dont les irrégularités sont d'env. 0,5 micromètre. **Stockage :** actuellement 0,6 à 4 millions de composants. En utilisant un rayonnement non visible (ray. X ou ray. associé à des particules) de longueur d'onde beaucoup plus faible, on peut stocker 100 millions de composants à niveau expérimental. L'utilisation de l'arséniure de gallium (As Ga) à la place du silicium permettrait une vitesse 7 fois plus grande (coût élevé). **1992 :** puces *Risc* (Reduced Instruction Set Computer) créées par IBM, Motorola, Apple. *Alpha* de Digital Equipment. *Puce neuronale d'Intel* (Ni 1000) ; 3,7 millions de transistors (réseau de 1 024 neurones de silicium). Permet d'effectuer 20 milliards d'opérations par seconde. *Puce neurale* (1992) par Corée URAN (Universally Reconstructable Artificial Neural-Network). 135 000 connexions synaptiques, équivaut au cerveau de la mouche (Japonais 39 000 synapses).

Coût d'une puce de 4 mégabits : *1990 :* 330 F, *92 :* 80 F.

Projet : *Puce de 256 mégabits :* NEC, Hitachi, Toshiba et Fujitsu. Prototype de DRAM, 570 millions de transistors sur 300 mm², diamètre du fil 0,4 micron, sera sans doute photolithographié avec des UV sélectionnés dans de très faibles longueurs d'onde et de nouvelles résines photosensibles. *2010-2020 :* puces de 1 à 4 gigabits (milliards de bits). Une puce de 16 gigabits exigerait de tracer dans le silicium des composants (de l'ordre du centième de micron) qui ne pourraient exercer une influence électrostatique sur les électrons. Mis sous tension, ces électrons atteindraient plusieurs milliers de degrés et compte tenu de leur vitesse détruiraient le semi-conducteur. Le silicium pourrait être remplacé par un polymère organique conducteur d'électricité, la *polycroconaïne* en y ajoutant des atomes d'iode ou des *wafers,* fines tranches de diamant artificiel fabriquées à partir de gaz de méthane et d'hydrogène, en utilisant les technologies de condensation de vapeur.

■ **Modem.** Unité fonctionnelle comprenant un modulateur et un démodulateur de signaux. Permet la transmission de données numériques sur des circuits ordinaires à faible bande passante.

■ **Multiprogrammation.** Permet de partager la mémoire de l'ordinateur entre plusieurs travaux et de procéder à leur traitement simultanément. La rapidité de réponse (une fraction de seconde, alors que les questions ne se conçoivent qu'à la cadence de plusieurs minutes) permet l'utilisation de la machine par plusieurs centaines de correspondants par dialogues enchevêtrés, chacun ayant l'impression que la machine travaille pour lui seul.

■ **Paiement électronique sur les points de vente. 1°)** *transaction en ligne (on line) :* la machine de paiement, dans laquelle le client introduit sa carte, est reliée à l'ordinateur de la banque où se trouve son compte ; le commerçant, après s'être assuré de la solvabilité du client, peut débiter le montant des achats ; **2°)** *carte à piste magnétique comportant un code secret* (actionné par le client). La machine de paiement n'est pas reliée à l'ordinateur de la banque et le paiement est enregistré localement. Procédé simple, bon marché (2 à 3 F par opération) ; **3°)** *carte à mémoire* (15 F). Opère hors ligne *(off line),* sans liaison avec l'ordinateur de la banque.

■ **PC** Personal Computer (ordinateur personnel). **PS** Personal System.

■ **Réseau.** Ensemble de supports de transmission par fils, voie hertzienne ou câble optique, sur lequel peuvent se brancher les équipements des utilisateurs (par voie visuelle ou auditive).

Réseau Numérique à l'Intégration de Services (Numeris) : il permet de transporter la voix, les données et les images, grâce à *la numérisation* (même procédé que pour le disque compact, s'opposant à celui, dit analogique, du microsillon) ; *l'intégration* (grâce à 1 seul numéro de téléphone, l'usager a accès à plusieurs services) ; *la signalisation* (l'usager peut désigner lui-même le service avec lequel il souhaite être mis en relation : téléphone, télécopie, micro-ordinateur). Les postes téléphoniques seront munis d'un écran à cristaux liquides sur lequel s'affichera le numéro de l'usager qui appelle. Abonnement : 200 à 300 F par mois vers 1995.

■ **Synthèse de la parole.** Un *synthétiseur* construit une phrase à partir de mots ou à partir de phonèmes préenregistrés. Le phonème correspond généralement à une lettre, mais une lettre peut correspondre

Dommages informatiques en France (en millions de F, 1992). Total 10 440 (dont divers 2 300) dont *accidents* physiques 1 320, pannes 950, perte de services essentiels (Télécom, électricité, eau, etc.) 230, force majeure (événements naturels) 120 ; *erreurs* de conception et de réalisation 960, d'utilisation 940 ; *malveillance* fraude 1 550, virus 1 050, divulgation 770, vol 120 ; autres 2 430. *Source :* CLUSIF (Club de la sécurité informatique fr.), hors administrations.

☞ *Des grandes firmes ont été mises en cause pour piratage. En oct. 1989 :* TDF, Paribas. *En déc. 90 :* Rhône-Poulenc Film, France Distribution Système (groupe Bolloré).

à plusieurs phonèmes (« O » ouvert ou fermé) ; les groupes de lettres (« ch », « an »), représentent un phonème. « X » correspond à un couple de phonèmes : « ks » ou « gz ». Il y a 40 phonèmes français. **Types d'appareils. Synthétiseurs à canaux** [1er (Vocoder) construit 1939 par l'Américain Dudley] : le spectre de fréquence de la voix humaine (300 à 3 000 hertz) est divisé en une douzaine de bandes de fréquences ; à chacune correspond un canal dont la pièce essentielle est un oscillateur qui crée un son dont les fréquences sont dans la bande associée au canal. En commandant les intensités et les temps d'émission de chaque canal, on obtient une voix chuchotée. Un micro analyse comment le son reçu se répartit entre les bandes de fréquences et enregistre, pour chacune, le niveau sonore au cours du temps. Cette information est mise sous forme numérique assimilable par un ordinateur. Le codage d'un mot exige en moyenne 600 chiffres binaires. **Synthétiseur par formants :** le spectre de fréquences de la voix présente à chaque instant 2 ou 3 bosses dont la forme et la largeur varient peu ; seules changent la hauteur et la position de ces bosses appelées formants. Pour distinguer les divers phonèmes, il suffit de donner au synthétiseur la position et l'intensité de 2 ou 3 formants. **Simulateurs de conduit vocal** (stade expérimental) : le son se propage dans ce tuyau de section variable et, à chaque élargissement ou rétrécissement, vont se produire des réflexions complexes qui étouffent certaines fréquences et en amplifient d'autres.

■ **Systèmes neuronaux.** Réseaux neuromimétiques simulés sur informatique, leur architecture ressemble sensiblement au fonctionnement d'un groupe de neurones biologiques. Chacun d'eux imite un automate qui change d'état d'activation en fonction de la somme des signaux qu'il reçoit des autres neurones, puis influence à son tour les neurones auxquels il est relié. Proposent, contrairement aux systèmes experts qui attaquent les problèmes à un haut niveau (en copiant la partie consciente du raisonnement humain), de copier le comportement inconscient en partant du bas niveau, c'est-à-dire des données sensorielles, et en utilisant l'apprentissage comme méthode privilégiée. Apportent des nuances (plus ou moins vrai, plus ou moins faux). Leur « apprentissage » est réalisé à base d'exemples qui orientent la décision vers une configuration de base. A partir de cette connaissance, ils peuvent reconnaître et classer les formes qui leur sont présentées. Pour les autres, ils procèdent par extrapolation des exemples enregistrés. Une puce contenant 1 000 neurones pourrait réaliser en 100 millisecondes le travail effectué par un mini-ordinateur actuel en 10 secondes. *Application :* traitement d'images (compression, segmentation, reconnaissance de formes, détection de mouvements, stéréovision), du signal (classification, localisation, séparation, débruissage), reconnaissance de la parole, robotique (coordination moteurs-senseurs).

■ **Télématique.** Utilise télécommunications et informatique. Permet un dialogue entre ordinateurs traitant des informations de diverses origines (banques de données, voir p. 1576), via les satellites de télécommunications. L'utilisateur reçoit les informations sur un terminal relié au réseau téléphonique.

■ **Traitement de texte.** Logiciel permettant d'écrire à l'écran comme sur une machine à écrire. Permet de réaliser corrections, déplacement ou suppression de mots et de paragraphes, sauvegarde...

■ **Transputer** (« trans » pour transistor et « puter » pour computer) mis au point 1983 par Sté Imnos.

■ **Virus électronique (bogues).** *Définition :* séquences d'instructions glissées clandestinement dans les calculateurs, permettant une modification des résultats, un ralentissement dans l'exécution, un effacement du contenu des disquettes et des mémoires pour gagner d'autres ordinateurs par des programmes dans lesquels elles parviennent à se glisser. Ces séquences peuvent se recopier elles-mêmes sur les disquettes ou dans les mémoires à l'intérieur des machines. Il suffit d'utiliser un programme « infecté » pour que l'ordinateur puisse contaminer d'autres fichiers. L'épidémie peut se transmettre à distance par les lignes téléphoniques. Le virus peut rester silencieux des mois ou des années, à moins de taper une instruction prédéterminée ou d'utiliser l'ordinateur à une certaine date. Remèdes actuels : éteindre l'appareil pour vider ses mémoires chaque fois que l'on change de disquette ; programmes de décontamination spécifiques à chaque virus, capables de repérer et de détruire le programme tueur.

Techniques de sabotage : *attaque :* tentative pour deviner un code d'accès. *Bombe logique :* instructions supplémentaires dans un programme, activées à un moment donné sur commande. *« Cheval de Troie » :* programme inséré clandestinement dans un autre ; ne se révèle qu'après une manipulation précise. *Écoute :* interception de données sur une ligne téléphonique. *« Saucisson » :* détournement d'une somme minime sur des millions d'opérations monétaires. *Ver :* programme conçu pour se propager dans la mémoire d'un ordinateur et y effacer les données inscrites. *Virus migrateur :* circule en permanence et de manière aléatoire dans le réseau ; pris en chasse par les « programmes de poursuite », il émet des leurres (qui égarent les programmes de recherche).

☞ **Quelques exemples : 1988** *13-4* (veille du jour anniv. de la proclamation de l'État d'Israël) : un virus « sabotage palestinien » devait détruire des fichiers essentiels pour Israël ; déjoué. *3-11 :* USA : 6 000 ordinateurs touchés. **1989** rumeur : « Des pirates auraient mis en circulation 3 virus (Datacrim. 1, 2 et 3) programmés pour attaquer vendredi 13-10. A minuit, ils ruineront le contenu des mémoires ou bloqueront l'accès à celles-ci ». La police néerlandaise a parlé de 100 000 ordinateurs contaminés. **1991** *9-1 :* Daniela devait, selon le Chaos Computer Club France (CCCF) spécialisé dans la détection, contaminer une partie du parc français. *Juin* un des membres du CCCF est inculpé pour fraude informatique. Sur 500 virus connus dans le monde, 150 auraient été fabriqués en Bulgarie. **1992** *6-3 :* Michel-Ange (identifié oct. 1991) devait à la date anniversaire de ce peintre frapper tous les micros compatibles IBM : quelques centaines atteints.

Une escroquerie a coûté, en 6 ans, 2 milliards de $ à l'Equity Funding Insurance. Une vingtaine d'ingénieurs et de cadres avaient introduit dans l'ordinateur de la firme 64 000 clients fictifs.

Quelques dates en France

1931 création de la Sté H. W. Egli Bull pour fabriquer les tabulatrices Bull. **1933** devient la Cie des machines Bull, créée par Georges Vieillard (1894-1974). **1964** General Electric prend le contrôle (66 % du capital). **1966** *Plan Calcul.* 1re convention signée État/groupes industriels pour 1966-70. 2e pour 1971-75. Création de la Cie internationale pour l'informatique (CII, dite C deux I) par la fusion de CAE (Thomson), SEA (Schneider), Analac (CSF). **1970** General Electric se désengage et revend à Honeywell (USA) la majeure partie de ses activités. Bull General Electric devient Honeywell-Bull. **1972**-*janv.* accord CII/Siemens entraînant un partage des responsabilités au niveau de la recherche, de la production et de la commercialisation des ordinateurs : accord de coopération Honeywell-Bull/Nec dans les circuits intégrés. **1973** accord Unidata pour définition d'une politique commune de produits [CII (Fr.), Siemens (ex-All. féd.), Philips (P.-B.)]. Projet d'un grand ordinateur et de secteurs télématiques géants sur lesquels seraient branchés 18 millions d'abonnés recevant l'information. **1975** *19-12* Unidata dissoute. **1976** CII et Honeywell-Bull fusionnent. CII-HB : 53 % détenu par Cie des machines Bull (CMB), contrôlée majoritairement par l'État français ; 47 % par Honeywell Information Systems Inc. (USA). Convention État/CII-HB pour 4 ans (1976-80) : emploi maintenu, innovations technologiques, doublement de la productivité (1981, pertes nettes 1,35 Md de F). **1978**-*juin* rapport Nora-Minc « Informatisation de la société ». **1981** création du *Centre mondial informatique et ressources humaines* par J.-J. Servan-Schreiber, consacré aux applications culturelles et sociales de la micro-informatique (75 personnes). **1982** rattaché au min. des PTT ; participe au plan de contrôle de la France en fibres optiques. **1983** groupe Bull [CII-HB, SEMS (ex-filiale de Thomson) et Transac (ex-fil. de CIT-Alcatel)] nationalisé à 97 %. **1984** Nec, Bull et Honeywell : accord de licence à long terme pour gros ordinateurs centraux. **1987** USA, création de Honeywell Bull Inc., (capital : Bull 42,5 % ; Honeywell 42,5 ; Nec 15). **1988** Cie des Machines Bull, holding de tête du groupe Bull, prend le contrôle (65,1 % du capital) de Honeywell Bull Inc. Honeywell garde 19,9 %. Nec reste à 15 %. **1989** Honeywell Bull devient Bull HN Information Systems (Bull 69,4 %) et rachète Zenith Data Systems. Après 4 ans de bénéfices, pertes de 0,27 milliard de F. **1990** pertes de 6,8 milliards de F (*CA :* 34,6). Plan de suppression de 5 000 emplois sur 47 000 salariés avant fin 1991. **1991** Bull porte à 85 % sa participation dans Bull HN, en rachetant à Honeywell le solde de sa participation (12,8 %). Nec conserve 15 % du capital. *Juill.,* le gouv. français accepte l'accord Nec-Bull. Nec prend 4,7 % du capital de la Cie des Machines Bull, qui reçoit les 15 % de Nec dans Bull HN. **1992**-*janv.,* le gouv. choisit IBM comme partenaire de Bull (5,7 % du capital) pour les nouveaux produits Risc.

☞ **INRIA** (Institut national de recherche en informatique et automatique) *créé* 1967. *Siège* Rocquencourt (Yvelines). *Scientifiques* 1 300 (dont 300 chercheurs et 350 thésards). *Budget 1992 :* 0,47 milliard de F. *1985 :* établissement public à caractère scientifique et technologique (EPST) placé sous double tutelle des ministères de la Recherche et de l'Industrie. *1988* a donné l'impulsion à l'Ercim (European Research Consortium for Informatics and Mathematics). *Sociétés :* 19 nées dans sa mouvance dep. 1984 (*CA :* 0,37 milliard de F. *Effectif global* 700 personnes).

Quelques chiffres

Dans le monde

■ **Parc mondial d'ordinateurs** (en milliers d'unités et, entre parenthèses, en milliards de $). **Très grands ordinateurs scientifiques** (ex. Cray). **Grands systèmes :** *1988 (prév.) :* 24,3 (114,6). **Moyens :** *1988 (prév.) :* 330 (86,8). **Petits :** *1988 (prév.) :* 5 219 (126,7). **Ordinateurs personnels (micro et terminus) :** *1980 :* 10 000. *86 :* 52 550 (94,2). *90 :* 150 000.

■ **Dépenses informatiques mondiales en 1991.** 159 milliards de $. (Répartition en %). *Par contrées :* Europe 37, USA 34,3, Japon 22, reste du monde 6,7. *Par nature :* matériel 47,5, services 34,1, logiciels 15, autres 3,4 ; *par systèmes :* micro-ordinateurs 42, grands systèmes 20, moyens systèmes 16,5, petits systèmes 15,5, stations de travail 6. **An 2000 (prév.) :** 1 008 (dont Europe 323, USA 312, Japon 222, reste du monde 151).

■ **Marché mondial de l'électronique** (estim. 1993, en milliards de $). 1 139 (*1987 :* 681,1) dont : él. grand public 103,3, composants actifs passifs 98, 65,8, mesure, instrumentation 54,3, électronique médicale 20,3, matériels él. professionnels 130, télécom. 81,5, automatismes 64,1, informatique 285, logiciels et services 207, bureautique 29,7.

■ **Constructeurs.** *Marché* (en milliards de $, estim. 1992). *Source : Dataquest.* **Supercalculateurs** 1,91 dont (en %) Cray (USA) 30,8, NCR-Teradata ATT (USA) 14,8, IBM (USA) 11,5, Convex (USA) 9,6, Fujitsu (Jap.) 8,4, autres 24,9. **Grands systèmes** 22,53 dont en % IBM 52,2, Fijitsu 9,4, Hitachi (Jap.) 7,5, Nec (Jap.) 6,3, Unisys (USA) 5,8, Amdhal (USA) 5,8, autres 13. **Mini-Ordinateurs** 24,49 dont en % IBM 24,3, Digital Equipment (USA) 13,5, Hewlett-Packard (USA) 9,1, Fujitsu 5,5, Nec 5,1, autres 42,5. **Stations de travail** 9,05 dont en % Sun Microsystems (USA) 31,6, Hewlett-Packard 19,8, IBM 18,4, Digital Equipment 9,1, Silicon Graphics (USA) 7,1, autres 14. **PC** 46,55 dont en % IBM 12,4, Apple (USA) 11,9, Compaq (USA) 6,6, Nec 5,1, Dell (USA) 3,5, autres 60,5.

■ **Semi-conducteurs.** *Marché* (1992) : 59 milliards de $ dont (en %) informatique 43, électronique grand public 22, télécommunications 14, industrie 12, automobile 6, militaire 4.

Principaux fabricants. *Chiffre d'aff.* (en milliards de $, 1992). Intel [2] 5,06, Nec [1] 4,98, Toshiba [1] 4,77, Motorola [2] 4,63, Hitachi [1] 3,9, Texas Instruments [2] 3,05, Fujitsu [1] 2,6, Mitsubishi [1] 2,31, Philips [3] 2,11, Matsushita [1] 1,93, Samsung [1] 1,9, National Semiconductor [2] 1,8, SGS-Thomson [4,5] 1,6.

Nota. – (1) Japon. (2) USA. (3) P.-Bas. (4) France. (5) Italie. *Source :* SGS Thomson.

■ **Logiciels et services.** *Parts de marché* (en 1991, en %) : IBM 25, Microsoft 4,7, Computer Ass. 4, Fujitsu 3,9, Unisys 3,7, Dec 3, Nec 2,8, autres 52,9.

■ **Logiciels micro.** *Chiffre d'aff. et bénéfice net* (en milliards de $, 1991). Microsoft 2,2 (0,581). Lotus Development 0,829 (0,043). Borland (hors Ashton-Tate) 0,226 (0,027). *Source :* Business Week.

■ **Mémoires Dram** (en millions de $, 1991). Toshiba 904, Samsung 900, Nec 698, Hitachi 675, Texas Inst. 571, Fujitsu 484, Mitsubishi 467, Micron Technology 362, Oki Semiconductor 319, Siemens 287.

■ **Stations de travail et,** entre parenthèses, **stations de travail serveur.** Marché mondial : total 481 198 unités (585 275) dont en % Sun 39,3 (39,8), Hewlett-Packard 16,7 (17,8), Digital 13,7 (9,9), IBM 5,6 (7,5), NEXT 5,3 (5,1), Intergraph 3,3 (2,4), Silicon Graphics 2,9 (5,3), autres 13,2 (12,2). *Source :* IDC.

■ **Tableurs.** *Parts de marché* (en %, en 1991) : Lotus Development 58,2, Microsoft 19,7, Borland 18,5, Wordperfect 1,2, autres 2,4.

■ **Distribution informatique. Résultats en 1991 et,** entre parenthèses, **CA 1989/91** (en milliards de F) : *Métrologie* (redressement judiciaire en 1992) : 607 (1,518/4,013). *Agena* (rachat par le groupe papetier hollandais VRG ; pertes annoncées pour 1992) : n.c. (1,425/4,2). *Scoa distribution :* – 70 (1,064/n.c.). *Ista* + 38 (0,919/1,887). *Random* (redressement judiciaire en 1992, repris pour partie par l'allemand Compunet et l'anglais Computacenter) : – 44 (0,781/1,108). *Source :* Eurostaf.

■ Principales sociétés. **Chiffre d'aff. dans l'informatique et,** *entre parenthèses,* **chiffre d'aff. du groupe** (en milliards de F, 1991) : IBM[1] 365,3 (365,3), Fujitsu[2] 144,5 (151), Hitachi[2] 116,5 (324), Toshiba[2] 106 (196,8), Digital Equipment[1] 78,4 (78,4), Nec[2] 73,6 (155), Hewlett-Packard[1] 70,4 (81,7), Siemens-Nixdorf[4] 44,2 (248,2), Unisys[1] 39,2 (49), Olivetti[5] 39,1 (39,1), NCR[1] 35,7 (358,7), Apple Computer[1] 35,5 (35,5), Bull SA[3] 33,5 (33,4 dont 65 % à l'étranger), ICL (Fujitsu) 18,7.

Nota. – (1) USA. (2) Japon. (3) France. (4) All. féd. (5) Italie.

■ Quelques détails. [Chiffre d'aff. et, entre parenthèses, résultats (en milliards de $)] : **Apple** fondée 1976 par Steve Jobs et Steve Wosniac (lancent Apple II 1977, Macintosh 1984). *CA* (milliards de $) *1988* : 4,07 (0,40) ; *89* : 5,28 (0,45) ; *90* : 5,55 (0,47) ; *91* : 6,3 (0,31) ; *92* : 7,08 (0,53). *Effectifs 93* : 160 000 (*prév. 94* : 135 000).

Digital *CA 1991-92* : 14 (– 2,8). *Effectifs* : 90 000.

Fujitsu *CA 1992* : 166 (– 0,95).

Hewlett-Packard *CA 1992* : 16,4.

IBM (International Business Machines) *Siège* : Armonk, État de New York. Dite Big Blue. PARTS DE MARCHÉ (en %) : *grands systèmes* 52 (plus de 1 million de $), *mini-ordinateurs* 19,7, *micro-ordinateurs* 22,8. USA 29,9, Europe 28,1, Japon 18,1, reste du monde 23,5. **CA** ET **RÉSULTAT NET** (milliards de $) : *1987* : 55,3, (5,3) ; *88* : 59,68 (5,8) ; *89* : 62,71 (3,8) ; *90* : 69,02 (6,02) ; *91* : 64,77 (– 2,86), *92* : 64,52 [– 4,97 + gros déficit d'une Sté américaine avant General Motors (1991) – 4,45, Texaco (1987) – 4,40]. *CA* (en %, 91) : processeurs dont grands et minisystèmes 23,08, postes de travail et systèmes personnels 18,09, périphériques 16,17, logiciels 16,24, maintenance 11,44, autres 11,96, systèmes pour l'administration fédérale amér. 3,02. *Effectifs* (monde) *1985* : 406 000 ; *92* : 300 000 (ou *89* : 815 580 ; *91* : 772 047).

Intel. *CA 1990* : 3,92 (0,65) ; *91* : 4,78 (0,82) ; *92* : 5,84 (1,07).

Microsoft fondée 1975 par Bill Gates, milliardaire à 19 ans ; à 37 ans, possède 7 milliards de $. *CA 1990* : 1,8 (0,46) ; *91* : 2,76 (0,7) ; *92* : 3,75 (0,95).

NEC *CA 1992* : 170 (– 2).

Next créée 1986 par Steve Jobs, fondateur d'Apple en 1976. *CA 1991* : 0,127 Md de F.

Paul Allen *CA 1992* : 1,76 Md de $ (0,44).

Philips *CA 1991* : 171 milliards de F dont produits grand public 81 (1er en Europe et 3e dans le monde, derrière Sony et Matsushita), composants électroniques 23,5 (1er du monde avec tubes de télé, 1er fabricant européen de puces, éclairage 22 (1er du monde avec 12 % du marché, devant General Electric, Matsushita et Siemens), divers 7.

Wang fondée 1951 par Dr An Wang. 1992 (été) règlement judiciaire. *CA 1992* : 0,96.

■ Électronique américaine (en milliards de $, en 1992). **Exp.** 80,3 (vers Japon 8,2). **Imp.** 90 (du Japon 30,5). *Solde* – 3,8 (Japon – 22,3, CEE + 14,6). **Capitalisation boursière** (en milliards de $, au 24-1-1993). Microsoft 27,12 ; IBM : 26,48 (106 en 1987).

■ EN EUROPE

Marché (1991). *Nombre d'unités vendues et,* entre parenthèses, *ventes en milliards de $* : **Total** : 25 071 (8,40) dont **mini-ordinateurs** : IBM 4 297 (1,83). Digital 2 215 (0,91). Hewlett-Packard 2 710 (0,82). Bull 2 150 (0,61). Siemens 1 606 (0,38). Unisys 621 (0,34). NCR 952 (0,30). Tandem 366 (0,28). Olivetti 1 663 (0,26). Philips 706 (0,22) ; **grands systèmes** : 1 444 (10,04) dont IBM 562 (5,90). Siemens 115 (0,59). Bull 98 (0,49). Comparex 117 (0,71). HDS 108 (0,38). Amdahl 104 (0,60). ICL 89 (0,23). Unisys 89 (0,33). Digital 64 (0,18). Olivetti 27 (0,13). Cray Research 10 (0,21).

■ EN FRANCE

■ Parc d'ordinateurs en France. **Très petits** (de 130 à 250 000 F) *1966* : 114. *70* : 763. *73* : 2 758. *77* : 9 752. *81* : 28 457. *86* : 63 725. *91* : 98 015. **Petits** (250 000 à 1 600 000 F) *1966* : 1 042. *70* : 3 960. *73* : 5 596. *81* : 21 295. *90* : 102 637. *91* : 110 806. **Moyens** (1,6 à 7 millions de F) *1966* : 981. *70* : 1 798. *81* : 2 386. *90* : 5 716. *91* : 6 621. **Grands et très grands** (+ de 7 millions de F) *1966* : 60. *70* : 220. *81* : 1 271. *90* : 2 548. **Total** : *1990* : 217 327.

■ Ventes micro-ordinateurs (– de 130 000 F) *non portables* : *1987* : 455 000. *90* : 850 000. *Portables* : *1987* : 27 500. *90* : 81 500. **Très petits** : *1990* : 15 796. **Petits** : *(1990)* : 16 735. **Moyens** *1990* : 726. **Grands et très grands** *1990* : 274. **Compatibles PC** : *1991* : 1 290 000. **Micro-informatique.** *Marché* : *1991* : 22,32 milliards de F dont (en %) : IBM 15,5, Apple 12, Compaq 11,6, Zenith 5,6, Hewlett-Packard 5,5, Sun 4, Toshiba 3,7, Olivetti 3,4, Tandy-Grid-Victor 2,6, Digital 2,2, Commodore 2, Amstrad 2, Tandon 2, autres 27,9.

■ Dépenses informatiques (milliards de F). *1990* : 267 ; *91* : 288 ; *92* : 306 dont, en %, matériel 43, personnel 26,8, progiciels et sous-traitance en logiciels et services informatiques 16,9, transmission de données 5,1, autres 8,2. **Balance commerciale** (exportations, importations et balance en milliards de F). **1985** 20,44 (29,30) – *8,87.* **86** 21,30 (28,79) – *7,4.* **87** 23,01 (31,41) – *8,45.* **88** 25,42 (40,64) – *15,20.* **89** 33,1 (54,6) – *21,5.* **Chiffre d'aff.** (en milliards de F, en 1990) IBM 40,5, Bull 33,4 (1991), Alcatel CIT UFB Locabail 26,8, SCOA 15,6, ECS 10,9, Alcatel-CIT 10,5, Cap Gemini Sogeti 10,2 (91), HP 8,1, Digital Equipment 7,1, Matra Communication 5,4, Sagem 5,1, Rank Xerox 4,1, Sema-group 3,7.

■ Logiciels et services. Marché français 1991 (milliards de F) 126,8 dont logiciels et services 63 [dont, en %, prestations intellectuelles, études et conseils, logiciels spécifiques, ingénierie et intégration de systèmes (hors matériel), formation 47 ; réseaux et services à valeur ajoutée, services monétiques et télématiques, infocentre, énergie informatique, FM, back-up 23 ; progiciels, systèmes, outils et applicatifs 16 ; revente de matériel, parties matérielles de l'ingénierie et de l'intégration de systèmes 7 ; divers (tierce maintenance matérielle, saisie, distribution de micros, autres...) 7] ; systèmes multi-utilisateurs 23,3 ; micro-informatique et stations de travail 21 ; maintenance 17 ; produits de communication 2,5.

■ Informaticiens en France à la fin 1991 (estim. Syntec Informatique) 300 000 dont utilisateurs 140 000, SSII 88 000, Stés de conseils (conseillers informatiques indépendants, auteurs et concepteurs de progiciels, cabinets d'expertise comptable fournissant des services informatiques à des tiers, SSCM – Sté de services et de conseils en micro-informatique–, SSCIP – Sté de services et de conseils en productique –, etc.) 22 000, constructeurs (Inf. et Tél.) 35 000, distribution/édition/négoce 10 000, recherche/enseignement 5 000.

■ SSII. **CA mondial** *et résultats marché français logiciels et services* (1991 en milliards de F) : Cap Gemini Sogeti 10,02 (3,91), Sema/Group 4,10 (1,39), Sligos 3,21 (2,79), GSI 2,38 (1,57), Asime 2,14 (2,10), GGI Informatique 1,84 (1,25), Télésystèmes 1,70 (1,46), Groupe Concept 1,47 (1,41), Cisi 1,47 (0,92), Syseca SA 1,30 (0,98), GFI Informatique 1,22 (1,14), Steria (Groupe) 1,09 (0,90), SG2 1,04 (0,99), Ise Cegos 1 (0,82).

■ Progiciels (en millions de F, en 1988). Micro Soft 439, Computer Associates 430, Sema Group 428, Concept 426, GSI 385, CGI 366, Dassault Systèmes 295, Sodeteg Tai 279. **Nombre d'entreprises de 10 salariés et plus** (1989) : 172. Effectifs : 55 796.

■ Calculatrices. **Ventes** (en millions, 1988) : 12,6 (dont opérateurs 9, programmables 2,85, imprimantes 0,74). **Prix moyen** *d'une calculatrice de poche* (en F) : 90 dont pièces diverses et assemblage 26, marge distributeur 17,10, TVA 14,10, marge importateur 10, frais de transport et taxes import. 8,8, composants électroniques 8, afficheur 6.

■ Bull. **Capital** (au 31-12-92, en %). État 72, France Télécom 16,2, IBM 5,7, NEC 4,4, Public 1,7. **Chiffre d'aff. et,** entre parenthèses, **résultat nat.** (en milliards de F) : *1990* : (– 6,8) ; *91* : 33,45 (– 3,30) ; *92* : 30,19 (– 4,72). **Dotations en capital reçues de l'État** (en milliards de F) : *de 1982 à 92* : 11,9 ; *93* : 2,5. **Dettes** (en milliards de F) : *fin 1992* : 9,5. **Effectifs** (en milliers) : *1988* : 45,6 ; *90* : 44,5 ; *93 (est.)* : 32,2.

JOUETS

■ DANS LE MONDE

■ Statistiques globales. **Production** (en milliards de $, 1990) : USA 5,1. Japon 3,8. **Principales Stés** (*CA et,* entre parenthèses *résultat net,* en milliards de F, 1991) : **Nintendo**[1] 27 (7), **Hasbro**[2] 8,2 (0,5), **Mattel**[2] 9 en 1991 dont, en %, Barbie et accessoires 51,8, jeux et divers 16, grandes poupées 13,6, jouets Disney 12,3, voitures Hot Wheels 6,3, vend les poupées Barbie, créées par Jack Ryan († 13-8-1991, à 65 ans ; il dessina aussi les missiles Hawk et Sparrow), diminutif de Barbara (prénom de sa fille) ; lancées le 9-3-1959 (blondes, yeux bleus, 29 cm) ; 800 modèles *1961* « boy friend », Ken ; *1964* petite sœur Skipper ; *1969* parlantes ; 2 chiens, 1 chat, 4 chevaux ; *1991* Marina l'Eurasienne. *Ventes* 700 millions d'unités vendues. *Consommation moyenne des Américaines* : 7 poupées par enfant, France : 5. **Bandai**[1] 6,1 (0,3), **Lego**[3] 4,1 (0,39) en 1992.

Nota. – (1) Japon. (2) USA. (3) Danemark.

Nombre d'enfants de 0 à 14 ans (en millions). All. 12,7. *France 11,3.* G.-B. 10,8. Italie 9,7. Espagne 8,8.

Budget annuel d'achat de jouets par enfant en Europe (en 1991, en F). *France 1 706,* All. 1 585, Italie 1 365, G.-B. 1 027, Espagne 920.

☞ **Toys « R » US :** chaîne fondée 1948, 812 magasins dans le monde, CA (1991) 6,2 Md de $ (résultat 0,34). Jeu de mots pour dire que « les jouets c'est nous ». *Filiale française créée 1989* : 650 salariés permanents, CA (92) 1 Md de F, 5 % du marché français. Magasins : 17 dont le + grand du monde, sur 6 700 m² à la Défense.

■ Origine de quelques jouets. **Lego** : du danois *leg godt* (joue bien), inventé en 1948 par Olaf Kirk Christiansen (7-4-1891-/11-3-1958), menuisier-charpentier ; en 1993, 1 610 éléments différents pour 4 programmes. Groupe familial fédérant 40 stés. Legoland (1968), aéroport de Billund, sur 120 000 m². Présent dans 135 pays et 60 000 points de vente. **Meccano :** (G.-B. Franck Hornby), 1908, commercialisé en France 1911. **Monopoly :** 1930 par Charles Darrow, représentant de commerce au chômage (vente en 23 langues à 100 millions d'ex.). **Ours en peluche** *Teddy* : Theodore Roosevelt dit Teddy, Pt des USA, chassait, en nov. 1902, l'ours dans le Mississippi. On lui offrit à tuer un ours attaché à un arbre, il refusa. Clifford K. Berryman caricatura l'incident dans le *Washington Post* ; *1903* le petit ours devint le symbole du Pt et un jouet ; *1920* Rupert (Angleterre) ; *1926* Winnie ; *1958* Paddington.

■ Jeux vidéo. Atari : 1976 vendu à Warner 1984 racheté par Jack Tramiel (fondateur de Commodore International), après mévente de 1983. *Chiffre d'aff.* (milliards de $) *1982* : 2, *92* : 0,09. *Employés* : 10 000. **Nintendo :** *CA (1992-93)* : 5,46 milliards de $ (bénéfice consolidé 1,43). *% du marché mondial* : 70. *Ventes en France* (en milliers, 1992) : Nintendo 1 730 dont Super Nintendo 550, Nintendo Entertainment System 380, Game Boy 800. 28-12-1992 le standard SOS Nintendo a reçu près de 50 000 appels. *Consoles vendues dans le monde* : 80 millions. *USA* : *ventes cumulées* (fin 1991) : 46,7 millions dont 33,3 de 8 bits et 3,4 de 16 bits. **Sega :** produits grand public découlant des jeux d'arcades (installés dans cafés et salles de jeux), le métier d'origine de la Sté, créée en 1951. *CA (1992)* : 3,58 milliards de $, bénéfice consolidé 0,3493. *Ventes* : 1,86 milliard de $. *Marché européen* (en %) : 51,2, *français* : 38. *Consoles vendues 1991* : 2,3 millions ; *92* : 3,3. *Filiale française CA (1992-93)* : 1,6 milliard de F. *Consoles 16 bits* : 600 000 Megadrive vendues en France en 1991.

Prix : consoles portables Game Boy Nintendo (noir et blanc) 490 F, Game Gear de Sega (couleur) 990 F, Super-Nintendo 1 000 F.

Héros : Mario (Nintendo, 1983) se gave de pizzas et ketchup, lutte contre le méchant Donkey Kong. 60 millions de logiciels vendus dans le monde. Mario délivre la grincheuse princesse Daisy ou la douceâtre Pauline. Il affronte, épaulé par Luigi, ou par le petit dinosaure Yoshi, l'immonde Bowser, une tortue tyrannique. Sonic (Sega), hérisson bleu azur, espadrilles à turboréacteurs, né sur la planète Mobius, parrainé par le docteur Kintobor.

☞ Les jeux électroniques ont été accusés, en G.-B., d'avoir provoqué des crises d'« épilepsie photosensible ».

■ Images de synthèse et mondes virtuels. *1991* : *1er jeu de « virtual reality »* commercialisé à Londres (le joueur portait un casque à lunettes de vision stéréo, se voyait pénétrer dans une villa antique, pistolet à la main). *1er jeu virtuel collectif « Galaxian 3 »* créé par Namco, à Yokohama (Japon) (16 personnes entrent dans une salle circulaire de 10 m de diam. au mur couvert d'écrans jointifs dont les images se voient en relief sans lunettes spéciales ; télécommande en mains, ils sont l'équipage d'une nef spatiale. *Bancs de simulation pour pilotes.* Coût : 30 millions de F. Réservés à l'usage militaire ou professionnel. *1993* simulateurs entre 60 000 et 200 000 F. *1995* simulateurs de poche raccordables aux réseaux du téléphone. *Télévision* : Broadsword TV (de Norwich, G.-B.) a programmé « Cyberzone », jeu nécessitant des lunettes « VR » (réalité virtuelle). *Best seller* : 12 000 exemplaires env.

■ EN FRANCE

■ Statistiques globales (en milliards de F). **Marché français** *1990* : 13,9 ; *91* : 14,5. **Production** *1990* : 6,3 ; *91* : 6,7 ; *92* : 5. **Exp.** *1990* : 6,3 ; *91* : 1,9 (vers, en % : All. 19, G.-B. 15, UEBL 11, It. 8, Esp. 8) ; *92* : 2,01. **Imp.** *1991* : 7,8 ; *92* : 8,4 (de, en % : Chine 30, Japon 30, CEE 25 dont It. 6,5, All. 5,2, Esp. 4,4).

Principales branches d'activité (en %). Jeux et jouets 76,5, véhicules, engins mécaniques et voitures miniatures 15,5, articles de puériculture 15,5, jeux de société non électroniques 11,5, jouets sportifs et de plein air 10, voitures d'enfants 9, jouets de bébé et 1er âge 8,5, articles de fête et ornements de Noël

8, poupées et accessoires 7, jouets d'imitation 6,5, en peluche 5,5, porteurs 4, trains, modèles réduits et maquettes 3,5.

■ **Entreprises. Nombre** *1985 :* 195, *90 :* 170, dont 30 ayant un CA de + de 50 millions de F. **Salariés** (1990) : 9 446 (dont 755 dirigeants et cadres, 2 122 ETAM, 5 522 ouvriers apprentis en ateliers, 328 travailleurs permanents à domicile, 719 saisonniers), + 20 000 induits.

■ **Principales sociétés. Jouets** (CA 1991/92 en millions de F) : **Idéal Loisirs** (éditeur et négociant) 750 (92), **Majorette** *1989 :* 720 ; *90 :* 704 ; *91 :* 609 ; *92 :* 400 (perte 100, passif 600, racheté par Idéal Loisirs 85 millions de F), **Smoby** 455 (*92 :* 465), **Berchet** 400, **Clairbois** 240, **Monneret** 165, **Jeux Nathan**, **Jouef** 100, **Charton**, **Nounours**, **Droguet International** (production).

■ **Jeux vidéo. Consoles vendues** (en 1992, en millions) 2,95 dont Nintendo 1,56, Sega 1,3, Atari 0,09. *Consoles 16 bits :* 38,5 % du marché ; *8 bits :* 24,5 % ; *portables :* 37 % dont Nintendo (65 %) 700 000 Game Boy ; Sega 300 000 Game Gear ; Atari 90 000 Lynx. **Consoles de salon :** *Sega* 400 000 Master System 8 bits, 600 000 Megadrive 16 bits ; *Nintendo* 330 000 Nes, 530 000 Super Nintendo.

■ **Maquettes et modèles réduits France.** *Entreprises* 300. *Chiffre d'aff. 1992 :* 3 milliards de F. *Pratiquants :* 3 millions en France.

☞ **Ludothèque.** Centre de prêt de jouets. *Nombre :* 400 en France. *Renseignements :* Sté des Amis du jouet, rue Émile-Augier, 75016 Paris.

MINERAIS ET MÉTAUX

■ **Métaux précieux.** Or, argent, platine et métaux dits de la mine du platine : palladium, rhodium, iridium, ruthénium, osmium. Ils ont tous un point de fusion élevé et une excellente conductibilité.

■ **Consommation mondiale. Prévisions faites** en 1971 pour l'an 2000 en millions de t (entre par., augmentation en % par rapport à 1968). Fer 840 (+ 180), aluminium 83 (+ 750), cuivre 15 (+ 440), zinc 13,6 (+ 230), plomb (+ 200), nickel 1,5 (+ 300).

Ces prévisions apparaissent actuellement sous-évaluées. On entrevoit pour plusieurs métaux un risque de pénurie vers l'an 2000, ex. : nickel, zinc. Peut-être les océans pourront-ils fournir des ressources supplémentaires.

■ **Productions minières** (en 1987. % des parts des 3 1ers pays). *Platine* 98 % dont Afr. du S. 66, ex-URSS 30, Chine 14. *Vanadium* 95 : Afr. du S. 51, ex-URSS 30, Chine 14. *Amiante* 82 : ex-URSS 59, Can. 17, Brésil 6. *Potasse* 73 : ex-URSS 36, Can. 27, All. dém. 12. *Tungstène* 72 : Chine 37, ex-URSS 28, Corée 7. *Chrome* 71 : Afr. du S. 35, ex-URSS 28, Albanie 8. *Diamant* 71 : Austr. 34, Zaïre 22, Botswana 15. *Colbat* 70 : Zaïre 43, Zambie 16, Can. 11. *Phosphate* 66 : USA 28, ex-URSS 24, Maroc 14. *Manganèse* 65 : ex-URSS 42, Afr. du S. 13, Gabon 10. *Antimoine* 64 : Chine 35, Bolivie 18, Afr. du S. 11. *Or* 64 : Afr. du S. 37, ex-URSS 17, USA 10. *Bauxite* 61 : Australie 36, Guinée 17, Jamaïque 8. *Uranium* 59 : Can. 35, USA 13, Afr. du S. 11. *Fer* 58 : ex-URSS 27, Chine 17, Brésil 14. *Nickel* 57 : Can. 27, ex-URSS 21, Austr. 9. *Soufre* 57 : USA 25, ex-URSS 16, Can. 16.

■ **Évolution du cours des métaux à Paris. Aluminium** (en F/t métrique) *1960 :* 2 349. *70 :* 3 330. *75 :* 4 090. *80 :* 7 962. *84 :* 13 100. *89 :* 15 050. *90 (avril) :* 12 100. *91 (fin) :* 12 100. *92 :* 8 700. **Antimoine** (en F/t métrique) *1960 :* 2 425. *70 :* 30 007. *71 :* 7 447. *72 :* 6 442. *73 :* 10 418. *74 :* 26 046. *75 :* 15 739. *78 :* 12 417. *84 :* 33 041. *89 :* 18 100. **Argent** (en F/kg) *1960 :* 146. *64 :* 207. *67 :* 260. *68 :* 354. *70 :* 331. *71 :* 292. *73 :* 390. *74 :* 783. *80 :* 3 080. *82 :* 1 825. *83 :* 3 030. *84 :* 2 490. *85 :* 1 975. *86 :* 1 468. *87 :* 1 612. *88 :* 1 528. *89 :* 1 421. **Cadmium** (en F/kg) *1960 :* 15. *70 :* 41. *80 :* 27. *85 :* 21. *86 :* 19. *87 :* 26. *88 :* 108. *89 :* 107. **Cobalt** (en F/kg) *1960 :* 18. *70 :* 27. *80 :* 235. *85 :* 249. *86 :* 184. *87 :* 93. *88 :* 99. *89 :* 118. **Cuivre** (en F/t métrique) *1960 :* 3 400. *70 :* 7 904. *80 :* 9 527. *85 :* 13 099. *86 :* 9 839. *87 :* 10 931. *88 :* 10 799. *89 :* 18 508. *92 :* 12 525. **Étain** (en F/t métrique) *1960 :* 11 227. *70 :* 21 279. *80 :* 75 737. *85 :* 118 096. *86 :* n.d. *87 :* 47 472. *88 :* 49 262. *89 :* 62 705. **Nickel** (en F/kg) *1960 :* 9. *70 :* 15,31. *80 :* 31. *85 :* 53. *86 :* 33. *87 :* 35. *88 :* 78. *89 :* 85. **Plomb** (en F/t métrique) *1960 :* 1 049. *70 :* 1 743. *79 :* 5 199. *80 :* 3 984. *83 :* 3 424. *84 :* 4 023. *85 :* 3 655. *86 :* 2 946. *87 :* 3 735. *88 :* 4 096. *89 :* 4 502. **Zinc** (en F/t métrique) *1960 :* 1 280. *70 :* 1 770. *80 :* 3 549. *85 :* 7 946. *86 :* 5 755. *87 :* 5 159. *88 :* 7 915. *89 :* 11 740.

■ **Consommation en France** (milliers de t, 1991). Aluminium 734,2. Cuivre 481,2. Zinc (raffiné) 272,1. Plomb 210,7. Nickel 33,6. Étain 9,1.

FER

Source : Chambre synd. des mines de fer de France ; Fédération française de l'acier.

MINERAI DE FER

DANS LE MONDE

Commerce (en millions de t/an, 1990). **Pays exportateurs :** Brésil 113,7, Australie 99,2. ex-URSS 36,3. Inde 33,8. Canada 27,2. Afr. du S. 17. Suède 16,4. Venezuela 14,5. Mauritanie 11,4. *France 3,3.* **Importateurs :** Japon 125,4. Allemagne 43,5. ex-URSS 39,7. Belg.-Lux. 20,3. *France 18,8 ;* USA 18,3. G.-B. 17,6. Italie 17,2. Corée 15,2.

Production de minerai de fer en millions de t de métal contenu et, entre parenthèses, **teneur moyenne du minerai** (1990). ex-URSS 239,6 (60). Brésil 154,4 (64). Australie 112 (64). Chine 105 (50). USA 55,5 (63). Inde 50 (63). Canada 35,8 (61). Afr. du S. 30,3 (63). Venezuela 20,1 (64). Suède 19,9 (62). Mauritanie 11,4 (65). *France 8,7 (30).* Mexique 8,1 (63). Chili 7,8 (61). Liberia 4 (68). Espagne 3 (50). Autriche 2,3 (31). Algérie 2,6 (54). Nouvelle-Zélande 2,3 (56). Japon 0,2 (54). G.-B. 0,1 (22).

Réserves confirmées de minerai de fer (1990). Correspondent à plus de 250 années de production (60 milliards de t), au Brésil 35, USA 16,6, Australie 15,4, Canada 12,4, Chine 9,1, Inde 7,2, Afr. du S. 4,1, Suède 3,1, Venezuela 2, Liberia 0,9.

EN FRANCE

■ **Bassins. Est.** Env. 12 couches de quelques dm à plusieurs m (teneur 20 à 40 %), épaisseur totale 30 m, assez régulières ; elles s'enfoncent avec une faible pente. Ne peuvent être exploitées économiquement que les couches d'au moins 2,50 m à 3 m de profondeur (profondeur moyenne exploitée 4 m) et d'une teneur d'au moins 30 % de fer sur sec. Pendage moyen des couches sédimentaires d'environ 3 % vers le Bassin parisien, diminuant progressivement en puissance et en teneur. Les exploitations sont souterraines (profondeur 130 m à 260 m). Les terrains de recouvrement sont aquifères, d'où d'importantes venues d'eau dans certaines mines. En 1982, on a remonté 13,7 t d'eau pour 1 t de minerai. *Réserves exploitables* aux conditions économiques actuelles : 1 milliard de t de minerai calcaire à 33 % de fer sur sec contre 58 à 68 % pour la plupart des minerais concurrents et 0,5 de m. silicieux à 35 %. *Handicaps :* faible teneur en fer, d'où frais de fabrication de l'acier et de consommation de coke et de combustible plus importants ; teneur en phosphore (rendant plus onéreux et plus délicat le traitement de la fonte phosphoreuse à l'aciérie) ; impossibilité de l'enrichir économiquement.

Ouest. *Teneur :* fer 42 à 50 % ; silice, chaux faible, phosphore 0,4 à 0,8 %. *Réserves :* 1,4 milliard de t. *Production :* Soumont (Calvados) 600 000 t (en 1987), fermée début août 1989 ; Limèle (L.-A.), St-Sulpice-des-Landes (I.-et-V.), Segré (M.-et-L.) ont fermé ; Rougé (L.-A.) 30 000 t (14 salariés) reste ouverte. *Production record : 1962 :* 62,7 millions de t (avec 20 000 mineurs). *1992 (prév.) :* 3,4 (470 mineurs, 2 mines en service).

■ **Exploitations en activité** (1989). 4 dont Lorraine 2 (24 fin 1979), Ouest 1, Pyrénées 1.

■ **Effectifs.** *1963 :* 25 000, *84 :* 2 766, *90 :* 1 139 dont ouvriers 844 (dont abattage 262), ETAM 264, ingénieurs 31.

■ **Livraisons** (1990, en millions de t). 8,053 dont Lorraine 8,016, autres mines 0,04. **Exp. :** 3,29 vers Lux. **Imp.** (mines de fer et boulettes) : 19,16 (dont Brésil 6,31, Australie 4,35, Mauritanie 2,32, Canada 1,96, Venezuela 0,99, Afr. du S. 0,87, Norvège 0,65, Chili 0,56, Liberia 0,5, Suède 0,41, Esp. 0,21).

Marché français. *En 1878,* le procédé de déphosphoration des fontes de l'Anglais Thomas a permis l'utilisation des minerais phosphoreux. *Depuis 1960,* des gros minéraliers ont entraîné une baisse des frets maritimes, la mise en exploitation de gisements riches hématites [minerai contenant de l'oxyde ferrique Fe_2O_3 anhydre (hématite rouge) ou plus ou moins hydraté (h. brune), très recherché] outre-mer et la naissance des sidérurgies côtières (Dunkerque, Fos). La minette lorraine a ainsi perdu progressivement sa place dans la production française d'acier.

PRODUCTION EN MILLIERS DE TONNES

	1929	1938	1951	1960	1970	1980	1987	1988	1990
Lorraine	47 842	30 974	32 746	62 725	54 344	27 663	10 715	9 369	8 693
Ouest	2 420	1 971	2 220	3 849	2 410	1 219	668	516	27
Pyrénées	312	127	235	335	52	99	29	–	–
Total	*50 574*	*33 045*	*35 201*	*66 909*	*56 805*	*28 980*	*11 412*	*9 983*	*8 720*

FONTE

Production (en millions de t, en 1991). Ex-URSS 91. Japon 80. USA 44. Allemagne 31. Brésil 22,7. Corée 18,5. Inde 14,2. *France 13,6.* G.-B. 11,9. Belg.-Lux. 11,8. Italie 10,9. Canada 8,3, Afr. du S. 7. Pologne 6,4. Australie 5,6. Taiwan 5,6. Espagne 5,4. Roumanie 4,7. P.-Bas 4,7. Turquie 4,6. Autriche 3,4. Mexique 3. Suède 2,8. Finlande 2,3. Iran 2. Argentine 1,4. Hongrie 1,3. Yougoslavie 1,3. Bulgarie 1,1. Chili 0,7. Portugal 0,3. Norvège 0,1. *Monde* 507,6.

ACIER

Sources : Fédération française de l'acier ; Office fédéral de stat. de ex-RFA.

HISTOIRE

V. 500 av. J.-C. produit en Orient par cémentation du fer doux (incorporation de carbone à haute température, utilisé pour les épées ou les petits instruments chirurgicaux). **VIIe s.** acier de Damas à haute teneur en carbone. **XVIe s.** acier par grillage de la fonte (décarburation) ; si le fer contient moins de 2 % de carbone on a de l'acier, s'il en contient plus de 2 % on a de la fonte.

TECHNIQUES

■ **1°) Du minerai à la fonte.** Après concassage, criblage et agglomération ou boulettage, le minerai de fer est introduit dans le *haut fourneau* en couches alternées avec du coke (minerai lorrain : 500 à 600 kg de coke pour 1 000 kg de fonte ; autres minerais : 430 à 530 kg).

La combustion du coke à env. 2 000 °C fournit la chaleur nécessaire à la fusion du fer et de la gangue, après réduction des oxydes de fer du minerai, par le gaz issu de cette combustion. Le fer se combine alors au carbone pour donner la fonte. Toutes les 4 ou 6 h, des coulées permettent de recueillir séparément *fonte* et *laitier* (scorie du haut fourneau composée de silicates d'alumine et de chaux qui nagent sur le métal en fusion ; utilisé comme ballast et dans les mat. isolants) contenant la gangue du minerai et les cendres du coke (utilisé pour ballast et revêtement de route). Les gros hauts fourneaux coulent de façon quasi continue. La fonte destinée à la fonderie est dite *fonte de moulage*. Le *cubilot,* inventé en 1722, par le Français Réaumur, permet de refondre en fonderie la fonte des hauts fourneaux afin de la mouler (moules en sable, parfois en acier, en plastique). Celle qui sera affinée est dite *fonte d'affinage* et comprend : *fonte hématite* (traitée parfois dans les fours Martin et surtout dans les convertisseurs à l'O_2) ; *fonte phosphoreuse* (traitée en convertisseurs à l'oxygène) ; *fontes spéciales* comme le ferromanganèse.

Haut fourneau. ÉVOLUTION : **1340** 1er construit à Namur (charbon de bois, puis charbon à partir de 1709). **1735** four à coke. **1810** f. électrique à résistance (Davy). **1856** f. à réverbère (Siemens). **1864** f. Martin. **1885** f. à induction (Colby). **1892** f. à arc industriel (Moissan). **1901** f. à sole conductrice (Paul Girod). **CARACTÉRISTIQUES :** *hauteur :* 20 à 40 m ou + ; capacité : 800 à 3 000 t ; volume intérieur peut dépasser 3 000 m³ ; *production journ. :* 2 000 à 10 000 t. *Coût :* 100 à 150 millions de F. **« géant » :** *Ex. :* n° 4 d'Usinor à Dunkerque : haut. 86 m, diamètre au creuset 14,20 m, volume intérieur 4 615 m³, utile 3 850 m³, tuyères 40, production 10 000 t/j. *Record :* Oita (Japon) 5 070 m³.

■ **2°) De la fonte (ou de la ferraille) à l'acier.** Procédés utilisés pour éliminer carbone, silicium, manganèse, soufre, phosphore et en faire de l'acier (alliage de fer et de certains éléments).

Convertisseur Thomas : inventé 1877 par Sydney Thomas (1850-85). Cornue de 25 à 55 t de capacité (max. 70 en All.) où de la fonte à 1 250 °C est versée avec de la chaux (qui fixera l'anhydride phosphorique dégagé par l'oxydation du phosphore et la silice venant de l'oxydation du silicium). Un courant d'air sous pression, enrichi en oxygène, amené par des tuyères, traverse le mélange en fusion, brûlant la majeure partie du carbone, du phosphore et du silicium. Cette combustion élève la température à plus de 1 600 °C, température de coulée de l'acier. L'opération dure env. 30 mn dont 15 de soufflage.

Procédés à l'oxygène : même principe que ci-dessus, mais de l'oxygène pur à la place de l'air. Capacité de cornue jusqu'à 350 t. **Différents procédés : 1°)** *Soufflage par lance verticale :* LD (1949-52) et LD Pompey (1957) pour fontes hématites ; OLP et LD-AC (1958) pour f. phosphoreuses. **2°)** *Fours tournants et soufflage par lance :* Kaldo

(1948-55), Rotor (1952-56) ; pratiquement disparus. 3) *Soufflage par tuyères dans le fond de la cornue :* LWS et OBM (1970) pour f. hématites et phosphoreuses ; AOD et (Cl. U) pour aciers inoxydables. 4) *Soufflage mixte par lance et tuyères :* permettent d'augmenter la proportion de ferrailles, d'élargir la gamme des nuances, une conduite automatique et la réduction de la teneur en azote (de 0,008 % à 0,002 %).

Four Martin : *inventé* 1865 par Pierre-Émile Martin (1824-1915). *Capacité* 50 à 400 t (URSS jusqu'à 900 t). *Fusion* par la combustion de gaz (ou mazout pulvérisé). *Durée :* 4 à 8 h. *Inconvénients :* faible productivité, gros consommateur d'énergie et de produits réfractaires. Fin 1982, il n'existait plus d'aciérie Martin en France.

Four électrique à arc : *inventé* 1900 par Paul Héroult (1863-1914) qui lui donne sa forme définitive. *Fusion* par un arc électrique produit entre des électrodes de graphite de plusieurs m de hauteur et de 15 à 50 cm de diamètre. Permet d'obtenir des aciers spéciaux et courants. *Capacité* jusqu'à 230 t. *Fours UHP (Ultra High Power) :* traversés de courants de très haute intensité, alimentation par courant alternatif ou continu. Pour les aciers de très haute qualité, on utilise le four électrique à induction sous vide par bombardement d'électrons ou électrodes consommables.

■ **3°) Produits en acier.** A sa sortie du four (creuset ou convertisseur), l'acier est coulé en continu pour donner directement des demi-produits (brames, blooms, billettes, ronds), ou en lingots (de quelques kg à 100 t et plus) qui sont ensuite laminés entre des cylindres tournant en sens inverse sur des trains pour donner des *blooms* ou des *billettes* à section carrée, ou plaques ou des *ronds.* Les *gros trains* transforment ensuite les blooms en produits finis lourds : *poutrelles, palplanches, rails, ronds. Trains moyens* et *petits trains* transforment blooms et billettes en divers *profilés* (aciers marchands) et en *fil. Trains à larges bandes à chaud* transforment les brames en *bobines de tôle.* Ces bobines sont ensuite relaminées sur des trains à froid pour obtenir des tôles minces. Vitesse : jusqu'à 100 km/h pour les bobines de tôles, 350 km/h pour le fil de 5 mm de diamètre.

Produits obtenus. Plats (en feuilles ou en bobines) : *plaques* (15 à 20 mn), *tôles* à chaud (2 à 10 mn), *fer noir, feuillard ;* tôles laminées à froid (– de 3 mn) revêtues par addition d'une *couche d'étain* (fer-blanc), de *zinc* (tôle galvanisée), de *chrome* (t. chromée), d'*aluminium* (t. aluminisée), de *plomb* (t. plombée) ou de *plastique* ou de *peinture.* **Longs :** *profilés lourds :* poutrelles, rails, palplanches, traverses ; *aciers marchands :* cornières, ronds, ronds à béton, profilés de diverses formes ; *fil machine* jusqu'à 5 mm de diamètre fourni en couronnes (pouvant atteindre 2 t) ; *produits pour tubes ronds ou carrés.*

Teneur moyenne en carbone (en %). **Fonte** grise : 3,5 à 6, ; blanche : 2,5 à 3,5. **Acier** extra-doux : 0,02 à 0,06 ; doux : 0,06 à 0,25 ; demi-doux : 0,25 à 0,40 ; demi-dur : 0,4 à 0,6 ; dur : 0,6 à 0,7 ; très dur : 0,7 à 0,8 ; extra-dur : plus de 0,8. **Fer industriel :** 0 à 0,4 ; pur : 0.

■ L'ACIER DANS LE MONDE

ÉVOLUTION DE LA PRODUCTION D'ACIER
(en millions de t)

■ **Production mondiale.** *1900 :* 35. *13 :* 81. *38 :* 110. *60 :* 341. *66 :* 474. *74 :* 710. *77 :* 673. *78 :* 713. *85 :* 718. *87 :* 734. *88 :* 778. *89 :* 785,1. *90 :* 769,6. *91 :* 736. *2000 prév. :* 2 000.

■ **Production de quelques pays. Afr. du Sud** *1930 :* 0,041. *60 :* 2,1. *66 :* 3,2. *76 :* 7,1. *81 :* 9. *85 :* 8,5. *90 :* 8,6. *91 :* 9,4. **All. dém.** *1956 :* 2,75. *66 :* 5,8. *76 :* 6,7. *81 :* 7,47. *85 :* 7,8. *88 :* 8,1. *90 :* 5,6. **All. féd.** *1860 :* 0,03. *70 :* 0,2. *1900 :* 6. *30 :* 10,4. *39 :* 18,2. *56 :* 23,2. *60 :* 34,1. *74 :* 53. *76 :* 42,4. *81 :* 41,6. *82 :* 35,9. *85 :* 40,5. *90 :* 38,4. *91 :* 29,42 dont Thyssen 10,90, Hoesch + Krupp 7,10, Paine Salzgitter 4,14, HKM 3,93, Klöckner 3,35. *91* (All. réunies) : 42,2. *92 :* 36,8. **Argentine** *90 :* 3,6. *91 :* 3. **Australie** *1930 :* 0,3. *39 :* 1,2. *56 :* 2,65. *60 :* 3,7. *66 :* 5,9. *76 :* 7,8. *81 :* 7,6. *85 :* 6,4. *90* [1] *:* 7,4. *91 :* 6,1. **Autriche** *1900 :* 1,4. *30 :* 0,5. *50 :* 0,9. *60 :* 3,2. *75 :* 4. *81 :* 4,6. *85 :* 4,7. *90 :* 4,3. *91 :* 4,2. **Belgique** *1860 :* 0,2. *1900 :* 0,9. *30 :* 3,4. *50 :* 3,8. *60 :* 7,2. *70 :* 12,6. *81 :* 12,3. *87 :* 9,8. *90 :* 11,4. *91 :* 11,3. **Brésil** *1930 :* 0,02. *56 :* 1,35. *66 :* 3,4. *76 :* 9,25. *81 :* 13,2. *85 :* 20,45. *90 :* 20,6. *91 :* 22,6. **Bulgarie** *91 :* 1,6. **Canada** *1900 :* 0,03. *30 :* 1. *56 :* 4,8. *66 :* 9,3. *76 :* 13,3. *81 :* 14,8. *82 :* 11,9. *85 :* 14,7. *90 :* 12,1. *91 :* 13. **Chine** *1930 :* 0,01. *50 :* 0,6. *60 :* 16,8. *70 :* 15,7. *75 :* 25,5. *81 :* 35,6. *85 :* 46,7. *90 :* 67,2. *91 :* 70,4. **Corée du N.** *91 :* 7. **Corée du S.** *1950 :* 0,002. *60 :* 0,07. *70 :* 0,5. *75 :* 2,6. *81 :* 10,8. *85 :* 13,5. *90 :* 23,1. *91 :* 26. **Égypte** *91 :* 2,6. **Espagne** *1860 :* 0,03. *1930 :* 1. *39 :* 0,6. *56 :* 1,2. *66 :* 3,75. *76 :* 11. *81 :* 13. *85 :* 14,2. *90 :* 12,7. *91 :* 12,9. **Finlande** *90 :* 2,9. *91 :* 2,9. **France** *1860 :* 0,04. *1900 :* 1,6. *30 :* 9,5. *60 :* 17,3. *74 :* 27. *81 :* 21,2. *82 :* 18,4. *85 :* 18,8. *88 :* 19,1. *90 :* 19. *91 :* 18,4. **G.-B.** *1870 :* 2,8. *1900 :* 6,2. *38 :* 10,6. *60 :* 24,7. *76 :* 23,2. *81 :* 15,6. *82 :* 13,7. *85 :* 15,8. *88 :* 19. *90 :* 17,8. *91 :* 16,5. **Hongrie** *90 :* 2,8. *91 :* 1,9. **Inde** *1900 :* 0,6. *56 :* 1,8. *66 :* 6,6. *76 :* 9,3. *81 :* 10,8. *85 :* 11,1. *90 :* 14,9. *91 :* 17,1. **Indonésie** *91 :* 3. **Iran** *91 :* 2,2. **Italie** *1860 :* 0,01. *1900 :* 0,1. *30 :* 1,7. *56 :* 5,9. *60 :* 8,5. *76 :* 23,5. *81 :* 24,8. *85 :* 23,9. *90 :* 25,4. *91 :* 25,1. **Japon** *1900 :* 0,04. *39 :* 6,7. *60 :* 22,1. *66 :* 47,8. *76 :* 107,4. *81 :* 101,7. *82 :* 99,5. *85 :* 105,3. *86 :* 98,3. *87 :* 98,5. *88 :* 105,7. *90 :* 110,3. *91 :* 109,6. **Luxembourg** *1900 :* 0,2. *30 :* 2,3. *56 :* 3,5. *60 :* 4. *76 :* 4,6. *81 :* 3,8. *85 :* 3,9. *90 :* 3,6. *91 :* 3,4. **Mexique** *90 :* 8,7. *91 :* 7,9. **P.-Bas** *1939 :* 0,06. *56 :* 1. *60 :* 1,95. *76 :* 5,2. *81 :* 5,5. *82 :* 4,3. *85 :* 5,5. *90 :* 5,4. *91 :* 5,2. **Pologne** *1900 :* 0,2. *30 :* 1,2. *56 :* 5. *66 :* 9,7. *76 :* 15,6. *81 :* 15,7. *87 :* 17,1. *88 :* 16,7. *90 :* 13,1. *91 :* 10,4. **Roumanie** *1900 :* 0,2. *30 :* 0,15. *56 :* 0,8. *66 :* 3,6. *76 :* 11. *81 :* 13. *85 :* 13,8. *88 :* 14,5. *90 :* 9,7. *91 :* 7,1. **Suède** *1870 :* 0,01. *1900 :* 0,3. *30 :* 0,6. *56 :* 2,4. *60 :* 3,2. *66 :* 4,8. *76 :* 5,1. *81 :* 3,8. *85 :* 4,8. *90 :* 4,5. *91 :* 4,3. **Taiwan** *90 :* 9,5. *91 :* 11. **Tchécoslovaquie** *1900 :* 0,002. *30 :* 1,8. *56 :* 4,9. *66 :* 8,9. *76 :* 14,7. *81 :* 15,3. *85 :* 15. *90 :* 14,9. *91 :* 12,1. **Turquie** *91 :* 9,3. **URSS** *1900 :* 2,8. *13 :* 4,9. *38 :* 18,1. *60 :* 65,3. *66 :* 96,5. *76 :* 144,8. *81 :* 148,5. *85 :* 154,5. *90 :* 153,9. *91 :* 132,8. **USA** *1900 :* 12,6. *13 :* 33,5. *28 :* 52,9. *38 :* 28,8. *60 :* 91,9. *66 :* 124,6. *76 :* 116,1. *81 :* 109,6. *82 :* 67,6. *85 :* 79,2. *86 :* 73,8. *87 :* 81. *88 :* 90,1. *90 :* 88,7. *91 :* 79,7. *92 :* 91,5. **Venezuela** *91 :* 3,1. **Yougoslavie** *1939 :* 0,08. *56 :* 0,9. *66 :* 1,85. *76 :* 2,75. *81 :* 4. *82 :* 3,85. *85 :* 4,5. *90 :* 3,6. *91 :* 2,2.

Nota. – (1) + Nlle-Zélande.

■ **Production d'acier brut par procédé de fabrication** (1991). *Monde occidental :* 378,9 millions de t (oxygène 66,3 %, électrique 32,9). *Europe de l'Est :* 165,5 (foyer ouvert 46,2 %, oxygène 39,2, électrique 14,5).

■ **Commerce** (en millions de t). **Principaux exportateurs** (exp. nettes) : Japon 9,5, Belg.-Lux. 9,4, Brésil 8,8, All. 3,8, Tchéc. 3,5, Afr. du S. 2,8, Pologne 2,2, Argentine 1,7, G.-B. 1,7, Corée 1,7, Turquie 1,7. **Importateurs** (imp. nettes) : USA 11,7, Iran 4,9, Taiwan 2,9, Italie 2,7, Thaïlande 2,6, Égypte 2,2, Singapour 2,1, Chine 1,9, Philippines 1,9, Inde 1,8, Portugal 1,7, Indonésie 1,6.

GRANDES SOCIÉTÉS

■ **Production d'acier** (en millions de t, en 1992). Nippon Steel [2] 25,1. Usinor Sacilor [3] 21,1. Posco [4] 20,1. British Steel [5] 12,39. NKK [2] 10,89. ILVA [6] 10,6. Thyssen [7] 10,13. Kawasaki [2] 10. LTV [1] 6,9. Kobe Steel [1] 6,5. China Steel [1] 5,8. BHP [1] 5,7. Hoogovens [1] 4,9. National Steel [1] 4,8. Krupp Stahl [1] 4,5. Cockerill-Sambre [1] 4,4. Inland Steel [1] 4,2. Hoesch [1] 4,2. Preussag [1] 4,1. Usiminas 4,1. Voest-Alpine [1] 4,1. Sidex [1] 4.

Nota. – (1) 1991. (2) Japon. (3) France. (4) Corée. (5) G.-B. (6) Italie. (7) Allemagne.

■ **Aciéries principales** (capacité en millions de t, 1992). **Japon :** Fukuyama 11,2, Mizushima 10,9, Kashima 10,1, Kimizu 9,1, Wakayama 8,4, Yawata Tobata 7,8. **URSS :** Krivoï 6,6, Magnitogorsk 5,5. **USA :** Gary 8,2, Cleveland Works 5,3, Burns Harbour Plants 5,2, Sparrows Point 4, Indiana Harbour 3.

■ **Coûts à la tonne** (en $, 1991). Allemagne 548, Japon 544, USA 517, *France 505,* Taiwan 445, Corée du S. 425.

Source : Paine – Weber/Financial Times.

■ **Principales sociétés de sidérurgie. Chiffre d'affaires et,** entre parenthèses, **résultat net** (en milliards de F, 1991) : Nippon Steel [2] 110,3 (3,5), Usinor-Sacilor [3] 97,2 (– 3), NKK [2] 55,2 (1,5), Kobe Steel [2] 54,6 (1,2), Kawasaki Steel [2] 50,7 (1,1), Ilva [4] 48,1 (– 2), Sumitomo [2] 48,5 (0,9), British Steel [5] 45,8 (– 0,5), Posco [6] 43,3 (1), Thyssen Stahl AG [1] 43, LTV Corp. [8] 33,8 (0,4), Arbed [7] 32,7 (0,9), Cockerill-Sambre [9] 28,7 (0,4), Bethlehem Steel [8] 24,4 (– 4), Hoogovens [10] 24,4 (– 0,1), Inland Steel [8] 19,2 (– 1,5), China Steel [11] 12,9 (3).

Nota. – (1) All. (2) Japon. (3) France. (4) Italie. (5) G.-B. (6) Corée. (7) Lux. (8) USA. (9) Belg. (10) P.-B. (11) Taiwan.

CONSOMMATION D'ACIER

Consommation apparente (en millions de t métriques). *1984 :* 713,2, *85 :* 725,9, *86 :* 724,3, *87 :* 745,6, *88 :* 782,6, *89 :* 788,6, *90 :* 779,5, *91 :* 736,2 (monde occidental 487,8 dont CEE 118,2, USA 88, Japon 99,1 ; monde à économie planifiée 241, divers 7,4).

Principaux marchés (en millions de t, prév. an 2000 de Chase Econometrics) Chine 134, USA 94, Japon 72, Inde 32, All. féd. 31, Brésil 29, Italie 22, Canada 15, *France 15.*

Utilisation de l'acier en Europe de l'Ouest (1992, en %) : BTP 44, construction mécanique et électrique 22, automobile 17, autres 17.

Taxes américaines sur les importations d'acier (en % du prix), 1992. Brésil 109, G.-B. 109, Espagne 106, Mexique 76, Pologne 75, Roumanie 75, Canada 69, Italie 54, Finlande 53, Corée du Sud 30, Allemagne 29, Japon 27, P.-Bas 26, *France 24,* Suède 22, Australie 21, Argentine 20, Autriche 19, Belgique 13.

■ L'ACIER EN FRANCE

■ **Évolution. De 1950 à 73** amélioration ou abandon des convertisseurs Thomas supplantés par la technique autrichienne de convertisseur à oxygène ; transport des usines « au bord de l'eau » (1970 : construction de Fos). *De 1950 à 67 :* prix bloqués malgré la création de la CECA en 1951, puis contrôlés (inférieurs de 5 à 20 % aux prix allemands) ; liberté des prix sous réserve de gros efforts d'investissement. Le blocage a été décidé parce qu'une hausse de l'acier avait entraîné une « flambée générale des prix » et qu'il convenait de limiter les profits des entreprises. L'investissement pouvant être financé par l'emprunt a fait perdre à la sidérurgie française env. 10 milliards par an (soit 170 en 17 ans, sans les intérêts). Au début des années 1960, l'intérêt des emprunts (sans le remboursement) représentait 9 % du prix de revient de l'acier français (2,5 % en Allemagne). Cette différence de 6,5 % représentait en 1989 : 5,5 milliards de F par an et a conduit à la ruine de la sidérurgie française et à sa demi-nationalisation en 1978.

1973 *augm. du coût des matières premières :* de 1969 à 74, pétrole (20 % de l'énergie consommée par la sid.) : + 6,8 % ; cokes d'importation : + 260 %. *Développement de la demande* (pour transport, recherche, stockage du pétrole) ; gros effort de financement. **1974-76** crise : commandes 28,2 % (inflation, important stock de 1973 non résorbé) ; baisse de la production : *1975 :* 20 % ; *76 :* 14 ; *77 :* 18 (par rapport à 74). *Pertes : 1975-76 :* Usinor et Sacilor 2,45 et 1,95 milliards de F. *Endettement* (1977) : 38 milliards de F (pour un CA de 33,5 milliards). *Manque de productivité :* pour produire 1 t d'acier, il faut (en h de travail) : *France 10,82 h,* All. féd. 7,7, Belgique 7,2, Italie 6,7, Lux. 6,5, Japon 6 ; coexistence d'appareils modernes (Fos, Dunkerque) et d'installations vétustes (30 % de l'ap. total). *Concurrence à l'exportation* (20 à 25 % du CA total) : le Japon couvre 70 % du marché sid. mondial ; prix compétitifs des nouveaux concurrents (Brésil, Venezuela, Iran, Mexique, Asie du S.-Est). **1977 Plan « acier »** *(avril).* Révision du VIIe Plan pour une rentabilité accrue : accroissement + lent de la production. *Investissements : 1977-80* 7 à 8 MdF, *1980-83* 5 dont pour Lorraine 50 %, Nord 30. *Endettement :* réduit de 104 % du CA (fin 1976) à 69 % en fin 1980 parallèlement à un relèvement des prix de l'acier. **1979**-*24-7* convention sociale entre Union patronale de la sidérurgie et syndicats. *Coût :* 7 milliards de F pour favoriser le départ de 20 000 salariés (prime de départ de 50 000 F, retraite anticipée à 50 ans pour 7 000 à 8 000 salariés, etc.).

1984 crise mondiale. Plan pour réduire les surcapacités, moderniser les unités et assainir la situation financière des entreprises. **1987** *nov.* rapport des 3 sages (Mayoux, Friedrichs et Colombo) : pour l'abolition des quotas et des mesures transitoires de réduction de la prod. *-22-12* la CEE décide de ne plus soumettre au régime des quotas, à compter du 30-6-88, plus de 50 % de la prod. sid. eur. (contre 85 % fin 1985). A partir du 2e trimestre 1988, quotas relevés de 2 % pour préparer le marché à la libre concurrence. **1988-90** la consommation d'acier en hausse, reprise des investissements. **1991-92** baisse après la guerre du Golfe, chute des prix. Concurrence d'Europe centrale et orientale. Récession aux USA et Japon. Les producteurs américains déposent des plaintes en anti-dumping et anti-subventions à l'encontre de 21 pays qui exportent une partie de leur production sur le marché américain. Surcapacités dans la CEE, estimées à plus de 30 millions de t.

■ **Concentrations. 1948** *Usinor* (Union sidérurgique du Nord, regroupement des Forges et Aciéries du N. et de l'E. avec Denain-Anzin à laquelle se joint Lorraine-Escaut en 1966). **1951** *Sidelor* (Forges Aciéries de la Marine et d'Homécourt + Forges Aciéries de Micheville, Rombas et Pont-à-Mousson). Création de la *Sollac* (Sté lorraine de laminage continu) par Wendel et Sidelor qui fusionnent ensuite. **1973** *Sacilor* (absorption de la Sté des Aciéries de Lorraine par Wendel-Sidelor). **1977** *Cie Chiers-Châtillon* (regroupement des Hauts Fourneaux de la Chiers, des Forges de Châtillon-Commentry-Biache avec les Aciéries et tréfileries de Neuves-Maisons-Châtillon). **1978** fusion Usinor-Châtillon-Neuves-Maisons. **1979** Sacilor absorbe A. de Pompey. **1980-81** mise en application de l'article 58 du traité Ceca permettant, en cas de crise, de contingenter la production pour redresser les prix. Constitution de la *Cie française des aciers spéciaux* par apport des usines spécialisées d'Usinor et de Creusot-Loire. Restructuration du groupe *Empain-Schneider.* **1981** *nov.* l'État prend le contrôle de *Sacilor* et *Usinor.* **1982** nouveau plan de restructuration. *Sacilor* prend le contrôle de la SAFE, Ugine Aciers et de la Sté métallurgique de Normandie. **1987** fusion Usinor-Sacilor. **1988** création de *Sollac,* Sté pilote de la branche produits plats d'Usinor Sacilor (fusion d'Usinor Aciers, Sollac et Solmer). **1992** à la suite d'acquisitions diverses, Usinor Sacilor représente 91,6 % de la production d'acier brut en France.

■ Usinor. *CA* et, entre parenthèses, *résultat net* (en milliards de F) : *1987 :* 67,1 (– 5,6), *88 :* 78,9 (4,6), *89:*97 : (7,6), *90:*96,7 (3,5), *91:*97,2 (– 3); *92 (estim.):* 86,7 (– 2,4).

☞ **Solmer :** *1970 déc.* construction de Solmer décidée (Sté Lorraine et Méridionale de laminage continu), à Fos-sur-Mer, préférée au Havre. *1971 sept.* ouverture. *1973 nov.* démarrage laminoir. *1974-3-4* 1re coulée de fonte. *-7-5* d'acier. *Production* (1990) produits plats 4 200 000 t. *Effectif* (31-12-92) : 3 873. *Dette : 1987 :* 26,9 ; *88 :* 24,3 ; *89 :* 22 ; *90 :* 28,9 ; *91 :* 29,5.

■ Actions de l'État (en milliards de F). *Subventions de 1974 à 88 :* 100 ; *investissements 1987 :* 3,2 ; *88 :* 3,3 ; *89 (prév.) :* 4.

■ Appareils de fabrication en France (1991, existants et, en italique, en activité). Hauts fourneaux 16 *12,* fours électriques à arc 32 *28,* fours électriques à induction 11 *9,* procédés à l'oxygène pur 10 *10.*

■ Consommation de l'acier produit (en %). Bâtiment, travaux publics 36, automobile 25, mécanique 23, ind. divers (emballage) 16.

■ Effectifs (en milliers). *1974* (Usinor-Sacilor France) : 160 ; *84 :* 93,6 ; *85 :* 84,9 ; *86 :* 81,9 ; *87 :* 79,8 ; *88 :* 71,9 ; *89 :* 68,7 ; *90 :* 65,9 ; *91 :* 65,6 ; *92 :* 60,4. *Suppression d'emplois : 1984-90 :* 50 000 (dont + de 30 000 mises à la retraite à 50 ans), *1992-94 :* 8 000 suppressions prévues.

■ Production (en millions de t). **Fonte** *1985 :* 15,41, *86 :* 13,98, *87 :* 13,45, *88 :* 14,79, *89 :* 15,07, *90 :* 14,41, *92 :* 13,05 dont *affinage* 12,25 (dont phosphoreuse 1,67, non phos. 10,58) ; *moulage* 0,47. **Acier brut** *1985 :* 18,81 ; *86 :* 17,86 ; *87 :* 17,69 ; *88 :* 19,12 ; *89 :* 19,33 ; *90 :* 19,02 ; *91 :* 18,43 ; *92 :* 17,9 dont oxygène 12,55, électrique 5,41.

■ Productivité. *1982 :* 7,2 heures pour 1 t d'acier. *86 :* 5,1 ; *88 :* 3,7 ; *90 :* 3,1 ; *92 :* 3.

AUTRES MINERAIS ET MÉTAUX

Sources : Imétal ; World Metal Statistics ; ONU ; Metaleurop. *Or et uranium :* voir à l'Index.

☞ **Stocks du London Metal Exchange (LME)** (en milliers de t) : aluminium 1 725,3, zinc 595,8, cuivre 354,7, plomb 245,4, nickel 86,5, aluminium recyclé 37,5, étain 19.

■ ALUMINIUM

MINERAIS

■ Bauxite [des Baux (B.-du-R.) où elle fut découverte en 1821 par le minéralogiste Pierre Berthier] contient de l'alumine monohydratée (boehmite et diaspore) ou trihydratée (gibbsite ou hydrargilite).

■ Production minière (millions de t, 1991). Australie 40,5. Guinée 17,1. Jamaïque 11,6. Brésil 10,4. Inde 4,8. Ex-URSS 4,8. Surinam 3,1. Chine 3. Youg. 2,5. Guyana 2,2. Grèce 2,1. Hongrie 2. Venez. 2. Indon. 1,4. Sierra Leone 1,3. Turquie 0,5. Malaisie 0,4. Ghana 0,3. Roumanie 0,2. *France 0,18. Monde 110,8.*

Nota. – (1) + minerais de substitution.

■ Réserves mondiales. 23 milliards de t (dont Guinée 8, Australie 5, Brésil 3, Jamaïque 1,5, divers 5,5).

■ Mines en activité en France. Pechiney a fermé sa dernière mine de bauxite en 1990 [Les Canonnettes (B.-du-R.)]. Seuls demeureront 3 petits exploitants approvisionnant les cimenteries.

■ Consommation de bauxite en France (en milliers de t, 1990) : 1 526 (dont 1 375 importées) dont cimenteries, réfractaires, autres env. 151. **Principales usines consommatrices :** Usines d'alumine de Gardanne (bauxite importée), cimenteries.

MÉTAL

■ Fabrication. *Grecs et Romains* connaissent l'alun. **1761** Guyton de Morveau propose le nom d'alumine pour la base obtenue à partir de l'alun. **1807** Davy suggère le mot alumium pour le nom du métal encore inconnu (devient aluminium). **1827** Wöhler l'isole par réduction du chlorure ($AlCl_3$) avec le potassium métal. **1854**-*14-8* Henri Sainte-Claire Deville (Fr., 1818-81) invente la préparation industrielle par la méthode chimique (réduction par du sodium), seule utilisée de façon suivie pendant 30 ans. **1886** Paul Héroult (Fr., 1863-1914) et Charles Hall (Amér., 1863-1914) découvrent le procédé électrolytique. L'aluminium est obtenu par électrolyse de l'*alumine* ou oxyde d'aluminium (Al_2O_3) dissoute dans un bain de *cryolithe* (AlF_3, 3 NaF) en fusion à 950°. Sous l'effet du courant continu, l'électrolyse est décomposée en al. qui va à la cathode (pôle –) et en oxygène qui va à l'anode (pôle +). Pour obtenir 1 t d'aluminium, il faut 1,9 t d'alumine pouvant être obtenue à partir de 4 à 5 t de bauxite ; 50 kg de produits fluorés ; 14 / 15 000 kWh d'électr. haute tension.

☞ *Aluminium anodisé :* alum. recouvert d'une pellicule d'alumine a-Al_2O_3 par oxydation anodique.

■ Production métallurgique d'aluminium primaire (milliers de t, 1991). USA 4 121,2. Ex-URSS 3 250. Canada 1 821,6. Australie 1 235,3. Brésil 1 139,6. Chine 900. Norvège 885,9. Allemagne 690,3. Venezuela 609,7. Inde 503,9. Espagne 355,2. Yougoslavie 314. G.-B. 293,5. *France 286,1.* P.-Bas 263,9. Nlle-Zélande 258,5. Dubai 239,2. Bahreïn 213,7. Italie 217,7. Égypte 179,5. Ghana 175,4. Indonésie 173,1. Rép. Sud-Africaine 171. Roumanie 167,5. Argentine 166,3. Grèce 152,4. Suède 96,9. *Monde occ. 15 122. Monde 19 624.*

Capacités consolidées d'électrolyse des principaux producteurs d'aluminium de 1re fusion dans le monde (milliers de t, fin 1992 et, entre parenthèses, part du potentiel du monde occid. en %). Alcoa (USA) 2 013 (12,5). Alcan (Canada) 1 646 (10,2). Reynolds (USA) 998 (6,2). Pechiney (France) 1 019 (6,3). Norsk Hydro (Norvège) 659 (4,1). Amax (USA) 773 (4,8). *Monde occ. 16 130.* **CA** (en milliards de F, 1992) : Pechiney 65,4, Alcoa 50,7, Alcan 40,5, Reynolds 29,6.

☞ **Pechiney** (en milliards de F, 1992 et 1991) : *CA :* 65,4 (71) [dont départements ind. 59,3 (63,5), commerce internat. 6 (7,4)]. *Marge opérationnelle :* 3,6 (4,9) [dont frais financiers nets 2,2 (2,6). *Résultat courant :* 1,4 (2,3) [dont autres prod. et charges 0,12 (0,11)]. *Résultat net, part du groupe :* avant amortissement des écarts d'acquisition 0,4 (1,02), après 0,2 (0,8).

■ Exportations (en millions de t). URSS *1990 :* 0,25 ; *91 :* 1.

■ Consommation d'aluminium primaire (milliers de t, 1991). USA 4 137. Japon 2 403,3. URSS [1] 1 800. All. 1 360,8. Chine 1 800. *France 734,2.* Italie 669,7. Inde 420. G.-B. 412,4. Canada 408. Corée du S. 383,3. Brésil 354,2. UEBL 323. Australie 298. Esp. 297,1. Taiwan 262,9. Autriche 168. Norv. 157. Suisse 156,7. Youg. 150. Thaïl. 146,7. Venez. 140,2. Iran 120. P.-Bas 119,9. Turquie 113,2. Bahreïn 105,8. Argentine 103,5. *Monde occ. 14 985.*

Nota. – (1) 1987.

☞ L'aluminium concurrence le cuivre (applications électriques, économie de 50 %) et l'acier [il est plus cher mais plus léger, 1 kg d'alum. remplace 2,5 kg d'acier ou 2 kg de cuivre, se corrode moins et est plus économique à travailler (usinage à vitesse élevée)]. Il existe de nombreux exemples d'alliages d'aluminium [*duralumin* (al. + cuivre + magnésium), *alpax* (al. + silicium)].

■ Stocks mondiaux (juin 1993). 1 888 000 t.

■ En France. **Consommation d'aluminium** (milliers de t, 1991). Totale (électrolyse + affinage + récupération des déchets et débris, corrigée du commerce ext. des demi-produits) : 944 dont al. primaire : 716. **Répartition des livraisons intérieures d'aluminium** (en %, 1991) : transport 38,3. Constr. électrique 15,4. Bâtiment 14,9. Emballage 8,1. Constr. mécanique 5. Fer, acier, autres us. métalliques 4,1. Équipement domestique et bureau 4. Équip. chim., alim. agr. 1. Poudre, pâte, grenaille 0,5. Divers 8,9.

■ Prix de l'aluminium (en F par kg). *Lingot A5 1852 :* 5 000. *1880 :* 150. *1900 :* 3,2 F-or. *75 :* 4,10. *80 :* 7,50 à 8,45. *84 (16-1) :* 13,10. *90 (oct.) :* 12,1. *91 (févr.) :* 11,1. *92 (févr.) :* 9,2. *93 (févr.) :* 8,7. **Prix à Londres au LME** (London Metal Exchange) (en $ par t) : *1982 :* 1 000. *88 :* 1 480 (en nov. 230). *91* (mars, moy. à 3 mois) : 1 529. *92* (févr., moy. à 3 mois) : 1 292. *93* (juin) : 1 221.

■ AMIANTE

Minerai. *Nom :* du grec *amiantos :* incorruptible. Connu depuis l'Antiquité (« pierre à coton »). 1860-70 1res applications techniques. *Variétés :* serpentine : chrysolite (silicate de magnésium hydraté), 98 % de la prod. mondiale ; amphiboles : crocidolite (silicate de fer et de sodium), amosite (silicate de fer et de magnésium), anthophyllite, trémolite, actinolite. **Propriétés.** Matière minérale, cristalline, fibreuse, incombustible, imputrescible, non conductrice de la chaleur et de l'électricité, possédant une très grande résistance mécanique et chimique.

Utilisations. Amiante-ciment ; textiles, papier, cartons et feutres d'am. ; feuilles en am. et élastomères pour joints ; garnitures de friction.

Production minière (milliers de t, 1990). URSS 2 300. Canada 708. Brésil 230. Zimbabwe 160. Chine 160. Afr. du S. 103. Grèce 66. USA 20. Italie 20. *Monde 4 100.* Chiffre d'affaires en France. 3,5 milliards de F (4 500 emplois).

☞ **Amiante et santé.** L'exposition professionnelle aux poussières d'amiante peut entraîner : l'*asbestose* (maladie professionnelle), fibrose pulmonaire se développant très lentement, complications possibles, *cancer* broncho-pulmonaire, *mésothéliome,* cancer primitif de la plèvre ou du péritoine. *Normes limites d'empoussièrement* établies dans plusieurs pays (en fibres par cm^3) : CEE 0,6 ; France 0,6, USA 0,2, prenant en compte les fibres visibles au microscope optique, de 5 microns ou plus de longueur et de diamètre inférieur à 3 microns.

■ ANTIMOINE

Minerais. Stibine (sulfure) et oxydes. Utilisation : en alliage : ex. avec le plomb et l'étain pour caractères d'imprimerie, avec zinc *(métal anglais)* et dans divers alliages antifriction *(régule).* Production minière (milliers de t de métal contenu, 1991). Chine 19,1. Bolivie 7,3. URSS 4,8. Afr. du S. 4,5. Mexique 2,7. Australie 1,3. *France 0,8.* Canada 0,6. Guatemala 0,6. Yougoslavie 0,4. Turquie 0,4. USA 0,3. Roumanie 0,3. Tchécoslovaquie 0,3. Pérou 0,3. Thaïlande 0,1. *Monde 43,9.* **Régule :** étape intermédiaire entre minerai et oxyde (1982). Chine 7. URSS 3. Youg. 2,4. USA 2,3. Bolivie 2. G.-B. 1. Japon 0,5. *Monde 20,2.*.

■ ARGENT

Minerai. Pauvre (de 0,5 à 13 % à Largentière, France). Souvent associé aux filons de blende, pyrite, galène. Production minière (1991, en tonnes métriques). Mexique 2 289,7. USA 1 848. Pérou 1 769,7. Canada 1 337,8. URSS 1 270. Australie 1 180. Chili 673,7. Bolivie 337. Corée du N. 300. Suède 253. Maroc 233,9. Espagne 208. Chine 180. Afr. du Sud 170,8. Japon 170,7. Yougoslavie 92,2. Namibie 91,9. *Monde 14 296,6.*

En 1979, Nelson Bunker Hunt (Texan dont la famille possédait de 3 à 5 milliards de $) a voulu s'assurer le contrôle du marché de l'argent, pour réaliser ensuite de gros bénéfices. Il fit monter le cours de 6 $ l'once (31,05 g) à 50,35 $ en janvier 1980, mais le cours baissa brusquement à 11 $ le 27-3-80 [*1991* (début) 4,03].

■ BROME

Minerai. Extrait depuis 1926. Se trouve dans l'eau de mer (à plus de 99 %), les végétaux marins, certaines sources minérales : lacs salés (Ohio, chotts tunisiens) et dans les gisements de chlorure (Staffurt et Alsace). Le br. (liquide au-dessus de – 7°) est obtenu en traitant par le chlore les solutions de bromure. Production (milliers de t, 1990). USA 175. Israël 120. URSS 65. *Monde 420.* Utilisation. Produits pharmaceutiques, chimiques, ignifuges ; traitement de l'eau.

■ CADMIUM

Minerais. Ceux du zinc, contenant tous du sulfure de c. en quantités infimes. Utilisations. *Cadmium* (sous forme de boule) : galvanoplastie. *Poussière de C. :* ind. chimique, métallurgie des poudres, accumulateurs électr., etc. *Oxyde de C. :* ind. chim., catalyseur, galvanoplastie, accumulateurs électr., stabilisant pour mat. plastiques, pigment pour émaux. Production minière (voir zinc). Métallurgique (en t, 1991). Japon 2 882. Ex-URSS 2 000. Canada 1 860. Belg.-Lux. 1 810. USA 1 676. Mexique 1 236. Chine 1 125. Australie 1 076. All. 1 048. Italie 658. Finlande 592. Corée du Sud 570. P.-Bas 549. G.-B. 449. Pérou 415. Corée du Nord 385. Pologne 364. Espagne 344. Yougoslavie 280. Inde 272. *France 271.* Norvège 237. Bulgarie 232. Brésil 140. Zaïre 96. *Monde occ. 16 704* (dont Europe 6 280). *Monde 20 820.*

Consommation (en t, 1991). Japon 4 990. USA 3 238. Belg.-Lux. 2 638. Ex-URSS 1 750. *France 1 420.* G.-B. 810. All. 652. Chine 490. Inde 446. Corée du Sud 400. Italie 330. Canada 255. Suède 156. Mexique 155. Yougoslavie 140. Pologne 131. Brésil 80. Bulgarie 55. *Monde occidental 16 079* (dont Europe 6 270). *Monde 18 655.*

■ Chrome

Minerai. Chromite (oxyde double de fer et de chrome). **Utilisation :** en revêtement pour des aciers inoxydables ou pour des alliages (aéronautique), nickel-chrome (résistance électrique). Industrie chimique : jaune de chrome, chromates. **Production** (millions de t, 1986). Afr. du S. 3 453. URSS 2 950. Albanie 850. Finlande 678. Inde 617. Turquie 600 (est.). Zimbabwe 544. Brésil 350 (est.). Philippines 174. *Monde 10 660.*

Réserves métallurgiques. 180 années de production en 1987 dont 78 % en Afr. du S., également Philippines et Turquie.

■ Cobalt

Minerais. Smaltine, arséniures ou sulfures doubles de cobalt et de nickel. **Utilisation** alliages spéciaux résistants à haute température (pour aimants) ; sels de cobalt pour couleurs, vernis, émaux, catalyse. **Production minière** (t de métal contenu, 1991). Zaïre 8 790. Zambie 4 817. URSS 3 000. Canada 2 158. Cuba (traité en URSS) 1 200. Australie 1 200. Albanie 500. *Monde 22 994.* **Production métallurgique** (1991). Zaïre 8 790. URSS 6 000. Zambie 4 817. Canada 2 248. Norvège 1 983. Finlande 1 503. *Monde 26 245.*

■ Cuivre

Minerais. Un des rares métaux se trouvant parfois à l'état pur (ex. en Bolivie), aussi fut-il utilisé avant le bronze (alliage étain-cuivre) et le fer. Sulfures (pyrites), carbonates, oxydes. Les pyrites sont concentrées à 33 %, puis affinées par grillage (affinage à 75 %), traitées en convertisseur et purifiées par électrolyse. *Plus grandes mines : USA :* Bingham Copper Mine, *Chili :* Chuquicamata (à 3 000 m d'alt. à ciel ouvert, prof. 100 m), El Teniente, Escondida. *Zaïre :* Kamoto.

Production minière (milliers de t de métal contenu, 1991). Chili 1 814,3. USA 1 631. URSS 840. Canada 797,6. Zambie 423. Pérou 381,2. Chine 350. Pologne 320,3. Australie 320. Mexique 267. Zaïre 235. Indonésie 211,7. Nlle-Guinée 204,5. Afr. du S. 193. Portugal 158,4. Philippines 150,6. Yougoslavie 113. Iran 83,4. Suède 79,9. Inde 50,4. Bulgarie 47,3. Brésil 37. Turquie 35,5. Namibie 35. Roumanie 27. Malaisie 25,6. Norvège 17,4.

Cuivre raffiné (milliers de t, 1992). **Production :** USA 1 995,2. Chili 1 237,8. URSS 1 120. Japon 1 076,3. Canada 538,3. All. 521,5. Chine 490. Zambie 390. Pologne 376,8. Belg.-Lux. 297,6. Australie 279. Pérou 246,1. Corée du Sud 200,8. Mexique 193,9. Espagne 189,9. Brésil 141,4. Yougoslavie 134,2. Afr. du S. 127,2. Namibie 120. Philippines 115,5. *Monde 10 617,7.* **Consommation :** USA 2 124,5. Japon 1 613,2. Allemagne 1 000,6. URSS 880. Chine 590. *France 481,2.* Italie 470,8. Taiwan 399,1. Belg.-Lux. 372. Corée du S. 341. G.-B. 269,4. Canada 185,1. Brésil 170,8. Espagne 156. Pologne 154,1. Mexique 131,3. Inde 120. Suède 113,2. Australie 101,2. Danemark 100. *Monde 10 763,8.*

Utilisation du cuivre (en %, 1991). Bâtiment/travaux publics 41, électricité/électronique 22, machines-outils 14, transport 13, produits blancs 10. *Groupe d'étude sur le cuivre :* mis en place courant 1992, par le Cnuced ; regroupe États producteurs, consommateurs et industriels ; doit prendre le relais du Cipec (Conseil intergouvernemental des pays exportateurs de cuivre), ne représente plus que 4 % des capacités mondiales.

A l'état natif, il n'y a que du cuivre rouge. Le cuivre jaune est du laiton (alliage de cuivre et de zinc).

■ Diamant

☞ Voir aussi l'Index.

■ **Diamants naturels.** Monocristal constitué d'atomes de carbone contenant une très faible proportion d'impuretés dont la disposition dans la structure cristalline détermine 2 familles : diamants de type I et II. Il cristallise dans le système cubique, mais se présente à l'état naturel sous des formes dérivées du cube primitif (octoèdre, dodécaèdre, hexaoctaèdre...). Formés il y a des millions d'années dans la lave des volcans actifs, érosion et pluies les ont disséminés. Aussi trouve-t-on 3 types de gisements : *primaire :* terre bleue des cônes volcaniques ; *éluvionnaire :* terre jaune proche du gîte primaire ; *alluvionnaire :* à grande distance dans le lit des fleuves actuels ou anciens. Il faut traiter 250 t de minerai en moyenne pour une pierre taillée d'un carat.

On distingue 2 000 catégories de diamant brut. Le *boart,* pierre de qualité secondaire, est broyé pour être utilisé sous forme d'abrasif.

Production de diamants bruts (en millions de carats) : *1986 :* 89,6, *87 :* 90,7, *88 :* 98,73, *89 :* 98,5, *90 :* 96,7, *91 :* 99,2 dont Australie 36, Zaïre 19, Botswana 16,5, Russie 13, Afrique du S. 8,2, Namibie 1,4, Angola 1,3, autres (Brésil, Centrafrique, Ghana, Liberia, Sierra Leone, Tanzanie, Venezuela) 3,8.

☞ En 20 siècles, 230 t de diamant ont été produites dans le monde, nécessitant l'extraction de 5 milliards de t de terre et de roches. Du *grand trou* de Kimberley en Afr. du S. (découvert mai 1871, prof. 1 098 m, diam. 463 m, circonf. 1 600 m, surface 16 ha), 23 millions de t de terre ont été extraites qui ont donné 3 t de diamant.

Marché : **1880** Cecil Rhodes (1853-1902) crée la De Beers. **1889** crée le « London Diamond Syndicate ». **1917** Ernest Oppenheimer, fils d'un commerçant juif allemand, envoyé en Afr. du Sud pendant la guerre des Boers pour acheter des diamants, fonde l'Anglo-American Corporation (or, argent). **1925** rachète le « syndicat ». **1930** fonde la Central Selling Organisation (CSO), basée à Londres. Commercialise le minerai brut de ses propres mines (Afr. du Sud, Botswana, Namibie), 50 % de la production mondiale et la quasi-totalité de la production de Russie, Australie, Tanzanie, Angola et Zaïre. 20 % lui échappent (Brésil, Venezuela, Côte-d'Ivoire, Ghana). Le CSD garantit à ses affiliés un débouché régulier et des prix stables. Il constitue des réserves pour éviter un effondrement des prix, et déstocke en période de prospérité. Il écoule ses diamants avec 160 clients privilégiés (dits « sightholders »). 10 présentations annuelles ont lieu simultanément à Londres, Kimberley et Lucerne, ces clients doivent accepter les yeux fermés les enveloppes renfermant les pierres brutes, payables comptant.

Les affiliés du CSD ne travaillent qu'une partie des pierres qu'ils achètent et revendent les autres aux professionnels des centres de taille, directement ou par l'intermédiaire d'une bourse de diamants. Un accord signé en 1988 a donné à De Beers l'exclusivité de la prospection, de l'exploitation et de la commercialisation. Mais, depuis 1991, la législation angolaise a autorisé les particuliers à négocier des pierres non taillées (jusque-là monopole de l'État). L'ex-URSS a signé en 1990 un accord donnant à la De Beers le contrôle de 95 % de sa production. La quasi-totalité des mines sont dans la fédération de Russie. Depuis 1991, un marché noir s'est développé. De Beers possède 38 % de sa Sté mère, l'Anglo-American Corporation, 1er groupe industriel sud-afr., et 22 % de son émanation luxembourgeoise Minorco. L'« Anglo » contrôle 40 % du capital de la De Beers. Harry Oppenheimer, 84 ans, siège au conseil d'administration. Son fils unique Nicholas est numéro deux de la De Beers et Pt de la CSO. Elle contrôle 50 % de la prod. mondiale et à travers la CSO 80 % des ventes de diamants bruts dans le monde.

Ventes de diamants bruts par la CSO (en milliards de $) : *1982 :* 1,2 ; *87 :* 3,01 ; *88 :* 4,2 ; *89 :* 4 ; *91 :* 3,9 ; *92 :* 3,42. *Bénéfices : 1991 :* 0,8 ; *92 :* 0,64.

Stocks de diamants de la De Beers *1992 (fin) :* 3,7 milliards de $. En 1992, De Beers a racheté à Anvers + de 0,4 milliard de $ de pierres de contrebande d'Angola. Les USA absorbent 60 % de la production mondiale. Le département de la Défense américaine (Pentagone) a mis aux enchères un stock de diamants (7 et 9 milliards de $) constitué pendant la guerre froide.

Utilisation : joaillerie 20 %, ind. mécanique (meules, dresseurs, filières...), ind. de la pierre et des trav. publics (disques diamantés...), forages pétroliers (trépans, couronnes...), du verre (meules de forme, forets), pâtes diamantées, etc., 80 %.

■ **Diamants industriels.** Obtenus par cristallisation du carbone sous des pressions et des températures très élevées. Les premiers résultats sont dus à James Hannay en 1880 et Henri Moissan en 1894, mais la synthèse réelle et contrôlée ne fut réalisée qu'en 1953 par la Sté ASEA (Suède), associée aujourd'hui à la De Beers (Afr. du S.), et, en 1955, par la General Electric (USA) sous forme de boart synthétique.

■ Étain

Minerai. *Le plus répandu :* cassitérite (SnO_2). En *France,* la mine de St-Renan (Finistère) fut épuisée en 1975. **Production minière** (milliers de t, 1991). Chine 33,7. Indonésie 30,1. Brésil 29,3. Malaisie 20,7. Bolivie 16,8. URSS 11. Thaïlande 10,9. Pérou 6,6. Australie 5,7. Canada 4,5. Portugal 3,1. G.-B. 2,3. Afr. du S. 1. *CEE 5,4. Monde 180,4.*

Étain raffiné (milliers de t, 1990). **Production :** Malaisie 49. Brésil 35,1. Indonésie 31. Chine 28. URSS 19. Thaïlande 15,5. Bolivie 13,4. G.-B. 12. Belg.-Lux. 6,1. All. dém. 4. P.-Bas 3,6. Mexique 2,9. Afr. du Sud, Corée du S. 2,4. Espagne 1,3. *CEE 27,6. Monde 232,2.* **Consommation :** USA 44,4. Japon 34,1. URSS 29. All. féd. 18,7. Chine 17. G.-B. 10,4. Brésil 9. *France 8,3.* Corée du Sud 8. Italie 6,9. P.-Bas 5,4. Taiwan 4,7. All. dém. 4. Espagne 3,8. Canada 3,7. Belg.-Lux. 3. Inde 3. Thaïlande 2,7. Malaisie 2,5. Tchécosl. 2,5. *CEE 61,9. Monde 245,9.*

Utilisation. Allié au cuivre : donne *bronze ;* au plomb : *soudure ;* à l'antimoine : *métal blanc* (antifriction). L'étamage de la tôle fine donne le *fer-blanc. Poterie d'étain* contient 92 à 96 % d'étain, 6 % d'antimoine, 1 à 2 % de cuivre. *Produits et % du total utilisé :* fer-blanc 38, soudures 25, bronzes 7, antifrictions 5, composés chimiques 12, dépôts d'étain 6, divers 7.

■ Lithium

Minerai. Rare. Trouvé sous forme de silicates (lépidolite, triphane, triphyline, amblygonite). **Production** (t, 1988). URSS 60 600. Zimbabwe 28 000. Chine 16 500. Australie 13 000. Chili 8 400. Brésil 2 278 dont (en 88 pétalite 1 750, spodumène 440, amblygonite 55, lépidolite 33). Portugal 600. Argentine 110. USA secret (1 seule Sté).

Utilisateurs. *Autrefois :* céramistes, soudeurs, pharmaciens. *Aujourd'hui :* ind. atomique (sous forme d'alliage) ; verres (augmenter résistance au choc), écrans de télévision (barrières pour rayons X), céramiques, émaux et lubrifiants.

■ Magnésium

Minerais. *Magnésite* ou giobertite (carbonate de magnésium Mg CO_3). *Chlorure de magnésium* en salines naturelles (*carnalite :* chlorure double de magnésium et de potassium) ou en solution dans l'eau de mer (0,5 %). Métal extrait par électrolyse ignée. *Dolomite* (carbonate double de magnésium et calcium) ; le métal est extrait par le procédé français Magnétherm (réduction par ferrosilicium). **Production** (milliers de t, 1991). USA 131,3. URSS 75. Norv. 44,3. Canada 35,5. *France 14.* Japon 11,6. Brésil 7,8. Youg. 4. *Monde 333,4.* **Production métallurgique 2e fusion** (milliers de t, 1991). USA 52,9. Japon 17,2. Brésil 1,6.

Utilisation. Alliages ultra-légers (magnésium avec aluminium et zinc, aluminium et cuivre, cérium ou zirconium). Employé en aéronautique. Extrait du minerai et de l'eau de mer qui en contient 1,3 kg par m³ (usine de la Dow Chemical à Freeport, Texas).

■ Manganèse

Minerais. *Pyrolusite* (oxyde mixte de manganèse et de fer), *hausmannite* (Mn_3O_4), *rhodocrosite* (carbonate, $MnCO_3$). **Production minière** (en t, 1986). URSS 9 700. Afr. du S. 3 719. Gabon 2 513. Brésil 2 500 (est.). Australie 1 649. Chine 1 600 (est.). Inde 1 200. Mexique 440. *Monde 23 760 (en 1987 : 24 045).* La France fut le 1er producteur devant Russie, All., G.-B. en 1885, mais en 1910, les gisements français furent épuisés.

Utilisation. Alliages ferreux et cuivreux et sous forme de *ferromanganèse* ou de *spiegel* pour la fabrication de la fonte et de l'acier. Bioxyde de manganèse utilisé dans les piles sèches (Leclanché) et les condensateurs électrolytiques.

■ Mercure

Minerai. Appelé cinabre (HgS). **Production** (en milliers de t, 1991). URSS 1,2. Chine 1. Mexique 0,7. Algérie 0,4. Tchécoslovaquie 0,07. USA 0,04. *Monde 3,7.*

Utilisation. Appareillage électrique, instruments de physique, industrie chimique et dans des alliages dits *amalgames* (avec argent, zinc, cuivre, étain, or). En 1978, 200 t de mercure consommées en France (ind. du chlore 37, dentisterie 28, piles et accumulateurs 22). Chaque année 450 t de déchets contenant plus de 1 % de mercure (env. 60 t) sont jetés. Il faudrait les traiter pour récupérer le mercure.

■ Molybdène

Minerais. *Plombs de mer* ou *molybdénite* (sulfure, MoS_2) traitée par grillage. **Production minière** (milliers de t) *1984 :* USA 46,9. Chili 16,9. URSS 11. Canada 10,8. Mexique 4,1. Pérou 3,1. Chine 2. Mongolie 0,7. Bulgarie 0,2. Japon 0,1. *Monde occ. 81,9. Monde entier 1987 :* 83,6.

Utilisation. En alliage dans les aciers. Éléments de chauffage à résistance, réfractaires, catalyseurs, pigments, lubrifiants, pipe-lines, électronique.

■ Nickel

■ **Histoire.** **Antiquité.** *Fer météorite* (contenant un fort % de nickel) : utilisé notamment pour fabriquer des armes. *Packfong* de Chine (cuivre 78 %, nickel

20 %) : utilisé par les Bactriens pour leurs monnaies. **Début du XVIIIe s.** Saxe, métal produit à partir de minerais locaux appelé « Kupfernickel » (c.-à-d. cuivre du vieux Nick ou cuivre du diable) car difficile à mettre en œuvre. **1751** le Suédois Cronstedt réussit à isoler le nickel.

■ **Minerais. Types :** *oxydés,* formés par la modification chimique de roches de surface sous climat tropical, exploités à ciel ouvert ; teneur de 1,8 %. Seuls les minerais latériques silicates (notamment la *garniérite* de N.-Calédonie, teneur moyenne 2,8 %) ont été jusqu'ici exploités. Constituent l'essentiel des réserves mondiales. 1ers complexes miniers entrés en pleine production entre 1972 et 1975 au Guatemala, St-Domingue, N.-Calédonie, etc. *Sulfurés :* le plus souvent extraits en profondeur, alliés à des minerais annexes, teneur élevée : 70 % de la production mondiale. Mais la teneur des gisements exploités et les réserves reconnues diminuent rapidement. **Réserves** (%) : N.-Calédonie 24,3, Canada 13,9, URSS 13,1, Australie 9,1, Indonésie 4. **Production minière** (milliers de t, 1989) : URSS 210. Canada 202,5. N.-Calédonie 96,2. Australie 65. Indonésie 59,6. Cuba 46,5. Afr. du S. 34 (est.). Rép. Dominicaine 31,3. Chine 27,5. Botswana 19,8. Colombie 16,9. Grèce 16,1. Brésil 13,7. Finlande 10,5. *Monde 895,1.*

■ **Nickel raffiné** (milliers de t, 1991). **Production.** URSS 275, Canada 120,3, Japon 116,5, Norv. 58,7, Australie 49,4, N.-Cal. 34,4, Chine, Afrique du Sud 30, Rép. Dominicaine 29,7, G.-B. 28,6, Cuba 26,9, Colombie 20,2, Zimbabwe 18,2. *Monde 924,3.* **Prix** (en $ par t) : *1987 :* 4 800 à 9 000 ; *88 :* 4 800 à 21 000 ; *92 :* 8 500 à 6 000 ; *93 (27-7) :* 4 840.

Pour créer une capacité de production annuelle de métal de 1 kg, il faut investir pour le nickel 6 $ (cuivre 3, aluminium 1,5, plomb ou zinc 0,7).

Consommation. Japon 180, ex-URSS 150, USA 126,7, All. 78,3, Chine 40, *France 36,8,* Italie 31,5, G.-B. 29,5, Corée du S. 23,2, Belg.-Lux. 19,6, Taiwan 19, Finlande 18, Espagne 17, Suède 15,9, Inde 15, Canada 14. *Monde 876,4.*

Utilisation. Entre dans plus de 3 000 sortes d'aciers et alliages. Pur (99 à 99,9 %), il est employé pour le nickelage, dans l'industrie chimique et pour la fabrication des monnaies.

■ Niobium

Utilisation. Métal stratégique employé dans des alliages pour le nucléaire, l'aérospatiale et les fusées. Un gisement a été récemment découvert près de Lambaréné (Gabon).

■ Phosphates

Minerais. Sels de calcium, naturels, formés le plus souvent par la décomposition d'animaux marins dont les cadavres forment des amas épais. **Production** (phosphates naturels, millions de t, 1988). USA 49,1. URSS 39. Maroc 17,9. Chine 17. Jordanie 6,6. Tunisie 6,6. Israël 3,9. Brésil 3,6. Togo 3,3. Afr. du Sud 2,9. Sénégal 2,2. Syrie 2,2. Égypte 1,3. Algérie 1,2. Nauru 1,1. Irak 1,1. *Monde 163 232.*

Prix. *En 1975,* le Maroc occupa le gisement de Bou Craa tenu par le Polisario (minerai à 70 % de teneur au lieu de 35 % au Maroc) et augmenta le prix (de 14 à 68 $ la t) pour suivre l'augmentation du prix du pétrole. *En 1979,* le prix de la t est revenu entre 30 et 36 $.

Utilisation. *Engrais* phosphatés (phosphates bicalciques et superphosphates, solubles) ; ils restituent aux terres le phosphore exporté par les récoltes, sous forme de phosphates minéraux. *Lessives* accusées de dégrader la qualité de l'eau.

■ Platine

Découvert en Colombie v. 1735 et appelé *platina* pour sa ressemblance avec l'argent (en Esp. : *plata*). Craignant les contrefaçons, la reine Isabelle de Castille décréta de jeter le « petit argent » dans l'Amazone. On vit des chercheurs d'or utiliser le platine comme plomb de chasse.

Minerais. Sperrylite (arséniure, Pt As2), dans les minerais nickelifères. **Production minière** (t, 1984) : URSS 115. Afr. du S. 90. Canada 10,8. Japon 1,7. Austr. 0,8. Colombie 0,3. *Monde 1991 :* 117,9. **Ventes russes** (1991) : 31,2 ; *92 :* 34. **Réserves connues** Afr. du S. 79,9 %, URSS 19,2 %. **Prix moyen** (once, en $) : *1990 :* 472 ; *91 :* 366 ; *92 (juin) :* 365 ; *93* (19-7) : 408.

Utilisation. *Catalyseur :* traitement des gaz d'échappement des auto. (35 % de débouchés, mais concurrence de catalyseurs à base de palladium). Catalyseur dans ind. raffinage, chimique, joaillerie.

Consommation mondiale (en t, 1991). 114,5 dont automobile 44,5, industrie 23,4, joaillerie japon. 41,7 (de 1945 à 1980, la joaillerie préférait le pl. à l'or car il ressortait mieux sur la peau des Japonaises ; depuis, l'or a repris le dessus, la modification des habitudes alimentaires des Japonais ayant peu à peu éclairci leur peau, l'or ressort davantage) ; *USA* (automobiles 45 %, bijouterie 37 %).

■ Plomb

Minerai. Production minière (milliers de t, 1991) : Australie 579. USA 477. ex-URSS 460. Chine 320. Canada 278. Pérou 199. Mexique 168. Yougoslavie 94. Suède 87. Afr. du S. 76. Espagne 49. Bulgarie 40. *Monde 3 340.*

Plomb raffiné (milliers de t, 1991). **Production :** USA 1 195, ex-URSS 670, ex-All. féd. 362, Japon 332, G.-B. 311, Chine 296, *France 283,* Australie 239, Canada 211, Italie 207, Mex. 171, Esp. 112, Youg. 94, Bulgarie 56. *Monde 5 537.* **Consommation :** USA 1 247, URSS 600, Japon 422, ex-All. féd. 413, G.-B. 266, Italie 259, *France 252,* Chine 250, Corée du S. 173, Esp. 121, Mex. 80, Pologne 44, ex-All. dém. 16. *Monde 5 408* (*1992 :* 4 396).

Utilisation. Batteries d'accumulateurs, gaines de câbles électriques, tuyaux, équipements de l'ind. chimique, insonorisation, antivibrations, pigments en peintures, antidétonant dans les carburants (plomb tétraéthyle : usage en déclin car détériore les pots catalytiques). Cristallerie, verrerie, protection contre rayons X et contre rayons gamma (ind. nucléaire), alliages antifrictions, plomb de chasse, capsules plomb-étain de surbouchage pour vins, caractères d'imprimerie, alliages fusibles, tests, etc.

☞ Peut provoquer le *saturnisme* (maladie prof.). On dit que dans la période romaine, par ignorance de ses effets, l'aristocratie aurait été décimée (le carbonate de plomb étant utilisé pour sucrer le vin).

■ Potasse

Minerais. Sels de potassium : *sylvinite* (chlorure KCl, NaCl), *kainite* (sulfate), *carnallite* (chlorure K Cl, Mg Cl_2 6 H_2O). Production (en milliers de t métriques de K_2O contenu en 1991). Ex-URSS 8 562. Canada 7 398. Allemagne 3 902. USA 1 692. Israël 1 270. *France 1 129* (Alsace, arrêt envisagé entre 1996 et 2004). Jordanie 818. Espagne 585. G.-B. 494. Autres 220.

■ Radium

Minerais. *Pechblende* (Katanga), *autunite* (Portugal), *carnotite* (USA), *bétafite* (Madagascar). **Production.** *1900-14 :* 2 à 3 g par an (valeur : plusieurs centaines de mille francs-or), en Bohême. *1914-20 :* 22 g env. au Colorado (USA ; minerai d'uranium). *1920-63 :* Congo (60 g), Canada (70 g en 1939). **Raffinage.** Belgique (Oolen), USA, G.-B., Autriche.

■ Rhodium

Production. Rhodium primaire (à partir du minerai) 10 t, recyclage 4 à 5 t. **Principaux producteurs.** Afrique du Sud et ex-URSS. **Utilisation.** Pots d'échappement catalytiques (1 g par pot), chimie, engrais.

■ Sel gemme ou halite

Dans le monde

Principaux gisements. Allemagne : Borth, Hanovre, Heilbronn, Stassfuhrt. **Autriche :** Salzbourg. **Espagne :** Saragoza, Jaen. **France :** voir ci-dessous. **G.-B. :** Boulby, Winsford. **Italie :** Agrigente. **P.-B. :** Delfzijl, Hengelo. **Pologne :** Wielicka, Bochnia. **Roumanie :** Slanic. **Suisse :** Schweizerhalle, Bex.

Production (millions de t, 1989). USA 39,4. URSS 29. Chine 22,7. All. féd. 12,1. Canada 11,8. Inde 8,3. Australie 7,7. *France 7,6.* Mexique 7. G.-B. 6,7. *Monde (1987) 174,1.* **Principales Stés :** Akzo 15, Solvay 13, Morton 9, ICI 8, Cargill 7. **Utilisation.** Alimentation, ensilage, production de chlore et de soude, textiles, verre, grès, cuirs et peaux, boues de forage, adoucissement des eaux, déneigement.

En France

Gisements. Bayonne, Dax, Dombasle, Manosque, Travaux, Varangeville, Vauvert ; 1re mine ouverte au XVIIIe s. Seule la mine de St-Nicolas en Lorraine est encore exploitée (prof. 160 m, épaisseur 4,50 m). De nombreuses communes dont Salins, Château-Salins, Lons-le-Saunier, Salies-de-Béarn, Miserey-les-Salines, Marsal, Soulce, Salzbronn, etc., tirent leur nom du sel gemme de leur sous-sol.

Production (en milliers de t, 1991). S. en dissolution 4 131. S. marin 1 402. S. ignigène 1 177. S. thermique 545. S. gemme 254. **Principales Stés :** Cie des Salins du Midi et des Salines de l'Est, Solvay et Cie, Mines de Potasse d'Alsace.

Consommation de sel cristallisé (en milliers de t, 1991). 3 028 (import. comprises) dont chimie 972, déneigement 956, industries diverses 503, alimentation humaine 408, agriculture 189.

Nota. – Depuis 1910, les mines de potasse d'Alsace exploitent (au N.-O. de Mulhouse) la sylvinite [mélange de chlorure de potassium (engrais) et de chlorure de sodium].

■ Soufre

Minerais. *Soufre élémentaire* extrait directement de gisements ou récupéré de certains gaz naturels (ex. : à Lacq). *Pyrite :* acide sulfurique produit à partir des gaz de fonderie et des gaz polluants. **Production** (soufre brut, millions de t, 1989). 38,4 dont Amérique du N. 16,3 ; latine 2,5. Europe de l'Est 10,5 ; Ouest 3,5. Asie 5,4. Afrique 0,2.

■ Thorium

Minerais. *Monazite, thorite, thorianite, uranothorianite.* **Production** (milliers de t métriques, 1988). Australie 13,5. Inde 4. Malaisie 3,5. Afr. du Sud 1,2. *Monde : 25,4* (*84 :* 30,3). **Utilisation.** Alliages légers résistant à la chaleur. Revêtement des cathodes.

■ Titane

Minerais. *Ilménite* (jusqu'à 30 % de titane) et *rutile* (97 %). **Production minière** (milliers de t, 1984). *Ilménite :* Australie 1 160. Norvège 661. URSS 440. *Monde 3 245. Rutile :* Australie 182. *Monde 353. Scories :* Canada 725. Afr. 420. *Monde 1 095.* **Production métallurgique** (éponge de titane, intermédiaire entre minerai et métal, milliers de t en 1981). URSS 41,7, USA 22,1, Japon 15,4, G.-B. 2,7, Chine 2. *Monde* (1987) *78.*

Utilisation. Pièces de projectiles, missiles, avions à réaction, centrales nucléaires, p. automobiles, équipement médical, appareils photo, usines de dessalement de l'eau de mer. ; chimie, pigment blanc pour les peintures. **Consommation française :** *1980 :* 1 000 t ; *82 :* 2 000 t.

■ Tungstène

Minerais. *Wolframite, tungstate, ferromanganèse. Gisements :* Costabona (Pyr.-Or. à 2 400 m) et Leucamp (Cantal). **Production** (milliers de t de métal contenu, 1986). Chine 15. URSS 9,2. Portugal 1,63. Australie 1,51. Canada 1,4. Autriche 1,36. Bolivie 1,09. Brésil 0,9. USA 0,8. *Monde 41,17.* **Tungstène raffiné** (1983). *1re fusion :* 38 925 t, *2e fusion :* 10 100 t.

Utilisation. Acier et alliages pour outils à coupe rapide.

■ Vanadium

Minerais. *Patronite, vanadite, carnotite, ferrovanadium.* **Production minière** (t de métal contenu, 1984). Afr. du S. 12 517. URSS 9 500. Chine 4 500. USA 1 457 + 1 509 (contenu des résidus pétroliers). Finlande 3 064. Japon 700 (résidus). *Monde 30 106* (1987).

Utilisation. Affinage de l'acier, alliages spéciaux (aéronautique, ind. militaire), gainage des combustibles nucléaires dans les surrégénérateurs, pipe-lines.

■ Zinc

■ **Minerais.** Souvent associé au plomb. *Blende* ou *sphalérite, wurtzite* (sulfures) ; *smithsonite, hydrozincites* (carbonates) ; *franklinite, zincite* (oxydes) ; *calamine, villemite* (silicates). **Production minière** (milliers de t de métal contenu, 1991) : Canada 1 148. Australie 1 048. Ex-URSS 800. Chine 710. Pérou 623. USA 547. Mexique 317. Espagne 261. Corée du N. 215. Irlande 157. Pologne 145. Japon 133. Bolivie 130. Inde 104. Brésil 103. Thaïlande 87. Yougoslavie 74. Afr. du S. 64. Finlande 55. All. 54. Zaïre 45. Argentine 39. Honduras 38. Italie 37. Namibie 33. Turquie 32. Chili 31. Iran 31. Grèce 30. Bulgarie 29. *France 27.* Roumanie 26. Zambie 25. Corée du S. 22. *Monde 7 400.*

■ **Zinc raffiné** (milliers de t, 1991). **Production :** Japon 931. Ex-URSS 800. Canada 661. Chine 577. USA 377. All. 346. Australie 328. Espagne 300. Belg.-Lux. 298. *France 262.* Italie 256. Corée du S. 254. Corée du N. 227. P.-Bas 201. Mexique 189. Finlande 170. Brésil 157. Pérou 155. Pologne 126. Norvège 125. Yougoslavie 105. G.-B. 101. Afr. du S. 92. Inde 84. Thaïlande 69. Bulgarie 46. Argentine 36. Zaïre 25. *Monde 7 300.* **Consommation :** USA

Nodules polymétalliques

Définition. Concrétions de quelques centimètres à 1 m, formées de couches concentriques contenant principalement des oxydes de métaux à teneurs faibles : manganèse, fer, silicium, aluminium, sodium, calcium, magnésium, cobalt, nickel, cuivre, titane, vanadium. **Découverte :** 1873 (expédition du Challenger). **Formation annuelle :** env. 10 milliards de t ; concentration voisine de 40 000 t/km².

Situation. *Pacifique* [env. 1 500 milliards de t dont manganèse 360 (réserves continentales reconnues 1), nickel 15 (r. c. 0,0015), cuivre 7,5 (r.c. 0,1), cobalt 5,2 (r. c. 0,001)], *Atlantique* (densité variable ; de 1 000 à 6 000 m), *O. Indien* au large de La Réunion (densité jusqu'à 100 kg au m², teneur 0,5 à 1 %).

Exploitation. En 1980, on estimait que les nodules pourraient servir la demande à 100 % pour le manganèse, à 65 % pour le nickel, à 6,5 % pour le cuivre, à 400 % pour le cobalt. On peut exploiter ceux qui ont 7 kg de densité par m² et contiennent 2,6 % de leur poids sec en nickel, cuivre et cobalt (le fer : 25 à 30 % du poids, est inintéressant, le manganèse : 29 à 30 %, intéresse les USA). *Techniques de remontée :* hydraulique, « ligne continue de bennes », chantier sous-marin à navettes autonomes. Le *Cyana,* submersible de poche français (1980) a pu recueillir les roches à 4 000 m de fond à l'aide d'un bras articulé fixé sur la proue. A partir de 1983, remplacé par SM 97, en titane (jusqu'à 6 000 m de fond). Des camions sous-marins télécommandés pourront être employés. Ifremer explore des gisements à partir de la Polynésie française, depuis 1970, en association avec la Sté Le Nickel.

☞ On exploite au large des côtes des gisements superficiels formés d'éléments alluviaux et de dépôts côtiers : places d'or, de diamants (au large du Sud-Ouest africain), d'étain (mer de Chine et Cornouaille britannique), de sables ferrugineux, de minéraux divers.

Recyclage des métaux non ferreux en France (en 1989). Matière recyclée en milliers de t, entre parenthèses % par rapport à la consommation totale, entre crochets économie d'énergie annuelle en milliers de TEP (tonnes équivalent pétrole)/économie en devises en équivalent métal en milliards de F. Aluminium 294,3 (30 %) [853,5/4,1]. Cuivre 169,4 (31) [355,7/2,3]. Nickel env. 14 (35) [40,6/0,7]. Zinc 116,4 (30) [139,7/0,7]. Plomb 164,3 (62) [49,3/0,6]. Étain env. 1,7 (17) [nc/0,07].

936. Japon 845. Ex-URSS 775. All. 540. Chine 530. *France 289.* Italie 283. Corée du S. 283. Belg.-Lux. 200. G.-B. 184. Taïwan 138. Inde 130. Espagne 124. Canada 121. Brésil 113. Mexique 107. Pologne 102. Afr. du S. 91. P.-Bas 80. Yougoslavie 80. Australie 71. Thaïlande 69. Pérou 66. Corée du N. 44. Finlande 27. Argentine 26. Norvège 20. Bulgarie 16. *Monde 6 866.*

■ Prix (la tonne) *1989 :* 12 000 F, *93 (mai) :* 5 000 F.

■ Utilisations. **Zinc laminé** pour le bâtiment : couvertures, bardages, accessoires d'évacuation d'eaux pluviales, ornementation métallique. **Revêtement anti-corrosion et décoration :** zingage électrolytique, galvanisation, peintures riches en zinc, métallisation, shérardisation (procédé de cémentation de pièces d'acier ou de fonderie), matoplastie. **Alliages de fonderie** comme le Zamak (zinc + 3,9 à 4,3 % d'aluminium, 0,03 à 0,06 % de magnésium et éventuellement 1 à 3 % de cuivre) : automobile, bâtiment, jouets, électroménager, composants électroniques, décoration, habillement, matériel de bureau, phonie-TV, transport. **Oxydes de zinc :** caoutchoucs et élastomères, chimie-électrochim., parachimie, agriculture, alimentation animale, peintures, verres, émaux, céramiques, électro-reprod., pharmacie (cosmétiques, dermatologie), électronique, mat. plastiques. **Poussière de zinc :** pour peintures, shérardisation, matoplastie, cémentation, agent de réduction. **Poudre** pour piles. **Anodes** pour la protection cathodique.

Terres rares ou lanthanides

Espèces. *Lanthanides légers* ou *terres cériques :* lanthane, cérium, praséodyme, néodyme ; *lourds* ou *terres yttriques :* samarium, europium, gadolinium, terbium, dysprosium, holmium, erbium, thulium, ytterbium, lutecium et yttrium.

Minerais. Plus de 200 minéraux contiennent des terres rares, mais seuls la *monazite* (phosphate à cérium dominant), la *bastnaesite* (fluocarbonate à cérium dominant) et le *xénotime* (phosphate à yttrium dominant) ont une importance industrielle. **Gisements :** *sables de plage :* monazite et xénotime en compagnie de minerais de titane (ilménite, rutile), de zirconium (zircon) et quelquefois d'étain (cassitérite) ; *roches :* associées aux complexes alcalins : bastnaésite ; *minerais mixtes fer-terres rares :* exploités en Chine du Nord.

Production. (milliers de t d'oxyde de terre rares, 1988). USA 18, Chine 15, Australie 8, Inde 2, Asie du Sud-Est (Malaisie, Thaïlande, Indonésie) 2, Brésil 1. *Monde 50 à 55.*

Réserves. Oxyde de terres rares contenues dans le minerai : + de 100 millions de t (Chine 100, USA 5, Inde 1).

Utilisation. Métallurgie et sidérurgie, industrie du pétrole, verrerie et céramique, télévision couleur, manchon à gaz, luminophore pour radiographie médicale (oxyde de gadolinium), pour lampes à vapeur de mercure basse pression (tubes fluorescents), applications nucléaires. Mémoires à bulles (oxyde de gadolinium), aimants permanents samarium cobalt néodyme fer à très hautes performances, catalyse de postcombustion (oxyde de cérium). *Consommation mondiale pour la luminescence* 1988) : oxyde d'yttrium : 650 t, d'europium 21 t.

☞ La France possède en Bretagne un gisement de monazite riche en europium, mais inexploitable vu le prix de revient de l'extraction. Rhône-Poulenc est la 1re Sté mondiale productrice de terres rares séparées.

Pâtes, papiers, cartons

Pâtes

■ Histoire. **Après 1850,** l'emploi du bois se généralise. **V. 1867** diverses pâtes mécaniques mises au point (Voelter). **V. 1874** au bisulfite (Mitscherlich). **V. 1875** à la soude (Watt). **V. 1878** au sulfate (Dahl). Le bois d'importation (d'origine scandinave au départ) ayant des qualités supérieures et pouvant être livré en quantités importantes et régulières, les 1res usines ont d'abord été implantées dans les zones portuaires ou le long des fleuves. **Jusqu'en 1930,** seules n'existent (pratiquement) que des usines de pâte mécanique et de pâte au bisulfite ayant des contraintes étroites pour l'utilisation des diverses essences. **A partir de 1930,** des usines de pâte au sulfate apparaissent.

■ Matières premières. **Bois :** *conifères* aux fibres longues de 2 à 3 mm : épicéa, sapin, pin maritime, pin sylvestre. *Feuillus* aux fibres courtes de 0,8 à 1,5 mm : charme, châtaignier, tremble, peuplier, hêtre, bouleau, eucalyptus. – La papeterie utilise essentiellement *taillis,* coupes rases de 10 à 15 ans ; *bois de cime* (houppiers), résidus des grumes utilisés comme bois de sciage (surtout résineux) qui entrent pour 70 % dans la fabrication de la pâte blanchie ; *bois d'éclaircie* (résineux et feuillus) ; *déchets de scierie* (délignures). Les USA pratiquent la coupe rase et utilisent 20 % de rondins et 80 % de déchets des ind. de sciage ou d'usines de panneaux. En France, on pratique l'éclaircie et on utilise 80 % de rondins, ce qui revient plus cher.

Coût du bois par tonne de pâte (en $, 1990) : Finlande (résineux) 385, Suède (eucalyptus) 340, Espagne (eucal. 200, *France* (feuillu) *196,* Canada (rés.) 170, USA (pin du Sud) 135, (feuillu du Sud) 90, Brésil (eucal.) 80.

Autres végétaux : *alfa, bambou, abaca, chanvre, paille, bagasse* de canne à sucre, *canne de Provence* (stade expérimental).

Résidus industriels : étoupe de lin, linters (fibres de cellulose qui restent fixées sur les graines) et chiffons de coton [il y a 20 ans env., on utilisait 3 % de chiffons (pour papiers de luxe), auj. 1 %].

■ Fabrication. Le bois est constitué de fibres cellulosiques, + ou – longues, liées entre elles par la lignine. On isole ces fibres les unes des autres, pour constituer la pulpe qui, additionnée d'eau et de divers produits chimiques, et soumise à différents traitements, constituera la pâte. **Types de pâtes. Mécanique :** *utilisations :* papier journal, magazine, papier commun. *2 procédés : pâte mécanique de meule :* le bois en rondins est écorcé puis râpé par des défibreurs à meules. Les fibres arrachées sont ensuite mélangées à de l'eau. La bouillie obtenue contient toutes les composantes du bois (cellulose, hémicellulose, lignine). *Rendement :* 90 à 95 % mais solidité moindre. *Pâte mécanique de raffineurs :* le bois sous forme de copeaux est d'abord mélangé à de l'eau puis soumis à des désintégrateurs à disques. *Rendement* moins élevé, qualité supérieure. **Chimique :** *utilisations :* papiers d'impression, écriture, p. kraft d'emballage, p. haut de gamme, p. tissu (hygiénique et sanitaire). *Procédé :* le bois, réduit en copeaux, est soumis à cuisson dans des lessiveurs en présence de réactifs chimiques, afin de séparer les fibres de cellulose de leur « ciment » (lignine). Ce mélange est ensuite filtré pour isoler les fibres de cellulose de la « liqueur noire » qui après épaississement sera brûlée. La pâte obtenue est brune, mais on peut la blanchir avec des produits chimiques. Suivant les produits utilisés, on obtient une pâte au bisulfite (procédé acide, à base d'anhydride sulfureux), ou au sulfate et à la soude (procédé alcalin ; 75 % des pâtes consommées en Fr.). *Caractéristiques :* rendement faible (45 à 55 %), coût de production élevé, très bonnes propriétés physiques de la feuille obtenue. **Mi-chimique :** *utilisations :* cartons pour papiers pour cannelure. *Procédé :* par traitement chimique doux, suivi d'une désintégration mécanique des rondins ou des copeaux. **A haut rendement :** *utilisations :* papier journal (TMP), carton, papier tissu et, de plus en plus, papiers d'impression-écriture avec bois. *2 procédés : pâte thermo-mécanique* (thermo-mechanical pulp ou TMP : avant le défibrage, les copeaux de bois sont étuvés à + de 100 °C, ce qui facilite la séparation des fibres, tout en les allongeant, ce qui accroît leur résistance. Rendement élevé, propriétés mécaniques excellentes ; de plus en plus utilisée notamment pour papier journal ; *pâte chimico-thermo-mécanique* (chemi-thermo-mechanical Pulp ou CTMP : avant le défibrage, les copeaux sont imprégnés de produits chimiques à + de 100 °C, ou moins avec la pâte CMP, pour favoriser la séparation des fibres). Coûts de production inférieurs à ceux de la pâte chimique, bon rendement (80 %) mais consommation d'énergie élevée ; blancheur et résistance sont moindres que pour la pâte chimique.

Blanchiment. Avec des produits à base de chlore (polluant), d'oxygène ou de xylanase (enzyme expérimentée). Les pâtes mécaniques à haut rendement se blanchissent au péroxyde d'hydrogène.

Unités de fabrication. *Intégrées :* la pâte, liquide, est transformée sur place en papier ; formule utilisée pour papier journal (à base de pâte mécanique), kraft d'emballage (au sulfate ou à la soude), cannelure pour carton ondulé (mi-chimique). Produits à partir d'une seule sorte de pâte. *Non intégrées :* pâte séchée, utilisent une pâte marchande livrée en balles, triturée dans l'eau pour remettre les fibres en suspension.

■ Prix de la pâte à papier (en $, par t.) *1987 :* 595 ; *88 :* 730 ; *89 :* 835 ; *90 :*805 ; *91 :* 600 ; *92 :* 580.

■ Production de pâte (en millions de t, 1989). Amérique du N. 86,1. Europe 75,2 (dont CEE *à 12* 35, pays nordiques 18,5, Japon 24,6, autres 40,4.

■ Industrie française. **Production** (en millions de t) : *1974 :* 1,99, *85 :* 1,95, *90 :* 2,2 dont pâte à la soude blanchie 0,8, mécanique 0,6, à la soude écrue 0,5, au bisulfite blanchi 0,2, mi-chimique 0,1. **Valeur** (en millions de F, 1990) : 7 535 (dont prod. commercialisée 3 184). **Bois utilisé** (en millions de t, 1990) : français 7,3, importé 0,2. **Entreprises** (1990) : 17 ; usines 21. **Effectifs** (1990) 3 660. **Commerce** (exp. et, entre parenthèses, imp. en millions de t) : *1974 :* 0,18 (1,64), *83 :* 0,21 (1,62), *85 :* 0,31 (1,55), *89 :* 0,4 [(1,7) *de* Suède 0,33, Canada 0,31, USA 0,26, Portugal 0,18, Finlande 0,15, Norvège 0,07, autres 0,4], *90 :* 0,6 (1,8). **Consommation apparente** (en millions de t) : *1985 :* 3,3, *89 :* 3,7, *90* (réelle) : 3,5. **Investissements** (en millions de F) : *1989 :* 1200.

Papiers

■ Origine. **Plusieurs siècles av. J.-C.,** la Chine connaît le papier fait avec de la soie. Le pharaon Ptolémée II (dit Philadelphe, 283-246), jaloux de la réputation de la bibliothèque de Pergame, interdit l'exportation du papyrus égyptien. Pergame utilise alors des peaux d'animaux tannées *(parchemin).* **105** Tsaï-Lun commercialise le 1er papier fait avec du chanvre et de l'écorce de mûrier. **VIIIe s.** technique répandue par l'islam : **1050** Jativa (Esp.) : 1er moulin connu en Europe. Le missel de Silos (près de Burgos) est le plus vieux manuscrit européen sur papier connu. **1216-22** 1re lettre sur papier écrite en France par Raymond de Toulouse à Henry III d'Angleterre. **Jusqu'au XIIIe s.** environ, on écrit surtout sur papyrus, vélin (peau de veau) et parchemin (mouton). **1276** *moulin* de Fabriano (Italie). **1326** *moulin* d'Ambert (P.-de-D.). **1338** *moulin* de la Pielle. **1348** *moulin* Troyes. **1355** Essonnes. **1376** St-Cloud. **1383** Beaujeu. **V. 1400** Clermont et Sorgues. Les moines de l'époque se méfient d'un support pouvant avoir une plus faible durée de conservation. Le papier est produit à partir de vieux chiffons, d'ailleurs coûteux. **1719** Réaumur préconise l'emploi du bois. **1751** un de ses élèves fabrique du papier avec de la paille. **1789** Berthollet utilise le chlore pour blanchir la pâte. **XVIIIe s.** le nombre de livres et de journaux s'accroît ; les moulins à papier du Dauphiné, du Vivarais, de Montargis (Loiret) et de la région d'Annonay (Ardèche) se développent. Chaque feuille est fabriquée manuellement à l'aide d'un tamis rectangulaire (« forme ») : cadre de bois au fond duquel se coupent perpendiculairement 2 réseaux de fils de laiton, permettant l'égouttage de l'eau et retenant les fibres en suspension. *Fils les + fins (« pontuseaux ») :* disposés parallèlement [sont maintenus par des tiges de laiton ; ce sont les « vergeures » (prononcer « verjure »)]. **1798** Louis-Nicolas Robert fait breveter une machine de 2,60 m de long fabriquant en continu de grandes feuilles de papier roulables en bobines. **1803** l'Anglais B. Donkin réalise une machine de ce type. **V. 1830** il y a en Angleterre env. 300 machines à papier et + de 200 en France.

■ **Matières premières. Pâtes** (voir p. 1583). **Bois :** bouleau, hêtre, tremble, charme, châtaignier, peuplier, eucalyptus (feuillus), sapin, pin maritime ou sylvestre et épicéa (résineux). En France *sous-produits de la forêt* (coupes d'éclaircie, cimes des arbres) et du *sciage* (copeaux et délignures). **Autres végétaux :** paille, alfa, bagasse (partie fibreuse de la canne à sucre), roseaux, bambous, lin, chanvre et coton ; peu utilisés. **Chiffons :** ne servent plus aujourd'hui qu'à fabriquer papiers de luxe et papiers spéciaux (ex. : billets de banque). **Vieux papiers :** *fibres cellulosiques de récupération (FCR)* en 1991, en France : 3 300 000 t (soit 46 % des mat. 1res consommées par l'ind. papetière fr. ; 36 % en 1980). *% d'utilisation des vieux papier incorporés dans le papier et le carton, en % de la prod. totale de papier et de carton (1989) :* Danemark 68, P.-Bas 65, Espagne 62, G.-B. 57, Suisse 49, Italie 48, *France 46 (1980 : 36),* All. 45, Australie 42, Portugal 39, Autriche 38, Grèce 32, USA 26, Canada 11, Suède 11, Norvège 8, Finlande 5. *% d'utilisation des vieux papiers incorporés dans les produits papier, en France (1988-89) :* emballage 79, carton 62, papier journal 46, p. mousseline 40, p. à imprimer et à écrire 10. **Produits chimiques (soude, bisulfite) et minéraux :** kaolin, talc, carbonate de calcium, colorants (pour papiers « couchés »).

■ **Fabrication.** Les fibres sont dispersées dans l'eau puis travaillées pour obtenir les caractéristiques désirées, les feutrer, les enchevêtrer et les sécher. Lors du séchage, elles adhèrent naturellement entre elles (sans apport de produit adhésif). On peut fixer sur les fibres diverses matières non fibreuses, colorants, amidons, colophanes et autres produits auxiliaires, par adjonction dans la texture fibreuse, ou dépôt à la surface de la feuille.

■ **Différentes sortes de papier.** *Affiche :* papier frictionné (satiné du côté impression et rugueux au verso). *Alfa :* (voir p. 343). *Apprêté :* surface relativement lisse. Papier journal. *Bible :* pâte de chiffon additionnée d'un peu de pâte chimique très mince, résistant et opaque (difficultés au tirage). *Bouffant :* papier brut de machine, non apprêté ou très légèrement. Pour ouvrages ne comportant que des textes et dessins au trait. *Bristol* (avec pâte chimique) : cartes de visite, commerce, étiquettes de luxe. *Bulle :* qualité ordinaire, crème foncé. Frictionné, utilisé pour les enveloppes. *Buvard :* non collé. *Carton :* obtenu par 1 seul jet de pâte, ou par assemblage de plusieurs feuilles de pâte humide. *Chiffon :* à base de pâte de chiffon. Le « pur chiffon » (à 100 %) employé pour éditions de luxe. Appellation d'origine (« Arches », « Johannot », « Rives », etc.) en filigrane. *Chine* (voir p. 343). *Collé :* additionné de colloïdes (gommes, résines), dans la pâte ou sur la surface de la feuille, pour accroître la résistance à la pénétration des liquides (ex. encre d'écriture), améliorer son aspect, augmenter sa résistance... *Couché :* recouvert d'une « couche » composée d'un enduit (sulfate de baryte, kaolin, carbonate de chaux) mélangée à un liant (colle de caséine) et à un plastifiant (cire, savon) ; classique (couché brosse) : couche de 25 à 30 g/m² par face ; moderne (machine) : 5 à 16 g/m² par face. Peut être lissé (couché mat), ou plus calandré (couché satiné, couché brillant). *Cristal :* transparent, très calandré, obtenu à partir de pâte très raffinée. Emballages de luxe. *Duplicateur alcool :* satiné écriture très collé ; *stencil à encre :* bouffant ou apprêté vergé mi-collé, blanc ou couleur, de 64 ou 80 g/m², très opaque. *Frictionné :* une face lissée, une rugueuse. Utilisé pour affiches, enveloppes, étiquettes et papiers d'emballage. *Hélio :* peu collé, assez absorbant. *Hollande, Indien, Japon* (voir p. 343). *Journal :* apprêté, très peu collé pour être absorbant et permettre un séchage quasi instantané. *Kleenex :* lancé 1924. *Kraft :* très résistant, fabriqué à partir de pâte chimique à la soude ou au sulfate, à base de cellulose écrue de pin ou de sapin ; *frictionné :* enveloppes, sachets et pochettes ; *apprêté :* sacs (engrais, ciment, etc.). *Kromekote :* marque de papier couché, très brillant. *Litho :* couchés, satinés ou surglacés, bien collés. *Métallisé :* recouvert, par collage, d'une feuille d'aluminium d'env. 1/100 de millimètre. *Mousseline :* à base de chiffons ou de pâte chimique blanchie. *N.C.R. :* autocopiant sans carbone mis au point par la Sté américaine « National Cash Register ». *Offset :* couchés prédominants. *Opaline :* cristal non transparent, très brillant. Chargé d'oxyde de titane dans la pâte. *Papertex :* à base de résines synthétiques et de fils polyamides Nylon. Imperméable, lavable et imputrescible. *Parcheminé :* trempé dans bain d'acide sulfurique agissant sur cellulose. Peu satiné, très collé. *Pelure :* chiffon, généralement glacé, non glacé pour duplicatas. *Ramie* (voir p. 343). *Satiné :* lisse et brillant. *Sulfurisé :* cellulose pure traitée dans solution d'acide sulfurique. Les corps gras (dont encre) sont sans action sur lui. Sert pour emballage (beurre, fromage, viande). *Surfacé :* collé en surface par légère enduction, pour amaliorer propriétés superficielles. *Surglacé :* avec taux de charge élevé, fortement satiné. *Vélin, Vergé* (voir p. 343).

Statistiques mondiales

■ **Production. Papier journal standard** (en millions de t, 1992) : Canada 7,16, USA 5 [1], Japon 2,83, Suède 1,7, ex-URSS 1,43 [1], ex-All. féd. 0,91, Finlande 0,89, Norvège 0,82 [1], Corée 0,48, G.-B. 0,47 [1], *France 0,4 [1],* Chine 0,37, Autriche 0,36 [2], Afr. du S. 0,35 [1], Australie 0,35, P.-Bas 0,3 [1], Nlle-Zélande 0,29 [1], Brésil 0,2, Argentine 0,17 [2], Espagne 0,15 [1], Italie 0,14, Mexique 0,13, Chili 0,13, Belgique 0,09 [1], Grèce 0,01 [1].

Nota. – (1) 1990. (2) 1991.

Papiers et cartons (en millions de t, 1991) : USA 71,5. Japon 28,1. Canada 16,5. Chine 13,7. Ex-All. féd. 11,9. URSS 10,1. Finlande 8,9. Suède 8,4. *France 7.* Italie 5,6. G.-B. 4,7. Espagne 3,5. *Monde (90) 238,8.*

■ **Principales sociétés.** CA (1991, en milliards de $) : International Papdeser [1] 6,8. Stone Container [1] 6,7. Georgia-Pacific [1] 6,3. Stora [2] 5,1. Champion International [1] 4,1. Svenska Cellulose [2] 3,7. Weyerhaeuser 3,7. James River [1] 3,4. MoDo 3,2. Jujo Paper 3,1. SIBVMS Holdings, Inc. 3. Fletcher Challenge 2,8. Oji Paper 2,8. Boise Cascade 2,8. Scott Paper [1] 2,8.

Nota. – (1) USA. (2) Suède.

■ **Consommation. Papier journal** (en milliers de t, 1988) : *monde 31 668* dont USA 12 395. CÉE 5 971 (dont G.-B. 1 870, All. féd. 1 440, *France 749,* Italie 475, P.-Bas 469, Espagne 304, UEBL 233, Danemark 229, Grèce 96, Irlande 58, Portugal 56), Japon 3 361, URSS 1 405, Canada 1 227, Australie 722, Inde 524, Chine 506, Suède 450, Corée du S. 346, Brésil 338, Mexique 332, Suisse 287,6, Argentine 250, Finlande 222, Taiwan 205, Venezuela 172, Norvège 168, All. dém. 157, Turquie 152, Afr. du S. 150, Hong Kong 150, N.-Zél. 149, Yougoslavie 132, Indonésie 124, Autriche 118, Pologne 105, Malaisie 104, Philippines 104, Thaïlande 100. **Papiers et cartons** (en millions de t, 1990) : USA 76,7, Japon 28,3, All. 15,3, G.-B. 9,1, *France 8,8,* Italie 6,9, Canada 6, Espagne 4,5, P.-Bas 3,1, Suède 2,1, Belgique 2, Finlande 1,4, Portugal 0,8, Norvège 0,6. **Par habitant** (en kg, 1988) : USA 317,8. Suède 311,3. Canada 246,7. Suisse 208,6. Japon 204,5. Finlande 204. All. féd. 203,7. Danemark 202. Belgique 195,3. P.-Bas 194,7. G.-B. 163,5. N.-Zélande 157. Australie 155,5. Taiwan 153. Norvège 151,2. Hong Kong 147. Autriche 144,5. *France 154,8 (90).* Italie 108,4, Islande 104,4.

Statistiques françaises

■ **Papiers et cartons** (en millions de t). **Production :** *1991 :* 7,37 (dont emballages et conditionnements 3,3, usage graphique 3,2, domestique et sanitaire 0,3). *1992 :* pâte 2,6, papiers et cartons 7,67. **Consommation** (en millions de t, 1990) : usage graphique 4,1, emballage-conditionnement 4, impression-écriture 3,3, pour ondulé 2,5, carton 1, journal 0,79 (91 : 0,71), papiers d'emballage 0,5, domestiques et sanitaires 0,4. *Total* 8,8. **Importations** (1991) : 3,92 *de* (1990) All. féd. 0,9, Finlande 0,7, Suède 0,6, P.-Bas 0,3, Belgique 0,2, Italie 0,2, G.-B. 0,2, Espagne 0,1 (*selon la sorte en % :* papiers pour articles domestiques et sanitaires 19,9, impression-écriture 11,4, usages graphiques 9,1, papiers d'emballage 7,1, papiers pour ondulé 5,7, emballage et conditionnement 4,5, cartons 2,3, journal 2). **Exportations** (1991) : 2,45 *vers* (1990) All. 0,7, G.-B. 0,3, Italie 0,2, Belgique 0,2, Espagne 0,1 (*selon la sorte en % :* journal 19,9, papiers pour articles domestiques et sanitaires 17,9, papiers pour ondulé 13,5, usages graphiques 7,9, emballage et conditionnement 7,2, impression-écriture 6,6, cartons 2,3, papiers d'emballage 0,6). **Chiffre d'aff.** (1992) : 32,8 milliards de F. **Balance commerciale** (en milliards de F) : *1990 :* – 12,7, *91 :* – 9,9. **Entreprises** (1990) : 120 regroupées au sein de Copacel (producteurs de pâtes, de papiers et cartons). **Usines :** 154. **Machines à papier :** 252. **Effectifs** (au 31-12-91) : 28 350 personnes.

■ **Papier « toilette ». Consommation :** 7,3 kg par habitant et par an (Suédois 18,6, Italiens 7,8, Belges 7,1, Portugais 3,3) dont 80 % en rouleaux (60 % pour les Parisiens). **Types :** *bulle corde* (papier de soie), généralement brun, fabriqué avec de vieux papiers ; *crêpé,* à partir de pâtes mécaniques (10 % du marché) ; *ouate de cellulose,* « 2 » (88 % des ouatés) ou « 3 plis » (12 %). Le rose uni l'emporte [chez les Allemands ce sont les fleurettes (30 à 40 %) ; les Japonais : les cours d'anglais]. 2 % des Français en sont encore à la feuille de papier journal pliée en 4.

■ **Principales sociétés. Chiffre d'aff.** (en milliards de F, 1990) : Arjomari 11. La Cellulose du pin 9,2. Aussedat Rey 5,4 [1]. Kaysersberg 5 [1]. La Rochette 3,9. Gascogne 2,1 [1]. Papeteries Clairefontaine 1,3 [1].

Nota. – (1) 1989.

■ **% du CA réalisé par des Stés étrangères** (1989). Cartons 71, papier sanitaire et domestique 70, papier d'impression et d'écriture 35, pâte à papier 17, papier journal 0. *Ensemble* 29.

Luxe

■ **Quelques dates. 1840** l'eau de Cologne extra-vieille de Roger et Gallet, mise au point par le fondateur, Jean-Marie Farina, d'après la formule de l'Eau Admirable créée 1695. **1841** verre Harcourt de Baccarat. **1879** savon rond à la violette de Roger et Gallet. **1891** parfum Jicky de Guerlain. **1910** stylo Meisterstück (chef-d'œuvre en français) de Montblanc. **1917** montre Tank de Cartier. **1920** caviar importé par les frères Petrossian. Couvert Élysée de Puiforcat, reproduction d'un modèle XVIIIe de Strasbourg. Stylo Lorenzo de Médicis de Montblanc. **1924** briquet unique de Dunhill, inventé par Alfred Dunhill pour l'un de ses amis revenu manchot de la guerre

■ **Comité Colbert. Origine** association fondée 1954 par Jean-Jacques Guerlain. Regroupe 70 adhérents choisis parmi les plus grands noms français des industries et métiers liés à l'art et à la création. **But** transmettre un message culturel représentatif d'une certaine image de la France. **Salariés** 25 000. **Chiffre d'affaires** (1992). 30,4 milliards de F [dont en % *France 28,7,* Europe (hors Fr.) 26,2, Asie 13,8, Japon 12,6, USA 12,1, Amérique (hors USA) 2,6, Moyen-Orient 1,6, autres 3,6]. **Membres en 1993** (en italique dates de fondation). **Articles de sport :** la chemise Lacoste *1933.* **Briquets, stylos de luxe :** S.T. Dupont *1872.* **Bronzes d'art :** Charles *1908,* Delisle *1895.* **Cognac :** Courvoisier *1835,* Remy Martin *1724.* **Haute couture :** Chanel *1912,* Christian Dior *1947,* Givenchy *1951,* Guy Laroche *1957,* Jean Patou *1919,* Jean-Louis Scherrer *1971,* Jeanne Lanvin *1889,* Lesage *1870,* Nina Ricci *1932,* Pierre Balmain *1945.* **Cristallerie :** Baccarat *1764,* Daum *1875,* Lalique *1910,* Saint-Louis *1767.* **Décoration :** Didier Aaron *1923,* Manuel Canovas *1963,* Pierre Frey *1935.* **Édition :** Bussières Arts Graphiques *1924,* Flammarion Beaux Livres *1875.* **Épicerie fine :** Hédiard *1854.* **Fourrure :** Révillon *1723.* **Horlogerie :** Breguet *1775.* **Hôtellerie :** Crillon *1909,* George V *1928,* Bristol *1923,* Plaza-Athénée *1911,* Ritz *1898,* Royal Évian *1909.* **Haute joaillerie :** Boucheron *1858,* Mauboussin *1827,* Mellerio *1613,* Van Cleef & Arpels *1906.* **Linge de maison :** D. Porthault *1924.* **Malletier :** Louis Vuitton *1854.* **Médailles, décorations :** La Monnaie de Paris *1552* [1]. **Musique :** Orchestre national de France/Ademma *1925* [1], Opéra de Paris *1669* [1]. **Objets d'art :** Manufacture nat. de Sèvres *1738* [1]. **Orfèvrerie :** Christofle *1830,* Ercuis *1867,* Puiforcat *1820.* **Parfums :** Caron *1904,* Chanel *1924,* Christian Dior *1947,* Givenchy *1957,* Guerlain *1828,* Hermès *1948,* Jean Patou *1925,* Lancôme *1935,* Lanvin *1925,* Nina Ricci *1945,* Rochas *1925,* Parfums Van Cleef & Arpels *1976.* **Patrimoine :** La Demeure Historique *1924.* **Porcelaine de Limoges :** Bernardaud *1863,* Robert Haviland et C. Parlon *1924.* **Faïences :** Faïenceries de Gien *1821.* **Prêt-à-porter de luxe :** Léonard *1943.* **Restaurants :** Michel Guérard *1965,* Oustau de Baumanière *1945,* Taillevent *1946.* **Sellerie, Foulards, Couture :** Hermès *1837.* **Tissus :** Souleiado *1780.* **Traiteur :** Lenôtre *1957.* **Vins.** *Bordeaux :* Château-Cheval-Blanc *1832,* Château-Yquem *1786,* Château-Lafite-Rothschild *1855.* *Champagne :* Bollinger *1829,* Krug *1843,* Laurent Perrier *1812,* Louis Roederer *1776,* Ruinart *1729,* Veuve Cliquot Ponsardin *1772.* **Voyages :** Air France *1933* [1].

Nota. – (1) Membres associés.

(jusqu'alors on se servait de ses 2 mains pour allumer un briquet). Bague 3 anneaux de Cartier. Keep-All de Louis Vuitton. Sac fourre-tout habillé de la toile Monogram qui date de 1896. **1925** Shalimar de Guerlain. **1927** huile de Chaldée de Jean Patou. **1930** Joy de Jean Patou. **1933** Vase Bacchantes de René Lalique. **1940** briquet S.T. Dupont. **1944** Femmes de Rochas. **1948** L'Air du Temps de Nina Ricci. **1950** toile Collobrières de Pierre Frey. **1952** sac Bavolet de Chanel en cuir matelassé noir, avec le double C. **1957** carré de soie Brides de gala d'Hermès reproduit le motif à la sirène qui ornait le harnachement du cheval de Maximilien, empereur du Mexique. Sac Kelly d'Hermès. **1960** broche Églantine de Boucheron, en émail translucide de couleur or et diamant.

Quelques sociétés

Christofle. *Créée* 1830. *Effectifs* (fin 92) : 1 047. *Capital* (dont holding familial 50,5 %. *CA* (millions de F) : *1991:* 649,7 (perte 6,8), *92:* 621,8 (perte 39,5).

Dunhill. *Créée* 1893, entreprise de fournitures pour chevaux et écuries. *1907* ouvre une boutique pour fumeurs à Londres, dans le St-James Street, puis en 1924 à Paris, rue de la Paix. *1920* premier briquet unique.

Hermès. *Créée* 1837 (atelier de harnais de Thierry Hermès). CA (milliards de F) : *1989:* 2,6 (résultat net 0,285), *90 :* 2,46 (rés. net 0,168), *91 :* 2,4 (rés. net 0,134), *92:* 2,46 (rés. net 0,163). *Répartition* (en %) : carrés 18,7, cuir 18,3, cravates 10,6, parfums 9,7, horlogerie 6,1, accessoires et divers 5,3, prêt-à-porter masculin 3,6, chaussures 2,9. *Marché européen* 19,96 %, *France* 37,43 %. *Points de vente :* 245. *A racheté:* les Cristalleries de St-Louis en 1989 et Puiforcat en 1992. Introduit sur le 2e marché en Bourse le 3-6-1993 (la famille détient toujours 80 % du capital).

Lancel. *CA (millions de F) : 1990:* 700 (résultat net *1991:* 90), *92-93 :* 600 (rés. net 100). *Répartition* (en %) : cadeaux 30, sacs 30, bagages 15, divers petite maroquinerie 10, articles pour hommes 10, horlogerie 5.

LVMH. Groupe créé 1987. *CA et,* entre parenthèses, *résultat net* (milliards de F *en 1991 et,* entre crochets, *1992*) : 22 (6,4) [21,7 (5,5)] dont cognac 6,2 (2,8), [5,5 (2,3)], parfums 4,9 (0,6) [5,5 (0,8)], champagnes 5,6 (1,3) [5,2 (0,8)], bagages 4,9 (1,2) [4,7 (1,9)], divers 0,5 (– 0,2) [0,7 (– 0,3)].

Pierre Cardin. *1950* fonde maison de couture. *1981 mai* reprend restaurant Maxim's qu'il transplante à New York, Pékin et Rio. Lance eaux minérales, confitures, conserves, verres, vaisselle et parfums griffés Maxim's. *1993 : CA* env. 10 milliards de F. *Royalties* 5 à 12 %. A concédé env. 880 contrats de licence sur 120 pays. *Salariés:* 190 000, fabriquant du Cardin ou du Maxim's.

Parfumerie

Généralités

☞ La parfumerie regroupe les produits parfumants, de beauté, capillaires et de toilette.

■ **Produits parfumants. Processus d'action :** mélanges de corps odorants avec, en général, une note de base assistée par des produits complémentaires. Le développement d'une odeur est fondé sur une lente distillation des constituants, *les notes de « tête »* ou de *« départ »* (produits les plus volatils, telles les essences d'hespéridées : citron, orange...) ; de *« cœur »* ou *« corps »* (plus persistants et plus corsés jasmin, rose, mousses...) ; de *« fond »* (très persistants destinés à freiner l'évaporation des autres constituants et appelés improprement « fixateurs » : produits animaux, muscs artificiels...). **Concentrations :** pour les solutions alcooliques, indiquées par titre volumique (% en volume à 20° centrigrade de la quantité d'alcool pur contenu dans le mélange total) remplace l'ancienne notion de degré alcoolique. *Catégories* parfum (ou extrait), eau de parfum, eau de toilette, eau de Cologne. **Matières premières :** d'ORIGINE VÉGÉTALE NATURELLE : *fleurs* (jasmin, rose, lavande...), de *feuilles* (menthe, verveine, violette...), *graines* (coriandre, céleri, angélique...), *bois* (santal, cèdre, bois de rose...), *racines* (vétiver, iris, gingembre...), *écorces de fruits* (citron, orange...), *d'arbres* (bouleau, cannelle...), *résines* (cystes, benjoin, myrrhe...), *lichen* (mousse de chêne...). *Extraction par la distillation à la vapeur d'eau* pour les produits ne se décomposant pas à la chaleur (lavande, citronnelle, menthe...) qui donne des *huilles essentielles* ; *Extraction au solvant volatil,* qui a remplacé l'enfleurage (fixation des substances aromatiques sur des graisses ou huiles). Donne la *concrète* (pour végétaux frais) ou le *résinoïde* (végétaux séchés). La *concrète* donnera *l'absolue* après lavage à l'alcool, filtration et distillation. Il faut au moins 600 kg de fleurs de jasmin, par exemple (soit 5 millions de fleurs environ), pour faire 1 kg d'absolue ; *l'expression:* c'est obtenir les substances aromatiques d'écorces de fruits qui sont exprimées pour en retirer l'essence. D'ORIGINE SYNTHÉTIQUE : isolats : produits aromatiques venant des éléments naturels, extraits par fractionnement de la matière 1re de base. Leur modification, par réaction chimique, donne des produits d'hémisynthèse. D'autres produits (+ de 1 000) de synthèse totale sont entièrement fabriqués à partir de matières chimiques de base. Un parfumeur-créateur dispose de 4 000 à 5 000 ingrédients naturels ou synthétiques 20 % constituent 80 % des 300 000 compositions parfumantes commercialisées (dont 15 à 20 % sont employés en parfumerie fine et cosmétique et 80 à 85 % en parfumage des savons, détergents, produits ménagers, etc.). D'ORIGINE NATURELLE : *ambre gris :* concrétion pathologique formée dans l'intestin du cachalot. *Castoreum:* sécrétion d'un produit huileux par un rongeur amphibie, le castor (Canada, Sibérie). *Civette :* produite par les glandes de petits mammifères carnivores de la famille des viverridés, comme le daman (Asie, Éthiopie). *Musc naturel :* trouvé dans l'intestin des ondatras ou rats musqués du Canada, les daims du Tibet, de Sibérie et de Chine. Sécrété par la glande prépubérale du chevrotin porte-musc (Asie centrale). D'un usage courant dans la 1re moitié du XXe s. sous forme de macérations alcooliques (infusions), ces produits ne sont plus utilisés actuellement. **Classification des parfums** (groupes fondamentaux ou familles d'odeurs) : *Hespéridée* huiles essentielles obtenues par expression du zeste des fruits tels que citron, orange, mandarine, etc., associées aux produits de l'oranger. 1res « Eau de Cologne ». *Florale :* parfum dont le thème principal est une fleur (jasmin, rose, muguet, violette, tubéreuse, narcisse, etc.). *Fougère :* dénomination de fantaisie, ne se rapportant pas à l'odeur des fougères et comprenant un accord généralement réalisé avec des notes lavandées, boisées, mousse de chêne, coumarine, etc. *Chypre :* nom d'un parfum de François Coty (sorti en 1917). Parfums basés sur mousse de chêne, ciste-labdanum, patchouli, etc. *Boisée :* notes chaudes ou opulentes (santal, patchouly), parfois sèches (cèdre, vétiver) ; départ constitué de notes lavandées et hespéridées. *Ambrée* ou *orientaux:* notes douces, poudrées, vanillées, très marquées. *Cuir :* notes sèches, très sèches parfois, essayant de reproduire l'odeur du cuir (fumées, bois brûlé, bouleau, tabac...) et des notes de tête ayant des inflexions florales.

■ **Produits de beauté. Catégories :** *produits de soins de beauté :* crèmes, lait, lotions, gels, produits à démaquiller, après démaquillage, de soin du visage, du corps, produits spécialisés pour yeux, mains et ongles, protection solaire. *Produits de maquillage :* fonds de teint, produits teintant et bronzant sans soleil, poudres libres, compactes et blush, produits pour lèvres (rouges), ongles (vernis), yeux (ombres à paupières, mascaras [généralement préparés avec du stéarate de triéthanolamine (savon pur et non irritant auquel sont incorporés cires et colorants)], crayons à sourcils, eye-liners. **Formules :** le plus souvent composé d'un *« véhicule ou excipient »* qui peut être une solution aqueuse (lotions démaquillantes pour yeux), hydro-alcoolique (lotions toniques) ou une émulsion (crèmes ou laits), incluant les agents spécifiques, les stabilisants, et des additifs tels que les produits colorants ou de parfumage. Les *émulsions* peuvent être « eau dans l'huile » (E/H, l'eau est dispersée en fines particules dans la phase huileuse), ou « huile dans l'eau » (H/E, l'huile est dispersée dans l'eau). Les *gels* comportent une phase aqueuse où sont dispersées des substances gélifiantes insolubles dans l'eau, *émulsions multiples,* émulsions courantes (eau, huile, agent de surface) organisés de telle sorte que les particules dispersées renferment elles-mêmes des globules de même composition que la phase externe) : émulsions « eau dans l'huile dans l'eau » (E/H/E) ou « huile dans l'eau dans l'huile » (H/E/H), libérant lentement leurs agents spécifiques, permettent de prolonger leur efficacité. *Liposomes,* petits vésicules sphériques dont la structure, analogue à celle des membranes des cellules de l'organisme, permet de pénétrer plus facilement à travers l'épiderme en véhiculant les substances actives qu'ils contiennent.

■ **Produits capillaires.** Destinées à laver cheveux et cuir chevelu (shampooings simples), les laver et les traiter (shampooings anti-pelliculaires, pour cheveux secs, gras, etc.), améliorer l'aspect de la chevelure (brillant, volume), la fixer (laques), la colorer (teintures), la mettre en forme (permanentes, produits coiffants, mises en plis). *1ers shampooings,* liquides, furent fabriqués à base de savon noir bouilli avec des cristaux de soude ; fortement alcalins ; rincés avec une eau calcaire, laissent un dépôt (éliminé avec un vinaigre cosmétique). **1900** savon de potasse fabriqué avec de l'huile de coprah, additionnée quelquefois d'huile d'olive et de ricin, plus moussants, mais encore très agressifs. **1936** Dop est un des 1ers à utiliser des alcools gras sulfonés (synthétisés dep. 1928, à partir d'huile de coprah : non alcalins, mousse abondante, insensibles à l'eau calcaire).

■ **Produits de toilette.** Savons, savons de toilette, dentifrices, produits de rasage, déodorants, produits pour le bain et la douche.

Fabrication du parfum

Lorsque la formule d'un parfum est enfin au point, on effectue les fabrications industrielles du « concentré » en pesant très précisément les différents éléments de la formule et en les dissolvant les uns dans les autres. Pour les solutions alcooliques, on utilise de l'alcool éthylique aussi neutre d'odeur que possible et représentant env. 96 % de son volume en alcool pur. Le titre volumique (% vol.) qui remplace l'ancienne notion de degré alcoolique indique le volume à 20° C de la quantité d'alcool pur contenue dans un mélange par rapport au volume total de ce mélange à la même température. Suivant les diverses concentrations dans l'alcool, on obtient *le parfum* ou extrait (en général la plus forte proportion de concentré de la meilleure qualité dilué dans l'alcool) ; *l'eau de parfum* (assez proche) ; *l'eau de toilette* (concentration olfactive plus faible) ; *l'eau de Cologne* (concentration encore plus réduite avec une note plus fraîche et moins tenace ; aux USA, « Cologne » désigne une qualité s'apparentant à l'eau de toilette). Lorsque les solutions alcooliques sont réalisées, intervient la période de « macération » ou mise à repos pendant laquelle le produit « s'arrondit ». Ensuite, on procède au glaçage, puis à la filtration pour obtenir un produit limpide et stable.

Quelques dates

Monde romain *chevelure* teinte en blond. *1ers savons* mélanges d'huile, de terre à foulon et de cendres végétales. *Produits de base pour soins du visage* fleurs en lotions adoucissantes ou astringentes, fruits à l'état naturel, viande crue, blancs d'œufs. *Soins du corps* bains parfumés, bains de lait d'ânesse, d'amidon ou d'orge pour blanchir la peau et onctions d'huiles parfumées. *Yeux* maquillés avec du kohol. *Fards* colorants [végétaux (bois de santal, racines d'orcanette ou oseille), produits d'origine minérale (blanc de céruse, appliqué sur visage)]. **Moyen Age** les médecins de l'École de Salerne prescrivent : « Lavez-vous souvent les mains, rarement les pieds, jamais la tête. » **1190** le roi Philippe Auguste accorde des statuts à la corporation des gantiers-parfumeurs, seule habilitée à vendre cuirs, gants parfumés, eaux de senteurs utilisées comme panacées, et pastilles pour rendre l'haleine agréable. **XIVe s.** *eau de Hongrie.* **1555** 1er traité européen de parfumerie (Venise). **1582** statuts créant l'artisanat des parfumeurs gantiers, distincts des apothicaires (Anne-Marie de La Trémoille faisait parfumer ses gants à la fleur d'oranger, puis on a les gants à la frangipane, du nom du Mis de Frangipani, Mal des armées de Louis XIII). **Sous les Valois** l'usage des parfums se répand, puis est tempéré (crainte de l'empoisonnement, on soupçonne René le Florentin d'avoir empoisonné les gants de la Reine de Navarre et de Gabrielle d'Estrée. **Sous Louis XIII** en faveur à la Cour. **Louis XIV** en défend l'emploi. **Sous la Régence** en faveur à la Cour. **XVIIe s.** essence de Nice et de Gênes « à la négligence » et à la Phyllis ; *Eau d'émeraude* préparée par les capucins du Louvre. **XVIIIe s.** l'élégante s'enduit le visage de blanc de céruse, réhaussé de rouge vif aux pommettes et aux lèvres et poudre ses cheveux de blanc, à moins qu'elle ne porte perruque. **1709** un Italien fonde à Cologne un transit de marchandises ; un de ses frères, Jean-Marie Farina, exploite la recette d'une eau alcoolique à base d'agrumes, l'*Eau admirable* (dont la composition est attribuée à son oncle Jean-Paul Feminis). **1732** son frère mort, J.-M. Farina devient unique propriétaire et diffuse en Europe l'Eau admirable que ses clients français nomment *eau de Cologne* [*1792-8-10* Wilhem, fils du banquier Mülhens (4711 rue des Cloches à Cologne), se marie : parmi les invités, un chartreux lui remet un parchemin renfermant la formule de l'« Aqua Mirabilis » (eau aux vertus médicinales). Wilhem la commercialisera sous le nom de « 4711, la véritable eau de Cologne » (*ingrédients :* essence de santal de l'Inde, de roses, ylang-ylang des Philippines, vétyver d'Haïti, fleur d'oranger, lavande]. **1755** *Eau de Botot* créée par Jean-Marie Botot, médecin, pour soulager les douleurs dentaires de Louis XIV. **1770** savons raffinés créés par William Yardley (G.-B.). Charles, son fils, crée la lavande Yardley. **1806** J.-M. Farina s'installe à Paris, rue St-Honoré (**1840** Léonce Collas lui succède). **1862** les cousins de Collas, Armand Roger et Charles Gallet, prennent la suite. **Ier Empire** Napoléon Ier utilise 60 flacons d'eau de Cologne par mois. **1828** *Guerlain* ouvre rue de Rivoli. Les marques se multiplient. Lubin : *eau de Lubin* ; Legrand : *eau des Alpes.* **1885** Hahn, pharmacien de Genève, lance du pétrole purifié, parfumé ; cédera sa licence à François Vibert (Lyon). **Autour de 1900** *Piver :* Trèfle incarnat, préparé dans un labor. de l'École polytechnique (entrent dans composition : tréfol, salicylate d'amyle) ; utilisation de produits de synthèse. Suisse : *Givaudan, Firmenich.* France : *Roure* et *Bertrand, Poulenc, François Coty* (François Spoturno, installé rue de La Boétie 1905). **1907** Michael Winburn (1871-1930, Américain), acquiert la firme « Cadum » (pommade fabriquée par un pharmacien installé rue Scribe, évoquant la présence d'huile de cade). [**1912** Winburn met au point, avec Landais, un savonnier, le savon « Cadum » (sans huile de cade). **1952** Sté Cadum fusionne avec Palmolive. **1964** Sté Colgate-Palmolive créée]. **1913** Guerlain : Heure bleue. **1918** Londres, Sté Eugène Gallia créée par Eugène Sutter : 1re multinationale de produits de coiffure. [**1919** 1re ind. française d'appareils pour indéfrisables créée par Gaston Boudou. **1955** Sté rachetée par Eugène, faisant de la Sté Eugène-Gallia, la 1re entreprise française de cosmétiques]. **1920** Eau de Cologne Mont-St-Michel. **1924** Yardley achète en France la Sté Viville. **1925** le brunissage devient à la mode. **1926 à 1938** composition élaborée du parfum ; couturiers parfumeurs : Coco Chanel, Jeanne Lanvin, Molyneux, Jean Patou, Schiaparelli. **1927** Paul Baudecroux, chimiste, crée le « Rouge Baiser ». Jean Patou lance le 1er produit solaire : l'Huile de Chaldée. **1930** Monsavon lancé. **1932** Brillantine Roja.

Quelques parfums

Balenciaga *Le Dix* (1947). *Quadrille* (1955). **Balmain** *Vent Vert* (1945) : jonquilles, muguet, foin, narcisses, jacinthes, fleurs de printemps. *Jolie Madame* (1953) : violette, lilas, jasmin, cèdre, tubéreuse, néroli. **Miss Balmain** (1968) *Ivoire* (1979). **Bourjois** (fondé 1863) *Soir de Paris* (1929) : œillet, rose, violette, jasmin, iris, clou de girofle, vétiver. *Clin d'œil* (1984). **Cacharel** *Anaïs Anaïs* (1978) : hespéridés, jasmin, rose ; iris de Florence, vétiver bourbon, cèdre de Californie, musc et cuir de Russie. **Caron** (1903) *Narcisse noir* (1911). *En avion* (1930). *Fleurs de Rocaille* (1933). *Pour un homme* (1934). **Carven** *Ma Griffe* (1944) : jasmin de Grasse, néroli, vétiver, mousse de chêne, musc. *Robe d'un soir* (1947). *Eau vive* (1968). **Chanel** *N°5* (1921) : jasmin de Grasse, rose de mai, ylang-ylang, néroli, santal, vétiver, vanille, jonquille, iris, muguet, aubépine, musc, ambre, patchouli (+ de 80 ingrédients). *Coco* (1985) : jasmin des Indes, mimosa, pêche, bourgeon de girofle, frangipanier, fleur d'oranger, rose de Bulgarie. *n° 19* (1970). *Cristalle* (1973). **Coty** (créé par François Coty, 1874-1934) *L'Origan* (1905) : santal, patchouli, vanille, violette, œillet, jasmin, musc, civette. *Chypre* (1917) : mousse de chêne, jasmin, rose, ambre, musc, vanille, bergamote. **Christian Dior** *Miss Dior* (1947) : gardénia, patchouli, rose, mousse de chêne, ambre gris, galbanum. *Eau sauvage* (1966) : mousse de chêne, vétiver, citron, lavande, genêt, basilic, romarin, miel. *Poison* (1985, lancé avec 40 millions de $) : coriandre, poivre, cannelle, miel d'oranger, baies sauvages, civette, ciste-labdanum, ambre gris. *Dune* (1991). **Givenchy** *L'interdit. De Givenchy* (1957). *Ysatis :* mandarine, bergamote, galbanum, ylang-ylang, fleur d'oranger, jasmin, rose, tubéreuse, iris, patchouli, vétiver, santal, mousse de chêne, castoréum, civette, bay-rhum, girofle, vanille, musc, ambre. **Grès** *Cabochard* (1957). **Guerlain** (fondé 1828) *Jicky* (1899). *Jardin de mon curé* (1895). *Champs-Élysées* (1904). *Mitsouko* (1919). *Shalimar* (1928) : benjoin, patchouli, opopanax, vanille, encens, bergamote, iris. *Chant d'arômes* (1962) : chèvrefeuille, gardénia, jasmin, vanille. *Nahema :* rose, jacinthe, bois exotiques, fruits de la passion. *Chamade* (1969). *Jardins de Bagatelle* (1983). *Samsara* (1989) 321e parfum créé par Guerlain : santal, jasmin, iris, violette, narcisse (lancé avec 50 millions de $ les 15 premiers mois). **Hermès** *Amazone* (1975) : narcisse, rose, jasmin, iris, pêche, framboise, pamplemousse, cèdre, santal, vétiver. *Calèche* (1961) : jasmin, rose, iris, gardénia, lilas, essence de cèdre, tubéreuse, cèdre de Virginie, santal de Mysore. *Équipage* (1970). **Houbigant** (crée 1775) *Fougère royale* (1882). *Quelques fleurs* (1912) : lilas, rose, jasmin, violette, orchidée. **Lagerfeld** *Chloé* (1975) : tubéreuse, ylang-ylang, rose, chèvrefeuille, jasmin, fleur d'oranger, vétiver, mousse de chêne, patchouli, musc, ambre gris. *K.L.* (1982). **Lancôme** (créé 1935) *Magie noire* (1978) : rose bulgare, galbanum, encens, herbes de la St-Jean, patchouli, cèdre, santal, épices, ambre. *Trésor* (1990). **Lanvin** *Arpège* (1927) : rose de Bulgarie, jasmin de Grasse, muguet sauvage, camélia, chèvrefeuille, vétiver, ambre, jacinthe bleue. **Guy Laroche** *Fidji* (1966) : galbanum, lilas, œillet, rose, iris, jasmin, musc du Tibet, ylang-ylang. *Drakkar* (1972). *J'ai osé* (1978) : jasmin, camomille, ylang-ylang, myrte, patchouli, santal, vétiver, ambre et épices d'Orient. **L (Louis) T (Toussaint) Piver** (créé 1813) *Trèfle incarnat* (1900) : utilisant pour la 1re fois un produit de synthèse. **Lubin** (fondé 1798) *Nuit de Longchamp* (1937). *Gin Fizz* (1955). *Eau neuve* (1977). **Molinard** *Habanita* (1934). **Molyneux** *Numéro cinq de M.* (1927). *Captain Molyneux* (1975). *Quartz* (1977). **Jean Patou** *A mon amour* (1928). *Moment suprême* (1929). *Joy* (1930) : rose bulgare et rose de mai, jasmin de Grasse, tubéreuse, ylang-ylang. *Vacances* (1936). *Heure attendue* (1946). *1000* (1972) : rose, damascena, absolu de violette, jasmin de Grasse, osmanthus de Chine, santal de Mysore. **Paco Rabanne** *Calandre* (1968) : bergamote, limette, rose, jasmin, géranium, muguet, ylang-ylang, musc. **Oscar de la Renta** (1977) *Oscar de la Renta :* bois de santal, ylang-ylang, basilic, mandarine, jasmin, rose de Bulgarie, genêt, patchouli, néroli, girofle, vétiver, coriandre, vanille, myrrhe, opopanax, castoréum. *Volupté* (1992). **Révillon** *Amour Daria* (1934). *Carnet de bal* (1937). *Cantilène* (1948). **Nina Ricci** *Cœur Joie* (1946). *L'Air du temps* (1947) : gardénia, absolue jasmin, santal de Mysore, irisanthème, absolue œillet, rose poivrée, ylang-ylang. **Rochas** *Audace* (1936). *Femme* (1942) : pêche, jasmin, rose bulgare, ylang-ylang, santal, vétiver, patchouli, ambre. *Madame Rochas* (1960) : tubéreuse, iris, chèvrefeuille, rose bulgare, narcisse, mousse de chêne, cyste. **Roger et Gallet** (noms des acquéreurs en 1862 de la parfumerie fondée 1806 par J.-M. Farina) *Vera Violetta* (1892). *Fleurs d'amour* (1963). **Yves Saint Laurent** *« Y »* (1964, il posa nu pour le présenter) : tubéreuse, ylang-ylang, jasmin, iris, rose, vétiver, santal, patchouli, mousse de chêne. *Opium* (1977) : mandarine, girofle, coriandre, œillet, prune, muguet, rose, jasmin, labdanum, myrrhe, opopanax, castoréum, cèdre, santal. *Rive gauche* (1971). *Kouros* (1981). *Paris* (1983) : mimosa, géranium, cassis, aubépine, rose, violette, santal, mousse de chêne, iris, ambre, musc. *Champagne* (1993) : nectarine, rose, mousse, vétiver, patchouli. **Schiaparelli** *Shocking* (1935) : jasmin, rose œillet, patchouli, encens, cèdre. *Zut* (1948). **Ungaro** *Diva* (1983) : santal Mysore, patchouli, mousse de chêne, roses turques et marocaines, iris de Florence, narcisse, jasmin d'Égypte, tubéreuse, cardamome, mandarine, ylang-ylang. **Van Cleef & Arpels** *First* (1976) : ylang-ylang, jasmin d'Italie, narcisse, bourgeon de cassis, rose de Turquie, bois de santal, fèves tonka. **Worth** *Dans la nuit* (1924). *Sans Adieu* (1930). *Je reviens* (1932) : jasmin, jacinthe, rose, tubéreuse, santal, ylang-ylang, patchouli, ambre.

Parfumeurs-créateurs

■ **Quelques parfumeurs-créateurs connus et quelques-uns de leurs parfums.** *Alméras :* Joy, les Parfums de « Rosine », Moment suprême. *Omer Arif :* Pêle-Mêle, Pixiola. *Armingeat :* Pompeia, Rêve d'or, Astries, Floramye. *Ernest Beaux* (n. 1881) N° 5 de Chanel, N° 22, Bois des Iles, Cuir de Russie, Soir de Paris. *Bienaimé :* Quelques Fleurs. *Marcel Billot :* Joli soir, Festival, Chantilly. *Pierre Blaizot :* Plaisir. *Blanchet :* Je reviens, Sans adieu. *Pierre Carnot :* Fruit vert. *Jean Carles :* Tabu, Ma Griffe, Canoë. *Germaine Cellier :* Bandit, Vent vert, Jolie Madame, Cœur Joie. *Bernard Chant :* Cabochard, Aramis, *Maurice Chevron. François Coty :* L'Origan, Émeraude, La Rose Jacqueminot, Le Chypre. *Daltroff :* Narcisse noir, Tabac blond, Nuit de Noël, Bellodgia, Fleurs de rocaille. *Jean Desprez :* Crêpe de Chine, Bal à Versailles. *André Fraysse :* Arpège, Scandal, Rumeur. *Georges Fraysse :* Zibeline. *Hubert Fraysse :* Zibeline, Antilope. *Jacqueline Fraysse :* Cassandra, Noir. *Henri Giboulet :* Gin Fizz, Caline. *Robert Gonnon :* prix STPF 1958. *Pierre-François Guerlain :* Eau de Cologne impériale. *Aimé Guerlain :* Jicky. *Jacques Guerlain :* Mitsouko, Shalimar, Jicky, Après l'ondée, Heure bleue, Sous le vent, Vol de nuit. *Pierre Guerlain :* Rue de la paix. *Léon Hardy. Jean Hervelin :* Envol (1re édition). *Jacques Jantzen :* Ho-Hang, Cialenga, Command performance. *Arturo Jordi-Pey. Raymond Kung :* Demi-jour, Bois-dormant. *Parquet :* Fougère royale, le Parfum idéal, Cœur de Jeannette. *Septimus Piesse. Marius Reboul. Rimmel. Henri Robert :* le Muguet des bois, Glamour, Ramage, Pour Monsieur, Le 19. *Vincent Roubert :* l'Aimant, l'Or, Asuma, Green Water, Vertige; Iris gris. *Rouche :* Le Trèfle incarnat. *Edmond Roudnitska :* Femme, Diorama, Eau d'Hermès, Moustache, Diorissimo, Eau sauvage, Diorella, Dior Dior, Eau sauvage extrême. *Maurice Shaller :* Nuit de Chine, Carnet de bal. *Ernest Shiftan. Paul Schving :* Offrande. *Paul Vacher :* Sortilège, Snob, Miss Dior. *Constantin Weriguine :* Mais oui.

Statistiques

Dans le monde

Part de marché mondial des principaux parfums (%, 1991). N° 5 (Chanel) 4,7, Paris (St-Laurent) 3,9, Opium (St-Laurent) 3,6, Loulou (Cacharel) 3,5, l'Air du Temps (Nina Ricci) 3,3. **Ensemble des activités des matières premières pour la parfumerie** (1990) : 25 milliards de F dont *France 4* (Sud-Est 2).

Principaux groupes cosmétiques internationaux (CA 1991 en milliards de F). L'Oréal (7) 30,4 (résultat net 1,7). Unilever (2,6) 20,7, Procter & Gamble (1) 16,9, Shiseido (4) 13,3 (résultat net 1,1), Revlon (1) 12,5.

Principales sociétés de matières 1res aromatiques. CA (en millions de $, 1986) : Iff (1) 621, Quest (2) 515, Givaudan (3) 411, Takasago (4) 329, Firmenich (3) 294, Haarmann und Reimer (5) 270, BBA + Unioncamp (1,6) 168, Dragoco (5) 151, Florasynth-Lautier (1) 150, PFW Hercules (1) 150.

Parfums les plus vendus au monde. Chanel N° 5 (créé 1929), Guerlain : Shalimar (créé 1925).

Nota. – (1) USA. (2) P.-Bas. (3) Suisse. (4) Japon. (5) All. féd. (6) G.-B. (7) France.

En France

☞ 9 femmes sur 10, 1 homme sur 2 se parfument.

■ **Chiffre d'affaires dont,** (entre parenthèses, **exportations**) (en milliards de F). *1989 :* 40,2 (17,4), *90 :* 43,1 (18,7), *91 :* 46,8 (20,5 dont All. 3,1, Italie 2,2, USA 1,7, G.-B. 1,4, Benelux 1,3) *92 :* 50,6 (27,6).

■ **Structure de l'industrie** (1989). **Entreprises** 220 dont 20 % ont eu un C.A. fr. sup. à 100 000 000 de F ; 23,1 % inf. à 5 000 000 de F. *Répartition des entreprises par tranche d'effectifs* (en %) : *- de 20 salariés :* 22,7. *20 à 99 :* 48,9. *100 à 499 :* 21,4. *+ de 500 :* 7. **Effectif :** 32 300 dont (en %) 65 femmes, 35 hommes.

Pénétration des capitaux étrangers. Grandes maisons à capitaux français : Nina Ricci, Patou, Guerlain, Christian Dior, Givenchy (groupe LVMH), Caron (Cora-Révillon), Yves Saint Laurent, Lancôme (L'Oréal), Yves Rocher. **Pénétrées par les capitaux étrangers :** Chanel (Pamerco, Suisse), Paco Rabanne (Puig, Esp.), Rochas (Wella, All.), Beiersdorf S.A. (Beiersdorf, All.), Orlane (Kelemata, Italie), Carven (Beecham, G.-B.), Coty (Pfizer, USA),

Principaux groupes

■ **Guerlain. CA** *1992 :* 2 milliards de F (*Résultat net :* 0,22). *Répartition du CA 1992* (en %) parfums 63, maquillage 19, produits soin 18 ; *par zone :* France 31, Europe (hors Fr.) 30, Amérique 20, Asie 16, autres 3.

■ **L'Oréal. 1909** Eugène Schueller (1881-1957) fonde la Sté française des teintures inoffensives pour cheveux (1916 devient l'Oréal). **1927** lance « Immédia », teinture à base de colorants organiques. Succès. **1930** Monsavon. **1936** lance l'Ambre solaire. *CA consolidé : 1992 :* 37,6 milliards de F (dont en % : public et coiffure 49, parfums et beauté 22,6, Synthélabo 16,8, cosmétique active 9,8, activités diverses 1,9). *Répartition :* Europe hors France 41,6, France 23,8, USA et Canada 19,7, Asie 5,3, Amérique latine 3,3, autres 6,3. *Résultat net : 1992 :* 2,3.

■ **Sanofi Beauté.** *CA 1991 :* 7,5 milliards de F (dont Yves Rocher 5,16, Nina Ricci 1,21, Parfums Stern 0,55, Van Cleef & Arpels 0,4, Stendhal 0,25, Roger & Gallet 0,24, autres 0,041). Elf Sanofi a absorbé Yves Saint Laurent en mai 1993. CA 1992 3 milliards de F (dont parfum 2,47, couture 0,53, résultat net 0,13).

Principaux produits

■ **Coiffure :** L'Oréal Technique Professionnelle (Majirel, Crescendo, Diacolor, etc.) ; Kérastase. **Produits publics :** L'Oréal (Elnett, Studio Line, Elsève, Plénitude, Printil, etc) ; Garnier (Aquavital, Ultra Doux, Grafic, Ambre Solaire, OBAO, etc) ; Gemey ; Longueurs et Pointes, Dop, Duo, Cadonett, Narta, Sintony, Vittel, Nivéa, etc. **Parfums et beauté :** Lancôme ; Helena Rubinstein ; Biotherm ; Jeanne Piaubert ; Cacharel ; parfums Lanvin ; Guy Laroche ; Paloma Picasso ; Ralph Lauren. **Cosmétique active :** Vichy ; Phas ; D'Anglas ; Roche-Posay, etc. **Pharmacie (Synthélabo) :** Tildiem, Dogmatilf, Ananxyl, Stilnox, Xatral, Primperan, Aspegic, Rhinatiol, etc ; Goupil (Fluocaril, etc.).

■ **Lancements.** *1992 : Guerlain :* Héritage, *Issey Miyake :* Eau d'Issey, *Thierry Mugler :* Angel, *Armani :* Gio, *Patou :* Sublime. *1993 : Valentino :* Vendetta, *Guy Laroche :* Horizon, *Escada :* Chiffon-Sorbet, *Yves Saint Laurent :* Champagne.

Elizabeth Arden, Gibbs (Unilever, P.-Bas), L'Oréal [55,1 % détenu par le holding français Gesparal, dont Mme Bettencourt a 51 % et Nestlé (Suisse) 49 %].

■ Ventes (en %). **Par produit** (1991) : parfumerie alcoolique 46,2, prod. de beauté 38, prod. capillaires 4,9, de toilette 10,8. **Par type de distribution :** grande diffusion 50,5, distribution sélective 30,5, vente en pharmacie 10,6, directe 8,2.

Produits pour hommes. Part du marché par rapport à l'ensemble des ventes en France de prod. de parfumerie, beauté, toilette (en %) : *1965 :* 5,7 ; *70 :* 8,2 ; *83 :* 10,1 ; *90 :* 10,8.

Les plus grosses ventes en France. *Parfumerie alcoolique :* Chanel, Christian Dior, Guerlain, Givenchy-Diparco, Yves Saint Laurent, Yves Rocher, Lancôme, Cacharel, Rochas, Nina Ricci. *Produits de beauté :* Avon, Biotherm, Clarins, Christian Dior, Diparco, Lancôme, BDF, Nivéa, Ladv Vichy, Roc, P.F. cosmétique, Yves Rocher.

☞ **Parfums Bic.** Lancés 1988 à bas prix, distribués en grandes surfaces, stations-service, bureaux de tabac. Abandonnés par le Bon Bich le 7-5-1991. Il avait investi env. 250 millions de F et en perdit 90 en 1989 et 50 en 1990.

■ Consommation des produits de parfumerie par habitant (en F courants). *1970 :* 71,7. *75 :* 132,8. *80 :* 242. *85 :* 458,6. *90 :* 714,8.

■ Prix. **Matières premières** (prix en F au kg, 1987). *Rose :* absolu r. de mai de Grasse 43 000 ; essence bulgare 37 000, turque 40 000, Maroc 40 000. *Jasmin :* absolu j. de Grasse 140 000.

Parfum le plus cher du monde. « Joy » de Patou : 665 F pour 7 ml (5,6 g).

☞ **Musée international de la Parfumerie** ouvert à Grasse le 28-1-1989 (origine : musée fondé par François Carnot, † 1960, fils du Pt de la Rép. Sadi Carnot). « **Museu del Perfum** » Barcelone (Esp.). « **Museo de la Perfumería** » La Havane (Cuba). **Musée du Flacon à parfum** *créé* 1990 (La Rochelle) + de 1 500 flacons. **Flaconnerie Pochet** chiffre d'aff. 1992 1,1 milliard de F (résultat net 0,16).

PHOTOGRAPHIE REPROGRAPHIE

PHOTOGRAPHIE

■ QUELQUES DATES

■ Avant la photo. **IVe s. av. J.-C.** *Aristote* découvre que la lumière du jour pénétrant par un petit trou aménagé dans le mur d'une pièce obscure projette sur le mur d'en face l'image inversée de tous les objets placés à l'extérieur devant cet orifice. **Ier s. av. J.-C.** l'architecte de Jules César, Marcus Vitruve, constate l'action du Soleil sur la coloration de certains corps organiques. **XIe s.** le mathématicien arabe Al-Hazen (disciple de Ptolémée) parle pour la 1re fois de *« chambre noire ».* **Moyen Age** les alchimistes constatent le noircissement des sels d'argent exposés à la lumière et utilisent la « lune cornée » (nitrate d'argent) pour teindre ivoire, bois, cheveux. **1515** *Léonard de Vinci* décrit la *« camera obscura ».* **1550** Jérôme Cardan remplace le « petit trou » (sténopé) par une *lentille.* La chambre noire permet de dessiner avec exactitude les perspectives. **1650** elle comporte des lentilles de différentes distances focales et devient transportable (Kepler). **XVIIIe s.** Charles-Guillaume Scheele (Suédois, 1742-86), Jean-Henri Schulze (Allemand, 1687-1744), Jean Sénébier (Suisse, 1742-1809), J. A. C. Charles (Fr.) et Thomas Wedgwood (Anglais, 1771-1805) étudient les *réactions photochimiques* sans parvenir à fixer l'image de la chambre noire. **1788** *physionotrace,* inventé par Chrétien et Quenedey, système articulé, permet de donner des profils. **1802** *Wedgwood :* copie par contact de silhouettes sur peau sensibilisée au nitrate d'argent.

■ Invention de la photo. **1816** 1res images de *Nicéphore Niepce* (Fr., 1765-1833) sur papier au chlorure d'argent, fixées à l'acide nitrique, mais les images sont négatives. **1822** images positives de Niepce [à l'aide du *bitume de Judée* étendu sur une plaque de verre (bitume soluble dans l'essence de lavande et le pétrole et insoluble là où il a été impressionné par la lumière) remplacée 1826 par une plaque d'étain]. « Vue d'une fenêtre », la « Table servie ». Niepce invente également la photogravure (« le Cardinal d'Amboise », « la Sainte Famille »). **1829**-*14-12* Niepce, ruiné, s'associe à *Louis-Jacques Mandé-Daguerre* (Fr., 1787-1851), peintre décorateur, propriétaire du *Diorama,* théâtre de panoramas animés par des mouvements et des jeux de lumière. Daguerre reconnaît la paternité de l'invention de Niepce.

1834 après la mort de Niepce (1833), Daguerre travaille seul sur le procédé à l'iodure d'argent : « daguerréotype ». Il abandonne le bitume de Judée trop lent à impressionner, découvre par hasard qu'une cuiller d'argent oubliée sur une plaque iodurée a laissé très rapidement une empreinte mais que l'image est latente (non fixée définitivement). Il met alors au point un procédé à *l'iodure d'argent. Support utilisé :* plaque de cuivre argentée polie et iodurée ; après exposition dans la chambre noire (1/4 d'h de pose au soleil était nécessaire), la plaque est révélée par des vapeurs de mercure chauffé. Le mercure s'amalgamant avec l'argent métallique forme l'image latente noire sur fond jaune (iodure d'argent non impressionné). *Pour dissoudre l'argent,* on lave la plaque dans du sel de cuisine (remplacé ensuite par l'hyposulfite de sodium). Le daguerréotype réduit le temps de pose à 1 ou 2 minutes. (Les 1res photographies de Niepce demandaient 8 h de pose.) *-21-1 :* 1re utilisation du mot *photographie* par son inventeur Hercule Florence, Brésilien d'origine fr., qui aurait découvert un procédé négatif-positif avant Talbot. **1837** *Joseph Reade* (Angl., 1801-70) 1res photomicrographies au microscope solaire sur papier sensibilisé au nitrate d'argent et à l'acide gallique. **1839**-*7-1 François Arago* (Fr., 1786-1853) rend public le secret de la photographie et fait voter la *« loi sur la photographie »* (7-8-1839) : l'État acquiert l'invention le 14-6 (verse une rente viagère de 6 000 F à Daguerre et 4 000 F à Niepce fils) pour en faire don au monde. *William Henry Fox Talbot* (Angl., 1800-77) met au point le procédé négatif-positif actuel [*calotype,* utilisé de 1841 à env. 1860, permettant d'obtenir par contact un nombre d'images positives illimitées sur « papier salé » (au chlorure d'argent)]. *-4-11* appareil à soufflet portatif du Bon Séguier. Hippolyte Bayard (Fr., 1801-87) présente les *1res images positives sur papier* obtenues directement en chambre noire. Procédé connu, oublié par ses contemporains. **1840** l'opticien *Charles-Louis Chevalier* (1804-59) crée une chambre pliante à mise au point par crémaillère.

1841 *Pierre-Guillaume Voigtländer* (Autr., 1812-78) conçoit (sur les données de Joseph Max Petzval) un objectif constitué sur le principe d'un double système de lentilles. 1er appareil construit en cuivre (Autr.) avec objectif F : 3/6, fournit des daguerréotypes circulaires de 94 mm de diamètre. **1846** *Désiré Blanquart-Évrard* (Fr., 1802-72) améliore la préparation du papier servant aux négatifs et fonde à Lille la 1re imprimerie photographique (450 à 500 images par j). **1847** *Carl Zeiss* (All., 1816-88) installe à Iéna en Prusse des usines d'optique. Le chimiste *Eugène Chevreul* (Fr., 1786-1889) présente à l'Académie les travaux d'*Abel Niepce* de *Saint-Victor* (1805-70) (fils du cousin de Nicéphore) : le négatif sur verre albuminé permettant le tirage de positifs sur papier en quantité illimitée (albumine de poule étendue et séchée sur des glaces parfaitement planes, sensibilisation au nitrate d'argent). Talbot réussit sur papier négatif un « instantané ». **1849** *Gustave Le Gray* (Fr., 1820-68) utilise le *collodion* pour obtenir un très bon négatif. Une solution de coton et une poudre dans un mélange d'alcool et d'éther sont étendues sur une plaque de verre. **1851** *Frederic Scott Archer* (Angl., 1813-57) met au point la méthode au *collodion humide* permettant de réaliser des images très fines et de réduire le temps de pose à quelques secondes, mais la plaque ne reste sensible que si elle est humide. *-1-2* création de la 1re sté photo. du monde : la Sté héliographique (deviendra 15-11-1854 la Sté franç. de photographie). **1853** *Adolphe Martin* (Fr., 1824-96) invente la *ferrotypie.* Même procédé que le collodion humide, mais remplace le support de verre par des plaques métalliques vernies en noir (*tin-type* aux USA). Beaucoup moins cher. **1855** *J.-M. Taupenot* (Fr., 1824-56) invente un procédé à l'albumine : le *collodion « sec »* permettant de conserver les plaques sensibles plusieurs semaines avant l'exposition. **1856** *Alphonse Poitevin* (Fr., 1819-82) découvre le papier au charbon. **1858** *Félix Tournachon* dit *Nadar* (Fr., 1820-1910) 1re photo aérienne (d'un ballon), fait breveter un procédé de *photo aérienne* (1re photo au-dessus de Bièvres). **1860** Nadar photographie au *magnésium* dans les catacombes et dans les égouts de Paris. **1862** *René-Prudent Dagron* (Fr., 1819-1900) invente la *photo microscopique* (procédé d'abord utilisé pour la décoration de bijoux, permit pendant le siège de Paris de 1871 de transporter 18 000 dépêches, en 6 pellicules réduites au poids d'un 1/2 g, avec un seul pigeon voyageur). **1868** *Louis Ducos du Hauron* (Fr., 1837-1920) dépose une demande de brevet pour la *photo en couleur.* Ses « photochromies » (1878), produites à l'aide des 3 couleurs, jaune, bleu et rouge, n'obtiennent aucun succès.

1871 *Richard Leach Maddox* (Angl., 1816-1902) obtient par une solution de bromure de cadmium et de nitrate d'argent une émulsion de bromure d'argent donnant des plaques sensibles et sèches de longue conservation. **1873** *Hermann Vogel* (All., 1834-98) chromatisation au vert des plaques. **1874** le *Dr Étienne-Jules Marey* (Fr., 1830-1904) réalise la 1re synthèse du mouvement avec un fusil photographique à plaques de verre circulaires au gélatino-bromure d'argent. **1876** apparition du *celluloïd* (Cabutt). **1878** *Charles E. Bennett* (Am., 1840-1925) découvre le phénomène de la maturation donnant aux plaques négatives une rapidité suffisante pour l'instantané, permettant ainsi de tenir l'appareil à la main pour la prise de vue. *Edward James Muybridge* (Angl., 1830-1904), avec 40 appareils chronophotographiques, reproduit le mouvement d'un cheval au galop. **1882** *Alphonse Bertillon* (Fr., 1853-1914) crée le 1er laboratoire photographique anthropométrique. **1884** *Planchon* utilise définitivement le celluloïd comme support des émulsions photo. **1888** 1er *« Kodak »* mis au point par l'Am. *George Eastman* (1854-1932) : boîte de 15 × 10 × 8 cm. Vendu 25 $ (chargé). Après chaque rouleau de 100 photos, on renvoie l'ensemble (appareil et pellicules) à l'usine (pour 10 $, Eastman renvoie les négatifs, les tirages sur papier albuminé et l'appareil rechargé). **1889** la Cie George Eastman, représentée en Europe par Nadar, commercialise les 1res pellicules sur papier (100 poses) puis sur celluloïd (24 à 28 poses). **1890** *Alphonse Bertillon* invente la *photo judiciaire. Kodak :* 1er appareil photo pliant, permet de prendre 48 vues de 10,16 × 12,7 cm. **1891** *Louis Ducos du Hauron* invente les images en relief *(anaglyphes)* en utilisant les jumelles à verres rouge et vert. *Gabriel Lippmann* (Fr., 1845-1921) obtient des photos en couleurs par le procédé interférentiel. Le sel d'argent contenu dans la couche de mercure sensible n'est impressionné que dans les plans ventraux du système d'onde stationnaire correspondant à chaque radiation. La distance entre les dépôts d'argent est 2 fois plus grande pour le violet que pour le rouge. Cette méthode est restée expérimentale. *Kodak :* 1er appareil pouvant être chargé à la lumière du jour et à pellicule en bobine sous emballage (on n'a plus à retourner l'appareil à l'usine). **1891** procédé *Lipmann* de photocouleurs selon la méthode interférentielle. **1892 (ou 1891)** *Thomas Edison* (Am., 1847-1931) réalise le *kinétoscope* (pour un seul spectateur), 1er film à déroulement continu (16 images/seconde). **1895** *22 mars Auguste* (1862-1954) et *Louis* (1864-1948) *Lumière* inventent le *cinématographe* (film à vitesse variable, 1re séance publique le 25-12-1893 dans les sous-sols du Grand Café de Paris). *Guillaume Roentgen* (All., 1845-1923) photographie aux rayons X, radiographie. **1901** synchronisation par *Léon Gaumont* (1863-1946) d'un cinématographe et d'un phonographe.

1903 les frères Lumière inventent l'*Autochrome* (plaques à base de fécule de pomme de terre teintées aux 3 couleurs fondamentales, mises en vente en 1907), seul procédé utilisé par les amateurs jusqu'en 1955, permettant des instantanés par très beau temps. **1907** *Édouard Belin* (Fr., 1876-1963) met au point le procédé de transmission télégraphique ou téléphonique des photos *(bélinographe).* Autochrome des frères Lumière. **1908** *Louis Dufay* (Fr.) développe le *dioptichrome* (Dufay color en 1935), 1re tentative de restitution des couleurs au cinéma. **1912** plaque *Agfa* de type autochrome (grains de fécule remplacés par des grains de résine teintée). *Léon Gaumont :* cinématographie trichrome par synthèse additive simultanée. **1917** *Technicolor* en bichromie (H.T. Kalmus). **1921** *Phototank :* 1er appareil 24 × 24 fabriqué à Bordeaux, capacité de 50 vues. **1923** 1er *format 24 × 36* de *Leitz.* **1925** Leica 35 mm. **1928** *Kodacolor* film gaufré (ou lenticulaire). Rolleiflex (réflexe à 2 objectifs). **1932** 1er appareil 24 × 36 à objectif interchangeable. **1935** Laporte : 1res études des éclairs électroniques de lumière blanche. *Mannes (L. D.) et Godowsky (L.)* sélection et synthèse soustractive trichrome sur la même pellicule à émulsions superposées. **1935** *Kodachrome* (cinéma 16 mm). **1936** *Agfacolor* inversible à 3 couches. **1939** 1er négatif en couleur Agfacolor. **1947** *holographie* conçue par Dennis Gabor (G.-B.). Ektachrome. Développement instantané (Polaroid de l'Américain Edwin Land, n. 1909). **1964** *Look* (USA) publie la 1re photo en relief. **1968** *1er reflex* avec contrôle automatique de l'exposition par mesure de la lumière à travers l'objectif. **1977** 1er *compact autofocus.* **1981** *Mavica* de Sony, avec disque magnétique réutilisable pouvant enregistrer jusqu'à 50 images projetables sur écran de télévision par un lecteur électronique sans magnétoscope ou transmises à distance par les moyens classiques des télécom. Image de moins bonne qualité que l'image chimique. **1982** *Kodak disc :* mise au point automatique disque plastique (support de 15 pellicules), flash incorporé automatique, pile donnant 2 000 éclairs. *Snappy* (Canon) : compact autofocus (mise au point automatique). **1984-85** caméras électroniques compactes à magnétoscope incorporé. **1984** 1er papier photo à longévité supérieure à 100 ans. **1987** pellicule la plus sensible au monde (3200 ISO). **1990** *Kodak :* Compact Disc Photo, 1er système de numérisation des photos pour grand public.

■ **Quelques artistes.** *Abbott* Berenice (1898-1991, USA), *Adams* Ansel (1902-84, USA), *Adamson* Robert (1821-48), *Alvarez-Bravo* Manuel (1902, Mex.), *Archer Frederik Scott* (1813-57, G.-B.), *Atget* Eugène (1856-1927, Fr.), *Avedon* Richard (1923), *Baldus* Édouard Denis (1813-82), *Batho* Claude (1935-81, Fr.), *Bayard* Hippolyte (1801-87, Fr.), *Bailey* David (1938, G.-B.), *Beaton* Cecil (1904-80, G.-B.), *Bischof* Werner (1916-54), *Bisson* [Louis-Auguste (1814-76) et Auguste Rosalie (1826-1900) Fr.], *Blumenfeld* Erwin (1897-1969), *Boubat* Édouard (1923, Fr.), *Bourdin* Guy (1933-91, Fr.), *Brandt* Bill (1904-83 G.-B.), *Brassaï* (Gyula Halász 1899-1984, Hongr. nat. Fr.), *Braun* Adolphe (1812-77, Suisse), *Brébisson* Louis-Alphonse de (1798-1872), *Cameron* Julia (1815-79, G.-B.), *Caroll* Lewis Charles Lutwidge Dodgson dit (1832-98, G.-B.), *Capa* Robert (1913-54, USA), *Cartier-Bresson* Henri (1908, Fr.), *Charnay* Désiré (1828-1915), *Coborn* Alwin (1882-1966, USA), *Delonde* Paul (+ 1896, Fr.), *Demachy* Robert (1859-1936), *Dieuzaide* Jean (1921, Fr.), *Disderi* André-Adolphe (1819-89, Fr.), *Doisneau* Robert (1912, Fr., auteur du *Baiser volé,* 1950), *Duane* Michals (1932, USA), *Du Camp* Maxime (1822-94, Fr.), *Ducos du Hauron* Louis (1837-1920, Fr.), *Emerson* Peter Henry (1856-1936, USA), *Evans* Walker (1903-75, USA), *Fenton* Roger (1819-69, G.-B.), *de Feyrol* Pierre (1945-87, Fr.), *Fortier* Alphonse (av. 1825-82, Fr.), *Frank* Robert (1924, Suisse, USA), *Frith* Francis (1822-98, G.-B.), *Fulton* Hamish (1946), *Giacobetti* Francis (1939, USA or. Fr.), *Hamilton* David, *Hill* David Octavius (1802-70, G.-B.), *Hoppé* Emil (1878-1972, G.-B.), *Humbert de Molard* Bon Louis Adolphe (1800-74, Fr.), *Jeuffrain* Paul (1808-96, Fr.), *Kavish* Jausuf (Tur., 1908), Kertész André (1894-1985, Fr.), *Klein* William (1928, USA), *Krims* Leslie (1943, USA), *Krull* Germaine (1897, All.), *Lartigue* Jacques-Henri (1894-1986, Fr.), *Le Blondel* A., *Le Gray* Gustave (1820-82, Fr.), *Leibowitz* Annie (1950, USA), *Le Secq* Henri (1818-82, Fr.), *Lumière* Louis (1864-1948, Fr.), *Mac Cullin* Don (G.-B.), *Man* Ray (1890-1976, USA), *Mapplethorpe* Robert (1946-89, USA), *Marey* Étienne (1830-1904), *Mark* Mary Ellen (USA), *Martens* Frederich von (v.1809-75), *Marville* Charles (1816-79), *de Meyer* Gayne, Demeyer Watson dit (v. 1869-1946, Fr. G.-B.), *Meyerowitz* Joel (1938, USA), *Moholy-Nagy* Lázló (1895-1946, Hong.), *Muybridge* Edward (1830-1904, G.-B.), *Nadar,* Félix Tournachon dit (1820-1910, Fr.), *Nadar* Paul (1856-1939, Fr., son fils), *Nègre* Charles (1820-80, Fr.), *Newton* Helmut (1920-90, Austr.), *Niepce* Nicéphore (1765-1833, Fr.), *O'Sullivan* Timothy (1840-82, USA), *Parkinson* Norman (1913, USA), *Penn* Irving (1917, USA), *Poitevin* Alphonse (1819-82, Fr.), *Puyo* Émile (1857-1933, Fr.), *Regnault* Victor (1810-78, Fr.), *Rejlander* Oscar Gustave (1813-75, Suède), *Rheims* Bettina (1952), *Rivière* Henri (1864-1951), *Robinson* Henri (1830-1901, G.-B.), *Rodchenko* Alexandre (1891-1956), *Sander* August (1876-1964, All.), *Schaeffer* Johann (1822-?, All.), *Seymour* David dit *Chim* (1911-56, Pol., USA), *Sieff* J.-Loup (1933), *Silk* George (1916, USA), *Smith* William Eugene (1918-78, USA), *Springs* Alice (Austr.), *Steichen* Edward J. (1879-1973), *Stieglitz* Alfred (1864-1946, USA), *Strand* Paul (1890-1976, USA), *Talbot* William Henry Fox (1800-77, G.-B.), *Watkins* (1829-1916, USA), *Weegee,* Arthur Fellig dit (1899-1969, USA or. pol.), *Weston* Edward (1886-1958, USA).

■ **Cours des épreuves** (en milliers de F). Dépend de l'époque, sujet, notoriété du photographe, état du cliché. *Daguerréotypes* 200 à 141 (N.-D.-de-Paris par Vincent Chevalier de 1840). *Calotypes* (1854-80) : 100 à 242 (de lady Clementina Hawarden, 1982) ; 250 (Gustave Le Gray, 1990) ; *Man Ray* jusqu'à 1 000 (1993), Rayogramme (1923) (retirages de Cartier-Bresson et Kertesz 2,5 à 3). *Type stéréoscopique* en couleurs jusqu'à 3 000. *Autochrome Lumière* 2 à 60,4 [except. du Baron de Meyer 1911 (Nijinsky) (1980)]. *Originaux de photographes* célèbres dont il reste très peu d'ex. *Moholy Nagy* 500. *Michel* Vue de Paris (1842) 72. *Charles Cros* (1876) 45. *Nadar* Les Ballons (1870), Portrait de Rossini (v. 1855) 46,1 (1991). *Louis Robert* Cour de ferme (v. 1850) 82,2 (1990). *Laure Albin-Guillot* 43. *Atget* Prostituée 62. Records. *Alexandre Rodchenko* La fête de Leica (1934) 900 (1993). *Tina Modotti* Des roses (1923) 825 $. *Edward Weston* Palm trunk Cuernavaca (1925) 750 $.

Appareils (en milliers de F). XIXe s. 2 à 200 (J.-B. Dancet, 1856, Daguerre 1848), XXe s. 0,15 à 30. Leica 1 à 10. Petites marques françaises (1900 à 1950) : 0,05 à 0,5. Boîtiers, appareils espions miniaturisés, détective, petite boîte 0,5 (objectif passant par la boutonnière) 2 à 10, boîtes d'allumettes ou montres 2 à 5. Appareils à stéréo 0,8 à 3. Vérascope, glyphoscope 0,5 à 2. Homéoscope 6 à 15. Appareils rares 10 à 50.

■ **Manifestations.** *Arles :* rencontres annuelles. *Bièvres :* foire annuelle de la photographie. *Cologne :* Photokina (tous les 2 ans). *Paris :* Salon international Photo-Cinéma-Vidéo (années impaires) ; mois de la photo (années paires) ; festivals audiovisuels annuels de la Fédération nationale des S[tes] photographiques de France.

■ **Holographie.** Procédé de photographie en relief utilisant les propriétés de la lumière cohérente [interférences produites par 2 faisceaux lasers (l'un vient de l'appareil producteur, l'autre est réfléchi par l'objet à photographier)].

☞ Voir également le chapitre **Physique-chimie,** p. 231.

■ Premières écoles

Daguerréotypistes (1839-60). Utilisent le daguerréotype (un procédé par école). **Portraitistes** (vers 1850). Ex., Félix Nadar, Carjat, Adam Salomon, Disderi, Pierre Petit (photographe officiel de Napoléon III). Leur vogue dura 30 ans. « **Reportage** » (à partir des années 1860). Créé lors des « grandes guerres » : ex. guerres de Crimée (1854-56), d'Italie (1858-60). Le Roumain Popp de Szathamari, les Français de Tannyon et Charles Laongloi, l'Anglais Roger Fenton suivent les armées dans leurs fourgons-laboratoires. **Pictorialistes** (ou école de Paris) (vers 1890). Ex., commandant Émile Puyo, Robert Demachy, Bucquet et Noulet s'efforcent d'obtenir les effets de la peinture impressionniste en utilisant le « flou net » (image enveloppée d'un flou artistique).

■ Photographie dans le monde

Production. *Matériel photo et surfaces sensibles :* USA env. 60 % de la production mondiale, essentiellement grâce à Eastman-Kodak (près de 20 usines, dont 9 aux USA, 4 en G.-B., *2 en France,* 2 en All. féd.) qui couvre 80 % du marché américain de la photo et 45 % du marché mondial. Photo Agfa-Gevaert 15 %. Fuji 25 %.

Chiffre d'affaires (en milliards de F, 1992). Eastman-Kodak [1] 73, Fuji Photo Film [2] 50, Konica [2] 50, Polaroid [1] 17. Minolta [2] 14,7. Nikon [2] 9,8.

Nota. – (1) USA. (2) Japon.

Équipement des foyers en appareils photo (en %). USA 90, Japon 85, All. féd. 81, G.-B. 75, *France 73,* Italie 40. Espagne 40.

☞ Le 12-10-1990, Kodak a été condamné à verser 909,5 millions de $ à Polaroid, dont il avait utilisé abusivement le procédé (entre 1976 et 1986 : env. 20 millions d'ex. Kodak vendus. Polaroid demandait 12 milliards de $).

■ Photographie et cinéma en France

■ **Distribution.** *Détaillants* 10 878 dont 1 500 membres d'un groupement, 8 000 indépendants, 600 grandes surfaces spécialisées, 770 hypermarchés, 8 VPC.

■ **Production** (en millions de F, 1992). 539. **Export.** 439 dont (en 1990) appareils photo 77,3, caméras 8 et S 8 mm 4,3, projecteurs cinéma 25,6, projecteurs vues fixes 25, autres [1] 183. **Import.** 1 813 dont (en 1990) appareils photo 1 173, caméras 8 et S 8 mm 1,2, projecteurs cinéma 13,7, projecteurs vues fixes 113,4, autres [1] 623,7.

Nota. – (1) Principalement équipement de laboratoire, objectifs et divers (flashes, agrandisseurs, etc.).

■ **Consommation apparente. Pellicules et films** (millions de F, 1992) : *Photo :* 106,5 dont noir et blanc 5,5, couleurs 92, inversible 9. *Cinéma :* 0,5. **Papier couleur** (1992) : 45,7 millions de m². **Travaux photographiques** (1992) : 5 milliards de F.

☞ Les Français utilisent en moyenne chaque année 7 pellicules par appareil en service (contre 8 en Allemagne et en Suisse).

■ **Appareils photo. Parc en service** (en millions, en 1992) : 17,5 utilisés au moins une fois. *24 × 36 mm :* 12,5. *Appareils à chargeur* (110, 126, disque) : 5.

Vente en Fr. (en milliers, 1992). 24 × 36 non reflex 1 354, objectifs 299, reflex 213, app. à développement et tirage instantanés 140, app. de projection 124, app. 11 040, app. jetables 5 000.

% du chiffre d'affaires (1992). Compact 50 %, 24 × 36 reflex 25 %, appareils de type Polaroid 3,5 %, camescopes 20 %, divers 1,5 %.

■ **Caméras.** 5 % des ménages ont une caméra. **Parc total :** *8 et Super 8 mm* (1990) : 1 200 000. **Importations :** *1990 :* 1 466, *92 :* 116.

■ **Caméscopes. Ventes** (1992) : 540 000 F.

■ **Matériels divers. Vente** (milliers, 1992) : flashes électroniques 141, pieds photo et pour camescopes 100, écrans 35, agrandisseurs 5,5. **Importations** (en milliers, 1990) : objectifs 338, appareils de projection fixe 112, flashes électroniques 182.

■ **Sujets photographiés.** Env. 65 % des photos réalisées sur négatif couleurs représentent des personnes (90 % en cas de nouveau tirage). Photos d'adultes, seuls ou en couples (25 % des photos), d'enfants, bébés et jeunes jusqu'à 12 ans (17 %). Les adolescents sont peu photographiés. 8 % des photos représentent des groupes familiaux.

Reprographie

■ Procédés

1) **Diazographie.** Reproduction par transparence sur papiers sensibles aux rayons ultraviolets.

2) **Photocopie.** Inventée par Chester Carlson qui s'associa avec Haloïd (S[té] de papier photo) : 1re machine présentée 22-10-1948, commercialisée 1959 (Xerox 914). Procédés les plus usités : *a) Électrostatique : sur papiers photosensibles* qui utilisent des papiers à l'oxyde de zinc ou *électroscopie directe, sur papier ordinaire* avec projection d'une image de l'original sur une surface intermédiaire (sélénium). L'encre est attirée par les zones de sélénium qui n'ont pas reçu de lumière. On place ensuite une feuille de papier au contact du sélénium et l'application d'une forte tension électrique transfère l'encre sur le papier. Un chauffage aux infrarouges fixe l'encre. *b) Thermocopie :* utilise la chaleur directement par noircissement local de papier sensible, ou par transfert de colorant, en intercalant un carbone entre l'original et le papier sensible.

3) **Gélatinographie.** Procédé d'impression manuel permettant d'effectuer des travaux divers, et notamment toutes reproductions à peu d'exemplaires, monochromes ou polychromes, sur des supports variés et même dans de très grands formats.

4) **Duplireprographie** ou duplication offset rapide des formats 210 × 297 (A4) ou 297 × 420 (A3). Peu onéreux, utilise des clichés non réutilisables, ne nécessite pas de documents ou d'intermédiaires transparents ; limité, en général, à des tirages de quelques centaines d'ex. sur offset courant avec possibilité d'assemblage en sortie de machine.

5) **Zincographie.** Utilise des machines offset. Procédé adapté à une demande généralement limitée à très peu d'exemplaires et à exécuter dans des délais courts.

6) **Photoreprographie.** Permet la reproduction d'un document ou d'un plan (opaque ou transparent) à son format, ou à une autre échelle sur papier ou film dépoli ou transparent.

■ Statistiques

Copies (par an). 48 milliards. **Moyenne par employé :** 5 000 (G.-B. 1 080, All. féd. 790, Europe 1 003).

Parc en France (en milliers) : **copieurs :** *1991 :* 1 200. **Télécopieurs :** *1985 :* 39, *90 :* 580, *92 :* 1 300.

Vente (milliers). **Copieurs :** *1990 :* 207,4, *91 :* 194,7.

Récupération en France (Industrie de la)

Données générales

■ **Chiffre d'affaires** (total en 1990) : 27 milliards de F (dont exportations 50, investissements 1,24). **Entreprises** 4 500 dont 80 % ont – de 6 salariés. **Effectifs :** total (élimination, récupération, valorisation). *1990 :* (salariés) : 23 600 (dont 2/3 recyclage des métaux et 1/3 récupération des autres matériaux (papier, verre, etc.). **Plus grosses Stés :** Cie française des ferrailles et Sté Soutier (papiers, cartons).

■ **Quantité totale de déchets en France** (estim. 1986, en millions de t par an). 579 dont déchets organiques 400, industriels 150, ménagers 29.

Tonnage récupéré (en milliers de t, 1991) : *ferrailles* 9 055 (sans les chutes propres de la sidérurgie, mais y compris 1 016 achats directs) ; *métaux non ferreux* 920 ; *papiers* 2 943 ; *peaux* 6 ; *plastiques* 180 ; *verre* 987. 1/3 des ordures ménagères sont valorisées (prod. d'énergie ou de compost). En 1986 : papier recyclé 43 %, verre recyclé 905 800 t (90), bouteilles 200 millions.

■ **Taux d'utilisation** (en 1990, % de la quantité consommée par rapport à la production). *Ferrailles* 38. *Métaux non ferreux* (1988) : aluminium 30, plomb 61, cuivre et alliages 32, zinc 24. *Papiers, cartons* 47. *Verre* 28. *Plastiques* 1.

■ **Coût de traitement** (part en F). *Déchets industriels :* de 300 F pour certains déchets liquides et incinérables à haut pouvoir calorifique à + de 4 000 F t pour les difficiles à traiter. *Ordures ménagères* (1989) : incinération simple de 80 à 270, avec récupération d'énergie de 96 à 253, compostage lent de 100 à 175, accéléré de 110 à 260, broyage et mise en décharge de 66 à 196, décharge contrôlée de 35 à 100, contrôlée compactée de 35 à 100.

Économies réalisées par recyclage des déchets : pour 1 tonne recyclée économie en pétrole (kg) et, entre parenthèses, en matières premières (kg). *Verre* 80 kg de pétrole (1 200 kg de matières premières) ; *papiers, cartons* 200 à 400 (1 700 à 2 400) ; *plastiques (PVC)* 400 (1 400) ; *ferrailles* 220 à 270 ; *aluminium* 4 762 ; *huiles* 850 (1 500).

Données particulières

■ **Boues d'épuration** (est. 1987). 19 millions de m³ de boues industrielles à 98 % d'eau (500 000 à 600 000 t de matières sèches). Sont mises en décharge (40 %), incinérées (15 %), valorisées en agriculture (45 %). *Matières de vidange :* viennent de l'assainissement individuel, 11 000 000 de m³.

■ **Brasseries** (sous-produits). *Drèches* 370 000 t/an valorisées en l'état, surpressées ou déshydratées vers l'alimentation animale. *Levures* 30 000 t/an, valorisées en alimentation humaine.

■ **Déchets industriels** (est. 1990). 150 millions de t/an dont : inertes (gravats, matériaux de construction inutilisés...) 100, banals 32, spéciaux 18 (dont 2 toxiques ou dangereux).

Centres collectifs de traitement des déchets industriels dangereux (nombre, et, entre parenthèses, tonnage en milliers de t, en 1989) : *Centres collectifs* (1 209). *Centres d'enfouissement technique de classe* 1 (538). *Incinération* (796) dont centres collectifs (366), centrales thermiques (104), usine d'incinération d'ordures ménagères (26), évapo-incinération (106), cimenteries 194. *Physico-chimie* (396). *Divers* 17.

■ **Déchets des ménages. Collectes sélectives** (en 1989, papiers, cartons et surtout verres) dans 18 000 communes (45 millions d'habitants concernés) 518 000 t collectées. **Installations de traitement des ordures ménagères** (1989) : 869 (incinération 229, avec récupération de chaleur 77, compostage 75, broyage 108, décharges 376, divers 4). *Décheteries* (centres d'apport volontaire des encombrants) *1990:* 300.

■ **Déchets organiques.** D'origine domestique (boues d'épuration...), industrielle (sous-produits des abattoirs, des distilleries, des conserveries) ou agricole (résidus des récoltes, déjections d'élevage, déchets du bois) : 400 millions de t. En partie réincorporés dans le sol. Mêlé à trop de débris de verre et de plastique et ne présentant pas encore de garanties suffisantes, le compost (650 000 t, 1984) est mal commercialisé. Sang des abattoirs, sérum des fromageries et eaux grasses de restaurants, mieux valorisés en alimentation animale, permettraient de réduire les importations de tourteaux de soja ; on utilise aussi le sang d'abattoir en charcuterie, ind. pharmaceutique, cosmétiques. Essais pour la fabrication du béton léger.

■ **Distilleries (sous-produits)** *vinicoles :* déchets produits en vinasses 350 000 t, en marcs 750 000 à 800 000 t. En général, épandus en agriculture ou utilisés comme combustible (marc et ses constituants). *De mélasse et betteraves :* vinasses env. 200 000 t. Épandage agricole ou alimentation animale. **Sucreries de betteraves :** herbe, terre : 10 à 12 millions de t/an. *Mélasses produites :* 1 100 000 t/an, valorisées en alimentation animale 40 %, levureries 25, distillerie 20, usages ind. et divers 15. *Écumes de défécation (épuration chimique du jus sucré) :* env. 300 000 t, épandues en agriculture. *Pulpes :* valorisées en alimentation animale sous diverses présentations dont déshydratées 970 000 t, surpressées 1 870 000, humides 2 300 000.

■ **Fruits et légumes.** Déchets : 780 000 t dont 70 % de corps étrangers (terre), 26 d'écarts de triage (dont 50 % non récupérés), 4 de matières 1res non commercialisées. *Pommes de terre :* déchets de triage ou écarts avant commercialisation (500 à 900 000 t/an), et déchets de transformation (env 200 000 t).

■ **Huiles.** *Moteur :* 250 000 t/an. *Industrielles :* 118 000 t. *Huiles recyclées :* 113 000 t.

■ **Laiteries** (sous-produits). Lactosérum 6/7 000 000 t/an. Babeurre 710 000 t/an. Valorisés en alimentation animale, humaine ou dans les cosmétiques.

■ **Métaux ferreux.** Le fer récupéré permet de réaliser une économie d'énergie de 55 % (par rapport au traitement du minerai lui-même). La ferraille vient des chutes de la sidérurgie (recyclée au sein de l'usine de prod.), des chutes des usines de transformation et des ferrailles de récupération [démolitions ferroviaires ou ind., carcasses automobiles (1 750 000 par an), vieux matériels, électroménager, etc.]. *Consommateurs :* sidérurgie, fonderie d'acier non sidérurgique, fonderie de fonte, divers (relaminage, électrométallurgie). *Prod. de ferrailles commercialisées* (milliers de t, 1991) par les négociants récupérateurs : 8 039 dont 6 743 sur le marché intérieur ; *exp.* 3 422 ; *imp.* 1 110 ; *consommation de la sidérurgie fr.* (91) 7 213 (dont 5 414 achetées).

■ **Métaux non ferreux.** Aluminium, cuivre, étain, plomb, zinc viennent des débris domestiques ou artisanaux (plombiers, serruriers, électriciens), de l'administration (matériel réformé et déchets de fabrication des entreprises d'État), de l'industrie. *Déchets consommés* (milliers de t, 1991) : 920 dont métal contenu 702 (dont aluminium 280, cuivreux et alliages 185, plomb et alliages 172, zinc 65).

Prix des vieux métaux (en F, les 100 kg, à l'achat, févr. 1988) : *aciers alliés :* inox 18/8 neuf 320-340 ; vieux 300-320 ; au chrome F 17 neuf 45-55 ; vieux 25-30. *Aluminium :* rognures neuves alu pur 515-535. *Argent :* fin lingot 103 900 ; argenterie mêlée 1er titre 72 000 ; argenterie mêlée 2e titre 60 900 ; platine 7 820 000 ; palladium 2 010 000. *Bronze :* mitraille 540-560. *Cuivre rouge :* mitraille propre 710-730. *Laiton :* tombant de planche 580-600. *Or :* or fin, lingot 8 300 000, contenu dans déchets 7 625 000, broutille 18 carats (mêlé) 4 991 000. *Plomb :* tuyaux et planches 170-180. *Zinc :* couverture 155-170.

■ **Papiers et cartons** (voir p. 1584).

■ **Plastiques.** Au minimum 180 000 t récupérées en 1991 (dont 120 000 exportées principalement vers Italie, Allemagne, P.-Bas pour y être régénérées). Seuls sont récupérés les déchets de composition homogène. Le plastique jeté par les ménages est en général trop mélangé et souillé pour être traité efficacement.

■ **Pneumatiques usagés.** 30 millions par an soit 376 milliers de t, soit 38 kg par hab. et par an, dont 72 rechapés, 11 valorisés sous forme de poudrette, 14 sous forme de caoutchouc régénéré de diverses façons, 9 incinérés avec récupération d'énergie, 12 valorisés de diverses façons.

■ **Textiles.** *Utilisation :* cartons, revêtements de sol, « ardoises » artificielles, chiffons, linge de toilette, tissus d'ameublement non tissés, papiers « vélin » et « pur chiffon », billets de banque, papiers techniques, rembourrage. *En 1991 :* env. 130 000 t. *Commerce extérieur : imp.* 76 232 t ; *exp.* 61 112 t.

■ **Véhicules hors d'usage** (1988). 2 000 000 retirés de la circulation, représentant 1,4 million de t de déchets soit 25 kg par hab. dont 1 750 000 traités dans 34 grands chantiers de broyage permettant la valorisation de 1,2 million de t de ferrailles. 2 % se trouvent à l'état d'épaves dispersées dans la nature. Le reste est récupéré (garagistes ou démolisseurs) pour être traité.

■ **Verre.** Tonnage recyclé (1991) : 987 000 t dont (en 90) 640 000 t de v. ménager, 265 400 t de v. industriel [90 000 t d'équivalent pétrole et 180 000 t de matières premières (sables, calcin, carbonate de soude) économisées].

■ **Viande** (en carcasses abattues, en tonnes), toutes espèces confondues, en 1988. *France métropolitaine :* 3 472 915 t, déchets viandes : env. 2 600 000 t (dont corps gras 590 000, abats 527 000, os 346 000, boyaux 213 000, peaux et cuirs bruts 176 000, sang 174 000). L'équarrissage collecte en outre 290 000 t de cadavres hors abattoirs. Débouché principal : alimentation animale + abats utilisés en alimentation humaine et peaux.

☞ Adresses utiles. *Ministère de l'Environnement,* Direction de la prévention des pollutions : 14, bd du Gal-Leclerc, 92524 Neuilly-sur-S. Cedex ; *Agence nationale de l'environnement et de la maîtrise de l'énergie :* 27, rue Louis-Vicat, 75015 Paris ; *air :* Tour GAN Cedex 13, 92082 Paris-La Défense 2 ; *déchets :* 2, square Lafayette, BP 406, 49004 Angers ; *énergie :* 27, rue Louis-Vicat, 75015 Paris, et 500, route des Lucioles, 06565 Sophia Antipolis Cedex. *Fédération française de la récupération pour la gestion industrielle de l'environnement et du recyclage (Federec)* 101, rue de Prony, 75017 Paris. *Minitel :* 3615 code IDEAL + déchets.

Services en France

■ **Audit conseil. Cabinets d'audit et d'expertise comptable français.** Chiffre d'affaires 1990-91 HT en millions de F, entre parenthèses effectifs, en italique réseau international. *Source :* la profession comptable. Kpmg Fiduciaire de France 2 059 (4 652) *KPMG.* Fiducial (Groupe) 1 106 (3 444). Guy Barbier et Associés 768 (1 018) *Arthur Andersen.* Befec (Groupe) 730 (1 160) *Price Waterhouse.* Hsd-Castel Jacques 700 (1 079) *Emst & Young inter.* Act Audit (Groupe) 693 (1 312) *Coopers & Lybrand.* DRT France 570 (1 052) *Delotte Ross. Tohmatsu Inter.* Salustro Reydel 347 (660) *DRM.* Guérard Viala 286 (500) *Guérard Viala.* Sofidex 277 (799) *Sofidex international.* Furex (Groupe) 201 (505).

☞ **KPMG.** *Effectifs :* 76 200 ; *bureaux :* 800 dans 125 pays. *CA :* 6,01 milliards de $ dont (en %) audit pur 51, conseil fiscal 20, en management 13, divers (expertise comptable) 16. *En France* 2,05 milliards de F, Fidal (1er cabinet d'avocats) 0,98, Sté de conseil Peat Marwick Consultants 0,21. **Ernst & Young.** *Effectifs :* 66 800 ; *bureaux* 673 dans 107 pays. *CA :* 5,4 milliards de $ dont (en %) audit 56, conseil jur. et fiscal 21, en management 16, divers 7). *En France : CA :* 0,8 milliard de F dont (en %) audit (HSD-Castel Jacques) 0,55, conseil aux PME 0,095, jur. et fiscal 0,19, en management 0,14. **Coopers & Lybrand.** *Effectifs :* 67 000 ; *bureaux :* 735 dans 122 pays. *CA :* 5 milliards de $. *En France :* 6e cabinet d'audit, *CA :* 0,69 milliard de F (en jur. et fiscal). **Arthur Andersen.** *Effectifs :* 59 800. *CA :* 4,95 milliards de $ dont (en %) audit 2,69, conseil 2,26 (ensemble du groupe : 2 500). *En France :* Guy Barbier (audit) 0,769 milliard de F, A. Andersen Consulting (conseil) 0,84. **Deloitte Ross Thomatsu (DRT).** *Effectifs :* 56 000 ; *bureaux :* 647 dans 108 pays. *CA :* 4,5 milliards de $ dont audit 50 %. *En France :* 0,717 milliard de F dont DRT 0,57. **Price Waterhouse.** *Effectifs :* 49 400 ; *bureaux :* 450 dans 110 pays. *CA :* 3,60 milliards de $ dont (en %) audit 50, conseil fiscal 23, en management 21, divers 6. *En France :* Befec *CA :* 0,86 milliard de F dont audit, travaux comptables et conseil 0,73).

Conseils intervenant dans la logistique en France. Nombre de consultants en France, entre parenthèses % de CA logistique. Andersen Consulting 1 350 (7,5). Ouroumoff 600. Bossard 600 (15). Peat Marwick 176 (20). Emst and Young 160 (10). Gemini Conseil 160. Coopers and Lybrand. 160. CEGOS 140. Eurogroup Consultant 135 (5). Solving 120 (20). Algoe 100 (3). Orga Conseil 90.

Conseils et services en informatique. Stés de services et d'ingénierie informatique (SSII) ou **Stés de logiciel. Effectifs :** *1985 :* 81 500, *90 :* 128 000. **Chiffre d'affaires** (en milliards de F) : *1985 :* 30,9 (dont international 4,2). *90 :* 69,5 (11). **Chiffre d'affaires** (en millions de F, 1991) : *Ingénierie progiciels :* Cap Gemini Sogeti 10 020, Concept 1 900, CGI 1 780, Dataid 780, Sopra 760, Unilog 635, Altran 500, Marben 220. *Comptabilité :* CCMC 1 020, Cegid 527. *Monétique :* Sligos 3 300, Axime 2 145, Ingenico 150. *Distribution (matériel-logiciel) :* Métrologie 4 081, ICPU 1 306, Random 1 100, Commande Electron. 310. *Maintenance, Facilities Management :* Tasq International 300, Sogeris 71.

Entreprises (1988, nombre, effectifs entre parenthèses, chiffre d'affaires en milliards de F en italique) : *Études informatiques :* 10 461 (81 795) *43,5* dont 2,1 à l'exportation. *Travaux à façon :* 3 571 (40 319) *21,9* dont 0,16 à l'export.

Le *Syntec-informatique* (3, rue Léon-Bonnat, 75016 Paris, chambre syndicale des stés d'études et de conseils) regroupait, en 1988, 250 stés ou groupes.

■ **Nettoyage (entreprises de)** (en 1992). **Effectifs :** 218 000 personnes qui entretiennent par jour 15 millions de m² de sols. **Entreprises :** 8 663 (dont 1 700 dans la région parisienne). **Chiffre d'affaires :** env. 24 milliards de F par an.

La *Fédération des entreprises de propreté,* 34, bd Maxime-Gorki, 94808 Villejuif, regroupe 1 760 adhérents réalisant 65 % du CA.

■ **Prestations de personnel (travail temporaire). Entreprises** (1992). 1 016 entreprises gérant 4 600 agences. **Chiffre d'affaires** (milliards de F). *1991 :* 47,3 ; *92 :* 46,4. **Salariés** *moyenne occupée par jour (1991) :* 310 925 (1,4 % de la pop. active, 2,4 % de la pop. salariée, hors État et collectivités locales). **Contrats** *signés* (en millions) : *1975 :* 1, *80 :* 2,8, *85 :* 2,8, *90 :* 7,5, *91 :* 7,4. *Durée moyenne* (en semaines) : *1980 :* 3,7, *90 :* 2, *91 :* 2. **Utilisateurs** (1990, en %) industrie 52, bâtiment, travaux publics 21,6, services, transports, télécom. 22,9. **Qualifications** ouvriers 77 (dont qualifiés 28,6, non q. 48,4), employés qualifiés 16,5, professions intermédiaires 5,2, cadres 0,6, employés non q. 3,1. **Répartition par sexe** (1990) hommes 73,2 %, femmes 26,8.

L'Unett (Union nat. des entreprises de trav. temp.) 22, rue de l'Arcade, 75008 Paris. 350 entrepr. adhérentes gérant + de 3 000 agences. Promat (Syndicat des prof. du trav. temp.). 94, rue St-Lazare, 75442 Paris Cedex 09. 200 entreprises gérant 1 600 agences.

Principaux groupes d'intérim. Chiffre d'affaires (en milliards de F en 1991) *dans le monde :* Manpower (USA) 18,8, Adia (All.) 15,1, Randstadt (P.-Bas) 7,9, Kelly (USA) 7,4. *En France* (en 1992) : Ecco 10, Bis 7,9, Manpower 7,2, Adia 2,8.

■ **Recrutement de personnel (sociétés de).** Env. 80 à 90 sociétés spécialisées (70 % ne font que du recrutement). Recrutent surtout des cadres (au revenu annuel minimal d'env. 100 000 F pour 95 %).

■ **Recouvrement et renseignement commercial. Chiffre d'affaires** (en milliards de F, 1989). SCRL 210,4. Dun & Bradstreet 171,6. SNRC (S & W) 91,3. Pouey international 63,9. Piquet 62. *Recouvrement des créances :* entre 1,1 et 1,3 ou 1,7 et 2 milliards de F. *Nombre de sociétés :* 450 à 500, certains spécialistes parlent de 3 000 officines (courtiers compris). *Information des entreprises :* 1 milliard de F. *Renseignement commercial ou « de solvabilité » :* 600 millions de F. *Clientèle du recouvrement :* 500 000 entr. moyennes, locales ou régionales. *Réussite :* 62 %. Avec 10 milliards de F de créances, les Stés du secteur prennent en charge env. 20 % des impayés en France.

■ **Surveillance et sécurité.** Ensemble de la profession (1991-92). **Chiffre d'affaires** (en millions de F) 6 000 (dont Groupe SPS 800, Gr. SGI 600, Gr. ACDS 280, SEVIP 180). **Salariés : 60 000.**

Principales sociétés. Chiffre d'affaires (en millions de F) : Fichet-Bauche 2 650, Delta protection 200, CIPE 200, Ecco 11 000, Sidergie 1 200.

TEXTILES

ORIGINE

Textiles naturels, à base de fibres : 1°) **Végétales** *entourant graines ou fruits :* coton, kapok (du fromager), coïr, fibre du coco ; *contenues dans la tige :* chanvre, lin, jute, ramie, genêt, dâh [l'*Hibiscus sabdariffa* appelé roselle ou oseille de Guinée donne des fibres ayant le même usage], sunn ; ou *dans les feuilles :* abaca (*Musa textilis*) ou chanvre de Manille, sisal, henequen, maguey (de l'agave), raphia (du palmier), alfa, sparte, ananas (*A. sativa* et *A. comosus*), sansevière. 2°) **Animales** *venant de toisons :* mouton (laine), chèvre (ex. : angora, mohair de Turquie, USA, Afrique du Sud, cachemire des Indes et du Tibet, chèvres d'Iran), chameau (de Chine ou des Indes), lama (d'Amérique du Sud : variétés vigogne, alpaga, guanaco), castor, loutre, yack ; ou *sécrétées par des chenilles :* soie (bombyx du mûrier), soie sauvage, tussah (bombyx du chêne, de l'ailante, du ricin). 3°) **Minérales :** amiante, asbeste, verre. 4°) **Métalliques :** aluminium anodisé.

Textiles chimiques (voir p. 1593 c).

STATISTIQUES MONDIALES

■ PRODUCTION DE FIBRES TEXTILES

En milliers de tonnes. *Sources :* ICAC et CIRFS.

Années	Coton	Laine	Chimiques	Lin	Soie
1900	3 162	730	1		
1940	6 907	1 134	1 132		
1950	6 647	1 057	1 677		
1960	10 113	1 463	3 358		
1965	11 884	1 484	5 469		
1970	11 784	1 602	8 393		
1975	11 723	1 539	10 312	699	47
1980	14 040	1 620	13 717	630	56
1985	16 789	1 727	15 514	711	56
1991	19 731	1 484	17 472		71,8
1992	20 800				

☞ Production en régression dans les pays industrialisés, stagnante dans les NPI, en expansion dans sub-continent indien, Asie et Chine.

Accord multifibres (AMF) mis sur pied en 1973, renouvelé en 1977, 1981 et 1986 limite la croissance des importations dans CEE, USA et pays industrialisés d'une grande partie des produits fabriqués à partir de coton, laine, lin, fibres synthétiques et artificielles et originaires d'une trentaine de pays. Reconduit depuis afin de permettre la signature des accords commerciaux négociés dans le cadre du Gatt. Des détournements de trafic restent toujours possibles.

Main-d'œuvre occupée dans l'ind. textile (en milliers, 1991). USA 671, Corée 375 [2], Japon 325, Formose 280 [2], G.-B. 235, *France 205* [1], RFA 204, Hong Kong 130 [2], Belg. 53, P.-B. 22,5, Irl. 11. **Travail au noir.** All. 80 000, *France 100 000,* Italie 350 000.

Nota. – (1) 1990. (2) 1988-1989.

Principales sociétés. CA **(et résultat net,** en milliards de F, 1991). Toray [1] 32,9 (1,5), Hyosung [2] 28,6 (0,3), Haci Omer Sabanci [3] 27,9 (1,9), Kanebo [1] 25,2 (0,04), Levi Strauss [4] 23,1 (1,4), Teijin [1] 22,3 (1), Toyobo [1] 20,1 (0,3), Wickes [4] 19,8 (1,3), Coats Viyella [5] 17,9 (0,4), Unitika [1] 15,8 (0,2), VF [4] 14,3 (0,4), Burlington [4] 12,4 (– 0,4), DMC [6] 10,3 (0,3), Springs [4] 10,2 (– 0,04), Clairbome [4] 9,5 (1,1), Benetton [7] 9,5 (0,6).

Nota. – (1) Japon. (2) Corée. (3) Turquie. (4) USA. (5) G.-B. (6) France. (7) Italie.

■ QUELQUES ÉTOFFES ET TISSUS

Acétate fibre artificielle imitant la soie, utilisée en lingerie. **Andrinople** Turquie aujourd'hui Edirne. Tissu de coton rouge assez léger. **Basin** tissu de coton d'abord appelé « bombasin », de l'italien *bambagino, banbagia* (coton). **Batik** mot malais « soierie », procédé d'impression des motifs sur cette soierie que l'on teint, après avoir masqué certaines parties par des coulées de cire. **Batiste** tissu de coton (lingerie) ; *1er fabricant :* Baptiste (de Cambrai). **Brocart ou brocatelle** tissu broché imprimé de motifs en relief par l'emploi de **broches**, du **croisé** dont chaîne et trame se croisent de façon particulière pour produire un effet penché. **Cachemire** (Inde) tissé avec les poils de la chèvre (originaire de la région). **Calicot** toile de coton de Calicut (Inde, aujourd'hui Calcutta). **Chambray** tissu de coton avec dessins à carreaux tissés. Originaire de Cambrai. **Cheviotte** des monts Cheviots (Écosse). Tissu de laine peu rude. **Coutil** gros tissu de coton pour matelas (jadis couettes ou coutes). **Crêpe** du latin *crispus* (frisé). Surface ondulée. *De Chine, georgette* (plus léger). **Cretonne** de Creton (Eure). Tissu de coton (habillement et ameublement). **Damas** riche tissu de soie venant de Damas (Syrie), mot fixé v. 1350. **Droguet** XVIe s. : « drogue » au figuré désigne une chose de peu de valeur. Étoffe de laine ou mêlée de laine ou de fil, assez ordinaire. **Élasthanne** voir *élastomères.* Marque déposée la plus connue : **lycra. Élastomères** fibres textiles remplacées par fils élastiques (pour gaines, maillots de bain). **Escot** d'Aerschot (Brabant). Autrefois, lainage pour robes des veuves et religieuses. **Étamine** XIVe s. : « étaim », désignait le fil ou une étoffe de fil. Du latin *stamen* désignant fil de la quenouille, puis fil en général. **Faille** du néerlandais *falie* (vêtement de femme) épais tissu de soie ; appelé d'abord taffetas à failles (pour fabrication de voiles de femme). **Fibranne** fibres de viscose coupées et tordues. **Filoselle** de l'italien *filosello* (cocon), bourre de soie pour tricoter des gants (n'est plus utilisée). **Flanelle** du gallois *gwlan* (laine). A l'origine, tissu de laine. **Foulard** du provençal *foulat* (foulé), censé avoir été « foulé » c.-à-d. soumis à des pressions répétées dans un « foulon ». **Futaine** du latin médiéval *fustaneum* (tissu fait à partir d'un arbre). Tissu de coton. **Gaze** [de Gaza (Palestine)], **mousseline** [de Mossoul (Irak)]. Étoffes légères au tissage peu serré. **Indienne** cotonnade imprimée ou tissée de fils préalablement teints. Se rapproche des **rouenneries** fabriquées à Rouen (à ne pas confondre avec les **roanneries :** tissus de coton, mais venant de Roanne). **Jaconas** mousseline de coton demi-claire de Djaggernat en Inde, **Jouy (toile de)** fabriquée dep. 1759 par Christophe-Philippe Oberkampf (1738-1815) venu de Bavière à Jouy-en-Josas. **Jersey** moutons de l'île de Jersey. Maille de laine, XIXe s., désigne un tricot de laine. **Lambswool** tissu fait de laine d'agneau. **Lamé** tissu de soie pour le décor duquel une lame d'acier est utilisée. **Latex** (marque déposée). Voir *élastomères.* **Linon** à l'origine fait à partir du lin. **Loden** tissu serré et imperméable dont on fait des manteaux. D'origine allemande. **Lustrine** cotonnade utilisée notamment pour les manchettes. Aspect luisant. **Madapolam** État de Madras. Tissu de coton noir. A la mode en 1823. **Madras** coton à carreaux. **Maille** du latin *macula :* la maille est une étoffe et non un tissu car elle n'est pas tissée (fils se croisant) mais tricotée avec un seul fil dont les différentes mailles s'entrelacent. **Mérinos** d'Espagne *(merino).* Fait avec la laine du mouton mérinos. **Moire** de « mohair ». Tissu de soie à reflets changeants. **Molleton** de « mollet » (mou). Cotonnade épaisse et douce. **Mousseline** toile de coton très claire ; de Mossoul en Irak. **Nankin** tissu de coton. **Nansouk** de l'hindi (« plaisir de l'œil »). Cotonnade à dessins écossais. **Organdi** d'Ourguentch (Ouzbékistan). Mousseline fine légèrement apprêtée. **Ottoman** de l'Empire ottoman (Turquie). Épaisse soie à grosses côtes tramée sur coton. **Oxford** d'Oxford (Angl.). Cotonnade à grain accentué (chemiserie). **Panne** étoffe de soie à poils coupés sur trame de coton. **Pékin** tissu à fines rayures. **Peluche** de l'italien *peluzza* (petit poil). Présente des poils sur sa surface. **Percale** (*pergala* en tamoul). Fin tissu de coton assez serré. **Perse** d'Inde (et non de Perse). Toile à grands motifs de couleur. **Pilou** du latin *pilosus* (poilu). Flanelle-coton, légèrement duveteuse. Appelé aussi « pilou-pilou » (sans raison, le pilou-pilou est une fête canaque). **Piqué** apparence des tissus piqués. A l'origine composé de 2 épaisseurs de tissu superposées et reliées par des points de piqûre. **Pite** vient d'une sorte d'agave. **Plumetis ou mousseline plumetis** autrefois brodés, aujourd'hui tissés. Ornés de plumets ou bouquets de petits pois en relief. **Polyesters** tissus synthétiques : **tergal, chlorofibres** par le **rhovyl. Pongé** du Japon (?). Tissu de soie léger. **Popeline** de l'anglais *poplin,* de l'italien *papalino* (papal). Cotonnade fine pour chemises d'homme et chemisiers. **Rayonne** soie artificielle appelée aujourd'hui **viscose** (de visqueux et cellulose). **Satin** de Zaitoun (nom arabe de la ville chinoise Tsia-Toung). Tissu de soie brillant [*de coton* (ameublement), *satinette* (cotonnade pour doublure), *fermière* ou *grand-mère* (coton noir imprimé de petits motifs blancs)]. **Serge** lainage dont le tissage présente un effet de diagonale (à l'origine, c'était un tissu de soie, du latin *serica :* étoffe de soie). **Shantung** soierie de cette province chinoise. **Shetland** fait avec le poil des moutons des îles Shetland (Écosse). **Shirting** de l'anglais *shirt* (chemise). Utilisé pour confection de chemises d'homme. **Stretch** de l'anglais *to stretch (étendre). Voir élastomères.* **Surah** soierie douce et légère (autrefois de Surate). **Taffetas** du turc *tafta* par l'italien, signifiant « tissé ». **Tissu** tissage : consiste à faire s'entrecroiser des fils dits textiles. *Tissu peigné :* fibres textiles apprêtées avec des peignes (autrefois de fer rougis pour démêler la laine). *Tissu cardé :* tissé avec des fils cardés (ceux dont on a arraché les impuretés au moyen de chardons appelés « cardères des villes ») ; actuellement disparus de nos campagnes, peuvent être remplacés par des planchettes munies de clous. *Mercerisé :* tissu tissé avec un fil mercerisé (c.-à-d. traité), comme fil à coudre, pour avoir un aspect légèrement brillant. **Tulle** tissu fabriqué pour servir de support aux broderies de « dentelle de Tulle ». Fin réseau en fil de lin, au point de filet de pêche fait à la main, parfois employé seul ou brodé de 3 points classiques, le Grossier, le Respectueux et le Picot. **Tussor** (en anglais *tussah silk,* d'après l'hindi *tassar*). Fil du ver à soie sauvage *antheraea mylitta.* **Tweed** et **twill** de l'écossais *tweel* (croiser) ; tweed solide tissu de laine, twill soierie à effet de diagonale. **Velours** du latin *villosus* (velu), du provençal *velos* (velu). Poils très courts et serrés. **Zenana** (en hindi) étoffe gaufrée de soie ou de coton (utilisée autrefois pour vêtements d'intérieur). **Zéphir** tissu de coton léger.

☞ **Consommation mondiale de fibres en 1990** et, entre parenthèses, **en 1961.** Synthétiques 39 (5), coton 46 (64), laine 5 (10), lin 2, soie 0,2. Pays industrialisés (1989, en kg par hab.) 21,3 ; socialistes 14,9 ; PVD 3,7 et moyenne mondiale 7,3.

FIBRES VÉGÉTALES

■ CHANVRE

■ **Origine.** Asie centrale. Plante annuelle. Famille des cannabinacées (urticales), à graines oléagineuses et à fibres corticales ; utilisée depuis plus de 6 000 ans : l'espèce *Cannabis sativa* rassemble des variétés « drogue » (chanvre indien) contenant des cannabinoïdes psychotropes spécifiques et des variétés « fibres » non psychotropes. **Récolte. Rouissage :** destiné à isoler les fibres ; se réalise actuellement à terre, sans aucune opération. **Usages :** *fibre :* textile, papier (Voir Index) ; chènevotte (partie ligneuse), est utilisée pour les panneaux de particules, les litières animales et la construction (isolation) ; *graines (chènevis) :* huile siccative, nourriture pour les oiseaux, pêche. **Variétés :** ch. cultivé en France : monoïque (fibres 2 à 2,50 m de haut), de Chine (5 à 6 m), indien (0,50 m à 1,5 m) ou du Liban ou d'Afr. du N. (1 à 2 m), pour ses inflorescences hallucinogènes. **Rendement :** France (1992), 4 000 ha, 27 000 t de tiges à 480 F/t (transformées en filasse pour papeterie 35-40 %, chènevotte 50 %, poudre cellulosique 10 %), 3 000 t de chènevis à 300 F/q, 400 t de semences.

■ **Production de filase** (1986, milliers de t). Chine 60. Inde 44. URSS 43. Roum. 31. Hongrie 10. Corée N. 6. Pakistan 6. Turquie 5. Youg. 5. *Monde* 226.

■ **En France.** Culture familiale importante jusqu'au milieu du XIXe s. Concurrencée ensuite par text. synthétiques et oléagineux d'outre-mer (coton, sisal, jute, arachide, etc.) et souffrant de la disparition de la marine à voile. **Superficie cultivée :** *1840* : 176 000 ha, *1932* : 1 000, *39* : 3 500, *60* : 700, *65* : *3 845, 70* : 3 300, *75* : 7 600, *80* : 6 850, *85* : 6 450, *90* : 3 700, *92* : 4 000. Récolte pour égrenage industriel (graines ramassées dans les pailles) vers début sept. (rendement 7 à 11 t/ha). Récolte par égrenage sur champ (graines récoltées séparément) vers fin sept. (rendement diminué de 1 à 2 t/ha, plus 8 à 12 q/ha de graines).

Variétés cultivées : spéciales monoïques. Croissance en 100-110 j. Semis début mai. *Récolte pour égrenage industriel* (graines ramassées dans les pailles) vers début sept. (rendement 7 à 11 t/ha). *Par égrenage sur champ* (graines récoltées séparément), vers fin sept. (rendement diminué de 1 à 2 t/ha ; rend. en graines de 8 à 12 q/ha). **Production de tiges transformées** (en t) : *1979* : 47 060, *90* : 27 000 (transformées en filasse pour papeterie 35/40 %, chènevotte 50 %, poudre cellulosique 10 %). *Chènevis* 3 000 t. *Semences* 400 t. **Prix à la production** (1990) : tiges 480 F/t, chènevis 300 F/q.

■ COTON

☞ *Source :* Cirad-CA (programme cultures cotonnières paysannes).

■ **Histoire. XIe s.** Sarrasins et Arabes importent le coton en Sicile et dans le sud de l'Espagne. **XIVe** s. Cortez le découvre au Mexique, Venezuela, Colombie, Pérou. **XIVe s.-XVIIe s.** début, l'Amérique du N. commence à cultiver du coton venant des Antilles et des Indes. **1753** du coton de Caroline apparaît pour la 1re fois à la Bourse de Londres. Récolte et traitement exigent à l'époque un travail manuel considérable exécuté par des esclaves. La mécanisation favorise le développement. **1764** James Hargreaves construit la *1re* machine à filer comprenant plusieurs fuseaux et lui donne le nom de sa fille Spinning Jenny. **1785** Edmund Cartwright (1743-1823) invente le 1er métier à tisser mécanique. **V. 1900** représente 80 % du marché mondial des textiles. **1950** 71 %. **1960** 68 %. **1970** 55 %. **1980** 47 %. **1989** 50 %. **Répartition des fibres produites** (1990). Coton 48,5, laine 3,8, rayonne et acétate 7,5, synthétiques 40,1, autres 0,1.

■ **Cultures.** Sensible au froid. La levée exige pour le *G. barbadense* 12° C, le *G. hirsutum* 15° C. Optimum entre 25 et 35° C durant 3 à 4 mois sur un cycle de 5 à 8 mois selon espèces et variétés. 80 % des superficies sont cultivées dans l'hémisphère Nord. Les 2/3 du coton sont cultivés en culture irriguée. Répartition des sup. cultivées (%) : Asie et ex-URSS 60 ; Amériques 30 ; Afrique 8 ; Europe 2.

Plante : famille des Malvacées. Après la floraison, l'ovaire se transforme en capsule (contenant 20 à 50 graines) qui s'ouvre à maturité. Chaque graine est entourée de 5 000-10 000 duvets et d'env. 10 000 fibres se présentant comme un écheveau. On récolte le coton-graine, qui est ensuite séparé en fibres (32 à 44 %) et en graines (55 à 65 %). *Rendement :* 550 kg de fibres à l'ha (moy. mondiale 1990, Inde 300, Australie 1 300). La fibre est utilisée, suivant qu'elle est + ou – longue, en filature peignée, en filature cardée ou en ouaterie. *La graine fournit :* de l'huile (env. 18 % de son poids en huile raffinée) à usage alimentaire ; des protéines (env. 17 % du poids de la graine) destinées, jusqu'à maintenant, le plus souvent à l'alimentation du bétail (tourteaux), mais de plus en plus dans l'avenir à l'alimentation humaine (farine et dérivés) grâce à l'utilisation de variétés sans glandes à gossypol ; duvet ou « linter » (8 %) utilisé pour des textiles grossiers, en ouaterie, ou dans l'ind. de la cellulose ; des coques (40 à 45 %) utilisées principalement comme combustible dans les huileries. **Espèces cultivées :** *Gossypium hirsutum,* d'Amérique (90 % des cotonniers cultivés dans le monde) : haut. 0,8 à 2 m, fibre 25,4 mm et 1/32, 1/16 et 1/8 m de pouce.

■ **Principaux marchés.** *USA :* New York, La Nouvelle-Orléans, Memphis. *Égypte :* Alexandrie. *Europe :* Liverpool, Brême. *Asie :* Hong Kong.

■ **Cycles de fabrication** Classement du coton-graine à l'achat selon propreté (taché ou non) et charge en matières étrangères. 1°) **Égrenage :** séparation des fibres de la graine par des égreneuses : à scies (les plus courantes), à rouleaux (pour longues ou très longues soies), *nettoyage, pressage* en balles de 217,7 kg (*running balls,* USA 226 kg) ; en fût de 204 à 249 kg. Le classement des balles de coton se fait progressivement d'une manière automatique avec des chaînes appelées HVI (High Volume Instrument Lines), Il reste sur la graine le fuzz (ou linter) de faible valeur qui pourra être enlevé mécaniquement ou chimiquement par la suite. 2°) **Filature :** *à anneaux* (ring spinning), classique mais assez lente ; *à rotor* (rotor spinning ou open end spinning), depuis 20 ans, plus rapide, plus performante, *f. à air, f. à friction, f. à recouvrement* (fibres particulières) ; *battage* pour éliminer les poussières ; *cardage, étirage* du ruban de carde et *doublage :* la mèche est *filée.* Après peut intervenir le *peignage* qui écarte les fibres les plus courtes et régularise ainsi le filé. *Filés retors :* filés de plusieurs fils réunis par torsion. *Fil d'Écosse :* fil pur à longues fibres retors, gazé et mercerisé. Le coton filé est caractérisé par un numéro anglais Ne (nombre d'écheveaux de 840 yards dans 1 livre de fil) ou un numéro métrique Nm (nombre de km de fil dans 1 kg de fil) ou par le poids en g d'un km de fil (système Tex). 3°) **Tissage** (ou autres stades équivalents) : assure la transformation du fil en article textile : bonneterie, dentelle, broderie, tulle, filets, feutres, etc. 4°) **Manutention :** blanchiment, teinture ou impression et divers apprêts (ainsi le mercerisage), lessivage à la soude donnant un aspect soyeux et brillant et renforçant la résistance. 5°) **Transformation d'ordre artistique** (dessins, coloris, contextures ou armures de tissus) et commercial.

STATISTIQUES

■ **Coton fibre** (en milliers de t, 1992). **Production :** Chine 5 472. USA 3 484. Pakistan 2 200. Inde 2 190. Ouzbékistan 1 423. Brésil 751. Turquie 606. Turkménistan 400. Australie 339. Égypte 281. *Monde 20 101.* **Exp. :** USA 1 459. Ousbékistan 1 219. Pakistan 599. Turkménistan 383. Australie 327. Chine 315. Tadjikistan 199. Paraguay 158. Azerbaïdjan 115. Mali 112. *Monde 6 290.* **Imp. :** Russie 940. Japon 566. Corée 440. Indonésie 414. Taïwan 405. Thaïlande 360. Italie 331. Hong Kong 249. Allemagne 213. Portugal 160. *France 100. Monde 6 290.* **Consommation :** Chine 4 702. USA 2 112. Inde 1 935. Pakistan 1 454. Russie 934. Brésil 766. Turquie 604. Japon 591. Corée 440. Thaïlande 400. *France 98. Monde 19 372.*

■ **Graines de coton, huiles** en italique, **et tourteaux** entre parenthèses (en milliers de t, 1990/91) **Production :** Chine 8 940 *911* (4 188). USA 5 520 *542* (1 502). URSS 4 900 *706* (1 704). Inde 3 610 *323* (2 287). Pakistan 2 970 *315* (1 282). Brésil 1 220 *162* (587). Égypte 490 *69* (207). Australie 458 *46* (151). Mexique 284 *4* (129). Monde 33 824 *3 855* (14 535).

■ **Huile** (en milliers de t, 1990/91). **Exp.** USA 160. Brésil 85. Argentine 50. Australie 12. Paraguay 7. *Monde 332.* **Imp.** Égypte 125. Venezuela 43. Corée du Sud 38. Japon 25. El Salvador 24. Turquie 7. *Monde 338.* **Consommation :** Chine 900. ex-URSS 710. USA 375. Inde 330. Pakistan 314. Égypte 193. Turquie 117. *Monde 3 853.*

■ **Tourteaux** (en milliers de t, 1990/91). **Exp.** Chine 540. Argentine 185. Brésil 120. Paraguay 72. Côte d'Ivoire 55. *Monde 1 250.* **Imp.** CEE 690. Corée du Sud 260. Afr. du Sud 80. Europe de l'Est 35. *Monde 1 260.*

■ **Filés. Production** (milliers de t, 1992). **Coton :** Chine 4 912. USA 1 606. Inde 1 428. Pakistan 1 151. Russie 842. Indonésie 666. Brésil 599. Corée 520. Taiwan 403. Turquie 379. *France 88. Monde 17 184.* **Lin :** ex-URSS 200. Roumanie 38 [2]. Pologne 14. Tchécoslovaquie 14. Yougoslavie 7,2 [3]. Belgique 6,5. Hongrie 5,6. *France 5.* Autriche 3. Japon 2,6. Grèce 2,4. **Jute :** Bangladesh 509. Égypte 25,2. G.-B. 16,3 [1]. Pologne 10,3. Belgique 7,2. Yougoslavie 6 [3]. Tchécoslovaquie 4,2. Portugal 2,4 [3]. Japon 2. All. dém. 1 [2]. *France 0,3.* Hongrie 0,2.

Nota. – (1) 1989. (2) 1987. (3) 1988.

■ LIN

■ **Variétés.** Environ une centaine d'espèces (textiles, oléagineuses ou mixtes). **Dimensions :** lin commun cultivé pour la graine (haut. 0,3 à 0,8 m), la fibre (0,7 à 1 m et plus).

■ **Lin textile. Culture :** en assolement, vient après le blé, les céréales secondaires ou plantes sarclées. Demande un climat doux et brumeux, un sol argilo-sableux, profond et frais. *Semailles* en France en général v. 20 mars-5 avr., récolte 100 j après pour les lins textiles, 150 j après pour les lins oléagineux. Après l'arrachage, la paille est étalée sur le sol pour le *rouissage* (3 à 8 semaines) : sous l'action de la chaleur et de l'humidité, des bactéries et des moisissures se développent et attaquent les ciments qui font adhérer les fibres à la tige de la plante. Ensuite, le lin est ramassé mécaniquement et mis en balles parallélépipédiques ; ou bien l'andin est directement enroulé en « rounders » et stocké sous hangar. Le *teillage* consiste ensuite à séparer les filasses avec une *teilleuse* qui broie la partie ligneuse de la paille en fragments fins *(anas)* et bat ceux-ci pour en éliminer la filasse. 100 kg de paille donnent 50 kg d'anas, 16 kg de lins teillés, 10 kg d'étoupes, 8 kg de graines, 8 kg de paillettes. **Utilisations :** *lin teillé :* filature (étoffes, dont habillement 55 %, linge de maison et ameublement 30 %, tissus techniques 15 %) ; *étoupes :* en plus des précédents usages : ficelles, papiers ; *anas :* panneaux et combustible ; *paillettes :* aliment du bétail ; *déchets :* papeterie, matelasserie ; *terres et poussières :* engrais organiques.

Production de textile (milliers de t, 92) ex-URSS 121, CEE 53,5.

■ **Graines** venant de lins textiles et surtout de lins oléagineux (jusqu'à 10 graines brunes ou jaunes de 4 à 6 mm dans une capsule) : *huile* (pour peinture, vernis, encre d'imprimeur, linoléum), *tourteaux* pour animaux. **Production de graines de lin** (milliers de t, 1986) : Canada 1 067. Argentine 565. Inde 373. USA 293. URSS 199. Chine 105. *Monde 2 870.* **Commerce de graines** (1986, milliers de t) : *exp. :* Canada 732,8. USA 39,3. Belg.-Lux. 26,9. France 15,8. *Imp. :* All. féd. 363,5. Japon 90. Belg.-Lux. 78,4. USA 60,4. G.-B. 42,8. Tchécosl. 16. P.-Bas 11,6.

■ **Culture en France. Superficie** v. *1850 :* 300 000 ha, *1992 :* 35 000 ha. 7 900 agriculteurs dans : Nord, P.-de-Calais, Somme, S.-Maritime, Calvados, Eure, Oise, S.-et-M. **Production et,** entre parenthèses, **consommation apparente** (en milliers de t.) : *pailles* (1985-86) 416,2 (231,8) ; *filasses* (1985-86) : longs brins 48, étoupes 28 (longs brins + étoupes 8,6) ; *fils* (1986) : mouillé 3,7, sec 2,3 (mouillé + sec 2,5) ; *tissus* (1986) : pur lin 1,2 (1,6), lin mélangé 3,4 (2,9). **Entreprises** (1986-87) : *teillage* 51 (1 368 employés) ; *filature* 7 (1 610). **Chiffre d'affaires** (1988 France, en millions d'écus) : *culture* 91 ; *teillage* 107 ; *filature* 66 (filature CEE 227).

■ FIBRES ANIMALES KÉRATINIQUES

■ LAINE

GÉNÉRALITÉS

Les poils de mammifères sont constitués d'une scléroprotéine riche en soufre, appelée kératine.

■ **Laines.** 1 700 000 t/an (laine à f.). **Principaux producteurs :** Australie, URSS, Nelle-Zélande, Afr. du S. **Origine :** *mouton* tondu 1 fois par an (en France, mars-avril). *Rendement :* 1 à 8 kg par toison selon la race (la toison est chargée de 30 à 60 % de suint). **Fibre :** pleine (sans canal médullaire), légèrement elliptique. La longueur varie selon la race et l'endroit du corps (mérinos, rarement plus de 10 cm ; croisés, jusqu'à 40). Selon la finesse on distingue les laines *mérinos fines* (18 à 23 μm), ondulées (jusqu'à 15 ondulations au cm), souples et relativement courtes (6 à 7 cm) (ex. en Fr. : mérinos d'Arles) ; *les croisés grossiers* (34 à 40 μm) (ex. en Fr. : Ile-de-France) ; *laines jarreuses* (limousine, manech) et pigmentées (bizet, solognote). En combinant les notions de finesse et de qualité on distingue plus de 1 000 variétés de laines. **Laine vierge :** non travaillée et n'ayant subi ni traitement ni manipulation autres que ceux requis pour la fabrication du produit.

■ **Mohair. Production** 25 000 t/an (Australie, ex-URSS, Chine, N.-Zélande, Turquie, G.-B.). **Origine :** *chèvre angora* tondue 2 fois par an. *Rendement :* 4 à 9 kg de mohair par an (env. 20 % de suint). **Fibre :** pleine (seuls les jarres, 0,1 à 6 % de la toison, ont un canal médullaire ; doivent être éliminés de la toison, car plus grossiers et prenant mal la teinture). *Finesse :* de 27 (kid) à 40 μm. *Qualités :* douceur au toucher, lustre, résistance. L'élevage de la chèvre angora se développe en France dep. le début des années 80 ; 1989 : env. 100 éleveurs (surtout Midi-Pyr., Lang.-Rous., Rh.-Alp.).

■ **Angora. Production** 8 000 t/an (Chine, Chili, Argentine, France, Hongrie). **Origine :** *lapin angora* tondu ou épilé 4 fois par an. *Rendement :* 0,6 à 1,3 kg (pas de suint) ; jusqu'à 30 % du poids vif du lapin (brebis mérinos ne donne que 9 % de son poids). **Fibre :** médullée (1 % de jarres recherchés pour la laine fantaisie). *Finesse :* 14 à 16 μm. *Qualités :* très grande douceur au toucher, légèreté (d=1 ; laines=1,3), très isolant. La Fr. possède une souche produisant un angora supérieur pour des laines fleuffées de haut de gamme. [1988 : 2 000 éleveurs, 300 000 lapins angora (surtout Pays-de-L., Bretagne, Poitou-Ch., B.-Norm.)]. Autres souches : allemande (Europe centrale et Amér. du S.), chinoise (Tanghang).

■ **Cachemire. Production** 4 500 t/an. (Chine, Mongolie, Afghanistan, Iran, ex-URSS). **Origine :** *chèvre cachemire.* 15 variétés ; les meilleures : Jining, Tibétaine, Zhongwei. Tondues ou peignées 1 à 2 fois par an. *Rendement :* 80 à 300 g par an (20 % de suint).

Fibre pleine (les jarres, 10 à 90 % de la toison, ont un canal médullaire et sont très grossiers, 100 µm ; on doit éjarrer le cachemire pour pouvoir l'utiliser). *Finesse :* 13 à 18 µm. Essais récents d'élevage en Europe (Écosse, Islande) ; 1989 : 1ers élevages en France.

■ **Alpaga. Production :** 4 000 t/an. (Pérou, Bolivie, Chili, Argentine). **Origine :** *lamas Alpaga,* 2 variétés : Huacayo et Suri. Tondus 1 ou 2 fois par an. **Fibre** médullée. *Finesse :* 28 à 40 µm.

■ **Autres poils utilisés par l'industrie textile.** *Yack* (Bos pœphagus, grunniens, taurus), *chameau* bactrian, *dromadaire, lama* pacos, *guanaco, vigogne.*

Fabrication

Cycle cardé. Les cardes (rouleaux munis d'aiguilles) démêlent et parallélisent les fibres. Le voile de carde est rassemblé en une mèche qui est filée après avoir été étirée et tordue. L'aspect final est plutôt rustique (tweeds, shetlands). **Cycle peigné.** Le voile de carde, ramassé sous forme de ruban, est rassemblé avec d'autres et étiré plusieurs fois. Il est peigné pour éliminer les fibres courtes, puis filé. Les articles en laine peignée sont d'aspect plutôt fin, sec et plat (gabardines, toiles légères).

Délainage. Consiste à séparer la laine de la peau des moutons abattus. *Principaux pays :* France (Mazamet, Tarn) et N.-Zélande.

Statistiques

■ **Laines. Consommation** (en kg par h., 1989) : N.-Zélande 3,56. Suisse 2,62. All. féd. 2,21. Belgique 2,08. Irlande 2,05. Australie 1,99. Autriche 1,96. Hong Kong 1,87. G.-B. 1,61. P.-Bas 1,57. Tchécoslovaquie 1,43. Bulgarie 1,37. Danemark 1,33. Grèce et Chypre 1,18. All. dém. 1,17. URSS 1,13. *France 1,12.* Turquie 1,01. Finlande 0,99. **Production** (milliers de t, 1989) : Australie 1 109[1]. URSS 474. N.-Zélande 309[1]. Chine 238. Argentine 161. Afr. du Sud 97[1]. Uruguay 96[1]. Turquie 85. G.-B. 70. Pakistan 57. Algérie 46. USA 45. Roumanie 44. Espagne 37. Iran 32. Inde 30. Bulgarie 28. Brésil 26. *France 23.* Afghanistan 22. Chili 20. Mongolie 19. Iraq 17. Soudan 17. All. dém. 16. Irlande 15. Pologne 14. *Monde 3 391.*

Nota. – (1)1989-1990.

Exportations (milliers de t, 1989) : Australie 717,9. N.-Zélande 232,3. Argentine 40,8. Afr. du S. 37,6. *France 33,7.* Uruguay 26,6. G.-B. 23,3. Mongolie 15,9. URSS 14,6. Belgique 13,2. Irlande 11,8. Taïwan 9,2. Italie 9,2. *Total 1 278,3.* **Importations** Chine 187 (1988). Japon 173. *France 126.* URSS 124,3. G.-B. 110,2. Italie 106,8. All. féd. 74,9. Belgique 69,4. USA 48,5. Taïwan 45. Corée du S. 32,2. *Total 1 241,2.*

■ **Peignés et rubans cardés. Production** (milliers de t, 1989) : Japon 78. *France 72.* Italie 59,8. G.-B. 38,7. All. féd. 33,4. Uruguay 27,3[1]. Australie 23,4. Belgique, 20,1. Afr. du S. 19,2. Espagne 15,3. *Total 420,3.*

Nota. – (1) Production exportée.

■ **Fils pure laine et majoritaires laine. Production de laine peignée et,** entre parenthèses, **cardée** (en milliers de t, 1989) : USA (est.) 550,9 (85,8). Italie 301,3 (259,9). Japon 195,4 (66,4). All. féd. 56,7. G.-B. 56,4 (90,6). *France 50,6 (23).* Belgique 48,2 (54,3). P.-Bas 0,7 (est.) (3). *Total (est.) 1 260,2 (617,1).*

■ **Tissus pure laine et majoritaires laine. Production** (tissus peignés et, entre parenthèses, cardés, en milliers de t, 1989) : Japon 67,3 (26,2). Italie 48,9 (13,4). All. féd. 22,9 (5,5). USA (est.) 20,4 (14,6). G.-B. 8,6 (8,9). *France 8,2 (27).* Belgique 0,7 (0,1). P.-Bas 0,6 (0,8). *Total (est.) 294,6 (221,6).*

■ **Prix de la laine** (en cents australiens par kg). *1972 :* 450. *74 :* 260. *80 :* 400. *87 :* 600. *88 :* 1 200. *91* (22-3) : 445. *92* (10-2) : 580.

■ Soie

Généralités

■ **Histoire. XXVIIIe s. av. J.-C., Chine** monopole de la famille impériale, connue des Grecs, venait de Chine appelée alors « Pays des Soyeux » ou « Pays de la soie ». Les Byzantins en importèrent d'Asie (notamment de Perse), puis en produisirent vers le VIe s. **Moyen Age** développement en Grèce et Asie Mineure. Les Croisés rapportent beaucoup de soieries. L'Église les adopte (des évêques célèbrent des offices dans un vêtement orné des versets du Coran ou d'autres sentences païennes). **XIIe s.** la Sicile est le 1er centre de fabrication européen (Palerme), puis l'Espagne suit. **XVe s.** sous Louis XI, à Lyon et Tours, des ateliers sont créés. **1494** importations interdites en France. **1550** Henri II réintroduit la soie en France. Sous Henri IV la sériciculture apparaît après l'exil des huguenots. **XVIIe s.** essor de la soierie lyonnaise, mais la révocation de l'édit de Nantes (1685) lui porte un coup sévère. **1800** le métier inventé par le Lyonnais Joseph-Marie Jacquard (1762-1834) en 1800 permet à Lyon de reprendre une place importante. **XIXe s.** production record (26 000 t de cocons frais), puis recul progressif des séricicultures (lié à la montée des salaires).

■ **Sériciculture.** Certains insectes sécrètent une « soie » pour construire un *cocon* où ils s'enferment à l'état de *chrysalide.* La *soie sauvage* est ainsi produite par des vers sauvages ou semi-sauvages (ex. : tasar ou *tussah-antheraea mylitta* qui se nourrit de feuilles de chêne). La *soie grège* vient du *Bombyx mori,* qui se nourrit de feuilles de mûrier blanc *(Morus alba).*

Le papillon femelle du bombyx pond en général 500 œufs ou « graines ». Les graines sont conservées au frais pendant la mauvaise saison, puis mises à incuber en temps voulu entre 10° et 15°, puis 20° et 23°, pour permettre le « nourrissage » des jeunes vers avec les feuilles fraîches de mûrier. Les vers éclos subissent 4 mues avant d'atteindre leur taille maximale (5 à 8 cm). Au cours du « dernier âge », le ver monte, s'accroche à des rameaux disposés sur des claies – ou s'installe (élevage moderne) dans un casier spécialement conçu. Le *ver* file alors avec sa bave, en 3 ou 4 j, un cocon dans lequel il s'enferme pour devenir *chrysalide.* Celle-ci, dans une dernière mue, se transforme en *papillon* qui « perce » le cocon pour sortir.

Afin de conserver intacts les cocons pour le dévidage en filature, on « étouffe » les chrysalides dans les cocons. On ne laisse éclore qu'une petite quantité de papillons qui s'accoupleront pour fournir les graines de la saison suivante (grainage). En France, il ne reste que 2 ou 3 exploitations séricicoles ou *magnaneries* (nom provençal : bâtiment destiné à l'élevage des vers à soie) dans la région du Gard. Actuellement le *Bombyx mori* est surtout utilisé par la science (recherche en biologie moléculaire).

■ **Filature.** Un cocon comporte de 700 à 1 000 m de bave constituée de 2 filaments de *fibroïne* et de 20 à 25 % de *séricine* ou *grès* qui enveloppe et soude les filaments. Les baves étant très fines, on assemble en filature de 4 à 10 baves ou « bouts » pour obtenir le fil de soie commercial. Env. 6 kg de cocons frais donnent 1 kg de soie grège (un cocon pèse 8 dg). Les machines automatiques fabriquées essentiellement au Japon sont actuellement utilisées.

Doupion. Les cocons doubles (produits par 2 vers travaillant trop près l'un de l'autre) sont filés par des procédés spéciaux et fournissent une soie dite doupion, irrégulière et de titre plus « ferme », c'est-à-dire plus gros que celui de la soie grège. On en tisse des étoffes qui tirent de l'irrégularité du fil un caractère et des effets spéciaux.

■ **Moulinage et tissage.** On « décreuse » en général la soie ; on élimine le grès par trempage en eau savonneuse. En outre, avant tissage, les fils de soie subissent le plus souvent des opérations d'assemblage ou de torsion effectuées par l'industrie du *moulinage.*

Schappe et bourrette. Fils de fibres soyeuses discontinues produits à partir de déchets de soie : cocons percés, déchets de dévidage (frisons, blazes, bassinés), déchets de moulinage. Après décreusage partiel (élevement du grès), les déchets sont cardés puis peignés pour paralléliser les filaments, et convertis en fils au moyen de machines analogues à celles qu'on utilise pour la formation de fils de laine ou de coton. Les fils composés de longs filaments sont appelés fils de schappe, ceux qui viennent de filaments courts sont des fils de bourrette.

Deniers. La grosseur ou *titre* commercial d'un fil de soie est exprimée en *deniers,* dont le nombre correspond à la masse en grammes de 9 000 m de fil (ex. : une soie de 20 deniers est une soie dont 9 000 m de longueur pèsent 20 g). Dans le système *tex,* un fil dont une longueur de 1 000 m a une masse de 1 g.

Statistiques

Production (en milliers de t, 1991). **Cocons :** *Monde* 740 dont Chine 490. Inde 116. CEI 46. Japon 20,8. Brésil 18. Corée du Nord 14. Thaïlande 13. Corée du Sud 3,5. Autres 18,7. **Soie grège :** *Monde* 76,5 dont Chine 48,5. Inde 11,3. Japon 5,5. CEI 4. Brésil 1,9. Corée du Nord 1,2. Thaïlande 1,7. Autres 2,4.

Consommation intérieure. Soie grège (milliers de t, 1991) : Chine 35. Inde 13,2. Japon 8,2. Italie 2,4. *France 0,3.* USA 0,16.

■ Autres fibres végétales

Principaux producteurs. *Source :* FAO.

■ **Fibres dures. Agaves** (sisal, henequen) extraites des feuilles. *Utilisations* ficelle, cordages, tapis.

Production (en milliers de t, 1980). **Sisal, henequen :** Brésil 205, Tanzanie 86, Mexique 86, Kenya 47, Madagascar 16, Haïti 15, Mozambique 12. Divers 43. *Monde 511* (Amér. lat. 322, Afrique 180, Asie 9). **Abaca** (1980) Philippines 130. Divers 11. *Monde 141.* **Sisal** (1991). Brésil 185, Mexique 45, Kenya 40, Tanzanie 40, Madagascar 22, Chine 17, Haïti 10, Venezuela 9, Afr. du S. 7. *Monde 387.* **Jute + fibres apparentées** (1991). Inde 1 620, Bangladesh 807, Chine 734, Thaïlande 181, ex-URSS 52, Viêtnam 37. *Monde 3 564.*

Export. : Brésil 80. Tanzanie 50. Kenya 39. Madagascar 15. Autres 21. *Monde 225.* **Import. :** *France 28.* Italie 18. Belgique 6. G.-B. 5.

■ **Fibres libériennes.** Extraites du liber de la tige de plantes de 2 à 3 m de haut : *corchorus* ou *jute* du Bengale, *hibiscus* ou *kenaf* (Thaïlande, Amér. lat., Ouzbékistan, Afrique), *urena, punga, abutilon* (Chine). Les tiges coupées sont rouies en eau dans les mares pour dégager les fibres, rincées et séchées au soleil. **Filature et tissage :** Inde, Bangladesh, Thaïlande, Chine, Europe et dans plusieurs pays d'Afrique, d'Amér. lat. En Europe dep. 1830, en *France* (Somme, Nord) dep. 1843. **Utilisations :** emballages ; bâtiment, literie (matelas à ressorts, dessous de sommiers), ameublement (sangles, toiles protectrices), auto (toiles, feutres), câblerie (guipage des câbles électriques), enduction plastique (maroquinerie, ameublement, revêtements de sols), agriculture (toiles d'ombrage, contre vents, gelées), travaux publics (routes, fixation des talus, des sols) ; tapis, feutres enduits, aiguilletés, toiles teintes, revêtements muraux, toile tailleur, chaussures (semelles d'espadrilles), bagages (toiles enduites).

Production (milliers de t, 1980-81) : Extrême-Or. 2 648, Inde 1 512, Chine pop. 1 090, Bangladesh 760, Thaïlande 210, Amér. lat. 103, Népal 59, ex-URSS 50, Proche-Or. 16, Afrique 4. *Monde 3 936.* **Exp.** (milliers de t, 1985). Bangladesh 253,8, Chine 45, Inde 8. **Imp.** Pakistan 79,9, ex-URSS 28,3, Indonésie 23. **Industrie** (prod. filature, 1980). Inde 1 385, Chine 1 128, Bangladesh 570, Europe or. 133, occ. 108 (dont G.-B. 31, *France 15,* Belg. 11, All. féd. 9, Port. 8). Autres 633. *Monde 3 957.*

■ Textiles chimiques

☞ *Origine :* 1891 Hilaire Bernigaud, Cte de Chardonnet de Grange (1839-1924), installe la 1re usine du monde pour la production de soie artificielle (dite aussi rayonne), fondée sur l'emploi de la nitrocellulose dissoute dans un mélange d'éther et d'alcool, passée à travers un mince orifice et évaporée au fur et à mesure. Les fils obtenus étant très inflammables, ils sont traités à l'hydrosulfite de soude pour les dénitrater. *Soie au cuivre :* cellulose dissoute dans la liqueur de Schweitzer (solution ammoniacale d'hydroxyde de cuivre).

Nom des fibres

1°) **Artificielles.** Fabriquées à partir de produits naturels, principalement la cellulose : *viscose :* fils continus ou fibres discontinues [Cidena, Rhovalan, Floccal, Floccolor (Fr.)], *acétate, triacétate* [Arnel (Belg.), Dicel, Tricel (G.-B.)], *cupro* [Bemberg (All., It.)], *modal* [Vincel (G.-B.)] ; les protéines (arachide ou caséine du lait par ex.) ou des algues, soies artificielles (1935).

2°) **Synthétiques.** Fabriquées à partir de produits chimiques variés issus pour la plupart de la pétrochimie. **Polyamide** (dep. 1938-39, USA) : *P. 6-6, base acide adipique et hexaméthylène diamine :* Nylon [inventé par Wallace H. Carothers († 1937), chercheur chez Du Pont de Nemours. *Définition : « no run »* (ne file pas) devenu Nolen et Nolon puis Nylon (le nom viendrait des initiales de Nancy, Yvonne, Louella, Olivia et Nina, les épouses des chimistes de Du Pont de Nemours qui collaborèrent à la découverte) ; on en fit depuis la guerre les initiales d'une boutade : *« Now you lousy (ou lost) old Nippons »* [Et maintenant à nous deux, sales vieux Nippons (ou : vous avez perdu, vieux Nippons)]. La découverte fut annoncée publiquement le 27-10-1938. *1939* 1res utilisations : poils de brosse à dents, fils de canne à pêche et fils de suture puis bas (64 millions de paires vendues la 1re année). *Production annuelle* (1986) : 4 millions de t, *CA* de 13 milliards de $ dont Dupont 25 % du marché (10 % de son CA), soit 27 % de la production mondiale de fibres et fils synthétiques : *1965 :* 63 %, *1975-85 :* 50 %. *Utilisations (en %) :* habillement 35, ameublement et tapis (65 % des moquettes) 25, industrie 25, plastiques 20. *P. 6* (1938-39, All.), *base caprolactame :* Celon (G.-B.), Perlon (All.), Lilion (Fr., Italie). *P. 472* (1968, USA), *base PACM :* Quiana (USA). **Fibres thermostables :** *polyamide aromatique avec un groupe phénylène :* Nomex (USA). *Polyamide-imide aromatique :* Kermel (1963, France). **Acrylique** (1947, USA) : *base acrylonitrile :* Crylor (France), Courtelle (France, G.-B.), Orlon (1948, USA), Dralon (1954, All.), Dolan et Redon (All.), Acrilan (USA). **Polyester** (1950, G.-B.) : *base acide teréphtalique et éthylène-glycol. :* Tergal (France

1958), Térylène (G.-B.), Dacron (1946, USA), Trevira et Diolen (All.), Terital (Italie), Teriennka (P.-Bas). **Chlorofibre** (1941-42, France) : *base polychlorure de vinyle :* Rhovyl et Clevyl (France), Vinyon (USA), Movil (Italie). (1940, USA) ; *base polychlorure de vinylidène :* Saran (USA). **Polyoléfine** (1964, Italie) : *base propylène :* Méraklon (Italie) ; *base éthylène basse pression :* Courlène (G.-B.). **Élasthanne** (1960, USA) : *base polyuréthane :* Lycra (USA). **Fibre à 2 composants :** *fibre à structure bilame, deux polymères accolés ou concentriques :* Cantrece (USA). **Fibre de verre textile** (1893) : *base verre de composition spéciale :* Fibergas (Fr., USA), Vétrolex (France).

☞ **Textiles artificiels et synthétiques** peuvent se présenter sous forme de fils continus ou de fibres discontinues. Les appellations « **rayonne** » (fil continu) et « **fibranne** » (fibre) ne sont plus légales. Le *polyamide* et *l'acrylique* seront sous forme de fil. Le *polyester* en fil ou en fibre. Les filaments constituant les fils continus peuvent être ronds, creux, plats, multilobés, selon la forme des trous de la filière. Les fils continus peuvent être ondulés ou frisés par texturation (fils mousse). Certains sont aussi tordus sur eux-mêmes pour faire du crêpe par ex., ou tordus pour être assemblés à d'autres fils et donner ainsi des fils fantaisie (moulinage). Les fibres synthétiques ou artificielles, obtenues après craquage de rubans de filaments continus, peuvent être utilisées seules ou mélangées entre elles ou avec des matières naturelles.

Non-tissé : un voile, nappe ou matelas de fibres, réparties directionnellement ou au hasard et dont la cohésion interne est assurée par des méthodes mécaniques (aiguilletage), physiques (soudage ou dissolution partielle...), chimiques (imprégnation...), ou par combinaison de ces divers procédés à l'exclusion du tissage, du tricotage, de la couture-tricotage et du feutrage traditionnel. Les non-tissés peuvent être obtenus par voie humide, sèche, fondue... Ils ne comprennent pas les papiers. *Catégories de produits :* usage unique (hygiène) ; usage court (supportant plusieurs lavages : linge de table...) ; durée de vie traditionnelle (revêtement mural...).

Statistiques

Production (en milliers de t, 1987). **Textiles artificiels :** USA 474,4, CEE 401,9 (dont All. féd. 161,6, G.-B. 94,6, Italie 29,2), Japon 339,6. Divers 2 073,1. *Monde 3 289.* **Synthétiques :** USA 3 472,2, CEE 2 495,7 (dont All. féd. 820, Italie 655,2, Espagne 268,5, G.-B. 227,7, *France 180,8,* Benelux 166,5), Japon 1 387,6. Divers 7 487,5. *Monde 14 843.* **Fibre de verre textile :** *France 61,6* (1986).

Une usine produisant 150 t/jour de fibres acryliques réalise une production équivalente à la production de laine de 12 millions de moutons (la surface nécessaire pour un tel troupeau serait égale à la superficie de la Belgique) ; une unité de 150 t/j de fibres polyester remplace une culture de coton de 100 000 ha.

Premiers groupes mondiaux (chiffre d'affaires en milliards de F, 1987). Courtaud's [1] 20,9, Burlington [2] 19,4, Hyosung [3] 18,9, Interco [2] 17,5, Coats Viyella [1] 17,4, Kanebo [4] 17,3, Toyobo [4] 15,6, Armstrong [2] 13,4, WP Pepperell [2] 12,7, JP Stevens [2] 11,7, Unitika [4] 11,1, VF [2] 10,8, Springs [2] 10,5, Mitsubishi Rayon [4] 9,8, Farley NWI [2] 8,7, Prouvost [5] 8,4, DWG [2] 8,1, Nisshinbo [4] 7,8, Collins & Aikman [2] 7,7, Fieldcrest Cannon [2] 7,5.

Nota. – (1) G.-B. (2) USA. (3) Corée. (4) Japon. (5) France.

Habillement (chiffre d'affaires en millions d'écus, 1990). Gruppo Benetton 1 345. Bidermann SA 1 032. Gruppo GFT 947. Steilmann Group 698. Courtaulds, textile Plc 692. Coats Viyella Plc 631. Devanlay-Indreco 523. Escada 486. Burberrys 442. Gruppo Marzotto 413.

Industrie textile en France

■ **Données globales. Effectifs** (1991) : 2 380 entreprises, 184 000 salariés (dont en % : Nord 17,3, Rhône-Alpes 15,8, Ile-de-Fr. 14,6, Champagne 5,2, Lorraine 4,7, Alsace 4,4). **Chiffre d'affaires** (en milliards de F) : *1988 :* 112, *89 :* 145, *90 :* 120, *91 :* 116 dont en % fibres semi-élaborées 10,5, filature 13,5, tissage 24, maille (tricotage) 22, ennoblissement 8,5, autres branches 21,5. **Commerce** (en milliards de F, 1991). **Imp.** 63 (de, en %) Italie 22, Allemagne 13, UEBL 11, G.-B. 5, Portugal 4,5. **Exp.** 44 (vers, en %) : Allemagne 18, Italie 13, UEBL 12, G.-B. 8, Espagne 5. **Déficit commercial** (textile + habillement, en milliards de F) : *1987 :* – 23, *88 :* – 26, *90 :* – 26, *91 :* – 27.

En milliers de t, 1987. Production *textile et habillement* 846 dont textile 762 [dont mat. premières chimiques et naturelles 124, fils 236,4 (dont en 1991 : coton 107,7, fibres chimiques 103,6, laine 19,2, lin et chanvre 5,3, autres fibres 0,6), tissus 246, divers (corderie, ouates, tapis, dentelles, pansements) 94] ; habillement 84 (bonneterie). **Consommation** 660. **Exp.** 1 396. **Imp.** 1 210. *% par rapport à la consommation 1973 :* 33. *77 :* 40. *80 :* 49. *86 :* pull-overs 74,3, tee-shirts 59,4, confection masculine 62,5, féminine 56,3, chaussettes 47,5, linge de maison 37,5. *87 :* 65.

☞ **Usages** (%, en 1991) : habillement 48. Usages domestiques (linge de maison, tapis et moquettes, voilages et rideaux, revêtements muraux, tissus d'ameublement) 32 ; techniques (ex. : renforts de plastiques, bâches/textiles de couverture, cordes et cordages, bandes transporteuses, géotextiles) 20.

■ **Industries de la maille** (1991). **Entreprises** 434 (*1960 :* 1 376). **Salariés** 45 785 (dont 32 602 ouvriers). **Chiffre d'affaires** (en milliards de F) : 22,1 dont (en %) pulls-polos 22, chaussants 24, sous-vêtements 17,5, étoffes 13,5, autres vêtements 23. **Exportations** 45,4 % du CA.

Matériaux utilisés : env. 67 008 t de fibres et fils textiles, dont (en %) text. chimiques 62, coton 29,5, laine 6,8, autres fibres 6,3.

Production et, entre parenthèses, **exportations** et **importations** (en millions de paires ou de pièces, 1991) : *articles chaussants :* collants 335,2 (203,6 / 93,2), chaussettes 213 (198,9 / 30,1), bas 8,9 (17,3 / 11,8) ; *sous-vêtements de jour :* slips, culottes et caleçons 88,5 (175,7 / 33,7), tee-shirts 18,7 (167,3 / 17,7), maillots et gilets 9,5, combinaisons et caracos 3,5 (2,2 / 0,4) ; *vêtements de nuit :* pyjamas 4,6 (14,8 / 1,6), chemises de nuit 0,8 (5 / 0,8), robes de chambre et déshabillés 0,7 ; *maillots de bain* 5,5 (9,1 / 4,2) ; *pulls-overs et similaires :* pulls, polos, sweats 37,4 (109,2 / 18,8), sous-pulls 0,7 (3,1 / 0,2) ; *vêtements de dessus :* trainings 4,9 (14,9 / 1,7), robes 1,9 (14,9 / 1,1), jupes 2,2 (4,2 / 1,2), pantalons, culottes courtes 1,5 (22,4 / 2,7), ensembles et costumes 1,3 (8,1 / 1,3), shorts, bermudas 0,8, manteaux, vestes blousons, anoraks 0,6 (1,6 / 0,7), maillots de sport 0,4, chemises, chemisettes 1 (27,7 / 5), chemisiers 0,3 (11,1 / 1,6), culottes de sport 0,1 ; *autres articles :* gants 1,3 (55,4 / 11,8), bérets 3,5 (12,3 / 1,5).

■ **Habillement** (1991). **Chiffre d'affaires** (HT, en milliards de F, entreprises de 10 personnes et +) : 69 dont *export.* 17,4, *import.* 25,9. **Entreprises** 2 760. **Effectifs** 163 210.

☞ **Le Sentier.** 5 000 entreprises dans 4 arrondissements de Paris (2e, 3e, 10e et 11e). Emploie « directement ou indirectement + de 45 000 personnes ». Siège de plusieurs grandes marques : Bidermann, Weil, Weinberg, Kookaï, Naf-Naf... Env. 25 % (21,2 milliards de F en 1989) de l'industrie fr. de l'habillement.

Chiffre d'affaires (en milliards de F en 1991). DMC 12,9, Chargeurs 11,3 (*1992 :* 10 dont (en %) textile 15, laine 60, communication 5, divers 20), Bidermann 6,3, Damart groupe 5,3, Sommer SA 5,3, Prouvost VEV 5,2, DIM 3,2, Devanlay 3, Porcher Textile 2,4, SAIC Velcorex 1,2, Michel Thierry 1,1, Well Gogetex 1,1, Poron 1,1.

Travaux publics et bâtiment en France

Sources : Féd. nat. du bâtiment ; Féd. nat. des travaux publics.

Bâtiment

■ **Données globales** (1990). **Entreprises** 304 000 dont 286 000 de 0 à 10 salariés (32 % des effectifs salariés), 16 000 de 11 à 50 (32 %), 1 700 de 51 à 200 (17 %), 300 + de 200 (19 %). **Effectifs** 1 272 000 dont salariés 1 000 000 (second œuvre 560 000, gros œuvre 440 000), dont (en %) ; ouvriers 77,8, ETAM 13,6, IAC 8,6. **Travaux** (milliards de F, 1991) 436,2 dont construction neuve 109,5 logement, autres entreprises 83,5, administration 306, amélioration-entretien 212,6.

Principaux groupes (chiffre d'affaires BTP, en milliards de F, 1990). Générale des Eaux 52 (dont SGE 43) ; Bouygues 56,7 [1] ; Dumez et GMT 36 ; SAE 27 (+ Fougerolle 12,5) ; Schneider-SPIE Batignolles 9.

Nota. – (1) **Bouygues** (en milliards de F). *Chiffre d'aff. consolidé 1992* et, entre parenthèses, *1991.* Construction 45,1 (44,8) ; BTP 23,8 (23,6) ; Stés routières 21,3 (21,2) ; immobilier 5,5 (6,7) ; diversification 12,1 (12,9) ; Bouygues offshore 3,6 (3,90). SMAC Acieroïd 2,8 (3,2) ; ETDE 1,5 (1,6) ; ingénierie 1 (0,9) ; Grands Moulins de Paris 3 (3,1) ; cinéma 0,2 (0,07) ; divers 0,06 (0,06). *Total* 62,7 (64,3) dont intern. 18 (18,9). Stés mises en équivalence TF1 (filiale à 25 %) 7,4 (6,5) ; SAUR (adduction d'eau et d'élec., services aux collectivités : filiale à 45 %) 7,1 (6,7) dont international SAUR 3,4 (3,3), 84 000 employés dont 20 000 hors de France.

■ **Production Surfaces habitables produites :** 26 408 milliers de m² dont 70 % en logement individuel. **Logements commencés :** 327 000 dont individuels 186 000. **Hors logements** (surface de plancher en milliers de m²) : 37 856 dont bât. agricoles 10 068, industriels et stock 12 030, bureaux 4 423, commerces 4 266, autres 7 069.

Travaux publics en 1991

Entreprises. 5 965 dont – *de 51 salariés :* 1 348, *51 à 500 :* 670, *+ de 500 :* 71. **Effectifs** 275 544 salariés.

Montant des travaux réalisés. 151 milliards de F HT dont (en %) tr. routiers 33,8, tr. électriques 19,9, adduction d'eau, assainissement, autres canalisations et installations 13,1, ouvrages d'art, génie civil et structures métalliques 12, terrassements généraux 11,9, travaux souterrains 4,3, fondations spéciales, sondages, forages 2,6, voies ferrées 1,4, travaux maritimes et fluviaux 1.

Clientèle (en %) : collectivités locales 39,4, entreprises privées 31,1, publiques 21,6, État 7,9.

Quelques grands chantiers en cours. Tunnel sous la Manche, pont de Normandie, TGV Nord, Eurodisneyland, aménagement de la Loire et de ses affluents.

Activités hors métropole *travaux réalisés* (HT) : 47 milliards de F. *Régions d'activité* (en %) : Afrique 22,2 (dont Afr. du N. 3,3), Europe 37 (dont CEE 30,3), Asie 12,4 (dont Moyen-Orient 3), Amér. du N. 15,6, Amér. latine 7,7, DOM et TOM 7,1, Océanie 2,2. *Répartition par nature de travaux* (en %) : ouvrages d'art, génie civil et structures métalliques 32,9. Travaux routiers et terrassements généraux 17,3. Travaux électriques 17,1. Adduction d'eau, assainissement, autres canalisations et installations 11,7. Travaux maritimes et fluviaux 10,4. Tr. souterrains 5,1. Fondations spéciales, sondages, forages 4,5. Voies ferrées 1.

Verre

■ **Origine. Antiquité :** connu des Égyptiens et des Phéniciens. Le *soufflage* inventé peu avant J.-C. permit le développement du verre creux. **IIe s. apr. J.-C. :** pénètre en Gaule. Les verreries seront longtemps itinérantes, établissant leurs fours près des forêts qui leur fournissent combustible et fougères dont la cendre sert de fondant. Elles se développent à Venise et en Bohême, puis en France, où Louis XIV, avec Colbert, encourage l'ind. du verre : nobles autorisés à exercer sans déroger la profession de maître verrier, anoblissement des roturiers exerçant cette profession. **XVIIe s. :** la coulée sur table permet de réaliser des glaces plus grandes et mieux calibrées. **XIXe s.,** les verriers constituent une grande industrie.

■ **Qualités.** Transparent, dur en surface, isolant sonore, thermique et élec., résistant aux agents atmosphériques et aux prod. chimiques (il peut être attaqué par l'acide fluorique que l'on utilise pour graver les objets en verre), imputrescible, ininflammable et incombustible, fragile (mais résistant à la traction et à la courbure ; élastique dans les faibles épaisseurs), non poreux, peu coûteux, « national » (utilise sable et soude d'origine française, seuls les combustibles de fusion comme fuel et gaz sont importés mais ils représentent moins de 10 % du prix du verre).

■ **Fabrication. Matières premières** (en %) : *Verre usuel :* silice 70 à 73, alumine 0,2 à 2, oxyde de fer 0,02 à 2,5, soude 13 à 16, chaux 8 à 13, magnésie 0 à 4. *Cristal au plomb :* silice 55 à 60, soude ou potasse 10 à 12, oxyde de plomb 24 à 30. *Verre d'optique :* silice 40 à 70, alumine 0 à 2, soude 8 à 15, chaux 3 à 12, magnésie 0 à 2, oxyde de plomb 10 à 70, acide borique 5 à 15. **Fusion :** à haute température, dans des bassins ou des creusets en matériau réfractaire, d'un mélange de vitrifiants (72 %, sable siliceux), fondants (14 %, carbonate et sulfate de soude), stabilisants (14 %, carbonate de chaux, alumine, magnésie pour renforcer la résistance à l'eau ou la résistance chimique). On peut ajouter des produits pour modifier certaines propriétés du verre, le colorer ou le décolorer, ainsi que des déchets de verre dits *grosil* ou *calcin* qui facilitent la fusion. Vers 1 500 °C les constituants fondent et se combinent pour former du verre. Pour éliminer les bulles et *affiner* le verre, on le maintient assez longtemps à haute température : les bulles remontent à la surface.

Puis on le laisse refroidir jusqu'à une température à laquelle il a le degré de viscosité nécessaire pour mettre en forme les objets qu'on veut obtenir par soufflage ou moulage. **Soufflage :** jusqu'à la fin du XIXe s., la fabrication du v. était effectuée dans des pots ou creusets de 100 à 500 kg. Lorsque le v. se trouvait à la température voulue, le verrier en prélevait la quantité nécessaire à fabriquer un objet en trempant dans la masse en fusion l'extrémité de sa *canne* à laquelle adhérait une boule de v. appelée *paraison.* Quand le creuset était vide, on y versait un nouveau mélange vitrifiable et le cycle recommençait. Pour obtenir de la glace, on renversait le creuset sur une table et le v. était laminé au moyen d'un rouleau cylindrique qui en faisait une feuille d'épaisseur uniforme : c'était la *coulée sur table.* L'invention du *four à bassin* a permis de passer au stade de la *fabrication continue.* Le four est surmonté d'une voûte contenant une masse de v. de plusieurs centaines de t maintenue en fusion par des flammes alimentées au moyen de brûleurs latéraux à mazout et à gaz. Certains fours sont chauffés à l'électricité. On déverse du mélange vitrifiable à l'une des extrémités du four et le soutirage du v. fondu entraîne le déplacement progressif de la masse de v. Le cheminement dure plusieurs jours. **Recuisson du verre :** le v. se dilate lorsqu'on le chauffe et se rétracte lorsqu'on le refroidit. Pour éviter les tensions et la fragilité qui résultent d'un refroidissement trop rapide, on recuit (on réchauffe) les objets en v. jusqu'à env. 500 °C, puis on les refroidit lentement dans un tunnel *(arche)* où la température est réglée. La *trempe* (refroidissement brutal) donne aux objets traités une grande résistance mécanique et la propriété en cas de fracture de se briser en petits morceaux non coupants (v. de sécurité). **Façonnage du verre :** se fait à chaud (on réchauffe un objet avec des brûleurs à gaz pour en modifier la forme) ou à froid (taille et gravure).

Catégories de verre

1°) Verre plat. Glace : ses 2 faces sont exactement parallèles et parfaitement polies. Longtemps obtenue par polissage mécanique. Actuellement on utilise souvent le *floatglass,* découvert en 1958 par la firme britannique Pilkington Brothers et utilisé en France dep. 1962 (le v. coulé sur un bain d'étain fondu, par étalement, a une épaisseur de 6 mm ; si on l'enferme en resserrant les bords de son support, on peut augmenter cette épaisseur ; si on l'étire par les côtés, on peut la diminuer jusqu'à 3 mm). **Verre à vitres :** obtenu par l'étirage d'une feuille de verre (épaisseur 2 à 6 mm). **Verre coulé :** obtenu par laminage. USAGES : *glace :* bâtiment et auto. ; *verre à vitres et verre coulé :* bâtiment. **2°) Verre creux. Verre d'emballage** (bouteilles, flacons, pots industriels, bocaux). **Gobeleterie** (verrerie de table, culinaire, etc.) : se fait à chaud (900 °C). En général, on utilise des moules dans lesquels tombe une *paraison* (quantité de verre à la viscosité optimale et dont le poids correspond à celui de l'objet à fabriquer) ; la paraison est appliquée contre les parois du moule par un poinçon (pressage) ou de l'air comprimé (soufflage). **3°) Verre technique.** Verre de labo, lunetterie, optique, ampoules, TV, signalisation ; verre de silice (quartz). **4°) Fibres de verre. Courtes** (utilisées pour l'isolation thermique) : obtenues par centrifugation de v. tombant au centre d'un mécanisme rotatif, suivie d'un étirage vers le bas sous l'action de jets de gaz chauds. *Fibres textiles :* procédé de la filière ; le filet de v. venant du four de fusion tombe dans des filières en platine garnies d'un grand nombre d'orifices d'où le v. est étiré à grande vitesse, formant des fibres de quelques millièmes de mm de diamètre ; les brins (plusieurs centaines) sont rassemblés sur une petite bobine et encollés par un produit d'ensimage. **Fibres optiques :** brins de verre de la finesse d'un cheveu ; transmettent par modulation des signaux lumineux et les impulsions électriques émises par un laser, mieux que les câbles en cuivre (sous un volume mille fois moindre, transmet 30 fois plus d'information). Fabriquées à partir de silice (abondant et peu cher) avec peu de consommation d'énergie : larges bandes passantes, faibles atténuations du signal, absence d'interférences magnétiques (débouchés : télécom., visiophonie, TV câblée), télédétection, transmission de données à fort débit en ambiance magnétique. **5°) Verre à la main.** Exemple : cristal (voir ci-dessous). **6°) Verre métallique.** Formé d'atomes presque immobiles. *Débouchés :* informatique.

Grandes sociétés. CA (en milliards de F) : **Saint-Gobain** (France, en 1990) : 69,1 dont en % vitrage 18, isolation 13, papier-bois 13, canalisations 13, conditionnement 14, mat. de construct. 11, céramiques industrielles et abrasifs 10. *Effectif :* 104 987. **PPG** (USA, en 1985), verre plat : 32,85. **Owens Illinois** (USA, en 1985), bouteilles : 27,77. **Owens Corning** (USA, en 1985), fibres isolantes : 24,98. **Pilkington** (G.-B., en 1991), verre plat : 25.

Le verre en France

Effectifs. *1973 :* 500 000 ; *86 :* 33 275 (mécanisation poussée, augmentation du tonnage des fours). *88 :* 32 220 ; *89 (prov.) :* 49 623 ; *90 :* 32 316 (verreries mécaniques seulement) ; *91 :* 31 806 ; *92 :* 31 101 (verreries mécaniques seulement).

Chiffre d'affaires (en milliards de F, 1992 HT) **et,** entre parenthèses, **marché extérieur.** Verre mécanique 25,2 (8,9), dont verre plat assimilés 4,1 (1,2), fibres de verre 2,3 (0,6), creux mécanique 17,3 (6,1), technique et verre de silice 1,5 (1).

Production (en milliers de t, 1992, chiffres partiels). *Total* verreries mécaniques 4 899,2, *dont verre plat et fibres :* 1 010,5, dont glaces et verres à vitres 827,7, verres coulés 24,5, total fibres de verre 158,3. Débouchés du verre plat (1992) : bâtiment 48 %, auto 52 %. *Verre creux fabrication entièrement mécanique :* 3 813, dont bouteilles et bonbonnes 2 819,7, bocaux 22,7, gobeleterie 425,8, flacons et pots industriels 544,8. *Verre technique :* 75,7.

Récupération (voir p. 1589).

Cristal

Généralités

Histoire. Découvert au XVIIe s., en Angleterre. Le développement de la marine anglaise nécessitant de plus en plus l'emploi de fûts d'arbres, un édit prescrivit la réduction de l'utilisation du bois comme combustible dans la fabrication du verre. On employa alors des pots couverts dans lesquels on procédait à une réaction chimique avec de l'oxyde de plomb ; le résultat de la fusion de cet oxyde de plomb avec les matières premières essentielles utilisées pour le verre donna naissance au cristal.

Composition. Comprend 1 partie de potasse, 2 de minium de plomb, 3 de silice (sous forme de sable extra-blanc) et une certaine quantité de *groisil* (ou cristal cassé) pour faciliter la fusion. L'oxyde de plomb assure limpidité, sonorité, densité et éclat. Le *cristal au plomb* contient 24 % d'oxyde de plomb, le *cristal supérieur* 30 %.

Fabrication. La composition est placée dans des creusets ou « spots » en terre argileuse, sans fissure, qui ne sont utilisables qu'après plusieurs mois de séchage dans une chambre chaude. A l'intérieur du pot, un cercle de terre réfractaire flotte à la surface de la pâte visqueuse, servant à isoler les matières en cours de fusion, des impuretés qui se forment le long de la paroi du pot. Au centre de cet anneau, le verrier cueille le cristal quand il est bon à travailler, après 20 ou 40 h d'enfournement. La cadence est imposée ensuite par le temps de figeage du cristal. Soufflage de la paraison du v., formation de la jambe et du pied du v., et recuisson dans l'arche à recuire portée à 500° C et refroidie en 3 h pour éviter les tensions thermiques pouvant provoquer la cassure. Après un 1er tri de qualité du v., la calotte du v. est coupée à sa hauteur définitive (trait de diamant et chalumeau), puis rebrûlée afin d'arrondir ses bords par ramollissement. Après un dernier recuit dans une arche (évitant toute nouvelle cassure), « travail à froid ». *Taille* à la meule ou à la roue. *Gravure* à l'acide fluorhydrique qui attaque le cristal là où il n'est pas protégé par de l'encre grasse. Cette gravure peut être rehaussée par un dépôt d'or fin que l'on dépose à l'état de chlorure, qui est décomposé par la chaleur par cuisson à 500° C.

Implantation. Héritée de la verrerie (implantée dans les régions forestières en raison de ses besoins de combustible), Normandie et Est. La cristallerie d'Arques fait un cristal mécanique. Les cristalliers traditionnels font du verre soufflé à la bouche [*Baccarat* (*1764,* verrerie de Ste-Anne créée par l'évêque de Metz, Mgr de Montmorency-Laval, propriétaire d'importantes forêts, *1817,* cristallerie, *1823,* François de Fontenay découvre la couleur et lance les presse-papiers. *1990,* 800 000 verres fabriqués). *Cie française du Cristal* qui a racheté Daum (*1875,* Jean Daum rachète la verrerie de Nancy et le Cristal de Sèvres). *Lalique. St-Louis* (origine *1556,* verrerie royale *1761,* racheté *1989,* par Pochet et Hermès)].

Statistiques

Production. Principaux pays (en millions de t, 1974) : USA 17. URSS 6. Japon 4,2. All. féd. 4,1. *France 3,6.* G.-B. 2,9. *Monde 700.*

Chiffre d'affaires. France (1985) : 812 millions de F dont 565 réalisés à l'export.

☞ **Service de cristal classique :** 50 pièces : 12 verres à eau, 12 à vin rouge, 12 à vin blanc, 12 flûtes, 1 broc et une carafe. Éventuellement verres à porto, whisky, alcools, jus de fruits.

Commerce et distribution

Statistiques globales

En France

■ **Effectifs** (au 31-12-90). Ensemble du commerce (y compris intermédiaires) 2 670 500 dont *gros alimentaire* 271 900, *non alim.* 734 200, *détail alim.* 692 100, *non alim.* 972 300.

■ **Établissements** (au 1-1-1991). **Commerce de gros** 102 900 dont *alimentaire* 30 500 (mat. 1res agricoles 5 200, bestiaux 4 200, fruits et légumes 5 200, viandes sans abattage 1 700, produits laitiers 1 800, volailles et gibiers 600, poissons 1 300, vins, spiritueux, liqueurs 4 800, autres boissons 1 100, épicerie 1 200, spécialisés en produits divers 3 400), *non alimentaire* 34 300 (acc. auto, mat. de garage 1 600, pneum., cycles 600, quincaillerie, app. ménagers 1 300, mat. électr., électron. 5 900, textiles 2 000, habillement, chauss., maroquinerie 6 400, prod. pharm. 300, parf., prod. de beauté 800, droguerie, prod. d'entr. 2 100, céramique, verrerie 300, jouets, papeterie, art. fumeurs 1 400, divers 11 600), *interindustriel* 38 100 (text. bruts 200, cuirs, peaux 300, charbon, minerais, minéraux 200, prod. pétroliers 800, métaux 900, prod. chim. ind. 1 100, bois 1 700, mat. constr., verre à vitres et app. sanitaires 7 400, mat. agric. 3 800, équip. ind. 7 500, mat. et mobilier bureaux 6 100, mat. BTP 1 900, fournit. commerce et services 5 500, papiers et cartons en l'état 700).

Ventes au détail en 1991	(en %)
Grandes surfaces	29,3
Hypermarchés	*17,4*
Supermarchés	*11,9*
Magasins populaires	1,4
Petites surf. alim. succursales et coop.	1,6
Commerce non alim. non spécialisés	3,1
dont : Grands magasins	*1,5*
Grand commerce non alim. spécial	6,6
Grand commerce	**42,0**
Petit et moyen commerce	**38,8**
Ensemble commerce de détail	**80,8**
Divers [1]	**19,2**
dont : boulangerie-pâtisserie	*2,6*
commerce de l'automobile	*8,4*
Ensemble des ventes au détail	**100,0**
En milliards de F TTC	2 052,9

Source : Insee, division commerce.
Nota. – (1) Boulangerie-pâtisserie, commerce de gros, commerce de l'automobile, autres prestataires de services et ventes directes des producteurs.

Intermédiaires du commerce : 31 500.

Commerce de détail : 388 300 dont *alimentation générale de grande surface* 4 900, *alim. de proximité ou spécialisée* 113 100 (213, fruits et légumes 13 700, prod. laitiers 3 700, viandes 39 200, poissons et copar an quillages 5 900, vins et boissons 3 800, confise-

Établissements au 1-9-1992	Nombre	Surface (m²)		Nombre d'employés		
		Totale	Moyenne	Total	Moyen.	Pour 1 000 m²
Hypermarchés	930	5 175 839	5 565	172 441	185	33
Supermarchés [1]	6 926	6 878 675	993	161 195	23	23
Magasins populaires	483	709 726	1 469	21 410	44	30
Grands magasins [2]	164	941 863	5 743	29 933	182	32
Ensemble	*8 503*	*13 706 103*	*13 770*	*384 979*	*45*	*28*
Quincaillerie-bricolage	2 283	3 768 843	1 649	36 528	16	10
Jardinerie	899	2 212 289	2 462	12 310	5	5

Nota. – (1) A l'exclusion de ceux inclus dans magasins et grands magasins. (2) Multispécialistes sans compter les spécialisés dans l'équipement de la personne (791 totalisant 798 183 m² et 10 216 employés, soit 1 009 m² et 13 employés en moyenne par magasin). *Source :* Panorama, Points de Vente.

rie et divers 16 700), *non alimentaire* 2 100, *non alimentaire spécialisé* 268 200 (habillement 67 600, chauss. 8 700, maroquinerie et art. de voyage 3 700, text. pour la maison 5 700, meuble 8 400, quincaillerie et app. mén. 7 000, droguerie, couleurs 5 600, mat. électr., radioélectr. et électromén. 13 000, équip. foyer 19 900, pharm. 20 800, art. médic. et de prod. de beauté 5 800, réparation de motocycl., cycl. et véhicules div. 6 600, charbon et combustibles 2 600, livres, papeterie et fournit. de bureau 23 700, optique et photo 5 400, horlogerie, bijouterie 8 100, fleurs, graines et petits animaux d'agrément 16 400, art. sport et campement 7 900, tabac 4 100, divers 27 200).

■ **Parts du marché de détail par groupes** (en %). *1988.* Leclerc 5,44, Intermarché 5, Carrefour-France 3,97, Promodès 2,76, Casino 2,31, Euromarché 2,28, Auchan (prov.) 2,24, Système U 2,02.

☞ **Marges types :** grossistes 22 à 23 %, mandataires des halles 14 à 16 %, petit commerce 24 à 36 %, grandes surfaces 18 à 22 %. Dep. le 16-4-1986, les marges dans le commerce ont été libérées (sauf pour certains produits frais).

■ **Coût de la fraude** (1988). « Démarque inconnue », différence entre le stock réel, lors de l'inventaire fait à l'exercice, et le stock théorique comptable ; comprend vols (30 millions) et erreurs administratives : 20 milliards (en % du chiffre d'affaires : grands magasins 2,4, magasins populaires 2, alimentaires 1,8, hypermarchés 1,1).

■ A L'ÉTRANGER

Principales Stés de distribution. Chiffre d'aff. (en milliards de F, 1991-92). **USA** Sears and Roebuck 331 (perte nette 21,8), Wal-Mart Stores 177,7, K. Mart 174,8, Tengelman [1] 149,8, Metro [1] 148,5, Rewe [1] 132,1, American Stores 120,7, Kroger 110,4, Carrefour [2] 106,4, Intermarché [2] 101,2, Leclerc [2] 100,5, Aldi [1] 88, Edeka [1] 86,7, Sainsbury [3] 85,4, Promodès [2] 71,6, Tesco [3] 70,9, Otto [1] 67, Spar [1] 66,4. Casino-Rallye [2] 65,7, Asko [1] 65, Marks & Spencer [3] 56,5, Karstadt [1] 55,2, Schickedanz [1] 55,2, Argyll [3] 42,7, Auchan [2] 38,1.

Nota. – (1) Allemagne. (2) France. (3) G.-B.

☞ **Macy's :** créé en 1858 à New York [le + grand magasin du monde (251 mag. aux USA)] a été mis en faillite en janvier 1992 (ventes 38,5 milliards de F, endettement 19,5).

VENTE PAR CORRESPONDANCE

■ EN FRANCE

Source : Syndicat de la vente par corresp. 60, rue La Boétie, 75008 Paris.

■ **Généralités. Chiffre d'aff.** (total 1992, en %) : textile 46,09, édition, disques 13,8, ameublement, décoration 10,63, beauté, santé 5,25, photo, ciné, son 3,68, chaussures, accessoires 3,22, électroménager 3,17, alimentation, boissons 2,40, bijouterie, cadeaux 1,94, jeux, jouets 1,79, plantes, jardinage 1,45, micro, téléphonie 1,38, divers 5,82.

Répartition de la clientèle : en 1990, 1 foyer sur 2 achète par correspondance. *Communes rurales :* 51,8 %, *- de 20 000 h. :* 59,6 %, *20 à 100 000 h. :* 47,3 %, *+ de 100 000 h. :* 49,6 %, *aggl. parisienne :* 46 %. *Par âge* (en %) : *15-25 ans :* 48,4, *26-34 :* 57,3, *35-49 :* 53,4, *50-64 :* 52,2, *+ de 65 :* 41,8. *Par catégorie socio-prof.* (en %) : *cadres sup., prof. libérales* 58,8 ; *cadres moyens* 56,2 ; *employés* 54,8 ; *non-actifs* 54,7 ; *artisans, commerçants* 52,7 ; *agriculteurs* 47,8 ; *ouvriers spécialisés* 44,8 ; *ouvriers qualifiés* 40,7.

Mode de commande (en % du CA 1991) : lettre 60,7, téléphone 22,4, Minitel 10,2, autres 6,7 ; **de paiement** (en %, 1990) : chèques 46, cartes privatives 17,5, bancaires 8,5. **Achat moyen annuel** (1991) : 1 900 F (350 F par article). **Expéditions** (en millions, 1991) : *par la poste :* publipostages 1 500, paquets 186 (soit 10 % du trafic postal), catalogues 90 ; *par SNCF* (en 1990) : paquets 8 (soit 20 % des recettes du Sernam) ; *par transporteurs privés :* plus de 30 millions.

■ **Principales entreprises** (CA : chiffre d'affaires exclusivement VPC en millions de F). **La Redoute :** *1831,* Joseph Pollet aménage à Roubaix, sur l'emplacement d'une ancienne redoute, un tissage de laine. *1922,* création d'un rayon de VPC de laine à tricoter. *1928,* 1er catalogue. *1929,* atelier de bonneterie. *1961,* exclusivement vente par catalogue. *CA 1992 :* groupe 21 500 millions de F (bénéfice net consolidé 488) ; catalogue 9 500. *Effectifs :* catalogue 6 504, groupe 16 241. *Clients :* 10 millions. *Catalogues :* 2 par an (8 millions d'ex. chacun), + 30 spécialisés. *Documents envoyés :* 200 millions (hors catalogues). *Commandes/jour :* 140 000. *Colis expédiés :* 31 millions (en 1990). *Articles de référence par catalogue :* 6 000. *Codification* 52 000 (type, article, couleur et taille). 56 millions d'articles vendus par an. FILIALES : MOVITEX (catalogue Daxon) CA *1991 :* 1 840 ; effectifs 1 046 ; colis 2 500/ jour. VERT BAUDET : CA *1991 :* 767 ; effectifs 423 ; colis 375 000/mois. *Cyrillus.* CA *1992 :* 350 ; effectifs 262 ; colis 200 000/an. LA MAISON DE VALÉRIE : CA *1992 :* 1 077. Sadas. Empire Stores. **Les Trois Suisses :** *1932,* (Xavier Toulemonde, gérant de filature) *CA 1992 :* 12 400 ; France *91-92 :* 6 293. *Capital (%) :* Otto Versand (All.) 50, famille Mulliez 45, cadres 5. *Catalogues :* 2 (automne-hiver, printemps-été) tirés à 6 500 000 ex., + 9 spécialisés. *Bâtiments :* 260 000 m². *Effectifs :* 3 105. *Capacité (jour) :* commandes 70 000 (600 000 en 1 semaine de mars 1993), colis expédiés 90 000. *Papier consommé/an :* 32 000 t. *Fichier d'adresses :* 10 000 000. **La Blanche Porte** (dep. 1893). Constituée par les Trois Suisses : *CA 1991 :* 1 900. *Colis expédiés :* 8,2 millions/an (87). **Camif.** *Créée 1947,* 3e Sté de vente par correspondance. *Chiffre d'aff. 1992 :* 4 857. *Effectifs :* 1 647. *Catalogues :* 2 + 11 spécialisés. **Damart.** (En 1992) : CA : 2 000. *Effectifs :* 1 961. *Colis expédiés :* 5 900. **Quelle.** *Fondée* 1965 par groupe Schickedanz. *CA 1992 :* 1 673. *Effectifs :* 1 062 *Catalogues* 2 par an (4 200 000 ex. print./été, 4 267 200 aut./hiver) + c. saisonniers. *Pages éditées :* env. 5,7 milliards. *Colis expédiés :* 10 500 000 par an. *Installations :* 70 000 m². **Yves Rocher.** *CA 1991 :* 1 786. **Manutention.** *CA 1990 :* 845. **Sélection du Reader's Digest :** livres, disques. *CA 1991 :* 1 039. **France Loisirs :** livres, disques, photo, accessoires. *CA 1991 :* 934. **Europe Épargne :** assortiment général. *CA 1991 :* 792. **Dial :** disques, vidéo. *CA 1991 :* 679. **Neckermann :** assortiment général. *CA 1991 :* 567. **Éditions Atlas :** édition, disques. *CA 1991 :* 518. **Becquet :** textiles maison. *CA 1991 :* 501. **Le Grand Livre du Mois :** livres. *CA 1991 :* 387. **Bergère de France :** textiles. *CA 1991 :* 304. **Desmazières :** chaussures. *CA 1991 :* 302.

☞ **Litiges occasionnés par la VPC :** le vendeur est tenu de délivrer en bon état la chose vendue (art. 1603 CC) et au lieu précisé dans la commande, sauf clause prévue au contrat. Tout client bénéficie d'un délai de 7 j pour renvoyer les produits (art 1 loi 6-1-1988), avec remboursement s'il a déjà payé (sauf frais de retour). *Rupture de stock :* le client peut demander un autre article en remplacement ou le remboursement des sommes versées, augmentées des intérêts au taux légal si le vendeur a gardé l'argent plus de 3 mois. *Détérioration de la commande :* si le vendeur utilise ses propres moyens de livraison ou s'il expédie le colis par la poste, ou s'il s'agit d'un envoi « franco » ou contre remboursement, le vendeur est responsable. Si le client constate la détérioration au moment de la livraison il peut la refuser, et s'il ne la constate qu'après le déballage, il doit réexpédier l'objet et demander son remboursement ou son échange. Un transporteur déclaré responsable devra indemniser le client. Si ce dernier n'était indemnisé que partiellement en vertu des clauses limitatives inscrites dans le contrat de transport, il devrait refuser l'indemnité partielle, les clauses du contrat n'ayant pas été portées à sa connaissance et acceptées. *Cas où le client ne reçoit pas son cadeau de première commande ou de parrainage :* possibilité de plainte pour publicité mensongère. *Cas où le client fait l'objet d'une distribution massive d'offres publicitaires d'autres entreprises :* les adhérents de l'Union Fse du Marketing Direct (60, rue La Boétie, 75008 Paris) se sont engagés à supprimer de leurs fichiers le nom des personnes qui veulent recevoir moins de publicités nominatives. Si les envois continuent, on peut saisir la Commission nationale informatique et liberté (21, rue St-Guillaume, 75007 Paris).

■ A L'ÉTRANGER

■ **Chiffre d'affaires global de la vente par correspondance** (en milliards de F, 1990). USA 360 (91). All. 120 (91). Japon 70 (91). *France 45,2* (92). G.-B. 35 (91). Suède 7,6. Suisse 7,2. Italie 7,1. Autriche 6,8. P.-Bas 5,7. Belgique 4. Danemark 3,7. Finlande 3,2. Norvège 2,7.

■ **Part de la VPC dans le commerce de détail** (en %). All. 4,7, Autriche 3,8, G.-B. 2,8, Danemark 2,7, Suède 2,7, Suisse 2,7, *France 2,6* (en 1990 : 11 % du commerce habillement, 30 % linge de maison, 20 marché édition), Norvège 1,9, P.-Bas 1,8, Finlande 1,6, Belgique 1,4, Espagne 0,6, Italie 0,5.

■ **Chiffre d'affaires** (en millions de $, 1989). **Monde :** 1 350 dont alcool 3 922, parfums et cosmétiques 3 281, tabac 1 896, divers 4 402.

■ **Principales entreprises** (en milliards de F, 1991). **Allemagne :** *Otto Versand* 44,12. *Schickedanz* (Quelle) 26,02. *Neckermann* 2,4. *Baur, Schwab, Schöpflin, Wenz* 19,32. **Canada :** *Eaton. Simpsons Sears.* **G.-B. :** *Great Universal Stores. Littlewoods* 10. *Freemans. Grattan. Empire Next. N. Brown.* **Italie** (en milliards de lires, 1992) : *Postalmarket* 483. *Vestro* 319. *Euronova* 120. *Club degli Editori* 105. *Euroclub + Librum* 87. **USA** *Sears and Roebuck* 50 (92) [Pertes : 3,9 Md de $; catalogue arrêté 1993). *J.C. Penney* 20,44. *Montgomery Ward* (Mobil). *Colonial Penn. Fingerhut, Figi's. Spiegel* (Otto Versand).

DUTY FREE (HORS DOUANE)

Répartition (en %). Maroquinerie 14,5. Confiserie 12,5. Accessoires 13,3. Divers (y compris jouets, jeux, souvenirs, artisanat) 12,5. Bijouterie 9,6. Montres 9,5. Électronique 3,5. Appareils photos 3,5. Cadeaux (porcelaine, cristallerie...) 3,5. Écriture 3,5. Mode 3,8. Briquets 3,5. Alimentation 2,9. Audiovisuel 2. **Montant mondial** (en milliards de $) 5.

VENTE À DOMICILE (FRANCE)

Source : Syndicat de la vente directe (SVD).

■ **Généralités. Chiffre d'affaires** (1991) : 6,4 milliards de F dont (en %) : édition 31,8, articles ménagers 16,3, textiles 13,4, cosmétiques 10,9, électroménager 10,2, produits d'entretien 9,2, agro-alimentaire 1,5, diététique-forme 0,6, édition d'art 0,5, divers 5,6. **Effectifs :** 200 000 (dont env. 50 000 représentants statutaires).

■ **Principales sociétés** (CA : chiffre d'affaires en millions de F). **Ustensiles de cuisine** (hermétiques en plastique) : *Tupperware* (origine : USA, vente par réunion en France dep. 1962), CA : env. 800, 1 700 monitrices et 10 000 présentatrices. **Produits d'entretien :** *Stanhome* (origine : USA), CA : 500. **Produits de beauté :** *Avon* (origine : USA 1886), CA mondial : 18 000 (France 360), 1 200 000 revendeurs (60 000 clientes privilégiées en Fr.). *Auriège. Nutri-Metics.* **Édition :** *Hachette-le Livre de Paris :* CA 716 ; *France Loisirs*/SPCL : CA 200 ; *Larousse-Distribution-France :* CA 162. **Électroménager :** *Electrolux-Ménager :* CA 600. **Textiles :** *Linvosges, Mikava, Solfin.* **Vins :** *Henri Maire.*

TÉLÉACHAT OU TÉLÉDISTRIBUTION

Vente à domicile par minitel ou téléphone auprès de commerçants disposant de messageries, ou par l'intermédiaire d'émissions de télévision.

■ **Messageries. Origine :** 1981, France. *CA 1987 :* 6 % de la VPC [Camif (30 % des commandes), la Redoute (5,7), les 3 Suisses (6)]. D'autres Stés apparaissent dep. 1985 : Caditel et Télémarket (20 millions de F de CA en 1987), Grands Boulevards (dep. 20-2-1988) : 10 000 produits issus de 14 enseignes (alim., électroménager, prod. fin., voyages).

■ **Télévision. Origine :** *USA.* Télévisions par câble proposant uniquement du Téléachat. Stés : leader Home Shopping Network (*CA 1987 :* 4 milliards de F), offre 24 h sur 24 à 25 millions de foyers la possibilité d'acheter 25 000 produits. *France,* dep. 1987 (voir Index).

Types d'entreprises en France

Source : Panorama-Points de Vente.

Points de vente (au 1-9-1992). **Nombre et,** entre parenthèses, **surface totale de vente** (en millions de m²) : *supermarchés* 6 926 (6,87), *grandes surfaces de bricolage* 2 283 (3,77), *jardineries* 899 (2,21), *hypermarchés* 930 (5,17), *grands magasins* 955 (1,75) [dont équipement de la personne 791 (0,79), multispécialistes 164 (0,94)], *magasins populaires* 483 (0,71), *centres commerciaux* 578 (11,78) [dont régionaux (+ de 30 000 m²) 82 ((4,12), intercommunaux (5 000 à 30 000 m²) 465 (7,32), galeries marchandes 23 (0,2), centres de magasins d'usine 8 (0,1)].

☞ En 1988, les Français ont acheté 51,4 % de leur alimentation dans des grandes surfaces.

Centres commerciaux

Nombre. *1972 (1-1) :* 103. *83 :* 386. *91 :* 579. *92 (1-9) :* 578. **Surface totale :** 11 782 238 m².

Centres commerciaux de plus de 20 000 m² (année d'ouverture, surface de vente en 1990, en milliers de m²). *Arcades* Noisy-le-Grand 42,9. *Beaulieu* Nantes 21,4. *Belle-Épine* 1971, Thiais 89,5. *Bonneveine* Marseille 20,7. *CAP 3000* 1969, St-Laurent du Var 68,1. *Créteil-Soleil* 1977, Créteil 115. *Évry* 1975, Évry 70,5. *Les Flanades* Sarcelles 31. *Forum des Halles* 1979, Paris 55,1. *Galaxie* Paris 43,2. *Grand Place* Grenoble 39,7. *La Part Dieu* 1975, Lyon 102,4. *Les 3 Fontaines* Cergy 58,45. *Les 4 Temps* 1980, La Défense 89,7 ; 1981, Puteaux 105. *Mériadeck* Bordeaux 34. *Parinor* 1974, Aulnay-sous-Bois 74. *Parly 2* 1969, Le Chesnay 82,8. *Polygone* Montpellier 33,9. *Rosny 2* 1973, Rosny-sous-Bois 100,5. *St-Quentin-en-Yvelines* 36,2. *Les Ulis 2* les Ulis 21,6. *Valentine* Marseille 20. *Vélizy 2* 1972, Vélizy-Villacoublay 297,92 ; 1978, Vélizy 98,3. *Villiers-en-Bière* 1990 : 74. *Villeneuve-d'Ascq* 21,7.

Principaux centres. Chiffre d'affaires en millions de F et entre parenthèses **au m²** (en F, 1992). *Vélizy 2* 4 294,8 (43 817), *La Défense-Les 4 Temps* 3 543 (32 209), *Créteil-Soleil* 3 374,1 (32 984), *Rosny 2* 3 309,5 (34 334), *Parly 2* 3 240,4 (29 458), *Forum des Halles* 2 728,9 (48 527), *Lyon-La Part Dieu* 2 708,9 (12 313), *Thiais-Belle Épine* 2 397,3 (23 596), *Cergy-Les 3 Fontaines* 2 430,4 (41 492), *Ulis 2* 2 251 (48 636), *Évry 2* 2 232,7 (30 644), *Nice-Cap 3000* 1 541 (22 014), *Noisy-le-Grand-Les Arcades* 1 493 (29 922), *St-Quentin-Ville* 1 454,3 (30 299).

Plus grand centre du monde. Mall of America (Minnesota, USA) : 400 000 m², 350 magasins, 14 cinémas, 13 000 places de parking. *CA* (1992, est.) : 35 milliards de F.

Part de la consommation des ménages par groupes de produits en % (en 1989)

Produits alimentaires, boissons, non compris tabac : 18,4 dont viandes 5,3 ; lait, fromages, œufs 2,4 ; fruits et légumes sauf pommes de terre 2,4 ; pain et céréales 2,1 ; autres prod. alimentaires, y compris confiserie 1,5 ; poissons 0,9 ; huiles et graisses 0,6 ; café, thé 0,4 ; pommes de terre et autres tubercules 0,2 ; sucre 0,1 ; *boissons :* 2,5 dont alcoolisées 2. *Tabac :* 1,2. *Articles d'habillement :* 5,4 ; chaussures (y compris réparation) 1,2. *Logement :* 19 dont loyer 14,7 ; chauffage et éclairage 3,8 (électricité 2,1 ; combustibles 0,9, gaz 0,8). *Meubles :* 2,5. *Appareils électroménagers :* 1,3. *Ustensiles de ménage :* 1,4. *Services médicaux et de santé :* 9,3 dont service des médecins et auxiliaires 4,2 ; médicaments et autres produits pharmaceutiques 2,5 ; soins des hôpitaux et assimilés 1,9 ; assurances maladie et accidents 0,4 ; appareils et matériel thérapeutiques 0,3. *Transports et communication :* 16,9 dont achat de véhicules 4,2 ; dépenses d'utilisation de véhicules 8,7 (dont carburants, lubrifiants 3,7 ; pneus, accessoires, frais de réparation 3,9 ; autres dépenses 1,2) ; achat de services de transport 2,1 ; télécommunications et postes 1,6. *Loisirs, spectacles, enseignement, culture :* 7,4 dont service de loisir, culture, sauf cafés, hôtels et restaurants 1,9 ; livres, quotidiens et périodiques 1,5 ; radio, téléviseurs, électrophones 1 ; matériel de photo, instruments de musique et autres biens durables 0,3. *Services de salons de coiffure et instituts de beauté :* 0,9. *Articles pour les soins personnels :* 1. *Bijouterie, horlogerie, y compris réparation :* 0,8. *Hôtels, cafés, restaurants et voyages touristiques :* 6,9. *Action sociale :* 1,7. *Autres biens et services :* 13.

Centrales d'achats

Centralisent les commandes des magasins (propres ou affiliés). Les sociétés succursalistes qui regroupent les achats des magasins qu'elles exploitent sont des centrales d'achats de fait.

Auchan. *Fondé* 6-7-1961 par Gérard Mulliez. 1992 : 49 hypermarchés dans 4 régions ; *CA 1992 :* 62,3 milliards de F. A l'étranger (92) : 21 hypermarchés dont 19 « Al Campo » en Espagne ; 1 Auchan en Italie, 1 aux USA. *Effectifs :* 36 000 dont 26 600 en France.

Carrefour. *Fondé* 11-7-1959 par Marcel Fournier (1914-85), qui tenait un magasin de mercerie-bonneterie à Annecy et Denis Defforey (n. 7-7-1925), grossiste en alim. à Lagnieu [se rencontrent au Gagmi (Group. d'achat des g^ds magasins indép.)]. *1960-6-1* Annecy, 1er libre service, rue Vaugelas. *-3-6* Parmelan (près d'Annecy), 1er supermarché (700 m²). *1963 15-6* Ste-Geneviève-des-Bois (Essonne), 1er hypermarché français. *1987* restructuration : Carrefour France (Sté en nom collectif), filiale à 100 % de Carrefour, exploite les 118 hypermarchés métropolitains du groupe. *1991* rachat des 11 hypermarchés Montlaur ; prend le contrôle d'Euromarché (99,35 %) et de Viniprix (82,99 %). *Surface de vente totale* (en m²) *1970 :* 118 965. *74 :* 222 147. *82 :* 457 000. *85 :* 825 000. *90 :* 1 210 000. *91 :* 1 695 000. *92 :* 1 837 000 m². *Effectifs* (1992) : 79 500. *CA* (TTC, en milliards de F) *1965 :* 0,15, *85 :* 44,2, *89 :* 73,9, *90 :* 80,8 (HT) 75,8, *91 :* 100,4 (HT), *92 :* 117,1 (HT) dont France 77 (111 mag.), Espagne 22,5 (41), Brésil 7,8 (28), Argentine 2,5 (6), autres 0,6, avec les alliés (Comptoirs modernes). Résultats nets (en milliards de F) *91 :* 1,2 ; *92 :* 1,3.

Cora. Famille Bouriez. *1992 :* 49 hypermarchés, 62 supermarchés Coop. Maxicoop, 34 superm., Match, Score, K'Dis ; *CA* (92) 40 milliards de F.

Euromarché. *Fondé* 1968 après la fusion avec les « Escale » du groupe Printemps. 78 hypers en métropole dont 54 gérés par Euromarché SA et filiales (Viniprix 53 %, Au Printemps SA 25 %) et 24 par des groupes affiliés. 48 Bricorama, 59 cafétérias Éris. Racheté (91) par Carrefour. *Surface de vente* en métropole (ensemble enseignes Euromarché, Euroloisirs, Éris-restauration) 500 000 m². *CA et résultats consolidés* (en milliards de F HT) *et,* entre parenthèses, *part de groupe. 1985 :* 16,4 (0,097), *89 :* 24,2 (–0,059), *90 :* 23,9 (0,005). *Hypermarché en participation à l'étranger :* 2 au Portugal ; *en franchise :* 2 Réunion, 1 Tahiti, 1 Guadeloupe, 1 Martinique, 1 N.-Calédonie. *Effectifs :* 20 000.

Gagmi (Gagmi Services). Approvisionne env. 300 magasins. *Surface de vente totale :* 60 000 m² (dont divisions de grandes surfaces 14 500, grands magasins spécialistes 32 225, supermarchés populaires indépendants 13 153). *CA 1988* (en millions de F) : Gagmi 21, adhérents et affiliés 1 500.

Intermarché (ITM Entreprises). *1992 :* 2 003 mag. dont 153 surpérettes, 1 700 supermarchés et 47 hypermarchés ; *CA 1992 :* 113,6 milliards de F.

Leclerc (Galec). Groupement d'achat des centres Édouard Leclerc (n. 21-11-1926, 1er mag. en 1949) : 291 hyper., 240 superm., 60 mag. spécialisés dans textile, meubles et chaussures, jardineries, cafétérias, 28 centres auto. (soit env. 113,8 milliards de F de chiffre d'aff. en 1993). Les adhérents utilisent gratuitement l'enseigne, ne s'engageant qu'à suivre la politique commerciale définie par Édouard Leclerc (frais généraux très succincts, marge bénéficiaire limitée à 14 % max.), à susciter d'autres vocations « Leclerc » et à verser 25 % des bénéfices avant impôt au personnel ; la centrale propose ses services sans obligation d'achat ; une personne ou un couple ne peut se charger de + de 2 centres. 54 000 salariés. *1978,* rachat des Abattoirs « Gilles » en Bretagne qui deviennent les « Abattoirs de Kermené » (l'unité d'abattage et de transformation de viande de porc la plus importante d'Europe). *Dep. 1979,* Sté d'imp. des Pétroles Leclerc. *1986* Sté Devinlec créée (Centres deviennent fabricants de bijoux en or). *1987* Vialec (agences de voyage dans les centres É. Leclerc).

Paridoc. 5 groupes associés, soit 9 Stés. *Réseaux* (au 1-9-92) : 1 300 succursales et supérettes, 318 supermarchés, 96 hypermarchés. *CA 1991 :* 50 milliards de F. *Effectifs 1989 : 35 000.*

Chaînes volontaires

Groupements d'achats de grossistes dont les clients détaillants sont liés au grossiste régional par contrat d'approvisionnement.

Alimentaires. Nombre de grossistes (libres-services de gros) et de détaillants. **Spar :** *fondée* 1932 aux Pays-Bas par Van Well. Opère dans 24 pays. 2 formes légales : Sté par actions (Internationale Spar Centrale BV) et association (Interspar Guild). *En 1991 :* 117 grossistes, 20 300 détaillants, 2 691 supermarchés, 188 500 salariés, 20 300 points de vente de détail (213 m² en moyenne), dans 24 pays. *Surface de vente totale :* 4 340.000 m². *CA total de gros* (1991) : 46,2 milliards de florins hollandais. *En France :* 540 magasins, 3 centres de gros. *En 1991 :* nouvel associé Disco, filiale de Marland Distribution (*CA :* 7 milliards de F).

Loi Royer. Loi d'orientation adoptée par le Parlement (déc. 1973), organisant un contrôle pour la création des grandes surfaces. 1°) les *commissions départementales d'urbanisme commercial* (CDUC) (c. de 9 élus locaux, 9 représentants des activités commerciales et artisanales et 2 consommateurs) peuvent refuser ou accepter l'installation des commerces d'une certaine taille (1 000 m² pour les communes de – de 40 000 hab., 1 500 m² pour les autres) ; 2°) les *chambres de commerce et d'industrie* et les *ch. de métiers* participent à l'établissement des schémas directeurs d'aménagement et d'urbanisme (SDAU) et des plans d'occupation des sols (POS) ; 3°) elles peuvent participer au rachat de boutiques dans le centre des villes ou aider les commerçants à s'installer dans les nouvelles banlieues. Une *commission nationale* présidée par le min. du Commerce statue sur les appels des décisions des commissions départementales. *1987* réforme de la loi : les abstentions ne seront plus prises en compte dans l'adoption d'un projet : le mandat des membres sera limité à 6 ans ; les dossiers devront comprendre un titre de propriété ; toute personne pourra intenter des poursuites contre l'extension illégale d'un magasin.

Refus de vente. Permet à un producteur de choisir ses distributeurs. Interdit en France (1940, circ. Fontanet de 1900) ; *exceptions :* distribution sélective ou exclusive (concession). Autorisé dans certains pays (USA, G.-B., All.).

Non alimentaires (nombre de grossistes et de détaillants). **France droguerie :** 11 gr., 1 761 dét. **Catena** (quincaillerie) : 4 gr., 350 dét. (1 200 millions de F en 1991). **Sermo** (textile) : 14 gr., 368 dét.

Coopératives de consommateurs

Origine. Idée et principes du « système coopératif » remontent à l'utopiste français Charles Fourier (1772-1837) et aux pionniers anglais de Rochdale (1844). *Fédération française,* Tour Mattei 207, rue de Bercy, 75012 Paris. *Créée* 1912. Les bénéfices distribuables sont répartis entre les membres (ristournes). 5 enseignes : Rond-Point (grandes surfaces), Maxicoop et Supermarchés Coop (moyennes), Point Coop (mag. de proximité), Confort Coop (mag. spécialisés dans le non-alim.).

Stés coopératives ouvrières de production (Scop). Statistiques : *nombre : 1970 :* 20 ; *75 :* 75 ; *81 :* 200. *Au 16-4-82 :* 979 coop. adhérentes de la Confédération nationale : bâtiment 357, prestations de services 258, mécanique et métallurgie 87, livre et arts graphiques 84. 854 emploient moins de 50 personnes ; 65 ont plus de 100 salariés. *Effectifs totaux :* 34 000 (19 148 sociétaires). *CA consolidé :* 6,6 milliards de F. **Origine de la création :** *mutations d'entreprises traditionnelles :* 18 cas sur 141 en 1980. *Créations spontanées :* 94 sur 141 en 1980. *Reprises d'affaires défaillantes :* Lip ; Manufrance ; Manuest ; Weiler ; Japy Marne (Nancy). Réduction de l'échelle des rémunérations de 1 à 5.

Exemples : *Union technique du bâtiment :* fondée 1933 ; 360 personnes (dont 52 sociétaires). *Verrerie ouvrière :* fondée 1896 à Albi par Jean Jaurès ; 5 % du marché français ; 530 personnes.

Détaillants

Isolés. S'adressent individuellement à des grossistes pour faire leurs achats. En général, commerces exploités par 1 personne ou 1 ménage, aidé éventuellement par 1 ou plusieurs membres de la famille ; 58 % d'entre eux n'ont pas de salariés. **Indépendants associés.** Affiliés à un groupement d'achats, souvent une sté anonyme coopérative à capital et personnel variables et bénéficiant des avantages que procure le nombre.

Franchise

■ **Définition.** Système de commercialisation de produits, services, technologies, basé sur une collaboration étroite et continue entre des entreprises juridiquement et financièrement distinctes et indépendantes. Un franchiseur accorde aux franchisés (qui s'y obligent) le droit d'exploiter son entreprise en conformité avec le concept du franchiseur. **Origine :** 1929 USA (General Motors), France (laines Pingouin).

■ **Statistiques. Nombre de franchiseurs et,** entre parenthèses, **de franchisés :** *1971 :* 34 (2 000) ; *81 :* 330

(13 891) ; *91 :* 600 (30 000) ; *93 :* 500. **Chiffre d'affaires :** *1991 :* 175 milliards de F (7 % du commerce de détail) *USA :* 3 000 franchiseurs, 600 000 points de vente, 32 % du CA du commerce de détail.

Exemples : *commerces :* Rodier, Pronuptia, Truffaut, Ctesse du Barry, Descamps, Yves Rocher, Naf-Naf, Cacharel, Simone Mahler, etc. *Hôtellerie. Restauration :* Novotel, Ibis, Courtepaille. *Services :* Budget, Midas, Mobis, Mondial Kit. *Industrie :* Coca-Cola, Yoplait, PPB-SARET, etc.

Organismes : *Centre d'étude du commerce et de la distribution (Cecod),* 19, rue de Calais, 75009 Paris. *Féd. française de la franchise (FFF),* 9, bd des Italiens, 75002 Paris (Renseignements : 3616 FFF). *Féd. europ. de la franchise (FEF), European Franchise Federation,* 9, bd des Italiens, 75002 Paris.

Grands magasins

Généralités

■ **Assortiment.** Environ 250 000 articles à Paris, 40 000 à 80 000 en province. **Surfaces** à Paris : 500 à 50 000 m².

■ **Quelques dates. 1824** fondation de la *Belle Jardinière.* **1852,** f. du *Bon Marché* (voir ci-contre). **1855** Alfred Chauchard (1821-1909) ouvre le magasin du *Louvre* (fermé 1974) et Xavier Ruel (1822-1900) le *Bazar de l'Hôtel de Ville* (Bazar Napoléon jusqu'en 1870). **1865** Jules Jaluzot (1834-1916) crée le *Printemps.* **1870** Ernest Cognacq (1839-1928) et sa femme née Marie-Louise Jay (1838-1925), la *Samaritaine*, qu'ils légueront en partie à leur personnel. **1894** Antoine Corbin (1835-1901) crée les *Magasins Réunis,* pl. de la République (1914, rachète av. des Ternes le mag. *A l'Économie ménagère* créé 1912 ; vitraux de Gruber, 1924). **1895** Théophile Bader (1864-1942) et Alphonse Kahn (1865-1926) créent les *Galeries Lafayette.* **1897** ouverture des *Trois-Quartiers.*

■ **Statistiques. Multispécialistes en 1987 et,** entre parenthèses, **en 1992 :** nombre total de grands magasins 218 (164) ; surface de vente totale (m²) 1 143 531 (941 863), moyenne 5 245 (5 743) ; CA moyen par magasin (millions de F) 149,34 (178,54), CA/m² moyen (en F) 28 469 (29 353) ; nombre moyen d'employés par magasin 168 (182), pour 1 000 m² 32 (32), de places de parkings 299 (451). **Centrales multispécialistes** (nombre de magasins, entre parenthèses, surface de vente totale en m² et, en italique, nombre d'employés total) : 164 (941 863) *29 933* dont : Galeries Lafayette 96 (492 542) *16 115,* Sapac-Printemps 42 (227 553) *6 332,* BHV 7 (100 484) *3 622,* Mariette 2 (3 380) *47,* le Bon Marché 1 (29 130) *1 300,* Samaritaine 1 (52 515) *1 800.* **Enseignes** (nombre de magasins et, entre parenthèses, surface de vente totale en m²) : 164 (941 863) dont : Nouvelles Galeries 75 (325 922), Printemps 34 (210 022), Galeries Lafayette 16 (146 421), BHV 7 (100 484), Mariette 2 (3 380), Magmod 2 (9 342), Jeanteur 2 (4 550).

Rendement au m² (chiffre d'aff., en F, 1991) : BHV-Rivoli (30 000 m², Paris 4[e]) 68 827, Printemps-Haussmann (1990) (47 020 m², Paris, 9[e]) 59 153, Galeries Lafayette (47 800 m², Paris, 9e) 69 654, Paris-Marseille (1 473 m², Marseille, 6e) 33 557, N.-Galeries (1 784 m², Mont-de-Marsan, 40) 32 511.

Chiffre d'affaires (en millions de F) : Printemps (Haussmann) 2 775, Galeries Lafayette (Paris, 9e) 3 335, BHV-Rivoli (Paris, 4e) 2 300, Bon Marché (Paris, 7e) 1 220, Trois-Quartiers (Paris, 1er) 413,7, N.-Galeries (St-Laurent-du-Var, 06) 585, N.-Galeries (Toulouse) 404 (1985), N.-Galeries (Marseille) 392, N.-Galeries (Lyon) 374.

■ **Fédération nationale des entreprises à commerces multiples.** 11, rue St-Florentin, 75008 Paris. *Créée* 1937. *Pt :* Dominique Georgeon. *Principaux groupements :* Group. d'études des grands magasins, Chambre syndicale des magasins populaires, Syndicat des magasins et galeries. *Magasins :* env. 750.

Principaux grands magasins

■ **BHV (Bazar de l'Hôtel de Ville).** *1855* fondé par Xavier Ruel (1822-1900). Bazar Napoléon jusqu'en 1870. *1931* Sté anonyme. *1948* introduction en Bourse. *1968* Sté N.-Galeries contrôle 50,04 % du BHV (1992, 58,8 %). *1989* groupe suédois Proventus prend 5 % du capital (23,8 en 1992). **Magasins :** *durant 100 ans :* 1 à Paris, rue de Rivoli ; *1964-92 :* 8 à Paris et région parisienne, *à partir de 1975 :* chaîne de mag. spécialisés dans bricolage et décoration en province et DOM [9 BHV à Lyon (Limonest, La Part-Dieu, St-Genis-Laval), Grenoble (Grand-Place), Strasbourg-les-Halles, Bordeaux (Gradignan), St-Étienne, Caen ; Acajou en Martinique]. *Surface totale de vente* (déc. 86) : 165 700 m². *Effectifs* (31-12-91) : 4 694. *CA consolidé* (HT en millions de F, 1992) : 4 107 (bénéfice net : 68,8).

Consommation des ménages

En 1991 (en milliards de F). *Source :* Insee.

Produits agricoles et alimentaires : 817,7 dont *agricoles* 192,7 (dont légumes frais 41,5, vin 39,9, fruits non tropicaux 33,7, fleurs, plantes et graines 24,1, œufs 9,1, pommes de terre 7,7, fruits tropicaux 6,7), *pêche* 23,3, *sylviculture* 5. Viandes et produits laitiers 319,6 (dont viande 111,1, charcuterie et conserves de viande 63,4, fromages 37,5, volailles, lapins, gibiers 34,4, prod. laitiers frais 26,7, lait liquide 20,2, beurre 14,2, crèmes glacées 10,6). *Autres produits :* 305,4 (dont tabac 44,9, pain 35,6, chocolats, confiserie 26,4, plats cuisinés 18,1, pâtisserie fraîche 16, biscuits, biscottes, pâtisserie industrielle 15,9, conserves de poissons 14,5, café, thé, chicorée, infusions 12,7, champagnes et mousseux 11,4, cons. de légumes 11, eaux minérales 10,2, liqueurs et apéritifs 8,5, eau-de-vie 7,8, bières 7,3, apéritifs à base de vin 2). **Produits énergétiques** (non compris la sylviculture) : 328,9. **Produits manufacturés** (hors bâtiment et travaux publics) : 1 148,2 dont *biens de consommation courante* 713,7 dont produits de la parachimie et de la pharmacie 178,4 (dont pharm. humaine 102,6, parfumerie 43, savons, détergents 14,9, produits d'entretien 6,7), pr. textiles et articles d'habillement 232,9 (dont bonneterie 64,9, vêtements féminins 47,4, masculins 41,9, chemiserie, lingerie 23,8, linge de maison, couverture, tissus 21,4, tapis 5, habillement sur mesure 3,2), cuirs et chaussures 57,6 (dont chaussures 45,8, art. de cuir 11,7), bois, meubles, prod. des industries diverses 163,3 (dont meubles 69,9, jeux, jouets, puériculture 24,2, bijouterie, joaillerie 20,9, art. de sport, bateaux 12, antiquités 11,4), presse, imprimerie, édition 81,3 (dont disques, bandes, cassettes enregistrées 18,7). *Biens intermédiaires* 79,3. *Biens d'équipement prof.* 47,8 (dont lunettes 14,1, horlogerie 7,4, piles et accumulateurs 5,7) ; *ménager* 78,5 (dont radios, téléviseurs 18,6, appareils d'enregistrement et de reproduction 17,7, réfrigérateurs, machines à laver, lave-vaisselle 16,7). *Véhicules* 234,8. **Artisans, bâtiment, génie civil, petites entreprises :** 42,6. **Services marchands :** 1 673,3.

Consommation nationale 4 067 (dont marchande 3 966, non marchande 101).

■ **Bon Marché.** *Origine : 1852* Aristide Boucicaut (1810-77) reprend une boutique de mercerie et de nouveautés à l'enseigne *Au Bon Marché* et généralise le prix fixe indiqué par des étiquettes. On peut entrer librement et toucher les marchandises qui demeurent chez les concurrents empaquetées ou pliées sur des rayons inaccessibles, échanger ou se faire rembourser les articles défectueux. On peut se faire livrer à domicile (aussi loin qu'un cheval puisse aller dans Paris). La marge est de 13 % (ailleurs 40 à 50 %). Sa veuve (née Marguerite Guérin 1816-87) poursuivra son œuvre. *1869-87* Bâtiment principal actuel construit. *1871* 1er catalogue du VPC. *1920* Bon Marché devient SA. *1969-70* racheté par frères Willot (ainsi que la Belle Jardinière qui devient sa filiale). *1974* se redresse après difficultés financières. *1987* racheté par Financière Agache (Bernard Arnault). *1992-95* rénovation. *Surface de vente :* 32 000 m². *CA 1992* (millions de F) : 1 042 (*résultat net, 1990 :* 71). *Effectifs* (1991) : 1 000 à 1 500.

■ **Galeries Lafayette.** *1895* fondées par Théophile Bader (1864-1942). *1909-12* construction du mag. actuel par Ferdinand Chanut. 16 grands magasins (à l'enseigne G. Lafayette). 112 magasins populaires : Monoprix, Super M et Inno. Familles Meyer et Moulin détiennent : capital 61,7 %, droits de vote 77 % [aux N.-Galeries : capital 98,98 % ; au BHV : capital 60 % (avec famille Boulot)]. *CA consolidé du groupe : 1992 :* 31,46 milliards de F (résultat net, part du groupe : 0,069). *Dette (fin 92) :* 4,49 milliards de F. *Effectifs :* 19 412.

■ **Nouvelles Galeries Réunies.** *1897* fondées par Aristide Canlorbe (1852-1916) et Léon Demoge (1864-1934). *1991-92* rachetées par Galeries Lafayette. *Unités de vente :* 250 [dont 48 grands magasins en propre, 6 affiliés, 27 centres Maison et Jardin en propre et 3 affiliés, 7 grands magasins BHV, 10 BHV bricolage (filiale à 58,8 %), 58 Uniprix (85,09 %)]. *Surface du groupe SFNGR :* 809 000 m². *Effectifs :* 18 776. *CA 1990 :* 14,9 milliards de F (résultat net consolidé : *1990 :* 0,199, *91 :* 0,210).

■ **Groupe Pinault-Printemps.** *1865* (11-5) fondé par Jules Jaluzot (1835-1916), ancien chef de comptoir du Bon Marché. *1881-83* mag. du Havre construit par Paul Sédille. *1961* mag. surélevé. *1991* (22-11) le groupe Pinault rachète 100 % de la Samag [holding de la famille suisse Maus Nordman contrôlant 40,6 % du Printemps (3,3 milliards de F)]. *1992* (14-4) Printemps rachète au groupe Pinault 4 827 millions de F, 99,7 % de Conforama (CA 1991 : 7 milliards de F, résultat net consol. 0,26) ; (oct.) Pinault rachète Printemps pour 1,2 Md de F (déc.) fusion-absorption. **Groupe** CA (en milliards de F, 1990) : cumulé (consolidé 29,4) dont en % ventes magasins (Printemps, Prisunic) 57,2, vente en gros 25,9, vente par correspondance (la Redoute, Vert Baudet, la Maison de Valérie) 16,9. *2 centrales d'achat :* **1°) Sapac et Cie** *(Sté parisienne d'achats en commun) :* qui approvisionne 17 grands mag. du groupe et 47 grands mag. affiliés. *CA* HT (activités grands magasins, 1991) : 5 milliards de F. *Surface de vente des grands magasins* du groupe : 173 000 m² (hors affiliés) ; **2°) Sapac magasins populaires :** qui approvisionne 324 mag. à l'enseigne mag. populaires Prisunic (93 mag. propres et 202 mag. affiliés) et Escale (1 mag. propre et 28 mag. affiliés). *CA* HT (activités magasins populaires et mini-hyper., 1990) : 5 milliards de F (hors affiliés) ; *surface de vente* des magasins : 154 000 m² (hors affiliés). *Exploitation* de 56 mag. Armand Thiéry et Brummel. *CA* HT : 594 millions de F. Participation majoritaire dans le groupe Redoute.

☞ **Chiffre d'affaires : Groupe Pinault-Printemps** (1992) : 70,3 milliards de F dont (en %) distribution spécialisée (CDME, CICA) 53, distribution grand public (Conforama) 16, industrie (Isory, Pinault emballage) 13, commerce international (CFAO) 12, services 5. Endettement (31-12-92) : 18 MdF.

■ **Samaritaine.** *1870 (21-3)* fondée par Ernest Cognacq (1839-1928). *1906-07* mag. n° 2 construit (terminé 1926-28) par Frantz Jourdain. *PDG :* Georges Renand (n. 2-1-1952). *Magasin :* 1 (Paris-Rivoli). *Surface de vente* (en m²) : 1870 : la moitié d'une salle de café ; *1981 :* 117 650, *84 :* 74 600, *87* 48 000. *CA 1991 :* 1 420 millions de F. *Clients :* env. 18 millions par an. *Effectifs 1989 :* 1 800.

■ **Trois-Quartiers** (nom tiré d'une comédie de Picart et Mazères, 1827). *1829* fondé par Gallois-Gignoux. *1897* agrandi. *1930 1er magasin à Paris. Surface de vente :* 16 335 m². *Effectifs 1986 :* 570. *CA 1987 :* 320 millions de F. *Clients :* 300 000 connus. *Filiale :* Madelios (pour hommes). *Capital :* Bouygues 71,37 % (en oct. 1986). Fermé en 1990.

Coopératives de détaillants membres de l'UFCC

UFCC (Union fédérale des coopératives de commerçants). *Créée* 1964 ; représentait + de 12 % du marché avec, au 1-1-1993 : 8 900 magasins [*CA* (TTC) : 86,6 milliards de F et 65 000 employés].

Alimentaires. **Système U** (enseignes : Hyper U, Super U, Marché U) : union de 5 centrales régionales, 998 magasins, *CA détail TTC :* 40 milliards de F. 5 % de part de marché.

Non alimentaires. 7 900 magasins, CA 46,6 milliards de F, 6,4 % de part de marché ; 35 groupements. **Nombre de magasins et chiffre d'aff. en millions de F. Ameublement :** SCEM Mobicub 105 mag. (825 MF). **Bijouterie-horlogerie :** Groupe de Montgelas 125 (625) ; Bijoutiers De France 205 (650). **Équipement de la maison :** Mr Bricolage 270 (3 600) ; Groupe Domaxel 530 (6 800). **Jouets, puériculture :** EPSE Jouéclub, France Maternité Bébé 9 408 (2 500). **Optique :** Krys 675 (1 730) ; Optic 2000 328 (1 040). **Papeterie-librairie :** Plein Ciel 300 (1 700) ; Majuscule 150 (1 900) ; Sacfom Buro + 160 (1 800). **Sport :** Intersport La Hutte 540 (2 755) ; Sport 2000 440 (1 400). **Voyage :** Selectour 390 (5 230).

Libre-service (magasins)

Source : Libre-Service Actualité.

■ **Origine. En France :** *juill. 1948, 1er magasin d'alimentation libre-service* (Goulet-Turpin) à Paris (148, rue Lefort). *1957, 1er supermarché* (Docks de France) avenue des Ternes à Paris. *15-6-1963, 1er hypermarché* (Carrefour de Ste-Geneviève-des-Bois, Essonne, 4 420 m²).

■ **Nombre total** (au 1-1-1993). Supermarchés 7 373, mag. populaires 570, hypermarchés 945, entrepôts de gros 408, supérettes 5 038 [1], mag. de bricolage 2 259 [2], mag. de meubles 2 142 [1], jardineries 899 [2], centrales et organisations d'achats et de services 483 [1], centres commerciaux 578 [2], cash and carry 345 [1], grands magasins 164 [2].

Nota. – (1) 1990. (2) au 1-9-92.

■ **Effectifs** (au 1-1-93) : hypermarchés et supermarchés 336 700 ; (au 1-1-92) : 21,4 % de l'effectif salarié du commerce de détail, 12,5 % des salariés de la distribution (gros et détail), 9,76 % de l'effectif total du commerce.

■ **« Hard discounters ».** *Points de vente* 553 (au 1-1-93) dont 155 ouverts en 1992. *Surface moyenne* 600 à 800 m². *CA* (1992) : env. 15 milliards de F. *Part du marché national des supermarchés* 7,5 %.

Apparus en France en 1988 avec des enseignes allemandes Aldi, Lidl et Norma. *Leader* Erteco, filiale de Carrefour [*CA* 4 milliards de F exploitant 3 enseignes : Ed l'Épicier, Ed le Maraîcher et Europa Discount (240 points de vente)]. *Autres* (nombre de mag., 1992) : Lidl 137, Le Mutant 69, Aldi 65, CDM (Intermarché) 60, Norma 54, Leader Price (Franprix) 18, Eda 12, Inter Discount 3, Promodès 2.

■ **Hypermarchés.** Mot inventé par Jacques Pictet [† 10-8-1991, fondateur en 1958 de Libre-Service Actualité (LSA)]. Prédominance alimentaire d'une surface de vente minimale de 2 500 m². 39 500 à 70 000 art. **Surface de vente** (au 1-1-93) : 5 263 000 m² ; *moyenne :* 5 570 m². Contrôlent (au 1-1-91) 19,7 % du marché de détail et 26 % de l'alimentation. **Chiffre d'affaires** (1992) : 331,9 milliards de F.

Ouvertures : *1963 :* 1. *64 :* 2. *67 :* 8. *68 :* 14. *69 :* 44. *70 :* 41. *71 :* 32. *73 :* 49. *74 :* 35. *75 :* 15. *76 :* 38. *77 :* 31. *78 :* 18. *79 :* 24. *80 :* 21. *81 :* 28. *82 :* 29. *83 :* 21. *84 :* 24. *85 :* 21. *86 :* 35. *87 :* 27. *88 :* 24. *89 :* 40. *90 :* 25. *91 :* 13. *92 :* 22. **Fermetures :** *1986 :* 4. *87 :* 4. *88 :* 12. *90 :* 25. *91 :* 5. *92 :* 26. **Nombre** (au 1-1) : *1970 :* 75. *75 :* 287. *80 :* 407. *85 :* 550. *90 :* 851. *92 :* 914. *93 :* 945. *2000 (prév.) :* 1 325 (dont Leclerc 447, Carrefour 197, Promod 145). **Caisses de sortie :** 23 000 (moy. 27). **Places de parking :** 817 290 (moy. 922). **Effectif total** (1-1-93) : 166 600 employés. **Chariots** (parc total) : 956 340 (1 012 en moy.). **Pompes à essence :** 7 560 (8 en moy.).

Nombre d'hypermarchés par centrale et, entre parenthèses, **surface de vente totale** (en milliers de m², au 1-1-1993) : Centre Leclerc 298 (1 200,6). Carrefour 109 (1 012). Mammouth 86 (498,5). Continent 65 (399). Auchan 49 (480,2). Cora 49 (405,9). Géant Casino 49 (319). Intermarché 49 (146). Rallye [1] 46 (278,4). Hyper U 18 (54,8). Champion 16 (45). Stoc 11 (31,6). Rond Point 8 (56,7). Super U 8 (21,5). Euromarché 7 (32,8). Atac 7 (23,5). L'Univers 7 (28). Super M 6 (32,3). Match 6 (18). Escale 6 (20). Maxi Marché 5 (13,7). Provencia 3 (9,1). Record 3 (14). Inno 3 (16). Maxi Coop 3 (7,9). Hyper Cedico 3 (10,2).

Nota. – (1) CA (en milliards de F) : *1990 :* 25,7. *91 :* 23,8.

Nombre par tranche de surface (1993) : *– de 5 000 m² :* 510. *5 000 à 7 500 :* 214. *7 500 à 10 000 :* 124. *10 000 à 15 000 :* 83. *15 000 et + :* 14.

Surface (en m²) **pour 1 000 hab. :** *moyenne :* 91. *maxim. :* Marne 182, Moselle 143, Côte-d'Or 142, Loire-A. 139, Gironde 136 ; *minim. :* Lozère 0, Paris 10, Lot 16, Ariège 22.

Les plus grands (m², 1993) : Portet-sur-Garonne [1] 23 800. Vitrolles [1] 22 000. Villiers-en-Bière [1] 20 000. Aulnay-sous-Bois [1] 19 355. Claye-Souilly [1] 17 840. Le Pontet [2] 16 000. Vélizy-Villacoublay [2] 16 000. Noyelles-Godault [2] 15 864. Englos [2] 15 794. Cormontreuil [4] 15 400. Heillecourt [4] 15 329. Dijon [1] 15 000. St-Priest [2] 15 000. Mundolsheim [4] 15 000. Mérignac [1] 14 800. Nice [1]. 14 800. Villeneuve-d'Ascq [2] 14 616. Mondelange [4] 14 500. Thionville [3] 14 500. Leers [2] 13 863.

Nota. – (1) Carrefour. (2) Auchan. (3) Géric. (4) Cora.

■ **Supermarchés** (400 à 2 500 m²). **Nombre :** *1992 :* 7 373 (dont *– de 800 m² :* 2 792, *800 à 1 000 :* 987, *1 000 et + :* 3 594). *2000 (prév.) :* 8 700 (dont Intermarché 2 282, Promodès 1 590, U. 930, Comptoirs 695). **Surface de vente totale** (au 1-1-93) : 7 281 000 m² ; *moyenne* 988 m². **Chiffre d'affaires** (1992) : 307 milliards de F, dont ventes alim. au détail 36,7 %, de marchandises gén. 6,6 %.

Surface (en m²) **pour 1 000 hab. :** *moyenne :* France 129 (*max. :* Htes-Alpes 225, Ariège 212 ; *minim. :* Seine-St-Denis 66, Rhône 78, Val-de-M. 82).

Ouvertures : *1983 :* 511 ; *84 :* 516 ; *85 :* 376 ; *86 :* 408 ; *87 :* 278 (indépendants 210, maisons à succursales 62, grands magasins et mag. populaires 2, coop. 3, GEGS 2) ; *88 :* 310 ; *90 :* 271. *91 :* 289. *92 :* 290. **Nombre de caisses de sortie :** 6 en moyenne. **Places de parking :** 965 863 (131 en moyenne). **Effectifs** (au 1-1-1993) : 170 000 (23).

Principales enseignes. Nombre de magasins et, entre parenthèses, **surface de vente** (en milliers de m², au 1-1-1993) : Intermarché 1 564 (1 973,7). Super U 490 (642,4). Champion 451 (566,6). Shopi 393 (197). Stoc 315 (377,7). Casino 258 (281,2). Centre Leclerc 227 (370,3). Rallye Super (234,9). Atac 198 (216,8). Timy 194 (94,1). Unico 182 (105,5). Prisunic 157 (160,4). Lidl 144 (102,6). Le Marché Franprix 140 (85,7). Marché U 140 (106,5). Match 131 (161,4). Monoprix 130 (125,2). Franprix Super Discount 115 (69). Bravo 100 (94,2). Maxi Coop 99 (110,7). Codec 84 (48,2). Score 84 (42,9). Europa Discount 84 (59,2). Maxi Marché 74 (77,5). Aldi 71 (51,5). Cedico 70 (82). G20 65 (36,4). Le Mutant 62 (35,4). Norma 57 (39). Franprix 52 (31). Comod 49 (24,9). Suma 49 (50,3). Topco 43 (29,1). CDM 42 (22,3). Leader Price 40 (26,9). Coop 39 (19,9). Tigre 37 (22,6). Écomarché 35 (16). Ed 35 (15,8). Uga 34 (23,4). Marché d'Oc 29 (13,4). Supermarché 28 (18,2). PG 27 (32,2). Rapid Marché 25 (13,3). Cedimarché 22 (14,4). Provencia 22 (30). Super Score 20 (11,2). Uniprix 18 (17,9). Nouvelles Galeries 18 (15,4). Super Coccinelle 17 (7,8). Super LCC 15 (8,8). Squale 15 (12,6). Eda 12 (8,3). Super Coop 11 (5,3). Kalistore 11 (11,6). Banco 10 (5,7). Super G 10 (4,4).

☞ **Records. Surface de vente en m² :** Intermarché (Montmorillon) 2 495. Champion (Avon) 2 494. Élysée Mirail (Toulouse) 2 490. Centre Leclerc (Issoudun) 2 490. **Chiffre d'affaires** (en millions de F) : Super 3 000 (N.-Galeries à St-Laurent-du-Var, 06) 210,90, Leclerc (Osny, 95) 146,59, L. (Nanterre, 92) 127, L. (Royan, 17) 124, L. (Persan, 95) 117, L. (Langon, 33) 113, L. (Quimper, 29) 111,58, L. (Rennes, 35) 105,15, L. (Aubervilliers, 93) 103,77, Pg (St-Martin-Boulogne, 62) 100,25. **Rendement au m²** (CA, en F) : Leclerc (450 m², Drancy, 93) 98 489, L. (400 m², Bourg-la-Reine, 92) 89 500, L. (500 m², Paris, 14e) 84 940, Pg (550 m², Outreau, 62) 81 818, Leclerc (1 200 m², St-Étienne-du-Rouvray, 76) 77 500, L. (1 920 m², Osny, 95) 76 349, L. (1 700 m², Nanterre, 92) 74 706, L. (1 000 m², Paris, 14e) 74 360. *Moyenne* 31 300. **Rendement/employé** (CA, en F) : Genty-Super (Crest, 26) 1 866 667, Leclerc (Quimper, 29) 1 859 667, Franprix-Sd (Argenteuil, 95) 1 785 714, Béatrice (Ozoir-la-Ferr., 77) 1 750 000, Franprix-Sd (Les Lilas, 93) 1 750 000, Stoc (Le Croisic, 44) 1 711 429, Franprix-Sd (Franconville, 95) 1 666 667, Sodim (Le Penne-sur-Huveaune, 13) 1 660 000, Leclerc (Pont-Ste-Maxence, 60) 1 658 222, Stoc (Quiberon, 56) 1 654 444. *Moyenne* 980 164.

■ **Supérettes** (120 à 400 m², à prédominance alimentaire). **Nombre** (au 1-1) : *1967* 1 994. *70* 3 053. *75* 4 984. *80* 5 589. *85* 5 808. *90* 5 038. (1 096 006 m²). **Surf. moyenne :** 218 m². **Effectifs** (1-1-90) : 22 300.

Premiers groupes. Nombre, et, entre parenthèses, surface totale en m² : Promodès 976 (218 652). Disco 587 (128 429). Système U 407 (95 688). Baud Franprix 360 (80 007). Comptoirs Modernes 311 (73 418). Casino 146 (22 367). Coop Normandie et Picardie 124 (24 984). Erteco 113 (35 267). ITM Entreprise 103 (40 103). Coop d'Alsace 101 (22 299).

■ **Mini-libres-services ou succursales au 1-1** (moins de 120 m²). *1981 :* 17 167 (1 118 135 m² ; s. moyenne de vente 68 m²). *85 :* 15 801.

■ Magasins populaires

■ **Généralités. Origine :** *1879* USA, *1906* G.-B., *1928* France (Uniprix). *Magasins à prix unique* 1931 [le prix le plus élevé ne devait pas dépasser 10 F, aussi poids ou quantité de marchandises vendue était fonction de ce prix à l'inverse des autres magasins (technique abandonnée avant 1939 car la clientèle ne pouvait comparer entre les prix des « Prix uniques » et ceux du commerce traditionnel, et le nombre des articles mis en vente était trop restreint)]. **Caractéristiques.** *Assortiment* restreint d'usage courant et de grande consommation (7 000 à 10 000 articles). *Surface :* 300 à 7 500 m². *Marges* réduites (en moyenne 22 %) car frais généraux réduits (ni catalogue, ni livraisons gratuites à domicile, ni rendus) et rotation rapide des stocks (articles de nouveauté 6, de bazar 8, alimentation 12 à 18, moyenne générale 7 à 9).

Nombre de magasins, entre parenthèses, **surface totale de vente (en m²),** en italique, **nombre total d'employés :** La Redoute 9 (11 660), *89 ;* Sapac 226 (302 675) *8 273 ;* SCA 240 (389 296) *12 967 ;* divers 8 (6 095) *81 ;* total 483 (709 726) *21 410.*

Enseignes populaires, entre parenthèses, **centrale, nombre de magasins et,** entre crochets, **surface de vente totale (au 1-9-92, en m²) :** *Les Aubaines* (La Redoute) 9 [11 660] ; *Baze* (SCA) 3 [7 671] ; *Grand Bazar de Lyon* (Sapac) 2 [5 130] ; *Hyper-Toga* (Sapac) 1 [2 700] ; *Inno* (SCA) 7 [32 124] ; *Monoprix* (SCA) 190 [295 391] ; *Parunis* (SCA) 1 [2 393] ; *Prisunic* (Sapac) 222 [294 245] ; *Touteco* (SCA) 1 [640] ; *Uniprix* (SCA) 38 [51 077] ; 102 *Femme Homme Enfant* (Sapac) 1 [600] ; *divers* 9 [8 795] ; total France métropolitaine : 483 [709 726]. **Répartition selon la surface** (au 1-9-92) : Total 483 dont *– de 800 m² :* 98 ; *800 à 1 200 :* 97 ; *1 200 à 1 800 :* 148 ; *1 800 à 2 500 :* 93 ; *2 500 et + :* 47.

■ **Monoprix** (Groupe Galeries Lafayette). *Créé* 1932. 112 magasins propres, 292 affiliés (Uniprix, Super M). **Surface de vente totale :** 239 592 m². **Effectifs :** 17 000. **CA** (TTC, 1992) : 11,2 milliards de F.

■ **Prisunic** (Groupe Pinault-Printemps, 1er magasin ouvert en 1931 rue Caumartin). Au 31-12-1991, 267 mag. Prisunic dont 95 appartiennent au groupe, 172 affiliés. *Surface de vente des magasins en exploitation directe :* 298 000 m². *CA* (HT 1992) (chaînes et affiliés, métropole et hors métropole), Prisunic : 10,9 milliards de F (4,9 milliards hors affiliés).

■ **Tati.** *Créé* 1949 par Jules Ouaki (1920-83) du nom de sa fille Tita (mais nom déjà déposé). **Surface vente :** 15 000 m². **Effectifs :** 1 500. **CA** (1992) : 1,8 milliard de F.

■ Magasins divers

Quincailleries-bricolage bâti-centers (au 1-1-1993). 2 259 magasins dont (au 1-9-92) : Sapec 418, Mr. Bricolage, Bricotruc 253, Caténa 350. **Surface de vente :** *moyenne* 1 826 m² [de 514 (CAQF) à 4 178 (BHV-Bricolage)] ; *totale* 3 778 511 m².

■ Magasins à dominante alimentaire

■ **Fédération des entreprises de distribution, de magasins à prédominance alimentaire et de services (Fedimas). Entreprises adhérentes** (gros, détail) : 384. *CA* (1990) : *gros :* 54 milliards de F ; *détail :* 250 milliards de F. **Part de marché** *dans les achats au détail des ménages :* alimentaire 31 %, non alimentaire 5 % ; ensemble du commerce de détail 15. **Nombre de magasins :** magasins de proximité 9 300, supermarchés 3 750, hypermarchés 235.

■ **Casino Guichard-Perrachon et Cie (Établ. économiques du).** *1898,* créés à partir d'une épicerie de détail ouverte en 1860 dans la salle de l'ancien casino lyrique de Saint-Étienne. *1985,* prise de contrôle du Groupe CEDIS. *1989,* partenariat avec Ahold/Argyll. *1992,* prise de contrôle de Rallye. **Parc de magasins** (au 31-12-1992) : supérettes Casino 2 132 ; location gérance 212 ; Supermarchés Casino en location-gérance et franchise 93 ; intégrés Casino 204 ; intégrés Rallye 172 ; Hypermarchés Géant Casino 49, l'Univers 8, Rallye 44 ; Convenience stores « 24 h » 66 (dont franchisés 65). Autoservice 21, fr. Auto Service 2. Cafétérias Casino 150, Marest 72, Food Court « Dune Restaurant » 1, Blue grill 12. *USA :* Cash and Carry Cash (SFI) 116, Café Casino 1, viennoiseries Petit Casino 4, location de matériel et mobilier de réception 3. **Unités de production :** chais 2 ; abattoirs 2 ; charcuterie 1. **Entrepôts :** 7 Casino. *Effectifs (1992) :* 50 320. **CA consolidé** (TTC, 1992) 64,2 milliards de F.

■ **Cofradel (Docks de France-C.).** Né de la fusion 1969 de l'Économique et de la Sté laitière moderne. Exerce en Rhône-Alpes, Languedoc-Roussillon et Provence-Côte d'Azur. 12 hypers Mammouth, 18 supermarchés Atac, 479 succursales, 10 cafétérias Miami. **Surface de vente :** 140 000 m². **CA** (HT, 1992) : 5,37 milliards de F. **Effectifs :** 3 991.

■ **Comptoirs Modernes.** Dans 53 départ. Ouest, Nord, Rhône-Alpes, Centre. Magasins Comod 633 dont franchisés Comod 449. Supermarchés Stoc 333. Hyperm. Carrefour 12. **Surface totale de vente :** 627 789 m². **CA** (TTC, 1992) : 22,6 milliards de F. **Effectifs :** 16 000 pers. Filiale en Espagne exploitant 8 supermarchés Merca Plus.

■ **Docks de France.** Associé de Paridoc ; I.-de-Fr., N., Centre-O., Centre et S. (principales filiales : Cofradel, Ruche Picarde, Docks Paris, Ouest, Centre), en Espagne et aux USA. 74 hypers Mammouth (sur 89) ; 202 supermarchés (Sabeco, Super Sabeco, Atac) ; 803 magasins de proximité en France ; 541 convenience stores aux USA ; 39 cafétérias. *Au 31-12-1992 :* **surface de vente totale :** 706 435 m². **CA** (HT) : 32,1 milliards de F, 44 avec reprise de l'Alsacienne. **Effectifs :** 25 000.

■ **Primistères.** Transformé en holding. Participation de 40 % dans Nord-Est-Alimentation. 800 magasins Félix Potin en 1989. **CA :** 1,7 milliard.

■ **Promodès. CA,** sous enseignes (TTC, 1992) : 126 milliards de F. **Salariés** (1991) : 47 000. **En France :** 61 hyper. Continent, 446 super. Champion, 779 Shopi, 147 Codec, 949 Huit à huit, 86 Promocash, 21 Prodirest. **A l'étranger :** *USA :* 63 supermarchés Red Food Store, *Espagne :* 22 hypermarchés Continente, 1 373 Dia et Preko, *All.* 48 Plaza et Continent, *Italie :* 6 Continent, *Portugal* 4 Continent, *Grèce :* 1 Continent.

■ **Radar SA.** *Fondé* 1887 sous la dénomination « Docks Rémois ». 1973 Sté holding « Radar SA ». **Magasins exploités** (au 1-1-1985) : *France :* 135 supermarchés (Radar Maxi et Radar Super) ; 174 supérettes (Radar Super et Radar Junior) ; 1 123 succursales (Radar Junior). *Espagne :* 5 supermarchés et 1 hyper. En 1980, Radar a pris le contrôle de Paris-France (54 magasins) dont : Aux Trois-Quartiers, Madelios et 28 magasins de nouveauté Dames de France ainsi que 18 magasins populaires

(Monoprix et Parunis). **Surface totale** 360 230 m². **Centrales d'achat :** Camas (produits alimentaires), Paris-France et Parunis (produits non alimentaires). **CA** (1984, HT) : 8,3 milliards de F.

■ **Viniprix.** *Fondé* 1932. Sté holding de participation et immobilière. CA consolidé 1989 de 22,9 milliards de F. Détient 52,8 % du capital de la Sté d'hypermarchés Euromarché, soit 72 hypermarchés, 53 cafétérias et 23 magasins de bricolage.

EXPOSITIONS, FOIRES, SALONS

Villes	Nombre de salons	Nombre de visiteurs (en millions)
Paris [3]	75	6,6 *
Salons inter.	40	4,1
Salons nat.	34	1,4
Foire de Paris	1	0,9
Milan [1]	45	3,9
Bari [1]	7	1,8
Madrid [2]	20	1,7
Hanovre [3]	9	1,7
Amsterdam [3]	11	1,4
Barcelone [2]	20	1,3
Munich [3]	15	1,1
Bruxelles [3]	10	1,1
Berlin [3]	10	1
Bologne [1]	12	1
Lyon [3]	9	0,9
Leipzig [3]	2	0,8
Francfort [3]	15	0,8
Turin [1]	8	0,7
Cologne [3]	18	0,6
Vérone [1]	6	0,5
Düsseldorf [3]	7	0,5
Gênes [1]	5	0,5

Nota. – (1) 1983. (2) 1984. (3) 1985. (*) dont 0,35 étranger.

Premières expositions françaises

Paris 1798 Champ de Mars[1] (110 exposants). **1801** Cour du Louvre[1] (220). **1802** Cour du Louvre (540). **1803** Esplanade des Invalides[1] (1 422). **1819** Cour du Louvre (1 622). **1822** Cour du Louvre (1 642). **1827** Louvre (1 795). **1834** Place de la Concorde[1] (2 447). **1839** Champs-Élysées[1] (3 381). **1844** Champs-Élysées[1]. **1849** Champs-Élysées[1] (4 494).

Nota. – (1) Exposition industrielle nationale.

Expositions principales

Nombre d'entrées (en millions) et, entre parenthèses, **édifices remarquables ou curiosités. 1851** *Londres* [3] : 6 (Crystal Palace). **53** *New York :* 1,15. **55** *Paris* [3] : 5,2 (Palais de l'Industrie) ; 34 nations (Russie absente), 24 000 exposants (France 12 000, G.-B. 1 389, Prusse 1 309). 3 matériaux révolutionnaires exposés : ciment (Vicat), plaques d'aluminium, imperméables de Good Year. **62** *Londres* [3] : 6,2. **67** *Paris* [3] : 15 ; 52 000 exposants. **73** *Vienne* [3] : 7,3. **76** *Philadelphie* [3] : 10. **78** *Paris* [3] : 16 (Trocadéro) ; 53 000 exposants. **79** *Sydney :* 1,2. **80** *Melbourne :* 1,3. **83** *Amsterdam* [4]. **83-84** Calcutta [6]. **85** *Anvers* [3] : 1,5. **86** *Londres* [4] : 5,6. **88** *Barcelone* [3] : 1,3. **89** *Paris* [3] : 32,25 (Tour Eiffel, voir Index ; Galerie des Machines, long. 420 m, larg. 115 m, hauteur 43 m, détruite après 1900) ; 61 722 exposants, 29 États (absence des grandes monarchies en raison de la date choisie : anniversaire de la Révolution). **93** *Chicago* [3] : 27 (Pal. des Manufact.). **93** *Anvers* (Vieil Anvers). **94** *Lyon* [5], *Londres* [5]. **97** *Bruxelles.* **99** *Londres* [5] (Kermesse).

1900 *Paris* [3] : 51 (Gr. Palais et P. Palais, pont Alexandre-III) ; 83 000 exposants (38 000 Français). Grande Roue 93 m de diamètre à 67 m du niveau du sol. **01** *Glasgow :* 11,6. **01** *Buffalo :* 8,2. **02-03** *Hanoï* [6]. **04** *Saint-Louis* [3] : 19,7 (Palais de l'Agric.). **05** *Liège* [3] : 7 (Vieux Liège). **06** *Milan* [3] : 7,7. *Marseille* (coloniale). **08** *Londres* (Franco-Angl.) : 17. **10** *Bruxelles* [3] : 6. **11** *Turin* [6], *Roubaix* [6]. **13** *Gand* [3]. **15** *San Francisco* [3] : 18,8. **22** *Marseille* [5]. **24** *Londres :* 27 (Stade de Wembley). **25** *Paris :* 15 (Arts Décoratifs). **26** *Philadelphie :* 5,85. **29** *Barcelone* (Village folklorique). *Séville* (hispano-amér.). **31** *Paris* (Coloniale) : 22,6 (Temple d'Angkor, Musée des Colonies, Zoo). **33** *Milan* [1]. **33-34** *Chicago* [3] : 39. **35** *Bruxelles* [3] : 20 (Pal. des Expositions, Vieux Bruxelles). **36** *Stockholm* (aviation). *Milan* [1]. **37** *Paris* [3] : 31 (P. de Chaillot, P. de Tokyo devenu P. de New York) ; 42 nations, 11 000 exposants. **38** *Glasgow* (Empire britannique) : 12,6. *Helsinki* (aviation). **39** *Liège* (technique de l'eau). *New York :* 27 (Périsphère-Trylone). *San Francisco :* 17. **40** *Bergen* (exposition polaire). *Cologne* (transports et communications). *Milan* [1]. **47** *Milan* [1]. *Paris* (urbanisme). **48** *Chicago :* 5,2. **49** *Stockholm* (sports). *Lyon* (habitat rural). **51** *Lille* (textile). *Londres :* 18 (festival de G.-B.). *Milan* [1]. **53** *Jérusalem* (conquête du désert). *Rome* (agriculture). **54** *Milan* [1]. Naples (navigation). *Strasbourg* (productivité). **55** *Helsinborg* (arts appliqués). *Milan* [1]. *Turin* (sports). **56** *Beit Dagon* (agrumes). **57** *Berlin* (bâtiments). *Milan* [1]. **58** *Bruxelles :* 41,4 (Atomium). **60** *Milan* [1]. *Rotterdam* [2]. **61** *Turin* (travail). **62** *Seattle* (Tour de 183 m). **63** *Hambourg* [2]. **64-65** *Milan* [1]. *Munich* (transports). *New York :* 65. *Vienne* [2]. **67** *Montréal* [3] : 50. **68** *Milan* [1]. *San Antonio* (Hemis-Fair). **69** *Paris* [1]. **70** *Osaka* [3] : 64. **71** *Budapest* (chasse) : 2. **72** *Amsterdam* [2]. *Rio de Janeiro* (progrès de la connaissance). **73** *Hambourg* [2]. **74** *Spokane* (progrès sans pollution). *Vienne* [2]. **75** *Okinawa :* 3,5 (mer et son avenir). **76** *Québec* [2]. **80** *Montréal* [2] : 1,69. **81** *Plovdiv* (la chasse). **82** *Amsterdam* [2]. *Knoxville* (énergie). **83** *Munich* [2]. **84** *La Nouvelle-Orléans* (Eau douce). *Liverpool* [2]. **85** *Tsukuba* (maison et son environnement) : 20. **86** *Vancouver* (transports) : 22. **88** *Brisbane* (loisirs). *Milan* [1]. **90** *Osaka* [2]. **91** *Plovdiv.* **92** *Gênes* (expo. spécialisée). *Séville* [3] (Ère des découvertes du 20-4 au 12-10 ; 500e anniv. de la découverte de l'Amér.). *La Haye* (2). **93** *Stuttgart* [2]. *Taejon* (défi d'une nouv. voie pour le dév.). **Projets 1996** *Budapest* (communication pour un monde meilleur). **1998** *Lisbonne* (Océans, Patrimoine pour l'avenir). **2000** *Hanovre* (Homme, nature et technol.).

Projets annulés. *Rome* (1942), *Moscou* (1967), *Philadelphie* (1976), *Los Angeles* (1981), *Paris* (1989, « Les chemins de la Liberté » pour le bicentenaire de la Révolution française). En 1990 (12-6) l'Italie a retiré la candidature de Venise. L'Autriche a retiré la candidature de Vienne en 1995. Voir aussi Quid 1984 p. 1513.

Nota. – (1) Triennale. (2) Horticulture (Floralies). (3) Universelle. (4) Coloniale internationale. (5) Coloniale nationale. (6) Internationale.

■ Foires internationales

Source : Union des Foires internationales. *Légende :* mois, entre parenthèses, jour du mois, n.f. : non fixé.

Calendrier 1994 (sauf autre indication contraire indiquée en italique) : **Alger** 6. **Alicante** Expocalzado 10 (n.f.). **Amsterdam** Aquatech 9 [1]. Europort 11 *95* [1]. Interclean 5 [1]. **Bagdad** 11 (1-15). **Bahreïn** Arabbuild 11 (3-6) [1]. Bureautique 1 *95* [1]. Mecom 1 *95* [1]. Mefex 1 (22-25) [1]. Meos 3 *95* [1]. **Bâle** Igeho 11 (23-29) *95* [1]. **Barcelone** (Foire) 1 (n.f.). Alimentaria 3 (n.f.) [1]. Barnajoya 9 (n.f.). Construmat 4 *95* [1]. Expoaviga 11 *95* [1]. Expomovil 5 (n.f.) [1]. Expoquimia *96* [2]. Graphispack *97* [3]. Informat 4 (n.f.). Hostelco 10 (n.f.) [1]. Nautique 11-12 (n.f.). Caravaning 11. Pielespana 1 (n.f.). Tourisme 4 (n.f.). Sonimag (n.f.). Sonimagfoto 9 *95* [1]. Sport et camping 3 (n.f.). **Bari** Foire du Levant 9 (9-19). Expo-Sport-Levante 3 (26) 4 (3). **Belgrade** (Technique) 5 (n.f.). La mode dans le monde 10 (n.f.). **Berlin** IFW *97* [3]. ITB 3 (5-10). Partenaires du progrès 6 (8-11). Son et vidéo 8 (25)-9 (3) [1]. Semaine verte 1 (14-23). **Bilbao** Ambiente 4 (n.f.) [1]. Biemh 10 (n.f.) [1]. Elektro 11 *95* [1]. Ferroforma 9 (n.f.) [1]. Sinaval 11 (n.f.) [1]. Sidérométalurgica 11 *95* [1]. **Birmingham** Electrex 6 (20-24) *94* [1]. Pakex 4 *95* [2]. Interbuild 11-12 *95* [1]. World Fishing 5-6 *95* [2]. IFE 4-5 *95* [1]. **Bogota** Foire 7 (n.f.) [1]. Agroexpo 7 *95* [1]. Compuexpo 10 (n.f.). **Bologne** Livre 4 (n.f.). **Bolzano** 9 (10-18). **Bordeaux** 5 (7-16). **Braga** Agro 4 (21-25). **Bratislava** Incheba 6 (21-25). Pragotherm 11 (n.f.). **Brno** (Constructions mécaniques) 9 (14-21). (Biens de consommation) 4 (18-22). Embax-Print 3 (5-9) [1]. Fond-Ex *96* [3]. Invex-Computer/Novelties 11 (8-11). Salima 3 (6-10) [1]. Welding 10 (11-14) [1]. **Bruxelles** Eurotech 5 *94* [1]. Bois *96* [1]. Aqua-Expo 5 *95* [1]. BTF 11 (22-24). Eurotech 5 (3-7) [1]. Europacado 3 (13-17) 9 (4-8). Florex 3 (13-17) 9 (4-8). **Budapest** Industria 5 (23-29). BNV 9 (9-18). Agro + Masexpo 4 *95* [1]. Construma 4 (19-23) [1]. Chemexpo 10 *95* [1]. **Buenos Aires** Emaqh 5 (n.f.). **Bulawayo** 4 (27)-5 (2).

Caire (Le) 4 (9-22). **Chicago** Engineering 3 (n.f.). Quincaillerie 8 (n.f.). Housewares 1 (16-19). **Cologne** Anuga 10 (7-12) *95* [1]. Domotechnica 2 (22-25). Enfance et jeunesse 2 (25-27) et 8 (26-28). IFMA 10 (5-9) [1]. IMB 9 *95* [2]. Interzum 5 *95* [1]. ISM 2 (6-10). GAFA 9 (n.f.). Meuble 1 (18-23). Mode masculine/Inter-Jeans 2 (n.f.) et 8 (n.f.). Orgatec 10 (20-25). Photokina 9 (n.f.) [1]. Quincaillerie 3 (6-9). Esb (centres sportifs) 10 *95* [1]. Spoga 9 (n.f.). **Copenhague** Bâtiment 9 *95* [1]. Industrikontakt 11 (n.f.) [2]. **Dakar** 11 (n.f.)-12 (n.f.) [1]. **Damas** 8 (28)-9 (10). **Dubaï** Motexha-Childexpo 4 (13-16) et 10 (19-22). **Düsseldorf** A+A 10 *95* [1]. Boot 1 (22-30). Drupa 5 (5-18) *95* [2]. Envitec 5 *95* [2]. Euroshop *96* [2]. GDS 3 (18-21) et 9 (16-19). Gifa 6 (15-22). Glastec 9 (n.f.). Imprinta *97* [2]. Interkama 10 *95* [2]. Interpack *96* [2]. K 10-11 *95* [2]. Medica 11 (16-19). Igedo (mode) 3 (6-8), 9 (4-6). Metav 5 (3-7). Reha 10 *95* [1]. Wire 4 (n.f.).

Essen Caravane 9 (24)-10 (2). Security 10 (11-14) [1]. **Florence** Artisanat 4 (22)-5 (1). **Framingham** Com Net 1 (24-27). **Francfort** Agritechnica 11 *95* [1]. DLG-Foodtec *96* [2]. Automechanika 9 (13-18) [1]. Messe Première 1 (29) 2 (2). Messe Ambiente 2 (19-23). Messe Herbst 8 (17-31). Heimtextil 1 (12-15). IFFA 5 *95* [1]. Infobase 5 (n.f.). ISH 3 (28)-4 (1) *95* [1]. Interstoff 4 (12-14) et 10 (25-27). IWC (n.f.) [2]. Musique 3 (16-20). Fourrure 4 (n.f.). Eurotier 6 *95* [1]. Techtextil-Zesplama 6 *95* [1].

Frickenhausen Fakuma 10 (18-22). **Friedrichshafen** Aero 4-5 *95* [1]. Interboot 9 (24)-10 (2). **Gand** 9 (3-18). **Gênes** Tecnhotel/Arredocontract 11 (12-16). Bibe/Hotel 11 (12-16). **Glasgow** Foodfare 3 (22-23) [1]. ScotEng 11 (8-11) [1]. Scotbuild 11 (22-25) [1]. ScotHot 3 *95* [1]. **Göteborg** Auto 3 *95* [2]. Batmässan 2 (n.f.). Belysningsmässan 1 (n.f.). Elkraft 5 (n.f.) [1]. Interfood 10 *95* [2]. Scanautomatic 11 *95* [1]. Scanpack 10 (n.f.) [2]. Scanplast 3 (n.f.) [2]. VVS 1 (18-23). **Graz** Foire 4 (30)-5 (8). Technova 6 (8-10). **Grenoble** Sig 3 (13-16).

Hambourg InternorGa 3 (11-16). Hanseboot 10 (22-30). SMM 9 (27)-10 (1) [1]. Voyages 2 (12-20). **Hanovre** Industrie 4 (20-27). Cebit 3 (16-23). Constructa 9 (n.f.)-10 (n.f.) [2]. Ligna 5 *95* [1]. **Helsinki** Finntec *96* [1]. FinnBuild 4 (n.f.) [1]. Habitare 9 *95* [1]. KT (machines de bureau) 9 (n.f.) [1]. Pactec 10 *95.* Vene-Boat (nautique) 2 (n.f.). **Houston** OTC 5 (2-5). **Istanbul** Ankomak 5 *95* [1]. **Izmir** 8 (26)-10 (10). **Jakarta** Foire 6 (n.f.)-7 (n.f.). Agriculture 10 (n.f.) [1]. Construction Indonesia 9 (n.f.) [1]. Communications 2 *95* [1]. Electric 12 *95* [1]. Manufacturing 11 (n.f.). **Jérusalem** Livre 3 (26)-4 (1) [1]. **Jönköping** Elmia-Ergonomics 9-10 *95.* Elmia Farming 10 *95.* Elmia Subcontractor 11 *94.* Elmia Waste *98.* Elmia Water 4 (n.f.). Elmia Wood *97.* **Khartoum** 1 (26)-2 (11). **Kinshasa** Fikin 7-8 *95* [1]. **Klagenfurt** Bois 9 (8-11). **Koweït** Livre 12 (n.f.). Maison moderne 1 (n.f.). **Kuala Lumpur** ITM 6 (n.f.).

Leipzig 3 (n.f.). **Lille** 4 (n.f.). **Lima** Pacifique 11 *95* [1]. Tecnomin (n.f.) [1]. Agrotec 11 (n.f.). **Lisbonne** Fil 5 (n.f.). Intercasa 10 (n.f.). SK 4 (n.f.). **Ljubljana** Lesma (bois) 6 (21-25) [1]. Électronique 10 (3-7). **Luanda** Filda 7 (19-24). **Luxembourg** (biens de consommation et d'équipement) 5 (7) (capitaux) 10 (8-16). **Lyon** Foire 4 (n.f.). Meuropam 10 (n.f.). Expotherm 11 (n.f.) [1]. Ipharmex 9 (n.f.). Eurobois 3 *95* [1]. Transfométal 3 (n.f.) [1]. Métiers de Bouche-Sirha-Vinordma 1 *95* [1].

Madrid Fitur 1 (26-30). Expo-Optica 4 (29)-5 (1). Matelec 10 (25-29) [1]. Liber 6 (22-25) [1]. Sicur 3 (1-4) [1]. Simo 11 (11-18). **Malte** 6 (28)-7 (12). **Maputo** Facim 8 (26)-9 (4). **Marseille** Foire 9 (23)-10 (3). Nautique 3 (n.f.). **Melbourne** Fine Food 9 (5-8) [1]. Fine Food (Sydney) 10 (1-4) [1]. **Metz** Foire 9 (29)-10 (10). **Milan** Eimu 9 *95* [1]. Euroluce 4 (12-17) [1]. Meuble 4 (12-17). BIT 2 (23-27). Boritec 5 (n.f.). Intel 5 *95* [1]. SMAU 10 (n.f.). Cart 1 (n.f.). Chibicar 1 (n.f.). Chibidue 6 (n.f.). Macef Autunno 9 (n.f.). Macef Primavera 2 (n.f.). Miad 5 (n.f.). Mifed 10 (n.f.). Star 10 (n.f.). **Montréal** Fourrure 5 (4-7). **Moscou** Polymère (chimie) *97.* **Munich** IHM 3 (12-20). Analytica 4 (19-22) [1]. Bau 1 (17-22) *95* [1]. Bauma 4 (3-9) *95* [2]. CBR 2 (5-13). Ceramitec 10 (11-15) [2]. Electronica 11 (8-12) [1]. Ifat *96* [2]. Inhorgenta 2 (11-14). Drinktec-Interbrau *97* [2]. Interforst 7 (5-10) [3]. Ispo 2 (24-27) et 8 (28-31). Laser 6 (19-23) [1]. Productronica 11 (7-11) [1]. Imega 9 (18-22) [1]. Systec 10 (25-28). Systems 10 (16-20) [1]. Mode-woche 2 (19-22) et 8 (20-23). **New Delhi** 11 (n.f.). **New York** Wine America 3 (n.f.). **Nice** 3 (12-21). **Nicosie** 5 (26)-6 (5). **Novi Sad** Agriculture 5 (14-22). Foire d'automne 9 (7-11). Chasse 10 (19-23). **Nuremberg** Brau 11 (10-12). Jouet 2 (3-9). Iwa 3 (11-14). Stone + Tec 5 *95* [1]. IKK 10 (6-8). Interzoo 5 (12-15) [1]. **Offenbach** Maroquinerie 2 (2-22) et 8 (27-30). **Osaka** 4 (n.f.) [1]. Jimtof 10 (n.f.)-11 (n.f.) [1]. **Oslo** Bâtiment 9 (22)-10 (1) *95* [1]. Nor-Shipping 6 (13-16) [1].

Padoue Foire 5 (n.f.). Flormart 9 (n.f.). Sep-Pollution 3 (23-27) [1]. Tramag *95* [1]. **Palerme** Foire 5 (n.f.)-6 (n.f.). **Paris** Bijorhca 1 (n.f.) et 9 (n.f.). Foire 4 (30)-5 (12). Équip'auto 10 *95* [1]. Europain 2 (12-17) [1]. Expobois 3 (16-21) [1]. Fourrure 3 (n.f.). Europlast 10 (n.f.). Prêt-à-porter féminin 2 (4-8), 9 (2-6). Sisel Sport (été) 9 (4-6). Sicob 10 (3-7). Arts ménagers professionnels 1 *95* [1]. Funéraire 11 *95* [1]. Luminaire 1 (13-18). Meuble 1 (14-18). Tapis 1 (14-18). Cuir 9 (17-20). Elec 12 (5-9) [1]. Son et Vidéo (n.f.) [1]. Jouet 1 (26)-2 (1). Sehm-Promas 2 (5-8) et 9 (2-5). SIAE 6 (9-18) *95* [1]. Alimentation 10 (23-27) [1]. Sima 2 (27)-3 (3). Sitevi (Montpellier) 11 *95* [1]. **Parme** Technoconserve 10 *95* [1]. **Pékin** China Print *96* [3]. Medical China 5 *95* [1]. **Plovdiv** Consommation 5 (2-8). Technique 9 (26)-10 (2). **Porto** Expocouro Fipele 11 (25-27). **Poznan** Foire 6 (12-17). Intermasz 3 (22-26) [1]. Salmed 3 (22-26). **Prague** Pragotherm 11 (10-15) [1]. **Rimini** Alimentation 2 (n.f.). Tecnargilla 9-10 *95* [2].

Riyad SaudiAgriculture 10 (2-6). SaudiBuild 11 *95* [1]. SaudiBusiness 2 *95* [1]. SaudiEducation 2 *95* [1].

SaudiFood 1 *95* [1]. SaudiMedicare 11 (6-10) [1]. **Rome** Électronique 11 (9-13). **Salzbourg** BWS 4 (27-30). Tracht/Country Classics 3 (n.f.) et 9 (n.f.). Souvenir Crea'tisch 3 (n.f.) et 9 (n.f.). **San Salvador** 11 (3-13) [1]. **Santa Cruz** Expocruz 9 (14-25). **Santiago** Fisa 10 (26)-11 (6). **Saragosse** Enomaq *96* [2]. Fima 3 (n.f.). Smagua 2 *95* [1]. Smopyc 2 (18-22) [1]. **Sarajevo** Plastique 11 (7-11). **Séville** Expopiedra 2 (9-12). **Silleda** Semaine Verte 5 (26-30). **Singapour** Asia-Electronics 9 (21-24) [1]. Asiapack 6 *95* [1]. Imac-Asia 6 *95* [1]. Asiaprint 6 *95* [1]. Conpex-Asia (n.f.) [1]. Electric-Asia 9 (21-24) [1]. Medic-Asia 9 *95* [1]. ChemAsia 10 *95* [1]. CommunicAsia 6 (1-4) [1]. Food and Hotelasia 4 (12-15) [1]. Machine Asia 10 *95* [1]. Metal Asia 11 (15-19) [1]. Offshore South East Asia 12 (6-9) [1]. Woodmac Asia (n.f.). **Stockholm** Technique 10 (17-22). Data Office Environment 10 (2-6) [1]. Swedental 11 (16-18) [2]. IM-Electroniques (n.f.) [1]. Médecine 11 (30)-12 (2). Nautique 3 (4-13). Prêt-à-porter 2 (19-22), 9 (8-11). SPCI 5 (31)-6 (3) [2]. VVS 1 (18-23) [1]. Nordbygg 1 (18-23) [1].

Strasbourg Foire 9 (2-12). **Stuttgart** CMT 1 (15-23). Intergastra 2 (19-24) [1]. Intervitis 5 (24-29) *95* [2]. Intherm 3 (22-26) [1]. R + T 3 (10-13) [1]. **Téhéran** 10 (n.f.). **Tel-Aviv** Foire 6 (n.f.). **Thessaloniki** Foire 9 (10-19). Detrop 5 (n.f.) *95* [1]. **Tokyo** Lifestyle 5 (n.f.). Wine Japan 5 (n.f.). Foire 4 *95* [1]. Jimtof 10 (n.f.)-11 (n.f.) (Osaka) [1]. **Toulouse** Foire 4 (n.f.). **Trieste** Foire 6 (17-29). **Tripoli** Foire 3 (5-25) [1]. **Tunis** Foire 10 (23)-11 (1). **Turin** Caravan Europa 9 (17-25). Expocasa 3 (12-20). Expovacanze 3 (n.f.)-4 (n.f.). Technologie 11 (9-13). Tecnomont 10 (15-23). **Utrecht** Aandrijftechniek 10 *95* [1]. Bouwbeurs 2 *95* [1]. Drophar 8 (n.f.). Ecotech 12 *95* [1]. Elektrotechniek 9-10 *95* [1]. Europe Software 5 (n.f.). Groen 1 (24-27) [1]. Karwei 1 (n.f.). Inter-Decor 9 (n.f.). Logistica 11 (9-16) [2]. Machevo Food/Machevo Process 10 *95* [2]. Macropak 5 (2-6) [2]. Medica 3 *95* [1]. Meubelbeurs 9 (n.f.). Roka 4 (n.f.) [1]. Security 10 *95* [1]. De Vakantiebeurs 1 (n.f.). Vat 2 (n.f.) [1]. VIV (élevage) 9 (n.f.) [1]. Sfeer 1 (n.f.). Toolex 9 *95* [1]. VSK 2 (8-12) [1].

Valence (ESPAGNE) Cevider 4 (n.f.) Cevisama 3 (n.f.). Fim 9 (n.f.). Iberflora 10 (n.f.). FIV 12 (n.f.)-1 (n.f.). Feju 2 (n.f.). Fimma 11 *95* [1]. Textilhogar 1 (n.f.). Maderalia 11 *95* [1]. **Valencia** (VENEZUELA) FIV 4 (5-10). **Varsovie** Livre 5 (18-23). **Vérone** Fieragricola 3 (n.f.). Eurocarne 5 (20-24) [2]. Samoter *96* [3]. **Vicenza** Vicenzaoro 1 (16-23), 6 (n.f.). **Vienne** Aqua-Therm 4 (12-15) [1]. Bauen/Wohren 3 (n.f.). Viet 10 *95* [1]. Ifabo 5 (3-7). Kuk 10 (n.f.). Hit 9 (3-11). Intertool-Austria 9 (27)-10 (1) [1]. Vinova 6 (9-13) [1]. **Zagreb** ITTF 5 (3-7). Bâtiment 4 (19-23). Biens de consommation 4 (19-23). Biam 6 (14-18). Cuir et chaussures 2 (22-25). Informatika-Interbiro 10 (18-22). Interliber-Educa 4 (19-23). Intergrafika 3 *95* [1]. Interklima 6 *95* [1]. Médecine 5 (24-27). Foire d'automne 9 (19-25). Soudure et anticorrosion 6 (14-18) [1]. **Zurich** Züspa (Salon d'automne) 9 (n.f.)-10 (n.f.). 2-Rad 2 (15-20) *95* [1]. Hilsa-Sanitär-Spengleri 4 (12-16). Mefa 5 (4-9) [2]. Hilsa Heizung-Klima-Lüftung *96* [2].

Nota. – (1) Biennale. (2) Triennale. (3) Quadriennale.

■ STATISTIQUES FRANCE

NOMBRE D'EXPOSANTS

Total, entre parenthèses exposants indirects, en italique exposants étrangers en 1990.

Foires. Paris 2 844 (0) *694.* Marseille 1 718 (390) *331.* Bordeaux 2 320 (803) *480.* Strasbourg 1 880 (745) *429.* Lille 1 316 (515) *277.*

Salons. Batimat [9] 3 771 (1 449) *1 496.* Semaine du cuir 2 262 (0) *1 587.* Sous-traitance Midest 2 562 (0) *565.* Composants électroniques (1980) 1 268 *29.* Bijhorca (12/16-1) 798 (0) *98,* (1/5-9) 989 (0) *163.* Ateliers d'art (12/16-1) 890 (0) *133,* (1/5-9) 853 (0) *113. Prêt-à-porter féminin* (3/6-2) 885 *219,* (1/4-9) 946 *283.* Meuble 1 082 (35) *474.*

NOMBRE D'ENTRÉES EN 1992 (EN MILLIERS)

■ **Foires internationales.** Bordeaux 201. Caen 193. Dijon 213. Lille 152. Lyon 396. Marseille 351. Metz 126. Montpellier 205. Nancy 154. Nantes 143. Nice 100. Paris 945. Rennes 151. Rouen 107. Strasbourg 220. Toulouse 128.

■ **Foires agréées.** Alençon 38. Angers 90. Annecy 101. Argentan 12. Avignon 68. Besançon 89. Bourg-en-Bresse 44. Castres 41. Châlons-sur-Marne 141. Chambéry 55. Charleville-Mézières 78. Châteaubriant 43. Clermont-Ferrand Cournon 97. Colmar

Foire à la Brocante et aux Jambons (Chatou). Semestrielle, dans l'île des impressionnistes, à Chatou. 800 exposants. 4 ha ; 80 000 vis.

Foire-Internationale-Brocante. Antiquités. Parcs des Cornouailles, Maurice-Thorez (Ivry-sur-Seine).

Foire de Paris. *1904 mars* 1re au Carreau du Temple (486 exposants). *1905-09* Grand Palais. *1910* Carreau du Temple. *1911* Château-d'Eau. *1917* Invalides. *1919-24* Invalides, Ch. de Mars. *1925* Porte de Versailles (Halls, 50 000 m^2).

Foire du Trône (anciennement Foire au Pain d'épice). *Créée* 957.

Marché aux Puces. S'installe dans les terrains vagues de la zone nord-est vers 1880. En 1920, Romain Vernaison, propriétaire d'un terrain riverain, installe des stands et les loue aux brocanteurs. Autres marchés : Biron créé 1925, cité Malik 1935 (reconstruit), cité Jules-Vallès 1938, cité Paul-Bert 1946. *Superficie :* 30 ha, plus de 1 500 boutiques, 1 400 marchands patentés en stands. Créés 1992 : Dauphine, 300 marchands, 140, rue des Rosiers ; Malassis, 230 marchands, 142, rue des Rosiers, St-Ouen.

■ **Parc des expositions, Porte de Versailles, Paris.** Ancien site des briquetteries de Vaugirard. Une sté d'exploitation, la Sepe (créée 1928), concessionnaire de 36 ha, cotée en bourse dep. 1963 ; gère 8 halls d'exposition couverts (+ de 220 000 m^2 et 42 000 m^2 de terrasses aménageables. Occupation : 95 % de septembre à avril. Accueille chaque année + de 100 salons (dont 70 % professionnels) ; peut en recevoir 13 simultanément. Central téléphonique : peut gérer jusqu'à 5 000 lignes. Parking 6 450 places (bientôt 7 300).

157. Grenoble 227. Guingamp 9. La Rochelle 69. La Roche-sur-Foron 91. La Roche-sur-Yon 29. Laval 37. Le Mans 94. Limoges 81. Lorient 28. Mâcon 43. Mulhouse 103. Nevers 57. Niort 104. Orange 38. Orléans 70. Pau 97. Perpignan 47. Poitiers 40. Reims 61. Romans-sur-Isère 42. Saint-Brieuc 70. Saint-Etienne 86. Strasbourg 66. Tarbes 49. Troyes 56. Valence 47. Villeneuve-sur-Lot [1] 36.

■ **Foires autorisées.** Albi 26. Annonay 16. Arras 30. Aurillac 20. Bastia 57. Bayonne 40. Bourges (n.c.). Brignoles 46. Calais 15. Châteauroux (n.c.). Cholet 21. Dax [1] 31. Digne 17. Douai 80. Epinal 22. Fontenay-le-Comte 18. Fougères 12. Lisieux 15. Lons-le-Saunier 16. Mantes-la-Jolie 25. Mont-de-Marsan [1] 22. Morlaix 26. Neufchâteau 378. Nîmes 18. Périgueux 48. Pontoise 5. Pontivy [1] 35. Rochefort-sur-Mer 4. Saint-Girons 34. Saintes 18. Vannes [1] 50. Verdun 24. Vesoul 8.

■ **Salons ouverts au public. Agriculture-Viticulture :** Jardin-Vins (Paris) : voir Foire de Paris. Florissimo (Dijon) 220. **Habitat-Aménagement de la maison :** Conforexpo (Bordeaux) 103. Bricolage (Paris) 62. Maison individuelle (Paris) 28. Meubles et Décors (Paris) 51. Habitat (Angers) 20. Habitat (Besançon) 6. Habitat (Caen) 5. Maison (Dijon) 16. Confort ménager (Lille) 70. Habitat (Orléans) 14. Amélioration de l'habitat-Confort ménager-Ensembliers-Logement (Paris) : voir Foire de Paris. Habitat (Toulouse) 20. Meubles, décoration (Toulouse) 11. Maison (St-Denis de la Réunion) [1] 63. **Art-Artisanat d'art-Décoration :** Artisanat d'art (Dijon) 16. Nimagine (Nîmes) 20. Artisans d'art (Toulouse) 25. Editeurs de la décoration (Paris) [1] 43. **Transport-Circulation :** Auto-Moto-Caravane (Besançon) 8. Voiture de course (Paris) n.c. Automobile (Pau) 14. Automobile (Paris) [1] 1 118. Automobile (Avignon) 29. Automobile (Chambéry) 12. Automobile (Lyon) 221. Moto (Paris) 244. Automobile (Bordeaux) 37. Automobile (Dijon) 24. Automobile, véhicule industriel (Toulouse) 72. **Communication :** Expolangues (Paris) 30. **Sports-Loisirs :** Nautique (Paris) 285. Grand Pavois (La Rochelle) 62. Véhicules de Loisirs (Paris) 61. Modèle réduit (Paris) 190. Plaisance (Cannes) 37. Sports-Camping-Tourisme (Le Mans) 13. Nautique (Marseille) 26. Evasion (Metz) 17. Cheval et Poney (Paris) 119. Tourisme et loisirs (Paris) : voir Foire de Paris. Sapel (Chalon/S.) [1] 19. **Commerce-Services :** Investissement (Paris) 64. J'élève un enfant (Caen) 10. Investir et Placer (Paris) 35. Epargne et Placement (Caen) 2. **Antiquités :** Antiquités-brocante (Albi) 10. Antiquaires du Sud-Ouest (Bordeaux) 24. Antiquaires (Caen) 8. Antiquaires-brocante (Dijon) 12. Antiquaires (Marseille) 19. Antiquaires (Metz) 11. Antiquaires (Nîmes) 14.

■ **Salons professionnels. Agriculture-Viticulture :** Hormatec, Plantexpo, Hortipack (Lyon) 17. Hortimat-Arhomape (Orléans) 45. Jarditec, Simaver (Paris) 19. Sima (Paris) 118. Hortiflor (Paris) 13. Space (Rennes) 57. Sifel (Agen) 30. Sival (Angers) 24. Horti-Azur (Nice) 6. Sitevinitech (Bordeaux) [1] 33. Simavip (Paris) [1] 7. Sitevi (Montpellier) [1] 39. Pêche industrielle (Lorient) [1] 15. **Alimentation :** Intersuc (Paris) 9. Interglaces (Paris) 4. Vins de Loire (Angers) 8. Sial (Paris) [1] 101. Europain (Paris) [1] 84. Siel, Matic, Gia (Paris) [1] 62. Sial boissons (Paris) [1] 10. Vinexpo (Bordeaux) [1] 57. **Hôtellerie-Restauration :** Equip'hôtel (Paris) 128. Mebotel (Montpellier) 13. Agecotel (Nice) 18. Exp'hôtel (Bordeaux) 10. Equipnor (Lille) 11. Gastrolor (Metz) [1] 18. Show-Hotels (Marseille) [1] 4. Expotel-Comte (Besançon) [1] 6. Culinatec (Paris) [1] 8. Egast (Strasbourg) [1] 23. Sirha (Lyon) [1] 105. Serbotel (Nantes) [1] 19. **Textile-habillement-Cuir-accessoires de mode :** Bijorhca (Paris) janv. 30, sept. 35. Midec (Paris) mars 9, sept. 9. Cuir (Paris) 70. Siif (Paris) 1. Sehm (Paris) févr. 50, sept. 43. Lingerie (Paris) 18. Mode enfantine (Paris) févr. 21, sept. 15. Prêt-à-porter féminin (Paris) févr. 42, sept. 40. Première classe (Paris) mars 4, oct. 3. Première vision (Paris) mars 40, oct. 42. Vetimat (Paris) [2] 5. Entex (Paris) [4] 15. **Bâtiment-travaux publics :** Quojem (Paris) 27. SAM (Grenoble) 17. Expotherm (Lyon) 50. Eurobat (Lyon) 40. Batimat (Paris) 631. Interclima (Paris) 134. Funéraire (Paris) 8. Intermat (Paris) [2] 139. **Equipement et décoration de la maison :** Meuropam (Lyon) 29. Paas (Paris) janv. 42, sept. 32. Approfal (Paris) commun avec meubles. Luminaire (Paris) 26. Meuble (Paris) 53. Mic (Paris) janv. 30, sept. 25. Parallèle (Paris) janv. 30, sept. 25. Sisel vert (Paris) 1. Tapis (Paris) 6. Tex'styles (Paris) 13. Moving (Paris) janv. 26, sept. 19. Batimat décor-Decormat-Paritex (Paris) [1] 32. Arts ménagers (Paris) [1] 17. **Santé-Hygiène-Mode de vie :** Monde de l'enfant (Paris) 7. Silmo (Paris) 23. Médecine Méditerranée (Marseille) 3. Pharmagora (Paris) 28. Ipharmex (Lyon) [1] 21. Intermedica (Paris) [1] n.c. Laboratoire (Paris) [1] 36. Bioexpo (Paris) [1] 8. Sitad (Paris) [2] 18. Silab (Paris) [2] 6. **Environnement :** Pollutec (Lyon) n.c. Hydrotop (Marseille) 3. **Sécurité civile et militaire :** Expoprojection (Paris) [1] 34. Transport-Circulation : Edilog (Paris) 13. Aéronautique et Espace (Paris) [1] 440. Equip'auto (Paris) [1] 115. **Communication :** Midem (Cannes) 7. Mipcom (Cannes) 7. Mip-TV (Cannes) 9. **Industrie graphique :** Intergraphic (Paris) n.c. Graphitec (Paris) [1] 56. Industries papetières (Grenoble) [2] 5. TPG (Paris) [5] 90. **Informatique-bureautique :** Sicob (Paris) 31. Sippa (Paris) 25. Micad (Paris) 24. Infopro (Paris) 10. Applica (Lille) [1] reporté. Bureau Concept Expo (Paris) [1] 9. **Sports-Jeux-Loisirs :** Sig (Grenoble) 13. Jouets (Paris) 28. Sisel Sports (Paris) févr. 7, sept. 16. Forainexpo (Paris) n.c. Industries de la piscine (Lyon) 7. Photo-Ciné-Son (Paris) [1] 120. **Tourisme :** Mitcar (Paris) 12. SMT (Paris) 82. **Mécanique et ses équipements :** Micronora (Besançon) [1] 14. Simodec (La Roche-sur-Foron) [1] 17. Emballage (Paris) [1] 122. Eurofour (Paris) [1] commun avec Machine-outil. Expobois (Paris) [1] 31. Mecanelem (Paris) [1] 42. Machine-outil (Paris) [1] 80. Transfométal (Lyon) [1] 23. Sits (Paris) [1] 19. Productique (Paris) [1] 33. Europack (Lyon) [1] 34. Eurobois (Lyon) [1] 29. Manutention (Paris) [2] 39. **Electricité-Electronique-Mesure :** Mesure et régulation (Metz) 1. Elec (Paris) [1] 70. Pronic (Paris) [1] 16. Seipra (Nantes) [1] 6. Componic (Paris) [1] 59. Seipra (Angers) [1] 7. Electron (Bordeaux) [1] 3. Mesucora (Paris) [2] 38. **Physique-Chimie-Plastique :** Physique (Paris) 11. Interchimie (Paris) [2] 28. Plastexpo (Lyon) [3] 16. Europlastique (Paris) [3] 63. **Nouvelles technologies :** Insa Technologies (Lyon) 7. Tec (Grenoble) [1] 25. Sitef (Toulouse) [1] 69. TechnoPlus (Orléans) [1] commun avec Fist. **Sous-Traitance :** Midest (Paris) 44. Rist (Valence) 4. First (Nantes) [1] 3. Fist-Fast (Dijon) [1] reporté. Fist (Orléans) [1] 10. **Communication d'entreprise-Commerce-Services :** Plv (Paris) 9. Assure-Expo (Paris) 27. Tax-Free (Cannes) n.c. Mipim (Cannes) 1. Franchise (Paris) n.c. Cadeau et Entreprise (Paris) mars 6, sept. 5. S'Implanter (Paris) n.c. Interfinances (Paris) n.c. Tertiaire-Services (Troyes) 3. Equip'Mag (Paris) [1] 21. Etiqua (Strasbourg) [1] 2. Serviter (Besançon) [1] 4.

Nota. – (1) Foires biennales. (2) Triennales. (3) Quadriennales. (4) Sexennales. (5) Novennal.

AGRICULTURE

COMPARAISONS

Espace vital. La Terre compte environ 5 milliards d'habitants. Chacun dispose théoriquement d'un espace vital de 4,69 hectares dont : climat trop froid 0,76 ; trop montagneux 0,76 ; trop aride 0,76 ; impropre à la culture 0,38 ; potentiellement utilisable 0,80 ; effectivement cultivé 0,34.

La Terre pourrait, avec les techniques actuelles, nourrir 12 milliards d'êtres humains.

Nombre de personnes nourries par personne active dans l'agriculture. En ex-URSS 4, France 12 *(1700* 1,4 ; *1846* 1,6 ; *1910* 4,2 ; *1946* 5,5), USA 31.

Surfaces nécessaires. Au XVIIIe s, 2 ha de terre moyenne sous climat tempéré nourrissaient 1 personne (10 à 20 en 1988). La densité maximale de population compatible avec une récolte moyenne fut atteinte 3 fois en France de l'an 1000 au XVIIIe s. (1300-1340, 1560-1630, 1680-1709). Il en résulta un très faible niveau de vie des salariés et des paysans non propriétaires de leur terre, des disettes, même des famines (si l'on avait plusieurs années de suite de mauvaises récoltes).

DISPONIBILITÉS ALIMENTAIRES

■ **Calories. Nombre total de calories par personne et par jour** (1988).

Afrique. Afr. du Sud 3 055, Algérie 2 726, Angola 1 725, Bénin 2 145, Botswana 2 269, Burkina Faso 2 061, Burundi 2 253, Cameroun 2 161, Cap-Vert 2 436, Comores 2 046, Congo 2 512, Côte-d'Ivoire 2 635, Égypte 3 213, Éthiopie 1 658, Gabon 2 396, Gambie 2 360, Ghana 2 209, Guinée 2 042, Guinée-Bissau 2 690, Kenya 1 973, Lesotho 2 307, Liberia 2 270, Libye 3 384, Madagascar 2 101, Malawi 2 009, Mali 2 185, Mauritanie 2 528, Maroc 2 820, Mozambique 1 632, Namibie 1 889, Niger 2 340, Nigeria 2 039, Ouganda [2] 2 291, République centrafricaine 1 980, Réunion 2 665, Rwanda 1 786, São Tomé 2 657, Sénégal 1 989, Seychelles 2 146, Sierra Leone 1 806, Somalie 1 736, Soudan 1 996, Swaziland 2 548, Tanzanie 2 151, Tchad 1 852, Togo 2 133, Tunisie 2 964, Zaïre 2 034, Zambie 2 026, Zimbabwe 2 232.

Amérique du Nord. Canada 3 447, Costa Rica 2 782, Cuba 3 103, Guadeloupe 2 788, Guatemala 2 352, Haïti 1 911, Honduras 2 164, Jamaïque 2 572, Martinique 2 835, Mexique 3 149, Nicaragua 2 361, Panamá 2 458, Rép. dominic. 2 357 Salvador 2 415, USA. 3 666.

Amérique du Sud. Argentine 3 118, Bolivie 2 086, Brésil 2 709, Chili 2 584, Colombie 2 561, Équateur 2 338, Guyana 2 379, Guyane 2 841, Paraguay 2 816, Pérou 2 269, Surinam 2 809, Uruguay 2 770, Venezuela 2 547.

Asie. Afghanistan 2 055 [1], Arabie Saoudite 2 832, Bangladesh 1 925, Cambodge 2 995 [1], Chine 2 632, Chypre 3 378 [1], Corée du S. 2 878, Corée du N. 3 193, Hong Kong 2 899, Inde 2 104, Indonésie 2 667, Iran 3 100, Irak 2 962, Israël 3 138, Japon 2 848, Koweït 3 132, Laos 2 367, Liban 2 995 [1], Malaisie 2 686, Mongolie 2 458, Myanmar 2 518 [2], Népal 2 078, Pakistan 2 200, Philippines 2 255, Singapour 2 892, Sri Lanka 2 319, Syrie 3 168, Thaïlande 2 287, Turquie 3 080, Viêt-nam 2 233, Yémen 2 314.

Europe. Albanie 2 741, All. dém. 3 890, All. féd. 3 514, Autriche 3 478, Belg.-Lux. 3 942, Bulgarie 3 614, Danemark 3 577, Espagne 3 543, Finlande 3 170, *France 3 310,* G.-B. 3 252, Grèce 3 699, Hongrie 3 601, Irlande 3 699, Islande 3 352, Italie 3 366, Norvège 3 253, Pays-Bas 3 354, Pologne 3 451, Portugal 3 382, Roumanie 3 357, Suède 3 007, Suisse 3 547, Tchéc. 3 564, ex-Youg. 3 505.

Océanie. Australie 3 322, Fidji 2 763, Polynésie fr. 2 869, Nouvelle-Calédonie 2 920, Nouvelle-Zélande 3 469, Papouasie-Nouvelle-Guinée 2 236.

Ex-URSS 3 386.

Nota. – (1) 1981-83. (2) 1983-85.

■ **Calories par personne et par jour fournies par les produits animaux** (1983-85). **Taux les plus élevés et les plus bas. Afrique :** + Somalie 569 ; Libye 566 ; Mauritanie 561 ; Réunion 532. – Rwanda 66 ; Zaïre 59 ; Mozambique 56 ; Burundi 50. **Amér. du Nord et centrale :** + USA 1 264 ; Canada 1 226 ; Bermudes 1 027. Antilles néerl. 961. – République dominicaine 314 ; Honduras 252 ; Guatemala 193 ; Haïti 101. **Amér. du Sud :** + Argentine 976 ; Uruguay 929 ; Guyane française 803. – Bolivie 356 ; Surinam 346 ; Pérou 270 ; Guyana 264. **Asie :** + Mongolie 864 ; Émirats Arabes Unis 846 ; Koweït 779 ; Hong Kong 775. – Birmanie 109 ; Sri Lanka 97 ; Bangladesh 64 ; Indonésie 54. **Europe :** + Danemark 1 568 ; Belg.-Lux. 1 481 ; Irlande 1 427 ; Suisse 1 370. Bulgarie 841 ; – Roumanie 813 ; Malte 743 ; Portugal 579. **Océanie :** + Nouvelle-Zélande 1 510 ; Australie 1 118 ; Polynésie 596. – Fidji 348 ; Kiribati 213 ; îles Salomon 200. **URSS :** 867.

DISTRIBUTION DES TERRES ET DES CONTINENTS

	Afrique	Amérique centr. et N.	Amérique S.	Asie	Europe	Océanie	ex-URSS	Total
Superficie (millions d'ha)								
Terres arables et cultures permanentes [1]	185	275	141	454	140	50	232	1 476
Prairies et pâturages [1]	789	367	458	645	84	453	375	3 171
Bois [1]	698	659	917	562	155	160	935	4 087
Divers [1]	1 293	838	238	1 017	94	180	685	4 345
Total [1]	*2 965*	*2 139*	*1 753*	*2 679*	*473*	*843*	*2 227*	*13 079*
Avoine	0,7	4,1	0,8	0,6	3,7	1,1	10,7	21,9
Blé	8,7	43	9,7	84,5	27,3	9	48,2	230
Maïs	20,9	37,6	16	39,9	10,1	0,07	4,4	129,1
Millet	112,7	0,1	0,05	20,5	0,02	0,03	2,9	36,4
Orge	5,4	8,2	0,6	11,8	17,3	2,6	26,1	72,2
Riz	5,7	1,7	5,5	132	0,4	0,1	0,6	146,4
Seigle	0,04	0,6	0,06	0,8	4,5	0,03	10,3	16,5
Coton (graines) [2]	4	3,8	4,3	16,3	0,3	0,2	3,4	32,3
Patates douces [2]	1,1	0,2	0,1	5,8	0,01	0,1	–	7,4
Pommes de terre	0,7	0,7	0,8	5,2	4,6	0,05	5,8	18,1
Sorgho	15,2	5,9	1,3	18,5	0,1	0,3	0,2	41,8
Production (millions de t)								
Avoine	0,1	8,5	1,1	0,9	11,8	1,7	17,3 [3]	41,7
Blé	13,7	110,1	16,6	201,5	130,8	15,6	108 [3]	596,5
Maïs	34	226,5	32,1	125,4	43,9	0,3	10 [3]	472,3
Millet	9	0,1	0,09	16,7	0,03	0,04	3,6	29,7
Orge	5,1	23,7	1	18,4	71,3	4,6	56,2 [3]	180,4
Riz	12,4	9	13,5	476,8	2,4	0,9	2,4	517,6
Seigle	0,006	1,1	0,06	1,2	13,5	0,02	24 [3]	39,9
Coton (fibres)	1,2	3,6	1,4	8,8	0,3	0,3	2,6	18,4
Patates douces [2]	7	1,4	1,3	99,5	0,1	0,6	–	109,9
Pommes de terre	6,9	21,9	10,4	65,5	101,3	1,4	63,7	271,4
Sorgho	12,1	20,8	3,6	18,9	0,5	0,9	0,1 [3]	57,2
Rendements (quintaux à l'ha)								
Avoine	2,3	20,6	13,8	15,7	31,7	15,5	16,1	19
Blé	15,6	25,6	17	23,8	47,9	17,2	22,4	25,8
Maïs	16,2	60,2	20	31,4	43,1	53,1	22,6	36,5
Millet	7	12	16,5	8,1	15,5	11,4	12,5	8,1
Orge	9,4	28,8	16,3	15,6	41,1	17,5	21,5	25
Riz	21,5	50,5	24,3	36,1	53,1	74,1	40,5	35,3
Seigle	1,3	17,3	10,2	14,9	29,8	6,5	23,1	24,2
Coton (graines) [2]	9,3	16,9	8,7	13	25,6	35,7	24,04	13,9
Patates douces [2]	61,3	68,7	88,4	171,4	111,9	48,2	–	147,9
Pommes de terre	94	287,4	124,3	125,3	216,7	286,2	109,5	149,8
Sorgho	7,9	34,9	26,8	10,2	34	24,8	7,35	13,6

Source : FAO, résultats 1991. Sauf (1) Résultats 1985. (2) 1986. (3) Estimation.

■ **Protéines. Taux journaliers les plus élevés et les plus bas** (en g, 1983-1985) : **Afrique :** + Libye 94,2 ; Égypte 82,8 ; Tunisie 79,1 ; Afrique Sud 75,1 ; Burundi 73,1. – Guinée 37,8 ; Ghana 36,7 ; Zaïre 33,5 ; Mozambique 29,1. **Amér. du N. :** + USA 104,4 ; Canada 94,2 ; Bermudes 92,1 ; Barbades 88,2. – Antigua 57,7 ; Honduras 54 ; Rép. dominicaine 51,9 ; Haïti 44. **Amér. du S. :** + Argentine 104,4 ; Guyane fr. 88,4 ; Uruguay 79,1 ; Paraguay 78,6. – Colombie 56,7 ; Bolivie 54,9 ; Guyana 54,2 ; Équateur 45. **Asie :** + Israël 101,5 ; Émirats Arabes Unis 98,7 ; Koweït 92,5 ; Mongolie 92. – Inde 52,3 ; Thaïlande 47,8 ; Sri Lanka 47,3 ; Bangladesh 38,6. **Europe :** + Islande 112,9 ; All. dém. 108,1 ; Grèce 107,8 ; Irlande 107,3 ; *France 106,6.* – All. féd. 92,8 ; Suède 92,7 ; Suisse 91,6 ; Portugal 84,5 ; Malte 79,8. **Océanie :** + Nouv.-Zél. 103,6 ; Australie 96,4 ; Nouv.-Calédonie 75,6. – Vanuatu 60,7 ; Samoa 55,1 ; îles Salomon 48,6. **URSS :** 98,3.

■ **Lipides par personne et par jour** (en g, 1983-1985). **Afrique :** + Libye 121,7 ; São Tomé 95 ; Réunion 82,6 ; Égypte 70,1. – Ghana 28,7 ; Burundi 27,2 ; Ouganda 24,1 ; Rwanda 14,6. **Amér. du Nord et centrale :** + USA 167,2 ; Canada 155,7 ; Barbades 106,4 ; Bermudes 100,9. – Martinique 64 ; Honduras 45,4 ; Guatemala 44,8 ; Haïti 30,3. **Amér. du Sud :** + Argentine 108,7 ; Uruguay 95,8 ; Guyane fr. 81,7 ; Paraguay 72,8. – Colombie 53,5 ; Bolivie 45 ; Guyana 41,1 ; Pérou 39,1. **Asie :** + Israël 109,6 ; Émirats Arabes Unis 108,3 ; Hong Kong 107,1 ; Koweït 101,6. – Philippines 32,4 ; Thaïlande 29,3 ; Népal 27,5 ; Bangladesh 18,5. **Europe :** + Belg.-Lux. 179,8 ; Danemark 170,5 ; Autriche 170,2 ; Pays-Bas 162,4 ; Suisse 160,7. – Pologne 105,3 ; Portugal 98,5 ; Roumanie 96,9 ; Malte 83,7. **Océanie :** + Nouvelle-Zélande 147,6 ; Australie 137,3 ; Polynésie française 101,7. – Samoa 81 ; Fidji 64,6 ; Salomon 52,1. **ex-URSS :** 99,2.

MÉCANISATION AGRICOLE

TRACTEURS ET MACHINES AGRICOLES EN FRANCE

Source : Sygma.

Chiffre d'affaires (en milliards de F). *1976 :* 7,6. *85 :* 14,2 (dont tracteurs 5,5). *90 :* 15,6 (5,7). *91 :* 13,3. *92 :* 12,6 (4,8).

Parc 1985 (est. 31-12) tracteurs 1 209 000, motoculteurs et motohoues 1 690 000, moissonneuses-batteuses (fin de moisson) 104 000. **90** tract. 1 036 000, motoc. et motohoues 1 167 000, moiss.-batt. 84 000. **92** tract. 963 000, motoc. et motohoues 967 000, moiss.-batt. 77 000.

Immatriculations de tracteurs. *1965 :* 71 972. *66 :* 83 174. *70 :* 64 836. *75 :* 77 782. *80 :* 58 784. *85 :* 47 793. *89 :* 39 707. *90 :* 37 232. *91 :* 29 455 dont Renault Agriculture 4 844, Case IH 4 496, Fiat Geotech 3 852, Massey-Fergusson 3 814, John Deere 3 262, Ford New Holland 1 605, Deutz 1 575, Fendt

1 104, Same 952, autres marques 3 951. *92 (prov.) :* 23 620. **Tracteurs à roues.** *1988 :* 42 492 (dont importés 27 344). *89 :* 39 707 (24 447). *90 :* 37 232 (22 686). *91 :* 29 455 (19 317). *92* (prov.) : 23 620 (15 593). **Motoculteurs, motohoues et motobineuses.** *1988 :* 98 101 (48 697), *89 :* 91 905 (41 105), *90 :* 73 191 (24 445). *91 :* 73 915 (25 922). *92 (prov.) :* 64 372 (19 576). **Moissonneuses-batteuses** (toutes importées). *1988/89 :* 3 065. *89/90 :* 3 010. *90/91 :* 2 315. *91/92:* 1 654. **Ramasseuses-presses classiques.** *86/87:* 921 (135). *88/89:* 505 (124). *91/92:* 124 (15). **Presses à grosses balles.** *1987/88 :* 8 754 (4 088). *91/92 :* 6 023 (2 930).

Prix (en milliers de F, 1990). *Tracteur moyen :* + de 250 ; *Renault Nectra:* 488 ; *Massey Ferguson* 3 690 (120 CV, ordinateur de bord pour l'assistance à la gestion des accessoires de traitement de la terre : herses, semoirs...) : 400 ; *Fiat Winner* (120 CV) : + de 400.

Utilisation annuelle moyenne (en heures) **des matériels automoteurs et,** entre parenthèses, **% du matériel utilisé moins de 100 h par an.** Tracteurs classiques 409 (13,3), motoculteurs 103 (83,1), motofaucheuses 91 (85,5) ; ramasseuses-hacheuses-chargeuses à maïs 142 (72,8) [dont 2 rangs 79 (91,1), 3 rangs 224 (45,5), 4 rangs et plus 88 (93,3)] ; moissonneuses-batteuses 107 (71,2) ; corn-pickers 129 (59,8), corn-shellers 110 (81,6) ; récolteuses de betteraves 139 (54,1) ; mach. à vendanger 189 (26).

Ancienneté moyenne des matériels automoteurs et, entre parenthèses, **% du matériel acheté d'occasion.** Machines à vendanger 3,6 ans (11,3) ; récolteuses de betteraves 5,9 (38,1) ; ramasseuses-hacheuses-chargeuses 8,8 (40,2) ; chariots 9,4 (43,3) ; récolteuses de maïs-grain 10,7 (59,1) ; motoculteurs et motofaucheuses 11,2 (17,4) ; moissonneuses-batteuses 12,1 (58,7) ; tracteurs 12,9 (44,3).

Production française. Nombre, en 1992 et, entre parenthèses, **en 1989 :** Motoculteurs, motohoues, motobineuses 50 400 (70 665). Tracteurs à roues complets (sans les microtracteurs) 12 788 (25 139) dont 25 à 37 kW 75 (94), 37 à 48 kW 1 025 (2 066), 48 à 59 kW 1 450 (6 017), 59 à 75 kW 5 000 (8 485), 75 à 90 kW 500 (2 309), 90 kW 4 738 (6 168). Charrues pour tracteur 5 875 (17 739). Semoirs en lignes 2 040 (4 358). Semoirs de précision (rangs, éléments) 25 100 (36 340). Distributeurs d'engrais 5 810 (8 938). Pulvérisateurs : à dos sans moteur (158 247), à tracteur 9 950 (17 888). Faucheuses à tracteur 8 850 (10 736). Ramasseuses-presses classiques 1 700 (4 503), à balles rondes 6 700 (10 592). Chargeurs frontaux 10 570 (14 853). Épandeurs de fumier 3 700 (5 166). Remorques à tracteur 8 150 (13 596). Machines à vendanger 720 (88).

Effectifs. Production. (au 32-12) : *1969 :* 44 078. *74* 45 618. *80 :* 35 994. *85 :* 28 441. *90 :* 22 566. *91 :* 21 474. *92 (prov.) :* 20 300. **Entreprises :** *1974 :* 487. *82 :* 504. *91 :* 356. *92 (prov.) :* 360.

Commerce. Exportations (en milliards de F) : *1970 :* 0,96. *75 :* 2,3. *80 :* 3,2. *85 :* 5,5 (tracteurs 2,96). *89 :* 5,8 (3,3). *90 :* 6,3 (3,7). *91 :* 5,3 (3) ; *vers* (en %) All. 24,1, Roy.-Uni 12,6, Espagne 6,5, USA 6,4, Italie 5,2, UEBL 5,1, P.-B. 4,8, Japon 2,9, Suisse 2,7. **Importations** *1965 :* 0,76. *70 :* 1,1. *75 :* 2,4. *80 :* 4,3. *85 :* 7,3 (tracteurs 2,9). *89 :* 9,4 (3,7). *90 :* 9,1 (3,6). *91:* 7,7 (3). *de* (en %, en 1992) All. 33,9, Italie 21,3, Roy.-Uni 8,7, USA 7,8, UEBL 7, P.-Bas 4,2, Japon 3,3, Dan. 3, Esp. 2,4.

Tracteurs et machines agricoles dans le monde

4 firmes dominent le marché mondial du gros matériel : Massey Fergusson, Ford, John Deere, International Harvester.

Marché mondial du tracteur agricole (en nombre de machines, 1992). 985 228 dont Inde 145 000, USA 86 400, Japon 86 000, All. 30 869, Ital. 24 550, *France 23 620,* Turquie 21 888, R.-U. 14 226, Esp. 13 940, Brésil 12 000, Canada 11 400, Mexique 8 500. **Parc de tracteurs et,** entre parenthèses, **moissonneuses-batteuses** (en milliers, 1986). Afr. du S. 182,8 [1], All. 1 644,5 (166,9), Argentine 206 (46,5), Australie 332 [1] (57,1), Autriche 326,1 (299 [3]), Belg.-Lux. 123,2 [4] (9,5 [1, 3]), Brésil 560 [6] (42), Bulgarie 54,2 (8,5 [4]), Canada 728,1 (157,9), Chine 866,5 (35,7 [3]), Danemark 169,7 (35,4 [3]), Espagne 650 [1] (45,5 [2]), Finlande 240 (46 [3]), Grèce (6,2 [1, 3]), Hongrie 52,8 [6] (10,8 [6]), Inde 850 [7] (2,7), Irlande (4,5 [1, 3]), Italie 1 429,7 [8] (47 [8]), Japon 1 904 [5] (1 201 [5]), Mexique 160 [1], Norvège 154,2 (17,4 [3]), N.-Zél. 75 [1], P.-Bas 195 [8] (5,8 [1, 3]), Pologne 989,5 (60,8), Portugal 124,9 (4,5 [3]), Roumanie 194 [1] (52), Roy.-Uni 512,6 (54,5). Suède 183,8 (48,9 [1, 3]), Suisse 106 (5,1 [3]), Tchéc. 138,6 [8] (21,3 [8]), Turquie 794,6 [9] (11,4), ex-URSS 2 467 [7] (732 [7]), USA 4 407,5 [6] (645), ex-Youg. 955 (12 [1, 3]). Monde 25 284,5 [1] (3 978,9).

Nota. – (1) Est. (2) 1983. (3) 1984. (4) 1985. (5) 1987. (6) 1989. (7) 1988. (8) 1990. (9) 1991. *Source :* FAO.

Principaux produits

Cacao

Généralités

Origine. Amér. latine. **1519** rapporté en Espagne par Ferdinand Cortez après la conquête du Mexique. **1585** 1er chargement en Espagne ; puis, le cacao parvient en France (avec Anne d'Autriche, fille du roi d'Espagne Philippe, venue en 1615 ép. Louis XIII), Italie (on en tire alors une boisson à partir des amandes – appelées fèves – torréfiées et broyées), All. **1819** fabrication du chocolat en barres François Louis Cailler (Suisse). **1822** 1ers cacaoyers plantés en Afrique. **1828** *Conrad Van Houten* (P.-Bas) extrait la graisse des fèves de cacao écrasées, la poudre soluble obtenue sert à fabriquer des petits déjeuners. **1853-70** essor de la chocolaterie Menier. **1912** apparition du chocolat en poudre *Banania* créé par Pierre Lardet ; publicité avec un négrillon disant « Y'a bon Banania ». **1918** 1er producteur : l'Afr. équatoriale.

Aspect. Le cacaoyer (4 à 10 m de haut) donne des cabosses (fruits de 200 g à 800 g contenant de 10 à 50 fèves). Demande un sol riche et de l'ombre, 1 000 plants à l'ha, une température élevée et 1,5 à 2 m d'eau. Fleurit à partir de 3 ans. En plein rapport à 7 ans, baisse de production après 25 ans. **Variétés.** *Criollo :* grande qualité, mais peu cultivée. *Forastero :* originaire d'Amazonie, cacaos courants 80 % de la production mondiale. *Trinitario :* hybride des 2 variétés adoptée après la destruction des cacaoyères de l'île de la Trinité par un cyclone en 1727. **Vie.** 40 ans, on connaît des cacaoyères de + de 100 ans. **Rendement moyen.** 350 kg/ha (jusqu'à 2,5 t/ha avec engrais et sans ombrages pour les nouvelles sélections). Dans le Chiapas (sud du Mexique), 3 récoltes de 3 mois par an.

Production (1992-93, milliers de t). *2 330* dont C.-d'Ivoire 730, Brésil 285, Ghana 280, Malaisie 215, Indonésie 215, Nigeria 130, Cameroun 100, Équateur 80, Rép. dominicaine 50, Colombie 50, Mexique 43, Papouasie-Nlle-Guinée 42. *1992-93 :* Côte-d'Ivoire 748, Brésil 276, Ghana 264, Malaisie 227, Indonésie 185, Nigeria 126, Cameroun 100, autres 329. **Commerce** (1991, milliers de t). **Exp. :** C.-d'Ivoire 698,6. Ghana 248,2. Malaisie 148,1. Nigeria 135. Indonésie 114,7. Brésil 84,4. Cameroun 72,7. Équateur 52,1. Rép. dominicaine 39,1. Papouasie-Nlle-Guinée 36,9. **Imp. :** USA 392. All. 302,9. P.-Bas 286,1. Roy.-Uni 185,6. Singapour 123,3. ex-URSS 84,1. *France 74,4.* Italie 55,5. Japon 50,5. Espagne 46,2. Belg./Lux. 43,6. **Marché.** Dominé par 5 États ; très spéculatif. *Consommation :* croissance faible, des produits de substitution se développant. *Depuis 1978* offre excédant la demande (150 000 t en 1989). **Prix** (en F par 100 kg) *1978 :* 1 611,5, *79 :* 1 428,3, *80 :* 1 035, *81:* 1 149, *82:* 1 450, *84:* 1 870-2 495. 1988-92 : chute des cours (plus bas dep. 1975).

Consommation de fèves de cacao (kg par hab. et par an, 1990-91). Suisse 5,1. Belg.-Lux. 4,6. Autriche 3,6. All. 3,4. Roy.-Uni 3,2. Norvège 2,9. *France 2,8. P.-Bas 2,4.* Australie 2,3. Esp. 2,2. USA 2,2. *1991-92 :* 2 325 000 t.

☞ Prix (en mars 1993) 850 $ la t. Accord de 1972 renouvelé 5 fois en 1980 (3e a.), 1986 (4e a.), prorogé 1-10-1990, remis en cause sept. 1993. La répression des fraudes a dénoncé en 1991 l'usage d'oxyde d'éthylène interdit dep. 1990 pour la fumigation de poudre de cacao.

Chocolat

Mélange de pâte de cacao (obtenue par broyage des fèves de cabosse) et de sucre.

Types de chocolat. De couverture ou de base : mélange préparé industriellement et vendu en gros aux pâtissiers et chocolatiers. **De ménage ou à cuire :** contient pour 100 g, 55 à 65 g de sucre, 30 g au moins de pâte de cacao (dont 18 g de beurre de cacao). **Fondant :** pâte et beurre de cacao, 35 % au minimum, sucre 52 % au max. **Au lait :** pour 100 g, sucre 50 g au max., pâte de beurre de cacao 25 % minimum, lait sec 14 g, matières grasses 25 g. **Blanc :** beurre de cacao 20 g au moins.

Composition du chocolat (pour 100 g). Glucides 64 g. Lipides 22 g. Protéines 6 g. Sels minéraux 4 g. Vitamine A 0,02 mg. Vitamine B 0,07 mg. Vitamine B2 0,24 mg. Vitamine PP 1,1 mg. Théobromine (Alcaloïde stimulant proche de la caféine) 0,4 g. **Valeur calorique :** 500 kcal. **Cholestérol :** en moyenne, 1 mg pour 100 g de chocolat (soit 1/250 de l'apport journalier de cholestérol d'un Occidental). Les phytostérols contenus dans le chocolat gênent l'absorption du cholestérol des autres aliments.

Confiserie, chocolaterie

En France. Production (en milliers de t, 1991) : 662 dont chocolaterie 486,8 [*prod. demi-finis* 177,8 dont couverture 74, cacao en masse, beurre et poudre de cacao 94,8 ; *prod. finis* 309 dont choc. en tablettes 106,6, confiserie de choc. 128,5, poudre de cacao sucrée 49,2, pâtes à tartiner 23,3], *confiserie* 175,2 dont chewing-gums 36,2, sucres cuits 34,8, gélifiés, pâtes de fruits 31,3, fruits confits et marrons glacés 16,7, caramels, toffees, pâtes à mâcher 29.

Matières premières utilisées (en milliers de t, 1991) : 590,5 dont glucose 86, fèves et produits demi-finis de cacao 211, lait 33, fruits à confire 20,5, noisettes 10,5, saccharose 224, correcteurs d'acidité 26.

Ventes de chocolat (en 1991, en milliards de F) : 14,7. **Poids des marques** (valeur en %, 1992). CPC 22,6 (dont Banania 10,4, Benco 11, Na ! 1,2), Nestlé 29,8 (Nesquik 22,8, Milo 3,2, Nestlé le chocolat (ex-King Kao) 0,6, Tonimalt 3,2), Poulain 20,9 (Grand Arôme 15, Super Poulain 5,7, autres 0,2), Van Houten 3,3, Ovomaltine 4,8, autres 0,2, distributeurs 18,4.

Europe. Consommation de confiserie de chocolat (en kg, *source :* Fondation Brillat-Savarin, 1991). G.-B. 10,3, Suisse 10,2, All. 8,8, Irl. 7,6, Norv. 6,8, Belg./Lux. 6,5, Dan. 5,2, P.-B. 4,5, *France 4,3,* Grèce 2,7, Esp. 1,6, Ital. 1,6, Port. 1,4.

Bêtises de Cambrai. Bonbons à la menthe créés 1850. Cession de la société par Daniel Chavy, arrière-petit-fils du créateur, à un groupe de confiserie espagnol, Chupa Chups (1992). *Chiffre d'affaires 1991 :* 9,5 millions de F. Production à Cambrai.

Café

Généralités

Origine. VIIIe s. l'Arabie utilise le café comme médicament. **1554** (règne de Soliman II) le café devient boisson nationale en Turquie. **Vers 1570** arrive à Venise. **1645** à Venise, 1re maison à café d'Europe. **1646** révolte des vignerons de Marseille contre le café. **1650** les Hollandais introduisent sa culture à Java. **1652** 1re maison à café à Londres. **1669** le café est présenté à la cour de Louis XIV par l'ambassadeur de Turquie. **1672** vendu à la foire de St-Germain ; 1er débit de café de Paris, la Maison Caova, créé par Pascal (Arménien). **1686** un Sicilien, Francesco Procopio dei Coltelli, ouvre le 1er établissement qui prend le nom de café : le Café *Procope.* **1710** quelques pieds confiés au Jardin d'Amsterdam. **1712** 1 pied confié au Jardin des Plantes par Louis XIV. **1723** Gabriel de Clieu, un officier français, sauve en allant aux Antilles le seul pied de caféier restant en partageant sa ration d'eau avec lui : il donne naissance aux plantations des Antilles (except. hollandaises). **1727** gagne le Brésil. **1730** Jamaïque. **1748** Cuba. **1789** la France est le 1er producteur et consommateur au monde de café. **XVIIIe s.** le roi Frédéric le Grand de Prusse limite la consommation de café pour conserver celle de la bière. **1820** découverte de la *caféine* par l'Allemand Ruge et les Français Pelletier, Carenton et Robiquet. **1822** Louis-Bernard Rabaut (Français) invente le *percolateur,* présenté 1855 à la foire-exposition de Paris (permet de remplir 2 000 tasses/heure).

Partisans et adversaires. Interdit par le Coran. Mise en garde des chrétiens d'Italie jusqu'à ce que le pape Clément VIII déclare le café agréable. Interdit par les Mormons, le sultan de La Mecque, le bey du Caire (1511), le grand vizir Köprülü (1656), le landgrave Frédéric de Hesse (1773), Charles II d'Angleterre (rétabli 10 j plus tard). *Amateurs célèbres :* Bach, Balzac, Beethoven, Talleyrand, Voltaire.

Aspect. Le caféier (3 à 15 m de haut, 2 à 3 m dans les plantations) fructifie au bout de 3 ans, jusqu'à 30 ans, vit 60 à 100 ans, demande une chaleur de 18-23 °C (arabica), 22-26 °C (robusta), 1,50 à 2 m d'eau par an et des engrais, donne en moy./an 2,5 kg de « cerises » (fruit contenant 2 grains de café) qui donnent 0,5 kg de café vert, soit 0,4 kg de c. grillé [de quoi faire 40 tasses de bon c. à 8-10 g (législ. 7 g min.) de c. moulu par tasse, soit 1 cuillerée à soupe pleine à dos d'âne]. Variétés. **Arabica :** hauts plateaux d'Amér. lat. dans les vallées abritées entre 800 et 2 000 m [Colombie, Mexique, Brés., etc. (et dans les régions montagneuses d'Afrique et de l'Inde)]. Originaire des forêts des montagnes d'Abyssinie, longtemps cultivé au Yémen (Arabie heureuse) d'où il fut exporté *(1683)* vers l'Europe par le port de Moka. **Robusta** et **Kouillou :** 2 fois plus de caféine que l'arabica. Originaire des forêts d'Afrique équat. chaude et humide. Couvre 30 % des besoins mondiaux. Cultivés, notamment en plaine, en Afrique, à Madagascar, en Inde, Indonésie, Océanie. **Arabusta :** hybride encore au stade expérimental.

Quelques cotes dans les bourses internat. de matières premières : *arabicas lavés* (venant surtout d'Am. centrale), *non lavés* (du Brésil), *milds* (arabicas lavés, d'un goût suave ou Colombie-Kenya), *robustas.* **Cours** (avr. 1992, en $/t) : robusta 660, arabica : Brésil 1 100, Colombie 1 320.

Caféine. **Teneur (en mg) : par tasse :** robusta fort 200 à 250, arabica fort 80 à 100, c. soluble 50 à 100, c. décaféiné 2 à 10, thé 30 à 60, chocolat 10 à 40, boisson au cola 20 à 30 (pour 33 cl) ; **pour 100 g d'aliments aromatisés au café :** Ovomaltine café 156, bonbons Ricqlès café 70, éclair pâtisserie 11 ; **selon la variété :** arabica 0,8 à 1,5 %, canephora (robusta, kouillou) 1,5 à 2,7 %, arabusta 1,5 à 2 %. Un café décaféiné ne doit pas contenir + de 0,1 % de son poids de caféine (0,3 % pour les cafés solubles).

Effets sur la santé. Au-dessus de 600 mg (7 à 8 tasses) par jour, il y a risque d'intoxication chronique caractérisée par tremblements, palpitations, insomnies, nervosité, anxiété, irritabilité. Le café entraîne une augmentation du rythme cardiaque si les doses ingérées sont importantes, et de la pression artérielle chez les buveurs occasionnels. Le café au lait est plus difficile à digérer : les tanins du café précipitent la caséine du lait au contact acide de l'estomac : il se forme des « grumeaux » inattaquables par les sucs gastriques. Pour décaféiner on a longtemps utilisé des solvants, puis l'eau et les charbons actifs. L'extrait décaféiné (teneur en caféine max. 0,1 %) est ensuite réincorporé aux grains traités préséchés. Durée de vie de la caféine : 8 h avec une pointe à 5 h.

☞ *La caféine est utilisée en pharmacie* (aide à l'effort, à la digestion, aiguise les activités intellectuelles, la mémoire, combat la migraine). *Le café peut faire maigrir :* une dose de 100 mg de caféine augmente les dépenses énergétiques de 16 % en 2 h.

> **Mazagran.** Café noir, chaud ou froid, avec du sucre et de l'eau-de-vie. Servi dans un récipient en forme de verre à pied. Nom apparu v. 1860, rappelant le combat (1840) soutenu 3 j par 125 soldats du poste de Mazagran (Algérie) ; assaillis par plusieurs milliers d'Arabes, ils n'avaient pu boire leur café qu'à la va-vite.

■ Statistiques

Source : Organisation internationale du café.

Commerce (milliers de t, 1991-92). **Exp. :** Brésil 1 264,4, Colombie 925,1, Indonésie 241,4, C.-d'Ivoire 214,4, Guatemala 197,3, Mexique 179, Costa Rica 136, El Salvador 129,8, Ouganda 117,4, Inde 109,9, Honduras 108, Cameroun 94,3, Kenya 84,7, Viêt-nam 74,2, Thaïlande 72,3, Équateur 70,6, Zaïre 63,1. **Imp. :** USA 1 368. All. 802. *France 391.* Japon 327. Italie 291. Espagne 193. P.-Bas 188. Roy.-Uni 178. Autriche 135. Belg.-Lux. 106. Suède 100.

Café vert importé en France (en milliers de t, 1991). Brésil 62, Colombie 33, Indonésie 24, Ouganda 23, Zaïre 13, Costa Rica 11,3, Mexique 7,2, Éthiopie 6,4.

Consommation (en kg de café vert par tête et par an, 1991). Finlande 11,5. Suède 11,1. Norvège 10,7. Danemark 10,6. Autriche 10. P.-Bas 9,9. Suisse 8,4. All. 7,9. *France 5,8.*

90 % des Français boivent du café régulièrement, dont 85 % tous les jours (80 % le matin, 69 % après le déjeuner, 29 % l'après-midi, 14 % après le dîner et 8 % la nuit). (Seced, 1987).

Production de café vert (en milliers de t, 1991-92). *6 073* dont Brésil 1 415, Colombie 978, Indonésie 510, Côte-d'Ivoire 270, Mexique 230, Éthiopie 216, Inde 210, Guatemala 193, Ouganda 180, Costa Rica 165, Zaïre 135, Honduras 124, Équateur 115, Kenya 108, Cameroun 80, Philippines 61.

☞ **En 1975-76 :** production réduite (3 760 000 t) : *Brésil,* gel des caféiers en 1975, pluies excessives en 1976 ; *Angola,* destruction des plantations par la guerre ; *Colombie,* sécheresse et rupture du barrage del Monte. *Prix :* s'élevant de 400 à 4 262 livres/t en mars 1977 (record). Au détail, en France, le paquet de 250 g est passé d'env. 3 F au début 1975 à env. 10 F en mars 1977. **1986-87 :** chute des cours d'env. 15 %. **1989** *(juillet)* accord international en sommeil : la baisse reprend. -Quotas d'export. abandonnés. **1990 :** le café rapporte à ses producteurs 5 milliards de $ (28 milliards de F) pour 82 millions de sacs de 60 kg vendus (il y a 15 ans : 12 milliards de $ pour 68 millions de sacs). Pour les 25 États concernés en Afrique, baisse en 15 ans de 1,4 milliard de $, soit un recul de 66 %. *1992 (mai) :* 670/t (prix le + bas dep. 1970) ; *nov. :* 967. *1993 (mai) :* arabica 1 436 $, *(juillet) :* 1 322 $.

Principales variétés vendues **en % par marque** (1989, *Source :* Nielsen). **Arabica** (36,5 % en volume, 46,4 % en valeur) : Grand'Mère 36,1. Jacques Vabre 16,2. Maison du Café 12,7. Vaudour-Danon 5. Lavazza 4. Distributeurs 12,5. Autres 13,5. **Mélanges dont robusta** (54,5 % vol., 43,4 % val.) : Maison du Café 20,9. Jacques Vabre 18,8. Grand'Mère 15,3. Vaudour-Danon 7,6. Legal 5. Lavazza 1,3. Distributeurs 20,2. Autres 10,9. **Décaféiné** (9 % vol., 10,2 % val.). : Jacques Vabre 30,2. Grand'Mère 22,4. Maison du Café 11,1. Vaudour-Danon 4,3. Distributeurs 16,5. Autres 15,5. **Solubles** (en %, en volume) : Sopad-Nestlé 65. Maxwell (General Foods) 16,7. Jacques Vabre (Jacobs) 6,7. **Tous segments de torréfiés confondus** (en %, en volume) : Jacques Vabre (Jacobs) 19,4. Grand'Mère (Jacobs) 23,6. Maison du Café (Douwe egberts) 16. Vaudour-Danon (Segafredo Zanetti) 5,8. Legal (Lepork) 3,5. Lavazza 3. Distributeurs 17. Autres 11,7.

Part des marques en volume (%). Maison du Café 15,1, Jacques Vabre 16,8, Grand'Mère 12,8, Carte Noire 10,2, Velours Noir 2,8, Lavazza 4,5, Legal 5, autres 15,8.

Céréales

■ Généralités

■ **Définition.** Regroupent des graminées : avoine, blé, maïs, millet, orge, riz, sarrasin, seigle, sorgho. Alimentation principale des hommes et des animaux. 700 à 750 g de céréales (soit 250 kg par an) peuvent fournir à l'homme 2 300 à 2 500 calories par jour. 1 ha de soja ou de céréales peut nourrir 120 personnes (1 ha d'élevage de bœuf : 2).

■ **Production** (en millions de t, 1992, *Source :* FAO). Chine 405, USA 312, Inde 195, ex-URSS 209, Inde 195, *France 60,5,* Canada 57, Indonésie 52, All. 34,9, Brésil 33, Turquie 30,2, Bangladesh 28,4, Pologne 28, Mexique 25,5, Australie 23, G.-B. 22,2, Thaïlande 21,2, Pakistan 21, Italie 20, Viêt-nam 19,6, Argentine 19,5, Roumanie 17,2, Philippines 14,7, Japon 14,5, Nigeria 13,7, Iran 13,6, Égypte 13, Hongrie 12,6, Yougoslavie 10,3. *Monde* (1993, prév. mai) 1 937 (blé 560, maïs, mil, sorgho, orge 848, riz paddy non décortiqué 529). Commerce (1992/93) : 203 millions de t.

■ **Céréales en France** (en milliers de t, 1991-92). **Production et,** entre parenthèses, **collecte :** blé tendre 32 054 (27 730), maïs 12 928 (11 048), orges 10 789 (7 794) [dont escourgeons 6 035 et o. d'hiver 2 609, o. de printemps 2 145], blé dur 2 540 (2 540), avoine 731 (240), triticale 724 (181), seigle 210 (76), sorgho 396 (370), riz 117 (116). *Total 60 490 (50 096).* **Commerce** (en milliards de F, 1992) : *Exp.* 33,2. *Imp.* 2,2.

Nota. – Les céréales sont concurrencées par le manioc et des sous-produits de l'industrie alimentaire pour l'alimentation des animaux.

■ Avoine

■ **Origine.** Indigène en Europe méridionale. Nom du latin *avena :* chaume, paille. Jusqu'au XVIe s., on dit aveine ou avaine. Se contente d'un climat assez froid mais humide et de sols relativement pauvres. Vient souvent en fin d'assolement. Semée en oct. ou mars, récoltée en août. Variétés. Noire de Brie, grise ou noire de Bretagne, blanche de Géorgie, à 3 grains de Hongrie. Utilisée en grains pour chevaux, en bouillies *(porridge).* Donne le *gin.* Culture en France. **Superficie** (milliers d'ha) : *1900 :* 4 000, *65 :* 1 000, *70 :* 793, *80 :* 539, *85 :* 433, *90 :* 258, *91 :* 213, *92 :* 175. **Rendement** (q/ha). *1901-10 :* 12, *65 :* 23,4, *85 :* 43,8, *87 :* 32,7, *91 :* 38,8 (moy. mondiale 88 : 17,3), *92 :* 41,7.

■ **Production** (en millions de t, 1992). Ex-URSS 17,7, Pologne 4, All. 2,4, Chine 0,5, USA 0,3, Canada 0,3, Tchécoslovaquie 0,3, Espagne 0,2, Turquie 0,2, Suède 0,1. *Monde 27,6.* **Commerce** (en milliers de t, 1991). **Exp.** Finlande 616, Suède 433, Canada 344, Australie 214, *France 115.* **Imp.** Ex-URSS 305, Japon 120, USA 113, Italie 68, Suisse 57, P.-Bas 55, Belg.-Lux 53, All. 35.

■ Blé

■ **Origine.** L'une des plus anciennes cultures du monde. Nommé *frumentum* chez les Latins *(froment),* il occupe en France la majorité des terres, riches ou ingrates, jusqu'au XIXe s. Grain de blé. Un épi contient 45 à 60 grains de 6 mm chacun. Un grain se compose d'une amande (cellules renfermant les grains d'amidon réunis par le gluten qui donne la farine pour 78 à 81 %) ; des enveloppes (son), 16 à 19 % ; et du germe, 2,5 à 3 %, dont la conservation est délicate. Pour moissonner, on attend que les grains soient mûrs et secs (taux d'humidité max. 15 % du poids du grain). De nombreux systèmes de séchage, par ventilation d'air chaud en particulier, ont été mis au point. Blé dur. Grain allongé, paille pleine, toujours barbu. *Débouché : semoulerie,* la semoule servant à fabriquer *couscous* et *pâtes alimentaires* (en France dep. 1934, Italie 1967, et Grèce, les pâtes ne peuvent être fabriquées qu'avec des semoules de blé dur, en raison de leur richesse en gluten qui donne une meilleure qualité culinaire (fermeté, absence de collant) et de leur couleur jaune ambré.

■ **Principales variétés cultivées en France. Superficie** (en milliers d'ha, 1992) : *blé tendre :* Soissons 1 632, Thésée 625, Apollo 281, Récital 240, Scipion 233, Sleijpner 100, Festival 96, Baroudeur 96, Rossini 91, Fortal 89, Artaban 84, Forby 79, Viking 70, Génial 68, Delfi 64 ; *blé dur :* Agridur 84, Cando 76, Ambral 76, Néodur 61, Ardente 49, Exodur 36, Primadur 22, Indéterminé 21, Capdur 21, Ixos 19, Aramon 11, Villemur 8, Durango 7, Agrial 6, Olinto 5 ; *blé noir* (voir *Sarrasin).* **Rendement moyen** (France, q/ha) : *1800 :* 8,5. *50 :* 10,9. *1910 :* 13,2. *85 :* d. 46, t. 61. *86 :* d. 42, t. 56. *87 :* d. 44, t. 57. *88 :* d. 40, t. 63. *89 :* d. 44, t. 65. *91 :* d. 50, t. 69.

■ **Culture.** Le blé s'adapte à des climats et sols variés mais préfère un climat tempéré (il gèle à – 16 °C, – 18 °C, risque d'être atteint à – 10 °C ; la neige le protège ; une brusque élévation à 35-39 °C risque de l'échauder et de l'empêcher de mûrir normalement ; s'il est mûr, un soleil trop chaud provoque l'échaudage des grains), une humidité moyenne, une terre riche (limons, alluvions des vallées, terres argileuses) et bien préparée. Se cultive souvent en *assolement triennal :* 1re année betterave, p. de t., ou maïs, 2e blé, 3e orge, car ces cultures ont des besoins différents et ne demandent donc pas à la terre les mêmes éléments de base. Il peut succéder aux plantes sarclées (betteraves, p. de t., chicorée), aux légumineuses fourragères, aux féveroles, haricots, pois verts, au lin et au colza. **Semis :** automne (blé d'hiver), févr. (alternatifs), mars-avril (blé de printemps). Un semoir à cuillers ou à distribution forcée fait tomber les grains régulièrement dans les sillons. Lorsque le blé sort de terre, traitement avec désherbants et pesticides. **Moisson :** autrefois à la faux suivie du *battage* sur l'aire avec des fléaux, et du *vanage* (le van, corbeille plate en osier, permettait de ne garder que les grains sans la balle qui les entoure et sans débris de paille) ; aujourd'hui, moissonneuses-batteuses permettant de faire tous ces travaux le même jour, avec une seule machine. *Janvier :* Australie, Argentine, Chili, N.-Zélande. *Mars :* Inde orientale, Hte-Égypte. *Avril :* Basse-Égypte, Chypre, Cuba, Proche-Orient. *Mai :* Algérie, Asie centrale, Japon, USA (Sud, Texas et Floride). *Juin :* Espagne, France (Sud), Grèce, Italie, Portugal, Turquie, USA (Calif.). *Juillet-août :* Europe, USA (Centre-N.), Canada. *Septembre :* Écosse, Norvège, Suède, ex-URSS (N.). *Novembre :* Pérou, Afr. du S. *Décembre :* Birmanie.

■ **Collecte de blé tendre en France** (en millions de t). *1987-88 :* 22,2. *88-89 :* 24,6. *89-90 :* 27,3. *90-91 :* 27,8. *91-92 :* 27,7 ; par les coopératives agricoles : 73,6 % de la récolte ; négociants : 23 % ; industriels utilisateurs (meuniers, fabricants d'aliments pour bétail, exportateurs, etc.) : 3,4 %. *92-93 (prév.) :* 26,9. Utilisations en France (en %, 1992). *Intérieure* 34 dont meunerie, boulangerie 20,6, alimentation animale 11,6, semences et freintes 2 ; *exportations* 66 dont grains 57, farine 9.

■ **Commerce** (en millions de t), *prév. 1993-94 :* 32 à prix subventionnés. *Campagne 1992-93 :* **Exp.** USA 37, Canada 21,2, CEE 20,5, Australie 10, Argentine 5,3. *Monde 104,2.* **Imp.** (1991-92) CEI 21, Chine 16, Égypte 6,2, Japon 5,5, Brésil 4,3, Corée du S. 3,9, Algérie 3,3, Iran 3, Indonésie 2,2, Iraq 2,2, Pakistan 2, Maroc 1,5, Yémen 1,4, Cuba 1,3. *Total Monde 105,5.*

France (1992). *Balance commerciale céréalière :* + 30,9 milliards de F. *Exportations* (millions de t, 1991-92) : vers la CEE : 6,5 ; pays tiers : 7,5. *Premiers clients* (millions de t, 1991-92). Chine 2,6. Italie 2,6. CEI 1,6. Belgique-Lux. 1,2. Algérie 0,9. P.-Bas 0,7. RFA 0,5. Esp. 0,6. Roumanie 0,5. Port. 0,4. (*Source :* Douanes Onic)

Évolution des parts de marché (en % en 1981-82 et, entre parenthèses, en 1992-93). USA 49 (35,51). CEE 16 (19,67). Canada 18 (20,35). Australie 11 (9,6). Argentine 4 (5,09). Autres pays 2 (9,79).

☞ Cultivé essentiellement dans les pays développés [88 % des exp. viennent des pays industrialisés (USA et Canada 56 %)], le blé pourrait être utilisé comme une « arme stratégique ». Cependant les pays acheteurs trouvent toujours à importer les quantités désirées par des voies détournées (il y eut des embargos amér. à l'encontre de Cuba v. 1965, l'URSS en 1980).

■ **Consommation mondiale** (millions de t). *1991-92 :* 555 (prod. 562). *92-93 (prév.) :* 560 (prod. 568).

■ **Production** (en millions de t, 1992-93). Chine 99, ex-URSS 92,7, USA 66, Inde 55, *France 32,6,* Canada 29,9, Turquie 17,3, Pakistan 15,9, All. 15,6, Australie 15, G.-B. 14,2, Argentine 9,1, Iran 8,2, Pologne 7,3, Tchécoslovaquie 5,2, Égypte 4,8, Ar. Saoudite, Yougoslavie 4,1, Hongrie 3,4, Maroc 1,6, Afr. du S., Brésil 1,2. *Monde 558,9.*

Production blé dur (millions de t, campagne 1990-91). CEE 7 [dont *France 2,2* (*1,9* en 1991-92)], Turquie 6, Canada 4, USA 3. *Monde 28,5.*

■ **Prix du blé-fermage** (en F, quintal). *1975-76 :* 65, *76-77 :* 70,50, *77-78 :* 75, *78-79 :* 82, *79-80 :* 89, *80-81 :* 96,5, *81-82 :* 104, *82-83 :* 112,5, *83-84 :* 121, *84-85 :* 122,7, *85-86 :* 122,75. *89-90 :* 124,5. *90-91 :* 124,5. *92-93 :* 124,5.

Moyenne des rentes viagères indexées sur le blé (Insee, 1-8 au 31-7, en F) : *1981-82 :* 105,4, *nov. 82 :* 113,46, *85-86 :* 106,63, *91-92 :* 108,21. Le montant du fermage à régler est exprimé par une quantité déterminée de produit par ha. Il est calculé pour sa partie blé sur la base du prix du blé fermage qui est réajusté chaque année par les pouvoirs publics.

Farine

■ **Meunerie.** Industrie lourde de transformation du blé tendre en farines panifiables.

Moulins. À l'origine, une grande pierre plate servait pour étaler les grains de blé ; une petite pierre ronde, tenue à la main, pour les écraser. Les Romains découvrirent la meule tournante formée au début de 2 pierres plates (ensuite coniques). La pierre du haut était mobile, et des esclaves ou des chevaux la faisaient tourner. Puis, les Romains imaginèrent de placer les moulins près des rivières et de faire tourner les meules en utilisant la force du courant par l'intermédiaire de grosses roues, ce furent les 1ers *moulins à eau.* Il en reste env. 10 000. Les *moulins à vent* sont arrivés plus tard, par les Croisés venant d'Orient où l'eau est plus rare. Il en reste env. 3 000. Les plus répandus : le *moulin tour* (Bretagne, Vendée, Poitou, Quercy, Aquitaine, Lauragais, Provence), *sur pivot* (Beauce, Flandre), *cavier* (Anjou).

Autrefois, le meunier écrasait seulement le blé sous la meule et livrait telle quelle la *boulange.* Le boulanger tamisait et séparait la farine du son. Puis, les meuniers se mirent à séparer eux-mêmes la farine du son, ce fut le *blutage.* En 1740, on les autorisa à « remoudre les sons », ce qui permit, en récupérant la farine adhérant aux enveloppes, d'améliorer les rendements.

Aujourd'hui, les grains, après nettoyage, sont broyés par des séries de cylindres métalliques ; le blutage est assuré par des tamis successifs incorporés dans le *plansichter* (sorte d'armoire suspendue par des tiges en rotin et animée d'un mouvement de rotation) qui sépare les produits selon leur granulométrie et les dirige vers une nouvelle opération de broyage (cylindres cannelés), ou de claquage et de convertissage (réduction des semoules en farine sur cylindres lisses), ou encore vers les silos à farine ou à issues. À l'intérieur des moulins, les différents produits sont acheminés par un système pneumatique.

100 kg de blé donnent en général 75 kg de farine et 23 kg d'issues (dont une grande partie de son) ; il y a environ 2 kg de pertes.

Farine de blé tendre (milliers de t, 1991, *Source :* Symex). **Exp.** *France 1 720,* USA 981, Italie 698, All. 496, Belgique 408, *Monde 5 828.* **Imp.** CEI 725, Libye 515, Égypte 469, Yémen 403, Syrie 358, Cameroun 230, Cuba 75, *Monde 5 823.*

■ **Statistiques en France Moulins en activité :** *1900* 30 000, *1945* 10 000, *1992 (31-12)* 876, dont env. 300 écrasaient + de 2 000 t/an *dont* 20 écrasaient + de 150 000 t/an (Italie 818, All. 585, G.-B. 84). Les Grands Moulins de Pantin (groupe Pantin), contrôlent + de 80 % de la meunerie et 57 % des malteries franco-belges. En 1991 la Française de meunerie a écrasé 732 000 t de blé à Pantin, Corbeil (1er moulin d'Europe par sa capacité) et Orthez. Chiffre d'aff. (1991) 1,9 milliard de F. *Écrasements :* 6 864 000 t. **Production :** 5 384 762 t. de farine dont *exportations :* 1 720 000 t. **Farine consommée pour la panification :** 2 693 000 t. *Employés :* 8 700. **Chiffre d'affaires :** 14 milliards de F dont 36 % à l'exportation.

Produits dérivés

■ **Pain. Définition :** produit de la cuisson de la pâte obtenue par un pétrissage d'un mélange de farine de blé, destinée à la panification (froment ou seigle), eau potable, sel, agent de fermentation (levure ou levain), avec éventuellement des adjuvants autorisés tels que farine de fève, produits maltés et acide ascorbique.

■ **Statistiques : Part de la boulangerie artisanale dans la production :** Espagne 95, Italie 95, *France 83* (1992 : 75,6 %), P.-Bas 75, All. 65, G-B 30, Suède 30.

Consommation (en 1989) **par habitant** (en kg) : Pologne 100, Tchécoslovaquie 93, All. 80, Dan. 78, Belg. 77, Ital. 73, Esp. 73, Port. 70, P.-B. 60, *Fr. 58,4* (dont agriculteurs 70, inactifs 50, ouvriers 45, artisans-commerçants 41, employés 37, cadres moyens 36, cadres sup., prof. libérales 33 ; Paris 36), Suisse 53, G.-B. 46. **En France (en g/jour/hab.) :** *1900 :* 900, *20 :* 630, *50 :* 325, *58 :* 282, *60 :* 265, *70 :* 200, *74 :* 182 (de 142 H.-de-Seine à 260 Gers), *80 :* 175, *91-92 :* 160. **En calories par j et,** entre parenthèses, **autres produits céréaliers :** *1960 :* 696 (141), *70 :* 559 (212), *80 :* 444 (267).

En France. Fabrication de pain : env. 3,48 millions de t/an ; utilise (1992) 2,432 millions de t de farine, soit env. 3,162 millions de t de blé. **Nombre de boulangeries :** *1993 :* 36 000 ; **artisanales :** *1960 :* 54 000, *81 :* 38 700, *85 :* 38 056. *Chiffre d'affaires* (1992, en milliards de F TTC). 52,5 (dont pain 54, pâtisserie 36, revente 10) ; **industrielles :** 210 assurant environ 11 % de la production. **Nombre d'employés** (1991) : chefs d'entrepr. artisanales de boul. et leurs épouses 72 000, ouvriers boulangers 33 200, ouvriers pâtissiers 13 100, personnel de vente 46 200, apprentis 15 400.

■ **Pâtes alimentaires. Origine :** Chine, puis Italie (Marco Polo), France (Catherine de Médicis). **Fabrication industrielle** (dep. fin XIXe s) : pétrissage à froid (sans fermentation) de semoule de blé dur et d'eau (et d'œufs frais pour certaines pâtes) ; laminage ; tréfilage ou estampage (mise en forme par pression au travers de moules) ; séchage (humidité passant de 30 % à 12,5 %, taux de stabilisation qui permet la conservation de longue durée du produit) ; refroidissement.

Statistiques 1992 et, entre parenthèses, **1966** (en milliers de t) : *Production :* 280 (317). *Consommation :* 380. *Commerce : importations* 124 (1,6), *exportations* 27,1 (8,5). *Consommation annuelle par tête* (kg) : 6,7 (6,3) [Italie 25, Suisse 9, Grèce 7,8, Portugal 5,5, All. féd. 4,8, Espagne 4,7]. *Fabricants* (%) : France : Panzani 37 ; RCL 19 ; Import 33 ; divers 11.

■ **Autres produits. Biscotte :** inventée par Charles Heudebert (boulanger), à l'origine, pain de mie invendu débité en tranches et grillé ; *1903* création de la Sté Heudebert. *Chiffre d'affaires* global du marché français des biscottes et croustillants (pains grillés, braisés) : *1991 :* 1,9 ; *Consommation* (par hab. et par an) : 2,03 kg. **Bretzel** (gâteau salé accompagnant la bière), d'origine alsacienne. **Brioche. Croissant :** d'origine hongroise. **Pain d'épices** (inventé au XVIIe s. à Dijon), composé de farines de seigle ou de froment mélangées ou non de miel et de glucose. **« Petit Beurre » LU,** mis au point en 1886 par Louis Lefèvre-Utile, fils de Jean-Romain Lefèvre et Isabelle Utile, boulangers à Nantes : lait, beurre salé, farine de froment et sucre de canne. Rectangle avec 4 « oreilles » et 48 dents.

Production (en milliers de t, 1991 en France) : Biscuiterie, pâtisserie ind. 478. Biscotterie 113. Aliments diététiques 159 (dont pour enfants 70), petits déjeuners (y.c. céréales) 15,3, préparations pour entremets et desserts 25.

■ Maïs

■ **Origine.** De mahiz, nom donné dans les Caraïbes avant l'arrivée des Européens. **5000 av. J.-C. :** hauts plateaux du Mexique, d'Amér. Centrale et du S. **1492 :** Christophe Colomb rapporte des grains en Europe. Cultivé en France fin du XVe s. **1532 :** herbier de Jérôme Bock, plus vieux texte se rapportant au maïs. **1536 :** 1re mention irréfutable du maïs en Fr. par le botaniste Jean Ruel. **1542 :** 1res illustrations. Appelé *Fromentum turcicum* ou « blé *sarrazin* » par Fuchs. **1600-1700 :** en P. basque, puis Béarn, appelé « le pain des pauvres ». **1840 :** 632 000 ha cultivés (541 000 t de grains, rendement 8,5 q/ha). **1934 :** création de l'Association gén. des producteurs de maïs. **1938 :** 322 000 ha (580 000 t, 18 q/ha). **1957 : Inra 200,** 1er hybride précoce français. *1958 : Inra 258,* hybride précoce à la base du développement du maïs en Fr. et en Europe. **1958 :** les triazines permettent le désherbage chimique du maïs.

■ **Aspect.** Graminée, tribu des Maydae, la plante la plus proche est la téosinte au Mexique. Tige généralement unique (1,80 m à 2 m, parfois 4 m) portant de 12 à 20 feuilles (4 à 10 cm de large), fleurs mâles et femelles non bisexuées, un seul épi situé à l'aisselle des feuilles (compact) par plante (mais elle peut en produire 2 à 6 à faible peuplement) portant 8 à 28 rangées de grains. Le maïs actuel ne peut survivre sans l'homme. Il ne possède pas, à l'inverse de la téosinte et du tripsacum, d'organe de résistance ni de mécanisme de dissémination de ses graines. **Croissance :** fin avril à mi-oct. *Levée :* 10 à 20 j après le semis, *développement des feuilles :* env. 1 mois, *allongement de la plante :* 6 semaines, *maturation du grain :* 2 mois. **Culture.** Besoins en chaleur, lumière et eau. Adaptable par sélection de variétés hybrides. *Au semis,* levée lente à 10 °C ; moyenne (14 à 18 j) à 12 °C ; rapide (7 à 10 j) à 15,5 °C. *Croissance* nulle à 7 °C, modeste à 14 °C, très rapide à 21 °C. *Temp. mensuelles favorables :* mai 15 à 18 °C, juin 19 à 20 °C, juil. 20 à 23 °C, août 19 à 21 °C. Les variétés précoces utilisées dans la moitié Nord de la France sont assez résistantes au froid [il y a 40 ans, le m. n'était cultivé qu'en bassin Aquitain, Alsace, Anjou et Bresse (printemps doux et humide, été chaud avec orages, automne sec)]. *Semis :* en France 10 avr.-10 mai. *Peuplement/ha :* maïs grain, 70 000 à 110 000 pieds ; maïs ensilage, 80 000 à 130 000. **Rendement** (pour un semis de 100 000 grains/ha) : en moyenne à la récolte de 85 000 à 90 000 épis. En quintaux/ha (1992) : USA 82,5 (record 232), France 79,5 (record 180), Italie 90,5. **Coûts de production** équivalents à ceux du blé en zone traditionnelle de production, légèrement supérieurs dans les autres zones à cause du coût du séchage.

■ **En France. Maïs Grain. Récolte :** à l'automne, en épi 15 à 20 % des surfaces, en grains 80 à 85 %. **Conservation :** *en épi :* à des humidités initiales du grain variant selon régions et années de 30 à 35 % et séchés naturellement en cribs (Sud, Pays de la Loire, Alsace). 1 m³ de crib permet de stocker 5 q d'épis frais ou 3 q de maïs grain à 15 % d'humidité : 1 m linéaire de crib (4 m de haut sur 0,90 m de large) contient 3,6 m³ d'épis soit 10 à 11 q de grains secs. *En grains :* séchés artificiellement, immédiatement après leur récolte. **Culture** (en millions d'ha) : *1960 :* 0,8, *70 :* 1,5, *80 :* 1,7, *88 :* 2, *89 :* 1,9, *90 :* 1,5, *92 :* 1,86 (14 800 000 t, 79,5 q/ha). **Maïs ensilage :** la plante entière est ensilée pour l'alimentation du bétail. Elle constitue une excellente source d'énergie (enrichie en protéines par du soja ou de l'urée). **Culture** (en millions d'ha) : *1960 :* 0,26, *70 :* 0,38, *84 :* 1,4, *90 :* 1,76, *92 :* 1,52. **Maïs doux.** Apparu en France en 1967. **Récolté** en été et automne, il est surgelé ou appertisé (mis en conserve) dans les 6 heures après la récolte. **Culture** (en ha) : *1984* 6 500. *1992* 20 000 (USA 270 000).

■ **Variétés. Couleur des grains :** jaune (99 % en France), blanc, violet, noir. **Maïs dentés** (*indentata* ou *dent-corn,* type de maïs américain) : contiennent surtout une amande farineuse et un peu d'amande cornée ou vitreuse à la périphérie sauf à l'extrémité. À maturité, la partie farineuse se rétracte, ce qui provoque à cet endroit une dépression en dent de cheval, d'où leur nom. **Grains cornés** (*indurata* ou *flint-corn* cultivés en Argentine et en Afr. du S.) : contiennent surtout de l'amande vitreuse qui constitue à leur périphérie une coque épaisse et indéformable. À maturité, leur aspect ne se modifie pas. Seule l'amande farineuse du centre se crevasse. **Grains cornés-dentés :** croisement des deux types. Caractéristiques intermédiaires ; bien adaptés à l'Europe. **Maïs sucrés ou maïs doux** *(saccharata)* : ont perdu la faculté de synthèse de l'amidon, leurs réserves sont constituées par des sucres ; consommés en frais, surgelés ou appertisés comme légumes. **Maïs à éclater** (*pop-corn : everta*) : m. corné à petits grains pointus éclatant à la chaleur.

■ **Utilisation. Alimentation animale :** *Ensilage de la plante entière :* ration énergétique de base pour vaches laitières et bovins à l'engraissement. *Grain humide broyé ensilé seul ou avec rafle :* aliment pour porcs. *Grain sec :* aliment énergétique pour volailles (œufs, poulets fermiers jaunes) et porcs (jambon de Bayonne). **Industrie :** *Tiges :* pâte à papier, soie artificielle. *Rafles :* furfurol, combustible, abrasifs, support prod. pharmaceutiques, revêtements de sol, humus, panneaux ligneux. *Grains :* amidonnerie [le m. est la céréale qui fournit le plus d'amidon ; 100 kg donnent 62 à 63 kg d'a., 20 kg de drêches, 5 kg de gluten, 3 l d'huile brute et 4 kg de tourteaux de germes]. *Produits dérivés :* antibiotiques, alim. du bétail, protéines, vernis, text. artificiels, disques ; b. brute pour fonderie et savonnerie, pharmacie ; huile de table, tourteaux, margarine (après raffinage) ; colles, prod. pour brasserie, confiserie, biscuiterie, pâtisserie, charcuterie, potages, sauces, entremets, alim. pour enfants, apprêts pour textiles, tannerie. *Semoulerie :* farines, semoules [*corn-flakes* obtenus à partir de semoules grossières aromatisées de malt, sucre, etc. passées, après une 1re cuisson, dans des compresseurs cylindriques et transformées en flocons puis grillées ; *gritz* (semoules grossières pouvant entrer jusqu'à 25 % des matières 1res dans la composition de la bière, fournissent plus d'alcool que le malt et améliorent la qualité de la bière en raison de leur plus faible teneur en matières azotées et assurent une meilleure conservation)], huile de germe, son et sous-produits (alim. de bétail). *Distillerie :* whisky, gin, bourbon. *Ethanol :* alcool obtenu par fermentation de l'amidon de maïs. 1 t de maïs donne 370 l d'éthanol. Peut être utilisé en mélange dans l'essence.

■ **Statistiques. Production** (en millions de t, 1992). USA 240,8, Chine 94,5, Brésil 27,5, Mexique 15, *France 13,7,* Argentine 10,6, ex-URSS 10,4, Inde 9,1, Italie 7,6, Afr. du S., Roumanie 7,5, Canada 6,9, Yougoslavie 5,5, Hongrie 5. *Monde 529.*

Rendement : pour un semis de 100 000 grains/ha : on a un peuplement-tige de 85 000 à 90 000 plantes, la récolte (95 à 110 épis pour 100 tiges) sera de 85 000 à 90 000 épis. *En quintaux/ha* (1991) : Grèce 85, Colombie 83,9, Autriche 79, Italie 76, RFA 70, *France 69* (1992 : 79,6), USA 68,3 (1992 : 82,5). **Records :** USA 232 q de grains/ha, *France 180.*

Commerce (en millions de t, 1992) **Exp. :** USA 45. Chine 8. *France 6,8.* Argentine 6,2. Thaïlande 0,8. Afr. du Sud 0,1. *Monde 64.* **Imp. :** Japon 15,5. Corée du S. 5,7. Mexique 1,5. Espagne 1,4. Portugal 0,1. *Monde 64.*

Consommation : *alimentation animale :* 65 % (pays industrialisés 80 %) de la production ; *alimentation humaine* et *usages industriels :* 27 %. **Consommation humaine (kg/an/hab.) :** moyenne 15 ; pays en voie de développement : entre 20 et 40, ex-URSS et pays de l'Est 90. Mexique, Guatemala, USA 100, Argentine, Brésil 150.

■ Méteil

Du latin *metellum* ou *mistillum* issu de *mistus* ou *mixtus :* mêlé. Mélange de seigle et de blé semés et récoltés ensemble ; le petit méteil contient davantage de seigle, le grand méteil davantage de blé. Après 1800, le pain de froment remplace peu à peu le pain de méteil.

■ Mil et Millet

■ **Origine.** Asiatique et africaine.

■ **Mil. Nom :** *Pennisetum typhoïdes : Pearl millet* en anglais, mil à chandelle ou mil pénicillaire, bajra (Inde). **Culture :** Afr. sahélienne et subdésertique car ses besoins en eau sont faibles (400 à 700 mm pendant un cycle de 60 à 90 j), semis avr.-mai : **Rendement :** 300 à 1 500 kg/ha. **Autres espèces :** Éleusine (Inde : ragi), m. commun (proso), m. d'It. ou mil. à oiseaux, m. barnyard (ou du Japon).

■ **Millet.** Ensemble de plusieurs espèces graminées sauvages récoltées en cas de disette avec des rendements dérisoires dans différentes régions du monde. Utilisé par Gaulois et Germains. **Production** (en milliers de t, 1991). Inde 9 500, Chine 4 501, Nigeria 4 200, URSS 3 600, Niger 1 853, Mali 792, Burkina Faso 757, Ouganda 600, Sénégal 560, Tchad 302, Soudan 290, Tanzanie 270, Népal 220, Pakistan 200, Éthiopie 200, Zimbabwe 122, *Monde 29 539.*

■ Orge

Nom. Du latin *hordeum* (de *hordus* lourd, ou *horridus* hérissé, ou *horreum* grenier à céréales). **Origine.** Asie. **Culture.** Exige beaucoup d'eau, des sols de préférence calcaires et aérés, enrichis d'azote, de phosphore et, en faible quantité, de potassium. Rend bien à la chaleur. Semée en avril (l'escourgeon en automne). Récolte en juillet. **Variétés.** *Orge commune,* 2 groupes principaux : o. hexastiques (à 6 rangs de grains), o. distiques (à 2 rangs). **Utilisations.** Alimentation animale (ex. : porcs) ; malt (orge germée) qui sert pour la bière et le whisky.

Production (en millions de t, 1992, *Source :* CIB). Ex-URSS 46,4. Allemagne 12,3. Canada 10,9. *France 10,5.* USA 9,9. G.-B. 7,4. Turquie 6,2. Chine 4. Pologne 2,8. *Monde 157.*

Commerce (en millions de t, 1992). **Exp. :** CEE 7,7 (dont *France 4,5*). Canada 3,4. USA 2,2. Australie 2. *Monde 17,8.* **Imp. :** Arabie 5,4. CEI 5,1. Japon 1,5. Turquie 1,2. Chine 1. Iran 0,6. Libye 0,4. Israël 0,3. Taïwan 0,2. Algérie 0,1. *Monde 17,8.*

■ Riz

■ **Origine.** Plante spontanée en Asie. Introduite en Iran, Mésopotamie (Ve s. av. J.-C.), Syrie, Égypte, et en Europe comme aliment (330 av. J.-C.), puis comme culture (VIIe-VIIIe s. apr. J.-C.). **Genre.** *Orizae :* 25 espèces (23 sauvages, 2 cultivées), *O. Sativa :* 3 sous-espèces (Japonica, Indica, Javanica), *O. Glaberrima :* Afr. occidentale et Amér. du S. (Guyane). **Culture.** *Riz de plaine irriguée* (le plus répandu ; culture dans 5 à 10 cm d'eau ; de 15 000 à 20 000 m³ d'eau par ha et par an) ; *riz de culture pluviale ou de colline,* cultivé sur sol fumé sans irrigation artificielle ; *riz flottant,* sols immergés de 1,5 à 5 m d'eau. Dans de bonnes conditions (sol riche, température moyenne de 20 °C, 3 m d'eau), le riz mûrit en 4 mois et donne plusieurs récoltes par an [ex. : Java 3 ou 4, Thaïlande 2, mais 1 seule au Cambodge, USA, France (sept.-oct.) et Italie]. En *Camargue,* on sème (150 à 180 kg de riz par semailles et par ha) sur un terrain légèrement inondé pour lutter contre le « panicum », plante parasite envahissante. Le repiquage (qui ne se pratique plus en France) permet d'économiser semences et eau, et assure un meilleur rendement [semis en avril (900 à 1 000 kg à l'ha) ; plants repiqués du 15 mai au 15 juin].

■ **Appellations.** *Riz paddy :* riz non décortiqué (encore enveloppé dans sa balle) ; *riz cargo :* ou riz décortiqué (riz débarrassé de sa balle) ; *riz complet :* riz cargo, ou décortiqué, nettoyé, propre à la consommation ; *riz blanchi :* riz débarrassé de sa seconde enveloppe, l'assise protéique ou péricarpe ; *riz glacé :* riz blanchi enrobé d'un mélange de talc et de glucose de façon à lui donner un aspect brillant ; *riz étuvé :* (ou riz prétraité), riz paddy ayant subi, après trempage, l'action de la vapeur sous pression, ensuite décortiqué et blanchi, l'amidon est alors dextrinisé, il n'y a plus de libération d'amidon à la cuisson, le riz est « incollable ». **Catégories.** Riz ronds, demi-longs, longs. **Riz renommés :** *Basmati :* riz long, du nord de l'Inde et Pakistan, cultivé en montagne et vieilli 7 ans, considéré comme le meilleur. *Surinam :* très long, de saveur comparable à celui de *Madagascar.* **Rendement (moyen en kg) :** 100 kg de paddy, cargo 80, balle + 20, ou de riz blanchi 60, brisures de riz 10, farine base de riz 10 et balle 20 ; **(en t par ha, en 1991) :** Océanie 7,9, Europe 5,6, Amér. du N. 5,1, URSS 4,1, Asie 3,6, Amér. du S. 2,7, Afr. 2,1.

■ **Production** (riz paddy, en millions de t, 1992). Chine 185, Inde 109,5, Indonésie 45,8, Bangladesh 27,9, Thaïlande 20,2, Viêt-nam 20,3, Japon 13,3, Birmanie 13, Brésil 10,5, Philippines 9,1, Corée du S. 7,3, Pakistan 4,2, CEI 2,3, *Monde 516.*

■ **Commerce** (riz blanchi, en millions de t, 1992). **Exp. :** Thaïlande 4,5, Pakistan 0,9, Viêt-nam 1,8, Chine 0,8 ; USA 2,2 ; Australie 0,45 ; *Monde 13,2.* **Imp. :** Indonésie 0,6, Iran 0,8, Arabie Saoudite 0,45, Malaisie 0,38 ; Sénégal 0,4, Côte-d'Ivoire 0,35, Afr. du S. 0,35, Irak 0,3 ; Brésil 0,35, Pérou 0,4, Mexique 0,25 ; CEI 0,8.

■ **Consommation** (kg par hab., par an, 1992). Asie 95 (Birmanie 160, Chine 110, Inde 70), Afrique 13, CEE 4,7, Portugal 12, Espagne 6,3, Italie 5,5, *France 3,7,* G.-B. 2 ; USA 10, Madagascar 125, ex-URSS 7, *Monde 60.*

☞ **En France.** Essais aux XVIe, XVIIe, XXe s. (disparition entre les 2 guerres). **Surface ensemencée** (riz paddy milliers d'ha). *1942 :* 0,2. *64 :* 29,8. *79 :* 6,9. *85 :* 11,2. *88 :* 14 (B.-du-Rh. 11,4, Gard 2,5, Aude 0,09). *89 :* 17. *91 :* 19,2. *92 :* 22. **Riziculteurs :** *1988 :* 230. En moyenne, 75 ha par exploitant. **Production totale** (milliers de t) : *1964 :* 125,5. *79 :* 30,3. *80 :* 25,9. *82 :* 28,5. *85 :* 61,6. *88 :* 79,4. *89 :* 104,8. *91 :* 125. *92 :* 121,2. **Rendement :** *1992 :* 5,51 t/ha. **Consommation :** *1991 :* 205 000 t de riz blanchi (3,7 kg/hab.). **Aides à la riziculture :** investissements hydrauliques (10 millions de F sur 5 ans, à partir de 1981), nivellement des rizières (1 000 F/ha à partir de 89 sur 12 500 ha), recherche ; indemnisation des dégâts causés par les flamants roses. **Exp.** (1992, en milliers de t, blanchi) : 62,44 vers CEE 49,14, DOM 2,43, autres 10,87. **Imp. :** 223 dont originaire de pays tiers : 50,1 %.

■ Sarrasin (blé noir)

Nom. Allusion à la couleur noire des grains (on appelait Sarrasins au Moyen Âge les peuples non chrétiens d'Espagne, d'Afrique et d'Orient). **Origine.** Spontané en Asie, Népal, Mandchourie. Introduit au Moyen Âge en Europe, par la Russie, en France au XVe s. **Utilisations.** Alimentation humaine (bouillies, galettes) ; animale (chevaux, volaille). Total utilisé en 81-82 (France) : 18 milliers de t. **Culture.** S'adapte à tous les sols (préfère sols de bruyère, terres légères, granitiques et schisteuses), aime les climats humides et tempérés. *Assolement :* vient en 3e position après le blé ou en cult. dérobée après fourrage de printemps. **Surface cultivée en France.** *1938 :* 138 000 ha. *46 :* 115 000 ha. *65 :* 33 200 ha. *78 :* 7 100. *81 :* 5 000. *82 :* 4 700. *83 :* 4 700. *84 :* 4 700.

Production (milliers de t, moy. 1971-75). URSS 1 072. Pologne 39. Canada 36,8. Japon 24. *France 16,2* (1981 : 6,8). USA 16. *Monde 1 230.*

■ Seigle

Nom. Du latin *secale* (racine celtique : *sec* implique l'idée de coupe). En France, on parlait dans le S. et le Centre de *segal* et *segle* (d'où les segalas : terres à seigle du Massif Central), dans le N. de *seille* ou *soile.* **Origine.** Mauvaise herbe commune des champs de froment, cultivée dep. l'ère chrétienne seulement. **Utilisations.** *Farine* panifiable donnant du pain noir et, mélangée à du miel, du pain d'épices ; *grain* pour l'alcool (vodka, gin, whisky), l'alim. des porcs ; *paille,* liens et emballages ; *fourrage* vert donné aux animaux. **Culture.** Tige de 60 à 200 cm, se contente de climats froids. Exigences limitées quant au sol. *Assolement :* vient après la plupart des plantes. Semé en sept.

Rendement (monde, 1991). 2 001 kg/ha. **Production** (en milliers de t, 1991). URSS 14 000, Pologne 5 937, All. 3 213, Chine 900, Tchécoslovaquie 600, Danemark 420, Canada 408, Autriche 365, Turquie 250, USA 248, Espagne 243, France 233, Hongrie 221, *Monde 27 812.* **Commerce** (en milliers de t, 1990). **Exp. :** Canada 336,3, Danemark 218,9, Autriche 131,4, RFA 40. **Imp. :** Japon 272, Corée du S. 148,2, Norvège 61,4, RFA 51,7, USA 42,5, P.-B. 31,7, Finlande 8, Suisse 3,3.

☞ **En France. Superficie** (milliers d'ha) : *1900 :* 1 400. *65 :* 225. *79 :* 115,9. *80 :* 130. *86 :* 90. *90 :* 65. *91 :* 60. **Rendement** (en q/ha) : *1990 :* 37. *1991 :* 38,8. **Production** (en milliers de t) : *1984 :* 349, 318. *86 :* 229. *90 :* 241. *91 :* 233.

■ Sorgho

Nom. Apparu en France en 1553, de l'italien *sorgo* (sans doute du latin *syricum :* de Syrie). **Origine.** Très répandu à l'état sauvage sous les climats tropicaux et subtropicaux. Introduit en Égypte au début de l'ère chrétienne. Le sorgho à balai est cultivé dep. longtemps en France, introduction récente des s.-grain et fourragers (sudan-grass) et hybrides (sudan-sorgho). **Variétés.** Sorgho à balai (bicolor), milo, (durra), sorgho sucré, kaoliang (Chine). **Utilisations.** En Afrique, alimentation humaine (gruau, bière). Dans les pays développés, alimentation du bétail ou des volailles (en l'état ou broyé), qualités blanchissantes : permet d'obtenir des volailles à chair blanche ; couscous, balais de « paille de riz ». **Culture.** En général extensive, sur terre ameublie et labourée, en climat chaud et sec. Semis au printemps. Récolte en sept.-oct. Peut atteindre 6 m de haut. Moins exigeant en eau que le maïs. Particulièrement adapté aux zones tropicales semi-arides, à une saison des pluies d'env. 800 mm. **Rendement** (moyen) 10 à 55 q/ha. *France* (1992) : 60. *Monde* (1991) : 13,6 q/ha. **Surfaces cultivées** (1991) : 44,6 millions d'ha dont Afrique 18,3, Asie 17,9 [Europe : superficies faibles par rapport aux régions tropicales : URSS 0,2, *France 0,07* (1992 : 0,1)]. **Production** (en millions de t, 1991). USA 14,7. Inde 12. Mexique 5,7, Chine 5,6, Nigeria 4,8, Soudan 3, Argentine 2,4, Burkina Faso 1,1, Éthiopie 1, Australie 0,9, Colombie 0,7, *Monde 60,6.* **Commerce** (en millions de t, 1991). **Exp.** USA 5,3. Argentine 1,4. Chine 0,3. Australie 0,1. **Imp.** Japon 3,5. Mexique 3. Israël 0,2. *Monde 7,8.*

☞ **En France.** Sorgho hybride (1992) et entre parenthèses, sorgho fourrager (1988). **Superficie** (ha) : 100 000 (17 290). **Rendement** (q/ha) : 60 (298). **Production** (1991, en t) : 361 000 (515 992,5).

■ Triticale

Nom. Issu du croisement du blé *(Triticum)* et du seigle *(Secale).* Peut se rencontrer à l'état accidentel dans la nature (stérile). **Culture.** Bien adapté aux zones où le blé pousse mal.

☞ **En France** (1991, prév.). **Superficie :** 156 000 ha. **Production :** 724 000 t. **Rendement :** 46,4 q/ha.

Corps gras. Oléagineux

Généralités

■ **Définitions. Acides gras :** *constitués* de chaînes carbonées plus ou moins saturées en atomes d'hydrogène. Ils se distinguent par la longueur de leur chaîne, leur degré d'insaturation, leur forme isomérique (Cis ou Trans). *Stabilité* (résistance à l'oxydation) : dépend du degré d'insaturation, de l'importance relative (en %) dans le corps gras et de la position des chaînes sur le glycérol. Les acides gras saturés et mono-insaturés sont plus stables que les polyinsaturés. **Acides gras essentiels :** *acide linoléique :* l'organisme ne peut le synthétiser. Comme les autres acides gras, il entre dans la constitution des membranes cellulaires et dans celles d'organites intra-cellulaires, comme le noyau et les mitochondries. Il est métabolisé en une famille d'acides gras précurseurs de molécules ayant une activité biologique, notamment les prostaglandines, qui jouent un rôle important au niveau des vaisseaux et de la coagulation du sang (le thromboxane A_2 est proagrégant, la prostacycline

PGI$_2$ est antiagrégante). *Acide linolénique :* il entre en fortes proportions dans la constitution des cellules du système nerveux central, neurones, cellules rétiniennes. Se transforme en une série de composés analogues aux prostaglandines.

Graisses et huiles. Substances organiques insolubles dans l'eau. À la température d'un appartement, les graisses sont solides, les huiles sont liquides. *Constituants majeurs :* glycérides. 98 à 99 % de triglycérides (molécules de glycérol, combinées chacune à 3 molécules d'acides gras semblables ou différentes) et, en petites quantités (moins de 2 %) de phospholipides (type lécithine), stérols dont le cholestérol, vitamines liposolubles dont les tocophérols [alpha (vitamine E), gamma et delta (antioxygènes naturels)], de pigments (ex. carotène) et de produits odorants. Graisses visibles. Ajoutées aux aliments les plus utilisés dans notre alimentation. *Origine animale :* beurre (émulsion d'eau dans 82 % minimum de matières grasses provenant du lait), saindoux, lard (graisse de porc), suif (gr. de bœuf ou de mouton), gr. d'oie, huiles marines (baleine) et h. de poisson. *Origine végétale :* huiles végétales (fluides ou concrètes ; composées de près de 100 % de matières grasses ; toutes les h. sont aussi « grasses » les unes que les autres), graisses végétales (beurre de cacao). Huiles végétales. Extraites des graines ou des fruits des plantes oléagineuses. *Fluides :* liquides à température ambiante dans les régions tempérées ; viennent des fruits : olivier ; des graines : arachide, colza, maïs, soja, tournesol. *Concrètes :* à l'état pâteux ou solide dans les régions tempérées, noix du cocotier (provenance de coprah), palmier à l'huile (la pulpe du fruit donnant l'huile de palme et l'amande du noyau, l'h. de palmiste). *Autres provenances :* sésame, noix, noisette, graines de coton, pépins de raisin, cameline, carthame, navette, moutarde. **Margarines** (voir p. 1635).

■ Composition des huiles alimentaires en acides gras saturés, mono-insaturés, entre parenthèses, polyinsaturés, en italique, dont linolénique (en %). Arachide Afr. 20 (64) *16 ;* Amérique 20 (44) *36 ;* Colza 8 (62) *30 dont 10 ;* maïs 13 (30) *57 ;* olive 15 (73) *12 ;* soja 15 (25) *60 dont 7 ;* tournesol 12 (27) *61.*

Selon la réglementation française de 1973, seules les huiles dont la teneur en acide linolénique ne dépasse pas 2 % ont droit à la dénomination « h. pour fritures et assaisonnements » ; celles dont la teneur est supérieure doivent être appelées « h. végétale pour assaisonnement ». Toutes les h. végétales fluides peuvent être chauffées et utilisées en fritures, à condition de ne pas dépasser 180 °C.

■ Production mondiale. *Graines oléagineuses* (millions de t, 1992-93). 227 dont soja 114, coton 35, colza 26, tournesol 22, arachide 17, coprah 5, palmiste 4, lin 2, sésame 2, ricin 1. *Huile brute* 76 dont soja 15, palme 10, colza 8, suif 7, tournesol 7, beurre 6, lard 5, coton 4, arachide 4, coprah 3, olive 1, huile de poisson 1. *Huile de palme* (1991-92) 12,1. *Huile d'olive* (1991-92) 1,9.

■ Provenance. En millions de t (huiles et graisses). Dans le monde, en 1980. **Animaux :** *terrestres :* beurre 6,83, suif 6,16, saindoux 4,52 ; *marins :* poisson 1,21, baleine 0,15. **Végétaux :** *huiles fluides :* 34,83 dont soja 14,9, tournesol 5,48, colza 3,82, arachide 3,41, coton 3,22, olive 1,99, divers 1,92 ; *h. concrètes :* 8,76 dont palme 5,08, coprah 2,85, palmiste 0,65, babassu 0,18 ; *h. industrielles :* 1,4 dont lin 0,89, ricin 0,38, tung 0,1, divers 0,03.

■ Consommation d'huiles végétales (en millions de t, 1991). All. 1, R.-U. 0,87, *France 0,74,* Espagne 0,68, Italie 0,55, P.-B. 0,44, UEBL 0,28, Portugal 0,15, Danemark 0,1, Grèce 0,1. **En France** (total en équivalent huile raffinée, en milliers de t, 1991) : 946 dont tournesol 731, colza 206, arachide 78, palme 157, olive 33. *Usages alimentaires* 739 dont consommation directe 481, industries agro-alimentaires 258 ; *usages non alimentaires 207.*

■ Tourteaux. Obtenus après pression et extraction de l'huile : riches en protéines, servent à la fabrication des farines destinées surtout à l'alimentation animale. **Bilan** (en millions de t) : *production CEE et,* entre parenthèses, *consommation, en 1992 :* 20 (43) dont soja 11 (20), colza 3 (4), tournesol 3 (4) ; dont (en %) All. 25,3 (19,1), Esp. 14,5 (14,7), Ital. 11,5 (11,4), *France 9 (18,6),* P.-B. 19 (10), UEBL 7,4 (3,8), R.-U. 6,2 (11,3), Port. 3,4 (2,6), Dan. 1,3 (6,9), Grèce 2,2 (1,5). **Commerce de tourteaux** (millions de t, 92) : *Exportations de soja* 27 dont Brésil 8. Argentine 6. USA 6. *Importations de soja* 28 dont CEE (à 12) 14. Ex-URSS 3. *France 3.*

Nota. – La France importe graines et tourteaux de soja (86 % de la consommation en 1981, venant des USA, Brésil, Argentine), huile d'arachide, de tournesol et d'olive ; exporte graines et huile de colza, qui ne compensent pas le coût des importations. En 1984-85, le tourteau de colza « double zéro » dépelliculé rivalisait avec les tourteaux de soja.

■ Protéagineux (1992). 722 400 ha, 3,1 millions de t. *Source de protéine :* pois et féverole. *Féverole :* 13 800 ha, 45 000 t. *Pois :* 705 000 ha, 3 050 000 t. *Lupin :* 3 600 ha, 6 000 t.

■ Arachide

Aspect. Légumineuse annuelle d'origine sud-amér. Hauteur 20 à 70 cm. Les fruits souterrains (gousses) contiennent 1 à 4 graines ou *cacahuètes* dont on tire l'huile. Rendement. 1 176 kg à l'ha (moy. mondiale 1991). Demande sol meuble, pluies modérées. Utilisations. Grillé, frit, pâte (beurre d'arachide), huile, tourteau.

Production d'arachides non décortiquées (en milliers de t, 1992). Inde 5 800, Chine 3 950, USA 1 490, Nigeria 850, Indonésie 650, Sénégal 430, Birmanie 360, Argentine 150, Viêt-nam 160, Brésil 85, Afr. du S. 79, Autres 2 639, *Monde 16 643.* Commerce (huile en milliers de t, 1990-91). **Exp.** Sénégal 110, Chine 73, Argentine 32, Belgique-Luxembourg 16, Brésil 13, Soudan 13, Singapour 10, *France 8,* USA 6, *Monde 329,6.* **Imp.** *France 112,* Italie 55, Belgique-Luxembourg 34, Hong-Kong 32, All. féd. 21, Singapour 11, G.-B. 10, Canada 6, Suisse 6, *Monde 327,9.*

■ Colza

Nom. Du hollandais « kolzaad » (semence de chou). Origine. Graines rondes et noires de 1 à 2 mm de diamètre, riches en huile (41 à 42 %). Hybridation naturelle entre le chou et la navette probablement dans les régions méditerranéennes. Cultivé dep. l'Antiquité en Europe de l'Est et Asie, dep. le XVIIeme siècle en Eur. occid. Aspect. Famille des crucifères (comme la moutarde et le radis). Tiges ramifiées 1,20 à 1,50 m. Inflorescence en grappe. Fleur jaune. Le fruit, une silique, contient 10 à 30 graines rondes et noires de 1 à 2 mm de diamètre et pesant 4 à 5 mg chacune. Cultivé pour son huile (42 % de la graine) et la richesse en protéine du tourteau (produit restant après l'extraction de l'huile et contenant 36 % de protéines). Depuis 1973 sont sélectionnées des variétés sans acide érucique (suspecté d'induire des myocardites) et depuis 1983, à basse teneur en glucosinolates, dites variétés double zéro, dont le tourteau est mieux consommé par les animaux. Culture. *Exigences :* azote, potasse, soufre. Colza d'hiver : semis fin sept.-début oct. Colza de printemps : semis mars-avril.

Rendement moyen. 100 kg de graines (à 42 % de matières grasses) donnent 41 kg d'huile brute, 57 kg de tourteau (1 à 2 % de matières grasses). Il y a env. 2 % de pertes dues à l'humidité. *Monde* (91, q/ha) : *14,8 (France 31,9).* Superficie (France, milliers d'ha) *1960 :* 50, *65 :* 142, *73 :* 328, *79 :* 223, *80 :* 395, *82 :* 476, *86 :* 388, *87 :* 735, *88 :* 865, *89 :* 635, *90 :* 693, *91 :* 716,5 (dont Champagne-Ardenne 118,8, Bourgogne 112,4, Centre 85,6, Lorraine 108,5, Midi-Pyr. 39,1), *92 :* 686,1. Production (1992, milliers de t, *Source :* Oil World). CEE 6 203, Chine 7 000, Inde 5 600, Canada 3 689, *France : 1973 :* 630, *80 :* 1 102, *85 :* 1 334, *87 :* 2 645, *91 :* 2 284, *Monde 25 691.*

■ Coprah

Nom. De l'albumen séché de la noix de coco. Origine (probable). Sud-Est asiatique, mais on ne connaît pas de peuplements spontanés. **Vie.** plus de 50 ans. Aspect. Le cocotier commun peut atteindre 25 m de haut. **Stipe** (tronc). Porte un panache d'env. 30 feuilles (palmes) de 5 à 6 m de long sur 2 m de large. Les palmes les plus âgées tombent en laissant sur le stipe une cicatrice. Tressées, servent à la fabrication de cloisons. Peut être utilisé en charpenterie. **Sève :** donne un liquide analogue au vin de palme ; fermentée, elle devient vinaigre ou alcool dont on tire par distillation une eau-de-vie. **Bourgeon terminal** *(cœur de cocotier) :* excellent légume mais sa cueillette entraîne la mort de l'arbre. **Noix de coco :** *bourre* enveloppe fibreuse de 2 à 5 cm (sert pour brosses, tapis brosses, fibres de rembourrage, de cordage). *Coque :* épaisse de 2 à 4 mm (dans l'artisanat : boutons, ustensiles de cuisine ; par combustion ménagée, elle donne un charbon très demandé pour la prod. de charbon actif utilisé comme agent filtrant, notamment dans les centrales nucléaires). **Amande :** utilisée pour la cuisine (râpée puis pressée pour extraire le lait de coco), les confiseries et la pâtisserie. *Séchée* (appelée coprah) contient 65 % d'huile qui entre dans la fabrication des graisses végétales, margarines, savons et cosmétiques. Riche en acide laurique, elle confère aux savons un bon pouvoir moussant. Blanche creuse, tapisse la coque lorsque la noix est mûre. *Eau de coco :* boisson, dont on fait aussi du vinaigre. Fructification. Variétés hybrides (entre Nains de Malaisie et Grands de l'Afrique de l'O.) créées par l'IRHO, produisent dès 4 ans, plein rendement à partir de 8-10 ans (variétés courantes, 12 ans). L'arbre émet chaque mois env. une inflorescence à l'aisselle de chaque feuille. 11 à 13 mois s'écoulent entre floraison et récolte ; mais la floraison ayant lieu toute l'année, la cueillette est continuelle. Cultures. Env. 11,6 millions d'ha dans le monde, régions tropicales au-dessous de 500 m d'alt. (température + de 20 °C). *Grandes régions :* Philippines, Indonésie, Inde, Thaïlande, Sri Lanka, Viêt-nam, Malaisie, Papouasie-N.-Guinée, Tanzanie, Mozambique, Mexique, C.-d'Ivoire. Rendement. *Cocotier sélectionné.* + de 100 noix par arbre et par an, soit 15 000 à 20 000 noix à l'ha correspondant à 3/4 t de coprah. *Culture extensive :* 3 000 à 6 000 noix par ha/an.

Coprah (en milliers de t, 1992). **Production :** Philippines 1 830, Indonésie 1 150, Inde 440, Mexique 170, Sri Lanka 120, Papouasie-Nlle-Guinée 110, Malaysia 90, Mozambique 72, Côte-d'Ivoire 65, Thaïlande 63, *Monde : 4 686.* **Commerce** (1992) : **Exp.** Papouasie Nlle-Guinée 43, Philippines 39, Malaysia 32, îles Salomon 27, Vanuatu 24, *Monde 243.* **Imp.** Corée du S. 46, Bangladesh 45, All. 44, Japon 27, Singapour 19, Pakistan 12, Suède, Portugal 5. *Monde 233.*

Huile de coprah (en milliers de t, 1992). **Production :** Philippines 1 100, Indonésie 758, Inde 244, Mexique 109, Viêt-nam 105, Sri Lanka 43, Côte-d'Ivoire 39, Mozambique, Papouasie-Nlle-Guinée, Thaïlande 37, Malaysia 28, *Monde 2 983.* **Commerce : Exp.** Philippines 789, Indonésie 332, Malaysia 49, Côte-d'Ivoire 40, Papouasie Nlle-Guinée 36, Singapour 33, P.-Bas 30, *Monde 1 411.* **Imp.** USA 380, All. 166, Pays-Bas 133, *France 66,* Japon 61, Italie 56, Singapour 42, G.-B. 38, *Monde 1 541.*

■ Olives

■ Olivier. Probablement originaire d'Asie Mineure, cultivé en Égypte au XIIIe s. av. J.-C. Connu en Provence probablement vers le XIe s. av. J.-C. (invasion des Phéniciens). Vit parfois plus de 1 000 ans. Période de croissance, 40 ans. Productivité, jusqu'à 200 ans. Culture. Exige un climat méditerranéen sec à hivers courts et étés chauds et une grande luminosité, une température supérieure à 12 °C pour entrer en végétation. Il gèle au-dessous de –12 °C en hiver et de –7 °C au printemps ; il s'adapte à tous les sols (sauf humides). Rarement cultivé au-dessus de 400 m d'alt. (800 dans Alpes-Mar. et Corse), peut atteindre 12 à 15 m et donne en Corse et Alpes-Mar. plus de 100 kg d'olives 1 an sur 2 (beaucoup seulement 15 à 25 kg). Actuellement, la plupart des plantations se font avec des oliviers issus de boutures herbacées et commencent à produire au bout de 4 a. **Floraison :** mai et juin. Récolte. En vert, pour la confiserie, de sept. à nov., à la main ; en noir (maturité) par peigne manuel et filets au sol ou récolte mécanique (vibreur) de nov. à janvier suivant espèces et régions. Chaque rameau ne fructifie qu'une fois dans sa vie.

■ Olive. Drupe ovoïde passant du vert pâle au noir au fur et à mesure de la maturation. **Utilisations :** *o. de table* (hors-d'œuvre ou condiments) : o. vertes cueillies avant maturité, adoucies dans un bain alcalin (soude) et conservées dans une saumure ; o. noires cueillies mûres non désamérisées, conservées en saumure ou au sel sec ; *huile d'olive vierge* obtenue à partir du fruit de l'olivier par des procédés mécaniques sans traitement chimique, seules peuvent être commercialisées : *l'h. d'o. vierge « extra »* (jusqu'à 1° d'acidité) et *l'h. d'o. vierge* (jusqu'à 2°) (propres à la consommation en l'état, ont droit au qualificatif de « naturelles ») ; *h. d'o. raffinée* obtenue par raffinage d'h. d'o. vierge impropre à la consommation du fait de son taux d'acidité supérieur à 3° (dite « h. d'o. vierge lampante ») ; *h. d'o.* constituée par un coupage d'h. d'o. vierge et d'h. d'o. raffinée (pouvant être commercialisée) ; *h. de grignons d'o. brute* obtenue par traitement aux solvants des grignons d'olive ; *h. de grignons d'o. raffinée* obtenue par raffinage de l'h. de grignons d'o. brute ; *h. de grignons d'o. :* constituée par coupage d'h. de grignons d'o. raffinée et d'h. d'o. vierge ; *h. de ressence* (n'entrent pas dans la classification selon les normes commerciales), obtenues dans les huileries traditionnelles par lavage à l'eau chaude des grignons d'o. issus de presse (savons de Marseille) : les gr. peuvent être utilisés comme combustible (1 kg issu directement des presses = 0,5 l de fuel) ou comme alimentation animale.

Nota. – L'acide oléique (monoinsaturé) a un effet sur le cholestérol sanguin et, donc, préventif contre les maladies cardio-vasculaires.

■ Huile d'olive vierge. **Procédé traditionnel d'élaboration :** après la cueillette (olivade ou olivaison) des olives arrivées à maturité (coloration partielle de la pulpe), les o. fraîches sont stockées de 1 à 5 jours, puis broyées, sans dénoyautage, dans des broyeurs à meules (en pierre) ou à marteaux (en acier). La pâte ainsi obtenue est malaxée environ 1/2 heure afin de regrouper les minuscules gouttelettes d'huile et de faciliter la séparation solide/liquide ; à partir de presses (la pâte est répartie sur des disques en fibre naturelle ou synthétique tressée empilés sur environ 2 mètres), d'un décanteur centrifuge (la partie solide est plus dense que la partie liquide) ou par tension superficielle (système Sinolea). La partie solide (grignons) est un ensemble granuleux plus ou moins sec ; selon le matériel, contient environ 12 % (/MS) non extractible par des procédés mécaniques. La partie liquide contient de l'huile et de l'eau de végétation (margine) ; l'huile moins dense que l'eau (env. 916 g/litre) est séparée par décantation naturelle (moulins anciens) ou par centrifugation. **Rendement :** 5 kg d'olives donnent 1 kg d'huile, 1 olivier donne de 1,5 à 3,5 kg d'huile (1 l d'huile pèse entre 914 et 920 g). **Variétés : (France) :** *Alpes-de-Hte-Pr. :* Aglandau ; *Alpes-Mar. :* Cailletier ; *Ardèche :* Rougette ; *Aude :* Lucques ; *B.-du-Rh. :* Salonenque, Aglandau, Grossanne, Verdale des B.-du-R. ; *Corse :* Germaine, Sabine ; *Drôme :* Tanche ; *Gard :* Picholine ; *Hérault :* Picholine, Verdale de l'H., Lucques ; *Var :* Cayon, Cayet roux, Bouteillan, Belgentiéroise ; *Vaucluse :* Aglandau (dite Verdale de Carpentras). **Monde :** *Grèce :* Voliotiki, Kalamata ; *Espagne :* Sévillane. *Italie :* Ascolana. *Afr. du N. :* Sigoise, Cornicabra.

■ **Statistiques. En France :** en régression (concurrence des h. et olives de table étrangères, de la vigne, gels de 1929, 1956, 1985). **Nombre d'oliviers** (en milliers) : *1840 :* 26 500, *1892 :* 20 000, *1929 :* 13 700, *57 :* 2 400, *76 :* 3 900, *80 :* 4 100, *82 :* 3 100, *84 :* 3 400, *91 :* 3 447 [dont Var 757, B.-du-Rh. 688, Gard 411, Alpes-Mar. 382, Vaucluse 233, Corse 232 (dont C.-du-S. 109, H.-C. 123), Hérault 231, Drôme 222, Al.-de-H.-Prov. 167, Aude 56, Ardèche 39, P.-O. 29], *92 :* 3 426. **Densité** 177 arbres par ha. **Production. Huile d'olive** (1991-92) 4 346 t, dont B.-du-R. 1 277,5, Alpes-Mar. 758,2, Var 498,1, Gard 427,7, Hte-Corse 324,3, Vaucluse 289,7, Drôme 261,6, Al.-de-H.-Prov. 208,4, Hérault 135,6, Corse du S. 119,2, Ardèche 22, Aude 21,2, Pyr.-Or. 1,9, **Olives vertes** (1991-92) 1 360 t, dont Gard 650, Hérault 300, B.-du-R. 240, Aude 130, Var 25, Pyr.-Or. 10, Ardèche 5. **Olives noires** (1991-92) 1 320 t, dont Alpes-Mar. 500, Drôme 500, Vaucluse 260, B.-du-R. 50, Gard 5, Hérault 5.

Dans le monde (en milliers de t, 1991-92). **Consommation : huile d'olive** 1 768,4, dont CEE (12) 1 267,9 (Italie 580, Espagne 400, Grèce 190, Portugal 40, *France 33,2,* autres 24,7). USA 94. Syrie 62. Tunisie 60. Turquie 50. Maroc 44. Libye 19. Algérie 14. Australie 12,5. Jordanie 11,5. Brésil 11. Liban 7. Israël 4,5. Argent. 4. Mexique 4. Youg. 4. Iran 2,5. Chypre 2. Egypte 1,5. **Olives de table** (1985-86) 776,7 dont CEE 266,3, USA 150, Turquie 100, Syrie 42,6, Pérou 18, Égypte 16, Maroc 16. **Production d'olives.** (en milliers de t, 1991). Italie 3 000, Esp. 2 742, Grèce 1 600, Turquie 600, Maroc 368, Syrie 250, Algér. 181, Portugal 150, *Monde 9 702.* **Huile d'olive** (en milliers de t, 1991-92). Italie 630, Esp. 593. Grèce 385. Tunisie 250. Port. 60. Turquie 60. Maroc 50. Syrie 42. Algérie 17. Libye 10. Argent. 9. *Monde 2 139,7.* **Commerce d'huile d'olive** (en milliers de t, 1991-92). **Exp. :** Italie 95. Tunisie 94. Espagne 72. Turquie 15. Grèce 6. Portugal 6. Argent. 5. Maroc 5. USA 5. *Monde 308,9.* **Imp. :** USA 100. CEE (12) 76,5 (dont Italie 48, Espagne 25, *France 3*). Australie 12,5. Brésil 11. Canada 10. Libye 10. CEI 9. Arabie Saoud. 7. Jordanie 7. Japon 4,5. Suisse 3. Liban 2. Iran 2. Mexique 2. Youg. 2. *Monde 306,9.*

■ Palmiste et huile de palme

Origine. Afrique occidentale. **Aspect.** Le palmier à huile *(Elæis)* peut atteindre 20 m. Porte au sommet 20 à 40 feuilles de 4 à 8 m de long. **Fruits :** drupes ovoïdes, grosses comme une noix ou un petit abricot. 1 000 à 1 500 fruits par régime de 15 kg env. La partie charnue des fruits *(pulpe)* donne l'*huile de palme* et l'amande du noyau l'*huile de palmiste.* **Culture.** Zones équatoriales ou tropicales humides (1,5 à 2 m de pluie/an min.), terres argilo-sablonneuses profondes ou sablo-argileuses (50 à 60 cm). Plus de 4 millions d'ha dans le monde (hors palmeraie naturelle) dont Asie 3 (Malaysia, Indonésie, Thaïlande), Afrique 0,6 (Nigeria, C.-d'Ivoire, Zaïre), Amér. lat. 0,4 (Colombie, Équateur, Brésil). **Utilisation.** *Huile de palme :* h. de table, friture, graisses végétales, margarines, vitamines A et E ; alimentation animale : sous-produits ; savonnerie, étamage, cosmétiques et applications pharmaceutiques. *Huile de palmiste* (concurrente de l'h. de coprah) : margarinerie, confiserie ; savonnerie, acides gras, lipochimie. **Rendement.** Après 4 ou 5 ans, max. 10 ans ; après 3 ou 4 ans, max. 8-10 ans ; sélections actuelles (par an et par ha) 4 à 6 t d'huile de palme (7 à 8 t excellentes conditions ; 8 à 10 t avec le nouveau matériel clonal) et 300 à 500 kg d'h. de palmiste.

Production de palmistes (1992, milliers de t). Malaysia 1 874, Indonésie 602, Nigeria 385, Côte-d'Ivoire 70, Colombie 64, Thaïlande 60, Pap.-Nlle-Guinée 57, Cameroun 55, Zaïre 50, Équateur 32, Ghana 31, *Monde 3 522.*

Huile de palmiste (1992, milliers de t). **Production :** Malaysia 782, Indonésie 265, Nigeria 169, Côte-d'Ivoire 29, Colombie 28, Thaïlande 24, Cameroun 23, Zaïre 23, Papouasie-Nlle-Guinée 15, Ghana 14, *Monde 1 382.* **Commerce : Exp.** Malaysia 507, Indonésie 184, Côte-d'Ivoire 20, Papousie-Nlle-Guinée 18, Nigeria 17, P.-Bas 16, *Monde 794.* **Imp.** All. 159, USA 155, P.-Bas 84, G.-B. 60, Japon 40, Afrique du S. 27, *Monde 826.*

Huile de palme (1992, milliers de t). **Production :** Malaysia 6 224, Indonésie 2 803, Nigeria 633, Côte-d'Ivoire 299, Colombie 276, Thaïlande 261, Pap.-Nlle-Guinée 195, Équateur 148, Cameroun 112, Ghana 84, Honduras 79, Costa Rica 79, Brésil 65, Philippines 54, Sierra Leone 52, *Monde 11 770.* **Commerce Exp.** Malaysia 5 783, Indonésie 1 268, Singapour 572, Papouasie-Nlle-Guinée 188, Côte-d'Ivoire 170, P.-Bas 128, *Monde 8 509.* **Imp.** Pakistan 1 002, Chine 750, Singapour 696, Allemagne 394, G.-B. 359, P.-Bas 353, Japon 328, Égypte 300, Inde 267, Corée du S. 212, Turquie 186, Italie 171, Arabie S. 153, Myanmar 128, Bangladesh 112, Belgique 112, Yémen 110, Nigeria 104, Kenya 100, *Monde 620.*

■ Ricin

Origine. Probablement Éthiopie. **Aspect.** Arbustes de 1,5 à 3 m de haut (parfois 10 à 15 m). **Variétés.** Annuelles et pérennes. **Utilisations.** Huile non alim. utilisée en pharmacie (la graine contient 2 poisons : la ricine, protéine agglutinant les globules rouges, et la ricine, alcaloïde provoquant des arrêts cardiaques), mécanique, peinture et pour la fabrication du nylon 11 ou *rilsan* (découvert 1940).

Production de graines (en milliers de t, 1990). Inde 500, Chine 280, Brésil 148, ex-URSS 65, Équateur 45, Thaïlande 29, Éthiopie 14, Philippines 7, Soudan 6, Afrique du S. 5, Tanzanie 5, *Monde 1138.*

■ Sésame

Aspect. Herbacée de 0,60 à 1 m de haut. **Fruits :** capsules contenant des graines claires ou foncées, contenant 40 à 50 % d'huile. **Utilisations.** Huile comestible, graines grillées. La *khalva* (Proche-Orient) est un mélange de graines dépelliculées et broyées, de sucre ou de miel.

Rendement. 339 kg/ha (1990). **Production de graines** (en milliers de t, 1990) Inde 550, Chine 420, Myanmar 207, Mexique 71, Nigeria 70, Soudan 66, Bangladesh 50, Somalie 50, Ouganda 46, Turquie 39, Éthiopie 38, Venezuela 38, Corée 37, Thaïlande 32, Afghanistan 28, République Centre-Afrique 21, Guatemala 20, Nicaragua 16, Cameroun 15, Irak 15, *Monde 2 014.*

Commerce (graines, en milliers de t, 1990-91). **Exp.** Inde 90, Chine 94, Mexique 50, Soudan 42, Myanmar 25, Thaïlande 20, Guatemala 18, Hong-Kong 17, Singapour 15, Viêt-nam 15, *Monde 459,7.* **Imp.** Japon 127, CEE 46 (dont Grèce 14, Allemagne 13), USA 42, Égypte 30, Singapour 27, Taiwan 24, Hong-Kong 20, Israël 16, Yémen 16, *Monde 481,5.*

■ Soja

Nom. *Glycine max.,* en anglais *soybean.* **Origine** Chine et autres pays d'Orient (cultivé 3 000 a. av. J.-C.), introduit en Europe au XVIIIe s, aux USA en 1806 (s'y développe dep. 1917). **Plante.** Légumineuse, rappelant le haricot, graine ronde, grasse, de couleur variable, parfois tachée de noir, de 0,2 à 0,4 g. Taille moy. 80 cm. Fruits : gousses de 2 ou 3 graines. **Variétés** *A gr. vertes,* surtout cultivées en Asie [soja de régime (vigna, radiata, en anglais mung-bean)] : gr. ronde, petite, pratiquement sans huile. Consommé en bouillie, purée, soupe, pousses germées, crues ou blanchies, en salades ou cuisinées (cuisine « chinoise »), son amidon sert à faire les nouilles « chinoises » ; pauvre en huile, en pousses ; *à gr. jaunes (Glycine max.)* surtout cultivées en Amérique. La graine donne, après trituration, 18 % d'huile (pour les crudités), et des protéines (38 à 40 % de la matière sèche) utilisées en tourteaux pour le bétail ou pour fabriquer des viandes reconstituées ou des produits diététiques. Contient des facteurs antinutritionnels inhibant l'action des enzymes digestives qui peuvent être détruites par la chaleur (cas des tourteaux). **Culture.** *En France :* semé en avril-mai, récolté en sept.-oct. (*1991 :* 61 500 ha). Peut s'irriguer : on introduit dans le sol (avec la semence) un inoculum spécifique qui apporte au soja les bactéries *(Bradyrhizobium japonicum)* fixatrices d'azote atmosphérique indispensable.

Rendement (moy. mondiale (91). 18,32 q/ha (France 24,4). **Production de graines** (en milliers de t, est. 1992-93). USA 58 986. Brésil 20 500. Argentine 11 500. Chine 9 400. CEE 1 317. *Monde 113 540.* **Commerce** (en milliers de t, 1991-92 est.). **Exp. :** USA 8 000, Argentine 3 600, Brésil 2 400. CEE 377. *Monde 27 500.* **Imp. :** Japon 4 600. CEE 13 096, ex-URSS 850. *Monde 27 380.*

■ Tournesol ou grand soleil

Origine. De *tournesol :* tourne le dos au soleil le soir. Mexique et Pérou, rapporté en Europe vers 1659. **Extension.** Développé d'abord en Europe de l'Est, revient maintenant aux USA. **Aspect.** Plante annuelle, tige poilue de 1,50 à 2 m de haut ; inflorescence à capitule, à fleurons mâles puis femelles. *Fruit :* composé d'une coque et d'une amande. *Graine* contenant 50 % d'huile et 15 à 20 % de protéines. *Espèces :* 67 ; on cultive surtout l'Helionthus annuus. *Utilisations :* cultivé pour son huile et son tourteau (résidu de l'extraction d'huile) pour l'alimentation animale. **Culture.** Semé en mars-avril, récolté en sept. avec moissonneuse-batteuse. Le décorticage de la graine permet d'obtenir un tourteau à 40 % de protéines. **Rendement** (1991, q/ha). France 25,63, monde 13,6. **Production de graines** (en milliers de t, 1992). Ex-URSS 5 750, Argentine 3 700, USA 1 324, Chine 1 075, CEE 4 005, *Monde 21 752.*

En France. Superficie (milliers d'ha) : *1973 :* 38 ; *80 :* 98 ; *81 :* 155 ; *85 :* 591 ; *90 :* 1 140 ; *91 ;* 1 028 dont Vienne 72,4, Ch.-Mar. 70,6, Gers 59,8, L.-et-G. 54,9, Cher 48,6, Hte-G. 48,6, I.-et-L. 44,2, Deux-S. 43,6, Indre 43,2 ; *92 :* 985.

■ Autres oléagineux

Chanvre (voir p. 1591).

Coton (voir p. 1592).

Illipe. Arbre de l'Inde, genre Bassia, sapotacée. Ses graines donnent une huile se liquéfiant vers 27 °C, utilisée pour le savon.

Jojoba. Pousse en milieux arides (ex. N.E. Mexique et S.O. des USA). Les 1ers mois, sa racine croît de 2,5 m/j et peut s'enfoncer jusqu'à 30 m de profondeur pour capter l'humidité. Adulte, peut résister à une sécheresse de 12 à 18 mois. Fixe les sols sablonneux et sert de coupe-vent. **Culture :** en Europe : Italie (Sardaigne, Pouilles), Grèce, Espagne, limitée et expérimentale. Limitée en Israël. **Graines :** taille d'une petite noix, renferment env. 50 % de cire liquide pouvant remplacer beaucoup de produits dérivés du pétrole. Claire, non toxique, ne rancit pas et garde sa viscosité à haute température. Caractéristiques voisines du blanc de baleine (huile de spermaceti). **Rendement :** env. 1 t de cire liquide/ha.

Karité ou **arbre à beurre.** Arbre africain donnant 12 kg de noix sèches par an, dont les amandes fournissent environ 3,5 kg de matières grasses.

Lin (voir p. 1592).

Navette. Crucifères. En déclin en France.

Noix (voir p. 1611 a).

■ Fourrage

Généralités. *Fourrage :* productions végétales issues de surfaces consacrées à l'alimentation des herbivores et plus particulièrement des ruminants (bovins, ovins, caprins). *Prairies :* composées essentiellement d'espèces vivaces : graminées (ray-grass, fétuque...) ou de légumineuses (trèfle, lotier, minette...). *Prairies permanentes,* hors assolement dites aussi surfaces toujours en herbe *(STH)* 10 214 000 ha dont 1 643 000 de landes, alpages peu productifs. Fourrage généralement utilisé en pâture ou fauché (foin, ensilage). *Prairies semées* (dont la durée n'excède pas 5 ans). *Dites temporaires* si comprend surtout des graminées [dactyle ; fétuquee ; ray-grass ; fléole] et *artificielles* si elles ne comprennent que des légumineuses : luzerne, trèfle violet, sainfoin, etc.

Fourrages annuels. Cultures d'une seule espèce ne faisant l'objet que d'une récolte par an. Légumineuses (pois, vesce, féverole, trèfle incarnat...), crucifères (chou, navette, colza...), graminées (maïs, sorgho, orge, blé, seigle...). Certaines espèces sont cultivées uniquement pour leurs racines ou leurs tubercules (betterave, topinambour...).

■ Principales espèces prairiales cultivées en zones tempérées

Dactyle *(Dactylis glomerata).* Indigène en Europe, Afr. du Nord et Asie tempérée. Introduit dans toutes les régions tempérées du globe.

Fétuque élevée *(Festuca arundinacea).* Indigène en Europe et dans les zones tempérées, Afr. du Nord, Afr. du Sud, Rhodésie, N.-E. des USA, sur la côte du Pacifique N.-O. et S.-O. (Chili, Argentine), Australie et N.-Zélande. **Fétuque des prés** *(Festuca pratensis).* Indigène en Europe et Asie du S.-O. Introduite en Amér. du N., adaptée au climat tempéré, humide et frais.

Fléole des prés *(Phléum pratensis).* Indigène en Europe du N. et de l'O., Asie tempérée, Afr. du Nord. Adaptée aux climats tempérés humides et frais, introduite dans la zone tempérée de l'Amér. du Nord et du Sud, de l'Australie et en N.-Zélande.

Luzerne *(Medicago sativa).* **Origine :** aire d'Asie occidentale. Cultivée dans presque tous les pays tempérés et sub-tropicaux.

Ray-grass anglais *(Lolium perenne).* Europe tempérée, Asie tempérée, Afr. du N. Introduit en Amér. du Nord et du Sud, Australie et N.-Zélande ; adapté au climat tempéré humide et doux. R.-g. d'Italie *(Lolium multiflorum).* Originaire d'Europe du S. et de l'O., Afr. du Nord, Asie du S.-O. Introduit dans toutes les régions tempérées et sub-tropicales du monde.

Trèfle blanc *(Trifolium repens).* En Europe, en Asie du Nord, centrale, en Afr. du Nord. Introduit et sub-spontané en Amér. du Nord, du Sud et Australie. Trèfle violet *(Trifolium pratense).* Europe, grande partie de l'Asie et en Afr. du N. Introduit en Amér. du N., du S. et Australie.

Superficie fourragère principale (SFP) en milliers d'ha (rec. 1988) : 14,618 [1] [51 % de la (SAU)] dont STH 10 214, prairies temporaires 2 147, artificielles 639, fourrages annuels 1 505 (dont maïs 1 468), plantes sarclées 113, betteraves 66, chou 42, autres 5.

Nota. – (1) La SFP a régressé depuis 1979 en partie en raison de l'application des quotas laitiers.

Production récoltée (en t, 1988 et, entre parenthèses, 1986). **Fourrages annuels :** maïs 57 902 (61 971), sorgho 455 (469), autres céréales en vert 191 (374), colza 2 548 (2 958), autres oléagineux fourragers 289 (373), trèfle incarnat 385 (436), vesces 52 (115), ray-grass (y c. ray-grass Italie), 7 661 (9 633), mélange céréales-légumineuses 221 (255), autres 1 187 (1 630). **Prairies artificielles :** 4 617. **Prairies temporaires :** 16 741 (16 518).

FRUITS

GÉNÉRALITÉS

DANS LE MONDE

Production (en millions de t, 1991). Raisin 57,2, orange 53,3, banane 47,7, pomme 39,4, banane plantain 26,8, mangue 16,1, ananas 10,1, poire 9,3, satsuma/tangerine 8,9, pêche/nectarine 8,7, citron et lime 6,8, prune 5,7, pamplemousse 4,6, papaye 4,3, datte 3,2, fraise 2,5, abricot 2,2, avocat 2, raisin sec 1.

Consommation (en kg, par hab., 1983-84). Grèce 76. All. féd. 74. Italie 69. *France 61.* P.-B. 59. UEBL 51. Danemark 38. G.-B. 34. Irlande 29.

Nota. – (1) 1986.

EN FRANCE

■ **Commerce extérieur. Par espèces** (en milliers de t, 1990, *Source :* Douanes) : **Exp. et,** entre parenthèses, **imp. :** 1 053,9 (2 474,7) dont abricot 22 (5,1), amande 1,4 (22,8), ananas 23,4 (80,2), avocat 11,8 (78), banane 27,4 (499,4), cassis 0,7 (–), cerise 11,8 (2,2), châtaigne et marron 2,9 (9,8), citron 3,5 (138,4), clémentine 17,9 (296,6), coing 1 (–), datte 5,6 (14,3), figue 0,3 (8), fraise 11 (48,9), framboise 0,3 (1,6), kiwi 17,1 (31,9), mandarine 0,4 (8,8), mangue, mangouste, goyave 0,5 (8,3), nectarine 14,4 (38), noisette 2,3 (18,9), noix 9,2 (3,2), orange 21,1 (624,8), pamplemousse 1,9 (132,5), pêche 31,5 (28), poire 88,6 (84), pomme 668,6 (108,6), prune 19,2 (7,4), raisin de table 23,8 (128,1), autres fruits 14,3 (73,5). **Balance commerciale** (solde en millions de F, 1990) : – 6 937,8 dont abricot 135,9, amande – 358,9, ananas – 274, avocat – 529, banane – 2 030,9, cerise 152,3, châtaigne-marron – 28,3, citron – 429,7, clémentine – 1 167,9, datte – 102,5, figue – 80,5, fraise – 476,7, framboise – 3,5, kiwi – 164,2, limes – 24,0, mangue, mangoustan, goyave – 86,9, nectarine – 120,8, noisette – 276,8, noix de coco – 32,8, noix 147,1, orange – 1 619,8, papaye – 7,4, pêche 67,5, poire – 96,2, pomelo – 603,0, pomme 2 167,3, prune 52,2, raisin de table – 676,5, raisin sec – 162,4, autres fruits – 307,3. **Par provenance** (en milliards de F) 1990 : **Imp.** 12,4 dont (en %) : Espagne 29,3, Italie 9,7, Martinique 7,8, C.-d'Ivoire 5,6, Afr. du S. 5,4, USA 4,7, Maroc 4, Israël 3,5, Argentine 3,1, Chili 2,9, Cameroun 2,6, Turquie 2,5, Guadeloupe 2,3. **Exp.** 5,5 vers (%) G.-B. 27,7, All. 21,8, UEBL 9,8, Espagne 8,2, P.-Bas 8, Italie 6,4, Suisse 4,1, Irlande 2,2, Suède 2,1, Danemark 1,8, Portugal 1,7.

■ Achats de fruits frais par les ménages (en % des quantités et, entre parenthèses, des dépenses, *Source :* Secodip). Pomme 27,3 (20,6). Poire 6,7 (6,7). Orange 16,1 (11,9). Pêche, nectarine 8,8 (10,1). Clémentine, mandarine 7,3 (7,4). Raisin 5,2 (6,4). Fraise 2,2 (4,8). Pomelos 3,7 (3,7). Banane 10,7 (11,5). **Lieux d'achats** (en % des quantités achetées et, entre parenthèses, des dépenses, 1990) : Marché 24 (23,6), spécialiste 8,7 (9,3), alimentation générale 5,6 (6,5), supermarché 28,8 (29,5), supérette 5,5 (5,7), hypermarché 20,9 (21,2), divers 6,5 (4,4).

Production (en milliers de t). **1990 :** 3 483 dont abricot 109, amande 4, cassis 7, cerise 83, châtaigne 14, clémentine 20, figue 1, fraise 88, framboise 6, groseille 2, kiwi 50, nectarine-brugnon 130, noisette 4, noix 26, orange 2, pêche 321, pomme 1 929, poire 320, prune 99, raisin de table 144. **1991 :** 2 500. **En valeur,** en milliards de F (1989) : 11,9 dont en % : Provence-Alpes-C. d'Azur 2,66, Rhône-Alpes 1,86, Languedoc-Roussillon 1,46, Aquitaine 1,34, Midi-Pyrénées 1,27, Pays-de-Loire 0,8.

■ Superficies exploitées (en ha, 1990, prov.). 206 365 dont pomme 59 853, pêche 21 065, raisin de table 16 777, poire 14 858, cerise 14 866, abricot 13 782, noix 10 777, pruneaux 10 107, prune 8 645, nectarine, brugnon 8 334, fraise 6 252, châtaigne 6 081, kiwi 4 279, cassis 1 905, amande en vert 1 761, noisette 1 693, clémentine 1 669, framboise 1 294, pavie 1 071, figue 473, groseille 284, coing 167, orange 147, pomelo 105, avocat 70, citron 50. **Nombre d'exploitations** (recensement agricole 1988). *Vergers* (abricotier, cerisier, pêcher, prunier, poirier, pommier) 51 704 (161 599 ha). *Selon la taille* (en %) : – de 1 ha : 50,4, 1 à 2 : 15,8, 2 à 5 : 17,3, 5 à 10 : 9,3, 10 à 20 : 4,8, 20 et + : 2,4.

■ Sodas et jus de fruits en France. **Production** (en millions de l, 1990) : Boissons aux fruits 771. Colas 681. Limonades 272. Sodas 214. Tonics et bitters 170. **Ventes** (1992, en millions de l) : jus de fruits 504,4 (dont orange 298,3, pomme 53,5, raisin 43,1, ananas 39,6, pamplemousse 45,8, cocktails 7,8, tomate 9,3, légumes 1,5). Nectars 157,7 (dont orange 80,5, abricot 20,4, exotique 12,4, poire 7,3). 1991 : Boissons à base de jus de fruits (10 % jus de fruits) 556 dont non gazéifiées 346,7 (dont orange 211,2, f. exotiques 106, ananas 2,4, pamplemousse 1), gazéifiées 209,2 (dont orange 205,4, pamplemousse 1,1). **Consommation** (en milliers d'hl, 1988). *Jus de fruits :* 2 753,3 dont Orange 1 408,3. Pomme 454,1. Raisin 277,3. Pamplemousse 253,1. Ananas 222,2. Tomate 46. Légumes 7,1. Divers 85,1. *Nectars :* 426,5 dont Orange 113,7. Abricot 92,2. Poire 30,4. Exotiques 59,6. Autres 130,5. 2/3 des ventes ont lieu entre juin et sept.

PRODUITS

■ Abricots. **Nom** du latin *praecox* (précoce). **Origine :** Chine, cultivés dep. 2000 av. J.-C., en France depuis le XVe s. Jusqu'au XVIIIe s. pas ou peu consommé car il était accusé de transmettre les fièvres. Famille des rosacées, arbre de 4 à 6 m de haut. **Vie :** 20 ans, donne des fruits à partir de 4 ans. **Rendement :** par arbre 40 à 50 kg ; env. 13 t/ha, jusqu'à 35 t dans les meilleures conditions. **Récolte :** juin-juillet-août. **Variétés** et, entre parenthèses, % de la surface occupée (1987) : Polonais (orangé de Provence) (30,6) ; Bergeron (22,2) ; Rouge du Roussillon (14,5) ; Fournes (7,2) ; Colomer (5) ; Tyrinthe (4,5) ; Canino (1,5) ; autres (14,5). **Production en France** (milliers de t, 1987-89) : 100 (13 000 ha) dont Drôme 29, Pyr.-O. 28, B.-du-Rhône et Gard 12 à 17, Vaucluse et Ardèche 4,5 à 7. **Consommation en France** (frais) : 1,4 kg par hab. par an. **Exp.** (en milliers de t, 1990) 22. **Imp.** 5,1.

■ Agrumes. Nom collectif des oranges ; citrons, limes ; mandarines, tangerines, tangelo (hybride mandarine-pomelo), tangor (orange-mandarine) ; nova, clemenvilla (Esp.), sunérine (Maroc), suntina (Israël), [hybride clémentine-tangelo], clémentines, satsumas ; pamplemousses. **Production mondiale** (en millions de t) : *1975 :* 49, *82 :* 52,6, *89 :* 67,9. **Rendement :** 30 t/ha (1975) ; *destruction :* 1868 par les cochenilles en Californie ; *1900* en Italie ; *1918, 20, 28, 29* en France ; destructions enrayées par le développement de l'élevage des coccinelles. **Consommation** (1975, en kg par hab/an) : Italie 41,8. P.-Bas 25,7. Belg.-Lux. 21,1. *France 19,3.* All. féd. 16,5. G.-B. 9,8. Danemark 9,6. Irlande 8,4. **Production en France** (récoltée, 1990, en milliers de t) : clémentines 20 ; oranges 2 ; autres n.c.

■ Amandes. **Origine :** plateau iranien. Antiquité : existent en Espagne, Provence. **Taille :** 3 à 6 m selon variété et mode de conduite. **Vie :** 30 à 40 ans. **Rendement :** par arbre 2 à 5 kg, par ha 200 à 2 000 kg d'amandes décortiquées. **Variétés en France :** *autoincompatibles :* Aï, Marcona, Ferralise, Ferrastar, Ferragnes, Texas, Ferraduel ; *autocompatibles :* lauranne, steliette. **Récolte :** fin août à fin oct., amandes vertes cueillies en juill. **Production** (décortiqués, en milliers de t, 1989) : USA 300. Espagne 65. Grèce 15. Italie 10. Tunisie 10. Maroc 5. Portugal 4. Bulgarie 2. *France 1* (cultivées sur env. 2 000 ha : B.-du-Rh., Corse, Languedoc, Vaucluse). *Monde 410 à 420.* **Imp.** (France, 1990) 22 800 t.

■ Anacardes (noix de cajou). **Origine :** Amérique intertropicale (connu au Brésil sous le nom de pomme de cajou), de la coque on tire le baume de cajou. **Production** (1986, milliers de t) : Inde 159. Brésil 95. Nigeria 37,9. Mozambique 30. Indonésie 27,9. Tanzanie 25. Kenya 12. Guinée-Bissau 10. *Monde 417,5.*

■ Ananas. **Origine :** découverts en 1493 en Guadeloupe par Christophe Colomb, au Brésil par J. de Léry en 1555, cultivés sous serre en Angleterre en 1657, puis en France en 1733. **Taille :** 0,5 à 1,20 m. **Poids :** fruit jusqu'à 4 kg. **Vie :** 18 mois à 2 ans. **Rendement :** Hawaii 16 à 23 t/ha d'ananas plantés. **Variétés :** Smooth Cayenne (pesant jusqu'à 4 kg) (C.-d'Ivoire et Cameroun), représente 85 % des imp. fr. ; Red Spanish (Cuba) ; Queen (Réunion, Maurice). **Production** (en milliers de t, 1991, estim.) : Thaïlande 1 876. Philippines 1 160. Inde 700. Chine 820. Brésil 759. USA 450. Viêt-nam 507. Mexique 333. Afr. du S. 270. Zaïre 145. C.-d'Ivoire 136. Kenya 221. *Monde 9 863.*

■ Arbre à pain. **Origine :** Îles du Pacifique. Cultivé aux Antilles, en Inde et en Malaisie. **Récolte :** à partir de 4 ans. Fruit farineux à chair blanchâtre de 10 à 20 cm de diamètre (pesant 3 à 4 kg). Goût de pomme de terre, une fois cuit.

■ Avocats. **Origine :** rég. chaudes de l'Amérique (Mexique). Famille des lauracées. **Aspect :** fruit de l'avocatier, appelé poire alligator par les Anglais, et d'une taille de 12 à 15 cm. **Principales variétés :** Fuerte, Nabal, Ettinger, Anaheim, Benik, Lula. **Rendement :** env. 300 fruits par arbre. **Production** (1987-89, milliers de t) : Mexique 460. USA 300. Rép. dominic. 140. Brésil 150. *Monde 1 800.* **Consommation en France :** 200 g par personne et par an (multipliée par 10 depuis 1968), 1er consommateur du Marché Commun, 59 000 t en 1985 (G.-B. 13 500 t, All. féd. 4 945 t), (Mexique 15 kg/an). **Imp.** (en milliers de t) *1970 :* 3,2 ; *82-83 :* 27 (d'Israël 59 %). *85 :* 53 dont Israël 34,7, Afr. du S. 10. *90 :* 78 (646,5 millions de F).

■ Bananes. **Origine :** Sud-Est asiatique. Connues en France depuis le XIXe s. **Aspect :** plante arborescente herbacée, famille des scitaminacées, du genre *Musa,* dont la tige est un rhizome souterrain qui donne naissance aux feuilles dont les gaines s'imbriquant les unes dans les autres donnent le « tronc » (jusqu'à 3 m de haut) : chacun porte un régime que l'on coupe lors de la récolte. Baie allongée (jusqu'à 40 cm de long), à mésocarpe charnu, sans graines. La variété *Musa fehi* pousse à l'état spontané en Océanie et Malaisie orientale (régime dressé et non retombant), sinon dans les régions tropicales (Am. centrale). Le bananier textile *(Musa textilis)* ou abaca a des gaines foliaires contenant des fibres (chanvre de Manille). Demande chaleur et eau. Régimes de 20 à 200 fruits, jusqu'à 60 kg (en moyenne 20 kg). Hauteur du bananier : 3 à 6 m, cycle végétatif (plantation-récolte) : 11 à 15 mois. **Variétés :** *plantains* (bananes légumes) et *bananes dessert :* Petite Naine (Canaries et C.-d'Ivoire), Cavendish (C.-d'Ivoire), Grande Naine (Cameroun, Antilles), Poyo (surtout Antilles, Amér. centrale), Valéry (Amér. centrale), Gros Michel (tend à disparaître, encore cult. en Équateur, Colombie), 903 (résistante à la cercosporiose, champignon, et aux parasites du sol, 12 cm, onctueuse).

Production (en milliers de t, 1991, estim.) : Inde 6 400. Brésil 5 410. Philippines 3 545. Équateur 2 654. Chine 1 705. Indonésie 2 400. Burundi 1 580. Colombie 1 400. Tanzanie 1 250. Costa Rica 1 600. Viêt-nam 1 250. Venezuela 1 170. Mexique 1 185. Honduras 1 100. Panama 1 276. Papouasie-Nlle-Guinée 1 200. Bangladesh 620. Malaisie 509. Ouganda 500. Paraguay 310. Rép. dom. 410. Bolivie 371. Zaïre 405. Égypte 410. Angola 280. Argentine 283. Madagascar 222. Pakistan 224. Martinique 200. Cuba 200. Afr. du S. 193. Somalie 110. Australie 210. Kenya 210. C.-d'Ivoire 150. Jamaïque 128. Cambodge 120. Guinée 110. Guadeloupe 90. *Monde 46 000.* **Consommation** (en kg par hab. par an, 1991) : All. 16,1. Portugal 13,4. Danemark 10,8. Irlande 9,6. P.-Bas 9,5. Espagne 8,6. G.-B. 8,4. Belg.-Lux. 8. Italie 7,8. *France 7,7.* Grèce 6.

Importations en France métropolitaine [1] (en milliers de t, 1991) : 484,5 (de Martinique 165,5, Guadeloupe 109, C.-d'Ivoire 97, Cameroun 82,7, Amér. centrale 30). *91 :* 499,4 (2,13 milliards de F).

Nota. – (1) 9 300 ha en Martinique (dont 7 000 en c. intensive) et 7 200 en Guadeloupe. *Rendement moyen* en 1974 : Martinique 28,6 t/ha ; Guadeloupe

25,4 t/ha ; Canaries 35 à 40 t/ha. La prod. représente en valeur 60 % des exp. de la Martinique et 40 % des exp. de la Guadeloupe.

Prix de la t à la production (en $, 1992) : Amérique latine 245. États ACP 333. Somalie 343. Cameroun et Côte-d'Ivoire 354. Union Jamaïque et Caraïbe 548. Guadeloupe et Martinique 506. Canaries 696. **Prix de la t consommateur** (en $, 1992) USA 948. Allemagne 1 520. G.-B. 2 036. *France 2 086.* Espagne 2 587.

■ **Cassis. Origine :** cultivé au XVIe s. comme fruit de table, se répand en 1712. **Variétés :** Noir de Bourgogne, Tenah 4, Tseme, Cotswold Cross, Wellington. **Rendement :** 2 kg par touffe et par an. Feuilles utilisées en herboristerie. **Production** (milliers de t, 1982) : *Monde* 338. *France* (1989, prov.) *6,42* dont M.-et-L. 0,92, Yonne 0,66, E.-et-L. 0,51, Sarthe 0,34, Drôme 0,31, Isère 0,30, C.-d'Or 0,2, Rhône 0,12.

■ **Cerises. Origine :** Lucullus aurait ramené en Italie la cerise des bords de la mer Noire après avoir vaincu le roi Mithridate. Le merisier (ou cerisier des bois ou des oiseaux) vient d'Europe, le c. commun vient d'Asie Mineure. Plus d'une centaine d'espèces en Europe, Asie tempérée ou subtropicale et Amér. du Nord. **Variétés :** Plus de 200. Cerises douces [bigarreaux (chair ferme : hâtif de Burlat (40 % de la prod. totale), gros cœuret, Jaboulay, Napoléon (20 %), Reverchon, cœur de pigeon, Van, Marmotte, géant d'Hedel, gingen...), guignes (chair molle : précoce de Rivers, guigne de mai, noire hâtive)] ; c. acidulées (anglaise hâtive, belle de Choisy, belle de Châtenay ou belle magnifique, Impératrice Eugénie, Reine Hortense, Montmorency, griotte du Nord). **Teneur en calories :** 65 kcalories aux 100 g (variétés acides : 50 à 55 kcal.). **Production** (milliers de t, 1987-89) : All. féd. 230. Italie 130. *France 90* dont Ardèche, Drôme, T.-et-G., Gard, Rhône 5,5 à 8,5, Vaucluse 24, Loire, Hérault. B.-du Rh., Yonne, Loiret, Pyr.-O., L.-et-G. 1 à 3,5.

■ **Châtaignes. Origine :** les Romains les auraient introduites en Gaule. **Aspect :** châtaignier, haut. 25 à 30 m, produit à partir de 5 ans, production max. vers 60 ans. **Culture :** appelée castanéiculture. Certaines cultures, comme le marron de Lyon, de Laguépie et Précoce des Vans, sont bien adaptées à la consommation en frais ; d'autres (Montagne, Pellegrine, Bouche Rouge) à l'ind. Terme de marron (différent du marron d'Inde), apparu dans la région lyonnaise pour désigner une forme améliorée de châtaigne ne portant qu'un seul gros fruit à l'intérieur de la bogue (enveloppe épineuse qui s'ouvre à maturité). La châtaigne compte 2 à 5 fruits séparés par des cloisons. Une variété comportant moins de 12 % de fruits cloisonnés est qualifiée de marron. **Production** (1987-89, milliers de t) : Italie 60, Esp. 25, *France 16,* Port. 16, Grèce 14, CEE 131.

En France. Longtemps base de l'alimentation dans des régions entre 300 et 800 m d'alt. où on l'appelait « l'arbre à pain ». **Surfaces plantées :** *1989 :* 6 500 ha. *Culture pure : 1967 :* 57 720 ha, *77 :* 32 565 ; *associées ou isolées : 1967 :* 4 654 ha, *77 :* 7 875, *86 :* 11 353. **Rendement :** vergers modernes 2-4 t/ha, traditionnels 1,5-2,5 t/h. **Production** (1987-89, en milliers de t) : 16 dont Ardèche 2, Dordogne, Var 1,2 à 1,4. **Imp.** 5 000 à 6 000 t d'Italie (1er producteur de la CEE avec 60 000 à 70 000 t). Chât./marrons (1990) : 9 800 t.

■ **Citrons. Origine :** Inde (à l'état sauvage, au pied de l'Himalaya). Acclimaté très tôt en Médie (N.-O. de l'Iran) et en Mésopotamie [répandu par les Arabes en Afrique et en Europe ; au Xe s. en Égypte et en Palestine (d'où il fut introduit par les Croisés en Italie et en Sicile)]. **Aspect :** *arbre* 3 à 4 m de haut. **Vie :** 40 ans env. (souffre à – 2 °C). **Floraison et fructification :** 3 périodes : *Primofiore* (oct.-déc.), *Limoni* ou *Invernale* (déc.-mi-mai, pleine saison), *Verdelli* (mi-mai-15 sept., floraison artificielle) [floraisons supplémentaires : Bianqueto et Mayolino, Interdonato (sept.-oct.)]. **Variétés :** Verna, Mesero (Espagne) ; Eureka, Lisbon (USA) ; Interdonato ou Speciali, Feminello et Monachello, Lunario (Italie) ; Limes ou citrons verts (C.-d'Ivoire). **Utilisations :** boisson acidulée, limonade (originaire d'Orient et introduite en Italie vers le XIIIe s., connue en France depuis Mazarin), bois (ébénisterie ; garnit souvent l'intérieur des meubles en acajou d'époque Empire). **Rendement :** 30 à 50 t/ha.

Production [en milliers de t, y compris limes (citrons verts), 1991, estim.]. USA 670. Italie 610. Mexique 550. Espagne 516. Inde 570. Argentine 463. Brésil 430. Turquie 360. Égypte 410. Grèce 180. Chili 100. Chine 161. Pérou 130. Pakistan 65. Liban 65. Cuba 68. Soudan 55. Philippines 53. Afr. du S. 45. Israël 44. *Monde 6 403.* **Commerce** (en milliers de t, 1987) : **Exp. :** Espagne 414,1. USA 151. Turquie 104,4. Italie 65,6. Grèce 45,7. Argentine 39,8. Mexique 31. Chypre 19,6. Israël 18. *Monde 1 063,9.* **Imp. :** *France 144.* Japon 128,2. All. féd. 115,2. URSS 61,5. Pologne 58. Tchéc. 56. G.-B. 51. USA 39. Pays-Bas 31. Autriche 29. Canada 26. Youg. 25. All. dém. 23. Suisse 20. *Monde 998,2.*

■ **Clémentines. Origine :** croisement de l'oranger et du mandarinier. Découvertes par un religieux de la région d'Oran (Algérie), le Père Clément, qui féconda des fleurs de mandarinier avec du pollen pris sur un bigaradier (orange amère), en 1900. 4 à 6 m de haut. **Vie** 40 ans env. Commence à produire la 3e année de sa plantation (1,1 t/ha) ; plein rendement la 10e année. **Rendement :** 30 à 40 t/ha. **Variétés :** ordinaire (peau plus rouge et plus grumeleuse, chair plus savoureuse et plus parfumée, plus acidulée que les mandarines, sans pépins en général ; Espagne, Maroc, Algérie) ; de Corse (récolte du 15 nov. au 15 janvier, sup. en prod. 2 125 ha soit 86 % du verger agrumicole ; 30 939 t en 1983) ; d'Espagne (« fines », de Nules, Oroval) ; du Maroc (« Bekria », très précoce) ; Monréal (hybride de la c. ordinaire, avec pépins). La plus précoce : Espagne, Algérie. **Production** (en t) : Japon 3 000 000, Esp. 500 000, Corse 25 000 à 30 000. **Imp. :** 269 600 t (Esp. 80 %, Maroc 15 %).

■ **Coings. Origine :** fruit du cognassier (arbre buissonnant ou de tige de 6 ou 7 m). Vient de Perse, introduit en France (surtout Midi). Supporte les hivers froids. **Récolte :** fin oct. à maturité. Conservation très difficile, pourrit facilement. **Utilisations :** porte-greffe du poirier, gelées, pâtes (cotignac d'Orléans), sirops.

■ **Dattes. Origine :** Afr. du N. et Proche-Orient. Une centaine de variétés. **Aspect :** de la famille des monocotylédones. La tige, ou stipe, est terminée par un bouquet de feuilles pennées ou en éventail. Hauteur 15 à 20 m. **Vie** env. 100 ans. **Multiplication :** par rejets (env. 40 dans la vie d'un arbre). **Culture :** « Les pieds dans l'eau, la tête dans le feu ». 120 à l'hectare s'ils sont seuls, 100 si d'autres cultures sont pratiquées à leur ombre. 15 ha de palmiers font vivre une famille de 7 personnes. *Nombre (en millions) :* Afr. du N. 30, Pr. Orient 55 (Irak 20, Iran 20), Sud du Sahara 5,5, Pakistan 4, Amérique du N. 0,4, Espagne 0,2 (palmeraie d'Elche, unique en Europe). **Reproduction :** les arbres sont mâles ou femelles. La pollinisation des arbres femelles est faite uniquement à la main (il faut 2 à 4 palmiers-dattiers mâles pour 100 femelles). **Maladie :** le palmier-dattier est attaqué par le *bayoud,* maladie provoquée par un champignon du sol, le *fusarium.* Apparue au début du siècle, elle a déjà détruit les 2/3 des palmeraies du Maroc. Il faut replanter avec des arbres naturellement immunisés contre la maladie (l'Inra a mis au point une technique de boutures *in vitro*). En 18 mois, sur 1 ha d'étagères, on peut produire 1 million de plants. Il faudrait 28 ans et 500 ha pour obtenir le même résultat avec la méthode des rejets. **Production :** vers la 12e année. Par an, 10 à 15 régimes de 2 à 20 kg (80 à 100 kg en Californie). En 1991 (estim.), milliers de t : Égypte 595. Iran 570. Arabie Saoud. 540. Irak 370. Pakistan 300. Algérie 215. Soudan 140. Oman 125. Libye 75. Tunisie 73. Maroc 104. Bahreïn 48. Tchad 32. *Monde 3 389.* **Commerce** (1985, milliers de t) : **Exp. :** Irak 75. Arabie Saoudite 25. Pakistan 20,6. Tunisie 15,2. Iran 14. Chine 12. **Imp. :** Chine 30. Inde 18. *France 14,3.* USA 11,9.

■ **Feijoa** (au Brésil Nyanduapihsa). Cultivé en Nlle-Zélande, France 40 ha (100 t).

■ **Figues. Origine :** Orient et Afr. du N., autrefois cultivée aux env. de Paris (Argenteuil). **Aspect :** figuier 8 à 10 m de haut. **Vie :** 50 à 70 ans. **Variétés :** plus de 750 espèces (la plus connue, la f. ordinaire ou de Carie). **Rendement :** 15 à 20 t/ha. **Récolte :** toute l'année. **Utilisations :** Fruit, alcool (arrack en Algérie). **Production** (milliers de t, moy. 71-75) : Turquie 198,2. Portugal 184,4. Italie 145,8. Grèce 139,6. Espagne 90,2. *France* (89, prov.) *1 759,5 t* dont B.-du-Rh. 680. Var 430. Lang.-Roussil. 317. Pyr.-Or. 170. Vaucluse 145. Corse du S. 65. Hérault 32.

■ **Fraises. Origine :** certaines espèces sont indigènes, d'autres américaines (écarlate de Virginie introduite au début du XVIIIe s., fr. du Chili en 1714) qui ont donné par hybridation des variétés à gros fruits. Vers la fin du XVe s., l'abbé Thivolet obtint les premières fr. remontantes à gros fruits (2 récoltes par an ; la plus connue : fr. St-Joseph). **Aspect :** le fruit du fraisier est constitué par de nombreux akènes (petites graines) répartis sur un réceptacle charnu. **Culture :** apprécie les terrains où les éléments silico-argileux prédominent ; les climats tempérés. Un fraisier produit dès la 2e année (pendant 2 à 3 ans). **Rendement** 8,9 t/ha (France, 88 prov. : 11,6). **Production :** (2 300 milliers de t dont Esp. 186, Ital. 162, *France 78,* G.-B. 53, RFA 53, Belg. 27, P.-B. 25, Port. 15, Dan. 9, Grèce 5, Irl. 4, *CEE 664.*

En France. Principales variétés : *en serre chauffée :* Surprise des halles (tend à disparaître) [Vaucluse (févr.-mars), région d'Orléans (1-4/14-5 ; un peu déc.-janv.)]. *En plein champ* [principalement sous abri plastique) : Gorella (rendt par pied moy. 160 g), Red Gauntlet (122 g), Tioga (121 g), Sequoia, Aliso, Cambridge Favourite, Belrubi. **Superficies :** *sous serre :* 47 ha (rendt 47 q/ha) ; *maraîchère :* 1 465 ha (83 q/ha) ; *plein champ* (85) : 8 000 ha (88 q/ha). **Production** (en milliers de t, 1990) : 88. *Imp. :* 48,9. *Exp. :* 11.

■ **Framboises. Origine :** indigène en Europe. **Culture :** très résistante, croît presque partout, préfère sols frais et un peu calcaires. Craint la chaleur. **Variétés :** *non remontantes* (Malling Promise, Glen Clova, Malling Exploit, Lloyd George, Capitou, Rose de la Côte-d'Or, Schoenemann) ; *remontantes* (Zeva Remontante, September, Héritage). **Production** (en milliers de t, 1987-89). RFA 27, G.-B. 23, *France 7,* Esp. 3, Ital. 2, Irl. 1, *CEE 63.*

■ **Grenades. Aspect :** fruit du grenadier. Sorte de grosse capsule à peau épaisse renfermant un grand nombre de graines. **Origine :** spontanée en Méditerranée. **Culture :** dans le Midi de la France, Espagne, Afrique.

■ **Groseilles. Aspect :** fruit du groseillier. **Variétés :** Jonkheer Van Tets, Wilder, Stanza, Rondon. Le groseillier à maquereau est originaire du nord de l'Europe. Cultivé dep. le XVIe s., surtout en Hollande, Allemagne, Angleterre. **Production** (en milliers de t, 1986) : Pologne 186,5. All. féd. 130,6. URSS 90. Tchécosl. 34,8. G.-B. 29. All. dém. 28. Autriche 26,8. Norvège 19,3. *France (1989, prov.) 1,68* (dont Lot 0,17. Rhône 0,17. S.-Mar. 0,1. L.-et-G. 0,09. E.-et-L. 0,08. Orne 0,07). *Monde 588,6.*

■ **Kiwis. Nom :** Actinidia chinensis. Famille des dilléniacées. Groseille de Chine rebaptisée kiwi par la N.-Zélande en 1959 (du nom de la mascotte nationale, l'aptéryx, oiseau marcheur au long bec et aux rudiments d'ailes, spécifique de ce pays). **Origine :** hauts plateaux de Chine. Rapporté par l'explorateur anglais Fortune, décrit 1847 par un botaniste français, Planchon. **Description :** liane fruitière, pérenne, plante sauvage (lisières de forêts humides), peut atteindre + de 10 m de haut. *Fruits :* baies rouges appelées yang-tao, traduit initialement en français par « groseille de Chine ». **Variété :** néo-zél. Hayward, seule cultivée. **Qualités :** 2 à 3 fois plus riche en vitamine C que le citron ou l'orange et contient, en faibles quantités, des vitamines B1 (thiamine), B2 (riboflavine) et A (rétinol), riche en sels minéraux (env. 1 % : calcium, chlore, magnésium, phosphore, potassium, soufre...) et pauvre en nitrates. 57 calories aux 100 g. **Culture :** investissement de départ + de 200 000 F/ha, frais annuels 35 000 F/ha (pas de traitement, les parasites étant rares). N.-Zélande 15 500 ha (1985). **Rendement :** 600 à 800 fruits par arbre, 20 à 30 t/ha. *Récolte :* les derniers jours d'octobre. *Plantation :* chaque plante est unisexuée et possède soit des fleurs mâles, soit des fleurs femelles. 500 pieds femelles à l'hectare env. pour 85 mâles bien répartis. **Production** (1992, milliers de t) : Italie 215, *France 60* (3e prod. mondial après Ital. et N.-Zélande). *Monde 700.* **Consommation par hab.** (1984, en g) : All. : 360, Japon 220., *France 220.*

■ **Mandarines. Nom :** vient de l'espagnol *Naranja mandarina* (orange des mandarins). **Origine :** Asie. **Variétés :** *ordinaire,* nombreux pépins, mûre en déc. et janv ; *satsuma,* précoce (oct.), mûre quand la peau est encore verte ; *wilking,* ressemble à la clémentine, 2e quinzaine de janv. ; *tangerine dancy,* plus rouge que la clémentine, tardive (mars), 4 à 6 m de haut. **Nouvelles variétés** (hybrides) : Tangelo (tangerine + pomélo) et tangor (tangerine + orange). La 1re partie du nom rappelle la ville de Tanger où l'on consommait une variété d'orange à petits fruits aux coloris très foncés voisins de ceux de la tangerine. Variétés les plus tardives (avril-mai) : les Tangors « Temple » et « Topaz », importées de Floride et d'Israël. Le tangelo « Minneola » est importé des USA et d'Israël (4 000 t/an). **Rendement :** 30 t/ha, 150 kg/arbre env. **Production de tangerines, mandarines, clémentines et satsumas** (estim., en milliers de t, 1991) : Japon 2 040. Espagne 1 333. Brésil 625. Corée du S 500. Italie 452. USA 386. Pakistan 430 . Chine 390. Turquie 350. Maroc 325. Argentine 240. *Monde 8 863.*

■ **Mangues. Nom :** du malais « mangga ». Fruit du manguier de l'Inde (Mangifera indica). Multiplication par greffes. **Origine :** Asie, Afrique et Amérique tropicale. **Aspect de l'arbre :** écorce épaisse, brunâtre, feuilles lancéolées, fleurs petites et rougeâtres. **Variétés :** julie, reine-amélie, crassous, freycinet (Antilles fr.) ; cambodiana (Viêt-nam) ; alphonso (Inde). **Production** (1991, est. en milliers de t) : Inde 9 700. Mexique 810. Pakistan 780. Chine 505. Brésil 395. Philippines 346. Haïti 300. Madagascar 210. Rép. Dom. 150. Tanzanie 187. Bangladesh 160. Zaïre 210. Soudan 130. Venezuela 130. Égypte 140. *Monde 15 992.*

■ **Melons. Origine :** Asie Mineure, introduits par les papes en Italie à Cantalupo (Cantaloup) ; en France à la fin du XVe s. (retour de Charles VIII). Cucurbitacées. **Variétés :** 3 groupes : melons brodés (sucrin de Tours) ; melons cantaloups à peau lisse, tranches marquées (charentais) ; melons d'hiver ou de garde, peau lisse, chair orangée ou verdâtre, se conserve longtemps (melons d'Antibes). **Production** (cantaloups et autres melons, 1987-89 milliers de t) : Espagne 925. Italie 358. *France 280.* Grèce 130. Port. 20. P.-B. 4. *CEE 1 717.* **Exportations en France** (en t, 1983) : 19 638 *vers* UEBL 6 996, Suisse 6 855, G.-B. 2 509, P.-B. 2 107, All. féd. 900.

■ **Muscadier. Origine :** îles des Moluques. Arbre de 10 m de haut. **Culture :** pour sa graine dont l'amande est la noix de muscade (condiment et utilisé en pharmacie et en parfumerie). Produit après 7 ou 8 ans. **Rendement :** 5 kg par arbre.

■ **Noisettes.** Bétulacée, espèce Corylus avellana. **Aspect :** fruit sec à péricarpe ligneux pesant de 2 à 5 g, renfermant une amande et entouré d'un involucre foliacé et denté. **Utilisations :** noisettes consommées fraîches ou sèches en dessert, mais surtout utilisées décortiquées pour la chocolaterie, la biscuiterie, la pâtisserie-confiserie. **Cueillette :** en septembre. **Variétés :** Corabel, Segorbe, Fertile de Coutard, Ennis, Merveille de Bollwiller, Butler, Pauetet ; secondaires : Cosford, Longue d'Espagne, Gunslebert, Daviana, Bergeri, Negret. **Production** (en milliers de t, 1991) : Turquie 350. Italie 140. USA 24. Espagne 17. URSS 10. Grèce 6. *France 2.* Portugal 1,5. *Monde 560. 1992 :* 757 dont Turquie 598, USA 24. **En France. Culture :** Aquitaine, Midi Pyr. (2 200 ha), Corse, Pyr.-Or. **Importations** (1990) : 1 134 t coques, 16 200 t amandons. **Exportations :** 1 250 t coques (principalement All. féd.), 870 t amandons.

■ **Noix.** Famille des juglandacées, espèce Juglans regia. **Origine :** Asie centrale ; introduite par les Grecs puis les Romains ; existe depuis plus de 2 000 a. dans le bassin méditerranéen. Vit à l'état sauvage en Arménie, Caucase, Iran, Tadjikistan, Ouzbékistan, Kirghizstan, N. de l'Inde, S.O. de la Chine. **Aspect :** fruit sec, constitué de 2 valves soudées renfermant une amande (cerneau) cérébriforme du fait de la présence de cloisons internes, et entouré d'une enveloppe verte, le brou, qui s'ouvre à maturité. **Culture :** sensible aux gelées de printemps. Fructifie vers la 6e année. Production importante dès la 10e-15e année. Cueillette oct. ; 80 à 160 arbres/ha. **Utilisations :** dessert (fraîche ou sèche) ; cerneau utilisé en pâtisserie-confiserie, en fromagerie, huile ; brou pour liqueur et teinture pour bois ; bois très recherché en ébénisterie ; feuilles (tonique). **Variétés :** Franquette (Périgord, Vallée de la Garonne et surtout Isère), à maturité à la mi-oct., Mayette, et Parisienne (Isère), Marbot, plus précoce (Lot, Sud-Corrèze), Corne, rustique, petit calibre, coque dure et épaisse (Nord-Dordogne, Corrèze), Grandjean pour production de cerneau (région de Sarlat, Dordogne). *2 dénominations régionales :* noix du Périgord (10 000 t/an) ; noix de Grenoble (9 000 t/an), seul fruit avec le raisin « Chasselas de Moissac » à bénéficier d'une appellation d'origine contrôlée.

Production (1991, milliers de t). USA 226 (1992 : 190,4). Chine 152. Turquie 66. URSS 50. Roumanie 28. Youg. 23. Inde 17. Bulgarie 16. *France 12.* Italie 12. Grèce 15. Hongrie 11. Chili 7. *Monde 680.*

En France. Superficie : 12 000 ha (Isère, Drôme, Dordogne, Lot, Corrèze, Charente, Alsace). **Production totale moyenne :** 25 000 t ; **commercialisée :** 20 000 t. **Exp.** (1990) : 6 000 t en coque, 3 000 t de cerneaux *vers* All., Espagne, G.-B., Belg., Suisse. **Imp.** (1990) : 2 800 t en coque, 2 150 t en cerneaux, principalement *des* USA.

■ **Oranges. Arbre :** *Vie* 300 à 400 ans, *taille* 2 à 3 m (500 fruits par pied), except. 10,5 m (10 000 fruits). **Origine** (probable) : Asie orientale (de l'Inde à la Chine). Importé par les Arabes en Syrie, Égypte, sur la côte orientale de l'Afrique et en Europe par les Croisés. Sa culture ne s'est vulgarisée qu'à la fin du XIVe s. En France, le 1er oranger venant de Pampelune fut apporté à Chantilly en 1550 par le Connétable de Bourbon, puis transféré à Fontainebleau et enfin à l'orangerie de Versailles en 1684 et mourut en 1858. **Culture en France :** (Var, Alpes-Mar.), exige climat chaud (température moy. été 22 °C, hiver – 3 °C), admet tous les sols sauf terres très argileuses et humides. **Densité:** orangeraies 200 arbres par ha, plantations en terrasse (300).

Variétés d'orangers doux (Citrus sinensis). *Navels :* précoces, nov. à mai : navelines (peau rugueuse) ; navels ordinaires Washington (grosse, rugueuse) ; navel late (rugueuse, ovale, moyenne). *Blondes :* déc. à mars, peu de pépins : Shamouti-Jaffa (grosse, oblongue, peau épaisse) ; Salustiana (assez aplatie, peau grenue, sans pépins) ; Hamlin (moyenne, peau fine, acide). *Sanguines :* janv. à fin avril, pulpe rouge ou léchée de rouge : Sanguinelli ; Sanguines ordinaires (double fine et Washington sanguine) ; Maltaise ; Moro ; Tarocco ; Sanguinello. *Tardives :* mars à oct., chair blonde, peu de pépins : Valencia late, Jaffa late ou Maroc late (peau lisse, peu de pépins, employée pour les jus) ; Vernia (ovale, quelques pépins). **Rendement :** 70 kg par arbre. **Fleurs :** 10 à 20 kg par arbre, distillées donnent de l'essence dite *Neroli* ou de l'eau de fleur (connue XVIe s., utilisée 1680 comme parfum par la duchesse de Neroli). Feuilles et fruits verts donnent une essence inférieure appelée *Petit Grain.*

Production (en milliers de t, estim. 1991). Brésil 17 527. USA 7 158. Chine 5 135. Espagne 2 504. Italie 2 200. Inde 1 890. Égypte 1 600. Pakistan 1 100. Maroc 920. Grèce 900. Argentine 772. Turquie 740. Mexique 2 400. Israël 700. Afr. du S 685. Cuba 520. Australie 492. Venezuela 432. Paraguay 366. URSS 375. Japon 290. Liban 270. Iran 1 270. Irak 145. Algérie 177. Pérou 165. Bande de Gaza 167. Zaïre 155. Syrie 180. Tunisie 117. Uruguay 121. El Salvador 90. Costa Rica 86. Équateur 75. Madagascar 86. Libye 95. Portugal 135. Bolivie 60. Chili 100. *Monde 54 110.*

Commerce (en milliers de t ; tangerines et clémentines comprises, 1988). **Exp. :** Espagne 1 947,6. Maroc 485,6. Israël 413. USA 402. Afr. du S. 350. Cuba 270. Grèce 202. Italie 158,5. Égypte 155. Turquie 111. Chine 90,7. P.-Bas 89. Brésil 87. Jordanie 62,6. *Monde 5 523,6.* **Imp. :** *France 940.* All. féd. 872,1. G.-B. 484,7. P.-Bas 461,8. URSS 293,8. Canada 284,6. Belg.-Lux. 211,5. Hong Kong 160,5. All. dém. 130. Japon 123,6. Suède 119,3. Suisse 109,8. Autriche 106,9. Finlande 84,1. Tchécosl. 84. *Monde 5 405,4.*

France. Consommation : 11 kg/an/hab., le plus consommé après la pomme. **Importations :** navels d'Espagne et du Maroc, sanguines (maltaises) de Tunisie.

■ **Papayes. Nom :** Papaya (Caraïbes). **Nom du papayer :** carica papaya. **Origine :** Malaisie. Famille des passifloracées. **Aspect :** *arbres* et *arbrisseaux* à tige cylindrique, terminée par un bouquet de feuilles digitées ; *fleurs* blanches, jaunes ou verdâtres ; *fruit :* baie anguleuse ou arrondie pesant 1 kg ou plus, renfermant de nombreuses graines, à la pulpe comestible. **Production** (1986, milliers de t) : Brésil 658. Inde 355. Indonésie 326. Zaïre 170. Philippines 94. Colombie 89. Chine 86. *Monde 2 738.*

■ **Pastèques. Origine :** Afrique, introduite en Europe lors des Croisades. **Aspect :** herbacée annuelle. *Baie* allongée (écorce verte, épaisse, pulpe aqueuse et sucrée, rouge, parsemée de grains ovales et aplatis), peut atteindre plusieurs kg. **Culture :** Afrique, Espagne, USA, France (Midi). **Variétés :** *p. à graines noires* ou longue de Cavaillon (à fruit vert foncé de 50 cm de long sur 35 cm de large et à chair rouge vif) ; *à graines rouges* (fruit vert pâle et diamètre de 30 à 40 cm). *Pastèques carrées :* cultivées pour la 1re fois en 1979 par un Japonais, Tomyuki Ono, vendues en supermarché 88 F la pièce de 18 cm de côté (fruit rond équivalent 40 F). **Rendement :** *Monde : 14 950 kg/ha (1985).* **Production** (1986, milliers de t) : Turquie 5 500. Chine 5 419. URSS 4 000. Égypte 1 350. USA 1 220. Iran 960. Japon 840. Italie 790. Irak 650. Syrie 632. Brésil 624. Grèce 619. Espagne 521. Thaïlande 500. Corée du S. 483. Yougosl. 451. Mexique 450. Arabie Saoudite 366. Algérie 350. Bulgarie 321. Tunisie 250. Chili 174. Hongrie 150. *Monde 28 239.*

■ **Pêches. Origine :** Perse (d'où son nom Persica). Cultivée en Chine avant l'ère chrétienne (réputée préserver le corps de la corruption), rapportée en Europe par les Croisés. Famille des rosacées. **Vie du pêcher :** env. 15 a. **Rendement max. :** entre 8 et 11 a., 30 à 40 kg. **Culture :** terres saines et franches (t. argileuses, compactes et humides favorisant la maladie), sensible aux gelées. **Variétés :** *chair blanche :* May Flower [1], Springtime [1], Ribet [1], Amsden [1], Charles Ingouf [2], Michelini [3] ; *ch. jaune :* Earlired [1], Cardinal [1], Merrill Gemfree [1], Dixired [1], Sunhaven [2], Redhaven [2], Fairhaven [2], Southland et Loring [3], Elberta et J.H. Hale [3], Surcrest [3], nectarines et brugnons à peau lisse.

Nota. – (1) Précoce. (2) Pleine saison. (3) Tardive.

Production (en milliers de t, 1987-89) : Italie 1 140. Grèce 560. Espagne 555. *France 360* (dont Drôme 79, Pyr.-O. 64, Gard 62, B.-du-Rh., Ardèche, T.-et-G., Isère, Rhône 9 à 33, L.-et-G., Hérault, Hte-Corse, Aude, Vaucl., Var, A. Htes-Pce, Hte-Garonne 4 à 8). Port. 25. RFA 25. *CEE 2 665.* France (1991) : 420 000 t.

En France. Variétés (% de la surface plantée) : *chair jaune* (66,1) : Dixired 19,7. Redhaven 12,6. Fairhaven 10,1. J.H. Hale 9,3, Loring 3,6. Autres variétés 10,8 ; *blanche* (33,9) : Springtime 10, Amsden 9,1, Redwing 5,1. Michelini 2,2. Autres variétés 7,5. **Commerce** (en t, 1990) : **Exp.** 31 500. **Imp.** 28 000. **Consommation :** 5 kg par hab. et par an.

■ **Poires. Origine :** Europe tempérée. **Description :** drupe à 5 loges à peine cartilagineuses, renfermant 1 ou 2 pépins. Le poirier vit env. 50 ans. **Rendement :** meilleur v. 20 ans (50 kg). **Culture :** terrains silico-argileux, terres franches, sols granitiques et schisteux lui assurent un plein développement et une grande longévité. *Craint* sécheresse, argile verte et calcaire. *Résiste* au froid (peut s'élever en montagne jusqu'à 1 200 ou 1 400 m et supporte alors le froid – 25 °C).

Production (en milliers de t, 1987-89) : Italie 930. Esp. 450. All. féd. 410. *France 380 (1991 : 190)* (dont B.-du-Rh. 70, T.-et-G. 35, Vaucluse 29, Loiret, Rh., Htes-Alp., Drôme, L.-et-G., M-et-L., Gard, I.-et-L. 13 à 20, Alp. de Hte-Pce, Yvel., Gir., V.d'O., Ardèche, Hte-Gar., Sarthe, Isère 4 à 9. Grèce 115. P.-Bas 110. Belg. 85. G.-B. 50. Port. 45. Dan. 5. *CEE 2 580.*

France. Variétés (% de la surf. plantée) : *Été* (50 à 55 % de la récolte surtout rég. méridionale) : Dr-Jules-Guyot (26), Williams (16,5) ; *automne* (25 % de la récolte) : Beurré Hardy (6,9). Alexandrine Douillard, Louise-Bonne d'Avranches (5,8), Conférence (8,2), Packham's Triumph, Épine du Mas, Doyenné du Comice (7,5) ; *hiver* (20 à 25 % de la récolte) : Passe-Crassane (15,6). **Commerce** (en milliers de t, 1990) : **Exp.** 88,6 ; **Imp.** 84. [*La France* exporte des poires d'été (Williams et Guyot) ; imp. surtout Passe-Crassane d'Italie (hiver) et Packham's de l'hémisphère austral (printemps).] **Surface :** 15 500 ha **Consommation :** 4,5 kg par hab./an.

■ **Poivre. Origine :** Indes néerlandaises, Sumatra. Connu depuis l'Antiquité. Pierre Poivre (1719-86), gouverneur des îles Maurice et de la Réunion, l'introduisit dans les colonies françaises en 1770. **Poivrier :** liane grimpant autour des tuteurs jusqu'à 10 m dans les pays tropicaux humides (Indes néerlandaises). Fruits : petites baies en épis serrés et charnus. Trois présentations : p. noir (baies entières séchées au soleil) ; p. blanc (séchées et dépulpées) moins actif, pour consommation de table ; p. vert (baies immatures).

■ **Pomelos (Pamplemousses). Nom :** *Citrus paradisi.* Forme évoluée du véritable pamplemousse *(C. grandis)* qui n'est plus cultivé que pour des usages pharmaceutiques et la confiturerie, son écorce épaisse, irrégulière, et sa pulpe contenant beaucoup de pépins étant très acide. **Aspect :** *arbre* 10 m. *Fruit* de la grappe improprement mais communément appelé pamplemousse (ou *grape-fruit*). **Variétés :** *p. blanc ou blond* (Marsh), amer, très juteux (Israël) ; *rose* (Thompson) plus sucré, à la peau soyeuse, lisse, jaune vif (Floride, Texas, Californie, Afr. du S.) ; *rouge* (Ruby Red) très coloré et sucré (USA). **Rendement :** 60 à 80 t/ha. **Production de pamplemousses + pomelos** (est. en milliers de t, 1991) : USA 2 048. Israël 380. Cuba 280.

CIDRE EN FRANCE

Origine. Sous le nom de « pomade », il est venu de Biscaye au XIe s. et a gagné la Normandie depuis le Pays d'Auge entre les XIIIe s. et XIVe s. **Description** Résulte de la fermentation naturelle du jus de pommes fraîches ou d'un mélange de jus de pommes ou de poires fraîches extrait avec ou sans addition d'eau potable (3° à 5°). *Cidre pur jus :* produit exclusif de la fermentation de jus de pommes fraîches sans aucune addition d'eau. *Cidre mousseux :* effervescence résultant exclusivement de la fermentation alcoolique (bouteille à conserver debout). *Cidre bouché :* teneur en anhydride carbonique au moins égale à 3 g/l (obtenu par fermentation naturelle) ou 4 g/l (autres cidres). *Cidre doux.* Titre alcoométrique volumique acquis égal au plus à 3 %, et teneur en sucres résiduels égale ou supérieure à 35 g/l. *Cidre bouché doux :* titre alcoométrique volumique acquis égal au plus à 3 %, et teneur en sucres résiduels égale ou supérieure à 42 g/l.

Pommes à cidre. Donnent cidre, jus de pomme, calvados. Arbres 11 millions (le 15-10-87, tempête abattant 20 % des arbres) *1929 :* 48, *65 :* 34).

Production totale (en milliers de t, prév. 1990-91). 687,7 (1989-90 : 664, 1982-83 : 1 410) dont Bretagne 163, Basse-Normandie 275, Hte-Normandie 124, Pays de la Loire 124.

Industrie cidricole. *Production en millions de l : (1991 :* 110 dont Bretagne 27,4 (Ille-et-Vilaine 20,3, Côtes-d'Armor 5,55), Normandie 52,2 (Orne 17,8, Calvados 15,6, S.-Mar. 14), autres régions 25,8 (dont Seine-et-Marne 10,3, Mayenne 8,3, Loire-Atlantique 3,4). *Jus de pommes* 442,7, *moût de pommes* 480,4, *calvados et eau-de-vie de cidre* (Bretagne, Normandie, Maine) 41 673 hl A.P. *concentré de jus de pommes à cidre :* 13 328 t. *Exportation :* 13,34 vers All. 10,43, G.-B. 0,77, Japon 0,34.

Consommation taxée (1991-92) : 1 153 702 hl (marché intérieur).

Thaïlande 255. Chine 295. Argentine 180. Mexique 118. Paraguay 69. Soudan 63. Afr. du S. 70. Inde 50. Brésil 51. Jamaïque 40. Honduras 37. Philippines 34. Australie 32. Somalie 29. *Monde 4 574.* **Imp. :** 120 000 à 130 000 t *des* USA (p. roses et rouges) et *d'Israël. 1990 :* 132 500 t.

■ **Pommes. Origine :** Caucase et Asie Mineure (fruit le plus ancien connu), introduit dans les zones tempérées à l'époque préhistorique. **Description :** famille des rosacées. 2 espèces indigènes : *Malus communis* cime arrondie atteignant 10 m, à gros rameaux, fruit large. *Malus acerba* cime plus dressée, chair acerbe. *Arbre :* vit 20 à 25 ans (pommier palissé), 30 à 35 a. (p. de plein vert). *Fruit :* drupe à 5 loges cartilagineuses dont chacune renferme 1 ou 2 pépins. Il existe 6 000 variétés de pommes de table. **Culture :** aime sols sains, un peu frais, silico-argileux ou légèrement calcaires. L'humidité favorise le chancre. Craint fortes sécheresses, grands froids et gelées d'avril. **Rendement moyen :** jusqu'à 5 a. 5 t/ha, 5 à 10 a. 25 t/ha, 10 à 15 a. 30 t/ha, + de 15 a. 20 t/ha.

Monde. Production (en milliers de t, 1991) : URSS 6 000. USA 4 561. Chine 4 414. *France 2 400.* Italie 2 220. Turquie 1 950. All. féd. 1 750. Iran 1 350. Pologne 1 300. Japon 1 046. Inde 1 020. Argentine 1 000. Hongrie 950. Chili 700. Roumanie 650. *Monde 41 239.* **Commerce** (en milliers de t, 1985). *Exp. France 652,9* (1989-90 : 549,8). Italie 353,5. Hongrie 300,4. Argentine 215. Chili 201,3. Afr. du S; 199,6. USA 191,5. Pologne 185. P.-Bas 164,4. Belg.-Lux. 115. *Imp.* All. féd. 637,4. URSS 462,4. P.-Bas 218,9. Belg.-Lux. 145. USA 124,1. Canada 99,4. Italie 92. *France 91.* Brésil 90,8.

France. Variétés traditionnelles européennes (env. 20 % du marché) : *Reine des Reinettes :* maturité sept.-oct. ; *Reinette du Canada :* décembre ; *Reinette clochard :* décembre à mars ; *Reinette du Mans :* fin d'hiver. **Variétés américaines** (plus de 80 % du marché) : 2e quinzaine d'août jusqu'à début nov., peuvent être conservées sous froid jusqu'en mars-avril ; *Golden Delicious* (plus de 65 % du marché) : née d'un semis de hasard en Virginie de l'Ouest aux USA vers la fin du XIXe s. ; *Américaines rouges* (Delicious rouges, Starking, Richared et Winesaf) : Starkrimson ; Granny Smith (ou p. australienne) dep. 1952. **Superficie brute du verger :** 65 000 ha ; sup. du verger commercialisé et traité (1977) : 65 600 ha dont 54 % en Golden, le reste en Granny Smith, Reinettes du Canada, Américaines rouges et traditionnelles. **Consommation :** 14 kg/pers./an dont 53 % de golden et assimilées ; la pomme est le 1er fruit consommé en France (25,7 % de la consommation fruitière). **Pommes récoltées** (milliers de t, 1988, prov.) : 1 911. P. de table 1 834,9 dont Provence 430,7. P. de la Loire 292,7. Midi-Pyrénées 219,1. Centre 180,4. Aquitaine 179,4. Languedoc-Rous. 162,9. **Commerce** (en milliers de t, 1990) : **Exp.** 668,6 **Imp.** 108,6.

■ **Prunes. Origine :** 2 espèces primitives : le *prunier sauvage, prunaulier* (4 à 6 m de haut, répandu dep. l'Asie Mineure jusqu'en France, Angleterre...), le *pr. domestique, pr. de Damas* (4 à 8 m de haut, à fruits oblongs, croît spontanément en Europe, très cultivé en Syrie ; en 1148, les Croisés n'ayant pu s'emparer de Damas, on les accusa de n'y être allés que « pour des prunes »). **Culture :** préfère terres sèches et un peu calcaires. Résistant au froid et un peu aux gelées de printemps. *Vit* env. 35 ans. **Rendement :** meilleur vers 8 ans (25 à 40 kg). **Prunes à noms historiques :** Reine-Claude (femme de François Ier) ; Prune de Monsieur (Monsieur, frère de Louis XIV) ; Galissonnière (prune importée du Canada en 1750 par le marquis de la Galissonnière).

France. Variétés : Japonaises : *Allo, Methley, Golden Japan ;* européennes (surtout consommées crues) : Reine-Claude : *d'Oullins* ou *Massot, d'Althan,* de *Bavay, tardive de Chambourcy, Dorée* syn. *Verte ;* prunes diverses : *Monsieur Hâtif, Royale de Montauban, Mirabelle parfumée de septembre ;* surtout transformées : *Mirabelles de Nancy, de Metz, Quetsche d'Alsace, Prune d'Ente* ou *Prune d'Agen.*

CEE. Production (en milliers de t, 1987-89). RFA 390, *France 215,* Ital. 150, Esp. 130, G.-B. 30, Port. 8, P.-B. 7, Belg. 6, Grèce 3, Lux. 1, *CEE 939.* **Commerce** (en milliers de t, 1990). **Exp. :** 19,2. **Imp. :** 7,4.

■ **Raisins** (voir p. 1621 a).

Horticulture ornementale

■ Données générales (France)

■ **Superficie cultivée** (en ha, 1990) 20 000, dont : pépinières 14 000 (ornementales 9 500, fruitières 2 600, forestières 1 990), horticulture 4 500 (fleurs coupées, plantes en pot, plantes à massif, bulbes, feuillages coupés). **Entreprises de production :** 14 000. **Type de couverture** (en ha). Plein air 18 000, sous serres 1 373 (dont chauffées 800, antigel 376), sous tunnels 584 (dont chauffés 87, antigel 170). Châssis 96.

■ **Main-d'œuvre.** Salariée 23 000, familiale 15 500, temps partiel 12 500, apprentis stagiaires 4 800, total main d'œuvre permanente 38 500.

■ **Valeur à la production** (en millions de F, 1991). Fleurs et plantes 5 870, pépinières 2 511.

■ **Commerce** (en millions de F, 1991). *Exp.* 867 dont produits de pépinière 453,6, plantes en pot 90,8, fleurs coupées 160,2, bulbes 99,6, feuillages 62,8. *Imp.* 4 573,9 dont produits de pépinière 745,7, plantes en pot 1 450,2, fleurs coupées 1 898,4, bulbes 405,7, feuillages 73,9. **Principaux fournisseurs** (% en valeur) : P.-Bas 66,96, Belg.-Lux. 4,66, Italie 5,36, Danemark 3,85, ex-All. féd. 2,38, Espagne 1,18, Maroc 1,2, Israël 0,5, G.-B. 0,45. **Principaux clients :** P.-Bas 19,01, ex-All. féd. 19,97, Italie 16,2, Suisse 9,47, Espagne 7,74, Belg.-Lux. 5,59.

■ **Consommation. Végétaux** (en millions de F, 1991) ; *intérieur :* 15 059 dont plantes en pot fleuries 4 929, fleurs coupées 5 114, compositions florales 3 676, plantes en pot vertes 833, bonzaïs et fleurs séchées 507 ; *extérieur :* 3 452, dont plantes à massif et vivaces 1 344, arbres et arbustes d'ornement 1 035, rosiers 377, fruitiers et fraisiers 284, bulbes et oignons 286, autres plantes 6 ; graines 120. **Fleurs coupées et plantes en pot par habitant** (en F, 1989) : P.-Bas 655. Danemark 519. All. 488. *France 330.* Belg.-Lux. 273. G.-B. 172.

■ **Lieux de vente. En gros :** *fleurs coupées :* production : Nice (St-Augustin), Ollioules ; distribution : Paris-Rungis ; régionaux : Lyon, Lille, Bordeaux. *Plantes en pot :* part moins importante, vente par tournée très courante. *Pépinières :* la plus grande partie commercialisée hors marchés, par les professionnels. **Détail :** 25 000 professionnels, fleuristes en boutique et de marchés, marchands-grainiers, marbriers-fleuristes, commerce moderne.

Transmissions florales : *Sté française de transmissions florales* (membre de *Interflora Inc.*) : créée 1946. En 1989 : 6 249 adhérents, 2 239 000 ordres transmis. CA 554 000 000 F. *Téléfleurs France :* créée 1971, 4 200 fleuristes, 500 000 ordres, CA 100 000 000 F. *Transelite :* créée 1987.

■ Produits

■ **Lavande.** La lavande fine sauvage est cueillie dans les Alpes du Sud entre 1890 et 1914, puis sa culture se développe en 1929 (150 t). **Départements producteurs :** Alpes-de-Hte-Provence, Hautes-Alpes, Drôme, Vaucluse (*1988 : 2 746 ha)* 2 000 producteurs, 800 exploitations (– 30 % en 4 ans). **Production :** *1929 :* 150 t. *1991-92 :* 27 t. Concurrence des pays de l'Est : 70 t importées.

■ **Lavandin.** Hybride de lavande vraie et d'aspic. Ne peut pas être reproduit par multiplication sexuée. Cultures réalisées à partir de boutures, chaque plant hybride pouvant être l'origine d'un clone. Principaux : lavandin abrial, lavandin super, lavandin grosso. Culture récente (au-dessous de 900 m et principalement à 600 m). **Production :** 50 à 100 kg par ha (lav. grosso), essence moins fine car contient, outre les constituants de l'essence de lavande, ceux de l'essence d'aspic (camphre, cinéol, bornéol). **En France :** 11 800 ha, 870 t.

■ **Lupin. Aspect :** plante herbacée, annuelle ou vivace, cultivée comme engrais vert, fourrage ou plante ornementale, famille des papilionacées. Fleurs groupées en grappe dressée ou en épi, feuilles palmées. **Variétés :** lupin blanc (engrais, pâturage des moutons), bleu, jaune (Allemagne), variable (ornemental). **Espèces vivaces** lupin arborescent, hérissé, polyphylle. **En France. Culture du lupin blanc** (1988) : 2 000 ha (P.-de-Dôme, Poitou-Charentes, Limousin, Rh.-Alpes). **Production :** 7 400 t (37 qx/ha).

Légumes

■ Généralités

Dans le monde

■ **Consommation dans la CEE** (en kg/habitant, 1988). Espagne 141,6. Grèce 102,6. Italie 95,8. *France 69,6.* G.-B. 61,4. P.-Bas 55,6. All. féd. 39,3.

■ **Production mondiale** (en millions de t, 1988). Total 426,2 dont tomate 63,9, chou 37,6, pastèque 28,5, oignon sec 25,4, carotte 12,7, concombre/cornichon 13,1, poivron 8,7, courge 6,3, aubergine 5,6, chou-fleur 5,4, petit pois 4,4, haricot vert 2,9, ail 2,8, artichaut 1,3.

En France

■ **Commerce extérieur de légumes frais** (en millions de F, 1990). **Imp. :** 5,331 (pommes de terre 0,836), dont (en %, p. de t. exclues) Espagne 28,5, P.-Bas 18,3, UEBL 16,5, Maroc 12,6, Italie 11,3. **Exp. :** 3,429 (p. de t. 0,650) vers (en %) All. féd. 37,5, G.-B. 12,2, Italie 11,7, Suisse 10,7. **Balance commerciale :** *1988 :* – 1,6 (*imp.* 4,91, *exp.* 3,31). *89 :* – 1,97 (*imp.* 5,51, *exp.* 3,54). *90 :* – 1,9 (*imp.* 5,33, *exp.* 3,42).

Par espèce en milliers de t (1990). **Importations :** 1 558,6 dont ail 17,2, artichaut 26,9, asperge 2,3, aubergine 19,4, autres racines 44,6, carotte 107,3, céleri 44,1, champignon de couche 1,2, chicorée 16,7, chou-fleur 10,5, choux autres 24,4, choux de Bruxelles 10,4, concombre 34,5, cornichon 4,4, courgette 44,5, échalote 0,2, endive 6,3, épinard 0,5, fenouil 14,8, haricot vert 32,2, salades 39,7, laitue pommée 19,5, melon 24,2, navet 5,3, oignon 106, pastèque 54,2, poireau 14,6, pois 4,2, poivron 53,4, p. de t. de conservation 301,5, p. de t. primeurs 155,5, tomate 299,8. **Exportations :** 967 dont ail 12,5, artichaut 3,8, asperge 9,3, aubergine 0,9, autres racines 1,1, carotte 52,4, céleri 8, champignon de couche 2,8, chicorées 6,7, chou-fleur 203,2, choux autres 10,8, choux de Bruxelles 0,1, concombre 5,7, cornichon 1,6, courgette 17,6, échalote 7,8, endive 9,5, épinards 0,3, fenouil 0,1, haricot vert 11,9, melon 39,6, navet 2,8, oignon 29,6, pastèque 4, poireau 5,4, pois 12,4, poivron 6,5, p. de t. de conservation 326,1, p. de t. primeur 61,9, salades 47,8, tomate 38,2.

■ **Lieux d'achat de légumes frais** (part de marché en % des quantités achetées et, entre parenthèses des dépenses, 1990). Marché 29,5 (28,9), supermarché 26,4 (26,7), hypermarché 20,3 (20,6), spécialiste 9,2 (9,3), superette 5,1 (5,2), alimentation générale 4,9 (5,5), vente directe 3,7 (3,1), autres circuits 0,9 (0,7).

■ **Production récoltée de légumes** (en milliers de t, 1990, prov.). 3 393 dont p. de t. de conservation 2 935, p. de t. primeur et nouvelle 458, ail 50, artichaut 97, asperge 41, aubergine 23, bette 15, betterave 89, carotte 529, céleri 78, chou à choucroute 79, chou de Bruxelles 16, chou pommé 132, chou-fleur 496, concombre 123, cornichon 12, courge, citrouille, potiron 11, courgette 110, cresson 8, échalote 35, endive 229, épinard 88, haricot à écosser 76, haricot vert 195, salades 488, maïs doux 251, melon 315, navet 77, oignon 244, pastèque 7, persil 26, petit pois 487, poireau 195, poivron 26, radis 42, salsifis 15, tomate 816.

■ **Superficies** (en milliers ha, 1990, prov., *Source :* SCEES). 450,5 dont chou-fleur 43,2, petit pois 37,7, haricot vert 38, carotte 17,8, melon 18,2, artichaut 16,4, endive 16,5, maïs doux 18,2, asperge 14,3, tomate 12,6, haricot à écosser 12,1, laitue pommée 11,1, poireau 8,7, oignon 7,6, épinard 7,2, choux autres 5,9, ail en sec 5,4, chicorée scarole 3,6, courgette 3,5, navet 3,3, betterave 2,5, échalote 2,7, radis 2,6, chicorée frisée 2,6, ail en vert 1,7, chou de Bruxelles 1,6, mache 1,7, persil 1,6, céleri rave 1,4, cornichon 1,2, laitue romane 1,2, chou à choucroute 1,1, céleri branche 1, poivron 1, autres racines comestibles 1, aubergine 0,8, concombre 0,6, bette 0,5, cresson 0,3, autres salades 0,3, pastèques 0,2, courge, citrouille 0,3, p. de t. primeur et nouvelle 22,2, de conservation 97,3.

■ **Exploitations. Nombre :** légumes plein champ 92 500 (195 800 ha), maraîchage 35 900 (41 400 ha). **Répartition selon la superficie :** légumes plein champ et, entre parenthèses, de maraîchage (en %). *– de 1 ha :* 51,8 (64,9), *1 à 2 :* 17,8 (18,4), *2 à 5 :* 18,9 (12), *5 à 10 :* 7,9 (2,5), *10 à 35 :* 3,4 (0,6), *+ de 35 :* 0,2.

■ **Périodes de récolte normale** et entre parenthèses **primeur.** *Carotte :* août-avr. (mai-juil.) ; *navet :* oct.-mars (mars-juil.) ; *poireau :* sept.-avr. (15 mai-fin juin) ; *oignon :* août-oct. (avr.-mai) ; *ail :* fin juin-début août (mai) ; *échalote :* fin juin-début août (juin-juil.) ; *artichaut :* mai-nov. (avr.) ; *concombre :* avr.-août (fév.-mars).

■ Produits

■ **Ail. Aspect :** tige cylindrique de 40 à 75 cm, bulbe constitué par 8 à 10 bulbes secondaires appelés caïeux ou gousses. **Variétés :** ail blanc ou commun, ail rose hâtif à gros caïeux, ail d'Espagne ou Rocambole, ail d'Orient, ail rond du Limousin, ail d'Auvergne, ail de Vendée. **Culture :** en plein champ, *récolte :* juillet. *Rendement* 130 à 200 litres par are : 75 à 100 kg (1 litre = 250 caïeux). **Production** (en milliers de t, 1989) : Chine 647, Corée du S. 400. Inde 296. Espagne 229. Égypte 200. USA 150. *Monde 3 012.*

■ **Amarante. Origine :** Amér. du Centre et du Sud. Les Espagnols interdirent la culture de l'amarante en 1519 car les Aztèques utilisaient des graines d'amarante grillées et liées avec le sang des victimes de leurs sacrifices humains. **Aspect et propriétés :** feuilles se consommant en légumes verts cuits et graines riches en protéines (surtout lysine) donnant de la farine. Convient particulièrement aux pays du tiers monde car résistante à la sécheresse et facile à cultiver à la main. **Taille :** graines minuscules (± 2 000 au g). **Variétés :** 400. **Rendement :** 20 t à l'ha. 1 livre de graines suffit pour ensemencer 1 ha (pour près de 180 kg de maïs).

■ **Artichauts. Origine :** tige de 1 à 1,50 m de haut, cultivée dep. le XVe s. Plante cultivée pour ses capitules que l'on mange avant l'épanouissement de ses fleurs : *feuilles* (bractées) ; *fond d'artichaut* rempli de mat. nutritives ; *foin* composé de jeunes fleurs en bouton. Considéré par certains comme la nourriture des ânes. **Récolte :** automne la 1re année, début de l'été ensuite. La production diminue au bout de 3 ou 4 ans. **Culture forcée :** artichauts de printemps. **Variétés :** camus de Bretagne (70 % de la prod. fr., cult. surtout dans le N. Finistère mais aussi en Anjou ; période de prod. mi-avril à déc.) ; violets (d'Hyères, du Gapeau : Var, P.-Or. ; automne et printemps) ; blanc hyérois (Var, P.-Or. ; surtout au printemps). **Rendement :** 100,12 q/ha (monde, 1986). **Production** (en milliers de t, 1987-89) : Italie 470. Espagne 350. *France (1990) 93,7.* Grèce 31. *CEE 936.*

■ **Asperges. Origine :** Bassin méditerranéen or., herbacée vivace connue des Romains, cultivée en France dep. le XVe s. **Aspect :** rhizome souterrain d'où partent chaque année des bourgeons ou turions s'élevant à 1 ou 1,5 m. **Variétés :** asperges vertes ou communes, asperges de Hollande ou violettes de Hollande, asperges d'Argenteuil hâtives ou tardives. **Récolte :** au bout de 2 ou 3 ans et pendant 3 à 11 ans, 60 à 100 kg par are. Plein champ ou culture forcée sous châssis. **Production** (en milliers de t, 1987-89) : Espagne 79. *France (1990) 41.* Ital. 23. All. féd. 14, P.-Bas 11. *CEE 191. En 1990,* le Languedoc-Roussillon (40 % de la production franç.) est victime de la fusariose (due au champignon le *fusarium* qui empêche le développement de l'asperge et rend la terre impropre à sa culture pendant plusieurs années).

■ **Aubergines. Origine :** Inde, se répand en Europe fin XVe s. Consommée comme dessert en Italie, surtout sous forme de cataplasme. Appréciée sous le Directoire, introduite sur marchés parisiens 1825. **Aspect :** herbacée annuelle à tige demi-ligneuse (50 à 60 cm). Grosse baie allongée violette, jaune ou blanche suivant variétés. Peut atteindre 20 à 25 cm. **Principales variétés :** violettes longues, monstrueuses de New York. **Semis :** avr. **Repiquage :** avr.-mai. **Récolte :** juill.-oct. Plein champ ou culture forcée. **Production** (milliers de t, 1987-89) : Italie 290. Esp. 120. Grèce 75. *France 23.* P.-Bas 20. *CEE 528.*

■ **Bettes. Origine :** nom usuel de la poirée. Cultivée pour ses feuilles. Comme la betterave *(Beta vulgaris)* issue de la bette maritime *(Beta maritima),* spontanée sur les bords de l'Atlantique et de la Méditerranée. **Récolte :** août. **Rendement :** 200 à 500 kg de feuillage/are.

■ **Betteraves. Origine :** Eur. orientale, Asie centrale. **Variétés :** *fourragère :* chair jaune, blanche ou rouge, émerge du sol ; jusqu'à 3 kg, 6 à 12 % de sucre. *Potagère :* rouge ou jaune (cultivée pour sa racine ; bisannuelle ; récolte : mai-mi-nov. ; rendement : 20 à 30 t/ha). *Sucrière :* blanche, enfouie, 14 à 20 % de sucre. **Floraison :** la 2e année. **Récolte :** (pour sucre et alcool) au bout de 6 mois, racine de 10 à 35 cm pesant 400 à 1 200 g (radicelles latérales jusqu'à 60 cm, racines profondes jusqu'à 2 m). Semée mars-juin, récoltée juill.-oct. ; sert souvent de tête d'assolement au blé, 80 000 à 120 000 pieds à l'ha. 1 ha donne de 8 à 12 t de sucre. *Sols favorables :* limons avec 2 % de mat. organiques, 15 à 20 % d'argile. Achard, en All., en 1799 réussit le 1er à industrialiser l'extraction du sucre. **Betteraves sucrières. Production** (est. en millions de t, 1990) URSS 90. *France 29.* USA 24,6. All. féd. 22. Italie 13,3. Pologne 13,2. Turquie 12,4. Chine 10. G.-B. 8. P.-Bas 7,8. Espagne 7,2. Roumanie 7. Yougoslavie 6,3. Belg.-Lux. 6,2. All. dém. 6,1. Tchéc. 6. Japon 3,8 [1]. Iran 3,5 [1]. Danemark 3,3. Maroc 3. Autriche 2,8. *Monde 305,3.*

France. Production (en millions de t, 1989, prov.) : **betteraves fourragères :** 3,4 dont N.P.-de-C. 0,75. Bretagne 0,56, Hte-N. 0,5 ; **sucrières :** *1985-86 :* 24,3, *86-87 :* 22,8, *87-88 :* 25,7, *88-89 :* 25,3, *89-90 :* 24,7 (dont pour le sucre 23,9, l'alcool 0,8), à la richesse moyenne de 17,67.

■ **Carottes. Origine :** de la Gaule, d'un usage courant dep. le XIVe s. Bisannuelle, donne la 1re année une grosse racine qui forme la partie comestible ; la 2e, elle émet, au milieu de la rosace des feuilles, des tiges dressées, rameuses, hautes de 60 cm à 1 m. **Variétés.** Pour le marché du frais « Populations » (Nantaise améliorée, de Carentan, Touchon, De la Halle), « Hybrides » (Tancar, Nandor, Revo, Tiana) ; c. d'industrie : pour la macédoine (Colmar ou Flakkee, Chantenay) ; pour la conserve (type Amsterdam, c. douce Amsterdam). **Semis :** mars-juill. **Récolte :** juin-oct. **Rendement :** 22 t/ha (Monde 1986). **Production** (en milliers de t, 1987-89) : G.-B. 630, *France 520,* Ital. 320, P.-Bas 270, Esp. 180, All. féd. 150, Belg. 100, Dan. 70, Port. 80, Irl. 40, Grèce 30, *CEE 2 390.*

■ **Cardon. Aspect :** herbacée vivace. Rhizome allongé d'où sortent de grandes feuilles (1,50 m). **Culture :** semis au printemps, croissance lente jusqu'en août.

■ **Céleri. Aspect :** racine charnue ; bisannuelle. **Origine :** issu de l'ache odorante. Employé comme simple au Moyen Âge, devient une plante potagère à la Renaissance. **Variétés :** *branche à côtes* (pétioles des feuilles très développés), *rave* (racine très volumineuse). **Culture :** en plusieurs saisons, se développe en 6 mois. **Semis :** sous châssis ou serre chaude, févr.-avr. **Repiquage :** avr.-juin. **Récolte :** août-nov. **Rendement :** 500 à 900 kg à l'are.

France. Production : *branche* (1990, prov.) : 39 000 t (*1989 :* 37 162 t dont L.-Atl. 9 600, Pyr.-O. 2 640, Lot-et-G. 2 200, Gard 2 200, Morbihan 1 800, M.-et-L. 1 500). *Rave (90)* 39 000 t (*89 :* 39 464 t dont Nord 4 500, Ain 3 840, Manche 2 310, Calvados 2 250, C.-d'Or 2 200, Loiret 2 190, L.-Atl. 2 080. Charente-Mar. 1 800).

■ **Champignons de couche. Variétés :** blanc neige, ivoire (apprécié pour le marché du frais), crème (frais et conserve), blond (petit, pour conserve uniquement) (en Fr., il est cult. en cave). **Production en France** (milliers de t, 1989) : 193 000 t **mondiale de champignons comestibles** (milliers de t, 1979, estim.) : Ch. de couche 850 000, Shii-take 140 000, ch. de paille-de-riz 57 000, Pattes-de-Velours 40 000, Pleurotes 18 000, Nameko 15 000, Oreille-de-Judas 8 000, Strophaire rugueux 2 000, Truffe noire 200, divers 100. *Total 1 130 300.*

■ **Chicorée. Origine :** existe depuis env. 6000 ans, appréciée des plus grands médecins et botanistes grecs pour ses propriétés thérapeutiques pour « le ventre, le foie, les reins », à la cour de Louis XIV (large consommation d'eau de chicorée). Traitement industriel de la plante gardé secret par les Hollandais jusqu'en *1723. 1750* 1res usines en France (chicorée cultivée dans le Nord). **Variétés :** *chicorée sauvage :* 2 variétés de semences : pour feuilles et obtention de légumes [chicorée frisée et scarole (prod. 132 678 t), endive (prod. 250 000 t)] ; pour racine et fabrication de chicorée à café (traitement industriel). *Chicorée à café :* semis fin avril sur 4 000 à 5 000 ha, récolte d'oct. à déc. Les racines sont lavées, découpées en morceaux, déshydratées et procurent des cossettes qui sont torréfiées et vendues sous forme de grain, chicorée moulue, soluble et liquide, pour utilisation à l'état pur, dans le lait, le café, le chocolat, les entremets, la confiserie.

France. Production (en t, 1987 prov.) *Chicorées frisées :* 59 506,5 dont Prov.-Alpes-Côte d'Azur 27 685, B.-du-Rh. 23 120, Î.-de-Fr. 5 297, Nord 4 800. *90* (prov.) : 69 000. *Scaroles :* 71 733,5 dont Languedoc-Roussillon 24 582, Pyr.-or. 21 100, Nord 3 120, Î.-de-Fr. 6 158, Bretagne 2 715, Hte-Gar. 2 210 ; *90* (prov.) : 82 000. *Chicons :* 198 484. **Chicorée à café :** 5 000 ha, 1 200 planteurs, 10 sécheries, 2 usines. *Consommation :* 750 g/hab. soit 45 l de boisson (12,5 cl/jour). *Production de chicorée torréfiée :* 36 000 t dont 25 % exp. (prod. mondiale 100 000 t).

■ **Choux. Culture :** *choux pommés,* semis sous châssis mi-février ou en mars (rég. côtière) ; récolte été ou automne ; *chou quintal* (pour la choucroute), semis vers la mi-août, récolte au printemps, rendt 300 à 700 kg/are ; *chou-rave,* semis au printemps en pépinière, récolte 3 mois après, rendt 250 à 500 kg/are ; *choux-fleurs,* semis à partir d'avr., récolte fin août à l'automne, rendt 100 à 200 kg/are ; *chou brocoli* (récolte avr.-mai). **Variétés :** *chou pommé :* pointus (cabus), ronds lisses (cabus pommés lisses, rouges), ronds frisés (de Milan). *Choux de Bruxelles* (Peer Gynt, Topscore, Lancelot, Lunet, Citadel, Prince Askold). *Choux-fleurs :* hollandais (Erfurt), parisiens (Lecerf), méridionaux (Bagnols), italiens (géant de Naples), d'Alger. **Rendement :** 21,6 t/ha (Monde, 1989). **Production** (en milliers de t, 1989) : URSS 9 300. Chine 7 960. Japon 2 900. Corée du S. 2 300. Pologne 1 617. USA 1 400. Roumanie 1 200. G.-B. 850. Yougoslavie 678. Tuquie 641. Inde 550. Italie 547. Indonésie 500. All. féd. 527. Espagne 472. Égypte 450. All. dém. 415. Corée du N. 306. Tchéc. 306. P.-Bas 270. Afr. du S. 260. *France 233. Monde 36 649.*

■ **Choux-fleurs. Production** (en milliers de t, 1987-89) : *France 530.* Italie 450. G.-B. 385. Espagne 250. All. dém. 90. Belg. 65. Grèce 55. *CEE 1 920.* **Rendement :** 5,3 t/ha (Monde, 1989). **Consommation française** (1989) : 5kg/hab./an.

■ **Concombres. Origine :** Inde. Famille des cucurbitacées. Baie de 20 à 60 cm. **Semis :** d'avril à juin (culture forcée déc. ou janv.). **Variétés :** concombres (20 à 50 cm, blancs ou verts, lisses ou épineux), cornichons (fruits plus petits et plus nombreux). **Rendement :** 14,5 t/ha. **Production concombres et cornichons** (en milliers de t, 1989) : P.-Bas 360. Espagne 310. Grèce 150. *France 100.* Ital. 90. G.-B. 80. All. féd. 40. Belg. 15. Dan. 10. Irl. 1. *CEE 1 156.*

■ **Courges. Aspect :** baie à écorces solides. Nombreuses formes. **Variétés :** potiron (fruit en forme de sphère, 50 cm de diamètre, plus de 40 kg), courge allongée (3 à 5 kg), c. baleine (40 kg), courgette (200 à 300 g).

■ **Échalote.** Dite à l'origine ail d'Ascalon (Syrie) (allium escalonium) où elle fut découverte en 1099, par les Croisés. Devenu v. 1 500 *échalote.*

■ **Endives. Origine :** culture développée en France surtout après 1918, améliorée dep. 1976 par forçage de la racine (15 t de chicons par ha en salle contre 10 t en culture traditionnelle). **Production** (milliers de t, 1990) : *France 229* dont Nord-Picardie 77 %, Bretagne 8 %, Est 7 %. Belgique 90. P.-Bas 73. **Consommation France :** (Nord-Picardie, Î.-de-Fr.) 200 000 t, soit 3,6 kg/hab.

■ **Épinards. Origine :** herbacée venant de Perse, Turkestan, Afghanistan, cultivée en Esp. dès le XIe s. **Culture :** semis d'août à la fin de l'automne ; permet plusieurs récoltes de feuilles (généralement 3 par pied) jusqu'au printemps suivant. Si l'on sème en mars, une seule récolte de feuilles.

France. Rendement (1989) : 12,2 t/ha. **Production** (en milliers de t, 1990) : 88 dont (en %) Morbihan 19, Finistère 11, Somme 10, Oise 7, Aisne 5, Nord 5.

■ **Fèves sèches. Origine** (probable) : N. de l'Inde. Apparue en Égypte v. 2000 av. J.-C. (mets royal considéré comme un don des dieux, origine probable de la fève du gâteau des Rois). **Variétés :** *à grosses graines :* issues des v. potagères (rég. méditer.) ; *à graines rondes* (féveroles) : plus petites, mieux adaptées à une récolte mécanique [Chine, Europe occ. (France 200 000 t en 1984 : N.-Ouest, Nord, Est, Sud-Ouest, Yonne, Indre, Cher), Amér. du N.]. **Utilisation :** farine (pour la panification), légume, alimentation animale, protéines. **Production de féveroles dans la CEE** (en milliers de t, 1992) : G.-B. 445, Ital. 149, All. 60, *France 52,* Esp. 24, Port. 7, P.-B. 7, Grèce 8, Dan. 2, UEBL 4, Irlande 4. *Total 762.* **Fèves/féveroles** (1991, hors CEE) : 3 917 dont Chine 2 900, Égypte 307, Éthiopie 282, Maroc 179, Turquie 72, Australie 54, Mexique 41, Brésil 37, Canada 25, Algérie 20. **Rendements moyens** (en quintaux/ha) : P.-B. 42,5, *France 37,* pays méditerranéens 25, Chine 17,6, Esp. 10, *Monde 14,2.*

■ **Haricots. Origine :** Amérique, Inde, Chine ; introduit en Europe vers 1597. **Aspect :** herbacée annuelle. Tige 30 cm à 2,50 m. **Variétés :** *h. à parchemin ou à écosser* [on consomme les grains frais ou secs : flageolets blancs (Vendée : *mojette ;* Nord et P.-de-Calais : *lingots*), verts (ou *chevriers*) et *princesse vert* (Arpajon, E.-et-Loir, Val de Loire, Bretagne), rouges (Ch.-Maritime : *rouges de Marans*), ou jaunes selon la couleur du grain, h. suisse à grain allongé et large, h. de Soissons à grain blanc volumineux, h. sobre de Hollande à grain large ; variétés à rames exigeant un support : h. de Soissons, Liancourt, Chartres. *Variétés étrangères :* blancs genre flageolets (USA, Eur. de l'Est) ; blancs genre cocos (USA : *Pea Beans ;* Chili : *Arroz, Cristales ;* Danube) ; blancs genre lingots (Argentine : *Alubias*) ; rouges (Madagascar) ; marbrés (USA : *Cranberries*). *H. verts* [dont on consomme la gousse : filet, mange-tout (vert et beurre)]. *H. ailés :* origine E.-Orient (Papouasie-N.-Guinée) ; riches en protéines (env. 20 %, sup. au manioc, patate douce, igname, p. de terre) ; transformables en farine pour bébés, alim. maternelle ; cult. expérimentale en C.-d'Ivoire, Ghana, Zaïre, Nigeria. **Culture :** semis au printemps jusqu'à la mi-août. **Récolte :** *h. à écosser* 4 à 5 mois après semis (rendt 15 à 20 hl/ha) ; *h. verts* 2,5 à 3 mois après semis (3 500 à 4 000 kg par ha) ; *h. mange-tout* presque à maturité (30 à 70 kg par are).

Haricots verts. Production : (en milliers de t, 1989) Chine 454. Turquie 400. Espagne 250. Italie 235. France 212. Égypte 165. USA 115. *Monde 3 104.* **Rendement :** 6,9 t/ha (Monde, 1989).

Haricots secs. Production (en milliers de t, 1991) : Inde 4 092, Brésil 2 669, Chine 1 915, USA 1 408, Mexique 1 232, Ouganda 400, Thaïlande 340, Tanzanie 270, Rwanda 230, Turquie 210, Argentine 200, *France 12. Monde 17 136.*

Légumineuses sèches. Production (en milliers de t, 1990) : Inde 12 902. URSS 9 800. Chine 6 515 [1]. *France 3 757.* Brésil 2 267. Turquie 2 247. USA 1 625. Mexique 1 480. Nigeria 1 463. Australie 1 346. Pakistan 754. G.-B. 749. Éthiopie 732[1]. Canada 657. Pologne 566. *Monde 59 427.*

Commerce (en milliers de t, 1989) : **Exp.** *France 907.* Chine 551. G.-B. 464. Turquie 462. USA 331. Hongrie 285. Danemark 172. Pologne 151. Thaïlande 150. Canada 132. *Monde 5 517.* **Imp.** P.-Bas 769. All. féd. 704. Inde 620. Belg.-Lux. 403. Italie 398. Pakistan 204. G.-B. 182. Japon 180. Espagne 175. Algérie 143. *France 129.* Cuba 127. Mexique 108. *Monde 5 537.*

Nota. – (1) Estimations FAO.

■ **Igname. Nom :** *Dioscorea batatas.* **Origine :** variable selon espèces. **Aspect :** plante grimpante à rhizome tuberculeux pesant jusqu'à 20 kg. Frais, les tubercules sont parfois toxiques. **Variétés :** nombreuses espèces tropicales (« D. alata », « D. cayennensis ») ; « igname de Chine » en Europe. **Production** (1986, milliers de t) : Nigeria 19 200. C.-d'Ivoire 2 996. Ghana 937. Bénin 858. Cameroun 400. Togo 336. Zaïre 220. Éthiopie 215. Tchad 219. Brésil 200. Rép. centrafr. 198. *Monde 27 076.*

■ **Laitues. Variétés :** laitues proprement dites (l. beurres), les l. grasses, batavias, romaines. **Production en France** (milliers de t, 1990, prov.) : Laitue pommée 290, romaine 28.

■ **Lentilles. Origine :** Asie du S.-O. Cultivées dep. l'Antiquité. En France culture essentiellement auvergnate. **Aspect :** tige de 0,20 à 0,40 m. **Exigences :** climat régulier à pluviosité et températures moyennes. **Rendement :** 0,7 t/ha (1989). **Production** (en milliers de t, 1989) : Inde 741. Turquie 622. Bangladesh 160. Canada 105. Népal 65. Syrie 64. USA 54. *Monde 2 242.*

France. Production : Loir-et-Cher, I.-et-L., Val de Loire, Cher, Auvergne (lentilles du Puy, du Cantal), Champagne.

■ **Manioc. Nom :** *Manihot* apparaît en français en 1558, devient maniot en 1578 et manioc en 1614. **Origine :** Amazonie. **Aspect :** tige de 2 à 5 m. Reste 8 mois à 2 ans dans le sol. On consomme les racines (poids : 1 à 5 kg) directement, après élimination du composé toxique. La fécule pure est obtenue après râpage, tamisage, élimination de l'eau de végétation, purification, concentration et séchage. Dans le commerce international, le mot « tapioca » (du tupi guarani « tipioka » ou « tipiak ») désigne les racines (tapioca roots), la farine – telle quelle (t. meal) ou agglomérée (t. pellets) –, l'amidon (t. flour) et le gel sec de ce dernier en flocons (t. flakes), en granules (t. granules) ou en perles (t. pearls) ; la farine de manioc est utilisée dans l'alimentation animale ; le gel sec d'amidon sous ses différentes formes est utilisé au contraire pour ses propriétés particulières dans certaines préparations culinaires très élaborées. **Rendement :** 96,6 q/ha (monde, 1986).

Production (en millions de t, 1992) : Brésil 22,6, Thaïlande 21,1, Nigeria 20, Zaïre 18,3, Indonésie 15,8, Tanzanie 7,1, Inde 5,2, Ghana 4, Ouganda 3,5, Chine 3,3, Paraguay 3,3, Viêt-nam 3, Mozambique 3, Colombie 2,1, Madagascar 2, Philippines 1,3. *Monde 150,9.*

■ **Navets. Origine :** Europe du N. **Variétés :** navets plats et ronds, demi-longs à longs. **Culture :** en pleine terre (semis de printemps à partir du 15 mars, d'été, de fin juill. à mi-sept.) ou forcée. **En France. Production** (1990) : 77 000 t.

■ **Oignons. Origine :** Iran. **Aspect :** herbacée bisannuelle de la famille des liliacées. Tige souterraine en forme de bulbe (partie comestible). 2e année fruit [capsule triangulaire remplie de petites graines noires (250 dans 1 g)]. **Variétés :** *O. frais avec feuillage* (mars à juillet) : Merveilles de Pompéi, Baletta, Jolly, extra hâtif, de Malakoff, Vaugirard, Paris. *O. secs* (récolte à partir de juillet) : Rouges et Rosés (Rouge pâle de Niort, Rouge de Huy, Rosé de Roscoff) ; jaunes (Valencia Temprana, o. de Mulhouse, Auxonne, Sélestat) ; prod. tardive (Jaune Paille des Vertus, Grano, Doré de Parme, Rijnsburger). **Culture :** potagère pour les o. blancs. Bretagne (C.-d'A. ; Finistère), Aisne, Oise, S.-et-O. (L.-et-G.). *Semis* fin fév. à début mars. *Récolte* août.

Oignons secs. Production (en milliers de t, 1990) : Chine 3 930[1]. Inde 3 350[1]. USA 2 427. URSS 2 200[1]. Turquie 1 550. Japon 1 280[1]. Espagne 1 103. Brésil 867. Pakistan 713. Iran 650[1]. Égypte 550[1]. Pologne 550. Colombie 470. Italie 452. P.-Bas 440[1]. Roumanie 435[1]. Argentine 415[1]. Corée du S. 407. Indonésie 400[1]. Yougoslavie 393[1]. Maroc 320. Chili 292. Afr. Sud 215[1]. *France 210[1].* Algérie 210[1]. Italie 200[1]. G.-B. 187. *Monde 27 714.* **Rendement :** 14 t/ha (*Monde,* 1989).

Nota. – (1) Estimations FAO.

■ **Patates douces. Nom :** *Ipomea.* **Origine :** Amérique tropicale. **Variété :** la plus recherchée : *patate douce.* Son rhizome en tubercule pèse parfois 20 kg. **Rendement :** 14,4 t/ha.

Production (en milliers de t, 1989) : Indonésie 2 106. Viêt-nam 2 000. Ouganda 1 800. Inde 1 350. Japon 1 330. Rwanda 810. Brésil 750. Philippines 661. *Monde 133 234.*

■ **Pois chiches. Production** (en milliers de t, est. 1991) : Inde 4 800. Turquie 865. Pakistan 585. Chine 200. Éthiopie 126. Iran 59. Espagne 40. Syrie 30. Tunisie 38. *Monde 7 504.*

■ **Pois secs. Production** (en milliers de t, 1990) : URSS 8 300. *France 3 629.* Chine 1 600[1]. Danemark 542. Inde 440. Australie 392. Hongrie 380[1]. Canada 297. G.-B. 284. Tchéc. 200. USA 108. Éthiopie 109[1]. Autriche 90[1]. Nlle-Zél.72. Maroc 63. P.-Bas 61. *Monde 17 299.*

Nota. – (1) Estimations FAO.

France. *Pois ronds et cassés :* Nord, Est ; variétés étrangères : Maroc et Alaska. *Pois protéagineux* (Centre, N.-Ouest, Midi) : [composition stable en acides aminés, digestibles pour le porc (85 %), relativement solubles pour les ruminants]. **Production** (1986) 1 100 000 t sur 275 000 ha (*1983 :* 102 000 ha, *1987 :* 417 000 ha).

■ **Pommes de terre. Nom :** *Solanum tuberosum esculentum* (donné en 1596 par Gaspard Bauhin). **Origine :** Andes (mentionnée pour la 1re fois en 1533), introduite en Espagne (v. 1570 ?, appelée la papa ; en Italie, pour sa ressemblance avec la truffe : taratouffli ; Alpes italiennes : tartuffoli ; Savoie : cartoufle puis en All. : kartoffel), puis en Irlande par le navigateur Francis Drake (v. 1540-96, appelée par analogie avec la patate américaine, potato) ; son emploi dans l'alimentation en France (v. 1616) rencontre de vives résistances, car la plupart des plantes voisines contiennent des poisons violents ; on l'accuse de donner la lèpre ; Louis XVI en mangeait à tous les repas ; en 1786, Antoine-Augustin Parmentier (1737-1813), agronome et apothicaire, fit garder un champ de p. de terre par des soldats, ce qui excita la convoitise des voisins et déclencha son développement (1793 : 35 000 ha, 1815 : 350 000). **Composition du tubercule :** env. 75 % d'eau, quantité importante de glucides (essentiellement sous forme d'amidon ou fécule), faible taux de protides, très peu de matières grasses. Aliment modérément énergétique (80 cal/100 g), riche en potassium, fer et iode ; possède la plupart des vitamines hydrosolubles ; très riche en vitamine C. Au cours de la conservation, les tubercules exposés à la lumière verdissent. **Plantation :** d'avril à mai. **Récolte :** de préférence à l'automne (sept. et oct. ; plus tôt pour les variétés précoces).

Variétés : *1789 :* 13, *1846 :* 177, *1872 :* 212, *1983 :* + de 1 600 (127 inscrites au catalogue officiel au 30-6-89). **P. de t. de conservation :** 65 % de la production totale, récoltée à maturité, stockable, selon les variétés, jusqu'en juin suivant. 2 catégories : **DE CONSOMMATION COURANTE :** la plus connue est la *Bintje* (80 à 85 % des p. de t. de conservation) : chair jaune, forme arrondie, apte à toutes les utilisations culinaires ; également utilisée dans l'industrie de transformation : frites, chips, flocons (purée) ; **DE CONSOMMATION À CHAIR FERME :** (env. 10 à 15 % des p. de t. de conservation) très bonne qualité gustative, reste ferme à la cuisson : *Belle de Fontenay, B.F. 15, Roseval, Ratte, Charlotte, Nicola.* **P. de t. de primeur :** 8 % de la prod. totale : récoltée avant maturité, ne se conserve que quelques j. (à cause de la peau très fine) : *Appolo, Sirtema, Ostara.* **P. de t. féculière :** 21 % de la prod. totale. Uniquement destinée à la prod. de fécule pour usages industriels (papeterie, cartonnerie, textile, pharmacie) ou alimentaires : *Kaptah Vandel, Daresa.* Pour ces 3 catégories, la production de plants représente env. 6 % de la prod. totale de p. de t.

Dans le monde. Superficie (en milliers d'ha, 1991) : URSS 6 000, Chine 3 002, Pologne 1 730, Inde 980, All. 572, USA 555, Roumanie 300, Yougoslavie 292, Esp. 271, Pérou 220, *France 190,* Turquie 190, P.-B. 175, Tchéc. 165, G.-B. 162, Corée du N. 162, *Monde 18 143.* **Production** (en millions de t, 1991). URSS 60, Chine 32,5, Pologne 32, USA 18,9, All. 16,3, Inde 15,6, P.-B. 7,1, G.-B. 6,7, *France 6,* Esp. 5, Turquie 4,3, Japon 3,7, Canada 2,9, Roumanie 2,8, Tchécoslovaquie 2,6, Argentine 2,5, Iran 2,5, Colombie 2,3, Brésil 2,2, Yougoslavie 2,2, Italie 2, Corée du N. 1,9. *Monde 263,4.* **Commerce** (en milliers de t, 1991) : **Exp.** Belg. 759, *France 635,1,* Italie 398,7, G.-B. (1990) 199. **Imp.** G.-B. (1990) 895, Italie 560,7, *France 541,8,* Belg. 473. **Consommation** (kg/hab./an, 1988-89) : P. de terre en l'état + prod. transformés + auto-consommation. Irlande 144, G.-B. 103,8, Esp. 97,2, URSS 99, All. (1990-91) 75.

France. Commerce (en milliers de t, 1990-91) : **Pommes de t. de conservation :** *Exp. :* 349,8 *vers* Espagne 89,2, Italie 171,1, Portugal 30, All. féd. 16,2. *Imp. :* 314,7 *de* UEBL 229,2, P.-Bas 68,2. **Plants.** *Exp. :* 55 *vers* Algérie 13,4, Tunisie 8,1. *Imp. :* 73,3. *De* P.-Bas 64,2, Danemark 4,1, All. féd. 3,5. **Primeurs** (1990) : *Exp. :* 110,1. *vers* All. 48,6, G.-B. 23,4, *Imp. :* 192,8 *de* Maroc 106,5, Espagne 23,9, Italie 25,5. **Rendement** (moyen, 1991) : 31,6 t/ha ; 30 à 35 t/ha dans grandes régions de product. : Nord-P.-de-C., Picardie ; monde (1991) 14 t/ha.

■ **Rutabaga. Nom :** *Rotabagge* (suédois), chou-navet. **Origine** cultivé en G.-B. depuis la fin du XVIIIe s. **Aspect :** gros navet à chair jaune. **Culture :** bisannuelle, fourragère. Jeune, peut être consommé comme légume.

■ **Tomates (pommes d'amour). Origine :** Andes (Pérou) (espèce sauvage) ; à petits fruits (tomates cerises). Espagnols et Portugais importèrent en Europe la variété à gros fruits au XVIe s. **Description :** tiges longues de 40 à 60 cm. Diamètre 5 à 11 cm. Maturité fin de l'été et automne. **Culture :** semis févr.-mars. **Production** (en milliers de t, est. 1991) : USA 10 236, URSS 6 600. Turquie 6 000. Chine 5 440, Italie 5 343, Inde 3 100, Espagne 2 800, Brésil 2 480, Roumanie 2 350, Grèce 1 990, Égypte 1 592, Mexique 1 390, Portugal 894, *France 750,* P.-B. 660, *Monde 68 477.*

France. Production : *introduite* en Provence v. 1750 sous le nom de « pomme d'amour ». Utilisée comme légume à partir du XIXe s. *Premières exploitations :* Barbentane, Châteaurenard, Marseille, Perpignan. *Plantation* en 3 étapes : semis (février, mars, avril), repiquage sur couches, plantation définitive, récolte (juin à oct.). **Variétés :** *de serre :* Montfavet H 63,4, H 63,5 (les plus demandées) ; Rustrel, Luca Quatuor, Itake, Lucy, Vémone, Sanvira, Pyros, Flamingo, Fandango. *De plein champ :* culture traditionnelle (avec taille et palissage) : St-Pierre et dérivées ; cult. à plat (type conserve, sans taille ni palissage) : Campbell 1 327, Heinz 2 274, 1 370, Ace 55 VF, Roma VF. Env 10 000 variétés commercialisées (tomates « de bouche » ou d'industrie). **Imp.** (en t, 1982) : env. 200 000 dont 44 471 du Benelux entre mai et juillet. **Exp. :** 10 245 dont vers CEE 5 354 (dont All. féd. 3 128, Belgique 1 052, Italie 434, G.-B. 271), Suisse 4 425.

■ **Topinambour. Origine :** importé d'Amérique au XVIIe s. par le navigateur Champlain, sous le nom de pomme du Canada, artichaut du Canada, artichaut de Jérusalem, soleil vivace ou topine. 1956 : 164 000 ha en France. Presque disparu. Aujourd'hui, grâce aux campagnes de P. Poujade, on pense revenir à 10 000 ha. **Description :** partie aérienne simple ou ramifiée 2 à 4 m de h., souterraine, racines et tubercules (15 à 30 par touffe). **Culture :** planté en avril. Excès d'humidité néfaste. En juillet, les tiges doivent atteindre 1 à 2 m et la croissance reprend courant sept.

Variétés : violet de Rennes, violet commun (rose), patate Vilmorin (jaune et blanc sale), topinambour blanc hâtif. *Rendements :* fanes 10 à 20 t/ha, tubercules 50-60 t/ha (1980 : + de 80 à 90 t/ha). **Utilisation :** tête d'assolement excellente. Traditionnellement : nourriture pour porcs et vaches laitières. Plante alcooligène pouvant produire 10 à 12 % d'alcool (60 hl à l'ha).Fanes ensilées ou distribuées en vert. Peuvent être brûlées pour chauffer la distillerie.

■ **Truffes. Description :** champignon souterrain (thallophyte ascomycète hypogé) vivant en symbiose avec certains arbres (chêne, noisetier, charme, pin d'Autriche). Des organes mixtes *(mycorhizes)* permettent par les racines une meilleure alimentation minérale de l'arbre qui, en contrepartie, lui apporte des matières organiques. Une truffière se signale par la disparition des herbes (le brûlé). Vraie truffe *melanosporum* ou truffe du Périgord (écorce noire verruqueuse et chair marbrée, très parfumée). Meilleure époque : janv.-fév. Autres variétés, l'*aestivum* ou truffe d'été (écorce noire et chair blanche). Vaut 800 F le kg. **Truffes blanches** *(tartuffi bianchi)* (du Piémont, la couleur blanche est due au terrain d'origine) :12 000 F le kg, 250 à 1 000 F pièce. **Huile de truffe :** huile végétale parfumée avec un arôme de synthèse.

En France. Démarrage de la trufficulture en Dordogne en 1887 (le vignoble, ruiné par le phylloxéra en 1875, ayant été reconverti en plantations à vocation truffière). Depuis 1989, les arbres truffiers sont exonérés de la taxe foncière. Les tentatives pour planter des chênes mycorhisés (à racines mariées au mycélium de la truffe) ont échoué. Une méthode favorisant la croissance de la truffe a été mise au point (sols trufficoles protégés par des serres en plastique, maintien de l'humidité à 15 % et de l'acidité du sol au pH 8 etc.). **Production :** *1900 :* 1 500 t, *82 :* 60 t, *83 :* 10 t, *86 :* 2 à 3 t, *87 :* env. 30 t, *92 :* 60 (Espagne 50, Italie 30). **Besoins :** 400 t (fraîches 200, conserve 200). **Imp. :** Italie 20 t, Espagne 30 t. **Nombre de trufficulteurs :** inorganisés 1 500, organisés 700. **Prix** (F/kg) : *1986 :* 2 800, *87 :* 500 à 1 500, *91 :* 2 500 à 2 800, *92 :* 1 400.

Sucre

Généralités

■ **Origine.** Glucide soluble : *« oses »* simples [glucose ou dextrose (dattes, raisins, végétaux, etc.), fructose ou lévulose (fruits, miel)] ou *« oses »* combinés [(amidon, cellulose, saccharose) abondants dans certaines espèces végétales : canne à sucre (tige), bett. à sucre (racine), certains sorghos, érable à sucre (sève) et certains palmiers]. On exploite : sucre d'*érable* au Canada, s. de *coco* et de *palme* en Thaïlande, s. de *dattes* au Pakistan, sirop de *maïs* aux USA, et surtout *betterave*, et *canne* à sucre. La marchandise vendue sous le nom de « sucre » est toujours du *saccharose* ; les produits, issus par exemple du maïs, sont vendus sous d'autres noms tels que *dextrose, glucose, isoglucose*, etc.

■ **Canne à sucre. Origine :** vient de l'Inde et de la Chine du Sud ; introduite v. 510 par les Perses sur les bords de la Méditerranée orientale, puis au VIIe s. par les Arabes en Égypte, Rhodes, Chypre, Afrique du N., Espagne du Sud, Syrie ; au XVe s., Espagnols et Portugais l'introduisent dans leurs possessions africaines (Canaries, Madère, Cap-Vert), ensuite au Brésil, à Cuba, au Mexique, aux Antilles ; Holl. et Fr. dans les îles de l'océan Indien et de l'Indonésie. **Aspect :** tige de 2 à 5 m de haut. Contient 11 à 18 % de sucre sous forme de saccharose et d'un peu de glucose (bout blanc) (Martinique 11 %, Australie 15 à 18). Broyée, elle donne un liquide, le *vesou,* qui, après évaporation, donne le sucre cristallisé et la *mélasse.* Le résidu du broyage *(bagasse)* est utilisé comme combustible. **Culture :** sur sol riche, temp. + de 20 °C et 1,80 m d'eau. Une souche fournit 6 à 10 récoltes successives (une tous les 12 ou 18 mois). **Rendement :** variable selon climat, terrain, variété, irrigation, lutte contre les maladies [55 t en moyenne par ha en 12 mois et jusqu'à 350 t (Hawaii en 30 mois)]. **Utilisation :** sucre, *rhum industriel* (vient de la mélasse de canne fermentée et distillée), *rhum agricole* ou *de plantation* (vient de la distillation du pur jus fermenté).

■ **Betterave. Famille :** Chénopodiacée (comme l'épinard, l'arroche des jardins et la bette ou poirée) dont la betterave est une variété à racine pivotante et tubérisée. **Origine :** *Antiquité* la bett. potagère rouge est connue ; *1575*, Olivier de Serres remarque sa richesse en sucre ; *1745*, le chimiste allemand Marggraf en extrait du sucre et le solidifie ; *1786*, le chimiste allemand Charles-François Achard (issu d'un français émigré), industrialise le procédé (sucreries en Silésie) ; *1806* 2 sucreries (St-Ouen et abbaye de Chelles) fonctionnent avant le blocus continental ; puis Napoléon fait ensemencer des terres en bett. ; Benjamin Delessert (1773-1847) clarifie le 1er le sucre de bett. *1812* (5-1). Napoléon crée des bourses et 500 licences pour la fabrication du sucre. **Aspect** Plante bisannuelle ; 1re année phase végétative (le sucre s'accumule dans la racine), 2e année, reproductive ; accidentellement la 1re année (bett. montées en graines) si le semis a été trop hâtif. Pour extraire le sucre qu'elle contient, on la récolte la 1re année. **Espèces :** *sauvages* (genre : Beta), 3 groupes : Patellares, Corollinae, Vulgares dont Beta maritima qui croît spontanément dans les régions littorales ; racine mince, plus ou moins fibreuse, 6-7 % à 20-21 % de sucre. *Cultivées pour leurs racines :* bett. *sucrière* ou industrielle, conique, 15 à 20 % de sucre, issue d'une variété isolée par le chimiste allemand Achard (fin XVIIIe s), la « blanche de Silésie » dont la richesse en sucre est de 7 %. Peut augmenter par sélection. Chair blanche. **Variétés** (selon richesse en sucre, la richesse moy. variant avec conditions agroclimatiques) : *types riches :* ZZ 106, Z 104, *types équilibrés :* NZ 102, N 100 (selon les conditions, 16 à 18 % de sucre), NE 98, *types à haut rendement de racine :* E 96, EE 94. *Demi-sucrière :* sert surtout à l'alimentation du bétail. *Fourragère :* 6 à 12 %, de sucre, chair rouge, jaune ou blanche ; utilisée pour nourrir le bétail. *Potagère :* chair rouge. **Culture :** exige des sols sains, non acides, avec une bonne structure et des fumures équilibrées. Demande un climat tempéré et humide 6 mois (avril à sept.) avec des périodes ensoleillées et chaudes juste avant la récolte. *Assolement :* en général triennal (bett., blé, orge) ou quadriennal (bett., blé, orge, p. de terre ou maïs) ; parfois, rotation biennale (blé, bett.) avec inconvénients sur le plan phyto-sanitaire. *Récolte :* entre 20 sept. et 15 nov.

Rendement : 30 à 90 t de racines nues/ha ; moyen (1991-92) : 56,1 t/ha à 16 % de richesse en sucre. **Utilisation :** *betterave :* sucre 94 %, alcool 6 %, 1 t de bett. à richesse en sucre standard de 16 % donne (en kg) : *sucre* env. 130, *mélasse* à 48 % de saccharose 37,5, pour l'alimentation animale et les industries de fermentation (alcool, levure, acides aminés) ; *pulpe :* env. 50 de matière sèche se présentant sous forme de pulpe humide (env. 500), surpressée (env. 220), ou déshydratée (env. 55) ; utilisée pour l'alimentation animale ; *divers* (écumes, déchets végétaux : les verts de bett., feuilles et parties supérieures du collet, utilisés comme engrais verts ou pour l'alim. animale).

■ **Sucre. Présentations** *Raffiné ou blanc raffiné :* contient au moins 99,7 % de saccharose. *Roux :* 85 à 98 % de saccharose et certaines impuretés auxquelles il doit sa couleur plus ou moins brune. *Cristallisé :* blanc recueilli dans les turbines après concentration sous vide et cristallisation des sirops. *En poudre :* (encore appelé de semoule) : obtenu par tamisage ou broyage du sucre cristallisé blanc. *Glace :* poudre blanche obtenue par broyage de sucre cristallisé blanc et additionnée d'amidon (environ 3 %) pour éviter sa prise en bloc, s. des décors. *Moulé en morceaux :* inventé 1854 par Eugène François, épicier parisien, cristaux de s. blanc ou roux, encore chauds et humides, venant des turbines, compressés dans des moules et agglomérés. *En cubes :* irréguliers obtenus après moulage en lingots du s. cristallité puis cassage. *Candi :* cristaux blancs ou bruns obtenus par cristallisation lente sur un fil de lin ou de coton d'un sirop de sucre concentré et chaud, utilisé dans l'industrie du champagne. *Pour confiture :* s. blanc additionné de pectine naturelle de fruits (0,4 à 1 %), d'acide citrique alimentaire (0,6 à 0,9 %) et quelquefois d'acide tartrique, facilite la prise des confitures et glaces « maison ». *Cassonade :* s. cristallisé brut, extrait directement du jus de la canne à s. qui lui donne sa couleur brune et sa saveur rappelant celle du rhum. *Vergeoise :* s. à consistance moelleuse venant d'un sirop de raffinerie de betterave ou de canne, coloré et parfumé par les composants de sa matière première ; *blonde* vient d'un sirop éliminé lors d'un 1er essorage du s. brun, résulte de la recuisson du sirop de 2e essorage du s. ; s. des spécialités flamandes. *Liquide :* ou sirop de s. pour punchs et recettes exotiques. *Pain de sucre :* cristallisé moulé et refroidi dans des formes coniques. Sert de décor et pour des punchs originaux.

Statistiques

☞ Sur 111 pays producteurs de sucre dans le monde : 10 cultivent canne et betterave, 29 uniquement la betterave, 72 uniquement la canne.

■ **Production** (en millions de t de sucre brut, 1991-92) : Inde 14,6. Brésil 9,2. Chine 8,5. Cuba 7. USA 6,6. CEI 6,4. Thaïlande 5,1. *France 4,7.* All. 4,2. Mexique 3,4. *Monde 115,9.* **Sucre de betterave :** Chine 15, Espagne 7, CEI 6,4, Tchécoslovaquie 5,8, Hongrie 4,9, *France 4,4,* All. 4,2, Iran 3,9, Japon 3,8, USA 3,4, Roumanie 3,3, Danemark 3,2, All. Est. 3, Autriche 2,7. **Canne à sucre :** Brésil 270, Inde 230, Cuba 74 (4,2 en 1992-93), Chine 61,8, Thaïlande 40,3, Mexique 36, Pakistan 36, Indonésie 32,6, USA 28,1, Philippines 27,1, Colombie 27,1, Australie 24,6, Afr. du Sud 19,3, Argentine 15, Égypte 11, Rép. Dominicaine 6,3, Guatemala 1,1.

Production mondiale (entre parenthèses % betterave, % canne). **1900-01 :** 11,3 (53,3 et 46,7). **20-21 :** 16,8 (29,2 et 70,8). **30-31 :** 27,9 (42,8 et 57,2). **40-41 :** 29,9 (39,1 et 60,9). **50-51 :** 33,6 (42 et 58). **60-61 :** 55,4 (43,8 et 56,2). **70-71 :** 72 (41,3 et 58,7). **80-81 :** 88 (37,5 et 62,5). **87-88 :** 104,2 (37,1 et 62,9). **88-89 :** 105,7 (35,6 et 64,4). **89-90 :** 108,8 (35,9 et 64,1). **90-91 :** 113,9 (36,4 et 63,6). **91-92 :** 115,9 (32,4 et 67,6). **92-93** (prév.) : 116,4 (33,9 et 66,1).

Source : FO Licht.

■ **Commerce** (en millions de t de sucre brut, 1991-92). **Exp. nettes :** Cuba 6. Thaïlande 3,3. *France 2,5.* Australie 2,4. Brésil 1,7. All. 1,2. Guatemala, Afr. du Sud 0,7. Île Maurice, Inde 0,6. *Monde 30,3.* **Imp. nettes :** CEI 5,2. Japon 1,9. USA 1,6. G.-B. 1,1. Canada 1. Algérie 0,9. Corée du Sud 0,8. Iran 0,7. Égypte, Malaisie 0,6. *Monde 29,5.*

Commerce international : plus de 75 % de la production sucrière mondiale est consommée sur place. Les échanges (29 millions de t, dont 41,4 % sucre blanc, 58,6 de roux ou brut) se font, pour une part de moins en moins importante (3,5 millions de t en 1992 ; 10 millions dans les années 80), dans le cadre d'accords préférentiels de pays à pays (Cuba-Chine, acc. CEE-ACP, accord de livraisons sur les USA en fonction de quotas d'importations instaurés en 1982) et pour le reste sur le marché « libre », en fonction de l'offre et la demande aux cours établis sur les Bourses de commerce. Une autre partie s'effectuait dans le cadre d'un accord international sur le sucre qui distribuait des quotas aux exportateurs et aux importateurs, mais le dernier accord international a expiré en 1984 sans être renouvelé.

■ **Bilan sucrier mondial** (en millions de t de sucre brut 1991-92) : stock initial 34. Production 115,5. Importations 29,5. Total *179.* Consommation 110,1. Exportations 30,3. Stock final 38,6. (1992-93, est.). Stock initial 38,6. Production 116,2. Import. 29,1. Total *183,9.* Consommation 113,8. Export. 30. Stock final 40,1. Balance 183,9. **Cours mondial moyen** (à Paris en F, par t de sucre blanc) : *1965 :* 313. *68 :* 200. *70 :* 485. *73 :* 1 000. *74 janv. :* 1 600 ; *22 nov. :* 8 150 ; *fin déc. :* 3 820. *75 :* 2 393. *76 :* 1 516. *77 :* 1 035. *78 :* 915. *79 :* 1 089. *80 :* 2 984. *81 :* 2 407. *82 :* 1 619. *83 :* 1 916. *84 :* 1 477. *85 :* 1 330. *86 :* 1 362. *87 :* 1 168. *88 :* 1 578. *89 :* 2 421. *90 :* 2 093. *91 :* 1 673. *92 févr. :* 1 462. *93 janv. :* 1 403.

■ **Consommation apparente de sucre blanc** (en kg par hab., 1991). Cuba 82. Singapour 63,3. Hongrie 55,6. Ex-Tchéc. 47,2. Israël 47,2. N.-Zélande 44,9. Mexique 44,7. Australie 44,1. Brésil 43,7. Belg.-Lux. 42,5. Suisse 42,1. CEI 40,9. Suède 40,5. Danemark 40,2. P.-B. 39,1. Norv. 38,2. Irlande 37,7. Canada 37,5. R.-U. 35,7. Afr. du S. 34,9. Guatemala 33,9. Finlande 33,9. All. 33,8. *France 33,6.* Algérie 31,8. Ex-Youg. 31,1. Portugal 29,7. Égypte 29,3. USA 29,1. Grèce 28,3. Italie 28,0. Espagne 27,8. Bulgarie 25,6. Japon 21,1. Thaïlande 19,2. Indonésie 13,2. Inde 13,2. Côte-d'Ivoire 11,2. Chine 5,7. Somalie 4,3. Tanzanie 4,0. Nigeria 3,8. Éthiopie 2,8. Bangladesh 2,3. Afghan. 2,2. Rép. centrafr. 0,9. **Consommation de sucre brut** (en milliers de t, 1990-91 et, entre parenthèses, en kg/hab., 1990) Ex-URSS, 13 100 (46,2). Inde 11 435 (13,3). USA 7 993 (31,4). Chine 7 400 (6,2). Brésil 6 284 (44). Mexique 4 707 (54,5). All. 2 942 (49,3). Japon 2 797 (23). G.-B. 2 540 (42,6). Indonésie 2 498 (14,8). *Monde 109 779.*

☞ **Concurrents du sucre. Édulcorants naturels** dérivés du *maïs :* glucose, isoglucose ou glucose isomérisé à haute teneur en fructose [high fructose corn syrup (HFCS)], *lait* (lactose), *malt* (maltose), bois (xylose). **Polyols** (sucres-alcools) parfois utilisés par l'industrie alimentaire. Valeur énergétique 2 et 3 kcalories. Non autorisés dans les boissons à saveur sucrée. *Pouvoir sucrant :* sorbitol (hydrogénation du glucose) 0,5 à 0,6, xylitol (xylanes du bois de bouleau) 1, mannitol (hydrogénation du mannose ou réduction du sucre inverti) 0,5 à 0,7, maltitol (hydrogénation du maltose) 0,85 à 0,95. **Édulcorants chimiques** n'apportant pas de calories. *Cyclamates* vendus en pharmacie. Leur incorporation dans la fabrication des produits alim. est interdite. L'étiquetage doit indiquer : « ne pas donner aux enfants de - de 3 ans », pour l'aspartame : « contient de la phénylalanine », la saccharine et ses sels : « à consommer avec modération par les femmes enceintes ». *Pouvoir sucrant :* saccharine découverte 1879 par Fahlberg (acide ortho-sulfimide-benzoïque obtenu par synthèse chimique à partir du toluène) 300-400, acésulfamK ou acétosulfam (dihydro-oxathiazin-dioxyde obtenu par synthèse chimique à partir du tributylacéto-acétate) 100 à 200, aspartame découvert 1965 par Schalter (dipeptique : aspartyl-phénylalanine-méthyl-ester) 100 à 200, cyclamate découvert 1940 par Audrieth et Sveda (acide cyclohexyl-sulfamique obtenu par synthèse chimique à partir du benzène) 25 à 30.

Le sucre dans le Marché commun

Réglementation du Marché commun sur la production et l'achat de sucre. 1er : *Entrée en vigueur le 1-7-1968 :* 2e **règlement :** 1974-75 à 1979-80. 3e : 1981-82 à 1985-86. 4e : adopté 10-12-85 pour 1986-87 à 1990-91. Chaque pays dispose d'un contingent de prod., les quotas sont répartis entre pays et entreprises sucrières qui traduisent les quotas en droit de livraisons de betteraves pour les planteurs avec lesquels elles concluent des contrats (l'ensemble de ces opérations est régi par un accord interprofessionnel). Un quota de base, appelé *quota A,* correspondant à la consommation totale de la CEE, bénéficie de garanties de prix et d'écoulement. Il supporte une cotisation (dite cot. de base) de 2 % du prix d'intervention fixé par la CEE. Le quota supplémentaire *(quota B)* fixé pour chaque pays, en considération de ses références de production, est garanti moyennant une cotisation de 2 + 30 %. Si cette participation financière des producteurs est insuffisante pour couvrir les charges à l'exportation, une cotisation supplémentaire pouvant atteindre 7,5 % est appliquée. **Cotisation complémentaire** destinée à résorber le déficit de la campagne, elle porte sur les productions A et B de chaque campagne et est fixée à la fin de celle-ci.

Prix de seuil du quintal (1992-93). *Sucre blanc :* 63,9 écus (504,53 F) ; *s. brut (92 %) :* 54,6 (431).

Quotas de production communautaires (1991-92, en milliers de t de sucre blanc). *France 3 802* (A 2 996 et B 806) dont Métropole 3 319 (A 2 560 + B 759), DOM 483 (A 436 + B 47). All. 3 449 (A 2 637,7 + B 811,3) dont ex-All. de l'Est 847 (A 647,7 + B 199,3). Belg.-Lux. 826 (A 680 + B 146). Danemark 425 (A 328 + B 97). Grèce 319 (A 290 + B 29). Irlande 200 (A 182 + B 18). Italie 1 568 (A 1 320 + B 248). P.-Bas 872 (A 690 + B 182). G.-B. 1 144 (A 1 040 + B 104).

Espagne 1 000 (A 960 + B 40). Portugal 70 (A 63,6 + B 6,4) dont Açores 10 (A 9,1 + B 0,9). *Total CEE :* 13 675 (A 11 187,3 + B 2 487,7).

Production (en millions de t de sucre blanc). **CEE :** *88-89 :* 13,9. *89-90 :* 14,3. *90-91 :* 15,9. *91-92 :* 14,8.**Sucre de betterave** (1992/93) : *France 4,35,* All. 4,03, Italie 1,87, G.-B. 1,4, P.-Bas 1,15, Belg. 0,89, Esp. 0,96, Dan. 0,41, Grèce 0,35, Irl. 0,22, *CEE 15,6* (*Europe 16,7 :* Autr. 0,43, Suède 0,24, Finl. 0,14).

Commerce extérieur (1990-91). **Exp.** vers pays tiers 4,9. **Imp.** de pays tiers 1,5. **Consommation annuelle moy.** (1991-92) : 34,6 kg/h.

■ Le sucre en France

■ **Ensemencement de betteraves destinées aux sucreries et sucreries-distilleries** (en milliers d'ha). *1950-51 :* 320. *60-61 :* 385. *70-71 :* 372. *80-81 :* 521. *86-87 :* 421. *90-91 :* 549. *91-92 :* 435. *92-93* (prév.) : 435.

■ **Sucreries.** *1939-40 :* 108. *60-61 :* 102. *70-71 :* 73. *81-82 :* 57. *85-86 :* 55. *90-91 :* 50. *92-93* (prév.) : 48. Transformant (en 1991-92) *- de 4 000 t de bett./jour :* 5. *De 4 000 à 5 000 t :* 7. *5 000 à 7 000 t :* 3. *7 000 à 10 000 t :* 17. *+ de 10 000 t :* 16. **Métropole :** *Effectifs :* 41 000 planteurs, 30 Stés, 48 usines ; 22 972 empl. dont camp. 13 830, inter-campagne 9 142. *Production* (en milliers de t de sucre blanc) : *1939-40 :* 1 029. *50-51 :* 1 315. *60-61 :* 2 546. *65-66 :* 2 190. *70-71 :* 2 480. *75-76 :* 2 981. *80-81 :* 3 921. *81-82 :* 5 130. *85-86 :* 3 953. *90-91 :* 4 357. *91-92 :* 4 059. *92-93* (prév.) : 4 300. **DOM** (production en milliers de t) *1980-81 :* Réunion 223, Antilles 61. *85-86 :* R. 223, A. 72. *89-90 :* (16 500 planteurs sur 51 500 ha) 197,5 dont R. 166,2 (4 u.), A 31,3 (5 u.). *90-91 :* 245,2 dont R. 187,2, M. 6,2, G. 51,7. *91-92 :* 252,9 dont R. 209,4, G. 37,3, M. 6,1.

Production de mélasse (milliers de t) **en sucrerie :** *1939-40 :* 326. *55-56 :* 430. *60-61 :* 656. *65-66 :* 543. *70-71 :* 663. *75-76 :* 984. *80-81 :* 989. *90-91 :* 1 118. **En raffinerie :** *1980-81 :* 24. *85-86 :* 13. *86-87 :* 12.

■ **Sociétés de production de sucre de betterave. Chiffre d'aff.** (en milliards de F) : *Eridania Béghin-Say* (9 sucreries), appartient au groupe Ferruzi ; chiffre d'affaires 40,91 (1991) dont 7,25 concernent le sucre : 27,9 % de la production ; *Générale sucrière* (5 usines) au groupe St-Louis ; chiffre d'aff. 5,64 (1991) : 15,6 % de la prod. ; *Cie Française de Sucrerie* (4 usines) au groupe Navigation mixte ; chiffre d'aff. 1,57 (1991) : 6,9 % de la prod. ; *Vermandoise-Industries* (3 s.) : 6,7 % ; *Sucreries du Nord-Est* (2 s.) : 3,1 % ; *Coopératives et Sica* (10) : 19,8 % ; autres S[tés] (16) : 20 %.

☞ En 1991-92, la France est le 1er producteur mondial de sucre de betteraves devant l'Ukraine.

■ **Consommation de sucre. Total** (en milliers de t), **et, entre parenthèses, consommation par hab.** (en kg) : *1965-66 :* 1 625 (32,9). *70-71 :* 1 834 (35,8). *73-74 :* 2 069 (39,4). *80-81 :* 1 898 (35,2). *85-86 :* 1 848 (33,4). *90-91 :* 1 904 (33,4). *91-92 (est.) :* 2 035 (33,5).

■ **Utilisations du sucre** (en milliers de t, 1991). Total : 1 916,2 dont *ventes à la consommation directe :* 559,8 (dont morceaux 320,4, poudre 135,4, cristallisé 101,9, autres sortes 2,1) ; *aux principales industries utilisatrices :* 1 135,5 ; *à l'industrie chimique :* 25,1 ; *aux collectivités et divers :* 195,7. **Utilisations indirectes pour la consommation humaine** (en milliers de t, 1991) : total : 1 135,5 dont chocolats, confiserie 224,2. Boissons rafraîchissantes 219 [1,2]. Sirops 124,3. Biscuits, pâtisseries ind., biscottes, viennoiseries 120,7, yaourts présucrés, laits gélifiés, crèmes desserts 100,6 [2]. Confitures, conserves de fruits 92,1 [2]. Pâtisserie artisanale 62 [2]. Petits déjeuners, aliments diététiques, entremets 36,5 [2]. Glaces, sorbets et crèmes glacées 39,8 [2].

Nota. – (1) Boissons gazeuses, à base de fruits et jus de fruits. (2) Estimations.

■ **Transport.** Au-delà de 25 kg, un titre de mouvement délivré par le service des impôts est obligatoire.

Tabac

■ Généralités

■ **Quelques dates. XVIe s** ramené d'Amérique par les Espagnols. **1556** introduit en France par André Thevet (Angoulême 1504-1592) cordelier, aumônier de l'expédition de Villegagnon au Brésil ; il sème des graines de cette herbe que les Indiens appellent pétun et l'appelle herbe angoumoise. **1559** Jean Nicot (v. 1530-1600), ambassadeur de François II à Lisbonne, soigne son cuisinier avec un emplâtre de cette herbe. On afflue à Lisbonne pour s'en procurer. Nicot envoie des graines en France et du tabac en poudre à Catherine de Médicis pour soulager ses migraines. Toute la Cour suit des traitements à base de tabac prescrits par Nicot et le grand prieur François de Lorraine le met à la mode. **1561** appelé nicotiana ou herbe à Nicot ou encore « herbe de la reine », « médicée », « catherinaire », « herbe de M. le Prieur », « l'herbe sainte », « herbe à tous les maux », « panacée antarctique », « herbe à l'ambassadeur ». Restera une plante médicinale jusqu'au début du XIXe s (lavements, purges, dilué dans bouillons pour nettoyer le corps). **Fin XVIe s** apparition du mot tabac (de tabago, roseau ou cornet entourant les feuilles roulées) qui ne l'emportera sur le mot pétun qu'au milieu du XVIIIe s. **1610** Mourad IV (Turquie) décrète que quiconque serait surpris fumant aurait le nez percé par un tuyau de pipe. Puis le fumeur serait promené sur un âne. **1612-1651** les fumeurs sont condamnés à l'esclavage au Japon. **1621** Richelieu augmente la taxe du tabac. **1633** Mourad IV ordonne de détruire les cafés en décrétant la peine de mort contre les fumeurs. **1637-1638** Chine : on décapite les fumeurs. **1642** le pape Urbain VIII supplié par le doyen et le chapitre de l'Église Métropolitaine de Séville interdit l'usage du tabac dans les églises sous peine d'excommunication. Louis XIII l'interdit. À Moscou, Michel Fedorovitch menace les fumeurs de 60 coups de bâton sur la plante des pieds. **1655** Russie : peine de mort prévue pour fumeurs. **1674** Colbert l'afferme pour 6 a. (redevance de 500 000 puis 700 000 livres les 4 dernières années). Il institue le monopole du tabac. **Fin du XVIIe s** *la cigarette,* utilisée par les Indiens (tabac *enroulé* dans des feuilles de maïs), aurait été réinventée par un soldat turc qui bourre de tabac une douille en papier pour remplacer le fourneau de sa pipe arraché par une balle (on fume déjà des papelitas en Espagne). **Début XVIIIe s** 1 200 débits de tabac à Paris (le plus chic était « À la civette », place du Palais Royal). **1720** *la ferme des tabacs* est cédée à la Cie des Indes (loyer : 1 500 000 livres ; rapport : 27 millions de livres en 1771). **1724** le pape Benoît XIII révoque les excommunications. **1809** Vauquelin isole la *nicotine.* **1811** Napoléon rétablit le monopole (culture, fabrication, vente). **1818** création du mot nicotine pour l'alcaloïde du tabac. **1842** *1res cigarettes fabriquées en France* (manufacture du Gros-Caillou). **1844** 1ere *machine à rouler* les cigarettes : cigarettotype du Français Le Maire. **1854** (guerre de Crimée) soldats français et britanniques découvrent le tabac turc. Philip Morris (1836-73) propose des cigarettes de tabac blond à Londres. **1860** Direction gén. des manufactures de l'État mise en place au min. des Finances. **1864** succès des cigarettes « façon russe ». Module préféré : 7,4 mm. **1876** des noms propres apparaissent : *Odalisques, Entractes, Petits Pages, Chasseurs* (cigarettes fermées remplies de débris), *Élégantes, Pages, Jockeys, Hongroises, Favorites, Boyards, Russes.* Chaque marque est fabriquée dans la version *Caporal* ordinaire (paquet bleu clair), Caporal supérieur (rose), *Maryland* (vert clair) ou *Levant* (violet), *Levant supérieur* (chamois), *Vizir* (blanc), *Vizir supérieur* (vert foncé) et *Giubeck* (rouge foncé). **1876** les *Françaises* (1892-1933 : Française ; 1970 réapparaît). **1877** il y a 79 marques. **1880** machine de Couflé pour les cigarettes. **1887** les *Élégantes* sont les préférées. **1893** nouvelles marques : *Espagnoles, Almées, Guatemala, Dames, Égyptiennes, Havanaises, Grenades.* Les *Élégantes de luxe* deviennent les *Amazones.* **1894** il y a 242 marques (combinaison de 17 noms avec 15 qualités de tabac). **1907** Richard Joshua Reynolds (n. 1850/29-7-1929) lance le *Prince Albert*, tabac du Kentucky. **1910** les Hongroises deviennent *Gauloises* [1925 prennent comme symbole « le casque à ailette » (dessiné par Giot) ; 1936 redessiné par Marcel Jacno]. Apparition des *Gitanes-Vizir*, devenues Gitanes 1927 [paquet dessiné par Giot (1927-45), puis Max Ponty 1947]. **1913**-*27-9* Old Joe, dromadaire du cirque Barnum & Bailey, pose pour une photo qui servira de modèle au paquet de Camel. **1916** *Lucky Strike* aux USA (paquet actuel dep. avril 1940). **1919** une sté américaine de tabac fait de « Philip Morris » sa raison sociale. **V. 1920-25** les Gauloises prennent la 1re place. **1924** Philip Morris lance les *Marlboro,* petite cigarette blonde dont l'extrémité est rouge, pour les femmes. **1925** vogue des tabacs d'Orient. Grand nombre de marques aux noms russes ou orientaux. **1926** création d'une Caisse autonome d'amortissement de la dette publique à laquelle sont versées les recettes du monopole des Tabacs (SEIT : Service d'Exploitation Industrielle des Tabacs, l'appellation apparaît dans le décret du 13-8-1926 en application d'une loi du 7-8) ; sera supprimée en 1959. **1927** 1er corps de femme sur une affiche (Gitanes-Vizir). **1931** apparition de la *Balto* et *Congo* (jusqu'en 1940). **1933** de la *Celtique.* **1934** *Gauloises Disque Bleu.* **1935** SEIT devient Seita lorsque la gestion du monopole des allumettes lui est confiée. **1953** insertion du filtre. **1954** *Gauloises Disque Bleu. Winston* lancée aux USA. **1956** la *Royale* (nom hérité du XVIIIe s. par lequel on désigne encore la marine nationale). **1959** ordonnance du 7-1-1959 complétée par décret du 10-1-1961 : le Seita devient établissement public à caractère industriel et commercial, chargé de l'exploitation d'un monopole fiscal. Son personnel, avant fonctionnaire ou ouvrier d'État, est régi par un statut autonome (décret du 6-7-1962). **1970** suppression du monopole de culture (règlement CEE du 21-4). **1971** toutes les marques de tabac fabriquées dans la CEE ont accès à l'ensemble du marché. **1972** loi du 4-12 : fabrication et importation d'allumettes réservées à l'État et confiées au Seita (sauf imp. CEE). **1976** loi du 24-5 : tabacs manufacturés (importation et commercialisation en gros venant de la CEE, ne sont plus réservées à l'État mais confiées au Seita). Le monopole de la vente au détail relève de l'Administration des Impôts qui l'exerce par l'intermédiaire de débitants. Le Seita conserve en France le monopole de fabrication des tabacs et allumettes. **1978** *Seitane.* **1980**-*2-7* le Seita devient la Seita, la « Sté d'exploitation industrielle des tabacs et allumettes ». **1982** *Gauloises légères.* **1984**-*juill.* l'État devient unique actionnaire de Seita. Gauloises *extra-légères* et *blondes.*

☞ La Seita ayant conservé un monopole de la fabrication, fabrique les marques américaines Pall Mall et Lucky Strike, en vertu d'un contrat de licence à long terme. Les autres marques américaines viennent de Hollande, Belgique ou Allemagne.

Nota. – Le losange rouge signalant les débits de tabac est une *carotte* stylisée qui rappelle les rouleaux de feuilles de tabac que l'on livre pressés et liés par une ficelle.

■ **Caractéristiques.** Famille des solanacées, plante annuelle, fleurs hermaphrodites. 60 espèces. *Nicotiana rustica* (9 espèces, solides, qualité inférieure, originaires du Pérou, implantées en Europe de l'Est, teneur élevée en nicotine) ; *tabacum* (majorité du tabac actuel ; solide, 6 espèces dont l'une compte un nombre de chromosomes double des autres) ; *pétunoïde* (45 espèces, culture extensive dans l'hémisphère Sud). **Dimensions** haut : jusqu'à 2 m, feuilles 85 à 100 cm de long. **Teneur en nicotine :** racine – de 0,4 %, feuilles de terre 2 %, f. du sommet 4 % et + [*Nijerck* (Lot) peut atteindre 8 %].

■ **Traitement.** Le tabac est placé dans des séchoirs généralement en brique et bien aérés : *jaunissement* (par déchlorophyllation et déshydratation), *dessiccation* par ventilation, *réduction.* S'il a été cueilli en feuilles, celles-ci sont empilées en bouquets *(manoques) ;* récolté en tiges, celles-ci sont liées par de grosses ficelles et suspendues par la base.

■ **Différents types de tabac.** *T. clairs* (« goût américain ») : faible arôme. *T. d'Orient :* clairs, séchés au soleil *(sun-cured) ;* pour mélanges aromatiques (Moyen-Orient, Asie, différentes marques de goût am.). *T. blonds (goût am. et goût anglais) : séchés à l'air chaud (flue-cured). T. noirs* (goût français) : cigarettes fr. du Kentucky, Cuba, Brésil, Indonésie. Séchés à l'air *(dark air-cured)* ou au feu *(fire-cured).* **Cigare** [de l'espagnol *cigarral,* petit verger (où l'on cultive son propre tabac)] : inventé par les Indiens, répandu en Europe par les P.-Bas (en France à partir de 1816). *T. clairs, séchés à l'air chaud* (flue-cured) du type Virginie (light air-cured) de types Burley, Maryland ; *séchés au soleil* (sun-cured) du type Orient, de type autre que les t. d'Orient. *T. bruns, séchés à l'air naturel* (dark air-cured) du type t. français ; *séchés au feu* (fire-cured) du type Kentucky.

☞ Le tabac pourrait devenir une source importante de protéines : 1 ha cultivé en plein champ peut donner 163 t de feuilles fraîches, soit env. 15 t de mat. sèches dont : *résidus insolubles* enrichis en cellulose 5,9 t (cigarettes, bétail) ; *précipité vert* 14,1 t (pigments et amidon pour enrichir les aliments du bétail 0,9 t, protéines insolubles pour bétail 1,35 t) ; *jus brun* (protéines solubles 1,65 t dont fractions utilisables par l'homme : cristallisées 0,325 t et non cristallisées 1,325 t ; sels, sucres, acides aminés, vitamines, etc. 4,1 t). Néanmoins, la culture nécessite beaucoup d'eau et d'engrais (surtout azotés).

■ **Composition type de la fumée, en mg par cigarette.** Les teneurs minimales sont inférieures pour produits ultra-légers. *Phase particulaire :* nicotine 0,3 à 1,5, phénol 0,03 à 0,09, crésol 0,01 à 0,03, benzopyrène 10^{-5} à 2.10^{-5}, chrysène 3.10^{-5} à 6.10^{-5}, autres hydrocarbures aromatiques polycycliques 3.10^{-4} à 6.10^{-4}, aldéhydes + cétones 0,5 à 2, acides 0,5 à 1,5, alcools et polyols 0,2 à 2. *Phase gazeuse :* azote 250 à 270, oxygène 50 à 60, CO_2 40 à 60, CO 8 à 18, H_2 0,1 à 0,2, H_2O 3 à 5.

Constituants biologiquement actifs. La fumée de cigarette est un aérosol composé de particules solides ou liquides de 0,1 à 2 αm, et d'un gaz, et qui sont formés sous l'effet de la combustion. Plus de 7 000 composants ont déjà été identifiés. *Nicotine :* alcaloïde qui agit d'une manière spécifique sur le système nerveux sympathique et parasympathique. Peut avoir un effet paradoxal en agissant soit comme sédatif, soit comme stimulant favorisant la vigilance. Impliquée dans certains effets du tabac sur l'appareil cardio-vasculaire. *Acroléine et autres aldéhydes :*

composés irritants (toux du fumeur). *Oxyde de carbone :* sous-produit de la combustion incomplète du tabac. Il se fixe sur l'hémoglobine des globules rouges, la transformant en carboxyhémoglobine stable, ce qui réduit l'oxygénation du sang. *Goudrons (aromatiques polycycliques) :* condensat de fumée carcinogènes et cocancérigènes, (benzo-pyrènes, nitrosoamines, nickel, plutonium 240, arsenic). *Taux européens par cigarettes :* au 1-12-1992 inférieurs à 15 mg, et au 1-12-1997 inférieurs à 12 mg.

Teneurs en nicotine, et entre parenthèses, en goudrons (inscrites sur les paquets, en mg) en 1989. *Légende.* Filtre : f ; menthol : m ; rigide : r ; souple : s ; légère : l. Ex. : **Ariel** m 0,98 (14,9). **Boyard** (maïs) 2,95 (45). **Chesterfield** King Size Export f 1,14 (14,9) ; King Size sans f 1,55 (19,9). **Française** 1,39 (19,8). **Gauloises** 1,37 (19,6) ; Disque Bleu 1,45 (18,5) ; Disque B. f 0,77 (12,5). **Gitanes** 1,46 (19,5) ; maïs 2,8 (39,8). **Lucky Strike** 1,14 (18,4) ; f 0,97 (14,9). **Malboro** 100'S r et s 1,2 (16,9) ; f box et f King Size 1,09 (14,9). **Pall Mall** s 1,9 (25) ; f (100 mm) 1,15 (14,9) ; f r 1,05 (14,4) ; l (10 mm) 0,75 (9,5) ; m (100 mm) 1,15 (14,9). **Players Navy Cut** 1,75 (22). **Seitanes** r 0,45 (8).

■ Tabac dans le monde

■ **Tabac brut. Production** (en milliers de t, 1991) : Chine 2 245. USA 671. Inde 431. Brésil 335. Ex-URSS 231. Italie 220. Turquie 175. Zimbabwe 170. Indonésie 159. Grèce 120. *Monde 6 143.*

Commerce (en milliers de t, 1991, est.) : **Exp.** USA 225. Brésil 225. Grèce 148. Italie 140. Zimbabwe 136. Turquie 103. *Monde 1 640.* **Imp.** USA 220. Allemagne 205. G.-B. 99,6. P.-Bas 87,5. Japon 84. Espagne 64. *Monde 1 454.*

■ **Cigares. Cuba :** 300 millions produits par an (dont 10 exportés en France). *Producteur exclusif :* Cubatabaco, organisme d'État (300 millions de cigares par an). **1959** contrat avec Zino Davidoff (né à Kiev, fils d'un marchand de tabac ukrainien installé à Genève dep. 1911). **1968** apparition de Cohiba. **1970** Fidel Castro l'autorise à baguer à son nom des Hoyos-de-Monterrey. **1974** Castro fait créer le Cohiba (tabac en colombien) à partir de tabacs de la région de Vuelta Abajo [les feuilles du corps et de la sous-cape du cigare doivent venir d'une même récolte, seule la cape peut être d'origine différente ; le tabac connaît 3 fermentations (la 3e ôte l'ammoniaque)]. **1978** Davidoff commercialise des havanes sous son nom (gamme des « châteaux »). **1988** *(oct.)* Davidoff suspend les commandes de grands « crus » (qualité en baisse). **1989** *(-20-10)* 1re vente en France de Cohibas [Lancero (19,2 cm, 105 F). Corona Especial (85 F) et Panatela (50 F), Esplendido (120 F), Exquisito (55 F) et Robusto (65 F)]. **1990** *(-15-3)* Davidoff décide de ne plus utiliser de tabac cubain. *(-20-3)* Cubatabaco rappelle qu'elle est la propriétaire légale de la marque Davidoff et qu'elle continue à fabriquer des cigares D. sauf les grands « crus ». **1991** *(-6-3)* Davidoff présente des cigares de luxe fabriqués en Rép. Dominicaine. **France** (1989) 676 000 dont 34 000 exportés. *Consommation* 1 459 000.

☞ Un cigare qui craque quand on appuie dessus a été conservé dans un endroit trop sec. Un cigare fumé aux 3/4 commence à développer des arômes désagréables. La teneur en goudrons augmente.

Prix (janv. 1993, en F) : Deadema de Punch 150, cohiba esplendido 120, churchill de Romeo y Julietta 59,40, davidoff no 2 51, lusitania de Partagas 49,90, reserve superior d'Arturo Fuente no 1 40, viajante de Joya de Nicaragua 40, mouton-cadet du Honduras 32, mars de Pléiade 16, flor de Isabella philippin 6,30.

■ **Cigarettes. Production** (en milliards d'unités, 1991) : Chine 1 695. USA 735. CEE 694,8. Ex-URSS 307. Japon 270. All. 215. Brésil 175. Indonésie 162. G.-B. 107,7. Corée du N. 89,6. Inde 87,6. Bulgarie 80. P.-Bas 78. Pologne 78. Philippines 74. Turquie 63,9. Italie 63. ex-Yougoslavie 61,6. Grèce 29. Benelux 26. Portugal 15,4. Danemark 11,4. Irlande 7,8.

Consommation (nombre de cig. par hab. par an, 1991) : Grèce 2 815, Esp. 2 189, All. 1 820, Irl. 1 732, Belg. 1 721, *France 1 706,* G.-B. 1 650, Ital. 1 536, Port. 1 429, Dan. 1 288, P.-B. 1 204.

Ventes (en milliards de cigarettes, 1987) Marlboro 293 [1] (1989 : 318 dont étranger 180). Mild Seven 133 [2]. Winston 93 [3]. Benson & Hedges 67 [1,4,5]. Players 55 [1,4,6]. Camel 54 [3]. Populare 50 [7]. Salem 50 [3]. Cléopatra 46 [8]. Sol 45 [9]. MS 42 [10]. Belmont 42 [1,4]. Hollywood 42 [4]. Kool 35 [4]. Gauloises 35 [11].

Nota. – (1) Philip Morris. (2) Japan Tobacco. (3) Reynolds. (4) BAT. (5) Gallaher. (6) Imperial. (7) Monopole polonais. (8) Eastern Tobacco. (9) Monopole coréen. (10) Monopole italien. (11) Seita.

Marché américain des cigarettes (en %) : Philip Morris 43,4, RJR Nabisco 27,8, Brown & Williamson 11,1, Loews 7,3, American Brands 7, autres 3,4.

Chiffre d'affaires mondial Philip Morris (1992) : 59 milliards de $ dont (en %) alimentation 56 (USA 41), tabac 43 (USA 20, monde 23), finance (USA 1). No 2 mondial de l'alimentaire (cafés Jacques Vabre, Carte noire, Grand-Mère, chocolats Suchard, Hollywood Chewing-gum, etc.) derrière Nestlé. Le tabac rapporte 65 % de ses bénéfices. Le prix des Marlboro ayant été abaissé de 20 %, le 2-4-1993, pour récupérer une part de marché ; diminution attendue des bénéfices de 40 %.

Prix moyen du paquet de cigarettes (janv. 1993, en F TTC) et, entre parenthèses (en %) part du fisc/du débitant/du fabricant et du grossiste : Grèce 9,60 (75,4/11,5/13,1). Esp. 11,70 (64,3/8,5/27,2). Port. 11,85 (77,1/8,5/14,4). *France 13 (73,1/8,3/18,6).* P.-B. 13,90 (65,5/10,8/23,7). Ital. 14,60 (70,7/11,7/17,6). All. 15,80 (72,4/9,9/17,7). Belg. 15,80 (72/8,8/19,2). G.-B. 19,50 (74,9/9/16,1). Irl. 20,20 (74,3/8/17,7). Dan. 24,60 (84,4/5,6/9,8).

Prix d'un paquet de cigarettes (en min de travail, 1991) : Canada 23, G.-B. 18, Australie 11, *France 8,* All. 8, Ital. 7, USA 6,5, Japon 6, Esp. 3.

Dépenses de publicité « cigarettes » (en F pour 1 000 hab.) : Suisse 2 200. ex-All. féd. 1 200. Belg. 517. G.-B. 350. *France 100.*

■ Tabac en France

■ **Chiffre d'affaires** (1991, en milliards de F). État 31,7, fabricants et commerce de gros 9,8, débitants 3,6. *92 :* 35,5 (Chine 71,1 %).

■ **Seita. Chiffre d'affaires industriel et commercial** (en milliards de F, HT) : *1986 :* 7,64 ; *87 :* 8,02 ; *88 :* 9,04 ; *89 :* 10,3 ; *90 :* 11,23 ; *91 :* 12,4 ; *92 : 13,4.* **Résultats** (en millions de F) : *1986 :* – 196,4 ; *87 :* + 177,9 ; *88 :* + 461,6 ; *89 :* + 420,9 ; *90 :* + 377 ; *91 :* + 152,8 ; *92 :* + 366,7.

Apports de la Seita à l'État (sur le CA total des ventes de cigarettes) : 32,2 (dont impôt spécial 23,4, TVA et taxe additionnelle à la TVA 8,79, impôt sur les bénéfices 0,015 % des ventes brutes 67, des recettes fiscales brutes de l'État 2,2).

Effectifs : *1986 :* 7 948, *90 :* 5 905, *91 :* 5 671.

■ **Prix d'un paquet Gauloises brunes** (20 cig. par paquet, en F). **1910** *janv.* 0,60 ; **26** *avr.* 2,50 ; **37** *juillet* 3 ; **38** *nov.* 3,50 ; **39** *nov.* 4,50 ; **41** *mai* 6 ; **42** *mars* 7,50 ; **43** *janv.* 9 ; **44** *juin* 12 ; **45** *avr.* 15 ; **46** *janv.* 20, *févr.* 25 ; **47** *11-1* 23,50, *11-3* 22,50, *1-7* 38, *23-12* 48 ; **48** *20-9* 65 ; **51** *3-11* 80 ; **56** *9-7* 95 ; **59** *15-1* 1,15 (NF) ; **61** *30-10* 1,25 ; **63** *31-5* 1,40, *25-9* 1,35 ; **68** *1-8* 1,50 ; **72** *11-7* 1,70 ; **76** *1-7* 2, **78** *16-5* 2,30 ; **79** *1-8* 2,50 ; **80** *15-7* 2,90 ; **81** *3-8* 3,40 ; **82** *1-2* 3,80 ; **83** *24-1* 4, *1-7* 4,30 [1] ; **84** *9-1* 4,55 [1], *15-4* 4,65 [1], *11-7* 4,25 ; **85** *6-5* 4,45 ; **86** *1-4* 4,55, *2-6* 4,80 ; **87** *3-8* 5 ; **88** *18-4* 5,40, *1-7* 5,50 ; **89** *1-1* 5,50. **90** *1-8* 5,50. **92** *27-4* 6,40 ; **93** *18-1* 7,50. *24-5* 8,50 [prix au 27-5-93 (et au 27-4-92) : Gitanes brunes 10 (8,10)].

Nota. – (1) Cotisation CNAM incluse.

Décomposition du prix de vente du paquet de Gauloises blondes (au 24-5-1993). Prix de vente au détail 11,20 F dont droit de consommation 6,672, TVA + Bapsa (Budget annexé des prestations sociales agricoles) 1,826, part fabricant 1,806, remise au débitant 0,896.

■ **Production. Variétés produites :** tabacs noirs légers (Paraguay et hybrides utilisés dans les mélanges Caporal, dit « goût français », 99 % de la prod.), corsés (Nijkerk), clairs [Virginie, Burley dans les cigarettes blondes de « goût américain » (VIR + BEY) ou « anglais » (VIR uniquement)]. **Planteurs :** *1947 :* 115 563. *69 :* 44 249. *79 :* 29 870. *83 :* 19 700. *89 :* 12 590. *90 :* 11 290. *92 :* 10 300. **Surface plantée** (en ha) *: 1947 :* 29 312. *77 :* 22 000. *81 :* 17 500. *83 :* 14 174. *90 :* 10 704. *91 :* 10 540 dont blond 4 200. *92 :* 10 642. **Production** (en t) : *1976 :* 61 441. *80 :* 46 159. *84 :* 36 000. *90 :* 28 295. *91 :* 29 500 (dont 65,8 % de tabac brun). *92 (est.) :* 26 000. **Rendement** (en kg/ha) : *1980 :* 2 504. *82 :* 2 881. *87 :* 2 369. *90 :* 2 643. *91 :* 2 800. *92 (est.) :* 2 400. **Importations** (en t) : *1987 :* 33 865. *88 :* 31 285. *89 :* 26 584. *90 :* 30 306. *91 :* 26 800. **Usines :** cigarettes et scaferlatis 7, cigares 2, allumettes : 2, centres de recherche : 2. **Débits de tabac :** *1992 :* 37 500.

■ **Vente en France métropolitaine de produits fabriqués par la Seita et,** entre parenthèses, **par des étrangers** (en millions d'unités, 1991). Cigares et cigarillos 710 (760), cigarettes 46 851 (50 149) ; **en t :** tabacs à fumer [scaferlatis (ou scaperletti de l'italien « coupés aux ciseaux » ; tabac haché)] 3 150 (1 750), tabac à priser et à mâcher 24 (373) [1]. *En 1989 :* 483 marques étrangères et 193 marques françaises ont été vendues en France. **Part des cigarettes étrangères dans le marché français** (en %) : *1975 :* 13, *1989 :* 48,3.

Nota. – (1) 1990.

Consommation des rôles [1] et carottes [2] : *XIXe s. :* 1 000 t. *1818-85 :* 1 400 t. *1980 :* 57 t. **Consommation de poudre à priser :** *avant 1870 :* 8 000 t. *1900-27 :* 5 000 t. *1927-39 :* 2 000 à 3 000 t.

Nota. – (1) Longtemps appelé « tabac bâtard », les *rôles,* fabriqués à Morlaix, se présentaient sous la forme menu-filé (aspect d'une ficelle), ordinaire (aspect d'une corde). (2) La *carotte* est tronçonnée en bouts égaux qu'on lie par torsion et, comprimée très fortement en moule après un sauçage, elle se présente comme un bâton aggloméré, pesant près de 2 kg.

Ventes de la Seita à l'exportation (en milliards d'unités, 1991) : 10,8 dont en 89, 3,8 de produits fabriqués sous licence à l'étranger. **Exportations totales de cigarettes françaises** (1991) : + de 11 milliards de cigarettes (+ 11 % par rapport à 1990) dont cigarettes blondes 5,5 milliards (+ 26 %).

Marques les plus vendues (en %, 1991) : Gauloises brunes 22,8, Marlboro 19,58, Gitanes brunes 9,57, Peter Stuyvesant 8,74, Camel 7,79, Gauloises blondes 6,85, Philip Morris 5,02, Royale 4,67, Rothmans 2,47, Dunhill 1,65.

Parts du marché français du blond (en %, en 1992) : Philip Morris 37,34 (Marlboro 29,88, Philip Morris 7,46), Seita 20,27 (Gauloises bl. 11,69, Royale 6,73, Lucky Strike 1,85), Rothmans 19,21 (P. Stuyvesant 11,81, Rothmans 3,44, Dunhill 2,27, Golden American 1,69), Reynolds (Camel) 10,30.

■ **Dépenses de publicité pour le tabac** (en millions de F, 1989, pub. illicites non comprises) 321,5 dont presse magazine 227, cinéma 45.

■ **Consommation totale (cigarettes et autres produits)** (en milliers de t). *1980 :* 97,2. *85 :* 105,1. *88 :* 100,1. *89 :* 101,75. *90 :* 102,5. *91 :* 103,8. *92 :* 103,1. **Cigarettes** (en milliards) *1867 :* 0,01. *1876 :* 0,4, *1898 :* 1,5, *1922 :* 8, *1930 :* 15, *1970 :* 67, *1980 :* 85,7 (1 803 par hab.), *1990 :* 95,8, *91 :* 97,1 (1 706 par hab.).

■ **Fumeurs. Répartition par âge** (1988) : *12-13 a. :* 12 %. *14-15 :* 36. *16-17 :* 56. *18 :* 66. *19-24 :* 57. *25-34 :* 54. *35-49 :* 39. *50-64 :* 26. *65 et + :* 15. **Adultes fumeurs** (en % de la population) : *1977 :* hommes 51, femmes 29 ; *1986 :* h 45,8, f 30 ; *1991 :* h 46, f 35 ; *1992 :* h 48, f 33. **Fumeuses** (1988 et entre parenthèses 1980, en %) : *20-24 a. :* 64 (37), *25-34 :* 47 (26), *35-44 :* 31 (17), *45-54 :* 18 (13), *55-64 :* 17 (11). **Quantités fumées [hommes (femmes) :** *1 à 5 par j :* 6,1 % (6,9 %), *6 à 15 :* 16,2 (10,3), *16 à 20 :* 15 (8,7), *21 et + :* 6,9 (3,5), *ne savent pas :* 0,4 (0,8).

% de fumeurs réguliers chez les 15/19 ans : *1977 :* 46, *87 :* 36, *91 :* 30. **Age de la 1re cigarette :** *1980 :* 12,3 ans (garçons) et 13,1 (filles), *1991 :* 14,5 ans.

■ Tabac et santé

☞ Un sujet commençant à fumer à 15 a. un paquet quotidien aura fumé à 45 a. env. 220 000 cig., à 55 a. env. 300 000 [pour un paquet 1/2 (30 cig. par j) : 450 000]. Réduire sa consommation peut être illusoire si on la compense par une inhalation plus profonde, en gardant plus longtemps la fumée dans les poumons.

Un non-fumeur dans une pièce enfumée absorbe en une heure la quantité de nitrosamines correspondant à la consommation de 15 cigarettes à bout filtre.

Effets du tabac

☞ Selon le professeur Tubiana, dès 1955 il n'y avait plus aucun doute sur le rôle du tabac dans l'origine des cancers du poumon. Mais il a fallu 20 ans en France pour qu'enfin les hommes d'État réagissent grâce à Simone Veil (loi de 1976, voir p. 1618 b). « Il faut féliciter ceux qui, comme Claude Évin (dont la loi promulguée début 1991, interdit notamment toute forme de publicité et de sponsoring aux marques de tabac), ont eu le courage de passer des paroles aux actes. Il est dérisoire que des hommes politiques, pour la défense de groupes particuliers, et afin de faire triompher des intérêts financiers sur ceux de la santé, tentent de ralentir les actions contre le tabac. Le tabac tue 65 000 Français/an. Si l'on ne fait rien, il en tuera, au rythme auquel fument les jeunes, 130 000 chaque année au début du XXIe siècle. Ladislas Poniatowski, député UDF, a déposé un amendement à la loi Évin qui exclut du champ de l'interdiction le parrainage des manifestations sportives automobiles.

Accidents du travail (étude : Dr Galle) : atteignaient 37,2 % des fumeurs, 17,7 % des non-fumeurs.

Appareil circulatoire (maladies). Perturbe la circulation du sang (épaississement de l'épithélium des globules rouges). Réduit les échanges gazeux. Affecte particulièrement artères du cerveau, cœur et membres inférieurs, tube digestif, app. génital, sens (fréquence de l'artérite tabagique). *Fréquence des cardiopathies ischémiques* chez les fumeurs de 20 cig./j triple de celle des non-fumeurs.

☞ 2 ans après avoir arrêté de fumer, le risque de décès par maladie coronarienne est réduit de 50 à 60 %. Les anciens fumeurs doivent attendre 5 à 10 ans pour se retrouver au niveau de ceux qui n'ont jamais fumé. D'après l'University School of Medecine de Boston, les cig. dites « *légères* », à faible taux de nicotine, goudron et monoxyde de carbone sont, du point de vue de leurs effets secondaires sur l'appareil cardio-vasculaire, aussi nocives que les cig. normales.

Atteintes buccales et digestives. Dégénérescence des muqueuses de l'app. aéro-digestif par la chaleur (le bout incandescent de la cig. pouvant atteindre plus de 800°). Sécheresse des muqueuses (sauf chez les fumeurs de pipe), bouche pâteuse, haleine fétide, pharyngite chronique, altérations dentaires diverses ; risque de leucoplasie dégénérative chez le fumeur de cig. collées à la lèvre. *En 1975 :* 93 % des ulcéreux fumaient plus de 20 cig./j.

Cancers. De l'appareil respiratoire et urinaire : sur 481 substances cancérigènes isolées par Hart, une seule ne se trouve pas dans la fumée du tabac. **Du poumon :** responsable de 90 % des cancers (Wayne McLaren, le cow-boy de la publicité de Marlboro, qui avait fumé 30 cigarettes par jour pendant 25 ans, est mort en 1992 d'un cancer du poumon). **Du larynx et du pharynx :** s'observent particulièrement chez les fumeurs. De **l'œsophage et du larynx :** liés à l'interaction du tabac et de l'alcool ; nettement plus élevé chez les fumeurs. **De la vessie :** selon une étude faite aux USA, les 2/3 des morts par cancer seraient dues au tabagisme et au régime alimentaire.

Espérance de vie à 25 ans (selon Hammond). *Fumeurs* (1 paquet de 20 cig. par j) : 42 ans, (1,5 paquet/j) : 39 ans, *non-fumeurs* 48 ans. Un « petit » fumeur (env. 10 cig./j) est encore 13 fois plus exposé que le non-fumeur aux risques de maladies liées à l'usage du tabac. Le risque est maximal avec une dose moyenne de 1 paquet/j. La vie des fumeurs d'âge moyen (35-69 ans) peut être raccourcie de 15 à 20 ans du fait de l'usage du tabac. Les parents non fumeurs laissant leur enfant de 10 à 12 a. commencer à fumer ont de bonnes chances de vivre plus longtemps que lui. Plus le tabagisme est précoce, plus il est dangereux (en France, en 1990, 65 % des fumeurs ont commencé à fumer avant 13 ans).

Grossesse. Le placenta ne filtre ni la nicotine ni l'oxyde de carbone et les communique à l'enfant dans l'utérus de la mère qui fume ou qui absorbe la fumée d'autres fumeurs proches. *Taux moyen d'oxyde de carbone :* femme ne fumant pas 1,2 % (fœtus 0,7 %), fumant 8,3 % (fœtus 7,3 %). Selon une étude suédoise, le tabagisme est responsable de 11 % des morts tardives du fœtus et 5 % des morts néonatales précoces.

Mortalité. Taux attribuable au tabac (1989, en %) : Pays développés 55, Inde 20, Chine 10, Amérique latine 5, autres pays en voie de développement 10. USA 400 000 † par an (dont cancer du poumon 143 000). **France :** *1958 :* 11 000 ; *74 :* 35 000. *91 (est.) :* 66 000 (55 000 cancers, 11 000 maladies cardio-vasculaires). *2000* (prév. 91) : 130 000. *2025* (est.) : 165 000 décès prématurés. **Coût :** 45 milliards de F en 1985 (alors que le tabac ne rapportait que 23,4 milliards de F de taxes). **Incendies spectaculaires provoqués par des fumeurs :** *Chine* (1982) : + de 1 300 000 ha de forêt incendiés, 400 † ou blessés, 5 600 sans-abri. *G.-B.* (nov. 1987) : métro King's Cross 31 †.

Lutte contre le tabagisme en France

Désintoxication. Acupuncture : pose d'aiguilles en des points précis de la surface de la peau correspondant à certaines parties du corps, pendant 20 à 40 min. Permet de rétablir l'équilibre énergétique et de faire disparaître la sensation de besoin en provoquant un certain dégoût du tabac. **Auriculothérapie :** on stimule 2 points précis de l'oreille par un fil, une agrafe, posés sous anesthésie locale et conservés 3 semaines. **Entretien individuel :** réunion avec un thérapeute pour élaborer une stratégie de sevrage personnalisée. **Homéopathie :** administration à des doses infimes et régressives d'un extrait de tabac, pendant plusieurs semaines. **Mésothérapie :** micro-injection en des points d'acupuncture, par de multiples aiguilles, d'un mélange de produits (dont un anesthésiant). **Thérapie de désaccoutumance :** gomme à mâcher à la nicotine prescrite par un médecin. Dose déterminée selon le test de dépendance à la nicotine. Traitement efficace chez les fumeurs dépendants de la nicotine. **Thérapie de groupe :** réunions avec un ou plusieurs thérapeutes s'intéressant aux motivations des fumeurs, donnant des informations sur les méfaits du tabac, des conseils d'hygiène alimentaire et sportive. **Plan de 5 jours** de la ligue Vie et Santé. **Timbre anti-tabac :** commercialisé en France le 30-3-1992 ; délivre, à travers la peau, des doses décroissantes de nicotine. Coût : 1 500 F pour 3 mois (non remboursé).

Organismes spécialisés. *Comité national contre le tabagisme,* Association française contre l'abus du tabac fondée 11-7-1868 par le vétérinaire Gal Émile Decroix, devenue 1877 S[té] contre l'abus du tabac, 1968 reconnue d'utilité publique 1977). 66, rue des Binelles, BP 13, 92310 Sèvres (3615 TABATEL). *Ligue Vie et Santé.* Organisatrice du Plan de 5 jours. 732, avenue de la Libération, 77350 Le Mée-sur-Seine. *Centre d'aide au sevrage tabagique.* Hôpital Henri-Mondor, Créteil.

Interdictions. *Loi Veil* 76-616 du 9-7-1976 et décret 77-1042 du 12-9-1977, *loi Evin* du 10-1-1991 et décret rendu public le 29-4-1992. Il est interdit de fumer dans : **1°)** *les locaux affectés à un usage collectif* autres que ceux à l'usage exclusif d'habitation personnelle, n'offrant pas un débit minimal de ventilation de 7 l par seconde et par occupant (locaux ventilés mécaniquement ou par conduits) ; un volume minimal de 7 m³ par occupant (locaux ventilés par ouvrants extérieurs) ; **2°)** *écoles et collèges* et autres établissements d'enseignement de niveau comparable (locaux fréquentés par les élèves) ; **3°)** *locaux destinés à recueillir des moins de 16 ans* pour leurs activités collectives de loisirs, d'hébergement des centres de loisirs et de vacances (si des moins de 16 ans y sont admis) ; **4°)** *établissements d'hospitalisation, de soins et autres à vocation sanitaire* (locaux à usage collectif utilisés pour accueil, soins et hébergement des malades) ; **5°)** *véhicules de transports routiers collectifs ;* si ces véhicules ne sont pas destinés à transporter principalement des élèves ou des moins de 16 ans, une zone d'au moins 50 % des places peut être accessible aux fumeurs si un dispositif efficace empêche la propagation de la fumée ; **6°)** *ascenseurs à usage collectif ;* **7°)** *voitures de transports publics urbains, funiculaires et téléphériques ;* **8°)** *transports ferroviaires* (50 % au moins des compartiments doivent être réservés aux non-fumeurs). *Taxi :* le chauffeur peut inviter ses clients, verbalement ou par affichettes, à s'abstenir de fumer. Lui-même n'a pas le droit de fumer.

Sanctions. Contravention de 500 à 1 300 F pour les fumeurs impénitents, et de 3 000 à 6 000 F pour les chefs d'entreprise ayant réservé aux fumeurs des emplacements « non conformes ».

Augmentation du prix. Une augmentation de 50 % du prix du tabac diminuerait la consommation d'ensemble de 25 % et de 70 % chez les adolescents. La Finlande qui a fortement augmenté ses prix connaît dep. 1985 une réduction des consommations de 3 % par an (France : 0,4 %). Au Canada, très restrictif, la proportion de fumeurs est passée de 43 à 26 % (1966 à 86). *En France :* augmentation prévue de 15 % pour 1991, de 10,25 % au 1-4-1992.

Publicité. Loi Simone Veil du 9-7-1976 : la publicité protabagique est interdite à la radio, télévision, au cinéma, par affiches ou enseignes (sauf exception), par voie aérienne, fluviale ou maritime. Dans la presse écrite, la surface consacrée au tabac ne pourra être supérieure à celle de 1974-75. La teneur moy. en nicotine, goudrons et autres substances doit figurer sur le paquet de cig., ainsi que la mention « abus dangereux ». *Amendement du 14-1-1989 :* soumet aux mêmes restrictions que la publicité pour les produits du tabac celle des produits et articles associés à sa consommation portant le nom, la marque ou l'emblème publicitaire d'un tabac ou d'un produit du tabac. Vise à éviter le détournement de la loi par la publicité de briquets, allumettes, vêtements, voyages, etc. portant le nom d'un tabac. **Loi Evin du 10-1-1991** contre l'alcoolisme et le tabagisme. À partir du **1-1-1993,** interdiction de toute publicité sur le tabac y compris indirecte (publicité pour une marque, parrainage sportif, culturel). En avril 1991, la S[té] Chevignon (vêtements pour jeunes) a dû renoncer à son contrat du 20-7-1989 ; elle avait loué son nom à la Seita pour une marque de cigarettes mise en vente le 18-2-1991 (la Seita verserait 8 % du prix des cigarettes vendues à Chevignon avec un min. de 100 millions de F annuel).

Amendes. Condamnation par la 31ᵉ chambre du tribunal correctionnel de Paris (20-1-1993). *Montant de l'amende* et, entre parenthèses, *des dommages-intérêts au CNCT :* (en milliers de F) : Canal + 300 (250), l'Équipe-Magazine 150 (200), Seita 150 (150) (bulletins de jeux), Philip Morris France et Relais H 200 chacun (250) (sacs en plastique).

Nota. – L'OMS a organisé des journées mondiales sans tabac (7-4-1988, 31-5-89, 90, 91, 92).

☞ **USA, % de fumeurs :** *1965 :* 40, *88 :* 29. Dep. le 23-4-1988, interdiction de fumer sur les *avions* effectuant des vols de – de 2 h et sur les vols intérieurs de Northwest Airlines, soit 80 % du trafic (amende de 1 000 à 2 000 $) et dep. le 23-2-90 sur les vols intérieurs de – de 6 h. À *New York,* les restaurants de plus de 50 couverts doivent réserver 70 % des places aux non-fumeurs, les entreprises de plus de 15 personnes doivent aménager des fumoirs. Fumer est interdit dans : taxis, magasins, lieux couverts fréquentés par plus de 15 personnes, cinémas, théâtres.

Canada, publicité interdite. Prix moyen du paquet 6,50 $ (USA : 2,25 $) ; de nombreux Canadiens achètent leurs cigarettes aux USA. *Production* en milliards de cigarettes *1981 :* 69 ; *92 :* 4.

Thé

■ **Origine.** Depuis plus de 2700 av. J.-C. dans l'Assam supérieur (Inde) et le Yunnan (S.O. de la Chine). Connu au Japon dep. l'an 700 env. ; en Angleterre par l'intermédiaire des Hollandais et de leur Cie des Indes orientales, vers 1650.

■ **Culture.** Le théier [dénommé *« Camellia sinensis » ;* 2 variétés principales, le théier de Chine (*C. sinensis* var. sinensis) et le théier d'Assam (*C. sinensis* var. assamica)], arbuste à feuilles persistantes maintenu à 1,20 m de haut en tables de cueillette (à l'état sauvage peut atteindre 10 à 15 m) ; cultivé dans des régions au climat chaud et humide avec des pluies régulières réparties de préférence au cours de l'année. Croît entre le 42ᵉ degré de latitude Nord et le 31ᵉ degré Sud. Peut être cultivé jusqu'à 2 500 m dans l'Himalaya (Darjeeling). La plantation commence à produire au bout de 3 à 4 ans. Des tailles successives permettent un bon rendement pendant 50 ans. **Cueillette** des jeunes pousses toutes les 2 semaines, toute l'année, sauf en altitude où elle cesse l'hiver. *Cueillette fine* [3 feuilles terminales (jeunes pousses) : constituée par le *pekoe* (du chinois *Pak-ho :* cheveu ou duvet), bourgeon terminal, et les 2 feuilles suivantes (orange pekoe)]. En Chine on cueille jusqu'aux 4ᵉ et 5ᵉ feuilles qu'on appelle *souchong.* Une bonne cueilleuse peut ramasser 6 kg (théier de Chine) à 10 kg (th. d'Assam) soit 20 à 30 kg de feuilles fraîches. Il faut env. 5 kg de feuilles pour 1 kg de thé manufacturé sur place, dans les 36 h qui suivent la cueillette. Généralement, le thé noir vient du théier d'Assam, le thé vert du théier de Chine.

■ **Thés noirs.** Pratiquement les seuls utilisés en Europe. Ils subissent le traitement suivant en partant des feuilles fraîches : *Flétrissage :* en chambres ou greniers de flétrissage (env. 20 h). *Roulage :* en plusieurs opérations avec criblage intermédiaire (env. 30 min). *Fermentation :* de 1 h à 3 h suivant les régions. *Dessiccation* ou *torréfaction :* 15 à 20 min pour arrêter la fermentation. *Triage :* suivant les grades, avant l'emballage. La préparation du thé de Chine est un peu différente mais repose sur les mêmes principes.

Grades des thés noirs (sauf thés de Chine). FEUILLES ENTIÈRES : *Flowery orange pekoe (FOP) :* long, fin, bien enroulé, contenant les pointes fines des bourgeons appelées *tips* ou pointes dorées. *Orange pekoe (OP) :* long, morceaux minces de feuilles jeunes et souples avec quelques tips. *Pekoe (P) :* plus court, moins fin, ne contenant pas de tips. *Pekoe souchong (PS) :* encore plus court et plus grossier, composé de feuilles plus âgées. *Souchong (S) :* régulier, sans feuilles ouvertes ; fait de petites boules représentant des feuilles plus âgées.

FEUILLES BRISÉES (rendement supérieur, qualité similaire) : *Broken orange pekoe (BOP) :* morceaux de jeunes feuilles brisées pendant le roulage (ou volontairement brisées après la torréfaction), morceaux jamais plats devant aussi contenir des tips. *Flowery Broken Orange Pekoe :* même définition. *Broken pekoe (BP) :* morceaux plats, venant de feuilles plus âgées, sans tips. *Broken tea (BT) :* morceaux plats des feuilles les plus âgées n'ayant pu s'enrouler lors du roulage. *Fannings (F)* ou *pekoe fannings (PF) :* morceaux plats, petits, parfois avec tips (PF) recherchés pour les sachets. *Dust :* poussière de thé formée par les brisures des feuilles, recherché pour les sachets en papier filtre.

THÉS NOIRS DE CHINE à servir sans lait et parfois parfumés de fleurs odorantes. *Flowery Pekoe* ou *Pekoe* à pointes blanches : préparé avec les feuilles terminales les plus jeunes et les plus tendres ne comprenant que les bourgeons terminaux des feuilles repliées sur elles-mêmes. *Pekoe :* feuilles les plus tendres. *Souchong :* grosses feuilles plus âgées, fermées à la préparation. *Congou :* variété de feuilles courtes (*Panyong, Moning, Keemun,* etc.).

THÉS NOIRS SEMI-FERMENTÉS (intermédiaires entre thés noirs et verts) : le *Oolong* de Formose est le plus célèbre ; particulièrement recherché aux USA et en France (3ᵉ consommateur mondial).

☞ Qui aime les thés très corsés choisira les *Broken* et les *Pekoe ;* qui aime les thés délicats choisira les *Orange Pekoe.*

■ **Thés verts.** Tous non fermentés contrairement aux thés noirs [après humidification, feuilles chauffées (torréfiées ou ébouillantées) puis séchées] ; les plus connus en Europe et dans les pays africains musulmans sont : *Gunpowder* : feuilles roulées ayant l'aspect de grains de 3 mm. *Chun-Mee* : feuilles enroulées irrégulièrement, plus longues. *Sow-Mee* : morceaux plus petits et brisés. *Young Hyson* et *Hyson* : feuilles jeunes, du début du printemps, très rares et peu consommées en France.

■ **Conseils de consommation.** Il faut ébouillanter la théière, mettre une cuiller à thé par personne (env. 2,5 g), verser l'eau frémissante et non bouillie sur le thé, laisser infuser 3 à 6 min selon l'origine, enlever les feuilles de la théière, remuer et servir. En général les thés noirs peuvent être consommés avec du lait sauf les thés de Chine.

■ **Statistiques. Production** (en milliers de t, 1991) : Inde 723, Chine 570, Sri Lanka 232, Kenya 200, Indonésie 158, Turquie 135, ex-URSS 118, Japon 90, Iran 45, Argentine 45, Bangladesh 38, Malawi 36, Tanzanie 20, Rwanda 13, Brésil 10, *Monde 2 553.*

Commerce (en milliers de t, 1989) : **Exp.** Inde 220,7. Chine 204,6. Sri Lanka 203,8. Kenya 163,2. Indonésie 114,7. Argentine 43,3. Malawi 39,9. **Imp.** ex-URSS 214,6. G.-B. 162,9. Pakistan 116,9. USA 90,1. Égypte 62,0. Irak 36,6. Pologne 33,5. Japon 30,8. Iran 30,0. Maroc 27,5.

Consommation : mondiale env. 1 750 000 t (soit env. 900 milliards de tasses). **En kg, par an, par hab.** (moy. 1986-88) : Irlande 3,07. Irak 2,95. Qatar 2,91. G.-B. 2,84. Turquie 2,73. Koweït 2,32. Tunisie 1,72. Hong Kong 1,66. N.-Zél. 1,66. Égypte 1,40. Bahreïn 1,35. Sri Lanka 1,33. Arabie S. 1,26. USA 0,35. ex-All. féd. 0,24. *France 0,18.*

☞ Un Anglais prend env. 2 000 tasses par an, un Allemand 130, un Français : 75 à 80.

DIVERS

■ ARBRE À LAIT

■ **Origine.** N. de l'Amér. du S. De la famille du figuier fournissant un lait (latex) blanc (par incision de l'écorce), sucré, se buvant en petites quantités (astringent).

■ BIÈRE

■ **Origine.** XIIIe s. On incorpore du houblon dans la cervoise. **1435** 1re référence à la « bière ». **1856** Jean-Louis Baudelot (français) invente un refroidisseur de moût qui permet de fabriquer de la bière toute l'année. **1873** Louis Pasteur préconise de détruire les germes contenus dans la bière par élévation de la température. **Composition.** *Boisson* obtenue par la fermentation alcoolique d'un moût composé d'eau, de malt d'orge pur ou associé à 30 % au plus de grains crus (maïs ou riz) ou (et) de succédanés (glucose, saccharose), aromatisé par le houblon (donne l'amertume et la digestibilité) : 170 g/hl de bière. *Eau* : sa bonne qualité est indispensable. *Levures* : donnent parfum et partie du goût. **Composition nutritionnelle** (en g/l) Bière dite « de luxe » et, entre parenthèses, bière sans alcool. *Valeur énergétique* : kcalories 45 (27,4). Kjoules 188,5 (114,4). *Glucides* : 4 (5,6) dont dextrines 2,7 (2,4). *Protéines* : 0,45 (0,2). *Alcool* : 4 (0,06). Degré volumétrique 5 (0,8). *Éléments minéraux* : Potassium 38 mg (23,8). Magnésium 8,55 mg (4,7). Calcium 5 mg (2,4). *Vitamines* (en microgrammes) : Thiamine (B1) 1,5 (2). Riboflavine (B2) 21 (11). Pyridoxine (B6) 41,4 (36). Vitamine B 12 2 (1,2). Acide nicotinique (PP) 100 (460).

■ **Fabrication.** *Maltage* : trempage de l'orge et germination. *Touraillage et séchage* : arrêt de la germination ; de blond, il devient brun, lorsque le malt a été plus longuement grillé. *Dégermage* : enlèvement des radicelles. *Brassage* : le malt, moulu en farine, est brassé avec de l'eau et à haute température. *Après filtrage,* il est mis 2 heures à bouillir avec du houblon, puis il est refroidi. *Fermentation* : 2 stades : *ferm. principale,* durée 5 à 10 j, temp. 8 à 10 °C ; *ferm. secondaire* ou *garde,* durée 2 à 8 semaines, temp. env. 0 °C. Le moût est additionné de levures ; on le laisse fermenter plusieurs j. Suivant le type de levure utilisée, on distingue la *fermentation haute* (la plus traditionnelle) : rapide et à température élevée (15 à 25 °C) ; la levure monte à la surface et la *ferm. basse* : temp. moins élevée ; la levure se dépose au fond de la cuve. Ensuite, la bière est *filtrée* puis *soutirée,* et mise en bouteilles pasteurisées (pour améliorer la conservation) ou en fûts. Les amateurs de bière la préfèrent sous pression plutôt qu'en boîte ou en bouteilles. Pour faire 1 l de bière il faut env. 150 g de malt obtenus à partir de 200 g d'orge, de 1,5 à 2 g de fleurs de houblon séchées, 50 g de maïs ; elle fermente env. 9 semaines, contient de 4° à 8° d'alcool, et compte env. 400 calories/l.

■ **Monde. Production** (1991, en millions d'hl). 1 165 dont **Europe 446** (All. 118, G.-B. 61, CEI 50, Esp. 26, Tchécosl. 24. *France 23,* P.-B. 20, Belg. 14, Pologne 12, ex-Youg. 10, Ital. 11, Autriche 10, Roumanie 10, Dan. 9, Hongrie 9, Port. 7, Bulgarie 5, Suède 5, Irl. 5, Finl. 4, Suisse 4, Grèce 3, Norv. 2, Lithuanie 2, Lux. 0,5), **Afrique 58** (Rép. sud-afr. 22, Nigeria 8, Cameroun 4, Kenya 3, Zaïre 3, Zimbabwe 3, Ruanda et Burundi 2, Côte-d'Ivoire 1, Gabon 0,9, Zambie 0,9, Tanzanie 0,7, Maroc 0,6, Ghana 0,6, Congo 0,6, Namibie 0,5, Togo 0,5), **Amérique 437** (USA 237, Brésil 65, Mexique 41, Colombie 24, Canada 22, Venezuela 13, Argentine 8, Pérou 6, Cuba 3, Chili 3, Équateur 2, Bolivie 1, Rép. Dominicaine 1, Guatemala 1, Paraguay 1, Panama 1), **Asie 200** (Chine 80, Japon 68, Corée du S. 16, Philippines 15, Taiwan 4, Turquie 3, Thaïlande 3, Indes 2, Hong Kong 1, Malaisie et Singapour 1, Indonésie 1, Viêt-nam 1, Corée 1, Israël 0,5), **Océanie 23,** Australie 19, N.-Zélande 4. **Consommation CEE** (en l par hab., 1991). All. 142,7, Danemark 125,9, UEBL 112, G.-B. 105,7, P.-Bas 90,5, Espagne 70,9, *France 40,5.*

Principaux brasseurs. Production (en millions d'hl), **chiffre d'affaires** (en milliards de F), **part de la bière dans le CA** (%). Kirin Breweries [1] 324 millions d'hl/48,2 Mds de F (89 %), Heineken [2] 53,5/17,5 (82), BSN [3] 24,6/6,6 (12,2), Guinness [4] 19,4/13 (37), Carlsberg [5] 17,5/6,5 (71), Bass [4] 14,7/14 (33), Allied Lyons [4] 11/19,2 (38), Whitbread [4] 7,6/6 (44), Scottish & Newcastle [4] 7,4/12 (58).

Nota. – (1) Japon. (2) P.-B. (3) France. (4) R.-U. (5) Danemark.

Importations et, entre parenthèses, **exportations** (en millions d'hl, 1991). All. 2,8 (6,17), Belg.-Lux. 0,46 (3,14), Dan. 16 (2,56), Esp. 1,39 (0,25), *France 2,91 (1,01),* G.-B. 5,33 (1,84), Grèce 0,17 (0,06), Irl. 0,65 (2,6), Ital. 2,48 (0,16), P.-B. 0,77 (7,02), Port. 0,13 (0,29). *CEE 17 110 (25 142).*

■ **En France. Consommation : globale** (en hl, 1991) : 22 880 000 ; **par habitant** en l par an (entre parenthèses, 20 ans et +). *1960* : 35,4 (52,3) ; *70* : 41,25 (61,4) ; *80* : 44,31 (63,6) ; *90* : 41,5 (56,9) ; *91* : 40,5 (54,9). Nord 80, Est 52, Ouest 43, Paris 35, Rhône-Méd. 32, S.-O. 27. **Ventes** (en hl, 1991) 20 990 712 dont Alsace 11 205 824, Nord 3 315 546, autres régions 6 469 342. **Imp.** (en milliers d'hl, 1991) 2 906,3 dont UEBL 1 807,5, All. 470,3, P.-Bas 289,1, Danemark 112,8, Espagne 20,1, Irlande 37,2, Portugal 31,2, G.-B. 20, Ital. 37.

Ventes par types de conditionnement (1991, en hl) 20 703,9 dont fûts 5 034,3, citernes 54,3, 25 cl 11 285,1, 33 cl 1 017,9, 50 cl 4,4, 65 cl 165,6, 75 cl 633,1, 100 cl 1 526,2, boîtes 982,8. **Par types de bières** (1991) 20 704 dont bières de luxe (4,4° à 5,5°) 13 642, spéciales (> 5,5°) 4 456, à 3,9° 1 001, sans alcool 836, panachés 768.

■ **Brasseries** *1900* 3 000 ; *92* 43 ; *92* 25 (dont 5 de + de 500 000 hl). **Kronenbourg** (groupe BSN). *Gamme Kronenbourg* : Kronenbourg light, 1664, Obernai, Force 4, Krony, Kronenpils ; *gamme Kanterbrau* (de Maître Kanter † 1939) : Gold Kanterbrau, Chopp de Kanterbrau, Tourtel, Valstar, Wilfort. **Française de brasserie :** *Heineken & Pelforth SNC* : Pelforth brune, Heineken, George Killian's, Mutzig, Mutzig Old Lager, Pelforth Pale, Pelican ; *Union de Brasserie SNC* : 33 Export, Panach', Buckler, Dry de 33, Tuborg Dr, Lowenbrau, John Courage, Porter, Record. **Interbrew France :** Stella Artois, Club de Stella Artois, Jupiter, Abbaye de Leffe, Gueuze, Kriek, Framboise de la Bécasse, Hoegaarden, Loburg, Sernia, Vezelise, Vega Pils, Atlas, Lutèce, Palten, Setz Brau, Helios, Kassel, Bière de Printemps, Cave à Bières, Café Leffe. **Parts des ventes** (1990, en %) : BSN (Kronenbourg, Kanterbrau) 48,8, Frabra 28,3, Interbrew 10,3, autres 12,6.

☞ « Bière trappiste ». Hollande (Koningshove). Belgique Flandre : Westmalle et Westvleteren ; Wallonie : Orval, Chimay (110 000 hl/an) et Rochefort (dep. 1595, 15 000 hl/an).

> **Bière française ou pasteurisée.** En 1873, *Louis Pasteur* (1822-1895) préconisa, pour détruire les germes se trouvant dans la bière, de détruire les micro-organismes par élévation de température et souhaita que son procédé porte le nom de Bière de la Revanche nationale, et à l'étr. celui de Bière française. *Jean-Louis Baudelot* (Fr.) avait inventé en 1856 un refroidisseur de moût permettant de fabriquer de la bière toute l'année.
>
> **Brasserie la plus grande d'Europe.** *Guinness* de Dublin (Irlande, f. en 1759) 23,16 ha.
>
> **Catégories de bières.** B. de table 2° à 2,2°. B. bock 3,3° à 3,9°. B. de luxe 4,4° et + (au min. 37 g d'alcool pur par litre). B. spéciales + de 5,5°. *Gueuze* : bière belge à base de lambic (produit de la fermentation de malt 58 %, froment 40 %, houblon). Ce n'est pas une bière au sens de la législation française. *Kriek* : lambic à la cerise (80 kg de griottes pour 600 l, macération 6 mois). *Framboise* : lambic à la fr. (80 kg pour 600 l).
>
> **Musées de la Bière.** Rodt (Belgique). + de 2 000 bouteilles différentes venant de 62 pays. Stenay (Meuse, Fr., créé 1984).

HOUBLON

Origine. Asie ; All. du S. à partir du VIIIe s. **Aspect.** Plante grimpante jusqu'à 8 m. Pousse d'avril à sept., cultivé pour la bière en France (Alsace, Flandres, Bourgogne), All., Belg., G.-B., pays de l'Est, USA, etc. La plante s'enroule autour d'un fil tuteur lié à un échafaudage (2 500 à 3 000 pieds/ha, 500 g de houblon par pied). Les fleurs femelles contiennent la *lupuline* (poudre jaune) qui sécrète les résines amères et des huiles. **Utilisation.** Brasserie (la fleur femelle ajoutée au moût donne à la bière son goût et la conserve). Parfois on mange les jeunes pousses comme les asperges (Belg., All.). **Rendement.** Variétés à arôme 28 à 38 q/ha ; v. riches en résine alpha 30 à 50 q/ha. Il faut env. 100 g/hl de bière. **Consommation.** *France 2 200 t.*

Superficies cultivées CEE (en milliers d'ha, 1991) : 194,1 dont All. 22,5, Grèce 0, Irl. 0,01 (1990), G.-B. 3,9 (1988), Esp. 1,4, Port. 0,08, *France 0,6,* Belg. 0,4.

Production (en milliers de t, 1992). USA 34. All. 29. Ex-Tchéc. 9,2. Ukraine 6,5. G.-B. 5,02. Slovénie 3,4. Australie 3,11. Pologne 2,53. *France 0,92.* Belgique 0,61. Monde 120.

VIGNES, VINS ET ALCOOLS

■ GÉNÉRALITÉS

■ **Alcool contenu. Fermentation :** transforme certains sucres en alcool éthylique et en gaz carbonique $C_6 H_{12} O_6$ (sucres) → M 2 $C_2 H_5 OH$ (alcool éthylique) + 2 CO_2 (gaz carbonique). Due à l'action d'organismes vivants microscopiques présents dans le moût, les *levures,* notamment du genre saccharomyces qui utilisent les matières azotées, sucrées et minérales du moût, décomposant ainsi les sucres.

Teneur alcoolique d'un vin : dépend du taux de sucre dans le moût. 100 g de sucre de raisin donnent en moyenne (en g) : alcool 48,45, gaz carbonique 45,65, glycérine 3,23, acide succinique 0,62. La fermentation de 17-18 g de sucre donne 1 degré d'alcool par litre. **Méthodes pour remonter le degré :** 1re *concentration du moût.* 2e *ajout de moût concentré ou de moût concentré rectifié.* Courantes en France et en Italie. 3e *chaptalisation* [préconisée par le Français Jean-Antoine Chaptal (1751-1832)] : on introduit du sucre pendant la fermentation de la vendange (pour les vins rouges) ou des moûts (pour les vins rosés et blancs). En augmentant le sucre, on élève le titre du vin. Dans les zones où cela est permis, on ne doit pas dépasser 9 kg par 3 hl et 200 kg par ha de vigne en production. Pour augmenter la teneur alcoolique de 1°, il faut 17 à 18 g de sucre par l de vin. 4e *concentration* : du vin lui-même (peu utilisée).

Degré moyen : Apéritifs Vermouth et ap. à base de vin 15/18°. Amers 27/40°. Anis (pastis) 45°. **Bière** 4 à 8°. **Cidre** 4 à 8°. **Eaux-de-vie** cognac (production 70°, consommation 40°), armagnac, kirsch, quetsche, genièvre, gin, whisky, etc. 40 à 60°. **Liqueurs** cassis 20 à 30°. Anisette 26 à 30°. Cherry 30 à 35°. Cointreau, Grand Marnier 40°. Arquebuse 43°. Bénédictine 43°. Chartreuse jaune 43°. Izarra jaune 43°. Kummel 50°. Arack 50°. Izarra verte 51°. Chartreuse verte 55°. Rhums 44 à 50°. **Vin** 8 à 15°. **Vins de liqueur** 15 à 22°.

☞ Il existe aussi des vins non alcoolisés.

■ **Apports en calories (nombre),** (en g, sucre entre parenthèses et alcool), pour 100 g, env. 1/10 de l. **Vin blanc** *à 10°* : 71,8 (4) *8* ; **rouge** *à 10°* : 56,2 (0,2) *8* ; **champagne brut :** 70 (0,7) *10* ; **Suze :** 105 (1) *15* ; **Ricard :** 252 (14) *36* ; **whisky :** 244 (14) *35* ; **cognac :** 243,3 (5) *35* ; **liqueur sucrée :** 270 (30) *30.* 1 g d'alcool apporte 7 calories (vin à 10° : 560 calories/l, vin à 12° : 700 calories/l).

■ **Blanc de blancs.** Fait avec des raisins blancs à jus blanc (voir champagne p. 1624).

■ **Blanc de noirs.** Vins blancs provenant de raisins de cépage rouge ayant un jus blanc.

■ **Bourru.** Vin de Gaillac, Pays de Loire, etc., encore doux, en fermentation, vendu au verre.

■ **Cépages. Vin blanc.** *Aligoté* : cépage bourguignon donnant des vins frais, fruités. *Bual* : vins doux de

Madère. *Chardonnay :* principal cép. blanc de Bourgogne, utilisé en Champagne, considéré comme le meilleur en Californie et Australie. *Chasselas :* précoce, bouquet délicat, également cultivé comme raisin de table (*Fendant* en Valais Suisse, *Gutedel* en All.). *Chenin blanc :* principal cép. d'Anjou et Touraine (Vouvray, Layon, etc.) ; sec, doux ou très doux ; toujours acide. *Clairette :* autrefois très utilisé dans le Midi. *Folle-Blanche :* beaucoup d'acidité et peu d'arôme (*Gros Plant* en pays Nantais, *Picpoul* en Armagnac). *Furmint :* appellation commerciale du Tokay en Hongrie et d'un vin de table vif et vigoureux à la saveur de pomme appelé *Sipon* en Yougoslavie. *Gewurztraminer (ou Traminer). Malvoisie : Malmsey* à Madère, *Malvoisia* en Italie ; également cultivé en Grèce, Espagne et Europe de l'Est. *Muscadet ou Melon de Bourgogne :* vins légers très secs. *Muscat. Palomino (Listan) :* donne les meilleurs Xérès mais vin de table médiocre. *Pedro Ximenez :* vins très forts à Montilla et Malaga ; utilisé pour le Xérès. *Pinot blanc :* très proche du *Chardonnay. Pinot gris :* blancs plutôt lourds. *Pinot noir :* utilisé surtout en Champagne et en Bourgogne. *Riesling :* meilleur cép. all. *Riesling italien :* cultivé en It. du Nord. *Sauvignon :* aromatique et frais (Pays de Loire), plantureux (Sauternes ou il est associé avec le *Sémillon*). *Sémillon :* utilisé pour les Graves, Sauternes et Bordeaux blancs secs (sujet à la pourriture noble). *Sercial :* vin blanc le plus sec de Madère. *Steen :* le cép. blanc d'Afrique du S. le plus populaire ; vif et fruité. *Sylvaner. Tokay :* voir Pinot gris. *Trebbiano :* Italie (*Ugni blanc* dans le Midi). **Vin rouge.** *Cabernet Franc :* Chinon et rosé. *Cabernet Sauvignon :* meilleur cép. du Médoc. *Carignan :* le plus courant de France. *Cinsaut :* Midi ; croisé en Afr. du S. avec *Pinot noir* pour Pinotage. *Gamay :* Beaujolais. *Grenache :* vin alcoolisé fruité mais pâle. *Malbec :* mineur en Bordelais, important à Cahors et Argentine. *Merlot :* Pomerol et St-Émilion ; important dans les rouges du Médoc. *Mouvèdre (ou Mataro) :* utilisé pour les coupages en Provence. *Pinot noir :* Côte-d'Or. *Syrah (Shiroz) :* vallée du Rhône.

Cépages par régions : *Anjou et Val-de-Loire :* blanc : Chenin, Sauvignon ; rouge : comparable au Bordelais. *Beaujolais :* Gamay noir à jus blanc. *Bordelais :* cépages blancs 50 %, rouges 50 % : Cabernet, Sauvignon, Cabernet franc, Merlot. Blanc : Sauvignon, Sémillon, Muscadelle. *Bourgogne :* cépages limités, principalement Pinot noir et Chardonnay. *Champagne :* Meunier, Chardonnay et Pinot noir. *Provence, Vallée du Rhône :* Grenache et Carignan noir : majorité de l'encépagement ; Syrah, Mouvèdre.

■ **Climat.** En Bourgogne, synonyme de lieu-dit. Chaque village est divisé en « climats ». Les plus réputés produisent des vins ayant droit à leur propre appellation d'origine contrôlée qui est d'ailleurs le nom du climat (Chambertin à Gevrey, Richebourg à Vosne). Certains climats désignent des 1ers crus associés à l'appellation communale (ex. : Morey St-Denis 1er cru : les Chaffots).

■ **Clos.** En Bourgogne, certaines parcelles de vigne autrefois entourées de murs sont dénommées « clos ».

■ **Collage.** Clarification du vin : accélération du processus naturel de décantation par addition de substances colloïdales qui précipitent les matières en suspension par divers produits organiques : colles mixtes à base de bentonite avec de la gélatine ou de l'albumine.

■ **Congé.** En France. *Capsule congé :* comporte un timbre fiscal (à l'effigie de Marianne), *bleue* pour vins de table, *verte* pour VDQS et AOC, mousseux et vins doux naturels (VDN), *violette* pour cidres, *orange* pour vins de liqueur (VDL) à appellation d'origine. Atteste que les droits ont été acquittés (par le vendeur) ; une « facture congé » globale, établie par le vigneron ou le négociant, joue le même rôle. Si le vin est acheté « en vrac » ou en bouteilles sans capsule congé, le vendeur doit établir une « facture congé » tirée d'un carnet à souche, sinon faire établir le document par la recette-perception avant le transport. Si l'on veut transporter plus de 60 litres sans « capsules congé » ni facture (ou 6 litres de spiritueux), il faut demander à la perception un « *passavant* » qui autorise le transport en franchise. On utilise l'*acquit* pour les mouvements de vins entre prof. (entre négociants ou négociants/viticulteurs).

■ **Crémant.** Connu depuis le début du XIXe s. Champagne d'une technique particulière selon laquelle la pression dans la bouteille après prise de mousse est de 3 atmosphères au lieu des 6 du ch. normal. Le terme est désormais réservé aux vins mousseux de qualité produits dans une région déterminée (VMQPRD), élaborés en France et au Luxembourg. Ce sont les crémants d'Alsace (décret 24-8-1976), de Bordeaux (3-4-1990), de Bourgogne (17-10-1975), de Limoux et de Loire. *Principales règles :* vinification du raisin entier, limitation du taux d'extraction du moût destiné à l'appellation soit 100 l pour 150 kg de vendanges, teneur maximale : 150 mg/l d'anhydride sulfureux, 2e fermentation en bouteilles (durée min. de conservation sur lie : 9 mois), dégustation d'agrément en vin de base suivie d'une 2e pour les vins terminés.

Classification des vins

■ **Au niveau européen. 2 catégories : vins de table** soumis à une organisation de marché ; **VQPRD** (vins de qualité produits dans des régions déterminées).

■ **Au niveau français. 4 catégories : AOC :** vins d'appellation d'origine contrôlée.

VDQS : vins délimités de qualité supérieure. AOC et VDQS correspondent au niveau européen aux VQPRD.

Un décret pour chaque AOC ou un arrêté pour le VDQS indique l'aire de production, les cépages à planter, la méthode de culture, de vinification, le rendement et le degré minimal naturel du moût.

Vins de pays : vins de table avec indication de provenance. Réglementés par un décret du 04-09-1979. *Conditions :* rendement maximal des parcelles productrices de 90 hl/ha dans des exploitations ou rendement inférieur à 100 hl/ha. *Degré alcool. min. :* régions médit. 10°, Sud-Ouest et Centre-Est 9°5, Val de Loire et Est 9°. Teneur en anhydride sulfureux 125 mg par l pour les vins rouges, 150 mg pour les vins blancs et rosés (norme CEE 220 mg, USA 350 mg). Acidité volatile – 0,4 g par l exprimée en acide sulfurique. Doivent être vinifiés et conservés à part. Caractères organoleptiques vérifiés par des commissions de dégustation. Conditions applicables aux vins de pays désignés sous le nom des départements ; cond. plus restrictives, pour ceux désignés sous le nom d'une zone de production. *Production :* 1971 : 1,9 million hl ; *72 :* 1,5 ; *73 :* 3,9 ; *78 :* 6,9 ; *79 :* 7,6 ; *80 :* 6,485 ; *82 :* 6,4 (dont 4,7 agréés) ; *83 :* 7,7 ; *84 :* 5,6 ; *85 :* 6,5.

Produits dans une quarantaine de départements, les 2/3 viennent de l'Aude, Hérault, Gard et Pyr.-Or. DÉNOMINATIONS DE ZONES : 141 en 3 catégories : *vins de pays de dép. (38) :* Ain, Alp.-de-Hte-Pr., Alp.-Mar., Ardèche, Aude, Aveyron, B.-du-Rh., Cher, Deux-Sèvres, Dordogne, Drôme, Gard, Gers, Gironde, Htes-Alpes, Hte-Garonne, Hérault, Indre, Indre-et-L., Landes, L.-Atl., Loir-et-Cher, Loire, Lot, M.-et-L., Meuse, Nièvre, P.-de-D., Pyr.-Atl., Pyr.-Or., Sarthe, D.-Sèvres, Tarn, T.-et-G., Var, Vaucluse, Vendée, Vienne ; *de zones (env. 99 zones) :* Coteaux Miramont, Val de Montferrand, Ile de Beauté, etc. ; *de grande zone ayant une dénomination régionale :* v. du Pays du Jardin de la France, v. du Pays d'Oc (Aude, Gard, Hérault, P.-Or., Ardèche, B.-du-R., Var, Vaucluse), v. du Comté Tolosan, v. des Comtés Rhodaniens.

Vins de table : sans indication de provenance (peuvent être assemblés) correspondent au niveau européen aux vins de table.

■ **Cru.** Zone à l'intérieur de laquelle l'ensemble des produits présentent des caractères originaux communs, en se démarquant de ceux des terroirs voisins. Dans le Bordelais, il désigne une exploitation (« domaine » ou « château »...) ; en Bourgogne, un lieu-dit ; dans le Beaujolais, il correspond à l'appellation communale. Peut également désigner le vin issu du terroir en question. **Cru bourgeois :** classement de 1932 par une commission de courtiers sous l'autorité de la Ch. de commerce et de la Ch. d'agric. de la Gironde, 444 propriétés (auj. 140), palmarès syndical en 1966 et 1978. Utilisé pour le Médoc. On distingue : cru grand bourgeois exceptionnel, cru grand bourgeois et cru bourgeois.

■ **Cuve close.** Méthode pour rendre le vin mousseux par une 2e fermentation en cuve, sous pression et qui est immédiatement mis en bouteille.

■ **Débourbage.** Consiste à séparer le moût des bourbes des vins blancs (matières en suspension) avant de le faire fermenter.

■ **Décantage.** Permet au vin de « respirer », à son bouquet de s'épanouir. Le dépôt laissé au fond de la bouteille. Une bonne aération donne l'illusion de la maturité à un vin jeune. Pour vérifier le mouvement du dépôt, tenir en versant le goulot de la bouteille devant une source lumineuse.

■ **Dépôts.** *Pulvérants colorés :* matières colorantes et tanin. *Cristallins :* tartrate de calcium et bitartrate de potassium.

■ **Fraude.** *Acidification* et *désacidification* des vins par des procédés interdits. *Ajout d'alcool méthylique* (toxique) (ex. : fraude sur les vins italiens). *Étiquetage tendancieux.* Substitution du vin de table à un vin d'appellation contrôlée par trafic de papiers (ex. pour du bordeaux : procès en 1974, maison Cruse impliquée ; en 1989 petits vins de Bergerac revendus comme grands crus bordelais). *Fausses appellations* (ex. en 1982, on a révélé que 70 000 hl de vin du S.-O. avaient été vendus comme du muscadet ou du gros plant ; affaire Martin-Jarry). *Usurpation d'appellation d'origine* (ex. : faux champagne fabriqué à Cuba à partir de blanc importé d'Anjou, vendu aux USA), *fraudes sur qualités substantielles* (ex. : âge des eaux-de-vie). *Vins blancs colorés* en rouge à partir de cochenilles, de pétales de roses trémières ou de coquelicots. *Glycérinage* [pour donner de la rondeur, du gras à un vin (en Autriche, 365 crus ont été fabriqués avec de l'éthylène-glycol qui est un poison violent)]. Collecte de vins d'appellations différentes dans le même contenant. Mélange d'un reste d'une année abondante avec l'année suivante. Enrichissement au-delà des limites autorisées. *Surchaptalisation :* au-dessus de 2°. Permission de chaptaliser accordée par décret chaque année ; celui-ci porte le degré min. au-dessous duquel le vin ne peut revendiquer l'appellation. Une chaptalisation de 5 kg/barrique (bordelaise, c'est-à-dire contenant 225 l d'après la loi du 13-6-1866) entraîne une augmentation de 1 degré. Une méthode reposant sur la RMN (résonance magnétique nucléaire), mise au point en 1985 par le professeur Gérard Jean Martin de l'univ. des sciences de Nantes, permet de détecter infailliblement sucrage et mouillage des moûts et des vins. Brevetée par le CNRS, officialisée par les organismes communautaires et par l'OIV en 1987. *Utilisation du ferrocyanure* qui évite au vin certaines maladies. *Faux vins* en Corse en 1974 : mélange sucre, acide sulfurique, glycérine et colorant.

■ **Gris (ou vin d'une nuit).** Rosé léger, avec une macération courte (une nuit). Issu de la vinification en blanc (pressurage immédiat : extraction rapide du jus exempt de rafles, peaux et pépins) de raisins noirs à jus blanc. Vin des Côtes de Toul.

■ **Jaune (vin)** [Jura]. Au cours de l'année, le vin est mis en fût pour 6 à 10 ans, en vidange ; un voile se forme et les micro-organismes (levures) lui donnent un goût très spécial.

■ **Mouillage.** Ajout d'eau.

■ **Mutage.** C'est empêcher ou stopper la fermentation d'un moût, uniquement par adjonction d'alcool ou d'eau-de-vie, pour obtenir un « vin de liqueur » (tel le Pineau des Charentes) ou un « vin doux naturel » (VDN du Roussillon).

■ **Paille (vin de)** (ou *v. passerillé*). Vin blanc liquoreux (sucré). 14° d'alcool min. Vient de la fermentation du raisin séché sur de la paille ou suspendu à des lattes pendant 2 à 4 mois. Prix de revient élevé. Produit : Jura, Hermitage, Espagne (Andalousie).

■ **Pelure d'oignon.** Teinte fauve, presque orangée, que certains vins rouges acquièrent avec l'âge.

■ **Pinard.** Adolphe Pinard (1844-1934), médecin, s'intéressa au vin donné aux soldats et, constatant les dégâts de certaines maladies, prescrivit d'y ajouter du mercure. Le terme « pinard » est aussi une déformation de « vin pineau » ou « pinot ».

■ **Piquette.** Connue dès le Moyen Age. Procédé recréé par le chimiste Thénard et son préparateur Petiot (« petiotisation »). En ajoutant au marc frais (ou fermenté), sucre et, l'eau, on obtient une boisson alcoolisée au goût de raisin. Actuellement interdit.

■ **Porto.** Vin de liqueur du Portugal. Raisins rouges foulés dans un fouloir en pierre ; fermentation du moût dans une cuve jusqu'à conversion de la moitié du sucre en alcool (on arrête la fermentation en ajoutant de l'eau-de-vie).

■ **Pourriture noble** *(Botrytis cinerea).* Champignon qui s'attaque au raisin pendant la maturation, rend les baies perméables et concentre le jus par évaporation d'eau. On ne parle de pourriture noble que si le sucre dans le raisin atteint 70° Oechsle ou 17° Brix (assez pour donner un vin de 9° d'alcool) et s'il n'y a pas de pourriture grise ou verte.

LE SAUTERNES : dans la région, brouillards matinaux et soleil l'après-midi alternent à l'époque des vendanges, favorisant le développement du champignon : les raisins prennent une teinte grise sur laquelle apparaissent les spores de la moisissure, puis tournent au violet-marron et la peau du fruit ramollie n'est plus qu'une pulpe. Le jus concentré est très doux et riche en glycérine. Si les conditions atmosphériques sont parfaites (ex. en 1967 et 76), le phénomène se produit brutalement et complètement, sinon les baies pourrissent de-ci de-là, parfois même une par une, et l'on doit les récolter en plusieurs fois (parfois 10 à 11). *Sols :* argile mêlée à des cailloux roulés et à des grains, recouverte par une faible épaisseur de graves ou de sables ; drainage assuré par des drains en poterie placés il y a 100 ans. *Encépagement :* 80 % Sémillon, 20 % Sauvignon. *Vinification :* traditionnelle ; fermentation en barriques de chêne merrain. *Élevage :* 3 ans en barriques retenues et signées. *Production annuelle :* 70 000 bouteilles. Un pied donne env. 1 verre de vin. CHÂTEAU-YQUEM : cultivé sur 102 ha.

Utilisation du raisin (1990)

(en %)	pressoir [1]	r. de table	r. secs
Europe	93	7	0
Asie	80	17,8	2,1
Amérique	43,8	20,2	3,6
Afrique	80,6	10,3	9
Océanie	64,4	5,6	30,2

Nota. – (1) Vin surtout.

■ **Raisin.** **Composition** (en %). Eau 79,1, corps azotés 0,7, acides 0,7, sucres 15, autres hydrates de carbone 1,9, fibres 7,1, déchets végétaux 0,5. **Variétés principales. Raisin de table.** *Chasselas :* 57 % de la production du Sud-Ouest. 29 % des encépagements, précoce, blanc à petits grains ronds, récolte : août à nov. *Alphonse Lavallée :* 20 %, gros grains noirs et entièrement méditerr., ronds et résistants, récolte : fin août à début oct. *Muscat de Hambourg :* 7 % de la prod. totale, 17,6 % des encépagements, parfumé et fin, récolte : août à début nov. *Cardinal :* le plus précoce des raisins noirs (Sud-Est). *Gros Vert :* blanc tardif (Vaucluse, B.-du-R.), 17 % de la production française. Nouvelles variétés mises au point par l'Inra. *Lival et Ribol :* noirs. *Danlas et Datal :* blancs. Les pépins servent pour le tannage des cuirs et donnent une huile comestible très légère. *Raisins apyrènes* (sans pépins) : alvina, danuta, exalta et madira.

■ **Rancio.** Vin ayant vieilli en bonbonne. Procédé pratiqué surtout sur les vins doux naturels.

■ **Sekt.** Vin mousseux allemand de qualité. **Schaumwein.** De bas de gamme.

■ **Soutirage.** Consiste à séparer le vin clair des lies après fermentation.

■ **Sucres.** Un raisin normalement mûr contient 170 g à 200 g de sucres par litre (atteint de pourriture noble, il va jusqu'à 350 g).

■ **Vendanges. Machines :** *prix :* 160 000 à 600 000 F HT. Les grappes peuvent être récoltées jusqu'à 15 cm du sol. *Pertes :* 6 à 15 %.

■ **Vigne.** Plante originaire des pays boisés d'Europe et d'Asie centrale. Très tôt, on écrasa les baies et on les fit fermenter. La vigne *(Vitis)* compte env. 20 espèces dont l'une est la vigne à vin *(Vitis vinifera)* qui comprend env. 4 000 variétés dont env. 12 ont un développement mondial. *Principaux ennemis :* mildiou, oïdium, phylloxéra, viroses, pourriture grise, eutypiose [maladie du bois : 1/3 des plants Ugni-blancs (Cognac) touchés]. **Rendement :** un pied produit de sa 2e année à parfois 100 ans. La production des AOC n'est prise en compte qu'à partir de la 2e ou la 3e année, mais il faut 10 à 12 ans avant que le rendement soit optimal. Les grands vins viennent de vignes de 20 à 40 ans. *Rendement moyen national (hl/ha, 1992) :* AOC 55,2, VDQS 65,2, vins de pays, de table et aptes au cognac 86,4.

■ **Vin.** Jus de raisin fermenté. **Constituants de base :** *Eau :* jusqu'à 90 %. *Acides. Tanins. Éthanol* (alcool éthylique) ; produit au cours de la fermentation alcoolique par l'action des levures sur les sucres du raisin, de 50 à 140 g par litre (il faut 1,5 kg de raisin pour obtenir 1 l de vin de bonne qualité ; réglementaire 130 kg/hl, en fait 120 à 150) ; le titre alcoométrique (degré) indique le % d'alcool contenu dans le liquide. *Ex. :* 12° : 120 cm³ d'alcool par litre de vin (soit 120 × 0,79 g = 94,8 g par l). *Méthanol* (alcool méthylique) : 0,02 à 0,2 g/l dans les raisins de *Vitis vinifera ;* vient de l'hydrolyse des pectines en cours de fermentation ; donne au vin sa saveur sucrée, l'impression de chaleur et augmente sa viscosité. Donne du gras, du sucré, de la souplesse au vin : teneur 4 à 20 g/l (plus pour les vins très liquoreux).

Vin blanc : fermentation de raisins rouges à jus blanc (à condition de ne pas laisser macérer le jus avant pressurage avec les peaux qui contiennent des pigments colorants) ou blancs versés directement dans un pressoir ou après passage dans un *irafloir* (égouttoir) qui écrase les grappes et sépare les *rafles* (grappe sans grains) : une pompe amène les raisins broyés dans un pressoir ; le *moût* (vin doux non fermenté) coule dans la *maie* (table du pressoir), une pompe le transporte dans la cuve de fermentation ; selon la durée de la fermentation, on obtient un vin sec (fermentation de tout le sucre) ou un vin doux ou mousseux (arrêt de la fermentation en cours).

Vin doux naturel (VDN) et vin de liqueur (VDL) : vins dont on arrête la fermentation en ajoutant de l'alcool [10 % pour VDN en fermentation (pièce de régie couleur verte) et 15 % pour VDL avant fermentation (orange)], d'où un fort taux de sucre.

Vin mousseux : méthode de seconde fermentation en bouteilles (dite avant le 18-11-1985 champenoise) : vin rendu mousseux par une 2e fermentation en bouteilles pendant 9 mois min. MÉTHODE ALLEMANDE (SEKT) : fermentation en bouteilles, après la prise de mousse, les bouteilles sont transvasées dans une cuve close, sous contre-pression d'azote. Le vin stabilisé par le froid est additionné de liqueur d'expédition, filtré et tiré en bouteille. **Vin mousseux produit en cuve close :** le vin de base additionné de sucre et de levain dans une cuve résistante à la pression et maintenue à température basse et constante, subit une 2e fermentation. La réfrigération à – 5° permet de la bloquer lorsque la pression est à 5 ou 6 kg avec la quantité de sucre résiduel voulue. Après un repos à basse température, le vin est filtré puis tiré avec addition de la « liqueur d'expédition ». MÉTHODE DE TRANSFERT : la prise de mousse s'effectue en bouteilles, le vin est ensuite transvasé dans une cuve inoxydable où il est stabilisé par le froid puis filtré et mis en bouteille. Temps d'élaboration au minimum de 4 mois. Procédé essentiellement utilisé par 2 marques (Kriter et Café de Paris). MÉTHODE RURALE : le vin est mis en bouteille définitive avant la fin de la fermentation alcoolique. Seul le sucre naturel du raisin formera le gaz carbonique (de Die, Gaillac, certains mousseux). **Asti spumante,** le moût (et non le vin issu de la 1re fermentation) est mis en cuve close, la fermentation des sucres du raisin provoque le dégagement de CO² donc la mousse. La pression de l'atmosphère étant atteinte en 2 semaines. **Vin mousseux gazéifié,** se pratique de moins en moins : obtenu par addition d'acide carbonique.

Vins nouveaux : *de l'année.* A boire dans les mois suivant la date légale de sortie des chais des producteurs (pas avant décembre sauf pour vins de table et de pays). Le vin reste nouveau jusqu'aux prochaines vendanges. *Primeur :* peut être dégusté dès le 3e jeudi de nov., à 0 h et ne peut rester en vente sous ce nom au-delà du printemps suivant. **Date légale de sortie des chais :** *vins de pays :* à partir du 1er sept. et lorsqu'ils ont reçu l'agrément ; *VDQS :* à compter du 1-12 suivant la récolte ; *AOC :* au 15-12, sauf pour les vins autorisés à sortir plus tôt [certains AOC comme Beaujolais, Côtes-du-Rhône, vins de Loire, Gaillac rouge peuvent être, pour les « primeurs », vendus avant le 1-12 (ils le sont parfois plus tard s'ils ne sont pas « terminés »).

Vins pétillants : qualification utilisée avec certaines AOC (Anjou, Saumur, Montlouis, Touraine, etc.) contenant de l'anhydride carbonique : la pression intérieure est inférieure à celle d'un mousseux (– de 2,5 atmosphères).

Vin rosé : fermentation de raisins rouges écrasés, puis pompés dans une cuve de fermentation ; rapidement, le jus est versé dans une 2e cuve après avoir pris une couleur rosée (contact rapide avec les pellicules). Il ne s'agit pas d'un mélange de vin rouge et de vin blanc, qui est interdit. Seuls les Champenois ont le droit de mettre un certain % de vin rouge de Champagne très coloré (souvent 4 à 5° de Bouzy) dans le vin blanc pour obtenir du champagne rosé.

Vin rouge : fermentation de raisins rouges versés dans un fouloir ou un fouloir-égrappoir (on peut aussi mettre des grappes entières), puis pompés dans une cuve ; fermentation complète en présence des pellicules colorées ; *vin de goutte* mis en fût ; pressurage des « marcs » (rafles et pellicules) avec un pressoir hydraulique ou pneumatique donnant le *vin de presse* auquel on peut ajouter du *vin de goutte* pour le rendre consommable.

■ **Wine saver** (sauveur de vin). S'adapte sur le goulot. Permet d'injecter dans la bouteille entamée une couche protectrice de gaz inerte (azote pur et anhydride carbonique) qui s'évapore quand on sert le vin.

■ Statistiques

■ **Premiers groupes mondiaux de vins et spiritueux. Chiffre d'affaires** (en milliards de F, 1991). *Source :* Revue vinicole internationale. Seagram [1] 29,9, Guinness [2] 24,3, Grand Met [2] 24,2, Allied Lyons [2] 19,7, Suntory [3] 18,5, LVMH [4] 11,8, Pernod & Ricard [4] 11,3, Martini & Rossi [5] 9,4, Rémy Cointreau [4] 6,4, American Brands [6] 5,7.

Nota. – (1) Canada. (2) G.-B. (3) Japon. (4) France. (5) Italie. (6) USA.

■ **Superficie du vignoble** (en milliers d'ha, 1991). *Monde 8 308* dont *Europe 5 785* [Esp. 1 513, Ital. 994, *France 935* (913 en 1992), ex-URSS 865, Port. 371, Roumanie 247, ex-Yougoslavie 200, Grèce 146, Bulgarie 146, Hongrie 136, All. 104, Autriche 58, Tchéc. 35, Albanie 17, Suisse 15]. *Amérique 766* (USA 300, Argentine 209, Chili 121, Brésil 57, Mexique 41, Uruguay 14, Pérou 8). *Afrique 326* (Afr. du S. 100, Algérie 97, Maroc 49, Ég. 37, Tun. 29). *Asie 1 365* (Turquie 590, Iran 220, Chine 150, Syrie 124). *Océanie 66* (Australie 60).

Quelques conseils

Quel vin boire à table ? Avec poissons, huîtres, coquillages ou crustacés : vins blancs secs, mousseux blancs secs, champagne brut. **Entrées et hors-d'œuvre :** vins blancs secs ou demi-secs, vins rosés. **Viandes et volailles :** vins rouges bouquetés et pas trop corsés. **Gibier :** grands vins rouges corsés, généreux et puissants. **Fromages :** grands vins rouges, grands millésimes, avec les fromages fermentés ; vins blancs de pays avec les fromages doux à pâte molle et les fromages de chèvre (ex. du Sauvignon avec le crottin de Chavignol). **Foie gras :** grands vins rouges ou grands blancs liquoreux. **Desserts sucrés :** Champagne demi-sec, mousseux, vins liquoreux, vins doux naturels (prendre un alcool blanc avec un entremets au chocolat). **Fruits :** vins blancs liquoreux, champagne demi-sec.

☞ Le champagne peut accompagner tout un repas. Ne pas boire de vins avec les salades et mets à la vinaigrette.

Température de dégustation. *Champagne :* 6 à 8 °C (éviter congélateur et seau à champagne garni de gros sel qui « cassent »). *Bourgogne rouge :* 14 à 16°. *Bordeaux rouge :* 15 à 16°. *Rhônes rouge :* 15 à 16°. *Loire rouge :* 14 à 15°. *Vin rouge léger* à boire frais : 10 à 12°. *Rouge robuste :* charpenté, plus généreux 14°. Pour chambrer, éviter les fortes sources de chaleur (étuve, radiateur, bain-marie). Le bouchon ne doit pas sentir le liège ou une odeur de parasite.

Ouverture des bouteilles. *Vins jeunes :* quelques h à l'avance ; *vins plus vieux :* ouverts trop tôt se « fanent » mais doivent être décantés si dépôt au fond en transvasant dans une carafe (vins jeunes pour aérer et amorcer une oxydation). Bourgogne rouges moins tanniques que les Bordeaux (oxydation) décantation parfois néfaste. Certains Bordeaux perdent leur bouquet après 2 à 3 h, d'autres non ; il vaut mieux décanter à la dernière minute. Généralement ne décanter que les très grandes années.

Qualités d'une cave à vin. *Température :* de 9 à 12 °C ; ni sèche, ni humide (hygrométrie de 70 % pour éviter au bouchon de se dessécher) ; *clarté :* aussi faible que possible (une lumière trop vive réduit le vin) ; *sol :* terre battue, couvert de gravier ou dalles espacées ; loin d'odeurs se communiquant au vin (mazout, fromage, etc.) ; *bouteilles couchées :* pour que le bouchon ne se dessèche pas (il laisserait entrer l'air avec des germes nocifs pour le vin).

■ **Raisin. Production** (en milliers de t, 1991). Italie 9 447, *France 5 498,* Espagne 5 087, USA 5 040, ex-URSS 4 735, Turquie 3 600, Argentine 2 082, Iran 1 550, ex-Yougoslavie 1 528, Port. 1 470, All. 1 322, Afr. du S. 1 318, Grèce 1 291, Chili 1 186, Chine 1 000, Australie 854, Roumanie 847, Hongrie 759, Bulgarie 748, Brésil 619, Égypte 527, Syrie 475, Mexique 435, Afghanistan 365. *Monde 55 856.*

■ **Vin. Production** (en milliers de t, 1991). Italie 6 009, *France 4 269,* Espagne 3 120, USA 1 550, Argentine 1 450, ex-URSS 1 300, Portugal 1 003, All. 1 017, Afr. du S. 970, ex-Yougoslavie 580, Hongrie 461, Roumanie 445, Grèce 402, Australie 394, Brésil 311, Autriche 309, Chili 289, Bulgarie 219, Mexique 167. *Monde 25 147.*

Commerce (en millions d'hl, 1991). **Exp. :** Italie 13,2, *France 12,2,* Espagne 6,3, All. 2,5, Portugal 1,7, Hongrie 1,3, Grèce 0,6, ex-Yougoslavie 0,9. Bulgarie 0,4, *Europe 40, 1. Monde 43,6.* **Imp.** All. 11,5, G.-B. 6,7, *France 5,4,* USA 2,3, ex-URSS 1,2, Belg. 2,2, P.-B. 2,4, Suisse 1,8, Canada 1,4, Danemark 1,1, Suède 1, Japon 0,8, Pologne 0,4, Italie 0,8.

Consommation (1 par hab. et par an, 1991, et entre parenthèses 1965). *Fr. 66,8 (117,6),* Port. 62, It. 61,97 (110,1), Lux. 60,3, Arg. 55,01, Suisse 47,2 (38,1), Esp. 42,48, Autr. 33,7, Grèce 32,4, Hongrie 30, Chili 29,5, All. 26,1, Uruguay 25,4, Danemark 23,6 (4,1), ex-Youg. 22,1, Belg. 21,1 (11,2), Roum. 19,3, Australie 17,6, P.-Bas 16,5 (3,4), Chypre 13,2, Suède 12,78, Bulg. 12,43, N.-Zél. 12,1, Tchéc. 11,8, G.-B. 10,29 (2,2), Canada 9,13 (2,6), Afr. du S. 9, USA 7,72 [3] (3,7), Finl. 7,44, ex-URSS 6,95, Norv. 6,9, Irl. 4,5, Israël 3,2, Tunisie 2,2, Paraguay 2,01, Pologne 1,95, Brésil 1,83, Algér. 1,53, Maroc 0,99, Japon 0,94 (0,3), Jordanie 0,9, Turquie 0,47, Pérou 0,47.

Répartition de la consommation (en %). ex-All. féd. [2] : blanc 59,6 (rouge 33,7) *rosé 6,7.* Belg. [2] : 79,7 (15,5) *4,8.* Canada [2] : prov. anglophones : 73 (25) *20 ;* Québec : 51 (48) *1.* G.-B. [2] : 70 (26) *4.* Japon [1] : 60 (30) *10.* P.-Bas [2] : 50,5 (47) *2,5.* USA [2] : 59,6 (30,9) *9,6.*

Nota. – (1) 1984. (2) 1985. (3) 1990.

■ **Mousseux.** **Production** (en millions de bouteilles, 1988) : *France 406* [dont exp. 140, marché int. 266 (dont champagne exp. 90, marché int. 147)]. ex-All. féd. [1] 338 (dont groupe Oerker 90, Günther Reh 70, Racke 12, Deinhard 12). ex-URSS 270. Italie 210. Esp. 150. USA 148. Austr. 63. *Ensemble 1 585.*

Nota. – (1) 1er consommateur : 400 millions de bouteilles (6 par hab./an).

■ **Conditionnement du vin** (en %, 1990). *Source :* Féd. européenne du verre d'emballage. **Verre consigné :** Suède 98, Danemark 74, Suisse 64, All. 54, Grèce 38, Italie 36, Esp. 34, *France 28,* Belg. 20. **Verre perdu :** Belg. 80, G.-B. 70, Ital. 60, *France 43,* All. 42, Gr. 38, Suisse 36, Esp. 33, Dan. 10, Suède 2. **Brique :** Dan. 16, Esp. 11, Ital. 3,5, All. 2, *France 1.* **PVC :** *France 4.* **PET :** All. 1, G.-B. 1. **Boîtes :** G.-B. 3. **Autres (bag-in-box, conteneurs) :** G.-B. 26, Gr. 24, *Fr. 24,* Esp. 22, All. 1, Ital. 0,5. **Emballage perdu** (1989, source : Commission générale d'organisation scientifique) : *France 90,4,* Ital. 63, G.-B. 59,3, Dan. 53,9, All. 53,2, Esp. 43,6.

■ Quelques pays producteurs

Légende : Mhl : millions d'hectolitres.

■ **Afrique du S.** *Vignobles* (1991) : 109 000 ha. *Production (Mme) : 1989 :* 9,6. *90 :* 9,45. *92 (est.) :* 9,63.

■ **All.** **Législation :** 3 catégories : *Tafelwein* (vin de table, qualité passable, pas de mention de vignoble d'origine ; peut s'agir de *Deutsche Tafelwein,* d'origine all., de *Tafelwein* souvent d'origine italienne ou de *Landwein* vin de pays) ; *Qualitätswein bestimmter Anbaugebiete* (QbA, vin de qualité d'une région déterminée) ; *Qualitätswein mit Prädikat* (QmP, catégorie supérieure). *Régions :* 11 viticoles délimitées *(bestimmte Anbaugebiete),* divisées en 32 districts *(Bereiche),* divisés en villages *(Gemeinden),* divisés en 2 600 vignobles *(Einzellagen).* **Vignoble** (en milliers d'ha, 1991) 104,4. **Producteurs** *1964 :* 122 000, *82 :* 89 471. **Rendement** (hl par ha). *1900 :* 25 ; *39 :* 40 ; *70 :* 100 ; *82 :* 171 (record 200). **Production** (Mhl). *1980 :* 4,6. *81 :* 7,3. *82 :* 15,7. *83 :* 13. *84 :* 8. *85 :* 5. *86 :* 10,1. *88 :* 9,7. *89 :* 13,1. *90 :* 8,5. *91 :* 10,2. *92 (prév.) :* 13,4.

■ **Argentine.** *Vignobles* (1991) : 209 510 ha. *Production* (Mhl) *1990 :* 20,25. *91 :* 14,4. *92 (est.) :* 16,5.

■ **Chili.** *Vignobles* (1991) : 118 450 ha. *Production* (Mhl) *1989 :* 3,9. *90 :* 3,5. *91 :* 3,6. *92 (est.) :* 2,4.

■ **Espagne.** **Législation :** organisme de contrôle créé 1972 pour la *Denominación de origen* [26 régions avec des contrôles d'appellations (soit env. 50 % du vignoble)]. **Quelques vins :** *Xérès* (en anglais, *sherry*) : région de Cadix, vin blanc, acidité augmentée par du gypse ou du plâtre, fermentation dans des fûts de chêne jusqu'à 12 à 16°, coupé avec de l'alcool pour atteindre 15 à 18°, puis vieillissement, on appelle *manzanilla* le Xérès de Sanlúcar de Barrameda qui a un goût salé car il mûrit près de la mer. Types fino (17,5/18°), manzanilla ou palma, amontillado (19°), secco (à partir de finos vieillos) et albocato (moelleux à partir d'olorosos, finos et vins liquoreux), oloroso (19°), cream-sherry(20°), palo cortado (rare). *Málaga :* Andalousie, vin blanc, rouge de dessert ou d'apéritif. **Superficie** (1990) 1 473 000 ha. **Production** moyenne (Mhl) : *1989 :* 31,3 ; *90 :* 40,4 ; *91 :* 33,3 ; *92 (est.) :* 36,1. **Parts du marché des vins étrangers** (en %, 1991) : Rioja 13,1, Tarragona + Penedes 13,6, Valdepenas 11,8, Navarra 8.

■ **États-Unis.** **Vignobles** (1991) : 337 270 ha dont Californie 259 240, New York 13 150, Washington 11 820. *1992-95 :* 40 000 ha de vignes de la Napa et de la Sonoma Valley (au N. de San Francisco et au S. de Monterey) seront arrachés à cause du phylloxéra. **Production** (Mhl) : *1989 :* 15,6 ; *90 :* 16,5 ; *91 :* 15,2 ; *92 (est.) :* 17. **Consommation** (1990, en %) : vins tranquilles 65,7, wine coolers 17,7, desserts & fortifiés 8,7, Champagne & mousseux 6,9, vermouth 1,1. **Commercialisation** (litre/hab.) : *1986 :* 10 ; *92 :* 7.

■ **Grèce.** **Superficie** (1991) : 146 070 ha. **Production** (Mhl) : *1989 :* 5. *90 :* 4,4. *91 :* 4. *92 (prév.) :* 4,5.

■ **Hongrie.** **Superficie** (1990) 138 000 ha. **Prod.** (Mhl) : *1990 :* 4,5. *92 (prév.) :* 5. **Tokay** produit sur les rives du Bodroy à l'Est de Budapest. *Tokay aszu* (le plus connu) : fabriqué à partir du sirop obtenu par pressurage des raisins *Aszu (surmuris)* contenant jusqu'à 60 % de sucre ; l'arrière-goût subsiste 1/2 h.

■ **Italie.** **Législation** *2 catégories : Denominazione di Origine Controllata* (10 à 12 % de la récolte réglementée selon volume de la vendange et vins). DOC g (garantita) de table avec dénomination géographique 12 à 15 %, sans dén. 55 à 65 (mousseux, etc.) ; tous les autres vins. **Quelques vins :** *Asti spumante :* Piémont, vin blanc mousseux. *Valpolicella :* Vénétie, vin rouge. *Lambrusco :* Émilie-Romagne, vin rouge pétillant. *Chianti :* Toscane, vin rouge, 2 sortes (jeune présenté dans des *fiaschi* ou bouteilles entourées de paillons ou de plastique, vieux mûri en fûts et présenté dans des bouteilles type Bordeaux). *Lacryma Christi :* Campanie, coteaux du Vésuve, rouge rosé ou blanc. *Marsala :* Sicile (pentes de l'Etna et région de Syracuse), vin d'apéritif ou de dessert lancé 1773 par l'Anglais John Woodhouse. *Retsina :* blanc sec additionné de résine de pin (retirée avec la lie lors du 1er soutirage) ; on croyait autrefois que cet ajout aidait à la conservation. *Neméa* (sang d'Hercule), *Martinia* (blanc), *Mavrodaphne* (rouge liquoreux), *Muscat, Patras, Zitsa* (pétillant), *Samos* (muscat), etc. **Superficie** (1991) : 1 001 490 ha. **Production** (moyenne, en Mhl) : *1981-88 :* 71,2 (de 40 en Basilicate à 150 en Émilie Romagne). *89 :* 60,3. *90 :* 59. *91 :* 55. *92 (prév.) :* 68. **Part du marché des vins étrangers** (1991, en %) : 11 dont Chianti 44, Valpolicella 21,4, Lambrusco 7,3 (total : 1,9 million de cols).

■ **Pays-Bas.** Vignoble de Maastricht ; vin blanc, de cépage Müller-Thurgau, sec et fruité, léger goût d'amande.

■ **Portugal.** **Superficie** (1991) : 371 250 ha. **Viticulteurs :** 200 000. **Production** (Mhl) : *1986 :* 7,6 ; *88 :* 3,6 ; *89 :* 7,7 ; *90 :* 11 ; *91 :* 10 ; *92 (prév.) :* 10. **Vinho verde** (vin vert) : province du Minho, vin rouge ou blanc, cultivé en polyculture avec maïs et légumes et en hauteur (2 à 2,5 m), ce qui ralentit la maturité, 69 000 ha, 2 millions d'hl. **Porto :** région de Porto, vin rouge destiné à l'Angleterre et dans lequel on ajoute depuis le XVIIIe s. de l'eau-de-vie pour le stabiliser et arrêter la fermentation, 85 000 vignobles sur 24 800 ha, classés selon la qualité sur une échelle de 8 crans, quotas annuels (40 % de la récolte sont transformés en Porto). **Alentejo :** 10 000 ha. **Bairrada :** 20 000 ha, 486 000 hl (95 % rouge). **Dao :** 20 000 ha. 548 000 hl (rouge 70 %, blanc 20 %, rosé 10 %) très veloutés. *Qualités :* blancs (issus de raisins blancs) ; rouges vieillissant en fûts : Ruby (passe peu de temps en fût ; rouge rubis, fruité et frais), Tawny (plus vieux, clair, moelleux, mi-sec ou doux), bon de 3 à plus de 40 ans ; peut porter un millésime assorti de la date de mise en bouteille : Colheitas ou Réserve issue de vins d'une même année ; Late Bottled Vintages (LBT) issu d'une seule année, passe 3 à 6 ans en fûts avant ; rouges vieillissant en bouteilles : Vintages (d'une seule récolte, produit dans les années exceptionnelles, longévité 50 ans ; bonnes années : *1927, 35, 45, 55, 63, 70, 77*). **Exportations** (Mhl) : *1989 :* 702, *90 :* 686, *91 :* 631 (vers France 257 soit 34 millions de bouteilles). **Principales Stés :** Ferreira (seule vraiment portugaise ; 150 ha). Porto Croft : créée 1678 par John Croft. Sandeman : créée 1790. Porto Cruz (17 % du marché). **Parts du marché des vins étrangers** (1991, en %) : Vinho verde 53, Dao 20.

Madère : île de Madère, se développe au XVIIe s., une loi britannique de 1665 interdisant d'exporter des vins d'Europe dans les colonies brit., M. exporte vers l'Empire un vin qui s'améliore en voyageant ; à partir du XVIIIe s., on ajoute aussi de l'eau-de-vie. Passe de 4 à 5 mois en étuve portée d'abord à 50 °C. Après un lent refroidissement, il possède le caramel qui l'a rendu célèbre.

■ **Suisse.** **Superficie :** 14 930 ha. **Quelques vins :** *Blancs :* Vaudois (Lavaux, Yvorne, Aigle, Féchy) ; Valais (Fendant) ; Neuchâtelois (Anvernier, Boudry, Colombier). *Rouges :* frais et légers : Dôle, Blauburgunder, Cortaillod ; corsé : Merlot (Tessin). *Liquoreux :* Malvoisie (Valais). **Production** (1989, en Mhl, **et,** entre parenthèses, **rendement** en hl/ha). *1989 :* Suisse romande 1,5 (135), Deutsche Schweiz 1,9 (85), Suisse ital. 0,04 (36). *91 :* 1,3. *92 :* 1,4.

■ **Tunisie.** **Superficie :** 41 270 ha. **Production** (Mhl) : *1955 :* 1,8 ; *71-75 :* 1,08 ; *81-85 :* 0,58 ; *87 :* 0,39 ; *88 :* 0,2 ; *89 :* 0,23 ; *90* (est. FAO) : 0,23 ; grand cru du Monarg, coteaux de Tebourba ; *91 :* 0,45 ; *92 :* 0,4.

■ Vin en France

■ Généralités

Histoire. **VIe s. av. J.-C.** culture introduite par Phéniciens et Grecs à Port-Vendres et Marseille. **Ier s. av. J.-C.** extension sous l'impulsion des Romains dans la région méditerranéenne. **92 apr. J.-C.** pour protéger le vignoble italien de cette concurrence, un édit de Domitien prescrivit l'arrachage de 50 % des vignes gauloises qui se trouvaient sur des terres labourables. **Vers 280** Probus rétablit la liberté. Plus tard, la culture en France connaît des périodes d'extension et de limitation. **1441** édit de Philippe le Bon, duc de Bourgogne, interdit la culture dans les terres riches. **1731** Louis XV interdit de nouvelles plantations sauf dérogation pour des terroirs propres à donner des vins de qualité. **1789-1875** Révolution rétablit la liberté de culture. **1865** phylloxéra introduit accidentellement en Europe par des pépiniéristes français important des plants américains qu'ils voulaient acclimater. **1873** la résistance des variétés américaines au phylloxéra mise en évidence : vignes replantées avec herbemont, othello, isabelle, noah, clinton mais donnent un vin très médiocre (dans les années 1950, certains, notamment le noah qui sécrète un aldéhyde toxique, seront interdits en France). **1875** (crise du *phylloxéra*). Production 85 millions d'hl (dont 4 exportés). La vigne était alors cultivée sur des coteaux ensoleillés, en terrains secs, ce qui ne permettait que de faibles rendements. Maintenant, elle s'étend plutôt dans les plaines grasses et les vallées humides. Elle a reculé le long de la Loire, en Charente, en Bourgogne, sur les côtes du Rhône, en Bordelais et s'est développée dans le Gard, Vaucluse, Aude, Hérault, Var.

Crises viticoles. **1907** devant l'effondrement du prix du vin, révolte des vignerons. *12-5* 15 000 vign. manifestent à Béziers menés par Marcelin Albert († 12-12-1921, dit le Rédempteur). *19-6* Narbonne, 1 500 manif. armés de bâtons et revolvers assaillent la sous-préfecture : 1 tué par un homme du 7e cuirassier. *20-6* Narbonne, des soldats du 139e régiment de ligne ouvrent le feu (4 tués). *20-6* Agde, 2 bataillons du 17e régiment d'infanterie refusent d'obéir à leur colonel. *29-6* loi contre la fraude, mesures d'apaisement. *22-9* création de la Conféd. générale des vignerons. **1975** à la suite d'importations de vin d'Italie (7 millions d'hl) malgré l'application des règlements de la CEE (montants compensatoires, dévaluation de la lire verte), manif. dans le Languedoc, boycottage des vins ital. *28-3* la Fr. suspend pour 1 mois les imp. de vins ital. *16-4* le Conseil des ministres de la CEE autorise pour 50 j la distillation à guichet ouvert des excédents français et ital. Les frontières fr. sont rouvertes et le stockage de 1,5 million d'hl de vin ital. est décidé. *11-9* la Fr. taxe de 12 % les vins importés. **1976** *4-3* heurts entre CRS et vignerons à Montredon (1 Cdt de CRS et 1 vigneron tués). *1-4* suppression de la taxe de 12 %. (V. Quid 1981 p. 1488 b). **1977-81** raids sporadiques contre des camions-citernes contenant des vins ital. (ouverture de vannes, camions incendiés). **1981** *août* retards considérables pour le dédouanement dans le port de Sète de navires « pinardiers » ital. **1982** *6-3* la Cour de justice eur. condamne la Fr. à lever le blocage des vins ital. décidé le 1-2. **1983-84** manif. nombreuses. Coût du soutien du marché du vin : 1 milliard d'écus (7 milliards de F). La Fr. demande une distillation exceptionnelle de 5 millions d'hl. **1984-85** réforme de l'organisation commune du vin. Intensification des aides à l'arrachage ; distillation obligatoire des excédents à bas prix. **1988** accord de Bruxelles sur les stabilisateurs budgétaires : baisse du prix de la distillation obligatoire, incitation à l'arrachage.

Culture. *Altitude :* en général moins de 300 m, parfois jusqu'à 600 ou 800 m (Plateau Central, Alpes). *Répartition* (en %) : vignobles sur plaines ou sables littoraux 35, coteaux 45, plateaux 20. *Exposition :* S.-E. ou S.-O. (sauf dans le N., ou S.-E. et S. sont meilleurs). *Température :* au-delà de la limite N. les raisins ne mûrissent pas (Vannes, Paris, Mézières, Francfort, Dresde, Carpates, bords de la mer Noire). Ailleurs, les cépages doivent être précoces sous un climat froid, et tardifs sous un climat chaud. *Pluviométrie :* préfère un climat sec (400 à 600 mm par an) mais supporte 800 à 1 000 mm. Les chutes doivent être bien réparties. *Vents :* craint les vents violents qui cassent les sarments non palissés mais peuvent être bénéfiques dans le Midi quand, soufflant du N. (mistral, tramontane), ils assèchent l'atmosphère et stoppent les attaques de champignons parasites comme le mildiou. *Sol :* une prédominance de silice favorise les vins fins, parfois peu bouquetés ; l'argile non prédominante peut donner du corps ; le calcaire domine dans les zones de prod. de grands vins blancs (champagne) et rouges (Bourgogne).

■ Statistiques

■ **Vignobles.** **Superficie** (en milliers d'ha, 1992, source : DGDDI) : *Vignes en production :* 913,5 dont Hérault 120,5, Aude 93,8 Gard 69,3, Vaucluse 53,6, Ch.-M. 44, Pyr.-Or. 42,8, Charente 41,2, Var 36,1. *Vignoble d'AOC :* 427,1 dont Aquitaine 124,9, Languedoc-Roussillon 79,7, Provence-Côte d'Azur 58,2, Val de Loire 44,5, Rhône-Alpes 38,1, Champagne 26,6, Bourgogne 24,6, Alsace 14,2, Midi-Pyrénées 8,4, Corse 2, autres 5,9. *Vignoble pour vins aptes à prod. du cognac :* 80. **Viticulteurs :** nombre de déclarants de récolte : *1920-24 :* 1 340 000 ; *35-39 :* 1 560 000 ; *50-54 :* 1 610 000 ; *60 :* 1 375 000 ; *70 :* 1 075 000 ; *1982 :* 711 810 ; *90 :* 462 700 ; *92 :* 406 656. **Exploitations (taille moyenne) :** 2,5 ha.

■ **Production de vin** (en millions d'hl). **Récoltes élevées** (+ de 65) : *1934 :* 78,1 ; *35 :* 76 ; *62 :* 73,5 ; *70 :* 74,4 ; *73 :* 82,4 ; *74 :* 75,5 ; *75 :* 66 ; *76 :* 73 ; *79 :*

83,5 ; *80* : 69,20 ; *85* : 69,2 ; *86* : 73,2 ; *87* : 69,4 ; *88* : 57,5 ; *89* : 61 ; *90* : 65,5 ; *92* : 65,4 (dont AOC 23,6, VDQS 0,65, vins de pays 12,7, de table 15,4, pour cognac 13). **Faibles** (– de 50) : *1930* : 45,6 ; *42* : 35 ; *45* : 28,6 ; *57* : 32,3 ; *69* : 49,8 ; *91* : 42,7.

Régions productrices (en millions d'hl, 1992) : Languedoc-Rouss. 20,5 ; Charentes 13,3 ; Aquitaine 8,7 ; Provence-C.-d'Azur 5,6 ; Val-de-Loire-Centre 4,5 ; Rhône-Alpes 3,2 ; Midi-Pyr. 3 ; Champagne 2,3 ; Bourgogne 1,7 ; Alsace 1,5. Autres 0,9.

■ **Vin commercialisé en France. Conditionnement** en %, 1991 : verre 65,3 (dont 6 étoiles 38, 75 cl 27,3) ; gros condit. 29 ; plastique 4,8 ; brique-carton 2.

Ventes de vins mousseux (en millions de bouteilles, 1987) 380 dont Champagne 217,7, VM 76,7, VMQPRD 54,9 (dont Saumur 12,1, Blanquette de Limoux 7,5, Clairette de Die 7,1, Crémant d'Alsace 6,3, Vouvray 5, Bordeaux 4,2, Touraine 4, Crémant de Bourgogne 2,9, de Loire 1,22, Anjou 1,1, Gaillac 0,95, Côtes du Jura 0,7, Montlouis 0,7, Mousseux de Savoie 0,35, Arbois 0,3, Mousseux de Bugey 0,15, Bourgogne 0,14, Seyssel 0,1, VQ 30,5. **Mousseux et pétillants** (1989) : 84,5 (dont mousseux nature 87,9 %, pétillants nature 5,4, p. aromatisés 6,7).

Commerce des vins (en millions d'hl et, entre parenthèses, valeur en millions de F, 1992) : **Exp.** : 11,32 (22 446) dont AOC tranquilles 5,7 (12 429), vins de table 4,7 (3 347), champagne 0,57 (5 876), mousseux 0,38 (597). *Principaux clients* (en millions de F) : G.-B. 4 137, All. 3 926, USA 2 807, UEBL 2 736, Suisse 1 552, P.-Bas 1 511, Danemark 879, Italie 866, Japon 731, Canada 729. **Imp.** (1990) : 4,5 (1 993) dont vins de qualité 0,262 (240), de table 3,9 (1 085), de Porto 0,26 (579).

Principaux négociants français en vin. Chiffre d'affaires (HT, en milliards de F) et entre parenthèses **part de marché hors champagne** (en %) : Castel-SVF (Sté créée 1971 par Gévéor, DMS Préfontaines, Kiravi et Margnat) 4,7 (8,5), Barton & Guestier 1,2 (2,2), Bols France 1,2 (2,2), Val d'Orbieu 1,2 (2,2), Beaucairois 2 (1,8), Suez 1 (1,8), Taillan 1 (1,8), Uccoar 1 (1,8), Patriarche 0,7 (1,3), Agrivins 0,6 (1,1), Jeanjean 0,5 (0,9), Skalli 0,4 (0,7). *Source* : CES.

■ **Savour Club.** *Fondé* 1965 par Robert Descamps (actuel P-DG). *Chiffre d'affaires (en millions de F)* : 400 dont France 311, All. 42, Belgique 32, Suisse 15. *Clients-membres (en milliers)* : 350 dont France 260 (depuis 1965), All. 47 (dep. 1980), Belgique 25 (dep. 1974), Suisse 18 (dep. 1987). 13 millions de bouteilles vendues au prix moyen de 30 F.

■ **Consommation de vin** (en millions d'hl). *1950* : 60 ; *70* : 45,98 ; *85* : 39,7 ; *86* : 39,2 ; *87* : 38,2 ; *88* : 37,7 ; *89* : 37,2 ; *90* :36,9 ; *91-92* : 34,9.

■ **Prix du vin.** Cours moyen des *vins de table rouges* (à la production) degré/hl, recueillis sur les 5 places officielles françaises du Midi, Béziers, Montpellier, Narbonne, Nîmes, Perpignan. *1965-66* : 5,10 F ; *70-71* : 6,93 ; *75-76* : 10,01 ; *80-81* : 13,45 ; *90-91* : 24,34 ; *91-92* : 24,61. *Vins de table blancs* (type A I) : cote à Nantes et Bordeaux *1981-82* : moy. arithmétique 20,33 F/hl, pondérée 22,186 F/hl ; *1989-90* : 30,98 ; *90-91* : *29,17* ; *91-92* : 31,58. Prix de référence v. rouges 32,29, v. blancs (sauf riesling et sylvaner) 30,48. Rouges et blancs (1989-90) : 34,5 F/hl. *Prix au détail* (Insee), Rég. parisienne : *Nov. 1990 (rouge)* : *11°* : 8,4 ; *12°* : 8,72. **Ventes : Hospices de Beaune,** depuis 1851. Baisse en 1991 et 1992 (132ᵉ vente le 15-11) en % : *blancs 91* : – 41, *92* : –25 ; *rouges 91* : – 25, *92* : – 24.

■ **Prix du Bordeaux. Prix moyen pondéré du Bordeaux rouge à la propriété** (en F, le tonneau de 900 l) : *1970-71* 1 438. *71-72* 2 119. *72-73* 3 628. *73-74* 1 757. *74-75* 1 250. *75-76* 2 069. *76-77* 2 555. *77-78* 3 913. *78-79* 4 395. *79-80* 3 832. *80-81* 3 840. *81-82* 4 017. *82-83* 4 006. *83-84* 4 276. *84-85* 6 317. *85-86* 6 128. *86-87* 5 689. *87-88* 5 186. *88-89* : 5 453. *89-90* : 5 828. *90-91* : 5 702. *91-92* : 6 713. **Prix à la bouteille du Mouton-Rothschild** (en F) : *1975* : 50. *80* : 83. *82* : 170. *85* : 200. *86* : 180. *90* : 270. **Prix moyen de la bouteille de Bordeaux rouge à la consommation** (en F) : *1970* : 3,24. *75* : 4,77. *80* : 9,94. *85* : 14,72. *90* : 19,68. **Blanc** : *1990* : 25,2.

Prix records. Château-Lafite 1787 : 1 bouteille aux initiales de Thomas Jefferson (futur Pt des USA), découverte, a-t-on dit, dans une cave murée du Marais à Paris, achetée 1 100 000 F chez Christie's à Londres le 5-12-1985 par Malcom Forbes ; une 2ᵉ bouteille estimée 3 200 000 F a été brisée par mégarde au restaurant « Les Quatre Saisons » à New York en 1986 par un négociant, William Sokolin ; en fait, il s'agissait de faux. **1806 :** vendu à Chicago le 29-5-80 : 31 000 $ (soit 140 000 F) (*en 1979* : 126 000 F) ; **1811 :** 20 000 £ (Christie's Londres, 23-5-1988) ; **1820 :** 78 500 F une bouteille en verre soufflé bouchée à l'émeri, à Drouot en oct. 1987 ; **1848 :** 4 000 F ; **1882 :** 14 000 F. **Lafite-Rothschild : 1832 :** 24 000 £ (par international Wine Action, Londres 9-4-1988). **Latour : 1888 :** 16 000 £ (Sotheby's Londres, déc. 1987). **Margaux : 1784 :** 18 000 £ (½ bouteille, Vin Expo France, 26-6-1987). **Mouton-Rothschild** Impériale **de 1924** (6 litres) vendu à Londres le 26-9-1984 : 9 350 £ (110 000 F). **Riesling 1735 :** 180 000 F en 1987. **Yquem 1784 :** 36 000 £ (Christie's Londres, 4-12-1986). **1811 :** 136 000 F (Sens, juillet 1991).

■ Grands millésimes

Appréciations sur les millésimes récents en 1993. Année, entre parenthèses, date du début des vendanges, degré d'abondance, qualité et quand les boire. *1961* (22-9) PR ², année à boire. *64* (28-9) A ⁴ à b. *66* (20-9) M ⁴, à b. *70* (27-9) TGR ², à b. *71* (27-9) PR ⁴, à b. *75* (22-9) M ², à commencer à boire. *76* (13-9) A ⁴, à b. *77* (5-10) PR ³, b. sans attendre. *78* (8-10) M ², à comm. à b. *79* (5-10) TGR ⁴, à b. *80* (8-10) M ³, à b. *81* (28-9) M ⁴, à b. *82* (13-9) TGR ¹, attendre. *83* (26-9) A ², comm. à b. *84* (1-10) M ³, comm. à b. *85* (30-9) A ², 10 à 15 a. *86* (26-9) TGR ², 10 à 20 a. *87* (1-10) M ³, 2 à 5 a. *88* (28-9) TGR ², 10 à 15 a. *89* (23-9) TGR ¹, 10 à 15 a.

Nota. – (1) Très grande année. (2) Vins excellents. (3) Assez bonne année. (4) Très bons vins. TGR : très grande récolte. M : moyenne récolte. A : abondante récolte. PR : petite récolte.

☞ En 1893, les vendanges ont commencé au mois d'août, de même en 1984 dans certains crus du Bordelais.

Exemples de prix de grands vins (la bouteille, en F HT, 1993), *Source* : « Les Vins des grands vignobles ». **Vins rouges : 1990 et (1989)** *Margaux* : Château Margaux (1ᵉʳ cru classé) 351,32 (421,59 F). Pavillon rouge (2ᵉ vin) 119,45 (140,53 F). Ch. Issan (3ᵉ cru classé) 98,37 (105,40 F). *St-Julien* : Léoville Las Cases (2ᵉ cru classé) 168,63 (228,36 F). Beychevelle (4ᵉ cru classé) 133,5 (161,61 F). Lalande Borie (cru bourgeois) 66,75 (73,78 F). *Pauillac* : Lafite-Rothschild (1ᵉʳ cru classé) 351,32 (421,59 F). Latour (1ᵉʳ cru classé) (421,59 F). Pichon Lalande (2ᵉ cru classé) 168,63 (210,79 F). *St-Estèphe* : Montrose (2ᵉ cru classé) 154,58 (165,12 F). *Haut-Médoc Médoc* : La Lagune (3ᵉ cru classé) 98,37 (119,45 F). *Moulis* (crus bourgeois) : Chasse Spleen 98,37 (119,45 F). Moulin à Vent 56,21 (59,72 F). *Pomerol* : L'Évangile 267 (302,14 F). *Graves Rouges Pessac-Léognan* : Haut-Brion (1ᵉʳ cru classé) 351,32 (502,39 F). Picque Caillou 63,24 (59,72 F). *Graves Blancs Pessac-Léognan* : Haut-Brion 386,45 (519,96 F). **1982** *Margaux* : Margaux (1ᵉʳ cru classé) 667,51. *Saint-Julien* : Gruaud Larose (2ᵉ cru) 302,14. Talbot (4ᵉ cru) 224,85. *Pauillac* : Lafite-Rothschild (1ᵉʳ cru) 632,38. P.-L. (2ᵉ cru) 210,79. *St-Estèphe* : Montrose (2ᵉ cru) 210,79. *Graves* : Haut-Brion (1ᵉʳ cru) 667,51. La Mission Haut-Brion (cru classé) 512,93. *St-Émilion* (1ᵉʳ grands crus) : Cheval Blanc (classé A) 667,51. Canon (B) 351,32. **Vins blancs liquoreux. 1986.** *Yquem* (1ᵉʳ cru classé exceptionnel) 1 053,96. *Guiraud* (1ᵉʳ cru) 182,69.

	Bord.[1]		Bourg.[2]		B[3]	Ch.[4]	Al.[5]	C.R.[6]	L.[7]	J.[8]
	R[a]	Bl[b]	R[a]	Bl[b]						
1945	19	19	18	14	16	18	18	17	17	16
1947	18	17	17	16	17	18	17	16	19	18
1949	17	17	18	15	16	16	17	17	16	16
1953	18	16	14	15	17	17	17	13	16	15
1955	17	17	15	16	16	17	16	15	15	15
1959	15	15	16	16	16	17	18	14	17	16
1961	19	18	18	16	18	18	17	17	16	16
1964	15	14	15	17	15	15	17	15	15	15
1966	17	15	16	16	16	17	15	16	14	14
1967	14	19	12	14	15	14	16	14	13	15
1969	11	13	18	17	16	16	15	13	16	16
1970	18	17	10	13	15	15	15	17	14	12
1971	16	15	18	16	16	16	18	15	16	15
1975	17	17	8	11	10	17	13	13	14	14
1976	16	18	17	15	16	16	18	17	18	17
1978	17	15	18	18	17	16	15	18	16	14
1979	16	15	15	15	14	16	16	14	14	17
1981	16	14	13	17	15	18	16	13	15	15
1982	18	15	13	17	14	17	14	14	14	12
1983	16	18	17	18	18	16	19	18	17	18
1985	18	16	18	17	18	17	17	18	17	17
1986	18	17	13	16	13	15	15	13	14	14
1987	13	13	14	13	14	13	14	13	13	13
1988	17	18	18	16	16	16	17	18	17	17
1989	18	19	17	17	18	17	17	17	19	18
1990	18	19	18	17	18	18	18	18	18	17
1991	14	13	16	15	17	14	15	15	13	17

Années exceptionnelles d'avant-guerre : 1904, 1906, 1921, 1928, 1929, 1934, 1937.

Nota. – (1) Bordeaux. (2) Bourgogne. (3) Beaujolais. (4) Champagne. (5) Alsace. (6) Côtes-du-Rhône. (7) Loire. (8) Jura. (a) Rouge. (b) Blanc. Cotations en rouge : vins à laisser vieillir ; en gris : à boire maintenant ; en blanc : devrait déjà être bu. *Source* : cote établie par Jean-Claude Vrinat (Caves Taillevent).

■ Grands vins français

Bordeaux

■ **Quelques chiffres.** *Surfaces 1992.* 113 056 ha (AOC 108 933, vins de table 4 123). *Vignobles connus* : 2 000 (dont 177 crus classés : 74 St-Émilion, 61 Médoc, 26 Sauternes et Barsac, 16 Graves). *Déclarants de récolte* : 16 122 en 1992. *Rendements* (AOC) en hl à l'ha : *1986* : 64,8 ; *87* : 50,6 ; *88* : 48 ; *89* : 60,2 ; *90* : 59,3 ; *92* : 60,5. *Production* en millions d'hl (AOC et vins de table millésimés) *1982* : 4,95 (1,38) ; *83* : 4,11 (1) ; *84* : 2,84 (0,6) ; *85* : 4,9 (0,69) ; *86* : 5,62 (1,12) ; *87* : 4,71 (0,55) ; *88* : 4,59 (0,40) ; *89* : 5,9 (0,6) ; *90* : 6 (0,8) ; *91* : 2,59 (0,1) ; *92* : 6,63 (AOC rouges 5,03 ; blancs 1,23 ; vins de table 20,107 ; bl. 0,258). *Exportations 1992* (milliers d'hl) 1 689 (4 876 millions de F) vers UEBL 314, All. 287, G.-B. 251, P.-B. 200, Dan. 169, USA 151.

Production vins AOC (en milliers d'hl, millésime 92). **Rouges :** *Bordeaux* : 3. rouge 2 146,5. Ste-Foy-B. 3,7. B. rosé 107,9. B. supérieur 451,4. Crémant rosé 1,7. *Côtes* : Côtes-de-Castillon 159,8. Côtes-de-Francs 26,7. 1ʳᵉˢ Côtes-de-Blaye 197,8. Côtes-de-Bourg 204,7. 1ʳᵉˢ Côtes-de-B. 120,1, Graves-de-Vayres 16,9. *Médoc et Graves* : Médoc 262,5. Ht-Médoc 221. Listrac 33,4. Moulis 28,2. Margaux 59,1. St-Julien 43,5. Pauillac 63,2. St-Estèphe 65,9. Graves 99,3. Pessac-Léognan 46. *St-Émilion-Pomerol-Fronsac* : St-Émilion 293,8 (dont grand cru 156,6). Montagne-St-É. 91,8. St-Georges-St-É. 6,7. Lussac-St-É. 80,9. Puisseguin-St-É. 42. Pomerol 41,4. Lalande-de-Pomerol 57,8. Fronsac 44,9. Canon-Fronsac 16,1. **Blancs :** *Secs* : B. blanc 783,2. Blayais 32,7. Côtes-de-Blaye 28,5. Côtes-de-Bourg 2,5. Entre-deux-Mers 168,6. Graves-de-Vayres 9,2. Graves 56,6. Pessac-Léognan 13,2. Crémant blanc 8,1. Côtes-de-Francs 0,2. *Doux* : B. supérieur 6,7. Ste-Foy-B. 1,9. Côtes-de-Bordeaux St-Macaire 1,8. 1ʳᵉˢ Côtes-de-B. + Cadillac 28,9. Graves supérieur 16,3. Cérons 2,2. Loupiac 13,2. Ste-Croix-du-Mont 16,5. Barsac 14,6. Sauternes 29,2.

Nota.– Récolte 1991 marquée par gel en avril, entraînant une baisse de production globale d'env. 60 % par rapport à la récolte 90.

■ **Rouges. Médoc** *(classification du 8-4-1855* du Syndicat des courtiers en vins de B., établie à l'occasion de l'Exposition universelle de Paris) ; en italique : 2ᵉ vin. **1ᵉʳˢ crus** (cités par ordre alpha. dep. arrêté du 30-6-1973) : Ch. Ht-Brion (Graves) (2ᵉ vin : *Bahans Ht-Brion*). Lafite-Rothschild ¹ (*les Carruades de Lafite*) : 90 ha. Latour ¹ (*les Forts de Latour*) [*1962* : 76 % cédés par héritiers du Mⁱˢ de Ségur : Pearson 51 % et Allied Lyons 25 %, pour 13 millions de F. *1989* : Allied rachète les 51 % à Pearson 605 millions de F. *1993* : Pinault rachète 94,5 % à Allied 690 millions de F (100 % vaudraient 755 millions de F au lieu de 1 060 millions de F escomptés)]. Margaux ² (*Pavillon rouge*) [*1979* Château-Margaux acheté aux Ginestet 72 millions de F par André Mentzelopoulos († 1980), P-DG de Félix Potin (devenu Exor) ; *1992* revendu avec Exor aux Agnelli]. Mouton-Rothschild ¹ (classé 1ᵉʳ cru par arrêté du 1-6-1973) [*1853* Nathaniel Rothschild achète le château de Mouton. *1868* James de Rothschild acquiert Lafite devenu Lafite-Rothschild, à 500 m de Mouton. *1922* repris par le petit-fils parisien de Nathaniel, Philippe († 1988)].

Autres crus (châteaux par ordre de mérite) 2ᵉˢ crus : Rausan-Ségla ². Rauzan-Gassies ². Léoville-Las Cases ⁵ (*Clos du Marquis*). Léoville-Poyferré ⁵ (*Ch. Moulin Riche*). Léoville-Barton ⁵. Dufort-Vivens ² (*Domaine de Curebourse*). Gruaud-Larose ⁵ (*Sarget de G. L.*). Lascombes ² (*Ch. La Gombaude*). Brane-Cantenac ³ (*Ch. Notton*). Pichon-Longueville-Bᵒⁿ ¹ (*Les Tourelles de Longueville*) acheté 200 MF (5 millions de F l'ha) par Axa en 1987. Pichon-Longueville-Lalande ¹ (*Réserve de la Cᵗᵉˢˢᵉ*). Ducru-Beaucaillou ⁵ (*La Croix*). Cos d'Estournel ⁴ (*Ch. de Marbuzet*). Montrose ⁴ (*Dame de Montrose*). **3ᵉˢ :** Kirwan ³ (*Margot Private Réserve*). d'Issan ³ (*Ch. de Candale*). Lagrange ⁵ (*Les Fiefs de Lagrange*). Langoa Barton ⁵. Giscours ⁷. Malescot St-Exupéry ². Boyd-Cantenac ³. Cantenac-Brown ³. Palmer ³ (*La Réserve du Gᵃˡ*). La Lagune ⁶ (*Ch. Ludon Pomier Agassan*). Desmirail ² (*Ch. de Fontarney*). Calon-Ségur ⁴ (*Mⁱˢ de Ségur*). Ferrière ². Marquis d'Alesme-Becker ². **4ᵉˢ :** St-Pierre ⁵ (*Bontemps*). Talbot ⁵ (*Connétable de Talbot*). Branaire-Ducru ⁵ (*Ch. Duluc*). Duhart-Milon-Rothschild ¹ (*Ch. Moulin de Duhart*). Pouget ³. La Tour-Carnet ⁸. Lafon-Rochet ⁴. Beychevelle ⁵ (*Amiral de Beychevelle*) acheté par GMF en 1984-88 (84 ha à 3 millions de F l'ha). Prieuré-Lichine ³ (*Ch. de Clairefont*). Marquis-de-Terme ². **5ᵉˢ :** Pontet-Canet ¹ (*Les Hauts de Pontet*). Batailley ¹. Haut-Batailley ¹

(*La Tour de l'Aspic*). Grand-Puy-Lacoste [1] (*Lacoste Borie*). Grand-Puy-Ducasse [1] (*Ch. Artigues-Arnaud*). Lynch-Bages [1] (*Ch. Ht-Bages Averous*). Lynch-Moussas [1]. Dauzac [1] (*Ch. Labarde* ; 120 ha achetés 200 MF en 1989 par MAIF). d'Armailhac (anciennement Château Mouton-Baronne-Philippe) [1]. du Tertre [10] (*Margaux Réserve*). Haut-Bages-Libéral [1]. Pédesclaux [1] (*Ch. Grand Duroc Milon*). Belgrave [8]. Camensac [8]. Cos Labory [4] (*Ch. Andron Blanquet*). Clerc-Milon [1]. Croizet-Bages [1] (*Enclos de Moncabon*). Cantemerle [9] (*Bon Villeneuve de Cantemerle*).

Nota. – Tous en Médoc sauf le Château Haut-Brion (Graves). *Communes de :* (1) Pauillac. (2) Margaux. (3) Cantenac. (4) St-Estèphe. (5) St-Julien. (6) Ludon. (7) Labarde. (8) St-Laurent. (9) Macau. (10) Arsac.

Graves. **Rouges** (*classification* par arrêté du 16-2-1959). **1er cru :** Ch. Ht-Brion [1,6] (dont Talleyrand fut propriétaire). **Crus classés :** Ch. Ht-Bailly [2]. Ch. La Mission Ht-Brion [3]. Ch. Latour-Ht-Brion [3]. Ch. Carbonnieux [2]. Domaine de Chevalier [2]. Ch. Malartic-Lagravière [2]. Ch. Olivier [2]. Ch. Latour-Martillac [4]. Ch. Smith-Ht-Lafite [4] acheté 4 millions de F l'ha en 1991 par Daniel Cathiard. Ch. Bouscaut [5]. Ch. Pape Clément [1]. Ch. Fieuzal [2].

Nota. – Communes de : (1) Pessac. (2) Léognan. (3) Talence. (4) Martillac. (5) Cadaujac. (6) Classé en 1855.

Saint-Émilion. Appellations Saint-Émilion et Saint-Émilion Grand Cru. *[classification* 1954, *révisions* 1969 (arrêté du 17-11), 1986 (arrêté du 23-5) ; classement révisé tous les 10 ans]. **Châteaux, 1ers Grands Crus Classés** (ordre alphabétique) : A. Ausone, Cheval-Blanc (35 ha). **B.** Beauséjour (Her. Duffau-Lagarrosse). Belair. Canon. Clos Fourtet. Figeac. La Gaffelière. Magdelaine. Pavie. Trottevieille. **Grands Crus Classés :** Angélus. L'Arrosée. Balestard la Tonnelle. Beau-Séjour Bécot. Bellevue. Bergat. Berliquet. Cadet-Piola. Canon-la-Gaffelière. Cap de Mourlin. Le Châtelet. Chauvin. Clos des Jacobins. Clos la Madeleine. Clos de l'Oratoire. Clos Saint-Martin. La Clotte. La Clusière. Corbin. Corbin-Michotte. Couvent des Jacobins. Croque-Michotte. Curé Bon la Madeleine. Dassault. La Dominique. Faurie de Souchard. Fonplégade. Fonroque. Franc-Mayne. Grand Barrail Lamarzelle Figeac. Grand Corbin. Grand Corbin Despagne. Grand Mayne. Grand Pontet. Guadet Saint Julien. Haut-Corbin. Haut-Sarpe. Lamarzelle. Laniote. Larcis Ducasse. Larmande. Laroze. Matras. Mauvezin. Moulin du Cadet. Pavie Decesse. Pavie Macquin. Pavillon Cadet. Petit-Faurie-de-Soutard. Le Prieuré. Ripeau. Saint-Georges Côte Pavie. Sansonnet. La Serre. Soutard. Tertre Daugay. La Tour Figeac. La Tour du Pin Figeac (Giraud-Bélivier). La Tour du Pin Figeac (Moueix). Trimoulet. Troplong Mondot. Villemaurine. Yon-Figeac.

Nota. – Tous sur commune de St-Émilion. Au total 1 000 crus (11 1ers grands crus classés, 63 grands crus classés), 52 ha répartis sur 9 communes : St-Émilion, St-Christophe des Bardes, St-Étienne de Lisse, St-Hippolyte, St-Laurent des Combes, St-Pey d'Armens, St-Sulpice de Faleyrens. Vignonet et une partie de la commune de Libourne.

APPELLATIONS RÉGIONALES ET COMMUNALES

Vins d'AOC rouges. *Bordeaux :* Bordeaux, B. Supérieur, B. Rosé, B. Supérieur Rosé, B. Clairet, B. Supérieur Clairet, Ste-Foy B. *Côtes :* Côtes de Francs, Côtes de Castillon, Côtes de Bourg, Bourg, 1res Côtes de Blaye, Blaye, 1res Côtes de B., Graves de Vayres. *Libournais :* St-Émilion, Grand Cru St-Émilion, Montagne St-Émilion, Puisseguin St-Émilion, Lussac St-Émilion, St-Georges St-Émilion, Pomerol, Lalande de Pomerol, Fronsac, Canon Fronsac. *Médoc et Graves :* Graves, Médoc, Haut-Médoc, Listrac, Margaux, Moulis ou Moulis-Médoc, Pauillac, St-Estèphe, St-Julien. *Décret du 9-9-1987 :* nouvelle AOC Pessac-Léognan : certains vins de Graves peuvent être désignés sous l'appellation Pessac-Léognan.

Vins d'AOC blancs. *Vins blancs secs :* Blaye, Premières Côtes de Blaye, Côtes de Blaye, Bordeaux, Côtes de Francs, Côtes de Bourg, Bourg, Entre-Deux-Mers, Graves, Pessac-Léognan, Graves de Vayres. *Vins blancs doux :* Bordeaux Supérieur, Ste-Foy Bordeaux, Côtes de Bordeaux St-Macaire, Graves Supérieurs, Premières Côtes de Bordeaux, Cadillac, Cérons, Loupiac, Ste-Croix du Mont, Barsac, Sauternes.

Crémant de Bordeaux. Appellation créée par décret du 3-4-1990 : vin mousseux produit selon méthode traditionnelle.

Pomerol. *Appellations :* Pomerol. **1er cru :** Château Pétrus. **Châteaux :** La Conseillante, L'Évangile, La Fleur, Latour Pomerol, Petit-Village, Trotanoy, Vieux Château Certan, Beauregard, Gazin, Nénin.

Nota. – Commune de Pomerol : 700 ha (pas de classement officiel).

■ **Sauternes et Barsac.** **Par ordre de mérite.** *Vins blancs liquoreux (classification* 1855). **1er grand cru :** Ch. d'Yquem [1] (pas de production en 1964, 72, 74). **1ers crus classés :** Ch. La Tour Blanche [2]. Lafaurie-Peyraguey [2]. Clos Haut-Peyraguey [2]. Rayne-Vigneau [2]. Suduiraut [3] ; 51 % du domaine (200 ha dont 90 de vignobles) racheté 212 millions de F, par Axa. Coutet [4]. Climens [4]. Guiraud [1]. Rieussec [5]. Rabaud-Promis [2]. Sigalas-Rabaud [2]. **2es crus :** de Myrat [4]. Doisy-Daëne [4]. Doisy-Dubroca [4]. Doisy-Védrines [4]. d'Arche [1]. Filhot [1]. Broustet [4]. Nairac [4]. Caillou [4]. Suau [4]. de Malle [3]. Romer du Hayot [5]. Lamothe-Despujols [1]. Lamothe-Guignard [1].

Nota. – Communes de : (1) Sauternes. (2) Bommes. (3) Preignac. (4) Barsac. (5) Fargues de Langon.

Graves. *Rouges (r) et blancs (b) classés en 1959.* Haut-Brion ayant été classé en 1855, voir plus haut. Ch. Bouscaut [2], r, b. Carbonnieux [1], r, b. de Chevalier [1], r, b. Couhins [4], b. Couhins-Lurton [4], b. de Fieuzal, r. Haut-Bailly, r. Laville Haut-Brion [3], b. Malartic-Lagravière [1], r, b. La Mission Haut-Brion, r. Olivier [1], r, b. Pape Clément, r. Smith-Haut-Lafite, r. La Tour Haut-Brion, r. La Tour-Martillac, r, b.

Nota. – Communes de : (1) Léognan. (2) Cadaujac. (3) Pessac et Talence. (4) Villenave-d'Ornon. (5) Martillac. Au total, 181 crus sont classés (non compris les grands crus de St-Émilion, dont le classement change chaque année en fonction de la qualité).

BOURGOGNE

Bourgogne (rouge, blanc, rosé), B. passe-tout-grain (rouge, rosé), B. aligoté (blanc), B. grand ordinaire (rouge, blanc, rosé), Crémant de B. (blanc, rouge).

Production (en milliers d'hl). *1991-92 :* 1 006 dont vins rouges 460, blancs 546.

Yonne. **Appellations :** Chablis (1 958 ha), Chablis 1ers Crus (669 ha), Chablis Grands Crus (97 ha), Petit Chablis (259 ha). **Grands crus** (tous blancs) : Blanchots, Bougros, Les Clos, Grenouilles, Les Preuses, Valmur, Vaudésir (tous rive droite du Serein, au N. de Chablis). **VDQS** (bl.) : Sauvignon de St-Bris.

Côte de Nuits (Côte-d'Or). **Appellations communales** (presque tous rouges) : Fixin, Marsannay, Gevrey-Chambertin, Morey-St-Denis, Chambolle-Musigny, Vougeot, Vosne-Romanée, Nuits-St-Georges, Côte de Nuits-Villages. **Grands crus** (tous rouges, sauf un peu de blanc en Musigny) : Chambertin, Chambertin Clos-de-Bèze, Chapelle-Chambertin, Charmes-Ch., Griotte-Ch., Latricières-Ch., Mazis-Ch., Mazoyères-Ch., Ruchotte-Ch., Clos de la Roche, Clos St-Denis, Clos de Tart, Bonnes Mares, Musigny, Clos de Vougeot [le plus vaste (51 ha en un seul tenant autour du château XVIe s., avec cuverie et cellier XIIe s.), 77 propriétaires], Échézeaux, Grands-Échézeaux, La Romanée, Romanée Conti (1,8 ha ; 4/6 000 bouteilles/an), Romanée-St-Vivant (9 ha), Richebourg, La Tâche, Clos des Lambrays.

Côte de Beaune (Côte-d'Or). **Appellations communales** (presque tous blancs et rouges) : Pernand-Vergelesses, Ladoix, Aloxe-Corton, Chorey-lès-Beaune, Savigny, Beaune, Côte de Beaune, Pommard, Volnay, Monthelie, Meursault (blanc moy. 9 000 hl sur 295 ha, 1er cru 3 500 hl pour 110 ha ; rouge 1 500 hl sur 62 ha), Saint-Romain, Auxey-Duresses, Puligny-Montrachet, Chassagne-Montrachet, Saint-Aubin, Santenay, Blagny, Côte de Beaune-Villages. **Grands crus** (tous blancs sauf Corton : bl. et r.) : Corton, Charlemagne, Corton Charlemagne, Montrachet, Chevalier-Montrachet, Bienvenues-Bâtard-Montrachet, Criots-Bâtard-Montrachet, Bâtard-Montrachet.

Saône-et-Loire. Mâcon et Mâcon Supérieur (bl. et r.), Mâcon Villages (bl.), Pinot-Chardonnay-Mâcon (bl.). **Appellations communales :** Pouilly-Fuissé (bl. sur 700 ha), Pouilly-Loché (bl.), Pouilly-Vinzelles (bl. 70 ha), Saint-Véran (bl. 375 ha), Montagny (bl.), Rully, Givry, Mercurey (rouges et blancs), Maranges.

Rhône. **Superficie :** *1905 :* 26 400 ha ; *26 :* 19 800 ; *50 :* 13 500 ; *75 :* 17 600 ; *85 :* 22 000. Beaujolais, Beaujolais Supérieur (r. et bl.), Beaujolais Villages (r. et bl.). **Récoltes** (en milliers d'hl) : *1986 :* 1 350, *87 :* 1 150, *89 :* 1 270, *90 :* 1 350. Le Beaujolais nouveau a été inventé en 1954 par Louis Orizet pour Georges Duboeuf. Commercialisé *90-91 :* 1 400 dont exporté 535 (vers Suisse 23,7 %, All. 21,5, G.-B. 11,5). **Appellations :** *Brouilly :* goût raisin frais, framboise, groseille, 1 200 ha (6 villages : Cercié, Charentay, Odenas, St-Étienne-la-Varenne, St-Lager, Quincié), 65 000 hl. *Morgon :* goût cherry, noyau de cerise, prune, cassis, 1 160 ha, 58 000 hl, 6 climats (corcelette, douby, côtes-de-py, les micouds, le grand-cras, les charmes). *Fleurie :* goût iris, épicé, 800 ha, 44 000 hl. *Moulins-à-Vent :* goût jujube, rose fanée, 660 ha, 36 000 hl, 3 principaux climats (rochegrès, desvins, aux thorins). *Juliénas :* goût pivoine, cannelle, violette, 580 ha, 31 000 hl, appellation contrôlée dep. mai 1938. *Régnié :* goût petits fruits rouges et mûre, 550 ha, 35 000 hl, appellation contrôlée dep. 1988 à Régnié-Durette. *Chiroubles :* goût violette, framboise et gelée de coing, 320 ha, 17 000 hl, 3 millions de bouteilles. *Côtes-de-Brouilly :* proche du Brouilly, goût amande, myrtille, 290 ha (4 villages : Odenas, St-Lager, Cercié, Quincié), 16 000 hl. *St-Amour :* goût pêche, abricot, 280 ha, 15 000 hl. *Chénas :* goût rose fanée, petites nuances animales, 240 ha, 13 000 hl. *Beaujolais-Villages :* goût banane. *Obtenu* sans foulage initial, le raisin est placé entier, avec la rafle, dans une cuve fermée 3 à 4 j ; par la « respiration du raisin », la cuve se sature en gaz carbonique qui accélère la fermentation. *Prix de l'ha.* Bâtard-Montrachet 10 584 677 F (1989), Montrachet 20 000 000 (1991), Romanée St-Vivant 4 741 159 (1987).

CHAMPAGNE

■ **Origine.** V. 1688, Dom Pérignon (1638-1715) enterré à Hautvillers, cellérier de l'abbaye bénédictine d'Hautvillers, élabore du vin blanc à partir de raisins noirs, assemble les vins selon les crus d'origine et ouvre la voie vers la préparation d'un vin à l'effervescence provoquée et maîtrisée.

■ **Champagne viticole.** Délimité par décret du 17-12-1908 et la loi du 22-7-1927. Sol formé principalement de craie à bélemnites. Couvre env. 30 000 ha de vignes plantées. D'autres terrains (env. 3 500 ha), classés en appellation « Champagne » ne sont pas encore plantés. 28 525 ha étaient effectivement cultivés en 1992 (Marne 21 287, Aube 5 319, Aisne 1 825, S.-et-Marne 38, Hte-Marne 57), 29 905 en 1991. 35 % des vignes avaient – de 10 ans, 27 % de 10 à 20, 38 % + de 20.

Répartition de la propriété du vignoble : 87 % de la superficie entre 15 500 vignerons pratiquant la monoculture, 13 % entre 64 maisons de négoce qui y trouvent un appoint de leur approvisionnement. *6* maisons exploitent plus de 200 ha ; *5* 100 à 200 ha ; *12* 20 à 50 ha ; *41* – de 10 ha. La moitié des vignerons sont membres de coopératives (145 en 1992) qui assurent pressurage, stockage et éventuellement commercialisation. Les récoltants-manipulants (4 700) assurent eux-mêmes ou avec l'aide de leur coopérative la vinification de tout ou partie de leur récolte et la commercialisation du champagne à leur marque. *Prix de l'ha en appellation champagne :* 2 à 3 millions de F (seules, des petites parcelles de quelques ares sont disponibles). *Prix du produit brut à l'ha* (en milliers de F) : *1990 :* 400 ; *92 :*170.

■ **Dénominations.** *Appellation « Champagne »,* protégée par la réglementation française et européenne. Dans le monde, un nombre croissant de pays reconnaissent et respectent cette appellation. Le prix du raisin est fonction du classement des communes dans l'échelle des crus. *Grands crus :* classés 100 % dans l'échelle (crus de la Côte des Blancs et certains crus de la Montagne de Reims). *1ers crus :* classés de 90 à 99 % (certains de la Montagne de Reims et de la vallée de la Marne). *Autres crus :* classés de 80 à 89 % (certains de la vallée de la Marne, crus de l'Aisne et de l'Aube).

☞ Le 26-6-1993 la Cour d'appel de Londres refuse à la Sté Thorncroft de vendre une boisson non alcoolisée et pétillante (500 000 bouteilles en 1992) sous le nom d'« Elderflower Champagne ».

■ **Vigne.** **Vie :** env. 30 ans. Disposée en lignes espacées d'1 m env., les ceps plantés sur chacune d'elles à 1 m ou 1,20 m les uns des autres. Piquets hauts de 80 cm. 7 000 à 8 000 pieds par ha. **Cépages :** seules variétés légalement autorisées en dehors de quelques plants locaux en voie d'extinction : Pinot noir et Pinot meunier à raisins noirs (2/3 du vignoble) ; Chardonnay à raisins blancs. **Récolte :** 3 années après la plantation ; (en milliers de pièces, ou fûts de 205 l) *1975 :* 641 ; *76 :* 779 ; *77 :* 692 ; *78 :* 290 ; *79 :* 837 ; *80 :* 415 ; *81 :* 337 ; *82 :* 1 079 ; *83 :* 1 093 ; *84 :* 724 ; *85 :* 560 ; *86 :* 957 ; *87 :* 969 ; *88 :* 820 ; *89 :* 1 023 ; *90 :* 1 068 ; *91 :* 1 016 ; *92 :* 1 048. **Rendement à l'ha :** 9 000 à 10 000 kg sur 10 ans.

■ **Pressurage.** Le décret-loi du 28-9-1935 a limité le rendement au pressurage à 102 l pour 160 kg de raisin. Chaque pressoir reçoit 4 000 kg de raisins d'où l'on tire 2 550 l de jus ou *moût* destinés à faire du *champagne :* une 1re pressée donnera 2 000 l de *cuvée* et 2 pressées ultérieures 550 l qui constituent la *taille.* Le jus de *rebêche* (recoupé) obtenu au-delà de cette limite est éliminé par distillation.

CHAMPAGNE MERCIER

à l'aube du 3e millénaire

Fondée en 1858, Mercier est aujourd'hui, 135 ans après, la marque de Champagne qui jouit en France de la plus grande notoriété. Cette célébrité trouve ses origines dans la personnalité d'Eugène Mercier, le fondateur de la Maison. Génial précurseur dans le domaine de la communication, il avait su, au cœur du 19e siècle, créer l'événement autour du Champagne Mercier. Du foudre géant amené à Paris, au ballon utilisé comme support publicitaire, en passant par la réception des visiteurs toujours plus nombreux dans les caves de la Maison, Eugène Mercier a cherché inlassablement à frapper l'imagination des Français.

Aujourd'hui, le Champagne Mercier s'appuyant sur son expérience centenaire franchit une nouvelle étape.

C'est ainsi que depuis le 1er avril 1989 un nouveau bâtiment accueille plus de 200 000 visiteurs qui se pressent chaque année pour visiter les caves. De par sa conception, il les plonge dans l'insolite tout en leur montrant les images traditionnelles du Champagne. Ce nouveau symbole du Champagne Mercier a accueilli en son centre le foudre géant, qui depuis l'origine personnifie la Maison.

D'une hauteur de 10 mètres et d'une surface de plus de 1 500 m^2, ce bâtiment construit en face des installations principales sur le parking réservé aux visiteurs, a une capacité d'accueil de 2 400 personnes par jour.

Il comprend une salle d'exposition consacrée à l'histoire de Mercier, à travers ses affiches et documents d'archives, une salle spécialement conçue pour la projection d'un audiovisuel sur écran panoramique qui présente le Champagne Mercier à travers son histoire et son environnement. La descente en caves se fait au moyen de deux ascenseurs aux parois vitrées permettant de visionner les effets spéciaux agrémentant la plongée à 20 mètres sous terre. La visite des caves se fait toujours au moyen d'un petit train, autre symbole, mais aujourd'hui entièrement automatisé. A l'issue de ce passage dans les galeries où dorment les bouteilles, les visiteurs remontent en surface dans une salle de dégustation où, une coupe de champagne à la main, ils peuvent

satisfaire leur curiosité grâce aux explications fournies par les hôtesses. La traversée d'un espace de vente en libre-service termine cette visite d'une durée totale d'une heure et demie. Celle-ci peut être complétée par la visite du Musée des Pressoirs, élément remarquable du patrimoine Mercier, situé à quelques pas du nouvel ensemble.

A une heure de route du plus grand parc d'attractions d'Europe, Mercier a voulu, à travers ce projet, constituer un pôle d'attraction au cœur de la Champagne. Epernay, situé à la jonction des trois grands vignobles champenois, verra son attrait déjà important renforcé encore par la présence en son sein de ce nouvel espace. Un espace conçu et réalisé pour donner du champagne l'image la plus pétillante qui soit.

70, avenue de Champagne - 51200 EPERNAY
Tél. 26.54.75.26 - Télex 830941 - Fax 26.55.12.63

Visite commentée en petit train électrique.
La visite est suivie d'une dégustation
(entrée : 20 F, dégustation gratuite).

Accueil sans rendez-vous pour les individuels
et sur rendez-vous pour les groupes.

HORAIRES D'OUVERTURE :

Du Lundi au Samedi :
9 h 30 à 11 h 30
14 h 00 à 16 h 30

Dimanche et jours fériés :
9 h 30 à 11 h 30
14 h 00 à 17 h 30

En Décembre, Janvier et Février :
fermeture hebdomadaire
les mardis et mercredis

Agence PULSI - Reims - Tél. 26.47.09.34

L'ABUS D'ALCOOL EST DANGEREUX POUR LA SANTE, CONSOMMEZ AVEC MODERATION.

(Information)

■ Vinification. 1re **fermentation** ou « bouillage » dans les tonneaux de chêne traditionnels ou des cuves en acier émaillé ou inoxydable. Température constante 20 ou 22 °C. Fermentation « tumultueuse » pendant quelques j, puis son intensité décroît. Au bout de 3 semaines, *1er soutirage :* les vins sont exposés au froid qui en précipite les dépôts et leur assure une bonne stabilité. Puis le vin clair est à nouveau soutiré.

Cuvée : élaborée par des spécialistes qui assemblent des vins d'années, cépages et crus différents. Traditionnellement, le ch. comporte des vins de raisins noirs et blancs. Des ch. élaborés exclusivement à partir de blancs sont dits *Blanc de Blancs.* Généralement, les cuvées contiennent une quantité de vins vieux ou *vins de réserve* venant des meilleures récoltes précédentes. Les années d'une qualité particulière, on ne met pas de vins de réserve. On a alors un ch. *millésimé* provenant d'une seule année de récolte. Pour le *ch. rosé,* on incorpore du vin rouge d'appellation champagne, sauf si l'on a réservé à cet effet un vin obtenu rosé dès le pressoir. La composition de la cuvée se termine début mars.

Tirage et 2e fermentation : au printemps, le vin est tiré en bouteilles. On y ajoute des ferments naturels champenois et une liqueur, formée d'une dissolution de sucre dans du vin. La transformation du sucre en alcool et gaz carbonique s'effectue lentement et le vin prend mousse peu à peu.

Vieillissement et remuage : doit avoir lieu très lentement si l'on veut une mousse légère et persistante. Lorsque la mousse est complète, on laisse le vin séjourner en cave au moins 1 an (3 pour les millésimés). La 2e fermentation achevée, le vin est clair et limpide, son degré d'alcool est d'env. 12°. Il reste à en expulser le dépôt par le *remuage* (durée env. 6 semaines) : un ouvrier-remueur imprime chaque jour à chaque bouteille (env. 30 000 par j) un mouvement alternatif très vif de rotation en même temps qu'une légère trépidation. Le remuage automatique se développe et de nouvelles techniques sont à l'étude.

Dégorgement : évacue le dépôt rassemblé sur le bouchon, sans perdre la mousse et en laissant échapper le moins de vin possible. On utilise souvent le froid artificiel, en plongeant le goulot dans un bac à – 20°. Il se forme contre le bouchon un glaçon renfermant les particules de dépôt emprisonnées dans le col. La bouteille débouchée, le bouchon est expulsé avec le glaçon, entraînant tout le dépôt et un peu de mousse. On remplace le vin parti par du vin de même cuvée et quelques g d'une liqueur de dosage (vin vieux de Ch. et sucre de canne) ; la proportion dépendant du type de ch. désiré : *extra-brut :* 1/2 %, *brut :* 1/2 à 1 %, *extra-dry :* 1 à 2 %, *sec :* 2 à 4 %, *demi-sec :* 4 à 6 %.

■ Négoce. **« Maisons de Champagne »** (entreprises qui complètent l'approvisionnement de leurs vignes par des achats pour élaborer en 3 années, ou plus, le champagne de leur marque) : 150 en 1992 (env. 6 000 salariés), la plupart situées à Reims, Épernay ou dans les environs immédiats. Les 8 premières assurent 80 % du chiffre d'affaires total. Elles disposent de caves (dans les anciennes carrières de craie à ciel fermé : plus de 250 km de galeries jusqu'à 40 m sous terre) où se fait l'élaboration du vin et où sont entreposés des stocks (863 millions de bouteilles au 31-7-92 pour l'ensemble de la Champagne et non le seul négoce). *Maisons les plus anciennes : Ruinart* Père et Fils : 1729 [fondé par Nicolas, marchand de drap (neveu de Dom Thierry Ruinart 1657-1709) et son fils Claude]. *Moët et Chandon :* 1743. *Vve Clicquot Ponsardin :* 1772 (Nicole-Barbe Ponsardin reprit l'affaire à 27 ans, en 1805, à la mort de son mari Francis Clicquot). *P.A. Mumm et Cie :* 1-3-1827 à Reims [G. Heuser s'associe avec 4 Allemands, Jacobus, Gottlieb et Philipp Mumm et Friedrich (frères)]. 1876 un ruban de soie rouge enserre le goulot de quelques bouteilles, les extrémités sont scellées en croix par une étiquette ovale portant les mots « Cordon Rouge ». **Délai légal de vente :** après 12 mois en cave ; le vin vieillit en moyenne 3 ans (dans les grandes maisons 4 ou 5 a.).

Lettres figurant sur l'étiquette : *NM :* négociant-manipulant ; *RM :* récoltant-manipulant (élabore lui-même son vin à partir de sa récolte) ; *RC :* récoltant-coopérateur (livre ses raisins à une coopérative qui élabore le vin en commun puis le lui retourne) ; *CM :* coopérative de manipulation commercialise ellemême du champagne pour le compte de ses adhérents ; *SR :* société de récoltant. *MA :* marque d'un acheteur commercialisant le champagne élaboré à façon par un manipulant (négociant, récoltant ou coopérative).

Prix du kg de raisin (primes comprises) dans un cru à 100 % : *1970 :* 4,88 ; *80 :* 23,5 ; *90 :* 26,77 à 32 F ; *91 :* 30 à 33 ; *92 :* 24 à 27. **Volume des récoltes** (en millions de bouteilles) : *1902 :* 30 ; *10 :* 39 ; *56 :* 39 ; *81 :* 91 ; *82 :* 290 ; *83 :* 300 ; *84 :* 195 ; *85 :* 151 ; *86 :* 258 ; *87 :* 261 ; *88 :* 221 ; *89 :* 275 ; *90 :* 288 ; *91 :* 274 ; *92 :* 288.

Ventes en bouteilles (en millions). **1950 :** 33 ; **60 :** 49 ; **70 :** 102 ; **75 :** 122,2 ; **76 :** 153,5 ; **77 :** 170,2 ; **78 :** 185,9 ; **79 :** 184,1 ; **80 :** 176,5 ; **81 :** 159 ; **82 :** 146,5 ; **83 :** 159,5 ; **84 :** 188 ; **85 :** 195,4 ; **86 :** 204,9 ; **87 :** 217,7 ; **88 :** 237,3 ; **89 :** 248,9 ; **90 :** 232,4, **91 :** 214,4 ; **92 :** 214,2 (dont récoltants 69,3, négoce 144,9) : vendues en *France* 140,7 dont récoltants 63,3, négoce 77,4. **Exp. 1988 :** 90 ; **89 :** 94,3 ; **90 :** 84,8 ; **91 :** 75,6 ; **92 :** 73,4 (récoltants 5,9, négoce 67,5) vers G.-B. 14,6, All. 13,6, USA 9,9, Italie 8,1, Suisse 6,4, Belg. 5,7, P.-B. 1,4, Japon 1.

Principaux producteurs de champagne. **Part du marché** (en %) et, entre parenthèses, **nombre de bouteilles** (en millions, 1992) : *LVMH* [Moët-et-Chandon (21,1), Ruinart (1,3), Vve-Clicquot (8) (créa le ch. rosé en 1804), Mercier (4,7), Henriot (0,7), Pommery (6), Canard-Duchêne (2,4), Dom Pérignon] 31 (44,5). *Burtin* (Marne et Champagne, Lanson, Masse, Besserat-de-Bellefont, Gessner, Alfred de Rothschild) 12 (16). *Seagram* (Mumm, Heidsieck-Monopole, Perrier-Jouët) 9 (11,9). *De Nonancourt* (Laurent-Perrier. De Castellane, Salon-Lemoine-Delamotte) 6,5 (9,9). *Rémy-Cointreau* (Piper-Heidsieck, Charles-Heidsieck, Krug, Bonnet-Seconde) 16,5 (5,6). *Taittinger et Irroy* (3,3), *Jacquart* 3,2. *Duval-Leroy* 2,2 (2,9) [1]. *Same-Lombard* (De Cazanove, Marie-Stuart) 2 (2,1). *Vranken* (Demoiselle, Lafitte) 1,8 (4). *Roederer* 1,7 (2,5).

☞ Pommery et Lanson, achetés par BSN en 1984 pour 0,6 milliard de F, ont été cédés pour 3,1 à LVMH (déc. 1990) qui a revendu Lanson à Marne-et-Champagne 1,5 milliard de F en mars 1991, en conservant le vignoble.

■ Consommation moyenne (en verres de 7,5 cl par an par habitant). *France 26,* Suisse 12, Belgique 5, G.-B. 3,6, All. féd. 2, Italie 1,5, USA 0,6.

■ Chiffre d'affaires de l'industrie du champagne : env. 14 milliards de F (dont viticulteurs, coopératives 25 %, une centaine de Maisons 75 %). Moët et Chandon (1992) : 3 milliards de F (bénéf. : 300 millions). En *1990 : 80 % du chiffre d'affaires réalisé par 8 grandes maisons (ou groupes) :* Moët-et-Chandon, Mercier, Ruinart et Pommery (filiale LVMH) ; Mumm, Heidsieck Monopole, Perrier-Jouët [dépendent du Canadien Seagram (leader mondial de vins et spiritueux)] ; Vve-Clicquot, Canard Duchêne et Henriot (filiale LVMH) ; Piper, Charles Heidsieck et Krug (filiales du Groupe Rémy-Cointreau) ; Lanson et Besserat de Bellefon ; Laurent-Perrier, Castellane, Salon, Lemoine et Delamotte ; Taittinger et Irroy ; Louis et Théophile Roederer. *15 % par une vingtaine de maisons de taille moyenne* (chiffre d'affaires : 20 à 30 millions de F, 500 000 à 4 millions de bout.) : Ayala et Montebello, Abelé (filiale de l'Espagnol Freixenet), Billecart Salmon, Boizel, Bollinger, Bricout (filiale du Groupe allemand Racke), de Castellane, de Cazanove et Marie Stuart, Charbaut, Deutz, Duval Leroy, H. Germain, Gosset et Ivernel, Martel, Joseph Perrier, Philipponnat et Lepitre (filiales de Marie Brizard), Pol Roger, de Venoge (filiale de la Cie de Navigation), Vranken-Lafite et Sacotte. *5 % par 70 petites entreprises* (env. 6 millions de bout.).

Région de la Loire

■ Anjou et Saumur. **Blancs :** Anjou, Anjou coteaux de la Loire, coteaux de l'Aubance, coteaux du Layon, coteaux de Saumur, Saumur. *Appellations communales ou villages Coteaux du Layon :* Beaulieu-sur-Layon, Chaume, Faye-d'Anjou, Rablay-sur-Layon, Rochefort-sur-Loire, St-Aubin-de-Luigné, St-Lambert-du-Lattay. *Crus :* Bonnezeaux, Quarts-de-Chaume 13 à 15°, doux, raisin atteint de pourriture noble comme le Sauternes, Savennières, Savennières-La Roche-aux-Moines, Savennières-Coulée de Serrant. **Rosés :** Rosé d'Anjou, Cabernet d'Anjou, de Saumur, Rosé de Loire. **Rouges :** Anjou, Anjou Gamay, Anjou-Villages, Saumur, Saumur-Champigny. **Effervescents méthode champenoise :** Saumur (dont Ackerman fondé 1811 ; Veuve Amiot fondée 1884 : 3 500 000 bout.), Anjou, Rosé d'Anjou, Crémant de Loire. **Pétillants :** Saumur, Anjou, Rosé d'Anjou.

■ Touraine. **Rouges, rosés ou blancs :** Touraine, Touraine-Amboise, Touraine-Azay-le-Rideau, Touraine-Mesland. **Rouges et rosés :** Bourgueil, Saint-Nicolas-de-Bourgueil, Chinon, Rosé de Loire. **Blancs :** Vouvray, Montlouis (peuvent être élaborés en mousseux et en pétillants), Chinon. Ensemble des appellations de la Touraine : 10 500 ha de vigne. Production annuelle moyenne : 650 000 hl.

■ Vins de Nantes. Env. 15 000 ha. – **Production** (en millions de bouteilles) : *AOC Blancs :* Muscadet 10, M. de Sèvre et Maine 85, M. des coteaux de la Loire 5. *AOVDQS Blanc :* Gros Plant 25. *Rouge, rosé, blanc :* coteaux d'Andenis 1. – Muscadet et Gros Plant peuvent être mis en bouteille sur lie : conservation sans soutirage sur lies fines et mise en bouteille avant l'été qui suit la récolte. **Cépage :** Muscadet (Melon), Gros Plant (Folle Blanche), coteaux d'Ancenis (Gamay, Cabernet, Pinot Gris, Chenin).

■ Vins de pays. Du Jardin de la France, Des Marches de Bretagne.

■ Autres régions de la vallée de la Loire. **Blancs :** Sancerre, Pouilly fumé ou Blanc fumé de Pouilly, Pouilly-sur-Loire, Reuilly, Quincy, Menetou-Salon.

Autres régions françaises

■ Allier. *St-Pourçain* **fin XVIIIe s.** 8 000 ha, **1992** 800. *Production totale :* 20 à 25 000 hl (rouges, rosés, blancs).

■ Alsace. **Superficie :** 13 500 ha en AOC (altitude : 200 à 400 m, climat : semi-continental ensoleillé, chaud et sec) sur 120 communes ou villages. *Production moy. :* 1 100 000 hl (145 millions de bouteilles) dont env. 30 % exporté. **Viticulteurs :** 7 400 dont 2 000 disposant de + de 2 ha et exploitant + de 80 % de la surface totale du vignoble. 1 200 opérateurs vendant en bouteilles. **Appellations :** 1962 *AOC Alsace :* blancs, rouges et rosés (+ nom de cépage : provient à 100 % de ce cépage). 1975 création *Alsace Grand Cru* (+ nom de cépage + nom de lieu-dit : 25 dep. décret du 23-11-1983 et 26 en cours d'officialisation) : blancs uniquement (Riesling et Muscat : 10° minimum, Tokay Pinot gris et Gewurztraminer : 11° min.). *AOC Crémant d'Alsace* (décret 24-8-1976) : vin mousseux obtenu par la méthode champenoise appliquée aux vins d'Alsace avec fermentation en bouteilles. Blancs et rosés. 11 millions de bouteilles commercialisées 1991 (85 000 hl). 1984-11-3 mentions concernant les vins moelleux ou liquoreux : *Vendanges Tardives* ou *Sélection de Grains Nobles* (grains surmûris atteints de pourriture noble provoquée par le champignon Botrytis Cinerea ; phénomène identique aux Sauternes). Richesses naturelles en sucre (en g/l de moût) requises pour la mention vendanges tardives et, entre parenthèses, sélection de grains nobles : Gewurztraminer 243 (279), Pinot gris 243 (279), Riesling 220 (256), Muscat 220 (256). *Autres mentions : Vieille Vigne* (mention non contrôlée, allusion à l'âge de la vigne indépendante de la qualité) *Zwicker* (mention qui n'existe plus ; assemblage de Chasselat, Sylvaner, Pinot blanc), *Edelzwicker* (assemblage plus noble : Riesling, Muscat, Pinot gris, ou Gewurztraminer). **Millésime :** peuvent rester en cave, en fonction des millésimes, de 10 à 20 ans, voire davantage. **Cépages** (en %) : Riesling 22, Sylvaner 17, Gewurztraminer 19, Tokay Pinot gris 7, Muscat 3, Pinot blanc 20, Pinot noir 8, autres (Chasselat, Klevener de Heiligenstein) 4. Les assemblages de cépages sont souvent nommés Edelzwicker. Blancs secs : 92 % [sauf le Pinot noir (rosé, rouge, 8 %)]. **Chiffre d'affaires** (1992) : 2,5 milliards de F (producteurs, coopératives et négociants) dont 0,6 à l'étranger. 20 % du marché.

☞ Bouteille de type flûte du Rhin de 70 cl, 75 cl.

■ Auvergne. **Superficie :** 2 100 ha. *Production :* 500 ha produisent des côtes d'Auvergne AO VDQS (15 000 hl). *Crus :* Boudes, Chanturgue, Châteaugay, Corent et Madargue. **Cépages :** Gamay noir (95 %), Pinot noir, Chardonnay (blanc). **Appellation :** 1977 VDQS.

■ Béarn. *Jurançon* (600 ha AOC sur 25 communes), *Madiran* (917 ha), *Pacherenc* du Vic-Bilh.

■ Cahors. (AOC dep. 1971) prod. 200 000 hl.

■ Corse. Muscats du *cap Corse. Patrimonio* (superficie en vigne *1961 :* 8 000. *76 :* 32 000. *86 :* 11 000).

■ Jura et Savoie. **Jura :** *Arbois* (r., bl., jaune) ; *Château-Chalon* (jaune) ; *l'Étoile* (mousseux). Vins de paille à partir de grappes séchées au moins 2 mois (le raisin passerillé puis pressuré subit une longue fermentation alcoolique en fût ; titre alors entre 14 et 18°) sur clayons de paille ou claies grillagées. *Vins jaunes* vinifiés en fûts sans ouillage au moins 6 ans, sous voile de levures en fleur à l'air. Savoie (Savoie, Isère, Hte-Savoie, Ain) : vins AOC, 24 crus sur 1 820 ha (prod. 1990 120 000 hl dont 1/3 rouge). *Seyssel* (63 ha, 2 749 hl dont 719 de mousseux), *Crépy* (bl. 68 ha, 2 844 hl, serait le plus diurétique des vins de Fr.), *Roussette de Savoie. Vin de Savoie* (r., bl., mousseux). *Cépages* env. 16 dont 3 savoyards [Jacquière, Altesse (blanc), Mondeuse (rouge)].

■ Languedoc. **Blancs :** *Muscat* (Frontignan, Lunel, Mireval, St-Jean-de-Minervois), *Clairette* (Languedoc, Bellegarde), *Picpoul de Pinet, Blanquette de*

Limoux (mousseux, crémant). **Rouges (AOC) :** *Fitou, Faugères, St-Chinian, Minervois, Corbières, coteaux du Languedoc* comprenant St-Georges-d'Orques, les coteaux de la Méjanelle, St-Drézéry, St-Christol, Vérargues, Cabrières, Montpeyroux, St-Saturnin, Pic-St-Loup, Costières. Vins de pays, de département et de zone.

■ **Lot-et-Garonne.** *Côtes du Marmandais* : 18 VDQS. *Côtes de Buzet :* appellation d'origine contrôlée dep. 1973, 27 communes. *Côtes de Bruilhois :* 36 communes. *Côtes de Duras :* vin blanc. *Vins de Thezac e Pricard :* 50 ha. *Vin de pays de l'Agenais. Armagnac* (1460) : vendu comme eau de jouvence et de guérison. *Floc :* recette gasconne du XVIe s. Moût de raisin et armagnac ; fabriqué au moment des vendanges, conservé en fût pendant 7 mois puis filtré. Blanc ou rosé.

■ **Pays basque.** *Irouléguy* (120 ha) rosé.

■ **Périgord. Cépages :** *Blancs :* vigoureux Sémillon 75 %, Sauvignon 20 %, Muscadelle. *Rouges :* Merlot, Cabernet Sauvignon, Cabernet franc, Cot, Malbec ou Auxerrois. **Vignes AOC :** *Superficie :* 11 359 ha ; *production :* 653 791 hl (1992). **Appellations :** *Bergerac :* côtes de Bergerac rouges, rosés et blancs. *Saussignac :* blanc. *Pécharmant :* rouge, de « Pech Armand » (ou sommet appartenant à Armand, au N.-E. de Bergerac, colline de 280 ha, 15 000 hl). *Rosette :* blancs. *Montravel* (Gironde) : 1 200 ha ; blancs sec (Montravel), moelleux (Côtes-de-Montravel et Haut-Montravel). *Montbazillac :* 2 500 ha ; blancs liquoreux.

■ **Provence. Cépages :** Carignan, Grenache, Cinsault, Syrah, Mourvèdre, Tibouren, Cabernet-Sauvignon, Clairette, Ugni-blanc, Rolle, Sémillon, Côtes de Provence. VDQS 1951 ; AOC 1977. 18 000 ha (dont B.-du-R. 15 communes, Var 48, Alpes-M. 1). *Volumes agréés AOC* (1989, en hl) : rosé 625 222, rouge 136 639, blanc 32 696. **Bandol** (AOC 1941) : rosé à la robe vive, parfois légèrement ambrée, franc, rond, fruité et délicatement épicé. 1 100 ha en prod. (annuelle : 40 000 hl). *Bouteilles vendues :* bl. 244 000, rosé 2 100 000, rouge 2 700 000. *Rendements moyens :* appellation 36 hl, Mourvèdre 30 hl. **Bellet** (AOC 1941) : 650 ha (dont 60 en vigne et 45 ont droit à l'appellation). *Prod. :* 1 200 hl (160 000 bouteilles env.). **Cassis** (AOC 1936) : rosé frais et caressant, produit dans l'arrondissement de Marseille. 200 ha. 4 700 hl (dont 2/3 en blanc). **Coteaux d'Aix-en-Provence** (AOC 1985) : 3 000 ha. Château La Coste : 148 ha. *Prod. :* 9 500 hl. **Vins de pays :** Petite Crau, Mont de Caume, Argens, Maures. **Coteaux Varois :** *rendement :* 40 hl à l'ha. 1989 : extension de l'appellation d'origine. *Prod. :* 40 000 hl (1989 : 70 000 dont bl. 1 %, rouges 32, rosés 67). **Palette** (AOC 1948) : 23 ha (château Simone : 17 ha, ch. Crémade 6 ha). 900 hl. *Prod. :* rouges 60 %, rosés et bl. 40 %.

■ **Roussillon.** 52 000 ha. **AOC :** *Vins doux naturels* (90 % de la prod. fr.) : Banyuls, Banyuls Grand Cru, Maury, Muscat de Rivesaltes, Rivesaltes, Grand Roussillon. *Rouge, rosé, blanc :* Collioure, Côtes du Roussillon, Côtes du Roussillon-Villages. **Vins de pays :** Catalan, Coteaux de Fenouillèdes, Côtes catalanes, Côte Vermeille, d'Oc, des P.-O., Vals d'Algy.

■ **Vallée du Rhône. Appellations Côtes-du-Rhône :** 63 344 ha, sur 200 km au sud de Lyon, à Avignon sur *5 départements* (Loire, Rhône, Ardèche, Drôme, Gard), en *AOC régionales* 80 %. [(53 500 ha). VDQS régionaux (2 930 ha)]. Villages 9 % (17 communes). Locales 11 % (12 crus). **Cépages :** Roussanne, Marsanne, Viognier (pour le Condrieu et le Château-Grillet), Roussette, Aligoté, Chardonnay, Muscadet à petits grains. **Exploitants :** 12 000 viticulteurs. **Récolte** (1990) : 2 643 570 hl/an. **Grands crus** (7 150 ha, 280 000 hl). **Septentrionaux** (1 437 ha) : *Côte Rotie :* 106 ha, 4 717 hl, rouge ; *Condrieu* blancs : 876 hl (*Château-Grillet,* alcoolisé, gras, très parfumé, 12 000 bouteilles, 2,5 ha), 96 hl ; *St-Joseph* (rouges : 298 ha) : 14 967 hl ; *Hermitage :* 125 ha, 5 256 hl ; *Crozes-Hermitages :* 822 ha, bl. et r. 52 804 hl ; *Cornas* rouges : 53 ha, 2 680 hl ; *Saint-Peray :* 35 ha, 2 475 hl, bl. **Méridionaux** (5 477 ha) : *Châteauneuf-du-Pape* 3 200 ha, 80 à 110 000 hl (moyenne : 103 225 hl), rendement max. autorisé : 35 hl/ha, 13 750 000 bouteilles vendues/an, exploitations individuelles : 320, r. ; *Gigondas* 1 080 ha, 29 124 hl, r. ; *Tavel* rosé 863 ha, 45 016 hl ; *Lirac* 483 ha, 27 564 hl, bl., r., rosé ; CDR villages 188 186 hl. **Autres.** *Clairette de Die* (Drôme, 1 300 ha, 8,5 millions de bout., bl.), *Coteaux du Tricastin.*

■ **Sud-Ouest.** Voir Béarn, Bordeaux, Pays basque, Périgord. **Autres vins :** *Buzet* (L. & G.), *Côtes de Duras* (blanc et rouge, 1 800 ha, 114 674 hl en 92), *Côtes du Marmandais* (L. & G.), *Gaillac, Tursan* (Landes), etc.

■ **Vins de liqueur et vins doux naturels.** 9,8 millions de litres de muscat commercialisés en 1988. **Roussillon.** *Banyuls, Maury, Côtes-d'Agly, Rivesaltes, Côtes-du-Haut-Roussillon, Muscat de Rivesaltes.* **Autres régions.** *Hérault :* Muscat (*Frontignan, Lunel, Mireval, St-Jean-de-Minervois*) ; *Vaucluse :* Grenache de *Rasteau,* Muscat de *Beaumes de Venise ; Cognac : Pineau des Charentes* (16° à 22° élaboré avec du moût de raisin et des eaux-de-vie de Cognac. Le moût doit avoir subi un début de fermentation et le cognac titrant 60° min. doit venir de l'exploitation et avoir au moins un an de vieillissement en fût de chêne ; relève de la catégorie des vins de liqueur de qualité produits dans les régions déterminées (VDLQPRD), prod. (en milliers d'hl) : *1990 :* 104 ; *91 :* 55 ; *92 :* 81 ; ventes (en millions de bouteilles, 1992) : France 8,9, export 2,7. *Armagnac : Floc de Gascogne ;* vin de liqueur blanc ou rosé à l'Armagnac de 16 à 18°.

Alcools et spiritueux

■ Dans le monde

Sortes d'alcool

■ **Absinthe.** Infusion d'herbes (surtout fenouil, anis et absinthe) dans de l'alcool. Connue des Romains, qui l'utilisaient, sous forme d'infusion et de vin, pour ses vertus médicinales (surtout digestives). *1792* à Neuchâtel, le docteur Francis Pierre Ordinaire († 1793) invente une liqueur d'absinthe à base d'anis vert et étoilé, de mélisse, persil et camomille. *1793* sa gouvernante, Mme Henriot, la commercialise. *1797* le major Dubied achète la recette. *1800* son gendre Henri Louis Pernod ouvre à Pontarlier une distillerie. *1915* absinthe interdite. Provoque une exaltation de la sensibilité, accoutumance et aliénation mentale. Aucun pays ne l'interdit formellement (réglementée en France par la loi du 16-3-1915). **Consommation en France** (1913) : alcool pur (non compris vin) 1 558 000 hl dont absinthe 239 000.

■ **Aguardiente.** Eau-de-vie espagnole.

■ **Ambassadeur.** Marque de Cusenier. Apéritif à base de vin. Saveur d'orange.

■ **Amer.** Infusion de plantes amères. Picon (marque) 21 °.

■ **Angostura.** Bitter à base de rhum fait à la Trinité (mis au point 1824 par le Dr Siegert).

■ **Anisés.** A base d'alcool neutre et de macération de plantes [anis étoilé (fruit de la badiane ou anis de Chine), essence naturelle d'anis vert, fenouil]. Ont remplacé l'absinthe réglementée en 1915. 40°. **Pastis :** contient de 1,5 à 2 g d'anéthol par litre obtenu à partir d'anis purifié (badiane, anis vert, fenouil, absinthe, tanaisie, carvi et anéthol de synthèse sont interdits). *1922* « liqueur d'anis sans absinthe », puis apéritif anisé à 45 ° sous le nom de Pernod : mélange d'anéthol, d'essences aromatiques obtenues par distillation de plantes, de teinture, d'eau, d'alcool pur et de sucre. *1924* Sté Pernod fils en liquidation se rapproche d'Hémard (qui fabrique dep. 1920 une anisette : « l'amourette »). *1928* « Pernod fils » (liqueur d'anis) mise en vente. Pernod fils fusionne avec son concurrent homonyme : Félix Pernod. *1938* fabrication d'un alcool à 45 ° autorisée. Ricard (fondé 1932) lance le « vrai pastis de Marseille ». *1951* Pernod lance le « Pastis 51 ». *1974* fusion Pernod/La Suze. *1975* fusion Pernod/Ricard. On distingue le Pastis (Ricard, Pastis 51, Berger, Casanis, Pec, Duval...) du Pernod contenant moins de réglisse et plus de plantes aromatiques. *CA 1992 :* Pernod-Ricard 14,5 milliards de F (HT) dont en %. France : vins et spiritueux 27, sans alcool 19 ; étranger : vins et sp. 28, sans al. 26.

■ **Aquavit (akvavit).** Distillat de céréales ou alcool rectifié de pomme de terre.

■ **Armagnac.** Eau-de-vie gasconne née de la distillation de vins blancs récoltés dans le Bas-Armagnac (grande finesse), la Ténarèze et le Haut-Armagnac (alcools plus rustiques). La 1re distillation d'eau-de-vie d'armagnac est attribuée à Arnaud de Villeneuve, alchimiste qui mourut en 1311, mais la production n'en fut véritablement commercialisée qu'à partir du XVe s. Le développement commercial date du XVIIe s. Vieillissement en fûts de chêne : de 2 à 20 ans, parfois plus. Avec le temps, il prend sa couleur ambrée et perd env. 1° d'alcool tous les 3 ans. Aujourd'hui produite dans une partie du Gers, des Landes et du Lot-et-Garonne, cette eau-de-vie provient de la distillation exclusive des 11 cépages de vin blanc retenus dans le décret d'AOC en date du 6-8-1936. **Étiquettes :** *Trois Étoiles :* composé d'eau-de-vie dont la plus jeune a au – 2 ans ; *VSOP :* au – 5 a. ; *Napoléon, XO, hors âges :* au – 6 a. Souvent les armagnacs utilisés sont plus âgés. Le millésime représente l'année de récolte du vin distillé, sans aucun coupage ni assemblage avec une autre année. **Distillation** (année moyenne) : 30 000 à 35 000 hl d'alcool pur. **Ventes** (1991-92) : 24 208 hl d'alcool pur dont France 12 139, export. 12 069. Bouteilles (hl, 91-92) : 18 978 France 8 603 ; exportation 10 375 (soit 229 millions de F) vers Japon 3 062, G.-B. 1 159, USA 615, All. 806.

■ **Arquebuse.** Fabriquée à base de 33 plantes mises à macérer aussitôt récoltées dans l'alcool avec des feuilles ou des racines. Vieillie dans des fûts de chêne. Formule inspirée en 1857 de l'Eau d'Arquebuse, avec laquelle on pansait autrefois les plaies faites par les décharges des « arquebuses ». Jusqu'en 1905, région de St-Genis-Laval (Rhône) ; après l'expulsion des frères Maristes, près de Turin. 1962, arrêt de la fabrication de l'Arquebuse.

■ **Arrack (arraki, arack, arak).** Alcool local d'Orient et d'Europe orientale (Inde : sève de palmier ou de riz ; Grèce : alcool de grain ; Proche-Orient-Égypte : alcool de dattes ; Java : rhum).

■ **Baie.** Presque toutes les baies de nos forêts peuvent être distillées. Les eaux-de-vie de mûres et de sureaux auraient des vertus stomacales. La myrtille améliorerait la vue, le gratte-cul stimulerait le cœur. On distille aussi sorbier, prunelle sauvage, alisier, bourgeon de sapin, baie de houx. Les baies macèrent dans l'eau-de-vie de vin avant d'être distillées.

■ **Bénédictine.** Élaborée en 1510 par Dom Bernardo Vincelli à Fécamp. Reprise 1869 par Alexandre Legrand († 1898). Faite d'eau-de-vie de vin et de nombreuses herbes et plantes.

■ **Bischopp.** De l'allemand *Bischof,* « évêque », d'après la couleur. Vin (à l'origine bordeaux) aromatisé à l'orange amère (bigarade), sucré et épicé (muscade et cannelle).

■ **Bitter.** Apéritif alcool aromatisé par des substances amères (cannelle, coriandre). 20 à 44°.

■ **Blanc de kiwi.** À base de pulpe de kiwi. 8 à 12°. Marque déposée commercialisée avec Kiwibulle (pétillant), Green kiwi (aromatisé au curaçao bleu).

■ **Borovicka.** Eau-de-vie de grain d'Europe de l'Est. S'apparente au gin et alcools de genièvre.

■ **Boukha.** Eau-de-vie de figues tunisienne.

■ **Brandy.** *Origine :* burnt wine (vin brûlé), branwin, branwein. Vins des Charentes ou du Roussillon importés en Hollande, Allemagne et Angleterre pour y être brûlés (distillés). Aujourd'hui, pour les Anglo-Saxons, cognac, armagnac, calvados, marcs. France : eau-de-vie de vin et de marc, souvent alcool d'État. Vente tolérée sous la dénomination « brandy » des coupages d'alcools rectifiés extra-neutres et d'eaux-de-vie de vin ou piquette, sauf vers la G.-B.

■ **Brinjevec.** Eau-de-vie de grain de Yougoslavie. S'apparente au genièvre ou au gin.

■ **Byrrh.** Marque d'un apéritif (17 °) à base de vins des Pyrénées-Orientales, aromatisés de quinquina, de calumba, de curaçao, vieillis en fût 3 ans. Mis au point par M. Violet. Nom : initiales des prénoms de ses enfants.

■ **Calvados d'AOC.** Résultat de la distillation de cidres. 40 à 50°. **Régions :** Pays d'Auge, Avranchin, Calvados, Cotentin, Domfrontais, Mortanais, Pays de Bray, Pays de Merlerault, Pays de la Risle, Perche, Vallée de l'Orne. Il y a 12 000 récoltants de fruits à cidre dont 600 producteurs de calva. **Production** (hl, d'alcool pur) : *1987-88 :* 34 000, *1988-89 :* 60 000.

Trou normand. Coup de calvados pris pour couper le repas et mieux digérer. Coutume similaire apparue à Bordeaux et dans d'autres ports (absinthe suisse, rhum de la Jamaïque, cognac, qui se prend immédiatement après le rôti).

■ **Campari.** Marque de bitter italien. A base d'alcool d'herbes et d'aromates colorés en rouge à la cochenille. Amertume due à la quinine.

■ **Cap corse.** Apéritif à base de vin de type *quinquina.*

■ **Carabi.** Mélange de cidre et de vin.

■ **Carpano.** Marque de vermouth italien (1786).

■ **Cassis.** Liqueur tirée du cassis. Marques célèbres : Lejay-Lagoute (1836), L'Héritier-Guyot (1852).

■ **Cédrat.** Liqueur. Écorce de cédrat macérée dans l'alcool, distillée 2 fois. *Cédratine* ou *Allimellina.*

■ **Champoreau.** Café arrosé d'une liqueur alcoolique (Français en Afrique).

■ **Chartreuse.** François Hannibal d'Estrées, frère de Gabrielle d'Estrées, maîtresse d'Henri IV, aurait donné en 1605 la recette aux chartreux de Vauvert (près de Paris). En 1735, le prieur de Vauvert l'aurait envoyée à la Grande-Chartreuse (fondée 1084). Succès commercial fin XIXe s. Ordre exilé en 1903 à Tarragone, en Espagne. Liqueur faite à Tarragone (Espagne) et Voiron (France) d'eau-de-vie de vin et de nombreuses herbes ; jaune (42 °) ou verte (55 °). *Élixir* (71 °).

■ **Cherry-brandy.** Eau-de-vie de cerises contenant des noyaux de cerises écrasés lui donnant un goût d'amande amère.

■ **Choum.** A partir de riz (Chine, Viêt-nam).

■ **Cinzano.** Vermouth (Carlo Stefano Cinzano, maître distillateur en 1757).

■ **Clacquesin.** Pharmacien qui créa un « goudron hygiénique », liqueur aromatisée primée à l'Expo. de 1900. Après 1919, liqueur plus légère à base de plantes aromatiques, épices et pins (22 °).

■ **Cocuy.** Alcool de cactus du Venezuela (55 à 60 °).

■ **Cocktails.** Mélanges variés, confectionnés dans un shaker, un verre à mélange ou un tumbler (verre à whisky). **Grands classiques :** *After 'dinner :* mélange à base de liqueurs digestives. *Cobblers :* Long drink à base de vin ou d'eau-de-vie + sucre dissous dans de l'eau gazeuse, glace concassée puis alcool. *Collins :* Long, eau-de-vie, cognac, armagnac, gin, tequila, vodka, avec sucre, jus de citron, eau gazeuse. *Coolers :* Long, eau-de-vie avec sucre, sirop de grenadine ou d'orgeat et jus de fruit. On complète avec du Ginger Ale ou du champagne. *Cups :* fruits de saison, sucre et liqueurs (curaçao, cognac...) + champagne, vin ou soda. *Daisies :* Short drink préparé au shaker, à base de sirop de grenadine et jus de citron + eau-de-vie (gin, vodka). *Eggs nogs :* 1 œuf (parfois seulement le jaune), sucre, alcool et lait saupoudré de noix de muscade. Froid ou chaud. *Highballs :* alcool avec eau gazeuse ou plate et du tonic (Ginger Ale, Bitter Lemon...). *Juleps :* long, feuilles de menthe fraîche pilées, sucre, angustura, glace et alcool (whisky, cognac, bourbon...). *Sours :* Short, au shaker : sucre, jus de citron et alcool.

■ **Cognac AOC.** Vient de la distillation des vins blancs issus de cépages sélectionnés, récoltés et distillés dans une région délimitée, couvrant en gros Charente et Charente-Maritime. **Origine :** XVIe s. Les paysans d'Angoumois, d'Aunis et de Saintonge passaient leur vin à l'alambic pour qu'il supporte mieux le transport par mer. *Bouteille :* à l'origine bouteille de bordeaux commune puis dep. XXe s. chaque négociant a créé ses propres bouteilles, différentes selon chaque qualité (VSOP, Fine Champagne, XO). **Crus :** *Grande Champagne* (27 communes, 13 068 ha, limitées au nord par la Charente entre Cognac et Jarnac, et au sud par le Né) : eaux-de-vie très fines et supérieures. *Petite Champagne* (59 com. autour de la Gde Ch., 15 488 ha ; limitée au N. par le Né et la Charente, à l'O. par la Seugne, du S. à l'E. par une ligne imaginaire du S. de Jonzac à l'E. de Barbezieux) : sol plus épais, plus dur et moins perméable, mais proche, en qualité, de la Gde Ch. *Borderies* (8 com., 3 998 ha) : sol moins chargé en calcaire, plutôt argileux : eaux-de-vie très riches en arômes, vieillissement plus rapide. *Fins bois* (263 com., 33 374 ha, jadis couverts de forêts) : niveaux-de-vie moins fines, vieillissant plus vite. *Bons bois* (266 com., 12 512 ha) : terrains plus pauvres en calcaire et plus sensibles aux influences maritimes, qualité moindre que Fins Bois. *Bois ordinaires* (165 com., 1 640 ha) : sur le littoral et les îles, à l'ouest des Bons Bois ; bouquet de « terroir » prononcé. *Esprit de cognac* (titrant entre 80° et 85°), usage culinaire ou servant à la préparation de la « liqueur d'expédition » des vins mousseux et pétillants. **Cépages :** *Ugni Blanc* (*Colombard* et *Folle Blanche* ne sont plus guère employés) donne un vin blanc fruité à faible teneur alcoolique (7° à 10°). Assez acide et pauvre en tanin.

Fabrication. 1°) Distillation : dans des alambics de cuivre à feu nu, de forme traditionnelle. Le vin est exposé à la chaleur dans la *cucurbite ;* les vapeurs s'élèvent dans le chapiteau (sorte d'entonnoir renversé), puis passent dans le *col-de-cygne* pour aboutir au *réfrigérant* (serpentin plongé dans une cuve d'eau froide) où elles reprendront l'état liquide. La distillation est dite à *« repasse »* car il y a 2 chauffes. 1re de 8 h env. [donnant un *brouillis* (flegme impur) titrant 27 à 30° et la *vinasse,* que l'on rejette]. 2e ou « bonne chauffe » de 12 h [donnant une eau-de-vie titrant entre 69 et 71° : les « têtes » et les « queues » sont séparées du « cœur », qui constitue seul l'eau-de-vie prête au vieillissement (incolore, titrant env. 70°)]. **2°) Vieillissement :** dans des fûts de bois de chêne du Limousin ou de Tronçais. Le bois, taillé à la main, doit sécher en plein air 3 ans au moins, pour dégorger l'excès de tanin et son amertume. Une fois séché, le fût sera « entraîné » au vieillissement ; la 1re eau-de-vie qu'il contiendra n'y séjournera que quelques mois (un séjour plus prolongé la rendrait amère par excès de tanin et lui ferait perdre son arôme) ; la 2e y séjourne un an, puis les temps de séjour augmentent progressivement, jusqu'à ce que le fût devienne « roux ». L'eau-de-vie respire à travers le bois et s'oxyde ; elle s'affine, perd son amertume, prend du moelleux, s'imprègne des parfums du bois et lui prend une partie de son tanin, qui lui donne sa teinte ambrée. *Les chais* ne doivent être ni trop secs (ils donneraient des eaux-de-vie dures à trop forte évaporation) ni trop humides (donneraient des eaux-de-vie molles avec une perte excessive de degré d'alcool). Pendant le vieillissement, 2 à 3 % du cognac s'évaporent chaque année (on parle de la part des anges). On en remet périodiquement *(ouillage)* et le cognac perd env. 1 % d'alcool par an. Pour l'amener au degré de consommation (40 %), on ajoute une certaine quantité d'eau distillée. Une fois mis en bouteilles, le cognac n'évolue plus. **3°) Coupage :** le cognac commercialisé vient souvent de l'assemblage d'eaux-de-vie de différentes années et de divers crus. N'a droit à l'appellation de « Fine Champagne » que le cognac venant uniquement des crus des 2 Champagne et contenant au moins 50 % de Grande Champagne.

Age d'un cognac : l'étiquette indique l'âge de la plus jeune eau-de-vie et l'assemblage. **** ou VS :* l'eau-de-vie la plus jeune a – de 4 ans et demi. *VSOP (Very Superior Old Pale), VO (Very Old) ou Réserve :* 4 a. et demi à 6 a. et demi. *Napoléon, Vieille Réserve, XO, Extra, Hors d'âge... :* + de 6 a. et demi. En général, le négociant utilise des eaux-de-vie plus âgées que le minimum requis.

☞ **Paradis :** nom du lieu où les grandes maisons de cognac conservent leurs plus vieilles réserves.

Statistiques (France). Exploitations (récolte 1992). *Nombre :* 22 791. *Superficie :* 87 311 ha dont en production 84 665 ha (dont vins blancs Cognac 80 080, vins rouges 4 360, vins blancs autres 225). **Récolte de vins blancs** *pour la fabrication du cognac* (en millions d'hl) : *87 :* 9,2 à 7° 5 ; *88 :* 6,5 à 9° 6 ; *89 :* 8,5 à 10° 94 ; *90 :* 11 à 9° 84 ; *91 :* 3,8 à 9 ° 64 ; *92 :* 13 à 8 °. **Bouteilles** (en millions) : *Production 1992 :* 124. *Stock global 1992 :* 1 127. *Total des ventes 1990 :* 152,9 (exp. 93,9) ; *91 :* 133,9 (93,1) ; *92 :* 147,9 dont USA 28,3, Japon 24,1, R.-U. 11,6, All. 9,1.

Principales firmes : Camus (1863), Castillon Renault, Courvoisier, Delamain, Gaston de Lagrange, Hardy, Hennessy (1765, d'origine britannique). Hine (1817), Larsen, Martell (1715), Monnet, Otard (1795), Polignac, Rémy Martin (1724), Renault-Bisquit, Rouyer-Guillet, Royer, Salignac, etc.

■ **Cointreau.** Liqueur à base d'écorces d'oranges douces et amères. Société créée 1849, transférée à St-Barthélemy, près d'Angers, 1972. *Vente en France 1988-89 :* 1 000 000 hl.

■ **Cordial.** Boisson fortifiante.

■ **Crème.** Liqueur de consistance sirupeuse.

■ **Curaçao.** A partir d'écorces d'oranges, de sucre et d'eau-de-vie.

■ **Cusenier.** Maison fondée 1858 à Paris par Eugène Cusenier. Produits les plus connus : Ambassadeur (apéritif), Freezomint (liqueur de menthe), Cusenier orange (curaçao), Mandarin (liqueur d'orange).

■ **Cynar.** Marque de bitter à base d'artichaut (de l'italien *carciofo*).

■ **Dolfi.** Maison fondée à Strasbourg en 1895.

■ **Dubonnet.** Marque d'apéritif (16°) créée 1848 par Joseph Dubonnet. A base de vins du Roussillon et de quinquina.

■ **Duval.** Marque de pastis fondée à Pontarlier en 1798 par Dubied.

■ **Eau-de-vie.** Alcool produit par distillation du vin, marc, cidre, grain, etc.

■ **Eau-de-vie de Dantzig.** Macération d'écorces de citron et de macis dans de l'alcool avec addition de feuilles d'or *(goldwasser)* ou de feuilles d'argent *(silberwasser).*

■ **Esprit.** Nom des *alcoolats* (résultant de la distillation d'un mélange alcoolisé).

■ **Faugères.** Eau-de-vie de Faugères (Hérault).

■ **Fernet-Branca.** Digestif à base de plantes amères élaboré par le docteur Fernet (médecin et herboriste). Commercialisé en *1845* par les frères Branca. *1905* construction de l'usine St-Louis en Alsace.

■ **Fine.** Eau-de-vie de vin (ex. : Fine Champagne, Fine Languedoc) ou de cidre (Fine Calvados) à appellation d'origine. **Origine :** Aquitaine, Bourgogne, Bugey, Centre-Est, Coteaux de la Loire, Côtes-du-Rhône, Franche-Comté, Languedoc, Marne, Provence, Savoie.

■ **Framboise.** Il faut env. 8 kg de framboises pour obtenir 1 l d'eau-de-vie pure. Vieillie en vase de grès, en bonbonnes ou en cuves verrées. A consommer jeune (2 ans après sa mise en bouteille).

■ **Fruit de la Passion.** Liqueur jaune d'or à base des fruits de la passiflore (Australie).

, **Toasts.** *Cheers* (Anglais). *Prosit* (Allemagne, « Qu'il te profite » en latin). *Slainte* (Irlande, pour le whiskey). *Tchin-tchin* (pidgin de Canton *tsing-tsing,* « salut »).

■ **Genièvre.** Eau-de-vie de baies de genévrier.

■ **Gentiane.** Apéritif à base d'alcool, issu de l'infusion après macération de gentiane dans de l'alcool. 16° environ. Exemple : Salers créée 1885.

■ **Gin.** De *geneva,* déformation du français *genièvre.* Alcool à goût de genièvre obtenu par distillation et rectification d'orge malté, de seigle ou d'avoine (parfois de maïs). 30 à 47°. *Marque célèbre :* Gordon's (Sté créée en 1769 par Alexandre Gordon). **Consommation** (millions de bouteilles, 1982) : USA 230, Espagne 110, G.-B. 57, All. féd. 8, Belg. 4, *France (1983) 3,7.* **Imp.** (1982, en milliers de F) : 30 914 *de* G.-B. 29 700, P.-Bas 1 106, Danemark 44, Irlande 23, All. féd. 10, Canada 9, Italie 9, Espagne 3. **Ventes en France** (92) : 6 millions de bouteilles dont (en %) *à 38° :* 85,8 ; *à 40° :* 3,9, *spiritueux à base de gin :* 10 (en 1991 : Old Lady's 21).

■ **Grand Marnier.** Curaçao fait avec du cognac Fine Champagne (créé 1859 par J.-Baptiste Lapostolle).

■ **Grappa.** Eau-de-vie de marc italienne.

■ **Grog.** Boisson chaude faite d'eau-de-vie ou de rhum, citron et eau sucrée. En 1740, l'amiral brit. Edward Vernon (surnommé par ses hommes « old grog » car habillé de vêtements en grogram ou gros-grain) donne aux marins (à la place de la ration de rhum pur) une ration largement coupée d'eau : ils l'appellent grog.

■ **Guignolet.** Eau-de-vie de cerises noires, guignes ou griottes (Anjou, Touraine, Vendée). Apéritif (16°/18°).

■ **Hydromel.** XVIe s. Fait avec les résidus d'extraction du miel dont la fermentation était accélérée par la levure de bière.

■ **Hypocras.** XVIIIe s. Vin de liqueur à base de vin, cannelle, piment, girofle, muscade, gingembre, sucre, morceaux de reine-claude et pomme.

■ **Izarra.** Liqueur du pays basque (en basque : étoile). Jaune (40° avec amandes amères) ou verte (48° avec menthe poivrée) ressemblant à la chartreuse.

■ **Kalua.** Marque de liqueur de café. Origine : Mexique. Grains torréfiés, macérés dans l'alcool (26,5°)

■ **Képhir.** Lait ou petit-lait fermenté, alcool de lait fermenté.

■ **Kir.** Apéritif (vin blanc crème de cassis Lejay-Lagoutte). Du nom du chanoine Kir (1876-1968), député-maire de Dijon qui offrait cet apéritif à ses invités pour relancer la fabrication de la liqueur de cassis. En 1993, la Cour de cassation a interdit au concurrent L'Héritier-Guyot d'utiliser l'appellation « kir ».

■ **Kirsch** (de kirschwasser, eau de cerise). A partir de cerises. Les meilleures (guignes noires sucrées à petit noyau) viennent d'Alsace, de Fougerolles en Franche-Comté et de la Vallée du Rhône. Les noyaux, jamais broyés, communiquent un léger goût d'amande. Il faut env. 18 kg de cerises pour obtenir 1 l d'eau-de-vie pure. Contient de 30 à 50 mg d'acide cyanhydrique par litre (Alsace). *K. pur :* obtenu uniquement par distillation du fruit après macération. *K. de commerce :* 70 à 10 % de k. pur. *K. fantaisie :* alcool neutre auquel on ajoute une petite quantité de k. pur et de l'extrait de noyau.

■ **Korn.** Eau-de-vie de grain allemande. Roggen (seigle), Weizen (blé), Getreide (mélange). Marques réputées : Fürst Bismark (blé et seigle), Doornkat.

■ **Kummel.** Liqueur anisée à base de fruits du carvi (appelé autrefois cumin des prés, Kümmel en allemand). Allemagne, Hollande, Russie.

■ **Kvas (Kwas : en vieux slave, acide).** A base d'orge fermentée (Russie, très faiblement alcoolisé).

■ **Lait de poule.** A l'origine : jaune d'œuf battu dans de l'eau chaude, avec du sucre en poudre. Lait, rhum ou fleur d'oranger remplacent maintenant l'eau.

■ **Liqueurs.** Inventées par les Arabes en 900 (?), mises au point par des moines. Eaux-de-vie aromatisées par infusion ou macération de fruits, fleurs, plantes, graines ou racines. 15 à 55°. **Production** (hl vol., 1989) : fruits (autres que cassis) 308 886, cassis 128 719, plantes 71 957, graines 3 174, fruits à l'alcool et à l'eau-de-vie 3 174. *Total* 524 695. **Matières 1res** (1989) : alcool pur 135 444 hl, eaux-de-vie 22 340, sucre 16 530 t. **Ventes** (hl volume, 1989) : 393 168 dont export. 228 572 (dont CEE 111 168).

■ **Malibu.** Liqueur à base de rhum et de coco lancée 1981. 24°.

■ **Marasquin.** Liqueur de cerises griottes appelées marascas (origine Dalmatie, 32°).

■ **Marc.** Eau-de-vie de marc (distillation du résidu de fruits que l'on a pressés pour en extraire le jus, alcool blanc que l'on fait mûrir en fûts). **Origine :** Aquitaine, Auvergne, Bourgogne, Bugey, Centre-Est, Coteaux de la Loire, Côtes-du-Rhône, Franche-Comté, Languedoc, Champagne, Provence, Savoie. Marc d'Alsace Gewurztraminer, de Lorraine.

■ **Marie Brizard.** Maison fondée 1755 à Bordeaux. Liqueur à l'anis (+ aromatiques, zestes de citron, coriandre, cannelle...).

■ **Martini et Rossi.** Créé 1879 (Martini et Sola créé 1862, Rossi et Protto établi dep. 1852). Vermouth le plus connu.

■ **Mirabelle.** Petite prune jaune foncé, distillée principalement dans l'Est et surtout en Lorraine. Il faut env. 18 kg pour 1 l d'eau-de-vie pure.

■ **Moscatel.** Vin de liqueur (Espagne et Portugal).

■ **Noilly Prat.** Marque de vermouth. Recette inventée par Noilly qui s'associe en 1855 avec Claudius Prat.

■ **Okhotnichya.** Liqueur russe (45°) de couleur ambrée à base de macérations de gingembre, tormentille, angélique, clous de girofle, baies de genièvre, café, badiane, écorces d'orange et citron, poivre noir et piment rouge. Additionnée de porto blanc et légèrement sucrée.

■ **Ouzo.** Proche du pastis (Grèce).

■ **Pastis** voir **Anisés** (40° à 45°).

■ **Pimms' cup.** Cordial, créé par James Pimm au XIXe à Londres (n° 1 à base de gin, 2 whisky, 3 brandy, 4 rhum, 5 seigle, 6 vodka).

■ **Pippermint get.** Crème de menthe créée 1796 par Jean Get à Revel (Hte-Garonne).

■ **Pisco.** Eau-de-vie de vin (Chili, Pérou).

■ **Poiré.** Eau-de-vie de Bretagne, Normandie, Maine.

■ **Pulque.** Jus de cactus fermenté (pulque, agave, aloès américain, mescal).

■ **Punch.** Cordial, eau-de-vie épicée qu'on flambe (Suède : à base de rhum, Norvège : d'arrack).

■ **Quetsche.** Grosse prune oblongue, violette à chair jaune, mûrit en octobre principalement en Alsace et sur les coteaux de Hte-Marne et Hte-Saône. Il faut env. 25 kg pour 1 l d'eau-de-vie pure.

■ **Quinquina.** Vin apéritif contenant du quinquina (écorce de chinchona). 16 à 17°. Marques les plus connues : Byrrh, Ambassadeur, Dubonnet, Saint-Raphaël.

■ **Raki** voir **Arrack.**

■ **Ratafia.** A l'origine, tout breuvage bu lors de la ratification d'un traité ou d'un accord. En 1720 on appela ainsi une liqueur de cerise créée par Mathieu Teisseire. Aujourd'hui apéritif doux à base de vin.

■ **Rhum** ou **tafia.** A partir de canne à sucre (Antilles). 1°) **Rhum agricole ou grappe blanche** (R. de Vesou ou jus de canne) : surtout fabriqué aux Antilles. Une partie importante est livrée à la consommation locale dans l'état où le distillat sort de l'appareil, ramené à 50 ° Gay-Lussac par adjonction d'eau pure. *R. vieux :* vieilli pendant 3 ans min. en fûts de chêne d'une contenance maximale de 650 l. Le plus souvent mis en bouteilles chez le producteur sous sa marque. 2°) **R. industriel** (r. de mélasse) : fabriqué à partir des mélasses de sucrerie ; distillé et exporté entre 65 et 70 ° GL (max. autorisé 80°), ramené au degré de consommation, env. 44°, par adjonction d'eau pure, incolore ; coloré par vieillissement ou par adjonction de caramel (1 l de caramel par 1 000 l de rhum). *Traditionnel :* destiné à des usages culinaires, substances volatiles non alcoolisées min. de 225 g par hl d'alcool pur. Mêmes règles de vieillissement que pour le r. agricole. *R. « grand arôme » :* r. de mélasse très aromatisé, fort % d'éléments non alcoolisés (de 600 à 1 000 g par hl d'alcool pur), obtenu par fermentation de longue durée, de 8 à 10 j à partir de moûts de forte densité (1 110 à 1 115). Utilisé comme bonificateur dans les coupages (produit en Martinique). *R. léger :* r. distillé à haut degré. GL, de goût plus neutre, de faible arôme. En général blanc. Minimum de non-alcool, 60 g par hl d'alcool pur dep. le 30-3-1971. Pas de minimum exigé dans certains pays. 3°) **Mélanges-cocktails :** *daïquiri* (à base de r. blanc) ; *punch planteur* (à base de r. ambré ou blanc) ; *punch coco* (à base de r. et d'extrait de noix de coco).

Production de rhum (en HAP : hl d'alcool pur, 1985) : Réunion 102 359. Martinique 93 326. Guadeloupe 74 947. **Pour la consommation en France,** contingent annuel autorisé en HAP (en franchise de la soulte de 1 076 F par HAP perçue au profit du Service des alcools) : Martinique 88 915. Guadeloupe 68 065. Réunion 37 326. Madagascar 6 994. Guyane 2 750. Sur ces quantités, 3/10 sont débloqués et consommés sur le marché français. **Vente en France** (1991) : 6 300 000 bouteilles de rhum blanc, + de 10 000 000 de bout. de punch.

■ **Rhum Verschmitt.** Composé de 10 % de rhum et 90 % d'alcool.

■ **Riscanis.** Mélange de genièvre et d'anis (Lille).

■ **Rogomme.** De « rhum » et de « gomme ». Eau-de-vie forte. « Voix de rogomme » : rauque et enrouée après un abus d'alcool.

■ **Rossolis.** « Huile de rose » en italien. Eau-de-vie aromatisée (anis, fenouil, aneth, coriandre, carvi, sucre, eau de camomille) introduite en France par Catherine de Médicis. Allongée d'eau, appréciée par Louis XIV.

■ **Russkaya.** Vodka russe (40°).

■ **Saint-Raphaël.** Vin aromatisé créé 1890 par Adhémar Juppet, pharmacien de Lyon qui, perdant la vue, se rappela la guérison de la cécité de Tobie par l'archange Raphaël (Sté Saint-Raphaël fondée 1897). Mistelles, vieillies 2 ans en fût, coupées avec du vin rouge ou blanc au degré relevé (15°). Aromatisé d'écorces de quinquina, zestes de citron, d'orange amère, racines de colombo, baies et plantes macérées dans l'alcool.

■ **Saké.** *Japon :* boisson fermentée à base de riz (12 à 18°).

■ **Scotch** voir **Whisky.**

■ **Schnaps.** *Allemagne :* eau-de-vie sans appellation. *Alsace :* eau-de-vie des bouilleurs de cru composée d'un mélange de fruits de production locale.

■ **Slivovitz.** Eau-de-vie de prune serbe et bosnienne (Yougoslavie). Nom employé également dans plusieurs pays de l'Est.

■ **Snaps.** Aquavit suédois.

■ **Soyer.** Verre de champagne glacé, qu'on hume avec une paille (XIXe s.).

■ **Stolichnaya.** Vodka russe (40°).

■ **Stolovaya.** Vodka russe (50°).

■ **Suze.** Fin XIXe s. Moureaux reprend la distillerie Rousseau-Laurent fondée en 1795 et invente une liqueur de gentiane : Suze (diminutif d'une de ses nièces). 32° (16° dep. 1945), 80 g de sucre/litre (200 g/l aujourd'hui). Maison reprise 1965 par Pernod.

■ **Tafia.** Eau-de-vie de canne à sucre (Antilles).

■ **Tequila.** Eau-de-vie tirée du fruit de l'agave. La 1re chauffe donne un brouillis à 20° environ (le mescal) ; la 2e donne une eau-de-vie forte, pure, claire, généralement vieillie en fûts de chêne blanc, légèrement foncée (qualité anejo). **Quelques marques :** Sauza, José Cuervo, Olméca, Eucario, Gonzalez, El Toro, José Cortez, Montezuma, Mariachi, Herradura. **Vente en France** (1992) : 750 000 bouteilles de + de 30° (*en 1991 :* Camino Real 29,8 %).

■ **Tocane.** Vin nouveau de champagne, fait avec la mère goutte. Se garderait 6 mois (XIXe s.).

■ **Tuica (Tzuica).** *Roumanie :* eau-de-vie à base de prune.

■ **Vermouth** (de l'allemand wermuth : absinthe). Apéritif à base de mistelles blanches aromatisées. Seul le « Vermouth de Chambéry » bénéficie d'une appellation d'origine (moût de raisin auquel on a rajouté de l'alcool vinique à 95° pour empêcher la fermentation). *« Apparentés » :* Cinzano, Martini.

■ **Vieille cure.** Faite à Cenon (près de Bordeaux), composée de diverses eaux-de-vie et de 52 herbes.

Nombre de calories au litre. Apéritifs : Whisky 2 500, Pernod 2 500, porto, cherry, martini, madère 1 600. **Digestifs :** rhum, cognac, armagnac, calvados, gin : 2 500. **Champagne :** *doux :* 1 200, *brut :* 850. **Vin :** 600. **Sodas et dérivés :** *Bitter :* 40/520, soda 480, Coca-Cola 440, Schweppes 400, limonade 360. **Bière :** 400. **Cidre :** 400.

Éléments secondaires du scotch, du bourbon et du cognac. Total des prod. secondaires (en % poids-volume) ; S 0,160 ; B 0,309 ; C 0,239.

En g, par 100 litres à 50°	S	B	C
Alcools sup.	143	195	193
Acides totaux ...	15	63	36
Esters	17	43	41
Aldéhydes	4,5	5,4	7,6
Furfurol	0,11	0,90	0,67
Tannins	8	48	25
Corps solides ...	127	159	698

■ **Vodka.** Eau-de-vie née en Pologne au XVIe siècle puis introduite en Russie. Vient de la distillation de blé, seigle, orge ou maïs. Parfois élaborée à partir d'alcool de betterave, de pomme de terre ou de riz (Sibérie). 30 à 47°. **Vente en France :** 5 369 000 bout. (1992) dont 58 % titrant 38°, 31,2 % à 40° et +, 10,7 % spiritueux à base de vodka. 76,4 % [dont Smirnoff (origine 1881 Moscou, 1918 distillerie à Paris, fabriquée exclusivement avec des graines, filtrée 10 fois au charbon de bois, 2 000 000 bout.), Eristov, 1939 nom acheté par la Sté à l'un des descendants de la famille émigré aux USA, 23,6 % de v. importées dont 15 à 17 % russe (Moskovskaya, Stolichnaya, Tuborskaya), et 12 à 14 % de Pologne (Wyborowa, Zubrowkaia), de Finlande (Finlandia).

■ **Whisky.** Du gaélique : *uisge beatha,* eau-de-vie. Plus de 3 500 différents (chaque orge est différente selon la façon dont elle germe). On distingue : *w. de malt* [orge maltée d'Écosse [4 crus : Highlands, Lowlands (région de Glasgow), Campbeltown (rég. de Campbeltown) et Islay (île de Islay)] et d'Irlande], *w. de grain* (bouillie d'orge maltée et d'autres céréales, Écosse, Irl., Japon, USA, Canada), *bourbon* (États-Unis, au moins 51 % de maïs, spécialité du Kentucky) ; 1re pub. de ce whisky à Paris, cap. du comté de Bourbon, N.-E. du Kentucky), *rye* (seigle, 51 % min., USA) ; *whiskey* (avoine, Irlande ; w. de grain des USA : ex. : *Jack Daniel's.*) ; w. de malt et w. de grain sont généralement mélangés *(blended)* dans le *Scotch. Tennessee Jack Daniel's :* distillation de maïs, d'orge ou de seigle et filtrage sur charbon de bois d'érable.

Whiskies ou whiskey ne sont pas toujours mis en bouteilles dans les régions de production. Exportés en vrac, ils sont quelquefois mis en bouteilles en France, pour pouvoir être vendus à moins de 40°, ce qui est interdit dans la plupart des régions de production. Les appellations : Whisky, Whiskey, Bourbon, Rye sont protégées en France par une réglementation floue, à caractère sanitaire. *Scotch Whisky* (fixé dep. 1909) : fabrication et mise en bouteilles uniquement en Écosse (dep. loi communautaire 1989) : céréales maltées le plus souvent et séchées au four chauffé à la tourbe ; distillation en alambic ; vieillissement dans des fûts de bois en entrepôt : blend 3 ans, malt 5 a. minimum. Il se bonifie avec le temps, l'atmosphère et les fûts utilisés en chêne blanc d'Amérique (les meilleurs ont contenu du Xérès d'Espagne). Un whisky atteint toute sa plénitude vers 15 ans. *Scotch standard :* assemblage de w. de grain et de w. de malt. *Pur Malt :* mélange de *Single malt* (venant d'une seule distillerie) élaboré uniquement à partir d'orge maltée. *Irish Whiskey :* irlandais, n'a pas de goût fumé (l'orge malté n'est pas séché à l'aide de feux de tourbe comme en Écosse mais dans des fours fermés). Distillé 3 fois, il vieillit en fûts, ayant contenu rhum, sherry ou whisky, en général 7 ans.

Procédés : *Maltage :* transformation de l'orge en malt ; l'orge germée, séchée est transformée en farine. *Patent Still :* distillation en une opération où le mélange alcool et vapeur monte vers le haut de « l'alambic coffey » par condensation alors que les résidus de wash qui a été porté à ébullition sont évacués par le bas. *Pot Still :* distillation en 2 temps : dans l'alambic du wash chauffé jusqu'à évaporation pour obtenir les low wines ; dans l'alambic des low wines (alambic à alcool). *Wash :* produit de la fermentation des moûts par les levures. *Wort :* moût (liquide obtenu par brassage des céréales maltées dans de l'eau chaude).

Sites célèbres. *Glenfiddich :* vallée (glen) de Fiddich, affluent de la Spey, patrie des distilleries de pur malt (a donné son nom à une marque). *Glenlivet :* vallée de la Livet, la 1re distillerie officielle d'Écosse, marque connue (1823). *Iles d'Isley* (Hébrides) : 8 distilleries dont Lagavulin, Bowmore, Laphroaig. *Speyside :* rives de la Spey.

Grandes marques. Scotch : *Blended :* Johnnie Walker (1820), J and B (Justerini fondée 1749, vendue 1830 à Samuel Brooks), Cutty Sark (1923), Ballantine's, White Horse (nom d'une auberge lancée par Peter Mackie (Baron en 1920), Haig (1824), Vat 69, Chivas (1834), Black and White, Clan Campbell, Famous Grouse, Long John (1825), Mac Gregor's, 100 Pipers, Teacher's, White Label, William Lawson, Bell's, White Heather. *Pure malt :* Glen Eagle. *Single malt :* Glenfiddich (1866), The Glenlivet, Glenmorangie (1842), The Glenturret Cardhu (UDG), Aberlour (Pernod-Ricard), Bowmore (Morrisson Bowmore). **Whisky irlandais :** John Jameson, Old Bushmills. **Bourbon :** Four Roses (6 ans, 43°), Jack Daniel's, Jim Beam. **Whisky canadien :** Canadian Club, Sunloly, Seagram's Crown Royal.

% du marché total : *Blended :* Johnnie Walker 10 (créé 1820). Ballantine's 8. J and B 8. Label 5,7. Long John 4. White Heather 1,6. *Pur Malt :* Glen Turner 46,7. Glenfiddich 20,5. Food Glen Rogers 9,4. Aberlour Glenlivet 2,4.

Marché du whisky en France : *en millions de bouteilles : 1986 :* 76,7 ; *87 :* 82,7 ; *90 :* 97,5 dont ; scotch 79,7, français 11,5, bourbon 5,7, irish 0,5. *En milliards de F : 1989 :* 5,85 ; *90 :* 6,62, dont scotch 5,66. **Circuits de distribution** (en %, 1990, *source :* Secodip Intercor) : Supermarchés 47,3, hypermarchés 34,7, mag. traditionnels 11,3, supérettes 6,7.

■ **Williamine Williamson.** Eau-de-vie de poires William (28 kg de poires pour 1 l d'eau-de-vie pure).

Nota. – Eaux-de-vie AOC (appellations contrôlées) ou AOR (appellations réglementées).

Statistiques mondiales

Consommation mondiale de spiritueux (en %) sur la base des résultats 89 des 100 premières marques mondiales de spiritueux, source : Impact International). *Whisky* 36 dont d'Ecosse 16, Japon 7, Canada 6, USA 6, autres 1 ; *alcools blancs* 34 dont vodka 12, rhum 11, gin 8, autres (inc. Tequila) 3 ; *spécialités* 29 dont brandy 14, liqueurs 8, autres 7.

Consommation par hab. (en l d'alcool pur, 1990). *France 12,7,* Lux. 12,2 [1], ex-All. dém. 11,8, Espagne 10,8, Suisse 10,8, Hongrie 10,8, ex-All. féd. 10,6, Autriche 10,4, Belg. 9,9, Danemark 9,9, Portugal 9,8, Bulgarie 9,3, ex-Tchéc. 8,8, Italie 8,7, P.-Bas 8,2, Australie 8. N.-Zélande 7,8, Finlande 7,7, Chypre 7,7, Roumanie 7,6, R.-U. 7,6, USA 7,5, Argentine 7,5, Irlande 7,2, Japon 6,5, Uruguay 6,4, Chili 6,4, Pologne 6,2, ex-Yougoslavie 6,1, Grèce 5,9, Suède 5,5, Afr. du S. 4,8.

Nota. – (1) Importants achats étrangers frontaliers ou à l'aéroport (2) 1987. (3) Bière et vin seulement. (4) Bière seulement.

Grands groupes de spiritueux (chiffre d'affaires en milliards de F, 1990). **Grand Metropolitan** [1] 87,4 (dont vins et spiritueux 23) : J. & B, Smirnoff vodka, Bayley's, Malibu, Piat en Beaujolais, Gilbey de Loudenne à Bordeaux, Cointreau et Cinzano en Europe. **American Brands** [2] 75,9 (5,5) : Jim Beam, Old Grand Dad, National Distillers. **Allied-Lyons** [1] 48 (19) : Ballantine's, Teachers, Courvoisiers, Canadian Club, liqueur Tia Maria, et 50 % de European Cellars. **United Distillers** [1] Group 40 : Johnnie Walker, Bell's, Cardhu, Black and White, Vat 69, White Horse, Gin Gordon's Pimm's. **Suntory** [3] 30,9 (18,9) : Château Lagrange. **Seagram** [4] 33,5 (26,4) : Mumm et Perrier Jouet, Barton et Guestier, Bourbon Four Roses, Porto Sandeman ; (achat : Cognac Martell). **Whitbread** [5] : Long John, Laphroaig, Scoreby European Cellars (50 %). **Louis Vuitton-Moët-Hennessy** (LVMH) [5] 22 (11,7) : Moët-et-Chandon, Ruinart, Veuve (Clicquot), Mercier, Canard Duchêne, Hennessy, Hine. **Pernod-Ricard** [5] 14,7 (9,3) : Ricard, Pernod, Pastis 51, Bisquit, Clan Campbell, Besserat de Bellefon, Wild Turkey, Sté des Vins de France. **Brown Forman** [2] : Jack Daniel's, Southern Comfort, Canadian Mist. **Martini** [6] 7,9 (7,9) : Martini, William Lawson's, Duquesne, Noilly Prat, Saint-Raphaël, Boulard, Vve Amiot, Avèze, Bénédictine. **Rémy-Martin** [5] : Rémy Martin, de Luze, Charles Heidsieck, Krug, Piper Heidsieck, (vend une partie de Nicolas au Groupe Castel frères). **Guinness** [1] 35 (21). **R. Cointreau** [5] 6,5 (6,5).

Nota. – (1) Anglais. (2) Américain. (3) Japonais. (4) Canadien. (5) Français. (6) Italien.

Marques les plus vendues (en millions de caisses, 1990). Bacardi [1] (Bacardi & Co) 22,8. Smirnoff [2] (Heublein) 14,9. Ricard [3] (Pd-Ricard) 7,5. J. Walker Red [5] (Guiness) 6,6. Gordon's [4] (Guiness) 6,3. J & B Rare [5] (gd-Met) 5,7. Ballantine's (Allied Lyons) 5,4. Jim Beam (Jim Beam Co) 5. Presidente (P.Domecq) 4,7. Bell's (Guiness) 4,2. Seagram's 7 Crown [8] (Seagram) 4,2. J. Daniel's (Brown Form) 4,2.

Nota. – (1) Rhum. (2) Vodka. (3) Pastis. (4) Gin. (5) Scotch. (6) Japanese. (7) Liqueurs. (8) US Blend.

Statistiques en France

■ **Production. Régions :** *Alcool de betterave, mélasse :* surtout dans le Nord, Picardie, Rég. parisienne, Champagne et Cher, dans les sucreries-distilleries. *A. d'origine vinicole* (distilleries ind. et distil. coopératives ou bouilleurs de cru ambulants) : Aude, Hérault, Gironde, Gard et Var.

Production des alcools (en milliers d'hl, campagne 1991-92) : 6 014,4 dont *distillateurs de profession :* betteraves et mélasse 3 571,3. Synthèse 1 438,9. Vins (dont cognac 174,6, armagnac 9,6) 315,5. Marcs 234,6. Lies 141,7. Substances farineuses et céréales 31. Cidres et poires, lies de cidres et de poires 11,5. Fruits autres que raisins, pommes et poires 6,1. Pommes, poires, marcs de pommes et poires 13,8. Gentiane 0,035. Grains mis en œuvre pour la production de genièvre 1,5. Divers 30,1. *Bouilleurs de cru :* vins 178,5 (dont cognac 170,6, armagnac 5,8). Lies de vins 2,2. Cidres et poirés 19,9. Raisins et marcs de raisin 8,2. Prunes, cerises, prunelles 8,9. Autres fruits 0,4. Gentiane 0,032. La production réelle est au moins double, peut-être triple, car les statistiques indiquent le volume d'alcool pur à 100°, alors que la boisson est réduite à 40°.

Nombre d'entreprises et, entre parenthèses **de salariés.** Distillation d'alcool de betteraves (91) 26 dont distilleries pures 7 (930), sucreries distilleries 17. *CA :* 586 F ; distillation d'eau-de-vie naturelle 59 (4 853), *CA :* 3 408 F ; prod. de liqueurs et apéritifs alcoolisés autres qu'à base de vin 52 (6 608), *CA :* 5 754 F ; prod. d'ap. à base de vin 6 (2 663), *CA :* 1 536 F ; champagnisation 92 (8 176), *CA :* 4 545 F.

■ **Commerce extérieur des boissons spiritueuses** (en milliers d'hl d'alcool pur, 1992). **Exp. :** 1 126 dont eaux-de-vie de vin sans appellation 386, cognac 362, liqueurs 175, calvados 16, armagnac 14. *Principaux clients* (millions de F, 1992) : 11 773 dont R.-U. 5 099, All. 4 974, USA 4 778, UEBL 3 138, Japon 2 766. **Imp. :** 805 dont whisky 327, rhum 110, eaux-de-vie de vin 292. *Principaux fournisseurs* (en millions de F) : R.-U. 2 004, Italie 998, Port. 746, Esp. 502.

■ **Consommation. Par adulte de 15 ans ou +, en l** (1988) : vin 96,3 (1970 : 143), bière 47,3 (1970 : 55), cidre 8,4 (70 : 21), spiritueux (alcool pur) 3,3 (70 : 3,9), boissons non alcoolisées (non compris eau du robinet, lait, café, thé, tisanes) 105 [1]. **Spiritueux** (en milliers d'hl AP, 1989 et, entre parenthèses, en 1971). *Total* 1 458,3 dont : *Apéritifs anisés* 566,2 (380,3). *Alcool de céréales* (whisky, gin, vodka) 315 (91). *Rhum* 74,8 (119). *Liqueurs sans cassis* 68,5 [1]. *Vin de liqueur AOC* 68,1 [1]. *Apéritifs à base de vin* 53,5. *Eaux-de-vie à AOC* 64,5. AOR 13. *Alcool de mutage* (VDN mousseux) 44,4. *Amers, gentiane* 28,6. *Crème de cassis* 22 (9). *Autres apéritifs* (punchs, cocktails) 23 [1]. *Genièvre* 2,5 [1]. **En millions de bouteilles** (1990) : gin 8,5, vodka 6,8, rhum blanc 6,7, tequila 1,2.

Nota. – (1) 1987.

■ **Distribution** (1991). **Débits de boissons permanents (Métropole) I** *+ app.* 415 727 licenciés dont : *débits de b. à consommer sur place* 213 746 [dont lic. *1re cat.* (sans alcool) + appareils automatiques 74 744 ; *2e* (boissons fermentées vins, bières, vins doux naturels, vins de Cassis) 10 878 ; *3e* (liqueurs, apéritifs à base de vin ne titrant pas plus de 18° et les boissons de la licence IV aux h de repas uniquement) 7 822 ; *4e* (plein exercice permet de servir de l'alcool de 5 h à 2 h du matin, en dehors de ces h, autorisations spéciales) 152 281]. *Restaurants* 42 781 (dont « petite licence rest. » 9 282). *Débits de boissons à emporter* 127 221 (dont « petite licence à emp. » 58 727).

La loi réglemente la création de licences de 3e cat. et interdit la création de lic. de 4e cat., ce qui conduit à leur disparition progressive.

Ventes en grandes surfaces (en millions de l, en 1992) : *Apéritifs à base de vins* 31 (1,21 milliard de F) dont (en %) Martini 62,5 (dont Rosso 47, Bianco 11,6, Rosé 3,5, Extra Dry 0,4), Ambassadeur 7, St-Raphaël 6,4, Cinzano 6, Byrrh 4,2, Dubonnet 3,1, MDD 3,5, autres 7,1. *Amer et gentianes* 10,5 (0,4 milliard de F). *Américanos* 1,95 (0,07 MdF).

■ **Liqueurs. Principaux fabricants :** Bénédictine, Cusenier, Grand-Marnier, Cointreau, Lejay-Lagoute, Grande-Chartreuse, Rocher, Verveine du Velay (Pagès), Bardinet, Marie-Brizard, Get (Pippermint) et Izarra. **Commercialisation** (en milliers d'hl de vin) : liqueurs métropole 183, exp. 224,8 ; crème de cassis métr. 97,6, exp. 11,6.

Réglementation

■ **La loi du 11-7-1985** a supprimé le principe de réservation de l'alcool à l'État et instauré un régime de liberté de production et de commerce dans le cadre d'un régime fiscal maintenu. La production d'alcool viticole est décidée à Bruxelles. Son écoulement est supporté par la Communauté et les États. La loi prévoit un régime préférentiel pour 204 000 hl/AP de rhums blancs de canne des TOM. Le décret du 19-12-1985 supprimant de fait le Service des alcools transfère les responsabilités de l'État à l'Office national interprofessionnel des vins (ONIVINS) pour les alcools viniques qui délègue, par convention, l'exécution de ses attributions à la Sté des alcools viticoles (SAV). Les opérateurs de la filière, et dépositaires-entrepositaires ont dû adopter le statut de négociant en gros ; ils deviennent propriétaires du stock (jusqu'alors propriété de l'État). Ils sont libres de leurs prix.

■ **Bouilleurs de cru. Statut :** leur privilège exercé librement sous l'Ancien Régime (impôt spécial) a été aboli sous la Révolution, mais rétabli à des fins politiques par Napoléon Ier en 1808, puis supprimé par l'ordonnance du 29-11-1960, « à la mort de chacun des bénéficiaires ou de leur conjoint survivant ». Il donne droit de distiller pour son propre compte 10 l d'alcool pur par an et par bouilleur (35 l avant le 28-2-1923) et l'exempte (droit héréditaire) des droits de consommation. Important dans l'Ouest (eau-de-vie et cidre), le Nord (genièvre) et l'Est (kirsch, quetsche, mirabelle). Le nombre des cirrhoses alcooliques semble lié à la densité des bouilleurs de cru : alcool moins cher et de mauvaise qualité.

En 1988-89 : 1 587 799 bouilleurs de cru inscrits (dont 720 336 ayant effectivement distillé) ont produit 46 542 hl d'alcool pur en franchise [prod. totale (83-84) 314 464 hl]. *En 1975 :* 68 876 alambics répertoriés.

■ **Distribution. Implantation réglementée :** aucune « grande licence » ne peut être créée. Seul son transfert sous certaines conditions permet l'ouverture d'un nouveau débit. *Transfert :* effectué librement dans la même commune, ou dans un rayon de 50 km vers une autre commune dépourvue de débit, peut être autorisé jusqu'à 100 km par une commission présidée par un magistrat s'il est motivé par un besoin touristique. Un débit ne peut être ouvert dans une commune où le total des débits dépasse 1 pour 450 hab. ; 1 pour 3 000 hab. dans les grands ensembles construits après 1955 ou à construire et groupant plus de 1 000 logements ; ni dans une zone protégée. *Ces zones,* fixées par arrêté préfectoral, délimitent des distances de protection autour de certains édifices : églises, cimetières, hôpitaux, hospices, écoles, stades, piscines, prisons, casernes. Les débits déjà installés à l'intérieur des zones protégées autour des établissements hospitaliers ne peuvent être maintenus après la mort de l'exploitant et du conjoint survivant. Indépendamment de la distance fixée par le préfet, la distance de protection autour des grands ensembles d'habitation est portée à 200 m. Toute licence qui n'a pas été exploitée pendant un an est supprimée.

Interdiction de distribution pour les boissons alcoolisées : sur stades et terrains de sport publics ou privés, dans piscines et salles de sport et tous locaux occupés par des associations de jeunesse ou d'éducation populaire au moyen de distributeurs automatiques, avec interdiction de distribuer aux mineurs prospectus ou objets quelconques nommant une boisson ou constituant une publicité pour celle-ci. Il est interdit de vendre des boissons alcoolisées à emporter entre 22 h et 6 h dans les points de vente de carburant.

Interdiction de diffusion de publicité (directe ou indirecte) en faveur de boissons contenant + de 1,2° d'alcool : à la télévision ; à la radio le mercredi de 7 h à minuit et les autres jours de 17 h à minuit ; dans les publications destinées à la jeunesse ; sur les stades, terrains de sport publics ou privés, dans les lieux où sont installées des piscines et dans tous locaux occupés par des associations de jeunesse. Toute publicité en faveur des boissons contenant plus de 1° d'alcool doit comporter un message sanitaire précisant que l'abus d'alcool est dangereux pour la santé.

Alcoolisme

■ Généralités

■ **Quantités d'alcool pur dans les boissons.** *Teneur (pour un verre) en alcool pur en cl et, en italique, en g.* Apéritif à 18° 1,4, *11,5 ;* bière (demi) 1,5, *12 ;* liqueur à 40° 1,3, *10,5 ;* pastis 45° 1,5, *12 ;* vin 11° 1,3, *10,5.* Un litre de vin à 10° contient 100 cm³ (10 cl ou 80 g) d'alcool pur. 4 litres de vin à 12° contiennent 120 × 4 = 480 cm³ (48 cl) d'alcool pur, soit autant que 1 litre d'eau-de-vie à 48°.

■ **Alcoolémie.** Teneur en alcool du sang exprimée en g/l. Une alcoolémie à 0,80 g représente 0,80 g d'alcool par l de sang ; atteint son maximum moins d'1 h après ingestion. La richesse en alcool (degré) de la boisson, le fait de boire à jeun ou au cours d'un repas, la nature des aliments, le poids de la personne, le sexe modifient la courbe d'alcoolémie.

Nota. – a = quantité d'alcool bu évaluée en grammes ; p = poids de la personne en kg ; k = coefficient de diffusion (homme 0,70, femme 0,60).

Exemple : un homme de 75 kg aura, après l'ingestion d'1 l de vin à 10° à jeun, une alcoolémie égale à 75 × 0,70 = 1,52 g pour mille. Pour la même quantité bue au cours d'un repas, le taux sera 1/3 plus faible. L'alcoolémie diminuant de 0,15 g/h, il faudrait théoriquement 10 h pour que le taux tombe à 0 et 5 h pour qu'il tombe au-dessous du taux légal de 0,80, à condition de ne pas boire à nouveau.

Taux d'alcoolémie pour quelques boissons une heure après absorption chez un homme de 75 kg (doses réglementaires dans les débits de boisson ; les doses servies chez soi sont souvent plus fortes) : à jeun et, entre parenthèses, avec un repas. ½ litre de vin à 11° 0,83 (0,55). ½ l de bière à 5° 0,29 (0,19). 2 cl (°) apéritif anisé 45° 0,13 (0,09). 6 cl (°) apéritif à 16° 0,15 (0,10). 4 cl (°) de whisky 0,36 (0,24). 4 cl (°) de cognac à 40° 0,32 (0,21).

■ Effets de l'alcool sur l'organisme

☞ Quelle que soit la forme sous laquelle on l'absorbe, et contrairement aux préjugés en vigueur, l'alcool ne réchauffe pas durablement, ne donne pas de force, n'est pas un aliment nécessaire à la croissance et au fonctionnement de l'organisme, n'est pas « bon pour le cœur et les vaisseaux », n'est pas indispensable à la vie, ne désaltère pas (il augmente le volume des urines et donne soif), ne donne pas d'appétit et n'aide pas à digérer. Seule l'eau est nécessaire à la vie.

■ **Intoxication. Aiguë (ou ivresse)** après une ingestion massive d'alcool, caractérisée par un état d'excitation psychique et d'incoordination motrice. L'ivresse passe par 3 phases avant d'aboutir au coma qui peut être mortel (alcoolémie supérieure à 5 g/l). **Chronique :** peut n'avoir jamais été précédée ou accompagnée d'intoxication aiguë.

■ **Effets. Sur l'appareil digestif :** l'alcool agresse les muqueuses (œsophage, estomac, intestin), provoque une sensation de brûlure (signe d'inflammation pouvant conduire à l'ulcère et au cancer). Poison violent du foie (il provoque la dégénérescence des cellules conduisant à la cirrhose presque toujours mortelle). Il perturbe la digestion (mauvaise assimilation de certains aliments, diminution d'appétit, déséquilibre nutritionnel avec au début surcharge de poids). Nombre de calories (voir p. 1629 b).

Cirrhoses : *taux de mortalité pour 100 000 h.* (1987). Chili 60. Hongrie 42. Roumanie 37. Porto Rico 34. Italie 32. Portugal 30. Autriche 27. *France 23.* All. féd. 19. Japon 14. USA 13. Pologne 12. Suisse 10. Uruguay 9. Singapour 8. Suède 6. P.-Bas 6.

Le taux est beaucoup plus élevé chez les hommes. *France :* hommes 44,3, femmes 17,8. *Italie :* H. 49,5, F. 19,5. *Portugal :* H. 51, F. 19,9. *Espagne :* H. 32,3, F. 13,2. *Suisse :* H. 21, F. 6,6. *Belg. :* H. 16,7, F. 10. Il est similaire en *G.-B. :* H. 3,8, F. 3,5 (1983).

Sur le système nerveux : troubles des réflexes, de la vision, de l'équilibre, du jugement. *Alcoolisme chronique :* lésions des nerfs : fourmillements, crampes, douleurs, paralysie (polynévrite). Lésions possibles des centres nerveux : confusion mentale, diminution de la mémoire, somnolence, torpeur. Psychisme altéré : troubles du caractère, irritabilité, susceptibilité, humeur sombre ; affaiblissement de la volonté et du contrôle de soi : insouciance, mensonges, vantardise, hypocrisie ; insomnies ; état dépressif avec complexe d'infériorité, cause de suicide ; baisse des facultés intellectuelles et des capacités d'attention ; parfois délires chroniques ou phénomènes de démence, conduisant à l'hospitalisation psychiatrique.

Sur d'autres organes : système cardio-vasculaire, glandes endocrines, pancréas...

☞ **Les enfants nés** de mères buveuses sont souvent prématurés, plus fragiles ou ont un poids plus faible à la naissance. L'alcool passe dans le lait de la femme qui nourrit son enfant et le rend toxique.

	Cirrhose du foie		Alcoolisme, Psychose	
	Nombre	Taux [1]	Nombre	Taux [1]
1960	13 401	29,4	5 074	11,1
1970	16 865	30	4 042	7,9
1975	17 546	33,3	4 192	7,9
1980	14 881	27,8	3 334	6,2
1985	12 084	21,9	3 212	5,8
1990	9 641 [2]	17	2 821 [3]	5

Nota. – (1) Taux pour 100 000 hab. (2) dont 6 725 h et 2 916 f. (3) dont 2 258 h et 563 f.

Effets psychophysiologiques selon le taux d'alcoolémie (en g/l de sang). *De 0,1 à 0,3 :* zone de tolérance physiologique. Aucun trouble n'est constaté. *De 0,3 à 0,5 :* aucun signe clinique apparent mais les gestes commencent à être perturbés. Parfois la fusion optique des images est troublée et la sensibilité de la vision diminue. Estimation des distances et vitesses faussée. *De 0,5 à 0,8 :* troubles commençant à apparaître. Temps de réaction allongés. Réactions motrices troublées. Euphorie. *De 0,8 à 1,5 :* réflexes de plus en plus troublés. Ivresse légère. Baisse de la vigilance. Conduite dangereuse. *De 1,5 à 3 :* allure titubante. Diplopie (on voit double). *De 3 à 5 :* ivresse nette. Conduite impossible. *Au-delà de 5 :* coma pouvant entraîner la mort.

L'accroissement du risque d'être impliqué dans un accident de la circulation étant fonction du taux d'alcoolémie, tous les conducteurs devraient s'abstenir de prendre une boisson alcoolique à jeun et plus d'un demi de bière ou d'un quart de vin au repas.

☞ Les boissons alcoolisées peuvent être une contre-indication à la prise de certains médicaments.

■ L'alcoolisme en France

■ **Alcooliques.** *Nombre :* 5 millions de personnes ayant des difficultés médicales et psycho-sociales liées à leur consommation d'alcool.

Hôpitaux généraux : *nombre des malades alcooliques :* 20 à 40 % en services hommes, 8 à 10 % en serv. femmes. 1 malade hospitalisé sur 3 est alcoolique. **Établissements psychiatriques :** *nombre d'admissions pour psychoses alcooliques :* 40 % des adm. hommes, 10 % des adm. femmes.

■ **Mortalité. Nombre de décès dus à l'alcoolisme** (1989) : alcoolisme et psychose alc. 2 965, 95 % des cirrhoses 9 531, 80 % des tumeurs malignes des voies aérodigestives supérieures 10 941, 1/3 des tuberculoses 324, homicides (1/2) 315, suicides (1/4) 2 929, accidents circulation (1/3) 3 423, autres accidents (1/10) 2 559, causes non spécifiées (1/10) 2 645.

Décès selon l'âge (hommes et entre parenthèses femmes, en %). *35-44 ans :* 14 (9,5), *45-54 a. :* 19,5 (10), *55-64 a. :* 17 (7,5).

Décès attribués aux psychoses alcooliques et, entre parenthèses, **aux cirrhoses du foie** (en 1990, taux pour 100 000 hab.) : Nord-P.-de-C. 7,8 (30,7), Bretagne 9,7 (24), Hte-Normandie 6,6 (19,7), Basse-Norm. 5,4 (17,3), Auvergne 8,2 (21,2), Champagne-Ardenne 5,4 (19,3), Bourgogne 5,8 (18,9), Picardie 6,8 (20,3), Alsace 4,9 (18), Lorraine 5,5 (18,6), Centre 6,3 (17,1), P.-de-Loire 5,7 (18,9), Limousin 6,6 (17,6), Poitou-Charentes 4,3 (15,4), Rhône-Alpes 3,4 (13), Aquitaine 4 (14,2), Franche-Comté 3,8 (12,2), Prov.-Alpes-C. d'Azur 4 (14,6), Ile-de-France 3,2 (13,4), Languedoc-Roussillon 3,5 (12), Midi-Pyr. 3 (11,6), Corse 2,4 (13,2).

☞ Les décès ne se limitent pas à ceux figurant sous les rubriques : alcoolisme et cirrhose du foie. L'alcool est cause secondaire ou déterminante dans nombre de décès accidentels ou attribués à d'autres maladies (ex. : décès d'un alcoolique dont l'organisme affaibli n'a pas résisté à la grippe ou à la broncho-pneumonie). La consommation associée d'alcool et de tabac est à l'origine de 13 000 décès/an (cancers des voies aérodigestives supérieures-bucco-pharynx, larynx et œsophage).

■ **Autres effets.** *Absentéisme pour maladie :* 3 à 4 fois plus élevé chez les buveurs que chez les autres. *Accidents du travail :* part de l'alcoolisation 15 à 25 % au minimum. *Durée du séjour dans un service général de médecine :* double de celle d'un non-buveur.

■ **Coût.** 70 milliards de F en 1988 (dont hospitalisations 55, soins et consultations 15 dont financés par la Séc. soc. 49, les mutuelles 5, l'État 3, les particuliers 13).

■ Lutte contre l'alcoolisme

Information et prévention. *Haut Comité de la Santé Publique,* 2, rue Auguste-Comte 92170 Vanves. Présidé par le ministre de la Santé. Minitel : 3614 ALCO INFO. *Association nat. de prévention de l'alcoolisme,* 20, rue St-Fiacre, 75002 Paris ; ass. privée loi de 1901. Minitel : 3615 ANPA. *Centres d'hygiène alimentaire et d'alcoologie (CHAA) :* travaillent à l'échelon local avec autres intervenants médico-sociaux et mouvements d'anciens buveurs.

Mouvements de buveurs guéris et d'abstinents volontaires. Alcooliques anonymes 21, rue Trousseau, 75011 Paris ; créés USA 1935, France 1960. 2 millions de membres dans 134 pays ; en France, 9 000 m. (410 groupes). **La Croix bleue** 47, rue de Clichy, 75009 Paris ; créée Suisse 1877 ; 310 000 m. dans le monde. *France* créée 1883 110 lieux d'implantation : 2 centres de postcure pour h., 1 pour f. : durée de séjour 90 j. 4 000 m. ; 40 000 pers. en contact. **La Croix d'Or** *française* 10, rue des Messageries, 75010 Paris, créée 1910. 16 000 membres en France (actifs et amis, au 31-12-91). 76 assoc. départ., 14 régionales. Initiatrice de la Féd. européenne des mouvements Croix d'Or. **Les Bons Templiers (IOGT)** 7, rue du Major-Martin, 69001 Lyon. Plus de 2 millions de m. de plus de 50 pays ; siège mondial à St-Ives, Cambridge shire (G.-B.). **Fédération nat. Joie et Santé** 35, rue Ampère, 94400 Vitry, créée 1964, 20 000 membres, 24 assoc. départem. **Féd. nat. Santé-Abstinence-Amitié** 6, rue de Breuschwickersheim, 67117 Ittenheim ; créée 1978, 23 500 membres actifs pour 35 départ. **Mouvement national Vie libre** 8, impasse Dumur, 92110 Clichy ; créé 1953 ; 391 sections ; 20 000 adhérents. **Groupes familiaux Al-Anon** 4, rue Fléchier, 75009 Paris, créés aux USA en 1951 ; en France depuis 1962 ; 140 groupes en France en 1993.

Action en milieu professionnel. *Féd. française interprofessionnelle pour le traitement et la prévention de l'alcoolisme et autres toxicomanies (Fitpat),* créée 1978, 22, rue de Chabrol, 75010 Paris. Regroupe 21 associations.

Élevage

■ **Cheptel français** (en milliers de têtes, 1991). Bovins 21 446, ovins 11 490, caprins 1 236. En 1988, sur 1 017 000 exploitants, 49 % possèdent des bovins (*1979 :* 58), 26 % des vaches laitières (*1979 :* 41), 22 % des vaches allaitantes (*1979 :* 18). De 79 à 88, le cheptel a baissé de 9 %.

■ **Formes d'élevage. Extensif :** sur des pâturages naturels, les bêtes se déplacent avec leurs gardiens (*cow-boys* américains, *gauchos* argentins, *squatters* australiens). Il faut 8 ha pour nourrir une vache à l'année dans l'Ouest américain. **Élevage moderne en plein air :** dans une prairie permanente, entretenue. **Élevage en batterie :** agriculture hors sol développée dans plusieurs secteurs de l'élevage (veaux, volailles). **Embouche :** bêtes élevées dans des régions peu fertiles, engraissées dans des régions riches (Charolais, Nivernais, Normandie). **Migration estivale (transhumance) :** de nov. à juin, les moutons paissent dans la Crau et, de juin à oct., dans les Alpes. **Semi-nomadisme :** bêtes l'été sur hauts pâturages (+ de 2 200 m), l'hiver redescendues dans les fermes. **Stabulation libre** (hangar ouvert sur champ) : bêtes nourries avec des produits préparés par *ensilage* (moyen de conserver plantes fourragères, feuilles de betteraves, pulpes, etc.). **Vaine pâture :** bêtes menées dans chaumes et jachères.

■ **Insémination artificielle** (1991). **Bovins :** *vaches inséminées* 5 416 150 dont (en %) avec des semences de taureaux de race Prim'Holstein 47,54, Charolaise 16,69, Normande 10,95, Montbéliarde 7,94, Limousine 7,24, Blonde d'Aquitaine 4,96, *Centres agréés* 57. **Porcins :** *truies inséminées* 520 000. *Centres* 7. **Ovins :** *brebis insém.* 750 000 (dont 60 % races laitières, 40 % races à viande). *Centres* 21. **Caprins :** *chèvres insém.* 42 430. **Importations de semences** (en doses, 1987-88) **de :** USA 85 714, Belg. 8 912, All. féd. 4 000, P.-Bas 3 000. *Total 101 626.*

☞ **1er embryon conçu en Europe in toto in vitro :** *Unceia* (France) janv. 1988 : maturation des ovules in vitro, capacitation du sperme congelé in vitro, fécondation in vitro proprement dite et culture in vitro de l'embryon pendant une semaine (blastocyste) jusqu'au stade du transfert. **1ers veaux cultivés in vitro nés en France :** 4 veaux nés janv. 1990 (Inra-Unceia). **1er veau in toto in vitro né en France** (dérivé des techniques précédentes) : *Gédéon,* 51,5 kg, né le 20-3-1990 au Centre génétique de Douai. **1ers lapereaux et agneaux clonés** (clones de 6 lapereaux) nés en France en 1990, issus de reprogrammation nucléaire de cellules embryonnaires (blastomères) précédemment congelées et transférées dans des ovules énucléés (Inra, 1990). **1ers quintuplés de veaux en France, à partir d'un seul clone** nés entre le 29 et le 3-2-1993 (Inra) [record aux USA (11 veaux)]. **1ers veaux nés en ferme après sexage au stade embryonnaire** (sept. 1990) dans les Vosges (Unceia/Rhône-Mérieux).

■ **Transplantation embryonnaire.** *Vaches* (1991) : 8 630 donneuses, 63 049 embryons, 32 386 transferts.

Anes

Taille moyenne. Long. 1,40 m, haut. 1,10 m, oreilles 0,20 m. **Poids.** 150 à 700 kg. **Vie.** 15 à 18 ans. **Races.** Commune, Afrique du Nord, Égypte, Poitou, Pyrénées.

Nombre (1986, en milliers). Chine 10 415. Éthiopie 3 920. Mexique 3 183. Pakistan 2 857. Égypte 1 900. Iran 1 800. Afghanistan 1 250. Brésil 1 250. Turquie 1 200. Inde 1 001. Maroc 800. Nigeria 700. Colombie 650. Soudan 650. Bolivie 600. Mali 550. Yémen du N. 520. Niger 507. Pérou 490. Algérie 475. Irak 450. Venezuela 440. Bulgarie 345. URSS 322. *Monde 40 477.*

Autruches

■ **Généralités** (voir p. 171 c).

■ **Utilisations.** *Peau corps, pattes :* maroquinerie, ganterie, chaussure, bagagerie. *Plumes :* parures de music-hall, chapeaux, costumes, plumeaux. *Huile :* traitement des arthrites, déchirements musculaires, dermatites. *Viande :* commercialisation autorisée en France dep. 1993.

■ **Élevage. Cheptel :** USA 100 000, France 1 000 (zoos : env. 10 élevages). **Prix :** autruchon de 4 mois : 9 000 F ; adulte : env. 30 000. *Viande (1 kg) :* 150 à 200 F.

Beurre

Dans le monde

Commerce (en milliers de t, 1992, prov.). **Exp. :** Europe occ. 281 dont CEE[1] 240 *(France 51 [1])*. Océanie 272 dont N.-Zélande 213, Australie 59. Suède 19. Europe orient. 10. Amér. du N. 162 dont Canada 12, USA 150. Finlande 14. Amér. du S. 2. Ex-URSS 20. *Monde 748.* **Imp. :** ex-URSS 200. Europe occ. 70 dont CEE [1] 68 *(France 1 [1])*. Japon 14. Europe orient. 50. Amér. du N. 8 dont USA 2. Suisse 3. Amér. du S. 12. Australie 2. *Monde 356.*

Nota. – (1) Commerce extra-CEE

Consommation (en milliers de t, 1992, prov.). N.-Zélande 55. *France 470.* Finlande 37. Suisse 42. Suède 43. Ex-URSS 1 600. Canada 86. Australie 52. USA 495. Inde 1 060. Japon 105. Afr. du S. 14. Amér. du S. 122. *Monde 5 765.*

Production (en milliers de t, 1992, prov.). Europe occidentale 1 855 dont CEE [1] 1 635 *(France [1] 435)*. Ex-URSS 1 350. Inde 1 110. Amér. du N. 682 dont USA 555, Canada 95. Europe orientale 370. Océanie 373 dont N.-Zélande 265, Australie 108. Amér. du S. 124. Japon 90. Suède 65. Finlande 53. Suisse 40. Afr. du S. 16. *Monde 5 970.*

Nota. – (1) laiterie + fabrications fermières.

Stock CEE (au 31-12, milliers de t). **Beurre :** *1979 :* 270. *80 :* 127. *81 :* 10. *82 :* 112. *83 :* 692. *85 :* 996. *86 :* 1 283. *87 :* 860. *88 :* 102. *89 :* 20. *90 :* 251. *91 :* 261. *92 :* 173 dont Irlande 57, Espagne 35, All. 31, P.-Bas 20, R.-U. 10, Italie 8, *France 5,* UEBL 3, Danemark 2, Portugal 2, Grèce 0.

En France

Catégories. Beurre *fermier :* fabriqué à la ferme ; *laitier :* dans une usine laitière avec des crèmes non pasteurisées ; *pasteurisé :* dans des entreprises laitières (qualité contrôlée de façon permanente par le BIL : Bureau de l'inspection du lait) ; *salé :* la mention demi-sel (– de 5 %) ou salé (5 à 10 %) doit figurer sur l'emballage. Le « St-Hubert 41 » ne contient que 41 g de lipides pour 100 g.

Production (beurre et matière grasse butyrique, en milliers de t). *Prod. totale :* laiterie (beurre, MGLA) + *fabrications fermières : 1985 :* 532,6 ; *86 :* 627 ; *87 : 578 ; 88 : 530 ; 89 :* 525 ; *90 (prov.) :* 553 ; *91 :* 413 [1] ; *92 :* 391 [1].

Nota. – (1) Beurre en l'état.

Stocks publics (au 31-12, milliers de t). *Beurre* et, entre parenthèses, *poudre à 0 % : 1980 :* 6 (9,8). *81 :* 3,8 (28). *82 :* 23,5 (39). *83 :* 148 (29). *84 :* 117 (3). *85 :* 84 (3,8). *86 :* 191 (4,4). *87 :* 120. *88 :* 8,1 (0). *89 :* 1,3 (0). *90 :* 16 (20,1). *91 :* 6,6 (16,7), *92 :* 5.

Bisons

Espèces. Américaine : *Bison bison :* 60 à 75 millions au début du XIXe s. en Amérique du N. Exterminés lors de la conquête de l'Ouest, il n'en restait que 800 en 1905 (dont 200 dans le parc de Yellowstone). **Européenne :** *Bison bonasus :* dernier représentant sauvage tué en 1919 dans la forêt de Bialowieza (frontière soviéto-polonaise) ; réintroduite à partir de 3 couples venant de zoos, env. 2 000 en liberté aujourd'hui. **Élevage.** Amérique du N. (env. 160 000 têtes), France, dans le Limousin (expérimental : 25 têtes) et en Normandie (150 têtes env.). Le bison se contente de pâturages médiocres. **Viande.** Pauvre en cholestérol, teneur en lipides (1 à 2 %) inférieure à celle du bœuf dont elle a l'aspect et un goût voisin.

Bovins

■ **Caractéristiques.** Ruminants ayant un estomac à 4 poches (panse, bonnet, feuillet, caillette). **Élevage.** Reproduction possible à partir de 1 an, 1re saillie pratiquée en général vers 20 mois pour les 2 sexes. Les chaleurs de la vache (tous les 20 j env., 14 h après l'ovulation) durent 1,5 j. L'accouplement se fait soit en liberté (un taureau servant 25 à 30 vaches) soit en main (un taureau pour 100 vaches). On utilise aussi l'insémination artificielle. **Vie.** 15 à 20 ans. **Gestation.** Env. 280 j. Veau pèse à la naissance de 20 (race bretonne pie noire) à 60 kg (charolais) ; (250 à 5 mois). Veau de St-Étienne : 45 à 60 (7 à 8 mois : 350). Prend en général 400 g par j le 1e mois, et 1 kg par j vers le 3e mois. *Le veau au colostrum* (8 à 10 j) est recherché pour l'élevage en batterie en France, Hollande et Italie. Le *veau* « blanc », spécialité française, n'est guère apprécié à l'étranger. Les *veaux de Lyon* et *St-Étienne,* issus de race Limousine, ne sont prisés que dans ces 2 villes. L'Italie préfère des animaux un peu plus lourds, les *vitelloni.* Dans les races à viande, laissé au pré avec sa mère, se sèvre lui-même progressivement ; dans les races laitières, est éloigné de sa mère et nourri au seau afin de contrôler son alimentation. Le sevrage se fait alors vers le 3e mois. **Poids atteint. Veau** (à la naissance) 20 à 60 kg. **Bœuf** Charolais ou limousin à 12 mois, 520 ou 450 kg ; à 18 mois, 650 ou 580 ; à 30 mois, 750 ou 700. Les jeunes bovins (en France 16-18 mois, non castrés) précoces ou *baby-beef* (12-14 mois) sont très appréciés en All., G.-B. et USA, mais peu en France où les citadins préfèrent en général le *bœuf d'embouche* traditionnel, abattu vers 3 ans (viande de luxe). En fait, ce sont les *vaches de réforme* assez jeunes et bien conformées qui fournissent le gros du tonnage de viande. Les *vaches âgées* sont destinées aux pays et régions qui ont une industrie de transformation active : certaines régions de France, l'Allemagne, l'Italie et les Pays-Bas.

■ **Rendement** (rapport entre poids de viande nette et poids vif de l'animal). 50 à 60 %, (moins chez les vaches) ; diminue avec l'âge. *Viande tendre :* bovin 700 kg : 120 kg en moyenne (« culard » : 300 kg) ; bovin 1 000 kg (projet an 2000) : 500 kg.

■ **Races.** Env. 30. *Principales en France :* (effectif) : Holstein (45 %) 3 758 400, Normande (15 %) 1 072 500, Charolaise (15 %) 1 428 600, Parthenaise 7 000, Flamande 3 400, Vosgienne 3 200, Bleue du Nord 2 500, Camarguaise 2 000, Bazadaise 2 000, Bretonne pie noire 461, Ferrandaise 196, Mirandaise 151, Villard-de-Lans 132, Casta 86, Béarnaise 74, Nantaise 56, Lourdaise 38, Froment-du-Léon 37, Maraichine 32, Armoricaine 19.

■ **Nombre de bovins** (en millions, 1991, estim.). **Afrique :** Éthiopie 30. Soudan 20,8. Kenya 14,6. Nigeria 12. Afrique du S. 11,9. Madagascar 10,3. **Amér. du N. :** USA 99,4. Mex. 26,7. Canada 13. Cuba 4,9. **Amér. du S. :** Brésil 152. Argentine 51. Colombie 24,9. Venezuela 13,4. Uruguay 9,2. Pérou 3,6. Chili 3,3. **Asie :** Inde 198,4. Chine 81,4. Bangladesh 18. Pakistan 17,8. Turquie 12,2. Indonésie 10,3. Birmanie 9,2. Iran 6,9. Népal 6,3. Thaïl. 5,9. Japon 4,9. Cambodge 2,1. Philippines 1,7. **Europe :** *France 21,4* All. 18,4. G.-B. 11,8. Pologne 9. Italie 8,6. Irlande 6. Roumanie 5,4. Tchéc. 5,1. Esp. 5,1. P.-Bas 4,8. Youg. 4,5. Belg.-Lux. 3. Autriche 2,6. Dan. 2,2. Suisse 1,8. Suède 1,7. Hongrie 1,6. Bulgarie 1,5. URSS 116,2. **Océanie :** Australie 23,8. N.-Zél. 8,2. **Monde** *1 287,4.* **1993** 1 050.

■ **Maladies. Vaches folles :** *de 1986 à sept. 1992 :* + de 50 000 cas déclarés en G.-B. (17 000 fermes) pour cause d'encéphalite bovine spongiforme (dégénérescence nerveuse provoquant perte de l'équilibre, tremblements, puis la mort). Serait due à un virus (prion) absorbé dans des farines contenant des abats de moutons malades de la « tremblante ». 5 à 20 % du cheptel serait atteint. *Cas signalés en France* (au 7-1-1992) : 5 (Bretagne 3, Manche 1, P.-de-D. 1). *En Suisse* (au 11-5-92) : 17 dont 7 en mars-mai 92. **Autres maladies** (nombre de cheptels concernés et, entre parenthèses, de bêtes abattues, 1991) : tuberculose bovine 760 (9 205), leucose bovine en zootique (34 994), brucellose bovine 2 871 (35 448).

En France

Gros bovins. En milliers de t équivalent carcasses (1991) : *Production* 1 678. [1992 (prév.) : 1 475] *Consommation* 1 355. *Achats à l'intervention :* 207. **En milliards de F** (1991) : **Imp.** viande fraîche 7,6, animaux vivants 0,9, congelée 0,3, conserves 0,1. **Exp.** vivants 5,7, fraîche 5,3, congelée 1,9, conserves 0,2. **Solde** (milliards de F, 1991) + 4,1.

Veaux. En milliers de t équivalent carcasses (1991) : *Production :* 275,6. *Consommation :* 303. **En milliers de têtes** (en 1991 et, entre parenthèses, en 1985) : 7 994 (8 720). *Imp.* veaux vivants 309 (210). *Exp.* 565 (905).

☞ Quoique interdit, l'emploi d'anabolisants (veau aux hormones) a été plusieurs fois signalé (ex : Aisne en 1991).

Consommation de viande (en kg par hab., 1991). 95,6 dont porcs 37,3, gros bovins 24, volailles 22,1, caprins 5,7, veaux 5,6, ovins, équidés 0,9.

Buffles

Nombre (en millions, 1991, estim.). Inde 77. Chine 21,6. Pakistan 15. Thaïlande 4,6. Indonésie 3,5. Népal 3,1. Philippines 2,7. Birmanie 2. Bangladesh 1,2. Brésil 1,5. Laos 1,1. Cambodge 0,8. Turquie 0,5. URSS 0,4. Iran 0,2. Roumanie 0,2. *Monde 142,5.*

Camélidés

Voir Index.

Chameaux, nombre (en millions, 1987). Somalie 5 (88). Soudan 2 (88). Inde 1,1. Éthiopie 1 (88). Pakistan 0,9. Mauritanie 0,8. Kenya 0,6. Tchad 0,6. Mongolie 0,6. Chine 0,5. Niger 0,4. Afghanistan 0,3. Mali 0,2. Algérie 0,1 (88 ; 0,2 en 1900). Tunisie 0,08 (88 ; 0,2 en 1956). Maroc 0,05 (88 ; 0,2 en 1960). *Monde 17,4.*

Canards

Races. Canard commun, canard de Rouen, coureur indien, khaki-campbell, Pékin, canard d'Aylesbury, canard de Barbarie (originaire d'Amérique, appelé aussi canard musqué). Il est aussi utilisé pour la production du foie gras, notamment en croisement (mulard). **Élevage naturel.** Le mâle vit avec 5 ou 6 femelles. Ponte max. de févr. à juill. Pour la prod. de canetons, les œufs sont couvés par la cane (12 œufs), une poule (8) ou une dinde (20). Croissance très rapide du caneton (souvent 2 kg à 2 mois). **Production en France** (1991, estim.) 119 000 t dont (%, 1990). P. de Loire 55. Bretagne 26, Rhône-Alpes 5, Bourgogne 4. Poitou-Charentes 4. Canards de Barbarie : 84 % des abattages totaux. **Commerce** (1991, équivalent carcasses). *Exp. :* 14 400 t. *Imp. :* 8 300 t. **Consommation** (kg par hab.) : 1,8.

Caprins

■ **Races. Laitières européennes. Alpine chamoisée et Saanen** (nom français : Gessenay) 0,90 à 1 m (femelles 0,70 à 0,80) ; 80 à 100 kg (fem. 60 à 80), en France, Suisse, Allemagne. **Poitevine** 0,80 à 1 m (fem. 0,75 à 0,80) ; 55 à 75 kg (fem. 40 à 60). PRODUCTION : *lait* (400 à 1 500 kg par an), *viande* de chevreaux (6 à 10 kg de 4 à 8 semaines), *peau* du chevreau pour chaussure et ganterie. REPRODUCTION : gestation de 5 mois ; 1, 2 ou 3 chevreaux ; saillies à partir de 7 mois permettant une 1re lactation à 12 mois. **Autres races européennes. Toggenbourg, Grisons** (Suisse), **Anglo-nubienne, de Murcie, Malaga...** *Pour la viande :* africaine et asiatique ; *pour le poil :* angora 55 à 60 cm ; blanc de 20 à 30 cm (mohair), origin. d'Asie ; chèvre du Cachemire à poils longs (tissus dits cachemire).

■ **Nombre** (en millions, 1991, estim.). Inde 112. Chine 97,4. Pakistan 36,7. Iran 23,5. Nigeria 22. Éthiopie 18. Soudan 14,8. Turquie 13,1. Brésil 12,5. Bangladesh 11,5. Indonésie 11,3. Mex. 10,8. Tanzanie 8,5. URSS 6,6. Maroc 6,3. Grèce 5,9. Afr. du S. 5,9. Espagne 3,8. Égypte 3,5, Argentine 3,3. Philippines 2,1. USA 1,8. Pérou 1,6. Venez. 1,5. Irak 1,3. *France 1,2.* Italie 1,2. Birmanie 1,1. Syrie 1. Roum. 1. Colombie 1. N.-Zél. 0,9. *Monde 572,5* (1992 : 594,3).

■ **France. Nombre de caprins** (en millions) : *1970 :* 0,79 ; *79 :* 1,2 ; *88 :* 1,24 (chèvres 0,91, boucs 0,04, autres 0,29) ; *92 :* 1,07. *En % par régions :* Poitou-Ch. 34, Rhône-Alpes 14, Centre 13. **Races reconnues :** *laitières :* alpine chamoisée, saanen, poitevine ; *laine mohair :* angora. **Exploitations :** *1970 :* 162 557 ; *79 :* 123 257 ; *88 :* 62 491 (moyenne de 19,4 caprins). **Lait :** 526 l par tête/an. En 1992, 405 millions de l transformés en fromage (60 % en entreprises ind. soit 34 500 t de fromage, 40 % à la ferme soit 20 000 t de fromage, voir p. 1633).

■ **Viande de chèvre** (voir **Ovins**).

☞ **Brucellose caprine** (1991). 197 cheptels concernés, 1 929 animaux abattus.

Chevaux

■ **Généralités. Cœur :** diamètre 26 cm, poids moyen 3 kg. **Mouvements respiratoires :** 50 à 70 au galop et au trot, 18 à 20 au pas, jusqu'à 10 au repos. **Dentition :** 6 incisives, 12 molaires + 4 canines chez le mâle (jument 36 dents, cheval 40). **Intestin** longueur 22 m ; diamètre 3 à 4 cm. **Vision** varie selon les races. Champ visuel très étendu sur les côtés et vers l'arrière. 75 % des chevaux de trait sont myopes. **Alimentation** 20 à 30 l d'eau par jour ; fourrages (foin, paille, avoine, orge) ou seigle, blé, maïs, tourteaux, féverole, son. **Digestion** assez rapide. Le cheval rejette près de 6 l d'urine par jour. **Procréation** *jument :* entre 3 et 15 ans. *Étalon :* peut débuter vers 2 ans. **Allures** *pas :* à 4 temps et diagonal ; 100 à 110 m/min (6,5 km/h). *Trot :* diagonale et sautée à 2 temps ; 14 km/h en moyenne. *Galop :* sautée à 3 temps, plus un temps de suspension ; 20 à 60 km/h.

■ Records. **Cheval le plus lourd :** « Brooklyn Suprême » (1928-48), pur-sang belge, de 1,98 m au garrot, 1 440 kg. **Le plus grand :** « Sampson », shire, 2,19 m (1850). **Le plus petit :** « Little Pumpkin », 35,5 cm au garrot, 9 kg. **Les plus vieux :** 62 ans ; poney 54 ; pur-sang 42. **Les plus forts :** charge de 131 t de bois tirée sur 400 m par 2 chevaux de trait (23-2-1893, USA).

■ Races en France (effectif). Breton 2 900, Ardennais 2 000, Comtois 1 900, Percheron 1 700, Cob 760, Merens 600, Boulonnais 540, Camargue 500, Pottok 200, Poitevin 120, Landais 100.

■ Chevaux de trait (France). *Zone d'élevage :* Nord-Est, Bretagne, Massif central, Jura, Alpes, Pyrénées. ARDENNAIS : N.-E., Est du Bassin parisien, contreforts du Jura et Massif central. V. 1910 l'a. du N. est appelé « trait du Nord ». AUXOIS : S.-O. de la C.-d'Or, Yonne et S.-et-L. Culture et viande. BOULONNAIS : excellent cheval de traction et boucherie. BRETON : puissant, rustique, actif. Utilisé par maraîchers ou pour récolte du goémon. Actuellement pour viande. COB : Manche. Issu du « carrossier normand ». Cob léger absorbé par cheval de selle et gros cob « cultural », rattaché aux races de chevaux lourds. Tourisme et attelage. COMTOIS : Franche-Comté, Massif central, Pyrénées, Alpes. Viande et traction (débardage du bois et travaux de la vigne). PERCHERON : Perche, Nivernais, Bourbonnais, Morvan. 25 % des chevaux de trait.

■ Nombre (en millions, 1986). Chine 11. USA 10,8. Mexique 6,1. URSS 5,8. Brésil 5,5. Arg. 3. Mongolie 1,9. Colombie 1,9. Éthiopie 1,6. Pol. 1,3. Inde 0,9. Cuba 0,7. Indonésie 0,7. Roum. 0,7. Pérou 0,6. Turquie 0,6. Uruguay 0,5. Venez. 0,5. Chili 0,5. Austr. 0,4. Canada 0,4. Haïti 0,4. Afghanistan 0,4. Pakistan 0,4. All. féd. 0,4. Niger 0,3. Nicaragua 0,3. Bolivie 0,3. Équateur 0,3. Paraguay 0,3. Iran 0,3. Philippines 0,3. *France 0,3.* Maroc 0,2. *Monde 64,6.*

■ En France. **Chevaux de trait :** *1931 :* 3 000 000. *56 :* 2 000 000. *66 :* 1 000 000. *79 :* 181 984. *85 :* 40 622. *91 :* env. 100 000 (juments, étalons, jeunes). **Viande de boucherie.** Riche en albumine et fer, pas de parasites. **France.** Réglementation : *1739, 1762, 1780* vente interdite. *1793* vente tolérée. *Consommation* (en milliers de t) : *1966 :* 100,4. *78 :* 97,1. *80 :* 92,1. *85 :* 65,9. *90 :* 58,8. *92 :* 49. **Points de vente :** 3 000 dont 2 000 boucheries.

Dindes

Origine. Introduites en France au XVIe s. Le mâle sait faire la roue. Races. Dindon noir de Sologne (jusqu'à 12 kg), bronzé (mâle 8 à 9 kg), blanc de Betsville (mâle de 6 kg à 20 semaines). Record. Dinde sur pied 36,780 kg, vendue, en 1986, 34 000 F. Reproduction. Un mâle de 1 à 6 ans suffit à 12 femelles. Ponte 20 œufs au printemps (éclosent après 30 j). A 2,5 mois, le dindonneau est suralimenté pour surmonter la crise du rouge (sortie des caroncules rouges de la tête), entre 6 et 8 mois il est engraissé (maïs et orge) avant d'être tué.

Nombre de dindons (en millions, 1991). USA 306,5. *France 96,9.* R.-U. 36,7. Italie 22,1. Canada 20. Ex-URSS 15. All. 7. Brésil 10. *Monde 655.*

Production (en milliers de t, 1992). *France 539* dont (en %) Bretagne 52, P. de Loire 15, Centre 8, Rhône-Alpes 8. **Monde** 3 870 (milliers de t, 1991) : USA 2 177, *France 492* (1992 : 539), Italie 273, R.-U. 180, All. 149, Canada 130, Brésil 63. *92 :* 4 100. Consommation (en kg/hab., 1991). Israël 10,4, USA 8,8, *France 5,7,* Italie 4,8, Irlande 4,7, R.-U. 3,2, Portugal 3,1.

Exportations (1991). 167 400 t équivalent carcasses (1er rang mondial), vers (en % des exp.) All. 31, Belg. 19, R.-U. 12, Espagne 9, Suisse 4.

Escargots

Durée d'engraissement. 4 à 6 mois en élevage intensif sous bâtiment climatisé. Marché. *France :* 1er consommateur mondial avec env. 30 000 t. + de 10 000 t équivalents-vivants importés dont (en %) pays médit. 48 (Grèce, Turquie, ex-Yougoslavie, Afr. du N.), Europe centr. (Pologne, Hongrie, ex-Tchécoslovaquie) 25, Asie (Indonésie, Malaisie, Chine) : 17. **Exp.** (1992) 807 t conserves (dont 60 % CEE et 20 % Amér. du N.). **Déficit** (en millions de F) : *1976 :* 70. *80 :* 110. *85 :* 86. *87 :* 200. *92 :* 167.

Fromages

☞ Pour coaguler la caséine du lait on utilise une enzyme, la présure (d'origine animale) ou des agents coagulants (d'origine végétale ou microbienne). Fromage : produit obtenu par coagulation du lait et égouttage. **Caillage :** transformation du lait sous l'effet de la présure. **Caillé :** résultat de la coagulation du lait, 1er stade du processus de la fabrication des fromages. **Caséine :** l'une des protéines du lait, la plus importante dans l'élaboration du fromage. **Chaumes :** pâturages des Vosges où s'élabore le Munster.

Différentes sortes de fromages

Types. **Fromage frais :** non affiné (petit suisse, fromage blanc).

Fromage affiné. **Pâte molle :** fait de lait caillé par la présure, puis moulé. Dit à *croûte fleurie* (Brie, Camembert, Carré de l'Est) ou à *croûte lavée* (Pont-l'Évêque, Maroilles, Munster, Livarot). **Pâte pressée :** fait de lait caillé par la présure, puis pressé dans un moule (Port-Salut, St-Paulin, Tommes, Cantal, Edam, etc.). *Pressée cuite :* fait de lait caillé par la présure, puis divisé, et cuit à 55 °C jusqu'à obtention de grains qui seront ensuite pressés dans des moules (Comté, Emmental, Beaufort). **Fromages fondus :** onctueux, obtenus à partir d'une fusion de plusieurs espèces de fromages (Cheddar, Gruyère, Gouda, etc.) additionnés éventuellement de beurre. **Pâte persillée (bleus) :** présente dans la masse des moisissures colorées, bleues et vertes (Roquefort, fourme, bleu d'Auvergne, des Causses).

Teneur en matières grasses (au minimum) : Triple crème 75 %, Double crème 60 %, Extra-gras (ou crème) 45 %, Gras 40 %-25 %, Maigre moins de 25 %.

Dans le monde

■ Production (toutes les sortes, en milliers de t, 1993, prév.) : Europe occ. 5 983 dont CEE [1] 5 500 (*France [1] 1 555*). Amér. du N. 3 748 dont USA 3 090, Canada 268. Suisse 142. Suède 108. Finlande 72. Ex-URSS 650. Amér. du S. 567. Europe orient. 395. Océanie 310 dont Australie 180, N.-Zélande 130. Afr. du S. 45. Japon 31. *Monde 11 729.*

Nota. – (1) Excepté les fromages fondus ; tous laits, y.c. prod. fermières.

■ Commerce (fromage, milliers de t, 1992, prov.). **Exp. :** Europe occ. 626 dont CEE [1] 492 (*France [1] 84,* Suisse 61, Finlande 20, Suède 2), Océanie 169 dont Nlle-Zélande 101, Australie 68. Europe orient. 32. Amér. du N. 24 dont USA 10, Canada 14, Amér. du S. 8. *Monde 859.* **Imp. :** Europe occ. 178 dont CEE [1] 109 (Suisse 29, Suède 22, *France [1] 12,* Finlande 3), Amér. du N. 175 dont USA 135, Canada 20. Japon 125. Amér. du S. 14. Océanie 25 dont Australie 25. Europe orient. 25. Ex-URSS 20. *Monde 562.*

Nota. – (1) Commerce extra-CEE.

■ Consommation (en milliers de t, 1992, prov.). USA 3 029, *France 1 314,* ex-URSS 735, Amér. du S. 578, Europe orient. 445, Canada 272, Japon 152, Australie 147, Suède 124, Suisse 106, Finlande 56, Afr. du S. 44, Nlle-Zélande 32, *Monde 11 307.*

☞ **Problème de la listériose.** *1975* Angers 30 † suspects. *1979* (Boston USA) fromage mexicain, 150 †. *1983-87* canton de Vaud (Suisse) 31 †, dont 25 dus au Vacherin Mont-d'or.

En France

■ Production (en milliers de t, 1992). 1 492,9 dont *fr. au lait de vache :* 1 423,4 dont fr. frais 485,8, pâtes molles 453,6 (dont Camembert, Brie, Coulommiers 296,7), pressées cuites 262 (dont Emmental 203,1, Comté 38,2), pressées non cuites 191,6 (dont St-Paulin 18,5, Cantal 16,3, Édam, Gouda, Mimolette 12,5), persillées 30,4. *Au lait de chèvre :* 34,5. *Au lait de brebis :* 34,9. *Fromages fondus :* 105,7.

■ Fromages AOC. **Nombre :** 32 en 1992 (15 % des fromages affinés fabriqués en France). Représentent 71 % de la production au lait cru. 7 % sont fabriqués à la ferme (lait de l'exploitation). 24 sont au lait de vache, 6 au lait de chèvre (crottin de Chavignol, Picodon, Pouligny St-Pierre, Selles-sur-Cher, Ste-Maure-de-Touraine, Chabichou du Poitou), 2 au lait de brebis (Ossau-Iraty et Roquefort). 72 % sont fabriqués à partir de lait cru.

Production du fromage d'appellation d'origine contrôlée (en t, 1991) : Gruyère de Comté (ou Comté) 31 545. Roquefort [2] 19 869. Cantal (ou Fourme de Cantal et Salers) 16 146. St-Nectaire 11 195. Reblochon (ou petit Rebl.) 11 398. Camembert de Normandie 10 150. Munster (ou Munster Géromé) 8 825. Bleu d'Auvergne 8 295. Brie de Meaux 7 647. Fourme d'Ambert (ou de Montbrison) 4 708. Pont-l'Évêque (et petit Pt-l'Év.) 3 727. Beaufort 2 957. Maroilles (ou Marolles) 2 257. Bleu des Causses 1 809. Crottin de Chavignol [1] 1 694. Ossau-Iraty [2] 1 215. Chaource 1 474. Livarot 1 283. Salers 720. Neufchâtel 627. Mont-d'Or (ou Vacherin du Haut-Doubs) 950. Laguiole 590. Bleu du Haut-Jura, de Gex ou de Septmoncel 536. Brie de Melun 278. Ste-Maure-de-Touraine [1] 271. Abondance 348. Selles-sur-Cher [1] 216. Picodon de l'Ardèche ou de la Drôme [1] 196. Pouligny St-Pierre [1] 215. Chabichou du Poitou [1] 38. *Total 151 179* (dont vache 127 465, brebis 21 084, chèvre 2 630).

Nota. – (1) Chèvre. (2) Brebis.

■ Commerce (milliers de t, 1992). **Exp. :** 388 dont pâtes molles 116,7 (dont en 1990 Brie 40,9, Camembert 11,9), fr. frais 98 ; fr. fondus 56,7, pâtes pressées cuites 17,2, non cuites 33,3, pâtes persillées 5,5 ; vers CEE 303,8. **Imp.** (1991) : 110,6.

■ Types de fromages consommés (en %, 1992, *source : CNIEL).* Pâtes molles 29,7 (dont env. 50 % de camemberts), pâtes pressées cuites 18,2, non cuites 15,5, fromages frais 32,6, bleus 4.

■ Fromage le plus cher : « Bouton de culotte » (ou « cabrion » ou « chevroton » de la Vallée de la Loire (Mâconnais) : 4 F les 20 g (200 F le kg).

■ Fromages français. La France produit 340 variétés de fromages. **Liste des principaux** (provenance. V : vache, C : chèvre, B : brebis ; meilleure époque) : **Aisy-Cendré** (Bourgogne) V, oct.-juin. **Banon** (Provence) C, mai-déc. **Beaufort** (Savoie) V, janv.-oct. 3 000 t/an. **Belle-des-Champs** (Aisne) V, toute l'année, né 1973. **Bleu d'Auvergne** (Auv.) V, janv.-déc. **Bleu de Bresse** ou **Bresse Bleu** (Bresse) V, janv.-déc. Né en 1950. **Bleu de Gex** ou **Bleu du ht Jura** ou **Septmoncel** (Franche-Comté) V, juin-déc. **Bleu de Laqueuille** (Auvergne) V, juin-déc. **Bleu des Causses** (Aveyron) V, juin-déc. **Bondart** (Normandie) V, déc.-mai. **Bondon** (Normandie) V, juill.-mars. De Neufchâtel, à ne pas confondre avec le Neufchâtel. **Bossons** (Languedoc) V, déc.-avr. **La Bouille** (nom du village) V, année ; proche de Monsieur fromage ou Fr. de Monsieur. **Boulette d'Avesnes** (Thiérache) V, juill.-mars. **Boursault** (Brie créé par M. Boursault au Perreux-sur-Marne v. 1945) V, année ; **Boursin** (Risle, Brie) V, toute l'année ; **Bricquebec** (Normandie) V, janv.-déc. **Brie** ou **Brie laitier** (Brie) V, toute l'année ; né de la diminution des éleveurs en Brie. **Brie de Meaux** (Ile-de-Fr.) V, juill.-mars. marché principal où il était vendu. **Brie de Melun** (Ile-de-Fr.) V, juill.-mars. sans doute plus ancien que le B. de Meaux. **Brie de Montereau** (Gâtinais) V, juill.-mars. **Brillat-Savarin** (pays d'Auge, créé fin XIXe s. ; nom donné par Henri Androuet dans les années 30. V, année. **Broccio** (Corse) B, année. **Brousses** (Provence), nov.-avr. **Cabécou** (Quercy) C, nov.-avr. **Camembert** (Normandie) V, juin-oct. existait en 1702, commercialisation nationale dep. 1850. Mis au point par Marie Fontaine, mère de Marie Harel (8-4-1781/14-5-1855), épouse Paynel. Monument à la mémoire de Marie Harel inauguré 11-4-1928 par Pt Alexandre Millerand. Fait avec 2 l de lait. Affinage : 30 j. Poids : env. 250 g. Diamètre : 11 cm. Epaisseur : 3 cm. Appellation d'origine : décret du 31-8-1983. *Production :* + de 500 millions / an (185 000 t dont 9 300 t de camembert « véritable »). **Cancoillotte** (Franche-Comté) V, janv.-déc. **Cantal** (Auvergne) V, juill.-nov. **Caprice des Dieux** (Bassigny né 1956) V, année. **Carré de l'Est** (Champagne, Lorraine) V, année. **Carré frais** créé 1872, commercialisé par Charles Gervais, fabriqué à Ferrières. **Cervelle de canut** fromage blanc battu « comme si c'était sa femme », recette inventée 1934 par Paule Lacombe (qui a une rue à Lyon). **Chabichou** (Poitou) C, mai-nov. de « petite chèvre » en arabe. **Chaource** (Champagne) V, juill.-nov. **Charolles** (Mâconnais) V C, avr.-déc. **Fromage des Chaumes** (Dordogne 1972) V, année. **Chavignol** (Berry) près de Sancerre, on laissait sécher les fromages pour l'hiver ; ils brunissaient d'où leur nom de « crottin ». C, mai-oct. **Chécy** (Orléanais) V, juin-mars. **Chèvretons** (Auvergne) C, avr.-nov. **Chevrotin** (Savoie) C, mai-nov. **Cîteaux** (Bourgogne) V, mai-nov. **Comté** ou **Gruyère de Comté** (Franche-Comté) V, août-mars. Meule au talon convexe : 40 à 55 kg (diam. 40 à 70 cm) ; production : 38 000 t/an. **Coulommiers** (Ile-de-France) V, juill.-mai. **Cremets** (Anjou) V, janv.-déc. **Crottin de Chavignol** (Berry) C, déc.-mars. 60 g env. **Dauphin** (Thiérache) V, juill.-mars. **Échourgnac** (Guyenne) V, janv.-déc. **Édam français** V, janv.-déc. **Emmental français** V, janv.-déc. Meule 80 kg (diam. 85 cm, épaisseur 22 cm) ; « Emmental Grand Cru » dep. 1-10-1981 (13 000 t/an) et « Emmental au lait cru ». **Époisses** (Bourgogne) V, juill.-mars. **Excelsior** (Normandie) V, juill.-nov. **Feuille de Dreux** (Ile-de-Fr.) V, oct.-mars. **Fondu Raisin** (Savoie) V, janv.-déc. **Fontainebleau** (Ile-de-France) V, année. **Fourme d'Ambert** (Auvergne) V, juill.-déc. **Fourme de Montbrison** (Forez) V, juill.-déc. **Frinault cendré** (Orléanais) V, juill.-déc. **Gaperon** (Auvergne) V, oct.-mai. **Géromé** (Lorraine) V, juill.-mars. **Géromé anisé** (Als.-Lor.) V, juill.-mars. **Gouda français** (Flandres) V, janv.-déc. **Gournay** (Normandie) V, mai-déc. **Gournay frais** (Normandie) V, janv.-déc. Vendu autrefois, à Paris, sous le nom de Malakoff. **Gris de Lille** (Flandres) V, nov.-juill. **Hauteluce** (Savoie) C, mai-sept. **La Bouille** (Normandie) V, juill.-mars. **Laguiole** ou **Laguiole-Aubrac** (Aveyron) V, juill.-mars. **La Mothe-St-Héray** (Poitou) C, mai-nov. **Langres** (Champagne) V, mai-déc. **Les Riceys** (Champagne) V, juill.-déc. **Levroux** (Berry) C, mai-nov. **Ligueuil** (Touraine) V, mai-nov. **Livarot** (Normandie) V, mai-mars. Connu au XVIIIe s. **Mâcon** (Bourgogne) C, mai-nov. **Maroilles** (Thiérache) V, juill.-mars. **Mimolette** (Flandres) V, janv.-déc. **Monsieur Fromage** (Nor.) V, mai-nov. **Mont-d'Or** (Lyon) V, année. C, mai-nov. **Morbier** (Franche-Comté) V, mars-juin. **Munster** (Alsace) V, année. **Munster au cumin** (Alsace) V, année. **Murol** (Auvergne) V, juill.-déc. **Neufchâtel** (Normandie) V, oct.-mai. **Niolo** (Corse) B, Mai-Déc. **Olivet bleu** (Orléanais) V, juin-déc. **Olivet cendré** (Orléanais) V, juill.-mars. **Oloron** (Béarn) B, juin.-déc. **Oustet** (Pyrénées) C, avr.-sept. **Pélardon** (Cévennes) C, mai-nov. **Persillé de Savoie** (Savoie) V, mai-déc. **Petit Suisse.** Recette de Mme Hérould (fermière normande) commercialisée par Charles Gervais en 1850. *1935* env. 50 tournées par j sur Paris. *Fin 1938* 13 000 détaillants livrés tous les jours. *Production (1987)* env. 45 000 t par l'usine de Neufchâtel-en-Bray. **Picodon** (Dauphiné) C, mai-janv. **Pithiviers au foin** (Orléan.) V, juill.-nov. **Poivre d'âne** (Provence) C, mai-nov. B, mars-avr. V, année. **Pont-l'Évêque** (Normandie) V, juill.-mars. **Port-Salut** (France) V, janv.-déc. Fabriqué en Normandie dep. 1814 par abbaye de Port-du-Salut. Disparaît en 1988 (contrôles sanitaires coûteux). **Pouligny-St-Pierre** (Berry) C, avr.-nov. Parfois rebaptisé Tour Eiffel en raison de sa forme élancée. *Poustagnac* (Guyenne) C, nov.-avr. *Puant macéré* (Flandres) V, juill.-mars. **Rambol aux noix** (né à Rambouillet) V, année. **Reblochon** (Savoie, connu dep. fin XVIIIe s.) V, juill.-nov. **Récollet** (Vosges) V, oct.-juin. **Rigotte de « recuite »** (*recoeta* **en latin) de Condrieu** (Lyon) V, année. **Rocamadour** (Guyenne) C, avr.-nov. **Rogeret des Cévennes** (Lang.) C, mai-nov. **Rollot** (Picardie) V, mai-nov. **Romans** (Dauphiné) V, juill.-nov. **Roquefort** (Aveyron) B, janv.-déc. Il faut en moyenne 4,5 l de lait de brebis (sans écrémage ni pasteurisation) pour 1 kg de roq. Veinures de l'ensemencement par le penicillium roqueforti. *1842* création de la Ste des caves et des producteurs réunis de Roquefort (« Société » inscrit dans un ovale vert). Marques : Société, Rigal, Maria Grimal, Papillon... regroupent env. 3 000 producteurs de lait. *Part de marché* : 75 %. *1992-oct.* Besnier (CA : 20 milliards de F dans les produits laitiers) a racheté à Nestlé les 57 % que possédait Perrier dans les Caves de Roq. (75 % de la production). *Cheptel* de brebis dont le lait fait du Roquefort : 750 000 à 800 000 brebis. *Roquefort Sté (1991). Chiffre d'affaires* (millions de F) : 3 300 (Roquefort seul : 1 300) dont 15 % à l'export *[résultat net consolidé* : + 17,9 (– 242 en 1990) ; *bénéfice* : 142. *Production* : 16 000 t via Roquefort Sté, Rigal et Maria Grimal (76 % de la production de la 2e AOC fromagère française). *Collecte* : 128 millions de l de lait de brebis dont 71,3 millions transformés. **Saingorlon** (Fr.) V, janv.-déc. **Saint-Albray** (Béarn) V, année. **Ste-Maure** (Touraine) C, avr.-nov. **St-Florentin** (Bourgogne) V, année. **St-Marcellin** (Isère) V, autrefois au lait de chèvre, année. **St-Môret** (Périgord) V + C et B dans certains cas, année ; né en 1980. **St-Nectaire** (Auvergne) V, juill.-déc. **St-Paulin** V, janv.-déc. **Salers** (Auvergne) V, janv.-déc. **Sassenage** (Dauphiné) V, mai-déc. **Savaron** (Auvergne) V, janv.-déc. **Selles-sur-Cher** (Berry) C, mai-oct. **Sorbais** (Ardennes) V, mai-déc. **Soumaintrain** (Bourg.) V, mai-déc. **Suprême des Ducs** (Yonne 1968) V, année. **Tamie** (Savoie) V, juill.-déc. **Tartare** (Périgord 1964) V, année. **Tomme au Marc** (Savoie) V, nov.-mai. **De Belley** (Bugey) C, mai-oct. **De Camargue** (Prov.) B, janv.-mai. **De Savoie** (Savoie) V, avr.-déc. **Vache qui rit.** Crème d'emmenthal créée 1921 par Léon Bel (Jura). En portion unique à ses débuts, puis par 3, 8, 12, 16 et 24. Dessin créé par Benjamin Rabier en 1924 (au début de couleur naturelle, puis en rouge, et enfin avec des boucles d'oreilles). **Vacherin d'Abondance** (Savoie) V, déc.-avr., des **Beauges** (Savoie) V, déc.-avr. **du ht Doubs** ou **Mt-d'Or** (Fr.-Comté) V, déc.-avr. **Valençay** (Berry) C, année. **Vendôme bleu** (Orléanais) – juill.-nov., **Cendré** (Orléanais), juill.-mars. **Vézelay** (Bourgogne) C, juill.-nov.

Lait

Statistiques mondiales

■ **Production mondiale de lait** (milliers de t, 1991). *Bufflonne* 43 402 ; *brebis* 8 581 ; *chèvre* 9 099.

■ **Lait de vache. Production** (frais, entier, en millions de t, 1992, estim.) : All. 28, *France 25*, G.-B. 14, Italie 12, P.-B. 11, Esp. 6, Irl. 5, Dan. 4, UEBL 4, Port. 2, Grèce 0,6. **1991 :** ex-URSS 100. USA 63. Amér. du S. 32. Inde 27. Afr. 9,1. Nlle-Zélande 7,9. Canada 7,4. Australie 6,4. Israël 1. *Monde 457,6.*

■ **Rendement moyen de l'ensemble des vaches (laitières). Selon les pays** (en kg/an/vache, 1991) : 2 033 dont Europe 3 762 *(France 5 036)*. ex-URSS 2 404. Amér. du N. 4 359 dont USA 6 744, Canada 5 481. Océanie 3 306 dont N.-Zélande 2 979, Australie 3 909. Amér. du S. 1 065. Asie 977 dont Inde 871, Israël 8 874. Afrique 356. **Selon les races** (suivant le poids, rendement annuel en l de lait, et, entre parenthèses, le nombre de l nécessaire pour 1 kg de beurre) : *Hollandaise 600 kg* : 4 000 à 5 000 (26-28) ; *Flamande 550 kg* : 3 500 (25-26) ; *Normande 600 kg* : 3 400 (23-25) ; *Jerseyaise 350 kg* : 2 000 à 2 200 (16-18) ; *Bretonne 300 kg* : 1 600 à 1 800 (19-21).

☞ Une vache peut faire 13 lactations (record 18). Le plein rapport est entre le 3e et le 7e veau (entre 5 et 10 a.), le rendement max. au 6e (vers 8 ou 9 a.). **Record** : 14 368 kg de lait en 305 j (traite quotidienne moyenne, 47,11 kg) pour une Frisonne élevée dans l'Orne. **Utilisations du lait entier** (en %, 1991, *source : SCEES*) : laits liquides 8,7, concentrés 0,8, en poudre 7,2, beurre 43,5, fromage 31, crème de consommation 8,2, produits frais (yaourts, crèmes dessert fraîches, fr. blancs, etc.) 2,3, divers 1,7.

■ **Commerce** (en milliers de t, 1992, prov.). **Lait écrémé en poudre. Exp.**, entre parenthèses, **imp.** Océanie 285 (1) dont N.-Zélande 164 (0), Australie 121 (1). Europe occ. 406 (8) dont CEE à 12 [1] 380 (5) *[France [1] 34 (0)]*. Amér. du Nord 140 (162) dont Canada 40 (1), USA 100 (1). Europe orient. 60 (2). Suède 3 (3). Amér. du Sud 5 (39). Afr. du S. 2 (4). Finlande 3 (0). Suisse 2 (0). Inde 0 (25). Japon 0 (114). *Monde 898 (355).*

Nota. – (1) Commerce extra-CEE.

■ **Consommation de lait** (liquides, non compris aromatisés, en kg/hab., 1991). Irlande 180,1. Finlande 173,1. Islande 168,8. Norvège 152,2. Suède 131,6. Danemark 119. R.-U. 118,3. Suisse 104,8. Tchéc. 104,7. Nlle-Zélande 102. USA 96,2. Autriche 94,4. Australie 93,1. Canada 92. P.-Bas 89,1. Portugal 83,8. Hongrie 79,7. Luxembourg 79,1. *France 78,7.* Italie 78,6. All. 69,3. Grèce 67,2. Belgique 66,5. Inde 53,9. Japon 41,8. Afr. du Sud 40.

☞ En nov. 1978 : mise en service d'un « tube au lait » pour le transport du lait entre l'île d'Ameland et la côte de la Frise (P.-Bas) (long. 14 580 m) ; le lait est envoyé comme une bombe pneumatique, enfermé entre 2 balles en caoutchouc ; les « paquets » de 30 000 l sont propulsés par de l'air comprimé ; l'envoi ne doit être ni trop lent (le lait fermenterait), ni trop rapide (il se décomposerait).

Lait en France

Source : CNIEL.

■ **Vaches** (en milliers de têtes, au 1-1-1993). 8 597 dont vaches laitières 4 685, nourrices 3 912 (dont 5 598 fécondées en 1989 par les coopératives d'élevage et d'insémination artif.). Semence de taureaux français (en %) : Prim'Holstein 49, Charolais 15, Normand 11, Montbéliard 8, Limousin 7, Blond d'Aquitaine 5.

■ **Exploitations pratiquant l'élevage laitier** (en milliers). *1969* : 928 ; *75* : 667 ; *80* : 485 ; *85* : 367 ; *92* : 192. **Nombre moy. de vaches par élevage :** *1975* : 12,5 ; *92* : 25,9.

■ **Production** (en millions de litres de lait, 1992). **Produits collectés :** 22 768 dont lait de vache 22 324, chèvre 267, brebis 177.

■ **Collecte régionale de lait de vache en 1992 et,** entre parenthèses, **en 1977** (en millions de l). Bretagne 4 438 (3 841). P. de la Loire 3 569 (2 763). Basse-Norm. 2 628 (2 598). Rhône-Alpes 1 380 (1 407). Lorraine 1 326 (1 238). N.-P.-de-Calais 1 158 (1 068). Franche-Comté 982 (973). Midi-Pyr. 1 014 (1 019). Auvergne 910 (783). Picardie 841 (910). Poitou-Char. 875 (981). Hte-Norm. 742 (833). Champ.-Ardenne 587 (727). Aquitaine 556 (630). Bourgogne 450 (466). Centre 362 (584). Alsace 223 (269). Limousin 167 (189). Languedoc-Rous. 75 (56). Prov.-Alpes-C. d'Azur 26 (66). Ile-de-Fr. 10 (43). *France 22 324 (21 445).*

■ **Étiquetage du lait en France.** Emballage à dominante *rouge* : lait entier ; *bleue* : demi-écrémé ; *verte* : écrémé ; *lait cru* : mention « lait cru » sur bande jaune.

■ **Glaces, sorbets et crèmes glacées** (en milliers de litres, en France, 1991. **Production.** 286 947 dont bacs ou conditionnement familial 160 537 ; cond. individuel 126 410 (dont bâtonnets et assimilés 93 260, pots 8 832, spécialités en portions 24 318). **Imp.** 55 662. **Exp.** 30 538. **Marché intérieur** 312 071. **Matières premières** (en milliers de l). Lait frais écrémé 19 906, entier 1 954. (En t) : sucre 29 182, fruits (jus et concentré) 9 540, poudre de cacao et couverture 15 355, beurre 7 768, glucose 7 982, laits concentrés 9 263, lait en poudre écrémé 3 870, crème de lait 5 574, lactosérum déshydraté 2 775, œufs (sans coquilles) 701, lait en poudre entier 75. **Consommation en Europe** (en l/an/hab., 1991). Suède 14, Norv. 12,2, Dan. 9,1, G.-B. 8,2 (1990), All. 8, P.-B. 7,5, Belg. 6,6, Ital. 6,5 (1990), *France 5,5*, Esp. 4,2. **Esquimaux Gervais.** *1928 (juill.)* Charles Gervais aux USA (passants avec pot de crème glacée à la main). *1935* esquimau créé sous le nom de Nanouk (d'après le film de Robert Flaherty qui retraçait la vie des Esquimaux) avant d'être rebaptisé Esquimau. *Ventes* : 100 millions/an (1991).

■ **Yaourts.** Lait fermenté, non égoutté, sous l'effet de 2 bactéries lactiques : le *Lactobacillus bulgarius* et le *Streptococcus thermophilus* (l'un donne l'acidité, l'autre le goût). 2 variétés de yaourt nature : le yaourt traditionnel et le yaourt brassé. Le yaourt brassé est fabriqué comme le traditionnel mais avec une fermentation en cuve et non en pots ; il est caillé, brassé puis versé dans les pots et conservé en chambre froide. Le yaourt 0 % est fabriqué avec du lait écrémé. **Valeur nutritionnelle** (protéines, lipides, glucides en g, et, entre parenthèses, Kcal). *Yaourt lait entier* : 5,2 ; 4,4 ; 6,2 (89). *Lait écrémé* : 5,4 ; 0,4 ; 6,5 (55). *Aux fruits, lait entier* : 4 ; 3,4 ; 23,7 (140), *écrémé* : 4,5 ; n.c. ; -21,5 (105). **Parts de marché en France** (en %). Danone 30, marques distributeurs 20, Yoplait 17, Chambourcy 15, autres 18.

Prix du lait à la production (HT commun en F du kg, à 3,7 % de mat. grasses, rendu usine). *1980-81* : 1,3015 ; *1985-86* : 1,9783 ; *1991-92-93* : 2,1168.

Quotas laitiers. Introduits en 1984 pour éliminer les stocks excédentaires de la CEE et augmenter les prix sur les marchés mondiaux. **France :** *1983* : 26 millions de t, *88* : 24. *91-92* : 24 pour la livraison, 0,7 pour ventes directes. *92-93* : 23.

Industrie laitière (1991). **Entreprises** ayant au moins 10 salariés permanents exerçant une activité laitière 456. **Salariés** 68 847. **Chiffre d'aff. net** (en milliards de F). 149,6. **Commerce extérieur** (en milliards de F, 1991) : lait et prod. laitiers + laits et yaourts aromatisés, l. diététiques, caséines et lactose et, entre parenthèses, prod. lait. + prod. à base de lait : crèmes glacées, aliments veaux, préparations aliment. > 26 % de MG butyrique). *Exp.* 20 (24,8). *Imp.* 7,9 (10,1). **Produits transformés ou traités :** *laits liquides* (en millions de l, 1992) : 4 243,8 dont UHT 3 219, pasteurisé vrac 397,3, pasteurisé conditionné 219,6, stérilisé 357,9, aromatisé 48,7, cru 1,6. *Produits frais* (en milliers de t., 1992) : yaourts et autres laits fermentés 1 026,8, desserts lactés frais 372,5, crème de consommation (pasteurisée, stérilisée, UHT) 208, crème industrielle vrac 20,4. *Beurre* : (pasteurisé, stérélisé, UHT) 390,8. *M.G.-L.A. fabriquée à partir de crème* : 45,4. *Beurre « allégé »* : 2,5. *Butter oil (à partir de beurre)* : 36,7. *Fromages* : 1 492,9 dont lait de vache 1 423,4, de chèvre 34,5, de brebis 34,9. *Fromages fondus* : 105,7. *Laits concentrés* : 93,9. *Desserts lactés de conserve* : 42,8. *Laits en poudre « petits boîtages »* : 114,3, *industriel vrac* : 542,1. *Poudre de babeurre* : 24,2. *De lactosérum* : 464,1. *Caséines et caséinates* : 36,2.

Principales Stés. (chiffre d'affaires en milliards de F, 1991) : Besnier 18,2, Sodiaal 17,5, ULN 15,1, Bongrain 9,7, Bel 8,8, BSN (Gervais, Danone) 6,7.

■ **Conservation du lait.** Pasteurisation basse : 63 °C pendant 30 minutes, méthode surtout utilisée en Angleterre ; haute : 75 à 85 °C quelques secondes : thermisation : 55 à 60 °C quelques secondes, préserve une grande partie de la flore utile.

Lapins

■ **Races domestiques.** Fauve de Bourgogne (4 à 5 kg adulte), Géant des Flandres (gris, 6 à 8 kg), Gris argenté, Lapin russe (blanc à extrémités noires, 3 kg), Géant blanc du Bouscat (5 kg), Angora (fourrure). Actuellement, à base de croisements de souches hybrides américaines (Californie, Nlle-Zélande).

■ **Élevage.** Mâle vit séparé des femelles (1 pour 10 env.), 1re saillie à 1 an pour les mâles, 6 à 8 mois pour les femelles, 30 j de gestation. La femelle met bas dans un nid tapissé des poils de son ventre ; elle peut élever 6 ou 7 lapereaux (on enlève les lapereaux en surnombre) en les allaitant jusqu'à 2 mois. 3 *portées* par an (une race « fabriquée » par l'Inra a 7 portées par an). **Alimentation :** 3 repas par j, soit 80 g de foin sec, 75 à 100 g de grains (son, avoine, tourteau), 300 g de verdure (luzerne, sainfoin, trèfle, carottes, betteraves avec leurs feuilles, choux, etc.). Besoin de beaucoup d'eau.

■ **Production de viande** (en milliers de t, 1992, est.). Italie 175. *France 150.* Ex-URSS 140. Espagne 90. Hongrie 70. All. 50. R.-U. 25. UEBL 20. P.-Bas 20. Suisse 7. **Commerce extérieur** (France, 1992, en milliers de t). *Imp.* 8,8 dont (en %) Chine 63, pays de l'Eur. centrale 28, CEE 8. *Exp.* 4,1 dont (en %) CEE 67, Suisse 26.

MARGARINE

■ **Origine.** **1869** Inventée (dépôt du brevet : 15-7) par le Français Mège-Mouriès († 1880) qui l'appela oléo-margarine (d'un blanc de perle). **1871-74** vente du brevet à des firmes anglaises, hollandaises, allemandes. **1897**-*16-4* loi interdisant sa vente dans les locaux où l'on vendait le beurre. **1912**-*12-2* 1er kg de margarine de la S[té] Astra en Normandie.

■ **Définition** (décret 30-12-1988). Produit obtenu par mélange de matière grasse (végétale) et d'eau ou de lait ou de dérivés du lait, se présentant sous la forme d'une émulsion renfermant au moins 82 g de mat. grasses par 100 g de produit fini dont au plus 10 % d'origine laitière. **Margarine allégée :** 41 à 65 % de mat. grasse. **Minarine** ou demi-margarine : 41 %. La **Végétaline** (marque déposée) n'est pas une margarine, car elle ne contient pas d'eau.

■ **Statistiques.** **Production dans le monde** (millions de t). *1895 :* 0,3 ; *1913 :* 0,55 ; *1950 :* 1 (dont France 0,16) ; *1992 :* 9,2 (dont *France 0,15*). **Consommation** (en kg par h, par an, 1988). Danemark 15. Belg-Lux. 13,8. P.-Bas 10,2. All. féd. 7,7. G.-B. 7,3. Irlande 4,1. *France 3,8.* Grèce 1,3.

MIEL

■ **Abeille.** **Description :** ordre des *hyménoptères.* 2 yeux larges (composés) et 3 *ocelles* (petits yeux simples, vue éloignée). 2 antennes (organes des sens). Au thorax (en 3 anneaux), 2 paires d'ailes, 3 paires de pattes. A l'abdomen, 7 anneaux, le dernier portant l'aiguillon. **Métamorphose :** la mère, fécondée 6 ou 8 j après sa naissance, pond dans chaque alvéole un œuf (1,5 × 0,5 mm) ; en 24 h jusqu'à son propre poids d'œufs (+ de 3 000) ; l'œuf éclot en 3 j, la larve se développe, puis l'insecte (reine) apparaît (12 à 15 j après). **Vie :** *reine :* grosse et allongée, seule femelle complètement développée, vient d'un œuf ordinaire pondu dans une grande cellule de reine, la larve étant nourrie de gelée royale. Peut piquer uniquement ses rivales. En saison, pond plus de 2 000 œufs par jour [600 000 à 800 000 pour une vie de plus de 4 à 5 ans (ponte maximale à 2 ans)]. Vit plusieurs années. *Ouvrières :* plus petites, sécrètent la cire par des plaques ventrales (glandes cirières) ; leur 3e paire de pattes comporte une corbeille à pollen (sont le principal agent de pollinisation de nombreux végétaux) ; produisent la gelée royale (glandes hypopharyngiennes) ; pondent des œufs non fécondés quand la ruche est orpheline. Vivent de 40 j (saison chaude) à quelques mois (repos hivernal). *Jeunes :* fabriquent des rayons de cire, ventilent en maintenant la température à 35/37° C par leurs battements d'ailes, nettoient, fabriquent la nourriture pour les larves et la mère (miel + pollen + eau). *Vieilles abeilles :* gardent, récoltent nectar, pollen et eau, propolis (mastic de bourgeons de peuplier, saule et pin pour réduire les fissures de la ruche). *Mâles ou faux bourdons :* œufs non fécondés, gros et sans aiguillon ; un certain nombre s'accoupleront (dans les airs) avec des jeunes reines pour les féconder. La plupart seront chassés en fin de saison ou en période de disette. **Essaimage :** *naturel* en mai-juin, les abeilles se trouvant en trop grand nombre quelques j avant l'éclosion d'une nouvelle reine, une partie quitte la ruche avec la vieille reine et va s'établir dans un autre abri ; *artificiel :* l'apiculteur prélève un cadre ou plusieurs cadres de couvain (œufs et larves) avec quelques cadres contenant des provisions (miel + pollen). Cette nouvelle colonie élèvera elle-même une nouvelle reine (ou l'apiculteur lui fournira une reine fécondée). **Transhumance :** transport de la ruche dans les lieux où la miellée est favorable, ce qui permet plusieurs récoltes et réduit la période d'hivernage. **Miellée :** production optimale de nectar par les plantes mellifères (nectaires des fleurs) ou miellat sécrété par certains pucerons à partir de la sève des plantes dont ils sont les hôtes (ex. : sapin, tilleul, chêne, etc.).

☞ **Quelques chiffres :** *nombre d'abeilles dans un essaim :* 40 000 à 50 000 en période de récolte. Une colonie peut féconder 28 à 35 millions de fleurs par jour. Une abeille bat des ailes 720 000 fois en 1 h pendant laquelle elle parcourt 30 km. Elle produit 5 g de miel par jour.

■ **Miel.** **Élaboration :** par les abeilles à partir du nectar des fleurs qu'elles butinent, transforment et combinent avec des matières spécifiques et emmagasinent dans les rayons de la ruche. Au printemps, une hausse, dans laquelle les abeilles déposent leur excédent de miel, est posée sur la ruche. **Récolte** en une fois (miels toutes fleurs) ou après chaque floraison (miels unifloraux). A lieu avant la fin des miellées principales, souvent en août : on chasse les abeilles des hausses par la fumée ou d'autres produits répulsifs, les cadres de la hausse désoperculés sont passés à l'extracteur, le miel qui s'en écoule est laissé quelques j au repos avant la mise en pots. **Récolte record :** 223 kg de miel dans une seule ruche à Prats-Sournia (P.-O.). **Goût** variable suivant les espèces de plantes butinées : *sainfoin* (miels blancs et fins : Gâtinais, Touraine, Champagne, Bourgogne, Saintonge) ; *lavandes et labiées* (ambrés riches en fer : Alpes, Pyr.-Or.) ; *romarin* (Roussillon, Pyr.-Or., Narbonnais, Provence) ; *colza* (consistants, grenus, riches en glucose) ; *bruyère* (foncés, riches en fer et phosphore : landes) ; *sapin* (saveur parfumée, balsamique, médicalisés : Vosges) ; *acacia* (ambrés, sirupeux, odorants : Ile-de-France, etc.). **Caractéristiques :** immédiatement assimilable. 100 g = 300 calories. Laxatif doux, il a une action sur la flore intestinale et combat les fermentations.

■ **Gelée royale.** La loi n'impose pas d'indication d'origine. Utilisation thérapeutique lancée en 1952 par le biologiste de Belveger (2 ou 3 cures de 20 g à raison de 1 g/j). Prix : 80/100 F les 10 g.

■ **Statistiques.** **Production** (en milliers de t, 1981, estim.) : Asie 313 dont Chine 193. URSS 278. Amér. du N. 220 dont USA 94, Mexique 68, Canada 35. Europe 183 dont *France 16* (en 1989, 100 000 possesseurs de ruches dont 1 500 en vivent exclusivement), Pologne 14. Afrique 111 dont Éthiopie 23. Amér. du S. 71 dont Argentine 37. Océanie 30 dont Australie 21. *Monde 1 207.*

Commerce (en milliers de t, 1985). **Exp. :** Chine 44. Mexique 43. Argentine 38. URSS 22,7. Australie 17,6. Canada 17,3. Hongrie 15,3. All. féd. 13,9. Cuba 8,1. Bulgarie 6,3. Pologne 4,5. **Imp. :** All. féd. 78,8. USA 62,7. Japon 25. G.-B. 21,2. Italie 12,7. P.-Bas 9,3. *France 7,6.* Australie 6,3. Espagne 6. Suisse 5,5.

Consommation (g./an) Italie 6 000 à 7 000. All. dém. 3 500 à 5 500. Autriche 2 000 à 5 000. Suisse 1 000 à 5 000. G.-B. 3 300. All. féd. 1 000. Belg.-Lux. 500 à 1 000. P.-Bas 400 à 500. *France 380.*

☞ Depuis 1982, en France, épidémie de varroase (le varroa est un parasite qui se fixe sur l'abeille, suce son sang, la mutile et finit par la tuer). *Traitements :* chimiques, difficiles à mettre en œuvre.

MOUTONS (OVINS)

■ GÉNÉRALITÉS

Aspect. Mesure au garrot 50 à 70 cm, pèse entre 30 et 90 kg (brebis), jusqu'à 130 kg (bélier). On appelle : *agneau* et *agnelle* les o. de moins de 1 an, *antenais* et *antenaise* de 1 à 2 ans ; *bélier* le mâle et *brebis* la femelle adultes ; *mouton* mâle castré de plus de 1 an. Croisées à la fin du XVIIIe s. avec des mérinos pour améliorer la production lainière, avec des races anglaises dep. le milieu XIXe s. pour améliorer la prod. de viande. Le *flock-book* est le livre généalogique des ovins. Depuis une dizaine d'années, des *unités de sélection et de production de race* (UPRA) l'ont remplacé. **Elevage.** Saillie ou lutte par bélier de 8-10 mois et brebis en chaleur (tous les 18 j) du même âge. *Gestation* 5 mois. *Sevrage* vers 3-4 mois. **Produits.** *Laine :* poids du bélier, de la brebis et de la toison suivant la race en kg : Ile-de-France (100-60-4) ; Berrichon du Cher (85-55-3) ; Charmois (80-50-2) ; Mérinos d'Arles (60-40-2,5) ; Wanganella (Australie 60-45-4 à 4,5). *Lait* (plus riche que le lait de vache en matières grasses et caséine) ; les brebis nourrissent les agneaux 4 ou 5 semaines et fournissent entre 120 et 150 l de lait par lactation ; il faut 4 à 5 l de lait pour faire 1 kg de fromage (Roquefort, fr. de Corse ou brebis des Pyrénées, Ossau Iraty) ; *viande* [agnelet (a. de 5 semaines, 6 à 12 kg vif), agneau de lait, a. blanc ou a. de 100 j. (a. de 30 à 40 kg vif, tué entre 90 et 150 j), a. gris ou broutard (de 6 mois à 1 an)]. Les animaux de réforme (mâles et femelles) fournissent 20 à 25 % de la prod. de viande ovine.

■ EN FRANCE

Nombre de moutons (en millions). *1840 :* 32. *62 :* 29. *82 :* 24. *92 :* 21. *1908 :* 17,5. *13 :* 16. *16 :* 10. *39 :* 8,9. *76 :* 10,9. *80 :* 12,9. *87 :* 10,3. *90 :* 11,16 (brebis mères 7,52, agnelles saillies 0,95).

Effectifs par race (campagne 1983-84, en milliers et, entre parenthèses, poids en kg des mâles simples à 70 j). **Mérinos :** d'Arles 400 (18,9 kg), Est à laine mérinos 80 (27,7), précoce 2,5 (22,2), Rambouillet (importé d'Espagne en 1786) 0,1 (19,15). **Races régionales :** Lacaune 430 (29,8), Blanc du Massif central 300 (27,2), Préalpes du S. 300 (21,9), Causses du Lot 270 (20,7), Limousine 170 (24,6), Tarasconnaise 100 (20,3), Rava 30 (26,3), Noire du Velay 25 (24), Bizet 10 (22,41), Romanov 10 (18,1), Berrichon de l'Indre 5 (23,8), Clun-Forest 2 (23,5), Solognote 2 (21,6). **R. d'herbage :** Rouge de l'Ouest 180 (26,4), Texel 180 (27,9), Vendéen 150 (24,4), Bleu du Maine 130 (27,2), Charollais 100 (26,2), Avranchin 15 (24,6), Cotentin 10 (34,7), Roussin 10 (25,1). **R. précoces :** Ile-de-France 350 (26,2), Southdown 250 (21,4), Charmoise 200 (19,1), Berrichon du Cher 140 (24,8), Suffolk 40 (29,1), Hampshire 12 (26,2), Dorset-Down 2 (25,8). **R. laitières** (en milliers, entre parenthèses production laitière en l) : Lacaune 400 (177 l en 161 j), Manech (Rousse + Noire) 300 (86 en 125 j), Corse 100 (99 en 161 j), Basco-Béarnaise 80 (97 en 127 j), Brigasque 5.

Exploitations. *1979 :* 174 303, *88 :* 165 100, avec en moy. 48 brebis (200 en G.-B.). **Régions :** 30 % généralement dans les zones les plus difficiles, qui comptent souvent un fort % d'exploitants âgés. **Revenu de l'éleveur :** 95 % vient de la viande, 5 % (au max.) de la laine.

Production indigène contrôlée. **Viande** (1991) : 132 800 t [consommation 283 600 t]. *Taux d'approvisionnement en % et, entre parenthèses, consommation annuelle par hab. (en kg) : 1963 :* 86,2 (2,3). *70 :* 77,8 (3). *75 :* 69,1 (3,5). *82 :* 80 (4,2). *91 :* (5,8). **Laine** (1991) : 23 000 t. **Lait** (campagne 1990-91) : 172 millions de litres (dont 144 du rayon de Roquefort, 28 de Pyr.-Atlantiques). **Valeur de la production** (en milliards de F, 1983) : 15,8 dont viande 5,05, lait 0,64, laine 0,19 ; V[e] quartier (peaux et abats), marché régional du fumier, marché des reproducteurs 180 (1981). **Imp.** (1991) : *viande* (1991) 141 300 t, *vivants* 1 632 000 têtes. **Exp.** (1991) : *viande* 6 800 t ; *vivants* 1 293 300 têtes.

☞ **Brucellose ovine** (1991) : 2 226 cheptels concernés, 27 417 animaux abattus.

■ DANS LE MONDE

Nombre (en millions, 1991, estim.). Australie 162,8. URSS 134. Chine 112,8. Nlle-Zélande 57. Inde 55,7. Iran 45. Turquie 43. Afr. du S. 32,6. G.-B. 29,9. Pakistan 29,2. Argentine 26,9. Espagne 25. Éthiopie 23. Brésil 20,3. Soudan 20,3. Maroc 18,3. Syrie 14,4. Roumanie 14,1. Italie 11,6. *France 11,5.* Pérou 11,2. USA 11,2. Grèce 9,7. Nigeria 9. Irak 7,8. Bulgarie 7,1. *Monde 1 194,5.*

MULETS

Nombre (en milliers, 1986). Chine 4 972. Mexique 3 130. Brésil 2 000. Éthiopie 1 480. Colombie 600. Maroc 466. Pérou 220. Turquie 210. Tanzanie 170. Argentine 165. Algérie 160. Espagne 135. Inde 132. Iran 123. Équateur 115. Rép. dominic. 100. Grèce 90. Portugal 89. Haïti 84. Bolivie 80. Tunisie 75. Venezuela 72. Honduras 68. *Monde 15 142.*

ŒUFS

Voir aussi à l'Index.

■ **Dans le monde.** **Commerce** (en millions d'œufs, 1991). **Exp. :** P.-Bas 6 584. USA 1 736. All. 794. Belg.-Lux. 734. *France 602.* Finlande 210. R.-U. 188. **Imp. :** All. 4 754. Japon 4 200. Hong Kong 1 657. Belg.-Lux. 805. Italie 674. *France 573.* Suisse 504. P.-B. 445. R.-U. 419. Espagne 208.

Consommation d'œufs (en œuf, par hab. et par an, en 1991) : Israël 345. Japon 295. Espagne 269. *France 265.* All. 243. Grèce 240. Irl. 236. Autriche 235.

Production (en milliers de t d'œufs de poule, 1991, estim.) : Chine 8 505. URSS 4 280. USA 4 061. Japon 2 415. Brésil 1 400. Inde 1 357. Mexique 1 100. *France 920.* All. 912. Italie 707. Espagne 680. P.-Bas 678. Pologne 414. Indonésie 400. Turquie 390. Roumanie 383. Philippines 330. Argentine 324. Canada 320. Tchéc. 284. Iran 278. Colombie 267. Malaisie 233. Hongrie 230. Afr. du S. 190. Belg.-Lux. 185. Égypte 160. Bulgarie 140. Grèce 138. Thaïlande 128.

Cuba 110. Venezuela 107. Israël 107. Suède 106. Chili 91. *Monde 37 107.*

■ En France. **Poules pondeuses** (moyenne 275 œufs par an par poule) production intensive : 45 000 000 dans 1 900 élevages de + de 5 000 p. (80 % de la production) ; semi-intens. : 7 000 000 (9 %) ; fermière et artisanale : 10 000 000 (10 %). **Couvoirs** (1-1-91) : 182 ; *capacité moyenne : 559 700 œufs.* 69 couvoirs d'une capacité sup. à 200 000 œufs assurent + de 96 % de la production totale. **Œufs vracs et préemballés :** *volume total* (en milliards). *1991 :* 5,362 ; *92 :* 5,21. *Chiffre d'affaires* (en milliards de F) : *1991 :* 4,92 ; *92 :* 4,86.

☞ Jusqu'en 1993, la réglementation communautaire n'autorisait que la mention de la date d'emballage mais l'apposition d'une date de ponte (difficilement contrôlable) est désormais autorisée, dans des conditions très strictes.

Oies

■ Description. 3 doigts des pattes sont palmés. *Mâle :* jars. *Femelle :* oie. *Petits :* oisons. Descendante de l'oie sauvage ou oie cendrée. Races. *A rôtir :* o. du Rhin blanche (40 à 50 œufs par saison donnant 30 à 35 oisons) [poids à 10 sem. 4,5 kg, 17 sem. 5,5 kg], o. du Siam blanche, bec orange, o. de Guinée grise, bec noir, moins prolifique [poids à 10 sem. 3 kg, 13 sem. 4,5 kg]. *A foie gras :* Alsace (presque disparue), grise du S.-Ouest dont o. des Landes, de Toulouse (la Masseube, Gers) type agr., de Toulouse type ind. [à bavette (moins fréquente, trop lourde)]. Élevage. 1 mâle pour 3 à 5 femelles ; ponte naturelle janv.-juin, artificielle été et automne. Incubation. En général artificielle. *Durée :* 30 à 31 j. Gavage. En général à 4 mois mais souvent plus tard ; 21 à 30 j avec 0,5 à 1,3 kg/j. *Meilleurs foies gras :* 700 à 900 g. Plumes. Récupérées après l'abattage pour l'ind.

■ Production de viande d'oie en France (1992) 8 000 t dont o. grasse 7 000 t, o. à rôtir 1 000 t. Abattages contrôlés (1991) 989 t (surtout oie à rôtir) dont (en %) Pays-de-la-Loire 35, Centre 16, Poitou-Charentes 12. Imp. (1992) : 232 t (Hongrie, Bulgarie). En Europe, l'All. est un marché important [*imp.* 23 500 t de Pologne (48 %), Hongrie (50 %) ; *prod.* 3 500 t).

■ Foie gras (voir p. 1637 b).

Pigeons

Races. **Comestibles :** souches américaines autosexables ou blanches, King et Texan (12 pigeonneaux en moy. par couple/an) ; françaises de couleur. **D'agrément et voyageurs :** nombreuses et variées. Élevage. Monogames, vivent par couple 6 à 8 ans. Pondent 2 œufs couvés alternativement 17 j par mâle et femelle. Petits nourris par les adultes jusqu'à 28 à 30 j. Production en France (1989). 4 500 t env. ; 1res régions : P.-de-la-Loire, Bret., Aquitaine, Rh.-Alpes.

☞ Pigeon voyageur, voir p. 178.

Pintades

■ Origine. Pintade sauvage d'Afrique. **Élevage.** En Europe seulement p. commune (cri perçant et caractère batailleur, réveille souvent les éleveurs). Troupeau : un mâle et 5 ou 6 douzaines de jeunes au printemps (la p., mauvaise couveuse, est souvent remplacée par poules ou dindes). *Incubation* 28 j. Actuellement, production en bâtiments spécialisés et insémination artificielle.

■ Production **France :** 55 millions de sujets dont *prod. intensive* 85 %, *sous label* 10 % (surtout Sud-Est et Centre-Ouest). **CEE :** 75 000 t en 1992 (*1965 :* 15 000 t) dont plus de 75 % en France. Le reste, surtout Italie, quelques élevages en Belg. et au R.-U. *Principales régions* (en %, en 1991) : P.-de-la-Loire 33, Rhône-Alpes 9, Bretagne 8, Basse-Normandie 7, Poitou-Charentes 7. **Exp.** (1992) : 1 245 t et 3 463 t de p. vivantes (dont 98 % vers Italie). **Imp.** (1992) : 72 t de carcasses, 50 t en vif.

Porcs

Voir aussi viande p. 1513.

■ Jambon. Partie la plus charnue du membre postérieur du porc (antérieur : épaule). **Jambon à cuire** (préparation assez légère : salage, étuvage, fumage...), **cru ou sec** (consommable en l'état), **cuit** souvent préparé à partir de cuisses de porc désossées). **Affinage :** cru (moins de 120 j), sec (de 130 à 210 j), sec supérieur (+ de 210 j). **Étapes :** salage au sel sec (env. 1 mois), dessalage partiel, égouttage, parfois fumage, étuvage (plusieurs mois). **Jambon cuit :** salage par injection, puis immersion en saumure (quelques jours), et cuisson. [Le jambon *au torchon* est emballé dans un sac de toile puis cuit au bouillon ; les autres sont placés dans des moules et cuits à la vapeur. Certains jambons sont cuits avec l'os (à l'os)].

■ Description. *Hauteur* max. 1,10 m, *peau* nue recouverte de soies (poils raides), *groin* (nez), *monogastrique* (estomac à une seule poche), omnivore, 44 *dents* adultes, côtes 12 à 16 paires selon la longueur du corps (liée à la race). **Poids** (en kg) : *à la naissance :* 1,5, *3 semaines :* 4-5, *6 semaines :* 12-15, *2 mois :* 20-25, *6 mois :* 100 (poids moyen d'abattage, donnant un poids de carcasse avec tête d'env. 80) ; *adulte :* verrats : 350 à 500, truies : 250 à 400. **Vie :** *castration* à 10-15 j, *sevrage* 3 à 6 semaines, *mise à l'engraissement* à 2 mois 1/2. *Age à la puberté* 6 mois ; *moyen à la réforme :* truie 3 ans, verrats 2 ans (les reproducteurs peuvent vivre 10 ans et +). **Truies :** elles doivent avoir 12 tétines fonctionnelles pour reproduire. Chaleurs toutes les 3 semaines, saillies vers 7 mois (il faut 1 verrat pour 15 truies présentes). *Gestation* 114 j. *Porcelets* 9 à 11 à la mise bas, 8 à 10 au sevrage. *Portées* + de 2 dans l'année. **Alimentation :** céréales 80 % (maïs, blé, orge) ; produits riches en protéines (tourteau de soja), minéraux et vitamines (20 %). *Truie :* env. 1 200 kg d'aliments par an, soit 1 150 unités fourragères (UF). *Porc* (de la naissance à 100 kg) : 300 à 350 kg d'un aliment dosant 1 UF au kg.

■ Races. **Types :** *ibérique* (tête longue et oreilles dressées), *celtique* (tête lourde et massive, grandes oreilles sur les yeux), *asiatique* (peau plissée et oreilles tombantes). **Races utilisées en France** (le plus souvent croisées entre elles pour faire le porc de boucherie). *Large White,* peau blanche, oreilles dressées, très prolifique, excellente croissance, race la plus répandue en Fr. *Landrace,* peau blanche, oreilles inclinées, prolifique, croissance satisfaisante, la plus répandue en Europe. *Belge,* peau blanche, oreilles inclinées, prolificité et croissance moyennes mais très bien conformé (type culard). *Piétrain,* peau tachetée noir et blanc, oreilles droites, prolificité et croissance très moyennes mais très bien conformé (type très culard), originaire de Belgique. *Mei Shan :* prolifique (16 à 18 porcelets par portée), précoce (pubère à 80 j), croissance faible et carcasse très grasse. *Races de pays :* Porc Blanc de l'Ouest, Normand, Limousin, Gascon et Basque. *Effectif.* Corse 2 500, Normand 200, Gascon 80, Limousin 70, Basque 70.

■ Nombre (en millions, 1991, estim.). Chine 371. URSS 76,8. USA 54,4. Brésil 35. All. 30,7. Pologne 19. Mexique 15,9. Espagne 16. *France 12,2.* Roumanie 12. Japon 11,3. Canada 10,6. Inde 10,4. Danemark 9,5. Italie 9,5. Philippines 8. Hongrie 7,4. Youg. 7,3. Belg.-Lux. 6,4. Thaïlande 5. Argentine 4,5. Bulgarie 4,2. Autriche 3,7. Birmanie 2,7. Colombie 2,7. Australie 2,4. Pérou 2,2. Suède 2,1. Venezuela 2. Cuba 1,9. Suisse 1,8. Cambodge 1,6. Madagascar 1,5. Laos 1,4. Chili 1,3. Afr. du S. 1,1. Irlande 1. *Monde 860,1.*

■ Consommation de viande. En kg/pers. : 39,3 dont Danemark 64,7, All. 58,7, UEBL 46,7, P.-Bas 46,7, Espagne 45,1, *France 37,4,* Irlande 35,6, Italie 30,9, Portugal 27,6, R.-U. 24,9, Grèce 23,3.

■ En France (1990). **Éleveurs** 147 500. **Viande :** *porcs* 12 040 600 dont truies 1 173 400. (92-93) 22 070 000 (en %) : Bretagne 61,5, P.-de-la-Loire 9,5, Nord-P.-de-C. 4,3, Midi-Pyr. 3,4. **Production** (en milliers de t équivalent carcasse) : 1 817 *imp.* 508 ; *exp.* 223 ; *consommation :* 2 101.

Poules

■ Races. **Pour la ponte :** Bresse (chair appréciée, pond à partir de 5 à 6 mois), Leghorn blanche d'Amérique (bonne pondeuse, 200 œufs de 50 g env., précoce, pond à partir de 5 mois), Wyandotte (origine amér., nom d'une ancienne tribu indienne, bonne pondeuse d'hiver, 180 œufs), Hambourg (allem.), Campine et Braekel (belges). *Principales régions :* (%, 1988) : Bretagne 33,5, Rhône-Alpes 9,7, P. de la Loire 8,9, Ile-de-Fr. 6,4, Provence-C.-d'Azur 6,2. **Pour la chair :** Faverolles (1,5 kg à 3 mois, 2,5 kg à 4 mois, 3 à 4 kg adulte) : Bourbourg, Poule d'Estaires, Coucou de Malines et des Flandres en sont des variétés. **Races mixtes.** Rhode-Island, Gâtinaise (plumage blanc, bonne pondeuse d'hiver, 150 œufs de 60 à 65 g), Sussex.

■ Nombre (1991, estim. en millions). Chine 2 113. USA 1 480. Ex-URSS 1 160. Indonésie 590. Brésil 570. Inde 380. Japon 335. Mexique 241. *France 213.* Pakistan 192. Nigeria 170. Italie 138. Iran 125. G.-B. 122. All. 121. Roumanie 121. Canada 114. Thaïlande 110. P.-Bas 103. Viêt-nam 82. Youg. 76. Corée du S. 74. Philippines 70. Turquie 65. Pérou 59. Pologne 58. Éthiopie 58. Venezuela 55. Espagne 51. Tchéc. 47. Argentine 45. Colombie 43. Maroc 41. Bangladesh 40. Afr. du S. 40. Bulgarie 37. *Monde 11 025.*

Viande

Rendement de la transformation animale

En %	Énergétique	Protéines
Vache	44	47
Chèvre	25	44
Brebis	17,5	43
Truie	33	38
Poule	20	36

Nota. – Énergie : rapport des quantités d'énergie absorbées et transformées en produit animal. *Protéines* : rapport des quantités de prot. digérées et fournies. Les ruminants transforment les fourrages grossiers (foin, herbe de pâturage), les porcs et les volailles transforment des aliments concentrés (céréales, tourteaux), donc chers.

■ Production globale (en millions de t, 1991). Chine 30,6. USA 29,9. URSS 17,8. All. 6,7. Brésil 6,7. *France 5,6.* Italie 3,9. Japon 3,5. G.-B. 3,5. Mexique 3,5. Espagne 3,4. Argentine 3,4. Inde 3,3. Australie 3,2. Canada 2,8. P.-Bas 2,6. Roumanie 1,7. Tchéc. 1,6. Hongrie 1,6. Danemark 1,6. Belg.-Lux. 1,4. Afr. du S. 1,4. Pakistan 1,4. Thaïlande 1,3. Colombie 1,2. Viêt-Nam 1,2. Nlle-Zélande 1,2. Philippines 1,2. Indonésie 1,2. Turquie 1. Égypte 0,9. Bulgarie 0,7. Nigeria 0,8. Irlande 0,8. Iran 0,8. Venezuela 0,8. Autriche 0,7. Éthiopie 0,6. Grèce 0,5. Suède 0,5. Pérou 0,5. Portugal 0,5. Suisse 0,5. Chili 0,5. Kenya 0,5. Uruguay 0,4. Cuba 0,3. Bangladesh 0,2. *Monde 166,9.*

Bovins et buffles (en milliers de t, est. 1991) : USA 10 666. URSS 7 600. Brésil 2 800. Argentine 2 640. All. 2 176. *France 1 934.* Inde 1 835. Australie 1 730. Mexique 1 670. Chine 1 255. Italie 1 164. G.-B. 1 015. Canada 890. Colombie 823. Afr. du S. 678. Pakistan 662. Pologne 636. Nlle-Zél. 535. Égypte 526. Espagne 502. P.-Bas 495. Tchéc. 403. Belg.-Lux. 330. Uruguay 315. Youg. 260. Soudan 213. *Monde 53 054.*

☞ Dep. 1984, la politique des quotas laitiers a entraîné des abattages massifs de vaches. La pénurie de viande bovine en Europe et aux USA a été stoppée momentanément. La France (avec les races Charolaise, Limousine, Maine-Anjou, Blonde d'Aquitaine) et l'Italie (race Piémontaise) sont les seuls pays de la CEE à posséder des races spécialisées dans la production de viande.

Cheval : (milliers de t, 1986). USA 100. Mexique 63. Italie 55. Argentine 51. Chine 46. Mongolie 29. *France 24.* Brésil 24. Pologne 22. Canada 17. Chili 13. G.-B. 9. *Monde 548.*

Mouton et chèvre (en milliers de t, est. 1991) : Chine 1 121. URSS 895. Australie 677. Inde 586. Pakistan 554. Nlle-Zélande 552. Turquie 394. G.-B. 382. Iran 289. Espagne 244. *France 177.* Afr. du S. 168. USA 166. Éthiopie 149. Nigeria 144. Afghanistan 138. Grèce 126. Mongolie 125. Argentine 114. Soudan 105. Syrie 99. Indonésie 98. *Monde 9 545.*

Porc (en milliers de t, est. 1991) : Chine 24 460. USA 7 267. URSS 6 000. All. 3 825. *France 1 820.* Pologne 1 810. Espagne 1 780. P.-Bas 1 639. Japon 1 490. Italie 1 310. Danemark 1 218. Brésil 1 160. Canada 1 140. Hongrie 1 030. Roumanie 1 000. G.-B. 973. Tchéc. 910. Mexique 904. Belg.-Lux. 844. Youg. 815. *Monde 69 555.*

■ Commerce. (fraîche, réfrigérée et congelée en milliers de t, 1990). Bovins. **Exp. :** Australie 784,5. All. 577,2. *France 377,6.* USA 340,5. P.-Bas 306,1. Irlande 281,4. Nlle-Zélande 264,8. Belg.-Lux. 137,4. Uruguay 132,3. Argentine 130. G.-B. 111,4. Canada 84,8. Italie 66,2. Autriche 56. Brésil 49,1. Pologne 48,1. Hongrie 38,2. Tchéc. 26. Youg. 23. Costa Rica 19,1. Roumanie 0,1. **Imp. :** USA 699,7. Italie 450,8. *France 376,4.* Japon 376,1. All. féd. 250,4. URSS 200. Brésil 195,8. G.-B. 141. Canada 137,5. Égypte 90. Yougosl. 71,1. P.-Bas 66,7. Malaisie 40. Hong Kong 35,7. Arabie S. 35. Israël 26,6. Belg.-Lux. 22,9. Côte-d'Ivoire 21,5. Algérie 8,4.

Cheval, âne, mulet et bardot (1985). **Exp. :** Argentine 33,9. USA 19,8. Brésil 14,5. Pologne 13,6. Canada 12,6. *Monde 134,7.* **Imp. :** Japon 39. *France 37,3.* Belg.-Lux. 28,6. P.-Bas 25,5. *Monde 143,4.*

Mouton et chèvre (en 1990). **Exp. :** N.-Zél. 351,8. Australie 200,6. G.-B. 79,6. Irlande 54,6. Bulgarie 23. Corée du S. 13,9. Turquie 7,2. P.-Bas 6,2. **Imp. :** G.-B. 130,2. *France 124,7.* Japon 64,1. All. féd. 29,2. Corée du S. 22,5. Italie 22,1. USA 21. Arabie S. 16. Grèce 15. Canada 13,8.

Porc (en 1990). **Exp. :** P.-Bas 771,1. Danemark 471,6. Belg.-Lux. 278,1. All. 224,5. Canada 220,4. Hongrie 178,3. *France 128,6.* Chine 125,7. USA 67,2. G.-B. 49. Irlande 33,3. Suède 30. Pologne 6,3. Roumanie 0,3. **Imp. :** All. féd. 548,1. Italie 503,2. Japon 343,4. *France 290,8.* URSS 160. G.-B. 76,2. Espagne 63,8. Hong Kong 63,7. Belg.-Lux. 58,1. USA 23,8. P.-Bas 23. Pologne 17,4. Canada 7. Portugal 2,2.

■ **Consommation. Viande et abats** (poids en carcasse, kg/hab./an, 1983). USA 112. *France 109.* All. féd. 97. Belg.-Lux. 97. Irlande 97. Canada 95. Suisse 88. Autriche 86. Italie 79. P.-Bas 79. Danemark 78. Grèce 77. Espagne 75. G.-B. 72. Finlande 65. Suède 62. Portugal 57. Norvège 51. Japon 36. Turquie 25.

La viande en France

Les Français consommant de préférence des viandes à griller et à rôtir, la France exporte des quartiers avant de bœuf (ou des prod. en dérivant) et importe des quartiers arrière plus coûteux.

Milliers de t (1992)	Prod.	Cons.	Solde
Gros bovins	1 763	1 390	+ 373
Veaux	316	314	+ 2
Ovins-caprins	156	322	– 166
Porcs	1 950	2 148	– 198
Cheval	10	48	– 38
Total	*4 195*	*4 222*	*– 27*

Abattages contrôlés (en milliers de t-équivalent carcasse, en données brutes, 1992). Porcins 1 907, gros bovins 1 557, veaux 275, ovins 138, équidés 13. **Abattoirs** (1991) : 489 dont 314 publics, 175 privés. *Tonnage abattoirs* (1991) : publics 1 490 950, industriels 2 157 590. *Tueries :* 1 000 t. **Capacité des ab. publics et industriels :** *de 0 à 1 000 t/an :* 169 ; *de 1 000 à 5 000 t/an :* 153 ; *de 5 000 à 10 000 t/an :* 71 ; *+ de 10 000 t/an :* 96. **Entreprises du commerce en gros et d'industrie des viandes** (1980) : 3 132. **Détaillants** (1981) : 64 424 dont bouchers et grandes surfaces 93,1 %. **Consommation industrielle et animale de protéines.** *Besoins en tourteaux :* 11 millions de t [dont fourrages 60 %, céréales 20 %, matières riches en protéines 20,5 %, tourteaux (soja) 17,3 %].

☞ Nombreuses importations illégales : + de 1 000 000 de t en 1990.

Volailles

■ **Poids carcasse atteint** variable suivant espèces et sexe. *Dinde* 3 à 6 kg. *Canard* 2 à 4 (11-13 sem.) ; *oie* 4 à 6 (7-11 sem.) ; *pintade* 1 à 1,6 (13 sem.) ; *poulet* 1,3 à 2,2 (7 à 9 sem.). **Maigrets ou magrets :** « Muscles de la masse pectorale constituant le filet prélevé sur un canard ou une oie engraissés par gavage pour la production de foie gras » (décret de 1986).

■ **Monde. Production** (en milliers de t, 1991) : USA 11 503. Chine 3 463. ex-URSS 3 000. Brésil 2 614. *France 1 781.* Japon 1 417. R.-U. 1 112. Italie 1 105. Mexique 897. Espagne 840. All. 574. P.-B. 570. Hongrie 405. *Monde* 40 891. *1991 :* 40 000. *1992 :* 42 100.

Commerce (en milliers de t, 1991). **Exp. :** USA 558. *France 521.* P.-Bas 311. Brésil 295. Hongrie 165. Thaïlande 165. Belg.-Lux. 90. R.-U. 80. Danemark 77. *Monde* (1989) *1 950.* **Imp. :** All. 367. Japon 315. Arabie S. 203. R.-U. 137. Ex-URSS 130. Hong Kong 125. P.-Bas 68. Belg.-Lux. 62. Émirats arabes 56. *France 53.* Espagne 46. Suisse 42. *Monde 25 000.*

Consommation de viande de volaille (en kg par hab., 1991) : USA 43,3. Israël 37,6. Canada 28,3. Espagne 22,7. Irlande 22,5. *France 22,1* (poulet 11,7, dinde 5,8, canard 1,9, poule 1,6, pintade 0,9, oie 0,7). Italie 19,2. R.-U. 19,2. CEE 18,2. P.-Bas 17,7. Grèce 16,6. Belg.-Lux. 16,6. Japon 14,3. Danemark 12,5. All. 12,2. Ex-URSS 11,4.

■ **France. Cheptel** (en millions, 1992) : poulets 125 ; poules pondeuses 48 ; poulettes 18 ; dindes 30 ; canards 20 ; pintades 14 ; pigeons, cailles 11 ; oies 1. **Élevages :** 27 000, 52 000 bâtiments spécialisés. **Labels** (millions de têtes) : *1992 :* 78 dont poulets de Bresse 1,5, pintade 5,8. *Chiffre d'aff.* (1990) : 2 milliards de F. *Filière :* 30 org. certificateurs, 170 labels, 5 700 éleveurs, 53 couvoirs, 148 firmes d'alim. du bétail, 150 abattoirs. **Production** (en milliers de t, 1992, entre parenthèses, élevage traditionnel) : Poulet 1 013 (16). Dinde 539 (9). Canard 123 (12). Poule 95 (14). Pintade 53 (1). Oie 7 (6). *Total 1 830 (58).*

Abattage de volailles (milliers de t, 1991) : 1 514 dont (en %) Bretagne 48,5, Pays de la Loire 19,7, Rh.-Alpes 5,8, Centre 5,4, Aquitaine 3,5. Près de 1 400 établ. dont près de 1 000 traitent moins de 50 000 volailles par an, mais n'assurent que 12 % du tonnage. **Abattoirs :** 407 dont les 86 plus importants assurent 79 % des abattages.

Foie gras

■ **Généralités.** Foies d'oies ou canards gavés (soumis à une alimentation forcée) : 700 à 900 g (foie d'oie), 500 g (canard). **Gavage.** Commence vers 4 ou 5 mois (canard 2 fois par j pendant 3 semaines, oie 3 fois par j pendant 1 mois) : maïs broyé et légèrement cuit, matières grasses, sel et ferments lactiques afin de maintenir l'équilibre de la flore intestinale. **Dénominations.** 1°) *Foie gras entier* (100 % foie gras) ; obtenu à partir d'un ou plusieurs lobes moulés, ou d'un morceau de lobe. 2°) *Foie gras* à partir de morceaux de lobes agglomérés sans barde ni enrobage. 3°) *Bloc de foie gras* (reconstitué à partir de foies gras ; à la coupe, peut présenter des morceaux apparents). 4°) *Parfaits* (75 % de foie gras, mélange de foies d'espèces différentes autorisé). 5°) *Préparations* (pâté 50 % de foie gras, entouré d'une farce ; galantine 35 % min. de morceaux avec barde et farce ; purée ou mousse à 50 % d'un mélange aggloméré de foie gras et farce, sans barde). 6°) *Foie vendu cru.* 7°) *Foie gras frais* (cuit à 65-68 °C. Peut se conserver au max. 3 semaines à + 4 °C). 8°) *Foie gras mi-cuit* (semi-conserve). Pasteurisé à 80 °C, peut se conserver env. 6 mois entre 0 et + 4 °C. 9°) *Foie gras en conserve* (cuisson 105 ou 108 °C, se conserve plusieurs années à 10-15 °C. Perte de finesse et de moelleux et amertume). **Préparations contenant au min. de 50 % de foie gras** (poids net du produit débarrassé de sa barde) : *pâté de foie :* noyau de f. g. entouré d'une farce ; *galantine de foie :* f. g. (dont 35 % doivent être des morceaux apparents à la coupe), mêlé à une farce ; *purée de foie :* f. g. homogénéisé et farce, mêlés de façon à donner la texture caractéristique de sa dénomination.

■ **Consommation** (1992). 8 300 t (dont 2 400 importés) de foie gras fait dont 40 % en cru, 60 % en conserve.

■ **Production** (en t). *France. 1982 :* 2 000 ; *84 :* 3 050 ; *90 :* 5 950 [(dont canards 5 320, oies 630), dont (en %) Aquitaine 70, Midi-Pyr. 22], *91 :* 6 200 (dont canards 5 600, oies 600), *92 :* 7 000 [dont canards 6 350, oies 650), dont Aquitaine 55 %, Midi-Pyr. 45 %] ; *Hongrie* 1 800, *Bulgarie* 500, *Israël* 500, *Pologne* 300.

■ **Commerce. Foie gras d'oie ou de canard** (en t, 1992). **Exp.** 228,3 (43,1 millions de F) (dont canard 137,7) dont *vers* Belgique 45, Suisse 41,5, P.-Bas 26,4, Espagne 24,9, R.-U. 17,1, All. 15,9. **Imp.** 2 422,7 (355,5 millions de F) [dont oie 1 166,5, canard 768,9] dont *de* Hongrie 1 475,2, Bulgarie 438,8, Israël 261,6, Pologne 205,1. **D'autres volailles. Exp.** 1 691,5 dont *vers* All. 903,4, G.-B. 402,9, P.-Bas 167,7, UEBL 73,2. **Imp.** 2 493 dont *de* USA 1 055,1, P.-Bas 689,1, Espagne 199, UEBL 183,1.

Conserves et préparations de foie gras (en t). *Exp.* 887,9 (173,3 millions de F) dont *vers* Espagne 119,2, Japon 110,3, UEBL 66,4, Suisse 62,7, All. 59,6, P.-Bas 42,6, USA 41,7, R.-U. 39,7. **D'autres volailles.** *Exp.* 2 005,8 (64,4 millions de F) dont *vers* All. 168,8, Réunion 159,1, Espagne 147,7, Russie 131,9, ex-Tchécoslov. 120,3, R.-U. 117,1. *Imp.* 2 443,2 (61,5 millions de F) dont *de* UEBL 2 166,6, Danemark 202,4, P.-Bas 72,5.

Chiffre d'affaires des principales maisons de foie gras (en millions de F, 1990). Labeyrie 666,5, Rougier 244, Comtesse du Barry 243, Bizac 150, Darquier 90,7, Champion 86. Vendent également saumon fumé, ou plats cuisinés.

L'agriculture en France

Quelques dates

1807-*15-9 :* instauration du cadastre. **1813**-*20-3 :* caisse d'amortissement chargée de vendre les communaux. **1816**-*28-4 :* communes récupèrent biens communaux non vendus ; autorisées à les louer en bloc. **1847**-*28-1 :* loi facilitant l'importation des grains. **1850**-*6-12 :* loi conférant aux particuliers l'initiative des demandes des partages communaux. **1856 :** mauvaise récolte de céréales. **1860**-*23/28-1 :* traité de commerce avec G.-B. ; 1re loi sur restauration des terrains en montagne ; communes autorisées à vendre le tiers du communal. **1863 :** 1res atteintes du *phylloxéra* dans Gard. **1867** *Sté des agriculteurs de France* fondée. **1875**-*14-12 :* privilège des *bouilleurs de cru.* **1880 :** *Sté française d'encouragement à l'agriculture,* fondée à l'instigation de Gambetta. **1881**-*14-11 : ministère de l'Agriculture* créé. **1884**-*24-3 :* droits sur entrées de blé. **1886 :** *Union centrale des syndicats agricoles de France* créée. **1889**-*9-7 :* interdiction de *vaine pâture.* **1892**-*11-1 : tarif « Méline »* renforçant droits de douane. **1894**-*6-11 :* caisses locales du crédit agricole créées. **1897**-*29-3 :* loi du « cadenas » permettant nouvelles hausses du droit de douane. **1899**-*31-3 : droit de parcours* aboli. **1904**-*janv. :* statut de la mutualité agricole. **1907**-*29-6 : mouillage des vins* interdit et réglementation du *sucrage.* **1911**-*avril :* manif. des vignerons de l'Aude, réprimée par Clemenceau. **1915**-*16-10 :* réquisition et contrôle de circulation des blés. **1916**-*20-7 :* blé taxé. **1918**-*10-2 :* contrôle général des prix. **1920**-*5-8 :* office nat. du crédit agricole créé. **1924**-*3-1 :* chambres d'agriculture instituées. **1925**-*18-1 :* conseil paysan français regroupant les syndicats de paysans travailleurs créé. **1928**-*déc. :* Henri Dorgères (1897-1965) organise des Comités de défense paysanne. **1929 :** JAC fondée. **1931**-*4-7 : statut du vin* (aménagé 1933-34). **1933**-*13-2 : Conféd. nat. paysanne* créée ; *-10-7 :* prix minimum du blé. **1934**-*avril : Front paysan* créé ; *-24-12 :* prix du blé redevient libre ; loi sur distillation des excédents de vin et primes à l'arrachage des vignes. **1936**-*20-6 :* congés payés ; *-5-8 :* extension des allocations familiales pour salariés agricoles ; *Office nat. interprofessionnel du blé* créé. **1939**-*21-4 :* décret-loi consacrant le droit de tout héritier travaillant sur l'exploitation d'en obtenir l'attribution sans partage ; *-29-7 :* allocations familiales aux exploitants agricoles. **1940**-*21-11 :* loi sur l'habitat rural ; *-2-12 :* loi sur l'organisation corporative de l'agriculture. **1942**-*16-12 : corporation paysanne* organisée. **1943**-*15-1 :* législation en faveur de l'héritier coexploitant renforcée ; *-4-9 :* droits des fermiers améliorés. **1944**-*26-7 :* corporation paysanne supprimée ; *-12-10 :* CGA créé. **1946**-*13-3 :* FNSEA créée ; *-13-4 :* statut du fermage et du métayage ; *-18-5 :* Inra créé. **1948**-*10-3 :* durée du travail salarié limitée à 2 400 h. **1950**-*11-2 :* renaissance des *Chambres d'agriculture.* **1951**-*15-2 :* centre nat. des indépendants et paysans fondé. **1952**-*10-7 :* assurance-vieillesse des exploitants. **1953**-*28-7 :* violentes manif. (viticulteurs Midi). *-15-12 :* Sibev et Interlait créés. **1954**-*19-1 :* CGA perd tout pouvoir de décision. **1955**-*1-4 :* assemblée constitutive de l'Union de défense des agriculteurs de France à l'initiative de Pierre Poujade. **1957**-*25-3 :* traité de Rome ; *été :* manif. paysannes ; indexation des prix. **1959**-*févr. :* indexation des prix supprimée ; *-7-4 :* Modef créé. **1960**-*févr. :* violentes manif. ; *-5-8 :* loi d'« orientation agricole ». **1961**-*25-1 :* assurance-maladie, invalidité et maternité des exploitants ; *-juin :* violentes manif. en Bretagne ; *8-8 :* loi complémentaire à la loi « d'orientation agricole » (loi Pisani). GAEC et IVD créés. **1960 à 1972** 60 manif. agricoles dont 13 violentes en moyenne chaque année. **1962**-*14-1 :* début de la politique agricole commune. Voir p. 1514. **1968**-*1-6 :* salaire minimum garanti des ouvriers aligné sur celui des s. de l'industrie et du commerce. **1969**-*2-12 : Fédér. française de l'agriculture* créée. **1970**-*31-12 :* groupements fonciers agricoles. **1976**-*6-2 :* dotation aux jeunes agriculteurs ; *mars :* violentes manif. **1980**-*4-7 :* loi d'orientation agricole. **1981**-*4-6 :* Confédér. nat. des syndicats de travailleurs paysans créée. **1982**-*23-3 :* manif. à Paris à l'appel de la FNSEA ; *-6-10 :* offices nat. interprofessionnels d'intervention créés. **1990** *août :* manif. souvent violentes (Angers, Évreux, Bourges...). **1991**-*24-6* moisson à Paris sur les Champs-Élysées. Dans la *nuit du 23/24* 400 camions ont transporté 10 000 palettes couvrant 1,5 ha entre le Rond-Point et l'Arc de Triomphe ainsi que 20 000 m² de pelouses. Budget : 27 millions de F en partie couverts par des commanditaires. *Juill./oct.* nombreuses manif. [Solutré 31-7 ; Paris *29-9* (200 000 manif.)...], action de commandos contre stockage de vin étranger (*23-10*), camions de foie gras (hongrois), de viande importée illégalement, préfectures, domiciles d'élus ; déplacements ministériels perturbés. *Sept.* le gouvernement débloque près de 3,3 milliards de F. Louis Mermaz, ministre de l'Agriculture, annonce le plan d'urgence, destiné surtout aux éleveurs (1,3 milliard de F). Le Pt de la Rép. fait adopter des mesures complémentaires : préretraite à 55 ans, abattements fiscaux, aides à la transmission et détaxation des carburants d'origine végétale. *28-11* Principales mesures admises (en millions de F, 1992) : *1°)* adaptation de l'agriculture : 1 000 dont préretraite pour les 55 à 59 ans 730, déduction fiscale pour l'autofinancement (applicable aux revenus 1992) 450 sur le budget 1993, aide à l'installation (à partir de juill. 1992) 120 en 1992, 200 en année pleine, aide exceptionnelle à l'investissement pour les jeunes éleveurs 65, détaxation des carburants verts 50, crédit d'impôt-recherche 40. *2°)* Développement des espaces ruraux : 1 000 dont aide à l'espace rural + 70 en 1992, aide à l'investissement 320, valorisation touristique 50, aides à l'agriculture 108, environnement 260, aide à l'embauche 110, dotation de développement rural 300 en 1992, 600 en 1993 et 1 000 en 1994. **1992** *6-4* 25 000 manif. européens (dont 8 000 français) à Strasbourg. *-23-6* la Coordination agricole bloque les accès à Paris à 30 km autour.

Agriculteurs

Population totale active et, entre parenthèses, **pop. active agricole** (en millions). *1850 :* 22,7 (14,3). *1900 :* 20,7 (8,2). *62 :* 19,2 (3,9). *68 :* 20,4 (3). *75 :* 22,2 (2,1). *80 :* 23,2 (1,9). *90 :* 24,4 (1,5). *91 :* 24,4 (1,4).

Population totale et, entre parenthèses, **pop. rurale** (en millions, 1990 [1]). *1850 :* 35,4 (26,6). *1900 :* 38,9 (23). *62 :* 46,5 (17). *68 :* 49,8 (14,2). *75 :* 52,7 (14,2). *82 :* 54,4 (14,4). *90 :* 56,6 (15,5).

Nota. – (1) Comprend les communes de moins de 2 000 hab. agglomérées au chef-lieu de la commune.

Nombre d'actifs agricoles. Total *(temps complet + partiel).* **1955 :** 6 136 000. **1990 :** 1 857 100 (dont chefs d'exploitation : 923 600, conjoints 459 600, autres aides familiaux 333 900, salariés permanents 140 000). *A temps complet :* 717 400 (dont chefs d'expl. 459 500). *Partiel :* 1 139 700 (464 100). *2000* (prév.) : total 500 000 à 600 000. *Salariés* (en %) : 85,6 (*1992 :* 83).

Population agricole familiale [vit et/ou travaille sur les exploit. agricoles (chefs d'exploit. et membres de leur famille) (en milliers)]. **1975 :** 4 946 (hommes 2 561, femmes 2 385). **80 :** 4 327,1 (H 2 270,1, F 2 057). **85 :** 3 539 (H 1 868, F 1 671). **90 :** 2 961 (H 1 580, F 1 381).

En 1970, 22 % de la population agricole familiale avait moins de 15 ans ; en 1990, 15 %.

Femmes. En 1990, 156 200 chefs d'exploitation étaient des femmes. Leur nombre est en progression (1/3 de + de 60 ans, contre 1/4 des hommes). Entre 1988 et 1990, 33 000 avaient pris la succession de leur conjoint retraité (70 % des cas), décédé (14 %).

Célibat. 14 % des chefs d'exploitation hommes étaient célibataires en 1988 (Franche-Comté et Rh.-Alpes 20 %, Midi-Pyrénées et Limousin 21 %, Auvergne 23 %, Corse 30 %), 17 % en 1990.

Aides familiaux (autres que les conjoints) (1990) : 333 900 dont 15 % ont une autre activité non agricole. *Hommes :* 231 200 dont 30 % entre 30 et 59 ans ; travaillant à temps complet sur l'exploitation 36 %, moins d'1/4 de temps 34 %. *Femmes :* 102 600 dont 45 % travaillant moins d'1/4 de temps et 67 % moins d'un mi-temps.

Travail total. En 1990, 1 263 200 unités de travail annuel (UTA) fournies, soit 1,4 UTA par exploitation dont 84 % d'origine familiale et 51 % fournie par le chef d'exploitation.

Exode rural (nombre de personnes)

	1962/1968	1968/1974	1974/1980
Entrées	+ 190 100	+ 115 200	+ 108 300
Départs	– 226 600	– 210 100	– 148 000
Retraite, décès	– 786 100	– 568 100	– 459 700
Solde	– 822 600	– 663 000	– 499 400

Age. Des actifs agricoles (en %, 1990) : *16 à 34 ans :* 19, *35 à 59 a. :* 56, *60 a. et + :* 25. **Des chefs d'exploitation :** *moyen :* 51 ans (57 % ont + de 50 a., 26 % + de 60 a., 7 % + de 70 a.). 67 % des 524 000 agr. qui ont + de 50 ans n'ont pas de successeur connu.

Catégories. Paysans pauvres : 15 à 20 % des exploitants disposant de 5 % des terres cultivées, investissements inexistants, âge de l'expl. souvent supérieur à 50 ans. **Agriculteurs moyens :** surface moyenne, niveau de vie correct, beaucoup de célibataires, les uns se préoccupent surtout d'agrandissement, d'autres s'endettent pour être rentables. **Exploitants industrialisés :** niveau de vie confortable, investissements importants, représentent 35 % des cultivateurs et contrôlent près de 50 % de la surface agricole.

Pour se maintenir, beaucoup de paysans ont essayé d'avoir une activité annexe. 19 % des chefs d'exploitation exerçaient une autre activité en 1990 (14 % à titre principal) : ouvriers (41 %), employés (21), artisans, commerçants (16), cadres moyens (10).

Taux de départ en vacances d'été. Agriculteurs y compris salariés agric. et, entre parenthèses, ensemble de la pop. fr. (en %) *1982 :* 20,1 (60,3). *85 :* 17,7 (53,8). *87 :* 22,9 (54,2). *88 :* 31,2 (55,5). *90 :* 31,3 (55,1). *91 :* 27,1 (55,6).

Budget de l'agriculture

Données globales

Budget du ministère de l'Agriculture (en milliards de F, 1993). 39,72 dont services centraux 5,72, déconcentrés 2,73 ; enseignement, recherche et formation 5,1 ; commercialisation des prod. agr. 0,66 ; protection sociale 12,26, de la forêt 1,5 ; adaptation de l'appareil de prod. agric. 4,22 ; valorisation de la prod. agric. 5,58 ; aménagement de l'espace rural 1,94.

Dépenses de l'État bénéficiant à l'agriculture. Évolution en milliards de F et, entre parenthèses, **% dans le budget général :** *1970 :* 18,2 (14,3). *75 :* 31,3 (14,5). *80 :* 60,8 (14,5). *85 :* 109,4 (13). *86 :* 113,6. *87 :* 116,6. *88 :* 127,9. *89 :* 134,2. *90 :* 135,6. *91 :* 143,5. *92 :* 148,3. *1993* (loi de finances initiale) : 151,4.

Nota. – Dépenses du Feoga, financées par le budget de la CEE (voir p. 1517).

Comparaison (en milliards de F, 1992 et, entre parenthèses, **projet de budget 1993 :** Ministère de l'Agriculture et de la Forêt 37,35 (39,72). Bapsa (budget annexe des prestations sociales agricoles) 57,10 (56,78). Comptes spéciaux du Trésor 1,91 (1,87). Autres ministères : Recherche (Inra, Cemagref) 3,04 (3,19), Aménagement du territoire (Fidar + Fiam) 0,40 (0,36), Intérieur (décentralisation de l'enseignement) 0,30 (0,31). Pertes de recettes du budget général : estimation des versements de ressources à la CEE affectées à des dépenses agricoles 48,18 (49,05). Total : 148,34 (151,34).

Aides de l'État versées aux agriculteurs (en milliards de F). *1982* 5. *83* 5,7. *84* 7. *85* 7,2. *86* 9,5. *87* 10,5. *88* 10,8. *89* 10,3. *90* 13,5. *91* 12,9. *92* 18,6.

Nota. – Part des prestations vieillesse dans les prestations sociales agr. totales (1990 : 57 %).

Revenu agricole

Comptes d'exploitation et de revenu

■ **En milliards de F en 1992 et,** entre parenthèses, **en 1991.** Compte de production : livraisons 313,3 (329,7), consommations intermédiaires 136,6 (136,6), valeur ajoutée brute des livraisons 176,6 (193,1).

Compte d'exploitation. Ressources : 195,2 (206) dont valeur ajoutée brute 176,6 (193,1), subventions d'exploitation 18,6 (12,9). **Emplois :** 195,2 (206) dont salaires 21,5 (20,9), cotisations sociales 7 (6,8), impôts 6,3 (7,9). Excédent brut d'exploitation des livraisons 162,2 (172,3).

Compte de revenu. Ressources : 185,4 (194,3), dont EBE des livraisons 162,2 (172,3), indemnités d'assurances 3,8 (3,3), prestations sociales 19,4 (18,7). **Emplois :** 185,4 (194,3) dont intérêts 13,4 (12,9), primes d'assurances 5,6 (5,5), impôts fonciers sur les terres exploitées en faire-valoir direct 3,1 (3), cotisations sociales au profit des exploitants 17,9 (16,9), revenu brut agricole 136,1 (145,6). Consommation de capital fixe 33,6 (32,7).

☞ **Évolution du revenu agricole en Europe** (1992, en % par rapport à 1991) : – 3,5 (Dan. – 10,6, Grèce – 10,1, Esp. – 9,6, Port. – 8,7, Belg. – 5,3, Ital. – 4,1, *France – 0,9*).

Revenu brut agricole (RBA)

Définition. Différence entre tous les biens d'origine agricole vendus ou autoconsommés par la branche agriculture (c'est-à-dire tous les agents économiques produisant des biens d'origine agricole, qu'ils soient ou non agriculteurs) et les dépenses courantes nécessaires à ces productions.

RBA global (en milliards de F). *1980 :* 78,5. *85 :* 120. *86 :* 122,7. *87 :* 127,7. *88 :* 123. *89 :* 135,3. *90 :* 149,6. *91 :* 145,6. *92 :* 136,1.

Moyen par exploitation en valeur réelle en optique livraison et, entre parenthèses, **optique production** (en %). *1981 :* + 4,7 (+ 4,7). *82 :* + 13,5 (+ 22,1). *83 :* – 7,8 (– 11,1). *84 :* + 4,5 (– 2,1). *85 :* – 2,5 (– 0,5). *86 :* – 0,1 (+ 1,3). *87 :* + 4,6. *88 :* – 2,6 (– 1,6). *89 :* + 9,4 (+ 18,7). *90 :* + 11,7 (+ 7). *91 :* – 2,2 (– 9,3). *92 :* – 5,9 (+ 3,2).

Évolution en 1992 et, entre parenthèses, **en 1991** (en %). *RBA global :* – 6,5 (– 2,7). *Nombre d'exploitations :* – 3,5 (– 3,5). *PIB marchand :* + 2,9 (+ 3,1). *RBA moyen par exploitation en valeur réelle :* – 5,9 (– 2,2). *Revenu net moyen par exploitation en valeur réelle :* – 8,7 (– 4).

Principales composantes du revenu (en milliards de F, 1991). **Recettes :** 364,6 dont livraisons 329,7, subventions et indemnités d'assurances 16,2, prestations sociales 18,7. **Dépenses :** 214,9 dont consom. intermédiaires 136,6, charges d'exploitation 61,4, cotisations sociales 16,9.

Résultat brut d'exploitation (RBE)

Définition. Différence entre la valeur des ventes et des dépenses courantes des exploitations agricoles. Sur ce revenu, l'agriculteur se rémunère ainsi que sa famille, paie ses cotisations sociales, ses annuités emprunt en capital et finance ses investissements.

RBE moyen par exploitation à temps complet (en milliers de F, 1991). *Viticulture de qualité* 435, *v. courante* 300. *Arboriculture fruitière* 273. *Agriculture générale* 251. *Céréales* 210. *Horticulture* 205. *Bovins lait* 161, *b. viande* 72. *Autres herbivores* 20. *Moy. nationale* 206.

Part des subventions dans le revenu brut d'exploitation (en %, 1991). Ensemble des exploitations 10,7. A temps partiel 12. Herbivores (sauf bovins) 59,2. Bovins viande 46. Bovins 20. Arboriculture fruitière 5. Polyculture 7,2. Viticulture ordinaire 5,7. Grandes cultures 5,5. Élevage hors sol 5. Céréales 4,4. Maraîchage et fleurs 3,6. Vins de qualité 1,1.

Coûts de production

Consommations intermédiaires (en milliards de F, 1992). 134,1 (hors TVA) dont alim. des animaux 47,7, engrais 15,9, protection des cultures 13,4, entretien du matériel 8,4, produits pétroliers 9,1, dépenses vétérinaires 6,4, entretien des bâtiments 1,6, autres biens 13,7, autres services 13,7. *Part des consom. interm. dans la production totale 44.*

Charges d'exploitation (en milliards de F, 1992). 84,6 dont charges salariales 28,5, cotisations soc. 17,9, intérêts 13,4, impôts 6,3, charges locatives et impôts fonciers sur terres exploitées en faire-valoir direct 12,9, primes d'assurances 5,6. *Part des charges d'expl. dans les livraisons : 25 %.*

Endettement. De l'agriculture (fin 1987) : 237 milliards de F, soit 19 % du bilan financier de l'agriculture, 130 % de la valeur ajoutée annuelle de l'agr. **Des exploitations** (en %, 1987) : *– de 100 000 F :* 31. *100 à 250 000 F :* 25. *+ de 250 000 F :* 44.

Part dans le PIB marchand (1991). **De l'agriculture :** 3,2 %. **Des industries agroalimentaires :** 3,2 % [1980 : 5,1 % (3,7 %)].

Indemnités accordées par la Commission des calamités agricoles (1991). 1,45 milliard de F. Sécheresse (production fourragères et éleveurs) : 25 départements déclarés zones sinistrées (Est et Massif central). Gel d'avr. : producteurs de fruits : 72 départements, viticulture : 51 départements. **Aides spécifiques versées par le Fonds de solidarité agricole** (1993-94-95) : 0,45 milliard de F.

Prêts bonifiés pour l'agriculture (milliards de F). *1992 :* 1,5 ; *93 :* 13,5. *Prêts sollicités 92 :* 10,2. *Taux de crédits :* de 3,1 à 9,15 %.

Livraisons de l'agriculture

En milliards de F en 1992 et, entre parenthèses, **en 1991** (y compris taxes à la production, en base 1980). **Prod. végétaux :** 162,9 (183,7). *Céréales* 56,5 (57,7) [blé tendre 30,9 (32), dur 2,9 (3,5), orge 7,7 (8,4), maïs 13,6 (12,6)]. *Fruits et légumes* 40,7 (47,5) [p. de terre 2,9 (4,3), lég. frais 19,5 (22,4), secs 6 (5,1), fruits 12,3 (15,7)]. *Plantes industrielles* 14,5 (19,7) [betteraves 8,2 (7,9), oléagineux 5,3 (10,6), tabac 0,7 (0,7)]. *Vins* 42,6 (49,5) [courants 8,7 (10,7), de qualité 33,9 (38,9)]. *Autres prod. végétaux* 8,6 (9,2) [plants de pépinières 2,7 (2,5), fleurs 5,1 (5,9)]. **Prod. animaux :** 151,6 (147,4). *Bétail* 72,7 (68,9) [bovins 35,5 (33,8), veaux 10,8 (10,2), porcins 22,3 (20,6), équins 0,3 (0,3), ovins et caprins 3,8 (4)]. *Autres* 23,1 (22,5) [volailles 19,7 (19)]. *Prod. animaux* 55,7 (56) [lait 50,2 (49,7), œufs 4,9 (5,6)]. *Total :* 314,5 (331). **Bilan par produit** (solde en milliards de F, 1992). *Excédents :* Vins 13,8, eaux-de-vie naturelles 7,7, fromages 6,5, Champagne et mousseux 6,3, sucre 6, viande de volailles 4,9, prod. alimentaires divers 3,5, produits pour animaux 3,3, laits secs et concentrés 2,6. *Déficits :* conserves de poisson, surgelés 6,8, viande fraîche 6,4, huile et corps gras bruts 4,7, conserves et fruits, confitures 2,2, jus de fruits et de légumes 1,9, chocolat, confiserie 1,4, biscuits, biscottes, pâtisserie ind. 1,3, huile raffinée, corps gras, margarine 1,3, condiments, vinaigre, sauces 1,2.

Principaux clients. *CEE :* All. féd. 32,7 ; Italie 30,4 ; UEBL 22,7 ; G.-B. 17 ; P.-Bas 19,8 ; Espagne 12,1 ; Portugal 3,4 ; Danemark 2 ; Grèce 1,7 ; Irlande 1. *Pays tiers :* USA 5,9 ; Suisse 5 ; Japon 4,1 ; URSS 3,1. **Fournisseurs.** *CEE :* P.-Bas 21,2 ; UEBL 17,7 ; All. féd. 15 ; G.-B. 10,4 ; Espagne 10,3 ; Italie 10 ; Danemark 5 ; Irlande 3,6 ; Portugal 1,1 ; Grèce 0,7. *Pays tiers :* Brésil 5,3 ; USA 5,2.

Recettes régionales de l'agriculture

Recettes en milliards de F et, entre parenthèses, **élevage (en %, 1991).** *Total* 312,3 (45,7) dont Bretagne 38,4 (86,7). Pays de la Loire 29,3 (71,3). Aquitaine 24 (29,5). Champagne-Ardenne 21,6 (13). Centre 20,5 (21,5). Rhône-Alpes 17,7 (48,6). Midi-Pyrénées 17,5 (50,2). Poitou-Charentes 16 (40). Picardie 15,7 (24,8). Provence-Alpes-Côte d'Azur 14,8 (68,2). Languedoc-Roussillon 13,3 (9,7). Bourgogne 13 (36,9). Basse-Normandie 12,7 (78,7). Nord-Pas-de-Calais 11,8 (46,6). Auvergne 7,9 (78,4). Haute-Norm. 7,9 (48,1). Ile-de-Fr. 7,5 (6,6). Lorraine 7,4 (60,8). Alsace 6,2 (24,2). Fr.-Comté 4,7 (78,7). Corse 0,8 (25).

Exploitations

Définitions

Banques de travail. Échange gratuit et réciproque du matériel et de la main-d'œuvre. Fonctionnent souvent au sein des Cuma. Les participants payent à la banque les services rendus. Celle-ci établit sur un tableau le bilan des services échangés entre les différents participants. Elle comptabilise les travaux que chacun exécute pour ses collègues. Ex. : 1 h de travail d'homme égale 1 unité ; 1 h de tracteur plus remorque 2,85 un. ; 1 tronçonneuse 3 un. Les participants sont occasionnels ou réguliers.

Centres d'études techniques agricoles (Ceta). 13, square Gabriel-Fauré, 75017 Paris. Conseils d'ingénieurs et de techniciens compétents.

Entreprises en atelier ou nouvelles entreprises agricoles (Nea). Divisées en plusieurs ateliers de production de même nature et en ateliers complémentaires, chacun rassemblant de 3 à 5 hommes et s'occupant d'une seule prod. (ou de prod. indissociables). Une entreprise peut ainsi réunir 5 ateliers (étables laitières, production de fourrage, commercialisation, administration, etc.) et 20 à 25 salariés.

Exploitation en association. Mise en commun sur plusieurs exploitations des moyens de production, de la commercialisation des produits, ce qui permet d'alléger les charges et d'abaisser les prix de revient.

Fermage. Contrat par lequel le propriétaire abandonne à un locataire l'exploitation d'un domaine moyennant une redevance (ou *fermage)* fixée par avance périodiquement et indépendante des résultats obtenus. *Durée des baux :* b. à terme : 9 a. généralement (représentent de 56 à 80 % des baux pour les surfaces de 1,5 ha et +) ; b. à long terme : 18 a. min. ; b. à 25 a. ; b. de carrière : 25 a. min. *Règlement :* en nature ou en espèces ou partie en nature et partie en espèces. Le bail ne doit comprendre, en plus, aucune redevance ou service. Le fermier et le propriétaire conviennent à leur gré du partage des taxes. *Prix du bail :* fixé à partir de *quantités maximales et minimales de denrées* arrêtées par le préfet de chaque département, sur proposition de commissions consultatives paritaires et dans des conditions fixées par décret ; en tenant compte de la durée du bail, de l'existence dans ce bail d'une clause de reprise éventuelle, de l'état et de l'importance des bâtiments, de la qualité des sols et de la structure parcellaire. Si les 2 parties n'ont pas rédigé de contrat écrit, toutes les clauses de leur bail sont imposées par un règlement type. La loi de 1946 a unifié les baux de fermage. Le fermier (locataire) est maître de l'exploitation et de l'organisation de sa ferme. Il peut transformer une prairie en terre de culture et vice versa, effectuer un plus grand nombre de travaux, mettre en œuvre les moyens culturaux de son choix. *Reprise* triennale au cours du 1er bail de 9 ans remplacée par une reprise sexennale au cours du 2e, afin d'assurer au fermier une garantie d'exploitation de 15 ans au moins. Le propriétaire ne peut reprendre l'exploitation si le fermier, au terme du bail, est à 5 ans de la retraite. Le bailleur reprenant un fonds doit l'exploiter lui-même 9 ans. **Vente.** Selon la loi du 15-7-1975, le fermier peut faire jouer son droit de préemption pour un de ses descendants.

> Autrefois, une exploitation agricole se suffisait à elle-même ; le surplus était vendu pour acquérir les biens de consommation indispensables et pour payer les impôts. Si cet apport était insuffisant, le paysan travaillait pour un salaire hors de l'exploitation en étant journalier ou artisan. Chaque société villageoise, avec ses agriculteurs (petits, moyens et gros exploitants) et ses pauvres sans terres (domestiques, ouvriers agricoles), ses médiateurs (notables, officiers ministériels, prêtres, instituteurs, médecins), quelques négociants, patrons de manufactures, artisans et petit personnel (admin., service), constituait un tout, avec des traditions communes. L'industrialisation et les besoins en main-d'œuvre qui en ont découlé ont bouleversé ce monde fermé.

Grandes entreprises. En Seine-et-M., les exploitations céréalières ont plus de 100 ha. Très mécanisées, elles utilisent peu de salariés. Ceux-ci, en général moins payés qu'à l'usine, ont des avantages en nourriture, logement, prix préférentiels pour certaines denrées.

Groupements agricoles d'exploitation en commun (Gaec). Mise en commun des moyens de production dans des conditions juridiques peu contraignantes pour permettre à des agriculteurs d'améliorer la rentabilité de leurs exploitations en les groupant. Chaque associé conserve les avantages qu'il possédait lorsqu'il était exploitant individuel, et doit participer au travail en commun dans des conditions comparables à celles existant dans les exploitations de caractère familial. *Nombre :* 37 700 (1988).

Groupements fonciers agricoles (GFA). Stés civiles ayant pour objet la création ou la conservation d'une ou plusieurs exploitations agricoles en vue de faciliter leur gestion, notamment en les louant. Permettent de regrouper des terres ou d'éviter leur démembrement, de résoudre les problèmes de financement en incitant les capitaux à s'investir ou, à tout le moins, demeurer à la terre. Depuis 1974, les Safer peuvent faire partie à titre transitoire d'un GFA, sans détenir plus de 30 % des parts ni faire partie du conseil d'administration. Selon le Cerc (Centre d'étude des revenus et des coûts), les GFA obtiennent des fermages de 20 % sup. à la moyenne.

Groupements de production. Ex. : *Groupement cantonal* réunissant, moyennant une cotisation très faible, un certain nombre d'adhérents qui apportent leurs porcs (un minimum de truies étant requis). *Groupement départemental* emmenant aux abattoirs avec lesquels il a passé contrat ; les porcs sont payés aux producteurs selon un barème commun, les prix étant établis selon le rendement et la qualité. *Nombre* (1981) : 1 344.

Installations. *Moyenne annuelle (1975-78) :* 37 000. *(1985-87) :* 35 000 dont enfant de l'ancien chef 14 600 (86 % d'hommes), conjoint 15 100 (93 % de femmes), autres cas 5 300 (85 % d'hommes) ; dont (en %) – *de 35 ans :* 33, *35-44 ans :* 19, *45-54 ans :* 14, *55-64 ans :* 29, *65 ans et + :* 5 ; dont vivaient auparavant hors agric. : 21 %. *En 1988 :* 10 809 dotations à des jeunes pour 766 850 000 F.

Métayage. Le propriétaire d'une terre en cède l'usage à un locataire ou métayer, moyennant une rétribution (en général 1/3 des produits de l'exploitation ; dans ce cas le bailleur participe pour 1/3 aux dépenses de l'expl.). *Contrat min. :* 9 ans renouvelable. La loi du 1-8-1984 rend la conversion du métayage toujours possible, même pour les b. à long terme ; la conversion est automatique quand elle est demandée par un métayer en place dep. 9 ans ou +.

Statistiques

Répartition du territoire (en millions d'ha)	SAU (superficie agricole utilisée)	non cultivé	forestier y compris peupleraies	ni agricole ni forestier
1938	34,5	5,7	10,7	4,2
1950	33,5	6,7	11,3	4,7
1960	34,5	4,2	11,6	4,8
1970	32,5	3,0	14,4	4,9
1980	31,7	2,8	14,6	5,8
1989	31,2	2,7	14,7	6,3

■ **Superficie. Des propriétés non bâties imposables et des sols de propriétés privées** (en milliers d'ha, au 1-1-1989) : terres 19 733,3, bois 13 115,9, prés 9 832,5, landes 5 149,7, sols 1 673,1, vignes 1 101,1, vergers 570, jardins 372,7, eaux 282,3, parcelles non taxées 260,8, terrains d'agrément 220,4, terrains à bâtir 182,9, chemin de fer 94,2, carrières 40,5. **Surface agricole utilisée (SAU)** (en milliers d'ha en 1991) : 30 488,5 dont *terres arables* 18 031 [dont prairies non permanentes 2 837,9, fourrages annuels 1 746,1, oléagineux (y c. semences) 1 846,8, p. de terre, lég. frais et secs 1 142,3, bett. industr. 457,5, jardins et vergers familiaux 227, racines et tub. fourragers 84,8, jachères 312,9, semences et plants divers 58,1, plantes textiles (y c. semences) 42,7, pl. médic. et à parfum 23, cult. ind. diverses 15,6, cult. florales 6,9] ; *surfaces toujours en herbe* 11 248 ; *vignes* 952,5 ; *cultures fruitières* 236,6 ; *pépinières*

Prix des terres agricoles selon les départements[1] (en 1991, en F par ha)

1 : terres labourables. 2 : prairies naturelles

	1	2
ILE-DE-FRANCE	30 000	30 800
Seine-et-Marne	29 700	–
Yvelines	29 700	32 500
Essonne	32 100	–
Val-d'Oise	29 000	31 600
CHAMPAGNE-ARDENNE	23 100	14 500
Ardennes	24 500	17 000
Aube	25 000	15 000
Marne	25 400	17 000
Haute-Marne	12 500	11 000
PICARDIE	30 000	24 300
Aisne	28 300	19 800
Oise	27 000	26 400
Somme	33 700	29 300
HAUTE-NORMANDIE	31 800	28 100
Eure	30 300	25 600
Seine-Maritime	33 700	29 600
CENTRE	22 100	11 300
Cher	16 600	9 500
Eure-et-Loir	38 700	20 300
Indre	14 300	10 100
Indre-et-Loire	16 800	11 800

	1	2
Loir-et-Cher	19 400	13 400
Loiret	27 200	13 800
BASSE-NORMANDIE	22 300	21 700
Calvados	24 000	24 000
Manche	25 700	23 600
Orne	17 500	17 300
BOURGOGNE	14 200	11 100
Côte-d'Or	12 800	9 100
Nièvre	15 100	11 800
Saône-et-Loire	9 800	11 400
Yonne	16 300	12 300
NORD-PAS-DE-CALAIS	30 900	24 900
Nord	35 800	24 100
Pas-de-Calais	27 900	25 700
LORRAINE	15 400	13 900
Meurthe-et-Moselle	15 200	13 500
Meuse	14 100	14 000
Moselle	16 900	13 400
Vosges	15 300	14 600
ALSACE	34 200	21 100
Bas-Rhin	33 700	17 300
Haut-Rhin	34 800	28 500

	1	2
FRANCHE-COMTÉ	13 900	12 600
Doubs	14 700	16 100
Jura	14 100	9 800
Haute-Saône	13 000	11 100
Belfort (Terr. de)	18 300	17 800
PAYS-DE-LA-LOIRE	12 700	11 600
Loire-Atlantique	7 900	7 200
Maine-et-Loire	12 000	10 100
Mayenne	17 900	16 600
Sarthe	15 000	11 600
Vendée	11 700	8 300
BRETAGNE	22 400	13 300
Côtes-d'Armor	21 400	7 600
Finistère	23 500	9 500
Ille-et-Vilaine	24 800	20 100
Morbihan	20 200	10 300
POITOU-CHARENTES	18 200	12 200
Charente	18 400	11 600
Charente-Maritime	24 000	14 500
Deux-Sèvres	13 000	11 800
Vienne	15 800	11 400
AQUITAINE	24 000	17 000
Dordogne	19 300	15 700

	1	2
Gironde	19 700	12 100
Landes	24 700	14 800
Lot-et-Garonne	24 600	14 300
Pyr.-Atlantiques	28 800	22 000
MIDI-PYRÉNÉES	22 900	19 800
Ariège	15 600	10 600
Aveyron	28 700	29 900
Haute-Garonne	20 400	10 900
Gers	24 600	14 800
Lot	18 600	18 000
Hautes-Pyrénées	28 100	18 500
Tarn	20 900	18 100
Tarn-et-Garonne	20 100	12 900
LIMOUSIN	13 800	11 600
Corrèze	19 500	14 400
Creuse	8 800	8 600
Haute-Vienne	15 000	12 100
RHÔNE-ALPES	24 900	18 000
Ain	19 000	12 000
Ardèche	21 300	15 300
Drôme	26 900	11 800
Isère	27 300	22 400
Loire	14 700	13 500
Rhône	25 100	21 200
Savoie	33 200	20 200
Haute-Savoie	48 900	30 400

	1	2
AUVERGNE	20 300	15 100
Allier	16 300	11 800
Cantal	22 300	19 500
Haute-Loire	15 000	15 300
Puy-de-Dôme	26 100	14 300
LANGUEDOC-ROUSSILLON	27 700	12 900
Aude	27 600	12 100
Gard	33 000	–
Hérault	27 800	7 500
Lozère	11 900	12 800
Pyrénées-Orientales	45 600	18 100
PROVENCE-ALPES CÔTE D'AZUR	31 600	27 500
Alpes Hte-Provence	22 900	13 100
Hautes-Alpes	23 200	16 500
Alpes-Maritimes	37 600	22 400
Bouches-du-Rhône	40 400	52 100
Var	25 000	22 700
Vaucluse	39 200	31 400
CORSE	19 300	12 400
Corse-du-Sud	14 300	13 300
Haute-Corse	20 100	9 700
FRANCE MÉTROP.	21 900	15 825

Nota. – (1) Chiffre estimé. Les prix indiqués sont valables pour des parcelles d'au moins 1 ha, libres à la vente. Le prix de terres louées est moins élevé : moins-value de 10 à 30 % et plus selon la durée du bail restant à courir. Cette différence s'accroît dans plusieurs régions, principalement l'Ouest, les investisseurs non agriculteurs se détournant du placement en terre en raison de la faible rentabilité des fermages. Les exploitations entières ont une moins-value d'env. 10-15 % par rapport au prix des parcelles : concurrence entre voisins, difficultés de financement. *Source :* Ministère de l'Agriculture, « Agreste » nº 39-1992.

ÉVOLUTION ANNUELLE DU PRIX DES TERRES LABOURABLES ET PRAIRIES NATURELLES EN %

Valeurs	1980	1981	1982	1983	1984	1985	1986	1987	1988	1989	1990	1991
V. courante :												
Terres lab.	+ 5,3	+ 3,0	+ 0,6	– 1,0	– 0,8	– 0,8	– 0,9	– 1,3	– 0,2	+ 1	+ 1,9	– 0,8
Prairies nat.	+ 6,1	+ 2,6	– 1,0	– 2,2	– 2,4	– 2,3	– 3,4	– 3,0	– 2,3	+ 0,2	+ 0,6	– 1,9
Ensemble	+ 5,6	+ 2,9	0,0	– 1,5	– 1,3	– 1,2	– 2,0	– 1,8	– 0,8	+ 0,7	+ 1,5	– 1,1
V. réelle :												
Terres lab.	– 5,2	– 7,1	– 9,6	– 9,8	– 7,5	– 6,6	– 5,9	– 4,4	– 3,6	– 2,3	+ 1,9	—
Prairies nat.	– 4,5	– 7,5	– 11,1	– 10,8	– 9,0	– 8,0	– 8,3	– 6,0	– 5,6	+ 3,1	+ 0,6	—
Ensemble	– 5,0	– 7,2	– 10,2	– 10,1	– 7,9	– 7,0	– 6,9	– 4,8	– 4,2	– 2	+ 1,5	—

18,1 ; *cultures permanentes autres* 2,2. **Surfaces boisées :** 14 595,4. **Terres non agr.** 6 504,4. **Terres agricoles non cultivées :** 2 957,1. **Peupleraies :** 228,9. **Étangs en rapport :** 134,3. **Surface totale révisée :** 54 908,6 (sans Paris).

SAU selon le mode de faire-valoir (en ha, 1990). *Faire-valoir direct* 12 212 000 (43 %), *fermage* 15 844 (56 %), *métayage* 131 000 (moins de 1 %). *Total* 28 187 000.

■ **Nombre d'exploitations en milliers et**, entre parenthèses, **SAU** (en milliers d'ha 1990). 923,6 (28 186,7) dont 581,5 à temps complet. Bretagne 82,6 (1 735,8). Midi-Pyr. 82 (2 323). P. de la Loire 77,7 (2 240,7). Rh.-Alpes 79,7 (1 620). Aquitaine 70,5 (1 503,6). Languedoc-Roussillon 60,6 (1 021,9). Poitou-Charentes 51,1 (1 791,2). B.-Norm. 50,1 (1 310,8). Centre 48,1 (2 431,8). Auvergne 40,3 (1 524,2). Pr.-Alpes-Côte d'Azur 39,4 (617,8). Bourgogne 34,6 (1 780,7). Champ.-Ardennes 33,5 (1 548,7). Nord-P.-de-Calais 27,4 (863,3). Limousin 27,4 (885). Lorraine 24 (1 113,5). Picardie 22,4 (1 350,7). H.-Norm. 21,7 (817,6). Alsace 19,8 (327,5). Fr.-Comté 17,8 (671,5). Ile-de-Fr. 8,7 (585,3). Corse 4,2 (122,4).

Nombre d'exploitations en l'an 2000 : env. 700 000.

Exploitations (sup. 1990)	Nombre (1 000)	%	SAU (1 000 ha)	%
– 5 ha	249	27	487	2
5/19,9 ha	236	26	2 716	10
20/49,9 ha	260	28	8 502	30
50/99,9 ha	131	14	8 962	3
100 ha et +	48	5	7 520	27
Total	*924*	*100*	*28 187*	*100*

Superficie moyenne. *1979 :* 23 ha. *90 :* 31 ha. *2000* (est.) : env. 40 ha. Mis à part les ateliers de prod. hors sol, les exploitations de moins de 5 ha ne sont plus guère exploitées que par des retraités âgés et sont condamnées à disparaître, ou constituent une activité complémentaire pour des personnes travaillant à plein temps hors de l'exploitation.

Marge brute standard (MBS). Compte tenu de la surface ou du cheptel, de l'activité et de la région considérée. *Moyenne* (1990) : 23 700 écus (l'équivalent de 30 ha de blé). 28 % des exploit. ont une taille inférieure à 6 ha d'équivalent blé (en %) : *– de 12 ha d'équivalent blé :* 11. *12 à 24 :* 15. *24 à 60 :* 28. *60 et + :* 18.

Gel des terres. La CEE a instauré (règlements des 25-4 et 29-4-1988) un régime d'aides destinées à encourager le retrait des terres arables. Les terres retirées de la prod. doivent au moins représenter 20 % des terres arables de l'exploitation privée et être mises hors culture pendant au moins 5 ans (friches ou jachères ; boisées ou utilisées à des fins non agricoles). Une aide compensatoire au revenu est prévue sur 5 ans. **Terres gelées en 1990-91** (au titre de cette campagne ou des précédentes) **en milliers d'ha et,** entre parenthèses, **primes en écus/ha :** *France* 200 (195 à 481). *RFA* 293 (300 à 600). *Ex-RDA* 599 (190 à 290). *P.-B.* 15 (700). *Ital.* 609 (380 à 600). *CEE 1908.*

Superficie des friches (est. 1990 et, entre parenthèses 1982, en milliers d'ha) : alpages pâturés 597,3 (588,6), superficies en herbe à faible productivité 1 358,1 (1 346,3), friches 559,1 (515,1), landes 1 507,4 (1 636,9), maquis, garrigues 536,6 (547,4), terrains vagues urbains 45,5 (57,7). *Total 4 604 (4 692).*

Plantes devant être utilisées comme couvert. *Brome* cathartique, Sitchensis, *Fétuque* élevée, rouge, *Gesse* commune, *Lupin* blanc, *Mélilot, Minette, Moha, Moutarde* blanche, brune, noire, *Navette* fourragère, *Pâturin* commun, *Phacelie, Radis* fourrager, *Ray-grass* anglais, italien, hybride, *Sainfoin, Serradelle, Trèfle* d'Alexandrie, de Perse, incarnat, blanc, violet, hybride, *Vesce* commune, velue, de Sardagne.

Hydraulique agricole (en milliers d'ha, 1990). *Superficie drainée* par drains enterrés 2 453 ; *irrigable* 2 100 ; *irriguée* 1 485. **Cultures irriguées (pour 100 ha irrigués)** (en %, 1990) : maïs 36, légumes, fleurs 22, cultures permanentes 12, fourrages 9, tournesol 6, soja 3, blé dur 5.

Marché foncier rural (en milliers d'ha, 1988) sans tenir compte des échanges entre parents et des ventes de massifs boisés. 501,3 dont bâtis 183,8 (dont fermettes 21, exploit. agric. 121,1), non bâtis 317,5. Acquisitions 445 : *agriculteurs et SAFER :* 316 (dont fermiers 96), *non-agriculteurs et étrangers :* 109, *non déclarés :* 20 ; *90 :* 502 (17 800 millions de F) par 50 % de non-agriculteurs. *91 :* 455 *92 :* 432.

■ VALEUR VÉNALE DES TERRES AGRICOLES

■ **Facteurs.** Exemples : plus-values des plaines par rapport aux montagnes, des vallées fluviales par rapport aux plateaux, du littoral par rapport à l'intérieur, des abords des villes par rapport aux campagnes éloignées ; à l'intérieur d'une même région : différences liées à la fertilité, l'exposition, la situation de chaque terre. L'évolution de l'agriculture et l'usage des prairies temporaires et des aliments composés pour les animaux ont réduit l'écart des terres labourables et des prairies.

■ **Terres les plus chères.** Vignobles AOC, plaines de grande culture du Nord, du Bassin parisien et de Picardie (40 000-50 000 F l'ha en moy.) ; régions où les terres labourables sont fertiles et relativement rares : Normandie (la plus grande partie de la superficie totale est consacrée aux prairies), vallées du Rhône et de la Garonne, littoral méditerranéen (forte demande non agricole), ceinture de Paris.

Terres les moins chères. Régions montagneuses.

PRODUCTIONS PRINCIPALES (EN MILLIERS DE Q)

Culture	1981	1987	1988	1989	1990	1991	1992 prov.	Meilleure année		Plus mauv. an.	
								Production	An.	Production	An.
Abricots	865	597,8	970,4	1 225,1	1 004,3	1 066,0	1 591,8	1 632	63	136	56
Artichauts	1 016	356,4	884,5	969,9	971,2	902,2	746,2	1 025	80 [4]	356	87 [4]
Asperges	438	579	583,8	488,2	417,8	383,4	414,5	583,8	88 [4]	411	80 [4]
Avoine	17 561,9	10 980,4	10 737,5	10 339,6	8 478,1	7 339,6	6 903,9	46 042	56	6 903,9	92
Bett. fourragères	95 674,2	56 686,2	52 998,9	33 196,6	28 248,1	31 145,2	31 998,2	433 456	58	28 248,1	90
industrielles	364 287,6	262 841	286 058,7	283 138,9	317 345,8	295 282,7	313 341,5	331 986,2	81	77 599	59
Blé (tendre et dur)	227 767,7	272 206,9	397 599,3	318 134,2	333 125,1	343 972,4	325 999,7	397 599,3	88	56 826	56
Carottes	5 212	5 294	5 153	4 925,3	5 475,5	5 957,4	5 294,6	5 957,4	91	4 703	77 [4]
Cerises	1 120	880,2	734,8	1 015,9	890,7	563,9	743,6	1 688	65	521	91
Chanvre papier	391,4	305,3	245,2	174,05	209,4	214,1	265,5	n.c.		n.c.	
Châtaignes	248	81,6	215,8	136,4	135,6	124,0	142,3	1 366	53	65,5	85
Chicorée à café (racines)	1 206	901,2	1 392	1 006,4	1 326	1 096,1	1 473,2	2 226	70	227,5	77
Choux-fleurs	4 963	4 658,3	5 680,3	4 980,5	4 440,6	5 632,9	5 723,9	5 723,9	92	3 722	84 [4]
Choux fourrages	71 607,7	53 924	50 499,7	14 943,7	16 246,6	23 378,6	25 308,7	n.c.		n.c.	
Colza	10 054,7	26 583,6	24 694,6	18 705,2	19 731,4	22 895,5	18 615,3	26 583,6	87	732	56
Endives	1 754	1 912,5	4 458,7	4 220,1	4 176,6	4 562,6	4 660,7	n.c.		n.c.	
Fèves en vert (3)	72	6,2	n.c.	n.c.	n.c.	635,3	504,0	94	78 [4]	n.c.	
Fourrages annuels	684 013,7	193 162,3	n.c.	173 123,3	145 865,5	185 600,2	206 145,5	762 924,8	83	30 358	52
Fraises	787	1 002	950,6	340,7	878,2	804,9	799,6	1 002	87 [5]	787	81 [5]
Haricots secs	177,4	2 326,2	563,2	457,5	417,4	86,7	113,7	1 196	56	86,7	91
Haricots verts	2 107	2 326,2	2 296	2 343,5	2 017	2 985,4	2 935,9	2 985,4	91	1 646	80 [4]
Houblon	15,2	7,2	8,6	7,6	7,9	7,3	9,4	23	59	7,2	87
Lait (milliers d'hl)	314 754	337 989,4	316 739,3	261 754,7	265 776,3	256 869,9	251 967,1	337 989,4	87	150 000	52
Lentilles	117,9	n.c.	n.c.	66,8	72,4	60,6	33,2	192,1	79	33,2	92
Lin oléagineux	58,1	n.c.	281,2	48,9	42,3	53,4	106,7	1 656,8	76	15	72
Lin textile (1)	1 768,5	3 360,7	3 796,6	3 141,3	3 650,9	2 613,3	1 976,2	5 073	64	1 478,4	76
Maïs	91 458,5	123 301,6	141 199,5	133 325,5	92 910	127 972,4	146 132,1	146 132,1	92	4 043	50
Melons	2 120	2 791,8	2 804,6	2 887	3 075	3 431,8	3 018,8	3 431,8	91	568,4	45
Méteil	193,9	143,5	137,9	n.c.	n.c.	–	n.c.	n.c.		n.c.	
Millet	29,3	n.c.	n.c.	n.c.	–	–	n.c.	n.c.		n.c.	
Noix (2)	162	174,7	181,3	258,5	245,6	165,1	241,3	411	52	115	57
Œillette	155,9	20,8	n.c.	21,3	27,5	2,7	40,0	n.c.		n.c.	
Orge	101 022,1	103 997,4	100 861,5	98 403,5	100 199,4	106 468,0	104 736,0	117 155,5	80	15 718	50
Pêches	4 230	4 844,1	3 506,6	5 258,5	4 915,7	2 820,0	3 459,9	6 148	68	1 049,6	76
Poires de table	4 553	4 294,5	3 552,7	3 419,4	3 306,4	2 260,3	3 914,3	5 529	71	1 227	51
Poireaux	2 251	2 256,8	2 262,5	1 979,1	1 953,9	2 044,0	2 174,2	2 796	77	2 044	91
Petits pois (3)	4 439	1 575,5	1 896,4	2 036,2	2 049,7	1 903,5	1 964,1	2 330,7	82	96	67
P. et poires à cidre	3 869	5 870		4 661,3	4 313,6	3 877,0	5 400,3	58 639	50	522,9	85
Pommes de table	15 702	19 185,3	19 328,7	18 618,5	19 148,6	12 861,2	23 441,3	23 441,3	92	1 788	57 [5]
Pommes de terre	63 463,7	53 422,1	63 438,1	47 380,5	47 792,1	54 560,9	64 953,3	168 467	56	41 926	76
Prairies artific.	69 680,1	54 274,2	50 926,8	39 784	41 553,5	43 763,4	51 711,7	185 181	48	39 784	89
temporaires	196 521,5	183 076,9	n.c.	116 304,2	125 608,3	147 493,2	173 661,8	217 306,2	77	30 656	52
Prunes	872	822,1	2 221,6	838,8	812,5	1 172,1	1 094,5	2 226,1	88	258,1	76
Prunes à pruneaux	789	894,3	1 375,2	709,1	1 075,9	810,0	1 916,6	1 375,2	88	70	58
Raisins de table	2 192	2 012	1 697,4	1 435,5	1 467,1	885,7	1 196,9	3 409	66	858,8	91
Riz paddy	185	595,2	652,1	1 058,3	1 213	1 101,8	1 235,6	1 405	58	201,5	81
Salades	4 590	4 817,7	n.c.	4 561,2	4 827,3	4 798,1	5 070,8	5 138	91	4 087	84
Sarrasin	67,8	n.c.	n.c.	n.c.	n.c.	n.c	n.c.	3 729,8	32	67,8	81
Seigle	3 304,4	2 977,7	2 757,7	2 608,1	2 362,3	2 170,8	2 070,6	6 612	65	2 070,6	92
Soja	190,4	2 104,8	2 549,3	3 058,5	2 556,5	1 628,4	771,2	n.c.		n.c.	
Sorgho	3 206,4	1 903,4	2 341,7	3 006,1	2 643,4	3 946,4	5 767,9	n.c.		n.c.	
Tabac	423,8	337,2	326,1	285,7	276,3	290,7	260,3	638	57	260,3	92
Tomates	8 189	7 092,2	7 430	8 015,1	8 408,8	8 118,3	5 797,6	9 403	85 [4]	5 797,6	92
Tournesol	4 232,8	26 083,7	24 566,5	20 653,8	23 120,7	26 000,7	21 582,3	26 083,7	87 [4]	824,2	78
Vin (milliers d'hl)	60 611,3	89 847,7	57 136,5	60 486,3	65 438,8	47 712,9	63 086,8	92 815,3	86	32 500	57

Nota. – (1) Paille et graines. (2) Pour fruit et pour huile. (3) Gousses. (4) Dep. 1978. (5) Dep. 1977.

ÉVOLUTION DES SURFACES CULTIVÉES (EN MILLIERS D'HA)

	Froment (blé)	Seigle	Orge	Avoine	Riz	Maïs	Better. fourrag.	Better. industr.	P. de terre	Sorgho
1900	6 864	1 420	757	3 941	–	541	492	330	1 510	
1910	6 554	1 212	748	3 951	0,5	482	729	297	1 547	
1938	5 050	631	759	3 245	0,3	340	976,8	319	1 425	
1950	4 319	504	962	2 353	10,9	325	848,4	395	988	
1961	3 960	263	2 263	1 421	32,9	965	775,6	360	878	8,3
1970	3 746	132	2 953	805	21,5	1 483	452	403	410	55
1975	3 858,3	111,1	2 721,7	629,7	9,7	1 983,9	295,8	601,6	292,9	85,2
1980	4 576,4	127,7	2 648,2	534,3	6,8	1 752,3	186	544,6	247,6	70,8
1985	4 827,8	88,2	2 255,3	431	11,2	1 857,9	117,2	490,2	211,4	43,6
1989	5 012,9	72,9	1 834,4	266,2	17,5	1 940,6	61,8	433,2	158,8	71,5
1990	5 149,7	64,5	1 756,4	218	20,4	1 560,9	55,7	474,7	164,4	66,7
1991	5 153,2	58,4	1 748,5	177,4	21,2	1 766,1	54,1	457,6	196,5	69,7

■ Évolution. *1950-53 :* stabilisation monétaire et baisse en valeur réelle en 1951 et 1952. *1954 et 1955 :* + 5 à 6 %. *1956-57-58 :* « boom » ; *1956 et 1957 :* + 20 % : début de la guerre d'Algérie et installation (dans le Midi) des colons du Maroc et de Tunisie. *1959-60 :* stabilisation. *1961-64 :* hausse ; les rapatriés d'Algérie achètent des terres, + 50 % en valeur réelle. *1965 :* stabilisation. *1969 :* baisse en valeur réelle. *1970 :* hausse moyenne de 10,4 % par an (inflation : – de 9 % par an). De 1950 à 1980 : + 2 000 % en valeur courante, + 300 % en valeur réelle. *Dep. 80 :* baisse en valeur réelle sauf pour les vignobles.

Terres labourables. **Prix moyen** (en F l'ha) : *1986 :* 22 000, *87 :* 21 700, *88 :* 21 650, *89 :* 22 100, *90 :* 22 525, *91 :* 21 900 (– 0,8 %), *92 :* 19 500, *93 :* 18 600. Prairies naturelles : *1986 :* 17 000, *87 :* 16 450, *88 :* 16 025, *89 :* 16 075, *90 :* 16 175, *91 :* 15 825 (– 1,9 %).

■ Terres louées (% de moins-value par rapport aux terres libres). 10 à 30 % (baux de 9 ans) à 45 % si début de bail à long terme.

■ Terrains maraîchers. *Situés près des villes* (deviennent souvent des terrains à bâtir). *Moyenne 1981 :* 79 150. *82 :* 77 950. *83 :* 76 700. *84 :* 73 100. *85 :* 69 650. *86 :* 66 600. *87 :* 64 600. *88 :* 65 500. *89 :* 66 500.

Régions purement maraîchères : Val de Loire, Gironde 30 000 à 100 000 ; P.-Or. 70 000 à 210 000 ; Finistère 60 000 à 250 000 ; A.-Maritimes 150 000 à 650 000 ; C.-d'Or 20 000 à 30 000 ; Lorraine 25 000 à 70 000 ; P.-Char. 20 000 à 30 000.

■ Vergers. *Prix moyen 1980 :* 46 000 F l'ha. *86 :* 55 150, *87 :* 55 400, *88 :* 56 100, *89 :* 56 750. *90 :* 57 875. *91 :* 58 650.

■ Vignobles. *1985* non AOC 41 400 (AOC 108 625). *86 :* 41 525 (124 200). *87 :* 42 250 (131 400). *88 :* 47 075 (137 600). *89 :* 52 100 (158 900). *90 :* 69 800 (179 150) dont Champagne + de 900 000, Bourgogne 350 000, Alsace 300 000, Bordelais 200 000. *91 :* non AOC 78 600 (AOC 260 000).

Prix maximum des vignes à AOC (1989). Pomerol 500 000 F à l'ha, Beaujolais 700 000, Romanée-Conti (Bourgogne) 25 000 000.

■ Valeur locative des terres agricoles

Revenu brut moyen (en % par rapport à la valeur vénale) 2 à 3,5 %. Écarts : 1,2 Indre et Tarn-et-Gar., 5,8 Gironde pour les terres labourables, 1,3 Haute-Vienne et 6,6 Saône-et-L. pour les prairies naturelles. Le propriétaire doit déduire les charges qu'il supporte (impôts, assurances et entretien des bâtiments).

Il fut des époques où les fermages ont représenté de 4 à 5 % de la valeur d'un patrimoine foncier agricole. Des *baux de chasse* offrent dans certaines régions des revenus supplémentaires. Ils sont, fréquemment, 2 à 3 fois plus chers que le fermage en Alsace, en Sologne et dans le Quercy. Dans certaines régions, diverses pratiques améliorent la valeur locative. Ainsi, dans le Nord, la Picardie, la Champagne, le Bassin parisien, l'usage du « droit au bail », versé par les fermiers prenant une exploitation en location, s'est répandu, bien que la loi l'interdise. Ce « prix du vent » atteint des sommes considérables mais le « fermier sortant » est parfois seul à en profiter.

Dans les zones d'élevage, des « contrats de vente d'herbe », laissant aux propr. les charges d'entretien de leurs fonds et l'intégralité des charges fiscales et parafiscales qui s'y attachent, leur permettent d'obtenir des loyers plus élevés et de conserver, d'une année sur l'autre, la libre disposition de leur bien.

Rapport du fermage à l'ha (en écus, 1990, pour les terres labourables). Belg. 140 (prairies 136), *France 74,* Grèce (t. lab. irriguées) 430, Lux. 132, P.-Bas 249 (pr. 201), G.-B. (1989), Angl. 144, P. de Galles 79, Écosse 96.

L'indexation du fermage sur les prod. animales (viande, lait) offre une meilleure rentabilité (589 F/ha en moyenne) que celle sur les prod. végétales (502 F) ; en l'absence d'indexation, 425 F. Un bail écrit permet un taux de rendement net sup. d'env. 15 % à celui d'un bail verbal.

■ Céréales

Production et rendements (évolution). Production moyenne en millions de t (rendement en quintaux à l'ha). **Avoine :** *1901-10 :* 4,6 (12). *11-20 :* 3,9 (11,8). *21-30 :* 4,6 (13,5). *31-40 :* 4,6 (14,3). *41-45 :* 2,6 (11,1). *46-50 :* 3,3 (13,4). *51-55 :* 3,6 (16,2). *56-60 :* 3,1 (18,5). *61-65 :* 2,6 (20,8). *66-70 :* 2,5 (26,1). *71-77 :* 2 (29,8). *78-82 :* 1,9 (35,3). *80-84 :* 1,8 (36,7). *88 :* 1,1 (39). *89-90 (prév.) :* 1 (37,8). **Blé dur :** *1956-60 :* 0,4 (14,6). *61-65 :* 0,7 (18,8). *66-70 :* 0,3 (26,4). *71-77 :* 0,5 (28,2). *78-82 :* 0,4 (33,5). *80-84 :* 0,5 (37,2). *89-90 (prév.) :* 1,3 (44,3). **Blé tendre :** *1901-10 :* 8,9 (13,5). *11-20 :* 6,7 (12,32). *21-30 :* 7,6 (14,18). *31-40 :* 7,9 (15,52). *41-45 :* 5,6 (13,45). *46-50 :* 6,7 (16,5). *51-55 :* 9,1 (16,5). *56-60 :* 10,8 (23,3). *61-65 :* 12,4 (29,2). *66-70 :* 13,3 (34,7). *71-77 :* 16,5 (42,7). *78-82 :* 22,1 (50,5). *80-84 :* 26 (55). *89-90 (prév.) :* 30,6 (64,9). **Maïs** *1901-10 :* 0,6 (12,1). *11-20 :* 0,4 (11,1). *21-30 :* 0,4 (12,1). *31-40 :* 0,5 (15,5). *41-45 :* 0,2 (1,6). *46-50 :* 0,3 (10,3). *51-55 :* 0,8 (20,8). *56-60 :* 1,9 (28,8). *61-65 :* 2,8 (29,8). *66-70 :* 5,4 (47,7). *71-77 :* 8,4 (47,7). *78-82 :* 9,6 (54,9). *80-84 :* 10,2 (60,1). *89-90 (prév.) :* 13,1 (69,3). **Orge** *1901-10 :* 0,9 (12,9). *11-20 :* 0,8 (12,2). *21-30 :* 1 (14,3). *31-40 :* 1,1 (14,7). *41-45 :* 0,7 (10,9). *46-50 :* 1,3 (14,8). *51-55 :* 2,2 (18,5). *56-60 :* 5 (25,1). *61-65 :* 6,6 (27,9). *66-70 :* 8,8 (31,4). *71-77 :* 9,7 (35,5). *78-82 :* 10,9 (41,4). *80-84 :* 10,6 (45). *89-90 (prév.) :* 9,8 (54). **Riz paddy** (prod. en millions de quintaux) *1942-45 :* 0,012. *46-50 :* 0,17. *51-55 :* 0,7 (37). *56-60 :* 1,2 (40). *61-65 :* 1,2 (39,5). *66-70 :* 1 (39,8). *71-77 :* 0,4 (34,2). *78-82 :* 0,3 (39,5). *80-84 :* 0,03 (46,8). *88 :* 0,6 (48). **Seigle** *1901-10 :* 1,3 (10,6). *11-20 :* 0,9 (9,9). *21-30 :* 0,9 (11,2). *31-40 :* 0,7 (11,7). *41-45 :* 0,3 (8,4). *46-50 :* 0,5 (11,1). *51-55 :* 0,5 (11,5). *56-60 :* 0,4 (13,2). *61-65 :* 0,4 (15,7). *66-70 :* 0,3 (19,8). *71-77 :* 0,3 (26,3). *78-82 :* 0,4 (30,2). *80-84 :* 0,3 (31,1). *89-90 (prév.) :* 0,3 (35,5). **Sorgho** *1961-65 :* 0,04 (30,6). *66-70 :* 0,2 (31,9). *71-77 :* 0,2 (37). *78-82 :* 0,3 (44,5). *80-84 :* 0,3 (46,7). *88 :* 0,2 (55). *89-90 (prév.) :* 0,3 (44,3). **Triticale** *1988 :* 0,5 (42). *89-90 (prév.) :* 0,6 (43).

■ Industries agro-alimentaires

Source : Ania.

Entreprises de + de 10 salariés. *1991 :* 4 071. **Salariés** *1991 :* 488 000. **Investissements** (en milliards de F) : *1990 :* 22,2. *91 :* 22. **Chiffre d'affaires** (1991, en milliards de F) : 672,5 (487 en 1986) dont en % (1990) : ind. du lait 25,8, de la viande 23, travail du grain 16,1, fab. des boissons et alcools 12,2, conserverie 7, prod. alim. divers 14,4. **Exportations** (1991, en milliards de F) : 126,7 (excédent : 29,7).

■ Commerce extérieur

Solde de la balance commerciale (en milliards de F). *1970 :* – 0,4. *80 :* + 16. *85 :* + 34,2. *86 :* + 28,2. *87 :* + 31,7. *88 :* + 41,6. *89 :* + 50,9. *90 :* + 34,5 (exp. 119,9, imp. 85,5). *91 :* + 44,4 (exp. 193,3, imp. 148,9). *92 :* 53,2 (exp. 200,56, imp. 147,4).

Échanges agro-alimentaires. **Importations et,** entre parenthèses, **exportations** (en milliards de F, 1992) : *agriculture, sylviculture, pêche :* 50,56 (83,88) dont produits de l'agriculture 32,5 (77) [dont fruits et légumes 15,91 (10,77), oléagineux, fleurs 7,3 (6,85), animaux, œufs 3,53 (9,82), laines et divers 2,5 (0,43), vins 2,3 (16,04), céréale 1 (33,05)], produits exclusivement importés 8,8 (0,83) [dont fruit tropical, café, cacao 6,62 (0,61), textiles trop. 0,9 (0,11), oléagineux trop. 0,3 (0,06), divers 1 (0,05)], produits de la pêche 7,4 (3,74), sylv., exploitation forestière 1,9 (2,32). *Industrie agricole et alimentaire :* 96,8 (116,7) dont produits animaux 24,1 (22,9) [dont viandes, conserves 23,05 (20,81), peaux brutes 1 (2,1)], conserves 14,66 (5,75), boissons, alcools, tabac 13,53 (25,58), produits alimentaires, divers 12,35 (13,7), produits de céréale 11,65 (17,28), lait, prod. laitiers 10,14 (21,1), corps gras, sucre, divers 8,73 (2,75), sucre 1,69 (7,64), corps gras alimentaire 1 (33,05), textiles trop. 0,9 (0,11). *Total général* 147,36 (200,56).

Principaux produits exportés (en milliards de F, 1991). Blé tendre 13,8, cognac et armagnac 8,7, sucres 7,4, maïs en grains 7,3, champagne 6,5, aliment pour animaux 4,8, bœufs 4,6, orge de brasserie 3,9, vins de Bordeaux AOC 3,8, vins rouges AOC 3,6, fromages pâte molle 3,4, vins de table 3,1, tournesol 2,9, autres produits alimentaires divers 2,7, viande de poulet congelée 2,6, colza et navette 2,6, préparations alimentaires diverses 2,5, légumes secs écossés 2,4, carcasses 2,2, lait sec en vrac 2,1. *Source :* Douanes.

Soldes commerciaux avec les principaux pays (en milliards de F, 1990). *Excédents :* Italie 18,9. Allemagne 16,6. G.-B. 8. Belg.-Lux. 4,9. Suisse 4,1. Japon 3,7. Algérie 2,7. URSS 1,7. USA 1,6. Arabie S. 1,4. Hong Kong 1,4. Égypte 1,3. Portugal 1,3. *Déficits :* Brésil 4,9. Danemark 2,7. Irlande 2,3. Maroc 2,1. Argentine 1,8. Côte-d'Ivoire 1,5. Norvège 1,4. Israël 1. Sénégal 0,9. P.-Bas 0,8. Islande 0,8. Indonésie 0,8. Afr. du S. 0,7.

Place de la France sur le marché mondial. **Principaux exportateurs de produits agro-alimentaires** (en milliards de F, 1991) : *France 125,5,* P.-B. 112,7, All. 98,2, USA 93,8, G.-B. 58,6. En % du chiffre d'affaires : All. 22,1, *France 20,7,* G.-B. 18,6, Ital. 12,8, P.-B. 8,2, Esp. 6,7, Belg.-Lux. 3,7, Dan. 3,6, Irl. 2,4, Grèce 1,2. **Principaux importateurs :** Japon 223. Allemagne 196,8. USA 189. *France 132,5 (1990 : 132,9).* G.-B. 132,1. Italie 128,8. URSS 107 (1988). P.-Bas 93.

Balances agroalimentaires (en milliards de F, 1989). *Excédentaires :* USA 77,4. P.-Bas 70,6. Brésil 54. *France 51 (1990 : 52,2).* Argentine 31,2. Australie 31,1. Danemark 30. Thaïlande 24,6. N. Zél. 22. *Déficitaires :* Japon 210. URSS 89. Allemagne 82,4. Italie 70. G.-B. 61. Hong Kong 36,2. Égypte 32,5. Arabie S. 17,6. CEE 59,7.

■ Industrie de la conserve

Source : Confédération française de la conserve.

☞ 1 t 1/2 brut = 1 000 boîtes 1/1 ou 4/4 de 850 cm³.

■ Nombre d'entreprises (1992). 581. **Chiffre d'affaires** (en millions de F, HT) : 21 215.

■ Production. **Conserves** (en milliers de t 1/2 brut). : *1955 :* 201. *60 :* 446. *65 :* 625. *70 :* 1 101. *75 :* 1 455. *81 :* 1 953. *84 :* 2 131. *90 :* 2 438. *92 :* 2 597.

Légumes (en milliers de t 1/2 brut, 1992) : Tomates 81 (dont concentré 34,2, pelées 32). Champignons de couche 167,8. Haricots verts et mange-tout 294,8, petits pois 177,1, pois et carottes 173,9, maïs 125,6, macédoine 86,9, flageolets 98,2, carottes 33, salsifis 24,3, épinards 18,5, céleris 15,2, haricots blancs 23,9, pois chiches 13,4, pommes de terre 8,5, haricots beurre 22,7 asperges 0,5, artichauts 0,8, autres légumes 115,6. *Total* 1 481,1.

Fruits (en milliers de t 1/2 brut, 1992) : Confitures et gelées « extra » et autres 132,5 dont fraises 40,9, abricots 32,9, groseilles 8,1, oranges + oranges amères 6,8, prunes 4,9. Coulis et nappages 22,2. Compotes 121,3 dont pommes 82,1. Fruits au sirop 96. Mélanges de fruits au sirop 28,7. Produits à base de marrons 16,5 dont crèmes 8, entiers au naturel 7,5. Purées non sucrées 27,9, sucrées 6,1. Fruits à l'eau 1,5.

Plats cuisinés (en milliers de t net, 1992) : Cassoulet 84,3. Pâtes cuisinées 96,9. Viandes et légumes 48,4. Sauces 38,3. Haricots cuisinés 25,3. Couscous 21,5. Choucroute garnie 17. Quenelles 13,3. Lentilles cuisinées 11. Paella 11,4. Autres légumes cuisinés 1,2. Choucroute cuisinée 4. Ratatouille 16,9. Autres plats cuisinés 19,3. *Total* 408,8.

Poissons (en milliers de t 1/2 brut, 1992) : *total 106* dont : thon 53,3 ; maquereaux 29,1 ; sardines 19,5 ; anchois 1,9 ; harengs 1,4, autres 0,8.

Spécialités françaises (en t 1/2 brut, 1992) : Volailles et gibiers 12 862. Champ. sylvestres 4 437. Confits 5 174. Foie gras cru mis en œuvre 5 003. Escargots 2 002 [1]. Graisses 755. Achatines 407 [1]. Rillettes (oie, canard) 432. Truffes 56 [2].

Nota. – (1) 1991-92. (2) en t net.

Produits déshydratés et lyophilisés (en t, 1991-92) : P. de terre 58 965. Oignons 5 236,6. Carottes 2 510,5. Tomates en poudre et déshydratées 1 285,5. Fruits 605,8. Poireaux 230,9. Autres 3 624,7. *Total* 72 459.

☞ **Produits surgelés** (production et consommation), voir pages suivantes.

■ Consommation de conserves (par an, milliers de t 1/2 brut, 1992). Légumes 321 dont tomates 248, champignons 109 ; poissons 345 ; fruits 487 ; plats cuisinés 520 ; spécialités 39 ; confitures 150 ; *total* 2 862.

■ Commerce (en milliers de t). (1992). **Export** 564 dont champignons de couche 85. Légumes 350. Tomates 6. Plats cuisinés 41. Spécialités 6. Fruits 20. Confitures 33. Poissons 23. **Import.** (1992). 915 dont tomates 185. Légumes 188. Champignons de couche 18. Plats cuisinés 28. Spécialités 3. Fruits 218. Confitures 20. Poissons 255.

■ Industries charcutières production diverse (1991)

Source : Féd. française des ind. charcutières.

■ Production (en milliers de t). **Salaisons :** 365,3. *Produits crus salés :* jambons à cuire 1,1, poitrines, lardons, échines, palettes, jambonneaux 22, autres 3,3. *Produits séchés fumés :* jambons et noix 39,6, coppa 30,6 filets de bacon 1,6, poitrines, lardons, échines, palettes, jambonneaux séchés 36,9, autres 2,6. *Produits cuits :* jambons cuits 202,5, épaules cuites 36,1, noix, jambonneaux cuits 4,8, autres 14. **Saucissons secs** 87,5. *Pur porc :* 77,9. *Mélanges porc et bœuf ou bœuf et porc :* 9,6. **Charcuteries :** 375,2. *Pâtés et assimilés :* pâté de foie, crème, mousse, purée 36,7, pâté de campagne 28,6, confit de foie de porc 2,3, pâté avec volaille, gibier 15,1, rillettes de porc 19,4, rillettes d'oie, canard 4,6, galantines, mosaïques, roulades, ballotines 5,9, autres 8,6, pâtés, mousses, terrines avec poisson 3,5. *Produits à base de tête :* porc (pâté ou fromage de tête, tête roulée, hure, museau, langue) 17,2, bœuf (museau, langue) 3,6.

Marchés d'intérêt national

Créés 1953 et placés sous la tutelle de l'État ; ils sont soumis à une réglementation particulière, en raison de leur importance dans la commercialisation des produits alimentaires périssables, et des prod. de l'horticulture.

Activités (1990, en millions de t). Fruits et légumes : 4,3 ; produits carnés : 0,5 ; produits laitiers et avicoles : 0,2 ; produits de la mer et d'eau douce : 0,2 ; produits de l'horticulture : 3,1 milliards de F.

FFMIN (Fédération Française des Marchés d'Intérêt National), 654 rue de la Tour, 94576 Rungis Cedex.

Rungis Marché International

La Semmaris (Sté d'économie mixte d'aménagement et de gestion du marché d'intérêt national de la région parisienne) gère le Marché de Rungis. Ouvert *mars 1969*. **Superficie :** 232 ha + 400 ha de zones annexes (commerciales, d'activités et entrepôts de la grande distribution). **Statistiques** (1992). *Grossistes* 758, *producteurs* 530, *sociétés de services* ou organismes divers 494. *Arrivages en milliers de t :* fruits 701, légumes 564, produits carnés 489, laitiers 195, traiteur et d'alimentation générale 92, de la mer et d'eau douce 124 (en équivalent poissons entiers), fleurs coupées 4 182 000 colis, plantes en pot 15 780 000 unités. *Déchets collectés :* 117 000 t. *Chiffre d'affaires total* (1991) : 61 milliards de F (y.c. services). *Fréquentation journalière moyenne :* 29 000 véhicules/j d'ouverture.

Produits en croûte : pâté 10,2, autres 5,4. *Saucissons et similaires cuits :* saucissons 38,6, cervelas 7,5, mortadelles 4, andouilles de Vire, de Guéméné, de Savoie 6,2, autres 0,4. *Saucisses fraîches, cuites et similaires :* saucisses à pâte fine 50,8, saucisses cocktail 6, saucisses à gros hachage 51,9, boudins noirs 11,5, blancs 6, andouillettes 11,5. *Autres préparations :* tripes, tripoux 15,8, frittons, rillauds, pieds cuits panés, farcis 3,9. **Conserves à base de bœuf** (conserves, semi-conserves, boîtes, bocaux verre) : 25,9. **Plats cuisinés :** 74,8 dont choucroute garnie 20,5, quiches, bouchées garnies, pizzas, croissants 20,8, autres 16,3, salades composées 17,3. **Saindoux :** 1. **Total toutes fabrications :** 929,7. **Nombre de salariés** (au 31-12-91) : 31 769. *CA* 1991 (milliards de F) : 27,943 (+ 5,3 %). **Nombre d'établissements** (1991) : 416.

■ **Bouillons et potages.** Industrie très concentrée ; utilise des protéines, des céréales, des épices et toutes sortes de légumes. **Production** (en t, 1992) : potages déshydratés 22 601, bouillons solides ordinaires 2 047, supérieurs 7 111.

■ **Condiments. Production** (en t, 1991) : moutardes 72 011, sauces froides 72 274.

Produits surgelés

■ **Unité de congélation-surgélation** (1990-91). Établissements de fabrication 392, entrepôts frigorifiques ouverts au public 225, privés 920. **Capacité d'entreposage frigorifique :** 12 514 992 m³. **Capacité de congélation :** 7 768 t/j. **Points de vente d'alim. surgelés :** 50/60 000. **Pêche congelée :** navires et, entre parenthèses, armements (au 1-1-91) : grande pêche 11 (7), thonière 35 (7), en construction 4.

■ **Production en France** (en t, 1990) **de surgelés et,** entre parenthèses, **de congelés destinés à la consommation directe.** Légumes 278 (316). Produits de p. de terre 216 (553). Viandes 141 146 (39 874). Produits de pâte et pâtisserie 226 697 (4 747). Préparations élaborées 126 (657). Produits de la mer 63 215 (20 895). Volailles 49 765 (314 324). Abats 5 146 (10 586). Pisciculture 3 244 (1 967). Fruits 170 (2 897). Laiterie 648 (10 304). Lapins 264 218. Gibier 31 (134). *Total 1 114 957 (403 221).* **Surgelés et congelés destinés à l'utilisation après transformation.** Viandes 170 093. Produits de la mer 138 015. Pâte et pâtisserie 125 379. Légumes 67 033. Abats 32 525. Fruits 41 338. Volailles 27 629. Ovo-produits 12 089. Laiterie 3 748. Pisciculture 973. Chair d'escargots 1 824. *Total 621 555.*

■ **Consommation de surgelés par tête** (en kg, 1990). USA 50,8. Danem. 42,3. Suède 29,3. *France 28,1.* Suisse 21,8. All. 20,4. Norvège 20,4. G.-B. 18,9. Italie 6,6.

Alimentation animale

Production (en t, 1991). Aliments d'allaitement 666 166. Bovins 3 997 545 dont v. laitières 2 911 036 ; ovins-caprins 402 859 ; porcins 5 493 374 ; volailles 7 397 832 ; lapins 696 874 ; chiens-chats 554 822 ; autres 309 331. *Total 19 018 803.* **Chiffre d'affaires** (1991) : 32 milliards de F : *entreprises : 443.*

Animaux familiers (1992). *CA :* 9,2 milliards de F, *prod.* 1 300 000 t (source : Facco).

Structures administratives

Ministère de l'Agriculture

■ **Services centraux.** *Administration centrale*, 78, rue de Varenne, 75007 Paris. *Service central des enquêtes et études statistiques*, 4, av. de Saint-Mandé, 75570 Paris Cedex 12. *Direction des Forêts*, 1 ter, av. de Lowendal, 75007 Paris. *Service des haras et de l'équitation*, 14, av. de la Grande-Armée, 75017 Paris. *Dir. générale de l'Alimentation*, 35, rue St-Dominique, 75007 Paris ; 175, rue du Chevaleret, 75013 Paris.

■ **Services extérieurs** (décrets du 28-12-1984). **Niveau régional :** une Direction régionale de l'Agriculture et de la Forêt (Draf) regroupe les services suivants : Administration générale, Économie agricole, Forêts et Bois, Formation et Développement, Inspection du travail en agriculture, Protection des végétaux, Statistique agricole. Son directeur est le correspondant de toutes les dir. de l'Adm. centrale et du préfet de région. **Niveau départemental :** direction départementale de l'Agriculture et de la forêt (DDAF) : Administration générale, Statistique agricole, Inspection du travail en agriculture, Vétérinaire, Hydraulique et Forestier, Équipement.

■ **Services annexes. Services vétérinaires :** *inspection des denrées d'origine animale* (protection et inspection sanitaire et qualitative du cheptel). *Inspection sanitaire et qualitative des denrées animales* livrées au public pour la consommation. Prophylaxie collective pour certaines maladies (tuberculose bovine, fièvre aphteuse, peste porcine, brucellose, etc.).

Protection des végétaux : 175, rue du Chevaleret, 75013 Paris. 22 services régionaux + 2 outre-mer. Les stations d'avertissement agricoles informent les agriculteurs des méthodes.

Inspection des denrées animales : *Service d'État d'hygiène alimentaire : créé* 1968. 9 laboratoires de recherche et de contrôle.

Établissements publics

Sous la tutelle du ministère de l'Agriculture.

■ **Cnasea (Centre national pour l'aménagement des structures des exploitations agricoles).** 7, rue Ernest Renan, 92136 Issy-les-Moulineaux Cedex. *Dir. gén. :* André Barbaroux ; *secr. gén. :* Jean-Claude Bessemoulin. Établ. public national sous la tutelle du min. de l'Agr. *Créé* 1965. *Budget 1992 :* 23 milliards de F dont 2/3 en prestations de service pour la formation professionnelle et l'emploi. Les dépenses sont partiellement remboursées par le Fonds social européen (FSE) ou le Feoga.

Certaines actions du Cnasea (missions d'information et constitutions de dossiers) sont confiées aux Assoc. départ. pour l'aménagement des structures des exploitations agr. (Adasea).

Bilan des interventions (au 1-1-1993). **Mission de service public pour l'aménagement des structures des exploitations agricoles : 1°)** *Dotation d'installation aux jeunes agric.* 173 600. **2°)** *Modernisation des exploitations : plans de développement* 50 000, remplacés par les *plans d'amélioration matérielle dep. 1985 :* 62 700. **3°)** *Opérations groupées d'aménagement foncier :* 913 programmes Ogaf classiques et 37 Ogaf environnement). **4°)** *Retrait des t. arables* 13 500 ; *retrait temporaire des t. arables* 18 200. **5°)** *Extensification de la production de viande bovine, ovine et caprine* 2 880. **6°)** *Boisement des t. agr.* 191. **7°)** *Cessation d'activité laitière* 141 300. **8°)** *Préretraite agr.* 10 800. **9°)** *Réinsertion professionnelle* 7 708. **Prestations de service pour la formation professionnelle et l'emploi :** 3,6 millions de stagiaires rémunérés par le Cnasea pour le compte de l'État ou des régions, et 1,3 million de contrats emploi-solidarité.

■ **Fasasa (Fonds d'action sociale pour l'aménagement des structures agricoles).** *Créé* le 8-8-62. Supprimé dep. le 1-1-1990. V. Quid 1991, p. 1380 c.

■ **Fidar (Fonds interministériel de développement et d'aménagement rural).** Datar, 1, avenue Charles-Floquet, 75007 Paris. *Secr. gén.* Pierre Hullo. *Créé* 3-4-1979. *Objectif :* favoriser le développement économique dans les zones rurales d'intervention prioritaire, qui comportent la majeure partie des massifs de montagne et d'autres régions rurales. *Budget* (en millions de F, 1993) : 539.

■ **Forma (Fonds d'orientation et de régularisation des marchés agricoles).** Dissous par le décret n° 86-136 du 29-1-1986.

Autres organismes

Acofa (Agence centrale des organismes d'intervention dans le secteur agricole). 2, rue Saint-Charles, 75740 Paris Cedex 15. *Créée* 7-7-1983. *Rôle :* coordonne certaines opérations administratives, financières (notamment statut commun du personnel, informatique, relations avec le Feoga, contrôle de l'emploi des fonds communautaires) intéressant les organismes d'intervention (Firs, Odeadom, Ofival, Oniflhor, Onilait, Onipam, Onivins, Sido) ou les organismes de nature similaire (Fiom, Inao). *Dir. :* Denis Schrameck.

Actia (Association de coordination technique des industries agroalim.). *Créée* mai 1983. Regroupe centres techniques et organismes collectifs de rech.

Cemagref (Centre national du machinisme agricole, du génie rural, des eaux et des forêts). Parc de Tourvoie, 92160 Antony. *Créé* janv. 1981. Transformé 27-12-85 en EPST sous tutelle du min. de la Recherche et de la Technologie et du min. de l'Agric. *Effectifs :* 1 000 pers. dont 450 scientifiques. *Pt :* T. Chambolle. *Dir. gén. :* Y. Le Bars.

Ceneca (Centre national des expositions et concours agricoles). 19, bd Henri-IV, Paris 4ᵉ. *Pt :* Michel Souplet. *Dir. :* Maurice Hasson.

Cetiom (Centre technique interprofessionnel des oléagineux métropolitains). 174, avenue Victor-Hugo, Paris 16ᵉ. *Créé* 1957. *Pt :* André Barbier. *Directeur :* André Pouzet.

CNCA SA (Caisse nationale de crédit agricole). 91-93, bd Pasteur, Paris 15ᵉ. *Pt :* Y. Barsalou. *Dir. :* P. Jaffré (voir **Banque** à l'Index).

Safer

FNSAFER [Fédération Nat. des Stés d'Aménagement Foncier et d'Établissement Rural (Safer) et **SCAFR (Sté Centrale d'Aménagement Foncier Rural),** 3, rue de Turin, 75008 Paris. *Créées* par la loi d'orientation agricole du 5-8-1960. Acquièrent, au besoin par préemption, des terres agricoles ou forestières, à l'aide de prêts de la Caisse nationale de crédit agricole. Doivent les revendre dans les 5 ans, pour améliorer les structures des exploitations agricoles, dans le cadre de leur activité traditionnelle ou pour des usages non agricoles en vue de favoriser le développement rural et la protection de la nature et de l'environnement (loi du 23-1-1990). Peuvent apporter leur concours technique aux collectivités territoriales et aux établissements publics rattachés. Tout propriétaire peut, par convention, mettre des terrains à leur disposition pendant une durée limitée pour aménagement ou mise en valeur agricole. *Nombre :* métropole 27, DOM 3 (Guadeloupe, Martinique et Réunion). *Statut :* sociétés anonymes.

Acquisitions : de l'origine à fin 1992 : 2 372 000 ha + 29 000 ha de baux emphytéotiques. *Acquisition (1992) :* 103 675 ha dont 7 % par préemption (baux emphytéotiques exclus). *Prix d'acquisition moyen* (F/ha) : *1984 :* 20 849, *88 :* 22 338, *92 :* 25 900. **Rétrocessions :** de l'origine à fin 1992 : 2 320 000 ha en 417 000 opérations. *En 1992,* 109 800 ha en 15 500 opérations dont (en %) : agrandissement d'expl. 53,1, premières installations 19,3, remaniements parcellaires 5,0, réinstallations 5,1, maintien des fermiers en place 4,7, opérations forestières 0,9, pastorales 3,3, expl. de pluriactifs 0,8, rétrocessions diverses 7,8.

Stock foncier : *fin 1992 :* 40 000 ha (38,6 % des acquisitions annuelles). **Crédits publics** (en millions de F) : *1985 :* 83, *86 :* 87,9, *87 :* 72,2, *88 :* 63, *89 :* 70, *90 :* 65, *91 :* 65, *92 :* 65. **Marché foncier** (en ha) : *1990 :* 500 000 ; *91 :* 455 000 dont 218 000 acquis par des agriculteurs (dont 4 % étrangers), 237 000 par des non-agr. (dont 9,4 % étr.) ; *92 :* 434 600 représentant 14,7 milliards de F. Prix moyen/ha : 19 800 F pour les biens agric. non bâtis (hors cultures spéciales).

Remembrement

Superficie totale remembrée (remembrement normal, dispositions du *Code rural,* règlement du 7-1-1942 et du décret du 10-4-63 + rem. consécutif à la construction d'autoroutes). *Au 31-12-1991 :* 31 985 606 ha remembrables dont (en %) remembrés 43,77, en cours 3,38, en instance 2,73. *Régions où l'aménagement foncier a été le plus important (en % de la SAU) :* Champagne-Ardenne 94,10, I.-de-Fr. 89,26, Alsace 86,36, Franche-Comté 84,19, Picardie 82,55, Provence 10,81, Midi-Pyrénées 10,85. *Le moins :* Corse 6,77, Languedoc 7,58.

CNIEL (Centre national interprofessionnel de l'économie laitière). 27, rue de la Procession, Paris 15e. *Fondé* 1974. *Adhérents :* 3 (Féd. des producteurs de lait, Féd. nat. des coop. lait. et Féd. nat. de l'ind. laitière). *Pt :* Christophe Bridel.

CNIPT (Comité national interprofessionnel de la pomme de terre). 21, rue de Madrid, Paris 8e. *Reconnu* le 27-7-1977. *Pt :* M. Le Jannou. *Dir. :* J.-F. Estrade.

Firs (Fonds d'intervention et de régularisation du marché du sucre). 120, bd de Courcelles, Paris 17e. *Pt :* Michel Perdrix. *Dir. :* Robert Halluin. Établissement public à caractère industriel et commercial (Épic). *Créé* 9-7-1968.

Inao (Institut national des appellations d'origine). 138, av. des Champs-Élysées, Paris 8e. *Créé* 30-7-1935. *Pt :* Jean Pinchon (13-9-1925). *Dir. :* Alain Berger. *Nombre de centres en Fr. :* 26.

Ofival (Office national interprofessionnel des viandes, de l'élevage et de l'aviculture). 33, av. du Maine, Tour Maine-Montparnasse, 75755 Paris Cedex 15. *Créé* par décret 18-3-1983. *Pt :* Louis Collaudin. *Dir. :* Jean-Jacques Bénetière. *Effectifs :* 226 agents (Epic). Se substitue à l'**Onibev**, *créé* 2-9-1972 et au Forma pour les productions hors sol.

OIE (Office international des épizooties). 12, rue de Prony, 75017 Paris. *Créé* 25-1-1924. *Pays membres 1924 :* 28, *92 :* 122.

OIV (Office internat. de la vigne et du vin). 11, rue Roquépine, Paris 8e. Organisation intergouvernementale *créée* à Paris par l'Arrangement du 29-11-1924. 40 États membres. *Pt :* Gabriel Yravedra. *Dir. gén. :* Robert Tinlot.

ONF (Office national des forêts). 2, avenue de St-Mandé, 75570 Paris Cedex 12. (voir p. 1650 a.) *Pt :* René Souchon. *Dir. gén. :* Georges Dutruc-Rosset.

Onic (Office national interprofessionnel des céréales). 21, avenue Bosquet, Paris 7e. *Succéda,* en 1940, à l'Off. nat. interprofessionnel du blé créé 15-8-1936. Épic. *Pt du Conseil central :* Daniel Tournay. *Dir. gén. :* Jean Nestor. *Employés* (1-1-90) : 700.

Oniflhor (Office national interprofessionnel des fruits, des légumes et de l'horticulture). 164, rue de Javel, 75739 Paris. Cedex 15. *Créé* 18-3-1983. *Pts :* Claude Roche et Denis Onfroy. *Dir. :* Georges Dutruc-Rosset.Épic.

Onilait (Office national interprofessionnel du lait et des produits laitiers). 2, rue Saint-Charles, 75740 Paris Cedex 15. *Créé* 18-3-1983. *Pt :* Jean-Claude Debaudre. *Dir. :* Jean-Daniel Bésnard. Épic. Tutelle de la Sté Interlait qui gère les interventions communautaires de stockage. Dépenses prises en charge par l'État (actions nationales) et le Feoga (actions communautaires).

Onippam (Office national interprofessionnel des plantes à parfum, aromatiques et médicinales). 25, rue Maréchal-Foch, BP 8, 04130 Volx. *Créé* 18-3-1983. Épic. *Dir. :* Marc Villard. 1 Conseil de direction (*Pt :* Émile Martineau) et 2 Conseils spécialisés [plantes aromatiques et médicinales (*Pt :* Claude Diemoz) et plantes à parfum (*Pt :* Charles Aubry)].

Onivins (Office national interprofessionnel des vins). 232, rue de Rivoli, Paris 1er. *Créé* 1983. Délégations rég. 8, agents 270. *Pt :* D. Verdier. *Dir. :* Guy Geoffroy.

Sido (Sté interprofessionnelle des oléagineux). 174, av. Victor-Hugo, Paris 16e. *Pt :* Jacques Berthomeau.

Sopexa (Sté pour l'expansion des produits agricoles et alimentaires). 43-45, rue de Naples, Paris 8e. *Pt :* A. Verdale.

☞ **Répartition des crédits entre les offices** (en millions de F) : *1990 :* 3 855 Ofival 1 085, dont Onilait 945, Onivins 786, Oniflhor 593, Sido 210, autres 236.

Organisations professionnelles

Organisations générales

APCA (Assemblée permanente des Chambres d'agriculture). 9, av. George-V, Paris 8e. Établissement public consulaire *créé* 1935. Composée des 94 Pts des Ch. d'agric. départem. Rôle consultatif auprès des pouvoirs publics. Peut créer ou subventionner tout établissement, service d'utilité agricole ou entreprise collective d'intérêt agricole. Apporte aux Chambres d'agriculture un appui juridique et technique. *Pt :* Pierre Cormorèche.

Chambres d'agriculture départementales. *Créées* par la loi du 3-1-1924. 1res élections en 1927. Suspendues 1940 et remplacées par la *Corporation paysanne,* reconnues légalement en 1949, renouvelées en 1952. Établ. publics. 1 chambre par département (y compris DOM sauf Rég. paris. où il y a 1 chambre interdépartementale : 75, 78, 91, 92, 93, 94, 95). *Employés :* 6 300 agents dont 4 000 techniciens et ingénieurs. *Membres* élus tous les 6 ans au suffrage universel par l'ensemble du monde agricole réparti en collèges : exploitants agricoles, salariés, propriétaires agricoles et forestiers, anciens exploitants, syndicats agricoles, coopératives, Crédit Agricole et mutualité. *Rôle :* consultatif, s'exprime sur tous les dossiers concernant l'agriculture et le monde rural, auprès des collectivités locales et des administrations ; en concertation avec les organisations professionnelles agricoles et avec ses partenaires économiques, initie et applique sur le terrain des programmes de développement agricole et rural, qu'elle coordonne. Détiennent un certain pouvoir réglementaire : usages locaux, extension des règles de discipline, etc. *Financement :* taxe additionnelle au foncier non bâti, subvention du Fonds national du développement agricole, redevances d'utilisateurs. Fonds national de développement agricole et redevances d'utilisateurs.

Chambres régionales d'agriculture. 1 par région, composées des représentants des mêmes collèges que les Chambres départementales, désignés par et parmi les élus de ces dernières ; même rôle consultatif et d'intervention au niveau de la région.

CNJA (Centre national des jeunes agriculteurs). 14, rue La Boétie, 75382 Paris Cedex 08. *Créé* 1947, transformé en association en 1954 et en Union des syndicats en 1957. Organiquement rattachée à la FNSEA mais juridiquement autonome. Centres départementaux 94, cantonaux 2 803. *Adhérents :* 80 000. *Pt :* Christian Jacob. *Publication :* Jeunes agriculteurs (de 16 à 35 ans) (mensuel).

CNMCCA (Confédération nationale de la mutualité, de la coopération et du crédit agricoles). 129, bd St-Germain, Paris 6e. 1er Congrès en 1907. Regroupe CFCA (Conféd. française de la coop. agr.), FNCA (Féd. nat. du crédit agr.) et FNMA (Féd. nat. de la mutualité agr.). Membre au niveau européen du comité des organisations professionnelles agr. (Copa). *Pt :* Louis Bordeaux Montrieux.

Confédération paysanne. 17, place de l'Argonne, Paris 19e. *Créée* 29-4-1987 par fusion CNSTP (Confédération nationale des syndicats de travailleurs paysans, créée 4-6-1981), FNSP (Fédération nationale des syndicats paysans) et des syndicats départementaux. *Comité nat.* (30 m.). *Secrétariat nat.* [7 m. dont André Aubineau (secrét. gén.) et Gabriel Dewalle (porte-parole)]. Implantée dans 78 départements (20 % des voix aux élections aux chambres d'agriculture en janv. 89). *Publication :* Campagnes solidaires (mens.). Adhère à la Coordination paysanne européenne.

FFA (Fédération française de l'agriculture). *Siège adm. :* 30, rue de la Préfecture, 37000 Tours. *Créée* 2-12-1969 d'une scission de la FNSEA. *Pt :* Henri Gaulandeau. *Secr. gén. :* Lionel Guillard. Implantée dans 46 départ. (*Féd. départ.* structurées ou responsables départ.). *Publication :* Racines (mens.).

FGSOA (Fédération générale des salariés des organisations agricoles et de l'agroalimentaire). 119, bd Sébastopol, Paris 2e. *Secr. gén. :* Michel Buon. Comprend 9 syndicats nationaux, 38 000 adhérents (100 000 v. aux élections professionnelles). Fait partie du « groupe des 10 » (SNJ, Fat, SNUI, SNCTA, Suacce, FADN, SNAPCC, SNABF).

FNCA (Fédération nationale du crédit agricole). 48, rue La Boétie, Paris 8e. *Pt :* Yves Barsalou. *Dir. gén. :* Jean-Claude Pichon. Rassemble les 85 caisses régionales de Crédit agr. Voir Index.

FNCUMA (Fédération nat. des coopératives d'utilisation de matériel agricole). 48, rue Montmartre, Paris 2e. *Créée* 22-11-1945. *Pt :* Joseph Beaugeard. *Secr. gén. :* Jean-Marie Rey. *Adhérents :* 250 000 agric. regroupés dans 12 780 Cuma, 16 féd. régionales et 91 féd. départ. de CUMA.

FNPA (Féd. nat. de la propriété agricole). 39, rue St-Dominique, Paris 7e. *Créée* 1947. *Pt :* Elisabeth Isner Conci. *Délégué gén. :* G. Tetu. Membre fondateur de l'Elo (European Landowners Organization). *Adhérents :* env. 50 000 propriétaires de t. agric., exploitants ou bailleurs regroupés en 80 syndicats départ. et 21 unions régionales. *Publication :* La Propriété agric. (mens., 22 000 ex.).

FNSEA (Féd. nat. des syndicats d'exploitants agricoles). 11, rue de La Baume, Paris 8e. *Créée* le 14-3-1946. *Pt : 1946* Eugène Forget (11-11-1901), *1949* René Blondelle, *1954* Jacques Lepicard, *1956* Joseph Courau, *1963* Gérard de Caffarelli, *1971* Michel Debatisse, *1979* François Guillaume (19-10-32), *1986-27-3* Raymond Lacombe (28-11-1929), *1992* Luc Guyau (21-6-1948). Organisme privé, préside le CAF (Conseil de l'agriculture fr.), membre de la CGA (Confédération gén. de l'agr.), du Copa (Comité des organisations prof. agricoles : 30 organ. dans la CEE). Regroupe 94 fédérations ou unions dép. en France et outre-mer. *Adhérents :* 600 000 familles paysannes réunies au sein de 30 000 syndicats locaux, env. 40 associations de producteurs spécialisés par produit. *Employés :* 90 permanents à Paris ; env. 3 000 dans fédérations et unions départementales. *Publications :* L'Information agricole (mens.), Actuagri (hebdo), ISA (Informations syndicales agricoles, hebdo départemental), La Lettre de Conjoncture (bimensuel).

Modef (Mouvement de défense des exploitants familiaux). 100, rue de Bordeaux, 16000 Angoulême. *Créé* 7-4-1959 par des dirigeants d'organisations agricoles de 23 départ. du sud de la Loire. A depuis 1976 le statut de syndicat sous le nom de Confédération nat. des syndicats d'exploitants familiaux-Modef. *Pts :* Franck Marcadé. *Secr. gén. :* Raymond Girardi. *Publication :* l'Exploitant familial.

UCCMA (Union des caisses centrales de la mutualité agricole). 8-10, rue d'Astorg, 75413 Paris Cedex 08. *Pt :* Louis Bordeaux Montrieux. *Dir. gén. :* Serge Avoine. *Publication :* Bulletin d'Information de la Mutualité agricole (Bima), 170 000 ex.

Organismes

CFCA (Confédération française de la coopération agricole). 18, rue des Pyramides, Paris 1er (presque tous les agriculteurs sont membres d'une ou plusieurs coopératives). Représentée au niveau européen par le Cogeca, 23/25 rue de la Science, 31040 Bruxelles. *Créée* 3-2-1966 (fusion de la FNCA et de la CGCA). *Pt :* Joseph Ballé (1-1-1940). Compose, avec la FNCA et la Féd. nat. de la mut. agr., la Conf. nat. de la mut., du crédit et de la coop. agr. (CNMCCA, 129, bd St-Germain, Paris 6e). Réunit 3 collèges d'adhérents : fédérations nat. de coopératives, féd. régionales, membres de « Promotion-coopérative ». *Publications :* Agriculture et Coopération, CFCA Actualités.

CCVF (Confédération des coopératives vinicoles de France). 53, rue de Rome, Paris 8e. *Créée* 1932. *Organisation :* en 1991, 1 040 coopératives vinicoles. Regroupe 171 072 adhérents (429 743 viticulteurs ont souscrit en 1991 une déclaration de récolte). Contrôle 51 % de la superficie du vignoble en exploitation. Vinifie 58 % de la récolte (vins de table : 68 %, vins de pays : 75 %, AOC : 43 %). Il existe des coop. vin. dans une cinquantaine de départ., regroupées en féd. départementales ou régionales.

Cuma (Coopératives d'utilisation du matériel agricole). Nombre de sociétaires : min. 4. Ressources : apport de cap. social par les sociétaires en proportion de leur engagement à faire appel aux services de la Cuma. Possibilité d'emprunts de capitaux. Emploi possible de main-d'œuvre. *Nombre* (1989) : + de 12 000 dans 86 féd. départ. (250 000 agriculteurs). Forte densité dans S.-O., O., Rh.-Alpes. *Activités* (en %) : récolte des fourrages 49, fertilisation, traitements, protections des cultures 44, récoltes de céréales, betteraves, p. de terre ou oléagineux 41, semis et plantations 39, travail du sol 37, transport et manutention des produits agr. 19,5, vocation spéciale (irrigation, déshydratation, etc.) 20.

FNCBV (Fédération nationale de la coopération bétail et viande). 8, rue Armand-Moisant, Paris 15e. *Créée* 1954. *Dir. :* M. Lestoille. Association des Sica coopératives et groupements de producteurs effectuant les opérations d'expédition, d'abattage et de ventes de bétail et de viande. *Publication :* Bevi-Flash.

Sica (Sociétés d'intérêt collectif agricole). *Créées* 6-8-1961. Groupements paracoopératifs qui permettent d'organiser des relations interprofessionnelles (agriculture, industrie, commerce) au sein d'un même groupement dont les agriculteurs conservent la majorité. *But :* créer ou gérer des installations et équipements, assurer la fourniture de services pour les agriculteurs et les habitants d'une région rurale déterminée. *Nombre au 1-1-1982 :* 1 200 en service et 500 s'occupant de prod. agricoles.

Sigma. 83-85, avenue de la Grande-Armée, 75782 Paris Cedex 16. Née de la fusion, le 24-1-1991, de l'Ugcaf (Union gén. des coopératives agr. françaises) et de l'Uncac (Union nat. des coopératives agricoles de collecte), *créée* 8-8-1945. *Pt :* Jean Gonnard. *Dir. gén. :* Bruno Catton. 290 coop. sociétaires. CA consolidé (1991-92) : 10 milliards de F.

Organisation des producteurs

Groupements de producteurs. Syndicats, associations, coopératives ou Sica. Peuvent dans certains cas recevoir des aides de l'État.

Comités économiques. Sous forme d'associations ou de syndicats, rassemblent au niveau d'une région les groupements de producteurs reconnus et le syndicalisme à vocation générale ou spécialisée. *Nombre :* env. 30 surtout dans 3 secteurs (fruits et légumes, aviculture et productions spéciales).

Agriculture biologique

Origine. Agriculture sans fertilisants artificiels ni pesticides de synthèse, conforme aux équilibres écologiques respectant tous les maillons de la chaîne alimentaire, allant du sol à l'étable, de l'étable à la table. Développée selon les travaux d'Albert Howard (le Testament agricole, 1924) en G.-B., elle s'inspira partiellement de E. Pfeiffer en All. et aux USA et des travaux de P. Delbet sur le magnésium [Politique préventive du cancer ; l'Agriculture et la Santé (1945)] en France. Les travaux de C.L. Kervran sur les transmutations biologiques et à faible énergie (1950 à 1980) peuvent donner une explication des faits constatés. Développement de la recherche après 1945 (travaux de H. Müller et de H.P. Rusch, All.) répandus en Suisse, All., Autriche. En France, en 1958, Jean Boucher fonde le Groupement d'agriculture biologique de l'Ouest (Gabo), qui en 1961, se transforma en Assoc. fr. d'agr. biol. (Afab). A partir de 1960, Raoul Lemaire lança la culture biol. avec lithothamne Calmagol. En 1963, Jean Boucher le rejoignit : méthode Lemaire-Boucher (1964-78).

Principes. Améliorer la vie microbiologique du sol, réaliser un équilibre cultural (prairies, céréales, végétation forestière, arbres et brise-vent) pour préserver les principaux équilibres chimiques, microbiologiques, magnétiques ; améliorer la résistance aux maladies et au parasitisme.

Moyens. Fertilisation proscrivant les éléments d'excrétion (sels minéraux de l'azote, potasse sauf cas exceptionnels), limitant les apports calciques, établie sur la notion d'immunité innée ; la fertilisation est prescrite selon les résultats d'analyses de sols et de récoltes avec programmation selon teneur souhaitable en magnésium établie sur la moyenne des terres en état de santé potentielle (cartes géologiques de L. Robinet, 1930) : 500 ppm de MgO échangeable, au lieu de 140 ppm en agronomie conventionnelle : sous cette condition, la teneur couramment admise de 200 ppm K_2O échangeable paraît souhaitable. Programme de restauration de fertilité de 2 à 3 ans ; programme de stimulation peu coûteux. *Apports d'engrais : organiques* dans l'équilibre carbone/azote [fumier équilibré en paille, puis composté, résidus de récoltes, poudre d'os, de corne, etc., algues herbacées, acides aminés, préparations biodynamiques, etc.] incorporés au sol après compostage ou non, pulvérisations d'extraits de plantes ou d'algues ; *minéraux naturels* [poudres de roches (basalte en particulier), phosphates naturels, magnésie et sulfate de magnésium, algues calcaires : lithothamnium pêché vivant, préconisé par la méthode Lemaire-Boucher, micropulvérisé sans échauffement, essences naturelles]. *Travail du sol superficiel* avec ameublement profond pour développer la vie microbienne et préserver l'humus resté en place. Cette pratique permet, en céréaliculture, d'obtenir un blé de qualité exceptionnelle, caractérisée par la vitrosité du grain [translucidité du gluten (méth. Afab-Boucher)]. *Pratique d'engrais verts et d'associations végétales cultivées*, à base de légumineuses, en culture céréalière, viticulture et culture fruitière pour limiter le lessivage et les besoins de fertilisants, obtenir un apport naturel en azote organique, éliminer les mauvaises herbes sans herbicides, protéger les insectes auxiliaires, et éliminer l'emploi des insecticides, fongicides. Cette pratique des asssociations végétales se conjugue maintenant avec l'ameublissement sans labour en cultures fruitières et viticulture (méth. Afab-Boucher). *Condamne l'emploi des produits chimiques dans le monde vivant* (toxiques) : antibiotiques, hormones, produits vétérinaires dangereux, vaccins ; des engins lourds pouvant porter atteinte à la vie du sol. Encourage toute technique tendant à développer l'activité biologique du sol (micro-organismes, bactéries, vers de terre). *Admet en matière sanitaire animale ou végétale* l'homéopathie, l'aromathérapie, l'usage des insecticides végétaux ou microbiens non toxiques et des produits minéraux simples (cuivre, soufre, bouillie sulfo-calcique), d'autres minéraux étant interdits parce que toxiques et d'ailleurs inutiles (arséniates par ex.). *Respecte* influences planétaires et cosmiques (calendrier journalier pour semer, récolter, travailler la terre, tailler...).

Rendements et résultats financiers. Bien comprise et bien appliquée, l'agriculture biologique permet des résultats comparables à ceux de l'agriculture conventionnelle et résout les problèmes de pollution en milieu rural. Concourt à donner à l'agriculture son autonomie énergétique et procure des aliments de qualité.

Surfaces cultivées. *France* (fermes n'employant ni engrais « conventionnels » ni pesticides de synthèse) : env. 100 000 ha. (*Australie* : 150 000 ha ; *USA* : plusieurs centaines de milliers ; *Europe* : 200 000 ha). *Part dans la production totale agricole* : environ 0,5 à 1 %.

Chiffre d'affaires des producteurs de produits biologiques : env. 2 milliards de F. 350 entreprises.

Garanties. Des producteurs s'engagent à respecter un cahier des charges sous contrôle : marques Terre et Vie (Fesa), Paysan biologique, Demeter (culture biodynamique), Mention Nature et Progrès, marque Biofranc (Fnab). Afab n° 1,2 ou 3 correspondant au niveau d'application de la méthode Afab Boucher.

Le 6-3-1984 a été créé un logo officiel sous l'égide du ministère de l'Agriculture, apposable sur les étiquettes des produits qui répondent à des critères d'homologation.

Contrats et accords interprofessionnels. Dep. 5-8-1960 et 6-7-1964. Passés entre producteurs, industriels et commerçants.

Organisation interprofessionnelle. Cadre juridique de l'Organisation des productions et des marchés, *créée* 30-6-1975. Voir Ofival, Oniflhor, Onilait, Onippam, Onivins.

Autres associations. AGPB (Association générale des producteurs de blé et autres céréales) 8, av. du Pt-Wilson, Paris 16ᵉ. *Créée* 1924. *Pt :* Henri de Benoist. *Adhérents :* 300 000. **AGPM (Ass. gén. des producteurs de maïs)** 122, bd Tourasse, 64000 Pau. **Anda (Ass. nat. pour le développement agricole)** 25, av. de Villiers, Paris 17ᵉ. *Pt :* Michel Fau. *Créée* 4-10-1966. Composée paritairement de représentants des Pouvoirs publics et des organisations agricoles. Gère le FNDA (Fonds national de développement agricole) alimenté par des taxes parafiscales. Participer au financement des programmes de recherche et d'expérimentation, de formation des hommes et de diffusion des connaissances. **CFA (Confédération française de l'aviculture)** 28, rue du Rocher, Paris 8ᵉ. *Créée* juillet 1945. Association spécialisée de la FNSEA. *Pt :* Eugène Schaeffer. **CGB (Conf. gén. des planteurs de betteraves)** 43-45, rue de Naples, Paris 8ᵉ. *Créée* 1921. *Pt :* Georges Garinois. **CNE (Conf. nat. de l'élevage)** 149, rue de Bercy, 75595 Paris Cedex 12. *Créée* 1946. **FAVF (Conf. des ass. viticoles de France)** 21, rue François-Iᵉʳ, Paris 8ᵉ. **FNB (Féd. nat. bovine)** 149, rue de Bercy, 75595 Paris Cedex 12. **FNO (Féd. nat. ovine)** 149, rue de Bercy, 75595 Paris Cedex 12. **FNPF (Féd. nat. des producteurs de fruits)** 14, rue Ste-Cécile, Paris 9ᵉ. *Créée* 1946. *Pt :* Henri Bois. **FNPL (Féd. nat. des producteurs de lait)** 149, rue de Bercy, 75595 Paris Cedex 12. *Créée* mars 1947. *Pt :* Jean-Marie Raoult. *Adhérents :* 280 000 regroupés dans 85 fédérations départ. et rég. **FNPT (Féd. nat. des producteurs de tabac)** 19, rue Ballu, Paris 9ᵉ. *Créée* 1908. *Pt :* André Mariette. **Fop (Féd. française des producteurs d'oléagineux et de protéagineux)** 12, av. George-V, Paris 8ᵉ. *Pt. :* Jean-Claude Sabin. *Adhérents :* 130 000.

Comices agricoles

Origine : v. *1750* fête des Vaillants créée par Louis de Lapeyrière (Lacépède, Lot-et-G.). *1755* (15-8) Volandry (Anjou) par le marquis de Turbilles. *1773* concours organisé à Vouxey (Lorraine) par le chanoine Jean-François Duquesnoy.

Recherche agronomique

Inra (Institut national de la recherche agronomique). 147, rue de l'Université, 75338 Paris Cedex 07. *Créé* 18-5-1946. Établissement public nat. *Budget total annuel* (1993) : 3,1 milliards de F. Scientifiques et ingénieurs 3 817, techniciens et administratifs 4 809. *Pt :* Guy Paillotin (n. 1-11-40) dep. 1991. *Dir. gén. :* Bernard Chevassusau-Louis (n. 24-1-49) dep. 1992.

La coopération agricole

Statistiques

Coopératives. D'achat et de vente de produits agr. et alim. : *1970 :* 5 050 ; *75 :* 4 400 ; *80 :* 4 092 ; *85 :* 4 130 ; *92 :* 4 100. **De services :** *Cuma 1992 :* 12 780 ; *d'insémination artif.* 60. **Adhérents actifs des coop :** *1970 :* 2 500 000, *92 :* 1 500 000 (la plupart adhérant à plusieurs coop.). **Salariés permanents des coop. de commercialisation et transform. de prod. agr. :** *1980 :* 106 503 ; *92 :* 130 000. **Chiffre d'affaires des coop.** (en milliards de F) : *1972 :* 50,73 ; *81 :* 167 ; *85 :* 275 ; *92 :* 400, filiales comprises.

Principales coopératives agricoles (CA consolidé en milliards de F, 1991-92). **Socopa :** 13 (viande), **Sodiaal :** 17 (produits laitiers coopératives, Yoplait et Candia). **CAB :** 7,3 (polyvalente ; produits laitiers), **Uncaa :** 10,4 (approvisionnement), **Sigma :** 9,3 (céréales), **Champagne-Céréales :** 8 (céréales), **Cana :** 6,3 (polyvalente, dominante animale).

Nombre d'organismes, coop., unions, Sica et, entre parenthèses, **part dans l'exportation** (en %, 1992). **Céréales et oléagineux :** 384 organismes (50) : collecte 71, fabr. d'aliments pour animaux 42, malterie 43, maïserie 40, meunerie 25, panification 25. **Lait et produits laitiers :** 792 (32) : collecte 49, lait de consom. 61, beurre 54, poudre 53, yaourts 29, fromages 33. **Bétail et viande :** 372 (32) : jeunes bovins 65, tous bovins 25, porcins 78, ovins 50. **Fruits et légumes** (frais et conserves) : 421 (fruits frais 55, conserves 30) : fruits frais 30, lég. frais 20, fruits au sirop 60, pruneaux 45, confitures 5, champignons 80, tomates transformées 40, lég. apertisés 50,4ᵉ gamme 40, lég. surgelés 40, fruits surgelés 60. **Vins et alcools :** 1 501 organismes (exp. VCC 27, VQPRD 27), VCC 60, VQPRD 68, distillation 65, cognac 14, champagne 7. *Divers :* 63 organismes : œufs 40, volailles 35, déshydratation luzerne 92, pulpes betteraves 75 ; distillation alcool bett. 42, sucre betterave 18, semences céréales et oléagineux 70, fourragères 60, huile d'olive 48, plants de pomme de terre 25, horticulture 5.

☞ Voir également dans le chapitre **Botanique** p. 186 : classification des plantes, physiologie, fleurs, arbustes, arbres d'ornement, multiplication des végétaux et plantation.

Europe agricole

Evolution

1991 *4/5-2* les ministres de l'Agriculture rejettent le plan Delors. *24-5* compromis européen. Diminution de 2 % des quotas laitiers, mais avec indemnité de 0,10 écu par litre pendant 5 ans à partir de 1992 pour les éleveurs qui accepteront de se limiter. Relèvement de 3 à 5 % de la taxe de coresponsabilité céréalière (sanction de toute surproduction par une baisse de prix) ; les cultivateurs qui accepteront de geler 15 % de leurs terres en seront exemptés et recevront des primes de la CEE. La France compte 110 000 ha en jachère alors qu'il faudrait atteindre 600 à 700 000 ha. Baisse de prix : blé dur – 7 %, oléo-protéagineux – 1,5 %, viande bovine – 2 %, tabac – 6 % (en moyenne). *3-7* propositions Mac Sharry : baisse des prix, mise en jachère, aménagement des pré-retraites. **1992** grand marché européen.

Situation début 1992. Position européenne : *en 1990,* la PAC absorbe 64 % du budget communautaire (contre 11 % pour les politiques régionales, 8 % pour les politiques sociales et 4 % pour la recherche, l'énergie et l'industrie) : les excédents, surtout céréales et produits laitiers, coûtent cher en frais de stockage et, quand ils sont exportés, en restitutions (*en 1988,* pour 30,43 milliards d'écus d'export. communautaire, le Feoga a versé 25,74 milliards d'écus). L'All., avec l'absorption de l'All. de l'E., est devenue le 1ᵉʳ producteur européen pour sucre, lait, colza, viandes bovine et porcine ; le 2ᵉ derrière la France pour les céréales. Les autres membres de la CEE ont eux aussi fait des progrès. Selon l'OCDE, en 1990, le total des subventions payées à l'agriculture par l'ensemble des contribuables et consommateurs s'est monté, pour les 22 pays de l'OCDE, à env. 300 milliards de $ (+ de 1 700 milliards de F) : CEE 735 milliards de F, USA 410, Japon 325. *De 1958 à 1990 :* l'agriculture européenne a perdu 14 millions d'emplois (reste 9), la concentration des exploitations a été encouragée (départs à la retraite, aides aux exploitations « modernes »). Les disparités de revenus se sont accrues : en France, 90 % des exploitations totalisent seulement 50 % du revenu net agricole et, au niveau communautaire, 80 % des fonds du Feoga vont à 20 % des exploitations. A côté d'une agriculture riche, il existe une agriculture pauvre, endettée et qui, depuis 1970, subit la tendance à la baisse des prix agricoles, et celle à la hausse des prix des consommations intermédiaires (engrais, aliments de bétail, machinisme, etc.). Les écologistes s'élèvent contre la production intensive favorisée par la PAC qui entraîne la pollution des nappes phréatiques, une

PART DES PRODUITS DANS LA PRODUCTION FINALE DE L'AGRICULTURE DE LA CEE

En %, 1991	All. féd.	Belg.	Dan.	Esp.	Fr.	G.-B.	Gr.	Irl.	It.	Lux.	P.-B.	Port.	Eur. 12
Avoine	18,7	0,7	4,5	9,3	22,5	20	1,4	3,8	13,9	0,2	0,6	3,5	100
Betteraves suc.	23	5,3	3	8,3	25,3	8,6	2,4	1,6	14,1	0	8,4	0	100
Blé	10,1	1,5	3,2	7,4	39,3	16,5	30,4	0,6	14,8	0	1,1	1	100
Fibres textiles	0	1,1	0	25,5	3,4	0	69,7	0	0	0	0,4	0	100
Fruits frais	13,4	2,6	0,4	19,9	18,5	4,5	6,6	0,1	28,6	0	3,2	2,3	100
Graines oléag.	15,8	0,2	6,3	12	36,6	11,6	0,3	0	16,6	0	0,3	0,5	100
Houblon	76,4	2,1	0	4,3	2,3	14,9	0	0	0	0	0	0	100
Huile d'olive	0	0	0	29,4	0	0	25,6	0	42,8	0	0	2,3	100
Lait	20,4	2,7	4,7	5,8	22	12,3	2,4	4	13,4	0,2	10,5	1,4	100
Légumes frais	4,1	4,1	0,6	20,5	16,2	7	5,8	0,6	29,2	0	9,5	2,4	100
Lég. secs + agrumes	0,6	0,1	2,3	30,9	18,6	4,4	5,7	0	34,9	0	0,4	2,1	100
Maïs	3,8	0	0	8,9	55	0	7,1	0	23,3	0	0,1	1,8	100
Œufs	16,1	3,6	1,2	15,5	15,4	12,4	4,7	0,6	18,8	0	9,7	2	100
Orge	15,3	1,4	9,8	18,1	28,2	19	0,8	2,6	3,6	0,1	0,8	0,3	100
Pommes de terre	10,2	4,4	2	18,3	12,9	14,2	5,2	1,4	12,7	0	12,9	5,9	100
Riz	0	0	0	24,2	4,4	0	3,5	0	60,6	0	0	7,4	100
Seigle	71,3	0,5	12,4	4	4	1,5	1	0	0,4	0,1	1	3,8	100
Semences	9	0,7	3,2	1,8	57,4	4,2	1	0	0	0	22,7	0	100
Tabac	1,9	0,4	0	9,4	8	0	44,6	0	34	0	0	1,7	100
Vers à soie	–	–	–	–	–	–	–	–	–	–	–	–	–
Viande bovine	17,5	5	2,3	7	26	11,1	1,2	6,6	14,6	0,2	6,9	1,7	100
V. ovine / caprine	2,9	0,2	0,2	29,9	13,8	19,3	16,1	5,3	6,7	0	2,1	3,3	100
V. porcine	22,2	6,4	9,2	13,5	14	6,4	1,3	1,1	11,4	0,1	12,7	1,8	100
Vins / moûts	10	0	0	7,7	45,3	0	1,4	0	32,6	0,1	0	3	100
Vins de qualité	–	–	–	–	100	–	–	–	–	–	–	–	–
Volaille	2,3	2,1	1,3	11,7	28,8	13,8	2,4	1,5	23	0	5,9	2,9	100
Autres	11,9	3,8	3,4	14,3	13,3	8,1	3,5	1	19,5	0	18,9	2,3	100
Total	**13,3**	**3,1**	**3,2**	**12,9**	**22,7**	**9,2**	**4,4**	**2**	**19,3**	**0,1**	**7,9**	**1,9**	**100**

PART DES PRODUITS DANS LA PRODUCTION FINALE DE L'AGRICULTURE DE CHAQUE PAYS

En %, 1991	All. féd.	Belg.	Dan.	Esp.	Fr.	G.-B.	Gr.	Irl.	It.	Lux.	P.-B.	Port.	Eur. 12
Avoine	0,2	0	0,2	0,1	0,1	0,3	0	0,2	0,1	0,3	0	0,2	0,1
Betteraves suc.	3,8	3,8	2	1,4	2,4	2	1,2	1,7	1,6	–	2,3	0	2,2
Blé	5,2	3,4	6,8	4	11,9	12,3	6,9	2,1	5,2	2,6	0,9	3,6	6,9
Fibres textiles	–	0,2	0	1	0,1	0	7,6	0	0	–	0	0	0,5
Fruits frais	4,8	4	0,5	4,7	1,6	0,9	2,5	0	3,5	0	0,1	2,6	1,8
Houblon	0,5	0,1	0	0	0	0,1	0	0	–	–	–	0	0,1
Huile d'olive	0	0	0	5,5	0	0	13,7	0	5,3	0	0	2,9	2,4
Lait	24,3	13,9	23,3	7,2	15,3	21,2	8,5	31,7	10,9	47,3	21,1	11,8	15,8
Légumes frais	3,1	13,7	1,9	16,1	7,2	7,7	13,1	3,1	15,2	0,9	12,2	12,6	10,1
Lég. secs + agrumes	0,1	0,1	1,4	4,7	1,6	0,9	2,5	0	3,5	0	0,1	2,6	1,8
Maïs	0,6	0	0	0,7	0,1	0	0,3	0	1,2	0	0	1,4	0,4
Œufs	3,1	3	0,9	3,1	1,7	3,4	2,7	0,8	2,5	1,1	3,1	2,6	2,5
Oléagineux	2,3	0,1	3,7	1,8	3,2	2,5	0,1	0	1,7	1,2	0,1	0,5	2
Orge	2,6	1	6,9	3,2	2,8	4,7	0,4	3	0,4	2,4	0,2	0,3	2,3
Pommes de terre	1,9	3,5	1,5	3,4	1,4	3,7	2,8	1,7	1,6	1,1	3,9	7,4	2,4
Riz	0	0	0	0,7	0,1	0	0,3	0	1,2	0	0	1,4	0,4
Seigle	1	0	0,7	0,1	0	0	0	0	0	0,1	0	0,4	0,2
Semences	0,5	0,2	0,7	0,1	1,7	0,3	0,1	0	0	0	1,9	0	0,7
Tabac	0,1	0,1	0	0,4	0,2	0	6,1	0	1,1	–	–	0,5	0,6
Vers à soie	–	–	–	–	–	–	–	–	–	–	–	–	–
Viande bovine	14,8	18,3	7,9	6,1	12,9	13,5	3	37,1	8,5	25,5	9,9	10	11,2
V. ovine/caprine	0,4	0,1	0,1	4,4	1,1	4	6,7	5	0,7	–	0,5	3,2	1,9
V. porcine	17,4	21,9	29,6	10,9	6,4	7,2	3	5,8	6,1	9,1	16,7	9,8	10,4
Vins/Moûts	3,9	0	0	3,1	10,3	0	1,6	0	8,7	6,1	0	7,9	5,2
Vins de qualité	0	0	0	0	2,4	0	0	0	0	0	0	0	0,2
Volaille	2,3	3,2	1,9	4,2	5,8	6,9	2,5	3,5	5,5	0	3,5	6,8	4,6
Autres	6,9	9,5	9,8	9,8	4,6	6,8	7	3,7	9,1	1,7	21,6	7,9	7,6
Total	**100**	**100**	**100**	**100**	**100**	**100**	**100**	**100**	**100**	**100**	**100**	**100**	**100**

Nota. – (1) 1985. (2) Pas de chiffres disponibles. *Source :* Eurostat.

CONSOMMATION HUMAINE DE CERTAINS PRODUITS AGRICOLES

En kg par tête, 1990-91	All.	Dan.	Esp.	Fr.	G.-B.	Gr.	Irl.	It.	P.-B.	Port.	UEBL	Eur. 12
Céréales [1]	91	70	72	77	77	106	95 [8]	120	52	85	72	82 [8]
Blé [1]	67	52	69	71	62	103	83 [8]	103	45	69	69	72 [8]
Seigle [1]	16	17	2	0	0	0	0	0	3	6	1	3 [8]
Maïs grain [1]	6	1 [8]	1	5	12	2	11 [8]	7	2	9	2	6 [8]
Riz usiné, total [2]	2	2	6	4	4	6	1	6	3	14	2	4
Pommes de terre	75	57	106	71	99	89	144 [8]	39	87	107	97	78 [8]
Sucre [3]	35	40	27	33 [8]	41	30	39	29	40	29	40	36
Légumes y compris conserves	102	80 [9]	199	124 [8]	65 [8]	217 [8]	102	175	98	125 [8]	93	117 [9]
dont : choux-fleurs [4]	3 [8]	3 [8]	5 [9]	5 [8]	8 [8]	4 [8]	3	4	4	2 [9]	6	5 [9]
tomates [4]	15 [8]	17 [9]	40	23 [9]	15 [8]	73 [8]	16	51	18	32 [9]	26	27 [9]
Fruits [5] *+ conserves et jus de fruits*	76	49 [8]	63	58 [8]	38 [8]	50 [8]	35	83	46	36 [8]	59	61 [8]
dont : pommes [4]	18 [8]	24 [9]	20 [9]	15 [8]	14 [9]	18 [9]	17	22	29	8 [9]	26	19 [9]
poires [4]	2 [8]	4 [9]	8 [8]	5 [8]	3 [9]	8 [8]	2	14	3	4 [8]	4	6 [9]
pêches [4]	5 [8]	3 [9]	11 [9]	6 [8]	2 [9]	9 [8]	2 [8]	15	3	3 [9]	4	4 [9]
Agrumes	45	15 [9]	48	24 [8]	21 [9]	55 [9]	15	43	46	14 [9]	22	32 [9]
dont : oranges [4]	9	10 [8]	26 [8]	13 [8]	11 [8]	31	13	25	91	10 [8]	18	19 [8]
Vin [6]	26	22	44	67	11	32	4	62	14	63	39	40
Produits laitiers												
Produits frais (sauf crème)	93	145	92	101	129	54 [8]	187	75 [8]	136	90	82	
Fromage	17	15	4	23	8	23 [8]	5	15 [8]	14	6	14	11
Beurre (matière grasse)	5	5	0	7	3	0	3	0	3	1	6	3
Margarine (graisse brute)	11	11	4	3 [8]	7	2 [8]	4 [8]	1	10 [8]	5 [8]	11	5 [8]
Œufs	15	14	16	15	13	12	10	10	10	7	14	13
Viandes [7] (sans abats)	94	97	91	101	70	75	83	83	86	68	89	87
dont : total bovine	22	19	13	30	19	23	18	26	20	15	20	22
de bœuf	21	19	12	24	19	22	18	22	18	14	17	20
de veau	1	0	0	6	0	1	0	4	2	1	3	2
porcine	58	64	49	37	24	21	35	32	46	29	45	39
de volaille	12	12	23	22	20	17	22	19	19	18	17	19
ovine et caprine	2	1	6	6	8	14	8	2	1	3	2	4
Graisses et huiles	27	44	30	22 [8]	30	33 [8]	23	31	38 [8]	23 [8]	33	27 [8]
dont : végétales	9 [8]	26	21	18 [9]	11 [8]	26 [9]	16 [9]	25	28 [8]	28 [9]	26	21 [9]
d'animaux marins	0	0	0	0	0	0	0	0	0	0	0	0
d'animaux terrestres	7	6	3	5 [8]	9	4 [8]	1	5	15	2 [8]	9	6 [8]

Nota. – (1) Équivalent farine. (2) En poids de produit. (3) Équivalent sucre blanc. (4) Consommation humaine sur le bilan du marché, y compris produits transformés. (5) Non compris agrumes. (6) Litres/têtes. (7) Y compris graisses de découpe. (8) 1989/90. (9) 1988/89. *Source :* Eurostat.

difficile gestion des déchets d'élevage, un gaspillage énergétique... Produire 1 calorie alimentaire aux P.-Bas consomme 10 calories (en comptant nitrates, pétrole, etc.), en Afrique – de 1 cal. **1992**-*21-5* adoption à Bruxelles de la réforme de la PAC : prix désormais fonction des cours mondiaux, remplacement des aides à la production par des aides directes aux exploitants, suppression de la taxe de coresponsabilité. Coût pour 1992 : 40 milliards d'écus. *Céréales :* baisse des prix d'intervention jusqu'à un niveau plus proche des cours mondiaux, d'où diminution des restitutions et compétitivité accrue face aux PSC importés, notamment des USA. La perte de revenus pour les agriculteurs sera compensée par une aide directe à l'ha. *Lait :* quotas de production réduits, sauf pour exploitations produisant moins de 200 t/an, compensation financière sous forme d'obligations communautaires éventuellement majorées par les États membres. *Viande bovine :* le prix d'intervention baisserait de 15 % sur 3 ans, avec un système progressif de primes compensatoires.

Position américaine *fin 1989,* sous la pression des USA et du Gatt, la CEE renonce à verser des aides aux triturateurs de graine et choisit d'aider les producteurs à partir du 1-7-92. Le Gatt s'y oppose. *30-4-1992* la CEE refusant d'abandonner son régime d'aides à la protection des oléagineux, les USA annoncent une augmentation des droits de douane amér. sur 1 milliard de $ d'importations venant de la CEE. *Oléagineux dans la CEE :* agriculteurs 400 000, production 12 millions de t, import. 23 (dont 50 % des USA). *13-1-1992* Pt Bush stigmatise le « rideau de fer protectionniste de la CEE ». Vice-Pt Quayle dit que si l'Europe veut continuer à bénéficier de la protection militaire des USA, elle doit procéder, en échange, à son désarmement agricole. Les USA subordonnent au règlement du contentieux agricole avec la CEE toute avancée des négociations du Gatt sur les autres questions en suspens, notamment la libéralisation des services financiers, des télécommunications, de la propriété intellectuelle. Ils veulent une réduction de 50 % des exportations agricoles européennes, la suppression de la préférence communautaire au moyen d'un « droit d'accès minimum », sans droit de douane, à chaque marché national, à hauteur de 3 à 4 % de sa consommation, et par le remplacement des prélèvements mobiles sur les importations par une tarification fixe à taux très réduit ; réduction du soutien interne aux agriculteurs européens, etc. *23-12-1992* le compromis global sur l'Uruguay Round, présenté par Arthur Dunkel, est rejeté par les 12, réunis à Bruxelles en session extraordinaire. Il proposait à la CEE de réduire les subventions à l'exportation de 36 % en dépenses budgétaires et de 24 % en volume de 1993 à 99, par rapport à la période de référence 1986-90, et de réduire les soutiens internes de 20 %, de 1993 à 99, par rapport à la période 1986-88.

Réponse européenne : l'Europe reproche aux USA de ne pas démanteler leur propre dispositif de subvention aux exportations de céréales (Export Enhancement Program), d'aider directement leurs agriculteurs (y compris à l'exportation) au moyen des *deficiency payments*, non subordonnés à des gels de terres, et, depuis 1962, d'exporter vers la CEE, sans être frappés par un droit de douane, leurs oléoprotéagineux, dont le soja, ainsi que, depuis 1972, les produits de substitution aux céréales (PSC) comme le *corn gluten feed.* L'Europe rappelle que ses exportations ne représentent que 16 % des export. mondiales de produits agricoles (import. 21 %), son solde commercial agroalimentaire étant négatif de + de 30 milliards d'écus. De leur côté, les USA exportent 25 % de leur production agricole (+ de 40 milliards de $ en 1992), soit 15 % de toutes leurs export. (contre 8,3 % dans la CEE).

Mécanismes d'aide américains (texte de loi quinquennale Farm Bill de 1990) : soutien direct de l'État prévu *1985-90,* 52 milliards de $ (réel 80). *Protection du marché :* les USA maintiennent avec l'accord du Gatt des quotas d'import. rigoureux sur prod. laitiers (y compris fromages), glaces, sirops sucrés, certains articles contenant du sucre (y c. friandises chocolatées), principales variétés de coton, cacahuètes. L'agriculture est l'un des seuls postes régulièrement excédentaires (17 milliards de $). La CEE importe 2 fois plus de prod. agricoles que les USA (63,4 milliards de $ en 1990 contre 31,3). Les export. agricoles amér. dépassent celles de la CEE (45,9 milliards de $ contre 39,7). La CEE importe plus de produits agric. et alim. des pays en voie de dévelop. que les USA (36,8 milliards de $ contre 18,9), alors que les USA exportent davantage que la CEE dans ces PVD (17,2 milliards de $ contre 16,5). Aux USA, le contribuable soutient les fermiers (pour 69 % des aides versées), alors qu'en Europe c'est le consommateur (pour 63 %). **1992**-*20-11* projet d'accord CEE-USA : **1o)** *volet agr. de l'Uruguay Round :* soutien interne réduit

L'agriculture dans l'Europe des douze en 1990

Caractéristiques	All.	Belg.	Dan.	Esp.	Fr.	G.-B.	Gr.	Irl.	It.	Lux.	P.-B.	Port.	Eur. 12
Superficie [1]	24,9	3	4,3	50,5	54,9	24,4	13,2	7	30,1	0,2	4,1	9,2	226
Superficie agricole utilisée [1]	11,9	1,4 [8]	2,8	27,1 [9]	30,6	18,4	5,7 [9]	5,7	17,2 [8]	0,1	2 [9]	4,5 [9]	127,5
Emploi [2-10] (en 1 000)	927	99	151	1 345	1 257	560	889	154	1 823	6	293	848	8 352
% [10]	3,3	2,7	5,7	10,7	5,8	2,2	23,9	13,8	8,5	3,2	4,5	17,5	6,3
Exploitations (en 1 000)	705	93	87	1 792	982	260	953	217	2 784	4	132	636	8 644
SAU par exploitation (ha)	16,8	14,8	32,2	13,8	28,6	64,4	4,0	22,7	5,6	30,2	15,3	5,2	13,3
Production agr. finale [3]	28,9	6,4	6,8	25,2	46,6	19,3	8,3	4,3	36,6	0,2	15,7	3,5	202
% de l'agr. dans PIB	1,7	2,4	4,2	4,7	3,3	1,5	16,5	10,5	4,0	2,4	4,6	5,5	3,1
% import. agr. dans import. [4]	9,5	10,1 [78]	17,3	18,1	10,9	10,8	15,5	9,2	14,0	10,1 [78]	15,4	26,8	12,1
% export. agr. dans export. [4]	3,8	5,6 [7]	22,4	15,3	12,1	6,9	27,8	23,7	5,5	5,6 [7]	22,8	10,5	8,5
Solde commerce extérieur [5]	– 6,2	– 1,6 [7]	0,9	– 2,5	0,6	– 4,6	– 0,2	0,6	– 5,4	– 1,6 [7]	– 1,1	– 1,3	– 20,7
% dép. alim. des ménages [6]	16,4	19,9	21,8	22,4	19,5	21,7	37,8	39,0	22,3	20,3	18,7	31,4	20,3

Nota. – (1) Millions d'ha. (2) Agriculture, sylviculture, chasse, pêche. (3) En milliards d'écus. (4) %. (5) Des produits agricoles et alimentaires. (6) Dépenses alimentaires des ménages par rapport aux dép. totales de consommation. (7) UEBL/Bleu. (8) 1988. (9) 1989. (10) 1991.

Degré de l'auto-approvisionnement de certains produits agricoles

En %, 1990-91	All.	Dan.	Esp.	Fr.	G.-B.	Gr.	Irl.	Ital.	P.-B.	Port.	UEBL	Eur. 12
Céréales (sans riz)	114	155	91	215	119	93	100 [8]	80	31	43	51	120 [8]
Blé total	121	178	81	238	129	100	65 [8]	76	55	29	71	136 [8]
Seigle	163	196	88	104	100	107	0 [8]	84	49	29	54	122 [8]
Orge	113	141	112	224	136	63	137 [8]	70	22	34	75	123 [8]
Maïs grains	56	0	72	184	0	96	0 [8]	90	0	48	5	94 [8]
Riz usiné, total	0	0	163	27	0	110	0 [8]	229 [8]	0	70	0	75 [8]
Pommes de terre	99	97	94	90	91	92	79 [8]	88	156	81	146	100 [8]
Sucre	151	259	90 [8]	–	53	92 [4]	166	89	197	1	246	128 [8]
Légumes frais	41	55 [10]	119	89 [9]	88 [9]	159 [8]	80	122	245	121 [10]	126	106 [10]
Fruits frais (sans agr.)	20	20 [9]	112	86 [9]	19 [9]	133 [8]	15	115	78	90 [10]	54	85 [10]
Agrumes	0	0 [10]	237	29	0 [9]	150 [8]	0	108	0	96 [8]	0	70 [10]
Vin	45	0	106	120	0	123	0	127	0	138	67 [3]	103
Produits laitiers												
Matières grasses [11]	103 [5]	209 [5]	98 [5]	116 [5]	87	85 [7]	175 [6]	79 [5]	152 [6]	102 [5]	113	–
Protéines [11]	134	551	102 [5]	138 [5]	82	83 [7]	863 [10]	66 [5]	1 025	102 [5]	168	–
Produits frais [11] (sans crème)	113	104	99	102	99	98 [5]	101	96 [5]	89	101	132	101 [5]
Beurre [12]	96	194	238	108	71	39 [5]	1 292	67 [5]	353	100	121	115 [5]
Margarine [12]	107	129	99	72 [5]	95	92 [5]	121 [5]	72	132 [5]	106 [5]	150	102 [5]
Œufs [12]	71	104	97	108	92	98	92	95	338	101	126	103
Viandes [1-2-12]	90	299	97	101	84	68	300	74	231	90	135	102
Bovine totale [12]	120	208	102	114	91	29	903	63	160	71	159	108
De bœuf [12]	123	209	103	117	90	27	903	58	119	71	165	107
De veau [12]	72	100	66	100	492	87	n.c.	89	550	78	123	113
Porcine [12]	86	366	97	87	69	69	129	67	280	94	161	104
De volaille [12]	58	220	95	137	93	96	107	98	187	98	98	105
Ovine et caprine [12]	43	20	90	57	90	89	315	54	188	80	15	81
Graisses et huiles [12]	64	99	80	82	34	117 [5]	59 [5]	42	33 [5]	30 [5]	33	70 [5]
Végétales [12]	40	74	86	83	29	127 [5]	0	37	0 [5]	17 [5]	4	65 [5]
D'abattage [12]	120	120	70	92	57	57 [5]	240 [5]	71	71	69	75	86 [5]
D'anim. marins [12]	12	108	33	40	5	0 [5]	400 [5]	0	0 [5]	300 [5]	0	22 [5]

Nota. – *Source :* Eurostat. (1) Sans abats. (2) Y compris les graisses de découpe. (3) Uniquement Luxembourg. (4) 1987. (5) 1989. (6) 1988. (7) 1987. (8) 1989/90. (9) 1988/89. (10) 1987/1988. (11) 1990/1985. (12) 1990.

Superficies (milliers d'ha, 1990)	Céréales riz compris	Légumes Frais	Pommes de terre	Betteraves sucrières	Graines oléagineuses	Fourrages verts	Légumes secs	Cultures fruitières[5]	Vignes
Europe des 12	33 539	1 693 [2]	1 409	1 888	4 636 [2]	4 625 [3]	1 866 [2]	11 643 [4]	4 035 [2]
Allemagne	4 471	49	211	406	6 049	908	49	156	101
Belgique	334	31	53	108	6	136 [2]	4	13	0
Danemark	1 578	16	40	66	290	70	115	8	–
Espagne [1]	7 463	496	271	169	1 332	533 [2]	330	4 795	1 454
France	*9 041*	*276*	*164*	*475*	*1 954*	*1 847*	*725*	*1 196* [2]	*909*
G.-B.	3 659	142	177	194	424	44	216	50	–
Grèce [1]	1 454	135 [2]	51	44	308 [2]	66 [5]	38 [2]	1 153 [4]	165 [2]
Irlande	327	5	25	32	5	1 [3]	2	2	–
Italie	4 167	411	112	268	510	836	148	3 260	1 051
Luxembourg	32	0	1	0	2	11	1	1	1
Pays-Bas	196	65	175	125	9	199	19	25	0
Portugal [1]	817	82	127	1	56 [2]	–	249	872	264

Nota. – (1) Superficie récoltée. (2) 1989. (3) 1988. (4) 1987. (5) 1986.

de 20 % (sauf aides directes prévues par la réforme de la PAC pour la durée de l'accord) ; protection aux frontières de la CEE après tarification abaissée de 36 % (par rapport à 1986-88) ; clause d'accès minimum sur le marché communautaire à des conditions privilégiées pour chaque secteur ; aides à l'exp. réduites de 36 % et volumes exp. avec subvention de 21 % (par rapport à 1986-90) ; clause de paix exempte mesures de soutien interne et aides à l'exp. d'actions dans le cadre du GATT. Mise en œuvre : 1994-99 50 (dès accord au GATT). **2°)** *volet oléagineux :* surfaces eur. réduites à 5,13 millions d'ha avec taux de gel moyen (jachère min. de 10 %). USA acceptent prod. de graines oléagineuses à des fins ind. sur terres en jachère (limitée à 1 million de t d'équivalent tourteaux soja). **1993**-*27-4* Fr. demande prime compensatoire à la jachère relevée de 1 000 F, base de calcul des primes aux ovins modifiée pour corriger la chute des cours, 4,67 % de quotas laitiers destinés aux zones de montagne récupérés, et 1 des zones recevant prime au blé dur, plan fr. de régionalisation des aides, rotation des jachères ramenée de 5 à 2 ans et droit (sans prime) de cultiver betterave à usage ind. sur terres en jachère.

Fonctionnement du Marché commun agricole

Les produits, sauf alcool et p. de terre, sont soumis à une organisation commune de marché et circulent librement. Le mode de fixation de leurs prix est uniforme. Le Feoga prend en charge le financement de la politique agricole commune.

Unité de compte. Dep. 13-3-1979, est remplacée par l'écu (voir Index).

Échanges avec des pays hors CEE. 2 cas : **1°)** *le cours mondial est inférieur au prix de seuil en vigueur (prix minimum d'entrée sur le marché communautaire).* Ex. : a) l'All. féd. (membre de la CEE) achète du blé à l'Argentine à 70 $ la t. alors que le prix de seuil est de 100 $. L'All. verse 70 $ à l'Arg. et 30 $ au Feoga (100 – 70 = 30 $) (c'est le prélèvement). b) La France vend à l'ex-URSS (pays tiers) du blé à 65 $ la t. Le Feoga versera à la France la différence, soit 35 $ (c'est la restitution). **2°)** *le cours mondial est supérieur au prix de seuil :* les exportations peuvent faire l'objet d'un prélèvement.

Mesures de sauvegarde. Si les prix intérieurs de la CEE deviennent plus avantageux pour les acheteurs que les cours internationaux, des taxes à l'export. viennent renchérir le prix d'export. La CEE et la Commission peuvent aussi suspendre la délivrance des certificats d'export. En cas d'abondance, elles peuvent percevoir des taxes à l'imp. et suspendre temporairement les imp.

Montants compensatoires monétaires (MCM). *Créés* pour neutraliser dans les échanges agricoles les différences de prix qui d'un État membre à un autre résultent des variations monétaires, et pour préserver la libre circulation des produits en évitant la préférence pour l'achat des productions dans les pays à monnaie faible. **MCM positifs** (dans les pays à monnaie forte) : subventions à l'exportation et taxes à l'importation ; **MCM négatifs** (pays à monnaie faible) : taxes à l'export. et subventions à l'import. Calculés à partir des « taux verts » (différents taux de change officiels) utilisés pour convertir les monnaies nationales en écus (prix communs).

Feoga

Institué. 14-1-1962. Doit assurer le soutien des prix et la régularisation des marchés (section Garantie), favoriser les améliorations structurelles dans le domaine agricole (section Orientation).

Ressources du budget communautaire. *Prélèvements et autres perceptions sur les échanges cotisations* à la production et au stockage, *droits de douane*, *fraction des ressources de la TVA* perçue par les États membres, *recettes diverses.*

Dépenses (en milliards d'écus) **1°)** **Section Garantie :** *1980* : 11,3. *85* : 19,7. *90* : 26,4. *91* : 32,5. **2°)** **S. Orientation :** *Paiements* (en millions d'écus). *80* : 603. *85* : 720. *90* : 1 700. *91* : 2 378.

Statistiques

Valeur vénale des terres agricoles (parcelles) (en écu/ha, 1990). *France :* t. labourables 3 254, prairies 2 343. *P.-B. (1989) :* t. lab. 14 474, pr. 18 670. *Belg. :* t. lab. 11 532, pr. 9 050. *RU :* t. agricoles : Angl. 7 049, P. de Galles 5 806, Écosse 2 097, Irl. du N. 4 989. *Dan. :* t. lab. 6 364. *Esp. :* t. agr. irrigables 15 396, non irr. 3 596. *Grèce :* irr. 13 932, non irr. 6 372. *All. féd. :* t. lab. 16 392.

Quantités produites (1990, en milliers de t ou d'hl). Europe des 12 : *oléagineux : France 4 627,* Italie 1 833, All. féd. 1 800, Esp. 1 522, G.-B. 1 260, autres 1 506. *Céréales : Fr. 54 998,* All. féd. 25 883, G.-B. 22 569, Esp. 18 758, autres 38 438. *Vin : Fr. 61 058,* It. 60 327, Esp. 32 444, autres 27 179. *Betteraves : Fr. 31 735,* All. féd. 23 310, It. 11 915, Esp. 7 364, autres 31 130. *Fruits frais :* It. 6 752, Esp. 3 625, *Fr. 3 362,* All. féd. 2 943, autres 10 791. *Légumes frais :* It. 12 381, Esp. 10 879, *Fr. 5 680,* Grèce 3 841, autres 11 610. *Viandes bovine, bœuf, veau : Fr. 1 929,* All. féd. 1 676, G.-B. 986, It. 892, autres 2 255. *Volailles : Fr. 1 665,* It. 1 100, G.-B. 1 043, Esp. 834, autres 1 694. *Lait : Fr. 24 127,* All. féd. 21 474, G.-B. 14 635, P.-Bas 10 778, autres 27 893. *Œufs : Fr. 992,* G.-B. 721, P.-B. 700, All. féd. 692, Esp. 668, autres 1 111. *Viande de porc :* All. féd. 3 142, P.-Bas 1 909, *Fr. 1 816,* Esp. 1 763, autres 4 677.

Commerce de la CEE de produits agricoles et alimentaires suivant les principaux pays clients, exportations et, entre parenthèses, importations (en millions d'écus, en 1990). USA 4 667 (6 033). Suisse 2 453 (756). Japon 2 225 (184). URSS 1 533 (234). Suède 1 388 (376). Autriche 1 265 (519). Arabie S. 1 058 (34). Algérie 981 (24). Canada 795 (871).

Soldes les plus importants (en millions d'écus, 1990). POSITIFS : Japon + 2 041. Suisse + 1 697. URSS + 1 299. Arabie Saoudite + 1 034. Suède + 1 012. NÉGATIFS : Brésil – 3 578. Argentine – 2 465. USA – 1 366. Thaïlande – 1 198. N.-Zélande – 968.

FORÊTS

FORÊTS

☞ Voir aussi p. 59.

GÉNÉRALITÉS

Il y a environ 30 000 espèces d'arbres dans le monde (voir **Records** p. 187). Une forêt (vierge) qu'on ne coupe pas consomme, en respirant et en pourrissant sur pied, autant d'oxygène qu'elle en produit. Si elle brûle, elle donne du gaz carbonique qui, s'ajoutant à la pollution atmosphérique, provoque, par effet de serre, un réchauffement dangereux du climat mondial. En revanche, une forêt bien exploitée peut stocker le gaz carbonique sous forme de bois qu'on pourra utiliser, et produira plus d'oxygène qu'elle n'en consomme. On étudie la canopée, couche supérieure des forêts équatoriales, avec un dirigeable auquel est suspendue une plate-forme gonflable de 580 m².

■ **Grands types.** *Forêt résineuse* conifères (ex. : la Taïga). *F. sclérophylle* essences à petites feuilles coriaces et persistantes (ex. : f. de chênes verts). *F. tropicale humide (semper virens : toujours verte).* Superficie en millions de km² : Amér. du S. et centrale 6 (dont Brésil 3,7), Asie du S.-E. et Australie 3, Afrique 2,1. *F. feuillue caducifoliée* essences à feuilles caduques (ex. : chênaie-hêtraie).

■ **Origine des peuplements.** *Semis naturels :* graines tombées des arbres ; on peut favoriser ce semis en supprimant les sujets gênants, en nettoyant et en travaillant le sol. *Rejets de souche :* origine des taillis. *Plantations.*

■ **Types d'exploitation. Futaie :** arbres de « franc-pied » (issus de semences à l'exclusion des tiges venant de rejets de souches). *Futaie régulière :* sensiblement du même âge et de la même taille. *Forêt jardinée :* les arbres d'âges différents sont mêlés (fréquente en montagne : Vosges, Jura, Alpes, Pyrénées). Par des méthodes dynamiques (entretien, travail du sol, apports d'engrais), la production des plantations (notamment peuplier et pin maritime) peut être accélérée. *Révolution de la futaie :* durée s'écoulant entre 2 régénérations. Pins maritimes et autres résineux à croissance rapide 40-60 ans, résineux produisant du bois de qualité de grosses dimensions 60-120 ans, feuillus de qualité 80-240 ans. **Taillis :** arbres venant des rejets des souches recépées. Les tiges, issues d'une même souche, se présentent en bouquets appelés « cépées ». **Taillis simple :** à maturité on coupe à blanc étoc. La périodicité de ces coupes *(révolution)* varie en moyenne entre 20 et 40 ans suivant la vitesse de croissance du taillis et les dimensions des produits recherchés. **Taillis sous futaie :** arbres de « franc-pied » (futaie) et rejets de souches (taillis). Rotation des coupes fixée par la maturité du taillis. Chaque coupe exploite tout le taillis et une partie de la futaie.

QUELQUES DÉFINITIONS

Bille : tronçon découpé dans une grume. **Bois d'industrie ou de trituration :** en général, bois dont la grosseur ne permet pas leur sciage, utilisés à l'état brut (poteaux télégraphiques, étais de mines) ou en copeaux pour être reconstitués en panneaux ou pour fabriquer de la pâte à papier. **Bois d'œuvre :** troncs (ou grumes) assez gros pour pouvoir être sciés, tranchés (qualité supérieure) ou déroulés. **Chablis :** arbre renversé par le vent. **Déroulage :** transformation d'une bille en placage en principe continu, en l'attaquant tangentiellement aux couches annuelles au moyen d'une lame coupante parallèle à l'axe de la bille, celle-ci étant montée entre pointes et animée d'un mouvement rotatif. **Grume :** tronc d'arbre abattu, ébranché et recouvert ou non de son écorce. **Houppier :** ensemble des branches et ramilles d'un arbre. **Stère :** rondins de bois empilés mesurant un mètre en tous sens. Généralement, un stère comprend 600 à 700 litres de bois et 400 à 300 l de vide. **Tranchage :** débitage d'une bille en placage avec une lame coupante travaillant comme un rabot, parallèlement à l'axe de la pièce de bois.

La « réserve » (arbres non abattus) comprend *baliveaux* (âge égal à 1 rotation de taillis), *modernes* (âge égal à 2), *anciens* (à 3), *bisanciens* (à 4), *vieilles écorces* (à 5). Pour préserver les baliveaux, on maintient autour d'eux des brins de taillis (« Gaine de soutien »).

■ **Rendement (en Europe). Feuillus :** 3 à 5 m³ de bois par ha et par an (dont 50 % env. en futaie). *Peupliers :* jusqu'à 20 m³ (vallée du Pô). Un chêne de la forêt de Tronçais âgé de 250 ans et de 30 m de haut a donné 32 m³ de bois d'ébénisterie. **Résineux :** 5 à 25 m³ de bois d'œuvre par ha et par an. *Record : Danemark :* épicéa, 40 m³. *France :* pins maritimes des Landes, de 5 à 10 m³. Forêt de la Joux (Jura : sapin-épicéa), 10 à 12 m³. Douglas (esp. la + plantée), 17 m³.

TYPES DE BOIS

CHARPENTES

■ **Traditionnelles.** *Autrefois :* essentiellement en chêne, puis peuplier. *Aujourd'hui :* résineux.

■ **Modernes.** *Industrialisées* (fermettes) : débits résineux de 38 mm d'épaisseur, et 75, 100, 115, 125 ou 150 mm de largeur, aboutés ou non et assemblés par des connecteurs métalliques (plaques perforées à dents). *Lamellés-collés :* poutres en arc (jusqu'à 100 m sans appuis intermédiaires), ou poutres droites. Planchettes aboutées en lits collés de 15 à 50 mm d'épaisseur selon le rayon de courbure des poutres à réaliser ; en résineux (surtout sapin et épicéa). *Composites :* membrures en bois massif associées à des contreplaqués ou autres panneaux dérivés du bois constituant les âmes des poutres en des goussets d'assemblage. *Caissons chevronnés :* « pans » de toiture préfabriqués. *Pannes :* pièces longues parallèles au faîte d'un toit, reposant généralement sur des murs-pignons et sur des fermes traditionnelles. *Chevrons :* pièces parallèles à la pente d'un toit, placées sur les pannes et supportant la couverture (par des liteaux, lattes ou panneaux).

☞ Il n'y a que quelques charpentes en châtaignier (ex : château de Sully-sur-Loire, hospices de Beaune) : les gros châtaigniers sont *atteints de « roulure »* (décollement des accroissements annuels), et peu utilisables.

BOIS DE MENUISERIE

Caractéristiques. Un bois de menuiserie ne doit pas : *présenter de gros nœuds* à partir de 50 mm pour le pin et emplois très communs, mais plutôt 25 à 30 mm en général (nœuds sains) ; dans les pièces visibles, seuls les nœuds sains de quelques mm sont admis ; *ni de défauts notables* (fentes, échauffures, vermoulures, pentes de fil importantes...) ; *avoir une texture grossière* (ces de – de 5 mm) ; *être humide :* taux de 18 % et + (14 % pour emplois inférieurs). **Il doit** être traité contre les attaques d'insectes et de champignons dans le cas de menuiseries extérieures, s'il n'est pas naturellement durable (bois parfait de chêne, de pin, d'iroko, etc.).

Principaux emplois (en %). *Parquets :* pin maritime 65, autres résineux 18, chêne 10. *Fenêtres, portes-fenêtres et portes extér. :* bois tropicaux (85 à 90 %).

BOIS DE TRANCHAGE ET DE DÉROULAGE

Placages d'ébénisterie. Tranchés, sauf les *loupes* (terme désignant le plus souvent des broussins), qui sont déroulées. *Épaisseur :* 6 à 7/10 de mm.

Contreplaqué. Origine tropicale (4/5) : okoumé, samba, limba, homba, tola, ozigo, meranti-lauan, etc. ; 1/5 : pin maritime, peuplier et hêtre. Venant de billes de pied sans défaut notable, d'au moins 1,50 m de long. *Catégories : contr. multiplis :* ordinaires obtenus par traitement sous pression (10 bars), à 90/130 °C, d'empilements d'un nombre impair de feuilles de placage déroulées, préencollées (en gén. contreplaqué le + couramment vendu en France : le 5 plis de 10 mm d'épaisseur totale) et disposées de telle sorte que le fil du bois soit croisé d'une feuille à l'autre. *Colles employées :* surtout des urée-formols et résorcines. *Lattés :* âme en petits liteaux jointifs (à disposition alternée des cernes, non collés sur chants), recouverte sur ses 2 faces par des placages déroulés collés. *Lamibois (ou microlam) :* feuilles de placage non disposées à fil croisé.

BOIS D'AMEUBLEMENT

Essences utilisées (en %). Chêne 28, hêtre 14, peuplier 7, divers feuillus (noyer, merisier, frêne, érable, orme, châtaignier) 13, résineux 13, feuillus importés 18, résineux importés 6.

BOIS D'EMBALLAGE

Usages. *Caisses* (7,1 % du bois d'emballage). *Emballages* légers (25,7). *Palette et caisse-palette* (29,3). *Emballages sur mesure* (23,3). *Tonneaux* (9).

Essences utilisées (en %). Sapin-épicéa 30, peuplier 25 (fournit des sciage, déroulage et contreplaqué), pin (surtout maritime) 25, bois divers 20, [dont chêne (4) et châtaignier (1) pour la tonnellerie, et hêtre (7) pour déroulage].

☞ *En 1940 :* il y avait 12 000 tonneliers. Il en reste 300 utilisant 100 à 120 000 m³ de sciages de merrains.

BOIS DE TRITURATION

Bois à fragments. En vue d'une réagglomération ultérieure avec ou sans liant, en panneaux plats, feuilles ou objets moulés. Trituration du bois faite par découpage en copeaux plats : en *défibrage mécanique* (sur des meules ou disques abrasifs) ou *chimique* (dissolution de la lignine). **Bois pour panneaux agglomérés.** *Panneaux de fibres durs :* sans liant exogène, densité de + de 800 kg/m³ [« Isorel » (procédé humide) ou « Biplac » (procédé sec)]. *De fibres de moyenne densité* (MDF : *medium density fiberboard)* avec 650 à 700 kg/m³, un peu de liant exogène (colles urée-formol), généralement épais (20 à 30 mm). *Panneaux de particules traditionnels :* bois non défibré mais découpé en copeaux (long et larg. de l'ordre du mm, épaisseur de 1/10 à 1/100 de mm), additionné de 8 à 10 % de liants divers : famille des résorcines (composés phénoliques), urées-formol, urées mélamines, isocyanates, etc ; *modernes :* copeaux assez grands conservant la structure originelle du bois (nommés *wafers, flakes, shavings,* selon formes et dimensions). Peuvent être revêtus d'une finition décorative ; surfacés mélaminés.

BOIS, SOURCE DE CHALEUR ET D'ÉNERGIE

Composition du bois. Partie combustible 45 % (celluloses, hémicelluloses et lignines), oxygène 44, hydrogène 6, azote 1, cendres 1.

Pouvoir calorifique inférieur [pci : quantité de chaleur dégagée par unité de masse sans condensation de l'eau lors de la combustion, ou dégagée par le combustible (cas de la combustion à l'air libre)] en Kcal : résineux 4 400 à 5 000 ; feuillus 4 000 à 4 800 (au m³, le pci des feuillus, plus denses, est plus élevé que celui des résineux) ; briquettes de sciure et copeaux (pci : 4 000 à 4 200) ; granules (Woodex) : pci 4 000 à 4 200. Un bois humide peut détériorer les conduits de fumée par *goudronnage et bistrage.*

Humidité. Calculée *par les industriels* dans la masse de bois brute (un bois à 40 % contient 60 de bois et 40 d'eau), *par les scientifiques* par rapport à la masse de bois anhydre [« sur sec » ; un bois à 40 % contient 100 % de bois et 40 % d'eau pour une masse totale de 140 (soit 71,5 % de bois et 28,5 % d'eau pour une masse totale de 100)].

Bois commercialement sec. Bois ayant séché 2 ans à l'air libre, en bûches de 1 m, humidité sur sec d'env. 20 %. Séchage artificiel répandu.

Bois frais de coupe. Peuplier : humidité 100 à 200 %, résineux 100, feuillus 60 à 80. **Pouvoir calorifique** d'un stère de : 0,6 m³ (en fait 0,44 à 0,63 m³ selon le diamètre des rondins : de 5 à 12 cm) 1 465 thermies (1 405/1 525). **Comparaison thermies/tonne :** bois feuillu sec à l'air 3 500 à 3 600 ; anthracite 7 000 ; gaz de Lacq 8 800 ; fuel domestique (FOD) 10 150 ; butane 11 000.

Bois de feu hêtre. Comparaison au début (après/sous abri en 24 mois). *Humidité sur sec (%) :* 78 (24/15). *Masse spécifique kg/m³ :* 980 (705/690). *Pci en thermies/tonne :* 2 100 (3 325/3 700) ; *en thermies/m³ :* 2 055 (2 315/2 545). **Comportement au feu :** flamme vers 270 °C. *Température* au bout de 1/4 d'h : 720 °C ; 1 h : 925 °C ; max. : 1 200 °C. Après un temps bref où la temp. du bois ne dépasse pas 100 °C (par suite de l'humidité), le bois commence à se décomposer (réaction endothermique) en émettant des gaz combustibles (flammes de + de 1 000 °C) ; une couche de charbon de bois se forme, qui peut continuer à brûler sans apport de chaleur extérieure (réaction exothermique). Ce processus gagne le centre du bois (de 7/10 de mm par min. ou 4 cm à 4,5 cm par h). Pendant ce temps, le bois ne se dilate pas sensiblement, et, sous forte épaisseur ou forte section, ne se déforme pas et conserve une résistance mécanique fonction du volume relatif des parties non carbonisées.

Nota. – Lors d'un incendie : le fer, qui ne « brûle » pas, se dilate et s'amollit rapidement, la pierre et le béton, incombustibles, se fendent ou éclatent (en particulier sous les jets des lances d'incendie).

Durée de résistance au feu, en minutes, **de poteaux de 2,30 m chargés à 10 t, de chêne (0,15 × 0,15)** et, entre parenthèses, **d'acier à poutrelles (HN 100).** Poteau nu 52 min. (8 à 10 min), protégé par 1 cm de plâtre 81 (60 à 69), par 2 cm 118 (84 à 95).

Quelques bois tropicaux

Nom. Le plus courant et, entre parenthèses, nom botanique. **Feuillus :** *bois surtout déroulés pour la fabrication de contreplaqué :* Framiré (Terminalia ivorensis). Ilomba (Pycnanthus angolensis). Limba [Fraké] (Terminalia superba). Obéché [Samba, Ayous] (Triplochiton xeroxylon). Okoumé (Aucoumea, Kleineana). Ozigo [Assia] (Dacryodes, Buettneri). Tchitola (Oxystigma oxyphyllum). Tola (Grossweille-rodendron balsamiferum). *Bois de menuiserie courante et parfois charpente :* Andiroba (Carapa guianensis). Bosse (Guarea). Kosipo (Entendophragma, Candollei). Keruing (Dipterocarpus, divers). Makore (Tieghemella, divers). Mengkulang (Heritiera, divers). Meranti (dark red) (Shorea, divers). Meranti (light red) (Shorea, divers). Niangon (Tarrietia, divers). Sipo (Entendophragma). *Bois de menuiserie fine, moulures, ébénisterie, ameublement, placages.* Acajou d'Afrique (Khaya, divers). Afrormosia (Pericopsis elata). Avodiré (Turroeanthus africana). Bété (Mansonia altissima). Bubinga (Guibourtia, divers). Noyer noir (de Virginie) (Juglans nigra). Dibétou (Lovoa, divers). Eyong (Eribroma oblonga). Lauan (White) [Almon] (Pentacme, divers). Mahogany [Acajou vrai] (Swietenia, divers). Ramin (Gonystylus bancanus). Sapelli [Aboudikro] (Entendophragma cylindricum). Teck (Tectena grandis). Tiama (Entendophragma angolense). Angélique [Basra locus] (Dicorynia guianensis). Azobé (Lophira alata). Balsa (Ochroma lagopus). Doussié (Afzelia, divers). Iroko (Chlorophora excelsa).

Résineux : pin de Paraná (Araucariá angustifolia). Pitchpin (Pinus palustris, Pinus toeda). Sequoia [Redwood] (Sequoia sempervirens). Spruces (Picea, divers). Western Hemlock (Tsuga heterophylla). Western red cedar (Thuya plicata).

Produits annexes

Adragante. (Asie Mineure). Pharmacie. **Alcool.** L'action des acides forts (acides sulfurique et chlorhydrique) sur la cellulose du bois donne des sucres, avec lesquels on peut faire de l'alcool éthylique ou produire des levures pour le bétail. 100 kg de bois sec peuvent donner 25 à 30 l d'alcool absolu. La lignine reste comme sous-produit.

Baume du Pérou. (Salvador). **Bois.** Menuiserie, charpente, ébénisterie, etc., combustible, pâte à papier (jeunes arbres, parties hautes des pieds ou houppiers, maîtresses branches, déchets de scierie).

Camphre. (Japon, Taiwan) Laurier camphrier. **Cellulose.** Extraite chimiquement par la méthode au bisulfite de calcium. *C. dispersées et régénérées :* les c. sont imbibées par la soude, dispersées dans du sulfure de carbone en présence d'un excès de soude, puis recoagulées par action chimique, sous forme de fils avec lesquels on fait la rayonne et la fibrane, ou sous forme de feuilles (cellophane). *Nitrocelluloses :* les c. attaquées par l'acide nitrique (en présence de catalyseurs) donnent des nitr. ; usages variés : celluloïd (par plastification avec le camphre), films (durs mais inflammables), vernis, explosifs, etc. *Acétocelluloses :* en présence d'acide sulfurique, les c. peuvent se combiner à l'acide acétique pour donner des acét. ; usages variés : textiles, poudres à mouler, mat. plastiques, feuilles transparentes, vernis, etc.

Charbon. Une meule de 4 stères de bois donne de 240 à 320 kg de ch. en 48 h, un camion de 3 à 5 t consomme de 40 à 50 kg de charbon aux 100 km ou 100 kg de bois s'il a un générateur à bois. *Carbonisation par distillation :* rendement de 25 % en poids, permet de recueillir les produits volatils : gaz non condensables (hydrogène, méthane, oxyde de carbone, gaz carbonique, azote, etc.) ; alcools + ou – volatils (surtout alcool méthylique) ; acide acétique dilué dans de l'eau ; goudrons facilement condensables.

Chicle. (Honduras) Sapotillier utilisé pour le chewing-gum v. 1870 aux USA ; auj. on ajoute des prod. synthétiques tirés des hydrocarbures, notamment du vinyle, du glucose, de la paraffine pour régler le degré du ramollissement, et des substances aromatiques (acides citrique ou tartrique). **Colophane.** (Asie Mineure) Venant de la distillation de la résine-gemme des pins. **Copal.** (Afrique) : pour les vernis. **Écorce pour tannerie.** Chêne (surtout ch. vert), épicéa ; tannin contenu dans l'écorce en % : jeune chêne 16, vieux 7, épicéa 4. Rendement en écorce taillis 25 à 30 ans 3 à 5 t par ha. Pour tanner une peau de vache, il faut 120 kg d'écorce. On fabrique maintenant surtout des extraits tannants avec le bois de châtaignier (qui sert ensuite à faire de la cellulose) ou des écorces de bois tropicaux (mimosas, palétuviers, sumacs, quebracho, etc.). **Encens.** (Inde et Afrique). **Essence de bois de rose.** (Amérique). **Gemme.** Pin d'Alep et maritime (2 à 4 l par an par arbre). On en tire colophane, brai, essence de térébenthine. Les Romains additionnaient la résine à du vin bouilli et de la farine pour raffermir le sein des femmes. *Principaux producteurs :* USA, France (dans les Landes, exploitation florissante au XIXe s. : 17 000 gemmeurs (dits saigneurs de pins) ; auj. quelques dizaines (concurrence Portugal, Espagne, Grèce). **Gomme.** *G.-laque,* (Inde, Indochine) larve d'un insecte parasite ; *g. arabique* (Sénégal), acacia ; *g.-gutte* (Asie du S.). **Laque.** (Extrême-Orient) Laquier du Tonkin. **Latex.** (Extrême-Orient) : caoutchouc. **Liège.** (régions méditerr.) Écorce du chêne-liège. 1er écorçage ou démasclage à 15-18 ans (liège mâle cassant utilisé pour les agglomérés) ; 2e éc. 10 ans après ; femelle pour la bouchonnerie. A 120 ans, l'arbre est abattu et écorcé (la mère fournit le tan). 1 ha donne de 80 à 120 kg de liège tous les 10 ans (avec lesquels on peut faire 10 000 à 15 000 bouchons). *Principaux producteurs,* en milliers de t : Portugal 197, Espagne 65, Algérie 27, Maroc 26, *France 13* (surtout en Corse). **Myrrhe.** (Afrique). **Quinine.** (du quinquina des Andes, Sri Lanka, Java, Indes, Guinées). Haut. env. 30 m.

La forêt dans le monde

Principaux pays forestiers

Répartition mondiale des forêts et autres terres boisées (en %, source : FAO, 1990). Amér. latine 23, ex-URSS 23, Amér. du N. 18, Afrique 15, Asie (hors Japon)/Pacifique 12, Europe 5, Australie, Japon, Nlle-Zélande 4.

Surface forestière (en millions d'ha). Ex-Urss 739,9 (20,53 % de la surface forestière mondiale), Brésil 518,3 (14,38 %), Canada 264,1 (7,33 %), USA 226,4 (6,28 %), Zaïre 177,6 (4,93 %), Chine 127,8, Indonésie 118,8, Pérou 70,7, Bolivie 66,8, Inde 59,3, Angola 53,8, Colombie 51,8, Mexique 48,5, Soudan 47,8, Argentine 45,1, Tanzanie 42,1, Papouasie-Nlle Guinée 38,2. *Europe :* Suède : 27,8, Finlande 23,2, France 15,2.

% de la forêt (par rapport à la superficie totale du pays). (1989) Guyane 94, Gabon 79, Finlande 65, Indonésie 65, Japon 63, Brésil 61, Suède 59, Tchéc. 35, URSS 33, Canada 28, All. féd. 28, N.-Zélande 26, *France 25,* Norvège 25, USA 24, Italie 21, Gambie 21, Belg.-Lux. 20, Inde 19, Argentine 16, Danemark 11, P.-Bas, R.-U., Maroc 8, Irlande, Australie 5, Tunisie 2. *Monde 27.*

La forêt tropicale couvre 1 200 millions d'ha, soit 7 % des terres émergées et renferme + de 50 % de la faune et de la flore du monde (80 % des insectes et 90 % des primates). Chaque année elle reculait de 12,5 millions d'ha (3,5 défrichés retombaient en jachère et donnaient une forêt secondaire) dans les années 1970, actuellement elle recule de 18 millions d'ha chaque année.

Production totale (en millions de m³). **Bois rond** (1989) : 3 462,6 dont Asie 1 067,3 (Chine 272,7) ; Amér. du N. et centr. 771,4 (USA 533,2, Canada 177) ; Afr. 498,5 ; URSS 382,1 ; Europe 368,2 (*France 43,7*) ; Amér. du S. 335,6 ; Océanie 39,8. **Bois rond industriel** (1990, est.) : 1 681,5 dont Amér. du N. et centr. 599 (USA 417, Canada 170) ; Europe 318 (Suède 51, *France 37*) ; URSS 301 ; Asie 273,6 ; Amér. du S. 101,3 ; Afr. 56,7. **Sciages** (1989) 500,7 dont Amér. du N. et centr. 166,2 (USA 103, Canada 59,2) ; Asie 106,7 (Japon 30,5) ; URSS 100 ; Europe 86,3 (*France 10,6*) ; Amér. du S. 26,6 ; Afr. 8,8 ; Océanie 6. **Grumes conifères** (1986) : 695 dont USA 208 ; URSS 139 ; Canada 126 ; Suède-Finlande 38 ; Chine 24,9 ; Japon 16 ; Europe (sauf Suède, Finlande, URSS) 81 ; reste du monde 87 ; *France 11.* **Grumes feuillus** (1986) : 264 dont Asie 107 ; Amérique du N. 44 ; Europe 36 ; Amérique du S. 30 ; URSS 23 ; Afrique 17 ; Océanie 7 ; Japon 3 ; *France 8.* **Bois de trituration** (1986) : 394 dont Amérique du N. 171 ; Europe 113 ; URSS 40 ; Amérique du Sud 28 ; Japon 13 ; Océanie 12 ; Afrique 7 ; *France 9,2.* **Panneaux à base de bois** (en millions de t, 1989) : 129,1 dont Amér. du N. et centr. 41 (USA 33,2) ; Europe 38,2 (*France 3*) ; Asie 27,5 (Japon 9, Indonésie 8,8) ; URSS 14,6 ; Amér. du S. 4,1 ; Afr. 1,9 ; Océanie 1,8. **Contreplaqués** (1986) : 49,1 dont USA 20,4 ; Japon 7 ; Indonésie 5,7 ; URSS 2,3 ; Canada 2,1 ; Chine 1,9 ; *France 0,4.* **Pâte de bois** (en millions de t, 1989) : 153,7 dont Amér. du N. et centr. 80,5 (USA 56,2, Canada 23,6) ; Europe 37,6 (Suède 10, Finlande 9,1, *France 2,1*) ; Asie 14,3 (Japon 10,4) ; URSS 11,3 ; Amér. du S. 5,9 (Brésil 4,3) ; Océanie 2,3 ; Afr. 1,7. **Bois de chauffage et charbon de bois** (1990, est.) : 1 786,3 dont charbon de bois 21,4. Afr. 442 (Nigeria 100) ; Amér. du N. et centr. 172 (USA 116, Mexique 15) ; Amér. du S. 234 (Brésil 183) ; Asie 793 (Inde 245) ; Europe 55,4 (*France 10*) ; URSS 80,7. **Bois d'œuvre dans le monde (grumes, sciages, placages) :** 1989, production et, entre parenthèses, import. et export. *Monde 1 006,4 (73/69,9).* Amér. du N. 384,8 (3,7/23,9). Asie 188 (55,1/22,1). Europe 163,9 (13,2/8,8). Amér. latine 56,6 (0,09/1). Afrique 22,5 (0,6/3,6). Océanie 17,5 (0,005/3,1).

Le coût de production de bois est le plus bas aux USA, en Scandinavie et au Canada, grâce à la forte mécanisation de la coupe et du déboisage.

☞ **Le kenaf** pourrait, en Afrique, se substituer au bois pour le papier (car il a rendement 9 fois supérieur à celui du bois et se récolte chaque année).

La forêt dans la CEE (1987)	Superficie boisée			Propriété		Futaie (en %)
	1 000 ha	%	ha par hab.	publique (en %)	Dont à l'État	
Belgique	617	20	0,06	46,8	10,9	70
Danemark	493	11,6	0,10	34,5	30,4	100
Espagne	12 511	13,8	0,18	34	4	88
France	14 765	25,2	0,25	28	9,6	49
Grèce	5 755	19,5	0,26	85	73,2	51
Irlande	397	5,8	0,11	80	79,3	100
Italie	6 403	21,8	0,11	40	5,9	64
Luxemb.	82	31,8	0,22	46	8,5	82
Pays-Bas	348	9,8	0,02	47	30	79
Portugal	2 976	28,6	0,26	19	3,5	92
All. réunies	10 162	28,5	0,13	65,5	47,6	96,9
Royaume-Uni	2 230	8,5	0,04	43,5	43,5	91
Moyenne CEE	*56 735*	*19,7*	*0,14*	*45,1*	*31,5*	*75,9*

La forêt en France

Caractéristiques

■ **Superficie (en millions d'ha).** *5000 av. J.-C. :* 44 ; *époque gallo-romaine* 40 ; *XVIIe s. :* 13 ; *1789 :* 6 ; *1880 :* 8 ; *1889 :* 9 (politique de reboisement de *1827 à 1847,* dépopulation des campagnes) ; *1900 :* 10 ; *1946 :* 10,8 ; *1990 :* 15,16 (dont feuillus 8,51, conifères 4,09, mixte 1,27, surfaces boisées hors forêts 0,95, peupleraies 0,28, feuillus en voie d'enrésinement 0,056, boisées hors forêt 0,1, peupleraies 0,27) ; *1992 :* 13,9, + 1 à 2 d'arbres épars, plantations, peupleraies.

En %, en 1992. Essences : chênes rouvre et pédonculé 31, autres feuillus 33, conifères 36. **Type de peuplements :** futaies 35, mélanges futaies-taillis 31, taillis et formations forestières plus ou moins dégradées 34.

■ **Territoire occupé par la forêt** (%). *1876 :* 17. *1920 :* 18,8. *60 :* 21,2. *22 :* 25. **Régions les plus boisées** (taux de boisement en % et, entre parenthèses, % de répartition entre feuillus, résineux, mixtes) : Franche-Comté 42 (73, 21, 6). Aquitaine 42 (32, 59, 9). Lorraine 36 (71, 24, 5). Alsace 35 (49, 35, 16). Provence-Côte d'Azur 34 (30, 48, 22). Rhône-Alpes 31 (45, 31, 16). Bourgogne 30 (36, 10, 54). **Les moins boisées :** Nord-Pas-de-Calais 7 (92, 4, 4). Basse-Normandie 8 (78, 15, 7). Bretagne 9 (44, 43, 13). Pays de la Loire 9 (65, 26, 9).

Superficie totale par région et département et, entre parenthèses, **surfaces boisées en milliers d'ha** (au 1-1-1991). *Ile-de-France* 1 196 (255,9) : S.-et-M. 593 (126,5), Yvelines 231 (72,1), Essonne 182 (39,4), Hts-de-S. 18 (1,6), S.-St-D. 24 (0,8), V.-de-M. 25 (2,5), Val-d'O. 125 (20,4). *Champagne-Ardenne* 2 572 (660,2) : Ardennes 524 (147,4), Aube 603 (140,5), Marne 820 (130,8), Hte-M. 625 (241,5). *Picardie* 1 952 (290) : Aisne 742 (122), Oise 589 (115,9), Somme 621 (52,1). *Hte-Normandie* 1 233 (222,5) : Eure 603 (121,6), S.-M. 630 (100,9). *Centre* 3 953 (822,9) : Cher 731 (162,6), Eure-et-Loir 593 (67,4), Indre 690 (107,8), Indre-et-Loire 615 (135,1), L.-et-C. 642 (186,5), Loiret 681 (163,5). *Basse-Normandie* 1 774 (151,4) : Calvados 560 (40,4), Manche 599 (22), Orne 614 (89). *Bourgogne* 3 175 (947,1) : Côte-d'Or 880 (312,8), Nièvre 687 (228), Saône-et-Loire 861 (184,7), Yonne 746 (221,6). *Nord-P.-de-C.* 1 245 (82,2) : Nord 574 (42,8), P.-de-C. 671 (39,4). *Lorraine* 2 367 (849,3) : Meurthe-et-Moselle 528 (169,2),

Meuse 624 (227,6), Moselle 625 (170,6), Vosges 590 (281,9). *Alsace* 833 (307) : Bas-Rhin 480 (168,7), Ht-Rhin 353 (138,3). *Franche-Comté* 1 631 (686,5) : Doubs 526 (214,6), Jura 505 (226,7), Hte-Saône 539 (219,8), Territoire de Belfort 61 (25,4). *Pays de la Loire* 3 240 (292,6) : Loire-Atl. 696 (44,1), Maine-et-Loire 723 (75,8), Mayenne 521 (33,8), Sarthe 624 (104,5), Vendée 675 (34,4). *Bretagne* 2 751 (266,9) : Côtes-d'Armor 700 (66,5), Finistère 679 (54,4), Ille-et-Vilaine 685 (56,2), Morbihan 687 (89,8). *Poitou-Charentes* 922 (359,9) : Charente 597 (110,6), Charente-Maritime 689 (99,3), Sèvres (Deux-) 604 (46,3), Vienne 704 (103,7). *Aquitaine* 418 (1 717,9) : Dordogne 922 (372,4), Gironde 1 020 (472,7), Landes 935 (563,2), Lot-et-Garonne 538 (117,5), Pyrénées-Atlantiques 768 (192,1). *Midi-Pyrénées* 4 560 (1 141) : Ariège 491 (191,7), Aveyron 877 (224,6), Garonne (Hte-) 636 (125,2), Gers 630 (76,6), Lot 522 (186,5), Pyrénées (Htes-) 452 (121,3), Tarn 578 (157,4), Tarn-et-Garonne 373 (57,7). *Limousin* 1 706 (529,9) : Corrèze 590 (247,6), Creuse 560 (147,1), Vienne (Hte-) 556 (135,2). *Rhône-Alpes* 4 497 (1 451,6) : Ain 578 (176,8), Ardèche 557 (224,5), Drôme 656 (262,6), Isère 788 (243), Loire 481 (123,3), Rhône 326 (70,5), Savoie 627 (179,5), Hte-Savoie 484 (171,4). *Auvergne* 2 617 (673,5) : Allier 738 (122,6), Cantal 578 (146,2), Hte-Loire 500 (169,2), Puy-de-Dôme 801 (235,5). *Languedoc-Roussillon* 2 776 (804,6) : Aude 634 (150,5), Gard 587 (171,5), Hérault 623 (162,3), Lozère 518 (206,1), Pyrénées-Orientales 414,1 (114,2). *Provence-Alpes-Côte d'Azur* 3 179 (1 210,7) : Alpes-de-Hte-Prov. 696 (297,9), Htes-Alpes 569 (161,4), Alpes-Maritimes 429 (190,9), Bouches-du-Rhône 525 (96,8), Var 603 (341), Vaucluse 357 (122,7). *Corse* 872 (249,4) : C.-du-S. 403 (131,3), Hte-C. 469 (118,1). **France 54 909 (14 556,4).**

■ **Accroissement moyen annuel** (en millions de m³). Feuillus 38 ; résineux 32 ; peupleraies 1 ; autres formations boisées 1.

■ **Reboisements** effectués avec l'aide du Fonds forestier national. *1947-86* 1 970 000 ha plantés dont échec 19,2 %, réussite 67 %, médiocre 13,8 %. *1987* 24 650. *1991* 38 311 (dont pins maritimes 9 046, autres pins 5 300, autres résineux 9 938, peupliers 4 607, noyers 883, chênes 4 035, hêtres 1 362, autres feuillus 3 140).

■ **Forêts les plus grandes. Massifs forestiers** (en ha) : Landes 935 000 (la plus grande d'Europe, forêt artificielle, semée et non plantée vers 1858 pour la production de résine de pin ; 90 % sont privés). Vosges 250 000. Provence 120 000. Ardennes 100 000.

Principales forêts : *domaniales* (en ha) : Orléans (Loiret) 34 632, Fontainebleau (S.-et-M.). 16 982, Aigoual (Gard et Lozère) 15 831, Rambouillet (Yvelines) 14 523, Compiègne (Oise) 14 461, Haguenau (B.-Rhin) 13 359, La Harth (Ht-Rhin) 13 130, Chaux (Jura) 13 053, Retz (Aisne) 12 945, Arc-en-Barrois (Hte-Marne) 10 688, Lyons (S.-M. et Eure) 10 653, Tronçais (Allier) 10 585, Haut-Vallespir (Pyr.-O.) 10 433, Verdun (Meuse) 9 596, Eu (Seine-M.) 9 301, Mormal (Nord) 9 128, Châtillon-sur-Seine (C.-d'Or) 8 865, Grande-Chartreuse (Isère) 8 385, Écouve (Orne) 8 139, Darney (Vosges) 8 010, Maures (Var) 7 950, Ste-Eulalie (Landes) 7 341. *Privées :* forêt d'Othe 15 556. Grand Orient 5 000. Amboise, Conches-Breteuil, Dambach.

■ **Forêt méditerranéenne.** 4 250 000 ha dont véritables forêts 2 250 000, garrigues, landes et maquis qui s'étendent en gagnant sur des terres autrefois cultivées env. 2 000 000 ; accès difficile (relief tourmenté), économiquement peu intéressante et souvent délaissée ; 10 % appartiennent à l'État, 15 % aux collectivités locales, 75 % à des propriétaires privés (50 % couvrant moins de 25 ha).

Espèces en fonction du sol : siliceuses uniquement et, entre parenthèses, siliceuses ou calcaires. *Littoral* (– de 300 à 400 m) : chêne-liège [1], pin maritime (chêne vert [1], kermès [1], pin pignon [1], d'Alep [1]). *Basses montagnes* (– de 700 à 800 m) : châtaignier (chêne vert [1], pubescent, pin laricio de Corse [1], noir d'Autriche, sylvestre, cèdre). *Montagnes* (+ de 700 à 800 m) (hêtre-sapin).

Nota. – (1) Espèces strictement méditerranéennes.

■ **Forêts les plus belles. Chênaies :** forêt de Bercé (Sarthe). Bellême (Orne). Réno Valdieu (Orne). Blois (L.-et-Cher). Hanau (Moselle). Tronçais (Allier). *Chênes célèbres :* le Chevalier (Tronçais), le Jupiter (Fontainebleau), le Lorentz (Bellême). **Hêtraies :** Lyons (Eure). Eawy (S.-M.). Compiègne (Oise). Villers-Cotterêts (Aisne). Haye (Mthe-et-Mlle). Darney (Vosges). Eu (S.-M.). Auberive (Hte-Marne). **Pins sylvestres :** Hanau (Moselle). Haguenau (B.-Rhin) (plaine). Wangenbourg (B.-Rhin) (montagne). **Sapinières :** Gérardmer (Vosges). La Joux (Jura). Hte vallée de l'Aude. La Grande Chartreuse (Isère). Boscodon (H.-Alpes). **Taillis sous futaie :** f. du Rhin, f. de la Saône.

■ **Production moyenne** (en m³/ha/an et entre parenthèses % de bois d'œuvre). Taillis simples coupés à 30 ans 4 (0), taillis sous futaie à hêtre dominant 5 (25), futaie à hêtre dominant 7 (60).

☞ Arbres les plus hauts (voir p. 187).

■ Principaux arbres

■ **Surface occupée** (en milliers d'ha). *Feuillus :* 8 556 (56 %) dont chêne pédonculé 2 381, chêne rouvre 1 772, hêtre 1 238, chêne pubescent 824, châtaignier 509, chêne vert 341, frêne 283, charme 200, bouleau 186, robinier 132.

Forêts de résineux en France (en milliers d'ha) : 4 148 (28 %) dont pin maritime 1 378, sylvestre 1 167, épicéa commun 734, sapin pectiné 544, de Douglas 251, pin d'Alep 236, pin noir d'Autriche 185, pin Laricio 100, mélèze d'Europe 94, pin à crochets 55.

■ **Feuillus. Indigènes. Alisier** blanc (Allouchier), A. torminal ou noir 15 à 20 m. **Aune** glutineux (Aune rouge, Verne) 25 m. **Bouleau** *verruqueux* 20 à 25 m, *pubescent* (blanc ou collant) 100 ans. **Buis** recherché par les tourneurs. **Charme** 25 m, 120 ans. Difficile à scier, raboter, clouer ; se visse et se colle bien ; utilisé pour étals de boucherie, jeux et jouets, outils, pièces de machines, chauffage. **Châtaignier** 30 m, v. Index, env. 300 ans. **Chêne** *rouvre* (ex. à Bercé et Tronçais) 20 à 40 m, *pédonculé* 25 à 40 m (on en connaît de 1 600 ans), *vert* méridional à feuilles persistantes (yeuse) 15 m ; *liège* 5 à 20 m, occidental, *pubescent* 15 à 25 m, *tauzin* (Ouest, S.-O.) 15 à 30 m, chevelu (rare) 20 à 30 m, kermès 0,5 à 2 m. Un ch. rouvre de 300 ans peut avoir une circonférence de 4,45 m à 1,30 m du sol. *Médiocre* pour chauffage, panneaux de particules, pâte à papier ; *moyen :* charpente, traverses, fonds de wagons, bois de mine ; *bon :* menuiserie, portes et fenêtres, parquets, lambris, meubles, tonnellerie ; *très bon :* ébénisterie. **Cornouiller** sanguin 4 m. **Érable** *sycomore* (bois blanc nacré) 20-25 m, 300 ou 400 ans, plane 20 m, *champêtre* (bois blanc jaunâtre) 15 m, *de Montpellier* et *à feuilles d'obier*. **Frêne** 30 à 40 m (1 m de diamètre), 150 ans. Croissance rapide, résiste bien au froid ; recherché pour sa résistance mécanique et flexibilité (charronnage, carrosserie, roues, maillets et manches, ébénisterie). **Hêtre** 10 à 40 m, 120 à 180 ans [fruit : faine (comestible) dont l'amande contient 50 % d'huile]. *Médiocre* pour chauffage, panneaux de particules, pâte à papier ; *bon :* déroulage contreplaqués. **Merisier** ou censier sauvage, vit mélangé à d'autres essences, principalement en lisières de forêt. Croissance rapide, 20 à 25 m, diamètre 0,60 m, env. 100 ans. Bois au cœur rougeâtre. **Micocoulier. Noyer** commun, 15 à 30 m. **Orme** champêtre, de montagne 20 à 45 m, 120 à 180 ans. Atteints depuis 1976 en France par la *graphiose,* maladie provoquée par des champignons interrompant la circulation de la sève. **Peuplier** *blanc* + de 30 m, *noir* 20 à 30 m, *d'Italie* 25 à 30 m, hybride 1 214 et Robusta. **Tremble** 5 à 30 m. **Platane** 10 à 30 m. **Poirier. Pommier. Saule** *marsault* (jusqu'à 10 m), *blanc* (le long des ruisseaux) *osier*. **Sorbier** domestique (*cormier*), des oiseleurs (*grenotier* et *co-chêne*). **Tilleul** petites feuilles 30 m, grandes feuilles + grand, 200 ans et +.

Introduits. Ailante ou Vernis du Japon (1751) 30 m et +. **Catalpa. Chêne** américain (dont le ch. rouge 25 m). **Eucalyptus. Liquidambar. Marronnier d'Inde** 25 m. **Mûrier** – de 20 m, blanc à petites feuilles, noir à plus gros fût. **Noyer noir** (intr. au début du XVIIe s.). **Robinier** (faux acacia) (intr. en 1601 par Robin) 30 m, 60 à 80 ans. **Tulipier de Virginie.**

■ **Résineux. Indigènes. Épicéa** jusqu'à 40 m et +, 120 à 180 ans. Les vieux, à croissance lente et fil très droit, fournissent les bois de musique ou de résonance, utilisés pour violons, tables d'harmonie de pianos, tuyaux d'orgues. **Mélèze** jusqu'à 40 m, 120 à 250 ans. **Pin** *d'Alep* 20 m, *cembro* (hte montagne) env. 25 m, *laricio* de Corse et *pin pignon* (pinier, parasol) 25 m, 250 ans, *maritime* 40 m, *de montagne* 3 à 20 m, *sylvestre*, résistant au froid, croissance rapide. **Sapin** 30 à 45 m, 120 à 150 ans.

Introduits. Cèdre *du Liban* (introd. 1733 par Bernard de Jussieu), de *l'Himalaya* (Déodar), de *l'Atlas* (Ventoux) 40 m et + (intr. en 1860). **Douglas** (intr. 1827 par l'Écossais Douglas), *vert* (croît de 1 m par an, peut atteindre 80 à 100 m), *bleu*. **Épicéa de Sitka 30 à 35 m. Pin de Monterrey** 30 à 35 m. **Pin noir d'Autriche** (XIXe s.) 30 à 35 m. **Pin Weymouth** (XVIIIe s.) 50 m (en Amérique). **Sapin de Nordmann et de Vancouver. Séquoia. Thuyas.**

☞ Le sapin de Noël est un épicéa, le sapin rouge du Nord un pin sylvestre, le sapin de Douglas un pseudotsuga.

■ Administration des forêts

Quelques dates

1291 ordonnance de Philippe IV le Bel, crée le corps des « maîtres des Eaux et Forêts » ; **1346** ord. de Philippe VI de Valois, dite de Brunoy : 1er Code forestier royal ; **1376** ord. de Charles V le Sage : base du règlement général des Eaux et Forêts ; **1518** ord. de François Ier étendant aux autres bois et forêts du royaume les ord. et défenses jusqu'alors réservées au domaine royal ; **1561 et 1563** édits interdisant de couper les taillis de – de 10 ans, et obligeant à laisser en haute futaie le tiers des taillis ; **1669** ord. de Colbert, mise en ordre des forêts royales, réglementation de l'exploitation ; **1790** ord. de la Constituante supprimant droit de triage et maîtrises ; **1801** loi de nivôse rétablissant une administration des Eaux et Forêts avec 28 conservations ; **1810-62** fixation des dunes de la côte aquitaine ; **1824** conversion en futaie des taillis sous futaie ; création de l'École nationale des Eaux et Forêts de Nancy ; **1827** Code forestier ; **1830-80** reboisement des vides entrecoupant les forêts feuillues de plaine du centre et de l'ouest de la France (pin sylvestre, essence déjà utilisée sous l'Ancien Régime), sur plus de 100 000 ha. Fixation des dunes du littoral. À partir de **1857** assainissement et reboisement en pins maritimes des landes insalubres de Gascogne sur plus de 1 000 000 ha par collectivités et propriétaires particuliers ; **1859** loi sur le contrôle des défrichements des forêts particulières. **Lois de 1860, 1862, 1882, 1913** restauration des terrains de montagne et régularisation du régime des eaux ; plus de 500 000 ha de bassins versants érodés sont délimités, de nombreux torrents sont assagis par des ouvrages de génie civil (barrages) et 250 000 ha sont reboisés pour fixer et protéger ces bassins versants (ex. : reboisement du massif de l'Aigoual sur 15 000 ha). Fixation des dunes de Gascogne et des dunes littorales et reboisement ; **1877** transfert de l'administration forestière du min. des Finances au min. de l'Agriculture ; **1880 à 1913** lois sur la fixation des dunes et le reboisement ; **1913**-*2-7 loi Audiffred* (Jean-Honoré, 1840-1917) sur la gestion contractuelle des forêts privées (art. L. 224-6 du Code forestier).

Après la g. de 1914-18 mise en valeur des terrains dévastés (plus de 40 000 ha ; région de Verdun 14 000 ha dont 2/3 sur des terrains spécialement acquis par l'État) ; **1922**-*28-4* loi sur régime spécial des forêts de protection ; **1930**-*16-4 loi Sérot* sur la réduction des droits de mutation (art. 703 du Code gén. des impôts) ; **1934**-*20-7* et **1973** décret-loi sur l'exonération trentenaire de la contribution foncière accordée aux propriétaires reboiseurs (art. 1395 du Code gén. des impôts) ; **1946** loi du 30-9 crée le *Fonds forestier national*. Reboisement et désenclavement des forêts : plus de 1 850 000 ha de terrains nus ou de forêts appauvries reboisées, 21 000 km de routes et pistes forestières construits en 35 ans, 10 000 km de sentiers pédestres et 2 000 km de pistes cavalières ; création de groupements forestiers, modernisation et équipement des exploitations forestières et des scieries ; **1949** après les grands incendies, développement de la défense contre l'incendie ; **1954**-*30-12* décret créant les groupements forestiers ; **1958 et 1959** réglementation sur création et conservation d'espaces boisés dans les plans d'urbanisme ; **1958**-*24-9* création de l'*Inventaire permanent des ressources forestières nat.* (art. L. 521 du Code forestier) ; débute en 1960, terminé début 80, doit se faire tous les 10 ans ; **1959**-*28-12* amendement Monichon sur la réduction des droits de succession (art. 793 du Code gén. des impôts) ; **1960** réserves naturelles, parcs nationaux, parcs naturels régionaux, préinventaire des ressources naturelles, protection phytosanitaire des forêts, espaces verts forestiers suburbains, etc. ; **1963**-*6-8* loi pour l'amélioration de la prod. et de la structure foncière des forêts privées fr., création des CRPF ; **1964**-*23-12* loi concernant les forêts domaniales et celles des collectivités publiques, création de *l'Office nat. des forêts ;* **1965**-*28-10* arrêté créant les services régionaux d'aménagement forestier (SRAF) ; **1966**-*12-7* loi sur la protection et la reconstitution de la forêt méditerranéenne ; **1969** taxe sur le défrichement et modification de la réglementation du défrichement ; **1971**-*22-5* loi sur l'amélioration des structures forestières et institution des périmètres d'actions forestières dans les zones de moyenne alt. et d'exode rural à vocation forestière dominante ; **1976**-*10-7* loi sur la protection de la nature ; **1978**-*18-8* décret à ce sujet ; **1979**-*7-2* orientation vers l'extension de la protection et de la valorisation des domaines forestiers (aides financières et fiscales) pour la f. privée (possibilités de création d'assoc. syndicales de reboisement ou d'équipement ou de gestion for. ; création d'un Centre nat. de la propriété for.), protection de l'espace for. (taxe de défrichement 5 000 à 15 000 F/ha). **1985**-*4-12 loi forestière.* Chaque région définira ses orientations au sein d'une commission régionale. Les crédits publics iront en priorité aux f. bien gérées (publiques, privées dotées d'un plan simple de gestion, groupements de propriétaires reconnus). Les propriétaires de 10 ha pourront établir un plan simple de gestion. Des comités de filières établiront les normes techniques applicables aux entreprises. Les conseils d'administration des centres régionaux de la propriété for. seront composés pour 1/3 des représentants des professionnels. Les 2 autres tiers seront élus par les propriétaires de + de 4 ha. La forêt pourra être incluse dans le périmètre d'un remembrement agricole. Les Safer pourront intervenir. *Taxe de défrichement à but non agricole* 30 000 F l'ha, *agricole* 10 000 F l'ha (le golf est considéré depuis 1987 comme espace agricole). **1989**-*22-7* loi renforce les mesures contre l'incendie et en sanctionne les auteurs. **1991**-*5-1* loi étend les possibilités d'intervention de l'ONF ; autorise des prises de participation de l'ONF dans la filière bois (sauf dans les entreprises d'exploitation ou de transformation du bois) ; confirme la possibilité de vendre des bois façonnés et simplifie la procédure pour les ventes amiables des coupes et produits des coupes.

Administration actuelle

■ **Organisation. Direction de l'espace rural et de la forêt (DERF)** auprès du ministère de l'Agriculture et de la Pêche. Relayée par les *Services régionaux de la forêt et du bois (SERFOB)*, et par les *Directions dép. de l'agriculture et de la forêt (DDAF)*.

Centres régionaux de la propriété forestière (CRPF) : établissements publics (17) administrés par des propriétaires forestiers élus chargés d'appeler, d'instruire et d'agréer les « plans simples de gestion », obligatoires pour les forêts privées de plus de 25 ha, facultatifs entre 10 et 25 ha (ces plans décrivent chaque parcelle et prévoient coupes et travaux à effectuer pendant 10 à 30 ans). *Association nationale,* 34, rue Hamelin, 75116 Paris.

Syndicat national (Comité des forêts, 46, rue Fontaine, 75009 Paris), 82 synd. départ. **Fédération nationale** 6, rue de La Trémoille, 75008 Paris. **Institut pour le développement forestier (IDF)** 23, av. Bosquet, 75007 Paris. **Centres d'études techniques forestières (CETEF).**

☞ **Crédits de la forêt** (1992) : 2 027 millions de F (dont Fonds forestier national 549,4).

■ **Gestion. Forêts soumises au régime forestier. Office national des forêts (ONF).** 2, av. de St-Mandé, 75570 Paris Cedex 12. Épic créé 1-1-1966, doté de la personnalité civile et de l'autonomie financière. Gère et équipe les f. domaniales pour le compte de l'État ; assure la gestion des f. appartenant aux collectivités locales en collaboration avec les élus (mise en œuvre au régime forestier). Exécute (en application des contrats passés avec l'État, les collectivités locales ou les particuliers) en France et à l'étranger des opérations de gestion, d'étude, ou des travaux concernant la forêt et l'espace naturel. **Effectifs** (au 1-1-1993). 7 169 dont emplois de direction 31, ingénieurs du génie rural des Eaux et Forêts 123, ing. des travaux des Eaux et Forêts 379, techniciens forestiers 1 254, chefs de district et agents techniques forestiers 3 817, cadres et agents administratifs (titulaires, contractuels, détachés) 1 553, ingénieurs chargés d'études 12. **Surfaces gérées** (au 31-12-92, en ha). *Métropole :* 4 424 175 dont forêts et terrains domaniaux 1 747 037, f. affectées à divers départements ministériels 32 412, f. communales et sectionales 2 518 554, f. des autres collectivités 104 974, f. sous contrat 19 170. *Martinique, Guadeloupe, Réunion :* forêts et terrains domaniaux 15 000, f. des collectivités 141 100. *Guyane :* forêts domaniales env. 7 497 000. **Chiffre d'affaires** (en milliards de F) *1989 :* 3 (bénéfice net 0,056).

Forêts privées. Non soumises au régime forestier : 10 255 279 ha dont en % propriétés de *- de 1 ha* 8, *de 1 à 4 ha* 17, *4 à 10* 15, *10 à 25* 15, *25 à 100* 20 (32 000 propr. : 1 900 000 ha), *+ de 100* 25 (9 000 propr. : 2 400 00 ha). **Répartition de la surface en % selon l'origine des propriétaires :** personnes morales et groupements forestiers 29, agriculteurs et anciens agric. 25, retraités 21, employés-ouvriers 7, cadres-prof. libérales 7, artisans-commerçants 5, divers 6. *Gestion :* par le propriétaire qui peut se faire conseiller par un expert forestier indépendant ou salarié d'un organisme de gestion, qui engage alors sa responsabilité (*Cie nat. des ing., experts forestiers et en bois,* 6, av. de St-Mandé, 75012 Paris).

Acquisitions par l'État (en ha) : *1876-1912 :* env. 230 000 (7 000 par an). *1912-42 :* 210 000 (7 000 par an). *1942-71 :* en moy. 2 500 par an. *1971-75 :* 30 984 dont forêt d'Arc-en-Barrois (Hte-M.) 12 541, espaces verts f. 10 060, f. de production 20 924. *75-80 :* 31 450 dont 19 856 de production et 11 594 d'espaces verts f. *81-85 :* 14 987. *86-91 :* 13 395. *92 :* 2 618.

■ **% de surfaces boisées et,** entre parenthèses, **% d'exploitation du bois.** Forêt privée 74 (62,5) ; domaniale 10 (16) ; communale 16 (21,5).

■ **% de volume sur pied et,** entre parenthèses, **% d'exploitation du bois.** Forêt privée 63 (62,5) dont feuillus 64 (65) ; conifères 62 (60,5).

Prix moyens par essence obtenus aux grandes ventes

(taxe forfaitaire comprise ; en F par m³).

Source : ONF	72	73	75	79	80	82	84	89	90	91
chêne 50 [1] et +	187	402	338	850	771	625	803	867	812	765
chêne 30-45 [1]	51	110	107	268	256	192	203	261	249	233
hêtre 40 [1] et +	99	195	146	287	296	263	231	414	420	412
pin sylvestre 25 [1] et +	99	199	17	159	186	155	148	182	181	182
sapin 25 [1] et +	70	128	117	298	366	279	265	326	309	304

Nota. – (1) Diamètre en cm.

Cours du bois

Cours des bois sur pied. Circonférence à 1,30 m du sol et, entre parenthèses, **prix du m³ réel sur pied, en F (avr. 1993)** FEUILLUS : chêne 90 à 120 (80 à 220), 160/180 (520/780), 190 et + (760/1 150) ; érable, plane et sycomore, platane 160 et + (180/360) ; feuillus secondaires 90/120 (100/160), 130 et + (150/280) ; frêne blanc 90/120 (150/300), 160 et + (650/1 000), hêtre 90/120 (120/180), 160/180 (300/580), 190 et + (500/700) ; merisier et fruitiers divers 90/120 (250/400), 160 et + (800/1 600) ; noyer 130/150 (300/550), 210 et + (1 100/2 500) ; peuplier de culture 60/120 (120/170), 160 et + (200/280). RÉSINEUX : pin maritime 60/80 (70/80), 130 et + (170/280), pin sylvestre et autres pins 60/80 (70/90), 130 et + (140/300), sapin, mélèze, épicéa, doublas 60/80 (70/100), 190 et + (280/380). BOIS DE TRITURATION [1] (prix « bord de route » et entre parenthèses, prix du stère sur pied [2] en F) : *Pâte mécanique :* peuplier, tremble 65 à 75 (10 à 15), pin 70/80 (10/15), sapin, épicéa brut 1er choix sauf grandis 110/150 (30/40). *Pâte chimique et panneaux (L = 2 m) :* feuillus 120/140 (20/50), pin maritime Sud-Ouest 130/140 (30/35), autres résineux (autres pins, Douglas, sapin-épicéa 2e cat., mélèze) 125/135 (20/30).

Nota. – Ces prix au m³ réel, hors toutes taxes, s'appliquent au volume d'œuvre sur écorce de toute la tige jusqu'à la découpe fin bout dite « loyale et marchande », c'est-à-dire jusqu'au point de la cime où la tige ne peut plus fournir que du bois de trituration ou de chauffage et non pas seulement à la bille du pied qui finit à la première couronne de branche dont le prix à l'unité est plus élevé. Les fourchettes indiquées permettent de tenir compte des différences de qualité, des difficultés relatives d'abattage, de débardage et d'enlèvement des produits, mais le prix est lié à la **qualité du bois** et non directement à la dimension de l'arbre, d'où un choix plus large des fourchettes. (1) Ne s'applique pas aux zones sinistrées. Prix plus élevés pour poteaux. – (2) Ne s'applique pas aux premières éclaircies.

■ Production de bois

■ **Volumes. Sur pied :** *total* (en millions de m³, 1990) 1 759,1 dont feuillus 1 078,1, conifères 681. *Production biologique annuelle* 69,1 dont feuillus 38,2, conifères 30,9. **Par ha boisé** (en m³, 1990) : feuillus 81, conifères 51. Production biologique. Feuillus 2,9, conifères 2,3.

Production de la filière bois (en 1991). Exploitation forestière 36 456 000 m³ ronds. Scierie 10 689 000 m³ sciés. Pâte à papier 2 432 000 t. Papiers-cartons 7 322 000 t. Panneaux : contreplaqués multiplis 469 000 m² ; fibres comprimées MDF 168 000 t, autres 140 000 t ; particules 1 635 000 m³.

■ **Production** (en millions de m³, 1991). **Bois d'œuvre :** feuillu 9,7 dont peuplier 3,2, chêne 3,1, hêtre 2,3. Conifères 13,1 dont sapin, épicéa, Douglas, mélèze 5,8, pin maritime 5,1, sylvestre 1,7. **Bois d'industrie** : bois de trituration 10,4 dont feuillus 5,2, conifères 5,2. Autres : 0,5. **Bois de feu commercialisé :** 2,3. Autoconsommé 0,3 (1 cheminée consomme en moy. 1,5 stère par an. Il y a 6 millions de cheminées dont 10 % inutilisées ; beaucoup sont approvisionnées par le ramassage « sauvage »).

Bois vendu par l'ONF (forêts domaniales et des collectivités locales gérées par l'ONF, en millions de m³). *1987 :* 13,4. *88 :* 14,1. *89 :* 13,5. *90 :* 15,8. *91 :* 13,8. *92 :* 13 dont bois sur pied 10,8 (feuillus 6,5 ; résineux 4,3 ; taillis et houppiers 3,6) et bois façonnés 2,2 (feuillus 1,2 ; résineux 1). Importantes renversées de chablis dues aux tempêtes successives (1982, 84, 87 et 90).

Ventes principalement par adjudication publique à l'automne ou au printemps.

■ **Scieries.** (1990) 991 ét. occupant 15 240 salariés permanents et produisant (1991) 10 384 000 m³ de sciages, 6 323 000 m³ de produits connexes.

■ **Commerce extérieur du bois. Importations et,** entre parenthèses **exportations** (en millions de F, 1991) : *Produits d'exploitation forestière, de carbonisation et de scierie :* 5 770 (4 438) dont grumes feuillus 1 265 (1 359), conifères 200 (156) ; bois trituration feuillus 10 (394), conifères 58 (191) ; sciages feuillus 1 370 (1 417), conifères 2 484 (356) ; traverses 71 (256) ; délignures, particules et plaquettes pour trituration 179 (140) ; divers 133 (169). *Autres produits :* 1 489 (369) dont extraits tannants végétaux 28 (77), térébenthine, colophane et dérivés 310 (152), liège et ouvrages en liège 1 151 (140). *Produits des industries du bois et des pâtes et papiers :* 41 657 (23 709) dont meubles et sièges en bois 11 713 (4 145), feuilles de plaquage 362 (488), panneaux contreplaqués de fibres et de particules de bois 2 337 (1 917), autres produits du travail mécanique du bois 2 595 (2 189), pâtes et vieux papiers 6 242 (1 745), papiers et cartons 18 408 (13 225). *Total filière bois :* 48 916 (28 516).

Solde des échanges extérieurs (en milliards de F) : *1978 :* - 6,1. *79 :* - 8,7. *80 :* - 11,3. *81 :* - 12. *82 :* - 13,7. *83 :* - 13,2. *84 :* - 14,3. *85 :* - 14,07. *86 :* - 15,73. *87 :* - 19,12. *88 :* - 12,1. *90 :* - 23,9. *91 :* - 20,4.

Nota. – 11 millions de sapins de Noël sont vendus chaque année en France (soit une étendue boisée de 6 000 ha).

■ Incendies

■ **Nombre d'incendies et, entre parenthèses, surface incendiée** (en ha). **1970 :** 1 960 (61 419). **71 :** 2 423 (19 710). **72 :** 2 376 (16 441). **73 :** 6 484 (69 578). **74 :** 3 398 (41 427). **75 :** 4 017 (25 829). **76 :** 9 800 (88 321). **77 :** 2 432 (19 875). **78 :** 6 973 (46 701). **79 :** 2 443 (19 891). **80 :** 5 040 (22 176). **81 :** 5 173 (27 711). **82 :** 5 308 (55 145). **83 :** 4 659 (53 729). **84 :** 5 672 (27 203). **85 :** 6 249 (57 368). **86 :** 4 353 (51 860). **87 :** 3 043 (14 108). **88 :** 2 837 (6 701). **89 :** 6 743 (75 566). **90 :** 5 877 (72 696). **91 :** 2 250 (6 390) **92 :** 2 712 (12 740). **Tués.** 1970 (oct.) 11 † (Var, Alp.-Mar.) dont le 3-10 l'épouse et les 4 enfants de Martin Gray. *1985* (août) : 8 † dont 5 pompiers le 1-5 dans le massif du Tanneron (A.-M.). *1986 :* 11 †. *89 :* 14 †.

Nota. – En *1989 :* 92 % des feux ont été limités à moins de 10 ha, 28 feux ont parcouru plus de 500 ha et provoqué à eux seuls 68 % des destructions.

■ **Origine des feux de forêts en France** (de 1973 à 1990. *Source :* Fichier Prométhée). **Nombre total** de feux 53 643 dont enquêtes 30 484, causes inconnues 20 830, connues 13 651 dont *accidentelles* 2 808 dont foudre 735, lignes EDF 515, chemin de fer 201, échappement de véhicules 130, dépôts d'ordures officiels 648, clandestins 165, autres installations 130, reprises d'incendie 284 ; *malveillance* 2 399 ; *imprudences* 7 401 dont : travaux en forêt 2 377, agricoles 2 888, jeux d'enfants 575, emploi d'un réchaud 52, feux de bois en forêt (loisir) 163 ; jets de mégots d'un véhicule 311, fumeurs à pied 308, autres 727 *autres* 1 043. **Causes** (en %) : imprudences 42, accidentelles (lignes électriques, dépôt d'ordures, voies de chemin de fer) 19, malveillance 11.

■ **Infractions. A la réglementation d'emploi du feu** *(fumer en forêt, allumer du feu en période dangereuse)* : amende de 200 à 1 300 F. **Incendie** (art. 435 et suivants du Code pénal, L 322-9 du Code forestier) *volontaire :* 5 à 10 ans d'emprisonnement, 5 000 à 200 000 F d'amende, 10 à 20 ans si commis en bande organisée, réclusion criminelle à perpétuité s'il y a eu mort ou infirmité permanente d'une personne, interdiction de séjour de 2 à 10 ans (art. 44 CP). *Involontaire :* emprisonnement de 11 j à 6 mois et/ou amende de 13 000 à 200 000 F ; en cas de mort ou blessures, peines de l'art. 320-1 CP (homicide ou blessure par imprudence).

■ **Lutte et prévention** (1990). **Moyens terrestres locaux :** déploiement de 30 300 hommes (dont 27 000 sapeurs-pompiers locaux, 300 sap.-pompiers des colonnes préventives, 1 000 des colonnes complémentaires, 1 000 militaires des UIISC, 600 militaires mis à la disposition du min. de l'Intérieur, 400 militaires mis à la disposition de la Sécurité civile), 208 635 volontaires (1989). **Moyens aériens :** véhicules de lutte 232, engins de lutte 70, avions porteurs d'eau 28, hélicoptères bombardiers d'eau 17, hélicop. de commandement 9, av. de reconnaissance. **Caractéristiques de quelques avions. Canadair CL 215** (bimoteur, capacité 5 500 l d'eau, 275 km/h, autonomie au feu 4 h, largage 30/50 m sur une ellipse d'env. 120 × 60 m, remplissage sur aérodrome en 1 mn 30 par écopage en 10 s). *CL 215 T* à turbopropulseur **Douglas DC 3** [quadrimoteur, capacité 11 360 l d'eau, 360 km/h, autonomie au feu 4 h 30, temps de rotation (entre atterrissage, redécol-

■ **Superficie incendiée dans le monde** (en ha) **Canada** 110 000 (8 000 incendies). **Espagne** *1983* 117 599. *84* 170 779. *85* 469 426. *86* 284 450. *87* 58 966. **Italie** *1983* 212 678. *84* 75 272. *85* 190 640. *86* 86 335. *87* 72 152. **Grèce** *1983* 19 613. *84* 33 655. *85* 105 450. *86* 13 410. *87* 31 199. **Portugal** *1983* 47 813. *84* 52 710. *85* 135 570. *86* 96 219. *87* 45 583.

■ **Quelques grands incendies. 1825** au Nouveau-Brunswick (Canada) : 1,6 million d'ha brûlés. **1871** Wisconsin (USA) : 500 000 ha. **1949** *août,* incendie *Landes* 52 000 ha, 83 † et 66 maisons détruites. **1983** (mois) Kalimantan (Indonésie) : 3 000 000 d'ha. **1988**-*6-5* monts Daxinganling (Chine) : env. 200 †, 650 000 ha détruits. *Juin-sept.* parc de Yellowstone (USA) : 380 000 ha détruits sur 1 800 000. **1989**-*7-* Manitoba, Saskatchewan (Canada) : 2 150 000. Yucatan (Mexique) : 135 000. Sakhaline (URSS) : 200 000 ha taïga. Alaska : 1 000 000. **1991** *juin-juillet,* Québec (Canada) : 260 000 ha.

lage, rechargement) moins de 10 min, largage maximal sur 700 m]. **Cl 415 T** (300 km/h, 6 500 l). **C 130 Hercule** (12 000 l). **Fokkers 27** (6 300 l). **Grumman Tracker** *CS 2 F* (bimoteur, 333 km/h, autonomie 4 h, réservoir 3 500 l, largage sur 90 m).

☞ **Brumisateurs** avec canalisation à l'étude.

Coûts (1991). *Canadair CL 415 T* 100 millions de F. *Véhicule CCF* (camion-citerne, capacité 2 000 l) : 350 000 à 400 000 F. *Débroussaillement* 6 000 à 30 000 F par ha, puis 2 000 à 15 000 F tous les 3 ans pour l'entretien. *Turbocanon* 300 000 F. *Plantation 1 ha :* 9 000 à 12 000 F.

☞ **Années « noires »** *Provence-Alpes-Côte d'Azur : 1962 :* 29 000 ha incendiés, *64 :* 28 000, *70 :* 42 000, *79 :* 30 729 ; *années « fastes » : 76 :* 2 410, *77 :* 970.

■ Autres catastrophes

■ Parasites. **Châtaignier :** dep. 1860 maladie de l'encre attaquant le tronc ; dep. 1956 (surtout dans le S.-E.) ; *Endothia parasitica.* **Chêne :** dep. 1976, oïdium (champignons blanchâtres tapissant les feuilles basses après un printemps humide) ; nombreuses « chenilles défoliatrices » dévorant les jeunes feuilles au printemps (Tortrix, Chenille processionnaire, Bombyx cul brun...). **Chêne rouge :** *Ceratocystis fagacearum* (USA). **Cyprès :** dep. 1949, champignon coryneum bouche les canaux. **Épicéa :** champignon *Fomes annosus* à l'état endémique. Ips typographe forant des galeries dans les troncs et les branches (Est). **Hêtre :** dep. 1972, cochenille *(Cryptococcus fagi),* dont les piqûres permettent l'implantation du champignon *(Nectrya coccinea),* qui ultérieurement envahit l'arbre, causant sa mort par obturation des vaisseaux conducteurs de la sève (Seine-Mar., Ile-de-Fr.). **Orme :** graphiose, champignon (*Ceratocystis ulmi*) colonisant les vaisseaux conducteurs de la sève. Peut être transmis par simple contact entre les racines des arbres, ou par les morsures d'un insecte xylophage, le scolyte de l'orme, dont les vols assurent la dissémination longue distance. Apparu aux Pays-Bas v. 1917, gagne l'Europe puis s'éteint dans les années 50 ; revient des USA en 1966-68 et décime 99,9 % des ormes. **Pin :** *Sphaeropsis sapinae* champignon parasite. **Pin maritime :** dep. 1957, cochenille *Matsucoccus feytaudi* qui suce la sève (Sud : 150 000 ha en Provence semblent irrémédiablement perdus ; Aquitaine chenilles processionnaires). **Platane :** dep. 1975 (mais arrivé en 1944) chancre coloré *Ceratocystis fimbriata,* maladie transmise par contact racinaire, les élagages, contact de la sciure d'arbres infestés (Provence, Alpes, Côte d'Azur).

■ Froid. **Accidents climatiques et dégâts aux forêts :** *1788-1789* Sologne (pin maritime). *1879-1880* Sologne (pin maritime). *1956* Provence, Languedoc (pin d'Alep). *1963* Normandie (douglas). *1985* Aquitaine (pin maritime). **Résistance au froid (en °C) :** pin d'Alep – 6, pin parasol – 11, chêne vert – 13, cyprès – 14, pin maritime – 20, sapin – 30, chêne pédonculé – 30, chêne rouvre – 30, hêtre – 30, épicéa – 38, pin cembro – 42.

■ Sécheresse. *1892-1893* plateau lorrain (épicéa, hêtre). *1921* Normandie, Bretagne, Sologne, Franche-Comté (chêne, épicéa, douglas, sapin). *1976* (déficit hydrique de 40 à 60 % du 1-2-1975 au 31-8-76) Ouest, Bretagne, Normandie, Ile-de-France, Lorraine, Franche-Comté (toutes espèces, mais surtout douglas, épicéa, mélèze). *Régions atteintes en 1976, en ha :* France entière 88 344 (dont régions méditerranéennes 42 180).

■ Tempêtes. **Vent : 1519** Normandie, forêt de Gisors. **1807** Vosges, Saint-Dié (tornade). **1876** Normandie, Lyons-la-Forêt (ouragan). **1902** Vosges, Remiremont (ouragan). **1957** Normandie, Lyons-la-Forêt (ouragan). **1968** *(10-7)* Lorraine, Alsace, Sarrebourg (tornade). **1982** (6/7-11) : Auvergne, Limousin, Rhône-Alpes, Languedoc-Roussillon, Midi-Pyrénées, Aquitaine, Bourgogne ; pointes de 140 à 160 km/h. 700 000 abonnés privés d'électricité le 1er j, 100 000 lignes téléphoniques en dérangement. *Dégâts :* 12 millions de m³ (1/3 de la prod. totale commercialisée annuellement) dont P.-de-D. 6, Corrèze 1,2 à 1,5, Morvan 1. **1984 :** 15 000 ha touchés ; *dégâts :* 1,8 million de m³. **1987** (15/16-10) : Bretagne et Normandie (6 millions de m³). **1990** (févr.) : N. et E. de la France 8 millions de m³ (en All. près de 70). **Verglas : 1879** forêt d'Orléans, de Fontainebleau et du Blésois. **1929** Normandie, Écouves. **1952** Alsace, Haguenau. **1978** territoire de Belfort.

Arbres malades et feuillages à coloration anormale (en %)

Régions	Perte [1]			Couleur [2]		
	90	91	92	90	91	92
Est	6	7,3	8,5	9,8	15	15,4
N.-E.	9,9	11	14,2	13	19	11,8
O./N.-O.	7,7	7,1	10,1	19,7	16,3	14,5
Massif central	4	3,9	3,3	14	15,4	14,8
S.-O./Pyrénées	5,3	4,4	3,9	12,9	15,2	7,7
Midi-méditérranée	11,2	10	9	14,8	14,9	12,4

Nota. – (1) % Perte de + de 25 % du feuillage.
Causes : pollution atmosphérique, sécheresses répétées depuis 1976, « stations forestières » exposées et fragiles, champignons, insectes.
En Europe (1991) : défoliation à + de 25 % : feuillus 18,5 %, conifères 24,4 %.

PÊCHE

Ressources de la mer

Poids de la mer dans le monde (en milliards de F). *Loisirs* (plaisance, sports marins et sous-marins, thalassothérapie) 100, *ressources alimentaires* (pêche, élevage, aquaculture) 105, *pétrole* 200, *minerais* (nodules polymétalliques, sel marin, usines de dessalement) 5 à 10. 200 millions d'hommes vivent de la mer.

Produits végétaux

■ Algues

■ Histoire. **Antiquité** Utilisées pour l'amendement des terres. **XVIIe s.** les verriers normands achètent des cendres d'algues pour la fabrication du verre ordinaire. **1829** 1re usine d'iode en France. **Fin XIXe s.** approvisionnement en goémon séché des grandes régions légumières. **Début XXe s.** une trentaine d'usines d'iode, 2 000 récoltants, surtout en Bretagne-Nord. **1983** 1res récoltes île d'Ouessant.

■ Espèces. **Nombre** 20 000 à 30 000 dans le monde (côtes françaises 800) ; quelques dizaines exploitées surtout les *algues brunes* (Macrocystis laminaires fucales) pour l'acide alginique, *rouges* (famille des Gélidiales) pour l'agar-agar (famille des Gigartinales) et des carraghénanes. Goémon et varech récoltés sur le rivage sont utilisés comme engrais. Les a. fraîches finement broyées sont employées en aspersion foliaire pour traitement phytosanitaire. En Extrême-Orient, cultures sur cordages (laminaires : Kombu ; Undaria : Wakame) et sur filets (Porphyra : Nori). **Utilisation des sous-produits :** *agar-agar et carraghénanes ;* gélifiants ou stabilisants (crèmes, pâtes de fruits, sauces, confitures) ; *phycocyanine* extrait de la spiruline, seul colorant bleu naturel, ou scientifiques (préparations bactériologiques). *Acide alginique* et *alginates (macrocystis, laminaires...)* papeterie, alimentation, pâtisserie, industries textiles, pharmaceutiques, médicales, préparation du latex, des matières plastiques, cosmétiques, peintures dans la métallurgie, synthèse des électrodes de soudure, traitement des eaux. *Farines et tourteaux* alimentation animale.

■ Production (algues et autres plantes aquatiques) (en milliers de t, 1990). **Monde** 4 337 dont Chine 1 775, Japon 773, Corée du S. 488, Philippines 292, Chili 229, Norvège 197, ex-URSS 196, *France 105,* Indonésie 88. **France** (1991, poids frais en t) : 87 626 dont Laminaria digitata 66 615. Chondrus crispus 5 846. Ascophyllum nodosum 9 327. Laminaria saccharina 11 810. Fucus serratus 20 455. Palmaria palmata 77. Ulva sp. 88 164. Porphyra 66. Himantlalia alongata 20 995. Enteromorpha 88 115. Undaria pinnatifida 15 283. Stipes hyperborea 88 108. Dilsea 540. Delesseria sanguinea 60. Algues alimentaires (poids sec 87) : 60 t dont 40 exportées, 5 entrant dans la fabrication de produits alimentaires transformés. Le GRAAL (Groupement Algues Alimentaires) regroupe 20 sociétés.

■ Consommation (en t équivalent poids sec et, entre parenthèses, % de l'algue alimentaire dans la production totale). Japon 97 000 (97), Corée 97 000 (93), Chine 71 000 (49), Taiwan 3 000, Amérique du N. 240 (< 1), Europe hors France 70 (< 1), *France* 27 (< 1).

■ Commerce extérieur 1991, en t et, entre parenthèses, en millions de F. **Imp. :** 12 517 (123,3) de : Chili 4 925 (24,4), Philippines 3 300 (10,4), Indonésie 1 440 (5,6), Norvège 675 (34,3), UEBL 398 (1,3), All. 354 (9,2), R.-U. 245 (11,2), Maroc 231 (1,8), Islande 141 (0,7), Chine 136 (4,5), Irlande 133 (0,4). **Exp. :** 2 631 (29,1) vers : Esp. 663 (7,8), Autriche 529 (0,5), P.-B. 522 (1,1), Ital. 295 (2,6), All. 184 (3,3), UEBL 146 (3,1).

Prix (en F/tonne en frais, 1991). Ascophyllum nodosum 174. Laminaria digitata 243. Hyperborea 189. Fucus serratus 180. Chondrus 1 360.

Produits animaux

Chaîne alimentaire marine. Elle part des sels minéraux que les plantes microscopiques *(phytoplancton)* assimilent par photosynthèse et transforment en matière vivante. Le phytoplancton nourrit le *zooplancton* qui nourrit à son tour des poissons planctonophages gros ou petits. 1 000 kg de plancton donnent 100 kg de zooplancton qui donnent 10 kg de petit poisson qui donnent 1 kg de gros poisson.

■ Caviar

Origine. Vient exclusivement des œufs d'esturgeon, poisson de mer remontant les fleuves à l'époque du frai (pêche au printemps et en automne). Fabrication. Œufs extraits du ventre des femelles (env. 10 % du poids du poisson), lavés, triés, puis salés, et mis en boîtes de 1,8 kg env. Traditionnellement préparé en Russie puis en Iran, introduit en France après la révolution russe par des princes, commercialisé par 2 émigrés arméniens (les frères Melkoum et Mouchegh Petrossian) v. 1926. Espèces. Esturgeon *Beluga* (2,30 m, 200 à 300 kg, max. 800 kg v. 18 ans : gros grains gris clair à gris foncé, œufs fragiles) ; *Ossetra* (Osciètre ou esturgeon russe commun) (grains moyens, jaune doré à brun) ; *Sevruga* (1,40 m, 15 à 70 kg v. 8 ans : grains petits, gris clair à gris foncé). **Caviar pressé :** grains plus mûrs pressés ensemble (1,3 kg de caviar en grains pour 1 kg de c. pressé). **Caviar « blanc » :** œufs de gros bélugas, plus clairs que les autres.

Production moyenne. Ex-URSS 2 000 t (25 000 t d'esturgeons). Iran 180 t, Roumanie, France [Gironde, 0,025 en 1980 (tentative de réintroduction du « sturio »)]. **Principaux centres :** *Astrakhan* (embouchure de la Volga) ; *Gouriev* (estuaire de l'Oural) ; *Bandar-Anzali* (Caspienne, Iran).

Importation (t/an). France 80 (d'Iran 65, ex-URSS 14, divers 1), Japon 30, USA 25 à 30, G.-B. 20, All. féd. 20 (en partie réexportées).

Dégustation. Avec toasts légèrement beurrés ou blinis (caviar pressé) et vodka. Sortir la boîte du réfrigérateur sans l'ouvrir, ½ h avant la consommation. Ne jamais congeler.

Prix en F (1991, à Paris). *Pour 100 g :* beluga 1 000, ossetra 580, sevruga 360, caviar pressé 280.

■ Cétacés

■ Espèces. 79 vivantes. **Cétacés à fanons** (mysticètes) : *baleine bleue ou grand rorqual* 33 m (env. 150 t, langue 3 t, cœur 0,6 t ; nouveau-né 7 m, 2 t, après 7 mois de lactation 14 m, 20 t), *petit rorqual ou rorqual de minke* (minky, whale), *rorqual commun* 24 m, *bal. franche* 25 m, *rorqual de Rudolphi* 18 m, *mégaptère ou bal. à bosse [ou jubarte* (humpback)] 16 m, *rorqual de Bryde* 15 m, *bal. grise* 15 m, 10 m. **A dents** (odontocètes) : *cachalot* (sperm) 18 à 20 m, 30 t, *orqueou épaulard* 4 (femelle) à 9,50 m, 8 t, *hyperodon* 5 à 10 m, 4 t, *bal. pilote* (globicéphale) 7 m, *bal. blanche* 5 m, *narval* 5 m, *dauphin* 2,50 m, *marsouin* 1,80 à 8,50 m, *dauphin* commun 1,75 m, à bec court *(tursiops)* 2,50 m, *marsouin* 1,5 à 2.

■ Effectifs de grands cétacés. **Dans le monde en 1974 et,** en italique, **en 1930 : total :** moins de 1 million *(5 millions). Baleine* grise 11 000 *(20 000),* des Basques (très peu), du Groenland quelques douzaines *(1 000),* franche du Pacifique (très peu), fr. australe 1 200 (total des *b. franches* en 1930 env. *500 000*) ; *b. bleue* 2 800 *(300 000)* ; *cachalot* 170 000 *(290 000)* ; *mégaptère* (jubarte) [à bosse] 6 000 *(30 000)* ; *rorqual* commun 92 000 *(423 000),* boréal 125 000 *(220 000),* bleu 4 000 *(510 000),* petit 6 000 (?).

Plusieurs espèces ont été protégées tellement tard qu'elles ne montrent pas encore de signe de repeuplement après plusieurs années et même plusieurs dizaines d'années de protection (baleines bleues, franches ; jubartes).

En France, en 1987 : rorquals *3,* dauphins rayés bleu et blanc *34,* dauphins communs *45,* grands dauphins *8,* dauphin à bec blanc *1,* dauphins de Risso *3,* globicéphales noirs *16,* marsouins communs *2,* baleines à bec de la mer du N. *2,* dauphins indéterminés *11. Lieux :* Manche 27, Atlantique 66, Méditerranée 42.

Baleines capturées. *1869 à 1939 :* officiellement 825 000 tuées. *1937-38 :* 46 000 (record). *60-61 :* 1 000. *69-70 :* 42 481. *74-75 :* 29 726. *78-79 :* 10 549. *79-80 :* 13 995. *81-82 :* 13 764. *83-84 :* 11 456. *84-85 :* 9 066. *85-87 :* 8 574 (dont 6 544 petits rorquals, 634 rorquals tropicaux, 341 baleines grises, 200 cachalots, 165 rorquals communs, 690 autres espèces). **Par pavillon :** *1987-88 : Japon :* 317 rorquals de Bryde, 188 cachalots, 577 petits rorquals. *Norvège :* 375 petits rorquals. *ex-URSS :* 158 baleines grises, 85 petits rorquals. *Islande :* 100 rorquals communs et de Rudolphi.

Protection. **1931** accords régularisant l'approvisionnement du marché en huile de baleine et interdisant pêche des b. franches. **1946** création de la Commission baleinière internationale (CBI). **1951** 2e réunion de la CBI. *Pays membres :* Afr. du S., Australie, Brésil, Canada, Danemark, France, G.-B., Islande, Japon, Mexique, Norvège, Nelle-Zélande, Panamá, Pays-Bas, Suède, URSS, USA. **1947** pêche b. grise interdite. **1965** pêche b. bleue interdite dans Atlantique. **1972** pêche mégaptères ou jubartes interdite. Dimensions minimales fixées pour rorquals de Rudolphi : 12,2 m, r. communs 17,4 m (hémisphère S.), 16,8 m (hémisphère Nord), cachalots 9,2 m (10,7 m en Atlantique Nord).

Quotas fixés : *Cachalots. 1978 :* 6 844, *1979 :* 3 800, *1985 :* 0. *Petits rorquals. 1983 :* 635. *1985 :* 5 721. *Baleines. 1982-83 :* 12 415, *1983-84 :* 10 160, *1985 :* 536.

☞ *1982* pêche interdite pour au moins 5 ans à partir de 1986 (25 voix pour ; contre : Brésil, Corée du S., Islande, Japon, Norvège, Pérou, URSS ; abstention : Afr. du S., Chili, Chine, Philippines, Suisse. La Commission institue une clause « d'exemption aborigène » [les peuples qui ont toujours vécu de la baleine (Esquimaux, Tchouktches...) peuvent continuer d'en tuer chaque année un certain nombre], et une autre clause autorisant quelques captures « à des fins scientifiques » pour mieux connaître les espèces de cétacés [*1988-89 :* 270 captures, *90 :* 305, *93 :* Japon 300 (vendues 250 000 l'unité à Tokyo), Norvège 100]. *1990, 91, 92, 93 :* moratoire prorogé d'1 an. *1983* Pérou accepte la suspension. *1987-22-5* URSS suspend la chasse. *1992-3-7* Glascow, CBI, France, G.-B., USA et autres pays protecteurs s'opposent à la reprise de la chasse, réclamée par Japon [qui estime qu'il y aurait 760 000 rorquals dans l'hémisphère Sud (ce qui permettrait d'en chasser 2 000 par an)], Norvège, Pérou, ex-URSS (arguments : elle permettrait de préserver les stocks de poisson décimés par les cétacés). **1993**-*10/14-5* Kyoto, à l'initiative de la France, la CBI adopte le principe d'un « sanctuaire » baleinier en Antarctique, avec interdiction de la chasse commerciale au-delà du 40e parallèle sud. Après l'Islande, la Norvège démissionne de la CBI et décide unilatéralement de reprendre la chasse côtière à la baleine en juin 1993.

■ Équipement baleinier (1979-80). Nombre d'établissements côtiers, entre parenthèses, d'usines flottantes, et, en ital., de baleiniers. *Monde* 9 (3) *36.* Japon 4 (1) *17.* URSS (2) *10.* Islande *4.* Espagne *3.* Chili *1.* Brésil *1.*

■ Produits. Viande, huile (*1974-75 :* 130 000 t, *78-79 :* 55 100 t, *79-80 :* 15 900 t, *88 :* 527 t) de baleine, de cachalot [(ou spermaceti), blanc de baleine, tiré du « melon » de l'animal (masse de tissus fibreux et graisseux représentant 80 % du crâne)]. On peut tirer 4 t de viande d'un petit rorqual de 7,5 t ; 800 kg d'huile du reste de la carcasse.

Utilisation (et produits de substitution) (b. : baleine ; c. : cachalot). *Aliments pour animaux :* viande de b. (résidus de graines et d'algues, restes d'abattoirs). *Pour humains :* au Japon (poisson). *Bougies :* huile de b. ou de c. (cire d'abeille, paraffine). *Crayons :* h. et spermaceti (cire de simmondsia). *Linoléum :* h. de b. et c. (h. de lin et de simmondsia). *Glycérine :* h. de b. (graisse ou huile saponifiée). *Huiles industrielles :* h. de c. (h. de lin, de simmondsia). *Mécanique fine* (horlogerie, rouages, engrenages) : h. de c. (h. de jujube). *Travail du cuir, grosse peinture :* huile de c. (peint. synth.). *Margarine :* h. de b. (h. végétales). *Prod. pharmaceutiques, crèmes, hormones, vitamine A :* spermaceti (blanc de baleine), glandes endocrines, foie de b. (autres sources animales, h. de foie de morue, carotène des carottes). *Encre d'imprimerie :* h. de b. ou de c. (h. de simmondsia). *Pâtes et cosmétiques, cold-cream, rouge à lèvres, crèmes à raser, pommades :* h. de c. (h. de citron, h. de jujube, crème d'avocat, lait de concombre). *Parfums :* h. de c. (fixateurs 404 ou autres). *Cirages, diluants et fixateurs de teintures :* h. de c. (h. de jujube). *Corsets, parapluies, fleurs artificielles :* fanons (plastique).

■ Corail

Espèces. Env. 350. Origine. Sicile, mer Égée, Algérie, Océanie. **Composé** de petits polypes gélatineux sécrétant un squelette calcaire externe, qui seul subsiste à leur mort. Les coraux qui vivent en association symbiotique avec des algues zooxanthelles (algues qui se développent à l'intérieur des tissus des polypes et favorisent l'élaboration du squelette qu'ils construisent) sont appelés « hermatypiques » (ou coraux constructeurs). Les algues symbiotes permettent aux coraux de fixer beaucoup plus rapidement le calcaire ; c'est pourquoi ils peuvent former de grandes barrières de corail. Ils se développent dans les zones éclairées par le soleil (jamais à plus de 90 m, stade où l'on rencontre des coraux dits « Leptoseris »). Les coraux qui ne vivent pas en symbiose avec des zooxanthelles (ex. : ceux de Méditerranée) sont dits « ahermatypiques » ; ils ne peuvent construire de récifs mais vivent jusqu'à 6 000 m de profondeur. Quelques types *corail rouge* (« Corallium rubrum ») de Méditerranée ; *tubipore* tubes verticaux, rouge grenat ; *corail noir* texture cornée. Captures (1985) 189 100 t.

■ Crustacés

■ Espèces. **Décapodes nageurs** dont les crevettes ; 4 familles importantes : *pénéides* [grandes crevettes habitant les basses latitudes (cr. rose tropicale ou du Sénégal, nom scient. *Paenus duorarum Bückenroad,* jusqu'à 20 cm, fonds sablo-vaseux, côtiers, estuaires et lagunes)] ; *pandalidés* (eaux boréales) ; *palémonidés* [bouquet et cr. rose (teinte de cuisson), 7 à 12 cm, côtes rocheuses atl. et médit.] ; *crangonidés* [cr. grise 3 à 6 cm, herbiers et fonds sableux côtiers des eaux tempérées (voisinage des estuaires)]. **Macroures** à abdomen bien développé [langoustes, homards, langoustines (8 à 24 cm, fonds vaseux de 40 à 200 m de profondeur, près des côtes de l'Atl. et moins fréquemment, en Médit.)]. **Brachyoures** à abdomen réduit (crabes dont étrilles, tourteaux, araignées de mer, crabe royal du Pacifique N.).

Krill. Antarctique. Essaims de petites crevettes (long. 3 cm) molles (jusqu'à 60 000 par m³), *Euphausia superba,* se nourrissant de phytoplancton et constituant la nourriture de poissons, calmars, phoques, manchots, oiseaux et baleines. Celles-ci ayant été peu à peu massacrées, le surplus de krill pourrait constituer une réserve de protéines pour l'homme (est. : 100 à 150 millions de t par an). Consommé au Japon et dans l'ex-URSS sous forme de pâte (60 kg de pâte cuite à partir de 100 kg de crevettes). **Production** (1984) : 189 329 t.

■ Fraîcheur. Voir l'aspect plus ou moins sec de la carapace et le noircissement de la chair de l'abdomen.

■ Lieux de récolte. Zones rocheuses en général. *Araignée :* Bretagne, Yeu ; *bouquet, cr. rose* (*pêche* haveneau ou casiers), Bretagne, Yeu, côtes charentaises ; *cr. grise* (*pêche* haveneau, chalut), golfe de St-Malo, Manche E. et N. (sableuses), côte Vendée et Oléron, secteur de Royan ; *étrille :* Manche, Bretagne, Vendée ; *homard :* Bretagne, Vendée ; *langouste* peu pêchée, Bretagne ; *langoustine* (chalut), Bretagne S. surtout en mer Celtique ; *tourteau :* Manche, Bretagne, Yeu, Noirmoutier, côtes anglaises.

■ Langoustine. **Prod. mondiale, en t :** côtes irlandaises et écossaises *1985 :* 52 607 dont 18 244, golfe de Gascogne 4 800, mer du N. 48 692, Médit. 3 808. **Principaux pays pêcheurs :** G.-B. + de 19 000 t, *France (89) :* 9 624 t, Islande 4 000 t.

■ Crevettes. **Production française** (en t) **bouquet, crev. rose :** *1980 :* 615, *81 :* 535, *82 :* 659, *85 :* 512, *88 :* 390, *89 :* 513 ; **crev. grise :** *1980 :* 12 000, *81 :* 1 100, *82 :* 1 031, *85 :* 755, *88 :* 869, *89 :* 908.

■ Éponges

Utilisées depuis l'Antiquité ; en France depuis le XVIe s. Principales zones. Méditerranée (Tunisie : îles de Kerkennah, Djerba ; Syrie ; îles grecques), océan Atlantique, mer des Antilles (Cuba ; Bahamas ; Nassau ; îles Abaco ; côtes de la Floride). Production (en t) : *1892 :* 91, *1900 :* 96, *05 :* 151, *45 :* 100, *84 :* 172. **Imp.** (millions de F) : *1992 :* 4 à 5 du Levant, 2 des Bahamas ou de Cuba.

■ Mollusques

■ Principales familles exploitées. *Lamellibranches* ou *bivalves* (moules, coquilles St-Jacques, vanneaux, huîtres, coques, praires, palourdes, clovisses, clams) ; *gastéropodes* à coquille très variable (ormeaux, patelles, buccins, bigorneaux) ; *céphalopodes* à coquille interne (seiches, encornets, calmars) ou sans coquille (poulpes). Les bivalves doivent être livrés vivants.

■ Huîtres (France). On distingue les h. à *chair verte* livrées sous le nom de *marennes,* et les h. à *chair blanche* [*belons,* h. de *pleine mer* ou *armoricaines* (si elles viennent de Bretagne) d'*Arcachon ou gravettes*]. En Méditerranée, *h. plates* et *portugaises,* vendues sous la dénomination d'*h. de Bouzigues* [village du bassin de Thau (7 500 ha, 15 000 t d'huîtres par an)], sont fixées tous les 8 à 10 cm avec du ciment sur des collecteurs qui sont ensuite immergés. 1967-80, décimées par le *Marteilia refringens* et en 1979 par le *Bonamia ostreae* [1987-88, dans la baie de Chesapeake (USA) par l'*Haplosporidium nelsoni.*]

Huîtres creuses *(Crassostrea angulata)* travaillées principalement à Marennes, Arcachon, sur la côte vendéenne, en Bretagne et dans l'étang de Thau, soit « à plat » en terrain découvrant ou en eau profonde, soit sur des tables. *H. de claire,* introduite sur les côtes d'Aquitaine en 1868 (le *Morlaisien* se réfugia dans l'estuaire de la Gironde lors d'une tempête et on jeta sa cargaison d'h. portugaises par-dessus bord ; l'espèce s'implanta en Gironde, puis à Oléron, le long de la côte charentaise). Frappée dep. 1966 par un parasite, a disparu ; remplacée par la *Crassostrea gigas* (ou h. japonaise) qui s'est bien acclimatée.

Huîtres plates *(Ostrea edulis)* recueillies à l'état de larves sur des collecteurs (tuiles creuses chaulées) dans le golfe du Morbihan, la rade de Brest et le bassin d'Arcachon. À environ 8 mois, placées dans des caisses ostréophiles, puis sur des parcs aménagés pour les protéger des parasites (crabes et poissons). Cultivées ainsi 2 ou 3 ans, suivant les régions, puis dirigées sur les centres d'engraissement et d'affinage, où, après quelques semaines à 1 an, elles sont livrées à la consommation.

Reproduction : principalement assurée par les gisements naturels d'huîtres mères, surveillés (parfois reconstitués) par l'ISTPM (Institut scientifique et technique des pêches maritimes). L'huître plate vivipare libère de 500 000 à 1 500 000 larves qui partent à la recherche d'un support. L'h. creuse ovipare pond 20 à 100 millions d'œufs dont la fécondation dépend des courants. Sur ce nombre ne survivra qu'une dizaine d'adultes. Ponte en juin-juillet.

■ Ostréiculture et mytiliculture en France. **Superficie :** env. 20 000 ha et 6 000 ha en eau profonde réalisant l'affinage et l'expédition. **Entreprises :** 8 300 ; *employés* 23 000 permanents, 31 000 saisonniers (fêtes de fin d'année). **CA à la production** (millions de F) : conchyliculture (élevage de coquillages) 1 189 dont huîtres 945. **Production des huîtres creuses et,** entre parenthèses, **plates** (en milliers de

t) *1960 :* 66 (21,6), *80 :* 95 (4,1), *85 :* 120 (1,5), *89 :* 129 (1,5), *92 :* 130 (total). *Principales régions* (1991) : Marennes-Oléron 30, Vendée 11,6, Bretagne N. 14,2, Normandie 5,6, Arcachon 13, Bretagne S. 21,1, Sète 13,4 (50 % consommées à Noël et au Jour de l'An). Exp. 6,7. Imp. 0,8. *En 1991-92 :* parcs de la baie de Quiberon dévastés par le bigorneau perceur (en 9 j perce et ingère une huître).

■ **Précautions à observer.** 1°) Ne pas mettre les huîtres à tremper dans de l'eau douce, elles entreraient rapidement en putréfaction. 2°) Les ouvrir au dernier moment. 3°) Une huître fraîche doit baigner dans son eau (éliminer celles qui n'ont plus d'eau). 4°) Pour s'assurer qu'une huître est toujours vivante, l'exciter avec du jus de citron ou la pointe d'un couteau : le bord de son manteau doit se rétracter. Les huîtres sont grasses, laiteuses et moins recherchées pendant les *mois sans* "*r*" (mai, juin, juillet, août). Dans certaines zones, pollution possible (ex. estuaire de la Gironde, teneur en cadmium de 12 à 228 microgrammes par g de matière sèche au lieu de 2 à 4).

■ **Surveillance.** Exercée par 37 stations de prélèvement (eau et coquillages), 2 fois par mois en hiver, 1 fois par semaine de mars à oct. ; + en cas de présence d'algues toxiques : *Algues toxiques.* De 0,003 à 0,0005 mm. *Dinophysis,* toxines diarrhéiques mais non mortelles pour l'homme ; *Alexandrium* (apparu en 1984 G.-B. et nord de la Bretagne, en 1992 Portugal) toxines paralysantes pouvant être mortelles. Dose de toxine admise : 80 microgrammes pour 100 g de chair de coquillages ou crustacés. La vente des huîtres de Charente-Maritime (45 % des huîtres creuses consommées en France) a été interdite 10 j en fév. 93.

Calibres *(poids en g).* **Plates :** *000 :* 100 à 125. *00 :* 90 à 100. *0 :* 80. *1 :* 70. *2 :* 60. *3 :* 50. *4 :* 40. *5 :* 30. *6 :* 20. **Creuses :** *très grosses (TG 1) :* 100 et +, *grosses (G 2) :* 80 à 99 ; *moyennes (M), M 3 :* 65 à 79. *M 4 :* 50 à 64 ; *petites (P) P 5 :* 40 à 49. *P 6 :* – de 40.

■ **Moules.** **Culture (mytiliculture)** attribuée par la légende à un Irlandais échoué sur les côtes charentaises en 1235. Se développe après 1850. **Espèces cultivées en France :** Manche et Atlantique *Mytilus edulis,* Méditerranée *Mytilus galloprovincialis.* La moule bivalve des eaux saumâtres se nourrit par filtration (2 à 4 l d'eau de mer à l'heure) et atteint une taille commerciale en moins de 2 ans. Les moules de bouchots, tendres et savoureuses, peuvent être récoltées toute l'année. **Superficie :** 900 ha. **Modes d'exploitation.** *Bretagne :* élevage à plat. *Atlantique et Manche,* Vendée, Loire-Atl., Char.-Mar., embouchure de la Vilaine (Le Vivier-sur-Mer), baie de Cancale, côte du Cotentin, sur env. 1 500 km de *bouchots* (rangées de pieux) fichés dans la vase sur lesquels les coquillages se développent ; le naissain (jeunes moules) est préalablement capté sur des cordes en coco. *En Méditerranée,* suspension en pleine eau ; les moules sont cultivées sur des cordes maintenues par des châssis immergés. *Atlantique et Méditerranée :* nouvelle culture sur cordes immergées fixées le long d'une filière maintenue en surface grâce à des bouées. Augmente la production.

Production (en milliers de t) : *Jusqu'en 1971 :* – de 40, *89 :* 50. Normandie-mer du N. 11, Bretagne du N. 15,6, Vendée env. 22,5, Thau 15,7 ; *91 :* élevage 50, dragué sur bancs naturels 20. **Consommation** (en milliers de t/an) 100 à 120. **Imp. :** *1975 :* 38,5, *80 :* 27,5, *85 :* 37,5, *89 :* 39,6 (P.-Bas 17,3, Espagne 11,6, Irlande 5, G.-B. 4,9) surtout de pêche, moins charnues et savoureuses que les m. d'élevage.

■ **Coquillages.** Certains sont livrés à la consommation après affinage (clams, palourdes, clovisses, vigneaux) ; d'autres viennent des bancs coquilliers (coquilles St-Jacques, praires, pétoncles, coques, etc.). *Échinodermes.* Oursins, violets.

PRINCIPAUX LIEUX DE RÉCOLTE EN FRANCE : *coquilles St-Jacques :* Bretagne [rade de Brest, baie de St-Brieuc (Erquy), Calvados] ; *pétoncles :* rade de Brest, Ch.-Maritime ; *coques :* tout le littoral ; *praires :* Bretagne Nord, Méditerranée ; *palourdes :* tout le littoral, surtout régions sableuses ou sablo-vaseuses ; *clovisses :* régions sableuses de Méditerranée ; *clams :* région de la Seudre surtout.

☞ CULTURE *de coquilles St-Jacques* (pectiniculture, de Pectinidés). Mise au point au Japon en 1960. Les jeunes (1 cm), captés naturellement, sont immergés à 10 m dans des paniers. Quand ils ont de 3 à 5 cm, les plus petits sont destinés à la culture suspendue, les plus gros à la culture en eau profonde. *Palourdes* (vénériculture, de Vénéridés) : à partir du naissain d'écloserie (captage naturel très difficile).

PHOQUES

Généralités. Avec les *otaries* (ph. à oreilles et à fourrure) forment le sous-groupe des *pinnipèdes, mammifères marins.* Recherchés pour chair, cuir, huile et fourrure.

Phoques et otaries du Canada. *Zone arctique :* phoque annelé + de 1 000 000, barbu inconnu. *Zones tempérées :* ph. commun 73 000, gris 70 000, éléphant de mer boréal inconnu. *Espèces migratoires :* ph. du Groenland + de 2 000 000, à capuchon 300 000, otarie de Steller 5 000, de Californie 4 500. **Naissances :** + de 500 000. **Chasseurs :** 160 sur 8 palangriers de chasse commerciale ; 700 sur 204 petits navires et 2 000 bateaux côtiers (en canot quand la mouvée, à la faveur du mouvement des glaces, se rapproche de la côte). **Chasseurs** *canadiens sur la côte Atlantique :* 8 000 à 9 000. **Abattage :** gourdin, hakapik, fusil. Consomment des quantités importantes de poisson selon leur grosseur. Le Canada annonçait en 1987 l'interdiction de la chasse commerciale aux blanchons et aux dos bleus, la fin de la chasse avec des bateaux de plus de 20 m et avec les filets sauf pour les Inuit. **Prises :** *1987 :* 50 000, *1988 :* 80 000. **Prises possibles :** 285 000 par an sans réduire l'importance du troupeau. L'abondance de phoques causerait de 174 à 402 millions de $ de dégâts par an. Les phoques traqueraient même les morues. En 1983, la CEE avait décidé un embargo sur les peaux de phoques. En 1985, la CEE a reconduit cet embargo pour 4 ans.

France. *1987 :* 58 phoques ont pu être observés sur nos côtes : phoques gris : 13, phoques-veaux marins : 30 dont 12 en baie de Somme (signe de la recolonisation de ce site), phoques annelés : 2, phoques du Groenland : 6 (ces 2 dernières espèces ne font pas partie de notre faune), 7 n'ont pas été identifiés.

POISSONS

Espèces. Plus de 20 000, groupées en 350 familles. **Migrateurs** apparaissant à l'époque du frai (saumon) ou à l'arrivée de masses d'eau ou de courants (morue, merlan, hareng, maquereau, thon, sardine, anchois). Peuvent passer leur vie entière dans la mer (thon, maquereau, sardine, hareng, etc.) ou passer de l'eau de mer à l'eau douce et inversement [*le saumon* voir ci-dessous ; *l'anguille* arrive sur les côtes européennes sous forme de civelle, gagne les eaux douces pour y effectuer sa croissance, met de 8 à 10 ans pour regagner la mer et, à 50-100 km par jour, se diriger vers l'aire de ponte de la mer des Sargasses]. **Sédentaires** pêchés toute l'année près des côtes : p. ronds (mulet, rouget, congre, bar) ; p. plats (sole, limande, turbot, barbue, raie).

Nouvelles espèces. Grenadier, hoplosthete dit empereur, cardinal, sabre noir, siki (saumonnette).

POISSONS COMESTIBLES

■ **Caractéristiques.** *P. maigres* [ex. : p. de fond comme les gadidés, p. plats sauf flétans et turbots ; teneur de graisse 0,5 à 4 %, apport de 78 calories pour 100 g de chair fraîche (comme la volaille)] et *p. gras* [ex. : scombridés, clupéidés et mugilidés ; teneur en graisse 4 à 28 % (saumon 12 %, maquereau 18 %) 140 calories pour 100 g (comme la viande de bœuf)]. Teneur en protéines comparable dans les 2 groupes (17,8 %). Chair riche en vitamines A et D, phosphore, iode, fer, magnésium, cuivre ; plus facilement assimilable que les aliments azotés courants.

■ **Consommation.** 4 % de l'alimentation humaine vient du milieu aquatique (dont 8,4 millions de t en élevage), alors que les 4/5 de la vie animale s'y développent. *Par personne, par an :* Anglais 127 kg (Londres excepté) ; Norvégiens et Islandais 50 ; Japonais 36 ; *Français 9* (Parisiens 28).

■ **Élevage.** **Méthodes :** *Récifs artificiels :* blocs de béton, carcasses de vieilles voitures. *Ensemencement des lieux de pêche naturels en jeunes poissons.* En capturant des parents avant la reproduction et en ensemençant directement les œufs avec la laitance, on multiplie le nombre des fécondations par 1 000 ou 10 000 ; puis on élève les jeunes jusqu'à ce qu'ils soient suffisamment vigoureux pour avoir une forte chance de survivre dans leur milieu naturel. *Engraissement* des poissons parqués dans des lagunes ou étangs salés (mulets, bars, daurades et anguilles furent longtemps *engraissés* ainsi dans les anciennes salines du bassin d'Arcachon). *Cages flottantes :* en eaux marines littorales, Norvège 25 000 t en 1984. **Rendement :** *poissons* 50 à 100 kg, *saumons* 200 à 300, *crevettes* 110 à 220 kg par ha et par an. **Production de poissons d'eau douce** (1991, en milliers de t) : 6 825 dont cyprinidés 4 980, cichlidés 390, autres 1 445. *France* (1990) : 595 dont salmoniculture 37,5.

■ **Saumon.** **2 genres :** *Oncorhynchus* Pacifique, 6 espèces dont 5 mourant après une seule reproduction ; *Salmo* Atlantique et Baltique, 1 seule espèce pouvant peser 2 à 35 kg. **Vie :** passe 1 à 8 ans en rivière selon la température (1 à 3 ans en France) puis, ayant atteint la taille d'une sardine, rejoint ses aires d'engraissement maritimes (le saumon de France va surtout à l'ouest du Groenland). Il revient dans la rivière d'où il est parti après 15 mois à 3 à 4 ans de mer pour un nouveau séjour en eau douce durant lequel il ne se nourrit pas, se reproduit puis, s'il survit, redescend en mer. Certains (peu nombreux) reviendront à nouveau en eau douce pour se reproduire. La pollution des cours d'eau, l'assèchement des marais et tourbières, les extractions de gravier, les écluses, barrages et ouvrages hydroélectriques le font fuir [en France il a disparu de Seine, Yonne, Rhin, Moselle, Cher et Vienne ; il en reste dans la Loire et l'Allier (il leur faut 5 à 7 mois au lieu de 1 en 1900 pour remonter le cours en raison des obstacles), en Bretagne, Normandie et dans les Pyrénées-Atlantiques].

Perte de fraîcheur d'un poisson. *Cabillaud :* colle au toucher, les filets rougissent. *Carrelet :* perd ses points orange. *Hareng, sardine :* l'œil perd sa forme bombée et se creuse progressivement, les ouïes deviennent rouges puis brun jaunâtre, le corps se ramollit et perd de son éclat, les écailles tombent progressivement. *Lieu noir :* colle au toucher, les filets jaunissent. *Maquereau :* perd ses reflets irisés caractéristiques, l'œil se ternit, des traces de sang apparaissent. *Merlan :* ventre alourdi, œil creux, décoloration de la peau. *Merlu (ou colin) :* se recouvre d'un enduit muqueux jaunâtre, visqueux et malodorant, sa chair jaunit, la peau n'adhère plus. *Rouget :* se décolore rapidement, ses chairs ramollissent. *Sole :* perd sa couleur blanc rosé et devient jaunâtre, sa peau se décolle facilement. Les poissons entiers sont moins sensibles aux contaminations que filets et tranches. Pour préserver la fraîcheur, enfouir le poisson sous la glace.

Méthodes de pêche : « purse seiner », « thillnetter », « troller », « trap netting » (s. de l'Atl.). *Consommation :* frais ou fumé [fumage à froid (30 °C) dans *four traditionnel :* les s. sont suspendus au-dessus d'un feu de sciure de bois après séchage pendant plusieurs heures, puis refroidis ; *four électrique* contrôlé par thermostat : résultats moins satisfaisants].

Salmo salar capturés [pêcheurs professionnels et amateurs (Atlantique)] 12/13 000 t ; *s. d'élevage* (salmoni culture) 593 000 t commercialisées (dont de Norvège 150 000, d'Écosse 30 000).

FRANCE. *Capturés : v. 1955 :* env. 36 000/an ; *80 :* – de 2 000 ; *86 :* env. 6 600. *Imp.* (en milliers de t, 1989) : 50 107. Saumons frais ou réfrigérés 32 826 dont de Norvège 20 909, G.-B. 7 372. Saumons congelés 9 168 dont USA 6 356, Canada 2 413. *Exp. :* 2 509.

■ **Silure.** Proche du poisson-chat. Plus gros poisson d'eau douce du monde (jusqu'à 300 kg et 5 m de long). En France dans Rhône et Saône. Expériences de pisciculture en eau à 25° C.

RESSOURCES MINÉRALES

■ **Eau de mer.** Masse des océans et mers 1,4 milliard de km³ d'eau salée couvrant 350 millions de km² (soit 650 fois la France). Évaporation annuelle de 37 000 km² d'eau. *Dessalement :* 800 installations dessalent chaque jour dans le monde de 1 à 2 millions de m³ d'eau de mer. Prix de revient encore élevé. *Extractions industrielles :* chlorure de sodium (85 % de la masse des sels dissous, env. 30 kg par m³ d'eau de mer), magnésium (1,3 kg par m³) et brome. L'extraction de l'uranium est possible (prix de revient 50 $ le kg d'oxyde). Celle du zinc, étain, cuivre, uranium, nickel, titane n'est pas rentable.

Sel : *marais salants,* aménagés dans des zones ensoleillées. Les grandes marées (en Atlantique) amènent l'eau de mer par des chenaux ou étiers sur des « vasières » (de 50 ares à plusieurs ha), qui servent de réservoir (se réchauffe et se concentre par évaporation en même temps que la vase, en suspension, se dépose). L'eau atteint (sur env. 20 cm) 18 °C pour une salinité de 34 ‰ (Guérande) à l'entrée dans la « vasière », et 22 °C et 40 ‰ de salinité à sa sortie lorsqu'elle entre, par gravité, dans un 2e bassin (« corbier » à Guérande) ayant des cloisons en chicane. L'épaisseur d'eau ne dépasse pas 5 cm ; évaporation et décantation se poursuivent. A sa sortie vers la « saline » l'eau atteint 20 °C et 50 ‰ de salinité. Après être passée entre des chicanes, elle peut parvenir aux « œillets » (concentrations de sel de 250 g par litre). A ce moment se forment les cristaux de gros sel qui tombent sur le fond et parfois des cristaux blancs, fins et légers, qui flottent en surface (« fleur de sel » très recherchée).

Production française 1992 (en milliers de t) : sel en dissolution 4 858, de mer 864, ignigène 1 148, thermique 204, gemme 103 ; **1991** : *Méditerranée :* 1 388 dont aux Salins de Giraud 800, Aigues-Mortes 446, Berre 18,6, La Palme 34, Gruissan 23, Les Pesquiers 31, Ste-Lucie 19, Vieux Salins 15, Fos-sur-Mer 1,4. *Atlantique :* 13,6 t (très petites exploitations : Guérande 11, île de Ré 1,5, Noirmoutier 1, Vendée 0,12).

Consommation française de sel cristallisé 1992 (en milliers de t) : 2 482 (importations comprises) dont chimie 1 059, ind. diverses (dont adoucissement de l'eau) 495, alimentation humaine 399, viabilité hivernale 340, agriculture 189.

■ **Plateau continental. Sédiments meubles :** *placers* formés à partir de minéraux arrachés au continent par les eaux de ruissellement. *Or* (Alaska). *Étain* (cassitérite des îles de la Sonde). *Zircon* (Floride et Sri Lanka). *Rutile* (Australie). *Diamant* (Afrique du S.), dragues suceuses donnant 1 000 carats par jour, exploitation abandonnée depuis 1971, les conditions étant trop difficiles. *Titano-magnétique* (Japon, Philippines). *Sables, graviers* (G.-B. + de 10 millions de t par an, France 40 millions de t sur la Manche).

Sous-sol rocheux : certains gisements prolongent des gisements terrestres côtiers : *charbon* extrait sous la mer au Japon, Canada, Chili, Écosse ; *fer* en Finlande ; *soufre* en Louisiane (2 millions de t par an). *Pétrole* (voir Index).

■ **Grandes profondeurs. Nodules polymétalliques** (voir Index).

Minéraux marins destinés aux engrais : *phosphorites* formées à partir des squelettes de poissons (réserves : plus de 10 milliards de t) ; *glauconie.*

LA PÊCHE DANS LE MONDE

MOYENS

■ **Engins. Lignes** *à main* (de fond ou de surface). *De traîne* (remorquées en surface ou entre deux eaux). **Palangres :** engins dormants mouillés sur le fond ou entre deux eaux ; la palangre à thon japonaise mesure jusqu'à 100 km. **Nasses** *et casiers* (crustacés). **Dragues** *à coquillages* (coquilles St-Jacques). **Chaluts** *de fond* (raclent le fond détruisant organismes végétaux et animaux essentiels à la chaîne alimentaire) ou *pélagiques* (remorqués entre 2 eaux) à mailles fines attrapent inutilement des petites espèces et des jeunes des grosses espèces. **Filets tournants :** *Sennes* tournantes pour la capture d'espèces en surface [sardine, anchois, hareng, thon (jusqu'à 1 000 m de long et 100 m de haut)]. Ayant constaté que les thons suivent les dauphins qui détectent la nourriture, les thoniers américains chassent les dauphins avec des bateaux rapides, puis les encerclent avec des filets. Une embarcation annexe tourne autour d'eux en resserrant le filet. En 30 ans, 6 500 000 dauphins seraient morts étouffés ou écrasés. **Filets dérivants :** jusqu'à 60 km. En nylon, non détectable par les poissons ou les sonars marins. Lesté à la base et maintenu verticalement dans l'eau par des flotteurs, on le laisse dériver au gré des vents et courants. Dans le Pacifique (Japon, Corée du Sud, Taiwan), utilisés pour pêcher calmars et saumon ; pendant la saison de pêche, 1 500 bateaux déploient chaque nuit 32 000 km de filets. La CEE a interdit ceux de + de 2,5 km (dérogation possible), maille de filets portée de 90 à 100 mm en juin 1992 en mer du Nord et à l'O. de l'Écosse, en golfe de Gascogne projet de porter de 65 à 80 mm. **Électronarcose :** permet d'étourdir le poisson et de le capturer par pompage.

☞ Le dépistage à ultrasons et le chalut à immersion variable se développent et augmentent nettement le rendement des prises. On expérimente en ex-URSS une *« pompe à poissons »,* des *« rideaux de bulles »* aux États-Unis pour remplacer parfois les filets. On utilise également la « théorie des jeux et des confrontations de stratégies » pour prévoir les mouvements des bancs de poissons.

La pêche de thons à l'appât vivant se pratique de plus en plus. On jette à la mer des petites sardines ou anchois vivants lorsqu'un banc est repéré. Attirés par tout ce qui brille, les poissons mordent aux hameçons sans appât accrochés au bout de cannes qu'il suffit alors de relever brutalement.

■ **Flotte de pêche.** *Navires en acier de + de 100 tx de jauge brute* (nombre et, entre par., tonnage en milliers de tx). **Navires de pêche** (au 1-1-1990) : Belgique 20[1] (25,4). Danemark 300 (122,3). Espagne 1 743 (619,3). G.-B. 819[1] (175,5)[1]. Grèce 20 276[2] (129,8). Irlande 1 596[2] (55,8). Italie 19 256[2] (282,6). P.-Bas 653[2] (82,4)[2]. Portugal 9 497[2] (195,9). All. féd. 68[1] (47,9). **De transformation** (1979) : URSS 576 (2 765), Japon 104 (188), Corée du S. 13 (54), Chine 12 (15), Panamá 10 (21), Pologne 9 (75), All. dém. 9 (55), USA 8 (5), Roumanie 6 (58), Bulgarie 6 (32). **Total mondial (pêche et transformation)** (1979) : 20 408 (12 270) dont 1 555 de 2 000 tx et + (URSS 1 158).

Nota. – (1) 1-1-1989. (2) 1-1-1987.

■ **Aquaculture. Extensive :** faible densité en poisson (à partir de 100 kg/ha) ; nourriture fournie par le milieu ; bassins en terre, marais ou étangs, de plusieurs ha. Marées ou vent renouvellent les débits d'eau. **Intensive :** forte densité (+ de 10 kg par m^3 d'eau). Nourriture préparée et distribuée aux poissons qui restent confinés dans des cages flottantes ou des viviers immergés en mer. Le pompage qui provoque de forts débits est très surveillé. **Dans le monde. Production mondiale** (en milliers de t, source : FAO 1988) : 7 114 dont Asie 5 900, Europe 470, ex-URSS 360, Amér. du N. 260, Afr. 70, Amér. du S. 50, Océanie 4. **Selon les espèces :** Carpes 3 992, tilapias 264, poissons-chats 165, anguilles 100, salmonidés 72, autres 2 521. **En France et DOM-TOM** (1989). Fait vivre 7 519 entreprises. **Production** (en t) : *marine :* loup et daurade 239, turbot 10, salmonidés marins 950, crevettes métropole 24, DOM-TOM 356, chevrette 213 ; *eau douce :* truites 31 500 (1er prod. eur.) dans 1 500 établissements, carpes 4 500, saumon 1 000, omble 350, tanche 1 200, gardon et poisson blanc 2 500, brochet 450. *Pisciculture nouvelle :* anguille 300, esturgeon 10.

☞ **Nombre d'espèces répertoriées en métropole :** 75 : vivant alternativement en eau douce et en mer (saumon, esturgeon, truite de mer, anguille, alose, lamproie).

PÊCHERIES

■ DOMAINES MARITIMES

1°) **Domaine pélagique, peuplé du pelagos,** qui vit en pleine eau, libre de tout contact avec le fond, même pour sa nourriture. 2 formes : a) *le necton :* animaux pélagiques ayant une mobilité propre et pouvant se déplacer malgré les courants ; b) *le plancton :* organismes se laissant entraîner par les courants. On distingue le *zooplancton* (animal : protozoaires, crustacés, mollusques, etc., à la répartition verticale et irrégulière) et le *phytoplancton* (plancton végétal : diatomées, péridiniens, etc., surtout jusqu'à env. 30 m de profondeur).

Pêches pélagiques (capture des poissons de surface ou nageant entre deux eaux). *Océan :* thons et chasse des cétacés. *Zone néritique :* harengs, sardines, sardinelles, anchois, menhadens, maquereaux, au comportement grégaire. Les captures ont lieu lorsque les poissons sont en bancs (certains bancs de harengs atteignent deux km de long). Certaines espèces sont capturées pour l'alimentation du bétail : anchois du Pérou, menhaden et une grande partie du hareng pêché par les Norvégiens ou les Danois.

2°) **Domaine benthique peuplé par le benthos.** Constitué par des organismes libres, fixés ou enfouis, dont la majeure partie de l'existence est liée au fond de la mer, notamment pour les besoins alimentaires. En général, la biomasse benthique diminue quand la profondeur augmente. *Pêches benthiques :* exploitent les fonds du plateau continental et du haut du talus.

■ ZONES DE PÊCHE

Leur richesse varie en fonction de facteurs physiques (température, éclairement), chimiques (teneur en sels nutritifs), biologiques, et de l'étalement ou du raccourcissement du cycle vital.

95 % des zones sont : au-dessus des plateaux continentaux, dans les régions d'*upwelling* pour les espèces pélagiques telles que sardines, anchois, etc., où les eaux froides et riches en sels minéraux remontent en surface, ou dans les zones de contact de 2 masses d'eau de températures différentes. Seule, ou presque, la pêche au thon se pratique en haute mer.

Zones les plus productives. *Atlantique N.-E. :* de la Norvège à la péninsule Ibérique, y compris Islande et Est-Groenland ; *N.-O. :* côte est des USA, de la N.-Écosse au cap Hatteras ; *Atl. Sud-E. :* Angola ; *Atl. Sud-O. :* Sud-Argentine et Patagonie ; *Pacifique N.-E. :* Californie ; *N.-O. :* du détroit de Béring à Formose ; *océan Indien :* Sud-Java et Sumatra. **Zones de productivité moyenne :** zones ceinturant les régions ci-dessus ; z. mauritanienne et sénégalaise, côtes pacifiques de l'Amérique du Sud.

La surexploitation est nette : sur la *côte est des États-Unis* où se retrouvent les flottes de pêche soviétique, japonaise, polonaise, est-allemande ; dans l'*Atlantique tropical* où la taille moy. des thons pêchés est tombée de 21 kg en 1969 à 11 kg ; sur les *côtes de l'Amérique du Sud* (anchois).

Quotas de pêche. L'Opano (Organisation de Pêche de l'Atlantique Nord-Ouest) fixe chaque année le tonnage des prises admissibles (TPA) dans l'Atlantique Nord sans mettre en danger les espèces. *Quota 1986* (toutes espèces confondues) : 24 571 t. En fait, la CEE en a prélevé 7 fois plus (172 000 t), et les quotas sont régulièrement transgressés par Portugais et Espagnols (91 % des bateaux de la CEE opérant au nord du Canada). Le stock de morues du banc de Terre-Neuve aurait ainsi diminué de 33 % en 2 ans.

☞ **Au Canada,** la pêche à la morue a été interdite jusqu'à fin 1993.

Principaux plateaux continentaux de l'Atlantique exploités (superficie en milliers de km^2). *Mer de Barents :* 550, morue, églefin, poissons plats ; *Spitzberg :* 240, morue, églefin, lieu noir ; *mer de Norvège :* 120, morue, lieu noir, merlu ; *mer du Nord :* 570, merlan, églefin, lieu noir, merlu, poissons plats ; *Baltique :* 390, morue, saumon, lamproie ; *Féroé et Islande :* 120, morue, églefin, sébaste ; *Irlande :* 380, merlu, merlan, lieu jaune, poissons plats, langoustines ; *golfe de Gascogne, Manche, mer Celtique :* 170, merlu, lieu jaune, poissons plats, langoustines ; *péninsule Ibérique :* 50, merlu, dorade ; *Groenland oriental :* 180, morue ; *occidental :* 160, morue, sébaste, églefin, flétan ; *Labrador, Terre-Neuve :* 400, morue, églefin, flétan ; *N.-Écosse :* 370, morue, poissons plats, coquilles St-Jacques ; *N.-Angleterre et Caroline :* 220, coquilles St-Jacques, sébaste, merlu, églefin ; *golfe du Mexique (Nord) :* 450, mulet, crevettes ; *golfe de Campêche :* 180, crustacés ; *Venezuela :* 130, crustacés.

Eaux territoriales et, en italique, zone de pêche (en milles marins). Afr. du Sud 6 *200,* Albanie 12 *12,* Algérie 12 *12,* All. dém. 3, All. féd. 3 *200,* Arabie Saoudite 12, Argentine 200 *200,* Australie 3 *12,* Bahamas 3 *12,* Bahreïn 3, Bangladesh 12, Barbade (La) 3 *200,* Belgique 12 *200,* Bénin 12 *200,* Birmanie 12 *12,* Brésil 200 *200,* Brunei 3, Bulgarie 12, Cambodge 12 *12,* Cameroun 18 *18,* Canada 12 *200,* Cap-Vert 12 *200,* Chili 200 *200,* Chine 12, Chypre 12 *12,* Colombie 3 *12,* Congo 30, Corée du N. 12, Corée du S. 200, Costa Rica 12 *200,* C.-d'Ivoire 6 *12,* Cuba 3 *200,* Danemark 3 *200* (Groenland, îles Féroé 3 *12*), Égypte 12 *12,* Émirats arabes unis 3, Équateur 200 *200,* Espagne (et territoires d'outre-mer) 12 *12,* Éthiopie 12 *12,* Fidji 3, Finlande 4, *France* (et DOM et TOM sauf la terre Adélie) 12 *200* (métropole 340 000 km^2, Pacifique 7 668 730, océans Indien et Antarctique 2 518 235, DOM 663 400), Gabon 100, Gambie 50 *50,* Ghana 50, Grèce 6 *6,* Guatemala 12 *12,* Guinée 12 *200,* Guinée équatoriale 12, Guyane 3, Guyane fr. 12 *80,* Haïti 12, Honduras 12 *12,* Inde 12 *112,* Indonésie *12,* Irak 12 *12,* Iran 50, Irlande 50 *200,* Islande 12 *200,* Israël 6 *6,* Italie 6 *6,* Jamaïque 12, Japon 3 *3,* Jordanie 3 *3,* Kenya 12 *13,* Koweït 12, Liban 6 *6,* Liberia 12, Libye 12, Madagascar 50, Malaisie 12 *12,* Maldives 12, Malte 6 *20,* Maroc 12 *70,* Maurice 12, Mauritanie 30 *30,* Mexique 9 *200,* Monaco 3 *12,* Nicaragua 3 *200,* Nigeria 30 *30,* Norvège 4 *12,* N.-Zél. 3 *12,* Oman 12 *200,* Pakistan 12 *50,* Panamá 200 *200,* P.-Bas (et territoires d'outre-mer) 12 *200,* Pérou 200 *200,* Philippines 280, Pologne 12 *200,* Portugal 6 *200,* Qatar 3, Rép. dominicaine 6 *12,* Roumanie 12, Roy.-Uni 12 à 50 *200,* Salvador 200 *200,* Sénégal 12 *150,* Sierra Leone 200 *200,* Singapour 3, Somalie 200, Soudan 12, Sri Lanka 12 *100,* Suède 4 *12,* Surinam 3, Syrie 12, T'ai-wan 3 *12,* Tanzanie 50, Thaïlande 12 *12,* Togo 12 *20,* Tonga 3, Trinité-et-Tobago 12, Tunisie 12 *12,* Turquie 6 *12,* ex-URSS 12 *200,* Uruguay 200 *200,* USA 3 *200,* Venezuela 12, Viêt-nam 12 *50,* Yémen 12, Sud-Yémen 12, Youg. 10 *10,* Zaïre 12.

La CEE a décidé de créer une zone de pêche communautaire (1-1-1977) de 200 milles au large de la mer du Nord et de l'Atlantique N. (incluant Guadeloupe, Guyane, Martinique, St-Pierre-et-Miquelon). À l'intérieur, chaque pays membre conserve une bande côtière de 6 milles, réservée aux pêcheurs locaux [12 milles dans certaines zones (France : au large des départ. de la Manche jusqu'au Morbihan inclus)]. La nouvelle Convention internationale sur le droit de la mer (Montego-Bay, 10-12-1982) prévoit l'extension des eaux territoriales aux 12 milles. Des licences sont accordées par dérogation à certains pays tiers (Norvège, Féroé, USA, Japon, Corée, dans les eaux de la Guyane).

PRODUCTION MONDIALE

☞ La pêche prélève 1/4 de la production alimentaire des océans. On pêche peu d'espèces : surtout anchois, harengs, morues, merlus, merlans, maquereaux, chinchards, thons, poissons plats.

Production moy. de poisson des océans (par ha et par an). 0,5 kg (Méditer. 1,5, mer de Barents 4,5, m. du Nord 16 à 24,5, m. du Japon 28,8, m. d'Azov 80).

Poissons congelés (non compris les filets, en milliers de t, 1990). 13 130,5 dont pilchards 1 356,8, merlus 352,7, lieu de l'Alaska 323,3, listão 321, chinchards noirs 286,7, thon 277, balaou du Japon 217,9, thon albacore 156,6, maquereau espagnol 153,6, hareng de l'Atlantique 150,1, germon 115,7, saumon du Pacifique 115,1, morues 108,7, patudo 101,2, anchois 89, autres maquereaux 84,5, capelan 50,8, lançon 50,4, saumon de l'Atlantique 49,4, congre 41, maquereau de l'Atlantique 34,9, sparides 30,1, sardine d'Europe 30, sébastes de l'Atlantique 28,6, sciaenidés 28,2, poissons sabres 25, grenadiers 21,9, soles 20,8, squales 17,8, flétan noir 17,7, chinchards, mulets, etc. 16,3, espadon 15,9, h. du Pacifique 15, truites et ombles 13,9, flet 13,4, rascasses, perches de mer, etc. 12,5, lieu noir 12,1 cardeau 11,6, mérou 11,3, abadèche du Cap 11,5, makaires 10,8, thon rouge 9,3, poissons gadiformes 8,1, thyrsite 7,8, poissons d'eau douce 7,8, lethrinides 7,5, merlan 6,1, poissons plats 5,7, machoiron 5,5, sprat 4,5, blanches 4,5, rouget 4,5, tranches de flétan 4, raies 3,3, plies 2,9, églefin 2,7, compères 2,3, dente 2,3, serranides 1,7, lutianides 2,1, flétan de l'Atlantique 1,9, flétan du Pacifique 1,7, bonite 1,6, oreo dory 1,5, stromate argenté 1,5, anguilles 1,4, grondeur, acoupa 1,4, tranches de saumon 1,1, clupéodes 1, sébaste du Pacifique 1, baudroie 0,8, chanos 0,8, éperlans 0,65, squales, raies, etc. 0,6, autres poissons marins 7 439,7.

Poissons frais, réfrigérés ou congelés (en milliers de t, 1990). 15 144,8, dont ex-URSS 3 132,8, Japon 3 092,5, Corée du S. 1 368, Chine 1 291, USA 692, 8, Corée du N. 630, Espagne 385,9, Norgève 365,8, All. 244,3, Canada 232,6, P.-Bas 231,6, Argentine 226,5, Thaïlande 222,3, G.-B. 215,7, Danemark 207,5, Brésil 174,2, Islande 173,3, Pérou 166,6, Pologne 150,6, Afr. du S. 142,7, *France 135,6,* N.-Zélande 129,3, Chili 104,8, Irlande 94,5, Cuba 88,1, Sénégal 78,8, Roumanie 51,2, Bulgarie 37,4.

Poissons séchés, salés ou fumés (en miliers de t, 1990). 4 502,4 dont Japon 984,2, Indonésie 750,9, ex-URSS 730,4, Philippines 244,2, Inde 189, Chine 180,7, Corée du N. 138,9, Canada 83,2, Islande 72,7, Thaïlande 70,4, Norgève 68,5, Tanzanie 65, Birmanie 63,4, Ghana 58, Pologne 34,3 Roumanie 19,1.

Crustacés et mollusques frais, congelés, séchés, salés, etc. (en milliers de t, 1990). 2 253 694 dont Japon 507,3, USA 281,9, Thaïlande 187, Chine 163,6, Inde 128,1 Espagne 88,4, Équateur 64,7, Maroc 59,5, Canada 42,9, Mexique 42,8, G.-B. 42,1, Nouvelle-Zélande 34,5, Mauritanie 33,7, Pologne 23,7.

Produits de poisson et préparation en récipients hermétiques ou non (en milliers de t, 1990). 5 924 dont Japon 1 625,4, ex-URSS 1 564,5, USA 380,5, Thaïl. 267, All. 216,6, Corée du S. 183,5, Italie 119,3, Birmanie 114,9, Espagne 114,5, Danemark 89,9, Maroc 87,1, Chine 72, Phillipines 71,3, Chili 69,2, Mexique 65,7, *France 65,3* Pologne 40,9.

LA PÊCHE FRANÇAISE

Source : Comité central des pêches maritimes.

☞ **Domaine de pêche français.** Dans la limite des 200 milles nautiques. 5 000 km de côtes métropolitaines, 275 000 km de fleuves, rivières, canaux, 150 000 à 200 000 ha de plans d'eau.

CONSOMMATION

Consommation apparente (en milliers de t, 1989). *Frais :* 678,8 (mer 349,3, eau douce 33,6) ; crustacés 32 ; mollusques 263,9 (huîtres 126, moules 86,6, coquillages 31,6, céphalopodes 19,7). *Congelés :* 276,2 (mer 198,6, eau douce 25,3) ; crustacés 39 ; mollusques 13,3 (coquillages 4,1, céphalopodes 9,2). *Salés, séchés, fumés :* 16,7. *Conserves :* 241,1 (thon 105,5, sardine 45,6, maquereau 30,4, hareng 4,2, divers 55,4).

Par habitant (en kg/an, 1984). *Frais :* 12,8 dont poissons de mer 7,8 ; crustacés 0,7 ; mollusques 4,6 (huîtres 2, moules 1,7, coquillages autres 0,6, céphalopodes 0,2). *Congelés :* 4,1 dont p. de mer 3,5 ; crustacés 0,4 ; mollusques 0,2. *Salés, séchés, fumés :* 0,2. *Conserves :* 3.

FLOTTE DE PÊCHE

■ **Flotte de pêche** (au 31-12-91). **Nombre de navires actifs :** 7 393 dont pêche artisanale : *- de 12 m :* 5 445, *de 12 à - de 16 m :* 765 ; *de 16 à - de 25 m :* 981, *de 25 à - de 38 m :* 105, *+ de 38 m :* 97.

Chalutier de type grande pêche récent : jauge brute 1 680 tx, longueur HT 77 m, vitesse 14,5 n., capacité des cales 540 m³ pour le poisson, 475 m³ (à – 30 °C) pour le congelé ; capacité journalière de congélation 8 t de filets en plaques. Surgèle le poisson à – 40 °C et entrepose à – 20 °C (les thoniers congèlent et conservent le thon à – 15 °C). **Campagne :** février à déc. ; 3 voyages de 3 mois ; 1er et 3e généralement sur bancs de Terre-Neuve et du St-Laurent, 2e sur bancs du Groenland occidental, du Labrador et éventuellement mer de Barents.

■ **Pêcheurs embarqués** (au 31-12-1991). 16 492 dont petite pêche 7 170, conchyliculture 3 685, pêche au large 2 906, pêche côtière 2 159, grande pêche 572.

Pêcheurs morts en mer : *1985 :* 23. *1986 :* 23 (beaucoup à cause des « croches » : le filet se prend dans un obstacle, le navire est tiré par le fond).

■ **Zones de pêche. Chalutiers de grande pêche :** Atl. N.-Ouest et N.-Est. **Ch. de pêche fraîche :** mer du Nord et Manche, à l'ouest et au nord de l'Irlande et de l'Écosse, au sud de l'Islande et dans le golfe de Gascogne. **Thoniers de pêche fraîche :** la répartition des thons est influencée par la présence quasi permanente en mers chaudes d'une couche de discontinuité thermique, la *thermocline* (entre 30 et 100 m de profondeur). Les pêcheurs français n'exploitent que le thon de surface à la traîne, à l'appât vivant ou à la senne tournante. Le germon (thon blanc) apparaît en surface début juin entre Portugal et Açores et, suivant la progression des eaux, il remonte vers la mer Celtique (en particulier, golfe de Gascogne) et disparaît en octobre. Environ 170 thoniers français le poursuivent. Certains (15) basés à Dakar pêchent l'albacore et le listão sur les côtes occid. de l'Afrique. **Thoniers congélateurs** (36) : pêchent albacore et listão à la senne tournante au large de Dakar, Abidjan, Pointe-Noire et le long de l'Angola et dans l'océan Indien (Somalie, Madagascar et Seychelles). **Sardine :** pêche pratiquée par les artisans en Atl. et Méditerranée ; 5 nav. sardiniers congél. dans l'Atl. Nord à rayon d'action très large. **Langoustiers congélateurs :** le long du Maroc et de la Mauritanie, mais les fonds s'appauvrissent et leur accès est maintenant soumis à des limitations.

Nota. – (1) Depuis le 15-5-1986, l'accès au golfe du St-Laurent est interdit aux chalutiers français.

Terre-Neuve. *XVIIIe s.* des Français y pêchent la morue. *1763* une station protège les morutiers contre pirates. *XIXe s.* la station navale (croiseurs, avisos, canonnières) assure aussi une assistance médicale et matérielle. *1829* il y a 416 navires de pêche. *1892* + de 12 000 pêcheurs : les uns sur les côtes (pêche à la morue « sèche » ou sédentaire), les autres pêche à la morue « verte » (« pêche au banc »). Les *pêcheurs-passagers* embarquent à St-Malo pour St-Pierre-et-Miquelon où ils arment les goélettes de l'archipel. *Dep. 1904* 1 bâtiment de la Marine nationale est toujours présent sur les bancs. **1972** un accord franco-canadien reconnaît aux pêcheurs de St-Pierre-et-Miquelon un droit de pêche dans les eaux territoriales canadiennes, mais le Can. a réduit unilatéralement (9-10-1992) les quotas accordés : 3 500 t au lieu des 23 000 t nécessaires à la survie de la pêche qui fait vivre la moitié de la population. *7-1-1993* 2 chalutiers français arraisonnés par le Can. pour pêche illégale. En riposte, les bateaux canadiens qui pêchent la pétoncle dans la zone exclusive française (60 % des ressources) sont soumis à une licence et surveillés.

Golfe de Gascogne. Les Espagnols, qui ont un droit de pêche dans les eaux communautaires, ne respectent pas les quotas, d'où des incidents répétés (abordages, filets arrachés) avec les chalutiers français. Ainsi, *26-9-1992* une vedette des affaires maritimes françaises arraisonne 1 chalutier esp. parmi 5 contrevenants. *10-2* 1 chalutier lorientais est éperonné par les Esp.

Manche. Zone autour des îles anglo-normandes mal délimitée (France, G.-B.). *28-3-1992* des pêcheurs français séquestrent à leur bord l'équipage d'un garde-côtes qui venait les arraisonner, et occupent 1 dragueur de mines dont ils brûlent le pavillon. *4-4* 1 chalutier normand est arraisonné pour pêche illégale. *26-6* affrontement entre 2 chalutiers britanniques et 3 français dont 1 est arraisonné.

Kerguelen. 1 chalutier français, *l'Austral*, y effectue chaque année une campagne de 60 j en échange de son quota de langoustes à l'île St-Paul. *Tonnage pêché* (1990-91) : 1 575 t dont gunnari (ou poisson des glaces) 15, légine 1 559. Langoustes 188 (24 861 casiers relevés, rendement moyen par casier 7,57 kg). Des accords de pêche de 2 ans permettent aussi à des navires russes d'opérer dans les Kerguelen. Quota autorisé 17 000 t, pêché 14 275,2 (90-91).

PRODUCTION

Source : Comité central des pêches maritimes.

■ **Production. Quantité** (milliers de t) **et,** entre parenthèses, **valeur** (milliers de F, 1989). *Total poisson* 463,9 (5 271,4). [*Poisson frais :* 333 (4 538,5) dont p. de fond ronds 204,9 (2 862,3), p. pélagiques 78 (432,1), p. de fond plats 41,1 (970,4), p. anadromes 1,8 (114), p. divers 7,2 (159,7). *Poisson congelé :* 130,9 (732,2) dont p. pélagiques 127 (644,9), p. de fond 3,9 (87,4). *Poisson salé :* 0,02 (0,6)]. *Crustacés :* 20,7 (671,3) dont langoustine 8,6 (336,2), tourteau 7,1 (110,7), araignée 1,6 (30,9), crevette grise 0,9 (32,9), crevette rose bouquet 0,5 (50,1), étrille 0,5 (7,8), homard 0,3 (30,1), langouste rose 0,2 (25,8), l. rouge 0,2 (30,2), divers 0,8 (16,8). *Mollusques :* 49,1 (595,8) dont coquillages 26,6 (270,5) [*bivalves :* coquilles St-Jacques 5,3 (126,7), coques 4,4 (10,9), amandes de mer 2 (4,4), pétoncles 1,6 (11,5), palourdes 1,6 (26,7), praires 1,4 (36,3)] ; *gastéropodes :* 5 (31,4) ; *coquillages divers :* 5,4 (22,6) ; *céphalopodes :* 22,5 (325,3) dont seiches 12,3 (135,5), encornets 8,4 (168,7), poulpes 1,3 (11,6), divers 0,5 (9,5). *Violets et oursins :* 0,3 (4,7). *Farine :* 1,1 (5,2). *Total :* 535,9 (6 576,6). *Ostréiculture :* 130,5 (1 086,8) dont huîtres creuses 129 (1 032), h. plates 1,5 (54,8). *Mytiliculture :* 50 (350). *Algues marines* (poids sec) : 16,8 (20,2).

■ **Principales espèces débarquées. En milliers de t** (1991) : Thon 160,8 (dont blanc 4,32, rouge 4,34, tropical 152,13). Huître 131,8 (dont pêche 0,22, élevage 131,55). Moules 69,51 (dont pêche 7,63, élevage 61,9). Lieu noir 33,53. Sardine 26,84. Merlan 22,3. Hareng 21,41. Maquereau 21,3. Merlu 21,16. Lingue 14,8. Baudroie 13,8. Cabillaud 13,5 (dont frais 10,7, grande pêche 2,82). Seiche 13,14. Anchois 11,9. Raie 11,75. Chinchard 9,9. Coquille St-Jacques 9,34. Sole 8,31. Coque 7,85. Langoustine 7,7. Tacaud 7,15. Plie 6,6. Roussette 6,43. Buccin 6,4. Grondin 6,35. Tourteau 5,81. Congre 5,45. Encornet 5,2. Lieu jaune 4,71. Cardine 4,5. Araignée 4. Mulet 3,5. Aiguillat 3,41. Beryx rouge 3,4. Sébaste 3. Bar 3,12.

En milliers de F : Huîtres 1 636,4. Thon 823,2 [dont tropical 701,7, blanc (germon) 47,1, rouge 74,4]. Merlu 537,9. Baudroie 446,1. Sole 357,2. Cabillaud 282,2 (dont frais 262,4, congelé 19,8). Moules 428,9. Langoustine 371,4. Bar 260,2. Merlan 209,2. Lieu noir 283,7. Lingue 175,5. Encornet 118,3. Seiche 201,3. Raie 133,5. Coquilles St-Jacques 131,3. Crevettes roses 61,2 (dont fraîches 47,1, congelées 14,1). Tourteau 102,7. Anchois 69,4. Cardine 109,4. Turbot 73,8. Lieu jaune 85,5. Rouget barbet 93,3. Sardine 79. Maquereau 82,9. Grondin 50,6. Congre 56,5.

■ **Production par zones** (1991, cultures marines comprises, en milliers de t). Concarneau 163,5, Boulogne 72,3, Lorient 55,4, Sète 45,9, Cherbourg 40,3, Marennes-Oléron 37,9, Guilvinec 34,5, Dz-Camaret 25,9, St-Malo 24,1, Fécamp 23,6, Caen 23,2, La Rochelle 21,9, Les Sables 20,6, Noirmoutier 19,8, Bayonne 16,8, Brest 16,7, St-Nazaire 16,6, Auray 16,2, Arcachon 15,9, Martigues 15,3, Dieppe 14,7, St-Brieuc 12,3, Morlaix 10,9, Vannes 10,7, Paimpol 8,2, Port-Vendres 6,3, Marseille 4,6, Yeu 4,1, Nantes 2,6, Dunkerque 2,2, Audierne 2,1, Toulon 0,9, Le Havre 0,8, Bastia 0,4, Nice 0,3, Bordeaux 0,2, Ajaccio 0,1.

Crise : début 1993, baisse des cours de 25 %. *Causes.* 1°) non-respect par certains pays (G.-B.) du prix plancher fixé par la CEE. 2°) concurrence de pays hors CEE (Russie, Pologne) qui ne sont pas soumis à des accords tarifaires, des contingentements ou des contrôles sanitaires. 3°) épuisement des ressources d'où l'imposition par Bruxelles de quotas de pêche et d'une réduction des flottes de pêche (France 6 000 navires en 1993 contre 11 243 en 1988). 4°) refus des conservateurs américains, sous la pression des écologistes, d'acheter du thon du Pacifique (soit 250 000 t). **Mesures prises :** *CEE :* prix minima pour 6 mois (prix de référence 1992) pour les import. sensibles (cabillaud, lieu noir, merlan, églefin, lotte + 4 espèces congelées). *France.* Mesures en millions de F : réaménagement des dettes 180 (pêche ind. 80, artisanale 100) ; avances de trésorerie pour les producteurs 90 ; les familles 10 ;

report d'échéances fiscales et de cotisations sociales. Le 24-3, octroi d'une compensation directe aux pêcheurs (65 % entre 5 et 20 % de baisse du CA, 85 % au-delà). En mai, inscription au collectif budgétaire de 80 millions de F au titre de l'aide à la pêche. Prolongation pour 3 ans des prêts bonifiés.

■ **Principaux ports de pêche** (en millions de F, 1991, cultures marines et pêche). Marennes-Oléron (huîtres comprises) 487,2, Concarneau 1 078,1, Guilvinec 701,1, Lorient 583,6, Boulogne 584,5, Sète 537, Les Sables-d'Olonne 322,9, La Rochelle 334,2, St-Malo 280,1, Caen 281,5, Douarnenez-Camaret 238,3, Noirmoutier 204,2, Martigues 196,4, Bayonne 220,2, St-Nazaire 261, Dieppe 131,5, Auray 211, Morlaix 150,8, Vannes 135,4, St-Brieuc 142,9, Arcachon 169,7, Brest 132,9, Paimpol 102,9, Yeu 125,9, Port-Vendres 73,5, Nantes 36,2, Toulon 43,5, Marseille 76,2, Cherbourg 359,4, Fécamp 128,3, Dunkerque 49,8, Audierne 37,4.

■ **Intermédiaires.** *Mareyeurs :* 950 entreprises, 6 000 salariés, CA représentant 80 % des apports français + importations. *Négociants :* 12 000 points de vente, 48 000 salariés. *Industries du froid :* 80 entreprises, 1 900 sal. ; *de la conserve :* 39 entr., 5 813 sal.

■ **Conserve** (1989). *Total (en t) :* 104 572. *Poids ½ brut de la production de conserves (en t) :* 109 610 dont thon 50 968, maquereau 29 107, sardine 20 215, thon blanc 3 340, autres 5 980. *CA (en milliers de F, HT) :* 3 252. *Nombre d'entreprises :* 24. *Approvisionnement du marché franç. (en t, 1989) :* thon blanc (pêche franç. et importé) 3 800. Thon (p. fr. et imp.) 42. Sardine (fraîche ou congelée imp.) 13 100, (fr. Méditerranée) 5 300, (fr. Atlantique) 1 700. Maquereau (p. fr. et imp.) 28 800. Hareng 2 200. Poisson chalut 2 600. Coquilles St-Jacques 5 300.

Commerce extérieur

Source : Comité central des pêches maritimes.

■ **En milliers de t, 1991. Importations :** *Poissons de mer :* cong., surg. 74,5, filetés 136, frais, réfrig. 112,7, conserves 110,8, séchés, salés 13,1, fumés 1,2. *Amphibiotiques* (salmonidés, anguilles, civelles) : frais, réfrig. 46,9, cong., surg. 36,4, conserves 2,5, fumés 2,3, vivant 0,03. *D'eau douce* (truites, carpes, brochets) : cong., surg. 5,9, frais, réfrig. 3,5, fumés 0,2, vivant 0,7. *Crustacés marins :* frais, réfrig. 18,9, conserves 17,3, cong. 55,5, vivant 3,9. *Écrevisse :* fraîche ou cong. 0,6. *Coquillages et mollusques marins :* frais, vivant, réfrig. 44, cong. 35,4, conserves 14,5, séchés 0,4. *Foies, œufs, laitance :* 2,8. *Farines de poissons :* 85,7. *Graisses et huiles marines :* 14,7. *Algues et dérivés :* 12,5. *Total :* 853,3 dont prod. frais ou cong. 575,1, conserves 147,9, salés ou séchés 13,6, fumés 3,7.

Exportations : *Poissons de mer :* cong., surg. ent. 138,8, filetés 10,3, frais, réfrig. ent. 87,7, filetés 0,6, conserves 6,1, séchés, salés 4,3, fumés 0,2. *Amphibiotiques :* frais ou réfrig. 0,4, fumés 1,9, vivant 1,3, cong. ou surg. 1, conserves 0,4. *D'eau douce :* frais ou réfrig. 0,4, cong. ou surg. 0,2, fumés 0,003, vivant 3,8. *Crustacés marins :* frais, réfrig. 5,5, cong. 5,8, conserves 1,3, vivant 0,1. *Écrevisses :* 0,007. *Coquillages et mollusques marins :* 39,6. *Foies, œufs, laitance :* 0,2. *Farines de poissons :* 10,6. *Graisses et huiles marines :* 11,1. *Algues et dérivés :* 2,6. *Total :* 334,4 dont frais ou cong. 293,3, conserves 9, salés ou séchés 5,6, fumés 2,1.

■ **En milliards de F.** *1988 :* imp. 13,7 (exp. 4,3) ; *89 :* 14 (5,03) ; *90 :* 15,4 (5,2) ; *91 :* 16,5 (5,2).

TOURISME

Quelques grandes fêtes à l'étranger

Janvier. Espagne : Tamborrada de San Sebastian. **Inde :** Republic Day Parade à New Delhi. **Mexique :** le Jour des Rois. **Février. Allemagne :** carnaval de Hesse, Munich, Rhénanie. **Belgique :** carn. de Binche (gilles avec chapeaux à plume lançant des oranges). **Bolivie :** carn. d'Oruro. **Brésil :** carn. de Bahia, Belem, Rio de Janeiro. **Colombie :** carn. de Baranquilla. **Guatemala :** procession de la St-Jean à San Juan de Zacatapeces. **Haïti :** carn. de Port-au-Prince. **Hong Kong :** Nouvel An chinois. **Pérou :** semaine de la Vierge. **Mars. Allemagne :** cortège du Lundi-gras à Aix-la-Chapelle, Bonn, Cologne, Düsseldorf. **Espagne :** semaine sainte à Séville. **Inde :** fête de Holi. **Indonésie :** fête de Sekaten à Djogjakarta et Surakarta. **USA :** fête de la St-Patrick à New York.

Avril. Inde : fête de Trichur. **Népal :** Nouvel An à Bhadgaon. **Sri Lanka :** Nouvel An à Colombo. **Mai. Allemagne :** danse des Bergers à Rothenbourg. **Belg. :** fête de la crevette à Oosduinkerke. **Mexique :** fête de la San Isidro. **Sardaigne :** carnaval sarde à Sassari. **Suisse :** commémor. de Morat. **Juin. Allemagne :** festival historique « la Maîtresse rasade » à Rothenbourg. **Belg. :** procession du Car d'Or à Mons. **Danemark :** festival Viking à Frederiksund. **Espagne :** Romania del Rocio (pèlerinage). **Estonie :** fête de la Danse des Écoliers à Tallin. **Finl. :** veillée de la St-Jean à Helsinki. **France :** fête de la musique. **G.-B. :** trooping the colours à Londres. **Indonésie :** ballet du Ramayana à Prambanan. **Irlande :** manifestation de la marche à pied à Castelbar. **Italie :** fête des fleurs à Genzano, joute du Pont à Pise. **Lux. :** fête du Genêt à Wiltz. **Maroc :** Moussem de Goulimine à Asrir. **P.-Bas :** fête des Tondeurs de moutons à Ede. **Pérou :** spectacle Inca à Cuzco. **Port. :** fête des saints à Lisbonne. **Suisse :** fête des Enfants à St-Gall. **Tchécosl. :** festival folklorique de Straznice. **Turquie :** concours de lutte à Edirne. **USA :** *Nashville,* fête de la Country Music.

Juillet. Belgique : cortège des Sorcières à Besslare, festival inter. des Jumeaux à Barvaux, procession historique à Gistel. **Danemark :** festival Andersen à Odense. **Espagne :** fête de la San Firmin à Pampelune. **Finlande :** championnats des chercheurs d'or à Tankavaara, des flotteurs de bois à Porttikoski. **Grèce :** festival d'Athènes. **Hongrie :** journée des bergers de Kiskunsag. **Irlande :** festival de danses populaires à Cobh. **Italie :** course de chevaux du Palio delle Contrade à Sienne. **P.-Bas :** festival des métiers anciens à Meijel. **Portugal :** foire de St-Jacques à Covilha. **Tunisie :** festival de Tabarka. **USA :** fête de l'Indépendance. **Yougoslavie :** festival de Dubrovnik, festival de musique légère à Split. **Août. Allemagne :** festival du Rhin en flammes de Braubach à Coblence. **Belgique :** fête des géants à Ath. **Grèce :** festival d'Epidaure et d'Athènes, pèlerinage de Tinos. **Hongrie :** festival de danses folklor. à Debrecen. **Irlande :** foire annuelle aux chevaux à Dublin. **Luxembourg :** festival de théâtre et de musique en plein air à Wiltz. **Maroc :** Moussem de Moulay Abdallah à El Jadida. **Mexique :** fête de l'Assomption. **Norvège :** fête des pêcheurs de harengs à Soderhamn, fêtes d'Or. **Nouv.-Guinée :** show de Mount Hagen. **Portugal :** fêtes de Gualterianas à Guimaraès. **Russie :** festival de la chanson à Moscou. **Sri Lanka :** festival de Kataragama, festival de Perahera à Kandy. **Suisse :** fête des bergers à Daubensee. **Turquie :** foire inter. d'Izmir. **Septembre. Allemagne :** fête de la bière à Munich. **Grèce :** festival du vin à Dalphni. **Italie :** joute du Sarrazin à Arezzo. **Maroc :** Moussem des fiançailles à Imilchil. **Pays-Bas :** fête des Moulins. **Portugal :** fête des vendanges à Palmela. **Russie :** festival de musique à Sotchi. **Youg. :** jeux chevaleresques du XVIe s. à Moneska.

Octobre. Afghanistan : Bouskachi royal à Kaboul. **Maroc :** Moussem de Mouley Idriss. **Turquie :** fête de l'avènement de la République. **Novembre. Guatemala :** fête des morts (Todos los Santos). **Inde :** foire aux chameaux de Pushkar. **Pérou :** fête de l'Empire Inca à Puno. **Thaïlande** fête des éléphants à Surin. **Décembre. Guatemala :** Saint Thomas à Chichicastenango. **Mexique :** fête de N.-D.-de-Guadalupe à Mexico. **Philippines :** Noël. **Turquie :** fête des derviches tourneurs à Konya.

Hauts lieux du patrimoine mondial

La Convention pour la protection du patrimoine mondial, culturel et naturel, adoptée par la conférence générale de l'Unesco, vise à organiser la solidarité internationale pour sauvegarder des biens culturels et naturels inscrits sur la Liste du patrimoine mondial. *Entrée en vigueur* 1972. *États parties* (janvier 1993) 131. *Biens inscrits sur la Liste du patrimoine mondial* (au 1-1-1993) 378 dont biens culturels 276, naturels 87, mixtes 15, situés dans 86 États parties.

☞ *Légende.* p.n. : parc national. r.n. : réserve naturelle.

■ **Afrique. Algérie :** Kalâa des Béni Hammad, Tassili n'Ajjer, M'Zab (vallée), Djémila, Tipasa, Timgad, Casbah d'Alger. **Bénin :** Palais royaux d'Abomey. **Cameroun :** réserve de faune du Dja. **Côte-d'Ivoire :** Taï et Comoé (p.n.). **Égypte :** Memphis (et sa nécropole), Guizeh à Dahchour (zones des pyramides), Thèbes, Abou Mena, monuments de Nubie (d'Abou Simbel à Philae), Le Caire islamique. **Éthiopie :** L'Aouache (basse vallée), Tiya, Axoum, Omo (basse vallée), Fasil Ghebi, Lalibela (églises dans le roc), Simen (p.n.). **Ghana :** forts et châteaux de Volta, d'Accra et ses environs et des régions centrale et ouest, bâtiments traditionnels Asante. **Guinée et Côte-d'Ivoire :** r.n. intégrale du Mont Nimba. **Jamahiriya arabe libyenne :** Ghadamès (ancienne ville), Leptis Magna, Sabratha, Cyrène (sites antiques), Tadrart Acacus (sites rupestres). **Madagascar :** Bemaraha (r.n. intégrale de Tsingy). **Malawi :** Lac Malawi (p.n.). **Mali :** Djenné (villes anciennes), Tombouctou, Bandiagara (falaises, pays Dogon). **Maroc :** Fès, Marrakech (médinas), ksar d'Aït-Ben-Haddou. **Mauritanie :** Banc d'Arguin (p.n.). **Mozambique :** île. **Niger :** Aïr, Ténéré (p.n.). **Rép. centrafricaine :** Manovo-Gounda St-Floris (p.n.). **Sénégal :** Gorée (île), Djoudj (p.n. des oiseaux), Niokolo-Koba (p.n.). **Seychelles :** atoll d'Aldabra, vallée de Mai (r.n.). **Tanzanie :** Ngorongoro (zone de conservation), Serengeti (p.n.), Kilwa Kisiwani et Songo Mnara (ruines), Selous (r. de gibier), Kilimandjaro (p.n.). **Tunisie :** Carthage, Kerouane (sites puniques), El Jem (amphithéâtre romain), Ichkeul (p.n.), Tunis (médina), Sousse (médina), Kairouan. **Zaïre :** Garamba, Kahuzi-Biega, Salonga et Virunga (p.n.). **Zambie et Zimbabwe :** chutes Victoria, Mosi-oa-Tunya. **Zimbabwe :** Mana Pools (p.n.), Safari Sapi, Chewore (aires), Grand Zimbabwe (monument nat.), Khami (ruines).

■ **Amérique. Argentine :** Los Glaciares, Iguazu (p.n.). **Argentine et Brésil :** missions jésuites des Guaranis : San Ignacio Mini, Santa Ana, Nuestra Senora de Loreto et Santa Maria Mayor (Argentine), ruines de São Miguel das Missoes (Brésil). **Bolivie :** Potosi (ville), missions jésuites des Chiquitos, Sucre (ville hist.). **Brésil :** Ouro Preto (ville hist.), Olinda, Salvador de Bahia (centre hist.), Congonhas (sanctuaire du Bon Jésus), Ignaçu (p.n.), Brasilia, Serra da Capivara (p.n.). **Canada :** Anse aux Meadows, Nahanni, Wood Buffalo, Gros Morne (p.n.), P. des Rocheuses can. (Burgess Shale), p. provincial des Dinosaures, île Anthony, « Head-Smashed-In Buffalo Jump » (précipice à bisons), Québec (arr. histor.). **Canada et États-Unis :** Kluaneet (p.n.), Wrangell-St-Elias (r, p.n. de la Baie des Glaciers). **Colombie :** Carthagène (port, forteresse, monuments). **Costa Rica et Panamá :** r. de la Cordillère de Talamanca-La Amistad, La Amistad (p.n.). **Cuba :** La Havane (vieille ville et fortifications), Trinidad et Vallée de los Ingenios. **Équateur :** Galapagos (îles), Quito (ville), Sangay (p.n.). **États-Unis :** Everglades (p.n., Floride), Grand Canyon (p.n., Arizona), Mesa Verde (Colorado), Independence Hall (Philadelphie), Redwood (p.n., Californie), Yellowstone (p.n.), Mammoth Cave (p.n., Kentucky), Olympique (p.n., Washington), Cahokia Mounds (site hist., Illinois), Great Smoky Mountains (p.n.), San Juan (Porto-Rico, site hist. et forteresse), statue de la Liberté, Yosémite (p.n.), Monticello et université de Virginie (Charlottesville), Chaco (p.n. hist.), volcans d'Hawaii (p.n.), Pueblo de Taos. **Guatemala :** Tikal (p.n.), Antigua Guatemala (ville), Quirigua (p. archéol. et ruines). **Haïti :** Citadelle, Sans Souci, Ramiers (p.n. hist.). **Honduras :** Copan (site maya), Rio Platano (r. de la biosphère). **Mexique :** Sian Ka'an, Palenque (cité préhispanique et p.n.), Téotihuacan (cité préhisp.), Mexico, Xochimilco, Puebla, Oaxaca (centres hist.), Monte Alban (zone archéol.), Guanajuato et mines adjacentes, Chichen-Itza (ville préhisp.), Morelia (centre hist.) El Tajin (cité préhisp.). **Panamá :** Portobelo, San Lorenzo (fortifications), Darien (p.n.). **Pérou :** Cuzco (ville), Machupicchu (sanctuaire hist.), Chavin (site archéol.), Huascaran (p.n.), Chan Chan (zone archéol.), Manu (p.n.), Lima (centre hist.), Rio Abiseo (p.n.). **Rép. dominicaine :** St-Domingue (ville).

■ **Asie. Bangladesh :** Bagerhat (ville-mosquée hist.),

Paharpur (ruines du Vihara bouddhique). **Cambodge :** Angkor. **Chine :** mont Taishan, la Grande Muraille, Palais impérial des dynasties Ming et Qing, Mogao (grottes), mausolée du premier empereur Qin, Zhoukoudian (site de l'Homme de Pékin), mont Huangshan, Wulingyuan, Jiuzhaigou (rég. d'intérêt panoramique et hist.). **Chypre :** Paphos, Troodos (églises peintes). **Inde :** Ajanta, Ellora, Elephanta (grottes), Agra (fort), Taj Mahal (palais), temple du Soleil à Konarak, Mahabalipuram, Khajuraho, Hampi, Pattadakal (mon.), Kaziranga, Keoladeo, Sundarbans, Nanda Devi (p.n.), Manas (s. faune), Goa (égl. et couvents), Fatehpur Sikri, Brihadisvara (temple à Thanjavur), Sânchi (mon. bouddhiques). **Indonésie :** Borobudur, Prambanan, Komodo, Ujung Kulon (p.n.). **Irak :** Hatra. **Iran :** Persépolis, Tchoga Zanbil, Ispahan (Meidan Emam : place Royale). **Jordanie :** Jérusalem (vieille ville et remparts), Pétra, Qusair Amra. **Liban :** Anjar, Baalbek, Byblos, Tyr. **Népal :** Sagarmatha (p.n. contenant l'Everest : 8 848 m et 7 sommets de + de 7 000 m), Kathmandu (vallée), Royal Chitwan (p.n.). **Oman :** fort de Bahla, Bat, Al-Khutm et Al-Ayn (sites archéol.). **Pakistan :** Mohenjo Daro (ruines archéol.), Taxila, Takht-i-Bahi (ruines bouddhiques) et Sahr-i-Bahlol (vestiges), Thatta (mon. hist.), Lahore (fort et jardins de Shalimar). **Sri Lanka :** Anuradhapura, Polonnaruva, Sigiriya, Galle, Kandy (villes), Sinharaja (réserve forestière), Dambulla (temple d'or). **Syrie :** Damas, Bosra, Alep (villes), Palmyre (site). **Thaïlande :** Sukhothai, Ayutthaya (villes hist.), Thung Yai-Huai Kha Khaeng (sanctuaires de faune), Ban Chiang (site archéol.). **Turquie :** Istanbul (zone hist.), Göreme (p.n.), Cappadoce (sites rupestres), Divrigi (Grande Mosquée et Hôpital), Hattousa, Nemrut Dag, Xanthos-Letoon, Hierapolis-Pamukkale. **Yémen :** Sana'ã (vieille ville), Shibam (ancienne ville et mur d'enceinte).

■ Europe. **Albanie :** Butrinti. **Allemagne :** Aix-la-Chapelle (cath.), Spire (cath.), Trèves (monuments romains, cathédrale, égl. N.-Dame), Wurtzbourg (résidence : jardins de la Cour, place de la Résidence), Wies (égl. de pèlerinage), Brühl (châteaux d'Augustusburg et de Falkenlust), Hildesheim (cath. Ste-Marie, égl. St-Michel), Lübeck (ville hanséatique), Berlin (châteaux et parcs de Postdam), Lorsch (abb. et altenmünster), Goslar (mines de Rammelsberg et ville hist.). **Belarus/Pologne :** forêt de Belovezhskaya (Puschcha, Bialowieza). **Bulgarie :** Boyana (égl. avec peint.), Ivanovo (égl. rupestres), Kazanlak, Svechtari (tombes thraces), Madara (cavalier), Nessebar (ancienne cité), Pirin (p.n.), Rila (monastère), Srébarna (r.n.). **Croatie :** Dubrovnik (vieille ville), Plitvicka (p.n.), Split (noyau hist., palais de Dioclétien). **Espagne :** Altamira (grotte), Asturies (égl. du royaume), Ávila (vieille ville et égl.), Barcelone (Casa Mila, parc et palais Güell), Burgos (cath.), Cordoue (mosquée), Grenade (Alhambra et Generalife), Madrid (monastère et site de l'Escurial), Poblet (monastère), St-Jacques-de-Compostelle (vieille ville), Ségovie (vieille ville et aqueduc), Teruel (archit. mudéjare), Tolède (ville hist.), Garajonay (p.n.), Cáceres (vieille ville), Séville (cath., Alcazar et Archivo de Indias), Salamanque (vieille ville). **Russie :** Kizhi Pogost, Moscou (Kremlin et Place rouge), St-Pétersbourg (centre hist. et mon. annexes), Novgorod (monuments hist. et environs), îles Solovetsky, Souzdal, Vladimir (monuments). **Finlande :** ancienne Rauma, Suomenlinna (forteresse). **France :** Arc-et-Senans (saline royale), Amiens (cath.), Arles (mon. romains et romans), Bourges (cath.), Chambord (château, domaine), Chartres (cath.), Fontainebleau (palais, parc), Fontenay (abbaye), Girolata et Porto (caps), Mont-St-Michel et sa baie, Nancy (places Stanislas, de la Carrière et d'Alliance), Orange (théâtre antique, abords, « Arc de Triomphe »), Paris (rives de la Seine du pont Sully au pont d'Iéna), Pont du Gard, Reims (cath., égl. St-Rémi, palais de Tau), Scandola (Corse, r.n.), St-Savin-sur-Gartempe (égl.), Strasbourg (Grande Île), Versailles (palais, parc), Vézelay (basil., colline), Vézère (grottes ornées). **G.-B. :** Chaussée des Géants et sa côte, Durham (cath. et château), Ironbridge (gorge), parc de Studley Royal, abbaye de Fountains (ruines), Stonehenge, Avebury, ancienne principauté de Gwynedd, St. Kilda (île), Blenheim (palais), Bath (ville), mur d'Hadrien, palais et abbaye de Westminster, église Ste-Marguerite, île d'Henderson, Tour de Londres, Cantorbery (cath, abbaye St-Augustin et église Saint-Martin). **Grèce :** Bassae (temple d'Apollon Epikourios), Delphes (site archéol.), Athènes (Acropole), Mont Athos, Météores, Thessalonique (monuments paléochrétiens et byzantins), Épidaure, Olympie (sites archéol.), Rhodes (ville), Mystras, Daphni, Hossios Luckas et Néa Moni de Chios (monastères), Délos, Samos (Pythagoreion et Heraion). **Hongrie :** Budapest (panorama bords du Danube et quartier du château de Buda, Hollokö). **Italie :** Florence (centre hist.), Santa Maria delle Grazie avec « la Cène » de Léonard de Vinci (égl., couvent dominicain), Valcamonica (art rupestre, 2 400 roches gravées), Venise (lagune), Pise (Piazza del Duomo), San Gimignano (centre hist.). **Italie/St-Siège :** Rome (centre hist., biens du St-Siège), St-Paul-hors-les-Murs. **Malte :** Ggantija (temples), Hal Saflièni (hypogée), La Valette (ville). **Norvège :** Alta (art rupestre), Bergen (vieux quartier de Bryggen), Røros, « Stavkirke » d'Urnes (égl. à piliers de bois XIIe s.). **Ouzbékistan :** Itchan Kala. **Pologne :** Cracovie et Varsovie (centres hist.), Wieliczka (mines de sel), Auschwitz (camp), Zamosc (vieille ville). **Portugal :** Angra do Heroismo (Açores), Monastère des Hiéronymites et Tour de Belém (Lisbonne), Batalha (monastère), Tomar (couvent du Christ), Evora (centre hist.), Alcobaça (monastère). **Roumanie :** Delta du Danube. **Saint-Siège :** Vatican. **Slovénie :** Skocjan (grottes). **Suède :** Drottningholm (domaine royal). **Suisse :** St-Gall (couvent), Müstair (couvent bénédictin), Berne (vieille ville). **Tchèque (Rép.) :** Prague (centre hist.). **Ukraine :** Kiev (cath. Ste-Sophie, bâtiments monastiques, la Laure de Kievo-Petchersk). **Yougoslavie :** Durmitor (p.n.), le vieux Ras avec Sopocani, Ohrid et Kotor (régions, aspects culturels et hist.), Studenica (monastère).

■ Océanie. **Australie :** Kakadu (p.n.), la Grande Barrière, Willandra (région des lacs), îles Lord Howe, Tasmanie occidentale (p.n. des étendues sauvages), forêts pluviales tempérées subtropicales de la côte Est, Uluru (p.n.), Queensland (tropiques humides), Shark (baie), île Fraser. **Nouvelle-Zélande :** Te Wahipounamu (zone sud-ouest, p.n. de Westland, du Mont Cook, de Fiordland), Tongariro (p.n.).

Statistiques internationales

Budget touristique

Légende. Recettes (A) et dépenses (B) en millions de $ (1991) ; A' par rapport aux exp. (1990). B' par rapport aux imp. (1990). *Source :* OCDE.

Pays	Recettes		Dépenses	
	A	A'	B	B'
All. féd.	10 628	2	30 779	6,5
Australie	4 013	6,9	3 919	6
Autriche [2]	15 035	35	8 518	16
Belgique [1]	3 633	1,8	5 579	2,7
Canada [2]	5 483	4,4	11 031	7,4
Danemark	3 474	6	3 375	6,8
Espagne	19 158	21	4 555	3,9
États-Unis	48 757	6,4	36 958	5,1
Finlande	1 192	3,4	2 640	6,9
France	*21 376*	*5,9*	*12 327*	*3,6*
Grèce	2 638	19,4	1 017	5
Irlande	1 511	5	1 125	3,8
Islande	118	5,7	256	10,9
Italie	18 420	8	11 648	5,4
Japon	3 436	0,8	23 951	6,2
Norvège	1 680	3,1	3 307	8,1
N.-Zélande	1 512	8,2	995	9,4
P.-Bas	4 076	2	7 888	4,5
Portugal [2]	3 726	20,5	1 167	4,2
R.-Uni	12 642	3,7	17 349	4,4
Suède	2 733	3,6	6 049	7,2
Suisse	7 094	7,5	5 706	6,8
Turquie	2 654	14,7	592	1,8

Nota. – (1) Belgique et Luxembourg. (2) 1992. *Source :* OCDE.

■ Généralités

Tourisme mondial (OMT). **Arrivées aux frontières** (en millions) : *1963 :* 93 ; *70 :* 168 ; *80 :* 285 ; *85 :* 326 ; *90 :* 415 ; *91 :* 449 ; *92 :* 475,6 (dont Europe 287,5, Amériques 102,1, Asie E. et Pacifique 58,3, Moy.-Or. 7,2, Asie du S. 3,5).

Principaux 1ers pays récepteurs du tourisme international. **En millions d'arrivées et,** entre parenthèses, **en % du total mondial, en 1990 :** France 51,5 (11,6), USA 39,7 (9), Espagne 34,3 (7,7), Italie 26,7 (6), Hongrie 20,5 (4,6).

Dépenses (en milliards de $). *1985 :* 98,6, *87 :* 147,8, *90 :* 199, *91 :* 245,5. Recettes. *1987 :* 170, *88 :* 194, *89 :* 209, *90 :* 230, *91 :* 261, *92 :* 278,7 dont Europe 147,2, Amériques 76,6, Asie S.-E. et Pacifique 43,3.

Départs en vacances (taux par pays en %, en 1988). Suisse 76, Suède 75, Norvège 70, Australie 65, P.-Bas 65, Danemark 64, G.-B. 61, All. féd. 68, All. dém. 81 (1990), *France 58,* Luxembourg 58, Italie 57, Grèce 46, Espagne 44, Irlande 41, Belgique 41, USA 41, Portugal 27.

Partent à l'étranger : Luxemb. 94, Néerlandais (89) 64, Allemands 60, Espagnols (89) 60, Belges 56, Britanniques (89) 54, Irlandais 51, Italiens (85) 45, Danois 44, Français 19, Grecs 7, Portugais (92) 3.

Voyagent en avion (1988) : Espagnols 38 (92), Irlandais 31, Grecs 28,3 (92), Britanniques 24, Luxembourgeois 19, Danois 18, Allemands 17, Néerlandais 14, Belges 10, Français 6, Italiens 5, Portugais 5 (92).

Séjournent à l'hôtel (1988) : Luxembourgeois 53, Allemands 43, Grecs 38, Britanniques 36, Irlandais 33, Italiens 33, Belges 30, Néerlandais 30, Danois 26, Espagnols 21, Français 19, Portugais 18 (92).

Croisières maritimes. **Nombre de passagers** (en millions, en 1989) : Amérique 3,3, Europe 0,8, *France 0,1.*

☞ *Sont partis en vacances en 1987 :* 185 millions d'Européens de l'Ouest sur 320, 165 millions d'Américains, 60 millions de Japonais.

Pays accueillant des touristes

Légende. – Arrivées aux frontières (1992, en milliers). (1) 1986. (2) 1990. (3) Arrivées dans les hôtels et établissements assimilés. (4) Arrivées dans l'ensemble des moyens d'hébergement. (5) Nuitées dans l'ensemble des moyens d'hébergement. (6) Nuitées dans les hôtels et les campings. (7) 1987. (8) 1988. (9) 1989. (10) 1991. *Source :* Organisation mondiale du tourisme et pays.

Afrique du Sud 2 818, dont 144 Brit., 87 All., 48 Amér., *25 Français,* 18 Suisses. **Algérie** 1 196 dont 226 Europ. *(121 Français),* 431 Afr. et Moyen-Orientaux (153 Tunisiens). **All. dém.** 3 102. 674[8] dont 658 Européens (126 Sov.). **All. féd.**[5] 33 000 (à l'exclusion des campings) dont 6 030 Holl., 3 380 Amér., 2 980 Brit., 1 830 It., 1 670 Suédois, *1 670 Français,* 1 600 Suisses, 1 410 Danois. **Andorre** 8 134. **Anguilla** 30. **Antigua-et-Barbuda** 203. **Argentine** 2 900 dont 2 360 Amér., 261 Eur. **Australie** 2 474 dont 1 294 Asie, 548 Europ. (cont.), 317 Amér. **Autriche** [4] 25 834 dont 10 664 All., 6 736 Autr., 1 291 Holl., 1 220 It., 753 Brit., 753 Suisses, *738 Français.*

Bahamas 1 460. **Bahreïn** 1 715. **Bangladesh** 112 dont 15 Eur., 9 Amér. **Barbade** 390 dont 119 Amér., 46 Can., 88 G.-B., 20 All. **Belgique**[5, 9] 12 886 dont 4 805 Holl., 1 941 All., *1 263 Français,* 1 350 Brit., 635 Amér., 56 It. **Belize** 225. **Bermudes** 380. **Bhoutan** 2. **Bolivie** 222 dont 118 Amér., 79 Eur., 15 Asie. **Birmanie** [9] 41 dont 27 Eur., 10 Am. du N. **Bostwana** 437 dont 65 Eur., 11 Amér. **Brésil** 1 474 dont 260 Arg., 119 Amér., 62 All., 58 It., *39 Français.* **Bulgarie**[2] 10 330 dont 6 201 Eur., 4 066 Asie, 22 Afrique, 17 Amér.

Canada 14 816 dont 11 869 Amér., 541 Brit., 395 Jap., *310 Français,* 294 All., 121 Hong Kong, 104 Austr. **Chili** 1 400 dont 285 **Arg.** 80 Eur., 38 Amér., 24 Brés., 3 Venez. **Chine** 1 728[8] dont 578 Jap., 367 Eur. (84 Brit., 60 All., *54 Français*), 315 Amér., 59 Austr. **Chypre** 1 900. **Colombie** 800 dont 116 Amér., 43 Eur. (10 Esp., 7 All., 8 It., *7 Français*), 34 Can. **Comores** 8. **Congo**[3,8] 46 dont 23 Eur. *(15 Français),* 14 Afr., 1 Amér. **Corée (Rép. de)**[2] 2 959 dont 894 Jap., 370 Amér. **Costa Rica** 510 dont 368 Amér., 58 Eur. **C.-d'Ivoire** 204. **Cuba** 410 dont 106 Afrique, 72 Eur., 10 Amér., 8 Asie. **Curaçao** (n.c. résidents des Antilles néerlandaises) 205 (départs).

Danemark[9] 9 338 dont 3 354 All., 2 128 Suéd., 1 023 Norv., 510 Holl., 421 Amér., 391 Brit., 226 Finl., 188 It., *148 Français.* **Dominicaine (Rép.)** 1 350 dont 374 Amér., 37 Eur. **Dominique** 46.

Égypte 3 207 dont 356 All., 317 Brit., *213 Français,* 170 It., 168 Amér., 90 Benelux, 84 Esp., 68 Jap., 64 Scand., 57 Suisses, 44 Grecs. **Équateur** 363 dont 56 Eur. (12 Esp.), 56 Amér. **Espagne** 55 323 dont *11 792 Français,* 11 568 Port., 7 762 All., 6 514 Brit., 2 115 Néerl., 1 852 It., 1 361 Belg., 1 109 Suisses, 826 Amér. **États-Unis** 45 500 dont 27 590 Amér., 6 659 Eur., 5 365 Asie. **Éthiopie** 80 (par avion).

Fidji 260 dont 65 Austr., 55 Amér. **Finlande** 2 750[5] dont 637 Suédois, 533 All., 187 Soviétiques, 160 Amér., 135 Brit. et Irl., 117 Norv., *106 Français.* **France** 58 500 dont 12 097 All., 7 346 Brit., 5 656 It., 3 995 Néerl., 3 207 Esp., 2 072 Amér., 750 Jap.

Parcs récréatifs

■ **Quelques dates. 1843** *Tivoli* (Copenhague, Danemark, sur 5 ha, puis 8,3 ha ; visiteurs 1992 env. 4 millions). **1895** *Sea Lion Park* (Coney Island, New York, USA) 1er parc d'attractions amér. **1904** *Luna Park* (id.) propose une balade sur la Lune. **1909** *Luna Park* de Gaston Akoun à Paris (fermé en 1948). **1919** il y a 1 500 parcs aux USA. **1936** il en reste 500. **1950** *Madurodam* (P.-Bas) ville miniature (3 ha). **1951** Efteling (P.-Bas, 68/270 ha, vis. 2 millions). **1955** (17-7) *Disneyland* (Anaheim, Californie) 1er parc à thème (11,6 millions de visiteurs). **1963** *Mer de Sable* (Ermenonville). **1967** *Phantasialand* (Brühl, All. féd.). **1971** (25-10) *Walt Disney World* (Orlando, Floride, avec Epcot Center, Disney MGM Studios, (Magic Kingdom) 28 millions de visiteurs). **1973** *Thorpe Park* (G.-B.) 300 ha. **1974** *Alton Tower* (G.-B., Stoke en Trend) 450 ha ; vis. : 2 millions. **1975** Gardaland (Italie) 60 ha ; vis. 1 300 000. **1983** (15-4) *Tokyo-Disneyland,* superficie complexe 82,6 ha (parc 46, parking 25, services 11,6), investissements 1,4 milliard de $ (1991 : visiteurs 16 100 000, CA 1,1 milliard de $). **1989** *Lotte World Adventure* (Séoul, Corée). *Parc océanique Cousteau* (Paris, Forum des Halles), dépôt de bilan 16-7-1991, fermé nov. 1992. *Coût :* 120 M de F. Vis. 460 000 (il en aurait fallu 800 000). **1990** *Middle Kingdom* (Hong Kong). **1992** *Eurodisneyland* (voir ci-dessous).

Parcs à thème.

Légende : (MdF) : milliards de F. (MF) : millions de F.

Astérix (Plailly, Oise). *Ouvert :* 1988 sur 150 ha (dont attractions 20, parking 20). *Coût :* 900 MF. *Employés :* 830 (dont 130 permanents). *Visiteurs :* (millions) *1989* : 1,34 ; *91 :* 1,4 ; *92 :* 1,1 (attendus 2). *CA* (en MF) : *1991 :* 210 ; *92 :* 160 (perte 65).

Bagatelle (Merlimont). *Ouvert :* 1956. 20 ha. *Coût :* 63 MF. *Visiteurs :* 300 000.

Euro Disney Resort (Marne-la-Vallée, S.-et-M.), à 32 km de Paris. *Ouverture :* 12-4-1992. *Superficie :* 600 ha, *prévue :* 1 943 ha dont domaine paysager (arbres, pièces d'eau, piscines, tennis, golf, hôtels) 550 ha, Parc Euro Disneyland 56 ha. *Attractions :* 39 (60 en Californie, 50 en Floride). *5 pays à thèmes : Main Street USA* (rue principale) ; *Frontierland ; Adventureland* (dont la Cabane de Robinson, construite sur un arbre géant de 27 m de haut) ; *Fantasyland* dont le château de la Belle au Bois dormant, 43 m de haut, inspiré de l'abbaye du Mont-St-Michel, des enluminures des Très riches heures du duc de Berry, et des tapisseries médiévales ; *Discoveryland* inspiré des découvertes de Léonard de Vinci à Jules Verne (dont *Hypérion,* dirigeable de 35 m de long). A TERME : studios cinémat. et audiovisuels ; 2 parcs à thèmes supplémentaires, 13 000 ch. d'hôtels, 1 centre de congrès, 1 parc aquatique, 2e golf et camping-caravaning. Aménagement de 6 hôtels à la périphérie du parc (5 200 ch., 18 000 prévues en 2017), centre de divertissements de 18 000 m^2.

Emplois : 12 000 permanents (66 % de Français). *Financement* (MdF) : *phase 1 :* 24. *Offre publique de souscription oct. 1989 :* 86 millions d'actions. Eurodisney a bénéficié : d'un prêt de 4,4 MdF à 7,85 % sur 20 ans, d'un taux de TVA réduit (5,5 %). *CA* (MdF) *1991-92* (dont 6 mois d'expl. avril-sept. 92) : 4,6 (résultat net – 0,188) ; *oct 92/mars 93* (semestre basse saison) 1,794 (dont parc 66 %, hôtel 34 %), rés. net : – 1,081 ; *1999-2000 (prév. faites 1990) :* 20,9 (rés. net 1,74). *Engagements pris par les parties publiques* (État, région Île-de-Fr., dép. de S.-et-M., RATP, établissement public d'aménagement) (en MF) : prolongement du RER 928 (dont État 100, région 100) ; échangeurs autoroutiers et desserte du TGV 760 (dont État 35, région 30) ; voirie primaire 280 dont 100 financés par le dép. en 1989. *Visiteurs* (en millions, du 12-4-92 au 11-4-93 : 11 (dont oct. 92/mars 93 : 3,3) ; *attendus* (prév. faites en 1991) ; *94-95 :* 20,5 ; *99-2000 :* 27,2. Le parc peut recevoir de 50 000 à 60 000 personnes par j (record 92 500). *CA mondial :* oct *1992-mars 93 :* 22 MdF (bénéfice net : 2,46).

France miniature (Élancourt, Yvel., 1990) 5 à 20 ha. *Coût :* 63 MF, 400 000 vis. **Futuroscope** (Jaunay-Clan, Vienne). *Ouvert :* 31-5-1987. *Coût :* 1 MdF. *CA 1992 :* 176 MF (bén. net 10 MF). *Visiteurs* (milliers) : *1987 :* 225 ; *89 :* 750 ; *91 :* 1 000 ; *92 :* 1 300. *Kinémax* en forme de cristal de roche, haut. 35 m, écran plat de 600 m^2. *Omnimax* écran hémisphérique de 25 m, cinéma circulaire diamètre 21 m, écran haut de 6,30 m. **Jardin d'acclimatation** (Paris). *Ouvert :* 1860. *Visiteurs :* 1 500 000. **Mer de Sable** (Ermenonville, Oise). *Ouvert :* 1963, 55 ha. 25 attractions. *Visiteurs :* 400 000. **Mirapolis** (Cergy-Pontoise, Val-d'Oise). *Ouvert :* 20-5-1987 sur 48 ha. *Coût :* 700 MF. *Visiteurs attendus* (en milliers) : 2 000 (*venus 87 :* 600 ; *88 :* 1 000 ; *89 :* 600 ; *91 :* 400). Dépose son bilan 22-1-90 (passif 350 MF dont 285 de charges d'emprunt). Rouvert 4-4-90 par les Forains (Gie Mira' fêt) déjà associés à l'exploitation, sera remplacé par complexe immobilier, il aurait fallu investir 100 MF pour tenir en 1992. Le Gargantua mesure 35 m de haut. **Nigloland** (Dolancourt, Aube) 12 ha, *visiteurs 92 :* (92) 320 000. **OK Corral** (1963, Cuges-les-Pins, B.-du-Rh.) 12 ha, *visiteurs :* 400 000. **Le Pal** (Dompierre-sur-Besbre, Allier) 25 ha. *Visiteurs :* 300 000. **La Toison d'or** (Dijon, Côte-d'Or). *Ouvert :* 1990. 12 ha. *Coût :* 155 MF. *Visiteurs :* 300 000, fermé 1993 (pertes en 3 ans 162,5 MF pour un CA de 17 MF). **St-Vrain** (Essonne, 1974), *visiteurs :* 400 000. **Thoiry** (Yvelines). *Ouvert* 1967. *Visiteurs :* 900 000. **Les Vikings** (Amiens, Oise).

Walibi. *CA 1992* du groupe : 400 MF (bénéfice net 9 MF), *visiteurs 1992 :* 3 800 000. **Wavre** (Belg., ouvert 1975) 25 050 ha, *visiteurs :* 1 600 000, **Aqualibi** ouvert 1987. **Bellewaerde** (près d'Ypres, Belg., 1969, intégré à Walibi 1990), 53 ha, *visiteurs 1992 :* 950 000. **Walibi Rhône-Alpes** (Les Avenières, Isère,-ex Avenir-Land, ouvert 1979, repris 1988), *visiteurs 1991 :* 450 000. **Bruxelles** (Bruparck, mini-Europe 1988) 2,4 ha, *visiteurs :* 400 000. **Flevohov** (P.-Bas, créé 1975, acquis 1992), 130/325 ha. **Walibi Schtroumpfs** (Hagondange, Moselle) [ex-Big Bang Schtroumpfs. *Ouvert :* 1989. *Coût :* 720 MF. *Visiteurs* (en milliers) *1989 :* 400 (attendus : 1 800) ; *1991 :* 380. *CA 1989 :* 139 MF (passif 35 MF)]. Repris fin 1990 par Walibi pour 55 MF, investissement 81 MF. *CA 91 :* 45 MF (passif 0,8 MF), *92 :* 47. Superficie disponible 160 ha, exploitée 42. *Employés* en saison (1991) : 110. 19 attractions dont l'Anaconda (grand-huit, longueur 1 200 m, hauteur 35 m, vitesse 110 km/h), *visiteurs 1992 :* 400 000. **Walibi-Aquitaine** (Agen, ouvert 24-4-1992). Coût 700 MF, *visiteurs :* 200 000. **Zigofolies** (Nice, Alp.-M., 25 ha). *Ouvert :* Juillet 1987. *Coût :* 420 MF. *Visiteurs attendus* (milliers) : 771 (*1988 :* 308 ; *89 :* 350). Mis en liquidation 31-1-1988, racheté par le groupe Belise loisirs 53 MF (nouveau nom : *Zygo Park).* Fermé *1991.*

■ **Parcs nautiques. Aquaboulevard** (Paris XVe, *ouvert* 1984). *Coût :* 450 MF ; déficit (89) : 32 MF. *Visiteurs (90) :* 800 000. **Aquacity** (Gujan-Mestras, Gironde, 1985). **Aquacity** (Les Pennes Mirabeau, B.-du-Rh., 1985). **Aqualand** (Cap d'Agde, Hérault, 1983). **Aqualand** (Marquenterre, Somme, 1985). **Aqualud** (Le Touquet, P.-de-C., 1985). **Aquatica** (Fréjus, Var, 1986). **Marineland** (Antibes, A.-M. 1970). **Nauticlub** (Marcq-en-Barœul, Nord, 1986). **Nausica** (Boulogne-sur-Mer, P-de-C., 1991). *Coût* 160 MF. **Nautiland** (Haguenau, Bas-Rhin, 1984). **Océade** (Strasbourg, Bas-Rh., 1986).

Gambie 95. **Ghana** 175. **Gibraltar**[9] 132. **Grande-Bretagne**[10] 15 352 dont 3 048 Amér., *2 292 Français,* 1 878 All., 1 317 Irlandais, 993 Holl., 714 It., 701 Can., 605 Esp., 572 Belg., 629 Austr., 571 Jap., 474 Suéd. **Grèce** 8 706 dont 1 993 Brit., 1 766 All., 567 It., *502 Français,* 495 Holl., 311 Amér., 144 Suisses, 83 Jap., 51 Can. **Grenade** 91. **Guadeloupe** 305 dont 109 Eur., 17 Amér., 9 Can. **Guatemala** 520 dont 83 Eur.

Haïti 115 (par voie aérienne) dont 107 Amér., 14 Can., 10 Eur. **Hollande** 5 842 dont 2 069 All., 832 Brit., 410 Amér., *371 Français,* 353 It. **Hongrie** 22 500 dont (1984) 7 500 dont 4 500 Autr., 4 300 Youg., 4 300 Pol., 3 500 Tchèc., 1 900 URSS, 1 680 All. Est, 700 Bulg., 250 Roum., 250 Italie.

Inde 1 850 dont 230,9 Brit., 177 Amér., 628 Eur. (*82 Français,* 69 All.), 61 Jap. **Indonésie** 2 650 dont 484 Eur., 127 Amér. **Iran** 185 dont 83 Asiatiques du S. (5 Ind.), 28 Eur. **Iraq** [9] 747 dont 577 Moy.-Or., 55 Eur. **Irlande** 3 716 dont 2 307 Brit. et Irl. du N., 419 Amér., 230 All., *223 Français.* **Islande** 290 dont 25 All., 22 Amér., 16 Suéd., 14 Dan., 14 Brit., 11 Norv., *8 Français.* **Israël** 1 750 dont 880 Europe (G.-B. 145, *France 140,* All. 160), 425 Amér. **Italie**[4, 10] 20 383 dont 6 537 All., *1 983 Français,* 1 432 Amér., 1 246 Brit., 1 141 Autr., 1 078 Suisses, 862 Esp.

Jamaïque 931 dont 710 Amér., 121 Eur. **Japon** 3 581 dont 864 Coréens, 560 Amér., 715 Taiw., 533 Eur. (242 Brit., 64 All., *49 Français),* 114 Phil., 130 Chin., 107 Thaïlande, 62 Can., 55 Austr. **Jersey** 1 330 dont 327 « Continentaux ». **Jordanie**[8] (y compris pèlerins) 2 633 dont 799 Afri., 117 Eur. (80 Turcs), 39 Amér.

Kenya 850 dont 423 Eur., 143 Afr., 78 Amér., 48 Asie. **Koweït** 37.

Lesotho 185. **Libye** 89. **Liechtenstein** [3] 71 dont 21 All., 16 Suisses, 10 Amér., 4 Scand., 4 It. **Luxembourg**[4] 865 dont 260 Holl., 191 Belg., 97 All., *60 Français,* 43 Brit., 27 Amér.

Macao[2] 1 138 dont 882 Asie, 181 Eur., 104 Amér. **Madagascar** 38 (par voie aér.) dont *9 Français.* **Malaisie** 6 100. **Malawi** 135 (départs). **Maldives** 214 (par voie aér.) dont 37 All., 23 It., 11 Jap., 8 Suisses, 7 Brit., *7 Français,* 7 Ind. **Mali** 35. **Malte** 1 002 dont 526 Brit., 154 All., 76 It., *46 Français.* **Mariannes (îles)** 450. **Maroc** 2 946 dont *401 Français,* 245 Esp., 168 All., 103 It., 90 Brit., 85 Amér., 30 Suisses, 29 Belg., 26 Holl., 16 Can., 11 Finl., 9 Dan. **Marshall (îles)** 7 (par voie aér.). **Martinique** 217 Eur., 42 Amér. **Maurice** 310 dont 122 Eur. **Mexique** [9] 6 393 dont 4 620 Amér., 189 Eur. *(63 Français).* **Monaco** 242 dont 54 It., *50 Français,* 31 Amér. **Mongolie** 140. **Montserrat** 19.

Népal 290 dont 59 Ind., 26 Amér., 19 Brit., 17 All., *16 Français,* 16 Jap., 11 Austr. **Norvège** [3] 2 120. **N.-Calédonie** 79 (par voie aér.) dont 28 Jap., 17 Austr., *14 Français.* **N.-Zélande** 995 dont 579 Asie, 179 Amér., 170 Eur.

Pakistan 440 dont 189 Ind., 73 Brit., 28 Amér., 10 All., 9 Jap., 7 Can., *6 Français,* 6 Saoud. **Panamá** 212 dont 206 Amér., 7 Eur. **Papouasie-N.-Guinée** 38 dont 26 Asie, 7 Eur. **Paraguay** 350 dont 116 Arg., 66 Brés., 14 All., 10 Amér. **Pérou** 200. **Philippines** 915 (y compris 73 nat. résidant à l'étranger) dont 211 Amér., 127 Jap., 44 Austr., 24 All., 21 Brit. **Pologne** 4 000 dont *156 Français.* **Polynésie française** [9] 34 Amér., *19 Français,* 7 Austr., 13 Jap., 5 N.-Zél., 7 All., 6 It., 2 Brit. **Porto Rico** 2 757 (par voie aér.) dont 1 801 Amér. **Portugal** 8 921 (n.c. nat. résidant à l'étranger ; y compris arrivées à Madère et aux Açores).

Roumanie 5 360 dont 2 172 CEI, 797 Bulg., 761 Hongr., 378 Pol., 214 All., 180 Turq., 152 Youg., 64 Port., *56 Français.*

St-Eustache. 19. **St-Kitts-et-Nevis** 83. **Ste-Lucie**[9] 135. **St-Martin** 559 (par voie aér.). **St-Vincent-Grenadines** 52. **Salvador** 195 dont 28 Amér. **Samoa** 38 (par voie aér.). **Samoa amér.**[9] 47. **Sénégal** 241 dont *135 Français.* 11 All., 9 Amér., 8 It. **Seychelles** 112 (par voie aér.) dont 81 Eur., 16 Afr. **Singapour** 5 247 dont 541 Jap., 330 Austr., 243 Ind., 211 Amér., 195 Brit. **Salomon (îles)** 11. **Soudan** 17. **Sri Lanka** 371 (n.c. nat. résidant à l'étranger) dont 45 All., 18 Brit., *15 Français,* 12 Ind., 9 It., 7 Jap., 7 Suéd. **Suède** [5 10] 5 600 dont 1 319 All., 1 084 Norv., 557 Fin., 520 Dan. 321 Holl., 275 Brit., 252 Amér., *165 Français,* 134 It. **Suisse** 12 950 dont 3 251 All., 1 289 Amér., *750 Français,* 749 Brit., 748 It., 570 Holl., 670 Jap., 353 Belg., 341 Esp., 209 Autr., 156 Austr. et Océan., 136 Suéd., 131 Can. **Syrie** 625.

T'ai-wan 1 945. **Tchad**[2] 29. **Tchécoslovaquie**[5, 8]. 29 571 dont 11 371 Polonais, 5 747 All. dém., 534 Hongrois, 1 272 Youg., 1 172 Sov., 753 All. féd., 500 Bulgares, 313 Autr., 151 It., 81 Amér., 56 Holl., 47 Suéd., *45 Français.* **Thaïlande** 5 500. dont 342 Jap., 236 Amér., 184 Brit., 148 All., *132 Français,* 118 Ind., 111 Austr., 66 It., 59 Saoud., 45 Suisses. **Togo** 100 dont 48 Afr., 45 Eur. **Tonga** 22. **Trinité-et-Tobago** 221 (par voie aér.). **Tunisie** 3 539 dont 807 Alg., 649 All., 636 Libyens, *357 Français,* 224 It., 202 Brit., 149 Maroc., 66 Holl., 64 Belg., 45 Autr., 45 Suisses, 40 Esp., 39 Moyen-Or. **Turquie** 6 675 dont 775 All., 191 Brit., 184 Pol., 165 Hong., 158 Youg., 137 Grecs, *117 Français,* 106 Holl., 101 Autr., 79 Amér., 63 It.

URSS 6 900 (vis. intern.) dont (90) 894 Finl., 203 All., 126 Amér., 109 It., 88 Scand., *78 Français,* 77 Brit., 46 Jap., 21 Esp., 20 Holl. **Uruguay** 1 550 dont 6 Amér., 48 Eur.

Vanuatu 39 dont 30 Asie. **Venezuela** 550 dont 133 Amér., 95 Holl., 93 Can., 33 It., 27 Esp., *18 Français,* 16 Arg., 16 All. **Vierges (îles) amér.** 523 (par avion). 290[1] dont 261 Amér. ; **britanniques** [1] 161.

Yémen 50 dont 7 All., *6 Français,* 4 Brit., 3 It., 3 Amér. **Yémen démocratique** 47[8]. **Yougoslavie** 700.

Zaïre 40 dont 20 Eur., 3 Amér. **Zambie** 135 dont 22 Eur., 5 Amér. **Zimbabwe** 675 dont 436 Afr., 82 Eur., 19 Amér.

Séjours et nuitées

Durée moyenne de séjour des touristes étrangers (en jours dans les moyens d'héberg. en 1990). Japon[4] 2,1 (établissements homologués). Allemagne 2,2. Turquie 3,4. Suisse 3,5. Portugal 4,6. *France*[4] *7,1.* Hongrie[3] 4,4. P.-Bas 3,7. Italie 4,3. Grèce[1] 5. Autriche 5,2. Youg. 5,5. Espagne 5,6. Canada[4] 6. Irlande 9,2 (dans tout le pays). G.-B. 10,9 (dans le pays). Australie 18 (commercial).

Nota. – (1) 1986. (2) 1987. (3) 1988. (4) 1989.

Nuitées de touristes (en millions, en 1990 ; touristes nationaux et entre parenthèses étrangers) : Allemagne 273,7 (39). Autriche 99,6 (30 en 1992). Canada 343,7 (90). Danemark 22,7 (9,3). Finlande 13,1 (2,8). *France 1 064,6 (339,3).* Hongrie 22,4 (13,6). Italie 252,2 (84,7). Norvège 17,4 (5,8). Portugal 32,6 (19,3). Suède 33,7 (6,6). Suisse 77,9 (37 en 1991). Turquie 20,1 (13,3). Youg. 88,4 (43,4).

Quels pays visitent-ils ?

Légende.– Nombre en milliers. (1) Arrivées dans les hôtels. (2) Dans les moyens d'hébergement. (3) Nuitées dans les moyens d'hébergement. (4) Arrivées de touristes étrangers aux frontières. (5) Nuitées dans l'hôtellerie. (6) 1982. (7) 1983. (8) 1985. (9) 1986. (10) 1987. (11) 1988. (12) 1989. (13) 1990. (14) 1991. (15) 1992.

Allemands [14]. Espagne 5 000. Italie 3 900. Autriche 3 400. Europe de l'Est 2 700. *France 2 400.* Grèce 1 800. Danemark 1 100. Suisse 800.

Américains [3,14]. G.-B. 28 621. *France 18 689.* Australie 6 290. All. 4 715. Irlande 4 434. Suisse 2 768. Autriche 2 139. P.-Bas 1 029.

Australiens [4,12]. G.-B. 456. Singapour 291. Hong Kong 253. N.-Zélande 251. USA 231. Indonésie 107. All. 91 [1,6]. Canada 68. Macao 58. Japon 57. Philippines 50.

Autrichiens [13]. Italie 464. Youg. 432. Grèce 297. Espagne et Portugal 202. Turquie 179.

Belges [14]. *France 1 373.* Espagne 614. Italie 319. Autriche 313.

Britanniques [13]. *France 6 865.* Espagne 5 096. Irlande 2 123. USA 1 986. Allemagne 1 796. Grèce 1 633. Italie 1 195. P.-Bas 1 216. Gibraltar-Malte-Chypre 1 087. Portugal 982. Belg.-Lux. 958. Autriche 746. Suisse 611. Youg. 655.

Canadiens [14]. USA 19 113. G.-B. 596. Mexique 477. *France 343*[4]. All. 235. P.-Bas 164. Espagne 155[2]. Bahamas 134. Italie 126. Suisse 126. Jamaïque 79[4,14]. Barbade 67 [4,14]. Japon 61 [4,14]. Turquie 13[14].

Espagnols [12]. Portugal 1 931 [4]. *France 821* [4]. Italie 486 [4]. G.-B. 293 [4]. Suisse 197 [3]. USA 91 [4].

Français [3,14]. G.-B. 16 993. Irlande 3 120. Autriche 3 076. Suisse 2 432. All. 1 753. Turquie 1 586. Portugal 1 317. Belgique 1 263.

Hollandais [14]. *France 2 340.* All. 2 140. Benelux et G.-B. 2 028. Autriche et Suisse 1 578. Espagne et Portugal 1 179. Italie, Grèce, Youg. 1 101. Pays scandinaves 193. Autres pays 882.

Hong Kong [14]. Thaïlande 343. Japon 261. USA 137. Australie 102.

Italiens [4,14]. *France 6 889.* Youg. 276. Autriche 1 186. Grèce 517. Suisse 778. All. 993. Espagne 1 767. P.-Bas 309. USA 478.

Japonais [14]. USA 3 320 dont Hawaii (est.) 1 385. Corée[15] 1 399. Hong Kong[15] 1 324. *France*[1, 14] *1 017.* Taiwan[15] 795. Singapour[15] 1 001. Thaïlande[15] 568. G.-B.[14] 440. Suisse[15] 503. Italie[14] 560. Chine[15] 791. Australie[15] 630. Macao[15] 453.

Polonais [12]. All. dém. 1 257. Tchéc. 1 003. Hongrie 837. URSS 456. All. féd. 409. *France 63.*

Roumains [4,14]. Hongrie 6 275. Turquie 737. CEI 597. Youg. 549. Bulgarie 348. All. 161. Pologne 145. Autriche 53. Italie 24. USA 23. Israël 13.

Soviétiques [13]. Pologne 931 [8]. Roumanie 565 [4]. Tchéc. 397 [4]. Hongrie 330 [8]. Finlande 246 [3]. Youg. 211 [4]. Espagne 166 [4]. All. 38 [1,6]. Cuba 22 [4]. Turquie 16. Autriche 10 [2]. Japon 7 [4].

Suisses [14]. *France 2 500.* G.-B. 2 413. Italie 2 000. USA 1 772. Espagne 709. Autriche 585. Canada 221. Youg. 207,5. Grèce 150. Portugal 97.

Tchèques [11]. All. dém. 2 522. Hongrie 1 906. Pologne 885. URSS 414. Yougoslavie 362. Bulgarie 334. All. féd. 248. Autriche 136. Roumanie 131. Italie 46. Belg.-Holl.-Lux. 41. Suisse 38. *France 35.* G.-B., Irlande 20. Grèce 20. Danemark, Suède 18. Espagne, Portugal 12. USA 9. Canada 6.

Tunisiens [14]. Libye 1 291. *France 418.* Algérie 146. Italie 67. Moy.-Or. 51. Allemagne 32. Maroc 20. Suisse 15. Belgique 11.

Turcs [12]. Bulgarie 2 743. All. 210 [3,6]. Italie 200 [1]. Syrie 136. Youg. 120. Jordanie 108. Grèce 43 [4]. Suisse 37 [2]. Autriche 24. G.-B. 19. Esp. 13. Iran 12.

Statistiques françaises

Statistiques générales

■ **Budget de l'État consacré au tourisme** (millions de F) : *1990 :* 382,9 ; *91 :* 396,7 ; *93 :* 389.

■ **Balance de paiement du tourisme** (poste voyage, en milliards de F). *1981 :* recettes 39,3 (dépenses 31,2). *82 :* 46 (33,9). *83 :* 55,1 (32,6). *84 :* 66,4 (37,3). *85 :* 71,4 (40,9). *86 :* 67,4 (45,1). *87 :* 71,3 (51). *88 :* 82,1 (57,8). *89 :* 105,3 (65,7). *90 :* 109,8 (67,6). *91 :* 120 (69,5). *92 (prév.) :* 136 (79). **Solde de la balance commerciale** *1985 :* 30,4. *86 :* 22,2. *87 :* 20,3. *88 :* 24,2. *89 :* 39,6. *90 :* 42,3. *91 :* 50,5. *92 :* 60.

■ **Consommation touristique intérieure** (en milliards de F, et, en millions de nuitées). *1980 :* 306,8 (1 229,5). *85 :* 351,5 (1 380,2). *90 :* 384,3 (1 478).

■ **Consommation touristique des résidents français** (hors consommation, auprès des entreprises françaises, des résidents séjournant à l'étranger, en milliards de F, 1989). 270,6 dont *Français 186,5,* vacances d'été 81,8, d'hiver 34, courts séjours d'agrément 38,4, d'affaires 32,4, *étrangers 84,1.*

■ **Effectifs salariés dans le tourisme** (au 1-1-92). Hôtels et hôtels-rest. 176 105, débits de boissons 40 839, restaurants et café-rest. sans héber. 267 944, installations d'hébergement à équipements développés (maisons de vacances, centres de vacances, colonies), 42 047, inst. à équipement légers (auberge de jeunesse, terrain de camping-caravaning, refuge de montagne) 12 391, établissements thermaux et de thalassothérapie 6 972.

■ **Hébergement. Nombre de lits touristiques** (est. 1991) : 18 465 091 dont résidences secondaires 14 111 575, terrains de camping homologués, caravanage 2 669 682, hôtels homologués 1 101 692, villages de vacances 272 907, gîtes et chambres d'hôtes 205 996, rés. de tourisme 71 939, auberges de jeunesse 17 559, maisons familiales de vacances 13 741.

Maisons familiales de vacances (1990) : 152. **Villages de vacances agréés :** 755 (92). **Auberges de jeunesse :** 290 (92). **Gîtes ruraux :** 64 065. **Chambres d'hôtes :** 11 177.

Hébergement à usage privé : *caravanes* (au 1-1-1986) : 1 280 000. *Résidences secondaires* (1982) : 2 258 342. *Flotte de plaisance immatriculée* (y compris dériveurs, navires sans couchette au 30-9-1986) : 176 553 dont Méditer. 73 808, Atlant. 102 745.

Campings et Hôtels voir p. 1663 et 1664.

■ **Thermalisme.** Curistes (libres ou assurés sociaux, 1988) : 636 086.

■ **Touristes étrangers. Arrivées** *aux frontières* (en millions) *1987 :* 37, *88 :* 38, *89 :* 43, *90 :* 53, *91 :* 52 dont All. 11,3 (séjour moyen 8 j), G.-B. 7,9 (9), Italiens 6,6 (8), Belges 6,4 (8), Suisses 4,7 (5), P.-Bas 4,1 (8), Espagnols 3,7 (6), Amér. 2,1 (13), Japonais 0,6 (6). *92 :* 60. **Nuitées :** 339 273 000. **Durée moyenne des séjours** (1987) : 9,2 j.

■ **Touristes américains** (millions). *84 :* (40e anniv. du débarquement) 2,5 ; *85* 2,8 ; *86* (plusieurs attentats en Fr.) 1,6 ; *87* 1,8 ; *88* 1,9 ; *89* 2,3 ; *90* 2,4 ; *91* 1,9 ; *92* (JO d'hiver, ouverture Eurodisney) 2,3.

■ **Régions françaises d'accueil** (journées en été 1990, en millions). Provence-Apes-Côte d'Azur 86,2, Languedoc-Roussillon 66,9, Bretagne 59,1, Rhône-Alpes 48,3, Aquitaine 47, Pays de la Loire 39,7, Poitou-Charentes 27,8, Midi-Pyrénées 26,4, Nord-Pas-de-Calais 20,3, Basse-Normandie 16,6, Auvergne 13,1, Corse 12,3, Centre 12, Limousin 9,9, Picardie 9,8, Lorraine 9,6, Ile-de-France 9,1, Franche-Comté 8,6, Bourgogne 6,8, Alsace 4,9, Haute-Normandie 3,7.

Bicentenaire de la Révolution française. *Coût :* 430 millions de F. *Recettes :* 2 milliards de F. *Nuitées d'étrangers à Paris en juillet :* 2,5 millions (env. 1 million les autres années).

Renseignements pratiques

Adresses utiles

Itinéraire : 3615 code TF1, 3615 code Michelin, Bison futé : 3615 code Route. **Plages :** 3615 code Idéal. **Vols et séjours à prix réduits :** 3615 code DT ou Reductour. **Temps, marées :** 3615 Météo.

■ **Ambassades (A), Consulats (C) et offices de tourisme (O) étrangers à Paris (sinon à l'étranger).**

Afghānistān A et **C** 32, av. Raphaël 16e. **Afrique du Sud A** 59, quai d'Orsay 7e. **O** 61, r. de la Boétie 8e. **Albanie A** 131, r. de la Pompe 16e. **Algérie A** 50, r. de Lisbonne 8e. **C** 11, r. d'Argentine 16e. **Allemagne A** 13/15, av. F.-D.-Roosevelt 8e. **C** 34, av. d'Iéna 16e. **O** 9, bd Madeleine, 1er. **Angola A** 19, av. Foch 16e. **C** 40, r. Chalgrin 16e. **Antigua et Barbuda A** 14, Thayer Street, Londres W1 MDSL. **Arabie Saoudite A** 5, av. Hoche 8e. **Argentine A C** et **O** 6, r. Cimarosa 16e. **Arménie A** 26, av. Dode-de-La-Brunerie 16e. **Australie A, C** et **O** 4, r. Jean-Rey 15e. **Autriche A** 6, r. Fabert 7e. **C** 12, r. Edmond-Valentin 7e. **O** 47, av. de l'Opéra 2e. **Bahamas** 10, Chesterfield Street. Londres WIX 8AH. **O** 7, bd de la Madeleine 1er. **Bahreïn A** 15, av. Raymond-Poincaré 16e. **Bangladesh A** 5, square Pétrarque 16e. **Barbade** av. du Prince-d'Orange, 24, 1180 Bruxelles. **Belgique A** et **C** 9, r. de Tilsitt 17e. **O** 21, bd des Capucines 2e. **Belize** 200 Sutherland Avenue, Londres W91RX. **Bénin A** 87, av. Victor-Hugo 16e. **C** 89, r. Cherche-Midi 6e. **Biélorussie Délégation Unesco. Bolivie A** 12, av. Kennedy 16e. **Bosnie Herzégovine A** 174, r. de Courcelles 17e. **Botswana** av. de Tervuren, 169, 1040 Bruxelles. **Brésil A** 34, cours Albert-Ier 8e. **C** 12, r. de Berri 8e. **Brunei A** 4, r. Logelbach 17e. **Bulgarie A** 1, av. Rapp 7e. **O** 45, av. de l'Opéra 2e. **Burkina Faso A** 159, bd Haussmann 8e. **Burundi A** 24, r. Raynouard 16e.

Cameroun A et **C** 73, r. d'Auteuil 16e. **Canada A** et **C** 35, av. Montaigne 8e. **Cap-Vert** 33, avenida do Restelo, 1400 Lisbonne. **C** 92, bd Malesherbes 8e. **Centrafricaine (République) A** 30, r. des Perchamps 16e. **Chili A** 2, av. de La-Motte-Picquet 7e. **C** 64, bd Latour-Maubourg 7e. **Chine (République populaire) A** 11, av. George-V 8e. **O** 51, r. Ste-Anne 2e. **Chypre A** 23, r. Galilée 16e. **O** 15, r. de la Paix 2e. **Colombie A** 22, r. de l'Elysée 8e. **C** 11 bis, r. Christophe-Colomb 8e. **Comores A** 20, r. Marbeau 16e. **Congo A** 37 bis, r. Paul-Valéry 16e. **Corée du Sud A** 125, r. de Grenelle 7e. **0** 33, av. du Maine 15e. **Costa Rica A** 135, av. de Versailles 16e. **Côte-d'Ivoire A** 102, av. R.-Poincaré 16e. **O** 24, bd Suchet 16e. **C** 8, r. Dumont-d'Urville 16e. **Croatie A** et **C** 32, r. de la Bienfaisance 8e. **Cuba A** et **C** 16, r. de Presles 15e. **O** 280, bd Raspail 14e. **Danemark A** 77, av. Marceau 16e. **O** 142, av. des Champs-Elysées 8e. **Djibouti A** 26, r. Émile-Ménier 16e. **Dominicaine (République) A** 17, r. La-Fontaine 16e. **C** 36, r. Le-Marais 16e. **Égypte A** 56, av. d'Iéna 16e. **C** 58, av. Foch 16e. **O** 90, av. des Champs-Elysées 8e. **Émirats arabes unis A** 3, r. Lota 16e.

Équateur A et **C** 34, r. de Messine 8e. **Espagne A** 22, av. Marceau 8e. **C** 165, bd Malesherbes 17e. **O** 43 ter, av. Pierre-Ier-de-Serbie. 8e. **Estonie A** 14, bd Montmartre 9e. **États-Unis A** et **C** 2, av. Gabriel 8e. **Éthiopie A** et **C** 35, av. Charles-Floquet 7e. **Fidji** av. Cortenberg, 66, Boîte 7, 1040 Bruxelles. **Finlande A** 2, r. Fabert 7e. **C** 18 bis, r. d'Anjou 8e. **O** 13, r. Auber 9e. **Gabon A** 26 bis, av. Raphaël 16e. **Gambie A** 105, quai Branly 7e. **Ghana A** 8, villa Saïd 16e. **G.-B A** 35, r. du Faubourg-St-Honoré 8e. **C** 9, av. Hoche 8e. **O** 63, r. Pierre-Charron 8e. **Grèce A** 17, r. Auguste-Vacquerie 16e. **C** 23, r. Galilée 16e. **O** 3, av. de l'Opéra 1er. **Grenade A** r. des Aduatiques, 100, 1040 Bruxelles. **Guatemala A** et **C** 73, r. de Courcelles 8e. **O** 11, r. Cronstadt 15e. **Guinée A** 51, r. de la Faisanderie 16e. **C** 94, r. St-Lazare 9e. **Guinée Équatoriale A** 6, r. Alfred-de-Vigny 8e. **Guyana** 3, Palace Court, Bayswater Road Londres, W2-4LP. **Haïti A** 10, r. Théodule-Ribot 17e. **Honduras A** 8, r. Crevaux 16e. **Hong Kong O** 38, av. George-V 8e. **Hongrie A** 5 bis, square de l'Av.-Foch 16e. **C** 92, r. Bonaparte 6e. **Ile Maurice A** 68, bd de Courcelles 17e. **Inde A** 15, r. Alfred-Dehodencq 16e. **O** 8, bd de la Madeleine 9e. **Indonésie A, O** et **C** 47-49, r. Cortambert 16e. **Irak A** 53, r. de la Faisanderie 16e. **Iran A** 4, av. d'Iéna 16e. **Irlande A** 4, r. Rude 16e. **O** 33, r. de Miromesnil 8e. **Islande A** 124, bd Haussmann 8e. **Israël A** et **C** 3, r. Rabelais 8e. **O** 14, r. de la Paix 2e. **Italie A** 51, r. de Varenne 7e. **C** 17, r. Conseiller-Collignon 16e. **O** 23, r. de la Paix 2e.

Jamaïque r. de la Loi, 83-85, 1040 Bruxelles. **C** 60, av. Foch 16e. **Japon A** 7, av. Hoche 8e. **O** 44, r. Ste-Anne 1er. **Jordanie C** 80, bd Maurice-Barrès, 92 Neuilly. **0** 12, r. de la Paix 2e. **Kenya A** et **C** 3, r. Cimarosa 16e. **O** 5, r. Volnay 2e. **Koweït A** 2, r. de Lübeck 16e. **Laos A** 74, av. Raymond-Poincaré 16e. **Lesotho** 50, Allée Godesberger, 5300 Bonn 2. **Lettonie A** 14, bd Montmartre 9e. **Liban A** 3, villa Copernic 16e. **C** 47, r. Dumont-d'Urville 16e. **O** 124, r. du Fg-St-Honoré 8e. **Liberia A** 8, r. Jacques-Bingen 17e. **Libye A** 2, r. Charles-Lamoureux 16e. **Lituanie A** et **C** 14, bd Montmartre 9e. **Luxembourg A** et **C** 33, av. Rapp 7e. **O** 21, bd des Capucines 2e.

Vacances des Français

■ **Vacances (été + hiver). Français partis (%) :** *1989 :* 60,7 ; *90 :* 59,1 (été 55,1, hiver 26,7) ; *91* 60 (été 55,6, hiver 26,3). **Taux de départ par catégories** (été et hiver 1991). Exploitants et salariés agricoles 36,2, patrons de l'industrie et du commerce 58,2, cadres supérieurs et professions libérales 88,2, cadres moyens 82,5, employés 68,6, ouvriers 52,1, personnels de service 54,5, autres actifs 76,2, retraités 44, autres inactifs 43,9. **Selon l'âge :** *0 à 13 a. :* 65,4, *14 à 24 a. :* 59,7, *25 à 29 a. :* 57,3, *30 à 39 a. :* 62, *40 à 49 a. :* 62,6, *50 à 64 a. :* 49,9, *65 à 69 a. :* 46,2, *70 a. et + :* 28,5.

Séjours de vacances (nombre) : 62,6 millions (en France 52, à l'étranger 10,6). **Journées de vacances :** 929 millions (Fr. 745, étr. 184).

Nombre moyen de j par personne partie. Été (1991) : 22,6 dont retraités 29,1, ouvriers non qualifiés 24,8, cadres sup. et prof. libérales 24,7, cadres moyens 22,8, employés 22,5, ouvr. qual., contremaîtres 20,9, patrons industrie et du commerce 18,7, exploitants et salariés agric. 15,5. **Hiver** (1990) : 13,6.

Mode de transport (%) : auto 82,7, train 10,5, avion 2,8, car 2,2, bateau et autres 1,4.

Séjours (genre, en %) : mer 42,5, campagne 27,7, montagne hors sports d'hiver 18,9, ville 7,7, circuit 3,2. *Professions libérales et cadres supérieurs et,* entre parenthèses, *ouvriers et personnel de service :* mer 33,6 (30), campagne 23,5 (28,3), sports d'hiver 25,8 (19,9), hors sports d'hiver 9,6 (12,9), circuit 6,3 (4,2), ville 8,7 (12,3).

Hébergement (% des séjours) : parents et amis 37,4, location 16,6, r. secondaire 14, caravane 12,9, tente 7, hôtel 4,9, village de vacances 4,9, auberge de jeunesse et autres 2,3.

■ **Vacances d'été. Période des départs** (en %) : *mai* 4,3. *Juin* 8,9. *Juillet* 45,1. *Août* 36,5. *Sept.* 5,2.

Personnes parties : 30,3 millions (55,5 %).

Destination (1989) : *France* 87. *Étranger* 13 dont Andorre, Espagne, Portugal 35,9, Algérie, Maroc, Tunisie 15,2, Eur. de l'Ouest 13,6, Italie 9,4, pays à destination lointaine 7,9, Grèce, Monaco, Turquie, îles méditerr. 6,9, brit. 5,2, Eur. de l'Est, URSS 2, Yougosl. 1,8, autres circuits 2,1.

■ **Vacances d'hiver. Taux de départ en** *75-76 :* 18,1 (dont sports d'hiver 4,8), *80-81 :* 2,3 (7,1), *85-86 :* 27,1 (9,6), *90-91 :* 26,3 (8,4). **Par catégories** (en 1989-90) : cadres sup. et prof. libérales 60,2, cadres moyens 42, employés 29,7, patrons de l'ind. et du commerce 28,6, retraités 20,4, ouvriers, contremaîtres 15,1, exploitants et salariés agric. 8,1, autres 27,4. **Selon l'âge :** *0 à 13 ans :* 29,6, *14 à 24 a. :* 26,1, *25 à 39 a. :* 30,1, *40 à 49 a. :* 31,3, *50 à 64 a. :* 23,7, *65 à 69 a. :* 20, *70 a. et + :* 15,9.

Mode de transport (1988) : *France :* auto 76,3, train 17,8, car 2,4, avion 3,1, bateau et autres 0,4. *Étranger :* auto 38,3, avion 36,1, train 15,6, car 7,1, bateau et autres 2,9.

Nombre moyen de j par personne partie, entre parenthèses, pour celles parties aux sports d'hiver : retraités 20,5 (11,6), cadres sup. et prof. libérales 13 (9,2), cadres moyens 12,4 (8,4), ouvriers, contremaîtres 11 (8), employés 10,9 (8,5), patrons de l'ind. et du commerce 9,9 (8,8), exploitants et salariés agric. 9,8 (7,6) autres 17,9 (5,3).

Répartition selon les zones d'accueil (France) : *montagne :* 37,6 dont Alpes 26,8, Pyrénées 4,1, M. central 4, Jura, Vosges, Franche-Comté 2,7 ; *intérieur :* 31,6 dont Île-de-Fr. 5,9, Périgord, Quercy, Limousin, pourtours du M. central 4,7, Rhône, Saône, Loire 2,1, Vallée du Rhône mérid. 1,7, autres 17,8 ; *littoral :* 30,8 dont Atlantique 7,7, Méditerr. or. 7,7, Bretagne 6,7, Médit. occ. 3,2, Manche normande 2,9, Manche, P.-de-C. 2,6.

Type d'hébergement, entre parenthèses, aux sports d'hiver : parents, amis 55,2 (20,1), location 14,1 (39,3), résidence secondaire 13,4 (9,5), hôtel 8,9 (14,7), village de vacances 3,9 (8,7), caravane 1,4 (0,9), autre 3,1 (6,8).

Madagascar A et **O** 4, av. Raphaël 16e. **Malaisie A** et **C** 2 bis, r. de Bénouville 16e. **O** 29, r. des Pyramides 1er. **Malawi A** 20, r. Euler 8e. **Mali A** 89, r. du Cherche-Midi 6e. **Malte A** et **C** 92, av. des Ch.-Élysées 8e. **O** 9, cité de Trévise 9e. **Maroc A** 5, r. Le Tasse 16e. **C** 12, r. Saïda 15e. **O** 161, r. St-Honoré 1er. **Mauritanie A** 5, r. de Montevideo 16e. **C** 89, r. du Cherche-Midi 6e. **Mexique A** 9, r. de Longchamp 16e. **C** et **O** 4, r. N.-D.-des-Victoires 2e. **Monaco A** 22, bd Suchet 16e. **O** 9, r. de la Paix 2e. **Mongolie A** 5, av. Robert-Schuman 92100 Boulogne-Billancourt. **Mozambique A** 82, r. Laugier 17e. **Myanmar A** et **C** 60, r. de Courcelles 8e. **Namibie A** 32, r. de la Bienfaisance 8e. **Népal A** 45 bis, r. des Acacias 17e. **Nicaragua A** 8, r. de Sfax 16e. **Niger A** et **C** 154, r. de Longchamp 16e. **Nigeria A** 173, av. Victor-Hugo 16e. **Norvège A** et **C** 28, r. Bayard 8e. **O** 88, av. Charles-de-Gaulle, 92 Neuilly. **Nouvelle-Zélande A** 7 ter, r. Léonard-de-Vinci 16e. **Oman A** 50, av. d'Iéna 16e. **Ouganda A** 13, av. R.-Poincaré 16e.

Pâkistân A et **C** 18, r. Lord-Byron 8e. **Panamá A** 145, av. de Suffren 15e. **Papaouasie-Nouvelle Guinée** 14, r. du Théâtre, 15e. **Paraguay A** et **C** 27, bd des Italiens 2e. **Pays-Bas A** et **C** 7-9, r. Éblé 7e. **O** 31/33 av. des Ch.-Élysées 8e. **Pérou A** 50, av. Kléber 16e. **C** 102, av. des Champs-Élysées 8e. **Philippines A** et **C** 4, hameau de Boulainvilliers 16e. **Pologne A** 1/3, r. de Talleyrand 7e. **C** 5, r. de Talleyrand 7e. **O** 49, av. de l'Opéra 2e. **Portugal A** 3, r. de Noisiel 16e. **C** 187, r. Chevaleret 13e. **O** 7, r. Scribe 9e. **Qatar A** 57, quai d'Orsay 7e. **Roumanie A** 5-7, r. de l'Exposition 7e. **O** 38, av. de l'Opéra 2e. **Russie A** 40-50, bd Lannes 16e. **O** 7, bd des Capucines 2e. **Rwanda A** 12, r. Jadin 17e. **Ste-Lucie-St-Vincent et Grenadines** Kensington Court, 10 Londres W8. **St-Marin A** 19, av. F.-Roosevelt 8e. **C** 50, r. du Colisée 8e. **St-Siège Nonciature** 10, av. du Président-Wilson 16e. **St-Thomas et Prince** r. Brugmann, 42, 1060 Bruxelles. **Salvador A** 12, r. Galilée 16e. **Samoa occidentales** av. Franklin-Roosevelt, 123, 1050 Bruxelles.

Sénégal A 14, av. Robert-Schuman 7e. **C** 22, r. Hamelin 16e. **Seychelles A** et **O,** 51, av. Mozart 16e. **C** 53, r. François-Ier 8e. **O** 32, r. de Ponthieu 9e. **Sierra Leone A** (en résidence à Bruxelles) av. Tervuren, 410, 1150 Bruxelles. **C** 16, av. Hoche 8e. **Singapour A** 80, av. Foch 16e. **O** 2, pl. du Palais-Royal 1er. **Slovaquie A** 125, r. du Ranelagh 16e. **Slovénie A** 21, r. du Bouq.-de-Longe 16e. **Somalie A** 26, r. Dumont-d'Urville 16e. **Soudan A** 56, av. Montaigne 8e. **Sri Lanka A** 15, r. d'Astorg 8e. **O** 15, r. du 4-Septembre 2e. **Suède A** 17, r. Barbet-de-Jouy 7e. **O** 146-150, av. des Champs-Élysées 8e. **Suisse A.** 142, r. de Grenelle 7e. **O** 11 bis, r. Scribe 9e. **Surinam** av. Louise, 379, Boîte 20, 1050 Bruxelles. **Swaziland** r. Joseph-II, 71, 1040 Bruxelles. **Syrie A** 20, r. Vaneau 7e. **Tanzanie A** 70, bd Péreire 17e. **Tchad A** 65, r. des Belles-Feuilles 16e. **Tchèque (Rép.) A** 15, av. Charles-Floquet 7e. **Thaïlande A** et **C** 8, r. Greuze 16e. **O** 90, av. des Champs-Élysées 8e. **Togo A** 8, r. Alfred-Roll 17e. **Tonga** 36, Molyeux St, Londres WIH 6 AB. **Trinité-et-Tobago** (en résidence à Londres) 42, Belgrave Square, Londres SWIX8NT. **Tunisie A** 25, r. Barbet-de-Jouy 7e. **C** 17, rue de Lübeck 16e. **O** 32, av. de l'Opéra 2e. **Turquie A** 16, av. de Lamballe 16e. **C** 184, bd Malesherbes 17e. **O** 102, av. des Champs-Élysées 8e.

Ukraine A 21, av. de Saxe 7e. **Uruguay A** et **C** 15, r. Le Sueur 16e. **Vanuatu** Port-Villa, Vanuatu. **Venezuela A** 11, r. Copernic 16e. **C** 42, av. du Pt-Wilson 16e. **Viêt-nam A** 62, r. Boileau 16e. **Yémen** (République) **A** 25, r. Georges-Bizet 16e. **Yougoslavie A** et **C** 54, r. de la Faisanderie 16e. **Zaïre A** et **C** 32, cours Albert-Ier 8e. **Zambie A** et **C** 76, av. d'Iéna 16e. **Zimbabwe A,** 5, r. de Tilsitt 8e.

■ **Auberges de France** (voir **Logis de France**).

■ **Auberges de jeunesse (Fédération unie) (FUAJ),** 27, rue Pajol, 75018 Paris. *Créée* 6-4-1956. *Agréée* 3-7-1959. *Pt:* Serge Goupil. *Secr. gén. :* Édith Arnoult. *Adhérents :* 130 000 pouvant utiliser les AJ françaises (+ de 200, 17 000 lits) et étrangères (+ de 5 500, 60 pays). Carte FUAJ, intern. : cotisation annuelle : *– de 26 ans* 100 F (y compris Carte Jeunes), *+ de 26 ans* 100 F. Tarif hébergement (27 à 63 F selon catégorie). Certaines aub. assurent repas : petit déj. 17 F ; repas 45 F. *Activités* séjours, *hiver* (18 centres) : stages de ski, *été* (30 centres) : stages d'activités sportives, culturelles, artisanales. Chantiers-rencontres internation. *Voyages à l'étranger.*

■ **Bourses de voyage. B. de l'aventure** (plusieurs dizaines) 5 000 à 100 000 F. **Guilde Européenne du raid** 11, rue de Vaugirard, 75006 Paris. **B. de l'av. équestre** 5 000 F à 20 000 F, attribuées par le service des haras et de l'équitation du min. de l'Agr. **B. de l'av. Mairie de Paris,** 10 000 à 100 000. **B. de l'av. Yamaha** env. 10 000 F + pièces détachées ou XT 500 cm³. **B. de l'av. solidaire** 10 000 à 100 000 F. Attribuées au forum d'Agen par la Fond. Raoul Folereau, le min. de la Coopération et diverses entreprises. **B. de la Fondation Elf pour l'Av. Utile** 25 000 à 100 000 F. Grand Prix 500 000 F. **B. Sopad Nestlé de l'av. solidaire** de 5 000 F à 10 000 F pour des projets tiers monde. **B. du Défi,** min. de la Jeunesse et des Sports. **B. Zellidja,** 5 bis, Cité-Popincourt, 75011 Paris. 5 000 F maxi. pour voy. de 4 semaines min. à faire seul avec thème d'étude librement choisi. Date limite dépôt projets : 15-3. Age : 16-20 ans. Faire un rapport au retour ; si jugé bon, possibilité de 2e B. (7 000 F max.), à la remise du second rapport attribution du titre de lauréat Zellidja + possibilité de prix. **Prix découverte du Japon,** Association de presse France-Japon, 14, rue Cimarosa, 75116 Paris. Séjour au Japon en été, billet avion AR, avec bourse, pour – de 30 ans n'étant jamais allé au J. **Programme OFAJ pour individuels,** Office franco-allemand pour la jeunesse, 51, rue Mouchez, 75013 Paris. Remboursement billet AR chemin de fer, frais séjour 500 à 750 F/semaine. **Programme Office franco-québécois pour la jeunesse,** 5, rue Logelbach, 75847 Paris Cedex 17. Pour les jeunes de 15 à 35 ans. Subvention 2 000 F pour projets sélectionnés. Minitel : 3615 OFQJ.

■ **Cap France (Fédération des MFV)** (maisons, villages, gîtes et campings), 28, place St-Georges, 75009 Paris. Créée 1949. Accueil familles (tarif dégressif pour les enfants), retraités, classes et groupes hors vacances scolaires, séminaires et congrès.

■ **Centres de vacances.** 23 000 centres ont reçu 933 000 enfants l'été 1988.

■ **Cyclotourisme (Fédération française de cyclotourisme).** 8, rue Jean-Marie-Jégo, 75013 Paris.

■ **Gîtes ruraux (Fédération nat. des Gîtes de France).** 35, rue Godot-de-Mauroy, 75009 Paris. 38 000 gîtes ruraux, 12 000 chambres d'hôtes, 1 400 tables d'hôtes, 500 gîtes d'enfants, 1 000 campings à la ferme, 900 gîtes d'étape, 240 gîtes de pêche.

■ **Handicapés, séjours de vacances. Fédération des aveugles de France** 58, av. Bosquet, 75007 Paris. **Association nat. animation-éducation (ANAE)** 21, r. Viète, 75017 Paris. **Comité nat. français de liaison pour la réadaptation des handicapés** 38 bd Raspail, 75007 Paris. **Concordia** 38 bis, Fbg-St-Denis, 75010 Paris. **Éclaireurs et Éclaireuses de France** 7, r. Michel-Peter, 75013 Paris. **Groupement pour l'insertion des handicapés physiques** 90, r. de la Glacière, 75013 Paris. **Scouts de France** 23, r. Ligner, 75020 Paris. **Union fr. des centres de vacances et loisirs** 28, r. d'Angleterre, 59800 Lille (vacances pour handicapés du CIDJ).

■ **Logis de France (Fédér. nat. des).** 83, av. d'Italie, 75013 Paris. *Créée* 1949. *Guide :* 4 234 hôtels-restaurants (garantis par signature d'une charte).

■ **Loisirs de France Jeunes :** 30, rue Godot-de-Mauroy, 75009 Paris. *Créés* 1966. Colonies de vac. enfants (6 à 12 ans), centres ado. (13 à 17 ans), classes de neige, de mer, de découvertes, camps itinérants, hôtels d'association pour adultes.

■ **Loisirs Vacances Tourisme.** 43, rue de Dunkerque, 75010 Paris. Fédération *créée* nov. 1974. 94 associations gérant villages de vac., maisons familiales et gîtes, représentant + de 2 millions de journées-vacances. Voyages, séjours thématiques, stages sportifs, en France et à l'étranger. Tarifs dégressifs suivant ressources. Accueil de familles, retraités, handicapés, classes, stages-séminaires. **Fédération des œuvres laïques de Paris (Vacances pour tous)** 12, r. de la Victoire, 75441 Paris Cedex 09 : plus de 2 000 centres de vac. (4-18 ans), maisons familiales, séjours et circuits à l'étranger. Stages, activités sportives et associatives, spectacles à prix réduits. **Vacances Loisirs Familles** 10, rue du 8-Mai-1945, 75010 Paris.

■ **Maisons provinciales** à Paris. **Alpes-Dauphiné** 2, pl. André-Malraux 1er. **Alsace** 39, Ch.-Élysées, 8e. **Auvergne** 194 bis, r. de Rivoli, 1er. **Aveyron** 46, rue Berger, 1er. **Bretagne** 17, r. de l'Arrivée, 15e. **Franche-Comté** 2, bd de la Madeleine, 9e. **Htes-Alpes-Ubaye** 4, av. de l'Opéra, 1er. **Limousin** 30, r. Caumartin, 9e. **Lot-et-Garonne** 15-17, pass. Choiseul, 2e. **Lozère** 4, r. Hautefeuille, 6e. **Nord-Pas-de-Calais** 1, r. de Châteaudun, 9e. **Périgord** 6, r. Gomboust, 1er. **Poitou-Charente-Vendée** 68, r. du Cherche-Midi, 6e. **Pyrénées** 15, r. St-Augustin, 2e. **Savoie** 31, av. Opéra, 1er.

■ **Meublés. Fédération nationale des agents immobiliers** 129, rue du Faubourg-St-Honoré, Paris 8e ; brochure : « Allô Vacances ». **Bertrand** (11, r. du Louvre, 75001 Paris) publie un indicateur, « Vacances », « Locations de vacances », « Vacances-hiver » (octobre). **Lagrange** (9, r. Le-Châtelier, 75017 Paris) catalogue.

☞ Voir **Logement** à l'Index.

■ **Offices de tourisme-syndicats d'initiative (Fédération nationale).** 2, rue de Linois, 75015 Paris. Minitel 3615 Itour. *Origine :* 1er synd. d'init. 1889 Grenoble. *Organisation :* 3 300 OT-SI regroupés en 95 unions départementales, 26 fédérations régionales. *Effec-*

tifs : 32 025 bénévoles, 6 500 salariés. *Adhérents :* 28 462. *Budget global 1991 :* 903,8 millions de F. *Publications :* 48,7 millions de documents, annuaire officiel de 3 000 pages. *Accueil* (1992) : 27,5 millions de touristes (dont étrangers 8,1).

■ Parcs naturels (Fédération de France). 4, rue de Stockholm, 75008 Paris.

■ Raids (organismes). PARIS : **Club Aventure** 122, rue d'Assas, 75006 Paris. **Nouvelles Frontières** 37, rue Violet, 75015 Paris. **Explorator** 16, place de la Madeleine, 75008 Paris. **Rivages** 5, rue P.-Louis-Courier, 75007 Paris. **Terres d'aventure** 5, rue St-Victor, 75005 Paris. **Visages du monde** 5, rue J.-du-Bellay, 75004 Paris. PROVINCE : **Arvel** 57, rue Paul-Verlaine, 69100 Villeurbanne. **Askavel** 25, rue des Caboteurs, 44600 St-Nazaire. **Bivouacs au bout du monde** Scientrier, 74800 La Roche-sur-Foron. **Guilde Européenne du Raid** 11, rue de Vaugirard, 75006 Paris. Manifestations Raids-Missions humanitaires. Bourses. Édition. **Sté des explorateurs et des voyageurs français** 184, bd St-Germain, 75006 Paris. Parrainages d'expéditions.

■ Séjours linguistiques. **Unosel** (Union des organisations de séjours linguistiques) 19, r. des Mathurins 75009 Paris.

■ Stations de sports d'hiver. **Maison des Arcs** 94, bd Montparnasse, 75014 Paris. **Maison de Flaine** 99, bd Haussmann, 75008 Paris.

■ Stations vertes de vacances et villages de neige (Fédération française des). Hôtel du département de la Côte-d'Or, 21035 Dijon. Regroupe plus de 850 localités réparties dans 84 départements (du village au bourg de 10 000 h.), possédant au minimum : 1 hôtel classé, des meublés ou gîtes ruraux, 1 camping 2 ét., 1 piscine ou baignade surveillée (étang, rivière aménagée) ; 1 terrain de jeux, 1 court de tennis et des magasins ouverts en permanence. *Au total :* 49 296 chambres d'hôtel, 27 858 meublés, gîtes ruraux et lits dans villages de vacances, 73 249 emplacements dans campings (soit 150 403 lits ou places). *Section Village de neige :* 27 petites communes de moyenne montagne dans 16 départements, ne pouvant prétendre au titre de stations de sports d'hiver mais possédant 2 638 emplacements dans des caravanings de neige, 3 951 chambres d'hôtel, 1 741 gîtes ruraux et meublés, 3 592 lits dans hébergements divers. Auberges de jeunesse.

■ Travail en vacances. **Cotravaux (coordination pour le travail volontaire des jeunes)** 11, rue de Clichy, 75009 Paris. *Créé* 1959. Chantiers, en général, 2 à 3 semaines, adolescents (13-17 ans) ou adultes (+ 18 ans) ; aménagement de villages et équipement rural, équipements sportifs, socioculturels, touristiques, protection de la nature, fouilles archéologiques, aide aux mal logés en France et à l'étranger. **Associations membres. Alpes de lumière** Prieuré de Salagon, Mane, 04300 Forcalquier. **Féd. unie des auberges de jeunesse** 27, rue Pajol, 75018 Paris. **Concordia** 38, rue du Faubourg-St-Denis, 75010 Paris. **Jeunesse et Reconstruction** 10, rue de Trévise, 75009 Paris. **Compagnons bâtisseurs** 6, av. Charles-de-Gaulle, 81100 Castres. **Neige et Merveilles** La Minière de Vallauria, 06430 St-Dalmas-de-Tende. **Service civil international** 2, rue Eugène-Fournière, 75018 Paris. **Solidarités Jeunesse** 38, rue du Faubourg-St-Denis, 75010 Paris. **Unarec** 33, rue Campagne-Première, 75014 Paris. **Union Rempart** 1, rue des Guillemites, 75004 Paris.

■ Autres associations. **Ass. chantiers internationaux de volontaires** 1, av. St-Félix, 44000 Nantes. **Ass. Lou Valat** Vernet, 48240 St-Germain-de-Calberte. **Ass. lyonnaise de sauvetage des sites archéologiques médiévaux** J.-F. Reynaud, URA 26, archéologie médiévale, 18, quai Claude-Bernard, 69365 Lyon Cedex 2. **Ass. de mise en valeur du château de Coucy,** 7, r. Pot-d'Étain, 02380 Coucy-le-Château. **Ass. de sauvegarde de l'Abbaye de Lieu restauré** 60123 Bonneuil-en-Valois. **Centre d'archéol. histor. des musées de Grenoble et de l'Isère** 11, montée de Chalomont, 38000 Grenoble. **Centre culturel scientifique et technique** 1, place St-Laurent, 38000 Grenoble. **Centre de recherches archéol. de l'Oise** 21, rue des Cordeliers, 60200 Compiègne. **Centre nat. de la recherche scientifique** 1, Place A.-Briand, 92190 Meudon. **Chantiers de jeunes de Provence-Côte d'Azur** 7, av. P.-de-Coubertin, 06400 Cannes. **Club du Vieux-Manoir** 10, rue de la Cossonnerie, 75001 Paris. **Fédération mondiale des villes jumelées** 23, rue de Logelbach, 75017 Paris. **Institut Dolomieu** Géologie et minéralogie, Université 1 de Grenoble, rue M.-Gignoux, 38031 Grenoble. **Maison de la jeunesse** 12, place de la Résistance, 93200 St-Denis **Sté archéol. histor. et géogr. de Creil et de sa région,** Mairie, Creil. **Union française des centres de vacances et de loisirs** 16, rue de la Santé, 35000 Rennes.

☞ *Renseignements : CIDJ,* 101, quai Branly, 75754 Paris, Cedex 15. *Centre d'étude et d'information du volontariat.* 130, rue des Poissonniers, 75018.

■ À l'étranger. **Comité de coordination du service volontaire international (CCIVS) :** Unesco, 1, rue Miollis, 75015 Paris. *Créé* 1948. 108 organisations membres. Service volontaire à court terme (1-3 mois) et à long terme (6 mois-2 ans). **Allemagne :** *Office franco-allemand pour la jeunesse (OFAJ),* section de Paris, 51, rue Am.-Mouchez, 75013 Paris. **Espagne :** *Bolsa Universitaria del Trabajo SEU,* Glorieta de Quevedo, 8, Madrid-10. **Italie :** *Centre international de coordination culturelle,* Via Cassia 00123 la Storta (Rome) ou à *Amitié mondiale,* 39, rue Cambon, 75001 Paris.

■ Villages de vacances. **Club Méditerranée** 25, rue Vivienne, 75002 Paris. *CA* et résultat net (part du groupe en millions de F) : *1987-88 :* 6 387 (301), *88-89 :* 7 598 (365), *89-90 :* 8 182 (355), *90-91 :* 7 842 (– 17,3), *91-92* 8 251 [161 (dont éléments exceptionnels 100)]. Rachète le Club Aquarius. Séjours 730 400. Voir p. 1663 c.

Touring Club de France : Quai Conférence, 75008 Paris. Voir Quid 83. Sté en liquidation le 28-3-1983.

Villages Vacances Familles (VVF) : Association française de tourisme familial. *Siège soc. :* 172, bd de la Villette 75918 Paris Cedex 19. *Renseignements, réserv. :* 38, bd Edgar-Quinet 75014 Paris. *Créée* 1959 par André Guignand (Pt d'honneur). *Pt :* Edmond Maire. *Groupe VVF :* VVF Tourisme (tour opérateur et agence de voyages), Touring-Hôtel (chaîne hôtelière de loisirs), Eurovillage (villages de vac. européens), VVF-OCCAJ Jeunes (vac. des jeunes sans leurs parents), VVF Campéoles (1re chaîne intégrée de camping-caravaning en France). Gère 187 équipements dont 68 gîtes familiaux, 35 campings, 34 résidences, 28 villages de vacances dans 60 départements (65 000 lits). *CA :* 950 millions de F.

■ Principales associations de tourisme familial. Chiffre d'aff. (en millions de F), et nombre de journées (en millions) en 1988-89 : WF (*Village vacances familles*) 750 (5). Vacances pour tous (*ligue*) 330 (1,1). UNMLV (*Union nationale mutualiste loisirs, vacances*) 320 (2,2). LVT (*Loisirs vacances tourisme*) 300 (1,7). CAP France 160 (1,5). Renouveau 155 (1). VLF (*Vacances loisirs familles*) n.c. (1). Vacances bleues 125 (0,58). ATC (*Association touristique des cheminots*) 97 (0,32). VAL (*Vacances Auvergne-Limousin*) 95 (0,76). Léo Lagrange 85 (0,40). Relais soleil 80 (0,43).

AGENCES DE VOYAGES

☞ **Thomas Cook** (Angl. 1802-92) ancien missionnaire baptiste. *1841 (5-7)* 1er voyage organisé (Leicester-Longborouth, 570 participants, 1 journée). *1855* change au détail. *1872 (1-1)* John Cook († 1899) son fils dirige l'agence Thos Cook and Son. *1873* Cook's circular notes, ancêtres des traveller's cheque. *1923* Sté anonyme. *1927* 1er charter N. York-Chicago (pour le match de boxe Dempsey-Tunney). *1928* contrôlé par la Cie intern. des wagons-lits. *1946* 67 wagons-lits Cook (nationalisés 1948). *1972* privatisés, repris par Midlem Band. *Groupe* 1 600 succursales dans 140 pays. *CA* 3 milliards de F (dont voyage 70 %). *Chèques de voyage émis* 100 millions. *Employés* env. 10 000.

■ Responsabilité. Toute vente de prestations de séjours ou de voyages donne lieu à la remise d'un document approprié (arrêté du 14-6-1982). L'ag. n'est pas responsable en cas de retard de l'avion, grèves, catastrophes ou événement de force majeure. Pour les réservations de places dans les hôtels, l'organisation de la visite des musées et des monuments, la location de places à des entreprises de transports qu'elles n'utilisent pas de façon exclusive, etc., les agences agissent comme mandataires et ne sont responsables que de leurs fautes prouvées. *Bagages :* les conditions générales prévues comportent la plupart du temps une clause déclinant toute resp. en cas de perte, de vol ou d'avarie des bagages. Cette clause n'est valable que pour les bagages, bijoux ou vêtements que les voyageurs conservent auprès d'eux pendant la durée du voyage.

Plaintes : le client peut se plaindre en cas de *tromperie* (l'hôtel n'est pas de la catégorie promise), *dol* (les excursions sont en supplément alors qu'elles sont comprises sur la brochure), *« surbooking »* (pour pallier les défaillances éventuelles, l'ag. a vendu plus de billets qu'elle n'a de places). *S'adresser au :* ministère chargé du Tourisme, 17, r. de l'Ingénieur-Keller, 75740 Paris Cedex 15 ; Syndicat nat. des ag. de voyages, 6, rue Villaret-de-Joyeuse, 75017 Paris.

On peut souscrire une assurance individuelle garantissant contre tout dommage matériel ou corporel survenu au cours du voyage.

■ Voyage annulé. **Du fait du client :** il est pénalisé d'une somme égale au versement de l'acompte si l'annulation intervient + de 30 j avant le départ, à 50 % du prix par personne si elle intervient avant 10 j et à 100 % la veille ou le j du départ. Le client peut souscrire une assurance annulation (la plupart ne jouent qu'en cas d'annulation pour raison de santé ou pour motif familial). **Du fait de l'agence :** elle doit rembourser les sommes versées par son client, lui payer une indemnité égale à celle qu'il aurait dû verser si l'annulation lui était imputable. L'indemnité n'est pas due lorsque l'annulation est imposée pour force majeure, la sécurité des voyageurs ou l'insuffisance du nombre des participants, tel que précisé dans le contrat.

■ Modification du voyage ou séjour. **Avant le départ :** *l'agence modifie un voyage ou un séjour sur des éléments essentiels :* le client pourra choisir de mettre fin à sa réservation et de se faire rembourser sommes déjà versées et pénalité prévue au contrat, ou accepter le changement en signant un avenant au contrat, avec éventuellement augmentation ou diminution du prix. **En cours de voyage :** le client peut à son retour demander le remboursement des prestations non effectuées et non remplacées. Il ne peut modifier séjour ou voyage qu'avec l'accord préalable de l'organisateur.

■ Statistiques. **Principaux voyagistes** (*chiffres d'aff. international,* en milliards de F, 1992) : TUI (Touristik Union International, 1968) [1] 16,90. Thomson (1965) [2] 10,55. NUR (Neckermann Und Reisen, 1968) [1] 7,93. LTU (Luft Transport Touristik, 1955) [1] 7,84. Kuoni (1968) [3] 7,73. Club Méditerranée (1950) [4] 7,29. DER (1917) [1] 6,86. NRT Nordisk [5] 6,62). ITS (International Travel Service, 1970) [1] 6,26. Owners Abroad [2] 5,95). Nouvelles frontières (1967) [4] 4,15 (bénéf. 0,16). Hotelplan [3] 4. SAS Leisure [5] 3,67. Spies [6] 3,56. Grupo Viajes Iberia [7] 3,51. Airtours [2] 2,72. Jet Tours [4] 2,7. Arke Reizen [8] 2,29. Center Parcs [8] 2,29. CIT [9] 2,26. Sun International [10] 2,09. Alpitour [9] 1,95. Frantour (1949) [4] 1,91. Sotair (Société de tourisme aérien, 1968) [4] 1,82. Fram (Fer, Route, Air, Mer, 1949) [4] 1,66 (2,4 en 92). British Airways Holidays [2] 1,23.

Nota. – (1) Allemagne. (2) Angleterre. (3) Suisse. (4) France. (5) Suède. (6) Danemark. (7) Espagne. (8) P.-Bas. (9) Italie. (10) Belgique.

En France : *Agences de voyages* (1992) : 4 940 points de vente, 2 600 licences dont tour-opérateurs 315, distribution 1 895, réceptif 390. *CA 1991 :* 66,5 milliards de F dont en % tour-opérateurs 30, distribution 60, réceptif 10. *Billetterie :* 70 % du CA, tourisme 30 %. *Voyages à forfaits vendus en 1992 :* 5 900 000.

Principaux réseaux d'agences de voyage français (en milliards de F, 1991). Havas Tourisme-Scac 6,1, Sélectour 5,5, Wagons-Lits Tourisme 4,6, Manor 3, Nouvelles Frontières 2,2, Via Voyages 2,4.

Vacanciers utilisant une agence de voyages (en, 1988, en %). G.-B. 70, Irlande 37, Luxembourg 34, P.-Bas 28, All. 25, Danemark 24, *France 11* (en 1991), Italie 7, Espagne 7, Grèce 7, Portugal 3.

FORMALITÉS

CHANGE

☞ Le contrôle des changes a été levé le 29-12-1989.

Achat et location de biens immobiliers à l'étranger. Les résidents peuvent acheter librement des biens immobiliers sans limitation de montant.

Cartes de crédit, de paiement... Utilisation sans limitation de montant. Ces possibilités ne dispensent pas les résidents du respect des formalités fiscales relatives aux importations et aux exportations.

Exportation de moyens de paiement. Autorisation sans limitation pour les résidents se rendant à l'étranger. Résidents et non-résidents doivent déclarer au bureau de douane à la frontière l'importation ou l'exportation des sommes, titres ou valeurs en leur possession si le montant global en F ou contrevaleur excède 50 000 F. Opérations financières réalisées à l'étranger. Les résidents doivent déclarer à la Banque de France les mouvements de fonds réalisés directement à l'étranger ou avec des non-résidents s'ils excèdent 100 000 F sur un mois. Ils doivent déclarer sur leur déclaration de revenus les comptes ouverts auprès des banques à l'étranger.

Rapatriement des créances détenues à l'étranger. N'est plus obligatoire pour les résidents.

Transferts de fonds à l'étranger par les résidents. Libres. Le résident fournit à l'intermédiaire chargé du transfert pour la déclaration statistique des renseignements sur la nature économique de l'opération (par exemple : paiement de biens ou services, acquisition immobilière à l'étranger, etc.).

☞ **Évolution des allocations touristiques (accordées) en devises et,** entre parenthèses, **en F :** *1957 :* 200 (200). *1959 : au 1-6* 1 000. *au 29-10* 1 500 (200). *1960 :* 1 500 (500). *1961 :* 2 500 (500). *1962-63 :* 3 500 par voy. (illimité). *1964-65 :* 5 000 par voy. (ill.). *1967 :* ill. (ill.). *1968 : du 29-5 au 4-9* 1 000 (200) et *après le 24-11* 500 (200). *1969 :* 1 000 (200). *1970 :* 1 500 (200 puis 500). *1971 :* 2 000 (500). *1972-73 :* 3 500 (500). *1973* (10-8) : 5 000 (ou 5 000). *1983* (28-3) : 2 000 (1 000). *1984 :* 5 000 (5 000) par voy. *1985 :* 12 000 (ill.). *Depuis 1987 :* illimité.

■ Douane

☞ La réglementation en vigueur sera modifiée, ainsi le régime des franchises « voyageurs » à l'intérieur de la CEE, et les contrôles aux frontières intra-communautaires seront supprimés. Un régime transitoire de TVA a été mis en place à compter du 1-1-1993, entraînant une modification de la répartition des compétences entre les administrations fiscale et douanière françaises.

■ **Quelques chiffres. Moyens :** au 1-1-1992, la douane employait 20 038 agents, utilisait 20 avions, 5 hélicoptères, 71 bateaux, 33 canots pneumatiques, 2 428 véhicules dont 228 motocyclettes et 2 camions de surveillance radar, 163 équipes de maîtres-chiens anti-stupéfiants et anti-explosifs. Sur 290 points de passage carrossables aux frontières, 200 sont gardés. Il existe au moins 1 bureau de douane dans chaque département. Les entreprises peuvent effectuer les opérations d'importation et d'exportation dans leurs propres locaux. **Résultats :** en 1991, elle a dépensé 3,9 milliards de F, recouvré 341,8 milliards de F, soit 22,5 % des recettes fiscales de l'État, constaté 151 600 infractions, saisi 22,5 t de cannabis, 768 kg de cocaïne, 399 kg d'héroïne, 24 971 doses de LSD et enregistré 23,5 millions de déclarations.

Marchandises (en millions de t et, entre parenthèses, en milliards de F). **Imp. :** *1985 :* 239,9 (930,9), *1990 :* 283,4 (1 266,5) *91 :* 292 (1 297,4). **Exp. :** *1985 :* 145,3 (906,8), *1990 :* 162,2 (1 141,2). *91 :* 162,7 (1 200,5). **Voyageurs** (1990) : env. 253 millions ont franchi les frontières.

■ **Contrôles.** Les contrôles de douane peuvent avoir lieu à la frontière ou à l'intérieur du territoire. Les agents des douanes peuvent, en vue de la recherche de la fraude, visiter marchandises, moyens de transport et personnes. On est donc tenu d'ouvrir ses bagages, coffres de son véhicule et l'on doit permettre aux agents des douanes d'examiner son moyen de transport. On peut être contrôlé plusieurs fois.

Visites domiciliaires : pour la recherche et la constatation de délits douaniers, les agents des douanes peuvent procéder à des visites domiciliaires, en tous lieux, même privés, où marchandises et documents sont susceptibles de se trouver. Ils sont accompagnés d'un officier de police judiciaire sauf en cas de poursuite à vue. Sauf le cas du flagrant délit, la visite domiciliaire doit être autorisée par une ordonnance du Pt du tribunal de grande instance. Les visites ne peuvent avoir lieu la nuit (sauf cas de poursuite à vue). Si l'on refuse d'ouvrir la porte, les agents des douanes peuvent la faire ouvrir, par ex. par un serrurier, mais en présence d'un officier de police judiciaire.

■ **Déclaration.** On doit tout déclarer sauf les produits admis en franchise des droits et taxes ; il faut pouvoir justifier le prix et l'origine avec une facture ou une quittance de douane. Les voyageurs peuvent rapporter en franchise, quand ils ne sont pas destinés à un usage commercial, des objets ou produits, mais sous certaines conditions.

Voyageurs venant d'un pays de la CEE (Marché commun) : franchise de 4 200 F (1 100 pour les – de 15 ans). *D'un autre pays, ou achats en détaxe dans les ports, aéroports, bateaux et avions :* fr. de 300 F (150 F pour – de 15 ans). Au-delà, il faut déclarer les marchandises transportées. Ces franchises ne sont pas cumulables pour acheter un objet [4 adultes ne peuvent ainsi rapporter d'un pays CEE un appareil de photo valant 16 800 F (4 × 4 200)].

Ce que l'on peut importer dans les bagages à main, sans payer de droits et taxes. Si l'on vient d'un pays de la CEE et, entre parenthèses, **d'un autre pays :** *Alcool :* 5 litres de vin de table (2 l), et soit 3 l de boissons alcoolisées de 22° ou – (2 l), soit 1,5 l de + de 22° (1 l) ; *café :* 1 000 g (500), extraits 400 g (200) ; *parfum :* 75 g (50) [eau de toilette : 37,5 cl (25 cl)] ; *tabac : cigares :* 75 (50), *ou cigarettes :* 300 (200), *ou cigarillos :* 150 (100), *ou tabac :* 400 g (250) ; *thé :* 200 g (100), extraits 80 g (40).

Nota. – Les – de 17 ans ne peuvent importer en franchise ni tabac, ni boissons alcoolisées. L'alcool et le tabac peuvent faire l'objet d'un assortiment proportionnel d'une même catégorie (panachage).

■ **Animaux. Chiens et chats de** – de 3 mois : entrée en France interdite, *de + de 3 mois :* admise (max. 3 animaux dont au plus, un chat de 3 à 6 mois), sur présentation d'un certificat vétérinaire attestant qu'ils sont originaires d'un pays indemne de la rage depuis 3 ans. **Autres animaux :** formalités particulières. Se renseigner auprès du Service vétérinaire de la Santé et de la Protection animale, min. de l'Agriculture. **Gibier mort :** on peut en rapporter pendant la période d'ouverture de la chasse en France sauf certains gibiers de montagne, des oiseaux migrateurs et certaines espèces d'oiseaux. *Renseignements :* Direction de la Protection de la Nature (service de la police et de la chasse), min. de l'Environnement, 14, bd du Général-Leclerc, 92524 Neuilly-sur-Seine Cedex. **Produits de la mer et d'eau douce :** pour les marchandises non prohibées, les formalités sanitaires sont exigibles pour les quantités sup. à 1 kg (viandes et produits à base de viande) et 2 kg (produits de la mer et d'eau douce ; autres denrées animales ou d'origine animale).

■ **Armes et munitions.** *1re catégorie :* armes à feu de guerre ; *4e :* à feu de défense ; *5e :* – de chasse ; *6e :* blanches ; *7e :* – de tir, foire ou salon ; *8e :* – historiques et de collection. Il faut produire : à la sortie : *1re et 4e cat. :* autorisation de détention ; *autre cat. :* néant. A l'entrée : *1°) l'arme initialement sortie de la 1re et 4e cat. :* autorisation de détention ; *d'une autre cat. :* néant. *2°) arme introduite pour la 1re fois en France ; 1re et 4e cat. :* autorisation d'acquisition et de détention à demander à la préfecture du départ. du lieu du domicile ; attestation d'importation (cerfa 30 1598) établie en 3 exemplaires ; *de 5e et 6e cat. :* autorisation d'importation délivrée par la direction gén. des Douanes sur demande adressée au min. de la Défense DGA-DAI, 14, rue St-Dominique, 75997 Paris-Armées ; *de 7e cat. :* néant ; *8e cat. :* arme dédouanée à Bourges (si antérieure au 1-1-1980), ou St-Étienne (si rendue inapte au tir).

A la sortie comme au retour, on doit soit pouvoir justifier que l'arme a été acquise en France ou régulièrement introduite (facture, quittance de droits et taxes ou carte de libre circulation), soit acquitter droits et taxes éventuellement exigibles. Demander, le cas échéant, une carte de libre circ.

■ **Boissons alcoolisées.** (Eaux-de-vie, apéritifs, liqueurs, vermouth, vins, cidres...) : se procurer auprès des services fiscaux (contributions indirectes) un « titre de mouvement ». Les spiritueux anisés non conformes à la législation française sont interdits. *Franchises* (voir plus haut).

■ **Contrefaçons en librairie.** Interdites.

■ **Moyens de transport personnels** (autos, motos, bateaux, avions privés...). Réparations effectuées dans la CEE : pas de double imposition à la TVA ; hors CEE : taxation sauf s'il s'agit de réparations après accident ou panne.

■ **Œuvre d'art exécutée par un particulier.** *Importations par des particuliers, auteurs ou ses ayants droit :* exonérées des droits de douane et de TVA ; *par un particulier s'il a acheté à l'auteur ou à ses ayants droit :* ex. des droits et de TVA ; *s'il a acheté à un négociant :* ex. des droits de douane mais TVA sur 30 % de la valeur déclarée à l'importation au taux de 18,6 %. **Antiquités (+ de 100 ans d'âge) et objets de collection.** *Importations par des particuliers :* ex. des droits de douane, mais TVA sur leur valeur au taux des biens neufs. *Exportations :* en général sont soumises à des formalités particulières. *Renseignements :* Direction des musées de France, bureau des collections et des opérations douanières, Palais du Louvre, 75041 Paris Cedex 01.

■ **Or et matières d'or.** Importations ou exportations non soumises à autorisation mais à déclarer à la douane.

■ **Produits à risques.** Les courants d'importation de produits « à risques » doivent être détectés et le ministère de la Santé averti (produits alim.).

■ **Produits industriels.** Les normes à l'importation sont contrôlées.

■ **Produits médicaux** [médecine humaine et vétérinaire (dont les stupéfiants)] **et diététiques.** Interdits, ils ne peuvent être mis sur le marché qu'après obtention d'une autorisation préalable de la Dir. de la Pharmacie ou de la Dir. des Services vétérinaires (arrêté du 22-9-1965).

■ **Végétaux et produits vég.** Certains sont prohibés (notamment plantes et parties de plantes hôtes du feu bactérien, telles que rosacées, cotonéasters).

☞ **Espèces de faune et de flore sauvages menacées d'extinction et produits issus de ces espèces (convention de Washington) :** il faut une autorisation de la Direction de la Protection de la Nature (en particulier : peaux et cuirs, animaux empaillés, etc). *Renseignements :* Service vétérinaire et d'hygiène alimentaire, min. de l'Agriculture, 175, rue du Chevaleret, 75646 Paris Cedex 13.

■ **Trafic France/CEE Frontaliers :** personnes résidant dans la zone frontalière (inscrite dans un cercle de 15 km de rayon dont le centre se situe au point de passage en douane. Si, habitant une zone frontalière d'un pays de la CEE, l'on se rend en touriste dans ce pays, on bénéficie au retour du régime de franchise de droit commun. **Travailleurs frontaliers et personnes assimilées :** personnel des moyens de transport utilisés dans le trafic international, personnels des forces armées (statut spécial pour militaires stationnés à Berlin), d'un État de la CEE stationnés dans un autre État de la CEE (y compris personnel civil, conjoints et enfants à charge) : valeur non taxable jusqu'à 420 F par adulte, 110 F par personne de – de 15 ans ; *tabacs :* 40 cigarettes ou 20 cigarillos ou 10 cigares ou 50 g de tabac à fumer ; *boissons alcoolisées :* vins de table et d'appellation non pétillants non mousseux 0,5 l et, soit 0,25 l de boissons titrant plus de 22°, soit 0,5 l de boissons titrant 22° ou moins ; *parfums :* 7,5 g ; *eaux de toilette :* 3,75 cl ; *cafés :* 100 g ou *extraits et essences de café :* 40 g ; *thé :* 20 g ou *extraits et essences de thé :* 8 g. **France-Suisse :** zone frontalière de 10 km à la frontière suisse. *Frontaliers, travailleurs frontaliers et assimilés :* 140 F par adulte et 40 F par personne de – de 15 ans. Mêmes restrictions quantitatives que précédemment.

■ **Marchandises rapportées : des îles Anglo-Normandes :** facilités moins larges que pour la G.-B. **Îles de St-Barthélemy et de St-Marin** (partie française) : franchises voyageurs réservées aux pays tiers pour les marchandises rapportées vers les pays de la CEE. **France-Andorre :** zone frontalière de 15 km. *Frontaliers, travailleurs frontaliers et assimilés :* 300 F par adulte et 150 F par personne de – de 15 ans [produits agr. et alim. Limitations quantitatives pour l'admission en franchise du lait en poudre (2,5 kg), du lait condensé (3 kg), du lait frais (6 kg), du beurre (1 kg), du fromage (4 kg), du sucre et des sucreries (5 kg), de la viande (5 kg)]. 900 F (autres produits). Alcools, tabacs : mêmes restrictions que pour les voyageurs venant de CEE.

☞ *Centre de renseignements douaniers,* 238, quai de Bercy, bât. H1, 75012 Paris. *Bordeaux :* 1, quai de la Douane. *Lyon :* 41, rue Sala. *Marseille :* CMCI, 2, rue H.-Barbusse. *Nantes :* 15, quai Ernest-Renaud. *Strasbourg :* Maison du Commerce Intern., 4, quai Kléber.

■ Pièces nécessaires

☞ **Renseignements :** consulat du pays, agence de voyage, compagnie délivrant le billet. Ces données peuvent changer en cours d'année. Voir également Assurances à l'Index.

■ **Autorisation parentale de sortie du territoire.** Pour les mineurs (sauf ceux qui possèdent un passeport valide). *Pièces à fournir* au commissariat : livret de famille, carte d'identité ; présence des parents ; jugement à fournir en cas de divorce. *Validité :* 5 ans. *Obtention :* immédiate.

■ **Cartes internationales d'étudiants.** Nombreuses réductions à l'étranger (avions, trains, bateaux, musées, théâtres, cités universitaires...) et mêmes droits que les étudiants du pays étranger. ISIC (International Student Identity Card), UIC (Union intern. des étudiants pour les pays de l'Est), carte franco-allemande. **Carte Fiyto** (Fédér. intern. des organisations de voyages pour jeunes). Nombreuses réd. S'adresser à l'Otu, 39, av. Georges-Bernanos, 75005 Paris, ou au Crous.

■ **Carte d'adhésion internationale des Auberges de la jeunesse** (voir p. 1660 b).

■ **Passeport.** *Délivrance (Paris :* mairie ; *autres départements :* mairie, commissariat de police, préfecture, sous-préfecture) : fournir carte d'identité nationale ; justification de domicile (quittances de loyer, EDF) ; timbre fiscal de 350 F (dans les bureaux de tabac) ; 2 photos de face récentes et identiques. Délai d'obtention : en général aussitôt. *Validité :* 5 ans. Jugement du divorce pour le parent investi du droit de garde. *Enfants mineurs :* le père ou la mère doit remplir une autorisation de demande de passeport. Les – de 15 ans peuvent avoir un passeport individuel ou être inscrits sur le passeport d'une personne française qui les accompagne, même si cette personne a moins de 18 ans. Pour inscrire un enfant sur un passeport, remplir un formulaire spécial, être muni(e) de : son passeport et son livret de famille ou une fiche d'état civil de l'enfant ; 2 photos d'identité par enfant âgé de plus de 7 ans (gratuit).

■ **Sécurité sociale** (voir p. 1405).

■ **Vaccins. Certificat de vaccination :** exigé pour les voyages internationaux et dans les zones d'endémie de fièvre jaune (voir vaccin à l'Index). **Choléra :** en fonction de circonstances épidémiques, quelques pays exigent un certificat de vacc. **Fièvre jaune :** il est conseillé de se faire vacciner (au plus tard 10 j avant le départ) pour tout voyage entrepris hors des centres urbains dans des pays où la fièvre j. est endémique. Durée de validité : 10 ans. **Hépatite B :** utile dans les régions hyperendémiques. **Paludisme :** un séjour très bref, une escale peuvent suffire pour contracter la maladie. *Protection :* éviter la piqûre des moustiques infestants (moustiquaire, pommades aromatiques répulsives), prise régulière d'un médicament protecteur dès l'arrivée en zone infestée, puis pendant tout le séjour et les 4 semaines suivant le retour en zone indemne. **Poliomyélite et tétanos :** mise à jour conseillée en association avec rappel tous les 10 ans. **Typhoïde :** parfois utile dans une région hyperendémique. **Variole :** vaccination n'est plus indiquée, la maladie a été éradiquée. **Délivrance des certificats internationaux. Fièvre jaune :** par les centres agréés, par le ministre chargé de la Santé (liste publiée au JO du 17-5-1991). **Paludisme :** médecin traitant (peut prescrire un traitement par voie orale).

■ **Visa.** Obligatoire dans certains pays ; s'obtient au consulat à Paris ou parfois à la frontière (souvent plus cher). **Pièces à fournir :** passeport, 3 photos d'identité, billet aller et retour. **Visa de transit** (simple passage dans le pays) ou de **double transit** (2 passages) ; **de tourisme :** valable de 15 j à 3 mois, peut être prolongé au bureau du service d'immigration ou au serv. de douane du pays. **Prix :** variable selon les pays, 30 à 200 F. **Délai d'obtention :** 1 j à 1 sem., parfois + avant les vacances.

HÔTELLERIE DANS LE MONDE

■ **Nombre de lits disponibles** (en milliers, 1991). Dans les hôtels et établissements assimilés et, entre parenthèses, dans les hébergements complémentaires. *Source :* OCDE Algérie 53,8 [4], All. 1 199,7 (626,2), Arabie Saoudite 45,2, Argentine 264,8 [4], Australie 464,6, Autriche 654,1 (500,9), Bahamas 26,9 [4], Belgique 93,7 (469,9), Brésil 274,2 [4], Bulgarie 114,3 [4], Canada 570,8, Chine 634,3 [4], Cuba 38,8 [4], Danemark 92,5, Égypte 101,5 [4], Espagne 1 146,5 (7 607,9), Ex-URSS 64 [4], Finlande 100,9, *France 1 173,6 (3 179,9),* Grèce 459,3, Hong Kong 56,3 [4], Hongrie 56,7 [4], Inde 88,8 [4], Indonésie 194,4, Iran 31,2, Islande 6,4 [4], Israël 65,4 [4], Italie 1 703,6 (1 557,4), Jamaïque 32,9 [4], Japon 424,4 [4], Kenya 47 [4], Malaisie 63 [4], Malte 42,3 [4], Maroc 111,3 [4], Mexique 667 [4], Myanmar 2,5 [4], Népal 8,1 [4], Norv. 116,1 (455), Papouasie 4,8 [4], Pakistan 73 [4], P.-Bas 112,6, Pologne 547,7 [4], Polynésie 5,6 [4], Port. 188,5 (276,4), Roumanie 176 [4], Seychelles 3,5 [4], Suède 166,1 (455), Suisse 267,1 (855,9), Sri Lanka 20,8 [4], Tchécoslovaquie 203 [4], Thaïlande 337,2 [4], Tunisie 116,5 [4], Turquie 163,7 (37).

■ **Personnes employées dans l'hôtellerie** (en milliers). All. [2,4] 774, Autriche [2] 131, Belgique [3] 13, Canada [3] 168, Finlande [2] 73, G.-B. 308, Norvège [2,4] 57, Suède [2] 98, Turquie [2] 146.

Nota. – (1) Hôtellerie. (2) Hôtel./restauration. (3) 1989. (4) 1990.

■ **Hôtel le plus grand. Du monde** (le plus grand nombre de chambres) : *Hôtel-Casino Excalibur* (Nevada, USA) ouvert avril 1990 : 4 032 ch., 7 restaurants (47,3 ha). *Hilton de Las Vegas* (1981, USA) : 3 174 ch., 12 restaurants, 3 600 employés, terrasse 24 700 m² et salle de conférence 11 600 m². **D'Europe occidentale :** *Le Méridien (Paris)* : 1 025 ch.

■ **Grands groupes mondiaux.** Nombre de chambres et, entre parenthèses, nombre d'hôtels (1991). Holiday Inn 327 059 (1 645), Hospitality 288 990 (2 298), Best Western 266 123 (3 310), Choice Hotels 214 411 (2 295), Accor 212 500 (1 875), Marriott 160 968 (698), ITT Sheraton 131 348 (423), Hilton 94 232 (257), Forte 76 330 (853), Hyatt 74 801 (159).

■ **Hôtels les plus luxueux du monde.** *Amsterdam* Krasnopolsky. *Bangkok* L'Oriental. *Biarritz* Palais. *Bombay* Taj Mahal. *Budapest* Gellert. *Buenos Aires* Alvear Palace. *Bruxelles* Métropole. *Calcutta* Oberoi Grand. *Cannes* Carlton. *Chicago* Hilton And Towers, Palmier House. *Colombo* Galle Face. *Hambourg* Vier Jahreszeilen. *Ho Chi Minh-Ville* Continental. *Hong Kong* Mandarin, Peninsula, Regent. *Istanbul* Pera Palace. *La Nouvelle-Orléans* Fairmont. *Jaipur* Rambagh Palace. *Jérusalem* American Colony, King David. *Le Caire* Marriott. *Londres* Berkeley, Claridge's, Connaught, Ritz, Savoy. *Los Angeles* Château Marmont, Hollywood Roosevelt. *Madrid* Ritz. *Manille* Manila. *Marrakech* Mamounia. *Miami* Park Central. *Munich* Quatre Saisons. *Moscou* Metropol. *New York* Carlyle, Pierre, Plaza, Waldorf Astoria. *Paris* Crillon, Plaza Athénée, Ritz. *Prague* Europa. *Québec* Château Frontenac, Château Montebello. *Rio de Janeiro* Copacabana Palace. *Rome* Hassler Villa Medicis. *San Diego* Del Coronado. *San Francisco* Marks Hopkins, Saint-Francis, Stanford Court. *Shanghai* Peace Hotel. *Singapour* Goodwood Park, Raffles, Shangri La. *Sydney* Regent. *Taipeh* Grand Hotel. *Tanger* Al Minzah. *Taormine* San Domenico. *Tōkyō* Okura. *Udaipur* Lake Palace. *Venise* Cipriani, Danieli, des Bains. *Vienne* Sacher. *Washington* Four Seasons. *Zurich* Dolder Grand.

■ **Center Parcs.** *Origine :* Sté néerlandaise contrôlée dep. 1990 par Scottish and Newcastle. *Villages :* 12 (dont P.-Bas 7). *Cottages :* 8 000. *Personnels :* 7 500. *CA (91) :* 2,5 Md de F. *Concept :* cottages dans un parc doté d'un « paradis tropical », sous bulle et équipements sportifs. *France : 1er parc : « Bois Francs »* (Verneuil-sur-Avre, Eure) : ouvert juill. 1988, coût 0,65 Md de F, CA env. 0,25, taux d'occupation 94 % dans 650 bungalows. *2e parc : Chaumont-sur-Tharonne (Loir-et-Cher) :* ouvert juill. 1993, ha 110, cottages 650 (à terme 750), plans d'eau 17 ha, coût 0,75 à 0,8 milliard de F.

HÔTELLERIE EN FRANCE

RENSEIGNEMENTS PRATIQUES

■ **Chambre (réservation).** Demander à l'hôtelier une lettre signée précisant éléments de confort, situation de la chambre, conditions de location, etc.

L'hôtelier qui ne fournit pas la chambre réservée est responsable vis-à-vis du voyageur. En revanche, celui-ci devra réparer le préjudice causé à l'hôtelier s'il ne prend pas possession de la chambre retenue, s'il vient avec moins de personnes qu'il n'en a indiqué et s'il quitte l'hôtel sans motif légitime, avant l'expiration de la durée prévue du séjour.

■ **Fiche d'accueil.** Destinée à faciliter l'exploitation de l'établiss. Non obligatoire. (**Fiche de police :** supprimée fin 1974 sauf pour les étrangers y compris ceux de la CEE). Les hôteliers ne peuvent pas refuser une ch. à une pers. ne voulant pas donner son identité ; ils doivent établir pour chaque client une note avec son identité, mais ne peuvent exiger pour cela une pièce d'id. La fiche peut donc comporter un nom d'emprunt.

■ **Prix.** *Doivent être affichés,* au lieu de réception et dans chaque chambre, les prix de la location, taxes et service compris, des chambres, du petit déjeuner, de la demi-pension et de la pension ; à l'extérieur de l'établissement, les prix minima et maxima des différentes catégories de chambres. En cas de non-paiement intégral, l'hôtelier peut garder en gage les bagages ou la voiture jusqu'au paiement. L'hôtelier peut exiger le paiement d'avance si le client arrive tard, sans bagages ou sans réservation.

■ **Responsabilité des hôteliers.** Illimitée, nonobstant toute clause contraire, en cas de vol ou de détérioration des objets déposés entre leurs mains ou qu'ils ont refusé de recevoir sans motif légitime, ou en cas de faute de l'hôtelier pour les objets non spécialement confiés à leur garde. Dans tous les autres cas, les dommages et intérêts dus au voyageur, s'il peut prouver qu'il était en possession des objets volés ou détériorés, sont, à l'exclusion de toute limitation conventionnelle inférieure, limités à l'équivalent de cent fois le prix de location du logement par journée, sauf lorsque le voyageur démontre que le préjudice qu'il a subi résulte d'une faute de celui qui l'héberge ou des personnes dont ce dernier doit répondre.

Aubergistes ou hôteliers sont responsables des objets laissés dans les véhicules stationnés sur les lieux dont ils ont la jouissance privative à concurrence de 50 fois le prix de location du logement par journée.

■ **Types d'hôtel. Hôtels de tourisme** homologués par l'autorité de tutelle (Tourisme). *Sans étoile :* équipement sanitaire (eau chaude et froide), isolation (sol, mur). Surface min. : 7 m² pour 1 pers., 8 pour 2. 1 cabine téléphonique, hall de reception. *1 étoile :* eau courante chaude et froide, équipement sanitaire en parfait état de marche, mobilier, tapis de bonne qualité. Surface minimale : 8 m² pour 1 pers., 9 m² pour 2. 1 siège par occupant. Dans l'hôtel : 1 cabine téléphonique, salon ou hall aménagé de 15 m², salle de b. pour 15 chambres et 1 wc pour 10 ch. par étage. *2 étoiles :* en plus, téléphone intérieur dans la ch., ascenseur à partir de 4 étages, salle de b. commune pour 10 pers. par étage, 30 % des ch. doivent avoir douche ou baignoire. Petit déj. servi dans les ch. *3 étoiles :* ch. d'au moins 9 m² pour 1 pers., 10 m² pour 2 dont 7 sur 10 avec salle d'eau, 5 sur 10 avec wc privé et 5 sur 10 avec téléphone relié au réseau. Personnel parlant 2 langues étrangères dont l'anglais. *4 étoiles :* ch. plus grande (10 et 12 m²) dont 9 sur 10 avec salle de b. et wc. Tél. relié au réseau. Ascenseur à partir de 2 ét. *Luxe :* hall et salon de + de 150 m², ch. de 10 et 14 m². Ascenseur pour le 1er ét. **Hôtels de préfecture :** n'ont pas normalement de relations avec le secrétariat d'État mais avec les services des préfectures (classement de F à M par ordre décroissant) ; confort moins élevé et prix modestes.

STATISTIQUES

■ **Capacité hôtelière** (au 31-12-1990). **Nombre d'hôtels classés** 20 400 (18 874 au 1-1-92) [dont *0 étoile :* 495 (Ile-de-Fr. 9), *1 ét. :* 7 472 (396), *2 ét. :* 9 176 (1 013), *3 ét. :* 2 825 (569), *4 ét. et luxe :* 415 (83)]. **Nombre de chambres** 550 846 (562 539 au 1-1-1992) (dont Ile-de-Fr. 103 765) dont *0 étoile :* 3 554 (0), *1 ét. :* 121 566 (12 150), *2 ét. :* 264 907 (45 485), *3 ét. :* 132 499 (35 703), *4 ét. et luxe.* 28 320 (10 427).

■ **Fréquentation** (arrivées par étoiles en %) **et,** entre parenthèses, **durée moy. de séjour dans l'hôtellerie** (1990). *H. luxe et 4 ét. :* (5,8 (2 j), *3 ét. :* 28,4 (1,8 j), *2 ét.* (2,5), *1 ét.* (2,9).

■ **Prix moyen des hôtels de chaîne** (chambre simple/double, en 1992). *Sans étoile :* 132/132 ; *1 ét. :* 177/1 ; *2 ét. :* 295/310 ; *3 ét. :* 479/521 ; *4 ét. :* 1 086/1 101.

Chaînes hôtelières françaises : Groupe et enseignes au 31-12-92 nombre de chambres (et, entre parenthèses nombre d'hôtels au 31-12-92). Accor (Formule 1, Etap Hôtels, Arcade-Ibis, Altéa-Mercure, Novotel, Sofitel-Pullman, Motel 6 et autres marques) 238 990 (2 098). Société du Louvre (Bleu Marine, Concorde, Campanile, Première Classe) 40 120 (453). Méridien 18 261 (58). Elitair (Climat de France, Nuit d'Hôtel, Confortel Louisiane) 10 759 (206). Pargest (Relais Bleus, Balladins) 7 684 (140). Resthôtel Primevère 6 433 (152). Alliance SA (Alliance, Fimotel) 4 291 (71). Frantour 3 450 (15). Latitudes 3 000 (14). Fasthôtel 2 872 (60). Hôtels Liberté 2 265 (38). Lucien Barrière 1 759 (10). CIP Hôtels Paris (Demeure Hôtels, Cidotel, Libertel) 1 718 (27).

■ **Principales sociétés propriétaires d'hôtels.** Nombre d'hôtels et de chambres, chiffre d'affaires en MdF : milliards de F :

Accor. Créé 1983 (fusion de Novotel SIE et Jacques Borel International). [*Novotel* 243 h. (1er Lille ouvert 1967), 37 310 ch. (dont France 104 h., 12 466 ch.) *CA :* 4,6. *Mercure* créé 1972, 136 h., 14 598 ch. (dont France 108 h., 10 784 ch.) *CA :* 1,3. *Sofitel* créé 1961, 45 h., 9 564 ch. (dont France 18 h., 3 184 ch.) *CA :* 1,9. *Ibis/Urbis* créé 1974 292 h., 28 237 ch. (dont France 227 h., 18 655 ch.) *CA :* 1,7. *Formule-1* créé 1989 273 h., 19 000 ch., (dont France 250 h. ; 17 736 ch.), *CA 92 :* 680 millions de F, bénéf. 50 millions de F ; hôtels de loisirs 23. *Hôtelia* (résid. 3e âge) 15, Motels 6 551, autres 18, restaurants (1-1-90) 2 712]. *Au 31-12-1992 :* 2 098 h., 238 990 ch. (dont France 881 h., 81 965 ch., 33 000 restaurants, 85 000 salariés) *CA 1990 :* 22,8 (résultat net consol. 1), *91 :* 22,4 (0,95) ; *92 :* 30,57 MdF (résultat net part du groupe 0,802), en 1991 a réussi une OPA sur Wagons-lits [*CA 1991 :* 16 (résultat 0,09), 7 millions de voyageurs en voitures-lit, 4,2 millions de repas dans les trains, 88 000 voitures en location, 54 200 salariés, contrôlent *Pullman International Hôtel* fondé 21-10-1986, *au 1-1-1991 :* 314 h., 38 700 ch. (Pullman : 52 h., Altéa créé 1986 : 66 h., PLM Azur créé 1986 : 45 h., Arcade créé 1975 : 94 h., Primo créé 1987 99 h.)].

Club Méditerranée. Association à but non lucratif *créée* 1950 par Gérard Blitz (1912-90) et Gilbert Trigano (n. 28-7-1920), 1957 création d'une Sté anonyme à capital variable, devenue en 1962 Sté anonyme. 262 unités d'hébergement dont 104 villages Club Med, 19 villages Valtur, 9 villas, 1 centre de loisirs, 16 villages Aquarius, 2 bateaux de croisière à voile, 117 résidences de vacances, 132 000 lits. *CA et résultat net part du groupe : 1991 :* 7,8 (– 0,017). *92 :* 8,35 (0,161).

Concorde *créé* 1973 Sté du Louvre (Taittinger) 71 h. (dont 58 affiliés et associés) et 13 en exploitation directe (dont Paris : Ambassador, Concorde La Fayette, Crillon, Lutétia ; Cannes : Martinez), 14 530 ch. (dont *France* 35 h., 5 339 ch.) *CA : 6,2.*

Elitair. *Climat de France* créé 1979, 163 h., 8 297 ch. *Confortel* (en cours de reprise). *Créé* 1988 (1 étoile, réception électronique, paiement par carte bancaire) 29 h., 1 831 ch. *Esso-Motor Hôtels* (nc.). *Eurotel* 1 h., 75 ch. *Évian* 2 h., 153 ch. *Gr. des Hôtels de la Cité* 5 h., 950 ch. *Holyday Inn* 13 h., 2 030 ch. *Immobilière hôtelière Montparnasse* (IHM) 1 h., 1 000 ch. *Intercontinental Hôtels* 3 h., 1 320 ch. *Lucien Barrière créé* 1962, gr. 10 h. en propre, 11 casinos, 39 restaurants, 3 golfs. *CA 1992 :* 1 MdF ; détient 1/4 du parc français de machines à sous. *Penta Hôtel* 18 h., 5 400 ch. *Ramada* 1 h., 197 ch. *Relais Aériens Relais Top* (nc). *Sepad Flaine* 5 h., 769 ch.

Congrès internationaux

Nombre (en 1991). **Pays :** USA 880, *France 761,* Grande-Bretagne 600, Allemagne 546, Pays-Bas 385, Suisse 313, Italie 304, Belgique 289, Espagne 264, Japon 239. **Villes :** *Paris 349,* Londres 244, Vienne 230, Bruxelles 184, Genève 178, Berlin 166, Singapour 110, Amsterdam 106, Hong Kong 102, Madrid 100.

Palais des Congrès

Porte Maillot, inauguré 28-2-1974, édifié par la Chambre de commerce et d'industrie de Paris : 50 salles de congrès (dont une salle « Le Paris » de 1 800 places), 8 000 m² de surfaces d'exposition. Effectif 200. Reçoit 180 à 250 manifestations internat. par an. 4 millions de visiteurs. CA (1991) 150 millions de F.

Envergure. groupe créé 1989, filiale à 100 % du Louvre qui appartient au groupe Taittinger, regroupe *Campanile* [268 grills (1er ouvert 1976) 220 h., 18 981 ch. (fin 92)]. *1re classe créé* 1989, 78 h., 5 384 ch. *CA 1992 :* 200 millions de F. *Côte à côte* 24 restaurants. *Bleu marine* 1 h. *CA 1991 :* 0,62. *CGHT* 3 h., 506 ch. *Chaîne thermale du Soleil* 38 h., 1 937 ch.

Frantour (SNCF). *Créé* 1973, 6 h., 1 284 ch. *Résidences de vacances* 6 h., 3 890 lits. *CA :* h. 0,120, réservation de voyage 0,064 ; taux d'occ. 86 %.

Hilton International. *Créé* 1949, 160 h., 50 000 ch. (dont *France* 1 292 ch.).

Holiday Inn Worldwide (Groupe Bass/division hôtels). *Créé 1952, 1 690 h., 328 244 chambres. CA* (hors franchise au 1-1-93) 510 millions UK £. *Holiday Inns France & Cie,* 28 h., 3 466 ch.

Hôtels Claridge. 2 h., 160 ch.

Méridien. *Créé* 26-12-1972, filiale d'Air-France, 58 h., 19 450 ch. CA 92 : 1 322 MF (bénéf. net 112).

■ **Présence à l'étranger. Nombre d'établissements** (au 1-1-92) : *Holiday Inn* 1 635 (325 385 ch.). *Novotel* 122. *Groupe Inter-Continental* 103. *Club Méditerranée* 98. *Pullman International Hotels* 137. *Ibis/Urbis* 45. *Méridien* 46. *Sofitel* 22. *Mercure* 15.

■ **Chaînes volontaires. Nombre total de chambres et d'hôtels dont,** entre parenthèses, **en France, en 1991 :** *Best Western* créé 1968, ex-Mapotel 266 000 (7 785)/3 300 (155). *Logis de France,* créé 1950, 79 176 (73 916)/4 576 (4 234). *Eurostars* 75 000 (8 500)/638 (111). *France Accueil* créé 1977 24 811 (4 929)/646 (137). *Inter Hôtels* créés 1967 21 000 (6 945)/3 300 (159). *Relais et Châteaux,* créé 1954, 12 000 (3 500)/323 (124). *Châteaux hôtels indépendants* créés 1954 8 654 (8 654)/432 (432). *Relais du silence* créés 1968 4 639 (3 452)/192 (146). *Arcantis* créé 1988 3 000 (3 000)/68 (68). *Groupement des palaces de la Côte d'Azur* 2 638 (2 638)/24 (24).

Camping-caravaning

■ **Adresses (quelques).** *Féd fr. de camping et de caravaning* 78, rue de Rivoli, 75004 Paris. *Féd. nat de l'hôtellerie de plein air* 105, rue Lafayette, 75010 Paris. *Clubs de caravaniers : Auto-camping-Club de Fr.* 37, rue d'Hauteville, 75010 Paris. *Camping-Club de Fr.* 218, boulevard St-Germain, 75007 Paris. *Groupement des campeurs universitaires de Fr.* 24, rue du Rocher, 75008 Paris.

■ **Guides (quelques).** *Guide officiel Camping-caravaning* (FFCC) 78, rue de Rivoli, 75004 Paris. *Michelin* 46, av. de Breteuil, 75007 Paris.

■ **Réglementation** (art. R 443-4, 443-6-4, 443-7e. urbanisme). **Camping libre :** possible avec l'accord de celui qui a la jouissance du sol, du propriétaire. Interdit sur routes et voies publiques, rivage de la mer, dans sites classés et inscrits, certaines zones de protection du patrimoine, réserves naturelles et périmètres des points d'eau captés pour la consommation. Des arrêtés motivés pris par les maires peuvent aussi l'interdire en certains lieux. Dans ce cas, les interdictions doivent être signalées par des panneaux réglementaires. Par ailleurs, un propriétaire ou la personne qui a la jouissance du sol peut recevoir sur son terrain jusqu'à 20 personnes dans 6 abris de camping (tentes ou caravanes) de manière habituelle, à condition d'en faire la déclaration auprès du maire de la commune. **Camping en forêt domaniale :** autorisation possible dans un endroit déterminé sur présentation d'une carte de club de camping ou d'une attestation d'assurance en responsabilité civile incendie. **Campings aménagés :** 4 catégories : 1 à 4 étoiles. Emplacements délimités en 2, 3 et 4 ét., 90 m² en moyenne en 2 ét., 95 en 3 et 100 m² en 4. Les emplacements alimentés en eau et électricité, reliés au réseau d'évacuation des eaux usées sont dénommés « Grand confort caravanes » (nouvelles normes de classement publiées le 13-1-93).

Caravane : ne peut stationner plus de 3 mois par an, consécutifs ou non, sans autorisation du maire, excepté sur terrains collectifs, dans jardin, remise ou garage de la résidence de l'utilisateur.

■ **Statistiques** (1992). **Terrains camping** classés par arrêté préfectoral : 9 135 (885 482 emplacements soit 2 656 446 pers.) dont *1 étoile :* 1 414 (72 497), *2 ét. :* 4 796 (409 901), *3 ét. :* 1 778 (249 686), *4 ét. :* 595 (113 016), *4 ét. luxe :* 43 (7 549) (1 220 terrains homologués Féd. fr. Camping-Caravaning). **Terrains déclarés en mairie :** env. 1 161 + 1 002 aires naturelles de camping, totalisant env. 34 000 emplacements.

☞ En 1992, 2 500 campings étaient exposés à des risques d'inondation.

Naturisme

■ **Histoire. 1903** 1er centre gymnique créé par Paul Zimmermann en Allemagne à Klingberg. **1904** S. Gay crée en France au Bois-Fourgon une colonie naturiste. **1907** l'abbé Legree avec l'accord de ses supérieurs emmène ses élèves se baigner sans maillot. **1922** Jacques Demarquette fonde un camp naturiste à Chevreuse. **1926** Marcel Kienné de Mougeot, journaliste, crée le *Sparta Club,* 1er grand club naturiste, et lance la revue *Vivre intégralement.* **1930** 2 médecins, André et Gaston Durville, ouvrent un centre à Villennes (Physiopolis) ; 1er congrès nudiste. **1931** l'île du Levant devient le lieu de rassemblement. **1936** Léo Lagrange (1er sous-secr. d'État aux Sports et Loisirs) reconnaît officiellement l'utilité du mouvement naturiste. **1944** Albert Lecocq crée le *Club du Soleil.* **1949** ouverture du centre hélio-marin à Montalivet-Vendays. **1950** féd. fr. de naturisme créée, agréée 1983 en tant qu'association de jeunesse et d'éducation populaire, 26 clubs affiliés. **1953** féd. naturiste internat. (FNI) créée.

■ **Législation.** Pas de dispositions légales. Le nudisme relève de l'art. 330 du Code pénal : distinction est faite entre nudisme voyant et provocant et la pratique de naturisme dans des lieux signalés.

■ **Pays pratiquant le naturisme.** Afrique du S., Allemagne, Australie, Autriche, Belgique, Canada, Côte-d'Ivoire, Danemark, Espagne, *France,* G.-B., Grèce, Hongrie, Irlande, Italie, Norvège, N.-Zélande, P.-Bas, Pologne, Polynésie fr., Roumanie, Suède, Suisse, Tchécoslovaquie, Uruguay, USA, Vanuatu, Yougoslavie ; ex-URSS, Chili, certaines rép. de l'Est interdisent les assoc. de naturistes. **Nombre de naturistes dans le monde :** 1 700 000 à 2 000 000.

■ **Statistiques. France :** la Fédération française de naturisme (FFN, 53, rue de la Chaussée-d'Antin, 75009 Paris) rassemble env. 200 associations et sections d'ass. **Adhérents** *1965 :* 6 672 ; *66 :* 17 492 ; *76 :* 59 820 ; *83 :* 84 500 ; *90, 91 :* 78 000. **Saisonniers** (non inscrits dans les associations) : + de 500 000. *Origine :* Ile-de-France 1/3, province 2/3. *Age moyen :* 39 ans pour les h., 34 ans pour les f. Les familles, avec enfants de – de 15 ans, représentent près de 80 %. *Catégories socioprofessionnelles* en %. Cadres moyens 34, cadres sup., prof. libérales 19, non-actifs 14, employés 11, patrons de l'ind. et du comm. 8, ouvriers 6, autres 5, personnel de service 2, agriculteurs 1. *Étrangers* dans les camps français 300 000 (Allemands 50 %, Benelux 30 %, Scandinaves et Anglais 10 %, divers 10 %) soit 4 millions de nuitées. **Centres de vacances** 70. **Structures d'accueil et de loisirs** 18 000 places pour tentes et caravanes, 3 600 bungalows, 70 piscines, 28 plages, 35 restaurants.

■ **Villages naturistes en France. Aude :** *Centre Aphrodite* (1975) : 546 villas. **Gard :** *La Genèse :* 26 ha. *Le Bois de la Sablière :* 60 ha. **Gironde :** *Montalivet* centre héliomarin (CHM), créé 1949, 170 ha clos (+ 20 ha de plage), capacité d'accueil + de 8 000 personnes. *Village la Jenny :* 100 ha. **Hérault :** *Cap d'Agde :* camping créé 1966, complexe naturiste (1971-74) 38 ha. **Provence :** *Bélezy :* 25 ha.

Plages

■ **Naturisme.** Plages réservées (par arrêté municipal ou préfectoral). Ailleurs, infractions passibles de 3 mois à 2 ans de prison et de 500 à 4 500 F d'amende. Les 2-pièces et maillots sont parfois interdits hors de la plage par les municipalités.

■ **Plages. Payantes :** gérées par une commune ou un particulier (l'État ne peut en concéder que 30 % sur les plages naturelles et 75 % sur les plages artificielles). Leur accès est libre (pas de droit d'entrée) mais différents services payants sont offerts (parasols, cabines...), parfois obligatoires pour l'usager qui veut stationner.

Privées : les écriteaux « plage privée » sont illégaux : jusqu'au niveau atteint par la mer aux marées hautes + 3 m, elles sont domaine public ; murs et grillages élevés par des riverains empêchant la circulation sur le rivage sont interdits. Par contre, les rochers tombant directement dans la mer peuvent être privés et entourés de murs ou grillages.

■ **Pollution** (voir Index). *Minitel :* 3615 Idéal.

■ **Sécurité.** La commune peut être responsable des accidents ; les vacanciers doivent respecter les différentes consignes de séc. : pavillon **vert :** baignade surveillée non dangereuse ; **jaune :** b. surveillée dangereuse ; **rouge :** b. interdite.

■ **Vacanciers par km de plage.** En Provence-Côte d'Azur 12 000, Languedoc-Roussillon 3 500.

Restaurants

■ Réglementation

■ **Prix affichés.** S'entendent prix service compris avec mention du taux pratiqué ou prix nets. L'affichage est déterminé par les arrêtés des 27-3-1987 et 29-6-1990. La liberté des prix a été accordée en vertu du décret d'application n° 86-1309 du 29-12-1986 de l'ordonnance n° 86-1243 du 1-12-1986.

■ **Eau, vin.** Le restaurateur doit vous apporter de l'eau si vous le désirez. Cartes et menus doivent comporter, pour chaque prestation : le prix, la mention « boisson comprise » ou « non comprise » et, dans tous les cas, indiquer pour les boissons la nature et la contenance offerte (ord. du 27-3-1987).

■ **Pain, couvert.** Il est interdit de facturer pain et couvert sauf dans les cafétérias.

■ **Note.** On est tenu de vous remettre une note datée, indiquant nom et adresse (ou raison sociale) de l'établissement, le prix de chaque prestation servie, montant du service, total des sommes dues (pour les repas de moins de 100 F, TVA comprise : la note est facultative, sauf sur la demande expresse du consommateur).

■ **Pertes.** *Objets remis au vestiaire,* la présomption de faute pèse sur le restaurateur. Il ne pourra s'en décharger qu'en établissant cas fortuit ou force majeure. L'affiche ou la mention inscrite au bas du menu selon laquelle « la maison n'est pas responsable des objets volés » ne l'exonère pas de sa responsabilité. La perte du ticket n'empêche pas de récupérer son vêtement si le propriétaire peut faire état d'un témoignage.

■ Guides spécialisés

Baedeker. *Créé* 1827 par Karl Baedeker (All., 1801-59), traduit et diffusé en France de 1832 à 1939.

Bleu. *Créé* par Adolphe Joanne († 1881) en 1841 (1er : itinéraire descriptif et historique de la Suisse), puis Louis Hachette et Joanne (en 1860), inspiré du Baedeker (rouge) devenu Guide bleu en 1916. *Titres : 1860 :* 120, *1916 :* 2 000, *1990 :* G. bleus par pays 40, villes 7, régions de Fr. 10, villes de Fr. 10, g. Visa 60, G. du routard 41 (+ 5 étrangers), G. en poche 6. *Ventes :* G. bleus : 300 000 ex. par an, Visa 450 000, Routard 1 185 000. *CA 1992 :* 18 millions de F.

Bottin gourmand. *Créé* 1983. *Ventes* (1993) : 80 000 ex. *Classification :* 21 *4 étoiles,* 66 *3 ét.,* 212 *2 ét.,* 858 *1 ét.,* et 7 492 établissements et 2 279 localités cités.

Champérard. *Créé* 1985, 6 000 hôtels cités et 2 000 restaurants (en Europe).

Fodor. *Fondé* par Eugène Fodor (Amér. d'origine hongroise, 1905-91). **Le plus célèbre :** "On the Continent" (1936), destiné aux Britanniques. *Titres :* 140. *Ventes :* 200 millions d'ex. par an.

Gault-Millau. *Créé* 1972. *Tirage* (1993) : 250 000 ex. *Classification* (1993) : *Super 4 toques :* 15 ; *4 t. :* 22 ; *3 t. :* 133 ; *2 t. :* 521 ; *1 t. :* 1 725, et distinguant entre toques blanches (cuisine moderne ou de tradition) et rouges (cuis. particulièrement créative), 7 600 établissements cités (dont 4 200 restaurants).

Kléber. *Créé* 1954. Ne paraît plus dep. 1982.

Michelin. *Créé* 1900 (30 000 ex.), par La Manufacture française Michelin [*créée* 1889 par les frères Édouard (1859-1940) et André Michelin (1853-1931). Publie les *Guides Rouges* (sélection d'hôtels, restaurants, plans de villes) ; 9 titres dont le Guide France] ; offert gratuitement aux chauffeurs, puis vendu dep. 1920. *1921* ne paraît pas. *1926* indique les meilleurs restaurants. *1931* création de 2 et 3 étoiles en province. *1933* à Paris. *1986* 20 000 000e ex. vendu. *Tirage* (1993) : 620 000. *Classification* (1993) : 19 *3 étoiles* (une des meilleures tables de Fr., vaut le voyage, créé 1931), 84 *2 ét.* (table excellente,

■ **Débits de boissons** (cafés, bistrots, en France, en milliers). *1910 :* 510, *60 :* 200, *80 :* 107, *90 :* 70, *92 :* 57.

■ **Restauration hors foyer** (France). **Nombre de repas servis par an :** 4,95 milliards. **Nombre d'établissements par secteur et,** entre parenthèses, **nombre de repas/an** (en millions) : restaurants et cafés-rest. 97 049 (912), enseignement 61 259 (1 086), travail 40 493 (496), hôtels-restaurants 34 028 (542), santé, social 10 787 (1 004), restauration rapide 1 730 (260), cafétérias 900 (226), divers (453).

■ **Restauration rapide (fast-food). Dans le monde :** McDonald's (1992) CA 116 milliards de F, restaurants 13 000 (dont USA 9 200).

■ **En France 1ers groupes de restauration. CA** (en millions de F, 1992), **et nombre de restaurants** (1992) : McDonald's (filiale créée 1983) France 4 123 (240), Accor/Wagons-Lits 3 683 (350), Casino 2 586 (150), Agapes Restauration 2 300 (142), France Quick 1 800 (155), Groupe Flo 950 (28), Eliance (Elitair) 598 (116), Buffalo Grill 581 (68), Cafétérias Eris 524 (68), Bistro Romain 517 (27), Gérard Joulié (Batifol) 480 (25), Cafétérias Cora 450 (53).

■ **Restauration collective. Chiffre d'affaires** (en millions de F) **et nombre de couverts servis** (en millions). Sodexho 3 221 (115), Générale de restauration 3 180 (168,7), Eurest 2 129,7 (110,3), SHR 1 284,7 (115), Orly restauration 1 107 (53).

■ **Traiteurs** (France). **Nombre : 10 000. Plus gros chiffres d'affaires** [1] (en millions de F, 1991) : Lenôtre 251,2, Potel et Chabot 167,5, Raynier-Marchetti 120, Rosell 100, Dalloyau 76,8, François Clerc 75,6, Noël Traiteur 42, Duval Traiteur 41, Riem-Becker 29,8, Scott Traiteur 26.

Nota. – (1). Adhérents du STFOR (Syndicat des traiteurs de France organisateurs de réceptions), Fauchon et Hédiard n'adhérant pas au STFOR ne figurent pas dans ce classement.

Quelques cuisiniers et gourmets célèbres

Beeton Isabella (Angl., 1836-65) : *Household Management* (1860). **Brazier (La mère)** (1895-1977). **Briffault** Eugène (1799-1854) : *Paris à table* (1846). **Brillat-Savarin** Jean-Anthelme (1755-1826) : *la Physiologie du goût* (1825). **Brisse** (baron) (1813-76). **Caillat** Apollon (1857-n.c.) : *150 manières d'accommoder les sardines* (1898). **Carême** Antonin (1783-1833) : *l'Art du cuisinier* (1814), *le Pâtissier royal* (1815), *le Pâtissier pittoresque* (1815), *le Maître d'hôtel français ou Parallèle de la cuisine ancienne et moderne* (1822), *le Cuisinier prussien* (1828). **Dubois** Urbain et **Bernard** Émile : *la Cuisine classique* (1856). **Dugléré** Alphonse (1805-84). **Dumas** Alexandre, père (1802-70) : *Grand Dictionnaire de cuisine.* **Escoffier** Auguste (1846-1935) : *le Livre des menus* (1912), avec **Gilbert et Caillat :** *Guide culinaire.* **Farmer** Fannie (USA, 1857-1915) : *The Boston Cooking School Cook Book.* **Favre** Joseph (1849-1903). **Gilbert** Philéas (1857-1943). **Glasse** Hannah (1708-70) : *The Art of Cookery Made Plain and Easy* (1747). **Gouffé** Jules (1807-77). **Grimod de La Reynière** Alexandre (1758-1837) : *Almanach des gourmands* (1802). **Guillot** André (Fr., 1908-93) : *la Grande Cuisine bourgeoise* (1976), *la Vraie Cuisine légère* (1981). **La Varenne (de)** François Pierre (v. 1615-78) : *le Cuisinier françois* (1651). **Leonardi** Francesco (It., Trav., 1750-90) : *L'Apicio moderno* (1790). **Martino** (It., Trav., v. 1450-75) : *De honesta voluptate et valetudine.* **Menon** (Trav., v. 1740-55) : *la Cuisinière bourgeoise* (1746). **Monselet** Charles, relanceur de l'*Almanach des gourmands* de 1860 à 1864. **Montagné** Prosper (1865-1948). **Nignon** Édouard (1865-1935) : *les Éloges de la cuisine française, l'Heptaméron des gourmets ou les délices de la table.* **Pic** André (1893-n.c.). **Scappi** Bartolomeo (Trav., v. 1540-70) : *Opera.* **Simmons** Amelia (USA, Trav., n. 1796) : *American Cookery* (1796). **Soyer** Alexis (Angl., 1809-58) : *A. Shilling Cookery for the People.* **Taillevent** (Fr., v. 1312-95).

☞ **Le Cordon bleu.** École de cuisine et de pâtisserie françaises fondée à Paris en 1895 par Mlle Marthe Distel. *Origine du nom :* Louis XV, invité par la du Barry, la complimente pour les mets servis et demande à voir le cuisinier. Mme du Barry répond : « C'est une cuisinière, et vous devriez la faire Cordon-Bleu ! » (nom donné aux membres de l'ordre du St-Esprit). Forme des professionnels (Grand Diplôme du Cordon Bleu) et accueille des amateurs. 9 chefs permanents à Paris, 5 à Londres, 5 à Tokyo, 170 élèves à plein temps par trimestre. Plusieurs milliers d'amateurs et de touristes dans les sessions gourmets.

mérite le détour, créé 1931), 488 *1 ét.* (très bonne table dans sa catégorie, créé 1926). 11 262 établissements cités dans 4 692 localités (dont 6 835 hôtels, 4 427 restaurants). **Guide Camping-Caravaning** (en 1993 : 3 642 terrains cités) ; réactualisés chaque année. **Guides Verts** [44 titres en français dont meilleure vente Côte d'Azur (+ de 100 000 ex./an)] ; *cartes routières* (éch. entre 1/10 000 et 1/4 000 000, 1res au 1/200 000 de 1910-13 France en 47 feuilles.) **Ventes dans le monde 1992** (en millions d'u.) cartes routières 14,2 dont carte France no 989 : + d'1 000 000 d'ex., Guides Verts 3,3, Guides Rouges 1,5. Minitel 3615 Michelin.

Pudlowski de Paris gourmand. Restaurants, boutiques et lieux de rendez-vous (bistrots à vin, bière, salons de thé, boutiques). *Classification :* 151 tables dont 10 : 3 assiettes, 29 : 2 ass. 119 : 1 ass.

Relais et Châteaux. *Créé* 1954. Donne 375 maisons dans 36 pays. Guide bilingue tiré à 650 000 ex.

Routard. Hôtels et restos de France.

■ Restaurants les plus cotés

☞ **1705** 1er restaurant créé à Paris (Boulanger ; plat favori : pieds de mouton à la poulette). Auparavant, cabarets et tavernes ne cuisinaient que les victuailles que le client apportait, ou bien il fallait commander le dîner à l'avance. Rôtisseries et traiteurs étaient des lieux mal hantés à la cuisine infecte.

Légende : B : Bottin gourmand, nombre d'étoiles. G : Gault et Millau, nombre de toques et note (sur 20). M : Michelin, nombre d'étoiles.

■ **Paris. 1er arrondissement.** *Armand au Palais Royal* B1, G1-13 ; *Carré des Feuillants* (Alain Dutournier) B2, G3-18, M2 ; *Chez Pauline* B1, G2-15, M1 ; *Les Cartes Postales* G2-15 ; *Gérard Besson* B3, G3-17, M2 ; *Goumard-Prunier* B1, G2-16, M2 ; *Le Grand Véfour* [fondé 1760 (café de Chartres). En 1820 Jean Véfour (n. 5-5-1784-?) lui donne son nom actuel]. B2, G2-16, M2 (3 de 53 à 82) ; *A la Grille St-Honoré* G2-15 ; *Mercure Galant* B1, G2-15, M1 ; *Le Meurice* B1, G2-15, M1 ; *Bernard Chirent* G2-15 ; *Le Ritz Espadon* (Guy Legay) B3, G2-16, M2 ; *Pharamond* M1 ; *Pierre au Palais-Royal* B1, G2-15, M1. **2e**. *Le Céladon* B1, G1-14, M1 ; *La Corbeille* B1, G2-15 ; *Drouant* B2, G3-17, M1 ; *Pile ou face :* B1, G1-14, M1. **3e**. *L'Ambassade d'Auvergne* B1, G2-15. **4e**. *L'Ambroisie* B3, G4-19, M3 ; *Miravile* (Gilles Epié) B1, G2-16, M1; *Benoît* B1, G2-15, M1. **5e**. *Auberge de Deux Signes* G2-15 ; *La Bûcherie* B1, G2-15 ; *Clavel* G1-14 ; *Dodin Bouffant* B1, G2-15, M1 ; *Au Pactole* B1, G2-15 ; *La Tour d'Argent* [1] (Martinez) B3, G3-18, M3 dep. 49 ; *La Timonerie* B1, G2-15, M1. **6e**. *Allard* G1-13 ; *Jacques Cagna* B3, G3-18, M2 ; *Le Chat Grippé* G2-15 ; *Le Paris* B1, G2-15, M1 ; *Princesse* G2-15 ; *Relais Louis XIII* B1, G2-15, M1 ; *La Rôtisserie d'en face* (Jacques Cagna) G1-13. **7e**. *Arpège* (Passard) B2, G4-19, M2; *Bellecour* B1, G2-15, M1 ; *La Boule d'Or :* G1-13, M1 ; *Le Bourdonnais* B2, G3-18 dep. 86, M1 ; *La Bourgogne, Duquesnoy* B2, G2-16, M2 ; *Chez les Anges* B1 ; *Le Divellec* B3, G3-18, M2 ; *La Ferme Saint-Simon* B1, G2-15, M1 ; *Jules Verne* (2e tour Eiffel) B1, G2-16 ; *Le Récamier* B2, G2-15, M1 ; *Vin sur Vin* G1-14. **8e**. *Les Ambassadeurs* (Hôtel de Crillon, M. Roche) B4, G3-17, M2 ; *Bristol* B2, G2-15, M1 ; *Chiberta* B2, G3-17, M2 ; *Le Clovis* B1, G1-13, M1 ; *Copenhague* G1-13, M1 ; *La Couronne* B2, G1-14, M1 ; *Élysées Lenôtre* B1, G2-16, M1 ; *Les Élysées du Vernet*, B1, G2-15, M1 ; *Fouquet's* B1, G1-13 ; *Lasserre* (René Lasserre) B3, G3-17, M2 ; *Laurent* B3, G2-16, M2 ; *Ledoyen* B1, M1 ; *Lucas-Carton* (Alain Senderens) B4, G4-19,5, M3 ; *La Luna* G2-15 ; *La Marée* B2, G2-16, M1 ; *Maxim's* (fondé 1900 par Maxime Gaillard) B2, G2-16 ; *Montaigne-Maison Blanche* G2-16, M1 ; *Au Petit Montmorency* B1, G3-17 ; *Les Princes* G1-13, M1 ; *Prince de Galles* B1, G2-15 ; *Régence Plaza* B2, G2-15, M1 ; *Royal Monceau-Le Jardin* B1, G2-16 ; *Taillevent* (J.-C. Vrinat, fondé 1946, *CA* 37 millions de F, cave 300 000 bouteilles) B4, G4-19, M3 dep. 73. *Le Vancouver* B1, G2-15, M1. **9e**. *La Table d'Anvers* B2, G2-16, M1 ; *Opéra Restaurant* B1, G1-14. **10e**. *Chez Michel* B1, G1-14. **11e**. *La Belle Époque* G1-14 ; *A Sousceyrac* B2, M1. **12e**. *Au Pressoir* B2, G2-16, M1 ; *La Gourmandise* G2-15 ; *Au Trou Gascon* B2, G2-16, M1. **14e**. *La Cagouille* B1, G2-16, M1 ; *Le Duc* G3-18 ; *Le Montparnasse 25* B1, G2-16, M1 ; *Lous Landès* B1, G1-14. **15e**. *Bistro 121* B1, G1-14 ; *Les Célébrités* B2, G2-16, M1 ; *Le Clos Morillons* B1, G1-14 ; *Jacques Hébert* B1, G2-15 ; *Morot Gaudry* B2, G3-17, M1 ; *La Petite Bretonnière* B1, G2-16, M1 ; *Olympe* (Dominique Nahmias) G2-16 ; *Pierre Vedel:* G2-15 ; *Le Relais de Sèvres* B1, G2-15, M1. **16e**. *Conti* B1, G2-15, M1 ; *Faugeron* (Henri Faugeron) B3, G3-18, M2 ; *La Fontaine d'Auteuil* B1,G1-14, M1 ; *La Grande Cascade* B2, G2-16, M1 ; *Jamin (Robuchon)* B4, G4-19,5, M3 ; *Jean-Claude Ferrero* B2, G3-17 ; *La Petite Tour* B1, M1 ; *Le Petit Bedon* G2-15 ; *Le Pré Catelan* B2, G3-17, M2 ; *Port Alma* B1, G2-15, M1 ; *Le Relais d'Auteuil* B2, G2-15, M1 ; *Le Sully d'Auteuil* G1-14 ; *Le Toit de Passy* B1, G2-16, M1 ; *Le Vivarois* (Claude Peyrot) B4, G4-19 ; M2 (3 de 73 à 89). **17e**. *Amphyclès* B2, G3-17, M2 ; *Apicius* B2, G3-18, M2 ; *La Barrière de Clichy* B1, G2-16 ; *La Braisière* B1 ; *Chez Augusta* G2-16 ; *Le Clos Longchamp* (Hôtel Méridien) B2, G3-17, M2 ; *L'Étoile d'Or* B2, G2-15, M1 ; *Guy Savoy* B3, G4-19, M2 ; *Guyvonne* B1, G2-15 ; *Le Manoir de Paris* B2, G3-17, M1 ; *Maître Corbeau* B1, G2-16 ; *Michel Rostang* B3, G4-19, M2 ; *Nicole et Gérard* (Faucher) B2, G2-16, M1 ; *Le Petit Colombier* B1, G2-16, M1 ; *La Petite Auberge* G1-13 ; *Sormani* B1, G3-17, M1 ; *La Toque* B1, G2-15 ; *Timgad* B1, G1-13, M1. **18e**. *Beauvilliers* (Édouard Carlier) B2, G3-17, M1 ; *Le Clodenis* G1-13. **19e**. *Au Cochon d'Or* B1, G2-15, M1 ; *Pavillon Puebla* (Christian Vergès) B1, G2-15.

Nota. – (1) Le 749 038e canard au sang a été découpé le 18-2-1990.

■ **Province. Agde** (Hér.) *La Tamarissière* B2, G3-17. **Agen-Puymirol** (L.-et-G.) *L'Aubergade* B3, G4-19,5, M2. **Aiguebelle-Plage** (Var) *Les Roches* B3, G3-18, M1. **Aix-en-Provence** (B.-du-Rh.) *Clos de la Violette* B2, G3-17, M1. **Albertville** (Sav.) *Million* B2, G2-16, M2. **Ammerschwihr** (Ht-Rh.) *Aux Armes de France* B2, G2-15, M1. **Angers** (M.-et-L.) *Le Queré* B1, G3-17, M1. **Angles (Les)** (Gard) *Ermitage Meissonnier* B2, G2-16. **Angoulême** (Char.) *Le Moulin du Maine Brun* B2, G2-15, M1. **Annecy** (Hte-Sav.) *Auberge de L'Éridan* (Marc Veyrat), B3, G4-19,5, M2. *L'Amandier* B1, G2-16, M1 ; *Le Belvédère* B1, G1-14. **Antibes** (A.-M.) *Bacon* B2, M1. **Arbois** (Jura) *Jean-Paul Jeunet* B2, G3-17, M1. **Arras** (P.-de-C.) *La Faisanderie* B2, G1-14, M1. **Auch** (Gers) *Hôtel de France* (André Daguin) B3, G3-17, M2. **Audierne** (Fin.) *Le Goyen* B1, G3-17, M1. **Aumont-Aubrac** (Lozère) *Prouhèze* B1, G1-14, M1. **Auvillers-les-Forges** (Ard.) *Host.-Lenoir* B1, G2-16, M1. **Auxerre (à Vaux)** (Yonne) *Le Jardin Gourmand* B1, G2-16 ; *Jean-Luc Barnabet* B2, G2-16, M1. **Avignon** (Vaucl.) *Brunel* B1, G2-16 ; *Hiély-Lucullus* B2, G2-16, M1 ; *La Vieille Fontaine* B1, G2-15 ; *Christian Étienne* B2, G3-17, M1 ; *Auberge de Cassagne* B1, G2-15, M1 ; *Les Frênes* B1, G2-15, M1. **Barbizon** (S.-et-M.) *Le Bas Bréau* B2, G2-16, M1. **Barbotan-les-Thermes** (Gers). *La Bastide Gasconne*, B2, G2-16. **Baux-de-Provence (Les)** (B.-du-Rh.) *Oustaù de Baumanière* Raymond Thuillier (1897/20-6-1993) Jean-André Charial, son petit-fils. B3, G3-18, M2. **Bayeux** (Calv.) *Le Lion d'Or*, G1-13. **Beaulieu-sur-Mer** (A.-M.) *Le Métropole* B2, G2-16, M1 ; **Beaune** (C.-d'Or) *Ermitage Corton* B2, G2-15, M1 ; *Host. de Levernois* B3, G2-16, M2. **Belfort** *Host. du Château Servin* B1, G2-15, M1. **Bénodet** (Fin.) *Ferme du Letty* B1, G3-17, M1. **Bézards (Les)** (Loiret) *Auberge des Templiers* (Philippe Dépée) B3, G3-18, M2. **Biarritz** (P.-A.) *Le Grand Siècle* B2, G2-16, M1 ; *Le Relais de Miramar* B2, G2-16, M1 ; *Les Platanes* B1, G2-15, M1. **Bidart** (P.-A.) *Les Frères Ibarboure* B2, G3-17, M1. **Billiers** (Morb.) *Domaine de Rochevilaine* B2, G3-17, M1. **Bonlieu** (Jura) *La Poutre* B2, M1. **Bordeaux** (Gironde) *Le Chapon Fin* (Francis Garcia) B3, G3-17, M1 ; *La Chamade* B1, G2-16, M1 ; *Jean Ramet* B2, G3-17, M1 ; *Les Plaisirs d'Ausone* G2-16 ; *Pavillon des Boulevards* B1, G3-17, M1 ; *Le Vieux Bordeaux* G2-15, M1 ; *Le Rouzic* B2, G3-17, M1 ; *Le St-James* (Jean-Marie Amat) B3, G4-19, M1. **Bouilland** (C.-d'O.) *Le Vieux Moulin* B2, G3-17, M2. **Bourg-en-Bresse** (Ain) *Jacques Guy* B1, G2-15, M1. **Bourget-du-Lac (Le)** (Sav.) *Le Bateau Ivre* B2, G3-17, M2. **Bourbon-Lancy** (S.-et-L.) *Manoir de Sornat* G3-17, M1. **Bourgoin-Jallieu** (Isère) *Laurent Thomas* G3-17. **Bouzigues** (Hérault) *Côte Bleue* G2-15. **Bracieux** (L.-et-C.) *Bernard Robin* B2, G3-18, M2. **Brantôme** (Dord.) *Moulin de l'Abbaye* B2, G3-17, M1. **Brive-la-Gaillarde** (Corrèze) *Château de Castel Novel* B2, G2-15, M1. **Caen** (Calvados) *La Bourride* B2, G3-18, M2. **Cahors** (Lot) *Le Balandre* B2, G2-15. **Cancale** (I.-et-V.) *De Bricourt* B3, G4-19, M2. **Cannes** (A.-M.) *La Palme d'Or* (hôtel Martinez) B3, G3-18, M2 ; *Le Royal Gray* B3, G4-19, M2 ; *La Belle Otéro* G2-16, M2. **Carcassonne** (Aude) *La Barbacane* (Michel Del Burgo) B2, G3-18, M1. **Carry-le-Rouet** (B.-du-Rh.) *L'Escale* B2, G2-15, M2. **Cergy-Pontoise** (V.-d'O.) *Relais Ste-Jeanne* B2, M2. **Chagny** (S.-et-L.) *Lameloise* (Jacques Lameloise) B3, G3-18, M3. **Châlons-sur-Marne** (Marne) *Aux Armes de Champagne* B2,

G3-17, M1. **Chalon-sur-Saône** (S.-et-L.) *Le Moulin de Martorey* B1, G3-17, M1 ; *Saint Georges* B2, G1-14, M1. **Chamonix** (H.-Sav.) *Albert 1er* B1, G3-17, M1. **Champtoceaux** (M.-et-L.) *Jardins de la Forge* B2, M1. **Château-Arnoux** (A.-de-Hte-P.) *La Bonne Étape* (Pierre Gleize) B3, G3-17, M1. **Châteaufort** (Yv.) *La Belle Époque* B2, G2-15. **Chinan** (I.-et-L.) *Au Plaisir Gourmand* B2, G2-16, M1 ; *Château de Marçay* B2, G2-16, M1. **Clermont-Ferrand** (Chamalières, P.-de-D.) *Hôtel Radio* B1, G3-18, M1. (à Durtol) *Bernard Andrieux* B2, M1. **Colle-sur-Loup (La)** (A.-M.) *L'Abbaye* G3-17, M1. **Colmar** (Ht-Rhin) *Au Fer Rouge* B3, G3-17, M1 ; *Schillinger* B3, G3-17, M2. **Colroy-La-Roche** (Bas-Rh.) *La Cheneaudière* B2, G2-15, M2. **Cordes** (Tarn) *Grand Écuyer* B2, G2-16, M1. **Courbevoie** (Hts-de-S.) *Fouquet's Europe* B2, M1. **Courchevel** (Savoie) *Chabichou* B2, G3-17, M2 ; *Le Bateau Ivre* B2, G3-17, M2. **Deauville** (Calv.) *Le Ciro's* B2, G1, 14 ; *Normandy-La-Potinière* B1, G1-14 ; *La Truite* B2, G1-13. **Dijon** (C.-d'O.) *Jean-Pierre Billoux* B3, G3-18, M1 ; *Thibert* B1, G3-18, M1. **Dinan** (C.-d'A.) *La Caravelle* B2, G2-15. **Divonne-les-Bains** (Ain) *Château de Divonne* B1, G1-14, M1. **Dunkerque** (Nord) *La Meunerie* B2, M1. **Épernay** (Marne) *Royal Champagne* B2, G2-15, M1. **Épinal** (Vosges) *Les Abbesses* B2, G2-16, M1 ; *Les Ducs de Lorraine* B1, G2-16, M1. **Eugénie-les-B.** (Landes) *Les Prés d'Eugénie* (Michel Guérard) B4, G4-19,5, M3. **Évian** (Hte-Sav.) *Royal Club Évian* B2 G3-17. **Eyzies-de-Tayac (Les)** (Dord.) *Le Centenaire* B3, G3-17, M2. **Eze** (A.-M.) *Château Eza* B2, G2-16, M1 ; *La Chèvre d'Or* B2, G2-16, M1. **Fère-en-Tardenois** (Aisne) *Hostellerie du Château* B1, G2-16, M1. **Ferney-Voltaire** (Ain) *Le Pirate* B2, M1. **Ferté-sous-Jouarre (La)** (S.-et-M.) *Auberge de Condé* (Pascal Tingaud) B2, G2-15, M1. **Fleurie** (Rhône) *Auberge du Cep* B2, G2-15, M2. **Fontvieille** (B.-du-Rh.) *La Régalido* B2, G1-14, M1. **La Garenne-Colombes** (Hts-de-S.) *Auberge du 14 Juillet* B2, G1-14. **Gérardmer** (Vosges) *Bas-Rupts et Chalet Fleuri* B2, G2-16, M1. **Gevrey-Chambertin** (C.-d'O.) *Les Millésimes* B2, G2-16, M1 ; *Rôtisserie du Chambertin* (Pierre Menneveau), B1, G3-17. **Gouesnière (La)** (I.-et-V.) *Tirel-Guérin* (La gare) B2, M1. **Grande-Motte (La)** (Hér.) *Alexandre* B2, G2-16. **Grenade-sur-Adour** (Landes) *Pain, Adour et Fantaisie* (Didier Oudill) B3, G4-19, M2. **Grimaud** (Var) *Les Santons* B1, G2-16, M1. **Hennebont** (Morb.) *Château de Locguénolé* B3, G2-16, M1. **Illhaeusern** (Ht-Rh.) *Auberge de l'Ill* (Paul et Marc Haeberlin) B4, G4-19,5, M3. **Issoudun** (Indre) *La Cognette* B2, G3-17, M1. **Joigny** (Yonne) *A la Côte Saint-Jacques* (Michel Lorain) B3, G4-19, M3. **Juan-les-Pins** (A.-M.) *La Terrasse* (J. Morisset) B2, G3-18, M2. **Kaysersberg** (H.-Rh.) *Chambard* B2, G1-14, M1. **Laguiole** (Aveyron) *Michel Bras* B3, G4-19,5, M2. **Landersheim** (B.-Rh.) *Auberge du Kochersberg* B2, G1-13, M1. **Langon** (Gironde) *Claude Darroze* B3, G2-15, M2. **Laval** (May.) *Bistro de Paris* B1, G2-16, M1. **Lembach** (B.-Rh.) *Le Cheval Blanc* B2, G2-16, M2. **Lille** (Nord) *Le Flambard* B3, G3-17, M2 ; *À L'Huîtrière* B2, G2-15, M1. **Lons-le-Saunier** (Jura) (à Courlans) *Auberge de Chavannes* B2, G3-17, M1. **Lorient** (Morbihan) (à Keryado) *L'Amphitryon* B2, G2-15, M1. **Loué** (Sarthe) *Laurent* B2, G2-16, M1. **Lourmarin** (Vaucl.) *La Fenière* B1, G3-17. **Loyettes** (Ain) *La Terrasse, Gérard Antonin* B2, G1-14, M1. **Lumbres** (P.-de-C.) *Moulin de Mombreux* B2, G1-14, M1. **Lunéville** (M.-et-M.) *Château d'Adoménil* B2, G2-16, M1. **Lyon** (Rhône) *Bourillot* B2, G2-15, M1 ; *Fedora* B2, G2-16, M1 ; *Le Gourmandin* G2-16 ; *Léon de Lyon* B2, G3-18, M1 ; *La Mère Brazier* B1, G2-15, M1 ; *La Mère Guy* (Roger Roucou) B1, G2-15 ; *Nandron* B2, G2-16, M1 ; *Orsi* B4, G3-17, M1 ; *Le Passage* B1, G2-15 ; *La Tour Rose* B2, G3-18 ; **à Collonges-au-Mont-d'Or** *Bocuse* (Paul Bocuse) B4, G4-19, M3 ; **à Dardilly** *Le Panorama Daniel Léron* B2, G1-14, M1 ; **à Limonest** *La Gentil'Hordière* B1, G1-13 ; **à Rillieux-la-Pape** *Larivoire* B2, G2-16, M1. **Magescq** (Landes) *Relais de la Poste* B2, G2-16, M2. **Maisons-Laffitte** (Yv.) *Le Tastevin* B2, M2 ; *La Vieille Fontaine* (François Clerc) B2, G3-18. **Manosque** (Alp.-de-H.-Prov.) *Host. de la Fuste* B2, G2-16, M1. **Marlenheim** (B.-Rh.) *Le Cerf* B3, G3-18, M2. **Marsannay-la-Côte** (C.-d'Or) *Les Gourmets* B1, G3-17, M1. **Marseille** (B.-du-Rh.) *Au Jambon de Parme* B2 ; *Aux Mets de Provence* B2, G1-13 ; *Le Petit Nice* (Passédat) B3 dep. 86, G3-17, M2. **Mesnuls (les)** (Yv.) *La Toque Blanche* B2, G2-15, M1. **Meudon** (Hts-de-S.) *Relais des Gardes* B1, G2-15. **Mionnay** (Ain) *Alain Chapel* B3, G3-18, M2. **Montauban** (T.-et-G.) *Depeyre* B2, G2-15, M1. **Montbazon** (I.-et-L.) *Château d'Artigny* B2, G2-16 ; *La Chancelière* B3, G2-16, M2. **Monte-Carlo** *Louis XV-Alain Ducasse* B4, G4-19, M3 ; *Mirabeau-La Coupole* B2, G1-14, M1. **Montignac** (Dordogne) *Château du Puy Robert* B1, G2-15, M1. **Montmorillon** (Vienne) *France Mercier* B1, G1-14. **Montpellier** (Hérault) *Le Jardin des Sens* B2, G3-17, M2. **Montrond-les-Bains** (Loire) *Host. La Poularde* (Gilles Étéocle) B3, G3-17, M2. **Mougins** (A.-M.) : *L'Amandier de Mougins* B1, G1-14 ; *Les Muscadins* G1-14, M1 ; *Le Moulin de Mougins* (Roger Vergé) B4, G3-17, M2 ; *Le Relais à Mougins* B2, G2-15, M1 ; *La Ferme* B1, G2-16, M1. **Mur-de-Bretagne** (C.-d'A.) *Grand'Maison* B1, G2-16, M1. **Nancy** (M.-et-M.) *Capucin Gourmand* B2, G1-14. *Le Goéland* B1, G2-16, M1. **Nantes** (L.-Atl.) *Torigaï* B1, G3-17 ; **à Orvault** *Domaine d'Orvault* B2, G2-15, M1 ; **à Sucé-sur-Erdre** *La Châtaigneraie* (Delphin) B1, G2-16, M1 ; **à St-Sébastien** *Manoir de la Comète* B2, G1-14, M1. **Napoule (La)** (A.-M.) *L'Oasis* B2, G3-18, M2. **Neuilly** (Hts-de-S.) *Jacqueline Fénix* B1, G1-14, M1 ; *Truffe Noire* B2, M1. **Nevers** (Nièvre) *La Renaissance* B1, G2-16, M1. **Nice** (A.-M.) *Chantecler* (Dominique Le Stanc) B3, G3-17, M2. **Nieuil** (Charente) *Château de Nieuil* B2, G1-14, M1. **Nuits-St-Georges** (C.-d'O.) *La Côte d'Or* G1-14, M1. **Onzain** (L.et-C.) *Domaine des Hauts de Loire* B1, G2-16, M2. **Orléans** (Loiret) *Les Antiquaires* B1, G2-15, M1. **Périgueux** (Dord.) *L'Oison* B2, G2-16, M1. **Perreux-sur-Marne** (V.-de-M.) *Les Magnolias* B1, G1-14, M1. **Plaisance-du-Gers** (Gers) *Ripa-Alta* B2, G2-15. **Plounerin** (C.-d'A.) *Patrick Jeffroy* B2, G3-17, M1. **Pons** (Ch.-M.) *Moulin de Marcouze* B1, G2-16, M2. **Pont-Aven** (Finistère) *La Taupinière* B1, G2-16, M1. **Pontchartrain** (Yv.) *L'Aubergade* B2, G1-13. **Porquerolles** (Var) *Mas du Langoustier* B1, G3-17, M1. **Port-sur-Saône** (H.-Saône) *Château de Vauchoux* B2, G2-16, M1. **Port-Villez** (Yv.) *La Gueulardière* B2, G1-14. **Poudenas** (L.-et-G.) *La Belle Gasconne* B2, G2-16, M1. **Questembert** (Morb.) *La Bretagne* (Georges Paineau) B4, G3-18, M2. **Reims** (Marne) *L'Assiette Champenoise* B2, G1-14, M1 ; *Boyer Les Crayères* (Gérant et E. Boyer) B4, G4-19,5, M3 ; *Florence* B2, G2-16, M1. **Rennes** (I.-et-V.) *Le Piré* B2, G3-17, M1 ; *Le Palais* B1, G3-17, M1. **Ribeauvillé** (Ht-Rh.) *Les Vosges* B2, G1-14, M1. **Roanne** (Loire) *Troisgros (Les)* (Pierre et Michel Troisgros) B4, G4-19,5, M3. **Roche-Bernard (La)** (Morb.) *Auberge Bretonne* B3, G3-18, M2. **Rochelle (La)** (Ch.-M.) *Richard Coutanceau* B3, G3-17, M2. **Romorantin** (L.-et-C.) *Le Lion d'Or* B3, G4-19, M2. **Les Rosiers-sur-Loire** (M.-et-L.) *Jeanne de Laval* B2, G2-15, M1. **Rouen** (S.-M.) *Le Beffroy* B1, G1-14, M1 ; *Gill* B2, G3-17, M2 ; *La Butte* G3-17, M1, *L'Écaille* G1-13, M1 ; *Nymphéas* B1, M1. **Rousses (Les)** (Jura) *Le France* B2, G2-15, M1. **Roye** (Somme) *La Flamiche* B1, G3-17, M1. **St-Bonnet-le-Froid** (Hte-Loire) *Les Cîmes* B1, G3-17, M1. **St-Étienne** (Loire) *Pierre Gagnaire* B3, G4-19, M3. **St-Jean-Cap-Ferrat** (Alpes-Mar.) *Le Provençal* (Jean-Jacques Jouteux) B1, G3-18, M1 ; *La Voile d'Or* B1, G2-16, M1. **Saint-Jean-de-Luz** (Pyr.-A.) *Grand Hôtel* B1, G2-15, M1 ; *La Terrasse* B2, G1-14. **St-Jean-Pied-de-Port** (P.-A.) *Les Pyrénées* B2, G3-18, M2. **St-Julien-en-Genevoix** (Hte-Sav.) *La Diligence* B2, G2-15. **St-Lambert-des-Bois** (Yv.) *Les Hauts de Port-Royal* B2, G1-14, M1. **St-Martin-du-Var** (A.-M.) *J.-F. Issautier* B3, G3-18, M2. **St-Quentin** (Aisne) *Le Président* B1, G2-16, M1. **St-Rémy-lès-Chevreuse** (Yv.) *La Cressonnière* B2, M1. **St-Tropez** (Var) *Le Chabichou* B2, G3-17 ; *L'Olivier* B1, G3-17 ; *Résidence de la Pinède* B2, G3-17, M1. **St-Yrieix** (Hte-V.) (La Roche-l'Abeille) *Moulin de la Gorce* B2, G2-16, M2. **Sarreguemines** (Mos.) *Auberge St-Walfrid* B1, G1-13, M1. **Saulieu** (C.-d'Or) *La Côte-d'Or* (Bernard Loiseau) B4, G4-19,5, M3. **Sélestat** (B.-Rh.) *Edel* B2, M1. **Steinbrunn-Le Bas** (H.-Rh.) *Moulin de Kaegy* B2, G2-16, M1. **Strasbourg** (B.-Rh.) *Le Crocodile* (Émile Jung) B3, G3-17, M3 ; *Buerehiesel* (Antoine Westermann) B3, G4-19, M2 ; *Julien* G1-13, M1 ; *La Vieille Enseigne* B2, G1-14. **Talloires** (H.-S.) *Auberge du Père Bise* B3, G2-16, M2. **Tarare** (Rhône) *Jean Brouilly* B2, G2-16, M1. **Tence** (H.-Loire) *Grand Hôtel Placide* B2, G1-13. **Thionville** (Mos.) *Le Concorde* B2, G1-14. **Thoissey** (Ain) *Au Chapon Fin-Paul Blanc* (chef Bruno Maringue) B2, G2-15, M1. **Tonnerre** (Yonne) *Abbaye St-Michel* B2, G3-17, M2. **Toul** (M.-et-M.) *Le Dauphin* B2, G3-17, M1. **Toulon** (Var) *Le Lingousto* B1, G2-16, M1. **Toulouse** (H.-G.) *Jardins de l'Opéra* B2, G3-18, M2 ; *Vanel* B1, G2-15, M1. **Touquet (Le)** (P.-de-C.) *Flavio* B2, G2-15, M1. **Tournus** (S.-et-L.) *Restaurant Greuze* B3, G3-17, M2. **Tours** (I.-et-L.) *Jean Bardet* B3, G4-19,5, M2 ; *Barrier* B2, G2-16, M2 ; *La Roche Le Roy* G2-15, M1. **Tourtour** (Var) *Les Chênes Verts* B2, G2-15, M1. **Tremblay-sur-Mauldre** (Yv.) *Gentilhommière* B2, M1. **Trémolat** (Dord.) *Le Vieux Logis* B2, G2-16, M1. **Val-André (Le)** (C.-d'A.) *La Cotriade* B2, G2-15, M1. **Valence** (Drôme) *Pic* [Alain fils de Jacques Pic († 1992)] B4, G4-19, M3 ; *Chabran* B2, G3-18, M2. **Vannes** (Morb.) *Le Pressoir* B2, G2-15, M1 ; *Régis Mahé* B1, G3-17, M1. **Versailles** (Yv.) *La Grande Sirène* G1-14, M1 ; *Les Trois Marches* (Gérard Vié) B3, G3-18, M2. **Vézelay** (Yonne) *L'Espérance* (Marc Meneau) B4, G4-19,5, M3. **Vialas** (Lozère) *Chanterseau* B1, G3-17, M1. **Vienne** (Isère) *La Pyramide* B2, G3-18, M2. **Villeneuve-de-Marsan** (Landes) *Darroze* B1, G2-16, M1. **Villeneuve-lès-Avignon** (Gard) *Le Prieuré* B2, G2-15, M1. **Villeneuve-sur-Lot** (Pujols) (L.-et-G.) *La Toque Blanche* B2, G2-15, M1. **Viry-Châtillon** (Essonne) *Dariole de Viry* B1, M1. **Vonnas-sur-Veyle** (Ain) *Georges Blanc* (*CA* 37 millions de F ; effectifs 60 ; repas par j. 180). B4, G4-19,5, M3.

☞ **Prix culinaire international Pierre Taittinger.** *Créé* 1967. *Pt :* Michel Comby. (1991 : Bruno Maringue chef du Chapon Fin à Thoissey, Ain).

GRANDE-BRETAGNE

Nombre de visiteurs en milliers (1992). Jardins : Hampton 1 100, Tropical (Leeds) 1 086, Kew Gardens (Londres) 953, Royal Botanic Garden (Édimbourg) 662, Wilsey Garden 617, Botanic Garden (Belfast) 400, Sir Thomas and Lady Dixon Park 400, Botanic Garden (Glasgow) 350, University of Oxford Botanic Garden 282. **Monuments historiques :** Tour de Londres 2 235, Cath. St-Paul (Londres) 1 400, Château d'Édimbourg 986, Bath 896, Ch. de Windsor 769, Ch. de Warwick 690, Stonehenge 649, Shakespeare's Stratford 578, Palais de Hampton Court 580, Palais Blenheim 486. **Musées et galeries :** British Museum 6 309, National Gallery 4 314, Madame Tussaud 2 264, d'Hist. naturelle (British Museum) 1 700, Tate Gallery 1 526, M. des Sciences 1 213, Victoria and Albert 1 182, Royal Academy 1 018, M. d'Art (Glasgow) 875. **Parcs (campagne) :** Strathclyde 4 220, Bradgate 1 300, Sandwell Valley 1 100, Clent Hills 1 000, Clumber 1 000. **Parcs de loisirs :** plage de Blackpool 6 500, Palace de Brighton 3 500, Tours d'Alton 2 501, plage de Great Yarmouth 2 250, plage de Southport 2 000. **Parcs, zoo :** Londres 940, Chester 768, Blackpool 595 (centre océanographique), Lotherton 500, Édimbourg 496, Whipsnade 406 (parc animalier). **Autres :** "Le Monde d'Aventures" de Chessington (2) 1 410, Parc de Thorpe (Surrey) (1) 1 300.

Nota. – (1) 1989. (2) 1991.

DEVISES DE QUELQUES PAYS

Afghānistān : Dieu, Roi, Patrie (avant 1980).
Afrique du Sud : Ex Unitate Vires (L'union fait la force).
Albanie : Prolétaires de tous les pays, unissez vous.
Algérie : La révolution par le peuple et pour le peuple.
Allemagne féd. : Einigkeit und Recht und Freiheit (Unité, Droit et Liberté).
Andorre : Virtus Unita Fortior (L'union fait la force). Touche-moi si tu oses (sur blason).
Antilles néerlandaises : A Libertate Unanimus (D'accord sur la liberté).
Arabie saoudite : Il n'y a de dieu qu'Allah, Mohammed est son prophète.
Autriche : Ancienne devise des Habsbourg : A.E.I.O.U. [Austriae est imperare orbi universo (latin), et Alles Erdreich ist Oesterreich untertan (allemand) : La souveraineté universelle revient à l'Autriche]. Plus de devise actuellement.
Bahamas : Expulsis piratis restituta commercia (Les pirates chassés, le commerce restauré). Onward, Upward, Forward Together (Maintenir, croître et progresser ensemble). It's better in the Bahamas (C'est meilleur aux Bahamas).
Barbades : Pride and Industry (Fierté et Travail).
Belgique : L'union fait la force.
Belize : Sub Umbra Florea (Je prospère à l'ombre).
Bénin : Fraternité, Justice, Travail.
Bermudes : Quo fata ferunt (Ou que le destin m'entraîne).
Birmanie : Le bonheur se trouve dans une vie harmonieusement disciplinée.
Bolivie : Dieu, Honneur, Patrie.
Botswana : Let there be rain (Que tombent les pluies).
Brésil : Ordem e Progresso (Ordre et Progrès).

☞ Suite p. 1781.

TRANSPORTS AÉRIENS

GRANDES DATES

CONQUÊTE DE L'ESPACE

AVIETTE (VOL MUSCULAIRE)

1020-40 Olivier de Malmesbury se lance d'une tour de son couvent. **V. 1460** J.-B. Dante de Perugia (Toscane) s'élance d'une tour de 97,50 m, traverse plusieurs fois le lac Trasimène et se casse la jambe en retombant sur une église. **1496-1505** Léonard de Vinci expérimente des machines à voler (Milan, Florence). **1655** Robert Hooke aurait construit un hélicoptère en Angleterre. **1660** Cook et Olivier (Anglais) de Malmesbury se soutiennent quelque temps en l'air en s'aidant d'ailes portées aux bras et aux jambes. **1678** le serrurier Besnier aurait expérimenté un appareil en vol. **1742** le Mis de Bacqueville aurait volé au-dessus de la Seine en s'élançant de la terrasse de son hôtel, quai des Théatins (quai Voltaire). **V. 1745** Don Francisco Guzman (de Lisbonne, Port.) s'élève sur une sorte d'aigle dont il fait mouvoir les ailes ; il aurait pu traverser le Tage. **1808** Vienne, Jacques Degen (Autr.), horloger, s'élève jusqu'à 51 m. **1921**-*9-7* Gabriel Poulain (1884-1953) sur bicyclette (17 kg) avec 2 plans sustentateurs, s'envole à 40 km/h sur 11,72 m et 12,30 m. **1950**-*5-6* Léo Valentin (l'homme-oiseau) expérimente des ailes (se tue à Liverpool). **1977**-*23-8* Bryan Allen (cycliste amér. 24 ans) vole 7 min 27,5 s sur le Gossamer Condor, conçu par Paul Mac Cready. **1979**-*12-6 1re traversée de la Manche* (2 h 49 min, 35,82 km, arrive cap Gris-Nez), Bryan Allen sur le Gossamer Albatros gagne le prix Kremer.

AVIONS

1855 Joseph Pline invente le mot « *aéroplane* ». **1857-58** un modèle réduit motorisé construit par Félix Du Temple (Fr. 1823-90), propulsé par un mouvement d'horlogerie et par la vapeur, quitte le sol par ses propres moyens. **1863** Gabriel de la Landelle invente le mot *aviation.* **1868** 1re exposition aéronautique au Crystal Palace de Londres. **1881** Louis Mouillard (1834-97, Fr. dans l'indigence au Caire) parle dans « l'Empire de l'air » du gauchissement des ailes ; il prépare un nouveau livre, « le Vol sans battement », qu'il soumet à Octave Chanute (1832-1910), qui le soumit à Wright qui s'en serait inspiré. **1890**-*9-10 1er soulèvement au monde* d'un avion plus lourd que l'air, à moteur, emmenant son pilote : Clément Ader (Muret, H^te^-Gar. 2-4-1841 / Toulouse 3-5-1925), sur l'*Éole I* (envergure 13,7 m, forme d'une chauve-souris ; long. 6,5 m ; haut. 3,5 m ; fuselage recouvert de toile, 1 moteur à vapeur 4 cyl. 20 cv ; 1 hélice bambou de 2,6 m à 4 pales ; 296 kg), fait un bond de 50 m (à quelques cm de haut.) au château d'Armainvilliers (piste droite de 200 m). Un procès-verbal fut dressé mais non signé. Une réplique (voilure 22 m², poids à vide 210 kg, moteur à pistons de 64 ch utilisé à 30 ch) a volé en juin 1990 à Meaux-Esbley. **1891** *début sept.* 2e expérience à Satory, sur piste droite de 800 m, vol sur 100 m, l'Éole subit une avarie. **1896**-*16-5* Samuel Langley (USA 1834-1906) (14 kg, 4,26 m d'enverg., moteur à vapeur) accomplit des vols sustentés sur 1 400 m (modèle appelé aérodrome n°s 5 et 6). **1897**-*14-10,* 17 h 30 *1er vol (controversé)* de Clément Ader, sur *Avion III* (env. 16 m, surface des ailes 46 m², poids à vide 258 kg, en charge 400 kg, 2 hélices centrorotatives de 3 m de diam., 2 moteurs de 20 ch à vapeur d'alcool de 2 cylindres, condenseur de 1 600 tubes de cuivre placé au-dessus de l'avion), à Satory (Yvelines), devant le Gal Mensier sur une piste circulaire de 450 m de diamètre ; quitte le sol sur 300 m mais déporté par une bourrasque retombe et se brise en partie.

1903-*17-12* : *1ers vols* d'Orville (1871-1948) et Wilbur Wright (1867-1912) (USA). 4 vols à tour de rôle : Orville 36,6 m ; Wilbur 59,4 m en 13 s ; Orville 66 m en 15 s et Wilbur 284 m en 59 s. Sur *Flyer I* à Kitty Hawk (Caroline du N., USA). Envergure 12,29 m ; long. 6,43 m ; haut. 2,44 m ; poids à vide 274 kg ; p. max. 340 kg ; vit. 48 km/h ; équipage 1 h. **1905**-*27-5* le capitaine Ferdinand Ferber (1862-1909) réalise un vol comparable (le 1er en Europe). *-4-10* Orville Wright (USA) reste 33 min 17 s en vol à 37 m d'altitude à Dayton (Ohio). **1906**-*23-10* Alberto Santos Dumont (Brésilien 1873-1932) parcourt 60 m à Bagatelle (France) et remporte le *prix Archdeacon* de 3 000 F-or créé 1904 pour celui qui réaliserait, sur un appareil plus lourd que l'air, le *1er vol dépassant 25 m. -12-11* en 21,4 s il parcourt à Bagatelle 220 m à 6 m de haut. (41,3 km/h) à bord du biplan 14 bis (moteur Antoinette de 50 ch), remportant le prix de 1 500 F-or de l'Aéro-Club de Fr. pour le *1er vol officiellement contrôlé dépassant 100 m.* **1907**-*5-11* Léon Delagrange (1873-1910, Fr.) sur Voisin-Delagrange 1 : *500 m en 40 s. -16-11* Robert Esnault-Pelterie (1881-1957) sur son REP 1 : 600 m en 55 s. **1908**-*13-1* Henri Farman (1874-1958, Angl. naturalisé Fr. en 1937) parcourt *1 km en circuit fermé* à Issy-les-Moulineaux en 1 min 28 s sur biplan Voisin ; gagne le grand prix d'aviation de 50 000 F-or offert par Henry Deutsch de La Meurthe (1846-1919) et Ernest Archdeacon au 1er pilote qui couvrirait 1 km. *-14-5 1er passager sur un avion* Charles Furnas, mécanicien pris par Wilson Wright, sur 600 m pendant 29 s. *-8-7 1re femme à voler en aéroplane :* Thérèse Peltier avec Léon Delagrange à Turin (sur Voisin) sur 150 m ; sera peu après la *1re femme à voler en solo. -9-9* Orville Wright *vole + de 1 h* à Fort Myers (Virginie). *-11-9 1er accident mortel :* le Lt Thomas Selfridge meurt à Fort Myers dans un avion piloté par Orville Wright. *-21-9* Wilbur Wright à Auvours (Sarthe), vol de 1 h 31 min 25 s avec un passager, M. Fordyce. *-30-10 1er voyage en avion de Bouy à Reims* (27 km) par Henri Farman sur biplan Voisin. *-31-12* Wilbur Wright parcourt + de 100 km (124,7). **1909**-*19-7 1re tentative de traversée du Pas-de-Calais* par Hubert Latham (Fr. 1883-1912). A bord d'un Antoinette IV, décolle de Sangatte (près de Calais), mais par suite d'une panne de moteur s'abîme en mer après 10 à 13 km ; il est recueilli par un remorqueur fr., le Calaisien. *-25-7 1re traversée de la Manche* par Louis Blériot (Fr. 1872-1936) en 38 min, au lever du soleil, de 4 h 35 à 5 h 13 (des Baraques, près de Calais, à Northfall Meadow, près du château de Douvres ; env. 48 km : il y avait 40,744 km mais Blériot fit un détour de 6 à 7 km, vent favorable faisant gagner 20 à 25 km/h) sur Blériot XI : enverg. 7,77 m ; voilure 14 m² ; long. 8 m ; haut. 2,59 m ; poids au décollage 300 kg ; vit. 58 km/h ; moteur Anzani 25 ch, hélice de bois de 2,10 m. *-27-7* Latham échoue à 1 mille des falaises de Douvres. *-22-29-8 1er meeting aérien intern.* à Reims (Fr). *-25-8 records du monde de distance* 134 km, et *de durée* 2 h 43 min 24 s 4/5 par Paulhan. *-7-9* 2e mort de l'aviation : Lefebvre à Juvisy. *-22-9 1er accident mortel par capotage d'un avion roulant au sol,* le capitaine Ferdinand Ferber (n. 18-2-1862) est tué. *-18-10* le Cte de Lambert (1865-1944), parti de Juvisy à 4 h 37 min, *survole Paris pour la 1re fois* à bord d'un biplan Wright et effectue un virage autour de la tour Eiffel (48 km en 49 min 59 s.). Constitution de la *1re compagnie aérienne fr. :* la Cie générale transaérienne (CGT) ; 10 ans plus tard, elle transportera des passagers.

1910-*7-1* Hubert Latham *dépasse 1 000 m d'alt.* sur un Antoinette à Mourmelon. *-28-3 1er vol d'un hydravion* (voir p. 1670). *-30-4* au *5-5, meeting d'aviation de Touraine,* une femme Mme de Laroche y participe. *-10-7* Morane *atteint 106,5 km* sur un monoplan Blériot. *-7-8* Circuit de l'Est (1er du monde) 1er Albert Leblanc sur Blériot X1. *-8-9 1re collision aérienne* entre 2 avions pilotés par les frères Warchalovski, à Wiener-Neustadt (Autriche) ; l'un a une jambe brisée. *-23-9* Geo Chavez (Pérou 1887-1910) *traverse les Alpes* de Brigue à Domodossola en 40 min et est tué à l'atterrissage. *-14-11 1er vol depuis un navire* (croiseur US Birmingham à Hampton Roads, Virginie) ; Lt Eugene Ely (1886-1911) sur un Curtiss. *-21-12 1er vol de + de 500 km* en circuit fermé ; Legagneux (Fr.) à Pau, 511,90 km en 5 h 59 min. **1911**-*18-1 1er appontage* (sur le croiseur *Pennsylvania*) ; Lt Eugene Ely à San Francisco. *-18-2 1er vol aéropostal ;* le Français Henri Pequet transporte 6 600 lettres entre Allahabad et Naini (Inde) dans un biplan Humber. *-7-3* Eugène Renaux et son passager Albert Senouque, sur biplan Maurice Farman, atterrissent sur le Puy-de-Dôme. *-12-4 1er vol sans escale :* Londres (Hendon), Paris (Issy-les-M.) (Pierre Prier : monoplan Blériot en 3 h 56 min). *-3-8 1er vol d'un avion amphibie,* Le Canard ; pilote Colliex (Fr.) ; constructeurs Gabriel Voisin (Fr. 1880-1973), Charles (1882-1912). *-27-9 1er vol d'un bimoteur* (Roger Sommer à Douzy). *-22-10 1re utilisation militaire d'un avion :* capitaine Piazza (Italie) ; vol de reconnaissance de Tripoli à Azizia en Libye. **1912** *1er pilote automatique efficace* [Elmer Sperry sur Curtiss (USA)]. *-1-3 1er saut en parachute* d'un avion par l'Amér. Berry à St-Louis. **1913**-*13-5* Igor Sikorsky Russe (1889-1972) *essaie un quadrimoteur* (Bolchoï, 28,2 m, 10 passagers). *-27-8 1er looping ;* à Kiev, Lt Nesterov (Russe) sur Nieuport IV. *-21-9* Adolphe Pégoud (Fr. 1889-1915) tourne la *1re boucle* sur Blériot de 50 ch à Buc. *-23-9 1re traversée de la Méditerranée :* Roland Garros (Fr. 1888-1918) en 7 h 33 min (760 km : de St-Raphaël à Bizerte) sur monoplan Morane-Saulnier type H. *-29-9* Maurice Prévost, sur monoplan Deperdussin, dépasse 200 km/h, à Reims. **1914** *1er service régulier de passagers* St-Pétersbourg–Tampa (Floride, USA). Apparition des trimoteurs (avec l'It. Gianni Caproni, 1886-1957). Lawrence Sperry (USA) présente le système de pilotage automatique de son père Elmer. *-30-7 1er survol de la mer du Nord* d'Aberdeen à Stavanger par Tryggve Gran. *-5-10 1re victoire aérienne :* le sergent français Frantz et son mécanicien Quénault abattent un Aviatik. **1915** *1er aéroplane entièrement métallique* (Junkers J1, Allemagne) (de Hugo Junkers, 1859-1935). **1916**-*20-6 1ers 1 000 km en ligne droite,* par le Lt Marchal, sur biplan Nieuport, de Nancy à Cholm (Pologne) avec survol de Berlin. **1917**-*20-5 1er sous-marin coulé par un avion.* **1918** *1er-4* création de la Royal Air Force. **1919**-*19-1* Jules Védrines (1881-1919) sur Caudron G. III (sans freins) *atterrit sur le toit des Galeries Lafayette* à Paris (surface disponible : 28 × 12 m) et reçoit un prix de 25 000 F pour cet exploit. *-5-2 1re ligne commerciale internationale* Paris-Londres sur Farman Goliath F 60 (pilote : Lucien Bossoutrot 1890-1958), vit. 150 km/h, durée de Toussus-le-Noble à Kentley 2 h 30. *-9-3 1er vol Toulouse-Rabat* [pilote : cap. Lemaître ; passager : Pierre Latécoère (1883-1943) ; avion biplan Salmson]. *-14-3 création de la Cie des lignes Latécoère* à Toulouse-Montaudran. *14/15/16-6 1re traversée de l'Atlantique* sans escale à bord d'un bombardier Vickers Vimy bimoteur Rolls-Royce de 300 ch transformé [John Alcock (1892-1919), Arthur Brown (1886-1948)] : 3 032 km, St John's, Terre-Neuve/Clifden/Irlande, en 15 h 57 min (prix du Daily Mail 10 000 £). *-7-8* Charles Godefroy sur un Nieuport XXVII de 120 ch, 8,22 m d'env., passe à 150 km/h *sous l'arche centrale de l'Arc de triomphe,* large de 14,60 m, pour protester contre la place insuffisante qu'avait reçue l'aviation dans le défilé de la Victoire du 14-7-1919. *-1-9 1er transport de courrier Toulouse-Rabat* [pilote : Didier Daurat (1891-1969) ; avion biplan Breguet 14].

1920-*27-2* le major Schroeder (USA) dépasse les 10 000 m d'altitude pour la 1re fois, à Dayton (Ohio), à bord d'un Lepere Fighter. *-1-4* Adrienne Bolland (1896-1975) *1re femme à traverser les Andes* sur Caudron G 3. **1921**-*21-7* 2 cuirassés voués à la casse coulés par avions (pour démonstration). **1922** *inauguration du « port aérien du Bourget ». -30-3/5-6 1re traversée de l'Atlantique Sud* sur hydravions britanniques Fairey, par Portugais Sacadura Cabral et Gago Coutinho. *-7-6 1er vol de nuit en ligne* Paris-Londres, pilote René Labouchère. **1923**-*3-5* 1er vol Casablanca-Dakar. *-23-5 1re traversée des USA sans escale* par les lieutenants Oakley Kelly et John Mac Ready, sur Fokker T-2 : New York - San Diego en 26 h 50 min et 3 s. (4 088 km, moy. 174 km/h). *-26-6 1er ravitaillement en vol :* durée de vol 24 h ; cap. Lowell H. Smith (USA), Lt Virgil Hine (USA). *1ers vols intercontinentaux de passagers :* Marseille-Alger par Perpignan, Barcelone et Palma. **1924**-*6-4/28-9 1er tour du monde aérien* par 2 appareils Douglas World Cruiser (L^ts^ Lowell Smith et Erik Nelson), en 175 j. *-19-3/28-9 1er tour du monde en avion* par les Amér. Smith, Wade et Nelson sur 3 biplans Douglas DT2 transformables en hydravions. **1925**-*14-1 1er transport postal aérien :* Rio de Janeiro-São Paulo-Porto Alegre-Montevideo-Buenos Aires. *-15-5 1er service Toulouse-Alicante-Alger* (lignes Latécoère). *-1-6 1er service Casablanca-Dakar* (lignes Latécoère). **1926**–*9-5 1er survol du pôle Nord* en avion par Richard Byrd (1888-1957) et Floyd Bennet (USA) sur monoplan trimoteur Fokker F VII Joséphine Ford. *-26-5 1er service Paris-Cologne-Berlin* (SGTA). **1927**-*mars 1ers vols de nuit* Toulouse-Casablanca (monoplan Laté 25). *-8-5* les Français Charles Nungesser (1892-1927) et François Coli (1881-1927) sur l'*Oiseau Blanc* (avion marin Levasseur ; enverg. 14,60 m ; long. 10 m ; haut. 3,90 m ; surface 60,5 m² ; poids total 5 030 kg ; vitesse de croisière 165 km/h ; équipage 2 h.) se perdent entre Paris et New York en mer (ou au sol dans la forêt du Maine ?). *-20/21-5 1re traversée de l'Atlantique en solo sans escale New York (Roosevelt field, Long Island)-Paris Le Bourget. Charles* **Lindbergh** (USA 1902-74) seul sur monoplan Ryan le *Spirit of St Louis* [enverg. 14,02 m ; long. 8,36 m ;

haut. 2,44 m ; poids à vide 975 kg ; p. max. 2 379 kg ; moteur conçu par Joseph Worth [J. Wertzheiser (Pologne 1893/1991)] 200 ch ; 5 809 km en 33 h 30 min, il parcourt, en fait, 6 300 km s'étant écarté de sa route par moments ; vit. max. 209 km/h ; vit. croisière 180 km/h ; plafond 5 000 m ; équipage 1 h.]. Lindbergh était le 67e à traverser l'Atlantique sans escale (2 l'avaient traversé en avion en 1919, des Hauts de Terre-Neuve vers l'Irlande, 31 dans le dirigeable R 34 d'Écosse en Amérique et retour les 14/15-6 1919, 31 dans le Zeppelin ZRS de Friedrichshafen (All.) à Lakehurst (N. Jersey, USA) en 1924. *-11-10 liaison Toulouse-Dakar sans escale* (lignes Latécoère). *-14-10 1re traversée de l'Atlantique Sud sans escale*, au cours d'un tour du monde de 57 000 km du 10-10-1927 au 14-4-1928. Les Français Dieudonné Costes (1892-1973) et Joseph Le Brix (1899-1931) de St-Louis du Sénégal à Natal (Brésil) sur Breguet XIX GR « Nungesser et Coli » (enverg. 16 m ; long. 9,65 m ; haut. 3,55 m ; surface 52 m^2 ; poids au décollage 5 150 kg ; moteur de 600 ch ; vitesse max. 180 km/h ; équipage 2 h.) ; 3 400 km en 18 h 15 min. *-14-11 1er service Rio de Janeiro-Natal* sur monoplan Laté 25, 150 km/h, piloté par Pivot ; et Rio de Janeiro-Buenos Aires sur Laté 25, piloté par Paul Vachet (1897-1974). *Apparition des stewards* sur les Imperial Airways et Air Union. **1928**-*1-3 1er service postal aérien Toulouse-Buenos Aires* (Aéropostale) avec 2 Laté 28, pilotés par Paul Vachet et Chenu. *-10-4 1er vol de nuit sur Rio-Buenos Aires* (24 h de vol) en Fokker F 7 (3 moteurs Wright de 230 ch). *-12/13-4 1re traversée de l'Atlantique Nord d'Est en Ouest*, par Koehl et Hünefeld (All.), pilotés par Fitzmaurice (Irlandais) sur monoplan Junkers. *-31-5/9-6 1re traversée du Pacifique San Francisco-Brisbane avec escale*, Fokker F 7 Southern Cross piloté par Charles Kingsford Smith et Charles Ulm (Australie), Harry Lyons et James Warner (USA). *-11-6 1er avion propulsé par fusée* : planeur Ente (Canard), actionné par 2 fusées Sander à combustion lente (All.), piloté par Friedrich Stamer, vol de 228 m de 1 min environ *-30-8 1re liaison commerciale régulière Marseille-Beyrouth* (Air Union, Lignes d'Orient). **1929**-*18-3 1er service Marseille-Ajaccio-Tunis* (Air Union). *-17-7 1er courrier officiel Santiago-Buenos Aires* Jean Mermoz (1901-36) et Henri Guillaumet (1902-40). *-30-9 avion propulsé par fusée* (All. Fritz von Opel, vol de 1 800 m à 160 km/h, s'écrase au sol). *-23-10 1er vol avec + de 100 personnes* (All., hydravion Do-X avec 169 passagers). *-28/29-11 1er survol du pôle Sud* par Cdt Richard Byrd, pilote Bernt Balchen (trimoteur Fokker). *Avion restaurant* sur Air Union (Paris-Londres). *1er train d'atterrissage rentrant opérationnel* [Georges Messier (Fr.)].

1930-*12-5 Dakar-Natal (Brésil)* Jean Mermoz et Jean Dabry (1901-90) Gimié sur Latécoère 28 Cte de La Vaux moteur Hispano 600 ch en 28 h 40 min. *-15-5 1res hôtesses de l'air sur San Francisco-Chicago*. *-12/20-6 92e traversée des Andes d'Henri Guillaumet* (29-5-1902/27-11-1940, disparu au-dessus de la Méditerranée avec Jean Chiappe haut-commissaire au Levant), forcé d'atterrir à 3 000 m, son Potez 25 capote. *-20-6* après 4 j de marche, est sauvé (dira à Saint-Exupéry : « Ce que j'ai fait, aucune bête ne l'aurait fait. »). *-1/2-9 1re traversée Paris-New York* (Valley Stream) *sans escale*. Dieudonné Costes (4-11-1892/18-5-1973) et Maurice Bellonte (1896-1984, Fr.), 6 200 km en 37 h 17 min sur le Breguet Grand Raid (ou Super Bidon) *Point d'Interrogation* (enverg. 18,30 m ; long. 10,71 m ; haut. 4,08 m ; surface 59,94 m^2 ; poids au décollage 6 150 kg dont 3 600 d'essence, moteur 650 ch. Hispano ; vitesse max. 247 km/h ; équipage 2 h. *-2-9* Maryse Bastié (22-7-1898/meeting 6-7-1952) record féminin de durée : 37 h 55 min sans escale. *-12-11/5-12* liaison France/Saigon, puis retour Maryse Hilsz (7-3-1903/tempête 30-1-1946) seule à bord. **1931**-*17-1 1er service passager Marseille-Damas-Saigon*. *-27/28-6* record de distance Le Bourget-Furino (URSS) : 2 976 km en 30 h 30 min (Maryse Bastié). *-28/30-7* Russel Boardman, John Polando (USA), *New York-Istanbul direct* 8 065 km en 49 h. *-12-9* Joseph Le Bris et Mesmin (Fr.) périssent sur le Dewoitine D 33 Trait d'Union II (monomoteur 650 ch ; envergure 28 m ; long. 14,40 m ; haut. 3,50 m ; surface 78 m^2 ; poids total 9 800 kg ; vitesse max. 245 km/h) dans l'Oural en tentant la 1re liaison Paris-Tōkyō. *-4/5-10 1re traversée du Pacifique sans escale du Japon aux USA* par Clyde Pangborn et Hugh Herndon (Amér.) sur un monomoteur Bellanca ; 7 335 km en 41 h 13 min. **1932**-*20/21-5 1re traversée « solo » de l'Atlantique Nord* par une femme, Amelia Earhart [Mme Putnam (24-7-1898/disparue 3-7-1937)] sur Lockheed Vega. **1933**-*16-1 traversée St-Louis-du-Sénégal-Natal* sur Couzinet 70 *Arc-en-Ciel* (trimoteur, envergure 30 m ; long. 16,13 m ; surface 97 m^2 ; poids total 14 395 kg ; vitesse 250 km/h), *févr. 1er vol commercial du Boeing 247*, 1er avion conçu pour le transport de passagers. Suivi du Douglas DC-1. *-6/8-2* Gayford et Nicholetts (Anglais), 8 544 km *en direct de Cranwell* (G.-B.) *à Walvis Bay* (Afr. du S.) sur Fairey en 57 h 25 min. *-3-4 1er survol de l'Everest* par 2 avions Westland pilotés par le Mis de Clydesdale et le cap. McIntyre, chacun avec un passager. *Juin* Espagne-Cuba sans escale (7 320 km) Collar et Barbaran. *-15/22-7 1er tour du monde en solitaire* (Wiley Hardemann, USA) sur le Winnie Mae, monoplan Lockheed *Vega* : 25 099 km en 7 j 18 h 49 min. *-5/7-8* les Français Maurice Rossi (1901-66) et Paul Codos (1896-1960) ; *New York-Rayak (Syrie)* 9 104 km en 55 h 30 min. **1934**-*28-2 fondation de la Régie Air Afrique*. *-28-5 1re traversée commerciale régulière Paris-Buenos Aires*, Couzinet 70 *Arc-en-Ciel* (trimoteur 650 ch Hispano-Suiza) piloté par Jean Mermoz ; 2e pilote Dabry, radiotélégraphiste Gimié, mécanicien Collenot ; chargé de lettres, décolle de St-Louis-du-Sénégal à 3 h 50 min (h. de Paris), se pose à 19 h 10 à Natal. *-28-7 1re hôtesse de l'air en Europe* : Nelly Diener (Swissair). *-30-11* Hélène Boucher (n. 23-5-1908). Pou du Ciel d'H. Mignet (env. 200 construits par des amateurs ; sera interdit après 1936 : 11 † de sept. 1935 à sept. 1936). **1935** *1er avion commercial britannique*, le Bristol 142, et *allemand*, le Junker Ju 86. *-2-4 liaison directe Paris-Alger*. *-9-10 inauguration d'une ligne entièrement française* Alger-Tananarive (Régie Air Afrique). *-11/13-11 1re traversée de l'Atlantique Sud par une femme*, Jean Batten. *-17-12 1er vol du DC 3*. **1936**-*30-12* Dakar-Natal en 12 h 5 min, record (Maryse Bastié). **1937**-*12/14-7 Moscou-San Jacinto (Californie)* 10 148 km en 63 h 17 min, Gromov, Youmatchev et Daniline (URSS), sur Antonov 251. *-23-8 1er atterrissage entièrement automatique* par le capitaine Carl Crane, inventeur du système et le capitaine Holloman (USA). **1938** *juill. tour du monde en 3 j 19 h 24 min* : Howard Hughes (USA) avec 4 coéquipiers, sur Lockeed Model 14 Electra (dans les ailes : 40 kg de balles de ping-pong pour flotter en cas d'amerrissage forcé). **1939**-*27-8 1er vol d'un turbojet*, Heinkel He-178, piloté par Erich Warsitz (All.).

1940-*8-8 1er vol commercial aux USA d'un avion à cabine pressurisée* (Boeing 307 B). *-27-11* Henri Guillaumet (n. 1902) et Marcel Reine disparaissent au large de la Sardaigne (sur quadrimoteur Farman avec à bord Jean Chiappe, haut-commissaire en Syrie). **1941** *1er siège éjectable opérationnel* (Heinkel). *-15-5 1er vol d'un avion à réaction britannique*, le Gloster, Whittle E 28, à Cranwell (17 min). *-1-10 1ers vols du Bell P-59-A* (2 turboréacteurs GEI-A). **1942**-*17-2 1er vol du DC 4*. **1944**-*avril 1er avion de chasse à réaction* : Messerschmitt 262 A-1 biréacteur capable d'atteindre 920 km/h en palier à 3 800 m d'altitude. *1res missions opérationnelles* à partir de Lechfeld (Bavière) effectuées par 12 Me 262 du Erprobungs-Kommando 262 commandé par l'Hauptmann Werner Thierfelder. *-31-7* Antoine de Saint-Exupéry (n. 1900) disparaît (sur un Lightning) au large de la Corse. **1946**-*1-7 inauguration de la ligne régulière d'Air France Paris-New York en DC 4*. *-18-10 1er vol du Lockheed Constellation*. **1947** *avril* tour du monde en 78 h 55 min : William Odon sur Douglas A-23, bimoteur (idem en août en 73 h 50 min). *-19-6 1er vol à 1000 km/h* par le Colonel Boyd (USA) sur Lockheed P 80 *Shooting Star*, à Muroc. *-14-10 1er vol supersonique* : sur Bell X1, Charles Yeager (n. 1923, USA). 1 078 km/h à 12 800 m d'alt. **1949**-*26-2/2-3 1er tour du monde* sans escale. James Gallagher et 13 h. d'équipage (USA), 37 734 km en 94 h 1 min (4 ravitaillements en vol) sur Boeing B 50 A superforteresse *Lucky Lady II*. *-21-4 1er vol d'un avion à tuyère thermo-propulsive* : Leduc 010 avec Gonord. *-30-5-1er sauvé par siège éjectable* : Jo Lancaster, pilote d'essai (USA). *-27-7 1er vol inauguré du LDH 106 De Havilland Comet* (G.-B., avion de ligne à réaction).

1950-*8-11 1er combat entre avions à réaction sur Lockheed F 80* ; Lt amér. Russel Brown abat un Mig chinois en Corée. **1951** *1er vol du DC 6 B*. **1952**-*2-5 1er service en jet* : Londres-Johannesburg 10 750 km en 17 h 06 min sur Comet 1 De Havilland. *-26-8 1re traversée AR de l'Atlantique dans la journée* [Gander (Irl.)-Terre Neuve et retour] par biréacteur Canberra. *-12-11 1er pilote français à passer le mur du son*, le Cdt Roger Carpentier (1921-59), sur Mystère II. *10/15-12 tour du monde en avion à hélices sur lignes commerciales* par Jean-Marie Audibert (Fr.) en 115 h 38 min. **1953**-*12-4* le Comet 1 se voit retirer son certificat de navigabilité après 4 accidents (*-3-3-52* : Karachi, 11 †, *2-5-52* : Calcutta, 43 † ; *26-10-52* : Rome, 1 bl. ; *-8-4-53* : baie de Naples). *-18-5 1re femme dépassant la vitesse du son* Jacqueline Cochran, sur F 86 Sabre, à Edwards Air Force Base (Californie). *-12-12 1er vol à 2 fois la vitesse du son*, par Charles Yeager, sur Bell X-1 A, à Edwards Air Force Base (Californie). **1954**-*2-6 1er décollage et atterrissage verticaux d'un avion* : le Convair XFY-1 avec J.F. Coleman, à Mofett Naval Air Station (Californie). *1er vol du Boeing 707*. **1955**-*26-2 1er saut en parachute au-delà de la vitesse du son* par George Franklin Smith d'un North American F 100, à Los Angeles. *-27-5 1er vol du SE 210 Caravelle* construit à Toulouse (SNCASE), moteur Rolls-Royce puis Pratt et Whitney, 1er avion de transport à réaction français, 1er avec réacteurs sur les flancs du fuselage, 1er à pouvoir effectuer régulièrement des atterrissages semi-automatiques (vitesse 860 km/h à 10 000 m), poids max. au décollage 56 t, 64 passagers (puis 140). **1956**-*3-2 Air France achète ses premiers jets* (12 Caravelle et 10 Boeing). **1957**-*18-1 1er tour du monde sans escale d'avions à réaction* en 45 h 19 min (39 147 km), 3 B 52 atterrissent à March Air Force Base. **1958**-*1-10 service commercial par avions à réaction sur l'Atlantique Nord* : 2 Comet IV (BOAC) : l'un de New York à Londres, l'autre en sens inverse. *1er vol à Mach 2 en France sur Mirage III A*. **1959**-*24-3 Mme de Gaulle baptise la Caravelle*. *-6-5* mise en service *Caravelle* sur Paris-Rome-Athènes-Istanbul. *-8-6 1er vol libre du « X-15 »* avec Scott Crossfield.

1960-*31-1 707* sur Paris-New York. **1962**-*10/11-1* record de distance : 20 178 km par Evely (USA) sur Boeing B-52. *-27-10* un « U-2 » est abattu au-dessus de Cuba. **1965**-*6-1 1re variation de géométrie en vol* du *F 111*. **1966**-*8-6 Joe Walker, pilote du X 15, se tue sur F-104* en percutant un des 2 exemplaires du bombardier XB-70. *-23-12 1er vol du mirage F 1*. **1967** le X-15 atteint Mach 6,72 (7 297 km/h) avec William Knight. **1968**-*30-6 1er vol de C 5 A Galaxie* (USA, 380 t, long. 74,67 m, enverg. 67,73 m). *-31-12 1er vol du supersonique soviétique* Tupolev Tu 144 (1er vol en supersonique le 5-6-69). Pan Am inaugure liaison régulière New York-Paris avec le B 707. **1969**-*9-2 1er vol du Boeing 747* (978 km/h, enverg. 60 m, long. 70,5 m, 500 pass.). *-2-3 1er vol de Concorde* à Mach 1,5, piloté par André Turcat. *1er avion à décollage et atterrissage vertical*, le Harrier (G.-B.). *-6-8* le Mi-12 (URSS), enverg. 67 m, fuselage 37 m, 4 turbomoteurs d'une puissance unitaire sur arbre de 6 500 ch, transporte une charge commerciale de 40 204,5 kg à 2 255 m.

1970-*21-1 1er vol commercial du B 747 sur New York-Londres*. *-4-11 1er vol à Mach 2* pour Concorde 001. *-16-11 1er vol du Lockheed L-1011* Tristar. **1971**-*28-5 1er vol du Mercure 100*. **1972**-*28-10 1er vol de l'Airbus A 300*. **1973**-*26-9 Concorde 002, 1re traversée directe de l'Atlantique Nord* (Washington-Orly en 3 h 33). **1975**-*1-9* le Concorde britannique G-BOAC réussit 4 traversées de l'Atlantique le même j. **1976** *1ers vols commerciaux supersoniques*. *-21-1* en Concorde Air France, Paris-Dakar-Rio (7 h 30 de vol) et British Airways, Londres-Bahreïn. *-9-4* Air France, Paris-Caracas. *-24-5* Paris-Washington et Londres-Washington. **1977**-*1-11* Tupolev 144 sur Moscou-Alma-Ata (3 250 km, Mach 1,9). *-22-11* ouverture simultanée des lignes Paris-New York (3 h 30 de vol), Londres-New York, Paris-Rio et Londres-Bahreïn en Concorde. **1978**-*10-3 1er vol du Mirage 2000*. **1979**-*9-3* du *Mirage 4000*.

1981-*28-3 dernier vol de Caravelle* sur Air France. *-oct. 1er vol Airbus A 300*, conçu pour pilotage à 2. **1989** *août* plus long vol sans escale réalisé par un Boeing 747-400, Londres-Sydney (17 600 km) à 920 km/h, 15 000 m d'alt., 24 passagers.

1992 *du 12-10* (7 h 54, Lisbonne) *au 13-10* (16 h 55, Lisbonne), Concorde (vol AF1492 : nom donné en hommage à Colomb) bat le record mondial de vitesse autour du monde en 33 h 1 min [dont en vol 23 h 10 min, vit. moy. 1 744,25 km/h, 6 escales de 90 min chacune, 48 passagers (en majorité Amér. ayant payé 119 000 F chacun), 17 navigants]. *-22-12* Guy Delage (38 ans), qui a dit avoir eu peur du début à la fin, traverse l'Atlantique Sud en ULM pendulaire de 650 kg (moteur 80 ch, hélice spéciale, réserve d'essence 350 l) ; 2 350 km en 26 h de Prahia (Cap-Vert) à Fernando de Noronha (Brésil) à basse altitude (souvent 100 m). Il dormit 3 fois 10 secondes toutes les 2 h.

☞ **Tour du monde en avion à hélice. 1931** 8 j 11 h 45 min : Wiley Post, Harold Gatty. **1937** 7 j 18 h 42 min : Wiley Post, borgne, seul à bord. **1938** *14-7* 23 852 km en 3 j 19 h 14 min 10 s. : Howard Hughes + 4 membres d'équipage sur le bimoteur Lockheed Cyclone *l'Exposition de New York*. Décolle de Floyd Bennett (New York) et atterrit au Bourget après 16 h 35 min. **1986**-*14-12 au 23-12* Dick Rutan (48 ans) et Jeana Yeager (34 ans) font en 9 j 3 mn 44 s le *tour du monde (40 244 km) sans escale et sans ravitaillement en vol* sur le *Voyager* : essentiellement en fibres de carbone, graphite moulé, résines, kevlar ; longueur 10 m ; fuselage 7,74 m ; aile : enverg. 33,77 m, surface 33,72 m^2 ; petite aile devant 10,15 m, surface 15,66 m^2 ; poids à vide 843 kg, théorique au décollage 5 137 kg dont 5 913 l de carburant. Consommation 6 l aux 100 km. A l'avant un moteur à pistons Continental type 0-240 (à 4 cylindres) refroidi par air, fournissant au décollage une puissance de 130 ch entraînant à 2 700 tours/mn une hélice bipale à pas variable ; à l'arrière, un moteur, Teledyne-continental IOL-200 de 110 ch à 2 750 tours/mn, à injection, surcomprimé (taux de compression : 11,4) et refroidi par eau. Décollage après avoir roulé 4 km, vitesse moyenne 183,6 km/h.

A l'arrivée il restait 701 de carburant, de quoi parcourir 1 500 km. **1987**-*17/21-6* 4 équipiers, Henri Pescarolo, Hubert Auriol, Patrick Fourtick et Arthur Powel sur *Spirit of J and B* (ancienne forteresse volante de la 2e Guerre mondiale) en 89 h 22 min refont le voyage d'Howard Hughes de 1938.

Avion solaire

1980-*18-5 1er vol du Gossamer Penguin* (200 m, 24 km/h, 3,6 m d'alt.), conçu par Paul Mac Cready, piloté par Janice Brown : 25 kg, envergure 21,9 m, 3 420 cellules photovoltaïques. *Nov. 1ers essais du Solar Challenger* (90 kg, envergure 14,3 m, 16 128 cellules solaires, vitesse 30-35 km/h au niveau de la mer, 50-60 km/h à 9 000 m d'alt.). **1981**-*7-7 1re traversée de la Manche* par le *Solar Challenger* piloté par Steve Ptacek, de Cormeilles-en-Vexin (Val-d'O.) à Manston (près de Canterbury, Angl.) en 5 h 23 min, à 48 km/h et 1 500 m d'alt. Alt. max. 3 353 m, vitesse max. 60 km/h.

■ Ballons et dirigeables

Ballons

1738 (?) Guzman (moine et physicien portugais) se serait élevé à 60 m. **1782** Joseph (1740-1810) et Étienne (1745-99) de Montgolfier à Annonay (France). *-25/26-11* expérimentent en chambre un sac cubique en soie de 1 m³. *-Début déc.* ascension en plein air d'un sac cylindrique en soie de 1 m³ chauffé par une flambée de paille et laine humide ; *-14-12* vol libre d'un globe en soie de 18 m³ qui atteint 250 m. **1783** *début avril vols captifs sans aéronautes. -25-4 1re ascension d'un ballon à l'air chaud sans aéronaute* vol libre nocturne distance 2 000 m, diam. 11 m, composé de fuseaux de toile doublée de papier assemblés par des boutonnières. *-4-6 1re démonstration publique* à Annonay, vol libre (globe 900 m sans nacelle, sans passagers), alt. de 1 600 à 2 000 m, distance 2 km. *-27-8 1re ascension d'un ballon à hydrogène* lancé par Charles (1746-1823) et les frères Nicolas-Louis et Anne-Jean Robert (25 km, soie caoutchoutée). *-19-9 1ers êtres vivants à effectuer une ascension en ballon* à Versailles devant Louis XVI : un mouton, un canard et un coq qui, après un vol, atterrissent dans la forêt de Vaucresson (3,5 km, 500 m d'alt., 8 min) et sont récupérés. *-15-10* (ou *12/14-10* par Montgolfier) *1re ascension d'un homme en ballon captif,* retenu au sol par des cordes (altitude : 26 m). François Pilâtre de Rozier (1756-85). *-21-11 1er voyage en ballon libre à air chaud,* alt. 1 000 m, 12 km en 25 min (du château de la Muette aux Gobelins près de la Butte-aux-Cailles). F. Pilâtre de Rozier et marquis d'Arlandes (1742-1809). *-1-12 1er voyage d'un ballon à hydrogène* (diam. 9 m). Jacques et Charles Robert (1761-1828) (Fr.) partent des Tuileries (Paris) et atterrissent à 36 km à Nesles-la-Vallée après 2 h de vol. Ayant déposé son passager, Charles repart seul à bord, atteint 2 000 m d'alt. et après 30 min de vol atterrit à Lay. **1784**-*19-1* La *Fesselles* de Joseph Montgolfier embarque 7 passagers à Lyon (durée 13 min). *-25-2 1re ascension hors de France* Cte Paolo Andreani Augustino et Carlo Giuseppi Gerti (près de Milan) (haut. 43 m, diam. 35 m). *-20-5 1res femmes en ballon captif ;* Marquise et Ctesse de Montalembert, Ctesse de Podenas et Melle de Lagarde depuis le Fg St-Antoine à Paris. *-23-5* aérostat muni d'ailes de Blanchard. *-4-6 1re femme passagère dans un ballon libre,* Élisabeth Estrieux, épouse Thiblé (chanteuse d'opéra) à Lyon. *-12-6* aérostat à rames et palmes de Guyton de Morveau sur la Gustave avec Fleurant devant le roi de Suède Gustave III (vol de 45 min). *-19-7* les frères Robert vont de Paris à Béthune (255 km). **1785**-*7-1 1re traversée de la Manche en ballon non dirigé,* Jean-Pierre Blanchard (1753-1809, Fr.) et John Jeffries (1744-1819, Amér.) décollent de Douvres et, après 3 h de vol, se posent sur un arbre en forêt de Guines près de Boulogne. *-15-6 1res victimes en ballon,* F. Pilâtre de Rozier et Romain (le constructeur du ballon) tentent de traverser la Manche depuis Boulogne avec un ballon gonflé à l'air chaud et à l'hydrogène, le ballon brûle et tombe à Wimille quelques minutes après le départ. Blanchard et le chevalier de l'Épinard s'envolent de Lille et se posent à Servon-en-Clermontois après avoir parcouru 252 km. Pendant le vol, Blanchard *largue un chien en parachute* qui est récupéré vivant. **1786**-*18-6 1er voyage de nuit* Testu Brissy (près de Montmorency). **1794**-*26-6 1er usage militaire d'un ballon monté,* le capitaine Jean-Marie Coutelle (Fr.) sur l'*Entreprenant,* ballon à gaz captif (rattaché au sol par des cordes), surveille le champ de bataille de Fleurus et transmet des messages. La bataille est gagnée. **1798**-*30-10* ascension à cheval de Testu-Brissy.

1819-*7 1re femme fr. tuée dans un accident aérien.* Mme Blanchard (b. à hydrogène s'enflamme lors d'un feu d'artifice à Paris ; elle tombe sur un toit rue de Provence). **1824**-*29-8* ascension à cheval de Margat. **1849**-*8 1er raid de bombardement par ballon :* montgolfières autrichiennes, chacune transportant une bombe de 14 kg, sur Venise. **1862** *le Géant.* Construit par Nadar. Haut. 40 m, volume 6 000 m³, la nacelle pouvait emporter 13 passagers, coût 200 000 F ; 2 exhibitions à Paris et 1 à Londres rapportèrent 79 000 F ; détruit dans une tentative de voyage au long cours le 18-10-1863. **1870-71** utilisés pendant le siège de Paris (Gambetta en utilisa un pour s'évader de la capitale). *-6-7* utilisés par la poste du 23-9-1870 au 28-1-1871 (ballon Gal Cambronne atterrit dans la Sarthe), de jour jusqu'au 11-11-70, puis de nuit après le 18-11. Transport de 2 500 000 lettres représentant 11 000 kg. 3 furent pris par l'ennemi ; 4 atterrirent en Belgique ; 2 en Hollande ; 1 en Norvège (le Ville-d'Orléans parti le 24-11-70 tombé à 100 km au S.-O. d'Oslo ; les occupants se jetèrent de 25 m de haut dans la neige avant que le ballon secoué par le vent chute à quelques km). **1875**-*15-4* le *Zénith* (3 000 m²), qui a atteint 8 600 m d'alt., s'écrase ; Théodore Sivel (Fr. 1834-75) et Eustache Croce Spinelli (Fr. 1845-75) meurent ; ils n'ont pu supporter la basse pression atmosphérique (rupture des vaisseaux capillaires du poumon). Gaston Tissandier (Fr. 1843-99) est vivant. **1878** *ballon de l'Exposition universelle,* conçu par Giffard, haut. 55 m, diamètre 56 m, volume 25 000 m³, nacelle 1 800 kg (50 voyageurs à la fois) ; du 24-7 au 4-11 : 1 033 ascensions (35 000 voyageurs). **1900**-*9-10 le Centaure* (Henry de La Vaulx, de St-Victor) Vincennes-Korostychew (Russie) 1 925 km en 35 h 45 min.

1912-*27 au 29-10 1er voyage aérien de + de 2 000 km,* de Stuttgart (All.) à Ribnoyé (Russie) : 2 191 km pour les Français Bienaimé et Rumpelmayer sur ballon libre. **1913** essais à l'aérodrome de St-Cyr d'un ballon rigide breveté par Spiess en 1873. **1914**-*8 au 10-2 1er voyage aérien de + de 3 000 km,* avec Berlinet (All.) et 2 coéquipiers : 3 052,7 km en ballon libre, de Bitterfeld (All.) à Perm (Russie). **1929** *1er vol du Metalcloud ZMC-2* de la marine amér. ; ballon métallique réalisé d'après les plans de David Schwartz (Youg. n. 1885). **1977**-*9* Ben Abruzzo et Maxie Anderson tentent de traverser l'Atlantique, mais ils amerrissent à 5 km du N.-O. de l'Islande après 4 521 km en 66 h. **1978**-*fin juill.* 2 Britanniques, Donald Cameron et Christopher Davey, partis de St-Johns (Terre-Neuve) en ballon hybride (hélium-air chaud), amerrissent à 195 km de Brest (coût de l'expérience 1 282 500 F). *Du 12 au 17-8 1re traversée de l'Atlantique en ballon* (4 997 km en 138 h 6 min), Ben Abruzzo, Maxie Anderson et Larry Newman. Partis de Presqu'Île (Maine, USA) à Miserey (Eure, France), sur le *Double Eagle II:* gonflé à l'hélium [env. 4 500 m³, alt. moy. de vol 2 000 à 5 000 m (pointes à 7 000 m), nacelle 3,5 m × 2 m, 4,8 t (dont 2,2 t de lest de sable et plomb), 10 j de vivres, appareils de radio et de navigation], env. 5 mois de préparation. Coût : 540 000 F. **1981**-*9 au 12-11 1re traversée du Pacifique* (de Nagashima, Japon, à 160 km au N. de San Francisco), par Rocki Aoki, Ben Abruzzo, Larry Newman et Ron Clarke sur le *Double Eagle V.* **1983**-*mars 1re traversée réussie de la Méditerranée en montgolfière géante* de 15 000 m³ d'Alès (Gard) à Tozeur (Tunisie), avec les Français Michel Arnould et Hélène d'Origny (24 h de vol). *Septembre tour du monde d'un ballon à air chaud ;* la MIR (montgolfière à infrarouge) inhabitée, chauffée aux rayons infrarouges du soleil que captait son enveloppe, 51 j de vol entre 18 000 et 28 000 m d'altitude. *Novembre 1re traversée Fr.-Angleterre* de la Manche par Michel Arnould et Hélène d'Origny du Touquet à Cripps Corner (Sussex), à 90 km de Londres. **1984** *1re traversée de l'Atlantique en solitaire :* Joe Kittinger (USA) sur le Rosie O'Grady (5 000 m³ d'hélium). **1985**-*août* 2 montgolfières françaises de 3 000 m³ dépassent pour la 1re fois le 80e de lat. nord en survolant la banquise du Spitzberg. **1987**-*2/3-juillet* échec, au large d'Écosse, de la tentative de traversée de l'Atlantique, par Richard Branson et Peter Lindstrand (Angl.), partis de Sugar Loaf (Maine, USA) à bord du *Virgin Atlantic Flyer* (montgolfière à cabine pressurisée mue au propane et à l'énergie solaire), après 4 948 km en 31 h 41 min de 9 000 m d'alt. et 170 km/h de moyenne avec un record à 222 km/h. *17 novembre 1re traversée continent* (Cuers, Var) *Corse* (Portiglio-Rocher Rouge) en montgolfière (3 000 m³) par Michel Carail et Guy Issanjou en 6 h de vol. **1988-89** une montgolfière à infrarouge du CNES, inhabitée, réalise 2 tours du monde en 53 j. **1992**-*16/21-9 1re course transatlantique* en ballon dans le sens ouest-est. 5 équipages de 2 personnes partis de Bandor (Maine). *1°) Belg. :* 21-9 Wim Verstraeten (Belge) et Bertrand Piccard (Suisse) se posent à Zamora (140 km à l'ouest de Valladolid), 4 130 km en 115 h. *2°) Britanniques* sur plage portugaise. *Allemands :* amerrissent le 19-9, recueillis par un pétrolier. *Néerlandais :* récupérés 21-9 par hélicoptères au S.-O. de la G.-B. *Américains* (Tom Bradley et Richard Abruzzo) se posent 22-9 au Maroc [record de durée en vol 142 h 45 min (ancien record 137 h)].

Dirigeables

1852-*24-9 1res évolutions d'un engin aérien sous l'action d'un propulseur mécanique :* Henri Giffard (Fr., 1825-82) (enveloppe de 44 m de long sur 12 m de diam., volume 2 500 m³, machine à vapeur de 3 ch ; 150 kg à vide, hélice à 3 pales). **1883**-*8-10* Gaston Tissandier applique les moteurs dynamo-électriques à la navigation aérienne. **1884**-*9-8 1er circuit aérien fermé* avec atterrissage au point de départ, par Charles Renard (Fr., 1847-1905) et Arthur Krebs (Fr., 1847-1935) sur le *France* (souple, long. 50,42 m, diam. 8,40 m, volume 1 864 m³, moteur électrique de 8 ch) entre Chalais-Meudon et Villacoublay (76 km en 23 min). **1897**-*3-11 1re ascension d'un dirigeable rigide* à Tempelhof (Berlin) [David Schwartz (Autr.)] [enveloppe 3 700 m³, en feuilles d'aluminium (0,2 mm d'épaisseur) sur une carcasse de même métal, moteur à explosion de 12 ch actionnant 3 hélices].

1900-*2-7 1er vol du dirigeable rigide de Ferdinand von Zeppelin* (All., 1838-1917) [carcasse aluminium de 128 m de long ; 17 ballonnets contenant au total 11 300 m³ ; 2 nacelles portant chacune un moteur de 15 ch (29 km/h)]. **1901**-*13-7* Santos Dumont sur le Santos Dumont no 5 (34 m, 550 m²), tente de gagner le prix Deutsch de La Meurthe (100 000 F pour aller-retour St-Cloud-tour Eiffel en 1/2 h max.), mais il met 40 min et tombe dans des arbres du parc Rothschild à Boulogne. **1902**-*12-2* le *Pax* explose au-dessus de l'avenue du Maine à Paris (Augusto Severo, Brésilien, et son mécanicien Sachet, sont tués). *19-10* sur son ballon no 6, Santos Dumont réussit sur ce parcours et gagne le prix. **1903**-*12-11* 1er voyage du dirigeable *Lebaudy* piloté par Georges Juchmès, avec destination fixée. **1908**-*1-7* vol de 12 h au-dessus des Alpes par le Zeppelin IV. **1909**-*8* mise en service de Zeppelin ZI et ZII dans l'armée allemande. **1910**-*16-10 1er dirigeable traversant la Manche* avec Clément Bayard II (Fr.). **1919**-*2 au 6-7 et 10 au 13-7 1re traversée aérienne aller-retour de l'Atlantique :* le major George Scott (Angl.) avec 30 h. d'équipage sur le R4, aller 108 h 12 min (5 037 km), retour 75 h 3 min (5 150 km) : Écosse (Firth of Forth)-Mineola (près de New York) et retour (atterrissage à Pulham). **1921**-*1-12 1er dirigeable à l'hélium C7* (marine US). **1926**-*11/14-5 1re traversée de la calotte polaire arctique :* dirigeable *Norge* piloté par le colonel Umberto Nobile (Italien 1885-1978). **1927**-*11/13-10 1er vol commercial vers USA du Graf Zeppelin :* départ : 11-10 de Friedrichshafen (près du lac de Constance), atterrissage : 13-10 à Lakehurst (New Jersey) : 8 300 km en 111 h 43 min ; retour (9/3-10) 6 384 km en 71 h 07 min. **1929**-*15-8/4-9 1er tour du monde en dirigeable Graf Zeppelin* commandé par Hugo Eckener (All., 1868-1954) en 21 j 7 h 22 min : mission commerciale (20 passagers, poste et fret complets) et publicitaire [à partir de Friedrichshafen avec 4 escales (dont 1 de 4 j à Kasumiga-Ura au Japon, et 1 autre à Los Angeles aux USA)]. **1992**-*24-1 1er test de vol du dirigeable à énergie solaire Halop* (Japon, Tsukuba) avec modèle réduit (Halop aura 40 m de long). **1992-93** Bulle d'orage gonflée d'air chaud saturé en vapeur d'eau (40 g/m³), s'élève sans brûleur : l'air se réchauffant quand chaque g d'eau qui se condense restitue les 2 500 joules qui ont été nécessaires pour l'évaporer.

■ Giravions

Autogires

1923-*9-1 autogire CA,* réalisé par l'Espagnol Juan de La Cierva (1896-1936) à Getafe, près de Madrid. *-31-1* vol piloté par G. Spencer. **1927**-*29-7 1er autogire biplace :* le Cierva C 6D, piloté par F.T. Courtney à Hamble (Angl.). **1928**-*18-9* de Croydon au Bourget avec *Cierva C 8L type II,* piloté par La Cierva.

Hélicoptères

1784-*28-4* modèle réduit de Launoy et Bienvenu. **1809** de Cayley. **1842** *modèle réduit* actionné par W.H. Phillips, par la vapeur ; pales rotatives mises en mouvement par un flux d'échappement terminal. **1877**-*29-6* l'hélicoptère de Forlanini atteint 13 m d'alt.

1905 hélicoptère de Léger enlève un homme jusqu'au sommet de l'Institut d'océanographie (Monaco). **1907**-*29-9 1er soulèvement d'un hélicoptère monté :* le gyroplane Breguet-Richet no 1, avec Volumard, à Douai. *-13-11 1er soulèvement libre d'un hélicoptère avec son pilote* Paul Cornu (1881-1944) près de Lisieux (Fr.). **1924**-*18-4 1er record de distance* (736 m) Pescara. *-4-5 1er km en circuit fermé* par Étienne Oehmichen (Fr., 1884-1955) sur hélic. no 2 à Valentigney (Doubs). **1936**-*26-6* vol réussi du prototype Focke-Wulf Fw 61 V1 (160 ch). **1937**-*25-10* Hanna Reitsch (All., 1912-79) parcourt en ligne droite 108 km 974 m. **1939** *1er vol réussi du monorotor* de Sikorsky.

1952-*15/31-7 1re traversée de l'Atlantique en hél. avec escales* en 42 h 25 min de vol [Vincent Mc Govern, Harold W. Moore sur 2 Sikorsky H-90 s de Westover (Mass., USA) à Prestwick (Écosse) en 5 étapes]. **1953**-*24-7 1er vol du 1er hél. à réaction* sur Sikorsky S 52. **1967**-*31-5/1-6 1re traversée de l'Atlantique* par 2 hél. américains Sikorsky HH 3E *Sea Ring* sans escale (mais avec 9 ravitaillements).

Hydravions

1910-*28-3 1er vol d'un hydravion.* Henri Fabre (Fr., 1882-1984) décolle de l'étang de Berre (le Canard, env. 15 m, parcourt 800 m à 5 m d'altitude, voilure 24 m², 475 kg, moteur Gnome de 50 ch). **1919**-*16/17-5 1re traversée transatlantique* en NC4, de Terre-Neuve aux Açores, puis Ponta Delgada (20-5) et Lisbonne (27-5) par le commandant Albert Read (USA, 1887-1970) et 5 aides. **1922**-*30-3/5-6 1re traversée de l'Atlantique Sud Portugal-Brésil.* Sacadura Cabral (1881-1924), Cago Goutinho (1870-1959) (Port.) : Fairey sur le *Lusitania.* **1926**-*22-1/10-2* Ramón Franco, Julio Ruiz de Alda, Juan M. Durán (Esp.) : Esp.-Arg. (Séville-Buenos Aires) 10 120 km en 61 h 44 min.

1930-*12-5 1re liaison aérienne France-Amér. du S.* (Natal, Brésil). Pilote : Jean Mermoz (1901-36), navigateur Jean Dabry, radio Gimié, via St-Louis-du-Sénégal, à bord du Laté 28 *Comte de La Vaulx* en 21 h 14. **1936**-*7-12* Mermoz disparaît au large de Dakar, à bord du Latécoère *La Croix du Sud* (accident ou sabotage ?). **1938**-*6/8-10* Cap DCT Bennelt (Angl.) sur Short Mayo Mercury, record en ligne droite 9 652 km (non battu depuis). **1939**, il faut 6 j et 6 escales à un hydr. quadrimoteur pour relier les Philippines à San Francisco, et 7 à 11 j pour relier la France à l'Indochine. **1947**-*26-7 1re liaison commerciale France-Antilles :* Biscarosse-Fort-de-France Laté 631. *-2-11* Howard Hughes vole 1 km à 20 m d'alt. à Long Beach sur le *Spruce-Goose* (8 moteurs).

Conquête de la hauteur

☞ Date et hauteur atteinte.

Ballons

Captifs. **1971**-*21-10* expérience scientifique Esso (Fr.) : *18 000 m.*

Libres. **1783**-*15-10 :* Pilâtre de Rozier (1756-85) en ballon captif : *26 m. -19-10 : 85 m. -21-11 :* Pilâtre de Rozier avec Giroud de Villette séjournent 25 min : *107 m ;* avec le Mis d'Arlandes : *1 000 m* env. *-1-12 :* Charles : *3 000 m.* **1803** : Robertson à Hambourg : *7 400 m.* **1804**-*16-9 :* Gay-Lussac : *7 016 m.* **1862**-*5-9 :* Glaisher et Coxwell : *8 838 m.* **1901**-*11-7 :* Berson et Süring : *10 500 m.* **1931**-*27-5 :* les Suisses Auguste Piccard (1884-1962) et Ch. Kipfer : *15 781 m.* **1933**-*3-10 :* Prokofiev, Godounov et Birnbaum : *17 900 m.* **1935**-*11-11 :* Orvil Stevens et Albert Anderson (USA) : *22 066 m.* **1957**-*19/20-8 :* David G. Simons : *33 800 m.* **1961**-*4-5 :* Cdt Malcolm Ross et Lt Victor Prahter (USA) : *34 668 m.*

Records. *Ballon à air chaud* 28-1-1985 H. Warner (Canada) 1 470 km, *à nacelle ouverte* 29-9-1975 Kingswood Spratt junior (USA) 11 822 m. *Sans passagers* oct. 1972 le Winzen (USA) 51 815 m.

Hélicoptères

1958-*13-5 :* Jean Boulet et Petit (France) sur Alouette II : *10 984 m.* **1963**-*13-1 :* Alouette SE : *11 036 m.* **1972**-*21-6 :* Jean Boulet (Fr.) sur SA 315 B Lama, moteur Artouste III B 735 KW : *12 442 m.*

Avions pilotés

1890-*9-10 :* Clément Ader sur l'*Éole I,* monomoteur, *- de 1 m 1er vol au monde sur 50 m.* **1893**-*14-10 :* C. Ader sur l'*Avion III,* bimoteur, *quelques m 2e vol sur 300 m.* **1903**-*17-12 :* Orville et Wilbur Wright 4 vols, dont un sur 280 m : *3 m.* **1908** Henry Farman : *25 m. -13-11 :* W. Wright : *50 m ; -18-12 : id. : 110 m.* **1909**-*29-8 :* Latham [1] (Fr.) sur *Antoinette : 150 m ; -1-12 id. : 475 m.* **1910**-*7-1 :* Latham (Fr.) sur *Antoinette : 1 050 m ; -12-1 :* L. Paulhan (Fr.) sur Farman : *1 270 m. -11-8 :* Drexel (USA) sur Blériot : *2 012 m. -3-9 :* Robert Morane (1886-1968) sur Blériot : *2 582 m. -8-12 :* Legagneux (Fr.) sur Blériot : *3 100 m.* **1911**-*4-9 :* Garros [2] (Fr.) sur Blériot : *3 910 m.* **1912**-*6-9 :* Garros (Fr.) sur Blériot : *4 900 m. -17-9 :* Legagneux (Fr.) sur Morane Saulnier : *5 120 m. -11-12 :* Garros (Fr.) sur Morane Saulnier : *5 610 m.* **1913**-*28-12 :* Legagneux (Fr.) sur Blériot : *6 120 m.* **1915**-*8-9 :* Audemars (Suisse) sur Morane Saulnier Parasol : *6 540 m.* **1916** Audemars sur Morane : *6 700 m. -7-11 :* Guido Guidi (It.) : *7 200 m.* **1918**-*18-9 :* R.W. Schroeder (USA) sur Bristol : *8 814 m.* **1919**-*14-6 :* Jean Casale sur Nieuport 29 en France : *9 520 m.* **1920**-*27-2 :* Schroeder (USA) sur Lepere : *10 093 m.* **1923**-*30-10 :* Sadi Lecointe (Fr.) sur Nieuport : *11 145 m.* **1929**-*26-5 :* Neunhofen (All.) sur Junkers : *12 739 m.* **1930**-*4-6 :* Soucek (USA) sur Wright Apache : *13 157 m.* **1933**-*28-9 :* Lemoine (Fr.) sur Potez 50 : *13 661 m.* **1934**-*11-4 :* Donati (It.) sur Caproni : *14 433 m.* **1937**-*8-5 :* Mario Pezzi (It.) sur Caproni : *15 655 m. -30-6 :* Adam (G.-B.) sur Bristol : *16 440 m.* **1938**-*22-10 :* Pezzi (It.) sur Caproni, record non battu par avion à piston : *17 083 m.* **1948**-*23-3 :* Cunningham (G.-B.) sur De Havilland Vampire : *18 133 m.* **1958**-*2-5 :* Carpentier (Fr.) sur Trident II : *24 217 m. -8-5* H.C. Johnson (USA) sur Lockheed F 104 A : *27 375 m.* **1961**-*28-4 :* Georgyi Mosolov (URSS) sur Mikoyan Ye 66A : *34 714 m.* **1963**-*nov. :* R.W. Smith (USA) sur Lockheed NF-104 A : *36 229 m.* **1977**-*31-8 :* Alexandre Fedotov (URSS) sur E 266 M : *37 650 m.*

Nota. – (1) Bert Latham (1883-1912). (2) Roland Garros (1888-1918).

Appareils largués en vol. **1956** : Kincheloe sur Bell X 2 : *38 465 mètres.* **1961**-*31-3 :* J. Walker sur X 15 : *50 300 m ; -11-10 :* Scott Crossfield sur X 15 : *65 968 m.* **1962**-*30-4 :* J. Walker sur X 15 : *72 209 m ; -17-7 :* Bob White sur X 15 : *95 936 m.* **1963**-*22-8 :* J. Walker sur X 15 : *107 960 m.*

Aéronefs à moteur fusée. **1958**-*2-5 :* Cdt R. Carpentier (Fr.) sur SO Trident (2 Turboméca 5 500 kg, 2 fusées SEPR 1 500 kg) : *24 217 m.*

Nota. – L'avion de reconnaissance américain Lockheed SR 71 pourrait atteindre 30 500 m d'altitude et 3 701 km/h.

Conquête de la vitesse

☞ Date du record, vitesse en km/h, type d'avion, nom du pilote.

Avions à hélice

1906 : **41,3** *Santos-Dumont* (Alberto Santos-Dumont, 1873-1932). **1907** : **52,7** *Voisin* (Henri Farman, 1874-1958). **1909** : **69,8** *Herring-Curtiss* (Glenn Curtiss, 1878-1930). **77** *Blériot XII* (Louis Blériot, 1872-1936). **1910** : **100** *Blériot* (Léon Morane le 9-7 à Reims). **111,8** *Blériot XI* (Alfred Leblanc, 1869-1921). **1911** : **133,1** *Nieuport* (Édouard Nieuport, 1875-1911). **1912** : **170,7** *Deperdussin* (Jules Vedrines, 1881-1919). **1913** : **203,9** *Deperdussin* (Maurice Prévost le 22-9 à Reims). **1920** : **275,3** *Nieuport-29* (Sadi Lecointe). **1921** : **330,3** *Nieuport-Delage* (Sadi Lecointe). **1922** : **341,2** *Nieuport Sesquiplan* (Sadi Lecointe). **358,8** *Curtiss CD 12* (Gal B. Mitchell). **1923** : **375** *Nieuport Sesquiplan* (Sadi Lecointe). **380,8** *Curtiss R6* (Cdt Maughan). **417,1** *Curtiss D 12 C-1* (Lt Brow le 2-10). **429** *Curtiss R2 C-1* (Lt Williams). **1924** : (11-12) **448,17** *Bernard V2* (adj. Bonnet). **1927** : **479,3** *Macchi M52* (de Bernardi). **1928** : **512,8** *Macchi M52bis [1]* (de Bernardi le 30-3). **1929** : **575,7** *Supermarine S-6 [1]* (A. Orlebar). **1931** : **655** *Supermarine S-6B [1]* (Lt Stainforth le 13-9). **1933** : **682,1.** **1934** : **709,2** *Macchi MC-72 [1]* (Lt Agello le 26-10). **1939** : **746,6** *Heinkel HE-112* (H. Dieterle). 26-4 **755,1** *Messerschmitt Bf 109R* (Fritz Wendel, 1915-75). **1969**-*16-8 :* **776,4** *Grumman F8F-2* (Darryl Greenamyer). **1979**-*14-8 :* **803,1** *Mustang P5 10* (Steve Hinton)

Nota. – En piqué, le Thunderbolt XP-47 (expér. 1944) a dépassé les 800 km/h. (1) Hydravion.

Le X 15 passe de 1 100 km/h (Mach 1) à 6 500 km/h env. (Mach 6) en 82 s (il a parcouru 80 km) ; tout son carburant est épuisé et l'avion rentre en vol plané à sa base (à 240 km/h).

Avions à réaction

1945 : **975,7** *Gloster Meteor IV* (J. Wilson le 7-11). **1946** : **991** *Gloster Meteor IV* (cap. Donaldson). **1947** : **1 003,8** *Lockheed P-60-R* (Cel Albert Boyd le 19-6 à Muroc USA). **1 047,5** *Douglas D 558 I Skystreak* (maj. Marion Carl). **1948** : **1 079,9** *North American F 86 D Sabre* (maj. R.L. Johnson). **1952** : **1 124,1** *Id.* (capit. J. Nash). **1953** : **1 151,8** *Id.* (Cel Barns). **1 171** *Hawker-Hunter* (N. Duke). **1 184** *Supermarine Swift F* (Michael Lithgow). **1 211,7** *Douglas F AD-1 Skyray* (Lt J. Verdin) (sur base). **1 215,3** *North Amer. prototype du F (Fighter) 100 Super Sabre* (Lt F. Everest) (sur base de 15 km). **1955** : **1 323,3** *100 C Super Sabre* (Cel Horace Hanes). **1956** : **1 822** *Fairey FD-2* (Peter Twiss). **1957** : **1 943,5** *Mc Donnel F 101 Voodoo* (major A. Drew). **1958** : **2 259,5** *Usaf* (W.W. Irwin). *-24-10* **2 400** *Mirage III A 01* (Glavany, Fr.). 1er vol à Mach 2 en France. **1959** : **2 330** *Nord 1500 Griffon II* (Turcat, Fr.), atteint Mach 2,19 à 15 000 m d'alt.,

Principaux types d'hélicoptères	Places	Long. m	Poids kg	Vitesse km/h	Altitude max.	Rayon d'action en km
Alouette III Aérosp. SA 316 (Fr., 28-2-59)	7	11,02	2 200	220	4 100	510
Biglifter Bell (USA)	15	18,4 [1]	3 521	260	4 575	330
Black Hawk (USA, Sikorsky) NH 90						
Chinook Agusta (It.)	36 à 37	29,9	9 091	313	3 640	635
Chinook Boeing (USA)	44	30	9 845	305	4 560	695
Chinook Boeing (USA)	44	30,2	9 859	306	4 270	695
Coast Guard SA 366 G (Fr.)	n.c.	13,7	2 786	278	n.c.	670
Cobra Bell (USA)	2	16,1	2 939	352	2 940	625
Commando MK2 Westland (G.-B.)		17	9 500	210		1 100
Cougar (Super Puma) Eurocopter BK-117 (All.)						
Dauphin 2 Aérosp. SA 365 (Fr., 31-2-79)	14	13,46	1 995	286	3 750 [5]	900
Dauphin SA 365 F 2 Naval (Fr.)	n.c.	13,75	2 141	280	n.c.	805
Écureuil AS 355 F 2 Twinster (Fr.)	n.c.	13	1 275	242	n.c.	760
Écureuil AS 350 (F2 SNIAS 1983) (Fr.)	6	10,91	1 095	246	4 875	740
Écureuil AS 350 Aérospatiale (Fr., 27-6-76)	6	13	1 950 [1]	210	4 750	720
Sup. Frelon SA 321 Aérosp. (Fr., 7-12-62)	29	23,03	13 000 [2]	248	3 100	815
Gazelle SA 342 L Aérosp. (Fr., 11-5-73)	5	11,97	975	270	4 300 [5]	785
Iroquois Bell (USA)	11	17,5	2 363	204	4 150	465
Kawasaki-Hugues 500 (Jap.)	5 à 7	9,2	536	255	4 090	690
Lama Aérospatiale 315 B (Fr., 17-3-69) [3]	5	12,92	1 021	192	5 400	515
LHX (Light Helicopter Experimental) (USA)						
Lynx-Westland-Aéros. (G.-B.-Fr.)	11	15,1	2 808	296	3 340	760
MI8 Mikhail-t Mil (URSS)		18,3	11 100	220		540
Puma SA 330 Aérospatiale (Fr., 15-4-65)	23	18,73	7 400 [4]	258	2 140	550
Super Puma AS 332 L/M Aérosp. (Fr., 10-10-80)	27	18,73	4 265	282	4 750 [5]	865
S 76 Sikorsky (USA)	12	17,6	2 234	290	1 555	870
Sea Cobra Bell (USA)	2	16,2	2 918	281	3 970	600
Sea King Sikorsky (USA)	25	22,1	5 475	268	3 220	1 005
Sea Knight Boeing (USA)	25	2,6	6 920	259	3 590	340
Sea Stallion Sikorsky (USA)	37	26,8	10 167	313	3 310	420
Super Puma AS 332 B/C (Fr.)	n.c.	18,75	4 100	282	n.c.	625
Super Puma Naval AS 332 F (Fr.)	n.c.	18,7	4 500	250	n.c.	740
Wessex 60 Westland (G.-B.)	18	19,9	3 551	215	2 130	630
Yuh-60 A Sikorsky (USA) [6]	11	15,3	9 700	295		630
Yuk-61 A Boeing (USA)	12 à 20	16	8 900	280	2 173 [7]	600

☞ **Projet :** Supercopter LHX (Light Helicopter Experimental) piloté par une seule personne assistée d'un ordinateur, hybride entre un jet et un hélicoptère.

Nota. – (1) Poids max., et 1 045 kg à vide. (2) Poids max., et 6 863 kg à vide. (3) Le Lama peut transporter des charges à l'élingue de 1 135 kg. Détient le record mondial d'alt. par hél. (12 440 m) et le record d'atterrissage en haute montagne (poser à 6 858 m). *Masse max. :* 1 950 kg, avec charge externe de 2 300 kg. *Moteur :* 1 turbomoteur Artouste III B Turboméca de 870 ch. *Performance à la masse* de 1 950 kg. Vit. max. 210 km/h, de croisière 192 km/h, ascensionnelle 5,5 m/s, plafond pratique 5 400 m, en vol stationnaire dans l'effet de sol 5 050 m, hors d'effet de sol 4 600 m, distance franchissable 515 km. (4) Poids max. et 3 766 kg à vide. (5) Altitude opérationnelle. (6) Dénomination civile S 70. (7) Sur un seul moteur.

record d'Europe. **2 455,7** *Convair F 106 A* (Rodgers). 1961 : **2 585,4** F 44 *Phantom II* (R. Robinson). 1962 : **2 681** *YE 166* (C[el] russe Gueorgui Mosolov). 1976-*28-7* : **3 529,5** *Lockheed SR-71 A* (cap. Eldon W. Joersz et maj. George T. Morgan Jr) (long. 32,73 m, envergure 16,94, poids 91,1 t).

☞ **Records de vitesse sur parcours commercial pour avion à réaction** (groupe 3) : *Concorde Air Fr.* Paris-New York 3 h 30′11″ (1 669,7 km/h) 22-8-78. *British Airways,* New York-Londres 2 h 59′ (1 886 km/h en 1980).

Records en circuit fermé

☞ Vitesse en km/h.

■ **Avions. Sur base de 15/25 km :** 1976 : *28-7* : **3 529,56** *Lockheed SR-71* (cap. Eldon W. Joersz [1]) [Femme : 1975 *22-6* : **2 683,44** *E-133* (S. Savitskaia [2])]. **Sur 100 km :** 1973 *8-4* : **2 605,1** *E-266* (Alexandre Fedotov [2]) [Femme : 1967 *18-2* : **2 128,7** *E-76* (E. Martova [2])]. **Sur 500 km :** 1967 *5-10* : **2 981,5** *E-266* (M. Komarov [2]) [Femme : 1977 *21-10* : **2 466,31** *E-133* (S. Savitskaia [2])]. **Sur 1 000 km :** 1976 *27-7* : **3 367,221** *Lockheed SR-71* (major A.H. Bledsoe Jr [1]) [Femme : 1978 *12-4* : **2 333** *E-133* (S. Savitskaia [2])].

■ **Avions à moteur fusée.** 1947 : **1 150** *Bell X-1.* 1948 : **1 609** *Bell X-1.* 1951 : **1 981** *Douglas Skyroket.* 1953 : **2 123** *Douglas Skyroket.* **2 640** *Bell X-1 A.* 1956 : **3 315** *Bell X-2.* 1961 : **5 322, 6 587** *North American X-15.* 1962 : **6 606** *American X-15.* 1967 : **7 297** *American X-15.*

■ **Hélicoptères. Sur base de 15/25 km.** 1963 *19-7* : **351,2** *Super Frelon* J. Boulet [3]. **355,485** *Sikorsky S. 67* Blackhawk K.F. Cannon [3]. 1978 *21-9* : record officiel **368,4** *A-10* Gourguen Karapetyan [2]. 1979 *avril* : **508,7** *Bell YUH IB 533* expérimental (Arlington, Texas [1]). *Dauphin II B* Pasquet [3]. **Sur parcours reconnu.** 1980 *6-2* : **294,26** Paris-Londres-Paris (2 h 18 min 56 s).

■ **Hydravions. Sur base de 15/25 km :** 1961 *7-8* : record officiel. 1962 : *Beriev M-10* A.J. Andrievsky [2].

Nota. – (1) USA. (2) URSS. (3) France.

Courses organisées par le Daily Mail

1959 l'Anglais Maughan relie Londres (Marble Arch) à Paris (Arc de Triomphe), soit 344 km en 40 min 44 s en utilisant divers moyens de locomotion (avec le service régulier, il aurait mis 3 h 15 min). **1969** *mai* course, dans les deux sens, entre la tour des Postes de Londres et l'Empire State Building de New York : T. Lecky Thompson a gagné en 5 h 19 min 16 s (dont 4 h 46 min sur chasseur à réaction Phantom de la Royal Navy entre Floyd-Bennet et Wisley (banlieue londonienne), moy. 1 164 km/h record.

Aéronefs

Définitions

Aérodyne. Aéronef plus lourd que l'air.

Aéronef. Nom générique servant à désigner tous les appareils d'aviation.

Aérostat. Aéronef plus léger que l'air.

Aile supercritique. Aux approches de la vitesse du son, avec les profils classiques, on constate une brutale augmentation de la traînée due à l'apparition, sur l'extrados de l'aile, d'une zone d'écoulement supersonique limitée à l'arrière par une onde de choc, c'est-à-dire une brutale recompression. Ainsi, à mesure que la vitesse augmente, on observe une perte de finesse aérodynamique. En arrière de l'onde de choc, il peut se produire un décollement de la couche limite qui provoque, en plus d'une augmentation de traînée, des vibrations qui peuvent être dangereuses pour l'avion. L'ensemble de ces phénomènes constitue les troubles de compressibilité que l'on retarde en augmentant la flèche de la voilure et l'épaisseur du profil. Ces profils sont surnommés *supercritiques* (le Mach critique étant celui à partir duquel l'écoulement devient localement supersonique).

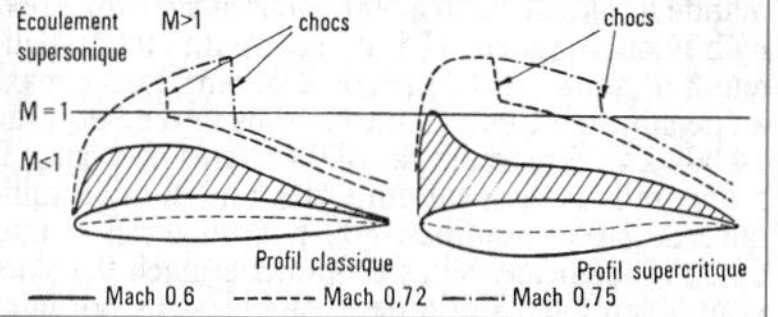

Classification de la FAI (Fédération aéronautique internationale). *11 classes.*

Cl. A : ballons libres. B : dirigeables. C : avions, hydravions, amphibies (moteurs à piston, turbopropulseurs, turboréacteurs et moteurs-fusées ; jusqu'à 3 000 kg, on parle d'avions légers ; de 3 000 à 26 000 kg d'av. d'affaires). **D : planeurs. E : giravions hélicoptères. F : aéromodèles** (de dimensions réduites, munis ou non d'organe motopropulseur, non susceptibles d'emporter un être humain). **G : parachutes. H : aéronefs à sustentation par réaction** [VTOL : Vertical Take Off and Landing. (ADAV : appareil à décollage et atterrissage verticaux. Ex. : Hawker Siddeley V-Stol Harrier/AV8-A, et les prototypes LTV XC-142 A, Ryan XV-5 A et Dassault Mirage III-V) capables de décoller, de se ravitailler en vol stationnaire et d'atterrir en obtenant essentiellement leur sustentation d'un ou de plusieurs moteurs à réaction, et ne nécessitant pas, pour le décollage et l'atterrissage, une sustentation fournie par des surfaces extérieures]. **I : aviettes** (aérodynes capables de décoller et de se maintenir en l'air uniquement au moyen de l'énergie musculaire de leur pilote ou de leur équipage). **K : véhicules spatiaux. P : véhicules aérospatiaux** (Columbia). **L : véhicules à coussin d'air** [v. autonomes dont le poids est constamment supporté, partiellement ou totalement, par un coussin d'air et qui dépendent de lui pour se déplacer sur une surface quelconque (aérotrain, hovercraft, terraplane, naviplane, cushioncraft, hovermarine, aéroglide, aérocar, aérobac, aéroglisseur, hydrofoil, hydroptère, etc.)].

ATL. Avion très léger, coût env. 220 000 F. Consom. 9 l d'essence à 150 km/h.

Autogire. E 2 : *convertiplane* [sustentation en vol horizontal assurée en totalité par des surfaces fixes et en vol vertical par des voilures tournantes actionnées par un appareil propulseur (vertoplane)]. **E 3 :** *autogires* : sustentation assurée par rotor tournant librement sous l'action du vent créé par le déplacement horizontal de l'appareil.

Avion. Aérodyne entraîné par un organe moteur et dont la sustentation est assurée par une voilure fixe. Ce nom figure pour la première fois dans le brevet déposé par Ader (nom choisi par le Gal Roques en 1910 en son honneur, pour les aéroplanes militaires. Le mot aviation fut utilisé pour la 1re fois en 1863 par Gabriel de La Landelle).

Ballon. Voir Aérostat. **B. captif :** retenu au sol par un câble (ex. : *les Saucisses* : b. d'observation).

Comburant. Corps oxydant qui, en se combinant avec un autre appelé combustible, provoque sa combustion. On peut utiliser l'*oxygène* de l'air (ex. : moteurs aérobies : de voitures) ou des *propergols* liquides (acide nitrique, eau oxygénée concentrée, fluor liquide, fluorure de brome ou de chlore, oxyde de fluor, oxygène liquide, ozone liquide, perchlorate de fluor, trifluore de chlore) et solides (perchlorate de sodium, ammonium). Tout comburant ou tout combustible entrant dans la composition d'un mélange propulsif pour fusées est un ergol.

Combustible. Matière qui, en se combinant avec un comburant, brûle en dégageant de la chaleur. *Liquides* : alcool éthylique, ammoniac, boranes (diborane, pentaborane, décaborane), cyanogène, furatine, hydine, hydrate d'hydrazine, hydrazine, hydrogène liquide, hydrures d'azote ou de lithium, kérosène, lithium, monométhylhydrazine, nitriles, nitrométhane, térébenthine, triéthylaluminium.

Giravion. Appareil à voilure tournante dont la sustentation est assurée par des surfaces mobiles, les rotors. Autogire et hélicoptère sont des giravions.

Hélicoptère (voir p. 1670 et 1675).

Hélicostat. Engin hybride : la masse à vide est en partie équilibrée par la poussée aérostatique de ballons gonflés à l'hélium ; la charge utile (carburant + charge) et le complément de la masse à vide sont sustentés par des rotors d'hélicoptères. Conçu pour la manutention des charges (jusqu'à 50 t) sur courtes distances, il ne nécessite pas de lestage comme les dirigeables. *Projets : USA :* US Navy, Nasa et Goodyear pour transporter 70 t. *France :* Aérospatiale (1977) : long. 34,5 m ; largeur 35,69 m ; volume hélium 1700-2075 m³ ; charge marchande 2,3 à 4 t.

Hydravion. Avion décollant et se posant sur l'eau. *Richard Penhoët :* long. 27,30 m ; env. 39,40, coque largeur 3,90 m, 2 étages, aile 1,80 m de haut abritant les réservoirs d'essence (4 000 l) ; hauteur 5,50 m ; surface portante 2,75 m² ; 5 moteurs de 420 ch (puiss. totale 2 100 ch), plafond 4 000 m ; rayon 10 h à 160 à 170 km/h ; poids en charge 20 t (à vide 11,8). *Le + petit :* Pétrel (1991), long 5,9 m, envergure 8,5 m, poids 200 kg, 120 km/h avec 2 passagers, autonomie 350 à 400 km, peut décoller sur l'eau en 100 m ou sur terre en 50 m, prix 245 000 F (HT).

Jumbo Jet. Avion à réaction de grande capacité comme le Boeing 747.

Matériaux composites. Constitués de couches de fibre : f. de verre, de carbone (ou de graphite), de bore, de borsic (f. de bore enrobées de carbure de silicium), f. organiques (Kevlar 49). Les fibres sont noyées dans une matrice de résine (polyester, époxy, popyimide) ou parfois métallique (aluminium, magnésium, titane) qui résiste mieux aux hautes températures. Les matériaux composites entraînent une économie de poids lors de l'usinage de matière (ex. : 103 kg de composite au bore sont nécessaires pour 1 pièce d'avion de 94 kg ; 1 812 kg d'aluminium pour 1 pièce de 208 kg).

Ornithoptère (ou orthoptère). Machine à ailes battantes.

Parachute motorisé. *Paraplane* (USA, 1984) : 2 moteurs de 15 ch, monoplace, décollage en 30/40 m, 40 km/h. *Parafan* (Fr., 1984), 35 ch, décollage sur 20 m, 35 km/h.

Planeur. Appareil non propulsé mécaniquement et dont la sustentation est obtenue par des réactions aérodynamiques sur des surfaces fixes. Monoplace, biplace et planeurs à moteur (le moteur auxiliaire ne doit être utilisé qu'au décollage ; en compétition, on tolère que le moteur soit remis en marche pour atteindre une zone d'ascendance ou pour effectuer le vol de retour).

ULM (Ultras Légers Motorisés). Aéronef capable de tenir l'air à – de 25 à 60 km/h. Mono ou biplaces équipés d'un moteur de 12 à 65 CV. **Autonomie :** 2 h à 500 m en moyenne (plafond 3 000 m), jusqu'à 5 ou 6 h en compétition avec 25 l de carburant. **Vitesse de croisière :** 60 à 120 km/h. **Types :** 1°) ULM pendulaire, dérivé de l'aile Delta du vol libre à laquelle on adapte un chariot tricycle. 2°) ULM multiaxes à 2 ou 3 axes (type avion) se pilotant à l'aide de gouvernes aérodynamiques. 3°) ULM paramoteur : voile souple (type parapente) avec un moteur dorsal monté sur un harnais ; décollage à pied, ou appareil tricycle ; mono ou biplace. **Catégories :** monoplace (masse à vide max. : 150 kg) et biplace ou monoplace (150 à 175 kg), avec surface de voilure portante sup. à 10 m² et rapport masse/surface inf. à 10 kg/m². **Conditions pour voler :** appareil immatriculé. Avoir + de 15 ans. Posséder le brevet (examen théorique au sol) et la licence (brevet + autorisation de vol en solitaire, délivrée par un instructeur à la suite d'une formation pratique). Équivalence possible pour les tit. des brevets de : pilote privé d'avion, hélicoptère, planeur, ballon libre ; brevet de base de pilote d'avion ou licence étrangère de pilote d'aéronef (normes de la Convention relative à l'Aviation Civile Intern.). *Interdiction* de décoller ou atterrir dans un champ ou un jardin sans l'autorisation du propriétaire (et obligation de déclaration préalable de l'utilisation occasionnelle d'un terrain au maire de la commune concernée). Interdit en Suisse. *Altitude :* arrêté du 17-6-1986, le pilote doit voler à une hauteur telle que le bruit perçu au sol ne soit pas supérieur à 65 décibels. **Statistiques** (France) : *Pilotes 1993 :* 17 500. *Morts 1989 :* 8. *Appareils 1992 :* 5 900 immatriculés. *Licenciés 1984 :* 2 900, *91 :* 5 800, *92 :* 6 000. *Prix :* 50 000 à 220 000 F. **Épreuves :** *1re course d'ULM (1-9-1982) :* Biggin-Hill (G.-B.)-Bagatelle (France) avec escale au Touquet. *1er rallye :* Tunisie (1983), Michel Alcover (Fr.). *1er Championnat de France* (1984) à Millau (Aveyron). **Championnat du monde** (tous les 2 ans) : créé 1985 (août) à Millau, 1 † : Joachim Krendz (All.) sur FK6. **Championnat d'Europe** (tous les 2 ans) : créé 1986 (sept.) à Sanchidrian (Espagne). *Paramoteur :* Antares, 1er raid en France en 1990. Rassemblements annuels à Montpezat d'Agenais, week-end Pentecôte ; Blois, 1er week-end de sept. (tous types). **Adresse :** Fédération française de Planeur Ultraléger Motorisé (FFPLUM), 96, rue Marc-Sangnier, 94700 Maisons-Alfort.

Vortex generator (générateur de tourbillon). Petites pièces de tôle carrées ou trapézoïdales pour canaliser les filets d'air le long de la voilure ou de l'empennage d'un avion et les empêcher d'atteindre des vitesses supersoniques qui créeraient des ondes de choc suivies d'ondes tourbillonnaires. Environ 90 % des avions modernes en service ont des vortex (ex. : *Caravelle, Boeing 727, Trident, DC-10*).

Avions

Fonctionnement

L'avion *vole* en raison de sa *portance* (composante verticale de la résultante aérodynamique qui équilibre le poids) et de sa *traînée* (composante horizontale qui équilibre la traction) (poussée).

■ **Avion à moteur à pistons.** Propulsé par un moteur alternatif entraînant une hélice qui rejette une grande masse d'air à vitesse relativement faible. Son rendement chute lorsque l'extrémité des pales de l'hélice atteint la vitesse du son, provoquant ainsi l'apparition d'ondes de choc et un écoulement de l'air plus perturbé. L'hélice carénée (qui agit comme un compresseur) permet d'y remédier partiellement : l'air est ralenti dans la partie avant divergente du carénage, puis accéléré dans le rétrécissement arrière.

■ **Avion à réaction.** Propulsé par un réacteur [*origine :* statoréacteur (tuyère thermopropulsive) inventé 1911 par le Français René Lorin, perfectionné et mis en application par René Leduc en 1936].

Turboréacteur : moteur constitué d'un système de compression, d'une chambre de combustion, d'une turbine, d'une tuyère de détente. L'air aspiré par l'avant est comprimé, chauffé par la combustion d'un carburant, détendu dans la turbine, rejeté vers l'arrière à grande vitesse à travers la tuyère. La turbine permet de prélever une partie de l'énergie du gaz, pour provoquer le fonctionnement du compresseur, qu'elle entraîne par un arbre.

Turboréacteur double flux (ou *turbosoufflante,* ou encore *turbofan*). Réacteur dans lequel une partie de l'air aspiré n'est que faiblement comprimée, puis rejetée dans l'atmosphère (flux froid), l'autre partie subissant le cycle complet de compression, chauffage puis détente (flux chaud). Cette technique permet, par rapport au réacteur simple flux (chaud), des gains de carburant et une réduction du bruit. Plus l'altitude est élevée, plus l'air est raréfié, moins le réacteur pousse (mais la résistance à l'avancement diminue aussi). Plus la température est basse, plus forte est la poussée. Lorsque l'avion monte, la temp. de l'air extérieur diminue jusqu'à – 57 °C vers 12 000 m ; au-delà, elle reste constante. C'est donc vers 12 000 m qu'on obtient les meilleures vitesses.

Dispositifs pour augmenter la poussée au décollage : 1°) *injection d'eau et de méthanol* afin d'augmenter provisoirement la masse éjectée, augmente la poussée de 15 % ; avions commerciaux. 2°) *post-combustion* par réinjection de pétrole (à la sortie du réacteur) dans l'air non utilisé dans la combustion ; augmente la poussée de 50 %, avions militaires.

Turbomoteur : moteur à turbine analogue au turboréacteur mais énergie prélevée par la turbine ; entraîne d'autres systèmes de propulsion, par ex. un rotor d'hélicoptère ou turbopropulseur à hélice. Procure un gain important en consommation mais une vitesse moins élevée.

■ **Avion-fusée.** Propulsé par une fusée (le moteur-fusée emporte à la fois combustible et comburant, et fonctionne sans apport de l'air extérieur). La consommation à basse altitude est très élevée. L'X 15, avion-fusée américain, était lâché en vol par un avion à 14 700 m d'altitude et atteignait plus de 100 km d'altitude par ses propres moyens. Il mesurait 6 m de long, 6,70 m d'envergure et pesait 22 516 kg (dont 12 000 de propergol).

■ **Avion Stol (Short Take-Off and Landing)** (Adac : appareil à décollage et atterrissage courts). La portance des ailes est augmentée par des dispositifs hypersustentateurs. Ex. : Breguet 942 (poids au décollage 20 500 kg, 40 à 60 passagers, décollage 310 à 340 m, atterrissage 240 à 270 m) ; Dornier Do-27, Pilatus Porter, De Havilland-Canada : Caribou, Buffalo et Twin-Otter.

■ **Avion supersonique** (TSS : transport supersonique, ou SST : supersonic transport). A réaction ou à fusée. Vitesse supérieure à celle du son, soit Mach 1 (env. 1 200 km/h).

Avions commerciaux supersoniques : URSS : Tupolev 144 [*1968-31-12 :* 1er vol ; *1970-mai :* dépasse le mur de son ; *1971 :* mis en service ; *1973 :* un appareil s'écrase près du Bourget (12 †) ; *du 26-12-1975 à juin 1978 :* liaison Moscou-Alma-Ata (3 700 km), un appareil s'écrase près de Moscou ; *1979 :* le Tupolev 144 D relie Moscou à Khabarovsk (6 185 km en 3 h 21) et effectue des liaisons non régulières]. Des vibrations excessives le rendaient inconfortable, le niveau de bruit des réacteurs était élevé, le système de pressurisation interne devait être amélioré, le manque de puissance des réacteurs contraignait l'équipage à utiliser plus longtemps et plus souvent que prévu la postcombustion (dispositif de réchauffe supplémentaire), d'où consommation accrue de carburant. **France et G.-B. : Concorde** voir encadré ci-contre. **USA** : projet **SST 2 707** (1969) abandonné en mars 1971 par vote du Sénat (malgré 130 options prises), *raisons :* économiques et écologiques ; technique difficile à maîtriser (vitesse supérieure à Concorde ; nécessite des alliages nouveaux).

■ **Projets. Avion spatial transatmosphérique :** masse 350 t. Propulseurs à hydrogène liquide, atteindrait 25 000 km/h en moins de 10 min, volerait à 300/400 km d'alt. *Coût du projet :* 10 milliards de $.

Concorde

■ **Quelques dates. 1956** *1res études.* **1962**-*24-11* accord franco-brit. pour construire un avion supersonique. **1967** *avr.* 74 options de 16 compagnies. **1969**-*2-3* 1er vol du prototype 001 à Toulouse-Blagnac pendant 40 min (dont 29 en vol), pilote André Turcat. *-9-4* 1er vol du prot. 002 à Filton (G.-B.), pilote Brian Trubshaw. *-1-10* franchissement du mur du son. **1970**-*4-11* atteint Mach 2. **1971** Jean-Jacques Servan-Schreiber, député, estime que Concorde est un « Viêt-nam industriel ». **1973** 70 commandes et options ont été prises par 13 transporteurs, mais le *31-1* PanAm, American et TWA renoncent. Les autres suivent : seuls Air France et British Airways se partageront les 14 avions construits en sus des 2 prototypes. *-6-12* sortie du 1er avion de série. **1975**-*10-10* certificat de navigation français. **1976**-*21-1* mise en ligne Paris-Rio (avec escale à Dakar) et Londres-Bahreïn. **1977**-*22-11* Paris-New York (7 AR par semaine, 11 à partir du 29-3-81) après 20 mois de procès pour obtenir le droit de se poser à Kennedy Airport. **1978**-*20-9* vol Air France prolongé sur Washington. **1979** les gouvernements français et brit. décident de limiter la série à 16 avions et 88 réacteurs. *-12-6* vol Air France prolongé sur Mexico. **1980** la ligne Londres-Bahreïn-Singapour est fermée. **1982**-*1-4* abandon des lignes vers l'Amér. du S. *-1-11* vers Washington et Mexico. Air France possède 7 Concorde ; 4 volent régulièrement, 1 est pratiquement en état de vol, les 2 autres servent à maintenir en état les 4 appareils volant régulièrement.

■ **Coût (milliards de F).** *Estimé en 1969 :* 5,9 pour la partie française (soit 26,5 en 1990) ; *en 1977 :* 17,2 (soit 42 en 1990). Au total, avec la partie britannique, env. 34 (soit 84 en 1990, certains parlent de 120). Des 1res études (1956) à la construction de 16 appareils (dont 2 prototypes) : 30. *Prix de vente de chaque appareil :* 0,23 à 0,3 (fixé pour une série de 150 à 200 appareils).

■ **Appareils en service** (en 1989, sur 16 vendus). 13 [7 britanniques ; 6 français ayant réalisé en moyenne 8 000 h de vol et pouvant être exploités jusqu'en 2020 (au rythme moyen de 600 h de vol par appareil et par an)]. **Entretien** *durée moyenne :* 8 h pour 1 h de vol (B 747 ou A 320 : 2 à 3 h pour 1 h).

■ **Bilan Air France** (de 1976 à 86). *Vols réalisés* 10 500 (46 850 h). *Passagers transportés* 621 000 (en 1988, 61 000 sur Paris/New York). *Vitesse record* 1 732,6 km/h [le 19-3-82 sur 5 111 km entre Santa Maria (Açores) et Caracas (Venezuela)]. *Taux* (1988) de ponctualité : à 2 min 67,9 % ; à 15 min 83,8 %. *Consommation :* Paris-New York 70 t de kérosène (1 Boeing 747 à capacité triple consomme 80 à 85 t). *Coefficient d'occupation :* (Paris-New York) *1983 :* 59,7, *84 :* 61,6, *85 :* 62,3 (record 74,4 en oct. 85), *88 :* 61,7. *Vols charters :* prix : 170 000 F l'h. Nombre de vols ch. effectués : 320 en 10 ans [dont 80 en 1985 (dont 14 pour le Pt de la Rép. et le PM)].

Un Concorde a perdu le 27-9-1989 un élément du carénage de 1,80 m au-dessus de Sannois.

Compte d'exploitation (en millions de F) : *en ne retenant que les dépenses courantes* (équipage, entretien et carburant) : *1982 :* – 117. *83 :* + 31,3. *84 :* + 66,2. *85 :* + 86,2. *86 :* + 14,9. *87 :* + 85,3. *88 :* + 80,2. *En comptabilisant aussi frais financiers et amortissements* (sur 17 ans), pris en charge par l'État : *1977 :* – 283. *78 :* – 302. *79 :* – 265. *80 :* – 281. *81 :* – 345. *82 :* – 117. *84 :* – 140. *85 :* – 126 (dont amortissements 103, frais financiers 23). *86 :* – 60,4. *87 :* – 77,8. *88 :* – 73,9.

Le contrat de plan 1984-86 stipulait que l'État continuerait de prendre en charge frais financiers et amortissements liés aux investissements réalisés avant le 1-1-1984. Et, depuis, tous ceux rendus nécessaires par les modifications aéronautiques préalablement acceptées par l'État. Les autres investissements (ex. : renouvellement des pièces de rechange) doivent être assumés par Air France pour 50 % de leur coût (Air France doit partager avec l'État 50 % du résultat d'exploitation courante de Concorde).

■ **Bilan British Airways. De 1975 à 85 :** *passagers :* 800 000 (dont 50 000 sur charters). *Lignes :* Londres-New York (2 fois/j), Londres-Washington-Miami (3 fois par sem.). 3 pertes en vol de morceau de gouvernail : 11-4-1989 entre Australie et N.-Zélande ; janv. 1991 sur Londres-New York, 21-3-1992.

Avion de transport supersonique (futur ATSF) : projet de l'Aérospatiale. Accord le 9-5-1990 avec British Aerospatial pour le construire. *Coût du programme :* 50 à 80 milliards de F. *Marché :* 300 à 500 (?) entre 2005 et 2025. *Passagers :* 200 à 300 (Concorde : 128). *Rayon d'action :* 12 000 km (C. 6 000). *Voilure :* 500 m^2 (360). *Vitesse :* Mach 2,4 soit env. 2 500 km/h [C. 2,02 (soit env. 2 100 km/h)]. *Longueur :* 76 (C. 62,17). *Envergure :* 36,6 (C. 25,6). *Poids au décollage :* 225 t (C. 183). *Masse au décollage :* 660 t (C. 403). 4 propulseurs séparés de 20 t chacun (C. 17 t), vraisemblablement à capacité variable. *Consommation en carburant :* 4,5 l par passager pour 100 km (C. 101). **Avion à grande vitesse (AGV) :** étudié pour 2015-2020. 300 t, 150 passagers, rayon 12 000 km, alt. de vol 30 000 m, vitesse 5 000 km/h.

Appareils expérimentaux. 30 de McDonnell Douglas et Rockwell. SST 2000 (en All. Sanger). *Projet :* 300 à 400 t, 150 passagers, vitesse 25 000 km/h.

Hotol (Horizontal and Take-off Landing) : de British Aerospace. Décollerait sans pilote sur un chariot lancé à 500 km/h. Quand la vitesse orbitale (env. 28 000 km/h) serait atteinte (vers 90 km d'altitude), les moteurs seraient coupés et l'Hotol, sur sa lancée, monterait jusqu'à 300 km. 22 petits moteurs fusées suffiraient ensuite à assurer la décélération nécessaire pour ramener le périgée à 70 km d'alt. *Atterrissage* à 320 km/h sur 1 800 m de roulement. *Permettrait* de relier Londres à Sydney en 45 min de vol, de verticale à verticale, soit de 65 à 70 min de vol, du décollage à l'atterrissage. *Coût du voyage :* 24 millions de F (soit, pour 50 sièges occupés, 480 000 F par passager).

Sharp (Stationary high altitude relay platform : répéteur fixe de haute altitude) : (Canada). *Envergure :* 4 m, *masse :* 5 kg, *vitesse :* 20 km/h. Un faisceau de micro-ondes lui fournit, en altitude, l'énergie nécessaire.

■ Quelques chiffres

■ **Altitude optimale de vol** (en m). *Concorde* 18 000, *Boeing 747* 13 740, *727* 12 800, *Douglas DC-10* 12 200, *737* 10 600.

■ **Bruit.** *Zones de bruit engendrées par différents types d'avion :* début de piste d'envol et, entre parenthèses, surface en km^2. 707 (267) ; 727-200 (52) ; 737 (34) ; Tristar 1011 (22) ; A300B (13).

■ **Consommation. Nombre de passagers/km effectivement réalisés par kg de carburant brûlé (à taux de remplissage maximal) :** *paquebot* 4, *avion supersonique Concorde* 10, *récent B 747* 38, *B 737* 25. Avec les taux d'occupation existants ou attendus : *paquebot* 3, *Concorde* 7, *B 747* 23, *B 737* 15.

McDonnell met au point une aile perforée qui, en réduisant les turbulences, ferait baisser de 45 % la consommation du kérosène.

Consommation moyenne horaire de carburant kérosène (en t) (1988)

Appareils	Sièges	Vit. km/h	Cons.
Concorde	100	2 200	20
Boeing 747 mixte	350/477	900	11,5
Boeing 747 combiné	250	900	11
Boeing 727	155	870	4,2
Boeing 737	108	800	2,5
Airbus A 300-B2	281/292	860	6
Airbus A 300-B4	207/292	860	6,1
Airbus A 310	246	830	4,4
Airbus A 320	153	800	–

■ **Dimensions. Avions de transport les plus gros : USA :** *C-5A,* dit *Galaxy,* construit par Lockheed (347 t, long. 43,90, larg. 5,80, 28 roues). Les moteurs TF-39 ont chacun une poussée de 18 650 kg et 10 275 kg. 11 *C-5A,* transportant 91 t et volant 10 h par jour, auraient pu assurer à eux seuls le pont aérien de Berlin en 1948 (il avait alors fallu 375 avions, dont 225 américains et 150 anglais). *Superjumbo* projet Boeing (USA) avec Aérospatiale (Fr.), British-Aerospace (G.-B.), Deutsche Aerospace (All.) et Casa (Esp.) : accord du 27-1-1993. Longueur 79,3 m, hauteur 19 m, ailes de 78 m, poussée 400 000 livres. 550 à 800 passagers sur 13 000 à 18 000 km. Demande mondiale : 300 à 600 appareils. *Hydro 2 000* hydravion, longueur 105 m, envergure 108 m, hauteur 8 m, soutes de 60 m et de 2 900 m^3, masse max. au déjaugeage 1 000 t, charge transportée 300 t sur 14 000 km, 6 moteurs de 10 000 livres de poussée. 5 appareils pourraient emporter une division militaire de 8 000 hommes, 800 t de matériel et une antenne médicale. Vitesse optimale mach 0,7 ; devrait voler 1 h 15 min de + que les gros porteurs

Principaux types d'avions commerciaux (entre parenthèses : 1er vol)	Enverg. m	Long. m	Masse [1] kg	Passagers	Vitesse km/h	Rayon d'act. [2] km
Airbus A-310-200 (3-4-82) (Fr.)	43,90	46,66	138 600	214 à 255	896	7 900
Airbus A-310-300 (8-7-85) (Fr.)	43,90	46,66	150 000	234	896	9 500
Airbus A-300 B2 [8] (28-10-72) (Fr.)	44,84	53,62	142 000	251 à 345	950	4 635
Airbus A-300 B4 [8] (26-12-74) (Fr.)	44,84	53,62	165 000	251 à 345	915	4 580
Airbus A-300-600 (8-7-83) (Fr.)	44,8	54,1	165 000	267	915	7 100
Airbus A-320-100 (22-2-87) (Fr.)	33,9	37,57	68 000	150	902	3 240
Airbus A-321 (1993) (Fr.)	34,1	44,50	82 200	185	902	460
Airbus A-330-300 (6-92) (Fr.)	58,64	63,60	208 000	328	945	
Airbus A-340-300 (1991) (Fr.)	58,64	63,60	251 000	294	945	13 000
Antonov 124 Rouslan (URSS) (1986) [32]	73,3	69,5	405 000	–	850	16 000 [25]
Antonov 225 (URSS)	88,4	–	600 000	–	850	–
Antonov 22 Antée (URSS) (1967) [31]	64,4	55,5	–	–	–	–
BAC 1-11 [4] (série 500) (G.-B.)	28,50	32,61	47 400	90 à 119	885	2 735
BAC VC-10 [3] (G.-B.)	42,73	52,36	152 000	151	961	9 700
Boeing 707-120 [3] (USA) [12]	39,87	44,04	116 000	181	990	7 485
Boeing 707-320 B/C (intercontinental) (USA)	44,42	46,61	152 405	147 à 189	1 010	11 186
Boeing 727 avancé [6] (USA)	32,92	46,69	94 225	134 à 187	994	5 778
Boeing 737 avancé [4] (USA)	28,35	30,50	52 390	115 à 130	943	4 630 [17]
Boeing 747 [3] (USA) [11]	59,64	70,50	351 540	350 à 500	1 030	9 200
Boeing 747 SP (USA)	44,64	56,20	293 000	280 à 360	980	11 000
Boeing 747 [28] (1992) (USA)	–	–	–	150	–	4 800
Boeing 757 (USA) (février 1982)	37,95	47,32	104 325	178 à 224	873	4 614
Boeing 767 (USA) (26-9-81)	47,57	48,51	136 080	211 à 289	873	5 152
Caravelle 3 Aérospatiale (France)	34,30	32,01	48 000	99	800	2 200
Caravelle 12 [4] Aérospatiale (France)	34,30	36,23	58 000	128	812	3 150
Comet 4B [3] Hawker Siddeley (G.-B.)	32,88	35,97	71 650	72 à 101	891 [15]	4 135
Concorde [3,5] BAC-Aérosp. (Fr.-G.-B.) (20-3-69)	25,56	62,10	185 070 [20]	100 à 128	2 200	6 500
Convair 880 [3] (USA)	36,58	39,42	86 000	88 à 110	970	5 000
Convair 990 [3] (USA)	36,58	42,50	108 000	121	1 030	7 000
Falcon 100 Dassault-Breguet (Fr., 1-12-70)	13,08	13,86	8 880	4 à 7	910	3 550
Falcon 20 F Dassault-Breguet (Fr., 4-5-63)	16,30	17,1	13 000	8 à 14	860	3 300
Falcon 50 Dassault-Breguet (Fr., 7-11-76)	18,86	18	18 500	8 à 14	880	6 500
Falcon 200 Dassault-Breguet (Fr., 1981)	16,32	17,15	13 900	1 à 15	850	4 540
Falcon 900 Dassault-Breguet (21-9-84) (Fr.)	19,33	20,21	20 640	–	930	–
Falcon 2 000 Dassault (Fr. 4-3-93) [35]	19,33	20,23	15 875	12	850	5 600
Fokker VFW-614 [4] (All. féd.-P.-Bas)	21,50	20,57	12 000	44	700	1 200
Fokker F-28 (P.-Bas)	23,58	29,61	16 470	65	843	1 300
Iliouchine IL-62 [3] (URSS)	43,30	53,12	157 000	186	900	9 200
Iliouchine IL-86 (URSS)	48,06	59,54	206 000	350	950	4 600 [23]
Iliouchine 76 [3] (URSS)	50,50	46,50	157 000	n.c.	n.c.	5 000
Lockheed L-1011 [6] (USA) (16-11-70)	47,35	54,00	186 000	345	930	5 200
Lockheed C-5A Galaxy (USA) (1970)	67,88	75,54	348 000	–	920	12 860 [26]
Lockheed C-5B Galaxy (USA) (1986)	67,88	75,54	379 600	–	920	10 400 [27]
Mercure Dassault [4] (Fr.) (28-5-71)	30,55	34,84	57 000	130 à 150	945	2 000 [17]
McDonnell Douglas DC-8 [3] (série 62) (USA)	45,23	47,80	152 000	189	965	13 676
McDonnell Douglas DC-8 (juin 63) (USA)	45,20	57,10	1 590/1 620	259	965	7 240
McDonnell Douglas DC-9 [4] (série 30) (USA)	28,47	36,36	46 720	115	909	2 510 [9]
McDonnell Douglas DC-10 [6] (série 30) (USA)	50,42	55,32	252 000	270 à 380	925	9 815 [10]
McDonnell Douglas MD 11 (1990) (USA)	–	–	–	276	–	12 750
Mria (URSS) (1988) [33]	–	–	–	–	–	–
Gulfstream 3 Grumman (USA)	25,8	26,6	17 604	22	1 055	8 170
HS 125 Hawker Siddeley (G.-B.)	14,33	15,39	11 340	8 à 14	845	3 000
HS Trident 2 E (G.-B.)	29,90	32	65 540	91 à 149	960 [16]	4 095
HS Trident 3 B (G.-B.)	29,90	39,90	71 670	136 à 180	895	3 300
Piaggio P 180 (1986) (It.)	13,84	14,16	4 445	n.c.	740	3 892
SN 601 Corvette Aérosp. (Fr., 6-7-70)	12,87	13,83	3 870	6 à 14	760	2 500
Tupolev 104 B [4] (URSS)	34,54	38,85	100 000	70	850	3 100
Tupolev 124 [4] (URSS)	25,55	30,58	38 000	56	n.c.	1 200
Tupolev 134 [4] (URSS)	29,00	35,00	44 000	72	885	3 500
Tupolev 144 [3] (URSS)	28,80	64,45	180 000	126	2 300	6 500
Tupolev 154 [6] (URSS)	37,55	47,90	90 000	164	950	4 000 [19]
Tupolev 155 (URSS)	–	–	–	–	–	–
Tupolev 204 (2-1-1989) (URSS)	42	46,22	107 900	170 à 214	840	4 000
Yakovlev 14 [4] (URSS)	n.c.	n.c.	n.c.	120	n.c.	2 800
Yakovlev 40 [6] (URSS)	25,00	20,36	15 500	27	550	1 000
☞ Mirages, voir Défense nationale.						
Avions à turbopropulseurs						
Antonov 22 [7] (URSS)	64,50	57,89	250 000	724	740	10 950 [24]
Antonov 24-26 (URSS)	29,20	24,00	17 000	50	430	600 [19]
ATR-42-300 (France-Italie) (16-8-84)	24,57	22,67	16 700	42 à 49	493	1 760
ATR [30] 42 Colibri (Fr.-It.)	24,57	22,67	16 700	48	493	1 315
ATR 72 (10-88) (Fr.-It.)	27,05	27,17	21 500	70	530	
Breguet Br. 941 [7] STOL (France)	23,20	27,73	24 000	48	425	5 000
De Havilland Dash 8-100 (G.-B.)	–	–	–	–	–	–
De Havilland Dash 8-300 (G.-B.)	–	–	–	–	–	–
Embraer-120 (G.-B.)	–	–	–	–	–	–
Fairchild F-27 (USA)	29,00	23,50	17 463	4 à 48	443	2 460
Fokker F-27/500 (P.-Bas)	29,00	25,06	19 730	52	450	1 900
Fokker 50 (P.-B.)	–	–	–	–	–	–
Fokker 100 (P.-B.)	–	–	–	–	–	–
Frégate (Nord 262 C et D) Aérospatiale (France)	22,60	19,28	10 800	26 à 29	415	1 020
HS 748 Hawker Siddeley (G.-B.)	30,02	20,42	21 088	40 à 60	448 [13]	2 650 [14]
Lockheed (Electra) [7] (USA)	30,18	31,81	52 000	66 à 93	652	5 470
Namc YS-11 (Japon)	32,00	26,30	15 300	60	450	1 700
Transall C-160 (Fr.-All. féd.) (25-2-63) [29]	40,00	32,40	51 000	3	500	8 800
Iliouchine 18 [7] (URSS)	37,40	35,90	61 000	73 à 111	650	5 000
Nord 262 Aérospatiale (France, 24-12-62)	21,90	19,28	10 600	29	395	980
Saab-340 (Suède, 25-1-1983)	21,44	19,72	12 372	35	504	1 000
Socata	12,16	10,43	1 492	6 à 7	–	–
Tupolev 114 [7] (URSS)	51,10	54,10	171 000	220	770	8 950
Vickers-Vanguard [7] (G.-B.)	35,96	37,38	66 500	97 à 139	680	4 160
Vickers-Viscount 708 et 724 [7] (G.-B.)	28,55	24,74	26 000	60 à 62	505	3 300
Avions à moteurs à pistons						
Breguet Deux Ponts [7] (France)	42,99	28,95	50 000	59 ht 48 bas	400	3 700
Douglas DC-3 [23] (USA)	28,90	18,63	11 800	21	290	2 500
Douglas DC-4 [7] (USA)	35,80	28,47	33 100	55	480	4 300
Douglas DC-6 [7] (USA)	35,80	32,46	48 000	87	580	9 500
Douglas DC-7 [7] (USA)	38,86	34,62	64 850	22	580	9 600
Lockheed (Constellation) [7] (USA)	37,49	28,97	47 700	44	525	8 800
Lockheed (Super Constellation) [7] (USA)	37,50	34,60	62 400	48 à 88	470	5 000
Lockheed (Super Starliner) [7] (USA)	45,72	34,02	72 600	48 à 88	560	9 560
Nord 2501 (France)	32,50	21,80	19 600	40	440	1 000

◄ Nota. – (1) Masse maximale au décollage (t). (2) Rayon d'action max. (km) à vide. (3) 4 réacteurs. (4) 2 réacteurs. (5) 4 réacteurs à simple flux SNECMA – Olympus 593 ; puissance 17 100 kg de poussée, consommation 1,327 kg/kgp/h, hauteur 11,40 m. (6) 3 réacteurs. (7) 4 hélices. (8) Voir encadré. (9) Avec 75 passagers. (10) Avec 270 passagers et bagages. (11) Hauteur 19,33 m. (12) Hauteur 12,90 m. Nouvelles versions prévues : court-courrier 747 SR (537 pass.), long-courrier (385 p.). Version fuselage allongé de 15 m : court-courrier (750 p.), long-courrier (550 p). (13) Vitesse à 4 600 m d'altit. (14) Avec 3 620 kg de charge utile. (15) Vitesse de croisière moyenne. (16) Vitesse de croisière typique. (17) Rayon d'action commercial, compte tenu de la réserve de carburant, B 737 : 2 500, Mercure : 2 000. (18) Corvette 100 : 12 à 14 places, consomme 10 l de carburant par passager aux 100 km, 200. (19) Rayon d'action max. à pleine charge. (20) *Au décollage :* à l'atterrissage 111 380 (100 passagers), sans carburant 92 080, charge marchande type 11 340. (21) Le dernier Comet a été retiré du service en 1980. (22) Avec charge de 20 t, 3 200 km avec 40 t. (23) Douglas commercial nº 3 : 1er vol le 17-12-1935, 13 000 ex. construits dans le monde jusqu'en 1947. (24) 5 000 avec la charge max. de 80 t. (25) 4 500 avec la charge payante max. de 150 t. (26) 6 030 avec la charge payante max. de 100,2 t. (27) 5 525 avec la charge payante max. de 118,4 t. (28) 2 hélices incurvées de 3 m de diamètre tournant à l'extérieur de la nacelle où se trouve la turbine. (29) Accord franco-all. sur ce projet en janvier 1959, 1re livraison 1967. (30) Avion de transport régional (ATR) franco-italien construit à parité par Aérospatiale et Aeritalia. (31) Soute long. 33 m, larg. 4,4 m, hauteur 4,5 m, capacité de chargement 80 t. (32) Hauteur 20,78 m, soute 36 m, larg. 6,4 m, haut. 4,4 m. (33) En ukrainien : rêve. 6 turbos de 23,4 t de poussée chacun, charge 600 t, peut lever 250 t sur + de 4 000 km à 800 km/h, soute long. 43 m, larg. 6,4 m, haut. 4,4 m, peut embarquer 80 voitures Lada. (34) 1re version (1955) : long. 32 m, 46 t, 99 passagers, 800 km/h sur env. 200 km, puis Caravelle 3 et Caravelle 12 (12 ex. construits en 1972). 279 construites en 15 ans par Sud Aviation [55 encore en service dans 18 pays en 1991 ; retirées du service, en France sur Air France en mars 1981 (en avait exploité 46), et sur Air Inter le 3-8-1991]. (35) Altitude de croisière de 12 500 m (plafond 14 000 m). Prix : 84 millions de F. Peut atterrir sur piste de 800 m et décoller sur piste de 1 500 m.

sur 10 000 km. Coût d'un appareil : 220 millions de $ (pour une série de 400) (Boeing 747 : 180). *B-747-400* cargo, masse max. au décollage 400 t, charge transportée 100 t sur 8 000 km, 4 moteurs de 60 000 livres de poussée. *Hughes H4 Spruce Goox* conçu et piloté par Howard Hughes ; 1 et demi vol 2-11-1947 à 25 m sur circuit de 1,5 km ; envergure 97,54 m, long. 66,75 m, larg. 7,92 m, masse max. au déjaugeage 180 000 kg, 8 moteurs de 3 000 ch, 500 à 700 passagers. **URSS :** *Antonov 22 « Antée »* (1985) : (250 t en charge). 4 turbopropulseurs développant chacun 15 000 ch entraînant 8 hélices contrerotatives. Charge payante 80 t. *Antonov-124 Rouslan* (1982) : quadrimoteur de 405 t en charge, charge 150 t, aile 73 m d'envergure et 628 m^2 de surface, décolle à pleine charge sur 3 000 m de longueur, train d'atterrissage à 24 roues. *Antonov-225* (1988) : hexaréacteur (6 réacteurs) 600 t et 90 m d'envergure env., poussée totale de 140 t, équipé pour transporter sur son dos la navette spatiale Bourane.

Avions les plus petits : *Skybaby (biplan Stits) :* en 1952 (enverg. 2,18 m, long. 3 m, moteur de 85 ch, 205 kg à vide, vitesse max. 298 km/h). *Cri-Cri :* enverg. 4,90 m, long. 3,90 m, 72 kg, vitesse max. 260 km/h. *Pou du Ciel* (voir p. 1668 b).

Le plus léger : *Birdman :* 55 kg, enverg. 10 m, décolle en 30 m, se pose en 15 m, moteur de 11,5 ch, 80 km/h.

■ **Pistes. Longueurs nécessaires** (en m) : *Airbus B4 :* 2 320. *Boeing 707 :* 2 900 à 3 320. *727 :* 2 400 à 2 600. *737 :* 2 100. *747 :* 2 720 à 3 200. *Caravelle :* 1 800 à 2 000. *Concorde :* 3 000 à 3 200. *DC-3 :* 1 200. *DC-4 Constellation :* 1 550. *DC-6 :* 1 860. *Superconstell. :* 1 970. *Tupolev 154 :* 2 100. *Viscount 708 :* 1 650.

■ **Prix de vente.** AVIONS COMMERCIAUX (en millions de $ US, avec p. de rechange en 1985). **Airbus :** *300-600* 75,1 ; *310-200* 64,1. **Boeing :** *737-200* 19,7 ; *737-300* 27,7 ; *747-200* 99,6 ; *757-200* 44,7 ; *767-200* 56,8. **MDC-***80* 29. HÉLICOPTÈRES (en millions de F, 1979). *SA 315 B* 2,1. *SA 319 B* 2,7. *SA 330 JP* 10. *AS 350 Écureuil* 1,6. *Bell 206 B Jet Ranger II* 0,9. *Bell 206 L* 1,6. *Bell 222* 4,1. *Sikorsky S-76 :* 5,2.

Avions d'affaires. Prix des Jets neufs (en millions de F) : Citation JET [1] 16,2 ; Citation V [1] 14,6 ; Lear 35 A [2] 27 ; Lear 60 [2] 44,8 ; Beech 400 [3] 28,6 ; SJ 30 [4] 15,7 ; BAe 800 [5] 54 ; BAe 1000 [5] 70,2 ; Falcon

2000 [6] 75,6 ; Falcon 50 [6] 79,4 ; Falcon 900 [6] 118,8 ; Challenger CL-60 [7] 91,8 ; GIV [8] 135.

Nota. – (1) Cessna. (2) Learjet. (3) Beech. (4) Swearingen. (5) British Aerospace. (6) Dassault. (7) Canadair. (8) Gulfstream.

■ **Prix de revient.** Heure de vol et coût du km/avion, entre parenthèses (en F) : *Piper « Chieftain »* 2 207 (6,68). *Beechcraft « King-Air » 200 :* 3 928 (7,55). *Dassault Falcon 20 F :* 850 km/h 9 779 (1,43).

■ **Vitesse. À l'atterrissage :** *Boeing 747 :* 260, *737 :* 240, *727 :* 222, *DC-10 :* 260, *Concorde :* 296. **De croisière** (voir tableau p. 1673).

■ **Production, commerce** (voir p. 1676).

BALLONS LIBRES

QUELQUES PRÉCISIONS

Adresses. *Fédération française d'aérostation,* 6, rue Galilée, 75016 Paris (94 clubs affiliés) Minitel 3615 AEROSTAT. *Club aérostatique de France,* 3 bis, square Antoine-Arnaud, 75016 Paris. *École de pilotage* à Maintenon et à Metz. *École aérostatique de France* à Meaux. *Club des ballons libres du Nord,* 23, carrière Truffaut, 59493 Villeneuve-d'Ascq. *Cie parisienne des aérostiers,* 72, allée de la Pépinière, 92150 Suresnes.

Nombre dans le monde (août 1992). **Montgolfières :** env. 13 000 (USA 8 400, *France 610,* Suisse 320). *Ballons gaz* 134 *(Fr. 13).* **Pilotes :** USA 4 800. G.-B. 1 100. *France 980.* All. 840. Japon 790. Suisse 415.

Prix. Ballon : 70 000 F (constr. artisanale, amateur) à 350 000 F. **Montgolfière :** 100/180 000 F env. Inscription au club + assurance + inscription à la Fédération 600 à 800 F. 1 h de vol (montgolfière) : 550 à 700 F. **Brevet de pilotage :** après 12 h de vol (dont 2 en solo).

Types de ballons. 1°) *à gaz* alimentés en général à l'hydrogène ou à l'hélium (ex. : *Double Eagle II,* en août 1978, a traversé l'Atlantique, 5 001 km, durée 5 j et 17 h). 2°) *à air chaud* (ou montgolfières) : record : distance 1 450 km (1re traversée de la Méditerranée, mars 1983, durée 29 h ; altitude 16 805 m ; rec. du monde). 3°) *hybrides* air chaud et gaz appelés Rozières (type prévu pour un tour du monde à haute altitude : 20 j sur plus de 30 000 km). 1re transatlantique Est-Ouest Canaries - Venezuela (en 132 h) en Rozière de 1 700 m³ par Thomas Feliu et Jesus Gonzales Green (Espagnols) du 9 au 14-2-1992. Record de durée : 145 h par Tom Bradley et Richard Abruzzo (USA), 5 063 km (USA-Maroc) en sept. 1992. 4°) *permettant la pressurisation de gaz à l'intérieur de l'enveloppe* (encore peu utilisés). 5°) *à énergie solaire* (expérimentaux) : une enveloppe noire emmagasinant la chaleur est recouverte d'une autre enveloppe en matière synthétique transparente laissant pénétrer les rayons solaires. 6°) *planétaires :* envisagés comme moyen d'observation des planètes (gonflés à la vapeur d'eau ou à l'ammoniaque depuis le sol d'autres planètes).

Ces catégories comportent 15 sous-classes de 250 m³ à 22 000 m³ et +.

Vitesse. Celle du vent qui le déplace.

■ BALLON À GAZ

■ **Description.** 1°) **Enveloppe ou peau de ballon :** sphère en tissu fait d'une trame de coton enduite recto-verso de caoutchouc synthétique antistatique (les premiers ballons étaient en soie vernie), composée de fuseaux (32 pour un ballon de 700 m³) assemblés par collage et coutures recouvertes de bandes d'étanchéité. Chaque fuseau est lui-même décomposé en panneaux. L'enveloppe est gonflée avec un gaz plus léger que l'air, le plus souvent de l'hydrogène ; elle s'ouvre à sa partie supérieure par une *soupape* qui permet l'évacuation du gaz et le déclenchement de mouvements vers le bas, et à sa partie inférieure par l'appendice, qui sert à l'introduction du gaz dans l'enveloppe et, en cours de vol, en particulier durant la montée, à l'évacuation libre d'un excès de gaz dilaté par la diminution de la pression atmosphérique. Elle comporte aussi un panneau de déchirure en tissu (triangulaire en haut du ballon), qui sert de volet. En tirant sur une corde on peut l'ouvrir pour dégonfler rapidement le ballon lors de l'atterrissage, pour éviter que la nacelle ne soit traînée au sol. 2°) **Filet :** en chanvre italien, à fibres longues et serrées (résistance au déchirement 90 kg pour une corde de 3 mm de diamètre ; 1 100 kg pour 11 mm) ou filets synthétiques plus légers et résistants, il recouvre l'enveloppe et se termine par des suspentes (12 à 16) qui aboutissent au *cercle de charge* (en bois ou métal léger) auquel sont attachées les suspentes de la nacelle. 3°) **Nacelle :** panier en osier (résistance,

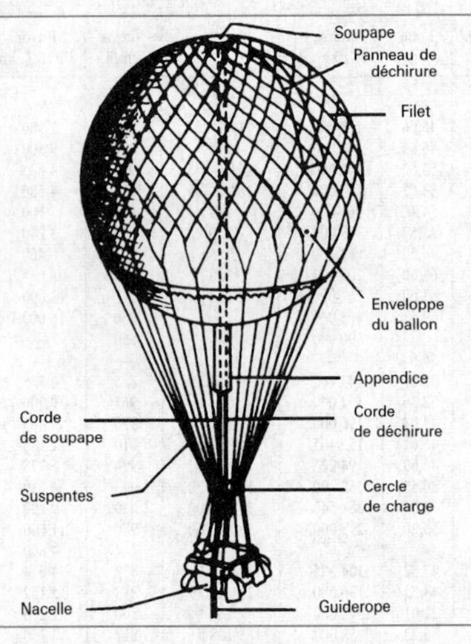

souplesse, légèreté, électricité statique nulle). Doit avoir actuellement 1,10 × 1 m × 1 m de haut au moins pour transporter 4 personnes. 4°) **Guiderope :** corde en coco de 60 à 75 m de long accrochée sur un des côtés de la nacelle. En le déroulant (lorsqu'il touche le sol), il sert de délesteur, frein partiel, moyen d'orienter le ballon avant son atterrissage. 5°) **Ancre :** servant de frein, n'est plus utilisée aujourd'hui. 6°) **Lest :** corps pesants (sable en sacs de 15 kg) que l'on jette pour régler l'ascension du ballon. 7°) **Instruments :** *altimètre* (baromètre gradué en altitude) ; *variomètre* (indique en m/s la vitesse de montée ou de descente) ; *thermomètre* et parfois *hygromètre, barographe* (enregistre le vol) et *radio* éventuellement : transpondeur qui transmet dans la fréquence radar pour transmettre la position au contrôle aérien.

Nota. – Ballon de 700 m³ poids mort 260 kg (sans lest, lest minimum 70 kg, charge en passagers max. 430 kg = 5 passagers), *b. de 400 m³* 140 kg.

■ **Principe.** Les b. à gaz sont aujourd'hui gonflés à l'*hydrogène* qui a une force ascensionnelle moyenne de 1,1 kg/m³. L'*hélium,* plus lourd que l'hydrogène mais ininflammable, est rarement employé car coûteux. Le *gaz d'éclairage* n'est plus employé (il est en général plus lourd que l'air sauf le gaz des houillères). Une fois le b. gonflé, le pilote jette du lest jusqu'à ce que le b. atteigne son point d'équilibre au niveau du sol (opération appelée pesage). Cet équilibre est atteint dès que le poids total du b. correspond au poids de l'air déplacé par le b. selon le *principe d'Archimède* (tout corps plongé dans un fluide subit de la part de ce fluide une poussée verticale de bas en haut égale au poids du fluide qu'il déplace). La *force ascensionnelle* est égale à la différence entre le poids de l'air déplacé par le b. et le poids du b. Le poids de l'air variant avec la température, l'altitude et l'humidité relative, la force ascensionnelle du b. et sa hauteur d'équilibre varient selon les conditions atmosphériques. Au fur et à mesure que le b. monte, le poids de l'air diminue alors que le gaz, devenant plus léger, augmente de volume (*loi de Mariotte :* à température constante, le produit des nombres qui mesurent la pression et le volume est un nombre constant pv = p'v' = constante).

Tout b. qui a atteint son point d'équilibre redescend jusqu'au sol (à 1 et 3,5 m/s suivant l'altitude) s'il n'est pas maintenu en altitude par un délestage régulier. *Pour accélérer la descente,* on ouvre la soupape ; *pour la freiner,* on déleste ; *pour maintenir une alt. constante,* on alterne.

Quantités minimales de lest embarqué (1 sac de lest = 15 kg net) : *ballon de catégorie 1* (600 m³) 4 sacs = 60 kg ; *2 et 3* (jusqu'à 1 200 m³) 8 = 120 kg ; *4* (jusqu'à 1 600 m³) 12 = 180 kg ; *5* (jusqu'à 2 600 m³) 15 = 225 kg. Au minimum, on embarque en poids les 10 % du volume. *Influence de la température :* si la température du gaz baisse, le volume gazeux diminue et la force descendante égale 4 % du poids de l'air déplacé par degré. À 2 000 m d'alt., 1 m³ d'air pesant env. 1 kg, un b. de 1 000 m³ subit ainsi une force descendante de 40 kg env. pour une baisse de température de gaz de 10 °C. La descente qui s'ensuit ne peut alors être freinée qu'avec 40 kg de lest.

■ **Ballon flasque.** Rempli incomplètement, il s'élève avec une vitesse constante jusqu'à ce que son enveloppe soit entièrement dilatée. Il devient alors un b. plein qui continue son ascension jusqu'à son point d'équilibre. *Avantages* 1°) : il s'élève à son altitude de gonflement maximale sans intervention du pilote (sa force ascensionnelle restant constante) ; on peut se rendre directement à l'altitude de croisière prévue : application lors des vols en montagne (décollage à 66 % du volume du ballon, altitude de 4 500/5 000 m quand il est plein) ; il est donc plus vite à l'abri des obstacles imprévus ; 2°) il économise du gaz.

■ **Ballon stratosphérique ouvert.** Ballon d'env. 350 000 m³ (90 m de diamètre), emportant 600 kg à 40 km d'alt. Enveloppe légère (polyéthylène de 10 à 25 microns d'épaisseur) remplie de gaz léger (hélium ou hydrogène), ouverte à sa partie inférieure. À la fin de l'expérience, séparée, la nacelle se détache et redescend avec un parachute ; le ballon éclate.

■ **Ballons pour vols de longue durée.** Fermés pressurisés ; ils gardent un volume constant jour et nuit (sur les ballons ouverts, le volume diminue la nuit à cause du refroidissement et le ballon descend). Ils sont chauffés le jour par le rayonnement solaire, et la nuit par le rayonnement infrarouge émis par la terre. En 1978, on utilisait seulement des ballons surpressurisés et sphériques. Depuis, on a étudié des ballons lobés « potirons », emportant 12 kg à 17 km d'alt. pendant 5 mois, ou 50 kg à 26 km.

■ BALLON À AIR CHAUD OU MONTGOLFIÈRE

■ **Description.** 1°) **Enveloppe :** en forme de poire en Nylon indémaillable, traitée en surface par un vernis polyuréthane (1/10 mm d'épaisseur, 35 à 40 g/ m²). Sa partie inférieure, faite en nomex (tissu synthétique très résistant à la chaleur) est ouverte. En dessous, au milieu du cercle de charge en acier, le brûleur : actionné par le pilote, il réchauffe par intermittence l'air contenu dans l'enveloppe et maintient l'aérostat en ligne de vol régulière. Autrefois, on brûlait de la paille. Sur les nouveaux types de montgolfières, la soupape latérale en Nylon et le panneau de déchirure triangulaire ou circulaire fixé à l'aide de bandes Velcro sont remplacés par le panneau « parachute », calotte amovible plaquée à l'intérieur, au sommet du ballon, par la pression de l'air chaud. À l'aide d'un câble, le pilote en contrôle l'ouverture. Il n'y a pas de filet. Chaque fuseau possède une sangle en matière synthétique qui se termine par un câble d'acier fixé au cercle de charge. 2°) **Nacelle :** généralement en osier, comporte 8 suspentes en câble d'acier inox. On n'embarque pas de lest à bord, mais des bouteilles de propane liquide de 20 kg (assurant chacune un vol de 25 à 50 min, suivant le volume du b., la température extérieure et la charge de la nacelle) ou de 35 kg (autonomie de 45 à 90 min). **Capacité :** souvent 1 800 à 3 000 m³ (b. à gaz 400 à 1 050 m³). À capacité égale, une montgolfière emmène moins de passagers qu'un b. à gaz. **Gonflage :** on remplit d'abord au tiers d'air ambiant avec un ventilateur, puis on chauffe en envoyant la flamme à l'horizontale. L'air, en se dilatant, gonfle très rapidement l'enveloppe qui se redresse. Il ne reste plus qu'à chauffer pour trouver la force ascensionnelle (en moy. 1 m³ d'air chaud possède un pouvoir ascensionnel de 250 g lorsque la temp. extér. est de 18 °C).

■ **Principe.** *Pour le pilotage,* on dispose d'un variomètre, d'un altimètre et d'un indicateur de température (max. à ne pas dépasser : 130 °C). *Inconvénients :* les montgolfières ne peuvent voler que par très beau temps, à cause de leur grande prise au vent, de la technique de gonflement, et des turbulences aérologiques causées par les nuages. *Avantages :* mise en œuvre rapide, prix de revient au vol moins élevé que les ballons à gaz.

■ **Montgolfières à formes spéciales.** Ayant la forme de bouteilles, bonshommes, paquets de cigarettes, camions, motos, pagodes, châteaux, maisons, avions, pneus, minarets, sphinxs, boîtes de conserves, bougies, ours, éléphants, etc. Pilotage très délicat.

■ **Record. Distance :** Richard Branson et Per Lindstrand (Angl.) : *traversée du Pacifique* (15/17-1-1991) : 10 878 km sur le Pacific Flyer de 74 000 m³. Alt. max. 11 000 m, vitesse max. 385 km/h, vit. moy. 237 km/h, durée du vol 46,06 h (du Japon au Canada) ; et *de l'Atlantique* (2/3-7-1987) : 4 948 km sur le Virgin 63 713 m³ (capacité record). **Altitude :** Julien Nott sur ICI Innovation, 16 805 m.

DIRIGEABLES

■ **Types. Souples :** sans support intérieur ou extérieur. **Rigides :** à structure recouverte par l'enveloppe ; nacelle et bâtis moteurs sont solidaires de l'armature. La carène est constituée par des anneaux en aluminium, reliés par des poutres longitudinales. Chaque extrémité est terminée par un cône. L'intérieur est divisé en compartiments dans lesquels sont placés des ballonnets contenant hydrogène ou hélium. On distingue les *aérocranes* ayant la forme d'un ballon et les *hélistats* ayant celle d'un zeppelin.

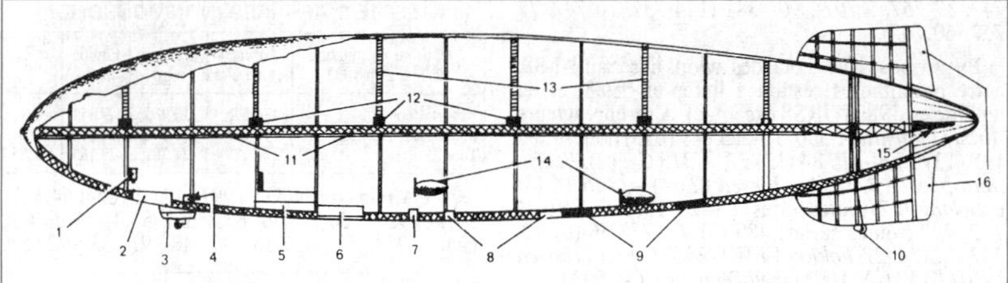

Un dirigeable Zeppelin du type Hindenburg : 1 Water-ballast. 2 Carré des officiers. 3 Cabine de pilotage. 4 Salle de radio. 5 Installation des passagers. 6 Cabines de l'équipage. 7 Salle des machines. 8 Passerelle de quille. 9 Réservoirs d'eau et de gas-oil. 10 Train d'atterrissage de queue. 11 Passerelle. 12 Soupapes. 13 Cheminées de gaz. 14 Moteur. 15 Gouverne de profondeur précédée d'un plan fixe de stabilisation. 16 Gouvernail.

Nota. – Il existe 22 dirigeables à air chaud (dont 3 en France) qui sont en fait des montgolfières oblongues ; un moteur de 60 ch env. entraîne une hélice carénée permettant à la montgolfière de revenir à son point de départ si le vent ne dépasse pas une vitesse de 10 km/h.

■ **Zeppelins.** Le Cte Ferdinand von Zeppelin (All., 1838-1917) a donné leur essor aux dirigeables. Du 2-7-1900 à 1937, 119 sortirent de son usine de Friedrichshafen. En août 1914, les 9 zeppelins existants sont réquisitionnés pour des missions de guerre, assurant 206 raids avec 198 victoires. Les *zeppelins* ont assuré, à partir du **1-10-1928**, service transatlantique vers New York. Un zeppelin a effectué un tour du monde en 21 j 7 h 22 min du 8 au 29-8-1929. Les zeppelins disparurent après l'incendie (dû à un attentat ?) du *LZ 129 Hindenburg* (le 6-5-1937), lors de son atterrissage à Lakehurst (USA) : 35 † sur 97 passagers. **De 1928 à 1935,** le *Graf Zeppelin* a traversé 1 fois le Pacifique, 7 fois l'Atlantique Nord, 144 fois l'Atlant. Sud, parcourant 1 695 272 km, en transportant 13 110 personnes, sans accident. **1937**-*18-6* dernière ascension pour vol touristique. Pernambouc et Rio de Janeiro. **1938**-*14-9 LZ 130* mis en service (gonflé avec hydrogène). Exclu du service commercial régulier, faute d'obtenir de l'hélium aux USA, détruit en mars 1940 pour récupérer matériaux ultra-légers destinés à la fabrication d'avions militaires.

Types. Construits entre 1916 et 1919 : long. 178-226 m ; diamètre 18,7-23,9 m ; volume 40 000-70 000 m³ ; vitesse 70-110 km/h ; alt. max. atteinte par le L 55 : 7 600 m ; masse embarquée du L 59 : 56 000 kg (B = 68 500 m³) ; autonomie 101 h. **LZ 127 Graf Zeppelin** lancé 8-7-1928 : long. 236,60 m, haut. 33,7 m, diam. max. 30,5 m, vol. 105 000 m³ d'hydrog., 5 moteurs de 530 ch, vitesse com. 117 km/h, alt. env. 250 m, auton. 10 000 km, 20 passagers, 40 h d'équipage, 8 t de charge utile, poids total 110 t ; les compartiments extrêmes et la partie inférieure de l'enveloppe contenaient 12 ballonnets remplis au départ de gaz combustible pour l'alimentation des moteurs (ce gaz était remplacé par de l'air au fur et à mesure de sa consommation). *Nacelle :* contient poste de pilotage, de navigation, cuisine, grand salon, salle à manger, coursive desservant 10 cabines à 2 lits, quille abritant les postes d'équipage. **LZ 129 Hindenburg :** 1936, longueur 245 m, diamètre 41,20 m, haut. 44,80 m, vol. 190 000 m³ d'hydrogène, 4 moteurs de 1 050 ch, 40 h d'équipage, 55 (puis 72) passagers, 20 t de charge utile, poids total 200 t, vitesse comm. 127 km/h, alt. env. 250 m, autonomie 14 000 km, aménagement : 2 étages, 25 cabines à 2 couchettes, 1 fumoir, 2 salons, 1 bar, 1 salle à manger.

■ **R 100 et R 101.** Construits en G.-B. 141 000 m³, long. 220 m, diam. max. 40 m, haut. 42 m, 5 moteurs de 650 ch.

■ **Causes des disparitions de 123 dirigeables rigides.** Détruits par incendie 23, accidents en vol au voisinage du sol ou à l'atterrissage 15, rupture en vol 3, heurt d'un hangar 3, causes diverses (tempête, givrage, causes inconnues) 16, réformés après utilisation 63. Gonflés à l'hydrogène, ils étaient très inflammables. L'incendie pouvait être provoqué par l'électricité statique en atmosphère orageuse, une défaillance des circuits électriques ou des moteurs, l'imprudence d'un fumeur ou même l'étincelle provoquée par le frottement du fer d'une chaussure. Pour supprimer ce risque, il aurait fallu gonfler les dirigeables à l'hélium, gaz ininflammable, mais rare, cher et moins performant.

■ **Dirigeables-grues. Skyship AD 5 000 :** en forme de soucoupe : 45 m de diamètre, 16 d'épaisseur au centre, nacelle 9,2 × 2,4 m. **SKS 600 :** 6 666 m³, 59 m de long, nacelle 11,6 × 2,5 m, 20 pers., 3 t de charge disponible (aux essais). En 1989, pendant les fêtes du Bicentenaire, un Skyship a stationné au-dessus de Paris (Sécurité des personnalités).

■ **Projets mis en sommeil. Titan :** (en forme de soucoupe), dérivé d'un véhicule stratosphérique étudié dans le cadre du projet Pégase de relais géostationnaires de télécomm. Épaisseur 55 m, volume 950 000 m³, masse embarquée 500 t, alt. de vol 1 000 m, vit. max. 140 km/h. **Obélix :** ensemble de 4 ballons de 220 000 m³ chacun fixés aux 4 pieds d'un portique de manutention de 70 m de haut et 60 m de base. Au total : hauteur 200 m, largeur 170 m, longueur 200 m, poids 1 040 t (dont charge payante 500 t). Se déplaçant à 80 km/h à 1 000/1 200 m d'alt., aurait pu franchir 650 km avec 500 t. Pouvant voler 200 j par an en moyenne, avec un vent de – de 36 km/h, il aurait nécessité autant de personnel au sol qu'un gros hélicoptère.

Principaux types d'avions légers	Enverg. m	Long. m	Masse kg	Places [1]	Vitesse [2] km/h	Rayon d'action km
Avions à turboréacteurs						
500 Citation Cessna (USA)	14,3	13,3	2 931	7 à 9	840	2 455
650 Citation Cessna (USA)	15,4	15,7	4 364	8 à 13	972	5 534
Gates Learjet 36A (USA)	12	14,8	4 152	8	1 000	5 290
Gulfstream 2 Grumman (USA)	21,9	24,4	16 738	21	1 020	6 200
HFB 320 Hansa (All. féd.)	14,44	16,56	5 420	14	930	2 520
HS-125-700 Hawker Siddeley (G.-B.)	14,3	15,5	5 765	10 à 16	935	4 270
Jet Star 2 Lockheed (USA)	16,6	18,4	10 967	12	980	4 980
Sabreliner 60 Rockwell (USA)	13,6	14,3	5 103	12	960	3 380
Avions à turbopropulseurs						
PA-31-T Cheyenne Piper (USA)	13	10,6	2 257	8	520	2 800
441 Conquest Cessna (USA)	15	12	2 489	8 à 11	530	3 390
400 Hustler American Jet (USA)	9,9	11,7	1 678	7	610	4 590
B 100 King Air Beech (USA)	14	12,2	3 208	6 à 16	491	2 450
MU-2P Mitsubishi (USA)	11,9	10,1	3 129	7 à 9	590	2 580
200 Super King Air Beech (USA)	16,6	13,3	3 327	7 à 16	536	3 500
690 B Turbo Commander Rockwell (USA)	14,2	13,5	2 810	7 à 10	530	2 720
Avions à moteurs à pistons						
Aiglon R 1 180 P. Robin (Fr., 3-2-77)	9,08	7,26	650	4	178	1 600
Baron B55 Beech (USA)	11,5	8,5	1 463	4 à 6	348	1 840
Bonanza A 36 Beech (USA)	10,2	8,4	978	4 à 6	310	1 530
CAP 21 Mudry (Fr., 23-6-80)	8,08	6,46	490	1	320	2 400
Cardinal 177 Cessna (USA)	10,8	8,3	695	4	240	990
Cherokee PA-28-235 Piper (USA)	9,8	7,3	722	4	250	1 270
Commuter 421C Cessna (USA)	12,6	11,1	1 938	10	390	1 550
DR 400/160 Major 80 P. Robin (Fr., 29-6-72)	8,72	6,96	565	4	248	1 580
Trinidad Socata (Fr., 14-11-80)	9,77	7,71	762	4 à 5	303	2 145
Duke B60 Beech (USA)	12	10,3	1 937	4 à 6	440	2 165
Navajo PA-31-350 Piper (USA)	12,4	9,9	1 810	6 à 8	400	1 865
Senera 2 PA-34-200 Piper (USA)	11,9	8,7	1 280	6 à 7	350	1 450
Tobago Socata (Fr., 23-2-77)	9,76	7,63	670	4 à 5	247	1 075

Nota. – (1) Y compris l'équipage. (2) Non compris la réserve de sécurité.

■ **Dirigeable à pédales.** *Continent :* 820 m³ gonflés à l'hélium. Long. 22 m. Poids 250 kg sans équipage, 500 à charge max. 2 voilures (27 m³) tapissées de cellules solaires chargeant des batteries qui alimentent l'électronique de bord et un moteur électrique d'assistance au pédalage. 2 pilotes : Nicolas Hulot (« Ushuaia ») et Gérard Feldzer. N'a pu traverser l'Atlantique en mars 1992 ; perdu mi-mars 1993 après avoir parcouru 1 500 km entre Canaries et îles du Cap-Vert.

■ **Dirigeable à énergie humaine.** De l'Américain Bill Watson : 16 m de long (volume 2 050 m³), gonflé à l'hélium. Poids à vide : 80 kg, hélice actionnée par pédalier ; prix : env. 300 000 F.

■ **Dirigeables à air chaud.** Volume moyen : 3 000 m³, ne peuvent évoluer que par très beau temps (quasi-impossibilité de remonter un vent sup. à 20 km/h). Achetés par des sponsors.

■ **Hélidirigeable.** Prototype mis au point par Goodyear. Compromis entre hélicoptère et dirigeable, il permettrait dans sa version « transport de charges » de soulever 1 000 t et de les transporter à 450 km à + de 100 km/h.

■ **Évaluation du marché.** *Transport local* [charge utile 5 à 10 t (50 à 60 passagers), vit. 100 à 120 km/h, 1 000 km] : 2 000 dirigeables. *Régional* (20 à 30 t ; 100 à 120 km/h, 2 000 à 3 000 km) : 200 à 500. *Longue distance* (100 à 200 t, 100 km/h, 500 à 5 000 km) : quelques dizaines. *Croisières* (30 t, 100 à 120 km/h. 1 500 à 2 000 km) : quelques dizaines. *Surveillance économique :* 2 à 5 t, alt. basse, 60 à 120 km/h, autonomie 20 à 30 h ; *militaire :* 20 000 à 40 000 m³, alt. 2 000 à 5 000 m, aut. 20 à 30 h, masse 3 à 5 t.

Avantages attendus : *économie de carburant :* un Boeing cargo 747 utilise 60 kg de carburant par t et par heure (pour se « sustenter » 70 % et se mouvoir 30 %) ; un dirigeable de même capacité en utiliserait 20 kg ; un Airbus sur Paris-Londres utilise 7 t de carburant pour 230 passagers, le Skyship utilise 2,3 t pour 500 passagers. *Poids soulevé :* hélicoptère 15 t, dirigeable 400 ou 500 t procurant à charge égale une économie de 60 % de carburant. *Sécurité :* emploi de l'hélium (qui ne brûle pas) ; l'enveloppe peut contenir une centaine de ballons autonomes. *Économie d'infrastructures.*

☞ **Association d'étude et de recherche sur les aéronefs allégés** (6, av. Constant-Coquelin, 75007 Paris). *Créée* 1972. *Pt :* J.-R. Fontaine.

HÉLICOPTÈRES

■ **Définition.** Aéronef dans lequel la force sustentatrice et la force nécessaire à l'avancement sont fournies par une ou plusieurs hélices à axe vertical. En général héli. monorotor : le couple transmis au rotor par le moteur est centré par un rotor anticouple placé à l'arrière du fuselage.

■ **Description. Fuselage :** dépend des dimensions et de l'emploi. A l'avant : poste de pilotage (sur les petits héli., il n'est pas séparé de la cabine). Autour de la cabine : batterie de démarrage, réservoirs de carburant, d'huile, de liquide hydraulique, différents systèmes de génération hydraulique et électrique, postes de radio et de radionavigation. A l'extrémité de la poutre de queue : stabilisateurs. **Moteur :** *pistons :* moins onéreux, mais plus lourd et moins puissant ; utilisé pour petits héli. ; *turbomoteur :* utilisé surtout à partir de 300 ch env. souvent 1, 2 ou 3 turbines. **Rotors :** *articulés :* avec des axes de battement, de traînée et de pas qui permettent les débattements de la pale autour du moyeu pour compenser les variations de forces aérodynamiques dues à la dissymétrie de vitesse ; *semi-articulés* ou *rigides :* tout ou partie des mouvements de la pale sont pris en compte par la souplesse de la pale ou du bras de moyeu, et non par des articulations. **Pales :** selon la masse de l'appareil, rotors à 2, 3, 4, 5 ou 6 pales. Les variations de pas (angle d'incidence de la pale) sont commandées par un ensemble de biellettes (1 par pale). *Matériaux :* bois de différentes espèces collés (soumis à l'influence de l'humidité en particulier) ; longeron métallique avec remplissage en « nid d'abeille » et revêtement métallique ; en matériau composite moulé avec remplissage en « nid d'abeille » ou similaire, et revêtement en fibres de verre ou (et) de carbone pour adapter la rigidité de la pale en flexion et torsion (pale plastique) et éliminer les problèmes de corrosion, de propagation de criques (cassure accid. du matériau). **Train d'atterrissage :** fixe à patins (sur les petits hélicoptères) ou à roues (fixes ou escamotables) pour faciliter la manutention au sol. **Consommation.** Environ 2,5 fois plus qu'un avion de même capacité d'emport. Ex. : entre 2 appareils pouvant transporter 20 passagers : héli. SA 330 Puma biturbine (2 moteurs de 1 580 a) : 650 l à l'heure ; avion biturbopropulseur Embraer 110

Bandeirante (2 moteurs de 680 a) : 280 l/h ; héli. AS Écureuil (monoturbine) : 165 l/h, avion Piper Cherokee Six (à pistons) : 60 l/h.

■ Vol. *Stationnaire* et *vertical:* 2 forces en présence : la portance Fz génératrice de la sustentation, et le poids de l'appareil P qui lui est opposé. *« Translationnel »* (déplacement en avant, arrière ou sur le côté) : on incline le plan de rotation de la voilure tournante par rapport à l'axe du fuselage, à la portance et au poids, auxquels s'ajoute la traînée. La résultante F des forces aérodynamiques créées par cette giration est inclinée vers l'avant et peut se décomposer en une force de traction horizontale Fx, opposée à la traînée t de l'ensemble de l'appareil, et en une portance Fz verticale, opposée au poids, mais égale en valeur absolue à celui-ci et à la traînée t.

CONSTRUCTION AÉROSPATIALE

DANS LE MONDE

PERSPECTIVES

■ **Livraisons d'avions civils à réaction de 1989 à 2008 dont**, entre parenthèses, **de 1989 à 1998.** *Moins de 131 places :* 1 605 (1 118). *De 131 à 170 :* 2 360 (1 441). *171 à 230 :* 2 153 (1 103). *231 à 340 :* 3 117 (1 231). *341 à 430 :* 1 751 (640). *Plus de 431 :* 150 (43). *Total :* 11 136 (5 576) dont Europe [2 685 (1 468), Amérique du N. 4 680 (2 535), autres pays 3 771 (1 573)] + loueurs 1 070 (710). *Total avec loueurs :* 12 206 (6 286) dont à fuselage étroit 6 237.

■ **Livraisons totales d'appareils commerciaux** (en milliards de $). *1970-92* 461 (dont amér. 173). *1992-2010* [prév. 815 (amér. 280)].

■ **Flotte.** *1988 :* 7 397. *2008 :* 14 064 [soit + 6 667 (livraisons 12 206, avions retirés 5 539)].

Avions commerciaux. De + de 100 places (fabriqués aux USA et en Europe). **Long-courriers :** *B 747, 757, 767 :* 300 à 600 places, *Airbus A-340 :* 250 pl., mis en service en 1992, *McDonnell Douglas MD-11,* remplaçants du *DC-10.* **Moyen-courriers de 200 à 400 pl. :** *Airbus A-310, A-330* et *A300-600R.* **Court- et moyen-courriers de 150 pl. :** *Douglas MD-89, Boeing 737-300* et *Airbus A-320* (150 pl.), *A-321* (180 pl.). **Court-courriers de 100 pl. au moins :** *BAe* 146, *Fokker F 100, Douglas MD-87* et *Boeing B 737-500* (110 pl.), *737-300* (130 pl.), *737-400* (150 pl.). **Régionaux de 40 à 100 pl. :** *L 000* dont *Fokker F 50, ATR 42,72, Dash 7, Dornier 328.* **Avions d'affaires.** 10 000 avions (dont *Dassault-Falcon, Gulfstream, Learjet, Beechcraft, ATP, Cessna,* etc.).

PRINCIPALES SOCIÉTÉS

Chiffre d'affaires et, entre parenthèses, **résultats nets** (en milliards de F, 1992). Boeing [1] 169 (+ 3), McDonnell Douglas [1] 96 (– 4,4), General Electric [1] 41,2 (+ 7,1), Pratt et Whitney [1] 38,8 (– 2,8), British Aerospace [2] 80 (– 9,6), Rolls-Royce [2] 28 (– 1,5), Aérospatiale [3] 52,3 (– 2,4), Snecma [3] 13,4 (– 0,8).

Nota. – (1) USA. (2) G.-B. (3) France.

PRINCIPAUX PAYS CONSTRUCTEURS

■ **Aéronautique civile. Avions à réaction livrés :** *1989 :* 526. **Commandés :** *1988 :* 1 123 ; *89 :* 1 793 (soit 80,8 milliards de $) dont *USA* 1 226 (53,9 md $) dont Boeing 243 (94), McDonnell Douglas 339 (14,2), *Europe* 567 (26,9) dont Airbus 405 (23,5), British Aerospace 43 (0,9), Fokker 567 (26,9). *90 :* 1 147 dont Boeing 446, Airbus 359, McDonnell Douglas 189, autres 167.

Industrie aérospatiale occidentale (en milliards d'écus, 1989). *Chiffre d'affaires total consolidé dont,* entre parenthèses, *exportations :* USA 96,8 (16,9), G.-B. 13,5 (9), *France 11,7 (7),* All. 8,3 (4,3).

PRODUCTION

■ **Nombre total d'avions produits par catégories principales, des origines à fin 1987 et,** entre parenthèses, **livrés en 1987.** *Total : 5 599 (272). A 300 :* 197 (4). *A 310 :* 84 (10). *A 320 :* 0 (0) [90 A-320 commandés en 85, 28 livrables en 88]. *F. 28 :* 62 (0). *DC-9 :* 508 (0). *MD-80 :* 331 (65). *DC-10 :* 297 (1).

■ **Avions livrés et,** entre parenthèses, **commandés** (au 1-1-1993). *Boeing. 707/720* (dep. 1958) 1 009 (1 010). *727* (dep. 1963) 1 831 (1 831). *737* (1967) 3 054 (2 446) au 31-3-93. *747* (1969) 950 (1 187). *757* (1982) 808 (511). *767* (1982) 617 (468). *777* 118. *De Havilland Dash 6* 844. *7* 111. *8* 241. *Total* 7 487. **Livraisons en 1989 :** 284 (dont 146 *737,* 51 *757,* 45 *747,* 37 *767,* 5 *707*). *90 :* 381 (174 *737,* 70 *747,* 77 *757,* 60 *767*).

1°) **Avions civils.** Total des avions livrés au 1-1-88, entre parenthèses restant à livrer en 1988, et en italique en 1989 (URSS exceptée). **A turboréacteurs** *Airbus Industrie A-300.* Total 5 849 (643) dont *A-300* 197 (13) *13, A-310* 84 (12) *12, A-310 C* 2 (–), *British Aerospace - BAC One Eleven* 83 (–) *–, 146* 14 (8) *6, Boeing 727* (toutes séries) 1 122 (–) *–, 737* 788 (41) *102, 747* (toutes séries) 480 (3) *49, 757* 56 (5) *12, 767* 122 (24) *27, Fokker VFW F-28* 62 (–) *–, Lockheed L-1011* 142 (–), *McDonnell-Douglas DC-9* 508 (–) *–, DC-10* 297 (–). **A turbopropulseurs** Total 1 019 (399) dont *Aérospatiale/Aeritalia ATR-42* 23 (12) *10, De Havilland Canada DHC-7* 25 (2) *–, Fokker F-27* 132 (–). **Petits avions :** 569 (12) *22.* 2°) **Avions militaires** (voir Index). 3°) **Hélicoptères** (voir tableau p. 1670).

Nota. – Donald Douglas (1892-1981) construisit le 1er DC-3 (Dakota) en 1935 : produit à 13 641 ex. (civils + militaires) dont 2 500 à 3 000 étaient encore en service début 1981. *James McDonnell* (1899-1980) reprit Douglas en 1967 et constr. les DC-8, 9 et 10. *John Northrop* (1895-1981) construisit surtout des appareils militaires.

☞ GPA (Guinness Peat Aviation) créé 1975 en Irlande, loueur d'avions (possède 400 appareils en propre ou en joint-venture et totalise 48 % des commandes d'avions) a commandé 3 000 avions livrables jusqu'en 2000 (12 milliards de $) et pris des options sur 200 appareils (9 milliards de $) ; fin 1993 146 appareils (4,7 milliards de $) devaient être livrés mais le groupe, endetté, a dû réduire ses commandes.

■ **Aéronautique de transport régional. Marché global :** *Avions de 19 places* (en fait 15 à 25 pl.) valeur moyenne 3 millions $, marché (1990) 0,7 milliard $, (1991-2000) 5. Programmes de production : British Aerospace (Jetstream 31), Deutsche Aerospace-Dornier (Do 228), Fairchild (Metro) ou Harbin (Yu 12) ; en projet ou en développement : Mikoyan (M 101) ou Sukhoi (Su 80). *Avions de 30 places* (en fait 28 à 40 pl.) valeur moy. 7 millions $, marché (1990) 1,5 milliard $, (1991-2000) 10. Programmes de production : Bombardiers-Shorts (Shorts 330 et 360), Construciones Aeronauticas (C 212, CN 235), De Havilland (Dash 8/100), Embraer (EMB 120) ou Saab (Saab 340) ; en projet ou en développement : British Aerospace (Jetstream 41) ou Deutsche Aerospace-Dornier (Do 238). *Avions de 50 places* (en fait 48 à 58 pl.) valeur moy. 10 millions $, marché (1990) 1,4 milliard $, (1991-2000) 20. Programme de production : Antonov (An 32), ATR (ATR 42), De Havilland (Dash 8/300), Fokker (F 50) ou Xian (Y 7) ; en projet ou en développement : Bombardier Canadair (Canadair RJ 100), Construciones Aeronauticas-Nusantara (N 250), Embraer (EMB 145) ou Saab (Saab 2000), Global Express. *Avions de 65 places* (en fait 60 à 75 pl.) valeur moy. 12 millions $, marché (1990) O,3 milliard $, (1991-2000) 20. Programmes de production : ATR (ATR 72) ou British Aerospace (BAe-ATP) ; en projet ou en développement : Bombardier-Canadair (Canadair RJ 100 Plus), British Aerospace (BAe RJ 70 et RJ 80), De Havilland (Dash 8/400), Ilyushin (IL 144) ou Nusantara (N 270). *Avions de 100 places* (en fait 80 à 130 pl.) valeur moy. 20 millions $, marché (1990) 1,1 milliard $, (1991-2000) 25. Programmes de production : British Aerospace (BAe 146) ou Fokker (F 100) ; en projet ou en développement : ATR International (Euroconsortiom 80, 10), British Aerospace (BAe 146 NRA), Fokker (F 80, F 130) ou JDAC (YS X).

■ **Constructeurs d'avions régionaux. Chiffre d'affaires** (en milliards de $, 1990) : Fokker 1,1, British Aerospace 0,84, De Havilland 0,62, ATR[1] 0,45, Saab 0,39, Embraer 0,37. **Parts de marché en %** (appareils en service et en commande, en 1992) : *60-80 sièges :* ATR 55, BAe 25, Fokker 20. *40-59 s. :* ATR 46, Fokker 25, DHC 14, Saab 8, Casa 7. *20-39 s. :* Saab 36, Embraer 30, DHC 28, BAe 5, Dornier 1.

Nota (1) -ATR (consortium formé par Aérospatiale et Aeritalia) a fusionné en 1992 avec Deutsche Aerospace pour créer ICS (International Commuter System). CA d'ATR (en milliards de F) *1991 :* 3, *92 :* 4. Livraisons. *90 :* 46, *91 :* 41, *92 (prév.) :* 66.

EN FRANCE

DONNÉES GLOBALES

☞ L'industrie aérospatiale comprend env. 200 sociétés, dont les grands maîtres d'œuvre : Aérospatiale, Dassault-Aviation, Snecma, Matra, Thomson-CSF, Turboméca [emploie au 31-12-1992 : 111 600 personnes (127 200 en 1984) et touche env. 5 000 sous-traitants ou fournisseurs directs employant env. 120 000 personnes.]

CHIFFRE D'AFFAIRES (NON CONSOLIDÉ)

Livraisons en millions de F HT en 1992	Aéronefs et missiles	Propulseurs	Équipements	Total
Exportations	34 348	13 935	7 854	56 138
Métropole	31 861	10 846	21 309	64 015
Total	**66 229**	**24 781**	**29 163**	**120 153**

☞ **CA non consolidé :** *1991 :* 121,1 (civil 64, mil. 57,1) ; *92 :* 120,1 (civil 63,8 mil. 56,4). **% du CA civil :** *1983 :* 31 ; *85 :* 36 ; *90 :* 48 ; *91 :* 53 ; *92 :* 53.

■ **Chiffre d'affaires consolidé** (en milliards de F, HT). **1981 :** 43,8. **82 :** 51,3. **83 :** 60,3. **84 :** 68,5. **85 :** 72,8. **86 :** 74,6. **87 :** 75,4. **88 :** 83,4. **89 :** 93,2. **90 :** 100,9. **91 :** 103. **92 :** 101,4 (dont 56,02 % aéronefs et missiles, 23,3 % équipements, 20,67 % propulseurs).

Prises de commandes (milliards de F) *1991 :* 92,2 (civil 46,6, mil. 45,6), *92 :* 109,6 (civ. 41,6, mil. 68,4). Métropole 53,8, export. 56,2.

■ **Principales firmes. Chiffre d'affaires consolidé** (en millions de F, HT) **et,** entre parenthèses, **effectifs, filiales comprises** (1992) : Aérospatiale 32 800 (37 842). Dassault 14 290 (11 700). Turboméca 2 551 (4 000). Snecma 23 000 (25 554). Matra (militaire et spatial) 24 300 (4 500). SEP 4 470 (3 886). SNPE (militaire et spatial) 3 220 (1 698). Avions Mudry 30 (50). Robin 87 (120). Socata 840 (1 080). Messier-Bugatti 25 020 (2 425). Reims-Aviation 229 (47).

■ **Exportations aéronautiques. Commandes** (en milliards de F) **et,** entre parenthèses, **livraisons : 1979** 26,9 (15,7). **80** 27 (20,5). **81** 35,2 (27,1). **82** 44,4 (32,1). **83** 23,8. **84** 37 (41,2). **85** 61,6 (44). **86** 39 (45,4). **87** 47,4 (est. 48,4). **88** 70,6. **89** 76,1 (55). **90** 62,9 (55,7). **91** 41 (55). **92** 56,2 (56,1).

Solde aéro et spatial (en milliards de F). *1981 :* 18,6. *82 :* 22,8. *83 :* 28,3. *84 :* 31,8. *85, 86 :* 34,1. *87 :* 30,6. *88 :* 34,2. *89 :* 36,4. *90, 91 :* 33,4.

PRINCIPAUX CONSTRUCTEURS

AVIONS, HÉLICOPTÈRES

Nota. – (1) En milliards de F.

■ **Aérospatiale.** *Créée* 1-1-1970 par le regroupement de Nord-Aviation, Sud-Aviation et Sereb. **Effectifs :** *1989 :* 30 000 ; *90 :* 37 842. Données financières en milliards de t. **Capital social [1] :** *1987* (31-12) : 1,016 , *88 ;* 2,497 ; *89 :* 3,747. *Fonds propres 1992 :* 7. *Apports de l'État en fonds propres [1]. 1987 :* 1,25 (versé en janv. 88) ; *88 :* 1,25. *Endettement financier net. 1987 :* 5,6 ; *88 :* 2,8 ; *89 :* 3,8 ; *90 :* 7,2 ; *91 :* 14 ; *92 :* 16,5. **Commandes prises :** *1988 :* 38,4 ; *89 :* 63,3 ; *90 :* 55,6 ; *91 :* 35 ; *92 :* 39. **CA consolidé du groupe :** *1990 :* 41,8 ; *91 :* 48,6 ; *92 :* 52,3 [dont avions 21,8 (+ 2,5 % sur 1991), espace et défense 9,7 (+ 14,8 %), missiles 9,5 (+ 3,6 %), Eurocopter 11,5 (– 11,9 %)]. *Résultat 1990 :* – 0,396 ; *91 :* 0,213 ; *92 :* – 2,38. **Activités civiles :** 51 % dont avions 38 %, hélico 22, engins techniques 20, systèmes stratégiques et spatiaux 20. Prévisions de construction tous modèles en 1991 (revu début 1993). *1993 :* 191 (140), *94 :* 224 (148), *95 :* 230 (179). **Exportations** (1988) : CA 16,5 milliards de F (54 % du total), commandes 26 (68). **Secteurs de production :** missiles Exocet, hélicoptères, satellites (Météosat), TDF, avions. **Avions de transport** (avril 1989) : *Concorde* (1969) 16 dont 14 vendus (7 Air France, 7 British Airways, 2 servent aux essais). *ATR 42* (1984). Programme lancé par un GIE (Aérospatiale 50 %, Aeritalia 50 %). Commandes et options 380 dont 115 pour la version allongée ATR72 (68-74 passagers). *Corvette* (1972) série de 40 achevée en 1978. *Nord 262* (1962) et *Frégate* (1969) série de 110 achevée en 1976. *Transall* (1963) série de 178. Nouvelle série lancée (1er vol 1981), commandés 25, livrés 25. 3 *Epsilon* (1979) commandés 175, livrés 156.

Europter (capital Aérospatiale 70 %, Deutsche Aerospace 30 %). *CA* (en milliards de F) *1991 :* 12,65 *(France 9,35), 92 :* 11 *(Fr. 8). Prises de commandes 1991 :* 12 ; *92 :* 11.

■ **Airbus Industrie.** Groupement d'intérêt économique (Aérospatiale 37,9 %, Deutsche Airbus 37,9, British Aerospace 20, CASA Esp. 4,2). **Histoire : 1970** (18-12) création d'Airbus Industrie qui réunit l'Aérospatiale (France) et la Deutsche Airbus, filiale de MBB et VFW (RFA). (28-12) les P.-Bas participent pour 6,6 % au budget. **1978** (juil.) lancement A310. Reprise des négociations avec G.-B. **1979** (1-1) répartition des parts. **1990** (mars) accord sur regroupement sur un même site de l'assemblage final et de l'aménagement intérieur pour les futurs avions : A321 (à Hambourg), A330 et A340 (à Toulouse). **1993**-*16-6* (11 h 58) au *18-6* (12 h 21) un A 340 (avec 20 personnes et 14,6 t de carburant) fait le tour du monde en 48 h 23 min avec 1 escale à Auckland à 19 100 km. **Cies clientes :** *104.*

Avions (dates) : **A300** *1969* lancé, *72* (oct.) 1er vol, *74* (mai) mise en service Air France. **A300-600** *1980* (déc.) lancé, *83* (juil.) 1er vol. *88* (mai) mise en service (American Airlines). **A310** *1978* (juil.) lancé, *82* (avril) 1er vol, *83* mise en s. (Lufthansa, Swissair). **A310-600** *1984* (avril) mise en s. (Saudia). **A310-300** *1985* (déc.) mise en s. (Swissair). **A320** *1984* (mars) lancé, *87* (févr.) 1er vol, *88* (avril) mise en s. (Air France, British Airways). **A330/A340** lancé 27-6, *91* (oct.) 1er vol A-340, *92* (2-11) 1er vol A330. **A321** *1989* (nov.) lancé, *93* 1er vol. Livrable 4e trim. *1994*. **A319** (130 pl.), coût de développement 1,7 milliard de F, potentiel 450 appareils, (concurrent du B 737). 1re commande (d'ILFC) 6 livrables 1996.

Commandes dont entre parenthèses **livrées** (au 30-12-1992) : *A-300 :* 481 (397). *A-310 :* 273 (235). *A 319 :* 6 (0). *A 320 :* 717 (427). *A 321 :* 153 (0). *A 330 :* 144 (0). *A 340 :* 137 (0). *Total :* 1 911 (1 059). **Principaux clients :** Air France 67 (23 *A 300,* 11 *A 310,* 26 *A 320,* 7 *A 340*) ; Air Inter 53 (*A 300, 320, 330*) ; Alitalia 48 (40 *A 321*) ; American Airlines 35 *A 300 ;* Air Canada 34 *A 320 ;* Eastern Airlines 34 *A 300 ;* GPA 130 (93 *A 320*) ; ILFC : 103 (36 *A 320*) ; Lufthansa 111 (34 *A 320*) ; North West Airlines 66 (50 *A 320*) ; Swissair 35. **Livraisons** (nombre d'appareils) : *1989 :* 105 ; *90 :* 95 ; *91 :* 163 ; *92 :* 157.

Part de marché prévue (1990-2008, en milliards de F) : 230 (sur un total de 680) dont fuselage standard (*A-320, 321*) 75 (sur 230), large (*A-300, 310, 330, 340*) 155 (sur 450). *En nombre d'appareils :* 3 800 (sur 12 300) dont fus. st. 1 800 (sur 6 300), large 2 000 (sur 1 600).

Exportations : *nombre d'appareils et,* entre parenthèses, *valeur en milliards de F : 1984 :* 45 app. (20,70), *85 :* 40 (17,23), *86 :* 32 (10,27), *87 :* 32 (10,66), *88 :* 49 (15,16), *89 :* 92 (26,44), *90 (prév.) :* 88 (22,33 dont part française 7,5), *91 :* 37,6 (dont Fr. 13).

CA (milliards de F) *1990 :* 4,6 ; *91 :* 42 ; *92 :*40. **Résultat** *1987 :* – 0,453 ; *88 :* – 0,508 ; *89 :* – 0,150 ; *90 :* 0,115 (0,6 milliard de F) ; *1991 :* 0,267 (1,4 milliard de F).

Dauphin version modifiée de A 300-600 SAT (Super Airbus Transporter). Coût 70 millions de $. Charge marchande 45 t pour 1 570 km. Remplacera le Super Guppy. **Commandes** (milliards de $) : *1989 :* 26 ; *90 :* 27 ; *91 :* 9,4. *Carnet 1989 :* 40 ; *90 :* 71,5 ; *91 :* 81,2.

☞ Le gouv. amér. a déposé plainte contre le financement d'Airbus (fonds d'origine publique faussant la concurrence). *1ere plainte* (févr. 91) : concerne la garantie de change (accordée par le gouv. all. à Deutsche Aerospace contre les dépréciations trop fortes du $). *2e :* concerne les avances remboursables consenties par les gouv. all., brit., esp. et franç. pour les nouveaux modèles d'avions. Les Amér. veulent forcer les Européens à limiter leurs avances à 25 % des coûts de développement, au lieu de 75. Airbus accepterait de revenir à 40, mais aux USA la part venant du budget amér. (militaire et Nasa) atteint 72 % du CA global de l'aéronautique. En Europe, seulement 36 % viennent des budgets nationaux. En outre, 75 % de la recherche-développement aérospatiale amér. est financée par le gouv.

■ **Boeing.** La fabrication du B 707 a été arrêtée en 1991 (1er vol 15-7-1954, 1 010 fabriqués dont 422 civils en service en août 91). Des variantes ont été adoptées pour les avions de surveillance AWACS, et on en a dérivé les ravitailleurs KC-135 (820 fabriqués) et les transports de troupes et de matériel C-135. **CA** (milliards de $) *1988 :* 16,96. *89 :* 20,3. *90 :* 27,6. *91 :* 29,3 *92 :* 30,2 (dont avions civils 24,1, espace et défense 5,4, autres 0,62. **Résultats** *1988 :* 0,87. *89 :* 0,87. *90 :* 1,4. *91 :* 1,5. *92 :* 1,63 (0,552 avec nouvelle procédure comptable amér.).

■ **Effectifs.** *1968 :* 148 500. *71 :* 37 200. *76 :* 62 500. *91 :* 161 000. *93 :* 145 500 (28 000 emplois seront supprimés. **Commandes reçues** (avions civils) *1985 :* 390. *86 :* 336. *87 :* 366. *88 :* 632. *89 :* 887. *90 :* 543. *91 :* 257. *92 :* 243 (dont 28 *747,* 114 *737,* 38 *757,* 21 *767,* 42 *777,* 30 *De Havilland 18,* 11 *707*) *; en milliards de $: 1990 :* 47,7. *91 :* 20,5. **Livraisons** *1989 :* 342. *90 :* 449 (dont 94 % civils). *91 :* 435 ; *92 :* 446, *93 (prév.) :* 340. **Total des ventes** (1955 à 1990, y compris De Havilland) 7 582 avions à réaction (dont *Boeing 737 :* 1970 et *727 :* 1 831). De 1965 à août 92 : *Boeing 737 :* 3 019.

■ **British Aerospace (BAe).** Constructeur aéronautique et automobile. **CA** (milliards de £) *1991 :* 10,56 ; *92 :* 9,98 (80 milliards de F). **Résultats** avant impôts *91 :* 0,112 ; *92 :* 1,2.

■ **Dassault Aviation.** 13 usines. **Quelques dates :** *1916* hélice Éclair. *1918* Marcel Dassault (n. Marcel Bloch 22-1-1892/18-4-1986, devenu Bloch-Dassault 1946, Dassault 1949) lance son 1er prototype. *Après 1945* lance Flamant (1er vol 6-6-47), Ouragan (1er vol 28-2-49), Mystère II (1er vol 23-2-51), Mirage (1er vol 25-6-55). *1963* Mystère-Falcon. *1971* fusion avec Breguet Aviation [fondé par Louis Breguet (21-1-1880/4-5-1955)]. *1978* Mirage 2000 (1er vol 10-3). *1979* Mirage 4000 (1er vol 9-3). *1986*-18-4 mort de Marcel Dassault [André Giraud, min. de la Défense, essaye d'imposer Jacques Benichou, Pt de la Snecma, comme Pt (l'État détient 46 % du capital de Dassault contre 49 % à la famille, mais dispose de 56 % des voix grâce au vote double de certaines de ses actions), le 29-10-86, appuyé par Jacques Chirac, Serge Dassault devient Pt]. Rafale A (1er vol 4-7-86). *1992-23-12* accord avec Aérospatiale pour rapprocher certaines activités. *1993 mai* cède pour 0,25 milliard de £ sa division « avions d'affaires » à l'américain Raytheon. **Avions neufs** *produits ou fabriqués* (au 31-12-91) : 6 640 (dont 182 prototypes et de présérie). *Commandés :* 6 812 (dont 185 prot. et de présérie). **Sites.** *Dir. gén.* Vaucresson. *Bureau d'études princ.* St-Cloud. *Centre spatial* Toulouse. *Usines (complémentaires)* Argenteuil, Argonay, Biarritz (2), Martignas, Mérignac, Poitiers, Seclin. *Essais* Istres (vol), Brétigny (systèmes), Cazaux (armements). *Après-vente* Vélizy. **Capital de Dassault Aviation** (en %) : Famille Dassault (contrôle Dassault Industries) 49,75 % [avec 40,5 % des droits de vote (?)], État 45,76 % (55 % des droits de vote), public 4,49 %.

Bilan : 6 500 avions civils et militaires produits en 45 ans, + de 2 000 Mirage en service dans le monde, + de 1 000 Falcon immatriculés dans 60 pays. **CA et,** entre parenthèses, **commandes** (milliards de F) : *1981 :* 12,4 (12,6). *85 :* 16,4 (19,6). *86 :* 15,6 (8,8). *87 :* 15,5 (13,4). *88 :* 17,6 (15,9). *89 :* 17,3 (16,5). *90 :* 17,1 (16,04). *91 :* 14,3 (12 dont 4,4 à l'export.). *92 :* 14,4 (22,68). **CA** consolidé (en milliards de F) : **Groupe** (Sté mère) CA *1990 :* 17,12. *91 :* 14,35. *92 :* 14,46. *Réserve 1990 :* 0,218. *91 :* 0,103. *Dassault Aviation et filiales : 1990 :* 18,8. *91 :* 15,9. *92 :* 16,4. *Résultats nets consolidés 1990 :* 0,374. *91 :* 264. *92 :* 329,6. *Effectifs 1986 :* 17 000. *92 :* 10 700. **Production** (31-12-91) : Commandes, en italique avions livrés et, entre parenthèses, exportations commandées. *Mirage III/5/50 :* 1 401, *1 394* (841), *Mirage F-1 :* 726, *718* (472), *Mirage 2000 :* 487, *354* (351), *Super-Étendard :* 85, *85* (14), *Jaguar :* 581, *581* (303), *Alphajet :* 518, *508* (329), *Atlantic 1 :* 91, *91* (50), *ATL 2 :* 25, *7* (0).

☞ **Le groupe Dassault :** CA 23,9 milliards de F [dont Sté Dassault (AMD-DA) et filiales 18,82, Électronique Serge Dassault 4,04, autres Stés 1,04].

■ **Dasa (Deutsche Aerospace). CA** *1991 :* 42 milliards de F [dont (en %) réacteurs 28,8, aéronautique civile et militaire 28,6, systèmes de défense 26,3, espace 12,9, divers 3,4.] *Résultat net :* 0,17. **Salariés :** 51 000. A pris 51 % de participation chez Fokker en 1993.

■ **Fokker** (P.-Bas). Créé 1912. Contrôlé par 51 % par Dasa dep. 1993. **CA** *1991 :* 11,5 milliards de F. **Salariés :** *1993 :* 12 500 (2 118 emplois seront supprimés).

■ **Socata (Sté de construction d'avions de tourisme et d'aff.,** appartient au groupe Aérospatiale). *Production totale :* 4 400. *Avions légers type « Rallye » :* 235 *G Guerrier ; type TB : TB-9 Tampico ; TB-10 Tobago ; TB 200-Tobago XL ; TB-20 Trinidad. TB 21 Trinidad TC* (172 livrés : 1 420 au 31-12-91), *TB 30 Epsilon* (172 livrés) ; *TBM-700* (28 avions livrés au 31-12-91).

■ **McDonnell Douglas. CA** (en milliards de $) *1991 :* 18,07 ; *92 :* 17,37. *Bénéfice net 1991 :* 0,42 ; *92 :* – 0,78. Salariés *91 :* 109 000 ; *92 :* 87 500. **CA (et bén. d'exploitation) :** *total* 17 373 millions de $ (479) *dont en % :* aéronautique militaire 41,7 (16,1), aéronaut. civile 38 (31,5), missiles, espace, systèmes électroniques 18,3 (48), services financiers et divers 2 (4,4).

■ **Mudry.** *Avions légers : CAP X* (1982) : 2 protot. *CAP 10* (1966) : 1 225, 90 en prod. *CAP 21 (+ CAP 20 L)* (1980) : 26 l., 10 en prod. *CAP 230 :* 1 protot. + 5 pré-série.

■ **Avions Pierre Robin** (ex-Sté Centre-Est aéronautique créée 1957, transformée 1969, filiale d'Aéronautique Service dep. mi-1988). **Production totale :** (1-1-93) 3 220 (dont env. 40 % exp.). **En production :** *R 3000/160* (1988), *ATL* (1985), série *DR 400 : 120 Cadet* (1988), *120 Dauphin* 2 + 2 (1972), *140 B Dauphin* 4 (1988), *160 Major* (1972), *180 Régent* (1972), *180 Remorqueur* (1970). *200 Remorqueur* (1993). Remise en prod. du biplace HR 200, 120 ch (1972). *Cadences mens. : 1992 :* séries *R 3000 :* 1,5, *DR 400 :* 6.

■ **Reims Aviation.** *Créée* 1962, issue de la Sté nouvelle des avions Max Holste créée 1956 par Max Holste. **Prod. totale** (au 31-3-93) : 6 339 [1] ex. dont *F 150* (1965) + F 152 (1966) 1980, *FA 150 + FRA 150* (1969) + *FA 152* (1967) 423, *F 172* (1963) + *FR 172* 2 933, *F 172 RG* 73, *F 177 RG* (1971) 177, *182 + F 182* (1976) + *RG 182* (1978) 296, *F 337* (1969) + *FT 337* (1972) + *FTB 337* (1972) 181, *F 406 Caravan II* (1983, biturbopropulseur, certifié 21-12-84) (85 lancés en série dont 68 en service ou vendus en mars 1993), *divers (F 185, 188, 206, 207, 210)* 205. 1990 : sous-traitance pour Dassault Aviation et Aérospatiale : Nord 262, Airbus A 300, 310, 320, 330/340, ATR 42, 72, Atlantic II, Falcon 20-50-900, Mirage III, F1, 2000, Transall.

Nota. – (1) Total : + de 6 800 en ajoutant *MH 52, MH 152, MH 1521 Broussard* (383 construits), *MH 260 super Broussard* (devenu *Nord 262,* 110 construits) et le montage d'autres types de la gamme Cessna (arrêt 1986 de la production des monomoteurs et bimoteurs légers de cette gamme).

Moteurs

■ **Snecma (Sté nationale d'étude et de construction de moteurs d'aviation).** *Créée 1945* (fusion Gnome et Rhône, Renault-Moteurs-Aviation, Lorraine Groupe Études-Moteurs-Huile-Lourde). **Implantations principales :** région parisienne ; *autres :* Le Havre, Bordeaux, Châtellerault, Molsheim, Bidos. *Principales filiales :* SEP (CA *1992 :* 4,35 milliards de F), Hispano-Suiza, Messier-Bugatti, Sochata, Techspace Aéro (Belgique). **Principales activités :** moteurs d'avions civils et militaires (60 % env. du CA), moteurs de fusée et propulseurs de missiles, systèmes d'atterrissage et de freinage, réparation moteurs, matériaux composites, etc. **CA Groupe** (milliards de F, HT) : *1992 :* 23,8 (résultats consolidés *90 :* + 0,208, *91 :* – 0,068, *92 :* – 0,794). **CA Sté mère :** *1985 :* 9,4, *86 :* 10,3, *87 :* 9,4, *88 :* 10,3, *89 :* 13,4, *90 :* 14,1, *91 :* 14,5, *92 :* 13,5. Résultat *1985 :* + 0,08, *86 :* + 0,05, *87 :* – 0,4, *88 :* – 0,25, *89 :* + 0,08, *90 :* + 0,08, *91 : + 0,083, 92 :* – 0,593. **Productions, commandes-livraisons** en italique et, entre parenthèses, **exportations commandées** (au 31-12-1992) : *moteurs militaires :* Atar 9K50 (pour Mirage F1 et 50), 1 092 *1 070* (738) ; Larzac (pour Alpha-Jet), 1 249 *1 249* (388) ; Tyne relance Atlantic et Transall 154 *154* (22) ; M 53 (pour Mirage 2000), 618 *467* (203). *Moteurs civils :* CFM 56-2 (pour DC 8, KC 135 et C 135 F, E 3/KE 3 et E 6), 2 388 *2 186* (2 388) ; CFM 56-3 (pour Boeing 737), 4 159 *2 971* (4 159) ; CFM 56-5 (pour A 320, 321 et 340) 1 386 *758* (1 386) ; CF 80 C/E (jeux et montages pour gros porteurs), 2 257 *1 478* (2 257). GE 90 (jeux) 50 – (50). L'activité civile représente 70 % du CA du groupe. *Exp. :* près de 60 % des ventes. **Effectifs** (au 31-12-1992) : 25 307. *93 :* 12 350.

Centres d'essais

■ **Onera (Centres de l'Office national d'études et de recherches aéronautiques.** *Créé* 1946. Ét. public scientifique et technique placé sous l'autorité du min. de la Défense (délégué gén. pour l'Armement). **Effectif :** 2 100 pers. **Principaux établissements :** Châtillon-sous-Bagneux (siège et principaux labo.), Chalais-Meudon (souffleries de recherche), Palaiseau (recherche en énergétique), Modane-Avrieux (grandes souffleries), Centre d'études et de recherches de Toulouse et Centre d'essais du Fauga-Mauzac (grands moyens d'essais nouveaux pour aérodynamique et propulsion), Lille (mécanique du vol et mécanique des structures). Landes : engins balistiques et tactiques. Méditerranée : île du Levant ; missiles tactiques, sous-marins.

■ **Institut franco-allemand de St-Louis :** St-Louis (Ht-Rhin) : essais sur concepts d'armements, projectiles, munitions et leurs effets. **Essais en vol :** *Brétigny* (siège) ; équipements et hélicoptères. *Istres* (13) : avions, moteurs, simulation des vols, école de personnel navigant d'essais et de réception. *Cazaux* (33) : armements et armes aéroportées. Détachements divers : Bordeaux, Toulouse, Marignane, Melun... **Propulseurs :** *Saclay* (Paris) ; moteurs au sol et vol simulé. **Aéronautiques de Toulouse :** essais statiques de fatigue, en cuve, calorifiques ; de cellules, de trains, de pneus, d'équipements. **Centre d'expériences aériennes militaires (CEAM) :** Mont-de-Marsan (Landes). **Centre d'achèvement et d'essais de propulseurs d'engins :** St-Médard (Bordeaux) ; propulseurs à propergol liquide et solide, engins et lanceurs spatiaux. **Laboratoire de recherches balistiques et aérodynamiques (LRBA) :** Vernon (Paris) ; matériels inertiels, souffleries. **Centre d'électronique de l'armement (CELAR) :** Bruz (Rennes) ; matériels électroniques et informatiques.

Flotte aérienne

Flotte mondiale

Appareils

■ **Nombre d'avions civils de + de 9 t dans le monde** (fin 1991). **A turboréacteur :** 12 530. **A turbopropulseur :** 3 020. **A moteurs alternatifs :** 1 910.

■ **Nombre d'hélicoptères. Moteur à turbine** 10 910 dont *1 moteur* 7 750, *2* 3 160. **Moteur à piston** 8 520 dont *1 moteur* 8 420, *2* 100.

■ **Principaux types d'appareils en service sur des lignes régulières.** Boeing 4 070 dont 1 520 *727*, 1 410 *737*, 660 *747*, 270 *767*, 210 *757*. Douglas 1 720 dont 1 400 *DC 9/MD80*, 320 *DC 10*. Airbus 380 *A 300*. Lockheed 200 *L-1011 TriStar*. Fokker 180 *F-28*. **Lignes et compagnies non régulières :** Boeing 360 dont 180 *737*, 100 *727*, 30 *757*. Douglas 190 dont 90 *DC 8*, 70 *DC 9/MD 80*, 30 *DC 10*. British Aerospace 40 *BAC One-Eleven*. Sud-Aviation 30 *SE-120 Caravelle*. Airbus 20 *A 300B/A 310*. **Marché intérieur américain** (en %, 1991) : American 20,1, United 18,7, Delta 17,1, Continental 9,7, US Air 9,6, Northwest 9,4, TWA 5,6, Pan Am 2,1, autres 7,7.

■ Compagnies les plus importantes

■ **Chiffre d'affaires et, entre parenthèses, résultat net** (en milliards de $, 1989). *American Airlines* [1,18], 11 700 (– 39,6), *1991* : 12 890 (– 240). *United Airlines* [1,18], 11 000 (– 94,5), *91* : 11 660 (– 332). *British Airways*[2,17] [née de la fusion (1974) de British European Airways (BEA) et British Overseas Corporation (BOAC) ; *1987* privatisée ; *1988* fusionne avec British Caledonian Airways en 1970] *91* : 9 936 (751). *Delta* (créée 1928)[1,18] 8 700 (–154), *91* : 9 170 (–324). *Lufthansa*[5] 5 619[17], *91* : 8 445 (5,9). *Japan Airlines*[3] *91* : 8 247 (–44,5). *Northwest*[1,17] (a racheté Republic en 1986) 5 583 (163), *91* : 7 500 (– 317). *All Nippon Airways*[3] *91* : 6 000 (57). *Air France*[4] 5 471 (107). *Continental Airlines* [1] 5 076 (3,1), *TWA* [*1990* : 3 850 (–238), *91* : 2 920 (+ 48,3)] [1,17] 4 364 (250), *Federal Express* [1,17] 4 301 (210), *Eastern* [1,17] 3 888 (–335), *Pan Am* [1,17] 3 593 (–118) (créée 1927, rachetée 416 millions de $ + 669 de dettes le 12-8-91 par Delta, a cessé ses activités le 4-12-91). *Alitalia* [10] 3 505 [P] (175,8 [P]), *KLM* [7] 3 338 (225,3 [P]), *Iberia*[9] 2 985 [P] (52,3 [P], déficit 1991 : 2,97 milliards de F), *Swissair* [11] 2 845 [P] (58,8) [*1991* 19 500 millions de F (+ 175,1 millions de F)], *Air Canada* [8] 2 632 (127,1), *Qantas Airways* (Queensland and Northern Territories aerial services, créé 1920) [15] 2 389 (142,4), *Korean Air* 2 320 (47,6), *Aeroflot* [12] (International), 1 884 [P] (19,4 [P]), *Varig* [16] 1 862 (10,4), *Air Inter* [4] 1 396 (18,3), *Japan Air System* [3] 1 354 (14), *America West Airlines* [1] 993 (20), *Sabena* [15] 961 [17], *Olympic Airways* [13] 779 [E] (114 [E]), *Air India* 745 (28) [*90-91* : 625,7 (31,2)], *Aerolineas Argentinas* 719 [P] (24,6 [P]), *El Al* [14] 713 (24,2).

Nota. – (1) USA. (2) G.-B. (3) Japon. (4) France. (5) All. féd. (6) Australie. (7) P.-Bas. (8) Canada. (9) Esp. (10) Italie. (11) Suisse. (12) URSS. (13) Grèce. (14) Israël. (15) Belg. (16) Brésil. (17) 1988. (18) 1990. (P) Provisoire. (E) Estimation.

Compagnies	CA 1992 (milliards de F)	Résultats nets (milliards de F)	
		1991	1992
Air France	57,1	– 0,68	– 3,2
Alitalia	25	– 1,57	– 0,67
All Nippon Airw.	37,27	– 0,56	+ 0,3
American	80	– 1,36	– 5,1
British Airw.	51,8	+ 4,32	+ 1,72
Continental	29,6	– 0,706	– 1,617
Delta	54,5	– 3,186	– 3,1
Iberia	24,86	– 1,9	– 1,76
Japan Airlines	48,2	– 0,56	– 2,58
Lufthansa	57	– 1,12	– 1,3
Northwest	43	– 1,79	– 5,6
SAS	31,34	– 0,57	– 7,734
Singapour Airl.	18,18	+ 3,03	+ 2,76
Swissair	24,1	+ 0,33	+ 0,43
TAP Air Portugal	n.c.	n.c.	– 1,75
TAT	2,52	n.c.	+ 0,02
TWA	n.c.	– 1,994	– 1,85
United	68	– 1,88	– 5,06
US Air	35,4	– 1,72	– 6,5

Résultat net des compagnies IATA sur services internationaux réguliers (en milliards de $) : *1987* : + 0,9 ; *88* : + 1,6 ; *89* : + 0,3 ; *90* : – 2,7 ; *91* : – 4 ; *92* : – 4,8.

■ **Avions. Nombre total** (en 1991) : Aeroflot + 3 000 [1], American Airlines 622, Texas Air 551 [1], Delta 538, United Airlines 486, US Air 431, Federal Express 410, Continental Airlines 409, Northwest 347, British Airways 226, Lufthansa 217, TWA 191, Air France 144, SAS 133, Alitalia 125, Iberia 114, All Nippon Airways 110, Air Canada 107, Japan Airlines 103.

Nota. – (1) 1988.

Avions à réaction immobilisés : *en attente d'utilisation, mai 1993* : 1 049 (soit 9,28 % du parc total par appareil ; dont 200 n'ont pas volé) dont *B 727* 274, *B 737* 134, *DC 9* 127, *B 707* 59, *B 747* 59, *Bac 146* 53, *A 300* 42, *MD 80* 30, *A 310* 20, *B 757* 20, *A 320* 5.

Age moyen (en années, au 1-7-1988). Singapore Airlines 4,5, Lufthansa 5,8 (au 31-12-91), Thai Airways 6,1, All Nippon 8,16, KLM 8,69, Cathay Pacific 8,80, Japan Airlines 9,14, Delta 9,48, Air France 9,59, Alitalia 9,94, British Airways 10,02, USAir 10,11, Malaysian 10,27, Piedmont 10,34, American 10,84, Continental 12,12, Air Canada 13, Pan Am 14,63, TWA 15,29.

■ **Coefficient de remplissage.** Rapport en % du nombre de passagers-km au nombre de sièges-km disponibles (en 1991 ; *source* IATA) sur lignes régulières : vols internationaux, entre parenthèses vols domestiques et entre crochets, vols charters. Aeroflot 69 (84,8) [57,6], Aeromexico 52,3 (63,8) [58,1 (50,5)], Air Algérie 71,4 (62,9) [48,9], Air Canada 70,3 (64,8) [81,7 (86)], *Air France 65,5 (72,3) [39,2 (87,5)]*, Air India 66,9 (24,7) [50,5], *Air Littoral 26,5 (44) [92,6 (84,7)], Air Tahiti (67,3) [(65,3)]*, Alitalia 61,7 (60,6) [69,5 (50,4)], All Nippon Airways 65,6 (71,8) [86,9 (22,9)], American Airlines 64 (61) [43,5 (36)], Australian 76,1 [1] (78,5) [49,7 [1] (57,2)], Austrian 54,8 (3,6), Avianca 62,1 (67,3), British Airways 69,4 (63,8) [73,6 (86,7)], Canadian Airlines Int. 68 (56,6) [74,3 (47,9)], Continental Airlines 65,3 (61,7) [67,5 (89,1)], Cruzeiro do Sul 58,6 (58,1), Egypt Air 61,8 (73,9), El Al 72,1 (55,7 [1]) [69,2], Finnair 58,3 (50,5) [88,1 (72,5)], Iberia 60,9 (65,6) [67 (73,7)], Indian Airlines 65,2 (74,8) [35,1 (39,2)], Iran Air 65,2 (90,2) [59,1 (98,8)], Japan Airlines 70,1 (71,8) [55,6 (19,1)], JAT-Jugoslav Airlines 57 (42,7) [61,1 (5,4)], KLM 71,6 (44) [57,5], Korean Air Lines 70 (73,7) [82,3], Lufthansa 61,9 (57,6) [73,3 (53,9)], Olympic Airways 57,7 (74) [59,4 (35)], Pakistan Int. 66,1 (72,3) [37,4 (46,7)], Qantas Airways 64,9 [72,8 (41,5)], Royal Air Maroc 59,7 (46,7) [100 (100)], Sabena 60,8, Swissair 61,8 (49,5) [65,6 (7,2)], Turkish Airlines 55,9 (58) [63,5 (100)], Tunis Air 60,8 (63,8) [73,9 (57,2)], TWA 73,7 (61,2) [45,3 (75,6)], United Airlines 70,9 (64,3) [75,3 (66,8)], *UTA 66,7 (71,5) [65,1 (99,8)]*, Varig 65,3 (57,8) [45 (59,8)].

Nota. – (1) 1990.

■ **Fret. Total** (en milliers de t, 1991) : Federal Express 2 516, Aeroflot 2 174, Japan Airlines 718, Lufthansa 715, Korean Air Lines 538, *Air France 485*, United Airlines 464, Northwest Airlines 442, American Airlines 413, Delta Air Lines 406. *Vols internationaux* Fed. Express 684, Lufthansa 643, *Air France 463*, Korean Air Lines 423, Jap. Airlines 422, KLM 345, British Airways 339, Singapore Airlines 326, Cathay Pacific 308, Northwest Airlines 283.

■ **Passagers. Nombre transportés** (en millions, 1991, vols intérieurs et internationaux) ; Aeroflot 85,6, American Airlines 76, Delta Air Lines 74,3, United Airlines 61,9, USAir 55,6, Northwest Airlines 41,1, Continental Airlines 37, All Nippon Airways 34,4, Lufthansa 24,1, Japan Airlines 23,1, British Airways 22,9, TWA 20,7, Alitalia 17,3, American West Airlines 16,8, Iberia 14,6, *Air France 13,2*. *Vols internationaux* British Airways 17,9, Lufthansa 13,4, American Airlines 12,2, *Air France 11,1*, Scandinavian Airlines System 7,9, Japan Airlines 7,8, Singapore Airlines 7,7, United Airlines 7,3, Cathay Pacific 7,2, KLM 7,1, Alitalia 6,8, Northwest Airlines 6,8, Swissair 6,6, Iberia 5,1, Continental Airlines 5.

Total (en milliards de km parcourus) Aeroflot 149, American Airlines 132,3, United Airlines 131,7, Delta Air Lines 108,3, Northwest Airlines 85,8, Continental Airlines 66,7, British Airways 62,8, USAir 54,9, Japan Airlines 51,5, TWA 45,3. *Vols internationaux* British Airways 59,3, United Airlines 42,3, Japan Airlines 38,8, Lufthansa 38,4, Northwest Airlines 37,3, Singapore Airlines 33,5, American Airlines 32,1, KLM 27,3, *Air France 26,8*, Qantas 26,5.

■ Principales compagnies aériennes (membres de l'IATA en 1992)

☞ Légende. – *1er chiffre :* nombre de passagers en service régulier, en milliers. *2e :* entre parenthèses, total des passagers, bagages, fret, courrier transportés, en millions de tonnes-km. *3e :* en italique, nombre d'appareils.

Adria Airways (Youg.) 305 (19,8) *13*. **Aer Lingus** (Irl., f. 1936) 4 020 (446,7) *31*. **Aeroflot** : m. de l'Iata dep. 1990; 1re Cie du monde : 3 000 avions (dont 104 lignes internat.) desservent 3 600 villes d'ex-URSS et 125 à l'étranger ; lignes : 1 000 000 de km (dont 350 000 internationaux) ; passagers transportés : 85,6 millions (dont internationaux 3,8) ; 15 635,3 millions de t de passagers, bagages, fret ; elle répand des engrais en ex-URSS sur 90 millions d'ha ; ses patrouilles aériennes surveillent 750 millions d'ha de forêts, elles détectent 75 % des incendies. **Aerolineas Argentinas** 3 236 (910,8) *29*. **Aeroméxico** 6 198 (717,9) *45*. **Aeroperu** 675 (98,4) *8*. **Affretair** (Zimb.) [1] 5,7 (48,6) *2*. **Air Algérie** 3 219 (298,5) *48* [3]. **Air Botswana** 102 (8,7) *5*. **Air Calédonie** International 80 (13,5) *2*. **Air Canada** 9 329 (2 639) *107*. *CA* (milliards de $) *1991* : 3,6. *Pertes 1991* : 0,22, *92* : 0,45. Salariés *90* : 23 000, *92* : 16 000. En 92, fusionne avec Canada Airline. **Air France** 13 203 (6 407) *144*. **Air Gabon** 436 (70,4) *6*. **Air Jamaica** 821 (137,6) *8*. **Air Littoral** 433 (20,5) *25*. **Air Madagascar** 315 (60,8) *11*. **Air Malta** 649 (94,7) *9*. **Air Mauritius** 535 (305,1) *9*. **Air New Zealand** 3 763 (1 386,3) *28*. **Air Pacific** (Fidji) 306 (110) *4*. **Air Seychelles** [1] 51 (41,1) *6*. **Air Tahiti** 301 (7,8 [5]) *6*. **Air Tanzania** 286 (29,8) *12*. **Air UK** (G.-B., f. 1980) 1 904 (82,5) *28*. **Air Zaïre** 150 (68,2) *3*. **Air India** 1 874 (1 134,1) *22*. **Airlanka** 893 (418,1) *8*. **Alaska Airlines** (USA) 5 810 (1 766,4) *63*. **Alitalia-Linee Aeree Italiane** (f. 1946) 17 280 (3 210,9) *125*. **All Nippon Airways** 34 440 (3 502,7) *110*. **Aloha Airlines** 4 915 (110,6) *15*. **Alyemda** 279 (33,2) *7*. **America West Airlines** (USA) 16 844 (2 046,3) *103*. **American Airlines** (USA) 75 994 (13 581,7) *622*. **Austral Lineas Aereas** (Arg.) 1 183 (108,6) *12*. **Australian** 6 619 (653,6) *38*. **Austrian** (Autr.) 2 294 (327,8) *28*. **Avia** (Suède) 161 (2,9) *7*. **Aviaco** (Espagne) 5 180 (192,6) *40*. **Avianca** (Colombie) 3 270 (418,5) *22*.

Balkan Bulgarian 646 (112,2) *55*. **Birmingham European Airways** (G.-B.) 281 (15,4) *7*. **Braathens SAFE** (Norv.) 3 481 (115,6) *23*. **British Airways** (G.-B. née 1-4-74 fusion BEA-BOAC) 22 869 (8 070,6) *226*. **CA** (en milliards de £) *1990-91* : 4,94, *91-92* : 5,22, *92-93* : 5,56. *Résultat 1991-92* : 0,43, *92-93* : 0,18. Détient 100 % de Dan-Air, 49,9 % de TAT, 49 % de Deutsche BA, 31 % d'Air Russia, 25 % de Qantas, 24,6 % d'USAir. **British Midland** (G.-B., f. 1964) 3 443 (143,6) *30*. **BWIA International** (Trin. et Tob.) 1 345 *13*.

Cameroon Airlines 357 (37) *3*. **Canadian Airlines International** 7 257 (2 269) *81*. CA *1991* : 2,9 Md de $. Salariés : 15 500. En 1992, fusion avec Airlanka. **Cathay Pacific** (Hong Kong) 7 391 (3 854,2) *44*. **Comair** (Afr. du S.) 117 (4) *5*. **Continental Airlines** (USA) 36 970 (6 676,5) *409*. **Croatia Airlines** 113 (4) *2*. **Crossair** (Suisse) 681 (21) *31*. **Cruzeiro do Sul** (Brésil) 3 058 (317,7) *11*. **CSA – Ceskoslovenske Aerolinie** (Tchéc.) 837 (179,9) *29*. **Cubana** (Cuba) 842 (168,7) *49*. **Cyprus** (Chypre) 820 (198,1) *11*.

Dan-Air (G.-B., f. 1953) 1 924 (108) *35*. **Delta Air Lines** (USA) 74 282 (11 158,5) *538*. Pertes *92* : 3,1 milliards de F. **Delta Air Regional** (All. féd.) n.c. (4,4) *n.c.* **Dragonair** (H.-Kong) 698 (85,5) *6*.

Ecuatoriana (Éq.) 252 (156,2) *7*. **Egyptair** 2 602 (611,5) *39*. **El Al** (Israël) 1 624 (1 537,3) *21*. **Emirates** (É. arabes unis) 1 166 (461,2) *9*. **Ethiopian Airlines** 636 (224) *21*.

Falcon Aviation [5] (Suède) (5,5) *4*. **Federal Express** (USA) (5 418,2) *410*. **Finnair** (Finl.) 3 367 (540,4) *48*. **Flight West Airlines** (Austr.) 212 (10,2) *26*. **Friendly Islands Airways** (Tonga) 27 (0,5) *2*.

Garuda Indonesia 5 455 (1 612,7) *55*. **Ghana Airways** 192 (58,4) *3*. **Gulf Air** (Bahreïn, Oman, Qatar, Émirats arabes unis) [1] 3 502 (844,4) *30*.

Iberia (Esp., f. 1977) 14 551 (2 488,4) *114*. Pertes (milliards de F) *1990* : 0,68 ; *91* : 1,8 ; *92* : 1,7. Détient 30 % d'Aerolineas Argentinas, 45 % de Viasa, 30 % de Ladeco. **Icelandair** (Isl.) 730 (195,7) *12*. **Indian Airlines** 8 570 (737,9) *54*. **Ipec Aviation** (Austr.) 30 [5] (5,1) *2*. **Iran Air** 5 168 (590,3) *36*. **Iraqi Airways** 27,7 (1,5) *13*.

Jamahiriya Libyan Arab Airlines 1 884 (183,3) *38*. **Japan Air Lines** 23 081 (8 135,8) *103*. CA (milliards de F) *91* : 52 ; *92-93* : 48,2. Pertes *92* : –3 ; *92-93* : – 1,9. **Japan Air System** (Japon) 14 396 (958,7) *74*. **Jat-Yougoslav Airlines** 1 583 (347,5) *30*.

Kendell Airlines (Austr.) 372 (10,1) *14*. **Kenya Airways** 760 (174,8) *9*. **KLM** (Pays-Bas, f. 1919) 7 121 (4 802,2) *59*. *Capital* : État 38 %. *Pertes* (milliards de F) *1991* : 1,89 ; *92* : 1,69. *Salariés* : 26 500. **Korean Air Lines** (Corée du S.) 13 314 (4 498) *77*. **Kuwait Airways** 840 (288,5) *13*.

Lab-Lloyd Aereo Boliviano 1 201 (101,4) *13*. **Lascsa** (Costa Rica) 415 (142,7) *6*. **Ladeco** (Chili) 584 (167,2) *14*. **Lam** (Mozamb.) 283 (52,2) *6*. **Lan-Chile** (Chili) 694 (396,2) *13*. **Lap** (Paraguay) 275 (28,9) *6*. **Lar Linhas Aereas Regionais** (Port.) 278 (5,7) *6*. **Lauda Air** (Austr.) 108 (72,5) *4*. **Linjeflyg** (Suède) 4 021 (145) *24*. **Loganair** (G.-B.) 616 (16) *24*. **Lot-Polish-Airlines** (Pologne) 1 051 (287,9) *45*. **Lufthansa** (All., f. 1926) 24 079 (8 372,6) *217*. Capital détenu par l'État ramené de 85 à 52,9 %. Privatisation complète prévue. *CA* (milliards de F) *1992* : 58,4. *Pertes 1991* : 1,9 ; *92* : 1,3. *Effectifs 1992* (31-12) : 49 292.

Malaysian Airline System 11 838 (1 941,3) *63*. **Malev** (Hongrie) 911 (98,9) *26*. CA (milliards de F) *1992* : 1,8. Résultat *89* : – 0,88 ; *90* : – 0,4 ; *91* : – 0,14 ; *92* : + 0,11. **Malmö Aviation** 20 (1,6) *2*. **Mea-Airliban** (Liban) 536 (136,5) *14*. **Meridiana Air** (Esp., f. 1990) 9 (0,9) *10*.

NFD (Allem.) 455 (24,8) *23*. **Nigeria Airways** 930 (158,6) *16*. **Nippon Cargo** (Japon) (1 070,4) *6*. **Northwest Airlines** 41 118 (10 591,1) *347*. **Olympic Airways** (Grèce, f. 1957) 4 937 (682,3) *53*.

Pakistan International 5 198 (1 210,5) *46.* **Philippine Airlines** 5 438 (1 432,9) *46.*

Qantas Airways (Australie) 4 211 (3 635,8) *48.* **Royal Air Maroc** 1 430 (257,2) *27.* **Royal Jordanian** [5] 964 (478,8) *19.* Royal Swazi (Swaziland) 59 (4,2) *1.* Saa South African Airways 4 701 (946) *39.*

Sabena (Belg., f. 1923) 3 018 (1 071,3) *27. Résultat* (en milliard de F) *1990 :* – 0,935, *91 :* – 0,4, *92 :* + 1. *Salariés :* 9 000. *Avions :* 45. **Sas-Scandinavian Airlines System** (Dan., Norv., Suède, f. 1946) 13 918 (1 852,7) *133. CA* (milliards de F) *1992 :* 24,08. *Pertes 1992 :* – 0,52. **Sata-Air Açores** (Port., f. 1941) 254 (4,6) *3.* **Saudi Arabian Airlines** (Arabie S.) 9 412 (1 847,5) *107.* **Sempati Air** 759 (57,3) *12.* **Singapore Airlines** 7 745 (5 089,3) *46. Bénéfice net* (milliards de F) *1991-92 :* 3 ; *92-93 :* 2,6. *Salariés 1993 :* 17 000. **Sudan Airways** 363 (50) *10.* **Sunflower** (Fiji) 59 (0,6) *7.* **Sunstate** (Austr.) 176 (n.c.) *7.* **Swissair** 7 293 (2 453,7) *60.* **Syrian Arab Airlines** 661 (116,6) *12. CA* (milliards de F) *1992 :* groupe 23,4, Cie 20,1. *Bénéfice net consolidé 1991 :* 0,31 ; *92 :* 0,41. *Effectifs groupe :* 25 800 (Cie 20 000).

Taag (Angola) 456 (102) *15.* **Talair** (Papouasie, Nlle-Guinée) 206 (5,2) *26.* **Tap-Air Portugal** (Portugal) 3 317 (807,5) *27.* **TAT** (Fr.) n.c. (25,1) *n.c.* **Thai Airways** (Thaïl.) 7 709 (2 560,6) *63.* **TMA** (Liban) (139,6) *7.* **Tower Air** (USA) 332 (232,1) *5.* **Transbrasil** (Brésil) 2 359 (416,6) *23.* **Trans-Jamaican** 73 (n.c.) *9.* **Trans World Airlines (TWA)** (USA) 20 736 (4 813,7) *191. CA* (milliards de $) *1991 :* 3,60 ; *92 :* 3,63. *Résultat 1991 :* + 0,034 ; *92 :* – 0,3118. **Tunis Air** 1 201 (144,3) *16.* **Turkish Airlines** 2 872 (376,8) *34.*

United Airlines (USA) 61 891 (14 137,8) *486.* **Usair** (USA) 55 600 (5 365,5) *431.* UTA (Fr.) 790 (1 040,3) *13.* **Varig** (Brésil) 6 914 (2 364,6) *90.* **VASP** (Brésil) 5 016 (527,8) *58.* **Viasa** (Venez.) 637 (419,2) *9.* **Virgin Atlantic** (G.-B., f. 1984) 1 046 (918) *8.* **Visa Air** 336 (44,5) *7.* **Yemen Airways** 326 (58,7) *7.* **Zambia Airways** 293 (82,2) *7.*

Nota. – (1) Trafic international. (2) Trafic intérieur. (3) 1987. (4) 1989. (5) 1990.

TRAFIC AÉRIEN

TRAFIC MONDIAL

Trafic par pays. Nombre de passagers-km et, entre parenthèses, **de tonnes-km** (passagers, fret, poste), **en milliards, sur les services réguliers** (nationaux et internationaux) en 1991. *Source :* OACI. USA 720,8 (82,61) ; Féd. de Russie 224,9 (22,95) ; Japon 100,4 (14,14) ; R.-U. 99,9 (13,68) ; *France 48,7 (8,29) ;* Australie 44,3 (5,38) ; Allem. 43,3 (8,45) ; Canada 39,1 (4,91) ; Singapour 33,5 (4,99) ; Chine 30,1 (3,21) ; Brésil 28,5 (3,67) ; P.-Bas 28,2 (4,89) ; Espagne 23,2 (2,73) ; Italie 22,7 (3,29) ; Corée du S. 20,7 (4,62) ; Mexique 18,3 (1,73) ; Thaïlande 18,2 (2,56) ; Inde 15,7 (1,89) ; Arabie Saoudite 14,9 (1,85).

Trafic sur l'Atlantique Nord. Passagers (Services réguliers internationaux en millions) *1982 :* 16,3 ; *85 :* 21 ; *88 :* 26,2 ; *91 :* 27,9. **Coeff. de remplissage** (passagers en %) *1982 :* 61 ; *85* 63 ; *88 :* 65 ; *91 :* 64. *Fret* (services réguliers et non réguliers en millions de tonnes) *1982 :* 0,9 ; *85 :* 1,1 ; *88 :* 1,5 ; *91 :* 1,5.

Trafic sur la zone Atlantique (en milliards de RPK [1]) **et**, entre parenthèses, **capacités** (en milliards d'ASM [2]), **en 1992.** Delta 24,4 (37,3), American 20,6 (29,3), TWA 15,8 (23,1), United 14,4 (19,9), Northwest 8 (10,9), Continental 7 (9,8), US Air 3,2 (5,2).

Nota. – (1) Revenu passager km. (2) Siège disponible par mille.

Vols 88 : 147 386 (dont 135 000 réguliers, 11 786 charters).

Pointes journalières de trafic civil. En France (ensemble de l'espace en 1989). *Paris Athis-Mons : 2 945 ; Aix-en-Pr.* 2 149 ; *Bordeaux* 1 347 ; *Brest* 1 080.

CIRCULATION AÉRIENNE

☞ **Circulation en Europe occidentale.** 12 000 vols quotidiens. Sur 1 500 000 mouvements d'avions contrôlés en 1 an, 600 000 (43 %) ne font que la survoler. La distance qui sépare les avions dans un même couloir est de 18 km (qui, à 900 km/h, se rencontrent en 36 secondes). En 1989, 44 centres de contrôle (20 aux USA), ce morcellement a coûté 31,5 milliards de F en 1988.

ORGANISATION DE L'ESPACE

Espace inférieur. *Du sol au niveau de vol 195, soit 19 500 pieds (6 100 m) pour une pression au niveau de la mer de 1 013 Hpa.* A l'intérieur, sont définis : 1° des espaces aériens contrôlés, comprenant les voies aériennes [couloirs larges généralement de 18 km, plancher à au moins 300 m au-dessus du relief balisé par des dispositifs radioélectriques (radiophares MF-VHF)], les régions terminales et les zones de contrôle englobant trajectoires d'arrivée et de départ d'un ou plusieurs aéroports rapprochés ; 2° des zones réglementées ou dangereuses, perméables sous certaines conditions ; 3° quelques zones interdites. En dehors des espaces aériens contrôlés, les aéronefs évoluant en VFR (vol à vue) ou IFR (vol aux instruments), tenus au respect des règles de l'air, bénéficient du service d'information de vol et, éventuellement, d'alerte. Dans les espaces contrôlés, les aéronefs doivent se tenir en liaison avec le centre de contrôle de la zone et suivre ses instructions.

Espace supérieur. Au-dessus du niveau 195, l'espace est globalement contrôlé jusqu'au niveau de vol 660 (env. 20 000 m) ; des zones réservées temporaires protègent certaines activités militaires. Seuls sont admis les vols effectués selon les règles de vol aux instruments (IFR) ; ils suivent, sauf autorisation particulière, des itinéraires prédéterminés.

AEA (Association des transporteurs aériens européens). *Créée* 1954. *Au 9-5-1989 :* 22 compagnies, 312 200 personnes, 1 091 avions de ligne à réaction.

Fédération nationale aéronautique. *Créée* 1929, reconnue d'utilité publique. En 1992, 14 unions rég., 530 aéroclubs répartis sur 439 aérodromes (ayant 2 414 avions), 49 902 pilotes pratiquant régulièrement le vol à moteur (768 897 h de vol en 1992). *1992 :* licences délivrées 49 902. Age : – de 25 ans : 20,55 %, 26 à 35 : 22,75, 36 à 50 : 37,59 ; + de 50 : 18,96. Moy. des h. de vol par an. *1973 :* 18,3 ; *77 :* 17,45 ; *87 :* 15,57 ; *90 :* 17,03 ; *91 :* 16,73 ; *92 :* 15,91.

IATA (International Air Transport Association). *Créée* 1919, réorganisée 1945. *Cies officielles au 22-11-1988 :* 175 employant 1 017 000 personnes et mettant en ligne 4 945 avions et hélicoptères (au 31-12-86) [1]. *1987 :* passagers transportés (services réguliers) 597,7 milliers ; passagers-km réalisés 1 042,4 millions dont réguliers 996,8, charters 45,6 ; fret transporté 10 millions de t. **Résultats** des Cies de l'IATA (milliards de $). *1986 :* – 0,3, *87 :* 0,9, *88 :* 1,6, *89 :* 0,3, *90 :* – 2,7, *91 :* – 4 *(raisons :* guerre du Golfe, baisse du trafic, hausse de kérosène, des assurances...).

Cie la plus bénéficiaire (milliards de F, 1991-92) Singapore Airlines : *CA :* 16,6, *bén. net :* 3,06. *92-93 :* chute de 84 % du bén. net.

ÉVOLUTION MONDIALE DU TRAFIC RÉGULIER PAYANT

Années	Passagers transportés	Tonnes de fret	Passagers kilomètre	Sièges-km disponibles	Remplissage passagers	Tonnes-kilomètre réalisés		
						Fret	Poste	Total
	Millions	Millions	Milliards	Milliards	%	Millions	Millions	Millions
1975	534	8,7	697	1 179	59	19 370	2 900	84 700
1980	748	11,1	1 089	1 724	63	29 380	3 680	130 980
1985	899	13,7	1 367	2 081	66	39 840	4 400	167 690
1986	960	14,7	1 452	2 235	65	43 190	4 550	178 800
1987	1 027	16,1	1 589	2 367	67	48 370	4 680	196 430
1988	1 079	17,3	1 704	2 525	67	53 490	4 830	212 120
1989	1 117	18,2	1 785	2 622	68	57 320	5 050	223 870
1990 [1]	1 159	18,1	1 888	2 778	68	58 790	5 300	234 910
1991 [1]	1 125	17,3	1 815	2 750	66	56 500	5 120	225 000

Nota. – (1) Estimation. Ne sont pas compris les États qui n'étaient pas membres de l'OACI en 1991.

CONTROLE EN FRANCE

☞ **Les pilotes** qui volent en IFR (ainsi que les aéronefs qui volent en VFR) franchissent une frontière, effectuent un survol maritime... ou veulent bénéficier des services d'alerte et de secours, doivent déposer un plan de vol (immatriculation de l'avion, type et équipement, points et heures de départ et d'arrivée, route suivie, vitesse, altitude, etc.), donner les reports de leur position sur des fréquences de radiocommunication prédéterminées en des points spécifiés. Le plan de vol doit être clôturé à l'arrivée, les reports signalés. Les contrôleurs peuvent ainsi assurer, selon l'espace où se trouvent les aéronefs, le contrôle de la circulation, l'information de vol et l'alerte. Une coordination est assurée avec les organismes militaires.

■ **Résultats** (1990). Vols IFR contrôlés : 1 619 771.

■ **Corps techniques de l'aviation civile** (en fonction au 1-1-1993) : 5 729. Ingénieurs de l'aviation civile (IAC) : 143. Ing. des études et de l'exploitation de l'av. civ. (IEEAC) : 622. Officiers contrôleurs de la circ. aér. (ICNA ex-OCCA) : 2 796. Électroniciens de la Sécurité aér. (IESSA ex-ESA) : 1 080. Techniciens de l'av. civile (TAC) : 1 088.

■ **Redevances versées au budget annexe de la navigation aérienne. De route :** *créée* 1972. Pour tout avion civil effectuant un vol IFR à travers l'espace aérien français. *Calculée* selon services mis en œuvre, distance parcourue et poids des aéronefs [*ex. Boeing 747* survolant la France sur 1 000 km : 9 861 F (au 1-1-91)]. *Évolution* (en milliards de F). *1985 :* 1,3. *86 :* 1,5. *87 :* 1,9. *88 :* 1,9. *89 :* 2,08. *90 :* 2,3. *91* (prév.) : 2,8.

Pour « services terminaux de la circulation aérienne » : *créée* 1-9-1985. Pour tout avion civil décollant d'un grand aérodrome français pour un vol IFR. *Calculée* selon coût des services et installations mis en œuvre (pour assurer la sécurité de la circulation aérienne et la rapidité des mouvements à l'arrivée et au départ de l'aérodrome), et poids de l'avion. [*ex. : Boeing 747* décollant de Roissy-Charles-de-Gaulle : 7 000 F (au 1-1-91)]. *Évolution* (milliards de F) : *1985 :* 0,04. *86 :* 0,30. *87 :* 0,38. *88 :* 0,44. *89 :* 0,50. *90 :* 0,67.

Quelques actes de terrorisme dep. 1973. 1973-*18-10 Boeing* Orly-Nice détourné sur Marseille-Marignane par Craven (mortellement blessé par les forces de police). *30-4 DC 10* Orly-Ankara détourné sur Marseille par un passager turc (qui se rend). **1976-***27-6 Airbus A-300* Tel-Aviv-Athènes-Paris détourné sur Entebbe. *-3-7* un commando de l'armée israélienne libère les otages d'Entebbé, parmi lesquels 3 victimes, 1 soldat israélien, 20 soldats ougandais et 7 terroristes †. **1977-***12-8* vol Paris-Le Caire, contraint de se poser à Brindisi, le pirate de l'air égyptien capturé. *-30-9 Caravelle* Air Inter Orly-Lyon détournée par Jacques Ribert (malade mental), 1 hôtesse, le pilote et 1 passager blessés, 1 employé d'Air Inter tué. **1983-***27-3 Boeing 727* Vienne-Paris s'envole à Genève (37 pass. débarqués), Catane (55 débarqués), puis Téhéran 18 otages restant libérés, les 4 pirates se rendent. **1984-***31-7/2-8 Boeing 737,* Francfort-Paris détourné vers Téhéran, via Genève-Beyrouth-Larnaca, avion détruit. **1985-***12-6 Boeing 727* d'Alia détourné via Larnaca, Palerme puis Beyrouth, 54 otages libérés après 29 h de détention. Avion détruit. *-14-6 Boeing 727* Athènes-Rome détourné vers Beyrouth. 1 †, 39 otages (libérés 30-6). *-23-11 Boeing 737* Egyptair détourné sur Malte, 60 † le 24-11 au cours de l'assaut à Malte. **1986-***5-9 Boeing 747* (PAN AM) attaqué au sol à Karachi par 4 pirates armés. 20 †, 100 bl., pirates arrêtés. *-25-12 Boeing* (Iraqi Airways) capturé en vol par 4 pirates ; explosion d'une grenade et mitraillage provoquent un atterrissage forcé ; 71 †, nombreux bl. **1987-***24-7 DC 10* (Air Afrique) Brazzaville-Bangui-Rome-Paris détourné sur Genève par 1 pirate qui, après avoir tué 1 passager, sera maîtrisé. 1 bl. grave. **1988-***5-4 (Kuwait-Airways)* Bangkok-Koweït, 112 pass. se posent à Meched (Iran), *-6-4* 24 femmes libérées, *-7-4* 32 pers. libérées, *-8-4* ne peut se poser à Beyrouth, atterrit à Larnaka (Chypre), *-9-4* 1 otage exécuté, *-11-4* 1 otage exécuté, *-12-4* 12 pers. libérées, *-13-4* atterrit à Alger, *-20-4* otages libérés. *-21-12* Boeing 747, PAN AM 103 explose au dessus de Lockerbie, 270 †. **1989-***05-04* Koweit Airlines, détourné sur Alger, 7 pirates, 2 †, détournement le plus long (16 j). *-18-06* Antonov 26 (Kaboul-Zaranj), 2 pirates, tentative, 6 †, 33 bl. *-19-09* DC 10, UTA 772 explose au-dessus du Ténéré, 170 †. **1991-***24-06* Aéroport New Delhi, bombe, 25 bl. **1992-***26-08* Aéroport Alger, bombe 9 †, 123 bl.

☞ Voir aussi **Attentats** à l'Index.

Piraterie aérienne

Nombre de tentatives dont, entre parenthèses, **tentatives réussies. 1948-57 :** 15 (13). **1958-67 :** 48 (31). **68 :** 38 (33). **69 :** 82 (70). **70 :** 72 (46). **71 :** 62 (24). **72 :** 70 (37). **73 :** 28 (14). **74 :** 18 (7). **75 :** 19 (7). **76 :** 19 (6). **77 :** 25 (5). **78 :** 26 (7). **79 :** 15 (10). **80 :** 35 (18). **81 :** 29 (13). **82 :** 36 (14). **83 :** 31 (21). **84 :** 28 (15). **85 :** 16 (9). **86 :** 18 (4). **87 :** (13). **88 :** 10 (7). **89 :** 8 (4). **90 :** 20 (8). **91 :** 10 (5). **92 :** 6 (2).

Répression. Selon la convention de La Haye du 16-12-1970, tout État contractant s'engage à réprimer la piraterie aérienne par des peines sévères. La convention de Montréal du 23-9-1971 prévoit « la répression d'actes illicites dirigés contre la sécurité de l'aviation civile ». En France, le Code pénal prévoit une peine de réclusion criminelle de 5 à 10 ans pour toute personne qui s'empare, par violence ou menace de violence, du contrôle d'un aéronef.

Compagnies françaises

Données générales

Aviation civile (1993). Budget : 6,64 milliards de F dont contrôle technique 12,8, navigation aérienne 3 576,6, bases aériennes 320,8, formation aéronautique 204,8, administration générale 1 492,3. **Recettes :** 5 667 dont ressources propres 4 816,7, subvention 253, emprunt 598,6. **Dépenses :** 5 667,3 (dont dép. d'exploitation 4 336,9, en capital 1 330).

Taxe de sûreté. *Créée* 1987 pour 2 ans : finance la réalisation d'équipements affectés à la sûreté des passagers dans les aéroports. Pérennisée 1989. **Tarif** (en F) : *1987 :* passager vol intern. 5, vol intérieur et DOM-TOM 3. *90 :* vol intern. 10, intér. et DOM-TOM 6. *92 :* vol intern. 15, intér. et DOM-TOM 10. **Produit escompté** (en millions de F) : *1987 :* 62. *90 :* 320. *92 :* 550. **Recouvrement** (en millions de F) : *1987 :* 62. *90 :* 273.

Grandes Cies régulières (groupe Air-France) 1990. **Trafic passagers :** Air France 15,7, Air Inter 16,1, UTA 0,9. **Coefficient moyen d'occupation** (en %) : Air France 69,2, Air Inter 68,3, UTA 67,7. **Fret** (millions de t/km) : Air France 3 574, UTA 590, Air Inter 37.

Cies régionales. Elles exploitent 175 lignes (35 radiales, 140 transversales) desservant 130 villes (dont 30 en Europe, hors de France). *Chiffre d'affaires* (1988) : 2,5 milliards de F. *Trafic* (1988) : réseau régulier, 1 290 760 passagers.

Personnel (au 31-12-90). *Groupe AF.* 59 119 dont 39 810 (dont personnel au sol 31 529, navigants techniques 2 453, commerciaux (31-12-90) 5 828. *Air Inter* 10 892 (dont personnel au sol 7 960, nav. tech. 934, comm. 1 998). *UTA* 7 907 (dont au sol 6 481, nav. tech. 422, comm. 1 004), Cies régionales (1989) 2 571 (dont 1 035 navigants).

☞ **Coût des grèves sur les Cies aériennes** (en millions de F) : Air France et entre parenthèses Air Inter. *1985 :* 47,3 (33,7). *86 :* 19,5 (10,7). *87 :* 43,3 (71,4). *88* (1er semestre) : 5 (163,9).

Principales compagnies régulières

Air France

■ **Histoire. 1933**-*13-8* création de la 1re Cie Air France. Nom trouvé par le journaliste Georges Raffalovitch. Officiellement inaugurée le 7-10 ; née de la fusion, sous l'impulsion du min. de l'Air Pierre Cot, de : la *SGTA (Sté générale des Transports aériens)* créée 24-5-1920 à partir des « Lignes aériennes Farman » créées mars 1919 ; *Air Union* (résultant de la fusion, le 1-1-1921, des *Messageries aériennes* créées févr. 1919 par Louis Breguet et de la *Cie des Grands Express aériens* créée 20-3-1919 ; elle avait, en outre, absorbé le 1-1-1926 *l'Aéronavale* créée 14-6-1919 par Fernand Lioré ; la *CIDNA (Cie internationale de Navigation aérienne)* (résultant de la transformation en janvier 1925 de la Cie franco-roumaine de Navig. aér., née avril 1920) ; *Air Orient* [résultant de la transfor., en juill. 1930, d'Air Union Lignes d'Orient (héritière des Messageries transaériennes créées 1919), créée janv. 1928 par Air Union, et d'Air Asie créée 1928] ; enfin Air France racheta, dès sa création, la *Cie générale Aéropostale* créée 5-5-1927 par Marcel Bouilloux-Laffont (1871-1944) qui reprit les lignes de Pierre Latécoère fondées 1918 devenant CGEA (Cie générale d'Entreprises aéronautiques), mise en liquidation judiciaire en mars 1931. Depuis leur création, les Stés aériennes vivaient en grande partie des subventions de l'État et lui étaient liées par des contrats qui expiraient presque tous en mai 1933. La faillite de l'Aéropostale avait révélé leur fragilité et les inconvénients de leur dispersion. La G.-B. et l'Allemagne avaient déjà donné l'exemple de regroupement avec les Imperial Airways en 1924 et la Lufthansa en 1926. Le 14-4-1933, Pierre Cot décida de confier l'exploitation de toutes les lignes subventionnées à une compagnie unique et ouvrit un concours. Les 4 Cies existantes firent savoir immédiatement qu'elles étaient prêtes à fusionner pour créer une Sté unique d'exploitation avec participation de l'État. Ce fut Air France, qui fut créée définitivement le 30-8-1933. **1941** devient la Sté nationale Air France après fusion Cie Air France, Air Bleu créée 1935, Air France Transatlantique créée 1938, Aéromaritime créée 1937, Air Afrique créée 1937 (fusion des lignes aériennes Nord Afr. Régie Air Afrique, Malgache créées 1934). **1942** *Air France* Sté nationale après fusion avec RLAF (Réseau des lignes aériennes françaises). **1948**-16-6 Sté d'écon. mixte dès l'origine, Air France devient Cie nationale. **1963**-1-11 accords : Air France dessert Europe et Amériques, une grande partie de l'Asie, Madagascar, Sénégal ; UTA : reste de l'Afrique, Pacifique Sud, Océanie, Air Inter : métropole et Corse. **1954**-20-7 accords de Peira-Cava : répartissent activités d'Air France et des Cies privées. **1990** UTA rachetée. **1991**-25-9 décision d'absorber UTA pour 1993. **1992**-10-4 accord de coopération avec Sabena. -*Juillet* un gouvernement ne peut empêcher une Cie de desservir villes ou pays de son choix (décision de la CEE).

■ **Statuts.** Régie par le code de l'Aviation civile et la législation sur les Stés anonymes. *But :* exploitation des transports aériens dans les conditions fixées par le min. chargé de l'Aviation civile, création ou gestion d'entreprises présentant un caractère annexe à cette activité, prise de participation dans des entreprises de ce genre, après autorisation donnée par voie réglementaire. Air France est ainsi : une *entreprise commerciale* soumise à la concurrence internationale, tenue de couvrir par ses ressources propres ses dépenses d'exploitation, ses charges financières et annuités d'amortissements ; et un *service public* soumis au double contrôle des ministères de tutelle (elle peut se voir imposer certaines contraintes d'exploitation pour des raisons d'intérêt général).

■ **Groupe Air France. Sté Air France. Capital** (1989) : 3 156,57 millions de F. L'État peut rétrocéder jusqu'à 30 % du capital à des collectivités publiques ou à des actionnaires privés ; ces derniers ne peuvent toutefois posséder plus de 15 % du capital. **Actionnaires :** État français 99,38 %, Caisse des dépôts et consignations 0,57 %, établissements publics (chambres de commerce, villes) ; administrateurs ; représentants de l'État, personnalités qualifiées et représentants du personnel Air France 0,5 %. **Pt :** Bernard Attali (1-11-43), dep. 15-10-88 [avant, Marceau Long, puis Jacques Friedmann (15-10-32) dep. 24-2-87]. **Participations :** contrôle env. 95 Stés exerçant des activités de transport aérien ou complémentaires : *Air Charter* 80, *Air Inter* (qui détient 20 % d'Air Charter) 72,3, *UTA* (qui détient 51 % d'Aéro Maritime et 28 % d'Air Afrique) majorité acquise en 1990 : 71, *Euroberlin* (49 % détenus par Lufthansa) 51, *TAT* 35, *Alsavia* 33, *MEA* 28,5, *Cameroon Airlines* 25, *Air Mauritius* 12,5, *Tunis Air* 5,6, *Royal Air Maroc* 4, *Air Madagascar* 3,5, *Austrian Airlines* 1,5. *Fret aérien :* **Sodetair** 100. *Maintenance :* **Revima** 100, **CRMA** 100. **Méridien Gestion** 100. *Système de distribution :* **Amadeus France** 95. *Restauration avions + TGV :* **Servair** 75,2. *Fret express :* **Sodetif** 60. *Stés des Hôtels Méridien :* **SHM** 57,3. *École de pilotage :* **EPAG** 56 (contrôle du groupe). *Sté d'informatique :* **Esterel** 47,1.

■ **Statistique du groupe Air France. CA** (en milliards de F) : *1989 :* 39,6 ; *90 :* 56,8 (avec UTA et Air Inter), *91 :* 57,6 ; *92 :* 57,1 [dont transport aérien 45,34 (Air France 33,33, Air Inter 10,72, Air Charter 1,02, Euroberlin 0,32)]. *Résultat net 1985 :* 0,846 ; *86 :* 6,569 ; *88 :* 1,221 ; *89 :* – 0,841 ; *90 :* – 0,717 ; *91 :* – 0,685 ; *92 :* 3,266 (pertes cumulées 1990-92 : 4,6). *Résultat d'exploitation 1991 :* + 0,212 ; *92 :* – 1,5. Le conflit du Golfe a coûté au groupe 3,35 milliards de F (dont 1,258 au 1er trim. 91). **Passagers transportés :** 35 241 991. **Effectifs** *moyens annuels pondérés 1991 :* 64 973 dont au sol 52 229 (dont Cies aériennes 43 884, autres Stés 8 345), commercial 8 729, navigant technique 4 015. Cies 56 628 (dont Cie Air France au 31-12-92 : 1 059 Cdts de bord, 1 277 officiers pilotes, 832 mécaniciens-navigants). Autres S[tés] 8 345. *Suppression 1991-93 :* 5 000 emplois (dont *91 :* 1 000 ; *92 :* 1 890). **Investissement** 1990 : 15,5 ; *91 :* 12,8 ; *92 :* 9,5. *Fonds propres groupe* 14,2 [dont 5 en 1991-92 par apport de l'Europe de l'Est 2, TSDI (titres subventionnés à durée indéterminée) 1,75, ORA (obligations remboursements en actions) apportées par la BNP 1,25], Sté Mère 10. **Résultats :** Air Inter – 0,88 (CA 11,12). Air Charter – 79,2, Visitaéno France – 2,9, Sotair Air + 0,005 (CA 2,1), Servair + 0,53 (CA 2,6), Méridien + 112 (CA 1,32).

Réseau (en milliers de km). *1933 :* 38, *39 :* 60, *45 :* 75, *46 :* 140, *54 :* 250, *60 :* 325, *70 :* 435, *82 :* 624, *90 :* 1 072. 75 pays et 186 escales desservis. **Trafic total passagers** (1991) 13 228 000. *Passagers/km transportés* (en millions) *et,* entre parenthèses, *coefficient de remplissage :* 3 771 (66,7). **Fret** (1991) *total en millions de t/km transportées (*messageries, poste et colis postaux) : 3 233,6. *Occupation des vols* (1er sem. 1993) : 65 %. **Supersonique** (1990). *Passagers/km transportés :* 298,2 millions dont 252,8 sur Paris-New York (43 380 passagers). Coefficient d'occupation 62,5 (dont : Paris-New York 59,2). **Total groupe** (1990). *Passagers :* 35 241 991. *Passagers / km (en millions) :* 57 336. *Coefficient d'occupation :* 69,6. *Fret (t/km transportées) :* 4 479.

Accidents mortels. *1930-39 :* 41, *1940-49 :* 37, *1950-59 :* 13, *1960-69 :* 9, *1970-79 :* 0, *1980-82 :* 0, *1983-89 :* n.c.

Résultats (millions de F). Air charter *89 :* 14,5, *90 :* 8,9. Euroberlin *89 :* – 83, *90 :* 86,4. Aéro Maritime *89 :* – 115, *90 :* – 50,2.

■ **Finances Air France** (HT en milliards de F). **CA :** *1977 :* 9,8, *80 :* 15,6, *85 :* 30,3, *86 :* 27,8, *88 :* 31,3, *90 :* 34,4, *92 :* 44,4 (trafic passagers 37,6, fret 6,4). *Résultat net 1984 :* 0,53, *85 :* 0,72, *86 :* 0,68, *87 :* 0,71, *88 :* 1,2, *89 :* 0,69. *90* – 0,88, *91 :* – 0,61. *92 :* – *3,27.* **CA export et,** entre parenthèses **% du CA total :** *1986 :* 14,8 (53,3), *87 :* 15,1, *88 :* 16,7 (53,3), *90 :* 18,3 (53,08). **CA fret :** *1984 :* 4,8, *85 :* 5,4, *86 :* 5, *87 :* 4,9, *88 :* 5,1, *90 :* 5,4. **Marge brute d'autofinancement :** *1981 :* 0,77, *82 :* 0,5, *83 :* 2,4, *84 :* 3, *85 :* 2,8, *86 :* 2,5, *90 :* – 0,44. *Capacité d'autofinancement : 87 :* 2,67, *88 :* 3,6. **Aides publiques apportées par l'État :** *1982 :* total 0,44 dont Concord 0,28, desserte DOM 0,12, Corse 0,04. *88 :* total 0,07 dont Corse 0,05. *90 :* total 0,1 dont Corse 0,03. **Endettement** (en milliards de F, 1992) : 21,7 dont 19,2 à long terme (33 % du CA).

Flotte (au 31-12-90). *Concorde :* 7 ; *Boeing 747 :* 27 ; *Boeing 727 :* 15 ; *Airbus A 300 :* 15 ; *Boeing 737 :* 16 ; *Airbus A 310 :* 10 ; *Airbus A 320 :* 14 ; *Boeing 747 Cargo :* 9. *Total :* 113. Total gr. Air France : 195. **Age moyen** *(1992) :* 8 ans et 4 mois.

Commandes (au 1-1-91). *A 320 :* 11. *A 340-300 :* 7. *B. 747-400 :* 20. *B. 737-500 :* 12. *A 310-300 :* 1. *Total gr. Air France :* 108.

Coefficient de remplissage (en %). *1991 :* 76 (seuil de rentabilité 80).

Nota. – En 1990, accord de coopération avec Lufthansa, Cathay Pacific et Japan Airlines (informatique relative au transport de fret – convention de facilités de correspondances et promotion conjointe avec USAir – constit. avec Aeroflot et les Postes française et soviétique d'une Sté de traitement des colis express et plis urgents), création par Air France (34 %), la région (34 %) et autres partenaires (32 %) d'Air Austral : basé à la Réunion pour les liaisons avec Madagascar, Maurice et les Seychelles.

Air Inter

■ **Histoire.** *1954* 12-11 « Sté anonyme des lignes aériennes intérieures Air Inter » créée. *1958* tentative d'exploitation : échec. *1960 avril* Pt amiral Paul Hébrard. *Juin* exploite des lignes régulières après s'être assuré, auprès des collectivités locales et de l'État, des garanties préalables. *1962* 1ers appareils de la Cie mis en service. *1967* convention avec État jusque fin 1973 : reconnaît « une vocation privilégiée pour le transport aérien de passagers, fret et poste en France métropolitaine, Corse y compris ». Protocoles d'accord avec Air France/UTA. *1969-22-12* 1re mondiale d'un atterrissage tous temps d'un gros porteur (Airbus A 300 B2). *1970* Pt Robert Vergnaud. *1972* autonomie financière. *1974* nouvelle convention avec État pour 6 ans : Air Inter perd son droit de préemption pour création de nouvelles lignes, mais reste transporteur unique sur liaison déterminée ; peut compléter son réseau par des nouvelles relations transversales. *1980* régime normal du transport aérien ; activité définie par une autorisation d'exploitation, et d'agrément pour 20 ans. *1982-24-6* Pt Marceau Long. *1985* convention avec État pour 15 ans. L'État lui assure l'exclusivité de l'exploitation de son réseau (sauf sur Paris/Nice et continent/Corse). *1988* ouverture d'une destination européenne sous pavillon Air France. *1989* accord de coopération avec Air France pour 3 ans : 5 lignes européennes desservies par Air Inter, et 5 domestiques par Air France (« dessertes croisées »). *1990-22-1* Groupe Air France créé avec 72,33 % d'Air Inter : Air France (qui détenait 36,53 % d'Air Inter) prend le contrôle d'UTA (qui possédait 35,80 % d'Air Inter). *1-5* tous les vols intérieurs deviennent non-fumeurs. *1991* devient entreprise de transport aérien international (8 destinations europ. sous son pavillon en 1993). *1993* ouverture des lignes à la concurrence prévue par accord de Bruxelles (signé oct. 1990). Décentralisation des services informatiques d'Air Inter dans région de Toulouse. Statut. Sté anonyme de droit privé. *P-DG : 1984 (juil.) :* Pierre Eelsen. *1990 (21-11) :* Jean-Cyril Spinetta (n. 4-10-1943). Capital. 76 456 500 F détenus au 1-1-93 par (en %) : Air France 72,34, SNCF 12,34, CDC Participations 4,1, Groupe Crédit lyonnais 4, Chambres de commerce 1,83, FCP Air-inter 0,39, divers 5,03. *Capitaux* (1991, en millions de F) : propres 1 312 dettes financières 2 445.

Filiales principales (en %). SNC Terminal Elysées (agence de réservation parisienne) : 100. Sodetif-Visit France (tourisme, 41 000 clients en 1991) : 30. Orlyval (véhicule automatique léger) : 27. Air Charter : 20. SEA (Sté d'exploitation aéropostale) : 20.

Chiffre d'affaires (en milliards de F, HT). *1979 :* 2,22 ; *80 :* 2,89 ; *81 :* 3,48 ; *83 :* 4,78 ; *84 :* 5,06 ; *85 :* 5,68 ; *86 :* 6,29 ; *87 :* 6,75 ; *88 :* 7,38 ; *89 :* 8,65 ; *90 :* 9,51 ; *91 :* 10,35 ; *92 :* 11,12. **Résultat net.** *1987 :* 0,09 ; *88 :* 0,15 ; *89 :* 116,7 ; *90 :* – 166,5 ; *91 :* – 45,5. Effectifs (31-12-91) : 10 820 [sol 7 950, navigant 2 870 (dont techniques 902 : dont 277 Cdts de bord, 307 pilotes, 178 off. mécaniciens, 140 membres encadrements et instructeurs) ; commerciaux 1 967 : dont 84 encadrement, 514 chefs de cabine, 1 342 hôtesses et stewards)]. Flotte (au 31-12-92) : *Airbus 320 :* 31 ; *Airbus 300 :* 20 ; *Mercure :* 8 ; *Airbus 330 :* 2. **Commandes :** *A-320 :* 16. *A-321 :* 7. *A-330 :* 13. Réseau. *Nombres de vols :* 131 639 ; *km parcourus* 71,9 millions ; relations (France) : 51 permanentes, 10 saisonnières ; (Europe) 7 perm., 1 s. Ponctualité à 15 min : *1985 :* 91,2 %. *86 :* 87 %. *87 :* 85 %. *88 :* 81 %. *89 :* 83,9 %. *90 :* 85,5 %. *91 :* 87,1. *92 :* 83,2. Trafic passagers (en millions) *1962 :* 0,203 ; *66 :* 1,170 ; *69 :* 2,399 ; *73 :* 4,111 ; *76 :* 5,494 ; *79 :* 6,813 ; *80 :* 8,238 ; *82 :* 9,874 ; *84 :* 10,977 ; *85 :* 11,382 ; *87 :* 12,804 ; *88 :* 13,750 ; *89 :* 15,688 ; *90 :* 16,163 ; *91 :* 15,801 ; *92 :* 16,363. **Coefficient de remplissage** (en %) *1984 :* 64,79 ; *85 :* 66,3 ; *86 :* 68,5 ; *87 :* 69,3 ; *88 :* 68,6 ; *89 :* 70,29 ; *90 :* 68,33 ; *91 :* 64,9 ; *92 :* 64,74. **Passagers/km** (en milliards) *1987 :* 6,97 ; *88 :* 7,49 ; *89 :* 8,59 ; *90 :* 8,94 ; *91 :* 8,91 ; *92 :* 9,35. Fret (en millions de t/km) *90 :* 37,1 ; *91 :* 32,1 ; *92 :* 39,1.

UTA (Union de transports aériens)

Origine. *1935* Aéromaritime filiale créée par Chargeurs réunis (créés 1872 par les Fabre, armateurs marseillais). *1949* s'associe avec la Sati (Ste aérienne de transports internat. créée 1948) et crée UTA Union aéromaritime des transports le 13-10 (capital chargeurs 40 %, Air France 40 %, Jean Combard et Roger Loubry créateurs de la Sati 20 %). *1952 déc.* à *1954* le Comet exploité sur Maroc et Sénégal. *1955* (1-5) contrôle Aigle Azur (créé 1946 par Sylvain Floirat). *1963* (1-10) fusion de la *TAI (Transports aériens internat.* créés 1-6-1946) et de l'*UAT (Union aérienne des transports* créée 1-1-1949). *Pt 1963* Gal Georges Fayet, *69* Francis Fabre, *81* René Lapautre, *90* Bernard Attali. Sté anonyme à participation ouvrière. *1990* (12-1) Air France se porte acquéreur de la majorité du capital d'UTA de 48,55 % (4 040 millions de F) d'Aéromaritime. Capital. 119 270 970 F. *Principaux actionnaires* (en %) : Air France 84,45, Chargeurs Réunis 10. CA et résultat net ou, entre parenthèses, perte (en millions de F) : *1980 :* 3 713 (+ 67,1). *81 :* 4 543,6 (+ 33,4). *82 :* 5 253 (+ 7,3). *83 :* 5 777 (+ 162). *84 :* 6 062 (+ 219). *85 :* 6 587,4 (+ 771). *86 :* 6 456 (+ 810). *87 :* 6 218 (+ 814). *88 :* 6 648 (+ 600). *89 :* 6 700 (+ 243). *90 :* 7 357 (– 460).

Effectifs (au 31-12-90) : 7 908. Flotte (au 1-1-91) : 15 appareils dont *6 DC 10-30, 3 B 747-300 « Combis », 2 B 747-200 « Cargo »,* 1 *B 747-400,* 1 *B 747-200 C,* 1 *B 747-300 « Cuixre »,* 1 *B 737-300.* Réseau. *Longueur* 268 452 km. *Escales* 41 dans 33 pays (Moyen-Orient, Extrême-Orient, Pacifique, Afrique, côte Ouest des USA). Trafic passagers. *1974 :* 547 674. *80 :* 874 370. *82 :* 983 192. *84 :* 851 945. *85 :* 862 775. *86 :* 904 130. *87 :* 894 578. *88 :* 835 225. *89 :* 860 638. *90 :* 937 400. *91 :* 829 000. *Passagers/km* (en milliards) : *80 :* 4,7. *82 :* 5,4. *84 :* 5. *85 :* 5,2. *86 :* 5,5. *87 :* 5,7. *88 :* 5,5. *89 :* 5,6. *90 :* 6,2. *91 :* 5,8. Fret *t/km transportées* (en millions) : *1974 :* 227,8. *80 :* 471,3. *83 :* 528. *84 :* 514. *85 :* 501. *86 :* 465. *87 :* 449. *88 :* 531. *89 :* 569. *90 :* 590. *91 :* 488,2. *Coefficient de remplissage* (en %). *85 :* 69,6. *86 :* 67,4. *87 :* 57,1. *88 :* 59,2. *89 :* 68,1. *90 :* 67,7. *91 :* 68,1.

Filiale. *Aéromaritime Charters :* vols spéciaux, affrètements 435 (80 % navigants) ; flotte (Boeing) : *6 737-300, 1 737-400, 1 747-200, 1 747-300, 2 767-200.*

■ Compagnies régionales

Aigle-Azur [1]. *Aéroport* Paris-Pontoise, BP 24, 95301 Cergy-Pontoise Cedex. *Flotte :* 2 Mystère 20, 1 Bandeirante, 2 Beech 200 (dont 1 porte-cargo), 1 Beech 90, 1 Mystère 10, 1 Saab 340. *Effectifs* (31-3-89) : 35 agents dont 10 PN. Ligne permanente Pontoise-Rouen-Londres Gatwick, Deauville-Londres Gatwick, Carcassonne-Paris Orly. Activités de transport à la demande.

Air Austral. *Aéroport* de Gillot 97 439 Maperine-Ste-Marie BP 611, St-Denis de la Réunion Cedex. *Flotte :* 1 Fokker 28/100, 1 Boeing 737/500. *Effectifs* (1992) : 95 agents. *Passagers* (1992) : 43 203. *CA* (1992) : 93,4 millions de F. *Réseau :* lignes régulières Réunion-Johannesburg, Réunion-Mayotte, Réunion-Tamatave. Réunion-Moroni (Comores), Mayotte-Majunga, Mayotte-Nairobi (Kenya).

Air Calédonie [1]. *Aéroport* de Magenta, BP 212, Nouméa, N.-Calédonie. *Flotte :* 3 ATR 42 et 2 Dornier 228. *Effectifs* (31-12-92) : 200 dont 15 % navigant. *Passagers* (1992-93) : 246 629 ; *fret :* 1 151 t. Poste 50 t. *CA brut* (1992-92) : 96 millions de F. *Lignes régulières :* Lifou, Maré, Ouvéa, île des Pins, Tiga, Koné, Touho, Koumac, Bélep. *Charters :* Norfolk.

Air Calédonie International [1] 8, rue Frédéric-Surleau, BP 3736, Nouméa, Nlle-Calédonie. *Aéroport :* Nouméa la Tontouta. *Flotte :* 1 B737-300, 1 Twinnotter DHG 6-300. *Effectifs* (1992) : 156. *Passagers* (1992) : 83 307. *CA brut,* (1992) : 128 millions de F. *Lignes régulières :* Brisbane, Melbourne, Sydney (Australie) ; Auckland (Nouv.-Zél.) ; Port Vila (Vanuatu) ; Nandi (Fidji) ; Wallis, Futuna (Territ. de Wallis-et-Futuna) ; Papeete (Tahiti). *Activités :* transports aériens réguliers, affrètements.

Air Charter. 4, rue de la Couture, zone SILIC 318, 94588 Rungis Cedex. *Base d'exploitation :* Orly. *Créée* 1966. Filiale d'Air France (80 %) et d'Air Inter (20 %) ; 1re Cie fr. de charters. *Flotte :* 7 Boeing 727, 3 Boeing 737, 2 Airbus A 300 ; utilise en outre, 4 Boeing 737, 5 d'EAS et 5 Boeing 737-200 d'Euralair, et les flottes d'Air France et d'Air Inter. *Effectifs* (au 1-4-91) : 50. *Trafic :* 1 950 000 passagers. *CA* (1990) : 1,66 milliard de F.

Air Guadeloupe [1] aéroport du Raizet, 97110 Pointe-à-Pitre. *Flotte :* 2 ATR 42, 3 Dornier, 2 Twin Otter. *Effectifs* (1990) : 217 agents dont 42 navigants. *Passagers* (1990) : 230 000. *Capital* détenu : 45 % par Air France. *CA* (en millions de F, 1992) : 214. *Résultat 1989 :* +10 ; *90 :* – 3 ; *91 :* – 18 ; *92 :* – 31. *Réseau :* Désirade, Dominique, les Saintes, Marie-Galante, Martinique, San Ivan, Ste-Lucie, St-Barthélemy, St-Martin, Grand Case, St-Thomas. Exploitation de 1 *B 737-300* sur 4 réseaux régionaux en coopération avec Air Martinique et Air Guyane à partir de nov. 1991. A déposé son bilan en février 1993.

Air Guyane [1]. *Aéroport* Rochambeau, 97307 Matoury. *Flotte :* 1 Twin Otter, 1 Cessna 208, 1 Cessna 406. *Effectifs* (1991) : 50 personnel sol, 8 pilotes. *Réseau :* lignes régulières en Guyane et entre Cayenne et Paramaribo, Cayenne et Macapa, Cayenne et Georgetown.

Air Jet [1]. 27-35, rue de la Villette, Lyon 3e. *Base* principale à Roissy. *Créée* 1980. *Flotte :* 5 F 27-600, 1 BAe 146-200 QC. *Effectifs* (31-3-93) : 98 dont 28 navigants. *Fret* 6 lignes. Vol à la demande et vols d'affaires en Eur. et Bassin méd. *CA* (1992-93) : 103 millions de F.

Air Liberté. *Créé* mars 1988. *Capital. Principaux actionnaires :* Club Med 19,8, banque Rivaud 19,8, SAE 11,5, Indosuez 11,4, ILFC Leasing 10,8, SDR du S.-E. 7,2, Sté lyonnaise de Banque 7,2, Sté Belhassine & Co 6,7, Avenir Tourisme (CEPME) 3,1, Hexafinance 2,5. *Passagers transportés* (1992) : 1 100 000. *CA* (en millions de F) : *1990-91 :* 1 200 (sur 19 mois), *92-93 :* 904. *Résultat 1990-91 :* – 162, *91-92 :* – 20. *Flotte :* 6 McDonnell Douglas MD 83, 2 Airbus A 300-600 (dont 1 en location avec option achat), 1 Airbus A 310-300.

Air Limousin [1] TA (ALTA [1]). *Aéroport :* Limoges-Bellegarde, 87100 Limoges. *Flotte :* 2 SAAB SF-340, 4 Nord 262, 6 Metro II. *Effectifs :* 145 agents dont 63 navigants. *Passagers* (1987) : 71 980. *CA* (1988) : 100 millions de F (déficit 42) ; dépôt de bilan 31-12-88.

Air Littoral. Le Millénaire II, 417, rue Samuel-Morse, 34961 Montpellier Cedex 2. *Aéroport :* Montpellier-Méditerranée, 34130 Mauguio Cedex. *Créé* 1972. A fusionné avec Cie aérienne du Languedoc en 1988. *Flotte* (au 31-3-93) : 9 Brasilia EMB-120, 5 ATR 42, 1 ATR 72, 8 Fokker 100 (pour KLM). *Effectifs* (31-3-93) : 783 agents dont 345 navigants. *Passagers 1991-92 :* 780 000 ; *92-93 :* 427 000 (sur son propre réseau). *CA* (en millions de F) *91 :* 521 ; *92 :* 623 ; *93 :* 604,6. *Résultat 91 :* – 174 ; *92 :* + 5,3. *Capital :* 177,3 millions de F (actionnaire : CFIA, filiale d'Euralair). *Nombre d'heures de vol 92 :* 42 347. Vols réguliers 180 par j (47 lignes sur 7 pays europ.). *Réseau :* 4 lignes radiales (Province-Paris), 12 transversales (Province-Province), 10 internat. 13 exploitées pour KLM, 2 pour Air France et Air Inter. Activité de transport à la demande ; fret ; maintenance aéronautique. FILIALE ESMA (École sup. des métiers de l'aéronautique) : *CA* (1992) : 21,4 millions de F. *Flotte :* 8 appareils (1 Beechcraft King 200, 2 Beechcraft Baron 58, 3 Trinidad TB 20, 2 Tampico TB 9). Effectifs (au 31-3-1993) : 38 collaborateurs.

Air Martinique [1]. *Aéroport* de Fort-de-France, 97232 Le Lamentin. *Créé* 1981. *Flotte :* 3 Dornier 228, 2 ATR 42. *Effectifs* (au 28-2-91) : 190 personnes dont 35 navigants. *Passagers* (1990) : 150 000. Fret (1989) : 576 t. *CA* (1990) : 78 millions de F. *Réseau :* desserte régulière des Antilles de/vers Martinique, Antigua, Dominique, Barbade, Ste-Lucie, St-Vincent et Grenadines (Union, Canouan, Moustique). St-Martin, Gaudeloupe et Paris. *Charters* (affrètements, zone) : bassin Caraïbes.

Air Moorea [1]. *Aéroport* de Tahiti-Faaa (Tahiti), BP 6019. *Flotte :* 1 Dornier 228-212, 1 Twin Otter, 4 BN 2A. Desserte régulière Tahiti-Moorea, vol à la demande sur l'ensemble de la Polynésie française.

AOM (AOM-Minerve SA). 13-15, rue du Pont-des-Halles Stratégic Orly 108, 94 526 Rungis Cedex. *Créée* 1992 (fusion de Minerve, créée 1975 et d'Air Outre-Mer créé 1987). *Flotte :* 6 DC 10/30, 5 MD 83, 1 DC 8-73, 1 DC 8-62 cargo. *Effectifs* (1992) : 1 242. *Passagers* (1991) : 800 000. *CA* (1991) : 1,7 milliard de F (*pertes 1991 :* – 0,4 million de F). *Activités :* transport régulier depuis Paris vers Pointe-à-Pitre, Fort-de-France, St-Martin, Cayenne, St-Denis de la Réunion, Tōkyō, Bangkok, San Francisco, Papeete, Barcelone et Nice ; transport à la demande monde entier ; location d'avions ; maintenance aéronautique (AOM Industries à Nîmes) ; catering (HRS).

Air Saint-Pierre [1]. 9, rue Albert-Briand, 97500 St-Pierre-et-Miquelon. *Flotte :* 2 HS-748, 1 Piper Aztec, 1 Piper Chieftain. 4 lignes régulières : St-Pierre/Miquelon, St-P./Sydney (Canada), St-P./Halifax (Can.), St-P./Montréal (Mirabel). *Effectifs :* 34 dont 6 PNT. *Passagers* (1992) : 23 615. Transport à la demande.

Air Tahiti [1]. B.P. 314, Papeete, Tahiti. *Flotte :* 1 Dornier 228, 4 ATR 42, 2 ATR 72. *Effectifs :* 530. *Passagers :* 300 000. *CA :* 4 milliards de F Pacifique. *Réseau :* 36 îles de Polynésie française.

Air Transport Pyrénées. 4 lignes régulières au départ de Pau vers Nantes, Biarritz et Toulouse, de Toulouse vers St-Étienne. *Flotte :* 7 Beechcraft King dont 1 : *200,* 4 : *100* et 1 : *90.*

Brit Air [1] BP 156. *Aéroport :* Ploujean, 29204 Morlaix. *Créée* 1973. *Flotte :* 1 Bandeirante 110, 2 ATR 72, 12 ATR 42, 6 Saab SF 340. *Effectifs* (1993) : 429 agents. *Passagers* (1992) : 590 000. *CA* (1992) : 422 millions de F. *Lignes régulières :* Rennes-Lyon, Rennes-Londres, Rennes-Toulouse, Rennes-Nice, Rennes-Le Havre, Caen-Toulouse, Caen-Lyon, Caen-Londres, Caen-Rennes, Le Havre-Lyon, Le Havre-Londres, Quimper-Londres, Brest-Londres, Brest-Lyon, Toulouse-Bruxelles, Nantes-Düsseldorf, Nantes-Londres ; *saisonnières :* Nantes-Cork, Brest-Cork, Deauville-Nice. *Activités* pour *Air Inter* et *Air France* au départ d'une vingtaine d'aéroports européens. Transport à la demande.

CCM (Cie Aérienne Corse Méditerranée). *Créée* 1990. 2 ATR 72 sur Nice-Ajaccio et Nice-Bastia.

Corse Air International. 20, rue des Capucines, 75002 Paris. *Base d'exploitation* Orly. *Créée* 1981. *Flotte :* 2 Boeing 737-300 et 1 Boeing 747-200. *Effectifs :* 250 dont 45 navigants techniques. 10 000 h de vol par an. *Activité charter :* Europe, Bassin méditerranéen, Afr. de l'Ouest, Amérique du N. *Ligne régulière :* Paris-Malte. *CA* (1988) : 240 000 000 F.

Euralair International. 93 350 *Aéroport* de Paris-Le Bourget, Zone Nord. *Flotte :* 2 B 727-200, 5 B 737-200, 3 B 737-500, 2 BAe 146, 10 avions d'affaires. *Effectifs* (1992) : 400 dont 160 navigants techniques. *CA* (1992) : 550 millions de F.

Europe Aéro Service. *Aéroport* de Perpignan-Rivesaltes. 66028 Perpignan. *Créée* 1950. *Centres d'exploitation :* Orly et Perpignan. *Flotte :* 4 B 727, 4 super-Caravelle, 5 B 737. *Effectifs :* 440. *Passagers* (1991) : 527 520. *CA* (1991) : 368 millions de F. *Lignes régulières :* Paris-Gérone, P.-Bissau, P.-Cap-Vert, P.-Perpignan, P.-Figari. *Zones d'activités :* vols affrétés, vols réguliers, maintenance aéronautique.

Finist'Air [1] aéroport Brest-Guipavas, 29490 Guipavas. *Créé* 1981. *Flotte :* 2 C 207, 6 PAX, 2 C 208 (9 pass). *Passagers* (1991) : 13 117. *CA* (1991) : 6,2 millions de F. *Lignes régulières :* Brest-Ouessant, Belle-Ile-Quiberon-Lorient. Transports à la demande.

Flandre Air [1]. *Aéroport* de Lille-Lesquin, BP 202, 59812 Lesquin Cedex. *Flotte :* 2 Beech 100, 4 Beech 200, 4 Beech 1900. *Effectifs* 70 agents dont 35 pilotes. *Passagers* (1992) : 28 000. *CA* (1992) : 69 millions de F. *Lignes régulières :* Lille-Brest, Lille-Metz, Lille-Rennes, Reims-Lyon, Rennes-Mulhouse. Transports à la demande, activités pour TAT et Air Inter.

Point Air. Mulhouse. *Créée* 1982. En liquidation judiciaire dep. 1-1-88.

Regional Airlines. *Aéroport* Nantes Atlantique, 44 340 Bouguenais. Créée 1992 fusion d'Air Vendée (1975) et Airlec (1965) à Bordeaux. *Flotte* : 5 Saab 340 B, 6 Jetstream super 31. *Effectifs* : 130 dont 70 navigants. *Passagers* (1992) : 116 000. *CA* (1992) : 168 millions de F. *Lignes* : *Paris*-St-Brieux ; *Rouen*-Bordeaux, Le Havre, Lyon, Nantes, Amsterdam, Barcelone, Bruxelles, Londres, Madrid ; *Nantes*-Clermont-Ferrand, Dijon, Le Havre, Rouen, Amsterdam, Barcelone, Bruxelles, Genève, Madrid, Milan ; *Bordeaux*-Clermont-Fd, Dijon, Le Havre, Rennes, Barcelone, Genève, Milan ; *Clermont-Fd*-Dijon, Toulouse, Genève, Milan ; *Toulouse*-Dijon, Genève, Milan ; *Marseille*-Rennes, Limoges, Barcelone. Affrètement par Air Inter et TAT pour Clermont-Fd-Paris et Nantes-Bordeaux.

Transport aérien transrégional (TAT) [1]. 47, rue Christiaan-Huygens, 37100 Tours. BP 0237, 37002 Tours Cedex. Minitel : 36-15 code TAT. *Créé* 1968 (Touraine Air Transport), a racheté 17 Cies françaises dont Rousseau Aviation, Air Alpes, Air Alsace, Air Rouergue. *Capital* : 49,9 % acquis par British Airways pour 150 millions de F en sept. 92. *Flotte* (1992) : 61 dont 4 B 737, 2 Fokker 100, 22 Fokker 28, 8 ATR 42, 2 ATR 72. *Effectifs* : 2 950 agents. *Passagers* (1992) : 3 000 000 (dont 800 000 sur réseau propre). *CA* (milliards de F) : *1990* 2,27 ; *91* 2,42 ; *92* 2,52 dont (en %) transp. aérien 71, fret, négoce et maintenance 8, formation 21. *Résultats nets* : *1990* : 0,062 ; *1991* : 0,041 ; *1992* : 0,005.

Transvalair-ACE. *Aérodrome* de Caen-Carpiquet 14650 Carpiquet. *Créée* 1984. *Flotte* : 2 FH 227 (cargos), 2 F 27 (passagers). *Effectifs* (1990) : 30. *C.A.* (1990) : 40 millions de F.

Uni Air SA. Toulouse-Blagnac, BP 25, 31701 Blagnac Cedex et 93350 Le Bourget. *Créée* 1991. *Flotte* : 5 Jet Corvette, 1 Lear 35, 2 Mystère 20, 1 HS 125 3 B. *Effectifs* : 58 agents dont 14 navigants. *CA* (1992) : 65 millions de F. *Activités* : transport public et privé de passagers, fret, évacuation sanitaire, affrètements, maintenance aéronautique.

■ **Part de marché des transporteurs nationaux** (en %). *Amsterdam* KLM 49,4 ; *Bruxelles* Sabena 43,9 ; *Dublin* Aer Lingus 62 ; *Francfort* Lufthansa 53,1 ; *Londres Heathrow* British Airways 45 ; *Nice* Air France 59,8 dont Air Inter 38,5 ; *Paris* Air France 58,7 dont Air France 24,2. Air Inter 31,4. *Vienne* Austrian 44,6. *Zurich* Swissair 58,3. *Fret* (1990) : 42 000 t. *Réseau* : 67 lignes sous pavillon TAT, dont 15 Province-Paris, 25 Province-Province, 27 saisonnières (dont 18 nat., 9 internat.). Assure 30 lignes en Europe pour Air France.

Nota. – (1) Membre du Comité des transporteurs aériens complémentaires (CTAC) 43, bd Malesherbes, 75008 Paris.

Aviation générale en France

■ **Définition.** Comprend l'« ensemble » des types d'opérations d'aviation civile autres que les services aériens réguliers et les transports aériens non réguliers effectués contre rémunération ou au titre d'un contrat de location « Définition de l'OACI ».

■ **Aéro-clubs.** *Vol à moteur* : 530 affiliés à la FNA (Fédération nat. aéronautique), dont 482 sont agréés par la Direction générale de l'Aviation civile. *Licences délivrées par la FNA* : *1975* : 39 165 (femmes 2 577). *80* : 39 516 (2 655). *85* : 42 661 (3 180). *89* : 48 470 (3 513). *92* : 49 902 (3 824). *Nombre moyen d'h. de vol par an par licence* : *1975* : 18,13 h. *86* : 15,56. *89* : 17,66. *92* : 15,91. *Vol à voile* : 167 affiliés à la FFVV (Féd. fr. de vol à voile) dont 160 sont agréés par la Direction générale de l'Aviation civile.

■ **Aérodromes.** Y compris DOM-TOM. 719 dont 351 ouverts à la circulation aérienne publique, 129 à usage restreint et 61 à usage exclusif des administrations de l'État, 241 à usage privé.

■ **Aéronefs civils en France.** **Total** général 11 787. **Avions :** 8 220. *Transport public* : 758 dont Air France 148, Air Inter 58, UTA 13, TAT 42, divers 507. *Av. générale* : 7 452 dont État 206, Sociétés 1 294, constructeurs 60, aéroclubs 3 091, particuliers 1 571, CRNA et CRNAC (construction amateur) 1 230. **Hélicoptères :** 827 dont *transport public* : 232 dont Héli Union 62, autres Cies 170. *Aviation générale* : 595 dont Stés 480, constructeurs 6, aéroclubs 17, particuliers 92. **Planeurs :** 2 112 dont État 39, aéroclubs 1 527, particuliers 483, Stés 24, CRNA 39. **Ballons-Aérostats :** 628.

Heures de vol (1990). *Avions* 1 017 043 (dont aéroclubs 836 248). *Planeurs* 444 447 (dont aéro-clubs 354 767).

■ **Mouvements d'avions.** *1982* : env. 4 259 302, vols locaux de l'av. générale 2 976 888, voyages de l'av. gén. 1 282 414 ; *85* : 4 2000 vols par j ; *89* : 5 600.

■ **Pilotes français.** Pilotes de ligne 1 451, professionnels de 1re classe 1 397, prof. qualifiés pour le vol aux instruments 2 037, prof. 812, mécaniciens navigants français 1 129. **Formation de pilotes.** *1986* : 30, *88* : 140, *89, 90 et 91* : 400 à 450.

Aéroports

Aéroports dans le monde

Trafic en 1992

Trafic des aéroportuaires. Selon l'ACI (Airports Council International) qui réunit 316 aéroports du monde entier, en 1992 : fret 29,6 milliards de t. transportées, passagers 1,68 milliard, mouvements d'avions 36,2 millions.

■ **Aéroports, nombre de passagers** (en millions) **et,** entre parenthèses, **fret** (en milliers de t).

Amérique du Nord USA : New York 71,6 (1 973,9) dont JFK (John Fitzgerald Kennedy) 27,9 (1 303,2), Newark 24,2 (568,7), La Guardia 19,6 (102). Chicago 69,1 (876,8) dont O'Hare 64,4 (854), Midway 4,6 (12,8). Los Angeles 53,1 (1 351,5) dont LAX 47 (1 090,5), Ontario 6,1 (261). Dallas Fort Worth 51,5 (437,2). Atlanta 42 (466,5). San Francisco 32,6 (481,8). Denver 30,9 (524,1). Houston 27,7 (234,6) dont Intercontinental 19,2 (229,4), Hobby 8,3 (5,1), Ellington Field 0,1 (n.c.). Washington 26,8 (168,7) dont National 15,4 (15), Dulles Int'A 11,4 (153,7). Miami 26,5 (941,1). Boston 23,2 (314,7). Honolulu 22,6 (321,4). Detroit 22,1 (159,1). Phoenix 22,1 (161,5). Orlando 21,1 (128,9). Saint Louis 21 (82,7). Las Vegas 20,9 (21,9). Pittsburgh 18,7 (83,3). Charlotte 18,2 (185). Seattle 18 (284,2). Philadelphie 16 (290,7). Salt Lake City 13,9 (106,1). San Diego 12 (47,1). Cincinnati 11,6 (155,2). Nashville 10,3 (46,4). Tampa 9,6 (55,9). Raleigh Durham 9,1 (62,1). Cleveland 8,9 (62,8). Baltimore 8,8 (108,3). Fort Lauderdale 8,3 (104,6). Memphis 8,2 (n.c.). Kansas City 7,4 (62,1). Portland 7,2 (139,1). San Jose 7,1 (125,4). La Nouvelle-Orléans 6,7 (51). Oakland 6,5 (336,1). Indianapolis 6,3 (286,6). Ontario 6,1 (256,1). Santa Ana 5,7 (2,9). Kahului 5,2 (36,6). Sacramento 5,1 (23,9). Hartford 4,7 (129,4). Anchorage 4,5 (201,2). Milwaukee 4,4 (67,8). Colombus 4,4 (21,1). Reno 3,8 (13,1). **Canada :** Toronto 19 (304,5). Montréal 10,6 (n.c.) dont Dorval 8,3 (n.c.), Mirabel 2,4 (n.c.). Vancouver 9,3 (128,7). Calgary 4,6 (n.c.). Ottawa 2,5 (n.c.). Halifax 2,4 (22,7). Winnipeg 2,2 (n.c.). Edmonton 1,8 (18). Gander 1,3 (0,4).

Amérique latine et Caraïbes : Mexico 13,5 (135). São Paulo 9,7 (258,2) dont Guarulhos 7,2 (255,1), Congonhas 2,4 (3,1). Porto Rico 8,5 (225,5). Buenos Aires 7,6 (126,2) dont Aeroparque 4 (24,1), Ezeiza 3,6 (102). Bogotá 7,5 (453,6). Caracas 7,5 (40,4). Rio de Janeiro 6,3 (131,2) dont Galeão 4,6 (130,1), Santos-Dumont 1,7 (1,1). Guadalajara 4,2 (27,9). Cancún 3,9 (5,3). Brasília 2,7 (23,5). Santiago du Chili 2,3 (119,4). Tijuana 1,8 (5,3). Recife 1,8 (21,1). Salvador 1,8 (11,7). Quito 1,7 (28,4). Aruba 1,6 (n.c.). Acapulco 1,6 (3,6). Porto Alegre 1,5 (23,7). Port of Spain 1,5 (13,3). Barbade 1,4 (11,9). Guayaquil 1,3 (30,7). Curitiba 1,1 (6,2). Bahamas 1 (1,2). Manaus 1 (91,1). Belem 1 (12,8). Fortaleza 0,9 (13). Montevideo 0,9 (13). Belo Horizonte 0,8 (6,8). San Salvador 0,8 (22,8). Asunción 0,6 (12,6). Sainte-Croix 0,6 (9,8). Maceio 0,5 (1,7). São Luis 0,5 (3). Goiania 0,5 (3,1). Natal 0,5 (2,7). Port-au-Prince 0,4 (8,4).

Europe : Londres 67,7 (1 002,1) dont Heathrow 45,2 (757,9), Gatwick 20 (190,3), Stansted 2,4 (53,7), City 0,2 (0,2). Paris 50,4 (887,4) dont Roissy 25,2 (612,2), Orly 25,2 (275,3). Francfort 30,7 (1 080,8). Rome 19,6 (243,5) dont Fiumicino 19 (235,3), Campino 0,6 (8,2). Amsterdam 19,1 (695). Madrid 18,1 (189,4). Stockholm 13,2 (88,4) dont Arlanda 12,9 (88,4), Bromma 0,2 (n.c.). Zurich 13 (271,5). Milan 12,6 (153,1) dont Linate 9,3 (63), Malpensa 3,3 (90,1). Manchester 12,4 (80,6). Düsseldorf 12,3 (47,5). Copenhague 12,2 (193,2). Munich 12 (54,3). Palma 11,9 (15,9). Barcelone 10,3 (72,4). Bruxelles 9,4 (313,6). Athènes 9,1 (85,3). Berlin 9 (14,4) dont Tegel 6,7 (12,3), Schönefeld 1,5 (1,2), Tempelhof 0,8 (0,9). Tenerife 7,9 (23,2) dont Sud 6,4 (18,3), Nord 1,5 (4,9). Oslo 7,8 (39,7) dont Fornebu 7 (39,6), Gardemoen 0,8 (0,1). Istanbul 7,5 (86). St-Pétersbourg 7,5 (48). Moscou (Sheremetyevo) 7,2 (84). Las Palmas 6,9 (34). Hambourg 6,9 (38,4). Helsinki 6,9 (51,9). Vienne 6,8 (68). Nice 5,9 (22,6). Dublin 5,8 (58,4). Genève 5,7 (53,5). Lisbonne 5,6 (78,5). Málaga 4,9 (5,8). Glasgow 4,8 (15). Stuttgart 4,8 (14,6). Marseille 4,7 (38,4). Lyon 3,9 (21,9). Birmingham 3,8 (18,6). Cologne 3,5 (18,6). Larnaca 3,5 (23,5). Faro 3,4 (2,3). Toulouse 3,1 (31). Hanovre 3,1 (13,1). Séville 2,9 (5,7). Lanzarote 2,8 (6,5). Alicante 2,8 (4,5). Göteborg 2,8 (15,4). Antalya 2,7 (3,3). Édimbourg 2,7 (1). Ibiza 2,6 (4,3). Bergen 2,5 (10,5). Budapest 2,5 (25). Bordeaux 2,3 (7,3). Belfast 2,3 (22). Malte 2,2 (n.c.). Aberdeen 2,2 (4,9). Ankara 2,2 (14,7). Naples 2,1 (4,8). Stavanger 2,1 (6,3). Newcastle 2 (1,3). Izmir 2 (8,5). Mulhouse 2 (29,8). Luton 2 (n.c.). Venise 1,9 (7,8). Palerme 1,8 (4,8). Trondheim 1,8 (7,3). Valence 1,7 (7,8). Corfou 1,7 (1,9). Minorque 1,7 (4,4). Jersey 1,7 (5,6). Fuerteventura 1,7 (2,8). Nuremberg 1,7 (9,2). Shannon 1,7 (18). Porto 1,6 (20,9). Turin 1,6 (14,8). Prague 1,6 (35). Strasbourg 1,6 (4,4). Bologne 1,5 (7,1).

Asie : Tōkyō 64,7 (1 768,7) dont Haneda 42,6 (467,3), Narita 22 (1 301,4). Osaka 23,5 (436,1). Hong Kong 23,3 (956,9). Séoul 21,3 (731,4). Singapour 18,1 (719). Bangkok 16,7 (438,4). Sapporo 14,7 (194,2). Fukuoka 13,9 (185,1). Taipei 12,1 (713,3). Jakarta 9,6 (198,4) dont Soekarno Hatta 9 (196,5), Halim Perdan 0,7 (1,9). Beijing 8,7 (n.c.). Naha 8,1 (122,9). Cheju 7 (152,8). Pusan 6,9 (96,5). Karachi 5,6 (133,8). Kaohsiung 5,2 (51,7). Penang 2,7 (43,5). Lahore 2,1 (26,9). Islamabad 2 (21,3). Colombo 1,8 (48,9). Shenzhen 1,7 (115,6). Dacca 1,6 (1,6). Katmandou 1,1 (16,5).

Australie-Océanie : Sydney 15,9 (n.c.). Melbourne 10,1 (n.c.). Manille 8,3 (n.c.). Brisbane 6,6 (n.c.). Auckland 5,4 (152,2). Perth 3,2 (n.c.). Wellington 3,1 (n.c.). Adélaïde 3 (n.c.). Christchurch 2,9 (20,7). Cairns 2,2 (1,7). Coolangatta 1,5 (n.c.). Canberra 1,3 (n.c.). Fidji 0,9 (14,2).

Proche-Orient : Jeddah 8,5 (160,4). Le Caire 7,6 (82,6). Riyad 7,7 (111,9). Doubaï 5,4 (186,4). Tel-Aviv 4,3 (213). Bahreïn 3,2 (72,5). Dharan 3,1 (50,2). Téhéran 2,8 (30). Koweït 2,7 (102,1). Abou Dhabi 2,4 (35,3). Mascate 1,7 (27,7). Beyrouth 1,1 (48,9). Chârdjah 6,9 (25).

Afrique du Nord : Alger 3,3 (18). Tunis 2,4 (24,6). Monastir 2,2 (1,7). Casablanca 2 (39,7). Jerba 0,9 (0,9). Oran 0,8 (2,9). Agadir 0,7 (2,3). Marrakech 0,6 (1,6). Constantine 0,6 (3,8). Tanger 0,4 (1). Annaba 0,4 (n.c.). Hassi Messaoud 0,2 (n.c.). Tamanrasset 0,2 (1,4). Ghardaïa 0,2 (0,2). Oujda 0,2 (0,5). Rabat 0,1 (1,1).

Afrique : Lagos 5,8 (30,7). Johannesburg 5,4 (125,8). Le Cap 2,3 (27,3). Durban 1,8 (13,7). Nairobi 1,6 (60). Maurice 1 (n.c.). Harare 1 (n.c.). Addis-Abeba 0,9 (3,7). Dakar 0,8 (29,2). Libreville 0,7 (15,9). Port Harcourt 0,7 (4,3). Port Elizabeth 0,6 (n.c.). East London 5,2 (2,5). Kano 0,5 (8,6). Abidjan 0,5 (15). Lusaka 0,4 (9,7). Douala 0,4 (11,4). Kinshasa 0,3 (48,1). Antananarivo 0,3 (7,4). Lomé 0,3 (4,9). Djibouti 0,3 (15,2). Abuja 0,3 (n.c.). Cap-Vert 0,3 (0,4). Bloemfontein 0,3 (0,7). Kaduna 0,3 (n.c.). Lilongwe 0,3 (8,6). Port-Gentil 0,3 (2,8). Bamako 0,3 (6,3). Windhoek 0,3 (2,2). Cotonou 0,2 (3). George 0,2 (1). Nouakchott 0,2 (2,7). Enugu 0,2 (n.c.). Brazzaville 0,2 (3,5). Conakry 0,2 (3,5).

Nombre d'aérodromes civils (1990)

■ **Total mondial.** 37 739 dont 22 145 privés, 15 594 publics (dont terrestres 14 488, aquatiques 306, hélicop. 800). **Total par pays, privés** entre parenthèses. USA 17 167 (11 583), Brésil 2 269 (1 314), Mexique 2 042 (1 446), Canada 1 175 (576), Bolivie 1 146 (555), Paraguay 1 001 (972), *France 709 (290)*, Indonésie 521 (374), Colombie 504 (288), Zimbabwe 479 (446), Australie 436, Papouasie 435 (33), Argentine 433 (64), Allemagne 390 (206), Kenya 383 (231), Guatemala 353 (278), Venezuela 333 (235), Pérou 297 (134), Philippines 295, Afr. du S. 278 (108), Zaïre 261 (160), Chili 259 (127), Inde 225 (46), Suède 204 (7), Danemark 172 (114), N.-Zél. 164 (105), Espagne 159 (120), G.-B. 142, Botswana 140 (112), Nicaragua 138 (127), Madagascar 137 (78), Zambie 130 (60), Japon 121 (35), Panamá 120 (69), Costa Rica 113 (49), Tchad 105 (54), Honduras 102 (65), Islande 101 (3), Italie 98 (53), Norvège 98 (40), Chine

Quelques records

Aéroport le plus grand. *King Khaled International Airport* (Ryad, Arabie Saoudite). 22 100 ha, ouvert 14-11-1983. Coût : 21 milliards de F. Tour de contrôle : hauteur 74 m. *Dallas FortWorth* (Texas, USA). 7 080 ha, ouvert en janv. 74, coût 4 milliards de F, 6 pistes et 5 aérogares (projet : 9 pistes, 13 aérogares, 150 millions de passagers).

Aéroport le plus haut. *Lhassa* (Tibet) à 4 363 m. **Le plus bas.** *Schipol* à Amsterdam (P.-Bas) à 3,9 m au-dessous du niveau de la mer.

Aéroport le plus éloigné. *Viracopos,* (Brésil) à 96 km de São Paulo. **Le plus proche.** *Gibraltar,* à 800 m du centre-ville.

97, Éthiopie 90 (50), Mozambique 90 (72), Côte-d'Ivoire 88 (59), Malaisie 87 (38), Nigeria 86 (40), Finlande 86 (11), Gabon 83 (44), Uruguay 81 (54), Suisse 79 (69), Yougoslavie 76 (58), Burkina 72 (21), Tanzanie 71 (9), Centrafrique 70 (30), Algérie 68 (19), Tchécoslovaquie 66 (59), Mauritanie 65 (45), Pakistan 65 (31), Corée 65 (44), Cameroun 64 (21), Guyana 64 (21), Birmanie 62, Autriche 62 (51), Bahamas 58 (13), Turquie 53 (14), Grèce 51 (15), Soudan 51 (26), Pologne 47 (36), Angola 46 (20), Libye 45, Mali 45 (16), Sénégal 45 (29), Rép. Dominic. 44, Congo 43, Malawi 43 (16), Ouganda 42 (32), Népal 41, Roumanie 40 (23), El Salvador 40 (3), Pays-Bas 40 (25), ex-URSS 38, Niger 37 (17), Maroc 34 (5), Iran 34, Lesotho 33, Bouthan 33, Portugal 33 (3), Belgique 32 (20), Thaïlande 31, Arabie Saoudite 29 (6), Irlande 28 (9), Fidji 25 (5), Viêt-nam 24, Hongrie 23 (21), Cuba 21 (1), Égypte 21 (4), Kiribati 21, Afghanistan 20, Yémen 19, Tunisie 18 (6), Émirats Arabes Unis 17 (12), Israël 16 (8), Bangladesh 15, Liberia 15 (5), Sierra Leone 15 (1), Guinée 14 (3), Cambodge 13 (7), Jamaïque 13, Laos 13, Luxembourg 13 (11), Seychelles 13 (2), Oman 12 (4), Guinée-Bissau 10, Bénin 8, Togo 8, Corée du N. 7, Syrie 7, Haïti 6, îles Cook 5, St-Vincent et les Grenadines 5, Burundi 4, Comores 4, Antigua et Barbuda 3, Bulgarie 3, Chypre 3, Djibouti 3, Ghana 3, Grenade 3, Guinée-Éq. 3, Brunei 2, Iraq 2, Maldives 2, Micronésie 2, Monaco 2, Qatar 2, Ste-Lucie 2, São Tomé et Principe 2, Singapour 2, Bahreïn 1, Barbade 1, Gambie 1, Koweït 1, Liban 1, Mali 1, Malte 1, Iles Marshall 1, Maurice 1, Mongolie 1, Nauru 1, St-Marin 1.

Aéroports français

☞ Trafic total en France métropolitaine. **Passagers** (en millions) : *1987* : 64. *88* : 70. *89* : 77. *90* : 80. *91* : 83,3. *92* : 90,3. **Fret** (en t) : *1988* : 940 559. *89* : 970 112. *90* : 1 013 729. *91* : 994 658. *92* : 1 041 615.

Retards. *De + de 10 min. au départ des aér. français* : *1986* : 3 005, *87* : 11 254 (2,9 %), *88* : 23 354 (4,6 %), *89* : 29 911 (3,9 %) *90* : 96 672. [dont (en %) *10-30 mn* : 66,55, *30-45* : 16,34, *45-60* : 7,7, *+ de 60* : 9,4. **Causes** (en %, 1989) : capacité du système navigation aérienne français 28 (25), étranger 52 (21), mouvements sociaux 17 (47), météo, radar 3 (7). **Vols retardés pour ATC par nombre de départs IFR** (en %) : *1988* : 3,9. *89* : 4,4. *En 1990* : en tenant compte de l'ensemble des délais liés au service du contrôle ou aux problèmes des compagnies aériennes (passagers en retard, problème technique affectant un aéronef et la sécurité des vols, etc.) 13,3 % des vols étaient retardés.

Aéroports de Paris

Généralités

■ Statut. Établissement public de l'État, à caractère industriel et commercial, indépendant des compagnies aériennes qui utilisent ses services. A pour mission de créer, aménager, exploiter et développer les aéroports et aérodromes civils dans un rayon de 50 km autour de Paris. *Comprend : 3 aéroports principaux* : Le Bourget (aviation d'affaires), Orly et Roissy-Charles-de-Gaulle (av. commerciale), *11 aérodromes* : Toussus-le-Noble, Guyancourt (fermé 31-9-89), Étampes (dep. le 1-10-89), Pontoise, Coulommiers, Saint-Cyr-l'École (aviation légère), Chavenay, Persan-Beaumont, Meaux, Chelles, Lognes, Paris-Issy (héliport).

■ Chiffre d'affaires (en milliards de F). *1991* : 5,3 ; *92* : 6,1. Bénéfice net après impôt. *91* : 0,381 ; *92* : 0,558. Redevances aéronautiques 31 %, assistance aéroportuaire 21, red. commerciales 15, usage d'installations 11, red. domaniales 10, prestations ind. 7, divers 5 %. *Charges* 4 300. *Autofinancement* 1 118. *Investissements* (1993-97) : 11 milliards de F.

■ Effectifs des aéroports parisiens. 6 800 ; 75 000 personnes travaillent pour les entreprises implantées sur les aéroports parisiens (Roissy 38 000, Orly 32 000, Le Bourget 4 000, aérodromes 1 000).

■ Superficie totale. 6 520,5 ha (dont propriétés et installations diverses 13,9 dont aides à la navigation aérienne 4,05, stations de mesure de bruit 1, logements 9,6, autres installations 13,9).

■ Trafic annuel (1992). **2 aéroports aviation commerciale :** mouvements d'avions 496 000 [passagers : 50,4 millions (*69* : 10 ; *76* : 20 ; *83* : 30 ; *88* : 40), fret et poste 980 000 t] ; dont **Charles-de-Gaulle :** mouvements d'avions 290 000, passagers 25 200 000, fret et poste 673 000 t ; **Orly :** mouvements d'avions 206 000, passagers 25 200 000, fret et poste 307 000 t ; **1 aéroport d'av. d'affaires Le Bourget :** mouvements d'avions 65 000, passagers 107 160.

11 aérodromes : mouvements d'aéronefs 1 087 959 (dont 1 014 872 avions, 65 047 hélicoptères, 8 040 planeurs), Lognes 169 343, St-Cyr 155 672, Toussus-le-Noble 133 704, Pontoise 139 143, Chavenay 109 636, Étampes 125 123, Meaux 102 331, Persan-Beaumont 50 478, Coulommiers 77 422, Issy-les-Moulineaux 25 107, Chelles (n.c.).

Trafic maximal. Orly-Sud de 12 h à 13 h, ouest de 19 h à 20 h, Charles De Gaulle 1 et 2 entre 10 h et 11 h.

■ Pointes (1992). **Mensuelles :** *mouvements* : Orly (juillet) 20 042, Ch.-de-Gaulle (oct.) 26 134. *Passagers* : Orly (août) 2 452 797, Ch.-de-Gaulle (juillet) 2 445 932. *Fret* (t) : Orly (mars) 25 220, Ch.-de-Gaulle (juillet) 55 335. **Journalières :** *mouvements* : Orly (10-7) 808, Ch.-de-Gaulle (10-7) 971. *Passagers* : Orly (6-9) 105 705, Ch.-de-Gaulle (6-9) 96 587.

■ Compagnies. En 1992, *330 Cies aériennes* ont assuré des vols réguliers ou affrétés au départ d'Orly et Charles-de-Gaulle. *10 Cies* ont assuré + de 70 % du trafic des passagers dont en % Air Inter 31,4 ; Air France 24,2 ; British Airways 3,6 ; Alitalia 2,2 ; Lufthansa 1,9 ; AOM Minerve 1,9 ; Air Charter 1,8, Corsair 1,7 ; Iberia 1,4 ; UTA 1,4. *10 types d'avions* (A 320, B 737, A 300, B 747, MD 80, B 767...) ont assuré + de 70 % des mouvements sur Orly et Charles-de-Gaulle.

■ Capacité d'accueil des aéroports de Paris (en millions de passagers). *1989* : 43. *90* : 48. *91* : 51. *94* : 60. *2010* : 100.

■ Distance moyenne parcourue par chacun des 50 400 000 passagers atterrissant à Orly, Ch.-de-Gaulle et Le Bourget : 2 229 km (moyenne OACI : 1 613 km en 91). Mais 26,1 % des passagers effectuent un parcours de – de 500 km, 31,6 % de 500 à 1 000 km, 14,8 % de 1 000 à 2 000 km, 4 % de 2 000 à 3 000 km, 4,1 % de 3 000 à 5 000 km, 18,3 % de 5 000 à 10 000 km et 1,1 % de + de 10 000 km.

■ Villes desservies. *Près de 500 villes dans 134 pays ont été desservies* régulièrement par 110 Cies (desservant Paris avec moins de 350 mouvements/an).

Données particulières

Le Bourget. 557 ha ; à 13 km au nord de Paris. *Créé* 1914-18 (c'est le plus ancien aéroport commercial français) ; dep. juillet 1977 fermé, sauf pour l'aviation d'affaires. Il est le siège du musée de l'Air et d'un parc d'expositions. Il accueille le Salon international de l'Aéronautique et de l'Espace (tous les 2 ans, année impaire).

Orly. 1 550 ha ; à 14 km au sud de Paris ; 3 pistes ; 29 km de voies de circulation ; 90 ha d'aires de stationnement. 1er aéroport au monde à disposer d'installations complètes et définitives spécialement conçues pour les avions à grande capacité. *Orly Sud* inauguré févr. 1961 ; 33 salles d'embarquement ; 26 passerelles télescopiques ; 50 postes de stationnement-avion et 10,2 millions de passagers. *Orly Ouest* [mise en service mars 1971 (hall 1 : mise en service été 1993)] ; 20 salles d'embarquement ; 22 passerelles télescopiques ; 35 postes de stationnement et 15 millions de passagers. Dep. 1979, Orly a retrouvé une activité égale à celle de 1973, année qui précéda l'ouverture de Roissy.

Roissy (Charles-de-Gaulle). 3 113 ha, à 22 km au nord de Paris. *Mise en service CDG 1* : 13-3-1974 ; 63 salles d'embarquement ; 47 passerelles télescopiques ; 59 postes de stationnement et 9,6 millions de passagers en 1992. *CDG 2* : 28-3-1982, *2-C* : 4e et dernier élément ouvert mars 1993 ; 4 terminaux ; 24 passerelles d'embarquement, 77 postes de stationnement avion et 15 millions de passagers. *T9* (Tours opérateurs) : juin 1990 ; capacité de traitement de cinq vols simultanés et 0,6 million de passagers. *CDG 3* : prévu 1997. Pourra traiter en phase finale de 80 à 100 millions de passagers et 2 millions de t de fret par an.

Autres aéroports (superficie en ha). Chavenay 48, Chelles 31, Coulommiers 303, Étampes 153, Guyancourt (fermé 31-9-89) 92,5, Héliport de Paris-Issy-les-Moulineaux 10, Lognes 87, Meaux 103 ha, Persan-Beaumont 141, Pontoise-Cormeilles 238, Toussus-le-Noble 167, Saint-Cyr 80.

Taxe de sûreté (en millions de F, 1992). Investissement 160. Dont Sycoscan (examen radiographique des conteneurs de fret) 24, clôture et accès divers 32, hébergement policiers auxiliaires 18,6, rapprochement des forces de gendarmerie de leur zone d'intervention 45, Sacapa (contrôle automatisé des accès sur aérodromes), matériels (appareils à rayons X, portiques de détection métallique) 12,5, aménagement d'aérogare et surveillance vidéo 21,7, équipes cynotechniques 30, recherche, formation 35. *Paiement* : 253 dont Air France 87, Air Inter 105, UTA 6, TAT 5. *Dépenses* : 85-125 sans compter les dépenses de fonctionnement (police de l'air et des frontières).

Survol de Paris. Un arrêté ministériel du 20-1-1948 interdit le survol de Paris à tous les aéronefs (sauf les aéronefs de transport public effectuant un transport régulier et les avions militaires assurant un service de transport) à – de 2 000 m. Des dérogations sont accordées par la préfecture de police aux aéronefs et hélicoptères. Une trajectoire d'approche utilisée par les avions à destination d'Orly longe le sud de Paris, à 2 000 m. La procédure de départ de Ch.-de-Gaulle (configuration face à l'ouest) vers le sud survole l'ouest/sud-ouest de Paris, en général à + de 5 000 m. *Autorisations* (1989) : hélicoptères 25 diurnes et 1 nocturne, avions 1 diurne (non compris les évacuations sanitaires qui nécessitent une autorisation en temps réel). *Survols intempestifs : 7-8-1919* L'adjudant-chef Godefroy passe sous l'Arc de triomphe avec un biplan. *1988* : 88. *89* (1er semestre) : 5. Jean Maltret (dit le Baron noir) sera condamné le 10-11-1988 à 50 000 F d'amende et à la suspension de sa licence. Oct. 1981 Alain Marchand, passé sous l'Arc de triomphe, sera condamné à 5 000 F d'amende pour survol d'une zone interdite et vol d'acrobatie au-dessus d'une agglomération. Sa licence lui sera retirée. *20-7-1991* un ULM s'est posé au pied de la tour Eiffel. Le pilote a planté un drapeau tricolore puis s'est enfui à pied sans être identifié. *16-8-1991* un avion de voltige Mudry Cap B 10 (180 ch) volé à l'aéro-club de Lognes est passé sous l'Arc de triomphe (voûte de 14,6 m), puis sous la tour Eiffel (largeur env. 40 m).

Hauteur minimale de survol des agglomérations et rassemblements de personnes par les moteurs et bimoteurs et entre parenthèses avions équipés d'une ou plusieurs machines. Usines ou installations à caractère industriel, hôpitaux, autoroutes (vol à proximité et parallèle 300 (1 000) ; agglomération de largeur moyenne d'au maximum 1 200 m, plages, stades, réunions publiques, hippodromes, parcs à bestiaux, etc. 500 (1 000) ; villes de largeur moyenne de 1 200 à 3 600 m, rassemblements de + de 10 000 pers. 1 000 (1 500) ; aggl. de + de 3 600 m de largeur (sauf Paris) et rassemblements de + de 100 000 pers. 1 500 (1 500).

Autres agglomérations, survol réglementé par le règlement de la circulation aérienne, règles de l'air (300 m).

Aéroports de province

Trafic en 1992

Trafic de passagers locaux. Aéroports ayant enregistré plus de 1 000 passagers locaux en 1992, en milliers. Agen 23. Ajaccio 834. Albi 25,8. Angoulême 9,6. Annecy 52. Aurillac 11,4. Auxerre 1,5. Avignon 147,3. Bastia 728,9. Beauvais 139,2. Bergerac 25,2. Béziers 86,6. Biarritz 534,3. Bordeaux 2 204,8. Bourges 2. Brest 482,7. Brive 33,3. Caen 40,8. Calais 2,9. Calvi 248,4. Cannes 4,9. Carcassonne 18,6. Castres/Mazamet 19,9. Chambéry 91,5. Châteauroux 2,9. Cherbourg 41,6. Clermont-Ferrand 250,5. Cognac 2,4. Colmar 1,8. Deauville 14,5. Dijon 23,2. Dinard 55,6. Dole 9,8. Épinal 15,3. Figari 217,6. Fréjus 1,1. Granville 0,2. Grenoble/St-Geoirs 32,9. Ile d'Yeu 1,3. Lannion 73,7. La Rochelle 44,9. La Roche-sur-Yon 1,4. Laval 0,67. Le Havre 60,4. Le Mans 6,7. Le Puy 7,7. Le Touquet 5,6. Lille. 794,4. Limoges 115,5. Lorient 234,1. Lyon (Satolas-Bron) 380,5. Marseille 4 421,5. Metz-Nancy-Lorraine 207,5 [1]. Montluçon-Guéret 2,8. Montpellier 1 157. Morlaix 0,9. Nantes 943. Nevers 5,5. Nice 5 831,1. Nîmes 346,8. Niort 1,1. Ouessant 7,2. Pau 530,5. Périgueux 36,1. Perpignan 500,3. Poitiers 30,1. Quimper 154,9. Reims 22,7. Rennes 210. Roanne 9,1. Rochefort 0,6. Rodez 73,8. Rouen 42,9. St-Brieuc 14,8. St-Étienne 82,5. St-Nazaire 2,1. Strasbourg 1 545,7. Tarbes 479,5. Toulon 706,5. Toulouse 3 071,5. Tours 14,8. Troyes 2,3. Valence 8,1, Valenciennes 2,7, Vichy 12,6.

Nota. – (1) Le transport aérien régulier commercial des aéroports de Metz et Nancy a été tranféré sur Metz-Nancy-Lorraine ouvert le 28-10-1991.

Trafic de fret et, entre parenthèses, de poste. Aéroports dont le trafic a dépassé 100 t, en milliers. Agen 1,5, Ajaccio 3,14 (4,13), Avignon 5,5, Bastia 1,4 (4,9), Beauvais 0,23, Biarritz 0,6, Bordeaux 7,3 (4,8), Brest 1,12 (2,6), Calvi 0,16, Châteauroux 1,5, Clermont-Ferrand 0,39 (4,03), Deauville 0,24, Grenoble 0,29, Lille 0,48, Lorient 0,2 (0,3), Lyon 21,9 (14,7), Marseille 38,4 (17,3), Montpellier 3,75 (5,15), Nantes 2,06 (2), Nice 22,6 (10,3), Nîmes 0,20, Paris 887,44 (77,87), Pau 1,27 (1,76), Perpignan 0,52 (0,41), Poitiers 0,56 (1,89), Rennes 0,15 (3,02), Strasbourg 4,37 (4,31), Toulon 1,31 (1,18), Toulouse 31 (4,04). **Total** : 1 041,6 (165,73). Bâle-Mulhouse 29,79 (2,14).

■ Aéroports de la France métropolitaine

Mouvements d'avions

Aéroports, mouvements d'avions commerciaux et, entre parenthèses, **non commerciaux** (1992). Abbeville 100 (12 686), Agen 2 157 (42 310), Aix-en-Provence (73 008), Ajaccio 18 629 (41 430), Albi 1 319 (15 728), Amiens 500 (21 000), Angoulême 1 515 (23 931), Annecy 1 991 (29 600), Arras (5 892), Aubenas 32 (13 170), Auch-Lamothe 50 (25 000), Aurillac 1 439 (13 785), Autun (8 078), Auxerre 207 (29 033), Avignon 3 438 (54 123), Bastia 13 056 (16 369), Beauvais 1 621 (44 642), Bergerac 2 282 (31 172), Besançon 134 (7 454), Béziers 2 976 (37 966), Biarritz 6 206 (36 475), Blois 176 (23 126), Bordeaux 31 117 (30 560), Bourges 372 (29 701), Brest 8 570 (37 619), Brive 1 195 (25 076), Caen 3 870 (36 477), Cahors 177 (11 367), Calais 666 (24 400), Calvi 4 878 (13 604), Cannes 926 (101 206), Carcassonne 1 168 (43 415), Castres-Mazamet 2 669 (8 099), Chalon-Champforgueil 54 (15 218), Chambéry 2 814 (38 901), Charleville-Mézières 104 (8 572), Chartres (24 856), Châteauroux 482 (23 782), Cherbourg 6 872 (11 794), Clermont-Ferrand 11 584 (40 429), Cognac 190 (234), Colmar 1 410 (40 652), Deauville 26 453 (24 233), Dieppe (13 450), Dijon 4 188 (8 798), Dinard 3 975 (39 150), Dole 347 (25 339), Dreux (29 000), Épinal-Mirecourt 1 303 (8 521), Figari 7 119 (19 922), Fréjus 42 (29 866), Gap-St-Crépin 167 (16 782), Gap-Tallard 1 038 (71 320), Granville 100 (16 000), Grenoble-Le Versoud (78 976), Grenoble-St-Geoirs 4 690 (62 985), île d'Yeu 452 (4 422), Lannion 1 923 (19 928), La Rochelle 2 184 (28 188), La Roche-sur-Yon 145 (23 278), Laval 211 (19 999), Le Havre 6 860 (23 985), Le Mans 1 709 (35 614), Le Puy 960 (10 160), Le Touquet 1 388 (19 885), Le Tréport (4 533), Lézignan-Corbières (14 201), Lille 17 323 (27 555), Limoges 5 669 (29 902), Lorient 4 368, Lyon-Bron 4 238 (73 950), Lyon-Satolas 67 097 (7 102), Mâcon (21 772), Marseille-Provence 64 828 (43 933), Maubeuge 25 (16 421), Megève (19 000), Mende 24 (7 586), Merville 30 (64 780), Metz-Frescaty (5 333), Metz-Nancy-Lorraine 9 172 (8 329), Montluçon-Guéret 875 (9 463), Montpellier 14 593 (120 625), Morlaix 208 (7 017), Mortagne-Fleuze (2 105), Moulins 173 (15 043), Nancy 843 (44 129), Nantes 23 664 (59 307), Nevers 1 123 (21 089), Nice 118 253 (17 490), Nîmes 3 263 (3 456), Niort 524 (17 203), Orléans 77, Ouessant 1 787 (848), Pau 7 599 (61 858), Périgueux 1 910 (10 555), Péronne (16 722), Perpignan 4 066 (47 024), Poitiers 4 909 (33 948), Quimper 2 582 (30 152), Redon (3 872), Reims-Champagne 5 090, Reims-Prunay (48 596), Rennes 12 898 (59 411), Roanne 1 137 (20 832), Rochefort-Saint-Agnant 104 (27 519), Rodez 1 833 (18 642), Rouen 5 370 (52 608), Saint-Brieuc 1 519 (23 920), Saint-Étienne 4 261 (31 998), Saint-Girons (9 184), Saint-Nazaire 221 (17 633), Saumur 76 (27 154), Strasbourg 22 252 (10 696), Tarbes-Laloubère (6 921), Tarbes-Ossun-Lourdes 4 604 (63 734), Toulon-Hyères 7 110 (669), Toulouse 38 014 (37 624), Tours 1 631 (7 363), Troyes 327 (26 121), Valence 1 321 (57 137), Valenciennes 489 (31 024), Vichy 887 (29 702), Villefranche-sur-Saône 38 (24 416). **Total province** 670 635 (3 301 973). **Paris** 565 890 (1 024 779). **Total général** 1 236 525 (4 326 752). Bâle-Mulhouse 56 102 (47 765).

Nota. – (1) Chiffres DGAC.

■ Aéroports d'outre-mer (DOM-TOM)

Trafic en 1992

Passagers (en milliers). Bora-Bora 123,45, Cayenne 305,3, Fort-de-France 1 452,43, Huahine 91,75, Moorea 161,85, Nouméa 283,56, Pointe-à-Pitre 1 474,59, Raiatea 95,36, Saint-Denis (la Réunion) 936,13, Tahiti-Faaa 818,1. **Total :** 5 739,04.

Aéroports dangereux

Selon la Féd. intern. des Associations de pilotes de ligne, il y a au moins 23 aéroports intern. dangereux dans le monde dont 3 aux USA, 2 en Grèce, 2 en Italie.

Les moins sûrs seraient : Boston, Los Angeles, St-Thomas (îles Vierges), Alghero (Sardaigne), Rimini (Italie), Corfou et Rhodes (Grèce) et 7 aéroports de Colombie. Les pilotes mettent en cause la longueur des pistes d'envol, l'environnement dû au relief, les diverses restrictions pour diminuer le bruit des avions (ce qui les empêche souvent de décoller contre le vent) et l'utilisation de pistes identiques pour atterrissages et décollages.

Fret (en tonnes). Bora-Bora 175, Cayenne 5 940, Fort-de-France 13 102, Huahine 87, Nouméa 5 403, Pointe-à-Pitre 14 666, Raiatea 199, St-Denis 15 625, Tahiti-Faaa 72 566. **Total :** 62 453.

Poste (en tonnes). Cayenne 1 171, Fort-de-France 2 703, Nouméa 895, Pointe-à-Pitre 2 589, St-Denis 3 780, Tahiti-Faaa 802. **Total :** 11 940.

Mouvements commerciaux. Bora-Bora 4 207, Cayenne 9 555, Fort-de-France 30 884, Huahine 3 664, Moorea 20 810, Nouméa 2 687, Pointe-à-Pitre 37 038, Raiatea 3 312, St-Denis 9 248, Tahiti-Faaa 32 570. **Total :** 153 975.

Voyages en avion

■ Renseignements pratiques

Abréviations utilisées. *Classes de transport :* R = Concorde, F = première, Y = économique, C = le Club, K = vacances. *État de réservation :* OK = lorsqu'elle est ferme, RQ = en demande, NS = No Seat (pour les bébés).

Animaux. Chiens admis sauf à bord de Concorde, voyagent en principe en soute. Caisses spéciales en vente à leur intention [320 F (64 × 41 × 51 cm), 400 F (74 × 48 × 58 cm), 480 F (99 × 53 × 78 cm)]. *Sur les lignes internationales :* ils voyagent sous le régime des excédents de bagages ; entre la France métropolitaine et les DOM, ils peuvent être compris dans la franchise des bagages ; entre la France continentale et la Corse taxation forfaitaire de 140 F (70 F entre Marseille ou Nice et Corse). *En cabine :* sont acceptés en nombre limité les petits chiens et chats (poids max. 5 kg), canaris, perruches, perroquets ou autres petits oiseaux apprivoisés, placés dans un panier, cage ou petite caisse 45 × 35 × 20 cm ; chiens d'aveugles muselés (sauf en G.-B.).

Étranger : dans la plupart des pays, formalités à l'entrée (parfois interdite ou soumise à la quarantaine).

Bagages. ADMIS EN FRANCHISE : *1re classe :* 40 kg, *cl. affaires et « Air France Club » :* 30 kg, *cl. économique :* 23 kg sauf *Cl. vacances : métropole de/vers Antilles, Guyane, Réunion :* 25 kg. France-U.S.A., Canada : 2 valises. ADMIS EN CABINE : 1 bagage : dimensions max. : total longueur, hauteur, largeur : 115 cm. *1re classe :* housse à vêtements en +.

ACCEPTÉS GRATUITEMENT EN SUS DE LA FRANCHISE (règle internationale IATA) : sous la garde du passager : manteau, pardessus, couverture, parapluie, canne, appareil photo, jumelles, livres et revues, sac à main ou pochette, nourriture pour les bébés, moïse. Dep. le 1-1-83, étiquetage extérieur des bagages enregistrés obligatoire avec adresse personnelle et adresse de destination. *Non acceptés :* serviettes et attachés-cases comportant un dispositif d'alarme ; gaz comprimés (inflammables ou non, toxiques) comme le gaz de camping ; produits corrosifs (tels qu'acides, alcalis et piles à éléments humides) ; agents étiologiques ; explosifs, munitions, pièces de pyrotechnie et signaux d'alarme ; liquides et solides inflammables (tels que carburants pour l'éclairage ou le chauffage, allumettes et articles qui s'enflamment facilement) ; matières irritantes ; matières aimantées ; matières oxydantes (telles que chlorure de chaux et peroxydes) ; poisons ; matières radioactives ; autres articles réglementés tels que le mercure ou des matières nocives figurant dans le manuel IATA des articles réglementés. *Exclus du régime « bagages » :* appareils ménagers lourds, tels que réfrigérateurs, machines à laver, télévisions, etc. *Bagages non accompagnés (remis au moins 72 h avant départ) :* tarif plus avantageux que celui des excédents de bagages. *Régimes particuliers :* taxations spéciales pour les équipements de sport. Fusils de chasse non acceptés en cabine.

PERTES : 3 000 par j sur 3,5 à 4 millions de bagages transportés dans le monde. Environ 90 % sont récupérés dans les 24 ou 48 h, grâce au « Bag Track », système informatisé de recherche mondiale de bagages auquel adhèrent env. 150 compagnies. Pour les autres (1 à 1,5 bagage sur 10 000 acheminés), la plupart des transporteurs interrompent toute recherche au bout d'un mois. *Remboursement :* au prorata du poids soit (en mai 1989) 20 $ US (127 F) par kg manquant (soit 2 500 F pour une valise de 20 kg). Air France et Air Inter remboursent 140 F par kg, Lufthansa 167 F. Les abonnés d'Air Inter sont en outre automatiquement couverts jusqu'à 10 000 F de perte.

Billet. Nominatif et ne peut être cédé. Validité normale maximale 1 an. Certains tarifs comportent des conditions de réservation et de « séjour minimum » (le parcours retour ne peut être effectué avant la date donnée). *Comporte :* une couverture imprimée, 2 faux feuillets sur lesquels figurent les « conditions de contrat de transport » et la « limitation de responsabilité en matière de bagages », 1 à 4 « coupons de vol » détachés à l'aéroport lors de « l'enregistrement » et 1 coupon pour le passager. *Billet non utilisé ou utilisé partiellement :* présenter la demande de remboursement au plus tard dans les 30 j suivant la date d'expiration du billet.

ATB Automated Ticket Boarding Pass : billet d'avion magnétique conçu dans la perspective d'une automatisation totale de l'enregistrement et de l'embarquement des passagers aux aéroports.

Composantes d'un billet d'avion. *Air France* [hors Concorde, avions-cargos et combis (passagers et cargos), en %, en 1986] : redevances d'aéroport, aide à la navigation et frais de touchée 18,5, frais de vente des billets 17,2, carburant 11,8, équipage 15,8, frais généraux et divers 15,4, entretien 10,8, amortissement 10,5. *Vols réguliers internationaux de l'IATA* Coût unitaire (en 1986). 0,368 $ par tonne/km disponible dont (en %) navigants techniques 6,8, carburant et huile 16,1, assurance des matériels volants, amortissement et location 9,9, entretien et révision 10,8 redevances d'atterrissage 4, de route 2,2, opérations au sol et d'escale 11,9, navigants commerciaux et prestations passagers 12,2, billetterie, vente et promotion 20,1, frais administratif et coût généraux 6.

Blocs sièges. Allotements de sièges consentis aux voyagistes aux termes d'un contrat exigeant le versement intégral du montant convenu pour l'opération, que les sièges aient été occupés ou non.

Conditions générales de transport. Texte de base rassemblant les règles communes aux transporteurs aériens. Ce texte est édité par chaque Cie et porté à la connaissance des passagers sur leur demande.

Embarquement. Heure limite de présentation à la porte d'embarquement : 25 mn avant le départ de l'avion pour l'Europe et la Métropole, et 35 ou 45 mn selon la compagnie et l'aéroport pour les autres destinations. Parfois délais plus importants pour des raisons de sécurité.

Enfants voyageant seuls. *S'ils ont moins de 4 ans :* ils devront être accompagnés par une hôtesse spéciale (billet payant pour elle, tarif réduit pour l'enfant). *De 4 ans à 12 ans :* demander l'accord de la Cie, remplir une décharge de responsabilité au moment de l'achat du billet, donner le nom et le moyen de contacter la personne chargée de venir chercher l'enfant à l'arrivée. Il porte au cou une pochette UM (unaccompanied minor).

Femmes enceintes. *Grossesse normale :* voyage autorisé sans formalité au cours des 8 premiers mois. *Autres cas :* interroger la Cie.

IT (inclusive tour : forfait). Voyage organisé, vendu par l'intermédiaire des agences, comprend transport aérien, hébergement et éventuellement des prestations annexes telles que repas et excursions. Dates de départ et de retour fixées à l'avance.

Pilotage à 2. Introduit il y a 22 ans sur les avions à fuselage étroit (DC 9, MD 80, Boeing 737 et 757), puis sur les gros fuselages (Airbus A 310, A 300-600, Boeing 767). Adopté maintenant sur les plus gros avions (Boeing 747-400). En 1988, 3 750 avions commerciaux à réaction, soit 50 % de la flotte occidentale (7 000), volaient en équipage à 2 pour 218 Cies aériennes. *En 1988 :* Air Inter a subi des grèves de personnels contestant le pilotage à 2 pour des « raisons techniques ».

Réduction enfants, jeunes et étudiants. *Enfants – de 2 ans :* 90 % ; *2 à 12 a.* : de 33 à 50 %. *Jeunes 12 à 21 a. et étudiants jusqu'à 25 ou 30 a.* (sur certaines destinations) : tarifs particuliers.

Repas à bord. En moyenne, il représente 4,6 % du prix du billet. Prix payé par une Cie à son fournisseur ; repas froid 25 à 45 F ; chaud 40 à 100 F ; 1re classe 80 à 200 F + boissons.

Réservations. Seule la mention « O.K. » garantit une place réservée. *Réservation par téléphone :* elle est toujours possible (excepté pour les tarifs « visite » et « vacances »), la place ne sera définitivement réservée qu'à l'achat du billet. *Billet sans réservation :* par exemple billet « retour », faire porter cette réservation sur le billet (dans une agence de voyages ou auprès du transporteur). Beaucoup de Cies pratiquent la surréservation (*surbooking*) : si l'on ne peut embarquer sur le vol prévu, on peut obtenir un dédommagement. Pour un vol de – de 3 500 km : 150 écus (1 050 F) ; au dessus : 300 (2 100 F).

Responsabilité de la Cie. Les dommages au cours du voyage relèvent de la convention de Varsovie et des conventions qui la modifient. Les plafonds de limitation de responsabilité figurent dans les « conditions générales de transport », de chaque Cie.

Stand by. Pas de réservation. Embarquement dans la limite des places disponibles.

Voyages a partir de Paris (Distance en km, de Paris-Orly)

Ville	km	Ville	km	Ville	km	Ville	km
Abidjan	4 969	Ho-Chi-Minh-Ville	10 177	Palma	1 035	Sofia	1 760
Abu Dhabi	5 248	Hong Kong	9 982	Papeete	15 718	Solenzara	933
Agadir	2 290	Honolulu	11 948	Pau	635	Southampton	352
Ajaccio	919	Houston	8 080	Pékin	12 566	Southend	358
Alger	1 353	Istanbul	2 243	Perpignan	669	Split	1 253
Amman	3 380	Izmir	2 294	Philadelphie [1]	5 981	Stavanger	1 116
Amsterdam	420	Jersey	346	Phnom Penh	9 931	Stockholm (A)	1 569
Anchorage	7 535	Johannesburg	8 707	Pise	833	Stockholm (B)	1 549
Antananarivo	8 748	Karachi	6 130	Pittsburgh	6 273	Strasbourg	385
Athènes	2 098	Khartoum	4 602	Pointe-à-Pitre	6 756	Stuttgart	499
Auckland	18 562	Kiev	2 033	Pointe-Noire	6 022	Swansea	559
Bagdad	3 850	Kigali	6 254	Poitiers	286	Sydney (Can.)	4 569
Bangkok	9 435	Kinshasa	6 053	Port-au-Prince	7 743	Sydney (Austr.)	16 954
Bastia	890	Koweït	4 403	Port-Gentil	5 527	Tamanrasset	2 895
Belfast	869	Lagos	4 685	Porto	1 213	Tanger	1 596
Belgrade	1 430	Larnaca	2 986	Prague	869	Tarbes	644
Berlin (Tempelhof)	875	Las Palmas	2 767	Prestwick	889	Téhéran	4 199
Beyrouth	3 191	Le Caire	3 210	Pula	974	Tel-Aviv	3 289
Biarritz	661	Le Cap	10 100	Québec	5 288	Ténériffe	2 759
Bilbao	761	Libreville	5 407	Quimper	491	Thiès	4 163
Birmingham	487	Lille	210	Quito	9 363	Timimoun	2 176
Bogotá	8 640	Lima	10 373	Rabat	1 812	Tirana	1 591
Bombay	7 004	Limoges	333	Rangoon	8 865	Tlemcen	1 570
Bordeaux	525	Lisbonne	1 451	Recife	7 305	Tobrouk	2 598
Boston	5 531	Lomé	4 748	Reggan	2 458	Tōkyō via Moscou	9 998
Brazzaville	6 011	Londres (H)	346	Reims	139	Tōkyō via Alaska	13 084
Brest	500	Londres (GT)	307	Rennes	311	Tōkyō via Sibérie	9 703
Bristol	457	Lorient	444	Reus	849	Toronto	6 015
Bruxelles	274	Los Angeles	9 107	Réunion (île)	9 352	Touggourt	1 764
Bucarest	1 862	Lourdes	644	Reykjavik	2 244	Toulon	685
Budapest	1 257	Luanda	4 041	Rhodes	2 497	Toulouse (B)	574
Buenos Aires	11 065	Luxembourg	273	Riga	1 708	Tours	191
Bujumbura	6 362	Lyon	412	Rimini	942	Tripoli (Libye)	1 998
Calcutta	7 852	Madrid	1 044	Rio de Janeiro	9 166	Tripoli (Liban)	3 167
Calvi	852	Manille	11 086	Riyad	4 673	Tulsa	7 608
Caracas	7 617	Marrakech	2 108	Rome (C)	1 107	Tunis	1 477
Casablanca	1 894	Marseille	652	Rotterdam	381	Turin	568
Cayenne	7 094	Maurice (île)	9 445	Saigon	10 119	Valence (Fr.)	453
Chicago	6 664	Melbourne	16 762	Saint-Denis	9 440	Valence (Esp.)	1 067
Clermont-Ferrand	333	Mexico	9 194	Saint-Dominique	7 179	Vancouver	7 938
Cologne	407	Miami	7 361	Saint-Étienne	388	Varsovie	1 360
Colombo	8 487	Milan (M)	619	Saint-J.-de-Compost.	1 055	Venise	838
Conakry	4 838	Montevideo	10 975	Saint-Petersbourg	2 143	Vichy	295
Copenhague	1 025	Montpellier	613	Skikda	1 463	Vienne	1 044
Cotonou	4 811	Montréal	5 525	St John's	3 982	Vittel	268
Dakar	4 206	Moroni	7 833	St Louis (USA)	7 060	Washington	6 164
Damas	3 292	Moscou	2 478	St-Louis (Sén.)	4 014	Zagreb	1 086
Djakarta	11 587	Mulhouse-Bâle	465	St-Nazaire	372	Zurich	481
Delhi	6 579	Munich	690	Salonique	1 858		
Detroit	6 358	Nairobi	6 487	Salon	608		
Djeddah	4 446	Nantes	370	Salt Lake City	8 160		
Djibouti	5 588	Naples	1 290	Salzbourg	782		
Doha	4 970	New York [1]	5 837	San Francisco	8 971		
Douala	5 018	Niamey	3 915	San Juan	6 899		
Dublin	784	Nice	685	Santiago	11 831		
Édimbourg	867	Nîmes	574	São Paulo	9 417		
Francfort	465	Nouméa	18 713	Seattle	8 055		
Genève	402	Nuremberg	621	Seychelles	7 842		
Glasgow	896	Oran	1 493	Séoul	8 988		
Göteborg	1 156	Osaka	13 516	Séville SP	1 437		
Grenoble	433	Oslo	1 337	Séville M	1 439		
Guernesey	377	Ottawa	5 654	Sfax	1 714		
Hambourg	750	Oujda	1 604	Shanghai	9 259		
Hanovre	632	Ouarzazate	2 125	Shannon	901		
Harare	7 934	Palerme	1 470	Sidi-bel-Abbès	1 528		
Helsinki	1 894			Singapour	10 728		

Nota. – (1) En Concorde.

Distance de : Bordeaux-Marseille 498, -Nice 645, -Toulouse 215. **Lille**-Lyon 554, -Marseille 809, -Nice 828, -Strasbourg 396. **Lorient**-Nantes 154. **Lyon**-Ajaccio 516, -Bastia 498, -Bordeaux 454, -Marseille 256, -Nice 299, -Toulouse 367. **Marseille**-Ajaccio 339, -Bastia 361, -Calvi 307, -Nice 163. **Nantes**-Lyon 526, -Marseille 675, -Nice 788. **Nice**-Calvi 180. **Strasbourg**-Lyon 372, -Marseille 598, -Nice 543. **Toulouse**-Nice 471. **Par la route** : voir page de garde à la fin du volume.

Syndrome de la classe économique. Sorte de thrombose pulmonaire. 12 cas mortels en 3 ans (parfois plusieurs semaines après le vol). La pression exercée sur le siège pendant des vols de 7 à 24 h peut provoquer des caillots de sang dans les jambes qui viennent ensuite se loger dans les poumons, causant une embolie pulmonaire. Pour limiter les risques, faire quelques exercices pendant le vol, éviter de fumer et de boire de l'alcool ; le cas échéant, prendre de l'aspirine pour faciliter la circulation sanguine.

Tarifs. Normaux : 1re classe et classe économique, vendables en aller simple et permettant de faire plusieurs arrêts en cours de route. **Spéciaux : Apex** (advance purchase excursion : excursion achetée à l'avance) : frais d'intervention en cas de modification ou d'annulation. **Super Apex :** moins cher qu'un Apex avec les mêmes contraintes, mais exigeant un transport par vol direct. **Budget :** tarif bas qui regroupe les contraintes des tarifs visite et parfois des tarifs Apex surtout au départ de G.-B. **Tarif économique :** tarif normal, vendu en aller simple permettant de faire plusieurs arrêts en cours de route. **Vacances/visite :** comporte certaines contraintes (réservation, paiement et validité) et vendu à des niveaux proches des vols charters. **Vara** (vol avec réservation à l'avance) : aller et retour dans un avion entièrement réservé par un tour-opérateur pour une date fixe. La liste des passagers doit être connue en principe 30 j avant le départ.

■ **Prix du km aérien en F au départ de Paris, en juillet 1989** [aller-retour sur vol régulier calculé sur le tarif le plus économique (vols vacances, Apex)]. Madrid 2,2, Londres 1,86, Berlin 1,78, Stockholm 1,25, Athènes 1, Le Caire 0,95, Ajaccio 0,81, Pékin 0,78, Dakar 0,76, Antilles 0,75, Delhi 0,69, Réunion 0,67, Rio 0,62, Bangkok 0,45, New York 0,43.

■ **Salons aériens. Paris.** *Créé* 1909. Au Grand Palais, de 1909 à 1938, 1946, 1949, 1951, puis au *Bourget* dep. 1953. En 1993 : 1 600 exposants de 39 pays (58 % d'étrangers, 42 % de Français), 220 aéronefs exposés au sol, 47 000 m² de surfaces couvertes, 27 000 m² de surfaces extérieures, + de 300 000 visiteurs.

■ **Musées de l'air. En France : Paris.** *1919* fondé (le + ancien du monde). *1921* inauguré à Meudon. 1975 installé à l'aéroport du Bourget. *1990-17-5* incendie dans dépôt du musée à Dugny (Seine-St-D.), env. 20 av. détruits. **Pièces exceptionnelles :** avion nº 3 de Clément Ader (restauré), planeur Biot-Massia (1879), hydravion d'Henri Fabre (1910), Spad VII de Guynemer (1916), Point d'Interrogation de Costes et Bellonte (1930), Dewoitine 520, Leduc, Mirage G8, capsules Apollo et Soyouz T6. *Sont exposés (1992) :* 186 avions, hélico., planeurs, 35 objets spatiaux, 20 moteurs. *Conservatoire national des Arts et Métiers :* Blériot de la traversée de la Manche, monoplan Esnault-Pelterie (1906), biplan Breguet (1913). **Angers** à Avrillé. **Biscarosse** surtout documents, maquettes et objets. **Dax** musée de l'Aviation légère de l'armée de Terre (ALAT). **La Ferté-Alais** avions anciens. **Le Mas-Palégry** av. militaires à réaction, maquettes. **Nancy** en construction. **Rochefort-sur-Mer. St-Rambert-d'Albon** association Aéro-Rétro. **Savigny-lès-Beaune** av. milit. à réaction. **Dans le monde.** Dans la plupart des pays d'**Europe :** *Allemagne :* Munich. *G.-B :* nombreux dont le RAF Museum à Hendon. **Proche-Orient :** *Syrie :* Damas. **Asie.** *Indonésie :* Djakarta. *Philippines :* Manille. *Thaïlande :* Bangkok. *Viêt-nam :* Hanoi. **Amér. du Nord :** *Canada :* Ottawa. *USA :* Dayton : US Air Force. Seattle : musée Boeing. Washington (le + fréquenté du monde). **Australie :** Melbourne.

TRANSPORTS FERROVIAIRES

MATÉRIELS

LOCOMOTIVES

QUELQUES DATES

1550 utilisation de *chariots sur rail* dans les mines de Leberthal (Alsace). **1758**-*9-6 1er train régulier* à locomotive à vapeur entre la mine de charbon de Middleton et le pont de Leeds, Yorkshire. **1770** 1re utilisation de *l'action directe du piston* sur la manivelle pour actionner la roue motrice (Cugnot, France).

1804-*24-2 1re locom.* de Richard Trevithick et Andrew Vivian, charge utile 10 t et 70 personnes, curieux ou enthousiastes, le train ne transportant que du charbon ou des marchandises (la notion de « voyageur » n'apparaît que 20 ans plus tard) sur la ligne de Penydarran (Galles), 15 km. Chaudière à foyer intérieur et à tube en retour pour multiplier la surface de chauffe, cylindre horizontal et réchauffeur d'eau d'alimentation ; roues lisses ; substances diverses répandues sur la voie en cas de manque d'adhérence. 2 autres locom. (1805 et 1808) suivront ; l'une, *Catch me who can* (« M'attrape qui peut »), sert d'attraction foraine à Londres. **1812** John Blenkinsop : *locom. à roue dentée* qui s'accroche sur une crémaillère extérieure à la voie. **1813** Brunton propose une machine surnommée *steam horse* (cheval vapeur) qui « marche », toujours par crainte du manque d'adhérence, grâce à 2 béquilles alternativement appuyées sur le sol. Elle explose en 1815. Christopher Blackett et William Hedley démontrent que l'adhérence des roues permet la traction de charges importantes, et remorquent avec leurs locomotives de 8,3 t des trains de 50 t à 8 km/h. **1814** George Stephenson (1781-1848) construit une locom. pour les mines de Killingworth : roues accouplées par une chaîne sans fin (plus tard par une bielle rigide) ; en service de 1814 à 1825. **1823** George Stephenson et son fils Robert (1803-59), Edward Pease et Michel Longridge fondent la *1re usine de construction de locom.* à Newcastle (concurrencée à partir de 1830 par celle d'Edward Bury à Liverpool). **1827** Timothy Hackworth achève la *Royal George*, la plus puissante, et la 1re à 6 roues couplées par des bielles extérieures (030) ; elle fonctionnera jusqu'en 1842. **1828**-*22-2* Marc Seguin : brevet de la *chaudière à tubes de fumée* multipliant la surface de chauffe (les gaz chauds de la combustion passent dans un faisceau de tubes traversant l'eau de la chaudière). **1829** utilisant ce principe, Robert Stephenson construit *The Rocket* (La Fusée) qui comporte un échappement de la vapeur dans la cheminée, ce qui active automatiquement le tirage. Elle gagne le concours Rainhill (G.-B., 1829, vitesse 47 km/h) en roulant *haut le pied* (expression désignant un cheval de rechange qui, non monté, suivait les autres en levant plus aisément le pied que s'il avait eu un cavalier). **1831** l'ingénieur Rimber (USA) : 1re locomotive pour service mixte à adhérence et à crémaillère. **1832** Liverpool-Manchester, des locom. remorquent des trains de 223 t (50 wagons) à 16 km/h. **1838** locom. à 3 essieux indépendants. La détente commence à être employée sur les locom. Manchester-Liverpool. La *Gironde* sur la ligne de Versailles (rive droite) remorque des trains sur des rampes de 35 %. **1839** 1re locom. à air comprimé d'Andraud.

1842 la *1re locom. électrique de Robert Davidson* atteint 6 km/h sur la ligne Édimbourg-Glasgow. **1847** *chemin de fer atmosphérique. 1re locom. de Thomas Russell Crampton* sur la London North Western Railway. Roues motrices de grand diam. pour la vitesse, abaissement du centre de gravité pour la stabilité (essieu moteur à l'arrière du foyer ; cylindres reculés ; porte-à-faux à l'avant et à l'arrière supprimés). Un type à 2 essieux accouplés et essieu porteur à l'avant atteindra 110 km/h et sera employé pendant 30 ans. **1849** *brevet de la « surchauffe »* par Quillac et Mouchevil. La vapeur traverse des tubes placés à l'intérieur d'autres tubes originaires de la chaudière en contact avec les gaz chauds de la combustion. La condensation diminue et on économise ainsi 16 % de charbon et 21 % d'eau. Le procédé n'est utilisé qu'en 1898 par Schmidt. **1864** brevet du Français Cazal : *moteur électrique s'appliquant directement à l'essieu.* Mise en service sur le PO des locom. Forquenot en 1874. **1866**-*6-7 locom. Petiet* à 6 essieux moteurs, accouplés en 2 groupes indépendants (inauguration de la ligne Enghien-Montmorency). **1867** locom. Forquenot, dites *Cantal,* 1res machines françaises équipées de 5 essieux couplés (Paris-Orléans). **1876** 1re application pratique par l'ingénieur Mallet du *système « compound »* sur une locom. du Bayonne-Biarritz. Ce système, indiqué dès 1803 par Arthur Woolf et déjà en usage dans la marine, utilise mieux la force expansive de la vapeur qui passe une 1re fois dans un cylindre à haute pression (comme sur une machine à simple expansion), puis une 2e fois, en détente, dans un 2e cylindre à basse pression. **1879** *1er train remorqué par une locomotive électrique* (Exposition industrielle de Berlin. Locom. Siemens et Halske, voie de 550 m). **1883** 1re locom. électrique en G.-B. (la ligne existe toujours à Brighton). **1894** *1ers essais de traction électrique* banlieue de Paris (St-Germain État-St-Germain Grande Ceinture). 1res locom. de vitesse type « Coupe-vent » du PLM.

1900 *1ers trains à traction électrique* sur la ligne Paris-Invalides aux Moulineaux (avril), Paris-Orsay à Paris-Austerlitz (28-5). **1907** *1res* locom. de vitesse du type *Pacific* (Cie du PO). **1911** essai de traction électrique par courant alternatif monophasé (ligne PLM de Cannes à Grasse). **1920** essais, en Allemagne, de traction sur rails par des hélices (moteurs d'aviation). **1930**-*10-2* inauguration du train radio (émission et réception), en France (réseau de l'État). **1931**-*1-1* circulation du *1er autorail*. *-10-9:* circulation des 1ers autorails à roues munies de pneumatiques : *Michelines* (6 roues, pneus Michelin, moteur Hispano-Suiza de 55 cv et carlingue d'avion de 12 pl. ; Paris-Deauville à 107 km/h). Michelin livrera 23 types d'autorails de 1932 à 1938. **1937**-*29-12 1er train français remorqué par une locom. Diesel électrique* à grande puissance (ligne Paris-Dijon). **1938**-*13-12 1re grande ligne entièrement à traction électrique* (Paris-Bordeaux).

1946 1re locom. à vapeur chauffée au fuel. **1948**-*4-12 rame sur pneumatique* (Paris-Strasbourg). **1950** 1er essai monophasé en Savoie. **1952** traction électr. intégrale sur Paris-Lyon. **1954**-*18-7* 1re mise en service de la traction électr. en courant monophasé 25 kV 50 Hz (Charleville-Valenciennes). **1955**-*28 et 29-3* record mondial de vitesse sur voie ferrée : 331 km/h entre Facture et Morcenx (Landes) avec 2 locom. électr., la BB 9004 et la CC 7107 ; *-5-6* traction électr. intégrale sur Paris-Rome. **1962**-*22-6* sur Paris-Marseille. **1963**-*9-9* mise en service électrification Paris-Bruxelles. **1964** Diesel série 69000 (3 500 kW, soit 4 800 ch). *-30-5 1re locom. quadricourant* type CC 40100 (sur Paris-Bruxelles). **1967**-*28-5 1re circulation commerciale à 200 km/h (le Capitole* sur la section Les Aubrais-Vierzon). 1re rame expérimentale turbine à gaz (turbotrain, 160 km/h). **1969** locom. électr. la + puissante de la SNCF, type CC 6500 (6 000 kW soit 8 000 ch). **1970**-*16-3* 1er service commercial par *turbotrain* (Paris-Caen). **1971**-*23-5 : TEE* Aquitaine Paris-Bordeaux (record d'Europe de vitesse moy. commerciale). *-19-8* 1ers essais de la BB 15001 équipée d'un dispositif pour régler la vitesse sur un taux affiché. Locomotive de 4 600 kW qui utilise pour la 1re fois l'électronique (thyristors) dans ses appareillages de puissance. **1972**-*4-4 1ers essais en ligne du TGV 001.* **1976** *1re BB 7200* pour courant continu à régulation électronique de la vitesse. Suivront les BB 22200, de conception identique mais bicourant. **1978**-*29-7 1re rame TGV de série.* **1979** 1er élément automoteur électrique pour l'interconnexion SNCF/RATP banlieue de Paris (Z 8100 dit MI79).

1980 livraison 1res automotrices électriques Z2 pour dessertes régionales. **1981**-*26-2 record du monde de vitesse sur rail :* 380 km/h TGV Sud-Est. *-27-9* mise en service commercial du TGV Sud-Est. **1982** 1ers essais du prototype BB 10004 à moteurs synchrones autopilotés. Livraison 1res automotrices de banlieue à 2 niveaux (Z2N) pour desserte banlieue Sud-Est et ligne C du RER. **1983**-*29-5* vitesse max. des TGV autorisée en service commercial, portée à 270 km/h. **1985** sortie de 2 locomotives Sybic (à moteurs synchrones, bicourant) BB 20011 et BB 20012 (5 600 kW), issues de la série BB 22200, et préfigurant la future BB 26000. **1987** record mondial de vitesse pour un matériel à marchandises avec un nouveau type de bogies (203,8 km/h). **1988**-*31-3* sortie de la 1re BB 26000 de série ; courant 1,5 KV/25 kv, 50 Hz, long 17,71, masse 90 t, puissance 5 600 kW, vitesse 200 km/h, moteurs 2 ; apte à tirer des trains de frets lourds (2 000 t en rampe de 8,8 ‰) et des trains de voyageurs à 200 km/h. *-26-6* sortie de la 1re automotrice de banlieue à 2 niveaux (Z 20500) à moteurs asynchrones (1,5 KV cc-2,5 KV 50 Hz). *-7-7* livraison de la 1re rame du TGV Atlantique. **1989** livraison des 15 1ers locotracteurs de la série Y 8 400 télécommandés. **1990**-*18-5 record du monde sur rails* à 515,3 km/h TGV Atlantique. **1991**-*2-6* mise en service du TGV allemand (ICE).

LOCOMOTIVES A VAPEUR

Principe. La vapeur produite dans une chaudière à tubes de fumée (chauffée au charbon ou, dep. 17-10-1946 en France, au fuel) meut les pistons dans des cylindres. Des bielles transmettent aux roues motrices le mouvement du piston. *La pression maximale (ou timbre)* de la vapeur est d'env. 20 bars avec une surchauffe à 400 °C. Un régulateur et des tiroirs permettent de régler la quantité de vapeur admise dans les cylindres. Pour augmenter l'adhérence sur les rails, on utilise plusieurs essieux moteurs (2, 3 et plus) reliés entre eux par des bielles d'accouplement. On projette du sable en cas de patinage, au démarrage par exemple, devant les roues motrices et accouplées. Aux roues accouplées s'ajoutent parfois des roues porteuses afin de mieux répartir la masse de la loc. (la charge par essieu admise en France variant entre 18 et 23 t). **Inconvénients.** Faible rendement énergétique, intervention de main-d'œuvre qui serait prohibitive aujourd'hui (30 h aux 1 000 km).

Bissel (du nom de l'inventeur américain Levi Bissel). Chariot articulé à un essieu porteur, supportant une partie du poids de la locomotive et participant à son guidage dans les courbes. **Bogie.** Chariot articulé à 2 essieux (ou +) supportant une partie du poids de la loc., permettant une répartition équilibrée de ce poids et une inscription aisée en courbe. Dep. fin

QUELQUES LOCOMOTIVES A VAPEUR

The Rocket [« la Fusée » (G.-B.) ; 1829]. *Chaudière :* diam. 1,01 m, long. 1,83 m ; *surface de chauffe :* 12,8 m² ; *roues :* diam. 1,42 m ; *masse* de la machine en ordre de marche 4,3 t.

Locomotive Seguin [modèle 1829 (Fr.)]. 1re loc. française à tubes de fumée. *Chaudière* (timbre) : 4 kg/cm² ; *roues :* diam. 1,150 m ; *masse totale* et *adhérente* 4,5 t.

La « Gironde » [1838 (Fr.)]. *Chaudière :* diam. 1,11 m ; *surf. de chauffe :* 50,48 m² ; *roues motrices:* diam. 1,67 m ; *masse totale* 15,5 t, *adhérente* 7 t.

Locomotive Stephenson Long Boiler (G.-B.-Fr.) (1846 à 1 essieu moteur et 2 porteurs avec tender). *Chaudière* (timbre) : 7 kg/cm² ; *surf. de chauffe :* 72 m² ; *cylindres :* diam. 380 mm ; *pistons :* course 560 mm ; *roues motrices :* diam. 1,740 m ; *masse totale* 22 t, *adhérente* 10 t.

Type Crampton. Apparues en France à partir de 1849, sur le Nord. 1res à grande vitesse.

Type « Atlantic ». Bogie porteur à l'avant, 2 essieux accouplés et 1 essieu porteur arrière ou *bissel* ou essieu radial.

Type « Ten Wheel » (Fr.). 1300 Midi. *Longueur* 10,635 m ; *masse totale* 59,9 t ; *adhérente* 44,1 t. *Chaudière* (timbre) 15 kg/cm². *Surface* 176,495 m² (chauffe-grille 2,530, foyer 13,570, tubes 162,925). *Cylindres diamètre HP* 350 mm. *Roues accouplées* diamètre 1,560 mm. 1 bogie avant et 3 essieux accouplés, foyer étroit.

Type Pacific (Fr.). Ex. : 4 500-PO. *Longueur* 13,405 m ; *masse totale* 92 t ; *adhérente* 53 t ; *roues motrices* diamètre 1,7 m. *Chaudière* (timbre) 16 kg/cm². *Surface* 257,25 m² (chauffe-grille 4,27, foyer 15,37, tubes 241,88). *Cylindres diamètre HP* 390 mm, *BP* 640 mm. Un bogie porteur à l'avant, 3 essieux moteurs accouplés et 1 essieu porteur arrière (essieu radial). Remorquait 500 t à 90 km/h.

Était symbolisé en France par un nombre de 3 chiffres indiquant : 1er nombre d'essieux porteurs avant, 2e moteurs, 3e porteurs arrière (un zéro indiquant l'absence d'essieux porteurs avant et/ou d'essieux porteurs arrière). Suivi par une majuscule indiquant la série (précédée de Ter, cas de locomotive-tender). *Ex. :* 221 A 10 ; 231 F 141 ; 040 TA 6.

Ce flutiau* du XIVème prouve deux choses : Un, que nos ancêtres savaient en jouer Deux, que la SNCF s'intéresse à nos ancêtres.

Fouilles archéologiques sur le tracé du TGV Nord Europe.

Un investissement de 60 millions de Francs.

Plus de 100 sites mis à jour par 318 archéologues.

Tous les spécialistes, paléo-environnementalistes, géologues, anthropologues, archéozoologues ou xylologues sont d'accord, les fouilles archéologiques sur le tracé du TGV Nord sont une totale réussite. Cette opération est l'une des plus importantes jamais réalisée sur un tracé linéaire aussi bien au niveau du nombre de chercheurs mobilisés qu'au niveau des moyens mis à leur disposition par la SNCF. Sur les 450 kms de tracé, une centaine de sites ont été fouillés. Soit environ un tous les 4 kms. Au total, plus de 3 ans ont été nécessaires à cette entreprise, principalement financée par la SNCF. Un formidable chantier qui a permis de mettre à jour de nombreux trésors. *Ci-dessus, une petite flûte à bec, tournée et complète provenant du site de Serris en Seine-et-Marne. Une découverte exceptionnelle aux dires de tous les spécialistes.

Flutiau en bois XIVᵉ s. Moulage réalisé par le CNRAS. Prêt du Service Régional de l'Archéologie d'Ile-de-France

SNCF, le progrès ne vaut que s'il est partagé par tous.

(Information)

1978, il n'y a plus de voitures à essieux (à empattement rigide) en service commercial SNCF. **Tender.** Attelé à la locom., transportait 6 t de charbon et 38 m^3 d'eau (France). Une locomotive consommait 10 kg de charbon et 100 l d'eau au km.

Puissances (ordre de grandeur). **France :** *232 U-1 Nord* (de l'ingénieur de Caso) : 140 km/h ; 3 400 ch (2 427 kW) à la jante. *241 P :* 120 km/h ; 4 000 ch (2 940 kW). *242 A 1:* 140 km/h ; 4 200 ch (3 080 kW), record des locom. européennes. **Amérique :** *222 :* 6 200 ch (4 560 kW) ; *1 442* (pour trains de 1 500 m) ; le spécimen le plus lourd serait sans doute la *Q 2* de l'Union Pacific avec une puissance de 8 000 ch (5 990 kW), record absolu.

Vitesse (km/h). **1835 :** 100 locom. Sharp et Roberts (Liverpool-Manchester). **1846**-*11-7 :* 120 (entre Londres et Didcot). **1853 :** 132. **1890 :** 144 (France « Crampton »), 210 remorquant une voiture sur une rampe de 0,5 %. **1893**-*10-5 :* 181 (« 999 » du New York Central sur 1,7 km en remorquant l'Empire State Express). **1895**-*22-8 :* 87 sur 870 km (sur la côte Ouest, G.-B.). **1900 :** Paris-Bayonne 88 (9 h 20). New-York-Buffalo (Empire State Express 705 km) 85,3. Londres-Édimbourg 81,6 (630,4). **1903 :** 200 (train spécial du Pennsylvania sur 100 km). **1905**-*12-6 :* 204,48 (« Atlantic » 221 du Pennsylvania New York Chicago remorquant 4 voitures). **1936**-*11-5 :* 200,4 (05002 type 232 de la Deutsche Reichsbahn). **1938**-*3-7 :* 202,7 [« Pacific » carénée (4 468), « Mallard » du LNER (London and North Eastern Railway)] sur 402 m.

Fin de la vapeur en France

Dernier convoi à vapeur. *Voyageurs* fin 1972 ; *marchandises* mars 1974 (140 C/141 R du dépôt de Sarreguemines). **Nombre de locomotives.** *1925 :* 20 000. *1969 :* 514. *1980 :* 1 [construite en 1922 et conservée en état de marche par la SNCF (230 G 353), a parcouru 2 000 000 de km ; basée à Noisy-le-Sec, utilisée pour des circuits touristiques (trains affrétés) et tournages de films]. *Locomotives à vapeur préservées ou en cours de restauration :* 200. *En 1987 :* 40 locomotives à vapeur dont 1 Pacific 231 K 8 (de 1911) et une 141 R 420 (« Mikado » livrée en 1945 par les USA), ont été classées par la Dir. du patrimoine.

Locomotives Diesel

■ **Principe.** Force motrice fournie par un ou plusieurs moteurs Diesel. La plupart utilisent la transmission électrique : le moteur entraîne soit une génératrice, soit de plus en plus souvent un alternateur suivi d'un redresseur alimentant le ou les moteurs de traction, qui agissent sur les essieux par un train d'engrenages. Certains (surtout en Allem.) utilisent la transmission hydraulique. Une pompe hydraulique reliée au moteur Diesel actionne un convertisseur de couple qui accroît ou réduit l'énergie transmise à faible ou grande vitesse. **Avantages sur la locom. à vapeur :** rendement thermodynamique supérieur (la température de combustion étant plus élevée) : 17 % au crochet de traction. Autonomie double. Peu d'entretien. Puissance massique 25 kW/t (au lieu de 15 kW/t). **Puissance (max.) :** 4 500 kW (env. 6 000 ch). **Vitesse (max.) : 1931**-*21-6 :* 230 km/h, à hélice de Franz Kruckenberg (moteur à essence de 600 ch BMW utilisé sur les avions). **1973 :** 229 km/h (G.-B.).

■ **Quelques locomotives Diesel. Électriques doubles à configuration d'essieux 2C2 + 2C2, la 262 DA1 et la 262 DB1 :** 1res diesels de ligne en France, construites pour le PLM (1937 et 1938) : articulées, longueur + de 30 m, masse 230 t, puissance 3 100 kW ; remorquaient sans ravitaillement en carburant des rapides de 600 t à 130 km/h (vitesse max.) entre Paris et Menton. **CC 72075** (1977) : *longueur hors tout* 20,19 m ; *vitesse max.* de service (km/h) 85 (petite vitesse) et 160 (grande) ; *puissance* 3 530 kW ; *diamètre des roues* 1,14 m ; *masse totale* 118 t ; *moteur* SEMT Pielstick à 12 cylindres en V à 4 temps ; *transmission* électrique triphasé continu ; *moteurs* de traction à double rapport de réduction ; *bogies* monomoteurs. Remorque des trains « voyageurs » (GV) ou « marchandises » (PV) ; locom. la plus puissante au monde, à un seul groupe Diesel. Les 91 autres Diesel électriques CC 72000 sont équipées d'un moteur SACM à 16 cylindres en V à 4 temps développant 2 650 kW (M). **Autorails :** éléments automoteurs à traction diesel ; ils assurent les relations à courte distance.

Traction électrique

■ **Principe.** Les roues motrices sont entraînées par des moteurs électriques au moyen d'un train d'engrenages. Le réglage de la vitesse s'obtient par le changement de couplage des moteurs de traction (M), par le shuntage des inducteurs de ces derniers, et par un dispositif de régulation continue (rhéostat ou hacheur de courant, pour la traction en courant continu, transformateurs à prises multiples ou équipement électronique, pour la traction en courant alternatif). Le courant d'alimentation est continu ou alternatif monophasé (dans ce cas, la tension est abaissée par un transformateur et des redresseurs la convertissent en courant continu). Le courant délivré par ces redresseurs (M) est un courant « ondulé » dont s'accommodent les moteurs à courant continu grâce à l'introduction d'une inductance importante appelée *« self de lissage ».* Certains réseaux étrangers ont utilisé au début de leur électrification des moteurs de traction fonctionnant directement sous courant alternatif, ce qui les a obligés à choisir un courant alternatif de fréquence spéciale de faible valeur : 16 2/3 Hz. L'électrification du réseau français a débuté en courant continu 750 V (alimentation par le 3e rail), mais a été principalement réalisée en courant continu 1,5 kV, puis complétée en courant monophasé 25 kV à partir de 1950.

Le courant électrique est fourni aux engins de traction par 1 fil de contact suspendu à des câbles porteurs ; l'ensemble est appelé *caténaire.* Section totale de ces divers conducteurs : 400 à 480 mm^2 ; 1 000 mm^2 avec des câbles de renforcement appelés *feeders.*

Le courant est capté par l'intermédiaire d'un *pantographe* (dispositif articulé), fixé sur la toiture de l'engin. La caténaire est alimentée par des *sous-stations* équipées pour la traction en courant continu de transformateurs et de redresseurs et, pour la traction en courant monophasé, de transformateurs seulement (espacement moyen 8 à 17 km en continu ; 45 à 50 km en monophasé).

L'électrification est en général réservée aux lignes à fort trafic ou d'exploitation difficile (lignes de montagne). En monophasé 25 kV, elle permet un plus grand espacement des sous-stations et une section moindre de la caténaire d'où un investissement moins élevé qu'en continu 1,5 kV.

Avantages de la traction électrique sur le diesel : performances et disponibilité meilleures, taux d'incident moindre. *Coût d'entretien* au km, 1990 : diesel 9,8 F, électrique 4,1 F (la BB 15 000, la plus fiable du monde, peut parcourir plus de 6 millions de km sans révision générale). *Économie d'énergie* (20 %) (avant 1973 elle coûtait 100 % de +). Les trains de marchandises roulant de nuit, l'énergie électrique de traction est consommée à 40 % en h creuses et à 5 % en h de pointe d'hiver. La consommation SNCF représente 1 % de la consom. française d'énergie.

■ **Puissance.** *Record :* la Re 6/6 des Chemins de fer suisses (7 800 kW ou env. 10 600 ch).

■ **Charges remorquées.** *BB 15 000 :* 800 t à 145 km/h en rampe de 8 ‰ et courbe de 1 000 m de rayon. *BB 7 200/22 200 :* 800 t à 140 km/h ou 16 090 t à 50 km/h (5 ‰). *CC 6 500 :* voyageurs 800 t à 160 km/h (8 ‰ et courbe de 1 000 m de r.) ou 625 t à 200 km/h (5 ‰) ; marchandises 1 600 t à 80 km/h (7 %) ou 625 t à 45 km/h (30 ‰ et courbe de 500 m de rayon).

■ **Vitesse (records en km/h). 1901 :** 140 (automotrice Siemens, All.), 160 (automotrice AEG, All.). **1903**-*6-10 :* 213 Siemens, *-28-10 :* 200 AEG. **1954**-*21-2 :* 243 (CC 721). **1955**-*28 et 29-3 :* 330,8 [CC 7 017 et BB 9 004 (M), France]. **1974 :** 402 (autorail Garrett, USA, moteur linéaire et turbine à gaz d'appoint). **1981**-*26-2 :* 380 (TGV 16, France, record mondial battu avec du matériel de série sur la ligne nouvelle Paris-Sud-Est). **1987**-*11-12 :* 406 (Transrapid : train à sustentation magnétique, All.). **1988**-*1 :* 412,6 (Transrapid, All.) ; *-2-5 :* 406,9 (ICE, train à grande vitesse, All.) ; *-sept.* record mondial (225 km/h) réalisé par un train de fret (France) ; *-12-12 :* + de 408 : TGV (Atlantique). **1989**-*5-12 :* 482,4 [TGV Atlantique de série ; rame 325 de 4 voitures, poids 291,6 t (rame ordinaire 10 voitures, 489,6 t), longueur 125 m, roues de 1 050 mm de diamètre (au lieu de 920 mm), 8 moteurs synchrones, 1 par essieu (2 motrices à 2 bogies de 2 essieux), poussés à 1 700 kW (8 500 en service ordinaire)]. **1990**-*9-5* et *18-5 :* 515,3.

☞ Ces records ont été battus aux USA par des véhicules propulsés par des fusées servant à tester les avions supersoniques et le matériel des engins spatiaux (records secrets). Les prototypes de voitures de course n'atteignent que 400 km/h sur la ligne droite du Mans. 480 km/h était en 1960 la vitesse de croisière d'un Constellation, avec 51 passagers.

■ **Désignation des engins moteurs à la SNCF** (locomotives Diesel ou électriques). Chiffres arabes (indiquant le nombre d'essieux porteurs successifs de même nature), lettres latines dont le rang dans l'alphabet correspond au nombre d'essieux successifs de même nature. Chaque châssis (caisse principale ou châssis secondaire, tel que bogie ou bissel) possède son symbole propre de type. Pour un même véhicule, ces symboles sont placés à la suite l'un de l'autre. L'absence d'essieux porteurs n'est indiquée par aucune notation spéciale. Exemple : 2D2 signifie que la locomotive comporte 4 essieux moteurs encadrés par 2 bogies à 2 essieux porteurs ; CC : la loc. repose sur 2 bogies à 3 essieux moteurs chacun ; A1A-A1A : la loc. repose sur 2 bogies comportant chacun 2 essieux moteurs encadrant un essieu porteur. **Numéro de série. Locomotives électriques :** *à courant continu :* chiffre de 1 à 9 999 ; *monophasé* 25 kV-50 Hz : 10 000 à 19 999 ; *polycourant* (respectivement bi, tri ou quadricourant) : 20 000, 30 000 ou 40 000. **Diesel :** 60 000, 70 000 et 72 000. **Automotrices :** éléments automoteurs à traction électrique (1 500 V, 25 000 V ou bicourant), assurant les relations régionales (série la plus moderne : la Z 2) ou la desserte de la banlieue parisienne (série la plus moderne : les Z2N). *TGV* rames articulées.

■ **Courant utilisé à l'étranger.** *P.-Bas :* continu 1,5 kV ; *G.-B. :* continu 1,5 kV et industriel 25 kV 50 Hz ; *Russie :* cont. 3 kV et ind. 25 kV 50 Hz ; *Italie :* cont. 3 kV et, sur quelques lignes, 15 kV 16 2/3 Hz ; *Belgique :* cont. 3 kV ; *Espagne :* cont. 3 kV et 1,5 kV ; *Portugal :* cont. 1,5 kV et ind. 25 kV 50 Hz ; *Autriche, Suisse, ex-All. féd., Norvège et Suède :* alternatif monophasé 15 kV 16 2/3 Hz.

Quelques séries de locomotives SNCF	Date [5]	Nbre [6]	Masse t	Puiss. kW	Vit. max. km/h
Électriques					
BB 8 100-8 200 [1]	1947-55	161	92	2 100	105
CC 7 100 [1]	1949-55	47	107	3 490	140
BB 9 400 [1]	1959-64	86	56	1 630	130/180
BB 9 200 [1]	1957-64	88	82	3 850	160
BB 9 300 [1]	1957-64	40	84	3 850	160
BB 8 500 [1]	1954-74	146	79	2 940	140
CC 6 500 [1]	1969-75	74	115	5 900	220
BB 7 200 [1]	1976	239	84	4 400	180
BB 12 000 [2]	–	119	84	2 470	120
BB 16 000 [2]	1958-63	59	85	4 130	160
BB 17 000 [2]	1965-68	105	79	2 940	150
BB 15 000 [2]	1971	65	8	4 600	180
BB 25 100 [3]	1965-77	70	84	4 130	130
BB 25 200 [3]	1965-74	51	87	4 130	160
BB 25 500 [3]	1964-76	193	80	2 940	140
CC 21 000 [3]	1969-74	4	122	5 900	220
BB 22 200 [3]	1976	201	89,5	4 400	180/200
BB 26 000 [3]	1985-90	107	90	5 600	200
CC 40 100 [4]	1964-70	9	108	3 670/4 480	160/200
Diesel					
BB 63 000-63 500	1963-71	811	68	355/450	80
BB 66 000-66 400	1957-71	393	72	830/890	120
BB 67 000-67 200	1963-75	418	80	1 240	90/130
BB 67 300-67 400	–	–	83	1 440-1 525	140
CC 72 000	1957-69	91	114	2 250	140/160

Nota. – (1) A courant continu 1,5 kV. (2) A courant alternatif industriel 25 kV 50 Hz. (3) Bicourant. (4) Quadricourant. (5) Date de construction. (6) Nombre construit.

Turbine a gaz

■ **Principe.** *Turbine à gaz de type aéronautique* utilisant l'énergie fournie par la détente de gaz chauds. L'air, comprimé par un ou plusieurs compresseurs, est envoyé dans une chambre de combustion où il est mélangé au combustible et brûle. La détente des gaz chauds dans les ailettes d'une turbine assure la rotation de celle-ci et l'entraînement des compresseurs. On recueille l'énergie mécanique en bout d'arbre de la turbine.

■ **Origines. 1941** 1ers essais en Suisse. **1953** aux USA, non rentables. **1966** essais avec des turbines aéronautiques + légères et + économiques. **1967** avec une turbine aéronautique, la SNCF atteint 252 km/h. Ce matériel a donné naissance au turbotrain et permis la réalisation d'un prototype TGV 001. Voir ci-dessous.

Turbotrains. En exploitation en France dep. 1970. RTG (rames à turbines à gaz) : Paris-Caen-Cherbourg, Paris-Boulogne, Lyon-Strasbourg, Lyon-Bordeaux, Caen-Tours ; ETG (éléments à turbine à gaz) : Lyon-Annecy, Lyon-Clermont, Clermont-Besançon, Clermont-Dijon, Dijon-Nevers et Annecy-Grenoble-Valence.

Quelques projets

A coussins d'air

■ **Aérotrain.** Inventé par le Français Jean Bertin (1917-75). Sustenté et guidé par des coussins d'air horizontaux et verticaux, il glisse sur une voie en béton ayant la forme d'un T inversé. Peut être propulsé de diverses manières. **Avantages :** simplicité du système de sustentation et de guidage à coussins d'air, absence de contact avec la voie d'où économie d'entretien ; freinage, sécurité ; légèreté (300 kg par place au lieu de 1 000 en ferroviaire : infrastructure 2 à 3 fois moins chère suivant l'encombrement du sol ou du relief). **Inconvénients :** consommation d'énergie permanente pour sustentation et guidage, compensée par les économies d'infrastructure, surtout pour les lignes à fréquentation moyenne ; problème de retournement des véhicules aéropulsés limitant leur capacité, tandis que les véhicules à propulsion électrique peuvent être assemblés en convoi et circuler dans les 2 sens.

Phase expérimentale : de déc. 1965 à mars 1974 à Gometz (voie de 6,7 km posée à même la plate-forme de l'ancienne ligne de Paris à Chartres, entre Gometz et Limours) et à Saran (voie de 18 km, en viaduc à 5 m de haut, entre Ruan et Saran) ; prototypes : Aérotrain 01 à hélice (303 km/h) puis à réacteur (345 km/h) ; 02 à réacteur (422 km/h) ; S 44 (suburbain 44 places) à moteur électrique linéaire (170 km/h) ; Tridim électrique à crémaillère (s. pour transports urbains essayé sur voie de 200 m au centre EDF Renardières) ; I 80 (interurbain à 80 places) à hélice, puis à réacteur, qui atteint 430,2 km/h, le 5-3-1974. **Études :** ligne Lyon-Bron à Grenoble pour les JO de 1968 ; projets intervilles (Paris-Orléans, Milan-Turin, dorsale ouest T'ai-wan) ; projets suburbains (Orly-Roissy, Marseille-Aix, Vitrolles et plusieurs liaisons d'aéroports à l'étranger). **1971**-*29-7* choix décidé pour La Défense-Cergy : construction et exploitation confiées à la SNCF et à la RATP, invitées à créer une filiale commune. Maître d'œuvre, Aéropar (Aérotrain de la région parisienne) confie l'étude de l'infrastructure à la Sté des grands travaux de Marseille (GTM), la conception du véhicule à la Sté de l'Aérotrain, compétente dans le domaine du coussin d'air, et la motorisation à la Sté Le Moteur Linéaire (LML), relayée en 1973 par Jeumont-Schneider. L'exploitation devait être assurée par éléments de 2 véhicules circulant à 60 secondes d'intervalle, les 23 km étant effectués en 10 minutes. **1974**-*17-5* le protocole est ratifié. *17-7* les pouvoirs publics reviennent sur leur décision.

Nota. – La Sté de l'Aérotrain, créée en 1965, a été absorbée par la Sté Bertin en déc. 1980. Le prototype aéropulsé a été incendié le 25-3-1992 à Chevilly (Loiret).

■ **Hovertrain** (G.-B.). Sur coussins d'air. Prototype abandonné 1973 (difficile mise au point du moteur électrique linéaire). En raison de la configuration voie/véhicule (à cheval sur un U inversé), il fallait utiliser un moteur linéaire à plat d'où nécessité d'une suspension secondaire ; le guidage de détresse était délicat à réaliser.

Systèmes magnétiques

■ **Sustentation magnétique.** **Maglev** (Magnétisme Lévitation). *Principe :* opposition de 2 champs magnétiques, générés l'un par des aimants supraconducteurs placés sous le train, l'autre par des bobines disposées sur la voie, crée une force répulsive qui fait flotter le train au-dessus du sol. La propulsion repose aussi sur des forces magnétiques s'exerçant dans le sens horizontal. Vitesse 500 km/h. Prototype 22 m sur 3 de large ; 20 t.

Allemagne : 1°) *Véhicule reposant sur 2 poutres parallèles* (disposition abandonnée). **2°)** *Véhicule enveloppant une large poutre caisson,* solution retenue pour Transrapid, ligne expérimentale de 31 km (ouverte 1987 à Ems). Des bogies regroupent aimants porteurs et stators des moteurs linéaires, de chaque côté, les spires du « rotor long » étant noyées dans la voie. Suspension secondaire. *Construction envisagée* d'une ligne Hambourg-Berlin (283 km, coût 29 milliards de F dont ligne 14) ; Orlando-aéroport, 22 km aux USA (retenue juin 1991).

Corée : train expérimental *Komag 01* présenté 21-12-1990 (1,8 t, charge 1,2 t, vitesse max. 40 km/h, s'élève à 13 puis 8 mm au-dessus de la voie), prototype d'un modèle à basse et moyenne vitesse qui sera mis en service à l'exposition de Taejon (1993).

Japon : 2 véhicules d'essais miniatures de conception analogue ont été essayés par JAL à vitesses moyennes. A l'exposition de Tsukuba 85, un véhicule de 47 places a été présenté à 40 km/h, sur une piste de 350 m. *Projets :* liaison zone hôtelière de Las Vegas. *L 500* (voiture de 10 t, longueur 13,5 m, hauteur 2,7 m) sur une voie expérimentale de 7 km (île de Kyushu). Formule de supraconduction avec utilisation de câbles creux en titane-niobium, remplis d'hélium liquide (permettant de passer de 0 à 290 km/h en 30 s) ; freinage à 3 circuits (électrique, hydraulique et mécanique). *Projet :* Tōkyō-Osaka (500 km).

Moteur linéaire (dit moteur axial). N'exige aucune conversion de mouvements tournants en mouvement longitudinal. Il comporte un alignement de bobinages sous tension alternative, créant, dans un conducteur placé entre les pôles, un champ électromagnétique variable, donc des courants induits dans ce conducteur. La force de réaction électromagnétique créée tend à déplacer le bloc de bobinages. Pour freiner, on inverse le sens de passage du courant dans le rotor du véhicule. Le moteur est silencieux, ne pollue pas l'atmosphère ; mis au point par Pierre Guimbal, il a un rendement élevé.

Moteur thermique rectilinéaire. Conçu et mis au point de 1970 à 1980 par Jean Jarret (né 8-7-1918) et Jacques Jarret (né 26-10-1924). Comprend un cylindre fermé à ses 2 extrémités, à l'intérieur duquel se déplacent symétriquement 2 pistons. Chaque explosion, au centre du cylindre, écarte les pistons qui sont ensuite rapprochés par des ressorts hydrauliques. Des noyaux magnétiques solidaires des pistons constituent les éléments mobiles d'un générateur de courant électrique qui transmet à l'extérieur l'énergie utile. Par rapport aux moteurs thermiques conventionnels, la durée des hautes températures est réduite de 95 %, tandis que le rapport volumétrique de détente est presque doublé. Ce cycle thermodynamique permet d'augmenter le rendement et de réduire la pollution.

■ **Comparaison roue-rail / sustentation magnétique.** *Système roue-rail :* permet de pénétrer au centre des villes en utilisant le réseau existant. Consommation d'énergie faible : 1,5 l pétrole aux 100 km par voyageur transporté. Potentiel de vitesse (record à 515,3 km/h) au moins égal. *Train magnétique :* ne procure pas le confort vibratoire idéal. Il repose en effet sur des sous-structures porteuses qui subissent elles aussi des vibrations dues aux défauts de la voie. Aussi bruyant que le TGV (à 350 à 400 km/h, le bruit est essentiellement d'origine aérodynamique). Il faudrait des écrans anti-bruit d'au moins 3 m de haut centrés sur les 6,5 m d'altitude moyenne de la ligne. L'implantation des gares terminales se faisant à la périphérie des villes, il y aurait rupture de charge. *Consommation énergétique* (par passager v. 300/400 km/h) roue-rail, 41,2 wh. Transrapid (allemand), 80 à 90 wh. EDS (japonais) 150 wh.

■ **Répulsion électrodynamique.** Obtenue grâce à un déplacement de bobines supraconductrices induisant un courant dans une suite de bobines incorporées à la voie. Elle ne présente pas les mêmes problèmes de sécurité que la sustentation magnétique, mais son coût risque d'être élevé et les contraintes sont considérables : nécessité de faire baigner les aimants supraconducteurs dans une enceinte proche du zéro absolu (les véhicules doivent comporter une unité de reliquéfaction d'hélium pour compenser les pertes), nécessité d'un train de roues pour atteindre 100 km/h, vitesse à laquelle le phénomène électrodynamique qui se produit est suffisamment important pour sustenter le véhicule (véhicules lourds et sophistiqués). **État des travaux.** **Allemagne :** abandonné. **Japon :** JNR (Japanese National Railways), un véhicule d'essais a atteint 500 km/h sur 7 km. Les coûts très élevés d'infrastructure limitent le marché à des liaisons disposant de plusieurs centaines de milliers de passagers par jour (1 seule dans le monde pour le moment). **USA :** travaux en sommeil (après étude de l'Institut de recherches de Stanford).

■ Tubes sous vide

■ **Principe.** Un véhicule circulerait dans un tube où le vide serait réalisé. Vitesse attendue 600 à 1 000 km/h. **Projets.** Peu réalisables abandonnés (coût et difficultés). Le *Rapid Gravity Tube* proposait un tube en forme de parabole s'enfonçant très loin dans la terre pour accélérer puis ralentir le véhicule par gravité.

■ Transports mixtes

Hochleistungs-Schnellbahn (HSB, ex-All. féd.). Visait à transporter automobiles et camions qui, après avoir emprunté ce système, reprenaient la route. Les véhicules (8 m de large sur 7 m de haut) ont été envisagés soit sur rail, soit à sustentation sur coussins d'air, ou magnétiques à des vitesses d'env. 300 km/h. Étude abandonnée (pas rentable).

Rollway (USA). Aurait transporté automobiles et voyageurs sur des wagons très larges (7 m) roulant sur une voie de 5,40 m à 320 km/h. Projet abandonné (pas rentable).

■ Voitures et wagons

■ Quelques dates

Nota. – Aujourd'hui on appelle *voiture* le matériel destiné aux voyageurs et *wagon* celui réservé au fret. Exception : la CIWLT (Cie internationale des wagons-lits et du tourisme).

Début du XIXe s. caisses de berlines ou de diligences placées sur « trucks » ; wagons-tombereaux à portes d'acier latérales et marchepieds. **1838**-*15-5 :* 1res voitures fermées et garnies traînées par des chevaux. **V. 1840** 1res voitures spécifiquement ferroviaires (caisse et châssis en bois). **1842** 1res voitures sur châssis en fer (sur le Great Western, USA). **1844** les voitures de 3e classe doivent être couvertes et fermées au moins avec des rideaux. **1850** capitonnage des 1re et 2e cl. **1855**-*1-2 1er train postal* (G.-B., entre Londres et Bristol). 1ers wagons de 10 t. **1859**-*1-9 : 1re voiture-lit* conçue par Georges Pullman (Amér.). **1863** *1res voitures-restaurants* (ligne Philadelphie-Baltimore, USA). **1872**-*1-10* fondation des wagons-lits (v. plus loin). **1873** 1ers wagons français *frigorifiques.* **1877** tables pour les repas en 3e cl. 1ers wagons de 15 t (Cie PLM). **1880** France : adoption du frein à air comprimé Westinghouse qui permet de commander le freinage de tous les véhicules. **1887**-*11-4* 1er train de voyageurs avec intercirculation par *soufflets* (brevet G. Pullman) entre Chicago et Otto sur l'Illinois Central Railroad. **1889** 1re application de l'intercirculation par soufflet (PLM).

1900 1ers wagons de 20 t (Cie de l'Est). **1920** voitures semi-métalliques ; caisses métalliques autoportantes. **1923** 1re voiture pour train express entièrement en acier, construite en France (Cie du Nord). **1925** 1re voit. métallique étudiée par l'OCEM (Office central d'études de matériel). **1935** *1er train aérodynamique* à traction à vapeur (locomotives et voitures carénées) (Cie PLM). **1950** *Talgo* sur Madrid-Hendaye (*train articulé léger Goicoechea y Oriol,* du nom de l'inventeur et du commanditaire). **1956**-*3-6* suppression de la 3e cl. (Fr.). *-30-9 :* 1re relation TEE « Trans-Europ-Express » (Lyon-Milan). **1974** réservation électronique des places. **1975** 1res voitures *Corail,* 1re et 2e cl. à conditionnement d'air. **1976** 1res voitures couchettes de 2e cl. à conditionnement d'air. **1980** sur la ligne classique Paris-Lyon via Dijon 1res rames du TGV. **1982** voitures « Espace-Enfants ». **1985**-*4-3* voitures « 1re classe Plus » et « Cabine 8 ».

■ Éclairage et chauffage

1ers trains éclairés aux bougies, puis avec des lampes à huile et à pétrole. **1858**-*10-12* 1er essai d'éclairage au gaz *(Paris-Strasbourg).* **1860** 1er éclairage électrique. **1882**-*9-9 1re gare de voyageurs éclairée en France :* St-Lazare. **1885** les voitures de 1re cl. sont chauffées par des bouillottes, renouvelées pendant les arrêts. **1891** chauffage à eau chaude à thermosiphon avec foyer extérieur sur chaque voiture, appliqué d'abord à la Cie de l'Est. **1892** essai d'éclairage électr. des voitures par piles. **1897** chauffage des voitures par circulation de vapeur venant de la locom. (essais). **1899** essais d'éclairage électr. sur Paris-Le Havre et Paris-Bordeaux (système Vicarino, avec dynamos commandées par l'un des essieux). **1919** sur les lignes électrifiées, les radiateurs électriques seront alimentés par le courant recueilli par la motrice sur la ligne caténaire (1ers essais en 1910 sur les lignes de la Valteline en Italie, et de St-Moritz en Suisse). **1948** application en série de l'éclairage fluorescent. **1975** généralisation du conditionnement d'air sur le Corail (1re et 2e cl.), grâce à un convertisseur statique alimenté par la ligne du train.

■ Caractéristiques

Longueur et tonnage. **Records du monde :** *Afr. du S.* (26/27-8-1989) (Sishen-Saldanha) 7 300 m, 600 wagons, chargé de 69 393 t (sans les 7 locomotives) a parcouru 861 km. *USA* (15-11-1969) (Virginie) 6 000 m, 500 wagons ; *Mauritanie* (dep. 1966) chemin de fer minier de la Miferma, 2 150 m, 184 wagons, 4 loc. Diesel électriques, charge de 18 500 t (record le 4-5-1966 : 19 722 t) ; *Canada* chemin de fer minier du Labrador, 2 600 m, tiré par 4 locomotives Diesel, 125 wagons. En 1975, une église du XVIe s. (9 980 t) a été transportée sur rail à Most (Tchécosl.), vitesse 3 cm/min, sur 730 m.

Train le plus lourd en France. 3 600 t (charge utile 2 700 t). En 1967, un wagon de 500 t de charge utile (record du monde) a été mis en service (longueur 53 m, poids à vide 185 t). *Projet SNCF :* trains « hyperlourds » (fret) jusqu'à 5 000 t.

Caractéristiques moyennes. *Trains de marchandises :* 750 m (60 à 75 wagons). *Voyageurs :* 500 à 900 m, 12 à 18 voitures, 500 à 1 200 voyageurs.

Voitures-lits

Quelques dates. 1872-*1-10* fondation de la 1re *compagnie internat. des wagons-lits* par Georges Nagelmackers (Cie internationale le 4-12-1876). **1873** 1er wagon-lit (sleeping-car) sur un réseau français (Paris-Avricourt). **1882**-*10-10* 1er *wagon-restaurant* (Paris-Vienne). **1883**-*5-6* inauguration du *Train-Express-Orient* que l'on n'appellera bientôt plus que l'*Orient-Express*. Contournant les Alpes par le nord (le tunnel du Simplon ne fut ouvert qu'en 1906), puis longeant le Danube, il reliait Paris, Vienne, Budapest, Bucarest et Constantinople. Après Bucarest, il s'arrêtait à Giurgevo ; les voyageurs traversaient le Danube sur un bac à vapeur, débarquaient en Bulgarie, à Routschouck, montaient dans un autre train qui, en 7 h, les conduisait à Varna, sur la mer Noire, où ils embarquaient sur un paquebot (autrichien) qui les déposait à Constantinople après une traversée de 15 h. Partis de Paris les mardis ou les vendredis à 7 h 30 du soir, ils parvenaient à Constantinople les samedis et mardis à 7 h du matin, mais le trajet représentait une réduction de 30 h sur les horaires précédents. **1889**-*1-6* la voie ferrée Belgrade-Nish-Sofia-Constantinople ayant été achevée, le voyage se fait entièrement par fer de Paris à Constantinople : 3 186 km en 67 h 35. **1894** *voitures-lits :* Ostende-Vienne. **1895** Paris-St-Pétersbourg. **1919**-*12-4 :* Simplon-Orient-Express. **1968** *voit.-lits T2* (accessibles avec un billet de 2e cl.) (18 compartiments à 2 lits). **1976** une agence suisse remet en service 14 voit.-lits et voit.-restaurants pour des trains spéciaux Zurich-Istanbul (Nostalgie Orient-Express). **1982**-*25-5* 1res circulations du *Venise-Simplon-Orient-Express*, exploité par une Cie privée et constitué de matériel ancien de la CIWL. *Moyenne :* 75 km/h sur les 1 667 km. *Passagers :* 22 000 en 1984 (40 % d'Anglais, 35 d'Amér., 12 de Français, 9 d'Italiens, 2 de Japonais et 1 d'Australiens). *Prix :* aller 4 950 F comprenant dîner, petit déjeuner, déjeuner, thé. 36 personnes s'occupent des 180 passagers. **1984** mise en service de l'*Istanbul-Orient-Express* avec matériel de 1930 loué par VPS (Visit Paris Service) à la CIWL.

Cie int. des wagons-lits (CIWL). Sté de droit belge. Principaux actionnaires (en %). Groupe Caisse des dépôts et consignations 27,9, ACCOR : 69,5 %. **Chiffre d'affaires** (en 1991, en milliards de F) : 15 (dont restauration collective et publique avec Eurest 33 %, hôtellerie 16, wagons-lits 20, tourisme 26, location de voitures 13). A repris Europcar et les 2 premiers loueurs mondiaux de bateaux de plaisance. **Bénéfices nets :** 330 millions de F (+ 7,5 %) en 1991.

Voyageurs transportés en voit.-lits. 3 689 000 (Espagne 1 021 000, Italie 944 000, France 717 000, autres pays 876 000) ; classe « touriste » : 3 280 000.

Trafic de quelques trains (1983). Paris-Côte d'Azur 150 100 ; Rome-Milan 118 000 ; P.-Milan 39 100 ; Madrid-Bilbao 28 400.

Prestations servies. Voitures-restaurant : 1 200 000 repas ; v. libre-service : 5 400 000 ; v.-bar : prestations ; plateaux-repas. **Agents** (au 31-12-1991) : 50 000.

Statistiques

En France

Parc (en service au 31-12-1992). 2 310 locomotives électriques, 1 977 diesels : 831 automotrices électr., 714 autorails, 213 TGV, 38 turbotrains, 1 399 locotracteurs.

Voitures et wagons en exploitation (effectif au 31-12-92). *Voyageurs :* 16 318 voitures (y compris automotrices électriques, autorails, turbotrains, remorqueurs d'automotrices et d'autorails). *Fret :* 152 112 wagons (dont 72 413 wagons de particuliers). 35 % du parc assurent plus de 55 % du tonnage kilométrique.

Voitures (en service en 1992). *Type* standard européennes : 100, climatisées, aptes à rouler à 200 km/h après adaptation du frein, 9 compartiments de 1re classe. *Type VTU (Corail) :* 2 315, climatisées, insonorisées, pas de compartiments, couloir central, aptes à rouler à 200 km/h après adaptation du frein. *Type VU (Corail) :* 1 439, climatisées, insonorisées, avec des compartiments, couloir latéral, aptes à rouler à 200 km/h après adaptation du frein (voitures-couchettes 1 414). *Voitures-lits* 175 ; *voitures à 2 niveaux* (services régionaux d'Ile-de-France) : 825.

Prix (en millions de F, HT, en 1991). *Locomotive électrique* (BB 26 000-5 600 kW) 18,2. *Voiture Corail :* de 3,7 à 4. *Rames TGV :* Sud-Est (6 450 kW, 270 km/h) à 10 caisses : 73 ; Atlantique (8 800 kW, 300 km/h) à 12 caisses : 83,6. *Wagon à bogies :* 0,4 à 0,71.

Dans le monde

1991 *Source :* UIC	Voitures voyageurs [1]	Wagons march. [2]	Locom. et assim.
All. féd.	14 838	244 087	8 180
Belgique	3 244	29 560	1 738
Espagne	3 987	36 073	1 933
France	*15 817*	*141 800*	*7 475*
G.-B.	11 779	30 888	n.c.
Italie	14 175	97 365	4 882
Japon	26 028	30 231	25 568
Pays-Bas	2 353	6 384	1 221
Suède	1 717	24 993	1 333
Suisse	4 264	27 533	1 837
Turquie	1 494	21 571	902
USA [3]	n.c.	1 212 261	21 494

Nota. – (1) Y compris matériel en situation spéciale. (2) Effectif en exploitation, corrigé du solde des échanges entre réseaux, non compris les wagons de particuliers. (3) 1990.

Réseau

Histoire

Quelques dates. 1825-*27-9* *1re ligne ouverte aux voyageurs :* Stockton à Darlington (G.-B.). **1827**-*14-5* *1er chemin de fer fr.* Andrézieux-St-Étienne (20 km) pour le transport du charbon. **1829-30** exploitation commerciale voyageurs sur le Liverpool-Manchester avec traction entièrement à vapeur. **1830**-*3-5* *1er train régulier de passagers en G.-B.* sur une section d'un mile, partie d'une voie de 6,25 miles (10,05 km). **1831** *1er transport de voyageurs en France* à Givors (sur chariots destinés au transport du charbon). **1832** *1er billet de chemin de fer* sur le Leicester Swannington Railway. *-1-3* [voitures spécialement construites, St-Étienne-Andrézieux] : *1er train de voyageurs en France.* **1833**-*4-4* Givors-Lyon. **1834**- *17-12* *1er chemin de f. irlandais.* **1835**-*5-5* *belge* (Bruxelles-Malines). **1835**-*7-12* *allemand* (Nuremberg-Furth). **1836**-*juillet, canadien* (St-John-La-prairie). *-30-10 russe* (St-Pétersbourg-Pavlosk). **1837**-*24-8* inauguration du Paris-St-Germain. La ligne s'arrêtait au Pecq, les locom. ne pouvant gravir la rampe qui conduisait à St-Germain ; une voiture directrice remplace la locom. Sous son châssis un piston plonge dans un tube disposé entre les rails jusqu'à St-Germain où des pompes font le vide dans le tube ; la rame est « aspirée » le long de la rampe de 35 ‰. **1838**-*mars* Montpellier-Sète. *-2-8 :* Asnières-Versailles (rive droite). **1839**-*12-9* Mulhouse-Thann. *-20-9 néerlandais* (Amsterdam-Haarlem). *-4-10 italien* (Naples-Portici). **1840**-*19-8* Alais-Beaucaire. *-10-9* Paris-Versailles (rive gauche). *-20-9* Paris-Corbeil. **1841**-*17-8* ligne Kœnigshoffen (Strasbourg) à St-Louis (Bâle) 136 km ; *1re ligne internationale* en Europe. **1842**-*nov.* Lille-Valenciennes à la frontière. **1843**-*2-5* Juvisy-Orléans (Paris-Orléans). *-3-5* Colombes-St-Sever (Paris-Rouen) en passant par le tunnel de Rolleboise long de 2 646 m. **1844**-*15-1* *1re gare de marchandises* importante en France (les Batignolles, à Paris, 14 ha). **1846**-*14-6* Paris-Lille-Valenciennes. *-23-6* Paris-Sceaux. **1847**-*22-3* Rouen-Le Havre. *-20-7* Orléans-Vierzon-Bourges. *-9-8* *1er chem. de f. suisse* (Zurich-Bâle). **1849**-*20-8* *1re gare maritime de France* à Calais. **1853**-*16-4* *1er chem. de f. des Indes* (Bombay-Thana). **1855**-*26-9* *d'Australie* (Sydney-Liverpool). **1856** la Malle des Indes emprunte la ligne Calais-Marseille. **1857**-*1-1* *1er chem. de f. égyptien* (Alexandrie-Le Caire). 1872 *japonais* (Tokyo-Yokohama). **1876**-*30-6 chinois* (Shangai-Kungwan). **1883** création de l'Orient-Express (Voir ci-dessus : Voitures-lits). **1894** *Le Cap-Mafeking* (Afr. du S, poursuivi 1906 jusqu'à Broken Hill : 3 235 km). **1901** liaison Chili-Argentine à travers les Andes par un tunnel à 3 155 m d'alt. **1917** *ferry-boats* entre France et G.-B. (trains militaires de ravitaillement et de munitions). **1918**-*22-2 :* ferry-boat voyageurs sur la Manche (Newhaven-Dieppe). **1981**-*27-9 :* ouv. du tronçon sud St-Florentin-Sathonay du TGV Paris-Sud-Est. **1989** ouv. TGV Atlantique : (voir p. 1694 c).

Évolution des réseaux. En km : 1825 *40* (G.-B.). **1830** *187 :* Europe 141 (G.-B. 91, France 50) ; Amér. 66. **1835** *2 199 :* Amér. 1 767 ; Europe 432 (G.-B. 253, Fr. 141, Belg. 19). **1840** *7 507 :* Amér. 4 745 ; Europe 2 762 (G.-B. 1 358, All. 468, Fr. 426). **1845** *16 925 :* Amér. 7 873 ; Europe 9 052 (G.-B. 4 080, All. 2 127, Autr. 898, Fr. 875). **1850** *38 055 :* Europe 23 060 (G.-B. 10 653, All. 5 855, Fr. 3 000, Autr. 1 290). **1855** *65 979 :* Europe 33 907 (G.-B. 13 322, All. 7 824, Fr. 5 526, Autr. 1 443) ; Amér. 32 430 ; Inde 251. **1860** *117 242 :* Amér. 52 792 (A. du S. 410) ; Europe 51 066 (G.-B. 16 787, All. 11 087, Fr. 9 444, Autr. 2 876) ; Asie 1 396 (Inde 1 353) ; Turquie 43. **1865** *144 336 :* Europe 74 538 (G.-B. 21 382, All. 13 899, Fr. 13 590, Italie 4 034, Autr. 3 582) ; Asie 5 625 (Inde 5 419). **1870** *208 930 :* Europe 102 804 (G.-B. 23 507, All. 18 664, Fr. 17 762, Russie 11 240, It. 6 173, Autr. 5 992) ; Amér. 94 171 ; Asie 8 350 (Inde 7 788). **1876** *312 581 :* Europe 149 468 (All. 29 177, G.-B. 27 621, Russie 21 923, Fr. 20 355, Autr. 11 090) ; Amér. 143 117 ; Asie 13 230.

Nota. – La circulation des trains se faisait à droite sur le chemin de fer reliant Strasbourg à Bâle ouvert de 1839 à 1841.

Réseaux actuels

En France

Longueur (en km). **Lignes** *1932 :* 42 600. *50 :* 41 300. *60 :* 38 840. *70 :* 36 530. *82 :* 34 599. *89 :* 34 322. *90 :* 34 070. *91 (31-12) :* 33 446. *93 (1-1) :* 32 727 dont en exploitation ferroviaire 29 555. Lignes électrifiées *1939 :* 3 340. *50 :* 3 890. *60 :* 6 820. *70 :* 9 360. *82 :* 10 660. *85 :* 11 488. *90 :* 12 609. *92 :* 12 986. Ouvertes au trafic voyageurs *1950 :* 30 600. *60 :* 29 270. *70 :* 25 640. *82 :* 23 771. *90 :* 23 875. *92 :* 23 797. Marchandises *1991 (31-12) :* 31 736 km. *92 (31-12) :* 30 788. Voies principales (au 31-12-92) : 49 016 km dont 30 284 armés de longs rails soudés (19 538 km sur traverses de béton armé), 2 959 autorisant 200 km/h et +, 15 431 km de service.

Coût de l'électrification. 2,5 millions de F au km. L'électricité qui coûtait, avant 1973, 2 fois + cher que le diesel, coûtait en 1981 36 % moins cher [meilleures performances des locomotives, entretien facile (2 h tous les 1 000 km), moins d'incidents techniques (2 pour 1 000 000 de km), moins de pollution].

Lignes fermées (au service d'intérêt régional). De **1967 à 1981 :** 996 km (30 lignes) sans remplacement, et 7 466 km (158 lignes) avec transfert sur route du service de voyageurs. **1982 à 87 : aucune. 1988** Serqueux-Dieppe (48 km), avec transfert sur route du service de voyageurs.

Lignes ouvertes. Principales, de 1920 à 1975 : 1928-*11-7 :* Bedous à Canfranc (gare internationale). *-21-10 :* Saales à St-Dié. *-31-10 :* Nice à St-Dalmas de Tende. **1929 :** Ax-les-Thermes à La Tour-de-Carol. Entveitg (frontière espagnole). **1931**-*15-5 :* Novéan + à Lérouville. *-1-7 :* Vichy à Riom. **1932**-*25-8 :* Gannat à La Ferté-Hauterive. **1937**-*2-8 :* Ste-Marie-aux-Mines à Lesseux-Frapelle. **1974**-*16-2 :* Viry-Châtillon à Grigny-Centre. **Lignes ouvertes ou réouvertes depuis 1975 : 1975**-*16-12 :* Grigny-Centre à Corbeil-Essonnes (11 km). **1976**-*30-5 :* Aulnay-sous-Bois à Roissy (aéroport) (13 km) : service voyageurs. **1977**-*25-9 :* Pont de Rungis. Aéroport d'Orly à Massy-Palaiseau (10 km). **1978**-*27-5 :* Cannes-Ranguin (3 km). **1979**-*1-4 :* Paris-St-Lazare-Cergy Préfecture (17 km). *-30-9 :* jonction banlieue S.-O. avec ligne Paris-Invalides-Versailles-RG (tunnel de 840 m) entre les terminus de 2 lignes anciennes (Quai d'Orsay, Invalides) (ligne C du RER). *-7-10 :* Coni-Breil-Vintimille (47 km en territoire fr.), rouverte et exploitée par les Chemins de fer italiens (FS) avec leur personnel et leur matériel de traction. **1981**-*27-9 :* tronçon sud du TGV Paris-S.-E. (St-Florentin-Sathonay-Rillieux : 274 km, raccordement de Pasilly et de Pont-de-Veyle : 20 km). Bréaute-Beuzeville-Fécamp (20 km). *-18-12 :* Clamecy-Corbigny (33 km ; rouv. serv. voy. ; 2 allers-retours express en fin de semaine). **1982**-*4-1 :* Ballan-Chinon (39 km) fermée aux voyageurs en sept. 80. *-28-3 :* La Ferté-Milon-Reims (76 km) fermée aux voyageurs depuis 1972. **1983**-*25-9 :* tronçon nord du TGV Paris-Sud-Est (Combs-la-Ville/St-Florentin : 116 km). **1985**-*29-9 :* Cergy, préfecture de Cergy-Saint-Christophe. **1992** 1er tronçon du contournement de Lyon, 75 km (TGV).

☞ *Ont été également ouvertes ou réouvertes depuis 1975 :* lignes La Pauline-Hyères à Hyères (10 km) ; Langon-Bazas (20 km).

Embranchements particuliers (privés). *Longueur :* moins de 100 m à plusieurs dizaines de km. *Propriétaires :* certains services de l'armée, mines, carrières, usines, entrepôts, silos. Env. 9 500 établissements sont reliés au réseau public directement (7 400) ou par un sous-embranchement (2 100). **Trafic :** quelques milliers à plusieurs millions de t par an. Env. 90 % du trafic total de marchandises de la SNCF, en wagon complet, partent d'un embranchement ou y aboutissent ; (env. 75 millions de t en 1987) vont par trains complets d'embranchement à embranchement sans triage intermédiaire.

Établissements commerciaux (1988). Voyageurs et fret : 6 593. Dépôts ou relais de locomotives : 87. Ateliers de matériel roulant : 21.

Passages à niveau (au 31-12-92). 20 284 dont gardés 3 174, automatiques 11 496. *Sept. 1979 :* 1er passage à énergie solaire à Savonnières (I.-et-L.), sur

Tours-Saumur. *Sept. 1980 :* 1er passage à aérogénérateur (énergie éolienne) à Saujon (Ch.-M.), sur Saintes-Royan. **Accidents :** *1987 :* 262 (48 †). *88 :* 224 (35 †).

■ **Domaine foncier** (1987). 115 000 ha dont 95 % supportent lignes et installations techniques ou d'exploitation (il y a 10 000 communes traversées).

■ Trains à grande vitesse

Allemagne féd. *Berlin-Hanovre (1933-34) :* 133,7 km/h (sur 254 km). *ICE (Intercity Experimental) record mai 88 :* 406,9 km/h sur la nouvelle ligne Fulda-Würzburg. *91 (2-6) :* mise en service Hambourg-Munich (427 km de voies nouvelles), pointes à 280 km/h. 2 motrices à moteur asynchrone, encadrant 14 voitures (vitesse commerciale 250 km/h ; puissance 9 500 kW ; charge à l'essieu 23 t ; longueur 410 m ; places 759 ; prix d'une rame 170 millions de F). Moins rapide que le TGV, mais l'All. a choisi de faire rouler sur ses voies à grande vitesse les trains de marchandises. Les « Verts » ont fait modifier son tracé d'où de nombreux tunnels qui ont retardé la construction. Il doit s'arrêter souvent pour prendre une clientèle plus dispersée. La vitesse pure lui est moins nécessaire que la puissance pour lui permettre de redémarrer efficacement.

Australie. *Sydney-Melbourne :* (prév. 2000), 870 km, coût : 24,5 milliards de F.

Canada. Projet de TGV transcanadien : *Montréal-Toronto* (prév. 1993) ; coût prévisionnel : 12,5 millards de F. *Québec-Windson :* (prév. 2000) 930 km, coût : 27 milliards de F.

Corée du S. *Séoul-Pusan :* projet de mise en service 2001, 409 km en 1 h 40. *Coût* 73,5 milliards de F.

Espagne. *Tren AVE alta velocidad española* (inauguré 14-4-1992) : *Madrid/Séville :* 471 km en 2 h 50, vitesse max. 300 km/h (en 1992 250, commerciale 171 ; rame (200,19 m, 421,5 t) 2 motrices encadrant 8 voitures, 329 pl., puissance max. 8 800 kW. *Coût* 26 milliards de F ; *Madrid/Barcelone* (prévu 1994, ajourné) : 550 km, coût : 40 milliards de F. Alsthom fournira les rames, Siemens les locomotives de puissance E 120.

États-Unis. Texas. *Dallas-Houston-San Antonio* via *Austin* [Dallas-Houston (prév. 1998) en 1 h 30 à 320 km/h ; Houston-San Antonio (prév. 2005)], coût : 5,8 milliards de $, commande passée 29-5-1991 au Consortium franco-amér. Texas TGV.

France. *TGV* voir p. 1694.

G.-B. *Intercity 125* (200 km/h) sur la ligne Londres-Bristol, 7 voitures Mark III encadrées par 2 locom. Diesel (dep. 1976). *IC 225 :* en service dep. 2-10-1989 sur Londres-Leeds. Vit. comm. 200 km/h (locomotive et fourgon pilote encadrant 8 voit.) ; puis. 4 700 kW ; alim. 25 kV ; charge à l'essieu 20,5 t ; long. 224,40 m ; pl. 480 (122 strapontins) ; prix 37 millions de F. A remplacé les rames diesel HST (High Speed Train) sur la côte Est (Londres-Leeds-Édimbourg). Juillet 1992, a relié Londres à Édimbourg à 225 km/h (la plus grande vitesse en exploitation comm. réalisée sur une ligne classique). British Rail a reporté le projet de liaison rapide entre Londres et le tunnel sous la Manche [le coût des travaux prévus ayant triplé en raison des exigences écologistes (36,5 milliards de F)].

Italie. *ETR 450 :* en service dep. avril 1988. Vit. comm. 250 km/h (sur la *« Direttissima »* (Rome-Florence) ; ligne de 254 km (au lieu de 314) construite en 1977-82 ; compos. 8 véhicules moteurs ; puis. 4 700 kW ; alim. 3 000 V ; charge à l'essieu 12,5 t ; long. 183,6 m ; pl. 344 ; prix d'une rame env. 110 millions de F ; constructeurs Fiat ferroviaria. *ETR 500 :* prototype été 1991. Vit. comm. 300 km/h ; puiss. 8 500 kW ; rame à 2 motrices encadrant 12 remorques ; charge à l'essieu 18 t ; places 714 ; prix d'une rame env. 160 millions de F.

Japon. *Shinkansen* (le nouveau train) **Tokaïdo** *(1re ligne, Tokyo-Osaka-Hakata)* 1 069 km (dont 347 km de tunnels) courbe rayon min. 2 500 m. En service jusqu'à Osaka 25-8-1964 : 565 km (65 km de tunnel, 18 de ponts, 45 de viaducs). Okayama dep. mars 1972, Hakata dep. mars 1975 en 6 h 54 min à 155 km/h. Écartement 1,436 m. Vit. max. 270 km/h sur 42 % du trajet, 255 sur 86 % (série 300 Nozomi) ; comp. 10 motrices, 6 remorques ; rame 400 m ; puis. 12 000 kW ; alim. 25 kV, 50 ou 60 Hz ; charge à l'essieu 12 t ; pl. 1321 ; prix d'une rame 160 millions de F. Ne peut rouler sur le réseau classique (voie de 1,067). 2 genres de train : *Hikari* (l'Éclair) ne s'arrête que dans les gares principales ; *Kodama* (l'Écho), omnibus. **Joetsu-Shinkansen** (1982) Niigata-Omiya (270 km dont 106 de tunnels et 30 km de ponts), 1 h 30, vit. max. 275 km/h. **Tohoku-Shinkansen** (1982) Morioka-Omiya (496,6 km dont 115 km de tunnels et 78 km de ponts), 3 h 17, vit. max. 240 km/h.

Russie. *St-Petersburg-BologoZie :* Aurora, 136,63 km/h (318,81 km en 140 min).

Suède. *X 2 000 :* en serv. sur Stockholm-Göteborg (457 km) dep. 1990. Vit. commerciale 200 km/h ; rames motrice + 4 remorques intermédiaires + remorque-pilote ; puis. 3 260 kW ; pl. 254 ; train pendulaire ; prix 87 millions de F ; constructeur Asea Brown Boveri.

Taiwan. *Taipei-Kaochiong* (360 km) : (mise en service 1998), vit. commerciale 360 km/h ; coût 13,6 milliards de $.

☞ **Gare la plus fréquentée** *du monde :* gare centrale de Moscou : 2 800 000 voyageurs par j ; *de France :* St-Lazare (Paris) : en 1987, 126 millions de voyageurs. **Salle d'attente :** la plus grande : Pékin, inaugurée sept. 1959 : 14 000 voyageurs. **Quai le plus long :** Khargpur (Inde) : 833 m.

■ Trains européens baptisés

Légende. Eurocity (EC) : trains européens de qualité qui desservent 14 pays européens. *TAC :* trains autos-couchettes. Vitesses moyennes données au service d'hiver 1988/89.

Alienor : Bordeaux-Paris. *Admiral de Ruyter (EC) :* Amsterdam-Londres. *Adriatico :* Milan-Bari, 869 km. *Akropolis :* Ljubljana-Athènes, 1 841 km. *Albatros :* Paris-Le Havre. *Alfred Nobel (EC) :* Hambourg-Oslo. *Alpazur :* Grenoble-Digne-Nice-Marseille. *Ambrosiano :* Milan-Rome, 632 km. *Aquitaine :* Paris-Bordeaux-Dax-Hendaye. *Arbalète (EC) :* Paris-Bâle-Zurich. *Arlberg-Express :* Paris-Innsbruck. *Armor :* Paris-Brest. *Arverne :* Paris-Clermont-Ferrand. *Athènes Express :* Athènes-Venise, 2 162 km. *Aubrac :* Clermont-Ferrand-St-Flour-Millau-Béziers. *Aunis :* Paris-La Rochelle. *Autan :* Toulouse-Paris.

Barbarossa (EC) : Milan-Stuttgart. *Barcelona-Talgo (EC) :* Paris-Port-Bou-Barcelone. *Bavaria (EC) :* Zurich-Munich. *Benjamin Britten (EC) :* Amsterdam-Harwich-Londres. *Blauer Enzian (EC) :* Klagenfurt-Munich-Dortmund. *Bocage :* Paris-Granville. *Bourbonnais :* Paris-Clermont-Ferrand. *Brabant (EC) :* Paris-Bruxelles, 312 km (2 h 29 min). *Brighton Belle* (Pullman L) : 1881-1-5 / 1972. Brighton-Londres. 1er train entièrement Pullman d'Europe et éclairé à l'électricité. Les voitures portaient les noms des princesses royales (Louise, Maud, Béatrice).

Carlo Magno (EC) : Sestri Levante-Milan-Bâle-Dortmund. *Camino Azul :* Bruxelles-Port-Bou. *Capitole :* Paris-Toulouse, 713 km (Paris-Limoges 400 km). *Capitole du soir et du matin :* Paris-Limoges-Toulouse. *Catalan-Talgo (EC) :* Genève-Barcelone. *Cévenol :* Paris-Clermont-Ferrand-Marseille. *Champs-Élysées (EC) :* Paris-Lausanne-Berne. *Cisalpin (EC) :* Paris-Lausanne. *Costa del Sol :* Madrid-Málaga. *Côte-d'Azur-Paris :* Paris-Vintimille. *Côte Vermeille-Paris :* Paris-Cerbère.

Drapeau : Paris-Bordeaux.

Edelweiss : Amsterdam-Ancône. *Erasmus (EC) :* Amsterdam-Munich (Innsbruck). *Esterel :* Paris-Nice. *Étendard :* Bordeaux-Paris. *Étoile du Nord (EC) :* Paris-Bruxelles-Amsterdam. *Européen :* Francfort/M.-Metz et Luxembourg-Metz-Paris (IC)-Amsterdam-Calais-Maritime.

Faidherbe : Paris-Tourcoing, 271 km, 2 h 25. *Flandres-Riviera :* Amsterdam/Calais-Maritime/Lille-Paris-Vintimille. *Flandres-Roussillon :* Amsterdam/Calais-Maritime-Port-Bou. *Flèche d'Or (Golden Arrow) :* 1926-15-9 / 1940 et 5-8-1946 / 1969. Londres-Calais-Paris. Train ferry à partir de 1936. Surnommé « the princely path to Paris » (la « voie royale vers Paris »). *Flying Scotsman :* Londres-Édimbourg ; depuis 115 ans, il quitte Londres à 10 h. *Franz Hals (EC) :* Amsterdam-Francfort-Nuremberg-Munich. *Franz Schubert (EC) :* Vienne-Innsbruck-Bâle. *Freccia del Sole :* Bruxelles-Ancône. *Frégate :* Paris-Le Havre, 228 km (1 h 55 min).

Galilei (EC) : Paris-Venise-Florence. *Gambrinus :* Dortmund-Cologne-Stuttgart, 507 km. *Gayant :* Paris-Tourcoing, 271 km. *Genevois (EC) :* Paris-Genève. *Goéland :* Paris-Rennes-Brest/Quimper. *Goethe (EC) :* Paris-Francfort. *Gottardo :* Milan-Zurich, 276 km. *Gottfried Keller (EC) :* Zurich-Munich. *Gustave Doré :* Paris-Strasbourg. *Gustave Eiffel (EC) :* Paris-Bruxelles-Cologne.

Hansa (EC) : Copenhague-Hambourg. *Hellas-Express :* Cologne-Athènes. *Helvetia (EC) :* Zurich-Bâle-Francfort-Hambourg. *Hermann Hesse (EC) :* Chiasso-Zurich-Stuttgart. *Henry Dunant (EC) :* Paris-Genève. *Hispánia :* Bâle-Port-Bou (Barcelone).

Ile-de-France (EC) : Paris-Bruxelles, 315 km, 2 h 28. *Ibéria-Expreso :* Madrid-Paris. *Iris (EC) :* Bruxelles-Strasbourg-Zurich, 683 km. *Istanbul Express :* Munich-Istanbul, 1 646 km. *Italia Express :* Bruxelles-Calais Marit./Rome.

Jean-Jacques Rousseau (EC) : Paris-Genève. *Jean Lamour :* Strasbourg-Paris. *Johann Strauss (EC) :* Vienne-Francfort-Cologne. *Jules Verne :* Paris-Nantes, 396 km.

Dans le monde

Lignes en km (1991) *Source :* UIC	Total	dont électr.
Afrique du Sud	21 365	9 090
Algérie	4 047	301
ex-Allemagne dém.	14 034	4 241
ex-Allemagne féd.	27 079	12 048
Arabie Saoudite	1 390	nul
Autriche	5 623	3 245
Belgique	3 466	2 291
Bulgarie [1]	4 299	2 640
Chine	53 415	7 804
Corée du Sud	3 091	525
Danemark	2 344	253
Espagne [2]	12 570	6 426
États-Unis	187 691	1 667
Finlande	5 874	1 664
France	*33 446*	*12 829*
Grande-Bretagne	16 584	4 912
Grèce	2 484	nul
Hongrie	7 685	2 162
Inde	62 367	9 968
Irak	n.c.	nul
Irlande	1 944	37
Israël	n.c.	nul
Italie	16 066	9 701
Japon	20 251	11 737
Luxembourg	271	220
Maroc	1 893	974
Norvège	4 027	2 426
Pays-Bas	2 780	1 939
Pologne	25 848	11 510
Portugal	3 116	461
Suède	10 970	7 252
Suisse	3 227	3 214
Syrie	1 525	nul
Tchécoslovaquie	13 116	3 971
Tunisie [1]	2 008	110
Turquie	8 429	667
Yougoslavie [1]	9 490	3 790

Nota. – (1) 1990.

Karwendel (EC) : Innsbruck-Munich-Hambourg. *Kléber :* Paris-Strasbourg, 504 km. *Komet (EC) :* Chur-Bâle-Hambourg.

Le Corbusier (EC) : Paris-Bâle-Zurich. *Lemano (EC) :* Paris-Lausanne. *Leonardo da Vinci (EC) :* Milan-Munich-Stuttgart-Dortmund. *Les Écrins :* Valence-Briançon. *Ligure :* Marseille-Milan. *Limousin :* Brive-la-Gaillarde-Paris, 499 km. *L'Oiseau bleu :* 1929-36 Paris-Bruxelles-Anvers ; 1936-39 et 1947-63 jusqu'à Amsterdam en 36-39 et à partir de 1947. Devenu TEE. *Lorazur :* Metz-Nice. *Lötschberg (EC) :* Brig-Bâle-Hanovre. *Lusitania-Express :* Madrid-Lisbonne. *Lutétia (EC) :* Paris-Lausanne. *Lys de Flandre :* Paris-Lille, 258 km (2 h).

Maine-Océan : Paris-St-Nazaire-Le Croisic (Paris-Nantes : 396 km, 2 h 57, 134,2 km/h). *Mare Nostrum :* Port-Bou-Alicante, 997 km. *Maria Theresia (EC) :* Vienne-Innsbruck-Zurich. *Méditerranée-Express :* Paris-Nice. *Memling (EC) :* Cologne-Bruxelles-Ostende. *Merkur (EC) :* Copenhague-Hambourg-Francfort. *Molière (EC) :* Paris-Cologne-Dortmund. *Montaigne :* Paris-Bordeaux. *Mont-Blanc (EC) :* Genève-Bâle-Francfort-Hambourg. *Mont-Cenis :* Lyon-Turin-Milan. *Monteverdi (EC) :* Venise-Milan-Genève. *Mozart :* Paris-Vienne.

Nantais : Paris-Nantes. *Napoli-Express :* Paris-Naples, 1 682 km. *Night Ferry :* Paris-Dieppe. *Nord-Express :* Paris-Copenhague (1 307 km). *Noroît :* Paris-Dieppe.

Occitan : Paris-Toulouse. *Orient-Express :* Paris-Budapest-Bucarest, 2 518 km. *Ost-West-Express :* Paris-Varsovie-Moscou, 2 998 km.

Palatino (EC) : Paris-Rome. *Palombe bleue :* Paris-Irun/Tarbes. *Paludier :* Nantes-Bordeaux. *Paris-Côte d'Azur :* Paris-Nice. *Paris-Côte Vermeille :* Paris-Port-Bou. *Paris-Madrid Talgo (EC) :* Paris-Madrid, 1 426 km. *Parsifal (EC) :* Paris-Cologne. *Parthénon :* Paris-Brindisi (serv. d'été seulement). *Phocéen :* Paris-Marseille. *Piémontais (EC) :* Lyon-Turin. *Prinz Eugen (EC) :* Vienne-Würzburg-Hambourg. *Puerta del Sol :* Paris-Madrid. *Pyrénéo :* Bruxelles-Utrecht.

Rätia (EC) : Chur-Bâle-Francfort-Hambourg. *Rembrandt (EC) :* Chur-Bâle-Cologne-Amsterdam. *Rheinpfeil (EC) :* Chur-Bâle-Cologne-Hanovre. *Rhodanien :* Genève-Marseille. *Rhône-Océan :* Lyon-Nantes. *Robert Schuman (EC) :* Paris-Luxembourg. *Roland :* Brême-Stuttgart, 681 km. *Romulus (EC) :* Vienne-Venise-Rome. *Rossini (EC) :* Milan-Zurich. *Rouget de l'Isle :* Strasbourg-Nice. *Roussillon-Flandres :* Cerbère-Paris Nord. *Rubens :* Paris-Bruxelles, 315 km.

Saphir (EC) : Nuremberg-Bruxelles. *Schwabenland (EC) :* Zurich-Stuttgart. *Schweizerland (EC) :* Zurich-

Munich. *Settebello :* Milan-Rome, 632 km, 5 h 55. *Simplon-Express :* Paris-Venise-Belgrade, 1 983 km. *Skandinavien (EC) :* Copenhague-Hambourg. *Stachus (EC):* Vienne-Munich. *Stanislas :* Paris-Strasbourg. *Stendhal (EC) :* Paris-Turin-Milan. *Sud-Express :* Paris-Irun-Madrid-Lisbonne, 1 889 km.

Tauern-Express : Ostende-Split. *Thermal :* Paris-Clermont-Ferrand-Le Mont-Dore. *Tiziano (EC) :* Milan-Bâle-Hambourg. *Train Bleu :* Paris-Nice-Vintimille, 1 121 km [1er 9-12-1922 appartenant à la CIWL (Compagnie internationale des wagons-lits) ; jusqu'aux années 30, Calais-Méditerranée et Paris-Méditerranée, puis les 2 voitures de Calais furent accrochées en queue de la « Flèche d'or » et incorporées au Train Bleu à Lyon ; partait à 19 h 30 ; nom donné en Angleterre à un parfum créé par Picot et au restaurant de la gare de Lyon ; dernier voyage 1974]. *Tramontana :* Deen-Haag-Port-Bou. *Transalpin :* Vienne-Bâle. *Trouvère :* Paris-Calais. *Turgot :* Brive-la-Gaillarde-Paris.

Val de Durance : Marseille-Briançon. *Valencia-Express :* Paris-Port-Bou-Barcelone. *Valentré :* Paris-Toulouse. *Vauban :* Bâle-Bruxelles. *Venezia-Express :* Venise-Athènes, 2 162 km. *Ventadour :* Lyon-Bordeaux. *Versailles (EC) :* Paris-Genève. *Vert-Galant :* Bayonne-Toulouse. *Vesuvio :* Milan-Naples, 843 km, 8 h 20. *Victor Hugo (EC) :* Paris-Metz-Francfort. *Vienne-Ostende-Express :* Vienne-Ostende. *Viking Express :* Paris-Copenhague. *Voltaire (EC) :* Paris-Genève.

Watteau : Paris-Tourcoing, 271 km. *Wiener Walzer :* Bâle-Budapest, 1 218 km.

Transcontinentaux

Afrique. *Sud-Africain :* Beira-Lobito, 4 711 km. *Transsaharien :* préconisé dès 1870, il aurait couvert 4 000 km ; étudié par diverses missions (dont Flatters 1879-81, Foureau-Lamy 1898-1900) ; trajets imaginés : Oran-Niger ; Tunisie-Tchad ; Alger-Dakar ; Nemours-Segou (sur le Niger) ; env. 2 000 km + 1 500 au Niger ; décidé par loi du 23-3-1941, 1 tronçon terminé en 1942 (Colomb-Béchar-Abadla) puis abandonné.

Amérique du Nord. *Canadian Pacific* (1885) : Montréal-Vancouver, 4 609 km. *Central Pacific* (1869) : New York-San Francisco, 4 246 km (via St-Louis), 5 099 km (via Chicago). *North Pacific* (1893) : New York-Seattle, 3 560 km. *South Pacific* (1881) : Washington-Los Angeles, 4 787 km. **Du Sud.** *Transandin* (1910) : Buenos Aires-Valparaiso, 1 457 km.

Asie. Chine. *Central Kingdom Express.*

Russie. *Transsibérien* **1891-1916** construit à partir du Pacifique : le plus long chem. de f. du monde (7 371 km) ; inauguré 1900 avec 2 240 km de parcours en navire ; en 1901, wagons-lits Moscou-Irkoutsk ; Moscou-Vladivostok, 9 334 km. *Prolongement jusqu'au port de Nakhodka, à l'E. de Vl. :* 9 438 km, voyage de 8 j 4 h 25 min, avec 97 arrêts. *Baïkal Amour Magistral* (BAM) (1983) : Oustkout-Komsomolsk/s/ Amour, 3 148 km. *Turksib* (Turkestan Sibérie 1930).

Océanie. *Transaustralien :* Pt Darwin-Pt Augusta EC, 2 650 km. *Transaustralien* (1917) : Perth-Brisbane. 5 600 km.

Distance maximale que l'on puisse parcourir en train dans le monde : Lisbonne-Nakhodka [14 334 km (mais on parcourt 250 km de plus en quittant la ligne à Setil, à 51 km de Lisbonne, pour aller jusqu'à Faro, dans l'Algarve)]. **Ligne droite la plus longue :** 478 km : plaine de Nullarbor (Australie).

☞ **En 1902 :** pour aller de Paris à Pékin, on mettait de 40 à 45 j par mer ; 22 j par train (dont 2 j 9 h 30 min par Moscou) ; *prix* (nourriture comprise) : par mer 2 200 F, par fer 1 216 F.

Signaux

Quelques dates. 1820 signaux à la main. Un homme à cheval précédait le convoi en jouant du cornet. **1827** 1er *signal fixe* (Stockton-Darlington, G.-B.). **1833** George Stephenson monte le 1er *sifflet* sur la « Samson » (G.-B.). **1840** 1er emploi des *télégraphes électriques* (Londres-Blackwall). **1850** la Cie du Nord utilise le *pétard* et des signaux fixes pour la 1re fois en France. **1855** Vignier (aiguilleur français) a l'idée de solidariser signaux et appareils de voie pour améliorer la sécurité : c'est le 1er enclenchement efficace. **1859** 1ers *avertisseurs électriques pour passages à niveau* (sur le Nord ; système Tesse et Lartigue). **1865** la Cie du Nord adopte un système de *sonnerie d'alarme* par circuit électrique. **1867** 1re application du *block system* sur le PLM : la ligne est divisée en sections de 1 à plusieurs km (appelés *cantons*), où ne doit pénétrer qu'un seul convoi à la fois ; un canton libre entre 2 convois est quelquefois exigé. **1872** le *crocodile* (des ingénieurs Lartigue et Forest) assure la *répétition des signaux sur la locomotive.* Placée au droit d'un signal, une pièce métallique, allongée (d'où son nom) et fixée sur les traverses entre les rails, est alimentée en courant électrique dont la polarité par rapport aux rails est fonction de l'indication donnée par le signal (ouvert ou fermé). La locomotive porte une brosse métallique ; au passage sur le crocodile, elle recueille le courant qui déclenche un timbre si le signal est ouvert et une sirène si le signal est fermé, rappelant ainsi au mécanicien la position du signal qu'il vient de franchir. **1878** 1res applications en France de l'électricité pour l'amélioration de la sécurité des circulations (sonneries), **1883** 1er *block automatique* en France (Cie du Midi). **1885**-*15-11 :* un arrêté ministériel instaure un *code des signaux* en Fr. **1898** 1re installation d'*aiguillage électrique* (gare de Lyon, Paris). **1903** 1re application en France du système de commande à distance des aiguilles et signaux dit « levier d'itinéraire » (Cie du Midi à Bordeaux-St-Jean). **1920** répétition des signaux sur les locomotives rendue obligatoire. **1923** adoption du block automatique avec signalisation lumineuse de jour et de nuit (ligne Paris-St-Germain-en-Laye). **1932** 1er poste de débranchement automatique dans un triage sous la forme du poste à billes (triage de Trappes). **1933** mise en service du 1er poste de commande centralisée (Paris-St-Lazare). **1934** application d'un nouveau code des signaux visant à l'unification des couleurs avec les réseaux étrangers. La signalisation actuelle en découle. **1948-50** 1er PRS (poste tout relais à transit souple) (453 au 1-1-1985). **1959** mise en service (Mouchard) d'un programmateur pour la commande centralisée des trains sur la section Mouchard-Frasne à voie unique. **1963** expérimentation des liaisons radiotéléphoniques entre le régulateur et les trains en marche (Dôle-Vallorbe). **1966** remplacement dans les triages du poste à billes par un poste électronique. **1967** 1re utilisation du « cab signal » : les indications concernant la signalisation sont données directement dans la cabine de conduite (section Les Aubrais-Vierzon parcourue à 200 km/h par le train « Le Capitole »). **1968** 1re mise en service du BAPR : block automatique à permissivité restreinte (section Pontoise-Gisors). **1974** introduction des ordinateurs dans les triages. **1977** commande automatique des itinéraires à partir d'un ordinateur gérant le suivi des trains à Versailles-Chantiers. **1981** nouveau système de signalis. visualisée en cabine (TGV S.-E.) ; les informations sont transmises par la voie et recueillies par des capteurs sous la motrice. **1983**-*18-12* 1er poste tous relais avec commande purement informatique (PRCI-La Ferté-Alais).

Installations (au 31-12-92). Lignes équipées en TMV (transmission « voie-machine ») 709 km, blocks automatiques 12 640 km dont BAL (block automatique lumineux) 10 050, BAPR (block automatique à permissivité restreinte) 2 594, blocks manuels 6 920 km, CAPI (cantonnement assisté par ordinateur) 3 242 km, postes d'aiguillages 2 330 dont 980 électriques.

Tunnels ferroviaires

Quelques dates. 1826 1er tunnel ferr. : ligne *Liverpool-Manchester* (G.-B.) dû à Stephenson. **1827-29** St-Étienne-Lyon (vallée du Gier) : *t. de Terrenoire,* 1 298 m, 1 voie ; élargi à 2 voies en 1855-57. *T. de Couzon à Rive-de-Gier,* 977 m, 1 voie ; abandonné 1856 et remplacé par l'actuel tunnel à 2 voies de 552 m de long. **1839** 1er tunnel ferroviaire allemand sur la ligne Leipzig-Dresde. **1843-48** *t. d'Arzviller* en Moselle (2 572 m) entre Saverne et Sarrebourg (le plus ancien en état). **1857** perforatrices hydrauliques. **1864** perforatrices pneumatiques perfectionnées. **1871**-*17-9 :* inauguration du *t. du Mt-Cenis* (dit *de Fréjus*) : long. 13 656 m dont 6 907 en France. **1898-1905** *t. du Simplon.* **1929** *t. de Puymorens* sur Toulouse-Latour-de-Carol, 5 330 m, le plus long, entièrement en France. **V. 1995** *t. du Somport* 8,8 km. Coût 900 millions de F.

Avantages. Si la profondeur de la tranchée à creuser dépasse 20 m.

Nombre en France. *1992 :* 1 514 dont 1 321 en service. *Longueur totale* 591 km. *Ligne* du TGV Sud-Est : aucun, Atlantique : 5 (dont Villejust 2 tubes de 4 800 m, diam. 8,24 m, franchissable à 270 km/h ; Vouvray 1 500 m ; Sceaux 827 m). Interconnexion TGV N. et S.-E. : t. de Limeil-Brévannes (1 068 m, 55 m² de section). De 1828 à 1975, 1 659 percés (80 % avant 1900) (638 km) dont 1 414 (554 km) en service en 1990.

Viaducs et ponts

Matériaux. Acier, maçonnerie et aujourd'hui béton armé ou précontraint. **Nombre en France** (au 31-12-1992). 89 800 dont 81 900 points rails (dont 53 600 ponceaux, aqueducs, dalots), 8 900 ponts-routes et passerelles, dont : *Chaumont* (1857) : long. 600 m, haut. 50 m, 3 étages d'arches (ligne Paris-Mulhouse) ; *Garabit* (1884) dû à Gustave Eiffel : long. 564 m, (ligne Béziers-Neussargues), haut. 122 m ; *Les Fades* (1909) : long. 470 m, haut. 133 m (ligne Lapeyrouse-Volvic) ; *pont d'Asnières* (renouvelé 1979/81) : 10 voies sur 160 m de long. TGV SUD-EST : env. 500 ponts et 9 viaducs (voir p. 1694) ; TGV ATLANTIQUE : 290. TGV NORD : 924.

Voies

■ **Ballast.** Matériau anguleux, élastique et perméable qui supporte et encoffre la voie. Permet de transmettre à la plate-forme les efforts supportés par la voie en les répartissant aussi uniformément que possible et sur une plus grande surface ; d'amortir les vibrations ; de s'opposer à la déformation du châssis de voie en place. Autrefois en sable, en cailloux roulés, actuellement en pierre dure concassée (granit, porphyre, basalte), parfois en laitier de haut fourneau. Granularité : 25 à 50 mm. Entre plate-forme meuble et ballast, on interpose une sous-couche en matériaux de bonne qualité (sables).

■ **Chemins de fer les plus hauts. Du monde :** *voie normale :* Pérou, Lima-Huancayo 4 818 m (la Cima) ; *métrique :* Chili, Ollagüe-Collahuasi 4 826 m (mines de cuivre). **D'Europe :** *Suisse,* Jungfrau 3 454 m : voie étroite de 1 m, crémaillère Strub. **De France :** gare de Bolquère-Eyne, 1 593 m : tramway du Mont-Blanc 1 909 m (au Montenvers). Lac d'Artaiste (Pyr.-A.), 1 914 m : petit train.

Principaux tunnels ferroviaires (longueur en mètres)

Tunnel	Longueur	Tunnel	Longueur	Tunnel	Longueur
Seikan (Japon) (1988) [1]	53 850	Moffat (USA) (1928)	9 997	Somport (Fr.-Esp.) (1928)	7 875
Sous la Manche (1993) [6]	50 500	Shimizu (Jap.) (1931)	9 702	Old Tanna (Jap.) (1934)	7 806
Daishimizu (Jap.) (1982)	22 200	Kvineshei (Norv.) (1943)	9 063	Hoosac (USA) (1875)	7 562
Simplon (Sui.-Ital.) (1906) [4]	19 731	Bigo (Jap.) (1975)	8 900	Grand Bett (Dan.) (1995) [7]	7 400
Shin Kanmon (Jap.) (1975)	18 713	Rimutaka (N.-Zél.) (1955)	8 797	Monte-Orso (It.) (1927)	7 562
Apennins (It.) (1934)	18 159	Ricken (Sui.) (1910)	8 603	Vivola (It.) (1927)	7 355
Rokko (Jap.) (1972)	16 250	Grenchenberg (Suisse) (1915)	8 578	Monte-Adone (It.) (1934)	7 132
Henderson (USA) (1975)	15 800	Otira (N.-Zél.) (1923)	8 563	Jungfrau (Sui.) (1912)	7 123
La Furka (Suisse) (1982)	15 407	Tauern (Autr.) (1909)	8 551	Borgallo (It.) (1894)	7 077
St-Gothard (Sui.) (1882) [2]	14 998	Fukuoka (Jap.) (1975)	8 498	Severn (G.-B.) (1886)	7 011
Lötschberg (Sui.) (1913)	14 612	Haegebostad (Norv.) (1943)	8 474	Ste-Marie-aux Mines (Fr.) (1937) [5]	6 872
Hokuriku (Jap.) (1962)	13 870	Ronco (Ital.) (1889)	8 300	Marianopoli [5] (It.) (1885)	6 475
Mont-Cenis (Fr.-It.) (1871) [3]	13 656	Hauenstein (Sui.) (1916)	8 134	Turchino (It.) (1894)	6 446
Shin-Shimizu (Jap.) (1961)	13 500	Tende (Fr.) (1900)	8 098	Podbrdo (Youg.) (1906)	6 339
Aki (Jap.) (1975)	13 030	Connaught (Can.) (1916)	8 083	Mont-d'Or (Fr.-Sui.) (1915)	6 097
Cascades (USA) (1929)	12 542	Ceylan (Sri Lanka)	8 000	Col de Braus (Fr.) (1928)	5 949
Kita Kyushu (Jap.) (1975)	11 747	Karawanken (Autr.) (1906)	7 976	Albula (Sui.) (1903)	5 865
Flathead (USA) (1970)	11 299	New Tanna (Jap.) (1964)	7 958	Gyland (Norv.) (1943)	5 717
Lierasen (Norvège) (1973)	10 700	Roger Pass (USA)	7 910	Totley (G.-B.) (1893)	5 697
Arlberg (Autriche) (1884)	10 250				

Nota. – (1) Diam. 11 m. Construit de 1971 à 1988, relie Hokkaïdo et Honshu et passe (sur 23,3 km) à 100 m sous le sol de la mer (soit à 240 m de la surface). Coût : 22 milliards de F. Inauguré le 13-3-88. (2) Coût 70 millions de F de l'époque. La construction dura 10 ans. Poussière et fumées, chaleur et eau limitaient à 3 ou 4 mois la présence d'un homme sur le chantier. Chaque année, on relevait environ 25 morts et des centaines de blessés. Chaque mois, une trentaine de chevaux et de mules tombaient d'épuisement. Il fallait 1 h 20 min pour percer 1 m de tunnel de 7 m² de section (aujourd'hui, il faut de 1 min 30 à 3 min) et 45 h pour extraire 1 m³ de roche (aujourd'hui 2 h 25). (3) A l'origine 12 790 m (début des travaux en 1857). (4) Simplon I, 19 803 m (1898-1906). II, 19 823 m (1918-22). Coût 57 millions de F de 1921. (5) N'est plus ferroviaire. (6) Voir Index. (7) Coût : 24 milliards de F.

■ **Crémaillère (trains à).** **1860** 1er ch. de fer à crémaillère du monde (mont Washington, USA). **1887**-*6-11* : 1er ch. en France (Langres). **Principe :** une roue dentée s'engrène dans les crans d'un rail spécial placé entre les rails de roulement. *Système le plus courant* (pic Pike aux USA, Snowdon en G.-B. et beaucoup de lignes en Suisse à l'origine) : 2 rails dentés parallèles mais décalés (les dents de l'un sont au niveau des crans de l'autre) ; les 2 roues qui s'y engrènent sont aussi décalées, d'où une double sécurité et une progression régulière.

■ **Déclivité.** Dénivellation de points espacés horizontalement de 1 m. S'exprime en ‰. On parle de rampe (sens montant) ou de pente (sens descendant). Lignes de plaine : jusqu'à 10 ‰ ; de montagne : jusqu'à 40 ‰ ; à grande vitesse Paris S.-E., max. 35 ‰ (utilisation de l'énergie cinétique des rames).

Rampes (en ‰). **Adhérence simple :** St-Gervais-Vallorcine : 90. **Funiculaire** du Ritom (Suisse) 878. **Crémaillère :** *voies normales :* 200 à 250 ; *autres voies :* Canal de Panamá (voie 1,524 m) 500, Mt Pilate (Suisse, 0,80 m) 480, Mt Washington (USA, 1,41 m) 377. **Tramways :** San Francisco 140. Boulogne-sur-Mer 122. Rouen 120. Le Havre 115.

■ **Funiculaires.** Du latin *funiculus :* petite ficelle. **Principe :** sur pentes très raides et courtes, le véhicule est tiré à la montée et retenu à la descente par un câble moteur mis en mouvement par une machine fixe ou par un contrepoids d'eau. **Quelques dates : 1810-15** Mont St-Michel. **1840** *1re traction funiculaire :* train de houille remonté le long d'un plan incliné par un train descendant formé de wagons-citernes remplis d'eau. *1ers plans inclinés :* St-Étienne-Roanne et Alais-Beaucaire ; pentes 0,093/m. **1862** *1er ch. de fer fun. français de Lyon* à la Croix-Rousse (construit par MM. Molinos et Pronier) (différence de niveau de 70 m ; pente de 160 ‰, environ 450 m). **1870** plan incliné d'Offen (Hongrie) (45 m). **1873** funiculaire par câbles sans fin (San Francisco). **1900** Montmartre (à eau), *1935* électrique, *1990-91* modernisé.

■ **Rails. Quelques dates : XVIe s.** des *rails en bois* sont utilisés dans les mines. **1738** les rails en bois sont recouverts de plaques de fonte à Whitehaven (G.-B.) : plus efficaces, ils s'usent encore trop vite. **1763** Richard Reynolds introduit les *1ers rails métalliques* en fonte, mine de Coalbrook Dale (G.-B.). **1805** on emploie le fer forgé. **1810** les *rails en fonte* sont peu à peu remplacés par des rails en fer. **1820** John Cass Birkinshaw (1811-67, G.-B.) réalise un *rail de fer* par *puddlage.* **1830** Robert Stevens (1787-1856, USA) imagine le *rail à patin,* improprement appelé par la suite rail *Vignole* du nom de l'ingénieur anglais Charles Vignoles (1793-1875) qui l'introduit en Europe vers 1836. **1857** Robert F. Mushet (G.-B.) fabrique les *1ers rails d'acier* à Derby où des rails de fer s'étaient usés en 3 mois : durée 16 a. **1860** l'acier remplace peu à peu le fer sur toutes les lignes. **1886** *10 mai :* la 2e conférence internationale de Berne fixe *l'écartement* de la voie normale à 1,435 m (alignement droit) et à 1,465 m max. (courbes). **Longueur :** A L'ORIGINE (et encore sur lignes secondaires), long. courante 5,50 m, 8 m, 11 m, 12 m ; puis a augmenté : 8 m à 18, 24 et 36 m, ce qui a permis de diminuer le nombre des joints, points faibles sur la voie. DEPUIS 1945, longs rails soudés (LRS) sur les *lignes principales :* pour éviter les chocs répétés à chaque extrémité des rails, surtout lors des grandes vitesses. Les rails de 18 m ou 36 m sont soudés électriquement en atelier sur 288 m. Après mise en place, ces long. sont soudées entre elles par aluminothermie. On a ainsi des rails pouvant atteindre plusieurs dizaines de km. Seules les courbes de faible rayon et les plates-formes instables limitent leur emploi. En 1999, Unimétal livrera des rails de 72 m (LRS 388 m).

Largeur de voie (écartement entre bords intérieurs des rails) : *voie normale :* 1,435 m (la plupart des pays européens). Quelques lignes secondaires : *métrique :* 1 m, 1,067 m, *étroite :* 0,60 m, *larges :* URSS 1,524 m, Espagne et Portugal 1,676 m. Au début les ingénieurs appliquaient leurs propres conceptions sans se soucier de l'unification éventuelle des réseaux, puis des raisons stratégiques, et surtout économiques, conduisirent au maintien de cette situation qui impose changements de matériel ou d'essieux aux frontières ou l'utilisation d'essieux à écartement variable.

Formes : les rails reçoivent directement les charges des roues. En raison de la résistance spécifique exigée (faible surface du contact entre roue et rail), ils ont été très vite fabriqués en acier. Au début, ils avaient une section en I *(rail à double champignon).* On avait espéré en doubler l'usage. Étant difficiles à fixer et ne pouvant être retournés car la surface inférieure se détériorait au contact des coussinets d'appui, ils furent abandonnés pour le *rail à patin* ou *rail Vignole. Section des rails* (poids au mètre) a augmenté de 30 à 60 kg au m (sur les grandes artères) pour supporter la charge des essieux : 20 t voire 23 (essieux de locomotives, wagons spéciaux). Le contrôle des inclusions non métalliques, sources d'amorces de fissures en service, est fait en usine par procédé ultrasonore. Les voies du Chicago-Milwaukee supportent un poids de 32,5 t par essieu, avec des rails de 56 kg/m posés sur 2 400 traverses au km ; le ballast étant inaccessible, la voie doit être changée d'un bloc.

Tonnage total (rails actuellement en voie, en Fr.) : 7 000 000 de t. Consommation de rails neufs SNCF : *1988,* 126 000 t dont 20 000 pour TGV Atlantique.

Joints : pour les rails éclissés (de 36 m au plus), les joints permettent la libre dilatation des rails. Pour les rails soudés, le ballast s'oppose, par l'intermédiaire des traverses, à toute variation de leur longueur. Seules, les extrémités des longs rails soudés (sur 100 m env.) peuvent se déplacer (déplacement absorbé par des appareils de dilatation). Les variations de la température se manifestent par des contraintes à l'intérieur des longs rails soudés.

■ **Traverses.** Supportent les rails, maintiennent leur écartement et leur inclinaison, et transmettent les charges au ballast. **En bois** [*dur* (chêne, hêtre de préférence, ou bois exotique) imprégné à la créosote (distillation du goudron de houille) pour éviter son dépérissement rapide sous les actions bactériologiques] : dimensions types, long. 2,60 m, larg. 0,25 m, épaiss. 0,15 m. En courbe, on interpose une selle métallique entre rail et traverse pour répartir la pression. **En métal :** épaiss. 7 à 13 mm, poids env. 75 kg : abandonnées en raison de leur coût sur les grands réseaux, malgré leur durabilité. Se développent surtout dans les pays sans bois de bonne qualité. **En béton armé ou précontraint : 1°)** Mixtes avec 2 blochets en béton armé réunis par une entretoise métallique ; 185 à 245 kg. **2°)** Monoblocs en précontraint ; 235 à 300 kg. Il y a entre rail et traverse une semelle en élastomère. A la SNCF, les longs rails soudés sont fixés aux traverses par des attaches élastiques « Nabla ».

Nombre de traverses au km de voie (travelage) : 1 500 (voies anciennes) à 1 666 (voies franç. importantes) ou 2 000 (courbes de faible rayon ou de trafic très lourd).

TRAFIC

CIRCULATION FERROVIAIRE

■ **Circulation à gauche. Origine :** *G.-B.* Dans un chemin creux, 2 cavaliers se croisaient à gauche pour éviter d'entremêler leurs épées (accrochées à gauche). *France :* la ligne Paris-Rouen (1843) fut en majeure partie construite avec des capitaux, des ingénieurs, du personnel et du matériel britanniques. **État actuel :** Afrique du N., Belgique, Espagne, *France* [sauf Alsace-Lorraine (entre 1871 et 1918, en Alsace-Lorraine, 835 km dont 738 en service ont été cédés à l'Allemagne qui a implanté les signaux à droite. Le *« saut de mouton »* permet de faire passer un convoi de la voie de gauche à celle de droite, et vice versa, entre Igney-Avricourt et Sarrebourg (km 427), sur la ligne Paris-Strasbourg ; à Mulhouse (km 492), sur Paris-Mulhouse, à l'arrivée à Metz (km 353) sur Paris-Metz et au km 20 sur la ligne St-Dié-Strasbourg)], G.-B., Inde, Italie, Japon, Suède, URSS.

■ **Circulation à droite.** Allemagne, Chine, Espagne, Grèce, Hongrie, Luxembourg, Pays-Bas, Pologne, Turquie, USA.

Trafic (1991) *Source :* UIC	Marchandises (millions de tonnes-km)	Voyageurs (millions de voyageurs-km)
Afrique du Sud	90 055	1 038
Algérie	2 717	3 192
ex-All. dém.	18 692	10 323
ex-All. féd.	67 749	46 096
Arabie Saoudite	800	139
Autriche	13 238	10 481
Belgique	9 528	6 771
Bulgarie	8 685	4 866
Chine	1 094 807	282 484
Corée du S.	14 494	31 454
Danemark	1 907	4 709
Espagne	12 984	15 022
États-Unis	1 516 728	n.c
Finlande	7 700	3 230
France	*54 517*	*62 301*
G.-B.	17 780	32 058
Grèce	606	1 995
Hongrie	11 665	7 478
Inde	242 699	295 644
Irak [1]	2 683	1 642
Irlande	603	1 290
Israël	n.c.	n.c.
Italie	22 298	46 578
Japon	26 791	249 290
Luxembourg	713	272
Maroc	4 526	2 346
Norvège	2 710	2 380
Pays-Bas	3 187	12 796
Pologne	65 161	40 115
Portugal	1 850	5 688
Suède	18 621	5 524
Suisse	8 728	12 833
Syrie	1 238	1 306
Tchécosl.	45 988	19 263
Tunisie [2]	1 844	1 019
Turquie	8 109	6 050
Yougoslavie [2]	23 149	11 325

Nota. – (1) 1989. (2) 1990.

EN FRANCE

■ GÉNÉRALITÉS

■ **Nombre de trains circulant chaque jour sur les lignes SNCF** (1987). 13 000 en moyenne (dont tr. banlieue de Paris 5 000, rapides et express 1 300, régionaux 3 700, de marchandises 3 000). Réalisent des parcours quotidiens de 1 252 000 km [dont (en km) TGV 66 800, rapides, express et autres 386 800, régionaux 236 400, banlieues de Paris 122 000, de marchandises 440 000].

■ **Kilomètres parcourus par an** (1988). 457 millions.

■ **Vitesse. Autorisée :** limitée en fonction des installations fixes et du matériel roulant. **Maximale en service commercial :** *ligne classique :* 200 km/h (Paris-Bordeaux ; Paris-Toulouse ; Le Mans-Nantes et Valence-Miramas). *Lignes TGV Sud-Est :* 270 km/h. *Atlantique :* 300 km/h.

Moyenne la plus élevée : Paris-Mâcon *(TGV) :* 217,8 (363 km).

Moyenne horaire sur certains parcours (en km/h, au départ de Paris, au 29-5-88). **Relations internationales :** Paris-Bruxelles 127,3 ; Francfort 109,5 ; Madrid 108 ; Rome 96,6 ; Cologne 96. **Intérieures :** Lyon (TGV) 213,5 ; Grenoble (TGV) 175,6 ; Marseille (TGV) 166,9 ; Montpellier (TGV) 165,2 ; Paris-Bordeaux 144,4 ; Limoges 140,4 ; Nancy 137,5 ; Metz 132,8 ; Strasbourg 132,6 ; Caen 128 ; Amiens 126,8 ; Lille 126,6 ; Toulouse 119,2 ; Mulhouse 118,1 ; Brest 110,1 ; Boulogne 105,8.

TGV meilleurs temps de parcours au départ de Paris (en italique, prévisions). Agen 4 h 08 ; Aix-les-Bains 2 h 54 ; Amsterdam *3 h* [2] ; Angers 1 h 29 ; Angoulême 2 h 20 ; Annecy 3 h 31 ; Arras 0 h 50 [1] ; Avignon 2 h 38 ; Barcelone *8 h 15* ; Bayonne 4 h 33 ; Beaune 1 h 58 ; Berlin *7 h 30* ; Berne *4 h 15* ; Besançon 2 h 29 ; Béthune 1 h 15 ; Biarritz 4 h 48 ; Bonn *3 h 25* ; Bordeaux 2 h 58 ; Boulogne 2 h ; Bourg-en-Bresse 1 h 55 ; Brest 4 h 02 *3 h14* [Paris-Rennes-Brest (distance : 623 km) : *1840* 3 j par malle-poste, *1886* 16 h 10 (38,5 km/h), *1901* 11 h 43 (53,1 km/h), *1924* 9 h 56 (62,7 km/h), *1937* 7 h 23 (84,3 km/h), *1959* 7 h 28 (83,4 km/h), *1970* 5 h 30 (113,2 km/h), *1992* 3 h 59 (156,4 km/h)] ; Bruxelles *1 h 20* ; Calais 1 h 30 [2] ; Cambrai 1 h 40 ; Cannes 4 h 50 ; Châlons-sur-Marne 1 h 16 *0 h 55* [3] ; Chalon-sur-Saône 2 h 16 ; Chambéry 3 h 13 ; Châtellerault 1 h 31 ; Cologne *2 h 30* ; Dax 4 h 05 ; Dijon 1 h 36 ; Dole 2 h 02 ; Douai 1 h 05 ; Dunkerque 1 h 40 ; Florence *7 h* ; Francfort *3 h* ; Genève 2 h 39 ; Grenoble 2 h 42 ; Guingamp 3 h 10 *2 h 32* ; Hambourg *6 h 30* ; Hendaye 5 h 08 ; La Baule 3 h 11 ; La Rochelle 3 h 00 ; Lausanne 3 h 41 ; Laval 1 h 34 *1 h 10* ; Le Creusot 1 h 25 ; Le Croisic 3 h 04 ; Le Mans 0 h 54 ; Lens 1 h 05 ; Libourne 3 h 04 ; Lille 1 h ; Lisbonne *14 h* ; Londres *2 h 30* ; Longueau 1 h 02 ; Lorient 3 h 31 *2 h 43* ; Lourdes 5 h 20 ; Luxembourg 3 h 33 *2 h 15* ; Lyon 1 h 50 ; Mâcon 1 h 40 ; Mantes 0 h 34 ; Marseille 3 h ; Metz 2 h 40 *1 h 30* ; Milan *5 h 20* ; Montauban 4 h 40 ; Montbard 1 h 05 ; Montpellier 3 h 34 ; Morlaix 3 h 37 *2 h 56* ; Munich *4 h 50* ; Nancy 2 h 36 *1 h 30* [3] ; Nantes 1 h 59 ; Neuchâtel 3 h 51 ; Nice 5 h 15 ; Nîmes 3 h 09 ; Niort 2 h 20 ; Pau 4 h 54 ; Perpignan 4 h 58 ; Poitiers 1 h 35 ; Pontarlier 3 h 08 ; Quimper 4 h 10 *3 h 22* ; Redon 2 h 45 ; Reims 1 h 27 *0 h 45* [3] ; Rennes 2 h 04 *1 h 26* [1] ; Rome *8 h 30* ; Rotterdam *2 h 15* ; Roubaix 1 h 20 ; Rouen 1 h 09 [2] ; St-Brieuc 2 h 51 *2 h 13* ; St-Étienne 2 h 36 ; St-Jean-de-Luz 5 h ; St-Nazaire 2 h 35 ; St-Omer 2 h 10 ; St-Pierre-des-Corps (Tours) 1 h 02 ; Stockholm *12 h* ; Strasbourg 3 h 48 *1 h 50* [3] ; Stuttgart *3 h 15* ; Tarbes 5 h 36 ; Toulon 3 h 40 ; Toulouse 5 h 10 ; Turin *5 h* ; Valence 2 h 12 ; Valenciennes 1 h 35 ; Vannes 3 h 04 *2 h 26* ; Vendôme 0 h 49 ; Vienne *8 h 20.*

Nota. – (1) Janvier 1994. (2) Courant 1994. (3) 2000.

Temps de parcours par chemin de fer

De Paris à	1938	1960	1980	1990
Dist. en km				
Paris-Bordeaux (581)	5 h 39[1]	4 h 48	3 h 50	2 h 58
Lille (251)	2 h 30[2]	2 h 10	1 h 55	1 h 59
Lyon (512, 427[3])	5 h 05[2]	4 h	3 h 49	1 h 50
Marseille (863, 779[3])	9 h 14[2]	7 h 33	6 h 40	3 h 00
Nancy (353)	3 h 02[2]	3 h 37	2 h 40	2 h 36
Nantes (396)	4 h 18[2]	3 h 53	3 h 17	1 h 59
Rennes (374)	4 h [2]	3 h 55	2 h 58	2 h 04
Bordeaux-Marseille (682)	10 h 10	8 h 40		6 h 01
Nantes-Lyon (650)	10 h 19	10 h 23		6 h 34

Nota. – (1) Autorail Bugatti 1re classe. (2) Train à vapeur aérodynamique. (3) Par TGV.

☞ *En 1750 :* il fallait 11 j pour aller de Paris à Toulouse en malle-poste ; *en 1840 :* 70 h en roulant nuit et jour ; *en 1850 :* 31 h de train ; *en 1891 :* 15 h ; *en 1930 :* 12 h ; *en 1974 :* – de 6 h.

Trafic de marchandises (dit fret dep. 1987)

Trafic en 1992 (par wagons SNCF)	Milliards de t/km taxées	Millions de t
Transports combinés	7,29	12,2
Produits de la sidérurgie	6,4	22,4
Céréales, alim. animale	5,53	15,2
Prod. de carrière, mat. de constr.	5,33	18,9
Prod. chimiques	3,86	10,5
Prod. pétroliers	3,53	10,3
Boissons	3,6	7,13
Amendements et engrais	2,62	6,28
Combustibles solides	2,11	11
Véhicules, mach. agricoles	2,1	3,69
Minerais pour sidérurgie, ferrailles	1,67	7,69
Bois, extraits tannants	1,33	2,53
Prod. d'épicerie	0,99	3,12
Denrées périssables	0,49	0,66
Papiers et cartons	0,96	2,06
Autres marchandises	1,87	4,72
Total marchandises	*49,68*	*138,36*

■ **Total transporté. En millions de t** *1938 :* 132. *70 :* 251. *75 :* 208. *80 :* 209. *85 :* 161. *89 :* 146,5. *90 :* 142,4. *91 :* 141,2. *92 :* 132,7.

En milliards de tonnes/km *1938 :* 26,5. *60 :* 56,9. *65 :* 64,6. *70 :* 70,5. *75 :* 61,3. *80 :* 66,4. *85 :* 55,8. *89 :* 53,3. *90 :* 51,53. *91 :* 51,5. *92 :* 50,4.

Selon le mode de traction (en %). *1948 :* électrique 19,6, vapeur 79,1, diesel 1,3. *1961 :* E 57,9, V 34,4, D 7,7. *1971 :* E 77,5, V 1,1, D 22,5. *1980 :* E 79,2, D 20,8. *1985 :* E 83, D 17. *89 :* E 85,3, D 14,7.

■ Trafic voyageurs

Voyageurs transportés (en millions) [*1835 (diligence) :* 5 en France]. *1841* (train) : 6. *1860 :* 37. *1871 :* 94. *1901 :* 406. *30 :* 790. *38 :* 540. *60 :* 570. *65 :* 628. *71 :* 590. *75 :* 639. *80 :* 685. *85 :* 777. *86 :* 779. *87 :* 780. *88 :* 810. *89 :* 822. *90 :* 842,31. *91 :* 830. *92 :* 829 (réseau principal 287, banlieue par. 542).

Voyageurs-kilomètres (en milliards). *1841 :* 0,11. *1871 :* 4,58. *1901 :* 12,9. *21 :* 25,7. *30 :* 29,2. *38 :* 22,1, (dont banlieue parisienne 3,8). *60 :* 32,03 (b. par. 4,53). *70 :* 40,6 (5,8). *80 :* 54,7 (7,6). *85 :* 62,1 (8,5). *86 :* 59,9 (8,6). *87 :* 59,97 (8,65). *88 :* 63,29 (8,91). *89 :* 64,5 (9,1). *90 :* 63,95. *91 :* 62,15. *92 :* 62,87 dont TGV 1re classe 9,7 %, 2e cl. 31,02 %, autres trains 1re cl. 7,22 %, 2e cl. 52,06 %).

Parcours moyen d'un voyageur. *1938 :* 40,8. *66 :* 61,1. *81 :* 79,8. *85 :* 79,9. *86 :* 76,9. *87 :* 77. *88 :* 77,3. *89 :* 78,5.

Nombre de places couchées. *1947 :* 250 000. *60 :* 2 370 000. *70 :* 5 170 000. *81 :* 8 810 000. *88 :* 6 406 000.

Trains-autos accompagnées. Nombre de voyageurs et, entre parenthèses, **autos** (en milliers) *1960 :* 75 (27). *70 :* 400 (163). *80 :* 669 (279). *85 :* 716 (320). *86 :* 755 (334 y compris motos). *87 :* 589 (281 id.). *88 :* 813 (348 autos, 9,4 motos).

Parcours des engins moteurs (en 1989, en millions de km). Locomotives électr. 329,7. Diesel 104,4. Automotrices électr. 76,7. Autorails 65,7. Turbotrains 9,7. TGV Sud-Est 40,1. *1991 :* 648,12.

> *En 1990 :* il a disparu 280 à 300 000 draps, 30 000 à 33 000 oreillers, 2 500 couvertures, 130 000 à 140 000 taies d'oreillers, 22 600 marteaux pour casser les vitres en cas d'accident, 32 300 cendriers, 1 300 cadres supports de publicité et 300 cadres de photos, 18 600 rideaux, 875 échelles de couchettes (1987), 2 000 distributeurs de savon.

■ Gares

■ **Nombre total. Points de vente :** 6 593 ouverts au trafic voyageurs et fret. **Bâtiments :** *au 31-12-92 :* 2 445 gares (non compris les points d'arrêt voyageurs), 16 millions de m² couverts, 3,2 millions de m² de halles marchandises. *Prév. au 1-1-95 :* 1 200 (300 principales).

■ **Principales gares. Marchandises** (en milliers de t, 1987) : Dunkerque 13 000. Longwy (y compris Rehon et Mont-St-Martin) 4 200. Modane 7 000. Rouen 5 300. Bening-Cocheren 4 700. Fos 5 700. Thionville (y compris Ébange) 4 200. Bâle 4 700. Feignies 4 400. Le Havre 4 600.

■ **Triage** (nombre). 40 principales : *région parisienne,* Villeneuve-St-Georges, Le Bourget ; *Nord,* Tergnier-Somain ; *Est,* Woippy (Metz) (la plus grande : env. 2 300 wag. par j), Hausbergen (Strasbourg) ; *S.-E.,* Gevrey (Dijon), Sibelin (Lyon), Miramas (Marseille) ; *Ouest,* Sotteville (Rouen) ; *S.-O.,* St-Pierre-des-Corps (Tours), Hourcade (Bordeaux), St-Jory (Toulouse). **Wagons expédiés :** *par les triages (1987) :* env. 37 000 par jour.

■ **Gares parisiennes. Voyageurs** (départs + arrivées, 1988). *Nombre total* (ensemble des gares) *réseau banlieue :* 502 millions. Nombre par jour (en milliers), en 1988 : St-Lazare 432. Paris-Nord 391. Est 177. Lyon 157. Ligne C du RER (Austerlitz à Boulevard Victor) 233. Montparnasse 86. Départs entre *17 h* et *18 h* 176 000 ; arrivées entre *8 h* et *9 h* 190 000.

Trains (nombre moyen par jour en 1988). *Trains de la banlieue de Paris.* Paris-St-Lazare 1 942, Paris-Nord 1 379, Paris Sud-Ouest 793, Paris Sud-Est 616, Paris-Est 443, Paris-Montparnasse 279. *Rapides et express :* 1 228.

☞ Transporte quotidiennement sur 1 300 km de banlieue 1 500 000 voyageurs (5 500 trains, entre 400 gares. Grandes lignes : jour le plus chargé 512 290 (le 21-12-1984).

> **Gare la + grande de France.** *G de Lyon (Paris)* 11 ha, 6 250 m de quais ; *Montparnasse (Paris)* agrandie 1987-89, coût 1 milliard de F (dont 0,4 pour la dalle recouvrant les voies), accueillera 60 millions de voyageurs par an 1995.
>
> **Gares inscrites à l'Inventaire supplémentaire des monuments historiques.** *Strasbourg :* construite de 1871 à 1883 par l'architecte allemand Jacobstahl. *Rouen :* 1912-1923, style Art nouveau, l'une des premières entièrement en béton armé habillé de pierre. *Rochefort-sur-Mer :* 1913, style Arts déco.

☞ *Emprise des voies nouvelles :* (7 ha au km) 25 % de moins qu'une autoroute (débit bien inférieur). *Volume à remuer :* 150 000 à 200 000 m³ par km. *Rayon du virage :* 5 000 m, rampe 35 m par km (au lieu de 15 m). *Bruit perçu à 25 m au passage d'une rame :* TGV Paris-Lyon : 97 décibels, express à 140 km/h : 92, TGV Atlantique : 90.

■ TGV (Trains à grande vitesse)

TGV Sud-Est

■ **Ligne.** Dessert 55 villes. Paris (Combs-la-Ville) à Lyon (Sathonay). **Construction** *1er tronçon* [274 km St-Florentin (Yonne) à Sathonay, et raccordements de 15 km de Pasilly à Aisy vers Dijon, et de 5 km à Pont-de-Veyle vers Bourg] inauguré 22-9, en service 27-9-1981. *2e* (117 km Combs-la-Ville à St-Florentin) en service 25-9-83. Dessert Lausanne 27-1-84 ; Toulon 3-6-84 ; Lille-Lyon 30-9-84 ; Grenoble 4-3-86 ; Rouen-Lyon 26-9-86. **Rampes max** 35 ‰. **Vitesse max** 270 km/h. *Distance d'accélération pour atteindre 250 km/h :* 8 730 m ; *de freinage à 250 km/h :* 2 400 m. **Terrains occupés** 2 300 ha (dont 700 pour une bande de 5 m de large pour les Télécom.). **Énergie (économie)** 100 000 t de pétrole grâce au report sur le TGV de voyages aériens ou routiers. **Infrastructure nécessaire** 185 ponts-routes, 315 ponts-rails dont 2 ouvrages d'art sur l'autoroute A 6, 9 viaducs, 6 sauts-de-mouton, 2 ponts sur de grands cours d'eau, 100 000 t de rails, 1 400 000 t de traverses, 3 300 000 t de ballast, 2 700 000 t de graves (mélange de terre sablonneuse et de cailloux) et sables, 850 km de clôtures. 2 gares nouvelles : Montchanin et Mâcon (les 2 en S.-et-L.). **Signalisation :** dispositif placé dans la cabine de conduite (pas de signaux lumineux le long de la ligne). Le conducteur est également relié par radio avec le poste de commandement. **Pilotage :** manuel et surveillance électronique du conducteur (en cas de vitesse excessive, dispositifs de freinage automatique).

■ **Rames** (1re génération). *Composition :* 2 motrices pour 8 remorques. Au total, 6 bogies bimoteurs (2 par motrices et le 1er de chaque remorque attenante), 6 300 kW sous 25 kV-50 Hz (8 560 ch), 386 t et 200 m de long. Rames bicourant 1,50 kV continu et 25 kV-50 Hz [en 1972, on avait prévu des turbines à gaz]. *Places* 386. *Commande* SNCF : 109 rames, et 8 tricourant pour circulation en Suisse vers Lausanne. Système articulé avec des bogies entre les véhicules.

■ **Trafic. Cadence maximale :** 1 train toutes les 4 min, 17 km env. séparant 2 rames. **Circulation :** env. 50 à 60 TGV par jour dans chaque sens : 9 desservent la Bourgogne, la Franche-Comté et 4 Lausanne ; 22 Lyon ; 3 St-Étienne ; 5 Grenoble ; 9 Marseille ; 3 Toulon ; 6 Nîmes et Montpellier ; 3 Chambéry, Annecy et 5 Genève.

Nombre de voyageurs (en millions) : *1982 :* 6,88. *83 :* 9,2. *84 :* 13,77. *85 :* 15,38. *86 :* 15,58. *87 :* 16,97. *88 :* 18,11. *89 :* 19 (par j, moy. 51 000, pointe 89 000, taux d'occupation des rames 67 %). **Km parcourus :** 400 millions en 1991.

■ **Coût** (hors taxe, en milliards de F, 1984). *Construction* (infrastructure et superstructure) : 7,85 (8,5 avec terrains) ; *rames* TGV : 5,3 (moins le coût d'acquisition évité du matériel classique auquel elles se substituent : 1,85). En 1991, l'investissement sera remboursé. **Bénéfices nets** (en milliards de F) *: 1984 :* 0,401. *85 :* 0,927. *86 :* 1,002. *87 :* 1,4.

■ **Incidents. 1984**-*22-5* déboulonnage de 55 m de rails à Montlay-en-Auxois (Côte-d'Or). **1990**-*22-4* une trentaine de loubards attaquent une rame de TGV (vide) qui venait de quitter la gare St-Charles de Marseille, après l'avoir stoppée avec des blocs de béton.

TGV Atlantique

Origine. 1975-77 1res études. **1984**-*26-5* déclaré d'utilité publique au JO. **1985**-*15-2* ouverture officielle des travaux. **1988**-*14-4* livraison de la 1re rame. **1989**–*24-9* ouverture TGV 8608 : relie Le Mans-Paris en 54 min (1er train de voyageurs commercial à dépasser 300 km/h). **1990**-*30-9* branche Aquitaine ouverte. **Ligne.** Dessert 19 villes sur l'Ouest et 20 sur le S.-O. *Long. prévue* 280 km avec tronc commun de 124 km de Paris-Montparnasse à Courtalain, et 2 branches : *Ouest* de 52 km jusqu'à Connerré-Beillé, avant Le Mans, pour desservir la Bretagne (mise en service 24-9-1989) ; *Sud-Ouest* de 104 km jusqu'à Monts, au sud de Tours, pour desservir l'Aquitaine (mise en service 30-9-1990). Création d'une coulée verte en banlieue de Paris, construction de gares nouvelles à Vendôme et à Massy. **Rampes.** Maximales 25 ‰. **Rames** (2e génération) (bleu et blanc argent, long. 237,6 m, poids 490 t, coût 83,6 millions de F). 2 *motrices* encadrant 10 *remorques.* 4 *moteurs* synchrones par motrice (bicourant 1,5 kV continu et 25 kw, 50 Hz) développant 8 800 kW (12 000 ch). *Places.* 485 (3 voit. de 1re cl. 116 pl., 6 de 2e cl. 369 pl.). **Vitesse max. de croisière.** 300 km/h. Du 2-8 au 29-9-1991, vitesse réduite de 220 à 160 km/h au-delà de Tours (rupture de caténaires). **Coût.** 10,8 milliards de F [*installations fixes* 8 : *rames* (95) 7], remboursé en moins de 10 ans. **Trafic attendu** (millions de voyageurs) *90 :* 11,2, *91 :* 19, *92 :* 20,7 (dont axe S.-E. 9,5, direction Bretagne 5,9). **Taux d'occupation.** *1992 :* 70 %. (1re cl. : 60 ; 2e : 73).

TGV Nord

Ligne. 1974-*9-10* tracé établi. **1987**-*9-10* tracé arrêté. **1993**-*18-5* inaugurée : 333 km, passe à 40 km d'Amiens ; interconnexion à Roissy des réseaux nord, sud-est et Atlantique prévue pour 1994. *Coût des infrastructures :* 18,5 Md de F (11,7 prévus 1985, matériel roulant 6,8 pour 80 rames) dont 1 pour gare de Roissy. Entre-axe des voies 4,50 m, largeur plateforme 13,90 m. Vitesse max. prévue 350 km/h, rampe max. 25 %, rayon des courbes min. 4 000 m, courant 6 000 volts.

Régularité. *De sept. 1989 à mars 1993 :* 1 % a eu 15 min de retard ou + ; *en 1992 :* 96,5 % sont exacts à 2 min 59 s près. *Retards les + importants : 1990-29-12 :* rupture de caténaire : 25 rames concernées, 2 supprimées pour 23 retard de 1 min à 4 h 48 min. *1991-11-7 :* baisse de pression de la conduite principale : 5 h de retard pour 1 rame. *-8-11 :* 1 biche tuée à Courtalain, 38 rames concernées. *-28-12 :* 1 cheval tué (à 18 h 55) à 180 km/h : retard de 4 h.

TGV Réseau : rames bicourant 25 kV/50 hz - 1,5 kV cc : 2 motrices et 8 remorques. *Longueur* hors tout 200,19 m. *Largeur* max. des caisses 2,904 m. *Entre-axe* des pivots des motrices 14 m, des remorques 18,7 m. *Empattement* des bogies 3 m. *Roues* diamètre 0,92 m. *Masse* totale en ordre de marche 383 t, en charge normale 416 t, adhérente 135 t. *Capacité* 377 places assises (1re cl. 120, 2e cl. 257 + 15 strapontins). *Vitesse commerciale* max. 300 km/h. *Moteurs de traction* 8 ; puissance aux arbres sous 25 kW 8 800 kW, sous 1,5 kW, 3 680 kW, p. unitaire des moteurs de traction 1 100 kW. *Bogies* moteurs 4, porteurs 9. **TGV Transmanche (Eurostar) : rame**

tricourant 25 kV/50 Hz-3 kV cc-0,675 kV cc : 2 motrices et 18 remorques. *Longueur* hors tout 393,72 m. *Largeur* max. 2,814 m. *Entre-axe* des pivots des motrices 14 m, des remorques 18,7. *Empattement* des bogies 3 m. *Roues* diamètre 0,92 m. *Masse* totale en ordre de marche 752,4 t, en charge normale 816 t, adhérente 204 t. *Capacité* 794 places assises (1re cl. 210, 2e cl. 584 + 52 strapontins). Vitesse max. 300 km/h. *Moteurs de traction* 12 ; puissance unitaire 1 020 kW ; aux jantes des moteurs de traction sous 25 kV 12 200 kW, sous 3 kV 5 700 kW, sous 0,675 kV 3 400 kW. *Bogies* moteurs 6, porteurs 18. **TGV à 2 niveaux. Rame bicourant 25 kV/50 Hz-1,5 kV cc** : 2 motrices et 8 remorques. *Longueur* hors tout 200,190 m. *Largeur* max. 2,896 m. *Entre-axe* des pivots des motrices 14 m, des remorques 18,7 m. *Empattement* des bogies 3 m. *Roues* neuves (essieux moteurs) diamètre 0,92 m (porteurs) 0,91 m. *Masse* totale en ordre de marche 380 t, en charge normale 424 t, adhérente 135,620 t. *Capacité* 547 places assises (1re cl. 199, 2e cl. 348). *Vitesse* commerciale 300 km/h. Moteurs de traction 8 ; puissance unitaire 1 100 kW ; aux arbres des moteurs de traction sous 25 kV 8 800 kW, sous 1,5 kV 3 680 kW. *Bogies* moteurs 4, porteurs 9.

☞ Le TGV Nord-Européen, TGV-PBKA (Paris-Bruxelles-Cologne-Amsterdam) (1996) coûterait 90 milliards de F (All. 24, France 16, Belg. 12, P.-Bas 4,6, ligne entre le tunnel et Londres 35). **Rame :** 27 commandées le 28-1-1993 (9 SNCF, 11 SNCB, 4 NS, 3 OB). Chacune composée de 2 motrices quadricourant à poste de conduite central, encadrant un tronçon de 8 remorques identiques à celles du TGV Réseau. Sous 4 tensions d'alimentation différentes (1 500 Vcc, 3 000 Vcc, 25 000 V/50H3 et 15 000 V/16 2/3 H3). Admet les informations de 7 systèmes de sécurité (BRS, KVB, TVM pour la SNCF, ATB, pour les NS et INDUSI, LZB pour la DB) : les 1ers devraient circuler à partir de la fin 96.

Projets

Aquitaine prolongement Tours Bordeaux (480 km) [Paris-Bordeaux : 2 h 06 (au lieu de 4 h 08)]. **Auvergne.** Voie nouvelle et aménagement de la ligne existante vers Nevers et Clermont-Ferrand [Paris-Clermont-Ferrand en 2 h 32 (3 h 49)]. **Bretagne** prolongement Mans-Rennes 156 km [Paris-Rennes 1 h 26 (2 h), Rennes-Marseille 4 h 20]. **Est** (460 km). Interconnexions à Reims, Metz et Strasbourg, et avec réseaux sarrois, allemands et suisses [Paris-Strasbourg 1 h 50 (3 h 48)]. *Projet (1993) :* 1re phase : 1 ligne de 300 km jusqu'à Baudrecourt (Paris-Strasbourg 2 h 25). *Coût estimé* (juill. 93) : 25,66 milliards de F. **Grand Sud** (70 km) Carcassonne-Narbonne + aménagements, Toulouse-Marseille 2 h. **Interconnexion Sud** (49 km) ligne nouvelle entre TGV Sud-Est et Atlantique via Melun-Sénart ; courte jonction entre Interconnexion Est et TGV Sud-Est. **Liaison transalpine Lyon-Chambéry-Turin** (261 km) avec tunnel (25 km) sous les Alpes (Turin-Lyon 1 h 25). **Limousin** (174 km + aménagements) par Orléans ou Poitiers. Limoges à 2 h 01 de Paris. **Méditerranée** branches : *Provence* (219 km) Valence-Marseille ; *Côte d'Azur* (132 km) Aix-en-Pr.-Fréjus (tracé contesté au nord de Salon-de-Provence, par viticulteurs et écologistes) ; *Languedoc-Roussillon* (290 km) vers Montpellier, Perpignan et Barcelone ; Paris-Marseille 3 h (4 h 40), Paris-Perpignan 3 h 40 (5 h 30). **Midi-Pyrénées** (184 km) Bordeaux-Toulouse, prolongerait le TGV Atlantique et Aquitaine ; Paris-Toulouse 2 h 48 (5 h 59), Bordeaux-Toulouse 1 h. **Normandie** (169 km) Paris-Nanterre-Rouen-Caen ; Paris-Rouen 40 min, Paris-Caen 1 h 25 (1 h 52). **Pays de la Loire** (78 km) Le Mans-Angers (Paris-Nantes 1 h 46). **Picardie** (165 km) entre TGV Nord et tunnel sous la Manche par Amiens/Paris-Amiens 0 h 40 (1 h 30). **Rhin-Rhône** (425 km), relierait Bourgogne, Franche-Comté et sud de l'Alsace aux réseaux suisses et allemands et à Paris ; Paris-Belfort 2 h (3 h 39), Besançon 2 h 10.

Coûts d'investissements totaux (infrastructures et matériel, en milliards de F, en 1989) et, entre parenthèses, **rentabilité pour la SNCF** (en %). Aquitaine 17,1 (7,6). Auvergne 5,9 (3,1). Bretagne 6,5 (7,4). Est 28,3 (4,3). Grand Sud 6,6 (3,4). Interconnexion Sud 3,3 (8,2). Liaison Transalpine 27 (5,6). Limousin 6,7 (2,4). Provence 14,7 (9,8). Côte d'Azur 10,5 (8,4). Languedoc-Rous. 18,1 (6,1). Midi-Pyr. 8,4 (5,5). Normandie 11,6 (0,1). Pays de la Loire 3,3 (5,4). Picardie 6,3 (4,8). Rhin-Rhône 22,1 (5,9).

Statistiques

Transport annuel des axes de TGV (en millions de voyageurs). *Avant le TGV :* Atlantique 15,5 (1980), Sud-Est 12 (1980), Nord 11, Est 8,5 (dont militaires du contingent 1,6). *Avec le TGV :* total 160.

Parc TGV de la SNCF (au 31-12-92). Rames TGV Sud-Est 108, Atlantique 105.

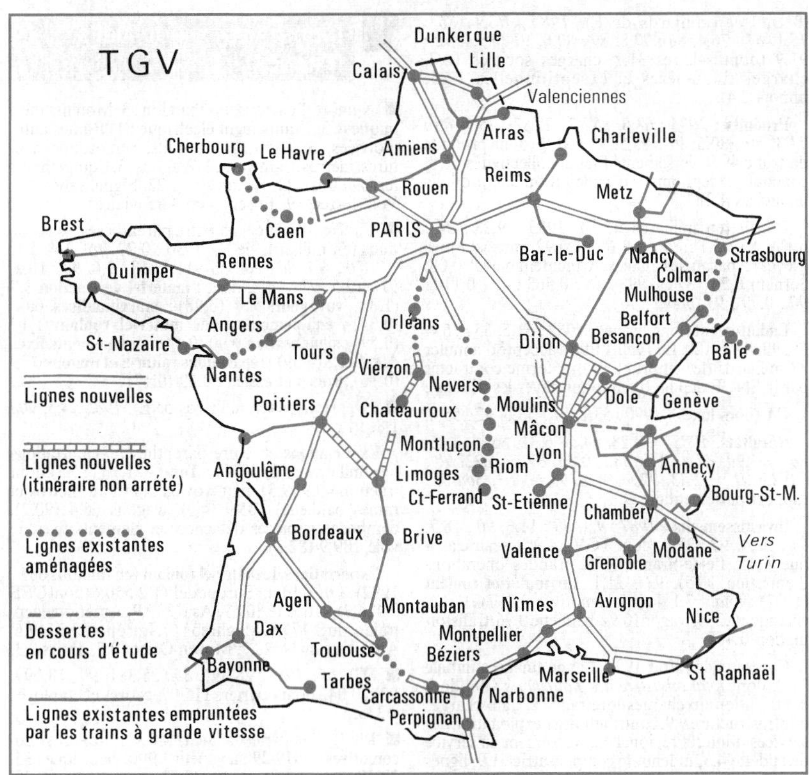

Nombre de km de lignes du parcours TGV (LGV + lignes anciennes). *1989 :* 3 600, *90 :* 4 700, *91 :* 5 119 [dont LGV 735 (dont Paris-Lyon et raccordement vers Lyon 417), Atlantique 280, contournement de Lyon 38].

Vitesse comparée (centre à centre en 1990). Paris-Lyon *avion* 3 h 10 (*TGV* 2 h) *voiture 4 h 50.* Paris-Marseille 3 h 10 (4 h 40) *8 h.* Paris-Montpellier 2 h 50 (4 h 40) *8 h 55.* Paris-Nice 3 h 05 (7 h 14) *9 h 30.* Paris-Grenoble 3 h 10 (3 h 10) *6 h.* Paris-Genève 3 h 15 (3 h 30) *6 h 10.* Paris-Saint-Étienne 2 h 50 (2 h 48) *5 h 35.* Lille-Lyon 2 h 20 (4 h 23) *6 h 30.* Paris-Rennes 2 h 45 (2 h 05) *3 h 45.* Paris-Nantes 2 h 50 (2 h 05) *4 h 10.* Paris-Brest 2 h 45 (4 h 15) *6 h 45.* Paris-Bordeaux 2 h 55 (2 h 55) *6 h.* Paris-Toulouse 3 h 15 (5 h 10) *8 h 25.*

Organisation des chemins de fer français

Origine des compagnies

Les 1res compagnies de chemins de fer étaient privées et assuraient la construction et l'exploitation des lignes. **1838** Cie d'Orléans. **1842** une loi confie à l'État l'infrastructure, et laisse à des compagnies fermières la superstructure, le matériel et l'exploitation, dans certaines conditions déterminées. **1845** Cies du Nord, de l'Est. **1849** fusion de 28 Cies en 6 : Est, Nord, Paris, Orléans, Midi, Ouest. **1857** Paris-Lyon-Méditerranée (PLM), fusion des Cies de Paris à Lyon, de Lyon à la Méditerranée, de Lyon à Genève, du Dauphiné et d'une partie du grand Central (concession pour 99 ans). **1863** conventions fixant une nouvelle répartition des lignes entre l'ancien et le nouveau réseau, à la suite de la création de nombreuses lignes. **1875-83** l'État crée un *réseau d'État* en rachetant 2 600 km de lignes à des Cies défaillantes. **1879** loi du 17-7-1879 : *Plan Freycinet* tendant à la création de 17 000 km de lignes d'intérêt général. **1883** conventions entre État et Stés précisant les conditions financières Freycinet. **1909-*1-1*** l'État propriétaire du réseau de l'Ouest. **1921** création du Fonds commun pour équilibrer le déficit de certains réseaux. **1938-*1-1*** création de la SNCF (Sté nationale des Chemins de Fer français) en vertu de la convention passée entre l'État et les 5 grandes Cies ferroviaires (Est, Nord, Paris-Orléans, PLM et Midi). Cette convention, modifiée plusieurs fois, était en vigueur jusqu'au 31-12-1982. Idées directrices : fusionner les réseaux en un réseau unique placé sous la tutelle de l'État et objet d'une gestion « industrielle », à l'effet d'équilibrer recettes et dépenses.

La SNCF

■ **Naissance de la SNCF.** Les « droits d'exploiter » et, éventuellement, de construire des chemins de fer, antérieurement détenus par les 5 grandes Cies concessionnaires (Nord, Est, Paris-Orléans, Paris-Lyon-Méditerranée et Midi) et 2 réseaux d'État (État et Alsace-Lorraine) furent confiés par convention et décret-loi du 31-8-1937 à une entreprise unique, la SNCF, pour 45 ans (1-1-1938 au 31-12-1982).

■ **Ancienne organisation.** Sté d'économie mixte, Sté anonyme par actions avec capital réparti entre État (51 %) et anciennes Cies concessionnaires (49 %). *Conseil d'administration :* 10 représentants de l'État dont Pt et 1er vice-Pt, 3 des actionnaires privés (ayants droit des anciennes Cies, dont un 2e vice-Pt) et 5 du personnel, désignés sur proposition des org. syndicales. *Direction :* sous l'égide du Pt, 1 directeur gén. assisté de 3 directeurs gén. adjoints, 1 secr. gén. et 1 secr. gén. adjoint.

■ **Nouvelle organisation** (dep. la loi d'orientation des transports intérieurs du 30-12-1982). Un établissement public industriel et commercial conservant la dénomination SNCF succède à la Sté.

Conseil d'administration : 18 membres, soit 7 représentants de l'État nommés par décret ; 6 du personnel dont 5 élus directement par les salariés de l'entreprise et de ses filiales et 1 désigné au suffrage indirect par les repr. des cadres ; 5 membres choisis en raison de leur compétence, nommés par décret, dont 2 repr. des usagers voyageurs et marchandises.

Pt Jacques Fournier : désigné par les pouvoirs publics parmi les administrateurs sur proposition du Conseil ; est assisté d'un directeur général nommé par décret en Conseil des ministres, sur sa proposition et après avis du Conseil d'administration ; 5 directeurs adjoints entourent le directeur général.

■ **Contrôle technique, écon. et financier de l'État.** Le min. des Transports nomme auprès de la SNCF un *commissaire du Gouvernement* (assisté d'un com. du Gouv. adj.) qui siège au Conseil avec voix consultative, ainsi qu'un chef de la mission de contrôle écon. et financier des Transports (dep. 1949), et fonctionnant sous l'autorité et pour le compte du ou des min. chargés de l'Économie et du Budget.

■ **Contrat de plan État-SNCF.** Signé janvier 1990, fixe pour objectif à la SNCF l'équilibre annuel des comptes. En contrepartie de l'annulation partielle de sa dette, la SNCF s'est engagée à investir 796,6 millions de F, dont 43,5 pour les futurs TGV auxquels s'ajoutent plus de 10 milliards pour la banlieue parisienne. Elle devra financer 34 % de ses investissements, sans tomber au-dessous de 20 % au cours de ses différents exercices.

■ Budget (milliards de F). *1985 :* 73,1. *86 :* 75,1. *87 :* 76,4. *88 :* 77,8. *89 :* 80,6. *91 :* 85,4. *92 :* 91,9 (dont salaires 31,1, charges sociales 12,7, charges financières et exceptionnelles 12,5, impôts 2,4).

Produits : *1985 :* 68,6. *86 :* 71,2. *87 :* 75,4. *88 :* 77,3. *89 :* 80,6. *91 :* 85,5. *92 :* 91,9 (dont produits du trafic 49,9, versements État et collectivités 16,8, concours exceptionnels d'exploitation 3,3, produits financiers 4,2).

Déficit (en milliards de F). *1983 :* 9,28 ; *84 :* 6,15 ; *85 :* 5,1 ; *86 :* 3,9 (dont 0,92 en raison des grèves) ; parmi les filiales Armement naval 0,08, Sernam 0,24 ; *87 :* 0,993 ; *88 :* 0,563 ; *89 :* 0,110 ; *90 :* 0,79 ; *93 (prév.) :* 7.

Endettement (long terme) : *1982 :* 51,5. *85 :* 76,4. *89 :* 99,4. *92 :* 120. En 1990, l'État a accepté d'annuler 38 milliards (les emprunts à long terme contractés par la SNCF depuis 10 ans pour payer les déficits).

CA (hors taxe) : *1990 :* 53,1. *91 :* 53,6. *92 :* 55,4.

Résultats. *1983 :* – 9,28. *84 :* – 6,32. *85 :* – 4,46. *86 :* – 3,99. *87 :* – 1,5. *88 :* –0,86. *89 :* – 1,22. *90 :* – 0,25. *91 :* – 2,73. *92 :* – 4,78. *93 :* – 7,3. *Source :* rapport parlementaire.

Investissements : *1987 :* 9,9. *88 :* 11,3. *90 :* 18,7. *91 :* 22,4. *92 :* 23,8 (dont TGV 14,9, réseau classique 6,47, Ile-de-France 3,75, grandes opérations d'entretien 1,45). *93 :* 21,1. **En matériel roulant** (1992) : *total :* 7,1 dont locomotives 0,8, TGV 3,6, classique 0,274, wagons 0,92, banlieue 0,96, transformation 0,465.

Concours de l'État 1993. **Loi de finances initiale** 37,2, dont *total ministère des Transports :* 36 [dont contribution aux charges de retraite 12,7, aux charges d'infrastructure 9,9, contribution à l'exploitation des services d'intérêt régional 4,2, versement au service de la dette 4,3, indemnité compensatrice 1,9, lignes maintenues pour la défense 7,2], réductions tarifaires 3,6.

Financement des investissements (1991, en milliards de F) : autofinancement, cession d'actifs, subventions 7, emprunts Eurofina 1,5, cession-bail des rames TGV [1], marché obligataire 19.

Nota. – (1) La SNCF revend une ou plusieurs rames (83 millions l'unité) à des organismes financiers, filiales de banques constituées en GIE, puis loue à ces GIE ces rames 15 ans, avec option d'achat.

■ Nombre d'agents (au 31-12). *1939 :* 500 000. *72 :* 285 760. *75 :* 276 600. *80 :* 251 680. *85 :* 238 780. *90 :* 201 148 dont cadres permanents 198 290 (dont temps partiel 3 015), contractuels 2 858. *92 :* 195 216. *94 (prév.) :* 181 550. **Unités kilométriques équivalentes par agent :** *1980 :* 575, *90 :* 717.

Recettes et dépenses comparées de l'État pour la route et le rail en milliards de F (MF)

■ Recettes. **Routes :** l'État reçoit la quasi-totalité des recettes de la route, dont la TVA (normale ou majorée) sur les véhicules routiers (de Stés ou de particuliers).

Fer : taxes sur le matériel ferroviaire (1,6 MF en 1983), TVA sur les titres de transport (8,2 MF en 1983), taxes payées par la SNCF pour sa consommation d'énergie.

■ Dépenses. **Routes :** entretien de 34 000 km sur un total de 800 000 km dont 400 000 de voies communales, taxes payées sur les carburants utilisés par des moteurs autres que routiers ; *coût social des accidents :* 80 MF (en 1982).

Énergie : la route consomme 100 % de l'énergie importée, mais l'électricité consomme du pétrole dans les centrales thermiques, le gros de la consommation pétrolière étant affectée au chauffage.

☞ **Arguments en faveur du rail :** pour payer ses investissements, la SNCF doit emprunter. L'État, son unique actionnaire, peut, pour certains investissements d'infrastructure, lui accorder son aide [électrification des lignes de Bretagne ou du Bourbonnais, par exemple (30 %), ou ligne nouvelle du TGV Atlantique (30 %)]. Certains estiment que si l'on cessait de favoriser les modes concurrents par des crédits exagérés d'investissements et des avances, la SNCF récupérerait un trafic voyageurs et marchandises, et pourrait équilibrer ses comptes tout en permettant des économies de temps, d'espace, d'énergie, de nuisances. Ils déplorent qu'on limite les investissements de la SNCF afin de freiner la dégradation de ses finances, alors que des entreprises ind., à l'avenir incertain, sont subventionnées à fonds perdus. Le rapport Bouladon de l'OCDE estime que le rail est rentable, la route déficitaire.

Industries ferroviaires (France)

■ Nombre d'entreprises. Traction : 3. Moteurs thermiques : 3. Équipement électrique : 1. Rames automotrices, turbotrains, autorails, remorques, voitures, métros, tramways : 4. Wagons : 3. Équipements ferroviaires : 22. Réparation : 22. Signalisation : 3. Voie ferrée : 9. Ensembliers ferroviaires.

■ Chiffres d'affaires et, entre parenthèses, exportations (en milliards de F). *1936 :* 0,27. *46 :* 1,4. *52 :* 1,7. *70 :* 4,4. *80 :* 8,4. *86 :* 11,1. *88 :* 9,6. *90 :* 10,2. *91 :* 12,5. *92 :* 14,2, dont : **matériel de traction** 3,7 (1,8) ; **voyageurs** 4,4 (0,98) ; **marchandises** 0,66 (0,34) ; **équipements pour matériel roulant** 1,17 (0,59) ; **signalisation** 0,90 (0,14) ; **équipements fixes de voie** 1,8 (0,59) ; **réparations voitures et wagons** 0,79 (0,16) ; **roues et essieux** 0,69 (0,17).

■ Exportations (en milliards de F). *1985 :* 4,3. *90 :* 1,8. *91 :* 3.

Exportations et, entre parenthèses, **importations** (en millions de $, **1991**) : **Total** 421,1 (185,9) dont traction 49,9 (9,3), mat. voyageurs (dont métros et rames banlieue) 105,9 (4,1), wagons 66,4 (90,2), composants, pièces détachées et éléments fixes de voie 189,9 (82,3).

Exportations de matériel roulant (en millions de F, 1992) : 3 613,4 dont Europe de l'O. 2 550,6 (dont CEE 2 424,2), Afrique 309,7, Asie 339,9, Amérique centrale et du S. 177,9, Maghreb 147, Europe de l'E. 49,6, Amérique du N. 28,7, Moyen-Orient 9,7, divers 0,3.

■ Effectifs. *1983 :* 28 391. *85 :* 25 381. *90 :* 18 099. *92 :* 20 042 dont ouvriers 11 707, cadres et employés 8 335.

■ Production-livraison. MOYENNES ANNUELLES. **Locomotives : 1919-29 :** à vapeur [1] 900, électriques 35. **30-38 :** vap. [1] 150, él. 40. **45-52 :** vap. [1] 130, él. 20. **52-70 :** diesels [1] 350, él. 90. **71-79 :** d. [1] 140, él. 82. **85 :** 106 (él. 24, motrices TGV 11, thermiques 34, locotracteurs 37) dont exportés 34 therm., 7 locotract. **86 :** él. 22, therm. 11, locotract. 52. **87 :** él. 118, therm. 32, locotract. 35. **88 :** él. 133 (dont 8 TGV), therm. 1, locotract. 35. **89 :** él. 74 (74 TGV), therm. 3, locotract. 30. **90 :** 116 (82 TGV), locotract. 32. **91 :** 160 (TGV 62), locotract. 35.

Nota. – (1) Y compris locom. de manœuvre.

Voitures à voyageurs (nombre de véhicules) : **1919-29 :** 940. **30-38 :** 490. **45-52 :** 190. **52-70 :** 520. **71-79 :** 1 150. **85 :** 844. **86 :** 1 008. **87 :** 742 (y compris métro). **88 :** 539. **89 :** 706. **90 :** 607. **91 :** 498.

Wagons marchandises : 1919-29 : 13 330. **30-38 :** 5 500. **45-52 :** 5 400. **52-70 :** 10 000. **71-79 :** 11 050. **81 :** 6 552. **85 :** 1 736. **86 :** 755. **87 :** 1 370. **88 :** 1 214. **89 :** 1 009. **90 :** 941. **91 :** 968.

Rail : la SNCF achète 100 000 t de rails par an (à 4 500 F la t) pour renouveler 450 km de lignes + env. 40 000 t pour les lignes nouvelles. 90 % sont commandées à Unimétal filiale d'Usinor Sacilor.

Renseignements pratiques (France)

☞ **Système de réservation Socrate.** Système offrant à la clientèle la réservation d'affaires et de tourisme en Europe. Mis en service dep. 12-1-1993. Prix de revient 1,3 milliard de F dont NSR (nouveau site de réservation de Lille-Fives, qui concentre les ordinateurs et logiciels) 0,1 ; « grands systèmes » IBM 3090 et 9000 et banques de données Teradata 0,4 ; 4 500 terminaux 0,4 ; coût d'achat de la licence du logiciel Sabre à American Airlines 0,34 à 0,40. Permet 800 transactions par seconde (20 pour Résa). Délivre un titre de transport unique avec un seul billet (billet, supplément, réservation). Pour réserver longtemps à l'avance, il faut avancer la totalité du prix du voyage et non plus la seule réservation. En cas de demande de remboursement après le départ du train, la SNCF retient une pénalité de 20 % sur la somme totale. De multiples « ratés » informatiques ont suscité un très fort mécontentement du public.

Autres systèmes utilisés par la SNCF : Aristote (amélioration de la restitution d'information avec un système transactionnel optimisé sur le trafic de l'entreprise). **Thalès** (traitement heuristique, algorithmique et logique des espaces de service).

Tarifs au 25-5-1992

■ Animaux en train. Chiens et animaux domestiques de petite taille peuvent être tolérés. *Prix :* 50 % du tarif 2e cl. avec, pour les petits chiens ne pesant pas plus de 6 kg et autres petits animaux domestiques transportés dans un contenant approprié (dimensions max. 45 cm × 30 cm × 25 cm), un prix max. par contenant : tout parcours : 28 F.

■ Automobiles accompagnées. 3 formules : *trains-autos-couchettes* (TAC) : le voyageur dispose d'une place couchée dans le même train que sa voiture ; *services autos-express* (SAE) : le voyageur utilise le train de son choix, sa voiture est transportée de nuit par un autre train, il la retrouve à destination ; *trains-autos-jour* (TAJ) : sur Paris-Lyon, l'automobiliste voyage de jour par le même train que sa voiture.

Prix (en F). Varient selon 3 périodes : bleu, blanc, rouge. Ex. : aller simple Paris-St-Raphaël : *voit. de – de 3,81 m :* 640/1 179/1 429 ; *de 3,81 m à 4,42 m :* 756/1 392/1 686 ; *de + de 4,42 m :* 954/1 758/2 129.

Assurance spéciale pour voyage avec auto ou moto accompagnée. Par fraction de 6 000 F (véhicule) et 6 000 F (bagages) assurés (max. 3 000 F pour appareils photo et assimilés, bijoux et objets de valeur), prime par trajet : 15 F pour bagages seuls, 30 F pour bagages et véhicule.

■ Bagages. 1°) **Sont acceptés** comme bagages enregistrés les objets contenus dans des malles, cantines, paniers, valises, sacs de voyage, se prêtant sans difficulté, et sans risque d'avarie, à la manutention et au transport, sous réserve que : le poids unitaire ne dépasse pas 30 kg (40 kg pour une malle ou une cantine par voyageur). 2°) **Dispositions particulières :** peuvent être également acceptés (par voyageur) : bicyclettes et tandems emballés ou non, fauteuils roulants, voiturettes de personne à mobilité réduite, avec ou sans moteur, de – de 60 kg, emballés ; landaus, skis et monoskis remis isolément ou en fardeau (au max. 3 paires de skis ou 3 monoskis (et leurs bâtons, à l'exclusion des chaussures), planches nautiques de – de 3 m, sous réserve que l'enregistrement soit effectué sur des relations directes de gare à gare désignées. 3°) **En aucun cas ne sont acceptés :** matières dangereuses ; objets de valeur : objets destinés à la vente ; cyclomoteur. *Prix :* 90 F par bagage. A domicile. **Enlèvement :** tél. 4 j à l'avance (demander le service de l'enlèvement à domicile avec enregistrement direct) ; **livraison** (à demander lors de l'enregistrement au départ). *Prix :* 60 F par opération d'enlèvement ou de livraison. Pas d'enlèvement ni de livraison à domicile pour planches nautiques ; restrictions pour bicyclettes. **Consigne :** 30 F par colis et par 24 h, 35 F pour bicyclettes, tandems, voiturettes de malades ou d'invalides, planches nautiques.

Assurance générale pour bagages enregistrés ou à main : barème progressif selon la durée et le capital assuré (prime minimale : 45 F pour 3 000 F assurés pendant 15 jours).

■ Billets ordinaires. UTILISATION : utilisables un j quelconque compris dans une période de 2 mois à compter du j de leur émission ou de la date pour laquelle la place a été réservée. Pour être valable, le billet doit être composté. Les arrêts en cours de route sont autorisés (sauf billets de promenades d'enfants). Au départ de la gare d'arrêt, le voyageur doit à nouveau composter son billet. *Banlieue de Paris :* tarifs fixés comme ceux de la RATP, par le syndicat des transports parisiens. Validité des billets illimitée, compostage obligatoire.

■ Billet individuel BIGE [Billet international pour jeunes de – de 26 ans (étudiants ou non)]. Réduction 20 à 35 % de France vers All., Autriche, Belgique, Danemark, Espagne, G.-B., Grèce, Italie, Luxembourg, Norvège, P.-Bas, Portugal, Rép. d'Irlande, Suède, Suisse... Billets AR et trajets simples dans des trains autorisés à des jours désignés. *Demande : Transalpino,* 16, rue Lafayette, 75009 Paris. *Wasteels,* Tour Gamma B, 195, rue de Bercy, 75582 Paris Cedex 12. *Eurotrain-CIT,* 3, bd des Capucines, 75002 Paris *et correspondants de ces 3 agences.*

■ Billets pris dans le train. *Jusqu'à 74 km :* absence de titre 130 F, titre non valable, non composté, conditions d'admission non respectées 90 F. *Au-delà de 74 km :* majoration de 90 F pour adultes, 50 F pour enfants.

■ Billets à tarifs réduits. Tarifs Couples, Kiwi, Vermeil, Jeunes. Billets séjour : *périodes creuses (jours « bleus »)* du lundi 12 h au vendredi 12 h et du samedi 12 h au dimanche 15 h en général ; *de pointe (j « blancs »)* du vendredi 12 h au samedi 12 h et du dimanche 15 h au lundi 12 h, plus quelques j de fête ; *de super-pointe (j « rouges »)* quelques j de grands départs.

Tarif à la carte (supplément RESA 300) : en vigueur sur le TGV Atlantique. Montant variable selon h et j, en fonction du taux d'occupation des trains. Un 2e classe Paris-Le Mans peut ainsi être augmenté de 48 à 60 % en période chargée, par rapport au billet normal « grandes lignes ».

Aveugles : *carte d'invalidité « cécité étoile verte » :* gratuité pour le guide.

Congé annuel (billets) : *bénéficiaires :* salariés, petits artisans, trav. à domicile, petits agriculteurs exploitants français ou de la CEE ; l'épouse et les jeunes de – de 21 a., la mère et/ou le père du titulaire célibataire si ces personnes habitent chez lui et qu'il voyage avec elles ; les demandeurs d'emploi, sous certaines conditions. *Parcours :* minimum 200 km AR. *Avantage :* 25 ou 50 % de réduction. Remplir un formulaire. Le déposer au moins 24 h avant le départ à la gare. *Période d'utilisation :* 3 mois sans prolongation.

Populaires (billets) : 25 % de réd. en 2e classe pour 1 aller et retour par an. 50 % en période bleue pour allers et retours populaires, si au moins la moitié est réglée par chèque-vacances. Les billets d'allers et retours pop. comprennent les billets de congé annuel, de pensionnés, retraités, allocataires, veuves et orphelins de guerre.

Congrès (billets aller-retour) : 20 % de réduction. Utilisables quel que soit le j.

Couple : *bénéficiaires :* tout couple (mariés ou concubins), carte « couple » délivrée gratuitement par gares et agences de voyages agréées. Valable 1 an. *Avantage :* 50 % de réduction à la 2e personne. *Conditions :* début du voyage en période creuse (j bleu). Voyager ensemble (même classe de voiture sur tout le parcours). Pas d'obligation d'aller-retour.

Comparaison des prix air/fer

De Paris à	Prix plein tarif		
	SNCF au 1-07-93 1re cl.	2e cl.	Air Inter [1] au 1-07-93
Bordeaux	418	279	805
Lyon	383	255	810
Nantes	320	213	805
Nice	675	450	990
Toulouse	485	323	875

Nota. – (1). Taxe d'aéroport (10 F) comprise.

Famille (billets) : *réductions pour familles nombreuses* (enfants de – de 18 ans), calculées sur le prix du billet de 2e (on peut voyager en 1re en payant la différence des billets de 1re et 2e en plein tarif). *3 enf. :* 30 % ; *4 :* 40 % ; *5 :* 50 % ; *6 et + :* 75 %. De plus, le père et la mère qui ont eu au moins 5 enfants vivant simultanément, gardent, toute leur vie, 30 % de réduction. Tous ces taux sont ramenés au taux unique de 50 % sur les réseaux RATP et SNCF de la banlieue de Paris. La réduction de 30 % applicable aux familles de 3 enfants mineurs est maintenue au père, à la mère, et à chacun des enfants mineurs jusqu'à ce que le dernier ait atteint 18 ans. Cette mesure ne touche que le réseau « grandes lignes » SNCF.

Carte Rail Europ F (REF) : réservée aux familles d'au moins 3 personnes. Permet d'obtenir des billets internationaux avec réd. de 50 % à partir de la 2e pers., à condition que 3 pers. au minimum (8 au max.) effectuent le voyage à destination de : Autriche, Belgique, Danemark, Espagne, G.-B., Grèce, Italie, Luxembourg, P.-Bas, ex-All. féd., Irlande, Portugal, Suisse, Turquie, Yougoslavie, ou à l'intérieur de ces pays. Valable 1 an, en 1re ou 2e cl., à condition que le voyage commence en France en dehors des périodes de fort trafic (j rouges). *Prix :* 50 F.

Personnes accompagnées d'enfants (offre « famille ») : dans certains trains : 1) tout groupe de voyageurs composé au minimum de 4 personnes payantes dont au moins un enfant de – de 16 ans, peut, sauf pour les périodes rouges du calendrier « voyageurs », réserver un compartiment entier (places assises le jour et couchées la nuit) ; supplément 128 F de jour, prix de 6 couchettes pour la nuit (492 F). 2) Les – de 4 ans peuvent occuper seuls une place assise disponible (ou préalablement réservée) ou une couchette, s'ils sont munis d'un billet « bambin » taxé au quart du prix payé par un adulte, et ont acquitté droit ou suppléments correspondants. Des trains de jour disposent d'une voiture espace jeux, d'un local nurserie avec table à langer et prise de courant pour chauffe-biberon.

Groupe (billets de) : 20 % de réduction pour 6 personnes ou payant pour 6 ; 30 % à partir de 25 ou payant pour 25. Certains trains et certaines périodes (rouges) ne sont pas autorisés. *Voitures-lits :* 10 % de réd. du lundi au jeudi inclus et le samedi aux groupes d'au moins 25 ou payant pour 25 (supplément gratuit au-dessus de 30 voy.). Supplément gratuit par fraction de 50 voyageurs payants à partir de 15 v. payants. Billet valable 2 mois. Réservation obligatoire.

Pensionné, retraité, allocataire, veuve et orphelin de guerre de – de 21 a., préretraités âgés d'au moins 55 ans + le conjoint et les jeunes de – de 21 a. habitant sous le même toit s'ils voyagent avec le titulaire du billet. *Parcours :* sans condition. *Période d'utilisation :* 2 régimes au choix : *1°* 1 billet AR utilisable 3 mois sans prolongation, mêmes possibilités que le billet de congé annuel. *2°* 2 billets simples utilisables chacun 1 mois et délivrés séparément, le billet de retour étant délivré contre remise d'un bon valable 6 mois, établi lors de l'émission du billet aller. Le retour peut s'effectuer à partir de n'importe quelle gare. Réduction de 25 ou 50 %.

Séjour (billets) : 25 % de réduction, en toutes classes, pour un parcours aller et retour ou circulaire d'au moins 1 000 km, retour compris (ou en payant pour cette distance). Les billets AR doivent comporter chacun un parcours fer de 200 km min. *Période d'utilisation :* 2 mois (3 moyennant supplément de 10 %). Chacun des trajets A et R doit commencer en période bleue. Le retour ne peut être commencé qu'après une période comprenant une fraction de dimanche ou un j férié légal.

■ Abonnements. **Modulopass :** comprend une carte nominative en 1re ou 2e classe pour un ou plusieurs parcours déterminés ou pour la France entière, et un coupon Modulopass valable 6 mois ou 1 an. On peut acheter à tout moment : 1) des billets demi-tarif [1] à l'unité (réservation et suppléments payants) ou par achat groupé de 8 billets minimum (réservation payante, suppléments gratuits) ; 2) un forfait mensuel libre circulation qui permet d'obtenir 10 réservations gratuites (20 si emprunt d'un TGV) et les suppléments gratuits.

Nota. – (1) Valables 2 mois à compter de la date d'émission pour les billets à l'unité et 2 mois à compter de la date de la 1re réservation pour les billets par achats groupés.

Tarif pour l'ensemble des lignes. 1re classe et, entre parenthèses, 2e classe. *1 an :* 4 158 (2 772) ; *6 mois :* isolé 2 495 (1 664), renouvellement 2 079 (1 386) ; *forfait mensuel :* 4 515 (2 951).

Améthyste (cartes) (violette) : réservées aux personnes remplissant certaines conditions (âge, ressources, handicaps, situation administrative). Réseau banlieue. Gratuité ou demi-tarif selon les cas. Demande au bureau d'aide sociale de la mairie.

Centres de vacances : pour groupe d'au moins 10 personnes composé d'enfants de – de 18 ans et d'accompagnateurs (1 pour 10 ou fraction de 10 enfants). Billets AR ou circulaires. Réduction de 50 % les j bleus, 20 ou 30 % les j blancs (annulées dans certains trains, valable 3 mois, réservation gratuite mais obligatoire).

Carte « Jeune » (12 à moins de 26 ans) : permet de juin à sept. inclus de voyager à demi-tarif sur le réseau SNCF (1re et 2e cl.), sauf sur la banlieue de Paris, pour chaque trajet commencé en période bleue, d'avoir une couchette gratuite, 50 % de réduction pour une traversée Dieppe-Newhaven (aller et retour), 10 % de réd. sur les services de tourisme SNCF. *Prix :* 190 F. En 1990, permet de voyager avec des réductions de 30 ou 50 %, dans des conditions analogues en Espagne, Portugal, Maroc, Italie (y c. via la Suisse) et ex-All. féd. (y compris via la Belgique), avec vignettes spécifiques (Espagne et ex-All. féd. 90 F, autres pays 60 F).

Carte « Kiwi » : valable 1 an pour tout – de 16 ans qui pourra voyager accompagné de 1 à 4 personnes (adulte ou non, ayant ou non un lien de parenté), l'ensemble des voyageurs bénéficiant d'une réduction de 50 % sur le prix du voyage en 1re et 2e cl., en période blanche ou bleue. La réduction Kiwi n'est cumulable avec aucune autre (même avec la réd. enfant).

Avantages complémentaires. Titulaire : – de 4 ans, place assise gratuite, couchette gratuite, boisson gratuite, transport gratuit de l'animal familier, carte complémentaire à moindre prix pour les frères et sœurs, bon de réd. pour une réservation « jeunes voyageurs service », bon de réd. permettant de voyager en 1re classe sur un trajet simple, bon de réd. après 3 000 km pour l'achat d'une nouvelle carte Kiwi, d'une carte jeune ou d'un carré jeune. *Accompagnateur(s) :* bon de réd. pour une réservation « compartiment famille », bon de réd. pour le transport d'une auto en « Train Autos Accompagnées » (sauf période rouge), 30 % de réd. sur le tarif des locations train + auto, les fins de semaine et les vacances scolaires, 25 % de réd. pour le musée Grévin et la visite de la tour Montparnasse. *Prix :* 395 F (ex-All. féd. 50 % avec billet acheté en France, pas de réd. sur parcours belge ou suisse).

« Carré Jeune » (12 à moins de 26 ans) : valable 1 an pour 4 trajets simples sur le réseau SNCF (1re et 2e cl.), sauf sur la banlieue de Paris. Réd. de 50 % en période bleue et 20 % en p. blanche. Possibilité d'acheter plusieurs cartes dans la même année. *Prix :* 190 F.

Inter-Rail (cartes) : valables pour les – de 26 a. résidant en France dep. au – 6 mois, pendant 1 mois en 2e cl. dans 22 pays. En France, réduction de 50 %, sauf sur la banlieue de Paris (10 % sur services de tourisme SNCF). Gratuité sur principaux réseaux étrangers. Réduction sur services maritimes et cars. *Prix :* 1 793 F. *Demande :* gares SNCF (passeport ou carte d'id. exigé).

Travail (cartes de) (valables en 2e cl. seulement) : *hebdomadaires :* parcours de 75 km max. : un AR par j, 6 j pris dans une période de 7 j consécutifs. L'emprunt de certains trains n'est pas autorisé (ex. : rapides, express et directs, sauf dérogations). Présenter une attestation de l'employeur. Peut se combiner à la carte orange.

Vermeil (cartes) : réservées aux personnes résidant habituellement en France et ayant atteint 60 ans. Valables 1 an, 50 % de réduction sur le réseau SNCF (1re et 2e cl.) sauf sur la banlieue de Paris. Le trajet doit commencer en période bleue. *Prix :* 130 F (Quatre temps) et 255 F (Plein temps). *Carte internationale Rail Europ S (RES) :* réservée aux détenteurs d'une carte « Vermeil » (la validité de la carte Rail Europe S ne peut dépasser celle de la carte « Vermeil », il est donc conseillé d'acheter les 2 cartes à des dates rapprochées). Permet d'obtenir des billets internationaux à prix réduit pour des voyages à l'intérieur de : Autriche, Belgique, Danemark, Espagne, Finlande, G.-B., Grèce, Hongrie, Italie, Lux., Norvège, P.-B., Portugal, ex-All. féd., Irlande, Suède, Suisse, Youg. ainsi que sur des réseaux secondaires, les Cies maritimes et sur la plupart des services de tourisme SNCF. Valable 1 an ; donne droit à des réductions (30 ou 50 % selon pays, 50 % en France), en 1re ou en 2e cl. si le voyage commence en France en période bleue. *Prix :* 50 F.

■ Places « Joker ». Proposées dans certains trains sur 50 villes + une trentaine à l'étranger ; uniquement valables dans le train désigné sur la réservation. A tarif préférentiel, ne sont ni remboursables ni échangeables.

■ Couchettes. Droit de réservation compris : 1re classe (4 couchettes par compartiment) ou 2e cl. (6 couch.) 86 F. *Un enfant de – de 12 ans* peut partager la couchette d'un adulte, *2 enfants de – de 12 ans* peuvent occuper une même couchette : dans ces 2 cas, il n'est perçu qu'un seul supplément couchette.

■ Départ empêché. *Aller ou retour non utilisé.* Demander le remboursement du billet dans n'importe quelle gare de la SNCF ou dans l'agence de voyages qui l'a établi au plus tard 2 mois après l'expiration de sa période d'utilisation. Une somme forfaitaire est retenue sur le montant du billet à rembourser.

■ Enfants. **Tarifs :** *– de 4 ans* ne paient rien et ne peuvent se voir attribuer une place distincte. *De 4 à 12 ans* paient demi-tarif et ont droit à une place distincte (sauf sur la banlieue de Paris, de 4 à 10 ans).

Seuls en train : formule « Jeune Voyageur Service ». Prise en charge par des hôtesses, des enfants seuls *de 4 ans à – de 14 ans.* Service assuré durant Les vacances scolaires. En principe 1 ou 2 j par semaine. Plus de 150 gares desservies. Réservation obligatoire. Présenter le livret de famille ou justificatif de l'autorité parentale. *Prix :* billet 2e cl. + *train de jour :* supplément JVS + droit de réservation place assise : 214 F ; *de nuit :* sup. JVS + sup. couchette : 280 F. Exonération du paiement du sup. prévu en cas de train à supplément.

■ Militaires. Réd. de 75 à 100 %. Carte du serv. militaire actif.

■ Motos accompagnées. Sur les relations TAA (Trains Autos Accompagnées). *Prix :* Paris-Marseille selon période bleue, blanche, rouge : 277/522/793 F.

■ Promenade d'enfants. Groupe d'au moins 10 personnes : enf. de – de 15 ans en voyage d'instruction ou déplacement à la campagne et 1 accompagnateur pour 10, ou fraction de 10. Réd. de 75 % (limitée ou annulée dans certains trains et certains j). Billet AR ou circulaire. Réservation gratuite mais obligatoire.

■ Réformés, **pensionnés de guerre et handicapés.** *Avec taux d'invalidité d'au moins 25 % ;* réduction de 50 ou 75 % ; carte délivrée par les offices départementaux des Anciens Comb. et Victimes de guerre ; *25 à 45 % (1 barre bleue),* 50 % de réduction ; *de 50 % et + (1 barre rouge),* 75 % ; *mutilé et guide (double barre rouge),* 75 % aux 2 pers. ; *mutilé et guide (double barre bleue),* 75 % au mutilé, 100 % au guide. *Handicapé titulaire de la carte d'invalidité* (taux d'incapacité 80 % ou +) : réduction de 50 %, en période bleue, pour l'accompagnateur. *H. bénéficiant d'un avantage « tierce personne » :* gratuité de transport, en période bleue, pour l'accompagnateur. *H. en fauteuil roulant :* surclassement gratuit, dans la limite des places disponibles équipées à cet effet dans certains trains, avec réservation obligatoire.

Musées

Musée français du Chemin de fer. 2, rue Alfred-de-Glehn, 68200 Mulhouse. *Créé* en 1971. *Au 1-4-1992* : sur 13 000 m², 12 voies couvertes (longueur totale 1 350 m). Exposés : 31 locom. à vapeur (la plus ancienne, Buddicom, de 1844), 6 électriques, 1 diesel, 4 automotrices électriques, 6 autorails, 16 voitures, 16 wagons anciens, 1 tender, 2 chasse-neige, 1 motrice de métro de Paris, 1 tramway. Maquettes. Nombreuses pièces illustrant la fonction équipement.

Musée provençal des Transports urbains et régionaux. Gare SNCF, 13970 La Barque.

Musée des Transports de Pithiviers (Loiret). *Créé* 1965. Matériel à voie étroite. Promenade en train à vapeur.

Historial de St-Léonard-de-Noblat (Hte-Vienne). *Créé* 1988 matériels réels et modélisme présentés dans 520 m².

Chemins de fer pittoresques (longueur en km). *4 lignes SNCF à voie métrique :* Vallorcine-Chamonix-St-Gervais (35), Salbris-Luçay-le-Mâle (67), La Tour-de-Carol-Villefranche-Vernet-les-Bains (ligne de Cerdagne, 95), Ajaccio-Bastia-Calvi (233) ; *1 secondaire d'intérêt général* (métrique) : Nice-Digne train des Pignes (153 en 3 h 10) ; *3 à crémaillère :* tramway du Mont-Blanc (12), ch. de f. du Montenvers (Hte-Savoie 6), de la Rhune (P.-Atl. 4).

Lignes touristiques. La plupart sont exploitées par des associations d'amateurs bénévoles. Longueur en km. **A voie normale :** Vermandois, St-Quentin-Origny [1] (Aisne), Cernay-Sentheim [1] (H.-Rhin), Vigny-Hombourg [1] (Moselle), Ottrott-Rosheim [1] (Bas-Rhin), Chinon-Richelieu [1] (I.-et-L.), Landes de Gascogne [1] (Labouheyre-Marquèse, Landes) ; Guîtres-Marcenais [1] (Gir.), Connerré-Beillé à Bonnétable [1] (Sarthe), Anduze-St-Jean-du-Gard [1] (Gard), Saujon-La Tremblade [1] (Ch.-M.), Narbonne-Bize [1] (Aude), Mortagne-sur-Sèvre-Les Herbiers [1] (Vendée) ; Rhin, Volgelsteim-Marckolsheim [1] (Bas-Rhin). **A voies de 1 m :** baie de Somme [1] (St-Valery-Le Crotoy), Vivarais [1] (Tournon-Lamastre, Ardèche), La Mure [1] (Gorges du Drac, Isère). **A divers écartements :** (0,70, 0,60, 0,50 m) Froissy-Dompierre [1] (Somme), Abreschviller (Moselle), Pithiviers [1] (Loiret), St-Trojan [1] (île d'Oléron), lac d'Artouste [1] (P.-A.), Bligny-sur-Ouche [1] (C.-d'Or) ; **Lignes de parcs d'attractions :** St-Eutrope [1] (2,5) Évry (Essonne), Anse [1] (Rhône, 0,38 m d'écart.), Méjanes [1] (Camargue), *Paris* Jardin d'acclimatation, Parc de Bagatelle [1] (Somme), Chanteraines [1] (Hts-de-S.), ch. de fer du Belvédère [1] (Renaison, Loire).

Nota. – (1) Vapeur.

Funiculaires. Barèges, Pic de Ver (Pyrénées), St-Hilaire du Touvet (Isère), voie métrique, Paris, funiculaire de Montmartre, Lyon « La Ficelle ».

■ **Réservation des places avant le départ. Au guichet :** 2 mois à l'avance (3 pour les TAA). **Par téléphone :** 2 mois (id. pour TAA). **Par lettre :** à partir de 6 mois. **Par Minitel :** 3615 code SNCF, ou directement 36.26.50.50. Billets envoyés à domicile ou retirés à la gare dans les billetteries automatiques, jusqu'au dernier moment. Pl. assises, trafic intérieur SNCF : 16 à 82 F par pl. réservée, 8 F pour personnes bénéficiant du tarif groupe. La réservation cesse au plus tard : la veille à 20 h pour trains du lendemain jusqu'à 17 h ; le j même à 12 h pour tr. partant après 17 h ; 2 h avant le départ du tr. (mais avant 20 h) pour couchettes (TGV : réservation obligatoire, possible jusqu'à quelques min. avant le départ au guichet, ou avec distributeurs à réservation rapide). En janvier 93, mise en place de *Socrate,* système de réservation et de vente de billets à piste magnétique informatisé (4 000 terminaux dans les gares).

■ **Taxis. A Paris :** on peut appeler un *taxi-radio* à Paris-Austerlitz ou P.-Lyon. Il est délivré un bon-taxi de 15 F non déductible du prix de la course.

■ **Train + auto.** *Formalités :* être âgé de 23 ans (25 pour certaines catégories) et justification de domicile. **Avance sur location :** minimum 1 500 F. **Restitution :** possible dans autre ville (frais de retour éventuels).

■ **Train + vélo.** Dans 283 gares, on peut louer des bicyclettes. *Tarif :* la journée 44 F, la demi-journée 33 F (bicyclette randonneur et « tous chemins » 55 F la journée, 44 F la demi-journée). *Formalités :* présenter pièce d'identité, caution de 1 000 F. *Assurance* souscrite par la SNCF couvre la responsabilité civile de l'utilisateur.

■ **Voitures-lits.** Prix en service intérieur français (par personne). *1re cl. Single* (cabine à 1 lit) : 862 F. *Spécial* (à 1 lit) : 616 F. *Double* (à 2 l.) : 370 F, *2e cl. T2* (à 2 l.) : 370 F, *T3* (à 3 l.) : 247 F. Bulletin gratuit délivré après 9 voyages en voitures-lits dans un délai d'un an.

■ **Voyage interrompu.** Demander immédiatement le remboursement de la partie inutilisée du billet à la gare où le voyage est interrompu, ou le faire annoter dans cette même gare pour un remboursement ultérieur.

Expéditions par SNCF

Service national des messageries (SERNAM). *Recettes commerciales (1989) :* 4 milliards de F. *Envois (1990) :* 21,4 millions soit 2,2 millions de t. Chargé de tous les transports de colis par expédition jusqu'à 5 t et dans un délai moyen de 3 j. Les expéditeurs assurant un trafic régulier bénéficient de conditions particulières. Agit aussi comme commissionnaire et peut assurer toutes prestations complémentaires : entreposage, gestion de stocks, emballage, conseil en transport, etc.

Colis express. Expédiés dans les gares à voyageurs et les bureaux SNCF des grandes villes. Acheminés par trains de voyageurs à l'exemple des bagages, ou par trains spécialisés sur certaines relations. *Taxation* par coupure de poids (0 à 2,5 kg ; 2,5 à 5,5 ; 5,5 à 10 ; 10 à 15 ; 15 à 20 ; 20 à 30 ; etc.), et de département à département. Conditions particulières pour colis lourds ou encombrants.

Fret SNCF. Assure le transport des marchandises par charges complètes (quantité de marchandises adressée en 1 seule fois par un expéditeur à un destinataire et absorbant complètement la capacité de transport d'un véhic., wagon ou camion), ainsi que des prestations logistiques (manutention, stockage...). Commercialisation auprès des industriels et négociants par 500 responsables commerciaux implantés dans 120 agences en Fr. Il y a des tarifs de base pour les contrats négociés entre clients et commerciaux de la SNCF variant selon le volume des marchandises à transporter et de la concurrence.

Principales prestations

Embranchements particuliers. Conçus et financés par les filiales SNCF Cogerail et Sefergie.

Fercam. Réception ou enlèvement de la marchandise à domicile par camion sous responsabilité de la SNCF. Prix global.

Ferdom. Wagons livrés ou enlevés à domicile sur remorque routière spécialement aménagée.

Transports en conteneurs. Par la Cie nouvelle des conteneurs (CNC), Sté du groupe SNCF ; assure aussi les parcours routiers terminaux et transbordements sur wagon.

Transport sur wagon de véhicules routiers (Sté Novatrans, du groupe SNCF). Transport des semi-remorques routières sur wagons spécialement aménagés (« kangourou »). Utilisation de la technique « Road-Railer » (adaptation de bogies ferroviaires sur une semi-remorque routière).

Responsabilité (trafic wagons)

■ **Régime intérieur français.** *Définition :* le chemin de fer est présumé responsable en cas de manquant, d'avarie ou de retard survenus au cours du transport, s'il ne prouve pas que le dommage résulte d'un cas fortuit ou de force majeure, du vice propre de la chose transportée ou de la faute de l'expéditeur.

Cependant, il n'est tenu de réparer que les dommages prévus ou prévisibles au moment de la formation du contrat de transport et qui constituent une suite immédiate et directe de l'inexécution ou de la mauvaise exécution du contrat.

Limites tarifaires de la responsabilité : en général les conditions générales de vente des transports de marchandises par charges complètes (CGVTM) limitent l'indemnité à payer pour tous les dommages justifiés résultant de la perte, de l'avarie ou du retard à 150 F par kg pour chacun des objets compris dans l'envoi. Si le préjudice prouvé est constitué, en tout ou en partie, de dommages autres que matériels, l'indemnité ne peut excéder le double des frais de transport du ou des wagons concernés. Certains tarifs prévoient des limitations particulières.

Pour échapper à certaines de ces limitations tarifaires, on peut souscrire une déclaration de valeur : l'indemnité pourra atteindre la somme déclarée. *Attention :* respecter les formalités pour éviter la forclusion prévue par l'article 105 du Code de commerce (notamment réserves à la livraison) et mettre le chemin de fer en demeure de livrer en cas de retard. Il y a prescription au bout d'un an de toute action fondée sur le contrat de transport.

■ **Régime international.** Définition de la responsabilité. (Voir ci-dessus.) Force majeure, faute de l'expéditeur, vice propre de la marchandise peuvent dégager le chemin de fer dans le cas où les dommages sont aussi reconnus par les règles uniformes concernant le contrat de transport international ferroviaire des marchandises (CIM). La présomption de responsabilité peut être écartée si le transport présente des risques particuliers de perte ou d'avaries (circonstances, nature de la marchandise), énumérés à la CIM (ex., transport en wagon découvert, absence ou défectuosité de l'emballage, conséquences du chargement et du déchargement effectués par l'expéditeur et le destinataire, etc.). Il faut alors prouver la faute du chemin de fer dans l'exécution du transport. La constatation des dommages doit être faite par le chemin de fer, tenu de dresser sans délai procès-verbal. Si le procès-verbal conclut à l'irresponsabilité du chemin de fer, on peut en contester les termes avec une expertise amiable ou judiciaire (les réserves par lettre ou autre moyen étant sans valeur).

Indemnité (perte ou avaries) : max. 17 unités de compte/kg manquant de masse brute de marchandise avariée ou perdue, à l'exclusion de toute indemnisation liée à des dommages autres que ceux subis par la marchandise. L'unité de compte est le droit de tirage spécial défini par le FMI (1 DTS = 7,69 F au 28-2-1987).

Dépassement du délai de livraison : indemnité au plus égale au triple des frais de transport si le préjudice est prouvé (quelle que soit l'importance du retard). [Le Sernam rembourse une partie du prix de port à l'expéditeur, lorsque le délai de transport dépasse 5 j] *On peut aussi souscrire au départ une déclaration d'intérêt* à la livraison dont le montant peut couvrir les dommages prouvés non indemnisés totalement ou partiellement par la CIM.

Réclamation auprès du chemin de fer expéditeur, destinaire ou de celui sur lequel s'est produit le fait générateur du dommage, par le destinataire (ou l'expéditeur sous certaines conditions) tant que son droit d'action n'est ni éteint, ni prescrit. En principe, le droit d'action est éteint dès l'acceptation de la marchandise. Mais dans le cas de perte partielle ou d'avaries, si un procès-verbal a été établi, on peut exercer ultérieurement son recours. En cas de retard, il a 60 j après livraison pour présenter sa réclamation. *Délai de prescription :* 1 an.

TRANSPORTS FLUVIAUX

BATEAUX

ORIGINE

Gaule : *troncs d'arbres* creusés *(barques monoxyles).* **Moyen Age :** bateaux de marchandises lents, bateaux rapides *(fugaces* ou *cursoriae).* **XVe s. :** bateaux couverts, telle la *cabane,* avançant à l'aviron, à la voile, au halage ou remorqué par un bateau de rameurs (« les tirots »). Les bateaux s'adaptaient aux voies d'eau qu'ils fréquentaient. On naviguait à la voile dans le Nord, à la rame sur Loire ou Garonne, à la perche dans les passages encombrés, au halage quand les rives le permettaient.

TYPES DE BATEAUX

AUTOMOTEURS

Définition. La cale de chargement est plus réduite que sur les bateaux tractés ou poussés (présence du moteur). *Port en lourd* 240 à 350 t. *Enfoncement* 1,80 à 2,20 m. *Moteurs* 80 à 250 ch (pour des automoteurs de 38,50 m). *Vitesse* 10 à 12 km/h en rivière (réglementairement limitée à 6 km/h). Les citernes indépendantes (utilisées même dans des bateaux en bois) ont fait place aux citernes-coques plus légères. Les bateaux destinés principalement au trafic des produits lourds (fuels ou mélasses) sont munis de serpentins de réchauffage.

Automoteurs du Rhône. A l'origine : barques tractées (long. 50 à 70 m, larg. 7 à 8 m, creux 2,50 à 3 m), pouvant porter env. 500 t. **Tendance actuelle :** automoteurs (long. 50 à 70 m, larg. 5,05 à 11,4 m) portant 500 à 1 000 t, à 3 m d'enfoncement. Très fins en raison de la vitesse du courant dans certaines sections (12 à 15 km/h).

Barges. De canal à petit gabarit : *long.* 38,50 m. *Larg.* 5,05 m. *Enfoncement* 1,80 à 2,70 m. **Industrielles à grand gabarit** (rivières aménagées ou canaux) : *petites :* long. 70 m, larg. 9,50 m, 1 500 t. *Grandes :* long. 76,50 m, larg. 11,40 m, 2 500 t.

Chalands. Du Rhin : *long.* 60 m à 125 m. *Larg.* 8 à 13,6 m. *Enfoncement* 2 m à 2,70 m. *Port en lourd* 600 à 1 500 t. Avant 1939, beaucoup venaient d'Allemagne (livrés après le traité de Versailles). Actuellement, automoteurs de 3 000 t. Certains spécialisés (transport de gaz). **De Seine :** *long.* 40 à 80 m. *Larg.* 5,05 à 11,4 m. *Enfoncement* 2,4 à 3 m. *Tonnage* 700 à 1 000 t. Beaucoup d'automoteurs-citernes.

Péniche. *Au gabarit des canaux Freycinet. Long.* 38,50 m. *Larg.* 5,05 m à 5,10 m. *Tonnage* 280 t à l'enfoncement de 1,80 m (310 à 350 t à 2,10 m). En acier (avant en bois, puis en fer). *Noms particuliers :* Ardennes, Flûte de Bourgogne, Spit, Toue. *Compartiments :* logement du second ou du pilote (env. 3 m à l'avant), cale de chargement (env. 30 m), logement du patron (5,50 m à l'arrière), surmonté de la cabine de pilotage. Autrefois le logement se trouvait au milieu, superposé ou adjoint à l'écurie des animaux de traction.

Pousseurs. Pour barges de canal : long. 38,50 m, moteur 250 à 300 ch. Ont à l'avant un « bouclier de poussage ». Les convois portent 600 à 900 t. **Pour barges industrielles :** *Seine :* long. 25 m, jusqu'à 1 500 ch ; *Rhin :* long. 32 m, 2 500 à 5 000 ch ; Moselle : long. 15 m, 1 000 ch ; *Rhône :* certains ont les mêmes caractéristiques que ceux de la Seine. Convois de 2 à 4 barges sur Seine ou Rhône et jusqu'à 6 barges sur Rhin. Convoi de 10 000 à 15 000 t.

POUSSÉS

Origine. Pratiqué dep. longtemps aux USA, en France après 1945, développé dep. 1960.

Principe. Les trains de barges sont propulsés par des pousseurs (puissance totale 1 000 à 2 500 ch ; munis de plusieurs hélices, avec des gouvernails multiples placés dans le remous des hélices). *Économie :* main-d'œuvre (sur la Seine les convois de plus de 92 m de long ont un équipage d'au moins 3 hommes et les convois moins longs peuvent avoir un équipage de 2 h.) ; puissance (la résistance de l'eau sur les barges accolées est moindre) ; place (les équipements peuvent être réduits aux bollards et à un mât) ; possibilité d'utiliser un seul pousseur pour 2 séries de barges (l'une étant en cours de chargement ou de déchargement). Des exploitants artisanaux utilisent un automoteur de 38,5 m transformé en barge et le placent devant un autre automoteur de 38,5 m muni d'un moteur de 250 à 300 ch et d'un bouclier de poussage. Sur l'automoteur transformé en barge, ils laissent souvent l'ancien moteur (80 à 100 ch), le convoi pouvant porter 600 à 900 t sur les voies à grand gabarit ou sur le canal du Nord, et se désaccoupler pour un voyage terminal sur un canal au gabarit Freycinet. *Convois poussés :* longueur limitée par les écluses de 185 m de long (Seine, Rhône, Saône, Oise et Moselle), et 144,6 m (canal Dunkerque-Valenciennes) : 1 file de barges de 11,4 m de large portant 5 000 t si les écluses ont 12 m de large ; 2 files (soit 10 000 t) si les écluses ont 24 m. Sur le Rhin, circulent en aval des écluses des convois de 6 barges sur 3 files de 2 barges portant 15 000 t.

TRACTÉS

Remorquage. Pratiqué autrefois sur 1 800 km de rivières, il a presque disparu ; il faut une autorisation du Service de navigation ; il n'est pas toléré sur les canaux (détériorerait leur cuvette par la violence des remous) sauf sur de petits tronçons [c. de la Sambre à l'Oise et c. de l'E. (branche N.), c. de l'O., du Midi où circulent des vedettes légères attelées à une péniche].

Sur Seine, Marne et Oise, voies d'eau faciles, on avait, avant guerre, des *remorqueurs à hélice* (moteurs à vapeur de 500 à 750 ch ou diesel de 300 à 500 ch) tirant au max. 9 péniches sur la Seine, 5 sur l'Oise, 4 sur la Marne. Sur le Rhône ont été utilisés des *remorqueurs à aubes* de 700 à 1 500 ch pouvant tirer à la remonte 2 ou 3 barges malgré le faible tirant d'eau à l'étiage. Le *Frédéric-Mistral,* à 4 hélices sous voûtes commandées par des moteurs diesel de 2 200 ch, a été longtemps en service.

Halage (n'est plus pratiqué). **Par homme :** (un h. peut tirer à lui seul une lourde charge à env. 1 km/h). **Par animaux :** chevaux ou mulets, placés côte à côte ou en flèche, agissent sur le câble par un palonnier recourbé, d'où le nom de « courbe » donné à l'attelage. *Vitesse max.* 2,5 km/h. Les bêtes appartenaient aux mariniers et étaient logées à bord d'où le nom de bateaux-écuries (*1935 :* 1 572, *1951 :* 600, *1960 :* 0), ou à des entrepreneurs de transport qui organisaient des relais.

Tracteur mécanique. *1873 :* sur la berge du canal de Bourgogne, locomotive à vapeur sur rail. *1880 à 1886 :* procédé exploité dans le Nord sur 77 km. *1895 :* traction électrique par tricycle ou cheval électrique roulant directement sur le chemin de halage, tirant 2 ou 3 péniches de 300 t à 2,5 à 3 km/h. *1899 :* 120 machines circulent le long du canal de l'Aire. Puis l'on revient au rail sur la partie la plus fréquentée du réseau. *1904 :* nouveau tracteur sur voie ferrée. *1907 :* la Sté de Halage électrique obtient la concession de la traction sur 80 km entre Béthune et Le Bassin-Rond. *1927 :* la traction électrique relie le Bassin parisien à la région du Nord. *1932 :* équipe presque tous les canaux de l'Est. Là où le rail n'est pas amortissable, on adopte des tracteurs à pneus à propulsion électrique (type trolleybus) ou à moteur à combustion interne. La traction mécanique n'existe plus que dans quelques souterrains non ventilés où l'usage du moteur est interdit.

Touage. Longtemps employé pour des raisons d'économie (quoique dangereux dans les rivières étroites à navigation intense). **Touage à chaînes noyées :** 1er v. 1830. Chaîne au fond d'un chenal et fixée à ses 2 extrémités. Le toueur est un bateau portant un treuil (actionné par machine à vapeur ou moteur) enroulant la chaîne. Le toueur avance, il peut haler un train de 30 à 40 péniches (pendant la guerre, le toueur du bief de passage du canal de St-Quentin a tiré jusqu'à 75 péniches en un seul convoi). **Touage sur câbles à relais :** 1er v. 1880. Utilisé sur rivière (Rhin, Rhône). Le touage est encore utilisé pour certains souterrains non ventilés (les automoteurs devant arrêter leurs moteurs).

PARCS DE BATEAUX

EN EUROPE

En 1983	Nombre	Capacité en tonnes
Allemagne fédérale [5]	3 143	3 277 000
Autriche	220	210 300
Belgique [5]	2 508	1 729 000
Bulgarie [1]	214	227 000
France [5]	*4 729*	*2 308 000*
G.-B. [2]	1 609	379
Hongrie	287	274 100
Italie [4]	2 927	–
Luxembourg [5]	17	12 000
Pays-Bas [5]	10 896	6 572 000
Pologne [3]	1 546	513 500
Suisse	418	634 700
Tchécoslovaquie	703	455 800
Yougoslavie	1 161	727 700

☞ **USA** en 1982 : 41 941 bat., 134 451 t.

Nota. – Source : Onu. (1) 1974. (2) 1980. (3) 1981. (4) 1982. (5) Bateaux porteurs de marchandises en 1985.

EN FRANCE

Sources : Voies navigables de France ; Comité des armateurs fluviaux.

Parc par catégories et, entre parenthèses, **capacité** (en milliers de t au 31-12-1991). **Bateaux porteurs :** 2 813 dont *par type :* bateaux du Rhin 45 (84), de rivière (ne pouvant franchir les écluses de 38,50 m, sauf b. du Midi classés comme petits bateaux malgré leur grande largeur) 802 (714), de canal (pouvant franchir les écluses de 38,50 m, longs d'au moins 34 m) 1 930 (731), petits et très petits bateaux (– de 34 m, tonnage au plus grand enfoncement supérieur à 60 t) 36 (6). *Par spécialité :* spécialisés (avec ou sans moteur) 254 (208), automoteurs non spécialisés 1 829 (776), sans moteur non spécialisés 730 (551). **Remorqueurs et pousseurs :** 214 dont *– de 184 kW 250 CV :* 58 (4), *184 et + :* 161 (40).

Bateaux porteurs sans moteur par capacité et, entre parenthèses, **tonnage** (en milliers de t au 31-12-1983). *Jusqu'à 249 t :* 105 (16,9), *250 à 399 t :* 316 (108), *400 à 649 t :* 346 (160,9), *650 à 999 t :* 140 (107,9), *1 000 à 1 499 t :* 40 (47,1), *1 500 t et + :* 189 (445,2).

Bateaux automoteurs par capacité et, entre parenthèses, **tonnage** (en milliers de t), en italique, **puissance** (en ch au 31-12-1983). *Jusqu'à 249 t :* 65 (11,3) *7 887. 250 à 399 t :* 3 073 (1 129,8) *517 296. 400 à 649 t :* 377 (176,4) *81 354. 650 à 999 t :* 145 (121,3) *64 129. De 1 000 à 1 499 t :* 29 (34,8) *18 764. 1 500 t et + :* 6 (14,7) *7 103.*

Nombre de bateaux munis d'un permis d'exploitation 1980 : 5 224 ; *90 :* 3 292 ; *91 :* 3 032 (dont 2 393 appartenant à des transporteurs publics).

Personnel des transporteurs publics et privés des voies navigables (1991). 8 366 dont transports publics et privés 3 675 (trav. indép. 1 493, salariés 1 713, traction sur berges 20, administratif et technique des Cies de navig. 350, bureaux d'affrètement 99), assurant le fonctionnement des voies navigables 4 691 (conducteurs des TPE 405, agents des TPE 4 290, éclusiers auxiliaires 74).

VOIES NAVIGABLES

TYPES DE VOIES

CANAL (VOIE D'EAU ARTIFICIELLE)

Origine (France). Les *Romains* construisirent 2 canaux en Gaule (1 réunissant le Rhône et la Saône près de leur confluent, 1 autre entre le golfe de Fos et Arles). Au *Moyen Age,* apparition des 1res écluses dans le bassin de l'Yonne (on pouvait ainsi provoquer des crues artificielles permettant la navigation même en période de basses eaux). Jusqu'à la fin du XVIe s., on ne connaît que *les canaux de dérivation simple* ou de *dérivation à écluses,* à *sas* [à doubles portes ;

inventées par Léonard de Vinci (1452-1519)]. Les écluses à sas permettent de franchir d'importantes différences de niveau. Le *canal à point de partage* [inventé par Adam de Craponne, ingénieur français (1527-76)] permet de joindre 2 rivières coulant dans des bassins différents, séparés par un seuil, ou élévation importante. Il combine l'écluse à sas (multipliée et échelonnée sur les pentes à gravir et à descendre) et une alimentation en eau indépendante des rivières à réunir. Le *canal de Briare* fut le 1er à réaliser ce principe en Europe (1604-42). La Loire à Briare est à 125 m d'alt., le Loing à Rogny (où l'on construisit 7 écluses de suite) à 140 m. La ligne de partage forme un seuil à 173 m près du Rondeau (Yonne). Il y eut 47 écluses sur 57 441 m.

■ Rivière (voie d'eau naturelle)

Aménagée par curage du lit, faucardage des berges, suppression des seuils naturels. Protection des rives contre les érosions, ou perrés en maçonnerie. On contient les inondations par des digues, submersibles ou non, ou par des réservoirs. On agit sur le lit, pour le fixer et l'approfondir, par des digues longitudinales ou des épis transversaux.

Canalisée. Divisée en *biefs* séparés par des barrages pour régulariser le cours. Les premiers barrages étaient fixes avec des ouvertures *(pertuis* ou portes marinières) fermées au moyen d'organes mobiles, mais ces pertuis s'avéraient insuffisants. Les barrages actuels sont presque tous mobiles : appuis fixes dans le lit de la rivière soutenant des parties mobiles (vannes, poutrelles ou aiguilles) que l'on peut enlever à volonté ; éléments (fermettes, hausses ou tambours) qui s'effacent entièrement sur le radier laissant à l'eau la liberté de s'écouler ; pont supérieur sous lequel peuvent être relevés les éléments du vannage. A tous sont accolées une ou plusieurs écluses.

Nota. – L'aménagement des rivières sert aussi pour l'irrigation et le drainage des terres, la lutte contre les inondations, l'alimentation des villes et la production de l'énergie électrique.

Aménagements

☞ S'il n'y a pas de problèmes d'alimentation en eau, on utilise des écluses (sans dépenses d'énergie) ; pour le franchissement des chutes : écluses avec pompage de l'eau, ou ascenseur, pente d'eau, plans inclinés.

■ **Ascenseurs à bateaux. Hydrauliques :** bac porté par des vérins hydrauliques (système employé au XIXe s. pour de petits ouvrages). *Fontinettes (1888-1967, P.-de-C.)* sur le canal de Neuffossé, hors service depuis l'ouverture d'une nouvelle écluse. **A flotteurs :** poids du bac équilibré par des flotteurs situés dans des puits profonds. La profondeur nécessaire pour les puits empêche d'utiliser ce procédé pour les grandes dénivellations. **Funiculaires** (à câbles) : *Strépy-Thieu (Belgique) :* sur le canal du Centre. 130 m de long et 117 m de haut *(le + grand du monde),* hauteur « rachetée » de 73 m ; peut recevoir des convois poussés et des péniches de 1 350 t. Chaque ascenseur est autonome : système de contrepoids (soit 112 câbles de 85 mm de diamètre supportant 6 400 t, et 32 câbles de commande supportant 1 400 t). Freinage : par 4 moteurs électriques de 500 kW. Cycle : 80 min. *Avant :* chute de 68 m (4 ascenseurs hydrauliques de 17 m chacun composés de 2 bacs, chacun rempli de 599 t d'eau reposant sur un piston de 2 m de diamètre). *Niederfinow (ex-RDA) :* sur le canal Oder-Havel (dénivellation 37 m), bac 85 × 12 m, profondeur d'eau 2,50 m ; poids en service 4 300 t. Vitesse de translation du bac 0,20 m/s (pour une chute de 25 m : cycle 40 min).

■ **Écluses. Cycles :** d'autant plus longs que la chute est plus grande. **Vitesse ascensionnelle max.** 3 m/min, **moy.** 1 m/min. **Capacité d'une échelle d'écluses :** on peut construire 2 échelles parallèles (chacune réservée à un seul sens) : ex. canal de Welland (voie maritime du St-Laurent) 2 fois 3 sas (de 235 × 24,50 m) pour une dénivellation de 42,50 m (hauteurs de chute partielles : 14,60 m et 13,30 m).

Les plus grandes du monde : MARITIMES : *Le Havre,* Fr. (long. 400 m, larg. 67 m, prof. 24 m, accessible aux navires de 250 000 t, inaugurée le 27-10-1972) ; *Ijmuiden,* P.-Bas (long. 400 m, larg. 50 m, prof. 15 m, accessible aux navires de 60 000 t). **NON MARITIMES :** *États-Unis,* sur le Mississippi (366 × 33,55 m). *D'Europe :* 2 de *Djerdap,* sur le Danube au défilé des Portes de Fer, 1 sur la rive yougoslave, 1 sur la rive roumaine (310 × 34 × 4,50 m). A Hipoltsheim (All.) : la plus haute (25 m, bassin de 190 m). *De France : à Gambsheim et Iffezheim* (mise en serv. 14-3-1977), chacune 2 sas de 270 × 24 m. **La plus profonde du monde :** *barrage John Day* (sur la Columbia, Oregon, USA, 1963) 34,40 m, la porte aval pèse 998 t.

Les plus fortes chutes : du monde : *URSS :* écluse d'*Oust-Kamenogorsk,* sur l'Irtych, chute 42 m, sas 100 × 18 m. Remplissage : env. 20 min ; cycle : env. 1 h 1/2 (soit env. le double d'une écluse courante). *Brésil :* projet écluse d'env. 50 m de chute sur le Paraná. **De France :** *St-Pierre,* sur le Rhône (aménagement de Donzère-Mondragon), chute 26 m, sas 195 × 12 m, consommation en eau : 65 000 m³ par cycle.

■ **Pente d'eau.** Invention française (Pr Aubert). Une masse d'eau (sur laquelle flottent un ou plusieurs bateaux) est poussée dans un canal en béton en pente par un « bouclier » mobile, sur pneu, circulant sur des chemins de roulement situés de part et d'autre du canal. *Montech :* sur le canal latéral de la Garonne, mise en service 1973, dénivelé de 14 m accessible aux bateaux de 38,50 m. *Fonserannes :* sur le canal du Midi, près de Béziers, remplace une écluse septuple ; pente, 5 % ; dénivelé, 13,60 m ; puissance de l'engin moteur, 1 100 kW (650 en régime d'exploitation) ; déplacement du bouclier moteur, 272 m en 6 min, capacité journalière, 14 automoteurs et 200 bateaux de plaisance en 13 h. Projet à grand gabarit pour Seine-Nord.

■ **Plans inclinés. Longitudinal non automoteur :** ex. *pl. de Ronquières* sur le canal Bruxelles-Charleroi, en 1969 (2 plans inclinés parallèles et indépendants, long. 1 432 m, pente 5 %, dénivellation 67,50 m). Bac 87 × 12 m, prof. d'eau max. 3,70 m, poids total en service 5 000 à 5 700 t. Chaque bac est supporté par 236 roues de 0,70 m de diam. groupées en 59 essieux. Cycle complet (pour un plan incliné) 72 min env., soit env. 50 % de plus que le cycle des autres écluses de ce canal. **Automoteur :** *Krasnoiarsk* (Russie) sur l'Ienisseï, chute de 101 m (barrage hydroélectrique). Bac 90 × 18 m, prof. 2,20 m ; peut recevoir un bateau de 1 500 à 2 000 t. **Transversal :** *Arzwiller* sur le canal de la Marne au Rhin pour bateaux de 350 t, remplace une suite de 17 écluses. Dénivellation 44,50 m, pente de 41 %. Bac 41 × 5,20 m, vitesse de translation 0,60 m/s. Cycle 40 min. Franchissement, env. 20 min (au lieu de 1 j pour les 17 écluses anciennes).

■ **Ponts-canaux.** Permettent le passage d'un canal au-dessus d'une route ou d'un cours d'eau. Il y en a 100 en France. **Principaux :** *Briare* (Loiret, 1890-96, coût 2 684 525,92 F) : le canal latéral à la Loire franchit la Loire, 4 piliers [ou pilastres (colonnes rostrales)], 2 culées, 14 piles : long. 662,69 m, superficie d'eau 3 720 m² (entre les parapets 602,60), largeur entre parapets 11,50 m, passage bateau 6,20 m, trottoirs 2,50 m de chaque côté, prof. 3,40 m (mouillage 2,20 m) ; cuvette métallique reposant à 8 m au-dessus des eaux sur des piles de granit, poids avec eau 13 530 t, le + long pont-canal métallique du monde. *Agen* (Lot-et-G., 1839-49) : long. 539 m, en pierre (23 arches) ; c. lat. à la Garonne, franchit la Garonne. *Béziers* (Hérault 1857) : long. 198 m ; c. du Midi, franchit l'Orb. *Guétin* (Nièvre 1831-38, modifié 1890-98) : c. lat. à la Loire, franchit l'Allier, 343,25 m (18 arches). *Galas* (Vaucluse, v. 1856) : c. d'irrigation sur Sorgue, 159 m (13 arches). *Moissac* (T.-et-G.) : c. lat. à la Garonne, franchit le Tarn, 356 m. *Digoin* (S.-et-L.) : un bras du c. du Centre reliant le c. lat. à la Loire et le c. de Digoin à Roanne sur un pont, 244 m (15 arches). *St-Phlin* (M.-et-M.) : 110 m (c. de la Marne au Rhin).

Tunnels principaux	Long. en m	Larg. du plan d'eau en m	Haut. en m
Rove (Cl de Marseille au Rhône) [1]	7 290		
Bony (ou de Macquincourt) (Canal de St-Quentin)	5 670	6,75	3,58
Mauvages (Cl de la Marne au Rhin)	4 877	6,20	3,50
Balesmes (Cl Marne à Saône)	4 820	6,30	4,75
Ruyaulcourt (Cl du Nord)	4 349	6,38	4,10
Pouilly-en-Auxois (Cl de Bourgogne)	3 349	5,70	3,10
Braye-en-Laonnois (Cl de l'Oise à l'Aisne)	2 366	6,20	3,50
Arzwiller (Cl de la Marne au Rhin)	2 306	6,25	4,30
Mont de Billy (Cl Aisne à Marne)	2 302	6,20	3,70
Voûte Richard-Lenoir (Paris) (Cl St-Martin)	1 510	16	5,13
Le Tronquoy (ou Lesdins) (Cl de St-Quentin)	1 098	6,75	3,58
La Panneterie (Cl du Nord)	1 061	6,08	4

Nota. – (1) Construit de 1912 à 1927 ; 1re traversée 23-10-1926. Larg. 18 m, haut. 15,4 m. Sa section (320 m²) est 6 fois celle d'un tunnel ordinaire de chemin de fer à double voie. Plan d'eau est limité par 2 banquettes latérales de 2 m ; 2 chalands de mer de 3,20 m de tirant d'eau peuvent se croiser. Volume 1,7 million de m³. Hors service par suite de l'écroulement de la voûte (16-6-1963). Actuellement, les bateaux de navigation intérieure effectuent la traversée maritime, en cabotage, entre le golfe de Fos et le port de Marseille.

■ **Souterrain. Le plus large :** voûte du Temple sur le canal St-Martin, Paris (larg. 24,50 m ; long. 242 m). **Les moins larges** (5,40 m) : la Collancelle, Breuilles et Mouas (canal du Nivernais). **Les moins hauts :** Pouilly-en-Auxois (c. de Bourgogne) (3,10 m) ; la Collancelle, Breuilles, Mouas (3,20 m). **Le plus ancien** encore en service : Malpas (c. du Midi) : construit en 1680, 161 m de long.

■ **Barrage mobile.** Maintient le niveau de la rivière pour permettre la navigation ; s'efface pendant les crues (régularisation du débit). XIXe s : à aiguilles ; *modernes :* à vannes, automatisés.

Réseau fluvial

■ Records

Fleuve navigable le plus long du monde : l'Amazone, sur 3 598 km de la côte Atlantique à Iquitos (Pérou) pour les navires de haute mer. **Grand Canal de Chine Pékin-Hang-Tchéou :** commencé 540 av. J.-C., terminé 1327, mesurait 1 781 km (y compris sections de rivières canalisées).

■ Réseau fluvial européen

■ **Système le plus long.** Canal de la Volga à la Baltique (1965), 2 300 km, d'Astrakan (sur Volga) à St-Pétersbourg (Russie) en passant par Kouïbychev, Gorki et le lac Ladoga.

■ **Danube. Débit :** *moyen* 6 500 m³/s (le plus puissant d'Europe) ; *maximal* (Vidin 1 897, 16 000 m³/s). **Canal de Constanza** (Roumanie ; ouverture 1981), raccourcit le trajet de 240 km entre Cernavoda et la mer Noire. **Projet** *de réunir les 8 États riverains du Danube* (ex-All. féd., Autriche, ex-Tchécoslovaquie, Hongrie, ex-Yougoslavie, Roumanie, Bulgarie, Ukraine) par *1°)* le *Main* et la *Regnitz* (All. féd.), au bassin du Rhin et aux autres fleuves de l'Europe occid. (« liaison Rhin-Main-Danube », achevé 1992) [1]. *2°)* la *Morava* et l'*Elbe* (Tchéc.) à l'Oder et aux fleuves de l'Eur. orientale. Travaux en cours : barrage du coude du Danube (frontière tchéc.-hongr.), lac de retenue de plusieurs milliers de km².

Nota. – (1) Le canal Main-Danube, 677 km, permet de relier mer Noire et mer du Nord (3 500 km de voies d'eau) à travers Roumanie, ex-Yougoslavie, Hongrie, Autriche, ex-All. féd., P.-Bas. Un tronçon (larg. 55 m) dep. 25-9-1992, relie Bamberg (Main) et Kelkeim (Danube) sur 171 km.

■ **Rhin.** *Trafic :* sur le Rhin international à la frontière germano-néerlandaise 121 100 000 t, sur le Rhin moyen (amont du confluent Rhin-Moselle) 45 980 000 t. *Principales marchandises transportées (en %) :* minerais 24, sables et mat. de construction 21, prod. pétroliers 19, prod. agr. 9, prod. métallurgiques 9, charbon 8, divers 10 ; en particulier entre les ports du Mississippi et les ports rhénans par barges de navire (ex. barges LASH). *% assuré par les diverses flottes à la frontière germano-néerlandaise* (Emm Rich-Lobith) : néerlandaise 50, allemande 31, belge 9, suisse 6, française 3, divers 1.

Internationalisation du Rhin et de la Moselle : les traités de Paris (1814) et de Vienne (1815) ont posé les principes de la libre navigation du *Rhin* de Bâle à la mer. Cette liberté a été codifiée par l'Acte de Mannheim du 17-10-1868. La Commission centrale du Rhin (à Strasbourg) groupe les représentants des

Longueur en km

Pays (1983)	Canaux	Fleuves	Total
All. démocratique	566	1 753	2 319
All. fédérale	1 426	2 876	4 461 [6]
Autriche	7	351	358
Belgique	892	1 064	1 517 [6]
Bulgarie [2]	–	471	471
Finlande	77	5 980	6 057
France [5]	*4 613*	*3 955*	*6 324* [6]
Grande-Bretagne	944	14 097	1 631 [6]
Hongrie	171	1 451	1 622
Italie	332	1 034	2 237 [6]
Luxembourg	–	37	37
Pays-Bas [4]	3 533	841	4 832 [6]
Pologne	374	2 645	3 019
Roumanie [3]	40	1 619	1 659
Suède	476	689	439 [6]
Suisse	–	21	21
Tchécoslovaquie [1]	10	473	483
URSS	–	–	138 900 [6]
USA [4]	296	41 107	41 403
Yougoslavie [1]	191	1 810	2 001

Nota. – (1) 1969. (2) 1973. (3) 1975. (4) 1982. (5) Dont régulièrement utilisés : canaux 3 880, fleuves 2 596, total 6 476. (6) Longueur des voies navigables utilisées en km, 1985. – *Source :* ONU.

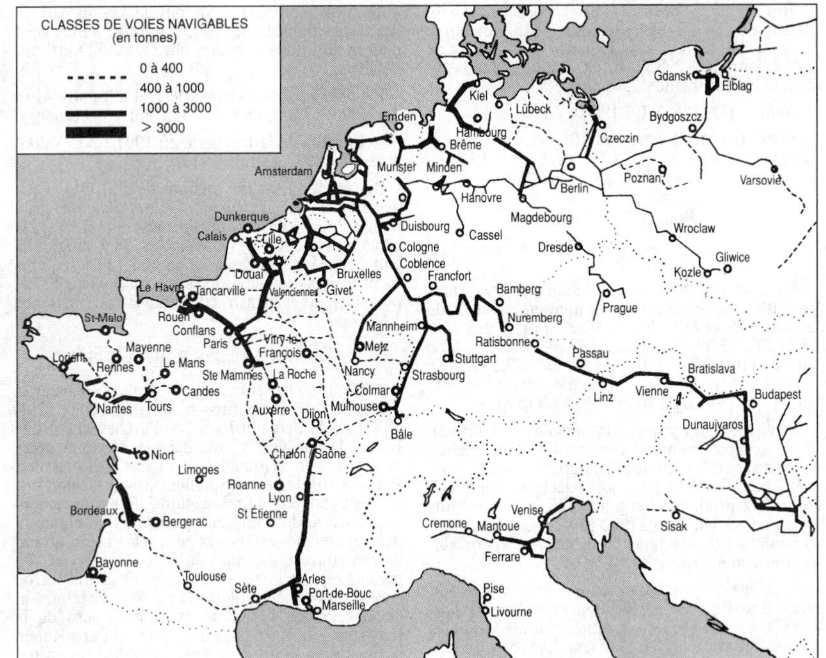

gouvernements des pays riverains, plus G.-B. et Belgique. Les décisions y sont prises à l'unanimité. Le traité de Versailles (1919) a étendu aux bateaux de toutes les nations et à leurs chargements les droits et privilèges accordés aux bateaux appartenant à la navigation du Rhin et à leurs chargements. Pour la *Moselle,* la convention franco-germano-luxembourgeoise du 27-10-1956 a traité de sa canalisation, codifié la libre navigation de Metz à Coblence et créé la Commission de la Moselle (siège Trèves).

■ Réseau fluvial français

■ **Quelques dates. 1604-42** construction du *Canal de Briare* [commencé par Hugues Cosnier († 1629)]. **1666-1681** construction par Pierre-Paul de Riquet (1604-80) du *c. des Deux-Mers* (Atl.-Méd.) achevé 1681 par son fils (voir plus loin). **1784-90** construction du *c. du Centre* reliant Loire et Saône. **1789** 1 000 km de canaux en exploitation. **XIXe s.** 200 km construits sous l'Empire *(c. de St-Quentin).* **1818-22** *c. du Nord* et *c. du Rhône au Rhin* (1832). **1822-38** *c. latéral à la Loire* (Briare, Digoin puis Roanne). **1879** Charles de Freycinet, min. des Travaux publics, propose de nouveaux canaux (*c. de l'Est* 1878-87, *de la Marne à la Saône* 1880-87, *de l'Oise à l'Aisne, de Tancarville au Havre* 1884). **V. 1890** réseau navigable : 11 000 km, dont + de 4 600 km de canaux. Trafic : + de 2 milliards de t/km. **1900 à 1950** concurrence de la voie ferrée, manque d'entretien, destructions des guerres. **A partir des années 1950** le poussage s'impose, Rhône et Rhin sont aménagés (en liaison avec la prod. électr.) et on cherche à relier la Méditerranée à la mer du Nord par un réseau cohérent. **1990** création de Voies navigables de France (VNF), anciennement Office national de la navigation. Établissement public à caractère industriel et commercial : reprend à sa charge la gestion des rivières, des canaux et du domaine public.

■ **Voies navigables. Nombre :** 56 de quelques dizaines à quelques centaines de km (c. du Rhône au Rhin 320 km ; de la Marne au Rhin 313 ; du Midi 240 ; de la Marne à la Saône 224).

Canaux les plus anciens : *c. de Bergues* (tracé indiqué sur une carte du IXe siècle) ; *c. de Briare* (1604-42), 1er ouvrage à bief de partage mis au gabarit Freycinet en 1880 ; *c. de Furnes* (mis en service en 1638) ; *c. du Midi* (1681). **Les plus récents :** *c. de Dunkerque à Valenciennes* (Dunkerque-Denain ouvert en 1969, Valenciennes 1971, 3 000 t) ; avec embranchement à Lille 1979 ; actuellement, prolongements vers la Belgique (par la Deûle et par l'Escaut) en travaux ; *c. de Moselle* de Frouard à Neuves-Maisons (1979) ; *c. du Rhône :* dernier aménagement à Vaugris, achevé 1981 ; *c. des Dunes à Dunkerque* (relie ports Est et Ouest) mis en service 1987.

■ **Liste des voies. Petit gabarit. Classe 0** non accessible à l'automoteur type Freycinet : - de 250 t. *Canal du Nivernais* (Clamecy à Decize) ; *du Midi* (Toulouse à Agde et embranchement de Port-la-Nouvelle) ; *Mayenne* (Mayenne à Port-Meslet) ; *Rance et canal d'Ille-et-Rance ; Sarthe ; Vilaine* (Rennes à Redon), *c. du Blavet, de Nantes à Brest* (Guerledan à Redon et de Redon à Nantes) ; *Sèvre Nantaise* (Monnières à Nantes). **Classe I** accessible à l'aut. Freycinet, écluse : longueur utile 40 m, largeur utile 6 m, mouillage 3 m ou 3,30 m. *Aa* (Watten à Gravelines) ; *Lys* [Aire, à la frontière (hauteur libre : 4,10 m)] ; *Scarpe ; c. de Bergues à Dunkerque ; de Bourbourg ; de Calais ; de la Colme ; de Furnes ; de Mons à Condé ; de Roubaix ; Escaut* (Cambrai à Étrun) ; *c. latéral à l'Aisne, à la Marne ; Sambre canalisée* (Landrecies à la frontière) ; *c. de l'Aisne à la Marne ; des Ardennes ; c. latéral à l'Oise* (Abbecourt à Pont-l'Évêque) ; *de l'Oise à l'Aisne ; de St-Quentin ; de la Sambre à l'Oise ; c. du Rhône au Rhin* (1834 ; 238 km) ; *de la Somme ; de la haute Seine ; de la Saône* (Corre à St-Symphorien) ; *de l'Est branche nord* (Troussey à la frontière) ; *branche sud* (1883) ; *des Houillères et la Sarre canalisée ; de la Marne au Rhin ; de la Marne à la Saône* (1907, 224 km) ; *d'Arles à Boue ; de Bourgogne* (1832, 242 km) ; *de Briare et c. du Loing ; du Centre* (1793, 112 km) ; *c. latéral à la Loire ; du Nivernais* (Auxerre à Clamecy) ; *c. latéral à la Garonne.* **Classe II** accessible à des bateaux de 400 à 650 tpl (port en lourd) (type Campinois largeur 6,60 m et longueur 50 m). *De Lens ; Aisne canalisée ; Marne canalisée* (Épernay à l'écluse de St-Maur) ; *Seine* (Méry-sur-S. à Nogent-sur-S.) ; *St-Denis ; de l'Ourcq* et *St-Martin ; Yonne* (Auxerre à Montereau) ; *c. du Midi et étang de Thau* (d'Agde à Sète) ; *Loire* (Bouchemaine à Nantes) ; *Maine* (Port-Meslet à Bouchemaine) ; *Vilaine* (Redon à la mer) ; *Dordogne* (Bergerac à Libourne). **Classe III** écluse 92 × 6 m, mouillage 3 m ou 3,30 m, accessible à des convois de 2 bateaux ou barges type Freycinet de 650 à 1 000 tpl. *C. du Nord ; c. latéral à l'Oise* (Pont-l'Évêque à Janville). **Classe IV** écluse 110 × 12 m, mouillage 3,50 m à 4,50 m, accessible à l'automoteur type RHK et à des convois d'une grande barge poussée de 1 000 à 1 500 tpl. *Marne* (écluse St-Maur à Charenton et embranchement du port de Bonneuil) ; *c. du Rhône à Sète* (St-Gilles à Sète). **Classe V** écluse 185 × 12 m, mouillage 3,50 m, accessible à des convois de 2 grandes barges poussées en flèche et aux automoteurs de 1 500 à 3 000 tpl (enfoncement 2,50 m). *Moselle-Saône ; Oise de Creil à Compiègne.* **Classe VI** écluse 185 × 12 m, mouillage 4,50 m, accessible à un convoi de 2 grandes barges poussées en flèche (3 000 à 5 000 tpl). *C. de Dunkerque à Valenciennes* (longueur des écluses : 144,60 m) ; *de la Deûle* (Beauvin à Marquette) ; *Seine-Oise Rhône* de Barcarin à Fos. **Classe VII** accessible à des convois de plus de 2 grandes barges. *Seine c. du Havre à Tancarville ; Rhin et grand canal d'Alsace.* **Gabarit européen.** Écluse 185 m × 12 m, accessible aux convois poussés de 3 200 tpl, enfoncement 2,50 m (classe V), et 4 400 tpl, enfoncement 3 m (cl. VI).

■ **Longueur des voies ouvertes aux bateaux ou convois poussés. Longueur totale et,** entre parenthèses, **longueur utilisée** (en km, 1991) : **Classe 0 :** *- de 250 t :* 1 880 (18), **I** *250 à 399 t :* 3 904 (3 573), **II** *400 à 649 t :* 266 (213), **III** *650 à 999 t :* 441 (322), **IV** *1 000 à 1 499 t :* 91 (39), **V** *1 500 à 2 999 t :* 271 (249), **VI** *3 000 t et + :* 1 647 (1 537). **Total** 8 500 (5 893).

Longueurs fréquentées (en km, 1990) : *de 50 à - 250 t :* 206, *de 250 à - 400 t :* 3 626, *de 3 000 t et + :* 1 540.

Quelques précisions

Coût (en millions de F). *1 km de voie navigable* à grand gabarit : 50 à 100. *Écluse de 185 × 12 m* avec 5 m de chute : 70 ; avec 25 m : 200 à 300.

■ **Schéma directeur des voies navigables** (1983-88). Établi par la commission Grégoire *propose* de construire « un véritable réseau à grand gabarit » : amélioration de certaines parties du réseau Freycinet, extension du réseau à grand gabarit ; priorités : liaisons Seine-Nord, Seine-Est, Méditerranée-Rhin. Resté sans suite.

■ **Canal du Midi (ou des Deux-Mers).** L'idée de relier la Garonne à la Méditerranée par un canal remonte à François Ier, mais les plans et la réalisation furent l'œuvre de Pierre-Paul de Riquet (1604-80). **1681** *(15-5) :* achevé après 15 ans de travaux par son fils. **XVIIIe s.** trafic maximal (1 600 bateaux par j à Toulouse). **Jusqu'en 1850 :** les coches d'eau entre Bordeaux et Toulouse transportent 300 passagers, 3 fois par semaine, sur la Garonne. **1856 :** le canal est prolongé jusqu'à Langon (Gironde) par un canal latéral (53 écluses, long. 200 km, mêmes chalands de 150 t). **1857 :** le chemin de fer concurrence le canal (dont la gestion est confiée à la Cie ferroviaire). **1970-73** (canal latéral) : travaux de mise au gabarit Freycinet. **1977-78 :** travaux entre Toulouse et Baziège. **1978-79 :** Sète-Béziers et canal de jonction d'Argens à Sallèles d'Aude ; écluses de Bayard et de Matabiau à Toulouse. **1979-80 :** Sallèles d'Aude-Port-la-Nouvelle. **Caractéristiques actuelles.** *Longueur :* 240 km de Toulouse (jonction avec le canal latéral à la Garonne) à l'étang de Thau. *Différences de niveau :* 62,70 m (côté Océan) et 189,43 m (Méditerranée), rachetées la 1re par 26 écluses, la 2e par 77. Beaucoup d'écluses sont groupées en échelles dont échelle de 4 écl. de Castelnaudary, et de 7 écl. de Fonséranes (dénivellation de 13,60 m, à l'origine 10 écl., sas de 6 × 30 m, doublées par une pente d'eau). *Touristes :* 50 000/an. *Projet* ancien d'en faire un canal maritime **(c. des Deux-Mers) :** *1878 :* Verstraet († 1910), *1932 :* Lipsky (long. 430 km, larg. max. au fond 60 m, prof. max. 13,5 m, écluses 13).

■ **Nord-Belgique (liaison). 1982** *(juillet) :* 1re liaison à 1 350 t ouverte par le canal de Mons à Condé. **1983 :** suppression de l'écluse de Rodignies plaçant l'Escaut en classe III. **1984 :** ouverture à 1 350 t. Travaux sur la Deûle et sur la Lys mitoyenne en cours.

■ **Rhin-Saône (liaison)** (229 km). *Projet* confié à la CNR *(1980) :* 1 580 km de Rotterdam à Fos, à grand gabarit (automoteurs de 1 500 t, convois poussés de 3 000 t à 5 000 t). Liaison à travers la Franche-Comté, de la Saône à Mulhouse, desservant Montbéliard, Sochaux et Besançon. *Dénivellation* totale (264 m) franchie par 24 écluses (au lieu de 111 pour le canal du Rhône au Rhin) [long. 185 m, larg. 12 m, mouillage 5 m]. *Coût :* + de 18 milliards de F. Bief Niffer-Mulhouse (Rhin) en cours d'étude.

■ **Rhône (aménagement du). Objectif :** aménager 522 km : 187 km de la frontière suisse à Lyon (haut Rhône) et 335 km entre Lyon et la mer (bas Rhône) pour énergie hydraulique, navigation et irrigation. **Haut Rhône :** il existait autrefois un service de bateaux à vapeur pour voyageurs (3 mois par an ; dura peu) et un trafic de marchandises. Ces transports s'effectuaient sur des bateaux à fond plat (rigues). Malgré des aménagements, les transports ont pratiquement disparu. **1850-60 :** construction du c. de Miribel (20 km). **1880 :** dérivation éclusée de Sault-Brenaz c. de 1 680 m, écluse de 160 × 16 m rachetant une chute de 2,40 m à l'étiage. **1892 :** dérivation de « Jonage » (nom d'une agglomér.) du nom du canal (18 km, 2 écluses de 165 × 16 m) pour produire de l'énergie électrique. **1933** *(27-5) :* création de la Compagnie nationale du CNR. **1934** *(5-6) :* CNR reçoit la concession et l'aménagement du Rhône et l'exploitation des futurs ouvrages. **1948 :** mise en service du barrage-usine de Génissiat (haut. 104 m), construction de l'usine-barrage de Seyssel (7 m de chute, productibilité de 150 millions de kWh). **1988 :** aménagement de la section Bregner-Codonen-aval de Seyssel, achèvement du barrage de Sault-Brénaz. **Bas Rhône :** utilisé à l'état naturel jusqu'au début du XIXe s. avec des bateaux halés. **1840-70 :** des travaux (pour concentrer les eaux d'étiage et moyennes dans un bras principal) provoqueront un basculement du lit et de fortes érosions. **Après 1870 :** aménagement pour la navigation à courant libre. Le mouillage à l'étiage assuré en moyenne 340 j par an passe de 0,80 m à 1,60 m en 1893. **1893-1921 :** des travaux améliorent les mauvais passages mais apparaissent insuffisants pour obtenir une profondeur de 3 m sur un chenal assez large. On construit alors des barrages avec dérivations (larg. min. de 60 m au plafond, rayons de courbure inférieurs à 800 m, prof. min. de 3 m). **1970-80 :** travaux complétés par le raccordement à grand gabarit du port de Fos en 1980.

Programme actuel de la CNR : 21 aménagements mixtes (barrages, canaux de dérivation, usines hydroélectriques, écluses et ouvrages de drainage ou d'irrigation) alimentant 19 centrales hydroélectriques, 7 en amont, 12 en aval de Lyon. En fin de programme, production d'électricité en année moyenne : 25 % des possibilités hydroélectriques françaises (*1977 :* 7,7 % de la production fr. totale d'électricité, 20,6 % de la prod. d'énergie hydroélectr.), 200 000 ha irrigués, 41 000 protégés des crues. Rhône navigable de Lyon à la mer (330 km). 13 biefs de 25 km de moyenne séparés par 12 écluses de 195 m × 12 m (mouillage de 3,50 m, tirant d'air de 7 m) accessibles aux automoteurs de 1 500 t et convois poussés de 4 400 à 6 000 t.

■ **Seine.** Aménagé : 19 barrages (6 en aval de Paris, 13 en amont) doublés d'écluses. Sans ces barrages, la Seine aurait dans Paris moins de 1 m d'eau (au lieu de 4 m) pendant 6 mois chaque année.

■ **Seine-Nord** (liaison). *Projet* de mise à grand gabarit du canal latéral à l'Oise entre Compiègne et Noyon, et réalisation d'un nouveau entre Noyon et l'Escaut (empruntant sensiblement le tracé de St-Quentin ; convois poussés de 4 400 t). Comporterait 13 écluses et 2 pentes d'eau ou 17 écluses : 185 × 12 m, mouillage 4,5 m [(hauteur de chute de 3,82 à 19,45 m) au lieu de 38 m], éviterait le franchissement de souterrains. *Coût :* 9 milliards de F (base 1991).

■ **Seine-Est** (liaison entre Seine et Moselle). Projet d'aménagement de l'Aisne, du canal lat. à l'Aisne et du c. de l'Aisne à la Marne pour relier au grand gabarit Compiègne à Reims (1er tronçon) : 9 écluses (185 × 12 × 4 m) permettraient le passage de convois poussés de 3 000 à 5 000 t. *Coût :* env. 750 millions de F.

Trafic

■ Généralités

Comparaison (par t/km). Prix de revient : convoi poussé ou automoteur de 38,50 m : 7 à 11 centimes ; train complet SNCF : 14 c ; camion : 23 c. **Chargement des convois.** Les plus importants : *USA* env. 70 000 t sur le Mississippi inférieur. *Europe de l'Ouest*, sur le Rhin 6 000 t avec encombrement de 185 × 22,80 m. Des essais ont été faits avec des convois de 261,50 × 22,80 m de 10 000 t. **Vitesse** (moyenne). *Sur fleuve :* descente 15 km/h, remontée 12 (sur route 50). *Sur canal :* limitée à 9 km/h pour éviter la détérioration des berges.

Un convoi fluvial de 3 800 t équivaut à 66 wagons de ch. de fer de 58 t ou à 127 camions semi-remorques de 30 t. Le transport fluvial peut assurer sur de longues distances le transport de masses lourdes et indivisibles (ex. : cuve de centrale nucléaire).

■ En Europe

Transport de marchandises (en millions de tonnes/km, 1983). URSS 273 200. All. féd. 41 472 [2]. P.-Bas 27 308 [2]. *France 7 370 [2].* Yougoslavie 7 670. Belgique 4 584 [2]. Tchécoslovaquie 3 815. Roumanie 2 548 [1]. All. dém. 2 424. Hongrie 1 737. Pologne 1 452. Autriche 1 298. G.-B. 380. Italie 317 [1]. Luxembourg 304 [2]. Finlande 256. Suisse 53,9.

Nota. – (1) (1982). (2) 1988.

Trafic (en millions de t en 1980 et, entre parenthèses, en 1989). All. 241 (235). Belgique 101 (97). *France 92 (66).* Luxembourg 9 (11). P.-Bas 267 (291).

■ En France

Trafic

Trafic global (tonnage en millions de t et, entre parenthèses, tonnage kilométrique en milliards de tk sauf *Rhin et Moselle*). *1900 :* 32,4 (4,7). *10 :* 34,6 (5,2). *20 :* 23,3 (3,2). *30 :* 53,3 (7,3). *50 :* 42,6 (6,7). *60 :* 68 (10,8). *70 :* 110,4 (14,2). *80 :* 92,2 (12,15). *85 :* 64,1 (8,4). *87 :* 60,7 (7,4). *89 :* 69,6 (7,3). *90 :* 66,1 (7,6) *91 :* 61,2 (6,8). *92 :* 59,8 (6,8).

Répartition des produits en millions de t (1992). Prod. agricoles et animaux vivants 449, denrées alim. et fourrages 198, combustibles minéraux solides 437, prod. pétroliers 620, minerais et déchets pour métallurgie 272, prod. métallurgiques 126, minéraux bruts ou manuf. et mat. de constr. 2 639, engrais 100, prod. chimiques 104, machines, véhicules, objets manuf. et transactions spéciales.

Répartition des transporteurs par catégories (en millions de t) et, entre parenthèses, **en millions de t/km** (1987). 8,86 (1 697) dont compagnies 1,35 (247) ; petites flottes 2,04 (384) ; artisans 2,85 (639) ; étrangers 2,62 (427).

Ports les plus fréquentés (en millions de t). **Paris** *1974 :* 38,82 ; *80 :* 29,41 ; *90 :* 21,98 dont chargements 7,24, déchargements 14,74 ; *91 :* 25,5. *92 :* 26,1 [port autonome : 300 installations portuaires dont 220 ports privés sur 500 km de voies navigables de l'Ile-de-France. 750 ha de zones portuaires aménagées. 130 000 m² d'entrepôts loués ; CA (1992) : 250 millions de F, 2e port européen après Rotterdam], **Strasbourg** *1974 :* 15,81 ; *80 :* 12,62 ; *90 :* 10,65 ; *91 :* 8,89 dont charg. 7,49, décharg. 1,40. **Thionville-Illange** *1974 :* 4,32 ; *80 :* 4,36 ; *90 :* 4,11 ; *91 :* 4,41 dont charg. 0,87, décharg. 3,54. **Rouen** *1974 :* 9,40 ; *80 :* 9,65 ; *90 :* 2,64 ; *91 :* 2,97 dont charg. 1,75, décharg. 1,22. **Le Havre** *1974 :* 4,36 ; *80 :* 7,45 ; *90 :* 2,40 ; *91 :* 2,79 dont charg. 1,89, décharg. 0,90. **Dunkerque** *1974 :* 3,59 ; *80 :* 4,18 ; *90 :* 1,53 ; *91 :* 1,58 dont charg. 1,23, décharg. 0,35. **Metz** *1985 :* 1,41 ; *90 :* 1,51 *91 :* 1,45 dont charg. 1,35, décharg. 0,1. **Bordeaux** *1974 :* 4,35 ; *80 :* 5,88 ; *90 :* 0,63 ; *91 :* 0,46 dont charg. 0,01, décharg. 0,45.

☞ Causes de la baisse du trafic : baisse du transport des pondéreux charbon hydrocarbures (EDF a moins de centrales thermiques) et des matériaux de construction (crise du bâtiment), concurrence de la SNCF (notamment pour céréales) ; attitude corporatiste des artisans bateliers qui ont imposé aux compagnies de navigation un partage des trafics fluviaux. En fait, il y a une surcapacité d'au moins 1 000 péniches chez les 2 500 artisans bateliers.

Flotte de transport fluvial (1991). 1 828 entreprises (en 1990), 3 032 unités, 1 535 000 t de tonnage.

☞ **Effectifs de la batellerie en 1991 :** 3 675 dont artisans 1 493, salariés 1 713.

Budget de l'État (en millions de F, 1991). Total des moyens d'engagement 343 dont dépenses ordinaires 203,9 (entretien et fonctionnement 121, exploitation des voies navigables 38,9, aide à la battellerie 44), dépenses en capital 139,1 (équipement des des voies navigables et ports fluviaux 137,5, ports fluviaux et infrastructures fluviales de plaisance 1,5).

Transport des passagers

1783 *(15-7)* le *Pyroscaphe,* 1er bateau à vapeur et à roue du Mis de Jouffroy d'Abbans (Écully 1751-1832) sur la Saône à Lyon, de l'archevêché à l'île Barbe. **Début XIXe s.** une dizaine de compagnies de navigation (Gondoles à vapeur, Hirondelles, Paquebots de la Saône exploitent la ligne Chalon-sur-Saône/Lyon (8 h pour descendre, 12 h pour remonter). **XIXe s.** de nombreux transports en commun des voyageurs sont assurés par *coches d'eau* (grand bateau couvert, ex. celui du Paris-Montereau 400 personnes), *carrosses d'eau* (avec 3 chambres de classes différentes), *galiotes* (18 à 20 m de long, 4 m de large, avec 4 banquettes dans le sens de la longueur, 80 à 100 passagers). Le trajet Paris-Rouen s'effectue en voiture de Paris à Maisons-Laffitte, puis de là, en bateau à roues (*tarif :* 12 F et 9 F). Des bateaux-postes accélérés avec chevaux de halage lancés au galop vont de Meaux à Paris à plus de 16 km/h. Sous la Restauration apparaissent des compagnies de navigation à vapeur : les *Gondoles,* les *Messageries royales,* les *Hirondelles* et les *Abeilles.* Sur la Loire, *Paquebots* et *Inexplosibles* de la haute et basse Loire. Sur la Somme, les *Jumeaux* entre Amiens et Abbeville. La vapeur permit d'augmenter la vitesse (Paris-Auxerre en 32 ou 33 h), mais le chemin de fer s'imposa bientôt. **1863** Émile Plasson et Chaize exploitent sur la Saône, à Lyon, entre la Mulatière et Vaise, 5 bateaux « Mouche » (assemblés aux chantiers navals de la Félizate, quartier de la Mouche). *Tarif :* 15 centimes (puis 10). **1864** *(10-7)* naufrage d'une « Mouche », 32 †. **1867** E. Plasson fonde à Paris une affaire similaire sur la Seine avec 30 bateaux construits par les chantiers lyonnais de la Buire.

Région parisienne. Un service touristique par *bateaux-mouches* (10 km/h) a été rétabli en 1983, pendant les mois d'été sur le canal de l'Ourcq, entre Paris et La Ferté-Milon. *Du 1-5 au 30-9-1989 :* un batobus a assuré une navette d'Alfortville à Suresnes. *Coût :* 30 F l'aller simple. *Nombre de passagers :* 106 000. *Projet :* flotte de 20 bateaux (15 escales), navette toutes les 10 min.

Transports maritimes

Quelques définitions

Accastillage. Petit équipement de pont sur un bateau de plaisance (poulies, feux, taquets).

Acconier. Exécute les opérations de chargement, déchargement et d'arrimage, a la garde de la marchandise sous le hangar, emploie les dockers.

Acte de francisation. Document de douane certifiant la nationalité française et la propriété du navire, ce qui permet son hypothèque. Exigé pour les bâtiments de pêche et de commerce de + de 2 tonneaux de jauge, et les b. de plaisance de + de 10 tx.

Affréteur. Locataire du navire.

Ancre. Lourde pièce de métal à l'extrémité de la ligne de mouillage dont les aspérités permettent de crocher le fond. Les grosses ancres sont à basculement des pattes ou à jas ; les petites (grappin ou chatte) n'ont pas de pièce mobile.

Angarie. Mode de réquisition, moyennant indemnité, des navires étrangers par un État belligérant en temps de guerre.

Armateur. Équipe et exploite des navires pour la navigation commerciale ou de pêche. Désigne aussi le propriétaire de ce navire. C. Y. Yung (1911-82), Chinois de Hong Kong, était l'un des plus grands du monde. Il possédait une flotte (Island Navigation) de 10 millions de tpl (+ de 125 navires).

Armer. Mettre à bord tout ce qui est nécessaire pour navigation, équipage, matériel, vivres.

Arraisonnement. Acte par lequel un navire de guerre demande à un navire de commerce des explications sur son pavillon, sa cargaison, sa destination ou sa provenance, etc. Ne peut être effectué (sauf exceptions prévues par la convention de guerre) que par un navire du même pavillon.

Artimon. Mât qui se trouve le plus sur l'arrière.

Baleinière. Embarcation pointue des 2 bouts (comme les pirogues pour pêcher jadis la baleine) servant au transport des passagers et au sauvetage.

Barges océaniques. Cargaison chargée, en général en vrac, dans des barges sans équipage remorquées, poussées par des remorqueurs ou pousseurs de haute mer.

Bassin de radoub. *Le plus grand du monde :* Doubaï no 1 largeur 102 m, long. 525 m ; *de France :* Marseille (forme no 10) 85 m et 465 m (prof. 12 m), peut recevoir navires de 800 000 tonneaux.

Bordée. Partie de l'équipage assurant le service pour un temps donné (ex. : la bordée de quart de midi à 4 h). Partie de trajet faite entre 2 virements de bord quand le voilier louvoie pour remonter au vent. Amusements des marins à terre.

Bossoir (ou *portemanteau*). Arcs-boutants servant à suspendre les embarcations de sauvetage.

Cambuse. Lieu où l'on garde les vivres. *Cambusier :* chargé des vivres.

Car-ferries, ferry-boats. Transbordeurs. Effectuant des liaisons courtes (200 à 300 milles) à env. 20 nœuds. Il y en a env. 2 900 dans le monde. *1er ferry lancé : Leviathan* (1849), 417 t (pour la traversée du Firth of Forth en Écosse, 9 km) avec 34 wagons. *1er service France-Angleterre :* 1917, Liberty ship (1942). long. 134,60 m, tpl 10 800, puissance 2 500 ch, vitesse 10 n. en pleine charge.

Cargo (cargo-boat : bateau de charge). Destiné au transport de marchandises. *Cargo mixte :* aménagé pour recevoir en sus quelques passagers.

Carré. Salle à manger du personnel d'état-major.

Chargeur. Expéditeur de tout ou partie de la cargaison, client de l'armateur.

LES PLUS GRANDS NAVIRES

■ **Bac.** *El Rey,* 16 700 t, long. 176,78 m, 376 remorques de poids lourds sur 3 niveaux.

■ **Baleinier.** *Sovietskaya Ukraina,* 32 034 tx, (46 738 tpe).

■ **Brise-glace.** *Oden,* capable de briser une glace épaisse de 1,8 m et d'ouvrir un chenal de + de 29 m de large. *Rossiya* (1985) soviétique 25 375 t, 140 m, moteurs nucléaires de 7 500 ch. *Brise-glace polaire de cl. 8,* 194 m, 100 000 ch, pour le gouv. du Canada en oct. 1985. *Manhattan* (transformé), 152 400 t, 307 m.

■ **Car-ferries. Le plus grand :** *Silja-Serenade* (1990) 56 000 tx, 203 × 31,50 m, passagers : 2 500, voitures : 450 (entre Helsinki et Stockholm). **France :** *Danielle-Casanova* (1989) 165 × 27,40 m, passagers : 2 436, voitures : 800. **Le + rapide :** *Finnjet* (1977) : 24 065 tx, 30 n. (55,5 km/h).

■ **Cargo.** *Berge Stahl,* minéralier, 365 000 tx, long. 342 m, larg. 63,50 m (1986).

■ **Catamaran.** (long. 73 m, larg. 27 m.) 4 du même type de la Cie Overspeed (filiale de British Ferries), liaison Boulogne-Douvres (45 min) : 450 passagers et 80 voitures. *HSS (Highspeed Sea Service),* 124 m, 70 km/h, 1 500 passagers, 375 voitures, lancé 1995 par Stena Sealink (Suède).

■ **Drague.** *Prins der Nederlanden* (P.-B.) 10 586 t, long. 142,70 m, peut draguer 20 000 t à 35 m de profondeur, en moins de 1 h.

■ **Ferry-boat.** *Klaipeda, Vilnius, Mukran* et *Greifsvald,* 190 × 28 m, 11 700 t, capacité de 103 wagons de 15 m.

■ **Paquebot** (voir ci-contre et p. 1706).

■ **Pétrolier** (voir ci-contre). **Le plus gros sous pavillon français** (au 1-1-90) : le *Lanistes* (1975, 36 000 ch) 150 806 tjb, 311 883 tpl.

■ **Porte-conteneurs. Le plus grand sous pavillon français** (au 1-1-93) : *CGM-Normandie* (1992 ; 53 600 ch), 57 303 tjb, 48 850 tpl. Long. : 275 m, larg. : 37 m, vitesse : 24 nœuds, capacité : 4 400 EVP.

■ **Remorqueur. Le plus puissant :** *Nikolaï-Tchiker,* 26 700 ch, remorque 260 t à pleine puissance.

■ **Vraquier** 330 000 t en construction en Corée du S. pour Sig Bergensen (Norv.). **Le plus grand** (vrac sec) **sous pavillon français au 1-1-90 :** *Pengal* (1982) 18 590 ch, 74 510 tjb, 139 609 tpl.

Classification des navires. *Sociétés de classification reconnues pour la délivrance des certificats de franc-bord :* American Bureau of Shipping (créé 1861-62) ; Bureau Veritas (fondé à Anvers 1828 et à Paris dep. 1832) ; Lloyd's Register of Shipping, datant de 1760 (classe + de 30 % des navires en service dans le monde). *Agréées comme Stés de classification :* Bureau Veritas et Lloyd's Register of Shipping.

Compas. Boussole magnétique ou gyroscopique, indiquant l'angle entre axe du navire et méridien Nord.

Connaissement et manifeste. Reçu délivré par le capitaine pour les marchandises reçues à bord. Le manifeste récapitule l'ensemble des connaissements.

Consignataire ou agent maritime. Agent d'un armateur étranger chargé à la fois d'organiser l'escale du navire et de lui recruter du fret. Agent maritime collecteur de marchandises.

Courtier maritime. Interprète, il est le seul officier ministériel vis-à-vis de la douane, dans la langue étrangère pour laquelle il est agréé.

Creux. Distance du pont continu le plus élevé à la quille.

Darse. Bassin dans un port.

Déplacement (displacement tonnage). Poids exprimé en tonnes métriques ou anglaises (1 016 kg) du volume d'eau déplacé par le navire. Il égale celui du navire et est donné pour la charge maximale *(dépl. en charge)* ou pour le navire prêt à prendre la mer, mais sans charge ni matière consommable, excepté l'eau des chaudières et tuyautages *(dépl. lège).* Pour les navires de guerre, on indique le *dépl. Washington* (édicté par la Conférence de Washington 1921) : dépl. du navire sans combustible ni munitions.

Désarmement. Navire désarmé : cesse d'être exploité ; une équipe réduite assure le gardiennage.

Dunette. Superstructure à l'arrière d'un navire, s'étendant d'un bord à l'autre.

Franc-bord. Distance minimale autorisée entre le niveau de la flottaison et le pont continu le plus élevé ; les lignes de charge indiquent la limite de chargement (suivant la saison et la zone où le bâtiment navigue : eau douce, mers tropicales, été, hiver, etc.).

Fret. Désigne la marchandise, le taux auquel elle est transportée ou la variation des taux. Pour les cargos de ligne ou navires à passagers, les taux sont fixés par des *conférences* auxquelles adhèrent des Cies assurant un service régulier sur une ligne donnée. Pour les navires exploités au *tramping* (cargos et pétroliers), les taux résultent de la confrontation des offres de tonnage des armateurs et des demandes de tonnage des affréteurs. Ces opérations se traitent généralement par l'intermédiaire de courtiers (brokers) ; il existe aussi des « courtiers de vente et d'affrètement de navires » et des courtiers d'assurance maritime comme le *Baltic and Mercantile Exchange* de Londres ou la Bourse de New York.

Gaillard. Superstructure sur l'avant du pont supérieur et s'étendant sur toute la largeur du navire.

Gréement. Accessoires de mâture et voilure.

Guidon. Pavillon triangulaire à 2 pointes. Autrefois chacun des 5 arrondissements maritimes en France avait son guidon.

Lo-lo (lift-on, lift-off). Méthode de chargement par engins de levage à terre ou à bord (par opposition à ro-ro). Manutention verticale.

Longueur hors tout. Encombrement maximale.

MHD. Propulsion par magnétohydrodynamique : *Yamato I* (construit par Mitsubishi Heavy Industries, lancé 6-7-1992), longueur 30 m, masse 185 t, 280 tpl, 11 km/h, équipé de 2 générateurs de 8 000 newtons chacun. Principe de propulsion : application d'un champ électrique et d'un champ magnétique à un courant d'eau qui, absorbé à l'avant, est expulsé vers l'arrière avec une force qui est fonction de l'intensité des champs.

Navire frigorifique. Peut maintenir dans ses cales une température sensiblement constante : ex. bananier à + 12 °C. S'il dispose d'une grande souplesse de réglage, il est alors « polytherme ».

Navires océanographiques. *Jean-Charcot* (lancé 1964, refondu 1983), long. 74,5 m, déplacement 2 200 t, 1er nav. civil équipé du Seabeam (sondeur multifaisceau de 57°). Peut mettre en œuvre le *Cyana* (9 t dans l'air). *Atalante* (lancé 26-10-1990), long. 84,6 m, larg. 15,85 m, tirant d'eau 5,05 m, port en lourd 1 120 t, déplacement 3 300 t, vitesse max. 14,5 nœuds (croisière 13), 450 m² de locaux scientifiques ; autonomie de 60 j sans escale avec 59 h. à bord (dont 25 scientifiques et techniciens) ; coût : 280 millions de F ; sondeur de 130°, peut cartographier une longueur de 7 fois la profondeur d'eau (max. + de 20 km). Peut mettre en œuvre les s.-marins *Nautile* (18 t dans l'air), *SAR* (remorqué) et *Épaulard. Marion-Dufresne* (lancé 16-3-1972), long. 112 m, larg. 18 m, tirant d'eau 6,3 m, vitesse 15 nœuds.

Nuclear ship (NS). Navire à combustible nucléaire ; peu compétitif sur un plan civil. Études en cours notamment en All., Japon et USA pour des porte-conteneurs rapides, ou pour des sous-marins (pour exploiter le gaz sous-marin). **Allemagne :** *Otto Hahn* (1968, désarmé), 171,8 × 23,4 m, 14 200 tpl, 16 871 tjb, 15,7 nœuds. **États-Unis :** *Savannah* (1962, désarmé), 166 × 24 m, 9 834 tpl, 15 585 tjb, 20,2 nœuds. **Japon :** *Mutsu* (1970, désarmé), 130 × 19 m, 2 360 tpl, 8 350 tjb, 17 nœuds. **Ex-URSS :** brise-glace : *Arktika* (1974), 149,9 × 29,8 m, 4 096 tpl, 18 172 tjb. *Lenin* (1959), 134 × 28 m, 3 788 tpl, 14 067 tjb, 18 nœuds. *Otto Schmidt* n.c. *Sibérie* n.c.

Octant. Instrument servant autrefois à mesurer les angles et à observer la hauteur d'un astre au-dessus de l'horizon. Sur les petits navires, des sextants à bulle et des intégrateurs sont parfois utilisés.

Paquebot. De l'anglais *packet boat,* navire courrier. Tout bâtiment pouvant transporter plus de 100 passagers est appelé paquebot. **PAQUEBOTS D'AUTREFOIS : Impératrice-Eugénie** (1805) 108 m. **Britannia** (1840) 1 200 t, 8 nœuds. **Great Eastern** (1853-88) 18 914 t, 210,52 × 25,19 m ; servit à poser des câbles transatlantiques. **Campania et Lucania** (1893) 188 m. **Kaiser Wilhelm der grosse** (1897) 199 m, 22,5 n. **Oceanic** (1899-1914) 17 274 t, 28 000 ch, 214,80 × 20,3 m. **Deutschland** (1900) 208 m. **Celtic** (1901) 20 880 t, 213,28 × 22,86 m, 1re cl. : 347 passagers, 2e : 160, 3e : 2 350, 335 h. d'équipage. **Kaiser Wilhelm II** (1902) 215 m. **Baltic** (1904-33) 23 884 t, 221 m. **Lusitania** (1907 - torpillé, coula le 5-5-1915) 31 550 t, 68 000 ch, 236 × 26,82 m, prof. 18,50 m, tirant d'eau 10,05 m, consommation 1 500 t de charbon par 24 h, 2 350 passagers (dont 1re cl. : 500). **Mauretania** (1907-35) 240,71 × 26,81 m, 31 938 t, 70 000 ch., 26 à 28 n. **Olympic** (1911-35) 45 300 t, 271,60 × 28,5 m, 30 000 ch. **Titanic** (1912 - coula à son 1er voyage, voir p.1737) 46 232 t. **Le France** (1912, démoli 1935) 217,63 × 23 m, tirant d'eau 9,10 m, 42 000 ch., 23 n., 24 838 tjb, 45 000 tpl, 1 926 passagers (1re cl. : 534, 2e : 442, 3e 250, entrepont 800), 600 h. d'équipage. **Imperator** puis **Berengaria** (1913 - coulé 1938) 52 022 t, 272 m. **Vaterland** puis **Leviathan** (1914 - coulé 1938) 54 282 t. **Aquitania** 47 000 t, 300 m. **Paris** lancé St-Nazaire 12-9-1916, 5-6-1921 rejoint le Havre – incendie 18-4-1939) 234 × 26 m, 26 150 t, 45 000 ch., 21 n. **Bismarck** puis **Majestic** puis **Caledonia** (1922 - coulé 1939) 56 621 t. **Ile-de-France** (1927-59) 241,35 × 30 m, creux 21,50 m, tirant d'eau 9,75 m, 52 000 ch, 41 000 t, 1 740 passagers. **Normandie** (1935-42) 313 m. Construit à St-Nazaire (Penhoët), lancé le 29-10-1932, voyage inaugural 29-5-1935, 313,75 × 36,4 m, tonnage 79 301/83 102, vitesse moy. 30 n., salon 720 m² (plafond haut. 9,5 m), 1 972 passagers, 1 347 h. d'équipage, désarmé à New York le 6-9-1939, réquisitionné par les armées amér. à New York le 9-2-1942, rebaptisé **La Fayette,** brûle lors de travaux de transformation (pour le transport de troupes). Jugé irréparable, vendu 161 680 $ et démoli. Il avait transporté 132 508 passagers. Un paquebot du même nom avait été lancé en 1889 (144 m, 6 500 t, 6 500 ch). **Queen Mary** (1936-67) 80 774 / 81 237 t. **Queen Elizabeth** (1938, après refonte, incendié à Hong Kong 9-1-1972) 83 673 / 82 998 t. **RÉCENTS** (voir p. 1706). **Nombre en service** (1985) : 120 de + de 2 000 tjb dont 30 construits dep. 1970, 10 en constr. Actuellement, sont surtout affectés aux croisières les liaisons régulières courtes étant assurées par des transbordeurs. Les transmanches ont de 2 000 à 5 000 t, les transatlantiques parfois plus de 80 000 t.

Plus gros pétroliers. France : *Batillus* (1976), *Bellamya* (1977), *Pierre-Guillaumat* (1977) et *Prairial* (coût 570 millions de F) 555 031 tpl, 414 × 63,05 m ; haut. de la quille à la pomme du mât 74,50 m (jusqu'au pont 36 m) [tirant d'eau en charge 28,6 m ; poids à vide (poids lège) 77 000 t (11 fois le poids de la tour Eiffel), citernes de cargaison 647 934 m³ (divisés en 37 citernes) ; capacité en combustible 14 500 t ; consommation journalière 330 t ; autonomie en combustible en pleine puissance 42 j (permet de parcourir 17 000 milles, soit les 3/4 du tour de la planète) ; propulsion par 2 groupes turboréducteurs développant chacun 32 500 ch à 86 tours/min ; 2 hélices à 5 pales pesant chacune 51 t et d'un diam. de 8,50 m ; 2 gouvernails situés chacun derrière son hélice, équipage 12 officiers, 26 marins] distance de freinage 8 km en 25 minutes. Ils mettaient env. 40 j du Havre au golfe Persique (à 12,8 nœuds en 1 heure pour consommer moins, et 28 à 30 j pour le retour à 16,2 nœuds). A 15 nœuds, il fallait env. 100 000 t de fuel pour transporter en 1 an 2,8 millions de t de brut entre la France et le Golfe, soit 25 000 t de fuel de moins qu'il n'en aurait fallu à 2 pétroliers de 270 000 t pour véhiculer dans le même temps la même cargaison. La cargaison représentait env. 300 millions de F. Temps nécessaire pour la décharger 40 h. Après 6 ans d'exploitation et 19 voyages, vendu à la ferraille 8 millions de $; la baisse de la consommation de pétrole a entraîné le désarmement de plus de 200 pétroliers ; les - de 100 000 t sont mieux adaptés à la demande et aux ports actuels. *Hellas Fos* (1979), 555 051 tpl, long. 414,23 m. **Japon :** *Seawise Giant* [1981 ancien *Oppama* (422 018 t) rallongé de 81 m, tirant d'eau 24,6 m : le 5-10-87 et le 4-5-88 endommagé par attaques iraniennes ; sert comme entrepôt] (1981), 458,5 × 68,9 m, 564 763 tpl, 29,8 nœuds.

Point (faire le p.) **En vue de terre :** on relève à l'aide du compas la direction (relèvement) d'au moins 2 points remarquables de la côte (*amers*). Le point de concours de ces 2 relèvements tracés à l'aide d'un rapporteur sur une carte marine donne la position. **Au large :** *point astronomique.* A l'aide d'un sextant on mesure l'angle (hauteur) formé par un astre, l'œil de l'observateur et la ligne d'horizon. Cet angle détermine sur la Terre un cercle, lieu géométrique des points d'où l'on observe un astre donné sous un angle donné (cercle de hauteur). L'observation de plusieurs astres (ou d'un même astre après qu'il se soit déplacé dans le ciel) détermine plusieurs cercles de hauteur qui se recoupent. Le point commun à tous ces cercles donne la position du navire à l'aide de tables astronomiques et trigonométriques spéciales qui exigent de connaître avec précision l'heure des observations. Les résultats sont exprimés en degrés et minutes de latitude ou de longitude.

Port en lourd (tpl) (deadweight). Différence, en tonnes métriques ou anglaises (1 016 kg), entre le *déplacement en charge* et le *déplacement lège.* Correspond au poids total des marchandises, des approvisionnements, des passagers et de l'équipage pour la ligne de charge d'été.

Porte-barges. Navire portant des barges embarquées à l'arrière, à l'aide d'un portique et disposées verticalement dans des cellules analogues à celles d'un porte-conteneurs. **Lash (Lighter Aboard Ship) :** peut charger, suivant sa taille, 73, 83 ou 89 barges de 370 t. 1er de ce type, l'*Acadia Forest :* 24 (sur l'Atlantique Nord 9, le Pacifique 15). *Seabee* peut charger 38 barges de 850 t ; en service sur l'Atlantique Nord (1er exploité : *Doctor Lykes* en 1971). **Bacat (Barge Aboard Catamaran),** inventé par G. Drohse (courtier maritime danois), construit au chantier danois Frederikshaven Vaerft. Long. 104 m, larg. 21 m, port en lourd 2 700 t, de type catamaran de petites dimensions, destiné au trafic Angleterre / Europe du N. Le *Bacat-1* (1974) : 1er et seul en service, peut transporter 10 barges d'env. 140 t et 3 barges *lash.* Le chargement s'effectue entre les 2 coques.

Prix des navires porte-barges (y compris les jeux de barges) : env. 2 fois celui d'un grand porte-conteneurs moderne, mais l'économie sur le coût global du transport pourrait atteindre 30 à 40 %.

Porte-conteneurs. 10 000 à 70 000 t, portant jusqu'à 4 600 conteneurs, vitesse env. 20 nœuds. Cadence chargement (ou déchargement) 1 000 t/h.

Préfectures maritimes. *Créées* en 1800 pour unifier le commandement dans les ports, autrefois partagé entre l'intendant (administrateur civil) et le commandant de la marine (officier général). Chef-lieu d'arrond. maritime dans lequel le préfet maritime commande à tous les chefs de services militaires ; son autorité s'étend aussi aux bâtiments armés rattachés à son arrond. *Siège :* à l'origine : Le Havre (puis Cherbourg), Brest, Lorient, Rochefort, Toulon ; actuellement : Cherbourg, Brest et Toulon.

Quirat. Part de propriété d'un bateau en indivision.

Roll on-roll off (qui roule pour entrer et sortir ; abrév. ro-ro). Manutention par roulage direct des camions et engins qui circulent par des rampes ; à l'intérieur du navire, accès assuré par d'autres rampes ou des ascenseurs (nav. spécialisés : nav. « rouliers »). Manutention dite horizontale.

Sextant. Instrument à limbe gradué sur 60° (d'où son nom) servant à mesurer la hauteur des astres et par conséquent à déterminer la position du navire.

Shipchandler. Fournisseur de vivres et produits à consommer à bord.

Steamship (SS). Navire à vapeur (chauffé au charbon ou au fuel).

Tirant d'eau (calaison). Hauteur verticale du plan de flottaison au-dessus de la quille (varie avec poids du chargement et densité de l'eau).

Tonnage (jauge) (en anglais **GRT, gross registered ton**). Mesure de capacité. Autrefois, on exprimait la capacité des navires par le nombre de barriques ou tonneaux de 100 pieds cubes anglais, soit 2,83 m³, qu'ils pouvaient contenir. On distinguait : *jauge brute* (tjb) : capacité intérieure totale ; et *jauge nette* (tjn) : cap. utilisable (pour marchandises et passagers). Dep. le 18-7-1982, on applique la Convention intern. de 1969 : jauge exprimée par un chiffre sans unité, fonction du volume total de tous les espaces fermés du navire. **Tpl.** (voir **Port en lourd).**

Transitaire. Mandataire du propriétaire de la marchandise pour en faire exécuter le transport, le transbordement, le dédouanement et la livraison.

Transporteurs de gaz liquéfiés. Gaz de pétrole liquide (GPL) (à -40 °C). Gaz naturel liquide (GNL) (à -180 °C). Les méthaniers les plus gros transportent 130 000 m³ de gaz. **Capacité totale de la flotte de méthaniers :** 6,5 millions de m³. **Lignes :** Algérie-Europe de l'Ouest, Indonésie-Japon, Malaisie-Japon, Alaska-Japon, golfe Persique-Japon.

Transporteurs de vrac (vraquiers). *Minéraliers, charbonniers, transports de grains,* etc. (les plus gros atteignent 270 000 t ; des unités de 305 000 t environ étaient en commande en 1984) (voir encadré p. 1703).

Turbine à gaz. Permet d'obtenir de fortes puissances, volume et poids inférieurs de 10 à 15 % à puissance égale par rapport à un autre appareil propulsif. Consommation plus élevée. 1er navire de commerce : *Callaghan* (USA 1969). *Euroliner :* 2 turbines de 30 900 ch chacune, 28 nœuds. Le dernier navire civil équipé de turbines à gaz fut le transbordeur *Finnjet* (construit en 1977).

Vitesse. *Unité : le nœud :* vitesse d'un navire parcourant 1 mille marin en 1 h. A l'origine le nœud était une distance de 15,435 m (soit 1/120 de mille), marquée par des nœuds fixés tous les 47 pieds 1/2 sur la *ligne de loch* (triangle en bois attaché à une longue corde). Pour mesurer la vitesse d'un navire, on jette le loch à l'eau pendant 30 sec. mesurées par un sablier spécial appelé *ampoulette* et l'on compte le nombre de nœuds qui se sont déroulés. Les bateaux à moteur comptent en général simplement leurs tours d'hélice ; sur les navires actuels, on utilise des lochs à tube de pitot, électromagnétiques, à effet Doppler. Actuellement, on tend à réduire la vitesse des navires pour économiser le combustible.

Vraquiers (voir **Transporteurs de vrac**).

Navires à rames

Quelques types. Antiquité : les 1ers bateaux furent sans doute des troncs d'arbres et des radeaux poussés à la gaffe, puis des pirogues (creusées dans des arbres). **Phéniciens :** *pentécontore* (24 × 3,50 m, 50 rameurs) ; **Égyptiens :** *gaulos* (24 rameurs, 1 voile) ; de ce mot dérivèrent *galère* et *galéasse ;* **Grecs, Romains, Carthaginois :** *galère* à plusieurs files de rameurs (trirème ou trière 30 × 4 m, quadrirème, quinquérème ou pentière, certains nav. ayant 400 rameurs).

Moyen Age. Italie, Marseille : *liburne* (galère à un étage), *dromon* (25 à 30 rames), *pamphile* (plus grand, 2 rangs de rames, 300 h. d'équipage), *galéasse* (galère agrandie jusqu'à 50 × 9 m, armée de canons), *galères* (les avirons sortent des sabords par groupes de 3). **Scandinavie** (du VIIIe au XIe s.) (navires tirant leurs noms des figures de proues sculptées) : *drakkars* (dragons) et *snekkars* (serpents) (certains de 20 à 90 m, 120 rameurs, pouvaient transporter 1 000 h.).

Voiliers et voiles

■ **Quelques dates. Moyen Age** *caravelle* (1415, souvent non pontée mais avec château à l'avant et à l'arrière, 1 mât avec une voile carrée surmontée d'un hunier, les 3 autres avec des voiles latines ou à antennes). La *Santa Maria* de Christophe Colomb (1492) mesurait 23 × 7,90 m (creux 3,80 m, port en lourd 233 t, voilure 466 m², équipage 60 h., vitesse 5 n.). *Galion* (plus bas sur l'eau, env. 40 × 10 m), *galiote* et nefs, moins légers que la caravelle. *Galée* et *galère* de 200 à 250 rames avec 2 mâts. *Caraque :* de plus fort tonnage. **XVIIe s.** *Galères ordinaires :* 45 × 7 m. Chiourme : 240 rameurs (5 par rame et banc). Disparaîtront en 1773 des listes de la flotte. **1836** *1er navire en fer,* l'*Ironside* (G.-B.). **1850** goélette *Excelsior,* et trois-mâts barque *Marion Mac Intyre* en métal et bois. **1853** *1er long courrier en fer,* le *Martabaze* (753 tx). **1864** *1er navire en tôle d'acier :* l'*Atlair.* **1880** goélettes de 4 mâts (env. 1 000 tx) à 7 mâts [7 000 tx, 26 h. d'équipage, 1 seule connue : le *Thomas W. Lawson* 123 × 15 m]. **1889** *1er cinq-mâts barque,* le *France* (I).

1902 *Preussen* (All.), *cinq-mâts,* 53 voiles, vitesse max. théorique avec coque propre 17 n., réelle 7,5, fait naufrage en 1910. **1911** *France II, cinq-mâts* construit à Bordeaux fut *le plus grand voilier du monde* (126 × 16,90 m, jauge brute 6 255 tx, port en lourd + de 8 000 t, 2 moteurs de 900 ch, en acier, perdu la nuit du 11/12-7-1922 en N.-Calédonie). **1914** 164 grands voiliers français [98 trois-mâts barque, 31 trois-mâts carrés (jauge d'env. 2 400 tx, port en lourd 3 200 t, équipage 25 h.), 31 quatre-mâts barque, 3 quatre-mâts carrés (3 000 tx, 4 000 t, équipage 30 h.), 1 cinq-mâts barque].

■ **Derniers voiliers. 1924** *dernier cinq-mâts à voiles :* le *Copenhague. Le plus grand* fut le *Great Republic* (98,77 × 16,16 m, creux 11,89 m, 5 000 tx b., 3 mâts carrés, voilure 5 800 m² s'élevant à 64 m de haut. au-dessus du pont ; 100 h. d'équipage et 30 mousses). Le *dernier voilier long-courrier français,* le *Bonchamps,* construit en 1902, fut désarmé en 1931 et envoyé à la démolition. Les voiliers de pêche ont été désarmés entre 1947 et 1955.

Quand la voile disparut, les grands voiliers portaient de 130 à 135 t par homme d'équipage (300 t sur les goélettes amér.) contre 44 t en 1860. On arrivait à manier 120 m² de toile par personne.

■ **Clippers** (de l'anglais *to clip :* couper, ils coupaient l'eau). Bateaux très longs, aux voiles moins hautes et plus larges. Ils concurrencèrent avec succès les nav. à vapeur avant l'ouverture du canal de Suez (non navigable pour les bat. à voiles). **1ers clippers d'opium** 250 à 400 tx, **clippers de thé :** 700 à 800 tx ou plus (ex. : 921 tx pour le *Cutty Sark* construit 1869, 85,3 × 11 m, tirant d'eau 6,4 m, voilure 3 000 m² qui détenait le record aller-retour Australie-Manche en 67 j), puis de 3 000 à 5 000 tx, vitesse max. 15 à 21 n. (le *James Baines*). Ont disparu en France de 1927 à 1933, à cause de la journée de 8 h imposant 3 bordées au lieu de 2. Les derniers ont été démolis ou achetés à l'étranger notamment par Ericson (Finlande).

■ **Flotte actuelle de grands voiliers** (non exploités pour des transports). **All. féd. :** *Statstraad Lehmkühl* (1914), trois-mâts barque de 98 m, 2 000 m². *Gorch Fock* (1957), trois-mâts barque, long. 89 m, voilure 1 952 m². **Argentine :** *Libertad* (1956), trois-mâts carré, long. 103 m, voilure 2 643 m². **Chili :** *Esmeralda* quatre-mâts école de la marine lancé à Cadix (1952), voilure 2 800 m², 373 h. d'équipage. **États-Unis :** 65 [*Eagle* (1936) trois-mâts barque, long. 90 m, voilure 1 983 m²]. **France :** 7 : l'*Étoile* (1929) et la *Belle-Poule* (1931) goélettes à hunier, long. 37,50 m, voilure 425 m², le *Mutin,* le *Bel-Espoir* et son frère *Espérance,* la *Duchesse-Anne* (1901), *Belem* trois-mâts barque, coque et mâture en acier ; long. 58 m, larg. 8,80 m, 406 tx, creux en quille de 4,9 m, tirant d'eau actuel de 3,5 m, voilure 1 200 m², *1896* lancé à Nantes, transporta d'abord du cacao, du bétail et du charbon entre France et Brésil. *1914* racheté par le duc de Westminster qui en fait un yacht de plaisance. *1921* racheté par Lord Guinness (Irl.), devient le *Fan-*

■ Voiliers récents

Daish. Trois-mâts expérimental (japonais) 26 m de long, voiles rigides en plastique, vitesse 6 nœuds.

Bateau à turbovoile. Système du Pr Lucien Malavard (Fr., 7-10-1910) (cylindre orientable et creux) ; une fente longitudinale permet, grâce à une turbine d'aspiration située à l'intérieur, de faire varier la pression des filets d'air sur sa surface, donc de diriger selon les besoins la force propulsive du vent ; un ordinateur (enregistrant en continu la vitesse du navire, son cap et les caractéristiques de ses moteurs) commande l'angle d'attaque par rapport au vent, la position du volet et la puissance d'aspiration. Un autre système ajuste le régime des moteurs principaux de manière à rendre optimales les économies de combustible (15 à 35 %). Expérimenté en 1983 sur un catamaran, **Moulin-à-Vent I,** transporteur de vrac de 5 000 t. **Alcyone** (monocoque de 31 m de long, 76 t en charge, 2 turbovoiles de 10,2 m et une section elliptique de 1,35 × 2,05 m, d'où une surface « exposée » de 21 m² ; vitesse prévue par vent de 30 nœuds : 10 à 12 nœuds), mis à l'eau début avril 85, il a traversé l'Atlantique en juin 1985. **Cargo de 6 000 t** équipé de 2 turbovoiles d'env. 22 m de haut et 4,5 m de large (surface : 100 à 110 m²).

Calypso II type monocoque à l'avant, catamaran sur l'arrière, 66 × 16 m, jauge 1 000 t, turbovoile de 125 m².

Guinness (G.-B.). 30 m de long (1984).

Paquebots à voile. Wind Star (lancé 13-11-1985 au Havre) et **Wind Song** (long. 134 m, tirant d'eau 4 m, 4 mâts de 48 m, 2 000 m² de voilures, gréés en focs baumés de 370 m², 5 ponts, 75 cabines, équipage 85 h., passagers 148). **La Fayette,** long. 185 m, 5 mâts, 430 passagers, coût 550 millions de F (lancé 23-12-1988 au Havre). **Club Med.** 5 mâts de 50 m de hauteur au-dessus du pont, 7 voiles à enrouleur, 6 voiles d'étai, 1 voile d'artimon en Dacron, superficie totale 2 500 m², long. 187 m, largeur 20 m, tirant d'eau 5 m, 8 ponts, vitesse de croisière 11 à 15 n., moteur 5 000 ch, 2 piscines (6,21 m × 5,30 et 4,95 × 5,30). 14 540 tjb. Coût : 580 millions de F. Construit au Havre. Entré en flotte 29-12-1989. Coque nue sous pavillon des Bahamas. Passagers : 416, équipage 176 h. (61 gentils organisateurs, 83 personnes de service, 32 h. d'équipage). **Club Med II** lancé 12-7-1991 du Havre, long. 187 m, larg. 20, moteur 7 000 ch, passagers 410. Équipage 222 h. Coût : 900 millions de F dont 500 financés par l'État sous réserve que le pavillon soit français, que le navire reste 26 semaines en Nouv.-Calédonie où 3 bases seront construites. **Le Ponant.** Long. 88 m, 3 mâts, voilure 1 300 m², 32 cabines, 64 passagers.

Projet Phicoe. Conçu par les Français Marc Philippe et Marcel Coessin : voiles ressemblant à des ailes d'avion, déformables pour s'adapter au vent et utilisant 2 surfaces de voilure (intrados et extrados alors que les voiles classiques n'utilisent que l'intrados). Relié à un ordinateur de bord qui reçoit ses informations par satellite, un microprocesseur modifie la courbure des voiles en fonction du vent. Vitesse : 20 à 25 nœuds, pour un bateau de 6 m de long ; coût des voiles : env. 27 000 F.

Projet des chantiers Cockerill (Belg.). Cinq-mâts, haut. 82 m, larg. 167 m, surface totale 12 000 m², vitesse 12 nœuds.

Shin Aitoku Maru. Transporteur de produits pétroliers de 1 600 tpl, à voiles auxiliaires de type rigide et à moteur diesel, construit au Japon en 1980. En exploitation régulière.

Techniques avancées. Catamaran conçu par les élèves de l'École nat. sup. des techniques avancées. *Voiles :* 2 ailes rigides fonctionnant comme des ailes de planeur. A 25 nœuds, se hisse hors de l'eau et ne navigue + que sur ses 3 dérives (ou foils) asymétriques. *Vitesse visée :* 40 nœuds ; a atteint + de 20 n. (juin 88), pourrait aller jusqu'à 55 n. si le phénomène de ventilation sur les foils ne mettait en péril la stabilité.

tôme II. 1950 racheté par le Cte Cini (appelé *Giorgio-Cini*) pour la marine italienne. *1979* rachat par Caisse d'épargne « Écureuil », envoyé à Brest, transféré à Paris pour réfection. *1985* quitte Paris pour St-Malo. **G.-B. :** 20. **Italie :** *Amerigo Vespucci* (1931) trois-mâts carré, long. 101 m, voilure 3 000 m². **Mexique :** *Cuauhtemoc* (1982) trois-mâts barque, long. 89 m, voilure 2 250 m². **Pologne :** *Dar Mlodziezy* (1981) long. 109 m, voilure 3 015 m². **Portugal :** *Sagres* (1937) trois-mâts école de la marine, long. 89 m, voilure 1 935 m². **Russie :** *Kruzenshtern* quatre-mâts école de la mar. march. (russe), long. 115 m. *Sedov*, long. 118 m, le plus grand voilier du monde, voilure 4 200 m². *Kershones* long. 108 m. *Tovaritch* long. 80 m.

■ **Voiles.** Différentes sortes. **Latines ou triangulaires :** *foc*, voile d'avant hissée entre mât de misaine et beaupré (mât horizontal à l'avant) ; *voile d'étai* accrochée à un cordage (draille) tendu entre 2 mâts verticaux. **Auriques :** à forme de quadrilatère, assujetties à leur partie supérieure à une *corne* (mât suspendu obliquement) et parfois maintenues à leur partie inférieure par une *bôme* ou un *gui* (mât suspendu horizontalement) ; à bourcet, au tiers, à livarde brigantine. **Trapézoïdales :** la partie supérieure est lacée à une vergue perpendiculaire au mât ; de bas en haut : *basse-voile, hunier, perroquet, cacatois.*

Les voiles de l'extrême avant (focs) et de l'extrême arrière sont des *voiles d'évolution*. Les voiles des mâts sont des *voiles de propulsion*.

■ **Mâts.** Autrefois en bois (pin sylvestre, sapin, mélèze, cèdre) qui réunissaient 3 qualités : flexibilité, élasticité, légèreté. Ils étaient soutenus par des étais (à l'avant du mât) et des haubans (par le travers et vers l'arrière).

■ **Classification des voiliers d'après leur gréement.** **1 mât et 1 voile :** petits *yachts*, catégorie boat. **1 mât et 2 voiles :** *youyous*. **1 mât vertical et beaupré à l'avant :** *cotres* (ou cutters, nav. de guerre), ou *sloops* (nav. de commerce) ; si l'on ajoute un mâtereau à l'arrière *(tape-cul) : yawl.* **2 mâts** (souvent un peu inclinés sur l'arrière) : *goélette* (voiles auriques, mât avant + bas que mât arrière), *baleinière* (2 voiles, 1 foc). **3 mâts :** *chasse-marées* (voiles à bourcet), *lougre* (4 voiles : foc, misaine, grand-voile et tape-cul sur un petit mât). **Tartane :** 1 mât à calcet, balancelle (avec très grand beaupré + 1 mât tape-cul). **Felouque :** 2 mâts à calcet. **Chebec :** 3 mâts à calcet. **Mât avant à traits carrés :** goélette à hunier. **2 mâts à traits carrés** (ou voiles carrées, ou phares carrés) : *brick* (ou *brigantin*). **3 et 4 mâts à traits carrés** (grands bâtiments marchands, nav. de g. : *corvette* à vaisseaux de ligne) ; nom des mâts : misaine (avant), grand mât (milieu), artimon (arrière). **3 et 4 mâts barque :** l'artimon porte un gréement longitudinal.

■ **Durées des trajets en j en 1900 et 1901.** **Pour l'Europe :** de Calcutta : 99 à 142, Rangoon 106 à 170, Melbourne 85 à 158, Sydney 85 à 146, N.-Calédonie 100 à 171, N.-Zélande 79 à 181, San Francisco 96 à 181, Chili 61 à 155. **D'Europe à :** Calcutta 82 à 199, Maurice 71 à 128, Hong Kong 106 à 198, Melbourne 77 à 138, Sydney 74 à 134, Adélaïde 73 à 135, San Francisco 109 à 201, Chili 64 à 160.

NAVIGATION A VAPEUR

■ **Quelques dates.** **1543** Blasco de Garay (Esp.) essaie à Barcelone un bateau à vapeur de 200 tx. **1690** Denis Papin (Fr. 1647-1714) en a l'idée, mais ne la réalise pas. **1707**-*15-9* il essaye à Kassel, sur la Fulda, un bateau à roues inspiré d'un dessin de l'Anglais Savery, mû par la force humaine (que des bateliers détruisirent). **1736** Jonathan Hull (G.-B.) dessine un projet de bateau à vapeur. **1738** Wayringe construit un bateau qui remonte la Vezouze près de Lunéville. **1770** le Cte d'Auxiron et le Cte de Folleney s'associent ; leur bateau équipé d'une machine à 2 cylindres sombrera. **1775** Jacques Constantin Périer essaye sur la Seine un petit bateau à roues, mais la machine n'est pas assez forte. **1776** Claude, Mis de Jouffroy d'Abbans (1751-choléra 1832), essaye sur le Doubs un *pyroscaphe* de 13 m de large, avec un système « palmipède » (des volets plongeant de 40 cm dans l'eau puis s'effaçant) ; échec. **1783**-*17-7* il essaye sur la Saône un autre pyroscaphe [de 160 t (machine 13 t, chargement 182 t), long. 41 m, largeur 4,15 m, tirant d'eau 0,95 m, roues diam. 4,55 m, aube largeur 1,95 m, s'enfonçant de 65 cm] qui navigue 16 mois. **1803**-*9-8* l'Américain Robert Fulton (1765-1815) fait naviguer sur la Seine un bateau à roues (long. 21,70 m, larg. 3,55 m, puissance 8 ch) à 5 760 m/h à contre-courant. **1805** il construit le *Clermont* lancé 17-8-1807 (39 × 5,40 m, creux 1,80 m, tirant d'eau 0,75, déplacement 160 tx, roues 4,50 m) qui transportera sur l'Hudson (USA) pass. et march., liaison régulière à partir du 17-8-1807, New York-Albany (remontera l'Hudson sur 240 km en 32 h). Il eut des imitateurs (1809 *Accon* sur le St-Laurent, 1811 *Orléans* sur le Mississippi ; en 1817, il y avait en tout 131 bateaux et en 1832, 474). **1808** 1er voyage maritime à la vapeur (New York-Philadelphie) par Stevens. **1814** en Angleterre apparaît un steamer sur l'Humber, un autre sur la Tamise. **1816** 1re traversée de la Manche par l'*Élise* (ex-*Margery*, 16 m, 10 ch) avec le capitaine Andriel (Newhaven-Le Havre en 17 h). **1817**-*20-4* Jouffroy d'Abbans essaye le *Charles-Philippe* à Bercy. **1819**-*25-5/29-6* le *Savannah* (45 m, 380 tx, à voile et à vapeur actionnant des roues à aubes) traverse l'Atlantique de Savannah à Liverpool en 25 j (dont 18 à vapeur) ; termine sa carrière en voilier. **1824** la marine fr. met en chantier 5 vaisseaux à vapeur (36 m, 80 ou 160 ch). **1829** le *Civetta* (Autriche) utilise l'hélice sur l'initiative de Josef Russel. **1830** le *Sphinx* (construit à Rochefort, machine de 160 ch construite à Liverpool), 1er navire à vapeur de la marine fr., amène en France l'obélisque de Louksor. Mise en service jusqu'en 1842 du *Var*, du *Liamone* et du *Golo* (construits à Toulon, machines anglaises) utilisés pour le service des dépêches Toulon/la Corse. **1832** brevet de Frédéric Sauvage [Boulogne-sur-M. 1786-† à Picpus, maison de santé, 1857 (ruiné, devenu fou 1854)] pour un propulseur formé d'une vis à un filet décrivant une spire (Augustin Normand en fera une hélice à 3 pales pour le *Corse*). **1836** le *Francis Ogden* du Suédois Ericsson, à hélice (14 × 2,5 m), remonte la Tamise à 8 n. (propulseur hélicoïdal monté directement sur le moteur). **1837** 1er navire commercial (fluvial à hélice, le *Novelty*), 1er nav. de guerre (le *Princeton* 1839-40, en Amérique). **1838** *avril* le *Great Western* en bois (64,60 × 10,60 m, creux 7 m, 1 340 tjb) avec 8 passagers et le *Sirius* (voilier de 700 tx équipé d'une machine à vapeur) traversent l'Atlantique en 15 j ½ (10 milles/h) et 18 j ½ (8 milles/h). Le *Great Britain* (de la Great Western) en fer (84 × 14,70 m, creux 9,54, 2 984 tjb, machine 1 000 ch) à hélice et à voile (6 mâts). **1842**-*6-12* 1er nav. à hélice construit en France au Havre par Augustin Normand [*Napoléon*, aviso de 2e cl., 220 ch, 11 n. à la vapeur, 13 n. sous voiles et vapeur (principe de Frédéric Sauvage), hélice à propulsion entière brevetée 1832, adaptée dans une hélice à 4 pales, devenu le *Corse* et affecté au service postal Marseille-Ajaccio ; il navigue jusqu'en 1890]. **1843** Sauvage ne parvient pas à perfectionner le système à hélice de Dallery. **1849** chauffage central sur paquebots.

1850 1er nav. à hélice faisant de la voile l'auxiliaire de la vapeur (et non plus le contraire) appelé le *Vingt-quatre février* puis le *Président*, en bois, 5 047 t, 2 ponts, 13,86 m, 92 canons, 900 ch, tirant d'eau. **1853** lancement du *Great Eastern* (voir p. 1703 b), de l'*Arabia* (Cunard Line), dernier navire en bois, 1er à chaudière tubulaire, vitesse 11,5 n. **1856** *Persia* (Cunard Line) en fer, vitesse 12 n. **1863** la Cunard adopte l'hélice et la machine à bielles renversées, sur les paquebots *China* et *Cuba* : vitesse 14,8 n. On estimait que l'hélice (réputée supérieure pour les nav. de guerre) fatiguait les passagers de l'arrière à cause des vibrations. Désormais, on transformera les vaisseaux à roues. **1872** apparition de l'éclairage au gaz sur les paquebots. **1879** apparition de l'électricité. **1894** 1er bateau à turbine, le *Turbinia* 30,48 m, 45,20 t, 3 turbines à vapeur totalisant ensemble 2 000 ch, vitesse 34,50 nœuds (64 km/h).

AÉROGLISSEURS (OU HOVERCRAFTS)

■ **Origine.** Engins spéciaux maintenus en marche, à quelques centimètres au-dessus de l'eau, par un coussin d'air (produit sous la coque par des ventilateurs axiaux ou centrifuges installés à bord). Les 1ers aéroglisseurs utilisaient une chambre rigide dans laquelle l'air était insufflé pour former un coussin d'air. Ils ne pouvaient transporter qu'une charge limitée sur eau calme et se déséquilibraient assez facilement. La technique française [depuis 1957, perfectionnée par Jean Bertin (1917-76) avec le *Terraplane* de 3,5 t lancé le 7-1-1962] utilise plusieurs jupes « internes » (ex. : 8 sur un appareil de 30 t), entourées d'une jupe externe. Chacune peut être alimentée individuellement en air ; souples (pouvant durer 2 000/3 000 h), elles s'adaptent au relief. Les aéroglisseurs, très sensibles au vent, deviennent ingouvernables si le coussin d'air disparaît (ne peuvent naviguer que la coque totalement hors de l'eau).

Le *1er hovercraft* atteignit en 1958, en face de Cowes (île de Wight), 32 nœuds avec 2 moteurs de 60 ch ; le 25-8-1959, il traversa la Manche avec 3 passagers à bord. *1er service pour passagers :* en juillet 1962 par Vickers Armstrong (G.-B.) sur l'estuaire de la Dee avec le VA3 de 11 t transportant 24 passagers à une vitesse de 100 km/h. *1res courses d'hovercrafts :* 14-3-1964, Canberra (Austr.) (12 concurrents et 10 appareils différents).

■ **Quelques types.** **G.-B.** *(construits par la British Hovercraft Corporation) :* **SR-N2** (1962) 68 passagers, 70 nœuds. **SR-N4** (1968) 40 m, 165 t, 170 à 250 pass., 24 à 34 autos ou 500 pass., 130 km/h par mer calme et 90 km/h par vagues de 2 m de creux. **SR-N6** (1965) 10 t, 52 nœuds, 38 pass. **SR-N6** et **BH7,** milit., 3 versions (transport de troupes, assaut, surveillance). **API-88** long. 21 m, larg. 10 m, 80 à 100 km/h, 80 pass. **USA** *(projets) :* 5 000 ch, 10 000 t.

France (construits par la Sedam). **N 300** (1968) 24 × 10,5 m, 27 t, 120 km/h, 90 passagers (ou 35 + 4 voitures), 2 300 ch (2/3 pour le propulseur, 1/3 pour la sustentation), creux max. franchissable 2 m. 2 ont été exploités en 1969-70 entre San Remo, Nice, Cannes, St-Raphaël et St-Tropez. L'un a assuré un service mixte (voitures-passagers) sur la Gironde de 1971 à 1976. Une version militaire a été étudiée (14 t utiles, 3 versions : transport de troupes, support logistique, patrouilles d'intervention). **N 500** (1978) le plus gros du monde : 50 × 23 m, 17 m de haut, 155 t, 130 km/h, 70 nœuds, 16 000 ch, 5 moteurs, Lycoming TF40 (3 pour propulsion, 2 pour sustentation), masse totale en charge de 250 t, capacité 400 passagers, 45 voitures (ou 125 pass., 65 voit. ; ou 280 pass., 10 voit. et 5 autocars). Creux max. franchissable 2,5 m. Retiré du service (non rentable). Prix : 120 millions de F. Exploité dep. 5-7-1978 sur Boulogne-Douvres-Calais. **DN/Sedam. Aérobac AB 7 :** long. 11,5 m, larg. 6,2 m, haut. 3,37 m, masse à vide 13 000 kg, à pleine charge 20 000 kg, vitesse max. 16 n., rayon d'action 400 km. **Windlord :** construit par Transfutur. Peut se déplacer sur terre ou sur l'eau (32 à 38 n.). Autonomie 6 h. Supporte des vents de force 4 à 5. Prix env. 75 000 F.

☞ **Plates-formes** *agricoles, pétrolières, pour missions polaires,* etc. : à l'étude.

■ **Trafic.** 30 % du trafic voyageurs sur Calais-Ramsgate et Calais-Douvres-Boulogne et 25 % du trafic véhicules (largement utilisé sur Saint-Malo-Jersey-Guernesey). *Trafic maritime total par aéroglisseur* (1979) : env. 11 millions de passagers.

NAVIRE À EFFET DE SURFACE (NES)

■ **Type.** **Catamaran,** 4 diesels de 4 300 ch. entraînant 4 ventilateurs, projetant de l'air dans un espace limité par les 2 coques, et à la proue et à la poupe par 2 jupes souples. Ce coussin d'air diminue le tirant d'eau du bateau en soulevant les coques sans qu'elles quittent le contact de l'eau. Le NES peut continuer à naviguer grâce à la flottabilité de ces 2 coques, même si le coussin d'air vient à disparaître.

■ **Agnès 200** (Marine nationale). 51 m, 250 t, 40 nœuds, 70 km/h, peut accueillir 200 passagers ; programme lancé en 1984 : coût 200 millions de F (pris en charge par la Défense nat.) ; exploité par la Cie française Advanced Channel Express (ACE), a transporté du 18-7 au 20-9-1992 : 15 000 passagers [Fécamp/Dieppe (Fr.) et Brighton (G.-B.)], traversant la Manche en 2 h.

■ **Projets japonais.** **TSL** (Techno Superliner). *TSLA* 1994, capacité 1 000 t, autonomie 500 km, vitesse 92 km/h, prototype 70 m (définitif 127 m, déplaçant 3 000 t). **TSLF** propulsé par 4 turbines à gaz de 25 000 ch.

HYDROPTÈRES (HYDROFOILS)

■ **Caractéristiques.** Propulsés par une hélice marine classique. Ils évoluent au-dessus de l'eau, soutenus par des ailes portantes situées au bas des pieds liés à la coque ; *1re génération* (depuis + de 15 ans) utilise des plans porteurs traversant la surface de l'eau. *2e génération* utilise des plans porteurs totalement immergés. Lorsque le plan d'eau est agité, l'appareil subit de fortes accélérations verticales et la navigation devient inconfortable, voire impossible. On étudie des solutions hybrides, ailes immergées à l'arrière, ailes classiques à l'avant, contrôle de la portance par insufflation d'air, etc. En service en Baltique, Méditerranée, lacs italiens, URSS et dans le Pas-de-Calais.

■ **Types.** **PT 20** (Suisse) : plans porteurs émergeants ; masse totale en charge 32 t ; charge utile 7 t ; 20,75 m × 4,49 m ; 1350 ch ; 1 diesel ; vitesse max. 34 nœuds. **FHE 400** (Canada) : plans porteurs mixtes ; masse totale en charge 215 t ; charge utile 50 t ; 45,90 m × 6,50 m ; 25 000 ch ; 1 turbine ; vitesse max. 60 nœuds. **Boeing :** 1 turbine ; 261 passagers. **Plainview :** (314 t à pleine charge), lancé à Seattle (USA) le 28-6-1965, 65 m de long., vitesse 50 nœuds (92 km/h), *le plus grand hydroptère.*

Véhicules d'exploration sous-marine

■ **Origine.** Instruments dirigés de la surface et retenus au bout d'un filin (1930, *bathysphère* de William Beere ; 2,25 t, diamètre 1,45 m, atteignit 932 m aux Bermudes en 1934).

■ **Problèmes techniques.** *Visibilité :* obscurité totale à partir d'env. 100 m de profondeur, ondes radioélectriques et radiations lumineuses s'atténuent rapidement ; ondes sonores et ultrasonores se propagent moins, surtout dans les basses fréquences. *Pression :* augmente de 1 bar tous les 10 m. *Pilotage :* à vue par les hublots ou des caméras de télévision ou des sonars. *Liaisons par câble* ou téléphone ultrasonore.

■ **Caractéristiques.** *Flotteur :* à parois minces, rempli généralement d'essence (2 l donnent une force de sustentation de 1 kg), de mousse plastique (Moray) ou de billes de verre creuses noyées dans de la résine époxy (Deep Jeep). *Coque :* généralement une sphère au-delà de 1 000 m ; cylindre à calottes sphériques exceptionnellement ellipsoïde. *Source d'énergie :* accumulateurs au plomb à l'extérieur de la coque avec équilibrage à la pression d'immersion, utilisés comme lest de secours largable ; batteries alcalines (cadmium-nickel) plus robustes ; accumulateurs argent-zinc légers et compacts ; plus tard, piles à combustible et moteur nucléaire. *Propulsion :* hélices mues par des moteurs électriques ou hydrauliques ou tuyères éjectant de l'eau sous pression produite par une pompe ; hélices contrarotatives ou à pas variable, propulseurs cycloïdaux.

■ **Bathyscaphes. FNRS 2 :** 1er réalisé en 1948 par Auguste Piccard (Suisse 1884-1962) sous l'égide du Fonds national de la recherche scientifique belge ; descendit à vide à 1 380 m. **Trieste :** construit en 1953 par Piccard et son fils Jacques (n. 1922), atteint 3 150 m le 30-9, racheté par la marine américaine et piloté par un ingénieur américain, D. Walsh, et J. Piccard ; bat en 1960 le record de plongée, (10 916 m dans la fosse des Mariannes). **FNRS III :** reprise de la sphère du FNRS II par la Marine nationale, confié à Georges Houot (1913-77) qui, avec Pierre Willm (29-3-1926), atteint, le 15-2-1954, 15 050 m au large de Dakar.

Archimède : construit par Houot (pilote) et Willm (ingénieur) pour la Marine française, lancé 28-7-1961. Déplacement plongée 208,90 t, surface 200,90 t, long. 22,10 m, largeur 5 m, hauteur 9,10 m, tirant d'eau moyen en surface 5,20 m. La sphère étanche, plus lourde (19 t) que le volume d'eau qu'elle déplace, est soutenue par un flotteur contenant 170 m³ d'essence ultralégère. Divisé en 16 réservoirs principaux et 4 réservoirs d'équilibrage, communiquants. La plongée est amorcée en remplissant d'eau les 2 sas d'accès. Le bathyscaphe alourdi s'enfonce. La pression de l'eau de mer comprime l'essence, et celle-ci pénètre dans la base d'un des réservoirs d'équilibrage, ce qui alourdit d'autant plus le bathyscaphe qui descend... Pour remonter, on lâche de la grenaille de fonte, maintenue par des électro-aimants. Toute panne de batterie ou des circuits électriques ouvrirait les silos par coupure de courant, le bathyscaphe remonterait automatiquement. *Records : 25-7-1962 :* dans la fosse de Kouriles. O'Byrne, pilote ; Sasaki, passager ; Delauze, co-pilote.– 9 545 m. Pour des raisons budgétaires, *L'Archimède* a été mis en réserve depuis 1975.

■ **Sous-marins. Cyana** (SP 3 000 soucoupe plongeante) : s.-m. de l'Ifremer, 9 t, éq. 3 personnes, charge utile 50 kg, peut aller à 3 000 m et explorer 20 % des fonds ; mis en service 1970 ; utilisé à des fins industrielles (ex. : préparation à la pose des gazoducs en mer), scientifiques (sources hydrothermales) et parfois industrielles.

SM 97-Nautile : s.-m. lancé le 5-11-1984. Long. 8 m, larg. 2,70 m, haut. 3,45 m, 18,5 t, charge utile 200 kg, sphère habitacle et conteneurs divers en alliage de titane TA 6 V 4, équipage 3 personnes, autonomie 13 h, survie 130 h, peut atteindre 6 000 m (ce qui permet d'explorer 97 % des fonds marins), mis au point par l'Ifremer et la Direction des Constructions navales ; *coût :* 100 millions de F. 770 plongées au 10-1-93.

Saga : s.-m. d'assistance à grande autonomie. *Origine :* **Argyronète** (nom d'une araignée aquatique vivant sous l'eau dans une cloche de soie filtrée par elle et emplie d'air par ses soins) sous-marin expérimental de recherche commencé 7-11-1969 par l'Institut français du pétrole et le Cnexo et arrêté 24-9-1971. Voir Quid 1991 p. 1605a. *Projet repris en 1982 par Comex et Cnexo :* long. 28,06 m, 310 t (déplace 545 t en plongée), 2 moteurs Stirling (fabriqués par la Sté suédoise United Stirling) de 75 kW chacun (la combustion de fuel et d'oxygène liquide chauffe de l'hélium dont la dilatation puis la contraction en circuit fermé font aller et venir les pistons du moteur) ; autonomie : 550 km en plongée (a fait évoluer 4 plongeurs par 316 m de fond, le 6-5-1990) à 9,2 km/h + 10 j de travail sous-marin. *Coût :* 165 millions de F dont Ifremer 50, Stés canadiennes ISE (International Submarine Engineering) et ECS (Energy Conversion System) 34, Comex 32, Fonds de soutien aux hydrocarbures via le Comité d'études pétrolières et marines 32, Communautés européennes 8. *Coût d'utilisation :* 200 000 F/j.

Grands paquebots contemporains	Année constr./ reconst.	Jauge brute tjb	Longueur hors tout en m	Largeur en m	Vitesse nœuds max.	Capacité pass.
Majesty of the Seas (Norvège) [1]	1992	74 000	268,3	32,2	22	2 770
Monarch of the Seas (Liberia) [1]	1991	74 000	268,3	32,2	22	2 770
Sovereign of the Seas (Liberia) [1]	1987	73 192	268,3	32,2	21,2	2 694
Ecstasy (Liberia)	1991	70 367	260,6	31,1	21	2 600
Norway (Norvège) [2]	1961/90	76 049	315,5	33,7	19	2 560
Nordic Empress (Liberia)	1990	48 563	210,8	30,7	21	2 000
United States (U.S.A.)	1952	38 216	302	31	42	1 930
Queen Elizabeth 2 (G.-B.) [3]	1968	69 053	293,5	32	28,5	1 870
Jubilee (Liberia) [4]	1986	47 262	228	28	22	1 840
Raffaello (It.) [8]	1965	45 933	275	31	26,5	1 775
Michelangelo (It.) [8]	1965	45 911	275	31	29,5	1 775
Westerdam (Bahamas)	1986/90	53 872	243,2	29,7	22,5	1 773
Star Princess (Liberia)	1989	63 524	245,6	32,2	23	1 700
Oriana (G.-B.) P & O [6]	1960	41 910	245	29	30	1 700
Seaward (Finlande)	1988	42 276	213	28	20	1 672
Canberra (G.-B.) P & O	1960	44 807	249	31	30	1 648
Costa Classica	1991	53 700	219	28	19,8	1 600
Crown Princess (Italie)	1990	69 845	245,1	32,3	19,5	1 590
Oceanic	1965	40 000	238	29	29	1 500
Holiday (Danemark)	1985	46 052	221	28	22	1 452
Arcadia (G.-B.) P & O	1954	29 871	220	27,7	22	1 448
Song of America (Antilles néerl.)	1982	37 584	214,5	28,4	21	1 414
Tropicale (Liberia)	1981	36 674	204	26,3	21	1 396
Leonardo da Vinci (It.) It.	1960	33 340	233,87	28	25,5	1 326
Eugenio Costa (It.)	1966/87	32 753	217	29	22	1 260
Dreamward (Bahamas)	1992	40 000	190	28,5	20,3	1 260
Royal Princess (Finlande)	1984	44 348	231	29	22	1 260
Fairsky [5]	1984	46 314	240	28	22	1 212
Crown Odyssey (Bahamas)	1988	34 242	187,7	28,2	20	1 209
Cristoforo Colombo (It.) It	1954	29 429	213,5	27,4	23	1 161
Festivale (ex-S.A. Vaal)	1960	38 175	232	27	24	1 148
Rotterdam (P.-Bas)	1959	37 783	228	28	23	1 111
Windsor Castle (G.-B.) Un.	1960	36 277	238,66	28,04	23,5	852
Royal Viking Sun [7]	1988	36 000	204	29	20	760
S.A. Vaal (Afr.-S.) Safnar	1961	30 213	231,69	27,43	23,5	730
Pendemis Castle (G.-B.)	1958	28 442	232,71	25,31	22,5	707
Europa (All. Féd.)	1981	33 819	199	28	22	600
Celebration	1987	47 262	228	–	–	–
Chant du monde (Norv.) [9]	1987	–	266	–	–	–

Nota. – (1) Commandés aux chantiers de l'Atlantique : *Majesty of the Seas* commandé 1989, livré mars 1992 ; *Monarch* livré 6 mois en retard (détruit 4-12-1990 par incendie) à Royal Caribbean Cruise Line (coût Monarch : 1,6 milliard de F ; *Majesty :* 2,5 dont 1,57 armateur et 0,7 État français). (2) Ex-*France,* marraine Mme de Gaulle (croisière inaugurale 19-1-1962) mesure 70 202 tjb, atteint 24 nœuds avec 80 000 CV, héberge 900 couples (max. 2 400 env.) depuis 1980, après rajeunissement en Allemagne, hauteur de la cheminée au-dessus de la ligne zéro : 56 m. Hauteur du mât radar : 66,9 m. 12 ponts aménagés. Volume des cales et entreponts : 6 350 m³. Puissance des machines : 160 000 ch. Places : 1re classe, 407 à 618 ; touriste, 1 259 à 1 626. Coût : 400 millions de F, dont 80 versés par l'État. On escomptait l'amortissement en 20 ans. Son exploitation sous pavillon français a cessé le 30-10-74. A quai il coûtait, en 1976, 30 millions de F (frais d'immobilisation 9,6 ; amortissement 19 ; frais divers 1,4). Équipage 755 (avant : 1 200), vitesse 21 nœuds (avant : 34). Consommation à 17 nœuds 228 t par jour (avant : 700 t de carburant). Le 24-10-1978 Akram Ojjeh (Saoudien) racheta le *France* environ 80 millions de F. Il le revendit, le 25-6-1979, 18 millions de $ à l'armateur norvégien Knut Klosters pour des croisières d'agrément dans les Caraïbes. Celui-ci le fit transformer par les chantiers Hapag Lloyds de Bremerhaven (All. féd.), et le rebaptisa *Norway ;* restauré en 32 semaines ; a représenté pour lui un investissement total (achat puis transformation) de 90 millions de $. Un bateau neuf, pour lequel il aurait fallu attendre 2 ou 3 ans, aurait coûté, pour 1 400 passagers, 120 à 130 millions de $. (3) Au retour des Malouines en 1984, agrandi à 67 410 tjb, puis en 1987 remotorisé en Allemagne. (4) Construit en Finlande, de forme carrée. (5) *Fairsky,* dernier bateau de La Seyne-sur-Mer, pavillon libérien. (6) Désarmé en janvier 1987 pour devenir un hôtel flottant à Osaka (Japon). (7) Navire en achèvement en Finlande (déc. 88). (8) Désarmés en 1975 ; vendus en 1976 à l'Iran. (9) Construit par Alsthom/Chantiers de l'Atlantique à St-Nazaire : tirant d'eau : 7,55 m ; hauteur de la cheminée : 60,5 m ; 14 ponts ; 16 ascenseurs ; 767 membres d'équipage ; réseau intérieur de télévision ; 1 127 cabines ; salle de spectacle de 800 places ; 11 bars.

Smal : 1, 2 ou 5 : s.-m. autonome de loisirs à pression atmosphérique (selon nombre de places). Capot de fermeture manœuvrable de l'intérieur et de l'extérieur, hublot cylindrique. *Autonomie :* 6 h (survie 72 h) ; *plongée :* 50 m ; *vitesse :* 2 nœuds.

Seabus : long. 12,50 m, constitué de 7 bagues en acrylique transparent reliées entre elles par des montants métalliques, s.-m. de loisir, plonge à 85 m.

■ **Engins robots.** Pour explorer une zone à grande vitesse à coût relativement faible et mesurer certains paramètres bathymétriques, géologiques, physico-chimiques. 500 robots construits dans les 20 dernières années.

Robots remorqués : ex. *Raie* (Remorquage abyssal d'instrumentation pour l'exploration) pouvant opérer à 6 000 m.

Robots télécommandés à câble : ex. *Télénaute* (1962, 1er de ce genre réalisé par l'Institut français du pétrole) et *PAP 104* (à usage militaire, réalisé par la direction des Constructions et armes navales de Brest) ; *Sar* (système acoustique remorqué) essayé en 1984, relié à un bateau par un câble de 8 000 m, 2,4 t, long. 5 m, diam. 1 m, peut explorer les fonds jusqu'à 6 000 m ; **sans câble :** *Épaulard* construit par le Cnexo, opérationnel dep. 1981, télécommandé par ondes acoustiques, atteint 4 000 à 6 000 m, autonomie 10 h, prend des photos des fonds marins ; *Nadia,* navette de diagraphie, système de réentrée dans les puits de forage scientifiques, mis au point par l'Ifremer en 1988. *Curv* (*Cable Underwater Recovery Vehicle,* Véhicule téléguidé de sauvetage en mer), non habité, *1966* a participé au large de Palomares en Espagne à la recherche d'une bombe H (perdue lors d'une collision de 2 avions de l'US Air Force au cours d'un ravitaillement en vol) ; avec son bras télécommandé réussit à s'en saisir et à la remonter à la surface.

AUVs *(Autonomous Underwater Vehicles),* véhicules sous-marins autonomes. *Projet Marius (Marine Utility Vehicle System),* conçu pour des missions jusqu'à 600 m de profondeur, 1 400 kg, long 4,5 m, large 1,1 m, épaiss. 0,6 m, autonomie 6 à 7 h, vitesse 2 à 4 m/s (soit moyenne 5 nœuds), batteries (acide/plomb). 2 turbines le propulsent, des ailerons latéraux et arrière lui permettent de se diriger, peut être lancé à partir d'un bateau ou d'une plate-forme.

Records sur l'eau

Vitesse en km/h, canot, année et pilote. *Source :* Union internationale motonautique.

■ **Selon le type de propulsion. Propulsion classique :** 149,35 *Miss America VII* 1928 (Gar Wood [2]) ; 158,80 *Miss England II* 1930 (Henry Segrave [1]) ; 166,51 (id.) 1931 (Kaye Don [2]) ; 177,38 (id.) 1931 (id.) ; 179,67 *Miss America IX* 1932 (Gar Wood [1]) ; 192,68 *Miss England III* 1932 (Kaye Don [2]) ; 200,90 *Miss America X 1932 (Gar Wood [2])* ; 208,40 *Blue Bird* 1937 (Malcolm Campbell [2]) ; 210,68 (id.) 1938 (id.) ; 228,10 *Blue Bird II* 1939 (id.) ; 258,01 *Slo-Mo-Shun IV* 1950 (Stan S. Sayres [1]) ; 287,26 (id.) 1952 (id.) ; 296,95 *Miss Supertest II* 1957 (A.C. Asbury [3]) ; 302,14 *Hawaii-kaii III* 1957 (Jack Regas [1]) ; 314,35 (id.) 1957 (id.) ; 322,54 *Miss US1* (Staudach/Merlin) 1962 (Ray Duby [1]).

Propulsion par réaction (fusée jets) : 325,61 *Blue Bird* 1955 (Donald Campbell [2]) ; 348,02 *Blue Bird II* 1956 ; 384,74 *Blue Bird III* 1957 (Donald Campbell [2]) ; 400,18 (id.) 1958 (id.) ; 418,98 (id.) 1959 (id.) ; 444,72 *Blue Bird IV* 1964 (id.) ; 459 *Hustler* 1967 (Lee Taylor [1]) ; 464,45 1977 (Ken Warby [6]) ; 510,45 *Spirit of Australia* 1978 (id.) ; 511,62 *DEM* 1978.

Propulsion par hélice aérienne : 120,53 *Marcel Besson* 1923 *Canivet* [4] ; 137,87 *Hydroglisseur Farman* 1924 *J. Fischer* [4] ; 155,87 *Centro Spar* 1951 *Venturi* [5] ; 322,54 *Ray Duby* 1962.

Principales traversées de l'Atlantique

Dates	Navires	Distances[9]	Temps[10]	Vitesse[11]
1819 (22-5/20-6)	Savannah [1,6,a]	–	29.4.0	–
1838 (7-5/22-5)	Great Western [2,7,b]	3 218	14.15.59	9.14
1840 (4-8/14-8)	Britannia [2,c]	2 610	9.21.44	10.98 †
1854 (28-6/7-7)	Baltic [1,d]	3 037	9.16.52	13.04
1856 (6-8/15-8)	Persia [2,e]	3 046	8.23.19	14.15 †
1876 (16-12/24-12)	Britannic [2,f]	2 882	7.12.41	15.94
1895 (18-5/24-5)	Lucania [2,f]	2 897	5.11.40	22.00
1898 (30-3/5-4)	Kaiser Wilhelm der Grosse [3,g]	3 120	5.20.0	22.29
1901 (10-7/17-7)	Deutschland [3,h]	3 082	5.11.5	23.51
1907 (6-10/10-10)	Lusitania [3,i]	2 780	4.19.52	23.99
1924 (20-8/25-8)	Mauretania [2,j]	3 198	5.1.49	26.25
1929 (17-7/22-7)	Bremen [3,k]	3 164	4.17.42	27.83
1933 (27-6/2-7)	Europa [3,k]	3 149	4.16.48	27.92
1933 (11-8/16-8)	Rex [4,l]	3 181	4.13.58	28.92
1935 (30-5/3-6)	Normandie [5,m]	2 971	4.3.2.	29.98
1938 (10-8/14-8)	Queen Mary [2,n]	2 938	3.20.42	31.69
1952 (11-7/15-7)	United States [1,8,m]	2 906	3.12.12	34.51
1952 (3-7/7-7)	United States [1,8,n]	2 942	3.10.40	35.59

Nota. – (1) USA. (2) G.-B. (3) Allemagne. (4) Italie. (5) France. (6) Voilier assisté d'un moteur, 1er navire utilisant la vapeur pour traverser un océan (105 h pendant la traversée). (7) 1 340 tx. (8) Remporta le record de vitesse, dit « ruban bleu ». (9) En milles. (10) Heure, minute, seconde. (11) En nœuds.

(a) Savannah – Liverpool. (b) New York – Avonmouth. (c) Halifax – Liverpool. (d) Liverpool – New York. (e) Sandy Hook – Liverpool. (f) Sandy Hook – Queenstown. (g) Needles – Sandy Hook. (h) Sandy Hook – Eddystone. (i) Queenstown – Sandy Hook. (j) Ambrose – Cherbourg. (k) Cherbourg – Ambrose. (l) Gibraltar – Ambrose. (m) Bishop Rock – Rock Ambrose. (n) Ambrose – Bishop Rock.

Propulsion par diesel : 103,75 *Maltese* (Magnum/Daytona) 1967 Don Aronow [1] ; 126,10 *Abbate Perkins* 1972 Macchia Livio ; 213,08 Carlo Bonomi [5] 1982.

■ **Selon le type de bateau. Hors-bord de course classe 01 :** *Starflite 4* (Mc Donald) *210,90* Gerry Walin 1966.

Nota. – Le 4-1-1967, D. Campbell, avant de se tuer, avait atteint 515 km/h. (1) USA. (2) G.-B. (3) Canada. (4) France. (5) Italie. (6) Australie.

Paquebots : vitesse maximale en km/h, année de construction. 16 *Britannia* (G.-B. 750 ch, 1 500 t) 1840 ; 30 *Etruria* (G.-B. 14 000 ch) 1885 ; 34 *Lucania* (G.-B. 31 000 ch) 1893 ; 47 *Mauretania* (G.-B. 70 000 ch) 1908 ; 50 *Mauretania* 1929 ; 52 *Bremen* (Allemagne 96 800 ch) 1933 ; 53 *Rex* (Italie 120 000 ch) 1934 ; 56 *Normandie* [1] (France 160 000 ch) 1935 ; 57 *Queen Mary* (G.-B. 200 000 ch) 1936 ; 66 *United States* (USA) 1952. 75 *Great-Britain* (G.-B.) 1990.

Navires de guerre : 66 *Swift,* contre-torpilleur (1 800 t, 105 m de long, 10,40 m de large, G.-B.) 1910. *Le Terrible,* contre-torpilleur 84 km/h, 1939.

■ **Vitesses habituelles.** Aéroglisseurs 70 à 150 km/h. Porte-conteneurs 3e gén. 43. Paquebot *Norway (ex-France)* 59. Car-ferry 39. Pétrolier long cours 30. Cargo de ligne polyvalent 28 à 35.

■ **Traversées de l'Atlantique.** *Virgin Atlantic Challenger* (G.-B.) (1986). 3 j 8 h. *Great Britain* [9] (G.-B.) (23-6-1990) 3 j 7 h 58 ; trimaran construit en Tasmanie (Austr.) 2 928 milles en 3 j 6 h 50 avec 2 passagers et 10 h. d'équipage. Mis en service commercial entre Cherbourg et Portsmouth le 12-7-1990, long. 75 m, 200 tjb, capacité : 455 passagers et 90 véhicules, 40 nœuds (75 km/h).

Gentry Eagle [monocoque de 33 m, 2 diesel turbo V 16 de 3480 ch (1989)] 3 j 7 min 42 s à 48 nœuds mais performance non homologuée (il a dû se ravitailler à mi-chemin et ne transportait pas de passagers) ; en 24 h *Deutschland* avait parcouru dans l'Atl. 601 milles (1852) et le *Mauretania* 673 milles (1 247 km).

■ **Traversée du Pacifique. Record :** *Sea-land Trade (USA)* pétrolier de 50 135 t, août 1973 de Kōbe (Japon) à Race Rock (USA), 5 j 6 h, moy. 32,75 n.

Marine marchande

Construction navale

Sources : CSCN, Le Journal de la Marine marchande ; The Motor Ship ; Lloyd's Register ; Ann. stat. des transports.

■ Généralités

Lieu de construction. Sur *cale inclinée* (le navire est *lancé* quand sa coque est en état de flotter) ou dans un *bassin* (il n'y a pas de lancement, mais seulement mise à l'eau et sortie du bassin). **Durée.** Dépend du navire : quelques mois pour un navire relativement simple (ex. : pétrolier).

Prix. Varie selon le type du navire et son tonnage. A port en lourd équivalent, les transporteurs de gaz liquéfiés ou les porte-conteneurs (construction assez compliquée) coûtent plus cher que les charbonniers ou pétroliers, dont la construction est plus simple et moins longue. *Ex.* en millions de $. *Pétrolier neuf* de 80 000 t, *1989 (oct.) :* 38 ; *cargo* de 120 000 t, – de 5 ans, *1989 :* 33,4.

Livraisons en 1991 et, entre parenthèses, **meilleure et moins bonne année depuis 1975** (en milliers de tjb). Japon 7 283 (16 991 [1]-4 040 [7]). Corée du S. 3 497 (3 642 [6]-409,7 [1]). Yougoslavie 355,2 (638 [1]-149 [5]). Espagne 317,4 (1 813 [3]-167 [6]). P.-Bas 211 (1 028 [1]-59,2 [7]). Pologne 194 (735 [1]-104 [9]). G.-B. 185 (1 500 [2]-60 [7]). Norvège 124 (1 052 [75]-32,7 [8]). USA 9,3 (1 352 [4]-4,1 [8]). *Monde 1971 :* 24 387, *75 :* 34 203, *81 :* 16 932, *82 :* 16 820, *83 :* 15 911, *84 :* 18 334 (2 210 navires), *85 :* 18 155 [dont pétroliers 2 739 (174), vraquiers-pétr. 442 (11), minéraliers et vraquiers 8 578 (325), cargos 2 000 tjb et + 2 366 (293), – de 2 000 tjb 172 (201), porte-conteneurs 1 532 (65), transp. de gaz liquéfiés et de prod. chim. 593 (94), b. de pêche 204 (380), divers 1 529 (421)]. *91 :* 16 095 (1 547 navires).

Nota. – (1) 1975. (2) 1976. (3) 1977. (4) 1979. (5) 1980. (6) 1986. (7) 1988. (8) 1989. (9) 1990. (11) 1985. (12) Kockums, le dernier grand chantier suédois, a fermé ses portes en 1986.

Commandes nouvelles dans le monde (nombre de navires et, entre parenthèses, en milliers de tpl, 4e trim. 1992). Pétroliers 40 (570), transporteurs de vrac sec et mixtes 20 (902), porte-conteneurs 34 (935), cargos rouliers et transbordeurs 3 (20), autres cargos 37 (121). *Total :* 134 (2 548).

Tonnage en construction ou en commande par pays d'immatriculation (en milliers de tpl au 1-10-92). Japon 11 803. Hong Kong 6 127. Norvège 5 206. Arabie S. 4 492. G.-B. 3 783. USA 2 792. Danemark 2 725. Corée du S. 2 576. Chine 2 365. Grèce 2 315. Allemagne 1 989. Italie 1 647. Roumanie 1 240. Autres pays 19 609. *Monde 68 672* [soit 1 961 navires dont pétroliers 400 (20 073), transporteurs de vrac 213 (9 023), autres cargos 720 (9 612), types divers 628 (2 474)]. *1973 :* 128 900, *78 :* 25 859, *84 :* 32 619 dont pétroliers 45 329 (686 navires), transp. de vrac 19 518 (251 n.), porte-conteneurs 5 597 (236 n.), autres cargos 4 491 (765 n.).

Carnets de commande par pays constructeurs (en millions de tjb, en sept. 1992). Japon 14,3. Corée du S. 7,5. Danemark 2. Chine (est.) 2. All. 1,4. Italie 1,3. Taiwan 1,3. Pologne 1,1. G.-B. 0,9. Espagne 0,7. Finlande 0,4. Yougoslavie 0,1. *Total* 39,6. **Répartition des commandes** (en %, sept. 1992). Japon 36, Corée du S. 18,8, Danemark 5, Chine 5, T'ai-wan 3,2, G.-B. 2,3. Yougoslavie 0,3.

Principaux types de navires (en millions de tjb) **commandés ou en construction** (au 30-9-92). Pétroliers 18,7. Vraquiers 8,5. Autres 8,7. *Total* 39,57.

Navires désarmés chaque année (au 1-7). *Nombre et,* entre parenthèses, *tonnage en millions de tpl. 1978 :* 763 (57). *80 :* 401 (14,7). *83 :* 1 694 (98). *85 :* 1 255 (64,1). *89 :* 313 (4,15). *90 :* 284 (4,6). *91 :* 311 (4,63). *92 :* 370 (8,83).

■ France

Carnet de commandes de l'armement français (nombre en milliers de tpl, au 1-1-1993). Navires à passagers 0 (0), porte-conteneurs 5 (170,9), cargos polythermes 0 (0), vraquiers 2 (300), pétroliers 3 (431,5), transp. prod. chimiques 0 (0), rouliers 2 (18), citernes alim. et chimiques 2 (17). **Total** 14 (937,4).

Effectifs des entreprises de construction et de réparation navales (en 1983 et, entre parenthèses, au 31-12-1989). **Total :** 28 883 (8 403). **Construction :** 23 546 (6 796) dont *grande constr. nav. :* ch. Atlantique 7 297 (4 564) [dont St-Nazaire 5 660 (4 564)] ; Dunkerque 3 119 (0) ; ACHP 2 157 (976) [dont La Rochelle 955 (0), Le Havre 882 (707),]. *Petite constr. nav. :* CM de Normandie Cherbourg 1 053 (700), Manche SA Grand-Quevilly 632 (0), Manche Ind. mar. Dieppe 470 (68), St-Malo Naval 257 (113), Acso Bordeaux 214 (0), Auroux Arcachon 37 (0). **Réparation :** 5 337 (1 607) dont Arno 2 175 (289) [dont Dunkerque 906 (143), Le Havre 632 (0), St-Nazaire 550 (95), Dieppe 87 (34), Grand-Quevilly 0 (17)] ; Sud Marine Marseille 782 ; Sobrena (ex-Arno) Brest 774 (137) ; ACMP Marseille 675 (0) ; CMR Marseille 552 (385) ; Siren Le Havre 379 (125).

☞ *1982 (déc) :* Louis Le Pensec, min. de la Mer du gouv. Mauroy, décide de réunir les 5 grands chantiers français en 2 groupes : **1°)** *St-Nazaire et Dubigeon-Normandie* (Nantes), **2°)** *Dunkerque, La Ciotat et La Seyne* (qui prend le nom de Chantiers du Nord et de la Méditerranée : Normed). Effectifs : 11 385 pers., capacité de production/an : 220 000 tjb. *1983-85* baisse du prix de vente des navires, augmentation du prix de revient français, concurrence étrangère (Corée du S.). *1986 (30-6) :* Normed, en cessation de paiement, est mise en redressement judiciaire. 3 mois + tard, accord social signé par les parties. Dunkerque ferme et La Ciotat et La Seyne sont placées en location-gérance auprès d'une filiale de Normed, la « Sté Construction navale du littoral ». *1989 (28-2) :* Normed mise en liquidation. *1990 (15-1) :* sur 44 ha de terrains, 15 rachetés par la mairie de La Ciotat, et 29 gérés par le Conseil général du département et concédés à la Lexmar [Cie contrôlée par les capitaux suédois et américains, créée 1986 ; (création prévue de 2 284 emplois)]. *1991 (18-2) :* Lexmar France mise en liquidation. *1992 (18-3) :* promesse de vente de l'outillage public pour 16 millions de F HT par la banque Worms et le conseil général des B.-du-Rh. *1993 (mai) :* relance de La Ciotat improbable.

Flotte marchande mondiale

■ Données globales

■ **Total en millions de tjb (dont vapeurs de + de 100 tjb/voiliers de + de 50 tjb entre parenthèses).** G.-B. 15,9 (7,4/8,5), USA 2,2 (0,91/1,36), All. 1,9 (1,4/0,6), Norvège 1,3 (0,45/0,9), Italie 0,9 (0,36/0,5), France 0,9 (0,56/0,36), Russie 0,8 (0,3/0,48), Suède 0,6 (0,28/0,27), Esp. 0,5 (0,43/0,11), Japon 0,4 (0,3/0,1), P.-Bas 0,4 (0,3/0,1), Danemark 0,4 (0,25/0,3), Autr. 0,3 (0,24/0,03), Grèce 0,3 (0,11/0,18), Turquie 0,2 (0/0,2).

■ **Total** (en millions de tjb). **1914** G.-B. 19,9. Allemagne 5. USA 4,3. *France 2,3.* Norvège 2. Japon 1,7. P.-Bas 1,5. Italie 1,4. Suède 1. Espagne 0,9. Russie 0,9. Grèce 0,8. Dan. 0,8. *Monde 45,4.*

1939 G.-B. 17,9. USA 11,4. Japon 5,6. Norv. 4,8. All. 4,5. Italie 3,4. *France 3.* P.-Bas 3. Grèce 1,8. Suède 1,6. URSS 1,3. Canada 1,2. Dan. 1,2. Esp. 0,9 (1932 : 1,2). Panamá [1] 0,7. *Monde 68,5.*

1960 USA 24,8. G.-B. 21. Liberia [1] 11,3. Norvège 11,2. Japon 6,9. Italie 5,1. P.-Bas 4,9. *France 4,8.* All. féd. 4,5. Grèce 4,5. Panamá [1] 4,2. Suède 3,7. URSS 3,4. Danemark 2,3. Espagne 1,8. Canada 1,6. Argentine 1. Brésil 1. *Monde 129,8.*

1992 Liberia 55,2. Panamá 49,6. Japon 25,4. Grèce 24,5. Chypre 20,4. Norvège 20,2. Bahamas 20,1. USA 18,2. Chine 13,9. Malte 10,1. Singapour 9,2. Philippines 8,4. Russie 8,1. Italie 7,7. Corée du S. 7,5. Hong Kong 6,9. Taiwan 6,1. Allemagne 5,6. Brésil 5,6. Danemark 5,1. Iran 4,6. G.-B. 4,4. St-Vincent 4,4. Turquie 4,2. *France 3,6.* P.-Bas 3,4. Roumanie 3,3. Pologne 3,2. Bermudes 3,1. Suède 3,1. Espagne 3. Australie 2,7. Indonésie 2,3. Vanuatu 2,2. *Total* 444.

1992 (en millions de tpl et, entre parenthèses, nombre de navires de + de 300 tjb). Liberia 97,4 (1 672). Panamá 79,3 (5 217). Grèce 45,3 (1 872). Japon 37,8 (10 091). Norvège 36,2 (1 630). Chypre 36,2 (1 416). Bahamas 33,1 (1 061). USA 25,7 (5 710). Chine 20,7 (2 390). Malte 17,1 (889). ex-URSS 9 (2 272), etc. *France (27e) 5 (729). Total 695 (79 845).*

Nota. – (1) Pavillons de complaisance.

■ **Nombre de navires et, entre parenthèses, tonnage en millions de tjb.** (*Source :* Lloyd's Register au 1-7-1992). **Flotte de transport. Passagers :** 4 378 (12,7) dont transbordeurs et ferries 2 062 (7,8), paquebots et navires de croisière 2 316 (4,9). **Marchandises liquides :** 9 152 (159,3) dont pétrole brut et produits pétroliers (y compris produits mixtes pétrole/produits chimiques) 6 833 (141,9), transporteurs de gaz liquide 912 (12), autres produits liquides 1 407 (4,3). **Solides : 1°)** Navires non spécialisés (ou conventionnels) 16 269 (49,9) dont à 1 pont 9 310 (16,1), à 2 ponts 6 554 (33), marchandises générales avec passagers 405 (0,8). **2°)** *Spécialisés 11 317 (192,9) dont marchandises générales* 6 277 (60) dont porte-conteneurs intégraux 1 322 (28), rouliers 1 031 (8), réfrigérés 1 530 (7,5), autres 2 394 (16,5) ; *solides en vrac* 5 190 (136,8) dont vraquiers 4 829 (117,1), mixtes (vrac sec/pétrole) 361 (19,7). **Flotte n'ayant pas de fonction de transport :** navires de pêche 23 532 (12,8), offshore 3 024 (3,2), barges 1 142 (0,8), autres dont remorqueurs et navires de recherche 10 881 (8,8).

■ **Navires de gros tonnage** (1989). *+ de 140 000 t :* 128, *de 100 000 (200 000 tpl) à 140 000 (275 000 tpl) :* 327.

■ **Age moyen** (au 1-1-1992). Flotte mondiale (en % du port en lourd). *De 0 à 4 ans :* 13,8. *5-9 ans :* 19,7.

10-14 ans : 27,1. *15-19 ans :* 19,3. *20-24 ans :* 11,8. *25-29 ans :* 4,2. *+ de 30 ans :* 4,1. *Age moyen :* 13,4 (pétrolier 12,8, vraquier 11,4).

■ **Taux de couverture. Apparent :** rapport du tonnage transporté par la flotte d'un pays au tonnage total transporté par voie maritime pour le commerce extérieur de ce pays. **Global :** on ajoute au taux apparent les marchandises entre pays étrangers que la marine d'un pays transporte. Ce taux peut dépasser 100 % si la capacité de transport de la flotte est supérieure aux besoins du commerce extérieur du pays.

Taux pour la France (en %) : *1970 :* apparent 39,2 (global 63,1). *1975 :* 33,8 (60) ; *80 :* 29 (54) *86 :* 17,2.

■ **Commerce maritime mondial. Tonnage** (en millions de t, 1992) : 4 207 dont pétrole, produits pétroliers et gaz 1 635, marchandises solides (vrac) 2 572 dont charbon 370, minerai de fer 337, céréales 205. **Pavillons** (en % du volume du commerce extérieur par voie maritime, 1989). **Exp. :** pavillons de complaisance 17,5, européens 12,5, national 11. **Imp. :** p. de compl. 29, européens 24, national 6.

■ **Trafic conteneurisé mondial** (en équivalents 20 pieds, en millions, 1991). USA 12,3. Japon 5,6. Taiwan 4,1. Pays-Bas 3. G.-B. 3. Hong Kong 2,8. Allemagne 2,3. Singapour 2,2. Espagne 1,5. *France 1,5.* Belgique 1,5. Corée du S. 1,4. Australie 1,4. Italie 1,1. Autres pays 13,8. *Total 59,4.*

■ **Prix des navires** (en millions de $, en 1992 et, entre parenthèses, en 1982). **Neufs :** *pétrolier 80 000 tpl* 40 (24), *250 000 tpl* 85 (50,5) ; *transporteur de vrac 27 000 tpl (gréé)* 20 (13), *60 000 tpl* 28 (18) ; *de GNL 125 000 m³* 260 (150), *de GPL 75 000 m³* 75 (53) ; *cargo roulier 5 000 tpl* 19 (15). **Occasion :** *pétrolier 80 000 tpl (5 ans moteur)* 22 (6), *gazier 75 000 (8 ans)* 37 (18) ; *marchandises solides SD 14 77/78* 2,7 (6) ; *vraquiers 60 000 tpl (5 ans)* 18 (6,3).

■ **Pertes et démolitions des navires** (nombre et, entre parenthèses, tjb en milliers). **Pertes** *1991 :* total mondial : 258 (1 548 soit 0,27 % de la flotte mondiale). **Ferraillages** *1987 :* 745 (19 millions de t), *1988 :* 436 (5,7 millions de t). **Démolitions** *1991 :* 709 (2 366).

■ **Aide à la flotte** (1988, subvention en F par tjb). USA 6,6. *France 6,3.* Pays-Bas 6,1. Allemagne 5,6. Belgique 5,1. Suède 3,4. G.-B. 3,3.

■ Pavillons de complaisance

■ **Signes distinctifs. 1°)** Le pays d'immatriculation autorise des non-résidents à être propriétaires ou à contrôler ses navires marchands sans que l'armateur soit soumis à une législation susceptible de le gêner dans la conduite de ses affaires. **2°)** L'immatriculation est facile à obtenir : en général, on peut immatriculer un nav. à l'étranger au bureau d'un consul. Le transfert de l'immatriculation, au choix du propriétaire, se fait sans restriction. **3°)** Le revenu tiré du navire n'est pas soumis localement à l'impôt sinon faible. **4°)** Le pays d'immatriculation est une petite puissance qui n'a et n'aura pas besoin dans un avenir prévisible de tous les nav. immatriculés sur ses registres. Il n'a pas les moyens d'en revendiquer la disposition. **5°)** L'armement des nav. par des équipages étrangers est librement autorisé dans des conditions qui interdisent tout contrôle sur le nav. **6°)** Le pays d'immatriculation n'a ni le pouvoir d'imposer des réglementations nationales ou intern., ni les servitudes correspondantes.

Certains territoires offrent un « refuge fiscal », mais soumettent les navires immatriculés aux réglementations et inspections imposées ; ex. : Panamá, Bermudes, Bahamas, Gibraltar, Vanuatu.

■ **Pour l'armateur. Avantages :** *fiscaux :* impôts allégés, pas de déclarations de revenus. *Coût allégé :* main-d'œuvre étrangère bon marché et moins nombreuse. *Indépendance vis-à-vis des pouvoirs publics :* libre choix des chantiers de construction sur le marché international, non-réquisition de l'État en cas de guerre ou crises. **Inconvénients :** perte de certains avantages financiers accordés aux navires nationaux (subventions directes ou prêts à des taux inférieurs à ceux du marché).

Coût d'un bateau : sous pavillon français (milliers de $/j, 1992) : 6 ; **sous pavillon fr. Kerguelen** 3,4 ; **sous pavillon économique** 1,6.

■ **Pour l'équipage. Avantages :** revenu net sans impôts. Salaires parfois supérieurs à ceux des pays maritimes traditionnels. **Inconvénients :** pas de conventions syndicales, ni de protection sociale.

■ **Relations avec le tiers monde.** La Commission des Nations unies pour le commerce et le développement (Cnuced) (à l'issue de négociations qui ont duré + de 10 ans) a adopté, en février 1986, une convention internationale sur les conditions d'immatriculation des navires qui consacre la réalité d'un « lien authentique » entre navires et États d'immatriculation. Ceux-ci doivent exiger que le propriétaire du navire, ou son représentant responsable, soit établi sur leur territoire. Ces États doivent disposer, en outre, d'une « administration maritime suffisante » (art. 5) et tenir un registre d'immatriculation « digne de ce nom » (art. 4). Ils doivent également prendre des dispositions législatives pour permettre à leurs nationaux de faire partie des équipages. L'ensemble de ces dispositions entrera en vigueur lorsque 40 États représentant 25 % du tonnage mondial l'auront ratifié. Le Code de conduite des conférences ne laisse aux armateurs « indépendants » (dont font souvent partie les flottes de pavillon de complaisance) qu'une part réduite du trafic entre pays industrialisés et pays en voie de développement. Ce Code est ratifié sinon adopté par 57 nations maritimes représentant près de 40 % du tonnage mondial. Cependant, les pays abritant les pavillons de complaisance ainsi que les USA, Taiwan et l'Australie l'ont rejeté.

■ **Navires sous pavillons de complaisance. Proportion globale :** *1939 :* 1 % de la flotte mondiale. *1970 :* 20. *1982 :* 30. *1989 :* 38,4. La majorité du tonnage sous pavillon libérien (créé 1948) est récente et répond aux normes de sécurité (45 % du tonnage a -de 5 ans) tandis que 80 % du tonnage sous pavillon de Chypre a + de 15 ans.

■ **% de navires de complaisance par rapport au total des navires de même type** (entre parenthèses en millions de tjb). Pétroliers 45,11 (33,45), minéraliers et vraquiers secs 33,1 (30), pétrominéraliers 8,51 (35,87), cargos 14,2 (18,84), t. de gaz liquéfiés 2,34 (23,54), t. de produits chimiques 2,7 (77,75).

■ **Propriété effective des flottes** (au 1-1-1990, en %). *Liberia :* USA 31, Hong Kong 22, Grèce 15, Japon 8,5, Norvège 5. *Panamá :* Japon 21, Hong Kong 16, Grèce 16, USA 12, All. féd. 5. *Chypre* [1] *:* 11 dont Grèce 8. *Bahamas* [1] *:* 5 dont USA 4. *Bermudes* [1] *:* 1,4 dont G.-B. 0,8.

Nota. – (1) En 1984, en millions de tjb.

■ Nouveaux registres de libre immatriculation

■ **But.** Créés pour contrer la concurrence des pavillons de complaisance et des flottes des pays nouvellement industrialisés (Corée du S., Taiwan) ; dits « offshore ». Ils permettent d'engager des marins « au contrat » et de composer des équipages avec des navigants étrangers.

■ **Exemples. Danemark :** « DIS » (Danish International Ship Register). **France :** *TAAF* (Terres Australes et Antarctiques françaises) dit *Kerguelen,* décret du 20-3-1987 (modifié le 28-12-1989) ; 75 % de l'équipage échappent au statut du marin français ; ouvert aux transporteurs de vrac à l'exclusion des pétroliers nécessaires à l'approvisionnement national + All. féd. **G.-B :** *Ile de Man* (Irl.), ouvert aux armements britanniques et aux filiales des Cies étrangères.

Norvège : « NIS » (Norwegian Intern. Ship Register).

Flotte marchande française

■ Données globales

Flotte de commerce sous contrôle français

au 1-1-1993	Pavillon français				Flotte contrôlée		Total	
			dont Registre TAAF [2]		Pavillons tiers			
Types de navire	Nbre	tjb [1]	Nbre	tjb [1]	Nbre	tjb [1]	Nbre	tjb [1]
Navires à passagers	20	216	0	0	12	87	32	303
Pétroliers long-courriers	15	1 646	5	443	11	814	26	2 460
Caboteurs pétroliers	39	325	14	138	3	16	42	341
Vraquiers	12	419	8	326	15	475	27	894
Porte-conteneurs	29	828	1	20	17	289	46	1 117
Cargos rouliers	34	174	9	14	6	46	40	220
Autres navires	67	249	16	52	46	335	113	584
TOTAL	*216*	*3 858*	*53*	*994*	*110*	*2 062*	*326*	*5 920*

Nota. – (1) En milliers. (2) Terres Australes et Antarctiques Françaises.

Cies de navigation. 72 dont 46 environ dépassent 10 000 tjb.

Navires de commerce, nombre et, entre parenthèses, **total en milliers de tjb.** *1965 :* 699 de + de 500 tjb (4 800). *1-1-1975 :* 514 (9 476,5). *1-1-82 :* 393 (10 319). *1-1-85 :* 349 (7 998). *1-1-93 :* 216 (dont TAAF 53) (5 981 dont TAAF 1885).

Trafic maritime (en millions de tonnes, 1991). **Imp. :** 176,9. **Exp. :** 53,3.

Principaux produits (exportations et, entre parenthèses, importations en millions de t, en 1991). Agricoles 19,3 (4,3), denrées alimentaires 7 (8,1), produits pétroliers et gaz 8,4 (107,5), chimique 5,1 (5), métallurgiques 3,5 (1,4), minerais et matériaux de construction 4,9 (3,5), manufacturés 3,8 (4), engrais 0,7 (6,8), minerais 0,4 (18,2), combustibles solides 0,2 (18,2).

Selon le mode de conditionnement (poids brut, entrées et sorties, en millions de t, 1990, et entre parenthèses en 1973) : *Vrac liquide :* 152,9 (219,5) dont prod. pétroliers : 142,9 (214,2) : *Vrac solide :* 79,3 (45,2). *Autres que les vracs :* 65,7 (30,3). **Total** 297,8.

Chiffre d'affaires de l'armement français par activités (en milliards de F). *1980 :* 14,8. *90 :* 20,1 dont long cours 13,8 dont lignes régulières 10,5, transport à la demande 1,9, pétrole 1, gaz 0,4 ; passages et croisières 3,4 ; cabotage 3 dont lignes régulières 1,5, transport à la demande 0,2, pétrole 0,8, gaz 0,4.

Chiffres financiers de l'armement français (en millions de F, 1991). *Recettes maritimes 21 658* dont frets et autres recettes de frètement 19 301, autres recettes de branche 2 357. *Charges d'exploitation 18 710* dont dépenses commerciales 7 260, dépenses variables 2 542 (dont soutes 1 445, frais de port et de canal 1 097), dépenses fixes 3 844 (dont équipage 2 440, assurances 265, approvisionnements 1 139), autres dépenses 5 064 (dont affrètements de navires étrangers 2 732, loyers de crédit-bail 624, frais généraux maritimes 1 708.

Age moyen (au 1-1-1993, en années et mois). *Total : 13,7 ;* navires à passagers 9,3 (dont paquebots 6,7, transbordeurs 9,5, aéroglisseurs 5), cargos de ligne 14,7, porte-conteneurs 10,6, polythermes 8,8, transporteurs de vrac sec 9,3, navires citernes pour liquides alimentaires 18,6, tr. de prod. chimiques 12,3, caboteurs de moins de 500 tjb 24,8, navires secs stationnaires 26,2, pétroliers long-courriers 17, caboteurs pétroliers 14,8, tr. de gaz liquéfié 17,7, pétroliers station. 4,9.

Effectifs. Marins et officiers employés *1975 :* 47 000. *84:* 21 240. *85:* 24 500. *87:* 14 380. *88:* 12 630. *89 :* 11 300. *90 :* 11 100. **Postes de travail** *89 :* 5 022 dont officiers 1 971 , autres 3 051. *90 :* 4 830 dont officiers 1 910, autres 2 920. **Personnel d'un navire moderne** (type porte-conteneurs) : env. 18 marins (8 officiers et 10 hommes).

■ Principales entreprises

■ **Compagnies de navigation. Compagnie générale maritime et financière (CGMF) :** *1855* création de la Cie Générale Transatlantique (CGT). *1974* regroupement CGT/Cie des Messageries Maritimes au sein de la Cie Générale Maritime (CGM). **Activités** *maritimes :* exploitation des lignes maritimes régulières (fret et passagers) ; *non maritimes :* transit et transports terrestres, manutention portuaire en France, exploitation d'agences maritimes en Europe et outre-mer ; *diverses :* agences de voyage et réparation navale. **Chiffre d'aff. du groupe** (en milliards de F) *1991 :* 6,9 (résultat net – 0,445). *92* (non consol.) : 4,5 (résultat net – 0,689). **Flotte** (au 31-12-92) : 48 navires dont *Napoléon* (1976, 844 passagers, 500 voitures), *Cyrnos* (1979, devenu *Île-de-Beauté,* 1 667 p., 520 v.), *Liberté* (1980, 1 240 p., 440 v.), *Esterel* (1981, 2 286 p., 700 v.), *Corse* (1983, 2 262 p., 700 v.), *Danielle-Casanova* (1989, 2 430 p., 800 v.). En 1989, a transporté sur la Corse : 1 253 000 p. et 404 000 v., Sardaigne 24 000 (6 400), Algérie 135 000 (45 000), Tunisie 101 000 (35 000), 2 chimiquiers, 1 transporteur de gaz, 3 navires spécialisés]. Parc de 80 878 conteneurs ISO.

Delmas (ex-Sté navale et commerciale Delmas-Vieljeux) : Sté anonyme (capital 228 467 520 F). *Activités maritimes :* NCHP en France, ANZDL aux USA et Elder Dempster en G.-B., a repris l'essentiel de la flotte et de l'exploitation des lignes de la Cie maritime des Chargeurs réunis (sauf Extrême-Orient dont les parts conférentielles de trafic ont été vendues à un armement danois). Transport maritime : Afr. du Nord, Afr. Noire, Afr. Australe, océan Indien, Antilles, Guyane et Pacifique Sud. *Flotte* (au 1-1-1990) : 52 navires (1 020 100 tpl), conteneurs 65 000. En commande : 5 porte-conteneurs moyens. *Chiffre d'affaires du groupe* (milliards de F, 1990) : 6,8 (résultat net : 0,115).

■ **Armement en milliers de tjb, et,** entre parenthèses, **nombre de navires** (au 1-1-1993, hors pétrole). CGM 553,2 (19). Maritime Delmas Vieljeux 324,9 (14). Cetramar 198,4 (4). Louis-Dreyfus et Cie 129,2 (4). Sté nat. MMe Corse Méditerranée 122,5 (11). Cie navale atlantique 63,8 (2). Sabemen (BAI) 39,7 (3). Sté navale de l'Ouest 33,5 (2). Bretagne-Angleterre-Irlande 31,4 (3). SNCF 20,9 (3). Senamanche (Cie

MV Barfleur) BAI 20,5 (1). Cie méridionale de navigation 20,4 (3). Sté propriétaire de navires 17,4 (2). Services et transports 15 (1). Van Ommeren Tankers/Soflumar 13 (1). Sofrana Unilines Holding 12,6 (2). Cobrecaf 9,8 (4). Senacal (BAI) 9,4 (1). Sté nav. de transports vinicoles Leduc 9,1 (4). Carline SA 8 (5). Sté nat. Elf Aquitaine 7,1 (1). Cie morbihannaise et nantaise de navigation 6,6 (5). Truckline ferries France (BAI) 5,4 (2).

■ **Pétroliers.** Total 2 058,5 (56) dont Esso-Standard (SA Française) 427 (5). Mobil Oil Fr. 281,5 (2). Total Cie Française de Navig. 271,4 (2). Sté maritime Shell 221,7 (3). Cie nationale de Navig. 221,2 (3). Sté maritime des pétroles BP et Cie 131,7 (1). Soflumar/Van Ommeren France 121,8 (9). Louis Dreyfus et Cie 78,2 (1). Sté nouvelle des pêches lointaines 69 (1). Messigaz 60,1 (2). Socatra 38,1 (5). GIE Port-au-Prince 19,5 (1). Fouquet Sacop Maritime 11,3 (3). Petromarine 7,3 (1). Sisgaz 4,2 (1). Cie d'armement et de transport de vrac 3,4 (1). Eurosships 2,9 (1). Sté anon. de crédit à l'industrie FRSE 2,1 (1). Slibail 1,6 (1). Sté Natio-équipement 1,5 (1). Crescent 0,7 (1). Sud-Pacifique tanker 0,2 (1). **Total** 2 058,5 (56).

CANAUX MARITIMES

Principaux canaux	Année d'ouv.	Long. km.	Larg. min.	Prof. min.
Saint-Laurent (Canada, USA)	1959	293	68,6	8,2
Suez (Égypte)	1869	195	160 [2]	11,7 [2]
Albert (Belgique)	1939	129	16,2	5
Kiel (Allemagne)	1895	99	104	11
Alphonse-XIII (Espagne)	1926	85	9	n.c.
Panamá (Panamá)	1914	80	152,4 [1]	12,5
Beaumont, Pt-Arthur (USA)	1916	72	61	9,6
Houston (USA, Texas)	1914	69	91	10,4
Manchester (G.-B.)	1894	64	26	8
Welland (Canada)	1933	43,45	58,5	8,2
Mer du Nord (Pays-Bas)	1870	25	37	11
Chesapeake (USA, Delaware)	1927	23	76,2	8,3
Bruges (Belgique)	1907	10	n.c.	8,5
Corinthe (Grèce)	1893	6	22	8

Nota. – (1) Écluse 33,5 m. Le canal projeté qui traversait l'isthme de Tehuantepec (Mexique) coûterait 450 millions de $ (Panamá en a coûté 367 et le St-Laurent 410) et aurait 218 km de long. Les travaux dureraient 9 ans. (2) Largeur sous 11 m d'eau ; largeur effective du plan d'eau 160 à 200 m.

CANAL DE SUEZ

■ **Histoire. Avant J.-C. V. 2000** 1er canal creusé (Nil et affluents) par le pharaon Senusret III (v. 1489 av. J.-C.). **1300** achevé par les pharaons Sethi et Ramsès II. **590** nouveau canal du pharaon Néchao, terminé par Darius (de Suez au Nil par les lacs Amer et le lac de Timsah). **285-246** élargi au gabarit de 2 trirèmes par Ptolémée II. **Après J.-C.** Trajan (96-117 apr. J.-C.) et Hadrien restaurent le canal qui, peu adapté à la navigation, sera plus tard abandonné. **639** rétabli par le khalife Omar, appelé canal d'*Amir el-Momeneen.* **775** le khalife Abou Jafar el-Mansour fait combler l'embouchure pour défendre l'Égypte contre son neveu le pacha de Médine. **1854**-25-11 acte de concession accordé à Ferdinand de Lesseps. **1854-56** Ferdinand de Lesseps (1805-94) crée une compagnie chargée par le pacha Saïd (firmans des 30-11-1854 et 5-1-1856) d'établir un passage entre Méditerranée et mer Rouge [les terrains nécessaires sont concédés pour 99 ans (à l'expiration de cette concession le 17-11-1968, l'Ég. entrera gratuitement en possession du canal, rachètera matériel, approvisionnements et immeubles destinés au logement du personnel, les bénéfices prévus seront répartis : Cie 75 %, Égypte 15 %, fondateurs 10 %)]. Le firman de 1856 posait le principe du libre passage. Lesseps envisage une Cie universelle, mais en dépit de l'appel adressé aux différentes nations, le capital est souscrit essentiellement par la France (52 %) et par le vice-roi d'Ég. (44 %), le reste (4 %) se répartissant entre 14 pays. **1859**-25-4 début des travaux du nouveau canal. **1863-66** interruption (sous la pression anglaise le sultan a sommé le khédive d'abandonner). **1869**-18-8 travaux terminés. -17-11 inauguré par l'impératrice Eugénie. **1875** à la suite de difficultés financières, le khédive propose pour 100 millions de F ses 176 000 actions à la Fr. qui ne se décide pas, l'Angl. les achète alors aussitôt. 3 représentants du gouv. britannique entrent au Conseil. **1880** l'Ég. cède sa part de bénéfice au Crédit foncier qui constitue pour le gérer la Sté des parts civiles de Suez. **1888** le principe de libre passage est précisé et complété. **1883** à la suite de l'occupation anglaise de l'Ég. en 1882, à l'occasion de la crise provoquée par Arabi Pacha, un accord intervient : 7 armateurs brit. représentent dans le Conseil les intérêts du pavillon brit., le plus important dans le trafic.

■ **Position de l'Égypte.** Dès le début, il est prévu que l'Ég. est associée à l'adm. du canal (il y eut d'abord un commissaire ég. puis, en 1936-37, 2 administrateurs ég. et 5 en 1949). En 1936-37, une nouvelle redevance de 300 000 livres ég. est instituée, remplacée en 1949 par une participation fixée à 7 % des bénéfices bruts. *À la veille de la « nationalisation »,* le Conseil comprend 16 Français, 9 Britanniques, 5 Égyptiens, 1 Hollandais, 1 Américain. La Cie verse annuellement, au titre de la redevance des impôts payés par elle-même et les porteurs de titres, 4,4 millions de livres ég. Sur 910 employés, il y a 381 Égyp., 311 Français, 118 divers.

Nationalisation (1956) : le 26-7 le canal est nationalisé, pilotes et fonctionnaires étrangers se retirent le 15-9. Une expédition franco-anglaise est décidée et a lieu en nov. (voir Index). Le canal est alors bloqué du 29-10-1956 au 15-4-1957 par des navires coulés (le principe d'indemnisation prévu par la loi égyptienne sera réglé entre autres par l'accord du 13-7-1958 entre le gouvernement égyptien et la Cie financière de Suez).

Guerre des 6 jours : le canal est bloqué du 7-6-1967 au 5-6-1975. *L'URSS et l'Égypte en pâtiront,* toutes les liaisons marit. à partir des ports de la mer Noire, en direction de l'Afr. et de l'Asie, devant se faire par le cap de Bonne-Espérance.

■ **Caractéristiques. Tirant d'eau max.** (en pieds) : *1869 :* 22, *1956 :* 35, *1982 :* 53. **Longueur** (en km) : *1869 :* 52, *1989 :* 162,5 (Port-Saïd-Port Taufig). Zones de dérivation 68,5 dont de Port-Saïd 26,5, de Ballah 8, de Timsah 5, des lacs (déversoir) 27. **Largeur** [(en m) en 1989 et, entre parenthèses, 1869 et 1956)] : *du plan d'eau :* 365 (52, 160) ; *de la voie navigable :* 190 (44, 110) ; *min. sous 11 m d'eau :* 160 (0, 60). **Section mouillée du canal** (en m^2) : *1864 :* 304, *1950 :* 1 250 puis 1 800, *1982 :* 3 600 (prévu 5 000).

Améliorations : 1976-80 but : permettre le transit de pétroliers de 150 000 t (à pleine charge) et 370 000 t (sur lest), élargissement de la section mouillée de 1 800 à 3 700 m^2 entre Port-Saïd et le km 61, et 3 400 m^2 du km 61 à Suez, et approfondissement pour permettre le passage de navires avec un tirant d'eau de 53 pieds. 3 dérivations : au km 17 ; du km 76,6 à 81,7 ; du km 95 à 104. *Coût :* 1 275 millions de $, recettes prévues 800 millions de $ par an. **1980** *oct.* inauguration d'un tunnel sous le canal (1 640 m, 51 m de prof., 150 millions de $). **1985**-*27-2* de la drague hydraulique d'Obur-Port-Saïd (19 810 CV) avec tonnage max. de 10 653 t (long. 116,3 m, larg. 20,8 m, haut. 10,5, tirant d'eau à pleine charge 8,5, prof. max. pour le déblaiement 35, prof. naturelle pour le déblaiement 25 pieds). *Coût :* 21 millions de $. *23-2* début de l'élargissement de la rive est du canal (50 m). **1987** fin des travaux. **1988**-*12-5* début des travaux de déblaiement et de développement du canal d'entrée du port de Damiette. *25-6* fin de la construction de dépôts pétroliers de 103 000 m^3 chacun.

■ **Trafic. Navires :** *1900 :* 3 441. *78 :* 21 266 (dont 2 489 pétroliers). *88 :* 18 190 (3 429). *90 :* 17 664 (3 682) moy. par j 50,2 (*1869 :* 3. *1956 :* 40. *1984 :* 58,4 ; *record :* 94 le 25-2-1981). *91 :* 18 326. *92 :* 16 629. **Tonnage** (en millions de t) : *1900 :* 10,8. *84 :* 171. *85 :* 353,2. *91 :* 426,5. *92 :* 369,8. *Moyenne par jour* (*1869 :* 1,2. *1956 :* 424. *1991 :* 1 168 ; *record :* 2 000 le 2-3-1981. **Tonnages marchandises** (1991) : 272,5 dont Nord-Sud 119,3, Sud-Nord 153,2. **Recettes** (en millions de livres) *1956 :* 32. *80 :* 459. *81 :* 622. *82 :* 770. *87 :* 228. *88 :* 1 310. *90 :* 1,7 milliard de $. *91 :* 1,78 milliard de $.

Transit. Durée : env. 15 h ; en 3 convois (2 de Port-Saïd, 1 de Suez) avec pilotage obligatoire (pour les navires de + de 300 t et les pétroliers, 11 stations de pilotage, tous les 10 km, env. 300 pilotes). **Vitesse max. :** 13 à 14 km/h.

Plus gros pétroliers qui aient transité : *21-1-1985, Hetin* 160 000 t (à plein) ; *27-2-85, Beyuk Selkiko* 423 000 t (à vide). *26-5-1986 Hellas Fos* (grec) : 555 000 t (à vide), long. 414 m, larg. 63 m, force des machines 64 000 ch.

■ **Trajet par Suez et Le Cap (km).** Le Havre : Bombay par Suez 11 500 (22 000), Singapour 15 000 (21 500), Yokohama par Le Cap 20 500 (26 500), Melbourne 20 500 (22 000). Le canal raccourcit de 17 à 60 % les distances entre l'Asie et l'Europe. La traversée d'un cargo de 18 000 t entre l'Europe du Nord et le Japon coûtait ainsi v. 1980 13 000 $ de moins par le canal que par Le Cap malgré 11 900 $ de passage du canal et 25 000 $ d'assurance. Le voyage par Le Cap dure en moyenne 2 mois aller-retour, et l'équipage des pétroliers est embarqué pour 4 mois (jusqu'à 6 si le navire ne revient pas en Europe).

CANAL DE PANAMÁ

■ **Origine. 1534** Charles V d'Espagne fait étudier un projet de canal. **1826** Cie américaine du Canal maritime Pacifique-Atlantique pour la construction du canal de Nicaragua créée. **1850** USA et G.-B. signent traité *Clayton-Bulwer* qui leur confère le contrôle du canal de Nicaragua. **1850-55** ligne de chemin de fer construite dans l'isthme de Panamá à Colón (12 000 travailleurs † : épidémie). **1876** la Commission supérieure amér. chargée de réunir les résultats des missions qui ont parcouru les isthmes de Téhuantepec, Nicaragua, Panamá, Darien et de l'Atrato se déclare pour la route de Nicaragua. En France, la Sté de géographie crée un comité d'études confié à Ferdinand de Lesseps et envoie une équipe d'ingénieurs de diverses nationalités, dirigée par le lieutenant Lucien-Napoléon Bonaparte-Wyse, explorer les différentes routes. **1879** *mai* congrès international d'ingénieurs réuni à Paris, approuve projet de Lesseps : le canal à niveau. *29-5* banquet de clôture. Gambetta honore le Grand Français (Lesseps). *5-7* Lesseps achète la concession Bonaparte-Wyse. *31-12* arrive sur place avec sa famille. **1880** *20-10* crée Cie universelle du canal interocéanique. **1881** *janv.* les travaux commencent. **1889** après 8 ans de travaux (1881-89), la Cie avoue sa faillite [la tâche a été sous-estimée (Lesseps, qui a dû renoncer à construire, a dû commander en 1887 des écluses à Eiffel)]. **1894** Cie nouvelle de Panamá créée. **1898** la Cie nouvelle de Panamá offre l'affaire aux USA mais ceux-ci préfèrent construire un autre canal au Nicaragua en utilisant le fleuve San Juan et le grand lac de Nicaragua. **1901** *nov.* accord John Hay (USA). Pauncefore (Brit.) annule le traité Clayton (USA)-Bulwer (Brit.). **1902** l'éruption de la montagne Pelée (Martinique) rappelle aux Américains le danger que représentent les volcans au Nicaragua. **1903** *22-1* traité *John Hay-Herran,* la Colombie cède pour 100 ans (renouvelables) aux USA le droit de construire et d'exploiter le canal et une zone de contrôle de 10 km env. *-12-8* le Congrès colombien rejette l'accord prévu, le Pt Theodore Roosevelt favorise une insurrection. *-3-11* la Rép. de Panamá est proclamée. *-16-11* elle est reconnue par le Congrès amér. *-18-11* tr. signé par le Français Philippe Bunau-Varilla, ingénieur en chef de la Cie, agissant également en tant qu'ambassadeur du nouveau gouv. Les USA obtiennent le contrôle à perpétuité d'une zone de 16 km de part et d'autre du canal avec tous les droits, pouvoirs et autorité qu'ils posséderaient et exerceraient s'ils étaient puissance souveraine sur ce territoire. Ils s'engagent à verser au Panamá une redevance annuelle et garantissent son indépendance. **1904** *-22-4* ils rachètent à la Cie fr. ses droits pour 40 millions de $ (206 millions de F, alors que + d'1 milliard a été dépensé). Les travaux sont achevés pour 387 millions de $ (2 milliards de F, soit le triple de la somme estimée en 1880). **1914**-*3-8* inauguration. *-15-8 1er* navire : le *S.S. Ancon.* **1977**-*7-9* traité USA Panamá. **1979**-*1-10* traité devient effectif et une commission du canal remplace l'ancienne Cie (la zone du canal et son gouvernement sont dissous). **1982** un oléoduc transisthmique concurrence le canal. **1990** le directeur de la commission est panaméen (et non plus américain). **1999**-*31-12* les USA transféreront le canal à Panamá.

■ **Scandale de Panamá. 1880** Lesseps lance des actions (il demande 300 millions de F et en reçoit 600). **1887** Lesseps ayant besoin de 600 millions de F, une émission à lots est envisagée, mais il fallait l'autorisation de la Chambre des députés. La corruption (organisée par le baron Jacques de Reinach et Cornélius Herz) se déchaîne. **1888**-*9-6* la Chambre autorise la Cie à lancer un emprunt de 2 millions d'obligations à lots. Le public ne souscrit que pour 1 million. *12-12* émission « de la dernière chance » n'a pas de succès. **1889**-*4-2* la liquidation de la Cie est prononcée (près de un million de petits porteurs seront lésés). **1891** *2-6* une instruction est ouverte contre les administrateurs. **1892** *6/8-9 La Libre Parole* d'Édouard Drumont dénonce les libéralités de Charles de Lesseps (fils de Ferdinand). *19-11* des poursuites sont engagées contre les administrateurs pour abus de confiance et escroquerie. Dans la nuit du 19 au 20, Reinach meurt dans des conditions suspectes. Cornélius Herz part pour Londres. *22-11* une commission parlementaire d'enquête est instituée. *29-11* le ministère Loubet qui a refusé d'enquêter sur la mort de Reinach est renversé. Maurice Rouvier, min. dans le nouveau cabinet d'Alexandre Ribot, doit démissionner. Les talons de chèques, remplis par Reinach et portant les noms des bénéficiaires, parviennent à la commission chargée de l'enquête. *16-12* Charles de Lesseps arrêté. *20-12* levée de l'immunité parlementaire demandée contre 3 députés (dont Rouvier et le journaliste Emmanuel Arène) et 5 sénateurs. **1893** *9-2* Ferdinand de Lesseps (87 ans) et son fils Charles seront condamnés à 5 ans de prison. Gustave Eiffel et 2 administrateurs à 2 ans. Tous sauf Charles (qui devait encore être jugé pour corruption) seront libérés le 15-6 (les arrêts ayant été cassés, car il y avait prescription). Dans le procès en corruption, 5 parlementaires et l'administrateur furent acquittés ; seuls furent condamnés l'ancien ministre Baïhaut à 5 ans de prison, un complice, Blondin, à 2 ans, Charles de Lesseps à 1 an (libéré en sept. 1893) et Cornélius Herz à 5 ans, par défaut. **1894** *11-12* Ferdinand de Lesseps meurt. **1897** révélations d'un ancien intermédiaire du baron de Reinach, Émile Arton († suspecte 17-7-1905) : de nouvelles poursuites sont lancées contre 3 députés qui seront acquittés.

■ **Caractéristiques.** *Longueur :* 80 km, des eaux profondes de l'Atlantique aux eaux profondes du Pacifique dont 64,4 km dans l'isthme (dont 38 km à travers le lac artificiel de Gatun de 423,12 km²) + un chenal dragué de 8 km de chaque côté de l'isthme. *Alt.* (à l'origine) de la ligne de partage des eaux : 95 m. *Plus petite largeur :* 152,4 m, *profondeur max. :* 26 m. *Alt. max.* 26 m qui varie selon les précipitations. *Écluses* 3 doubles de 305 m sur 33,50 m. *Tirant d'eau max. autorisé :* 12 m. Certains porte-avions et pétroliers géants ne peuvent le franchir en raison du gabarit trop faible des écluses. *Marées :* du côté Pacifique diurnes (2 hautes, 2 basses par jour avec une différence max. de 7,03 m) ; du côté Atlantique, irrégulières (variation max. 0,95 m).

■ **Trafic. Millions de t :** *1981 :* 172. *82 :* 186. *85 :* 139. *89 :* 152. *90 :* 157. *91 :* 163. *92 :* 160. **Navires :** *1981 :* 13 984. *82 :* 14 142. *85 :* 11 654. *89 :* 12 075. *90 :* 12 052. *91 :* 12 763. *92 :* 12 636. *Le plus long navire* qui a passé fut le *Marcona Prospector* (le 6-4-73), 299 m, *les plus larges,* la gamme des *USS New Jersey* 32,91 m, *le plus chargé* 299 000 t (15-12-81) *Arco Texas 65 299.* **Temps moyen de traversée :** 16 à 20 h (canal proprement dit 9 h), *les plus rapides* 2 h 41 min hydrofoil *USS Pegasus* (20-6-79).

■ **Droits de péage.** *Calculés* par t ($ 1,76, sur lest, $ 2,71 pour bateaux chargés). En 1992, en moyenne, un bateau a payé 29 365 $. Le canal économise parfois 10 fois le montant des droits par rapport à un détour par la Terre de Feu. *Montant total* (millions de $) *1985 :* 300. *86 :* 322,7. *87 :* 329,9. *88 :* 339,3. *89 :* 329,8. *90 :* 355,6. *91 :* 374,6. *92 :* 368,7. *Droits max. payés : Regal Princess* (63 841 t, 245 m) 141 088,61 (10-9-92) ; *min.* 36 cents par Richard Halliburton (traversée à la nage 1928).

Au Pakistan, construction du c. de Tarbela, entre l'Indus et le Jhelum : 102 km, 13 m de profondeur par endroits. Coût 210 millions de F.

Voie maritime Atlantique-Duluth

Achevée 1959. **Écluses** 13 canad., 4 amér. **Longueur** 3 770 km (par le St-Laurent, lacs St-Louis, St-François, St-Laurent, Ontario, le canal de Welland, lacs Érié, Huron, Michigan, Supérieur). **Capacité** *(dénivellation* 180 m). Navires de 28 000 t mesurant + de 220 m. **Trafic** (1992, en millions de t) : section Montréal-lac Ontario 31,4 section Welland 33,7.

Ports maritimes de commerce

Trafic marchandises

■ Dans le monde

Source : Journal de la Marine marchande.

Ports les plus importants (trafic marchandises en millions de tonnes, 1991). Rotterdam (P.-Bas) Port 40 km, quais 43,2, des nav. de 350 000 t et de 23 m de tirant d'eau peuvent accoster. Trafic *1961 :* 100. *75 :* 300. *84 :* 239,6. *85 :* 244,6. *86 :* 256. *87 :* 250,3. *88 :* 272,7. *89 :* 291,9 dont hydrocarbures 125, charbon et acier 60, grains et autres cargaisons « sèches » 45, cargaisons mixtes 60. *90 :* 287,8. *91 :* 291,8. Chaque jour, 350 bateaux fluviaux et 90 navires océaniques. Autres ports (1991) Singapour 206,4 (*92 :* 236,4 ; 81 334 navires). Kobe (Jap.) 171,5 [7]. Chiba (Jap.) 168,3. Shanghai (Chine) 139,6 [7]. Nagoya (Jap.) 136,8. Yokohama (Jap.) 120,2. Kawasaki (Jap.) 105,1 [7]. Anvers (Belg.) 101,3. Osaka (Jap.) 97,4 [7]. Kita-kyushu (Jap.) 98,7. *Marseille (Fr.) 89,4.* Houston (USA) 87,5. Kaohsiung (Taiwan) 77,1. Hong Kong 76,4. Tomakomai (Jap.) 79,3 [7]. Philadelphie (USA) 75,6 [7]. Long-Beach (USA) 73,1. Hampton Road (USA) 73,1. Hokkaidō (Jap.) 73. Vancouver (Can.) 70,7. Corpus Christi (USA) 70,4. Sakaisenboku (Jap.) 69,6 [7]. Tōkyō (Jap.) 69,5 [7]. Nouvelle-Orléans (USA) 69 [6]. Hambourg (All.) 65,5. Los Angeles (USA) 62,5 [6]. *Le Havre* (Fr.) 57,2. Richard's Bay (Afr. du S.) 56,6. Tampa (USA) 53,2 [6]. Wakayama-Shimuzu (Jap.) 55,5 [7].

Autres ports importants (en millions de t, 1991). *Abou-Dhabi :* Mina-Zayed 1,1 [7]. *Afr. du S. :* Durban 24,3, Saldanha Bay 15,7, Le Cap 5,3, Port-Elizabeth 3,8. *Algérie :* Arzew 23,3, Skikda 10 [1], Bejaia 9,6 [5], Alger 6,8, Oran 3,2. *Allemagne :* Brême-Bremerhaven 30,7, Wilhemshaven 17,9, Lübeck 16,6, Rostock 13,3 [7]. *Arabie Saoudite :* Yambu 26,2, Jubail 21,9, Jeddah 15,8. *Australie :* Port Hedland 43,1 [7], Newcastle 37,2 [7], Gladstone 31,8, Port Kembla 24 [7], Fremantle 17, Brisbane 16,7, Melbourne 11,5. *Bangladesh :* Chittagong 8,6 [6]. *Barbade :* Bridgton 0,8. *Belgique :* Bruges-Zeebrugge 30,8, Gand 25,5, Ostende 5,9. *Bénin :* Cotonou 1,5. *Birmanie :* Rangoon 1,5. *Brésil :* Rio 29 [4,6], Santos 27,5 [7]. *Bulgarie :* Bourgas 10,3. *Cameroun :* Douala 3,6. *Canada :* Port-Cartier 23,7, Sept-Îles 21,9, Québec 18,5, Montréal 17,5, St-John's 17,1, Halifax 14,9, Prince Ruppert 13,3. *Canaries :* Santa Cruz de Tenerife 12,7 [5], Las Palmas 7,4. *Chili :* Valparaiso 4,1, San Vincente 2,9, San Antonio 2,4, Antofagasta 1,5. *Chypre :* Limassol 3,3, Larnaca 2,7. *Colombie :* Carthagène 0,9 [7]. *Congo :* Pointe-Noire 9,1. *Côte-d'Ivoire :* Abidjan 10,5. *Danemark :* Copenhague 9,4, Aarhus 6,9 [7]. *Dubay :* Jebel Ali 10 [6]. *Égypte :* Alexandrie 20,6, Port-Saïd 1. *Espagne :* Algésiras 28, Bilbao 27,4, Tarragone 23,7, Barcelone 18,3, Gijón 12,9, Valence 11,8, La Corogne 11,5, Huelva 9,3. *Finlande :* Helsinki 6,4, Kotka 6,1. *France :* voir ci-contre. *Ghana :* Tema 3,6. *Grèce :* Salonique 14, Le Pirée 9,9. *Guinée :* Conakry 4,9 [7]. *Hawaii :* Honolulu 9,3 [5]. *Inde :* Bombay 26,6, Madras 23,3, Kandla 21, Vizavapatam 20 [6], Calcutta 16, Murugao 15,1. *Indonésie :* Surabaya 15,2 [7], Belawan 13,2 [7]. *Irlande :* Dublin 7,7, Limerick 6,3, Cork 6, Rosslare 5,6 [6]. *Islande :* Reykjawik 2. *Israël :* Ashdod 11,2, Haïfa 9,2. *Italie :* Gênes 42, Trieste 35,5, Tarente 30,1 [5], Augusta 27,4 [6], Venise 25, Brindisi 19,2 [6], Livourne 18,4, Naples 16,5, Ravenne 14,9 [7], Savone 12,3, La Spezia 8,9 [6]. *Jamaïque :* Kingston 14,6. *Japon :* Yokkaichi 49, Kukuyama 48,3 [7], Muroran 43,3 [7], Kushiro 21. *Jordanie :* Aqaba 18,7 [6]. *Kenya :* Mombasa 6,9. *Koweït :* Koweït 7,1 [5]. *Liberia :* Buchanan 13,4 [4,5]. *Malaysia :* Keelang 18,3 [6], Bintulu 12,9, Penang 8,4 [6]. *Madagascar :* Toamasina 2. *Malte :* La Valette 2,4 [7]. *Maroc :* Casablanca 14,9, Mohammedia 5,7, Jorf Lasfar 4,9, Safi 4,8. *Mauritanie :* Nouakchott 0,6, Nouadhibou 0,4. *Mexique :* Tampico 10,8 [6]. *Mozambique :* Maputo 2,6 [7]. *Nigeria :* Bonny 11,8, Apapa 5,7, Okrika 3,8, Wari 2, Tin Can Island 1,5. *Norvège :* Narvick 13,9, Oslo 5,2 [7], Stavanger 2,4. *Nlle-Calédonie :* Nouméa 3,3. *Nlle-Zélande :* Whangarei 6,9 [5], Wellington 5,8, Auckland 2,9. *Oman :* Mina-Qabbos 1 [7]. *Pakistan :* Karachi 14,9 [2]. *Panamá :* Cristobal 0,9, Panamá 0,7 [7]. *P.-Bas :* Amsterdam 32,3, Ijmuiden 15,3 [6], Terneuzen 9 [6]. *Philippines :* Manille 34,5, Cebu 11,4 [7]. *Pologne :* Gdańsk 20,2 [5], Szczecin 12,9, Gdynia 7,2. *Polynésie française :* Papeete 1. *Porto Rico :* San Juan 14,4. *Portugal :* Lisbonne 17, Sines 16,2, Leixoês 11,5. *Royaume-Uni :* Londres 49,5, Tees-Hartelpool 42,9, Grimsby-Immingham 38,3, Milford Haven 35,7, Southampton 31,5, Liverpool 24,7, Forth 22,9 [7], Medway 16,1, Felixtowe 16, Douvres 13, Belfast 9,4, estuaire de la Clyde 8,2, Manchester 7,5. *Sénégal :* Dakar 5,3. *Slovénie :* Kaper 4,3. *Sri-Lanka :* Colombo 13,6. *Suède :* Göteborg 26,3, Helsinborg 8,2, Trelleborg 6,2, Lulea 5,1, Stockholm 4,7, Malmö 4,6. *Taiwan :* Keelung 27, Taiching 13 [6]. *Tanzanie :* Dar Es Salaam 3,8. *Thaïlande :* Bangkok 14,4 [7]. *Togo :* Lomé 1,6. *Tunisie :* Bizerte 4,9, Sfax 3,6, Tunis-La Goulette 3,2, Gabès 2,6. *Turquie :* Mersin 11,5, Izmir 3,7. *Ex-URSS :* Klapeïda 20,3 [6], St-Pétersbourg 10,2, Nakhodka 5 [7], Novotallinnshyi 5 [7], Tallinn 3,3 [7]. *USA :* New York 42, Mobile 37,3 [6], Duluth 35, Baltimore 25 [7]. Port Everglades 16,2, Oakland 15,2, Portland 14,8, Tacoma 14,1, Seattle 13,3, Toledo 11,8, Savannah 10,3 [7]. *Yémen :* Aden 21,3 [4,5]. *Yougoslavie :* Rijeka 13,6 [5]. *Zaïre :* Matadi 1,3.

Nota. – (1) 1982. (2) 1985. (3) 1985/86. (4) Chargement en lourd. (5) 1988. (6) 1989. (7) 1990.

Quelques records

Brise-lames : en granit de Galveston Texas (USA) 10,850 km. **Jetée :** Damman (Arabie Saoudite, en 1948/50) 11 km. **Quai :** Hermann-du Pasquier (Le Havre, France) 1 524 m en bassin à flot. **Prof. d'eau à quai :** Antifer 29,8 m, Fos 23,5 m (accès possible aux 450 000 tpl). **Porte de bassin :** Nigg Bay (Écosse, 1976) 124 m de long, béton armé 16 257 t.

■ En France

Ports français (classement géographique) en 1992	Marchandises (en milliers de t)		Voyageurs (en milliers)	
	Entrées	Sorties	Entrées	Sorties
Mer du Nord				
Dunkerque [1]	30 119	10 085	979	975
Calais [2]	8 326	9 669	6 912	6 949
Boulogne-sur-Mer [3]	1 826	2 004	880	902
Le Tréport	200	89		
Manche				
Dieppe [4]	652	652	376	371
Fécamp	155	1		
Le Havre [5]	41 694	11 416	494	502
Rouen [10]	10 867	13 105		
Caen-Ouistreham	2 281	1 680	561	568
Cherbourg	1 649	1 855	909	880
Granville	0	0	–	–
Saint-Malo	1 531	267	413	391
Le Légué (St-Brieuc)	211	87		
Pontrieux	101	0		
Tréguier	83	6		
Roscoff-Bloscon	286	218	249	254
Brest [6]	1 591	275		
Atlantique				
Douarnenez	77	0		
Quimper-Corniguel	176	0		
Concarneau	67	1		
Lorient	3 388	25		
Nantes-Saint-Nazaire [7]	19 739	5 104		
Les Sables-d'Olonne	0	0		
La Rochelle-Pallice	4 272	2 512	5	5
Rochefort	474	230		
Tonnay-Charente	178	398		
Royan	39	0		
Bordeaux [8]	5 807	3 491	5	6
Bayonne	948	2 273		
Méditerranée				
Port-Vendres	86	45	7	7
Port-La Nouvelle	1 520	1 106		
Sète	2 865	794	29	37
Marseille [9]	75 328	15 088	555	638
Toulon	103	164	9	4
Nice-Villefranche	82	257	200	197
Bastia	801	317	804	755
Ile-Rousse	57	33	69	67
Ajaccio	0	0	297	298
Porto-Vecchio	0	0	0	0
Calvi	37	17	47	52
Total ports métrop.	*217 792*	*82 992*	*13 630*	*13 693*
Total ports d'outre-mer	* *6 500*	*1 764*	*748*	*749*

Nota. – * 1992. **(1) Dunkerque :** 3e port de France. *1er* pour *importations* de minerais et charbon. 2 ports : *Est* (trafic classique ind. et commercial, nav. jusqu'à 115 000 t ; nombreux terminaux spécialisés : bois, sucre, aciers, céréales, prod. chim.) ; *Ouest* (terminal moderne à conteneurs, trafic transmanche, liaisons passagers et marchandises avec la G.-B., terminal à pondéreux (minerais, charbon) accessible aux gros vraquiers de 180 000 t, appontement pour pétroliers de 300 000 t. **(2) Calais :** *1er port fr. pour trafic des voyageurs* avec 14 millions de passagers/an. 7 postes pour car-ferries dont 6 avec passerelles mobiles, 5 à deux niveaux et 3 capables de recevoir les jumbo-ferries, 1 passerelle pour catamarans géants (450 passagers, 80 voitures). *6e port fr. pour les marchandises diverses* (18 millions de t/an). Le nouveau bassin en eau profonde peut accueillir simultanément 3 cargos de 50 000 tpl ; quai équipé de 4 grues d'une capacité de 22 t à 40 m et 40 t à 25 m ; un poste Ro-Ro avec passerelle mobile y est aménagé. **(3) Boulogne-sur-Mer :** *1er port de pêche fr.* (tonnage 1992 : 60 312 t), *2e port fr. pour voyageurs,* 3 passerelles (dont 1 à 2 niveaux) pour transbordeurs et catamarans, et 1 passerelle pour roll on/roll off. *Marchandises :* peut recevoir des nav. classiques jusqu'à 230 m de long et 10,50 m de tirant d'eau et des rouliers jusqu'à 140 m de long et 7 m de tirant d'eau. *1er port fr. exportateur de farine.* Équipé d'un portique tous temps. **(4) Dieppe :** port de mer le plus proche de Paris (160 km). Ligne ferry Dieppe-Newhaven. *1er port de pêche fr. pour coquilles St-Jacques. 3e port fruitier après Marseille et Le Havre,* **(5) Le Havre :** *5e port européen, 1er port fr. pour le commerce extérieur,* 182 milliards de F de marchandises importées et exportées en 1990 ; *pour marchandises diverses* (env. 4 000 porte-conteneurs reçus chaque année) et par le nombre de lignes régulières (250 desservant 500 ports sur les 5 continents). Autrefois escale privilégiée des transatlantiques puis des grands pétroliers. À 20 km au nord du Havre, Antifer terminal pétrolier à 2 appontements pour tankers de 550 000 tpl assure 40 % des import. de pétrole brut pour la Fr. **(6) Brest :** dispose depuis 1980 d'une station de soutage et de déballastage, de 5 quais de réparation à flot et de 3 formes de radoub dont une (420 × 80 m) permet l'accueil des plus gros pétroliers. En 1983, mise en service de silos (capacité actuelle 32 000 t). Plaisance : 1 200 places (base de vitesse de voile, Trophée des multicoques). **(7) Nantes-St-Nazaire :** *1992 :* 24,9 Mt, 4e port de Fr. ; *1er pour bois,* 788 millions de F d'investissements prévus en 1991-95. **(8) Bordeaux :** *1991 :* 8,8 Mt (dont hydrocarbures 4,6, céréales 1,2), se développe essentiellement sur Le Verdon (porte-conteneurs de 30 000 t) et Bassens (céréaliers, transp. de bois, minéraliers de 80 000 t, etc.) Installations : Bordeaux (paquebots), Pauillac (hydrocarbures), Blaye (céréales), Ambès (zone industrielle) ; travaux pour accueillir des nav. de 120 000 tpl à mi-charge ; 1er port eur. exportateur de maïs. (9) **Marseille-Fos :** *1er port de la Méditerranée, 1er de France, 3e port européen.* (1er pour pétrol., réparation navale). Trafic (t) *1981 :* 97 ; *82 :* 91,56 ; *83 :* 86,62 ; *84 :* 88,01 ; *85 :* 89,39 ; *86 :* 98,2 ; *87 :* 91,3 ; *88 :* 96,9 ; *89 :* 94,6 ; *90 :* 91,6 ; *91 :* 90,3 ; *92 :* 91,7 ; peut recevoir des nav. de 540 000 tdw. Postes offrant des tirants d'eau de 7 à 22,25 m. Forme de radoub no 10 (465 × 85 m), la plus vaste de la CEE. Une forme de construction navale et de radoub (mixte) plus vaste existe à Lisbonne (Lisnave). (10) **Rouen :** *92 :* 24 Mt, à 120 km de la mer, accessible aux 140 000 t. Comprend les ports de Honfleur (quai en Seine), Port-Jérôme, Radicatel, St-Wandrille-Le Trait et Rouen. *3e fr. pour conteneurs. Export. :* 1er port europ. pour céréales (1992 : 8,4 millions de t, + de 40 % des capacités nat. de stockage de céréales : 8 silos maritimes, 1 250 000 t) ; 1er port fr. pour agroalimentaire en sacs. *Import. :* 1er port fr. des produits forestiers. Terminaux spécialisés pour céréales, sacs, produits forestiers, engrais (1re plate-forme européenne de production) ; 3 raffineries dans la circonscription portuaire. 2 terminaux pour porte-conteneurs intégraux et 2 mixtes pour conteneurs et marchandises diverses conventionnelles. Réseau de lignes régulières de navigation sur : Europe du Nord, côte Afrique, Méditerranée, océan Indien, Antilles, etc.

Trafic détourné (en millions de t et, entre parenthèses, en milliards de F 1991) : *à l'importation :* 14,5 (134,4) ; *à l'exportation :* 6,9 (75,3).

Port le plus petit de France. *Port-Racine,* St-Germain-des-Vaux (Manche) 45 m × 20 m, entrée 8 m.

Dockers professionnels. *Effectifs 1980 :* 14 229. *86 :* 11 248. *92 :* 7 990 dans les 27 ports de commerce dont Le Havre 2 346, Marseille 2 026, 8 300 avec 2 ports exclusivement de pêche. *93 :* départs prévus 3 900 (dont Le Havre 1 244, Marseille 975). Coût du plan social 4 milliards de F. *Taux d'inemploi* (%) : *1986 :* 33,1. *89 :* 26,6. *92 :* + de 30 % (50 % dans de nombreux ports).

D'oct. 1991 au 27-5-92, 32 grèves (qui ont fait perdre plus de 1 milliard de F aux professions maritimes) pour protester contre la réforme du statut privilégié du docker de 1947.

Comparaison (1990-91). *Nombre de conteneurs manipulés par homme et par an* Le Havre 784 (Anvers 1 480, Rotterdam 1 440). *Prix moyen du conteneur transbordé* Le Havre 1 150 F (A. 475, R. 850). *Activité* (en j). Travail 144, inemploi 65, accidents du travail 31, congés payés 30, repos compensateur 19, maladie 15, fériés 8 (pour environ 165 000 F annuels).

Budget de l'État pour la mer (1993). *Crédits :* 5,4 milliards de F dont (en millions de F) : Établissement nat. des invalides de la marine 4 053 ; ports maritimes 416,9 ; autorisations de programme pour l'équipement des ports de commerce et de pêche 293,7 ; crédits de paiement 248 ; dotations pour l'entretien et l'exploitation des ports d'intérêt nat. 42 ; participation aux dépenses d'entretien des ports autonomes 416,9.

TUNNELS SOUS-MARINS

TUNNEL SOUS LA MANCHE

PREMIERS PROJETS

■ **Quelques dates. 1751** Nicolas Desmarets (ingénieur) lance l'idée d'un tunnel. **1802** 1er projet (souterrain avec route pierrée) de l'ingénieur français Albert Mathieu-Favier, remis après la paix d'Amiens à Bonaparte, 1er Consul. **1803** projet Tessier du Mottray (tube de fer). **1834** Aimé Thomé de Gamond (ingénieur français n. 1807) propose un tunnel de tubes métalliques. **1835** voûte sous-marine en béton coulée au fond de la mer. **1836** bac flottant, d'une jetée française à une jetée anglaise, toutes deux fort longues. **1840** isthme artificiel au moyen de blocs de béton immergés au fond du chenal. **1846** pont mobile. **1852** pont et viaduc avec 400 tubes de fer jetés sur des arches de granit. **1855** cubes soudés, posés sur le fond marin, avec, aux extrémités, 2 parties creusées. **1869** Angleterre et France créent un Channel Tunnel Committee financé du côté français par les Rothschild, du côté britannique par Lord Richard Grosvenor. **1872** fondation de la Channel Tunnel Co. par Lord Grosvenor. **1875** de la Sté concessionnaire du chemin de fer sous-marin entre France et Angl. (capital 2 millions de F, concession de 99 ans). **1878** forage à Sangatte (France) du puits des Anciens : prof. 92,50 m (diam. 5,4 m), terminé en févr. 1882, d'où part une galerie de 1 840 m de long (diam. 2,14), arrêté 18-3-1883 ; près de Douvres, à Abbots-Cliff et à Shakespeare-Cliff (Angl.) : 2 galeries de 1 800 m (dont 1 400 sous la mer) et 800 m, arrêt des travaux ordonné en G.-B. pour raisons militaires. **1956** la Cie financière de Suez se rapproche des Cies angl. et fr. et constitue en 1957 le *Groupement d'études du tunnel sous la Manche* qui, en 1964-65, mène une campagne de forages en mer. *Capital du groupe* (au 1-1-75) 80 millions de F partagés sensiblement par moitié entre la Sté fr. et la Sté brit., celles-ci constituant le Groupe du Tunnel sous la Manche. **1973**-*17-11* après la signature de la Convention no 2 entre le Groupe (privé) et les 2 gouv., et la signature d'un traité entre les 2 États (qui devait être ratifié avant 1-1-75), les travaux commencent des 2 côtés du détroit. Achèvement prévu fin été 1980. **1975**-*1-1* pour des raisons économiques, le gouv. brit. renonce à ratifier le traité, le gouv. français doit rembourser aux Stés les capitaux (privés) déjà engagés (500 millions de F partagés également entre les 2 gouvernements). Les travaux (300 m du côté français sur le 1,5 km prévu entre nov. 73 et juill. 75, 400 m du côté brit. sur 2 km prévus), dont une grande partie sous la mer, ont été stoppés le 20-1-75. Les mesures conservatoires exécutées, l'ouvrage réalisé a été envahi par les eaux. *Caractéristiques prévues :* 49,26 km (dont 39 sous la mer), 2 tunnels (de 6,85 m) et 1 galerie de service (4,5 m) partant, l'un de Sangatte, l'autre entre Douvres et Folkestone. Prof. max. 107,30 m sous le niveau moyen de la mer. *Vitesse moyenne des trains :* 140 km/h. *Durée moyenne du trajet dans le tunnel :* 31 min de terminal à terminal. *Trajet Paris-Londres* pour les trains TEE : 3 h 40 ; à très grande vitesse : 2 h 40. *Coût total prévu* (juin 73) : travaux seuls : 5,286 milliards de F. **1981** *sept.* dossier rouvert. **1984** *mai* 5 banques françaises et britanniques concluent pour une liaison fixe et finançable. **1985**-*2-4* consultation lancée. *-31-10* 3 propositions assurant le trafic ferroviaire et routier sans rupture de charge : Europont, Euroroute (voir encadré), Transmanche-Express-Channel Expressway 24 (projet de British Ferries, filiale de Sea Containers). **1986**-*20-1* ce dernier est retenu ; *-12-2* traité signé à Canterbury ; *-14-3* acte de concession pour 55 ans à dater de la ratification du tr. Au début, 36 % des Anglais étaient pour le tunnel sous la Manche, 51 contre, 13 ne savaient pas. **1987**-*3-2* projet de loi adopté en G.-B. ; *-23-4* adopté à l'unanimité en Fr. à l'Ass. nationale ; *-6-5* déclaré en Fr. d'utilité publique ; *-21-7* approbation du Channel Tunnel Bill et ratification du traité ; *-23-7* accord donné par la reine ; *-29-7* ratification par la Fr. **1988**-*28-2* mise en service du 1er tunnelier. **1989** 2 derniers tunneliers français (5 en tout) : pour tunnel ferroviaire, long. 13 m, diam. 8,72 m, 1 200 t ; tunnel De service 11 m, 5,74 m, 470 t ; enlevant 30 000 m3 de déblais par j. **1990** *févr.* Eurotunnel condamné à payer 670 millions de F à TML. *-21-6* sur 150 km prévus, 75,7 : du côté brit. 42 (dont 26 sous la mer), français 33 (24). 24 millions de F ont été dépensés. Ouvriers tués dep. le début 7 (6 du côté brit., 1 du côté fr.). Les 5 constructeurs brit. de TML ont été condamnés en mars 90 à 50 000 £ d'amende pour ne pas avoir respecté les consignes de sécurité. Augmentation de capital de 5,659 milliards de F, emprunt suppl. 21 milliards de F. *-1-12* jonction tunnel de service. **1991**-*22-5 et 28-6* jonctions finales (tunnels ferroviaires Nord et Sud). **1991-93** les constructeurs regroupés dans le consortium Trans-Manche Link (TML) réclament 12 milliards de F supplémentaires au titre de surcoûts. *-26-7-93* accord Eurotunnel et TML contre une avance de 235 millions de £. TML livrera le tunnel le 10-12-93, l'entrée en service se fera progressivement à partir de mars 94 (inauguration prévue le 6-5-94).

■ **Caractéristiques d'Eurotunnel.** *Tunnels : 2 ferroviaires* (diam. 8,78 m au forage, 7,6 m avec les voussoirs) parallèles, distants de 30 m, forés à 40 m sous le fond de la Manche, soit au max. à 100 m au-dessous du niveau de la mer. Des voies de passage permettent de rester en service même en cas de fermeture de l'une des sections. **Longueur :** Tunnel nord (forage achevé 22-5-91) 50 470 m (sous mer 37 925 m ; sous terre G.-B. 9 280, France 3 265). Galerie de service (forage achevé 1-12-90) 50 440 m (s.m. 37 916, s.t. G.-B. 9 293, Fr. 3 251), diam. 4,8 m, entre les 2 tunnels auxquels elle est reliée tous les 375 m. Tunnel sud (forage achevé 28-6-91) 50 480 (s.m. 37 925, s.t. G.-B. 9 278, Fr. 3 277). **Puits de Sangatte** (d'où partent les travaux de forage vers le terminal de Coquelles et le point de jonction) prof. 65 m, diam. 55 m.

Coût (total prévu en milliards de F). **Origine :** 27,3 (besoin de financement total 51,7 comprenant assurances, conception, contrôle des travaux 4,3, inflation 10,5, intérêts 9,6) dont terminaux de surface 4,5, tunnels 13,7, équipements fixes 6,4, matériel roulant 2,7. **1988 :** 52,3 dont 36,5 pour la construction. **1989 :** rapport du maître d'œuvre, Setec-Atkins, 70 dont BTP (ensemble travaux) 32, provision et frais financiers 24, navettes 7,5, frais Eurotunnel 6,5. **1990** *(oct.) :* 76 dont travaux 36,69. Crédits disponibles : capitaux propres 16,9 (dont 5,66 souscrits fin 90) et 1,02 (bon de souscription), prêts 68 + 3 de la BEI et 1,7 de la Ceca. Financement pour 7 ans de 1986 à la livraison. Dépenses à fin 92 : 64,9. **1993 :** 84. **Chiffre d'affaires** (prévisions en oct. 92, en milliards de F). *2003 :* 9,7. *2013 :* 12,1. *Résultats avant impôt* pertes jusqu'en 1998. **Cours de l'action** (en F). *Nov. 1987* (introduction) : 35, *juin 89 :* 126,9, *10-12-92 :* 27, *28-7-93 :* 40,10.

Trafic : trains passagers (Trans-Manche-Super-Train, TMST), marchandises. Navettes (formées de 1 ou 2 rames) de 800 m de long, capacité 150 voitures ou 35 camions ; les conducteurs de voitures, autocars, poids lourds y accèdent directement, partant toutes les 15 min à l'ouverture. *Capacité :* celle d'une autoroute. *Temps de traversée* entre Cheriton (G.-B.) et Coquelles (Fr. près de Calais) : 35 min, trains directs 20 min à 160 km/h. Transit de terminal à terminal : voiture 64 min, poids lourd 81. Paris-Londres en 3 h (par TGV 3 h 15). *Nombre de voyageurs prévus par an :* 28 millions ; *de marchandises :* 15 millions de t.

PAS-DE-CALAIS

Largeur 35 km. *Trafic* (navires par j) Manche-mer du N. env. 300, G.-B. – Continent 300. *Visibilité :* inf. 1 jour sur 2 à quelques milles, et plus du 1/4 des périodes de vent dépasse la force 8 Beaufort. *Dep. 1967 :* voie montante le long des côtes fr., descendante le long des côtes brit. ; chenaux réservés aux gros pétroliers ; centres d'information et de surveillance à Langton-Battery (Douvres) et au cap Gris-Nez.

TRAFIC TRANS-MANCHE

En 1986 (passagers en milliers, entre parenthèses véhicules en milliers, en ital. fret en milliers de t). Boulogne 2 954 (222) [1] *1 854,5,* Calais 9 186 (929) [1] *9 535,* Cherbourg 1 095 (140) [1] *1 959,5,* Dieppe 930 (844) [1] *1 631,* Dunkerque 1 232 *7 875,5,* Granville [1] 484 *20,* Le Havre 822 *359,* Roscoff [1] 214 (38) *354,* Saint-Malo 767 (90) [1] *325.*

Nota – (1) 1983.

PONT SUR LA MANCHE (PROJETS)

1836 Aimé Thomé de Gamond se ralliera, en 1857, au projet de tunnel. **1860** Gustave Robert (jetée de 32 km, haut. 6 m, avec 4 voies ferrées et percée de 2 passes pour la circulation maritime). **1869** Boutet (Français), pont suspendu de 30 km de portée sans piles intermédiaires, puis avec 2 piles et 10 travées intermédiaires. **1870** Vérar de Sainte-Anne. **1887** The Channel Bridge and Railway Company Limited (capital 5 000 000 F divisé en 50 000 parts) créée. **1889** Hersent et la Cie Schneider, pont de 38 600 m à 56 m au-dessus de l'eau, portée de 600 m, coût 4,25 milliards de F-or. **1890** projet cap Blanc-Nez-South Foreland en ligne droite, long. 33 450 m, 72 piles (45 m × 20 m au-dessus des plus hautes mers) supportant 73 travées métalliques de 400 et 500 m à 68 m au-dessus du niveau des basses mers. **1960**-*27-12* constitution de la Sté d'études du pont sur la Manche (SEPM), Pt Jules Moch, pont 33 km, 130 appuis, abandonné en 1963-64. **1980-85** projets abandonnés.

Europont. *Partenaires :* Nord-France ; Ballot SA ; FBM Construct (filiale de la Sté belge des bétons) ; Chantiers modernes ; Banque Neuflize, Schlumberger, Mallet ; Continental Trust ; ICI Fibres ; Laing International... *Coût :* 50 milliards de F dont tunnel ferroviaire 8 à 10. *Travaux :* 5 ans. *Description :* 7 travées d'env. 5 km, piles de 340 m de haut, câbles porteurs diamètre 1,40 m et suspentes en Kevlar (6 fois plus léger que l'acier). Véhicules circulent sur le pont dans un tunnel (35 km, suspendu à 70 m au-dessus de la mer : 2 niveaux de 6 voies chacun). *Débit :* 18 000 véhicules/h. **Euroroute.** *Partenaires :* Alsthom ; GTM Entrepose ; Cie Gén. Électricité ; Usinor ; Paribas ; Sté générale ; British Ship Builders ; British Steel Corporation ; John Howard ; Kleinwort-Benson ; Trafalgar House ; Barclay's Bank. *Coût :* 54 milliards de F. *Travaux :* 6 ans. *Description :* pont à haubans (câbles d'acier) côté français 7 km, anglais 8,5, portée 500 m, suspendu à 50 m. Rampes hélicoïdales de 2 km contenues dans 2 îles artificielles. Entre elles : tunnel immergé de 21 km dans une tranchée avec 2 routes à 2 voies superposées. *Vitesse autorisée (km/h) :* sur le pont 100, rampes de descente 60, tunnel 80. *Traversée :* 30 min. *Débit :* 25 000 véhicules/j dans les 2 sens. Pas d'arrêt + de 3 j par an [brouillard (visibilité – de 200 m) 72 h par an].

Trafic prévu pour 2003. Passagers (millions)/navettes 19,1 ; train 24,9 (*2013 :* 24,3 ; 30,2). Fret (millions de t) *2003 :* nav. 14,7 ; train 11,7 (*2013 :* 21,9 ; 17,4).

Participants. *Français :* Bouygues, Dumez, SAE-Borie, Sté générale d'entreprises, Spie Batignolles, Crédit Lyonnais, BNP, Indosuez. *Britanniques :* Balfour Beatty, Costain UK, Tarmac, Taylor Woodrow, Wimpey, National Westminster Bank, Midland Bank. **Présidents.** *Français :* André Bénard (19-8-1922). *Brit. :* Alastair Morton (11-1-1938), devenu vice-Pt 20-2-90. **Capital** (en %). Banques et institutionnels 44, TML 6, public 50 (soit 600 000 actionnaires dont 480 000 en France).

Tunnels japonais

Shimonoseki (1974) : 11 km. **Shin-Kanmon** : 18,7 km. *1er tunnel sous-marin du monde* (détroit de Shimonoseki entre Honshu et Kyushu). **Seikan** (1971 au 13-3-88 mise en service) : 53,85 km dont 23,3 km sous la mer à env. 240 m au-dessous du niveau de la mer et 100 m au-dessous du fond marin ; galerie de 9,7 de diamètre intérieur avec une double voie ferrée de 1,435 m + tunnel de service, 4 m de diam. intérieur (5 m extérieur). *Coût final* (1988) : 600 milliards de yens. Très contesté en 1970. *Trafic : 1989 :* 3 500 000 voyageurs.

Signalisation maritime

Moyens utilisés

Ondes lumineuses et sonores. Phares et feux : éclairage par des brasiers (feu de bois ou de houille) depuis l'Antiquité, puis à partir de la fin du XVIIe s. (1696, phares d'Eddystone, G.-B.) par des chandelles et des lampes ; en 1782, le ph. de *Cordouan* était éclairé par 80 lampes à mèche plate donnant beaucoup de fumée. En 1784, *Argand* construisit une lampe à double courant d'air (la mèche en forme de cylindre creux enfermée dans une cheminée de verre). On utilisa des lampes à huile de colza (puis à partir de 1857, à l'huile minérale). *Réflecteur :* en 1783, Teulère imagina des miroirs polis qu'il faisait tourner (système catoptrique adopté à Dieppe par Borda en 1784). En faisant varier la vitesse de rotation et la disposition des miroirs, on pouvait donner à chaque phare une « identité » particulière. Arago et Augustin Fresnel préconisèrent des lampes à mèches concentriques (jusqu'à 5 ou 6). L'électricité fut utilisée pour la 1re fois en G.-B. en 1859 (en France, en 1863, ph. de la Hève). Fresnel imposa des appareils dioptriques. Il remplaça la lentille ordinaire par une lentille à plan convexe dont la face de sortie était taillée en échelons. Ainsi les rayons lumineux formaient à la sortie de l'appareil un faisceau lumineux parallèle. La plupart des phares sont sur les côtes, d'autres sur des îlots ou des écueils immergés à haute mer [le 1er important établi ainsi fut en France le phare des Héaux de Bréhat (1836-40)].

Autres moyens. Balises, bouées, bouées-phares, avertisseurs sonores.

Ondes électromagnétiques. Radiophares maritimes, chaînes « Loran » et « Toran », « Rana », Omega différentiel, balises radar, réflecteurs radar, système Sylédis.

Phares célèbres

Légende. – Date de construction en ital. (et, entre parenthèses, date de reconstruction du bâtiment actuel). P : portée nominale en milles (par visibilité météor. de 10 milles). I : intensité en millions de candelas [le 2e chiffre : lorsque l'éclairage est assuré par lampe à arc (temps de brume)]. H : hauteur en m du foyer au-dessus de la mer (Méditerranée) ou des hautes mers (Manche, Atlantique).

■ **Cap Gris-Nez** (P.-de-C.) *1837 (1957).* P 29, I 1,3/25. H 72. **La Canche** (P.-de-C.) *1852 (1951).* P 25. I 0,92. H 53,65. **L'Ailly** (S.-M.) *v. 1775 (1958).* P 31. I 6. H 95,33. **Antifer** (S.-M.) *v. 1835 (1956).* P 29. I 3,6. H 128. **La Hève** (S.-M.) *1774 (1951).* P 24. I 0,55. H 123,2. **Gatteville** (Manche) *1775* et *1835.* P 29. II 3/6. H 72,35 ; hauteur de la tour 71 m. Guide plusieurs dizaines de milliers de navires par an. **Carteret** (Manche) *1839 (1906).* P 26. I 1. H 80,6. **Cap Fréhel** (C.-d'Armor) *1695 (1950).* P 29. I 3,6. H 85,3. **Roches-Douvres** (C.-d'Armor) *1868 (1948).* P 28. I 2. H 60. **Île de Batz** (Fin.) *1836 (1900).* P 23. I 0,35. H 69. **Île Vierge** (Fin.) *1845 (1902).* P 27. I 1,5. H 77, hauteur de la tour 75 m. **Creac'h d'Ouessant** (Fin.) *1862.* P 34. I 20. H 69,7, hauteur de la tour 47 m. Alimenté par huile minérale, puis en 1939 électrifié. 4 optiques (de 2 panneaux chacune) réparties sur 2 étages. 8 faisceaux lumineux de 20 000 000 de candelas groupés 2 à 2 de telle sorte que les navigateurs voient un groupe de 2 éclats. Lanterne 11 m de haut, 6 m de diam. ; 33 t ; haut. 55 m au-dessus du sol (75 m au-dessus des hautes mers) ; visible à 169 km de distance ; portée normale 63 km. *Projet* [décidé 1981 et abandonné le 14-5-1986 (le sol risquait de s'affaisser sous les 14 000 t de l'engin)] : phare à 40 milles (74 km) au S.-O. d'Ouessant. Spie-Batignolles aurait été retenu (13-6-1984) : tour de béton (diam. 7 m) de 70 m de haut sur plate-forme à 30 m au-dessus de la mer. *Portée :* feu et balise répondeuse de radar 25 à 30 milles (46 à 56 km) ; radiophare 100 milles aurait résisté à un courant de 2 m/s, un vent de 200 km/h et une houle de 30 m de haut, aurait permis de repousser de 25 milles au large la circulation estimée trop proche de la côte bretonne. *Coût prévu :* + de 550 millions de F (dont 160 ont été dépensés). Guide environ 50 000 navires par an. **St-Mathieu** (Fin.) *1740 (1835).* P 27. I 1,5. H 55,8. **Île de Sein** (Fin.) *1839 (1952).* P 29. I 3. H 48,9. **Eckmühl** (Fin.) *1797 (1897).* P 24. I 0,55. H 60,09. **Belle-Île** (Morb.) *1836.* P 28. I 2. H 87,25. **Île d'Yeu** (Vendée) *1829 (1950).* P 24. I 0,55. H 56. **Chassiron** (Ch.-M.) *1680 (1836).* P 28. I 2,1 H 50,1. **La Coubre** (Ch.-M.) *1905.* P 28. I 2. H 64,5. **Île de Ré** (Ch.-M.) *1854. Ph. des Baleines.* P 27. I 1,5. H 52,60. **Cordouan** (Gir.). Édifié sous Louis le Débonnaire. *1362-70 :* rebâti. *Fin XVIIe s. :* appareil à 12 grands réflecteurs paraboliques fonctionnant avec une lampe à mèche d'Argand. *1788-81 :* surélevé. *1854 :* feu à éclipes avec éclats alternatifs blancs et rouges. *1862 :* classé monument historique pour sa partie basse. *1870 :* monument historique. *1907 :* brûleur à incandescence. *1950 :* lampe électrique à 2 groupes électrogènes. *1981 :* abandonné par les Phares et Balises. *1984 :* restauré. H 60,3 ; secteur blanc P 23. I 0,35 ; rouge P 19. I 0,07 ; vert P 19. I 0,07. **Cap-Ferret** (Gir.) P 27. I 1,6. H 53,43, tour de 52 m construite 1946-47 pour remplacer l'ancienne (1840) que les Allemands avaient fait sauter en 1944. **Biarritz** (P.-Atl.) *1830.* P 29. I 3. H 73,2. **Cap Béar** (P.-Or.) *1836 (1905).* P 30. I 4,8. H 79,67. **Mont St-Clair** (Hér.) *v. 1900.* P 29. I 4. H 93,05. **Le Planier** (B.-du-R.) *1771 (1959).* P 27. I 1,3. H 67,74. **Porquerolles** (Var) *1837.* P 29. I 3. H 80. **La Garoupe** (A.-M.) *1837 (1848).* P 29. I 3. H 103,7. **La Giraglia** (Corse) *1848.* P 29. I 3. H 85,2.

■ **Phares. Le plus ancien.** *Égypte :* Alexandrie. *France :* Cordouan (Gironde), voir ci-contre. **La plus grande portée** *Empire State Building :* New York USA (mis en service 31-3-1956), haut. 332 m, 4 lampes à arc au mercure, puissance 450 millions de bougies, visible au sol à 130 km de distance, à partir d'avion à 490 km. **Le plus haut** *Tour d'acier du parc Yashimita,* Japon, 106 m, puissance 600 000 bougies, visible à 32 km. En G.-B. : *Bishop's Rock* (îles Sorlingues) et *Eddystone* sur le pas de Calais 490. **Le plus puissant du monde** *Le Creac'h à Ouessant* (Finistère) : voir ci-dessus.

■ **Sous-Direction de la Navigation maritime. Matériel géré** (au 1-1-1993). **Métropole :** 1 389 phares et feux, 22 bordures lumineuses, 32 radiophares, 11 radiobalises, 766 bouées lumineuses, 3 bouées-phares, 2 364 balises, amers et bouées non lumineuses. **DOM :** 129 ph. et feux, 7 lumineuses, 1 radiophare, 143 bouées lumineuses, 94 balises, amers et bouées non lumineuses. **TOM :** 247 ph. et f., 32 bouées lumineuses, 1 187 balises, amers et bouées non lumineuses.

■ **Effectif** (1992). 981 dont inscrits maritimes 315, contrôleurs des Travaux Publics de l'État (Phares et Balises) 273, auxiliaires 60, agents de travaux 72, ouvriers des parcs et ateliers 261.

Surveillance de la circulation maritime

Organisation. Centres régionaux opérationnels de surveillance et de sauvetage (Cross) : dépendent du ministère chargé de la Mer. Ceux de Gris-Nez, Jobourg et Corsen surveillent la circulation des navires dans les dispositifs de séparation de trafic (DST) du Pas de Calais, des Casquets et d'Ouessant et leurs abords. Ils sont plus spécialement chargés du suivi de la navigation des navires transportant hydrocarbures et substances dangereuses, qui doivent annoncer leur passage (compte rendu du navire) et signaler leurs avaries. Considérés par ailleurs comme des services de trafic maritime côtiers (STM) au sens des règles de l'Organisation maritime internationale (OMI), ils diffusent, dans leur zone, toutes informations de sécurité (avis aux navigateurs, météo, etc.) pour faciliter la navigation. Ils répondent à toutes demandes des navires, relèvent les infractions aux règles de la navigation commises dans les eaux territoriales (PV transmis aux Affaires maritimes pour renvoi devant les tribunaux maritimes commerciaux), ou internationales (PV transmis à l'État du pavillon).

Contrevenants. *Constatés : 1987 :* 2 155, *88 :* 3 200, *89 :* 2 149, *90 :* 1 613, *91 :* 1 525, *92 :* 1 464 ; *identifiés : 1987 :* 755, *88 :* 1 022, *89 :* 602, *90 :* 510, *91 :* 470, *92 :* 402. *Taux d'identification par rapport aux navires détectés : 1986 :* 43 %, *87 :* 37, *88 :* 26, *89 :* 26, *90 :* 28, *91 :* 31, *92 :* 26. **Effectif des Cross** (1992) : 240 dont aspirants, officiers mariniers et marins 196, officiers des affaires maritimes 34, civils 10.

Transports routiers

Véhicules

Quelques dates

■ Traction animale

Antiquité les véhicules à roues étaient connus (ex. Égypte, Assyrie, Phrygie). **IXe s.** l'usage des voitures disparaît quasiment (on garde animaux de selle ou de bât et litières). **Xe s.** *le collier d'épaules* améliore le rendement du cheval de trait. **XIIIe s.** l'usage des voitures revient (charrettes pour marchandises, chars non suspendus pour voyageurs). **XIVe s.** apparition d'entreprises particulières de messageries. **XVe s.** amélioration du confort (chars à chaînes ou chariots branlants dont la caisse est suspendue avec des chaînes). **XVIe s.** *1res grandes voitures de transport en commun* (coches). *1er service public* Paris-Orléans (1571). **XVIIe s.** *1er service à Paris de transport public par chaises à porteur.* Carrosses de louage. Suspension perfectionnée avec les chaises de poste, carrosse (voiture de cour), coche (moins logeable), patache, gondole, galiote (plus léger), carabas (cage d'osier à 8 chevaux). **V. 1670-1700** *berline (de Chiese)* 4 roues, 2 fonds symétriques, capote garnie de glaces. **1691** *diligence* (coche à 4 roues, suspendu et couvert, parcourant 23 lieues par jour : Paris-Lyon en 5 j l'été, 6 l'hiver). **1723** *phaéton* 4 places, voiture légère, découverte, haute sur roues. **1775** *turgotine* diligence des Messageries royales. **1820** *landau* 4 roues, 2 banquettes vis-à-vis, 2 soufflets se fermant et s'ouvrant à volonté ; *tilbury* cabriolet léger, 2 roues, découvert.

■ Véhicules à vapeur

XVe s. projet de véhicules de Léonard de Vinci et de Salomon de Caus († 1635). **1680** Newton construit un véhicule à chaudière sphérique à vapeur. **1687** *1re maquette de chariot actionné par éolipyle* (le jet de vapeur frappe une roue à aube) montrée à l'empereur de Chine par Ferdinand Verbiest, jésuite belge ; décrite dans son *Astronomia Europea.* **1769** *1er fardier automobile,* à 3 roues, du Français Nicolas-Joseph Cugnot (1725-1804), construit sur l'ordre du duc de Choiseul, aux frais du roi : 2 cylindres en bronze (long. 378 mm, diam. 325 mm). Transporte 4 personnes et parcourt 3 500 à 3 900 m à l'heure. **1771** *2e fardier* de Cugnot (visible au Conservatoire des Arts et Métiers, à Paris), vitesse env. 3,5 km/h, capacité de charge 5 t ; chaudière trop petite, le conducteur doit s'arrêter toutes les 10 min pour que la pression de la vapeur remonte ; moteur en porte-à-faux à l'avant. **1784** James Watt (1736-1819) : brevet pour une voiture à vapeur. William Murdoch (1754-1839) : brevet pour un tricycle à vapeur. **1801** *1re locomotive routière* « Traveling Engine » des Anglais Richard Trevithick Jr (1771-1833) et Andrew Vivian. **1821 et suivantes** diligences à vapeur de Julius Griffith, David Gordon, Goldworthy, Gurney [(1793-1875) ; atteint 48 km/h]. **1827** brevet du François Onésiphore Pecqueur (1792-1852) pour véhicule avec *différentiel.* **1830** Trevithick installe un petit circuit avec machine à vapeur sur rail et admet le public, moyennant finance, à exécuter quelques tours de circuit. 1re application publique de la machine à vapeur. **1835** *1er service régulier automobile* en France entre Paris et Versailles et Bordeaux-Libourne, par remorqueur routier (1 tender et 2 diligences portant chacune 42 pers. ; 12 km/h, consommant 180 kg de coke à l'heure) Charles Dietz (1801-88). **1855** Lotz, Cail, Albaret : construction de locomotives routières. **1861, 1865** *locomotives Acts* en G.-B., les loc. à vapeur ne peuvent rouler à plus de 6 km/h en campagne (3 en ville), un homme à pied agitant un drapeau rouge doit les précéder. **1866** routière de Lotz, 8 t, 16 à 20 km/h. **1868** 1re voiture de Ravel (1832-1908) avec chaudière chauffée au pétrole. **1870** un tracteur à vapeur (firme Aveline et Porter, G.-B.), mieux suspendu, peut remorquer 33 t à 7,5 km/h. **1872-83** constructions d'Amédée Bollée (1844-1917). **1872** un char à vapeur l'« *Obéissante* » 4 cyl. groupés 2 à 2, poids (en charge + 12 voyageurs) 4,8 t, vitesse 20 km/h. **1878** la « *Mancelle* » 4 cyl. verticaux (musée de Compiègne). **1879** la « *Marie-Anne* » locomotive routière de 28,3 t, vitesse 10 km/h, voyage dans le S.-O. et Pyrénées. **1880** omnibus fermé, conduite intérieure, roues indépendantes la « Nouvelle ». **1881** la « *Rapide* ». **1885** le « *Mail coach* » pour le Mis de Broc. Tous ces véhicules ont participé à des démonstrations à l'étranger (Autriche, Italie, Russie). Ses 3 fils Amédée, Léon et Camille se consacreront à la voiture à pétrole. **1884** tricycle (à vapeur) du Mis Albert de Dion-Wandonne de Malfiance (1856-1946), de Trépardoux (1853-?) et Georges Bouton (1847-1938). **1885** tricycle de Merelle à roue motrice. Camion à vapeur qui peut transporter 5 t, de Trépardoux. Quadricycle à roues arrière directrices et transmission par courroie de Dion, Bouton, Trépardoux. **1887** tricycle de Léon Serpollet (1858-1907) avec serpentin. **1889** voiture de Serpollet, qui obtient du préfet l'autorisation de circuler avec. **1895** *1er phaéton à vapeur* (4 places) de Dion, Bouton. **1897** concours des Poids lourds qui révèle le train *Scotte* (1848-1934) avec remorque (ancêtre de nos semi-remorques) pouvant transp. 40 voyageurs ou 12 t, et le tombereau *Thornycroft* à benne basculante. **1902** Serpollet atteint 120,805 km/h. **1906** *dernier record homologué de vitesse* 196,650 km/h par Marriott sur Stanley (USA). Moteurs à pétrole remplacent la vapeur. **1923-31** Abner Doble (USA) ; série E 4 cyl. de 3,5 l, 150 km/h, accélération de 0 à 120 km/h en 10 sec. Le moteur à explosion prend l'avantage et la vapeur n'est plus utilisée que pour des camions : Purrey, Valentin et De Dion-Bouton en France, et une demi-douzaine de constructeurs brit. dont Alley-Mc Lellan qui produira son modèle Sentinel jusqu'en 1950. **1968-72** projets étudiés (USA) : la vapeur économiserait 39 % du carburant en ville, serait plus silencieuse et moins polluante. **1985** *19-8* record 234 km/h par Robert Barber sur Steamin' Demon no 744 (Grand Lac Salé, Bonneville, Utah, USA).

Véhicules électriques

1880-81 *Charles Jeanteaud* (1843-1906), qui créera le terme *limousine* pour les voitures fermées, *C. Faure, G. Trouvé* (1839-1902) et *N.-J. Raffard* (1824-98) réalisent de petits véhicules (accumulateurs et piles) à faible rayon d'action. **1894** Amérique : l'« Électrobat », surtout utilisée comme fiacre. **1895** break 6 pl. de Jeanteaud prend part à la course Paris-Bordeaux (sans grand succès). Divers essais par *Darracq, Lenain, Mildé* et surtout *Louis Krieger* (1868-?) [jusqu'en 1910 (création de centres de recharge d'accumulateurs), construction de fiacres et voitures de maître]. **1895-1900** Angleterre : quelques essais : *Gerard* et *Blumfield, Haddan, Voughan, Bessey, Hart.* **1899** record de vitesse de Chasseloup-Laubat (95 km/h), battu par Camille Jenatzy sur la « *Jamais-Contente* », construite en partinium (aluminium laminé) et carrossée par Rothschild (105,88 km/h) (près de Paris). **1903** France : voiture mixte, moteur pétrole et dynamo l'« Électrogénia » ; Allemagne : la Lohner Porsche, même système. **V. 1911** des *taxis électriques* circulent à Londres et à Paris puis disparaissent. La voiture électrique, trop coûteuse (entretien, recharges), ne servira plus que pour des transports en commun ou des transports utilitaires. **1940-45** utilisation de petits véhicules électriques en France occupée [Mildé, Satam, Faure, Peugeot, et l'« Œuf » de P. Arzens (n. 1903)]. **Depuis 1945** petits véhicules urbains, mais poids des accumulateurs trop lourd (30 % du poids de la voiture) ; des petits chariots sont utilisés en usine et à la SNCF. **1990** *avril PSA* commercialise des véhicules utilitaires (Peugeot J5, fourgonnette C15) en série ; vitesse 70 km/h, autonomie 100 km, prix 129 700 F HT + 27 800 F de batteries et 10 500 F de chargeur ; coût supérieur de 30 % au diesel. *Nippon Steel NAV* (Next Generation Advanced Electric Vehicle) 110 km/h, autonomie 240 km. BMW 325 I 100 km/h, autonomie 300 km. *Jeanneau Microcar* a livré fin 1992 1 300 voitures électriques à la Sté suisse Willy. **1995 (prév.)** 1re voiture électrique grand public : *Peugeot 205* ou *Citroën AX.*

Principaux modèles (1993). BMW *E2* (autonomie de 200 km, rechargeable en 2 h, batterie au sulfate de Sodium. **Citroën :** « *AX électrique* » (90/160 km) ; « *Citela* » (110 km en ville, 200 sur route si vitesse non supérieure à 40 km/h, rechargeable : autonomie de 2 km par minute de charge, batterie au Cadmium-Nickel). **Fiat** « *500 Elettra* » (100/150 km, 80/85 km/h, batterie Plomb-gel ou Cadmium-Nickel). **Erad** « *Agora* » (100 km, 80 km/h, batterie au Plomb « Oldham » rechargeable en 8 à 10 h durant 4 ans). **Ligier** « *Optima Sun* » (100 km à 50 km/h, 50 km à 100 km/h ; max. 105 km/h, 14 batteries à Plomb-gel). **Jeanneau** *Microcar* « *Lyra Electric* » (75 km/h). **Peugeot** *106.*

Véhicules avec moteur à gaz ou à pétrole

1805 *1re automobile à moteur à explosion* (hydrogène), Isaac de Rivaz (Suisse). **1826** *mai 1er véhicule à combustion interne* construit par le Londonien Samuel Brown (brevet 5 350, 25-4-1826) ; moteur 2 cylindres de 88 l à gaz atmosphérique, 4,05 CV. **1860** brevet *Étienne Lenoir* (1822-1900) [moteur à gaz, allumage électrique monté sur une voiture en 1863]. **1862** mémoire d'*Alphonse Beau de Rochas* (1815-93) énonçant le principe du cycle « 4 temps ». **1876** Nicolas Otto (1832-91, All.) construit un moteur à gaz 4 temps qu'il doit abandonner n'étant pas détenteur des brevets. **1883** un break, sur lequel est monté un moteur à pétrole d'*Édouard Delamare-Deboutteville* (1855-1901) et *Léon Malandin,* effectue, près de Rouen, quelques parcours sur route (brevet du 12-2-1884 de moteur à essence adapté aux véhicules). **1884**-*12-2* brevet de moteur à gaz Delamare-Deboutteville. **1885-86** *Allemagne* (Mannheim), *Karl Benz* (1844-1929) construit un tricycle châssis tubulaire, moteur à pétrole, 4 temps, vitesse 13 à 16 km/h. Sa femme Bertha et ses fils l'utilisent à son insu et parcourent 200 km sur route. A Cann statt, *Gottlieb Daimler* (1834-1900) monte sur un break son moteur à 1 CV, 4 temps, 750 tours/min, puis un 2-cylindres 1 CV, 6 (quadricycle) Stahlradwagen. Essais concluants sur route. *France : Émile Roger* (1850-97), agent de Benz, monte des voitures à Paris, y apporte quelques améliorations, mais la vente marche mal. Représentants en France de Daimler, Édouard († 1887) et Louise Sarrazin (qui, veuve, épousera É. Levassor en 1890) font adopter ces moteurs par *René Panhard* (1841-1908), *Émile Levassor* (1844-97) et *Armand Peugeot* (1843-1915). **1888** *Félix Millet* fait breveter un moteur rotatif Seyl adapté à la roue arrière d'un vélocipède et réalise *la 1re moto.* **1889** moteur vertical, 4 cyl. monobloc, soupapes en tête, de *Fernand Forest* (1851-1914). **1891** 1er brevet de pneu démontable : *Édouard* (1859-1940) et *André* (1853-1931) *Michelin,* améliorant le pneu de l'Irlandais *Dunlop* qui, 2 ans avant, avait repris l'invention de l'Anglais *Thomson* (1845), des bandages à air, collés sur les jantes. *Espagne : Fr. Bonnet* construit des Tricars. *Amérique :* voiture légère des frères Nadig sans succès (mauvais état des routes). *Janvier* É. Levassor essaie une voiture 4 places dos à dos, moteur central Daimler 2 CV, 2 cylindres en V (usine P. & L. : Panhard et Levassor), 1 tonne. *2-4* voiture Peugeot no 2, moteur Daimler, fabriquée par P. & L. sous licence. P. & L. sort 5 voitures à 2 places « type 2 », 735 kg, moteur avant, dites le « crabe ». *Sept.* Peugeot « type 3 », partie de Valentigney, suit la course cycliste Paris-Brest-Paris et retourne à Valentigney : 2 047 km en 139 h à 14,7 km/h de moy. **1892** brevet Rudolf *Diesel* (Paris 1858/20-9-1913, suicide ?) pour moteur à allumage par compression. Peugeot vend 29 voitures et P. & L. 19. **1893** De Dion fait breveter son pont arr. à double cardan transversal. *Henriod* construit (en Suisse puis en Fr.) plusieurs petits véhicules et *Egg* une voiture à moteur Benz avec transmission à rapport variable (actuellement, Variomatic Daf). *Belgique :* Benz construite sous licence la « Dasse ». **1894** *France : 1re revue* consacrée à l'automobile, la « Locomotion

Records automobiles

Date	Pilote (Voiture)	Km/h
	Voitures électriques	
1898-18-12	G. de Chasseloup-Laubat (Jeantaud) [a]	63,158
1899-17-1	C. Jenatzy (CITA) [a]	66,667
-17-1	G. de Chasseloup-Laubat (Jeantaud) [a]	70,312
-27-1	C. Jenatzy (CITA) [a]	80,357
- 4-3	G. de Chasseloup-Laubat (Jeantaud) [a]	92,783
-29-4	C. Jenatzy (CITA) [a]	105,882
	Voitures à pétrole (sauf celles mentionnées à vapeur)	
1902-13-4	L. Serpollet (Gardner-Serpollet) (vap.) [b]	120,805
- 5-8	W.K. Vanderbilt (Mors Z) [c]	122,449
- 5-11	H. Fournier (Mors Z) [d]	123,287
-17-11	Augières (Mors Z) [d]	124,102
1903- 7-3	C.S. Rolls (Mors Z) [e]	133,333
-17-7	A. Duray (Gobron-Brillié) [f]	134,328
juillet	Baron de Forest (Mors Dauphin) [g]	136,338
oct.	C.S. Rolls (Mors Dauphin) [e]	136,363
- 5-11	A. Duray (Gobron-Brillié) [d]	136,363
1904-12-1	H. Ford (Ford) [h]	147,014
-27-1	W.K. Vanderbilt (Mercedes) [i]	148,510
-31-3	L. Rigolly (Gobron-Brillié) [b]	152,542
-25-5	Baron P. de Caters (Mercedes) [f]	156,522
-21-7	P. Baras (Daracq) [f]	163,636
-21-7	L. Rigolly (Gobron-Brillié) [f]	166,666
-13-11	P. Baras (Darracq) [f]	168,224
1905-24-1	A. Macdonald (Napier) [i]	168,381
-25-1	H.L. Bowden (Mercedes) [i]	174,757
-31-1	H.L. Bowden (Mercedes) [i]	174,757
-15-11	F. Dufaux (CH-Dufaux) [j]	156,522
-30-12	V. Hémery (Darracq V 8) [j]	174,757
1906-23-1	V. Hémery (Darracq V 8) [i]	185,567
-26-1	F. Marriott (Stanley) (vap.) [i]	195,652
1909- 8-11	V. Hémery (Benz) [k]	202,631
1910-23-3	B. Oldfield (Benz) [i]	211,267
1911-23-4	R. Burman (Benz) [i]	226,700
1919-12-2	R. De Palma (Packard) [i]	242,261
1920-27-4	T. Milton (Duesenberg) [i]	250,000
1922- 6-4	S. Haugdahl (Wisconsin) [i]	260,869
1926-27-4	J.G. Parry Thomas (Thomas Special) [l]	272,459
-28-4	J.G. Parry Thomas (Thomas Special) [l]	275,229
1927- 4-2	M. Campbell (Napier-Campbell) [l]	288,578
-29-3	H.O.D. Segrave (Sunbeam) [i]	326,679
1928-19-2	M. Campbell (Napier-Campbell) [i]	333,063
-22-4	R. Keech (White) [i]	334,023
1929-11-3	H.O.D. Segrave (Irving-Napier) [i]	369,041
1931- 5-2	M. Campbell (Napier-Campbell) [i]	418,721
1933-22-2	M. Campbell (Campbell-R.-Royce) [i]	438,291
1935- 7-3	M. Campbell [i]	485,750
- 3-9	M. Campbell (Campbell-R.-Royce) [m]	484,518
1937-19-11	G.E.T. Eyston (Thunderbolt) [m]	502,442
1938-27-8	G.E.T. Eyston (Thunderbolt) [m]	555,555
-15-9	J.R. Cobb (Railton) [m]	563,380
-16-9	G.E.T. Eyston (Thunderbolt) [m]	575,080
1939-23-8	J.R. Cobb (Railton) [m]	595,041
1947-16-9	J.R. Cobb (Railton Mobil Special) [m]	672,470
1960- 9-9	M. Thompson (Challenger I) [m]	
1964-17-7	Donald Campbell (Blue Bird Proteus) [1, n]	690,909
- 5-10	A. Arfons (Green-Monster) [m]	699,029
-13-10	C.N. Breedlove (Spirit of America) [m]	754,170
-15-10	C.N. Breedlove (Spirit of America) [m]	846,784
-27-10	A. Arfons (Green-Monster) [m]	875,699
1965- 2-11	C.N. Breedlove (Spirit of America) [m]	893,966
- 7-11	A. Arfons (Green-Monster)	921,423
-12-11	Robert S. Summers (Goldenrod) [2, m]	673,516
-15-11	C.N. Breedlove (Spirit of America I) [4, m]	988,129
1967-2-11	Bob Herda (Herda-Knapp-Milodon) [7, m]	575
1970-23-10	Gary Gabelich (Blue Flame) [3, m]	1 001,473
1979-17-12	Stan Barrett (Budweiser Rocket) [5, o]	1 190,377
1983-4-10	Richard Noble (Thrust 2) [6, p]	1 019,4

Nota. – (1) **Plus grande vitesse atteinte par une voiture à roues motrices :** 690,909 km/h sur une lancée de 609,342 m. Blue Bird : long. 9,10 m, 4 354 kg, vitesse de pointe 716 km/h, *moteur à turbine* à gaz Bristol Siddeley Proteus 705, développant 4 500 CV. (2) **Plus grande vitesse atteinte par une voiture à moteur à piston :** 673,516 km sur une lancée de 609,342 m à bord de Goldenrod (long. 9,75 m, 2 500 kg, propulsée par 4 moteurs à injection Chrysler Hemi de 27 924 cm³, développant 2 400 CV). (3) **Record officiel :** voiture à 4 roues, moteur fusée alimenté par du gaz naturel liquide et du peroxyde d'oxygène, produisant 9 980 kg en poussée statique maximale. Peut théoriquement atteindre 1 450 km/h. (4) Voiture sur une lancée de 609,342 m, long. 10,50 m, 4 080 kg, moteur à réaction General Electric J 79 GE-3 développant 6 080 kg au niveau de la mer. (5) **Plus grande vitesse atteinte par un véhicule à roues :** 1 190,377 km/h (Mach 1,0106), record non homologué officiellement. Moteur fusée de 48 000 CV, poussée supplémentaire fournie par missile latéral de 3 000 kg. (6) Turboréacteur. (7) Record roue motrice, moteur à 1 seul cylindre.

Lieu. (a) Achères. (b) Nice. (c) Ablis. (d) Dourdan. (e) Clipstone. (f) Ostende. (g) Dublin. (h) Lake St. Clair. (i) Daytona. (j) Arles. (k) Brooklands. (l) Pendine. (m) Bonneville (Gd Lac Salé, Utah). (n) Lake Eyre (Austr.). (o) Edwards (Calif.). (p) Black Rock (Nevada).

■ **Raids automobiles au Sahara et en Afrique.** **1916** tentative de jonction **Ouargla-In Salah** (Gal Laperrine), insuccès. **1919 Saouara-Tidikelt** (Cdt Battembourg), automitrailleuses. **1920 Ouargla-le Hoggar,** 30 camionnettes au départ, 3 à l'arrivée. **1922/23 1re mission Citroën :** traversée du Sahara (16-12-22 Touggourt- 7-1-23 Tombouctou et retour le 7-3-23 par le Hoggar et le Tanezrouft après 7 000 km de désert), Georges-Marie Haardt (1884-1932) et Louis Audouin-Dubreuil (1887-1960) (autochenilles Citroën 10 CV à propulseur Kégresse-Hinstein). **1923 Touggourt-Tozeur** (mission Schwol) sur Renault 6 roues. **1924/25 2e mission Citroën (Croisière noire) :** Colomb-Béchar 28-10-24- Le Cap-Madagascar, Haardt et Audouin-Dubreuil (autochenilles Citroën-Kégresse). Le 17-4 à Kampala se sépare en 4 groupes de 2 autochenilles. Groupe I atteint Mombasa 18-5, II Dar es-Salaam 15-5, III Beira 19-6, IV Le Cap 1-8. Les I et III arrivent à Madagascar le 18-6, le IV en août. **1924 Alger-Niger** (Lt Estienne et Gradis) sur Renault 6 roues. **Conakry-Djibouti** (mission Tranin-Duverne) sur 10 CV Rolland-Pilain. **1925 Tunis-le Tchad** (Cel Courtot). **1925/26 Oran-Le Cap** (Cdt et Mme Delingette) sur Renault. **1926 1re liaison Alger-Tombouctou** par 3 camions Berliet. **Paris-le Tchad** en 18 j (Lt Estienne) sur 6 CV Renault. **1929 Alger-l'AOF** et retour (Lt Loiseau) sur Bugatti. **1930 1er Rallye automobile saharien** (Alger-Gao-Tamanrasset-Alger). **Après 1930** les « Cies Sahariennes » et la « Sté Algérienne de transports tropicaux » traversent régulièrement le Sahara. De nombreuses voitures particulières effectuent chaque année la traversée du Sahara (route Gradis ou route du Hoggar). **1978** Thierry Sabine (1949-86) reprend l'idée d'un raid africain et organise le **1er Paris-Alger-Dakar,** internat., ouvert aux autos, motos, camions.

■ **Autres grands raids importants. 1907 Pékin-Paris,** départ juin ; sur 5 voitures, 3 arrivent et 2 renoncent [Spyker (holl.) et Mototri] ; 1re Itala, 4 cyl., 7 433 cm^3, 45 ch, vit. max. 100 km/h, 33 l aux 100 km, boîte de vitesses à 4 rapports, roues avec rayons en bois type artillerie et pneus Pirelli 935 × 135 (Pce Scipion Borghèse arrive 10-8 après 16 000 km en 44 j) et 2e de Dion 12 ch. **1908 New York-Paris** (San Francisco-Vladivostok-Moscou-Berlin-Paris), 6 voitures au départ, 2 à l'arrivée. **1927 Rio de Janeiro-La Paz-Lima** (M. et Mme Courteville) sur Renault 6 roues. **1931/32 3e mission Citroën (Croisière jaune).** Groupe « Pamir » (Haardt-Audouin-Dubreuil) : départ 4-4-1931 de Bir Hassen à 5 km de Beyrouth vers le Tibet. Groupe « Chine » (Lt de Vais, Victor Point, 1902-32) : départ de Tien-Tsin 6-4-31 vers le Tibet. Les 2 gr. se retrouvent le 8-10-31 à Aksou et d'Ouroumtsi regagnent ensemble Pékin le 12-2-1932 après 12 115 km. Décès de G.M. Haardt le 16-3-32 à Hong Kong. Traversée Indochine et embarquement sur bateau de la mission pour retour en Fr. le 4-4-1932 (autochenilles C4 et C6 Citroën-Kégresse). **1936 Buenos Aires-Caracas** (par l'Équateur et la Bolivie) (H. Carton de Wiart) sur Ford V 8. **1987**-*4-2 au 1-4* Pierre d'Arenberg et Alexis Corneille rallient les points extrêmes du continent américain (Prudhoe-Bay, Alaska/La Pataia, Ushuaia, Argentine) en Land-Rover (29 500 km en 56 j 12 h et 27 min). **1988**-*12-7/12-9* **Paris-Pékin,** 25 voitures, organisé par A. Lafeuillade et P. Jouhandeaux.

automobile ». Benz abandonne le tricycle et présente une 4-roues, la « Viktoria ». *Amérique :* les frères Duryea fondent la 1re usine autom. à Peoria. Daimler cède sa licence aux Anglais. **1894-1903** *France :* grandes courses sur route : *1894* Paris-Rouen. *1895* Paris-Bordeaux-Paris (1 175 km ; 1er Levassor, moyenne 24,077 km/h ; participation d'une voiture à bandages pneumatiques Michelin. *1896* Paris-Marseille-Paris. *1897* Marseille-Nice et La Turbie, Paris-Dieppe. *1898* Paris-Amsterdam-Paris. *1899* Tour de France, Paris-Bordeaux. *1900* Paris-Toulouse-Paris. *1901* Paris-Berlin. *1902* Paris-Vienne 1er Marcel Renault sur R 4 cylindres 26 ch. *1903* Paris-Madrid (arrêté à Bordeaux en raison de nombreux accidents : mort de Marcel Renault). **1895** De Dion-Bouton construit un *moteur à pétrole* à « grande vitesse » (1 500-3 000 tours), à allumage à trembleur commandé, graissages pression, embrayage à plateau ; ce moteur est vendu à de nombreux constructeurs naissants (Renault, Delage, Barré, etc.). *1er tricycle de Dion :* moteur Daimler à 4 temps, 3/4 de cheval à allumage électrique, construit jusqu'en 1902 à 15 000 ex. et copié ou fabriqué sous licence dans de nombreux pays. *Fondation du 1er club auto ACF* (Automobile Club de Fr.). *1re exposition de véhicules à moteurs,* organisée par ACF au Champ-de-Mars.

1896 *Léon Bollée* (1870-1913) baptise « Voiturette » son Tricar. *Paul Decauville* [1846-1922, constructeur de chemin de fer à voie étroite (40 ou 60 cm)] sort une « voiturelle » à roues avant indépendantes. Ampoule à iode. *Russie :* Yakovlev-Freze : peut être équipée de skis ; Puzyrev. *Autriche :* Graf und Stift : à roues avant indépendantes (devient plus tard la firme Tatra). *Angleterre :* la liberté de circulation est rendue aux automobilistes qui fêtent l'événement par le 1er Londres-Brighton (nov. 1896). *P.-Bas :* Simplex, l'Eysink et (en 1902), Spyker qui participe au Pékin-Paris. *Danemark :* Hammel (on doit tourner son volant à droite pour aller à gauche et vice versa), Brems. *Suède :* Vabis, solide voiture qui, en 1911, entre dans le groupe Scania-Vabis-Saab. *Italie :* Welleys (brevets Ceirano et Faccioli) et Lanza, rachetées 1899 par Giovanni Agnelli qui fonde la Fiat. **1897** *1er arrêté réglementant la circulation des autos en France.* **1898** turbocompresseur de suralimentation : Paul Daniel. *1er Salon de l'auto,* organisé par l'ACF aux Tuileries (à partir de 1901, au Gd Palais). **1899** brevet pour boîte de vitesses avec « prise directe » de *Louis Renault* (1877-1944), montée sur sa 1re voiturette de 1898. *1er « ralentisseur »* par frein-moteur sur échappement (en usage encore avec les moteurs Diesel routiers) ; *1re conduite intérieure* (Renault). Essor de la presse automobile. *Marius Berliet* (1866-1949) Lyon, atelier de construction de voitures de tourisme.

1900 nombreux congrès intern. (Paris, Londres, Bruxelles) pour régir la circulation automobile. *France :* nombreux concours (voitures, poids lourds, carburant, alcool). *G.-B. :* Napier émerge en gagnant les 1 000 miles, suivi par Austin, Wolseley, Sunbeam, Singer, Vauxhall, Humber. *Amérique :* démarrage rapide après les exploits sur route de Winton et Packard. *Allemagne :* Daimler meurt ; son ingénieur Maybach (1846-1929) et Jellinek vendent les voitures sous le prénom de sa fille, *Mercedes. 1er guide Michelin.* **1900 à 1908 Ère des circuits : 1900-05** coupe Gordon-Bennett (gagnée 4 fois par Fr., 1 fois par G.-B., 1 fois par Allem.). *France :* circuit des Ardennes (1902-08) ; Gd prix ACF (1906-08) ; coupe en voiturettes (1905-08) ; courses de côte de : Gaillon (1899-1908), Château-Thierry (1902-08), Mt Ventoux (1902-08). *Italie :* circuit Brescia (1904-05) ; Targa-Florio (1906-07-08) ; Targa-Bologne (1908). *G.-B. :* Tourist Trophy (1905-08). *Amérique :* Gd prix d'Amér. (1908) ; meeting de Floride (1905-08) ; coupe Vanderbilt (1904). **1901.** *USA :* Ransom E. Olds, autos à la chaîne (425 construites en 1901, 2 500 en 1902). **1902** *1er moteur 8 cyl. en ligne* par CGV et *1er moteur 8 cyl. en V* par *Clément Ader* (1841-1925) monté sur une voiture. Freins à disque brevetés par *F.W. Lanschester* (G.-B.). *L. Boudeville* (1887-1950) invente la magnéto haute tension construite par *R. Bosch* (1861-1942). **1903** *train routier* [(inventé par le Cel Charles Renard (22-11-1847 ; suicide 13-4-1905) et construit par la Sté Surcouf, utilisé quelques années dans l'armée)] exploité dans plusieurs dép. dont ligne Remiremont-Plombières en 1906 : *tracteur* à moteur de 50 ch et 3 remorques motrices (par transmission de la force du moteur à l'aide d'un arbre articulé) reliées entre elles et au tracteur par un arbre de direction, pouvant transporter 36 t à 16-20 km/h, peu maniable (long. 22,50 m). **1904** *1re voiture « à pétrole » pourvue de freins* (à air comprimé) sur les 4 roues (voiture Charley sur châssis Mercedes). **1905** *suspension pneumatique* avec coussins d'air gonflables : brevet Bernard et Patoureau (utilisée pour des véhicules de transport de pianos Pleyel). **1906** *transmission automatique* avec convertisseur hydraulique (voitures et camions Turgan). **1907** 1re expo. rétrospective à l'occasion du Xe Salon. **1908** *1-10* les usines Henry Ford (1863-1947) créées 1902 sortent le *modèle T :* 4 cyl., 3 litres, 21 chevaux au frein à 1 500 tours/min, vendu 825 $, version luxe 875 $, baisse à 490 $ (1914), 360 (1916), 260 à 290 (1924), surnommée *la flivver* (qui sera fabriquée jusqu'au 26-5-1927 à 15 456 868 ex.) construite avec chaîne en mouvement (1 voiture en 93 min au lieu de 1 j 1/2). *1ers essais de goudronnage des routes* (difficultés d'adhérence au sol). **1910** *allumage par batterie bobine allumeur* (Delco) présenté aux USA par Kettering. **1911** *1er freinage sur les 4 roues.* **1912** frein à main sur Isotta Fraschini. **1914** les industries *Klaxon* déposent le nom de leur avertisseur sonore.

1919 *1ers freins à commande hydraulique :* Lockheed. Création de nouvelles firmes : *André Citroën* (1878-1935) reconvertit une usine d'obus qu'il a construite en 1915 quai de Javel à Paris et sort la *Type A* en mai, présentée au public le 4-6 [10 HP : 1re voiture européenne construite en grande série, torpédo 4 places, 3 portes, 8 ch, 4 cylindres en ligne, 1 327 cm^3, 18 ch à 211 tr/min, largeur : 1,41 m, hauteur (capote fermée) : 1,75 m, 810 kg à vide, vitesse 65 km/h, consommation 7,5 l aux 100 km ; existe aussi en conduite intérieure 4 places (1 938 véhicules produits) ; prix de lancement : 7 950 F (oct. 1919 : 12 500 F) ; de 1919 à 1921, 24 093 vendues]. *G. Voisin* (1880-1973), *Amilcar, Farman, Fonck, Salmson.* **1921** *B2 Citroën* (20 ch, 1 452 cm^3, 9 ch, 72 km/h). En 1923, 89 841 ex. de B2 + *la caddy* (3 places en trèfle ; 300 ex.). **1922** *5 CV Citroën* [torpédo 2 places jaune clair, appelée la Petite Citron, puis cabriolet (1923) et en trèfle (torpédo 3 places, 1925). 5 ch, 4 cylindres, 856 cm^3, 11 ch à 2 100 tr/min, longueur 3,20 m, larg. 1,40 m, haut. (capote levée) 1,55 m, 543 kg à vide, vitesse max. 60 km/h, consommation 5 l aux 100 km ; 80 759 ex. vendus. **1922-26** freinage hydraulique sur une *Duesenberg.* **1922-33** aux Grands Prix de vitesse organisés, Bugatti et Delage triomphent, puis Alfa-Romeo, Mercedes, Maserati. **1923** pneu « confort » basse pression, abandon des pneus à talon gonflés à 3 kg. **1924** *1re carrosserie « tout acier »* (Citroën B 10). **1926** l'ingénieur Jean-Albert *Grégoire* (1899-1992) présente une *traction avant* « Tracta », munie de joints homocinétiques permettant le braquage et entraînant les roues avant, même à grande vitesse. Daimler et Benz fusionnent pour devenir Mercedes. **1927** *B 14 Citroën* (B 14 F) avec servo-frein, devenue *B 14 G* en 1928. Production : 119 467 exempl. **1928** autoradio Citroën. **1930** *roues avant indépendantes* sur les voitures de grande série. **1932** *5-3/29-4* 136 000 km en 54 j à 104 km/h : record du monde de distance et vitesse. **1933** *carrosseries aérodynamiques. 8 CV (Rosalie) :* 1 452 cm^3, 32 ch à 3 200 tr/min, long. 4,24 m, larg. 1,62 m, haut. 1,67 m, 1 165 kg, 90 km/h, production 38 835 ex. **1934** *7 CV Citroën* (présentée 21-3) *traction avant avec caisse autoporteuse* [brevet Andreau (1890-1963)], *monocoque (disparition du châssis,* vendue 17 700 F), 1 303 cm^3 (72 × 80 mm), 32 ch à 3 200 tr/min, long. 4,45 m, larg. 1,62 m, haut. 1,52 m, empattement 2,91 m, 900 kg, vitesse 100 km/h, consommation 9 l aux 100 km, suivie de la *11 légère* (mai 1934, 1 911 cm^3, 4 cyl., puiss. 46 ch à 3 800 tr/min), *11 normale* (rallongée de 20 cm, ensuite de 12 cm, août 1934), *11 performance* (le moteur donne 10 ch de plus, mars 1939), *15 six* (6 cylindres, avril 1938, 2 867 cm^3, 16 ch fiscaux, puiss. max. 77 ch à 3 800 tr/min, 3 vitesses, 1 280 kg, vitesse de pointe 130 km/h), *15 hydropneumatique* (avril 1954) ; la fabrication des tractions cessera le 25-7-1957 ; en 33 ans 758 857 avaient été construites [dont G.-B. (à Slough) 26 800, Belg. 31 750]. **1936** *Volkswagen Coccinelle* (arrêtée 1978 en All. et 1985 dans le monde. + de 19 millions vendues). *Simca 5,* réplique de la Fiat 500 Topolino. *1re voiture de tourisme à moteur diesel, 1re suspension indépendante* (limousine 260 D Daimler, 4 cyl., 45 ch, 95 km/h). **1938** *Simca 8.* **1939**-*2-9 1re 2 CV Citroën* sort de la chaîne à 12 h, h de la déclaration de guerre. **1940** *gazogènes* en France (à cause des restrictions d'essence). **1946** *4 CV Renault* (1re voiture française vendue à + de 1 000 000 d'exemplaires, la 1 105 543e et dernière sortira le 6-7-1961). **1947** *Panhard Dyna* 3,82 m, 650 kg, carrosserie aluminium, cyl. à plat 610 cm^3 refroidi par air, 24 ch. **1948**-*7-10* la *2 CV Citroën* est présentée au Salon de l'auto à 185 000 F (le tiers du prix de la 4 CV) ; en 1949 elle sera à 228 000 F. 375 cm^3 (puis 425, 435 et 602 cm^3), 2 cylindres à plat opposés, sans joint de culasse et sans distributeur d'allumage, 9 ch à 3 500 tr/min (33 ch à 7 000 tr/min sur la 2 CV6 1969), refroidissement par air, 4 vitesses, suspension à interaction longitudinale avant-arrière sur roues indépendantes, long. 3,78 m, larg. 1,48 m, 495 kg, 65 km/h (110 en 1969), 4,5 l aux 100 km. Conçue en 1935 sous le nom de code TPV (toute petite voiture) comme une voiture « pouvant transporter 2 cultivateurs en sabots, 50 kg de pommes de terre ou un tonnelet à 60 km/h pour une consommation de 3 l aux 100 km ; son prix devra être inférieur au tiers de celui de la traction avant 11 CV ; le point de vue esthétique n'a aucune importance » (*production annuelle dans les années 1960 :* + de 150 000, *1968* 57 473, *1974* + de 150 000, *1988-juillet 90* n'est plus fabriquée qu'au Portugal, à Mangualde (85 par j de 39 800 à 44 800 F), la dernière sort le 27-1-90 ; *production totale* 7 millions (avec ses dérivés : fourgonnette, Dyane, Méhari). *1er pneumatique à carcasse radiale* sur Citroën 11 BL. *Oct. Morris Minor* 3,80 m, 860 ou 1 100 cm^3, 4 cyl., 1re voiture angl. fabriquée à 1 million d'ex. *Dauphine Renault* 5 CV, 845 cm^3, 630 kg, vitesse de pointe 116 km/h. **1949** modèles *203 Peugeot* (dernière en févr. 1960), *Frégate Renault, Vedette Ford, Simca-Aronde* (devenue Chrysler puis Talbot) : 7 CV, 1 221 cm^3, 625 000 F, vit. de pointe 125 km/h, moy. sur 100 km 100 km/h (1953), 113 km/h (1957). **1950** *Simca 8-1200,* 220 cm^3, 40 ch. *1re carrosserie plastique* de Darin (USA) sur Alpine A 106. **1951** *camion à turbine à combustion* (1er prototype, Laffly). Emploi étendu de l'aluminium (moteurs). Allègement des véhicules. Aérodynamisme plus poussé. Direction et conduite plus douces. Boîte synchronisée. Boîte automatique *(Fluid Drive)* et direction assistée. Pneumatique cramponné. Servofrein sur Chrysler. **1952** moteur V6 à 60°, cyl. 2,5 l. **1953** amortisseur à gaz de M. de Carbon. Injection mécanique de Bosch sur *Mercedes 300 SL.* **1954** *Panhard Dyna Z,* 4,54 L × 1,67 l,

848 cm³, 42 ch, 130 km/h. *Ceinture de sécurité* proposée par Pegaso (Esp.). Suspension hydropneumatique sur dernières *Traction 15/6.* **1955** *DS 19 Citroën,* 11 CV, 1 911 cm³ (2 347 en 1972 sur la DS 23), 4 cyl., puiss. 75 ch à 4 500 tr/min (141 à 550 sur la DS 23 à injection de 1972), suspension hydropneumatique. *DS 23 à injection :* long. 4,80 m, larg. 1,79 m, haut. 1,47 m, 1 125 kg, 140 km/h, 10 l aux 100 km. Disparition des marques avec « longs capots » (Hotchkiss, Talbot, Delahaye, Delage, Salmson). *403 Peugeot* vitesse pointe 133 km/h. Frein à disque sur *Jaguar XK 140.* **1956** *Ariane Simca, Dauphine Renault.* **1957** *Vedette Versailles Simca* moteur V8 de 3 l. **1958** Allem. de l'Est *Trabant* (2 temps) 3 millions fabriquées (dernière 21-5-1990). **1959** (26-8) *1re mini Austin* conçue par Alec Issigonis, *1re traction avant à moteur transversal,* boîte de vitesses dans le bas moteur, 3 m, 4 cyl., 850 cm³, + de 5 millions seront vendues. **1960** le Japon commence à s'imposer. **1961** *Renault R4 ou 4L* [8 millions fabriquées (1989 fabrication arrêtée en France, continue en Youg.]. *Simca 1 000* moteur arrière. Turbocompresseur sur *Chevrolet Corvair* 6 cyl. **1962** *10-6 Renault 8* 1re voiture fr. à freins à disques. **1963** *Simca 1 300* et *1 500* 1 118 cm³ puis 1 204 cm³ et 1 294 cm³ pour la 11. **1964** moteur *Wankel* sur *Prinz NSU.* Phare à iode utilisé pour la 1re fois aux 24 h du Mans. **1965** *Peugeot 204, DS 21, R 16.* **1967** *20-7* dernière *Panhard* construite ; *20-9 Citroën Dyane.* Injection électronique sur *Volkswagen 411.* **1968** *Renault 6, Peugeot 504, Citroën ID 20.* **1969** *Renault 12.* **1970** le plastique remplace de nombreux éléments métalliques de carrosserie. *La SM :* moteur en V, 2 670 cc, 170 ch DIN à 5 500 tr/min, 220 km/h (178 ch DIN à 6 250 tr/min, 228 km/h pour la SM à injection électronique de 1972), long. 4,89 m, larg. 1,84 m, haut. 1,32 m, 1 450 kg, consomm. DIN 12,5 l aux 100 km. **1972** *R 5* (se diversifie : 1976 R 5 GTL. R 5 Alpine. 1984 Supercinq). **1973** 4 soupapes par cyl. sur *Triumph Dolomite Spirit.* **1974** *Mercedes 240 D-30,* 1er diesel 5 cyl., pour voiture de tourisme (148 km/h) ; record de diesel. **1976** *Ford Fiesta,* Peugeot absorbe Citroën. **1977** roues directrices « passives » sur *Porsche 928* à essieu Weissach. Allumage électronique intégral sur *Citroën LN* bicylindre. **1978** *turbodiesel* sur *Peugeot 604. R 18.* Antiblocage électronique Bosch sur *Mercedes classe S.* Peugeot prend le contrôle de Chrysler-France. **1979** *motronic* sur *BMW 732.* Renaissance de *Talbot.* **1980** l'électronique s'impose (allumage, cadrans, commandes diverses). 4 soupapes + turbo sur *Lotus Esprit Turbo.* **1981** biturbo sur *Maserati* (1 par rangée de cyl. du V6, 3 soupapes par cyl.) *R 9* présentée. *R 11.* **1983** *Peugeot 205. R 25. Super 5.* **1984** carrosseries entièrement plastiques (« *Espace* » de Renault). **1985** robotisation intégrale des nouvelles usines. **1986** *R 21.* **1987** roues arrière directrices sur *Honda Prélude.* **1988** *R 19* lancée (coût 5,9 milliards de F). **1989** boîte 6 vitesses sur *Chevrolet Corvette ZR-1.* **1990** *Clio Renault* lancée (coût 6,5 milliards de F). **1991** *Peugeot 106. Citroën ZX.* **1992** *Safrane Renault* lancée (coût 8 milliards de F). *31-12* pot catalytique obligatoire sur voitures neuves. **1993** *Twingo Renault.*

■ Voitures solaires

1971 voiture de la *Nasa* utilisée sur la Lune (vol Apollo 15) construite par Boeing Aerop. Corp. (20 kg, 96 km d'autonomie). **1984** traversée de l'Australie. **1985** *1re course* de 368 km (Suisse), vainqueur Mercedes (60 km/h). D. Le Pivain (n. 1946) parcourt en solitaire Zinder-Dakar (3 000 km). **1987** Mlle R. Jenni parcourt sur voit. de sa fabrication Genève-Le Grau-du-Roi dans la journée. **1988** véhicule du prof. Janneret et de l'Éc. des Ingénieurs de Bienne (Suisse) roule à 120/130 km/h en formule I solaire. P. Scholl (Suisse) sur voit. de sa fabrication traverse le Sahara (par le Hoggar). **World Solar Challenge** (entre Darwin et Adélaïde, Australie). Grand prix *créé* 1987. 3 005 km, 6 j de course, 36 voitures (1990). Vainqueur (1990) *Spirit of Biel* (construite à l'université de Biel, coût 1 million de $, cellules photovoltaïques convertissant l'énergie solaire en énergie électrique à un taux de 17 %) en 46 h 23, vitesse moy. 67 km/h, max. 100 km/h ; 400 km sur le 2e *Sunflyer de Honda* 140 kg, vitesse max. 120 km/h. **1992** « *Mira I* » de Sanyo (Japon) à biénergie solaire-hydrogène, 400 kg peut atteindre 40 km/h et rouler 2 h (batteries au Nickel et Cadmium). **1993-7-11** 70 inscrits dont 25 japonais. Record (en 1987) *Sunraycer* de General Motors à 44 h 54 min.

■ Voiture volante

1990 M 400, voiture volante pour 4 passagers et avec 8 engins rotatifs. Décolle verticalement, roule à 112 km/h et vole entre 320 et 650 km/h, altitude max. 9 144 m, prix 1 500 000 F.

Parc automobile au 1-1-1991

Pays	V.P. [1,2]	V.I. [1,3]	Personnes par V.P. [4,5]	Pays	V.P. [1,2]	V.I. [1,3]	Personnes par V.P. [4,5]
Afrique				**Europe**			
Afr. du Sud	3 375	1 420	n.c.	Allem. fédér.	30 695	2 003	1,9
Algérie	760	510	17,5	Autriche	2 991	295	2,4
Botswana	14,5	25	130	Belgique	3 833	402	2,4
Burkina	10,5	13,5	385	Bulgarie	840	160	7,2
Cameroun	92	76	260	Chypre	135	48,5	2,7
Centrafr. (Rép.)	8	7,5	130	Danemark	1 590	302	2,7
Côte-d'Ivoire	166	91	41	Espagne	11 995	2 380	2,8
Djibouti	10	5	28	Finlande	1 926	271	2,3
Égypte	510	240	37,2	*France*	*23 100*	*3 114*	*2*
Éthiopie	44	20	695	Gibraltar	10,2	1	2,5
Gabon	21	17	29	G.-B.	23 123	3 288	2,2
Gambie	5	2,5	126	Grèce	1 600	730	4,5
Ghana	60	46	130	Hongrie	1 940	190	5,3
Kenya	136	140	72,5	Irlande	796	152	3,9
Liberia	7,5	3	220	Islande	121	14	1,8
Madagascar	52	42,5	224,9	Italie	26 380	2 351	2,2
Malawi	17	17	308,1	Luxembourg	191	18,5	1,9
Maroc	485	210	36	Malte	86	19,6	3
Maurice (île)	33	12	n.c.	Monaco	13,5	3,4	n.c.
Niger	18	17,5	180	Norvège	1 613	330	2,2
Nigeria	780	625	70	Pays-Bas	5 510	582	2,5
Ouganda	30	14,6	n.c.	Pologne	3 850	900	6,7
Rwanda	13	9	175	Portugal	1 600	450	5,4
Sénégal	90	26	60	Suède	3 600	324	2,2
Soudan	82	46	140	Suisse	2 993	303	2,2
Swaziland	18	16,5	14	Tchécoslovaquie	2 850	440	4,5
Tanzanie	45	52,5	225	Turquie	1 435	667	30
Togo	24	13	82,5	URSS	12 500	9 500	12,5
Tunisie	175	177	20	Yougoslavie	3 340	882	5,9
Zimbabwe	186	81	32	**Asie**			
				Arabie Saoudite	1 400	1 510	3,6
Amérique				Chine	1 150	2 900	265
Argentine	4 320	1 500	5,4	Corée	2 075	1 320	n.c.
Brésil	10 300	2 450	10,7	Hong Kong	170	150	16
Canada	13 200	3 550	1,5	Inde	1 750	1 490	240
Chili	550	260	12,7	Irak	320	270	17
Colombie	660	650	19,2	Israël	780	160	4,7
Costa Rica	88	67	17,5	Japon	34 925	22 774	2,2
Dominique	2,6	1,5	n.c.	Jordanie	145	65	3
Équateur	65	163	40	Koweït	575	210	2,1
Guyane fr.	21,5	7	27	Liban	430	45	n.c.
Honduras	30	50	57	Malaisie	1 220	355	11
Martiniq.-Guadel.	133	53	n.c.	Pakistan	450	300	128,2
Mexique	5 600	2 450	10	Philippines	375	580	52,5
Nicaragua	32	30	47,2	Singapour	285	142	6,5
Panamá	150	46	10	Sri Lanka	155	135	52,7
Porto Rico	1 200	220	2,3	Thaïlande	820	1 430	42
Salvador	55	65	n.c.	Yémen (Nord)	95	140	15,5
Trinité-et-Tobago	245	78	3,6	**Océanie**			
Uruguay	180	85	12	Australie	7 670	2 105	1,8
USA	147 500	45 000	1,2	Fidji	33	25	12,5
Venezuela	1 620	900	10,1	N.-Zélande	1 560	317	1,8

Nota. – (1) En milliers. (2) Voitures particulières. (3) Véhicules industriels [autobus, autocars, camions, tracteurs (sans tr. agricoles)]. (4) Nombre de personnes par voiture particulière. (5) 1989.

■ Parc automobile

Immatriculations voitures particulières et, entre parenthèses, **utilitaires** (en milliers, 1992). USA 8 175 (4 367). Japon 4 868 (2 657). All. 4 159 (247). Italie 2 341 (154). *France 2 031 (393).* G.-B. 1 592 (209). Espagne 887 (229). Canada 874 (416). P.-Bas 490 (73). Belgique 462 (50). Suisse 313 (22). Autriche 304 (30). Portugal 229 (72). Suède 188 (21). Grèce 168 (28). Finlande 92 (16). Danemark 84 (23). Irlande 67 (19). Norvège 54 (18). Luxembourg 43 (3).

Voitures japonaises (en % des immatriculations totales, 1991). Irlande 45,2. Norvège 45,1. Finlande 43,9. Danemark 42,3. Grèce 32,1. Autriche 30,8. Suisse 30,1. P.-Bas 27,5. Suède 25,6. Belgique 22,3. Luxembourg 16. All. 14,3. G.-B. 11,6. Portugal 10,1. *France 4,1.* Espagne 3,2.

■ En France

Voitures particulières et commerciales

■ **Parc** (au 1-1, en milliers). *1895 :* 0,3. *1900 :* 2,9. *1910 :* 53,7. *14 :* 107,5. *22 :* 242,6. *30 :* 1 109. *39 :* 1 900. *44 :* 680. *51 :* 1 700. *56 :* 3 240. *60 :* 4 950. *65 :* 8 320. *70 :* 11 860. *74 :* 14 620. *80 :* 18 440. *85 :* 20 800. *90* (– de 15 ans) : 26 437. *92 :* 27 310. *93 :* 27 596 dont (en %) *0-3 ans :* 24 ; *4-5 :* 16,5 ; *6-7 :* 14,7 ; *8-10 :* 18,8 ; *11-15 :* 26 ; *selon leur puissance* (en milliers) *5 CV et – :* 11 183 ; *6 à 10 CV :* 15 881 ; *11 CV et + :* 531.

■ **Immatriculations (1992). Selon la puissance** (neuves et entre parenthèses occasions) : 2 105 700 (4 309 561) [dont essence 1 284 983 (3 245 606), gazole 820 638 (1 062 980), autres 79 (975)] dont *1 à 3 CV et non indiqué :* 215 (100 601) ; *4 CV :* 470 203 (999 701) ; *5 CV :* 400 904 (681 720) ; *6 CV :* 595 998 (840 171) ; *7 CV :* 376 117 (989 245) ; *8 CV :* 58 460 (182 804) ; *9 CV :* 83 886 (242 732) ; *10-12 CV :* 86 909 (198 091) ; *13-16 CV :* 24 568 (54 840) ; *17 CV et + :* 8 440 (19 656).

Neuves. Françaises : 1 206 124 dont *Renault* 620 114, *Peugeot* 406 492, *Citroën* 232 942, divers 576. **Étrangères :** 845 576 dont *Ford* 168 909, *Volkswagen* 136 603, *Opel* 129 240, *Fiat* 105 094, *Seat* 38 460, *Rover* 36 397, *BMW* 31 466, *Nissan* 31 310, *Audi* 26 893, *Mercedes* 25 115, *Mazda* 15 570, *Toyota* 15 533, *Honda* 15 478, *Volvo* 12 038, *Lancia* 10 953, *Alfa Romeo* 8 347, *Chrysler* 7 676, *Lada* 5 308, *Mitsubishi* 3 950, *Skoda* 3 202, *Saab* 2 530, *Ebro* 2 464, *Land Rover* 2 405, *Santana* 1 963, *Jeep* 1 876, *Hyundai* 1 189, *Pontiac* 771, *Porsche* 725, *Aro* 672, *Jaguar* 635, *Zaz* 451, *Maruti* 279, *Buick* 260, *Ferrari* 235, *Chevrolet* 225, *Moskvitch* 177, *Bertone* 149, *Zastava* 141, *Daihatsu* 134, *Suzuki* 132, *autres* 621.

Occasions. Françaises : 2 888 014 dont *Renault* 1 402 559, *Peugeot* 861 816, *Citroën* 556 570, *Talbot* 62 118, *Talbot-Matra* 2 381, *Panhard* 352, *Talbot-Sunbeam* 248, *autres* 1 970. **Étrangères :** 1 421 547 dont *Ford* 257 496, *Volkswagen* 240 559, *Fiat* 201 624, *Opel* 150 415, *BMW* 71 358, *Mercedes* 63 511, *Audi* 54 927, *Rover* 45 898, *Seat* 44 381, *Alfa Romeo* 34 364, *Nissan* 30 177, *Volvo* 28 963, *Toyota* 22 944, *Mazda* 22 844, *Lancia* 22 502, *Lada* 21 925, *Honda* 19 495, *Mini* 18 976, *Autobianchi* 11 981, *Mitsubishi* 7 177, *Porsche* 6 534, *Jeep* 4 590, *Saab* 4 553, *Land Rover* 4 155, *Chrysler* 3 523,

Triumph 2 723, *Jaguar* 2 691, *Santana* 2 366, *Innocenti* 2 101, *MG* 1 967, *Zastava* 1 731, *Skoda* 1 625, *Ebro* 1 455, *FSO* 1 154, *Chevrolet* 968, *DAF* 717, *Aro* 678, *Ford USA* 632, *Morris* 616, *Ferrari* 533, *Daimler* 472, *Pontiac* 456, *Buick* 410, *Cadillac* 381, *Maruti* 375, *Rolls-Royce* 284, *Oldsmobile* 199, *Zaz* 190, *Maserati* 174, *GME* 136, *Bertone* 116, *Lotus* 112, *Dodge* 106, *autres* 1 307.

☞ **% d'étrangères importées :** *1980 :* 22,9. *81 :* 28,1. *82 :* 30,6. *83 :* 23,7. *84 :* 35,9. *85 :* 36,6. *86 :* 36,4. *87 :* 36,1. *88 :* 36,8. *92 :* 40,1.

■ **Nombre de voitures pour 1 000 hab.** (au 1-1-89). *Départements les mieux équipés :* Lot 525, Gers 510, Tarn-et-G. 495 *Les moins bien équipés :* Eure 329, Val-d'Oise 328, Seine-St-Denis 305.

■ **Modèles les plus vendus en France** (1992). **Toutes énergies :** 2 105 700 dont FRANÇAIS : *Clio* [2]: 233 209, *19* [2]: 148 382, *205* [1]: 129 546, *21* [2]: 107 289, *405* [1]: 104 318, *ZX* [3]: 98 578, *106* [1]: 97 820, *AX* [3]: 83 686. ÉTRANGERS : *Golf* [4]: 83 402, *Fiesta* [5]: 79 513. **Diesel :** 820 638. *19* [2]: 73 067, *405* [1]: 63 089, *21* [2]: 62 947, *205* [1]: 58 821, *ZX* [3]: 56 123, *Clio* [2]: 56 085, *309* [1]: 23 919, *BX* [3]: 23 134. ÉTRANGERS : *Escort* [3]: 32 937, *Golf* [4]: 31 165.

Nota. – (1) Peugeot. (2) Renault. (3) Citroën. (4) Volkswagen. (5) Ford.

Véhicules utilitaires

■ **Parc.** *1956 :* 1 203 000. *60 :* 1 540 000. *70 :* 1 850 000. *76 :* 2 290 000. *80 :* 2 550 000. *85 :* 3 248 000. *90* (1-1) : 4 748 000. *92* (1-1) : 5 020 000. *93* (1-1) : 3 907 000 dont camionnettes et camions 3 677 000 (dont diesel 2 435 000), tracteurs routiers (diesel) 172 000, autobus-cars 58 000.

■ **Immatriculations** (1992, neufs et, entre parenthèses occasions) 392 900 (834 500) dont camionnettes et camions 338 600 (686 800), tracteurs agr. 23 600 (90 700), tr. routiers 15 500 (23 700), semi-remorques 12 900 (28 100), autobus-cars 4 000 (7 000), remorques 2 300 (5 200).

■ **Camionnettes et camions. Immatriculations. Neufs :** *1970 :* 192 389. *75 :* 191 943. *80 :* 300 214. *89 :* 421 764. *90 :* 420 619. *91 :* 367 892. *92 :* 341 136 (dont marques étr. 73 563). *Selon le poids total autorisé en charge (1992). – de 1,5 t :* 162 107. *1,5-2,5 :* 82 262. *2,6-3,5 :* 76 434. *3,6-6 :* 899. *6,1-10,9 :* 5 549. *11-19 :* 11 376. *19,1-21 :* 19. *21,1-26 :* 2 419. *+ de 26 :* 71. **Occasions** : *1970 :* 256 540. *75 :* 344 069. *80 :* 468 728. *85 :* 628 612. *89 :* 648 414. *90 :* 691 408. *91 :* 687 646. *92 :* total non connu (dont marques fr. 534 439). **Selon la marque** (1992). FRANÇAISES : **Neufs** 267 573 dont Renault 151 288, Citroën 64 147, Peugeot 40 792, Unic 10 862, autres 484. **Occasions :** 534 439 dont Renault 273 373, Citroën 121 497, Peugeot 100 797, Unic 16 689, Saviem 8 871, Berliet 3 638, Talbot 3 540, Hotchkiss 911, Talbot-Matra 556, Sovam 256, PPM 145, Cournil 105. Autres 4 061. ÉTRANGÈRES : **Neufs :** 73 563 dont Ford CEE 22 728, Mercedes 13 445, Volkswagen 7 827, Fiat 5 702, Toyota 4 657, Ebro 3 298, Seat 2 553, Daf 1 975, Opel 1 884, Land Rover 1 318, Volvo 1 309, GME 938, Nissan 901, Jeep 817, Mazda 803, Scania 649, Man 497, Santana 489, UMM 308, Mitsubishi 270, Lada 160, autres 1 035. **Occasions :** 152 384 dont Mercedes 28 494, Ford CEE 25 135, Volkswagen 21 449, Fiat 15 436, Toyota 12 396, Land Rover 5 444, Jeep 4 746, Opel 4 054, Ebro 3 923, Santana 3 346, Volvo 3 233, Nissan 3 026, Daf 2 597, Seat 2 214, Bedford 1 929, A. Rover 1 402, Lada 1 252, Mazda 1 177, Man 1 131, Mitsubishi 1 113, Scania 1 020, GME 941, Willys 800, Dodge 612, Magirus 563, OM 450, Aro 446, Honda 411, Leyland 391, Unimog 390, UMN 345, Minimoke 301, Han Hensch 285, GMC 204, FSO 203, Ford USA 143, Suzuki 119, Chevrolet 113, Autobianchi 112, autres 1 038.

■ **Autobus et autocars. Parc** (au 1-1) : *1971 :* 41 827. *75 :* 54 935. *80 :* 64 588. *85 :* 82 483. *90 :* 73 159. *92 :* 64 086. *93 :* 58 233 dont *– de 10 places :* 15 291 ; *10-19 :* 5 041 ; *20-29 :* 10 898 ; *30-39 :* 6 094 ; *40 et + :* 20 891 ; *non déterminé :* 18. **Selon carburant** (1992) : essence : 8 882 ; gazole : 49 255. **Immatriculations. Neufs :** *1970 :* 5 924. *75 :* 5 559. *80 :* 8 757. *90 :* 4 210. *91 :* 4 056. *92 :* 3 954 (dont français 2 818) dont *10-19 places :* 401 ; *20-29 :* 1 324 ; *30-39 :* 296 ; *40 et + :* 1 928. **Occasions :** *1990 :* 7 486. *91 :* 6 910. *92 :* 7 500 (dont français 3 873). **Selon la marque** (1992, neuf + occasion). Renault 4 092, Mercedes 1 582, Kässbohrer 1 478, Saviem [1] 1 005, Van Hool [1] 740, Peugeot [1] 411, Unic 323, Heuliez [2] 316, Berliet [1] 183, Volvo [1] 144, Citroën [1] 115, Auwärter [1] 108. *Autres marques étr.* 711 ; *fr.* 246.

Nota. – (1) Occasion uniquement. (2) Neuf.

■ **Résultat net rapporté au chiffre d'affaires** (1991, en %). PSA 3,5, BMW 2,6, Renault 1,9, Fiat (est.) 1,9, Volkswagen 1,4, Volvo 1,2, Ford – 2,6, Chrysler – 2,7, GM – 3,6. (Exercice 91-92, est.) Toyota 2,9, Honda 1,4, Nissan 0,8.

■ **Ventes de voitures particulières neuves en Europe** (1991, en milliers). 12 406,3 (12 870,5 en 1990) dont All. féd. 3 428, Ital. 2 340, *France 2 031,* G.-B. 1 592, Esp. 886, ex-RDA 726 (309 en 1990), P.-B. 490, Belg. 462, Suisse 314, Autriche 303, Port. 227, Suède 191, Dan. 83, Norv. 53. 94 % des immatriculations par 13 pays européens.

■ **Ventes de voitures européennes aux USA en 1991** (prov.) et, entre parenthèses, **en 1985** (en milliers, source : Automobile News). 335,8 (730) dont Audi-VW 109 (214,6), Volvo 67,7 (104,3), Mercedes 58,9 (211,1), BMW 53,3 (87,8), Saab 26,1 (39,1), Jaguar 9,4 (20,5), Porsche 4,4 (25,3), Peugeot 3,6 (15,6), Alfa Romeo 3,5 (4,5), Renault (7,2).

■ **Parts de marché mondial** (en %, 1991). Gr. Volkswagen (VW-Audi-Seat) 15,98, Gr. Fiat 12,71, PSA

Construction automobile

Dans le monde

Principaux constructeurs

Production 1992	Voitures particulières	Production totale
General Motors (USA) [1]	5 077 000	6 762 000
Toyota (Jap.) [2]	4 116 000	5 416 000
Ford (USA)	3 516 000	5 152 000
Volkswagen (All.) [3]	3 113 135	3 294 204
Nissan (Jap.)	2 405 000	3 143 000
Fiat (It.)	2 112 000	2 390 000
PSA (Fr.)	1 853 123	2 066 928
Honda (Jap.)	1 844 000	1 987 000
Renault (Fr.)	1 546 744	1 848 078
Chrysler (USA) [2]	733 238	1 747 578
Mazda (Jap.)	1 352 000	1 716 000
Mitsubishi (Jap.)	1 136 000	1 672 000
Suzuki (Jap.)	659 179	1 011 483
Mercedes-Benz (All.)	591 269	876 578
Hyundai (Corée)	641 350	770 096
Vaz (URSS)	670 000	740 000
Fuji Heavy (Jap.)	386 564	583 955
BMW (All.)	553 320	553 230
Isuzu (Jap.)	131 935	531 625
Kia (Corée)	159 794	453 316
Rover (G.-B.)	359 672	383 955
Volvo (Suède)	273 774	331 613
Daewoo (Corée)	227 738	248 142

Nota. – (1) Chiffre d'aff. (1992) 132,8 milliards de $ (perte 23,5) 1re entreprise ind. du monde (et + grosse perte en 92). (2) Toyota y compris Daihatsu et Hino. (3) Perte en 1992 : 1,25 milliard de Marks (4,2 milliards de F). (4) Chrysler y.c. Lamborghini.

Production 1992	Total	Voitures particul.	Véhicules utilitaires
Japon	12 499 284	9 378 694	3 120 590
USA	9 704 069	5 665 863	4 038 206
Allemagne	5 193 942	4 863 721	330 221
France	*3 767 800*	*3 329 490*	*438 310*
Espagne	2 121 887	1 790 615	331 272
Canada	1 957 969	1 019 872	938 097
CEI	1 808 000	1 108 000	700 000
Corée du S.	1 729 696	1 306 752	422 944
Italie	1 686 121	1 476 627	209 494
G.-B.	1 540 333	1 291 880	248 453
Belgique [1]	1 165 607	1 075 547	90 060
Mexique	1 083 091	778 413	304 678
Chine	1 080 000	120 000	960 000
Brésil	1 070 369	816 074	254 295
Taiwan	373 000	253 000	120 000
Suède	356 595	293 499	63 096
Thaïlande	328 000	105 000	223 000
Turquie	322 931	265 245	57 686
Inde	320 328	151 656	168 672
Australie	285 000	271 000	14 000
Afr. du Sud	284 000	183 000	101 000
Argentine	261 942	220 498	41 444
Pologne	232 000	212 000	20 000
Rép. Tchèque	219 000	183 000	36 000
Portugal	163 226	96 179	67 047
Malaisie	160 000	80 000	80 000
P.-Bas	117 992	94 019	23 973
Slovénie	82 662	79 662	3 000
Roumanie	79 000	60 000	19 000
Autriche [2]	20 300	15 100	5 200
Serbie	19 747	12 635	7 112
Hongrie	3 000	–	3 000

Nota. – (1) Montage. (2) 1991.

Peugeot-Citroën 12,09 dont Peugeot 7,56, Citroën 4,52, GM Europe (Opel-Vauxhall-Saab) 11,98, Ford Europe (Ford-Jaguar/Daimler) 11,89, Renault 10, total japonais 12,26.

■ **Production nationale par pays** (en milliers). **Voitures particulières** (1991). *Source :* l'Argus sept.-oct. 92. **All. féd.** 4 659 (Audi 450, BMW 536, Ford 633, Mercedes-Benz 575, Opel 981, Volkswagen 1 463). **Argentine** 114 (Ford 19, Renault 30, Sevel Argentina 57, Volkswagen 7). **Australie** 281. **Belgique** 293 (Ford 293). **Brésil** 705 (Fiat 192, Ford 108, GM 162, Volkswagen 241). **Canada** 1 044 (Cami 85, Chrysler 18, Ford 325, GM 413, Honda 99, Hyundai 28, Toyota 68, Volvo 8). **Espagne** 1 774 (Citroën 123, Fasa-Renault 273, Ford 341, GM 382, Peugeot-Talbot 126, Seat 337, Volkswagen 191). **États-Unis** 5 439 (Buick 437, Cadillac 228, Chevrolet 786, Chrysler-Corporation 510, Chrysler-Jeep 91, Dodge 276, Ford 771, Ford-Motor 1 172, General Motors 2 496, Honda 451, Nissan 133, Oldsmobile 440, Pontiac 509, Toyota 299). **France** 3 188 (Citroën 710, Peugeot 1 126, Renault 1 352). **Grande-Bretagne** 1 237 (Austin-Rover 360, Carbodies 2, Ford 339, Jaguar-Daimler 23, Lotus 2, Nissan 125, Peugeot-Talbot 88, Range Rover-Land Rover 55, Rolls-Royce 2, Vauxhall 256). **Italie** 1 632 (Alfa Romeo 175, Autobianchi 127, Ferrari 5, Fiat 1 182, Lancia 131). **Japon** 9 753 (Daihatsu 420, Fuji 330, Honda 1 215, Isuzu 130, Mazda 1 085, Mitsubishi 914, Nissan-Motor 1 946, Suzuki 531, Toyota 3 180). **Pays-Bas** 85 (Volvo). **Suède** 269 (Saab-Scania 80, Volvo 189). **Autres pays** Afrique du Sud 198, All. dém. 17, Autriche 14, CEI 1 030, Corée du S. 1 158, Inde 200, Mexique 379, Pologne 170, Roumanie 74, Tchécoslovaquie 173, Turquie 196, Yougoslavie 216.

Véhicules utilitaires (1991). **All. féd.** 356 (Auwärter 1,3, Mercedes-Benz 178, Iveco-Magirus 14,1, Kässbohrer 2,2, Man 32, Opel 14, Volkswagen 113). **Argentine** 25 (Ford 7,2, Mercedes-Benz 3,2, Renault 4,7, Sevel-Argentina 7,6). **Australie** 17. **Belgique** 85 (Ford 84, Van Hool 1). **Brésil** 255 (Fiat 63, Ford 43, General Motors 34, Mercedes-Benz 41, Scania 6, Toyota 6,7, Volkswagen 53, Volvo 4,3). **Canada** 834 (Cami 45, Chrysler 389, Ford Motor 104, General Motors 285, Navistar 6,7, divers 5). **Espagne** 308 (Citroën 82, Iveco-Pegaso 4,8, Fasa-Renault 51, General Motors 9,9, Mercedes 28, Nissan Motor Iberica 71, Peugeot-Talbot 2,2, RVI 2,8, Santana Motor 32, Seat 24, Volkswagen 0,6). **États-Unis** 3 367 (Chevrolet 868, Chrysler Corporation 564, Chrysler-Jeep 266, Dodge 298, Ford Motor 1 255, Ford 1 255, General Motors 1 224, GMC 288, Nissan 132, divers 68). **France** 423 (Citroën 73, Heuliez 0,2, Peugeot 72, Renault 236, Renault VI 42, Sovam 0,06). **Grande-Bretagne** 217 (Austin Rover 5,4, ERF 2,1, Ford 122, IBC Vehicles 18, Leyland Daf Vans 22, Leyland Models 10, Range Rover-Land Rover 19, Vauxhall 6,3, divers 1,1). **Italie** 245 (Astra 1, Fiat 6,9, Iveco-Fiat 94, Sevel-Fiat 78, Sevel PSA 65). **Japon** 3 492 [Daihatsu 250, Fuji (Subaru) 198, Hino 90, Honda 143, Isuzu 341, Mazda 301, Mitsubishi 491, Nissan-Motor 385, Nissan-Diesel 61, Suzuki 327, Toyota 905]. **Pays-Bas** 14 (Daf-Trucks 13). **Pologne** 25,3. **Suède** 75,3 (Saab-Scania 32, Volvo 43). **URSS** 685.

Construction en France

(tous véhicules)

Évolution

Années	C	P	R	S	Total
1900		500	179		4 100
1913		9 330	4 481		45 000
1919	3 325	500	2 456		18 000
1928	62 000	25 652	55 884		224 000
1932	48 027	28 317	43 215		163 000
1938	68 109	47 213	58 396	20 933	224 000

Nota – C : Citroën. P : Peugeot. R : Renault. S : Simca.

■ **Production voitures particulières et commerciales** (1991). **Voitures complètes :** 3 610 773 dont Renault 1 630 109, Peugeot 1 197 200, Citroën 783 160. **Petites collections :** 289 490 dont Renault 202 922, Peugeot 57 837, Citroën 28 731.

■ **Exportations** (1991). **Voitures complètes :** 2 196 526 dont Renault 945 468, Peugeot 752 652, Citroën 498 388. **Petites collections :** 212 233 dont Renault 205 184, Peugeot 15 264. **Par pays (voit. partic.)** (1991). All. 428 051, Espagne 319 741, Italie 297 900, G.-B. 229 464, Belg.-Lux. 123 034, P.-Bas 95 290, Portugal 75 882, Autriche 40 252, Suisse 37 944, Yougoslavie 29 149, Grèce 23 807, Taiwan 22 675. **Total général :** 1 996 159.

Voitures particulières les plus exportées (1991, petites collections comprises) : *Renault Clio* 316 003, *Peugeot 205* 284 816, *Renault 19* 241 257, *Citroën AX* 182 434, *Peugeot 405* 180 789, *Citroën ZX*

Rolls-Royce

Origine. 1904 (1-4) 1re Royce (3 exemplaires) : biplace, 2 cylindres, 1 800 cc. *Mai* rencontre et accord entre Henry Royce (1863-1933), fils d'un minotier anglais, vendeur de journaux, puis ingénieur électricien à 20 ans, anobli en 1930, et Charles Stuart Rolls (1877/12-7-1910, 1er mort au cours d'un vol à moteur), aristocrate, meilleur pilote britannique de l'époque, et distributeur de voitures. Royce construira les voitures et Rolls aura l'exclusivité de leur distribution pour la marque Rolls-Royce. **1906** fusion des 2 stés en Rolls-Royce Ltd. **1931** acquiert Bentley. **1971** perd sa filiale aviation. **1973** convertie en Sté anonyme, Rolls-Royce Motors Holding Ltd. **1980** acquise par Vickers pour 40 millions de £.

Différents modèles (38 depuis la fondation) : **1906-25** 40/50 CV (*Silver Ghost*) : couvrit 23 123 km sans un seul arrêt involontaire ; production : 7 870 dont 1 700 à Springfield (USA). **1922-29** 20 CV (dite *bébé Rolls-Royce*) ; prod. 2 940. **1925-29** *Derby*. **1926-31** *nouvelle Phantom :* version améliorée de la Silver Ghost, 1re Rolls avec freins servo-assistés ; prod. 3 450 dont 1 240 aux USA. **1929-35** *Phantom II, Ph. II Continental* (châssis plus court et rapport d'essieux différent) ; prod. 1 767. **1929-36** 20/25 CV : pointes d'env. 124 km/h ; prod. 3 827. **1936-39** *Ph. III* moteur V 12 7 340 cc, vitesse + de 160 km/h ; 1re RR avec suspension avant indépendante ; prod. 710. **1938-39** *Wraith :* moteur 4 237 cc modifié ; prod. 491. **1949-55** *Silver Dawn :* 1re RR à carrosserie construite par la Sté, et entièrement produite à Crewe, G.-B. ; moteur 4 257 cc, + ensuite ; prod. env. 600 (avec Bentley). **1950-56** *Ph. IV,* 8 cyl. en ligne, 5 675 cc ; prod. 18. **1955-59** *Silver Cloud,* 6 cyl. en ligne, 4 887 cc ; prod. env. 2 000. **1959-66** *Silver Cloud II,* moteur V 8 en aluminium, 6 230 cc ; prod. env. 2 700. **1959-68** *Ph. V,* V 8, 6 230 cc ; prod. 832. **1962-66** *Silver Cloud III :* capot abaissé pour meilleure visibilité ; prod. 4 000. **1965-80** *Silver Shadow, Silver Shadow II. Silver Wraith II, Corniche,* V 8, 6 750 cc ; prod. 35 000 (toutes variantes). **1965** *Ph. VI,* V 8, 6 750 cc ; prod. 20 par année. **1980** *Silver Spirit, Silver Spur, Bentley Mulsanne, Corniche,* V 8, 6 750 cc. **1982** *Bentley Mulsanne Turbo :* V 8, 6 750 cc avec turbocompresseur. **1985** *Bentley Eight* V 8, 6 750 cc, *Bentley Turbo* R V 8, 6 750 cc avec turbocompresseur, *Bentley Continental* V 8, 6 750 cc. **1987** *Royce Corniche II* et toute la gamme avec V 8, 6 750 cc à injection et système de freinage ABS. **1988** *Bentley Mulsanne,* V 8, 6 750 cc à injection. **1989** *Silver-Spirit II, Silver Spur II, Corniche III* et la gamme Bentley, avec réglage de suspension automatique et réaménagement de l'intérieur. **1991** *Bentley Continental R. ;* coupé 2 portes.

☞ Un modèle de petite voiture : la *Twenty.*

Prix (TTC) : (Bentley Eight) 846 558 F ; (Rolls-Royce Silver Spirit II) 1 111 908 ; (R.-R. Corniche II convertible) 1 627 236. Le 4-12-1989, un modèle de 1912 a été vendu pour 1,65 million de £.

Ventes. *1979 :* 3 344. *80 :* 3 216. *81 :* 3 205. *83 :* 2 270. *84 :* 2 270. *85 :* 2 385. *86 :* 2 603. *87 :* 2 784. *88 :* 2 801. *89 :* 3 242. *90 :* 3 333. *91 :* 1 731. *92 :* 1 378 (dont USA 412, G.-B. 380, Japon 98, *France 53,* All. féd. 111, pétroliers du Golfe 67, Suisse 47, Italie 30, Esp. 10). Plus de 70 % des 116 000 Rolls-Royce Motors vendues depuis 1904 sont encore en état de marche. **CA** (1992) : 232 millions de £. **Perte nette** (1992) : 15,8 millions de £.

Années	Total	V.U.	V.P.
1955	725 061	163 596	561 465
1960 [1]	1 369 263	194 012 [2]	1 175 251
1975 [1]	3 299 620	346 796 [2]	2 952 824
1979 [3]	3 613 458	393 064 [4]	3 220 394
1980 [3]	3 378 433	439 852 [4]	2 938 581
1981	3 019 430	407 566	2 611 864
1983 [3]	3 335 862	375 039 [4]	2 960 823
1984	3 059 500	346 200	2 713 300
1985	3 062 152	348 863	2 713 289
1986 [3]	3 194 615	421 521 [4]	2 773 094
1987 [3]	3 493 210	441 380 [4]	3 051 830
1988 [3]	3 698 465	474 478 [4]	3 223 987
1989 [3]	3 919 776	508 080 [4]	3 409 017
1990 [3]	3 768 993	474 178	3 294 815
1991	3 645 700	442 800	3 202 900
1992	367 800	438 310	3 329 490

Nota. – (1) De 1960 à 1975 : petites collections comprises. (2) Y compris autocars et autobus. (3) Non compris « petites collections » et lots de pièces destinées à l'étranger. (4) Dont poids total autorisé 5 t et +, + autocars et autobus.

119 055, *Peugeot 309* 103 634, *Citroën BX* 101 571, *Renault 21* 84 125, *Renault 5* 76 804.

■ **Importations** (1988). **Neuves :** 1 152 709 (+ 2,96 %) dont : All. féd. 309 348 (+ 10,30), Espagne 252 671 (– 15,80), Belgique 189 673 (+ 26,22), Italie 170 344 (+ 1,79), Japon 67 433 (+ 4,84), G.-B. 62 220 (+ 25,30), Portugal 25 719 (+ 7,36), Youg. 23 151 (+ 7,24), URSS 22 667 (– 31,19), P.-Bas 9 183 (– 16,01), Suède 5 116 (+ 9,31), Pologne 3 758 (+ 26,61), USA 2 071 (+ 186,04), Tchéc. 409 (– 57,12), Canada 23 (0), divers 8 923 (+ 3,62). **Usagées :** 16 864 (+ 21,19) dont : All. féd. 5 198 (– 27,76), Belgique 2 130 (+ 49,57), G.-B. 1 811 (+ 67,84), USA 765 (+ 15,55), Japon 630 (– 33,89), Italie 313 (– 54,37), Suède 128 (– 29,28), Suisse 92 (– 56,60), P.-Bas 48 (– 51,51), Espagne 46 (– 77,33), Portugal 12 (+ 20), divers 5 691 (0). **Total général :** 1 169 573 (1991 : 1 159 000).

Part de marché des constructeurs étrangers. *1988 :* 36,8, *90 :* 39,2. **Parts du marché par constructeur** (1991, en %). *Marques françaises :* 59,4 dont PSA 32,9 (dont Peugeot 21,2, Citroën 11,7), Renault 26,5 ; *étrangères :* 40,6 (1988 : 36,8, 90 : 39,2) dont Groupe Vag 9,5 (dont Volkswagen 5,6, Audi 1,1, Seat 1,7), Groupe Fiat 7 (dont Fiat 5,7, Lancia 0,7, Alfa Romeo 0,6), marques japonaises 4 (dont Nissan 1,5, Mazda 0,8, Toyota 0,8, Honda 0,7, Mitsubishi 0,2), Ford 8,6, Opel 5,2, Rover 1,8, BMW 1,4, Mercedes 1,3, Volvo 0,4, Lada 0,4, divers 2,1.

Véhicules utilitaires

Production. – **de 5 t** *1990 :* 436 567, *91 :* 386 519 dont Renault 236 140, Citroën 172 700, Peugeot 71 673, Sovam 71. **Petites collections (et fabric. à l'étranger)** *1991 :* 77 257 dont Peugeot 40 701, Citroën 28 731, Renault 7 825. **De + de 5 t** *1990 :* 35 074. *91 :* 34 224. **Autocars et autobus.** *1990 :* 2 537. *91 :* 2 396 dont Renault 2 151, Heuliez 245.

■ **Exportations.** – **de 5 t** *1990 :* 198 049. *91 :* 185 900 dont Renault 95 160, Peugeot 55 244, Citroën 35 478, Sovam 18. **Petites collections (et fabric. à l'étranger)** *1991 :* Renault 7 825, Peugeot 4 032. **+ de 5 t** *1990 :* 14 900 (Renault 14 898). *91 :* 13 996 (Renault). **Autocars et autobus** *1990 :* 553 (Renault). *91 :* 471 (Renault).

PSA Peugeot Citroën

■ **Quelques dates. 1890 :** Armand Peugeot fabrique un véhicule à moteur Daimler. **1896 :** Robert Peugeot (1873-1945) crée la « Sté anonyme des automobiles Peugeot ». **1950** absorbe *Chenard et Walker*, prend une part importante d'*Hotchkiss*. **1966** devient Sté holding (Peugeot SA) ; une filiale prend le nom « Automobiles Peugeot ». **1976** Peugeot SA absorbe *Citroën SA* (créée 1919, dépendait de Michelin dep. 1934, était entré dans le capital de Panhard en 1965) et devient PSA Peugeot-Citroën. **1978** prend le contrôle de *Chrysler* en France, G.-B. et Esp. **1979** lance marque *Talbot*. Chrysler-France devient Automobiles Talbot, nom étendu aux autres filiales européennes. **1980** PSA Peugeot-Citroën redevient Peugeot SA. Automobiles Peugeot absorbe Automobiles Talbot. **1988** usine Citroën de Levallois fermée. **1989** du 5-9 au 24-10 grève de 7 sem. (env. 6 % des effectifs), perte : chiffre d'affaires 3,5 milliards de F, 70 000 voitures-équivalent 205. **1992** *1-1* nom adopté PSA Peugeot Citroën. Peugeot propose de réviser gratuitement les 605 (70 000 en France).

■ **Principales usines. Citroën : Asnières** (Eure) : décolletage, hydraulique 851. **Aulnay** (Seine-St-Denis) : production : AX, ZX, 106 ; salariés : 5 773. **Caen** (Calvados) : liaisons au sol ; sal. : 2 293. **Charleville** (Marne) : fonderie d'aluminium et de ferreux ; sal. : 2 422. **Meudon** (Hts-de-S.) : constr. méc. ; sal. : 662. **Rennes-la Barre-Thomas** (Ille-et-V.) : pièces caoutchouc, élastomère ; sal. : 1 934. **Rennes-la Janais** (Ille-et-V.) : production AX, Xantia, BX, XM ; sal. : 10 780. **Peugeot : Cergy-Pontoise** (V.-d'O.) : pièces de rechange, sal. : 1 239. **Dijon** (C.-d'O.) : directions ; sal. : 738. **Lille** (Nord) : moteurs Diesel ; sal. : 621. **Mulhouse** (Ht-Rhin) : production : 106 ; sal. : 12 550. **Poissy** (Yv.) : production : 205, 306, 309, ZX ; sal. : 11 044. **St-Étienne** (Loire) : sous-ensemble d'organes mécaniques ; sal. : 212. **Sept-Fons** (Allier) : fonderie de ferreux ; sal. : 835. **Sochaux** (Doubs) : production : 205, 405, 605 ; sal. : 21 905. **Vesoul** (H.-Saône) : sellerie cuir, pièces de rechange ; sal. : 2 744.

■ **Groupe PSA** (en milliards de F). **CA consolidé** *85 :* 100,3. *86 :* 104,9. *87 :* 118,2. *88 :* 138,5. *89 :* 153. *90 :* 159,98. *91 :* 160,17. *92 :* 155,43. *Résultats nets. 78 :* + 1,29. *79 :* + 1,8. *80 :* – 1,5. *81 :* – 1,99. *82 :* – 2,15. *83 :* – 2,59. *84 :* – 0,34. *85 :* + 0,543. *86 :* 3,59. *87 :* 6,7. *88 :* 8,85. *89 :* 10,3. *90 :* 9,26. *91 :* 5,53. *92 :* 5,37. **Endettement financier net :** *85 :* 32,1. *86 :* 29,9. *87 :* 18,6. *88 :* 6. *89 :* 1,9. *90 :* 8,3. *91 :* 9,4. *92 :* 14,3. **Fonds propres :** *85 :* 6,7, *86 :* 10,5, *87 :* 20,5, *88 :* 29,2. *89 :* 38,5. *90 :* 47,9. *91 :* 51,72. *92 :* 53,14. **Marge brute, autofinancement :** *85 :* 4,2. *86 :* 7,2. *87 :* 13,5. *88 :* 16. *89 :* 18,7. *90 :* 16,2. *91 :* 15,4. *92 :* 13,7. **Investissement :** *85 :* 5,88. *86 :* 7,35. *87 :* 8,8. *88 :* 12. *89 :* 12,2. *90 :* 15,1. *91 :* 15,5. **Effectifs** (en milliers) *1978 :* 272. *85 :* 177. *86 :* 165. *87 :* 160. *88 :* 158. *89 :* 159. *90 :* 159. *91 :* 156,8. *92 :* 150,8. **Exportations :** *1992* 72,7 (47,4 milliards de F). **Pertes aux USA :** 270 millions (88) (en 1991 Peugeot renonce aux USA). [Citroën (1991) CA 61, Peugeot (1991) CA 91,2].

Production mondiale de voitures particulières et véhicules utilitaires (en milliers) *85 :* 1 655. *86 :* 1 736. *87 :* 1 952. *88 :* 2 104. *89 :* 2 148. *90 :* 2 250. *91 :* 2 063. *92 :* 2 050. **Part du marché (en %) français** (calculée sur immatriculations de voit. partic.) : *85 :* 34,85. *86 :* 32,07. *87 :* 33,42. *88 :* 34,17. *89 :* 32,81. *90 :* 33,2. *91 :* 33,1. *92 :* 30,4. **Européen :** *85 :* 11,54. *86 :* 11,38. *87 :* 12,14. *88 :* 12,91. *89 :* 12,67. *90 :* 12,9. *91 :* 12,1. *92 :* 12,2.

Renault

■ **Origine. 1898** Louis Renault (12-2-1877, † 24-10-44) construit à Billancourt une voiturette à prise directe. **1914** usine sur 14 ha, 4 000 ouvriers. **1918** char léger FTA, *1922* sté anonyme SAUR. **1929** s'installe à l'île Seguin. **1940**-*24-6* saisie des usines par les Allemands (définitive 1-9). **1942** bombardements (1942-3-3 RAF, 1943-4-4 et 3 et 15-9 American Air Force) 1 059 + 1 049 bl., 10 % du parc machines détruit. **1944**-*23-9* Louis Renault arrêté (inculpé de commerce avec l'ennemi). *24-10* † clinique St-Jean-de-Dieu. *27-9* usine réquisitionnée. *5-10* Pierre Lefaucheux (1898-1956) adm. prov. **1945**-*16-1* Renault nationalisée. **1952** usine de Flins inaugurée. **1955** fusion division poids lourds avec *Latil* et *Somua. Saviem* créée. **1958** usine de Cléon mise en route. **1962** 4e semaine de congés payés. **1965** usine Le Havre-Sandouville inaugurée. **1971** accord Renault-Peugeot-Volvo pour prod. de moteurs. **1975** entrée de *Berliet* dans le groupe Renault. **1979** entrée d'American Motors dans le groupe Renault. **1984** Nouveau conseil d'administration comportant des élus du personnel. **1987** American Motors cédé à Chrysler ; groupe Renault VI constitué. **1990**-*6-7* la Régie devient une SA. **1991** alliance avec Volvo. *17-10/4-11* Cléon grève de 22 j (perte 1,4 milliard de F). **1992**-*31-3* fermeture de l'usine Billancourt. Chaînes arrêtées 27-3 à 14 h 30 (île Seguin). Salariés : *1969* 24 000, *mars 91* 1 230. Vente prévue d'une partie des terrains (65,20 ha dont île Seguin 11,56).

P-DG : 1945 Pierre Lefaucheux (1898-1956 administrateur provisoire dès 5-10-44). **1955** Pierre Dreyfus (18-9-07). **1975** Bernard Vernier-Palliez (2-3-18). **1981** Bernard Hanon (7-1-32). **1985** Georges Besse (25-12-27/assassiné 17-11-86 par Action directe). **1986** Raymond Lévy (28-6-27). **1992** Louis Schweitzer (8-7-1942).

■ **Nombre d'usines.** 44 dont France 24.

■ **Chiffre d'affaires HT consolidé** entre parenthèses, **% du CA export et,** en italique, **résultats du groupe** (en milliards de F). *85 :* 111,4 (51,2) *– 12,25. 86 :* 122,3 *– 4,9. 87 :* 147,9 (51,3) *+ 3,6. 88 :* 161,4 (51,8) *+ 8,9. 89 :* 174,5 (50,8) *+ 9,3. 90 :* 163,6 (48,9) *+ 1,2. 91* 166 (51,7) *+ 3,08. 92* 179,4 (52,3) *+ 6,5.*

■ **En milliards de F. Augmentation de capital.** *1982 :* 1,02. *83 :* 1. *84 :* 1,92. *85 :* 3,3. *87 :* 8,1. *88 :* 16,4. *89 :* Renault efface son report négatif (24,3), réduit son capital du montant des capitaux propres de 1988, puis transfère ce même montant, augmenté de l'apport de restructuration, de l'écart de conversion et des bénéfices, dans les réserves. Le capital passe de 16,5 à 2,5, les réserves de –24,3 en 1988 à + 11,5. *1991* 31,33. **Versements de l'État :** *1984-86 :* 8 (dotation en capital). *88 :* l'État désendette Renault de 12. **Investissements.** *1985 :* 8,3. *86 :* 5,2. *87 :* 7,02. *88 :* 7,3. *89 :* 10,3. *90 :* 10,66. *91 :* 9,43. *92 :* 11,2. **Endettement en milliards de F** (% du chiffre d'affaires) : *1982* 25,9 (26,94), *83* 35,5 (34,9), *84* 49,3 (46,11), *85* 62 (46), *86* 54,35 (40,29), *87* 46,38 (31,44), *88* 23,79 (14,7), *89* 17,59 (10), *90* 27,11 (16,6), *91* 15,53 (9,35). *92 :* 12,55 (7).

■ **Production mondiale (en millions de véhicules) dont,** entre parenthèses, **production France** (y compris build-up et CKD). *1980 :* 2,05 (1,49). *81 :* 1,81 (1,30). *82 :* 2 (1,49). *83 :* 2 (1,64). *84 :* 1,78 (1,43). *85 :* 1,68 (1,35). *86 :* 1,79 (1,39). *87 :* 1,83 (1,61). *88 :* 1,85 (1,63). *89 :* 1,97 (1,18). *90 :* 1,78 (1,02). *91 :* 1,80 (1). *92 :* 2,04 (1,11).

■ **Exportations** (en millions de véhicules). *1982 :* 1. *83 :* 1,17. *84 :* 1,04. *85 :* 1,04. *86 :* 1,01. *87 :* 1,71. *88 :* 1,09. *89 :* 1,15. *90 :* 1,04. *91 :* 1,17.

■ Quelques chiffres

Budget routier de l'État

■ **Recettes. Fiscalité spécifique** (en 1992, en milliards de F) : *total général* 166,38 dont *usage des véhicules :* taxes spécifiques sur carburant [1] 130, doublement pour véhicules terrestres à moteur de la taxe sur assurances 6,28 ; *acquisition des véhicules :* TVA sur voitures particulières 1,5 ; *possession des véhicules :* voitures de Stés 2,6, taxe à l'essieu 0,54, vignette 0,32 ; *contribution volontaire des Stés autoroutières* 0,34 ; **autres bénéficiaires :** départements (vignette) 12,75, régions (permis de conduire et cartes grises) 6,5, Séc. soc. (majoration des primes d'assurance auto. responsabilité civile) 5,55. **Péage** (en milliards de F) : *1989 :* 14,73, *90 :* 16,6. *91 :* 18. *92 :* 20. Le produit doit être consacré à la réalisation, l'amélioration et l'entretien du réseau autoroutier.

Nota. – (1) TIPP (taxe intérieure sur produits pétroliers + part de la TVA assise sur ces taxes pour voitures particulières et totalité de la TVA non déductible pour utilitaires).

■ **Dépenses** (en milliards de F, 1990). Facteurs de production mis en œuvre 792, transferts 213 dont fiscalité sur les carburants 123, TVA (hors carburants) 79, total TTC 1 084, transferts perçus à déduire 90, total (transferts déduits) 993, taxe sur carburants (hors TVA) 100, charge nette au coût du marché 894, TVA sur carburants 23, TVA perçue 79, charge nette au coût de production 792.

■ **Coût.** Dépenses routières de l'État (routes nationales et autoroutes en milliards de F, en 1992) : env. 25 dont en % État 30, collectivités locales 58, Stés d'autoroutes 52.

Env. 1/3 finance les dépenses de fonctionnement, 2/3 les intérêts et remboursements des emprunts contractés pour les constructions nouvelles (une partie correspond aux avances de l'État aux Stés avant 1988 ; lors de l'établissement des contrats État-régions 1989-93, il a été convenu que, de 1990 à 1993, l'État consacrerait chaque année 625 MF venant de ces remboursements aux travaux routiers cofinancés avec les régions).

■ **Bilan** (en milliards de F). **Recettes spécifiques :** *1981 :* 72. *85 :* 113,4. *86 :* 124,4. *87 :* 132. *88 :* 136,9. *89 :* 144. *90 :* 140,7. *91 :* 137,8. *92 :* 141,6. **Dépenses routières** (traitements et frais de fonctionnement des services gérant réseaux et police de la route) : *1987 :* 9,4. *88 :* 9. *89 :* 8,5. *90 :* 8,7. *91 :* 8,3. *92 :* 10.

■ **Compte des pouvoirs publics** [établi par différence entre leurs dépenses hors transferts et les recettes qu'ils perçoivent (taxes sur carburants, TVA,...)] (en milliards de F, 1990). *Dépenses* de voirie 98, Sécurité sociale 6, TVA 15, *total TTC* 119, transferts perçus à déduire 57, taxes sur les assurances 17, péages HT 15, fiscalité spécifique 23, autres impôts et taxes 2, *total (transf. déduit)* 62, taxes sur carburants (hors TVA) 100, charge nette au coût du marché 38, TVA sur carburants 23, TVA perçue (sauf carburants) 79, charge nette au coût de production – 140 dont voiture moto – 137, camionnette – 14, poids lourds 12, bus-car – 1. De 140 milliards de F, on peut soustraire la partie des recettes des pouvoirs publics non spécifiques à la route soit la TVA au taux normal de 18,6 % (96 milliards de F), la fiscalité normale des entreprises comptabilisée en recettes des pouvoirs publics (2 milliards de F) et les taxes ordinaires sur les assurances (10 milliards de F). Le solde net des pouvoirs publics s'établit ainsi à 32 milliards de F en 1990 (et 38 en 1987).

Le transport routier de marchandises bénéficie d'un solde excédentaire de 13 MdF (21 si on exclut la TVA). Depuis 1977, ce solde (non compris les camionnettes), qui a toujours été excédentaire, prouve que les transports routiers coûtent plus cher aux pouvoirs publics qu'il ne leur rapporte.

Paiement des usagers aux gestionnaires d'infrastructures (pouvoirs publics hors Sécurité sociale) pour le service qu'ils leur rendent : on compare l'ensemble des taxes spécifiques, soit 146 [obtenu en soustrayant des recettes des pouvoirs publics la fiscalité normale et les taxes sur assurances retournées à la Sécurité sociale (soit 259 – 108 – 5 = 146)], au coût du service fourni (hors TVA), soit 98 milliards de F. Ainsi les usagers paieraient 1,50 F pour une dépense des pouvoirs publics de 1 F (1,64 F en 1987). Voitures et camionnettes paieraient env. 2,30 F, poids lourds et autobus, un peu moins de 70 centimes.

■ **Dépenses indirectes lors d'accidents corporels (préjudice moral, perte de production).** Dommages matériels remboursés (en milliards de F, en 1986). 22,9 (dont assurances 16, Sécurité sociale 0,8, autres 0,2) dont voitures particulières et commerciales 15,6, moto 3,2, poids lourds 2,8, véhicules utilitaires légers 0,9, autocars-autobus 0,4.

Dépenses en transports routiers (en milliards de F, 1990)

Dépense des usagers en transport routier (en milliards de F, 1990). **Usagers :** 720 dont achat de véhicules 183, carburant 58, assurance 34, péage autoroutier 15, réparation 175, autres consommations intermédiaires 37, flux divers (parking, garage, auto-école pour les voitures, pour les poids lourds compte d'autrui, principalement la rémunération des entrepreneurs individuels) 28, dépense salariale 190 ; taxe sur assurance 17, sur carburant 123 dont TVA 23, fiscalité spécifique (vignettes, taxes à l'essieu...) 23, impôts et taxes (principalement sur la production) 2, TVA 64 dont sur achat de véhicules 29. *Total TTC* 949 dont taxes 229. **Assureurs.** 23 dont Sécurité sociale 6, assurance 16, autres agents 1. **Gestionnaires d'infrastructures.** 113 dont TVA 15.

Consommation

■ **Consommation des ménages** (en milliards de F, 1990). **Transports indiv. :** 508,2 dont achat véhicule TTC 168,7 (automobiles 158, caravanes, motos cycles 10,7) ; dépenses d'utilisation 339,4 (dont pneus, accessoires, frais réparation 153, carburants et lubrifiants 140,6, péages, parking, loc., auto-écoles 24,7, assur. 21,1). **Collectifs :** 84,7. **Total par ménage motorisé :** 27 680 F.

■ **Consommation des entreprises** (de transport de marchandises, voyageurs, voitures de sociétés, véhicules utilitaires légers, poids lourds et autocars) en milliards de F, 1986. Investissement 39, carburant 41, autres consommations 75, intermédiaires (rémunérations) 158, divers transferts aux pouvoirs publics 29. *Total :* 342.

Industrie automobile

■ **Chiffre d'affaires** (en milliards de F, 1991). Construction 330. Équipements 94 (1990). **Solde commercial** (en milliards de F) : *1986* 26,3, *87* 21,02, *88* 22,93, *89* 19,17, *90* 26,12, *91* 33,88.

■ **Effectifs** (en milliers, 1990). **Production :** 817 dont métallurgie-biens d'équipement 220, pneumatiques, caoutchouc, mat. plastiques 105, produit et services (verre, textile, peinture, etc.) 150, construction 210, équip., accessoires 109,5, carrosseries neuves-remorques-caravanes 22,5. **Transports, activités annexes :** 1 216 dont construc., entretien en routes 84, transp. routier marchandises et voyageurs, services annexes 1 110, police, santé, enseign. (serv. non marchands) 22. **Usage de l'auto, réparation, entretien :** 579 dont production, approv. carburants 32, assurances, experts, crédit 105, auto-écoles, examen permis 11, distribution, répar., entret., stat.-serv., contrôle technique 410, sport, presse, édition, divers 21. **Total :** 2 612.

■ **Activités induites.** + de 12 000 fournisseurs (la plupart, PME). *Part (en %) consommée par l'industrie auto. :* fonderie, travail des métaux 26,3, minerais et métaux ferreux 16,6, caoutchouc, mat. plastique 13,2, services marchands aux entreprises 9,2, transports 4,3, construction méc. 4,2, prod. pétroliers 3,1. En 1986, l'auto. consommait 30 millions de Tep (t équiv. pétrole) (consom. fr. totale 197,6 Tep dont pétrole 85,5).

☞ Une voiture moyenne de 850 kg contient : acier 530 kg, fonte 145 kg, caoutchouc 59 kg, stérile 58 kg, aluminium 30 kg, verre 24 kg, cuivre 4 kg, plomb 4 kg.

Part du marché en Europe et en France (en %). *83 :* 12,6 (36,5). *84 :* 10,9 (32,9). *85 :* 10,7 (30,1) [% du marché mondial 6 %]. *86 :* 10,6 (33,3). *87 :* 10,6 (32,2). *88 :* 10,2 (30,9). *89 :* 10,4 (29,2). *90 :* 10,8 (29,8). *91 :* 10,7 (29,1). *92 :* 11,3 (31,5).

■ **Effectifs totaux dont,** entre parenthèses, **Régie** (en milliers). *1980 :* 223,4 (105,3). *85 :* 196,4 (86,1). *90 :* 157,4 (68,7). *91 :* 147,2 (63,6). *92 :* 146,6 (61,07).

☞ **Volvo :** Chiffre d'aff. et résultats (en milliards de F). *88* 89,8 (4,6), *89* 84,6 (4,5), *90* 77,3 (– 0,9), *91* 71,8 (1,40). *92* 83 (– 3).

Deux-roues

■ Deux-roues à moteur et assimilés

Dans le monde

■ **Production** (1984). **Cyclomoteurs :** Japon 1 875 789, All. dém. 200 100 (1983), *France 432 271,* Italie 415 000, Inde 212 564 (1982), Espagne 143 250, Autriche 135 206, Pologne 107 000 (1983), Tchéc. 82 770 (1982), All. féd. 78 728, Youg. 66 406 (1982), Portugal 38 954 (1983), Grèce 31 730 (1982), Suisse 12 716, P.-Bas 6 100 (1982), Suède 2 929.

Motocycles *(y compris scooters) :* Japon 2 150 518, URSS 1 127 000 (1983), Inde 380 726 (1982), Italie 301 675, Tchéc. 135 728 (1982), USA 105 000 (1982), All. dém. 80 000 (1983), Pologne 55 000 (1983), All. féd. 41 295, Espagne 33 906, *France 17 046,* Autriche 10 743, Suède 7 010 (1983), Youg. 5 200 (1982), Portugal 2 277 (1983), G.-B. 2 200 (1982).

☞ **Japon :** toutes cylindrées, *production* (1984) : 4 026 307 (dont Honda 1 676 820, Yamaha 1 141 186, Suzuki 931 981, Kawasaki 276 320) ; *exportations :* 2 122 440.

Parc au 1-1-1985	Total	Motos scooters	Cyclo-moteurs
All. féd.	2 894 698	933 642	1 961 056 [1]
Belgique [2]	645 749	110 228	535 521
Espagne	706 017	706 017	n.c. [3]
France	*5 065 000*	*665 000*	*4 400 000*
G.-B.	1 225 000	776 000	449 000
Hongrie	422 012	166 884	255 128
Inde	3 511 868	3 511 868	n.c.
Italie	n.c.	1 205 754	n.c.
Japon [5]	17 353 659	3 450 087	13 903 572
Malaisie (O.)	2 132 791	2 132 791	n.c.
P.-Bas	784 000	127 000	657 000
Suisse	846 693	199 302	647 391
Thaïlande [6]	1 140 703	1 140 703	n.c.
USA [7]	6 685 112	5 585 112 [8]	1 100 000 [9]

Nota. – (1) Fin juin. (2) Au 1-8. (3) Ne sont pas immatriculés. (4) Y c. motocyclettes jusqu'à 50 cc. (5) Au 31-3. (6) Au 31-12-1983. (7) Au 31-12-1983. (8) Motocyclettes seulement. (9) Vélomoteurs, ne sont pas immatriculés. *Source :* FRI.

En France

Généralités

■ **Définitions et permis.** (voir p. 1722).

■ **Formalités. Assurance :** *pour cyclomoteurs, motos légères et motos : assurance obligatoire ;* l'ass. à responsabilité civile (aux tiers) ne joue que si le conducteur a bien l'âge et le permis requis, la garantie spéciale de la responsabilité du conducteur vis-à-vis de son passager est obligatoire, s'il en transporte un.

Casque : si l'on circule sans casque (si port obligatoire), les indemnités sont minorées si l'absence de casque aggrave les blessures.

Circulation : conducteurs de cyclomoteurs et de motocyclettes ne doivent jamais rouler de front ; les cyclistes peuvent rouler (au plus) à 2 de front, mais doivent se mettre en file simple dès la chute du jour et si les conditions de la circulation l'exigent.

Immatriculation : pour tous, sauf cyclomoteurs, scooters 50 cc et voiturettes.

Signalisation : *cyclomoteurs :* projecteur avant, portée 25 m, et feu rouge arrière. *Cycles :* lanterne unique à l'avant, feu rouge arrière. Un dispositif réfléchissant rouge (ou plusieurs) valable pour cycles et cyclomoteurs. Pédales avec dispositifs réfléchissants orangés. Les motocyclettes (+ de 125 cm³) doivent, de jour, circuler les feux de croisement allumés sous peine d'amende de 150 à 300 F. *Plaque d'identité* fixe avec nom et adresse du propriétaire obligatoire pour bicyclettes et cyclomoteurs (sous peine d'amende de 20 à 150 F pour les premiers, 300 à 600 pour les seconds).

Transport de passagers : pas de limite d'âge, sauf pour cyclomoteurs (pas + de 14 ans).

Vignette moto : instituée à l'automne 1979 pour les + de 750 cm³, supprimée fin 1981. *Pour voiturettes et tricycles, quadricycles :* ass. à responsabilité civile.

■ **Consommation.** Cyclomoteur de 50 cm³, 10 à 15 g d'essence au km (voiture 60 à 80).

Statistiques

■ **Chiffre d'affaires** (HT en millions de F). *Total dont exportations 1971 :* 592 (188). *74 :* 1 043. *80 :* 1 206 (405). *85 :* 1 006 (381). *86 :* 866 (256). *87 :* 914 (246). *88 :* 1 157 (387). *89 :* 1 365 (535). *90 :* 1 661 (773). *91 :* 1 680 (808).

Balance commerciale en millions de F *(Exportations et,* entre parenthèses, *importations) 1975 :*

304 (321). *80:* 335 (887). *85:* 361 (977,4). *90:* 1 019,6 (2 274,9). *91 :* 1 090,6 (2 763,5) dont - de 50 cc 664 (238), + de 50 cc 315,3 (2 450,8).

■ Effectifs salariés *1985:*3 129, *87:*1 825, *91:*2 189.

■ Production (1991). **Cyclomoteurs :** 286 478 dont traditionnels 197 215 (MBK Industrie 64 752, Peugeot MTC 132 463), scooters - de 50 cc 89 263 (MBK Industrie 24 972, Peugeot MTC 64 291). **Motos :** 17 415 dont motocyclettes légères 17 415 (dont scooters 80 cc : Peugeot MTC 7 481, MBK Industrie 855), motos de + 80 cc 9 079.

Cyclomoteurs (- de 50 cc) : *1950 :* 94 398. *55 :* 830 575. *60:* 962 338. *65:* 1 111 867. *70:* 1 102 498. *74:* 1 381 480 (record). *75:* 1 073 105. *80:* 650 956. **Motocyclettes** (+ de 125 cc) : *1950 :* 18 592. *54 :* 35 603. *57:* 10 416. *60:* 1 411. *63:* 241. *65:* 1. *73:* 550. *75:* 492. *80:* 71. **Scooters :** *1950:* 1 820. *51:* 14 380. *52:* 50 829. *53:* 84 002. *54:* 100 366. *55:* 135 657. *56:* 118 293. *57:* 102 082. *58:* 51 668. *59:* 38 455. *60:* 37 038. *61:* 13 714. *62:* 304. **Vélomoteurs** (50 à 125 cc) : *1950 :* 100 156. *54 :* 171 974. *55 :* 151 229. *57:* 86 987. *60:* 6 582. *63:* 2 658. *65:* 10 545. *68:* 5 045. *70:* 4 292. *75:* 8 021. *78:* 3 584. *79:* 3 964. *80 :* 795.

Depuis 1985 (nouvelle réglementation). **Cyclomoteurs** (- de 50 cc) : *1985:* 427 865. *88:* 267 582. *89:* 252 623. *90 :* 227 066. *91 :* 202 648. **MTL 2** (non automatique, limitée à 80 cc) : *1985:* 661. *86:* 2 314. *87:* 11. **MTL 3** (automatique de 80 à 125 cc) : *1985:* 966. *86 :* 407. *87 :* 169. *88 :* 258. *89 :* 3. **MTTE** (non automatique de 80 à 125 cc) *85 :* 73. *86 :* 43. *87 :* 189. *88 :* 56. *89 :* 10. *91 :* 1 597. **Scooters :** *1985 :* 13 436. *86 :* 16 583. *87 :* 18 693. *88 :* 31 200. *89 :* 58 968. *90 :* 77 263. *91 :* 100 512. **MTL 1** (automatique, limitée à 80 cc) : *1985 :* 2 991. *86 :* 3 222. *87 :* 3 008. *88 :* 6 045. *89 :* 10 230. *90 :* 11 963. *91 :* 10 581. **MTL 3** (80 à 125 cc) : *91 :* 8 805.

Vélo Solex. Lancé 1946 par Maurice Goudard et Marcel Mennesson. Racheté 1974 par Motobécane (lui-même repris 1986 par Yamaha). Fabrication arrêtée nov. 1988. **Vente :** *1946 :* 220 000, *56 :* 202 687, *61 :* 198 000, *64 :* 380 000, *68 :* 286 000, *78 :* 1 000, *80 :* 7 100, *82 :* 4 000, *87 :* 2 700 (en tout 7 millions vendus dans 75 pays en 42 ans). **Prix** (en F) : *1946 :* 30 600 AF (soit 9 455 NF 1988), *55:* (2 815 NF 88), *64:* 340 NF (2 028 NF 88), *68:* (1 727 NF 88), *78:* (2 267 NF 88), *88 :* 2 995 F.

Mobylette. 1re sortie chez Motobécane en 1952. *Vente :* 15 millions d'ex.

L'Hirondelle. Fabriquée par Manufrance, utilisée jusque dans les années 1950 par les gardiens de la Paix cyclistes, leur donna son nom.

☞ **La rustine** fut inventée par M. Rustin.

■ Exportations (1991). **Cyclomoteurs - de 50 cc :** 149 425, **+ de 50 cc :** 8 803. Importations (1991). *- de 50 cc :* 54 729, *+ de 50 cc :* 126 382.

■ Marché intérieur. **- de 50 cc** (y compris scooters) : *1974:* 1 027 483 (114 636). *75:* 754 798 (65 258 dont Ital. 38 540, Belg. 21 959, RFA 2 144, Japon 1 880, Autr. 407, Esp. 298). *80 :* 429 967 (66 690). *85 :* 221 336 (35 805). *90:* 220 842 (57 971). *91:* 191 782 (54 729 dont Japon 28 850, Ital. 16 872, Taiwan 3 350, Esp. 3 074, Belg. 1 764, Tchéc. 560, RFA 2, divers 257).

■ Immatriculation 2-roues et triporteurs neufs et, entre parenthèses, occasions. *Total 1975 :* 92 716 (11 525), *80 :* 136 399 (218 515), *85 :* 73 331 (237 883), *90:* 125 225, *91:* 117 828 dont triporteurs 1 863.

2-roues (1991) : 115 965 dont **par types :** *MTL 1/2:* 11 305, *MTL 3:* 28 971, *MTTE:* 75 689 ; **par marques** (1991) : 115 965 dont Yamaha 32 803, Suzuki 23 471, Honda 23 403, Kawasaki 11 065, Peugeot 6 064, Vespa 3 554, Harley 2 678, Aprilia 2 158, BMW 2 014, MBK 846, Cagiva 772, Husqvarna 729, KTM 608, Gilera 585, Ducati 540, Fantic 425, Guzzi 249, MZ 153, Morini 25, Bultaco 3, Benelli 1. *Autres marques fr.* 16, *étr.* 3 793. **Scooters** *1971 :* 917 (917). *75:* 818 (818). *80:* 1 416 (1 416). *85:* 6 221 (3 944). *90:* 21 247 (14 676). *91:* 18 907 (11 290 dont Japon 5 791, Ital. 3 827, Esp. 1 078). **Motocycles** *1971 :* 50 012 (45 669). *75:* 107 649 (103 231). *80:* 168 500 (165 943). *85 :* 78 067 (76 724). *91 :* 126 382 (dont Japon 104 258, Ital. 11 858, USA 4 245, RFA 3 101, G.-B. 987, Esp. 511, Autr. 330, Brésil 242, Tchéc. 186, Belg.-Lux. 84, Suède 40, P.-Bas 34, divers 503). *92 :* 117 419 (282 226).

■ Prix. **Motos neuves** (8-1993). Honda : 1100 ST ABS : 90 280 ; 750 NR : 367 500 F (la + chère du marché). Kawasaki : ZXR 400 : 49 182 ; ZZR 1100 : 63 141. Suzuki : RF 600 : 47 119 ; GSXR 1100 : 61 829. Yamaha : XJ 600 S Diversion : 33 950 ; V MAX 1200 : 65 950. Harley Davidson : 883 Sportster : 49 990 ; Flec Glida Ultra Side : 183 900. Triumph : 900 Trident : 56 800. BMW : R 100 R : 54 200.

■ Parc (en milliers). **Cyclomoteurs** *1960 :* 3 900, *65 :* 4 900, *70 :* 5 500, *75 :* 5 900, *80 :* 5 200, *85 :* 3 350, *90 :* 2 300, *91 :* 2 150. **Vélomoteurs** *1960 :* 550, *65 :* 170, *70 :* 110, *75 :* 260. **MTL 1/2** *1985 :* 91, *90 :* 92, *91 :* 86. **MTL 3** *1990 :* 254, *91 :* 249. **Motocyclettes** *1960 :* 300, *65 :* 100, *70 :* 90, *79 :* 190. **Moto 3** *1980 :* 130. **MTTE** *1985 :* 375, *90 :* 400, *91 :* 410. **Scooters** *1960 :* 200, *65 :* 90, *70 :* 50, *79 :* 5, *80 :* 5, *85 :* 60, *90 :* 211. *91 :* 265.

■ Cycles

Dans le monde

Production (en milliers, 1990). Chine 31 900, Inde 8 000, Japon 7 969, Taiwan 6 800, URSS 6 500 [2], USA 5 556, All. féd. 3 858, Italie 3 500, Brésil 2 249 [1], Indonésie 1 608, *France 1 550,* Corée du S. 1 534, G.-B. 1 170, Yougoslavie 1 155 [2], Mexique 1 000 [2], P.-B. 842, All. dém. 819 [1], Tchécoslovaquie 668 [2], Espagne 665, Suisse 333, Danemark 208, Autriche 129.

Nota.- (1) 1987. (2) 1988.

En France

■ Chiffre d'affaires (milliards de F). *1978:* 0,97. *85:* 1,23. *86 :* 1,09. *87 :* 1,16. *88 :* 1,19. *89 :* 1,49. *90 :* 1,74. Exportations et, entre parenthèses, importations : *1987 :* 0,45 (0,35). *88 :* 0,47 (0,48). *89 :* 0,52 (0,64). *90 :* 0,66 (1,08).

■ Production (milliers). *1978 :* 2 116. *85:* 1 673. *86:* 1 441. *87 :* 1 376. *88 :* 1 297. *89 :* 1 469. *90 :* 1 536.

■ Ventes dont, entre parenthèses, importations (en milliers). *1971 :* 1 222,9 (189,7), *76 :* 2 155,3 (586,9), *80 :* 2 653,3 (508), *85 :* 2 047,5 (890,4). *87 :* 1 903,6 (1 019). *88 :* 2 051 (1 255). *89 :* 2 421 (1 403). *90 :* 2 898 (1 855).

Principales marques. **Motobécane :** *1960 :* 115,9. *65 :* 239,1. *70 :* 425,5. *75 :* 445,4. *76 :* 490,4. *81 :* 600. **Peugeot :** *1960 :* 188,9. *65 :* 208,1. *70 :* 385,5. *75 :* 742. *76 :* 708,7. *81 :* 657. *84 :* 634.

Exportations (en milliers) : *1971 :* 518. *76 :* 373,2. *80 :* 630,7. *85 :* 516,1. *86 :* 432,6. *87 :* 491,9. *88 :* 559,1 (dont G.-B. 132,8, All. féd. 104,4, Belg.-Lux. 45,8, P.-Bas 41,6). *90 :* 662. *92 :* 512,5.

Importations : *1986 :* 909. *87 :* 1 019. *88 :* 1 312,7 (dont P.-Bas 682,3, Chine 253,6, Taiwan 131,4, All. féd. 39,9, Youg. 39,8, Thaïlande 39,1). *90 :* 1 085. *92 :* 2 475,8.

■ Parc (en millions). *1980 :* 17. *88 :* 19. *89 :* 22. *90 :* 20.

■ Prix moyen unitaire (en F). *1978 :* 456,77. *88 :* 915,64. vente en France (française 863,03, importée 356,05, d'Inde 148,5, de Suisse 677,42).

■ Effectifs (au 31-12). *1984 :* 3 435. *90 :* 2 273.

Camping-cars, caravanes

■ Camping-cars. **Immatriculations** (1991) : USA 62 000 (90), All. 21 087, Ital. 9 500, *France 6 247,* G.-B. 3 528, Finlande 907, Suède 773, Esp. 382 (90), P.-B. 350, Danemark 89. Parc : 166 000. **Production** (1991) : 2 727.

■ Caravanes. **Immatriculations** (1991) : All. 33 293, G.-B. 29 492, P.-B. 21 250, *France 20 260,* Suède 7 801, Ital. 6 000, Danemark 4 031, Finl. 2 579, Port. 1 220. *1990 :* USA 118 300, Esp. 13 745, Autriche 1 484, Yougoslavie 500.

Données techniques

■ Carburant

■ Indice d'octane d'un carburant. Obtenu avec un moteur d'essai monocylindrique dans lequel le carburant de référence est un mélange d'iso-octane et d'heptane (ce dernier possédant de mauvaises propriétés « anticognement », alors que l'iso-octane représente la valeur optimale de 100). Si un carburant testé dans ce moteur donne les mêmes résultats qu'un mélange contenant par ex. 90 % d'iso-octane et 10 % d'heptane, on dit qu'il a un indice d'octane de 90. Selon le procédé utilisé, on parle d'*octane research* (RON) ou d'*octane motor* (MON) qui peuvent présenter des différences de 6 à 14 % (la cotation RON étant la plus élevée). Les moteurs d'auto ont en général des taux de compression de 7,5/10,5. Toute élévation du taux ou tout facteur contribuant à l'augmenter doit être compensé par un carburant à indice d'octane élevé.

Le besoin en octane sera plus élevé si : la culasse et le bloc-moteur sont en fonte, l'emplacement des bougies est dans une zone froide, les sièges de soupapes sont étroits, la chambre de combustion a une forme « baignoire » ou « en coin », le moteur « remplit » bien, il y a trop d'avance à l'allumage, la boîte de vitesses est mécanique, etc. ; il fait chaud, l'on utilise de l'huile épaisse, les ch. de combustion sont calaminées, l'allumage mal réglé, la température de fonctionnement trop élevée, le moteur est vieux sans avoir été « nettoyé » ; les bougies sont vieilles, l'allumage est mal calé, le moteur doit supporter une forte charge à haut régime, il y a des dépôts dans la tubulure d'admission, etc.

Il sera moindre si : la culasse est en aluminium, les chambres de combustion sont hémisphériques, les bougies sont dans une zone chaude, les sièges de soupapes sont larges, la tubulure d'admission est longue, il n'y a qu'un seul carburateur, le mélange air-essence est riche, le remplissage des cylindres est moyen, la transmission est automatique...

■ GNV (gaz naturel comprimé). *France :* 2 stations, Nantes, St-Gaudens (Hte-Garonne). Technique mise au point par GDF à Orvault (L.-Atl.). Coût équipement : 8 000 F.

■ GPL. **Définition** (voir Index). **Proportion de butane et de propane :** varie selon pays et saisons. **Température d'évaporation du mélange :** inférieure à la temp. extérieure (on doit le maintenir sous une pression de 2 à 8 bars). **Carburateur :** remplacé par un système comportant un détendeur et un adaptateur-mélangeur. **Avantages :** coût peu élevé. Bon rendement par une répartition équilibrée du mélange dans les cylindres ; suppression du dépôt de calamine ; pollution moindre ; bruit réduit. **Inconvénients :** encombrement des bouteilles de gaz, coût de la transformation du carburateur (3 000 à 6 000 F) ; consommation accrue de 10 % (11 l de GPL équivalent à 10 l de super) ; puissance max. du véhicule diminuée de 8 % env.

Voitures équipées GPL : P.-Bas 300 000, Italie 240 000, *France 80 000,* Japon 29 000, Allemagne féd. 15 000.

■ Consommation. **Consommation moyenne en litres aux 100 km pour une vitesse de 80 km/h et,** entre parenthèses, **de 100 km/h :** 1 personne à bord 7 (8), 2 personnes à l'avant, voiture chargée à plein 7,6 (9), + galerie avec cantine et 2 valises 9,7 (14). **Sur 1 000 km :** une voiture à 100 km/h mettra 10 h et consommera 82 l ; à 120 km/h 8 h 20 (103 l) et à 140 km/h 7 h (116 l). *Temps économisé en roulant à 120 km/h ou 130 km/h :* revient 0,80 à 1 F la minute.

☞ Records : 1973-*2-10,* Opel Caravan 959, 1,5 l modifié Ben et Caroline Visser (USA) : 3,78 litres pour 606 km, vitesse max. 20 km/h. **1979-***10, 3 roues Diesel de 200 cm³* de Franz Maier (All.), 1 litre de gasoil pour 1 284,13 km. **1981-***2-11* California Commuter à 3 roues Douglas Malewicki (USA) 424,2 km à 90,6 km/h (1,49 litre au 100 km). **1984** *UFO 2* (20 kg, vit. max. 40 km, tricycle) 0,074 litre aux 100 km. **1990** (juin) *Microjoule* mis au point par les enseignants et les élèves d'un lycée technique de Nantes (St-Joseph-de-la-Joliverie) 1 l d'essence pour 1 291,5 km sur le circuit du Castellet. **1991** 1 l d'essence pour 1 406,7 km. **1992** (juill.) sur le même circuit 1 l d'essence sans plomb pour 1 502,8 km malgré un vent de forte intensité (Jean-Yves Tual dans un véhicule du lycée technique de la Joliverie).

■ Barème indicatif de la Dir. gén. des impôts du prix de revient kilométrique (en F, 1993, applicable aux revenus perçus en 1992) selon le kilométrage annuel parcouru : 5 000 km (ou 20 000 km) et selon la puissance du véhicule en CV : *3 CV* 1,90 (1,30), *4* 2,29 (1,52), *5* 2,54 (1,67), *6* 2,73 (1,79), *7* 2,84 (1,87), *8* 3,07 (2,02), *9* 3,14 (2,10), *10* 3,31 (2,21), *11* 3,38 (2,28), *12* 3,62 (2,44), *13* 3,69 (2,51).

Les frais de garage peuvent, sous réserve des justifications nécessaires, être ajoutés en déduisant la part correspondant à l'usage privé des frais de garage.

■ Moteur à explosion

■ Principes. Transforme l'énergie thermique produite par la combustion d'un mélange carburant-air en énergie mécanique.

■ Moteurs à allumage par étincelle. A 4 temps. **1er temps : aspiration,** la soupape d'admission est ouverte, le piston aspire en descendant du mélange frais de carburant et d'air dans le cylindre. **2e temps : compression,** les soupapes sont fermées, le piston comprime en remontant le mélange, ensuite a lieu l'allumage par bougie. **3e temps : explosion (temps moteur),** les soupapes étant fermées, la pression des gaz produits par la combustion repousse le piston vers le bas. **4e temps : expulsion et détente,** la soupape d'échappement étant ouverte, le piston chasse en remontant les gaz brûlés. Il y a aussi un temps moteur tous les 2 tours de vibrequin.

A 2 temps. Sauf cas spéciaux, n'ont pas de soupapes mais 3 ouvertures dans le cylindre, dites « lumières ». Après allumage et explosion, le piston descend, la lumière d'échappement s'ouvre, les gaz brûlés s'échappent, puis la *lumière d'admission* dans le carter de précompression se ferme, et la *lumière de trop-plein* s'ouvre. Les gaz frais passent du carter dans le cylindre. Le piston remonte, les 3 lumières sont fermées, le mélange est comprimé dans le cylindre. En fin de course, la lumière d'admission s'ouvre, un mélange frais pénètre dans le carter.

Avantages : meilleure qualité de fonctionnement, consommation moindre, puissance sup. de 50 % pour une cylindrée donnée, entretien plus facile (inutile de vidanger) ; plus compact, 60 % plus léger et moins encombrant ; émet moins d'oxyde d'azote. **Inconvénients :** difficile d'éviter le mélange d'air frais et d'essence et des gaz ; des gaz brûlés restant dans le cylindre, perturbent la propagation de la combustion, et de l'essence non brulée est rejetée dans l'atmosphère. Augmente les émissions d'hydrocarbures ; nécessite de l'huile : consomme 2 % d'huile (contre un 4 temps – de 0,2 %), bruyant, les clapets d'admission d'air frais se refermant brutalement lors de l'échappement pour éviter que cet air ne reparte vers l'extérieur.

■ **A injection.** A 4 ou 2 temps. Le moteur aspire seulement de l'air au 1er temps du cycle. 1°) **injection directe :** le carburant est injecté dans la chambre. 2°) **indirecte :** il est injecté dans la tubulure d'admission. L'allumage commandé se fait soit en même

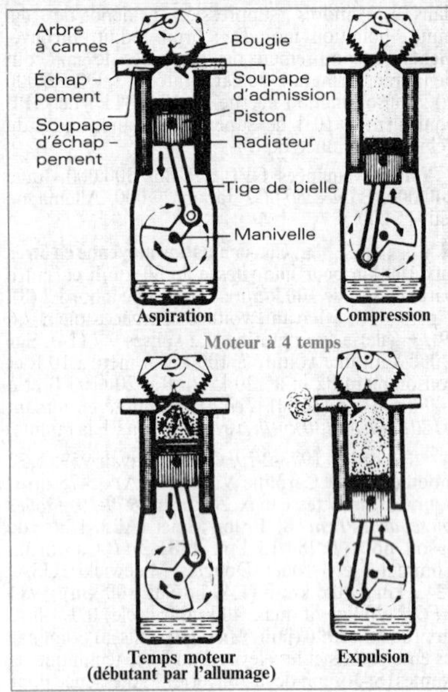

Moteur à 4 temps

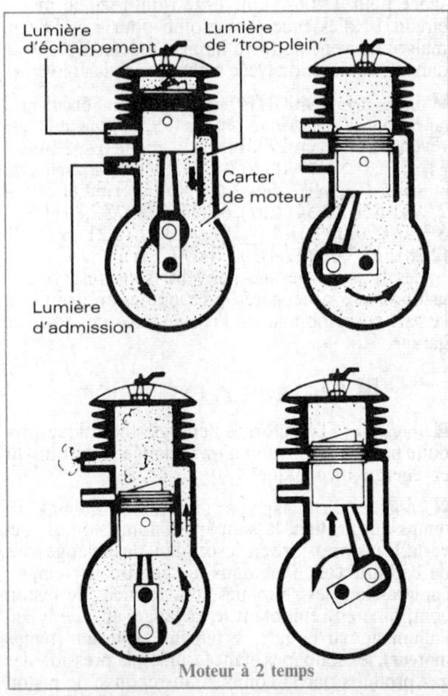

Moteur à 2 temps

temps que l'inj., soit à la fin du temps de compression. **Avantages :** diminution des émissions nocives, amélioration du rendement et de la puissance (surtout grâce à une régulation électronique de l'inj.). **Inconvénient :** coût plus élevé.

■ **Auto-inflammation du combustible. Diesel :** taux de compression élevés (de 16 à 22/l). L'air aspiré dans le cylindre est comprimé [beaucoup plus fortement (de 700 à 900 °C)], une certaine quantité de combustible est injectée dans le cylindre. Elle s'enflamme spontanément. Mêmes cycles que dans le moteur à explosion (4 ou 2 temps). *Diesel à injection directe,* le carburant est injecté directement dans le cylindre. A injection indirecte, le carburant est envoyé dans une pré-chambre de combustion, dans laquelle l'air est animé d'un mouvement tournant très rapide, qui favorise la combustion.

Avantages : *consomme moins qu'un moteur à essence,* surtout au ralenti (*prix de revient* du km env. 50 % moins cher sur route, 60 % en ville). Pour chauffer l'air admis par simple compression, il faut un moteur dont le rapport volumétrique soit de l'ordre de 21 à 1. Les organes moteurs sont donc renforcés pour supporter cette pression. L'absence de système d'allumage électrique élimine nombre de pannes. L'isolation phonique nécessaire, car le moteur est bruyant, constitue une bonne protection contre la rouille, le sel, etc. La lutte contre les vibrations a conduit à fabriquer des vilebrequins à 5 paliers pour les 4 cylindres, plus robustes que les vilebrequins classiques. *Puissance à bas régime :* avantage pour tracter une remorque, une caravane, un bateau. N'émet pas d'oxyde de carbone, ni d'hydrocarbures, car combustion complète. *Assurances moins chères :* les diesels étant peu rapides. *Fiscalité réduite :* ex. : la CX 2400 (2 175 cm³) est une 9 CV (CX 2000 à essence 1 985 cm³, 11 CV). *Prix de revente* élevé.

Inconvénients : *moteur bruyant :* le gazole s'enflamment dans les cylindres provoque un claquement de combustion, surtout au ralenti. *Démarrages plus longs :* il faut chauffer l'air contenu dans les cylindres, entre 20 et 60 s, avant le 1er coup de démarreur. Les moteurs modernes pour voitures particulières ont des bougies « rapides » permettant le démarrage en 8 s env. *Vibrations :* dues à la compression de l'air, surtout au-dessous de 50 km/h. *Manque de reprises. Vitesse maximale plus faible* (surtout sur anciens modèles) mais maintenable sur de longues distances sans dommage pour le moteur, d'où des moyennes élevées surtout sur autoroutes. *Prix d'achat élevé :* usinage particulier, matériaux plus résistants. *Poids élevé. Entretien* délicat et assez coûteux. *Fumées* (suies) dès que le moteur se dérègle. *Odeurs* d'échappement difficiles à éliminer.

Moteurs particuliers

■ **Moteur à piston rotatif.** Inventé par Felix Wankel (All., 1902-88). 4 temps. Ni soupapes (remplacées par des lumières ou ouvertures), ni bielles, ni vilebrequin. A l'intérieur du piston rotatif, une roue dentée entraîne une autre roue dentée, l'excentrique de l'arbre-moteur.

1er temps : Face *a :* l'admission commence. Chambre *b :* elle se remplit de mélange et la compression s'effectue. En *c :* a lieu la détente ou combustion des gaz. **2e temps :** détente des gaz terminée en chambre *c.* La barrette de pointe (en gros le sommet du triangle dont les côtés seraient *a* et *c,* la barrette correspond au segment du piston classique) vient de laisser ouverte la lumière d'échappement par où commen-

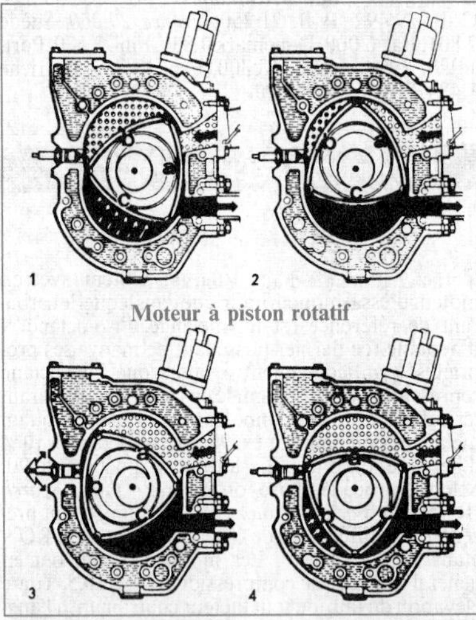

Moteur à piston rotatif

cent de passer les gaz brûlés. **3e temps :** dans la chambre *a,* l'admission de mélange se poursuit toujours. En *b,* la compression atteint son maximum. Le mélange est mis à feu par la bougie, en *c.* L'échappement continue. **4e temps :** chambre *a* remplie de gaz frais. La compression débute dès que la barrette a obturé la lumière d'admission. Dans la chambre *b,* les gaz brûlés se détendent et entraînent l'arbre à excentrique par l'intermédiaire du piston. Le piston n'a effectué qu'un tiers de tour. En un tour complet, le cycle à 4 temps se répète 3 fois, et l'arbre à excentrique effectue 3 tours.

Avantages : supprime certaines vibrations dues au mouvement alternatif des pistons, dimensions restreintes, longévité, fiabilité, peu de réparations. **Inconvénients :** consommation élevée (huile et carburant), difficultés à ramener la pollution aux limites légales, vitesse élevée de l'arbre de sortie, frein-moteur faible. Depuis 1978, seul Toyo-Kogyo (devenu Mazda Motor Co.) continue à utiliser le moteur Wankel sur des voitures sportives.

■ **Moteur Stirling à combustion externe. Principe :** une masse de gaz évolue en circuit fermé dans un ou plusieurs cylindres (étanches). Au cours du cycle moteur, elle subit d'abord une compression isotherme. Chauffée à volume constant, elle se détend isothermiquement au cours de la phase suivante en repoussant le piston auquel elle fournit le travail moteur. Enfin, elle se refroidit à volume constant, et le cycle recommence. L'énergie calorifique qui sert à échauffer la masse gazeuse est fournie par la chambre de combustion externe indépendante, et transmise par l'échangeur qui en récupère une partie au cours de la 4e phase. On peut théoriquement employer n'importe quel combustible. **Avantages :** peu polluant, peu bruyant, consommation + faible (environ 30 %). **Inconvénients :** encombrement. Cependant Philips a pu loger un moteur de 17 ch dans une boîte de 30 cm de côté.

■ **Suralimentation par compresseurs.** Comme pour obtenir une puissance supérieure, on ne peut augmenter indéfiniment les cylindres (interdictions réglementaires, limitations de fait dues à l'encombrement), on alimente ceux-ci par un gaz préalablement comprimé (suralimentation continue ou momentanée) dans des compresseurs à entraînement mécanique ou à turbine utilisant les gaz d'échappement (turbo-compresseur).

Puissance d'un moteur

Dépend de la cylindrée, du rapport de compression et du carburant.

■ **Puissance réelle. Théorique :** que fournirait le moteur si l'énergie thermique du combustible était transformée entièrement en travail mécanique. **Effective :** réellement utilisable sur l'arbre moteur [rendement : rapport entre l'énergie recueillie et l'énergie fournie au moteur sous forme de combustible (toujours inférieur à 1)]. **Spécifique :** rapport de la p. max. à la cylindrée, en moyenne 50 ch au litre (voitures de sport et de compétition : + de 100 ch).

Estimation. Puissance brute (gross power) du moteur déconnecté de tous ses accessoires (filtre à air, ventilateur, dynamo ou alternateur, etc.) [ancienne formule]. SAE (Society of Automotive Engineers, des USA). **Nette** mesurée sur l'arbre du moteur entraînant tous les accessoires nécessaires au fonctionnement de la voiture. Représente sensiblement la puissance utile disponible pour propulser le véhicule, mesurée suivant les formules SAE nette, DIN (Deutsche Industrial Normen : normes industrielles allemandes) ou ISO (Organisation internationale de standardisation) ou suivant le projet de recommandation de Genève (CEE).

Puissance administrative française. Calculée, depuis le 1-1-1978, à partir de la cylindrée du moteur et d'un paramètre caractérisant la démultiplication de la transmission du mouvement et du carburant. Ce paramètre, fonction du type de transmission (boîtes de vitesses manuelles à 4 ou 5 rapports, boîtes de vitesses automatiques) est proportionnel à la somme des vitesses théoriquement atteintes au régime moteur de 1 000 t/min, pour les différents rapports de démultiplication de la boîte de vitesses. *Formule* P : = m(0,0458 × C/K) 1,48. [C cylindrée du moteur, K rapport de démultiplication, m vaut 1 pour les véhicules à essence et 0,7 pour les diesels.]

Nota. – Un coefficient spécifique est appliqué aux boîtes automatiques.

Système d'allumage

Durée de vie. *Bougies courantes* 10 000 à 15 000 km, *à électrode annulaire* 30 000 à 40 000 km. *Vis platinées du rupteur* 10 000 km. La consommation s'élève de 5 à 15 % en cas d'usure des vis platinées et des bougies. *Condensateur* 20 000 à 40 000 km. *Bobine* jusqu'à 120 000 km.

Les systèmes d'allumage électroniques ou opto-électroniques fournissent des étincelles bien réglées et leur vie est accrue parce qu'ils ne comportent pas de pièce frottante. Certains sont livrés pour la durée de la voiture, sans nécessiter de réglage ou de révision (sauf exception).

Allumeur à contacts autonettoyants. Créé par la Sté CAV Lucas. Permet d'espacer les opérations d'entretien (rupteur remplacé tous les 40 000 km, avec nettoyage intermédiaire aux 20 000 km).

Véhicules électriques

■ Systèmes. **Accumulateurs. Au plomb :** Énergie massique (quantité accumulée par kg) 35 Wh (+ de 40, prévu en améliorant la définition des matières actives, les systèmes de collecte de courant, en réduisant les résistances, en allégeant les boîtes, etc.). Longévité dépend du nombre de chargements permis (600 cycles). *Autonomie :* avec charge embarquée de 350 kg, 70 à 80 km à 60 ou 70 km/h. **Cadmium/nickel :** Én. massique 50 à 55 Wh/kg (1 500 à 2 000 cycles), durée de vie 120 000 km. **Sodium/soufre :** Én. massique 100 Wh/kg, température de fonctionnement 350 °C, autonomie 200 km, durée de vie aléatoire. **Lithium :** Én. massique 150 Wh/kg, autonomie 250 à 300 km. **Générateurs :** fonctionnement grâce à des moteurs diesel et des turbines. **Piles à combustibles :** prix encore trop élevé.

■ Types. *Seer (Sté européenne des électromobiles rochelaises) :* fourgonnette 137 580 F, pick up 144 000 F : batterie au plomb étanche Oldham ou Sonnenschein, ou au nickel-cadmium de la Saft (Alcatel-Alsthom) de 20 000 à 80 000 F, autonomie 80 km [recharge 8 à 10 h, coût (tarif vert) 6 F], vit. 80 km/h. *Production 1992 :* 200, *95 :* 1 500. *Autres modèles :* C15 Citroën ; fourgonnettes Express Renault ; prototypes : Erad, Aixam, Microcar (groupe Janneau) et Ligier ; Elektro-Clio [présentée 1991, lancement 1993, batterie au plomb étanche ou au nickel-cadmium, autonomie 80 km, vitesse de pointe 80 km/h] ; Espace hybride avec moteur thermique d'appoint ; Peugeot 106 et Citroën AX avec moteur Leroy-Somer à courant continu [autonomie 100 km, vit. 100 km/h, prod. (prév.) *1995* 50 000, *2000* 100 000].

Pannes les plus fréquentes

Durabilité moyenne critique en km et taux global (en %). Échappement 18 000 (25), plaquettes/garniture 23 000 (19,5), allumage 36 000 (12), batterie 45 000 (10), essuie-glace/laveglace 60 000 (7,5), amortisseurs 62 000 (7,3), alignement roues 62 000 (7,2), carburation 62 000 (7,2), embrayage 63 000 (7,1), culasse/joint culasse/soupapes 65 000 (6,9), éclairage route/clignoteur 68 000 (6,6), témoins tableau de bord 68 000 (6,6), frein à main 71 000 (6,3), alternateur 76 000 (5,9), circuit hydraulique/frein 77 000 (5,8), démarreur 82 000 (5,5), tambours disques 86 000 (5,2).

Pneus

La différence entre la profondeur des rainures de 2 pneus montés sur un même essieu ne doit pas dépasser 5 mm (il faut donc les remplacer par paire). L'usure et le vieillissement diminuent l'adhérence sur sol mouillé, favorisent l'aquaplanage, entraînent un risque d'éclatement consécutif à un échauffement plus important de la carcasse.

Pneus cloutés. 100/150 crampons par pneu. Vitesse limitée à 90 km/h, indiquée sur un disque amovible apposé à l'arrière du véhicule. Utilisation autorisée en Fr., du samedi précédant le 11 nov. au dernier dimanche de mars de l'année suivante. Interdits dans certains pays (ex. All., Pologne, Port.).

Kilométrage moyen d'usure. Base carcasse radiale avec ou sans chambre suivant les montages d'origine : 50 000 (à 160 000) ; tractions avant et utilitaires : 40 000 (Peugeot J9, Citroën C35, Renault Master, Ford Transit : 45 000). En réalité, un pneu fait en moy. sur bonnes routes : 35 000 km, sur mauvaises : 6 000 km, en ville : 4 500 km. Le pneu vert lancé par Michelin en 1993 permet d'abaisser la résistance au roulement de 35 % (d'où économie de carburant de 4,9 %).

Lecture d'un pneu. *Exemple :* **MXV 185/70 R 14 88 H :** *MXV :* pneu MXV, *185 :* largeur du pneu en mm, *70 :* série du pneu H/S, *R :* structure (R = Radial), *14 :* diamètre intérieur en pouces (correspond à celui de la jante), *88 :* indice de charge (560 kg), *H :* code de vitesse (H = 210 km/h). **Codes de vitesse :** Q : 160 km/h, R : 170, S : 180, T : 190, H : 210, V : 240, Z : + de 240.

Données pratiques

Papiers que l'on doit avoir sur soi en France. Permis de conduire valide, attestation d'assurance (voir Assurances), carte grise (+ celle de la remorque si elle pèse plus de 500 kg en charge) (la photocopie certifiée conforme est admise pour les véhic. de transports de marchandises d'un PTAC sup. à 3,5 t, soumis à des visites techniques périodiques obligatoires, ainsi que pour les véhicules de location sauf ceux loués avec option d'achat, l'original de ce document étant exigé à l'étranger), volet détachable de la vignette du véhicule en cours. **Non-présentation immédiate des papiers** d'attestation d'assurance aux forces de l'ordre : contrav. de 2 e cl., 230 F. Si, dans les 5 j, on ne vient pas présenter ses papiers, contravention 4e cl. : 900 F.

Papiers nécessaires à l'étranger. *En Europe :* carte verte d'assurance internationale, permis de conduire à 3 volets (ou permis intern. pour URSS et Grèce) ; *hors d'Europe :* permis de conduire int. et certificat int. pour automobile sont parfois exigés. On se procure le permis de conduire intern. sur présentation du permis français, de 2 photos et d'un timbre fiscal, auprès de la préfecture ou des automobiles clubs.

Papiers perdus ou volés. Faire une déclaration au commissariat ou à la gendarmerie ; le récépissé qui sera délivré remplace le permis de conduire pendant 2 mois.

Cours moyens Argus : correspondent au mois moyen d'immatriculation dans une année modèle : janvier à partir du millésime 1980 ; début mars pour les années antérieures. État standard : bon état de marche, sécurité, entretien, avec 5 pneus usés au max. à 50 %, ayant parcouru au max. 15 000 km par an, (moteur essence) ou 25 000 (Diesel). Au-delà, déduire par km et par an pour *la voiture essence :* de *2 à 4 CV :* 15 centimes, *5 à 7 :* 16 c., *8 à 12 :* 18 c., *13 à 16 :* 21 c., *17 et + :* 25 c. ; *diesel : jusqu'à 9 CV :* 10 c., *10 et + :* 18 c. Le vendeur peut ajouter les frais de remise en état effectués. *Pour la valeur de reprise,* déduire 15 % pour frais du garagiste.

Véhicules hors d'usage en France. **Nombre annuel :** 1 800 000 dont 300 000 vendus aux démolisseurs par les réseaux de démolition des constructeurs (notamment Peugeot « Assainauto », Citroën « Place nette », Renault « Sococasse », Fiat « Afficasse », Ford « Fordéli », VAG, Austin Rover, Alfa Romeo). 500 000 revendus après accidents par les Cies d'assurances sur appel d'offres. 300 000 abandonnés dans la nature, à l'étranger, au fond d'un garage, etc. Démolisseurs : 300 traitant plus de 1 000 000 de voitures par an, recyclant les pièces détachées (5 % du marché) et revendant les matériaux récupérés (+ de 600 000 t/an de métaux). Formalités : « En cas de vente d'un véhicule en vue de sa destruction, l'ancien propriétaire doit adresser dans les 15 j suivant la transaction au préfet du département de son domicile une déclaration informant de la vente du véhicule en vue de sa destruction et indiquant l'identité et le domicile déclarés par l'acquéreur. Il accompagne cette déclaration de la carte grise, dont il aura découpé la partie supérieure droite lorsque ce document comporte l'indication du coin à découper.

« En cas de destruction d'un véhicule par son propriétaire, celui-ci doit adresser au préfet du département de son domicile, dans les 15 j qui suivent, une déclaration de destruction, accompagnée soit du certificat de vente dans le cas visé à l'alinéa précédent, soit de la carte grise dont il aura découpé la partie supérieure droite lorsque ce document comporte l'indication du coin à découper. La déclaration de destruction est établie conformément à des règles fixées par le ministre chargé des transports. » (art. R 116 du Code de la route).

Carte grise

■ Demande. **Véhicule neuf :** s'adresser à la préfecture (Paris : Préf. de Police, 1, rue de Lutèce, 75004). Droits : varient selon les régions. Ex. pour Paris (93) 142 F par CV. Demi-tarif pour moto et vélomoteur, voiture particulière de + de 10 ans, véh. de + de 3,5 t. Remorques, tracteurs agr. (112,5 F par CV), véhicules immatriculés TT : (150 F par CV). En attendant l'immatr. définitive, le vendeur remet une *carte provisoire WW* qui permettra de circuler 15 j ouvrés. **D'occasion :** une nouvelle carte grise doit être établie dans les 15 j suivant la vente. Le vendeur doit remettre à l'acheteur : certificat de vente (imprimé dans les préfectures et sous-préfectures) dont le vendeur envoie le double à la préfecture, vignette, carte grise (barrée de 2 lignes transversales et revêtue de la mention vendue le ... à M. X et signée) et certificat de passage dans un centre de contrôle technique, si le véhicule a + de 5 ans. Mêmes formalités que pour les neufs. Joindre une attestation d'inscription ou de non-inscription de gage (délivrée par la préfecture où la voiture est immatriculée, si la préfecture du domicile de l'acheteur est différente) et les pièces remises par le vendeur, pièce d'identité et justification du domicile. Droits (voir véhicule neuf).

Nota. – Formalités (Paris) : à la Préfecture de Police (ensemble des opérations) ou dans les mairies d'arrond. (transferts simples de propriété).

■ Duplicata. **Demande :** fournir volet n° 2 de la déclaration de perte ou de vol, imprimé de demande de duplicata, titre de paiement des droits fixes à acquitter [chèque bancaire, postal, mandat postal à l'ordre du Régisseur des Recettes de la Préfecture de... (lieu d'immatriculation du véhicule), sauf si paiement en espèces. Éventuellement enveloppe affranchie au tarif « recommandé » et l'adresse du propriétaire]. Pièces justificatives de l'identité et du domicile. S'adresser à la préfecture ou sous-préfecture du lieu d'immatriculation : par lettre (sauf à Paris), ou déposer ou faire transmettre (sauf à Paris) par préfecture, sous-préfecture, ou éventuellement la mairie du chef-lieu de canton, qui a reçu la déclaration de perte. A Paris, si l'on est Parisien : à la Préfecture de Police ou à la mairie de l'arrondissement. **Droit fixe** (à Paris, en F) : voiture particulière 100. Moto, vélomoteur 1 CV 25 ; 2 CV - de 10 ans 100 ; 2 CV de + de 10 ans 50. Moto 3 CV - de 10 ans 100 ; de + de 10 ans 75 ; de 4 CV et + 100.

■ Cas particulier. **Changement de domicile :** formalités à accomplir dans le mois suivant. *Dans le même dép. :* s'adresser à la préf., sous-préf., commissariat de police, brigade de gendarmerie (à Paris : Préf. de Police, ou antennes dans les mairies d'arr.). Remplir un formulaire, présenter justification du nouveau domicile, pièce d'identité et remettre la carte grise à modifier. Gratuit. *Dans un autre dép. :* s'adresser à la préf. du nouveau domicile. Joindre aux pièces ci-dessus une attestation d'inscription ou de non-inscription de gage délivrée par la préf. qui a établi la précédente carte grise. Gratuit. **Changement d'état civil** (art. 1 635 bis G à 1 635 bis K, Code général des impôts) : gratuit en cas de changement d'état matrimonial (après mariage, divorce, veuvage) sur présentation des pièces justificatives adéquates. Taux fixe en cas de modification d'état civil de la personne physique propriétaire du véhicule pour véhicule à moteur autre que vélomoteurs et motocyclettes et dont la cylindrée n'excède pas 125 cm³. 1/4 du taux unitaire pour vélomoteurs et motocyclettes. **Héritage :** l'immatriculation au nom de l'héritier pourra être obtenue sur présentation d'une attestation du notaire, d'un certificat d'hérédité délivré par le maire, ou d'un certificat de propriété délivré par un juge d'instance. **Perte :** *déclaration :* préfecture, mairies des chefs-lieux de canton. A Paris, mairie de l'arrondissement du domicile. **Vol :** déclaration au commissariat de police ou à la brigade de gendarmerie du lieu de la résidence du déclarant, ou du lieu où le fait a été constaté. Droits identiques à ceux d'un duplicata. taxe de 100 F pour immatriculation WW, 200 F pour W ou duplicata.

☞ **Véhicules gravement accidentés (VGA) :** la police, constatant un accident, peut retirer la carte grise de tout véhicule présumé dangereux. Le véhicule ne pourra être remis en circulation qu'après expertise.

Location automobile

■ Statistiques globales. **Nombre de locations :** *1978 :* 1 000 000. *82 :* 1 500 000. *84 :* 3 500 000. *90 :* 5 000 000. *91 :* 5 500 000. *92 :* 5 500 000. **Durée moyenne** (1992) : 3,4 j. **Kilométrage moyen** *par location :* 360, *par j de location :* 120. **Parc :** 110 000 voitures, 30 000 véhic. utilitaires (jusqu'à 3,5 t). **CA global** (en milliards de F, 1992) : 5 dont voitures 4, utilitaires 1. *Achats et reventes de véhicules par an :* 170 000. *Age moyen des voitures particulières :* 9 mois.

■ Principales Stés en France. **Nombre de stations et,** entre parenthèses, **nombre de véhicules en saison :** particuliers, et utilitaires de 3,5 t max.) *Avis* 525 (17 183, 2 354), *Interlosange* 450 (2 800, 700), *Hertz* 420 (19 500, 2 500), *Europcar* 409 (19 680, 4 950), *Budget* 357 (6 900, 1 830), *Citer* 300 (3 850, 1 750), *Eurorent* 205 (4 400, 1 800), *Eurodollar* 100 (1 700, 600), *Thrifty* 45 (900, 300). *Total* 2 831 (76 913, 16 784), *avec les indépendants* 3 800 (110 000, 30 000).

■ Rentabilité. La location est rentable jusqu'à 90 à 110 j d'utilisation annuels pour 9 000 à 11 000 km par rapport à un achat, si l'on ajoute au prix d'achat *les intérêts du capital immobilisé :* 12 à 14 % ; *la dépréciation annuelle :* 22 à 25 % ; *l'entretien :* 3 à 6 % ; *l'assurance tous risques avec franchise :* 6 à 12 %.

■ **Tarif par jour et,** entre parenthèses, **par km** (en F, TTC). *Exemples : Avis* (21-1-91) : Opel Corsa 264,9 (+ 4,21), Mercedes 300 SE 1 184,95 (+ 12,55) ; budget (févr. 93) : forfait gare-aéroports 495 F/j TTC ; kilométrage illimité Ford Fiesta/Opel Corsa ; forfait Peugeot 106 XS 495 F/j TTC. *Eurorent* (1-5-92) : Clio 251,43 (4,03). *Herz* (5-92) : Peugeot 106 266,85 (4,28), Renault Safrane 489,82 (6,50), Mercedes 190 818,34 (8,49). *Citer* (1-4-93) : AX 265 (4,27), ZX 325 (4,85), Xantia 445 (6,45), XM 475 (6,52).

■ **Location de véhicules industriels. CA** (en millions de F) **et,** entre parenthèses, **parc :** *Fraskin* (et filiale Semam) : 722,6 (8 497). *Via Location :* 667,5 (5 200). *Locamion :* 664,4 (4 727). *Transauto Stur :* 426,6 (1 766). *France Location :* 367,9 (2 929).

6 300 entreprises dont 2 800 pour qui c'est l'activité principale. *CA* 13 milliards de F. 60 000 salariés. *Parc en 1991 :* 190 000 dont 110 000 camionnettes de – de 3 t, 30 000 camions de + de 3 t, 30 000 semi-remorques, 20 000 tracteurs.

■ **Location à longue durée (France, 1991). Principales Stés** (part de marché en %) : Parc-Location 21,25, Crédit par 15, Avis Lease 6,9, Dial 4,69, Lease Plan 4,41, Hertz 0,83, Europcar 0,59.

■ PERMIS DE CONDUIRE

☞ **Origine.** *16-8-1889 :* Léon Serpollet passe le 1er examen sur tricycle à vapeur de sa conception, rue Spontiani (Paris XVIe). *17-4-1891 :* 1re autorisation de circuler sans dépasser 16 km/h délivrée à Léon Serpollet et Avezard fils. *14-3-1893 :* certificat de capacité délivré par les préfectures. *10-3-1899 :* certificat de capacité spéciale permettant de conduire sur route à 30 km/h et en ville à 20 km/h. *31-12-1922 :* permis de conduire. Police de circulation créée. *10-7-1954 :* diverses catégories (sauf A1). *1957 :* lois rend obligatoire enseignement des règles de circulation dans les écoles et les lycées. *1958 :* Code de la route. *1972 :* réforme de l'examen du permis de conduire. *1-7-1992 :* permis à points. *1-12 :* réformé (12 points au lieu de 6).

■ **Annulation du permis.** *Cas possibles :* conducteur condamné pour conduite en état d'ivresse ou sous l'empire d'un état alcoolique, délit de fuite, homicide involontaire ou blessures involontaires de + de 3 mois commis à l'occasion de la conduite d'un véhicule. *Annulation de plein droit :* en cas de récidive de ces délits ou s'il y a conduite en état d'ivresse ou sous l'empire d'un état alcoolique avec homicide ou blessures involontaires de + de 3 mois. Le condamné ne pourra solliciter un nouveau permis qu'à l'expiration du délai d'interdiction qui ne peut excéder 3 ans. Il devra être reconnu apte après un examen médical et psychotechnique effectué à ses frais.

Conduire ou tenter d'obtenir un nouveau permis malgré une annulation ou une suspension peut entraîner un emprisonnement de 2 mois à 2 ans et/ou une amende de 2 000 à 30 000 F (idem si l'on refuse de donner son permis à la personne chargée d'exécuter la décision). Le conducteur dont le permis est annulé ou suspendu n'est couvert par aucune assurance.

■ **Conduite accompagnée.** A partir de 16 ans. *1re étape :* formation théorique et pratique dans une auto-école agréée. *2e étape :* conduite en France avec un accompagnateur âgé de 28 ans révolus, possédant un permis en cours de validité depuis au moins 3 ans et non condamné pour infraction grave au Code de la route. L'examen sera passé à 18 ans. La surprime d'assurance de 140 % max., appliquée aux novices, est réduite au moins de moitié pour les titulaires du permis ainsi formés pendant la 1re année d'assurance, et supprimée dès la 2e année si aucun sinistre responsable n'est enregistré.

■ **Épreuves. Théorique** (code) : pour les permis A, B, C, D et E : examen audiovisuel et collectif, sauf pour les non-francophones, sourds, sourds-muets, illettrés qui sont examinés par une méthode audiovisuelle spéciale. Sur 40 diapositives avec questions, il faut 35 réponses justes pour être reçu. On peut le passer à 16 ans minimum pour les catégories AT, AL, B (pour B, sous réserve de suivre une formation d'apprentissage anticipé de la conduite AAC) ; 17 1/2 pour la cat. B (formation traditionnelle) ; 18 a. pour cat. C et E (C) ; 20 a. 1/2 pour cat. D. Valable 2 ans (sauf formation AAC : 3 ans) et pour 5 examens pratiques max. Ensuite, il faut repasser cette épreuve. Les titulaires d'un permis français de – de 5 ans sont dispensés de l'épreuve théorique s'ils désirent un permis d'une autre catégorie. Délai d'1 mois entre enregistrement à la préfecture d'une demande cat. B et le passage de la 1re épreuve théorique ; 2 semaines entre 2 épreuves théoriques. **Pratique** (conduite) : on peut apprendre à conduire sans le concours d'une auto-école : l'apprentissage en candidat libre doit s'effectuer sur un véhicule doté d'un système de double commande et de double rétroviseur. Permis B : épreuve en circulation. Autres permis : épreuves en circulation et hors circulation. Délai de 24 h entre l'épreuve hors circulation et l'épreuve en circulation de l'épreuve pratique des cat. AL, A, C, D, E (C). *Cat. A :* délai de 48 h entre 1er et 2e passage, d'1 mois entre suivants. *Cat. C, D, E (C) :* 1 sem. entre 1er et 2e pas., 1 mois entre les suivants. *Cat. B :* 1 mois entre date d'enregistrement et 1re épreuve, si pratique, l'on est dispensé de l'épreuve théorique ; 2 semaines entre réussite au code et 1er pas. conduite ; 2 semaines entre 2 pas. de la conduite.

■ **Catégories. AT. Tricycle ou quadricycle à moteur.** *Jusqu'à 50 cc :* vitesse limitée. 50 km/h 73 dB : sans permis ; âge min. 14 ans ; pistes cyclables interdites. Ni carte grise, ni vignette, ni disque de stationnement, ni plaque d'assurance. 2 places, le passager ne doit pas avoir plus de 14 ans. AT. *De 50 à 125 cc,* 13 ch max., poids à vide 400 kg, PTAC 1 000 kg, âge min. 16 ans, max. 75 km/h, bruit 80 dB, pistes cyclables interdites. **Cyclomoteurs.** *Jusqu'à 50 cc :* pédales non obligatoires dep. 1-7-1983, max. 45 km/h, bruit 72 dB, sans permis, âge min. 14 ans, autoroutes interdites (pistes cyclables obligatoires). Interdiction de porter un passager de + de 14 ans. **Scooters 50 cc.**

AL. **Motocyclette légère.** *De 50 cc (compris) à 80 cc. (non compris)* (automatique). Max. 75 km/h ; 78 dB ; âge min. 16 ans ; permis A MTL ou B, C, D (délivré à partir du 1-3-80) [1,2,3,4] ; pistes cyclables interdites. *MTL 2 : de 50 cc à 80 cc (non compris)* (non automatique). Max. 75 km/h ; 78 dB ; âge min. 16 ans ; permis A MTL [1,2,3,4] ; *MTL 3 : de 80 cc à 125 cc (non compris).* – de 13 CV ; vitesse non limitée à la construction ; 80 dB. ; âge min. 17 ans ; permis A MTL [1,2,3,4]. **Motos.** *MTTE : de 80 cc à 125 cc (non compris).* 13 CV et + ; vit. non limitée à la constr. 80 dB ; âge min. 18 ans ; permis A MTTE [2,3,4] ; *MTTE : de 125 cc et +.* Max. 100 CV ; 83 dB (de 125 à 350 cc), 85 (de 350 à 500 cc), 86 (+ de 500 cc) ; vit. non limitée à la constr. ; âge min. 18 ans ; permis A MTTE [2,3,4]. **Scooters 80 cc et 125 cc.**

Nota. – (1) Pour âgés d'au moins 17 ans et titulaires du permis A1 (délivré entre 1-3-80 et 31-12-84), A, B, C, D (délivré avant 1-3-80), licence de circulation délivrée avant 1-4-58 ; ces permis permettent aussi de conduire des 125 cc mis en circulation avant le 31-12-84. (2) Permis A2 (délivré entre 1-3-80 et 31-12-84, titulaire dep. au moins 2 ans, et justifiant une pratique suffisante). (3) A3 (délivré entre 1-3-80 et 31-12-84). (4) A (délivré avant le 1-3-80).

B. **De tourisme.** Poids max. en charge 3 500 kg. 18 ans. Transport des personnes. 8 places assises au max., non comprise celle du conducteur. *Remorque possible :* poids total autorisé en charge (PTAC) : 750 kg n'entraînant pas le classement du véhicule dans cat. E. Véhicules assimilés aux précédents dont liste est fixée par arrêté du min. des Transports. *Transport de marchandises.* PTAC max. 3 500 kg. Voitures d'incendie pour le transport de personnes (10 places ou +) : âge min. 18 ans. **B restrictif** (embrayage automatique pour voiture ordinaire, il faudra repasser la conduite).

C. **Transport de marchandises ou de matériels.** Véhic. PTAC de + de 3,5 t. Remorque possible de – de 750 kg. Age min. 18 ans. Valable 5 ans.

D. **Transport de personnes.** PTAC de + de 3 500 kg ; transportant + de 8 pers. (conducteur exclu). Remorque possible – de 750 kg. Age min. 21 ans. Valable 5 ans. Les titulaires peuvent utiliser des véhicules de 15 pl.

Ceux qui n'ont pas de diplôme professionnel, ou qui ne peuvent pas justifier d'une année d'activité de conducteur affecté au transport des marchandises, peuvent conduire des véhicules de + de 15 pl., dans un rayon de 50 km au max. autour du point d'attache du véhicule (sans limite lorsqu'ils justifieront avoir parcouru au moins 5 000 km pendant au moins 1 an avec un véhicule de transport en commun, quel que soit le nombre de places).

E. **(B) :** *véhicules relevant de la catégorie B attelés d'une remorque* de + de 750 kg quand le PTAC de la remorque est sup. au poids à vide du véhicule tracteur, ou que le total des PTAC de l'ensemble (véhic. tracteur + remorque) est sup. à 350 kg. **E (C) :** *ensemble de véhicules couplés dont le véhic. tracteur est de cat. C,* attelé d'une remorque de + de 750 kg. **E (D) :** *ensemble dont le véhic. tracteur est de cat. D,* attelé d'une remorque de + de 750 kg. Pour les cat. B et D, les enfants de – de 10 ans comptent pour 1/2 s'ils sont – de 10.

F. Supprimé en 1984 en temps que catégorie spécifique aux handicapés ; ceux-ci conduiront des véhic. des catégories A et B avec aménagement et (ou) prothèses figurant sur le permis.

Nota. – Certains permis portent la mention « port de verres correcteurs obligatoire » (lunettes correctrices ou verres de contact ou lentilles cornéennes, suivant le cas). La mention peut être modifiée après sur attestation d'un ophtalmologiste agréé par le préfet. Toutefois, le titulaire doit être en possession à tout moment d'une paire de lunettes correctrices.

Coût du permis de conduire. Moto ; forfait de 12 h : 2 890 F + frais de dossier : 135 F. **Véhicules légers :** stage pour 20 h de conduite + code de la route + frais de dossier : 4 520 F ; pour 30 h : 4 905. **Poids lourds :** *permis C :* stage de 20 j : 10 120 ; *permis D :* 11 140 F.

■ **Permis de conduire à points.** *Créé* par la loi 89-469 du 10-7-1989, entré en vigueur le 1-7-1992, + décret du 23-11-92 entré en vigueur le 1-12-92. *Principes.* Le permis est doté, lors de sa délivrance, d'un capital de 12 points. Chaque infraction grave est affectée d'un certain nombre de points de démérite. Exemples : *6 points :* conduite en état d'alcoolémie, délit de fuite, homicide ou blessures involontaires, refus d'obtempérer, usage de fausses plaques ; *4 points :* dépassement de 40 km/h ou + de la vitesse nationale autorisée, non-respect de priorité, feu rouge, stop, dépassement dangereux ; *1 point :* maintien des feux de route la nuit lors d'un croisement. La condamnation pour l'une de ces infractions entraîne automatiquement le retrait des points correspondants. Quand le capital des points est épuisé, le permis perd sa validité et on doit attendre 6 mois avant de le repasser. Dans ce cas ou en cas d'annulation judiciaire assortie d'une interdiction de solliciter un nouveau permis d'une durée inférieure à 1 an, les titulaires du permis de conduire depuis au – 3 ans sont dispensés de l'épreuve pratique sous réserve qu'ils sollicitent (– de 3 mois après la date à laquelle ils sont autorisés à le passer) un nouveau permis (décret n° 93-623 du 27-3-93). En l'absence d'infractions pendant 3 ans, le capital de points initial est reconstitué ; il peut l'être également, au moins partiellement, si le conducteur se soumet à une formation spécifique comportant un programme de sensibilisation aux causes et conséquences des accidents de la route (2 j de stage facturé 1 500 F). Le capital de points initial est reconstitué après 10 ans s'il n'y a pas eu annulation du permis.

☞ 1-12-1992, le Trib. de grande instance de Tarbes a jugé le permis à points illégal (contraire à la Conv. europ. des droits de l'homme, art. 6).

■ **Permis de conduire international.** Valable dans tous les États sauf dans celui où le permis a été délivré. N'est plus valable dans un État si son titulaire y établit sa résidence. *S'adresser :* à la préfecture du domicile, ou Préfecture de Police, 1, rue de Lutèce, 75004 Paris, ou auprès des automobiles clubs agréés. Présenter permis de conduire national, carte d'identité, quittance de loyer ou EDF, 2 photos. On peut faire une procuration sur papier libre à *une autre personne* l'autorisant à retirer le permis et les pièces mentionnées ci-dessus. *Prix :* 17 F, obtention immédiate et validité de 3 ans ou durée de validité du permis nat. si celui-ci est délivré pour une durée inférieure.

■ **Statistiques** (1992). Examens toutes catégories : 1 739 091. *Reçus :* 1 000 778 dont 822 638 pour le permis B. *Examinés, épreuves théoriques :* 1 523 341. *Reçus, épr. théor. :* 997 965. *% de réussite à l'examen lors de la 1re présentation : 1976 :* 34,85. *88 :* 50. *92 :* 70,77.

■ **Suspension du permis. Procédure judiciaire :** les tribunaux correctionnels ou de police peuvent prononcer la suspension pour 3 ans au plus (6 ans si récidive, délit de fuite ou conduite sous l'empire d'un état alcoolique). La suspension peut être assortie du sursis (pas d'infraction pendant 5 ans sinon elle est exécutée), sauf en cas d'ivresse au volant. *Une autorisation de conduire pour l'exercice d'une activité professionnelle* peut parfois être accordée malgré la suspension (le tribunal en définit les conditions).

Procédure administrative : le préfet peut prononcer un avertissement ou suspendre le permis au max. pour 6 mois, pour contraventions de 4e ou 5e classe, ou 1 an pour homicide ou blessures involontaires avec incapacité totale de travail, délit d'alcoolémie, délit de fuite. En cas d'urgence, la suspension peut être prononcée pour au max. 2 mois, par arrêté préfectoral pris sur avis du délégué permanent de la commission de suspension du permis de conduire.

Officiers et agents de police judiciaire peuvent retenir le permis de conduire, à titre conservatoire et pour 72 h au plus, lorsque le conducteur, du fait du résultat et de son comportement, aura été présumé en état alcoolique. Si celui-ci est établi, une suspension ferme du permis de 6 mois maximum peut intervenir. Si l'état alcoolique a été établi dans les 72 h de la rétention provisoire du permis, ou si le conducteur a refusé de se soumettre aux épreuves et vérifications destinées à établir la preuve de l'état alcoolique, le préfet peut prononcer immédiatement la suspension pour au max. 6 mois.

Prix de revient

Modèles	Frais [1] fixes annuels en F	P.R. [2] km en F	Modèles	Frais [1] fixes annuels en F	P.R. [2] km en F
Alfa Roméo			**Opel**		
75 1.8 IE	27 546	4,313	Corsa 1.2i City	15 047	2,231
Audi			Frontera 2.3 TD	35 012	5,918
80 TDI	29 269	4,156	**Peugeot**		
BMW			106 XN (954) 3P	15 729	2,295
320i 4P	35 017	5,500	205 GTI 1,9	24 588	3,875
Citroën			405 GL 1.6	23 754	3,387
AX GTI	22 780	3,434	605 SRD Turbo	34 508	5,063
ZX Reflex 14i	21 106	2,999	**Renault**		
BX Image D	25 503	3,578	Clio 16 S	27 620	4,181
XM2 Di Présence	31 920	5,265	19 RL 1.4e	19 072	2,896
Fiat			21 TXI 5P	30 433	4,805
Cinquecento	14 605	2,079	Espace RN2.2i	30 244	4,804
Tipo 1.9 DS	22 074	3,168	**Rover**		
Ford			825 SD Turbo	35 323	5,768
Fiesta 1.li Fun	15 703	2,262	**Saab**		
Scorpio 2.5 TD CLX	31 538	4,701	9000 CS 2.3-16	37 587	6,238
Honda			**Santana**		
Concerto 1.4 GL	23 388	3,326	Vitara Cabr. JLX	23 801	4,184
Lada			**Seat**		
Sagona 1.5	19 402	2,773	Marbella Spéc.	14 078	2,063
Lancia			Toledo 2000 GLX	26 338	4,167
Thema Turbo ds LE	36 337	5,258	**Toyota**		
Mazda			Starlett 1300 XL	19 397	2,733
121 1100 L	16 703	2,356	Previa XL	35 308	5,697
Mercedes			**Volkswagen**		
220 CE	52 149	8,133	Polo Fox BV4	15 657	2,315
Mitsubishi			Golf 3 GTI	26 097	4,048
Colt 1800 GTI	27 103	4,106	Vento CL	24 013	3,500
Nissan			Passat CL Diesel	25 632	3,405
Maxima V6	43 554	7,674	**Volvo**		
			960 Turbo D.	45 471	7,200

Nota. – (1) Plus de 12 000 km. (2) Prix de revient sur la base de 20 000 km/an. *Source :* L'Auto-Journal (janvier 1993).

Infractions constatées au code de la route. *Infractions : 89 :* 19 708 082, *90 :* 20 803 592. **Suspension du permis.** *86 :* 229 244, *87 :* 317 886, *88 :* 351 268, *89 :* 436 169. *Départ. le + répressif en 1989 :* Nord 13 099 mesures de suspension ; *le – :* Lozère : 188.

■ **Visite médicale.** *Examen médical occasionnel : avant le permis :* après avoir déposé sa demande de permis, on doit déclarer sur l'honneur ne pas être atteint d'incapacité incompatible avec la conduite (cf. arrêté du 4-10-1988, fixant la liste des incapacités incompatibles avec l'obtention ou le maintien du permis). Si l'on signale une incapacité, il faut passer une visite médicale. *Après le permis :* après un accident, une infraction grave ou sur informations en sa possession, le préfet peut ordonner une visite médicale. *Examen médical périodique :* pour les candidats aux permis poids lourds, les titulaires de permis poids lourds, les taxis, ambulanciers, moniteurs d'auto-école, conducteurs sous couvert du permis B, affectés à des opérations de ramassage scolaire et de véhicules de transport public de personnes, conducteurs tractant une remorque lourde, handicapés. La visite doit être repassée tous les 5 ans avant 60 ans, 2 ans de 60 à 76 ans, 1 an ensuite.

■ **Vitesse limitée.** *A 90 km/h pendant 1 an* pour les nouveaux conducteurs : disque (90) apposé sur l'arrière du véhicule.

☞ **Contrôle technique périodique** à partir du 1-1-1992, imposé pour les voitures de + de 5 a. tous les 3 a. dans un centre agréé qui ne sera pas un garage. *Coût :* 200 à 250 F.

■ Plaques d'immatriculation

■ **En France. Jusqu'en 1928 :** n° d'immatriculation délivré par le service des Mines (d'où l'appellation de n° minéralogique) et attribué par la préfecture au moment de la délivrance du récépissé de déclaration de mise en circulation (carte grise). D'abord groupe de 1 à 5 chiffres, suivi de la lettre caractéristique de l'arrondissement minéralogique (nombre : 16) où la voiture était immatriculée suivi d'un indice numérique de 1 à 9. **De 1928 (1-10) à 1950 (1-4)** (prévu pour durer 75 ans) : la préfecture délivre directement le n° qui change en même temps que le propriétaire. Comportait 2 lettres accolées, caractéristiques du département, précédées d'un nombre de 1 à 9 999, suivi ou non d'un indice numérique allant de 1 à 9 (ex : 3789 TU 4). **Dep. le 1-4-1950. Séries normales,** le numéro est formé de 1 à 3 lettres, sauf dans les départements où il n'est formé que de 1 à 2 lettres. Ne sont pas employées les lettres **I** (ni seule, ni combinée), **O** (ni seule, ni combinée à cause du risque de confusion avec le zéro), **D** (seule, elle est réservée aux voitures des Domaines), **U** (seule, à cause du risque de confusion avec la lettre **V**). **Cas particuliers : C** (consulat), blanc sur fond vert jaspé, **CD** (corps diplomatique), et **CMD** (chef de mission diplomatique), orange sur fond vert jaspé, **DF** (forces allemandes stationnées en France), **FFA** (f. françaises stationnées en All.), blanc sur fond bleu clair, **FZ** (f. françaises stationnées à Berlin), blanc sur fond noir, **K** (fonctionnaires internationaux, OCDE, Unesco ; personnel administratif et technique des missions diplomatiques), blanc sur fond vert jaspé, **SCV** (Cité du Vatican), noir sur fond blanc, rouge sur fond blanc pour les hauts dignitaires de l'Église, **TT** (voitures en transit temporaire ou franchise de droits de douane), blanc sur fond rouge (voit. achetée sans taxes par un étranger ne résidant pas en France, valable 1 an), **W** (voit. confiée à un garagiste qui l'essaie, ou non vendue et conduite chez un concessionnaire), **WW** [immatriculation temporaire (15 j ouvrés pour une voit. que l'on vient d'acheter)].

Corps diplomatique. Le *nombre* précédant les lettres *CD, C* ou *K* identifie le pays ; le nombre suivant indique l'ordre d'immatriculation par ambassade ou consulat. Les *lettres* précédant le 1er nombre identifient les délégations permanentes des pays étrangers auprès des organisations intern. (exemple : *U* Unesco). Les immatriculations *C* et *K* (si le véhicule appartient à un membre du personnel d'un consulat) sont suivies de l'*indicatif départemental* de la préfecture qui délivre la carte grise (75, 76, etc.).

TIR (Transports internationaux routiers). Un groupe de chiffres indique le département d'immatriculation (sauf 2 A Corse-du-Sud et 2 B Haute-Corse). **DOM,** dep. le 11-1-1972, 3 groupes de chiffres (ex. : 8 A 973). **Véhicules militaires.** *Armée de terre,* lettres remplacées par un drapeau tricolore ; *Marine,* cocarde surchargée d'une ancre ; *Aviation,* un épervier. **Voitures circulant à l'étranger :** doivent porter l'indication du pays d'origine, à l'arrière. Les signes (**EU** Europe unie, **BZH** Bretagne libre ou **Oc.** Occitania) pouvant créer une confusion sont interdits (en fait tolérés). Un Français ne peut conduire en France un véhicule immatriculé à l'étranger (sauf cas particuliers).

Plaque GIC (Grands infirmes civils). *Conditions :* être titulaire de la carte d'invalidité prévue par l'art. 173 du Code de la famille et de l'aide sociale, délivrée aux grands infirmes (taux d'inval. min. 80 %) ; présenter un certif. médical du médecin expert de la DDASS attestant : a) pour handicapés physiques (notamment moteurs) : que tout déplacement à pied est impossible ou très difficile ; b) pour hand. mentaux : qu'ils ne disposent pas d'une autonomie suffisante pour se déplacer seuls et qu'ils doivent être accompagnés par un tiers.

Mesure étendue aux aveugles civils titulaires de la carte d'invalidité « cécité » auxquels l'assistance d'un tiers est reconnue de droit, ainsi qu'aux personnes atteintes de silicose, dès lors que celles-ci remplissent les conditions édictées par les textes en vigueur. *S'adresser* à la préfecture (à Paris : Préfecture de Police, 11, rue des Ursins, 75001).

La carte d'invalidité « station debout pénible », ne permet pas l'octroi de l'insigne GIC.

Infirmes de guerre. Ayant plus de 85 % d'invalidité et possédant la carte de mutilés de g. double bande rouge ou double bande bleue avec au recto l'inscription « station debout pénible ». *Formalités :* produire carte grise du véhicule ; dernière vignette gratuite délivrée par l'Enregistrement ; fiche descriptive des infirmités. S'adresser à la Féd. des amputés de g. de France. *Frais :* 55 F au siège, 65 F par courrier.

☞ **A partir du 1-1-1993.** (arrêté du 18-2-1992) : plaques réflectorisées (à fond blanc vers l'avant et orangé vers l'arrière) obligatoires sur tout véhicule mis en circulation pour la 1re fois, ou faisant l'objet d'un changement d'immatriculation.

■ **Pays. Sigles distinctifs des automobiles.** *Source :* Nations unies. **A** Autriche. **ADN** Yémen (sigle établi sous anc. Aden). **AFG** Afghanistan. **AL** Albanie. **AND** Andorre. **AUS** Australie. **B** Belgique. **BD** Bangladesh. **BDS** Barbade. **BG** Bulgarie. **BH** Belize (anc. Honduras britannique). **BR** Brésil. **BRN** Bahreïn. **BRU** Brunei. **BS** Bahamas. **BUI** ° îles Vierges. **BUR** Birmanie. **C** Cuba. **CAM** ° Cameroun. **CDN** Canada. **CH** Suisse. **CI** Côte-d'Ivoire. **CL** Sri Lanka (anc. Ceylan). **CO** Colombie. **CR** Costa Rica. **CS** Tchécoslovaquie. **CY** Chypre. **D** Allemagne. **DK** Danemark. **DOM** Rép. Dominicaine. **DY** Bénin (anc. Dahomey). **DZ** Algérie. **ES** El Salvador. **E** Espagne. **EAZ** Tanzanie (ancien Zanzibar). **EAK** Kenya. **EAT** Tanzanie (anc. Tanganyika). **EAU** Ouganda. **EC** Équateur. **ET** Égypte. **ETH** Éthiopie. **EW** Estonie.

F France (y compris DOM-TOM). **FJI** Fidji. **FL** Liechtenstein. **FR** îles Féroé. **GAB** ° Gabon. **GB** Royaume-Uni de Grande-Bretagne et d'Irlande du Nord. **GBA** Aurigny. **GBG** Guernesey. **GBJ** Jersey. **GBM** île de Man. **GBZ** Gibraltar. **GCA** Guatemala. **GH** Ghana. **GR** Grèce. **GUY** Guyana (anc. G. britannique). **H** Hongrie. **HK** Hong Kong. **HKJ** Jordanie. **I** Italie. **IL** Israël. **IND** Inde. **IR** Iran. **IRL** Irlande. **IRQ** Irak. **IS** Islande. **J** Japon. **JA** Jamaïque. **K** Kampuchea (anc. Cambodge). **KWT** Koweït.

L Luxembourg. **LAO** Laos. **LAR** Libye. **LB** Liberia. **LR** Lettonie. **LS** Lesotho (anc. Basutoland). **LT** Lituanie. **M** Malte. **MA** Maroc. **MAL** Malaisie. **MC** Monaco. **MEX** Mexique. **MOC** ° Mozambique. **MS** île Maurice. **MW** Malawi. **N** Norvège. **NA** Antilles néerlandaises. **NAU** ° Nauru. **NEP** ° Népal. **NIC** Nicaragua. **NIG** ° Niger. **NL** Pays-Bas. **NZ** Nouvelle-Zélande. **P** Portugal. **PA** Panamá. **PAK** Pakistan. **PE** Pérou. **PL** Pologne. **PNG** Papouasie-Nouvelle-Guinée. **PY** Paraguay. **QA** Qatar.

RA Argentine. **RB** Botswana. **RC** Rép. nat. Chine (T'ai-wan). **RCA** Centrafrique. **RCB** Congo. **RCH** Chili. **RG** ° Guinée. **RH** Haïti. **RI** Indonésie. **RIM** Mauritanie. **RL** Liban. **RM** Madagascar. **RMM** Mali. **RN** Niger. **RO** Roumanie. **ROK** Rép. Corée. **ROU** Uruguay. **RP** Philippines. **RSM** Saint-Marin. **RSR** ° Zimbabwe (anc. Rhodésie, aussi ZW). **RU** Burundi. **RWA** Rwanda. **S** Suède. **SD** Swaziland. **SF** Finlande. **SGP** Singapour. **SME** Surinam. **SN** Sénégal. **SO** ° Somalie. **SU** URSS. **SUD** ° Soudan. **SWA** Sud-Ouest africain [Namibie (aussi ZA)]. **SY** Seychelles. **SYR** Syrie.

T Thaïlande. **TD** ou **TCH** ° Tchad. **TG** Togo. **TN** Tunisie. **TR** Turquie. **TT** Trinité-et-Tobago. **USA** États-Unis. **V** Saint-Siège. **VN** Viêt-nam. **WAG** Gambie. **WAL** Sierra Leone. **WAN** Nigeria. **WD** Dominique (îles du Vent). **WG** Grenade (îles du Vent). **WS** Samoa occidentales. **WV** St-Vincent (îles du Vent). **WL** Ste-Lucie (îles du Vent). **YAR** ° Yémen. **YU** Yougoslavie. **YV** Venezuela. **Z** Zambie. **ZA** Afrique du Sud. **ZRE** Zaïre. **ZW** Zimbabwe.

Nota. – ° Sigles utilisés dans les pays respectifs, mais non officiellement reconnus par l'Onu.

■ Vignette (Taxe différentielle)

☞ **Origine :** *créée* le 30-6-1956 pour alimenter provisoirement le Fonds national de solidarité en faveur des personnes âgées, devenue le 1-1-1984 taxe différentielle perçue au profit des départements ou de la Corse (*la taxe spéciale* sur les voitures particulières de + de 16 CV a été supprimée car incompatible avec la législation européenne). La Cour de cassation a déclaré le 6-4-1993 le système de calcul du prix de la vignette illégal dep. 1988 car déterminé par circulaire du min. de l'Équipement alors qu'il était du seul ressort de la loi (art. 34 de la Constitution).

Achat. Du 1-11 au 1-12 dans les recettes des impôts et les débits de tabac du département de l'immatriculation. Après le 1-12, dans les recettes, en payant un intérêt de retard de 0,75 % par mois et une majoration de 5 % (loi du 8-7-1987). On doit garder le reçu avec les papiers de la voiture, pour le présenter

◀ **Formule de calcul du prix de revient du km.**

$$PRK = \frac{G + X + Y + I}{K} + \frac{EC}{100} + \frac{(HQ) + S}{V} + F + \frac{(Kr - K)\,R}{K} + \frac{(ZA)}{(TK)}$$

A : achat. TTC de la voiture, frais de sortie d'usine et carte grise compris. *C.* Consommation moyenne de carburant en 1 aux 100 km. *E :* énergie, prix moyen d'un 1 de carburant. *F :* forfait réparations. *G :* garage, coût annuel. *H :* huile, prix de de 1 l. *I :* intérêt annuel du capital investi pour l'achat, carte grise comprise. *K :* kilométrage annuel. *Km :* kilométrage moyen des pneus. *Kr :* kilométrage réel. *P :* prix de 1 pneu. *Q :* huile pour une vidange, + appoint entre 2. *R :* facteur de correction, perte à la revente appliqué au kilométrage excédentaire *S :* main-d'œuvre (TTC) plus un filtre, 1 vidange sur 2. *T :* utilisation en années. *V :* vidange, espacement en km, entre 2. *X :* prime annuelle d'assurance. *Y :* vignette, tarif moyen. Pour les véhicules de société, ajouter 10 500 (ou 4 800 par année si – de 7 CV) *Z :* % de perte à la revente.

Huile. *Prix du litre :* 54,50 F *moteur à ess.* (espacement des vidanges 10 000 km, 1,5 l d'huile supplémentaire entre chaque vidange, *Diesel* (tous les 7 500 km, 1,5 l d'huile supplémentaire entre chaque vidange, un filtre d'huile toute les deux vidanges). **Main-d'œuvre** (réparations) : 196 F TTC l'heure.

Prix des voitures neuves en France en juin 1993

(*Source :* l'Action automobile et touristique)

☞ Les prix clés en mains (sans carte grise, ni plaques, ni plein d'essence) concernent les millésimes 93 et sont tels que les constructeurs ou importateurs les ont communiqués à la date indiquée pour chacun.

TYPE	CV	PRIX	TYPE	CV	PRIX
ALFA [1]. 33 1,3	6	77 900	OP [15]. Corsa 1.2 City 3p	4	54 000
33 2,5 V6	14	163 200	3.6 24V Lotus	21	480 000
AU [2]. 80 TD	6	131 800	PE [16]. 205 Junior 3p.	4	57 900
V8 Lim.	24	842 000	205 CTI	8	127 000
BMW [3]. 318I	9	144 000	405 GL	6	86 800
850I	25	630 000	405 STI	9	152 000
CIT [4]. AX E3P	4	52 900	605 SL	9	139 900
ZX Volcane	9	115 600	605 SV 24	16	279 000
Xiantia 1,8I	7	99 700	PO [17]. 968 Stand	16	364 000
XM V6 24S	16	288 200	911 3.6. Turbo	16	960 000
FER [5]. 348 TB	21	692 158	RE [18]. Twingo 1.2	5	54 000
Testarossa	28	1 197 666	TWINGO 1.2 RL	6	83 600
FI [6]. 126 FL	4	45 400	5 Five 3p.	6	49 500
1000 Pop	4	42 600	Clio RL 1.2i	5	58 500
Uno Turbo ie	6	95 200	Clio 1.8 Baccara	9	121 000
Tipo 1.8 ie	9	91 400	19 RL 1.4 i 4 R	6	73 400
FORD [7].			19 Cabriolet 16 S	9	164 900
Fiesta 1.1 Fun	4	54 900	Safrane 2.0 i RN	9	138 000
Escort CLX	5	69 900	Safrane V6 Quadra	17	287 500
Escort cabriolet	10	139 900	Espace RN 2.2 i	11	138 500
HON [8]. Civic 1,3	6	75 000	Espace RXE V6i	17	229 500
NSX	18	545 000	SE [19]. 903 Special	4	38 400
LA [9]. Samara 1100	5	39 820	Toledo 1.8i 16V	9	141 900
LA [10]. Y10 1.1 ie	5	53 800	TO [20]. Starlet 1.3XLi	6	69 650
Thama break LX	15	301 300	Lexus 4.0V8	22	388 450
LAN [11].			VW [21]. Pepermint D	5	63 650
Range Rover SLE	24	400 000	Golf S 60	6	72 500
MAS [12]. Shamal	18	630 952	Golf GTI 115	9	111 900
MAZ [13]. 121 1.3 L	6	61 690	Corrado VR6	19	200 800
ME [14]. 190 1.8 E	8	140 000	VO [22]. 440 1.6 : DL	7	86 000
600 SEC	40	860 000	960 break 3.0.	16	288 500

Nota. (1) Alfa Romeo, Italie ; (2) Audi, Allemagne. (3) BMW, Allemagne. (4) Citroën, France. (5) Ferrari, Italie, (6) Fiat, Italie. (7) Ford, Allemagne. (8) Honda, Japon. (9) Lada, Russie (10) Lancia, Italie. (11) Rover, G.-B. (12) Maserati, Italie. (13) Mazda, Japon. (14) Mercedes, Allemagne. (15) Opel, Allemagne. (16) Peugeot, France. (17) Porsche, Allemagne. (18) Renault, France. (19) Seat, Espagne (20) Toyota, Japon (21) Volkswagen, Allemagne. (22) Volvo, Suède.

éventuellement lors d'un contrôle, sous peine d'amende (égale au double du prix de la vignette). *Valable* du 1-12 au 30-11. **Véhicules neufs :** on a 1 mois après la mise en circulation pour acheter la vignette. Les véhic. mis en circulation entre le 15-8 et le 30-11 en sont dispensés jusqu'au 1-12 suivant. **Véhicule d'occasion acheté à un particulier :** doit être vendu avec la vignette, même s'il est vendu après le 15-8. Si le vendeur n'a pas sa vignette, l'acheteur peut en exiger le montant (éventuellement majoré de 10 %). **Poids lourds :** une *taxe à l'essieu* est perçue par le service des douanes.

Montant (1993). **Tarif extrêmes. – de 5 ans :** *cat. A1* (1 à 4 CV) : 136 (Corse) à 266 (Aude), 298 (Réunion). *Cat. A10* (23 CV et +) : 6 442 (Corse), 13 318 (Aude), 14 150 (Réunion). **5 à 20 ans.** *Cat. H1 :* 68 (Corse), 133 (Aude), 149 (Réunion). *H10 :* 6 659 (Aude), 7 075 (Réunion). **Paris** (– de 5 ans et de 5 à 20) *A1 :* 202 (101), *A2 :* 386 (193), *A3 :* 914 (457), *A4 :* 1 076 (580), *A5 :* 2 040 (954), *A6 :* 2 334 (1 167), *A7 :* 2 862 (1 431), *A8 :* 4 282 (2 141), *A9 :* 6 432 (3 216), *A10 :* 9 660 (4 830).

☞ *A l'étranger.* P.-Bas : le prix de la vignette dépend du poids du véhicule ; All. féd. : de la cylindrée du moteur ; G.-B. : le prix est le même pour toutes les voitures particulières.

Vignettes délivrées. Nombre de véhicules (en millions) et, entre parenthèses recouvrements (en milliards de F). *1960 :* 5,8 (0,43). *70 :* 14,2 (1,39). *80* (tarifs augmentés) : 23,1 (5,55). *90 :* 29,53. *91 :* 28,15. *92 :* 30,75 dont payantes 29,4 [dont *véhicules jusqu'à 5 ans :* 13,8, *de 5 à 20 a. :* 15,2, *de 20 a. à 25 a. :* 0,361].

Taxe sur les voitures particulières des sociétés. Se cumule avec la taxe différentielle. *Montant :* 4 800 F pour les moins de 7 CV, 10 500 F pour les + de 7 CV.

Perte ou vol. *Du timbre adhésif :* un duplicata dans n'importe quelle recette des impôts. *Du reçu et du timbre adhésif ou du seul reçu :* duplicata dans la recette ayant délivré la vignette. Si l'on est en déplacement, on peut souscrire une déclaration dans n'importe quelle recette qui délivrera une attestation valable 15 j.

■ Musées automobiles. **France. Alpes-Mar. :** *Mougins* 80 voit. **Ardennes :** *Novion-Porcien* 40 véh. **Côte-d'Or :** *Savigny-lès-Beaune* 180 mot. **Doubs :** *Montbéliard* 80 véh. *Sochaux,* musée Peugeot 70 voit. **Drôme :** *St-Marcel-lès-Valence* 80 véh. **Essonne :** *Ballainvilliers.* **Eure :** *Buis-s.-Damville* 100 voit. et mot., *Le Bec-Hellouin* 45 voit. **Gard :** *Moulin-de-Chalier,* près Uzès, voit. et équipements agric. **Haut-Rhin :** *Mulhouse* [collection rassemblée dans les années 1960-70 par les frères Hans († 1-1-89 à 84 ans) et Fritz Schlumpf († 18-4-92 à 88 ans) pour laquelle ils auraient détourné env. 42 millions de F par abus de biens sociaux de leur affaire textile (reprise en mars 1977 par le personnel et vendue 44 millions de F en 1981 par le syndic de liquidation à une association regroupant plusieurs collectivités) env. 450 voit. dont 145 Bugatti, dont 2 « Royale »]. **Ille-et-Vilaine :** *Cesson-Sévigné* 65 véh. **Indre :** *Valençay* 60 véh. **Isère :** *Grenoble* 40 véh. **Loir-et-Cher :** *Romorantin* 30 voit., *Pontlevoy* 30 cam. **Loiret :** *Briare* 80 véh. **Marne :** *Reims* 120 voit. **Meurthe-et-Mos. :** *Lunéville* 200 mot. et vélos, *Vélaine-en-Haye* 110 voit. **Oise :** *Compiègne* 30 voit. et nbreux véh. hippomob. **Paris :** *La Défense* (colline de l'automobile). *Paris 3e :* 20 voit., avions, mot. ; *Paris 8e :* 40 voit. **Rhône :** *Vénissieux* 50 cam. et bus, *Rochetaillée* 120 voit. **Saône-et-Loire :** *Chauffailles* 200 voit. **Sarthe :** *Le Mans* 200 véh. **Seine-Marit. :** *Clères* 80 véh. **Seine-St-Denis :** *Pantin.* **Vendée :** *La Roche-s.-Yon* 25 voit., *Talmont-St-Hilaire* 100 véh. **Vienne :** *Châtellerault* 180 véh. **Val-de-M. :** *St-Mandé* 100 autobus-tramways. **Belgique** *Bruxelles :* musée créé par Ghislain Mahy : 1 000 voitures.

■ Fédération française des véhicules d'époque. 8, place de la Concorde, 75008 Paris. *Clubs et associations reconnus :* + de 300 [regroupant près de 40 000 adhérents, 170 000 véhicules de 1900 à 1960 (dont 50 % en état de marche recensés)].

■ Revues spécialisées. *Auto-Moto-Rétro* 17, rue d'Aguesseau 92100 Boulogne (mensuel, 53 280 ex.). *La Vie de l'auto* 16, rue Le-Primatice, 77303 Fontainebleau (hebdo., 31 253 ex.). *Auto-Passion* 48-50 bd Sénart 92210 Saint-Cloud.

■ Voitures de collection. **Prix récents** (en milliers de F). Alfa-Romeo **1933 :** 2 775, **1934 :** *type BP3* (sur laquelle Nuvolari a gagné le grand prix d'All. 1935) 21 080 (28-4-89). Aston Martin **1962** *DB4GT* (19 ex.) 6 040 (1990).

BR2, **1957 :** 2 1 780 (1989) Bentley *coupé 4 L 1/4* **37 :** 3 260. Bugatti *type 35/51* **1926 :** 2 300 (1993), *Grand Prix 51 A* **1931 :** 2 550 (1993), *type 35/51* **26 :** 2 300 (1993), *Grand Prix S 1 A* **1931 :** 2 550 (1993). *Royale* **31 :** 55 000, *Petite Royale* **29 :** 1 200 (1993), *type 50 cabriolet* 1 700 (1993), *coupé 57 S* **1937 :** 8 000 (16-6-91), *10 CV* **1925 :** 8 720. 5-5 Supermod **1931 :** 3 650. Roadster *type 54* **1932 :** 5 550. Buick **1953 :** 122. Cadillac *Eldorado* **1960 :** 200. Citroën *9 CV, type B 2* **1923 :** 25 000, *11 BL « 11 légère » cabriolet* **1938 :** 260 (1993), *THP* **1925 :** 40, *C 3* **1925 :** 58. Dbrr (conduite par Stirling Moss 1959) **1957 :** 23 310 (21-4-89). Delahaye **1937 :** *Type 1 355/1 755* 2 607 (1989), **1954 :** 160. Duesenberg. *modèle J* **1932 :** 9 027 (1990). Facel Vega **F III 1964 :** 710 (2-2-90). Ferrari *Testa Rossa* **1958 :** 8 880. 196 SP **1962 :** 15 000 (1989). 250 GT 1961 : 4 010 (1991). **250 GTO 1962 :** 59 940 (1990), F 40 (1988) 6 300 (1984), *Dino 308 GT 4* **1976 :** 110 (1993), *Daytona* 25 CV **1971 :** 630, **1970 :** 560, *250 MM* **1953 :** 23 800 (1989). Ford *V 8/40* **1934 :** 58. Fleetwood **1941 :** 90. 37/80 **1937 :** 34. 201 E **1932 :** 90. Hispano-Suiza HS **1913 :** 157 (1986), **HS 1936 :** 26 200, *H6 B* **1924 :** 1 200 (déc. 88), **1925 :** 1 045,7 (1990), *H6 C* **1929 :** 1 900 (déc. 88). Horch *cabriolet 853* **1939 :** 2 200 (19-5-91). Jaguar XK **120** carrossée Farina **1952 :** 340 (déc. 88). Lamborghini. *Espada* **1973 :** 150 (1993). Lancia D24 **1953 :** 10 000. Lorraine De Dietrich **1911 :** 4 portes 566,5 (1990). Mark V **20 1949 :** 215. Maserati *A 6 G 1500* **1949 :** 555, *CLT* **1948 :** 5 000 (1989), *type Indy* **1989 :** 310, *Piccolo (250 F)* **1958 :** 9 990. Mercedes-Benz *220 S cabriolet* **1956 :** 226 (1993) ; *300 SL* **1956 :** 850 à 30 000. Packard cabriolet **1928 :** 485. Peugeot *201 E coupé* **1931 :** 32. 205 Turbo **1985 :** 430. Porsche *917* **1970 :** 35 000. *959* (1988) 4 324 (17-12-89), *RSL 3 L* **1974 :** 1 800 (2-12-90). **Rolls-Royce. 1934.** Phantom V de John Lennon 16 000 (1989). *CV Silver Wraith* **1954 :** 300, *Silver Cloud I* **1958 :** 230 (1993). Rosengart **1936 :** 32. Talbot **1930 :** 100, *T 26* **1952 :** 2 150. Voisin *C 14* **1928 :** 250.

Véhicules exonérés ou dispensés de vignette. V. diplomatiques, v. soumis à la taxe à l'essieu, v. en transit temporaire (immatriculés TT), v. de + de 25 ans, taxis, v. destinés normalement au transport en commun de voyageurs, v. spéciaux d'infirmes ou de mutilés, v. de tourisme appartenant à certains invalides militaires et pensionnés de guerre, infirmes civils ou à leurs conjoints ou parents, ou personnes les ayant recueillis, s'ils ont la charge effective de l'invalide (se renseigner), v. de tourisme appartenant aux pensionnés (taux d'invalidité de 80 % au moins) ayant une carte avec mention : « station debout pénible », ou à leurs conjoints ou parents ou personnes les ayant recueillis s'ils ont la charge effective du pensionné (au sens de l'impôt sur le revenu), ambulances, v. sanitaires légers, corbillards et fourgons mortuaires, bennes à ordures et divers techniques (se renseigner), v. immatriculés en W (vente, réparation, essai ou étude) ou en WW (v. sortant d'usine), v. militaires, v. transportant lait, vin, bétail, viande. Une vignette gratuite leur est attribuée.

☞ **Taux de TVA sur les automobiles dans la CEE** (%, en 1989). Espagne 33, *France 22* [*avant 1987 :* 33,3, *87 :* 28, *89 (8-9) :* 25, *90 (sept.) :* 22]. Irlande 25, Belgique 25, Danemark 22, Italie 19 à 38, Portugal 17, G.-B. 15, All. féd. 14, P.-Bas 18,5, Luxembourg 12, Grèce 6.

■ Voitures « haut de gamme »

Immatriculations en Europe occidentale (1991). *BMW série 3* 241 278, *Mercedes « compactes »* 229 413, *Mercedes 190* 157 312, *BMW série 5* 135 439, *Audi 100* 129 450, Opel Omega 126 978, *Ford Scorpio* 67 996, *Volvo série 900* 57 529, *Citroën XM* 54 869, *Peugeot 605* 51 952, *Renault 25* 49 878. En France (1991). *Citroën XM* 23 453, *Peugeot 605* 24 899, *Renault* 25 135.

Prix sur le marché français (en milliers de F, au 30-3-92). *Rolls-Royce Touring L* 2 220,4, *Bentley Continental R* 1 701,9, *Ferrari 512 TR* 1 232, *De Tomaso Pantera* 948, *Porsche 911 Turbo S* 844,1, *Mercedes 600 SEL automatique* 835, *BMW 750 i automatique L* 640, *Maserati Shamal* 624,6, *Honda NSX V6 3 l i automatique* 541, *Jaguar XJR S 6* 1519,9, *Opel Omega 3 6 H l Lotus* 485, *Nissan 300 ZX V6 T automatique* 395, *Toyota Lexus V6 automatique* 387,3, *Audi 100 Avant S4 BV6* 334,5, *Saab 9000 CDE* 303, *Volvo 960 6 cylindres automatique* 290,9, *Renault 25 V6 Baccara Turbo* 289, *Citroën XM V6 24 soupapes* 285,9, *Peugeot 605 5 vitesses 24 soupapes* 274,4.

Routes

Quelques dates

■ Généralités. **Réseau romain** (a subsisté jusqu'au XVIIe s.) *longueur* 80 000 km dont 4 000 km en Gaule. La plus ancienne voie pavée est la Via Appia (Rome-Capoue) (312 av. J.-C.). *Largeur : via* 2,48 m en ligne droite (8 pieds), 4,96 m dans les courbes (16 p.) ; *actus* 1,20 m (4 p.) ; *iter* (chemin secondaire) 0,60 m (2 p.). Chargements limités à 492 kg.

1670 Colbert veut améliorer les voies : 4 chariots doivent pouvoir circuler de front sur les chemins royaux (larges de 7,80 à 9,80 m), 2 sur les chemins de traverse (4,40 à 4,80 m). **1716** création du service public des Ponts et Chaussées (de l'École en 1747) ; le contrôleur général Orry nomme *Daniel Trudaine* (1703-69), conseiller d'État, intendant général des routes. *Pierre Trésaguet* (1716-96) : 1res routes économiques [hérisson (soubassement épais en pierre d'env. 17 cm), empierrement (env. 17 cm), couche d'usure en gravier fin (8 cm)]. *Telford* (1757-1834) en G.-B. : principe analogue : hérisson, 2 couches de pierre (50 cm d'épaisseur au milieu), couche d'usure de 5 cm de gravier. *John McAdam* (1756-1836), ingénieur écossais, ayant observé qu'un sol sous-jacent sec peut supporter le trafic, se passe de hérisson : 3 couches de 5 cm de pierre de calibre décroissant posées sur un sol bombé. Les routes sont conçues pour une circulation légère, peu rapide et des véhicules plus étroits (1,44 m au lieu de 2 m) ; les diligences les plus volumineuses pèsent env. 5 t, circulent à 10-15 km/h. Les gros « fardiers » hippomobiles plus lents sont rares. **1800** routes nationales ; départementales ; chemins vicinaux (domaine public des communes) ; ruraux (domaine privé des com.). **Sous Louis-Philippe** chemins vicinaux importants administrés par un service départemental, deviennent chemins vicinaux de grande communication et d'intérêt commun. **1904-13** 1ers essais de *goudronnage* superficiel des routes. **1908-13** congrès définissant des normes internationales (Paris, Londres, Bruxelles).

■ Dénomination. **Routes :** construites et entretenues aux frais de l'État ou des départements ; **chemins :** aux frais des communes ; *vicinaux :* chemins de *grande communication d'intérêt commun et ordinaire* reliant les communes au chef-lieu de canton ou à d'autres communes ou hameaux. **1932**-*25-9* décret, distingue parmi les routes nat. les routes à grande circulation (leurs usagers bénéficient d'une priorité absolue). **1938**-*24-5* et *25-10* décrets créent chemins départementaux qui regroupent routes dép. et chemins vicinaux de grande communication et d'intérêt général ; budget dép. assure l'entretien. **1959**-*7-1* voirie communale refondue. Comprend : *voies communales,* regroupant voies urbaines, chemins vicinaux à l'état d'entretien et chemins ruraux dont le conseil municipal a décidé l'incorporation (domaine public de la com.) et *chemins ruraux* regroupant chemins vicinaux et ruraux autres (domaine privé). **1955**-*18-4* loi crée le statut des autoroutes. **1969**-*3-1* loi crée la catégorie des voies rapides : autoroutes et routes express.

■ **Jalonnement. Avant 1789** certaines routes ont été jalonnées tous les milles (1 852 m). **1830** *les bornes kilométriques* (parfois hectométriques) apparaissent. A l'origine la nationale 7 était jalonnée par des bornes espacées de 10 en 10 m.

■ **Longueur (km). V. 1789** 32 000 (15 000 rayonnant de Paris, 17 000 reliant les frontières) : chemins particuliers 20 000. *La France a le 1er réseau d'Europe.* **1811** routes impériales 33 162 (30 000 ouvertes à la circulation), départementales 25 155 (18 600 praticables). **1847** routes nat. 34 798. **1900** nat. 38 065. **1930** nat. 40 000 + 40 000 de chemins départ. classés r. nat. ; routes départ. 280 000 ; chem. vicinaux 370 000 dont 310 000 en état de viabilité ; chem. ruraux reconnus 215 000, non reconnus 485 000 ; voies urbaines 45 000.

■ **Numérotation des routes. 1786** 22-4 implantation de la borne initiale sur le parvis de Notre-Dame à Paris, à partir de laquelle on mesure les distances. **1811** numération à partir de Paris, dans le sens des aiguilles d'une montre [jusqu'en 1840 la route n° 7 de Paris vers Rome était le n° 1].

■ **Relais. Après 1840,** les relais des Postes nationales sont peu à peu abandonnés ; quelques auberges subsistent.

■ **Vitesse des messageries** (y compris temps d'arrêt en km/h). *1814 :* 4,3. *1830 :* 6,5 ; *1848 :* 9,5.

RÉSEAU MONDIAL

LONGUEUR

■ **Longueur totale des routes non urbaines dont,** entre parenthèses, **autoroutes** (en km). *Source :* Féd. routière internationale (FRI). Au 1-1-1991.

Afrique. Afr. du S. 181 340 (1 752). Algérie [9] 72 091. Bénin [3] 7 445 (10). Botswana 8 206. Burundi [9,c] 5 144. Cameroun 64 905. Rép. Centrafr. 23 738. Congo [6] 8 246. Côte-d'Ivoire [10] 53 736 (128). Djibouti [10] 2 795. Égypte 45 500. Éthiopie 20 563. Gabon [10] 7 393 (37). Gambie 3 083 [10]. Ghana 38 145 (20,6). Burkina Faso [13] 8 664. Kenya 64 584 [10]. Lesotho 4 085. Liberia [9] 5 412. Libye [2] 64 200. Madagascar [10] 49 638. Malawi [9,14] 10 772. Mali [5] 14 704. Maroc 59 450 (72). Maurice (île) 1 787 (33) [10]. Mauritanie [10] 6 904. Mozambique 26 095. Niger 19 000. Nigeria [8] 107 990 (115). Ouganda [10] 27 824. Rhodésie [4] 78 740. Rwanda 12 070. Sénégal [10] 13 968 (7). Sierra Leone [7] 7 395. Soudan [10] 9 018. Swaziland 2 801. Tanzanie 81 895. Tchad [4] 30 725. Togo 7 000. Tunisie 29 183 (52). Zaïre 145 000. Zambie 37 359. Zimbabwe 185 580.

Amérique. Argentine [7] 212 305 (378). Brésil 1 663 987. Canada 879 530 (14 660). Chili 79 593. Colombie 129 117. Costa Rica 35 534. Rép. Dom. [10] 17 362. Équateur 37 636. Guatemala [7] 17 278 (1). Guyane fr. 1 137. Honduras 11 371. Martinique 1 819 (7). Mexique 237 057 (1 231). Nicaragua 14 997. Panamá [8] 8 612. Paraguay 11 320. Pérou [3] 50 670. Porto Rico [10] 9 337 (236). Salvador (El) 12 146 (107). Trinité-et-Tobago 5 175 (50). Uruguay [9] 49 813. USA 6 237 290 (84 361). Venezuela 100 571 (1 200).

Il y a à Los Angeles (USA), agglomération longue de 100 km, 1 800 km d'autoroutes (pour 11 millions d'habitants et 7 millions d'automobiles).

Asie. Afghanistan [7] 18 752. Arabie Saoudite 144 676. Chine [9] 17 530 (382). Corée du S. 55 778 (1 550). Hong Kong 1 484. Inde 1 843 420. Indonésie 219 009 (198). Irak 45 554 (976). Iran [10] 108 970 (457). Israël [9] 4 631 (95). Japon 1 114 697 (4 407). Jordanie [10] 5 227 (40). Koweït 4 273. Liban [10] 7 000 (410). Malaisie 40 174 (8 972). Népal [7] 4 600. Pakistan 111 237. Philippines 157 448. Singapour 2 752 (102). Seychelles [10] 257. Sri Lanka 86 218 (4 050). Syrie 29 732 (683). Thaïlande 76 315 (47). Viêtnam [4] 29 917. Yémen du N. 51 119.

Europe. All. féd. [10] 487 251 (8 670) [19]. Autriche 107 180 (1 470). Belgique 137 876 (1 631). Bulgarie 36 934 (266). Chypre 9 824. Danemark 70 774 (601). Espagne 324 166 (2 368). Finlande 76 717 (215).

Marchandises 1988	Millions de t	Millions de t/km
All. féd.	2 485	118 900
Australie [1]	912,6	48 127
Autriche	165	8 000
Belgique	335	28 800
Canada [2]	137	42 388
Danemark	220	9 100
Espagne	1 262	134 900
Finlande	420	22 700
France [7]	*1 700*	*105 000*
G.-B.	1 691	126 700
Hongrie [4]	562	11 951
Italie	n.c.	162 800
Japon [4]	5 123	193 537
Luxembourg	13	263
Norvège	271	7 900
Pays-Bas	401	22 200
Pologne [5]	1 421	426
Suède	338	22 600
Suisse	327	7 200
USA [3]	n.c.	768 000
Yougoslavie	398	25 700

Nota. – (1) 1980. (2) 1981. (3) 1982. (4) 1983. (5) 1984. (6) 1986. (7) 1990.

France 805 450 (6 950). Gibraltar 50. G.-B. 347 376 (2 980)[19]. Grèce 119 100 (120). Hongrie 150 397 (311). Irlande 92 303 [20]. Islande 11 380. Italie 302 403 (6 695). Luxembourg 5 091 (78,5). Malte [10] 1 300. Monaco 47. Norvège 88 174 (74). P.-Bas 115 305 (2 074). Pologne 360 864 (243). Portugal 70 176 (259). Roumanie 72 816 (113). Suède 133 673 (830). Suisse 71 099 (1 495). Tchéc. 73 113 (527). Turquie 320 611 (170). Ex-URSS [2] 1 358 000. Youg. [10] 115 787 (613).

Océanie. Australie 796 960 (16 100). Fidji [10] 4 295. N.-Zélande 92 648 (134).

■ **Densité. Longueur des routes en km au km²** (au 1-1-90) : Belgique 4,5. Japon 2,84. P.-Bas 2,78. Luxembourg 1,97. Suisse 1,7. Danemark 1,64. G.-B. 1,54. *France 1,46.* Hong Kong 1,38, Autriche 1,3. Pologne 1,15. Hongrie 1,13. Chypre 1,06. Italie 1. USA 0,67. Espagne 0,64. Suède 0,40. Malaisie 0,12.

Nota. – (a) Au 31-3. (b) Au 30-4. (c) Au 30-6. (d) A partir du 1-4. (1) Au 31-12 : 1973 ; (2) 74 ; (3) 75 ; (4) 76 ; (5) 77 ; (6) 78 ; (7) 79 ; (8) 80 ; (9) 81 ; (10) 82 ; (11) 83. (12) Transkei, Bophuthatswana, Venda et Ciskei n.c. (13) n.c. 2 547 km de routes non classées. (14) Dont 6 000 km non revêtues. (15) n.c. voies municipales. (16) n.c. rues urbaines. (17) Dont 1 320 km d'autoroutes urbaines. (18) Uniquement routes publiques comprises. (19) 1989. (20) 1985.

■ **Pistes cyclables (km).** USA 170 000. All. féd. 20 000. P.-Bas 10 000. Danemark 4 100. *France 2 500* (diminution due à la décentralisation et à une absence de crédits de l'État dep. 1982). Dans les pays européens, pistes surtout à vocation urbaine.

TRAFIC ROUTIER

Parcours kilométriques annuels moyens d'une voiture particulière (en 1990). Finlande 17 500, USA [2] 16 700, G.-B. 16 700, Danemark 16 100, P.-Bas 16 100, Allemagne 14 500, Norvège [1] 14 100, *France [3] 13 700,* Suède [2] 12 000, Japon [2] 9 800, Espagne [1] 9 100, Bulgarie 8 300, Pologne 6 500.

Source : Union Routière de France.

Nota.– (1) 1988. (2) 1989. (3) 1991.

TUNNELS ROUTIERS

☞ **Tunnels ferroviaires** (voir p. 1692).

■ **Quelques dates.** Antiquité, tunnel d'Agrippa (près de Naples), sous le Mt Posilipe, long. 900 m, largeur 7,5 m. **1813** tunnel des Échelles (ou de St-Christophe, Savoie). 294 m de long (49,3 m² de section intérieure), 6,50 m de largeur entre trottoirs. **1847** Le Lioran (Cantal) 1 414 m (34,8 m²) 6,5 m. **1882** Tende (Alpes-Mar. à l'époque en Italie) 3 186 m (29,5 m²) 6,5 m. **1918** t. des Échelles, éclairé la nuit. **1919** éclairage permanent ; t. de la Porte-Champerret (Paris). **1930** Roux (Ardèche) 3 336. **1937** caissons avec des lampes à vapeur de sodium SO 85. **1945** t. de St-Cloud (832 m × 17 m), 1er tube ventilateur de 10 m de diamètre aspirant l'air vicié pour le rejeter par un puits central. **1952** t. de la Croix-Rousse (1 752 m), ventilé de manière transversale. **1967** Marseille, 1er t. en caissons immergés (600 m de long, traverse Vieux Port). **1968** t. du Chat : ventilation longitudinale avec accélérateurs accrochés dans la voûte. **1970** « PSGR » passage souterrain à gabarit réduit : haut. 1,90 à 2,75 m, larg. 6,70 m (ex. Paris sous l'Arc de triomphe : 380 m, gabarit 2,60 m). **1983** Bastia, traversée du port. **1989** Marne, Nogent, autoroute A 86, t. immergé (800 m).

☞ Il y a dans le monde env. 140 tunnels routiers de + de 3 km. Le problème de ventilation limite la taille des tunnels routiers.

LONGUEUR EN MÈTRES

St-Gothard (Suisse 1980) [1]	16 918
Arlberg (Autriche 1978)	13 972
Fréjus (France-Italie 1980) [2]	12 901
Mont-Blanc (France-Italie 1965) [3]	11 600
Gudvangen (Norvège 1992)	11 400
Leirfjord (Norvège, en constr.)	11 105
Kan Etsu (Japon 1991)	11 010
Kan Etsu (Japon 1985)	10 926
Gran Sasso (Italie 1984)	10 173
Maurice-Lemaire (France 1976) [4]	6 872

Nota. – (1) Réunit Göschenen (Uri) à Airolo (Tessin). Coût au km (en FS) 44 millions sans frais financiers. (2) 6,5 km en France. Chaussée 9 m de large. Largeur entre piédroits 10,10 m. Coût au km 100 900 000 F (total 1,5 milliard de F). Trafic (1990) : 3 000 véhic. par j dont (1992) 1 570 poids lourds. L'État français détient 49 % du capital de la société dep. le 26-8-1992. (3) 1er tunnel transalpin, le + long tunnel routier sans puits de ventilation. Chaussée de 7 m de large, 5,98 m de haut., à 2 480 m du sommet ; gabarit autorisé 4,50 m ; haut. côté français 1 274 m, italien 1 381 m. Trafic (1989) : 700 000 poids lourds ; 4 991 véh. par j.

■ **Tunnel routier le plus large.** Ile de Yerba Buena, San Francisco (Californie, USA). 23 m, haut. 17 m, long. 165 m. Plus de 80 000 000 de véhicules l'empruntent chaque année.

■ **Autres grands tunnels français.** Ste-Marie-aux-Mines (ferroviaire 1937, routier 1976) ; gabarit autorisé 4 m. Trafic (1990) : 2 523 véhic. par j. Roux [4] (1930) 3 336. Chamoise [1] (1986) 3 300. L'Épine [11] (1974) 3 117 ; doublement en constr. 3 094. Montets [12] (1985) 1 882. Fourvière [10] (Lyon, 1971) 1 836-1 853. Croix-Rousse [10] (Lyon, 1952) 1 753. Liaison A 8-RN7 [3] (1992) 1 590. Étroit du Siaix [11] (1990) 1 500. Chat [11] (1931) 1 488. Voirie Forum Central-Semah [13] (Forum central, Paris, 1979) 1 470. Dullin [11] (1974) 1 460-1 460. Lioran [6] (1847) 1 414. Vuache [12] (1982) 1 390-1 430. Ponserand [11] (1989) 1 300. St-Germain-de-Joux [1] (1989) 1 200-1 200. Las Planas [3] (1983) 1 108-1 072. L'Arme [3] (1989) 1 105-1 105. Mescla [3] (1991) 1 014. Les Chavants [12] (1990) 1 000. Puech Mergou [15] (1918) 963. S.-Cloud [17] (1945-76) [6] 832-909. Couverture de Champigny [18] (1976) 845-895. Les Monts Chambéry [11] (1982) 842-862. Tuileries [13] (Paris, 1967) 861. EPAD-Puteaux [17] (1984) 850. Pénétrante des Halles (Strasbourg, 1980) 645-845. Boulogne [17] (A. Paré) (1974) 828-828. Front de Mer [20] (Bastia, 1983) 822. La Coupière [3] (1970) 803-814. Trou au Renard-Guy Môquet [18] (Nogent-sur-M.) (1990) 800-800. Passage sous la Marne A-86 (1989) 800. Col du Rousset [7] (1979) 769. Grand Chambon [8] (1935) 753. FFF [18] A.-86 (1990) 750-750. Castillon [3] (1988) 750. Aéroport Nice [3] (1979) 725. Châtillon [1] (1989) 720-720. La Crotte (en constr.) 700. Porte de Pantin [13] (bd des Maréchaux, Paris, 1966) 655. Cap Estel (en constr.) 650. Canta Galet [3] A-8 (1983) 515-615. Vieux-Port [5] (Marseille, 1967) 597-602. Pessicart [3] A-8 (1983) 599-600. Courbevoie [17] desserte int. (1983) 600. Puteaux [17] desserte int. (1984) 600. Ardoisières [2] (1858) 590. Jenner [14] (Le Havre, 1956) 585-585. Parc-des-Princes [13] (bd Périphérique, Paris, 1971) 580-580. Lac Supérieur [13] (bd Périphérique, Paris, 1971) 574-580. Castellar [3] (1970) 568-575. Pl. de la Comédie, Montpellier (1985) 550. Orly [16] (1959) 550. Roissy [19] A-1 (1970) 536-536. Roissy [19] (1970) 536. Malleval [8] 530. La Grande Mare [14] (Rouen, en constr.). Reine-Blanche-Grandchamps [19] (1970) 530. Mortier [8] (1968) 502. St-Pancrasse [8] (1954) 502. Rocher-Chambrand [2] 500.

Nota. – (1) Ain. (2) Htes-Alpes. (3) Alpes-M. (4) Ardèche. (5) B.-du-Rh. (6) Cantal. (7) Drôme. (8) Isère. (9) Htes-Pyrénées. (10) Rhône. (11) Savoie. (12) Hte-Savoie. (13) Paris. (14) Seine-M. (15) Tarn. (16) Essonne. (17) Hauts-de-S. (18) Val-de-M. (19) Val-d'O. (20) Hte-Corse.

Tunnels frontaliers français. Avec l'Italie : *Tende* (1882, 3 186 m), *Mont-Blanc* (1965, 11 600 m), *Fréjus* (1980, 12 901), *La Giraude* (1970, A.-M.) ; **Espagne :** *Aragnouet-Bielsa,* 1976, 3 070 m × 7,50 m. 1 765 m en France, 1 305 m en Espagne ; gabarit autorisé 4,30 m. Fermé en hiver. *Puymorens* commencé 1993. 4 850 m entre L'Hospitalet (Ariège) et La Tour-de-Carol (P.-Orient.). Coût estimé de 750 à 830 millions de F. *Somport* commencé sept. 1991, arrêté (le projet suscitant des oppositions). Ouverture prévue 1996. Coût estimé (partie française) 370 millions de F.

■ **Tunnels en exploitation. France** (au 1-1-1992) *longueur en m :* 203 443 (dont éclairés 153 860, ventilés 93 273). *Nombre :* 759 (dont éclairés 377, ventilés 71) dont : 105 de 2 tubes et + (78 550 m). Dont *0-100 m :* 444 tunnels, *100-200 :* 118, *200-300 :* 72,

300-400 : 34, *400-500 :* 28, *500-600 :* 18, *600-1 000 :* 21, *1 000-2 000 :* 18, *+ de 3 000 :* 8.

Europe (au 1-1-1989) : Italie 1 254, longueur totale 704 515 m (dont 416 à 2 tubes et +, long. 486 728 m). Norvège 493, 314 528 m (4, 11 756 m). Espagne 270, 72 302 m (17, 17 429 m). Suisse 149, 166 624 m (67, 103 468 m). Autriche 111, 154 299 m (26, 40 956 m). All. féd. 89, 63 463 m (52, 51 421 m).

■ **Méthodes de creusement.** *Excavations à explosif :* la plus économique pour les roches et la seule utilisable pour les roches dures. *Par machines foreuses ponctuelles :* 300 kW, adaptées aux sols cohérents, sols semi-rocheux (marno-calcaires) et sols rocheux relativement tendres ; prévoûtes par machines de prédécoupage. *Par injection par jet (jet grouting). Béton projeté* de fibre. *Tunneliers :* ou machines foreuses à pleine section, généralement accompagnées des dispositifs nécessaires à la mise en place des revêtements définitifs. Les tunneliers visitables ont de 1,5 m à 13,94 m de diamètre.

Réseau français

■ Dépenses globales

Dépenses. *Budget direction des routes* (crédits routiers pour 1989 en millions de F). *Total* 9 770,2 dont : développement du réseau national 5 190,2 (dont autoroutes non concédées 70, investissements routiers 5 845,2), entretien du réseau national 3 200,3 (dont renforcement et aménagements de sécurité 340, ouvrages d'art 230,6, entretien des routes et grosses réparations 2 629,7. **Investissements de l'État** (en milliards de F). *1992 :* 11 pour 522 km de chantiers et lancement de 236 km. *1993 :* 11,5.

Direction de la Sécurité et de la circulation routière (1989, en millions de F). *Actions de sécurité et de circulation :* 389,7 (dont résorption des points noirs 270, autres aménagements routiers 96,7, informations routières 2, aménagements de pistes pour permis de conduire 9, réseau d'appel d'urgence 12). *Études et expérimentations :* 22,3 (dont équipements de sécurité et d'exploitation du réseau 6,4, aménagement des routes 5,5, réglementation technique des véhicules 6, études générales sur séc. et circ. 4,4).

Dommages causés aux chaussées. Selon l'OCDE, les véhicules lourds (+ de 10 t de charge utile) seraient responsables de 55 à 75 % des dépenses d'entretien des chaussées (70 % en France), alors qu'ils ne représentent que 1,5 % du parc total des véhicules immatriculés.

Coûts sociaux de la circulation automobile (accidents, bruit, pollution...). 4 à 6 % du PNB, dont 20 % seraient imputables aux véhicules lourds.

■ Longueur

Longueur totale du réseau routier (non compris chemins ruraux, au 1-1-91). 808 098 km.

Autoroutes en service (au 1-1-92, en km) : 6 292 (dont urbaines 1 609), dont concédées 5 729 ; en travaux 540 ; prévues au schéma directeur 2 776 ; liaisons assurant la continuité du réseau autoroutier 1 416, en cours d'aménagement progressif 1 096.

Réseau exploité par les Stés concessionnaires : 5 835 km dont autoroutes concédées mises en service en 1992 : 106 ; voies supplémentaires (3e et 4e voies) 221. *Ouverture 1993 :* autoroutes 108 km, élargissement 181 km (décomptés par chaussée à sens unique). *Chantiers de sections neuves en cours en 1993 :* 842.

Routes nationales (en km). Env. 29 700 dont 25 000 à chaussée unique (21 600 à 2 voies) et env. 4 000 à v. séparées (3 400 à 2 fois 2 voies).

Chemins départementaux. 350 000 km (1-1-92). Comprenant 54 083 km de routes nat. secondaires (sur 82 000 km) transférés à la voirie départementale (au 1-1-75) en application de la loi de finances de 1972 permettant ce transfert aux départements qui le souhaitaient ; ils reçoivent une subvention annuelle (455 millions de F en 1980) en fonction de la situation financière et de l'état des routes du département (moyenne 5 400 F par km).

On revient ainsi à la situation d'avant 1930, où étaient classés 40 000 km de chemins départementaux dans le réseau national.

Chemins communaux [largeur min. 5 m (5,50 au passage des ouvrages d'art)] 450 000 km (1-1-92). **Ruraux.** 700 000 km (4/5 non revêtus).

■ Trafic

Nombre de voyageurs (milliards de voy./km) **et**, entre parenthèses, **part du trafic total** (en %) **par mode de transport** (1991). Route [3] (rase campagne et voirie urbaine) 642 (88,5) dont voitures particulières 599,1 (82,6), autocars-autobus 42,9 (5,9). Fer (SNCF, RER, métro) 72 (9,9). Air 11,4 (1,6). *Total :* 725,4 (100).

Nota. – (1) En rase campagne et agglomérations de - de 5 000 hab. (2) Indice de débit calculé à réseau comparable. (3) A l'exception des 2-roues.

Circulation parisienne. Chaque jour en moyenne 1 300 000 voitures entrent et sortent de Paris. 2 600 000 véhicules circulent sur les 1 245 km des 6 253 rues, traversent les 6 600 carrefours dont 1 100 équipés de feux. Coût des embouteillages pour les automobilistes : 1,5 milliard de F.

Trafic routier de marchandises (1991, en millions de t) intérieur 1 395, international 50 ; en milliards de t/km : intérieur 100,2, international 17.

Types de marchandises transportées (en milliards de t/km, 1991). 117,2 dont prod. alim. et fourrage 26, minéraux bruts ou manufacturés et mat. de constr. 21,6, prod. manufacturés 21,8, prod. agr. et animaux vivants 13,6, prod. chim. 5,6, prod. pétr. 5,5, minéraux et déchets métall. 0,8, combust. minéraux solides 0,6.

Utilisation du parc (camions, remorques et semi-remorques de 3 t et + de charge utile et de - de 15 ans). 6 165 000 (compte propre 2 669 000, compte d'autrui 3 496 000).

■ Entreprises

Transport routier de voyageurs (au 31-12-1991). *Entreprises* 2 850. *Effectifs* 84 000. *Recettes nettes* (en millions de F, hors taxes) : env. 19 000. *Investissements :* 3 514,9 (en 1990). *Parc en service (autobus et autocars) :* 77 000.

Transport routier de marchandises (au 31-12-1991). *Entreprises :* 36 762 (zones longues et courtes 33 128, déménagement 1 336, location de véhicules 2 298). *Effectifs :* 272 646 (zones l. et c. 236 222, d. 12 298, loc. 23 349). *Recettes nettes* (en millions de F, hors taxes) : 117 332 (dont zones l. et c. 102 686, déménagements 3 990, location de v. 10 656).

■ Autoroutes

☞ **Centre de renseignements autoroutes :** 3, rue Edmond-Valentin, 75007 Paris. *Minitel :* 3615 Autoroute.

Généralités

■ **Origine. 1904** chaussée de 20 km construite pour servir de piste à l'occasion de la 1re course de la coupe Vanderbilt. **1909** la Sté Avus (Automobile Verkehrs und Ubungs Strasse GmbH) dresse les plans et construit dans une lande sablonneuse à l'ouest de Berlin une route d'essai spécialisée de 10 km à 2 chaussées séparées ; mise en service le 25-9-1921. **1914** chaussée de 65 km (10 m de large), goudronnée, dans l'île de Long Island près de New York ; 1re route pour trafic à longue distance, sans accès direct des propriétés riveraines (desservies par des routes latérales), ayant peu de points d'échange avec la voirie ordinaire. **1923** l'Italien Puricelli (fondateur de la Sté Strade et Cave) définit les caractères spécifiques de l'autoroute, notamment les croisements à niveaux séparés. **1924** *(21-9) 1re autoroute du monde* (Milan-Varèse, Italie, 85 km, larg 11 à 14 m) construite par Puricelli. **1925-39** Italie 482 km d'autostrades à chaussée unique construites (réseau suburbain au début, sauf la liaison Turin-Milan). **1927** conception en Allemagne d'un réseau rapide à longue distance. **1927-51** concession du financement et du péage aux USA (1927-32), Allemagne (1921-33) et Italie (1923-55). **1933-45** réseau allemand : 3 869 km en service (dont 3 100 au 1-7-1939), 25 000 km en travaux, 3 000 en projet. **V. 1950** autoroutes urbaines aux USA et Japon. **1957** définition internationale de l'autoroute à la Conférence europ. des ministres des Transports à Genève.

■ **Définitions.** Permettent à un véh. isolé de rouler en tout point à une vitesse max. de 130 km/h sur aut. de liaison, 110 km/h sur aut. de dégagement. Comportent 2 chaussées (chacune dotée d'au moins 2 voies de 3,5 m) séparées par 1 terre-plein central, l'accès se faisant en des points spécialement aménagés. *Largeur moy. :* 3,50 m par voie avec en général 2 × 2 voies (la + large a 2 × 6 v.).

■ **Nom. Origine :** on utilise des lettres : A (autor. principales), B (compléments), H (doublements), F (voies rapides) et des chiffres reprenant ceux des grandes nationales que les autor. doublent : A-1 (RN 1), A-4 (RN 4), A-6 (RN 6), A-13 (RN 13). Puis le réseau s'étendant, on utilise des groupes de numéros par régions (région Rhône-Alpes 40, Est 30, etc.). **1973 :** 8 concours organisés par le ministère de l'Équipement (36 000 participants) permettent de choisir 8 noms : *aut. du Nord* Paris-Lille (A-1) ; *de l'Est* Paris-Strasbourg (A-4) ; *du Soleil* Paris-Marseille (A-6, A-7) ; *la Provençale* Aix-Nice (A-8) ; *la Languedocienne* Orange-Narbonne (A-9) ; *l'Aquitaine* Paris-Bordeaux (A-10) ; *l'Océane* Paris-Nantes (A-11) ; *aut. de Normandie* Paris-Caen (A-13) ; *la Catalane* Narbonne-Le Perthus (A-9) ; *aut. des Deux-Mers :* (A-62) ; *la Blanche :* (A-40, Suisse au Fayet). **Depuis 1982 :** toutes les autoroutes sont désignées par la lettre A ; env. 1 000 km d'autor. changent de numéro ; les groupes de numéros par région sont maintenus.

Organisation des autoroutes

■ **Non concédées ou libres.** L'État a construit les 1res aut. sur ses crédits budgétaires ou sur le FSIR (Fonds spécial d'investissement routier) avec la participation des collectivités locales intéressées. Puis, il a confié à des entreprises semi-publiques (1955), ensuite privées (1970), la construction et l'exploitation d'une partie du réseau (90 % autoroutes de rase campagne en 1977).

■ **Réseau autoroutier** (au 1-1-1993). **Area** (aut. Rhône-Alpes) 368 km dont *A43*. **Asf** (aut. du Sud de la France) 1 650 km (+ 98,7 en construction, + 120,5 en projet). **Cofiroute** (Cie financière et industrielle des aut.) 733,9 km (+ e.c. 8, e.p. 96,5). **Escota** (aut. de l'Esterel-Côte-d'Azur) 429,1. **Sanef** (Sté des aut. du N. et de l'E. de la France) 1 016,7 km (+ e.c. 220). **Saprr** (Sté de l'aut. Paris-Rhin-Rhône) 1 363 km (+ e.c. 197, e.p. 10). **Stmb** (Sté du tunnel sous le mont Blanc) 106,3.

Stés d'économie mixte (Sem) : gèrent 87 % du réseau concédé (5 120 km sur 5 854 km au 1-1-1993), au capital souscrit par collectivités territoriales, chambres de commerce, caisses d'épargne, Caisse de dépôts et consignations (principal actionnaire) et Sté centrale pour l'équipement du territoire qui leur fournit une assistance commune de gestion et 1 Sté de tunnel sous le Mont-Blanc (Stmb), où l'État est majoritaire (52,5 %).

Chaque nouvelle section fait l'objet d'un avenant au contrat de concession entre la Sté concessionnaire et l'État, pour une durée allant jusqu'à la date de fin de concession de la Sté. L'État détermine : tracé, échangeurs et caractéristiques générales des ouvrages. La Sté concessionnaire acquiert les emprises après déclaration d'utilité publique du projet, elle effectue études techniques détaillées pour marchés après appel à la concurrence, contrôle les travaux, entretient et exploite les ouvrages. Les SEM ont un maître d'œuvre commun : Scetauroute. Le délai de construction d'une section est d'env. 4 ans. La Sté finance les dépenses par emprunts par la Caisse nationale des autoroutes (CNA, créée 1963) et la Banque européenne d'investissement (BEI), par autofinancement et quelques subventions ou avances des collectivités locales.

■ **Stés privées.** Elles financent par emprunt et réalisent les travaux. Leur capital détenu par des entrepreneurs de travaux publics et des établ. financiers atteint 10 % du coût des ouvrages. Dep. 1985, il en reste 1 : *Cofiroute* dont la 1re section concédée fut inaugurée en 1972 (Paris-Chartres). *Apel* et *Area* ont été rachetées par la CDC (Caisse des dépôts et consignations), l'*Acoba* par l'ASF (dont elle est devenue filiale) et la CDC. L'Apel a été fusionnée avec la Sanef au 1-1-1989.

Recettes des péages (en milliards de F, 1992) : 20. **Répartition** (en %) : frais financiers 32, remboursement des emprunts 25, remboursement des avances à ADF 1, autofinancement 3, dépenses d'exploitation 20, grosses réparations 7, impôts, taxes et divers 12.

☞ **Modulation des tarifs de péage :** applicable aux véhicules de tourisme en fin de week-end, vers Paris, sur l'A1. Tarif normal (avant 14 h 30 et après 23 h 30) 52 F, vert (14 h 30-16 h 30 et 20 h 30-23 h 30) 39, rouge (16 h 30-20 h 30) 65.

Télépéage sur autoroutes A1, A2, A4 et A26 ; généralisé depuis le 22-12-1992. L'automobiliste muni d'un badge spécial franchit le péage sans s'arrêter et reçoit une facturation mensuelle détaillée (ex. : Marseille, tunnel Prado-Carénage).

■ **Coût des autoroutes de rase campagne (au km). Construction :** *exemples :* type II (plateforme de 34 m, 2 chaussées de 7 m, terre-plein central de 12 m) env. 30 millions de F. Le Paillon-La Turbie 113,5. Sylans-Châtillon-de-Michaille [13 km, ouverte 1989 (Ain A40)] 140. *Structure de coût* (moyenne en %, en 1981 pour les SEM) : ouvrages d'art 14, études et surveillance des travaux 7, terrains 9, terrassements 30, drainages des eaux 6, chaussées 23, divers (équipements de sécurité, glissières, plantations, etc.) 11. **Entretien :** *coût annuel* (pour 1 km en 1985) : grosses réparations (couche de roulement et ouvrages d'art) 150 000 F, entretien courant (viabilité

FSGT (Fonds spécial de grands travaux). Créé par la loi du 3-8-1982. Géré par la Caisse des dépôts et consignations, peut contracter des emprunts [remboursement gagé sur une taxe sur carburants (12,2 centimes/litre fin 1986, soit un prélèvement annuel de 4,6 milliards de F). Ressources complétées par le fonds de concours des collectivités locales. A consacré, en 5 tranches, 9,5 milliards aux investissements routiers.

hivernale normale, signalisation, ordures, remplacement des glissières, fauchage) 150 000 F. En montagne (entretien des viaducs et des tunnels) 180 000 à 700 000 F.

Trafic moyen nécessaire pour couvrir les dépenses. 5 000 véhicules par jour pour couvrir coûts d'exploitation et d'entretien. + de 15 000 pour rembourser les emprunts.

■ **Financement des routes** (en milliards de F). Etat 24 (fonctionnement 14, investissement 10), collectivités locales 68 (35/33), soc. autoroutes 14 (4/10). *Total* 106 (53/53). La Cour des comptes s'étonne des erreurs de prévisions de trafic, que les poids lourds qui provoquent des dégâts qui représentent 50 milliards de F/an ne couvrent que 52 % des dépenses qu'ils engendrent, que les dépassements de devis atteignent fréquemment 30 à 50 % [record : autoroute Aquitaine (la déviation de Périgueux, évaluée à 43 millions de F en 1984 a coûté près de 4 fois plus)]. En 1980, les collectivités locales finançaient 12,7 % du réseau, 10 ans plus tard 297. La loi de 1955 prévoyait que le principe de la concession à des Stés d'autoroutes devait être exceptionnel et temporaire. Une fois l'ouvrage amorti, le péage serait supprimé. Or l'Etat, ne voulant pas assurer l'entretien des autoroutes anciennes ni en financer de nouvelles, a continué d'octroyer de nouvelles concessions.

Total des avances de l'État (en millions de F courants) : *1972 :* 182. *73 :* 252. *74 :* 189. *75 :* 458. *76 :* 467. *77 :* 443. *78 :* 421. *79 :* 714. *80 :* 463. *81 :* 826. *82 :* 725. *83 :* 1 228. *84 :* 307. *85 :* 459.

Dep. 1974, les conditions économiques (emprunts plus onéreux, coûts de construction, ralentissement de la croissance du trafic) ont contraint l'État à intervenir pour assurer l'équilibre financier de certaines Stés. Une nouvelle politique autoroutière a été définie le 17-9-1981 : maîtrise publique des Stés d'autoroutes en difficulté ; harmonisation progressive des péages sur la base d'un même tarif (modulé pour tenir compte notamment du coût des ouvrages except.), accompagnée d'une péréquation entre les Stés d'économie mixte par l'intermédiaire de l'établ. public « Autoroutes de France » ; évolution modérée des péages, meilleure concertation pour la gestion du réseau avec les associations d'usagers ; amélioration de la qualité des services offerts (VL et PL) et accessibilité pour les handicapés.

■ **Taux kilométrique moyen du péage** (en F, en vigueur début 1993). *Voitures* (classe 1) : 0,36 (mini 0,29 ; maxi. 0,55). *Motos* (cl. 5) 60 % cl. 1. *Voitures + caravanes* (cl. 2) : 152 % cl. 1. *Camionnettes* (cl. 3) 167 % cl. 1. *Camions* (cl. 4) : 220 % cl. 1.

■ **Distances** (en km) **de Paris par la route.** Bergen 2 303, Bucarest 2 290, Budapest 1 990, Cardiff 668, Cologne 494, Dublin 826, Édimbourg 1 044, Florence 1 215, Francfort 571, Gibraltar 2 020, Göteborg 1 492, Hambourg 955, Hammerfest 3 740, Helsinki, Messine 2 347, Moscou 2 747, Oslo 1 808, Saint-Sébastien 790, Salonique 2 561, Stockholm 1 856, Varsovie 1 440, Zagreb 1 434, Zurich 557. **De Tanger à :** Alger 1 370, Annaba 1 965, Casablanca 373, Oran 919, Tunis 2 280. Voir également p. de garde en fin de volume. **Distances par avion** (voir p. 1685).

RÉSEAU

■ **Quelques dates. Les plus anciennes autoroutes françaises : 1946** A-13 St-Cloud-Orgeval (22 km) ; commencée en 1936, finissait aux Quatre-Pavés-du-Roy. **50** A-12 Rocquencourt-Trappes (8). **51-53** A-51 Nord de Marseille (12). **52** B-42, C-42 Lyon-tunnel de la Croix-Rousse et accès Sud-Est (6). **54** A-1 Lille-Carvin (19) ; A-25 (B-9 périphérique Sud Ronchin-Porte d'Arras) (1) ; C-27 Lille (B-9 périphérique Sud Ronchin-La Madeleine) (3).

Dates de mise en service du 1er et dernier tronçon des grandes autoroutes : *A-1* Paris-Belgique 1954-74. *A-4* Paris-Metz 1975-76. *A-6* Paris-Lyon 1960-71. *A-7* Lyon-Marseille 1958-74. *A-8* Coudoux frontière italienne 1979, St-Isidore-Nice nord (2e chaussée) 1984. *A-9* Orange-Le Perthus 1978. *A-10* Palaiseau-déviation de Bordeaux 1967-81. *A-11* Paris-Le Mans 1966-78, Angers-Nantes 1980. Le Mans-Angers 1988-89. *A-13* Paris-Caen 1946-77. *A-26* Calais-Reims 1976-89. *A-31* Beaune-Toul 1974-89. *A-41* Grenoble-Scientrier 1978-81. *A-43* Lyon-Chambéry 1974-81. *A-48* Coiranne-Grenoble 1975. *A-61* Toulouse-Narbonne 1979. *A-62 A-61* Bordeaux-Narbonne (sauf contournement Toulouse) 1975-82. *A-71* Orléans-Clermont 1986-89. *A-72* Chabreloche-Feurs 1984. *F-11* Le Mans-Laval 1980.

I - LIAISONS EN SERVICE :
- Autoroutes en service au 1er janvier 1992
- Liaisons assurant la continuité du réseau autoroutier
II - AUTOROUTES EN TRAVAUX AU 1er JANVIER 1992
III - AUTRES AUTOROUTES PRÉVUES AU SCHÉMA DIRECTEUR
IV - LIAISONS ASSURANT LA CONTINUITÉ DU RÉSEAU EN COURS D'AMÉNAGEMENT PROGRESSIF

■ **Longueur totale** (en km). **Avant 1954** 77. **60** 174. **65** 653. **70** 1 599. **72** 2 172. **73** 2 474. **74** 2 878. **75** 3 401. **77** 4 293. **80** 5 251. **84** 6 085. **1992** 6 292 km dont 1 609 urbains, 5 854 concédés. Autoroutes en travaux 540, en cours d'aménagement progressif 1 096, prévues au schéma directeur 2 776, liaisons assurant la continuité du réseau autoroutier 1 416.

Kilométrage mis en service par année. Total dont, entre parenthèses : autoroutes de liaison, routes express et, en italique : voies rapides urbaines : **1969** 190 (dont 59, *59*). **70** 258 (187, *71*). **71** 176 (120, *56*). **72** 397 (351, *9*). **73** 302 (231, e 21, *75*). **74** 404 (287, e 21, *96*). **75** 523 (489, e 212, *75*). **76** 584 (489, e 7, *88*). **77** 308 (228, *80*). **78** 311 (264, e 16, *31*). **79** 292 (201, e 19, *72*). **80** 392 (342, *50*). **81** 464 (416,6, *47,3*). **82** 217 (157 *60*). **83** 169 (136, *33*). **84** 204 (156, *48*). **85** 245,1 (152,9, e 56,3, *35,9*). **86** 111,6 (179,2 de chaussée élargie à 2 ou 3 voies). **87** 163,2. **88** 126,1. **89** 354,9 (concédées) ; voies suppl. (3e et 4e v., VSR) 157,2. **90** 133 (concédés) ; voies suppl. 132. **91** 242 (+ 288 km voie d'élargissement). **92** 130 (+ 221 km voie d'él.).

■ **Autoroutes en projet. Déclaration d'utilité publique à fin 1993** (en km). **Asf** 674 (*A 20* Brive-Montauban, Toulouse-Pamiers, *A 54* Salon-Arles, *A 64* Toulouse-Muret, Lannemezan-Cazères, *A 83* Montaigu-Ste-Hermine-Niort, *A 89* Bordeaux-Clermont-Ferrand, *A 749* contournement Est de Valence, *A 837* Saintes-Rochefort). **Sanef** 378 (*A 1bis* Amiens-frontière belge, *A 4* contournement de Reims, *A 16* Amiens-Boulogne, L'Isle-Adam-La Courneuve, *A 29* Neufchâtel-St-Quentin). **Saprr** 170 (*A5 A5-Y* de Melun, *A 39* Dôle-Bourg-en-Br., *A 160* RN6-A6, *A 719* Antenne de Gannat). **Sapn** 139 (*A 13* bretelle de Louviers, *A 28* Alençon-Rouen). **Cofiroute** 296 (*A 11* contournement Angers Nord, *A 28* Tours-Le Mans-Alençon, *A 85* Angers-Tours-Vierzon). **Stmb** 50 (*A 400* Sud Léman). **Area** (*A 410* St-Julien-Cruseilles). **Area/Escota** 120 (*A 51* Grenoble-Sisteron). **Sftrf** 50 (Autoroute de Maurienne). **Total** 1 954 (dont 461 déclarés d'utilité publique en 1991).

TRAFIC DES AUTOROUTES
(Moyenne journalière)

■ **Autoroutes non concédées. Paris** *(entrées + sorties* 1976) : Autoroute du Sud (A-6) 107 562, (B-6) 90 977, Porte de la Chapelle (A-1) 132 723 ; autoroute de l'Ouest (A-13) 115 336 ; de Bagnolet (A-3) 149 919.

■ **Autoroutes concédées** (en 1992, toutes catégories de véhicules). **Area :** *A43* Lyon Bron-Chambéry nord 32 420, *A48* Bif A43/A48 (Coiranne)-Grenoble 18 859, *A41* Grenoble-Chambéry sud 18 152, *A43* Bif A43/A41 (Francin)-Aiton/Ste-Hélène 12 053, *A49* Bif A49/A48 (Voreppe)-Chatuzange 10 325. **Asf :** *A7* Ternay-Aix/Berre 46 196, *A9* Bif A9/A7 (Orange)-Narbonne sud 38 270, Bif A9/A61 (Narbonne sud)-Le Perthus 20 491, *A72* Clermont-Ferrand-Veauchette 11 827, *A64* Briscous-Cantaous 8 787, *A62* La Brède (Bordeaux)-Narbonne sud 18 303, *A10* Poitiers-St-André-de-Cubzac 18 573, *A11* Le Mans-Corzé (Angers) 12 766, *A63* Hendaye-St-Geours-de-Marenne (ex-Acoba) 16 821, *A83* Le Bignon (Nantes)-Montaigu 10 077. **Cofiroute :** *A10* La Folie-en-Bessin-Ponthévrard (Bif A10/A11) 66 984, Ponthévrard (Bif A10/A11)-Poitiers sud 28 774, *A71* Orléans (Bif A10/A71)-Bourges 14 883, *A11* Ponthévrard (Bif A10/A11)-Le Mans (Bif A11/A81) 28 074, *A81* Le Mans (Bif A11/A81)-La Gravelle (Rennes) 16 538. **Escota :** *A8* Aix ouest-frontière Italie 39 176, *A51* Aix-Sisteron nord 9 784. **Sanef :** *A1* Roissy-Fresnes 48 778, *A26* Reims-Bif A26/A1 (Rœux) 10 576, Calais-Bif A26/A1 (Rœux) 10 348, *A4* Metz-Freyming 20 089, Freyming-Strasbourg 15 374, Noisy-le-Grand-Metz 16 968. **Sapn :** *A13* Mantes est-Caen 27 556. **Saprr :** *A6 Nord* Fleury (Paris)-Challanges (Bif A6/A31) 32 804, *Sud* Challanges (Bif A6/A31)-Lagarde (Lyon) 51 316, *A71* Clermont-Ferrand-Bourges 10 670. **STMB :** *A40* Châtillon-Annemasse 13 421, Gaillard-Le Fayet 16 361.

■ PIÉTONS

■ **Réglementation.** Un piéton isolé (ou en colonne par 1) doit marcher à gauche, face au trafic. Une colonne avec 2 ou 3 piétons de front doit marcher sur la droite de la chaussée en laissant toute la moitié gauche. De nuit, elle doit être signalée par un feu blanc ou jaune à l'avant, rouge à l'arrière. Les piétons doivent utiliser les passages prévus à leur intention lorsqu'il en existe à moins de 50 m. Engagés dans un passage réservé (en traversant une rue), ils ont priorité sur les automobilistes qui tournent à droite. Sur les trottoirs où sont aménagées des places de stationnement, les automobilistes doivent circuler à allure très réduite.

■ **Loi Badinter (1982)** : elle tend à l'indemnisation automatique du préjudice corporel des piétons et cyclistes de – de 16 ans et de + de 70 ans ainsi que des passagers transportés, sans discussion de la responsabilité (sauf cas d'accident volontaire). La faute inexcusable, qui serait la cause exclusive de l'accident, serait retenue à l'encontre des piétons et cyclistes de 16 à 70 ans sauf s'ils sont titulaires d'un titre d'invalidité d'un taux égal à 80 % d'incapacité permanente.

Droits du piéton. 15, rue de l'Échiquier, 75010 Paris. Créé en avril 1959 par Roger Lapeyre (n. le 4-4-1911). *Pt :* Daniel Leroy. 18 500 membres, 40 associations départementales.

CONTRAVENTIONS ET DÉLITS

GÉNÉRALITÉS

■ **Amendes. Forfaitaires :** pour les 4 premières classes payables par timbre-amende dans les 30 j qui suivent la constatation ou l'envoi de l'avis de contravention. *1re classe :* 30 F minimum piétons, 75 F autres, *2e :* 230 F, *3e :* 450 F, *4e :* 900 F. On a 30 j pour réclamer. Le ministère public peut classer sans suite ou poursuivre par ordonnance pénale ou citation directe. En cas de condamnation, l'amende prononcée ne pourra pas être inférieure à l'amende forfaitaire.

Forfaitaires majorées : en cas de non-paiement de l'amende forfaitaire et d'absence de requête, *1re classe :* 220 F, *2e :* 500 F, *3e :* 1 200 F, *4e :* 2 500 F, recouvrée au profit du Trésor public selon la procédure habituelle. On a 10 j après l'envoi de l'avertissement pour réclamer auprès du ministère public qui peut classer sans suite ou poursuivre par ordonnance pénale ou citation directe. En cas de condamnation, l'amende ne peut être inférieure à l'a. forf. majorée.

Autres contraventions. Procédure ordinaire.

Recouvrement des amendes (sauf celles payées par timbre-amende). Un 1er avertissement est envoyé, puis un 2e. *A défaut de paiement,* il est procédé à un commandement, puis à la saisie. Le procureur de la Rép. peut ordonner la contrainte par corps : la personne qui refuse de payer l'amende est alors incarcérée pendant un délai variant suivant la somme due (ex. 20 j pour une amende pénale fixe de 800 F). Les frais de recouvrement s'ajoutent à l'amende (si l'on paye l'ordonnance pénale dès sa réception sans attendre l'avertissement du comptable du Trésor, on ne devra aucun frais de recouvrement). Dep. le 15-5-1990, on peut s'acquitter immédiatement de certaines contraventions avec une ristourne. *Ex. :* défaut de port de la ceinture ou du casque (2e classe) 150 au lieu de 230 F ; défaut d'éclairage ou de signalisation, émission de bruit gênant ou de fumée (3e cl.) 300 au lieu de 450 ; pneus lisses, défaut de carte grise ou absence de plaque d'immatriculation (4e cl.) 600 au lieu de 900 ; excès de vitesse de – de 30 km/h : 600 F au lieu de 900 F.

Nota. – Le recouvrement d'une amende revient en moyenne à 100 F à l'État. Les amendes ne peuvent donc guère être considérées pour lui comme une source importante de recettes. Elles servent à améliorer les transports en commun et la circulation et sont redistribuées selon les recettes de chaque commune.

Régularisation dans les 5 jours : dep. le 15-1-1978, sont dispensées d'amende et de poursuite judiciaire, si l'on régularise la situation dans les 5 j certaines infractions : défaut d'équipement du véhicule ne mettant pas en cause la sécurité routière. Le contrevenant est puni d'une amende de 1re cl. pour non-présentation sur les lieux de la carte grise et du permis de conduire ; 2e cl. pour non-présentation de l'attestation d'assurance. Se présenter à la brigade de gendarmerie, au commissariat de police de son choix (avec son véhicule ou la carte grise, le permis de conduire ou l'attestation d'assurance qui manquait avec l'avis de contravention).

Saisie : dep. le 15-1-1974, le percepteur chargé du recouvrement des amendes des 3 premières classes peut prélever directement celles-ci sur le compte bancaire ou postal du contrevenant ou entre les mains de son employeur. Le contrevenant doit être prévenu par le comptable du Trésor qu'une opposition sera exercée sur son compte s'il ne paie pas sa dette dans les 15 j. Ensuite, l'employeur reçoit une lettre lui donnant 15 j pour payer l'amende directement. Le prélèvement est proportionnel au salaire.

■ **Statistiques. Nombre de contraventions** (en millions) **et,** entre parenthèses, **sommes versées** (en millions de F) : *1973 :* 5,8 (47,9). *77 :* 12,2 (130). *80 :* 14 (195). *83 :* 15,17. *86 :* 17,25. *87 :* 14,08. *88 :* 12,65. **Moyenne** (1980) : 46 contr. pour 100 véhicules (524 à Paris ; 1 en Lozère).

Infractions liées à la limitation de vitesse (1987) : 983 719 dont vit. excessive en raison des circonstances 79 510, inobservation de la lim. imposée aux nouveaux conducteurs 4 902, de lim. générale en agglomération 483 221, hors aggl. 244 351, sur autoroutes 130 306, lim. pour véhicules de PT de plus de 10 t 14 871, des arrêtés préfectoraux ou municipaux de lim. 26 558.

	Amende forfaitaire F	Amende pénale encourue (ou, si récidive) F	Prison possible pour contrevenant : primaire 1 j à	récidiviste 1 j à	Suspension possible du permis de conduire	Retraits de points
• Contraventions						
Abandon de voiture-épave		1 300 à 3 000	5	10		
Arrêt dangereux (art. R. 37-2)		1 300 à 3 000	5	10	oui	3
Arrêt non respecté, signal par agent, panneau ou feu rouge		1 300 à 3 000	5	10	oui	
Assurance (défaut d'attest.)	230	250 à 600				
Avertisseur sonore (usage abusif)	230	250 à 600				
– Non-usage si nécessité		1 300 à 3 000				
– Défaut	450	600 à 1 300				
Carte grise – Défaut (4e cl.)	900	1 300 à 3 000				
Casque						
– Non-port de	230	250 à 600				
– Non conforme	75	30 à 250				
– Défaut d'équipement	450	600 à 1 300				
Ceintures de sécurité						
– Non-port de	230	250 à 600				
– Défaut d'équip.	450	600 à 1 300				
Chang. de dir. sans précaution	230	250 à 600			oui	3
Chev. ou franchissement ligne continue	230	1 300 à 3 000	5	10	oui	3
Circul. à gauche en marche normale		1 500 à 3 000	5	10	oui	3
Circul. sur chaussée, voie, piste réservées	230	250 à 600				
Course de véhicules						
– Sans respect de réglementations		1 300 à 3 000	5	10		
Dépassement – Accélérat. au moment d'être dépassé		1 300 à 3 000	5	10	oui	2
– A droite		1 300 à 3 000	5	10	oui	3
– Dans un virage		1 300 à 3 000	5	10	oui	3
– Dans une intersection non prioritaire		1 300 à 3 000	5	10	oui	3
– Défaut de serrer à droite		1 300 à 3 000	5	10	oui	3
– Malgré l'interdiction		1 300 à 3 000	5	10	oui	3
– Retour prémat. à droite		1 300 à 3 000	5	10	oui	3
Descente d'un véhicule sans précaution	75	30 à 250				
Disque (défaut de)	75	30 à 250				
Échappement silencieux défaillant	450	600 à 1 300		(8)		
Enfants (non-placement à l'arrière)	230	250 à 600				
Feux de route ou de brouillard maintenus en croisant		1 300 à 3 000	5	10	oui	1
Fumées gênantes	450	600 à 1 300		(8)		
Indicateurs de changement de dir. défaillants ou irréguliers	450	600 à 1 300		(8)		
Motocyclette (non-allumage de jour des feux de croisement)	230	250 à 600				
Nouveaux conducteurs						
– Défaut de disque 90	230	250 à 600				
– Dépassem. des 90 km/h	230	250 à 600			oui	
Péage (refus d'acquitter)	230	250 à 600				
Piétons (infract. des)	30	30 à 250				
Plaques d'immatriculation – Défaut	900 maj. 2 500	1 300 à 3 000				
Pneus lisses		1 300 à 3 000	5	10		
– A crampons non conformes ou hors périodes		1 300 à 3 000	5	10		
Priorité, non-respect :						
– De la droite		1 300 à 3 000	5	10	oui	4
– D'une route à grande circ.		1 300 à 3 000	5	10	oui	4
– Indiquée par « Stop »		1 300 à 3 000	5	10	oui	4
– Non-respect de la priorité piétons		1 300 à 3 000	5	10		
Radar (détention, usage ou vente appareil détecteur)		3 000 à 6 000	10 j à 1 m			
Sens interdit emprunté	900 maj. 2 500	1 300 à 3 000				
– Rampe d'accès autoroute		1 300 à 3 000	5	10		
Signaux de freinage défaillants ou irréguliers	450	600 à 1 300	5	10		
– Non-fonctionnement ou absence de feux		600 à 1 300				
– Feux d'une couleur autre que orangée ou rouge	450	600 à 1 300				
– Non-usage de ce dispositif pour signaler un ralentissement	230	250 à 600			oui	4
Stationnement abusif	230	250 à 600				
Arrêt : Dangereux		1 300 à 3 000	5	10	oui	
– Gênant	230	250 à 600				
– Sur voie réservée aux transports en commun		1 300 à 3 000		cond. part.		
– Payant (non payé)	75	30 à 250				
Vitesse : Excès de		1 300 à 3 000	5	10	oui	
– Non-maîtrise de la		1 300 à 3 000	5	10	oui	
– Non réduite dans agglom.		1 300 à 3 000	5	10	oui	
– par temps de pluie		1 300 à 3 000	5	10	oui	
• Délits						
Assurances (défaut) : contraventions 5e cl.		3 000 à 6 000 + 50 % (recouvr.)	10 j à 1 m 10 j à 3 m		oui oui	
Barrage forcé, refus d'obtempérer		500 à 15 000	10 j à 3 m		oui	
Barrière de dégel non respectée et passage sur les ponts : contraventions 5e cl.		3 000 à 6 000			oui	
Carte grise :						
– Défaut, en récidive		1 300 à 3 000			non	
– Fausse ou altérée		1 500 à 20 000	et 6 m à 3 a		oui	
Course de véhicules sans autorisation		2 000 à 120 000	10 j à 6 m		non	
Délit de fuite		2 000 à 30 000	et/ou 2 m à 2 a		oui	6
Homicide involontaire		1 000 à 30 000	et 3 m à 2 a		oui	6
Ivresse : taux d'alcool pur égal ou sup. à 0,80 g		2 000 à 30 000	2 m à 2 a		oui	6
Permis de conduire :						
– Défaut de, en récidive		2 000 à 30 000	2 m à 2 a		non	
– Conduite malgré suspension		2 000 à 30 000	2 m à 2 a		oui	6
Plaques d'immatriculation :					possib. annul.	
– Usages de fausses		500 à 20 000	6 mois à 5 ans		oui	6

■ **Amendes** (en F) **forfaitaires** (art. R 49 du CPP) : *pour piétons* 30, *1re classe :* 75, *2e :* 230, *3e :* 450, *4e :* 900. **Majorées** (art. 49-7 du CPP) : *piétons* 50, *1re cl. :* 220, *2e :* 500, *3e :* 1 200, *4e :* 2 500. **Amendes fixées par le tribunal** (art. R 25 du code pénal) : *1re cl. :* 30 à 250, *2e :* 250 à 600, *3e :* 600 à 1 300, *4e :* 1 300 à 3 000 (emprisonnement 5 j au + ou l'une de ces 2 peines). Récidive : 1 300 à 3 000 F et/ou 1 à 10 j de prison. *5e :* 3 000 à 6 000 (emprisonnement 10 j à 1 mois ou l'une de ces deux peines). Récidive : 6 000 à 12 000 F et/ou 1 à 2 mois de prison.

■ **Voitures volées.** Envoyer, dès qu'on a reçu l'avis, une lettre recommandée avec demande d'avis de réception au procureur de la Rép. (ou à l'organisme indiqué sur l'avis d'amende) pour signaler le vol. Joindre photocopie de la déclaration de vol délivrée par le commissariat ou la gendarmerie.

Environ 700 voitures et 70 motos sont volées chaque jour en France (en 1990, sur 256 197 voitures et 26 130 deux-roues, 71 280 voitures et 15 165 motos n'ont pas été retrouvées).

Modèles les plus appréciés des voleurs (en %, France, 1992). *Peugeot 205 GTI 1,9* 122. *Renault 21 2l turbo* 16, *R 19 16 soupapes* 13, *405 MI 16* 13, *R 5 GT turbo* 13, *205 GTI 1,6 l* 12, *205 turbo diesel* 12, *Golf GL* 12, *R 25 V6 injection* 11, *Golf GTI 16 s, 1 600, 1 800* 11, *Fiat Uno turbo* 11, *Golf 90 s* 11, *Fiat Uno 45 s* 10, *Saab 9 000 turbo* 10, *Clio 1,7 l Baccara* 10, *Clio 16 soupapes* 10.

■ Recensement

Casier des contraventions de circulation. Tenu au greffe du tribunal de grande instance (pour les personnes nées dans la circonscription du tribunal) et au ministère de la Justice (pour celles nées à l'étranger).

Les fiches sont retirées du casier et détruites en cas de décès du condamné, d'amnistie et d'opposition à une condamnation par défaut ou à une ordonnance pénale, 2 ans après la condamnation à l'amende ou à l'emprisonnement, jusqu'à la fin de l'exécution de la mesure restrictive du droit de conduire, si elle est supérieure à 2 ans ; 1 an après l'expiration du délai d'épreuve de 5 ans lorsque la suspension du permis de conduire aura été assortie d'un sursis.

Le bulletin du casier est délivré aux autorités judiciaires et au commissaire de la Rép., saisi du procès-verbal d'une infraction l'autorisant à prononcer la suspension du permis de conduire. Le conducteur ne peut pas le demander. Mais s'il est poursuivi devant une juridiction, son avocat peut en avoir connaissance en consultant le dossier, si les magistrats ont demandé un extrait de ce bulletin.

Fichier des conducteurs. Institué par la loi du 24-6-1970 et placé sous l'autorité et le contrôle du garde des Sceaux. Supprimé le 4-1-1980.

Fichier national des permis de conduire. Créé par la loi du 24-6-1970, abrogée 19-12-90, sous le contrôle du ministère de l'Intérieur, il centralise les renseignements relatifs aux permis de conduire civils, et les décisions administratives et judiciaires qui peuvent affecter leur validité : avertissement, suspension, annulation, interdiction de présentation aux épreuves du permis, mesures administratives prises par le préfet sur avis de la Commission médicale compétente. Les renseignements peuvent être communiqués (par l'autorité préfectorale du lieu de résidence du conducteur ou du siège des autorités précitées) au conducteur, aux autorités judiciaires et administratives, aux Cies d'assurances pour ceux dont elles garantissent la responsabilité.

Quelques précisions

■ **Freinage.** Freiner avant et non pas dans le virage. *Sur route non glissante :* ne pas freiner en position « débrayée », mais débrayer au dernier moment (moteur prêt à caler). *Si 2 véhicules se suivent* à la même vitesse et que le 1er freine, le 2e conducteur réagira avec 3/4 à 1 seconde de retard.

Distances nécessaires pour freiner : *calcul rapide* (en tenant compte de la distance parcourue pendant le temps de réaction et pendant le freinage) ; sur route sèche multiplier par lui-même le chiffre des dizaines de la vitesse. *A 60 km/h :* 6 × 6 = 36 m, *80 km/h :* 8 ×8 = 64 m, *120 km/h* 12 × 12 = 144 m.

☞ L'arrêt d'une voiture roulant à 50 km/h correspond à une chute libre de 10 m de haut, à 75 km/h de 22 m, à 100 km/h de 40 m (sommet d'un immeuble de 14 étages). A 80 km/h le cerveau, qui pèse normalement 1,5 kg, arrive à peser 33 kg. Le foie passe de 1,7 kg à 38 kg, le cœur de 300 g à 7 kg.

Un homme de 75 kg, roulant à 50 km/h, se transforme au moment du choc en un projectile d'une masse de 3 t capable de tordre des barres d'acier, donc de déformer le tableau de bord.

■ **Priorité à droite.** *1910* appliquée pour la 1re fois à Paris par le préfet Lépine. *1925* incorporée au Code de la route. *1944* des associations se prononcent pour la priorité à gauche. *1968* le Conseil économique recommande la priorité à gauche (il est en effet dangereux d'avancer jusqu'au milieu de la chaussée car on peut être heurté par un véhicule venant de la gauche ; 45 % des accidents ont lieu à des carrefours et auraient pu être évités si la priorité était différente). *1984* (1-5) « tout conducteur abordant un carrefour à sens giratoire est tenu, quel que soit le classement de la route qu'il s'apprête à quitter, à céder le passage aux usagers circulant sur la chaussée qui ceinture le carrefour à sens giratoire ».

■ **Remorque et caravane.** Une voiture de 6 à 8 CV peut tracter une rem. de 100 à 150 kg de charge utile. *Longueur max.* de l'attelage voiture et caravane 18 m, de la caravane timon non compris 11 m. *Largeur max.* 2,5 m. *Intervalles* entre voitures tractant remorque, caravane en dehors des agglomérations, 50 m (si l'ensemble voiture et caravane dépasse 7 m ou si le poids total en charge dépasse 3,5 t).

Freinage. Si la remorque pèse – de 750 kg en charge et – de la moitié du poids à vide de la voiture tractrice, freinage non obligatoire ; *de 750 à 3 500 kg :* fr. « par inertie » obligatoire ; *au-delà :* fr. « en continu » (hydraulique, à dépression ou électrique).

■ **Stationnement. Définition :** *Arrêt :* immobilisation momentanée pendant la montée et la descente des passagers et le chargement, le conducteur restant au volant ou à proximité de son véhicule pour pouvoir le déplacer. *Stationnement :* immobilisation de plus longue durée, en dehors de la présence du conducteur. **Responsabilité :** véhicule se trouvant à un emplacement où il gêne la circulation, où le stationnement est interdit, peut supporter tout ou partie de la responsabilité d'un accident, sauf si le stationnement irrégulier est toléré, s'il est visible sur une ligne droite, s'il est sans lien de causalité avec l'accident.

Interdictions : *Sur autoroute :* stationnement interdit sur chaussée, bande d'arrêt d'urgence (sauf en cas de nécessité absolue), bande séparant les chaussées, accotement, bretelles de raccordement.

Dans les agglomérations : interdit + de 24 h au même endroit à Paris (7 j ailleurs), sur emplacements réservés aux autobus, taxis, sur les ponts, dans les passages souterrains, tunnels, près des signaux lumineux de circulation ou des panneaux de signalisation (à Paris, laisser 10 m avant les feux de signalisation et 2 m avant l'alignement des immeubles de la rue transversale à une intersection). Si l'éclairage public est suffisant, on peut ne pas signaler la nuit un véhicule en stationnement sauf s'il a une remorque et dépasse 6 m de long et 2 m de large.

Si une auto bloque l'entrée d'un garage, on peut faire appel au commissariat de l'arrondissement. Si le commissariat ne peut faire enlever sur-le-champ le véhicule gênant, il établit un procès-verbal ; on peut demander au procureur de la République auprès du tribunal compétent le numéro de ce procès-verbal, et se porter partie civile devant le tribunal de police et obtenir éventuellement des dommages et intérêts si l'on peut prouver que ce stationnement abusif a causé un préjudice. Procédure gratuite.

■ **Préfourrière et fourrière.** Une voiture en stationnement peut être déplacée [pour raison de sécurité notamment (s'adresser au commissariat de voie publique de l'arrondissement)] ; ou enlevée par un service de police (infraction grave : s'adresser au commissariat du quartier) et mise en préfourrière, puis après délai de 48 h, en fourrière. Après 45 j, à compter de la mise en demeure faite au propriétaire d'avoir à retirer son véhic. par lettre recommandée avec AR, le véhic. est remis au service des Domaines qui le vend ou l'envoie à la casse s'il n'est pas en état de circuler. On peut récupérer le prix de la vente après déduction des frais (garde, expertise, vente).

Frais (en F). **Mise en fourrière :** *poids lourds* + de 3,5 t : enlèvement 300, opérations préalables 150 ; *voitures particulières :* enlèvement 450, préalables 105 ; *autres véhicules :* à moteur 53, sans moteur 26. **Garde en fourrière,** *pour 24 h : poids lourds* 40, *voit. partic. et commerciales* 21, *autres véhicules* 16. *Si l'on arrive sur les lieux de l'infraction* avant que l'engin de remorquage de la fourrière ait quitté sa base, un procès-verbal est dressé et l'on ne paye pas la taxe d'enlèvement ; si l'engin a quitté sa base et fait route sur les lieux de l'enlèvement (ou est déjà sur place), on doit payer les frais.

■ **Vitesse (limite). France. Agglomération :** sauf signalisation spéciale, 50 km/h du panneau d'entrée en agglomération au panneau de sortie. Routes 90, routes à 4 voies séparées par un terre-plein central et autoroutes de dégagement urbaines 110, autoroutes 130 (80 au min. sur la bande de gauche).

Par temps de pluie et autres précipitations (décret du 30-7-1985) : autoroutes 110, sections en zone d'habitat dense et voies à 2 chaussées séparées par un terre-plein central 100 (autres routes 80). Décret du 4-12-1992 : 50 par temps de brouillard.

Véhic. de + de 3,5 t (en km/h) : *autoroutes :* si – de 12 t : 110 ; si + de 12 t : 90. *Routes à grande circulation* 80, si – 12 t (sur les routes à 2 chaussées séparées par un terre-plein central). *Autres routes :* 80 ; 60 pour les véhicules articulés, ou avec remorque dont le PTAC est sup. à 12 t. *Agglomération* 50. **Véhic. (ou ensemble de véhic.) transportant des matières dangereuses :** *autoroutes* 80 ; *autres routes* 60 [1] ; *agglomération* 50. **Transports en commun :** *hors agglomération* 90 [2] (100 sur autoroute pour certains autocars) ; *agglomération* 50.

Nota. – (1) 70 km/h si munis d'un freinage ABS. (2) 100 km/h si munis d'un freinage ABS.

Étranger. Sur route et sur autoroute en km/h. Allemagne 100, 130 (recommandé). Autriche 100, 130. Belgique 90, 120. Danemark 80, 100. Espagne 90, 120. États-Unis env. 90 (55 mph, ensemble réseau rase campagne). G.-B. 97,113. Grèce 80, 80. Irlande 97,97. Italie 90 à 110, 90 à 140 (selon la puissance des moteurs). Luxembourg 90, 120. Norvège 80, 90. Pays-Bas 80, 120. Pologne 80, 90. Portugal 90, 120. Suède 70, 110. Finlande 80, 120. Suisse 80, 120. Turquie 90, 110. Ex-URSS 90. Ex-Youg. 80 ou 100 (selon type de route), 120.

☞ Le 1-1-94, des limiteurs de vitesse empêcheront les poids lourds de 12 tonnes de dépasser 85 km/h, et les autocars de 10 t 100 km/h.

☞ **Salon de l'automobile :** *créé* 1898. Salon mondial tous les 2 ans depuis 1988. *Visiteurs 1990 :* 945 000. *92 (8 au 18-10) :* 1 100 000. *Exposants 1992 :* 900.

Transports urbains

Quelques comparaisons

■ Trafic urbain

■ **Métro.** 1er inauguré à Londres 10-1-1863. 1er entièrement automatique : Val 206 à Lille (25-4-1983), voir p. 1620.

■ **Véhicules à roues portées. Sur 2 rails :** 1re génération : a disparu sauf en Europe de l'Est et ex-All. féd. 2e : 1re ligne ouverte à Edmonton, Canada. **En France :** réseaux démantelés dans les années 1950 sauf à Lille, Marseille, St-Étienne. *Brest :* projet abandonné après referendum 14-10-1990. *Grenoble :* 1re mise en service 1987 (8,4 km, 18 stations, coût 1 000 MF pour les équipements et 235 pour les 20 rames de 252 places chacune). 1 autre en projet, de 5 km, 1 à l'étude. *Lyon* (v. 1994, coût 3 000 millions de F). *Marseille :* projet. *Nantes :* 1re mise en service 7-1-1985, 2 rames de 28,50 m, vitesse 25 km/h, 168 voyageurs. 1 tronçon de 10,6 km et 22 stations, 1 autre de 4 km. Coût : 600 millions de F. 2e (1994) 14 km, coût 1 600 millions de F. 3e à l'étude pour 1998. *Reims :* (projet remis en cause). *Rouen :* 11 km (appelé métro car il y a 1 tunnel). *St-Denis-Bobigny (1992) :* 9 km, rame 174 à 252 places dont 52 assises, 21 stations, vitesse commerciale 19 km/h. *St-Étienne :* ligne de 1881 modernisée dep. 1974. *Strasbourg (1994) :* 1 l. de 12,6 km et 23 stations. Coût : 730 millions de F. *Toulouse :* 30 km à l'étude (projet remis en cause).

Sur monorail : Alweg (Seattle, Tōkyō), pneus sur un monorail en béton, soutenu par des pylônes.

Sur piste à plat : il y en a un grand nombre, différenciés essentiellement par le guidage. **ACT** (Automatically Controlled Transportation) : projet Ford (USA), véhicules modulaires, long. 7,5 m, larg. 2 m, sans conducteur, sur pneus, moteur électrique ; navette télécommandée par ordinateur : les passagers sélectionnent leur destination ; guidé sur 1 piste à bords relevés en U ; *max.* 48 km/h. **Airtrans** (Intra Airport Transportation System) : *Dallas* (USA) ; parcourt 14,5 km, guidé sur une piste à bords relevés en U, véhicule modulaire, long. 6,4 m, larg. 2,1 m, entièrement automatique. Moteur électrique. V. max. 30,6 km/h.

■ **1900 Véhicules à roues, suspendus.** Barmen à Elberfehd (1897-1990) 13,7 km (dont 10 au-dessus de la Wupper) (Allem.), sur roues métalliques. *Type Safege :* caisse suspendue, avec double roulement de pneus circulant à l'intérieur d'une poutre caisson montée sur pylônes espacés de 30 m. Voitures de 16 m sur 2,50 m (150 passagers dont 48 assis). Vitesse commerciale (arrêts compris, avec stations distantes de 1 000 à 1 500 m) 60 km/h. *Ligne* (Japon) : Shonan (1970) 7 km ; Chiba : en construction. *Autres systèmes :* en cours d'expérimentation.

■ Véhicules à sustentation. Par coussins d'air : **Tridim :** projet français Bertin, véhicules modulaires de 36 places « assises » et 16 « debout », associés en trains, vitesse 60 à 100 km/h, guidage sur piste au sol ou surélevée. 3 propulsions possibles : moteur électrique linéaire, roues pressées, crémaillères souples à pignons à axes verticaux. **Urba** (projet abandonné), voir Quid 81, p. 1396b. Magnétique : **Transurban Conveyor Belt System :** projet de Krauss-Maffei (Ex-All. féd.). Trottoir équipé de sièges individuels. Déplacé par des moteurs linéaires asynchrones. Embarquement et débarquement grâce à des disques sur lesquels la vitesse décroît du centre au bord. Vitesse : 21 km/h.

■ Véhicules à câbles. Suspendu : **aérobus :** ligne expérimentale de 1 km sur les rives du lac de Zurich, caisse aérodynamique (30 places, plus tard 100), long. 10,50 m, larg. 2,20 m, 12 moteurs électriques installés sur le toit et alimentés en courant continu de 500 V. 12 roues motrices, garnies de caoutchouc, sur 2 câbles à faible écartement. Vitesse : 70 km/h.

Tracté : **Poma 2000 :** *Grenoble :* envisagé puis abandonné ; *Laon :* ligne expérimentale à crémaillère 1,5 km, de la gare à l'hôtel de ville dep. 4-2-1989. Cabine (50 places) sur chemin de roulement au sol ou aérien, tractée par câble. Cadence : 1 cab. toutes les 32 s. Vitesse 36 km/h. **SK (Soulé, constructeur ; Kermadec, inventeur) :** cabines (10 à 20 places) sur rail, tractées par un câble sans fin [1986 exposition de *Vancouver* (Canada), *Yokohama* (Japon, 6,50 m), *Villepinte* (du parking au hall d'exposition), *gare de Lyon-Austerlitz* (475 m ; coût : 30 millions de F ; prévu v. 1995)]. 12 projets en région parisienne.

■ Systèmes PRT (Personal Rapid Transit). Petits véhicules programmés directement par l'usager. **Skybus** (Sté Westinghouse), en service dans les aéroports de Tampa (Floride) et Seattle (Washington). **TTD-Otis** sur coussin d'air, hôpital de l'université de Duke (Caroline) pour intégrer liaisons horizontales et verticales par ascenseurs. **Aramis** (agencement en rames automatisées de modules indépendants en station) : *Matra* et *Cabinentaxi* (Demag et Messerschmidt-Bloehm-Bolkow). *Cabine :* 2 t, 10 places, moteurs électriques sur les 4 roues (à pneus), 60 km/h. *Pas de conducteur :* cerveau électronique ; instructions envoyées au véhic. par un rail latéral par lequel lui arrive également le courant électrique. Les rames peuvent être composées de cabines faisant un bout de chemin ensemble, puis se dirigeant vers des terminus différents. *Voies :* 2 ; larg. totale 4,50 m (métro parisien : 7,50 m) ; hauteur 2,50 m (tunnel métro : 4 m). Rampes 8 % (métro : 5 %), rayon de courbure : 25 m (métro : 40 m). Infrastructure des voies : 60 % du coût d'un métro ; capacité 17 000 voyageurs heure (métro classique : 30 000). Projet abandonné. Fiabilité et sécurité encore incertaines.

Accélérateurs pour piétons. *Ex.* **Trax :** trottoir roulant accéléré, entrée ou sortie 3 km/h, vitesse max. 12 km/h. *Lieu :* Invalides (correspondance RER), projet abandonné (coût trop élevé : 60 millions).

VEC. Les cabines ralentissent sans s'arrêter dans les stations puis accélèrent. *Capacité pratique* 1 800 à 21 600 voyageurs/heure. *Fréquence* 2 à 6 s.

Transports parisiens

Quelques dates

Jusqu'au XIIIe s. charrettes et bacs. **XIVe s.** chars et chariots employés par les souverains et la Cour ; *litière couverte* pour les femmes nobles. **1305** entrée d'Isabeau de Bavière sur un chariot branlant (1re voiture « suspendue »).

XVIe s. apparition du *carrosse* et **v. 1575-80** du *coche* (carrosse suspendu). **XVIIe s.** la *chaise à bras (à porteurs* ou *portative)* d'abord utilisée pour les malades ou infirmes, puis par tous.

1617-*22-10* 1re concession pour chaises portatives ; d'autres pour des carrosses ou carrioles de louage (Nicolas Sauvage) (on appela ces carrosses *fiacres,* car ils stationnaient devant une hôtellerie placée sous le patronage de saint Fiacre) ; Givray, en 1657, Catherine Henriette de Beauvais en 1661. **1662** *janvier* des lettres patentes autorisent le duc de Rouanès, le Mis de Surches et le Mis de Crénan à faire circuler dans Paris des carrosses à itinéraire fixe. **1664** *calèche à cheval* et à 4 places ; chaise de Crénan, d'abord voiture de ville, puis chaise de poste. **1671** chaises roulantes (roulettes, brouettes et vinaigrettes). Transports à l'usage particulier : cabriolet, carrosse moderne, berline proprement dite, berline à 2 fonds, vis-à-vis, carrosse coupé en berlingot ou diligence, désobligeante. **1682** *18-3* carrosses à 5 sols à Paris. **1780** le cabriolet de louage remplace chaises à porteurs et chaises roulantes.

Quelques chiffres

Carrosses. *1550 :* 3. *1658 :* 310. *XVIIIe s. :* entre 6 000 et 24 000 (au moins 20 000 en 1752).

Voitures (au 1-1-1819 et, entre parenthèses, au 1-1-1891). **Transport des personnes :** v. bourgeoises de toutes sortes 8 804 (12 893), v. de louage dites « de place » (fiacres) 2 071 (9 136), dites « de remise » 877 (4 710), v. pour le transport en commun : omnibus ordinaires (628), tramways (806), chemins de fer voit. pour voyageurs avec bagages (421), ch. de fer omnibus pour voyageurs sans bagages (85), v. de l'extérieur dites « coucous » 500, messageries de long cours 484, messageries des environs de Paris 249 (786), omnibus servant au transport des facteurs dans Paris (28). **Total** 12 985 (29 493). **Transport des marchandises,** denrées et autres matières : 10 424 (15 592). **Total général** 23 409 (45 085). **Chevaux,** juments, mulets et mules : 16 000 (78 851).

Vitesse (v. 1900 en km/h). **Omnibus** à 2 chevaux 8,162, à 3 ch. 7,685. **Tramways** à traction animale 8,718 , à tr. mécanique 10,218 (vit. max. autorisée : tr. méc. 6 km/h, automobile 12 km/h).

1853-*16-8* un ingénieur français, M. Loubat, qui en 1852 avait rétabli des tramways à New York (les tramways créés en 1832 avaient échoué), est autorisé à appliquer à Paris, entre Alma et Iéna, le système établi à New York. **1854**-*8-2* un décret l'autorise définitivement à établir une voie entre Sèvres et Vincennes avec embranchement sur le rond-point de Boulogne (long. 29 178 m), mais seule la concession entre la place de la Concorde et Vincennes sera exploitée. Mars et mai, ouverture du *chemin de ceinture* (rive droite) et de la gare St-Lazare à Auteuil. (Févr.) création de la *CGO (Cie gén. des omnibus)* qui reçoit pour 30 ans, puis pour 56 (jusqu'au 31-4-1910), le privilège de faire stationner et circuler des omnibus dans Paris, ainsi que la faculté de créer 2 lignes vers les bois de Boulogne et de Vincennes. Le réseau (150 km dans Paris) comprend 25 lignes (désignées par des lettres). **1855** omnibus traînés par 2 chevaux (24 places). Tarifs : 30 c. à l'intérieur avec droit à la correspondance, 15 c. sur l'impériale (inventée 1853) sans droit à la correspondance. **1856** Loubat rétrocède sa concession à la CGO. **1867** exposition universelle, ouverture de l'embranchement du Champ-de-Mars (1-1-1867) et du *chemin de fer de ceinture* (rive gauche). *-25-2* services des *Bateaux-Omnibus* et des *Hirondelles parisiennes* qui remplacent le bateau à roues du Port Royal à Saint-Cloud. **1874**-*3-9* ouverture du *tramway* de l'Étoile à Courbevoie. **1875**-*15-6* ouverture de la ligne Étoile à la Villette. **1879** Werner von Siemens construit la 1re locomotive électrique à Berlin. **1890**-*31-12* 300 km de réseau en exploitation (Cie gén. des omnibus et Cies de tramways Nord et Sud). **1897-1900** début du métro (voir p. 1731).

V. 1905 1er *autobus à essence,* rue de Rennes (14 km/h). **1913** suppression des *derniers omnibus à chevaux* (Villette-St-Sulpice) et des *tramways à chevaux* (Pantin-Opéra). **1920** *sept.* création de la Sté des transports en commun de la région parisienne (STCRP) chargée d'exploiter l'ensemble des transports en commun de surface, sous la tutelle du département de la Seine. **1937**-*15-3 dernier voyage du tramway* Vincennes-Porte de St-Cloud, le 123/124 (PC). **1938**-*14-8* dernier voyage d'un tramway en région parisienne (Montfermeil-Le Raincy). **1948** loi du 21-3 instituant la Régie autonome des transports parisiens (RATP), établissement public à caractère industriel et commercial, doté du monopole des transports souterrains et des routiers en surface, antérieurement assurés par la STCRP et la Cie du métro de Paris. **1968** *juin* 1er *autobus à étage* (sur le 94). **1971** *janv.* parcours du dernier bus à plateforme. **1979** *févr.* tous les bus sont équipés de radiotéléphone. **1983** *mai* 3 lignes équipées de bus articulés. **1992**-*30-6* réapparition du *tramway,* en région paris. : préfecture de Bobigny-La Courneuve puis 21-12 St-Denis (gare).

Nota. – Le musée des transports urbains de St-Mandé (V.-de-M.) a fermé le 15-11-1992.

Quelques chiffres de la RATP

■ En milliards de F (1992). Budget : 19. Montant total (HT) des produits d'exploitation (y compris charges financières) : *indemnité compensatrice :* 6,3. *Produits du transport :* 15,83 dont venant des usagers 38 % (part ramenée à 30,2 % en tenant compte du remboursement par l'employeur de 50 % du coût de la carte orange), employeurs 24, État 19, collectivités locales 10, divers 9. Dette financière *1989* (31-12) : 16,4, *90* (31-12) : 16,2, *92* (31-12) : 23,7.

Dépenses (1992). *Charges d'exploitation* 17 (dont consommations en provenance de tiers 3,1 dont : matières et autres charges externes 2,04, énergie 0,62, frais relatifs aux lignes affrétées 0,27, charges de circulation SNCF 0,17 ; impôts 6,76 ; charges de personnel 10,9, dotations aux amortissements et aux provisions 2,29 ; autres charges 0,03), *financières* 1,76, *exceptionnelles* 0,9, *provision pour aléas.* **Déficit d'exploitation :** *1991 :* 95. *92 :* 135.

Contribution de l'État (1991, transports collectifs en région parisienne). Titre IV 5,2 dont indemnité compensatrice RATP 4,2 ; SNCF 0,76 ; réductions tarifs SNCF-banlieue 0,12 ; RATP 0,11 ; TVA (RATP) 0,016 ; desserte interne des villes nouvelles 2,50. Titre VI subventions d'investissement : autorisations de paiement 0,5, Crédit de paiement 0,55.

Nota. – La part de l'État doit être peu à peu supprimée. Une loi du 12-7-1971 a institué un versement payé par les personnes physiques ou morales, publiques ou privées, qui emploient plus de 9 salariés à Paris et en Ile-de-France. Ce versement (1,9 % du montant des salaires payés dans la limite du plafond du régime général de la Séc. soc. pour Paris et les 3 départements de la petite couronne, à 1 % pour les 3 de la grande couronne) est destiné à compenser le manque à gagner résultant du prix des cartes hebdomadaires et orange.

Agressions. *Contre agents : 1989 :* 925, *90 :* 842, *91 :* 874, *92* (Métro et RER) : 846 ; *contre voyageurs* (métro et RER) : *1989 :* 2 992, *90 :* 2 746, *91 :* 2 409, *92 :* 2 893, 300 agents de sécurité blessés en service.

Vandalisme. *Coût* (1991) : 100 millions de F dont sièges lacérés 12, vitres brisées 5, lutte graffitis[1] (croît d'année en année) 61. En 1990 : 425 interpellés en flagrant délit (dont 90 % mineurs).

Nota. – (1) Trains : près de 20 % recouverts d'inscriptions indélébiles.

■ Tarif du billet (en F). **2e cl.** (vente au carnet) : *1-2-70 :* 0,70 ; *1-7-75 :* 0,90 ; *1-7-80 :* 1,75 ; *1-8-91 :* 3,45 (5,20) ; *1-5-93 :* 3,90 (5,90). **A l'unité en 2e cl. et,** entre parenthèses, **en 1re cl. :** *1-4-85 :* 4,40 (6,50) ; *1-5-86 :* 4,60 (6,80) ; *1-6-87 :* 4,70 (7) ; *1-8-89 :* 5 (7,40) ; *1-8-90 :* 5,25 (7,80) ; *1-8-91 :* 5,50 (8,50) ; *1-5-93 :* 6,50 (9,50).

Carte orange. *Créée* 1-7-1975. Permet un nombre illimité de voyages dans les zones choisies. Hebdomadaire : 1°) **Réseau RATP :** valable 12 voyages (2 par j pendant 7 j consécutifs pouvant débuter n'importe quel j de la semaine) ; valable en autobus ou sur le RER, mais sur un même itinéraire. **Autobus :** *1 ou 2 sections :* 34 F, *3 à 5 :* 61, *6 et + :* jusqu'à 113 F. **Ferré** (métro, RER) : section urbaine : 31,20 F, banlieue : 28,50 à 91 F, mixte urbaine et 1 ou plusieurs banlieues : 49 à 90 F. 2°) **Réseau SNCF :** *banlieue :* 28,50 à 91 F. *Banlieue (max. 75 km) + urbaine (métro ou RER) :* 49 à 91 F.

Prix (en F) selon les zones choisies, 2e cl. et, entre parenthèses, 1re cl. **Carte hebdo :** *Zones 1-2 :* 59 (89), *1-3 :* 80 (131), *1-4 :* 109 (189), *1-5 :* 132 (235), *1-6 :* 142 (255), *1-8 :* 177 (325). **Mensuelle :** *Z. 1-2 :* 208 (312), *1-3 :* 281 (458), *1-4 :* 380 (656), *1-5 :* 461 (818), *1-6 :* 496 (888), *1-8 :* 620 (1 136). **Annuelle :** *Z. 1-2 :* 2 184 (3 276), *1-3 :* 2 952 (4 812), *1-4 :* 3 984 (6 876), *1-5 :* 4 836 (8 580), *1-6 :* 5 208 (9 324), *1-8 :* 6 504 (11 916).

☞ La RATP n'est pas maîtresse de son exploitation et de ses tarifs. Le STP (Syndicat des transports parisiens) fixe le prix des transports et peut imposer la création de nouvelles dessertes, même si elles ne sont pas rentables, compte tenu des tarifs et de l'importance de la clientèle. En contrepartie d'obligations légales (tarifs réduits ou maintien à un niveau modéré), la RATP reçoit une subvention. Dep. le décret du 7-1-1959, le STP a pu subordonner le maintien ou la création de dessertes déficitaires, sur la demande des collectivités locales, au versement de subventions par celles-ci.

Dep. le 1-10-1983, les employeurs de la région parisienne doivent prendre en charge à 50 % les titres d'abonnements. Dep. le 1-1-1991, la région des « Transports parisiens », zone d'intervention du STP s'étend à toute l'Ile-de-Fr. et comprend 8 zones. *Points extrêmes :* Ouest : 74 km ; S.-O. : 75 ; S.-E. : Souppes-sur-Loing : 97 ; E. : Provins 94 ; N. : 51.

■ Personnel. *1985 (1-1) :* 40 378 (dont 520 indisponibles non payés). *87 :* 38 400. *90 :* 38 930. *91 :* 38 977. *92 :* 38 219 dont bus 12 030, métro 9 461, maintenance réseaux ferré et routier 6 213, RER 2 425, autres 8 090. La RATP emploie 10 000 agents dont 4 000 de station et 650 de contrôle (surveillant 293 stations de métro et 62 de RER). 40 % des stations sont ouvertes et fermées par un agent unique (60 % sont des femmes).

■ Trafic voyageurs (en millions). *1989 :* 2 380. *90 :* 2 401. *91 :* 2 415. *92 :* 2 422 dont métro 1 201,4, bus 853,4, RER 367,2.

■ Réseau du métro

Quelques dates. 1897 Fulgence Bienvenüe (1858-1936) dresse l'avant-projet de métro, puis le projet définitif (en profitant des études antérieures, comme celles de Berlier). **1898**-*7-7* début des travaux. On creusait soit à ciel ouvert une tranchée qu'on recouvrait ensuite d'un tablier pour continuer le percement à l'abri de la voûte *(méthode du cut and cover)*, soit un souterrain à partir d'une galerie initiale élargie par la suite *(méthode belge)*, soit à l'aide d'un bouclier, notamment pour les traversées sous-fluviales (certaines ont cependant été construites par *fonçages de caissons dans le lit du fleuve*). **1900**-*19-7* 1re ligne (Maillot-Vincennes construite en 19 mois) inaugurée par Bienvenüe. Prix : 1re classe 0,25 F, 2e cl. 0,15. A.R. 0,20. **1972-76** péage automatique apparaît dans métro. **1974** *juin* exploitation à un seul agent par contrôle généralisée.

■ **Agents.** 9 400 dont 2 700 contrôleurs.

■ **Agressions. De voyageurs :** *1970 :* 133, *74 :* 581, *81 :* 1 110, *83 :* 3 461, *84 :* 4 101, *85 :* 3 550, *86 :* 2 386, *87 :* 2 686 (7 par j), *88 :* 2 196 ; *avec coups et blessures volontaires : 1986 :* 579 ; *87 :* 617 ; *88 :* 650 ; *à l'aide d'une arme ou d'un objet : 1986 :* 437 ; *87 :* 567 ; **d'agents :** *1982 :* 300 ; *84 :* 404 ; *86 :* 351 ; *87 :* 719 ; *88 :* 771.

■ **Ascenseurs. Métro :** 21 cabines (10 stations). Capacité variable (30, 50 ou 100 personnes). *Plus grande hauteur d'élévation* (en m) : Buttes-Chaumont 28,70 ; Abbesses 23,51 ; Lilas 21,92. *Plus faible :* St-Michel 8,10 ; Cité 13,18. **RER :** 15 cab. (1 st.).

■ **Bactéries** (staphylocoques et streptocoques) 20 fois plus qu'à l'extérieur ; air 2,5 fois plus pollué.

■ **Chaleur.** L'énergie cinétique des trains se transforme en chaleur (1 500 watts par m de ligne), sauf sur lignes 7, 8, 13 où le freinage se fait avec récupération d'énergie ; un passager dégage 100 W.

■ **Classe.** *17-7-1900 :* 2 ; *2-1-47 :* 1 ; *1-12-48 :* 2 [dep. le 1-3-82 les 1res étaient réservées de 9 h à 17 h aux porteurs d'un billet de 1re cl. et à certaines catégories avec un billet de 2e (mutilés, infirmes, personnes âgées, femmes enceintes ou accompagnées d'enfants en bas âge, etc.)] *1-8-91 :* 1.

■ **Contrôles magnétiques.** 1 807 lecteurs magn. équipent (au 1-1-87) 292 stations de métro.

■ **Courants d'air.** Peuvent atteindre 40 km/h.

■ **Escaliers mécaniques** (1-1-87). 403 sur le métro (*le plus long :* 20,32 m Place des Fêtes) dans 175 stations, 264 pour 26 gares du RER.

■ **Fraude. Taux** (en %) : *1976 :* 2,6. *81 :* 5,6. *86 :* 6. *91 :* 7,2. *92 :* 6,7. Il y a environ 450 000 voyages impayés par jour. **Perte :** 280 millions de F soit équivalent de 8 rames de métro ou rénovation de 35 stations. **Amendes :** *forfaitaire :* 1re cl. avec un billet de 2e cl. : 70 F ; sans billet en 2e cl. : 100 F : *transactionnelle :* ceux qui rentrent par une sortie ou sautent le tourniquet : 200 F (amende jusqu'à 400 F ou poursuite devant les tribunaux).

■ **Lignes exploitées. Longueur totale** (en km, au 31-12) : *1900 :* 13,3. *10 :* 75,2. *20 :* 94,7. *30 :* 116,5. *38 :* 154. *45 :* 164,5. *47 :* 166. *60 :* 169. *70 :* 171. *71 :* 172. *72 :* 173. *74 :* 178,2. *75 :* 178,7. *76 :* 182,7. *77 :* 183,4. *78 :* 183,4. *79 :* 185,7. *80 :* 190,2. *81 :* 190,8 (dont 157,4 à Paris, 34,6 banlieue et 14,8 aérien). *86 :* 192. *87 :* 198. *89 :* 200. *91 :* 198,8. *92 :* 201. **La plus courte** 1,3 km (ligne 3 bis). **La plus longue** 22,1 (ligne 8, Balard-Créteil). **Nombre :** 13 + 2 navettes, 3 bis et 7 bis. **Franchissement de la Seine :** aérien : 4 fois, tunnel : 6. **Marne :** aérien : 1 fois. **Lignes sur pneumatiques :** *11* « Châtelet-Mairie des Lilas » (1956) ; *1* « Grande Arche de la Défense-Château de Vincennes » (1963) ; *4* « Porte de Clignancourt-Porte d'Orléans » (1966) ; *6* « Nation-Charles-de-Gaulle-Étoile » (1-7-74).

Extensions récentes. 1981 : *ligne 10* Boulogne-Jean-Jaurès – Boulogne-Pont de St-Cloud. **82 :** *7* Maison-Blanche – Kremlin-Bicêtre. **83 :** *5* Église de Pantin – Bobigny. **85 :** *7* Kremlin-Bicêtre-Villejuif III. **86 :** *7* Fort d'Aubervilliers-La Courneuve. **92 :** *1* Pt de Neuilly-La Défense.

Lignes les plus chargées (en millions de voyageurs, en 1991)). *L4 :* 127,4, *L7 :* 111, *L1 :* 108,7, *L9 :* 106, *L13 :* 97.

■ **Musiciens** (1992). *Non autorisés :* 1 830 procédures à leur encontre. *Tolérés :* une centaine.

■ **Vols.** *A la tire déclarés par les voyageurs : 1985 :* 4 077 ; *87 :* 3 854 ; *92 :* 2 371 ; *avec violence : 1985 :* 2 389 ; *86 :* 1 311 ; *87 :* 1 506 ; *à l'arraché* (bijoux, sacs) : *1987 :* 1 506, *88 :* 1 078 ; *de bijoux avec violence : 1985 :* 1 465 ; *86 :* 717 ; *87 :* 715 ; *attaques accompagnées de racket : 1986 :* 23 ; *87 :* 19.

Métros dans le monde

Légende : année d'inauguration, nombre de lignes et, entre parenthèses, de stations, longueur en km

	(km)
Afrique	
Le Caire (Eg. 1987) [1] 1	42
Amérique [2]	
Atlanta (US Geo 1979-82) 2 (20)	40,7
Baltimore (US Mar 1983) 1 (9)	21,8
Boston (US Mas 1897-1980) 3 (51)	60,6
Buenos Aires (Arg. 1913-66) 5 (57)	39,1
Buffalo (US NY) 1 (14)	10,3
Caracas (Ven. 1983) 2 (55)	56
Chicago (US Ill 1892-1983) 6 (142) [48]	156
Cleveland (US Ohio 1955-68) 1 (18)	46,5
Detroit (US Mic 1986)	4,7
Honolulu (US Haw 1997) 1	27
Jacksonville (US Flo 1989) [3]	1
Los Angeles [4] (US Cal 1993 1 (5)	7
Mexico (Mex. 1969-82) 5 (57)	125,4
Miami (US Flo 1984) 1 (20)	33
Montréal (Ca. 1966-82) 3 (51) [5]	60,7
New York (US NY) :	
urbain (1868-1968) 23 (461) [6]	369,8
régional (1908) 1 (13)	22,2
Philadelphie (US Pen) :	
urbain (1907) 2 (54)	39,2
régional (1969) 1 (14)	23,3
Recife (Br. 1985) 1 (17) [7]	20,4
Rio de Janeiro (Br. 1979-82) 2 (18) [8]	19
San Francisco (US Cal 1972-74) 1 (34)	115
Santiago (Ch. 1975-80) 2 (35)	27,9
São Paulo (Br. 1974-82) 4 (33)	50
Toronto (Ca. 1954-80)	63,9
Vancouver (Ca. 1985) 1 (61)	21,4
Washington (US DC 1976-83) 3 (47) [9]	118
Asie	
Calcutta (Inde 1984) 1 (17)	17,1
Canton (Chi.) 1 (30)	18
Erevan (Arm. 1981) 1 (5)	11,5
Fukuoka (Jap. 1981-83) 1 (11) [10]	9,8
Haïfa (Isr. 1959) 1 (6) [11]	1,75
Hong Kong (1979-82) 2 (25) [12]	38,6
Istanbul (Tur. 1875) 1 (2) [11]	0,57
Kobé (Jap. 1977-83) 1 (8)	36,6
Kyoto (Jap. 1981) 1 (8)	18,6
Nagoya (Jap. 1957-82) 4 (56) [13]	69,1
Novossibirsk (Rus. 1985) 1 (10)	12,9
Osaka (Jap. 1933-83) 6 (88)	91,1
Pékin (Chi. 1971) 1 (17)	56
Pusan (Cor. 1984) 1 (16)	25,9
Pyong Yang (Cor. 1973)	22
Sapporo (Jap. 1971-82) 2 (33) [14]	31,6
Sendaï (Jap. 1985) 1 (6)	18
Séoul (Cor. 1974-80) 2 (20) [15]	116,5
Singapour (Mal. 1986) 2	26
Tachkent (Ouzb. 1977-80) 1 (12)	25,6
Taiwan Taipeh (1988-93) 5	11,5
Téhéran (Iran) 1 (12)	15,4
Tianjin (Chi. 1980) 1 (6)	8
Tōkyō (Jap. 1927) 7 (132)	154
Tōkyō (Jap. 1960-80) 3 (60)	64,3
Yokohama (Jap. 1972-76) 1 (12)	11,5
Europe	
Amsterdam (P.-Bas 1977-82) 1 (20)	24
Athènes (Gr. 1925-57) 1 (21)	25,7
Bakou (Azer. 1967-76) 2 (12)	28,6
Barcelone (Esp. 1924-82) 4 (120) [50]	68,6
Berlin-Est (All. 1902-73) 2 (23)	15,8
Berlin-Ouest (All. 1902-80) 8 (111) [17]	151,5
Bordeaux (1996) 3 [18]	45
Bratislava (Slovaq. 1997) [49]	
Bruxelles (Bel. 1976) 2 (53) [19,20]	33,3
Bucarest (Rou. 1979-81) 1 (12) [21]	52,3
Budapest (Hon. 1896-1982) 3 (36) [22]	26,6
Copenhague (Dan. 1934) 7 (61) [23]	134,5
Dniepropetrovsk (Ukr. 1984) 1 (9)	4,2
Francfort (All. 1968) 5 (55) [24]	40,3
Genève (Sui. 2005)	
Glasgow (GB 1896) 1 (15)	10,5
Nijni Novgorod (Rus. 1985) 1 (18) [25]	9,6
Hambourg (All. 1912-73) 3 (80)	89,5
Helsinki (Fin. 1982-83) 1 (9) [26]	14,2
Kharkov (Ukr. 1975-78) 1 (13)	29,6
Kiev (Ukr. 1960-82) 2 (25)	32,9
Lille (1983) 2 (34) [27]	25,3
Lisbonne (Port. 1959) 1 (20) [28]	12
Londres (GB 1863-1979) 9 (272) [29]	430
Lyon (1978-92) 4 (37) [30]	12
Madrid (Esp. 1919-83) 11 (355)	112,2
Marseille (1977-92) 2 (24) [31]	20
Milan (It. 1964-81) 2 (57)	66
Minsk (Biélor. 1984) 1 (8)	10
Moscou (Rus. 1935-79) 8 (115) [32]	225
Munich (All. 1971-83) 4 (44) [33]	43,3
Naples (It. 1987) 1 (16)	11,4
Newcastle (GB 1980-82) 1 (35)	54,8
Nuremberg (All. 1972-82) 1 (22) [34]	18,5
Orly (1991) [34b]	7,2
Oslo (Nor. 1966-81) 1 (45) [35]	37,8
Paris métro [36] (1900-85) 15 (366)	198,3
Paris RER (1969-81) 3 (64) [46]	102,7
Prague (Tch. 1974-80) (23) [37]	26,4
Rennes (1998) 1 (15) [38]	9
Rome (It. 1955-80) 2 (33) [39]	24,7
Rotterdam (P.-Bas 1968-74) 1 (12)	29,1
Samara (Rus. 1986) 1 (6) [40]	11,2
St-Pétersbourg (Rus. 1955-82) 3 (43)	83
Séville (Esp. 1987) 1 (16)	10,5
Sofia (Bul. 1985) 1 (7)	7,5
Stockholm (Suè. 1950-78) 3 (94) [41]	107,9
Sverdlovsk (Rus. 1992) 1 (6)	18
Tbilissi (Geor. 1966-79) 2 (16)	25,7
Toulouse (1993) 1 (15) [42]	10
Turin (It. 1997) 1 [3]	9
Valence (Esp.) 3 (8)	7,7
Varsovie (Pol. 1992) [43]	
Venise (It.) 1 [44]	
Vienne (Aut. 1976) 3 (39) [45]	30,4
Wuppertal (All. 1901-03) 1 (19)	13,3

Nota. – **(1)** Construit par 17 entreprises françaises, en collaboration avec des Stés locales ; 42 km de lignes dont 4,5 souterraines ; coût 2,58 milliards de F. 2e, 18,5 km (17 st.) 1993-98, coût 5,2 Md de F. **(2)** A Chicago et Jacksonville (Floride), desserte interne des aéroports avec le Val, en cours de réalisation. **(3)** Système Val. **(4)** Rame à commande automatique ; ouvert 5 à 19 h ; 12 000 passagers/j ; extension prévue sur 30 ans. **(5)** Sur pneus. En constr. prolong. (3,5 km, 4 st.) et 4e ligne (9,7 km, 12 st.). En projet : prolong. (5,8 km, 6 st.). **(6)** 2 lignes en constr. (East 63rd Street et Southeast Queens Line). **(7)** Pas un métro mais un LRT. **(8)** En constr. (19,2 km, 12 st.). En projet (16,6 km, 9 st.). **(9)** 612 km, 86 st. en 1993. **(10)** 52 000 voy./j (fin 1982). **(11)** Funiculaire. **(12)** Constr. (12,5 km, 14 st.) ; 1985 ; 86. **(13)** 750 000 voy./j (début 1981). **(14)** 600 000 voy./j en 1982. **(15)** En constr. (33,5 km). **(16)** Métro souterrain 18 km à 30 m sous terre ; coût 8,7 Md de F ; 1994-98. **(17)** En constr. 8,1 km (8 st.). **(18)** Système Val ; 1re 6,7 km, 2e 6,4 km, coût 1re phase 5,55 MdF. **(19)** Prolong. : 4 (9,2 km), 1984 à 1986. **(20)** 1989. **(21)** Prolong. (17,6 km, 7 st.), mise en serv. 1983-85 et 2e ligne (17 km, 2 st.) en 1985-86. **(22)** Prolong. (8,8 km) ; mise en service partiel 1984. **(23)** 1981. **(24)** 1981. **(25)** Ex-Gorki (1932-90). **(26)** En projet : prolong. (3,1 km, 2 st.). **(27)** Système Val 206 ; coût 1,5 MdF (janv. 1977), début des travaux mai 1978, mise en service 16-5-1983 ; voitures à petit gabarit (2,06 m de large ext., 38 rames, fonctionnement automatique des stations). Ligne 2 gare St Philibert en construction gare Fort de Mons (Projet jusqu'Hopital Dron). *Projet :* ligne 1 *bis*, desservant Lomme et Lambersart (1989, 12 km, 18 st.) et l. no 2 Roubaix-Tourcoing (1990). **(28)** Lignes à branches. En constr. prolong. (1,1 km, 1 st.) et (5,1 km, 5 st.) ; en *1996* 31., *99* 4, *2010* 5. **(29)** Profondeur : 18 ou 19 m, parfois 55 m (à Hampstead), 1re ligne metropolitan mise en service le 10-1-1863, reliait Paddington à Farrington Street (env. 6 400 m). 2e ligne : District (24-12-1868), 3e circle (6-10-1884). Exploité à la vapeur 40 ans, tunnels et véhicules étaient éclairés au gaz ; électrification à partir de 1905. le 1er tunnel de type *tube* fut ouvert en 1870, les passagers étaient transportés dans une voiture tirée par un câble. *Le 1er chemin de fer en tube* fut créé le 18-12-1890 ; il était mû par l'électricité. Station la plus fréquentée : Victoria (73 millions de passagers par an). **(30)** Coût 1,315 Md de F (78), profondeur moy. en station 4,5 m, quais 70,8 × 3 à 4,5 m, long. (lignes A et B) 9,6 km, rames de 3 voitures, 160 passagers assis, 224 debout, 1re tranche mise en service le 2-5-1978, extension ligne B 2,4 km, ouverte au public en 1981. En constr. : ligne D (coût : 6 Md de F, dont Maggaly 0,8), Gorge-de-Loup – Gare de Vénissieux ; 12 km, 13 stations. Mise en service 1er tronçon Grange Blanche – Gorge-de-Loup sept. 1991 en conduite manuelle provisoire 31-8-1992. 2e tronçon gare de Vénissieux-Grange Blanche 1992 prolongée jusqu'à Vaise (fin 1995), ligne D équipée d'un pilotage automatique intégral : *Maggaly* (Métro automatique à grand gabarit de l'agglomération lyonnaise). Extension de la ligne C de 1,5 km (2 stations) le 8-12-1984. **(31)** Rame 4 voit. sur pneumatiques larg. 2,60 m, capacité 470 places dont 180 assises. Prolongement : L 2 : Bougainville – Madrague Ville, 2 500 m, 3 st. ; Ste-Marguerite – St-Loup, 3 300 m, 3 st. **(32)** En constr. (16,7 km), prolong. (9,8 km) prév. 1984-85. En projet (15 km). **(33)** Réseau de 90 km prév. pour 1990 (en constr. 22,3 km). **(34)** 200 000 voy./j (fin 81). **(34b)** Orlyval (voir encadré p. 1732). **(35)** En constr. prolong. mis en serv. 1985. En projet : prolong. (5,5 km, 3 st.). **(36)** En constr. plusieurs lignes de banlieue. **(37)** En constr. (9,8 km). En projet (9,4 km). **(38)** Système Val, coût 2,6 Md de F ; différé pour des raisons budgétaires. **(39)** En constr. (3,8 km, 4 st.) ; en projet (3,6 km, 4 st.). **(40)** Ex-Kouibychev (1935-90). **(41)** En constr. (6,3 km, 5 st.). En projet (10,7 km). **(42)** *Toulouse :* Ligne A construite 1989-93, inaugurée 26-6-93 coût 4,2 Md de F. 1 ligne (Mirail Bassocambo – Jolimont), 10 km (dont 8,5 sous terre), 15 stations. Val sur pneus (rame long. 26 m, largeur 2,06 m, hauteur 3,25, places 154 dont 48 assises, 68 avec strapontins, vitesse max. 80 km/h, moyenne 32. Projet ligne B Rangueil – Compans. **(43)** Divers projets dep. 1930 dont 1982 : 4 lignes de 105 km, 79 stations. En 1991, 11 km de construction (12 stations). **(44)** Projet : 32 km (3 lignes) dont 8 km pour 2000/2005, coût : 11,2 Md de F. **(45)** En projet 2 lignes englobant la ligne de tramway. **(46)** Gare St-Michel – Notre-Dame (correspondance entre lignes B et C, l. 4 et 10 métro ; mise en serv. en 1988). Interconnexion ligne A du RER avec ligne de Cergy de la SNCF depuis le 29-5-88. **(47)** 1re tranche 18 km dont 5 km pris sur un tunnel antiatomique achevé en 1979 ; coût 6 Md de F. **(48)** Pour desserte d'O'Hare Val 256 (5 st., 4,7 km) ouvert 6-5-93. **(49)** Système Val 256, coût : 3 Md de F, abandonné en oct. 92. **(50)** Prolong. et constr. d'une nouvelle ligne (21 km, 29 st.). En projet : prolong. (46 km, 51 st.).

■ Les métros dans le monde

☞ **1ers métros :** *1863* Londres. *1868* New York. *1892* Chicago. *1896* Budapest. *1897* Glasgow. *1900* Paris. *1902* Berlin. *1907* Philadelphie. *1908* Boston. *1912* Hambourg. *1914* Buenos Aires. *1919* Madrid. *1924* Barcelone. *1925* Athènes. *1927* Tokyo. *1933* Osaka. *1935* Moscou. *1950* Stockholm. *1954* Toronto. *1955* Rome, Leningrad, Cleveland.

Groupe d'intervention et de protection des réseaux (GIPR). 180 m., munis de menottes, de bombes d'autodéfense, de bâtons japonais ; ils sont assermentés mais sans pouvoirs de police.

■ Stations (réseau urbain). **Longueurs des quais :** *total :* 60 km. *Nombre de stations selon la longueur de leur quai (en m) :* 75 (231 stations), 80 (5 st.), 90 (37 st.), 105 (75 st.), 110 (5 st.), 120 (3 st.) (1 sur les lignes 1, 2 et 3). **Profondeur** *moyenne :* 4 à 12 m ; *les plus profondes :* Buttes-Chaumont 31,66 m (ligne n° 7 *bis*). Abbesses 29,69 m (l. 12). Porte des Lilas 28,60 m (l. 3 *bis*). Télégraphe 25,63 m (l. 11). Place des Fêtes 25,26 m (l. 11). Lamarck-Caulaincourt 25,09 m (l. 12). **Nombre de stations** (1992) : 370 ; par lignes : de 4 (ligne 3 *bis*) à 37 (8 et 9). Points d'arrêt (au 1-1-84) : 359 dont 286 nomin., 55 corresp., 315 à Paris. **Intervalle entre chaque arrêt, moyenne :** 543 m (le + long. 1 756 m, Créteil Université - Crét. Préf.). **Stations fermées** *en sept. 1939 :* 250 sur 332 ; *févr. 1940 :* 100 ; *après 1945 : définitivement :* Arsenal, Champ-de-Mars, Croix-Rouge, Saint-Martin, Martin-Nadaud, Mairie de Clichy, Gabriel Péri. **Station rouverte** *en 1988 :* Cluny (fermée en 1939), sous le nom de Cluny-La Sorbonne (correspondance entre les lignes 10 du métro et B et C du RER, avec accès à la gare RER de St-Michel) ; *ouvertes* les j ouvr. de 5 h 30 à 20 h : Liège et Rennes.

Stations les plus fréquentées (1991, en millions d'entrants par an) : St-Lazare 32, Montparnasse-Bienvenüe 28,5, G. du Nord 27,8, G. de l'Est 25, G. de Lyon 15,4 (Église d'Auteuil 0,14).

■ Suicides (métro et RER). *1970 :* 28. *80 :* 116 (42 †). *81 :* 146. *82 :* 161 (52 †). *83 :* 139 (50 †). *85 :* 183 (56 †). *86 :* 168. *87 :* 158. *88 :* 89. *90 :* 129.

■ Télévision. Apparue janv. 1986. 750 écrans (équipement : 120 quais de 26 stations du métro et du RER). Station « Tube » pub. (spot de pub. 36 sec. toutes les 2 minutes) a cessé d'émettre dep. 31-12-1989 [pertes en 1989 : 15 MF (CA de - de 6 MF)].

■ Ticket jaune. *Vert* (21-3-92) 30 × 66 mm, épaisseur 0,27 mm, poids 0,5 g.

■ Trafic. **Voyageurs transportés annuellement** par le métro (en millions). *1900 :* 18. *10 :* 318. *20 :* 688. *30 :* 888. *38 :* 761. *46 :* 1 598. *50 :* 1 129. *60 :* 1 213. *70 :* 1 128. *75 :* 1 055,4 (+ RER 130,2). *80 :* 1 093,9 (+ 205,1). *85 :* 1 151,4 (261,4). *90 :* 1 226 (+ 344,4). *91 :* 1 190 (+ 360). *92 :* 1 201,4 (367,2). *Voyageurs km (en milliards). 1983 :* 5,58 (+ RER 2,81). *88 :* 5,74 (+ 3,07).

■ Trains. **Longueur :** *ligne 3 bis* 3 voitures ; *11 et 7 bis* 4 v. ; *autres* 5 [sauf *1 et 4 :* 6 (long. 90 m) ; en 1910 : 5 voit. de 13,60 m soit 68 m]. **Nombre max. en semaine aux h d'affluence :** métro 559, RER 89 (31-12-1987).

Rames Boa (remplaceront les 1 400 voitures non pneumatiques). Essieux orientables. Long. 46 m, larg. 2,45 m, capacité 890 passagers. On peut circuler entre les voitures. Expérimenté sur la ligne 5 (Bobigny-Place d'Italie). 8 trains de 3 voitures (25 millions de F par rame) commandées à ANF Industrie et à Alsthom entreront en service en 1993 sur la ligne 7 bis (Louis-Blanc/Pré-St-Gervais), type MF 88.

■ Trottoirs roulants. *Châtelet* 2 (long. 132 m, larg. 1 m, vitesse 45 m/mn, débit horaire max. 10 000 personnes/h). *Les Halles* 3 (long. 154 m, larg. 1 m, 50 m/mn). *Invalides* (174 m). *Montparnasse* 3 (185 m, 1,12 m, 50 m/mn, 11 000 p/h). *Opéra-Auber* 4 (75 m, 1,11 m, 50 m/mn, 11 000 p/h).

■ Vandalisme. **Coût** (millions de F) : *déprédations* (sans graffitis) *1987 :* 20, *89 :* 20 ; *graffitis (coût pour les effacer) 1986 :* 6, *87 :* 14, *88 :* 25, *89 :* 20. **Interpellés** *(taggers) : 1987 :* 345, *88 :* 524, *89 :* 427, *91 :* (dont station Louvre nuit du 30-4 au 1-5-91 : coût 0,5 million de F). **Peines :** 3 mois à 2 ans de prison, 2 500 à 50 000 F d'amende (un tagger peut réaliser 40 000 F de dégâts en 3 mn).

■ **Météor (métro Est-Ouest rapide).** Prévu 1997, entièrement automatisé, rames de 6 voitures (8 plus tard) sans séparation entre elles pouvant se succéder à un intervalle de 85 s. sur pneumatiques, reliant Zac de Tolbiac à Madeleine (env. 10 km, 10 stations), via gare de Lyon et Châtelet (prolongé v. Asnières Gennevilliers v. 1999) ; vitesse commerciale 40 km/h ; capacité 30 500 voyageurs/h, coût prévu (en milliards de F) : génie civil 6, matériel roulant 0,638 ; correspondances avec les lignes A, B, C, D du RER et 11 du métro. Matra effectue conception et fabrication des automatismes.

■ **Orlyval.** Antony (gare RER, l. B) à l'aéroport d'Orly (inauguré 1-10-1991) : 7,2 km ; *Passagers* (1-10-91/1-10-92) 1,5 million (sur 4,2 prévus). *Coût :* 1,75 milliard de F. *Pertes* (millions de F) *1991* 58,1. Exploitation reprise par la RATP le 4-2-93 (Val d'Orly). Construit par Matra ; sans pilote, 8 rames de 116 places, vit. moy. 50 km/h, fréquence moy. 7 min. ½.

■ Vendeurs à la sauvette. *1989 :* 53 000 procès-verbaux (loi du 2-1-1990 : la marchandise peut être confisquée).

■ Vitesse commerciale moyenne (en km/h). *1970 :* 22,459, *75 :* 22,02, *82 :* 23,9.

■ Voitures (en 1991). Métro 3 464. RER 948 (537 motrices, 411 remorques).

Réseau d'autobus

■ Accidents (1989). Paris banlieue : bus impliqués 743 dont 376 dans Paris (pour 142 millions de km).

■ Agents. 12 000.

■ Arrêt (points d') (en 1992). 7 200 (lignes de Paris 1 690, de banlieue 5 166).

■ Carrefours (priorité aux). Quelques carrefours dont la quasi-totalité des lignes 26 et 131, isolés sont équipés d'un système permettant aux autobus de prolonger la phase verte ou d'anticiper son apparition. *Gain de temps :* 10 secondes env. par autobus et par carrefour (système onéreux).

■ Couloirs réservés. *Créés* 1964. *Longueur* (en 1991) : *Paris* 126 km (concernant 80 lignes y compris celles pénétrant dans Paris). *Banlieue* 74 km (102 lignes). 659 agents RATP assermentés relèvent les infractions des automobilistes.

■ Heures de pointe. 7 h 30-9 h / 16 h 30-18 h 30.

■ Intervalle min. et max. entre 2 autobus (en 1988). *Paris* 4 mn ; 20 mn. *Banlieue* 4 mn ; 25 mn.

■ Kilométrage annuel moyen des autobus en France. *1980 :* 34 500, *1986 :* 31 600 soit - 8,4 %. **Nombre de trajets par an** (1988) 330 millions.

■ Longueur (au 1-1-92). *Paris* 525 km (59 l.). *Banlieue* 2 100 km (236 l. dont 27 affrétées à billetterie spéciale RATP). *Services communaux* 115,7 km (19 l.). *Villes nouvelles* 329,8 km (29 l.). + 1 service communal 17,5 km (1 l.) à billetterie spéciale. Tous les autobus sont exploités par 1 agent. *Total :* 298 lignes (dont 57 à Paris).

■ Pannes. 0,7 pour 10 000 km. Machines 11 000.

■ Sécurité. *Machinistes agressés : 1987 :* 257, *88 :* 253. *92 :* 456. *Voyageurs : 1987 :* 790, *88 :* 867.

■ Soirée (services de). 17 lignes sur 55 fonctionnent entre 20 h 30 et minuit. *Noctambus :* une dizaine de lignes durant la nuit démarrent toutes les h du Châtelet.

■ Vitesse commerciale moyenne (en km/h) à Paris et, entre parenthèses, en banlieue : *1952 :* 13,4 (18). *1955 :* 12,6 (17,2). *1960 :* 11,6 (16,2). *1965 :* 10,7 (14,4). *1970 :* 11,2 (22,2). *1975 :* 9,92 (13,80). *1980 :* 9,9 (13,8). *1988 :* 9 (13). **Grande banlieue :** 24,5. *1980 :* 10,17 (13,23). *1981 :* 9,9 (13,8). *1988 :* 9,5 (13,5). *1990 :* 9,8 (13,4).

☞ Selon la RATP, si l'on augmentait de 1 km/h la vitesse des bus on gagnerait 100 millions de F en frais d'exploitation.

■ Voitures (au 31-12-92). 3 997 dont 358 autobus articulés, 2 743 aut. standard (type 5 C 10) mis en service 1975-88, 141 « PR 100 », 90 autres, 665 (type R 312) **Taux d'occupation moyen :** *1985 :* lignes de Paris 24 % ; de banlieue 19 %.

Autobus à étages : 82 places dont 52 assises. 2 portes, longueur 9,83 m. Largeur 2,50 m. Puissance 135 ch. ; mis en service à titre expérimental sur 2 lignes (53 et 94) en 1967 (1 seul) et 1968 (25 ex.), puis retirés de la circulation (en 1977, leur hauteur leur interdisant certains itinéraires). *Autobus à plate-forme ouverte* (lignes 20 et 83), à banquette arrière en rotonde, à large plate-forme centrale. *Autobus articulés* (148 places). *Autobus R 312* (mis en circulation juin 1988), à 3 portes avec plate-forme basse (moteur arrière). Coût env. 1 300 000 F.

■ Voyageurs (en millions, 1992). **Par jour :** 3. **Par an :** lignes régulières de Paris 321 ; de banlieue 483 avec la TRA (lignes associées), villes nouv. et service communal 25,3. Total : 835. **Voyageurs km** (en milliards). *1983 :* 2,08. *89 :* 2,16. **% des déplacements de surface effectués en bus** (1991) : 35.

■ RER

■ Quelques dates. **1964** *1-8* ligne de Sceaux ; section Sud (Massy-Palaiseau-St-Rémy). **1969** *14-12* Nation-Boissy-St-Léger avec réutilisation et électrification de l'ancienne ligne SNCF de Vincennes. **1970** *21-2* Charles-de-Gaulle-Étoile à La Défense. **1971** *23-11* à Auber. **1972** *1-10* La Défense-St-Germain-en-Laye après réélectrification en courant continu 1 500 V. **1977** *9-12* jonctions Auber-Nation (ligne A) et Châtelet-Les-Halles-Luxembourg (ligne B), partie de la branche de Marne-la-Vallée (ligne A : Fontenay-Noisy-le-Grand-Mont d'Est). **1979** *30-9* Gare d'Orsay-Invalides, ligne C du RER exploitée par la SNCF. **1980** *19-12* totalité de la branche de Marne-la-Vallée (ligne A : Noisy-Torcy). **1981** *10-12* prolongement ligne B Châtelet-Gare du Nord et mise en service de la gare souterraine de banlieue. **1983** *7-6* interconnexion partielle de la ligne B, parcourue de bout en bout par les trains SNCF comme par les trains RATP. **1987** interconnexion banlieue Nord (Orry-la-Ville/Châtelet-Les Halles). **1988** interconnexion ligne de Cergy (St-Christophe) et ligne A du RER à Nanterre-Préfecture, gare de correspondance entre lignes B et C à St-Michel. 1re étape liaison vallée de Montmorency-Invalides (branche Nord-Ouest de la ligne C du RER). **1989** desserte définitive sur branche N.-O. ligne C du RER (Montigny-Beauchamp). **1990** poursuite interconnexion ligne D du RER : départ et réception à Châtelet-Les Halles des trains de Goussainville et Orry-la-Ville. **1991** gare de correspondance ligne C du RER avec ligne 13 du métro. **1992** Chessy Eurodisneyland (Marne-la-Vallée) par ligne A du RER. **1993** prolongement ligne A du RER de Cergy-St-Christophe à Cergy-le-Haut.

■ Agents. 2 300.

■ Coût. **Travaux :** ligne A : 5 milliards de F (1979). Prolongement 11 km (sur Marne-la-Vallée) 0,939 (1992). **Exploitation** (en millions de F, 1979) : lignes A et B : dépenses 804,90 ; recettes 826,80.

■ Lignes. L'appellation RER couvre 4 lignes. **2 lignes interconnectées SNCF-RATP :** St-Germain-en-Laye-Châtelet-les Halles-Boissy-St-Léger/Torcy-Marne-la-Vallée/Cergy-St-Christophe Poissy (ligne A, 98,2 km, 41 gares) ; Mitry/Roissy-Gare du Nord-Châtelet-les Halles-St-Rémy-lès-Chevreuse/Robinson (ligne B, 79,6 km, 57 gares). **2 lignes SNCF :** St-Martin d'Étampes/Dourdan/Massy-Palaiseau-Paris-Versailles rive gauche/St-Quentin-en-Yvelines (ligne C, 128 km, 52 gares, trafic : 270 000 voyageurs par jour) ; Orry-la-Ville-Châtelet Les Halles (D).

Longueur des lignes exploitées (en km, au 31-12) : *1976 :* 74,86. *77 :* 92. *79 :* 92,20. *80 :* 230. *81 :* 270,8. *82 :* 274. *Fin 89 :* 358 (252 SNCF, 106 RATP) *91 :* 113,8 RATP. *92 :* 114 RATP.

■ Matériel roulant (date de construction, nombre, caractéristiques). **Automotrices** *Z* (ligne de Sceaux) (1936-62) : 148 motrices ; 2 moteurs (larg. 3,04 m, long. 20,7 m) ; réformés. **Matériel MS61** (1967-77) : sur ligne A : 380 voitures dont 254 motrices (4 moteurs : 2,91 m / 23,8 m) et 127 remorques mixtes (2,91 m / 23,5 m).

Matériel interconnexion (MI 79/Z 8100) : peut recevoir une double alimentation (1,5 kV continu pour lignes RATP et SNCF, et 25 kV alternatif pour lignes SNCF de la banlieue N. avec commutation automatique de la tension d'alim.) ; desservir des stations à quais de différentes hauteurs (*RATP :* 1,10 m à 1 m ; *banlieue, gares souterraines :* 1 m, 0,80 m et 0,55 m). Utilise la capacité max. permise par la longueur de quais RATP (225 m) et SNCF (315 m) : exploitation avec un seul agent à bord ; composition modulable, performances élevées d'accélération et décélération, vitesse max. 140 km/h, aptitude à gravir des rampes de 40,8 ‰. Au 1-1-86 : 120 rames livrées dont SNCF 51, et RATP 272 voitures dont 136 motrices.

■ Stations. **Nombre :** 68. **Longueur standard :** 225 m, permettant d'accueillir le matériel interconnexion (1 élément de 4 voitures : 104 m, ou 2 éléments de 8 v. : 208 m). **Souterraine la plus grande du monde :** RER Châtelet-les-Halles (long. 315 m, larg. 82 m). 7 voies dont 2 exploitées dep. sept. 87 avec les lignes SNCF d'Orry-la-Ville et Villiers-le-Bel (95) (ligne D du RER).

■ Vitesse moyenne (km/h) : ligne A : 50,5, B : 38,6.

■ Voyageurs (en millions). 367 par an (dont Châtelet-les-Halles 42,4, St-Michel-Notre-Dame 31,3, Charles-de-Gaulle-Étoile 25,7, Gare de Lyon 27,6, la Défense 24,6, Auber 23,6).

Réseau SNCF banlieue de Paris (fin 87) : lignes : 925 km dont 921 électrifiées, 327 gares 30 lignes dont ligne C du RER (131 km), ligne B partie nord (40 km), ligne D (15 km). *Trafic* (1987) : 482 millions de voyageurs. *Fréquence* (h creuses) : 15 mn jusqu'à 60 km ; pointe : 7 mn.

■ Taxi

■ Renseignements pratiques. **Abonnement :** Radio-téléphone. *Avantages variables :* selon les Cies, l'abonné peut disposer d'une ligne prioritaire, payer par chèque, réserver plus facilement (ex. la veille ou le jour même 1 h avant).

■ Agressions. *1982 :* 121. *83 :* 147. *84 :* 161 (dont 89 à Paris). *85 :* 61 (23). *Chauffeurs de taxis tués* (de 1946 à fin nov. 81) : 55.

■ Borne. Paris 128.

■ **Client.** *Il peut choisir,* en station, le véhicule qui lui convient, sauf s'il existe des files d'attente matérialisées par des chaînes (gares et aéroports principalement). Il *peut* ouvrir et fermer les glaces, exiger que le conducteur suive un itinéraire particulier et demander qu'il ferme sa radio.

■ **Compteur.** Horokilométrique, il enregistre le prix de la course d'après la distance parcourue (la vitesse de marche ou le temps attendu).

■ **Conducteur.** Il *doit accepter* un client lorsque le taxi est libre, quelle que soit la place de sa voiture sur une station de taxis ou lorsqu'il circule sur la voie publique. Il ne peut refuser une course qu'il estime trop courte. *Il doit refuser : 1°* de prendre un client à moins de 50 m d'une station occupée par des taxis libres ; *2°* d'attendre un client à un emplacement où le stationnement est interdit ou plus longtemps que la réglementation ne le permet.

Il peut, à son gré, conduire ou refuser : 1° un client pour toute destination hors de sa zone d'exercice (taxis parisiens : Paris, Hauts-de-S., Seine-St-D., Val-de-M., Le Bourget, Orly, Charles-de-Gaulle à Roissy, le parc des Expositions de Villepinte, *un taxi parisien stationnant à Roissy doit charger* pour n'importe quelle destination de la France métropolitaine ; *à Orly, il peut refuser* de conduire hors de la zone d'activité des taxis parisiens) ; *2° un client accompagné de plus de 2 grandes personnes* quand il n'y a pas de strapontin dans la voiture (2 enf. de moins de 10 a. comptent comme une personne) ; *3° un client dont les bagages sont trop nombreux* ou intransportables à la main ; *4° un voyageur à côté de lui, un client ivre* ou *accompagné d'un animal* (sauf chiens d'aveugles), ou *en tenue sale,* ou portant des bagages salissants, ou laissant une mauvaise odeur, un client voulant suivre un convoi funéraire. *Il ne peut refuser* les handicapés et leurs véhicules pliables. *Il peut prier son client de ne pas fumer,* mais ne peut le lui interdire. A Paris, il peut apposer sur la vitre arrière de son véhicule une affichette interdisant aux clients de fumer. *Il ne peut exiger* un pourboire (quoique ce soit un usage), ni *refuser* un bulletin mentionnant le prix de la course. *Il peut demander le paiement d'avance* de l'heure en cours si son client lui demande de l'attendre ou s'il doit l'attendre sur une voie où la durée de stationnement est limitée, ou s'il n'est pas immédiatement occupé après une demande.

Un taxi libre, hélé par un client alors qu'il n'est pas en station, peut refuser de le prendre en charge pour une direction l'éloignant de son garage ou de son domicile, dans la demi-heure qui précède l'heure du retour indiquée sur l'appareil horaire placé sur la plage arrière du taxi.

■ **Objets trouvés dans les voitures.** Déposés au Service des objets trouvés, 36, rue des Morillons, 75015.

■ **Origine.** *1904* 1ers taxis-aut., Renault à 2 cylindres, peints en rouge.

■ **Statistiques France.** 38 828 (dont 18 000 à la FNAT, Féd. nat.) Paris 17 500 (dont 1 000 femmes). *Nombre moyen de courses par semaine :* Paris intra-muros 1 150 000, banlieue 360 000 ; *taux d'occupation des taxis :* 1,45 ; *nombre moyen de prises en charge journalières :* 18.

Conducteurs : ARTISANS (Paris) : *coût officieux de la cession de l'autorisation :* 100 000 à 110 000 F ; *charges d'exploitation (en %) :* maladie, vieillesse, invalidité, retraite complément. 34,6, amortissement 19, assurance voiture 14, carburant 14, entretien, réparations 10, accessoires (compteur) 2,3, taxe sur le chiffre d'affaires 2,2, div. 3,9. SALARIÉS : *recette minimale :* 18 576 F par mois (24 j à 774 F). *Salaire minimal :* 4 644 F (25 % de la recette min.) *+ fixe journalier* 48 F × 24 = 1 152 F + 1 858 F de *pourboires plus suppléments* comptabilisés pour 10 % de la recette mais plus près de 7 %, soit un salaire brut mensuel d'env. 7 654 F.

Parcours quotidiens : Paris (par chauffeur) : moyenne 150 km dont 50 à vide. Soit 42 000 km par an. **Stations :** Paris intra-muros 550, représentant 4 500 places dont 2 600 supersignalisées ; en banlieue 195. *Équipées de téléphone :* Paris 122, banlieue 83.

Voitures (Paris) : **Nombre :** *1920 :* 8 403, *25 :* 13 426, *30 :* 19 250, *31 :* 20 155, *36 :* 14 328, *38* (à partir de) : nombre fixé par arrêté, *46 :* 3 000, *49 :* 10 000, *50 :* 11 000, *54 :* 12 500, *62 :* 13 250 (+ 250 pour les rapatriés d'Algérie), *67 :* 14 300, *88 :* 14 305, *89 :* 14 500 (dont à 2 chauffeurs 1 120, circulant 20 h par jour), *91 : 4 700, cat. A : 8 513, cat. B : 4 356, C : 1 831. Chauffeurs inscrits sur liste d'attente : 1990 :* 5 316, *91 :* 1 407. **Durée de vie moyenne :** artisans 3 ans, compagnies 4 ans. *En 1991,* 797 transferts d'autorisations ; autorisations délivrées à titre gratuit : 268. **Aux heures de pointe :** *0 h :* 2 800 voitures. *2 h :* 1 500. *4 h :* 700. *6 h :* 2 000. *8 h :* 5 500. *10 h :* 8 000. *12 h :* 9 200. *14 h :* 10 200. *15 h :* 10 600. *17 h :* 9 300. *19 h :* 6 000. *21 h :* 4 000. *23 h :* 3 000.

☞ **Nombre de taxis, en 1982 :** Londres 16 037, New York 12 500, Montréal 5 800, Rome 5 000, Milan 3 600.

Mode de propulsion : Gas-oil 12 252, essence 1 983, gaz 65. **Marques :** *les plus courantes :* Peugeot 505 et 305 D, 50 ; Renault (R 21 à 25 D) ; *françaises :* 11 023, *étrangères :* 3 277. **Compteurs** (1987) : électroniques 8 100, mécaniques 4 410.

■ **Réclamations.** S'adresser à la préfecture (à Paris : Préf. de police, service des taxis, 36, rue des Morillons, 75732 Paris Cedex 15).

■ **Surveillance.** Assurée, à Paris, par 16 gardiens de la paix en civil (surnommés les Boers).

■ **Tarifs.** Arrêté conjoint du Préfet de la région d'Ile-de-France, Préfet de Paris et du Préfet de Police du 13-01-1992 : *prise en charge :* 11 F ; km A : 2,79 ; B : 4,35 ; C : 5,87 ; heure d'attente : 120.

Tarif applicable de 7 h à 19 h et, entre parenthèses, de 19 h à 7 h. *Zone parisienne (Paris, b. périphérique compris) :* A (B) ; dimanches et jours fériés : B. *Zone suburbaine (Hauts-de-Seine, Seine-St-Denis, Val-de-M.) :* B (C). *Au-delà : 1°* le taxi revient à vide C (C) ; *2°* le client garde le taxi pour le retour A (B). Aucune indemnité de retour n'est due. Le trajet pour aller chercher le client est tarifé comme une course normale quand la course est demandée par borne d'appel ou par téléphone.

Gares : prise en charge majorée de 5 F sur les stations des gares parisiennes, au terminal de l'avenue Carnot et à l'aérogare des Invalides, et spécialement indiquée sur une pancarte.

Bagages : petits objets, bagages à main, 1re valise ou 1er colis de plus de 5 kg : gratuit ; autres valises et colis de plus de 5 kg : 5 F chacun. Bagages et colis encombrants (skis, vélo, malle, voiture d'enfant, etc.) : 5 F chacun, sans franchise pour le 1er colis. Prise en charge d'une 4e personne : 5 F. D'un animal : 3 F.

■ **Taxi libre.** Lorsque le dispositif lumineux situé sur le toit est éclairé, sans gaine, et les 3 globes répétiteurs (A, B, C) éteints. Le dispositif affiche la tarification applicable au compteur (lampe blanche : tarif A, orange : B, bleue : C). Chaque taxi doit être muni d'une carte indiquant les limites des zones parisienne, suburbaine, extérieure. Pour les aéroports (Orly, Bourget, Roissy), le changement de tarif se fait à l'entrée des autoroutes. *Lorsqu'une voiture est occupée à l'heure où le tarif change* (20 h ou 7 h), le conducteur doit aviser le client et faire apparaître sur le compteur l'indication du nouveau tarif (A, B ou C).

■ **Voyageurs.** Ile-de-France 500 000 par jour.

☞ **Voiture de petite remise.** Le chauffeur n'a pas le droit de stationner ou de circuler sur la voie publique pour y chercher des clients (loi du 3-1-1977) ; il doit prendre contact avec eux, mais ne peut utiliser à bord un radio-téléphone (sauf dans les communes rurales où il n'existe pas de taxi). La voiture ne peut porter des signes distinctifs permettant de la reconnaître de l'extérieur. Les tarifs sont libres.

Taxis scooters. Fin mai 1985 : 1er essai avec 4 scooters à Paris.

TRANSPORTS DIVERS, TRAFIC

TRANSPORTS PAR CONDUITES (PIPE-LINES)

GÉNÉRALITÉS

■ **Définition.** Canalisation, généralement sous pression, utilisée pour transport, à moyenne et grande distance, des liquides (oléoducs, pétrole brut, produits raffinés), gazeux (gazoducs, gaz naturel) en *« capsules »,* conteneurs rigides ou souples mus dans du liquide à l'étude. Entraînent peu de nuisances : encombrement, bruit, pollution, etc. *Solides en suspension* se développent pour de plus longues distances.

■ **Pose.** Composés de tubes soudés les uns aux autres, enfouis sous terre (0,80 à 1 mètre). Nécessite un matériel spécialisé (creusement et remblaiement des tranchées, soudure des tubes, etc.). Pour être rentables (investissement lourd), il leur faut un trafic régulier et important.

OLÉODUCS

■ **Première conduite.** En Pennsylvanie, en 1865 : diamètre de 2" (5 cm), longueur 8 km, transportait 100 m³ de pétrole brut par j.

■ **Principaux oléoducs (pétrole brut et produits raffinés). Longueur en km et,** entre parenthèses, **millions de t transportées** (1988) : Afrique du N. 6 093 (188,3). Afrique du Sud 3 063 (12). Moyen et Proche-Orient 16 266 (589,5). Extr.-Orient 8 342 (70,16). Amérique du N. 30 984 (329,5), du S. 9 190 (86,6). Europe occ. 12 468 (586,6), orient. 37 820 (555).

■ **Longueur en km des lignes de transport dans le monde** (1988). Pétrole et gaz naturel 1 200 000.

Records de longueur : *Canada :* puits d'Alberta à Sarnia, 2 911 km ; *URSS :* Transsibérien, 6 200 km. *Projet :* Trans African Pipeline (Arabie Saoudite-mer Rouge-Soudan-Rép. centraf.-Cameroun) 3 650 km.

■ **Réseau français. Origine :** né avec la Sté des transports pétroliers par pipe-line (Trapil) qui mit en service en 1953 le 1er pipe-line [10 pouces (25 cm de diamètre), 240 km de long], destiné au ravitaillement de la région parisienne en produits pétroliers raffinés. Il fut doublé, puis triplé par des pipe-lines plus importants. Des antennes partent ravitailler d'autres zones (ex. : Caen, Rouen, Orléans). Une nouvelle conduite entre Orléans et Tours a été mise en exploitation en oct. 1980. **Long. (principale) totale** (1988) : 4 949. **Réseau des pipe-lines de défense :** ligne Le Havre-Cambrai-Valenciennes, ligne Marseille-Langres-Mirecourt-Strasbourg et système Donges-Metz. Il peut être utilisé à des fins civiles.

Statistiques (voir à **Énergie** p. 1764).

GAZODUCS

■ **Conduites de produits chimiques.** Transports sous forme liquide (par ex. sous pression et à basse température) ou gazeuse, assurant un transport plus sûr pour la qualité du produit et la sécurité de l'exploitation.

■ **Records de longueur.** *USA : achevé : Texas-New York* 3 444 km ; *Transcanadien* 9 332 (plusieurs lignes) ; *Transsibérien* 9 344 : le plus long ouvrage jamais construit par les hommes. *En chantier : Progress* (ex-URSS) 4 600 km.

■ **Canalisations en France.** Année de mise en service, longueur (km), diamètre en pouces (") et débit possible en millions de tonnes/an (Mt).

Ammoniac *Carling-Besch* (1968), 53 km (4" 1/2) 0,16 Mt. **Éthylène** *Feyzin-St-Pierre-de-Chandieu-Tavaux* et *St-Pierre-de-Chandieu-Pont-de-Claix-Jarrie* (1967), 278 km (8" ou 6" 5/8) 0,11 à 0,28 Mt. *Lavera-Berre-St-Auban* (1968), 124 km (8" 5/8 ou 10" 3/4) 0,08 à 0,1 Mt. *St-Auban-Pont-de-Claix* (1972), 146 km (8" 5/8) 0,2 Mt. *Carling-Sarralbe* (1970), 30 km, 6", 0,07 Mt. *Gonfreville-Port-Jérôme,* 50 km (6"). **Gaz carbonique** *Carling-Besch* (1968), 53 km (10" 3/4) 0,155 Mt. **Propylène** *Feyzin-le-Grand-Serre-Pont-de-Claix* (1972), 145 km (8" 5/8 ou 6" 5/8) 0,25 Mt. **Saumure** *Hauterives-Pont-de-Claix* (1966), 80 km (16" et 14") 3,5 Mt. *Vauvert-Lavera* (1966), 85 km (18") 7 Mt.

Trafic global

Trafic dans le monde

Transport de voyageurs (1990, en milliards de voyageurs/km)

	Total voyageurs	Chemin de fer %	Bus et cars %	Voitures particulières %	Transp. routier (total %)
Allemagne	678,42	5,96	8,18	85,86	94,04
Autriche	76,19	11,10	17,88	71	88,88
Belgique [1]	92,56	6,91	11,35	81,73	93,08
Danemark	67,46	7,20	13,19	79,6	92,79
Espagne	219,62	7,61	17,61	74,77	92,38
Finlande	58,63	5,68	14,5	79,82	94,32
France	692,96	9,23	5,96	84,81	90,77
Grèce [2]	6,30	24,60	75,39	86,67	75,4
Irlande	1,23	100	–	–	–
Italie	652,11	6,98	12,88	80,14	93,02
Luxemb.	0,21	100	–	–	–
Norvège	46,80	5,19	10,04	84,76	94,8
P.-Bas [1]	159,66	6,36	8,02	85,62	93,64
Portugal	80,96	6,99	12,72	80,28	93
R.-Uni	634,48	5,28	6,46	88,26	94,72
Suède	100,77	6,12	8,93	84,95	93,88
Suisse	102,87	10,75	4,60	84,65	89,25
Turquie	141,4	4,53	–	–	95,47
Yougoslavie	35,74	31,7	68,3	–	68,3

Nota. – (1) 1989. (2) 1975.

Transport de marchandises (1990, en milliards de t/km)

	Total marchandises	Chemin de fer %	Route %	Voies navigables %	Oléoduc %
Allemagne [1]	285,64	21,39	56,26	18,92	3,43
Autriche	26,63	47,61	25,35	7,13	19,9
Belgique [1]	44,78	17,98	67,87	11,88	2,26
Danemark	11,08	15,61	84,39	–	–
Espagne	165,69	6,93	90,53	–	2,54
Finlande	37,79	22,12	67,21	10,67	–
France	194,4	26,51	59,05	3,9	10,54
Grèce [2]	11,68	7,96	92,04	–	–
Irlande [1]	6,04	9,27	90,73	–	–
Italie	208,63	10,21	85,29	0,06	4,44
Luxemb. [3]	1,27	52,76	22,05	25,98	–
Norvège	11,38	14,32	67,57	–	18,10
P.-Bas [1]	67,07	4,17	34,13	54,42	7,26
Portugal [1]	11,77	14,61	85,38	–	–
R.-Uni [1]	159,54	10,84	82,8	0,19	6,16
Suède	46,13	42,51	57,49	–	–
Suisse	19,44	42,7	50,51	0,77	6,01
Turquie	122,27	6,56	53,74	–	39,69
Yougoslavie	48,69	47,54	37,64	7,72	7,10

Nota. – (1) 1989. (2) 1975. (3) 1980.

Consommation par voyageurs × km transportés dans des conditions commerciales (en gramme équivalent pétrole). *Avion :* Fokker étape courte 173, Airbus Paris-Marseille 52 (haute densité 37), vol vacances Antilles Boeing 747 29. *Voiture :* conducteur seul en ville grosse cylindrée 93, petite 67, autoroute 2 personnes, grosse cylindrée 50,7 CV 35, autocar 21. *Train* omnibus-rural 35-60, rapide TEE 20, banlieue 19, TGV 14, express 15. *Métro* 19.

Trafic en France

■ **Grandes entreprises nationales.** *Chiffre d'aff. consolidé* (en milliards de F, 1990) : Sceta 19. SNCF 18,4. CGMF 13,5. GIE Air France Cargo 6,8. SCAC 6,6. Gefco 6,6. Delmas-Vieljeux 6,5. Saga 4,5. Mory 3,2.

DANZAS

Date de création. 1815 à Saint-Louis en Alsace.

Siège. 15, rue de Nancy, 75010 Paris.

P.D.G. Jean-Claude Berthod.

Secteurs d'activités. Messagerie : service de lignes, systèmes de fret express européen. **Eurapid :** service à la carte Danzas Sprint. **Transport européen de charges complètes. Distribution physique. Service douanes. Fret aérien, maritime. Trafic métropole. Services spécifiques :** transports de denrées alimentaires, d'animaux vivants, service foires & expositions, transport et transit de films et matériels cinématographiques, transport et distribution de vêtements sur cintres (Transvet), location longue durée voitures particulières, déménagements, garde-meubles, agences de voyages.

Quelques chiffres clés. Dans le monde. *Effectif (1992) :* plus de 16 000 personnes dans 41 pays. *Chiffre d'affaires (1992) :* 10,5 milliards de F suisses. **En France.** *Effectifs (1992) :* env. 4 500 personnes pour 150 agences.

(Information)

Comparaisons

	1988	1989	1990	1991
Transports terrestres, en milliards de t/km dont :	170,6	176,7	178	181,4
– routiers [1]	111,7	116,7	119,2	122,6
dont international	14,2	15,2	17,6	17,6
– ferroviaires	52,3	53,3	51,5	52
dont international	20,4	21,4	20,7	20,7
– fluviaux [2]	6,6	6,8	7,2	6,8
dont international	3	2,7	2,9	2,5
Ports autonomes (millions de t) dont :	232,8	238,9	237,8	244,4
– pétrole brut débar.	92,4	86,6	87,7	92,5
– vrac	107,2	115,6	115,9	116,5
– marchandises diverses	33,2	36,7	34,2	35,4
Immatriculations *neuves* (milliers), dont :	2 217	2 274	2 309	2 031
– marques françaises	1 400	1 407	1 391	1 213
– étrangères	817	867	918	818
– moteurs à essence	1 695	1 587	1 547	1 251
– diesel	522	687	762	781
Occasion (milliers)	4 499	4 568	4 727	4 431
Production (milliers)	3 228	3 409	3 296	3 190
Exportations (milliers)	1 836	1 899	1 882	1 999
Réseau routier national, dont [3] :	131,5	138,5	143,9	148,8
– autoroutes	57,7	62,3	66,5	70,6
– routes nationales	73,8	76,2	77,4	78,2
Livraisons essences	18,7	18,4	18,1	17,7
Gazole	14,3	15,8	17,5	18,7
SNCF réseau principal [4] :	53,4	54,3	53,8	52,2
Transports routiers voyageurs [4]	58,2	54,7	56,9	58,6
SNCF banlieue [4]	8,9	9,1	10,1	10
RATP, métro, RER [4]	8,9	9,4	9,5	9,5
Autobus [4]	2,2	2,2	2,2	2,2
Transports aériens				
Air France [4]	34,5	36,8	36,8	33,8
Air Inter [4]	7,5	8,6	8,9	8,9
UTA [4]	5,5	5,6	6,2	5,8
Aéroport Paris [5] internationaux [5]	24,8	27,4	28,8	28
Intérieur [5]	15,2	17	17,3	16,8
Aéroports rég. (grands)	16,9	18,9	19,6	18,2

Nota. – (1) Chiffres provisoires (2) Non compris trafic de transit rhénan. (3) En milliards de véhicules/km. (4) En milliards de voyageurs/km. (5) En millions de passagers.

Accidents

Données générales

Risque annuel d'accident mortel par million de voyages (calculé à partir des statistiques de 1975 à 85). Voiture 185, téléphérique 20,8, ascenseur 8,5, train 48, avion 2,45, métro 0,34, autobus 0,13. *Source :* Institut national de recherche sur les transports et leur sécurité (Inrets).

☞ *1989 :* tués en voiture 9 056, avion 19, train 0.

Accidents aériens

■ Données globales

En France

■ **Nombre total** dont, entre parenthèses, aviation privée (autogires, ballons, hélicoptères, planeurs, ULM non compris).

	Accidents	Morts	Blessés
1977	62 (57)	76 (74)	68 (57)
1978	78 (74)	104 (88)	72 (65)
1979	73 (69)	93 (84)	103 (98)
1980	66 (62)	83 (81)	71 (68)
1981	55 (54)	39 (83)	69 (69)
1982	45 (42)	34 (31)	64 (61)
1983	42 (40)	48 (48)	45 (43)
1984	84 (75)	80 (72)	129 (83)
1985	82 (81)	84 (82)	82 (82)
1986	78 (73)	61 (54)	86 (70)
1987	73 (68)	90 (65)	78 (74)
1988	129 (121)	134 (101)	175 (81)
1989 [1]	120 (115)	308 (116)	92 (116)

Nota. – (1) 1 attentat (170 †) inclus.

Dans le monde

■ **Accidents d'avions civils.** *Nombre total et,* entre parenthèses, *nombre d'avions commerciaux : 1988 :* 5 250 (650), *89 :* 5 000 (760). **Tués :** *Nombre : 1988 :* 2 950 (sur av. comm. 1 280), *89 :* 3 240 (1 610 dont de vols réguliers 891), *91 :* 653 (vols réguliers, charters 366), *92 :* (vols rég.) 1 097.

■ **Taux (sur les services réguliers). Accidents mortels** *pour 100 000 h de vol : 1975 :* 0,16. *79* 0,21. *89 :* 0,13 ; *pour 100 000 atterrissages : 1979 :* 0,29. *89 :* 0,20. **Passagers tués** *pour 100 millions de passagers/km : 1976 :* 0,12. *80 :* 0,09. *81 :* 0,04. *84 :* 0,02. *85 :* 0,09. *86 :* 0,03. *87 :* 0,06. *88 :* 0,04 (non rég. 0,07). *89 :* 0,05 (non rég. 0,17). *91 :* 0,04. *92 :* 0,06.

■ **Décès en avion.** Étude du Jama (Journal de l'association américaine de médecine) de 1977 à 1984. 42 transporteurs ont enregistré 577 décès en vol (72 par an), dont 326 (56 %) relevant d'une mort subite d'origine cardiaque, et concernant pour 66 % des hommes (âge moyen 53,8 ans). *Soit : taux moyen de décès en vol par million de passagers :* 0,31 ; *par milliard de km-pass. :* 125 ; *par million de départs :* 25,1.

☞ **Fréquence avant 1914 :** *1908 :* 1 accident pour 1 600 km. *1909 :* 1 p. 15 000. *1910 :* 1 p. 33 000. *1911 :* 1 p. 40 000. *1912 :* 1 p. 140 000.

■ Avions et hélicoptères

Accidents principaux

■ **Accidents d'avions les plus graves. Dans le monde : 1974-***3-3 : Turkish Airlines* (près d'Ermenonville, Val-d'Oise) DC-10, 346 † (mauvaise fermeture d'une porte de soute). **1977-***27-3 Pan Am et KLM* (à Tenerife, Canaries) coll. au sol entre 2 B-747, 643 pers. à bord, 582 † (tous ceux de KLM 249 et 333 sur 394 de la Pan Am), 61 survivants ; indemnisation des victimes : env. 81,5 millions de $ (405 millions de F). **1978-***1-1 Air India* Boeing explose après avoir décollé de *Bombay* (Inde), 213 † ; *-26-11 PAL* B-707 Djeddah (Arabie S.), au décollage, 156 †. *-28-11 Air New Zealand* DC-10 percute *Mt Erebus* dans l'Antarctique (erreur de navigation), 257 †. **1979-***25-5 American Airlines* DC-10 perd un réacteur au décollage, s'écrase à Chicago-O'Hare (USA), 275 †. **1980-***19-8 Lockheed Tristar* (saoudien) près de *Riyād* (Arabie), 303 †. **1983-***30-8 Korean Airlines* B-747 abattu (voir p. 1735). **1985-***23-6 Air India* B-747 près de l'Irlande (attentat sikhs), 329 †. *-12-8 Japan Airlines* B-747 s'écrase au sol (Mtogura, ouest de Tokyo), 524 †, 4 survivants (la + grave catastrophe civile concernant un seul appareil) : fuite d'air pressurisé à travers une cloison fendue ; Boeing a, depuis, demandé aux 70 Cies exploitant les 615 B-747 en service, de renforcer la partie arrière de l'appareil. *-12-12 Arrow Air* DC-8 au décollage à Gander (Terre-Neuve), 256 †. **1987-***9-5 Lot* (Pologne) Il-62, 183 †. *-16-8 Northwest Airlines* DC-9, près de Detroit (USA), 156 † (dont 6 au sol), 1 survivant. *-26-11 South African Airways* (océan Indien) B-747, 160 †. **1988-***17-3 Avianca* B-727 (Colombie), 137 †. *-19-10 Indian Airlines* B-737 à l'atterrissage à Ahmadābād (Inde), 131 †. **1989-***8-2 Independant Air Corporation* B-707 aux Açores, 145 †. *-7-6 Surinam Airways* DC-8 heurte des arbres à Paramaribo (Surinam) (brouillard), 168 †. *-19-7 UAL* DC-10 atterrissage d'urgence à Sioux City (Iowa, USA), 112 †. *-3-9 Cubana de Aviacion* Ilyouchine 62 au décollage de La Havane (Cuba), 170 † (dont 45 hab. du quartier). *21-10 Tan Sahsa* B-727 près de Tegucigalpa (Honduras), 146 †. **1990-***14-11 Aeritalia* DC-9 s'écrase sur une colline près de Zürich (Suisse), 46 †. **1991-***21-3 saoudien* Hercule C-130 à Ras-Al-Mishab (Arabie S.), 92 † (militaires sénégalais) ; *-26/27-5 Lauda Air* B-767-300 Thaïlande, inversion de poussée d'un réacteur, 223 †. *-11-7 Nationair* DC-8 à Djeddah (Arabie S.), 261 †. *-16-8 Indian Airlines* B-737 dans l'État de Manipur (Inde), 69 †. *-5-10* Hercule C-130 (de l'armée ind.), Djakarta (Indonésie), 136 †. **1992-***20-1 Air Inter* A-320 mt Ste-Odile (Bas-Rhin), 87 † sur 96. *-9-2* Convair 640 (Gamb.-Crest.), cap Skirring (Sén.) à l'atterrissage, 30 † sur 56 (dont 26 du Club Méd.). *-31-7 Thai* 310-300 près de Katmandou (Népal), 113 † ; *China General Purpose* Yack 42 à Nankin (Chine) prend feu à 600 m de la piste, 100 †, 26 rescapés. *-27-8 Aeroflot* Tupolev 134 à Ivanovo (Russie), erreur de pilotage, 82 †. *-28-9 Pakistan Air* A 300 près de Katmandou (Népal), 167 †. *-4-10 El Al* B 747 cargo à Amsterdam (P.-Bas), s'écrase 15 mn après décollage sur immeubles, incendie de 2 réacteurs droits, env. 80 † (riverains et 4 m. d'équipage). *-24-11 CAAC* B-737 à Guilin (Chine), explose en vol, 141 †. *-21-12 Martinair* DC-10 à Faro (Portugal), vent violent, explosion, 54 †, 283 rescapés. *-22-12 Libyan Arab Airlines* B 727 près de Tripoli (Libye), aurait heurté avion de chasse en vol, mais Khadafi a mis en cause l'Ira. **1993-***8-2 Iran* Tupolev 134 percute un chasseur Sukkhoï 22 au-dessus de l'aéroport de Téhéran, 134 †. *-26-4 Indian Airlines* B 737 heurte camion en bout de piste au décollage à Aurangābād (Inde), 82 †, 36 rescapés. *-19-5 SAM* B 727 à Medellin (Colombie) s'écrase, 133 †.

France : 1962-*2-6-Air France* Boeing affrété, à Orly, ne s'envole pas, explose à Villeneuve-le-Roi, 130 †. **1972-***27-10 Air Inter* Viscount heurte pic Picot (Noirétable, Loire), 60 † sur 68 passagers. **1973-***5-3 Spantax* Coronado heurte DC-9 d'Ibéria, 68 †. *-11-7-Varig*

B-707 près de Paris (à l'envol), 122 † sur 134. **1974**-*3-3* voir p. 1734. **1981**-*1-12 Yougoslav.* DC-9-80 près d'Ajaccio, 180 †. **1987**-*21-12 Air Littoral* Brasilia près de Bordeaux, 16 † (faute de pilotage : non-respect des visibilités minimales ; 0,35 g d'alcool par litre dans le sang du commandant de bord). **1989**-*10-4 Uni Air* Fokker 27 près de Valence (faute de pilotage), 22 †. **1993**-*6-1 Lufthansa* Dash 8 à l'atterrissage à Roissy, 4 †, 19 rescapés. *23-7 China Northwestern* BA-e-146, Yinchuan, 55 † ; *26-7 Asiana* B737, Corée, 66 † sur 110.

☞ Le 1-2-1989, l'administration amér. de l'aviation (FAA) a ordonné de vérifier câblages et systèmes anti-incendie des moteurs et soutes des 741 : B-737, 757, 767, 747, livrés après le 1-12-1980.

■ **Accidents d'hélicoptères récents.** **1982**-*11-9 US Air Force* s'écrase à Mannheim (All.), 46 parachutistes (23 Français) †. **1984**-*11-4* 2 Puma se heurtent en vol près de Cosne (Nièvre), 6 militaires †. **1985**-*27-6* Jet Ranger d'André Roussel s'écrase après avoir heurté une ligne de haute tension à Martini (Suisse), 4 †. *-11-8* près du sommet du Grand-Argentier (Savoie), hélico. s'écrase, 2 gendarmes †. **1986**-*14-1* Écureuil de Thierry Sabine s'écrase (en Afrique) pendant le Paris-Dakar, 3 †. **1993**-*15-5* hélico s'écrase : brouillard au Tchoukotka (Russie), 8 † (dont 2 journalistes françaises), 13 rescapés.

Circonstances particulières

■ **Accidents d'avions ayant causé la mort. De dirigeants politiques :** **1959**-*29-3* Barthélemy Boganda, Pt du gouv. de la Rép. centrafricaine ; **79**-*27-5* Lt-colonel Ahmed Ould Bousseif, PM mauritanien ; **80**-*4-12* Francesco sa Carneiro, PM portugais ; **81**-*24-5* Jaime Roldos Aguilera, Pt de l'Équateur ; *-1-8* Général Omar Torrijos, homme fort du régime panaméen ; **86**-*20-10* Samora Machel, Pt du Mozambique ; **88**-*17-8* Général Zia-ul-Haq, Pt du Pakistan. **D'autres personnalités :** Dag Hammarskjoeld, secrétaire général de l'ONU (1961), Maréchal Lin Piao, min. chinois de la Défense et dauphin de Mao Tsé-toung (1971), Mohammed Benyahia, min. algérien des Aff. étr. (1982), Contre-amiral Guy Sibon, min. malgache de la Défense (1986).

■ **Accidents ayant endeuillé le sport.** **1949** équipe de football ital. à Superga (Italie) ; **1949**-*27-10* aux Açores, Marcel Cerdan. **1958**-*6-2* éq. de football Manchester U à Munich. **1961** 18 patineurs de l'équipe amér. à Bruxelles. **1966** éq. ital. de natation, à Brême. **1970**-*14-11* équipe de foot de l'univ. Marshall (USA). **1972**-*13-10* Andes, éq. des Old Christians (éq. de rugby des étudiants de Carrasco, Uruguay), 16 survivent grâce à l'anthropophagie et sont sauvés après 72 j. **1976** éq. d'escrime cubaine, voir ci-contre attentats. **1979** éq. de football sov. de Tachkent. **1980**-*14-3* 22 boxeurs amér. à Varsovie. **1987**-*9-12* éq. de football péruvienne (« Alianza-Lima »), en mer. **1988**-*17-3* 2 éq. de football, en Colombie (137 †). **1989**-*7-6* 23 footballeurs néerl. à Paramaribo (Ven.).

■ **Accidents lors de meetings aériens. Allemagne :** *Ramstein 28-8-1988* 70 † (collision de 3 avions de la Frecce Tricolori, patrouille de haute voltige de l'armée de l'air ital.). *Hanovre 6-5-1988* hélicoptères 27 †. **Angleterre :** *Farnborough 7-5-1952* Super DH 110 De Havilland se désintègre, 27 † (pilote, navigateur, 25 spectateurs) ; *20-9-1968* Breguet 1150 Atlantic pris dans un courant descendant accroche un hangar et s'abat, 12 † dont plusieurs spectateurs ; *10-9-1970* rotor d'un autogire se brise, l'appareil tombe de 60 m ; pilote tué. *Old Warden ; 26-6-1966* Cessna biplace s'écrase sur des voitures, 3 † et 10 blessés. **Canada :** *5-9-1989* collision de 2 avions de la « Snowbirds » (patrouille acrobatique canadienne) au-dessus du lac Ontario, 1 †. **États-Unis :** *29-6-1991* collision de 2 T34, 2 †.

France : **1911**-*21-5* Henri-Maurice Berteaux (n. 1852), ministre de la Guerre, tué par l'hélice d'un monoplan sur le champ de manœuvres d'Issy au départ de la course Paris-Madrid. **1961**-*4-6* bombardier amér. B-58 s'écrase près de Louvres, 3 †. **1963**-*16-6* Hawker P-1127, prototype brit., manque son atterrissage, pilote indemne. **1965**-*15-6* B-58 Hustler, bombardier am., s'écrase près de Goussainville, 3 †. **1967**-*4-6* Fouga-Magister de la Patrouille de France qui tente de se poser en catastrophe, train d'atterris. rentré, explose non loin de la tribune d'honneur, pilote † ; hélicoptère amér. s'écrase près de la piste, 1 †. **1969** chasseur italien Fiat G-91 s'abat sur un parc à voitures, 6 † (5 spectateurs et pilote). **1973**-*3-6* Tupolev 144 explose en vol et s'écrase au-dessus de Goussainville, 13 † (équipage 6, et 7 hab. de Goussainville). **1986**-*13-2* Dassault-Flamand près de Pouilloux (S.-et-L.) 6 †. **1988**-*26-6* Airbus A-320 (volant à 9 m du sol à 220 km/h) s'écrase à Mulhouse-Halbsheim (Ht-Rhin), 3 †, 133 rescapés. **1989** *juin* Mig 29 (pas de tué), cause : oiseau dans les réacteurs.

■ **Attentats.** **1976**-*6-10* DC-8 Cuba au large de la Barbade, 73 † dont 43 de l'équipe cubaine d'escrime (anticastristes). **1982**-*11-8* B-747 (Pan Am) à l'atterrissage à Honolulu, 1 † (Palestiniens accusés). **1983**-*23-9* Boeing de la Gulf Air à 120 km d'Abu Dhabi, 111 † (Brigades révol. arabes). **1985**-*12-12* DC-8 amér. à Terre-Neuve, 256 milit. † (Organ. des révol. d'Égypte), *-31-3* B-727 Mexique, 170 † (Brigades révol. arabes), *-23-6* B-747 Air India, mer d'Irlande (provoqué par Sikhs), 329 †. **1986**-*2-4* B-727 (TWA) à 3 300 m au-dessus de Mycènes (Grèce), explosion (revendiquée par fedayins) perfore la cabine, 4 passagers † (aspirés). **1987**-*29-11* B-707 (Korean Airlines), en mer au large de la Birmanie, 115 †. Une Coréenne, Kum Hyn-Hee, admet en janv. 1988 avoir posé une bombe dans l'avion sur incitation des autorités nord-coréennes pour saboter les JO de Séoul. *-7-12* BAE-146, Pacific Southwest Airlines (à Templeton, Calif.), s'écrase (bombe posée par Coréenne), 43 †. **1988**-*21-12* B-747 (Pan Am) à Lockerbie (Écosse), 270 † (tous les 259 voyageurs †, 11 personnes au sol) [transistor piégé (att. qui aurait été organisé par le FPLP, Ahmed Jibril)]. *Coût pour Pan Am :* 250 millions de $. **1989**-*19-9* DC-10 d'UTA dans le Ténéré (Niger), 170 † (105 corps identifiés). Conviction du magistrat instructeur : Syrie a commandité l'attentat en représailles contre le rôle de la France au Liban ; opérateur : Mouvement du 15 Mai fondé par Abou Ibrahim (nom de guerre de Hussein Humari). *-27-11* B 727 (Avianca), au sud de Bogota (Colombie) 111 †, revendiqué par trafiquants de drogue.

Quelques précisions

■ **« Air miss »** (collision évitée de justesse, à moins de 9 km, parfois à – de 40 m). **Nombre. USA :** *1984 :* 509. *85 :* 758. *86 : 820 (1er sem.). 87 :* 494. dont le *-15-8* à – 75 m entre hélicoptère de R. Reagan et Piper Archer (Santa Barbara, Californie). **France** *1983 :* 68. *84 :* 67. *85 :* 50. *86 :* 51. *87 :* 69. *88 :* 71. *89 :* 87. *90 :* 67 (dont 18 en route). *Taux pour 180 000 vols :* en route 1,15, aérodrome 3,1.

■ **Boîtes noires** (en fait de couleur orange vif afin d'être plus repérables). 2 par avion de ligne, enregistrement dès que l'avion est sous pression. En acier, résistent à 1 500° pendant 30 min. à des chocs violents et peuvent séjourner 1 mois en eau de mer ; au contact de l'eau, émettent un signal acoustique en ultrasons de 30 kilohertz. La 1re : dans le poste de pilotage, enregistre les conversations ; la 2e : dans la queue de l'avion, enregistre altitude, température extérieure, position des gouvernes, alarmes diverses, etc.

■ **Cause des accidents aériens** (en %). Faute de pilotage : 74, défaillance mécanique 11,6, météo 5,5, contrôle aérien 4,2, faute de maintenance 1,6, autres 3,2. **Circonstances** (en %) : approche et descente 37,7, atterrissage 25,7, montée 15,8, décollage 12,2, croisière 5,5, circulation et stationnement 3,1.

Corps étrangers. Dans 85 % des cas, *impacts d'oiseaux.* Dégâts 85 %, 8 % légers, 7 % importants (antennes, sondes, phares et radomes détériorés). *Types d'oiseaux rencontrés* (*1984-85,* % des collisions). Mouettes et goélands 31,5, rapaces diurnes et nocturnes (faucon crécerelle, buse variable, milan noir) 22,1, vanneaux huppés 14,4, hirondelles et martinets 8,7, pigeons 6,5 corvidés 2,4, étourneaux 1,6, autres [dont héron cendré (1 coll. en 84 et 1 en 85) ; cigogne blanche, flamant rose (1 coll. en 84) ; oie cendrée, linotte mélodieuse (1 en 85)] 12,8. *Prévention :* battues, sur quelques grands aéroports, méthodes d'effarouchement (diffusion de cris de détresse spécifiques, tir de cartouches...), toute l'année destruction autorisée (mouettes rieuses, pigeons, vanneaux huppés, goélands argentés, étourneaux, corneilles noires, corbeaux freux).

Au sol, des corps étrangers (boulons, graviers, clous...) peuvent causer d'importants dégâts en étant aspirés par les réacteurs.

Précautions : à l'atterrissage, distance minimale entre 2 appareils 7,5 km (en France). En vol : distance horizontale entre 2 avions 18 km (bientôt réduite de moitié grâce à un matériel perfectionné), séparation verticale au moins 600 m à 8 850 m d'altitude et 1 200 m au-dessus.

■ **Facteurs d'aggravation des risques. Déréglementation aérienne :** USA 1979. Europe 1992. Accroît la concurrence, et le nombre des compagnies et des vols effectués. **Accroissement du trafic** (ex. *USA :* O'Hare, Chicago, 39 vols programmés pour atterrir à 9 h 15, certains matins). La région de Los Angeles compte 27 000 pilotes privés (51 air miss enregistrés en 1987 avec de petits avions). **Défectuosité du contrôle aérien : aux USA,** les contrôleurs suivent 25 avions par écran radar (moitié moins en Europe). **Défaillances des équipages :** actives (non-respect des règles et procédures), passives (distraction), incapacité physique (alcool, médicaments), erreur de jugement.

■ **Systèmes d'aide à l'atterrissage.** **ILS** (Instrument Landing System) qui définit 1 axe radioélectrique que l'avion doit suivre pour toucher le sol. Dans quelques années, le MLS (Microwave Landing System) donnera l'axe et le volume d'approche.

■ **Avions civils abattus.** **1943**-*1-6* avion anglais revenant du Portugal (les Allemands croyaient Churchill à bord), 17 †. **1954**-*23-7* DC-4 de la Cathay Pacific Airways par les Chinois, 10 †. **1955**-*27-7* Constellation d'El Al par des chasseurs bulgares, 58 †. **1968**-*11-9* Caravelle au large du cap d'Antibes, 91 †. **1973**-*21-2* B-727 de la Libyan Arab Airlines par la chasse israël. au-dessus du Sinaï, 110 †. **1976**-*6-10* DC-8 (Cubana de Aviacion), Barbade 76 †. **1979** Viscount (Air Rhodésie) par des maquisards, 48 †. **1980**-*27-6* DC-9 (Itavia), au-dessus de l'île d'Ustica, 93 † (par Mig libyen ?, missile amér. ?). **1983** B-737 de la TAAG (Angola) 130 †, *-31-8* B-747 Korean Airlines, 269 †. Ayant quitté Anchorage, il avait survolé la zone interdite du Kamtchatka et de Sakhaline tout en affirmant aux contrôleurs aériens qu'il suivait la route normale. Pendant ce temps, des combats aériens avaient lieu dans la zone (au moins 3 appareils, sans doute amér., abattus). Version amér. : le 747 fut abattu sans sommations à 3 h 26, près de l'île de Moneron. Autre version : a poursuivi son vol 3/4 d'h vers le Sud avant de s'écraser en mer (les 1ers débris n'ont été retrouvés que 8 j après, le long de la côte de Hokkaidō et au nord de Honshu ; les débris retrouvés à Moneron étaient ceux d'un RC-135 (707 avion espion équipé de matériel électronique), 2 navires (1 d'écoute : Bagder, 1 lance-missiles : Elliott) se trouvaient au large de Vladivostok. Les radars amér. qui surveillent la zone, repérèrent le 747 hors du couloir normal et arrivant de l'espace soviét. et l'auraient pris pour un appareil hostile. **1985** avion de ligne afghan, 52 †. **1986** Sudan Airways (abattu par Sam 7), 60 †. **1988**-*3-7* Airbus A 300 (Iran Air) dans le Golfe, par missile du croiseur amér. Vincennes, 290 †.

■ **Heurts avec les oiseaux.** **1960** Boston. Lockheed Electra : 62 † (vol d'étourneaux). **1973** Atlanta. Lear 24 : 7 † (avait percuté 1 cygne). **1987**-*28-9* BIB détruit (heurté par des pélicans).

■ **Passagers disparus en vol.** A 8 000/10 000 m d'altitude, la pression est 3 fois moins forte qu'à l'intérieur de l'avion (200 millibars contre 750). En cas d'ouverture, l'aspiration vers l'extérieur (pression élevée) est irrésistible. **1957** 1 Américain (Nash) perdu en vol au-dessus de l'Iran (appareil Constellation). **1972** janv. : DC-9 youg., après explosion de la queue, 1 hôtesse projetée dans le vide à 10 160 m : 27 j de coma et quelques mois d'hôpital. **1980**-*23-12 :* 2 enfants pakistanais éjectés d'un Tristar (Saudi Airlines) à la suite d'une explosion à l'intérieur, sont repêchés vivants dans la mer Rouge. **1986**-*2-4 :* 4 passagers aspirés. **1987**-*11-7 :* 1 bébé de 13 mois arraché aux bras de sa mère et projeté dans le vide à 5 000 m, porte de secours ouverte accidentellement. **1988**-*28-4 :* 1 hôtesse disparaît au-dessus du Pacifique : fuselage du B-737 (Aloha Airlines) déchiré sur 6 m (rupture de rivets). **1989**-*24-2 :* 16 passagers éjectés d'un B-747, au-dessus du Pacifique ; déchirure de la carlingue due au verrouillage d'une porte. **1990**-*10-6:* commandant de bord brit. Timothy Lancaster à demi éjecté du cockpit à 7 000 m, après l'éclatement d'un hublot. **Autre cas :** 1 lieutenant soviétique éjecté d'un Ilyouchine R à 6 700 m : fracture du bassinet et de la colonne vertébrale (la neige a amorti le choc).

☞ **1989**-*13-7 :* Thomas Root (Amér., 36 ans, avocat) parcourt (en caleçon et chaussettes), aux commandes d'un Cessna, 1 400 km avec une balle dans la poitrine et s'abat dans l'Atlantique sans trop de dégâts.

■ Dirigeables

■ **Nombre.** *De 1900 à 1939 :* 178 dirigeables de toutes nationalités ont effectué env. 80 000 h de vol. 99 d'entre eux ont connu une fin tragique : 13 brûlés dans leur hangar, 39 détruits pendant la guerre, 47 ont eu un accident de vol (dont 16 perdus en mer ou dans une tempête, 15 à l'atterrissage, 7 brûlés en vol, 6 au sol, 3 désintégrés en vol).

■ **Principaux accidents.** **1913**-*17-10* LZ 18 (All.) brûle en vol, 28 †. **1917**-*30-3* SL 9 (All.) brûle en vol, 23 †. **1921**-*24-8* R 38 (ZR 2) (G.-B.) désintégré en vol, 44 †. **1923**-*21-12* LZ 114 (Dixmude) (France) brûle en vol, 50 †. **1928** disparition au large du Svalbard de l'*Italia* lors de l'expédition polaire de Nobile. **1930**-*5-10* R 101 (G.-B.) s'écrase au sol à Allonne près de Beauvais, 48 †, 7 survivants. **1933**-*4-4* ZRS-4 (Akron) (USA), tempête en mer, 73 †, 3 survivants. **1937**-*6-5* LZ 129 (Hindenburg) (All.) brûle en vol, 35 †.

Montgolfière

1989-*13-8* Australie, collision avec un autre aérostat, chute de 600 m, 13 occupants †.

Accidents de chemin de fer

Nombre de tués

■ **En France. 1842**-*8-5 Meudon* (Ht-de-S.), ligne de Versailles (rive gauche), 150 †. **1910**-*14-8 Villepreux* (Yv.), 37. *-10-9 Bernay* (Eure), 15. **1913**-*4-11 Melun* (S.-et-M.), 39. **1917**-*12-12 St-Michel-de-Maurienne* près de Modane (Sav.) [1] (425 permissionnaires dont 148 identifiés) + 2 cheminots ; 207 bl., 350 rescapés (1918, conseil de guerre, 6 cheminots acquittés ; 1962 corps transférés au cimetière de Lyon-la-Doua). **1921**-*5-10 Tunnel des Batignolles* (Paris) n.c. **1925**-*29/30-7 St-Antoine-du-Rocher* (I.-et-L.), 16. **1927**-*25-8 Montenvers* (Hte-Sav.), 14. **1933**-*24-10 St-Élier* (Eure), 30. *-23-12 Pomponne* (à 2 km de Lagny), S.-et-M., 230. **1946**-*14-11 Revigny-sur-Ornain* (Meuse), 15. **1947** déraillement (sabotage de la voie) *Paris-Lille* (près d'Arras), 16 † et 60 blessés. **1949**-*17/18-2 Port-d'Atelier* (Hte-S.), 42. **1956**-*14-6 Paris-Luxembourg* Fismes (Marne) [1], 11. **1957**-*19-7 Nice-Paris* [1], Bollène (Vaucluse), 31. *-7-9 Paris-Nîmes* [1] Nozières-Brignon (Ardèche), 26. *-16-9 Chantonnay* (Vendée), 29. *-16-11 autorail et train de marchandises* [2] (Vendée), 29. **1961**-*18-6 Strasbourg-Paris* [1], Vitry-le-François (Marne), 24. **1962**-*23-7 Paris-Marseille* [1] (Velars-sur-Ouche, près de Dijon), 39 ; *oct.* Montbard (C.-d'Or), 12. **1965**-*28-8 Simplon Express et Lombardie Express* [2], gare de Pont d'Héry (Jura), 12. **1966**-*21-10 Montargis-Nevers* [1], Cosne (Nièvre), 10. **1972**-*16-6 effondrement voûte de tunnel* Vierzy (Aisne), sur 2 trains, 108. **1974**-*4-8 Caen-Rennes,* Dol-de-Bretagne (I.-et-V.) [1], 10. **1975**-*22-5 Séméac* (H.-Pyr.), 5. *-25-12 Chalon-sur-Saône* (S.-et-L.), 4. **1981**-*mars Beaune* (C.-d'Or), 2. **1982**-*15-1 Épinay-sur-Seine* (S.-St-D.), 3 †, 33 bl. **1983**-*26-7 Barbentane-Rognonas,* 5. **1985**-*8-7 St-Pierre-du-Vauvray* (Eure), collision avec poids lourd, 9 † 54 bl. *-3-8 Flaujac* (Lot), collision train corail-autorail, 32 † 160 bl. *-31-8 Argenton-sur-Creuse* (Indre), déraillement + collision, 43 †, 53 bl. *-25-12 Issy-la-Plaine* (Hts-de-S.) collision 2 trains de RER, 1 † 13 bl. **1988**-*27-6 Gare de Lyon à Paris* 56 † et 32 bl. (1 train de banlieue percute 1 convoi arrêté) [fin 1991, 95 % des dossiers d'indemnité réglés à l'amiable : les bl. ont perçu 3,6 millions de F et les familles des morts 50,7]. **1992**-*14-12* conducteur condamné à 4 ans de prison dont 6 mois fermes (ce qui déclenche une grève). *-6-8 Gare de l'Est à Paris* 1 † et 57 bl. (8-2-93) conducteur condamné à 15 mois de prison avec sursis. *-23-9 Voiron* (Isère) TGV collision avec convoi immobilisé sur passage à niveau, 2 †. *-7-11 Ay* (Marne) erreur d'aiguillage, 9 †. **1990**-*2-4 Gare d'Austerlitz à Paris* défonce un butoir, traverse le quai, percute une buvette. *-4-9 St-Marcellin* (Isère) 1 †. **1991**-*5-10 Lyon* (Rhône) 4 †. *-17-10 Melun* collision (non-respect de la signalisation), 16 †. **1992**-*16-9 Curis-au-Mont-d'Or* (Rhône) 1 train corail aurait franchi un feu rouge et a percuté un convoi de marchandises à l'arrêt, 1 †, 20 blessés.

Accidents ferroviaires en 1986 : 532 dont acc. de trains 112, collisions 50, déraillement et autres 62. *Tués,* entre parenthèses, *blessés graves :* 116 (153) dont agents en service 11 (13), voyageurs 43 (111) [dont par acc. de trains (0)], autres 62 (29). **Passages à niveau :** *Accidents :* 286 dont collisions de véhicules ferroviaires et routiers sur passages à niveau : avec signalisation automatique 179, non gardés (sans barrières, ni signalisation) 66, gardés 11 ; acc. piétons 30. *Tués :* 79. *Blessés graves :* 39.

SNCF	Nombre de tués			
	Agents [1]	Voyageurs [2]	Divers [3]	Total
1976	28	44	55	127
1977	24	43	70	137
1978	34	50	94	178
1979	23	45	68	136
1980	17	33	81	131
1981	21	45	85	151
1982	22	58	89	169
1983	14	65	100	179
1984	7	39	81	127
1985	15	115	88	218
1986	11	43	62	116
1987	11	36	65	112
1988	21	80	92	193
1989	16	44	86	146

Nota. – (1) En service. (2) Par accident individuel de chemin de fer. (3) *Ex. :* voyageur montant dans un train en marche, automobiliste tué à un passage à niveau.

■ **Dans le monde. 1876**-*29-12 Ashtabula River* [3] (Ohio, USA), 91 †. **1879**-*28-12 Firth of Tay* (Écosse) ; le pont métallique le + long du monde (3 200 m), achevé mai 1878, se rompt, 72 †. **1881**-*2-6 Cuartla* (Mex.), 200. **1882**-*13-7 Tcherny* (Russie), 150. **1889**-*12-6 Ligne Great Northern Railway* (Irl.), 78. **1891** *Bâle* (Suisse), 100. **1915**-*14-6 Quintinshill* (Écosse [2]), 227. **1917**-*12-3 Bolivar* (Bolivie) [4] (29 f. et 30 enf.), 66. *-9-7* Nashville (USA), 101. *-1-11 New York* (USA), 97. **1932**-*14-9 Turenne* (Alg.), 61 ou +. **1939**-*22-12 Magdebourg* (All.), 125. **1940**-*29-1 Osaka* (Japon), 200. **1944**-*3-1 Torre* (Esp.) [2], 500 à 800. *-2-3 Balvano* (Italie) [5] dans le tunnel d'Armi, 521. **1945**-*24-6 Ouarzirah* (Maroc), n.c. **1949**-*22-10 Nowy Dwor* (Pol.), 200. **1950**-*6-4 Rio de Janeiro* (Brésil), 128. **1952**-*4-3 Rio de Janeiro,* 119. *-9-7 Rzepin* (Pol.), 160. *-8-10 Harrow* (Angl.) [2], 122. **1953**-*24-12 Walouri* (N.-Zél.) [6], 184. *Sakvice* (Tchéc.), 103. **1954**-*24-9 Madras-New Delhi* (Inde), 300. *-28-12 Hyderabad* (Inde), 137. **1955**-*3-4 près de Guadalajara* (Mex.) [6], 300. **1957**-*1-9 Kendal* (Jamaïque), 120 ou 175. *-29-9 Montgomery* (Pakistan) [2], 250 à 300. *-4-12 Lewisham* (Angl.) [2], 90. **1958**-*8-5 Rio de Janeiro* (Brés.), 128. **1959**-*28-5 Djakarta* (Indon.), 185. **1960**-*14-11 Pardubice* (Tchéc.), 117. **1961**-*23-12 Catanzaro* (It.), 69. **1962**-*8-1 Woerden* (P.-Bas), 91. *-3-5 Mikawashima* (Japon) [7], 142. *-31-5 Voghera* (It.), 65. *-21-7 Tumraon* (Pak.), 65. **1963**-*9-11 Tsurumi* (Japon) [7], 168. **1964**-*27-7 Porto* (Port.), 103. **1970**-*4-2 près de Buenos Aires* (Arg.) [2], 236. *-16-2 Langalanga* (Nigeria), 150. **1972**-*20-7 El Curvo* (Esp.), 76. *-6-10 Saltillo* (Mex.) [1], 204. **1975**-*22-2* 2 trains, *Oslo* (Norv.) [2], 27. *-22-5 Rabat* (Maroc), 34. *-8-6 Warngau* (All. féd.), 36. *-19-7 Rio de Janeiro* (Brés.), 100. *-29-9 Buenos Aires* (Arg.), 32. **1976**-*27-6 Neufvilles* (Belg.), 11. *-2-11* à *Czestochowa* (Pol.) [2], 26. *-23-7 Brigue* (Suisse), 6. **1977**-*18-1 Granville* (Austr.), 82. *-27-6 Francfort-sur-Oder* (All. dém.) [2], 19. **1978**-*15-4 Mozzuno* (Italie) [2], 50. *-23-11 Oturkpo* (Nigeria), 100. *-18-12 Chengchow* (Chine), 104. **1979**-*27-1 Chuadanga* (Bangladesh), 70. *-21-8 Bangkok* (Thaïlande), 50. *-13-9 Express Belgrade-Skopjie* (Youg.) [2], 60. *-14-9 Stalac* (Youg.), 57. *-10-11 Mississanga* (Canada), n.c. 250 000 personnes évacuées (émanations toxiques, incendie de produits chimiques dangereux). **1980**-*juil. Torralbadel Moral* (Esp.). *-19-8 Torun* (Pol.) [2], 69. *-21-11 Calabre* (It.) [2], 28. **1981**-*16-3* (Pérou), 35. *-22-3 Youg.* [8], 38. *-5-6 Samastipur* (Inde), 800 (rivière Baymaté). **1982**-*27-1 Bou Halouane* (Alg.), 130. *-12-9 Zurich* (Suisse) [2], avec un car, 29. **1983**-*avril, prov. de Hunan* (Chine) [2], 600. **1984**-*14-7 Youg.* [2], 31. *-1-9 Martigny* (Suisse), 6. **1985**-*14-1* (Éthiopie), 392. *-11-9 Mangualde* (Port.), 13. *-14-9 Renens* (Suisse), 5. **1986**-*5-5 Santa Iria* (Port.), 17. *-8-6 Hinton* (Can.), 30. **1987**-*17-2 Itaqueira* (Brésil), 69. *-2-7* (Zaïre), 150. *-7-8 Kamenskaïa* (URSS), 106. *-29-11 Bakou* (URSS), 30. *-12* banlieue du *Caire* (Égypte), avec un car, 63. **1988**-*7-1 Hubei* (Chine), *34. -17-1* ligne du *Heilongjiang* (Chine), 15 (9). *-24-1 Kumming-Shanghai* (Chine), 90. *-24-3 Shanghai* (Chine), 30. *-8-7* près de *Quilom* (Inde), 150. *-16-8* à 10 km de *Bologoye* (URSS), 17. *-12-12 Clapham* (G.-B.), 36. **1989**-*15-1 Pubail* (Bangladesh) 135. *San Severo* (Italie). *-19-4 Madhya-Pradesh* (Inde) 68. *-3-6 Acha* (URSS), 600 † (explosion, fuite de gazoduc longeant la voie). **1990**-*4-1 Sukkur* [2] (Pak.), 160. *-16-4 Patna* [9] (Inde), 71. *-8-8 Capoma* [8] (Mex.), 91. *-16-11 Crotone* [2] (Italie), 12. **1992**-*30-1 Navobi-Mombasa* (Kenya) [1] 300 †. *-14/15-11 Northeim* (All.) [1,2], 10 †. *-30-11 Hoofdorp* (P.-Bas) [1], 7 †.

Nota. – (1) Déraillement. (2) Collision. (3) Pont effondré. (4) Panique. (5) Asphyxie. (6) Dans la mer. (7) Collision de 3 trains. (8) Chute dans une rivière. (9) Incendie.

Accidents de métro

■ **Paris. 1903**-*10-8 :* court-circuit détecté à Barbès, le feu reprend à Ménilmontant ; à Couronnes, on fait descendre les voyageurs (300) ; mais la majorité restent sur le quai pour se faire rembourser leur billet. La fumée arrive par le tunnel, panique : 84 † asphyxiés. *-23-4 :* collision à la Porte de Versailles : 2 †. **1962**-*8-2 :* à Charonne, panique lors d'une manif. anti-OAS : 9 †. **1976**-*25-11 :* collision entre Madeleine et Concorde : 33 bl. légers. **1981**-*19-1 :* Auber, collision : 1 †, 71 bl. *-6-2 :* Nation : 1 †, 5 bl. **1987**-*24-12 :* Issy-les-Moulineaux (H.-de-S.) entre 2 rames de RER, 1 †. **1992**-*28-7 :* St Mandé (V.-de-M.) entre 2 rames de RER, 33 bl.

■ **Monde. Berlin** *1908 :* coll. : 19 †. **Chicago** *1977-4-2 :* coll. : 11 †, 200 bl. **Londres** *1975-28-2 :* 29 †. *1987-18-11* (King's Cross) : incendie : 30 †. **Mexico** *1975-20-10 :* coll. : 50 †. **Moscou** *1981-10-6 :* coll. : 7 †. **New York** *1991-27-8 :* 5 †.

Accidents maritimes

Navires perdus dans le monde. *1984 :* 327 (2,35 millions de t brutes). *85 :* 307 (1,65). *89 :* 211 (0,67). *90 :* 188 (1,13). **Morts.** *1984 :* 525. *85 :* 614. *87 :* + de 2 600. *89 :* 688. *90 :* 389.

Navires français et étrangers dans les eaux territoriales françaises

Accidents (mer) France	1984	1985	1986	1987	1988	1989
Total	3 629	4 174	3 923	2 167	2 312	4 470
commerce	393	172	132	106	134	131
pêche	376	400	434	503	519	530
plaisance	1 602	2 707	3 780	1 498	1 659	2 373
Morts	150	77	151	57	79	169
Blessés	110	176	265	224	227	259
Disparus	72	53	99	48	5	74

Naufrages

Navires de surface

Causes et nombre de morts. *Légende : co. :* collision, *inc. :* incendie, *te. :* tempête, *to. :* torpille.

1782-*29-8 Royal George* (G.-B.), 800. **1799**-*10-10 Lutine* (avec un trésor de 250 000 à 1 400 000 livres sterling ; explorée en 1859, on retrouvera 100 000 livres, et la cloche qui depuis est suspendue au-dessus de l'estrade du Lloyds de Londres ; traditionnellement, sonne 2 coups pour les bonnes nouvelles maritimes, et 1 coup pour les mauvaises).

1814 mars, *Président* (G.-B.) 1er bateau à vapeur ayant fait naufrage, 140. **1816**-*2-7 La Méduse* (Fr.) : env. 300 †. Sur 395 personnes à bord (équipage 167, passagers 22), 66 personnes (commandant, officiers et leurs domestiques) ont embarqué sur des canots, 147 sur un radeau (20 × 7 m) dont 27 ont survécu au bout du 4e j (sans eau potable ni nourriture), 15 au bout de 13 j (5 succombèrent une fois arrivés à terre). L'épave a été retrouvée en 1980 à 80 km au large de la Mauritanie. **33**-*11-5 Lady of the Lake,* heurte iceberg, 215 †. **52**-*26-2 Birkenhead* (G.-B.) co. récif (Af. du S.) : 455 †. **53**-*29-9 Annie Jane,* au large de l'Écosse, 348 †. **54**-*mars City of Glasgow* (G.-B.) : 450. *-27-9 Arctic* (G.-B.), co. avec *Vesta* (Fr.) : 346. **55**-*15-2 La Sémillante* (Fr.), aux Lavezzi : 773. **56**-*23-1 Pacific* disp. : 186. **57**-*12-9 Central America* (paquebot à aubes), à 320 km de la Caroline du S., à 2 400 m de prof., 423 † (150 rescapés), épave repérée 1987, de l'or a été remonté en 1989 (trésor : 6,7 milliards de F ?). **65**-*27-4 Sultana* (USA), explos. : 1 547. **72** *Marie-Céleste* (USA), trouvée le 5-12 abandonnée, l'équipage ayant disparu. **73**-*23-11 Ville du Havre* (Fr.), co. : 230. **75**-*1-4 Atlantic* (G.-B.) : 481 ou 585. **78**-*3-9 Princess Alice* (G.-B.), co. : 786. *-18-12 Byzantin* (Fr.), co. : 210. **80**-*24-11 Oncle Josef* (Fr.), co. : 250. **90**-*19-9 Ertogrul* (Tur.) : 540. **91**-*17-3 Utopia* (G.-B.) : 562. *-30-1 Northfleet* (G.-B.), co. : 300. **94** *Kowshing* (G.-B.), to. : 1 150. **95**-*29-1 Elbe* (All.), co. : 332. **98**-*15-2 Maine* (USA) à Cuba, explos. : 266. *-4-7 La Bourgogne* (Fr.), co. avec Cromartyshire (G.-B.) : 565.

1904-*15-6 General Slocum* (USA), dans l'East River (New-York) : 1 021. *-28-6 Norge :* 590. **06**-*12-4 Cte de Smet de Naeyer* (navire école belge), te. : 59. **07**-*21-2 Berlin* (G.-B.), te. : 129. *-12-3 Iéna* (cuirassé, Fr.) explos. à Toulon : 117. **09** *janv. Republic* (G.-B. White Starline) heurte le *Florida*, lance le 1er appel radio de l'histoire, les 800 personnes à bord sont sauvées. **10**-*9-2 Général Chanzy* (Fr.), à Minorque : 155. *-17-7 La Grandière* chaloupe canonnière (Mékong) : 5. **11**-*25-9 Liberté* (cuirassé, Fr. explose à Toulon) : 285. **12**-*5-3 Principe de Asturias* (Esp.), rocher : 500. *-15-4 Titanic,* voir ci-après. *-28-9 Kichemary* (Jap.) : 1 000. **13**-*6-1 Masséna* (Fr.), explos. : 8. **14**-*24-5 Empress of Ireland* (Angl.), co. avec cargo norvégien *Storstad* sur le St-Laurent : 1 370 (204 rescapés). **15**-*7-5 Lusitania* (G.-B.), to. par l'*U.20* (All.) : 1 198. *-24-7 Eastland* (USA), rivière de Chicago, retourné : 812. **16**-*26-2 Provence* (croiseur, Fr.), to. : 3 100. **17**-*6-12 Mt-Blanc* (bateau de munitions, Fr.), co. avec *Imo* (Belg.) à Halifax (Can.) : 1 600. **18**-*11-11 Vestris* (E.-U.), te. : 317. **19**-*27-1 Chaonia* (Fr.) : 460. **20**-*12-1 Afrique* (Fr.), machines : env. 450. *-2/4-2 Ville d'Alger* (Fr.) : te. ; près la Réunion ; inc. : 141. **27**-*26-10 Principessa Mafalda* (It.) : 314. **31**-*14-6 St-Philibert* (Fr. près de St-Nazaire), te. : 450. **32**-*16-5 Georges Philipar* (Fr.), inc. : 90 (dont Albert Londres). **34**-*8-9 Morro-Castle* (paquebot, USA), inc. : 180. **36**-*16-9 Pourquoi pas ?* (nav. de bois de 449 tx), te., s'écrase sur rocher à 40 km de Reykjavik (Isl.), 37 † [dont Jean Charcot (n. 15-7-1867) médecin, explorateur], 1 survivant. **38**-*mars Admiral Karpfanger* (voilier-école allem.), disparu : 60. **40**-*28-5 Brazza* (nav. de commerce, Fr.) to. et coulé : 369. *-17-6 Lancastria* (paquebot de la Cunard-Line), coulé au

■ **Le Titanic (1912).** Paquebot réputé insubmersible de la White Star Line (G.-B.) construit 1909, lancé 31-5-1911 ; alors le plus grand nav. du monde : 268,99 m hors tout, largeur 28,9 m, hauteur 30 m (53 avec cheminée), déplacement 52 250 t, capacité : passagers 2 435 (1re cl. : 905, 2e : 564, 3e : 1 134), équipage 900, capacité totale des 20 canots de sauvetage : 1 178 personnes. Lors de son voyage inaugural (commencé 10-4-1912) heurte un iceberg à 22 h 15 le dimanche 14-4-12, envoie un 1er signal de détresse à 22 h 25, un SOS le 15-4 à 0 h 45 ; le 1er canot est mis à l'eau à 0 h 45, le dernier à 2 h 05 ; à 2 h 18 se brise en deux, l'avant coule à 2 h 20, la partie arrière se dresse verticalement puis coule. De 4 h 10 à 8 h 50, le Carpathia qui, à 150 km de là, avait capté le message recueille les rescapés. Gît à 3 850 m de fond, à 725 km au S.-E. de Terre-Neuve. *Personnes à bord :* 2 201 (dont équipage 885), perdues 1 490 (alors record historique), survivants 711 [dont pass. 1re cl. 203 sur 325 (62,46 %), 2e cl. 118 sur 285 (41,40 %), 3e cl. 499 sur 1 316 (37,94 %), équipage 212 sur 885 (23,95 %), dont pour les passagers femmes adultes 296 (sur 402), enfants 57 (sur 109), hommes 126 (sur 805)]. Pour l'équipage : 20 des 23 femmes furent sauvées. Parmi les victimes, 4 milliardaires américains : John Astor, Benjamin Guggenheim (« roi » du cuivre), Georges Widener (« roi » des tramways), Charles H. Hays (« roi » des chemins de fer). 440 corps seront retrouvés (120 décomposés seront rejetés à la mer), et 320 ramenés et enterrés à Halifax. Le coffre-fort contiendrait pour 300 millions de $ de bijoux. Le 1-9-1985, une équipe franco-amér., conduite par le Pr Robert Ballaro, découvre l'épave. L'expédition *Titanic 87* organisée par la Sté Taurus International, financée par la Cie américaine Titanic venture, réalisée avec le concours de l'Ifremer a permis, entre le 25-7 et le 9-9-1987 de remonter 1 800 objets de l'épave répartis en 332 lots, 132 faisant partie du paquebot et 200 objets personnels que l'État propose de restituer aux familles moyennant une contribution aux frais de récupération et traitement des objets (coût 30 millions de F). Une expo. a eu lieu au musée de la Marine (Paris) en 1989 et 1990. Le 11-4-1987, à Wilmington (Delaware), au dîner-anniversaire organisé par la Sté historique du Titanic (2 700 membres), participaient 9 des 25 survivants encore vivants ; au menu : faux-filet aux champignons et éclairs comme en 1re cl. le soir du naufrage.

Nota. – *Le Titanic* avait 2 jumeaux : l'*Olympic* lancé le 20-10-1910 (voyage inaugural juin 1911), désarmé en 1935 et le *Britannic* lancé févr. 1914, coulé en 1916.

large de St-Nazaire par bombardiers all. : 4 000. **41**-*24-5 Hood* (croiseur, G.-B.), coulé par le Bismark 1418. **42**-*9-1 Lamoricière* (Fr.) : 299. *-9-2 Normandie* (Fr.), inc. : 1. *-2-10 Curaç 0041* (croiseur, G.-B.), heurté par Queen Mary à Bari (It.) : 338. **45**-*30-1 Wilhelm Gustloff* et *Gal Steuben* (All.), to. : 6 800. *-7-4 Yamoto* (cuirassé, jap.), 3 033. **47**-*17-6 Ramdas* (Inde), orage : 625. **48**-*3-12 Kianguya* (Chine), expl. : 1 000. **49**-*27-1* 3 *navires* (Chine), co. : 600. *-17-9 Noronic* (Can.), inc. : 138. **51**-*28-12 Flying Enterprise* (USA), capitaine K. Carlsen reste, au large des côtes anglaises, dans l'Atlantique, jusqu'au 11-1-52, seul à bord, qui, a-t-on appris depuis, transportait du zirconium pour la fabrication du sous-marin atomique Nautilus. **52**-*26-4 Hobson* (destroyer, USA), co. : 176. *-22-12 Champollion* (paquebot, Fr.), échoué près du Ras Beyrouth (confusion avec le feu de l'aéroport de Khaldé mis en service sans préavis) : 15. **53**-*31-1 Princess Victoria* (G.-B.), te. : 128. *-1-8 Monique* (Fr.), disparu : 120. **54**-*26-9 : 2 ferries* dont le Toya Maru (Japon), co. : 1 172. **56**-*26-7 Andrea Doria* (It., paquebot, long. 213 m, 29 000 t), co. avec le paq. *Stockholm* (suédois, long. 159 m, 12 400 t) au large de New York : 52 (dont 5 sur le Stockholm). *-21-9 bateau* près Secunderabad (Inde) : 121. *-23-11 bateau :* rivière de Marudaiyar (Inde) : 143. **57**-*14-7 Eshghabad* (URSS), inc. : 270. **58**-*1-3 ferry* (Turquie), te. : 361. **59**-*30-1 Hans Hedtoft* (Dan.), iceberg : 93. **61**-*7-7 Save* (Port.), explos. : 150. *-8-8 Dara* (G.-B.), inc. (attentat) : 212. *-4-12 Vencedor* (Col.), inc. : 300. **63**-*11-7 Ciudad de Asuncion* (Arg.), inc. : 40. *-23-12 Lakonia* (Grèce), inc. : 155. **64**-*26-7 Porto* (Portugal) : 94. **66**-*7-12 Heraklion* (Gr.), te. : 264. **67**-*6-6 Langenweddingen* (All. dém.) : 82. *-22-9* Pakistan : 250. *-5-11 Londres* (G.-B.) : 53. **69**-*18-8 Fraidieu* (lac Léman), te. : 24. **70**-*30-1* 1 *bateau :* Iran : 90. *-1-8 Christina* (île Nevis) : 125. *-7-8 Ste-Odile* (lac Léman), te. : 7. **71**-*28-5 Wuppertal* (All. féd.) : 47. *-28-8 Héléana* (Adriatique), inc. : 25. **72**-*févr.* A Rangoon (Birm.), co. : 200. *-11-5 Royston Grange et Tien Chee,* co. (Rio de la Plata) : 84. **73**-*5-5* au Bangladesh, co. : 250. *-24-12 ferry* (Équateur) : 200. **74**-*25-10 ferry* (Bangladesh) : 200. **75**-*23-7 Vénus des Iles* (Fr.) : 14. **79**-*8-1 Betelgeuse* (pétrolier, Fr.), inc., explos. : 50. *-16-1 pétrolier* (Roum.) : 51. *-14-2 François Vieljeux* (Fr.) chavire : 23. *-26-6 Emmanuel Delmas* (Fr.) co. avec *Vera Berlingieri* (It.), inc., explos. : 27. **80**-*24-4 Don Juan* (Philipp.) : 350. **81**-*1* au Brésil, banc de sable : env. 200. *-27-1 Tamponas II* (Indonésie), inc. : 589. **83**-*25-5* bateau Nil (Ég.) : 326. *-5-6 Alexandre Souvorov* (URSS), Volga : 250. **84**-*3-6 Marques* (G.-B.) près des Bermudes : 19. *-2-10 Martina* (All.), coulé par le chargement d'un chaland à Hambourg : 23. *-15-10* bateau au Nigeria : 100. **85**-*23-3* au Bangladesh, sur la Buriganga : 250. *-30-5 aéroglisseur* (G.-B.) heurte jetée à Douvres : 2. *-11-6* vedette à Timor : 103. *-14-8* ferry en Chine : 161. *-5-10* bateau Bangladesh : env. 100. **86**-*18-1* ferry Viêt-nam : 108. *-11-4* ferry Chine, fleuve Jaune : 129. *-20-4* ferry Bangladesh, sur fleuve : 200. *-25-5* ferry Bangladesh : 224. *-31-8/1-9 Admiral Nakhimov* (URSS), co. avec cargo : 398 sur 1 234. *-10-11* cargo haïtien : 200. *-11-11* caboteur entre Haïti et la Gonave : 200. **87**-*16-1* bateau Philippines : 72. *-6-3 Herald of Free Enterprise* (G.-B., Townsend Thoresen Car Ferry), porte non fermée, se retourne à l'entrée de Zeebrugge (Belg.) : 193. *Juin Fuyoh Maru* (pétrolier, Pan.), co. avec pétrolier grec *Vittoria* Seine entre Rouen et Le Havre : 2. *Juillet* (Zaïre) : 420. *Octobre* (St-Domingue) : 100 ; ferry Bangladesh : 100. *-20-12* ferry *Donapaz* heurte un pétrolier *Victor* dans le détroit de Tablas (Philipp.) : 3/4 000 †, perte record (25 survivants : 21 femmes, 4 hommes). **88**-*6-8* Gange (Inde) : 300 à 500. *-10-8 Nubis* sur le Nil (Égypte) : 26. *-23-10 Doña Marilyn* ferry coulé par typhon (Philipp.) : 502. *-31-12 Bateau-Mouche IV* (Rio, Brésil) : + de 100. **89**-*19-6 Maxime-Gorki* (Spitzberg), heurte un iceberg, 377 marins et 575 passagers sauvés. *-20-8 Marchioness* (bateau discothèque, à Londres) : 63, co. *-10-9* nav. roumain sur Danube : 164, co. **90**-*7-4 Scandinavian Star ferry* incendie (volontaire ?) : 158 †. **91**-*11-4 Moby Prince* ferry incendié après co. avec pétrolier (attentat de la mafia), au large de Livourne : 141. *-6-5 Chachita,* rio Maranon (Pérou) : 260. *-4-8 Okeanos* paquebot grec au large de l'Afr. du Sud, tous sauvés. *-15/16-12 Salem Express* ferry égyp. en mer Rouge : 476. **1992**-*7-3* Thaïlande *Navradepep* ferry, collision avec pétrolier : 112. *-17-4* co. entre 2 navires, Nigeria : + de 300. **1993**-*14-1 Jan Hevelius* (Pol.) au large de Ruegen (All.) te., passagers éjectés, 88 †, 9 rescapés. *-28-3* ferry indien au large de Sabalpur (Inde) estim. 150 †. *-12-4 Wishva-Mohini* au large des Asturies (Esp.) 39 †, 16 rescapés. *-3-6* collision British Trent (pétrolier des Bermudes) et Western Winner (minéralier panaméen), au large de Zeebrugge (Belg.) 7 †, 2 disparus, 27 bl.

☞ Pour les naufrages des pétroliers voir pollution à l'Index. *Le plus grand navire du monde qui ait fait naufrage :* le **Marpessa**, pétrolier de la Shell, coulé lors de son 2e voyage, après un incendie, le 15-12-1969 (avait coûté 73 millions de $).

Flotte française	Accidents	Morts	Blessés graves Tiers compris	Blessés légers	Nombre accidents matériels > 10 %
1973	82	54	39	64	260
1974	77	73	39	69	286
1975	70	65	23	56	239
1976	73	75	28	43	242
1977	69	85	23	52	257
1978	90	110	39	45	245
1979	84	92	40	68	222
1980	76	80	42	45	194
1981	67	78	19	45	169
1982	94	46	27	86	235
1983	74	62	22	40	200
1984	97	80	21	109	269

☞ **Trésors.** De nombreuses épaves en contiennent. Ex. : 1912 l'*Oceana* coulé ; 2 j après, des scaphandriers récupèrent 700 000 £. Le *Geldermalsen,* de la Cie des Indes néerlandaises, coulé au XVIIIe s. retrouvé en 1983 : 160 000 pièces de porcelaine intactes, vendues + de 100 millions de F par Christie's en 1986. *La Tocha* (coulé 1622), butin vendu 20 millions de F (1988) ; le *Nuestra Senora de la Maravilla* retrouvé 1987 : butin récupéré 7 milliards de F.

Sous-marins (nombre de morts)

1905-*6/7-7 Farfadet* (Fr.) 14 †. **06**-*16-10 Lutin* (Fr.) 16. **10**-*26-5 Pluviose* (Fr.) 27. **21** *M* (G.-B.) 69. **23**-*21-8 Ro-31* (Jap.) 88 (3 rescapés). **24**-*10-1 L-24* (G.-B.) 48. **25**-*26-8 Veniero* (Italie) 50, éperonné par un pétrolier. *-26-9 S-51* (USA), coll. 34. *-12-11 M-1* (G.-B.) 69. **28**-*6-8 F-14* (It.), coulé 27. *-3-10 Ondine* (Fr.), coll. 43. **29**-*9-7 H-47* (G.-B.), coll. n.c. **31**-*22-5 Q* (URSS) 35. **32**-*26-1 M-2* (G.-B.) 66. *-7-7 Prométhée* (Fr.) 63. **39**-*2-21-36* (Japon) 81 (6 rescapés), collision. *-24-5 Squalus* (USA) 26. *-1-6 Thétis* (G.-B.) 98 (le capitaine et 2 h. purent s'échapper), coulé 13-3-43 par un nav. it. *-16-6 Phénix* (Fr.) 71. **41**-*16-6* (USA) 33. **42**-*18-2 Surcouf* (Fr.) 159 (collision avec cargo US Thomas Lykes). **46**-*6-12* le *2326* (Fr.) 22. **49**-*août Cochino* (USA) 76. **50**-*12-1 Truculent* (G.-B.), coll. 64 (la plupart de froid), 15 rescapés. **51**-*17-4 Affray* (G.-B.) 75. **52**-*24-9 Sibylle* (Fr.) 48. **53**-*6-4 Dumlupinar* (Turquie) 91 (5 rescapés), collision. **55**-*16-6 Sidon* (G.-B.) 13. **63**-*10-4 Tresher* (USA) s.-m. nucléaire 129. **66**-*14-9 Hai* (All.) 20. **68**-*25-1 Dakar* (Israël) 69. *-27-1 Minerve* (Fr.) 52. **52**-*8-3 K 129 Gulf (URSS) s.-m. nucléaire* 100. *-21-5 Scorpion* (USA) s.-m. nucléaire 99. **70**-*4-3 Eurydice* (Fr.) 57. *-11-4 K8 November* (URSS) s.-m. nucléaire 52, coulé à 4 650 m (à 800 km de la Bretagne). *-20-8 Galatée* (Fr.) 6. **81**-*août G* (Chine), explosion en plongée 100. **83**-*24-6 K 429 Charlie 2* (URSS) s.-m. nucléaire 2. **86**-*6-10 K 219 Yankee 1* (URSS) s.-m. nucléaire 4. **89**-*7-4 K 278 Komsomolets* (URSS), incendie s.-m. nucléaire type Mike, mer de Norvège (42 † ?). *-26-6* incendie *s.-m.* (URSS) type Echo 2 dans l'océan Arctique.

Nota. – Les sous-marins sont conçus pour naviguer à 200/300 m de profondeur. Vers 500 m, la coque s'écrase.

Accidents de la route

■ Dans le monde

Les comparaisons entre pays sont difficiles. La définition type préconisée par l'Onu (décès dans les 30 j suivant l'accident) n'est pas encore appliquée dans tous les pays (Espagne, France, Grèce, Italie, Portugal). Cependant, des facteurs de correction sont appliqués afin d'ajuster le nombre de tués à la définition type et pouvoir ainsi faire des comparaisons cohérentes.

Nombre en 1991

	Accidents corp.	Blessés	Tués
All. féd.	320 788	420 056	7 515
Belgique	58 216	80 647	1 873
Danemark ...	8 757	10 265	606
Espagne	98 128	146 411	8 836
France	*148 890*	*205 102*	*10 483*
G.-B.	242 986	316 726	4 680
Grèce (1990) .	19 609	27 330	1 945
Irlande	6 494	9 874	445
Italie	170 072	240 163	8 023
Luxemb.	1 278	1 660	80
P.-Bas	40 649	47 391	1 281
Portugal	50 172	69 826	3 351
Suède	16 003	21 057	745
Suisse	22 821	28 240	860
USA	2 054 000	3 108 500	41 462

Tués pour 100 000 habitants (1990). Corée 38 (92). Portugal 31,7. Espagne 23. Belgique 19,9. *France 19,8.* G.-B. 9,2. Luxembourg 18,5. Grèce 19,4. Danemark 12,3. Italie 13,9. All. féd. 12,6. Irlande 13,9. P.-Bas 9,2.

Nombre global. Il y a env. 400 000 personnes tuées par les accidents de la route chaque année et env. 12 000 000 de blessés. L'Europe est en tête avec 66 000 morts par an, contre 57 000 aux États-Unis, au Japon et au Canada.

Les plus grands accidents routiers

Allemagne : *6-9-1992* excès de vitesse, 20 †. **Argentine :** *9-10/1-1993* collision 3 cars, 60 †. **Brésil :** *1960-24-8* TURVO : autobus 60 †. *1974-28-7* BELEM : coll. autobus camion 69 †, 10 bl. *1988-20-3* 120 km de Salvador : camion dans ravin, 60 †. **Corée du Sud :** *1972-10-5* autobus dans l'eau, 77 noyés. **Égypte :** *1965-1-11* LE CAIRE : trolleybus dans le Nil, 74 noyés, 19 survivants. **Espagne :** *1978-11-7* LOS ALFAQUES : camion de propylène explosant près d'un camping, env. 200 †. **France :** *1955-13-6* LE MANS : Mercedes de Levegh entrée dans la foule, 82 †. *1964-27-7* HARVILLE-SOUS-MONTFORT (Vosges) : car 20 †. *-16-8* PETIT-ST-BERNARD : car 17 †. *1971-30-8* SANCY-LES-PROVINS (S.-et-M.) : car-camion 11 †. *1972-26-2* AUTOROUTE DU NORD : carambolage 12 †. *1973-1-2* ST-AMAND-LES-EAUX (Nord) : explosion d'un camion-citerne, 4 †, 33 bl. *-18-7* VIZILLE (Isère) : autocar belge, dans ravin 43 †. *1975-2-4* VIZILLE (Isère) : chute d'un car, 29 †. *1976-21-12* car transportant des enfants handicapés chute dans le Rhône 14 †. *1978-28-3* COL DE PEYRESOURDE : autocar d'enfants, chute, 8 †. *1979-19-10* SÉMÉAC (H.-P.) : collision train et autocar de pèlerins, 21 †. *1980-23-3* car de la base aérienne d'Istres, chute, 17 †. *1981-5-12* PÉAGE-DE-ROUSSILLON (Isère) : carambolage poids lourds et voitures, 6 †, 18 bl. *-19-11* LA GARDE-ADHÉMAR (Drôme) : car,

Vitesse de l'univers

En km/h. *Lumière* 1 079 351 200. *Electron* dans un accélérateur de particules 1 008 000 000 ; molécules (à 0°) d'hydrogène 5 868 000, d'oxygène 1 852 000. *Rayon alpha* 360 000 000. **Astres :** tournent autour du centre de leur galaxie à une vitesse proportionnelle au carré de leur distance, mais avec 2 maximums (env. 900 000). *Soleil* 792 000 (220 km/s). **Planètes** *Terre,* rotation autour du Soleil : 107 000 ; sur elle-même à l'équateur : 1 674, à Paris : 1 100. *Mercure* rot. sur elle-même : 169,56. *Vénus* 96. *Mars* 86,76. *Pluton* 16,92.

La masse augmente avec la vitesse. La masse d'une auto de 1 000 kg circulant à 60 km/h (17 m/s) augmente de 0,000 000 000 02 g. Entre 150 et 150 000 km/s, la masse augmente de 15 % ; au-delà, elle augmente, d'après les formules d'Einstein, à l'infini, et la vitesse de la lumière ne peut donc pas être donnée à un corps matériel (car la notion de « masse infinie » est inconcevable).

Vitesses dues à l'homme

En km/h. Espace : *disque de plastique* de 2 micro-grammes propulsé par laser 525 000. *Sonde* spatiale 51 800. *Vaisseau* spatial habité 39 897. *Missile* 18 000. *Obus* (canon K 12) 5 814. *Avion à réaction* 3 525,5. *Balle de fusil et obus* de 300 à 1 000. *Avion* à hélice 811,1. *Flèche* 360. *Balle de golf* 250 ; *de tennis* 248. *Fronde* 158. *Boomerang* 90. **Sur terre :** *traîneau* à fusées 1 017. *Auto* 1 001,6. *Moto* 338. *Bobsleigh* 200. *Ski* 175, 43. *Vélo derrière moto* 122,77. *Luge* 100. *Patinage* 75,6. *Vélo* 47,347. *Ascenseur* 28,8. **Sur l'eau :** *hydroplane (fusée jet)* 515, *voilier* 66,78. *Sous-marin* 66,7. *Paquebot* 65,8.

incendie, 5 †. *1982-31-7* AUTOROUTE A-6 près de Beaune (C.-d'O.) : coll. et incendie de 2 cars d'enfants et 6 voitures, 53 † dont 46 enfants. *1987-31-12* CHÂTENAY (E.-et-L.) : carambolage, 8 †. *1989-3-6* JOIGNY (Yonne) : autocar brit., 11 †. *1991-28-2 :* voiture tombe dans la Moselle, 7 † ; *6-7 :* collision camion-autocar (P.-de-D.) 7 † ; *20-8 :* (Hte-Saône), carambolage, 8 †. *1993-7-1 :* les Éparres (Isère) camion-citerne descente de la Combe percute autos et poids lourd : 10 †, important incendie. **Gambie :** *1992-12-11 :* car, 100 †. **Inde** *1962-30-5* AHMADABAD : autobus, 69 †. *1973-7-7* ALWAR : autobus rivière en crue, 78 †. *1975-19-5* POONO : véhicule de ferme transportant un mariage heurte un train, 66 †. **Philippines :** *1967-6-1* TERPATE : collision de 2 autobus, 84 †. **Togo :** *1965-6-12* SOTOUBOUA : 2 camions dans la foule, + de 125 †.

Catégorie de routes : autoroutes 5 708 (566), Bretelles d'autoroutes 770 (24), routes express 799 (70), nationales 25 148 (2 630), départementales 45 633 (4 394), voies communales 36 754 (715), autres voies 28 550 (684). **Type de chaussée :** chaussées séparées 16 190 (1 057), chaussées unique à 2 voies 102 259 (7 040), à 3, 10 899 (631), à 4 ou plus 13 850 (342), indéterminée 164 (13).

En France

Statistiques globales

■ **Coût des accidents corporels de la circulation routière. Indemnisations** *assurances et Sécu. soc. comprises, en 1987, en milliards de F :* 26 dont tués : 15,85, blessés graves 8,12, blessés légers 1,7. Dégâts matériels et frais d'assurances 59. **Indemnisation maximale** *assurance, Sécu. soc. et frais d'obsèques, en millions de F :* pour un décès *1983 :* 3,77, *84 :* 2,3, *85 :* 1,9, *86 :* 3,49, *87 :* 2,75 ; pour un blessé grave (10 % d'IPP, incapacité permanente) *1983 :* 7,5, *84 :* 9, *85 :* 11,3, *86 :* 18. **Coût moyen :** *en 1987* décès (assurances et Sécu. soc. comprises) 1,6 ; blessé grave (+ de 6 j d'hospitalisation) 0,14 ; blessé léger 0,01.

Années	Accidents corporels	Tués	Blessés graves	Blessés légers
1972	274 476	16 617	388 067	
1975	258 201	13 170	105 316	248 414
1980	248 469	12 543	95 099	244 533
1985	191 132	10 448	66 925	203 874
1986	184 615	10 960	63 496	195 507
1987	170 994	9 855	57 902	179 734
1988	175 887	10 548	58 172	185 870
1989	170 590	10 528	55 086	180 913
1990	162 573	10 289	52 578	173 282
1991	148 890	9 617	47 119	158 849
1992	143 362	9 083	44 965	153 139

■ **Bilan 1992. 143 362** accidents corporels dont 8 509 étaient des accidents mortels.

Répartition des accidents corporels et, entre parenthèses, **des tués :** *milieu urbain* 100 358 (3 089) dont hors intersection 62 457 (2 421) et en intersection 37 901 (668), *rase campagne* 43 004 (5 994) dont hors intersection 35 219 (5 232) et en intersection 7 785 (762). **Répartition selon le mois :** *Janvier* 10 791 (732). *Février* 10 907 (650). *Mars* 11 471 (671). *Avril* 11 539 (729, dont samedi 18-4 : 50). *Mai* 12 593 (762). *Juin* 12 765 (776). *Juillet* 12 271 (876). *Août* 11 074 (790). *Septembre* 12 129 (765). *Octobre* 13 322 (788). *Novembre* 12 991 (791). *Décembre* 11 509 (753). **Le jour.** *Lundi* 49 j. 18 043 (954). *Mardi* 50 j. 18 845 (984). *Mercredi* 50 j. 18 796 (1 004). *Jeudi* 48 j. 18 289 (997). *Vendredi* 48 j. 21 887 (1 313). *Samedi* 48 j. 21 020 (1 496). *Dimanche* 49 j. 17 411 (1 633). *Veille de fête* 11 j. 4 683 (326). *Fête* 13 j. 4 383 (376).

Selon l'heure : *0-3 h :* 8 155 (918). *3-6 h :* 6 258 (857). *6-9 h :* 15 284 (979). *9-12 h :* 18 006 (786). *12-15 h :* 23 703 (974). *15-18h :* 29 759 (1 516). *18-21h :* 29 172 (1 808). *21-24 h :* 13 022 (1 245).

Véhicules impliqués dans des accidents corporels : 253 589 dont bicyclettes 8 042, cyclomoteurs 22 339, motocyclettes 19 506, voitures de tourisme 182 321, utilitaires et poids lourds 16 875, transports en commun 2 187, autres 2 319.

■ **A Paris. Accidents :** CORPORELS : *1972 :* 16 619 ; *1987 :* 10 187 ; *1991 :* 10 074 ; *1992 :* 9 694. MORTELS : *1984 :* 123, *1987 :* 81, *1991 :* 100, *1992 :* 96. *Sur le bd périphérique : 1984 :* 25, *85 :* 28, *86 :* 14, *87 :* 13, *92 :* 14. **Tués :** *1972 :* 183, *1987 :* 87, *1991 :* 107, *92 :* 96. **Grands blessés :** *1991 :* 758, bl. légers : 11 508, *92 :* 835, bl. légers : 11 074.

Usagers

■ **Nombre de tués et,** entre parenthèses, **de blessés impliqués dans les accidents corporels de la circulation routière** (en 1992). Piétons 1 165 (23 107), cyclistes 348 (7 146), cyclomotoristes 504 (21 577), motocyclistes 945 (19 392). Usagers de voitures de tourisme 5 725 (118 638), utilitaire et poids lourds 310 (6 174), transports en commun 6 (1 149), autres 80 (921). **Hommes** (1991) : 7 068 (129 358), **femmes :** 2 549 (76 610). **Age :** *0-14* ans 463 (18 026), *15-24 :* 2 726 (69 781), *25-44 :* 3 337 (72 197), *45-64 :* 1 620 (14 720), *indéterminé :* 44 (1 009).

■ **Circonstances** (1992). **Répartition des accidents corporels et,** entre parenthèses, **des tués. Surface de la chaussée :** normale 108 996 (6 521), mouillée 30 280 (2 229), enneigée 214 (16), verglacée 923 (89), boue ou corps gras 485 (13), gravillons 675 (51), déformée 387 (39), autres 1 402 (125). **Conditions atmosphériques :** normales 106 272 (6 183), pluie légère 17 142 (994), pluie forte 4 161 (318), neige, grêle 379 (30), brouillard 1 823 (189), vent fort, tempête 784 (89), temps éblouissant 2 185 (200), temps couvert 9 274 (941), indéterminées 1 342 (139). **Manœuvres :** dépassement 15 290, tourne à gauche 21 711, à droite 4 167, à l'arrêt 9 392, stationnement 6 947, marche arrière 1 046, entrée sur chaussée 3 028, piste cyclable 346. **Collision :** frontale 20 553, par le côté 45 398, par l'arrière 15 776, en chaîne 3 842. **Obstacles heurtés :** murs, piles de pont 4 373 (471 tués), glissières 3 918 (255), bordures 2 819 (213), arbres 4 446 (1 012), poteaux, signalisation 4 737 (499), véhicules 8 895 (112), divers 7 006 (587).

Nota. – **Sur les autoroutes** *interurbaines* (1992). 2 433 acc. corp., 338 †, 4 145 blessés. *Principales causes (en 1990) en % :* vitesses excessives 27. Véhicule 7,2. État alcoolique 4,2. État de l'usager 10,6.

Avant la limitation de vitesse sur les autoroutes, il y avait 3,6 † pour 100 millions de km parcourus. De déc. 1972 à mars 1973 (vitesse limitée à 120 km/h), le taux est tombé à 1,5, il est remonté quand la vitesse a été portée à 130 km/h.

Ceinture de sécurité. Origine. 1973-*1-7* obligatoire pour les conducteurs et passagers ayant des voitures particulières immatriculées dep. le 1-4-1970. **1975-*1-1*** dans les agglomérations, en permanence sur voies réservées aux auto., de 22 h à 6 h ailleurs (en toutes circonstances de jour comme de nuit dep. le 1-1-1979). **1978-*1-10*** équipement obligatoire en c. de sécurité pour places arrière des v. particulières neuves. **1990-*1-12*** usage obligatoire à l'arrière sauf taille ne le permettant pas. **1992-*1-1*** pour - de 9 mois : lit-nacelle équipé d'un filet ou porte-bébé homologué ; pour + de 9 mois : siège-baquet à réceptacle ou siège à harnais. **En cas de grossesse :** le port de la ceinture « 3 points » est recommandé (même si l'on risque la mort du fœtus). En effet, en l'absence de ceinture, la mort du fœtus n'est pas évitée et s'accompagne souvent de mort maternelle.

Tués. Conducteurs tués ceinturés 2,3 % (non ceinturés 7,6 %), *passagers* 2,5 (n.c. 5,2). Dans les chocs. Frontaux 25 km/h 0 (non ceinturés 0,5), *de 25 à 55 km/h* 2 (n.c. 12). **Choc latéral** éjectés 0 (n.c. 29), non éjectés 5,9 (n.c. 7). **Retournement** 1,9 (n.c. 9,45. dont 8,88 % après éjection).

Incendie. *Conducteurs* ceinturés blessés 14 % (n.c. 28 %), *passagers* 3,4 (n.c. 27).

Facteurs particuliers

Age : le temps de réaction augmente des 2/3 entre 20 et 60 ans. **Alcool** (voir ci-dessous).

Daltoniens : 3 à 4 % de la population ; ils repèrent le rouge placé en haut mais certains ne le distinguent pas en lumière atténuée. **Faim :** la baisse du taux de sucre dans le sang provoque très vite une diminution de l'attention et de la rapidité des réflexes. **Place du mort :** pl. du passager avant ; avec la ceinture de sécurité, elle n'est pas plus dangereuse qu'une autre. **Seconde collision** (collision du conducteur ou de son passager contre certains éléments de sa voiture) : 30 % des blessures seraient causées par volant, 21 % tableau de bord, 17 % pare-brise, 15 % portières. **Vision gênée :** dans 1 accident mortel sur 8 (dans 40 % des cas par des bagages encombrants).

Alcool au volant

L'alcool est directement responsable de 4 000 morts par an sur les routes de France. 40 % des responsables d'accident mortel ont un taux d'alcoolémie supérieur à 0,80 g.

■ **Effets physiologiques selon le taux d'alcoolémie dans le sang** (en g/litre), et coefficient multiplicateur du risque pour les accidents corporels (entre parenthèses pour les accidents mortels). *0,01 à 0,16 g* aucun effet apparent × 1,16 (× 1,20). *0,16 à 0,20 g* pour 20 % des conducteurs, réflexes diminués × 1,35 (× 1,45). *0,20 à 0,30 g* électroencéphalogramme perturbé, mauvaise appréciation des distances et des vitesses × 1,57 (× 1,75). *0,30 à 0,50 g* aucun effet apparent mais vision troublée et légère euphorie × 2,12 (× 2,53). *0,50 à 0,80 g* peu d'effets apparents, temps de réaction allongé, réactions motrices perturbées, euphorie du conducteur × 3,33 (× 4,42). *0,80 à 1,50 g* réflexes de plus en plus troublés, ivresse légère, baisse de vigilance, perturbation générale du comportement, conduite dangereuse × 9,55 (× 16,21). *A partir de 1,50 g* ivresse manifeste : allure titubante, diplopie, incapacité de coordonner les mouvements nécessaires à la conduite. *Au-delà de 5 g* coma pouvant entraîner la mort.

■ **Précautions.** Le taux d'alcoolémie diminuant en moyenne d'environ 0,15 g par heure, si l'on a bu 2 verres de vin à 10° ou 1 whisky ou 2 verres d'apéritif : attendre 1 h avant de prendre le volant ; 1 verre de vin à 10° ou 1 whisky plus 1 coupe de champagne ou 2 v. d'alcool : 2 à 3 h (malgré l'absence de troubles apparents, le fonctionnement cérébral est altéré) ; 4 v. de vin à 10° ou 1/2 bouteille de vin fin ou 2 whiskies : 3 à 4 h (les temps de réaction de choix devant les obstacles sont allongés) ; 5 v. de vin à 10° ou 1/2 bout. de vin fin + 1 apéritif ou 2 whiskies et 1 v. de vin : 4 à 5 h (la plupart perdent presque toutes les facultés nécessaires à la conduite).

■ **Taux d'alcoolémie autorisé en France** (depuis 1970) jusqu'à 0,80 g. **Loi du 12-7-1978 :** elle prévoit que tout conducteur peut subir le contrôle de l'alcoolémie à titre préventif (sans qu'il y ait infraction ou accident) dans le cadre des contrôles ordonnés par le procureur de la République. Si le dépistage préventif se révèle positif, le conducteur doit s'abstenir de conduire le temps nécessaire à l'oxydation de l'alcool absorbé. Dans certains cas, il peut être procédé à l'immobilisation du véhicule. Le préfet peut décider d'une suspension de permis de conduire.

Loi du 8-12-1983 : la conduite sous l'empire d'un état alcoolique est délictuelle dès le taux de 0,80 g % au lieu de 1,20 g. L'état alcoolique est caractérisé par la présence dans le sang d'un taux d'alcool pur égal ou supérieur à 0,80 g % ou par celle, dans l'air expiré, d'un taux d'alcool pur, égal ou supérieur à 0,40 milligrammes par l. *Sanctions :* emprisonnement (1 mois à 1 an) et amendes (8 000 à 15 000 F) ou l'une de ces 2 peines seulement. Suspension du permis ou annulation possible. Permis annulé de plein droit si le taux d'alcool constaté est de 0,80 g % ou +, et que le conducteur a provoqué un homicide ou des blessures involontaires ou récidive de conduite avec un taux de 0,80 g % ou +.

■ **Comparaisons avec l'étranger.** *Taux admissibles d'alcoolémie. 0,0 :* ex-All. dém., Bulgarie, Hongrie,

Roumanie, Tchécoslovaquie, ex-URSS. *0,5 :* Finlande, Grèce, Islande, Norvège, P.-Bas, Pologne, Suède, Yougoslavie. *0,8 :* ex-All. féd., Autriche, Belgique, Danemark, Espagne, G.-B., Luxembourg, Portugal, Suisse. *Pas de taux légal :* Italie, Monaco.

■ **Mesure de l'alcoolisme : Alcootest :** le ballon mesure le volume d'air. A l'intérieur du tube, une ampoule contient un mélange d'acide sulfurique et de bichromate de potassium sur gel de silice de couleur jaune. L'alcool fait virer ce mélange au vert sur une longueur proportionnelle à la quantité d'alcool contenu dans l'air. Le niveau 0,80 g est marqué d'un trait ou d'une encoche. Le dépassement indique une présomption d'alcoolémie (marge d'erreur 15 %). Si le test est positif, une prise de sang déterminera l'alcoolémie précise. Il est inutile de chercher à retarder le moment de la prise de sang lorsque le ballon est positif car le temps de retard est pris en compte (on ajoute 0,15 g par l et par h écoulés entre dépistage et prise de sang). **Breathalyser** (analyseur d'haleine) : la modification de la coloration est appréciée par une cellule photoélectrique, le taux s'inscrit sur un cadran et une carte (l'air sera recueilli dans 3 récipients dont l'un a été scellé). Utilisé aux USA, Canada, Australie, Ulster et G.-B. **Appareils utilisant chromographie, semi-conducteurs. Éthylotest :** lecture numérique utilisable plusieurs fois.

■ L'ENFANT ET LA ROUTE EN FRANCE

En 1990, 35 % des décès accidentels d'enfants de – de 15 ans sont dus à la route.

■ **Nombre d'enfants tués et,** entre parenthèses, **part des enfants dans le nombre total des tués (en %). Piétons :** *70 :* 567 (17,7), *75 :* 470 (18,7), *80 :* 322 (14,6), *85 :* 252 (16,1), *90 :* 152 (10,8), *92 :* 119 (10,2). **Bicyclettes :** *70 :* 170 (21,4), *75 :* 138 (24,4), *80 :* 145 (22), *85 :* 76 (17,8), *90 :* 62 (15,5), *92 :* 51 (14,7). **Cyclomoteurs, motos :** *70 :* 61 (2,1), *75 :* 70 (2,5), *80 :* 56 (2,4), *85 :* 21 (1,3), *90 :* 23 (1,4), *92 :* 25 (1,7). **Véhicules :** *70 :* 420 (5,2), *75 :* 322 (4,5), *80 :* 311 (4,2), *85 :* 267 (3,9), *90 :* 244 (3,5), *92 :* 204 (3,3).

En *1992*, 1 tué sur 23, 1 blessé grave sur 13, 1 blessé léger sur 11 étaient des enfants (soit 17 049 enfants blessés et 399 tués).

■ **Enfants piétons.** *En 1992 :* 119 tués, 1 528 bl. graves et 5 081 bl. légers. 1 piéton sur 10 était un enfant.

■ **Enfants cyclistes.** *En 1992 :* 51 tués, 529 bl. graves et 1 181 bl. légers. 1 cycliste tué sur 7 était un enfant.

■ **Enfants en voiture.** *En 1992 :* 196 tués, 974 bl. graves et 6 234 bl. légers. 1 usager tué sur 29 était un enfant.

■ **Adolescents** (15-17 ans). *En 1992 :* 300 tués, 3 192 bl. graves, 10 245 bl. légers. 1 tué sur 30 était un adolescent.

■ **Jeunes adultes** (18-24 ans). *En 1992 :* 2 315 tués, 11 997 bl. graves, 40 809 bl. légers. 1 tué sur 4 est un jeune adulte.

Accidents de cyclomoteur. *Causes :* non-port du casque : 40 %, manœuvre dangereuse : 33 %, infractions importantes : 25 %, vitesse : 20 %. *Lieux :* 53 % en ville, 51 % contre une voiture et 25 % contre un véhicule lourd.

Animaux sauvages tués. *1986 :* 4 400 (dont 3 400 chevreuils, 400 cerfs et biches, 430 sangliers).

ÉNERGIE

GÉNÉRALITÉS

QUELQUES ÉQUIVALENCES

En tep (tonne d'équivalent pétrole) et en gigajoules (1 milliard de joules).

Charbon *(1 t)* : houille 0,619 (26 gigajoules), coke de houille 0,677 (28,4), agglomérés et briquettes de lignite 0,762 (32), lignites et produits cendreux de récupération 0,405 (17). **Produits pétroliers** *(1 t)* : pétrole brut, gazole, fuel domestique, produits à usages non énergétiques 1 (42), gaz de pétrole liquéfié 1,095 (46), essences moteur et carburéacteur 1,048 (44), fuels-oils lourds 0,952 (40), coke de pétrole 0,762 (32). **Électricité** *(1 mégawattheure)* : 0,222 (9,33). **Gaz naturel** *(1 mégawattheure PCS)* : 0,077 (3,24), [ancienne équivalence 0,086 (tenant compte du pouvoir calorifique supérieur du gaz)].

Pétrole. 1 baril (= 159,984 l) ; *1 baril de brut* = 0,14 t métrique ; *1 baril/jour* = 50 t/an ; *1 tonne* = 6,7 à 7,7 barils (moy. 7,3) ; **1 tep** (tonne d'équivalent pétrole) = 1,5 tec, 10 000 thermies soit 11 626 kWh, 7,3 barils, 1 000 m³ de gaz naturel, 1,75 m³ de gaz naturel liquéfié, 4 500 kWhe (kWh électrique) ; **1 tec** (tonne d'équivalent charbon) = 2/3 tep ; **1 quad** [ou 1 quadrillon Btu (British thermal unit) soit 10^{15} Btu] × 2,1 = 1 million de barils par jour d'équivalent pétrole (1 mbdoe) soit 50 millions de tep (toe) par an (1 t courte = 907,20 kg) ; **1 pied cube/jour** = 10 m³/an.

Uranium. *Centrales nucléaires classiques :* 1 t d'uranium naturel = 15 000 tec ou 45 millions de kWh ; *surgénérateurs :* 1 t d'uranium naturel = 900 000 tec ou 2,7 milliards de kWh.

Nota. – Équivalences obtenues à partir du pouvoir calorifique inférieur pour les combustibles.

DANS LE MONDE

■ STATISTIQUES PAR PAYS

■ **Combustibles fossiles prouvés récupérables.** Réserves et, entre parenthèses, production (en gigatonnes équivalent pétrole), en italique durée de vie en années (ratio réserves/production 1987). 903 (7,4) *114* dont *combustibles minéraux solides* 577 (2,75) *210* dont houille 412 (2,18) *189,* autres 165 (0,57) *291* ; *gaz* 94 (1,66) *57* ; *pétrole conventionnel* 124 (3,08) *40* ; *schistes bitumineux* 10 (0,01)[1] *893* ; *bitume naturel* 41 (10,017) *247* ; *uranium* 57 (0,42) *135.*

Nota. – (1) Estimations.

■ **Consommation mondiale prévisible en 2000 et 2020** (en milliards de tep, 1989). 16,58 (27,72). **Pays industrialisés :** 11,54 (14,65) dont Am. du N. 3,91 (4,66), Eur. de l'O. 2,43 (2,95), Japon, Océanie 1,09 (1,45), Eur. de l'Est 4,11 (4,5). **Pays en voie de développement :** 5,04 (13,16) dont Opep 0,91 (2,8), autres pays 2,52 (6,16), Chine 1,61 (4,2).

Répartition des sources d'énergie en l'an 2000 (en %) : charbon 28, pétrole 25, gaz 22, nucléaire 9, énergies renouvelables 8, hydraulique 6.

☞ **Nombre de tep pour obtenir 1 t :** d'acier 6,7, papier 6,2, verre 6, ciment 6,2, aluminium 42, PVC 15, polystyrène 25.

■ **Sources d'économie possibles.** 1/3 diminution du gaspillage, 1/3 grâce à des investissements mettant en œuvre des techniques éprouvées [niveau raisonnable d'investissement, 3 500 F par tep économisée, or l'investissement coûte plus de 4 000 F par tep (eau chaude solaire 6 000, chauffage solaire 10 000)], 1/3 grâce à des techniques nouvelles.

■ **Consommation mondiale d'énergie** (en milliards de tep 1991). 7,8 dont pétrole brut 3,1 ; combustibles solides 2,18 ; gaz naturel 1,76 ; électricité 0,9 dont hydraulique 0,19, nucléaire 0,51.

■ CONSOMMATION INDIVIDUELLE

■ **Évolution.** En thermies par j (dont alimentation, domestique et tertiaire, industrie et agriculture, transport). *Homme primitif :* 2. *Chasseur :* 5 (dont al. 3, dom. et t. 2). *Agriculteur primitif :* 12 (dont al. 4, dom. et t. 4, ind. et agr. 4). *Évolué :* 26 (dont al. 6, dom. et t. 12, ind. et agr. 7, transp. 1). *Homme « industriel » :* 77 (dont al. 7, dom. et t. 32, ind. et agr. 24, transp. 14). *« Technologique » :* 230 (dont al. 10, dom. et t. 66, ind. et agr. 91, transp. 63). *Source :* Unesco.

■ **Par pays** (en tep par hab., 1989). Canada 9,63 [1], USA 7,96 [1], Norv. 7,71, Suède 6,63, Islande 6,4 [1], Austr. 5,50 [1], P.-Bas 5, URSS 4,88 [1], Finlande 4,83 [1], N.-Zél. 4,82 [1], Suisse 4,38 [1], All. féd. 4,29, *France 3,6,* Autriche 3,53 [1], G.-B. 3,52, Japon 3,26 [1], Dan. 3,19, Italie 2,69, Islande 2,49 [1], Grèce 2,27 [1], Esp. 2,22, Port. 1,11 [1], Turquie 0,96 [1], Chine 0,67 [1].

Nota. – (1) 1988.

EN FRANCE

RÉSERVES ÉNERGÉTIQUES

En millions de tep, 1990 [7]	Réserves prouvées	Production	Réserves [1] (années)	Taux d'indépendance % [2]
Houille . . .	110,0	7,7	16	41,1
Lignite . . .	13,0	-		
Pétrole . . .	20,8	3,4	6	3,8
Gaz [4]	32,2	2,5	13	10,3
Uranium [3] .	567,0 [5]	31,5	18	45,3
Total	*743,0*	*45,1*	*16*	*47,9* [6]

CONSOMMATION ET PRODUCTION D'ÉNERGIE
(en millions de tep, en 1991)

Pays		Comb. solides	Pétrole brut	Gaz nat.	Électricité hydr.	Électricité nucl.
Europe						
Allemagne	C	102,1	134,3	56,4	1,4	41
	P	92,7	3,3	16	1,4	41
Autriche [1]	C	3,3	10,6	4,5	8,3	0
Belg.-Lux.	C	10,4	26,9	9,2	0	10,6
	P	0,1	0	0	0	10,6
Danemark	C	6,7	10,5	2	0	0
	P	0	7,9	4,2	0	0
Espagne	C	19,2	50	5,9	1,7	14,5
	P	15,6	1,1	1,1	1,7	14,5
Finlande [1]	C	3,6	11	1,4	3,3	4,6
France	*C*	*18,1*	*94,4*	*28,4*	*5,2*	*87,6*
	P	*7,6*	*2,9*	*2,8*	*5,2*	*87,6*
G.-B.	C	59,2	82,4	52,7	0,5	16,7
	P	50,4	94,2	47,7	0,5	16,7
Grèce [1]	C	7,8	14,1	0,1	0,8	0
Irlande [1]	C	3,7	3,8	1,2	0,2	0
Islande [1]	C	0,1	0,6	0	0,9	0
Italie	C	13,6	94,2	41,2	3,9	0
	P	0,1	4,6	15,3	3,9	0
Norvège	C	0,4	8,7	0	8,3	0
	P	0	106,6	25	8,3	0
Pays-Bas	C	7,2	36,1	33,5	0	1
	P	0	3,3	62,5	0	1
Portugal [1]	C	2,2	8	0	1,1	0
Suède	C	2,2	16,5	0,6	6,2	15,7
	P	0	0	0	6,2	15,7
Suisse [1]	C	0,3	12,4	1,1	9,4	5,5
Turquie [1]	C			0,2	4,4	0
Autres pays						
Australie [1]	C	42,7	29,9	14,3	3,9	0
Canada [1]	C	34,7	74,7	46,4	76,2	19,6
Chine [1]	C	581,1	100,7	13,4	31,5	0
Corée [1]	C	26,9	34,7	2,5	1,1	10,8
États-Unis	C	476,7	781	512,2	66,8 [1]	144,8 [1]
Japon [1]	C	76,2	222,2	39,2	18,9	43,4
Taiwan [1]	C	10,1	22,9	1	2,1	10,1
Ex-URSS	C	270,7	333,4	573,2	56 [1]	42,5 [1]
Monde	C	*2 164,2*	*3 128,4*	*1 781*	*188,7*	*532*
	P	*2 170,8*	*3 169,7*	*1 840,7*	*188,7*	*532*

Nota. – (1) 1988.

■ **Importations de produits énergétiques et,** entre parenthèses, **solde énergétique.** *1980 :* 151,7 (– 132,9). *81 :* 186,9 (– 161,6). *82 :* 201,6 (– 177,9). *83 :* 194,8 (– 168,7). *84 :* 218 (– 188,7). *85 :* 213,6 (– 180,6). *86 :* 111,4 (– 89,7). *87 :* 100,8 (– 82,3). *88 :* 85,6 (– 66,6). *89 :* 106,4 (– 83,1). *90 :* 120,3 (– 93). *91 :* 124,5 (– 94,8). *92 :* 107,8 (– 80)

La baisse dep. 1984 s'explique par celle du baril et par celle du $.

◄ *Nota.* (1) Ratio Réserves/Production. (2) Ratio Production/Consommation. (3) Ressources raisonnablement assurées (1 tonne d'uranium : 10 000 tep). (4) Non compris les condensats du gaz naturel (3,8 Mtep). (5) Équivalence calculée pour les réacteurs de la génération actuelle. (6) Estimations ne tenant pas compte des importations d'uranium. (7) Mtep = millions de tonnes-équivalent-pétrole.

APPROVISIONNEMENT ÉNERGÉTIQUE FRANÇAIS
(en millions de tep en 1989)

1989 (chiffres provisoires)	Charbon	Pétrole	Gaz	Électricité	Énergie nouv.	Total
Production . .	7,7	3,4	2,5	12,8 (H) 69,6 (N)	4,2	100,2
Importation . .	12	109,2	24,5	1,5	-	138
Exportation . .	-0,4	- 13,9	- 0,3	- 11,6	-	- 26,5
Variation de stocks	- 0,9	0	- 1,6	0	-	- 2,6
Disponible . . .	18,8	88,7	25,6	72,3	4,2	209,1
Ind. énerg. (%)	41	3,8	10	114	-	47,9

Légende. - H : hydraulique. N : nucléaire.

FACTURE ÉNERGÉTIQUE DE LA FRANCE
(en milliards de F)

Années	78	84	85	86	87	88	89	91	92
P. b. [1]	-53,9	-136,3	-126,7	-51,3	-50,4	-43	-54,8	-59,7	-51
CMS [2]	-5,5	-9,6	-9,9	-7,5	-4,9	-4,2	-6,1	-6,9	-6,6
G. n. [3]	-4,9	-28,3	-30,3	-23,2	-14,1	-12,8	-13,9	-20,7	-17,4
Élect. [4]	-0,6	+3,5	+4,2	+5,3	+5,6	+7,3	+10,1	+10,8	+12,2
P. p. r. [5]	+2,9	-16,2	-17,9	-13,0	-18,5	-7,4	-11	-18,3	-16,8
T. [6]	*-62*	*-187*	*-180,6*	*-89,6*	*-82,3*	*-60,1*	*-79,3*	*-94,8*	*-80*

Nota. - (1) Pétrole brut. (2) Combustibles minéraux solides. (3) Gaz naturel. (4) Électricité. (5) Produits pétroliers raffinés. (6) Total.

■ **Importations françaises d'énergie (1990). Pétrole brut :** 73,3 Mtep (dont en %) Proche-Orient 43,1 (Arabie Saoudite [1] 20,6, Iran [1] 12,3, Irak [1] 4, Abu Dhabi [1] 2,1) ; Afrique 28,6 dont Afr. du N. 9,8, Gabon 6,6, Nigeria [1] 4,2 ; autres : 28,3 dont mer du Nord 14, URSS 8,5, Mexique 3,4. **Produits raffinés :** 27,6 Mtep. **Gaz naturel :** 318,7 TWh (dont en %) Algérie [1] 32,8, URSS 34,3, mer du Nord 19,6, Pays-Bas 13,3. **Charbon :** 20,7 Mtep (dont en %) USA 31,9, Australie 17,2, All. féd. 10,6.

Nota. - (1) Pays de l'Opep.

CONSOMMATION ÉNERGÉTIQUE
(en millions de tep)

	1973	1975	1992	2000
Charbon	27,8	24,8	18	19,5 - 25
Pétrole	126,6	101,1	92	83,3 - 94,4
Gaz nat.	13,3	15,6	28,4	27,7 - 31,9
Hydraulique	10,7	13,4	} 79,6	} 86,4 - 91
Nucléaire	3,3	4,1		
Én. renouvelables	2	2,3	4,3	4,7 - 5
Échanges d'électr.	− 0,7	+0,6	–	–
Corrections climat. sur l'électr.	–	+0,9	+1,2	n.c.
Total [3]	183	170,9	222,3	221,6 - 247,3
Consom. intér. d'électr. (TWh)[2].	171,4	n.c.	355	385 - 485

RÉPERCUSSION EN % D'UNE HAUSSE DE 100 % DE PRODUITS ÉNERGÉTIQUES SUR LES PRIX

Produits	Pétrole raffiné	Électr.	Gaz	Charbon
Consom. ménages	+ 6,5	2,1	0,5	0,4
Transports terrestres	+ 10,5	+ 1,6	0,1	0,3
Transports aériens	19,1	0,7	–	–
Matér. de construction	7,1	2,4	0,4	0,9
Verre	7,8	2,2	1,1	0,9
Sidérurgie	2,7	3,8	1,6	0,8
Appareils ménagers	6	1	0,1	–
Chimie organique	6,8	4,7	1,6	0,3
Caoutchouc brut	7,1	2,1	0,8	0,1
Produits de la pêche	11,1	0	–	0,4
Automobiles	2,7	1,8	0,3	0,2

Couverture des besoins par la production nationale (en %). *1960* : 59. *65* : 48. *70* : 32. *73* : 22,5. *78* : 24,7. *80* : 27,4. *82* : 34,5. *84* : 45. *86* : 46,5. *87* : 47,3. *88* : 48,2. *89* : 47,4. *90* : 47,9. La baisse de 1989 est due à la sécheresse et aux incidents survenus dans les centrales nucléaires.

Économies d'énergie (en millions de tep par an). *1974-77* : 3,6. *78* : 1. *79* : 2,5. *80* : 6. *81* : 3,5. *82* : 2,8. *83* : 0,8. *84* : 0,9. *85* : 1,9. *86* : -0,8. *87* : 0,8.

CHARBON

LE CHARBON DANS LE MONDE

GÉNÉRALITÉS

■ **Avantages.** Énergie fossile la plus abondante et la mieux répartie dans le monde. La pollution est aujourd'hui bien maîtrisée.

■ **Formation.** Il y a 250 à 300 millions d'années (période carbonifère à la fin de l'ère primaire), la forêt hercynienne, aux arbres géants, aux fougères arborescentes, couvrait de vastes étendues. Les débris végétaux (bois, écorces, feuilles, spores, algues microscopiques) se sont accumulés et ont été recouverts, par suite de phénomènes de subsidence, par un faible niveau d'eau. Ces dépôts, au gré des fluctuations de la subsidence, ont été recouverts de sédiments argileux ou sableux, puis des alluvions s'y sont ajoutées. Enfermé à l'abri de l'air, le dépôt végétal allait fermenter et s'enrichir en carbone. Ces débris végétaux se sont accumulés sur place dans des dépressions (sédiments autochtones) ou ont pu être transportés par des cours d'eau qui les ont déposés au fond de grands bassins sédimentaires (dépôts allochtones) comme au N. de l'Eur. occid. et à l'ouest des Appalaches (USA). **Composition du charbon en %.** Humidité 1,2, cendres 7,3, carbone « total » 78, hydrogène 5, oxygène 6,4, azote 1,4, soufre 0,7.

■ **Types de bassins.** *Paraliques :* en bordure des mers, dans des plaines basses (Nord, Pas-de-Calais). *Limniques* (ou intra-montagneux) : plus étroits et moins étendus, se caractérisent souvent par des affaissements plus marqués (centre et midi de la France). Le bassin de Lorraine est plus grand car formé dans de vastes zones de sédimentation séparées de la mer par un seuil continental.

■ **Différents charbons.** On pense que les charbons dérivent les uns des autres, mais la question n'est pas tranchée : des terrains primaires recèlent des lignites, des houilles se trouvent dans des terrains secondaires.

Anthracite : massive, homogène, teneur en matières volatiles très réduite, dure, cassure brillante.

Coke : obtenu en calcinant la houille dans des fours à plus de 1 000 °C pendant 12 à 18 h. Dépourvu des produits volatils de la houille, il brûle sans fumée ni odeur. *Coke métallurgique :* utilisé dans les hauts fourneaux, très compact, fournit environ 7 000 kilocalories et laisse peu de cendres. *Classification* en mm. 10/20 ; 20/40 ; 40/60 ; 60/90.

Graphite : carbone naturel cristallisé. Ses gisements dérivent pour la grande majorité du métamorphisme de couches charbonneuses. Se trouve à l'état de paillettes (cristallisé) ou finement divisé (amorphe ou cryptocristallin). On obtient du graphite artificiel à partir du charbon ou du coke de pétrole. *Utilisation :* creuset et moule pour fonderie (variété cristalline) ; aciers spéciaux, lubrifiants, piles et crayons.

Houille : terme général désignant les diverses variétés de charbon. Les principaux gisements datent de l'ère primaire. Au microscope, fragments d'écorces, tissus ligneux, feuilles et spores, noyés dans une masse fondamentale, une espèce de gelée. Riche en carbone. Teneur en cendres, en matières volatiles et en eau, variable selon les gisements. Les variétés de charbon sont distinguées en fonction de leur teneur en matières volatiles et du gonflement : charbons anthraciteux (gonflement 0 et indice de matières volatiles inférieur à 10), charbons flambants secs (gonflement < 2 et IMV > 34). Les charbons à coke (gonflement < 7 et IMV de 20 à 40 %) fournissent env. 750 kg de coke pour 1 tonne de produit brut.

Lignite : noir, brun noirâtre, parfois brun. Les principaux gisements sont de formation tertiaire. Structure fibreuse plus homogène que la tourbe, laisse apparaître des rameaux et de grosses branches. Plus riche en carbone que la tourbe, mais teneur en matières volatiles élevée, combustible assez médiocre.

Tourbe : noirâtre ou brune, fibreuse, retenant fortement l'eau, de formation quaternaire. Les tourbières d'où elle est extraite sont des marais couverts d'une végétation hygrophile, de mousses en particulier. Elle contient peu de carbone. Après dessiccation, sa combustion dégage beaucoup de fumée, peu de chaleur et laisse des résidus importants.

■ **Classification des charbons. Par catégorie** *(% de matières volatiles) :* anthracite - de 8, maigres anthraciteux 8 à 14, 1/4 gras 12 à 16, 1/2 gras 14 à 22, gras à courte flamme ou 3/4 gras 18 à 27, gras proprement dit 27 à 40, flambants gras + de 30, secs + de 34. **Par calibre** *(dimensions en mm) :* gros calibres 80 × 120 ; gailletins 50 × 80 ; noix 30 × 50 ; noisettes 20 × 30 ou 15 × 30 ; braisettes 10 × 20 ou 10 × 15 ; grains 6 × 10. **Par pouvoir calorifique** *(en millithermies sur brut) :* anthracites 7 050, maigres 7 815, 1/4 gras 7 080, 1/2 gras 7 680, gras 7 250, flambants gras 7 120, secs 6 770, ligniteux 5 850.

Ces classifications divergent légèrement de bassin à bassin, pour tenir compte des usages régionaux. Les *maigres* sont utilisés surtout dans les fours à feu continu. Les *flambants* permettent de donner des « coups de feu ». Plus il y a de matières volatiles, plus le charbon brûle vite.

Nouvelles exploitations. *Gisement de charbon souterrain.* Il doit contenir au moins 50 millions de t de réserves planifiables. Les investissements sont d'env. 3 milliards de F pour une production annuelle de 2 millions de t. Le délai entre l'exploration et la mise en production est, en général, de 10 ans. *Mines à ciel ouvert :* l'exploitation peut être envisagée si, pour 1 t de charbon vendu (soit 1 m^3 de minerai brut avant lavage), il ne faut pas avoir à enlever plus de 10 m^3 (soit 24 à 25 t) de terrains de couverture.

Terrils. Entassement (parfois de 50 à 100 m de haut) des déchets de la mine : pierres et terres, *stériles* (morceaux de charbon non minéralisés) rejetés après triage et lavage, cendres et scories des chaudières. Certains sont aménagés et plantés. D'autres, contenant jusqu'à près de 20 % de produits « mixtes » sont repris et relavés. Ils fournissent 1 500 000 t de produits cendreux pour centrales thermiques. D'autres sont exploités pour fabriquer des matériaux de construction (briques surschistes) et dans les travaux publics (fondations d'autoroutes, etc.).

TYPES D'EXPLOITATION

■ **Mine souterraine.** Le charbon est extrait par creusement de galeries à l'intérieur du sol jusqu'à la veine. Celle-ci est exploitée à l'aide de matériel d'extraction souterrain (haveuses et rabots dans les exploit. par longue taille, machines en continu dans les chantiers en dressants ou dans les exploit. par chambres et piliers). L'accès aux veines à exploiter se fait par puits et galeries (inclinées ou non) en rocher, ou par descenderie (plan incliné d'accès, débouchant au jour). **Profondeur** max. : 1 000 à 1 200 m.

Rendement (fond) (en t par mineur et par heure, en 1990) : USA 1,6. All. féd. 0,7. G.-B. 0,7. *France 0,7.*

Records (juin 1988) : *France :* Reumaux 8 000 t/j. *Allemagne :* Walsum 4 800 t/j.

■ **Mine à ciel ouvert (ou découverte).** L'exploitation est généralement entre 10 et 400 m de la surface du sol. Les couches de terre recouvrant ou entourant le charbon (morts-terrains) sont décapées pour mettre à nu la veine de charbon, qui est exploitée avec des engins de chantier. *Rendement en t par mineur et par poste (1987) :* USA et Australie 33.

Répartition, % de production en 1987 et, entre parenthèses, en 1970 : mines souterraines 66 (78), à ciel ouvert 34 (22).

Catastrophes (Voir Index).

RÉSERVES

Techniquement et économiquement exploitables au coût actuel dans le monde, elles représentent 80 % de l'ensemble des énergies fossiles (10 386 milliards de t), soit 7 fois plus que le gaz et que le pétrole. En prévoyant une croissance annuelle régulière de 2,8 %, les réserves exploitables sont estimées suffisantes pour 250 ans.

Pays	Réserves [1]		Production 1980 [2]		Production 1991 [2]	
	Houille	Lignite	Houille	Lignite	Houille	Lignite
Afrique	62,6	0,3	121,1	–	182,5	–
Afrique du S.	55,3	0	115,1	–	175 à 180	–
Botswana	3,5	0	–	–	–	–
Niger	0,07	–	–	–	–	–
Swaziland	1,8	0	–	–	–	–
Zaïre	0,6	0	–	–	–	–
Zimbabwe	0,7	0	2,8	–	5,1	–
Amérique	129,1	108,7	–	–	–	–
Brésil	0,07	–	5,2	–	6,2	–
Canada	3,8	3,1	20,2	16,5	37,8	30,7
Chili	0,03	1,1	–	–	–	–
Colombie	9,7	–	4,1	–	20,5	–
Mexique	1,3	0,6	3,1	–	6	–
USA	113	102,3	710,2	42,8	901	81
Asie	673,5	130	799,4	20,3	1 369,2	46,6
Chine	610,7	120	620,2	–	1 000	–
Inde	60,6	1,9	114	4,8	228	12,9
Indonésie	1	2	–	–	–	–
Japon	1	0,02	–	–	–	–
Turquie	0,2	5,9	–	–	–	–
Europe	164,2	242,5	–	–	–	–
Ex-All. féd.	23,9	35,1	94,5	129,9	72	107,6
Ex-All. dém.	–	21	–	260,9	–	251,4
Bulgarie	0,03	3,7	–	29,9	–	32,6
Espagne	0,4	0,4	–	15,5	–	21,1
France	0,2	0,05	18,1	–	10,5	–
G.-B.	3,3	0,5	130,1	–	91	–
Grèce	–	3	–	23,2	–	54
Hongrie	0,6	3,9	–	22,6	–	16,6
Pologne	28,7	11,7	193,1	36,9	137	66,3
Tchécoslovaquie	1,9	3,5	28,3	94,9	23,9	82,8
Ex-URSS	104	137	553	163	627	159,1
Ex-Yougoslavie	0,07	16,5	–	–	–	–
Océanie	45,4	45,7	–	–	–	–
Australie	45,3	45,6	72,4	32,9	175	47,7
Monde	1 075,5	522,5	2 813,3	980,1	3 575	1 165

Nota. – (1) En milliards de t. *Source :* Conférence mondiale de l'énergie (1989). (2) En millions de t.

Nota. – Premiers groupes producteurs privés (en millions de t, 1992) Hanson (G.-B., USA) 110, Consol (RWE) (USA) 50, Amcoal (Anglo-Américain) (Afr. du S.) 43, BHP (Australie) 42, Amax (USA) 40, Shell (G.-B., P.-Bas) 40, Exxon (USA) 37, Rand Mines (Barlow Rand, Afr. du S.) 30, Transnatal (Afr. du S.) 29.

■ COMMERCE

Transport. Le charbon peut être transporté par pipe-lines [carboducs : sous forme de fines particules diluées dans une solution liquide (petites distances)], voie fluviale (péniche ou barge), train ou bateau. De nombreux ports pourront recevoir et décharger les navires minéraliers de 100 000 à 200 000 tpl.

Commerce maritime (en millions de t, 1989). **Exportations :** Australie 98, USA 75, Afr. du S. 45, Canada 32, Pologne 15, autres pays 60. **Importations :** *France 18,* Japon 104, autres pays d'Asie 55, Europe occ. 117. Monde 310.

Commerce mondial. Export. (millions de t) *1992 :* 409 [dont (91) Australie 120, USA 98, Afr. du S. 48, ex-URSS 37, Canada 34, Pologne 20, Chine (90)17, Colombie 16, divers (90) 19,9], *2010 :* 630 (+ 62 %). 4/5e des exp. assurés par les 8 + grands pays prod. [dont USA 60 % (1er pays exp. en 2000) et Australie], mais rejoints par Chine, Colombie, Indonésie et Venezuela (120 Mt en 2010).

Part du charbon importé (%). **Europe occid.** *1990 :* 40, *2010 :* 70. **Europe de l'E.** *1990 :* 10, *2010 :* 25.

Prix CAF-OCDE ($ par tonne). *1987 :* 58, *89 :* 66, *90 :* 75, *91 :* 72, *92 :* 64 (d'USA 40, Colombie 34, Australie 36, Afr. du S. 28).

L'Afrique du S. disposant d'une main-d'œuvre bon marché « fait » les cours internationaux. **L'Australie** (main-d'œuvre fortement syndiquée) suit mais à perte (env. 1 milliard de F en 1987-88). **L'Allemagne** verse une aide d'env. 41 milliards de F en faveur de son charbon s'appuyant : 1°) sur le *Jahrhundert Vertrag* ou contrat du siècle qui oblige les producteurs d'électricité all. à enlever 40 millions de t de charbon/an (contrainte prise en charge par les utilisateurs de courant et par des aides publiques) ; 2°) sur le *Kohlenpfennig :* taxe parafiscale supportée par les consommateurs (montant : 7,5 à 8 %). Ce système maintient en activité des puits non rentables.

■ CONSOMMATION

Demande mondiale (milliards de t). *1990 :* 3,5 dont USA 1, *2000* (prév.) : 4,3. **Répartition** (%) : centrales électr. 45, industries 25, foyers domestiques 10, sidérurgie 2.

■ UTILISATION

Perspectives. *Procédés de cokéfaction qui permettraient d'utiliser des charbons de moins bonne qualité :* gazéification souterraine (grâce à 2 puits percés à faible distance) pour obtenir un substitut au gaz naturel, le gaz naturel de synthèse (GNS) par combustion directe dans la veine et récupération du gaz ainsi produit. *Production de gaz (méthane) par dégazage des veines* à action de forages et « fracting » du charbon. *Liquéfaction et gazéification en surface* permettant de fabriquer carburants ou fluides susceptibles d'être brûlés dans les chaudières ou transformés dans la chimie.

L'*Allemagne* produisit pendant la guerre de 1939-45 : 5 millions de t/a d'essence à partir de la houille. Actuellement l'unité pilote de BASF et Mines de Sarre produit 3 t d'hydrocarbures à partir de 6 t de houille. *L'Afrique du Sud* produit à Sasol 230 000 t d'essence synthétique par an.

LE CHARBON EN FRANCE

■ QUELQUES DATES

XIIIe s. le charbon est exploité ; d'abord les « affleurements » à St-Étienne, au Creusot, à Alès, Graissessac, Carmaux, par des galeries à flanc de coteau ou par des puits, de quelques m, équipés d'un treuil en bois. **XVe s.** pénurie de bois, des industries se concentrent autour des exploitations (ex. à St-Étienne et environs : forgerons, couteliers, quincailliers, armuriers). **1548** Henri II adjuge l'exploitation des gisements découverts ou à découvrir à une compagnie privilégiée. **1597** Henri IV restitue le droit d'exploiter aux propriétaires, mais avec un contrôle royal plus strict. **1601** il crée une « Grande Maîtrise des mines et minières de France », seule habilitée à accorder l'autorisation d'ouvrir une mine. **XVIIe s.** le charbon de Brassac (Auvergne), grâce au canal de Briare, peut en 1664 se vendre à Paris. Mines exploitées en Boulonnais et Hainaut. Tout propriétaire d'une parcelle peut en exploiter le tréfonds, d'où un morcellement interdisant toute installation rentable. En cas d'éboulements, on abandonne le puits. Dangers : l'eau qu'on ne peut évacuer, les incendies qui se prolongent. **1689** Louis XIV donne au duc de Montpensier le monopole de l'ouverture des mines. **1698** devant la médiocrité des résultats, le roi rend aux propriétaires la liberté de forer les puits. **1717** la Grande Maîtrise est rétablie pour le duc de Bourbon et supprimée à sa mort. **XVIIIe s.** la révolution industrielle s'appuie sur le charbon en G.-B., puis en France. *Prospections et découvertes :* Languedoc, Alpes et Provence, bassin du N. Des nobles s'intéressent à l'exploitation des mines (car elles n'entraînent pas « la dérogeance »). **1733** découverte à Anzin suivie de *progrès technique :* bennes mues par des treuils, puits spéciaux d'aération, galeries maçonnées, petites pompes à bras, grandes pompes mues par un homme et des chevaux, puis par des machines à vapeur. **1810** loi du 21-4 instituant la propriété perpétuelle des concessions (qui ne sera remise en cause qu'en 1919). L'inventeur d'un gisement n'est assuré d'obtenir la permission d'exploiter que s'il présente des garanties rigoureuses, qu'en pratique seules des stés de capitaux peuvent réunir. **1815** prospection en Lorraine. La France perd la partie houillère de la Sarre qui revient à la Prusse. **1820** concession accordée à Schoeneck ; à Stiring : commencement de l'exploitation, et à Petite-Rosselle. Longtemps, bien des industriels de la métallurgie croient à la supériorité de la fonte au bois sur le charbon, difficile à se procurer. Le développement des chemins de fer, de la navigation à vapeur entraîne le développement de la production. **1827** 1er chemin de fer français entre St-Étienne et Andrézieux, pour transporter le charbon entre la mine et le port d'embarquement sur la Loire. La sidérurgie adopte définitivement la fonte au coke. Des usines à gaz se créent. **1860** des sous-produits de la houille sont traités. Nouvelles voies avec l'électricité. **1871** tr. de Francfort, la France perd le bassin houiller lorrain.

1919 tr. de Versailles, la France récupère la Lorraine et exploite les mines de la Sarre. **1925** les mines du Nord sont réparées. Centrales électriques nombreuses. Après les travaux de Georges Claude sur la fabrication de l'ammoniac, le gaz des fours à coke devient la matière 1re d'une ind. de synthèse. **1945** « bataille du charbon » : les mineurs contribuent au relèvement économique du pays. **1946** *17-5* loi de nationalisation de l'industrie charbonnière française. **1945-58** modernisation, concentration des sièges et mécanisation des chantiers. Le rendement triple et la production passe de 4,6 millions de t à près de 60. Parallèlement, l'usage du pétrole commence à se développer en Europe. **1957** les stocks s'accumulent (notamment en Belgique et Allemagne) : *1957 :* 10 millions de t, *1958 :* 30, *1959 :* 40, le chômage s'étend. **1960** la France révise le Plan, prévoyant de baisser la production de 1, puis 2, puis 3 millions de t par an, puis propose de ramener la production à 25,6 millions de t en 1975. **1973** crise pétrolière remettant « en selle » le charbon. **1974** la CEE décide que les combustibles minéraux solides doivent participer à concurrence de 17 %, soit 250 millions de tep ou 375 millions de t, à son approvisionnement énergétique ; nouveau programme en France. La consommation devra passer dans l'industrie et les chauffages collectifs de 5 à 15 millions de t en 1990. **1978-80** l'étude Wocol (World Coal Study, 96 pays participants) révèle que la consommation de charbon devra tripler en 20 ans pour couvrir env. 2/3 de l'augmentation de la consommation totale d'énergie avant l'an 2000 surtout dans l'ind. (× 2 ou 4 d'ici à l'an 2000). **1979** *déc.* le parti communiste affirme qu'on peut porter la production française à 45 millions de t en 1990 et, grâce à la gazéification en profondeur, à 70 millions de t en l'an 2000. **1981** *oct.* le gouvernement envisage une relance (objectif souhaitable : 30 millions de t). **1981-82** près de 10 000 mineurs embauchés. **1982** création de CdF Énergie pour promouvoir l'utilisation du charbon. **1983-84** les objectifs de relance de la production française sont abandonnés : non-rentabilité d'une partie des gisements et montée en puissance du programme nucléaire. **1984** CdF annonce un plan de restructuration : concentration de l'activité sur les exploitations les plus rentables et suppression annuelle de 5 000 à 6 000 emplois jusqu'en 1988, date à laquelle les résultats de l'entreprise devront être équilibrés. L'État s'engage à maintenir une subvention annuelle de 6,5 milliards de F (valeur 1984) pendant le IXe Plan (1984-88). Un contrat, signé avec EDF pour la période 1984-88, prévoit quantités et prix des charbons et de l'électricité qui seront fournis par CdF à EDF, qui s'engage à embaucher en priorité 5 000 mineurs pendant les 5 années du contrat. Un plan social encourage les départs des agents de CdF vers d'autres entreprises. Une subvention annuelle de 325 millions de F sera en outre versée à CdF pendant la même période pour soutenir l'industrialisation des régions minières, qui permettra de créer en *1984* 3 460 emplois, *85 :* 6 050, *86 :* 7 073, *87 :* 7 500, *88 :* 10 665, *89 :* 10 367, *90 :* 12 170 dans les régions minières (interventions de Sofirem et Finorpa et des fonds d'industrialisation). **1988** les sites fond du Gard, de Carmaux, de Messeix sont fermés ainsi que certains sièges du Nord (d'où 6 034 départs soit 18 % de l'effectif). Un nouveau contrat avec EDF est signé pour la période 1989/1993. Il fixe pour 5 ans les quantités et le prix annuel des charbons et de l'électricité enlevés par EDF. **1990**-*21-12* arrêt définitif du Nord-Pas-de-Calais. **1992** *avril* fermeture de la dernière mine fond de Blanzy. *Juill.* centrale mixte à charbon et bagasse (déchet de canne à sucre) de Bois-Rouge (Réunion) : 60 MW, courant acheté 0,45 F le kWh par EDF (0,7 ailleurs) ; 200 000 à 300 000 t de bagasse et 110 000 à 115 000 t de charbon par an. Coût : 570 millions de F (1re mondiale).

■ ORGANISATION DE L'INDUSTRIE

■ **Évolution. Avant 1939,** il y avait 113 Stés productrices (dont – de 30 assuraient 90 % de la prod.). **De 1944 à 1946,** 98 % env. des charbonnages français sont nationalisés. L'exploitation ne peut se faire qu'en vertu d'une concession (perpétuelle) de l'État ou d'un permis (renouvelable) pour les petits gisements. 9 houillères de bassin regroupent toutes les concessions minières autrefois accordées sur une même formation géologique, et l'ensemble est coiffé par un organisme central, *Charbonnages de France.* **Dep. le 1-1-1969,** 4 établ. publics dotés de la personnalité civile et de l'autonomie financière : *3 houillères de bassin* [Nord et P.-de-C. (arrêtée 1991)] ; Lorraine ; Centre-Midi qui regroupe les houillères d'Aquitaine, Auvergne, Blanzy, Cévennes, Dauphiné, Loire, Provence), organes de production, d'exploitation et 1 *établissement central,* qui coordonne leur activité, Charbonnages de France.

■ **Groupe CdF** (1990). **Production** (en millions de t) : *charbon :* 12,2 (vente à EDF 2,219), *coke :* 1,996, *agglomérés :* 0,422, *électricité :* 9,815 millions de kWh (vente à EDF 7 785).

Effectifs miniers des houillères : *1947 :* 358 000. *58 :* 240 000. *70 :* 119 238. *75 :* 84 839. *80 :* 60 931. *85 :* 46 301. *90 :* 22 494. *92 :* 17 861. *93 (févr.) :* 16 800.

Chiffre d'affaires de Charbonnages de France (en milliards de F) : *1983 :* 12,8. *84 :* 14,62. *85 :* 13,97. *86 :* 12,31. *87 :* 10,82. *88 :* 8,78. *89 :* 9,71. *90 :* 7,83. *91 :* 7,4. *92 :* 5,6. **Résultat d'exploitation :** *1987 :* 2,44. *88 :* 2,45. *89 :* – 1,80. *90 :* – 1,55. *91 :* – 1,47. *92 :* – 2. **Résultat net :** *1987 :* – 0,2. *88 :* – 2,23. *89 :* – 1,17. *90 :* – 1,13. *91 :* – 1,03. *92 :* – 1,39 (baisse de la demande d'EDF pour ses centrales au charbon, représentant 40 % du CA de CdF ; baisse des prix mondiaux, cond. climatiques).

Endettement (en milliards de F) : *au 1-1-1973 :* 4,9. *80 :* 6,8. *85 :* 15,98. *88 :* 15. *89 :* 21,74. *90 :* 22,69. *91 :* 19,8.

Subventions de l'État à CdF (en milliards de F) **et,** entre parenthèses, **subventions d'exploitation pour favoriser le charbon national :** *1980 :* 4. *81 :* 4,1. *82 :* 5,9 (3,4). *83 :* 6,4 (3,8). *84 :* 6,5 (3,7). *85 :* 6,8 (3,37). *86 :* 7,3 (3,4). *87 :* 6,8 (3,26). *88 :* 6,99 (3,28). *89 :* 7 (3,26). *90 :* 7 (3,1). *91 :* 6,9 (2,89). *92 :* 6,67 (2,77). + de 50 % de la subvention sont destinés à compenser des charges sociales (dues aux 230 000 retraités et à leurs ayants droit) et financières imputables au passé de l'entreprise. Le soutien au charbon national compense les différences entre les coûts de revient élevés dus à des conditions d'extraction difficile et les prix de vente fixés par le marché.

Subvention à la tonne (en F/t) : *1985 :* 250. *86 :* 247. *87 :* 215. *88 :* 142. *89 :* 115. *90 :* 115.

Principales filiales et participations, entre parenthèses : (% détenus par CdF). **Activités financières :** SEEM (50), Sofirem (100), Méridionale comm. et financière (99,9), Finorpa (52,5). **Commerce des combustibles et exploitation de chauffage :** CdF Énergie (100), Solorchar (57,5), Soméca (50), Districhaleur (50), Climadef (50), Méridionale des combustibles (50), Sté nouvelle Vinot-Postry (58), Charbogard (52), Monteney Turbo (15,5), Sodelif (79), Sidec (58), Bail Charbon (56). **Activités industrielles et services :** CdF Ingénierie (100), Générale de mécanique et thermique (100), CdF Informatique (100), Surschiste (100). **Activités intern. :** CdF International (100), Wamb. Mining Corp. (17), *Gestion immobilière* Soginorpa (99,9).

■ **Mines non nationalisées.** *Houille :* production totale : *1947 :* 1 330 000, *1973 :* env. 11 000 t, *1988 :* 0. *Lignite :* d'Arjuzanx (Landes, exploitée par EDF pour une centrale thermique. *1990 :* 573 027 t).

■ PRODUCTION

■ **Production. Houille** (en millions de tonnes) : *1811 :* 0,8. *40 :* 3. *70 :* 13,3. *1900 :* 33,4. *12 :* 41,1. *30 :* 55.

38 : 40,6. *45* : 35. *60* : 56. *65* : 51,3. *70* : 37,4. *75* : 22,4. *80* : 18,1. *81* : 18,6. *82* : 16,9. *83* : 17. *84* : 16,7. *85* : 15,1. *86* : 14,4. *87* : 12,1. *88* : 12,1. *89* : 11,5. *90* : 12,2. *91* : 11,8. *92* : 10,9. **Lignite :** *1960* : 2,3. *70* : 2,8. *75* : 3,2. *80* : 2,6. *85* : 1,8. *86* : 2,1. *87* : 2,1. *88* : 1,6. *89* : 2,2. *90* : 2,3. *91* : 1,9.

☞ **Mines découvertes :** *1980* : 0,7. *85* : 1,5. *90* : 1,41.

Production en millions de t

	1965	1970	1975	1980	1985	1990	1992
Nord.-P.-de-Calais	28,9	17	7,7	4,47	2,38	0,23	0
Lorraine	14,7	12,8	10	9,81	9,81	8,36	8
Centre-Midi	13,8	9,1	6,2	5,44	4,15	3,66	2,84
dont découvertes		0,8	1,1	1,5	1,7	1,99	1,33
Total Houillères	57	38,9	24	19,71	16,34	12,25	10,93
Total France	*58,2*	*40,1*	*25,6*	*20,72*	*16,96*	*12,82*	11,06

■ **Caractéristiques des gisements** (au 1-1-1990). **Nord-Pas-de-Calais** (Douai) : contiendrait env. 400 couches, exploitables ou non, correspondant à autant de cycles végétaux successifs. S'étageant sur + de 2 000 m de profondeur, le charbon occupe une épaisseur totale d'env. 50 m. Conditions d'exploitation mauvaises ; veines peu épaisses (80 cm) souvent faillées, venues d'eau fréquentes, puits profonds (+ de 1 000 m parfois). *Rendement de fond (kg/h/poste) 1960* : 1 562. *70* : 2 053. *80* : 1 966. *90* : 1 790. *Effectifs actifs 1947* : 202 100 dont 135 300 de fond. *1990* : 3 307 dont 426 de fond. Arrêt de l'exploitation le 21-12-1990 (dernier puits : 9 d'Oignies).

Lorraine (Freyming-Merlebach) : 4 puits en Moselle : La Houve, Reumaux, Vouters, Forbach. Réserves riches, veines régulières, d'épaisseur moyenne (1,30 à 7 m) en dressants, semi-dressants et plateures. Flambant gras A 56 %, cokéfiables avec appoint de charbons amaigrissants de la Ruhr. 67 % de la prod. fr. *Rendements de fonds (kg/h/poste) 1960* : 2 580 ; *70* : 4 381 ; *80* : 4 377 ; *90* : 6 046. *Effectifs actifs* (1990) 14 715 dont 6 916 min. de fond.

Centre-Midi (regroupement en 1968) : *Carmaux (Tarn)* : charbons gras exploités à ciel ouvert dep. 1986 à la Grande Découverte, avant en souterrain (5 millions de t de réserve + 12 à 15 dans les environs), on avait prévu un rythme de 400 000 t à 700 000 t ; en sept. 1991 réduction prévue à 140 000 t ; juillet conflit (5 cars de CRS broyés par engins des mineurs). *Decazeville (Aveyron)* : charbons flambants exploités en MCO ; *Aumance (Allier)* : id. et par mine souterraine. *Blanzy (S.-et-L.)* : charbon maigre à anthraciteux exploité en mine souterraine et flambants secs exploités en MCO ; CÉVENNES : *Alès et La Grand-Combe (Gard)* : demi-gras et maigres expl. en MCO ; *Le Bousquet-d'Orb (Hérault)* : demi-gras expl. en MCO ; DAUPHINÉ : *La Mure (Isère)* : anthracite exploité en mine souterraine ; PROVENCE : *Gardanne (B.-du-Rh.)* : charbon ligniteux exploité en mine souterraine. Fermeture prévue 1993. *Rendement fond (kg/h/poste) 1960* : 1 855 ; *70* : 2 864 ; *80* : 4 098 ; *90* : 8 426. *Effectifs actifs* (1990) : 4 472 dont 1 335 min. de fond.

Mines à ciel ouvert en exploitation. *Aquitaine* : Decazeville (Aveyron) et Carmaux (Tarn). *Auvergne* : Aumance (Allier, veine très irrégulière), Montceau-les-Mines (S.-et-L.). *Cévennes* : Alès (Gard), Graissessac (Hérault). Ces mines, plus performantes, seront développées (à Carmaux, l'exploitation a commencé en 1989).

■ Importations

Importations (en millions de t). *1983* : 20,25. *84* : 23,8. *85* : 21,3. *87* : 14,6. *88* : 13,8. *89* : 17,7. *90* : 20,7. *91* : 22,6. *92* : 22,7 (dont : USA 8,56, Austr. 4,7, Afr. du S. 2,66, ex-URSS 0,82, All. 0,62, Pologne 0,55, G.-B. 0,22, UEBL 0,19, Pays-Bas 0,13).

Nota. – En 1985 un embargo sur le charbon d'Afr. du S. avait été décidé, mais la France continua d'en importer (légalement 700 000 t en 1987 et illégalement, par la Belgique, 540 000 t censées venir d'Australie).

■ Consommation

Consommation de minéraux solides (houille, lignite, coke et agglomérés, en millions de t). *1973* : 46,2. *85* : 41,6. *86* : 33. *87* : 29,9. *88* : 30. *89* : 32,4. *90* : 31,5. *91* : 33,8. *92* : 29,6.

Part du charbon dans la consommation d'énergie y compris les importations (en France, en %). *1962* : 54. *67* : 38. *70* : 22,7. *73* : 15,2. *82* : 15,5. *85* : 12,5. *90* : 8,9. *91* : 9,2.

Principaux utilisateurs (en millions de t, 1990). *Centrales électriques* 9,2 (dont importations EDF 6,5), *sidérurgie* 10,6 (dont imp. 9,4), *industrie hors sidérurgie* 5, *résidentiel et tertiaire* 2,6.

■ Prix du charbon

Les conditions difficiles des gisements français (profondeur, épaisseur des couches, discontinuité géologique) expliquent son prix de revient élevé.

Prix de revient à la t (1992, F). 544 (577 en 1987) dont (90) Nord-Pas-de-Calais 1 755,3, Centre-Midi 461,7, Lorraine 520. Tonne importée *1991* : 360, *92* : 320 (prix de revient en Australie, 213 F la t en 88).

Nota. – All. 789, G.-B. 556, USA-Canada 140, Australie 127, Afrique du S. 85.

Recette moyenne par t (en F, 1989). *1982* : 594, *85* : 500, *86* : 409, *87* : 313, *88* : 302, *89* : 358,3, *90* : 347,5. **Déficit à la t produite** (en F, 1989). *1980* : 102, *83* : 194, *86* : 243, *87* : 257, *88* : 273, *89* : 183,4, *90* : 164,2.

Électricité

Généralités

☞ **Définition, effets et production du courant** (voir p. 219).

■ **Histoire. VIe s. av. J.-C.** l'ambre (en grec *êlekron*) attire les corps légers après frottement (Thalès de Milet). **1727** les corps bons conducteurs peuvent être électrisés (Gray). **1750** Du Fay découvre les 2 espèces d'électricité. **1785** loi des attractions et répulsions électriques (Coulomb). **1793** invention de la pile (Volta). **1812** action des courants sur les aimants (Œrsted). **1820** loi de l'électromagnétisme et de l'électrodynamisme ; électroaimant (Ampère et Arago). **1826** lois reliant l'intensité et la résistance (Ohm). **1831** électrolyse ; induction électromagnétique (Faraday). **1842** dégagement de chaleur dans un conducteur (Joule). **1859** accumulateur au plomb (Planté). **1868** identité des ondes lumineuses et électriques (Maxwell) ; découverte des rayons cathodiques (Hittorf). **1870** dynamo ; création de l'électrotechnique (Gramme). **1878** lampe à incandescence à filament de carbone. **1881** Paris, exposition de l'électricité. **1887** effet photoélectrique ; ondes électromagnétiques (Hertz). **1888** construction du détecteur à limaille (Branly). **1889** Paris, 1re usine électrique en France (rue des Dames). **1895** découverte des rayons X (Röntgen). **1896** radioactivité naturelle de l'uranium (H. Becquerel). **1897** 1re communication par TSF (Marconi). **1898** découverte du radium (P. Curie et M. Curie). **1919** 1re réaction de transmutation (Rutherford). **1921** structure de l'électricité ; charge de l'électron (Millikan). **1931** découverte du neutron (Chadwick). **1932** découverte du positon (Anderson). Rupture du noyau d'uranium (Anderson). **1934** radioactivité artificielle (Joliot-Curie). **1935** prévision théorique du méson (Yukawa).

■ **Origines.** *Hydroélectricité* : cours d'eau (débits irréguliers). *Centrales thermiques classiques* : fuel, charbon à cycle combiné (récupération des gaz d'échappement d'une turbine à gaz pour générer de la vapeur qui entraînera un turboalternateur [ex. Eems (P.-B.) 5 unités de 300 MW]. *Nucléaires* : (voir p. 1745), *marémotrices* : (voir p. 1765).

■ **Stockage.** *2 formes* : *1°) Énergie mécanique potentielle* (réservoirs alimentés par pompage aux heures creuses permettant de produire du courant aux heures de pointe). *2°) Én. chimique* (par accumulateurs, rentable pour le stockage d'én. très faible).

■ **Transport.** Instantané, par un réseau longue distance entre transformateurs des centrales productrices et transformateurs des zones consommatrices. A partir de ces derniers, rayonnent des lignes à basse tension (220 V pour usage domestique, 380 pour la force, plusieurs milliers pour l'industrie). Pour l'industrie, l'énergie mécanique est transformée en énergie électrique par des générateurs.

Électricité sans fil : on étudie (au Japon) la transmission de l'énergie par faisceau d'ondes ou par rayon laser. L'énergie électrique serait produite en orbite par des photopiles ou en utilisant le rayonnement solaire pour chauffer un fluide qui actionnerait une machine thermique. L'onde serait reçue par un champ d'antennes de 10 km de diamètre (un rayon laser permettrait des collecteurs plus petits).

■ **Unités.** ÉNERGIE : **kWh** (kilowattheure) = 1 000 Wh (wattheure). **MWh** (mégawattheure) = 1 000 kWh. **GWh** (gigawattheure) = 1 million kWh. **TWh** (terawattheure) = 1 milliard de kWh. PUISSANCE : W (watt). **kW** (kilowatt) = 1 000 W. **MW** (mégawatt) = 1 000 kW. **GW** (gigawatt) = 1 million de kW.

Électricité dans le monde

■ **Production d'électricité totale** (en milliards de kWh, 1992). USA 2 790. Russie 901,2. Japon 786. Canada 502. *France 484 (92).* All. féd. 453. G.-B. 310. Italie 227. Espagne 159 (91). Afr. du S. 150. Suède 144. Pologne 131. Corée du S. 129. Norvège 121 (91). Tchécosl. 77. Belg. 72. P.-Bas 67. Suisse 56. Roumanie 54. Finlande 55. Autriche 51. Youg. 37. Bulgarie 36. Grèce 32. Hongrie 31.

■ **Consommation moyenne par habitant** (en kWh, 1991). Norvège 22 200 [1]. Canada 15 800 [1]. Suède 15 200 [1]. Luxembourg 12 400 [1]. USA 10 100 [1]. Suisse 6 600 [1]. *France 6 200.* Belgique 5 900 [1]. Danemark 6 000. Japon 5 300 [1]. G.-B. 5 100. P.-Bas 5 100. All. féd. 5 000 [1]. Italie 3 900. Espagne 3 400.

Nota. – (1) 1990.

■ **Prix de l'électricité** (en centimes/kWh, 1990). Esp. 66,1, All. féd. 57,63, Italie 49,23, Belg. 43,44, Irlande 42,69, G.-B. 42,04, USA 38,30, *France 35,87*, P.-Bas 34,38, Finl. 33,63, Norv. 33,35, Suède 27,93, Australie 27,18, Canada 25,50.

■ **Centrales hydroélectriques principales. Puissance** (date de mise en service, puissance en GW) : *Itaipu* (Brésil-Paraguay 1982) 12,6, *Grand Coulee* (USA 1942) 9,8, *Guri* (Venezuela 1968) 8,85, *Tucurui* (Brésil 1982) 6,48, *Sayano-Chuchenskaya* (Russie 1980) 6,4, *Krasnoïarsk* (Russie 1968) 6, *La Grande* 2 (Canada 1982) 5,33 [1], *Churchill Falls* (Canada 1971) 5,22, *Bratsk* (Russie 1964) 4,6, *Ust-Ilimsk* (Russie 1974) 4,5, *Yacireta-Apipe* (Paraguay-Argentine 1985) 4,05, *Cabora Bassa* (Mozambique 1975) 4, *Chief Joseph* (USA 1956) 3,67, *Rogun* (Russie 1985) 3,6, *Inga* (Zaïre 1974) 3,5.

Productibilité (en GWh) : Bratsk 22 600, Boguchansk 21 000, Krasnoïarsk 20 000.

Nota. – (1) *Projet de la baie James (Canada).* Lac artificiel (dans le N. du Québec). 125 km de digues (600 m de largeur à la base, 18 au sommet) retiennent les eaux. *Puissance installée (prévue)* 21 GW, avec les complexes de la Grande Baleine au Nord, NBR, du fleuve Rupert au Sud. 5 150 km de lignes de 735 000 volts apporteront le courant à Montréal ou Québec. *Coût* : env. 15,1 milliards de $ canadiens (env. 55 milliards de F) pour la phase 1 [10 000 MW avec les centrales LG2 (la plus grande centrale souterraine du monde : long. 480 m, haut. 47, larg. 26, creusée à 140 m sous terre ; 12 turbines, puissance installée 5,3 GW), LG3 et LG4].

■ **Part de l'électronucléaire en %. Dans le monde** *1980* : 2,5. *83* : 10. *84* : 12. *85* : 15. *86* : 16. *87* : 16. *89* : 17. *2000* : 18. **En France** *1978* : 13,4. *80* : 23,5. *81* : 37,1. *82* : 38,7. *83* : 48,3. *84* : 58,7. *85* : 64,9. *86* : 69,8. *87* : 69,8. *89* : 75. *90* : 76. *91* : 73. *92* : 77. *2000* : près de 80. *Source* : CEA-DPg.

■ **Production d'électricité non conventionnelle** (1987). Puissance installée : MWe et, entre parenthèses, produite GWh. **Micro-hydraulique :** Afr. du S. 2,5 (n. d.), Argentine 7 (16), Autriche 440 (n. d.), Canada 1 800 (n. d.), Chine pop. 3 693 (6 529), Espagne 103 (246), USA 90 (1 050), Finlande 110 (n. d.), *France 446 (n. d.),* Indonésie 27 (n. d.), Islande 8,2 (n. d.), Mexique 76 (139), N.-Zél. 0,3 (1,5), Philippines 6 (n. d.), All. féd. 372 (1 382), G.-B. 20 (100), Venezuela 23 (n. d.). *Monde 9 243 (14 933).* **Marémotrice :** Canada 17,8 (50), Chine pop. 3,2 (11), *France 240 (540),* URSS 0,4 (n.d.). *Monde 261 (590).* **Géothermique :** Chine pop. 17,3 (80), USA 2 022 (10 775), Indonésie 88 (n. d.), Islande 39 (181), Italie 506 (2 986), Japon 215 (1 100), Mexique 650 (4 418), N.-Zél. 165 (1 224), Philippines 894 (n. d.), All. dém. 3 (47,2), Turquie 15 (58), URSS 11 (25). *Monde 4 814 (20 900).* **Éolienne :** Afr. du S. 50 (n. d.), Canada 6 (11), Chine pop. 8 (n. d.), Danemark 140 (n. d.), Espagne 1,7 (1,55), USA 1 300 (1 700), *France 0,2 (0,4),* Italie 1 (n. d.), Japon 0,02, Mexique 265, N.-Zél. 0,1, All. féd. 3,8 (2,37), G.-B. 6 (1,5), Suède 5 (6), URSS 3 (5,1), Venezuela 3 (3). *Monde 1 827,6 (1 807,3).*

■ **Principales compagnies d'électricité.** Regroupées dans E7 fondé 9-4-1992. *Chiffre d'affaires* (en milliards de F) : Tepco (Japon) 178, EDF (France) 177,5 (92), Enel (Italie) 111, Kepco (Japon) 92, RWE (Allemagne) 57, Ontario-Hydro (Canada) 34, Hydro-Québec (Canada) 26.

■ Barrages

Types de barrages

☞ *Légende* : V. : Volume. M^3 : millions de m^3.

■ **Remblayés.** EN TERRE : ce sont les plus anciens. **Les plus hauts :** *Rogun* (Russie, h. 325 m, l. 760 m, vol. 75,7 Mm^3), *Nurek* (Russie, 300 m, l. 704 m, v. 68 Mm^3), *Oroville* (USA, 1968, h. 236 m, l. 2 316 m, v. 60 Mm^3). EN ENROCHEMENTS : massif d'éléments rocheux, dont les dimensions s'étalent, suivant les cas, sur un très large éventail, l'étanchéité venant soit d'un masque, soit d'un écran placé dans le corps du massif. **Les plus hauts :** *Chicoassen* (Mexique, 1980, h. 263 m, l. 600 m, v. 15 Mm³), *Mica* (Can., h. 240 m, l. 792 m, v. 32 Mm³), *Chivor* (Colombie, 1975, h. 237 m, l. 280 m, v. 11 Mm³), *Keban* (Turquie, 1974, h. 207 m, l. 1 097 m, v. 15 Mm³), *Sadd el-Aali Assouan* (Égypte, 1970, h. 111 m, l. 3 830 m, v. 43 milliards de m³) construit principalement en sable, sur le Nil (voir p. 975 b).

■ **En béton.** BARRAGE-POIDS : généralement un gros mur implanté à travers la vallée suivant un axe rectiligne ou incurvé à très grand rayon dont l'épaisseur augmentée de la crête au pied est constante à chaque niveau, d'une rive à l'autre ; il semble destiné aux vallées larges et très larges. **Les plus importants :** *Grand Coulee* (USA, 1942, h. 168 m, l. 1 272 m, v. 8 Mm³), *Bratsk* (Russie, 1964, h. 123 m, l. 1 430 m, 4,4 M m³), *Grande-Dixence* (Suisse, h. 285 m, l. 695 m), *Bhakra* (Inde, h. 226 m, l. 518 m). **En France** : *Sarrans* (h. 113 m, l. 220 m).

BARRAGE-POIDS ÉVIDÉ : on réserve au cœur du massif, à intervalles réguliers, des grands vides depuis la fondation. **Le plus important :** *Itaipu* (Brésil, 1983, h. 185 m, l. 2 050 m).

BARRAGE-VOUTE : voûte à convexité tournée vers la retenue et prenant appui sur le terrain des rives. Construit d'abord dans les vallées étroites. Ses formes spécifiques modernes apparaîtront avec Marèges (Fr., 1935, h. 90 m, l. 200 m). Sur plus de 700 en service dans le monde (dont une centaine ont plus de 100 m), peu ont éprouvé des dommages mineurs dus à leur environnement. Le barrage italien de Vajont a eu ses superstructures légères abîmées dans la ruée d'une lame déversante de 200 à 300 m de hauteur provoquée par la chute brutale d'un énorme pan de montagne dans la retenue. Celui de Malpasset, en 1959, a subi la rupture brutale de l'appui rive gauche (pas de défaillance de la voûte). **Les plus anciens :** Iran, fin XIIIe ou début XIVe s. : *Kebar* (h. 45 m, l. 55 m), *Kurit* (h. 66 m). Italie et Espagne, XVIe s. : *Ponte-Alto, Almanza, Elche.* **Temps modernes :** France, *Zola* (h. 42 m, l. 66 m) ; USA, *Ottay Upper* (1901, h. 27 m, l. 86 m). Ex. : *Vallées larges : Kariba* (Zimbabwe, sur le Zambèze, 1959, h. 126 m, l. 617 m, v. 1 000 000 m³) ; *Hendrik Verwoerd* (Afr. du S.) : h. 88 m, l. 914 m, v. 1 400 000 m³. **Les plus hauts :** *Inguri* (Russie, h. 272 m, l. 680 m), *Sayano Chuchenskaya* (Russie, h. 242 m, l. 1 068 m), *Mauvoisin* (Suisse, 1957, h. 237 m, l. 520 m) ; en France, *Tignes* (1962, h. 180 m, l. 375 m). **Barrage** dit **« voûte épaisse »** ou **poids-voûte.** Ex. : *L'Aigle* (Fr., 1949, h. 95 m, l. 290 m, v. 240 000 m³).

BARRAGES A CONTREFORTS. **Les plus hauts :** *Alcantara II* (Espagne 1969, h. 138 m, l. 570 m), *Hatanagi* (Japon 1962, h. 125 m, l. 228 m), *Valle-Grande* (Argentine, 1965, h. 115 m, l. 300 m). **A voûtes multiples.** Beaucoup ont d'abord été réalisés suivant les techniques du béton armé, en petites épaisseurs renforcées par des ferraillages. Ex. : *La Roche-qui-Boit* (Fr., 1919, h. 15 m, l. 125 m), *Vezins* (Fr. 1932, h. 36 m, l. 250 m), *Faux-la-Montagne* (Fr., 1951, h. 19 m, l. 130 m) dont les voûtes n'ont que 6 cm d'épaisseur et dont l'épaisseur moyenne (voûtes et contreforts) est d'env. 20 cm seulement. Puis on a utilisé du béton ordinaire, sans la sujétion de la minceur et des armatures. Ex. en France : *Pradeaux* (1940, h. 26 m, l. 200 m), *Pannessière-Chaumard* (1950, h. 50 m, l. 340 m). A *Coyne* et à *Nabeul* (Tunisie, 1955, h. 71 m, l. 470 m), on a utilisé des contreforts espacés (50 m) et épais (5 m) et des voûtes épaisses (7 m à la base). Sur ce modèle ont été élevés : *Grandval* (Fr., 1959, h. 88 m, l. 400 m), *Daniel-Johnson* (Can., 1968, h. 251 m, l. 1 314 m, v. 2 300 000 m³) initialement dénommé Manicouagan n° 5, dont les voûtes ordinaires ont une portée de 75 m et la voûte centrale 150 m. **Les plus élevés :** *Mossyrock* (USA, h. 185 m), *Beznar* (Esp., h. 137 m, l. 405 m).

BARRAGES EN RIVIÈRE : en béton, ou mixtes béton/terre ou béton/enrochement, qui ne remontent pas fortement le niveau comparativement à la profondeur naturelle du cours d'eau. Certains servent à détourner le courant dans le canal ou la galerie alimentant une centrale en aval (cas de nombreux petits barrages de montagne). La digue du *Bazacle*, sur la Garonne à Toulouse, fin du XIIe s., réalisée en enrochements contenus dans des caissons à claire-voie en bois remplis d'alluvions, était de ce type.

Grands barrages

■ **Définition.** Selon la Commission internationale des grands barrages (CIGB), un *grand barrage* a au min. 15 m de haut au-dessus du plus bas de la fondation, ou 10 à 15 m avec des conditions complémentaires, ou de longueur selon la crête, ou de capacité ou de débit max. des évacuateurs, ou de difficultés de sa fondation, ou de conception inhabituelle.

■ **Dans le monde.** **Nombre** (fin 1982) : 35 000 dont Chine 53 %, USA 15 %, Japon 6 %, autres pays 25 % et 1 500 en construction. **Hauteur :** *– de 30 m :* 80 %, *30 à 60 m :* 16, *+ de 60 m :* 4 (dont 0,2 % de plus de 150 m). **En 1982,** 83 % du type remblayé dont 78 % en terre et 5 % en enrochement. 50 % des b. en terre aux USA, 25 % en Asie, 25 % ailleurs.

Plus grands réservoirs artificiels (capacité en milliards de m³) : *Owen Falls* (Ouganda) 204,8, *Bratsk* (Russie) 169, *Assouan* (Égypte) 162, *Kariba* (Zimbabwe) 160,3, *Akosombo* (Ghana) 148, *Daniel Johnson* (Canada) 142. **Plus grand lac artificiel** (en superficie) : *Volta* (Ghana, retenu par le barrage d'Akosombo) 8 482 km².

☞ **Critiques des écologistes :** *Assouan* (Égypte, voir p. 975 b). *Itaipu :* on redoute des miniséismes provoqués par le poids de l'eau (voir Index). *Lubuanga* (île de Luçon, Philippines) : barrage sur le Chico, inonde les terres de 100 000 riziculteurs. *Sélingué* (Mali) : barrage sur le Niger coupant le chemin des poissons migrateurs ; bassin envahi par la végétation.

■ **En France.** **Histoire : 1675** barrage construit à St-Ferréol par Henri Riquet pour alimenter le bief supérieur du Canal du Midi. **1782** 2 barrages de plus d'une vingtaine de m. **1837** début de la série industrielle (Chazilly, C.-d'Or). **1900** env. 30 barrages, hauteur moy. 29 m (max. 52 m au Gouffre d'Enfer construit en 1866 pour alimenter Saint-Étienne). **1950** env. 170 barrages, hauteur moy. 56 m (max. 136 m à Chambon sur la Romanche, 1934). **1982** 430 barrages (1,2 % du monde), env. 20 en construction. *Hauteur : – de 30 m* 63 %, *de 30 à 60 m* 25 %, *+ de 30 m* 12 %, 1 barrage pour 1 270 km².

☞ **Digues les plus importantes :** *Mont-Cenis,* long. 1 400 m, haut. 120 m, 14,85 millions de m³ de terre et d'enrochement, *Serre-Ponçon* (14,1 millions de m³, 129 m de haut), *Grand'Maison,* haut. 160 m, long. 550 m (12,5 millions de m³ de terre et enrochement). **Barrage situé à l'altitude la plus élevée :** *Le Portillon* (Hte-Gar.) 2 560 m. **Le plus haut :** *Tignes,* voûte 180 m. **Le plus grand réservoir artificiel :** *Serre-Ponçon,* 1,27 milliard de m³.

Quelques barrages célèbres

Assouan (Égypte, voir p. 975 b).

Cabora Bassa (Mozambique). Barrage-voûte mis en service 1975. *Volume :* 510 000 m³. *Longueur :* en crête, 321 m. *Haut. :* 170 m. *Lac de retenue :* 220 km de long, 64 milliards de m³. Alimente une usine de 2 000 MW (pouvant être portée à 4 000 MW).

Ertan (Chine). Sur le Yalong, en construction, capacité 3 300 MW. *Haut. :* 240 m. *Production annuelle :* 17 000 GWh. *Coût :* 1,9 milliard de $.

Fort Peck Dam (USA, sur Missouri). Achevé 1937. *Volume :* 96 millions de m³ de terre. *Haut. :* 76 m. *Longueur* (en crête) : 6 400 m. *Retenue :* 23,6 milliards de m³.

Itaipu (sur le Paraná, tronçon commun à Brésil, Argentine et Paraguay). *Inaug. :* 1982. Barrage à contreforts en béton et digues en enrochement et en terre. *Volume des ouvrages :* 27 millions de m³. *Haut. :* 195 m. *Longueur :* 7 900 m. *Retenue :* 29 milliards de m³. *Coût :* 14 milliards de $. *Alimente* l'usine la plus puissante du monde (1er tronçon mis en service 1983), coût 3 milliards de $, puissance 12 600 MW. *Prod. annuelle prév. :* en 1988, 75 milliards de kWh.

Yacireta et **Corpus** (voir p. 1097 a).

Tarbela (Pakistan, sur l'Indus). *Achevé :* 1976. Le plus grand barrage du monde. *Volume :* 121 millions de m³ de terre et d'enrochement (3 fois Assouan). *Haut. :* 148 m. *Longueur* (en crête) : 2 750 m. *Retenue :* 13,29 milliards de m³. *Alimente* une usine de 4 groupes de 175 MW, dont la puissance totale peut être portée à 2 100 MW.

Électricité en France

EDF

■ **Statut.** **Origine :** en 1946, il y avait en France 86 *centrales thermiques* réparties entre 54 Stés et 300 *c. hydrauliques* appartenant à 100 Stés. Le *transport* était partagé entre 86 Stés, la distribution entre 1 150 Stés. **La loi de nationalisation** du 8-4-1946 a transféré à *Électricité de France,* pour des raisons politiques, sociales et économiques, les biens des entreprises de production, de transport et de distribution d'électricité. *En furent exclus :* les entreprises de production d'électricité dont la production annuelle moyenne de 1942 et 1943 avait été inférieure à 12 millions de kWh ; les ouvrages de production d'électricité appartenant à la SNCF et aux Houillères nationales ; les concessions de distribution d'électricité gérées par des Régies ou des Syndicats d'intérêt collectif agricole (SICA). Ces organismes, d'un intérêt local, sont d'ailleurs alimentés dans la plupart des cas en haute tension par EDF et distribuent principalement en basse tension. **Monopole :** EDF a le monopole de la distribution, mais pas celui de la production d'électricité. Un particulier peut fabriquer sa propre électricité et, depuis la loi du 15-7-1980, construire une microcentrale hydraulique après autorisation du préfet pour 75 ans max. (– de 4 500 kW) ou concession accordée par le Conseil d'État pour 75 ans, renouvelable pour 30 ans (4 500 à 8 000 kW).

Seul cas en France : les œuvres sociales d'EDF sont financées par un prélèvement de 1 % sur les recettes et non sur la masse salariale (pour 1987, cela correspondait à 1,3 milliard de F ; la CGT gère seule ce fonds avec 4 200 salariés).

■ **Budget** (en milliards de F). **Chiffre d'affaires :** *1985 :* 131,5. *86 :* 133,9. *87 :* 135,7. *88 :* 139,5. *89 :* 147,1. *90 :* 156,5. *91 :* 171,4. *92 :* 177,5. **Exportation :** *1992 :* 13,1 (54 milliards de kWh en 91). **Investissements :** *1986 :* 36,6. *87 :* 36,4. *88 :* 35,7. *89 :* 34,7. *90 :* 33,3 dont production 10 (nucléaire 8,4), transport en haute tension 6,3, distribution 15,4, autre inv. 0,8. *91 :* 32,3. *92 :* 32,3. **Capacité d'autofinancement :** *1985 :* 31. *86 :* 31. *87 :* 41. *88 :* 41,2. *89 :* 37,8. *90 :* 43,5. *91 :* 52,9. *92 :* 58,8.

Résultats nets (en milliards de F) : *1982 :* – 8. *83 :* – 5,7. *84 :* – 0,9. *85 :* + 1. *86 :* 1,3. *87 :* 0,2. *88 :* – 1,9. *89 :* – 4,2. *90 :* + 0,1. *91 :* + 1,9. *92 :* 2,5. Si les tarifs d'EDF s'étaient situés au niveau européen (d'env. 10 % supérieur), elle aurait enregistré un résultat net positif de 15 milliards de F.

■ **Endettement** (en milliards de F au 31-12). *1986 :* 221. *87 :* 224. *88 :* 233. *89 :* 231. *90 :* 226,1. *91 :* 214. *92 :* 193,5. **Indice d'endettement :** *dettes à long, moyen et court terme* divisé par le chiffre d'affaires × 100 : *1973 :* 191 %. *78 :* 162. *83 :* 177. *85 :* 165. *86 :* 159. *87 :* 165. *88 :* 167. *89 :* 157. *90 :* 142. *91 :* 125. *92 :* 109. *Charges financières* (comprenant provisions pour pertes de change) divisé par chiffre d'aff. × 100 : *1978 :* 14,4 %. *83 :* 27. *85 :* 23. *88 :* 19. *89 :* 18. *90 :* 17. *91 :* 14. *92 :* 11. *Emprunts nets* (1992) : – 21,6 milliards de F.

■ **Financement en 1992 et,** entre parenthèses, **1991** (en milliards de F). *Emplois :* acquisitions d'actifs immobilisés 34,2 (33,6), charges à répartir sur plusieurs exercices 5 (6,5), remboursement de dettes financières 19,8 (14,6), augmentation du fonds de roulement 6 (5,1). Total : 65 (59,7). *Ressources :* autofinancement 58,8 (52,9), cessions ou réductions d'éléments de l'actif immobilisé 0,9 (1), augmentation des capitaux propres 2,5 (2,6), augm. des dettes financières 2,9 (13,1). Total : 65 (59,7).

■ **Domaine d'EDF.** Privé 435 km², concédé 1 300 km². Les sols survolés par les lignes de transport ne sont pas concédés mais frappés de servitude.

■ **Effectifs** (au 31-12). *1985 :* 124 526. *92 :* 118 181 dont EDF-GDF Services 64 856, prod. et transport 40 653, autres 12 672. *Pt :* Pierre Delaporte (n. 30-7-1928) [avant : Marcel Boiteux (n. 9-5-1922)].

■ **Puissance installée** (MW, au 31-12-92). 95 800 (dont nucléaire 56 300, hydraulique 23 300, thermique classique 16 200).

Autres producteurs

■ **Compagnie nationale du Rhône** (créée 1921). Propriétaire d'ouvrages implantés sur le Rhône, notamment les usines de Génissiat, Bollène (Donzère-Mondragon), Bregnier-Cordon, Brens, Châteauneuf-du-Rhône, Logis-Neuf, Beauchastel, Bourg-lès-Valence, Seyssel, Gervans, Sablons, Pierre-Bénite, Beaucaire, Avignon-Sauveterre, Caderousse, Vaugris, Chautagne, Sault-Brenaz mais leur exploitation est assurée par EDF.

■ **Autres producteurs.** Gèrent des centrales et produisent 31 milliards de kWh (9 % de la consommation). *Investissements nécessaires :* 5 000 à 15 000 F par kW installé. En cas de production excédentaire, EDF doit acheter celle-ci au producteur autonome (22,79 c. le kWh en hiver et 11,41 c. en été, plus primes si le débit est régulier).

Production totale

Production par origine énergétique (plan national, en TWh, 1992). Nucléaire 321,7, hydraulique 71,6, classique 48,1, (dont charbon 33, fuel 7,3, divers 7,8 ; *total* 441,4.

Date	Total [1]	Thermique [1]		Hydraul.	Solde [1,2] échanges
		Nucl.	Class.		
1938	20,7	–	10,4	10,3	0,404
1950	33,2	–	17	16,2	0,365
1960	72,3	0,13	31,64	40,5	0,098
1970	140,7	5,15	78,95	56,6	0,506
1975	178,5	17,45	101,17	59,8	2,5
1980	245,8	57,94	118,84	69,8	3,09
1985	265,1	213,1	52,1	63,4	23,4
1989	387,5	289	48,2	50,3	421,2
1990	399,5	297,9	45,2	57	45,7
1991	433,3	314,9	57,5	60,9	53,4
1992	441,4 [3]	321,7	48,1	71,6	53,8 [4]

Nota. – (1) En TWh, térawattheures (ou milliards de kWh). (2) Exportations. (3) *Part EDF* (1992) : 417,4 [dont nucléaire 321,7, thermique classique 30,4, hydraulique 65,3, fourniture des tiers 16 (90), import. 6,5 (90), export. – 53,5, énergie pour pompage – 4,9 (90), consom. : 337,4 (90)]. **Consom. intérieure** (plan national) : 382,5, pertes 27,5, consom. nette (plan national) 355 (dont tarif vert + jaune 214, bleu 141). *Part des autres* (90) : 27,9 (dont thermique 22,9, nucl. 3, classique 19,9, hydr. 5), solde imp. 0,2 ; 16 fournis à l'EDF et 12,1 directement consommés. (4) Dont G.-B. 16,9, Italie 14,7, All. 10,7, Suisse 9,4, Espagne 2.

Électricité thermique

■ **Consommation de combustible** (plan national, en millions de tep, en 1992). Uranium 75, charbon 5, fuel 3, divers 3. *Ensemble 86.*

■ **Besoins en eau des centrales thermiques** réfrigérées en circuit ouvert selon la puissance nominale des tranches. Débit traversant le conducteur en m³/s, échauffement de l'eau en °C, volume prélevé par kWh produit en litres. *Classiques :* 125 MW 5,5 m³/s, 7° C, 158 l. 250 MW 10 m³/s, 7° C, 144 l. 600 MW 24 m³/s, 7° C, 144 l. *Nucléaires :* PWR 900 MW 41 m³/s, 10,8° C, 164 l. PWR 1 300 MW 45 m³/s, 13,8° C, 130 l. Rapide 1 200 MW 36 m³/s, 11° C, 108 l.

■ **Production par catégorie de combustible.** Total prod. thermique (en TWh) et, entre parenthèses, combustibles utilisés (en %). **1950 :** 6,9 (charbon 59, fuel 7, divers 34). **1955 :** 24,5 (c. 42, f. 7, d. 51). **1960 :** 31,8 (c. 39, f. 8, gaz nat. 11, d. 42). **1965 :** 55 (c. 44, f. 20, g. 6, d. 30). **1970 :** 84,1 (c. 34, f. 34, g. 8, d. 24). **1975 :** 118,6 (c. 28, f. 41, g. 16, uranium 15). **1980 :** 176,8 (c. 26, f. 38, g. 3, u. 33). **1985 :** 265,2 (c. 14, f. 3, g. 3, u. 80). **1989 :** 337,2 (c. 9, f. 3, g. 2, u. 86). **1990 :** 343 (c. 9, f. 2, g. 2, u. 85). **1991 :** 372,8 (c. 10, f. 3, g. 2, u. 85). **1992** (est.) : 369,8 (c. 9, f. 2, g. 2, u. 87).

■ **Puissance maximale possible** (au 31-12-92 en MW). *Total* (classique + nucléaire) : plan national 80 200 (dont EDF 72 500). *Équipement thermique classique :* plan national 22 500 (dont : EDF 16 200, Charbonnages de France 2 500, autres 3 800). *Nucléaire :* plan national 57 700 (dont EDF 56 300).

Coefficient de production du parc EDF (%) : *1980 :* 60,5 (22). *1981 :* 59,1 (30). *1982 :* 53,3 (32). *1983 :* 62,5 (36). *1984 :* 70,5 (41) (toutes filières de réacteur confondues). *1985 :* 70,6 (coefficient de disponibilité en énergie à partir de la mise en service industriel).

■ **Principales centrales thermiques.** Production 1992 en GWh et, entre parenthèses, puissance maximale possible en MW. En italique : centrale nucléaire. *Gravelines B et C* (Nord) 34 516 (5 460). *Cattenom* (Mos.) 32 509 (5 200). *Paluel* (S.-M.) 27 915 (5 320). *Chinon B* (I-et-L.) 24 722 (3 620). *Tricastin (Le)* (Rhône) 23 404 (3 660). *Blayais (Le)* (Gironde) 22 366 (3 640). *Cruas-Meysse* (Ard.) 21 792 (3 625). *Dampierre-en-Burly* (Loiret) 21 536 (3 560). *Belleville* (Cher) 16 750 (2 620). *Flamanville* (Manche) 16 430 (2 660). *Nogent-sur-Seine* (Aube) 16 089 (2 620). *Bugey (Le)* (Ain) 13 156 (4 140). *Penly* (S.-M.) 13 043 (2 660). *St-Laurent-des-Eaux B* (L.-et-C.) 11 103 (1 830). *St-Alban-St-Maurice* (Isère) 11 083 (2 670). *Fessenheim* (Ht-Rhin) 7 040 (1 760). *Golfech* (T.-et-G.) 7 025 (1 310). *Cordemais* (L.-A.) 6 641 (3 115). *Havre (Le)* (S.-M.) 4 215 (2 000). *Émile-Huchet* (Carling, Mos.) 4 182 (1 159). *Blénod* (M.-et-M.) 3 259 (1 000). *Vitry-sur-Seine* (V.-de-M.) 2 116 (1 120). *Maxe (La)* (Mos.) 2 086 (500). *Gardanne* (B.-du-R.) 1 900 (825). *Champagne-sur-Oise* (V.-d'O.) 1 698 (490). *Porcheville B* (Yvel.) 1 615 (2 340). *St-Laurent-des-Eaux* (L.-et-C.) 1 333. *Dunkerque* (Nord) 1 304 (234). *Bouchain* (Nord) 1 291 (582). *Montereau* (Loiret) 1 179 (500). *Vaires-sur-Marne* (S.-et-M.) 1 112 (480). *Aramon* (Gard) 702 (685). *Albi* (Tarn) 683 (250). *Pont-sur-Sambre* (Nord) 601 (250). *Loire-sur-Rhône* (R.) 576 (500). *Pont-de-Claix* (Is.) 560 (166).

Nota. – Entre 1984 et 1989, env. 48 unités de production de centrales EDF ont été déclassées (trop vieilles, manque de compétitivité) dont St-Laurent-des-Eaux en 1992.

Ouvrage en construction : Lucciana 3 (puissance max. en construction : 24 milliers de kW ; prévision de mise en service : 1993).

■ **Thermique nucléaire** (voir p. 1746).

Électricité hydraulique

■ **Avantages.** Longévité des ouvrages, modicité d'entretien, souplesse de fonctionnement, possibilité d'associer la production d'électricité à d'autres usages (écrêtement ou laminage des crues, soutien des étiages, alimentation urbaine, etc.), source nationale, renouvelable et propre. **Inconvénients.** Barrages empêchant les migrations des poissons et provoquant un réchauffement des eaux ; les turbines sont des pièges à poissons [la construction de microcentrales est ainsi interdite sur une centaine de rivières à poissons (Loire, Canche, bassin de l'Adour, rivières normandes, bretonnes)], les descentes en canoë sont gênées (ex. : sur la Vézère, l'Auvezère, la Dordogne), l'environnement peut en souffrir (ex. : gorges du Verdon).

■ **Potentiel français.** La 1re haute chute fut équipée en 1880 près de Grenoble par Aristide Bergès, qui le 1er parla de *houille blanche.* **Petites chutes aménageables :** 300 000 (*hauteur* moyenne annuelle des précipitations 315 mm, soit 173 milliards de m³) ; pour produire 1 kWh, 1 m³ d'eau douce doit tomber de 365 m. **Altitude moy. de chute :** env. 560 m (soit 1,53 fois 365 m). **Potentiel :** *théorique :* défini à partir de 265 TWh (88 Mtec) ; *équipable :* 100 TWh ; *économique utilisable :* 72 TWh (24 Mtec). En 1977 et jusqu'en août 78, grâce à une hydraulicité exceptionnelle, ce niveau a été dépassé de 4 TWh.

■ **Courant fourni.** En année normale : 62 TWh (21 Mtec), soit en puissance 18 500 MW.

■ **Catégories d'usines.** **Lac :** usines ayant un réservoir dont le temps de remplissage, égal ou supérieur à 400 h, permet de stocker les apports en période de hautes eaux pour les libérer en période de pointes de consommation. Parfois *de haute chute,* demandent au moins 400 m pour que leur réserve atteigne la cote normale. Ex. : dans les Alpes, *La Bathie Roselend* puiss. max. 546 MW (productibilité annuelle 1 080 GW h). **Usines au fil de l'eau, de basse chute :** ne peuvent retenir l'eau plus de 2 h. Ex. : Bollène sur le Rhône (335 MW, 2 110 GWh). Les chutes fournissent des kWh toute l'année et assurent la base du diagramme de production électrique ; les hautes chutes mobilisent leur puissance aux h de pointe et aux h pleines d'hiver, soit env. 1/5 de l'année. **Éclusées :** réservoir dont le temps de remplissage, entre 2 h et 400 h, permet de stocker de l'eau la nuit pour turbiner aux h de forte charge. Ex. : *Éguzon* sur la Creuse (70,6 MW, 105 GWh) ou *Génissiat* sur le Rhône (405 MW, 1 700 GWh). **Fil de l'eau :** réservoir à temps de remplissage inférieur ou égal à 2 h et utilisant le débit tel qu'il se présente. **Pompage :** disposent de 2 réservoirs, un supérieur et un inférieur, reliés par des pompes, pour remonter l'eau, et des turbines pour produire de l'énergie. *Pompage pur :* apports naturels dans le réservoir supérieur négligeables (productibilité nulle). Ex. : *Revin* près de la Meuse, 1re grande installation de ce type (1976, de 800 MW). *Pompage mixte :* apports naturels, dits gravitaires, productibilité certaine. Mobilisables au moment voulu moyennant une perte physique de 1/3 compensé par un gain économique : le kWh turbiné le matin ou le soir vaut en hiver jusqu'à 2 fois celui du refoulement à minuit. Sites recensés en France, total : puissance 18 500 MW ou +.

■ **Statistiques** (1992, prov.). Puissance installée nominale [somme des puissances nominales des générateurs principaux d'énergie électrique (à l'exclusion des auxiliaires)], en MW 24 900 dont fil 7 600, éclusées 4 000, lac 8 900, pompage pur 1 740, mixte 2 660.

Production (en 1992, prov.) (en GWh, plan national dont entre parenthèses EDF) : 71 600 (65 300) dont usines au fil de l'eau 37 300 (32 500), éclusées 12 800 (11 900), lac 16 700 (16 100), pompage pur (1 900), mixte (2 900).

Total (1992) : 71 600 (65 300) dont Alpes 50 900 (48 200), Centre 13 100 (11 600), Pyrénées 7 600 (5 500).

Productibilité (quantité annuelle moyenne d'énergie que les apports permettraient de produire ou de stocker durant l'année, en l'absence de toute indisponibilité de matériel et de toute contrainte d'exploitation), en GWh, *1992 :* 70 350 dont fil 38 550, éclusées 12 900, lac 17 700, pompage mixte 1 200.

■ **Réservoirs saisonniers.** Remplissage en général à partir de la fonte des neiges (mai-juin), maximum atteint en automne. Le déstockage permet de faire face aux périodes de grosse consommation en hiver.

Capacité en énergie (quantité d'énergie qui serait produite dans l'ensemble des usines de tête et aval si on vidait le réservoir plein) *total* (1989) 9 831 (EDF 9 150) dont : centrales de tête 4 873 (4 334), centrales aval 4 958 (4 816) ; Alpes 67 % de la capacité.

Principaux réservoirs (capacité en GWh) : **Alpes :** Serre-Ponçon 1 677, Mont-Cenis 1 063, Tignes 665, Roselend 639, Grand-Maison 451, Émosson 372, Ste-Croix 297. **Pyrénées :** Cap-de-Long 299, Lanoux 257, Naguilhès 114. **Centre :** Bort 313, Grandval 271, Sarrans 251, Pareloup 234.

■ **Principaux aménagements hydrauliques** (1992). Production et productibilité annuelle moyenne, entre parenthèses [somme des moyennes de productibilités annuelles nettes calculées pour chaque usine sur le plus grand nombre d'années possible], en GWh ; *puissance maximale possible,* en italique, de 1 h : somme des puiss. max. nettes réalisables par chaque usine en service continu, quand chacune de ses installations principales et annexes est en état de marche et quand les conditions de débit, de réserve et de hauteur de chute sont optimales], en MW.

Bollène (Vaucluse, canal du Rhône) 2 122 (2 140) *335.* Génissiat (Ain, Ht-Rhône, inauguré 21-1-1948) 1 777 (1 700) *405.* Châteauneuf-du-Rhône 1 644 (1 660) *285.* Beaucaire (Gard, Rhône) 1 295 (1 310) *210.* Logis-Neuf (Drôme, dérivation du Rhône) 1 238 (1 227) *211.* Montézic (Aveyron, Truyère) 1 237 (0) *966.* Beauchastel 1 194 (1 236) *223.* Grand-Maison 1 098 (215) *1 690.* Bourg-lès-Valence 1 095 (1 110) *186.* La Bathie (Savoie, Isère) 1 086 (1 080) *546.* Fessenheim (Ht-Rhin, canal d'Alsace) 1 044 (1 040) *172.* Ottmarsheim (Ht-Rhin, canal d'Alsace) 947 (980) *156.* Rhinau (B.-Rhin, Rhin) 915 (946) *158.* Avignon-Sauveterre (Vaucluse, Rhône) 907 (920) *164.* Sablons (Isère) 899 (905) *161.* Caderousse (Vaucluse) 869 (870) *156.* Marckolsheim (B.-Rhin, Rhin) 865 (938) *156.* Le Cheylas (Isère, Arc) 857 (680) *485.* Strasbourg (B.-Rhin, Rhin) 856 (868) *131.* Brommat (Aveyron, Truyère) 829 (900) *416.* Vogelgrun (Ht-Rhin) 808 (810) *130.* Oraison (A.-de-Hte-Pr., Durance) 794 (784) *192.* Gerstheim (B.-Rhin) 787 (818) *130.* Serre-Ponçon (A.-de-Hte-Pr., Durance) 760 (720) *385.* Sisteron (A.-de-Hte-Pr., Durance) 751 (710) *214.* St-Estève 709 (720) *141.* Villarodin (Savoie) 687 (730) *484.* Gervans (Drôme) 667 (700) *116.* La Coche 630 (490) *310.* Revin (Ardennes) 614 (0) *800.* Rance (C.-d'A.) 578 (540) *240.* Monteynard 567 (475) *364.* St-Chamas 565 (610) *152.* Pierre-Bénite (Rhône) 533 (535) *81.* L'Aigle 532 (500) *360.* Le Chastang 507 (520) *290.* Malgovert (Savoie, Isère) 492 (660) *297.* Randens (Savoie) 479 (482) *124.* Curbans 462 (465) *139.* Chautagne 453 (455) *92.* Mallemort 445 (450) *90.* Cusset 435 (425) *65.* Brens 418 (449) *91.* Le Pouget 415 (297) *446.* Super-Bissorte 405 (165) *746.* La Saussaz II 393 (480) *146.* Aston 386 (395) *106.* Golfech 385 (369) *76.* Hermillon 381 (460) *114.* Iffezheim 368 (342) *54.* Vouglans 361 (290) *285.* Émosson 361 (225) *205.* Passy 349 (350) *109.* Salon 343 (360) *91.* Bort 339 (325) *233.* Sainte-Tulle 336 (350) *90.* Jouques 335 (365) *72.* Vaugris 333 (335) *61.* Gambsheim 329 (317) *48.* Pagnères 325 (326) *273.*

☞ La sécheresse de 1989 a occasionné pour EDF un déficit de 19 milliards de kWh hydrauliques, surcoût 2 milliards de F. Parallèlement, EDF a consenti 160 millions de m³ de lâchers d'eau supplémentaires (au-delà de ceux normalement prévus), par les ouvrages à buts multiples (ex. : retenue de Serre-Ponçon). Le 1-9-1990, les lacs d'EDF étaient, en moyenne, remplis à 73 % de leur capacité ; Alpes du Sud 50 %.

Consommation

■ **Consommation** (1992, prov.). **Brute** (y compris pertes dans le réseau), entre parenthèses, **nette** (en milliards de kWh). *1950 :* 33,4 (28,9). *60 :* 72 (65,2). *70 :* 140 (130,1). *80 :* 248,7 (231,5). *85 :* 303 (297,4). *89 :* 341 (315). **Totale** 382,5 [tarif vert + jaune (Hte tension) 214, bleu (basse tension) 141, pertes 27,5].

Par activité (1992, prov.) **VJ :** 214 dont commerces, services marchands 37,8, diverses énergies 25,4, minerais et transformations associées (dont sidérurgie 10,7), chimie et parachimie 22,9, mécanique, fonderie, travail des métaux 22,3, industries alim. 15, autres ind. 14,4, textile, habillement, ameublement 12,6, transports et télécom. 11,3, administration, services non marchands 10, minéraux et matériaux 9,4, pétrole 4,6, agriculture 2,2, combustibles minéraux solides 1,3, non classé (clients EDF et DNN) 1,4. *B :* 141 dont usages domestiques 109,8, professionnels et services publics 31,2. *Total* 355.

Par fournisseur (en TWh, 1992, prov.) **Tarif VJ :** *total* 214 [EDF 196 (dont clients distribution 111,5, prod. transport 84,5), distributeurs non nationalisés 6,1, ind. sur production propre 11,9]. **Tarif B :** *total* 141 (EDF 132,7, distrib. non nat. 8,3).

■ **Abonnés** (1992). L'EDF dessert 27 900 000 abonnés en tarif B [énergie livrée 132 700 GWh] et 600 ab. en tarif VJ DPT, taille 1 [84 500 GWh],

Pannes de New York. 9-11-1965, panne de générateurs, toucha 25 000 000 de personnes (N.-E. des USA et partie du Canada), dura 24 h. **13/14-7-1977** dura plus de 24 h ; entraîna de nombreux pillages.

36 000 ab. en tarif VJ DD, taille 1, 266 000 ab. en tarif VJ DD taille 2 [111 500 GWh].

■ Pointe journalière. **Consommation intérieure : puissance (en GW) :** *1950 (21-12)* : 6,5. *60 (15-12)* : 12,9. *70 (18-2)* : 23,3. *80 (9-12)* : 44,1. *86 (10-2 à 19h)* : 58. *89 (11-12 à 19h)* : 59,6. *90 (17-12 à 19 h)* : 63,4. 92 *(27-1 à 19 h)* : 64. **Énergie (en GWh) :** *89 (5-12)* : 1 303. *90 (20-12)* : 1 385. *92 (23-1)* : 1 428 (écart de température de – 6 °C par rapport à la normale).

Journée la plus chargée de l'hiver 1992-93 : *4-1-93 à 19 h* : puissance maximale appelée 70 GW, énergie 1 522 GWh, température (écart à la normale) – 7° C.

■ Scénario type d'une journée à risque maximal de coupures. Un mardi, mercredi ou jeudi de la 2e semaine de janvier à la fin février par un temps froid et sec. Une baisse de temp. d'un degré entraîne une consommation supplémentaire de 1 GW. Entre 9 h et midi, et 17 et 21 h, EDF peut être contrainte de couper 1, 2 ou 3 % de la consom. nat. En cas de grève, un seul gréviste qui oublierait d'adapter la demande à l'offre d'électricité (en procédant à des coupures judicieuses quand la production baisse, alors que la consommation reste forte) peut faire sauter tout le réseau EDF.

■ Temps moyen de coupure client basse tension (1986). *France 0 h 53* (1991), G.-B. 2 h 45, All. féd. 1 h, P.-Bas 26 min.

■ Pannes importantes. **19-12-1978** (8 h 26 à 13 h 45) : due au déclenchement pour surcharge de la ligne 400 kV Bezaumont (N. de Nancy)-Greney (Troyes) qui entraîna en cascade l'interruption de l'alimentation sauf dans les régions N.-E., S.-E. et Alpes, les lignes du réseau étant interconnectées. Profondeur max. de la coupure 29±1 GW sur un appel de consommation de 38,5 GW. **14-1-1985** Paris (Nord et Ouest) 18 h 45-21 h. **12-1/25-1-1987,** 4 h 30 à 5 h 30 300 000 personnes dans le Centre. **7-4-1993** (16 h) : incendie du transformateur (soirée de 30 000 pers. à Paris).

■ Échanges d'énergie avec l'étranger

Importations et, entre parenthèses, exportations (en millions de kWh, en 1992). Belgique 2 300 (2 300). Espagne 1 100 (3 100). Suisse 600 (10 300). All. 300 (10 600). Italie 200 (14 800). G.-B. (17 000). Andorre (200). *Total* 4 500 (58 300).

■ Réseau

Définition

Réseaux. **Très haute tension :** lignes à 400 kV et 225 kV reliant les principales centrales (thermiques, nucléaires et hydroélectriques) et assurant l'interconnexion régionale et internationale. **Haute tension :** mouvements d'énergie régionaux, alimentation des centres de distribution et de certains gros usagers industriels. **Moyenne tension :** mouvements d'énergie dans le cadre régional, et fourniture énergie aux usagers industriels dans le cadre local. **Basse tension :** distribution aux usagers domestiques, aux petits industriels, commerciaux et divers.

Statistiques

Longueur des fils de pylônes (km, 1992, et, entre parenthèses, longueur de circuits). *Très haute tension* 400 kV : 12 800 (20 200, entièrement en aérien). 225 kV : 21 200 (25 650, dont 2,2 % en souterrain). 150 kV : 2 007 (2 060). *Haute tension* 41 310 (49 600, dont 2,9 % en souterrain). *Moyenne tension* n.c. (573 200, dont 21 % en souterrain). *Basse tension* n.c. (622 000, dont 19 % en souterrain).

Lignes nouvelles annuelles **(longueurs de circuits électriques)** et, entre crochets, coût de la mise en souterrain. *BT* : env. 18 000 km (dont 7 000 réalisés par collectivités locales au titre de l'électrification rurale ; sur les 11 000 m construits annuellement par EDF, 30 % sont en souterrain) [500 000 à 600 000 F/km]. *MT* : env. 20 000 km (dont 40 % en souterrain) [260 000 à 400 000 F/km]. *HT* : env. 1 290 km (dont 3,9 % en souterrain) [en 90 kV pour une ligne à 2 circuits : 3 600 000 F/km ; en 90 kV pour 1 ligne à 1 circuit : 1 800 000 F/km]. *THT* : env. 230 km (225 kV, dont 8 % en souterrain) [en 225 kV : 8 400 000 F/km ; en 400 kV : 60 000 000 F/km].

Transformateurs hors élévateurs de production (puissance nominale MVA, en 1992). *400 kV* : 101 300. *225 kV* : 89 000.

Technique

Câbles. *Pour 400 kV,* faisceau de 3 câbles pesant 4,8 kg par m, soutenu par un pylône de 6 à 80 t tous les 500 m en moyenne. *Pour 63 kV,* câble unique, 800 g par m, pylônes de 1 à 3 t tous les 250 m en moyenne. 20 % des lignes à moyenne tension et 15 % à basse tension sont enterrées.

Une ligne capable de résister à une surcharge de 6 kg par m coûte 100 à 110 % de plus qu'une ligne ordinaire (surcharge 2 kg par m). Parfois, la neige peut enrober d'un manchon de 15 cm de diamètre des câbles d'env. 3 cm de diamètre, ce qui entraîne une surcharge de 10 kg par m.

Pylônes. Utilisés pour la construction des lignes aériennes haute ou très haute tension (63 à 400 kV). *Nombre :* env. 250 000. *Matériaux :* profilé ou tube d'acier. 9 formes différentes et env. 2 000 types de caractéristiques mécaniques. *Poids :* 4 à 100 t. *Hauteur :* 25 à 100 m.

Poteaux. *Nombre :* 15 à 17 millions. Il en faut chaque année 450 000 (lignes nouvelles 150 000, remplacement 300 000). *Matériaux : bois :* durée de vie moy. 35 à 40 ans. *Béton :* utilisé lorsque les poteaux doivent supporter des efforts importants. *Bois lamellé* collé. *Plastique. Tôle* d'acier.

Lignes souterraines. **Coût :** *ligne souterraine de 400 kV :* 15 à 20 fois supérieur à celui d'une ligne aérienne ; *de 225 kV :* 5 à 8 fois ; *63 et 90 kV :* 3 à 5 fois ; *moy. tension* 3,5 à 5, *basse tension :* 2,5 à 3. **Pertes en ligne :** au-delà de 45 km, un câble de 400 kV ne peut plus transporter de courant utile. En pratique, les liaisons souterraines ne peuvent dépasser 10 km en 400 kV, 20 km en 225 kV. **Probabilités d'avarie :** 2 fois plus en basse tension, environ 10 fois plus pour la haute et la très haute tension (pas d'entretien préventif possible, vulnérabilité aux engins de terrassement, etc.). **Emprise :** une ligne souterraine empêche toute construction sur une bande de terrain de 4 à 5 m de large. Soit 4 000 m² au km (contre 100 à 200 m² pour les pylônes d'une ligne aérienne). **Réparations :** ne peuvent être faites sous tension et demandent beaucoup plus de temps (5 fois plus pour une ligne de 225 kV).

Nota. – EDF prévoit de mettre 70 % des nouvelles lignes moyenne tension en souterrain avant 1995.

☞ Les lignes aériennes sont contestées par les écologistes : environnement, obstacles pour oiseaux (ex. : cigognes) et pour les habitations proches, risques éventuels présentés par les champs électriques (cancer ?), perturbation de fonctionnement d'appareils électriques.

Champs. Un courant électrique passant dans un fil produit un champ électrique et magnétique. *Champ électrique :* écart de potentiel entre conducteur et milieu environnant ; proportionnel à la tension de la ligne ; en volts par mètre ; son intensité au sol dépend de la tension et de la hauteur de la ligne (il est modifié par n'importe quel objet conducteur). *Champ magnétique :* dépend de l'intensité de ce courant et de la distance au conducteur ; l'induction magnétique, liée au champ, s'exprime en gauss ou teslas (1 tesla égale 10^4 gauss ; unité légale d'intensité de champ magnétique : ampère par mètre) ; traverse les corps organiques (bois, feuille, peau, etc.), une grande partie des roches (pierre, brique, ciment, etc.), est modifié par les métaux dits ferromagnétiques (fer, nickel, cobalt) et par beaucoup de leurs alliages (aciers simples, aciers inox, céramiques dites ferrites, etc.) *Effet couronne :* dû à un faible passage du courant à travers l'air, qui s'ionise sous l'action du champ électrique existant entre 2 fils d'une ligne à haute tension. Luminescence de l'air qui peut s'étaler en traits lumineux ramifiés (causant le « bruit de friture » des lignes à haute tension).

■ Prix

Prix de revient du kW/h (1992). Coût de production d'achat et de transport 28,2 c, coût du kW/h distribué 17,5. Prix moyen de vente du kW/h (1992) : Services tarifs bleu 64,8 c., jaune et vert 42,8, production transport tarif vert 24,1.

Câble et interconnexion des réseaux français et anglais. Permet de favoriser les échanges d'électricité car les heures de pointe ne sont pas les mêmes selon les pays. **1961** *Ifa 1* entre Échinghen près de Boulogne-sur-Mer et Lydd (G.-B.) puissance 160 MW. **1981** exploitation arrêtée (frais d'entretien prohibitifs dus aux avaries des ancres et châluts). **1985, 1990** *Ifa 2* courant continu, puissance 2 000 MW. 8 câbles sous-marins (par paires) de 270 kV, enterrés à 1,70 m sous la mer entre Sangatte et Folkestone (45 km). Câbles de 900 mm² de section, faits de 12 couches de maillages d'acier et d'isolants qui protègent le conducteur en cuivre. Fabriqués par tronçons de 50 km (1 800 t) posés d'un seul morceau.

Indices des prix hors taxes de l'électricité en France et dans les pays de la Communauté (1-1-92). *Usages domestiques* (3 500 kWh/an dont 1 300 en heures creuses) et *usages industriels* [160 000 kWh/an (100 kW × 1 600 h)] : All. 117 (133). Belg. 114 (119). Dan. 58 (45). *France 100 (100).* G.-B. 118 (130). Irlande 84 (122). Italie - (139). P.-Bas 86 (102).

Énergie nucléaire

Sources : EDF ; CEA.

Généralités

■ Réactions nucléaires

■ Principes. Le noyau d'un atome se compose de neutrons non chargés et de protons chargés d'électricité positive. Les protons portant une charge de même signe devraient se repousser mutuellement. Or, ils demeurent rassemblés, la force d'attraction du noyau étant supérieure à la force de répulsion électrique. Mais la masse du noyau est inférieure à celle que totaliseraient ses constituants s'ils étaient libres. Il y a donc dans le noyau un *défaut de masse* Δ m, équivalant à une certaine quantité d'énergie de liaison E qui assure la cohésion du noyau. C'est l'énergie qu'il faut fournir au noyau pour dissocier les particules qui le composent : $E = \Delta m \times C^2$ (C, vitesse de la lumière = 300 000 km/s). Un très faible défaut de masse correspond à une énergie importante. Le défaut de masse est relativement faible pour les noyaux légers (hydrogène), maximal pour ceux de masse moyenne (fer), plus faible pour les noyaux lourds (uranium).

L'apparition de l'énergie nucléaire résulte d'une *modification du noyau.* Elle s'accompagne d'une disparition de matière, c'est-à-dire d'une augmentation du défaut de masse. Elle se produit *spontanément* dans certains éléments naturels (exemple : l'uranium 238 se transforme en thorium 234 en émettant un rayonnement α). On peut la produire artificiellement en provoquant une transformation donnant des noyaux de masse moyenne pour lesquels le défaut de masse est maximal. D'où 2 types de réactions nucléaires énergétiques. 1°) la *fission* ou rupture d'un noyau très lourd en 2 noyaux plus légers ; 2°) la *fusion* ou agglomération de noyaux très légers pour former un noyau plus lourd.

Activité : nombre des désintégrations qui se produisent dans une substance radioactive. Mesurée en curies ou en becquerels (1 becquerel = 1 désintégration par seconde ; 1 curie = 3 710 ⁹ becquerels).

Période radioactive, ou demi-vie : temps durant lequel la moitié des atomes présents initialement se désintègrent. Au bout d'une période, un corps a ainsi perdu la moité de son activité. *Polonium 218* 3,03 min, *iode 131* 8 j, *krypton 85* 10 ans, *plutonium 239* 24 000 ans, *uranium naturel* 4,5 milliards d'années. **Périodes de quelques éléments :** *polonium 212* 3.10^{-7} s, *polonium 214* $1{,}6.\ 10^{-4}$ s, *iode 128* 25 min, *sodium 24* 15 h, *radon 222* 3,8 jours, *iode 131* 8 j, *phosphore 32* 14,3 j, *cobalt 60* 5,3 ans, *strontium 90* 28 a, *césium 137* 33 a, *radium 226* 1 620 a, *plutonium 239* 24 100 a, *uranium 234* $0{,}25.\ 10^4$ a (2 500 000), *uranium 235* $710.\ 10^6$ a, *uranium 238* $4{,}5.\ 10^9$ (4,5 milliards d'années), *thorium 232* $14.\ 10^9$ a.

■ Fission nucléaire

■ Théorie. La fission est la rupture d'un noyau lourd (uranium 235 par ex.), sous l'impact d'un neutron, en noyaux plus petits. Elle s'accompagne d'un dégagement d'énergie (env. 200 millions d'électronvolts) dû à l'augmentation de la perte de masse. Simultanément se produit la libération de 2 ou 3 neutrons et de produits radioactifs. Exemple :

$$^{1}_{0}n + ^{235}_{92}U \rightarrow ^{94}_{38}Sr + ^{140}_{54}Xe + 2\ ^{1}_{0}n + \text{énergie}$$

Les neutrons libérés peuvent provoquer à leur tour la fission d'autres noyaux et la libération d'autres neutrons, et ainsi de suite (c'est la *réaction en chaîne*), mais les neutrons peuvent aussi être absorbés dans l'uranium 238 ou s'évader sans provoquer de fission. Pour qu'une réaction en chaîne s'établisse, il faut rassembler en un même volume une masse suffisante de noyaux fissiles, appelée *masse critique,* afin que le nombre de neutrons productifs (susceptibles de provoquer des fissions) soit supérieur au nombre de neutrons improductifs (qui seront absorbés ou s'évaderont). Lors de sa fission, le noyau éclate. Les fragments sont ralentis au contact des noyaux voisins. Cette agitation produit un échauffement de la matière fissile. Cette réaction est à la base du fonctionnement des centrales nucléaires actuelles.

La *bombe atomique* est constituée par une masse critique où la réaction en chaîne se propage si rapidement qu'elle conduit à une réaction explosive dégageant une énergie considérable (voir Index).

■ **Histoire.** **1re fission** de l'atome : 1938 par O. Hahn et F. Strassmann, à Copenhague, dans le laboratoire de Niels Bohr. **1re pile** fonctionne à l'université de Chicago le 2-12-1942 [« combustible » : uranium + oxyde d'uranium ; modérateur : graphite ; aucun refroidissement ; puissance : 200 W] ; *France,* à Châtillon, dép. Hts-de-Seine (anc. Seine), *Zoé* (Zéro énergie, Oxyde d'uranium, Eau lourde), le 15-12-1948 [oxyde d'uranium ; mod. : eau lourde (6 t) ; pas de refroidissement, puissance : 1 à 5 kW] ; *G.-B.,* Harwell (GLEEP) le 15-8-1947 [uranium + oxyde d'uranium (7 t) ; mod. : graphite (10 t), eau lourde (2 t) ; refroidissement : air ; puissance : 100 kW].

■ Fusion nucléaire

■ **Principe.** Très répandu dans l'univers : des noyaux d'atomes fusionnent en permanence au sein des étoiles. Utilisé dans la bombe H, mais son utilisation pacifique en est encore au stade expérimental.

Pour réaliser la fusion des noyaux d'atomes, il faut vaincre leur répulsion électrostatique et les amener au contact l'un de l'autre. Alors ils s'interpénètrent, forment très brièvement un noyau unique qui se redécompose en noyaux différents de ceux dont on est parti. Les réactions nucléaires auxquelles on s'intéresse pour produire de l'énergie font intervenir les isotopes de l'hydrogène, le deutérium et le tritium, ainsi que l'hélium :

$$^{2}_{1}H + ^{2}_{1}H \rightarrow ^{3}_{2}He + ^{1}_{0}M + 3{,}27\ MeV$$

$$^{2}_{1}H + ^{2}_{1}H \rightarrow ^{3}_{1}H + ^{1}_{1}p + 4{,}03\ MeV$$

$$^{2}_{1}H + ^{3}_{1}H \rightarrow ^{4}_{1}He + ^{1}_{0}n + 17{,}6\ MeV$$

$$^{2}_{1}H + ^{3}_{2}He \rightarrow ^{4}_{2}He + ^{1}_{1}p + 18{,}3\ MeV$$

Nota. – MeV : 1 million d'électronvolts.

Les taux de réaction sont différents pour chacune de ces fusions et dépendent de l'énergie fournie aux particules incidentes. A énergie égale, c'est la 3e réaction, deutérium + tritium, qui a le taux le plus élevé. Elle a un intérêt industriel potentiel pour une énergie des particules correspondant à une agitation thermique de 100 millions de degrés K. Les autres réactions demandent, à taux égal, des températures bien plus élevées et ne sont pas pour le moment envisagées dans les expériences.

A ces températures très élevées, la matière se trouve à l'état de *plasma* (les atomes sont totalement ou fortement dépouillés de leurs électrons périphériques). La physique correspondante combine les propriétés des gaz et les lois de l'électromagnétisme. Les particules en présence, noyaux et électrons, sont en effet chargées électriquement, et partant de là sensibles aux champs électriques et magnétiques.

■ **Méthodes.** Dans les réacteurs futurs, pour que l'énergie produite par la fusion soit supérieure à celle investie dans le chauffage des particules et dans le fonctionnement des circuits, il faut que le produit de la densité, n, du plasma par le temps, t, pendant lequel son énergie reste confinée loin de toutes parois matérielles, soit supérieur à une certaine valeur : $n \times t \geqslant$ 100 000 milliards de $cm^3 \times$ sec. à 100 millions de degrés K.

Voie du confinement magnétique : la densité n est faible et le temps t est long. On s'efforce de maintenir les particules loin des parois grâce à un champ magnétique. Les meilleures performances ont été obtenues sur les **tokamaks** (du russe *tok :* courant, et *mak :* magnétique) à symétrie toroïdale (de *tore :* sorte d'anneau) : inventés par les Soviétiques en 1958. 3 en fonctionnement : *TFTR* (*Tokamak Fusion Test Reactor*) de l'université de Princeton (USA) aurait atteint 200 millions de degrés ; *JT 60* (*Japanese Tokamak*) de l'Institut de recherche atomique de Tokaï-Mura, près de Tōkyō ; *Jet* (*Joint European Torus*) lancé juin 1978 : en service dep. 1983 à Culham (G.-B.) ; financé par Euratom (80 %), Atomic Energy Authority (G.-B., 10 %), organismes nationaux associés (10 %) ; le plus grand en service aurait atteint 140 puis 300 millions de degrés pendant 1,8 s, et le 9-11-1991 produisit 2 MW avec 1,5 g de deutérium et 5 mg de tritium. *Tore-Supra* réalisé (1981-88) à Cadarache, en niobium-titane, maintenu à 1,7 degré Kelvin (– 270 °C env.) ; mise en œuvre de bobines supraconductrices pour l'établissement du champ magnétique toroïdal ; rayon hors tout : 11,5 m ; grand rayon du tore de plasma : 2,35 m, petit : 0,70 m ; courant induit dans le plasma : 1,7 million d'ampères ; champ magnétique de confinement : 4,5 teslas ; puissance de chauffage complémentaire : 15 MW (obtenu par injection de particules et d'ondes à haute fréquence). *NET (Next European Torus) :* abordera les problèmes de faisabilité technologique. *CIT (Compact Ignition Tokamak)* laboratoire de Princeton, dérivé du TFTR, coût 1,2 million de $. *ITER (International Thermonuclear Experimental Reactor)* projet proposé en 1987 par Gorbatchev (serait mis en service v. 2005), tore de 6 m, courant de plasma 22 MA, puissance de fusion 1 GW, coût 5 milliards de $.

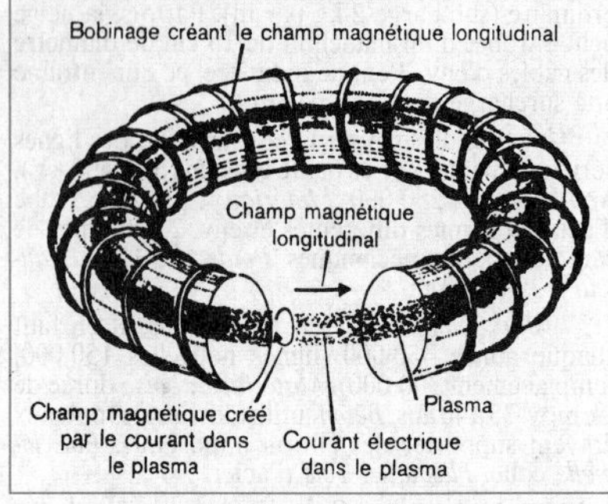

Principe de la machine Tokamak

Voie du confinement inertiel : la densité n est très forte, 1 000 fois celle des solides, et le temps t est très court. Les particules sont échauffées et comprimées grâce à une impulsion sphérique provoquée par une convergence de faisceaux lasers, de faisceaux d'électrons ou d'ions.

Dans les 2 cas, la majeure partie de l'énergie de fusion est emportée par les neutrons. Ces particules cèdent leur énergie à une enceinte extérieure qui devient de ce fait source d'énergie thermique. Cette source est ensuite exploitée de façon classique.

Nota. – Le tritium ^3H qui n'existe qu'en très faible quantité dans l'atmosphère, où il est produit par les rayons cosmiques, est obtenu par bombardement neutronique du *lithium.* Ce qui permet d'envisager une régulation *in situ* en ne consommant que du lithium et du deutérium. Le deutérium est un isotope stable de l'hydrogène qui en contient 0,015 %. Le lithium étant abondant sur terre, la capacité théorique de production énergétique serait gigantesque.

Fusion froide : le 23-3-1989, les électroniciens américains Martin Fleischmann et Stanley Pons annoncèrent qu'ils avaient réussi une réaction de fusion à froid (température ambiante) par électrolyse de l'eau lourde. Mais leurs résultats ont été remis en cause par d'autres expériences mieux conduites.

Centrales nucléaires

■ Généralités

■ **Principe.** Les centrales classiques brûlent du charbon, du gaz naturel ou du fuel produisant de la chaleur. *Dans les centrales nucléaires,* la chaleur est produite par la fission de l'uranium dans le réacteur (dit aussi pile atomique). Dans les 2 types de centrales, cette chaleur produite sert à vaporiser de l'eau ; la vapeur est ensuite détendue dans une turbine qui entraîne un alternateur produisant de l'énergie électrique. Dans les centrales nucléaires, la chaleur est recueillie par un *fluide caloporteur.* La vapeur peut être produite soit directement dans le réacteur (cycle direct), soit par l'intermédiaire d'un échangeur (cycle indirect). Une enveloppe résistant à la pression du fluide caloporteur entoure le cœur du réacteur.

■ **Composition d'un réacteur.** *La partie active* d'un réacteur (le *cœur*) est constituée par une *masse critique* où la réaction en chaîne est contrôlée de façon à obtenir un dégagement d'énergie continu et prédéterminé. Sachant qu'ainsi 1 000 fissions donnent spontanément naissance à env. 2 500 neutrons, il faut alors 1 000 fissions nouvelles et 1 500 captures et fuites. Matériaux et taille du cœur du réacteur sont calculés pour obtenir cet équilibre. Le réglage fin est assuré par des barres de commande.

Un réacteur de centrale comprend : 1°) Un combustible qui comprend de la matière fissile [uranium naturel (qui contient 1 atome d'U 235 pour 139 d'U 238), ou uranium enrichi en U 235, ou plutonium] et un matériau fertile (l'uranium 238). L'ensemble est protégé par des gaines métalliques étanches. **2°) Un modérateur** ou ralentisseur (dans les réacteurs à neutrons thermiques), chargé de ralentir les neutrons issus d'une fission, généralement trop rapides pour pouvoir engendrer une nouvelle fission. Le modérateur est constitué généralement par du graphite, de l'eau lourde ou de l'eau ordinaire. L'*eau lourde* est de l'eau dans laquelle l'hydrogène est remplacé par son isotope à 1 neutron, le deutérium (ou hydrogène lourd, très rare dans la nature ; 15 atomes sur 100 000 d'hydrogène). Elle existe en faible quantité dans l'eau ordinaire. On peut l'en isoler par électrolyse ou par d'autres procédés (échange isotopique, etc.). Certains réacteurs utilisent la même matière à la fois comme modérateur et comme caloporteur. **3°) Un fluide** caloporteur (gaz, eau ou métal liquide) pour évacuer et éventuellement récupérer l'énergie thermique produite par la fission. Il est généralement contenu dans une cuve métallique. **4°) Un système de contrôle** pour maintenir constante ou faire varier la densité des réactions de fission. Il est constitué par des barres en acier au bore, au cadmium ou au hafnium (qui absorbent les neutrons) pouvant être plongées à l'intérieur du cœur du réacteur. **5°) Une enceinte de confinement assurant l'étanchéité vis-à-vis de l'extérieur** et servant de protection contre les rayonnements. Au cours de ce séjour dans le réacteur (plusieurs années), le combustible se transforme. La fission des noyaux fissiles donne naissance à des produits de fission constitués de nombreux éléments sous la forme d'isotopes radioactifs, appelés aussi actinides. La capture des neutrons par des noyaux lourds engendre des éléments « transuraniens » également radioactifs. L'évolution du combustible ainsi irradié se caractérise par son taux de combustion [quantité d'énergie produite par unité de poids du combustible, unité : MWj/t (million de Watts × jour par tonne)]. Le taux varie selon le type de réacteur.

■ **Puissance d'un réacteur.** Définie par le nombre de fissions par unité de temps ; chaque fission libère environ 200 MeV soit 3,2. 10^{-4} erg ou 3,2.10^{-11} joules ; 1 kW correspond alors à 3.10^{13} fissions par sec.

■ Principales filières

☞ *Légende :* MW : mégawatt.

Description

On distingue : **les réacteurs à neutrons rapides** (ex. : Creys-Malville), où les neutrons ne sont pas ralentis ; il faut alors un combustible très fissile ; **les réacteurs à neutrons lents** (ou thermiques) où les neutrons sont ralentis par un *modérateur* (les neutrons lents provoquent plus de fission que les neutrons rapides).

On peut classer les réacteurs suivant la *nature du combustible* (uranium naturel ou enrichi à l'U 235 ou au plutonium) ou les *utilisations envisagées* (recherche, étude des matériaux, prod. d'isotopes, de plutonium, d'énergie électrique). On les distingue aussi selon leur filière (combustible, modérateur, fluide caloporteur).

■ **Uranium naturel, graphite, gaz (UNGG).** *Combustible :* uranium naturel (0,7 % d'U 235 et 99,3 % d'U 238). *Modérateur :* graphite. *Fluide caloporteur :* gaz carbonique à 25 kg de pression/cm^2, atteignant une température de 400 °C [réacteurs développés en G.-B. et en France. *Centrale type* (St-Laurent-des-Eaux) puissance électrique 500 MWe pour 1 500 MW de puissance thermique.] *Chargement en uranium naturel :* environ 400 t. Le combustible est déchargé en continu sans arrêter le réacteur. *Taux de combustion maximal :* 6 500 MWj/t. Cette filière n'est plus développée.

■ **Eau lourde.** *Combustible :* uranium naturel ou très légèrement enrichi. *Fluide caloporteur :* eau lourde ou eau ordinaire ou gaz. *Modérateur :* eau lourde (le meilleur modérateur mais difficile à fabriquer). Filière développée, surtout au Canada (filière Candu : uranium naturel, fluide caloporteur eau lourde). *Chargement en uranium naturel d'une centrale de 500 MWe :* env. 90 t. *Taux de combustion max. (filière Candu) :* 7 500 MWj/t.

■ **Eau ordinaire.** *Combustible :* uranium enrichi (3,25 % en uranium 235). *Fluide caloporteur :* eau ordinaire. *Modérateur : 1°) REP [réacteur à eau sous pression (PWR = Pressurized Water Reactor)] :* pression de 150 kg/cm^2 pour empêcher l'ébullition ; *2°) REB [réacteur à eau bouillante (BWR = Boiling Water Reactor)] :* sous pression à 70 kg/cm^2 permettant l'ébullition ; température de l'eau à la sortie du réacteur : env. 320 °C (ces 2 types ont été développés aux USA, essentiellement par Westinghouse pour les REP et General Electric pour les REB. En France, seuls les REP ont été développés par Framatome). *Chargement en uranium pour une centrale de 1 000 MWe (3 000 MW thermiques) :* env. 75 t pour un REP (enrichissement moyen de 3,25 %) et 110 t pour un REB (enr. moyen de 2,7 %). Le combustible séjourne 3 à 4 ans dans le réacteur qui est déchargé par fraction tous les ans. *Taux de combustion max. :* 33 000 MWj/t (porté à 45 000). Utilisé pour les sous-marins atomiques (petite taille).

■ **Filière à haute température (HTR).** *Combustible :* uranium enrichi (5 à 10 %), ou thorium très enrichi (90 %) sous forme de particules enrobées de pyrocarbone qui résistent à des températures beaucoup plus élevées que les gaines métalliques. *Fluide caloporteur :* hélium. *Modérateur :* graphite. Le fluide atteint près de 900 °C et on envisage l'utilisation de ces réacteurs comme sources de chaleur industrielles pour des installations sidérurgiques ou chimiques, ou pour produire de l'hydrogène. *Rendement d'une centrale électrogène HTR :* env. 40 %. *Taux de combustion max. :* 80 000 MWj/t. *Temps de séjour dans le réacteur :* 6 ans. Le développement de cette filière n'est plus envisagé pour le moment.

■ **Filière à neutrons rapides ou « surgénérateurs ».** *Combustible :* uranium enrichi (20 à 30 %), au plutonium (sous-produit des réacteurs à uranium, voir retraitement). *Fluide caloporteur :* sodium liquide (à cause de ses propriétés thermodynamiques). Il récupère la chaleur et la transmet à un circuit d'eau qui se transforme en vapeur et fait tourner les turbines. *Pas de modérateur.* On dispose *en couverture* autour du cœur des éléments d'uranium naturel ou appauvri (venant d'un enrichiss. de l'uranium). Les neutrons très lourds ou neutrons rapides émis par le cœur y sont capturés par l'uranium 238 qui se transforme en plutonium. Cœur et couverture donnent ainsi à la fin du séjour dans le réacteur plus de plutonium fabriqué qu'il n'y en avait lors du chargement initial. En retraitant les combustibles, on extraira ce plutonium fabriqué qui constituera le combustible d'un nouveau réacteur. Cette filière fournit 50 à 70 fois plus d'énergie que les autres avec la même quantité d'uranium. On étudie aujourd'hui la possibilité de détruire par irradiation dans ces réacteurs les déchets radioactifs à vie longue. *Taux de combustion :* env. 100 000 MWj/t. *Charge d'une centrale de 1 200 MWe :* 5,5 t de plutonium (rend. thermique 40 %).

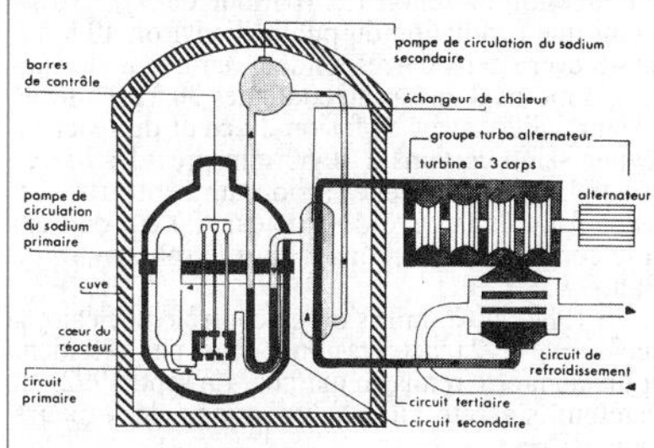

Centrale thermique nucléaire « surgénérateur » à neutrons rapides, refroidie au sodium.

Réfrigération. Circuit ouvert : *1 tranche classique 600 MW :* 22 m^3/s d'eau réchauffée de 7 à 8 °C. *4 tranches 900 MW :* 140 à 180 m^3/s d'eau réchauffée de 10 à 12 °C. **Fermé :** sur rivière pour limiter le réchauffement ; on utilise au besoin des tours de réfrigération pour une partie ou la totalité des tranches. *4 tranches 900 MW,* prélèvement de 8 à 16 m^3/s dont 2,5 m^3/s seront évaporés.

Construction (durée théorique). *Centrale thermique classique :* 4 ans ; *nucléaire* 900 MW : 5 ; 1 300 : 6.

Combustible nécessaire (pour produire 1 milliard de kWh) : *charbon* 335 000 t ; *fuel-oil* 220 000 t ; *uranium enrichi* 27 t (soit 155 t d'uranium naturel).

■ **Critiques du nucléaire.** Les partisans du nucléaire insistaient sur : le *prix de revient* moins élevé de l'électricité produite (prix kW/h EDF nucléaire : 23 c, charbon : 33 c, fuel : 43 c) ; la *pollution* plus faible : d'après le Comité scientifique des Nations-Unies, si 60 % de l'énergie utilisée était d'origine nucléaire en l'an 2000, la contamination due à cette énergie nucléaire atteindrait au max. 4 % de l'irradiation naturelle ; l'*indépendance* vis-à-vis des producteurs de pétrole ; la *nécessité de disposer d'une source d'énergie différente* avant l'épuisement des réserves d'hydrocarbures qu'il est préférable de conserver pour l'industrie chimique (fabrication des plastiques, etc.) ; la *nécessité d'approvisionner le pays en énergie* (sans le nucléaire, la pénurie menacerait gravement car les autres sources ne peuvent couvrir les besoins, sauf importations massives). La *sécurité :* depuis son origine, l'énergie nucléaire avait provoqué peu d'accidents mortels, dont aucun du fait de l'irradiation [par contre les autres sources d'énergie avaient provoqué de nombreuses morts : *charbon :* 4 500 mineurs depuis 1940, *énergie hydraulique :* 9 000 par rupture de barrage depuis 1960 *énergie nucléaire :* env. 100 en tout, y compris les ouvriers tombant d'un échafaudage].

■ **Les adversaires** répondaient : 1°) *Même en fonctionnement normal, une centrale rejette des produits radioactifs.* Elle peut en rejeter des quantités considérables par suite d'accidents, de négligences, de sabotages ou de faits de guerre. Ces radiations peuvent alors provoquer la mort de milliers d'individus, un accroissement des maladies cancéreuses, des anomalies génétiques. Quelles que soient les sécurités, une installation n'est jamais sûre à 100 %. Tous les risques n'ont pas été évalués. Le problème des déchets n'a été résolu que temporairement et, malgré les précautions prises, il n'existe pas de conditionnement satisfaisant pour les déchets alpha présentant des risques pendant plusieurs dizaines de milliers d'années (plutonium 239), ou plusieurs millions (neptunium 237). La pollution thermique des rivières et des mers peut provoquer des modifications de la faune et de la flore. 2°) *D'autres sources d'énergie naturelles sont envisageables pour remplacer le pétrole :* géothermie, énergie solaire. On ne consacre à l'étude de celles-ci que des sommes très faibles par rapport à celles qui sont consacrées à l'énergie nucléaire. 3°) *Les centrales sont vulnérables* (sabotages, terrorisme). La nuit du 28 au 29-10-1987, lors d'un exercice destiné à tester la protection des sites nucléaires, une équipe de la DGSE a réussi à déposer 2 charges explosives et 1 lance-roquettes sur le site de la centrale de Bugey. En mai 1990, des écologistes sont parvenus à se procurer les plans secrets et détaillés de la centrale nucléaire du Blayais.

■ Radioactivité, sécurité

☞ **Unités employées pour indiquer 1°)** *L'activité :* le becquerel (Bq) [qui correspond à une désintégration par seconde] ; ancienne unité : le curie (égal à 37 milliards de becquerels). 2°) *L'irradiation* (énergie déposée par les rayonnements dans la matière et particulièrement la matière vivante) le sievert (Sv) qui vaut 100 rems (Rad Equivalent Man) ; il traduit la dose reçue (grandeur physique), en termes de dommages apportés aux organes ou tissus humains, exprimée en grays (Gy) [1 Gray = 100 rads ou 1 joule/kilo de matière] multiplié par un facteur de qualité (rayons gammas, X, et particules bêta : 1, particules alpha : 20, neutrons : 3 à 10 selon l'énergie).

■ Radioactivité

■ **Nature.** Les noyaux des atomes des éléments radioactifs naturels ou artificiels en se désintégrant émettent des rayonnements de différents types (*alpha :* noyaux d'hélium ; *bêta :* électrons ou positrons ; *gamma :* photons de haute énergie). Ces rayonnements interagissent avec la matière environnante dans laquelle ils perdent leur énergie (voir Physique à l'Index). Les réactions de fission utilisées dans les centrales nucléaires produisent beaucoup de radioéléments artificiels, soit directement par cassure des noyaux d'uranium 235 ou de plutonium 239, soit par activation des différents matériaux du cœur soumis au flux de neutrons.

Danger du plutonium. *Pénétration directe dans le sang :* risques plus grands dans le cas d'inhalation de poussières de plutonium, ou de pénétration directe dans le sang par blessure ; réduits dans le tube digestif [avec les aliments ou l'eau de boisson, car il ne traverse que dans une proportion infime (du 1/10 000 au 1/1 000 000) la paroi intestinale]. Le plutonium dispersé dans le sol n'est pratiquement pas absorbé par les plantes.

Toxicité du plutonium 239. *Risques mortels* en moins de 2 mois (pour 50 % des personnes intoxiquées) : inhalé à partir de 50 mg ou à partir de 25 mg quand il y a eu pénétration directe dans le sang. *Risques à long terme* (en l'absence de traitement approprié) : au poumon pour 0,1 mg fixé (soit au moins 0,4 mg inhalé) ; à l'os pour 0,3 mg dans le sang. *Doses de sécurité (limites à ne pas dépasser pour les travailleurs nucléaires) :* plutonium fixé au poumon 0,25 microgramme (soit au moins 1 microgramme inhalé) ; fixé dans l'os : 0,65 microgramme.

■ **Effets sur l'homme.** Les rayonnements provoquent des ionisations ou des excitations des molécules aboutissant à la formation de radicaux libres. Ces effets vont être d'autant plus graves qu'ils se produisent au niveau du noyau des cellules où se trouvent les molécules d'ADN (modification de liaisons, cassures de brins). L'action des rayonnements au niveau des membranes cellulaires provoque la formation de radicaux libres entraînant une fragilisation des membranes (effet Petkau).

1°) **Effets somatiques** [doses absorbées, données en sieverts (Sv)] : a) *Effets non stochastiques* (dont la gravité augmente avec la dose mais ont un seuil) : *à partir de 50 mSv :* modification de la formule sanguine, diminution des défenses immunitaires, possibilités de malformations cérébrales chez l'embryon (voir « Effets tératogènes ») ; *à partir de 0,5 Sv :* stérilité temporaire par mort des cellules souches des spermatozoïdes ; *de 1 Sv :* stérilité chez l'homme (pendant 3 ans) et chez la femme ; *de 2,5 à 4 Sv :* malaises, diarrhées, vomissements, syndrome hématopoïétique, pancytopénie avec anémie, leucopénie entraînant une résistance moindre aux infections pouvant entraîner la mort ; *5 Sv :* dose létale à 50 %.

b) *Effets stochastiques :* cancérigènes augmentant avec la dose et son seuil. La gravité du cas ne dépend pas de la dose, mais celle-ci, en augmentant, augmente le risque d'être touché. *Supplément de décès par cancers* (facteur de risque) fixé par la CIPR (Commission Internationale de Protection Radiologique) : 1,25.10-2 par Sv, soit 125 décès par cancer suppl. pour 10 000 personnes recevant une dose de 1 Sv. Certains effets sont immédiats, d'autres différés (leucémies, cancers, cataractes). Sur 52 enfants atteints de leucémie dans le comté de Cumbria (G.-B.) entre 1950 et 1988, 10 étaient nés de pères employés à la centrale de Sellafield. On a constaté en G.-B. une augmentation de 100 % des morts par leucémies lymphoïdes dans un rayon inférieur à 10 km d'une centrale ; de 21 % jusqu'à 15 km (15 % pour l'ensemble des leucémies). Sur 5 enfants atteints de leucémie à Seascale, 4 avaient un père qui travaillait à la centrale voisine de Sellafield. Aux USA, le Congrès a déclaré indemnisables, en cas de cancers reconnus comme provoqués par des radiations, 62 000 anciens militaires qui avaient pris part, de 1951 à 1962, à des essais nucléaires dans le Nevada.

Risque individuel de cancer mortel radio-induit pour une exposition de l'organisme entier à 1 rad. (risque homme et, entre parenthèses, femme). *Chance à - d'1 an :* 1 sur 64 (1 sur 68), *5 ans :* 1 sur 71 (1 sur 80), *10 a :* 8 (104), *15 a :* 178 (217), *20 a :* 200 (249), *30 a :* 234 (285), *35 a :* 328 (398), *40 a :* 538 (637), *45 a :* 1 234 (1 408), *50 a :* 13 500 (14 500), *55 a :* 20 000 (21 000).

2°) **Effets génétiques :** augmentation des mutations par modification de la molécule d'ADN contenue dans le noyau des cellules sexuelles, ces mutations pouvant apparaître après plusieurs générations. Augmentation des cas d'anomalies génétiques (trisomies...) dues à une mauvaise distribution chromosomique au moment de la méiose. *Supplément d'anomalies génétiques* évalué par la CIPR à 0,42.10-2 par Sv (soit 42 anomalies génétiques viables pour 10 000 personnes recevant une dose de 1 Sv).

3°) **Effets tératogènes :** perturbations du développement de l'embryon pouvant entraîner malformations et retard mental. Risques non pris en compte par la CIPR.

■ **Limites réglementaires de la radioactivité autre que naturelle.** Pour les travailleurs des installations nucléaires : 50 mSv ; public : 5 mSv ; population dans son ensemble : 0,5 mSv. **Taux d'irradiation annuelle :** dose naturelle : 1,7 mSv (cf. *Irradiation naturelle*), examen radiologique : 0,5 mSv.

(Selon l'Académie américaine des sciences). *Une irradiation de 1 rem (0,001 Sv)* sur 1 million de sujets : provoquerait 67 à 226 décès ; *de 4 millirems* par an [due à l'ensemble des activités industrielles humaines : vols à haute altitude, utilisation industrielle des corps radioactifs, énergie nucléaire (en 1980, 25 % du total)], pendant 20 ans, et affectant l'ensemble de la population américaine (250 millions d'habitants), provoquerait 2 000 cancers dont la plupart ne surviendraient que longtemps après l'an 2000. A rapprocher du nombre d'autres cancers survenus dans le même temps (500 000/an soit 10 000 000 en 20 ans dont au moins 2 500 000 dus au tabac) ; ou du nombre de † par accidents d'auto. (50 000/an pendant 20 ans soit 1 000 000).

Irradiation naturelle

■ **Origine. Irradiation « cosmique » :** liée aux rayonnements qui viennent du Soleil et des étoiles. La couche d'air située jusqu'à 20 km d'altitude (troposphère) nous en protège. **Doses reçues** *au niveau de la mer :* 30 mrem/an ; *à 3 000 m d'alt. :* 80 ; *à 10 000 m :* 9 000 (env. 1 par h).

Irradiation « tellurique » : venant des produits radioactifs naturels présents dans le sol, les roches, les matériaux de construction, etc. essentiellement U 238 (et le radon 222 qui en découle), U 235, thorium 232 et potassium 40. **Doses reçues :** irradiation externe (tellurique + cosmique), 90 à 220 millirems par an, 180 à 240 si l'on tient compte de l'irradiation interne (gaz et produits radioactifs respirés, et contamination interne).

■ **Exposition moyenne en France.** 0,3 mSv/an. *Origine* (en) : radon 33, médical 30, corps humain 12, sol 12, cosmique 10, autres 3 (dont centrales nucléaires 0,1).

■ **Équivalent de dose efficace annuel** (en mSv) **dû aux sources naturelles d'irradiation** (zones d'irr. moyenne) (UNSCEAR 82). Total dont, entre parenthèses, irradiation interne. *Rayons cosmiques* 0,30 dont ionisation 0,28, neutrons 0,02 ; *nucléides d'origine cosmique* 0,015 (0,015) ; *potassium 40* 0,30 (0,18) ; *rubidium 87* 0,006 (0,006) ; *famille de l'uranium 238* 1,04 (0,95) ; *du thorium 232* 0,33 (0,19).

■ Mesures de sécurité

■ **Barrières. 1°) Centrales à eau sous pression (PWR) :** 3 barrières : gaine métallique qui contient le combustible, cuve en acier (340 t, hauteur 12 m, diamètre 4 m, épaisseur 23 cm), circuits réacteurs-échangeurs, enceinte étanche en béton. En cas de rupture complète et instantanée d'une conduite entre réacteur et générateur de vapeur, plusieurs systèmes de refroidissement de secours se substituent automatiquement au circuit défaillant et assurent la réfrigération du cœur, pour empêcher une fusion du combustible car, même la réaction stoppée, les produits de fission entretiennent une puissance calorifique importante (chaleur résiduelle). *En cas de défaillance généralisée de tous les systèmes de réfrigération,* le cœur fondrait au-dessus de 2 700 °C.

2°) **Surgénérateurs (Super-Phénix) :** 4 barrières : gaine métallique, cuve interne et dalle de fermeture, cuve de sécurité et dôme d'acier, bâtiment du réacteur. Même en cas d'arrêt des pompes, la chaleur résiduelle peut être évacuée par convection naturelle (thermo-syphon). Si les pompes s'arrêtent, il se peut qu'aucune chute de barre ne se produise (la chute d'une seule barre réduit la réaction à un niveau très faible) pour que le cœur fonde. Super-Phénix a 3 systèmes de barres indépendants, chacun assure l'arrêt total de la réaction. L'un comporte des barres articulées pouvant pénétrer dans le cœur, même après déformation des conduits où elles circulent (moins de 1 chance par an sur 10 à 100 millions). La fusion du cœur n'engendrerait pas d'explosion nucléaire mais, dans des hypothèses très pessimistes, des réactions thermodynamiques violentes (comme lorsque l'on jette de l'eau sur une surface très chaude). Ce phénomène de réaction nucléaire incontrôlée, appelé *excursion* ou *accident de surcriticité,* a été provoqué expérimentalement (réacteur Cabri). Il disparaît par dispersion du combustible sous l'effet de la chaleur.

■ Accidents

Généralités

Comparaisons des effets d'une bombe atomique (type Hiroshima) **et d'une explosion nucléaire.** La pression produite par la bombe est 10^{12} fois plus grande ; la température 10^6 fois plus élevée ; l'énergie mécanique dégagée 10^5 fois plus forte.

Événements exceptionnels (chute d'avion, séisme). Les centrales sont prévues pour fonctionner normalement après un séisme de la plus grande intensité jamais observée dans la région. L'enceinte bétonnée doit pouvoir résister à l'impact d'un avion de tourisme ou d'un moteur de Boeing 747.

Fréquences d'accidents prévisibles. *D'après le rapport du Pr Rasmussen (USA),* il y aurait, par réacteur, 1 risque de fusion du cœur tous les 20 000 ans (cette fusion ne provoquant généralement ni morts, ni blessés) ; 1 sinistre provoquant la mort de 10 personnes tous les 3 000 000 d'années ; provoquant celle de 3 300 personnes tous les milliards d'années (si la méthode de rapport reste valide, les chiffres sont cependant contestés). Pour 100 centrales nucléaires en service aux USA, le risque d'accident mortel est le même que celui de voir tomber une grosse météorite sur une ville. *Selon l'Institut d'écologie appliquée de Fribourg-en-Brisgau (All.),* un accident comparable à celui de Tchernobyl est probable tous les 10 ans. *Selon 2 études récentes (EDF et Institut de Protection et de Sûreté nucléaire, IPSN),* le risque de fusion des réacteurs serait de 4,95 cent millièmes par année réacteur pour les 900 MW (IPSN) et de 1 cent millième pour les 1 300 MW (EDF). Le risque présenté par un réacteur à l'arrêt dont le cœur n'a pas été déchargé représente 32 % du total. (Le cœur n'est pas déchargé pendant environ la moitié du temps des arrêts pour maintenance).

Coût du risque nucléaire. France : *responsabilité en cas d'accident dans une centrale :* plafond des indemnités dues (EDF) : 600 millions de F. *Indemnité complémentaire de l'État :* 2,5 milliards de F. **USA :** *rapport Wash 740* de l'AEC (Commission amér. à l'énergie atomique) en *mars 1957 :* le pire accident envisagé entraînerait 3 400 † et 43 000 blessés. *Loi Price-Anderson (sept. 1957):* prévoit qu'en cas d'accident, au-delà d'un plafond (560 millions de $) à la charge des exploitants et de leurs Cies d'assurances privées, l'AEC indemniserait elle-même exploitants de réacteurs et victimes. **1988** *août :* plafond à 700 millions de $. **1989** selon la Cour des comptes amér. (General Accounting Office), les indemnisations dues pour un accident grave survenant sur l'un des réacteurs amér. pourraient aller de 67 millions de $ à 15,5 milliards de $ (dans 95 % des cas, 6 au max.). Ce calcul ne retient que le cas de retombées dans un rayon de 100 km (or, pour Tchernobyl, le rayon fut de 1 500 km). Si un accident survenait à la *centrale d'Indian Point* (à 40 miles de New York) : les pertes dues en tenant compte de l'abandon des établissements industriels seraient infiniment plus importantes.

Échelle de gravité en France :

6 *Accidents majeurs :* rejets à l'extérieur d'une fraction significative de l'inventaire du cœur en produits de fission (équivalence en iode 131 : au-delà de quelques PBq) (ex : Tchernobyl, 1986).

5 *Acc. présentant des risques à l'extérieur du site :* conduisant à prendre des dispositions de protection extérieures au site en cas de rejets ou de menace de rejets (équivalence en iode 131 : au-delà de quelques dizaines de TBq) (ex : Windscale 1957, Three Mile Island, 1979). 4 *Acc. sur l'installation :* entraînant des rejets extérieurs de l'ordre de grandeur des limites annuelles autorisées, n'entraînant pas de conséquences sanitaires significatives pour les populations ; endommagement partiel du cœur de l'installation ; agents de l'installation irradiés ou contaminés radioactivement d'une gravité justiciable de soins médicaux spécialisés [ex : Saint-Laurent A2, 1980 (endommagement d'éléments combustibles)]. 3 *Incidents affectant la sûreté :* conduisant à des rejets supérieurs ou égaux au dixième des limites annuelles autorisées ; fuites internes significatives de radioactivité ; état dégradé des barrières ou des systèmes de sécurité ; agents de l'installation irradiés ou contaminés radioactivement à une valeur supérieure à la limite de dose annuelle autorisée [ex : Gravelines 1, 1989 (indisponibilité de soupapes de protection)]. 2 *Inc. susceptibles de développements ultérieurs :* ayant potentiellement des conséquences significatives pour la sûreté et/ou entraînant des réparations ou des travaux prolongés [ex : Nogent 1, 1989 (défaut générateur de vapeur)]. 1 *Anomalies de fonctionnement :* dépassement du domaine autorisé par les spécifications techniques ; utilisation justifiée de systèmes de sécurité [ex : Cruas 1, 1989 (arrêt automatique et injection eau de sécurité)].

Nota. – PBq : petabecquerel. TBq : térabecquerel.

☞ *Échelle de gravité des accidents nucléaires. AIEA :* 8 niveaux, de zéro à 7 (Tchernobyl).

Accidents principaux

☞ Plusieurs milliers d'incidents ont lieu chaque année dans le monde dans les 382 réacteurs en service. Une demi-douzaine ont provoqué des rejets radioactifs.

■ **Tcheliabinsk 40** (Kyshtym, Oural, URSS, 29-9-1957, gardé secret + de 30 ans). Explosion dans un dépôt militaire de déchets. A lâché 74 millions de milliards de Bq, 2 millions de curies (Tchernobyl : 50) à la suite d'une panne dans le système de refroidissement d'une cuve en inox, de stockage de déchets nucléaires. *1967 :* 2e contamination après tempête qui a remis en suspension les produits déposés en 1957. *Conséquences* (selon le rapport officiel présenté en juin 1989) : libération de zirconium, ruthénium, césium 137, strontium 90 (+ de 3 700 Bq/m²) et traces de plutonium ; doses reçues sur plus de 15 000 km² (270 000 habitants) : + de 0,1 curie par km² ; sur 1 000 km² (bande de 300 km de long et 8 à 9 km de large) : 2 curies par km² (2 100 pers. dans zone de 120 km² avec 3,7 millions de Bq/m²). Dans les 7 à 10 j, 1 000 personnes vivant dans une zone à 500 curies au km² ont été évacuées ; dans les 22 mois suivants, 10 180 personnes. Une zone de défense sanitaire de 700 km² (où le taux de strontium 90 dépassait 2 curies au km²) a été créée et soustraite à l'agriculture (sur 106 000 ha interdits, 40 000 réutilisés depuis dont terres agricoles 24 000, forêts 16 000). 935 cas de maladies liées à une irradiation ont été recensés à la suite de l'explosion, et le nombre de leucémies parmi la population de la région a augmenté de 40 %. Le 27-1-1993, programme de décontamination approuvé (35 milliards de $).

■ **Windscale** (G.-B., 10-10-1957, appelé Sellafield jusqu'à cette date). Le ralentisseur de graphite libère brutalement l'énergie accumulée dans le graphite par effet Wigner. Des produits de fission, dont 20 000 Ci d'iode-131, sont libérés dans l'environnement. Sur 238 personnes examinées, 126 présentent une légère contamination au niveau de la thyroïde ; 96 travaillant dans l'installation sont légèrement contaminées ; 14 agents subissent une faible irradiation externe (inférieure à celles subies lors de certaines radiographies médicales). Selon certains, env. 40 cancers mortels.

■ **Chine** (N.-O., 1969). 10 personnes contaminées.

■ **Beloyarka** (Oural, URSS, 30-12-1978). Accident de centrale, 8 personnes irradiées.

■ **Three Mile Island** (Pennsylvanie, USA, 28-3-1979). Les pompes principales d'alimentation en eau tombent en panne, interrompant le refroidissement par le circuit primaire. 45 % du noyau du réacteur fond (soit 62 t dont 20 t se déplacent dans la partie basse du réacteur). Les systèmes de sécurité, constitués par un jeu de pompes de secours (2 électriques et 1 fonctionnant à la vapeur), se mettent automatiquement en route, mais les soupapes des canalisations de refoulement des pompes ayant été fermées par inadvertance 2 j avant l'accident, les générateurs de vapeur sont rapidement asséchés. La vanne de décharge du circuit primaire, au sommet du pressuriseur, ayant été ouverte 15 secondes et ne s'étant pas refermée, le système principal se met alors lui-même à fuir, sans que les opérateurs en soient informés. On avait pu ouvrir les soupapes 8 minutes après le début de l'accident, assez tôt pour éviter des dégâts plus importants. Quand le système de secours qui surveillait le refroidissement du cœur se mit automatiquement en marche (2 min après le début de l'accident), les opérateurs crurent à une erreur, et ne le laissèrent opérer que 2 min environ, avant de l'arrêter. La fuite dans la vanne de décharge ne fut découverte et fermée que 2 h ½ après. Plusieurs heures, le cœur restera finalement à découvert (sans subir de fusion). Une bulle d'hydrogène se formera par oxydation du zirconium des gaines de combustible, avant d'être piégée à la partie supérieure de la cuve contenant le réacteur ; on tentera de l'évacuer avant qu'il y ait suffisamment d'oxygène pour provoquer une explosion. Dès les premiers instants, il y eut émission de xénon 133 (période de 5 j), provoquant une irradiation du public d'environ 40 hommes-Sievert (taux correspondant, en risque de cancers, à moins d'un cas au cours des 30 à 40 années à venir). S'il y avait eu fusion du cœur du réacteur (évitée selon certains à 30-60 min près) les barres de combustible, entrées en fusion, auraient pu traverser le fond de la cuve du réacteur (20 cm d'acier) et le combustible s'enfoncer dans le sol (syndrome chinois).

En 1984, la Commission de contrôle nucléaire a décidé que les 2 réacteurs non touchés par l'accident pourraient être remis en marche. En sept. 1992, un réacteur s'arrête suite à un nuage de vapeurs radioactives.

1992 (24-3) **Sosnovi-Bor** (Russie, centrale à 80 km de St-Pétersbourg qui fournit 12 % de l'électricité de la Russie) : fuite d'iode radioactif du réacteur n° 3 (type RBMK 1000 comme à Tchernobyl).

1993 *(26-4)* **Tomsk-7** (Sibérie, Russie, complexe ind. secret à 3 000 km de Moscou), cuve de l'usine de retraitement (25 m³ d'uranium, plutonium et acide nitrique) explose ; fuite de 250 m³ de gaz radioactif [nuage sur 200 km² (12/19-4 passe sur la Suède)]. Radioactivité (est.) : 1,4 curie d'émetteurs de rayonnement alpha (sur 22,4 curies de la cuve) et 40 curies d'émetteurs bêta (sur 536,9 curies au moment de l'explosion).

☞ **Normes de radioactivité préconisées pour les aliments par la CEE en cas d'accident nucléaire** (au 20-5-1987 en Bq/kg) : *Iode et strontium :* lait 500, viande 3 000, eau potable 400, aliments pour animaux 0, autres denrées 3 000. *Émetteurs Alpha :* lait 20, viande 80, eau potable 10, aliments pour animaux 0, autres denrées 80. *Césium :* lait 1 000 (nourrissons 370), viande 1 250, eau potable 800, aliments pour animaux 2 500, autres 1 250.

Accidents ayant entrainé des décès

1945-*8-6 Los Alamos* (USA) : 1 † (en empilant des blocs réflecteurs autour d'un assemblage sous-critique, un employé a créé la masse critique). **1946**-*21-5 Los Alamos :* 1 † (lors d'une mesure d'approche de la masse critique, rapprochement accidentel d'une coquille creuse réflectrice de neutrons). **1958**-*15-10 Vinca* (Youg.) : 1 † (erreur humaine : montée du niveau d'eau lourde dans un réacteur de recherche non protégé). *-30-12 Los Alamos* : 1 † (transvasement d'un liquide). **1961**-*3-1 Idaho Falls* (USA) : 3 † [transgression des consignes de sécurité lors du retrait des barres de contrôle. 2 † sur le coup (explosion due à un « coup d'eau »), 1 † 2 h plus tard (blessure à la tête)]. **1964**-*24-7 Woods River* (USA) : 1 † (erreur de transvasement d'une solution de nitrate d'uranyle très enrichi). **1975**-*13-5 Italie :* 1 † [irradiation dans une installation de stérilisation de denrées alim. (la source de cobalt 60 s'était détachée de son support)]. **1985**-*27-6* (URSS) : 14 † (soupape de pressuriseur saute). **1986**-*4-1 Webber Falls* (USA) : 1 †, explosion de réservoir. *26-4 Tchernobyl* (URSS) : 32 † (voir p. 1749). **1993**-*21-5 Zaporoje* (Ukraine, à 400 km au S. de Kiev) explosion dans bloc électrique près du réacteur n° 5 (type VVR, centrale de 5 000 MW) : 1 †.

■ **Tchernobyl** (1986) [URSS, centrale Lénine de type RBMK (Reactor Bolchoie Molchnastie Kipiachie) : à 22 km de Tchernobyl et à 120 km au nord de Kiev en Ukraine]. **Déroulement :** *26-4-1986* (à 1 h 23 min 4 s locale) (soit le 25-4 à 21 h 23 GMT), un opérateur procédant à des essais électriques débranche l'arrêt d'urgence sur arrêt turbine puis ferme les vannes d'admission vapeur à la turbine où l'ébullition en masse se produit. La puissance thermique du réacteur passe de 250 MW à 530 MW en 2 secondes, entraînant une 1re explosion puis une 2e quelques secondes plus tard dans le *réacteur n° 4* de la centrale (filière graphite-uranium naturel-refroidissement à l'eau bouillante) produisant du plutonium militaire. Ces explosions provoquent un incendie et la destruction partielle du cœur du réacteur (qui fonctionnait à 7 % de sa puissance car il était en phase de déchargement-rechargement du combustible). L'explosion a soulevé en position quasi verticale (15° d'inclinaison) la dalle sup. du réacteur pesant 2 000 t. 5 t de combustible sont projetées dans l'atmosphère (50 millions de curies de radiation). Mais 96 % du combustible est resté dans le réacteur à côté. L'incendie des bâtiments sera maîtrisé dans la matinée, mais le cœur du réacteur continuera longtemps de brûler, tandis qu'augmentera la radioactivité de l'atmosphère. Des hélicoptères largueront sur le réacteur 5 000 t de sable et des produits neutralisants (bore et 70 t de plomb). De 1986 à 89, 600 000 t de béton et de plomb larguées (14 000 t fin juin 1986). « Sarcophage » (baptisé Oukughe) en béton et acier de 50 m réalisé nov. 1986. Des plongeurs sous-marins videront la piscine sous le réacteur, puis 400 mineurs creuseront un tunnel de 160 m à 6 m de profondeur pour permettre d'injecter du béton dans le vide ainsi créé. *1989* description complète de l'intérieur : 135 t de lave, 10 t de combustible finement divisé, 35 t de fragments de cœur 64 000 m³ de matériaux radioactifs et 10 000 t de structures métall., 800 à 1 000 t d'eau radioactive. Pour stopper le risque d'une contamination de la nappe phréatique, le sol sera gelé autour du réacteur par injection d'azote liquide. Le 22-9-1986, le vice-Premier ministre soviétique affirme qu'il n'y a plus d'émanation dangereuse ; le 26-9, le réacteur n° 1 est remis en service. Études engagées pour une nouvelle carapace.

1991 : 3 autres réacteurs de la centrale sont toujours en service, produisant 20 milliards de kWh par an. *-10-10 :* réacteur 2 arrêté suite à incendie (nombreux dégâts, sans affecter la partie nucléaire).

1993 : arrêt prévu des tranches 1 et 3 encore en activité. *-12-1* et *14-1 :* incendie dans bâtiment annexe. *juin :* Campenon-Bernard assurera démantèlement : 1re phase (3 ans ; 250 millions de $) : enceinte de confinement au-dessus du sarcophage existant (long. 200 m, larg. 100 m, haut. 90 m, 20 000 m²), servant d'usine de démolition. 2e phase (10 ans ; 2,5 milliards de $) : ruines concassées par engins télécommandés, puis conditionnées pour stockage.

Nuage radioactif : l'émission de radioéléments (césium 134 et 137, iode 131, molybdène 99, ruthénium 103, cérium 144, lanthane 140, zirconium 95) a été favorisée par l'absence d'une enceinte de confinement. Le nuage radioactif a fait le tour de la Terre, touchant particulièrement Ukraine, Biélorussie (70 % des retombées), Finlande, Scandinavie, Pologne, Allemagne, France.

Bilan. En URSS. Personnes ayant été exposées aux radiations : 4 millions ; ayant été irradiées 1 500 000 ; **évacuées** et soumises à des contrôles médicaux : 150 000. **Surfaces contaminées** (en km²). **Dépôts de césium 137** (en Bq/m²). *200 000 à 600 000 Bq/m² :* 18 000 km² dont Biélorussie 10 200, Russie 5 800, Ukraine 2 000. *600 000 à 1 600 000* 7 100 dont B. 4 200, R. 2 100, U. 800. *+ de 1 600 000 :* 3 100 dont B. 2 200, U. 600, R. 300. *Total* 28 200 dont B. 17 600, R. 8 200, U. 3 400. Concerne 800 000 hab. dont 600 000 dans 1 500 agglomérations implantées sur des sols contaminés avec des teneurs de césium entre 200 000 et 600 000 Bq/m². En Biélorussie (environs de Gomel et Mogilyov) + de 30 000 pers. habitent sur des sols dont la teneur dépasse 1 600 000 Bq/m². *Pripiat* (50 000 hab.), à 3 km de la centrale, et 119 villages, atteints dans un rayon de 30 km autour de Tchernobyl, sont définitivement abandonnés, 3 000 km² restant interdits. Mais les 12 000 hab. de Tchernobyl (à 15 km de la centrale) ont pu rentrer chez eux. En 1990, 14 000 personnes encore évacuées de la zone interdite (60 km de diamètre). Près de 4 000 y seraient cependant revenues. **Morts** (au 5-6-1987) : 32 officiellement dont 29 par irradiation, 1 tué par l'explosion, 1 mort de ses brûlures quelques heures plus tard. Le 2-7-1990, Anatoly Grichenko, irradié en survolant le cœur du réacteur (26-4-1986), est mort à Seattle (USA) des suites d'une infection pulmonaire. Atteint de leucémie, il y avait subi une greffe de moelle prélevée sur une donneuse française anonyme. Selon le Pr Tchernousenko (mai 1991), 7 000 à 10 000 † parmi les 650 000 « liquidateurs » ayant participé au nettoyage de la centrale et de ses abords. Chiffre contesté. **Blessés graves :** 499 (membres du personnel ou sauveteurs). En 1990, près de 3 millions de personnes (Ukraine, Biélorussie, Russie) étaient toujours sous surveillance médicale, dont 600 000 ayant travaillé dans la zone irradiée. **Montant des dégâts :** 20 milliards de F. **Cas de cancers de la thyroïde en Biélorussie** (moyenne, par millions d'enfants) : *1986-89 :* 4 ; *91 :* 56 [80 dans la zone la plus contaminée (moyn. mondiale : 1)] ; *92 (est.) :* 60. En 1993, 1 500 000 personnes vivent en Biélorussie, Russie et Ukraine sur 28 200 km² avec des taux de césium 137 de 200 000 à 1 600 000 de Bq/m².

Précautions prises : vêtements et cheveux des habitants demeurant au-delà du périmètre interdit ont été contrôlés. Interdiction de consommer les aliments produits sur place. A Kiev où le nuage a stationné quelques j, lavage des trottoirs, confinement des femmes enceintes à domicile. Vacances scolaires avancées au 15-5. Dans les autres régions affectées par le nuage radioactif, les aliments ont été contrôlés. A Moscou, aucune mise en vente n'était possible sans un contrôle préalable (cependant, un rôti de veau acheté par un garde de l'ambassade de France, présentait 3 500 Bq/kg, soit 10 fois + que le taux admis par la CEE pour les femmes enceintes et les enfants de 6 mois, et 6 fois + que celui admis pour le reste de la population). *Conséquences :* 10 000 habitations rasées ou engluées dans un film de plastique. Environ 3 500 000 m³ de déchets divers enterrés dans 800 fosses nucléaires réparties dans une zone interdite de 10 km autour de la centrale. En Biélorussie, plus de 20 % des terres agricoles sont toujours inutilisables.

Autres pays. 1986-*28-4* l'alerte est déclenchée en *Suède*. *-29-4 France* atteinte. *-2-5 G.-B.* atteinte, toute la France atteinte. *-5-5 Suisse, Autriche, All. féd., Italie* et *P.-Bas* recommandent de ne consommer ni lait, ni légumes frais. *Scandinavie,* il est recommandé de n'acheter ni lait ni produits frais et de donner aux enfants et aux femmes enceintes des pastilles d'iode (la glande thyroïde ainsi saturée ne fixe pas l'iode radioactif). *-8-5* la *CEE* bloque les importations de viande fraîche venant de 7 pays de l'Est. *-9-5 Canada,* le gouvernement conseille aux habitants d'Ottawa de ne pas utiliser l'eau de pluie. *-11-5 CEE,* les 12 réunis à Bruxelles ne parviennent pas à un accord. *L'Italie,* craignant pour son agriculture, demande d'autoriser un taux de 1 000 becquerels d'iode 131 par kg de légumes à feuilles (contre 250 dans le projet initial). *-13-5* en *France,* le ministre de l'Industrie interdit la consommation d'épinards en Alsace. *30-5 CEE,* des normes communes sont déterminées : 370 becquerels par litre de lait et kg d'aliments pour les nourrissons ; 600 par kg pour les autres produits. *-1-6 Pologne* 20 000 manif. à Cracovie contre le nucléaire. *-3-6 Autriche,* la vente des baies et fruits rouges est interdite dans le Sud (on a trouvé du césium 137). *-20-6 G.-B.,* dans 2 régions, la vente d'agneaux est interdite pendant 3 semaines. *-26-6 France,* des analyses de thym révèlent dans la Drôme une radioactivité de 28 000 Bq/kg, 50 fois plus que les normes de la CEE. Les plantes aromatiques et médicinales de la Drôme resteront radioactives jusqu'en mai 1987. *-3-9 Suisse,* la pêche est interdite dans le lac de Lugano, à cause de la radioactivité des poissons. *-8-9 USA* décident un contrôle des boissons alcoolisées importées d'Europe. *-29-9 G.-B.,* 500 000 moutons du pays de Galles, dont la viande est jugée radioactive, restent interdits d'abattage. *-2-10 Malaisie* renvoie aux *P.-Bas* 45 000 kg de beurre au taux de radioactivité élevé. **1992** env. 600 000 moutons des hautes terres d'Écosse et du pays de Galles présentent des taux d'irradiation trop élevés. **1993** *juin* traces radioactives dans les Alpes (dôme du Goûter, 4 300 m). Démantèlement prévu : enceinte de démolition par engin télécommandé, durée 10 ans. Coût : 2,5 milliards de $.

Répercussions économiques : spéculations sur sucre et céréales ; 10 millions de t de blé ont été contaminées (souvent un boycottage de certains produits alimentaires, lait ou légumes verts) ; *politiques :* remise en cause des programmes nucléaires civils en Occident, perte de crédibilité de Gorbatchev (lenteur de l'URSS à avertir les pays voisins).

Taux de radioactivité (en 1986, au sol, Bq/m²). **France :** *29/30-4 :* Marcoule [1] 42 500, Cadarache 14 200. *1/2-5 :* Bruyères-le-Châtel 2 100. *4-5 :* Saclay [1] 1 325. *5-5 :* La Hague 380. *7-5 :* Sud-Est 920, Est 740, Centre 410, Ouest 180. **All. féd. :** *1-5 :* Passau 26 000. *2-5 :* Hof 16 200, Musbach 4 500. *3-5 :* Munich 20 700. *4-5 :* Nersingen [2] 95 000. *7-5 :* Munich [2] 25 000. **Italie :** *30-4/15-5 :* Ispra 79 300. *6-5 :* Milan 56 650. *7-5 :* Milan 25 800. **G.-B. :** *2-5 :* Sud 810. *4-5 :* Nord 27 000. **Suède :** *28-4 :* Forsmark 89 000, Barseback 830. *30-4 :* Taernsjo 700 000, Sudsvick 750.

Nota. – (1) Dépôts humides. (2) Maxima observés dans le Sud.

Accidents en France

■ **Avec irradiation.** *Aucun n'a été mortel.* **1959**-*14-12 Marcoule :* rupture de gaines d'un canal du réacteur graphite-gaz militaire au cours des réparations, irradiation du personnel et des habitants de la région. **1965** *mars Chinon 1 :* un agent franchit une balise d'interdiction et reçoit une dose de 56 rad.

■ **Sans irradiation de personnes.** Plusieurs ont entraîné une indisponibilité des installations, dont en **1968** *Sena-Chooz* (réacteur à eau ordinaire PWR de 300 MWe ; arrêt 2 mois). **1976** *Marcoule* (Phénix, surgénérateur de 250 MWe), fuite de sodium secondaire sur 2 échangeurs intermédiaires, arrêt de 15 mois. **1984** un incident de niveau 3. **1987**-*31-3 Creys-Malville ; 12-4 Pierrelatte,* fuite d'hexafluorure d'uranium et *16-4* fuite de gaz ; *18-4 Fessenheim,* dégagement de vapeur non radioactive. **1989**-*4-4 Gravelines,* rupture d'une barre de commande. *6 et 24-8 et 14-9 Marcoule,* arrêt automatique de Phénix, une boule d'argon s'étant formée dans le circuit à l'intérieur du cœur par suite d'un mauvais fonctionnement des purgeurs. **1990** *27/28-4* fuite de sodium liquide non radioactif sur un circuit secondaire de *Super-Phénix :* arrêt 2 mois env. **1993**-*20-6 Cadarache :* fuite de liquide radioactif (incident niveau 2).

Origine des accidents : vieillissement précoce des générateurs de vapeur, oxydation et érosion par l'eau ayant été sous-évaluées ; sur les réacteurs plus récents, la fabrication serait en cause (fatigue thermique des soudures comme à Creys-Malville).

Nombre d'incidents liés à une défaillance humaine : 4 par an par tranche de 900 MW, 2 par tranche de 1 300 MW.

Total des incidents : *1989 :* 83 (1 de niv. 3) ; *91 :* 102 (9 de niv. 2) ; *92 :* 103 (3 de niv. 2).

☞ *En 1990,* plusieurs réacteurs ont dû être modifiés pour des défauts (conception ou montage) de filtration, 17 de 1 300 MW (sur 8 sites) (défaut détecté à Golfech) : incident classé niveau 2 ; 17 de 900 MW (sur 34) : défaut découvert fin oct. 1990 dans Le Blayais.

Rejets thermiques et radioactifs

Rejets thermiques

Une centrale graphite-gaz transforme en électricité 30 % de la chaleur produite ; *à eau légère* 34 % ; *Phénix* 45 % (rendements bruts). Le reste de la chaleur est évacué dans l'eau d'un fleuve ou de la mer (circuit ouvert), ou dans l'air (circuit fermé avec réfrigérants atmosphériques).

■ **Refroidissement.** Le refroidissement de la vapeur sortant d'une turbine associée à une centrale thermique classique ou nucléaire nécessite, au niveau des condenseurs, 40 m³/s d'eau froide pour une tranche de 1 000 MW (mégawatts). Cette eau se réchauffe d'env. 10 à 12 °C dans le condenseur avant de retourner à la source froide d'où elle a été prélevée.

Eau venant d'un circuit ouvert (rivière, lac ou mer) : un prélèvement en rivière de 100 m³/s élevé de 10 °C n'entraîne, après mélange, qu'un échauffement max. de 3 °C immédiatement en aval de la centrale si l'étiage est de 300 m³/s. En mer, les échauffements supérieurs à quelques degrés restent limités dans une zone restreinte (5 km² pour une centrale de 5 000 MW et un échauffement de + de 1 °C).

Eau venant d'un circuit fermé équipé de réfrigérants atmosphériques *humides* (l'eau de refroidissement venant du condenseur est mise, dans le réfrigérant, en contact direct avec l'air atmosphérique ; à la traversée du réfrigérant, cet air est échauffé et saturé en vapeur d'eau, tandis que l'eau est refroidie), ou *secs* [aérocondenseurs : l'air se réchauffe au contact d'une paroi (métal plastique) qui le sépare de l'eau du condenseur ou, plus directement, de la vapeur de la turbine ; on parle de *réfrigérant sec* lorsque celui-ci reçoit l'eau chaude d'un condenseur ; *d'aérocondenseur* lorsqu'il reçoit directement la vapeur de la turbine et joue simultanément un rôle de condenseur et de réfrigérant], ou *humides-secs* (l'eau du condenseur est refroidie en partie par contact indirect avec l'air).

Pour une tranche nucléaire REP 900, le débit d'air réfrigérant est de 25 000 à 30 000 m^3/s (en cas de réfrigération humide). La pression assurant la circulation de l'air est obtenue : *soit par tirage naturel :* avec une tour d'env. 160 m formant cheminée ; la différence de masse des colonnes d'air à l'intérieur de la tour (air chaud) et à l'extérieur (air atmosphérique) fournit une pression motrice faible, imposant des vitesses d'air modérées (quelques m/s) et, compte tenu des débits en jeu, des sections de passage considérables ; *soit par le tirage forcé ou induit :* avec de nombreux ventilateurs axiaux, à grand diamètre de roue qui permettent de diminuer la hauteur des tours de réfrigération (d'où une économie d'investissement), mais nécessitent une forte puissance électrique (pour la ventilation). L'air y est réchauffé de 15 °C. Par tour (1 000 MW) de 160 m, 0,5 m^3 d'eau sont évaporés par seconde, la vapeur en se condensant forme parfois un panache (exceptionnellement un nuage).

■ **Utilisation de la chaleur des réacteurs.** L'eau réchauffée rejetée peut servir au réchauffage des sols, à l'agriculture, à la pisciculture, au chauffage urbain et à l'industrie. Certains réacteurs en cours d'expérimentation (type HTR) permettraient d'obtenir des températures d'env. 800 °C. Cette chaleur serait utilisable par les raffineries et certaines industries ou pour produire économiquement de l'hydrogène par décomposition thermochimique de l'eau.

Plan Orsec-Rad

Variante du plan Orsec contre irradiation et contamination radioactives accidentelles. Mis au point le 3-8-1963. Un par département. Reste confidentiel. 3 étapes : état d'alerte des spécialistes du service central de protection contre les rayonnements ionisants (SCPRI, au Vésinet, Yvelines) ; mise à l'abri de la pop. et du bétail ; évacuation.

Applicable aux transports civils et militaires et aux centrales.

■ Rejets radioactifs

Centrales à eau pressurisée (REP) (par réacteur de 1 000 MW et par an). *Effluents gazeux* + de 10 000 curies de gaz rares (krypton, xénon). Ces gaz n'ont pas d'affinités chimiques et ne peuvent se fixer dans l'organisme ; *effluents rejetés dans l'eau* 1 500 curies de tritium (eau tritiée) ; *autres rejets* (dans l'air ou dans l'eau) : moins de 5 curies au total : cérium, cobalt, manganèse, iode en quantités très faibles. Les rejets exceptionnels sont effectués après accord du SCPRI (Service central de protection contre les rayonnements ionisants, relevant du min. de la Santé). *Chlore :* 18 à 19 g/s, (0,75 à 1,5 t/j) pour une centrale de 1 300 MW.

Surgénérateurs. Pas de rejets liquides, peu de rejets gazeux.

☞ **Programme Phébus (PF) :** étude du comportement des produits de fission dans un réacteur en cas d'accident grave. Site de Cadarache (Bouches-du-Rhône) remis en marche en mars 1993 après arrêt de 3 ans. *Budget :* 900 millions de F (Commission des Ctés europ. 30 %, EDF 25, Japon, USA, Corée du S., Canada 15).

L'énergie nucléaire dans le monde

■ Données globales

■ **Premières unités électronucléaires. USA :** EBR-1 (300 kW) : 1re divergence du réacteur 24-8-1951. **URSS :** APS-Obninsk, mai 1954. **France :** G1-Marcoule, janvier 1956. **G.-B. :** Calder Hall, mai 1956.

Unités de + de 25 ans (zone OCDE) *1995 :* 37, *2010 :* 141 (durée moy. prévue : pour 40 ans).

Puissance en GWe nets et nombre d'unités

Au 1-1-93	Filières Installées [1]	Fil. en construction	Fil. en commande [2]	Total
Types :				
Eau ordinaire				
sous pression [3]	210,7 (239)	42,6 (45)	1,3 (2)	254,6 (286)
bouillante [4]	75,2 (91)	8,2 (8)	0,8 (1)	84,2 (100)
Eau lourde [5]	18 (32)	6,4 (13)	4 (10)	28,4 (55)
Graphite-Gaz [6]	13,9 (38)	–	–	13,9 (38)
G.-Eau ordinaire [7]	14,8 (19)	0,9 (1)	–	15,7 (20)
Neutrons rapides [8]	2,4 (7)	2,5 (4)	–	4,9 (11)
Divers	0,1 (1)	–	–	0,1 (1)

Nota. – (1) Somme des puissances des unités ayant réalisé leur 1re divergence. (2) Somme des puissances des unités en attente de début de travaux. (3) REP ou PWR et VVER sov. (4) REB ou BWR. (5) PHWR, BHWR, Candu. (6) UNGG, MG-UNGG, AGR. (7) RBMK, soviétique. (8) FBR, surgénérateur.

■ Formules de réacteurs choisies

☞ **REP :** réacteur à eau ordinaire sous pression. Filière à uranium enrichi et eau ordinaire du type pressurisé (PWR : pressurized water reactor). **REB :** à eau bouillante.

Ex-Allemagne fédérale. REP (licence KWU) et REB (licences General Electric US et KWU). Les compagnies d'électricité semblent actuellement plus favorables au REP. Le réacteur prototype HTR (à haute pression) de 300 MW, de Hamm-Uentrop (Rhénanie) a été définitivement abandonné. Il n'avait pas besoin d'être découplé du réseau pour le remplacement du combustible nucléaire, mais son rendement n'était que de 45 % en moyenne. *Coût de réalisation :* 13,5 milliards de F, soit 3,5 de + que pour un réacteur à eau pressurisé français de 1 300 MW.

France. Prit d'abord la filière uranium naturel-graphite-gaz [*Marcoule* 1956 (arrêté 1968), *Chinon A-1* (70 MW, mis en service 1963, arrêté 1973), *A-2* (210 MW, 1965, arrêté 1985), *3* (400 MW, 1966, arrêté 1990), *St-Laurent-des-Eaux A-1* (400 MW, 1969, arrêté 1990), *2* (515 MW, 1971, arrêté 1992), *Bugey 1* (540 MW, 1972, arrêt prévu 1994)] ; mais cette filière revenant plus cher, l'EDF opta en 1969 pour la filière à uranium enrichi-eau ordinaire (1re construite 1977, à Fessenheim, Alsace, 900 MW). Le prix du pétrole restant avantageux jusqu'à fin 1973, on ne mit en chantier que 5 tranches de 900 MW de 1970 à 73. Après la crise pétrolière d'oct. 1973, un programme nucléaire fut décidé.

Nota. – En 1993, Projet EPS (European Pressurized Reactor) : nouveau réacteur franco-allemand [EDF-électriciens all. (PreussenElektra, RWE, Bayernwerk et Badenwerk) et NPI (assoc. Framatome-Siemens)] devant équiper centrales construites par EDF en 2010 (eau pressurisée ; objectif : 50 000 MW par j par t de combustible, contre 42 000 à 45 000 MW en 1993).

Projet eur. **ITER** (réacteur expérimental à fusion, coût 6 milliards de $) réalisé par group. d'intérêt écon. EFET (European Fusion Engineering and Technology).

G.-B. En 1965, réacteurs AGR, à uranium faiblement enrichi, mais à la suite des difficultés techniques la G.-B. envisagea d'utiliser la filière SGHWR (à eau lourde), puis lança en janv. 1978 un nouveau programme de 4 tranches AGR, décida d'étudier la filière REP, construisit une tranche REP en 1986-87.

Japon. Réacteurs prévus 55 (44 en service fin 1990) dont *BWR* 29 (21 en serv.) ; *PWR* 23 (17 en serv.) ; *autres* (Magnox, ATR, RNR) 3 (2 en serv.).

Réacteurs de conception soviétique : *type uranium enrichi-eau ordinaire sous pression VVER* 46 dont 10 *440-230 MWe*, 17 *440-213 MWe* (dont 2 en Finlande ; LOVISA), 19 *100 MWe* (plus proches des réacteurs occidentaux). 41 VVER en exploitation (y compris les 2 unités de LOVISA en Finlande), 6 ont été arrêtés définitivement (GREIFSWALD 1 à 4 et Arménie 1 et 2), env. 15 en construction (plusieurs réalisations arrêtées dans un état de construction partiel). **Centrales soviétiques :** uranium enrichi, graphite, eau ordinaire bouillante (RBMK, de type canal). **Arménie :** *VVER 440-230* 2 (Oktembaryan 1 : 10/77 ; 2 : 05/80). *1989* réacteurs arrêtés : tremblement de terre. **Bulgarie :** *VVER 440-230* 4 (Kozloduy 1 : 12/74 ; 2 : 12/75 ; 3 : 01/81 ; 4 : 08/82). *VVER 1 000* 2 (Kozloduy 5 : 09/88 ; 6 : 91). **Hongrie :** *VVER 440-213* 4 (Paks 1 : 08/83 ; 2 : 11/84 ; 3 : 12/86 ; 4 : 12/87). **Kazakhstan :** Shevchenko 1, neutrons rapides. **Lituanie :** *RBMK* 2 (Ignalina 1 : 05/85 2 : 08/87). Assurent, avec 1 500 mégawatts, 60 à 70 % de la prod. électrique. **ex-RDA :** Greifswald 3 V 230, 2 V 213 (fermée depuis la réunification). **Roumanie :** *Candu* 5 (Cernavoda 1 : 1 ; 2 : 1 ; 3 : 1 ; 4 : 1 ; 5 : 1). De conception canadienne. **Russie :** *VVER 440-230* 4 (Kola 1 : 12/73 ; 2 : 02/75 ; Novovoronezh 3 : 06/72 ; 4 : 03/73). *VVER 440-213* 2 (Kola 3 : 12/82 ; 4 : 12/84). *VVER 1 000* 6 (Balakovo 1 : 05/86 ; 2 : 01/88 ; 3 : 04/89 ; Kalinin 1 : 05/85 ; 2 : 03/87 ; Novovoronezh 5 : 02/81). *RBMK* 11 (Kursk 1 : 10/77 ; 2 : 08/79 ; 3 : 03/84 ; 4 : 02/85 ; Sosnovy Bor 1 : 11/74 ; 2 : 02/76 ; 3 : 06/80 ; 4 : 08/81 ; Smolensk 1 : 09/83 ; 2 : 07/85 ; 3 : 06/90. **Slovaquie :** *VVER 440-230* 2 (Bohunice 1 : 04/79 ; 2 : 01/81). *VVER 440-213* 2 (Bohunice 3 : 05/85 ; 4 : 03/86). **Tchécoslovaquie :** *VVER 440-213* 4 (Dukovany 1 : 08/85 ; 2 : 09/86 ; 3 : 05/87 ; 4 : 12/87). **Ukraine :** *VVER 440-213* 4 (Rovno 1 : 09/81 ; 2 : 07/82). *VVER 1 000* 10 (Khmelnitsky 1 : 08/88 ; Rovno 3 : 05/87 ; Nikolaev 1 : 10/83 ; 2 : 04/85 ; 3 : 12/89 ; Zaporozhe 1 : 04/85 ; 2 : 10/85 ; 3 : 01/87 ; 4 : 01/88 ; 5 : 10/89). *RBMK*

Puissance électronucléaire en service industriel en GWe nets dans le monde, au 31-12										Prod.[3]	Réacteurs		
	1965	1970	1975	1980	1985	1991	1992	1995 [1]	2005 [1]	1992	% [2]	En service [4]	En constr.
Afr. du Sud .	–	–	–	–	1,8	1,8	1,8	1,8	1,8	9,9	6	2	–
All. dém. . . .	–	0,06	0,9	1,7	1,7	–	–	–	–	–	–	–	–
All. féd	0,01	0,9	3,3	8,6	16,1	22,5	22,5	22,6	22,2	158,9	34	21	–
Argentine . .	–	–	0,3	0,3	0,9	0,9	0,9	0,9	1,3	7,1	15	2	1
Arménie	–	–	–	0,7	0,7	–	–	–	–	–	–	–	–
Belgique . . .	0,01	0,01	1,7	1,7	5,5	5,5	5,5	5,5	3,8	43,5	61,2	7	–
Brésil	–	–	–	–	0,6	0,6	0,6	0,6	1,9	1,8	1	1	1
Bulgarie . . .	–	–	0,8	0,8	1,6	2,5	2,5	3,5	2,9	11,5	32,5	6	–
Canada	0,02	0,2	2,5	5,5	9,8	13,1	14	15,8	15,8	84	15,2	21	1
Chine	–	–	–	–	–	–	–	2	4,4	–	–	1	2
Chine libre .	–	–	–	1,2	4,9	4,8	4,8	4,8	6,7	33,8	34,6	6	–
Corée S. . . .	–	–	–	0,6	2,7	7,2	7,2	8,1	17,7	56,5	50	9	5
Cuba	–	–	–	–	–	–	–	–	–	–	–	–	2
Espagne . . .	–	0,1	1,1	1,1	4,7	7	7,1	7,1	7,1	55,8	35,5	9	2
États-Unis	0,9	5,6	37,1	52,2	75,9	101,7	101	102,2	105,8	650,1	22	110	8
Finlande . . .	–	–	–	1,1	2,3	2,3	2,3	2,3	3,3	19	33	4	–
France	*0,3*	*1,6*	*2,9*	*12,8*	*33,8*	*54,3*	*56,5*	*57,3*	*70,2*	*338,5*	*73*	*56*	*4*
Hongrie . . .	–	–	–	–	0,8	1,7	1,7	1,7	2,6	14	50	4	–
Inde	–	0,4	0,6	0,6	0,9	1,3	1,5	1,9	3,6	6,3	2	10	5
Indonésie . .	–	–	–	–	–	–	–	–	0,6	–	–	–	–
Iran	–	–	–	–	–	–	–	–	0,7	–	–	–	–
Italie	0,6	0,6	0,6	0,6	1,3	–	–	–	–	–	–	–	–
Japon	0,01	0,8	5	14,4	23,6	32	32	39,7	54,9	215,8	26,4	46	8
Kazakhstan	–	–	0,1	0,1	0,1	0,1	0,1	0,1	0,3	–	n.c.	1	–
Lituanie . . .	–	–	–	–	1,3	2,7	2,7	1,3	1,9	17	60	2	–
Mexique . . .	–	–	–	–	–	0,6	0,6	1,3	1,3	3,9	3,2	1	1
Pakistan . . .	–	–	0,1	0,1	0,1	0,1	0,1	0,1	0,4	0,5	0,8	1	–
Pays-Bas . . .	–	0,05	0,5	0,5	0,5	0,5	0,5	0,5	–	3,8	5,5	2	–
Roumanie . .	–	–	–	–	–	–	–	0,6	3,1	–	–	–	5
R.-U.	2,8	4,2	5,4	8	8,6	13,5	13,5	13,3	12,1	77,5	23,8	37	1
Russie	0,7	1,5	3,9	7,7	14,6	17,9	17,9	16,4	24,2	119,6	10,1	28	13
Slovaquie . .	–	–	0,1	0,3	1,6	1,6	1,6	1,6	2,4	12	n.c.	4	4
Slovénie . . .	–	–	–	–	0,6	0,6	0,6	0,6	0,6	4	22	1	–
Suède [5]	0,009	0,01	2,4	3,7	9,5	10	10	10	9	63,5	43	12	–
Suisse	–	0,3	1,01	1,9	2,9	2,9	2,9	2,9	2,6	23,4	38,5	5	–
Rép. tchèque	–	–	–	–	0,4	1,6	1,6	1,6	3,4	12	n.c.	4	2
Ukraine . . .	–	–	–	1,8	8,2	12	12	13	15,9	73,7	30	14	6
Monde	*5,5*	*16,6*	*70,5*	*128,5*	*238,6*	*324,3*	*327*	*342,1*	*405*	*2 093,7*		*423*	

Nota. – (1) Prévisions. (2) % du nucléaire dans la production d'électricité. (3) En tWh bruts. (4) Fin 1992. (5) La Suède a décidé (référendum de 1980) de fermer ses centrales en 2010 (12 en 1990) ; 51,6 % de son électricité en 1991. Un problème de substitution se pose (opinion opposée aux barrages). *Source :* CEA.

3 (Tchernobyl 1 : 05/78 ; 2 : 05/79 ; 3 : 06/82). Il faudrait 150 milliards de F pour rénover le parc des centrales nucléaires de l'Est.

USA. Disposant d'uranium enrichi produit par leurs 3 usines d'enrichissement construites à des fins militaires, se sont orientés pendant les années 50 vers les filières REP et REB.

Parc de surgénérateurs

■ **Électrogènes, réacteurs expérimentaux ou prototypes commerciaux** [en service, en construction, ou en projet, nom du réacteur ou de la tranche, année de 1re divergence, puissance électrique en megawatts (millions de watts)]. **All. : KNK II** Karlsruhe (1977, en service 1983) 21 ; **SNR-300 Kalkar** (1987, construction arrêtée) 327. **Europe EFR** (European Fast Reactor) : travaux engagés (1 500 MWe, construction prévue 1997 ; en mars 1993, G.-B. se retire). **France : Phénix** *1973-31-8* à Marcoule, 250 (arrêté pendant 17 ans, 15 % du temps pour incidents). *1993*-8-2 réacteur autorisé à fonctionner après 2 ans (pendant 10 j, à 350 MW). *Juill.* redémarrage prévu reporté (fuites de sodium). **Super-Phénix 1** à Creys-Malville (Isère) [EDF 51 %, Enel (Italie) 33 %, SKB (All. féd.)] 1 240 ; a coûté 27 milliards de F [1er devis (1977), 5,35]. Le kWh revient 2 fois plus cher que celui d'une centrale REP. *1975* mis en chantier. *1977-31-7* 1 manifestant antinucléaire est tué par grenade des forces de l'ordre. *1982-18-1* des inconnus lancent 5 roquettes. *1985-7-9* 1re divergence. *1986-14-1* couplé au réseau EDF avec 5 ans de retard. *9-12* pleine puissance atteinte (1 200 MW). *1987-26-5* arrêt (incident du barillet : fuite de sodium constatée 3-4). *1989-24-1* redémarre. *21-4* couplé au réseau. *6-8, 24-8, 14-9,* 3 arrêts automatiques. *1990-14-4* redémarrage. *28-4* arrêt (fuite de sodium dans circuit secondaire). *8-6* couplé au réseau. *3-7* arrêt [colmatage de filtres : impuretés dans le sodium (risque classe 2)]. *13-12* une partie du toit de la salle des machines (hors îlot nucléaire) s'effondre sous la neige. *1991-27-5* le Conseil d'État annule l'art. 3 du décret du 10-1-89 autorisant le redémarrage provisoire. Un nouveau système de transport de combustible remplacera le barillet. **Bilan :** *coût* (en milliards de F, en avril 1992) : 50 (dont 27,5 pour la construction). *Frais fixes annuels* à l'arrêt 0,45 (pertes de recettes pour non production non comprises). *Énergie « stockée »* dans le cœur et les recharges : 35 TWh (soit une valeur de 4 à 5 milliards de F). Dep. sa mise en service, a fonctionné en tout 7 410 h produisant 4,3 TWh. Le redémarrage envisagé a été différé par P. Bérégovoy en juillet 1992. *1993 janv. :* rapport Curien en faveur d'une reconversion en incinérateur. *-15-2* enquête publique. *Mai* redémarrage repoussé d'un an. *1994*, utilisation pour essais comme incinérateur d'actinides. *Après 1998*, pour brûler du plutonium et des actinides, avec un cœur adapté (fonctionnement en régime de sous-génération). **G.-B. : PFR Dounreay** (1974) 270 (fermeture prévue 1994). **Inde : FBTR-Kalpakkam** (1985) 15. **Japon : Monju JPFR** (1993) 280. **DFBR** (2000) 670. **Ex-URSS : BOR-60 Melekess** (1968) 12 ; **BN-350 Chevchenko** (1972) 280 ; **BN-600 Beloyarsk** (1980) 600 ; **BN-800 Beloyarsk** (constr. stoppée) 800 ; **BN-1 600 Obninsk** (après 1993) 1 600. **USA : EBR 1** (Experimental Breeder Reactor) Idaho (en service 1951 ; fermé) 0,2. **EBR 2 Enrico Fermi** Michigan (en serv. 1963 ; fermé) 20 ; **CRBR** (Clinch River Breeder Reactor, projet abandonné en 1983), 350.

■ **Non électrogènes, prototypes.** Puissance thermique en millions de watts. **France : Rapsodie** Cadarache (1967) 40 fermé. **Japon : Joyo ou JEFR** Oraï (1977) 100. **Ex-URSS : BR5** Obninsk (1958) 10. **USA : Clementine** Los Alamos (1946) 0,025, fermé. **FFTF** Hanford (1979-80) 400.

☞ En 1977, la commission Péon (prod. d'électricité d'origine nucléaire) prévoyait d'installer de 13 à 19 surgénérateurs d'ici l'an 2000 en France. Mais les surgénérateurs de grosse puissance (comme Super-Phénix) se sont révélés délicats à mettre au point et plus chers à construire que prévu. De plus, le ralentissement des programmes mondiaux a entraîné une surcapacité et une baisse des cours de l'uranium naturel, ce qui diminue l'intérêt économique des surgénérateurs. EDF a donc décidé de repousser la construction en série de ces réacteurs au siècle prochain. Le plutonium extrait du retraitement est utilisé en recyclage dans les réacteurs REP.

Arguments des partisans du surgénérateur. *Réserves d'uranium :* ne représentent que quelques dizaines d'années de consommation avec les réacteurs actuels (qui ne brûlent que 1 % de l'uranium utilisé) ; des centaines d'années avec le surgénérateur. *Incidents du surgénérateur :* comparables à ceux connus par les 1ers réacteurs en service. *Coût du kWh :* réacteur actuel 0,22 F, surgénérateur 0,50 (0,16 si l'on ne tient pas compte de l'investissement).

L'énergie nucléaire en France

Commissariat à l'énergie atomique (CEA)

Organisation. **Créé** 18-10-1945. *Établissement public de recherche et de dév. à vocation scient., techn. et ind.* **Administrateur général :** Philippe Rouvillois (n. 1935). **Haut-Commissaire :** Jean Teillac (n. 1920). **Secr. gén. :** Gérard Fraissenon. **Groupe industriel : Filiales les plus importantes :** *Cogema* (voir p. 1752 c) ; *Framatome ;* constr. de chaudières et concepteur de combustible ; *Technicatome* qui étudie et construit les réacteurs de recherche et les petits réacteurs de puissance, *Oris-Industrie* (applications médicales et industrielles des radioéléments), *Cisi* entreprise d'informatique, *Intercontrôle* contrôle non destructif, *STMI* (intervention en milieu ionisant). **Employés** (1991) : 37 300. **Crédits** (en milliards de F) : *1985 :* 16,9. *86 :* 17,4. *87 :* 18,5. *88 :* 19,6. *89 :* 20,1. *90 :* 20. *91 :* 19,82 (dont activités militaires 9,91). *92 :* 19,38. *Subventions de l'État 90 :* 16,19. *91 :* 16,18. *92 :* 15.

Rôle. Matières nucléaires, applications militaires, recherche fondamentale, protection et sûreté nucléaire, applications industrielles nucléaires.

Nota. – Réacteurs de recherche du CEA. Siloé (1963, Grenoble ; 35 MW), Osiris (1966, Saclay ; 70 MW), conçus au départ pour mise au point des centrales, utilisées auj. à 75 % de leur capacité. Missions 1993-96 : irradiations technol. pour Osiris (à pleine capacité), ind. pour Siloé (capacité réduite de 30 %, puis 20). Réacteur Orphée (1980, Saclay ; 14 MW) uniquement recherche fondamentale.

☞ **L'Agence nationale pour la gestion des déchets radioactifs (Andra) :** *créée* le 7-11-1979, dépend du CEA.

Matériel

■ **Constructeurs de réacteurs.** **Framatome** pour la filière à eau sous pression. Jusqu'en 1989, *actionnaires privés :* CGE 40 %, Dumez 12 % ; *publics :* CEA 35 %, EDF 10 % ; *salariés* 3 %. En 1987, la CGE ayant été privatisée, l'État perdit la majorité du capital ; le 14-6-90, la CGE racheta Dumez, Dumez racheta ensuite à la CGE (devenue Alcatel-Alsthom) 7 % redevenant ainsi majoritaire [actionnaires publics 51 % (dont CEA Industrie 36,18/EDF 10, Crédit lyonnais 5), CGE 44, Framépargne 5]. *Pt :* Jean-Claude Leny (n. 4-12-1928) *Chiffre d'aff. consolidé* en milliards de F. *89 :* 19,96. *90 :* 15,57. *92 :* 12,7 (dont nucléaire 8, équip. ind. 1,7, connectique 3). *Résultats nets 89 :* 0,74. *90 :* 0,98. *91 :* 0,97. *92 :* 0,95. **Novatome** (divion de Framatome) pour les surgénérateurs. *Chiffre d'aff. 1988 :* 1,065 milliard de F, *1989 (est.) :* 0,732.

Nota. – En mars 1993, Framatome a repris Jeumont-Schneider Industrie (CA 92 : 1,1 milliard de F), ex-filiale à 100 % de Schneider ; elle prend également 25 % du capital de Technicatome (chaudière nucl. pour sous-marins et porte-avions).

■ **Exportations de centrales.** Localisation, date de mise en service industriel, système, puiss. en Mwe. **Groupement d'industriels français :** *Espagne,* Vandellos 1 (1972, UNGG, 480 MWe). **Framatome :** *Belgique,* Tihange 1 (1975, REP, 870), 2 (1983, REP, 902), Doel 3 (1983, REP, 891) ; *Afr. du S.,* Koeberg 1 (1984, REP, 922), 2 (1985, REP, 922) ; *Chine,* Guangdong 1 et 2 (1986, 900). *Corée du S.,* Uljin-1 et 2 (1988, REP, 900) ; *Iran* (2 commandes en 1977, annulées 1979). Négociations en cours avec T'ai-wan.

Centrales

Données globales

☞ MWe : mégawatt.

■ **Tranches en France** (1992). 56 tranches installées, dont : 1 ancienne [graphite-gaz, 7 avaient été construites : Marcoule G1 (arrêt 1968), Chinon A1 (arrêt 1973), A2 (arrêt 1985) et A3 (arrêt 1990), St-Laurent-des-Eaux A1 (arrêt 1990) et A2 (arrêt 1992) et Bugey 1 (arrêt prévu 1994)], 2 surgénérateurs (Phénix et Super-Phénix), 53 REP ou réacteurs à eau ordinaire sous pression (34 de 900 MWe, 19 de 1 300 MWe).

Ouvrages dont la construction est engagée (entre parenthèses : prévision de mise en service), puissance max. en construction (en MWe) : *Chooz 1* (1995) 1 455. *Chooz 2* (1996) 1 455. *Civaux 1* (1997) 1 450. *Civaux 2* (1999) 1 450. *Golfech 2* (1993) 1 310.

Prod. d'électricité nucléaire de 338 TWh bruts, 321 TWh nets (prov., 1992) (térawatts/heures ou milliards de kWh), soit env. 72,6 % de la prod. élec.

■ **Puissance nucléaire couplée au réseau** (en MWe bruts et, entre parenthèses, nombre d'unités). *Au 1-1-1970 :* 1 796 (8). *73 :* 2 881 (10). *80 :* 14 394 (23). *81 :* 21 634 (31). *82 :* 23 287 (34). *83 :* 26 857 (38). *84 :* 32 947 (43). *85 :* 37 487 (45). *86 :* 44 702 (51). *87 :* 49 418 (53). *88 :* 52 430 (55). *89 :* 52 530 (55). *90 :* 55 750 (56). *91 :* 56 780 (56). *92 :* 57 700 (56).

Aptitude à produire de l'électricité (que la centrale fonctionne à pleine puissance ou à charge partielle, qu'elle soit ou non appelée sur le réseau). *Coefficient de disponibilité en % (en 1992) :* Centrales à eau légère 1 300 MW 70,3 ; de 900 MW 72 ; ensemble des centrales nucléaires EDF 70,8.

Liste des centrales

Situation au 31-12-1992. Site, appellation des tranches, année de mise en service, puissance maximale électrique possible en MWe nets. **Exploitation EDF. Belleville** [1] *(Cher) : tranche 1* (1987) 1 310 MWe, *2* (1988) 1 310. **Bugey** (Le) *(Ain) : tr. 1* [2] (1972) 540, *2* [1] (1978) 910, *3* [1] (1978) 910, *4* [1] (1979) 880, *5* [1] (1979) 880. **Cattenom** [1] *(Moselle) : tr. 1* (1986) 1 300, *2* (1987) 1 300, *3* (1990) 1 300, *4* (1991) 1 300. **Chinon** *(I.-et-L.) : tr. A3* [2] (1966) 360 (arrêtée en 1990, déclassée en 1993), *B1* [1] (1982) 905, *B2* [1] (1983) 905, *B3* [1] (1986) 905, *B4* [1] (1987) 905. **Chooz** *(Ardennes) : tr. B1* [1] (1995) 1 455, *B2* [1] (1995) 1 455. **Cruas Meysse** [1] *(Ardèche) : tr. 1* (1983) 880, *2* (1984) 915, *3* (1984) 915, *4* (1984) 915. **Dampierre** [1] *(Loiret) : tr. 1* (1980) 890, *2* (1980) 890, *3* (1981) 890, *4* (1981) 890. **Fessenheim** *(Ht-Rhin) : tr. 1* (1977) 880, *2* (1977) 880. 7-4-1989, arrêt pour une révision de 4 mois du réacteur n° 1. **Flamanville** [1] *(Manche) : tr. 1* (1985) 1 330, *2* (1986) 1 330. **Golfech** [1] *(T.-et-G.) : tr. 1* (1990) 1 310, *2* (oct. 1993) 1 310 ; contestée par les écologistes, inquiets de son impact sur la Garonne. **Gravelines** [1] *(Nord) : tr. B1* (1980) 910, *B2* (1980) 910, *B3* (1980) 910, *B4* (1981) 910, *C5* (1984) 910, *C6* (1985) 910. **Le Blayais** [1] *(Gironde) : tr. 1* (1981) 910, *2* (1982) 910, *3* (1983) 910, *4* (1983) 910. **Nogent-sur-Seine** [1] *(Aube) : tr. 1* (1987) 1 310, *2* (1988) 1 310. **Paluel** 1 [1] *(S.-M.) : tr. 1* (1984) 1 330, *2* (1984) 1 330, *3* (1985) 1 330, *4* (1986) 1 330. **Penly** *(S.-M.) : tr. 1* [1] (1990) 1 330, *2* [1] (1992) 1 330. **Phénix** *(Marcoule) :* surgénérateur, voir ci-contre. **St-Alban-St-Maurice** [1] *(Isère) : tr. 1* (1985) 1 335, *2* (1986) 1 335. **St-Laurent-des-Eaux** *(L.-et-C.) : tr. A1* [2] (1969, arrêtée 1990) 390, *A2* [2] (1971, déclassée 1992) 450, *B1* [1] (1981) 915, *B2* [1] (1981) 915. **Tricastin** [1] *(Drôme) : tr. 1* (1980) 915, *2* (1980) 915, *3* (1981) 915, *4* (1981) 915.

Autres exploitants. *Nersa* Creys-Malville : *tr. 1* (1986) 1 142. *Sena* Chooz : *A,* 1er REP fr (fermée : couplée au réseau du 3-4-1967 au 30-10-1991) 305. *CEA* Phénix : *tr. 1* (1973) 233.

Nota. – (1) REP : réacteur à eau pressurisée. (2) UNGG : uranium naturel, graphite, gaz.

Visites de centrales électriques

Nombre 1991 : 20 nucléaires en service et 17 classiques. Nombre de visiteurs (1991, en milliers) 191 021 dont Chinon 22 615, Gravelines 16 083, Chooz B 14 984, Nogent s/Seine 14 764, Golfech 13 573, Paluel 12 689, Bugey 11 755, Le Blayais 10 859, Cattenom 10 817, Tricastin 8 586, St-Alban 8 547, Fessenheim 8 235, Belleville 7 808, St Laurent 7 458, Penly 7 036, Flamanville 6 503, Creys-Malville 5 910, Cruas 4 889, Dampierre 4 214, Phénix 835. 538 usines hydrauliques dont 76 visitables (env. 600 000 visiteurs/an).

Combustible nucléaire

Minerais et concentrés

Principaux types de minerais

■ **Uranium. Nom :** d'Uranus (planète découverte en 1781), selon la tradition alchimiste qui associait les planètes aux métaux. **Histoire :** *1789* l'urane, ou oxyde d'uranium, est identifié par Martin Heinrich Klaproth (All., 1743-1817) qui donne le nom d'uranium à la poudre obtenue en cuisant de la pechblende. *1841* Eugène-Melchior Peligot (Fr., 1811-90) produit de l'uranium-métal par réduction chimique. *1896* Henri Becquerel (Fr., 1852-1908) découvre la radioactivité. *1938* Otto Hahn et Fritz Strassmann parviennent à casser son noyau à coups de neutrons, produisant ainsi d'autres corps radioactifs (baryum, krypton).

Utilisation : *XIXe s.,* comme agent chimique en céramique et dans la miroiterie ; *début XXe s.,* dans la fabrication d'aciers à haute résistance ; *en 1919 et 39,* dans le traitement médical des tumeurs. **Minerai :** mines souterraines ou à ciel ouvert. *Pechblende* (mélange d'oxydes d'uranium, teneur de 50 à 80 %) et dérivés ; *vanadates* (francevillite, carnotite) ; *phosphates* (chalcolite, autunite).

■ **Thorium. Minerais :** *thorianite* (45 à 88 % de thorium) ; *uranothorianite* (jusqu'à 12 % d'uranium) ; *monazite* (12 % de thorium, parfois un peu d'uranium ; Madagascar, Inde, Austr., Brésil).

Statistiques mondiales

■ **Production mondiale d'uranium** (en milliers de t d'uranium métal., 1992). 35,6 (MEM 66 %) CEI 8,5. **Monde à économie de marché** (hors Chine et ex-Comecon). *1986 :* 37,2. *87 :* 36,5. *88 :* 36,4. *89 :* 34,2. *90 :* 28,4. *91 :* 26,9. *92 :* 23,6 [dont Canada 9,55, Niger 2,96, Australie 2,33, *France 2,11,* USA 1,88, Namibie 1,69, Afr. du Sud 1,67, Gabon 0,54, All. (ex-RDA) 0,25, Belgique 0,037, Portugal 0,028, Pakistan 0,010].

■ **Besoins annuels d'uranium en 1992 et,** entre parenthèses, **en 2000** (en milliers de t). **Monde à économie de marché** (dit monde occidental) : *1986 :* 46, *87 :* 44, *88 :* 46,4, *89 :* 43,2, *90 :* 43,7, *91 :* 45,4, *92 :* 46,2 (49) [dont ex-All. féd. 3,3 (3,7), Belgique 0,95 (0,95), Canada 2 (2), Espagne 1,2 (1,2), Finlande 0,4 (0,4), *France 9 (10),* G.-B. 2,3 (1,5), Japon 7,2 (7,7), P.-Bas 0,1 (0,1), Suède 1,5 (1,5), Suisse 0,5 (0,5), USA 15 (16), divers 3,7 (4)].

■ **Plus grandes régions uranifères** *(connues).* Saskatchewan (Canada), Territoire du N. (Austr.), Witwatersrand (Afr. du S.), Niger, Kazakhstan, Ouzbékistan, Colorado, Wyoming (USA), chaînes hercyniennes (Eur.).

Ressources d'uranium raisonnablement assurées à – de 80 $/kg et, entre parenthèses, **entre 80 et 130 $/kg** (au 1-1-1991) : *total* (sauf Chine et URSS) 1 499 (627) dont Afr. Sud 247,6 (96,8), Algérie 26, All. 0,6 (4), Argentine 8,74 (2,19), Australie 469 (60), Brésil 162, Canada 146 (68), Centrafrique 8 (8), Corée Sud – (11,8), Danemark – (27), Espagne 17,8 (21,1), Finlande – (1,5), *France 23,8 (15,7),* Gabon [1] 11 (4,65), Grèce 0,3, Hongrie 1,62 (1,5), Inde 41,14 (6,15), Indonésie – 4,32, Italie 4,8, Japon – (6,6), Mexique – (1,7), Namibie 84,7 (16), Niger 166 (6,6), Pérou 1,79, Portugal 7,3 (1,4), Somalie – (6,6), Suède 2 (2), Turquie – (9,1), USA 101,9 (254,2), Zaïre 1,8, Zimbabwe 1,8.

Nota. – (1) Mine d'Oklo (près de Franceville). 16 réacteurs nucléaires fossiles (2 milliards d'années).

Uranium naturel

(sous forme de métal)

Il sert pour les filières uranium naturel-graphite-gaz et à eau lourde (sous forme d'oxyde). Pour les filières uranium enrichi, l'uranium doit d'abord être mis sous forme d'**hexafluorure UF_6** (en France à Pierrelatte depuis 1962, capacité actuelle 14 000 t). Il sera ensuite **enrichi** (voir ci-contre). Puis on fabrique des pastilles de combustibles (**UO_2**) et, après les avoir gainés, on les assemble en éléments.

Après env. 3 à 4 ans d'utilisation dans un réacteur nucléaire, on décharge le combustible et on l'entrepose dans une piscine d'eau pour laisser décroître sa radioactivité. Après env. 6 mois, il peut être transporté dans des conteneurs à parois de plomb et d'acier (les « châteaux ») à l'usine de retraitement des combustibles usés, où l'on sépare l'uranium et le plutonium, qui seront réutilisés, et les produits de fission qui seront vitrifiés et stockés.

Uranium enrichi

Après irradiation, 1 kg d'uranium enrichi à 3 % contient env. 96 % d'uranium enrichi à 0,9 %, 1 % de plutonium total (dont env. 0,7 % de plutonium fissile) et 3 % de produits de fusion.

Statistiques françaises

■ **Exploitations minières en France.** La prospection a commencé en 1946. Les gisements (3 % des réserves mondiales, 1,5 % de celles de MEM) sont à faible teneur et trop dispersés. **Sites exploités :** Hérault (Lodève) et Limousin (La Crouzille à Razès, H^te^-V., fermeture prévue 1993) et Mailhac-le-Bernardan.

Principales sociétés productrices (1992, en t d'uranium contenues). Total : 2 119. **Cogema** (Cie générale des matières nucléaires), *créée* 1976. Groupe industriel de droit privé à capitaux publics détenus par le CEA-Industrie 89,2 % et Total 10,8. *Pt. :* Jean Syrota (n. 9-2-1937). *Chiffre d'affaires* (1992, en milliards de F) : 22,57 (dont 33 % à l'export.). *Résultats d'exploitation : 1990 :* 1,32. *91 :* – 0,45. *92 :* 0,57 ; *nets 1988 :* 0,51, *89 :* 1,54 (facturation du cœur et d'une 1re recharge pour Super-Phénix), *90 :* 1,03. *91 :* 0,851 (compte tenu de 1,757 de dédommagements versés par l'Iran). *92 :* 0,51. *Effectif* (31-12-92) : 16 725]. *Détient* 20 % de la capacité de production et de concentration de l'uranium du MEM et 80 % des réserves françaises. *Production* (en t). *France : 1989 :* 2 830, *90 :* 2 410, *91 :* 2 030, *92 :* 1 687.

Filiales françaises. Ex-activités nucléaires de Pechiney jusqu'en 1992 : *Comurhex* (chimie de l'uranium) 100 %, *Zircotube* (métallurgie de l'uranium) [49 % (Framatome 51 %)], *Cerca* (métall.) [50 % (F. 50 %)], *FBCF* (métall.) [50 % (F. 50 %)], *Transnucléaire* (transport des mat. nucl.) [66 % (F. 33 %)], *Cezus* (leader mond. du zirconium nucl.) [25 % (Framatome 25 %, puis 75 % en 1994 ; avant, Péchiney 50 %].

Autres : *Eurisys (SGN Ingénierie)* (66 %), *USSI Ingénierie.* Filiales étrangères : 4 441 dont Niger 2 965, Gabon 540, Canada 742, USA 124.

Total Cie minière, qui a absorbé en 1985 ses 2 filiales : *Dong-Trieu* (Limousin) et la *SCUMRA (Sté centrale de l'uranium et des minéraux et métaux radioactifs)* (Cantal, Creuse et Aveyron) : 432.

Nota. – En mai 1993, Cogema fait entrer Total pour 10,8 % de son capital (env. 1,5 milliard de F), et prend 4,35 % du sien (2,5 milliards de F). Acquiert en outre pour 1 milliard de F les intérêts détenus dans des mines d'aluminium (Canada, USA).

■ **Concentration de minerai d'uranium.** *Cogema* dans ses divisions minières par sa filiale SIMO (Soc. Ind. des minerais de l'O.) [Lodève-St-Jean-du-Bosc (Hérault) 950 t/an, réduites à 500 après 1993, Limousin-Bessines (Hte-V. arrêt dep. janvier 1992 pour entretien et interdiction de poursuite des activités dep. 26-3-92, en cours de fermeture). *Total Cie minière* Lussac-les-Églises-Jarac (Hte-V.)].

■ **Prix de vente spot. Oxyde** (en $ par livre anglaise d'U_3O_8) vers *1953 :* 8 (commandes militaires importantes) puis 5. *71 :* 6,1. *74 :* 11. *75 :* 23,7. *78 :* 43,2. *79 :* 45. *80 :* 31,8. *85 :* 15,6. *89 :* 10. *90 :* 9,8. *91 :* 8,7. *92 :* 7,95.

■ **Prix d'achat Euratom long terme. Oxyde** (en $ par livre anglaise d'U_3O_8) *1980 :* 36. *85 :* 29. *90 :* 29,4. *91 :* 26,1. *92 :* 24,7.

■ **Stocks français.** Sécurité : niveau minimal 3 ans de consommation pour faire face à d'éventuelles ruptures d'approvisionnement à l'extérieur.

Enrichissement de l'uranium

L'uranium naturel est un mélange de plusieurs isotopes (isotopes = corps ayant le même nombre de protons, mais se différenciant par le nombre de neutrons) : $\frac{234}{92}$ U (0,056 % de la masse) ; $\frac{235}{92}$ U (0,711 %) ; $\frac{238}{92}$ U (99,283 %).

En cas de choc d'un neutron sur un atome d'U^{235}, il y a fission ; sur un atome d'U^{238}, il y a capture de neutrons avec production de plutonium. On dit que l'U^{235} est *fissile* et l'U^{238} *fertile.* La réaction de fission s'accompagne d'un fort dégagement de chaleur.

On cherche donc à obtenir de l'*uranium enrichi* qui contient une proportion plus grande d'U^{235}.

Technique. Procédés pour enrichir l'uranium naturel en isotopes 235 : *diffusion gazeuse, centrifugation, diffusion thermique, séparation électromagnétique, dans le futur séparation par laser.* La plupart utilisent la différence de masses des 2 isotopes (inférieure à 1 %). Seuls les deux premiers ont été développés, jusqu'à ce jour, à une échelle industrielle.

Statistiques

Besoins d'enrichissement [en millions d'UTS (unité de travail de séparation)] avec taux de rejet de 0,2 %^{235} en 1980 et 0,25%^{235} après. **France :** *1978 :* 1,1. *80 :* 2,8. *90 :* 5,2. *93 :* 5,5. **USA :** *1978 :* 6,9. *80 :* 7,4. *90 :* 11. *93 :* 10. **Europe :** *1978 :* 6,4. *80 :* 7,1. *90 :* 12 (CEE 10,1). *93 :* 12. **Japon :** *1978 :* 1,5. *80 :* 1,8. *90 :* 3,9. *93 :* 4,1. **Monde** (hors pays de l'Est) : *1978 :* 13,2. *80 :* 17. *90 :* 28,4. **Russie et Europe de l'Est :** *1990 :* 7.

Capacité d'enrichissement

millions d'UTS [1]/an	1980	1990	1993	2000
US DOE [2] (civil)	25,6	19,3	19,3	19,3
PNC [5]	0	0,2	0,2	1,5
Eurodif [3]	6,3	10,8	10,8	10,8
Urenco [4]	0,5	2,5	2,7	2,4
Ex-URSS (export)	4	0,5	10	10
Total	*36,8*	*42,8*	*43,3* [6]	*44*

Nota. – (1) Unité de travail de séparation isotopique. (2) DOE (Department of Energy). Début production 1956 (1,1 million d'UTS) ; pleine production 1988 ; 3 usines : Oak Ridge (arrêtée 1988), Paducah, Portsmouth. (3) Eurodif (Sté européenne d'enrichissement de l'uranium), selon le procédé de la diffusion gazeuse. *Participants* (en %) : France (Cogema) 51,55, Italie (Agip nucleare, Enea) 16,25, Belgique (Soben) 11, Espagne (Enusa) 11, Iran 10. *Implantation :* Tricastin (Drôme). *Coût :* 12 milliards de F. *Construction :* 1974-82. *Capacité prévue :* 10,8 millions d'UTS par an, soit 2 670 t d'uranium enrichi à 3,15 % par an. *Teneur de rejet* 0,30 %. *Puissance électrique moyenne nécessaire* pour alimenter l'usine 2 700 MW. (4) Urenco (Ass. européenne d'enrichissement par ultracentrifugation). *Participants* (en %) : Grande-Bretagne (BNFL) 33, P.-Bas 33, All. (URANIT) 33. (5) Paver Reactor and Nuclear Fuel Corp. (Japon). « PNC enrichment » jusqu'en 1990. Augmentation de capacité. INFl. (6) Y compris JNLF (Japan nuclear Fuel Limited, Japon) 0,3.

Conversion de l'uranium. Étape permettant de débarrasser les concentrés d'uranium des éléments indésirables pour obtenir l'UF_6, forme chimique requise pour les opérations d'enrichissement isotopique (ou UO_2 iu U métallique pour des types particuliers de réacteurs).

Capacité de production d'UF_6 dans le monde à économie de marché : 56 700 t par an, dont USA 21 800, *France 14 000* (n° 1 mondial Comurhex, filiale à 100 % de la Cogema), G.-B. 9 500, Canada 10 500. CEI 22 000.

Enrichissement de l'uranium en France. Transformation à partir de concentrés d'uranium (oxydes) en UF_4 puis en hexafluorure UF_6 [1] en vue d'enrichissement pour les tranches REP, assurée par la Comurhex (détenue par Cogema 100 %). *Capacité de Pierrelatte* pour l'UF_6, *1977 :* 8 000 t ; *1988 :* 14 000 t (25 % du marché mondial).

Nota. – (1). L'UF_6 est le seul composé chimique de l'uranium gazeux à basse température (70 °C) et qui peut être utilisé avec les techniques d'enrichissement actuelles.

Approvisionnement français en uranium enrichi (en 1980 et, entre parenthèses, en 1990, en %). *Eurodif* 76,1 (90). **Ex-URSS** 19,6 (8). USA 4,3 (2).

Fabrication des combustibles

■ **Réacteurs uranium naturel graphite-gaz (UNGG).** Combustibles, mis au point par le CEA, fournis à EDF après montage dans l'usine (fermée 1991) que la SICN, filiale à 100 % de Cogema, exploitait à Annecy.

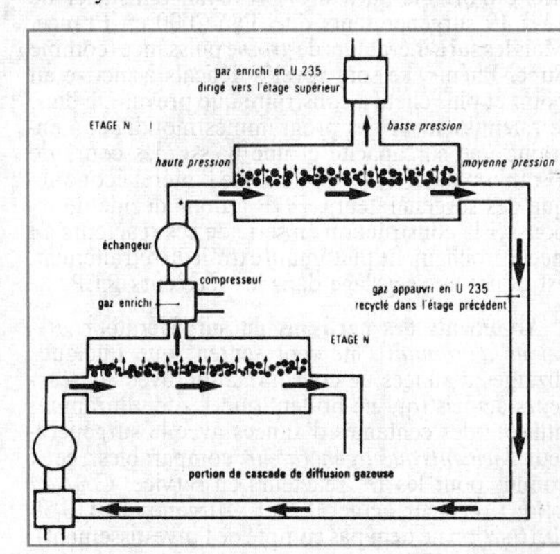

■ **Réacteurs à eau sous-pression.** Fabrication par la Sté franco-belge FBFC, filiale de Cogema et Framatome à Dessel (Belgique) et à Romans et Pierrelatte (Drôme) et par Zircotube (51 % Cogema, 49 % Framatome) et Cezus (Pechiney, Cogema et Framatome). Le combustible utilisé se présente sous forme de pastilles d'oxyde d'uranium empilées dans des tubes de zircaloy (alliage de zirconium) formant la *gaine* (longueur de ces crayons, égale à la hauteur du cœur, env. 4 m ; diamètre env. 9,5 mm). On constitue des assemblages allant jusqu'à 264 crayons assemblés en réseau 17 × 17. Ces combustibles sont commercialisés par Fragema (GIE 50/50 entre Cogema et Framatome).

■ **Surgénérateurs.** Fabrication à Cadarache (Cogema). Le combustible, constitué d'aiguilles faites de pastilles d'oxyde mixte d'uranium et de plutonium de 5 à 7 mm de diamètre empilées dans des gaines en acier inoxydable, est commercialisé par Corrap (GIE 50/50 entre Cogema et Framatome).

■ COMBUSTIBLES IRRADIÉS

■ **Processus.** Dans le cœur du réacteur, le combustible subit un taux de combustion exprimé en mégawatts (thermiques) × jours par tonne (MWj/t), mesurant l'énergie fournie et son taux d'usure. Une fois irradié, le combustible contient : *1°) Les produits de fission,* généralement émetteurs β et γ de période relativement courte, responsables de la quasi-totalité de l'activité. *2°) Des corps lourds,* généralement émetteurs α de longue période (transuraniens comme les isotopes du neptunium, plutonium, americium et curium). *3°) Du tritium,* formé par fission ternaire. Après le déchargement, l'ensemble de cette radioactivité dégage de la chaleur (exprimée en W/t) qui forme la puissance résiduelle (d'env. 6 % de la puissance du réacteur au départ, elle tombe au 1/100 de sa valeur au bout de 180 j).

■ **Bilan.** Après un séjour de 3 années dans le cœur d'un REP (taux de combustion de 33 000 MWj/t) : 100 kg d'uranium (97 kg d'U 238 + 3 d'U 235) donnent 95 kg d'U 238, 1 d'U 235, 1 kg de plutonium, 3 kg de produits de fission.

■ **Transport.** Les combustibles usés sont transportés dans des emballages spécifiques appelés « châteaux » de transport. Les conteneurs de combustibles usés sont testés : épreuve mécanique (chute de 9 m sur une surface indéformable), thermique (exposition à un feu de 800 °C pendant 8 h), d'immersion (sous 0,9 m d'eau pendant 8 h). En complément, un château de même type est soumis à une épreuve d'immersion sous 15 m d'eau pendant 8 h.

Aux USA et en G.-B., des essais ont permis de tester la bonne résistance des conteneurs lors de collisions à grande vitesse de trains ou de véhicules routiers. D'autre part, il faut environ 5 à 6 transports par an pour un réacteur de 1 000 MW.

Nota. – En 1991, 1 668 t de combustibles usés ont été transportées en France.

■ **Retraitement.** Les assemblages de combustibles usés, constitués de 200 à 300 « crayons » contenant l'oxyde d'uranium et enfermés hermétiquement dans des tubes de zirconium, sont immergés dans une piscine pendant 3 ou 4 ans env. dont au moins un an 1/2 dans la piscine attenante au réacteur avant transport vers l'usine de retraitement ; l'eau assure une protection biologique contre les rayons γ émis par les produits de fission et permet l'évacuation de la puissance calorifique résiduelle. Puis les crayons combustibles, cisaillés en tronçons de 3 à 5 cm, sont dissous dans une solution d'acide nitrique. Uranium et plutonium, sous forme de nitrates, sont séparés des produits de fission par voie chimique (solvants organiques), puis séparés l'un de l'autre et purifiés, également par voie chimique. On obtient un uranium dont l'enrichissement résiduel est de l'ordre de 0,8 à 0,9 %, à comparer à l'enrichissement d'environ 3 % avant irradiation (une fois réenrichi, il peut être réutilisé dans les centrales REP). Le plutonium, stocké sous forme d'oxydes, peut être réutilisé dans les surgénérateurs et les REP (combustible MOX).

Objectif : la *France* récupère le plutonium pour diminuer sa dépendance de ses sources d'approvisionnement en uranium naturel, tout en conditionnant de façon appropriée les déchets radioactifs produits dans le combustible. Une t de combustible usé équivaut sur le plan énergétique à environ 2 200 t de pétrole (à La Hague à partir de 1995, on disposera d'une capacité de retraitement de 1 600 t par an de combustible usé). Aux *USA,* pays riche en énergie (pétrole, charbon, gaz), le DOE a décidé de stocker le combustible usé d'une manière réversible ; ils pourront le retraiter plus tard ou le stocker définitivement en profondeur (*once-through cycle*).

■ **MOX** (Mélange d'OXydes d'uranium et de plutonium) le plutonium se substituant à l'uranium 235. Un MOX peut contenir jusqu'à 7 % de plutonium et 93 % d'uranium appauvri. Il a ainsi les mêmes caractéristiques énergétiques qu'un combustible standard à l'uranium enrichi.

Production mondiale. 85 t. Fabriqué à Dessel (Belg. ; 35 t par an, 75 t prévues en 1996), à Hanau (All. ; 35 t, 120 t prévues en 2000) et à Cadarache (France ; 15 t par an). *Projets* (an 2000) : Sellafield (G.-B.) 120 t et Japon 100 t. Utilisé pour la 1re fois en France à Chooz en 1974 puis à St-Laurent-des-Eaux (1er tiers de réacteur chargé à 5 % de plutonium) le 13-10-87. Plan d'EDF : d'ici à 1998 charger en plutonium 16 centrales françaises ; l'usine Melox de Marcoule, construite par Cogema, aura à partir de 1995 une capacité nominale de 120 t par an. *Avantages :* économie pour EDF d'uranium naturel (20 %) et de services d'enrichissement de cet uranium (10 %), et recyclage du plutonium dans les centrales nucléaires.

STATISTIQUES

■ **Coût du retraitement eau légère.** Prix du kg d'uranium traité en France (en F courants) *81 :* 4 300. *84 :* 6 100. *86 :* 3 100. *Marché mondial du retraitement : 1988 :* 3 à 4 milliards de F/an.

■ **Marché des quantités de combustible (par réacteur à eau légère) retraitées** (en %, 1991). Cogema (Fr.) 80,4, PNC (Jap.) 11,8, NFS (USA) 3,8, DWK (All.) 1,6, Eurochimic (Belg.) 1,5, BNFL (G.-B.) 1,4.

Quantités cumulées de combustibles usés retraités à la fin 1992 : UO_2 faiblement enrichi provenant des réacteurs à eau légère (REL) et des réac. avancés refroidi avec du gaz (AGR), en tml : 5 824 dont All. 85,4 ; Belgique 77 ; *France 4 761 ;* G.-B. 73 (dont 17 pour réac. type AGR) ; Japon 633,6 ; USA 194.

■ **Usines de retraitement.** Date de mise en service et capacité théorique annuelle en t d'U. avant irradiation. **Ex-All. féd. :** *WAK Karlsruhe 1970 :* 35 [b] (arrêtée 1990). *Mi-89 :* l'All. renonce à construire une autre usine. **G.-B. :** *Windscale* (tête oxyde Windscale, arrêtée 1973 après accident de contamination). *Sellafield* (anciennement *Windscale*) *1964 :* 1 500 [a]. Thorp [a] *1993 :* 1 200 [b] eau légère et filière nationale AGR. **France :** Cogema, exploite *Marcoule* UP 1 *1958 :* 800-1 000 [a]. **La Hague** UP 2 *1967 :* 400 [b], UP 2-80 à 1994 : 800 [b]. UP 3 : 800 [b] réservée pendant 10 ans aux Cies d'électricité étrangères (allemandes, belges, suisses, hollandaises et japonaises). Mise en service 23-8-1990, inaugurée 14-4-1992. **Inde :** *Tarapur 1979 :* 100 [b,c]. *Kalpakkan après 2000 :* 100 [b,c]. **Italie :** *Saluggia 1970 :* 25 (fermée). **Japon :** *Tokaï-mura 1968 :* 90 [b]. *Rokkasho-mura après 2000 :* 800 [b]. **Russie :** *Cheliabinsk 40 Kyshtym :* 400 [b]. **USA :** situation bloquée dep. avril 1977 (*West Valley* 300, mise en service 1966, fermée). *Barnwell* (Caroline du S., 1 500 t/an, achevée 1976, n'a jamais fonctionné).

Nota. – Combustible retraité : (a) métal, (b) oxyde, (c) eau lourde.

☞ **Cycle Japon-France :** *Japon :* envoie 3 000 t de combustible irradié. *France :* renvoie 2 800 t d'uranium retraité et 30 t de plutonium (restent 150 t de déchets) jusqu'en 2010, servant surgénérateur de Monju (oct. 1993).

Akatsuki-Maru : cargo japonais (4 800 t) aménagé pour transport du plutonium. **1992**-*24-8* quitte Yokohama, escorté du *Shikishima,* navire armé de 6 500 t (route et date de chargement inconnues). *-2-10* bateau de Greenpeace à Cherbourg. Manifestations. *-29-10 Akatsuki-Maru* à Brest. *-7-11* à Cherbourg : 1,5 t de plutonium provenant de La Hague chargée (conteneurs résistant à fond de 30 000 m), puis départ [itinéraire inconnu ; pays d'Asie du S.-E. protestent, dont Malaisie (passage du détroit de Malacca)]. **1993**-*5-1* arrive à Tokai (nord de Tōkyō). *Coût de l'opération :* 23 milliards de yens (966 millions de F).

■ DÉCHETS

■ **Nature. Déchets de faible activité (radioéléments à vie courte) :** pièces contaminées par des matières contenant des radioéléments : gants, plastiques, matériel consommable de laboratoires, pièces d'équipement d'usines non réutilisables, etc., venant des centrales, centres de recherche, usines du cycle de combustibles, hôpitaux ou laboratoires utilisant des radio-isotopes (CNRS, Inserm) à vie courte. 800 000 m³ en l'an 2000. A surveiller 300 ans.

De haute activité et déchets à vie longue (> 30 ans) : les produits de fission contiennent plus de 98 % de la radioactivité du combustible usé qu'ils ont produite. Cette radioactivité décroît à une vitesse variable ; elle diminue de 50 % en une fraction de seconde pour certains corps, en 28 ans pour le strontium 90, 30 a. pour le césium 137. Ainsi, la quantité produite est divisée par 1 000 env. au bout de 10 périodes (temps où la radioactivité est diminuée de 50 %) et par 1 million au bout de 20. Un faible % de transuraniens qui ne peuvent être récupérés en totalité reste mêlé aux produits de fission.

■ **Gestion des déchets radioactifs.** Ils sont en général enrobés de bitume, de béton ou de résine thermodurcissable selon leur niveau d'activité. *A La Hague et à Marcoule,* ils sont conditionnés sous forme de blocs solides de verre insoluble. *Belgique et All.* envisagent d'utiliser de petites billes de verre ou de céramique noyées dans du plomb. **Les déchets de haute activité à vie longue** sont entreposés quelques dizaines d'années dans des puits bétonnés (et ventilés) dans les usines de retraitement ; puis seront stockés dans des formations géologiques (basaltiques, argileuses ou granitiques ou même salines) stables et exemptes de venue d'eau, sans gardiennage mais sous contrôle.

On étudie le recyclage dans les réacteurs à neutrons rapides (voir surgénérateurs). **Les déchets à vie courte** sont stockés en surface (tumulus et monolithes).

Pour la France, l'Andra (Agence nationale pour la gestion des déchets radioactifs), *créée* 1979 (au sein du CEA, puis EPIC en 1992), gère l'ensemble des déchets radioactifs nationaux.

■ **Lieux de stockage.** Déchets de faible et moyenne activité en surface ou en profondeur ; haute activité en site géologique profond (aucun en service actuellement). France : déchets de faible et moyenne activité ; haute activité ou à vie longue : vitrifiés (enfouissement étudié dans des laboratoires souterrains et projet de centre de stockage). **Afr. du Sud :** en surface : Vaalputs. **All. :** mines de sel d'Asse (débris de la centrale démantelée de Niederaichbach à 1 200 m de profondeur dans une mine de fer). *Projets :* Gorleben, Konrad. **Belgique :** expérimentation dans l'argile à Mol. **Canada :** Chalk River (projet). **Chine :** désert de Gobi (négociation avec Suisse et ex-All. féd.). **Espagne :** site de surface (50 000 m³) à *El Cabril.* **Finlande :** Olkiluoto (1992). **France :** *La Hague* (Manche, dep. 1960, fermeture prévue 1993) 500 000 m³ (1 million de m³ prévus). *Soulaines-Dhuys* (Aube dep. 1992). *Sites à l'étude en 1983 :* 28, *délimités en 1987 :* 4 [*Neuvy-Bouin* (Deux-Sèvres, granite), *Montcornet-Sissonne* (Aisne, argile), *Montrevel* (Ain, sel), *Segré-Bourg-d'Iré* (M.-et-L., schiste)]. **G.-B. :** jusqu'en 1983, immersion en mer (sauf Drigg, 1959) ; dep. 1986, en surface en attendant l'aménagement d'un site souterrain (projets : Dainreay, Sellafield). **Japon :** fosse au N. des Mariannes ; Rokkasho mura : en sub-surface, FA (prévu 1993). **Suède :** sous la Baltique, à Forsmark. **Suisse :** en piscine, en attendant l'aménagement d'une ancienne galerie de barrage hydraulique (*projets :* bois de la Glaivaz, Oberbauenstock, Piz Pian Grand, Wellenberg). **Ex-URSS :** selon sources russes, de 1959 à 1991 : mer de Kara, 32 000 m³ de déchets liquides sur 8 sites (610 000 milliards de Bq) ; brise-glace *Lénine* à propulsion nucléaire coulé (3,7 millions de milliards de Bq) ; 7 réacteurs (21 selon Occid.) dont 5 avec leur combustible sur 5 sites (4,5 à 6,3 millions de milliards de Bq) ; mer de Barents : 191 000 m³ de déchets liquides (900 000 milliards de Bq ; immersion poursuivie en 1992 ; 67 curies en 1990) ; barge avec matériel contaminé (1959) ; cargo *Nickel* (1979, 1 400 milliards de Bq). La marine de l'ex-URSS aurait rejeté de 1966 à 1991 18 réacteurs (dont 2 en mer du Japon, où reposent 2 640 m³ de déchets) et 13 150 conteneurs, représentant 2,3 millions de curies. **USA :** en surface : **Barnwell** (Car. du S., FA, fermé 1992) ; **Beatty** (Nevada, FA, fermé 1992) ; **Richland** (Washington, FA, 1964) ; **Martinsville** (Illinois, FA, mi-1993) ; **Butte** (Nebraska, FA, prévu 1993) ; **Needles** (Californie, FA, prévu 1993). En profondeur : **Carlsbad,** installation pilote du DOE, FA, Ma et déchets de longue vie, 1991 ; **Yucca Mountain** (début travaux 1993).

■ **Besoins. Emprise au sol :** 200 hectares dont 90 % d'espaces verts, pour une centrale de 5 000 MW, soit env. 60 km² pour des sites de l'an 2000.

Projet Seabed : immersion dans les sédiments marins, ceux-ci ayant de bonnes qualités absorbantes de particules radioactives en cas de fuite. Mais les pays ne possédant pas l'énergie nucléaire s'y opposent. N'a donné lieu à aucun projet concret.

☞ **Actinides :** la radioactivité décroît lentement, se manifestant par l'émission de rayons alpha. Le *Neptunium-237* perd la moitié de sa radioactivité (env. 2 millions d'années) et la totalité en 20 millions d'a. *Américium-241* perd la moitié de sa radioact. en 430 ans, mais se transforme progressivement en neptunium (*Américium-243 :* 7 400 ans, *Curium-245 :* 8 500 a.). *Technique étudiée :* molécules cages (cryptates) où viendraient se piéger sélectivement tel ou tel radioélément. Combustion dans un surgénérateur (expérience Superfact 1989) ou bombardement dans un accélérateur de particules.

Selon l'AIEA : la radioactivité globale des déchets déposés en mer dans des fûts métalliques enrobés de goudron ou de béton sur une cinquantaine de sites, principalement dans l'Atlantique Nord et le Pacifique Nord, serait de 46 millions de milliards de becquerels. Leur stockage en mer remonte à 1946, à 80 km des côtes californiennes (dernier connu : 1982, à 550 km de l'Europe). Le 22-9-1992, Convention de Paris signée par pays eur. riverains de l'Atlantique N.-E. Immersion des déchets radioactifs interdite pendant 15 ans.

STATISTIQUES

■ **Production annuelle de déchets d'une centrale nucléaire de 1 000 MW aux différents stades.** *Concentration du minerai :* déchets solides 105 000 t, liquides 300 m³. *Conversion, enrichissement :* déchets solides : quantité négligeable. *Réacteur :* rejets gazeux centrale BWR 100 000 curies ; REP 40 000 curies. *Station de traitement des effluents :* rejets liquides 4 m³ par heure (dilués dans 80 000 m³ d'eau par heure), centrale PWR 105 curies (+ 1 000 ³H), *REB* 100 curies (+ 30 ³H) ; déchets solides 150 m³ ; rejets gazeux 300 000 ⁸⁵ kryptons. *Retraitement :* rejets liquides 1 200 m³ et 300 curies.

Nota. – Selon rapport Curien, 1 réacteur de 1 000 MW produit par an 21 t de combustibles usés contenant 20 t d'uranium enrichi à 0,9 % en uranium 235, 260 kg de plutonium, 21 kg d'actinides mineurs et 750 kg de prod. de fission.

Déchets nucléaires par an et par habitant (en g). 1 000 dont à vie longue 100 (vitrifiés 20).

Comparaisons. Quantités de déchets entraînés par la production *d'électricité nécessaire à la consommation d'une ville de 100 000 hab. pendant 1 an. Produite par une centrale nucléaire :* 90 l de verre de stockage des déchets radioactifs de haute activité (h) 0,15 m³ par t de combustibles + 20 à 25 m³ de déchets de faible et moyenne activité par t retraitée à La Hague [dont un certain nombre de produits contaminés par des émetteurs alpha à très long terme (million d'années)]. *Par une centrale thermique au charbon :* 20 000 t de déchets (cendres et stériles).

■ **Dans le monde. Radioactivité cumulée** (en milliards de curies en 1980 et, entre parenthèses, en l'an 2000) : *césium 137 :* 2 (30-40) ; *strontium 90 :* 1,6 (20-25).

La couche superficielle de la Terre contient, sur une épaisseur de 2 000 m, + de 160 milliards de t d'uranium (activité contenue : + de 10 000 milliards de curies, dont + de 1 000 de radium).

Production cumulée de produits de fission gazeux rejetés dans l'atmosphère (en milliards de curies en 1980 et en l'an 2000) : *tritium* 12 (0,18-0,25) ; *krypton 85* 0,4 (4,5-6). Aux USA, l'irradiation due à ces effluents était en 1980 de 0,05 millirem/an et sera en l'an 2000 de 0,37 mrem/an (irradiation naturelle : 100 et 300 mrem/an).

Proportion de transuraniens dans les déchets de haute activité : 1/400, soit un total cumulé, d'ici à l'an 2000, de 10 m³.

Transuraniens retrouvés dans les déchets (en t, en 1980 et en l'an 2000) : plutonium 0,2 (8-11) [soit en milliards de curies : 3,10 (0,12-0,17)] ; américium 0,3 (0,015-0,02) [soit : 4 (0,20-0,26)] ; curium 0,14 (0,005-0,007) [soit : 83 (0,3-0,4)].

Combustible irradié accumulé d'ici à l'an 2000 par pays (en milliers de t) (*Sources :* AIEA, AEN/OCDE) : USA 41, *France 36,5,* Canada 34, G.-B. 28, ex-URSS 20, Japon 18, All. 11, Argentine 5,8, Inde 5, Corée du S. 4,4.

■ **En France. Volume de déchets enrobés** (en m³). **Quantité cumulée en 1982 et,** entre parenthèses, **en 2000 :** *faible et moyenne activité,* radioéléments à vie courte, très peu à vie longue : 170 000 (700 000 à 900 000) ; *alpha à vie longue* 10 000 (60 000 à 80 000), haute activité à vie courte, à fort dégagement de chaleur ; *à vie longue avec activité radioactive moyenne* (vitrifiés ou, en cas de non-retraitement, combustibles irradiés) 120 (3 000).

■ **Déchets** (1993). + de 300 millions de t dont stériles 270 [(40 % du tonnage d'une mine souterraine (90 % pour une mine à ciel ouvert)], résidus très fins 26 (boues qui sortent de l'usine), grossiers 17 (restes des tas de lixiviation).

■ DÉMANTÈLEMENT DES ÉQUIPEMENTS NUCLÉAIRES

■ **Nombre d'arrêts** (1991). 102 réacteurs, 22 piles de recherche, 22 sous-marins atomiques et plusieurs dizaines de laboratoires définitivement arrêtés.

■ **Sort des réacteurs après leur arrêt définitif.** 1°) On retire le combustible irradié et on l'expédie à l'usine de traitement. 2°) Plusieurs possibilités : a) les ouvertures du réacteur sont obturées et les installations sont laissées en l'état sous surveillance ; b) les pièces les plus radioactives sont démontées puis stockées sur un autre emplacement et l'installation est condamnée ; c) le réacteur est totalement démonté et l'emplacement est réutilisé (coût de 50 à 75 millions de F pour une tranche de 900 MW). De nouvelles centrales sont construites à côté des anciennes, la surveillance de celles-ci étant ainsi assurée (solution adoptée à Chinon 1re tranche EDF).

Nota. – **Opérations de démantèlement :** *niveau 1 :* fermeture sous surveillance avec enlèvement définitif des matières nucléaires. *2 :* libér. partielle et conditionnelle du site avec réduction minimum du volume de l'enceinte radioactive. *3 :* site traité réutilisé sans restriction.

■ **Réacteurs arrêtés en France.** 4 réacteurs de laboratoires ont été démantelés [dont **1965** *EL2* (Saclay, 2 000 kW, ralenti à l'eau lourde, avec réflecteur de graphite, et refroidi par du bioxyde de carbone sous pression) ; **1974** *Zoé,* expérimental (fort de Châtillon, ralenti et refroidi à l'eau lourde, 100 kW) ; **1975** *Pégase,* expérimental (Cadarache) destiné à effectuer des essais sur les combustibles des filières à gaz ; sa piscine sera utilisée pour stocker des combustibles irradiés ; **1976** *Peggy,* expérimental de faible puissance, maquette du réacteur *Pégase ;* démonté ; sa piscine, qui ne présente plus de trace de radioactivité, est utilisée pour des expériences de neutronique] et 6 sont sous cocon ; 6 réacteurs de puissance ont été arrêtés et murés [à Marcoule : **1968**-*15-10 G-1* (ralenti au graphite et refroidi par de l'air circulant en circuit ouvert) ; **1980**-*2-2 G-2* (43 MWe) ; **1984**-*20-6 G-3* (42 MWe) ; à Chinon : **1973**-*16-4 Chinon A-1* (80 MWe déclassée niv. 1) ; **1985**-*14-6 Ch. A-2* (210 MWe déclassée niv. 2) ; à Brennilis : *-31-7 EL4* (70 MWe)]. **1990**-*18-4 Saint-Laurent A-1* (480 MWe) ; *-15-6 Chinon A-3* (480 MWe) ; **1991**-*30-10 Chooz A* (305 MWe) ; **1992**-*27-5* St-Laurent A2 (420 MWe).

La démolition de « Rapsodie », réacteur de recherche à Cadarache, doit durer 4 ans. Selon Framatome, pour chaque réacteur, les masses à traiter atteindront 14 000 t, dont 8 000, trop polluées, devraient être placées en conteneur et stockées.

Un décret du 24-3-93 a autorisé l'arrêt définitif de Chooz-A et de Chinon A-3. Depuis 27-5-92, unité de traitement des aciers radioactifs à Marcoule (capacité 12,5 t/j, coût 43 millions de F) destinés aux 4 000 t d'aciers des réacteurs G-1 et G-2.

Budget démantèlement du CEA (en milliards de F) : *1991 :* 0,188, *92 ;* 0,132, *93 (est.) :* 0,135 à 0,138, *2000* (cumul est.) : 1,5 à 2.

☞ *D'ici à 1994,* EDF va remplacer le couvercle de 15 réacteurs, à la suite de la découverte en 1991 de fissures sur des tubes traversant le couvercle ¹ des réacteurs de Bugey-2, 3 (900 MW), 4 et 5, ainsi que Fessenheim-1 et 2. *Coût annuel :* 500 millions de F (dont remplacement des couvercles 300, mise au point des robots et contrôle 200).

Nota. – (1) Défaillance de l'alliage (Incorel 600).

■ **Remplacement des générateurs de vapeur** (GV). Les 3 300 tubes (près de 80 km) d'un GV peuvent présenter des microfissures (chaleur et corrosion). En cas de fuite, on peut obturer jusqu'à 15 % des tuyaux sans perturber le fonctionnement du GV ; au-delà, il faut remplacer l'ensemble. Des interventions sont aussi prévues sur les réacteurs de 1 300 MW. *Prévisions :* d'ici à 2010, 75 sur 25 réacteurs de 900 MW.

Après 1er essai sur centrale de Dampierre, EDF prévoit de remplacer les GV d'une vingtaine de tranches (1 par an, coût : 0,5 milliard de F par centrale).

☞ EDF envisage de convertir certaines de ses anciennes centrales nucléaires au gaz naturel en réutilisant la partie électrique, pour greffer des turbines à gaz à cycle combiné. Saint-Laurent-des-Eaux, où 2 tranches nucléaires de 250 mGW ont été définitivement arrêtées en 1992, est situé à proximité du site de stockage de gaz de Chémery.

Durée d'appel par an : Base 8 760 h. Hypothèse B ¹ *23,5* (H² : 24,4) ; 5 000 *35,3* (36,3) ; 3 000 *54,1* (55,2).

Nota. – (1) Prix bas des combustibles. (2) Prix haut.

Provisions pour déclassement des centrales (en milliards de F) : *1985 :* 1 446. *86 :* 1 703. *87 :* 1 956. *88 :* 2 120. *89 :* 2 406. *90 :* 2 294. *91 :* 3 484.

Où peut-on voir un lac radioactif ? En ex-URSS, dans l'Oural. Ce lac artificiel s'est formé lorsque les Soviétiques firent exploser au moins 13 bombes atomiques de 1960 à 1975 pour tenter de creuser un canal qui aurait relié la mer de Kara à la mer Caspienne. Long de 600 m, large de 400 m et profond d'une dizaine de m, il a une radioactivité de 1,5 rem à l'heure sur les bords, et de 5 rems à l'heure au centre (dose plus d'un millier de fois supérieure à la norme). En ex-RDA, lac d'Oberrothenbach (un des + grands du monde).

GAZ

GÉNÉRALITÉS

■ **Quelques dates. Fin XVIIIe** le *gaz de ville* (appelé longtemps *gaz d'éclairage)* est découvert simultanément par le Français Philippe Lebon (1769-1804) et l'Anglais William Murdoch (1754-1839). Fabriqué en chauffant de la houille ou de la sciure de bois à l'abri de l'air, pendant plusieurs heures à 1 100 °C ; la houille ainsi distillée donnait naissance à 2 produits principaux : gaz et coke. **1810** Winsor éclaire Londres. **1816-1817** sa Sté équipe le passage des Panoramas à Paris. **Jusqu'en 1850** le gaz de houille est surtout utilisé pour l'éclairage des rues, des lieux publics et des logements, puis d'autres emplois apparurent (cuisine, production d'eau chaude). L'industrie du gaz progressa alors rapidement d'année en année. **A partir de 1880** l'électricité le concurrence pour l'éclairage ; l'usage du gaz se développe alors autrement. **1893** bec Auer produit la lumière non plus par la flamme du gaz, mais par l'incandescence d'un corps solide chauffé dans celle-ci. **1929** la crise stoppe cet essor. **A partir de 1930** les USA commencent à tirer profit des gisements de gaz indépendants des nappes pétrolifères. Jusque-là, le gaz était réinjecté dans les puits de pétrole, pour maintenir la pression (ou brûlé à la torche). **1939-45** vieillissement des structures, prix de revient élevé du gaz face à celui du charbon et du pétrole. **Après 1945** progrès (techniques de prod. et transport), découverte de très importants gisements de gaz naturel, permettant un nouveau développement.

■ **Définitions. Gaz manufacturé :** la houille donnait un mélange de gaz comprenant : hydrogène (H), méthane (CH_4), oxyde de carbone (CO), carbures d'hydrogène non saturés et aromatiques (Cn Hm), en proportion variable suivant la qualité des houilles, les systèmes de fours employés et la façon dont était conduite la distillation. On ajouta du *gaz pauvre* venant des gazogènes servant au chauffage des fours, et constitué principalement d'oxyde de carbone CO et d'azote inerte, ou du *gaz à l'eau* obtenu en injectant de la vapeur d'eau sur le coke incandescent en fin de distillation, ce qui donnait un mélange d'hydrogène et d'oxyde de carbone. **GN (gaz naturel) :** constitué de méthane [(CH_4) (70 à 95 % selon les gisements), composé d'hydrogène et de carbone], associé à d'autres hydrocarbures (essence, propane, butane), azote, sulfure d'hydrogène (qui donne du soufre), gaz carbonique. **GNL (gaz naturel liquéfié) :** inventé en 1883 par Faraday, forme sous laquelle est transporté le gaz naturel sur de longues distances ; il faut ensuite le regazéifier pour lui rendre son état naturel. **GNS (gaz naturel synthétique) :** fabriqué par traitement du charbon ; pourrait à longue échéance remplacer le gaz naturel. **GPL (gaz de pétrole liquéfié) :** obtenu par distillation du pétrole ; propane, butane.

■ **Pouvoir calorifique.** Quantité de chaleur développée par la combustion de 1 m³ de gaz (en kWh, par m³) : carbures non saturés et aromatiques 17,5 à 40,5, méthane 11, hydrogène 3,15, oxyde de carbone 3,5 [*butane* GPL 34,9 ; *propane* GPL 26,7 ; *air propané* (mélange d'air et propane) 15,7 (ou 7,5) ; *gaz nat.* d'Hassi R'Mel (Alg.) 12,3, Ekofisk (Norvège) 11,6, Aquitaine 11,2, Orenbourg (ex-URSS) 10, Groningue (P.-Bas) 9,8 ; *manufacturé* 5,2].

■ **Accidents.** *1er cas :* fuite de gaz non brûlé dans un local fermé, mélange de gaz avec l'air dans une proportion de 5 à 15 % env. pour le gaz naturel (risque d'explosion), et présence d'une flamme ou d'une étincelle. *2e cas :* mauvais fonctionnement d'un appareil ménager qui peut être la cause d'une combustion incomplète qui entraînera un dégagement d'oxyde de carbone. *Conduites extérieures :* affaissement de terrain (circulation, poids lourds sur les trottoirs, travaux de terrassement, pose d'égouts, rupture de conduites d'eau) ; détérioration involontaire à l'occasion de travaux de voirie ou de terrassement ; défauts ou imperfections de joints (rares) [le gaz naturel ne ronge pas les tuyaux, il est épuré, éventuellement débarrassé de son soufre (dès sa sortie du gisement) et conditionné (on lui injecte de la vapeur d'eau et un liquide solvant, pour que les joints assument leur service avec le maximum d'efficacité)].

Statistiques en France (1992). Accidents : *involontaires :* 336 dont produits de la combustion 198, gaz non brûlé 138 [dont avant compteur (gaz non brûlé 18), après c. 318 (prod. de la comb. 198, gaz non brûlé 120)] ; *volontaires :* 44 dont gaz non brûlé 44, prod. de la comb. 0. **Victimes :** *involontaires :* 39 dont prod. de comb. 34, gaz non brûlé 5 [dont avant comp. 0 (gaz non brûlé), après comp. 39 (dont prod. de la comb. 34, gaz non brûlé 5)] ; *volontaires :* 8 (gaz non brûlé).

Accidents récents. 1971-*21-12*. Argenteuil (Val-d'O.) dans une tour de 15 étages 21 † (incendie dans le local du vide-ordures, probablement explosion d'une conduite). **1978**-*17-2* rue Raynouard (Paris 16e) 3 immeubles soufflés 13 † (rupture d'une canalisation à la suite d'un glissement de terrain, a coûté 58 millions de F aux assurances). **1989**-*15-12* Toulon (Var) 14 †. **1990**-*4-10* Massy (Essonne) 37 appartements détruits, 7 † (tuyau de raccordement détaché d'un robinet resté ouvert). **1991**-*9-12* Nanterre immeuble 2 † (rupture de conduite alimentant l'immeuble). **1992**-*20-3* Bordeaux immeuble 1 †. *-28-3* Villefranche-de-Rouergue (Aveyron) immeuble 2 †.

GAZ NATUREL

GÉNÉRALITÉS

■ **Origine.** Connu dans l'Antiquité [Perse, Chine (les Chinois en cherchant des gisements de sel trouvaient parfois des poches de gaz qu'ils canalisaient dans des tiges de bambou)]. Formé il y a des millions d'années à partir des dépôts organiques au fond des océans ou des lacs. On le trouve en gisement *sec* (accompagné parfois de gouttelettes dispersées de pétrole parce que le pétrole a « fui » ailleurs, ou parce qu'il ne s'est pas formé en quantité suffisante), ou *humide* (associé au pétrole ; le plus souvent, le gaz, moins lourd, occupe la partie supérieure de la cavité appelée « roche magasin », le pétrole, la partie moyenne, et de l'eau salée, la partie basse.). Il est épuré et traité avant d'être utilisé. Souvent, il faut séparer des gouttelettes d'hydrocarbure liquide se trouvant en suspension dans le gaz, par lavage des huiles d'absorption sous pression *(dégazolinage)*.

■ **Avantages.** Faiblesse des dépenses d'entretien et de dispositifs antipollution, haut pouvoir calorifique ; souplesse générale d'emploi, sécurité d'approvisionnement (les ressources étant réparties sur tous les continents). Énergie propre (sa flamme en brûlant ne dégage ni cendres, ni oxyde de carbone, ni produits sulfureux, mais seulement du gaz carbonique et de la vapeur d'eau ; ne contenant pas d'oxyde de carbone, il n'est pas toxique, ce qui rend impossible tout suicide). Normalement inodore, mais odorisé avec généralement du tétrahydrothyophène (THT).

■ **Contrats de fourniture de gaz.** Presque toujours à long terme, 2 formules possibles : 1°) *Contrats « supply ».* Le producteur s'engage à livrer et l'acheteur à enlever un volume donné par an, pendant un nombre donné d'années (ex. : contrats hollandais de Groningue). 2°) *Contrats « dedicated ».* Le producteur s'engage à livrer et l'acheteur à enlever toutes les réserves économiquement récupérables d'un gisement donné.

■ **Stockage. En nappe aquifère :** on réalise artificiellement un gisement de gaz dans une roche poreuse et perméable (calcaire ou grès) (entre – 300 et – 1 200 m), surmontée d'une couche de terrain imperméable (argile), généralement en forme de dôme. Pour le bon fonctionnement technique du réservoir, on laisse en place un « coussin de gaz », qui réduit à la moitié du volume total la capacité utile du réservoir. **En couches de sel :** on dissout à l'eau douce le sel d'un gisement pour réaliser des cavités piriformes dans lesquelles le gaz est stocké sous pression élevée et soutiré par simple détente. **Réservoir le plus grand du monde :** Chémery (France) : 7 milliards de m³, en nappe aquifère.

■ **Moyens de transport** (après épuration sur les lieux mêmes du gisement). **Gazoducs :** tubes d'acier soudés (épaisseur quelques mm, diamètre 20 cm à 1,40 m) souterrains ou immergés (entre Tunisie et Sicile par ex.). *Coût :* supérieur à celui du transport d'une même quantité d'énergie de pétrole par oléoduc. Pour donner au gaz une vitesse de transport suffisante, on utilise la pression existant à la sortie du gisement puis, pour assurer dans les conduites le maintien de la pression désirée (en moyenne 70 bars), des stations de compression sont installées en principe tous les 80 km. Des pistons racleurs permettent de nettoyer l'intérieur des canalisations. Des inspections périodiques sont effectuées sur le terrain ou en hélicoptère (la végétation plantée au-dessus du gazoduc enterré change d'aspect si des fuites se produisent). **Méthaniers :** *coût* plus élevé : il faut au départ liquéfier le gaz au port d'embarquement à 160 °C pour réduire de 600 fois son volume, le transporter sur le méthanier, puis le regazéifier après déchargement. *Chaînes de transport : 1964* Algérie-G.-B. *65* Alg.-Fr. (Le Havre). *69* USA (Alaska)-Jap. *72* Libye-It. ; Libye-Esp. *73* Alg.-Fr. (Fos-sur-Mer), Alg.-USA ; Brunei-Japon ; Alg.-Esp. *77* Abou Dhabi-Japon. *78* Indonésie-Japon. *82* Alg.-Fr. (Montoir-de-Bretagne).

STATISTIQUES MONDIALES

■ **Contenance initiale de quelques grands gisements** (en milliards de m³). *Groningue* (P.-Bas), *Hassi R'Mel* (Algérie), *Orenbourg* (ex-URSS) 2 000, *Troll-Bergen* (mer du Nord) 1 300, situé sous 336 m d'eau, *Frigg* (mer du N.) 300, *Lacq* (France) 200, *Ekofisk* (mer du N.) 200 (voir p. 1759), *Panhandle-Hugoton* (Texas) 190.

■ **Forages** (1991). *Gaz :* Amérique du N. 11 017. Extrême-Orient 209. Europe occid. 186. Amér. lat. 85. Afrique 36. Proche-Orient 23.

■ **Principaux producteurs** (en milliards de m³, 1992). *Total mondial* 2 106,2 dont : *Europe orientale* 804,6 *(dont : ex-URSS* 770,5, *Roumanie* 22,1, *Hongrie* 4,8, *Pologne 4). Amérique du Nord* 627 dont : USA 502,7, Canada 124,3. *Europe occidentale* 217,2 dont : P.-Bas 83, G.-B. 55,7, Norvège 28,3, All. 18,8, Italie 18,2, *France 3,3,* Autriche 1,5. *Extrême-Orient/Océanie* 175, dont : Indonésie 54,1, Australie 22, Pakistan 16,4, Chine 15,1, Japon 2,2. *Proche-Orient* 117,2 dont : Arabie Saoudite 34, Iran 25. *Amérique latine* 86,6 dont : Mexique 26,2, Venezuela 23,8, Argentine 17,2, Trinité-et-Tobago 5,5, Bolivie 3,1. *Afrique* 78,6 dont : Algérie 55,8. *Source :* Cedigaz.

■ **Consommation** (en milliards de m³, 1992). *Total mondial* 2 106,2 dont : *Europe orientale* 741,8 *(dont : ex-URSS* 671,4, *Roumanie* 27, *ex-Tchéc.* 12,6, *Pologne* 10,3, *Hongrie* 9,9*). Amér. du Nord* 624,3 dont : USA 555,5, Canada 68,8. *Europe occidentale* 315 : All. 77,7 (dont import. 60,3), G.-B. 60,9 (5,3), Italie 52,7 (34,5), P.-Bas 43 (2,9), *France 36,1 (32,8),* Belgique/Luxemb. 12,4 (12,4), Autriche 6,6 (5,1). *Extrême-Orient :* 179,8 dont : Japon 54,9, Indonésie 22,4, Pakistan 16,4, Australie 15,8, Chine 15,1. *Proche-Orient* 113,8 dont : Arabie Saoudite 34, Iran 25, Koweït 2,6. *Amér. latine* 89,1 dont : Mexique 28,8, Venezuela 23,8, Argentine 19,4, Brésil 3,7. *Afrique* 42,3 dont : Algérie 20,6. *Source :* Cedigaz.

■ **Réserves mondiales** (au 1-1-1993, en milliards de m³). 145 918 dont : **Afrique** 9 785 (dont : Algérie 3 650, Angola-Cabinda 51, Cameroun 110, Congo 77, Côte-d'Ivoire 15, Égypte 436, Éthiopie 25, Gabon 16, Libye 1 299, Nigeria 3 400, Tunisie 92, Tanzanie 118). **Amérique du Nord** 7 300 (dont : USA 4 650, Canada 2 650). **Amér. latine** 7 763 (dont : Argentine 752, Bolivie 120, Brésil 133, Chili 111, Colombie 288, Équateur 109, Mexique 1984, Pérou 326, Trinité 249, Venezuela 3 693). **Europe occidentale** 6 238 (dont : All. 231, Danemark 197, Espagne 19, *France 32,* G.-B. 610, Irlande 34, Italie 375, Norvège 2 756, P.-Bas 1 930, Turquie 25). **Extrême-Orient** 13 228 (dont : Australie 2 350, Bangladesh 714, Brunei 400, Chine 1 680, Inde 735, Indonésie 3 180, Japon 31, Malaisie 1 926, N.-Zélande 137, Pakistan 780, Taiwan 68, Thaïlande 255, Papouasie-Nouvelle-Guinée 436). **Europe centrale** 56 820 (dont : Hongrie 92, Pologne 158, Roumanie 466, ex-URSS 56 000, ex-Yougoslavie 82). **Proche-Orient** 44 784 [dont : Abou Dhabi 5 335, Arabie Saoudite 5 250, Bahreïn 167, Doubaï 124, Iran 20 700, Iraq 3 100, Koweït 1 485, Oman 550, Qatar 7 079, Ra's al-Khayma 31, Chârdjah 305, Syrie 200, Yémen (Nord) 429]. *Sources :* Oil and Gas Journal, Cedigaz et divers.

Nota. – **États-Unis :** *production* en l'an 2000 : 225 milliards de m³, de quoi satisfaire la demande nationale en énergie. Le droit d'exploitation appartient au propriétaire du terrain. Le propriétaire peut également être associé aux résultats du forage. *Transport* : la loi interdit que le gaz soit consommé dans l'État où il a été extrait.

■ **Commerce** (en milliards de m³, 1991). 321,7. **Exportateurs** (entre parenthèses, 1er pays client, en 1986) : ex-URSS 106 (ex-All. féd.), Canada 48,2 (USA), Pays-Bas 38,6 (ex-All. féd.), Algérie 35,8 (Italie), Indonésie 30 (Japon), Norvège 25,7 (G.-B.), autres 38. **Importateurs.** All. 60,5 (ex-URSS 29,5, P.-Bas 22,1, Norv. 8,1), Italie 33,6 (ex-URSS 14,1), *France 31,1* (Alg. 9,1, ex-URSS 10,7, Norv. 5,6, P.-Bas 5,5), G.-B. 6,8 (Norv. 6,8), Belg. 10,5 (P.-Bas 4,3, Alg. 4, Norv. 2,1), Autriche 5,2 (ex-URSS 5,1), Suisse 2 (All. 1,1, P.-Bas 0,6, ex-URSS 0,3).

Nota. – L'ex-URSS aurait découvert en 1988 un gisement en mer de Barents de 3 000 milliards de m³ (exploité par consortium russe Rosshelf ; coût : 5 milliards de $).

■ **Transport de gaz** (en milliards de m³, en 1991). 321,7 dont par *gazoduc* 244,71 (dont ex-URSS 107,6, Canada 46,5, P.-Bas 39, Norvège 24,4, autres 27). Par *méthaniers* 76,97 (dont Indonésie 30, Algérie 19,2, Malaisie 9,2, Brunei 7, autres 11,5).

Réseau (km) : USA 400 000, ex-URSS 150 000, Canada 50 000, *France 28 450. Projet : 1995* Hassi R'mel-Séville, via Tanger et détroit de Gibraltar : 1 265 km, coût : 1,3 milliard de $, capacité : 10 millions de m³ puis 20. **Navires** (monde, au 1-1-1989) : transporteurs de GPL 152, méthaniers (jusqu'à 125 000 m³) 65.

LE GAZ EN FRANCE

GÉNÉRALITÉS

■ **Histoire** (gaz naturel). **XVIIe s.** Connu en France (en Isère : le docteur Tardin s'intéressa à la « fontaine qui brûle près de Grenoble »). **1925** petit gisement exploité quelques années dans le Jura (à Vaux-en-Bugey). **1939** exploitation de gisement : St-Marcet, Hte-Garonne. **1946** le gaz naturel et, pour les villes éloignées des réseaux de transport, des gaz d'origine pétrolière, remplacent le gaz de houille. **1951** découverte de Lacq (P.-Atl.) ; exploitation 1957 de Lacq. **1971** Belfort, la dernière usine à gaz de ville s'arrête.

■ **Gaz de France. Origine :** loi du 8-4-1946 qui nationalisa industries du gaz et l'électricité, soit 615 exploitations gazières, représentant 550 usines à gaz de houille (94 % de l'actif gazier français). *Aujourd'hui,* Gaz de France n'est pas producteur de gaz ; ses missions essentielles consistent à conclure les contrats d'approvisionnement de la Fr. en gaz naturel, à transporter, stocker, commercialiser et distribuer ce gaz à l'intérieur du pays. **Conseil d'administration :** 18 membres : 6 représentants de l'État, 6 repr. du personnel, 6 personnalités choisies en raison de leur compétence. *Pt :* Francis Gutman (n. 4-10-1930). **Principales filiales :** *Cie française du méthane (CeFeM), Sté nationale des gaz du Sud-Ouest (SNGSO),* formées avec la SNEA (P), commercialisant le gaz du réseau Aquitaine auprès de gros industriels. *Sofregaz,* génie technique. *Gazocéan Gaz Transport,* études. *Messigaz* et Méthane Transfert qui possèdent et exploitent des méthaniers (Tellier). *Compagnie gazière de service et d'entretien (CGST-SAVE).* Genèse et Danto Rogeat, dans l'exploitation de chauffage. *Pétrofigaz,* crédit. *Sté pour le développement de l'industrie du gaz en France (SDIG). BOG* (*Bauntgarten Oberkappel Gasleitung GmbH*) (Autriche). *SEGEO* (*Sté européenne du gazoduc Est-Ouest*) (Belgique). *MEGAL GmbH* (ex-All. féd.) qui a construit et exploite le gazoduc de gaz soviétique. *Megal, Finco* (ex-All. féd.), qui financent *MEGAL GmbH. Gaz de France Deutschland* (Berlin).

Caractéristiques de certains gisements	France [1]	Algérie [2]	P.-Bas [3]	Italie [4]
Prof. min. (en m) ..	3 000	2 200	3 000	850
max.	5 200			2 000
Temp. au fond (°C)	140	90	70	–
Pression fond (bars)	670	310	296	177
(en %) méthane	69,2	83,5	81,3	95,9
méthane	3,3	7,9	2,9	1,4
propane	1	2,1	0,4	0,4
butane	0,6	1	0,2	0,2
hydrogène sulfuré ..	15,2	–	–	15,2
azote	0,6	5,3	14,3	1,8
gaz carbonique	9,6	0,2	0,9	0,2
dérivés du carbone .	0,5	–	–	–

Nota. – Les forages profonds (5 000 à 9 000 m) présentent des obstacles techniques (pression, chaleur, sulfuration) et coûtent cher : 3,5 à 8 millions de $ (– de 2 000 m : 0,4 $). (1) Lacq. (2) Hassi R'Mel. (3) Groningue. (4) Cortemaggiore.

STATISTIQUES

■ **Effectifs** (au 31-12). *1985 :* 29 025. *88 :* 28 289. *89 :* 27 649. *90 :* 26 920. *91 :* 26 509. *92 :* 26 087.

■ **Statistiques financières** (en milliards de F). **Chiffre d'aff.** (HT) : *1990 :* 41,8, *91 :* 49,3, *92 :* 49. **Investissements :** *1990 :* 4,54, *91 :* 4,73, *92 :* 4,96. **Fonds propres :** 1992 : 29,5. **Valeur ajoutée :** *1991 :* 18,93. **Résultat d'exploitation :** *1985 :* 3,79. *86 :* 5,14. *87 :* 4,56. *88 :* 3,27. *89 :* 2,98. *90 :* 3,4. *91 :* 4,5. *92 :* 5,7. **Résultat net :** *85 :* 0,48. *86 :* 0,73 (après prélèvement de l'État de 0,73) : *1987 :* 0,06. *88 :* 0,08. *89 :* – 0,05. *90 :* – 0,1. *91 :* 0,99. *92 :* 1,59. **Dettes d'emprunt :** *1984 :* 31,58. *85 :* 26,34. *89 :* 18,21. *90 :* 19. *91 :* 20. *92 :* 16,4. **Capacité d'autofinancement :** *1989 :* 4,59. *90 :* 4,60. *91 :* 6,16. *92 :* 7,6.

■ **Ressources** (milliards de kWh, en 1992, prov.). *Gaz naturel* 394 dont importations 358 dont Russie 125, Algérie 107, Mer du Nord 69, P.-Bas 57 ; prod. nationale : 36.

■ **Importations. Coût total :** *1992 :* 17,8 milliards de F. **Coût « cif » du gaz naturel importé en France :** moyen 2,28 $ (sur 11 mois de 1988) par million de BTU, d'Algérie 2,50, Norvège 2,28, ex-URSS 2,16, P.-Bas 2,04.

Par origine (en milliards de m³) **en 1992 et,** entre parenthèses, **en 1985.** 32,54 dont ex-URSS *12,25*

(6,77), Alg. *8,57* (7,86), Mer du Nord *5,95* (2,67), P.-Bas *5,77* (8,3).

■ **Consommation annuelle par abonné domestique** (gaz unitaire, en kWh). *1969 :* 4 080. *71 :* 4 998. *81 :* 8 975. *85 :* 10 164. *86 :* 10 738. *87 :* 10 726. *88 :* 9 740. *90 :* 9 141. *91 :* 10 878. *92 :* 11 363.

■ **Distribution. Cessions de gaz** (en milliards de kWh) : *1947 :* 12. *69 :* 100,1. *71 :* 116,3. *75 :* 200,1. *85 :* 314,9. *90 :* 326,2. *91 :* 317,9 dont (en %) résidentiel 43,4, ind. 40, tertiaire 16,6.

Abonnement (en milliards) : *1971 :* 7,3 (dont gaz naturel pur 4,61), *86 :* 8,6 (8,5), *89 :* 8,84, *90 :* 8,93, *91 :* 9,2, *92 :* 9,31.

Appareils (en milliers, 1990) : cuisine 8 000, chaudières 4 100 (dont double service 3 500, simple 600), radiateurs indép. 1 400, chauffe-eau 2 500, chauffe-bains et accumulateurs 2 000.

■ **Prix moyens de vente du gaz** (en centimes par kWh HT). **Usages domestiques individuels :** *1958 :* 7,39. *78 :* 9,53. *79 :* 9,96. *80 :* 12,79. *81 :* 16,08. *82 :* 19,52. *83 :* 21,21. *84 :* 22,6. *85 :* 24,3. *86 :* 22,3. *87 :* 19,02. *88 :* 18,65. *89 :* 18,79. *90 :* 19,28. *91 :* 19,45. *92 :* 19,66.

Usages industriels : *1958 :* 3,05. *78 :* 3,69. *80 :* 6,18. *85 :* 13,35. *86 :* 8,4. *87 :* 7,09. *88 :* 6,2. *89 :* 6,55. *90 :* 6,68. *91 : 6,59. 92 :* 6,22.

■ **Production** (1992, en milliards de m³). 4,55 [dont en 1991, Aquitaine : SNEA 4,7, Essorep 0,007 (Ledeuix, 1981, 2 230 m) 0,004 ; Bassin parisien : Eurafrep 0,1 dont Trois-Fontaines (déc. 1982, 1 468 m) 0,1 ; autres régions : n.c. (dont commercialisée 3,4)].

Gisements Elf Aquitaine. PRODUCTION (année de découverte, profondeur moyenne en m en italique, et production cumulée en 1992 en milliards de m³ entre parenthèses) : **St-Marcet** 1939, *845* (6,7). **Lacq profond** 1951, *4 100* (216,5). Initialement contenait 269 milliards de m³ de gaz, pression interne de 640 bars, gaz contenu dans les pores microscopiques d'une « roche-réservoir » de calcaire et de dolomie. Situé au sommet d'un dôme de 15 km (largeur 10 km), épais de 500 m, le « toit » étant à 3 250 m sous la surface du sol. *Production annuelle* (md de m³) : *v. 1970* 7,5, *84* 6,2, *85* 6,1, *87 à 95* env. 3,5, *v. 2000* 0,9. *Prix de revient (1986) :* 0,55 F en kilothermie PCI. **Meillon** [**St-Faust** 1965, *4 050* (49,08). **Le Lano** (1,10). **Mazères profond** 1965, *4 200.* **Pont-d'As-Baysère** 1967. *4 500*] 43,4 1988. **Rousse** 1967, *4 230* (4). **Ucha** 1970, *4 460* (1,73). **Andoins** (0,04). **Casseurat** (0,12). **Pécorade** 1974, *2 370* (0,4). **Ger** 1975, *1 644* (0,1 1988). **Vic-Bilh** 1979, *1 900* (0,4). **Ledeuix** 1981, *2 230* (0,1). **Saucède** (0,5).

Produits extraits du gaz naturel (en milliers de t, 1992) : Soufre 770 ; butane 83,1 ; propane 66,9 ; condensats et essences 281,5.

Le gaz de mine (dit *grisou*, en fait, du méthane) est récupéré et injecté dans le réseau de gaz naturel après enrichissement ou directement après avoir été comprimé, déshydraté et odorisé [à Avion (P.-d.-C.), réinjecté à Arleux-en-Gohelle, dans le réseau à haute pression]. Le grisou du gisement de Lens-Liévin (fermé dep. 1988) représente + de 7 milliards de kWh.

■ **Fournisseurs. Algérie :** le gaz découvert en 1956 vient d'*Hassi R'Mel* (Sahara) par : *1°) Le Havre :* à partir de 1965, le méthanier français *Jules-Verne* (25 000 m³) assura la liaison avec Arzew jusqu'à la cessation (le 1-6-1988) de l'exploitation du terminal du Havre et du *Jules-Verne* (vendu à une compagnie néerlandaise). Contrat de 1962, livraison de 0,5 milliard de m³/an, transférée à Montoir-de-Bretagne. *2°) Fos-sur-Mer :* dep. 1973, le *Hassi R'Mel* et *le Tellier* (40 000 m³) assurent la liaison avec Skikda. Contrat de 1971 (3,5 md de m³/an). *3°) Montoir-de-Bretagne (Loire-Atl.) :* pouvant accueillir des navires de 25 000 à 130 000 m³, comme l'*Édouard L.D.* et le *Ramdane Abane* en liaison avec Béthioua. Contrat de 1976 (fin 2002) : 5 milliards de m³/an. *4°) contrat (1991) :* 0,5 à 1 milliard de m³ [transport assuré par méthaniers et le *Descartes* (navire de 50 000 m³) à partir des usines de Bethioua ou Arzew].

Iran : études en cours pour 2005. En mars 1993, création de l'IFGCC (Iranian French Gas Cooperation Company) [GdF 50 %, NIGC (National Iranian Gas Co.) 50 %].

Mer du Nord. ZONE NORVÉGIENNE : *Ekofisk-Eldfisk-Tor-Albuskjell* contrats signés de 1973 à 1976. Le gaz est amené à Emden (ex-All. féd.) par gazoduc sous-marin de 443 km et dessert, outre la France, l'ex-All. féd., la Belgique et les P.-Bas. Contrat 1973 pour 2,2 milliards de m³/an. *Statfjord-Heimdal-Gullfaks :* contrat 1982-85 pour 3 milliards de m³/an (fin 2002). Transport par gazoduc jusqu'à Zeebrugge (Belgique). Nom : Zeepipe, long. 800 km. *Troll-Sleipner :* contrat 1986 [1re livraison 1993 (fin 2020)] pour 8 milliards de m³/an (+ 2 options). *Frigg,* par des Stés françaises 62 %, destiné à la G.-B. Contrat signé en 1986 pour consortium européen et Norvège (fin 2027).

Gaz industriels

Origine. Oxygène, azote et gaz rares (néon, argon, xénon, krypton, hélium) sont obtenus de façon industrielle par distillation fractionnée de l'air liquide à basse température. Les autres gaz produits n'existent pas à l'état naturel.

Chiffre d'affaires annuel. *Monde :* 18 milliards de $. Env. 1 milliard de F en France (3,6 aux USA).

Consommation. En expansion. **Oxygène :** sidérurgie (acier à l'oxygène), métallurgie (coupage et soudage), chimie (fabrication de l'ammoniac, du méthanol, de l'oxyde d'éthylène), lutte contre la pollution (épuration des eaux, des effluents gazeux des centrales thermiques à fuel ; remplacement du chlore par l'oxygène pour le blanchiment de la pâte à papier). **Azote :** industrie du froid (alimentation), du verre (procédé float-glass), chimie de synthèse et électronique. **Hydrogène :** pétrochimie et cryogénie. **Gaz rares :** éclairage (tubes fluorescents), soudage à l'arc sous flux gazeux, médecine (encéphalographie), étude des très basses températures (hélium liquide).

Groupes internationaux. Américains : Union Carbide, Airco, Air Products Proseair et Chemetron Corporation. **Européens :** Air liquide (numéro 1 mondial CA 92 30 milliards de F), British Oxygen BOC, Aga (Suède), Linde, Messer et Griesheim (All. féd.). De petites affaires subsistent, juridiquement contrôlées ou liées par des contrats d'approvisionnement aux principaux groupes : ainsi en France, l'Oxhydrique française avec Duffour, et Igon avec l'Air liquide.

Transport. Par gazoducs (oxyducs). L'Air liquide dispose ainsi d'un réseau de plus de 1 000 km, lui permettant de desservir plusieurs pays européens.

Pays-Bas : vient de *Groningue* (découvert 1959), en France via la Belgique dep. 1967. Dessert Région Nord. *Contrats : Groningue I :* 1966, (fin 1995) pour des quantités variables ; *II :* 1985 [1re livraison : 1996, (fin 2006)] pour 6 md de m³/an.

Ex-URSS : détient + de 40 % des réserves mondiales [en Sibérie occidentale (Tioumen), et dans les mers de Barents et de Kara]. A fourni de 1976 à 1979 du gaz par échange (contre du gaz néerlandais initialement destiné à l'Italie). Dep. le 1-1-1980, le gaz vient directement en France par les réseaux WAG et Megal (Mittel Europäische Gasleitungs Gesellschaft) à travers Autriche et ex-All. féd. *Contrats I et II :* signés 1975 (fin 2000) pour 4 milliards de m³/an. *III* (provenance principale : Urengoï), 1982 (fin 2009), pour 8 milliards de m³/an. *Coût total* en 25 ans : 212 millions de F (+ hausses éventuelles, les prix étant indexés sur celui du pétrole). 4 gazoducs à la frontière slovaque d'où part un réseau vers l'Europe occidentale : 1) Bratstvo (540 km au départ d'Ukraine), 2) Soyouz (2 680 km d'Orenburg), 3) Yamal (4 450 km d'Urengoï), 4) Progress (4 600 km de Yamburg). La traversée de l'ex-Tchécoslovaquie s'effectue par gazoduc Transgaz, 2 branches : 1) 470 km vers Autriche, Italie, ex-RFA, France, 2) 860 km vers ex-RFA, France.

Nigeria : contrat de gaz naturel liquéfié signé en 1992 pour 0,5 md de m³ (1re livraison 1997), livré à Montoir-de-Bretagne.

■ **Transport. Canalisations de transport :** 30 590 km [Gaz de France 26 800 au 31-12-92, Gaz du S.-O. 3 018, Elf-Aquitaine].

Réseau de distribution : 121 000 km (G. de F. au 31-12-92). Reliés à l'artère de transport par des postes de détente qui abaissent la pression du gaz, en moyenne (entre 50 mbars et 5 bars) puis en basse pression (env. 20 mbars pour le gaz naturel). Dans les réseaux nouveaux, on n'utilise pratiquement plus la basse pression, et le gaz livré en moyenne pression est détendu chez le client au moyen d'un détendeur individuel, ou au niveau de l'immeuble par un détendeur collectif. *Diamètre des conduites :* 8 cm et 1 m, enterrées à env. 0,80 m. Env. 44 000 km sont en polyéthylène et 53 000 km en acier ou fonte souple, maintenant seuls utilisés pour remplacer les vieilles canalisations et allonger le réseau au rythme d'env. 3 000 km par an. *Réseau basse pression* (anciennes distributions de gaz manufacturé) : 30 000 km alimentant les centres des villes. *Moyenne pression :* réseau plus récent, en général en périphérie, 91 000 km.

☞ **Prix du transport** (par millions de BTU). Vers l'Europe du Nord : d'Algérie 1,5 à 2 ; du Proche-Orient 2,5 à 3,5. Compte pour 30 % dans le prix du gaz (6 % pour le pétrole).

EXERCICE 1992

- 414,1 milliards de kWh vendus
- 25 millions de consommateurs
- 26 000 agents
- 147 800 km de canalisations souterraines
- 2 terminaux méthaniers
- 12 sites de stockage souterrains
- 5 navires méthaniers
- 49 milliards de F (HT) de chiffre d'affaires
- Le plus grand site de recherche gazière

Gaz de France, voir autrement, voir plus loin.

Délégation à la communication
23, rue Philibert-Delorme
75840 Paris Cedex 17
Tél. : (1) 47.54.20.20 – Télex : 641 700
Télécopie : 47.54.38.58.

(Information)

STOCKAGES SOUTERRAINS DE GAZ NATUREL

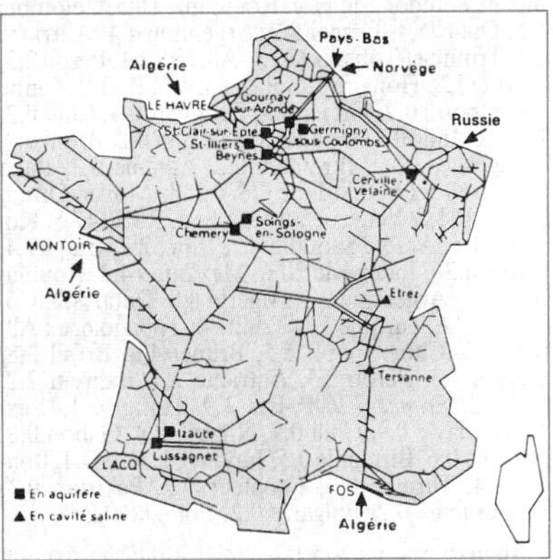

■ Stockage. **Volume total** (1992, TWH) : 247, utile 94,7.

Réservoirs souterrains (profondeur en m de la partie supérieure du réservoir, capacité max. de stockage en millions de m³, débit max. de soutirage journalier en millions de m³) : EN NAPPES AQUIFÈRES : *Beynes supérieur* (Yv., 1956) 405 m 475 (4,5). *Lussagnet* (Landes, 1957) 600 m 1 300 à 3 000 (11,2). *St-Illiers* (Yv., 1965) 470 m 1 340 (16). *Chémery* (L.-et-C., 1968) 1 120 m 7 000 (48,4). *Cerville-Velaine*-(M.-et-M., 1970) 470 m 1 500 (12). *Beynes-Profond* (Yv., 1975) 740 m 800 (9,6). *Gournay-sur-Aronde* (Oise, 1976) 750 m 3 100 (15). *Izaute* (Gers, 1981) 500 m 3 000 (6,6). *St-Clair-sur-Epte* (Val-d'O., 1979) 750 m 655 (4). *Soings-en-Sologne* (L.-et-C., 1981) 1 150 m 730 (1,7), *Germigny-sous-Coulombs* (S.-et-M., 1982) 890 m 2 200. (3,9). *Céré-la-Ronde* (I.-et-L., 1993) 900 m 870 (1,6). EN COUCHES DE SEL : *Tersanne* (Drôme, 1970) 1 400 m 421 (16,2). *Etrez* (Ain, 1979) 1 400 m, 960 (16,9). *Manosque* (A.-de-H.-Pr., 1993) 900 m 1130 (8,4).

■ Gaz de pétrole liquéfiés (GPL). Butane (utilisé en France dep. 1932) et propane (dep. 1939). **Distribution** (1992) : par 8 Stés (disposant de 90 centres emplisseurs de bouteilles ou de dépôts vrac pour camions-citernes) et 170 000 détaillants dont Primagaz (CA 92 5,4 milliards de F ; résultat net 0,22). **Parc** (en service chez les particuliers) : 49 000 000 de bouteilles et 600 000 réservoirs.

Ventes (1992, en t) : 2 948 707 dont en bouteilles 986 052, en vrac 1 923 067, carburant automobile 39 588.

Utilisateurs : env. 10 000 000 dont (en %) domestique 66, ind. et services publics 16, agricole 14, carburant automobile 4.

PÉTROLE

ORIGINE

■ Nom. Du latin médiéval « petroleum » : huile de pierre. **Histoire. Antiquité** l'arche de Noé et le berceau de Moïse auraient été calfatés avec du bitume pétrolier. **Avant J.-C.** les Chinois forent des puits de 1 000 m de profondeur. **XVIIIe s.** en France, le gisement de Pechelbronn est connu. **1857** Bucarest (Roumanie) est éclairée au pétrole. **1859** 1er forage de l'ère industrielle à Titusville (Pennsylvanie, USA), par le « Colonel » Edwin Drake, à 23 m de profondeur. **1870** John D. Rockefeller fonde la Standard Oil Company. **1873** pétrole de Bakou se développe. **1901** William Knox D'Arcy acquiert une concession en Perse (Texas, début de la Sun, de la Texaco, de la Gulf). **1907** découverte de la « Voie dorée » au Mexique. **1913** brevet de « cracking » Burton. **1922-28** négociations sur la Turkish (Irak) Petroleum Company, accord de la Ligne rouge. **1932** pétrole découvert à Bahreïn. **1938** découverte de pétrole au Koweït et en Ar. Saoudite.

■ Principaux bruts. Degré API et teneur en soufre (% poids). *Abou Dhabi :* Murban 39° (0,8 %), *Algérie :* Sahara 44° (0,1 %), *Arabie Saoudite :* léger 34° (1,8 %), moyen 31° (2,4 %), lourd 27° (2,8 %), *Indonésie :* Sumatra 34° (0,1 %), Bekapai 31° (0,1 %), *Koweït :* 31° (2,5 %), *Mer du Nord :* Brent 38° (0,4 %), Forties 37° (0,3 %), *Mexique :* Maya 22° (3,3 %), Isthmus 34° (1,5 %), *Nigeria :* Forcados 30° (0,2 %), Bonny 37° (0,1 %), *USA :* West Texas Intermediate 40° (0,4 %), Alaska 27° (0,1 %), *Venezuela :* Bachequero 17° (2,9 %).

Nota. – Le degré API (American Petroleum Institute) est calculé selon la formule : (141,5/densité à 60 °F) – 131,5. Plus il est élevé, plus le pétrole est léger et riche en essence et en coupes légères.

PROSPECTION

Méthodes les plus courantes. **Sismique :** l'onde de choc de l'explosion d'une charge de dynamite se réfléchit différemment sur des roches et permet d'en calculer les profondeurs approximatives. **Gravimétrique :** observation des variations de l'attraction terrestre). **Magnétique :** variations du champ magnétique terrestre. **Électrique :** mesure de la résistance des roches aux passages du courant, obtenue maintenant par diagraphie pratiquée dans le trou de sondage ; inventée par *Schlumberger* en 1927 (« carottage électrique »). **Acoustique :** amélioration de la méth. sismique ; la mesure des variations de l'impédance acoustique permet de déterminer les couches de sables ou de calcaires riches en pétrole situées sous l'argile imperméable ; *compteur Geiger.* **Chimique :** stade expérimental ; la présence dans des carottes de marqueurs biologiques identiques ou apparentés à des marqueurs déjà répertoriés signale la présence de pétrole. Il ne reste plus pour forer qu'à repérer la roche magasin où celui-ci est accumulé.

FORAGE

■ TECHNIQUE

Trou réalisé par rotation d'un outil ou trépan par l'intermédiaire de tiges creuses vissées bout à bout et dont la manœuvre nécessite un chevalement *(derrick)* ou maintenant, de plus en plus, des « mâts » (2 poutres à treillis en forme de V renversé) pouvant être déplacés par le treuil de forage en quelques mn (hauteur 18 à 60 m). 3 mois au moins sont nécessaires pour forer un puits ; en exploration, 6 à 8 puits sont « secs » pour un seul prometteur.

■ Méthodes. 1°) *Classique (Rotary) :* trépans à molettes et couronnes diamantaires entraînés depuis la surface par le train de tiges. 2°) *Turboforage :* train de tiges fixe, une turbine située au fond du puits entraîne le trépan ; méthode évitant la perte d'énergie due au frottement (9/10 à 3 000 m) et le risque de torsion des tiges. 3°) *Drainage :* les forages à l'horizontale permettant d'envisager l'exploitation des gisements d'huiles lourdes et visqueuses coûtent 1 fois et demi plus cher mais ont un potentiel de production de 4 à 20 fois supérieur (expérimenté à Rospo Mare, dans l'Adriatique, par Elf Aquitaine dep. 1-1-1988 : 6 puits horizontaux, 3 verticaux ou déviés).

■ Profondeur. **Maximale :** 17 400 m (en cours) à Saatly (Azerbaïdjan) ; 11 000 m, presqu'île de Kola (ex-URSS) ; 9 583 m, Oklahoma (USA) ; 6 650 m (Ger 1, France). **Moyenne :** 3 350 m, Hassi-Messaoud (Sahara) ; 2 350 m, Parentis (France).

■ Taux de récupération (pétrole qui peut être ramené à la surface.) **Primaire :** prod. naturelle du puits par décompression, env. 10 % du contenu. **R. secondaire :** pompage ou injection d'un fluide non miscible comme de l'eau sous pression ou du gaz (balayage), 15 à 20 %. **R. tertiaire :** *procédés thermique* (injection de vapeur ou combustion souterraine), *par injection de solvants miscibles* (hydrocarbures légers ou gaz carbonique) et *chimique* (injections de polymères organiques), 30 à 60 %. Aux USA, on pourrait extraire, par récupération secondaire, 43 milliards de t supplémentaires ; assistée, 7 milliards de t. En l'an 2000, la récupération représenterait 1,5 milliard de t par an.

■ STATISTIQUES

■ Coût moyen. **Forage :** *à terre* 5 à 20 millions de F, *en mer* 40 à 60. Le mètre foré au-delà de 5 000 m de profondeur coûte 8 fois plus cher qu'entre 500 et 800 m. Son prix en Alaska est actuellement 100 fois plus élevé que dans les autres États américains.

Coût technique de production du pétrole brut (y compris amortissements) **en $/baril et,** entre parenthèses, **en F/tonne,** début 1989 (1 $ = 7,50 FF) : *Moyen-Orient :* à terre : champ ancien 0,4 – 0,8 (15-30), récent 0,5 – 3 (25-150) ; en mer : 2 – 6 (85-255). *USA :* 3 – 13 (120-600). *Mer du Nord :* 3 – 25 (125-1 040).

■ Puits forés (dans les pays à économie de marché). **Nombre de forages :** *1950 :* 47 365. *55 :* 63 658. *60 :* 55 616. *65 :* 48 738. *70 :* 35 187. *75 :* 47 748. *80 :* 85 291. *84 :* 107 209. *90 :* 50 517. *91 :* 48 601. *92 :* 45 002 (dont productifs : huile 23 291 en 1991 ; dont USA 23 813, Chine 9 375, Canada 4 400, Indonésie 868, Venezuela 782, Argentine 660, Inde 520, G.-B. 470, Brésil 433).

Profondeur : moyenne (en m) *1985 :* 1 430. *88 :* 1 682. *89 :* 1 666. *90 :* 1 721. *91 :* 1 746 ; **totale forée** (en milliers de m) *1985 :* 138 118. *90 :* 86 929. *91 :* 84 844 dont Amér. du N. 51 559 (dont USA 44 374), Extrême-Orient, Océanie 20 789 (dont Chine 16 861), Amér. lat. 5 347 (dont Argentine 1 274), Europe occ. 3 323 (dont G.-B. 1 517, Norvège 446), Afrique 2 065 (dont Nigeria 596), Proche-Orient 1 761 (dont Arabie S. 460, Oman 341).

■ Rendement moyen annuel d'un puits (en milliers de t, 1985). Iran 1 514,5, Norvège 880,3, G.-B. 754,6, Malaisie 696,9, Arabie S. 495,2, Koweït 402,4, Abou Dhabi 309,4, Doubaï 268,9, Qatar 261,9, Égypte 220, Nigeria 211,4, Algérie 186,6, Libye 163, Mexique 133,8, Oman 118,7, Australie 93, Brunei 44,5, Inde 43,8, Indonésie 37,1, Venezuela 24,8, Brésil 23,6, Chine 12,8, Argentine 8,9, Canada 6,7, USA 2,2.

■ FORAGES EN MER (OFF SHORE)

■ Origines. 1er 1947, La Nouvelle-Orléans (USA). Fonds de quelques dizaines de m d'eau à 2 292 m (le long du Mississippi), 1 740 (Méditerranée, Espagne), 1 325 (Congo).

■ Plates-formes. TYPES : *fixe sur pilotis* (jacket) : dep. 1950, peu coûteuse mais vulnérable aux vents et aux vagues ; « clouée » au fond en cas de tempête avec des pieux (12 par jambe) qui pénètrent de plusieurs dizaines de m dans le sous-sol. *Auto-élévatrice* (jackup) depuis 1953 (329) : peut aller jusqu'à 100 m de fond, se déplace sur les fonds une fois les piliers relevés par des vérins ou des crics ; sur l'emplacement du forage, elle abaisse ses piles au fond de la mer et élève sa plate-forme au-dessus de la surface de l'eau ; l'outil de forage est à l'extérieur sur un support en porte à faux. *Semi-submersible* de type Pentagone dep. 1962 : maintenue en place par un système d'ancrage (ballasts immergés au-dessous de la couche d'eau agitée par les vagues) ; sensibilité au vent et aux courants de marée, ancrage difficile et long. *A embase poids :* construite sur une base en béton d'un poids suffisant pour assurer la stabilité sans ancrage par piles. Lorsque la base est en forme de caisson, elle peut être utilisée comme réservoir de pétrole permettant, sans arrêter la production du champ, d'attendre le chargement dans un navire-citerne.

DIMENSIONS. **Jusqu'à 100 m de prof. de la mer :** ex. *acier* (3 000 à 8 000 t, 2 000 à 5 000 t d'équipements, 100 à 500 millions de F), *béton* (200 000 t, 40 000 t d'équipements, 250 à 500 millions de F). **Plus de 200 m :** *acier* (45 000 t, 1 500 millions de F). Les plates-formes sont conçues pour résister à des vagues de 30 m de haut et des vents de 230 km/h. **Plus grande plate-forme :** golfe du Mexique à 160 km au S. de La Nouvelle-Orléans (Louisiane, USA), pylônes à 312 m de profondeur, haut. totale 385,5 m ; *coût :* 1 500 millions de F. *En mer du Nord,* Statfjord B, 816 000 t, béton, 271 m de haut. *Projet Troll (1995) :* 2 000 000 t, [soit 286 fois le poids de la tour Eiffel (7 000 t). 470 m dont 330 immergés]. *Ekofisk :* 210 000 t + 160 000 t d'eau de mer, fonds à 69,30 m, hauteur 99 m, 2 ponts superposés (sup. 2 ha), réservoir entouré d'un mur haut de 82 m à 19,4 du réservoir ; le fond de la mer s'abaissant, on a, en 1987, rehaussé de 6 m les 47 jambes des 9 plates-formes et, en 1989, on a entouré le réservoir d'un mur de 106 m en béton (coût 3,8 milliards de F).

NOMBRE (au 1-1-87). **En service :** 657 (auto-élévatrices 434, semi-submersibles 169, nav. de forage 52, barges 26, submersibles 22). Au 1-1-88 : 624. **En construction :** 91 (45 auto-élévatrices, 39 semi-submersibles, 5 sub., 2 nav. de forage) dont USA 16, Japon 14, Sing. 14, Corée du S. 9, *France 7,* Brésil 5, Chine 5. Installées dans + de 6 m d'eau 4 650 (dont 2/3 dans le Golfe du Mexique).

■ Accidents. NOMBRE : de 1960 à 88, env. 30 ayant fait 700 victimes. PRINCIPAUX. **Qatar :** *1956, 30-12* plate-forme « Qatar 1 » de transport en mer, effondrement : 20 †. **Louisiane :** *1964, 30-6* C. P. Baker, navire de forage, incendie, chavirement : 22 †. **Égypte :** *1974, 8-10* pl.-f. « Gemini », auto-élévat., chavirement : 18 †. **Mer du Nord :** *1975, novembre* Ekofisk, p.-f. « Alfa », explosion : 3 †. *1976, mars* échouage d'une plate-forme au large de la Norvège : 6 noyés. *1977,* 22-4 Ekofisk, pl.-f. « Bravo », explosion : 12 000 t de pétrole répandues. *1978, février* pl.-f. « Statfjord », incendie : 5 †. *1980,* 27-3 Ekofisk, pl.-f. « Alexander-Kielland » ; rupture d'un longeron, d'où rupture d'1 des 5 pieds et retournement : 123 †, 89 rescapés. *1981,* 24-11 pl.-f. « Philipps SS » et « Transworld 58 », rompent leurs amarres, dérivent et sont évacuées ; déc. Écosse, pl.-f. « Borgland-Dolphin », fissure, évacuation. *1988,* 6-7 pl.-f. « Piper Alpha », explosion 167 †, 6 milliards de F de dégâts [mise en place 1976 (coût : 5,5 milliards de F), produisait 10 % du pétrole de mer du Nord (manque à gagner annuel pour la G.-B. de 3,3 milliards de F)]. *1989,* 18-4 pl.-f. « Cormorant Alpha », pas de victimes. Il faut fermer 8 pl.-f. et tous les oléoducs de Brent plusieurs semaines. **Chine :** *1979,* 25-11 pl.-f. « Pohai-2 », effondrement au large de Tianjin : 72 †. *1983, 26-10* pl.-f. « Glomar Java Sea », chavirement : 81 †. **Golfe du Mexique :** *1976,* 16-4 pl.-f. « Ocean Express », naufrage : 13 †. **Arabie Saoudite :** *1980, 2-10* pl.-f. « Ron Tappmeyer », éruption gaz, pétrole : 19 †. **Terre-Neuve :** *1982,* 15-2 pl.-f. « Odeco Ocean Ranger » coule (tempête) : 84 †. **Brésil :** *1984, 16-8* pl.-f. « Enchova PCE-1 », gaz, incendie, explosion : 37 †. **ex-URSS :** *1987,* effondrement pl.-f. en mer Caspienne (Bakou).

■ Navires de forage. *Rapides* (10 à 13 nœuds), capables de résister au mauvais temps ou de le fuir. Prix : 600 millions de F. Certains sont à *positionnement dynamique* (maintenus à la verticale par des hélices, l'influence du vent et de la houle étant automatiquement corrigée par ordinateur). Forages jusqu'à 1 200 m sans équipements particuliers.

■ Forage sous-marin automatique. Permet la prospection jusqu'à 1 000 m ; au fond, têtes de puits sous-marines télécommandées avec connexion automatique et canalisations souples faisant remonter le pétrole à une plate-forme flottante. *Robot TIM* (Télémanipulateur d'Intervention et de Maintenance) 12 t, mis en service par Elf à Grondin au Gabon (1re mondiale). 5 caméras permettent de le manœuvrer. Coût : 230 millions de F. **Pompe multiphasique (projet Poséidon),** lancé 1984 (Total-IFP-Statoil). Mise au point d'un système de pompage et d'évacuation par pipeline sous-marin du pétrole et du gaz bruts directement à la sortie du puits sans traitement préalable, c'est-à-dire sans effectuer les opérations habituelles qui justifient l'installation d'une plate-forme.

■ Marché mondial de l'off shore. La France (au 2e rang, après les USA) détient 40 à 50 % du marché de la plongée sous-marine industrielle (Comex) ; assure en mer du Nord 50 % des commandes de plates-formes en béton, 25 % des pl.-f. en acier, 10 % des pl.-f. semi-submersibles.

Réserves de pétrole brut

■ Montant. **Réserves probables prouvées récupérables** (découvertes attendues à court terme et exploitables aux mêmes conditions de coût et de technologie du moment) en milliards de t : *1940 :* 4,5. *50 :* 11. *60 :* 41. *70 :* 73. *80 :* 87,5. *85 :* 96,4. *90 :* 137,2. *91 :* 138 (dont Opep 104,5). **Ultimes** (sans considération de conditions d'exploitation) : 300 milliards de t. **Pétrole non conventionnel** (schistes bitumeux et sables asphaltiques) : + de 1 000 milliards de t (le charbon ultime représenterait 6 000 milliards de tep). **Off shore** (en milliards de t) : *à - de 200 m :* prouvées 27 ; possibles 68 ; *à + de 200 m :* prouvées 20 ; possibles 50 à 150.

Réserves prouvées en années de production de l'époque *1948 :* 20 ans. *58 :* 41. *79 :* 29. *83 :* 33,7. *85 :* 34,4. *92 :* 43,7.

Réserves mondiales prouvées de pétrole brut

(au 1-1, en millions de t)

Régions et pays	1973	1992	Ratio *Réserves* Production
Amérique du Nord	6 415	4 089	8,1
dont : Canada	1 392	722	7,8
États-Unis	5 023	3 367	8,2
Amérique Latine	4 448	18 767	46,9
dont : Mexique	382	8 874	56,3
Venezuela	1 869	8 547	67,5
Proche-Orient	49 257	90 285	100,4
dont : Arabie Saoudite [1] .	19 918	35 176	80,6
Émirats	2 833	13 329	112,5
Iraq	3 957	13 643	136,9 [2]
Iran	8 868	12 668	73,6
Koweït [1]	9 945	12 824	237
Oman	682	612	17
Qatar	955	509	22,5
Extr.-Orient et Océanie ...	2 036	6 081	18,5
dont : Australie	289	241	9,8
Chine	2 660	3 274	23,1
Inde	114	825	28,7
Indonésie	1 365	788	10,6
Afrique	8 922	8 441	25,4
dont : Algérie	1 528	1 255	22
Égypte	167	846	18,4
Gabon	104	100	6,8
Libye	4 148	3 111	42,6
Nigeria	2 046	2 442	26,7
Europe occidentale	1 648	2 159	9,4
dont : Norvège	273	1 201	11,2
Royaume-Uni ...	682	565	6
Europe orientale	13 370	8 075	17,5
dont : ex-URSS	10 232	7 776	17,3
TOTAL MONDIAL	86 096	137 898	43,7
dont Opep		105 346	82,2

Nota. – Conversion en t sur la base de 1 t = 7,33 barils. (1) Les réserves de la zone neutre ont été réparties en parts égales entre l'Arabie Saoudite et le Koweït. (2) 1990.

■ Situation. **Terres émergées :** terrains sédimentaires env. 29,4 millions de km² (dont 11,3 en ex-URSS). Certains sont encore vierges : nord du Canada, Australie centrale, Afrique du Sud, Asie sino-soviétique, Antarctique, mer de Louisiane, golfe Persique, mer Rouge, mers Australes, Méditerranée, Caspienne, des Caraïbes, golfe du Mexique, régions de Bornéo, de Java et Sumatra, Arctique.

Terres immergées : sur 362 millions de km² 84 de bassins sédimentaires pourraient renfermer du pétrole dont bassins de *0 à 20 m de prof.* 9,4 ; *20 à 100 m* 15,2 ; *100 à 300 m* 3,1 ; *300 à 1 000 m* 15 ; *1 000 à 2 000 m* 15 ; *2 000 à 3 000 m* 26,3.

Production de pétrole brut

■ Évolution

■ Production pétrolière (en millions de t). **1929 :** 191,4 dont USA 138,1, Venezuela 19,9, ex-URSS 13,5, Mexique 6,4, Iran 5,8, Indonésie 5,2, Roumanie 4,8, Colombie 2,9, Pérou 1,8, Argentine 1,4, Trinité-et-Tobago 1,2, Pologne 0,7, Japon 0,3, Égypte 0,3, Inde 0,2, Équateur 0,2, Canada 0,1, Irak 0,1, All. occ. 0,1. **1938 :** 271,6 dont USA 170, ex-URSS 30,1, Venezuela 27,5, Iran 10,3, Indonésie 7,3, Roumanie 6, Mexique 5,5, Iraq 4,3, Colombie 3, Trinité-et-Tobago 2,6, Argentine 2,4, Pérou 2,1, Bahreïn 1,1, Birmanie 1, Canada 0,8, Brunei 0,7, ex-All. féd. 0,5, Pologne 0,5, Japon 0,3, Inde 0,3, Équateur 0,3, Égypte 0,2, G.-B. 0,1, *France 0,08,* Arabie Saoudite 0,06, Autriche 0,05, Hongrie 0,04, ex-Tchécosl. 0,02. **1946 :** 375 dont USA 234,3, Venezuela 56,8, ex-URSS 21,8, Abou Dhabi 8,2, Mexique 7, Iraq 4,7, Roumanie 4,1, Colombie 3,1, Argentine 3, Trinité-et-Tobago 2,9, Pérou 1,7, Égypte 1,2, Bahreïn 1,1, Canada 0,9, Autriche 0,8, Koweït 0,8, Hongrie 0,7, ex-All. féd. 0,6, Équateur 0,3, Indonésie 0,3, Brunei 0,3, Japon 0,2, G.-B. 0,2, Pologne 0,1. **1955 :** 772,8 dont USA 335,7, Moyen-Orient (total) 161,7, Venezuela 115,1, ex-URSS 70,7, Koweït 54,7, Arabie Saoudite 47, Iraq 32,7, Canada 17,4, Iran 17, Mexique 12,8, Indonésie 11,7, Roumanie 10,5, Colombie 5,5, Qatar 5,4, Brunei 5,2, Argentine 4,4, Autriche 3,6, Trinité-et-Tobago 3,5, ex-All. féd. 3,1, Pérou 2,3, Égypte 1,8, Hongrie 1,6, Bahrein 1,5, P.-B. 1, Chine (Rép. pop.) 0,9, *France 0,9,* Équateur 0,4, Chili 0,3, Bolivie, Inde 0,3, Japon 0,3, Pakistan 0,2, Brésil 0,2, Yougoslavie 0,2, Birmanie 0,2, Albanie 0,2, Italie 0,2. **1960 :** 1 056,8 dont USA 348, Moyen-Orient (total) 161,7, Venezuela 152,3, ex-URSS 147,8, Koweït 81,8, Arabie Saoudite 62, Iran 52,2, Iraq 47,4, Canada 26, Indonésie 20,6, Mexique 14,3, Roumanie 11,5, Argentine 9,1, Algérie 8,8, Qatar 8,2, Colombie 7,6, Turquie 7,2, Trinité-et-Tobago 6, ex-All. féd. 5,5, Chine (pop.) 5,5, Brunei 4,6, Brésil 3,8, Égypte 3,3, Pérou 2,5, Autriche 2,4, Bahreïn 2,2, Italie 2, *France 1,9,* P.-Bas 1,9, Hongrie 1,2, ex-Yougoslavie 0,9, Chili 0,9, Nigeria 0,8, Gabon 0,8, Albanie 0,6, Birmanie 0,5, Japon 0,5, Inde 0,4, Bolivie 0,4, Turquie 0,3, Équateur 0,3, Pakistan 0,3, Nlle-Guinée 0,2, Bulgarie 0,2, Pologne 0,2.

1970 : 2 278,4 dont Moyen-Or. (total) 711,9, USA 475,2, ex-URSS 353, Venezuela 194,3, Iran 191,7, Arabie Saoudite 176,8, Libye 161,7, Koweït 137,3, Iraq 76,4, Canada 60,6, Nigeria 54, Indonésie 42,1, Algérie 48,2, Abou Dhabi 33,7, Chine (pop.) 29, Mexique 21,5, Argentine 20, Qatar 17,3, Égypte 16,4, Oman 16,3, Roumanie 13,3, Colombie 11,3, Australie 8,4, Brésil 7,9, ex-All. féd. 7,5, Trinité-et-Tobago 7,2, Inde 6,8, Brunei 6,6, Gabon 5,4, Angola 5, Syrie 4,2, Doubaï 4,2, Tunisie 4,1, Bahreïn 3,8, Pérou 3,5, Turquie 3,5, Autriche 2,8, *France 2,3,* Hongrie 1,9, P.-Bas 1,9, Chili 1,5, Albanie 1,4, Italie 1,4, Bolivie 1,1, Malaisie 0,8, Birmanie 0,8, Japon 0,7, Pakistan 0,5, Pologne 0,4, Bulgarie 0,3, ex-Tchécoslovaquie 0,2.

■ Crises et ruptures d'approvisionnement. **Consommation mondiale et,** entre parenthèses, **manque à produire en millions de barils/j,** en italique **en %. 1951** *(mars)***-84** *(oct.) :* nationalisation du pétrole iranien 13,22 (0,7) *5,3.* **1956** *(nov.)***-57** *(mars) :* guerre-blocage du canal de Suez 17,5 (2) *11,43.* **1966** *(déc.)***-67** *(mars) :*

■ Production du pétrole

☞ Pays, 1re année de production de pétrole brut ; production y compris condensats et liquides de gaz naturel (en milliers de tonnes)

Pays	1978	1988	1989	1990	1992
• Canada 1862	74 671	93 660	90 652	90 963	93 322
• USA 1859	479 702	453 607	425 664	411 838	410 549
AMÉR. DU NORD	554 373	547 267	516 316	502 801	503 871
• Argentine 1907	23 515	24 314	24 955	24 168	27 000
Barbade 1978	37	65	60	60	65
• Bolivie 1950	1 499	1 208	1 208	930	985
• Brésil 1940	8 274	28 784	30 660	32 500	33 000
• Chili 1929	1 285	1 550	1 500	980	732
• Colombie 1921	7 014	18 202	20 574	22 600	22 200
Cuba 1976	115	750	800	736	771
• Équateur* 1917	10 284	15 913	14 629	14 583	16 700
Guatemala 1978	43	150	150	169	292
• Mexique 1901	66 178	145 209	144 961	146 678	157 513
• Pérou 1896	7 791	7 025	6 588	6 830	6 023
Surinam 1985	–	140	115	198	207
Trinité-et-Tobago 1908	11 854	7 691	7 778	7 833	7 200
• Venezuela* 1917 ...	115 696	96 694	96 778	113 810	126 553
AMÉR. LATINE	253 585	347 695	350 756	372 075	400 141
• Arabie S.* (a) 1936	422 427	260 679	270 589	335 720	436 400
• Bahreïn 1932	2 656	2 497	2 321	2 228	1 895
• Émirats arabes unis* :	89 240	80 434	96 559	110 040	118 500
• Abou Dhabi* 1962	70 009	58 187	72 828	84 956	–
• Doubaï* 1969 ...	18 157	18 547	20 860	21 402	–
• Chârdjah* 1974 ..	1 074	3 150	3 472	3 282	–
• Ra's al-Khayma* 84	–	550	398	400	–
• Iran* 1913	264 492	112 434	143 902	157 080	172 200
• Iraq* 1927	125 881	127 139	139 397	100 860	23 600
Israël 1956	700	12	12	10	–
• Koweït* (a) 1946 ...	108 420	75 195	94 934	60 600	54 100
Oman 1967	15 594	29 647	30 764	33 056	36 100
• Qatar* 1949	23 712	16 668	20 423	20 900	22 600
Syrie 1968	8 932	14 266	16 000	20 292	25 200
Yémen N. 1986	–	7 700	10 000	9 930	9 000
Yémen S. 1987	–	600	850	850	–
PROCHE-ORIENT	1 062 054	727 271	827 740	851 566	899 595
• Algérie* 1956	57 195	50 509	55 208	58 300	57 000
Angola/Cabinda 1972	7 198	22 641	24 000	23 960	27 000
Bénin 1982	–	246	200	200	195
Cameroun 1978	625	8 295	8 140	8 230	7 000
Congo 1969	1 610	7 038	7 970	8 000	8 800
Côte-d'Ivoire 1980 ..	–	646	350	350	63
• Égypte 1911	25 050	44 500	46 540	45 175	46 100
Gabon* 1957	10 562	9 515	11 802	13 493	14 700
Ghana 1979	–	–	–	–	–
• Libye* 1961	97 929	50 438	57 518	70 980	73 000
Maroc 1943	24	19	–	–	–
Nigeria* 1958	93 610	69 033	79 021	79 021	91 600
Tunisie 1966	4 982	4 908	4 930	4 512	5 353
Zaïre 1975	1 145	1 494	1 400	1 350	1 352
AFRIQUE	299 930	269 282	297 079	313 571	332 163

Pays	1978	1988	1989	1990	1992
ex-All. féd. 1880	5 059	3 937	3 770	3 605	3 303
• Autriche 1860	1 813	1 216	1 211	1 238	1 180
• Danemark 1972	432	4 734	5 530	5 595	7 755
Espagne 1967	980	1 483	1 038	795	1 071
• *France 1918*	*1 968*	*3 728*	*3 627*	*3 368*	*2 866*
• G.-B. 1919	54 006	114 409	74 887	81 860	94 200
• Grèce 1981	–	1 118	913	821	687
• Italie 1933	1 488	4 838	4 353	4 753	4 621
• Norvège 1971	16 957	56 651	91 813	93 471	106 603
• P.-Bas 1943	1 520	4 271	3 814	3 876	3 324
Suède 1982	1	2	–	–	–
Turquie 1948	2 887	2 564	2 876	3 717	4 276
EUROPE OCCIDENTALE	87 111	198 951	193 879	203 499	229 886
• Australie 1933	20 056	24 500	22 721	27 687	24 719
Birmanie 1934	1 410	775	700	781	–
• Brunei 1913	11 460	7 180	8 014	7 950	9 000
Inde 1889	10 993	31 569	33 569	31 703	28 700
• Indonésie* 1893	81 259	63 992	65 710	71 670	74 300
Japon 1975	542	589	559	540	858
• Malaisie 1968	10 840	26 732	29 528	28 584	32 600
• N.-Zél. 1978	575	1 300	1 500	1 657	1 794
Pakistan 1947	488	2 346	2 589	3 042	3 046
Philippines 1979	–	436	250	362	576
Taiwan 1976	220	118	140	100	66
• Thaïlande 1882	11	1 768	2 535	1 816	2 315
• Viêt-nam 1986	–	675	1 000	2 482	5 401
EXTR.-ORIENT	137 854	161 980	168 815	178 374	186 168
Albanie 1933	2 000	3 000	3 000	1 985	600
ex-All. dém. 1880 ...	200	60	60	60	–
Bulgarie 1955	240	280	280	270	100
Hongrie 1937	2 200	1 900	1 900	1 970	1 800
Pologne 1874	450	140	130	140	200
Roumanie 1857	13 724	10 000	9 000	7 930	6 600
ex-Tchécosl. 1919 ..	120	140	130	113	100
• ex-URSS 1963	572 500	624 000	607 000	569 000	449 800
ex-Yougosl. 1943 ...	4 077	3 700	3 500	3 620	2 100
EUROPE ORIENTALE	595 511	643 220	625 000	585 088	461 300
Chine 1939	104 050	135 000	136 937	137 679	141 600
• TOTAL MONDIAL	3 094 468	3 030 666	3 116 522	3 144 653	3 154 724
• dont Opep	1 500 707	1 028 643	1 148 459	1 207 057	1 281 253
Liquides de gaz naturel Opep (1)	22 455	50 448	63 773	64 483	–

* Pays membres de l'Opep
• Y compris condensats et liquides de gaz naturel.
(a) Y compris la production de la zone partagée (ex. zone neutre)
(1) Y compris condensats pour l'Algérie.

querelle financière oléoducs de Syrie 34,3 (0,7) *2,04.* **1967** *(juin)*-**67** *(août)* : g. des 6 j : 40 (2) *5.* **1967** *(juill.)*-**68** *(oct.)* : g. civile au Nigeria 40,1 (0,5) *1,25.* **1970** *(mai)*-**71** *(janv.)* : controverse sur prix avec Libye 48 (1,3) *2,71.* **1971** *(avr.)*-**71** *(août)* : national. des pétroles algériens 50,2 (0,6) *1,2.* **1973** *(mars)*-**73** *(mai)* : conflit au Liban 58,2 (0,5) *0,86.* **1973** *(oct.)*-**74** *(mars)* : g. israélo-arabe 58,2 (1,6) *2,75.* **1976** *(avr.)*-*(mai)* : g. civile au Liban 60,2 (0,3) *0,5.* **1977** *(mai)* : accident sur champ saoudien 62,1 (0,7) *1,13.* **1978** *(nov.)*-**79** *(avr.)* : révolution Iran 65,1 (3,7) *5,68.* **1980** *(oct.)*-**81** *(janv.)* : début g. Iraq-Iran 60,4 (3) *4,97.* **1988** *(juill.)*-**1989** *(nov.)* : explosion plate-forme Piper Alpha (mer du N.) 49,8 (0,3) *0,60.* **1988** *(déc.)*-**89** *(mars)* : acc. Fulmer (mer du N.) 51,6 (0,2) *0,39.* **1989** *(avr.)*-**1989** *(juin)* : acc. plate-forme Cormorant (mer du N.) 51,6 (0,5) *0,97).* **1990** *(août)* : occupation Koweït 52,4 (4,2) *8.*

Zones de développement

■ **Afrique.** **Du Nord :** Libye, Algérie, Égypte. **Noire :** Nigeria.

■ **Amérique.** **Alaska :** gisement principal à Prudhoe Bay. *Réserves :* pétrole : 1,6 milliard de t (36 % des réserves prouvées des USA) ; gaz : 900 milliards de m³ (15 %). *1res explorations* en 1963, *découvertes* en 1965. *Investissements :* 15 milliards de $, dont 10 pour le pipe-line. *Coût de maintenance :* 0,240 milliard de $/an, soit environ 55 cents par baril. *Production (1982) :* pétrole : 83,3 millions de t, gaz : 6,92 milliards de m³. *Exploitation :* difficile en raison du *permafrost* (sol, ne dégelant que superficiellement l'été dans le Nord) et, sur la mer, en raison des *glaces* (banquises ou icebergs). L'été, le sol devient un bourbier (marécages remplis de moustiques) où s'enlisent les véhicules et où basculent les structures. Les hydrocarbures arrivant en surface à des températures d'autant plus élevées que la profondeur du gisement est grande et que le débit est important, il faut donc isoler les puits pour éviter le dégel afin que les têtes de puits auxquelles sont accrochés tubes et vannes dont dépend la sécurité du forage ne s'effondrent pas. *Évacuation du pétrole :* après les essais du pétrolier brise-glace *Manhattan* en 1969, on a choisi le *pipe-line* (1 275 km, de Prudhoe Bay à Valdez) ; il franchit 3 chaînes de montagnes, 70 cours d'eau et des zones sismiques ; doit être isolé du permafrost pour ne pas le faire dégeler (le pétrole, en raison des frictions dues à son écoulement, atteindrait + 145 °C). **Golfe du Mexique :** off shore à 930 m sous l'eau ; Champ de Mars contiendrait 140 millions de t. **Colombie :** *Cusiana* 3 à 25 (?) milliards de barils récupérables. **1993** début de l'exploitation. Prod. (en millions de t) 0,50 [94 (est.) : 1,63, 95 : 5,72, 96 : 7,60, puis 20 à 30]. **Venezuela.**

■ **Asie.** **Indonésie** (faible teneur en soufre : 0,038 %) dans le nord de Sumatra ; présence à 3 000 km du Japon (important consommateur). **Chine :** *Tarim* (inexploité) 72 730 km², réserves estimées 18 milliards de t. Peu accessible. **Viêt-nam :** *Dai-Hung* (off-shore). Res. est. 140 millions de t. Prod. est. (1997) : 12,7 millions de t.

■ **Europe (mer du Nord).** **1965** 1er gisement de gaz (West Sole, zone brit. découvert). **1969** 1er de pétrole (Ekofisk, zone norvégienne). **Profondeurs max. des forages :** *1977 :* 480 m (Ekofisk 70 m, Forties 120 m, Brent 150 m). *1980 :* 1 000 m. **Conditions climatiques :** pointes de vent de 245 km/h (travail impossible si vent de + de 80 km/h), vagues de 25 à 30 m (cas extrêmes, sur 360 périodes de 12 h, 38 sont favorables au travail, 49 médiocres et 273 mauvaises).

Superficie prospectée (en km² et en %). G.-B. 244 000 (46). Norvège 131 000 (27). P.-Bas 62 000 (11). Danemark 56 000 (10). ex-All. féd. 24 000 (5). Belg. 4 000 (0,5). *France 4 000 (0,5)* [Intérêts français regroupés dans un Consortium : Petroland (Erap-Elf) en zone norv., all. et néerl. (86,3 %), CFP (30 %) surtout en zone britannique, SNPA (20 %), Coparex (8,2 %), Eurafrep (8,8 %), Francarep (3 %)].

Production. **PÉTROLE** (en millions de t) : *1972 :* 1,7. *75 :* 11,1. *80 :* 104,9. *85 :* 171. *86 :* 176. *87 :* 180,3. *88 :* 177,9, *89 :* 174,1. *90 :* 180,1 (dont zones brit. 89,9 (dont part Sté franç. 5), norv. 81,9 (3), danoise 6, néerl. 2,4). **GAZ NATUREL** (en milliards de m³) : *1970 :* 11,3. *75 :* 37,2. *80 :* 75,4. *85 :* 87. *86 :* 89,8. *87 :* 96,7. *88 :* 95,3. *89 : 97,4. 90 :* 95,5 dont zones brit. 49,5 (dont part Sté franç. 4,8), norv. 25,4 (4,8), néerl. (en mer) 17,9, danoise 2,7.

Réserves. **PÉTROLE :** env. 2 milliards de t. **GAZ :** 2 700 milliards de m³. Représentent 6 % des réserves mondiales off shore. On estimait qu'à partir de 1985, elles s'épuiseraient environ en 15 ans.

■ **ex-URSS.** **Principaux gisements exploités :** *Bakou* (Azerbaïdjan) 250 000 b/j, *bassin de la Volga* entre Kouibichev et Perm, *Sibérie occidentale* (Samotlor, Tyoumen, Kazakhstan, Turkménie). **Non exploités :** *Sibérie orientale.* Les Suédois avaient annoncé le 5-12-80 que la formation de Bazhenov (1 million de km²) recelait environ 619 milliards de t de réserves dont 30 % récupérables, mais les Soviétiques l'ont démenti en mars 81. *Caspienne* (off shore). *Réserves :* 5 milliards à plus de 20 milliards dont Tenghiz 2,5. **Environnement** peu respecté : 700 explosions de gazoducs et pipe-lines chaque année (perte : jusqu'à 20 % de la production totale de gaz et pétrole du pays).

Pétroles non conventionnels

Exploitation en cours

■ **Huiles lourdes.** Après traitements thermiques pour diminuer la viscosité, on peut extraire 15 à 40 % des gisements (+ parfois). **Coût :** 22/23 $ le baril d'équivalent pétrole. **Potentiel** (en milliards de t) : *Canada* (sables) : Athabasca, Cold Lake, Wabasca, Peace River 140 à 200, « Triangle carbonaté » (Alberta) n.c. *USA* (sables) : Utah et Californie 4. *ex-URSS* (sables, carbonates) : Melekess (Volga-Oural) 20, divers 3. *Venezuela* (sables) : Orénoque 150 à 300. *Autres pays :* 50 à 70. *Total :* 370 à 600.

Capacité de raffinage
(en millions de tonnes/an en 1992) [1]

Pays	10^6 t	Pays	10^6 t
Afrique	**149,7**	Belgique	35,2
Afr. du Sud .	21,6	Chypre	1
Algérie	26,5	Danemark ..	9,2
Angola	1,6	Eire	2,8
Cameroun ..	2,1	Espagne	63,1
Congo	1,1	Finlande	10
Côte-d'Ivoire	3,5	*France*	*85,4*
Égypte	26,6	Grèce	19,8
Éthiopie	0,9	Italie	121,5
Gabon	1,2	Norvège	14,3
Ghana	1,4	Pays-Bas	61,6
Kenya	4,5	Portugal	14,7
Liberia	0,8	Royaume-Uni	92,2
Libye	17,4	Suède	21,4
Madagascar .	0,8	Suisse	6,6
Maroc	7,8	Turquie	35,7
Mauritanie ..	1		
Mozambique	0,8	**Europe orient.**	**643,6**
Nigeria	21,7	ex-URSS	505,9
Sénégal	1,2	Eur. de l'Est [5]	137,7
Sierra Leone .	0,5		
Somalie	0,5	**Extr.-Orient/ Océanie**	**667,7**
Soudan	1,1	Australie	34,9
Tanzanie ...	0,9	Bangladesh ..	1,6
Togo	1	Birmanie	1,6
Tunisie	1,7	Brunei	0,5
Zaïre	0,9	Chine	110
Zambie	1,2	Corée du S.	57,4
		Guam	–
Amér. latine	**378,7**	Inde	52,4
Antilles néerl.	23,5	Indonésie ...	43
Argentine ...	35,5	Japon	237,1
Bahamas ...	-	Malaisie	13,2
Bolivie	2,3	N.-Zélande	4,2
Brésil	70,1	Pakistan	6,1
Chili	7,2	Philippines ..	13,9
Colombie ...	13,2	Singapour ...	51,5
Cuba	14	Sri Lanka (Ceylan)	2,5
Dominique ..	2,4	Taiwan	27,2
Équateur ...	7,4	Thaïlande	11,1
Guatemala ..	0,8		
Jamaïque ...	1,6	**Pr.-Orient**	**249,9**
Martinique ..	0,8	Abou Dhabi .	9,7
Mexique	76,2	A. Saoudite [3]	93,2
Nicaragua ..	0,8	Bahreïn	12,2
Panama	5	Iraq	16
Pérou	9,5	Iran	54,5
Porto Rico .	6,4	Israël	11,1
Trinité	12,3	Jordanie	5
Uruguay	1,5	Koweït [3]	18,4
Venezuela ...	58,4	Liban	1,9
Iles Vierges	27,3	Oman	4
Autres [4]	2,8	Qatar	3
		Syrie	11,9
Amér. du N.	**854,1**	Yémen du N.	0,5
Canada	93,6	Yémen du S.	8,9
États-Unis ..	760,5		
Europe occ. [2]	**714,8**		
Allemagne ..	110		
Autriche	10,6	**Total mondial**	**3 658,7**

Nota. – (1) En fin d'année. (2) L'ex-Yougoslavie est incluse dans l'Europe de l'Est. (3) Y compris zone neutre. (4) Barbade, Costa Rica, Salvador, Honduras, Paraguay. (5) Y compris ex-Yougoslavie.

Les chiffres étant arrondis, les totaux ne correspondent pas toujours exactement à la somme des tonnages indiqués. La conversion des barils en tonnes a été faite sur la base de 7,3 barils par tonne.

■ **Sables asphaltiques.** Hydrocarbures très visqueux, très lourds, piégés dans des sables ou des grès ou dans des schistes, calcaires, conglomérats. *Réserves* (en milliards de t) *Venezuela, USA* (Utah, 3,5), *Madagascar* 2,5, *Trinité-et-Tobago, Argentine, Mexique, Colombie, Roumanie, ex-URSS, Canada* [Alberta : Athabasca, Cold Lake, Wabasca et Peace River 120 dont plus de 10 % exploitables en carrières ; Great Canadian Oil Stands Ltd produit 2,5 millions de t d'huile par an dep. 1971, et Syncrude Canada 6,25 millions dep. 1978].

■ **Schistes bitumeux.** **Teneur en kérogène :** 30 à 40 l par t (ex. : 120 à 140 l au Colorado, 40/50 l Est de la France). Une teneur inférieure ne permet pas une exploitation rentable. **Extraction** *par distillation* du kérogène (à 500 °C sous vide) dans des installations de surface (après extraction de la roche), ou directement par combustion contrôlée *in situ,* ou par une méthode mixte (foudroyage de galeries de mines à la base de la couche de combustion *in situ,* en utilisant les éboulis ainsi créés) ; ou *chauffage* par des champs électriques créés par des fréquences radio, gaz et pétrole se trouvant ainsi libérés. **Ressources potentielles** (en milliards de t) : *USA* (Green River, Colorado) : 20 à 25 extractibles économiquement. *Canada :* couvriraient les besoins pendant 1 000 ans. *Amérique du Sud :* 110. *Afrique :* 13. *Asie :* 12. *Europe :* 7 (*France : 1,* bordure du Bassin parisien, du sud du Luxembourg au Morvan ; exploités à Autun de 1837 à 1945 ; possibilités à Fécocourt, près Nancy).

Exploitation en cours. *Brésil* (à São Mateu do Sul, 2 500 t de roches fournissent 1 000 barils d'huile et 36 500 m³ de gaz par j). *Chine* (Mandchourie). *Maroc* (projet à Timahdit dans l'Atlas, 30 à 40 millions de t par an). *ex-URSS, USA* (Colorado : prod. à partir de 1985 de 2,4 millions de t par an).

Raffinage

■ **Définition.** Transformation du pétrole brut en carburants, combustibles, solvants, lubrifiants, bitumes, paraffines (au total env. 500 produits). Le *brut* est constitué d'un mélange complexe d'hydrocarbures inutilisables à l'état naturel (trop inflammables, trop riches en carbone). Sa composition varie d'un gisement à l'autre (bruts paraffiniques, naphténiques ou aromatiques).

■ **Principaux procédés.** **Séparation :** *distillation* [par condensation des vapeurs du pétrole brut (ses composants, ayant un point d'ébullition différent, sont séparés par chauffage progressif)] ; *extraction* par solvant ; *absorption* par tamis moléculaires. **Épuration** [ex. : *désulfuration, dégazolinage* (épuration des gaz de leurs éléments condensables)]. **Synthèse :** *craquage* [*cracking :* casse les molécules lourdes en molécules plus légères ; *hydrocracking :* un flux d'hydrogène à haute température et à haute pression (en présence d'un catalyseur chimique qui active les réactions) « découpe » les molécules du fuel lourd] ; *hydrogénation, isomérisation, reformage* catalytique [*reforming :* transforme la structure moléculaire des essences issues de la distillation (essence légère et essence lourde)] ; *alkylation, polymérisation* qui créent des hydrocarbures nouveaux.

■ **Produits de la distillation du brut.** Gaz, fuels (domestiques ou industriels), essences 80 %, naphta 20 % (dont 90 % servent à fabriquer des carburants). Les mesures antipollution impliquent que la part du naphta augmente dans la confection des essences. Autres débouchés : matières plastiques, engrais.

■ **Raffineries d'Europe occidentale les plus importantes.** Capacité de raffinage en millions de t/an, fin 1984. **ex-All. féd. :** Gelsenkirchen 10,5. **Belgique :** Anvers (Sté ind. belg. des pétroles) 15. **Espagne :** Tarragone 11. **France :** Gonfreville 15,1. **Italie :** Sarroch 15,5, Priolo 15. **P.-Bas :** Rotterdam 21,7 Pernis [Shell 20 (1992), Chevron Petroleum MIJ 13]. **G.-B. :** Fawley 14.

Coût des importations de pétrole brut

En milliards de $	1973	1974	1980	1985	1986	1987	1988
Allemagne	3,4	8,8	24,3	13,6	7,8	8,9	8,4
Belgique ..	1,2	3,2	9,7	6,7	4,9	5,5	n.c.
Espagne ..	1,1	3,4	11,3	8,6	4,9	6	n.c.
USA	4,2	16,6	64,6	34,1	24,2	30,8	27,8
France	*3,5*	*10,1*	*26,2*	*14,1*	*8*	*8,3*	*7,2*
Italie	3,4	9,6	20,2	13,3	8,3	8,8	5
Japon	5,9	18,9	52,7	34,6	19,5	20,6	18,8
P.-Bas	2,1	4,8	12	8,2	5,1	6,4	5
R.-Uni ...	3,1	8,7	9,5	5,4	n.c.	n.c.	n.c.

Organisation de pays exportateurs

■ **Opep (Organisation des pays exportateurs de pétrole). Origine. Avant 1939** de grandes compagnies disposaient de vastes concessions, égales parfois à l'étendue totale d'un pays, et versaient de faibles royalties. **1948** le Venezuela obtient le partage des revenus pétroliers avec les Cies concessionnaires. **1949** l'Américain Paul Getty (1892-1976) offre à l'Arabie des royalties importantes. La plupart des compagnies doivent suivre. **1949** le Venezuela propose à 6 pays du Moyen-Orient (dont Iran, Irak, Koweït et Arabie Saoudite) de se réunir. **V. 1950** l'Anglo-Iranian Oil Cy, issue de l'exploitation de la concession d'Arcy, refuse le partage des revenus pétroliers avec l'Iran sur la base 50-50. **1951**-*29-4* ses gisements sont nationalisés sous l'influence du PM Mossadegh. Mais ce dernier est éliminé après 2 ans d'affrontement, l'Anglo-Iranian étant soutenue par le gouvernement britannique et la CIA américaine. **1954** nouvel accord, remettant en cause les mesures de 1951, tout en ne contestant pas le principe de la nationalisation. **1959**-*16-4* Pacte de Maadi, création au Caire d'une Commission consultative du pétrole ; des pays demanderont aux Cies de consulter les gouv. des pays prod. pour fixer les prix (les Cies ayant réduit les prix du baril de 0,05 et 0,25 $ au Venezuela et de 0,18 $ au Moyen-Orient). **1960** *août* nouvelle réduction de 0,10 à 0,14 $ (décision unilatérale). *10-9* les 5 principaux producteurs (Venezuela, Iran, Irak, Arabie Saoudite, Koweït) se réunissent à Bagdad pour étudier les moyens de protéger leurs revenus. *14-9* ils fondent l'Opep. Peu à peu, elle regroupera les grands producteurs du tiers monde.

Siège Vienne (Autriche). **Membres** (en 1993) 12 : Arabie Saoudite, Irak, Iran, Koweït, Venezuela, (dep. 1960) ; Qatar (janvier 1961) ; Indonésie, Libye (juin 1962) ; Abou Dhabi (nov. 1967) ayant transmis sa qualité de m. à la Féd. des Émirats arabes unis (1971) ; Algérie (juillet 1969) ; Nigeria (juillet 1971) ; Équateur (nov. 1973), quitte OPEP en janv. 1993 ; Gabon (juin 1975).

☞ Avant la crise (1973), 4 pays de l'Opep (Arabie Saoudite, Émirats arabes unis, Koweït, Qatar) recevaient 22 milliards de $ par an, qu'ils utilisaient pour leurs importations. En 1978, leur excédent commercial était de 47 milliards de $. Incapables de l'absorber, ils l'ont recyclé dans les circuits économiques mondiaux. On a parlé de *pétrodollars* [à l'image des eurodollars, avoirs en monnaie étrangère ($ ou autre) détenus par un ressortissant d'un pays ayant des revenus pétroliers]. La hausse provoqua l'accroissement des forages chez les non-Opep puis l'abondance sur le marché d'où une baisse des cours.

■ **Opaep (Organisation des pays arabes exportateurs de pétrole). Créée** 1968. Indépendant de l'Opep. **Siège :** Koweït. **Membres :** Arabie Saoudite, Koweït, Libye (m. fondateurs), Irak, Algérie, Émirats ar. unis, Qatar, Égypte (mise à l'écart du 17-4-1979 au 13-5-1989), Syrie, Bahreïn, Tunisie (du 6-3-82 au 1-1-87). L'Opaep a établi 5 Stés arabes com. et 1 institut arabe de formation pétrolière. Un tribunal judiciaire (créé 1981, siège Koweït) juge les litiges entre pays membres et entre pays membres et Cies pétrolières.

Depuis 1982 le *Centre arabe des études de l'énergie* suit l'évolution de la situation mondiale. L'Opaep n'intervient pas sur le prix du pétrole ni sur les quotas de production (domaine réservé à l'Opep à Vienne).

■ **Association des producteurs de pétrole africains. (APPA). Créée** 26-1-1987 par 8 pays africains (Nigeria, Algérie, Libye, Gabon, Angola, Cameroun, Congo et Bénin). **Extraction** (1992) : 279 millions de t de pétrole brut (soit 8,8 % de la production mondiale).

Importations de pétrole brut (B) et de pétrole raffiné (R), en millions de t

Pays		1978	1989	1990	1991	1992
ex-All. féd.	B	95,7	66,1	71,9	89,1	99,1
	R	48,8	43	41,1	48	46
Autriche	B	8	5,9	6,8	7,1	7,6
	R	3,6	3,6	2,3	2,2	2,2
Belgique	B	33,8	29,7	25,1	32,9	29
	R	8,7	11,9	12	11,7	12,7
Danemark	B	7,7	5,2	4	5,1	5,2
	R	10,7	4	3,8	4,3	4,2
Espagne	B	46,9	49,9	49,9	52,8	54,2
	R	2,2	8,4	10,7	11,8	9,7
Finlande	B	10,5	8,8	9	9,9	8,9
	R	3	3,9	3,4	3,2	4,2
France	*B*	*115,6*	*70,6*	*72,8*	*74,1*	*73,8*
	R	*9,5*	*28,7*	*27,4*	*30*	*32,4*
G.-B.	B	68	49,5	53,8	54,3	58,1
	R	11,6	9,5	10,5	10	9,3
Grèce	B	12,6	15,2	15,9	14,1	16,3
	R	3,8	3,7	5,4	5,6	5,4
Irlande	B	2,2	1,6	1,9	1,7	2
	R	3,7	2,7	3,4	3,5	3,6
Islande	B	0	0	0	n.c.	n.c.
	R	0,6	0,5	0,5	0,5	0,6
Italie	B	108	68,3	78,2	83,3	78,2
	R	6,7	24,5	22,5	19,5	23,1
Japon	B	n.c.	159	194,3	205	213
	R	n.c.	56,4	43,7	41,5	41,8
Luxemb.	B	n.c.	n.c.	n.c.	n.c.	n.c.
	R	1,4	1,5	1,6	1,8	1,9
Norvège	B	7,9	0,6	1,5	1	0,6
	R	2,8	3,8	3,6	3,6	3,3
Pays-Bas	B	55,2	51,1	45,5	47,1	56,2
	R	13,6	38	40,8	36	31,3
Portugal	B	6,2	10,3	11,2	10,3	11,7
	R	1,1	3,9	3,1	4,2	5
Suède	B	16,2	15,6	16,9	17,1	18,6
	R	12,5	6,5	6,5	6,7	7,3
Suisse	B	3,9	3	3,1	4,5	4,1
	R	9,3	8,2	8,9	7,9	8,4
Turquie	B	12,5	18,6	20,1	17,6	19,3
	R	2,7	1,8	2,7	2,1	2
USA	B	312,8	286,5	292,4	290,3	305
	R	n.c.	83,3	73,7	55	51

Prix du pétrole

Régime des prix

☞ *Légende :* mb/j = million de barils produit par jour.

■ **Avant 1971. Système du Gulf Plus : 1928** *Accord de la ligne rouge :* le golfe du Mexique est le centre à partir duquel est calculé le prix de base, auquel les vendeurs ajoutent un coût de fret égal aux dépenses de transport entre le golfe et le point de destination. Ce système avantage les producteurs américains qui bénéficient d'une rente de situation. **1948** *Double Basing Point System :* le prix pratiqué dans le golfe du Mexique reste le prix directeur, mais on évalue le coût du fret à partir du Moyen-Orient ou du Mexique. **1950** *prix affichés :* système introduit au Moyen-Orient pour servir au calcul de la taxe fiscale que les entreprises doivent verser aux pays producteurs, fixée par les entreprises pétrolières elles-mêmes ; ils baisseront de 1950 à 1960, (env. 2 $ le baril de 1960 à 1970). *Prix de revient brut :* prix comprenant le coût de production, la redevance (12,5 %) et l'impôt (55 % du prix affiché diminué des coûts de production et des redevances) dus aux pays producteurs, et la marge bénéficiaire des compagnies ; *net :* prix CAF (moyenne du prix de transport du pétrole venant de la Méditerranée et de celui venant du golfe Persique). *Prix du marché :* prix de vente du surplus des compagnies selon l'offre et la demande. **1961-70** varie peu. **1970** *déc. conférence de l'Opep à Caracas :* augmentation générale des prix affichés, généralisation à 55 % du taux de l'impôt sur les bénéfices.

■ **De 1971 à 1986. 1971**-*14-2 Téhéran accord* entre États producteurs du golfe Persique et compagnies pétrolières. *2-4 Tripoli accord* analogue pour les pays intéressés au pétrole livré en Méditerranée ; prévoit la généralisation du taux de l'impôt à 55 %, une majoration immédiate des prix affichés et un calendrier des majorations ultérieures jusqu'en 1975. La production se décompose en **brut de participation :** quantité de pétrole dont l'État producteur est propriétaire ; il est revendu aux compagnies à 93 % du prix affiché ; **de concession :** le *prix de revient brut* est la « moyenne » du prix participation et du prix concession. **1972**-*20-1 Genève 1er accord :* prévoit une révision trimestrielle des prix affichés en fonction de l'évolution des taux de change d'un cocktail de monnaies, et décide une augmentation de 8,49 % à cause de la dévaluation du dollar du 18-12-71 (– 7,89 %). **1973**-*1-6 Genève 2e accord* après une nouvelle dévaluation du dollar (– 10 % le 12-2-73), augmentation de 11,9 % des prix affichés ; la révision des prix sera désormais mensuelle.

1er choc pétrolier. 1973-*6-10* guerre du Kippour. *-16-10* Koweït, les producteurs du Proche-Orient réunis décident une hausse de 70 à 100 % selon origines et quantités, embargo (voir Index). *-23-12 Téhéran,* hausse de 130 % du prix affiché pour les pays de l'Opep à compter du 1-1-74. **1974**-*1-7 Quito (Opep) :* la redevance passe de 12,5 % du prix affiché à 14,5 ; le prix de revient du brut participation passe à 94,8 % du prix affiché. *-1-10 Vienne (I) :* redevance 16,67 %, impôt sur le bénéfice passe de 55 % à 65,7 % ; prix du brut participation 93 % du prix affiché. *-1-11 Abou-Dhabi :* Arabie S., Qatar et Abou-Dhabi décident une baisse de 0,40 $ par baril du prix affiché et une hausse de la redevance (20 %) et de l'impôt (85 %). *-13-12 Vienne (II) :* l'Opep ratifie les décisions prises. Le prix de vente (93 % du prix affiché) est de 10,46 $ par baril, pétrole de concession 9,92 $, prix moyen (60 % de brut participation et 40 % de pétrole concession) 10,24 $. Le prélèvement du pays producteur est de 10,12 $ par baril et le coût de production de 0,12 $. **1975**-*9-6 Libreville (Opep) :* réajustement des prix à partir du 1-10-75, adoption des DTS comme unité de compte. *-24/27-9 Vienne (III) :* hausse de 10 % du prix du brut de référence « Arabian Light » à partir du 1-10-75 ; gel des prix jusqu'en juin 76 ; le dollar étant remonté, on renonce aux DTS. **1976**-*mai Bali :* maintien jusqu'à fin 76 des prix en vigueur dep. le 1-10-75. *-16-12 Doha (Opep) :* hausse de 5 % à partir du 1-1-77 (Ar. S. et Émirats arabes unis) et 10,33 % pour les autres pays producteurs. **1977**-*1-1* hausse de 5 % en moy. pour l'Arabie S. et Émirats, 10 % en moy. pour les autres pays de l'Opep. *-1-7* hausse supplémentaire de 5 % pour Arabie S. et Émirats, les autres membres y renonçant. *-13-7 Stockholm :* Arabie S. et Émirats augmentent leurs prix de 5 %, mettant ainsi fin au double prix en vigueur dep. le 1-1. Les autres États de l'Opep abandonnent la hausse envisagée de 5 %. *20/21-12 Caracas :* l' « Arabian Light » reste à 12,70 $, un accord sur une hausse n'ayant pu se faire. **1978**-*17/19-6 Genève :* gel des prix jusqu'à fin 78. *-16-12 Abou-Dhabi :* l' « Arabian Light » passe à 13,339 $; hausses 1979 : + 5 % au 1-1, + 3,809 % au 1-4, + 2,294 % au 1-7, + 2,691 % au 1-10 (14,542 $). Calendrier non tenu dès avril. **1978** *fin déc.-janv. 79* arrêt des livraisons iraniennes après le départ du Shah.

2e choc pétrolier. 1979-*27-3 Genève :* l' « Arabian Light » 14,546 $ au 1-4. *-26/28-6 Genève :* Arabian Light à 18 $ au 1-7 et à 24 $ au 14-12. *-17/20-12 Caracas :* les prod. ne peuvent s'entendre sur les prix. Augmentation du prix moyen des bruts Opep de 24,8 % de juillet à déc. (20,30 $/b. à 25,75 $/b. en moyenne) (doublement de déc. 78 à déc. 79).

3e choc pétrolier. 1980 *-9/10-6 Alger :* hausses variables selon les pays au 1-7. *-12-9 guerre Iraq-Iran ;* hausses désordonnées tout au long de l'année. *-15/16-9 Vienne :* Arabian Light à 30 $ au 1-8, hausse de 2 $ dans les Émirats au 1-9. 6 pays de l'Opep proposent l'indexation du prix du baril sur l'inflation et

Revenus pétroliers et dettes des pays producteurs (en millions de $)

	Algérie	Arabie	EAU [1]	Équat.	Gabon	Indon.	Iraq	Iran	Koweït	Libye	Nigeria	Qatar	Venez.
1970	272	1 214	223	–	4	254	521	1 109	821	1 351	247	125	1 377
1971	321	1 885	431	–	9	336	840	1 851	954	1 674	847	200	1 675
1972	613	2 745	551	30	18	506	575	2 396	1 404	1 563	1 117	255	1 902
1973	988	4 340	900	129	29	688	1 843	4 399	1 735	2 223	2 048	463	3 029
1974	3 299	22 573	5 536	414	173	1 364	5 700	17 822	6 543	5 999	6 654	1 451	9 271
1975	3 262	25 676	6 000	293	484	3 233	7 500	18 433	6 393	5 101	7 422	1 685	6 968
1976	3 699	30 755	7 000	533	800	4 466	8 500	20 243	6 870	7 500	7 715	2 092	7 713
1977	4 254	36 538	9 030	499	600	4 692	9 631	2 120	7 516	8 850	9 600	1 994	8 106
1978	4 589	32 234	8 200	400	500	5 200	10 200	19 300	7 952	8 400	7 900	2 200	7 319
1979	7 513	57 522	12 862	800	900	8 100	21 291	20 500	16 863	15 223	15 900	3 082	11 956
1980	12 500	102 212	19 500	1 394	1 800	12 859	26 100	13 500	17 900	22 600	23 405	4 795	16 344
1981	10 700	113 200	18 700	1 560	1 600	14 393	10 400	9 300	14 900	15 600	16 713	4 722	17 401
1982	8 500	76 000	16 000	1 184	1 500	12 703	9 500	17 600	9 477	14 000	13 086	3 145	13 543
1983	9 700	46 100	12 800	1 100	1 500	9 660	8 400	20 000	9 900	11 200	10 100	3 000	13 500
1984	9 700	31 470	10 100	1 600	1 400	10 400	10 400	16 700	10 400	10 400	12 400	2 970	13 700
1985	9 835	23 411	9 636	1 400	1 350	9 800	11 920	14 420	8 495	9 700	11 942	2 528	11 900
1986	5 354	16 744	5 848	750	725	4 000	6 630	5 910	4 982	5 000	5 997	1 337	7 500
1987	6 815	19 808	8 316	750	955	5 000	11 300	9 210	8 138	6 000	6 233	1 717	9 430
1988	5 450	18 875	8 500	n.c.	800	n.c.	11 400	9 000	5 580	5 200	5 555	1 486	8 642
1989	7 000	24 000	11 500	1 147	1 200	n.c.	14 500	12 500	10 863	7 500	8 700	2 000	10 020
1990	10 497	47 960	17 073	1 471	2 068	n.c.	10 214	17 674	6 856	11 500	14 171	3 290	14 721
1991	9 600	42 700	13 900	1 000	1 700	6 900	–	15 300	–	10 000	12 200	2 200	13 000
(dettes)	33 600	17 200	10 000	10 400	3 900	79 100	21 200	13 800	6 800	4 600	34 500	1 900	26 800
(en années)	3,5	0,4	0,72	10,4	2,9	11,5	–	0,9	–	0,46	2,8	0,86	2,1

Nota. – (1) Abou Dhabi, Dubaï, Chardja. *Source :* Opep.

Pays de l'Opep

Pays	Sup. [1, 8]	Pop. [2, 8]	PNB [3, 8] par hab.	Production		Export. pétr. [4]		Commerce Ext. [6, 7]		% du pétrole dans export. [8]
				Pétrole [4,7]	Gaz [5]	1990	1991	Imp.	Exp.	
Algérie	2,38	25,8	1 796	36,9	50,6	15,8	16,2	8 961	14 366	66,8
Arabie S.	2,15	15,6	7 601	413,6	30,5	241,7	310,1	27 391	48 794	87,4
Émir. ar. unis	0,084	1,7	20 222	104,8	22,1	85,5	100,7	12 677	20 226	68,8
Equateur	0,28	11,1	1 678	17,3	0,1	8,7	9,1	2 397	2 852	36,1
Gabon	0,26	1,2	3 379	14,9	0,1	11,4	13,9	909	2 464	70,6
Indonésie	1,90	182,9	608	66,3	48,6	34,7	37,6	25 523	29 294	23,4
Iran	1,64	56,4	8 077	177,1	23,7	78,5	120,8	22 320	16 732	91,3
Iraq	0,43	19,6	–	19,1	4,2	108,9	–	–	–	–
Koweït	0,01	2,2	–	53,9	5,2	32,6	4,3	–	–	–
Libye	1,76	4,8	5 876	71,4	6,2	49	58,7	6 294	10 486	95,6
Nigeria	0,92	118,8	249	95,9	3,7	76,5	80,2	7 721	12 843	94,6
Qatar	0,01	0,5	15 759	19,5	6,7	16,8	16,2	2 167	2 338	93,5
Venezuela	0,9	20,3	2 552	122,9	21,4	64,7	75,5	11 125	16 326	79,6

Nota. – (1) En millions de km². (2) En millions. (3) En $. (4) En millions de t. (5) Gaz, en millions de m³ en 1990. (6) En milliards de $. (7) 1992. (8) 1991.

le taux de croissance des pays ind. ; repoussé. *-15-12 Bali :* hausse de 2 $ pour l'Arabie au 1-11 et de 3 à 4 $ au 1-1-81 pour autres pays. **1981**-*1-1* hausse d'env. 10 %. *A Genève* projet de diminuer de 2 millions de barils la prod. saoudienne et d'augmenter de 2 $ env. le prix du baril saoudien.

■ **Baisse des cours.** **1981**-*juill.-nov.* baisse de 2 à 3 $ en Irak, 3,5 $ au Nigeria et en Libye, 3,5 à 6 $ au Mexique, 1,8 au Qatar, 2,75 en mer du N. *-18-8 Genève :* pas d'accord sur prix unique, Arabian Light à 32 $, diminution de la prod. *-29-10 Genève :* Arabian Light à 34 $ jusqu'au 31-12-81, baisses ou hausses des autres qualités selon les cas. **1982**-*20-3 Vienne :* contrôle et plafonnement de la prod. à 17,5 Mb/j et un quota par pays. Refus de l'Iran. *-20-5 Quito :* maintien du contrôle de la prod., gel des prix jusqu'à fin 82. *Août* l'Irak décide le blocus du terminal iranien de Kharg. *-20-12 Vienne :* pas d'accord. **1983**-*24-1 Genève :* pas d'accord. *Févr.* de nombreux pays baissent leurs prix (offre trop importante). *-7-3 Londres :* accord le 14-3 sur un prix de référence à 29 $, un système de quotas (17,5 Mb/j pour 1983 à répartir). *Juil. Helsinki :* reconduction de l'accord du 14-3. *Sept. Vienne :* idem. *-7-12 Genève :* idem. **1984**-*29/31-10 Genève :* quota abaissé à 16 Mb/j. *19/21* et *27/29-12 Genève :* le brut de référence est maintenu à 29 $/b. Le « Brent » (G.-B.) remplace l'« Arabian Light ». **1985**-*28/30-1 à Genève :* abandon théorique de la notion de brut de référence ; baisse des bruts légers (Arabian Light 28 $). *-1-2* prix moyen pondéré du brut Opep : 27,96 $. *-7/9-12 Genève :* priorité donnée par l'Opep (pour défendre sa part du marché) provoquera baisse du brut. **1986**-*16 au 24-3 et 15 au 21-4 à Genève :* principe d'une répartition de la prod. de brut entre pays de l'Opep. 10 pays fixent un objectif global de 16,7 Mb/j pour 1986 ; Algérie, Iran et Libye refusent, le trouvant trop élevé. *Fin mars,* cours spot (moy. bruts Opep et brut Brent) 12 $. *-20/21-12 Genève :* accord quota 15,8 Mb/j pour 1er semestre 1987.

■ **Depuis 1987.** *-10-4* Brent à 19,75 $ pour livraison en mai. *-27-6 Vienne :* prod. limitée à 16,6 Mb/jour. *-9/14-12 Vienne :* les m. (Iraq exclu) fixent le plafond à 15,06 Mb/j pour le 1er sem. 1988 ; 16 $ le baril au 15-12. **1988**-*1-5* 1re réunion *Opep/non-Opep* (Angola, Chine, Colombie, Égypte, Malaisie, Mexique, Oman) ; aucun accord. *-14-6 Vienne :* plafond reconduit pour 6 mois (15,06 Mb/j), la production réelle était de 18,5. *-21-11 Vienne :* plafond 18,5 Mb/j pour le 1er sem. **1989** l'Iran est réintégré dans le système des quotas (accroissement de 1,9 Mb/j par rapport au dernier plafond). L'accord provoque un raffermissement des prix. *-21-2 Londres,* les non-Opep (Mexique, Malaisie, Oman, Chine, Égypte, Angola, Yémen du N.) décident de réduire leurs export. de 5 % la 2e sem. 1989, pour aider l'Opep à stabiliser les prix ; l'URSS (observateur) annonce une réduction similaire (export. vers les pays capitalistes) ; diminution globale : env. 0,3 Mb/j. *-7-6 Vienne :* plafond 19,5 Mb/j (prod. estimée en mai : 21,06 Mb/j). *-23-9 Genève :* plafond *20,5* Mb/j. *-25-11 Vienne :* 22 Mb/j. **1990**-*2-5 Genève :* réduction jusqu'à fin juill. de 1,445 Mb/j *Mai :* prod. 23,6 Mb/j. *Juin :* 23,2. *-27-7* prix de référence 21 $ par baril + 3 $ par rapport au prix de réf. précédent + 4 $ par rapport aux prix réels du marché ; plafond global de 22,491 Mb/j pour le 2e semestre. **1990-91** g. du Golfe, voir Index. **1992**-*24-5 Vienne* plafond 22,98 (3e trim.), puis cible 21 $. **1993** crainte du retour de l'Iraq sur le marché, *19-7 :* 15,79 $.

☞ **Production moy.** **Opep** (en millions de barils/j). *1989 :* 21,73. *90 :* 23,15. *91 (1er trim.) :* 23,2.

■ Transactions pétrolières

■ **Modes de transactions.** Récemment, 95 % s'effectuaient par contrats à long terme entre pays producteurs et compagnies étrangères ou États consommateurs. Le solde était traité au coup par coup sur le marché libre de Rotterdam *(marché spot)* qui permettait d'écouler ou de trouver un supplément disponible (produits raffinés surtout). Début 1980, les pays producteurs écoulaient jusqu'à 15 % de leur brut sur un marché parallèle, à des prix supérieurs aux prix officiels. Les grandes compagnies devaient se fournir en partie sur le marché spot (1,5 Mb/j). D'où une surenchère par rapport aux prix de l'Opep. Actuellement, les contrats sont négociés au niveau des gouvernements, puis gérés par des entreprises désignées.

■ **Définitions.** **1 baril :** 159 litres. Il y a 7,3 barils dans 1 tonne. 1 million de b/j (barils/jour) = 50 millions de t/an. **Barter :** troc (compensation). **Brent :** mélange type de bruts de la mer du Nord, production (environ 1 million de b/j) presque toute vendue sur le marché libre. **Brut :** pétrole non raffiné. Variétés, selon provenances et qualités : plus « légers », dépourvus de soufre, « lourds », visqueux (presque solides). Le « brent », le « WTI » (West Texas Intermediate) américain, l'« Arabian light » saoudien, l'« Oural » soviétique, sont les plus connus. Brut *Mollah* (ou princier) : pétrole vendu sous le manteau par des intermédiaires touchant des bakchichs. **Daisy chain** « guirlande de marguerites » : ensemble des acheteurs et vendeurs successifs d'une même cargaison (record : 56). **Distressed cargo** (cargo en détresse) : cargaison de brut en cours de transport non encore vendue à un utilisateur final. *Le trader* (dernier propriétaire) devra, pour trouver acheteur, brader ses prix. **Marché du brent :** marché à terme, informel, entre gros opérateurs. Les transactions, cargaison par cargaison (500 millions de $ environ), dépassent de 2 à 3 fois le volume du pétrole réellement échangé. Des ventes « promptes », au jour le jour, s'y effectuent également. **Marché de Rotterdam :** souvent confondu avec le précédent. Aujourd'hui limité aux ventes de produits raffinés destinés aux marchés de l'Europe du Nord. Rotterdam est le plus grand centre de stockage et de raffinage de la région. **Marché spot ou marché libre :** ensemble des ventes ne faisant pas l'objet de contrats à moyen terme entre producteurs et compagnies. Est « spot » toute vente. Les prix sont fixés instantanément ou révisables à très court terme. **Merc ou Nymex :** New York Mercantile Exchange, marché à terme de New York, où sont cotés des lots de « WTI », qualité de brut américaine la plus échangée. **Netback** (ou valorisation) : calcul théorique de la valeur d'un brut à partir des cours des produits qu'on en tire après son raffinage. **Paper baril** (baril-papier, ou baril-titre) : cargaison souvent fictive, vendue à terme, et dont la date de livraison est suffisamment éloignée (2 à 3 mois) pour qu'elle puisse passer de main en main avant qu'une date précise ne soit fixée. **« Platt's » :** quotidien publiant des cours. **Processing** (contrat de) : raffinage à façon, souvent fictif, moyen pour les producteurs de vendre du brut au-delà des quotas de l'Opep. **Trader :** négociant (le « broker », courtier, est un intermédiaire payé au %, le trader achète et revend, prend des positions). **Wet baril** (baril mouillé) : cargaison dont la date de livraison approche et dont la vente doit faire l'objet d'un échange physique de pétrole.

■ **Coût technique du baril de pétrole** (en $). **Moyen-Orient :** *champs* anciens 0,4 à 0,8, récents 0,6 à 3. *Mer :* grands champs 2 à 4, petits c. 3 à 6. **Afrique :** Libye 1 à 2, Algérie 1,8 à 3, Nigeria 1,8 à 3. *Mer :* golfe de Guinée 3 à 6. **Amérique :** Canada 2 à 5, USA (champs imp.) 2,6 à 5,6, Alaska 6 à 10, Venezuela 1,5 à 2,5. *Mer :* USA (golfe du Mexique) 3 à 5. **Europe :** M. du Nord : N. 8 à 20, S. 4 à 10, champs marginaux 15 à 25 ; bassin parisien 7 à 9 ; P.-Bas (gaz) 2.

■ **Prix de vente du baril de 159 l d'« Arabian Light »** (API 34 °) (en $). **1970** 1,8. **71** *15-2 :* 2,2. **72** *20-1 :* 2,5. **73** *1-6 :* 2,9, *16-10 :* 5,11. **74** *1-1 :* 11,6, *1-11 :* 11,2. **75** *1-10 :* 11,5. **77** *1-1 :* 12, *1-7 :* 12,7. **79** *1-1 :* 13,3, *1-4 :* 14,5, *1-7 :* 18, *1-11 :* 24. **80** *1-1 :* 26, *1-4 :* 28, *1-8 :* 30, *1-11 :* 32. **81** *1-11 :* 34. **83** *14-3 :* 29, **84** *févr. :* 29. **85** *févr. :* 28. **86** *déc. :* 17,52. **87** *juin :* 18. **88** *juin :* 15,9. **89** *janv. :* 15,35. **90** *janv. :* 17,75. **91** *janv. :* 16,75. **92** *mars :* 17.

Prix spot de vente pétrole brut ($ par baril, avril 1993 et 1-1-1981). **Proche-Orient :** *Arabie léger* 17,10 (33,52), *berry* 18,10, *lourd* 14,15 (31). *Qatar* 17,30 (37,42). *Algérie Mélange Sahara* 19,05 (40). *Libye Es Sider* 18,10 (40,78). *Nigeria Bonny Light* 19,20 (40,02). **Mer du Nord :** *Ekofisk* 18,75 (40). *Forties* 18,65 (39,25). **Amér. du S. :** *Venezuela* [2], *Tia Juana léger* 19,20 (36), *Bachaquero* 13,70 (27,95).

■ **Prix du baril de brut** (en F constant 1973). *1973 :* 25,6. *74 :* 46. *79 :* 108,7. *81 :* 76,4. *85 :* 121,4. *86 :* 40,5. *88 :* 29,9. *90 (août) :* 42,7.

■ **Marges bénéficiaires laissées, par baril, aux sociétés concessionnaires par les producteurs.** Golfe Persique (Arabie S. exclue) 20 à 40 cents. Algérie, Iraq, Indonésie, Nigeria 50 c à 1 $. Pays industriels (G.-B., Norvège, USA, Canada) 3 à 6 $, le reste étant repris par la fiscalité.

Prix de vente des carburants (mai 1991)

Pays	Essence [4]		Super plombé		Gasoil	
	% taxes	Prix F/l	% taxes	Prix F/l	% taxes	Prix F/l
Allem.	60	4,06 [1]	71,7	5,30	62,7	3,74
Autriche	55,3	4,38 [1]	–	–	60,0	4,67
Belgique	62	4,62	71,1	5,43	61,5	4,10
Danemark	67,9	5,80 [1]	69,2	4,89	56,9	4,17
Espagne	64,4	3,76	67,7	4,49	60,0	3,51
Finlande	55,2	4,93	70,2	5,35	54,7	3,13
France	*71,4*	*5,21* [3]	*77,6*	*5,32*	*64,7*	*3,57*
Grèce			74,8	4,95	65,6	3,34
Irlande			65,4	4,89	59,2	4,38
Italie	75,2	6,04	73,6	5,80	68,3	4,37
Luxembourg	49,6	3,30 [2]	65,8	4,19	57,0	3,10
Pays-Bas	63,2	5,01 [2]	73,8	5,87	61,5	3,84
Portugal	65,8	4,71	72,8	5,12	60,3	3,51
Royaume-Uni	64,8	4,41	70,7	4,56	65,8	4,11
Suède	55	4,78	73,8	6,01	45,3	4,27
Suisse	54	3,95	48,5	5,08	47,7	4,93

Nota. – (1) Sans plomb. (2) Eurosuper sans plomb 95 RON. (3) Prix moyen. (4) Au 15-4-1989.

Sociétés pétrolières

■ Généralités

■ **Principales sociétés.** 1°) *Majors* (autrefois appelés les « 7 sœurs ») : 6 depuis la fusion de Gulf et Chevron, ex-Standard Oil of California, en 1984, dont 4 américains (Chevron, Exxon, Mobil, Texaco) et 2 européens (British Petroleum et Royal Dutch/Shell) ; 2°) *Indépendants américains :* Amoco (Standard Oil of Indiana), Arco (Atlantic Richfield), Phillips, Sun, Sohio, Tenneco, etc. ; 3°) *Cies des pays consommateurs à participation étatique :* BP (G.-B.), Eni (Italie), Elf-Aquitaine et Total (France) [maintenant indép. (Etat 5 %)], Veba (ex-All. féd.), etc. ; 4°) *Cies nationales des grands pays exportateurs :* Pemex (Mex.), Sonatrach (Alg.), Nioc (Iran), Pertamina (Indonésie), Koweït Oil Co, Aramco (Arabie S.), etc.

■ **Régimes des sociétés.** **Association :** Sté d'État et Cie privée constituent une Sté commune. Elles assument les investissements et se partagent le pétrole au prorata de leur participation. Ex. Elf, au Nigeria (l'État a 55 %), l'Eni en Libye (l'État a 51 %). **Concession :** l'État producteur cède les droits miniers à la Cie qui devient propriétaire du pétrole. L'État perçoit l'impôt, reçoit des « royalties ». **Contrat d'entreprise :** la Cie, prestataire de services, fait les recherches et avance les investissements. Elle est rémunérée par du brut et peut voir ses frais remboursés en cas de découverte (ex. Indonésie). **Cas particuliers.** *Iran :* jusqu'en 1979 : exploitation du pétrole nationalisée mais concédée aux compagnies étr. ; dep. 1979 : le nouveau régime a démantelé le consortium de Cies étr. et créé la Nioc (National Iranian Oil Company). *Irak :* l'Inoc (créée 1964) reste l'unique Cie nationale après la nationalisation des Cies étrangères de 1972 à 1975.

■ **Compagnies pétrolières mondiales.** **Chiffre d'affaires du groupe et résultat net** (en millions de $, 1992). Royal Dutch Shell [1] 128,4, Exxon [2] 116,5, Mobil [2] 63,8, BP [3] 58,9, Chevron [2] 42,9, ENI [4,6] 41, Texaco [2] 37,7, Elf-Aquitaine [5] 36,3, Amoco [2] 28,2, Total [5] 25,9.

Nota.– (1) Hollande-USA. (2) USA. (3) G.-B. (4) Italie. (5) France. (6) En 1991.

■ Résultats de grosses sociétés

Amoco **(USA).** *Chiffre d'aff.* (milliards de $) : *90* 31,6 ; *91* 28,3 ; *bénéfices : 90* 1,9 ; *91* 1,5 ; *réserves prouvées :* 2,7 milliards de barils.

British Petroleum Co. (Ex.-Anglo-Persian Oil Co., fondée en 1909, devenue 1935 l'Anglo-Iranian Co.). Détenue par l'État britannique à 31,6 % (privatisée entre 1929 et 1987). *Salariés :* 116 000 (11 500 licenciements jusqu'à mi-93, 9 000 de plus jusqu'en 1995). *Points de vente :* 18 000. *Raffineries :* 13. *Réserves* (monde) : 6,5 milliards de barils. *Production :* 1 356 000 b/j. *Chiffre d'aff.* (1992, en milliards de F) : 309 ; *pertes :* 3,7. **BP-France :** *Chiffre d'aff.* (1992, en milliards de F) : activités pétrolières 15,5, chimiques 4,9 ; *résultat net consolidé* (part de groupe) : 0,099. *Effectif* (raffinage-distrib.) : 1 900 (6 600 en 74). *Raffineries :* 13 (24). *Stations-service :* 750 (3 300).

Chevron Corporation (Ex-Standard Oil of California, dite Esso Standard, fondée 1870 par John D. Rockefeller). Devenue **Chevron** 1-7-1984, après acquisition de la Gulf Corporation le 15-6-1984. *Réserves :* 2,8 milliards de barils. *Revenus* (1990, milliards de $) : 41,5. *Ventes de pétrole raffiné* (1989, b/jour) : 2 482. *CA* (milliards de $) : *1990* 42,6 ; *91* 40,9. *Bénéfice : 1990 :* 2,16 ; *91 :* 1,29.

Exxon Corporation. Ex-Standard Oil Co. (New Jersey). 1er des producteurs, raffineurs et distributeurs mondiaux de pétrole brut et produits raffinés. *CA* (1991) : 116 milliards de $, (bénéfice net 5,6, soit 31,6 milliards de F). *Activités diversifiées* (fabrication et vente de pr. chimiques, exploitation et vente de charbon et d'uranium, fabrication et vente de combustibles nucléaires, minerais, stockage et traitement des informations). *Production* (1990) : pétrole brut 1,7 Mb/j ; brut traité 3,3 Mb/j. *Ventes :* produits pétroliers (1991) 4,8 Mb/j. *Distribue ses produits* dans près d'une centaine de pays. **En France : Esso SAF** (filiale à 81,5 %), 2 raffineries à Port-Jérôme, Fos-sur-Mer. Une dizaine de dépôts vrac sur le territoire métropolitain, 1 300 stations-service. *CA* (1991) : 37 milliards de F ; *résultat net consolidé :* 0,85 (1990 : 0,53). 1 250 stations (dont 550 en exploitation directe). **Esso REP** (filiale à 89 % d'Esso SAF) : domaine minier en métropole de 36 000 km² exploré (en participation). *Production* (en millions de t) : 88 : 1,59, *89 :* 1,48, *90 :* 1,44, *91 :* 1,4, *92 :* 1,4 (1er producteur français : 48 % de la prod. nat.). **Sté Française Exxon Chemical :** usines à N.-D.-de-Gravenchon, à côté de la raffinerie Esso de Port-Jérôme.

Mobil Oil Corporation (1989). *Production pétrole brut et gaz nat. liquide :* 749 millions de b/j dont USA 315, Europe 155, Canada 75, Indonésie 98, divers 71. *Prod. gaz nat. :* 0,076 Mb/j. *Capacité de raffinage :* 2 118 Mb/j. *Réserves :* 2,6 milliards de barils. *Flotte :* 50 navires. *Ventes (France) :* 4 855 milliers de t. *CA 1990 :* 64,5 ; *91 :* 62,7 (bénéf. 1,9).

Pétrofina. *Fondée* 1920 à Anvers (Belgique). *Production* (1991, en milliers de t) : 5 386 [1] (mer du Nord 3 590, USA 1 081 [2], Angola 466, Zaïre 195, Tunisie 55). Ses ressources couvrent 21 % de ses besoins. Pétrole brut traité dans les raffineries du groupe : 28 millions de t. *Flotte :* 1 173 000 t. *Vente produits finis :* 36 millions de t, *gaz naturel :* 6,1 milliards de m³. *Chimie :* CA : 69,2 milliards de BEF.

Nota. – Déduction faite (1) des redevances prélevées en nature ; (2) de toutes redevances.

Royal Dutch/Shell. *Créée* 1907. Filiale à 60 % de la Sté néerlandaise Royal Dutch Petroleum Co. (créée 1890), et à 40 % de la Sté britannique Shell Transport and Trading Co. *En 1991 : approvisionnements :* en pétrole brut (1 000 barils/j) 6 692 ; pétrole brut raffiné 3 392 ; *ventes :* pétrole (1 000 barils/j) 8 286 ; gaz naturel (millions de m³/j) 175. *Réserves :* 9,3 milliards de barils. *CA* (1992) : 59,3 milliards de £ (bénéfice 3) ; *effectifs :* 133 000. **Shell France** (milliards de F) *1990 :* 27,5 ; *91 :* 27,8. *Résultats 1990 :* 0,7 ; *91 :* – 1,15 ; *92 :* – 1,9.

Sté nationale Elf Aquitaine (SNEA). *Créée* 1976, filiale de l'Entreprise de recherches et d'activités pétrolières (Erap créée 1966), établissement public à caractère industriel et commercial, qui détient 50,8 % de son capital. **Principales filiales.** *Exploration et production des hydrocarbures :* Elf Aquitaine Production, Elf Petroleum Norge, Elf Petroleum UK, Elf Petroland, Elf Idrocarburi Italiana, Elf Exploration Angola, Elf Congo, Elf Gabon, Elf Petroleum Nigeria, Elf Neftegaz ; *raffinage et distribution de produits pétroliers :* Elf Antar France, Elf Antargaz, Elf Lubrifiants, Elf Mineraloel, Elf Oil UK, Elf Oil Belgium, Elf Oil España, Nigeria, Tchad... ; principales marques : Elf et Antar ; *commerce intern. et transports maritimes :* Elf Trading SA, Elf Trading Inc, Elf Trading Asia, Socap Internat... ; *chimie de base* (pétrochimie, chlorochimie, engrais) : Elf Atochem, Texasgulf ; *chimie de spécialités* (chimie fine et produits industriels...), Elf Atochem North America, Ceca, Grande Paroisse, Soferti, Alphacan, Appryl... ; *santé :* Elf Sanofi et filiales santé ; *bio-activités :* Sanofi Bio-industries... ; *beauté :* Sanofi Beauté, Yves Rocher, Nina Ricci. *Recherche :* 20 centres ; 5 980 personnes. **Principaux chiffres (1992).** *Domaine minier :* 28 pays ; 349 000 km² dont 133 500 en mer. *Production :* 15 pays ; part d'Elf Aquitaine : pétrole brut 28,6 millions de t, gaz naturel commercialisable : 12,6 milliards de m³, soufre : 1 million de t. *Raffineries :* 13 en propre ou en participation, dont 3 en France ; intérêts dans 6 autres en Afrique. *Transp. maritimes :* 43 millions de t de brut. *Effectifs :* 88 000. **Finances** (en milliards de F) : *chiffres d'aff. : 1977 :* 37,6 ; *80 :* 76,7 ; *85 :* 180,7 ; *88 :* 126,1 ; *89 :* 149,8 ; *90 :* 175,5 ; *91 :* 200,7 ; *92 :* 200,6 dont exploration-production 17,6, raffinage-distribution et négoce pétrolier 113,2, chimie 48,4, santé 21,4. *Bénéfice consolidé 1989 :* 7,2 ; *90 :* 10,6 ; *91 :* 9,8 ; *92 :* 6,2. *Investissements 1989 :* 26,7 ; *90 :* 31,4 ; *91 :* 43,5 ; *92 :* 29,9. *Endettement à long terme 1989 :* 26,7 ; *90 :* 23,7 ; *91 :* 21,9.

Standard Oil Cy of California (Chevron Group of Companies). *Fondée* 1870 par John D. Rockefeller à Cleveland (USA). *En 1985 : ventes* 2,929 milliards. de $. *(revenu net* 0,3). *Production :* 0,72 Mb/j dont 0,68 de l'Alaska. *Raffinage :* 0,66 Mb/j. *Flotte* (1983) : 55 bateaux (8 702 millions de TPL).

Texaco Inc. *Fondée* 1902. En 1992 : *production : pétrole brut et gaz nat. liquide* 0,74 Mb/j ; *gaz nat.* 20 000 000 de m³/j ; *brut raffiné* 1,42 Mb/j. *Ventes : prod. raffinés* 2,33 Mb/j ; *gaz nat.* 30 000 000 m³/j. *Réserves :* pétrole brut 2,7 milliards de barils et gaz nat. 61 milliards de m³. *Résultats financiers* (en milliards de $) : *chiffres d'aff. consolidés 1990 :* 41,8 ; *91 :* 38,3 ; *92 :* 37,7 ; *bénéfice net 1990 :* 1,3 ; *91 :* 1,3 ; *92 :* 0,71 ; *investissements* (92) 3,2.

Total. La CFP (Cie française des pétroles fut fondée en 1924, pour gérer la part française dans la Turkish Petroleum Co d'Irak, sur l'initiative de l'État français qui devait en détenir directement 35 % du capital et 40 % des voix. **Filiales et participations :** env. 500 dans 80 pays dont près de 200 directement ou indirectement majoritaires. Détient 99 % du capital de la *Total-Raffinage-distribution* (TRD) qui traite env. 25 % du brut raffiné en France et assure 20 % de l'approvisionnement français des carburants. **Flotte pétrolière :** 8 navires totalisant 1,47 million de tpl. **Réserve** (92) : pétrole et gaz 531 Mt équivalent pétrole (dont Moyen-Orient 300,5. Extrême-Or. 94,9. Europe 79,2. Amér. du N. 19,6. **Production** (92) : pétrole 22,5 Mt, gaz 9,9 G m³. **Traitement en raffinerie :** 40,8 Mt. **Ventes de produits finis :** 61,6 Mt. **CA** (milliard de F) *1988 :* 83,3, *89 :* 107,9 *90 :* 128,5, *91 :* 143, *92 :* 136,6 (*résultat net* consolidé *90 :* 4,1, *91 :* 5,8, *92 :* 2,8). **Effectifs** (92) : 51 000.

Pays consommateurs

Statistiques

Principaux pays consommateurs (tous produits en 1992 et, en italique, 1978, en millions de t). USA 781 (dont en 1989 essences 332,8, gasoil/diesel-oil 226,1, fuel-oil 73) *888,8.* Ex-URSS 333,4 ; *419,2.* Japon 258,8 (dont en 1989 essences 46,5, gasoil/diesel-oil 76,7, fuel-oil 61,8) *262,7.* All. 134,3, *142,7.* Chine 128,1 ; *84,7. France* 94,4, *119.* Italie 94,2 ; *99,8.* G.-B. 82,4 ; *94.* Canada 76,4 (dont en 1989 essences 27,3, gasoil/diesel-oil 24,2, fuel-oil 7,6) *86,9.* Corée du S. 71,2 ; *18.* Espagne 50 ; *46,4.* Australasie 36,3 ; *35,2.* Pays-Bas 36,1 ; *38,4.* Indonésie 35,1. Taïwan 28,6 ; *10.* Belgique/Luxembourg 26,9 ; *29.* Turquie 23,6 ; *15,3.* Suède 16,5 ; *26,4.* Grèce 16 ; *11,7.* Suisse 13,1 ; *13,4.* Portugal 12,6 ; *7,4.* Autriche 11,3 ; *12.* Danemark 10,1 ; *16,1.* Finlande 10,4 ; *12,5.* Norvège 8,7 ; *9,3.* Irlande 4,8 ; *6.* Islande 0,7 ; *0,6. Total monde* 3 128,4 ; *3 084,4* [dont Amér. du N. 857,4 ; *975,7.* Asie 689,3 ; *483,* Europe occid. 646,5 ; *701,4.* Ex-URSS et Europe de l'Est 3 916,5 ; *549,6.* Amér. latine 242 ; *191,2,* Proche-Orient 168,4 ; *85,5,* Afrique 97 ; *62,8*]. *Source :* BP Statistical Review.

Crise de Suez (1956)

Origine. **1956**-*26-7* nationalisation du canal par le colonel Nasser. Les mois suivants, négociations menées par G.-B., France et USA pour obtenir la libre circulation sur le canal. *-16-8* 1re conférence à Londres des usagers du canal. *-29-10* g. avec Israël. *-7-11* cessez-le-feu franco-brit. Le canal rendu impraticable par l'Égypte entraîne pour l'Europe un déficit d'env. 100 millions de t par an (env. 25 %). Les Français commencent à constituer des stocks.

Mesures prises en France après la fermeture du canal. **1956**-*28-11,* rationnement décidé. Chaque possesseur de véhicule a droit à une allocation de base du 28-11 au 31-12-56 : *+ de 5 CV* 30 l d'essence ; *– de 5 CV* 20 l ; *camions et camionnettes* 40 l ; *cars* 50 l ; alloc. spéciales pour médecins, prêtres, policiers, livreurs ; *-21-12,* alloc. de base pour janvier et février : *– de 4 CV* 15 l, *5 à 10 CV* 20 l, *11 CV et +* 25 l. **1957**-*10-1,* alloc. spéciale pour tout acheteur d'une voiture d'occasion. *-1-2,* alloc. de 30 à 50 l à tout acheteur d'une voiture neuve, suivant puissance fiscale. *-8-3,* le système d'inscription auprès d'un garagiste est remplacé, pour les vacances, par une organisation à base de tickets. *-1-7* abolition du contingentement. **Prix de l'essence ordinaire. 1-1-1956** 64,20 AF (dont taxes 44,70) ; **31-12** 73,10 F (46,62). **1-1-58** 92,70 F (70,05).

Crise de 1973

Décisions des pays de l'Opep. **1973**-*17-10,* à Koweït, les pays de l'Opep décident de réduire de 5 % chaque mois les livraisons de brut à la plupart des pays consommateurs. USA, P.-Bas, Portugal, Rhodésie et Afr. du Sud sont frappés d'embargo total. *-5-11,* le % de départ est porté à 25 % pour les pays neutres. France, Espagne et G.-B. considérés comme « amis » recevront les mêmes quantités qu'en sept. *-19-11* la réduction supplémentaire de 5 % prévue pour déc. ne sera pas appliquée à l'Europe et au Japon. *-26-12* % ramené de 25 à 15 % pour pays neutres. Japon et Belgique sont considérés comme amis. En fait, la réduction de la prod. ne dépassera pas 25 % par rapport à sept. 1973. Les Cies répartiront le pétrole disponible. Les autres prod. y compris l'Irak (qui s'était désolidarisé des mesures prises par l'Opep) ont augmenté leur production.

Mesures prises par les pays consommateurs. Restriction de la circulation (ex. : 1 j par semaine), limitation de vitesse, fermeture des pompes le week-end, interdiction du stockage de carburant par les particuliers, rationnement de l'essence et du fuel.

Baisse de la consommation des pays industrialisés en 1974 [à la suite de la récession, de la lutte contre le gaspillage et d'un hiver particulièrement doux (en %)] : USA, Japon, G.-B. 4, *France 5,* All. féd. 10, Pays-Bas 15, Belg. 17.

Mesures prises en France après le 1er choc pétrolier. **1974**-*29-10* loi interdisant la publicité sur les prod. pétroliers. **1975** *achats pétroliers* limités à 51 milliards ; chauffage des locaux baissé à 20 °C et 8°C s'ils sont inhabités pendant 48 h, rationnement par les prix du naphte et du fuel industriel ; nouveau plan charbonnier ; vitesse max. sur autoroute : 130 km/h. **1976** heure d'été pour économiser chaque année 300 000 t d'équivalent pétrole. **1977** rationnement du fuel domestique accentué ; consommations de gaz et d'électricité à usage industriel contrôlées ; vignette augmentée pour les véhicules dont la puissance fiscale est inférieure à la puissance réelle ; dépassements de vitesse sanctionnés (suspension de permis de conduire) ; voitures « économiques » pour les administrations. **1979** chauffage des locaux baissé à 19 °C ; limitation de vitesse renforcée. *-1-7* entrée en vigueur de l'encadrement du fuel-oil domestique. **1988** *avril,* suppression de la limitation de la publicité relative aux hydrocarbures liquides. Surtaxe portée de 600 à 3 800 F pour les voitures particulières de plus de 17 CV ; comptage individuel de chaleur obligatoire dans les logements collectifs ; création d'aides spécifiques à l'innovation dans le domaine des systèmes récupérateurs de chaleur, etc.

Transport de pétrole

Flotte pétrolière

Total mondial (en millions de tdw). **1970 :** 132,1. **75 :** 255,8. **78 :** 332,5. **80 :** 327,9. **81 :** 324,7. **82 :** 320,2. **83 :** 303,7. **84 :** 283,2. **85 :** 269,7. **86 :** 246,7. **87 :** 241. **88 :** 239,4. **89 :** 243,5 (soit 2 923 bateaux) dont Liberia 56,1, Panamá 20,7, G.-B. 16,9, USA 16,5, Grèce 16,2, Japon 14,7, Norvège 11,3, Chypre 11,1, Bahamas 9,3, Iran 6, URSS 5,8, Singapour 4,6, Italie 4,4, Danemark 4,2, *France 3,9,* Brésil 3,6, Espagne 3,4, Inde 3, Arabie Saoudite 2,7, Malte 2,5, Chine 2,3, Corée du S. 1,6, Iraq 1,4, Turquie 1,4, Libye 1,3, Australie 1,1, P.-Bas 1, Argentine 1, Taïwan 0,9, Portugal 0,9. **Méthaniers et transporteurs de GPL** (flotte en service au 1-1-89) : *méthaniers* 65 ; *Transporteurs GPL* 152.

Commerce maritime (en millions de t et, en %, part du pétrole). **1937/38 :** 490 (21,4). **60 :** 1 100 (49). **70 :** 2 605 (55,3). **73 :** 3 190 (57,7). **79 :** 3 755 (41). **82 :** 3 249 (40). **83 :** 3 090 (39,4). **84 :** 3 312 (37,6). **85 :** 3 293 (36,4). **86 :** 3 385 (37,3). **87 :** 3 457 (37). **88** (prov.) : 3 666.

Les routes du pétrole vers l'Ouest. De la mer Rouge au canal de Suez : fermée en 1967, elle n'a été rouverte qu'en juin 1975, après enlèvement des épaves et dégagement du chenal, mais seules les unités de – de 150 000 tpl peuvent l'emprunter. *Part du pétrole importé en Europe passant par Suez : 1956 :* 60 %, *88 :* 20 %, *an 2000 (prév.) :* 50 %. **Euphrate à Méditerranée par le désert de Syrie :** oléoducs du Proche-Orient depuis 1932 (capacité totale 90 millions de t). **Route du Cap :** en 1974, avant la réouverture de Suez, sur 773 millions de t de pétrole venant du Proche-Orient, 83 % passaient par Le Cap.

Le pétrole en France

Généralités

■ **Organisation.** La loi de 1928 a confié à l'État le monopole de l'importation du pétrole afin d'assurer la sécurité d'approvisionnement. L'État l'a délégué aux Stés pétrolières aux conditions suivantes : 1) participation au ravitaillement national, contrôlée par la présentation d'un plan d'approvisionnement ; 2) fourniture prioritaire des services publics ; 3) constitution de réserves pour 3 mois de consommation ; 4) participation à l'exécution de contrats d'intérêt national pour l'acquisition de pétrole ou la fabrication de produits utiles à l'économie. Les licences d'importation délivrées sont valables 10 ans pour les imp. de pétrole brut, et 3 ans pour les produits finis. Rapport Schwartz : (voir Quid 1980).

■ **Perspectives.** **Plan « hydrocarbures français » :** priorité aux recherches sur les franges des bassins sédimentaires jusqu'à 5 000/6 000 m, et en mer (Méditerranée sur environ 60 000 km², Kerguelen, St-Pierre-et-Miquelon, N.-Calédonie). Développement des huiles lourdes, schistes et pétrole de mers profondes (stations sous-marines automatisées). Récupération assistée (injection de gaz, vapeurs ou additifs chimiques) pour accroître de 15 % (soit 30 millions de t) le pétrole exploitable.

Perspectives de la politique pétrolière française : *réduire la consommation* (économies d'énergie, recours au nucléaire). *Reconvertir l'appareil de raffinage* pour pouvoir extraire des bruts lourds davantage de produits légers de plus en plus demandés (essence pour transports, fuel-oil domestique). *Diversifier les approvisionnements* (Norvège, G.-B., URSS, Mexique). *Compenser les importations* par des ventes accrues dans les pays producteurs, ce qui suppose que la France s'approvisionne auprès de pays dont le développement ferait pour elle des clients importants (Nigeria, Chine, Algérie, URSS).

Bilan global

■ **Bilan en tonnage** (millions de t, 1991.). *Entrées en raffineries :* 107 dont importations de brut 75,2, production de brut 2,9 (en 1992), d'autres produits à distiller 2,5, import. de charges 2,2, recyclage 0,1. *Production nette des raffineries* (1990) : 71,9 dont autoconsommations 4,7, pertes 0,5.

Produits raffinés : *ressources totales :* 86,1 dont prod. nette 71,9, importations 26,5, retours de la pétrochimie 1,4, hydrocarbures extraits du gaz naturel 0,4, huiles régénérées 0,06 ; *variations de stocks en raffineries :* 0,002 ; *en distribution :* 0,4. **Consommation totale nette en France calculée :** 84,7 ; *consommation observée :* 82,1.

■ **Bilan financier.** **Facture pétrolière de la France** (en milliards de F) et, entre parenthèses, **facture énergétique totale** (solde des importations et des exportations). **1973** - 13,6 (- 16,6). **74** - 45. **75** - 36,9. **76** - 51,1. **77** - 52,4. **78** - 49 (- 62). **79** - 66,1. **80** - 108 (- 132,9). **81** - 128,7 (- 162). **82** - 140,1 (- 177,9). **83** - 131,7 (- 168,3). **84** - 145,4 (- 187). **85** - 137,3 (- 180,6). **86** - 57,7 (- 89,6). **87** - 62,7 (- 82,3). **88** - 49,8 (- 66,1). **89** - 66,1 (- 83,1). **90** - 72,5 (- 94). **91** - 71,5 (- 94). **92** - 61,3 (- 80) dont combustibles minéraux solides - 6,6, pétr. brut - 51,4, prod. raffinés - 16,8, gaz nat. - 17,4, électr. + 12,2.

■ **Coût moyen du pétrole brut importé** (valeur moyenne du brut en F par t et, entre parenthèses, parité $/F). **1973** 120 (4,465). **74** 377 (4,812). **75** 381 (4,289). **76** 452 (4,779). **77** 491 (4,914). **78** 464 (4,512). **79** 580 (4,255). **80** 1 016 (4,221). **81** 1 460,3 (5,432). **82** 1 693,1 (6,578). **83** 1 742,9 (7,622). **84** 1 892,8 (8,740). **85** 1 837,7 (8,99). **86** 773,1 (6,93). **87** 799,3 (6,012). **88** 640,9 (5,959). **89** 828,5 (6,38) - janv. : 725,1 (6,25). **90** 896,7 (5,45). **91** 812,6 (5,65). **92** 723,3 (5,29).

Commerce extérieur

■ **Par quantités** (en millions de tonnes). IMPORTATIONS. **Pétrole brut** [1] : total **1973** 135. **80** 113,6. **81** 95,1. **82** 80,8. **83** 72,5. **84** 73,6. **85** 73,9. **86** 69,5. **87** 66,4. **88** 72,4. **89** 70,6. **90** 73,3. **91** 75,1. **92** 73,8 [dont Proche-Orient 34,3 (Arabie Saoudite 20,2, Iran 7,5, Abou-Dhabi/Oman 1,6, Koweït 1,5), Afrique noire 11,9 (Nigeria 4,5, Gabon/Congo 3,7), mer du Nord 10,6 (Norvège 6,3, G.-B. 4), Afr. du Nord 7,1 (Libye 3,2, Algérie 2,2), ex-URSS 7, Mexique 1,6, Venezuela 0,5, autres 0,6]. **Produits raffinés : 1973** 7,3. **80** 18,4 [1]. **81** 18,6 [1]. **82** 22,51 [1]. **83** 22,6. **84** 19,8. **85** 22,4. **86** 27,1. **87** 31,2. **88** 28,4. **89** 28,8. **90** 27,6. **91** 30,1. **92** 32,6.

EXPORTATIONS (prod. raffinés). *Total :* **1973** 13,4. **80** 16. **81** 16. **82** 12,2. **83** 11,2. **84** 11,2. **85** 12,5. **86** 12,5. **87** 10,7. **88** 11,6. **89** 10,8. **90** 13,3. **91** 13. **92** 13,5 [vers Europe 9,8 (dont Italie 1,8, All. 1,5, Suisse 1,4, G.-B. 1,2, Espagne 1, P.-Bas 1, UEBL 0,5), Amérique 1,8, Afrique 1, Asie 0,9]. **Avitaillement** (navires et avions étrangers). **1973** 4,2. **80** 3,1. **85** 2,5. **88** 2,6. **89** 3,1. **90** 3,4. **91** 3,3. **92** 3,5.

Nota. – (1) Y compris produits intermédiaires à distiller. *Sources :* Dhyca (pétrole brut), Douanes (produits raffinés).

■ **Par montants** (milliards de F, 1990, prov.). **Imp. totales CAF :** 1 266,5 dont produits énergétiques CAF 120,2, (dont combustibles minéraux solides 7,3, gaz naturel 16,6, pétrole brut 61,3, produits pétroliers raffinés 31,9, électricité 2,3). **Exp. totales FAB :** 1 141,2 dont produits énergétiques FAB 26,1 (dont comb. min. solides 0,8, produits pétroliers raffinés 18,2, électricité 10,2).

Solde balance : total énergie CAF/FAB - 94,1 [dont pétrole brut - 61,3, gaz naturel - 16,5, prod. pétroliers raffinés (avitaill. inclus) - 9,7, comb. min. solides - 6,6. Imp. totales FAB 1 226,3, exp. totales FAB 1 176,2, solde général FAB/FAB - 50,1].

Consommation

■ **Totale du marché intérieur** (millions de t). **73** 112. **78** 105. **79** 106. **80** 98,5. **81** 87,2. **83** 79,7. **84** 76,6. **86** 76,97. **87** 77,5. **88** 77,7. **89** 80,8. **90** 79,7. **91** 84,5. **92** 84,2 dont gasoil 19,8, fuel-oil domestique 17,9, supercarburant 17,6, bases pétroch. 9,1, fuel-oil lourds 6,3, carburéacteurs 4,1, bitumes 3,1, gaz de pétrole liquéfiés 3, coke de pétrole 1,5, lubrifiants 0,9, gaz incondensables 0,2, white-spirit 0,1, paraffine 0,06, essences spéciales 0,03, essences aviation 0,03, pétrole lampant 0,03, cires 0,03.

■ **Principaux secteurs d'utilisation** (estim. en millions de t, 1992). Consommation totale 86,9 dont *industrie et divers* 22,3 ; *transports* 45,1 (routiers 37,2, maritimes 3,3, aériens et fluviaux 4,3, ferroviaires 0,44) ; *secteur domestique et tertiaire* 16,7 ; *agriculture* 2,8. *En % :* transports 52 ; domestique et tertiaire 19,1 ; industrie et divers 25,7 ; agriculture 3,2.

■ **Distribution des carburants routiers. Points de vente. Nombre total dont,** entre parenthèses, **sur autoroutes et,** en italique, **en grandes et moyennes surfaces) 1970 :** 45 900 (64) *470.* **75 :** 42 500 (140) *990.* **80 :** 40 400 (226) *1 290.* **85 :** 34 600 (276) *2 250.* **90 :** 25 700 (311) *3 750.* **91 :** 23 700 (322) *3 860.* **92 :** 21 700 (333) *3 905.*

Structure du réseau au 31-12-1992 : *nombre de stations :* 21 700, dont *réseau officiel* 4 750 [gérants libres 240, mandataires (ou salariés) 4 470]. *Organique* 8 740 dont propriétaires exploitants 4 200, commissionnaires 4 540. *Traditionnel libre* 4 750. *Grandes surfaces* 3 500.

Réseau des autorisés spéciaux (fin 1992) : 4 710 stations officielles et *8 740 organiques* dont : Total 1 180 *2 505,* Elf 820 *970,* Shell 655 *880,* Esso 545 *710,* BP 320 *385,* Mobil 435 *210,* Fina 225 *325,* Agip 150 *50.*

Débit moyen annuel (1992) : 1 824 m³ [En 87 : G.-B. (20 000 stations) 1 400, ex-All. féd. (19 200) 1 670].

Record des ventes sur autoroutes (1981) : *station* Total de Phalempin : 2 400 000 litres par mois (tous carburants confondus).

Points de vente de carburant sans plomb (*nombre et,* entre parenthèses, *ventes annuelles en m³*) : **1985 :** 80 (104 m³). **86 :** 90 (2 500). **87 :** 290 (17 000). **88 :** 1 200 (64 000). **90 :** 11 800 (3 405 000) (le SP 98 représentant 95 % des sans plomb et 24 % de l'ensemble des carburants vendus en France). **91 :** 14 600 (6 034 000). **92 :** 16 000 (7 875 000). **% du sans plomb dans les ventes : 1991 :** 25, **92 :** 35.

% des ventes de carburant auto (1992) : pétroliers 52, G[des] surfaces 43,1.

Nota. – La directive communautaire du 20-3-1985 impose, aux États membres, la mise à disposition des consommateurs d'au moins une qualité d'essence sans plomb, à partir du 1-10-89. Cette mesure devrait contribuer à supprimer, à terme, l'émission annuelle de 8 000 t de plomb dans l'atmosphère par les gaz d'échappement des véhicules. Le plomb dans l'essence interdit l'utilisation de certaines techniques de dépollution, comme le pot catalytique.

Prix

Depuis l'arrêté du 29-1-1985, les prix de vente de l'essence, du supercarburant et du gasoil sont librement déterminés, dans le cadre d'engagements

Prix de vente (début janvier) de produits raffinés

	1973	1980	1990
Supercarburant	121,00	327,00	504
dont droits et taxes	*84,63*	*194,57*	*385*
Super sans-plomb 85-95			491
dont droits et taxes			*354*
Super sans plomb 88-98			
dont droits et taxes			
Gasoil	77,50	222,00	360
dont droits et taxes	*47,94*	*109,60*	*214*
Fuel-oil domestique [1]	29,20	141,20	234
dont droits et taxes	*6,39*	*35,63*	*77,3*
Fuel-oil lourd n° 2 ord. [2]	115,48	795	1 007
dont droits et taxes	*0,25*	*0,80*	*132*

Nota. – (1) Prix à Paris en F/hl TTC pour livraison unitaire de 2 à 5 m³ ; prix plafond dep. 1985, prix moyens France entière. (2) Prix départ raffinerie ou point d'importation de cote nulle, en F/t, hors TVA. Dep. le 17-5-1976, les prix sont libres ; les prix indiqués dep. 1978 correspondent aux prix de barèmes déposés par la majorité des Stés pétrolières.

---

de lutte contre l'inflation souscrits par autorisés spéciaux et grossistes. La « formule » mise en application en mai 1982 pour la détermination des prix de reprise demeure en vigueur pour le fuel-oil domestique ainsi que les autres éléments de la structure (marges de distribution, rémunération des stocks de réserve et fiscalité). L'écart de prix entre super et gasoil encourage le développement excessif des moteurs diesel et oblige les compagnies à importer massivement du gasoil que les raffineries ne peuvent techniquement produire en quantité suffisante (le raffinage d'une tonne de brut donne une proportion presque invariable de produits raffinés). Peugeot (1er producteur de voitures diesel) est soutenu discrètement par les transporteurs routiers (principaux consommateurs).

■ **Supercarburant plombé** (prix de vente au 17-12-1992 en F/hl). 521 (au 2-4-91 : 527). *Prix hors taxes :* 117. *Taxes et redevances :* 404 dont taxe intérieure 320, taxe CPDC 0,10, fonds de soutien hydrocarb. 0,9, IFP 1,55. *Total hors TVA :* 322,99, *TVA :* 81,71.

■ **Taxation maximale et minimale depuis 1932** (en %). *Essence* 76,5 (1959), 51,2 (1932) ; *super* dep. 1964 77,8 (1993), 52 (1983) ; *gasoil* 68 (1966-67), 38,9 (1950) ; *fuel-oil domestique* 38,9 (1990), 3 (1951) ; lourd n° 2 22,2 (1985), 3 (1951). **Part des droits et taxes dans les prix de vente, début 1993 :** essence 75,7[1], super 77,8, gasoil 64,8, fuel domestique 36,7, fuel lourd n° 2 17,6.

Nota. – (1) 1989.

Production

■ **Gisements.** Année de découverte, profondeur au sommet du réservoir en mètres, et, en italique, production cumulée de **pétrole,** en milliers de t fin 1991.

Esso Rep. Parentis (1954) 1 985 m *28 003.* Lugos (1956) 1 490 m *1 590.* Cazaux (1959) 3 040 m *10 198.* Lavergne La Teste (1962) 3 190 m *1 659.* Chaunoy (1983) 2 150 m *5 852.* Champotran (1985) 2 385 m *214.*

Pétrorep. Coulommes (1958) 1 678 m *1 889.* Ile du Gord (1986) 1 985 m *167.*

Shell française. St-Martin-de-Bossenay (1959) 1 400 m *1 197* (fin 1989). Hautefeuille *0,033* (fin 1989).

SNEA (P). Lacq supérieur (1949) 493 m *3 957.* Scheibenhard (1956) 740 m *109.* Châteaurenard (1958) 395 m *691* [1]. Chuelles (1961) 426 m *990* [1]. Courtenay (1964) 440 m *362* [1]. Pécorade (1974) 2 270 m *1 733.* Castera Lou (1976) 2 611 m *426.* Soudron (1976) 1 972 m *353.* Vic Bilh (1979) 1 900 m *3 240.* Lagrave (1984) 1 590 m *1 735.* Fontaine-au-Bron (1986) 1 630 m *364.* Vert-le-Grand (1986) 1 800 m *816.* Vert-le-Petit (1987) 1 450 m *80.* Ivry-sur-Seine (1988 - fermé 92) *6,9.*

Totalex. Villeperdue (1958) 1 630 m. *4 255.* Montmirail Sancy-lès-Provins (1990) prod. 25 m³/j.

Triton. Blandy (1984) 2 165 m *74*[1]. St-Germain (1984) 2 145 m *384.* Sivry (1984) 2 167 m *59* [2].

Nota. – **Gisement de Burosse :** à une trentaine de km de Pau (6 à 10 millions de t) ; pourrait produire 600 000 à 1 million de t/an (1 % de la consommation). (1) 1989. (2) 1990.

■ **Production de pétrole brut** (milliers de t, non compris groupes à capitaux français à l'étranger).

1954	505,2	1967	2 832,4	1980	1 415,4
1955	878,4	1968	2 687,7	1981	1 675,9
1956	1 263,6	1969	2 498,6	1982	1 629
1957	1 410,5	1970	2 308,9	1983	1 655
1958	1 386,3	1971	1 861,1	1984	2 064
1959	1 617,3	1972	1 483,6	1985	2 642
1960	1 976,5	1973	1 254	1986	2 948
1961	2 163,4	1974	1 079,6	1987	3 235
1962	2 370,2	1975	1 027,6	1988	3 355
1963	2 522,1	1976	1 057,3	1989	3 244
1964	2 845,3	1977	1 037,1	1990	3 024
1965	2 987,8	1978	1 112	1991	2 952
1966	2 931,9	1979	1 196,1	1992	2 866 [1]

Nota. – (1) Dont *Aquitaine :* Essorep (Parentis, Cazaux, Lavergne, Lugos) 485, SNEA (Castera-lai, Lacq Supérieur, Lagrave, Pécorade, Vic-Bilh) 515 ; *Bassin parisien :* Essorep (Champotran, Chaunoy) 827, Petrorep (Coulommes, Ile du Gord) 86, Shell (St-Martin) 10, SNEA (Dommartin-Lettrée, Fontaine-au-Bron, Itteville, Néocomien, Soudron, Vert-le-Grand, Vert-le-Petit) 492, Totalex (Villeperdue) 404, Triton (St-Germain) 35 ; *autres régions :* 10.

■ **Réserves** (1-1-1993). *Hydrocarbures liquides* (millions de t) : pétrole brut 20,1 ; liq. de gaz nat. 2,6. *Gaz nat.* (milliards de m³) : brut 40,7 ; épuré 28,2.

■ Raffinage

■ **Données globales** (millions de t). **Brut traité :** *1973 :* 135. *78 :* 117. *79 :* 127,6. *80 :* 114 [1]. *85 :* 76,9 [1]. *87 :* 69,6. *88 :* 74,9. *89 :* 74,4. *90 :* 75,3. *91 :* 78,7. *92 :* 76,5. **Production nette** *(produits finis) 1973 :* 127,2. *78 :* 117,8. *85 :* 78. *88 :* 76,6, *89 :* 74,5. *90 :* 71,9. *91 :* 75,4. *92 :* 73,4.

■ **Capacité de traitement** *(dist. atmosph., fin d'année, non compris Carling 1992)* 85,4 [1] [dont *Nord :* Flandres [2] 6,2 ; *Basse-Seine :* Gonfreville [2] 10,3, Petit-Couronne [5] 7,9, Port-Jérôme [6] 6,8, Gravenchon [7] 3,1 ; *Atlantique :* Donges [4] 9,9 ; *Méditerranée :* Berre [5] 6,5, La Mède [2] 6,2, Lavera[3] 8,6, Fos-sur-Mer [6] 5 ; *Est :* Reichstett [8] 4 ; *Lyonnais :* Feyzin [4] 5,9 ; *région par. :* Grandpuits [4] 4,8].

Nota. – (1) Y compris condensats et produits intermédiaires à distiller (*1980 :* 4,3 Mt, *81 :* 7,3, *82 :* 7,1, *83 :* 6,2, *84 :* 5,4). (2) CRD Total France. (3) BP. (4) ELF. (5) Shell. (6) Esso. (7) Mobil. (8) CRR.

■ Recherche

Forages (milliers de m forés). *1979 :* 112. *80 :* 161,1. *81 :* 255,4. *82 :* 207,9. *83 :* 238. *84 :* 280,6. *85 :* 438,6. *86 :* 339. *87 :* 226,1. *88 :* 194,8. *89 :* 144,7. *90 :* 149,5. *91 :* 148,4. *92 :* 68,8.

■ Stockage

Stockages (millions de m³). **1981 :** 68,6 (dont pétrole brut 18,7), **85 :** 60,2 (15,1), **90 :** 51,7[1,4], **91 :** 50,7, **92 :** 50,9 *dont : raffinage* (pétrole brut, prod. intermédiaires et produits finis) [2] **1981 :** 54,2, **85 :** 46,6, **90 :** 36,5[1], **91 :** 35,6, **92 :** 35,8 ; *distribution* (prod. finis) [3] **1981 :** 14,4. **85 :** 13,6. **90 :** 15,1[1], **91 :** 15,1. **92 :** 15.

Nota. – (1) Non compris les stockages souterrains de *May-sur-Orne* (4 900 km³). (2) N.c. les capacités de stockage de pétrole brut de la Fenouillère au départ du pipe Sud-Européen (2 260 000 m³ début 1988). (3) Dépôts civils actifs d'une capacité égale ou supérieure à 400 m³ stockant des carburants et fuels, des produits spéciaux, lubrifiants et bitumes, à l'exclusion des gaz liquifiés. Les stockages du SSDH (La Ferté-Alais, Donges, Herbley, Châlons-sur-Marne, St-Baussant et St-Gervais) affectés à l'économie civile sont inclus depuis fin 1987. (4) Non compris les capacités de raffineries fermées non encore affectées.

Soutes maritimes. Total, entre parenthèses, françaises et, en italique, étrangères (millions de t). **1973 :** 5,5 (2,1) *3,4.* **83 :** 2,6 (1,2) *1,4.* **85 :** 2,5 (1,2) *1,3.* **90 :** 2,6 (0,9) *1,7.* **91 :** 2,7 (0,9) *1,7.* **92 :** 2,6 (0,8) *1,7.*

■ Transports

■ **Maritimes. Pétroliers et pétrominéraliers au long cours** (nombre de navires-citernes et, entre parenthèses, port en lourd global en millions de Tpl) : *1973 :* 88 (10,3). *80 :* 66 (15,4). *85 :* 24 (5,1). *90 :* 14 (3,2). *91 :* 14 (3,2). *92 :* 13 (3,2), **dont pétroliers de + de 200 000 t :** *1973 :* 24 (5,7). *80 :* 48 (13,2). *85 :* 24 (5,1). *90 :* 9 (2,5). *91 :* 9 (2,5). *92 :* 10 (2,7).

Tonnage transporté sous pavillon français (en millions de t/milles et, entre parenthèses, en % du total) : *1973 :* 506,1 (51,4). *80 :* 619 (83,8). *85 :* 150,7 (71,8). *90 :* 125,5 (35,1). *91 :* 147,5 (39,8). *92 :* 104,8 (30,5).

■ **Pipelines** (quantités transportées en millions de t). **Pétrole brut :** Lavera-Fos-Strasbourg-Karlsruhe (1 796 km) (toutes liaisons comprises) *1978 :* 36,9. *85 :* 26,7. *90 :* 22,7. *91 :* 24,6. *92 :* 25,2. Le Havre-Grandpuits (260 km) *1978 :* 8. *85 :* 5,3. *90 :* 4,4. *91 :* 4,8. *92 :* 5,9. Parentis-Bec d'Ambès (171 km) *1978 :* 0,7. *85 :* 1. *90 :* 0,82. *91 :* 0,48. *92 :* 0,48. Antifer-Le Havre (27 km) *1978 :* 33,7. *85 :* 6,4. *90 :* 14. *91 :* 15,2. *92 :* 15,2. Folking-Carling (16 km) *1978 :* 0,8. *85 :* 0,5.

Produits finis (en millions de t) : Le Havre-Paris (complexe Trapil 1 340 km) *1978 :* 20. *90 :* 16,5. *91 :* 18. *92 :* 17,9 ; Méditerranée-Rhône (598 km) *1978 :* 6,5. *90 :* 7,4. *91 :* 7,7. *92 :* 7,4.

Nouvelles sources d'énergie

Ressources potentielles dans le monde

☞ MWe mégawatt électrique, GWe gigawatt, TWe térawatt.

■ **Solaire direct. Monde :** *durée annuelle d'ensoleillement* 1 000 à 4 000 h/an. (France 1 750 à 3 000). *Énergie annuelle reçue* 700 000 TWh ; par m² de surface horizontale 1,1 à 1,9 kWh/m²/an.

■ **Géothermie.** *Puissance géothermique* de la Terre 2,2 10 W. *Flux géoth.* 0,05 à 0,1 W/m². *Gradient géoth.* 3,3 °C/100 m. Gisement français (basse énergie ts 100 °C) 6 Mtep/an.

■ **Énergie des mers. Marées Puissance** 3. 10 W. *Gisement mondial* 100 à 300 GWe. Puissance installée en France (Rance) 240 MWe.

■ **Vagues.** *Puissance par mètre de vague :* golfe de Gascogne 30 kW/m ; côtes britan. 50.

■ **Thermique.** *Gisement mondial :* 10 TWe.

Énergie éolienne

■ Généralités

■ **Force du vent.** Du grec « Éole » (dieu du Vent). *Puissance totale des courants atmosphériques :* 100 milliards de gigawatts (millions de kW). Le vent est plus faible en zone polaire Nord et en zone intertropicale, et plus fort aux latitudes de + 55°. Globalement, il est plus abondant l'hiver en Europe occidentale. Il varie peu entre le jour et la nuit : entre 30 et 70 m de hauteur ; au-dessus de 70 m, il est plus fort la nuit ; au-dessous de 30 m, plus fort le jour. Son énergie cinétique peut être transformée en énergie mécanique ou électrique dans des machines éoliennes et aérogénérateurs, et servir à moudre le grain, pomper l'eau, produire de l'électricité. Pour obtenir 1 kW, le diamètre de l'éolienne sera de 2,5 à 4 m selon les sites. *Vitesse nécessaire* pour rendre l'énergie éolienne performante : 7 m/s. Une turbine ind. de bon rendement brassant 1 000 m² de surface (diam. 40 m) produira env. 1 000 kWh/m² par an soit au total 1 million de kWh. Une éolienne de 4,5 m de diam. et de rendement médiocre, produisant 300 kWh/m² par an, fournirait 5 000 kWh (consomm. d'un foyer domestique 1 000 à 6 000 kWh par an).

Problème actuel de l'énergie

■ **Abondance d'énergie brute. Énergie solaire.** Le Soleil déverse sur Terre l'équivalent de 10 000 fois les besoins mondiaux d'aujourd'hui sous des formes diverses : mouvements de l'air et des eaux, métamorphoses chlorophylliennes de la lumière en matière végétale. **Chaleur du magma terrestre :** pourrait couvrir des milliers de fois les besoins présents de l'humanité.

■ **Pénurie d'énergie utile.** Nous devons construire des chaînes de convertisseurs pour que cette énergie parvienne à l'utilisateur final (sous la forme demandée, thermique, mécanique, électrique) là et au moment où il en a besoin.

Vent. L'éolienne doit capter des vents faibles pour éviter des arrêts trop prolongés et être robuste pour éviter des bourrasques. Sauf pour pomper de l'eau dans un puits, elle ne fournira jamais qu'une énergie d'appoint si on ne la couple pas à un accumulateur coûteux. Rapportés à l'énergie produite, le matériel et l'encombrement de l'espace apparaissent considérables si l'on veut disposer d'une production notable.

Rayonnement solaire. Le captage par des panneaux ou des miroirs exige de vastes espaces et des dispositifs de concentration et de stockage atteignant des coûts élevés.

Hydro-électricité : l'énergie du Soleil, captée par l'eau des océans qui s'évapore, est concentrée ensuite par le ruissellement des pluies au flanc des montagnes, formant des cours d'eau dont on peut exploiter la chute (il faut recourir à des barrages et des usines coûteux).

Utilisation mondiale des sources d'énergie nouvelles et renouvelables [milliards (10 ⁹) de kWh]

Sources	En 1990	En 2000 (prév.)
Animaux trait	30 (en Inde)	1 000
Biomasse	550-700	2 000-5 000
Bois	10 000-12 000	15 000-20 000
Charbon de bois	1 000	2 000-5 000
Éolienne	2	1 000-5 000
Géothermique	55	1 000-5 000
Hydraulique	1 500	3 000
Marémotrice	0,4	30-60
Sables asphalt.	130	1 000
Schistes bitum.	15	500
Solaire	2-3	2 000-5 000
Thermique mers	0	1 000
Tourbe	20	1 000
Vagues	0	10

Source : ONU.

■ **Aérogénérateur.** Composé d'une éolienne et d'une dynamo ou d'un alternateur. Couplé à des panneaux photovoltaïques raccordés à une même batterie d'accumulateurs, peut fournir de l'électricité à la mauvaise saison, au moment où les panneaux en fournissent moins. *Puissance* de quelques W à plusieurs centaines de kW. **Réalisations.** *États-Unis, Australie et N.-Zélande :* fermes isolées équipées de petites installations.

■ **Capteurs. Éoliennes à axe vertical :** *Machines à traînée* utilisent la viscosité de l'air ; volumineuses et chères. *Panémones* (du grec, tous les vents) tournant à tous les vents, ne demandant pas de dispositif d'orientation, rendement médiocre, transmettent le mouvement au sol.

Machines à axe horizontal : *Moulin hollandais* à 2 ou 4 pales se prêtant bien à la production d'électricité. *Moulin américain* multipales. *Pales :* en bois, alliages d'aluminium, résines ou plastiques armés ; soumises à l'érosion (sables, poussières, grêle, pluie), la corrosion (fumées, embruns), des efforts variables (poussée du vent, force centrifuge, moment gyroscopique) ; nombre : 2 le plus souvent, la puissance recueillie étant pratiquement la même pour les machines tripales ou bipales. On peut envisager, pour les très grandes machines, une pale unique équilibrée par un contrepoids.

■ **Stockage de l'énergie.** Avec des batteries d'accumulateurs au plomb jusqu'à 10 kW. Au-delà, prix prohibitif (200 F le kW). Solution possible dans l'avenir : pile à combustible (hydrogène produit par électrolyse de l'eau).

■ **Grandes éoliennes (diamètre). Étranger. Algérie :** *aérogénérateur* Andreau-Enfiels (1950-57), diamètre 24,4 m (100 kW), installé à Grand-Vent. **Allemagne :** *Studiengesellschaft Windkraft* (1959-61), 34 m (100 kW), Stötten (construit à Kaiser Wilhem-Krog, *Growian 1* 1982), 104 m, H. [1] 100 m, 2 pales (3 MW). *2* (1981) 24 m, 1 pale (0,35 MW). *Voigth* (1981), 52 m, H. 30 m, 2 pales, 0,265 MW. **Canada :** *éole* (commencée 1987), à axe vertical H. 108 m, la + grande du monde, sur la presqu'île de Gaspé à 700 km au N.-E. de Montréal, 4 MW (projet au Québec), 2 panneaux rotatifs composés de 17 plaques métalliques de 5,70 m de long, entre l'axe et le générateur se trouve un énorme frein à disque de 5 m de rayon qui permet d'arrêter l'éolienne quand la force du vent dépasse 62 m/s. **Danemark :** *Gedser Lykegaard Smidth* (1954-59), 24,4 m, H. 24 m (0,2 MW). *Tvind* (1975), H : 53 m (2 MW), 1 hélice (pales de 36 m). *Tvind* (1977), 54 m, H. [1] 63 m, 3 pales (2 MW). *Nibea & B* (1979), 40 m, H. [1] 45 m, 3 pales (0,63 MW). **G.-B. :** *John Brown C°* (1950-55) 15,6 m (0,1 MW), îles des Orcades. (1983), 20 m, H. [1] 24 m, 3 pales (0,20 MW). *Carmarthen Bay* (Galles) H. 43 m. **Irlande :** *AW 120 KFP 14* (Bellacorick 1982), 18 m, H. 30 m, 2 pales (0,12 MW). *VW 55* (Pollaphuca, 1982), 14 m, H. [1] 18 m, 3 pales (0,06 MW). *DAF Indal* (Milton Mowbray, 1982), 11 m, H. [1] 10 m, 2 pales (0,05 MW). **Italie :** *Wenco* (1980), 18 m, H. [1] 20 m, 2 pales (0,10 MW). *Enel* (Santa Catarina, Sardaigne, 1981), 13 m, 3 pales (0,07 MW). **P.-Bas :** prototype de turbine, hauteur 37,5 m, diamètre du rotor 25 m, 0,3 MW à Petten. **Suède :** *WTS-75* (Nassuden, 1982), 75 m,

H. [1] 80 m, 2 pales (2 MW). *WTS-3* (*Maglarp*, 1982), 78,2, H. 80 m, 220 t, 2 pales (3 MW). **Ukraine :** près de Yalta (1931). *Éol.* 30 m (32 kW pendant 2 ans). **USA :** *Mod 1* (Car. du N.), 60 m, H. 41 m, 2 MW par vent de 45 km/h. *Mod 2*, hélice : 90 m ; entraîne un alternateur de 2 500 kW. *Éol. bipale* 53 m (1,25 MW) installée 1941 dans le Vermont : ne fonctionne que 1 030 h et fournit 360 000 kWh. *Éol. de 70 m* avec 2 pales de 100 m (Palm Springs), 1re d'un groupe de 50 moulins devant produire en 1990 env. 360 MWh. Des éoliennes de 18 m (0,02 MW) ont également fonctionné. *Mod 5B*, 3 200 kW, île de Oahu (Hawaii).

Nota. – (1) Hauteur de l'axe de l'hélice.

France. *Nogent-le-Roi* (E.-et-L.), aérogénérateur expérimental de 0,8 MW, hélice de 30,2 m, a fonctionné de 1958 à 1962. *St-Rémy-des-Landes* (Manche) aér. commercial de 132 kW, 21,2 m ; 1 MW, 35 m, a fonctionné de 1963 à 1964. *Ouessant*, aér. comm., 100 kW, 18 m, construite en 1980, abattue par le vent mais renforcée le 24-5-1984 ; 41 m de haut, hélice orientable 6,5 t, démontée en 1992 (coût 1 million de F). *Lastours* (près Narbonne), aér. comm., 8 machines de 0,01 MW, 7 m, couplé sur le réseau (12-9-84). *Ouessant* (été 1985) : aér. comm. 0,1 MW, 18 m. *Corbières* (fin 1986) : aér. prototype de 0,75 MW, 40 m. Recoumpatot, Glénan... : quelques machines de 0,005 à 0,01. *Dunkerque* 0,3 MW produirait 480 MkW par an soit l'équivalent de 45 000 litres de fioul, *Port La Nouvelle* vestas de fabrication danoise 23 m, H. 45 m, hélice tripale 0,225 MW, produirait 550 000 kWh/an, coût 2,3 millions de F, prod. revendue à EDF.

Nota. – *Ile de la Désirade, Guadeloupe,* ferme éolienne couplée au réseau de distrib., 12 aérogénérateurs de 15 kW chacun.

■ **Petites éoliennes. Types par usages domestiques,** *sans chauffage :* 4 kW (9 m de diam., 140 000 F env.). Tension de 110 volts (en continu), 2 500 W ; alimente 30 lampes, appareils électroménagers, radio, TV, petits moteurs jusqu'à 1,4 ch, électrophones (*coût :* installation 23 000 F + 12 000 F pour convertisseur).

Le Service des phares et balises exploite 117 stations automatiques de puissance variant de 30 W à 10 kW, et 9 stations gardées de 0,4 à 9 kW représentant une puissance nominale installée de 55 kW, assurant une production annuelle de 200 000 kWh, et fonctionnant à l'électricité éolienne.

Prod. 1990 : 0,4 à 0,5 million de tep.

■ **Éoliennes de pompage. Petites** (pour abreuvoirs, irrigation ou besoins domestiques, de 6 à 15 pales) diam. de la roue 1,75 m ; hauteur totale 6 m env. ; pompage jusqu'à 12 m ; débit 500 à 600 l/h. **Grandes** (pour irrigation de grandes surfaces, alimentation en eau de terrains de camping, etc.), diam. 3,50 à 5 m ; démarrage par vents de 2 à 3 m/s ; pompage jusqu'à 150/170 m ; débit jusqu'à 25 000 l/h. *Coût :* 3 000 à 6 000 F (pour éolienne simple).

Projets. Moulins de 180 m de haut construits sur des îles artificielles. Éolienne avec ailes en fibre de verre de 60 m (un vent de 35 km/h suffira à la faire tourner à sa puissance maximale). Projet de 4 aérogénérateurs de 500 kW chacun à Port-la-Nouvelle (été 1993).

■ Énergie éolienne en France

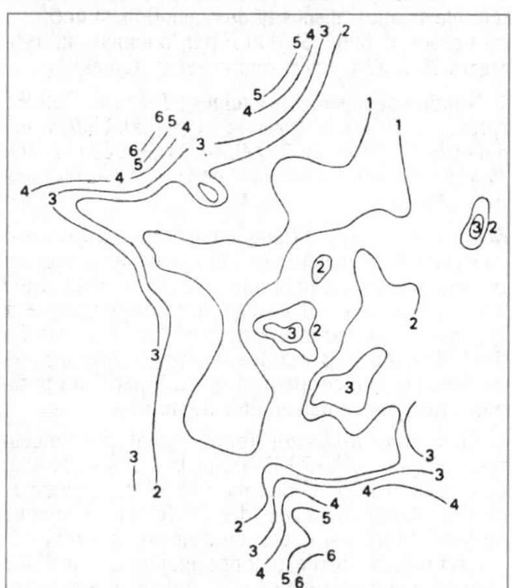

Énergie éolienne disponible par unité de surface (m²) et par an à 40 m au-dessus du sol. Les lignes continues sont des courbes d'égale énergie (unité 1 000 kWh/m²). L'énergie disponible est 3 à 4 fois plus faible en plaine que sur les côtes. Les montagnes sont inutilisables en raison de la turbulence de l'air. 2 000 éoliennes de 2 MW fourniraient 10 % de la puissance transportée aujourd'hui sur le réseau.

■ Statistiques

USA. (+ de 80 % de la production mondiale) dont 45 % en Californie capacité 1 500 MW (Altamont Pass 6 900 turbines éol. : Tenachapi Pass 4 500 aérogénérateurs ; San Gorginio Pass 3 900 aérogén. approvisionnant 300 000 foyers, représentant 1 % de l'électricité consommée en Calif. En 1992, projet de parc d'éoliennes de 50 MW, 100 turbines (État de Washington). **Danemark.** 3 000 turbines, 480 MW, 8 % de l'énergie consommée. Projet de centrale (11 turbines) en mer à 1 ou 2 km de l'île Lolland. 10 % de la prod. électrique d'origine éolienne en l'an 2000 (coût : 1 milliard de F). **G.-B.** capacité 8 MW. *Projets :* 50 installations représentant 80 MW (mais 17 d'incinération totalisant 350 MW). En l'an 2000, l'ensemble des énergies renouvelables ne représenterait que 1 000 MW (besoins estimés : 50 000 MW). Ferme éolienne (+ grande d'Europe) sur 5 km² : 250 turbines (de + de 50 m), 80 MW ; turbine flottante en mer (1,4 MW) ancrée à 300 m de prof. (blocs de 3 500 t permettant de résister à des vagues de + de 15 m de haut) pouvant alimenter 1 000 foyers. **Pays-Bas** 250 MW raccordés au réseau.

Nota. – **Europe : capacité de production** (en MW). *1992* (juil.) : 700, *93* (prév.) : 1 000, *2000* (prév.) : 4 000, *2030* (prév.) : 100 000 (10 % des besoins actuels de l'Europe).

Potentiel. Le long de l'Atlantique et de la Manche, dans le Roussillon et le bas cours du Rhône, de 1 500 à 3 000 kWh par m² d'hélice et par an, pour une production de 500 à 1 000 kWh/m².

Énergie géothermique

■ Généralités

■ **Nom.** Du grec Ge (terre) et thermie (chaleur).

■ **Conditions.** La température de la Terre augmente avec la profondeur d'environ 1 °C pour 30 m, variant suivant régions et structures géologiques. Cette variation s'appelle le gradient géothermique. A 2 000-3 000 m de profondeur, la température peut atteindre 50 à 350 °C (les nappes d'eau existant à cette profondeur atteignent aussi cette température). **Structures géologiques favorables :** bassins sédimentaires (couches continues), régions volcaniques (présence de magmas chauds à faible profondeur), régions plissées ou faillées (sources thermales, remontées d'eaux chaudes le long de plans de failles), régions de socle cristallin non fracturé (roches chaudes et sèches).

■ **Exploitation.** En général (cas du Bassin parisien), on doit réaliser un *doublet* (2 forages : puisage et réinjection de l'eau utilisée pour rééquilibrer la nappe). L'eau chaude cède dans un échangeur ses calories à l'eau du réseau (on ne la fait pas passer dans le réseau car, trop salée, elle entraînerait la corrosion des tuyaux). La zone refroidie s'étend peu à peu. On doit écarter les puits pour pouvoir exploiter le gisement à température constante pendant 30 ans, ensuite la décroissance de la température est très progressive (2 °C tous les 5 ans). Le meilleur rendement est obtenu avec une utilisation en *cascades :* chauffage de logements, serres, piscicultures et enfin arrosage (si l'eau est douce). Un doublet, qui pompe 200 m³/h d'eau à 75 °C, rejette après passage dans l'échangeur de l'eau à 35 °C et produit 8 000 thermies/h (env. 1 t équivalent pétrole), soit les besoins de base de 2 000 à 3 000 logements. *Coût d'un doublet :* env. 40 millions de F.

■ **Haute énergie.** Températures (vapeur ou eau liquide sous pression) de 150 à 320 °C. **Réserves :** 300 000 MW dans le monde. Se développe dans des zones où les phénomènes de convection entraînent le réchauffement des aquifères superficiels. Par forage, on extrait de la vapeur sèche ou humide qui, en actionnant des turbines, peut produire de l'électricité. Sur les bons gisements, le coût du kWh géothermique est inférieur au coût du kWh produit par des combustibles fossiles. La prospection est moins chère que la prospection pétrolière. Devrait fournir 300 000 000 MWh/an au début du XXIe s. **Puissance installée** *(1990) :* monde 5 986 MWe dont USA 2 770, Philippines 891, Mexique 700, Italie 545 [665 (1991) avec Valle Secolo (2 groupes de 60 MW), la + puissante du monde], N.-Zél. 283, Japon 215, Indonésie 142, Salvador 105, Nicaragua 70, Kenya 45, Islande 45, Chine 21, Turquie 21, ex-URSS 11, France (Antilles, 1990) 4 (potentielle 59), Portugal (Açores) 3, Chili 2, Guatemala 2.

■ **Moyenne énergie.** 90 à 150 °C. Nappes profondes dans des régions à gradient normal ou faiblement anormal. Pour produire de l'électricité, on doit transférer la chaleur à un fluide à bas point d'ébullition qui sert d'intermédiaire (ammoniaque, fréon, isobutane) avec un rendement très faible, mais peut être utilisé pour le chauffage. **Localisation :** *Ex-URSS. France :* Alsace 550 km², Limagne 250 km². Indonésie.

■ **Basse énergie.** 50 à 90 °C. **Réserves :** 32 millions de kW dans le monde. Zones à gradient normal avec conditions géologiques favorables (porosité, perméabilité, épaisseur). **Utilisations :** eau chaude sanitaire, chauffage des logements, serres agricoles...

Production annuelle de chaleur (énergie finale en millions de tep en 1990) : Japon 0,650, Islande 0,495, USA 0,400, ex-URSS 0,358 [1], Hongrie 0,250, *France 0,230,* Italie 0,190, Chine 0,167, N.-Zél. 0,129, Roumanie 0,085, Turquie 0,036 [1], Suède 0,028 [1]. Monde 12 000 MW.

Nota. – (1) en 1987.

Localisation en France (superficie en km²) : *Bassin parisien* (38 000 km²) : gisement correspondant à la formation du Dogger ; profondeur 1 600 à 2 000 m, temp. 50 à 85 °C ; eau saline ; pour 100 m³/h d'une eau que l'on refroidit de 50 °C, on obtient 5 milliards de calories par heure, env. 300 kW. *Bassin aquitain* (20 000 km²) : prof. 1 300 à 2 000 m, temp. 50 à 60 °C et plus, eau douce. Alsace 7 000, Limagne 1 000, Bresse-Jura 1 500, Rhône-Alpes 5 000, Languedoc-Roussillon 5 000.

■ **Très basse énergie.** 10° à 50 °C. 20 à 1 000 m de profondeur. Coûts de forages réduits. Réinjection non obligatoire. Température insuffisante pour une utilisation directe en chauffage, nécessite des pompes à chaleur pour augmenter le niveau de température de l'énergie prélevée dans l'eau. Utilisation en serres, pisciculture, chauffage et bâtiments (habitation ou tertiaire). **Localisation en France :** tous les bassins sédimentaires. Nombreuses pompes à chaleur sur nappes peu profondes, 40 000 tep installées (1re : pompe à chaleur de la Maison de la Radio à Paris, qui assure les besoins de chauffage et de climatisation depuis 1961).

■ **Roches chaudes sèches.** *Principe :* fracturer les roches profondes et chaudes (200 °C à 3 000 m) pour créer un échangeur souterrain, en injectant sous pression de l'eau froide. On espère récupérer de la vapeur pour produire de l'électricité. **Localisation :** la chaleur stockée sous les 135 000 000 km² de terres émergées dans une couche de granite de 1 000 m d'épaisseur (entre 4 500 et 5 000 m de profondeur) représenterait l'équivalent de 1 million de milliards de t de pétrole (1×10^{15}). **France :** flux dépassant 10 MW (moy. européenne 64 MW) sur 50% du territoire (triangle sud de la Bretagne - Alsace - côte languedocienne) ; en Auvergne : 128 MW. *Programme Géothermie profonde généralisée :* études réalisées à Mayet-de-Montagne (Allier) et dans le Cézallier. *Programme européen de recherche* à Soultz-sous-Forêts (Alsace) : 1er forage à 2 000 m réalisé en 1987 (141 °C) ; 2e à 2 225 m en 1991 ; 3e forage à 3 600 m en 1992 (180 °C) ; 1995 1re expérimentation. **USA :** *prototype à Los Alamos* (Nouv.-Mex.) : test longue durée en 1992 d'un échangeur souterrain à 3 600 m, 180 °C en sortie, 4 MW thermiques, problèmes de pompe. **G.-B. :** expérimentation arrêtée en Cornouailles. **Ex-All. féd. :** approfondissement de forage à 4 400 m à Bad Urach en 1992, problèmes techniques. **Suède, Japon, ex-URSS.**

■ **Énergie des volcans.** Pas de technologie adaptée.

■ **Bilan en France.** Dans les zones favorables, la géothermie peut couvrir jusqu'à 90 % des besoins de chauffage nécessaires aux logements, le reste étant fourni par une énergie d'appoint. L'exploitation se fait sous couvert d'un permis (de type minier) qui donne l'exclusivité pour quelques km².

Sources thermales (50 °C et +) répertoriées en kW : Pyrénées 12 (60 prod. possible), Massif central 9 (50), Vosges 5 (20), Alpes 2 (5), Corse 2 (5).

Opérations en fonctionnement (au 1-1-1992). 66 « basse énergie » (la plupart réalisées entre 1982 et 86) dont Bassin parisien 46, Aquitain 16, autres 4. 90 % desservent logements et équipements publics. Nouvelles applications en cours pour horticulture et pisciculture. *Énergies substituées par type de géothermie* (en milliers de tep) : basse enthalpie (chauffage) 180, horticulture, pisciculture 8, très basse enthalpie (pompes à chaleur eau-eau) 40, hautes enthalpie (Guadeloupe) 12. *Problèmes techniques :* de la région parisienne (corrosion et dépôt le long des tubages métalliques). Systèmes d'injection d'inhibiteurs chimiques ont résolu les problèmes.

Énergie des mers

■ Énergie marémotrice

■ **Conditions.** Pour qu'une usine marémotrice soit envisageable, il faut de fortes marées, des emplacements favorables pour sa construction et un

Pays et sites	A	S	L	P	E
Angleterre : Severn	13,8	410	13	2 000	12 300
Argentine : Golfe de San José	14	700	7	9 600	21 600
Rio Gallegos	7	180	3,1	620	1 400
Australie : Baie de Collier	6,2	550	6,5	1 500	3 300
Canada : Passamaquody (Fundy)	15	300	4,3	4 750	10 700
Cobequid (Fundy)	12,4	353	9,5	3 800	12 600
Shepody (Fundy)	10,1	217	7	1 550	4 530
Cumberland (Fundy)	10,5	140	4,5	1 085	3 420
Corée du Sud : Baie de Carolin	5,1	85	3,5	400	800
Baie de A'san	6,5	170	5	500	1 120
Inde : Golfe de Cambay	6,8	1 200	25	3 900	8 800
Baie de Kutch	5	170	6,4	600	1 600
Ex-URSS : Golfe de Mezen	6	270	4	680	1 500
Tugur	10	1 100	16	7 700	17 000
USA : Cobscook (Fundy)	14	100	6,5	1 400	3 100
Alaska : Turnagain	7	1 400	16	4 800	10 800

Nota. – A : amplitude max. des marées en m. *S :* surface des bassins en km². *L :* longueur des digues en km. *P :* puissance installée en MW. *E :* énergie produite par an en GWh.

réseau électrique dans l'arrière-pays assez puissant pour s'adapter aux fluctuations de l'énergie des marées.

■ **Puissance des marées mondiales.** Env. 3 milliards de kW dont 1/3 perdu le long des côtes. Si l'on savait en utiliser 20 %, on obtiendrait 400 milliards de kWh.

■ **France (réalisations et projets). Usine de la Rance** (Bretagne) : *conçue* en 1943, achevée le 26-11-66. *Coût* 420 millions de F. Distance entre les rives 750 m, bassin 22 km², amplitude moy. 8,17 m, max. des marées 13,50 m. Usine de 24 groupes (chacun de 10 000 kW), une digue morte de 163 m sur 27 m de haut et un barrage mobile à vannes, permettant d'accélérer le remplissage ou le vidage de l'estuaire. *Volume d'eau turbinable :* 180 millions de m³. *Puissance totale :* 240 MW. *Énergie moyenne nette :* 544 GWh/an, obtenue en « turbinant » dans le sens bassin-mer (474,5 GWh), et mer-bassin (134). *Bilan énergétique :* product. par turbinage de 650 GWh et consommation par pompage de 100 GWh environ. Fonctionne 4 000 h/an en production et 1 200 h/an en pompe. **Projets Cacquot** *(baie du Mt St-Michel) :* amplitude 15 m, digue de 55 km par 30 à 40 m de fond pour isoler 2 bassins de 1 100 km², débit des vannes 500 000 m³/s, usine marémotrice de 30 à 40 TWh par an s'appuyant sur les îles Chausey. *Travaux* sur 10 ans. **Cotentin Ouest :** 2 bassins en atoll (sans contact avec la côte) utilisant un cycle « Belidor », situés au N des îles Chausey. Digues : 69 km. Bassins : 2 × 100 km². Puissance installée : 1 440 MW (36 groupes de 40 MW). Énergie annuelle : 5 300 GWh. **Aber Wrac'h :** digue 200 m, bassin 1,1 km², puissance installée 4,2 MW, énergie annuelle 10 GWh. **G.-B. :** 2 projets : estuaire de la Mersey, Severn.

■ Différence de niveaux marins

■ **Conditions.** Certaines mers ayant leur niveau plus bas que le niveau moyen des océans, on pourrait créer une force hydro-électrique inépuisable en dirigeant vers leur bassin les eaux océaniques.

■ **Sites favorables. Égypte** (dépression d'El-Qattara). **Israël** [un canal souterrain de 100 km de long et 5,5 m de diamètre reliant la Méditerranée à la mer Morte (dénivellation de 400 m) alimenterait une station de 600 MW, coût 1 milliard de $].

■ Énergie thermique des mers

■ **Conditions.** 45 % de l'énergie rayonnée par le Soleil sur Terre tombe dans les mers tropicales. La différence de température (22-24 °C) entre les eaux de surface et les eaux de profondeur (– 6 °C à 1 000 m) pourrait mettre en mouvement un moteur thermique du type machine à vapeur ou moteur à explosion. Le moteur doit fournir une énergie supérieure à celle dépensée pour remonter l'eau froide.

■ **Systèmes de conversion.** 1°) **Cycle ouvert :** l'eau tiède est évaporée sous faible pression (3/100ᵉ d'atmosphère). La vapeur passe dans une enceinte à pression très faible et entraîne une turbine. *Avantage :* la vapeur donne de l'eau douce. *Inconvénient :* une partie de l'énergie assure le pompage dans les enceintes, il faut de très grandes turbines. 2°) **Cycle fermé :** nécessite un fluide intermédiaire (ammoniaque). L'eau tiède s'évapore dans le serpentin d'un échangeur. La vapeur produite actionne une turbine. Le fluide se recondense dans un serpentin plongé dans de l'eau froide et repart à l'entrée. *Inconvénient :* il faut de très volumineux échangeurs.

■ **Réalisations. Françaises :** Georges Claude (1870-1960) fit un essai à l'aide de tuyaux et de 8 turbines basse-pression, sur le cargo *Tunisie,* pour fournir 2 MW pour fabriquer de la glace. 1940-1956 Abidjan, trou sans fond (centrale à terre devant produire 40 MW pour alimenter la ville). En 1978 l'Ifremer, ex-Cnexo, a commandé des études à la CGE et à Creusot-Loire pour un générateur de 3 000 kW en Polynésie, envisageant, si elles s'étaient révélées positives, de commander une centrale de 100 000 kW à Tahiti (100 millions de F env.). **Américaines :** *Tahiti* (études d'Ifremer dep. 1982 pour une centrale de 5 MW). La National Science Foundation finance l'étude de centrales thermiques flottantes sur les côtes méridionales de l'Amérique. *Hawaii* (50 kW, a fonctionné 3 mois en 1979). Expérience Otec I (sur un pétrolier au large de Hawaii, 1 MW, a marché 4 mois en 1979-80). Nansu (100 kW, marche dep. oct. 1981).

■ Énergie des vagues

■ **Conditions. Systèmes.** 1°) *S. transformant l'énergie des vagues* en variations de pression ou d'équilibre hydrostatique. 2°) *S. convertissant le mouvement ondulatoire des vagues* en mouvement de rotation ou de bascule d'éléments mécaniques. **Puissance :** fonction de la hauteur et de la période de la vague (env. 50 à 80 kW par mètre linéaire de front de vague). **Coût :** env. 20 fois trop cher compte tenu du débit potentiel.

■ **Réalisations.** 1°) **Batteurs ou canards de Stephen Salter :** axe parallèle au front de la vague sur lequel on fixe une série de batteurs (arrondis vers l'arrière, effilés en bec de canard vers l'avant). Le bec est soulevé par la vague puis retombe. Un système interne de pompes utilise le mouvement pour comprimer un fluide qui actionne une turbine. Dep. 1977, une maquette au 1/10 est essayée sur le Loch Ness (amplitude des vagues 10 fois inférieure à celles de l'Atlantique) ; un axe de 50 cm de long porte 20 canards. Une station d'un km fournirait 45 MW. *Inconvénients :* installation flottante demandant un axe très résistant, reconversion difficile de l'énergie. *Avantage :* bonne récupération de l'énergie. 2°) **Radeaux articulés de Sir Christopher Cockerell** (inventeur de l'hovercraft) : radeaux de 120 m de long faits de 2 panneaux articulés et d'une partie centrale contenant les unités productrices. La vague soulève et abaisse les parties mobiles, le mouvement est récupéré dans l'articulation par des pompes pour produire de l'énergie. Maquette au 1/10 expérimentée dans le Solent (entre Wight et la G.-B.), radeaux de 100 m de long et 50 m de large devant produire 1 à 2 MW. Des radeaux sur 25 à 30 km fourniraient 500 MW, soit la moitié d'une centrale nucléaire. 3°) **Rectificateur de l'équipe de Robert Russel :** caisse ouverte sur le large et divisée en 2 compartiments superposés. La vague remplit le haut du réservoir, puis tombe dans la partie inférieure en actionnant une turbine. L'ensemble est construit au fond de la mer. 4°) **Colonne d'eau oscillante :** caisson à clapet où la montée de l'eau poussée par la vague joue comme un piston et comprime une bulle d'air qui fait tourner un turbogénérateur. Principe des bouées lumineuses japonaises. Une réalisation à Norway (Norvège) dep. nov. 1985, et 13 projets (dont Portugal 1 à 1,5 MW, Indonésie 1 à 1,5 MW, USA 2 MW). *Monaco :* la houle fait fonctionner la pompe qui alimente l'aquarium du musée océanographique.

■ Énergie solaire

■ Énergie reçue

■ **Monde.** La Terre intercepte un deux-milliardième env. de l'énergie envoyée par le Soleil, soit l'équivalent thermique de 50 000 000 de tranches nucléaires de 1 000 MW, soit 10 000 fois les besoins mondiaux.

Par temps clair, la Terre reçoit une puissance solaire de 1 kW par m² de surface normale au rayonnement et par jour ; selon la latitude, 1 m² de surface horizontale reçoit par an une énergie thermique de 1 100 à 1 900 kWh par m² (Sahara 2 300). L'énergie solaire est diffuse, intermittente, propre, disponible.

■ **France. Ensoleillement** (sur 8 760 h). *Régions les plus favorisées :* Côte d'Azur 2 882 h, Provence 2 856, Languedoc-Roussillon 2 742, Alpes du Sud 2 160, vallée du Rhône 2 072, Vendée 2 038. *Les plus défavorisées :* Nord 1 514 h, Alsace 1 750. L'énergie solaire est compétitive pour les logements collectifs et les pavillons neufs. D'ici à l'an 2000, elle pourrait assurer 5 % des besoins énergétiques, soit 14 à 16 millions de tep, dont : *eau chaude sanitaire* 1,5 (5 000 000 de logements) ; *chauffage des bâtiments* 2 (1 500 000 log. ou équivalents pour le tertiaire) ; *chauffage industriel* 0,5 ; *électricité solaire* 0,25 ; *valorisation des déchets agricoles* 3 à 4 ; *valorisation énergétique du bois* 7 à 8.

■ Conversion thermodynamique

Principe

Une surface exposée au soleil capte une partie du rayonnement, se réchauffe, et réfléchit une autre partie. Ex. : une surface noire idéale absorbe tout le rayonnement (ce qui explique qu'on la voit noire), une blanche réfléchit tout le spectre visible.

Système à basses températures (– de 150 °C)

■ **Systèmes passifs (architecture bioclimatique).** Limite les déperditions (isolation, doubles fenêtres, espaces tampons au N., murs de végétation pour couper le vent, volets pour isoler du froid...) ; récupération des apports solaires par des baies vitrées et des serres orientées au S. ; accumulation de la chaleur en donnant une masse thermique importante à l'habitation (murs épais, masses d'eau chauffées pendant la journée) ; protection des surchauffes (pare-soleil, climatisation, ventilation de nuit, inertie). Peut être associé au système actif. La façade sud d'une maison peinte en noir (mur Trombe) est recouverte d'un vitrage isolant (verre double ou triple ou simple). Le mur de béton sert à la fois de surface absorbante et de stockage. L'air réchauffé circule entre les 2 parois et les pièces de la maison grâce à des orifices ménagés en haut et en bas du mur de béton. L'air froid de la face nord permet un système de climatisation (dans le cas de la ventilation de nuit, des ouvertures en façade nord).

■ **Systèmes actifs.** Par capteurs plans inclinés à 45° constitués d'une paroi métallique absorbante (sombre), isolée d'un côté et recouverte d'un vitrage à quelques cm de l'autre ; collecteurs de rayonnements. Certains reçoivent les rayonnements directs et diffus et n'utilisent pas la concentration optique ; d'autres sont à concentration (rayonnements directs, qui restreignent les utilisations quand le rayonnement diffus est en grande proportion). **Capteurs à air :** l'énergie qu'il récupère est transmise directement à l'air, **à eau :** l'énergie est transmise à un circuit fermé d'eau en contact thermique avec la paroi.

■ **Chauffe-eau solaire.** COMPOSANTS **: capteurs à eau** (2 à 4 m² par logement selon besoins et région) ; meilleure orientation : plein sud à 10 ou 20° près ; inclinaison : 30 à 60° par rapport à l'horizontale. **Ballon de stockage** bien calorifugé, de 150 à 200 l selon besoins. **Système d'appoint** (électrique, gaz, fuel, charbon, etc.) pour les périodes de non-ensoleillement. **Régulation.** FONCTIONNEMENT : l'eau se réchauffe dans les capteurs, arrive ensuite dans le ballon par pompe ou circulation naturelle. L'eau la plus froide du ballon repart se réchauffer dans le capteur, et ainsi de suite. ÉCONOMIE D'ÉNERGIE : 50 à 70 % de l'énergie consommée par un chauffe-eau classique, selon régions et installations. **Prix :** pour maison individuelle, avec ballon de 200 l : 10 000 F.

■ **Chauffage solaire.** COMPOSANTS **: capteurs à eau** (inclinés généralement à 70° sur l'horizontale, placés en toiture, terrasse ou façade) ; **réservoir de stockage** de quelques m³ (reçoit l'eau chauffée par les capteurs) ; **système de distribution** de la chaleur à partir du réservoir, par un circuit d'eau (radiateurs et panneaux chauffants) ou d'air (soufflé dans les pièces par des ventilateurs) ; **chauffage d'appoint**, branché sur le chauffage solaire ou indépendant (ex. : radiateur électrique) ; **dispositif de régulation.** SURCOÛTS : en France 30 000 à 50 000 F par logement. ÉCONOMIES : 30 à 60 % selon régions et systèmes.

Nombre de logements équipés : *1981 :* 60 000. *85* (prév.) : 600 000. *90* (prév.) : 2 000 000. **Unités vendues :** *1978 :* 3 100. *79 :* 7 600. *80 :* 11 500. *81 :* 12 500. *Production cumulée qui était prévue en 1985* (objectif) : 600 000.

■ **Moteurs solaires. Pompage de l'eau :** *capteurs à eau* cèdent la chaleur au butane ou au fréon en provoquant sa vaporisation. La pression obtenue actionne un convertisseur thermodynamique à expansion (moteur à turbine, à piston ou à vis). Le fluide détendu dans le convertisseur est ensuite liquéfié dans un condensateur et refroidi par l'eau pompée. Quelques unités en état de marche.

Réalisation israélienne (fonctionnant sans concentration optique, 0,15 MW). Sur la mer Morte (eau de surface 20 à 25 °C, du fond 80 à 90 °C). Principe : de l'eau fortement salée (densité forte) est retenue au fond d'un bassin peint en noir ou au fond de la mer, et recouverte d'eau douce qui joue le rôle d'une couverture qui laisse passer la chaleur. Les couches les plus profondes atteignent rapidement un point proche de l'ébullition et sont dirigées vers des échangeurs de chaleur qui alimentent les turbines.

Production de froid (climatisation ou conservation des aliments) par machine à absorption et capteurs performants.

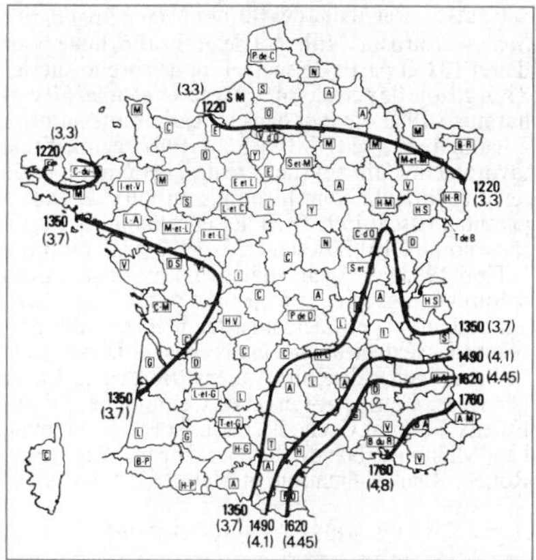

Valeur moyenne journalière, en joules par cm², du rayonnement solaire reçu sur un plan d'inclinaison égal à la latitude et orienté vers le sud. Ordres de grandeur résultant de valeurs calculées (entre parenthèses valeurs en kWh/m²).

■ **Fours solaires. France : Meudon** (Hts-de-Seine) 1res expériences de 1946 à 1949. **Mont-Louis** (P.-O.) de 1949 à 1968. Réhabilité 1982. Puissance 45 kW. **Odeillo-Font-Romeu** (P.-O.) achevé 1968, partie d'un ensemble créé par le CNRS pour développer les recherches sur l'énergie solaire, réalisé par Félix Trombe (1906-85) et ses collaborateurs. Permet les traitements de matériaux réfractaires à hautes températures et les caractérisations de matériaux sous haut flux thermique. *Puissance* 1 000 kW thermiques, température maximale au centre = 3 800 °C. Essentiellement composé d'1 grand miroir parabolique de 2 000 m² (9 130 glaces de 45 cm de côté) auquel font face 63 miroirs orienteurs de 45 m² chacun, disposés en quinconces sur une série de 8 terrasses. Le rayonnement solaire est d'abord reçu par les miroirs orienteurs mobiles (orientés en permanence en fonction de la position du Soleil) qui le renvoient sur le grand miroir parabolique fixe, lequel le concentre sur la zone focale d'utilisation. C'est l'appareil de ce type le plus puissant du monde.

Étranger : White Sands (USA, US Army) 35 kW. **Sendai** (Japon, Univ. Tohoku) 40 kW. **Bouzareah** (Algérie, à l'origine Univ. Aix, Alger) 40 kW. **Rehovot** (Israël) 35 kW, 3 MW. **Tachkent** (Ouzbékistan) (en service 1987, formule d'Odeillo) 1 000 kW. Systèmes à tour centrale, utilisés pour la recherche : **Albuquerque** (USA, Sandia) 5 MW.

Systèmes a moyenne température (100 à 300 °C)

■ **Principe.** En concentrant le rayonnement solaire 10 à 50 fois, sur une ligne (capteurs à miroirs segmentés ou cylindres paraboliques) ou sur un point (paraboloïdes de révolution ou Thek donnant une meilleure concentration, mais nécessitant une mécanique d'orientation plus complexe), on obtient de hautes températures, alimentant la source chaude d'un cycle thermodynamique.

Capteurs Thek et Coss (CNRS et CEA). Capteurs à concentration qui permettent, à partir de miroirs paraboliques suivant la course du Soleil, en concentrant le rayonnement du Soleil, d'obtenir des températures de 150 °C et 300 °C. Cette puissance récupérée est suffisante pour produire de l'électricité. Les Thek s'utilisent seuls ou en plusieurs unités couplées. *Applications : centrales électriques :* 100 à 1 000 kWh, adaptées à des communautés isolées dans des régions très ensoleillées.

■ **Réalisation de centrales. France : Vignola** (Corse-du-S., 1982) ; puissance 100 kW, max. 500 kW ; coût : env. 15 millions de F. **St-Chamas** (B.-du-R.) expérimentale. **Thémis** (Thermo-hélio-électrique-mégawatt projet bis). Construite à 1 700 m d'alt. à Targasonne (Pyr.-Or.). Décidée 1979. Raccordée au réseau du 17-5-1983 à fin juin 1986. Fermée fin 1992. *Coût :* env. 308 millions de F financés par EDF 60 %, Commissariat à l'énergie solaire (Comes) puis Agence française pour la maîtrise de l'énergie (AFME) 23 %, région Languedoc-Roussillon et département 7 % ; issue du programme de recherche Them (thermo-hélio-électrique-mégawatt) lancé en 1975-76 par CNRS et EDF. Le projet Them-1 (centrale à tour de 3,5 MW) avait été ramené à 2 MW. Les rayons du Soleil, réfléchis par 201 miroirs orientables (héliostats argentés, à faible rayon de courbure) de 53,7 m², soit 10 793 m² répartis sur 5 ha (il faut en moy. 3 ha/MW), sont concentrés sur une chaudière (chambre tapissée de tubes) placée au sommet d'une tour de 101 m de haut. Ils y pénètrent par une ouverture d'env. 4 × 4 m et chauffent le fluide caloporteur composé de sels fondus (nitrate de potassium 53 %, nitrite de sodium 40 %, nitrate de sodium 7 %), qui entre dans la chaudière à 250 °C et en ressort à 450 °C en régime normal. Les sels donnent leurs calories à un générateur de vapeur d'eau (la vapeur en sort à 50 atmosphères et 430 °C, elle entraîne un turbo-alternateur). Durée du stockage : 5 h. *Prix de revient du kWh :* 10 F (contre 0,23 F pour le kWh nucléaire).

Espagne : SSPS (Tabernas, près d'Alméria, 1981) *puissance :* 0,5 MW. 93 héliostats de 39,3 m² chacun soit 3 655 m². *Tour :* 43 m. *Fluide caloporteur :* sodium. *Stockage :* 2 h. **Cesa 1** (Tabernas, 1983-84). *Puissance :* 1 MW. 273 héliostats de 36 m² chacun soit 9 828 m². *Tour :* 80 m. *Fluide caloporteur :* eau et vapeur surchauffée. *Stockage :* 3 h. **Italie : Eurelios** (Sicile, Adrano, 1981) construite par la CEE dont France 17 %, All. féd., Italie. *Coût :* 70 millions de F. *Puissance :* 1 MW. 112 petits héliostats de 23 m² et 70 grands de 52 m² soit 6 216 m². *Tour :* 55 m. *Générateur de vapeur* à 512 °C sous 64 bars eff. *Stockage :* 1/2 h d'ensoleillement. **Japon : Nio** (1981) *puissance :* 1 MW. 807 héliostats de 16 m² chacun soit 12 912 m². *Tour :* 69 m. *Fluide caloporteur :* eau et vapeur saturée. *Stockage :* 3 h. **Russie : Crimée** (1982) *puissance :* 5 MW. 1 600 héliostats de 25 m² chacun soit 40 000 m². *Tour :* 80 m. *Fluide caloporteur :* eau et vapeur saturée. *Stockage :* 3 h. **USA : Solar One** (Barstow, Californie) *puissance :* 10 MW. 52 ha. 1 818 héliostats de 39,3 m² chacun soit 71 447 m². *Tour :* 80 m. *Fluide caloporteur :* eau et vapeur surchauffée. *Stockage :* 3 h. **Luz** (Calif.) *puissance :* 275 MW, 8 centrales sur 450 ha (dont Power farm sur 150 ha, 600 000 miroirs), miroirs cylindro-paraboliques concentrant l'énergie sur des tubes d'acier noirs enfermés sous vide dans une enveloppe de verre et chauffés par un fluide synthétique, gaz utilisé en complément. **Solar Two** *1996 :* produira 10 MW (*1982 à 88 :* fonctionne avec succès). Reprend les mêmes installations que Solar One : 1 928 héliostats, concaves sur pilotis, à la position par rapport au soleil contrôlée par ordinateur ; disposés en ellipse sur 29 ha du désert du Mojave. *Tour* réceptrice centrale : 91 m de haut. *Fluide caloporteur :* sel de nitrate (fondu, il sera aspiré au sommet de la tour, chauffé jusqu'à une température de 1 050° Fahrenheit et emmagasiné, à cette température, dans un réservoir isolé). *Stockage :* env. 4 h. *Coût :* 220 millions de F.

■ Conversion photovoltaïque

■ **Principe.** Transformation directe de la lumière en énergie électrique (courant continu ; effet voltaïque découvert 1839 par Edmond Becquerel) au moyen de cellules généralement à base de silicium. La cellule (ou photopile), plate, aussi grande que possible, comprend, en épaisseur, 2 zones de caractéristiques électriques différentes. Celles-ci contiennent des atomes « dopants » dont la configuration atomique est très proche du matériau de départ. Ex. le phosphore avec un électron périphérique en plus et le bore avec un électron en moins sont les dopants du silicium. Ces 2 zones présentent entre elles une différence de potentiel de 0,6 volt environ. Quand la lumière éclaire la photopile, les grains d'énergie (photons) entrent en collision avec les atomes du matériau et engendrent un mouvement des charges électriques séparées par la différence de potentiel. Les charges sont collectées par des contacts et produisent dans un circuit extérieur un courant électrique d'environ 30 mA/cm².

■ **Techniques de fabrication. 1°) Silicium cristallin :** matériau le plus couramment utilisé, ultra-pur. *Mise en forme* en lingots et découpé en plaquettes (silicium cristallin) ou déposé en couche mince, à basse température, sur un substrat de verre, d'acier inoxydable ou un film polymère souple (silicium amorphe). La mise en forme des lingots cylindriques monocristallins (10 à 20 cm de diamètre) se fait par tirage à partir d'un germe (méthode Czochralski), et leur tronçonnage donne des plaquettes identiques à celles utilisées dans l'industrie des composants électroniques. Cette technique tend à être remplacée par un moulage de lingots parallélépipédiques à solidification rapide contrôlée. Les blocs de silicium multicristallin obtenus sont sciés en plaquettes fines avec une scie à fil. L'épaisseur des plaquettes de 10 cm × 10 cm est de 0,18 mm au lieu des 0,40 mm obtenus avec les scies circulaires à découpe interne. **2°) Fabrication des couches minces par décomposition de gaz silane (SiH_4) dans une chambre à vide :** technique plus récente permettant de déposer sur un substrat de verre (maximum 1 m²) un semi-conducteur en alliage de silicium amorphe (non cristallin) et d'hydrogène ; épaisseur de moins de 1 micromètre. Dans le procédé de fabrication des photopiles, les plaquettes ou les couches minces sont d'abord dopées puis les faces sont munies de contacts conducteurs assurant la collecte des charges électriques. Enfin, les cellules solaires individuelles sont connectées en série pour obtenir une tension convenable pour l'utilisation (5 à 20 volts) et encapsulées dans un module étanche à l'humidité, leur principal ennemi.

■ **Caractéristiques. Rendements de conversion :** photopiles à base de silicium cristallin : + de 24 %. Cellules solaires produites à l'échelle industrielle : 12 à 17 %. Photopiles au silicium amorphe : rendement inférieur mais coût plus bas utilisées pour des faibles puissances (10 mW à 100 W) : calculettes, montres, éclairage de jardin, clôtures électriques, détecteurs, capteurs. *Autres matériaux étudiés :* couches minces de $CuInSe_2$, CdTe (rendement : 14 % en laboratoire), alliages III-V de type GaAs (rendement : + de 34 % en laboratoire sous concentration du flux lumineux). *Puissances délivrées par les modules photovoltaïques du commerce :* 10 à 50 watt-crête, moins avec certaines photopiles au silicium amorphe. En développement, modules de 100 Wc par centrale photovoltaïque. Le watt-crête (Wc) est la puissance nominale délivrée sous un bon ensoleillement de 1 kW/m² avec une température de la cellule de 25 °C. Un générateur photovoltaïque de 1 kWc produit environ 1 000 kWh par an. *Durée de vie des modules photovoltaïques :* 15 à 20 ans. *Prix de l'électricité photovoltaïque :* 5 à 15 F/kWh.

Renseignements : – Minitel serveur 3615 ADEME.

■ **Utilisation. Exemples :** alimentation de relais hertziens pour station de télécommunications, signalisation maritime, routière, aérienne, radio-téléphonie, détecteurs (niveaux d'eau, intrusion...), mobilier urbain, pompage de l'eau, habitat isolé, électrification rurale. *Habitations permanentes équipées* 4 500 en France et DOM/TOM ; des dizaines de milliers dans le monde ; puissance de 100 à 1 200 Wc. *Production centralisée ou dispersée ("toits photovoltaïques") de courant alternatif par générateur photovoltaïque connecté au réseau* testée aux USA, Japon, Italie, All. et Suisse.

■ **Avantages.** Compétitive et adaptée à l'utilisation locale en dehors des réseaux interconnectés pour couvrir des besoins de 10 kWh à 5 000 kWh par an. Pas de pollution, déchets, etc. (en production centralisée, plus chère que énergies conventionnelles).

■ **Consommation journalière.** Une installation de 250 à 400 W crête dans les zones disposant de 1 300 kWh/m²/an (coûtant en 1990 40 000 à 50 000 F le kW installé) peut fournir 1 370 Wh/j, consommation correspondant à un réfrigérateur 150 l (600 Wh/j), télévision (3 h/j) 150, 4 points lumineux fluocompacts (18 W 3 h par j) 200, ventilateur (50 W 8 h par j) 400.

■ **Production industrielle. Production mondiale** (1990) : *photopiles au silicium cristallin :* 35 MWc. *Amorphe* (principalement application grand public) : 10 MWc. **France :** photopiles au silicium multicristallin, 1,5 MWc, amorphe : 0,5 MWc. 70 % de la production est exportée.

■ **Centrales photovoltaïques de démonstration. Allemagne :** *RWE,* 3 tranches de 300 kWc. **Espagne :** *UF,* 1 MWc en développement. **Italie :** *Enel,* 3,3 MWc en voie d'installation suivie d'une autre en 1995 ; plusieurs générateurs de 100 kWc opérationnels (Enea). **Suisse :** *Mont Soleil* (mise en service 28-4-1992) 0,5 MW ; coût 30 millions de FF ; 4 000 cellules photovoltaïques réparties sur une superficie équivalente à 3 terrains de football ; la plus grande de ce type en Europe. Il faudrait 17 000 centrales de ce type pour subvenir aux besoins de la Suisse.

■ **Projets. Solar Power Satellite :** *Hélio-centrale orbitale* (Nasa) projet fondé en partie sur des technologies encore inexistantes. Satellite formé de 2 panneaux de 3 × 5 km portant des photopiles disposées en rangées. L'énergie sera transmise à la Terre par un pinceau d'ondes (longueur d'ondes 12,2 cm, fréquence 2,45 GHz). Les photopiles fourniront une tension continue de 20 000 volts à des amplitrons, canons à électrons générateurs d'oscillations.

Le terminal terrestre (*rectenna :* receiving antenna) sera une antenne de 10 km env. *Puissance :* 5 000 à 10 000 MW (consommation de New York). La station recevra l'énergie solaire, nuit et jour. *Coût de l'opération :* 60 milliards de $.

Marshall : mise sur orbite d'une structure d'aluminium de 23 km sur 4 ; *poids* 37 000 t ; équipée de cellules solaires au gallium ; *puissance* 5 GW retransmise au sol par ondes ultra courtes.

Johnson : structure de graphite de 21 km sur 5, en forme de galette ; *poids* 100 000 t, cellules de silicium, 1 ou 2 systèmes de transmission de 5 GW.

Nota. – **Expérience russe Znamia** (drapeau). Voile solaire (Kevlar aluminisé, diam. 20 m.) déployée 4-2-1993 par engin spatial Progress à 400 km d'altitude. Réfléchit vers la Terre un disque lumineux (diam. 4 à 8 km). Détachée de l'appareil, sera déchirée par micro-météorites. **Projet russe Novy Sviet** (Nouvelle lumière) : éclairage des stations de recherche des pôles par disque réflecteur géostationnaire représentant 2 à 3 fois le diam. de la Lune.

Chimie solaire

■ **Photochimie.** Utilise l'énergie de rayonnement pour produire des réactions photochimiques : *synthèse ind. de molécule :* hexachlorocyclohexane, certains médicaments, caprolactame et polyamide 12 ; *réactions photochimiques pouvant donner naissance à des combustibles ou de l'électricité :* photoélectrolyse de l'eau, catalysée par des semiconducteurs ; *réactions photochimiques réversibles.*

■ **Dessalement.** Grâce au principe de la serre, de la distillation ou des membranes.

Agence de l'environnement et de la maîtrise de l'énergie (ADEME)

Statut : *créée* par décret du 28-7-1991. Regroupant l'Agence Française pour la Maîtrise de l'Énergie (AFME, créée 1982), l'Agence Nationale pour la Récupération des Déchets (Anred, créée 1975) et l'Agence pour la Qualité de l'Air (AQA, créée 1980). *Pt :* Michel Mousel. *Dir. général :* Vincent Denby-Wilkes. *Tutelles :* Ministère de l'Industrie, de la Recherche et de l'Environnement. **Effectif :** 580 personnes. **Budget :** 1,1 milliard. **Missions :** prévention et lutte contre la pollution de l'air, limitation de la production de déchets, leur élimination, leur récupération et leur valorisation, prévention de la pollution des sols, réalisation d'économies d'énergie et de matières premières et développement des énergies renouvelables, notamment d'origine végétale, développement des technologies propres et économes, lutte contre les nuisances sonores.

☞ Voir également Ademe à l'Index.

Biomasse ou énergie verte

■ **Principe.** L'énergie solaire captée en zone tempérée (0,5 à 1 %) se transforme en produits hydrocarbonés, sources de calories thermiques ou alimentaires. **Exemples : cultures énergétiques :** *Ligno-cellulosique* [canne de Provence, taillis à courte rotation (10 000 ha, à 3 000 plants par ha, avec une rotation de 5 ans, permettent d'alimenter une centrale électrique de 35 MW), jacinthes d'eau, algues]. *Sucres fermentescibles :* betteraves, canne à sucre, topinambours. *Oléagineux :* fournissent des huiles végétales pouvant alimenter directement des brûleurs ou des moteurs.

■ **Utilisation. Voie thermochimique.** 1°) **Combustion directe :** bois et ses déchets, paille, autres sous-prod. de l'agriculture, ordures ménagères (papier, déchets de nourriture) brûlés dans des cheminées (10 à 20 % de rendement), chaudières à bois (70 %), cuisinières, installations industrielles (80 %). 2°) **Pyrolyse ou carbonisation :** en chauffant le bois, on obtient un résidu solide (charbon de bois), un mélange gazeux combustible et un liquide (eau et goudrons). 100 kg de bois donnent env. 30 kg de charbon de bois. Production en France/an : 60 000 t. 3°) **Gazéification** de déchets végétaux, agro-alim., ordures ménagères. Technique semblable à celle de la pyrolyse mais nécessitant plus de chaleur et d'air et donnant un gaz pauvre (mélange de monoxyde de carbone et d'hydrogène, 80 % de rendement). Combustion incomplète (900 à 1 500 °C). Le gaz peut être brûlé à la sortie du gazogène dans une chaudière modifiée (gaz de ville). *Utilisations :* moteur diesel (10 % de gazole, 90 % de gaz pauvre) ; moins bon rendement dans un moteur à essence ; électricité en site isolé. Prod. de méthanol (à partir du gaz obtenu par gazéification à l'oxygène) dans l'industrie et pour certains moteurs. Chauffage collectif (HLM à Belfort).

L'énergie solaire des centrales peut contribuer à la production de carburants (hydrogène, hydrazine, méthanol, éthanol, méthane, ammoniac). La décomposition de l'eau par cycle thermochimique dans des réacteurs chimiques pourrait fournir de l'hydrogène dont la production est actuellement très coûteuse. La possibilité de récupérer le carbone du gaz carbonique ou des carbonates est étudiée.

La gazéification à l'air produit un gaz pauvre pouvant, après dépoussiérage et dégoudronnage, alimenter un moteur thermique couplé à un alternateur pour produire de l'électricité. On peut, après gazéification, valoriser les cendres qui contiennent jusqu'à 80 % de carbone (par broyage, granulation, étuvage).

■ **Voies biochimiques. Biogaz :** obtenu par la fermentation (anaérobies) de la biomasse. Se forme dans la nature (feux follets des marais) ou à partir de déchets animaux ou végétaux (fumiers, vinasses de distillerie). Nécessite humidité et absence d'air.

Une feuille artificielle capable de transformer la lumière en énergie électrochimique comme une véritable plante est étudiée aux USA. Se présentant sous forme de « sandwich » de verre, métal et caoutchouc, contenant de la chlorophylle, elle peut absorber du gaz carbonique et libérer de l'oxygène, fabriquer des composés organiques, de l'hydrogène, ou même produire directement de l'électricité.

A 37 °C ou 55 °C se développent des bactéries (anaérobies) qui provoquent une fermentation : le biogaz contenant 50 à 65 % de méthane (CH_4) et 35 à 50 % de gaz carbonique (CO_2). Pouvoir calorifique du gaz non purifié : 5 000 à 60 000 kilocalories/m³.

Fermentation méthanique : méthanol ou alcool méthylique, issu du gaz naturel. Par reformage, le méthane réagit avec la vapeur d'eau et donne un mélange d'oxyde de carbone et d'hydrogène appelé gaz de synthèse ou gaz industriel. On comprime ce gaz en présence d'un catalyseur et l'on obtient du méthanol aqueux que l'on distille pour avoir du méthanol pur. Le gaz de synthèse peut aussi venir de charbon, lignite, hydrocarbures, tourbe, biomasse ligneuse, bois, déchets ; en effet, toute biomasse peut être gazéifiée mais il faut l'oxygéner. Rendement 50 %. *Prix de revient :* 1,10 à 1,40 F/l. 3 ateliers pilotes pour fabriquer du méthanol sont en construction à Clamecy, Attin et Soustons.

Alcool ou biocarburants : alcool éthylique, bioéthanol ou éthanol : *à partir de biomasse riche en sucres ou en amidon* (fruits, mélasses de canne à sucre, topinambours, sorgho, betteraves, céréales). Avec intervention de levures (organismes vivants). Obtenu par fermentation du sucre contenu ou par hydrolise de l'amidon. Production plus simple à partir de végétaux sucrés qu'à partir de ceux qui contiennent de l'amidon. *Méthanol à partir de bois transformés en sucres* par voie acide (coûteux) ou enzymatique (stade expérimental). *Processus de méthanisation.* a) Dégradation des molécules organiques complexes (glucides, lipides, protides) en molécules simples (sucres, alcools, acides gras, acides aminés). b) Transformation des molécules simples de la phase précédente en acides organiques, en CO_2 et H_2S. Formation de méthane et de gaz carbonique. *Matériel de combustion :* un fermenteur ou digesteur (cuve fermée et légèrement chauffée) et des gazomètres pour recueillir le gaz. *Utilisation :* appareils à gaz, après adaptation des brûleurs ; carburant dans des moteurs (après épuration en H_2S et en CO_2) ; fabrication d'électricité. Après la fermentation, il faut séparer l'éthanol du substrat par distillation (coûteux en énergie). Exemples : Brésil [canne à sucre, utilisée par 4 millions de voitures ; a coûté 10 milliards de $ en subventions publiques ; le Brésil s'oriente vers le mélange alcool essence (15 à 20 %)] et USA (maïs), pur et/ou mélangé à l'essence vendue aux automobilistes. *France* autorisé d'août à décembre 1987, et depuis juillet 1988. *Rendement en pouvoir calorifique* par rapport au matériau de base (biomasse) 65 %. *Pouvoir calorifique :* env. 6 000 kilocalories. *Prix de revient :* alcool de vin 12 à 15 F/l, de betterave 3 F/l.

Butanol : on utilise des jus sucrés (topinambours) ou des produits cellulosiques (papier, luzerne, betterave, p. de terre, sorgho, manioc, canne à sucre, bois, tiges et rafles de maïs, paille) qui, par fermentation acétonobutylique, donnent le mélange MBAE (butanol, acétone, éthanol). 20 kg de topinambours donnent 1 kg de MBAE. *Utilisation :* associé au méthanol, forme un carburant de substitution (biocarburant). *Rendement :* 80 %. *Prix de revient :* 2,10 F/l.

Caractéristiques : indice d'octane élevé (pas besoin d'ajouter du plomb). Pouvoir calorifique faible, mais aptitude à brûler des mélanges pauvres. Départs à froid difficiles. Reprises moins bonnes. Attirés par l'eau, méthanol et éthanol se séparent de l'essence s'il y a de l'humidité (nécessite un tiers solvant) ; nécessité d'une bonne isolation. Méthanol : importante corrosion (joints et robinets) des moteurs, toxique. *Dérivé de l'éthanol : l'ETBE* (éthyle-tertio-butyle-éther) [obtenu en ajoutant de l'isobutène à l'alcool (but : faire remonter l'indice d'octane de l'essence sans plomb ; pourrait se substituer à un composé oxygéné voisin, le MTBE (méthyl-tertio-butyle-éther), obtenu à partir de méthanol (alcool de méthane) que les raffineurs utilisent de plus en plus pour remplacer le plomb dans les carburants]. *Diester* nom commercial de diesel et ester. *Ester de colza ou de tournesol :* mélange au gazole à hauteur de 5 %, ne pose pas de problème technique aux petits moteurs diesel des voitures et aux chaudières à fuel domestique. Pour alimenter les gros moteurs diesel, il peut être mélangé à hauteur de 50 % dans le gazole. Il permet alors de réduire de près de 50 % les émissions de fumée. Carburant sans soufre.

Coûts de production des carburants (en $ par baril). *Source :* Eurostat : Éthanol de grain 166, huile pour diesel 131, à partir de sucre 126, de sorgho sucrier 81,5, gazole de pétrole 34,3. **Mesures pour les biocarburants : 1981** éthanol dans les carburants autorisé à hauteur de 5 % (ETBE 15 %). **1987** régime fiscal favorable à l'éthanol (de céréales, betteraves, p. de terre et topinambours), soumis au taux de gazole [avantage fiscal 1991 (F/l). Essence plombée : 1,53, sans plomb 1,16) ; Diester 1,25]. **1992** exonération de la Tipp. **1993** fév. Agence nat. pour la valorisation des cultures énerg. créée ; protocole d'accord entre État, agriculteurs et pétroliers sur ester de colza. **Villes possédant des véhicules municipaux à base de Diester** (fév. 1993) : Agen, Alençon, Amiens, Bordeaux, Caen, Chartres, Clermont-Ferrand, Compiègne, Dijon, Évreux, Fécamp, Grenoble, Laon, Le Havre, Montauban, Mulhouse, Nancy, Nevers, Orléans, Paris, Pau, Rouen, Rueil-Malmaison, St-Maixent, Toulouse.

Hypothèse de production

Matières premières	Surfaces ha	Biocarburants		Carburants pétroliers [1]
		t/ha	Tonnages	
Éthanol				Essence super
Betterave	100 000	6,24	624 000 t	
Blé	100 000	2,475	247 500 t	
Maïs	100 000	2,755	275 500 t	
Pomme de terre	(15 000)	4,00	60 000 t	17 277 000 t
Total	315 000		1 207 000 t	
Diester				Gazole
Colza	700 000	1,365	955 000 t	18 118 900 t

Source : Adeca.

Nota. – (1) Consommation du 1-8-90 au 31-7-91.

■ **Potentiel des sous-produits en France.** 8 millions de tep en 1990 ; 12 en 2000 par récupération des sous-produits de la forêt (forêt non exploitée : 15 millions de t de matière sèche par an ; industrie du bois : 9), de l'agriculture (paille de céréales : 21, maïs : 6), de l'élevage (fumier, lisier : 15), et des résidus urbains (ordures ménagères, boues des stations d'épuration, industries agroalim. : 8). Une partie des déchets végétaux doit servir à reconstituer l'humus ou à fournir des litières aux animaux.

■ **Production.** *Production mondiale annuelle :* 200 milliards de t (72 milliards de tep, France 0,074). *1985 :* 5 Mtep ; *90 :* 8,5 à 12 Mtep.

Autres possibilités

■ **Carburants gazeux. Propane, gaz de ville, acétylène, méthane, butane et gaz naturel :** *coût du carburateur et des appareils :* 2 000 F. Env. 10 000 véhicules au gaz naturel circulent en France. *Inconvénients :* autonomie réduite (250 km), peu de postes de ravitaillement.

Hydrogène. *Avantages :* pouvoir calorifique 2,6 fois celui de l'essence (H_2 : 28,5 kcal/g ; essence : 11,2 kcal/g). Moteur propre : le produit de sa combustion est de l'eau, qui peut être retransformée en hydrogène par électrolyse. Pratiquement pas de vidange. *Inconvénient :* stockage d'un grand volume d'hydrogène dans le véhicule. *Danger :* il peut exploser, car il forme avec l'air des mélanges explosifs (lorsque son volume représente 4 à 74,2 % du mélange), l'hydrogène diffuse rapidement [en fait, une fuite d'essence dans un carburateur peut être aussi dangereuse qu'une fuite d'hydrogène, car il faut une concentration encore moindre (2 % au lieu de 4 %) pour que le mélange essence-air soit explosif].

Projets industriels (candidats opérateurs déb. 1993). *Ester de colza :* Robbe (Sofiprotéol), Castrol, Sofiprotéol et Bunge, SA Grandester, Soufflet et Coopératives de l'Aube, Sidobre Sinnova (Henkel), Région Midi-Pyrénées, coopératives, Ferruzzi. *Éthanol-carburant :* Éthanol-Unio (Générale sucrière, Vermondois Industrie, Sucre Union, indépendants), Eridania-Béghin Say (Ferruzzi), Bioéthanol Nord Picardie (Sucreries et distilleries de l'Aisne, groupes céréaliers A1 et Norépi). *ETPE :* Elf, Arco, Total.

Possibilités de stockage : 1°) *hydrogène gazeux* comprimé à 200 atmosphères ; 2°) *liquide* à – 253 °C : cher et s'évapore (on perdrait 0,5 à 1 % de poids chaque jour) ; 3° *hydrures* à température ambiante (1 ou 2 atm.), mais l'hydrure vanadium (VHA) est trop lourd et le lanthane-nickel ($LaNi_5H_{67}$) a trop peu d'hydrogène.

Procédés expérimentaux : conversion directe des déchets cellulosiques en hydrogène par des micro-organismes (algues photosynthétiques, bactéries), ou en alcools par des levures qui dégraderaient la cellulose en glucose.

■ **Fumées industrielles.** Générateur de vapeur, turbine de détente, condenseur ou récupérateur permettant de récupérer 60 % de l'énergie et de la transformer en énergie utilisable. Étudiées par Bertin et Cie (machine qui effectue ce transfert).

■ **Combustion de pneus.** Équivalent pétrole 2,5 barils (398 l). Soc. amér. Oxford Energy brûle 11 millions de pneus par an (fournit en électricité 15 000 pers.

■ **Piles à combustibles.** Générateurs qui transforment directement l'énergie chimique du combustible en électricité avec un rendement de 60 % (processus inverse de l'électrolyse). *Inconvénients :* performances massiques (par kg de pile) 10 fois plus faibles que celles des machines thermiques ; corrosion après 22 ans. Prix de revient 5 fois plus élevé. Domaines d'applications restreints (missions spatiales de longue durée ; les piles utilisées sont à électrolyte acide et à électrodes de platine).

■ **Pile bactérienne.** Utilise la propriété qu'ont les microbes de « casser » les combustibles riches en électrons, les électrons ainsi libérés allant vers l'anode. Pour augmenter le rendement, Peter Bennetto, chimiste anglais, ajoute un médiateur qui améliore le transfert des électrons. Sinon la pile fonctionne comme toute pile à combustible. Les « piles à combustibles microbiennes » construites à King's College contiennent 200 cm³ de culture microbienne et produisent, plusieurs mois si elles sont régulièrement nourries, un courant de 2 ampères.

Bioconversion directe. Différents mécanismes des organismes photosynthétiques réalisent la séparation de l'eau en ses 2 constituants élémentaires, l'hydrogène et l'oxygène. On cherche à maîtriser ce processus et à sélectionner des végétaux (algues comme la « Botryococcus braunii ») pouvant fabriquer de l'hydrogène dans des conditions rentables. On trouve des hydrocarbures de faible qualité dans divers végétaux : poires, pommes, carottes, tomates, etc. (1 kg de poires produit 0,9 mg d'éthylène/jour). *Rendement prévu :* 8 t d'hydrocarbures à l'hectare an/m³.

SITUATION ÉCONOMIQUE

DANS LE MONDE

DÉFINITIONS

■ **Balances.** 1°) **Du commerce extérieur :** solde des exportations et des importations soumises aux statistiques ou au contrôle des douanes. 2°) **Des paiements :** ensemble des recettes et des dépenses, des débits et des crédits couvrant toutes les opérations de commerce effectuées entre le pays et les autres pays, et entre les résidents de ce pays et les résidents des autres pays. *Principaux postes :* marchandises (c.-à-d. la balance du commerce extérieur) ; transports (affrètements, prix des billets de passage, etc.) ; revenus des capitaux ; revenus du travail (ex. : transfert de salaires de la main-d'œuvre étrangère en France ou française à l'étranger ; brevets, droits d'auteurs, etc.) ; intérêts des emprunts et des placements publics ; contributions versées aux organismes internationaux ; dons, collectes et secours ; investissements à l'étranger. 3°) **De base :** regroupe la balance des opérations courantes et la balance des mouvements de capitaux à long terme (investissements directs ou de portefeuille, crédits à long terme, prêts publics).

■ **Cycle.** Période de fluctuations économiques où se succèdent croissance, prospérité, dépression. **C. de Juglar :** d'une dizaine d'années, crise brutale (touchant l'ensemble de l'économie), dépression, reprise. Caractéristique de la plupart des pays capitalistes du XIXe s. **C. de Kitchin :** env. 3 ans, ralentissement de l'économie, lié souvent aux variations de stocks. **C. de Kondratief :** longue durée (jusqu'à 50 ans). 2 phases : croissance et hausse des prix puis baisse. Touche la quasi-totalité des branches et des pays.

■ **Économie duale (ou à 2 vitesses).** Pays où coexistent des secteurs d'activité modernes et compétitifs, concurrentiels, et des secteurs déficitaires et dépassés.

■ **Production industrielle.** Valeur des produits ind. (sans agriculture ni services, et souvent sans l'industrie du bâtiment).

BALANCES COMMERCIALES DES PAYS
(en milliards de dollars)

	1988	1989	1990	1991	1992
Allemagne	79	77,9	72,9	20	21
Australie	− 1	− 3,7	−1,8	− 0,4	–
Autriche	− 4,9	− 5,3	− 5,6	− 6,2	–
Belg.-Lux.	1,9	1,8	2,7	1,7	–
Canada	8,8	6,7	9,9	11	11,5
Danemark	1,8	2,3	3,1	3,3	5,9
Espagne	− 18	− 24,1	− 29,9	−33,4	− 34,9
États-Unis	− 127,2	− 115,9	− 108,1	− 72	− 82,9
Finlande	1,1	−0,2	−0,4	0,4	2,8
France	*− 8,3*	*− 10,9*	*− 12,9*	*− 12*	*5,8*
Grèce	− 6,1	− 7,4	− 8,6	−9,2	–
Irlande	3,1	3,2	3,8	4	–
Islande	0	0,1	0,2	n.c.	− 0,1
Italie	− 1,1	− 2,2	0,5	0	− 12,4
Japon	95	76,9	63,3	98	106,8
Norvège	− 0,1	3,5	5	6,2	–
Nlle-Zélande ..	2	0,9	1	1,3	0,6
Pays-Bas	8,5	7,9	9,1	10,8	5,6
Portugal	− 5,5	− 5,2	− 6,2	− 6,8	–
Roy.-Uni	− 36,9	− 33,9	− 31,8	− 17	− 30,9
Suède	7	6	5,9	5,1	6,5
Suisse	− 3,2	− 4,3	− 5,1	− 5,6	− 0,1
Turquie	− 1,8	− 4,2	− 5	− 4,8	− 8,1

COMMERCE EXTÉRIEUR DES PRINCIPAUX PAYS, EN 1992 (EN MILLIONS DE DOLLARS US)

Pays	*Imp.*	*Exp.*	*Pays*	*Imp.*	*Exp.*	*Pays*	*Imp.*	*Exp.*
Afghanistan [4] ..	937	235	Gambie [5]	221	41	N.-Calédonie [5] .	863	444
Afr. du S. [12] ...	17 608	17 150	Ghana [3]	1 242	979	N.-Zélande	9 219	9 873
Algérie [5]	6 890	12 310	Gibraltar [1]	270	85	Ouganda [5]	197	201
Allemagne	342 622	398 441	G.-B.	222 655	190 052	Pakistan [5]	8 427	6 471
Angola [1]	443	2 147	Grèce [5]	21 582	8 653	Panamá [5]	1 695	342
Antilles néerl. [4] .	2 306	1 931	Groenland [4]	447	454	Papouasie [5] ...	1 403	1 283
Arabie Saoud. [4] .	24 069	44 417	Guadeloupe [5]	1 644	147	Paraguay [2]	922	630
Argentine [5]	8 090	11 972	Guatemala [5]	1 674	1 033	P.-Bas	134 475	139 944
Australie	40 696	42 417	Guyana [4]	319	264	Pérou [5]	2 955	3 379
Autriche [5]	50 740	41 086	Guyane fr. [5]	769	70	Philippines [5] ...	12 051	8 840
Bahamas [4]	2 920	2 678	Haïti [5]	374	103	Pologne 5	14 261	14 460
Bangladesh	3 409	1 693	Honduras [5]	880	808	Polyn. fr. [5]	915	127
Barbade	695	202	Hong Kong	123 428	119 511	Portugal	29 726	17 905
Belg.-Lux.	121 271	118 550	Hongrie [5]	11 532	10 301	Réunion [5]	2 129	150
Bénin [4]	374	187	Inde [5]	20 252	17 366	Roumanie	5 394	4 031
Bermudes [3]	535	50	Indonésie [5]	25 869	29 142	Rwanda [2]	334	105
Bolivie [5]	942	858	Iraq [4]	4 834	392	Salvador (El) [3] .	1 400	600
Brésil [5]	21 010	31 622	Iran	21 170	15 900	Samoa amér. [3] .	378	308
Brunei [3]	883	1 894	Irlande	22 486	28 295	Samoa occ. [5] ..	104	8
Bulgarie [5]	3 017	3 835	Islande [5]	1 720	1 554	Sénégal [1]	1 023	606
Burkina Faso ..	631	297	Israël [5]	16 906	11 889	Sierra Leone [5] .	162	146
Burundi [5]	257	92	Italie [5]	183 850	169 399	Singapour	72 181	63 471
Cambodge [4] ...	162	52	Jamaïque [5]	1 799	1 145	Somalie [1]	112	96
Cameroun	1 650	2 019	Japon	233 548	340 483	Soudan [2]	1 060	509
Canada	122 477	134 223	Jordanie [5]	2 512	902	Sri Lanka [5]	3 083	1 965
Centrafric.	160	114	Kenya [5]	1 802	1 125	Suède	49 515	56 020
Chili	7 424	8 924	Koweït	6 303	11 476	Suisse	65 924	65 783
Chine	80 315	84 635	Laos [4]	230	97	Surinam [1]	467	569
Chypre	2 785	1 012	Liban [4]	2 390	492	Syrie [5]	3 151	3 143
Colombie	4 967	7 269	Liberia [2]	272	396	Tanzanie [4]	1 021	415
Congo	600	976	Libye [2]	5 879	6 683	Tchad [2]	419	141
Corée du N. [4] .	2 840	1 950	Macao [5]	1 841	1 655	Tchéc. [5]	11 009	11 299
Corée du S. [5] ..	81 557	71 898	Madagascar [5] ...	441	306	Thaïlande [5]	37 188	28 395
Costa Rica [5] ...	1 853	1 543	Malaisie [5]	36 699	34 375	Togo [3]	472	245
Côte-d'Ivoire [3] .	1 809	3 271	Malawi [5]	705	473	Trinité-Tobago [5] .	1 659	1 968
Cuba [5]	3 690	3 585	Mali [3]	707	357	Tunisie [5]	5 189	3 713
Danemark	33 398	39 222	Malte [5]	2 114	1 238	Turquie [5]	20 019	13 603
Dominic. [5]	1 721	651	Maroc [4]	7 226	4 514	Ex-URSS [4]	144 683	148 702
Égypte [5]	7 754	3 617	Martinique [5] ...	1 695	216	Uruguay [5]	1 619	1 590
Équateur [5]	2 399	2 851	Maurice (î.) [4] ...	1 656	1 294	Vanuatu [5]	83	20
Espagne [5]	93 314	60 182	Mauritanie [3] ...	205	353	Venezuela [5] ...	9 963	15 519
États-Unis	548 295	447 829	Mexique [5]	38 062	27 180	Vierges (îles) [4] .	140	3
Éthiopie [5]	472	189	Mozamb. [5]	899	162	Viêt-nam [4]	2 189	2 189
Féroé (îles) [3] ..	346	345	Myanma [10]	521	302	Yémen [4]	653	81
Fidji (îles) [5] ...	652	451	Nicaragua [4]	774	321	Ex-Yougos. [5] ..	14 767	13 800
Finlande	21 169	23 976	Niger [4]	389	283	Zaïre [5]	713	832
France	*238 602*	*231 790*	Nigeria [4]	4 318	12 912	Zambie [4]	1 243	899
Gabon	767	1 599	Norvège	25 797	34 801	Zimbabwe [4] ...	1 850	1 723

Nota. – (1) 1987. (2) 1988. (3) 1989. (4) 1990. (5) 1991. *Source :* ONU.

■ **Produit intérieur brut (PIB).** Richesse créée dans l'année sur le territoire national. Somme des valeurs ajoutées des branches, augmentées de la TVA grévant produits et droits de douane.

■ **Produit national. Brut (PNB) :** valeur des biens et services acquis par l'activité économique d'une année sans déduire les amortissements. En anglais : GNP *(Gross National Product).* **Net (PNN) :** PNB moins les amortissements (qui ne représentent pas un gain pour une nation) ; *aux prix de marché* fait apparaître les prix offerts aux acheteurs, comprend les impôts et déduit les subventions ; *au coût des facteurs* (de production) supprime amortissements et impôts, mais ajoute les subventions.

■ **Valeur ajoutée.** Biens et services produits au cours d'une année par un secteur de l'activité nationale, moins la valeur des biens et services incorporés dans le processus de production (consommation intermédiaire).

COMMERCE EXTÉRIEUR

Blocs économiques (voir aussi **Organisations internat.**). *Nombre d'hab.* (en millions) : Afr. du Sud 38. ASEAN 300 [créé 24-10-92 ALEA (accord de libre-échange asiatique) prévu 1-1-93]. Australie 17. Caricom 6. CGC (Conseil de coop. du Golfe : Arabie S., Oman, Qatar, Koweït, Barhein et Émirats) 18. CEI 270. Chine 1 140. EEE (Espace écon. européen dep. 22-10-91, CEE + AELE) 378. Grand Maghreb 64. Inde 830. Japon 125. MCCA (Marché commun d'Amérique centrale : Honduras, Guatemala, Costa Rica) 26. Mercosur (Marché commun d'Amér. du S.) 192. ALENA ou NAFTA (USA, Canada, Mexique, prévu 1-1-94) 380. Pacte andin 96.

Exportations mondiales (milliards de $). *1938 :* 22, *67 :* 216, *1990 :* 3 485 [soit 15,1 % du PNB mondial (20,044 milliards de $)], *91 :* 3 530, dont, en %, commerce intra-zone non compris). CEE 25 [1],

Pays de l'OCDE	PIB (aux prix du marché) Milliards de $ [1] 1991	1992	par hab. [1] en $ 1991	Dépenses de consommation finale (% du PIB) [2] 1991 Privée	de l'État	Formation brute de capital fixe (% du PIB) [2] 1991 total	machines, outillage	Balance extérieure (biens et services) (% du PIB) [2] 1991	Épargne nationale nette (% du PIB) [2] 1991
Allemagne	1 553,8	1 765,9	19 724	54,4	17,9	21,6	10	6,4	9,9
Australie	295,5	290	17 081	61,6	18,4	20,4	9,7 [a]	0,6	0,5
Autriche	161,9	186,2	20 963	55,3	18,2	25,2	10,4	0,9	13,2
Belgique	196,5	217,7	19 677	62,7	14,7	19,8	10,4 [a]	2,9	11,5
Canada	595,9	567,2	21 555	60,5	21	19,9	6,4	– 1	2,8
Danemark	131,9	143,1	25 272	52,5	24,8	17,1	8,4	6,2	8,7
Espagne	525,9	585,3	13 508	62,3	15,7	24,1	8,1 [a]	– 3,1	10,7
États-Unis	5 552,2	5 866,6	22 204	67,1	18,2	15,4	7,1	– 0,5	2,3
Finlande	127,1	113,8	24 740	55,1	24,1	22,3	7,9	– 0,6	– 0,1
France	*1 191,4*	*1 346,4*	*21 021*	*60,4*	*18,3*	*20,8*	*9,3*	*0,3*	*7,5*
Grèce	68,8	79,8	6 640	70,3	18,2	18,2	7,7	– 10,5	6,2
Irlande	43	48,7	12 324	55,8	16,3	17,1	7,7	8,8	13,8
Islande	6,3	6,7	25 155	62,3	19,5	19	6	– 1,1	2,7
Italie	1 133,4	1 240,1	20 144	62,1	17,5	19,8	9,4	0,1	6,7
Japon	3 338,8	3 700,9	27 132	56,8	9,2	31,6	13,7 [a]	1,8	20,4
Luxembourg	8,9	10,5	23 948	57,3	17,1	29	12,4	– 5,7	48,7
Norvège	107,5	112,4	24 855	50,8	21,4	18,4	6,8 [a]	8,7	9,1
N.-Zélande	41,5	42,1	12 583	63,4	16,8	16,8	9,9 [a]	2,2	5,5
Pays-Bas	285,4	323,3	19 298	59,4	14,3	20,8	10	5,1	13,7
Portugal	68,9	83,8	53 712	63,3	17,8	26	13,1 [a]	– 9,4	21,1
Roy.-Uni	1 008,8	1 060,3	17 511	63,9	21,3	16,7	8,6 [a]	– 0,9	2,7
Suède	235,3	250	27 498	54,2	27	18,9	7,3	1,6	3,6
Suisse	230,1	244,5	34 158	57,5	14	25,5	8,7	1,4	21,3
Turquie	111,9	115,5	1 872	57,2	22,5	22,8	11,7 [b]	0	15,7

Nota. – (1) Aux prix et taux de change courants. (2) Aux prix courants. (a) 1990. (b) 1987.

NAFTA 21,5, Japon 15, reste de l'Asie 12 [2], Amér. latine (sauf Mexique) 7, Moyen-Orient 6, CEI 5, Afrique 4,5, Chine 2,5, Eur. centrale 1,5.

Nota.– (1) *Commerce intra-européen* (% des échanges mondiaux). *1980:*27,1, *90:*33,4. (2) Depuis 1980, le Pacifique est le 1er espace commercial mondial (échanges avec Amériques N. et S. (1990) Asie 12 %, Eur. de l'Ouest 9,7 %).

Grands pays exportateurs

Part des 10 principaux pays exportateurs (% des export. mond.) **1875 :** G.-B. 21, *France 11,5,* All. 9, USA 7,8, Belg. 3,3, P.-Bas 3,2. **1923:** G.-B. 13,1, USA 12,2, All. 9,6, *France 6,8,* Belg. 3,9, Italie 2,5, P.-Bas 2,2, Canada 2,1, Australie 2, Japon 1. **1938 :** USA 13,5, G.-B. 12,1, Japon 4,9, *France 3,9,* Canada 3,8, UEBL 3,2, P.-Bas 2,6, Italie 2,4, Australie 2,3. **1960 :** USA 15,8, ex-All. féd. 8,9, G.-B. 7,7, *France 5,3,* ex-URSS 4,4, Canada 3,3, Japon 3,1, P.-Bas 3,1, UEBL 3, Italie 2,9. **1970 :** USA 13,5, ex-All. féd. 10,8, *France 6,6,* Japon 6,1, G.-B. 6,1, Canada 5,2, Italie 4,2, ex-URSS 4,1, P.-Bas 3,7, UEBL 3,7. **1985 :** USA 10,8, ex-All. féd. 9,5, Japon 9,2, *France 5,3,* G.-B. 5,2, Canada 4,6, ex-URSS 4,5, Italie 4,1, P.-Bas 3,5, Belg.-Lux. 2,8. **1990 :** All. 12,1, USA 11,4, Japon 8,2, *France 6,2,* G.-B. 5,3. **1991 :** USA 12, All. 11,4, Japon 8,9, *France* 6,1, G.-B. 5,3.

Économie des pays de l'Est

■ **Aide aux pays de l'Est.** Décidée depuis le sommet des 7 premiers pays industrialisés à Paris (juillet 1989) et confirmée par le « souper des 12 » (18-11-1989) qui a réuni à Paris les chefs d'État de la CEE [principales mesures : aide d'urgence à la Pologne et à la Hongrie (opération Phare, voir ci-dessous), création d'une banque pour la modernisation des pays de l'Est]. **Programme Phare** (Programme d'assistance technique à la reconstr. écon. dans les anciens pays satellites de l'ex-URSS) : créé à la suite du sommet du G7 de juill. 1989. *Budget* (1992) : 1 milliard d'écus. *Pays bénéficiaires :* Pologne, Hongrie, Slovaquie, Rép. tchéc., Bulgarie, Roumanie (dep. 1991), Albanie, États baltes (dep. 1-1-92), Slovénie et Croatie (dep. 15-5-92). **Investissements étrangers à l'Est** (janv. 1990 - avril 91, en millions d'écus) : All. 556, Autriche 447, USA 445, Italie 333, *France 178,* Suisse 141, G.-B. 120, Japon 40.

■ **PNB russe en % du PNB américain :** *1860 :* 100, *1913 :* 38, *28 :* 27, *50 :* 33, *70 :* 47, *89 :* 43, *91 :* 37.

Échanges Est-Ouest.

Balances commerciales et, entre parenthèses, **balances des paiements courants**
(en milliards de $) *Source :* ONU, avril 1990.

	1984	1988	1989 [2]
All. dém. [1]	0,9 (0,9)	– 0,4 (– 0,6)	– 0,6 (– 0,7)
Bulgarie	– 0,8 (0,7)	– 1,7 (– 1,3)	– 1,5 (– 1,7)
Hongrie	– 0,1 (0,1)	0,1 (– 0,8)	– 0,2 (– 1,4)
Pologne	0,8 (– 0,7)	0,7 (– 0,6)	– 0,3 (– 1,9)
Roumanie	2,2 (1,5)	2,8 (3,8)	2,8 (3,7)
Tchécos.	0,8 (0,7)	0,1 (– 0,3)	0,4 (0)
Total	3,8 (3,2)	1,6 (0,2)	0,6 (– 2)
Ex-URSS	2,5 (6,7)	– 2,5 (3,1)	– 3 (3,2)
Total général	6,3 (9,9)	– 0,9 (3,3)	– 2,4 (– 5,2)

Nota. – (1) Transactions interallemandes exclues.

Crédits exports à l'ex-URSS (en milliards de F) : All. 17,05, USA 14,2, Italie 13,07, *France 2,* G.-B. 0,5.

■ **Dette nette totale** (en milliards de $). *1991 :* 183, *92 : 195.* **Hors URSS** (en milliards de $). *1981 :* 80. *82 :* 75,3. *83 :* 65,9. *84 :* 60. *85 :* 70,8. *86 :* 83,9. *87 :* 99,6. *88 :* 97,2. *91 :* 112. *92 :* 115. **Par pays et,** entre parenthèses, **par habitant** (en millions de $, 1988) : ex-URSS 43,3 (152), Pologne 40,58 [1] (1 034), ex-All. dém. 20,2 (1 209), Hongrie 20,61 [1] (1 669), Bulgarie 10,22 [1] (888), ex-Tchéc. 7,92 [1] (371), Roumanie 1 [1] (155), ex-Yougoslavie 16,47 [1].

Nota– (1). 1989.

Investissements internationaux

■ **Montant des investissements à l'étranger et,** entre parenthèses, **de l'étranger dans quelques pays** (en milliards de F, 1991). Japon 177,8 (8), USA [1] 130 (75,8), *France 108,6 (61,1),* G.-B. 95 (116), All. [1] 81,6 (7,8), Ital. 40,5, Esp. (47,6).

Nota.– (1) Sur les 3 premiers trimestres de l'année.

■ **Investissements étrangers directs aux USA** (1988). *Part en % pour chaque pays et,* entre parenthèses, *total en milliards de $:* G.-B. 31 (123). Japon 18 (71). P.-Bas 14 (56). Canada 8 (30). RFA 7 (27). *France 4 (17).* Autres 18. **Total des capitaux étrangers investis aux USA** (en milliards de $) : *1988 :* 42,2 (Japon 15,1. G.-B. 13,3, P.-Bas 3,8), *90 :* 49,2.

6,2 % des actions de sociétés américaines (1980 : 4,1 %), 12,9 % des créances, 1 % des terres agricoles appartiendraient à des étrangers.

■ **Investissements américains en Europe** (en milliards de $). *1985 :* 98,5 ; *90 :* 172 ; *91 :* 188 (dont G.-B. 68,2 ; All. 32,9 ; P.-Bas 24,7, *France 20,5.*)

Flux d'investissements directs annuels par pays investisseurs (en milliards de $)

Source : FMI.	1980	1984	1985	1989	1990 [1]
Australie	–	1,4	1,6	3,8	–
Canada	–	3,3	3	3,7	–
Espagne	–	0,2	0,3	1,5	2,2
États-Unis	19,8	11,6	13,2	31,7	33,4
France	3,1	2,1	2,2	19	27,1
Grande-Bretagne	11,2	7,9	11,1	32	20,9
Japon	24	6	6,5	44,2	37,6
Pays-Bas	6	5,1	3,2	10,2	10
All.	4	4,3	5	13,6	18,3
Suisse	–	1,1	4,5	7	–
CEE	25,8	22	24	86,1	83

Nota. – (1) Pour 1990, balance des paiements des pays et conversion en dollars. CEE et Japon : estimations d'après orientations annoncées.

■ **Investissements japonais. Dans le monde** (montant cumulé en milliards de $, année fiscale du 1-4 au 31-3) : *1980 :* 36,5. *84 :* 73,5. *85 :* 83,6. *86 :* 105,9. *87 :* 139,3. *88 :* 186,3. *89 :* 253,8. *90 :* 281,6 (dont dans secteurs manufacturier 30 %, commercial, immobilier et banque 70 %). **Dans la CEE :** *1987 :* 6,41 ; *89 :* 13,9 ; *91 :* 8,8. **En France** (voir p. 1654).

Économie française

Légende. – **Fab :** franco de port (sans les coûts d'assurance et de fret). **Caf :** coûts d'assurances et de fret.

Généralités

■ **PNB** (1991, milliards de F) 1192 (4e rang mondial). **Rang par produits** (1991) : 1er vin. 4e orge. 5e potasse, blé. 6e céréales. 8e maïs, uranium. 9e pomme de terre. 11e porcins. 12e bois. 13e bovins.

■ **Industrie** (1989). **Valeur ajoutée :** 284 milliards de $ (USA 1 500, Japon 1 147, All. féd. 473, Italie 291).

Place de l'industrie dans l'économie française : 29,7 % (Jap. 40,7, All. féd. 39,8, It. 33,7, G.-B. 31, USA 29).

■ **Production industrielle** (1990, milliards de F). 1 750 (USA 9 000, Japon 6 900, All. 2 900, Italie 1 750, G.-B. 1 550). *Croissance* (%) *1989 :* + 5,1, *90 :* + 1,8, *91 :* + 0,6. *92 :* + 1,6. *93 (prév.) :* – 0,8.

■ **Solde des échanges industriels** (milliards de F). *1981 :* + 55. *82 :* + 30. *83 :* + 60. *84 :* + 97. *85 :* + 83. *86 :* + 33. *87 :* – 10. *88 :* – 42. *89 :* – 56. *90 :* – 57,4 (USA – 700, Japon + 350, All. + 500, Italie – 10, G.-B. – 30). *91 :* – 33,9. *92 :* + 4,8.

Endettement des entreprises (en milliards de F). *1990 :* 178 (*86 :* 36). **Taux d'autofinancement.** *1986-88 :* 91 à 93 %, *90 :* 82 %, *91 :* 84 %.

Investissements

■ **Industriels. Croissance annuelle** (en %.) : *1986 :* 5,3. *87 :* 7,5. *88 :* 11. *89 :* 8,1. *90 :* 9. *91 :* – 9. *92 :* – 1 à – 2.

■ **A l'étranger** (en milliards de F). *1984 :* 18,6. *85 :* 20. *86 :* 36,2. *87 :* 52,3. *88 :* 76. *89 :* 115,2. *90 :* 147,6. *91 :* 115,8 (dont USA 28,2, Espagne 14,8, Suède 12,8, G.-B. 11,3, Belg.-Lux. 10,3, P.-Bas 9,2, All. 7,6, Italie 6,5, Suisse 2,2, Japon 0,3). *92 :* 94.

Investissements à l'étranger Au 31-12-1989 (cumulés, en milliards de F)	Capital	Autres capitaux propres	Prêts et avances	Total	% du total
OCDE	178	175,6	45,8	399,4	91,5
CEE	111,8	106,9	16,8	235,5	53,9
- Pays-Bas	28,9	35,8	8,3	73	16,7
- UEBL	24,2	20,1	1,7	46	10,5
- Royaume-Uni	18,0	14,7	2,5	35,2	8,1
- Espagne	14	17,7	1,2	32,9	7,5
- Italie	12,0	8,5	1,1	21,6	5
- Allemagne	11,8	7,3	1,5	20,6	4,7
- Autres pays de la CEE	2,9	2,8	0,5	6,2	1,4
Amérique du Nord	45,8	51,7	27,4	124,9	28,7
- États-Unis	41	46,9	19,3	107,2	24,6
- Canada	4,8	4,8	8,1	17,7	4,1
Autres pays de l'OCDE	20,4	17	1,6	39	8,9
Pays hors OCDE	19,9	12,5	4,7	27,1	8,5
- Pays à économie centralisée	0,4	– 0,7	–	– 0,3	–
- Pays d'Amérique latine	6,7	7,9	0,9	15,5	3,5
- Pays du Maghreb	0,9	0,6	–	1,5	0,3
- Pays de la zone franc	3,5	1,8	1,3	6,6	1,5
- Reste du monde	8,4	2,9	2,5	13,8	3,2
Total	197,9	188,1	50,5	436,5	100

■ **En France. Investissements étrangers : montant global** (en milliards de F). *1984 :* 19,3. *85 :* 19,9. *86 :* 19. *87 :* 27,8. *88 :* 43. *89 :* 61. *90 :* 49,3. *91 :* 61,1 (dont Suède 14,1, ex-RFA 10,6, UEBL 7,9, P.-Bas 6,5, Ital. 4,9, USA 4,5, G.-B. 4, Suisse 2,8, Japon 2,8, Esp. 0,5).

Nota. – Création d'emplois d'origine étrangère : *1986 :* 13 343. *87 :* 9 051. *88 :* 13 176. *91 :* 13 500.

■ **Part dans les entreprises. Investissements étr. en 1991, supérieurs à 1 milliard de F** (en milliards de F) : *Prises de participation :* de Volvo (Suède) dans Renault et RVI 16,7. Du groupe Gardini dans Société Centrale d'Investissements 1,7. *Acquisitions :* d'une participation dans Cap Gemini Sogeti par Daimler-Benz (All.) 4,8. De titres Rhin et Moselle par Allianz Europe (P.-B.) 1. *Souscriptions :* d'Eridania (Ital.) à l'augmentation de capital de European Sugar France 1,8. D'American International Group (USA) à l'augm. du cap. de Banque AIG 1,35.

Au 1-1-88, les entreprises à participation étrangère majoritaire employaient 18,7 % de l'effectif et distribuaient 20,6 % des salaires, représentaient 23,9 % des ventes, 22,4 % de la valeur ajoutée (HT), 22,9 % des inv., 27,3 % des exportations.

Agriculture : acquisitions 1980-90 env. 45 000 ha (1 % du sol cultivable).

■ **Investissements dans l'industrie. Par secteurs** [indice de pénétration selon le CA (HT) des entreprises à participation étrangère, au 1-1-1990]. Machines de bureau et matériel de traitement de l'information 72,5, parachimie 55,1, pharmacie 50,3, matériel de manutention 43,6, chimie de base 40,5, instruments de précision 39,6, machinisme agricole 37, machines-outils 35,9, minéraux divers 33,5, papier carton 33,1, métallurgie 31,3, chaussures 31,3, équipement ménager 30,6, caoutchouc 30,4, matériel électronique professionnel 30,2, équipement industriel 29, transformation des matières plastiques 27,7, construction électrique 24,7, matériaux de construction et céramique 22,3, verre 18,5, automobile et autres matériels de transport terrestre 17,9, imprimerie, presse, édition 17,2, textile 14,5, 1re transformation de l'acier 14,2, travail des métaux 14, fonderie 11,6, habillement 10, ameublement 9,6, sidérurgie 8,3, travail mécanique du bois, construction aéronautique 5,8, cuir 5, construction navale 2,1, industries diverses 19,8. *Moyenne :* 26,7.

Par régions (% du total des investissements réalisés par les Stés à participation étrangère, au 1-1-91) : Alsace 38,6. Picardie 32. Centre 29,7. Haute-Normandie 27,7. Bourgogne 27,6. Champagne-Ardenne 27,5. Ile-de-France 25,4. Provence-Alpes-Côte d'Azur 24,1. Lorraine 22,2. Aquitaine 19. Rhône-Alpes 19. Nord-Pas-de-Calais 17,4. Basse-Normandie 17,2. Languedoc-Roussillon 15,4. Pays de la Loire 15,3. Limousin 15,2. Poitou-Charentes 14,6. Franche-Comté 14,1. Midi-Pyrénées 13,8. Bretagne 9,2. Corse 4,7. *Moyenne* 19,5.

■ **Investissements japonais en France** (milliards de $, 1991). 1,3 (G.-B. 6,8, P.-Bas 2,7). Hors finance et commerce, 150 centres d'activité (usines, vignobles, centres de recherche) sont sous contrôle japonais. *Principales Stés japonaises implantées en France :* Sumitomo Rubber (Dunlop) 8 sites (3 250 emplois à terme). Sony 5 (2 400). Bridgestone (Firestone) 1 (1 500). Yamaha-MBK 1 (1 435). JVC 2 (770). Dai Nippon Ink 6 (650). Canon 4 (620). Toshiba 3 (580).

COMMERCE EXTÉRIEUR

■ **Ouverture de l'économie française** (moyenne exportations et importations/PIB). *1973 :* 14 % ; *92 :* 27 %.

■ **Balance des transactions courantes** [**b. commerciale** (import., export. de march. + négoce intern.) + **b. des invisibles** (import. et export. de services + transferts unilatéraux) + **autres biens et services**]. Solde en % du PIB *1980 :* - 0,6. *81 :* - 0,8. *82 :* - 2,2. *83 :* - 0,9. *84 :* - 0,2. *85 :* 0. *86 :* + 0,4. *87 :* - 0,5. *88 :* - 0,3. *89 :* - 0,4. *90 :* - 0,6. *91 :* - 0,5. *92 :* + 0,2.

■ **Balance des invisibles** (1992, milliards de F). **Services :** solde + 10. *Secteurs excédentaires :* tourisme + 58, échanges de technologie + 34. *Déficitaires :* revenus du capital - 42, transport, assurances - 28. **Transferts unilatéraux :** solde - 46 (- 32 en 1987), dont en 1990 secteur officiel 2/3 (contribution nette au budget de la CEE 17 milliards de F) et privé 1/3 (économies des travailleurs étrangers).

■ **Part de la France (en % des export. mondiales).** *1980 :* 5,9. *81 :* 5,1. *82 :* 5,2. *83 :* 5. *84 :* 4,9. *85 :* 5,1. *86 :* 5,9. *87 :* 6,1. *88 :* 5,8. *89 :* 5,7. *90 :* 6,2 [4e rang mondial (All. 12,1, USA 11,4, Japon 8,2)].

BALANCE COMMERCIALE (FAB, EN MILLIONS DE F)

	Imp	Exp.	Balance	Taux de couverture (%)
1971	109 540	115 251	+ 5 711	105,2
1972	126 360	133 387	+ 7 027	105,6
1973	155 832	162 462	+ 6 630	104,3
1974	239 611	222 741	− 16 870	93
1975	220 434	227 198	+ 6 764	103,1
1976	293 596	272 680	− 20 916	92,9
1977	330 862	319 412	−11 450	96,5
1978	354 862	357 053	+ 2 191	100,6
1979	440 294	426 742	− 13 552	96,9
1980	551 825	489 845	− 61 980	88,8
1981	635 186	575 796	− 59 390	90,7
1982	725 675	632 198	− 93 477	87,1
1983	766 298	722 695	− 43 603	94,3
1984	871 969	850 117	− 21 852	97,5
1985	930 961	906 029	− 24 932	97,4
1986	863 207	863 609	+ 402	100,1
1987	920 523	888 913	− 31 610	96,6
1988	1 030 466	997 649	− 32 817	96,8
1989	1 187 176	1 143 235	− 43 941	96,3
1990	1 226 613	1 177 163	− 49 450	96
1991	1 251 193	1 220 985	− 30 208	97,6
1992	1 217 759	1 248 313	+ 30 554	102,51

Grands contrats (en milliards de F, entre parenthèses, part dans les exportations en %). *1974 :* 66 (29,8) ; *80 :* 109 (22,3) ; *85 :* 122 (13,5) ; *86 :* 121 (12,1) ; *89 :* 150 (13,1) ; *90 :* 145 (12,4) ; *91 :* 127 (10,4) ; *92 :* 120,5 (dont civils 57,1, militaires 50, aéronautiques 13,4).

SOLDE DES ÉCHANGES EXTÉRIEURS DE LA FRANCE (EN MILLIARDS DE F)

imports caf, exports fab

	Produits			Total Caf-Fab [1]	Total Fab-Fab [1]
	énergétiques	agro-alim.	industriels manufacturés [2] T [C] (M)		
1984	− 187	+ 25	+ 97 [+ 65] (+ 32)	− 59	− 25
1985	− 181	+ 31	+ 81 [+ 52] (+ 29)	− 63	− 31
1986	− 89	+ 27	+ 33 [− 2] (+ 35)	− 27	0
1987	− 82	+ 30	− 10 [− 37] (+ 27)	− 60	− 32
1988	− 67	+ 39	− 42 [− 64] (+ 22)	− 66	− 33
1989	− 83	+ 48	− 56 [− 83] (+ 27)	− 86	− 44
1990	− 94	+ 51	− 57 [− 85] (+ 28)	− 97	− 50
1991	− 95	+ 44	− 34 [− 49] (+ 15)	− 85	− 30,1
1992	− 80	+ 53	+ 5 [− 12] (+ 16)	− 23	+ 30

Nota. – (1) Y compris « divers ». (2) T : total ; C : solde civil ; M : solde militaire.

■ **Principaux fournisseurs de la France** (en %, 1988). *Minerai de fer :* Brésil 32, Australie 24, Canada 15, Mauritanie 10. *Bauxite :* Guinée 66, Grèce 15. *Min. de zinc :* Canada 26, Suède 16, Pérou 12. *Cuivre* (+ de 99 %) : Chili 37, Belg.-Lux. 32, Zambie 9. *Nickel et ferronickel : mattes :* Nlle-Caléd. 99,6 ; *ferronickel :* Nlle-Caléd. 62, Grèce 15, Rép. Domin. 9 ; *nickel brut :* URSS 33, Afr. du S. 16, Norvège 12. *Phosphate brut :* Israël 25, USA 21, Maroc 18, Togo 9. *Coton :* URSS 41, USA 7, Côte-d'Ivoire 6. *Pâte à papier :* Suède 21, Can. 16, USA 15.

Autonomie de la France (1989). *Forte :* potasse. *Moyenne :* nickel, uranium, soufre, plomb, platine. *Faible :* bauxite, cuivre, zinc. *Nulle :* chrome, titane, manganèse, amiante, tungstène.

■ **Par pays** (en milliards de F, 1992 et, entre parenthèses, part en %). **Premiers clients** (exportations). Allemagne 215,5 (17,56). Italie 133,8 (10,90). G.-B. 113,2 (9,22). Belg.-Lux. 113 (9,20). Espagne 87,9 (7,16). USA 79,9 (6,52). Pays-Bas 59,8 (4,88). Suisse 42,7 (3,48). Japon 22,1 (1,80). Portugal 20,4 (1,66). Suède 12,4 (1,01). Canada 11,8 (0,97). Algérie 11,7 (0,96). Autriche 11,3 (0,92). Maroc 11,3 (0,92). Danemark 10,3 (0,84). Grèce 9,9 (0,81). Arabie S. 9,6 (0,78). Tunisie 9 (0,74). Hong Kong 8,4 (0,68). Réunion 7,9 (0,64). Chine 7,4 (0,60). Turquie 7,2 (0,59). Mexique 6,8 (0,55). Singapour 6,7 (0,55). Corée du Sud 6,6 (0,53). Guyane fr. 6,3 (0,52). Guadeloupe 5,7 (0,46). Ex-URSS 4,8 (0,39). Égypte 4,4 (0,36).

SOLDE DES ÉCHANGES DE LA FRANCE AVEC L'ÉTRANGER (EN MILLIARDS DE F)

	1986	1987	1988	1989	1990	1991	1992
Algérie	+ 4,4	+ 3,2	+ 1,5	+ 3	+ 4,2	+ 0,3	+ 1,8
Allem. féd.	− 39	− 45	− 50	− 60	− 42,8	− 7,4	− 20,5
Arabie S.	− 4,8	− 0,8	− 2,7	− 6	− 8,5	− 8,4	− 5,2
Autriche	− 0,2	− 0,6	− 0,7	− 1	− 1,6	− 0,1	+ 0,3
Belg.-Lux.	− 9	− 8,8	− 10,2	− 14	− 4,5	− 0,8	+ 4
Brésil	− 3,2	− 2,3	− 5,1	− 6,4	− 5,5	− 5,3	− 5,4
Canada	+ 1,4	+ 2	+ 4,3	2,1	+ 2,4	+ 3	+ 3,7
Chine	− 0,3	− 1,7	− 3	− 1,2	− 4,3	− 9,3	− 11,1
Corée du S.	− 0,1	− 1,9	− 3	− 2	− 0,3	− 0,7	− 0,6
Danemark	+ 0,4	− 0,7	− 1	− 1,7	− 2	− 0,4	− 1,6
Égypte	+ 4,6	+ 2,8	+ 4	+ 4	+ 5,4	+ 6,4	+ 2,5
Espagne	− 3,1	+ 4,3	+ 7,4	+ 8,9	+ 12,8	+ 15,3	+ 19,6
Finlande	− 1,2	− 2,7	− 3,2	− 2,9	− 4,3	− 4,5	− 6,2
G.-B.	+ 14,9	+ 8,4	+ 17,3	+ 18	+ 16,2	+ 10,5	+ 15,7
Grèce	+ 2,7	+ 2,7	+ 3,3	+ 3	+ 4,2	+ 4,8	+ 6,5
Hong Kong	+ 0,2	+ 0,5	+ 1,3	+ 2,2	+ 2,3	+ 2,7	+ 4,4
Iran	− 1,5	− 2,8	+ 4,1	− 4,4	− 4,5	− 2,5	− 1,8
Irlande	− 3,3	− 4	− 4,8	− 6,2	− 5,9	− 6,9	− 8,8
Italie	− 6,2	− 7,2	− 4,9	− 6	− 16,6	− 9,4	− 0,6
Japon	− 21	− 22,8	− 27,6	− 29	− 28,9	− 29	− 29,5
Maroc	+ 1,5	+ 0,1	+ 0,4	1,7	+ 0,3	0,1	+ 0,7
Norvège	− 3,9	− 5,5	− 7,6	− 13,1	− 11,3	− 12,7	− 11,1
Pays-Bas	− 10,3	− 9,6	− 1,9	− 0,6	− 0,4	− 7,5	− 4,3
Portugal	− 1,1	+ 0,1	+ 1,6	+ 2,3	− 1,2	+ 3,6	+ 6,1
Singapour	+ 0,5	+ 0,7	+ 0,1	+ 1,8	+ 1	+ 1	− 0,1
Suède	− 3,3	− 3,8	− 5,1	− 5,3	− 6	− 6,4	− 6,3
Suisse	+ 15,5	+ 13,1	13,6	+ 16,3	+ 16,6	+ 14,8	+ 14,2
Taïwan	− 2,8	− 4,7	− 5,3	− 4,9	− 5,3	− 6,7	− 4,9
Tunisie	+ 2,3	+ 1,7	+ 2	+ 2,7	+ 3,2	2,7	+ 3,1
Turquie	+ 1,2	+ 0,8	+ 0,6	+ 0,2	n.c.	n.c.	n.c.
Ex-URSS	− 7,5	− 11,3	− 5,1	− 5,8	− 10,1	− 9	− 7,7
USA	− 6	+ 56	− 10,8	− 2,2	− 33,7	− 4,8	− 26,4
Ex-Yougos.	+ 0,3	+ 0,3	+ 0,1	+ 0,5	+ 0,9	− 0,2	− 0,7

Premiers fournisseurs (importations). Allemagne 236,1 (18,68). Italie 134,5 (10,64). Belg.-Lux. 108,9 (8,62). USA 106,4 (8,42). G.-B. 97,4 (7,71). Espagne 68,3 (5,4). Pays-Bas 64,2 (5,08). Japon 51,7 (4,09). Suisse 28,5 (2,26). Suède 18,8 (1,48). *France RMN [1] 18,6 (1,48).* Chine 18,5 (1,47). Norvège 16,3 (1,29). Arabie Saoudite 14,8 (1,17). Portugal 14,3 (1,13). Irlande 14,2 (1,12). Danemark 11,9 (0,94). Taïwan 11,4 (0,9). Autriche 10,9 (0,86). Maroc 10,5 (0,83). Finlande 10,3 (0,81). Algérie 9,9 (0,79). Ex-URSS 9 (0,71). Brésil 8,8 (0,7). Canada 8,2 (0,65).

COMMERCE EXTÉRIEUR DE LA FRANCE PAR PAYS (en milliards de F, 1992)

	Importations CAF		Exportations FAB		Balance CAF-FAB
	Valeur	Part en %	Valeur	Part en %	
Europe					
CEE	*753,2*	-	*769,3*	*62,7*	+ 16,1
Allemagne	236,1	18,7	215,5	17,56	− 20,5
Belg.-Lux.	108,9	8,6	112,9	9,2	+ 4
Danemark	11,9	0,9	10,3	0,8	− 1,7
Espagne	68,3	5,4	87,9	7,2	+ 19,7
G.-B.	97,4	7,7	113,2	9,2	+ 15,8
Grèce	3,5	0,3	10	0,8	+ 6,5
Irlande	14,2	1,1	5,4	0,4	− 8,8
Italie	134,5	10,6	133,8	10,9	− 0,6
Pays-Bas	64,2	5,1	59,8	4,9	− 4,3
Portugal	14,3	1,1	20,4	1,7	+ 6,1
DOM-TOM	*3,3*	-	*30,9*	*2,5*	*+ 27,6*
Guadeloupe	0,7	0,05	5,7	0,5	+ 5
Guyane fr.	0,2	0,02	6,3	0,5	+ 6,1
Martinique	1	0,08	5,6	0,5	+ 4,7
Nouvelle-Cal.	0,6	0,05	2,1	0,2	+ 1,5
Polynésie fr.	0,02	0	1,7	0,1	+ 1,7
Réunion	0,8	0,06	7,9	0,6	+ 7,1
Autres pays					
Autriche	10,9	0,9	11,3	0,9	+ 0,4
Bulgarie	0,7	0,05	1,2	0,1	+ 0,5
Finlande	10,3	0,8	4,1	0,3	− 6,2
Hongrie	2,2	0,2	1,9	0,1	− 0,4
Malte	0,7	0,06	1,1	0,09	+ 0,4
Norvège	16,3	1,3	5,2	0,4	− 11,2
Pologne	3,5	0,3	4,3	0,3	+ 0,9
Roumanie	1,5	0,1	3	0,2	+ 1,6
Suède	18,8	1,5	12,4	1	− 6,3
Suisse	25,5	2,3	42,7	3,5	+ 14,3
Ex-Tchécosl.	2,4	0,2	3,2	0,3	+ 0,8
Ex-URSS	19	1,5	11,2	0,9	− 7,8
Ex-Yougoslavie	4,7	0,4	3,9	0,3	− 0,8
Afrique					
Afrique du Sud	3,7	0,3	3,7	0,3	+ 0,06
Algérie	9,9	0,8	11,8	1	+ 1,8
Angola	1,4	0,1	0,8	0,07	− 0,5
Cameroun	2,7	0,2	2,5	0,2	− 0,2
Congo	0,4	0,03	1,4	0,1	+ 1
Côte-d'Ivoire	2,8	0,2	4,2	0,3	+ 1,4
Égypte	1,9	0,2	4,4	0,4	+ 2,5
Gabon	3,7	0,3	2,2	0,2	− 1,5
Kenya	0,4	0,03	0,5	0,04	+ 0,2
Liberia	0,3	0,03	0,1	0,01	− 0,2
Libye	3,6	0,3	1,7	0,1	− 1,9
Madagascar	0,7	0,05	0,9	0,07	+ 0,2
Mali	0,05	0	0,7	0,06	+ 0,7
Maroc	10,5	0,8	11,3	0,9	+ 0,7
Niger	0,9	0,07	0,5	0,04	− 0,4
Nigeria	3,9	0,3	4,2	0,3	+ 0,3
Sénégal	0,9	0,07	2,4	0,2	+ 1,4
Togo	0,08	0,01	0,9	0,08	+ 0,9
Tunisie	5,9	0,5	9,1	0,7	+ 3,2
Zaïre	0,2	0,01	0,2	0,02	+ 0,06
Zambie	0,7	0,05	0,2	0,02	− 0,5
Amérique					
Amér. du Nord	*114,6*	-	*91,9*	*7,5*	*− 22,7*
Canada	8,2	0,6	11,9	1	+ 3,7
Mexique	3,7	0,3	6,8	0,6	+ 3,1
USA	106,4	8,4	80	6,5	− 26,4
Amér. du Sud					
Argentine	2,5	0,2	3,7	0,3	+ 1,2
Brésil	8,8	0,7	3,3	0,3	− 5,5
Chili	3,2	0,3	1,4	0,1	− 1,8
Colombie	1,1	0,08	1,3	0,1	+ 0,3
Pérou	0,7	0,05	0,4	0,03	− 0,3
Venezuela	0,7	0,06	1,9	0,2	+ 1,2
Asie					
Arabie Saoudite	14,8	1,2	9,6	0,8	− 5,2
Bangladesh	0,8	0,07	0,3	0,03	− 0,5
Chine	18,5	1,5	7,4	0,6	− 11,2
Corée du Sud	7,1	0,6	6,6	0,5	− 0,6
Émirats arabes	1,7	0,1	5,6	0,5	+ 3,9
Hong Kong	3,9	0,3	8,4	0,7	+ 4,5
Inde	3,8	0,3	3,6	0,3	− 0,3
Indonésie	4,3	0,3	6,6	0,5	+ 2,4
Iraq	0	0	0,1	0,01	+ 0,1
Iran	5,8	0,5	3,9	0,3	− 1,8
Israël	3,7	0,3	4,2	0,3	+ 0,5
Japon	51,7	4,1	22,1	1,8	− 29,6
Koweït	0,8	0,06	2,2	0,2	+ 1,4
Liban	0,2	0,01	1,6	0,1	+ 1,5
Macao	1	0,08	0,06	0,01	− 0,9
Malaisie	4,8	0,4	1,9	0,2	− 2,9
Maurice	1,5	0,1	1,1	0,09	− 0,5
Oman	0,04	0	1,6	0,1	+ 1,5
Pakistan	1,7	0,1	2	0,2	+ 0,3
Philippines	1,4	0,1	1,5	0,1	− 0,1
Qatar	0,1	0,01	0,6	0,05	+ 0,5
Singapour	6,8	0,5	6,7	0,6	− 0,1
Syrie	2,7	0,2	1,4	0,1	− 1,3
Taïwan	11,4	0,9	6,5	0,5	− 4,9
Thaïlande	5,4	0,4	4,5	0,4	− 0,9
Océanie					
Australie	5	0,4	5,1	0,4	+ 0,07
Nouvelle-Zélande	1	0,1	0,6	0,05	− 0,4
DIVERS	23,7	-	0,5	0,04	− 23,2
Total monde	**1 263,9**	**100**	**1 227,5**	**100**	**− 36,4**

Coût budgétaire des grands contrats (en millions de F courants)

	1981	1982	1983	1984	1985	1986	1987	1988	1989	1990	Total
Dotations Coface	110	640	1 200	- 1 000	0	2 800	8 500	10 000	12 000	9 000	43 250
Dotations Trésor	230	- 180	- 60	- 180	- 160	570	1 500	3 320	5 300	7 150	17 490
Dotations BFCE	4 410	5 090	5 590	5 530	4 470	1 990	2 200	1 850	3 950	2 500	37 580
Sous-total	4 750	5 550	6 730	4 350	4 310	5 360	12 200	15 170	21 250	18 650	98 320
Dotation GRE	970	520	1 070	1 000	1 000	1 000	1 465	1 120	750	375	9 270
Total	*5 720*	*6 070*	*7 800*	*5 350*	*5 310*	*6 360*	*13 665*	*16 290*	*22 000*	*19 025*	*107 590*

Commerce extérieur de la France par produits (en milliards de F, 1992)

Commerce extérieur (en milliards de F, 1992)	Import. CAF		Export. FAB		Balance CAF FAB
	Valeur	%	Valeur	%	
Agriculture, sylvic., pêche	**50,6**	**4**	**83,9**	**6,8**	**+ 33,3**
Fruits tropic., café, thé, cacao	6,6	0,5	0,6	0,05	- 6
Oléagineux tropicaux	0,3	0,02	0,06	0,1	- 0,2
Plantes textiles tropicales	0,9	0,07	0,1	0,01	- 0,8
Prod. agric. imp., divers	1	0,08	0,05	0	- 0,9
Céréales	1	0,08	33,1	2,7	+ 32
Fruits et légumes	15,9	1,3	10,8	0,9	- 5,1
Vins	2,3	0,2	16	1,3	+ 13,8
Prod. végétaux divers	7,3	0,6	6,9	0,6	- 0,4
Laine en suint et divers	2,5	0,2	0,4	0,04	- 2
Autres produits animaux	3,5	0,3	9,8	0,8	+ 6,3
Prod. sylviculture et expl. forest.	1,9	0,2	2,3	0,2	+ 0,4
Produits de la pêche	7,4	0,6	3,7	0,3	- 3,7
Industries agroalimentaires	**96,8**	**7,7**	**116,5**	**9,5**	**+ 19,8**
Cuirots et peaux brutes	1	0,08	2,1	0,2	+ 1,1
Viandes et leurs conserves	23,1	1,8	20,8	1,7	- 2,2
Lait et produits laitiers	10,1	0,8	21,1	1,7	+ 11
Conserves	14,7	1,2	5,8	0,5	- 8,9
Prod. à base de céréales	11,7	0,9	17,3	1,4	+ 5,6
Corps gras aliment.	8,7	0,7	2,8	0,2	- 6
Sucre	1,7	0,1	7,6	0,6	+ 6
Autres prod. alim.	12,4	1	13,7	1,1	+ 1,3
Boissons, alcools, tabacs	13,5	1,1	25,4	2,1	+ 11,9
Énergétiques	**107,8**	**8,5**	**27,9**	**2,3**	**- 80**
Combustibles minéraux solides	7,3	0,6	0,8	0,06	- 6,6
Pétrole brut	51,5	4,1	0	0	- 51,5
Gaz naturel	17,9	1,4	0,05	0,04	- 17,4
Prod. pétroliers raffinés	30,2	2,4	13,4	1,1	- 16,8
Électricité, gaz, eau	1	0,08	13,2	1,1	+ 12,2
Matières premières					
Minerais	**7,6**	**0,6**	**1,6**	**0,1**	**- 6**
Minerai de fer	2,6	0,2	0,2	0,01	- 2,4
Minerais non ferreux	2,8	0,2	0,1	0,01	- 2,7
Minéraux divers	2,2	0,2	1,4	0,1	- 0,8
Biens d'équipement profess.	**302,3**	**23,9**	**316,6**	**25,8**	**+ 14,3**
Machines agricoles	7,9	0,6	5,4	0,4	- 2,5
Machines-outils à métaux	8,6	0,7	4,2	0,3	- 4,4
Autres machines-outils	9,4	0,7	6,2	0,5	- 3,2
Équipement industriel	55,8	4,4	58,6	4,8	+ 2,5
Mat. de manutention pour mines, sidérurgie, génie civil	14,9	1,2	20,6	1,7	+ 5,6
Matériel électrique	29,1	2,3	41,4	3,4	+ 12,2
Mach. de bureau et matériel électronique profess.	102,7	8,1	78,1	6,4	- 24,5
Construction navale	3	0,2	5	0,4	+ 2
Constr. aéronautique	43,7	3,5	73,1	6	+ 29,4
Instr. et matér. de précision	27,1	2,1	24,3	2	- 2,8
Électroménager, électronique grand public	**32,8**	**2,6**	**23,1**	**1,9**	**- 9,7**
Mat. électron. ménager	19,6	1,6	11	0,9	- 8,6
Équipement ménager	13,2	1	12,1	1	- 1,1

	Import. CAF		Export. FAB		Balance CAF FAB
	Valeur	%	Valeur	%	
Métaux et prod. travail des mét.	**112**	**8,9**	**112,6**	**9,2**	**+ 0,6**
Prod. sidérurgiques	23,7	1,9	23,3	2,4	+ 5,6
Prod. de 1re transf. acier	10,7	0,8	13,5	1,1	+ 2,8
Métaux non ferreux	20,9	1,7	9	0,7	- 11,9
Demi-prod. non ferreux	21,7	1,7	25,2	2	+ 3,5
Prod. de la fonderie	1,5	0,1	3,7	0,3	+ 2,1
Articles en métal	6,5	0,5	6	0,5	- 0,5
Constr. et menuiseries métal.	4,6	0,4	6,2	0,5	+ 1,6
Outillage quincaillerie	10,7	0,8	6,7	0,5	- 4,1
Autres prod. des métaux	11,8	0,9	13	1,1	+ 1,3
Demi-prod. non métall.	**195,9**	**15,5**	**178,7**	**14,6**	**- 17,2**
Mat. de constr. bruts	3,4	0,3	2,3	0,2	- 1,2
Mat. ouvrés, céramique	10,3	0,8	8,8	0,7	- 1,5
Prod. ind. du verre	10	0,7	12	1	+ 3
Chimie minérale	8,3	0,7	8,7	0,7	+ 0,4
Engrais	6,5	0,5	2	0,2	- 4,5
Caoutchouc synth.	2,2	0,2	3,3	0,3	+ 1,1
Autres prod. chimie organ.	73,6	5,8	75,5	6,1	+ 1,9
Fils et fibres artifi. et synth.	4,7	0,4	1,4	0,1	- 3,3
Pâtes à papier	5,9	0,5	1,2	0,1	- 4,7
Papier et carton	31,3	2,5	24,4	2	- 7
Caoutchouc et plastiques	40,7	3,2	39,3	3,2	- 1,5
Équip. auto. ménages	**79,8**	**6,3**	**84,9**	**6,9**	**+ 5,1**
Voitures particulières	75	5,9	82,5	6,7	+ 7,5
Moto, cycles, caravanes	4,8	0,4	2,4	0,2	- 2,4
Pièces dét. transp. terrestre	**59,8**	**4,7**	**87,3**	**7,1**	**+ 27,5**
Véhicules utilitaires	18,2	1,4	16,5	1,3	- 1,7
Pièces et équip. véhic.	40,3	3,2	67,2	5,5	+ 26,9
Mat. ferr. roulant ; mat. de transp. guidé	1,3	0,1	3,6	0,3	+ 2,4
Biens de consom. courante	**214,5**	**17**	**188,3**	**15,3**	**- 26,2**
Prod. pharmaceutiques	14,2	1,1	22,7	1,9	+ 8,5
Parfumerie, prod. d'entretien	6,4	0,5	26,7	2,2	+ 20,3
Autres prod. parachimie	21,9	1,7	20	1,6	- 2
Ouvr. textiles filés	25,5	2	25,2	2	- 0,3
Bonneterie	24	1,9	10,6	0,9	- 13,4
Articles d'habillement	30	2,4	19,4	1,6	- 10,6
Textiles naturels préparés	0,6	0,04	3,1	0,3	+ 2,6
Fils et filés	7,3	0,6	4,7	0,4	- 2,6
Cuirs et peaux	3	0,2	1,9	0,1	- 1,2
Articles en cuir	4,3	0,3	4,4	0,4	-
Chaussures	12,7	1	5,3	0,4	- 7,4
Presse, imprimerie, édition	15,3	1,2	11,5	0,9	- 3,8
Meubles	12,1	1	5,6	0,5	- 6,5
Prod. de la scierie	3,2	0,3	1,8	0,1	- 1,5
Autres prod. du travail mécan. du bois	5,6	0,4	5,4	0,4	- 0,2
Produits divers	28,3	2,2	20	1,6	- 8,2
Divers	**4**	**0,3**	**6,1**	**0,5**	**+ 2,1**
Total tous produits	**1 263,9**	**100**	**1 227,5**	**100**	**- 36,4**

Russie 7,9 (0,62). Corée du Sud 7,2 (0,57). Singapour 6,8 (0,54). Tunisie 5,9 (0,47). Iran 5,9 (0,46).

Nota.– (1) Retour de marchandises nat.

■ **Coût des aides à l'exportation** (en milliards de F). *1975* : 2,52. *76* : 3,83. *77* : 4. *78* : 4,43. *79* : 7,2. *80* : 10,4. *81* : 15,8. *82* : 17,1. *83* : 18,8. *86* : 8,3. *87* : 10,3. *88* : 21,3. *89* : 16,8.

■ **Aide publique de la France à la Chine.** *1991* : 11,5 milliards de F.

■ **Aide humanitaire et financière bilatérale française à l'ex-URSS et à la Russie** (en milliards de F) [1]. 1990 ex-URSS, entre parenthèses 1991 ex-URSS, et en italique Fédération de Russie (engagement). DONS : août (0,1) (viande), févr. *002 (médicaments)*. CRÉDITS À L'EXPORTATION (PRODUITS ALIMENTAIRES) : oct. 1,5 (céréales), déc. 1,85 (céréales et huiles) ; (févr. 1,025 : céréales), *févr. aide export. 2 (céréales), 0,2 (viande)*. PRODUITS SIDÉRURGIQUES ET CHIMIQUES : oct. 1,45. INDUSTRIELS *févr. 1,5*. FINANCEMENTS DIVERS : oct. 1,6.

Nota. – (1) A ce jour, aucune aide n'a été décidée pour d'autres républiques que la Fédération de Russie.

■ **Aide à l'ex-URSS.** Actions de restructuration industrielle et financière dans l'ex-URSS et dans les pays d'Europe centrale et orientale : 0,12 milliard de F. La France participe au différé de paiements, accordé par les créanciers officiels sur la dette de l'ex-URSS.

■ **Aide aux pays d'Europe centrale et orientale** (en milliards de F). *Engagements annoncés en enveloppes d'engagement triennal* : 4 (Hongrie 2, Pologne 2). *Ligne de crédit* : Bulgarie 0,3. *Outils spécifiques* (assistance technique) : Fondation France-Pologne 0,09 sur 3 ans, Miceco 0,628 en 1991, 0,498 en 92. *Protocoles d'aide à l'investissement* : 0,95 (Hongrie 0,05, Pologne 0,9). *Actions de restructuration et de privatisation* : 0,03 (Pologne 0,01, Hongrie 0,01, ex-Tchéc. 0,01). *Protocole spécifique* : Pologne 0,015 (Bourse de Varsovie + actions de restructuration industrielle). *Rééchelonnement et annulation de la dette extérieure par rapport à la France* [rééch. dette ext. de la Bulgarie (Club de Paris 17-4-1991), réduction de 50 % du stock de la dette ext. pour la Pologne (Club de Paris du 21-4-1991)].

Nota. – Ces chiffres ne représentent qu'une partie des garanties de crédit accordées et n'incluent pas les garanties octroyées par l'État pour la garantie d'investissements dans les pays de l'Est. Les mesures concernant la dette ext. sont prises de concert avec les autres pays créanciers.

☞ **COFACE (Cie française d'assurance pour le commerce extérieur). Quelques chiffres** (en milliards de F, 1990) : capitaux propres et réserves 1,606. Primes enregistrées pour son propre compte 0,605, pour le compte de l'État 1,776. Exportations couvertes en court terme (tous risques confondus) 157. Contrats conclus garantis pour le compte de l'État 66,3. Résultat d'exploitation 0,103. Bénéfice net 0,158. *Chiffres 1992* : CA : 1,6 ; résultat net 157,8 ; encours des capitaux garantis 167 ; indemnités versées 0,4 (primes émises 0,78) ; provisions pour sinistres 0,646. *Effectifs* : 1 163 (en 1991).

Créances françaises (en milliards de F, 1989)	Encours [1]	Arriérés [2]	Rapports en %		
			A	B	C
Algérie	32,9	1	3	40	37
Égypte	27,6	11,9	43	47	14
Chine populaire	27	0	0	41	7
Brésil	32,7	2,9	9	21	7
URSS	17,7	0,3	2	23	9
Nigeria	18,5	7,5	41	20	16
Maroc	19,9	2,6	13	62	51
Corée du Sud	13,4	0	0	32	3
Indonésie	12,6	0,3	2	19	6
Pologne	14,2	10,8	76	19	9
Total	216,5	37,3	17	31	9

Nota. – (1) Coface-BFCE. (2) Coface.
(A) Arriérés par rapport à l'encours Coface-BFCE.
(B) Encours français par rapport à l'encours du G.7 (Groupe des 7). (C) Exportations françaises par rapport aux export. du G.7.
Source : ministère de l'Économie et des Finances.

Entreprises

Source : Insee. Régions	Nombre (1990)		
	entreprises	immatriculations	cessations
Ile-de-France	437 000	74 000	53 000
Champ.-Ardenne	38 000	4 000	4 000
Picardie	50 000	6 000	5 000
Haute-Normandie	50 000	5 000	4 000
Centre	77 000	8 000	7 000
Basse-Normandie	47 000	5 000	6 000
Bourgogne	54 000	5 000	5 000
Nord-Pas-de-C.	99 000	11 000	12 000
Lorraine	61 000	7 000	7 000
Alsace	47 000	5 000	4 000
Franche-Comté	35 000	3 000	3 000
Pays de la Loire	97 000	10 000	9 000
Bretagne	98 000	10 000	9 000
Poitou-Ch.	58 000	6 000	6 000
Aquitaine	117 000	14 000	15 000
Midi-Pyrénées	101 000	11 000	9 000
Limousin	27 000	2 000	2 000
Rhône-Alpes	226 000	27 000	26 000
Auvergne	52 000	4 000	5 000
Languedoc-Roussillon	93 000	13 000	12 000
PACA	206 000	31 000	27 000
Corse	14 000	2 000	1 000
Ensemble des DOM	67 000	10 000	7 000
France entière	*2 151 000*	*273 000*	*238 000*

Résultats des sociétés et quasi-sociétés (1990 ; *Source* : Comptes de la Nation). Excédent brut d'exploitation (valeur ajoutée moins salaires, charges sociales, impôts indirects nets) 31,1, taux d'investissement (part de la formation brute de capital fixe dans la valeur ajoutée) 19,1, industrie 17,6, profits/valeur ajoutée 14,2, taux d'autofinancement [rapport de l'épargne brute (EBE moins dépréciation du capital, impôts sur les sociétés, intérêts et dividendes nets versés et primes d'assurance) à la BFCE] 74,4.

Principaux ratios des comptes (1990 et, entre parenthèses, 2e sem. 1991). Charges sal./Valeur ajoutée (VA) 52,6 (53,5), impôts/VA 8,2 (8,3), Excédent brut d'exploitation/VA 41,8 (40,7), taux d'investissement (formation brute de capital fixe/VA 17,5 (16,9).

☞ **Créations, défaillances** (voir ci-dessous).

Aides de l'État aux entreprises

Entreprises créées dont, entre parenthèses, **reprises** (en %). *1980* : 247 561 (28). *83* : 202 128 (25). *85* : 237 193 (22). *86* : 259 038 (22). *87* : 274 417 (22). *88* : 278 991 (29). *89* : 278 950 (20,5). *90* : 273 420 (20,7). *91* : 240 832 (21,3). *92* : 228 454 (21,9).

Cessation. *1980* : 100 558. *81* : 222 453. *85* : 248 026. *86* : 214 513. *87* : 130 640. *88* : 212 799.

Défaillances d'entreprises. *88* : 35 052. *89* : 41 753. *90* : 47 118. *91* : 52 965. *92* : 57 796.

Secteurs de l'industrie

Zones à régime préférentiel. *Instituées* dans le cadre de l'aménagement du territoire pour aider des régions économiquement défavorisées. **Bénéficiaires.** Entreprises s'y installant et y créant des emplois. **Avantages** (dep. 1982). *Prime d'aménage-*

ment du territoire (PAT), attribuée sur des fonds d'État par la Délégation à l'aménagement du territoire (Datar) : 35 000 à 50 000 F par emploi dans la limite de 17 à 25 % de l'inv. de l'entreprise ; *primes régionales à l'emploi (PRE)* et primes régionales à la création d'entreprises (PRCE) attribuées par les conseils régionaux et financées par les régions. *Avantages récents instaurés par certains Pts de régions :* prêts, avances, cautions, bonifications d'intérêt, exonération partielle de la taxe professionnelle (« zones franches »). Participation des régions aux apports en fonds propres : directe : Instituts de participation ; indirecte : Stés de développement régional (SDR).

Entreprises de 20 personnes ou plus en 1991	Nombre	Effectif (× 1 000)	Chiffre [1] d'aff.
Prod. de combustibles minéraux solides et cokéfaction	9	20,6	8,42
de pétrole et de gaz naturel	53	29	245,83
et distribution d'électricité	36	125,4	185,41
Distrib. de gaz	5	27,8	50,80
d'eau et chauffage urbain	118	37,4	42,05
Extraction et prépa. min. de fer Sidérurgie	31	49,2	68,3
1re transformation de l'acier	168	27,7	24,73
Extraction et préparation de minerais non ferreux	5	0,8	6,99
Métallurgie et 1re transformation des métaux non ferreux	121	44,7	73,59
Prod. de minéraux divers	60	10,1	7,66
de mat. de constr., céram.	1 121	103,2	91,05
Industrie du verre	184	50,1	35,56
Chimie minérale	88	24,5	39,33
Chimie organique	203	73,2	138,63
Parachimie	576	111,4	148,61
Industrie pharmaceutique	279	78,8	114,95
Fonderie	296	44,9	24,99
Travail des métaux	3 857	264	157,92
Fabric. de machines agricoles	252	20,9	16,54
Fabric. de machines-outils	409	35,3	22,47
Prod. d'équipement industriel	2 340	199,3	150,28
mat. de manutention pour mines, sidérurgie, génie civil	421	49,7	44,95
mach. de bureau et de traitement de l'informa.	130	60,3	77,98
matériel électrique	926	182,5	140,62
mat. électron. prof.	1 110	199,4	157,17
Ménager	49	15,3	24,44
Fabric. d'équipement ménager	87	38,4	28,28
Constr. d'automobiles et autres mat. de transp. terrestre	728	353,3	450,05
mat. ferroviaire roulant	39	9,5	5,59
Constr. navale	84	10,8	9,60
aéronautique sauf ateliers ind.	116	111,8	108,10
Fabric. d'instruments et matériels de précision	520	58,9	36,64
Ind. fils et fibres artif. et synth.	6	3,7	3,40
Préparation des textiles naturels, fils, teintures et apprêts	489	42,8	30,42
Bonneterie	483	50,2	24,85
Industrie textile	817	71	52,72
Tannerie, mégisserie	91	4,3	3,16
Industrie du cuir	215	16,1	8,02
Industrie de la chaussure	293	41,5	21,80
Industrie de l'habillement	1 951	121	63,99
Travail mécanique du bois (scierie exclue)	759	50	35,44
Industrie de l'ameublement	735	60,1	34,82
Industrie du papier et du carton	724	102,5	104,40
Imprimerie presse, édition	2 109	160,2	144,25
Industrie du caoutchouc	184	81,1	46,55
Transf. des matières plastiques	1 250	117,6	92,76
Industries diverses	704	61,3	36,85
Industrie y compris énergie	**25 231**	**3 451,7**	**3 434,49**
Industrie hors énergie	**25 010**	**3 211,4**	**2 091,98**

Nota. – (1) En milliards de F (HT). *Source :* Sessi, ministère de l'Industrie et de la Recherche.

Effectif industriel (en milliers, 1991)

Régions / Secteurs	Agriculture	Industrie [1]	BGCA [2]	Tertiaire	Total
Alsace	5	188	37	352	582
Aquitaine	25	172	57	582	836
Auvergne	4	109	24	250	386
Basse-Normandie	8	116	29	269	423
Bourgogne	9	144	33	324	510
Bretagne	19	187	55	549	809
Centre	16	229	56	483	784
Champagne-Ardenne	14	131	27	253	425
Corse	5	6	10	50	71
Franche-Comté	3	129	19	202	353
Haute-Normandie	7	177	42	355	581
Ile-de-France	10	888	276	3 405	4 577
Languedoc-Roussillon	19	82	42	408	551
Limousin	4	53	13	142	212
Lorraine	5	214	46	440	705
Midi-Pyrénées	12	156	49	499	716
Nord-Pas-de-Calais	10	320	76	717	1 124
Pays de la Loire	23	275	69	597	965
Picardie	16	173	34	320	542
Poitou-Charentes	12	110	31	307	461
Prov.-Alpes-Côte-d'A.	23	185	99	961	1 269
Rhône-Alpes	13	542	130	1 151	1 836
Ensemble	262	4 586	1 254	12 616	18 718

Nota. – (1) Y compris agroalimentaire. (2) Bâtiment et Génie civil. *Sources :* Insee, Sessi.

Création zone franche. *Industrielle :* à l'étude (Mulhouse-Ottwarsheim, St-Louis) ; *portuaire :* Pointe-à-Pitre/Jarry (Guadeloupe).

Planification

Généralités

■ **Origine.** Décret du 3-1-1946 créant un Conseil du Plan et un Commissariat général (rattaché au Pt du Conseil puis au PM, et responsable de l'élaboration et du contrôle de l'exécution du Plan). Le Plan, dont la forme finale doit être approuvée par le Parlement, sert d'instrument d'orientation et de cadre des programmes d'investissements publics et privés.

■ **Commissaires au Plan.** **1946** Jean Monnet (9-11-1888/16-03-1979) ; **1952** Étienne Hirsch (n. 24-1-1901) ; **1959** Pierre Massé (1898-1987) ; **1966** François-Xavier Ortoli (n. 16-2-1925) ; **1967** René Montjoie (1926-82) ; **1974** Jean Ripert (n. 23-2-1922) ; **1978** Michel Albert (n. 25-2-1930) ; **1981** Hubert Prévôt (n. 2-10-1928) ; **1984** Henri Guillaume (n. 3-2-1943) ; **1987** Bertrand Fragonard (n. 26-4-1940) ; **1988** Pierre-Yves Cossé (n. 14-11-1934) ; **1992** Jean-Baptiste Foucauld (n. 19-1-1943).

■ **1er Plan 1947-53** (Monnet). **But :** reconstituer les ind. de base et rejoindre, en 1949, le niveau atteint en 1929, donner à la France des moyens de production adéquats pour produire plus et au plus vite. **Exécution :** objectifs largement atteints.

■ **2e Plan 1954-57.** **But :** accroissement de la production, amélioration de la qualité des produits et de la rentabilité, en vue d'un régime d'échange plus libre. **Exécution :** satisfaisante ; les équilibres économiques se dégradent en fin de période (guerre d'Algérie).

■ **3e Plan 1958-61.** **But :** préparer le plein-emploi de la jeunesse atteignant l'âge du travail et acheminer l'économie vers le Marché commun (concurrence plus large), avec une plus grande stabilité monétaire et un équilibre de la balance des paiements. **Exécution :** la plupart des objectifs ne sont pas atteints, en raison notamment des mesures d'assainissement prises lors du Plan intérimaire les 2 dernières années (crise de 1958).

■ **4e Plan 1962-65.** **But :** expansion, modernisation, investissements, mais aussi répartition des fruits de la croissance, aménagement du territoire et action régionale au profit des catégories sociales déshéritées et des régions retardées. **Exécution :** prévisions assez bien réalisées, mais la surchauffe de l'économie conduit à un plan de stabilisation en 1963.

■ **5e Plan 1966-70.** **But :** accroître la compétitivité pour préserver l'indépendance et l'expansion de l'économie.

■ **6e Plan 1971-75.** **But :** croissance forte, compétitive et équilibrée avec priorité au développement industriel. **Exécution :** la plupart des objectifs ne sont pas atteints (choc pétrolier).

■ **7e Plan 1976-80.** **But :** assurer les conditions économiques du plein-emploi, du progrès social et de la liberté de décision (croissance prévue 5,5 à 6 %, améliorer la qualité de la vie, réduire les inégalités. Mieux répartir les responsabilités. **Exécution :** objectifs non réalisés (croissance 3,4 %), malgré une adaptation à mi-parcours.

■ **8e Plan 1981-85.** N'a pas été soumis au Parlement. **But :** 7 priorités : 1°) favoriser la recherche. 2°) réduire la dépendance énergétique et en matières 1res. 3°) développer une industrie concurrentielle et les technologies d'avenir. 4°) valoriser le potentiel agricole et alim. 5°) développer la formation. 6°) consolider la protection rurale. 7°) améliorer le cadre de vie.

Politique de la nouvelle majorité de 1981

■ **Création d'un ministère du Plan et de l'Aménagement du territoire.** **Buts : 1°)** rendre au Plan un rôle moteur dans la conception et l'exécution de la pol. éco. et soc. à moyen terme, destinée à lutter contre la crise ; **2°)** assurer la décentralisation de l'aménagement de l'espace, la croissance devant reposer principalement sur de nouvelles techniques de production et la valorisation de potentialités locales ; le rôle de l'État consiste à donner plus de libertés aux régions et aux collectivités locales, à soutenir les initiatives locales en assurant leur cohérence avec les choix nationaux, et à garantir la solidarité entre les collectivités territoriales. **Moyens :** le secr. d'État dispose de 2 administrations : le Commissariat gén. du Plan (CGP) et la Délégation à l'aménagement du territoire et à l'action rég. (Datar) ; il propose les mesures concernant la coopération et la mutualité, préside plusieurs comités interministériels (développement et aménagement rural, aménagement du territoire, Conseil sup. de la coopération) ; Groupe central des villes nouv. rattaché au min. Dotations budgétaires (en 82, en millions de F) : crédits de paiement 1 871,6 (1 488,8 en 81) ; autorisations de programme : 2 641,7 (1 713,7 en 81).

Développement du secteur de l'économie sociale [mouvements associatifs, coopératifs et mutualistes (1 070 000 salariés, soit 6,1 % du total)]. *Buts et moyens :* modification du statut des coopératives et mutuelles pour permettre la participation des salariés à leur gestion, renforcement des moyens fin., pol. favorable de l'État (marchés publics, bonification des prêts, etc.), création d'organismes régionaux, création d'une délégation interministérielle à l'écon. sociale. Loi réformant la planification votée le 7-7-1982.

■ **Plan intermédiaire 1982-83.** Approuvé par le Conseil des ministres du 14-10-81. **Buts :** stabiliser le chômage, puis le réduire (création de 4 à 500 000 emplois par an à partir de 83), recréer les conditions d'une croissance saine (+ 3 % prévus pour 82-83) par l'investissement et la relance, amorcer la rénovation de l'appareil productif (nationalisation), restaurer la solidarité (partage du travail et des revenus), et lutter contre l'inflation, établir un dialogue social efficace ; stratégie régionale définie pour chaque secteur. **Exécution :** réformes de structures en grande partie réalisées, croissance mise en cause par l'environnement international nécessitant une politique de rigueur dès juin 1982.

■ **9e Plan.1984-88.** *1re loi de Plan 13-7-83* (stratégie économique et grandes actions) *2e 24-12-83 (moyens d'exécution).*

Programmes prioritaires d'exécution (1er chiffre : dépenses ordinaires, 2e ch. : autorisations de programme, 1984-88, en milliards de F). **1°)** *Moderniser l'ind.* grâce aux nouvelles technologies et à un effort d'épargne (3,9 / 16) ; **2°)** *poursuivre la rénovation du système d'éducation et de formation des jeunes (70,1 / 21,1) ;* **3°)** *favoriser la recherche et l'innovation* (3,3 / 60,9) ; **4°)** *développer les ind. de communication* (19,5 / 1,7) ; **5°)** *réduire la dépendance énergétique* (3,4 / 12) ; **6°)** *agir pour l'emploi* (34,9 / 1,3) ; **7°)** *vendre mieux en France et à l'étranger* (20,3 / 7,9) ; **8°)** *assurer un environnement favorable à la famille et à la natalité* (1,1 / 0,2) ; **9°)** *réussir la décentralisation* (2,4 / 18,7) ; **10°)** *mieux vivre dans la ville* (0,5 / 14,6) ; **11°)** *moderniser et mieux gérer le système de santé* (20,8/7,9) ; **12°)** *améliorer la justice et la sécurité* (3,6/4,3). *Total :* 183,8/166,7.

Conditions : 1°) *Redressement des échanges extérieurs :* équilibre commercial avant le début de 1985, taux d'indépendance énergétique porté à 50 % au min. avant 1990 (35 % en 1982) ; **2°)** *rigueur dans l'emploi des ressources :* lutte contre l'inflation en agissant sur les mécanismes de formation des revenus, restauration de la capacité de financement des entreprises, mobilisation des banques au service de l'économie nat. (baisse des taux d'intérêt réels, fonds propres consacrés aux priorités du Plan, services accrus aux entreprises), gestion rigoureuse des fin. publiques (croissance des recettes et dépenses limitée, affectation prioritaire des ressources à l'exécution du Plan, aux dépenses militaires d'équipement, à la recherche-développement, à l'aide publique). **Exécution :** performances économiques inférieures à la moyenne OCDE en 1984-86.

■ **10e Plan (1989-92)** adopté en conseil des ministres le 24-1-89. **Buts : 1°)** *Stratégie de croissance :* compétitivité économique, maîtrise de l'inflation, progression de l'investissement de 100 % avant 1992 (soit 6 %), modernisation des entreprises, maintien du système de protection sociale, adaptation au grand marché et accroissement des responsabilités de l'État (maîtrise des finances publiques). **2°)** *Ambition pour l'Europe.* Plus solidaire (niveau social et monétaire), affirmant son identité (civique et culturelle), valorisant et préservant ses ressources nationales (agriculture, environnement), tournée vers l'avenir (constructions scientifiques et techniques) et ses partenaires extérieurs.

Moyens : 1°) *Éducation-formation.* Accès au niveau du bac en l'an 2000 de 80 % d'une classe d'âge ; revalorisation de l'enseignement, apprentissage de 2 langues étrangères ; promotion du crédit-formation au rôle moteur de l'éducation permanente. **2°)** *Compétitivité :* dépenses de recherche et de développement portées à 3 % du PIB. Perfectionnement du crédit d'impôt-recherche. Soutien à l'effort de productivité des PME (crédits du min. de l'Industrie, renforcement du rôle de l'Anvar, aide à l'exportation). **3°)** *Solidarité.* Adaptation des régimes de retraite (maîtrise des charges, recul de l'âge effectif de la retraite en 2005), maîtrise des dépenses de santé, effort accru en faveur des familles ; prélèvement proportionnel sur tous les revenus. **4°)** *Aménagement du territoire et vie quotidienne ;* programme d'infrastructures à finalité europ. (métropoles europ. au sein d'entités régionales). Soutien des zones connais-

PRINCIPAUX RÉSULTATS ÉCONOMIQUES

Sources : Comptes de la Nation, BFCE, ministère du Travail.

Croissance du PIB (%) *1976 :* + 4,2. *77 :* + 3,2. *78 :* + 3,4. *79 :* + 3,2. *80 :* + 1,4. *81 :* + 1,2. *82 :* + 2,5. *83 :* 0,8. *84 :* 1,5. *85 :* 1,8. *86 :* + 2,4. *87 :* + 2,2. *88 :* + 4. *89 :* + 3,7. *90 :* + 2,3. *91 :* + 0,9. *92 :* + 1,8. *93 (prév.) :* 2,6.

Chômeurs : Voir à l'index.

Formation brute de cap. fixe (*objectif :* + 6,7 % par an). *1976 :* 5,7. *77 :* – 0,4. *78 :* + 0,1. *79 :* + 0,8. *80 :* + 0,3. *81 :* – 0,5. *82 :* – 1,1. *83 :* – 2,9. *84 :* – 2. *85 :* + 1,6. *86 :* + 3. *87 :* + 2,4. *88 :* + 2,6. *89 :* + 6. *90 :* 3,4. *91 :* + 0,4. *92 :* – 1,9.

Inflation (%). Voir à l'index.

Consommation des ménages (%). *1990 :* + 3, *91 :* + 1,6 ; *92 :* + 1,9, *93 (prév.) :* + 2,6.

Solde des administrations (1992, % du PIB). 3,2.

sant des différences économiques ou sociales : 55 milliards de F entre 1989 et 1993 versés par l'État pour les 4 orientations principales des contrats de plan (emploi, développement écon. et compétition des entreprises 8,8 ; formation, recherche et transformation des techniques 9,8 ; infrastructures de communication 24,1 ; actions de solidarité 12,2). *5°) Service public :* plus grande efficacité de l'État, nouvelles priorités fiscales (retenue à la source de l'impôt sur le revenu) et priorités budgétaires.

Exécution (à mi-parcours) satisfaisante. Les engagements financiers dans les contrats de Plan conclus avec les régions ont été tenus. *Élaboration :* décentralisée. Composition des commissions renouvelée : 2/3 des 576 membres sont des personnalités nouvelles (hauts fonctionnaires 130, acteurs écon. et fin. 119, partenaires sociaux 106). **Buts : 1°)** *Réussir l'Union européenne.* **2°)** *Lutter contre le chômage* (maintenu même dans l'hypothèse d'une croissance mondiale soutenue). **3°)** *Favoriser une société plus soucieuse de l'homme et de la nature* (politique de la ville intensifiée et lutte contre l'exclusion). **4°)** *Rénover l'action publique* (modernisation du service public). **Moyens :** baisse du coût du travail peu qualifié, réduction progressive de la durée hebdomadaire du travail, développement du travail partiel, des emplois dans les services, réinsertion accrue des chômeurs de longue durée ; relance de la planification régionale.

■ **11e Plan (1993-97).**

SECTEUR PUBLIC

■ GÉNÉRALITÉS

Définition de la nationalisation. Acte qui transfère à la collectivité nationale la propriété d'entreprises privées. En 1945-46, on a surtout utilisé le transfert des actions au profit de l'État, la Sté étant maintenue avec l'État comme seul actionnaire ou actionnaire principal, et le patrimoine social restant dans les mains de la Sté (Banque de France, 4 grandes banques de dépôts, Cies d'assurances) ; le transfert direct des éléments corporels et incorporels, constituant l'entr., à des personnes morales nouvelles (EDF, GDF, CDF, Renault).

Structures juridiques. *Établissement public industriel et commercial* (EDF, Charbonnages, RATP). *Sté d'économie mixte* (SNCF, Air France). *Sté dont l'État est le seul actionnaire.* Les entreprises publiques sont placées sous la tutelle ou l'autorité des pouvoirs publics (ainsi la Régie Renault n'a pas de conseil d'administration représentant les actionnaires qui sont l'État et les salariés ; le Pt et les directeurs généraux sont nommés par le Gouvernement). Le Gouv. peut leur imposer des servitudes économiques et l'on admet plus facilement que leur exploitation soit déficitaire.

■ INTERVENTIONS AVANT 1981

1800 Banque de France (statut spécial). **1810** Régie des Tabacs. **1816** Caisse des Dépôts (statut spécial). **1877** prise de contrôle des Chemins de fer de l'Ouest (après faillite). **1880** Journaux officiels. **De 1918 à 1935.** *Pour gérer des biens allemands confisqués : entreprises publiques* (mines de Potasses d'Alsace, Office nat. ind. de l'Azote) ou *stés d'économie mixte* (mines de la Sarre et de Silésie, Pétroles de Roumanie, Cie Française des Pétroles qui reprend les intérêts allemands dans les pétroles d'Irak). *Pour aider au relèvement de l'économie :* organismes fin. : Crédit National 1919. Crédit Hôtelier 1923. Crédit agricole 1930. *Pour développer les infrastructures :* Cie nat. du Rhône 1921. Office du Niger 1932. *Pour lutter contre la crise de 1929 :* renflouement de la Cie gén. transatlantique, 1935 Air France. **Front populaire (1936-37).** Conseil de régence de la Banque de France remplacé par un conseil général presque totalement nommé par l'État (24-7) ; nationalisations d'industries de guerre (Hotchkiss, Sté des torpilles de St-Tropez...). *1937 (janvier),* participation majoritaire de l'État dans des Stés aéronautiques (Potez...) ; *31-8,* création de la SNCF (51 % des actions détenues par l'État). **Après la Libération. 1944** *sept.,* création de l'Agence France-Presse ; *13-12,* Houillères du Nord et du P.-de-C. **1945**-*16-1,* nationalisation de Renault ; *29-5,* Gnôme et Rhône ; *26-6,* Air France ; *2-12,* Banque de France et 4 banques de dépôts (Crédit Lyonnais, Sté Générale, Comptoir d'Escompte de Paris, Banque nat. pour le commerce et l'industrie). Création de la Snecma. **1946**-*8-4,* création d'EDF et GDF ; nationalisation des principales Stés de production d'électricité, gaz ; *25-4,* de 34 Cies et 2 Mutuelles d'assurances ; *17-5,* des Charbonnages de France. **1965** création d'Elf-Erap (pétrole), regroupé avec SNPA dans secteur public en *1980.*

■ NATIONALISATIONS DE 1981-82

GÉNÉRALITÉS

Historique. 1981 *8-7* P. Mauroy définit les grandes orientations du projet de nationalisation (prévu par le Programme commun de la Gauche du 26-6-72). *9-9* cotation des valeurs nat. suspendue en bourse ; *22-9* avis du conseil d'État sur le projet de loi. *23-9* projet de loi adopté en Cons. des ministres ; *30-9* reprise des cotations sauf sur Matra, Dassault, Usinor et Sacilor ; *7-10* rétrocession des filiales de Paribas et Suez supprimée par la commission parlementaire ; *8-10* accord sur la part de l'État dans Dassault Breguet ; l'Ass. nat. vote la nat. de la sidérurgie (333 v. contre 148) ; *9-10* OPA de Pargesa sur Paribas-Suisse ; *22-10* le Sénat repousse la nat. de la sidérurgie (164 v. contre 124) ; *26-10* l'Ass. nat. vote la loi de nationalisation (332 v. contre 134) ; *29-10* 2e vote de l'Ass. nat. pour la nat. de la sidérurgie ; *4-11* l'Ass. nat. adopte en 3e lecture la nat. de la sidérurgie (repoussée une 2e fois par le Sénat) ; *23-11* le Sénat rejette le texte sur les nat. (184 v. contre 109) ; *3-12* loi sur les nat. votée en 2e lecture par l'Ass. nat. (332 v. contre 157) ; *16-12* le Sénat juge la loi irrecevable (184 v. contre 128). **1982**-*16-1* le Conseil const. juge constitutionnels le principe et le programme des nat., mais déclare inconstitutionnels certains articles (modalités d'indemnisation, non-nationalisation des banques, mutualités ou coopératives...) ; *19-1* avis favorable du Conseil d'État sur le nouveau projet de loi ; *20-1* adoption par le Cons. des ministres ; *29-1* l'Ass. nat. adopte le projet de loi et rejette la motion de censure (154 v. pour) ; *4-2* le Sénat adopte une question préalable ; *5-2* adoption en 2e lecture par l'Ass. nat., 2e question préalable au Sénat, adoption définitive par l'Ass. nat. ; *11-2* loi jugée constitutionnelle par le Conseil const. ; *13-2* loi promulguée ; *17-3* nomination des nouveaux dirigeants. Elf Aquitaine nationalisé en 1981-82.

Indemnisation. *Base :* meilleure moyenne mensuelle des cours de bourse entre le 1-10-1980 et le 30-3-1981, avec prise en compte de l'inflation dep. le 1-1-1981 et intégration des dividendes au titre de l'exercice 81 [projet précédent : cours de bourse moyen (pour moitié), actif net comptable et capitalisation des résultats (pour 1/4)]. *Modalités :* en échange des titres détenus, remise d'obligations indemnitaires garanties par l'État auprès des établissements financiers, émises par la Caisse nat. de l'Industrie (pour les Stés industrielles) et la Caisse nat. des Banques (pour banques et Cies fin.). *Délais pour l'échange :* titres cotés, jusqu'au 12-2-1983, non cotés, jusqu'au 30-6-83, au-delà, à la Caisse des dépôts et consignations. L'opération concernait 1 million de personnes, 200 millions de titres dont env. 80 % échangés avant début février 1983. Montant des obligations : 5 000 F, en complément 500 F ; pour le solde : soit paiement en espèces, soit versement en espèces en complément du solde pour obtenir une obligation de 500 F en +.

PORTÉE

Secteur industriel (groupe). CGE, St-Gobain, Pechiney-Ugine-Kuhlmann, Rhône-Poulenc, Thomson-Brandt.

Stés non concernées par la loi de nationalisation, mais nationalisées ou contrôlées par l'État (voir ci-dessus) : **Usinor** (50 % acier Fr.) et **Sacilor** (30 % acier Fr.) ; **Matra** [secteur militaire, *CA 1986 :* 809 (est.) millions de F] ; **Dassault-Breguet** (aéronautique, *CA 1987 :* 15 545 (est.) millions de F dont 68,55 % à l'export.) ; **ITT France :** *CA 1987 :* 975 millions de F ; **Bull :** *CA 1987 :* 18 000 millions de F (1er constr. d'ordinateurs français) ; **Roussel-Uclaf :** *CA 1987 :* 9 683 millions de F (2e gr. français dans la parachimie).

Dotations en capital pour 1986. Versées par l'État en tant qu'actionnaire (milliards de F) : 11,48 dont sidérurgie (Sacilor et Usinor) 5,75, Chimie (CDF 0,7, FMC 0,15) 0,85, Renault 3, Bull 1, Thomson 0,4, SNIAS et Snecma 0, Rhône-Poulenc 0, St-Gobain 0,15, CGCT (ex-ITT) 0,335, Péchiney 0.

Nota. – + Prêts participatifs : 4 ou 5 milliards. + Titres participatifs de certains groupes : 4 milliards.

CONTRÔLE DES ENTREPRISES PUBLIQUES

Tutelle ministérielle. 1°) Sur les hommes. Nomination des administrateurs présidents et directeurs gén. par décret en Cons. des ministres (représentants de l'État désignés par les ministres concernés) ; instructions impératives de l'État aux Pts et représentants de l'État (le plus souvent générales, pour respecter l'autonomie de gestion) ; révocation possible : des Pts et représentants de l'État (sans avoir à être motivée par une faute), des autres représentants (pour faute grave), de tout le conseil (si dissensions graves). **2°) Sur les actes.** Surveillance du ministère concerné et du min. de l'Éc. et des Finances : sur budgets, bilans et affectations de résultats, prises ou extensions de participations fin., rémunérations des Pts et dir. gén. ; parfois sur prix, emprunts, statuts et rémunérations des personnels, programmes d'inv. ; approbation pour les décisions stratégiques (ex. : restructurations) ; dans certains cas, commissaire du Gouv. désigné auprès de l'entreprise ; min. de l'Éc. et des Fin. représenté par des contrôleurs d'État (droits de veto, de visa...) ; contrôles de l'Inspection gén. des Fin. **Vérification par la Cour des comptes** (voir p. 716). Sur les comptes et la qualité de la gestion. Pouvoirs de contrôles sur place, de communication des documents ou des données informatiques, de convocation des responsables, d'enquête des services fiscaux auprès des tiers et de consultation des dossiers de travail des commissaires aux comptes. Procédure contradictoire. **Contrôle parlementaire.** Informations dues au Parlement : nomenclature des entreprises publiques avec divers renseignements, comptes et bilans (mais tardive, incomplète, sans données écon.) ; rapports de la Cour des comptes sur chaque entreprise, adressés aux parlementaires « spécialisés » ; documents et rapports du *Haut Conseil du secteur public* (créé 11-2-1982) où siègent 10 députés et sénateurs, 5 repr. des syndicats, 5 repr. de l'État et 5 personnalités cooptées (*Pt :* Maurice Blin, sénateur centriste des Ardennes). Pouvoirs d'investigations : demandes d'enquête à la Cour des comptes, contrôles directs (auditions, sur pièces et sur place pour les parlementaires spécialisés), missions d'information, commissions d'enquête (recueil des informations) ou de contrôle (examen des gestions), questions orales et écrites.

SECTEUR BANCAIRE ET FINANCIER

Banques. *Sont nationalisées 36 banques dont les débits atteignent 1 million de F ou + :* Crédit du Nord, CCF, CIP, Sté lyonnaise de dépôts et de crédit ind., B. de Paris et des Pays-Bas, Sté nancéienne du crédit ind. Varin-Bernier, B. Worms, B Scalbert-Dupont, Crédit ind. d'Alsace et de Lorraine, Crédit ind. de l'Ouest, Sté marseillaise de crédit, B. de l'Indochine et de Suez, B. de l'Union européenne, Sté gén. alsacienne de Banque, B. Vernes et comm. de Bretagne, B. corporative du bâtiment et des trav. publics, Crédit ind. de Normandie, B. régionale de l'Ouest, B. de La Hénin, Union de banques à Paris, Sté bordelaise de crédit ind. et comm., Sté centrale de banque, Sté séquanaise de banque, B. régionale de l'Ain, B. Chaix, B. Tarneaud, B. ind. et mobilière privée, Sofinco La Hénin, Monod française de Banque, B. Odier Bungener Courvoisier, B. Laydernier. *Auront un statut spécial : 3 b., mutualistes* B. féd. du crédit mutuel, B. centrale des coopératives et des mutuelles, B. française de crédit coopératif.

Compagnies financières. Cie fin. de Paris et des P.-Bas : 1er gr. fin. de France ; activités : bancaires et fin. (contrôle de B. de Paris et des P.-Bas, Crédit du Nord, Cie bancaire, banques à l'étranger, Stés d'assurances), participations ind. et commerciales conseil et services. **Cie fin. de Suez :** 4 secteurs : banque-finance-assurances (B. de l'Indochine et de Suez, CIC, B. Vernes), holdings, industrie, services-immobiliers-TP ; valeur boursière du portefeuille (fin 1980, milliards de F) : 1,26 (val. françaises 43 %, USA-Canada 29,9 %), dont pétrole 25,5 %, mat. électrique 15,3, val. à revenu fixe 12,6.

☞ **Principales restructurations dans les groupes nationalisés en 1982-83** (voir Quid 1986, p. 1412 ab).

■ **Coût des nationalisations de 1981-82** (estim. avril 1983). 58 milliards de F, dont contribution à l'exploitation des entreprises publiques traditionnelles 25, à la couverture des charges de retraite des cheminots et mineurs 17,1, apport d'actionnaire, sous forme de concours en capital 12 (au bénéfice des entreprises nouvellement nationalisées 8,1), indemnisation des anciens actionnaires 3,3, prêts du FDES 1.

■ **Indemnisation des actionnaires des Stés cotées nationalisées.** Valeur assignée aux Stés nationalisées par la loi du 11-2-1982 (compte non tenu des obligations convertibles) : produit du montant de l'indemnité par action par le nombre d'actions au 31-12-81 (en millions de F). Entre parenthèses, montant de l'indemnité par action en F.

Sociétés industrielles : Rhône-Poulenc 2 749 (120,96), PUK 3 167 (124,25), St-Gobain 6 050 (174,61), CGE 3 487 (492,27), Thomson-Brandt 1 951 (306,94). *Cies financières :* Paribas 5 020 (303,35), Suez 4 010 (423,09). *Banques :* BNP 2 773 (339,72), Sté générale 3 790 (331,68), Crédit Lyonnais 1 841 (342,48), Crédit du Nord 520 (102,26), CCF 1 773 (253,88), CIC 921 (203,33), Lyonnaise de dépôts 505 (246,08), Nancéienne Varin-Bernier 359 (350,71), B. Worms 576 (229,10), Scalbert Dupont 250 (175,28), CIAL 551 (345,15), Crédit ind. de l'Ouest 291 (176,81), Marseillaise de crédit 634 (331,55), Sogenal 435 (402,11), B. Rothschild 412 (197,20), B. Hervet 394 (276,93), B. de Bretagne 150 (181,58), Crédit ind. de Normandie 72 (163,91), Bordelaise de CIC 38 (88,83), Sté centrale de banque 63 (100,51), Séquanaise de banque 165 (329,33). *Total 42 947.*

Bilan des sociétés nationalisées (1981-85)

Aspects positifs. *Amélioration des résultats financiers* de 6 Stés ind. (CGE, St-Gobain, Pechiney, Rhône-Poulenc, Thomson et Bull) devenues bénéficiaires (env. 6 milliards de F en 1985) alors que plusieurs étaient déficitaires en 1981 (bénéfices en 1984 : 4 milliards de F) [1]. Les pertes des groupes sidérurgiques (Sacilor et Usinor) ont baissé de plus de 50 % de 1984 à 1986 (– 7 500 contre 15 440 millions de F). *Hausse des investissements* + 15 % de 1984 à 1985 (24 milliards de F) pour 11 groupes (St-Gobain, CGF, Thomson, Pechiney, Rhône-Poulenc, Bull, CGCT, Sacilor, Usinor, Matra, Dassault) ; hausse globale de 16,5 % de 1981 à 1985 pour 12 groupes (avec Renault) contre une baisse de 9 % dans l'ind. privée. *Succès en Bourse des titres émis* (titres participatifs, certificats d'inv.).

Nota. – (1) En outre, les bénéfices de Matra et de Dassault sont à peu près égaux à ceux de 1984.

Aspects négatifs ou critiqués. *Déficit cumulé :* pour les 12 groupes ind. 71 milliards de F en 4 ans. *Dette à + d'un an* (en milliards de F) pour les 8 groupes nationalisés en 1982 : *1980* 43,2 ; *1984* 88,2 (+ 104 %) ; pour les Stés nat. avant 1982 : *1980* 28,7 ; *1984* 63,7 (+ 122 %). *Dette totale pour l'ensemble du secteur ind. concurrentiel* (en milliards de F) : *1981 :* 103 ; *1985 :* + de 200. *Coût élevé pour l'État.* + de 45 milliards de F de dotations de capital de 1982 à 1985 (+ aides des min. de l'Économie, de la Recherche ou de l'Énergie et les prêts participatifs accordés à des conditions privilégiées par les banques nat.). *Réduction des effectifs* [9 % dans les Stés nat. du secteur concurrentiel de fin 1982 (805 000) à fin 1985 (735 000)] alors que les Stés nationalisées devaient être « le fer de lance de l'emploi ». *Thomson :* – 45 000 emplois entre 1982 et 88 ; sidérurgie : – 15 000 emplois de 1985 à 87 ; *Renault :* - 20 % des effectifs par an dep. 1985.

Autofinancement insuffisant. Inférieur de 25 % à celui du secteur privé comparable pour les Stés ind. (sans la sidérurgie) de 1981 à 1985.

Bilan publié juin 1990 à la Cour des comptes. Nationalisation (en 1982), puis privatisation de 10 groupes industriels et financiers, se soldant pour l'État par « un résultat pratiquement équilibré ». *Résultats* (en milliards de F constants, 1988). Montant des investissements : 41,4 ; des recettes : 56,1 (solde : + 14,7), dont établissements financiers 15,23 (mais perte de 0,7 avec le secteur industriel, malgré un solde positif de 0,9 avec la CGE, et de 2 avec St-Gobain).

■ Débat

☞ **Principales raisons des nationalisations de 1936-37 et 1945-46** (outre des raisons conjoncturelles : ex. nationalisation de Renault pour faits de collaboration) souci de soustraire aux intérêts privés et aux lois du marché des activités et secteurs où existait une situation de quasi-monopole, correspondant à un service public de fait, nécessitant d'importants investissements souvent peu rentables : ex. production d'électricité, de charbon, transports ferroviaires et aériens.

■ **Raisons et objectifs des nationalisations (donnés par la majorité de gauche en 1982).** *Buts généraux :* mettre fin à la mainmise d'intérêts privés et internationaux devenus, par le jeu des concentrations, les véritables centres de décision économique, financier et politique, aux dépens de l'intérêt général et de l'indépendance nationale ; surmonter la crise et doter la France d'une économie puissante, équilibrée et en expansion par une politique de développement industriel et de croissance sociale.

Moyens et objectifs précis : 1°) *Dynamiser l'industrie :* pôles d'innovation technologique et investisseurs majeurs, les entr. nat. doivent être le moteur de l'économie interne (en stabilisant l'environnement écon. des PME et en valorisant un potentiel d'expansion souvent mal exploité), et être le fer de lance de la bataille écon. internationale et de la reconquête compétitive du marché national ; leur dynamisme sera assuré par le respect de leur autonomie de gestion (dans le cadre des grandes orientations définies par le Gouv. et approuvées par le Parlement). 2°) *Maîtriser le crédit :* les moyens fin. des banques (et des Cies d'assurances) doivent être orientés en priorité vers l'investissement productif et l'innovation indispensables à la réalisation des objectifs écon. 3°) *Affirmer la démocratie écon. :* en donnant aux salariés du secteur public un pouvoir concret de participation aux décisions sur l'organisation de leur travail, d'information sur les options stratégiques de leur entreprise, de gestion grâce à leurs représentants, et la possibilité de s'associer aux mutations du progrès technique, en favorisant la responsabilité individuelle et collective des travailleurs dans leur activité ; en assurant la participation des usagers.

■ **Critiques de l'opposition. Sous l'angle économique et financier :** I-INCOHÉRENCE ENTRE MOYENS ET OBJECTIFS : *a) L'appropriation à 100 % des capitaux* 1°) conduit à « renationaliser » une partie du cap. ouverte aux investisseurs privés (ex. : Sté Générale, BNP, AGF) ; 2°) est coûteuse pour l'État, donc pour le contribuable (+ de 40 milliards de F pour l'indemnisation + 8 milliards de F/an pour la gestion) alors qu'une prise de contrôle majoritaire aurait permis d'atteindre les mêmes buts.

b) Critères contestables : 1°) choix des 5 groupes ind. alors que la pol. ind. n'est pas définie, que d'autres groupes sont aussi « stratégiques », que ces groupes produisent peu de biens de consommation et ne peuvent donc permettre la reconquête du marché intérieur ; 2°) pour les banques, il eût mieux valu choisir comme critère les crédits distribués que les dépôts (en outre, la fixation d'un seuil pour ceux-ci est arbitraire car leur montant varie d'un mois à l'autre) ; 3°) risques de double emploi liés au choix de 2 Cies fin. opérant dans un même domaine de spécialisation.

c) Le principe de l'autonomie des entreprises nat. contredit la volonté de maîtriser la restructuration de l'économie : 1°) les besoins de rentabilité sont peu conciliables avec la garantie de l'emploi (dans le passé, les Stés nat. ont supprimé beaucoup d'emplois) ; *2°) les entr. publiques ne permettent pas forcément de relancer la croissance :* elles investissent peu par autofinancement et assèchent le marché fin. où elles bénéficient de privilèges par rapport aux Stés privées (la charge de leurs dettes est payée par les contribuables quand elle s'élève trop), la rentabilité de leurs inv. est de 50 % inf. à celle des Stés privées ; *3° la nat. de nouvelles banques se justifie peu,* car celles-ci avaient su accepter les risques industriels et de financement à long terme et répondre aux besoins des PME, et ce n'était pas nécessaire pour maîtriser la monnaie (en raison du rôle décisif de la B. de France) ; elle ne réglera pas le problème majeur de la concurrence entre b. inscrites et b. mutualistes (les nouv. b. nat. font moins de crédit que le Crédit Agricole) ; *4°) la nat. va à l'encontre de la décentralisation.*

II-RISQUES ET DANGERS DES NATIONALISATIONS : *a) Pour les PME :* confrontées à des entr. nat., en position de quasi-monopole ou largement dominantes, elles seront défavorisées par rapport à celles-ci pour l'accès au crédit (en outre, celui-ci sera accordé selon des critères « sociaux » et non de rentabilité).

b) Pour la Bourse : la cote de la B. étant réduite de + de 1/5 (150 à 200 milliards de F au lieu de 240 fin 1980), le marché fin. ne pourra fournir aux Stés privées les ressources nécessaires ; l'épargne sera orientée vers la sécurité des placements au détriment du risque calculé des rendements variables.

c) Pour la position internat. de la France : l'écon. fr. risque de perdre personnels, partenaires, marchés, réseaux et filiales, avec comme conséquence l'effacement de Paris comme place fin. internat.

d) Pour les fin. publiques : au coût de l'indemnisation des actionnaires et de la charge des services des intérêts (v. ci-dessus), s'ajouteront le fin. des pertes d'exploitation de Stés structurellement déficitaires (Usinor, Sacilor), l'octroi de dotations en capital et la compensation de charges de service public imposées aux Stés par les futurs « contrats de plan ».

e) En général, la loi du marché étant assujettie à des impératifs non économiques, la rentabilité est sacrifiée à des considérations sociales et politiques, et l'impunité financière (quasi-absence du risque de faillite) et la lourdeur de l'organisation (de type administratif) rendent difficiles les adaptations qui exigent l'évolution économique (besoins du marché, conditions de production...).

■ Privatisations (gouvernement Chirac)

■ **Raisons avancées par le gouv.** Souci d'efficacité écon. : les règles de l'État sont incompatibles avec la nécessité de décisions rapides, de structures souples et de capacité d'adaptation aux événements dans un monde de plus en plus concurrentiel ; politisation trop fréquente des nominations des dirigeants ; interventionnisme de l'État ne tenant pas compte de la rentabilité des opérations imposées aux stés.

■ **Procédure législative.** Projet de loi voté le 10-4-1986 [par 292 pour : 155 RPR, 131 UDF, 5 non-inscrits divers droite, E.-F. Dupont (FN, Paris). Contre (285) : 212 PS, 35 PC, 34 FN, 4 non-inscrits divers gauche]. Autorise le gouv. à fixer les conditions de la privatisation par ordonnance.

■ **Quelques critiques et problèmes.** Opposition partielle du Pt Mitterrand. Refus annoncé (Cons. des min. du 9-4-86) de signer des « ordonnances portant sur le principe et les modalités de la privatisation d'entreprises nationalisées avant 1981, qui transgresseraient les règles d'évaluation admises lors du passage du secteur privé au secteur public, qui entraîneraient des mesures contraires à la démocratisation du secteur public ». Une des raisons est qu'« on ne peut acheter à l'État dans des conditions qui ne correspondraient pas aux conditions posées lorsqu'on a vendu à l'État » ; or, en 1945-46, « il n'y avait pas eu de règles d'évaluation ». En cas de refus du Pt de la Rép. de signer une ordonnance, le gouv. pourrait faire voter une loi selon la procédure d'urgence.

■ **Sociétés concernées.** *Banques et Cies d'assurances nat. en 1945* (BNP, Sté Générale, Crédit Lyonnais ; UAP, Gan, AGF), *agence Havas, Sté nat. Elf-Aquitaine, Stés nat. en 1982* (Cies fin. Paribas et Suez ; groupes ind. CGE, St-Gobain, Pechiney, Rhône-Poulenc, Thomson, Bull, Matra, CGCT).

En outre, possibilité pour les autres Stés du secteur public de céder (par décret) une partie de leur capital (49 % au max.).

Conditions de privatisation : *Délai :* 5 ans. *Modalités du transfert :* fixées dans un délai de 6 mois. *Principes d'action :* progressivité, transparence et recours au marché, formules variées adaptées aux conditions du marché et aux caractéristiques des Stés (achat, échange d'obligations de l'État, augmentation de capital...), garantie des intérêts nationaux, participation (actionnariat populaire et participation des salariés : 10 % des actions réservés en priorité et à des conditions préférentielles).

Évaluation des entreprises dénationalisables. Selon C. Cabana, min. délégué chargé de la Privatisation (mai 1986), l'évaluation devait se faire par « référence au marché » et « dans les mêmes termes » pour chaque Sté. Le prix de vente de chacune devait tenir compte, des critères retenus par la loi de nationalisation de

Bilan des sociétés privatisées (au 15-7-1990)

Nom	Date de privatisation	Capital [1] et (revenu pour l'État)	Actions		Prix de souscription de l'action (F)
			Nombre total	Offertes au public	
St-Gobain	2-11-86	12 (6,2)	28 000 000	20 160 000	310
Paribas	19-1-87	17,5 (6,2)	32 875 945	15 217 336	405
Sogénal	9-3-87	1,45 (0,6)	5 665 617	5 099 056	125
Banque BTP	6-4-87	0,4 (0,1)	2 962 305	1 030 305	130
TF1	16-4-87 [2]	4,5 [3] (1,3)	20 266 699	7 726 699	165
BIMP	20-4-87	0,3 (0,1)	2 303 874	785 460	140
CCF	27-4-87	4 (1,7)	38 371 328	16 291 858	107
CGCT	cédé 30-4-87	0,5 (0,5)	–	–	–
CGE	11-5-87	18 (8,3)	39 600 000	28 533 094	290
Havas	25-5-87	5,8 (1,1)	5 244 049	2 187 243	500
Sté Gén. ...	15-6-87	21,5 (9,1)	43 583 077	22 396 319	407
Suez	10-87	19 (6,5)	48 523 000	20 528 617	317
Matra	1-88	2 (0,4)	9 003 716	3 737 875	110

Nota. – (1) En milliards de F. (2) Privatisée en partie. (3) 3 vendus.

1982 (valeur boursière, actif net, bénéfices) et de la « batterie de critères diversifiée » utilisée pour une introduction de titres sur le marché financier (capacité bénéficiaire à venir). Un « conseil de déontologie » (5 à 7 personnalités indépendantes n'appartenant pas à la fonction publique) devait donner son avis sur l'évaluation de chaque Sté et veiller au « respect des intérêts patrimoniaux de l'État ».

Montant total : *évaluation selon « Les Échos »* (en janvier 1986, en milliards de F) : 228,8 (Stés publiques sauf Stés de télévision et de services publics ; certaines ne figurant pas sur la liste des Stés dont la privatisation était prévue) dont Stés cotées 34,4, banques 56,6, assurances 37,1, Stés nationalisées (en 1982) 76,2 (dont Stés ind. 50,5, Cies fin. 25,7), entreprises diverses non cotées 24,5. *Selon d'autres sources,* de 150 à 250 milliards de F (seules Stés dont la privatisation est prévue).

Sociétés privatisables en 1993-94

Société	Date de nation.	% de l'État	CA [2] (en Md de F 1992)	Résultat (en Md de F 1992)	Effectif en milliers
Aérospatiale	Août 1936	74	52,30	– 2,38	45
Air France	Juin 1945	99	57,20	– 3,26	64
CCR	Avril 1946	100	3,07	+ 0,24	0,1
Banque Hervet .	Fév. 1982	55 [1]	1,1	– 1,86	1,4
BNP	Déc. 1945	73	39,9	+ 2,17	56
Bull	Fév. 1982	72	30,10	– 4,70	35
CGM	Juil. 1942	100	7,40	– 0,73	2
Crédit Lyonnais .	Déc. 1945	52	48,90	– 1,80	70
Elf Aquitaine ...	Nov. 1941	51	200,60	+ 6,20	88
Pechiney	Fév. 1982	55	65,30	+ 0,20	61
Renault	Janv. 1945	80	179,40	+ 5,68	146
AGF	Avril 1946	65	59,40	+ 1,50	22
GAN	Avril 1946	79	44	+ 0,40	49
UAP	Avril 1946	53	126	+ 1,10	40
Rhône-Poulenc .	Fév. 1982	43	81,70	+ 1,50	83
Seita	Janv. 1959	100	13,40	+ 0,36	5
SMC	Fév. 1982	100	3,95	– 0,45	2
SNECMA	Mai 1945	97	22,80	– 0,79	25
Thomson	Fév. 1982	82	71,30	– 0,54	100
Usinor Sacilor ..	Nov. 1981	80	86,70	– 2,40	91
CNP	Juil. 1868	42	42	+ 1,12	2

Nota. — (1) Après prise de participation du CCF à 34 %. (2) Ou produit net bancaire.

Poids des entreprises publiques dans l'industrie en 1990, en %

	Effectifs	CA HT	Export	Invest.
Minerais et métaux ferreux .	66,65	75,43	78,91	82,21
non ferreux	62,67	64,75	61,68	73,63
Matér. constr. et min. div. .	3,6	2,07	0,67	3,12
Chimie textiles artif. synth. .	43,06	39,12	45,79	37
Parachimie et pharmacie ..	13,71	13,50	15,88	13,45
Fonderie et trav. des métaux	4,93	5,92	9,32	8,33
Construction mécanique ...	4,39	6,72	3,89	6,8
Mat. électr. et électron.	14,49	14,79	22,23	15,06
Biens d'équipement ménager	21,93	25,95	26,29	29,68
Mat. de transport terrestre .	26,75	30,98	34,32	27,31
Constr. navale et aéron. ...	63,03	73,56	85,67	80,1
Textile et habillement	0	0	0	0
Cuir et chaussure	0	0	0	0
Bois ameublement Ind. Div.	0,10	0,23	0,05	0,03
Papier et carton	0,16	0,12	0,06	0,06
Presse, imprimerie, édition .	0,25	0,27	0,11	0,14
Caoutchouc et mat. plast. ..	1,83	3,49	3,81	3,78
Industrie manufacturière ...	13,78	19,48	28,32	22,66

Le secteur public en 1991. *Entreprises :* nombre : 2 622 ; effectifs : 1 763 000.

☞ **« Ni privatisation, ni nationalisation » (dit le Nini).** Doctrine lancée par François Mitterrand dans sa « Lettre à tous les Français », lors de la campagne présidentielle de 1988, et visant à mettre fin à toute initiative dans chaque sens. Le décret du 4-4-1991, autorisant les entreprises du secteur public à ouvrir leur capital à hauteur de 49,9 % à des partenaires étrangers, a ouvert une brèche dans ce dogme, dénoncé par la plupart des dirigeants des grands groupes publics comme un frein aux accords entre grands groupes français et étrangers.

■ **Ouverture du capital des entreprises publiques.** Un décret du 4-4-1991 (JO du 5-4) a autorisé l'ouverture minoritaire du capital des entreprises publiques à des investisseurs privés, à 2 conditions : 1°) État restant majoritaire (soit au moins 50,1 % des droits de vote) ; 2°) opérations conclues dans un accord de coopération industrielle, commerciale ou financière. *La loi du 4-4-90* avait déjà ouvert le capital de Renault, transformé en Sté anonyme, à hauteur de 25 % (opération d'échange de participations avec Volvo). *19-11-1991 :* Crédit Local de France (25 % de son capital) ; *13-3-1992 :* Elf Aquitaine (2,3 % de son capital). *24-6-1992 :* Total. Bénéfice attendu 15 milliards de F. *Fin 1992 :* Rhône-Poulenc (10,6 % de son capital).

☞ Le 21-7-1993, un décret a désigné les 4 premières sociétés privatisables : BNP, Banque Hervet, Rhône Poulenc et Elf-Aquitaine. Recettes attendues fin 1993 : 40 milliards de F.

Répartition par activité des entreprises du secteur public (nombre d'entreprises et, en italique, effectifs publics en milliers 1991 et, entre parenthèses, % des effectifs dans le secteur). **Ind. agro-alimentaires** 29 *8* (2). **Énergie** 40 *192* (76) *dont charbonnages 23* (100), *électricité, gaz 152* (75), *pétrole 17* (58). **Biens intermédiaires** 228 *154* (13) dont *sidérurgie 55* (60), *minerais non ferreux 31* (59), *chimie 52* (44). **Biens d'équipement** 133 *283* (19) dont *constr. électron. 78* (14), *mécanique 18* (4), *constr. navale, aéronautique, armement 97* (54), *constr. auto. 90* (25). **Biens de consommation** 54 *19* (2). **Bâtiment** 12 *0,2*. **Commerce** 254 *19* (1). **Transports et télécomm.** 281 *766* (56) dont *transports 331* (38), *télécomm. 434* (89). **Services marchands** 33 *81* (2). **Location et crédit-bail** 222 *3* (4). **Assurances** 37 *34* (21). **Organismes financiers** *153* (34). **Agriculture, sylviculture** *13* (5). **Services non marchands** [1] 33 *36*. *Ensemble* 2 622 *1 763* (9).

Nota. – (1) Le poids du secteur public dans les services non marchands ne doit pas se mesurer à partir des seules entreprises publiques, mais inclure également les administrations.

Source : Répertoire des entreprises contrôlées majoritairement par l'État, Insee.

Marchés publics

■ **Définitions.** Contrat écrit passé obligatoirement entre administrations et org. publics et leurs fournisseurs pour leurs commandes de travaux, fournitures et serv. supérieurs à un certain montant (en *1990 :* 300 000 F). *L'adjudication,* pendant longtemps la seule procédure de droit commun, est moins utilisée car elle ne permet pas la sélection des candidats selon plusieurs critères adaptés à l'objet du contrat (seul critère, le prix de la prestation).

■ **Conditions.** La loi nº 91-3 du 3-1-1991 soumet à des mesures de publicité et, le cas échéant, de mise en concurrence, les concessions de travaux les plus importants passés par : les groupements de droit privé formés entre des collectivités publiques ; les organismes de droit privé créés en vue de satisfaire un besoin d'intérêt général autre qu'industriel ou commercial ; les organismes subventionnés à + de 50 % par les collectivités publiques, dont l'objet est de réaliser des équipements hospitaliers, sportifs scolaires, universitaires ou administratifs.

Nota. – La Commission centrale des marchés, créée en 1959, assure la concertation et la coordination écon. et fin. des administrations, traite tous les problèmes importants posés par les achats publics et contrôle les marchés de l'État.

■ **Statistiques. Nombre de marchés et avenants et,** entre parenthèses, **montant** (en millions de F, en 1989) : *État* 95 822 (158 429), *collectivités locales* 156 517 (81 340), *entreprises publiques* 76 670 (160 026). *Total* 329 009 (399 795).

Marchés passés par les services de l'État (% pour les nombres et, entre parenthèses, pour le montant, en millions de F, en 1989) : adjudications : 0,3 (480), appels d'offres ouverts ou restreints : 49,2 (31 365), marchés négociés : 45 (114 552), mode non déclaré : 5,4 (1 504).

Répartition des marchés de l'État par secteurs économiques. (en %, en 1989) : constructions électriques et électroniques 28,2, constructions aéronautiques et spatiales 30,7, bâtiment et génie civil 15,9, services marchands 15,2 autres 10.

Nota. – Les marchés publics recensés représentent env. 7,1 % du PIB.

Tiers-monde

☞ **Tiers-monde.** Expression d'Albert Sauvy (n. 1902) dans un article publié le 14-8-1954 dans l'*Observateur (Trois mondes, une planète).* « Nous parlons volontiers des deux mondes en présence, de leur guerre possible, de leur coexistence, etc., oubliant trop souvent qu'il en existe *un troisième,* le plus important et, en somme, le premier dans la chronologie. C'est l'ensemble de ceux que l'on appelle, en style Nations unies, les pays sous-développés. [...] Ce tiers-monde, ignoré, exploité, méprisé comme le tiers état, veut, lui aussi, être quelque chose. »

Origine du sous-développement (explications)

Expliqué par la théorie des 4 cercles vicieux (travaux de François Perroux vers 1950-55). 1°) **Taux :** de natalité, de mortalité et d'accroissement net de la population élevés, niveau des subsistances élémentaires faible ; l'abaissement de la mortalité augmentant, le taux d'accroissement s'élève d'où diminution du niveau des subsistances. 2°) **L'industrialisation :** suppose un développement de l'agriculture pour fournir les matières premières locales et augmenter les rations des travailleurs ; pour équilibrer leur balance des paiements, certains pays sous-développés exportent leurs produits agricoles ; d'autres exportent un produit industriel (ex. : pétrole). Les investissements sont spécialisés, dominés par l'étranger et ne vont pas toujours dans l'agriculture. 3°) **Le revenu national est bas :** il y a donc peu d'épargne à investir. Il faut alors recourir à l'impôt (mais la masse imposable est faible) ou à l'investissement étranger, mais celui-ci imposera ses exigences. 4°) **L'économie est désarticulée :** la consomm. n'augmente pas systématiquement avec le plan monétaire. Ce phénomène entrave le développement *et* la croissance.

Par un retard de croissance (travaux de W. Rostow vers 1960). Chaque pays passe par 5 phases successives : 1°) sociétés traditionnelles ; 2°) transition préparant le démarrage ; 3°) démarrage de l'économie ; 4°) marche vers la maturité ; 5°) ère de la consommation de masse. *Exemples :* phases 1 et 2 : Chine, Tchad, Mauritanie ; phase 3 : Brésil, Mexique, Algérie ; phase 4 : ex-URSS (début), Japon (milieu), France (fin) ; phase 5 : USA. Chaque pays doit « suivre la filière ». Le sous-développement est donc un retard de développement. Les rapports entre pays riches et pauvres peuvent accélérer le développement en opérant des transferts de capitaux et de connaissances techniques.

Par l'échange inégal (1970, travaux de G. Myrdal et d'A. Emmanuel notamment). Depuis 1950, les échanges commerciaux progressent en valeur entre pays riches, en revanche ils diminuent entre pays riches et pauvres. Les pauvres vendent moins cher leurs produits ; les riches vendent plus cher les leurs. **Par des facteurs humains et socioculturels.** Mode de gouvernement (dictature, corruption généralisée, fuite des capitaux), analphabétisme, fuite des élites peu soucieuses de servir sur place leur pays, détournement de l'aide, investissements « somptuaires » ou inadaptés, modification des besoins (par mimétisme, en imitant les pays industriels) entraînant l'importation de produits coûteux.

Mesure du sous-développement

■ **Critères.** On utilise habituellement comme « instruments de mesure » le PIB (produit intérieur brut), le taux de croissance et le PNB (produit national brut) par habitant. Mais beaucoup estiment que cette méthode ne convient pas pour les pays sous-développés car les statistiques manquent, l'autoconsommation, importante, est difficile à estimer, les coûts de développement ou les avantages des sociétés traditionnelles, comme l'environnement, ne sont pas pris en compte. On a proposé d'autres méthodes tenant compte de données négligées (patrimoine socioculturel, ressources telles que l'air et l'eau).

■ **Classification des pays en développement. Pays à revenu faible (inférieur à 546 $ par habitant)** (2 900 millions d'hab.). *Afrique :* Bénin, Burkina-Faso, Burundi, Éthiopie, Ghana, Guinée, Kenya, Lesotho, Liberia, Madagascar, Malawi, Mali, Mauritanie, Mozambique, Niger, Nigeria, Ouganda, Rép. Centrafricaine, Rwanda, Sierra Leone, Somalie, Soudan, Tchad, Togo, Zambie. *Amérique et Antilles :* Haïti *Asie-Océanie :* Bangladesh, Bhoutan, Birmanie, Cambodge, Chine, Inde, Indonésie, Laos, Népal, Pakistan, Sri Lanka, Viêt-nam. *Proche et Moyen-Orient :* Afghanistan, Yémen du S. **A revenu intermédiaire tranche inférieure (546 à 2 200 $ par hab.) :** (740 millions d'hab.). *Afrique :* Angola, Botswana, Cameroun, Congo, Côte-d'Iv., Égypte, Maroc, Maurice, Sénégal, Tunisie, Zimbabwe. *Asie-Océanie :* Malaisie, Papouasie-Nouv.-Guinée, Philippines, Thaïlande. *Proche et Moyen-Orient :* Jordanie, Liban, Syrie, Yémen du N., *Amérique et Antilles :* Bolivie, Brésil, Chili, Colombie, Costa Rica, Équateur, Guatemala, Honduras, Jamaïque, Nicaragua, Panama, Paraguay, Rép. Dominicaine, Salvador. *Europe :* Pologne, Turquie. **A revenu intermédiaire tranche supérieure (plus de 2 200 $ par habitant)** 22 (330 millions d'hab). *Afrique :* Afr. du S., Algérie, Angola, Gabon, Libye, *Asie-Océanie :* Corée du N., Corée du S., Mongolie. *Proche et Moyen-Orient :* Iran, Iraq, Oman. *Amérique et Antilles :* Argentine, Cuba, Mexique, Trinité-et-Tobago, Uruguay, Venezuela. *Europe :* Grèce, Hongrie, Portugal, Roumanie, Yougoslavie. 5 PVD d'Asie (Chine, Indonésie, Thaïlande, Taiwan, Corée) et 4 d'Amér. latine (Argentine, Mexique, Chili, Brésil) contribuent à 20 % du PIB mondial avec un produit réel moyen par habitant égal au 5e de celui des USA, mais avec de grandes disparités d'un pays à l'autre (Inde 6 %, Taiwan 38 %).

Le Fonds monétaire international regroupe les pays en développement en : *1°) pays exportateurs de pétrole* (pétrole et gaz représentent + de 30 % de leurs export. totales) : Algérie, Arabie, Bahrein, Cameroun, Congo, Égypte, Émirats arabes unis, Équateur, Gabon, Indonésie, Iran, Iraq, Koweït, Libye, Mexique, Nigeria, Oman, Qatar, Syrie, Trinité et Tobago, Venezuela ; *2°) pays endettés :* tous les pays en développement sauf Arabie, Émirats arabes unis, Iran, Koweït, Libye, Oman, Qatar, Taïwan ; *3°) pays à revenu intermédiaire lourdement endettés :* Argentine, Bolivie, Brésil, Chili, Congo, Costa Rica, Colombie, Côte-d'Ivoire, Équateur, Honduras, Hongrie, Mexique, Maroc, Nicaragua, Pérou, Philippines, Pologne, Sénégal, Uruguay, Venezuela ; *4°) pays qui ont eu récemment des difficultés à assurer le service de leur dette :* Argentine, Bénin, Bolivie, Brésil, Cambodge, Cap-Vert, Chili, Congo, Costa Rica, Côte-d'Iv., Cuba, Égypte, Équateur, Gambie, Guinée, Hongrie, Indonésie, Jamaïque, Jordanie, Laos, Liberia, Madagascar, Malawi, Mali, Maroc, Mauritanie, Mexique, Mozambique, Nicaragua, Niger, Nigeria, Ouganda, Pakistan, Pérou, Philippines, Pologne, Rép. Centrafricaine, Rép. Dominicaine, Sao Tomé, Sénégal, Sierre Leone, Somalie, Soudan, Tanzanie, Thaïlande, Togo, Trinité-et-Tobago, Turquie, Yémen, Yougoslavie, Zaïre, Zambie.

■ **NPI (Nouveaux pays industriels).** Ayant connu une industrialisation et un développement économique accélérés au cours des dernières décennies) : Afrique du Sud, Argentine, Brésil, Corée, Grèce, Hong Kong, Israël, Portugal, Singapour, Yougoslavie.

■ **Prévisions.** Selon la Banque mondiale, le tiers monde pourrait retrouver la croissance d'ici à l'an 2000. *Pays du Sud :* + 2,9 % par an (+ 1,6 en moyenne de 1980 à 1990). *Amérique latine :* progression du PIB près de 3 % par an (80-89 + 0,4). *Asie de l'Est :* 5,2 (6,2). *Afrique subsaharienne :* + 0,5 (– 1,2). Condition nécessaire, le maintien d'une croissance forte (+ 2,3 %) dans les pays développés.

■ **Croissance du revenu réel par habitant dans les pays en développement** (en 1990 et, entre parenthèses prévisions pour 1991/et 1992). *Total des pays en développement* – 0,6 (0,1/2,7) dont : Afrique – 0,9 (– 1/1,7) [dont Afr. subsaharienne – 1,4 (– 1,1/0,3)], Asie 3,5 (3,4/3,6) [dont les 4 « dragons » 5,8 (4,6/4,7)], Europe (avec pays de l'Est, Chypre, Malte et Turquie) – 5,5 (0,7/2,2), Moyen-Orient – 4,7 (– 6,9/4,6), Amérique latine et Caraïbes – 2,5 (– 1/1,3). 15 pays lourdement endettés (Argentine, Bolivie, Brésil, Chili, Colombie, Côte-d'Ivoire, Équateur, Mexique, Maroc, Nigeria, Pérou, Philippines, Uruguay, Venezuela, Yougoslavie) – 2,6 (– 1,3/1,3).

■ **Écart entre nations riches et nations en voie de développement.** *1770 :* 1,2 à 1. *1870 :* de 3 à 1, *1972 :* 10 à 1, *1979 :* 12 à 1. En 1930, l'écart entre Eur. occidentale et Afr. tropicale était de 30 à 1. Aujourd'hui, malgré l'aide au développement, il est de 50 à 1. Le PNB de 500 millions d'Africains est égal à celui de 10 millions de Belges (130 milliards de $). **En Amérique latine :** 5 % de la pop. disposent de 26,5 % à + de 30 % du revenu national, 50 % des terres agricoles appartenant à 4 % des propriétaires. **En Asie et Afrique :** 5 % de la pop. reçoivent près de 40 % du revenu national à Madagascar, 47 % au Gabon, 50 % au Zaïre.

Selon la Banque mondiale 1,133 milliard de personnes vivaient en 1990 avec moins de 1 $ par jour (niveau du seuil de pauvreté fixé par la Banque mondiale). En *Asie de l'Est :* 10 % de la population vit sous le seuil de la pauvreté (33 % en 1985), *Afrique sub-saharienne :* 47,8 %, *Asie du Sud :* 51,8 % (49 % en 1985), *Amérique latine :* 25,2 %.

■ **Éléments favorisant la croissance économique.** Le progrès technique, le développement de l'éducation et des aptitudes (capital humain), l'accumulation du capital physique (machines, équipements, infrastructures). Les pays au PIB le + élevé ont une productivité de travail plus grande et un plus grand stock de capital par tête. Les dotations en ressources naturelles auraient un effet négligeable. Taiwan est plus prospère que l'Argentine où la surface de terre par habitant est 50 fois supérieure. Le PIB par tête est plus élevé au Japon qu'en Australie (respectivement 0,06 ha et 11,7 ha par tête).

Quelques données

Source : Banque mondiale.

■ **Agriculture. Agriculteurs :** nombre élevé (env. 70 % de la population dans les pays à faible revenu). Faible productivité 50 à 93 %. *Chômage :* l'agriculture ne peut absorber le surplus de jeunes, et l'industrie pour sa compétitivité adopte les méthodes occidentales fondées plus sur l'emploi de machines que sur celui de main-d'œuvre. **Conditions climatiques :** sécheresse dans le Sahel et en Éthiopie (1980-85). **Mauvaise utilisation des sols cultivables :** désertification, accaparement par de gros exploitants (ex. : Brésil) ; les petits exploitants, souvent sous l'égide des multinationales produisent des cultures pour l'exportation (café, cacao, soja, arachides, canne à sucre, manioc) que ne peut acheter la population locale à faible revenu. Les cultures locales vivrières sont laissées aux femmes qui assurent dans de mauvaises conditions env. 70 % du travail.

« Révolution verte » (dep. 1966-67) : utilisation des variétés à haut rendement notamment le riz IRS, développement de l'irrigation et de l'usage des engrais, innovations technologiques. En Inde, la « révolution verte », une politique de stockage et un système de distribution populaire assez efficace ont fait disparaître depuis 20 ans les disettes à grande échelle et permis d'exporter du blé en URSS, du riz au Bangladesh. *Inconvénients :* a accru la dépendance des pays concernés vis-à-vis de l'extérieur (irrigation, achat de semences, engrais, herbicides, pesticides, tracteurs, non produits sur place) et leur endettement ; elle a fait naître un chômage rural, l'expérience ayant été faite sur les grandes surfaces des fermiers riches, afin d'obtenir la meilleure rentabilisation ; elle a accru la pollution.

■ **Alimentation. Insuffisance alimentaire :** si toutes les ressources alimentaires du monde étaient équitablement partagées, la population entière du globe pourrait satisfaire ses besoins en *calories* (un peu – de 2 500 calories par jour et par habitant avec des variations de climat, l'exigence en calories étant moindre en pays très chaud qu'en pays plus tempéré) et en *protéines.*

500 à 800 millions d'individus vivant dans le tiers monde souffriraient de malnutrition aiguë, avec une ration alimentaire quotidienne inférieure à 2 400 calories. Dans une douzaine de pays [Bangladesh, Népal, Éthiopie (1 340 cal.), Somalie, etc.] : – de 2 000 cal. (pays développés : 3 500 cal.). Les habitants des 42 pays les moins avancés (PMA) recensés mangent 3 fois moins que ceux des pays riches et leur ration alimentaire est faite à 75 % de céréales (pays riches industrialisés 25 %), 8 % de viandes et laitages (pays riches + de 30 %).

Enfants : sur les 800 millions d'enfants des pays en voie de développement, plus des 2/3 seront frappés de maladies ou d'incapacités, dues à la malnutrition ou aggravées par elle. Le taux de mortalité infantile (+ de 1 pour 100 naissances) peut être de 3 à 10 fois plus élevé que celui des pays industrialisés du monde ; le taux de mortalité des enfants d'âge préscolaire de 30 à 50 fois. Selon l'Unicef, 40 000 enfants meurent chaque jour de malnutrition et d'infections. Plus de 300 millions d'enfants présentent tous les signes d'une croissance et d'un développement retardés et nombreux sont les handicapés mentaux. **Causes :** agriculture insuffisamment développée, ignorance des besoins nutritionnels, meilleure nourriture (sur le plan nutritionnel) souvent réservée aux hommes, alors que les jeunes enfants, les futures mères ou les nourrices en auraient le plus besoin. Chaque année 14 millions d'enfants du tiers monde meurent de malnutrition ou de maladies [dont : maladies diarrhéiques 5, infections respiratoires aiguës 2,9, rougeole 1,9, paludisme 1, tétanos 800 000, décès d'origines diverses 2,4 (dus au manque d'hygiène et au sevrage prématuré)].

% d'enfants ayant un poids insuffisant à la naissance : Inde, Soudan, Sri Lanka : 30 ; Nigeria, Pakistan : 25 ; pays Sahéliens : 15 à 20 ; Amérique centrale : 15.

Remèdes : il faudrait réorienter 2 % de la production céréalière mondiale vers les pays les moins avancés pour éliminer la malnutrition. Le bétail des p. riches consomme à lui seul 1/3 de la prod. céréalière mondiale, soit autant que 2 milliards d'habitants du tiers-monde. De nombreuses matières végétales locales pourraient être substituées aux importations de viande et de lait (lait de soja, nouilles à base de riz, farine à base d'huile de palme et de soja, lait en poudre à partir de noix de coco broyées, etc.).

Nota. – Grâce au LLS [champignon produit en cultivant le petit-lait (le lactosérum) que jettent les fromagers] qui possède les 8 protéines nécessaires à la croissance cérébrale des nouveau-nés, 10 millions d'enfants pourraient être sauvés.

■ **Analphabétisme.** Il y a 800 millions d'illettrés dans le monde. Le nombre d'adultes analphabètes augmente à cause de l'accroissement démographique. *% de scolarisation* (hors Chine et Inde) : élémentaire 76 (*1950* 14), secondaire 26 (5), supérieur 3. *Diplômés :* la majorité des diplômés formés à l'étranger y restent faute de pouvoir exercer leur profession chez eux. Ceux qui sont formés sur place deviennent souvent des fonctionnaires. Le nombre de diplômés scientifiques est très faible. En 25 ans, 1 million de personnes hautement qualifiées ont quitté leur pays. Actuellement, 750 000 spécialistes et cadres originaires des PED résident en Occident.

■ **APD (Aide publique au développement).** Apports de ressources fournis aux pays en développement et aux institutions multilatérales par des organismes publics y compris les collectivités locales, ou par leurs organismes gestionnaires et qui répondent aux critères suivants : dispensés dans le but essentiel de favoriser le développement économique et l'amélioration du niveau de vie dans les pays en développement ; assortis de conditions favorables et comportant un élément de libéralité au moins égal à 25 % (taux d'actualisation de 10 %).

■ **Carences et maladies les plus courantes. Anémie ferriprive :** 700 millions de personnes. FRÉQUENCE EN % : *Afrique :* 6 à 17 % des hommes (15 à 50 % des femmes sauf les Bantous du S.). *Amérique du Sud :* 5 à 15 (10 à 35). *Asie :* 10 (20 à 40 et + de 50 % des enfants). *Moyen-Orient :* 25 à 70 % des enfants et 20 à 25 % des femmes enceintes possédaient des taux d'hémoglobine insuffisants. **Anémies mégaloblastiques :** habituellement dues à une insuffisance d'acide folique. **Béribéri :** dû à la carence en vit. B. A presque disparu chez l'adulte, mais les enfants en souffrent encore dans certaines zones d'Asie. **Bilharziose. Choléra. Dracunculose. Gastro-entérite. Goitre endémique et crétinisme :** dus à l'insuffisance en iode ; dans certaines régions, 5 % des enfants en sont atteints. Env. 200 millions de victimes (régions sub-himalayennes, montagneuses d'Am. latine, quelques parties d'Afrique). **Maladie du sommeil :** due à la piqûre de la mouche tsé-tsé (le 1/3 de l'Afrique). **Oncocerchise** ou cécité des rivières. **Paludisme :** 40 % de la population mondiale menacés, 80 à 120 millions de personnes touchées, surtout en Afrique, 1 à 2 millions de † (enfants notamment). **Pellagre :** persiste pour femmes enceintes, enfants d'env. 12 à 18 mois et tuberculeux. Souvent associée à l'éthylisme dans les pays où l'aliment de base est le maïs. **Rachitisme :** formes graves encore fréquentes dans certains pays, particulièrement au Moyen-Orient et en Afrique du Nord. **Scorbut :** très rare, mais une hypovitaminose C bénigne et saisonnière se rencontre encore fréquemment. **Sida** (voir p. 119). **Tuberculose :** 3 millions de morts par an en Afrique. **Xérophtalmie :** carence de vitamine A. Chaque année, provoque la cécité chez des centaines de milliers d'enfants.

■ **Corruption et gabegie.** En *Asie* et en *Afrique,* une grande partie de l'aide, recyclée et transférée à l'étranger par les élites, ne parvient jamais à ses destinataires. Aux *Philippines,* les capitaux en fuite ont représenté 80 % de l'encours de la dette de 1962 à 1986 ; au *Mexique* et en *Argentine,* env. 50 % des emprunts des 15 dernières années. En *Afrique,* de 10 à 15 % des pots-de-vin prélevés à l'occasion des marchés publics sont versés directement sur des comptes bancaires, en Europe, ou ailleurs. La fortune personnelle du Pt Mobutu serait équivalente à la dette extérieure du Zaïre (5 à 8 milliards de $). L'ex-Pt du Mali, Moussa Traoré, aurait détourné 2 milliards de $, montant de la dette extérieure. En *Algérie,* les dessous de table perçus en 10 ans par les responsables du secteur public ont été évalués par un ex-PM à 26 milliards de $. En *Iraq,* la famille de Saddam Hussein prélève 5 % sur tous les contrats pétroliers du pays. L'ensemble de ces patrimoines occultes dans les PED était évalué en 1989 à + de 1 000 milliards de $, sans compter immobilier, bijoux, or et œuvres d'art.

Dans de nombreux pays, les dépenses prioritaires de développement représentent moins de 10 % du montant total du budget de l'État, les dépenses publiques + de 25 %. Selon les experts du Pnud (Programme des Nations unies pour le Développement), les pays du tiers monde pourraient dégager + de 50 milliards de $ par an au profit du développement humain, dont 10 milliards par simple gel des dépenses militaires.

■ **Démographie. Nombre d'habitants du tiers monde :** 4,8 milliards [3/4 de la pop. mondiale (dont 40 % ont – de 15 ans]. **Taux annuel moyen d'accroissement** (en %, moy. pondérée) en **1960-70 et,** entre parenthèses, **en 1970-81,** en italique, **en 1985-2000** (prév.) : *pays à faible revenu :* + 2,3 (+ 1,9) + *1,9 ;* Chine et Inde + 2,3 (+ 1,7) + *1,5 ;* autres pays + 2,5 (+ 2,6) + *2,7 ; à revenu intermédiaire :* + 2,5 (+ 2,4) + *2,1 ; industriels à économie de marché :* + 1,1 (+ 0,7) + *0,4 ; à économie planifiée :* + 1,1 (+ 0,8) + *0,8.*

Taux brut de natalité des pays à faible revenu (moy. pondérée ‰) *1960 :* 42 (Chine et Inde 41, autres pays 48), *1985 :* 29 (Chine et Inde 24, autres pays 43) jusqu'à 54 ; **p. à revenu intermédiaire :** 32 à 43. **Taux de fécondité en % et,** entre parenthèses, **nombre moyen d'enfants par femme** (pays développés et, entre parenthèses, PVD) : *1950-55 :* 2,80 (6,12), *65-70 :* 2,41 (5,98), *80-85 :* 1,97 (4,06) ; Nigeria 7,10, Bangladesh 6,15, Pakistan 5,84, Iran 5,64, Égypte 4,82, Mexique 4,61, Philippines 4,41, Inde, Viêt-nam 4,30, Brésil 3,81.

Taux de mortalité (‰) : *1950 :* 40 ; *1980 :* 10,7 ; *2000 :* 7,3 ; *2020 :* 7,1. **Mortalité (‰ avant 5 ans) :** Mozambique, Mali 300 ; dans 14 autres pays d'Afr. noire, 200 (pays développés 10).

Espérance de vie (voir tableau ci-contre).

■ **Dépenses courantes.** Environ 25 % du PIB. **Liées à la défense :** 19,2 % *des dép. budgét.* dans les PVD (5 % du PNB en 1988) contre 15,6 % (4 %) dans les *pays industrialisés.* **Santé publique :** *pays à faible* revenu 2,8 % des dép. budgétaires (p. industrialisés, 12,6). **Subventions** (entreprises publiques, produits de première nécessité) : dans les 11 pays les plus endettés 34 % (1984). **Intérêts de la dette publique** (1990) : *PVD* 14,4 % du PIB, *Amér. latine* 22,4 %.

■ **Désertification.** Menace + de 20 % des terres émergées, soit 30 à 40 millions de km² de zones arides ou semi-arides. En 50 ans, l'Afr. a perdu 650 000 km² de terres productives. **Causes :** *surculture* (épuisement des terres et baisses des rendements), *surpâturage* (multiplication du bétail sur des surfaces qui diminuent, la végétation naturelle ne repousse plus), *déboisement* [le bois est utilisé comme combustible (chaque année le déboisement progresse de 11 à 24 millions d'ha. La replantation représente au max. 4 millions d'ha. A ce rythme 40 % des forêts tropicales auront disparu en l'an 2000, toutes v. 2040). Au Nigeria 250 000 ha sont perdus chaque année, en C.-d'Ivoire 400 000 (de 15 millions d'ha, la forêt est passée à 3 millions) ; aux Philippines et en Malaisie les basses forêts n'existeront plus v. 2000)] ; *irrigation inappropriée* (absence de drainage qui stérilise les sols dont la teneur en sel augmente ; chaque année 200 000 à 300 000 ha perdus ainsi) ; seulement 8 millions d'ha irrigués en Afrique contre 133 millions en Asie ; *recul ou disparition de la jachère* d'où carence en humus et érosion. **Conséquences :** *écologiques :* inondations, sécheresse, érosion, sédimentation des réservoirs, disparition de milliers d'espèces de plantes et d'animaux, altération du cycle de l'eau et diminution de la capacité d'absorption du gaz carbonique par la végétation ; *économiques :* difficultés d'approvisionnement en papier et en bois de chauffage. V. 2000 les besoins dépasseront les disponibilités de 25 %.

Évolution des PVD

	Espérance de vie [a]			Décès enfants [b]			Alphabètes [c]		
	60	70	89	60	70	85	60	70	85[2]
Ensemble	**44**	**51**	**65[5]**	**25**	**17**	**9**	**37**	**45**	**59[3]**
A faible revenu	*42*	*49*	*58[5]*	*27*	*19*	*9*	*27*	*36*	*55[3]*
Afghanistan ..	33	36	–	41	36	34[3]	8	10	12[3]
Bangladesh ...	43	44	51	24	23	18	22	–	33
Bolivie	42	45	54	40	34	20	39	40	74
Chine	41	52	70	26	14	2	–	–	69[3]
Égypte	46	49	63	23	20	11	26	40	44[3]
Éthiopie	43	47	48	42	33	38	–	6	62
Ghana	48	53	54	27	21	11	27	30	53
Inde	42	47	59	26	20	11	28	33	43
Indonésie	41	47	61	22	16	12	39	57	74
Kenya	46	51	59	21	18	16	20	30	59
Malawi	36	39	47	58	42	35	–	22	41
Niger	40	41	45	44	35	28	1	–	14
Pakistan	43	46	55	25	21	16	15	20	30
Rwanda	46	47	49	40	32	26	16	23	47
Soudan	38	41	50	40	32	18	13	15	32[3]
Sri Lanka	62	63	71	7	5	2	75	78	87
A rev. interm. .	*52*	*57*	*63[5]*	*20*	*14*	*8*	*52*	*65*	*78[3]*
Brésil	54	58	66	19	12	5	61	66	78
Chili	56	62	72	20	9	1	84	88	94
Colombie	53	58	69	11	5	3	63	73	88
Corée	53	59	70	8	3	2	71	78	91[3]
Côte-d'Ivoire .	41	45	53	40	31	15	5	20	43
Cuba	63	69	76	2	3	0	–	–	96[3]
Grèce	68	71	77	3	1	1	81	84	92
Guatemala ...	46	52	63	10	11	5	32	47	55
Israël	71	71	76	2	1	0	84	84	90[3]
Jordanie	46	54	67	26	12	3	32	62	75
Maroc	46	50	61	36	26	10	14	21	33
Mexique	57	61	69	10	6	3	65	74	90
Papouasie	40	46	54	26	19	7	29	32	45
Pérou	47	53	62	37	20	11	61	72	85
Portugal	64	67	75	8	8	1	62	71	84
Thaïlande	52	58	66	13	7	3	68	79	91
Tunisie	48	54	66	36	20	8	16	24	44
Turquie	50	55	65	30	22	9	38	56	74
Export. pétrole à rev. élevé ...	*44*	*50*	*64[4]*	*42*	*25*	*5*	*10*	*20*	*32[3]*
Arabie Saoudite	43	48	64	47	30	4	3	15	51
Pays industriels[1]	**69**	**71**	**76[4]**	**2**	**1**	**0**	**96**	**98**	**99[3]**

Nota. – (a) En années. (b) Pour 1 000 enfants de 1 à 4 ans. (c) En %. (1) Sauf Grèce, Portugal, Turquie. (2) 1981 pour un certain nombre de pays. (3) 1983. (4) 1985. (5) 1988. *Sources :* Banque mondiale et secrétariat de l'OCDE.

■ **Eau.** 1 250 millions de personnes, dont 700 millions d'enfants, ne disposent pas de suffisamment d'eau. 38 % seulement des hab. du tiers-monde ont accès à l'*eau potable* (9 à 37 % suivant les pays au Sahel d'Afr. occ.). *Somme nécessaire pour approvisionner le tiers monde en eau potable :* 150 milliards de $.

■ **Échanges. Subordination :** commerce essentiellement orienté vers l'étranger, au détriment des productions locales, et souvent aux mains des firmes étrangères et des multinationales (1/3 du commerce mondial est constitué d'un commerce intérieur aux multinationales). Les règles du commerce international, fixées par le Gatt, favorisent presque exclusivement les pays riches. Les prix des produits industriels (que vendent les pays riches) et énergétiques ont augmenté tandis que les prix des exportations des produits primaires et des denrées alimentaires vendus par les PVD baissaient (sinon en valeur courante, du moins en valeur réelle, compte tenu de l'inflation). Le ralentissement de l'activité économique dans les pays riches (dû à la crise) a pesé sur les cours des matières premières vendues par les pays pauvres (fin juin 91, baisse record des cours de cacao et de l'aluminium, crise du marché du café liée à la suppression des quotas d'exportation).

Taux de dépendance de certains pays à l'égard des exportations de matières premières (en %) : Zambie 93,1. Côte-d'Ivoire 74,5. Colombie 72,2. Zaïre 67. Chili 61,2. Pérou 56,3. Malaisie 50,7.

Déficit des échanges : les échanges commerciaux des PVD avec le reste du monde sont déficitaires de 20 à 25 %. Les quantités importées s'accroissent plus vite que les exportées, surtout depuis la récession mondiale des années 80 (les pays ind. à l'activité ralentie ont moins besoin de matières premières). Ne gagnant pas assez de devises, les PVD s'endettent.

Dégradation des termes de l'échange (matières premières/prod. manufacturés). *Causes :* baisse de la demande du Nord (ralentissement de l'activité économique, stagnation démographique, techniques « écologiques » économisant énergie et mat. premières) ; hausse excessive de l'offre du Sud (nécessité de rembourser la dette, progrès techniques, accroissement des cultures d'exportation au détriment des vivrières).

■ **Industrie. Industrialisation insuffisante et limitée :** les *politiques fiscale et de protectionnisme des pays importateurs* peuvent décourager les export. de prod. manufacturés même compétitifs. Les conditions techniques et de commercialisation ne sont pas adaptées et augmentent le coût de l'industrialisation.

Secteur tertiaire trop élevé par rapport au secteur secondaire : pour l'ensemble des PVD 53 % du PIB (agric. 8 %, ind. 39 %). *Raisons :* fractionnement de la distribution, puissance des commerçants (contrôle du financement des transports et de la distribution des produits importés). *Manque de garanties pour les petits exploitants,* adaptation difficile des agr. à de nouvelles techniques agricoles, structures agraires existantes défavorables, coût élevé des transactions pour les petits exploitants familiaux (échanges de petites quantités).

■ **Inflation.** Généralisée et élevée, elle s'est souvent accélérée ces dernières années (voir chapitre **États**).

■ **Villes.** Entre 1950 et 1985, la population urbaine a doublé dans les pays industrialisés, et quadruplé dans les PVD. Dep. 1950, la pop. de Kinshasa a été multipliée par 20, de Lagos par 30, d'Abidjan par 35. En 2000, les villes regroupent 37 % de la pop. en Asie, 42 % en Afrique, 75 % en Amér. latine.

■ Rapports pays riches-pays en développement

■ **Nouvel ordre économique international (NOE). 1974**-*9-4/3-5* 6ᵉ session extraordinaire de l'Assemblée générale de l'Onu sur les matières 1ʳᵉˢ et le développement. *-12-12* 29ᵉ session ordinaire de l'Assemblée gén. de l'Onu adopte la Charte des droits et devoirs économiques des États (A. Res. 3281/XXIX). Les principaux pays occidentaux se sont abstenus ou ont voté contre. **1977** les « 77 » pays en dév. réclament notamment : la restructuration du commerce intern. (par un mécanisme intern. de contrôle et la condamnation du protectionnisme), les flux d'aide à des conditions libérales, l'allègement généralisé de la dette, la réforme du système monétaire international, l'accélération de l'industrialisation des PVD, les transferts de technologie, les approvisionnements sûrs et bon marché en céréales vivrières, et l'élaboration d'un nouveau droit de la mer.

■ **Différents projets. Fonds commun :** pour stabiliser les cours, les « 77 » ont proposé la création d'un fonds commun de 3 milliards de $ (ultérieurement porté à 6) cofinancé par producteurs et consommateurs ; il aurait servi à financer l'acquisition de stocks régulateurs pour les matières premières les plus sensibles : 10 d'abord, puis 18. **Projet RIO (Reshaping the international order)** élaboré sous l'égide du Club de Rome : préconise l'établissement d'une trésorerie mondiale et d'impôts internationaux sur les matières premières pour combler l'écart entre pays riches et pauvres ; création d'une autorité mondiale en matière de denrées alimentaires, d'une agence du désarmement et d'une organisation internat. du commerce et du dévelop. Les pays dév. auraient dû consacrer 0,7 % de leur PNB à l'aide au tiers-monde jusqu'en 1980 et 1 % au moins après (France, 1989 : 0,54 %). A partir de 1985, la moitié au moins de tous les transferts de technologie vers les pays démunis auraient dû se faire automatiquement (voir aide au tiers-monde, p. 1779).

Dialogue Nord-Sud

■ **Assemblée gén. des Nations unies. 1980** (26-8/15-9) (11ᵉ session extraordinaire) : nouvelle stratégie internationale de développement définie : les PVD doivent avoir une croissance de 7 % de 1980 à 1990 ; les pays développés doivent augmenter l'aide publique au développement pour atteindre et dépasser 0,7 % de leur PNB. **1986** (27-5/1-6) : session spéciale : plan quinquennal de redressement écon. pour l'Afrique.

■ **Conférence ACP (pays d'Afrique, des Caraïbes et du Pacifique)/CEE** [ministres des Aff. étrangères de la CEE et de 65 pays de l'ACP signataires de la convention de Lomé + Angola et Mozambique]. *1ʳᵉ* **1983** (6-10) et *2ᵉ* **1984** (9/10-2) à Bruxelles : renouvellement de l'accord de coopération en vigueur. L'ACP estime que l'aide financière de la CEE devrait atteindre 55 milliards de F de 1985 à 1989 (soit + 50 % par rapport à la dernière période).

■ **Conférence internationale sur la coopération et le développement. 1981** (22/23-10) : *Cancún,* Mexique. *Participants :* 22 pays développés ou VDP. Accord sur lancement de négociations globales.

■ **Conférence de l'ONU. 1977** (29-8/9-9) *Nairobi :* désertification. **1978** (30-8/12-9) *Buenos Aires :* coopération technique. **1979** (20/31-8) *Vienne :* science et technique au service du développement. **1981** (10/21-8) *Nairobi :* énergies nouvelles et renouvelées. **1983** (1/14-9) *Paris :* PMA. **1984** (6-1/4-8) : population. **1985** (10/27-7) : droits de la femme. **1988** (juin) *Caracas :* gestion des déchets industriels. Vise à réglementer l'envoi massif de résidus vers les PVD (Afrique notamment).

■ **Conférence mondiale de l'emploi juin 1976.** Les « 77 » ont accepté la création du Fonds international d'aide aux travailleurs, proposé par le BIT, à condition qu'il soit financé uniquement par les pays riches.

■ **Conférence Nord-Sud.** Conçue d'abord comme une réunion sur l'énergie (proposée par la France en oct. 1974), rassemblait à l'origine les représentants des pays producteurs de pétrole, les pays consommateurs et sous-développés (Brésil, Zaïre, Inde).

■ **Conférence sur le commerce et le développement des Nations unies (CNUCED). 1964, 68, 70** (accord prévoyant l'octroi à tous les PVD d'avantages tarifaires sans réciprocité ni discrimination sur leurs exp. de prod. manuf. et semi-finis ; **72, 76** Nairobi (3/28-5) : conférence précise le cadre des futures négociations pour les produits de base (accords par produit, fonds commun pour le financement d'un stock régulateur). Désaccord sur l'endettement des PVD ; **79** Manille (7-5/3-6) : accord sur la propriété industrielle, les pratiques commerciales restrictives, désaccord des pays industrialisés sur un rôle accru de la Cnuced et sur les questions monétaires ; **83** Belgrade (6-6/3-7) : mesures étudiées pour fournir aux PVD non producteurs de pétrole env. 70 milliards de $ dans les années à venir, échec. **87** Genève (9-7/3-8) : 7e Cnuced : souligne l'interdépendance des pays industrialisés et des PVD. Accord sur la mise en place du fonds commun des produits de base ; **90** (Paris, sept.) : conférence sur les PMA.

■ **Conférence sur la coopération économique internationale [CCEI,** élargissement de la CNUCED en déc. 75-juin 77]. *4 commissions :* énergie, matières premières, développement, affaires financières. 1re réunion Paris (16/8-12-1975), 2e Paris (30-5/2-6-1977) réunit 8 pays développés et 19 PVD.

■ **Tokyo Round. 1978-79 :** négociations commerciales multilatérales mondiales : libéralisation des échanges commerciaux permettant notamment aux PVD de développer leurs export. vers les p. dév.

■ **Convention de Lomé** (voir Index). 1re : **1975** (28-2) (entrée en vigueur 1-4-76), 2e : **1979** (31-10) (entrée en vigueur 1-1-81), 3e : **1984** (8-12), 4e : **1989** (15-12) (entrée en vigueur 1-3-90 pour 10 ans), 66 membres. Signée entre la CEE et 68 pays d'ACP [Angola, Antigua et Barbuda, Bahamas, Barbade, Belize, Bénin, Botswana, Burkina Faso, Burundi, Cameroun, Cap-Vert, Rép. Centrafricaine, Comores, Congo, Côte-d'Ivoire, Djibouti, Dominique, Éthiopie, Fidji, Gabon, Gambie, Ghana, Grenade, Guinée-Bissau, Guinée-Conakry, Guinée-Équatoriale, Guyane, Haïti, Jamaïque, Kenya, Kiribati, Lesotho, Liberia, Madagascar, Malawi, Mali, Maurice, Mauritanie, Mozambique, Niger, Nigeria, Ouganda, Papouasie-N.-Guinée, Rwanda, St Christopher and Nevis, St-Domingue, Ste-Lucie, St-Vincent et Grenadines, Salomon, Samoa occid., Sao Tomé et Principe, Sénégal, Seychelles, Sierra Leone, Somalie, Soudan, Suriname, Swaziland, Tanzanie, Tchad, Togo, Tonga, Trinité-et-Tobago, Tuvalu, Vanuatu, Zaïre, Zambie, Zimbabwe].

ASPECTS PRINCIPAUX. **Aide financière de la CEE :** 12 milliards d'écus (1 écu = 7 FF), renouvelée au terme des 5 premières années. 1,15 milliard d'écus seront consacrés aux opérations microéconomiques, 10,8 aux programmes éducatifs. 32 ACP sont sous le contrôle des institutions de Bretton-Woods. *Prêts spéciaux* (remboursables en 40 ans, avec taux d'intérêts de 1 %) : transformés en dons. *Crédit de la Banque européenne d'investissement* (BEI) : 1,2 milliard d'écus. *Stabex* [système de stabilisation des recettes à l'exportation des produits de base (une cinquantaine)] : 1,5 milliard d'écus. Les ACP les moins pauvres ne seront plus tenus, à l'instar des plus démunis, de rembourser les transferts financiers du FED destinés à compenser les pertes d'une année sur l'autre. *Mécanisme de soutien à la production minière (Sysmin) :* 0,48 milliard d'écus (contre 0,415). Produits couverts : bauxite, cobalt, cuivre, étain, fer, manganèse, phosphate, uranium. Des subventions seront accordées si les fonds du minerai concerné représentent 15 % des export. totales du pays (10 % pour les PMA), et si la baisse de production atteint 10 %.

Plan Brady : présenté le 10-3-1989 par Nicolas Brady, secr. américain au Trésor, approuvé en avril dans le cadre du FMI et de la Banque mondiale. Concerne 38 pays : 13 des 15 États du « Plan Baker » (la Colombie n'y figure plus) : Argentine, Bolivie, Brésil, C.-d'Ivoire, Équateur, Maroc, Mexique, Nigeria, Pérou, Philippines, Uruguay, Venezuela, Yougoslavie ; 8 pays latino-amér. : Costa Rica, Guyana, Honduras, Jamaïque, Nicaragua, Panamá, St-Domingue, Trinité-et-Tobago ; 8 africains francophones : Congo, Gabon, Guinée, Madagascar, Niger, Sénégal, Togo et Zaïre ; 6 anglophones dont Afr. du Sud ; 1 lusophone : Mozambique ; 2 pays de l'Est : Pologne et Roumanie ayant une dette (dont bancaire 330) extérieure de 650 milliards de $. Prévoit la réduction volontaire de dette, en se fondant sur : 1°) les ressources et la participation des institutions multilatérales ; 2°) diverses pressions morales et politiques sur les banques commerciales (d'où l'incertitude et la longueur des négociations). Déjà en partie appliquée avec la création en 1984-85 du marché « gris » (secondaire) sur lequel les banques échangent entre elles certaines de leurs créances moyennant une décote variable. *Situation en mai 1990 :* accord signé par le Mexique et ses créanciers le 4-2-1990 pour 47 milliards de $ de dette bancaire à moyen et long terme.

Plan Sela (Système économique latino-américain) : adopté par ses 26 membres le 22-6-1990. *Objectifs :* réduction de la dette régionale, croissance de 5 à 6 % par an en ramenant les remboursements à 10 milliards de $ (40 actuellement) ; échangeant la principale dette bancaire contre des bons à long terme (remboursables sur 35 ans ou plus, d'une valeur réduite prenant en compte la cote de ces titres sur le marché secondaire), et en demandant une baisse des taux à 5 % (au lieu de 10).

■ **Sommets franco-africains. 1982** (oct.) **Kinshasa** (Zaïre) : 19 États (absents : Algérie, Libye, Ghana, Guinée, Cameroun). Le Pt Mitterrand s'engage à consacrer 0,52 % du PNB français en 1983 à l'assistance au tiers monde (1982 : 0,42 %). **1987** (déc.) **Antibes :** il invite les pays endettés à ne pas recourir à des solutions unilatérales qui risquent de les isoler. **1989** (mai) **Dakar :** sommet de la francophonie. Le Pt Mitterrand annonce l'annulation des créances d'aide publique au développement pour les 35 pays les plus pauvres et les plus endettés de l'Afrique subsaharienne. Approuvée par le Parlement dans le cadre de la loi de finances pour 1990, représente un encours de 27 milliards de F (20 de principal, 7 d'intérêts). **1990** (juin) **La Baule :** les prêts de la Caisse centrale de coopération écon. aux pays de revenu intermédiaire d'Afrique francophone (Congo, Cameroun, Côte-d'Ivoire, Gabon) bénéficieront d'un taux max. de 5 % [allégement total pour 1990 de 0,25 milliard (env. 1,35 milliard de F pour l'ensemble de la durée de vie des prêts)].

■ **Sommet sur la protection de l'atmosphère du Globe. 1989** (1-3) **La Haye :** 12 pays industrialisés et 12 pays en développement.

■ **Sommet de Versailles. 1982** (6-7) (Paris) : dans le cadre des discussions générales de 7 principaux p. industrialisés. Accord sur le principe de l'accroissement des flux d'aide publique, amélioration des mécanismes financiers, action renforcée en direction des PMA. Le texte de résolution des « 77 » de mars 1982 est accepté sous réserve de 4 amendements dont 2 refusés par les « 77 ».

Échanges. Ajustement structurel : stratégie de « sortie de crise » pour les PVD initiée par le FMI et la Bird. Elle consiste essentiellement à rétablir les « grands équilibres » (paiements extérieurs, finances publiques, monnaie) par des politiques de déflation, d'austérité et de productivité. ACP (Afrique, Caraïbe, Pacifique). A l'exception des productions couvertes par la politique agricole commune (Pac), l'accès au marché de la CEE se fait en exemption de droits de douane, sans restrictions quantitatives et sans taxes ou mesures d'effet équivalent. Les ACP ne sont pas tenus d'accorder à la CEE des avantages comparables à ceux dont ils bénéficient. En contrepartie, les ACP s'interdisent d'établir à la Communauté un régime moins favorable que celui résultant de l'application de la clause de la nation la plus favorisée.

Produits des ACP. Agricoles : 95 % des produits alimentaires vendus dans la CEE bénéficient de conditions privilégiées. **Manufacturés :** pratiquement tous peuvent entrer librement dans la CEE. Le contenu local peut être limité à 45 % de la valeur du produit exporté (60 % sous Lomé III) : *rhum :* 172 000 hl pourront être fournis par an aux États membres (ex. G.-B.) sans droits de douane (*1994 et 95 :* 192 000, *1995 :* 212 000). *Sucre de canne :* la CEE s'engage à acheter 1 300 000 t à des prix garantis comparables à ceux consentis aux producteurs européens. Pour les autres pays, Venezuela, Philippines, Maroc, Costa Rica, Côte-d'Ivoire, pas d'accord définitif signé.

Dialogue Sud-Sud

■ **Mouvement des pays non-alignés.** *Créé* 1961 (1/6-9) à Belgrade (1re conf. des chefs d'État et de gouv.). *Objectif :* préserver l'indépendance de ces p. par rapport aux 2 superpuissances (USA et URSS). **2e au 4e** sommet voir p. 871.

5e : **1976** (16/19-8) *Colombo,* **6e** : **1979** (3/8-9) *La Havane,* **7e** : **1983** (7/12-3) *New Delhi :* déclaration sur l'autonomie collective des pays non-alignés et autres PVD, et programme d'action pour la coopération économique ; projet d'une banque des PVD. **8e** : **1986** (1/7-9) *Harare,* **9e** : **1989** (1/7-9) *Belgrade* (voir p. 871).

■ **Conf. des min. des Aff. étrangères. 1972** *Georgetown :* élaboration d'un programme d'action pour la coopération économique entre PVD.

■ **Sommet d'Alger. 1973** les pays non-alignés décident d'utiliser tous les moyens disponibles pour atteindre leurs objectifs économiques, y compris l'établissement d'un nouvel ordre économique international qui sera adopté par l'Onu.

■ **Rencontres des ministres du groupe des 77** (*3e* : **1976,** *Manille*) **et Conférence sur la coopération économique entre PVD : 1976** (13/22-9) *Mexico.*

■ **Sommet arabo-africain. 1er : 1977** (7/9-3) *Le Caire :* adoption d'une charge de la coopération afro-arabe et promesse d'une assistance financière à l'Afrique de 1,46 milliard de $.

■ **Consultations de New Delhi. 1980.** Sur l'industrialisation (22/24-2-1982). Relance du dialogue Nord-Sud sur l'initiative d'Indira Gandhi (44 PVD).

■ **Coopération Sud-Sud. 1981** (mai) *Caracas* (Venezuela) : échanges de vues sur le commerce entre PVD.

■ **TOES (The Other Economic Summit). 1989** (15/16-7) *Paris* (à l'occasion de la réunion des 7 pays les plus riches) : 1er *« sommet des 7 peuples les plus pauvres » :* Amazonie, Bangladesh, Burkina Faso, Haïti, Mozambique, Philippines, Zaïre. Réclament une remise générale de la dette.

■ **Sommet du G 15 (groupe des 15). 1990** (1/3-6) Kuala Lumpur : Algérie, Argentine, Brésil, Égypte, Inde, Indonésie, Jamaïque, Malaisie, Mexique, Nigeria, Pérou, Sénégal, Venezuela, Yougoslavie, Zimbabwe.

■ **Accords internationaux en fonctionnement en 1988.** Date de l'accord et, entre parenthèses, mécanisme. **Existants :** *Étain* 6e accord 1981 (stock régulateur). *Sucre* 7e 1987 (quotas et stock complémentaire). *Cacao* 4e 1986 (stock régulateur), le stock a épuisé ses ressources (absence de la Côte-d'Ivoire et des USA). *Café* 4e 1983 (quotas) (absence de l'URSS). *Caoutchouc* 2e 1987 (stock régulateur), a commencé à opérer en 1982. *Jute* 1er 1982, pas de cl. économique. **Arrangements :** *viandes* Gatt 1980, pas de cl. économique. *Produits laitiers* Gatt 1980 (prix minimal à l'exportation). *Blé* accord de 1971, convention d'aide alimentaire (11,9 millions de t de céréales livrées en 84-85). *Huile d'olive* 3e accord, pas de clause économique. *Fonds commun pour les produits de base* 1980, 1er guichet (stabilisation) = 400 millions de $, 2e guichet (orientation) = 350 millions de $ (ratifié, mais pas encore en vigueur).

Aide internationale au tiers-monde

Organisation et formes de l'aide

Formes d'aides. *Multilatérale :* par l'intermédiaire d'organismes internationaux. *Bilatérale :* directe entre pays ; sous forme publique (prêts gouvernementaux, assistance technique) ou privée (investissements, crédits commerciaux...).

Position des pays industrialisés. 2 géants (Russie, Chine) n'attachent aux problèmes du tiers monde qu'un intérêt restreint, ayant par ailleurs chez eux beaucoup à faire. Les USA ont un tel potentiel économique interne qu'ils sont relativement peu concernés par les problèmes économiques extérieurs, sauf pour leurs propres intérêts, ou leur propre sécurité. Europe et Japon (pauvres en énergie et en mat. 1res du fait de l'exiguïté de leur territoire) sont nécessairement tournés vers l'extérieur.

Critiques de l'aide et stratégies de développement

Critiques de l'aide. 1°) **Elle est insuffisante** (voir plus haut). 2°) **Elle est mal distribuée :** chaque pays donne ce qu'il veut, selon ses intérêts propres et non ceux du pays assisté. De sorte que chaque chef d'État du tiers monde doit quémander cette aide chaque année, sans aucune sécurité pour les années suivantes, et cela auprès de quelque 20 pays. 3°) **Elle est mal utilisée :** des investissements somptuaires, des frais diplomatiques exagérés (pléthore de fonctionnaires en ville s'occupant de leur propre fonctionnement et ne se préoccupant pas des hommes de la brousse et de leur production) ; mais réformes de structure essentielles non réalisées. Le statut de la fonction publique, l'organisation des ministères, les méthodes d'enseignement, le statut médical, la justice, la force armée, trop souvent copiés sur l'ancien colonisateur, ne conviennent pas. Les hommes sont mal formés aux tâches du développement. 4°) **Les grandes organisations internationales sont peu efficaces :** à l'époque de leur création, le problème du sous-développement était mal connu. Leur structure qui les oblige à avoir des fonctionnaires de tous les pays les condamne à une certaine inefficacité. L'Unesco reconnaît que, depuis qu'elle existe, le nombre d'illettrés va croissant, et la FAO admet que la faim augmente dans le monde.

Critiques des politiques de développement. Les PVD ont eu tort de rechercher des taux de croissance élevés selon les modèles propres aux pays développés, d'accorder trop d'importance à l'aide extérieure, enfin d'adopter un système d'économie mixte qui a combiné les inconvénients et non les avantages des systèmes capitaliste et socialiste.

Stratégies de développement

■ **Internationalisation du développement.** Certaines stratégies prévoient notamment : 1°) *De favoriser les groupements régionaux et continentaux :* aucun pays, par exemple en Afrique, à 3 ou 4 exceptions près, ne peut posséder sérieusement une aciérie, une raffinerie de pétrole ou une industrie mécanique, etc. dans des conditions normales et compétitives. 2°) *Des consortiums de développement* groupant les pays donateurs et disposant d'une autorité réelle. 3°) *Des banques continentales de développement* comme la Banque interaméricaine de développement (BID). 4°) *Des instituts continentaux de développement,* organes de recherche et d'études. 5°) *De favoriser l'industrialisation.* 6°) *De régulariser le commerce mondial.* 7°) *Des formes de développement du type communautaire.* 8°) *De « repenser » l'enseignement* pour des hommes fermés sur eux-mêmes depuis des millénaires et dominés par le fatalisme et l'irrationnel. Revaloriser le travail manuel et agricole. La fuite des cerveaux (notamment des médecins) devrait être évitée (30 % des médecins du centre de l'Angleterre sont pakistanais et indiens ; il y a davantage de médecins dahoméens à Paris que dans tout le Bénin). 9°) *Une université internationale pour le développement.*

■ **Adoption de nouveaux modèles de développement.** Certains préconisent notamment : 1°) *De tenir compte* des besoins minimaux essentiels des plus pauvres, qui ne s'expriment pas dans la demande du marché, pour éliminer progressivement malnutrition, maladie, analphabétisme, absence d'hygiène, chômage et inégalités. 2°) *De réaliser* simultanément la croissance de la production et l'amélioration de la distribution, l'emploi devenant un objectif primordial et le capital étant réparti sur des secteurs étendus de l'économie grâce à des travaux publics (même si la productivité doit baisser) et non plus concentré sur un petit secteur moderne à haute productivité. 3°) *De transformer* les institutions politiques, économiques et sociales pour créer un ordre économique et social au niveau de vie modeste mais fondé sur l'égalitarisme. 4°) *De renforcer* la position des pays pauvres dans leurs rapports avec les pays riches.

Aide sur le plan mondial

■ **Flux totaux nets** (en milliards de $). *1975 :* 83,3 ; *80 :* 119,1 ; *85 :* 78,7.

■ **FMI (Crédits du Fonds monétaire intern.).** *De 1982 à 1985 :* 25 milliards de $. **Banque mondiale.** *De 1985 à 1990 :* 800 millions de $.

■ **Onu.** Aides aux PVD prévues dans la charte de San Francisco. Env. 370 millions de $ par an.

■ **Assistance directe. Programme ordinaire d'assistance technique (Poat) :** envoi d'experts, octroi de bourses, fonctionnaires Opex (travaillant dans un service public). Crédits très limités. **(Unicef) :** financé par des contributions volontaires. Aide sanitaire, formation d'éducateurs. Crédits très limités. **Pnud (programme des Nations unies pour le développement)** *: budget 1988-89 :* 376 millions de $ dont activités de développement 331, volontaires des N-U 10,7, achat matériel 3,5, relèvement du Sahel 2, coopération technique 0,681. Mis en œuvre par l'Onu ou des organisations spécialisées : OIT ; FAO ; Unesco ; OMS ; FMI ; Programme alimentaire mondial (Pam) ; Bird ; Onudi (voir ces mots à l'Index).

Nota. – L'aide financière comprend dons, prêts (assortis de conditions financières plus ou moins avantageuses : délai de remboursement, taux d'intérêt, délai de franchise), investissements privés directs, crédits à l'exportation, assistance technique, aide alimentaire.

■ **Fidac (Fonds intern. de développement agricole).** *Constitué* 13-11-1977. *Pt :* Idriss Jazairy. Doté de 1 100 millions de $ (dont par les p. développés 620 ; l'Opep 450 et PVD 30 (France env. 25 millions de $, aucun pays de l'Est n'a contribué sauf Roumanie et Yougoslavie). *Aides :* aides structurelles à des projets spécifiques concernant 110 millions d'habitants dans 90 PVD, production vivrière augmentée de 24 millions de Tep en denrées locales et déficit alimentaire diminué de 21 %.

Apports nets de ressources vers les pays en développement

En milliards de $	1982	1983	1984	1986	1987	1988	1989	1990
Financement public	44,1	42,4	47,5	55,8	61,5	65,5	65,5	78,8
Crédits à l'export.	13,7	4,6	6,2	−0,7	−2,6	−2,1	9,5	4,6
Apports privés	58,2	47,8	31,7	26,7	33,7	43,8	48,3	60,8

■ **Incitations à l'aide. CES Conseil écon. et social :** organisme d'études, contrôle les activités du Pnud et de la Cnuced. **Commissions économiques régionales de l'Onu FAO :** cherchent à utiliser les surplus alimentaires pour le développement. *Fonds spécial d'aide à l'Afrique* créé févr. 85 (budget prévu : 1 milliard de $). **Gatt Accord général sur les tarifs douaniers et le commerce :** pour la réduction des droits de douane, la libéralisation du commerce international, la hausse des recettes d'exportation. **Cnuced :** organisation internationale des marchés, questions monétaires et problèmes de développement (voir p. 859).

BIRD (Banque intern. pour la reconstruction et le développement). Voir p. 860.

AID (Association intern. de développement). Voir p. 857.

☞ Voir également **Organisations internationales** p. 857 et suivantes.

Aide sur le plan régional

■ **Organismes de la CEE.** Politique d'aide aux pays associés : Afrique (1958), puis autres pays d'outre-mer (1963). **FED (Fonds europ. de développement) :** *créé* 1958 pour contribuer au développement des possessions d'outre-mer des pays de la **BEI (Banque europ. d'investissement) :** voir p. 868.

■ **Organismes de l'OCDE. CAD (Comité d'aide au développement) :** institué 1960, coordonne les actions des donneurs d'aide. Les pays membres versent 74,2 % de l'aide accordée aux PVD.

■ **APD (Aide publique au développement).** Apports de capitaux visant à aider les programmes de développement nationaux, financés par le secteur public et assortis de conditions préférentielles comportant un don au moins égal à 25 %, par opposition aux prêts consentis aux conditions normales du marché.

■ **Autres organismes financiers « régionaux ». Banque interaméricaine de développement** (en milliards de $) capital (1990) : 61 ; programme de prêts (1990-93) : 22,5. **Fonds africain de développement** (1973) (dont 15 m. non africains : ex-All. féd., Suisse, Suède...). **Banque africaine de développement** (1963) : dep. 1982, participation de 25 pays non africains (dont la France) : 19,8 milliards de $. **Banque africaine de développement** avec la **Sté internationale financière de développement en Afrique (Sifida) :** prêts (aux taux du marché) aux secteurs privés et semi-privés qui investissent en Afrique. **Fonds d'investissement de l'OPAFP.** *Les pays communistes* apportaient une aide importante.

Autres formes d'aide

■ **Accords entre groupes de pays développés et en voie de développement** (voir p. 862).

■ **Fonds de l'Opep pour le développement international.** *Créé* 1976. L'aide multilatérale des pays de l'Opep transite aussi par la *Banque islamique de développement,* la *Banque arabe pour le développement économique de l'Afrique (Badea),* etc.

Montant et répartition de l'aide

Aide publique globale

Source : CAD.

■ **Recettes nettes des pays en développement en 1992** (en milliards de $) : 176,5 dont : **financement public au développement** (FPD) 72,3 dont aide publique au développement (APD) 58,3 (dont bilatéral 41,3 ; multilatéral 17) ; autres FDP 14 (dont bilatéral 6 ; multilatéral 8). **Total crédits à l'export :** 3,5 (dont à court terme 0,5). **Apports privés :** 99,8 dont investissements directs (OCDE) 30,6 (dont centres financiers off-shore 6,7), prêts bancaires internationaux 40 (dont à court terme 25), prêts obligatoires 14,2, autres apports privés 9,5 dons des organisations non gouvernementales 5,5.

Pour mémoire : Total des crédits du FMI -0,2. Acquisition d'actifs, net, -27-5 [1]. Interêts et dividendes payés par les PIB, montants bruts -78,5 [1]. Total des dons publics 49,6. Apports entre pays en développement (APD) 1,9.

Nota. – (1) 1991.

■ **APD des pays membres du CAD en 1992** (en milliards de $ et, entre parenthèses, en % du PNB) : 60,8 (1991 : 56,7) dont bilatérale 41,3 (1991 ; id.), contributions aux organismes bilatéraux 19,5 (1991 : 15,4. Allemagne 7,6 (0,39). Australie 1,02 (0,37). Autriche 0,53 (0,29). Belgique 0,84 (0,38). Canada 2,52 (0,46). Danemark 1,41 (1,03). Espagne 1,62 (0,28). Finlande 0,64 (0,62). *France 8,29 (0,63).* G.-B. 3,2 (0,31). Irlande 0,07 (0,16). Italie 3,78 (0,31). Japon 11,15 (0,3). Luxembourg 0,04 (0,3). Nouvelle-Zélande 0,1 (0,26). Norgève 1,27 (1,3). Pays-Bas 2,75 (0,86). Portugal 0,26 (0,31). Suède 2,46 (1,03). Suisse 1,14 (0,46). USA 11,66 (0,2).

■ **APD des pays non membres de l'OCDE** (versements nets, en milliards de $) : **Europe centrale et orientale :** *1990 :* 2,18 ; *91 :* 1,1 dont *ex-URSS : 1990 :* 2 ; *91 :* 1,1. **Pays arabes :** *1989 :* 1,59 ; *90 :* 5,96 ; *91 :* 2,67 ; *92 :* 2,01 dont *Arabie Saoudite : 1989 :* 1,17 ; *90 :* 3,65 ; *91 : 1,7 ; 92 :* 0,8 ; *Koweït : 1989 :* 0,17 ; *90 :* 1,3 ; *91 :* 0,39 ; *92 :* 0,14 ; *Émirats arabes unis : 1989 :* 0,02 [1] ; *90 :* 0,89 ; *91 :* 0,56 ; *92 :* 0,035 (1). **Autres pays donneurs :** *1991 :* 0,45 dont Chine 0,12 ; Inde 0,08 ; Corée 0,07 (*1992 :* 0,11 ; Taiwan 0,13 (1992 : 0,10) ; Venezuela 0,01. *Total 1980 :* 13,07 ; *85 :* 7,66 ; *89 :* 5,47 ; *90 :* 8,56 ; *91 :* 4,22.

Nota. – (1) Données incomplètes.

■ **Aide des pays du CAEM** (ex-URSS et Europe de l'Est). **A l'Inde :** *1980-83 :* les versements nets de l'URSS représentent en moy. 1 % du montant total net reçu par l'Inde au titre de l'aide. *1984 :* l'aide est intervenue pour 40 % de la capacité de production d'acier, + de 30 % des installations d'extraction de pétrole, 40 % de la capacité de raffinage de pétrole, 80 % des équipements de la métallurgie, + de 50 % des équipements lourds des centrales et 10 % de la production d'électricité. *1985 :* nouvel accord. **Afrique subsaharienne :** *1980-83 :* en moy. 4 % de l'apport total.

■ **Aide fournie par les PVD** (principalement sous forme d'assistance technique et de contributions à des organismes multilatéraux en particulier au PNUD et à quelques autres institutions des Nations unies ainsi qu'aux institutions financières régionales). **Chine** (millions de $) : *1983 :* – de 150 ; *84 :* 186 ; *85 :* 168 ; *86 :* 366 ; *88 :* 192 ; *90 :* 180. *Principaux bénéficiaires :* Kenya, Bangladesh, Zimbabwe, Cap-Vert. Prêts à long terme sans intérêt (dep. 1980). *Personnel d'assistance technique. 1981 :* 9 700 ; *82 :* 17 000 ; *85 :* 27 000.

Inde (millions de $) : *1983 :* 134 dont Bhoutan et Népal (près des 3/4), Viêt-nam, Tanzanie, Zambie. *1984 :* 103 ; *85 :* 135 ; *86 :* 128 ; *88 :* 134 ; *90 :* 110.

■ **Apports des organismes multilatéraux.** Versements nets (prêts et dons en milliards de $, 1990). BIRD 5 ; Onu 3,9 ; Ida 3,91 ; Bid 1,06 ; Banques régionales 1,63 (86) ; CEE 2,89 ; Fida 0,12 ; SFI 1,3. Institutions de l'Opep et des pays arabes 0,24 (87). *Total* 23,39.

Pays bénéficiaires. Ressources totales reçues (en millions de $, 1990). *Europe* 1 488 *dont* Turquie 1 259, Portugal 67, Yougoslavie 46, Grèce 35. *Afrique* 24 902 *dont* Égypte 5 584, Tanzanie 1 155, Kenya 989, Réunion 941, Mozambique 923. *Amérique* 6 282 *dont* Martinique 853, Bolivie 499, Honduras 445, Pérou 386, Guadeloupe 344. *Asie* 17 282 *dont* Bangladesh 2 081, Chine 2 064, Birmanie 1 874, Indonésie 1 717, Inde 1 550, Israël 1 374, Philippines 1 266. *Océanie* 1 341 dont Papouasie-N.-Guinée 376. *PVD non spécifiés* 7 644. *Total mondial* 58 940.

Aide française

■ **Apports totaux.** Valeur, Tom inclus, en milliards de dollars et, entre parenthèses, en % du PNB : *1987 :* 6,05 (0,79), *1988 :* 5,36 (0,56), *1989 :* 5,23 (0,55), *1990 :* 5,73 (0,48), *1991 :* 6,29 (0,52) dont : aide publique au développement (APD, Tom inclus, 1991) : 7,38, autres apports secteur public : 0,82, apports privés : 1,73.

■ **Aide publique au développement hors Tom :** 37,7 milliards de F.

Répartition de l'aide bilatérale (dons et, entre parenthèses, **prêts en %,** en 1989). *1983 :* 54,3 (18,9), *87 :* 43,7 (29,6), *90 :* 45,8 (27,3), *91 :* 70,4 (29,6) dont (en %) : coopération technique et culturelle 37,5, aide aux investissements 30, soutien économique et financier 32,5. **Par bénéficiaire** (1991 en % au total APD). Eur. du Sud 0,8 ; Afr. du Nord 9,2 ; Afr. subsaharienne 40 ; autres pays 21,1. Non ventilée 6,9. Total 78,1. 70 % de l'aide bilatérale est constituée de dons : subventions d'ajustement structurel du MCD (ministère de la Coopération et du Développement) ou de la CFD (Caisse française de développement), du Trésor, des Affaires étrangères et d'autres ministères. Les prêts sont attribués par la CFD pour des projets ou pour l'ajustement structurel, ou par le Trésor pour les PED non couverts par la CFD.

■ **Aide privée** (dons des organismes bénévoles en milliards de F). *1988 :* 0,634 ; *89 :* 1 ; *90 :* 1 ; *91 :* 1,06. Ressources des ONG de solidarité intern. en milliards de F (fonds publics et ressources propres) : *1987 :* 1,6 ; *88 :* 1,828 ; *89 :* 2,1.

Aide multilatérale (en milliards de F) *1990 :* 8,4 dont CEE : 4,1, Banque mondiale : 1,7, banques régionales : 0,065, fonds spéciaux : 0,688, contributions obligatoires : 0,28, contributions bénévoles : 0,5, FASR : 0,93. *1991 :* 9,36 dont CEE : 5,3, Banque mondiale : 2,45, banques régionales : 0,06, fonds spéciaux : 0,16, contributions obligatoires : 0,27, contributions bénévoles : 0,5, FASR : 0,4.

■ **Aide alimentaire.** 230 millions de F en 1990 et 1991, hors transit. + la contribution à l'aide alimentaire de la CEE (77 millions de F, 92) et la participation (308 millions de F, 92) au programme spécial de la CEE en faveur de l'Afrique.

Part de chaque ministère dans l'APD en 1991 (Tom inclus). Économie et des Finances : 47,8, Coopération : 13,7, Éducation nationale : 8,4, Caisse française de développement : 8,2, Affaires étrangères : 8,1, Recherche : 7,7, Équipement et du logement : 1,2, Dom-Tom : 1, autres ministères : 1,1, frais administratifs : 2,7.

■ **Caisse centrale de coopération économique (CCCE).** Accorde des concours financiers (prêts ou dons) pour des projets à 34 pays d'Afrique ou de l'océan Indien, à 7 États des Caraïbes, au Vanuatu et à 3 Tom. Sert aussi d'instrument de mise en place, au nom de l'État, des concours d'ajustement structurel.

Montant global des engagements (1990) : 7,50 milliards de F. *Principaux bénéficiaires :* Côte-d'Iv., 1,37 ; Maurice, 0,61 ; Cameroun, 0,52 ; Madagascar, 0,48 ; Mali, 0,47 ; Sénégal, 0,45 ; Mauritanie, 0,43 ; Mozambique, 0,40 ; et pour *1986-1990 :* Côte-d'Ivoire, 3,96 ; Sénégal, 2,99 ; Cameroun, 2,49 ; Gabon, 2,21 ; Madagascar, 1,99 ; Congo, 1,82 ; Zaïre, 1,77 ; Guinée, 1,76.

■ **Crédits concourant à l'action extérieure** (en milliards de F, 1990). *Budget général :* 48,3 dont dépenses civiles 47,2 (aff. étr. 11,8, agriculture et forêts 0,49, anciens combattants et victimes de guerre 0,49, coopération et développement 7,3, culture, communication, grands travaux et bicentenaire 0,11, écon. finances, budget 22,5, éducation nat. 1,3, équipement, logement, transports, mer 1,3, ind. et aménagement du territoire 0,25, intérieur 0,095, recherche et technologie 2,3, Premier ministre 0,043, travail 0,012), défense 1. *Budget annexe :* 4,3 dont navigation aérienne 0,13, P et T et espace 4,2. *Comptes spéciaux du Trésor :* 14,8. *Total :* 67,5.

■ **Budget du min. de la Coopération** (dotations initiales en milliards de F). *1980 :* 3,01 ; *85 :* 6,2 ; *90 :* 7,31 ; *91 :* 7,9 ; *92 :* 8,1 ; *93 :* 8,07 dont interventions 7,56 (assistance technique 2,15 ; Fonds d'aide et de coopération 2,8 ; concours financiers 1,2 ; coopération militaire 0,88 ; scolarisation des enfants français 0,37 ; bourses 0,25 ; ONG, volontaires et coopération décentralisée 0,14).

Budget de l'assistance technique (en milliards de F). *1991 :* 2,2 ; *92 :* 2,3.

Assistance technique civile. *Effectifs par pays* (VSN exclus, programmation 1992) : 5 553 dont Côte-d'Iv. 1 016, Sénégal 679, Gabon 420, Djibouti 320, Cameroun 314, Madagascar 310, Niger 275, Rép. Centrafricaine 250, Congo 258, Burkina-Faso 226, Mali 211, Mauritanie 202, Tchad 150, Togo 139, Zaïre 114, Bénin 95.

Par secteurs (1992) : 5 598 dont 3 817 enseignants et 1 781 techniciens dont 594 santé ; 162 agriculture ; 137 finances-économie, Trésor, douanes ; 105 environnement, urbanisme, bâtiment ; 83 élevage, pêche ; 74 recherche scientif. et technique ; 73 transports ; 67 coop. admin. (police, fonction publique) ; 67 hydraulique.

Assistance technique militaire : *1989 :* 940 ; *90 :* 925 ; *91 :* 907 ; *92 :* 710. Aide en matériel et formation ; sécurité intérieure (Tchad, Congo, Rwanda en 91-92), équipements de transmissions...). *Formation de stagiaires : 1989 :* 2 177 ; *90 :* 2 086 ; *91 :* 1 800 ; *92 (prév.) :* 1 600. Principaux pays bénéficiaires (1991) : Bénin, Madagascar, Tchad, Haïti.

Coopérants du service national (CSN) : *1991 :* 5 100 incorporés dont (en %) relevant du min. de la Coopération et du Développement 19,3, des Affaires étrangères 27,6, du Commerce extérieur 48,5, de l'Économie, des Finances et du Budget 4,6.

■ **Ministère des Affaires étrangères** (Dir. générale des Relations culturelles, scientifiques et techniques : DGRCST).

Budget (en milliards de F) : *1980 :* 1,22 ; *1985 :* 3,66 ; *1987 :* 3,66 ; *1988 :* 3,84 ; *1989 :* 3,9.

Coopérants (1990) : 5 121 dont *Afrique du N. :* 1 693 dont Maroc 1 036, Tunisie 439, Algérie ; *au sud du Sahara :* 288 dont Éthiopie 72. *Amérique latine :* 650 dont Brésil 140, Mexique 93, Argentine 63, Colombie 60. *Amér. du N. :* 287 dont USA 184, Québec 58. *Asie-Océanie :* 505 dont Inde 90. *Eur. de l'Ouest :* 1 020 dont Espagne 176, All. 172, Turquie 145, Italie 102, G.-B. 89, Portugal 59. *Europe de l'Est :* 227 dont ex-URSS 80. *Proche et Moy.-Orient :* 450 dont Égypte 119, Liban 79. **Stages :** *91 :* 1 800 ; *92 :* 1 582 ; *93 :* 1 550 (prév.). Principaux bénéficiaires : Côte-d'Ivoire, Gabon, Sénégal, Mauritanie, Congo, Cameroun.

Devises de quelques pays

☞ Suite de la p. 1666

Burkina-Faso : La Patrie ou la mort ? Nous vaincrons (avant, Hte-Volta : Unité, Travail, Justice).
Burundi : Unité, Travail, Progrès.
Caïmans : Établies par Dieu sur les flots.
Cameroun : Paix, Travail, Patrie.
Canada : A mari usque ad mare (D'un océan à l'autre). Québec : Je me souviens (emblème : le lys).
Cap-Vert : Unidade, Trabalho, Progresso (Unité, Travail, Progrès).
Centrafricaine (Rép.) : Unité, Dignité, Travail, et Zo Kwe Zo (Un homme est un homme, en sango).
Chili : Por la razón o la fuerza (Par la raison ou la force).
Chine nationaliste (Formose) : Fermeté dans la dignité et dynamisme dans l'indépendance.
Colombie : Libertad y Orden (Liberté et Ordre).
Congo (Rép. populaire du) : Unité, Travail, Progrès.
Côte-d'Ivoire : Union, Discipline, Travail.
Cuba : Patria o Muerte, Venceremos (La Patrie ou la mort, nous vaincrons).
Danemark : Pas de devise. Chaque souverain a la sienne. Celle de la reine Margrethe II est : L'aide de Dieu, l'amour du peuple, la grandeur du Danemark.
Dominicaine (République) : Dios, Patria, Libertad (Dieu, Patrie, Liberté).
Égypte : (avant la révolution) La justice prime la force ; (à la révolution) Unité, Discipline, Travail ; (plus tard) Science et Foi ; (depuis février 1972) Silence et Patience, Liberté, Socialisme, Unité.
Équateur : Dieu, Patrie et Liberté.
Espagne : *dep. 19-12-1981 :* Plus ultra (latin) (encore au-delà) [des colonnes d'Hercule (celles-ci figurent sur les armoiries nationales)].
États-Unis : Devise du grand sceau : E pluribus unum (latin) ; Out of many, one (anglais) : Tous ensemble ne font qu'un.
Devise nationale : In God we trust : En Dieu notre confiance.
Éthiopie : *Av. 1974 :* l'Éth. tend les mains vers le Seigneur (pour le pays). Lion vainqueur de la tribu de Juda (pour la dynastie). *Dep. 1974 :* Etiopia Tikdem (Éth. d'abord).
Falklands : To remain a British colony (Demeurer une colonie britannique).
Fidji : Crains Dieu et honore la reine.
France : Liberté, Égalité, Fraternité. (État français 1940-44 : Travail, Famille, Patrie.)
Gabon : dev. de la République : Union, Travail, Justice. Dev. du Président : Dialogue, Tolérance, Paix.
Gambie : Progrès, Paix, Prospérité.
Ghana : Freedom and Justice (Liberté et Justice).
Grande-Bretagne : Dieu et mon droit (en français).
Grèce : Ma force, c'est l'amour de mon peuple. La liberté ou la mort.
Grenade : Clarior e tenebris (La clarté suit les ténèbres).
Guatemala : Liberté — 15 septembre 1821.
Guyane française : Fert Aurum Industria (Le travail crée la richesse).
Haïti : Liberté, Égalité, Fraternité. L'union fait la force.
Honduras : Libre, Souveraine, Indépendante.
Hongrie : Tout le pouvoir est au peuple.
Inde : La vérité l'emportera.
Indonésie : Bhinneka tunggal ika (Unité dans la diversité).
Iraq : Une seule nation arabe, avec une mission éternelle. Unité, Liberté, Socialisme.
Iran : Dieu, Roi, Patrie (avant 1980).
Islande : La nation est construite sur la loi.
Israël : Devise officieuse : Résurrection.
Jamaïque : Out of many, one country (Issu de plusieurs ethnies, un seul pays).
Jordanie (Royaume hachémite) : Construisons notre pays, et servons notre nation. Allah, al Watan, al Malik (Dieu, la Patrie, le Roi).
Kenya : Harambee (En avant tous ensemble).
Koweït : Pas de devise. Emblème : faucon dont les ailes déployées encerclent un boutre koweïtien.
Laos : Devise officieuse : Patrie, Religion, Roi et Constitution.
Lesotho : Khotso Pula, Nata.
Liban : Pas de devise, un emblème : le cèdre. Dev. du Chef de l'État : Ma Patrie a toujours raison.
Liberia : The love of liberty brought us here (L'amour de la liberté nous amena ici).
Libye : Liberté, Socialisme, Unité.
Liechtenstein : Dieu, Prince, Patrie.
Luxembourg : Je sers (devise du Grand-Duc). Mir wellen bleiven wat mir sin (Nous voulons rester ce que nous sommes), devise nat. depuis 1867.
Macao : Cité du nom de Dieu, il n'y en a pas de plus loyale.
Madagascar : Liberté, Patrie, Progrès.
Malaisie : Unity is strength (L'unité fait la force).
Malawi : Unity and Freedom (Unité et Liberté).
Mali : Un peuple, un but, une foi.
Malte : Virtute et Constantia (Par le courage et la constance).
Maroc : Dieu, la Patrie, le Roi.
Maurice : Étoile et clé de l'océan Indien.
Mauritanie : Honneur, Fraternité, Justice.
Mexique : Dev. du Chef de l'État : Arriba y adelante (Plus haut et plus loin).
Monaco : Deo juvante (Avec l'aide de Dieu) (devise des princes).
Népal : La vérité prévaudra toujours. Il est doux et honorable de mourir pour la patrie.
Nicaragua : Dios, Patria y Honor (Dieu, Patrie et Honneur).
Niger : Fraternité, Travail, Progrès.
Nigeria : Unity and Faith (Unité et Loyauté).
Norvège : Devise du roi : Allt før Norge (Tout pour la Norvège).
Nouvelle-Zélande : Onward (Toujours droit).
Ouganda : For God and my Country (Pour Dieu et mon pays).
Pākistān : Ittehad, Yaquin-i-Mukham, Tanzim (Unité, Foi, Discipline).
Panamá : Pro Mundi Beneficio (Pour le plus grand bien du monde entier).
Paraguay : Paz y Progreso (Paix et Progrès).
Pays-Bas : Je maintiendrai.
Pérou : Firme y feliz por la Unión (Stable et heureux grâce à l'union de tous).

☞ Suite voir p. 1890.

Personnalités

☞ Voir aussi les chapitres Littérature, Danse, Musique, Politique (leaders de partis, ministres, etc.), prix Nobel ; et les notices sur les grands journaux. Les acteurs et les réalisateurs cités également à la section cinéma sont signalés en italique.

Liste des abréviations	Canada : Ca.	Égypte : Ég.	Journaliste : J.	Publicité : Pu.
	Chansonnier : Ch.	Enseignant : Ens.	Liban : Lib.	Radio : Ra.
Accordéoniste : Acc.	Chanteur : C.	Espagne : Es.	Magicien : Ma.	Réalisateur : R.
Acteur : A	Chorégraphe : Cho.	Ethnologue : Et.	Magistrat : Mag.	Reporter : Rep.
Administrateur civil : Ad. c.	Cinéma : Cin.	Explorateur : Expl.	Mannequin : Man.	Restaurateur : Rest.
	Coiffeur : Coi.	Fonctionnaire : Fonct.	Médecin : Méd.	Roumanie : Ro.
Aéronautique : Aé.	Clown : Cl.	France : F.	Metteur en scène : M.	Russie : Ru.
Affaires : Af.	Collectionneur : Coll.	Général : Gl.	Militaire : Mil.	Scénariste : S.
Afrique du Sud : Afr. S.	Commissaire priseur : Cpr	Gérontologue : Gé.	Monégasque : Mon.	Scientifique : Sc.
		Ghana : Gh.	Musicien : Mu.	Sculpteur : Scul.
Algérie : Alg.	Compositeur : Cp.	Grande-Bretagne : GB	Non connu : n. c.	Sociologue : Soci.
Allemagne : All.	Conseil d'État : CdE	Grèce : Gr.	Norvège : Nor.	Speaker : Sp.
Animateur : An.	Conservateur : Cons.	Guitariste : G.	Opérateur : Op.	Sportif : Spo.
Arabie Saoudite : Ar. Sa.	Couturier : Cou.	Historien : Hist.	Panama : Pan.	Styliste : St.
	Critique : Cr.	Hongrie : Ho.	Pays-Bas : P-Bas.	Suède : Suè.
Architecte : Arch.	Cuisinier : Cui.	Humoriste : Hum.	Peintre : Pe	Suisse : Su.
Astrologue : Ast.	Danemark : Dan.	Impresario : Imp.	Pharmacien : Pharm.	Syndicaliste : Sy.
Australie : Aus.	Danseur : Da.	Inde : In.	Philosophe : Phi.	Tchécoslovaquie : Tc.
Auteur : Au.	Décorateur : Déc.	Industriel : Ind.	Photographe : Ph.	Télévision : T.
Autriche : Aut.	Dessinateur : Des.	Ingénieur : Ing.	Pianiste : Pi.	Théâtre : Th.
Aventurier : Avent.	Dialoguiste : Di.	Inspecteur des Finances : Insp. Fin.	Politicien : Po.	Théologien : Théol.
Avocat : Av.	Diplomate : Dip.		Pologne : Pol.	Tunisie : Tun.
Banquier : Bq.	Directeur : Dir.	Inventeur : Inv.	Portugal : Port.	Turquie : Tu.
Batteur : Bat.	Dir. de la photo : Ph.	Irlande : Irl.	Présentateur : Pré.	Universitaire : Un.
Belgique : Be.	Distributeur : Dis.	Italie : It.	Président : Prés.	URSS : Ur.
Brésil : Br.	Économiste : Éco.	Jamaïque : Jq.	Prêtre : Prêt.	USA : U.
Burkina Faso : B.F.	Écosse : Éc.	Japon : Jap.	Producteur : Pr.	Venezuela : V.
Cameraman : Cam.	Éditeur : Éd.	Joaillier : Jo.	Psychanalyste : Psy.	Zoologiste : Zool.

☞ Toutes les personnalités sont françaises sauf indication contraire. Entre parenthèses, nom légal ou d'origine.

AARON, Didier (27-4-23) Ant. Jean-Claude (2-8-16) F, Af.
ABBA : Agnetha Fälkstog (5-4-1950) Björn Ulvaeus (25-4-1945) Annifrid Lyngstad (15-11-1945) Benny Andersson (16-12-1946) Suè, C.
ABBOT, Alain (1938) Acc.
ABBOTT Bud (William) (1895-1974), U, A.
ABRAHAM, Claude (7-4-1931) Af.
ABRIAL, Patrick (1947) C.
ABRIL, Victoria (n.c.) Es, A.
ACQUART, André (22-11-22) Déc.
ADAM, Alfred (Roger) (1908-82) A. J.-François (1938/80) R.
ADAMO, Salvatore (31-10-43) Be, C.
ADAMS, Julie (Betty May Adams) (1926) U, A.
ADDAMS, Charles (1913-88) U, Des.
ADDAMS, Dawn (1930-85) GB, A.
ADER, Antoine (28-5-36) Cpr.
ADISON, Fred (1908) Cp.
ADJANI, Isabelle (27-6-55) A.
ADLER, Laure (n.c.) An, Éd. Lou (1935) U, Mu. Philippe (1936) R.
ADLON, Percy (1935) U, R.
ADORÉE, Renée (1898-1933) U, A.
AFFLELOU, Alain (1-1-48) Af.
AGACINSKI, Sophie (15-12-43) A. Pseudo : Jeanne de la Fonte.
AGAR, John (1921) U, A.
AGEORGES, Pierre (1933-87) Méd.
AGNELLI, Giovanni (12-03-21) It, Af.
AGNÈS B. (n.c.) St.
AGOSTINI, Philippe (11-8-10) Op, R.
AGOSTINO, Jean d' (1918) R, T.
AGUETTAND, Lucien (1901) Dé.
A-HA, Mags Furuholmen (1-11-62), Morten Harket (14-9-59), Pal Woalker (6-9-61) C.
AHERNE, Brian (1904-86) GB, A.
AHRWEILER, Hélène (Athènes, 29-8-26) Un.
AIGRAIN, Pierre (28-9-24) Sc.
AILEY, Alain (1931-89) U, Ch.
AIMABLE (A. Puchart) (1922) Acc.
AIMÉE, Anouk (Nicole Dreyfus ; Mme A. Finney) (27-4-32) A.
AIMOS (Raymond Caudrier) (1889-1944) A.
AJAR, Émile (Romain Gary 1914-80) et non son neveu (5-2-42) Au.
ALAMO, Frank (J.-Fr. Grandin) (12-10-43) C.
ALBANY, Joe (1925/88) U, Pi.
ALBERT, Eddie (E.A. Heimberger) (1908) U, A. Marcel (7-3-38) Af. Michel (25-2-30) Af.
ALBICOCCO, J-Gabriel (15-2-36) R.
ALBY, Pierre (23-11-1921) Af.
ALCOVER, Pierre (1893-1957) A.
ALDA, Alan (28-1-36) U, A.
ALDRICH, Robert (1918-83) U, R.
ALEKAN, Henri (1909) Op.
ALERME, André (1877-1960) A.
ALESSANDRI, J.-Pierre (8-7-42) T.
ALESSANDRINI, Goffrédo (1904-78) It, R.
ALEXANDRE (A. Raimon) (6-9-22) Coi. Jacqueline (1942) J, T. Philippe (14-3-32) J, R. Roland (1927-56) A.
ALEXANDROV, Grigori (Mormonenko) (1903-83) Ur, R.
ALEXEIEFF, Alexandre (1901-82) R, Déc.
ALFA, Michèle (1915) A.
ALFONSI, Philippe (14-7-39) J, R.
ALIBERT (M. Allibert) (1889-1951) C.
AL JOLSON, (1886-1950) U, Ch.
ALLAIN, Jean-Philippe (n.c.) An.
ALLAIS, Maurice (31-5-11) Écon.
ALLASIO, Marisa (1937) It, A.
ALLÈGRE, Maurice (16-2-33) Af.
ALLÉGRET, *Catherine* (16-4-46) A. *Marc* (1900-73) R. *Yves* (1907-87) R.
ALLEN, Nancy (1957) U, A. *Woody* (Allen Stewart Konigsberg) (1-12-35) U, A, R.
ALLEST, Frédéric d' (1-9-40) Ing.
ALLIO, René (1924) Déc, R.
ALLIOT-MARIE, Michèle (10-9-46) Pol.
ALLISON, Luther (17-8-39) U, C.
ALLMAN BROTHERS BAND (Greg Allmon, 8-12-47) U, C.
ALLWRIGHT, Graeme (7-11-26) N-Zél, A, Cp, C.
ALLYSON, June (Ella Geisman) (7-10-17) U, A.
ALMENDROS, Nestor (1930-92) Es, Op, Ph.
ALMODOVAR, Pedro (1951) Es, Cin.
ALPERT, Herb (31-3-35) U, C.
ALRIC, Catherine (1954) A.
ALSOP, Joseph (1911-89) U, J.
ALTÉRY, Mathé (M.-T. Altare) (1933) F, C.
ALTMAN, Robert (20-2-25) U, R.
AMADE, Louis (1915-92) Au, Préfet.
AMADOU, Jean (1-10-29) Ch.
AMAR, Paul (11-1-50) J.
AMARANDE (Marie-Louise de Chamarande) (31-8-39) A.
AMECHE, Don (Dominic Amichi) (31-5-10) U, A.
AMIDEI, Sergio (1904-81) It, S.
AMIDOU (1942) Alg, A.
AMINA, (n.c.) Tun, C.
AMINEL, Georges (n.c.) A.
AMONT, Marcel (Miramon) (1-4-29) C.
AMOUROUX, Henri (1-7-20) J.
ANCEL, Marc (1902-90) Mag.
ANCONINA, Richard (28-1-53) A.
ANDERSON, Dean (n.c.) U, A. (Mac Gyver) *Harriet* (1932) Suè, A. Judith (1898-1992) U, A. Lindsay (17-4-23) GB, R. Maria (1902-93) U, C. Michaël (30-1-20) GB, R. William « Cat » (1961-81) U, Mu.
ANDERSSON, Bibi (11-11-35) Suè, A.
ANDRADE, Joaquim Pedro de (1932-88) Br, R.
ANDRÉ, Nicole (n.c.) Pré.
ANDREANI, Henri (1872-1936) R.
ANDREOTA, Paul (11-12-17) Au.
ANDRESS, Ursula (19-3-36) Su, A.
ANDREU, Gaby (1923-72) A.
ANDREWS, Dana (1909-92) U, A. Julie (Wells) (1-10-35) GB, A. Sisters, Patty (1918) Maxime (1916), Laverne (1913-67) U, C.
ANDREX (André Jaubert) (1907-89) A.
ANDRIEU, René (24-3-20) J.
ANÉMONE (Anne Bourguignon) (9-8-50) A.
ANGELI, Pier (Anna-Maria Pierangeli) (1932-71) It, A.
ANGELO, Jean (1875-1933) A.
ANGLADE, Catherine (2-11-20) A. Jean-Hughes (1956) A.
ANIMALS (The) : Eric Burdon (11-5-41) Alan Price (19-4-42) Chas Chandler, Hilton Valentine, John Steel, GB, C.
ANJUBAULT, Jacques (1918-88) J.
ANKA, Paul (Ca 30-7-41) U, C.
ANNABELLA (Suzanne Charpentier) (28-11-09) A.
ANNAUD, Jean-Jacques (1-10-43) R.
ANNEGARN, Dick (9-5-52) P-Bas, C.
ANNENKOV, Georges (1891-1974) Ur, R, Cp.
ANN-MARGRET (Ollson) (Suè. 28-4-41) U, A.
ANNOUX, Jean-Claude (Bournizien) (1939) C.
ANT, Adam (Stuart Goddard) (3-11-54) U, C.
ANTHONY, Richard (R. Btesh) (13-1-38) C.
ANTOINE, André (1858-1943) M. Jacques (1924) Pr, T. (Pierre Muraccioli) (4-6-44) C.
ANTONELLI, Laura (28-11-41) It, A.
ANTONIONI, Michelangelo (29-9-12) It, R.
APERGHIS, Georges (23-12-45) Gr, Cp.
APPARECIDA, Maria d' (Marquès) (17-1-36) Br, C.
APTED, Michael (10-2-41) U, R.
ARCHAMBAULT, Pierre (1912-88) J.
ARCY, Jean d' (1913-83) T.
ARDANT, Fanny (1950) A.
ARDEN, Ève (Quedens, 1912-90) U, A.
ARDISSON, Thierry (6-1-49) An, T.
ARDITI, Catherine (n.c.) A.
ARDITI, Pierre (1-12-1944) A.
ARESTRUP, Niels (1949) A.
ARKIN, Alan (26-3-34) U, A.
ARLETTY, (Léonie Bathiat) (1898-1992) A.
ARLISS, George (Andrews) (GB, 1868-1946) U, A.
ARMA, Paul (Imre Weisshaus) (1905-87) Cp.
ARMAND, Louis (1905-71) Ing.
ARMANI, Giorgio (1935) It, Cou.
ARMENDARIZ, Pedro (1912-63) Mex, A.
ARMONTEL, Roland (1904-80) A.
ARMSTRONG, Robert (Donald R. Smith) (1890-1973) U, A.
ARNAUD, André (1923) R. Marie-Hélène (1926-86) Man. Michèle (Caré, Mme Patrick Lehideux) (1919) C, Pr T.
ARNAULT, Bernard (5-3-49) Ing, Af.
ARNOLD, Edward (1890-1956) U, A. Jack (1916-92) U, R.
ARNOUL, Françoise (Gautsch, 3-6-31) A.
ARNOULD, Sophie (1740-1802) A.
ARNOULD-PLESSY, Jeanne (1819-97) A.
ARNOUX, Robert (1899-1964) A.
ARON, Jean-Paul (1925-88) Au, Phi.
ARQUETTE, Rosanna (n.c.) U, A.
ARRAUZAU, Francine (1925-81) C.
ARRIEU, René (1924-82) A.
ARRIVE, Jean-Claude (n.c.) J, T.
ARSAN, Emmanuelle (Marayat Rollet-Andriane) (1938) A, Au.
ARTAUD, Antonin (1896-1948) Au.
ARTHUR, Jean (Gladys Greene) (1905-91) U, A.
ARTHUR, H (1966) Mu.
ARTHUR (n.c.) Pré.
ARTUR, José (20-5-27) R.
ARVIS, Jean (3-12-35) Af.
ASCARI, Alberto (1918-55).
ASHBY, Hal (1936-88) U, R.
ASHCROFT, Peggy (1907-91) GB, A.
ASHLEY, Laura (1925-85) GB, Cou.
ASHTON, Frederick (1904-88) GB, Da.
ASKAIN, Danièle (9-9-44) Pré.
ASLAN, Anna (1897-1988) R, Gé.
ASLAN, Grégoire (Coco) (1908-81), A.
ASQUITH, Anthony (1902-68) GB, R.
ASSA, Marc (31-1-41) Af.
ASSO, Raymond (1901-68) Au.
ASSOLLANT, Alfred (1827-86) J.
ASTAIRE, Fred (Frederick Austerlitz) (1899-1987) U, A, Da.
ASTHER, Nils (1897-1981) U, A.
ASTIER DE LA VIGERIE, E. d' (1900-69) J.
ASTLEY, Rick (6-2-66) GB, C.
ASTOR, John Jacob, baron (1886-1971) GB, Po, Af.
ASTOR, Junie (1912-67) A. Mary (Lucille Lange-Hanke) (1906-87) U, A.

ASTOR, William Waldorf, vicomte (1848-1919) GB, U, Po, J, Af.
ASTORG, Bertrand (1914-88) Au.
ASTOUX, Andrée (1919-90) T.
ASTRUC, Alexandre (13-7-23) R, T.
ATIF, Yilmaz (n.c.) Tu, R.
ATKINE, Féodor (n.c.) A.
ATTALI, Bernard (1-11-43) Af. Jacques (1-11-43) Af, Po.
ATTENBOROUGH, Richard (29-8-23), GB, A.
AUBERJONOIS, René (1941) Ca, A.
AUBER, Brigitte (M.-Claire Cahen de Labzac) (1928) A.
AUBERT, André (n.c.) A. Jean-Louis (n.c.) C. Jeanne (1901-88) C, A. Michel (1930) C, Cp.
AUBIN, Michel (n.c.) T.
AUBRET, Isabelle (Thérèse Coquerelle) (27-7-38) C.
AUBRY, Cécile (Anne-Josée Bénard) (3-8-28) A, M, R, T.
AUCLAIR, Marcelle (1899-1983). Michel (Wlad. Vujovic) (1922-88) A.
AUCLÈRES, Dominique (1898-1981) Au, J.
AUDIARD, Michel (1920-85) S, Di, A.
AUDOUARD, Yvan (27-2-14) Di, Au.
AUDRAN, Stéphane (Colette Dacheville) (2-11-32) A.
AUDRET, Pascale (Auffray) (1936) A.
AUDRY, Colette (1906-90) Au, Po. Jacqueline (1908-77) R.
AUER, Misha (M. Ounskowsky) (1905-67) U, A.
AUFRAY, Hugues (Jean Auffray) (18-8-29) C.
AUGER, Claudine (8-6-42) A. Véronique (n.c.) J, T.
AUGIER, Sylvain (n.c.) An.
AUGRY, Marie-Laure (27-2-47) J.
AUGUST, Bille (9-11-48) Dan, R.
AULAGNON, Maryse (19-4-49) Po.
AULANT, François d' (5-1-31) Af.
AULAS, Jean-Michel (22-3-49) Af.
AULD, Georges (1920-90) U, Mu.
AUMAGE, Maurice (1939) Bq.
AUMONT, Jean-Pierre (Salomons) (5-1-11) A, Au. Michel (15-10-36) A.
AUQUE, Roger (11-1-56) J, R.
AUREL, Jean (6-11-25) R, S.
AURENCHE, Jean (1904-92) S, Di.
AURILLAC, Michel (11-7-28) Av, Pol.
AURIC, Georges (1899-1983) Cp.
AURIOL, Jean-Georges (J. Huyot) (1907-50) S, Cr.
AUSLANDER, Rose (1901-88) R, Au.
AUSTIN, Herbert, baron (1866-1941) GB, Ind, Af, Po.
AUTANT-LARA, Claude (5-8-01) R.
AUTEUIL, Daniel (24-1-50) A.
AUTIN, Jean (1921-91) Insp. Fin.
AUTRY, Gene (29-9-07) U, A.
AVAKIAN, Aram (1927-87) U, R.
AVATI, Pupi (1938) It, R.
AVELINE, Claude (Avstine) (1901-92) Au, Pr, T.
AVERTY, Jean-Christophe (6-8-28) T.
AVERY, Tex (1908-80) U, R.
AVRIL, Claire (n.c.) Sp. Jane (1868-n.c.) Da. Rose (Michèle Masseyeff) (1920-73) C.
AVRON, Philippe (18-9-28) A.
AXELROD, Georges (9-6-22) U, R.
AYACHE, Alain (1-9-38) J.
AYKROYD, Dan (1951) U, A.
AYRES, Lew (28-12-08) U, A.
AZAÏS, Paul (1903-74) A.
AZEMA, Sabine (20-9-52) A.
AZNAVOUR, Charles (Varenagh Aznavourian) (22-5-24) A, C, Cp.
AZOULAY, Guy (n.c.) Af.
AZUQUITA, Camilo (n.c) Pan, Mu.
AZZARO, Loris (9-2-33) It, Cou.
AZZOLA, Marcel (1927) Acc.
BABENCO, Hector (7-2-46) Br, R.
BAC, André (1905) Chef op.
BACALL, Lauren (Betty Joan Perske) (16-9-24) U, A.
BACH (Ch.-Jos. Pasquier) (1882-1953) C.
BACHELET, Jean (1894-1977) Op. Pierre (25-5-44) C.
BACKUS, Jim (1913-89) U, A.
BACON, Lloyd (1890-1955) U, R.
BACRI, J.-Pierre (24-5-51) A.
BADEL, Pierre (14-6-28) R, T.
BADIE, Laurence (1934) A.
BADINTER, Robert (30-3-28) Av, Po.
BAËZ, Joan (9-1-41) U, C.
BAFFIE, Laurent (n.c.) Pré, T.
BAGOUET, Dominique (1951-92) Cho.
BAHRI, Rachid (5-1-49) C.
BAILBY, Léon (1867-1954) J.
BAILEY, Pearl (1918) U, C.
BAKER, Carroll (28-5-31) U, A. Chet (1929-88) U, Mu. Joséphine (1906-75) U, A, C, Da. Lenny (n.c.) U, A. Stanley (1928-75) GB, A.
BAKY, Josef von (1902-66) All, R.
BALACHOVA, Tania (1902-73) Ru, A.
BALANDRAUD, J-Louis (22-2-47) T.
BALARESQUE, Bertrand (4-12-29) Af.
BALASKO, Josiane (Balaskovic) (15-4-52) A.
BALAVOINE, Daniel (1952-86) C.
BALAZ, Béla (1884-1949) Ho, Au.
BALCON, Sir Michael (1896-1977) GB.
BALEINE, Philippe de (1921) J.
BALENCIAGA, Cristobal (1895-1972) Es, Cou.
BALFOUR, Betty (1903-79) GB, A.
BALIN, Mireille (1911-68) A.
BALKANY, Patrick (16-8-48) Pol. Robert de (4-8-31) Af.
BALL, Lucille (1911-89) U, A.
BALLE, Joseph (1-1-42) Af.
BALMAIN, Pierre (1914-82) Cou.
BALMER, Jean-François (18-4-46) A.
BALOUD, Alexandre (Alain Barthélemy) (21-11-40) J, R.
BALPÉTRÉ, Antoine (1898-1963) A.
BALTHY, Louise (1869-1925) C.
BALUTIN, Jacques (William Buenos) (1936) A.
BANANARAMA, Sara Dallin (17-12-60), Keren Woodward (2-4-61) GB, C.
BANCROFT, Anne (Anna-Maria Italiano) (17-9-31) U, A. George (1882-1956) U, A.
BANKHEAD, Tallulah (1902-65) U, A.
BANSARD, J-Pierre (15-5-40) Af.
BANTON, Trovis (1894) U, Cp.
BAPTISTE, Aîné (Nicolas Eustache Anselme) (1761-1835) A. Cadet (Paul Eustache Anselme) (1765-1839) A.
BAQUET, Maurice (26-5-11) A.
BARA, Theda (Theodosia Goodman) (1890-1955) U, A.
BARATIER, Jacques (1918) R.
BARAZER, Pierre (13-12-33) Af.
BARBARA (Monique Serf) (19-6-30) C.
BARBARO, Umberto (1902-59) It, Cr, S.
BARBEDIENNE, Joseph (19-5-41) Dir.
BARBELIVIEN, Didier (10-3-54) C.
BARBIER, Bruno (23-6-44) J. Christian (Espitalier) (3-9-39) Ra.
BARBUS (Les 4), J. Tritsh (1913) P. Jamet (1910), M. Quinton (1916) G. Thibault (1911) C, séparés en 1969.
BARCLAY, Eddie (Édouard Ruault) (21-6-21) Cp, Pr.
BARCLAY, Robert (1843-1913) GB, Pq.
BARDEM, Juan Ant. (2-6-22) Es, R, S.
BARDIN, Jean (1927) Pr, Pré.
BARDOT (épouse d'Ormale) *Brigitte* (28-9-34) A.
BARDY, Gérard (1940) J.
BARELLI, Aimé (1-5-17) Mu.
BARILLET, Pierre (24-8-23) Au.
BARJAC, Sophie (n.c.) A.
BARKER, Lex (1919-73) U, A.
BARMA, Claude (1918-92) M.
BARNARD, Chris (8-10-22) Afr. S, Méd.
BARNETT, Boris (1902-65) Ur, R.
BARNIER, Lucien (1918-79) Ra.
BARNOLE, François (1932) J.
BAROIN, Michel (1930-87) Af.
BARON, Boyron (1653-1729) A. Ève (n.c.) J, T.
BARONCELLI, Jac. de (1881-1951) R.
BAROUH, Pierre (1934) C, Au, R.
BAROUX, Lucien (1888-1968) A.
BARRAT, Robert (1891-1970) Ra, J.
BARRAULT, Jean-Louis (8-9-10) A, M. Marie-Christine (21-3-44) A.
BARRAY, Gérard (Baraillé) (1931) A.
BARREAU, J.-Claude (10-5-33) Prêtre, retour État laïc 1971, Au, Éduc, Nat.
BARRÈRE, Igor (7-12-31) T.
BARRET, Pierre (1936-88) Af.
BARRETO, Lima (1906-82) Br, R.
BARRIER, Maurice (1934) A.
BARRIÈRE, Alain (Bellec) (18-11-35) C, Lucien (1923-90) Af.
BARRY, John (3-11-33) U, Cp. Paul (1926) Af.
BARRYMORE, (Blythe) Ethel (1879-1959). John (1882-1942). Lionel (1878-1954) U, A.
BARSAC, Jacqueline (n.c.) T.
BARSACQ, André (1909-73) M. Léon (Russie 1906-69) Déc.
BARSALOU, Joseph (1903-92) J.
BARTET, Julia (Regnault (1854-1941) A, Th.
BARTHELMESS, Richard (1897-1963) U, A.
BARTHES, Pierre (1941) Af.
BARTHOLOMEW, Freddie (Frederick Llewellyn) (1924-92) GB, A.
BARTÖK, Eva (Sjoke) (1926) Ho, A.
BARZOTTI, Claude (Francesco Barzotti) (23-7-53) Be, C.
BASEHART, Richard (1918-84) U, A.
BASHUNG, Alain (1-12-48) C.
BASINGER, Kim (8-12-53) U, A.
BASS, Saül (8-5-20) U, Des, R.
BASSEY, Shirley (8-1-37) U, C.
BASTIA, Jean (1878-1940) Ch, J, Th. Pascal (11-9-08) Ch, Th.
BATAILLE, Nicolas (1926) A, M. Sylvie (Maklès) (1912) A.
BATCHEFF, Pierre (Piotr Bacer) (1901-32) A.
BATES, Alan (17-2-34) GB, A.
BATY, Gaston (1885-1952) M.
BAUCHARD, Philippe (15-12-24) J.
BAUDECROUX, Jean-Paul (11-3-46) Ra.
BAUDIS, Dominique (14-4-47) T, J, Po.
BAUDRIER, Jacqueline (Vibert, Mme Roger Perriard) (16-3-22) J.
BAUER, Axel (7-4-61) C.
BAUR, Harry (1880-1943) A.
BAUSCH, Pina (n.c.) All, Cho.
BAVA, Mario (1914-80) It, R.
BAVASTRO, Michel (28-12-06) Af.
BAXTER, Ann (1923-85) U, A. Bill (3-3-59) C. Jane (Feodora Forde) (1909) GB, A. Warner (1892-1951) U, A.
BAYE, Nathalie (6-7-51) A.
BAYET, Albert (1880-1961) J.
BAYLET, Évelyne (14-6-13) J, A.
BAZIN, André (1918-58) Cr.
BEACH BOYS (The) : Brian (20-6-42), Carl (21-12-46), Dennis Wilson (1944-83), Mike Love, (15-12-41), Al Jardine (3-9-43), Bruce Johnstone (24-6-45) U, C.
BEARDEN, Romare (1913-88) U, Des.
BÉART, Emmanuelle (1965) A.
BÉART, Guy (Guy Béhart) (16-7-30) C.
BEATLES (The) : John Lennon (1940-80), P. McCartney (18-6-42), Ringo Starr (Starkey) (7-7-40), George Harrisson (25-2-43) GB, C.
BEATTY, Robert (19-10-09) Ca, A. Warren (30-3-37) U, A.
BEAUCHAMPS, Annik (17-6-40) J.
BEAULIEU, François (1943) A.
BEAUMONT, Susan (Black) (1936) GB, A. Cte Jean de (13-1-04) Af.
BEAUNE, Michel (1933-90) A.
BEAUREGARD, Georges de (1920-84) Pr.
BEAUVAIS, Robert (1911-82) Ra, Pr.
BEAUVILLAIN, Kléber (27-2-35) Af.
BEAUVILLIERS, Antoine (1754-1817) Cui.
BEAUX, Gilberte (12-7-29) Af.
BEAUSONGE, Lucid (27-8-54) C.
BEAVERBROOK, Max, baron (1879-1964) GB, Ca, Po, Af.
BEBEAR, Claude (29-7-35) Af.
BÉCAUD, Gilbert (François Silly) (24-10-27) C.
BECK, Jef (24-6-44) GB, G. Julian (1925-85) U, M, A.
BECKER, Jacques (1906-60) R.
BECKETT, Samuel (1906-89) Irl, Au.
BEDOS, Guy (15-6-34) A, Ch.
BEE GEES [Barry (1-9-46), Maurice (22-12-49), Robbin (22-12-49) GIBB] GB, C.
BEERY, Wallace (1886-1949) U, A.
BEFFA, Jean-Louis (11-8-41) Af.
BEGHIN, Ferdinand (21-1-02) Af.
BÉGUIN, J.-François (22-10-21) Af.
BEINEIX, J.-Jacques (1946) R.
BÉJART, Maurice (Jean de Berger) (1-1-27) Cho.
BEKETCH, Serge de (12-12-46) J.
BEL, François (1936) R.
BELAFONTE, Harry (1-3-27) U, A, C.
BELHASSINE, Lofti (1948) Tun, Af.
BELIN, Jean (28-9-49) J, T.
BELL, Marie (Bellon-Downey, Mme J. Chevrier) (1900-85) A.
BELLAMY, Ralph (1904-91) U, A.
BELLANGER, Raoul (1935) Af.
BELLAY, Jérome (10-10-42) J.
BELLE, Marie-Paule (25-1-46) C.
BELLEMARE, Pierre (21-10-29) Pr.
BELLER, Georges (1946) An, T.
BELLI, Agostina (A.M. Magnoni) (13-4-47) It, A.
BELLOCHIO, Marco (9-9-39) It, R.
BELLON, Loleh Marie-Laure (14-5-25) A. Pierre (24-1-30) Af. Yannick (Marie-Annick) (6-04-24) M.
BELLUS, Jean (n.c.) F, Des.
BELMONDO, Jean-Paul (9-4-33) A.
BELMONT, Véra (1931) R.
BELVAUX, Lucas (14-11-61) A.
BENAMOU, Roger (30-5-27) R, T.
BENATAR, Pat (Patricia Andrzejweski) (10-1-53) U, C.
BENAZERAF, José (1922) R.
BENDAVID, Patrick (12-4-47) Af.
BENDIX, William (1906-64) U, A.
BENEDEK, Laszlo (Ho, 1907-92) U, R.
BENEDETTI, Carlo de (1934) It, Af.
BENEZRA, André (n.c.) J, R.
BENGUIGUI, Jean (n.c.) A. Serge (1943).
BENHAMOU, Pierre (10-4-39) Af.
BENICHOU, Jacques (12-5-22) Af.
BENNETT, Bruce (Herman Brix) (1909) U, A. Constance (1904-65) A. Joan (1910-90) U, A. Michael (1943-87) U, M, Cho.
BENNIGSEN, Alexandre (1918-88).
BENNY, Jack (Kubelsky) (1894-1974) U, A.
BENOÎT, Denise (1921-73) A, C.
BENOIT-LÉVY, Jean (1888-1959) R.
BENSON, George (22-3-43) U, C.
BENZ, Karl Friedrich (1844-1929) Al, Ing, Af.
BÉRANGER, François (1937) C. Macha (1941) J, R.
BÉRARD, Christian (1902-49) Déc, Cp.
BÉRARD-QUELIN, Georges (1917-90) J.
BERCHOLZ, Joseph (Russie, 1898) Pr.
BERCOFF, André (12-2-40) J, T.
BERCOT, Pierre (1903-91) Af.
BERENSON, Marisa (15-2-48) U, A.
BÉRÈS, Pierre (18-6-13) Éd.
BERESFORD, Bruce (16-8-40) Aus, R.
BERETTA, Anne-Marie (24-9-37) Cou. Daniel (1946) C.
BERGÉ, Francine (21-7-38) A. Pierre (14-11-30) Af.
BERGEN, Candice (8-5-46) A.
BERGER, Helmut (Steinberger) (29-5-44) Aut, A. Jean-Marc (n.c.) Af. Michel (Hamburger) (1947-92) C. Nicole (1937-67) A. Senta (1941) Aut, A.
BERGERAC, Jacques (26-5-27) A, Af.
BERGMAN, Ingmar (14-7-18) Suè, R. *Ingrid* (Mme Lars Schmidt) (1915-82) Suè, A.
BERGNER, Elisabeth (Ethel) (All, 1900-86) GB, A.
BÉRIMONT, Luc (André Leclercq) (1915-1983) Au, Ra.
BERIOT, Louis (31-7-39) T.
BERKELEY, Busby (1895-1976) U, Cho, R.
BERLANGA, Luis Garcia (1921) Es, R.
BERLIET, Marius (1866-1949) Af. Paul (5-10-18) Af.
BERLIN, Irving (Israël Baline) (1888-1989) U, Cp.
BERLING, Charles (n.c.) A.
BERLUSCONI, Silvio (29-9-36) It, Af, T.
BERNADAC, Christian (1-8-37) J, Lucienne (1905-73) Cp, Pr, Pré.
BERNARD, Armand (1893-1968) A. Aubert-Claude (1930) R. Jean (26-5-07) Méd. Jean-René (1-12-32) Insp. Fin. Joëlle (n.c.) A. Paul (1898-1958) A. Raymond (1891-1977) R.
BERNARD-DESCHAMPS, Dominique (1892-1966) R.
BERNARDET, Jean (n.c.) J. Jérôme (n.c.) J. Maurice (18-9-21) J.
BERNARDY, Guy-Jean (7-3-26) Af.
BERNEDE, Marianne (n.c.) J, Ra.
BERNERT, Philippe (1928-87) J.
BERNETT, Sam (n.c.) U, An, Ra.
BERNHARDT, Sarah (Rosalie Bernard) (1844-1923) A.
BERNHEIM, Antoine (4-9-24) Af.
BEROUD, Hervé (n.c.) J, Ra.
BERRI, Claude (Langmann) (1-7-34) R. Robert (1912-89) A.
BERRIAU, Simone (Bossis) (1896-1984) A.
BERRY, Chuck (18-10-26) U, C. *Jules*

(Paufichet) (1883-1951) A. Maddy (1887-1965) A. Richard (31-7-50) A.
Bertheau, Julien (19-6-10) A.
Bertho, Jean (1928) Ch, An, T.
Berthomieu, André (1906-60) R.
Bertin, Pierre (1891-1984) A. Louis-François (1766-1841) J.
Bertini, Francesca (1888-1985) It, A.
Berto, Juliet (1947-90) A. R.
Bertolino, Jean (n.c.) J.
Bertolucci, Bernardo (16-3-40) It, R.
Bertrand, Jean-Pierre (n.c.) T. Paul (1915) Déc. Plastic (Roger Jouret) (24-2-58) Be, C.
Bertuccelli, J.-Louis (3-6-42) R.
Besançon, Julien (18-4-32) J.
Bescont, Jean (1925-83) R, T.
Besnier, Michel (18-9-28) Af.
Besse, Georges [1927-86 (assas.)] Af.
Besson, Luc (18-3-59) R.
Bettelheim, Bruno (1904-90) U, Psy.
Betti, Laura (1-5-34) It, A.
Bettina, (1925) Man.
Betty, William (1791-1874) GB, A.
Beucler, André (1898-1985) Au.
Beunat, Mario (1928) J.
Beuve-Méry, Hubert (1902-89) J.
Beveridge, William (1879-1963) Éco.
Beydts, Louis (1895-1953) Cp.
Beysson, Jean-Pierre (11-1-43) Af.
Beytout, Jacqueline (20-2-18) J, Af.
Bezace, Didier (n.c.) A, Th.
Bezzina, Jean-Michel (n.c.) J, R.
Bharati, Divya (1973-93) In, A.
Bianchetti, Suzanne (1889-1936) A.
Bianco, J.-Louis (12-1-43) Af.
Biasini, Émile (31-7-22) Ad.c.
Bibi (Béatrice Adjorkor Anyankor) (9-1-57) Gh, C.
Bich, Marcel (baron) (29-7-14) Af.
Bickford, Charles (1889-1967) U, A.
Bideau, J.-Luc (1-10-40) Su, A.
Bidermann, Maurice (M. Zylberberg) (Bruxelles 4-4-35) Af.
Bienaimé, Didier (n.c.) A.
Bietri, Charles (1943) J.
Bigot, Charles (29-7-32) Af.
Bilalian, Daniel (10-4-47) J, T.
Billecocq, Pierre (1921-87) Af.
Billetdoux, François (1927-91) Au.
Billy the kid (William H. Bonnay) (1859-81) U, Avent.
Bingham, Barry (1906-88) U, Af.
Binoche, Juliette (9-3-64) A.
Biotteau, Gérard (26-2-24) Af.
Biraud, Maurice (1922-82) A.
Birkin, Jane (14-12-46) GB, A, C.
Bisset, Jacqueline (13-9-44) GB, A.
Bizeau, Eugène (1883-1989) Ch.
Bizet, Marie (1906) C.
Björk, Anita (25-4-23) Suè, A.
Björnstrand, Gunnar (1909-86) Suè, A.
Black, Karen (Ziegler) (1-7-42) U, A.
Bladen, Ronald (1921-88) U, Des.
Blain, Estella (Micheline Estellat) (1934-82) A. Gérard (23-10-30) A, R.
Blair, Betsy (Elisabeth Boger) (1923) U, A.
Blakey, Art (1919-90), Bat.
Blanc, Christian (17-5-42) Af. Émile (18-10-32) Af. Éric (1966) Hum. Gérard (8-12-47) C. Jean († 1988) Ch. Jean-Pierre (1942) R. *Michel* (16-6-52) A, R.
Blanc-Francart, Patrice (19-5-42) J.
Blanchar, Dominique (1927) A. *Pierre* (1896-1963) A.
Blanchard, Gérard (7-2-53) C.
Blanche, Francis (1919-74) A, C.
Blanchet, Henri (26-6-45) Af.
Blanchot, Maurice (1907) Au.
Blanco, Carrero (20-12-73).
Blasetti, Alessandro (1900-87) It, R.
Blasi, Silvana (1931) It, C.
Bleustein-Blanchet, Marcel (21-8-06) Pu.
Blier, Bernard (1916-89) A. *Bertrand* (14-3-39) R.
Blin, Roger (1907-84) A, M.
Blitz, Gérard (1912-90) Af.
Bloch, Jean-Jacques (19-6-19) J. Raymond (10-3-39) Af.
Bloch-Lainé, Jean-Michel (28-4-36).
Blondell, Joan (1909-79) U, A.
Blondo, Lucky (Gér. Blondiot) (23-7-44) C.
Blondot, François (4-7-42) Af.
Bloom, Claire (Blume) (15-2-31) GB, A. Verna (7-8-39) U, A.
Blot, Florence (n.c.) A.
Blues Brothers [John (1949-82), Jim (1951) Belushi].
Bluwal, Marcel (26-5-25) M.
Blyth, Ann (16-8-23) U, A.
Boardman, Eleanor (1898) U, A.
Bobet, Louison (1925-83) Spo, Af.
Boccara, Frida (1940) C.
Bock, Jerry (Jerrold Lewis) (23-11-28) U, Cp.
Bocuse, Paul (11-2-26) Rest.
Bodard, Lucien (1914) J.
Bodoin, Jacques (1921) Ch, A.
Boeing, William (1881-1966) U, Inv.
Boesky, Ivan (n.c.) U, Af.
Boetticher, Budd (1916) U, R.
Bofa, Gus (Gustave Blanchot) (1883-1968) Des.
Bogaërt, Lucienne (1892-1983) A.
Bogarde, Dirk (Derek Van Den Bogaerde) (28-3-20) GB, A.
Bogart, Humphrey (1899-1957) U, A.
Bogdanoff, Igor et Grichka (1949) Pr, T.
Bogdanovich, Peter (30-7-39) U, R, Cr.
Bohan, Marc (22-8-1926) Af.
Bohringer, Richard (16-1-41) A. Romane (n.c.) A.
Boileau, Pierre (1907-89) Au.
Boillot, Jean (6-2-26) Af.
Boisrond, Michel (9-10-21) R.
Boisrouvray, Albina du (1942) Pr.
Boisset, Yves (14-3-39) R.
Boissieu, Michel de (18-11-17) Af.
Boisson, Christine (n.c.) A.
Boissonnat, Jean (16-1-29) J.
Boitel, Jeanne (1904-87) A.
Boiteux, Marcel (9-5-22) Af.
Boix-Vives, Laurent (30-8-26) Af.
Bolan, Marc (1947-77) GB, C.
Boleslabsky, Richard (Pol 1937) U, R.
Bolling, Claude (10-4-30) Cp, Pi.
Bolloré, Michel. (17-2-22) Michel (8-12-45). Vincent (1-4-52) Af.
Bolognini, Mauro (28-6-23) It, R.
Bon, Michel (5-7-43) Af.
Bon repos, Bernadette de (17-1-51).
Bond, Alan (1938) GB, Aus, Af, T, R.
Bono, Ward (1904-60) U, A.
Bondartchouk, Sergueï (25-9-22) Ur, A, R.
Bonduelle, Bruno (3-8-33) Af.
Boney M. (Bobby Farell) (6-10-49) U, C.
Bongrain, J.-Noël (28-12-24) Af.
Bonnaire, Sandrine (31-5-67) A.
Bonnardot, C.J. (1923-81) R.
Bonnay, Christiane (n.c.) Acc, Max (1957) Acc.
Bonnet, Pierre (19-10-27) Af.
Bonnie, Parker († 1934) ; Clyde, Barrow († 1934) U.
Bonte, Pierre (15-9-32) J.
Bontempelli, Guy (1940) Cp, C.
Bonvoisin, Bernie (9-7-56) C.
Boone, Pat (1-6-34) U, A, C. Richard (1916-81) U, A.
Boorman, John (18-1-33) GB, R.
Boothe Luce, Clara (1903-87) U, Au, Dip, J.
Borderie, Bernard (1924-78) M. Raymond (1897-1982) Pr.
Borel (Ch. Clerc) (1879-1959) Cp. Jacques (9-4-27) Af.
Borelli, Lyda (1884-1959) It, A.
Borgnine, Ernst (24-1-17) U, A.
Borniche, Roger (7-6-19) Au.
Borowczyk, Walerian (2-9-23) Pol, R.
Bortoli, Georges (28-6-23) J.
Borvo, Pierrick (5-4-42) Ad. c.
Bory, Jean-Marc (17-3-30) Su, A.
Borzage, Frank (1893-1961) U, R.
Borzeix, Jean-Marie (1-8-41) J.
Bosc, Jean-Marie (1924-73) Des.
Bose, Lucia (28-1-31) It, A.
Bossis, Héléna (1919) A.
Bost, Pierre (1901-75) S.
Bosustow, Stephen (1911) U, R.
Botrel, Théodore (1868-1925) Cp.
Botton, Frédéric (n.c.) Mu.
Boublil, Alain (22-7-47) Éco.
Boucher, Victor (1877-1942) A.
Boucheron, Alain (11-06-48) Jo.
Boucicaut, Aristide (1810-77) Af.
Boudet, Alain (14-3-28) R, T. Micheline (28-4-26) A.
Boudrioz, Robert (1877-1949) R.
Boué, Michel (1947-92) J.
Bouffé, Hugues (1800-88) A.
Bouglione, Joseph (1904-87) Af.
Bougrain-Dubourg, Alain (17-8-48) Pr.
Bouilhet, Albert (31-8-29) Af.
Bouillon, J.-Claude (27-12-41) A. Joseph (1907-84) (dit Jo) Mu.
Bouise, Jean (1929-89) A.
Boujenah, Michel (Tun 1952) A, Ch, Hum.
Boukharine, Nikolaï (1888-1938) Ur, Éco, Po.
Boulet, J.-Claude (11-12-41) Af.
Boulez, Pierre (26-3-25) Mu.
Boulin, Jacques (21-10-23) Af. Philippe (27-6-25) Af.
Bouquet, Carole (1957) A. *Michel* (6-11-25) A.
Bourdier, Jean (6-6-31) J.
Bourdin, Lise (1930) A, T.
Bourgeois, Gérard (1874-1944) R.
Bourgeois-Pichat, Jean (1912-90) Ing.
Bourges, Hervé (2-5-33) J, T.
Bourgine, Raymond (1925-90) J.
Bourgoin, Jean-Serge (1913) Pré. Marie (1781-1834) A.
Bourgois, Christian (21-9-33) Éd, J. Manuel (25-3-39) Éd.
Bourguignon, Serge (3-9-29) R.
Bouriez, Philippe (11-8-33) Af.
Bourrat, Patrick (20-9-52) An.
Bourret, J.-Claude (17-7-41) J.
Bourseiller, Antoine (8-7-30) M.
Bourvil (André Raimbourg) (1917-70) A, C.
Bousquet, Jean (1932) Af.
Boussac, Marcel (1889-1980) Af.
Boutang, Pierre-André (20-9-16) J.
Bouteille, Romain (1937) A.
Bouteiller, Pierre (22-12-34) J.
Boutet, Jacques (17-3-28) J. Michel (26-4-27) Af.
Boutin, René (1802-72) A.
Boutron, Pierre (1947) R.
Boutté, Jean-Luc (1-9-47) M.
Bouvard, Philippe (6-12-29) J.
Bouygues, Corinne (24-8-47) Af. Francis (1922-93) Af. Martin (3-5-52) Af.
Bouyssonnie, Jean-Pierre (12-9-20) Af.
Bouzinac, Roger (28-7-20) J.
Bovy, Berthe (Liège 1887-1977) A.
Bow, Clara (1905-65) U, A.
Bowie, David (Jones) (8-1-47) GB, C, Cp, A.
Boy George (G. O'Dowd) (14-6-61) GB, C.
Boyd, Stephen (William Miller) (1928-77) GB, A. William (1898-1972) U, A.
Boyer, Charles (1897-1978) A. Jacqueline (1941) A, C. Jean (1901-65) Ch, Au, Di, M. Lucienne (1901-83) C.
Bozo, Dominique (1935-93) Cons.
Bozon, Louis (25-6-34) An, Ra.
Bozzuffi, Marcel (1929-88) A.
Brach, Gérard (23-7-27) S.
Brady, Alice (1892-1939) U, A.
Braillon, Marc (6-3-33) Af.
Branagh, Kenneth (1960) GB, A, R.
Brando, Marlon (3-4-24) U, A.
Branson, Richard (1950) U, Af.
Brant, Mike (Moshé Brant) (1947-75) C.
Brassaï (Gyula Halász) (1899-1984) Ph.
Brassens, Georges (1921-81) C, Poète.
Brasseur, Claude (Espinasse) (15-6-36) A. *Pierre* (son père) (1905-72) A.
Braunberger, Pierre (1905-90) Pr.
Bravo, Christine (13-5-56) Pré.
Bray, Yvonne de (1889-1954) A.
Brazzi, Rossano (18-9-16) It, A.
Brecht, Bertolt (1898-1956) All, Au, M.
Breem, Danièle (n.c.) J, T.
Breffort, Alexandre (1901-71).
Bregou, Christian (19-11-41) Af.
Breillat, Catherine (13-7-48) S, Au, R. M.-Hélène (2-6-47) A.
Brel, Jacques (1929-78) Be, C, Cp, R, A.
Brenaa, Hans (1910-88) Dan, Da.
Brennan, Walter (1894-1974) U, A.
Brent, Georges (Nolan) (1904-79) U, A.
Brès, Pierrette (12-2-45) J.
Bresson, Robert (25-9-1901) R.
Bretagne, Yves de (29-4-38) Af.
Brétécher, Claire (1943) Des.
Breton, Jean (J.-P. Bretonnière) (1911) Ch. Jean (1936) R. Thierry (15-1-55) Af.
Bretonnel, Jean († 1990) Spo.
Bretty, Béatrice (Bolchesi) (1895-1982) A.
Breugnot, Pascale (n.c.) R.
Breuil, Dany (n.c.) Af.
Bréval, Lucienne (Bertha Schilling) (1869-1935) Su, C.
Brialy, J.-Claude (30-3-33) A, R.
Brice, Fanny (1891-1951) U, A, Ch.
Bridges, James (1931-93) U,R. Jeff (4-12-49) U, A.
Brignac, Guy de (17-4-33) A.
Brigneau, François (Emmanuel Allot) (30-10-19) J.
Brignone, Guido (1887-1959) It, R.
Brillié, Michel (1-10-45) Dir.
Brincourt, André (8-11-20) J. Christian (1935) Rep.
Brindeau, Louis (1814-82) A.
Bringuier, J.-Claude (14-7-25) T.
Brion, Françoise (de Ribon, Mme J. Doniol-Valcroze) (29-6-34) A.
Briquet, Sacha (1931) A.
Brisset, Marcel (n.c.) J, T.
Brisville, J.-Claude (28-5-22) Au.
Britt, May (Maybritt Wilkens) (22-3-33) Suè, A.
Brizzart, Philippe (n.c.) A.
Broca, Ph. de (15-3-33) R.
Brochand, Bernard (5-6-38) Af.
Broche, François (31-8-39) J., Au.
Brochet, Anne (n.c.) A.
Brodie, Steve (John Stevens) (1919) U, A.
Broglie, P^{ce} Gabriel de (21-4-31) C. d'E.
Brohan, Augustine (1824-93) A. Madeleine (1833-1900) A.
Bromberger, Hervé (11-11-18) R.
Bronne, Carlo (1901-87) Be, J.
Bronson, Charles (Buchinsky) (3-11-20) U, A.
Brook, Clive (Clifford Brook) (1891-1974) GB, A. Peter (21-3-25) GB, R, M.
Brooks, Garth (1963) U, C. *Louise* (1906-85) U, A. Mel (Melvyn Kaminsky) (28-6-26) U, R. *Richard* (1912-92) U, R.
Broomhead, Laurent (1954) Pr.
Brosseau, Jean-Michel (1946) An.
Brosset, Claude (1943) A. Colette (Mme Robert Dhéry) (1923) A.
Brossolette, Gilberte (27-12-05) J, Po.
Brovelli, Claude (n.c.) J.
Brown, Clarence (1890-87) U, R. James (3-5-28) U, C. Johnny Mack (1904-74) U, A.
Browning, Ralph M. (7-8-25) Af. Tod (1882-1962) U, R.
Bru, Myriam (1932) A.
Bruant, Aristide (1851-1925) Ch.
Bruce, David (Marden Mc Broom) (1899) Ph. Nigel (1895-1954) GB, A.
Bruch, Walter (1908-90) All, Ing.
Bruel, Patrick (14-5-59) (Benguigui) A, C.
Bruhn, Erik (1928-86) Dan, Da.
Brukberger (Rev) (10-4-07) Au, J, R.
Brulé, André (1879-1953) A. Claude (22-11-25) S.
Brun, Alexandre (15-2-26) Af.
Brunaux, Olivia (1961)A.
Brun-Buisson, Francis (31-5-47) Af.
Brunet, J.-Pierre (20-1-20) Af. Mira (1766-1853) A.
Brunot, André (1879-1973) A.
Brunoy, Blanchette (Mme R. Maillot) (1918) A.
Brusati, Franco (1922-93) It, R.
Brynner, Yul (Taidje Khan) (Russie, 1915-85) U, A.
Buchanan, Jack (GB, 1891-1957) U, A.
Buchholz, Horst (1933) All, A.
Buchman, Sydney (1902-75) U, S, Pr.
Buckwitz, Harry (1904-87) All, M.
Buffet, Eugénie (1866-1934) C.
Bujold, Geneviève (1-7-42) Ca, A.
Buñuel, Luis (1900-83) Es, R.
Burdon, Eric (1941) GB, Mu.
Burel, Léonce-Henry (1892-1977) Op.
Burke, Billie (1885-1970) U, A.
Burnham, James (1905-87) U, Po.

BURON, Nicole de (1929) Au, R.
BURR, Raymond (21-5-17) U, A.
BURSTYN, Ellen (Gillooly) (7-12-32) U, A.
BURTON, Richard (Jenkins) (1925-84) GB, A.
BUSH, Kate (30-7-58) GB, C. Niven (1903-91) U, M.
BUSHMAN, Francis X. (1883-1966) U, A.
BUSSIÈRES, Raymond (1907-82) A.
BUY, Margherita (n.c.) A.
BUYLE, Évelyne (1951) A.
BYRNE, David (14-5-52) U, Cp, A.
CAAN, James (26-3-39) U, A.
CABANES, Claude (1936) J.
CABU, (Jean Cabut) (1938) Des. James (1931-93) U, R.
CABREL, Francis (23-11-53) C.
CABROL, Laurent (n.c.) Pré.
CACHAREL, Jean (Bousquet) (30-3-32) Af.
CACOUB, Olivier-Clément (14-04-20) Arch.
CACOYANNIS, Michel (Michaelis Cacoghiannis) (1922) Gr, R.
CAGNEY, James (1899-86) U, A. William (1906-88) U, A.
CAIAZZO, Bernard (15-1-54) Af.
CAINE, Michaël (Maurice Micklewhite) (14-3-33) GB, A.
CAIRE, Reda (Joseph Gandhour) (1905-63) Ég, C.
CALAMAI, Clara (1915) It, A.
CALAN, Pierre Cte de (1911-93) Af.
CALE, J.-J. (5-12-38) U, C, G.
CALEF, Henri (20-7-10) R.
CALFAN, Nicole (4-3-47) A.
CALIXTE, Michel (15-7-29) Af.
CALLAS, Maria (Kalogeropoulos) (1923-77) Gr, C.
CALLOUD, Jacques (22-5-21) Af.
CALMANN-LEVY (1819-91) Éd.
CALMETTE, Gaston (1858/16-3-1914) tué par Mme Caillaux J.
CALMETTES, André (1861-1942) R.
CALONI, Philippe (24-6-40) T.
CALVET, Corinne (Dibos) (30-4-25) A. Jacques (19-9-31) Af.
CALVI, Gérard (Grégoire Kretty) (1922) Cp.
CAMERINI, Mario (1895-1981) It, R.
CAMERON, Rod (Nathan Cox) (1910-83) Ca, A.
CAMOIN, René (1932) A.
CAMOLETTI, Marc (16-11-23) Au.
CAMPBELL, David (1952) Éc, Éd.
CAMPINCHI, César (1822-1941) Av.
CAMPION, Léo (1905-92) Ch.
CAMPOGALLIANI, Carlo (1885-1979) It, A.
CAMUS, Marcel (1912-82) R. Mario (20-4-35) Es, R.
CANALE, Gianna Maria (1927) It, A.
CANAVAGIO, Claude (1933-92) J.
CANDIDO, Maria (Simone Marius) (1929) C.
CANETTI, Jacques (1909), Imp.
CANGIONI, Pierre (29-7-39) T.
CANIFF, Milton (1907-88) U, Des.
CANNAC, Yves (23-3-35) Af.
CANNON, Dyan (4-1-38) U, A.
CANOVAS, Manuel (19-6-35) F, Af.
CANTEGREIL, Henri (21-7-35) Af.
CANTIEN, Dominique (13-3-53) T.
CANTINFLAS, Mario Moreno (1911-93) Mex, A.
CANTOR, Eddie (Edward Israël Iskowitz) (1892-1964) U, A.
CANUDO, Riciotto (1879-1923) It, Cr.
CAPDEVIELLE, J.-Patrick (19-12-45) C.
CAPELLANI, Albert (1870-1931) R.
CAPELOVICI, Jacques (1932) T.
CAPILLON, Bernard (15-10-29) Af.
CAPLAN, Jil (20-10-65) C.
CAPRA, Frank (It, 1897-1991) U, R.
CAPRI, Agnès (Sophie-Rose Friedmann) (1915-76) C.
CAPRON, Jean-Pierre (19-9-43) Af.
CAPUCCI, Roberto (n.c.) It, Cou.
CAPUCINE, (Germaine Lefebvre) (1935-90) A.
CAPUTO, Gildo (1904-88) It, Af.
CARADEC, Jean-Michel (1946-81) C.
CARAN D'ACHE (Emmanuel Poiré) (1858-1909) Des.
CARAX, Leos (21-11-60) R.
CARBONNAUX, Norbert (1918) R.
CARDIFF, Jack (1914) GB, Op, R.
CARDIN, Pierre (7-7-22) Cou.
CARDINAL, Pierre (15-4-24) Pr, R.
CARDINALE, Claudia (15-4-39) It, A.

CARDOZE, Michel (n.c.) J.
CAREL, Roger (Blancherel) (1927) A.
CARETTE, Julien (1897-1966) A.
CAREY, Harry (Henry De Witt Carey II) (1878-1947) U, A. Joyce (Lawrence) (1898) GB, A.
CARIES, François (27-8-27) Af.
CARLE, Gilles (31-7-29) Ca, R.
CARLÈS, Roméo (1897-1971) Ch.
CARLETTI, Louise (1922) A.
CARLI, Patricia (Rosetta Ardito) (1943) C.
CARLIER, Jean (Bassin) (24-5-22) J, R.
CARLO-RIM (J.-Richard) (1905-89) J, R.
CARLOS (Jean Dolto), (20-2-43) C, Pré, T. Roberto (1943) Br, C.
CARLSON Carolyn (n.c.) U, Cho.
CARMET, Jean (25-4-20) A.
CARNÉ, Marcel (18-8-06) R.
CARNEGIE, Andrew (1833-1919) U, Af.
CARNES, Kim (20-7-45) U, C.
CAROLIS, Patrick de (19-11-53) J.
CAROL, Martine (Mourer) (1922-67) A.
CARON, Leslie (1-7-31) A, Da.
CAROUS, Léonard (1923) Af.
CARPENTER, John (1-1-48) U, R.
CARPENTIER, Gilbert (20-3-20) Pr. Maritie (1920) Pr.
CARRADINE, David (8-10-36) U, A. John (Richmond C.) (1906-88) U, A. Keith (8-8-50) U, A.
CARRÉ, Michel (1865-1945).
CARREL, Dany (Suzanne Chazelles du Chaxel) (20-9-36) A.
CARRÈRE, Christine (1930) A. Emmanuel (1957) Au, J. Jean-Paul (7-9-26).
CARREYROU, Gérard (20-2-42) J.
CARRIER, Henri (1925) R. Suzy (Suzanne Knubel) (13-11-22) A.
CARRIÈRE, Anne-Marie (Blanquart, Mme Ph. Brilman) (16-1-25) Ch. Jean (1925-89) Af. J.-Claude (19-9-31) S. Mathieu (2-8-50) All, A.
CARROLL, Madeleine (O'Carroll) (1906-87) GB, A.
CARROUGES, Michel (Louis Couturier) (1910-88) Au.
CARS, Jean des (1943) J.
CARSON, Jack (1910-63) U, A.
CARTIER, Raymond (1904-75) J.
CARTIER-BRESSON, Henri (22-8-08) Ph.
CARTON, Jean (1911-88) Des. Pauline (Biarez) (1884-1974) A.
CARVEN, Carmen (31-8-09) Cou.
CASADESUS, Gisèle (16-6-14) A.
CASAMAYOR (Serge Fuster) (1911-88) Mag, Au.
CASARÈS, Maria (M. Quiroga) (Es, 21-11-22) A.
CASERINI, Mario (1874-1920) It, R.
CASH, Johnny (26-2-32) U, C, Cp.
CASILE, Geneviève (Vaneufville, Mme Jean-Louis Babu) (15-8-37) A.
CASSAVETES, John (1929-89) U, R, A.
CASSEL, J.-Pierre (Crochon) (27-10-32) A.
CASSIDY, Butch (Robert Le Roy Parker) (1866-1909) U, Avent.
CASSIGNOL, Ét.-Jean (17-9-30) Af.
CASSIN, René (1887-1976) Juriste.
CASSOT, Marc (1923) A.
CASTAIGNE, Paul (1916-88) Méd.
CASTANS, Raymond (1921) R.
CASTEL, Colette (1937) A. Jean (4-6-21) Af. Robert (1933) A.
CASTELBAJAC, J.-Charles de (28-11-49) Cou.
CASTELLANE, Boni de (1867-1932).
CASTELLANI, Renato (4-9-13) It, R.
CASTELLI, Christiane (1923-90) Ch. Philippe (1925) A.
CASTELOT, André (Storms) (Be, 23-11-11) Hist. Jacques (1914-89) A.
CASTORIADIS, Cornelius (1922) Au, fonctionnaire international.
CATELAIN, Jaque (1897-1965) A.
CATHIARD, Daniel (27-4-44) Af.
CATON, pseudo. voir Bercoff.
CAU, Jean (1925-93) J.
CAUBÈRE, Philippe (n.c.) A.
CAUNES, Antoine de (1-12-53) An, T, Georges de (1919) J, T.
CAURAT, Jacqueline (J. Hein, Ép. Jacques Mancier) (23-7-29) T.
CAUSSIMON, J.-Roger (1918-85) A, Au.
CAVADA, J.-Marie (24-2-40) J, T.
CAVALCANTI, Alberto (1897-82) Br, R.
CAVALIER, Alain (Fraissé) (14-9-31) R. J.-Louis (1945-87) Pr.

CAVANNA, François (1923) J, Au.
CAYATTE, André (Marcel Truc) (1909-89) R.
CAZAL, Daniel (n.c.) J, T.
CAZALIS, Anne-Marie (1920-88) J.
CAZAVRE, Maurice (n.c.) J, Ra.
CAZENAVE, Jean (29-11-35) T.
CAZENEUVE, Jean (17-5-15) Un. Maurice (4-1-23) Au, Ra.
CAZES, Roger (1913-87) Rest.
CECCALDI, Daniel (25-7-27) A.
CECCHID'AMICO, Suso (1914) It, S.
CELENTANO, Adriano (6-1-38) It, C, A.
CÉLÉRIER DE SANOIS, Hubert (1924) Af. Marie-Th. (1906) T.
CÉLIS, Élyane (Delmas) (1914-62) C.
CELLI, Adolfo (1922-86) It, A.
CELLIER, Caroline (7-8-45) A.
CERMOLACE, Paul (1912-88) Po.
CERRUTI, Nino (1934) It, Cou.
CERVAL, Claude (1914-72) A.
CERVI, Gino (1901-74) It, A.
CEYRAC, François (12-9-12) Af.
CHABANNES, Jacques (1900) Pr, T.
CHABOUIS, Daniel (5-8-43) Pr, T.
CHABRIER, Carole (n.c.) A.
CHABROL, Claude (24-6-30) R, Pr.
CHADEAU, André (8-4-27) Af.
CHAFFANJON, Arnaud (1929-92) J.
CHAHINE, Youssef (1926) Ég, M, R.
CHAIZE, Jacques (15-4-50) Af.
CHAKIRIS, George (1934) U, A, Da.
CHALAIS, Franç. (Bauer) (15-12-19) T.
CHALANDON, Albin (11-6-20) Af, Po.
CHALONGES, Christian de (21-1-37) R.
CHAM, (Amédée de Noé) (1819-84) Des.
CHAMARAT, Georges (1901-82) A.
CHAMBERLAIN, Richard (31-3-35) U, A.
CHAMBOST, Édouard (1943) A.
CHAMFORT, Alain (Legovic) (2-3-49) C.
CHAMPI (Roger Champenois) (1900) Ch.
CHAMPION, Gower (1921-80) U, A, Da.
CHAMPMESLÉ, Marie (1642-98) A.
CHANCEL, Jacques (Joseph.Crampes) (2-7-28) Ra.
CHANDLER, Jeff (Ira Grossel) (1918-61) U, A.
CHANDON DE BRIAILLES, Frédéric (23-8-27) Af.
CHANEL (Gabrielle Bonheur, dite Coco) (1883-1971) Cou.
CHANEY, Lon (1883-1930) U, A. Lon Junior (Creighton Chaney) (1905-73) U, A.
CHANTAL, Marcelle (1903-60) A.
CHAPATTE, Robert (14-10-22) J, T.
CHAPEL, Alain (1937-90) Rest. Jean-Pierre (n.c.) J.
CHAPIER, Henry (14-11-33) J.
CHAPLIN (Sir Charles, dit Charlie) (GB, 1889-1977) U, R, A. Géraldine (31-7-44) GB, A, Da. Oona (Mme Charles Chaplin) († 27-9-91) Sydney (1926) U, A.
CHAPMAN, Graham (1941-89) U, R.
CHAPUS, Jacques (1922) J, Ra.
CHARBY, Corinne (12-7-60) C.
CHARDEN, Éric (15-10-42) C, Cp.
CHARDON, Martine (1947) Pré. Paul (6-7-26) Notaire.
CHARENSOL, Georges (1899) Cr.
CHARETTE de la CONTRIE, Hervé de (30-7-38) Po. Patrice de (1949) Mag.
CHARISSE, Cyd (Tula Ellice Finklea) (8-3-24), U, A, Da.
CHARLEBOIS, Robert (25-6-44) Ca, C.
CHARLES, Ray (R. C. Robinson) (23-9-30 ou 32) U, C.
CHARLES-ROUX, Edmonde (7-4-20) J, Au.
CHARLESON, Ian (1950-90) GB, A.
CHARLIER, Julien (10-11-27) Af.
CHARLOTS (Les) : Guy Fechner (1947) Gérard Philippelli (12-12-42) Gérard Rinaldi (17-2-43) Jean Sarus (11-5-45) A, C.
CHARON, Jacques (1920-75) A.
CHARPIN, Fernand (1887-1944) A.
CHARPINI, Jean (1901-87) A.
CHARPY, Pierre (1919-88) J, T.
CHARRIER, Jacques (1936) A, Pr.
CHARTIER Jean-Pierre (1919-78) J, Pr, R.
CHASE, Charley (Parrott) (1893-1940) U, A.
CHASSAGNE, Yvette (28-3-22) Af.
CHASTAGNOL, Alain (15-2-45) Ens, Po.
CHASTEL, André (1912-90) Au, Cr.
CHATEAU, René (n.c.).

CHATEL, Fr. (de Chateleux) (1926-82) T. François († 1990) J.-Philippe (23-2-48) C.
CHATILIEZ, Étienne (1942) R.
CHATILLON, Dominique (15-01-28) Af.
CHATTARD, Jacques-Olivier (20-2-25) T.
CHATTERTON, Ruth (1893-1961) U, A.
CHATS SAUVAGES (Les) : (Dick Rivers) (1961).
CHAUMETTE, François (8-9-23) A.
CHAUSSADE, Pierre (3-7-13) Af.
CHAUSSETTES NOIRES (Les) Groupe Mu. (1960).
CHAUSSON, Joël (1951) Dir. Th.
CHAUVEAU, Zoé (28-3-59) A.
CHAUVET, Louis (1906-81) J.
CHAVAL (Yvan Le Loual) (1915-68) Des.
CHAVANCE, Louis (1907-79) S.
CHAVANE, François (1910-92) Pr.
CHAVANON, Christian (1913) Ra.
CHAZAL Claire (1-12-56) J, Pré. Robert (3-9-12) J.
CHAZOT, Jacques (1927-93) Da, Cho, Au.
CHEBEL, Claude (1939) An, Ra.
CHECKER, Chubby (Ernest Evans) (10-3-41) U, C.
CHEDID, Louis (1-1-48) C.
CHEGARAY, Denis (n.c.) R. Jacques (15-2-17) Au.
CHELON, Georges (4-1-43) C.
CHELTON, Tsilla (1918) A.
CHENAL, Marthe (1881-1947) C. Pierre (Cohen) (1904-90) R.
CHENEZ, Bernard (1946) Des.
CHÉNIER, Clifton (1925-87) U, Acc, C.
CHENINE, Guy (n.c.) J, T.
CHENOT, Bernard (20-5-09) C. d'E., Min.
CHENU, Marie-Dominique (1895-1990) Théol.
CHEPITKO, Larissa (1938-79) Ur, R.
CHER, (Cherilyn Sarkisian) (1946) U, A.
CHÉREAU, Patrice (2-11-44) M.
CHÉRI, Rose (Cizos) (1824-61) A.
CHÉRYL, Karen (Isabelle Morizet) (19-7-55) C.
CHESNAIS, Patrick (18-3-47) A.
CHEVALIER, Alain (16-8-31) Af. Maurice (1888-1972) C, A.
CHEVALLIER, Philippe (n.c.) Hum.
CHEVIT, Maurice (31-10-23) A.
CHEVRIER, Jean (L. Dufayard) (1915-75) A.
CHEVRILLON, Olivier (28-1-29) J.
CHIAPPE, Jean-Fr. (30-11-31) Hist.
CHIARI, Walter (Annichiarico) (1924-91) It, A.
CHICOT, Étienne (n.c.) A.
CHIPPERFIELD, James († 1990) GB, Cirque.
CHOISEL, Fernand (16-4-29) J.
CHOLLET, Jean (1798-1892) A.
CHOMETTE, Henri (1896-1941) R.
CHOUPIN, Joseph (1928) T.
CHOURAQUI, André (11-8-17) Au. Élie (3-7-50) R.
CHOUREAU, Etchika (1923) A.
CHRÉTIEN, Henri (1879-1956) Inv.
CHRICHTON, Michael (1942) U, R.
CHRIS, Long (1943) Cp, C. Christ, Yvan (10-9-19) Au.
CHRISTENSEN, Benj. (1879-1959) Dan, R.
CHRISTIAN, Linda (Blanca Rosa Welter) (1928) U, A.
CHRISTIAN-JAQUE (Ch. Maudet) (4-9-04) R.
CHRISTIANS, Mady (Margarethe) (1900-51) All, A.
CHRISTIE, James (1730-1803) GB, Af.
CHRISTIE, Julie (14-4-40) GB, A.
CHRISTIN, Pierre-Marie (n.c.) J.
CHRISTINÉ, Henri (1867-1941) Cp.
CHRISTOPHE (D. Bevilacqua) (13-10-45) C. Françoise (3-2-23) A.
CHURCHILL, Sarah (1914-82) GB, A.
CHYTILOVA, Véra (1929) Tc, R.
CIAMPI Yves (1921-82) R.
CICCIOLINA, (Illona Staller Mme Jef Koons) (1951) Ho, A, Po.
CICUREL, Michel (5-9-47) Fonct.
CIMINO, Michael (1943) U, R.
CINQUETTI, Gigliola (1947) It, C.
CITROËN, André (1878-1935) Af.
CLAIR, René (Chomette) (1898-1981) R.
CLAIRE, Cyrielle (1955) A.
CLAIRON (Claire-Josèphe de La Tude) (1723-1803) A.

Clairval (Jean-Baptiste Guignard) (1735-95) A.
Clapton, Eric (30-3-45) GB, C, Cp.
Clarendon (V. Gavoty).
Clariond, Aimé (1894-1960) A.
Clark, Petula (15-11-32) GB, C.
Clarke, Robert (9-1-22) J. Shirley (1925) U. Stanley (30-6-51) U, C.
Clash (The) : Joe Strummer (21-8-52), Mick Jones (26-6-55), Paul Simonon (1956), Nicky Headon (1956), GB, Mu.
Claude, Francis (Charles Saüt) (1905-89) A, C. Hervé (19-11-45) J.
Claudel, Paul (1868-1955) Au, Dip.
Claudius (Maurice Jouet) (1858-1932) A, C.
Clave, André (1916-81) T.
Claveau, André (1911) C.
Clavier, Christian (6-5-52) A.
Clay, Philippe (Mathevet) (7-3-27) C.
Clayburgh, Jill (30-4-44) U, A.
Clayderman, Richard (Philippe Pages) (28-12-53) Mu.
Clayton, Jack (1921) GB, R, Pr.
Clegg, Johnny (7-6-53) GB, C.
Cleitman, René (22-5-40) Ra.
Clément, Andrée (Boyer) (1918-54) A. Aurore (12-10-45) A. Jérôme (18-5-45) T. *René* (18-3-13) R.
Clementi, Pierre (28-9-42) A.
Clerc, Christine (31-10-42) J. Julien (Paul-Alain Leclerc) (3-10-47) C. Michel (27-6-22) J.
Clermont, René (1921) A.
Clermont-Tonnerre, Antoine de (18-6-41) Af, Éd.
Clevenot, Philippe (10-9-42) A.
Cliff, Jimmy (Chambers) (30-7-44) GB, C, Cp.
Clift, *Montgomery* (1920-66) U, A.
Cline, Eddie (1892-1961) U, R.
Clive-Worms, Nicholas (14-11-42) Af.
Cloche, Maurice (1907-90) R.
Cloërec, René (31-5-11) Cp.
Cloquet, Ghislain (1924-81) Op.
Clos, Max (6-1-25) J.
Close, Glenn (19-3-47) U, A.
Closets, François de (25-12-33) J.
Clostermann, Pierre (28-2-21) Ing, Po.
Clouzot, *Henri-Georges* (1907-77) R.
Cluzet, François (21-9-55) A.
Cobb, Lee (Jacoby) (1911-76) U, A.
Cobhan, Billy (16-5-44) U, Bat, Cp.
Coburn, Charles (1877-1961) U, A. James (31-8-28) U, A.
Cocciante, Richard (20-2-46) C.
Coccinelle (Jac.-Ch. Dufresnoy) (1931) A.
Cocéa, Alice (1897-1970) A.
Cochet, Jean-Laurent (28-1-35) A. Laurence (25-6-53) J.
Cochran, Steve (Robert) (1917-65) U, A. Eddy (1938-60) U, C.
Cock, Robin (2-12-52) U, C.
Cocker, Joe (20-5-44), GB, C.
Cocteau, *Jean* (1889-1963) Au.
Coëdel, Lucien (1899-1947) A.
Coffinet, Anne-Marie (1936-84) A.
Coggio, Roger (11-3-34) A, R.
Cogoni, Michel (n.c.) Ra.
Cohen, Gérard (7-2-45) A. Léonard (21-9-34) Ca, C, Cp.
Cohl, Émile (Courtet) (1857-1938) R.
Cohn, Al (1926-88) U, Mu.
Cohn-Bendit, Daniel (4-4-45) Po.
Colbert, Claudette (Colette Chauchoin) (Paris, 13-9-05) U, A.
Coldefy, Jean-Marie (2-6-22) M.
Cole, Nathalie (2-6-50) U, C.
Colette (Sidonie Gabrielle Colette) (1873-1954) Au.
Collær, Paul (1891-1989) Be, Mu.
Collange, Christiane (Mme Ferniot) (29-10-30) J.
Collard, Cyril (1957-93) R.
Collaro, Stéphane (20-5-43) J.
Collins, Joan (23-5-33) GB, A. Judy (1-5-39) U, C. Phil (31-1-51) GB, C.
Collomb, Bertrand (14-8-42) Af.
Colman, Ronald (1891-1958) U, A.
Colombani, Jean-Marie (7-7-48) J.
Colombo, Pia (1934-86) C, A.
Colomès, Michel (14-1-38) J.
Colpi, Henri (5-7-21) R.
Coluche (Michel Colucchi) (1944-86) A, Ch.
Comencini, *Luigi* (8-6-16) It, R.
Commandon, Jean (1877-1970) R.
Cominine, Philippe de pseudo. voir Bercoff.
Commodores (The) : Lionel Ritchy (20-6-49), William King (30-1-49), Ronald La Pread (1950), Thomas Mac Clary (1950), Walter « Clyde » Orange (1947), Milan Williams (28-3-49), J.D. Nicholas, C.
Communards Richard Cole, Jimmy Sommerville (22-6-61) GB, C.
Compagnie créole (Clémence) (n.c.) C.
Compagnons de la Chanson (Les) : G. Bourguignon (1919-70) J. Broussole (1921-84) J.-P. Calvet (12-3-25) M. Casset (Gaston) (1935) J. Frachon (1919), J.-L. Jaubert (1920) H. Lancelot (1923) F. (1924) et R. Mella (1926) G. Sabat (1926) C.
Companeez, Nina (26-8-37) R.
Comte, Gilbert (29-11-32) J.
Congar, Yves (13-04-04) Prêt.
Connery, *Sean* (Thomas Connery) (25-8-30) GB, A.
Connors, Mike (Krekor Ohanian) (15-8-25) U, A.
Conrad, Robert (1-3-35) U, A. William (1920) U, A, R.
Consigny, Anne (1964) A.
Conso, Pierre (23-4-31) Af.
Constantin, Jean (1926) C. Michel (Constantin Hokhloff) (13-7-24) A.
Constantine, *Eddie* (1917-93) U, A.
Contamine, *Claude* (29-8-29) Dip.
Contat, Louise (1760-1813) A. Émilie (1771-1846) A.
Conte, Arthur (31-3-20) Po, Au. Louise (1923) A. Richard (1914-75) U, A.
Contet, Henri (8-5-04) Au.
Conway, Jack (1887-1957) U, R.
Coogan, Jackie (1914-84) U, A.
Cook, Elisha Jr (26-12-06) U, A. Sam (1939-64) U, C.
Cooper, Alice (Vincent Furnier) (25-12-45) U, C. *Gary* (1901-61) U, A. Jacky (15-9-21) U, A.
Copeau, Jacques (1879-1949) M.
Copi, (Raul Damonte) (1939-87) A, Des.
Copin, Noël (22-12-29) J.
Coppens, Yves (9-8-34) Un.
Coppola, *Francis Ford* (7-4-39) U, R.
Coquatrix, Bruno (1910-79) Au, Cp.
Coquelin, Constant (dit Aîné) (1841-1909) A. Ernest (dit Cadet) (1848-1909) A.
Coquet, James de (1898-1988) J.
Corbier, François (17-10-44) Ch.
Corbucci, Sergio (1926-90) It, R.
Corchia, Primo (1913, or. it) Acc.
Cordelier, Pierre (9-7-18) Ra.
Cordier, Marie-Agnès (n.c.). J.
Cordy, Annie (Cooreman, Mme Henri Bruno) (16-6-28) Be, C. Raymond (Cordiaux) (1898-1956) A.
Corea, Chick (12-6-41) U, C, Cp.
Corman, Roger (5-4-26) U, R.
Corneau, *Alain* (7-8-43) R.
Cornelius, *Henry* (1913-58) GB, R.
Cornell, Katharine (1889-1874) U, A.
Corré, Max (1912-91) J.
Cortez, Ricardo (Jacob Krantz) (1899-1977) U, or. aut, A.
Corti, *Axel* (1933) Aut, R. José (Corticchiato) (1895-1984) Éd.
Cosima, Renée (1926-81) A.
Cosma, Vladimir (R. 13-4-40) Cp.
Cosmos, Jean (Gaudrat) (1923) F, Au.
Costa-Gavras (Constantin Gavras) (13-2-33) or. gr, R.
Costa, Mario (1910) It, M. Nikka (1972) U, C.
Costa de Beauregard, Albert (1943-87) Af.
Costakis, Georges († 1990) Gr, Coll.
Coste-Floret, Alfred (1911-90) Po.
Costelle, Daniel (1936) It, Pr, R.
Costello, Elvis (Declan Mc Manus) (25-8-54) GB, C, Cp. Lou (Louis Crisillo) (1906-59) U, A.
Coster, Claudine (Mme R. Manuel) (1939) A.
Costner, *Kevin* (1955) U, R.
Cot, Pierre (10-9-11) Ing.
Cotta, Michèle (15-6-37) J.
Cottafavi, Vittorio (1914) It, R.
Cotten, *Joseph* (15-5-05) U, A.
Cottençon, Fanny (11-5-57) A.
Couderc, Philippe (21-1-32) J. Roger (1918-84) J, T.
Coué, Émile (1857-1926) Pharm.
Courcel, Nicole (Andrieux) (21-10-30) A.
Courchelle, Gérard (5-6-1949) J.
Cournand, André (1896-88) U, Méd.
Cournot, Michel (1922) J, Di, R.
Courrèges, André (9-3-23) Cou.
Courrière, Yves (12-10-35) J.
Courtenay, Tom (25-2-37) GB, A.
Courtioux, M.-Christiane (n.c.) J, Ra.
Courtois, Jacques (5-4-28) Ch.
Cousteau, Jacques-Yves (11-6-10) R.
Coutard, Raoul (16-9-24) Op.
Couture, Charlélie (Bertrand Couture) (26-2-56) C.
Couzinet, Émile (1896-1964) P.
Cover, Francis (Convert) (1913-75) J, T.
Coveri, Enrico († 1990) It, Cou.
Coward, Noël (1899-1973) GB, Au, A, R.
Cowl, Darry voir Darry.
Crabbe, Larry « Buster » (Clarence Lindon Crabbe) (1907-83) U, A.
Crahay, Jules-François (1918-88) Cou.
Craig, James (Meador) (1912-85) U, A. Michaël (Gregson) (27-1-28) GB, A.
Crain, Jeanne (25-2-25) U, A.
Crauchet, Paul (1920) A.
Cravenne, Georges (24-1-14) J. Marcel (Cohen) (1908) R.
Crawford, Broderick (1910-86) U, A. Cindy (1966) U, Man. *Joan* (Lucille Le Sueur) (1908-77) U, A.
Cream (The) : Eric Clapton (30-3-45) Ginger Baker (19-8-39) Jack Bruce (14-5-43) GB, C.
Creedence Clearwater Revival : Tom Fogerty (1941-90) John Fogerty (28-5-45) Stuart Cook (25-4-45) Douglas Clifford (24-4-45) U, C.
Crémer, Bruno (6-10-29) A.
Crémieux, Henri (1896-1980) A.
Crenna, Richard (30-11-27) U, A.
Crespeau, Virginia (n.c.) Pré.
Creton, Michel (1942) A.
Crèvecœur, Jean de (1906-87) Gl.
Crichton, *Charles* (1910) GB, R.
Cristiani, Hervé (8-11-47) C.
Croisille, Nicole (9-10-36) C.
Cromwell, John (1887-1979) U, R.
Cromwell, Richard (R. Radebaugh) (1910-60) U, A.
Crosby, Bing (1901-77) U, A, C. David (14-8-41) U, C.
Cross, Christopher (C. Geppert) (30-5-51) U, C.
Cruise, Tom (3-7-62) U, A.
Cruze, James (1884-1942) U, R.
C.S.N. and Y : David Crosby (14-8-41) Stephen Stills (30-1-45) Graham Nash (2-2-45) Neil Young (12-11-45) U, C, Cp.
Cubbada, Marie-France (4-8-47) J.
Cugat, Xavier (1900-90) Es, Mu.
Cukor, *George* (1899-83) U, R.
Culture club : Voir Boy George.
Cummings, Robert (1910-90) U, A.
Cunard, Sir Samuel (1787-1865) Ca, Af.
Cuny, Alain (1908) A. Louis (1907-62) R.
Cure : Robert Smith (21-4-59) Simon Galley (1-6-60) Boris Williams (24-4-57) Lol (Lawrence Tolhurst) (3-3-59) Porl Thompson (8-11-57).
Curten, Hubert (30-10-24) Un, Min.
Curi, Izet (1950) It, Cou.
Curtis, Jamie Lee (22-11-58) U, A. Tony (Bernie Schwartz) (3-6-25) U, A.
Curtius (Philippe Mathé-Curtz) (1737-94).
Curtiz, *Michael* (Mihaly Kertesz) (Ho, 1898-1962) R.
Cushing, Peter (26-5-13) GB, A.
Cutugno, Toto (7-7-43) It, C.
Cybulski, Zbigniew (1927) Pol, A.
Dabadie, J.-Loup (27-9-38) S, Au.
Dac, Pierre (André Isaac) (1893-1975) A, J, Ch.
Dacq, Muriel (11-7-62) C.
Dacqmine, Jacques (30-11-24) A.
Daëms, Marie (27-1-28) A.
Dagover, *Jil* (Marta Maria Liletts) (1897-1980) All, A.
Dagues, Claude (1923) R, T.
Dahan, Alain (1942-92) Pr.
Dahl, Arlène (11-8-24) U, A. Roald (1916-90) GB, Au.
Dahlbeck, *Eva* (1920) Suè, A.
Daho, Étienne (14-1-56) C.
Dailey, Dan (1914-78) U, A.
Dalban, Robert (Gaston Barré) (1903-87) A.
D'Albray, Muse (1903) A, Au.
Dali, Salvador (1905-89) Es, Pe.
Dalida (Yol. Gigliotti) (Ég, 1933-87) C.
Dalio, Marcel (Israël Blauschild) (1899-1983) A.
Dalle, *Béatrice* (n.c.) A. François (18-3-18) Af.
Dalmès, Mony (Simone Etennemare, Mme C. Philippe) (1914) A.
Dalsace, Lucien (1893-1980) A.
Dalton, Timothy (1946) GB, A.
Daltrey, Roger (1-3-44) GB, C.
Damia (M.-Louise Damiens) (1892-1978) C.
Damian, J.-Michel (8-9-47) J.
Damien, André (10-7-30) Av, Po.
Damiens, Marie-Louise (1892-1978) C.
Damita, Lili (Liliane Carré) (1901-79) All, U, A.
Dana, Viola (Virginia Flugrath) (28-6-1897 †) U, A.
Dancourt (M.-Thérèse Le Noir de la Thorillière) (1663-1725) A. (Florent Carton, sieur) (1661-1725) A.
Dandridge, Dorothy (1922-65) U, A.
Dandry, Évelyne (1939) A.
Danel, Pascal (28-3-44) C.
Daney, Serge (1944-92) Cr.
Dangas, Pierre (n.c.) J, Ra.
Dani (Danièle Graule) (1944) A, C.
Daniderff, Léo (Niquet) (1878-1943) Cp.
Daniel, Jean (Bensaid) (21-7-20) J.
Daniels, Bébé (Virginia Daniels) (1901-71) U, A.
Danno, Jacqueline (1935) C, A.
Danot, Serge († 1990) Des.
Daquin, *Louis* (1908-80) R.
Darbois, Guy (n.c.) T. Roland (1922) Pr, T.
Darc, *Mireille* (Aigroz 15-5-38) A.
Darcante, Jean (Albassier) (1910-90) A.
Darcey, Claude (n.c.) Ra.
Dardaud, Gabriel (1900-93) J.
Darel, Sophie (Mme B. Golay) (1-7-44).
Dargaud, Georges (1911-90) Éd.
Dargenton, Philippe (24-3-27) Af.
Darget, Chantal (1938-88) A. Claude (Chr. Savarit) (1910-92) J.
Darmon, Gérard (29-2-48) A. Jacques (12-8-40) Af.
Darnal, J.-Cl. (24-6-29) C.
Darnell, Linda (Marretta Darnell) (1921-65) U, A.
Darras, Jean-Pierre (Dumontet) (26-11-27) A.
Darrieux, *Danièle* (1-5-17) A.
Darroussin, Jean-Pierre (n.c.) A.
Darroze, Patrick (n.c.) J, T.
Darry Cowl (André Darricau) (27-8-1925) A.
Dart, Raymond (1893-88) Aus, Méd.
Darty, Bernard (12-12-34) Af.
Darvi, Bella (Wégier) (1928-71) A.
Dary, René (Antoine Mary) (1905-74) A.
Dassary, André (Deyhérassary) (1912-87) A, C.
Dassault, Marcel (1892-1986) Af. Olivier (1-6-52) Af, Po. Serge (4-4-25) Af.
Dassier, J.-Claude (28-7-41) J.
Dassin, Joe (1938-80) U, C. *Jules* (18-12-11) U, R.
Dasté, Jean (1904) A.
Dauberson, Dany (1922-79) C.
Daugny, Bertrand (5-1-25) Af.
Daum, Jacques (1910-87) Af.
Daumier, Honoré (1808-79) Des. Sophie (Mme Hugon) (24-11-34) A.
Dauphin, Claude (Legrand) (1903-78) A. J.-Claude (Legrand) (16-3-48) A.
Dauriac, Christian (1-3-52) J.
Dautin, Yvan (6-5-45) C.
Dautresne, David (5-1-34) Bq.
Dautry, Raoul (1880-1951) Po.
Dautun, Bérangère (Gaubens) (10-5-39) A.
Daux, Georges (1899-1988) Archéol.
Dauzier, Pierre (31-1-39) Af.
Davant, Sophie (n.c.) J.
Dave (Wouter Levenbach) (4-5-44) P-Bas, C.

DAVES, Delmer (1904-77) U, R.

DAVID, Jean-Louis (1935) Coi. Mario (1927) A.

DAVID & JONATHAN, David Marouani (13-9-69) Jonathan Bermudes (8-2-68).

DAVID-WEILL, Michel (23-11-32) Bq.

DAVIES, Marion (Marion Douras) (1897-1961) U, Da, A.

DAVILA, Jacques (1941-91) R.

DAVIN, Jacky (n.c.) J, Ra.

DAVIS, Bette (Ruth Eliz. Davis) (1908-89) U, A. Brad (1950-91) U, A. Miles (1926-91) U, Mu. Sammy Jr. (1925-90) U, C.

DAVY, Jean (15-10-11) A.

DAX, Micheline (Mme J. Bodoin) (1926) A, C.

DAY, Doris (Kappelhoff) (3-4-24) U, A, C. Josette (Mme Vassilopoulos) (1914-78) A. Laraine (Johnson) (13-10-20) U, A.

DAYDÉ, Joël (1947) C. Liane (27-2-32) Da.

DAZINCOURT (Joseph Albouy) (1747-1809) A.

DÉA, Marie (Olympe Deupès) (1919-92) A.

DEAN, James (Byron) (1931-55) U, A.

DEARDEN, Basil (1911-71), GB, R.

DEARLY, Max (1874-1942) A.

DEBARY, Jacques (25-11-14) A.

DEBATISSE, Michel (1-4-29) Af.

DEBAUCHE, Pierre (5-2-30) Th.

DEBIDOUR, Victor-Henry (1911-88) Au.

DEBOUT, J.-Jacques (9-3-41) C, Cp.

DEBRÉ, Michel (15-1-12) Po. Ses fils : Bernard (30-9-44) chir, Po. J.-Louis (30-9-44) Mag, Po. Vincent (20-4-39) Af. Son frère : Olivier (15-4-20) Pe.

DEBUCOURT, Jean (Pelisse) (1894-1958) A.

DEBURAU, Charles (1829-73) Mime, Jean-Bap. Gaspard (son père) (1796-1846) Mime.

DE BURGH, Chris (Christopher Davison) (15-10-48) GB, C.

DECAE, Henri (1915-87) Op.

DECARIS, Albert (1901-88) Des.

DECARLO, Yvonne (Peggy Middleton) (1-9-24) C, A.

DECAUX, Alain (23-7-25) Hist. J.-Claude (15-9-37) Pu.

DECHAVANNE, Christophe (n.c.) An, T.

*DECOIN *, Henri* (1896-1969) R.

DECONINCK, Bernard (20-6-19) Af.

DECOSTER, Édouard (4-12-19) Af.

DECOUFLÉ, Philippe (n. c.) Cho.

DECOUT, Bob (n.c.) R.

DECROUY, Étienne (1898) Mime.

DEE, Sandra (Alexandra Zuck) (29-4-42) U, A.

DEED, André (Chapuis) (1884-1931) A.

DEEP PURPLE, Ritchie Blackmore (14-4-45) Ian Gillan (19-8-45) GB, C.

DEFFOREY, Jacques (7-7-25) Af.

DEFILIPPO, Eduardo (1900-84) It, A, R.

DEFLASSIEUX, Jean (11-7-25) Bq.

DEFORGES, Régine (15-8-35) Éd, Au.

DEGOTTEX, Jean (1908-88) Des.

DEGRENNE, Guy (3-8-25) Af.

DEGUELT, François (4-12-33) C.

DEGUEN, Daniel (9-1-28) Af.

DEHARME, Lise († 1980) Au.

DEHECQ, J.-François (1-1-40) Af.

DEHELLY, Suzanne (1902-88) A.

DEIBER, Paul-Émile (1925) A.

DÉJAZET, Virginie (1798-1875) A.

DEJEAN, J.-Luc (1921) Pr, T.

DÉJOUANY, Guy (15-12-20) F, Af.

DELAFON, Olivier (n.c.) Af.

DELAGRANGE, Christian (1953) C.

DELAIR, Suzy (Suzanne Delaire) (1917) A, C.

DELAMARE, Georges (1881-1975) J. Lise (1913) A.

DELANNOY, Jean (12-1-08) R. J.-Claude (1931) T. Léopold (1817-88) A. Marc (n.c.) J, T.

DELANOË, Pierre (Leroyer) (16-12-18) Au, Ra.

DELAPORTE, Pierre (30-7-28) Af.

DELAROCHE, Christine (Mme Guy Bontempelli), (1944) A.

DELARUE, Jean-Luc (n.c.) Pré.

DELASSUS, Chantal, (n.c.) J.

DELAUNAY, Louis (1826-1903) A.

DE LAURENTIIS, Dino (8-8-19) It, Pr.

DELAY, Jean (1907-87) Méd, Sc.

DELBARD, Georges (20-5-06) Horticulteur.

DELBAT, Germaine (1904-88) A.

DELCOUR, Gérard (8-8-46) Af.

DEL DUCA, Cino (1899-1967) It, J.

DELERUE, Georges (1925-92) Mu.

DELLUC, Louis (1890-1924) R.

DELMET, Paul (1862-1904) Cp.

DELMON, Pierre (1923-88) Af.

DELMONT, Edouard (Autran) (1893-1955) A.

DELOATCH, Gary (n.c.) U, Da.

DELON, Alain (8-11-35) A, Pr. Antony (28-9-64) A. Nathalie (Francine Canovas) (1-8-41) A.

DELORME, Danièle (Girard, Mme Yves Robert) (9-10-26) A. Jean (25-10-02) Af.

DELORT, J.-Jacques (20-9-35) Af.

DELOUVRIER, Paul (25-6-14) Insp. Fin.

DELPECH, Michel (26-1-46) C.

DELPY, Julie (1969) A.

DEL RIO, Dolorès (Asunsolo-Martinez) (1905-84) Mex, A.

DEL RUTH, Roy (1895-1961) U, R.

DELSAERT, Marc (1954-88) Be, A.

DELUBAC, Jacqueline (1910) A.

DELVAUX, André (Delvigne) (21-3-26) Be, R.

DELYLE, Lucienne (1917-62) C.

DEMACHY, Jean (16-5-25) J.

DEMAI, Michèle (Truchot) (1941) Sp.

DEMAL, Sami (1-1-48) Af.

DEMAZIS, Orane (Marie-Louise Burgeat) (1904-91) A.

DEMERON, Pierre (13-3-32) J.

DEMILLE, Cecil Blount (1881-1959) U, R, Pr.

DEMONGEOT, Mylène (Mme M. Simenon) (29-9-36) A.

DEMY, Jacques (1931-90) R.

DENEUVE, Catherine (Dorléac) (22-10-43) A.

DENIAU, J.-François (31-10-28) Insp. Fin., Min. Xavier (24-9-23) C. d'É., Po.

DENIAUD, Yves (1901-59) A.

DENIRO, Robert (17-8-43) U, A.

DENIS, Jean-Pierre (29-03-46) R.

DENIS d'INÈS (Octave Denis) (1884-1968) A.

DENIS, Mère (Jeanne Le Calvé) (1893-1989) A.

DENISOT, Michel (1945) J, T.

DENNER, Charles (28-5-26) A.

DENNIS, Sandy (1937-92) U, A.

DENNY, Reginald (Daymore) (1891-1967) U, A.

DENOYAN, Gilbert (8-11-37) J.

DENVER, John (J. Deutschendorf) (31-12-43) U, C.

DEPARDIEU, Gérard (27-12-48) A.

DEPARDON, R. (6-7-42) R.

DEPECHE MODE [Vince Clarke (3-7-61), Alan Wilder (1-6-63), Andy Fletcher (8-7-61), Dave Gahan (9-5-62), Martin Gore (23-7-61)] C.

DERAY, Jacques (Desrayaud) (19-2-29) R, Au.

DERÉAL, Colette (1927-88) A, C.

DEREK, Bo (M.K. Collins) (10-12-55) U, A. John (Harris) (12-8-26) U, A, R.

DERN, Bruce (4-6-36) U, A.

DE ROBERTIS, Francesco (1902-59) U, R.

DEROGY, Jacques (Weitzmann) (24-7-25) J, Au.

DERVAL, Tania (Mme P. Pitron) (1880-1966).

DERVELOY, Christian (13-10-42) Af.

DERY, Michel (10-10-24) J.

DESAILLY, Jean (24-8-20) A.

DE SANTIS, Giuseppe (1917) It, R.

DESARTHE, Gérard (n.c.) A.

DESAZARS de MONTGAILHARD, William (2-6-33) Af.

DESCAMPS, Eugène († 1990) Sy.

DESCARPENTRIES, Jean-Marie (11-1-36) Af.

DESCHAMPS, Hubert (1923) A. Noël (1942) C.

DESCHODT, Éric (30-3-37) J, Au.

DESCLOZEAUX, J.-Pierre (1938) Des.

DESCOURS, André (n.c.) Af. Jean-Louis (22-8-16) Af.

DESCRIÈRES, Georges (Bergé) (15-4-30) A.

DE SETA, Vittorio (1923) It, R.

DESGEORGES, J.-Pierre (23-7-30) Af.

DESGILBERTS, Guillaume (1594-1653) A.

DESGRAUPES, Pierre (1918-93) J.

DE SICA, Vittorio (1901-74) or. it, R, Au, A.

DÉSIRÉ, Amable (1823-73) A.

DESJARDINS, Thierry (1941-90) J.

DESJEUNES, J.-Michel (1943-79) J.

DESLYS, Gaby (Gabrielle Caire) (1881-1920) C.

DESMARAIS, Paul Junior (1953) Af.

DESMARETS, Sophie (7-4-22) A.

DESNY, Yvan (1922) A.

DESPRÈS, Suzanne (Bonvalet) (1873-1951) A.

DESPROGES, Pierre (1939-88) A, Au.

DESROCHES-NOBLECOURT, Christiane (17-11-13) Cons. musée.

DESSANGE, Jacques (5-12-25) Coi.

DESTAILLES, Pierre (1909-90) A.

DESTOOP, Jacques (17-6-31) A.

DETMERS, Maruschka (16-12-62) P-Bas, A.

DEVAIVRE, Jean (1912) R.

DEVAQUET, Alain (4-10-42) Un, Po.

DÈVE, Alain (n.c.) J, T.

DEVÈRE, Arthur (Be, 1893-1961) A.

DEVILLE, Michel (13-4-31) R.

DEVILLERS, Renée (Mme J.-C. Hottinguer) (1903) A.

DEVINE, Georges-Alex. (1910) GB, A.

DE VITO Danny (1944) U, A.

DEVOS, Raymond (9-11-22) Ch.

DEWAERE, Patrick (1947-82) A.

DEWAVRIN, Daniel (24-6-36) Af.

DEXTER, John († 1990) GB, M.

DHÉLIAT, Évelyne (1948) Sp.

DHÉRAN, Bernard (Poulain) (17-6-26) A.

DHERSE, J.-Loup (17-1-33) Af.

DHÉRY, Robert (Fourrey) (27-4-21) A.

DHORDAIN, Roland (29-4-24) Ra.

DIABATE, Massa Makan (1939-88) Malien, Au.

DIAMANT-BERGER, H. (1895-1972) Pr.

DIAMOND, Neil (24-4-41) U, C.

DIAZ ALVAREZ, Juan-Antonio (1939) Es, Af.

DIBANGO, Manu (1933) C, Mu.

DICKINSON, Angie (Pol, 30-9-31) U, A. Thorold (1903-84) GB, R.

DIDDLEY, Bo (Ellas Mac Daniel) (30-12-28) U, C.

DIDI, Évelyne (n.c.) A.

DIDIER, Arlette (Petitdidier) (1933) A.

DIETERLE, William (1893-1972) U, R.

DIETRICH, Gilbert de (17-11-25) Su, Af. *Marlène* (Maria Magdalena von Losch) (All, 1901-92) U, A, C.

DIEUDONNÉ, Albert (1889-1976) A. Hélène (1887-1980) A.

DIEULEVEULT, Philippe de (1952-disparu 1985) J, An.

DILIGENT, Robert (1924) Pr, T.

DILLER, Barry (n.c.) U, Af.

DILLINGER, John (1903-34) U.

DINEL, Robert (Roger Boudinelle) (1911) Ch.

DINGLER, Cookie (17-10-47) C.

DIOR, Christian (1905-57) Cou.

DIOT, Richard (n.c.) J, T.

DIRE STRAITS Mark Knopfler (12-8-49) John Illsley (24-6-49) GB, C.

DISNEY, Walt (Elias) (1901-66) U, R.

DISTEL, Sacha (29-1-33) C, Cp.

DIVINE (Harris Glenn Milstead) (1946-88) U, A.

DIWO, François (1955) An, Ra. Jean (1914) J.

DIX, Richard (Ernst Brimmer) (1894-1949) U, A.

DMYTRYK, Edward (4-9-08) U, R.

DOAT, Anne (16-9-36) A.

DOILLON, Jacques (15-3-44) R.

DOKO, Toshiwo (1891-88) Jap, Af.

DOLL, Dora (Dorothée Feinberg) (1922) A.

DOLTO, Françoise (1909-88) Psych.

DOMENECH, Gabriel (1920-90) J.

DOMINGO Placido (21-1-41) Es, C.

DOMINO, Fats (26-2-28) U, Mu.

DONA, Alice (Donadel) (17-2-46) C. Jo (Donagemma) (24-8-24) Mu.

DONAHUE, Troy (Merle Johnson Jr) (27-1-36) U, A.

DONAT, Robert (1905-58) GB, A.

DON CHERRY (n.c.) U, Mu.

DONEGAN, Lonnie (29-4-31) GB, G.

DONEN, Stanley (13-4-24) U, R.

DONIOL-VALCROZE, Jacques (1920-89) Cr, R.

DONLEVY, Brian (1899-1972) U, A.

DONNADIEU, Bernard-Pierre (1949) A.

DONNEDIEU de VABRES, Jean (9-3-18) CdE.

DONNER, Clive (1920) GB, R.

DONOHUE, Jack (1908-84) U, R.

DONOT, Jacques (1914) J, T.

DONOVAN (Donovan Leitch) (10-5-46) GB, C.

DONSKOÏ, Mark (M. Semionovitch, Donskoï) (1897-1981) Ur, R.

DOORS (The) : Jim Morrison (1943-71) Raymond Manzarek (12-2-35) Robert Krieger (8-1-46) John Dens more (1-12-45) U, C, Cp.

DORÉ, Christiane (20-3-42) J.

DORFMANN, Robert (1912) Pr.

DORIN, Françoise (23-1-28) A, Au. René (1891-1970) Ch.

DORIS, Pierre (Tugot) (29-10-19) Ch.

DORLÉAC, Catherine (Voir Deneuve).

DORLÉAC, Françoise (1942-67) A.

DOROTHÉE (Frédérique Hoschédé) (14-7-53) C, Pré.

DOROTHÉE BIS (Jacqueline Jacobson) (1930) Cou.

DORS, Diana (Fluck) (1931-84) GB, A.

DORVAL, Marie (1798-1849) A.

DORZIAT, Gabrielle (Mme M. de Zogheb née Sigrist) (1880-1979) A.

DOUAI, Jacques (Gaston Tanchon) (11-12-20) C.

DOUCE, Claude (1938) Af., Jacques (1925-82).

DOUCET, Jacques (1853-1929) Cou.

DOUCHKA (Bogidarka Esposito) (26-6-61) C.

DOUGLAS, Gordon (1909) U, M. *Kirk* (Demsky) (9-12-16) U, A. Melvyn (Hesselberg) (1901-81) U, A. *Michaël* (Demsky) (25-9-44) U, A. Paul (1907-59) U, A. Pierre (1941) J, T.

DOUGNAC, France (10-6-51) A.

DOUMENG, J.-Bapt. (1919-87) Af.

DOUROUX, Lucien (16-8-33) Af.

DOUTRELANT, J.-Marie (1941-87) J.

DOUX, Charles (14-4-38) Af.

DOUY, Max (20-6-14) Déc.

DOVJENKO, Alek (1894-1956) Ur, R.

DRACH, Michel (1930-90) R.

DRANCOURT, Michel (9-5-28) Éc.

DRANEM (Armand Ménard) (1869-1935) C. caf. conc.

DRAPER, Ruth (1889-1956) U, A.

DRESSLER, Marie (Leila Koerbir) (Ca, 1869-1935) U, A.

DRÉVILLE, Jean (20-9-06) R.

DREYER, Carl Theodor (1889-1968) Dan, R.

DREYFUSS, Richard (29-10-47) U, A.

DRHEY, Michel (1944) J.

DROIT, Michel (23-1-23) J. Au.

DROMER, Jean (2-9-29) Bq.

DROT, J.-Marie (2-3-29) Pr, R.

DROUIN, Dominique (1921) J.

DROUOT, J.-Claude (Be 1938) A.

DROZD, Alain (26-12-46) Af.

DRUCKER, Jean (12-8-41) T, Af. Michel (12-9-42) J, T. Peter (1909) U, Éco.

DUBAS, Marie (1894-1972) A, C.

DUBE, Lucky (n.c.) U, C.

DUBILLARD, Roland (2-12-23) Au, A.

DUBOIS, Jean-Pol (n.c.) A. Marie (Mme S. Rousseau) (12-1-37) A. Sonia (20-10-63) Pré.

DUBOS, René (1901-82) ing, inv.

DUBOST, Paulette (8-10-11) A.

DUBOUT, Albert (1905-76) Des.

DUBRULE, Paul (6-7-34) Af.

DUBY, Georges (7-10-19) Hist. Jacques (7-5-22) A.

DUC, Hélène (1919) A.

DUCAUX, Annie (10-9-08) A.

DUCHAUSSOY, Michel (29-11-38) A.

DUCHÉ, Jean-Pierre (21-6-30) Af.

DUCHESNOIS (Raffin) (1777-1835) A.

DUCREST, Philippe (1928) R, T.

DUCREUX, Louis (1911-92) A.

DUCROCQ, Albert (9-7-21) Au.

DUDAN, Pierre (1916-84) or. Su, C.

DUDOW, Slatan (1903-63) All, R.

DUEZ, Sophie (6-10-62) A.

DUFFY, Patrick (17-3-49) U, A.

DUFILHO, Jacques (10-2-14) A.

DUFOREST, Jacqueline (25-5-26) T.

DUFORT, Bertrand (27-1-39) Af.

DUFOURCQ, Norbert (1904-90) Mu.

DUFOURNIER, Pierre (14-8-32) Af.

DUFRESNE, Claude (9-8-20) Ra, T. Diane (30-9-44) Ca, C.

DUGAZON (J.-H. Gourgaud) (1746-1809) A. Rose (1755-1821) A.
DUHAMEL, Alain (1940) J. Antoine (30-7-25) Cp. Marcel (1901-77) A. Olivier (2-5-50) Un. Patrice (12-12-45) J.
DULAC, Germaine (Sasset-Schneider) (1882-1942) R. Jacqueline (n.c.) C.
DULEU, Édouard (1909) Mu.
DULLIN, Charles (1885-1949) M, A.
DUMA, J.-Louis (2-2-38) Af.
DUMAS, André (29-1-40) J. François (19-1-35) Af. Mireille (n.c.) Pré. Roland (23-8-22) Av.
DUMAYET, Françoise (1923) Pr. Pierre (24-2-23) J.
DUMESNIL, Jacques (Joly) (9-11-04) A. Marie-Françoise (Mlle Marchand, dite) (1711-1803) A.
DUMON, Bernard (16-7-35) Af.
DUMONT, Charles (26-3-29) Au, Cp, C.
DUNAWAY, Faye (14-1-41) U, A.
DUNCAN, Isadora (1878-1927) Da.
DUNLOP, John Boyd (1840-1921) Éc, Af.
DUNNE, Irène (1898-1990) U, A. Philip (1904-92) U, M.
DU PARC (La), Thérèse (1633-68) A.
DUPEREY, Anny (A. Legras, Mme Giraudeau) (28-6-47) A.
DUPEYRON, Andrée (1902-88) Ac.
DUPONT, Jacques (1921-88) R.
DUPONT-FAUVILLE, Antoine (15-11-27) Bq.
DU PONT NEMOURS, Eleuthère (1771-1834) F, U, Af.
DU PONT, Pierre-Samuel (1870-1964) U, Af.
DUPREZ, Gilbert (1806-96) A. June (1918-84) GB, A.
DUPUY, Marie-Catherine (12-5-50) Pu.
DUQUESNE, Jacques (18-3-30) J, Au. Roger (1922) An.
DURAND, Guillaume (29-9-52) J. Jean (1882-1946) R. Jean-Claude (n.c.) A.
DURAN DURAN [Simon Le Bon (27-10-58), Nick Rhodes (Nicholas Bates) (8-6-62), Andy Taylor (16-2-61), John Taylor (20-6-60), Roger Taylor (26-4-60)] GB, C.
DURANTE, Jimmy (1893-1980) U, A, C.
DURAS, Marguerite (H. Donnadieu) (4-4-14) S, R, Au.
DURBIN, Deana (4-12-21) U, A, C.
DURNING, Charles (28-2-33) U, A.
DU ROY, Albert (2-8-38) J, T.
DURYEA, Dan (1907-68) U, A.
DUSE, Eleonora (1858-1924) It, A.
DUSSANE, Béatrix (Coulond-Dussan) (1894-1969) A, T.
DUSSOLIER, André (17-2-46) A.
DUTAILLY, Jacques (1927) A, Cp.
DUTEIL, Yves (24-7-49) C.
DUTHU, Hervé (1952) J.
DUTILLEUL, Jean-François (2-3-47) Af.
DUTRONC, Jacques (28-4-43) C, A.
DUTT, Guru (1925-64) Ind, R.
DUVAL, Colette (1930-88) A. Daniel (1944) A, R.
DUVALEIX, Christian (1923-79) A.
DUVALL Robert (5-1-31) U, A. Shelley (7-7-49) U, A.
DUVALLÈS, Fréd. (Coffinières) (1896-1971) A.
DUVERNEY, Anne-Marie (1-7-22).
DUVIVIER, Julien (1896-1967) R.
DUX, Pierre (Martin Vargas) (1908-90) A, M.
DWAN, Allan (1885-1981) U, R.
DYLAN, Bob (R. Zimmerman) (24-5-41) U, C.
EAGLES : Don Henley (22-7-47) Glenn Frey (6-12-48) Bernie Leadon (19-7-47) Randy Meisner (8-3-46) U, C.
EARL JONES, James (1931) U, A.
EARTH, WIND & FIRE : Maurice White (19-12-41) Philip Bailey (8-5-51) U, C.
EASTWOOD, Clint (31-5-30) U, A, R.
EAUBONNE, Jean (Piston d') (1903-71) Déc.
EDELINE, J.-Charles (1923-91) Af.
EDGERTON, Harold (1903-90) U, Ing.
EDGREN, Gustaf (1895-1954) Suè, R.
EDWARDS, Blake (McEdwards) (26-7-22) U, R, S.
EELSEN, Pierre (12-7-33) Af.
EFFEL, Jean (1908-82) Des.
EFROS, Anatoli (1927-87) Ur, A, Th.
EGAL, Fabienne (n.c.) Pré.
EGGERTH, Martha (1912) Ho, A, C.
EINE, Simon (8-8-36) A.
EISENSTEIN, Sergueï (1898-1948) Ur, R.
EISNER, Michael Damman (7-3-42), U, Af.
EKBERG, Anita (29-9-31) Su, A.
ELAM, Jack (13-11-16) U, A.
EL CAMARON DE LA ISLA (1950-92) Es, Da.
ELDRIDGE, Florence (1902-88) U, A.
ELGOZY, Georges (1909-89) Fonct.
ELINA, Lise (1913) J, Pr, T.
ELKABBACH, J.-Pierre (29-9-37) J.
ELLEVIOU, Jean (1769-1842) A.
ELSA (E. Lunghini) (20-5-73) C.
EMER, Michel (1906-84) Cp.
EMILFORK, Daniel (1924) A.
EMMANUELLE (19-7-63) C.
EMMER, Luciano (1918) It, R.
EMMERY, Arlette (n.c.) A.
EMPAIN, Édouard-Jean (baron) (7-10-37) Be, Af.
ENO, Brian (15-5-48) GB, C, Cp.
ENRICO, Robert (13-4-31) R.
ENTREMONT, Jacques (29-1-39) Af.
ÉPINOUX, J.-Marc (1934) An.
EPSTEIN, Jean (Pol 1897-1953) R.
ERMLER, Fridrik (1898-1967) Ur, R.
ERTÉ (Romain de Tirtoff) (1892-1990), Ur, Des.
ESCANDE, J.-Paul (19-10-39) Af. Maurice (1892-1973) A.
ESCARO, André (1928) Des.
ESCOFFIER-LAMBIOTTE, Claudine (16-7-23) J, Méd.
ESCUDERO, Leny (5-11-32) Es, C.
ESKENAZI, Gérard (10-11-31) Af.
ESPERANDIEU, Claude (n.c.) T.
ESPINASSE, Lucien (n.c.) J, Ra.
ESPOSITO, Giani (1930-73) Be, A.
ESSEL, André (4-9-18) Af.
ESTÉREL, Jacques (Charles Martin) (1919-74) C.
ESTRANGIN, Louis (1914) Af, J.
ÉTAIX, Pierre (23-11-28) A, R.
ETCHEGARAY, Claude (5-9-23) Af.
ETCHEVERRY, Jésus (1911-88) Mu. Michel (16-9-19) A. Robert (1938) A.
ÉTIENNE, sœurs Louise (1925) et Odette (1928) C.
EURYTHMICS [Annie Lennox (Griselda Anne Lennox) (25-12-54), Dave Stewart (9-9-52)] GB, C.
EUSTACHE, Jean (1938-81) R.
EVANS, Edith (1888-1976) GB, A. Gil (1912-88) Ca, Mu. Linda (Evenstad) (18-11-42) U, A.
EVEIN, Bernard (1929) Déc.
EVENO, Bertrand (26-7-44) Insp. Fin., Af.
EVENOU, Danièle (1943) A.
EVERLY Brothers : Donald (1-2-37) Phil (19-1-39) Isaac, U, C.
EVRARD, Claude (n.c.) A.
EVZELINE, Max (1908-93) Tailleur.
EWALD Jean-Luc (7-5-26) Af.
EWELL, Tom (S. Yewell Tompkins) (29-4-09) U, A.
EXPERT, Valérie (2-4-63) J.
EYQUEM, Danielle (1948-87) J.
EYSER, Jacques (Eysermann) (29-8-12) A.
FABBRI, Jacques (Fabricotti) (1925) A.
FABIAN, Françoise (Becker, née Michèle Cortes de Leon) (10-5-33) A.
FABIEN, Jean (Pierre Olivieri) J.
FABRE, Corinne (7-3-51) Ad. C. Denise (5-9-42) Sp, T, Ra. Fernand (1899) A. Francis (1911-90) Af. Francisque (1899-1988) J. Robert (21-12-15) Pharm. Pierre (16-4-26) Af. Pharm. Saturnin (1883-1961) A.
FABREGA, Christine (n.c.) A.
FABRÈGUES, Jean de (1906-83) 5.
FABRI, Zoltán (1917) Ho, R.
FABRICE (François F. Simon-Bessy) (20-8-41) An, Ra.
FABRIZI, Aldo (1906-90) It, A, R.
FAINSILBER, Samson (1904-83) A.
FAIRBANKS, Douglas (Julius Ullman) (1883-1939) U, A. Douglas Jr (9-12-09) U, A.
FAITHFUL, Marianne (29-12-46) GB, C, Ac.
FAIVRE, Abel (1867-1945) Des.
FAIVRE D'ACIER, Bernard (12-7-44) Af.
FAIZANT, Jacques (30-10-18) Des.
FALCON, André (28-11-24) A. Marie (1812-97) A.
FALCONETTI, Gérard (1949-84) A. Renée (1892-1946) A.
FALLACI, Oriana (n.c.) It, A.
FALK, Peter (16-9-27) U, A.
FALQUE, Alain (1942) Af.
FAME, Georgie (Clive Powell) (26-6-43) GB, C.
FANCK, Arnold (1889-1974) All, R.
FANON, Maurice (1929-91) Au, Cp, C.
FARELL, Claude (Paula von Suchon) (1922) Aut, A.
FARGE, Jean (1-8-28) Insp. Fin. Yves (15-5-39) Sc.
FARGUEIL, Anaïs (1819-96) A.
FARKAS, J.-Pierre (1-1-33) Ra.
FARMER, Frances (1913-70) U, A. Mimsy (28-2-45) U, A. Mylène (12-9-61) C.
FARNSNORTH, Philo. T. (1906-71) U, Inv.
FARRAN, Dominique (1948) An, Ra. Jean (9-9-20) J.
FARRÉ, Jean-Paul (n.c.) A.
FARREL, Charles (1901-90) GB, A. Glenda (1904-71) U, A.
FARROW, John (1904-63) Aust, A. Mia (Maria de Lourdes Villiers Farrow) (9-2-45) U, A.
FASQUELLE, J.-Claude (29-11-30) Ed.
FASSBINDER, Rainer-Werner (1946-82) All, A, R.
FATH, Jacques (1912-54) Cou.
FATTY (Roscoe Arbuckle) (1881-1933) U, A, R.
FAUCHE, Xavier (30-4-46) Ra, Au.
FAURE, Edgar (1908-88) Pol. Maurice (2-2-20) Po. Renée (4-11-18) A. Roland (10-10-26) J, R.
FAUROUX, Roger (21-11-26) Af.
FAURRE, Pierre (15-1-42) Af.
FAUVET, Jacques (9-6-14) J.
FAVALLELI, Max (1905-89) J, Pr.
FAVART (Justice Duronceray) (1727-72) C, A. Marie (P.-I. Pingot) (1833-1908) A.
FAVIER, Jean (2-4-32) Hist.
FAVIÈRES, Maurice (1923) Ra.
FAVRE-LEBRET, Robert (1904-87) J.
FAWCETT, Farrah (2-2-47) U, A.
FAYE, Alice (Leppert) (5-3-12) U, A.
FECHNER, Christian (1944) A.
FECHTER, Charles (1823-79) A.
FEHER, Fridrich (1895) All, R. *Imre* (1926) Ho, R.
FEJOS, Paul (1898-1963) Ho, R.
FELDMAN, François (23-5-58) C, Marty (1933-82) GB, A.
FÉLIX, Maria (1915) Mex, A. Cellerier (1807-1870) A.
FELLINI, Federico (20-1-20) It, R, A. Riccardo (1921-91) It, R, A.
FENECH, Edwige (1948) Alg, A.
FENG YOULAN, (1895-1990) Chine, Phi.
FENOYL, Vte Pierre de (1945-87) Ph.
FÉRAL, Roger (Lazareff) (1904-64) T.
FÉRANDEZ, Mauricio de (1859-1932) A.
FÉRAUD, Louis (13-2-20) Cou.
FÉRAUDY, Maurice de (1859-1932) A.
FERJAC, Anouk (A.-Marie Levain) (25-5-32) A.
FERLAND, Jean-Pierre (1933) Ca, C.
FERMIGIER, André (1923-88), Au.
FERNANDEL (*Fernand* Contandin) (1903-71) A. Frank (Contandin) (1935) C.
FERNANDEZ, Emilio (1904-86) Mex, R.
FERNIOT, Jean (10-10-18) J, Au.
FERRARI, Enzo (1898-1988) It, Af.
FERRAT, Jean (Tenenbaum) (26-12-1930) C.
FERRÉ, Gianfranco (15-8-44) It, Cou. Léo (1916-93) Monaco, C, Cp.
FERREOL, Andréa (1947) A.
FERRER, José (Ferrer y Centron) (1912-92) U, A, R. Mel (25-8-17) U, A. Nino (Ferrari) (It, 15-8-34) C.
FERRERI, Marco (11-5-28) It, R.
FERRERO, Anna-Maria (1924), It, A.
FERRY, Brian (26-9-45), GB, C. Catherine (1-7-53) C. Jacques (1913) Af. Jean (1906) S, Di.
FESCOURT, Henri (Farcellin) (1880-1966) R.
FEUILLADE, Louis (1873-1925) R.
FEUILLÈRE, Edwige (Mme Caroline Cunati) (29-10-07) A.
FEYDER, Jacques (Frédérix) (Be 1885-1948) R.
FEYDEAU, Georges (1862-1921) Au.
FIELD, Michel (n.c.) T. Sally (6-11-46) U, A.
FIELDS, W.C. (William-Claude Dunkinfield) (1879-1946) U, A.
FIESS, Robert (16-8-37) J.
FIEVET, Robert (1-4-08) Af.
FIGUEROA, Gabriel (1907) Mex, Op.
FILIPACCHI, Daniel (12-1-28) J, Éd.
FILLIOU, Robert (1926-88) Ph, Ar.
FINCH, Peter (Ingle-Finch) (1916-77) GB, A.
FINNEY, Albert (9-5-36) GB, A.
FIRESTONE, Harvey Samuel (1868-1938) U, Af.
FIRINO-MARTELL, René (13-2-27) Af.
FIRMIN, J.-F. (Becquerelle) (1784-1859) A.
FISCHER, Eddie (10-8-28) U, A, C. Otto Wilhelm (1915) Aut, A. Terence (1904-80) GB, R. Carrie (1956) U, A.
FISHINGER, Oscar (1902-67) All, R.
FITZGERALD, Barry (William Shields) (1888-1961) Irl, A. Ella (25-4-18) U, C.
FITZPATRICK, Robert (1940) U, Af.
FIXOT, Bernard (6-10-43) Éd.
FLAHERTY, Robert J. (1884-1951) U, R.
FLAMANT, Georges (1904-90) A.
FLAMMARION, Charles-Henri (27-7-48) Éd. Henri (1910-85) Éd.
FLANAGAN, Bud (Chaim Reuben Brodribb) (1896-1968) GB, A.
FLEETWOOD Mac (Mike Fleetwood) (24-6-42) GB, C.
FLEISCHER, Max (1889-1972) U, R, Pr. *Richard* (8-12-16) U, R.
FLEMING, Rhonda (Marilyn Louis) (10-8-23) U, A. *Victor* (1883-1949) U, R.
FLEURET, Maurice (1932-90) J.
FLEURY (Abraham Joseph Bénard) (1750-1822) A. Françoise (1932) A.
FLOIRAT, Sylvain (1899-1993) Af.
FLON, Suzanne (28-1-1918) A.
FLORELLE, Odette (Rousseau) (1901-74) A.
FLOREY, Robert (1900-79) R.
FLORIOT, René (1902-75) Av.
FLORNOY, Bertrand (1910-80) Expl.
FLOTATS, José-Maria (1945) A.
FLYNN, Errol (1904-59) U, A.
FOLDES, Peter (1924-77) R.
FOLGOAS, Georges (1927) R, T.
FOLLIOT, Yolande (12-12-52) A.
FOLON, J.-Michel (1-3-34) Des.
FOLSEY, Georges (1898-1988) U, Op.
FOLY, Liane (n.c.) C.
FONDA, Henry (1905-82) U, A. *Jane* (21-12-37) U, A. Peter (23-2-40) U, A.
FONTAINE, André (30-3-21) J. Brigitte (1940) C. Jean-Pierre (29-3-23) Ing, Af. *Joan* (J. de Beauvoir de Havilland) (22-10-17) U, A.
FONTAN, Gabrielle Père-Castel (1880-1959) A.
FONTANA, Richard (1952-92) A.
FONTANEL, Geneviève (27-6-36) A.
FONTEYN, Margot (Margaret Hookham) (1919-91) GB, Da.
FORAIN, Louis-Henri (1852-1931) Des.
FORBES, Bryan (22-7-26) GB, R. Malcolm (1919-90) U, Af.
FORD, Aleksander (1924-80) Pol, R. Edmund Brisco (1902-88) GB, Généticien. Glenn (1-5-16) U, A. *Harrison* (13-7-42) U, A. Henry (1863-1947) U, Af. Henry II (1917-87) U, Af. *John* (O'Fearna) (1895-1973) U or. irl, R.
FOREMAN, Carl (1914-84) U, M.
FORGEOT, Jean (10-10-15) Adm.
FORLANI, Remo (1927) J, Ra.
FORMAN, Milos (18-2-32) Tc, R.
FORNASETTI, Piero (1914-88) It, Coul.
FORNERET, Xavier (1809-84).
FORNERI, J.-Marc (20-7-59) Af.
FORSYTHE, John (Freund) (29-1-18) U, A.
FORT, Marcel (29-5-19) An, Ra.
FORTUNY, Mariano (1871-1949) Es, Cou.
FORTUGÉ, Gabriel (Fortuné) (1887-1923) C.
FOSSE, Bob (1925-88) U, R.
FOSSEY, Brigitte (15-6-46) A.
FOSTER, Jodie (Alicia Christian Foster) (19-11-62) U, A. Paul (1936). Preston (1902-70) U, A.
FOUCAULT, J.-Pierre (23-11-47) T.
FOUCHET, Max-Pol (1913-80) Au.
FOUCHIER, Jacques de (18-6-11) Bq.

FOUGERAT, J.-Jacques (14-3-37) Af.
FOUQUET, Thierry (1951) Th.
FOULQUIER, J.-Louis (24-6-43) An.
FOURCADE, Marie-Madeleine (1909-89) Résistante.
FOURNIER, Bernard (2-12-38) Af. Jacques (4-4-23) Af. Marcel (1914-85) Af. Pierre (1937-73) Des.
FOURTOU, J.-René (20-6-39) Af.
FOX, Edward (13-4-37) GB, A. James (19-5-39) GB, A. Samantha (15-4-66) GB, C.
FRACHON, Éric (2-10-26) Af.
FRAGSON, Harry (Léon Pot) (1869-1914) C.
FRAMPTON, Peter (22-4-50) GB, C.
FRANCE, Henri de (1911-86) Ing.
FRANCELL, Jacqueline (1908-62) A.
FRANCEN, Victor (1888-1978) Be, A.
FRANCÈS, Jack (24-2-14) Af. Philippe (18-2-40) Af.
FRANCIS, Eve (Be 1896-1980) A. Kay (Katherine Gibbs) (1903-68) U, A.
FRANÇOIS, Claude (1939-78) C. Frédéric (Franco Barracatto) (3-6-50) It, C. Jacqueline (Guillemautot) (1922) C. Jacques (16-5-20) A.
FRANÇOIS-PONCET, Henri (1-2-24) Af. Jean (8-2-28) Po. Michel (1-1-35) Bq.
FRANCONI, Antoine (1738-1836) Écuyer.
FRANCOS, Ania (1939-88) It, An, J.
FRANJU, Georges (1912-87) R.
FRANKENHEIMER, John (19-2-30) U, R.
FRANKEUR, Paul (1905-74) A.
FRANKIE GOES TO HOLLYWOOD [Peter Gill (8-3-60), Holly Johnson (19-2-60), Brian Nash (20-5-63), Marc O'Toole (6-1-64), Paul Rutherford (8-12-59)] GB, C.
FRATELLINI, Albert (1885-1961) Cl. Annie (Mme P. Étaix) (14-11-32), A. François (1879-1951) Cl. Gustave (1842-1902) Cl. Paul (1877-1940) Cl. Victor (1901) Cl.
FREARS, Stephen (20-6-41) GB, R.
FRÈCHES, José (25-6-50) Dir.
FREDA, Riccardo (Ég 1909) It, R.
FREDERICK-LEMAITRE (1800-56) A.
FREED, Arthur (Grossman) (1894-1973) U, Ra.
FREEMAN, Bud (1906-91) Mu.
FREGOLI, Léopoldo (1867-1936) It., A.
FREGONESE, Hugo (1909-87) U, M.
FRÉHEL (Marguerite Boulc'h) (1891-1951) C.
FRÈRE, Albert (1926) Af.
FRÈREJEAN de CHAVAGNEUX, Éric (17-8-43) Af., Humbert (2-9-14) Af.
FRÈRES ENNEMIS (Les) : A. Gaillard (1927) T. Vrignault (1928) Ch.
FRÈRES JACQUES (Les) : voir JACQUES.
FRESNAY, Pierre (Laudenbach) (1897-1974) A.
FRESSON, Bernard (27-5-31) A.
FREUND, Karl (1890-1969) All, Op.
FREY, Sami (S. Frei) (13-10-37) A.
FREYCHE, Michel (31-10-23) Af.
FREYD, Bernard (n.c.) A.
FREYRE, Gilberto (1900-87), Br, Au.
FRIANG, Brigitte (23-1-24) J.
FRICK, Henry Clay (1849-1919) U, Af.
FRIED, Erich (1921-88) Aut, An.
FRIEDKIN, William (29-8-39) U, R.
FRIEDMANN, Jacques (15-10-32) Af.
FRISCH, Karl von (1886-1982) Aut, zool.
FRISON-ROCHE, Roger (10-2-06) guide, Aut.
FRITSCH, Willy (1901-73) All, A.
FROEBE, Gert (G. Fröber) (1912-88) All, A.
FROEHLICH, Gustav (1902) All, A.
FROGERAIS, Jac.-Pierre (1893) Pr.
FRÖHLICH, Gustav (1902-87) All, A.
FROMENT, Raymond (1913) Pr.
FUGAIN, Michel (12-5-42) C.
FULLA, Pierre (1939) J.
FULLER, Loïe (1862-1928) U, Da. *Samuel* (12-8-11) U, R.
FUMAROLI, Marc (10-6-32) Ens, Au.
FUNÈS, Louis de (1914-83) A.
FURET, François (27-3-27) Un.
FURNEAUX, Yvonne (Scatcherd) (1928) A.
FUSIER-GIR, Jeanne (1892-1973) A.
GAAL, Istvan (1933) Ho, R.
GABIN, Jean (Moncorgé) (1904-76) A.
GABLE, Clark (1901-60) U, A.
GABOR, Pal (1933-87) Ho, M. Zsa-Zsa (Sari Gabor) (6-2-19) Ho, A.
GABRIEL, Peter (13-2-50) GB, C, Cp.
GABRIEL-ROBINET, Louis (1909-75) J.
GABRIELLO (André Galopet) (1896-1975) A. Suzanne (Galopet) (1932) A.
GABRIO, Gabriel (1888-1946) A.
GAEL (Josselyne-Janine Blancœuil) (1917) A.
GAILLARD, Anne (Frey) (20-8-39) J. Jean-Michel (n.c.) T.
GAINSBOURG, Charlotte (21-7-71) A, C. Serge (Lucien Ginzburg) (1928-91) C, R, Cp.
GAIRARD, Jacques (26-8-39) Af.
GALABRU, Michel (27-10-22) A.
GALARD, Daisy de (4-11-29) Pr, T. Hector de (1912-90) J.
GALIL, Esther (28-5-45) Isr, C.
GALIPAUX, Félix (1860-1931) A.
GALL, France (Mme Michel Berger) (9-10-47) C.
GALLÉ, Bertrand de (8-3-44) Af.
GALLIA, Chantal (n.c.) Ch.
GALLIANO, John (1960) GB, Cou.
GALLIMARD, Antoine (1947) Éd. Claude (1914-91) Éd. Christian (1943) Éd. Gaston (1881-1975) Éd.
GALLOIS, Louis (26-1-44) Af. Pierre (29-6-11) Gl.
GALLONE, Carmine (1886-1973) It, R.
GALLUP, George (1901-84) U, Af.
GALWAY, James (8-12-39) GB, Mu.
GAME, Marion (1942) A.
GANCE, Abel (1889-1981) R.
GANDOIS, Jean (7-5-30) Af.
GANSER, Gérard (1949) Af.
GANZ, Bruno (22-3-41) Su, A.
GARAT, Henri (Garasou) (1902-59) A. Dominique Pierre Jean (1764-1823) C.
GARAVANI, Valentino (1932) It, C.
GARAUDY, Roger (17-7-13) Phi.
GARBO, Greta (Gustafson) (1905-90) Suè, A.
GARCIA, Nicole (22-4-46) A.
GARCIMORE (José Garcìa Moreno) (n.c.) Es, Ch.
GARCIN, Bruno (1949) A. Ginette (1930) A, Ch. Henri (Anton Albers) (1929) A.
GARÇON, Maurice (1889-1967) Av.
GARDEL, Carlos (Charles Romuald Gardes) (1890-1935) Ch, Cp.
GARDEN, Mary (1877-1967) U, A.
GARDIN, Vladimir (1877-1965) Ur, R.
GARDNER, Ava (Lucy Johnson) (1922-90) U, A.
GARETTO, Jean (20-2-32) It, Ra.
GARFIELD, John (Julius Garfinkle) (1913-52) U, A.
GARFUNKEL, Arthur (13-11-41) U, C.
GARLAND, Judy (Frances Gumm) (1922-69) U, A, C.
GARMES, Lee (1898-1978) U, Op.
GARNER, James (Baumgarner) (7-4-28) U, A.
GARNETT, Tay (1893-1977) U, R.
GARNIER, Jacques (1940-89) Da. Simone (25-12-31) Pr, An.
GARON, Jessie (Bruno J. Garon Fumard) (1-8-62) C.
GAROUSTE, Gérard (10-3-46) Pe.
GARREL, Maurice (1923) A.
GARRICK, David (1717-79) GB, A.
GARRO, Frédérique (n.c.) J, T.
GARSON, Greer (Irl, 29-9-08) U, A.
GARVARENTZ, Georges (1929-93) Mu.
GASNIER, Louis (1882-1962) R.
GASPARD-HUIT, Pierre (1917) M.
GASSMAN, Vittorio (1-9-22) It, A.
GASTÉ, Loulou (1908) Au, Cp.
GASTINES, Brigitte de (22-03-44) A.
GASTONI, Lisa (1935) It, A.
GATES, Bill (28-10-55) U, Af.
GATTAZ, Yvon (17-6-25) Af.
GATTEGNO, Jean (6-6-35) Un.
GATTI, Armand (Dante) (1924) Au.
GAUDEAU, Yvonne (1921-91) A.
GAUDIN, Thierry (15-5-40) Af.
GAUJOUR, Françoise (10-12-50) J.
GAULT et MILLAU : Gault Henri (Gaudichon) (4-11-29), Millau Christian (Dubois-Millot) (1-1-29) J.
GAULTIER, J.-Paul (24-4-52) Cou.
GAUMONT, Léon (1864-1946) Pr.
GAUTHIER, Jacqueline (1921-82) A.
GAUTIER, J.-Jacques (1908-86) Au.
GAUTRAT, Albert (1890-n.c.) Av.
GAUTY, Lys (Alice Gauthier) (1908) C.
GAVARNI (Sulpice-Guillaume Chevalier) (1804-66) Des.
GAVIN, John (Jack Golenor) (8-4-32) U, A.
GAVOTY, Bernard (Clarendon) (1908-81) J, Pr, Cr, Mu.
GAYE, Marvin (1939-84) U, C, Cp.
GAYNOR, Gloria (7-9-49) U, C. Janet (1906-84) U, A. Mitzi (Francesca Mitzi von Gerber) (4-9-30) U, A.
GAZEAU, Michel (n.c.) J, T.
GAZZARA, Ben (28-8-30) U, A.
GÉBÉ (Georges Blondeau) (1934) Des.
GEFFROY, Florentin (1806-95) A.
GEISMAR, Alain (17-7-29) Un.
GELDOF, Bob (5-10-54) Irl, C.
GÉLIN, Daniel (19-5-21) A. Fiona (24-5-62) A. Manuel (31-7-58) A. Xavier (1946) A.
GÉLINAS, Isabelle (n.c.) A.
GÉMIER, Firmin (1869-1933) A, M.
GEMMA, Giuliano (2-9-38) U, A.
GENCE, Denise (1924) A.
GENÈS, Henri (E. Châtenet) (20) C.
GENESIS, Peter GABRIEL (13-2-50) Phil COLLINS (31-1-51) GB, C.
GENEST, Jacques (18-8-24) Af. Véronique (26-6-57) A.
GÉNIA, Claude (Génia Arnovtich, Mme J. Le Beau) (1916-79) A.
GÉNIAT, Marcelle (Martin) (1881-1959) A.
GÉNIN, René (1890-1967) A.
GENINA, Aug (1892-1957) It, R.
GENSAC, Claude (1-3-27) A.
GENTY, Sylvie (n.c.) A.
GEOFFROY (1813-83) A.
GEORGE (Marg.-Jos. Weirner) (1787-1867) A. Yvonne (Y. de Knops) (1896-1930) Be, C.
GEORGIUS (G. Guilbourg) (1891-1969) Ch.
GÉRARD, Charles (1926) A. Danyel (Kerlakian) (7-3-39) C. Frédéric (n.c.) An, Ra.
GÉRAUD, André (Pertinax) (1882-1974) J. Henri (n.c.) Av.
GERBAUD, François (10-4-27) J.
GERBI, Alain (7-3-40) Dir, Ra.
GERE, Richard (31-8-49) U, A.
GÉRET, Georges (1924) A.
GERMI, Pietro (1914-74) It, R.
GERMOT, Jean-Pierre (3-6-28) Af.
GÉRÔME, Raymond (17-5-20) M.
GETTY, (Paul) (1892-1976) U, Af.
GHAURI, Yasmeen (1971) Ca, Man.
GIBB, Andy (1958-88) GB, C.
GIBSON, Mel (5-1-56) U, A.
GICQUEL, Roger (22-2-33) J.
GID, Raymond (1905) Des.
GIELGUD, John (14-4-04) GB, A.
GIESBERT, Franz-Olivier (18-1-49) J.
GIL, Ariane (n.c.) R. Gilberto (29-6-42) Br, C.
GILBERT, Danièle (20-3-43) An. Éric (n.c.) J, T. Gil (Gilbert Morcou) (1913-88) A. John (Pringle) (1899-1936) U, A. Maggie (4-8-48) J, T. Robert (1930-93) Th.
GILDAS, Philippe (Leprêtre) (12-11-35) Pré, J.
GILL, André (Louis-Alexandre Gosset de Guines) (1840-85) Des.
GILLIAM, Terry (22-11-40) U, R. Terry (1929) GB, R, A.
GILLOIS, André (Maurice Diamant-Berger dit) (8-2-02) Au.
GILLOT-PETRÉ, Alain (1950) J.
GINGUENÉ, Pierre Louis (1748-1816) J.
GIOVANNI, José (22-6-23) R, Au.
GIR, François (Girard) (1920) R.
GIRARDOT, Annie (Mme Salvatori) (25-10-31) A. Roland (21-9-26) Af.
GIRAUD, Claude (1936) A. Roland (14-2-42) A. Yvette (1922) C.
GIRAUDEAU, Bernard (18-6-47) A.
GIRAUDET, Pierre (5-11-19) Af.
GIRAUDOUX, Jean (1882-1944) Au.
GIRAULT, Jean (1924-82) R.
GIRBAUD, Marithé (1942) François (1945) Cou.
GIROD, Francis (1944) R.
GIRODIAS, Maurice († 1990) Éd.
GIRON, Roger (1900-90) J.
GIROTTI, Massimo (1918) It, A.
GISCARD D'ESTAING, Anne-Aymone (10-4-33). François (17-9-26) Insp. fin. Jacques (8-2-29) C. des comptes. Olivier (30-12-27) Adm. Philippe (2-1-28) Ing. Valéry (2-2-26) ancien Pt de la Rép.
GISH Lillian (de Guiche) (1896-1993) U, A. Dorothy (de Guiche) (1898-1968) U, A.
GIUILY, Éric (10-2-52) Af.
GIVADINOVITCH, Bochko (27-6-27) Af.
GIVENCHY, Hubert de (20-2-27) Cou.
GLAESER, Paul Mickaël (25-3-43) U, A.
GLASER, Denise (1920-83) Pr.
GLEASON, Jackie (26-2-16) U, A.
GLENN, Pierre William (1943) Cam.
GLORY, Marie Thoully (1903) A.
GOBBI, Sergio (1938) M.
GODARD, J.-Luc (3-12-30) R.
GODDARD, Paulette (Marion Levy) (1911-90) U, A.
GODDET, Jacques (21-6-05) J.
GODEBSKA, Missia (1872-1950) ép. José Maria Sert.
GODRÈCHE, Judith (23-3-72) A.
GOLAY, Bernard (24-3-44) Ra.
GOLD, Émile Wandelmer (15-2-49) Bernard Mazauric (31-5-49) Lucien Crémades (18-6-51) Alain Lorca (17-2-55) Étienne Salvador (19-2-52) C.
GOLDMAN, J.-Jacques (11-10-51) C.
GOLDSMITH, Clio (16-6-57) GB, A. James Michael (26-2-33) GB, Fin, Presse.
GOLDWYN, Samuel (Goldfish) (Pol. 1882-1974) U, Pr.
GOLINO, Valeria (n.c.) A.
GOLMANN, Stéphane (1921-87) Cp.
GOMEZ, Alain (18-10-38) Af. Francine (12-10-32) Af.
GOODMAN, Benny (1909-86) U, Mu.
GORDINE, Sacha (1910-68) Pr.
GORDON, Max (1903-89) U. Michael (1899-1993) U, R. Ruth (Jones) (1896-1985) U, A.
GORETTA, Claude (23-6-29) Su, R.
GORINI, Jean (1924-80) Ra.
GORON, Joëlle (12-9-43) J.
GORSE, Georges (15-2-15) Po.
GOSCINNY, René (1926-77) S.
GOSHO, Heinesuke (1902-81) Jap, R.
GOTAINER, Richard (30-3-48) C.
GOTLIEB, Marcel (14-7-34) Des.
GOUDE, Jean-Paul (1940) Pu. Philippe (n.c.) J, T.
GOUDEAU, J.-Claude (5-6-35) J.
GOUJAT, Jacques (19-11-32) T.
GOUJON, Guy (1-7-21) J.
GOULD, Anny (1926) C. Eliott (Goldstein) (29-8-38) U, A. Florence (1895-1983).
GOULDING, Edmond (1891-1959) U, R.
GOULUE (La), Louise WEBER (1866-1929) A.
GOURVENNEC, Alexis (n.c.) Af.
GOUTARD, Noël (22-12-31) Af.
GOUYOU-BEAUCHAMPS, Xavier (25-1-37) J, T.
GOUZE-RENAL, Christine, Madeleine Gouze (Mme Roger Hanin, 30-12-14) Pr.
GOYA, Chantal (Deguerre, Mme J.-J. Debout) (10-6-46) C. Mona (Simone Marchand) (1912-61) A.
GRABLE, Betty (1916-73) U, A.
GRAD, Geneviève (1944) A.
GRAETZ, Paul (1899-66) Aut, Pr.
GRAHAME, Gloria (Hallward) (1929-1981) U, A.
GRAMATICA, Emma (1875-1965) It, A.
GRAND, Bernard (1934) T.
GRANDVILLE, Jean (1803-47) Des.
GRANGER, Farley (1-7-25) U, A. Stewart (James Stewart) (1913-93) U, A.
GRANGIER, Gilles (5-5-11) R, Cr.
GRANIER, Jeanne (n.c.).
GRANIER-DEFERRE, Pierre (22-7-27) R.
GRANIER DE LILLIAC (27-10-19) Af.
GRANOFF, Katia (1895-1989).
GRANT, *Cary* (Archibald Leach) (GB 1904-86) U, A. Eddy (5-3-48) U, C. Marcha (n.c.) U, A.
GRAPPOTTE, François (21-4-36) Af.
GRASSET, Bernard (1881-1955) Éd.
GRASSOT (1804-60) A.
GRATEFUL DEAD (The), (Jerry Garcia 1-8-42) U, C.
GRAVEREAUX, Henry-G (1907-89) Des.
GRAVES, Peter (Aurness) (18-3-26) U, A.
GRAVEY, Fernand (Mertens) (1904-70) Be, A.
GRAY, Linda (12-9-40) U, A. Nadia (Keyner Kujnir-Herescu) (1923) Ro, A.

GRAYSON, Kathryn (Hedrick) (9-2-22) U, A.
GREBER, Charles (n.c.) Dir, T.
GRÉCO, Juliette (7-2-27) A, C.
GREENAWAY, Peter (1942) U, R, S.
GREENE, Corne (1915-87) U, A.
GREENSTREET, Sydney (GB 1879-1954) U, A.
GREENWOOD, Joan (1921-87) GB, A.
GREFFULHE Ctesse, Henry (n. Elisabeth de CARAMAN-CHIMAY 1860-1952).
GRÉGOIRE, Ménie (née Marie Laurentin) (15-8-19) Ra. Roger (1913-90) C.d'E.
GRÉGORY, Claude (Claude Zalta) (1923) Éd, J, Ra.
GREIF, Rodolphe (6-10-40) Af.
GRELLIER, Michèle (1938) A.
GRELLO, Jacques (Greslot) (1911-78) A, Ch.
GRÉMILLON, Jean (1901-59) R.
GRENIER, Jean-Pierre (1914) A.
GRÈS (Alice Bardon ?) (1910) Cou.
GREVILLE, Edmond (1906-66) R.
GREY, Denise (Denise Edouardine Verthuy) (17-9-1896) A. Marina (Denikine, Mme J.-François Chiappe) (1920) T.
GRIERSON, John (1898-1972) GB, R.
GRIFFE, Jacques (1917) Cou.
GRIFFITH, David W. (Wark) (1875-1948) U, R.
GRIMAULT, Paul (23-3-05) R, Pr.
GRIMBLAT, Pierre (1926) R, Ra.
GRINSSON, Boris (Ur. 1907) Des.
GROCK (Adrien Wettach) (1880-1959) Su, Cl.
GROSPIERRE, Louis (1927) R.
GROSSIN, Paul (1901-90) Gl.
GROUCHY, Jean de (10-8-26) Sav.
GROULX, Enrico (1876-1949) It, R.
GRUMBACH, Philippe (25-6-24) J.
GRÜNDGENS, Gustav (1899-1963) All, A, Th.
GRUNDIG, Max (1908-89) All, Af.
GUAZZONI, Enrico (1876-1949) It, R.
GUERARD, Michel (1933) Cuis.
GUERASSIMOV, Sergueï (1896-1985) Ur, R.
GUÉRIN, André (1899-1988).
GUERRA, Ruy (1931) Br, R.
GUERRIER, Thierry (1959) J, Ra.
GUERS, Paul (Dutron) (1927) A.
GUESH, Patti (Patricia Porrasse) (19-3-46) C.
GUÉTARY, Georges (Lambros Worloou) (Alexandrie, Ég, 8-2-15) C.
GUETTA, Bernard (28-1-51) J.
GUGGENHEIM, Peggy (1898-1979) U, Coll.
GUGUEN, J-Paul (22-4-40) J.
GUICHARD, Antoine (21-10-26) Af. Charles (1919) Af. Daniel (21-11-48) C. Pierre (1906-88) Af. Yves (13-4-34) Af.
GUICHENEY, Geneviève (13-5-47) J.
GUICHERD-CALIN, Michel (15-9-39) J, T.
GUIGNAND, André (17-1-23) Af.
GUIGNOLS de l'INFO : Benoît Delepine (30-8-58), Bruno Gaccio (14-12-58), Jean-François Halin (20-11-61).
GUILBERT, Yvette (1867-1944) C.
GUILHAUME, Philippe (30-5-42)Af.
GUILLAUD, J-Louis (5-3-29) T.
GUILLAUMIN, Claude (22-10-29) J.
GUILLEBAUD, J-Louis (21-7-44) J.
GUILLEMINAULT, Gilbert (1914-90) J.
GUILLERMAZ, Jacques (16-11-11) Au, J.
GUILLERMIN, John (1925) GB, M.
GUILLET, Raoul (1920) A.
GUINNESS, Sir *Alec* (2-4-14) GB, A.
GUINNESS, Sir Benjamin Lee (1798-1868) Irl. Af.
GUIOMAR, Julien (3-5-28) A.
GUIRAUD, François (10-12-21) Af.
GUISOL, Henri (Bonhomme) (1904) A.
GUITONNEAU, Raym (13-8-21) Af.
GUITRY, Lucien (1860-1925) A. *Sacha* (1885-1957) R, A, Au.
GULBENKIAN, Calouste Sarkis (1869-1955) GB, Tu, Af.
GÜNEY, Yilmaz (1937-84) Turq, R.
GUNZBURG, Alain de (19-1-25) U, Af. Pierre de (14-12-30) Af.
GURGAND, J-Michel (1936-88) J.
GUS, Bofa (Gustave Blanchet) (1883-1968) Des. Gustave d'Erlich (17-12-11) Des.
GUSTIN, Didier (n.c.) Hum.
GUTHRIE, Woody (1912-67) U, C, Cp.
GUTMANN, Francis (4-10-30) Af.
GUY, Alice (1873-1968) R. Michel (1927-90) Po.
GUYBET, Henri (1943) A.
GWYNN, Nell (1650-87) GB, A.
HABERER, J-Yves (17-12-32) Bq.
HABIB, Ralph (1912-67) R.
HACKMANN, Gene (30-1-31) U, A.
HADING, Jane (J. Tréfouret) (1859-1934) A.
HAGEN, Nina (All, 11-3-55) C.
HAGMAN, Larry (21-9-31) U, A.
HAKIM, Raymond (1909-80) Pr. Robert (1907) Pr.
HALEY, Bill (1925-81) U, C.
HALIMI, André (28-4-30) J. Gisèle (27-7-27) Av.
HALL and OATES : Daryl Hall (11-10-49) John Oates (7-4-49) U, C.
HALL, Peter (22-11-30) GB, R.
HALLER, Bernard (Su. 5-12-33) A.
HALLEY DES FONTAINES, André (1910-1960) Pr.
HALLYDAY, David (D. Smet) (14-8-66) C. Johnny (J-Philippe Smet) (15-6-43) C, A.
HALNA DU FRETAY, Amaury (30-8-26) Af.
HAMAMSI, Galal Eddine el (1913-88) Ég, J.
HAMELIN, Daniel (23-12-42) Ra.
HAMER, Robert (1911-63) GB, R.
HAMILL, Mark (25-9-51) U, A.
HAMILTON, David (15-4-33) GB, Ph. Denis (1918-88) GB, Pré. George (12-8-39) U, A. Hamish (1901-88) GB, Éd.
HAMINA, Mohamed Lokhdar (1934) Alg, R.
HAMMAN, Joe (1885-1974) A.
HAMMER, Armand (1898-1990) U, Af.
HAMMOND, John (1910-87) U, Pr.
HAMPTON, Christopher (26-1-46) GB, S.
HAN, René (15-5-30) T, Af.
HANCISSE, Thierry (1962) A.
HANCOCK, Herbie (12-4-40) U, C, Cp.
HANDKE, Peter (1942) All, Au.
HANIN, Roger (Lévy) (20-10-25) A.
HANNEBELLE, Dominique (8-7-37) Af.
HANNOUN, Hervé (3-8-50) Af.
HANON, Bernard (7-1-32) Af.
HANOUN, Marcel (26-10-29) Tun, R.
HARARI, Clément (Ég., 10-2-19) A. Roland (29-3-23) J. Simone (11-8-52) Pr.
HARBOU (von), Thea (1888-1954) All, S, R.
HARDING, Ann (Dorothy Gatley) (1901-81) U, A.
HARDWICKE, Cedric (1883-1964) GB, A.
HARDY, Françoise (Mme J. Dutronc), (17-1-44) C. *Oliver* (1892-1957) U, A.
HARLAN, Veit (1899-1964) All, R.
HARLOW, Jean (Harlean Carpentier) (1911-37) U, A.
HARMAN, Hugh (1903-82) U, R.
HARMSWORTH, Harold Sydney, vicomte (1868-1940) Irl. J, Af.
HARNOIS, Jean (12-3-23) Af, T.
HARPER, Jessica (1949) U, A.
HARRIS, André (1933) Pr, T. Emmylou (2-4-49) U, C. Julie (2-12-25) U, A. Richard (St John Garris) (1-10-33) GB, A.
HARRISSON, George (25-2-43) GB, C. *Rex* (Reginald Carey) (1908-90) GB, A.
HARROLD, Kathryn (2-8-50) U, A.
HART, William (1870-1946) U, A.
HARTNELL, Norman (1901-79) GB, Cou.
HARVEY, Antony (1931) GB, R. Laurence (Larushka Mischa Skine) (Litua, 1927-73) GB, A. Lilian (1907-68) GB, A.
HASEGAWA, Kazuo (1908-84) Jap, A.
HASKIN, Byron (1899-1984) U, R.
HASSAN, J-Claude (11-11-54) Af.
HASSE, Otto E. (1903-78) All, A.
HASSELHOFF, David (17-7-52) U, A.
HATHAWAY, Henry (marquis H.-Leopold de Fiennes) (1898-1985) U, R.
HAUDEPIN, Sabine (19-10-55) A.
HAUSER, Gayelord (1895-1984) U, Méd.
HAVERS, Nigel (6-11-49) GB, A.
HAVILLAND, Olivia de (1-7-16) U, A.
HAWKINS, Jack (1910-73) GB, A.
HAWKS, Howard (1896-1977) U, R.
HAWN, Goldie (21-11-45) U, A.
HAYAKAWA, Sessue (1889-1973) Jap, A.
HAYDEN, Sterling (John Hamilton) (1916-86) U, A.
HAYEK, Nicholas (1928) Su, Af.
HAYER, Nicolas (Lucien Nicolas) (1898-1978) Op.
HAYES, Helen (Brown) (1900-57) U, A. Isaac (6-8-38) U, C.
HAYTER, Stanley William (1902-88) GB, pe.
HAYWARD, Susan (Edythe Marriner) (1917-75) U, A.
HAYWORTH, Rita (Cansino) (1918-87) U, A.
HAZAN, Fernand (1906-92) Éd.
HEAD, Murray (5-3-46) GB, C.
HEALEY, Donald (1899-1988) GB, Ing.
HEARST, William Randolph Jr (1908-93) U, Af.
HÉBERLÉ, J.-Claude (3-2-35) J.
HÉBERTOT, Jacques (A. Daviel) (1886-1970) M.
HEBEY, Jean-Bernard (2-1-45) Ra.
HECHT, Ben (1893-1964) U, S. Bernard (1917) R, T.
HECHTER, Daniel (30-7-38) Af.
HEES, Muriel (5-11-47) J, T.
HEFLIN, Van (1910-71) U, A.
HEGANN, Yann (1946) An, Ra.
HEILBRONNER, François (17-3-36) insp. Fin.
HEINLEIN, Robert (1907-88) U, An.
HEINZ, Henry John (1844-1919) U, Af.
HELD, J-Francis (9-7-30) J.
HÉLIAN, Jacques (1912-86) C. d'or.
HELLWIG, Klaus (n.c.) All, Pr.
HELM, Brigitte (Gisèle Ève Schittenhelm) (1908) All, A.
HEMINGWAY, Margaux (19-2-55) U, Man.
HEMMINGS, David (18-11-41) GB, A.
HENDRICKS, Barbara (20-11-48) U, C.
HENDRIX, Jimmy (1942-70) U, Mu.
HENIE, Sonja (1913-1969) Norv, A.
HÉNIN, J-François (26-5-44) Af.
HENREID, Paul (It, 10-1-08) U, A.
HENRION, Marc (25-2-27) Af.
HENRIOT, Joseph (n. c.) Af.
HENRI-ROBERT, (n.c.) Av.
HENSON, Jim (1937-90) U, R.
HEPBURN, Audrey (Hepburn-Ruston) (1929-93) U, or. holl, A. *Katharine* (8-11-07) U, A.
HER, Yves l' (1926-88) J.
HERGÉ (Georges Rémi, RG) (1907-83) Be, Des.
HERMAN's HERMITS [Peter Noone (5-11-47), Karl Green (31-7-46), Keith Hopwood (26-10-46), Dereh Leckerby (14-5-45), Barry Whitwam (21-7-46)] GB, C.
HERNANDEZ, Gérard (n.c.) A.
HERRAND, Marcel (1897-1953) A.
HERRMANN, Bernard (1911-75) U, Mu.
HERSANT, Robert (31-1-20) J.
HERSHEY, Barbara (2-5-48) U, A.
HERVÉ, Pierre (1913-93) J.
HERVET, Georges (5-6-24) Bq.
HERZOG, Philippe (12-4-40). *Werner* (1942) All, R.
HESSLING, Catherine (1899-1980) A.
HESTON, Charlton (4-10-24) U, A.
HIEGEL, Catherine (n.c.) A. Pierre (1913-80) Ra.
HIGELIN, Jacques (18-10-40) C.
HIGGINS, Colin (1941-88) U, M.
HILAIRE, Laurent (1962) Da.
HILBERT, Bernard (1924-88) J.
HILL, Benny (Alfred Hawthorne Hill) (1925-92) GB, A. *George Roy* (20-12-21) U, R. Terence (Mario Girotti) (29-3-39) It, A.
HILLER, Wendy (GB, 15-8-12) A.
HILTON, Conrad Nicholson (1887-1979) U, Af.
HINES, Earl (1903-83) U, Pi.
HIRIGOYEN, Rudy (1919) C.
HIRSCH, Robert (26-7-25) A.
HITCHCOCK, Alfred (GB 1899-1980) U, R.
HOBSON, Valérie (4-4-17) GB, A.
HODEIR, André (22-1-21) Cp.
HODGES, Mike (29-7-32) U, R.
HOFFMAN, Abbie (1937-88) U, Soci. *Dustin* (8-8-37) U, A, *Kurt* (1912) All, R.
HOLDEN, William (Beedle) (1918-81) U, A.
HOLLIDAY, Judy (Judith Tuvim) (1922-65) U, A.
HOLLOWAY, Nancy (1937) U, C. Stanley (1890-1982) GB, A.
HOLLY, Buddy (Charles Hardin Holley) (1936-59) U, C.
HOLM, Celeste (29-4-19) U, A. Richard (1913-88) C.
HOLT, Jack (Charles John) (1888-1951) U, A. Jany (Vlàdescu Olt) (Ro, 1912) A. Jennifer (Elizabeth) (1920) U, A. Patrick (Parsons) (1912) GB, A. Tim (Charles John Holt Junior) (1918-73) U, A.
HOLTZ, Gérard (8-12-46) J.
HONDA, Ishiro (19-11-93) Jap, R. Soichiro (1906-91) Jap, Af.
HONDA, Soichiro (1906-91) Jap. Af.
HOOKER, John Lee (22-8-17) U, C.
HOOVER, William Henry (1849-1942) U, Af.
HOPE, Bob (Leslie Town Hope) (29-5-03) U, A.
HOPKIN, Mary (3-5-50) GB, C.
HOPKINS, Anthony (31-12-37) U, A. Myriam (1902-72) U, A.
HOPPER, Dennis (17-5-36) U, A, M.
HORBIGER, Paul (1894-1981) Aut, A.
HORGUES, Maurice (1923) Ch.
HORNER, Yvette (1934) Acc.
HORNEZ, André (1905-89) Au.
HOROWICZ, Bronislaw (28-7-10) M.
HOROWITZ, Jules (3-10-21) Ing.
HOROWITZ, Vladimir (1904-1989) Pi.
HOSSEIN, Robert (Hosseinoff) (30-12-27) A, M, R.
HOT FOOT TAP DUO : Joe Orrach (n.c.), Rod Ferrone (n.c.) U, Da.
HOUDIN, Robert voir ROBERT.
HOUDINI, Harry (Weiss Erich) (1874-1926) U, Ma.
HOURDIN, Georges (Jacques Batuaud) (3-1-1899) J.
HOUSSIN, Michel (5-7-21) Af.
HOUSTON, Whitney (9-8-63) U, C.
HOWARD, Leslie (Stainer) (1893-1943) U, A. *Trevor* (1916-88) GB, A.
HOYOS, Ladislas de (27-3-39) J.
HUBERT (H. Wayaffe) (1938) Ra. Roger (1903-64) Op. Raymond (n.c.) Av.
HUBERTY, Jean (n.c.-1989) T.
HUBLEY, John (1914-77) U, R.
HUDSON, Hugh (1936) GB, R. *Rock* (Roy Scherer) (1924-85) U, A.
HUET, Jacqueline (1929-87) Sp.
HUGHES, Howard (1905-76) U, Pr. Jean-Baptiste (1931) Déc. Ken (1922) GB, R.
HULOT, Nicolas (30-4-55) J, Pr.
HUNEBELLE, André (1896-1985) R.
HUNT, Peter (1928) GB, M.
HUNTER, Tab (Arthur Gelien), (11-7-31) U, A.
HUPPERT, Caroline (28-10-50) R. Élisabeth (20-6-48) Cin. *Isabelle* (16-3-53) A. Jacqueline (30-9-44) A.
HURT, John (22-1-40) U, A. William (20-3-50) U, A.
HUSSENOT, Olivier (1914-1980) A.
HUSTER, Francis (8-12-47) A.
HUSTON, Anjelica (1951) U, A. *John* (1906-1987) U, R. Walter (1884-1950) U, A.
HUTIN, Jean-Pierre (7-9-31) J.
HUTTIN, Fr-Régis (26-6-29) Af.
HUTTON, Betty (Betty Jane Thornburg) (26-2-21) U, A, R. Lauren (17-11-43) U, A.
HYACINTHE (Duflost) (1814-87) A.
IACOCCA, Lee (15-10-24) U, Af.
ICHAC, Marcel (22-10-06) R.
ICHIKAWA, Kon (20-11-15) Jap, R.
IGLESIAS, Julio (23-9-43) Es, C.
IGLÉSIS, Lazare (21-3-20) M.
IL ÉTAIT UNE FOIS : Joëlle Choupay-Morgensen (1953-82) Richard Dewitte, Serge Koolen C.
ILLERY, Pola (Paula Illescu) (1909) Ro, A.
IMAGES : Mario Ramsamy (31-10-56) J-Louis Pujade (1-10-58) Frederic Locci (8-9-62) C.
IMAÏ, Tadashi (1912-91) Jap, Af.
IMAMURA, Shôhei (15-9-26) Jap, R.
IMAN, (1957) Somalie, Man.
IMBACH, J.-Pierre (23-6-47) Pré.
IMBERT, Claude (12-11-29) J.

Ince, Thomas Haper (1882-1924) U, R.
Inconnus : Didier Bourdon (1958), Bernard Campan (1958), Pascal Légitimus (1958) Hum.
Indochine : Dimitri Bodianski (3-4-64), Dominik Nicholas (5-7-58), Nicola Sirkis (22-6-59), Stéphane Sirkis (22-6-59) C.
Ingram, James (16-2-52) U, C. Rex (1892-1950) U, R.
Inkijinoff, Valery (1895-1973) Ur, A.
Interlenghi, Franco (1931) It, A.
Ionesco, Eugène (26-11-12) Au.
Ireland, Jill (1936-90) GB, A. John (Ca, 1914-92) U, A.
Iribe, Paul (1883-1935) Des.
Irons, Jeremy (19-9-48) GB, A.
Irving, Henry (John Heary Brodribb) (1838-1905) GB, A.
Isker, Abdel (11-12-20) R, T.
Isorni, Jacques (3-7-11) Av, Au.
Ito, Keito (n.c.) Jap, A.
Ivens, Joris (1898-1989) P.-Bas, R.
Ivernel, Daniel (3-6-20) A.
Ivory, James (1928) U, R.
Izard, Christophe (30-5-37) A.
Jabor, Arnaldo (1940) Br, R.
Jackson, Glenda (9-5-36) GB, A. Janet (16-5-66) U, C. Joe (11-8-55) U, C., Cp. Michael (29-8-58) U, C.
Jacky (Jakubowicz) (1948) Pr, T.
Jacno, Marcel (1905-1989) Des.
Jacob, Irène (n.c.) A. Odile (1954) Af. Yvon (12-6-42) Af.
Jacobson, Ulla (1929-82) Suè, A.
Jacquemart, Noël (1909-90) J.
Jacques (Les Frères) : André (1914) et Georges Bellec (1918) François Soubeyran (1919-80) Paul Tourenne (1923) C.
Jacquet Francillon, Jacques (1927-90) J.
Jade, Claude (8-10-48) A.
Jaeckin, Just (8-8-40) Au, R.
Jaffre, Philippe (2-3-45) Af.
Jagger, Mick (26-7-43) GB, C.
Jaigu, Yves (6-1-24) T, Ra.
Jaïro (Mario Pierotti) (1953) Arg, C.
Jakubisko, Juraj (1938) Tc, R.
James, John (18-4-56) U, A.
Jamet, Dominique (16-2-36) J.
Jammes, Jean-Claude (4-11-36) Af.
Jammot, Armand (4-4-22) Pr.
Jamois, Marguerite (1901-64) A.
Jancsó, Miklós (27-9-21) Ho, R.
Janes, Charles (1906-78) U, Cou.
Janin, François (1935) J, T.
Jannings, Emil (Theodor Emil Janenz) (1884-1950) All, A.
Jannot, Véronique (1957) A.
Jansen, Pierre (28-2-30) Cp.
Janssen, Claude (1-10-30) Af.
Jaoui, Agnès (n.c.) A.
Japrisot, Sébastien (J.-Baptiste Rossi) (1931) R.
Jaque-Catelain (1897-1964) A.
Jaques, Brigitte (1948) M.
Jarmusch, Jim (1953) U, R.
Jarre, J.-Michel (24-8-48) Mu. Maurice (13-9-1924, son père) Cp.
Jarreau, Al (12-3-40) U, C.
Jarrosson, André (14-11-30) Af.
Jasny, Vojtach (1925) Tc, R.
Jasset, Victorin (1862-1913) R.
Jaubert, Maurice (1900-40) Cp.
Jautini, Pierre (n.c.) A.
Jean, Gloria (Schoonover) (14-4-26) U, A.
Jean-Charles (2-12-22) Ch.
Jean-Jacques (Antier) (n.c.) A.
Jeanmaire, Zizi (Renée, Mme Roland Petit) (29-4-24) A, Da, C.
Jeanneney, J.-Marcel (13-11-10) Un, Pol. Jean-Noël (2-4-42, son fils) J, Ra.
Jeanson, Henri (1900-70) S, Di.
Jeantet, Pierre (14-5-47) J.
Jefferson Airplane : Marty Balin (30-1-42) Jack Casady (13-4-44) Spencer Dryden (7-4-43) Paul Kantner (12-3-42) Jorma Kaukonen (23-12-40) Grace Slick (30-10-39) U, C.
Jenning, Humphrey (1907-50) GB, R.
Jérome, Alain (17-3-36) Pr. Claude (Cl. Dhôtel) (21-12-47) C.
Jessua, Alain (16-1-32) R.
Jethro Tull : Ian Anderson (10-8-47) Martin Barre (17-11-46), John Evan (28-3-48), Barrie-more Barlow (10-9-49), John Glascock (1951-79) GB, C.
Jett, Joan (22-9-58) U, Mu.
Jeunesse, Lucien (Jennes) (24-8-24) T.
Jewison, Norman (1926) U, M, T.
Jires, Jaromil (1935) Tc, R.
Joannon, Léo (1904-69) R.
Jobbs, Steven (1955) U.
Jobert, Marlène (4-11-43) A.
Jobs, Steve (1955) U, Af.
Joel, Billy (9-5-49) U, C.
Joffé, Alex (18-11-18) Au, R. Arthur (20-9-53) R. Roland (17-11-45) GB, R.
Joffo, Francis (n.c.) Au, M.
Joffrin, Laurent (30-6-52) J.
John, Elton (Reginald Dwight) (25-3-47) GB, C, Cp.
Johnson, Ben (13-6-18) U, R. Celia (1908-82) GB, A. Nunnally (1897-1977) U, S, R, Pr Van (25-8-16) U, A.
Jolivet, Anne (Mme Gilles Dreu) (1947) A. Marc (1951) Ch. Pierre (1952) Ch, R.
Jollès, Georges (29-1-38) Af.
Jolson, Al (Asa Yoelson) (Ru, 1886-1950) U, A.
Joly, Sylvie (18-10-34) A.
Jonasz, Michel (21-1-47) C.
Jones, Brian (1942-69) GB, C. Chuck (Charles-Martin Chuck) (1-9-12) U, Dés, R. Grace (19-5-52) U, C. *Jennifer* (Phyllis Isley) (2-3-19) U, A. Paul (24-2-42) GB, C, A. Shirley (31-3-34) U, A. Tom (Thomas Jones Woodward) (7-6-40) GB, C.
Jonquart, Jimmy (3-9-40) J.
Joplin, Janis (1943-70) U, C.
Jordan, Frankie (1941) GB, C.
Josèphe, Pascal (20-11-54) Af.
Josephsson, Erland (1923) Suè, A.
Jossot, Gustave-Henri (1866-1950) Des.
Jouanneau, Jacques (1926) A.
Jouanet, Marie-Pierre (n.c.) An, Ra.
Joubert, Jacqueline (Pierre, Mme Ph. Lagier) (29-3-21) An.
Joulin, Jean-Pierre (19-10-33) J.
Jourdan, Catherine (12-10-48) A. *Louis* (Pierre Gendre) (16-6-19) A.
Jouve, Géraud (1901-91) J.
Jouven, Claude (10-3-40) Af.
Jouvet, Louis (1887-1951) A, M.
Jouvin, Georges (1923) Mu.
Joyeux, Maurice (1910-91) Au. *Odette* (Mme Philippe Agostini) (5-12-14) A, S.
Jugert, Rudolph (1907-79) All, R.
Jugnot, Gérard (4-5-51) A, R.
Juillet, Pierre (22-7-21) Av, Pt.
Juin, Hubert (1926-87) Be, Au, J.
Julie (Julie Pietri) (1-5-57) An.
Julien, Pauline (1928) Ca, C.
Jullian, Marcel (31-1-22) Av, Éd.
July, Serge (27-12-42) J.
Jurgens, Curd (1912-82) All., A.
Justice, James Robertson (1905-75) GB, A.
Jutra, Claude (1930-87) Ca, R.
Juvet, Patrick (Su, 21-8-50) C.
Kaas, Patricia (5-12-66) C.
Kacel, Karim (1959) C.
Kachyna, Karel (1-5-24) Tc, R.
Kadar, Jan (1918-79) Tc, R.
Kader, Cheb (1966) Maroc, C.
Kahn, Gilbert (28-3-38) Pr. J.-François (12-6-38) J.
Kahnweiler, Daniel Henry (1884-1979) All, Af. Gustav (1895-1989) All, Coll.
Kalatozov, Mikhaïl (1903-73) Ur, R.
Kalfon, Jean-Pierre (1938) A.
Kalin, Twins (Harold, Herbie, 16-2-39) U, C.
Kalsoum, Oum (1898-1975) Ég, C.
Kamenka, Alex. (1888-1969) Pr.
Kampf, Serge (1935) Af.
Kanevski, Vitali (n.c.) Ru, R.
Kanin, Garson (24-11-12) U, S, R.
Kaplan, Nelly (11-4-36) M, Au.
Kapoor, Raj (1924-88) Indien, R.
Kapriski, Valérie (Cherès) (1962) A.
Karajan, Herbert von (1908-89) All Chef d'Or.
Karim, Patricia (n.c.) A.
Karina, Anna (Hanne Karin Bayer) (Dan 22-9-40) A.
Karloff, *Boris* (William Pratt) (GB 1887-1969) U, A.
Karmen, Roman (1906-78) Ur, R.
Karmitz, Marin (1938) Ro, R.
Karyo, Tchéky (1953) A.
Kashoggi, Adnan (1933) Ar, Sa, Af.
Kassav : Jocelyn Béroard (12-9-54) C.
Kast, Pierre (1920-84) R.
Kaufmann, Boris (1906-80) Ur, Op.
Kauffmann, Jean-Paul (1944) J.
Kautner, Helmut (1908-80) All, R.
Kawabuko, Rei (1943) Jap, Cou.
Kawalerowicz, Jerzy (1922) Pol, R.
Kay, Harold (Kyzanowski) (1926-90) Ra.
Kaye, Danny (David Daniel Kaminsky) (1913-87) U, A.
Kazan, Alexandra (n.c.) Pré. *Elia* (Kazanjoglous) (7-9-09) U, R.
Keach, Stacy (1941) U, A.
Kean, Edmund (1787-1833) GB, A.
Keaton, Buster (Joseph Francis) (1895-1966) U, A, R. Diane (Hall) (5-1-46) U, A.
Kedia, Guy (1935) J, Ra.
Kedrova, Lila (1918) A.
Keel, Howard (Leck), (13-4-17) U, A.
Keeler, Ruby (Ca, 1909-93) U, A.
Keïta, Salif (n.c.) Mali, C.
Keitel, Harvey (1947) U, A.
Kelber, Michel (1908) Op.
Keller, Marthe (28-1-45) A.
Kelly, Chantal (Bassignani) (8-4-50) C. *Gene* (23-8-12) U, A, R, Da. Grace, P^{cesse} de Monaco (1929-82) U, A. Martine (1945) A. Patrick (n.c.-90) U, Cou. Paul (1899-1956) U, A.
Kemoularia, Claude de (30-3-22) Dip.
Kendall, Kay (Justine McCarthy) (1926-59) GB, A.
Kennedy, Arthur (1914-90) U, A. Burt (1923) U, R.
Kenzo (Tanaka) (1940) Jap, Cou.
Kerchbron, Jean (24-6-24) R, M.
Kercheval, Ken (15-7-35) U, A.
Kerleroux, J.-Marie (1936) Des.
Kermadec, Liliane de (1928) R.
Kerr, Deborah (Kerr-Trimmer) (Éc 30-9-21) GB, A.
Kersauson, Olivier de (20-7-44) navigateur, Ra.
Ketty, Rina (Pichetto) (1911) It, C.
Khanh, Emmanuelle (Renée Nguyen) (12-9-37) Cou.
Kid Creole (August Darnell) (12-8-51) U, C.
Kidder, Margot (17-10-48) U, A.
Kieffer, Tina (7-11-59) J.
Kiejman, Georges (12-8-32) Av.
Kiepura, Jan (1902-66) Pe, Ch.
Killian, Conrad (1898-1950) Af.
King, B.B. (Riley B. King) (16-9-25) U, C.
King, Charles Glen (1897-1988) U, Nutritionniste. *Henri* (1896-1982) U, R.
Kinks [Ray Davies (21-6-44), Dave Davies (3-2-47), Mike Avery (15-2-44), Pete Quaife (31-12-43)] GB, C.
Kinski, Nastassja (Nakszynski) (24-1-61) All, A. Klaus (Nikolaus Nakszynski) (1926-91) A.
Kinugasa, Teinosuke (1896-1982) Jap, R.
Kirsanoff, Dimitri (1899-1957) R.
Kishi, Keiko (1932) Jap, A.
Kitt, Eartha (26-1-28) U, A, C.
Kjellin, Alf (1920-88) Sué, A.
Klein, Calvin (1942) U, Cou. Gérard (1942) Ra.
Klein-Rogge, Rudolf (1889-1955) All, A.
Kleiser, Rondal (20-7-46) U, R.
Kluge, Alexander (1932) All, R.
Knapp, Hubert (1924) S, T.
Knef, Hildegard (Neff) (1925) All, A.
Kobayashi, Masaki (4-2-16) Jap, Op, R.
Koch (ou Cook), Marianne (1930) All, A.
Kochno, Boris (1904-90) Ur, Au.
Kohler, Pierre (n.c.) R.
Kojak (Telly Savalas) (21-1-25) U, A.
Koltès, Bern-Marie (1948-89) A.
Konk (Laurent Fabre) (1944) Des.
Kool and the Gang (Robert « Kool » Bell) (8-10-50).
Kooper, Al (5-2-44) U, Mu, C.
Korber, Serge (1-2-36) R.
Korda, Sir Alexander (Sandar Laszlo Korda) (Ho, 1893-1956) GB, Pr, R. Zoltan (Ho, 1895-1961) U, R.
Korene, Vera (Koretzky) (1901) A.
Kosa, Ferenc (1937) Ho, R.
Koscina, Sylvana (Youg, 22-8-33) It, A.
Kosintsev, Grigori (1905-73) Ur, R.
Kosma, Joseph (Ho, 1905-69) Cp.
Koster, Henry (Hermann Kosterlitz) (1905-88) U, R.
Koulechov, Lev (1899-1970) Ur, R.
Kramer, Stanley (29-9-13) U, Pr, R.
Krasker, Robert (1913) GB, Op.
Krauss, Alain (1943) J, R. Werner (1884-1959), All, A.
Krawczyk, Gérard (1953) R.
Kreicher, Roger (11-3-25) Ra.
Krief, Bernard (26-10-31) Af.
Kriegel, Annie (9-9-26) J.
Krier, Jacques (1927) Pr, T.
Kristel, Silvia (28-9-52) A.
Krivine, Alain (10-7-41) Po. Emmanuel (7-5-47) Mu.
Kruger, Hardy (1928) All, A. Jules (1891-1959) Op.
Krumbachova, Ester (1923) Tch, R.
Krupp, Alfred (1812-87) Al, Af.
Kubnick, Henri (1912-91) Au, Pr.
Kubrick, Stanley (26-7-28) U, R.
Kümel, Harry (1940) Be, R.
Kuramata, Shiro (1934-91) Jap, Déc.
Kurosawa, Akira (23-3-10) Jap, R.
Kyo, Machiko (1924) Jap, A.
Laage, Barbara (Claire Colombat) (1925-88) A.
Labori, Fernand (1860-1917) Au.
Laborit, Emmanuelle (1973) A.
Laborne, Daniel († 1990) Des.
Labourasse, Guy (1927) R, T.
La Bouillerie, Augustin de (11-2-36) Af.
Labourdette, Elina (1919) A.
Labourier, Dominique (1947) A.
Labro, Françoise (1944) J. Maurice (1911-87) M.
Labro, Philippe (27-8-36) J, R.
Labrousse, Ernest (1895-1988) Hist.
Labrusse, Bertrand (7-6-31) Af.
Lacan, Bernard (22-10-37) Af.
Lachens, Catherine (n.c.) A.
Lachmann, Henri (13-9-38) Af.
Lacombe, Alain (1948-92) J, Au. Georges (1902) R, T.
Lacroix, Christian (16-5-51) Styliste. Jean (1922) Ch, S.
Ladd, Alan (1913-64) U, A.
Ladreit de La Charrière, Marc (6-11-40) Af.
Laemmle, Carl (1867-1939) U, Pr.
Laffin, Dominique (1952-85) A.
Laffon, Yolande (1895-1992) A.
Laffont, Patrice (1939) Pré, T. Pierre (1913-92) J. Robert (30-11-16) Éd.
Lafforgue, René-Louis (1928-67) Au, Cp.
Lafont, Bernadette (28-10-38) A. J.-Loup (1940) An. Pauline (1963-88) A. Pierre (1801-73) A.
Laforêt, Marie (Maïtena Doumenach) (5-10-39) A, C.
Laforet, Pierre (1927) R, T.
La Fournière, Xavier de (1927-93) Af.
La Fressange, Inès de (11-8-57) 1,81 m, Man.
Lagaf (Rouil Vincent 1959) Hum.
Lagarde, Jean (19-3-20).
Lagardère, Jacques (5-7-37) ing. J.-Luc (10-2-28) Af.
Lagayette, Philippe (16-5-43) Af.
La Genière, Renaud de (1925-90) Af.
Lagerfeld, Karl (1939) All, Cou.
La Grange, François de (1920-76) J. Marlyse de (1934-92) J, Pr.
Lagrange, Louise (1899-1979) A. Valérie (Danielle Charaudeau) (25-2-42) A.
Lahaye, J-Luc (23-12-55) C.
Lai, Francis (26-4-32) Cp.
Laine, Frankie (Lo Vecchio) (30-3-13) U, C.
Laing, Hugh (Hugh Skinner) (1911-88) GB, Da.
Lair, Chantal (n.c.) J, R.
Lajarrige, Bernard de (1912) A.
Lake, Veronica (Constance Ockleman) (1919-73) U, A.
Lalanne, Francis (8-8-58) C.
Lalique, Suzanne (1892-1989) Déc.
Lalou, Étienne (1918) J, Pr, Pré.
Lama, Serge (Chauvier, 11-2-43) C.
Lamarr, Hedy (Hedwig Kiesler) (Aut 11-9-14) U, A.
Lamas, Fernando (1915-82) A.
Lambert, Christophe (29-3-57) A.
Lamborghini, Ferruccio (1916-93) It, Af.

Lambotte, Janine (1929) Be, J, T.
Lamorisse, Albert (1922-70) R.
Lamotte, Martin (1952) A.
Lamour, Dorothy (Kaumeyer) (10-12-14) U, A. Philippe (1903-92) Av, J.
Lamoureux, Robert (4-1-20) A, Au.
Lampin, Georges (Ru, 1901-79) R.
Lamy, André (31-10-62) Hum.
Lancaster, Burt (2-11-13) U, A.
Lancelot, Jacques (1938) Mu. Michel (1938-84) Ra.
Lanchester, Elsa (Elizabeth Sullivon), (1902-86) GB, A.
Lanciaux, Concetta (1943) It, Af.
Landi, Michel (1932) Des.
Landis, Carole (Frances Lillian Ridste), (1919-48) U, A.
Landon, Michael (1937-91) U, A.
Lang, Fritz (Aut, 1890-1976) All, R. Georges (1947) An. Michel (1939) R. Valérie (n.c.) A.
Langaney, André (3-12-42) Au.
Langdon, Harry (1884-1944) U, A, R.
Lange, Élise (Anne) (1772-1825) A. Jessica (20-4-49) U, A.
Langeais, Cath. (M-Louise Sabbagh, née Terrasse) (9-8-23) An.
Langlois, Henri (1914-77) Dir.
Langlois-Glandier, Janine (16-5-39) T, Af.
Langlois-Meurinne, Christian (1-6-32) Af.
Lanier, Lucien (16-10-19) Préfet, Sén.
Lannes, Jean-Pierre (2-8-36) T.
Lanoux, Victor (18-6-36) A.
Lantier, Jack (André de Meyer) (9-1-30) C.
Lanvin, Gérard (21-6-50) A.
Lanvin, Jeanne (1867-1946) Cou.
Lanza, Mario (Alfredo Cocozza) (It 1921-59) U, C.
Lanzac, Roger (11-4-20) Pré, T.
Lanzi, Jean (1934) J.
Lanzmann, Claude (27-11-25) Au, R.
Lap (Jacques Laplaine) (1921-87) Des.
La Patellière, Denys de (8-3-21) R.
Lapautre, René (11-10-30) Af.
Lapidus, Olivier (1959) Cou.
Lapidus, Ted (23-6-29) Cou.
La Plante, Laura (1-11-04) U, A.
Lapointe, Bobby (1922-72) C.
Lapoujade, Robert (1921-93) Pe, Cin.
Lara, Catherine (29-5-45) C.
Larcher, André (1904-90) J.
Larère, Xavier (12-6-33) C. d'E.
La reynière, Alexandre Grimod de (1758-1838) Au. (Robert Courtine) (16-5-1910) J.
Laroche, Guy (1921-89) Cou.
La Rocque, Rod (Roderick la Rocque de la Rour) (1896-1969) U, A.
Larosière, Jacques de (12-11-29) Insp. Fin.
Larquey, Pierre (1884-1962) A.
Larriaga, Gilbert (1926) Pr. T.
Larrivoire, J.-Claude (n.c.) J.
Lartigue, Jacques-Henri (1894-1986) Ph.
Laspalès, Régis (n.c.) Hum.
Lassagne (1819-63) A.
Lassalle, Jacques (6-7-36) Au, M.
Lasso, Gloria (Esp. 1928) C.
Laszlo, Andy (1926) U, Pr.
La Taille, Emmanuel de (16-7-32) J. Renaud de (1934) J.
Lathière, Bernard (4-3-29) Af.
Latifah, Gueen (1971) U, C.
Lattès, Robert (13-12-27) Af, Au. J-Claude (1941) Éd.
Lattuada, Alberto (3-11-14) It, R.
Laudenbach, Roland (1921-91) Éd.
Lauder, Harry (1870-1950) GB, A.
Laughton, Charles (1899-1962) GB, A.
Launois, André (25-5-33) Af.
Lauper, Cyndi (22-6-53) U, C.
Laure, Carole (1948) Ca, A, C. Odette (Dhommée) (1917) A.
Lauré, Maurice (14-11-17) Insp. Fin.
Laurel, Stan (Jefferson) (1890-1965) U, A.
Laurens, André (7-12-34) J. Rose (4-3-53) C. Vic (Victor-Laurent Darpa) (1945) C.
Laurent, Hervé (n.c.) R. Rémy (1957-89) A. Jeanne (1903-90) Th.
Laurentiis (de), Dino Laurentin (Père) René (19-10-17) J. (1919) It, Pr.
Laurie, Piper (Rosetta Jacobs), (22-1-32) U, A.
Lautner, Georges (24-1-26) R.
Lauzier, Gérard (1932) R, Hum.
Laval, J.-Claude (1951) Pré, Ra.
Lavalette, Bernard (de Fleury) (20-1-26) A, Ch.
Lavallière, Ève (1866-1929) A.
Lavanant, Dom. (24-3-44) A.
Lavandeyra, Eric de (1-3-48) Af.
Lavaudant, Georges (n.c.) R.
Lavelli, Jorge (1931) M.
Lavil, Philippe (26-9-47) C.
Lavila, Patricia (La Villa, Mme D. Alexandre Winter) (1957) C.
Laville, Jean-André (1937) Des.
Lavilliers, Bernard (7-10-46) C.
Lavoie, Daniel (17-3-49) Ca, C.
Lavoine, Marc (6-8-62) C.
Lawford, Peter (1923-84) GB, A.
Lawrence, Lee (n.c.) U, C.
Laydu, Claude (Be 1927) A, Pr.
Layne, Patti (31-1-58) Ca, C.
Lazareff, Hélène (Gordon) (1910-88) Jo. Pierre (1907-72) J, Pr, T.
Lazitch, Branko (n.c.) J.
Lazlo, Viktor (7-10-60) C.
Lazure, Gabrielle (28-4-57) Ca, A.
Lazurick, Francine (1909-90) J.
Lean, David (1908-91) GB, R.
Leander, Zarah (1907-81) Suè, A.
Leandre, Charles (1862-1934) Des.
Lear, Amanda (n.c.) U, C, Pré, T.
Léaud, Jean-Pierre (5-5-44) A.
Lebacqz, Albert (29-7-24) J.
Lebail, Christine (1947) C.
Le Baillif, Pierre (1957-89) Th.
Le Bargy, Charles (1858-1936) A.
Le Barzic, Jean-Yves (11-6-47) Af.
Lebas, Renée (1917) A, C.
Leblanc, Hugues (1934) Af.
Le Boucher, Monette (n.c.) T.
Le Boulleur de Courlon, Yves (1917) Cou.
Lebovici, Gérard (1932-84) Pr.
Lebrun, Danielle (24-7-37) A.
Lecerf, Olivier (2-8-29) Af.
Le Chanois, Jean-Paul (Dreyfus) (1909-85) R.
Leclerc, André (1903) J, Pr. Édouard (20-11-26) Af, Dist. Évelyne (11-7-51) Pré. Félix (1914-88) Ca, C, Cp. *Ginette* (Geneviève Menu) (1912-92) A. Marcel (14-8-21) J. Michel (1952) Af.
Lecoanet, Didier (1955) Cou.
Leconte, Patrice (1947) R.
Lecoq, Yves (4-5-46) Imit.
Lecourtois, Daniel (1902-85) A.
Lecouvreur, Adrienne (Couvreur) (1692-1730) A.
Lederman, Paul (2-5-40) Pr.
Ledoux, Fernand (24-1-1897) A. Jacques (1921-88) Be, Cons.
Ledroit, Henri (1946-88) C.
Ledru, Michel (13-2-35) Af.
Led Zeppelin : John Bonham (1948-80) John Paul Jones (3-6-46) Jimmy Page (9-1-44) Robert Plant (20-8-48) GB, C.
Lee, Belinda (1935-61) GB, A. Brenda (Tarpley) (11-12-44) U, A, C. Bruce (1940-73) U, A. Christopher (Ch. Franck Carandini Lee) (27-5-22) U, A. Spike (20-3-57) U, R.
Leeb, Michel (23-4-47) Ch.
Leenhardt, Arnaud (16-04-29) Af. *Roger* (1903-85) R, Pr, Cr.
Lefaur, André (1879-1952) A.
Lefébure, Anne (n.c.) Sp.
Lefebvre, Jean (3-10-22) A. J.-Pierre (1942) Ca, R.
Lefèvre, Jean (8-3-22) Rep. René (1898-1991) A.
Le Floch-Prigent, Loïk (21-9-43) Af.
Le Forestier, Maxime (10-2-49) C, Cp.
Lefort, Bernard (29-7-22) Adm.
Le Gendre, Gilles (1960) J.
Legrand, Michel (24-2-32) Cp, C. Raymond (1908-74) Au, Cp. Renée (1935) Sp.
Legras, Jacques (n.c.) A.
Legris, Jacques (1919-88) Pr.
Legros, Fernand (1931-83) Coll.
Lehmann, Maurice (1895-1974) Mu.
Leigh, Janet (Jeanette Morrison) (6-7-27) U, A. *Vivien* (Hartley) (1913-67) GB, A.
Leighton, Margareth (1922-76) GB, A.
Leisen, Mitchell (1898-1972) U, R.
Leitao de Barros, José (1896) Port, R.
Lekain, Esther (1870-1960) A, C. Henri Louis Cain (1729-78) A.
Le Lay, Patrick (7-6-42) Af.
Le Lionnais, François (1901-84) Ing.
Lelong, Lucien (1889-1958) Cou.
Lelouch, Claude (30-10-37) R.
Le Luron, Thierry (1952-86) A, Ch.
Lemaire, Francis (n.c.) Be, A. Georgette (15-2-43) C. Philippe (1927) A.
Lemarchand, Jacques (1908-44) J. François (19-1-48) Af.
Lemarque, Francis (Korb) (25-11-17) Mu, C.
Lemas, André (15-4-29) J, Ra.
Le Ménager, Yves (1926) R.
Lemercier, Valérie (n.c.) A.
Lemeret, Claudine (1937) Sp.
Lemmon, Jack (8-2-25) U, A.
Le Moal, René (12-12-34) J.
Lemoine, Annie (n.c.) J. Claude (21-4-32) T. François (13-6-43) J, Au.
Lemonnier, Meg (Marguerite Clark) (1908-88) U, A.
Lempereur, Albert (1902) Cou.
Lempicka, Lolita (n.c.) Cou.
Leni, Paul (1885-1929) All, R.
Lenica, Jan (1928) Pol, R.
Lennon, John (1940-80) GB, C.
Lennox, Annie (1954) GB, C.
Lenoir, Bernard (n.c.) J, Ra.
Lenorman, Gérard (9-2-45) C.
Lenôtre, Gaston (28-5-20) Pâtissier.
Leny, Jean-Claude (4-12-28) Af.
Léonard, Herbert (Hubert Loenhard) (25-2-47) C. Robert Z (1889-1968) U, R.
Leone, Sergio (1929-89) It, R.
Leontief, Wassily (1906) U, Eco.
Léotard, François (26-3-42) Po. *Philippe* (28-8-40, son frère) A.
Lepage, Serge (1936) Cou.
Le Pen, Jean-Marie (20-6-28) Po.
Lepers, Julien (1951) An, Ra.
Le Person, Paul (n.c.) A.
Le Poulain, Corinne (Mme Duchaussoy), (26-5-48) A. Jean (1924-88) A.
Leprettre, Raoul (1913-91) Af.
Leroy, Georges (Claude Topakian) (16-4-31) J. Mervyn (1900-87) U, R. Patrick (6-9-49) Af. Roland (4-5-26) J.
Leroy-Beaulieu, Philippine (n.c.) A.
Le Royer, Michel (1932) A.
Le Sache, Bernadette (n.c.) A.
Lesaffre, Roland (26-6-27) A.
Lesann, Joseph (n.c.) J, T.
Lescure, Emmanuel (20-11-29) Af. Pierre (1945) J.
Lesieur, Patricia (n.c.) Pré., T.
Lesne, Louis (29-8-22) Af.
Lesourne, Jacques (26-12-28) Au.
Lesser, Gilbert († 1990) U, Des.
Lessertisseur, Guy (1927) R.
Lester, Richard (1932) GB, R.
Lesueur, François (1820-76) A.
Leterrier, François (1929) M.
Letertre, Jacques (30-10-56) Af.
Leulliot, J-Michel (1938) J.
Levaï, Ivan (1937) Pré, Ra, J.
Levasseur, André (18-8-27) Déc.
Léveillée, Claude (1932) Ca, C.
Level, Charles (1943) C.
Leven, Édouard (22-1-07) Af. Gustave (7-3-14, son frère) Af.
Lévêque, J.-Maxime (9-9-23) Bq.
Levesque, Marcel (1877-1962) A.
Lévesque, Raymond (1928) Ca, C, Cp.
Le Vigan, Robert (Coquillaud) (1900-72) A.
Lévy, Catherine (24-2-47) J, T. Jean (9-11-32) Af. Maurice (7-7-22) Sc. Maurice (1942) Af, Pu. Raoul (Be 1922-66) Pr. Raymond (28-6-27) Af.
Lévy-Lang, André (26-11-37) Bq.
Lewis, Jerry (Joseph Levitch) (16-3-26) U, A, R. Jerry Lee (29-9-35) U, C. Mel († 1990) Mu.
Leymergie, William (4-2-47) J.
L'Herbier, Marcel (1888-1979) R.
Lhermitte, Thierry (24-11-57) A.
Lhoste, Pierre (1913) J, Ra.
Lhote, Henri (1903-91) Et.
Lichine, Alexis (1914-89) Au, Rest.
Liebeneiner, Wolfgang (1905-87) All, A, M.
Lifar, Serge (1905-86) or. ru, Da.
Ligen, Pierre-Yves (30-11-37).
Ligier, Pierre (1797-1872) A.
Lignac, Gérard (18-1-28) J, Af.
Lignel, J.-Charles (21-11-42) Af.
Linder, Max (Gabriel Leuvielle) (1883-1925) A, R.
Lindfors, Viveca (29-12-20) Sué, A.
Lindon, Vincent (n.c.) A.
Lindtberg, Léopold (1902-84) Su, R.
Lio (17-6-63) C.
Lion, Bernard (23-3-39) R, T. Margo (1904-89) A. Robert (28-7-34) Insp. Fin.
Lions, Jacques-Louis (2-5-28) Un.
Lipsik, Frank (1943) An, Ra.
Lisi, Virna (Pieralisi) (8-9-37) It, A.
Little Tich (Harry Relph) (1868-1928) GB, A.
Littleton, John (1930) U, C.
Litvak, Anatole (Ru 1902-74) U, R.
Livi, Jean-Louis (29-1-41) Pr.
Livio, Antoine (n.c.) Su, J, Ra, Au.
Lizzani, Carlo (1917) It, R.
Lloyd, Frank (GB 1886-1960) U, R. *Harold* (1893-1971) U, A, Pr.
Loach, Kenneth (17-6-36) GB, R.
Lob, Jacques (Loeb) († 1990) Des.
Lochy, Claude (1931-91) A.
Lockwood, Margareth (Margaret Day) (1916-90) GB, A.
Loeb, Caroline (5-10-55) C.
Loew, Marcus (1870-1927) U, Pr.
Loewy, Raymond (1893-1986) Ing.
Logan, Joshua (1908-88) U, R.
Loiseau, Yves (6-4-43) J, Ra.
Lollobrigida, Gina (4-7-27) It, A.
Lombard, Carole (Jane Peters) (1908-42) U, A. Paul (17-2-27) Av.
Lomnicki, Tadeusz (1928-92) Pol, M.
Long, Marceau (22-4-26) Af.
Long-Chris (Christian Blondiour) (1943) C.
Lonsdale, Michael (24-5-31) A.
Lopez, Francis (1916) Cp, Pr. Trini (5-12-37) U, C.
Lord, Jack (John Joseph Ryan) (30-12-30) U, A.
Loren, Sophia (Scicoloné) (20-9-34) It, A.
Lorentz, Francis (22-5-42) Af.
Lorenz, Konrad (1904-89) All, Physiologie. Paul (1904-90) Av.
Lorenzi, Stellio (1921-90) M, R.
Lorre, Peter (Laszlo Loewenstein) (1904-64) All, A.
Lorsac, Olivier (n.c.) Ra.
Lortat-Jacob, Jean-Louis (1908-92) Méd.
Lory, Sabrina (1956) T, C.
Losey, Joseph (Walton Losey) (1909-84) U, R.
Lotar, Éli (1905-69) Op.
Louiguy (Louis Guglielmi) (Barcelone, 1916-9) Cp.
Louis, Pierre (Amourdedieu) (1917-87) Com. Roger (1925-82) J. Victor (1928-92) Ur, J.
Louise, Anita (Fremault) (1915-70) U, A.
Louka, Paul (1936) Be, C.
Louki, Pierre (Varenne) (1926) C.
Loup, J.-Jacques (1936) Des.
Lourau, Georges (1898-1974) Pr.
Lourie, Eugène (1905-91) Déc cin.
Loursais, Claude (Crautelle) (1919-88) R, T.
Loussier, Jacques (1934) Cp.
Louvier, Nicole (1933) C.
Love, Bessie (Juanita Horton) (1898-1986) U, A.
Loy, Myrna (Williams) (1905) U, A.
Lualdi, Antonella (6-7-31) It, A.
Lubin, Germaine (1890-79).
Lubitsch, Ernst (All, 1892-1947) U, R.
Lucas, Alain (n.c.) J, T, *George* (14-5-44) U, R. Patrick (6-3-39) Af.
Luccioni, Micheline (1930-92) A.
Luce, Clare Booth (1903-87) U, J, Dip.
Lucet, Élise (n.c.) J.
Luchaire, Corinne (1921-50) A.
Luchini, Fabrice (1948) A.
Lucot, René (1908) R, T.
Lugné-Poe (Aurélien-Marie) (1869-1940) A.
Lugosi, Bela (Blasko) (1882-1956) Ho, A.
Luguet, André (1892-1979) A.
Luka, Madeleine (1894-1989) Des.
Lukas, Paul (Pal Lukacs) (1891-1971) U, A.
Lulli, Folco (1912-70) It, A.
Lumet, Sidney (25-6-24) U, R.
Lumière, Auguste (1862-1954) Inv, R. Jean (Anezin) (1905-79) C. Louis (1864-1948) Inv, R.
Lunts (The), Alfred (1893-1977) Lynn Fontanne (1887) U, A.
Lupasco, Stéphane (1900-88) Ro, Phi.

LUPINO, Ida (4-2-18) GB, A.
LUPU-PICK (1880-1931) All, or. ro, R, A.
LUSSATO, Bruno (25-11-32) Ens.
LUX, Guy (21-6-20) Pr, An, T.
LYNCH, David (1946) U, R.
LYON, Ben (1901-79) U, A.
LYONS, Sir Joseph (1848-1917) GB, Af.
LYSÈS, Charlotte (1877-1956) A.
LYSSY, Rolf (1936) Su, R.
MACAIGNE, Pierre (1920) J.
MAC AVOY, May (18-9-01) U, A.
MAC CALLUM, David (19-9-33) Éc., A.
MAC CAREY, Leo (1898-1969) U, R.
MAC CARTNEY, Paul (18-6-42) GB, C.
MAC CAY, Winsor (1869-1934) U, Des, R.
MAC CORMACK, Mark (6-11-30) U, Af.
MAC CRAKEN, James (1927-88) U, C.
MAC CREA, Joël (5-11-07) U, A.
MAC DONALD, Jeannette (1907-65) U, A, C.
MAC DOWALL, Roddy (17-9-28) GB, A.
MAC DOWELL, Malcolm (Taylor) (19-6-43) GB, A.
MAC GHEE, Howard (1918-87) U, Mu.
MAC GILLIS, Kelly (1958) U, A.
MAC GRAW, Alice (1938) U, A.
MAC GREGOR, Chris (1936-90) Afr, S, Cp.
MAC GUIRE, Barry (1935) U, C. Dorothy (14-6-19) U, A.
MACHATY, Gustave (1901-63) Tc, R.
MACKENDRICK, Alexander (U 1912) GB, R.
MAC LAGLEN, Andrew (1920) U, R. Victor (1886-1959) U, or. irl, A.
MAC LAINE, Shirley (Maclean Beaty) (24-4-34) U, A.
MAC LAREN, Norman (1914-87) Ca, R.
MAC LAUGHLIN, John (4-1-42) GB, G.
MAC LEOD, Norman (1898-1964) U, R.
MAC MAHON, William (1908-88) Aus, Po.
MAC MURRAY, Fred (1908-91) U, A.
MAC-NAB, Maurice (1856-89) Ch.
MACPHERSON, Elle (29-3-64) Aus, Man (1,83 m, 92-61-92).
MAC QUEEN, Steve (1930-80) U, A.
MAC RAE, Gordon (1921-86) U, A.
MACCARI, Ruggero (1919-1989) It, S.
MACCIONE, Aldo (1935) It, A.
MACÉ, Gabriel (n.c.-90) J.
MACIAS, Enrico (Gaston Ghrenassia) (Constantine 11-12-38) C.
MACISTE (Bartolomeo Pagano) (1878-1947) It, A.
MACK, Walter (n.c.-90) U, Af.
MADER, Jean-Pierre (21-6-55) C.
MADNESS [Mike Barson (21-4-58), Mark Bedford (24-8-61), Chris Foreman (8-8-58), Carl Smyth (14-1-59), Graham Mac Pherson (13-1-61), Lee Thompson (13-1-61), Dan Woodgate (19-10-60)] GB, C.
MADONNA (Blanche, Louise, Ciccone Neige), (16-8-58) U, C, A.
MAEGHT, Adrien (17-3-30) Éd. Aimé (1906-81) Coll, Mécène.
MAFFÉI, Claire (1924) A.
MAGDANE, Roland (3-7-49) Hum.
MAGNANI, Anna (1908-73) It, A.
MAGNI, Luigi (1928) It, R.
MAGNIER, Claude (1920) Au.
MAGNY, Colette (1926) C.
MAGRE, Judith (n.c.) A.
MAHAL, Taj (1942) U, Mu, C.
MAHÉ, René (24-6-26) J, Af.
MAHEU, Jean (24-1-31) Af.
MAHLER, Alma (Schindler) († 1964) Aut, Mu, Cp. Anna (1904-88) Scul.
MAHUZIER, Albert (1912-81) J.
MAILLAN, Jacqueline (1923-92) A.
MAINBOCHER (1890-1974) U, Cou.
MAIRESSE, Valérie (8-6-55) A.
MAÏS, Suzet (1907) A.
MAISONNEUVE, François de La (1934) J.
MAISONROUGE, Jacques (20-9-24) Af.
MAISTRE, François (1925) A.
MAITENAZ, Bernard (29-9-26) Af.
MAJAX, Gérard (1943) J, T.
MAJORS, Lee (23-4-35) U, A.
MAJROUH, Sayd Bahodine (1933-88) Afghan, Au.
MAKAVEJEV, Dusan (1932) You, R.
MAKEBA, Myriam (4-3-32) Afr, S, C.
MAKK, Karoly (1925) Ho, R.
MALAURIE, Jean (22-12-22) Un.
MALAVOY, Christophe (21-3-52) A.
MALCLÈS, J.-Denis (15-5-12) Déc.
MALDEN, Karl (Mladen Sekulovitch) (22-3-14) U, A.
MALET, Laurent et Pierre (3-9-55) A. Philippe (5-2-25) Af.
MALEYRAN, Jacques (n.c.) R.
MALHURET, Claude (8-3-50) Méd, Po.
MALIBRAN (Maria de la Felicidad García) (Es 1808-36) C.
MALIDOR, Lisette (n.c.) A.
MALINVAUD, Edmond (25-4-23) Un.
MALKOVICH, John (9-12-54) U, A.
MALLE, Louis (30-10-32) R.
MALLORY, Michel (1941) Cp, C.
MALONE, Dorothy (Maloney) (30-1-25) U, A.
MALRAUX, André (1901-76) Au, R.
MAMÈRE, Noël (25-12-48) Pré.
MAMOULIAN, Rouben (Ru 1898-1987) U, M.
MANDELL, Daniel (1895-1987) U, Pr, Cin.
MANÈS, Gina (Blanche Moulin) (1893-89) A.
MANEVY, Alain (9-3-30) J, Ra.
MANFREDI, Nino (22-3-21) It, R.
MANGANO, Silvana (1930-89) It, A.
MANIÈRE, Jacques (1923-91) Rest.
MANITAS DE PLATA, (Ricardo Bellardo) (Sète 1921) G.
MANKIEWICZ, J.-L. (1909-93) U, R.
MANN, Anthony (Anton Bundsmann) (1906-67) U, R. Daniel (1912-91) U, R. Delbert (1920) U, R.
MANNI, Etore (1927-79) It, A.
MANO NEGRA (Manu Tchad) (n. c.) C.
MANOUKIAN, Alain (19-2-46) Cou.
MANSFIELD, Jayne (Vera Jane Palmer) (1933-67) U, A.
MANSION, Yves (9-1-51) All, Af.
MANSON, Héléna (1900) A. Jane (1-10-50) U, C.
MANTELET, *Jean* (1900-91) Af.
MANUEL, Robert (7-9-16) A.
MAPPLETHORPE, Robert (1946-89) U, Ph.
MARAIS, Jean (Villain-Marais) (11-12-13) A.
MARCEAU, Marcel (Mangel) (22-3-23) Mime. *Sophie* (Maupu) (17-11-66) A.
MARCELLE-MAURETTE (C^{esse} de Becdelièvre) (1892-1972) Au.
MARCH, Fredrich (Frederick Mc Intyre Bickel) (1897-1975) U, A. Jean (n.c.) A.
MARCHAL, Georges (Louis Lucot) (10-1-20) A.
MARCHAND, Claude (n.c.) Ra. Corinne (1931) A. Guy (22-5-37) A. Jean-Claude (n.c.) Ra.
MARCHANDISE, Christian (1950) Af. Jacques (6-7-18) Af.
MARCHAT, Jean (1902-66) A.
MARCILLAC, Raymond (1917) J.
MARCONI, Lana († 1990, or. ro.) A.
MARCUS, Claude (28-8-24) Pu. Claude (24-8-33) Expert, Po.
MARDEL, Guy (1944) C.
MARÉCHAL, Marcel (25-12-37) A.
MARGARITIS, Gilles (1912-65) R.
MARGARITIS, Hélène (n.c.-1977).
MARGERIE, Diane de (24-12-27) Au. Emmanuel de (1924-91) Dipl. Pierre (20-5-22) Af. Roland (1899-1990) Dipl.
MARGY, Lina (Marguerite Verdier) (1914-1973) C.
MARIANO, Luis (Gonzalès) (1914-70) Es, C.
MARIASSY, Félix (1919-75) Ho, R.
MARIELLE, J.-Pierre (12-4-32) A.
MARIE SÉLINE, (Esselin) (1946) A.
MARIN, Christian (1929) A. Jacques (1919) A.
MARISCHKA, Ernst (1893-1963) Aut, R.
MARJANE, Léo (Gérard) (1918) Be, C.
MARKEN, Jane (Krab) (1895-1976) A.
MARKER, Chris (Bouche-Villeneuve) (29-7-21) R.
MARKEVITCH, Igor (1912-83) Cp.
MARKS, Simon, baron (1888-1964) GB, Af.
MARLEY, Bob (1945-81) Jq, C.
MARQUAIS, Michèle (n.c.) A.
MARQUAND, Christian (1927) A.
MARQUE, Henri (9-12-26) J, T.
MARQUET, Mary (1895-1979) A.
MARS, Betty (1945-89) C. Colette (Nicole Huot ; Mme Raymond Cassier) (1916) C. Mlle (Anne Boutet) (1779-1847) A.
MARSAC, Jean (Henri Delanglade) (1894-1976) A, Ch.
MARSEILLE, Jacques (n.c.) Ens.
MARSH, Mae (1895-1968) U, A. Warne (1927-87) U, Mu.
MARSHALL, Garry (n.c.) U, M. George (1891-1975) U, M. Herbert (1890-1966) U, A. Mike (1944) A.
MARTEN, Félix (1919-92) A, C.
MARTI, Claude (Su 10-11-20) Pu.
MARTIN, Blaise (1764-1837) C.
MARTIN-CHAUFFIER, Jean (1922-87) J.
MARTIN CIRCUS : Bob Brault, Gérard Pisani, Patrick Diessch, Paul-Jean Borowski, J.-Fr. Leroy, C.
MARTIN, Dean (Dino Crocetti) (17-6-17) U, A, C. Émile (père) (1914-89) Mu. Hélène (10-12-28) C. Jacques (22-6-33) C, Pré, Au. Maryse (1905-84) A. Roger (8-4-15) Af.
MARTINELLI, Elsa (1935) It, A. Jean (1910-83) A.
MARTINET, Gilles (8-8-16) J. Amb.
MARTON, Andrew (1904-92) U, R.
MARTRE, Henri (6-2-28) Af.
MARVIN, Lee (1924-87) U, A.
MARX BROTHERS : Arthur (Harpo) (1893-1964) Julius (Groucho) (1895-1977) Léonard (Chico) (1891-1961) Herbert (Zeppo) (1901-79) Milton (Gummo) (1897-1977) U, A.
MARY, Renaud (1918) A.
MARYSE (1940) An, Ra.
MAS, Jeanne (28-2-57) C.
MASCII, Jean (It 5-7-26) Des.
MASERATI, Ettore (1894-1990) Af.
MASINA, Giulietta (22-2-21) It, A.
MASLIAH, Laurence (n.c.) A.
MASON, Dave (n.c.) GB, Mu, G. *James* (1909-84) GB, A. Marsha (4-3-42) A.
MASSARI, Lea (Anna-Maria Massatini) (30-6-33) It, A.
MASSART, Olivier (1-9-44) M.
MASSÉ, Pierre (1898-1987) Ht Fonct.
MASSEY, Raymond (1896-1983) Ca, A.
MASSIGLI, René (1889-1988) Dip.
MASSIMI, Pierre (1935) A.
MASSON, Jean (1899) J, R.
MASSOULIER, J.-Claude (1934) Ra.
MASTROIANNI, Marcello (28-9-24) It, A.
MASURE, Bruno (14-10-47) J, T.
MATA HARI (Margareta Zelle) (1876-1917) P.-Bas, Da.
MATE, Rudolph (1898-1964) U, R.
MATHÉ, Georges (9-7-72) Méd.
MATHIEU, Mireille (22-7-46) C.
MATHIS, Johnny (30-9-35) U, C. Milly (Émilienne Tomasini) (1901-65) A.
MATHOT, Léon (1896-1968) A, R.
MATHY, Mimy (8-10-57) Hum.
MATRAS, Christian (1903-77) Op.
MATSUDA, Yusaku (1948-89) Jap, A.
MATT, Bianco (M. Reilly) (20-2-60) GB, C.
MATTHAU, Walter (Matuschanskayasky) (1-10-20) U, A.
MATTOLI, Mario (1898-1980) It, R.
MATTSON, Arne (1919) Suè, R.
MATURE, Victor (29-1-15) U, A.
MAUBAN, Maria (Versini) (1924) A.
MAUCHER Helmut (9-12-27) All, Af.
MAUCLAIR, Jacques (1919) A, M.
MAUDUIT, Jean (25-10-21) J.
MAUER, Michel (3-10-36) Af.
MAURANNE, Claude (12-11-60) C.
MAUREL, Claude (2-7-29) Ra.
MAUREY, Nicole (1925) A.
MAURIAC, Jean (15-8-24) J.
MAURIAT, Paul (1925) Mu, Cp.
MAURIER, Claire (1929) A.
MAURY, Charlotte (n.c.) A.
MAURY-LARIBIÈRE, Michel (1920-90) Af.
MAUS, Bertrand (8-2-32) Su, Af.
MAX, Édouard de (Ro., 1869-1924) A.
MAX DEARLY (Lucien-Max Rolland) (1874-1943) A.
MAXWELL, Robert (Tc 1923-91) GB, Af, Po.
MAY, Joe (1880-1954) All, R. Mathilda (1966) A. Paul (1909-76) All, R.
MAYALL, John (29-11-33) U, C, Mu.
MAYER, Louis B. (1885-1957) U, Pr.
MAYNIEL, Juliette (1936) A.
MAYO, Archie (1891-1968) U, R. Virginia (Jones) (30-11-20) U, A.
MAYOL, Félix (1872-1941) C.
MAYOUX, Jacques (18-7-24) Af.
MAYSLES, David (1933-87) U, R.
MAZURSKY, Paul (Irwin Mazursky) U, A, R.
MEAD, Margaret (1901-78) U, Soc.
MEAULLE Philippe (1944-90) Éd.
MEDECIN, Jacques (5-5-28) Po.
MEDEIROS, Elli (18-1-56) Uru, C. Glenn (24-6-70) U, C.
MEDVEDKINE, Alex. (1901-89) Ur, R.
MEERSON, Harry (1910-91) Ph. Lazare (Ru 1900-38) Déc.
MEHDI (El Glaoui) (1956) A.
MEIER, Ulrike (n.c.) T.
MEILLAND, Marie-Louise (Paolino) (1921-87) Rosiériste.
MEKAS, Jonas (1922) U, R.
MELBA, Nellie (Helen Mitchell) (1861-1931) Aus, C.
MÉLIÈS, Georges (1861-1938) R.
MELVILLE, J.-P. (Grumbach) (1917-73) R.
MÉNAGE, Gilles (5-7-43) Af.
MENEGOZ, Robert (1925) R.
MÉNESTRELS (Les Trois) : G. Sandrini, J.-L. Fenoglio, R. De Ryekert.
MÉNESTRIERS (Les) : H. Agnel, M. Ar Dizzona, J.-N. Catrice, B. Pierrot, F., C.
MENEZ, Bernard (8-8-44) A.
MENIER, Paulin (1822-98) A.
MENJOU, Adolphe (1890-1963) U, A.
MENZEL, Jiri (1938) Tc, R.
MEO, Jean (26-4-27) Ing.
MER, Francis (25-5-39) Af.
MERCADIER, Marthe (1928) A.
MERCERON-VICAT, Jacques (22-3-38).
MERCIER, Michèle (1-1-39) A.
MERCOURI, Melina (18-10-25) Gr, A.
MERCURE, Jean (P. Libermann) (27-3-09) A, M.
MERCURY Freddy (Frederich Bulsara) (1946-91) GB, C.
MEREDITH, Burgess (16-11-08) U, A.
MÉRIEUX, Alain (10-7-38) Af. Marcel (1870-1937) Chim.
MERIKO, Maria (Bellan) (1920) A.
MÉRIL, Macha (Marie-Mad. Gagarine) (3-9-40) A.
MERKÈS, Marcel (7-7-20) Ch.
MERLE d'AUBIGNÉ, Robert (1900-89) Chir.
MERLIN, Guy (1920) Af. Louis (1901-1976) Pr, RA.
MÉRODE, Cléo de (1880-1966) A.
MERRIL, Helen (n.c.) U, C.
MERVAL, Paulette (Riffaut ; ép. M. Merkès) (v. 1920) A. lyr.
MÉRY, Michel (Raymond Meyer) (1916) Ch.
MESGUICH, Daniel (15-7-52) A, M. Félix (1871-1949) Op.
MESSEGUÉ, Maurice (1921).
MESSEMER, Hannes (1924) All, A.
MESTRAL, Armand (1917) C, A.
MESTRE, Philippe (23-8-27) Préfet, Po.
MESZAROS, Marta (19-9-31) Ho, R.
MÉTAYER, Alex (19-3-30) Ch. Éric (n.c.) A.
MEUNIER, Edmond (1916) Ch.
MEURISSE, Paul (1912-79) A.
MEUTHEY, Pierre (1930) Ra.
MEXANDEAU, Louis (6-6-31) Prof, Po.
MEYER, André (1888-1979) Af. Georges (21-9-30) Af. Jacques (1894-1987) Ra. Jean (1914-79) A. Michel (n.c.) J, Ra.
MEYNIER, Max (30-1-38) Ra.
MICHAEL, George (Giorgios Kyriacos Panyiotou) (25-6-63) GB, C.
MICHEL, André (1910-89) M, R. François (1940) Af. Nelly (n.c.) J, Ra. Serge (2-12-26) Af.
MICHELIN, André (1853-1931), Edouard (1859-1940), François (3-7-26) Af.
MICHEYL, Mick (Paulette Michey) (8-2-22) C.
MICHOU (Michel Catty 18-6-31) Pr, An. Cabaret.
MICHU, Clément (1936) A.
MIDLER, Bette (1-12-45) U, C, A.
MIDY, Philippe (22-1-49) Af.
MIFUNE, Toshiro (1-1-20) Jap, A.
MIKAËL, Ludmilla (1947) A.
MIKHALKOV-KONTCHALOVSKI, Andrei (Walter Matasschanskayasky) (1936) Ur, R.
MIKIO, Naruse (1905) Jap, R.
MILANOV, Zinka (1906-89) Youg, Ch.
MILES, Budy (5-9-46) U, Mu. Sarah (31-12-41) GB, A. Vera (23-8-30) U, A.
MILESI, Gabriel (n.c.) Af, J.
MILESTONE, Lewis (Leiba Milstein) (Ur 1895-1980) U, M.
MILIUS, John (1944) U, S, M.
MILKEN, Michael (1944) U, Af.
MILLAND, Ray (Reginald Truscott-Jones) (1905-86) GB, A.

MILLE, Hervé (1903-93) J.
MILLER, Ann (12-4-23) U, Da, A. *Claude* (20-2-42) R.
MILLS, John (22-2-08) GB, A, Juliette (1-8-46) Th.
MILOWANOFF, Sandra (1892-1957) (née Russie) A.
MILTON, Georges (Michaux) (1888-1970) A.
MIMICA, Vatroslav (1923) You, R.
MIMILE (Émile Coryn) (1914-89) Cl.
MINAZZOLI, Christiane (11-7-31) A.
MINC, Alain (15-4-49) Af.
MINEO, Sal (1939-76) U, A.
MINEUR, Jean (1902-85) Pr, M, R.
MINGUS, Charlie (1922-79) U, Mu.
MINNELLI, Liza (12-3-46) U, A, C. *Vincente* (1913-86) U, R.
MIOU MIOU (Sylvette Héry) (22-2-50) A.
MIRANDA, Carmen (Port 1909-55) U, A. Isa (Ines Isabella Sanpietro) (1909-82) It, A.
MIRAT, Pierre (1924) A.
MIREILLE (M. Hartuch ; Mme Emmanuel Berl) (30-9-06) C, Cp.
MISRAKI, Paul (Misrachi) (Tu 28-1-08) Cp.
MISSIAEN, Jean-Claude (1939) R.
MISSOFFE, François (13-10-19) Po. Hélène (son ép : n. de Mitry 15-6-27) Po.
MISSONI, Angela (n.c.) It, Cou.
MISTIGRI (Mme Ganne) (1935) A.
MISTINGUETT (Jeanne Bourgeois) (1873-1956) A, Da, C.
MITCHELL, Eddy (Claude Moine) (3-7-42) C.
MITCHELL, Thomas (1892-1962) U, A.
MITCHUM, *Robert* (6-8-17) U, A.
MITHOIS, J.-Pierre (26-5-34) J, Ra, Au.
MITRANI, Michel (12-4-30) R.
MITRY, Jean (1907-88) (Jean Goetghe-luck) S, Cr.
MITTERRAND, François (26-10-16) Pt de la Rép. Frédéric (21-8-47) fils de Robert, Pr. Gilbert (4-2-49) fils du Pt, Ens. Henri (7-8-28) Un. Jacques (21-7-18) Gl. Air, Af. Olivier (18-7-43) A, F. Robert (22-9-15) frère du Pt.
MIX, Tom (Thomas Edwin Mix) (1880-1940) U, A.
MIYAKE, Issey (1938) Jap, Cou.
MIYET, Bernard (16-12-46) Ra, Af.
MIZOGUCHI, *Kenji* (1898-1956) Jap.
MNOUCHKINE, Alexandre (1908-93) Pr. Ariane (1939) M.
MOATI, Serge (17-8-46) R.
MOCKY, *Jean-Pierre* (J. Mokiejewski) (6-7-29) A, R, Pr.
MODOT, *Gaston* (1887-1970) A.
MOGADOR (Céleste Vénard, dame Lionel de Bobreton, Ctesse de Chabrillan) (1824-1909) Da, Au.
MOGUY (L. Maguilevsky) (Ru 1899-76) R.
MOINE, Michel (n.c.) A.
MOISAN, Roland (1907-87) Des.
MOLANDER, Gustav (Finl 1888-1973) Suè, R.
MOLINARO, *Édouard* (1928) R, A.
MOLINEUX, Edward (1891-1974) Irl, Cou.
MÔME MOINEAU (la) (Lucienne Garcia) (1905-68) C.
MONDY, Pierre (Cuq) (10-2-25) A.
MONFORT, Silvia (Mme Silvia Favre-Bertin) (1923-91) A.
MONICELLI, *Mario* (16-5-15) It, R.
MONNET, Jean (1888-1979) Po.
MONNIER, Henri (1799-1877) Des. Jacques (1942-92) Af.
MONNOT, Marguerite (1903-61) Cp.
MONOD, Jacques (1918-85) A, C. Jérôme (7-9-30) Af.
MONROE, *Marilyn* (Norma Jean Baker) (1926-62) U, A.
MONROSE, Claude (1783-1843) A.
MONTAGNE, Rémy (1917-91) Po.
MONTAGNÉ, Gilbert (28-12-51) C. Guy (n.c.) Ra.
MONTANA, Claude (1949) Cou.
MONTAND, *Yves* (Livi) (It 1921-91) C, A.
MONTARON, Georges (10-4-21) J.
MONTBRIAL, Thierry de (3-7-43).
MONTÉHUS (Gaston Brunschwig) (1872-1952) C, Cp.
MONTEL, Jean-Phil. (6-1-39) Af. Marie-Dominique (27-12-50) J, Ra.
MONTERO, Germaine (Heygel) (22-10-09) A.
MONTÈS, Lola (Eliza Gilbert) (1818-61) Irl, A.
MONTEZ, Maria (Maria de Sarto Silas) (1919-51) U, A.
MONTGOMERY, Bernard Law (1887-1976). Elizabeth (4-5-33) U, A. George (Letz) (1916) U, A. Robert (1904-81) U, A.
MONTIEL, Bernard (1957) An.
MONTUPET, Jean-Paul (24-12-47) Af.
MONTY, (Jacques Bullastin) (1943) C.
MONTY PYTHON [Terry Gilliam (22-11-40), Michael Palin (5-5-43), Terry Jones, John Cleese (27-10-39), Eric Idle (1943), Graham Chapman] GB, A.
MONZIE (n.c.) Av.
MOORE, Colleen (Kathleen Morrison) (1900-1988) U, A. Roger (14-10-27) GB, A.
MOOREHEAD, Agnes (1906-74) U, A.
MORACCHINI, Aude (n.c.) J, T.
MORDILLAT, Gérard (1949) R.
MORE, Kenneth (1914-82) GB, A.
MOREAU, *Jeanne* (23-1-28) A, C. Jean-Luc (n.c.) M.
MOREL, Jacques (Houstrate) (29-5-22)
MORENI, Popy (1947) It, Cou.
MORENO, Dario (Dario Druguet) (Tu 1921-68) A, C. Marguerite (Monceau) (1871-1948) A. Roland (11-6-45) Af.
MORETTI, *Nanni* (1953) It, R. Philippe (1944-87) Th.
MORGAN, *Michèle* (Simone Roussel) (29-2-20) A.
MORI, Hanae (8-1-26) Jap, Cou.
MORIN, Christian (2-3-45) Mu, An, Ra, Pré, T.
MORIN-POSTEL, Christine (6-10-46) Af.
MORISSE, Lucien (1929-70) Ra.
MORITA, Akio (1921) Jap, Af.
MORLAY, *Gaby* (Blanche Fumoleau) (1893-1964) A.
MORLEY, Robert (1908-92) GB, A.
MORLHON, Camille de (1869-1952) A.
MORO-GIAFFERI, Vincent (de) (1878-1956) Av.
MORRICONE, Ennio (11-10-28) It, Mu.
MORRIS, Marry (1916-88) GB, A.
MORRISSEY, Paul (1939) U, M.
MORRISSON, Barbara (1904-92) U, A. Jim (1943-71) U, C, G. Van (31-8-39) GB, C, Mu.
MOSJOUKINE, *Ivan* (1889-1939) Ur, A.
MOTTE, Claire (1937-86) Da.
MOUEZY-EON, André (1880-1977) Au.
MOUGEOTTE, Étienne (1-3-40) J.
MOUILLE, Serge (1922-88) Designer.
MOULAERT, René (1901-65) Déc.
MOULINOT, J.-Paul (1912-89) A.
MOULIN-ROUSSEL, Philippe (1-11-31) Af.
MOULOUDJI, Marcel (16-9-22) A, Ch.
MOUNET, Paul (1847-1922) A.
MOUNET-SULLY, Jean (1841-1916) A.
MOUROUSI, Yves (20-7-42) Pré, T.
MOUSKOURI, Nana (Joanna) (13-10-34) Gr, C.
MOUSS (n.c.) A.
MOUSSA, Pierre (5-3-22) Af.
MOUSSEAU, Jacques (24-6-32) J.
MOUSSINAC, Léon (1890-1964) Cr.
MOUSTACHE (François Galépidès) (1929-87) Mu, C.
MOUSTAKI, Georges (Joseph Mustacchi) (3-5-34) Cp, C, A.
MUGLER, Thierry (1948) Cou.
MUGNIER, Abbé Arthur (1853-1944).
MULLIEZ, Gérard (13-5-31) Af.
MULLIEZ, Gérard (1905-89) Af.
MULLIGAN, *Robert* (23-8-25) U, R.
MUNDVILLER, Joseph Louis (1886) Op.
MUNGO, Jerry: Ray Dorset, Paul King, Colin Earl, Mike Cole, U, C.
MUNI, Paul (Muni Weisenfreund, dit) (1895-1967) U, A.
MUNK, *Andrzej* (1921-61) Pol, R.
MURAT, Jean (1888-68) A. Jean-Louis (n.c.) C.
MURDOCH, Rupert (1931) Aus, U, J, Af, T.
MURNAU, *Fried. Wil.* (Plumpe) (1889-31) All, R.
MURPHY, Audie (1924-71) U, A. Eddie (4-3-61) U, A. George (4-7-02) U, A.
MURRAY, Mal (Marie Koening) (1885-1965) U, A. Sunny (1937) U, Bat.
MURZEAU, Robert (1909-90) A.
MUSIDORA (Jeanne Roques) (1884-1957) A.
MUTI, Ornella (Francesca Romana Rivelli) (9-3-56) It, A.
MYLONAS, George (1899-1988) Gr, Archéologue.
MYRDAL, Gunnar (1899-1987) Suè, Éco.
MYRIAM, Mary (Myriam Lopès) (8-5-57) C.
NADER, Ralph (27-2-34) U, Av.
NAGUI (n.c.) Pré.
NAGY, Kate de (1909-73) Ho, A.
NALÈCHE, Étienne (de) (1865-1947) J.
NAMIAS, Robert (n.c.) J.
NANTEAU, Olivier (Rist) (1949).
NAOURI, J-Charles (1949) Af.
NARCY, J-Claude (16-1-38) J.
NARUSE, *Mikio* (1905-69) Jap, R.
NASH, Clarence (1905-85) U, A. Graham (1942) U, C.
NAT, Lucien (1895-1972) A. Marie-José (Drach, née Benhalassa) (22-4-40) A.
NATANSON, Jacques (1901-75) Di.
NATHAN, J.-Jacques (1920-87) Éd.
NAUDET, J.-Bapt. (1743-1830) A.
NAVADIC, Jacques (1923) T.
NAY, Catherine (1-1-44) J.
NAZIMOVA, *Alla* (Nazimoff) (Ru 1879-1945) U, A.
NAZZARI, Amédéo (Buffa) (1907-79) It, A.
NEAGLE, Anna (Robertson) (20-10-04) GB, A.
NEAL, Patricia (20-1-26) U, A. Tom (1914-79) U, A.
NEAME, Ronald (1911) GB, R.
NEGRI, *Pola* (Appolonia Chalupiec) (Pol 1894-1987) U, A.
NEGRONI, Jean (4-12-20) A.
NEGULESCO, Jean (1900-93) Ru, R.
NEIL, Diamond (24-1-41) U, C. Louis-Roland (1925) J, T.
NELSON, Ralph (1916-87) U, M. Rick (1940-85) U, C. Willie (30-4-33) U, C.
NEMEC, Jan (1936) Tc, R.
NERO, Franco (Sparomero) (It 1942) U, A.
NÉROT, Edme (30-6-29) Af.
NERVAL, Michel (1945) R.
NETTER, Michel (1934) Ra.
NEUVILLE, Marie-Josée (Mme Herzog, n. Jos. de Neuville) (1938) C.
NEVELSON, Louise (1899-1988) U, Scul.
NEVEUX, Georges (1900-82) Au, Pr.
NEWMAN, *Paul* (26-1-25) U, A, R.
NEWTON, Robert (1905-56) GB, A.
NEWTON-JOHN, Olivia (26-9-48) GB.
NIAGARA : Muriel Laporte (24-1-63), Daniel Chenevez (12-6-56) C.
NIARCHOS, Stavros (1909) Gr, Af.
NICAUD, Philippe (27-6-26) A.
NICHOLS, Dridley (1895-1960) U, S, R.
NICHOLS, Mike (11-6-31) U, R.
NICHOLSON, *Jack* (22-4-37) U, A.
NICO (Christa Paffgen) (1939-88) All, Man, C.
NICOLAS, Christophe (n.c.) An. Roger (1919-77) C, Au, Th.
NICOLETTA (Nicole Grisoni) (11-4-44) C.
NICOULAUD, Gilles (1942) Des.
NICOT, Claude (1925) A.
NIELSEN, Asta (1882-1972) Da, A. Claude (13-6-28) Éd. Sven (1901-76) Éd.
NIERMANS, Édouard (10-11-43) R.
NIKOLAIS, Alwin (1910-93) U, Cho.
NILSSON, Harry (15-6-42) U, A.
NIVEN, *David* (1909-83) GB, A.
NOBEL, Chantal (1948) A.
NOCHER, Jean (n.c.) An, Ra.
NOËL, Bernard (1928-70) A. Denise (1922) A. Jacques (1924) Déc. Léon (1888-1987) Dip, Au. Magali (Guiffray) (27-6-32) A.
NOELLE, Paule (1942) A.
NOËL-NOËL (Lucien Noël) (1897-1989) A, R.
NOGUERA, Louis (1910-84) C.
NOGUÈRES, Henri (1916-90) Av, Hist.
NOGUERO, José (1907) A.
NOHAIN, Dominique (Legrand) (8-7-25) A. Jean (J.-M. Legrand) (1900-81) Pr.
NOIRET, *Philippe* (1-10-30) A.
NOLLIER, Claude (1923) A.
NOLTE, Nick (8-2-40) U, A.
NOMURA, Tokushichi (1878-1945) Jap, Af.
NORA, Pierre (17-11-31) Hist. Simon (21-2-21) Insp. Fin.
NORMAN, Jessye (15-9-45) U, C.
NORMAND, Mabel (1894-1930) U, A.
NORO, Line (1900-85) A.
NORRIS, Chuck (1942) U, A.
NOUGARO, Claude (9-9-29) C.
NOUREEV, Rudolf (1938-93). Da.
NOUVEL, Jean (12-8-45) Arch.
NOVAK, *Kim* (Marilyn) (13-2-33) U.
NOVARRO, Ramon (Samaniegos) (Mex 1899-1968) U, A.
NOVEMBRE, Tom (8-11-59) C.
NULS (Les) : Alain Chabat (1958), Bruno Carette (1956-89), Chantal Lauby (1957), Dominique Farrugia (1961).
NUMA (Marc Beschefer) (1802-69) A.
OAKIE, Jack (Lewis Delaney Offield) (1903-78) U, A.
OATES, Warren (1928-82) U, A.
OBADIA, Alain (2-12-53) Af.
OBERON, Merle (Estelle O'Brien Thompson) (1911-79) Aus, A.
O'BRIEN, Edmund (1915-85) U, A. Margaret (15-1-37) U, A. Pat (1899-1983) U, A.
OCKRENT, Christine (25-4-44) T.
O'CONNEL, Arthur (1908-81) U, A.
O'CONNOR, Donald (28-8-25) U, A.
OFFREDO, Jean (14-9-44) J.
OGIER, Bulle (M.-F. Thielland) (9-8-39) A.
OGILVY, David (23-6-11) GB, Pu.
OGOUZ, Philippe (1939) A.
O'HARA, *Maureen* (Fitz Simmons) (17-8-20) Irl, A.
OJJEH, Akram (1923-91) Ar. Sa., Af.
O'KEEFE, Dennis (Edward 'Bud' Flanagan) (1908-68) U, A.
OLAND, Warner (Suè 1880-1938) U, A.
OLCHANSKI, Daniel (6-12-29) Af.
OLDFIELD, Mike (15-5-53) GB, Mu, Cp.
OLIVEIRA, *Manoel de* (1908) Port, R.
OLIVER, Edna May (1883-1942) U, A. Michel (2-11-32) Rest. Raymond (1909-90), Rest, Pr, T.
OLIVETTI, Adriano (1901-60) It, Af.
OLIVIER, Lord *Laurence* (1907-89) GB, A, R (1911-88) U, Cp, Mu.
OLLIVIER, Éric (du Parc) (1927) Au.
OLMI, *Ermanno* (24-7-31) It, R.
ONASSIS, Aristote (1906-75) Gr, Af. Cristina (1951-88).
ONDRA, Anny (Ondrakova) (1903-87) Tc, A.
O'NEAL, Ryan (20-4-41) U, A.
ONO Yoko (Jap 18-2-33) U, C, Cp.
OPHULS, Marcel (Oppenheimer) (1927) R, *Max* (Oppenheimer) (1902-57) R.
ORAISON, Marc (1914-79) Méd, Au.
ORBISON, Roy (1936-88) U, C.
ORCIVAL, François d' (1942) J.
ORMESSON, Antoine d' (1924) R. Henry (20-4-21), Insp. Fin. Jean d' (16-6-25) J, Au. Olivier (5-8-18), Po.
ORNANO, Cte Michel d' (1924-91) Po.
ORTIZ, Vidal (7-7-18) Af.
ORTOLI, Fr.-Xavier (16-2-25) Af.
OSHIMA, *Nagisa* (31-3-32) Jap, R.
OSSARD, Claudie (Marie-Claude) (16-12-43) Pr.
OSSO, Adolphe (1894-1961) Pr.
O'SULLIVAN, Maureen (17-5-11) Irl, A.
OSWALD, Marianne (Colin) (1903-85) A, Ch, Pr.
OTÉRO, dite la Belle (Caroline) (1868-1965) Es, C.
O'TOOLE, *Peter Seamus* (2-8-32) GB, A.
OTTENHEIMER, Ghislaine (n.c.) Pré, J, T.
OUEDRAOGO, Idrissa (1954) BF, R.
OUREVITCH, Jacques (n.c.) J.
OURY, *Gérard* (Houry) (29-4-19) Tannenbaum A, R.
OUVRARD, Gaston (1890-1981) Cp, C.
OWEN-JONES, Lindsay (17-3-46) GB, Af.
OZERAY, Madeleine (1910-89) A.
OZU, *Yasujiro* (1903-63) Jap, R.
PABST, *Georg W.* (George Wilhelm) (Aut 1885-1967) All, R.
PACHE, Bernard (13-10-34) Af.
PACINO, *Al* (25-4-40) U, A.
PACÔME, Maria (1923) A.
PADO, Domin. (1922-89) J, Sén.
PAGAVA, Vera (1907-88) Ur, Pe.
PAGE, Geneviève (Bonjean) (Mme J.-C. Bujard) (13-12-27) A. Geraldine (1924-87) U, A. Louis (1905-90) Op. Michel (1945) C.
PAGÈS, Évelyne (25-2-42) J, Ra.
PAGEZY, Bernard (22-1-28) Af. Roger (20-11-30) Af.
PAGLIERO, Marcello (1903-80) It, A, R.
PAGNOL, Jacqueline (1926) A. *Marcel* (1895-1974) R, Au.
PAGNY, Florent (6-11-61) C, A.
PAHUD, Emmanuel (27-1-70) Mu.
PAILHAS, Géraldine (n.c.) A.

PAINLEVÉ, Jean (1908-89) R.
PAKULA, Alan-J. (7-4-28) U, R.
PAL, Georges (Ho 1908-80) U, M, R.
PALANCE, Jack (Walter Palanvik) (18-2-19) U, A.
PALAPRAT, Gérard (12-6-50) C.
PALAU, Pierre (P.P. del Vidri) (1885-1966) A.
PALLEZ, Gabriel (2-5-25) Bq.
PALMA, Brian de (11-9-40) U, R.
PALMADE, Pierre (1968) Hum.
PALMER, Lilli (Peiser) (Aut 1914-86) All, A.
PAMPANINI, Silvana (1925) It, A.
PANAFIEU, Françoise de (n. Missoffe 1948) Po. Véronique de (3-12-48) Ra.
PANCHO (Pancho Graelles) (1944) V, Des.
PANFILOV, Gleb (1934) Ur, R.
PANHARD, Paul († 1969).
PANIGEL, Armand (15-10-20) Au, Pr, R, T.
PAOLI, Jacques (1924-90) J. François (n.c.) J, T. Stéphane (19-11-48) J, Pré, T.
PAPAS, Irène (Lekelou) (3-9-26) Gr, A.
PAPAZ, Roger (28-2-25) Af.
PAQUI, Jean (Chr. Thonel d'Orgeix) (1921) A.
PAQUIN (Jeanne Becker) (1869-1936) Cou.
PARADIS, Vanessa (22-12-72) C, A.
PARADJANOV, Sergueï (Sarkis Paradjanian) (1924-90) Ur, R.
PARAYRE, J-Paul (5-7-37) Af.
PARÉDÈS, Jean (Victor Catégnac) (1918) A.
PARÉLY, Mila (9-10-17) A.
PARILLAUD, Anne (6-5-60) A.
PARIS, Simone (1919-86) A.
PARKER, Alan (14-2-44) GB, R. Eleanor (26-6-22) U, A.
PARLO, Dita (Grethe Kornstadt) (1906-71) All, A.
PAROLA, Danielle (Yvonne Canal) (1903) A.
PARRETTI, GianCarlo (n.c.) Af.
PARRISH, Robert (1916) U, M.
PARRY, Gisèle (1921-?) A, Pr, T.
PARTON, Dolly (19-1-46) U, A.
PASCAL, Christine (29-11-53) A, R. Giselle (Mme Raymond Pellegrin) (1923) A, Jean-Cl. (Villeminot) (1927-92) A, C.
PASCO, Isabelle (n.c.) A.
PASCUCCI, Bernard (n.c.) J.
PASOLINI, Pier Paolo (1922-75) It, Au, R.
PASQUALI, Alfred (1898) A.
PASSER, Yvan (1933) Tc, R.
PASTEUR, Joseph (Rocchesani) (19-10-21) J.
PASTORIUS, Jaco (1951-87) U, G.
PATACHOU (Mme Arthur Lesser née Henriette Ragon) (10-6-18) C.
PATHÉ, Charles (1863-1957) R.
PATOU, Jean (1880-1936) Cou.
PATRICIA (1950) C.
PATUREL, Dominique (3-4-31) A, Sabine (1-9-62) C.
PAUGAM, Jacques (10-5-44) Ra, T.
PAUL, Bernard (1930-80) R. Robert-William (1869-1943) GB, R.
PAUL-BONCOURT, Joseph (1873-1972) Av.
PAULIN, Guy (1945-90) Cou. Pierre (9-07-27) Arch.
PAULUS (J.-P. Habans) (1845-1908) C.
PAULVÉ, André (1898-1982) Pr, Dis.
PAUTRAT, Daniel (1940) J.
PAUWELS, Louis (2-8-20) Au.
PAVAN, Marisa (Pierangeli) (1932) It, A.
PAVIOT, Paul (1926) R.
PAYE, Jean-Claude (26-8-34) Dip.
PAYNE, John (1912-89) U, A.
PAYOT, René (1941).
PÉBEREAU, Georges (20-7-31) Af, Michel (23-1-42) Af.
PECCEI, Aurelio (1908-83) It, Af.
PÉCHIN, Pierre (10-2-47) Ch.
PECK, Gregory (15-4-16) U, A.
PECKINPAH, Sam (David Samuel Peckinpah) (1926-84) U, R.
PECQUEUR, Michel (18-8-31) Af.
PEIGNOT, Suzanne (1895-1993) C.
PELAT, Roger-P. (n.c.-1989) Af.
PELÈGE, Michel (27-5-37) Af.
PELISSON, Gérard (9-2-32) Af.
PELLEGRIN, Raymond (Pellegrini) (1-1-25) A.
PELLERIN, Christian (31-5-44) Af.
PELLETIER, Alain (n.c.) T.
PENCHENIER, Georges (1919) J.
PENN, Arthur (27-9-22) U, R.
PEPPARD, George (1-10-33) U, A.
PERAULT, Pierre (1929) Ca, R.
PERDRIEL, Claude (25-10-26) J.
PERDRIÈRE, Hélène (1910-92) A.
PÈRE, Bernard (1939) J.
PEREIRA DOS SANTOS, Nelson (1938) Br, R.
PÉRICARD, Michel (15-9-29) J, Po.
PÉRIER, Étienne (1931) Be, R. *François* (Pillu) (10-11-19) A. Fr. Xavier de (9-8-35) T.
PÉRIGOT, François (12-5-26) Af.
PÉRILHOU, Isabelle (1961) A.
PÉRINAL, Georges (1897-1965) Op.
PERKINS, Anthony (1932-92) U, A.
PERLET, Adrien (1795-1850) A.
PERNAUT, Jean-Pierre (n.c.) J, Pré.
PERNOUD, Georges (11-8-57) J, T.
PERRET, Léonce (1880-1935) A, R. Pierre (9-7-34) C.
PERRIN, Alain-Dominique (10-10-42) Af. Francis (10-10-47) A, R. Jacques (Simonet) (13-7-41) A. Marco (n.c.) A.
PERRINE, Valerie (3-9-44) U, A.
PERROT, Luce (1941) J, T.
PERRY, Réjane (n.c.) C.
PERTINAX, Voir GÉRAUD.
PETER, Solange (1-2-30) R, T.
PETIT, Pascale (28-2-1938) A.
PETRI, Elio (1929) It, R.
PETRIAT, J.-Louis (23-2-35), Af.
PETROVIC, Alexandre (1929) You, M.
PEUGEOT, Bertrand (30-10-23) Af. Roland (20-3-26) Af.
PEYNET, Raymond (16-11-08) Des.
PEYRAC, Nicolas (J.-J. Tazarte) (6-10-49) C.
PEYRELEVADE, Jean (24-10-39) Af.
PEYRELON, Michel (10-10-36) A.
PEYSSON, Anne-Marie (J. Falloux) (24-7-35) Sp, T, Ra.
PFEIFFER, Michelle (29-4-57) U, A.
PHILIPE, Gérard (1922-59) A.
PHILIPON, Charles (1906-62) Des.
PHILIPPE, Annie (1946) C. Claude-Jean (20-4-33) A, J, M.
PHILIPS, Gérard (1858-1942) P.-Bas, Af.
PHILLIPS, Esther (1935-84) U, C.
PHIRI, Ray (n.c.) U, C.
PIA, Pascal (1902-79) J.
PIAF, Édith (Giovanna Gassion) (1915-63) C, A.
PIALAT, Maurice (21-8-25) R.
PIAT, Jean (23-9-24) A.
PICARD, J.-Louis (14-11-36) Cp.
PICASSO, Paloma (1949) A.
PICCOLI, Michel (27-12-25) A, Pr.
PICKETT, Wilson (18-3-41) U, C.
PICKFORD, Mary (Gladys Smith) (1893-1979) U, A.
PIDGEON, Walter (1897-1984) U, A.
PIÉPLU, Claude (10-5-23) Pr.
PIEM (Pierre de Montvallon) (12-11-23) Des.
PIÉRAL (Pierre Aleyrangues) (1923) A.
PIERRE, abbé (Henri Grouès) (5-8-1912) Prê. Roger (30-8-23) A. Roselyne (29-7-35) Af.
PIERRE-BROSSOLETTE, Cl. (5-3-28) Af.
PIERRY, Marguerite (1888-1963) A.
PIETRI, Julie (1-5-57) U, A.
PIGAUT, Roger (1919-89) A.
PIGNOL, Jean (1924) R, T.
PILLS, Jacques (René Ducos) (1910-70) C.
PINATEL, Pierre (1929) Des.
PINAULT, François (21-8-36) Af.
PINEAU, Gilbert (1931) R, T.
PINEAU-VALENCIENNE, Didier (21-3-31) Af.
PINK FLOYD : Syd Barrett (6-1-46), Roger Waters (6-9-44) Rick Wright (28-1-43) Nick Mason, David Gilmour (6-3-46) GB, Mu.
PINOTEAU, Claude (25-5-25) R. Jack (1923) M.
PIRÈS, Gérard (1942) R.
PISIER, M.-France (10-5-44) A.
PITOËFF, Georges (1884-1939) A. Ludmilla (1895-1951) A. Sacha (1920-90) A.
PITOISET, Dominique (1958) Th.
PITOU, Ange-Louis (1767-1846) J, C.
PITT, Brad (1964) U, A.
PITTS, Zasu (1900-63) U, A.
PIVOT, Bernard (5-5-35) J. Monique (5-1-37, son ép.) J.
PIZZI, Pier-Luigi (15-6-30) It, M.
PLANA, Georgette (1918) C.
PLANCHON, Roger (12-9-31) M.
PLANTU (Jean Plantureux) (23-3-51) Des.
PLASSARD, Jacques (2-9-24) Éc.
PLASSART, Hervé-Marie (n.c.) Ra.
PLATTERS : Tony Williams (15-4-28), David Lynch (1929-81), Paul Robi, Herb Reed, Zola Taylor, U, C.
PLEASANCE, Donald (5-10-19) GB, A.
PLENEL, Edwy (n.c.) Au.
PLESCOFF, Georges (9-3-18) Bq.
PLOIX, Hélène (25-9-44) Af.
PLOQUIN, Raoul (1900-92) Pr.
PLUMMER, Christopher (13-12-27) GB, A.
PLUNKETT, Patrice de (9-1-47) J, Au.
PODESTA, Rossana (1934) It, A.
POHL, Karl Otto (1929) All, Bq.
POINT, Fernand (n.c.) Rest, Mado (1898-1986) Rest.
POIRÉ, Alain (13-2-17) Pr. Jean-Marie (10-7-45) R.
POIRET, Jean (Poiré) (1926-92) A, Ch. Paul (1879-1944) Cou.
POIRIER, Léon (1884-1968) R.
POISSON, Georges (27-11-24) Au.
POITIER, Sydney (20-2-24) U, A.
POIVRE, Annette (Paule Perron, Mme R. Bussières) (1917-88) A.
POIVRE D'ARVOR, Patrick (20-9-47) J, T.
POLAC, Michel (10-4-30) J, R.
POLAIRE (Émilie-M. Bouchaud) (1877-1939) C.
POLANSKI, Roman (Pol 18-8-33) R.
POLI, Joseph (14-4-22) J.
POLICE : Andy Summer (31-12-42) Gordon Summer (2-10-51) Steward Copeland (16-7-52) GB, C.
POLIGNAC, Ghislaine de (1918) Rel. publ.
POLIGNY, Serge de (1903-83) R.
POLIN (P.-P. Marsalès) (1863-1927) C.
POLLACK, Sidney (1-7-34) U, R.
POLLET, Patrick (3-3-47) Af.
POLNAREFF, Michel (3-7-44) C, Cp.
PONCHARDIER, Dominique (1917-86) Au, Amb.
PONGE, Francis (1899-1988) Au.
PONNELLE, Jean-Pierre (1932-88) M, Déc, Cq.
PONS, Lily (1898-1976) U, A.
PONS-SEGUIN, Gérard (18-6-42) Af.
PONTECORVO, Gillo (1919) It, R.
PONTI, Carlo (11-12-13) It, Pr.
PONTY, Jean-Luc (29-9-42) Mu.
POP, Iggy (James Osterberg) (21-4-47) U, C, Cp.
POPECK (Jean Herbert, 18-5-36) Ch.
POPESCO, Elvire (Elvira Popescu, Ctesse Foy) (Ro 10-5-1896) A.
POPOV, Oleg (1930) Ur, Cl.
POREL, Jacqueline (1918) A. Marc (1949-83) A.
PORIZKOVA, Paulina (1964) Tc, Man.
PORTE, Bernard (7-3-38) Af.
PORTER, Cole (1893-1964) U, Cp.
POSENER, Georges (1906-88) Hist.
POTIER (1774-1838) A.
POTTECHER, Frédéric (11-6-05) J, T.
POTTIER, Richard (Ernst Deutsch) (1906) M.
POUCTAL, Hervé (1859-1922) R.
POUDOVKINE, Vsevolod (1893-1953) Ur, R.
POUGY, Liane (de) (n.c.).
POUJOULY, Georges (1940) A.
POULET, Manuel (18-5-21) R, Pr.
POULET-MATHIS, François (n.c.) J.
POURCEL, Frank (n.c.) Mu, Cp.
POUSSE, André (20-10-19) A.
POUTREL, J.-Jac. (13-4-34) Af.
POUZILHAC, Alain de (11-6-45) F, Pu.
POWELL, Dick (1904-63) U, A, R. Eleanor (1912-82) U, A. Jane (Suzanne Burce) (1-4-29) U, A. *Michael* (1905-90) GB, R. William (1892-1984) U, A.
POWER, Romina (1951) It, C. *Tyrone* (1914-58) U, A.
POWERS, Stéphanie (2-11-42) U, A.
POZZA, Georges (8-1-35) Af.
PRADAL, Bruno (1949-92) A.
PRADEL, Jacques (1947) An. Ra.
PRADIER, Henri (5-11-31) Af. Perrette (Chevau) (1938) A.
PRADINES, Roger (1925) R, T.
PRALON, Alain (12-11-39) A.
PRASTEAU, Jean (1921) Pr, T.
PRAT, Jean (1927-91) R, T.
PRATE, Alain (5-6-28) Insp. Fin.
PRÉBOIST, Paul (21-2-27) A.
PRÉJEAN, Albert (1893-1979) A. Patrick (1944) A.
PREMINGER, Otto (Aut, 1906-86) U, R.
PRESLE, Micheline (Chassagne) (22-8-22) A.
PRESLEY, Elvis (1935-77) U, C, A.
PRESTON, Robert (Meservy) (1919-87) U, A.
PRETENDERS : Martin Chambers (1952), Pete Farndon (1953-83), James Honeyman-Scott (1956-82), Chrissie Hynde (7-9-51) GB, C.
PRÉVERT, Jacques (1900-77) S, Di. *Pierre* (1906-88) R.
PRÉVILLE (1721-1800) A.
PRÉVOST, Daniel (1939) A. Françoise (1930) A.
PRICE, Alan (19-4-42) GB, C. Dennis (1915-73) GB, A. Vincent (27-5-1911) U, A.
PRIM, Suzy (1895-1991) A.
PRIMROSE, William (1903-82) GB, Mu.
PRINCE (Roger Nelson) (Skipper) (7-6-58) U, C. Dit RIGADIN (Charles Petit-Demange) (1872-1933) A.
PRINCIPAL, Victoria (Concettina Principale) (3-1-50) U, A.
PRINTEMPS, Yvonne (Wignolle, Mme Pierre Fresnay) (1894-1977) C, A.
PRIOURET, Roger (15-9-13) J.
PRISSET, Serge (1946) C.
PRITCHARD, John Sir (1921-89) GB, Chef d'orch.
PRIVAT, Jo (1919) Acc.
PRONTEAU (1919-84) Po.
PROPPER, François (3-1-28) Af.
PROSLIER, Jean-Marie (1928) A.
PROUTEAU, Gilbert (14-6-17) Au, Cin.
PROUVOST, Evelyne J. Af. Jean (1885-1978) Éd.
PROVOST, Jean (1798-1869) A.
PRYOR, Richard (1-12-40) U, A.
PUECHAL, Jacques (24-1-36) Af.
PUENZO, Luis (24-2-49) Arg, R.
PUHL-DEMANGE, Marguerite (25-3-33) J, Af.
PUJOL, Annie (n.c.) Pré, T.
PULVER, Liselotte (1929) All, A.
PURVIANCE, Edna (1894-1958) U, A.
PUTMAN, Andrée (23-12-25) Designer.
PYRIEV, Ivan (1901-68) Ur, R.
PYTHON, Joseph (n.c.) Av.
QUAID, Dennis (4-9-54) U, A.
QUANT, Mary (11-2-34) GB, Cou.
QUARTZ, Jakie (31-7-55) C.
QUAYLE, *Anthony* (1913-89) GB, A.
QUEEN, v. Freddy Mercury
QUERMONNE, J.-Louis (3-11-27) Un.
QUIDET, Christian (10-12-32) J.
QUIN, Claude (1-5-32) Af. James (1693-1766) GB, A.
QUINE, Richard (1920-89) U, R.
QUINN, Anthony (Mex. 21-4-15) U, A.
RAAB, Kurt (1941-88) All, A, Déc.
RABAL, Francesco (8-3-25) Es, A.
RABANNE, Paco (Francisco Rabaneda Cuervo, 18-2-34) Es, Cou.
RACAMIER, Henry (25-6-12) Af.
RACHEL (Elisabeth Félix) (Su, 1821-58) A.
RACHOU, Nathalie (1957) Af.
RADVANYI, Geza von (1907-86) Ho, R.
RAFT, George (Ranft) (1895-1980) U, A.
RAGON, Michel (24-6-24) Au.
RAGUENEAU, Philippe (19-11-17).
RAHARD, Renaud (n.c.) An.
RAIK, Étienne (1904) An.
RAIMBOURG, Lucien (1903-73) A.
RAIMU, Jules (Muraire) (1883-1946) A.
RAINER, Luise (Aut, 12-1-10) U, A.
RAINS, Claude (1890-1967) U, A.
RAISNER (Trio d'harmonica) : Albert Raisner (30-9-25) Pr, T., André Dionnet (1924) ; Sirio Rossi (1923).
RAÏZMAN, Youli (1903) Ur, R.
RAMACHANDRAN, Maruthur Gopala (1917-87) In, A, Po.
RAMBAUD, Yves (5-2-35) Af.
RAMOND, Philippe (18-10-31) T.
RAMOS DA SILVA, Fernando (1968-87) Br, A.
RAMPLING, Charlotte (1946) GB, A.
RANDALL, Tony (26-2-20) U, A.
RANK, lord Arthur (Joseph Arthur, Lord Rank) (1888-1972) GB, Pr.
RAPP, Bernard (1945) J, T.

Rappeneau, J.-Paul (8-4-32) R.
Rapper, Irwing (1898) U, R.
Rathbone, Basil (Afr. S., 1892-1967) U, A.
Raucourt (Françoise Saucerotte) (1756-1815) A.
Ravanel, Jean (2-5-20) C. d'État.
Ravaud, René (11-4-20) Af.
Ravel, Pierre (1814-85) A.
Ray, Charles (1891-1943) U, A. Johnny (1927-90) U, Ch. Man (1890-1976) U, Ph. *Nicholas* (Kienzle) (1911-79) U, R. *Satyajit* (1921-92) In, R.
Raymond, Jean (n.c.) A, imit.
Raynaud, Fernand (1926-73) A, Ch.
Ré, Michel de (Gallieni) (1925-79) A.
Rea, Chris (4-3-51) GB, C.
Reagan, Ronald (6-2-11) U, A, Po.
Rebroff, Ivan (1931) Ur, C, A, Cp.
Redding, Otis (1941-67) U, C.
Redfern, Charles Poynter (1853-1929) GB, Cou.
Redford, Robert (18-8-37) U, A.
Redgrave, Michael (1908-85) GB, A. Vanessa (30-1-37) GB, A.
Reed, Sir Carol (1906-76) GB, R. Donna (1921-86) U, A. Lou (2-3-43) U, C, G. Oliver (13-2-38) GB, A.
Reeve, Christopher (25-9-52) U, A.
Reeves, *Steve* (21-1-26) U, A.
Reggiani, Serge (2-5-22) A, C.
Régine, (Mme Roger Choukroun née R. Sylberberg) (26-12-29) C, A.
Régnier (1807-85) A.
Rego, Luis (n.c.) A.
Régy, Claude (1929) M.
Reichenbach, François (1921-93) R.
Reiser, J.-Marc (1941-83) Des.
Reisz, Karel (1926) GB, R.
Réjane (Gab. Réju) (1856-1920) A.
Rellys (Henri Bourrely) (1905-91) A.
Remick, Lee (1935-91) U, A.
Rémy, Albert (1915-67) A. Constant (1882-1957) A.
Renant, Simone (G. Buigny) (1911) A.
Renard, Benoît (n.c.) J, T. Colette (Mme R. Legrand née Raget) (1-11-24) C, A.
Renaud (R. Séchan) (11-5-52) C. Line (Jacqueline Gasté née Enté) (2-7-28) A, C. Madeleine (Mme J.-L. Barrault) (21-2-1900) A.
Renault, Louis (1877-1944) Af.
Rénier, Yves (27-9-42) A.
Rennie, Michael (1909-71) GB, A.
Reno, Jean (n.c.) A.
Renoir, Cl. (4-12-14) Op. *Jean* (1894-1979) R. Pierre (1885-1952) A.
Renucci, Robin (11-7-56) A.
Repetto, Rose (n.c.) Da.
Resnais, Alain (1922) R.
Rétoré, Guy (7-4-24) M.
Reuter, Edgard (1928) All, Af.
Revel, J.-François (J.-F. Ricard) (19-1-24) J.
Réveillon, Jean (n.c.) J, T.
Rey, Fernando (Casado d'Arembilley) (20-9-17) Es, A.
Reybaz, André (1922) A.
Reynaud, Émile (1844-1918) Inv, R.
Reynolds, Burt (11-2-36) U, A. Debbie (Marie-Fr. R.) (1-4-32) U, A.
Reyre, Jean (1899-1989) Af.
Reza, Yasmina (1960) Au, M.
Reznikoff, Nathalie (1958) Ra.
Rheims, Maurice (4-1-1910) Gar, Au.
Ribadeau-Dumas, Roger (1910-1982) Pr.
Ribaud, André (Roger Fressoz) (30-10-21) J.
Ribeiro, Catherine (22-9-41) C.
Ribes, Édouard Cte de (27-1-23) Af. Jean-Michel (15-12-46) Au, M, R.
Riboud, Antoine (24-12-18) Af. Jean (1919-85) Af.
Ricard, Paul (9-7-09) Af. Patrick (12-5-45) Af.
Ricaumont, Jacques de (1913) Cr.
Ricci, Nina (1883-1970) It, Cou. Robert (1905-88) Af.
Ricet-Barrier (Maur.-Pierre Barrier) (1932) Cp.
Rich, Catherine (Renaudin) (18-6-38) A. Claude (8-2-29) A.
Richard, Cliff (Harry Webb) (14-10-40) GB, C. Gilbert (Hecquet) (1928) Pr, An. Guy (23-12-27) Af. Jean (18-4-21) A. J.-Louis (1927) R, M. Keith (1943). Little (Richard Pennyman) (5-12-32) U, C. *Pierre* (Defays) (16-8-34) A, M.
Richard-Willm (P. Richard) (1895-1983) A.
Richardson, Sir Ralph (1902-83) GB, A. *Tony* (1928-91) GB, A, R.
Richerot, Louis (1898-1988) J.
Richier, Pierre (4-5-26) Af.
Riefenstahl, Leni (1902) All, R, Ph.
Rieu de Pey, Nicole (16-5-52) C.
Rigadin (Charles Petitdemange) (1872-1933) A.
Rigaud, Francis (1920) R. Jacques (2-2-32) Af.
Rigaux, Jean (1909-91) Ch.
Rignac, Jean (1912) Ra.
Rignault, Alexandre (1901-85) A.
Rihoit, Catherine (1950) J.
Rim, Carlo (1905-89) J, Des.
Ringo (Guy Bayle) (11-5-44) C.
Rio Jim (William Hart) (1870-1946) U, A.
Riou, Georges (19-6-20) T.
Riquet, Michel (1898-1993) Prêt.
Risch, Maurice (25-1-43) A, P.
Risi, Dino (23-12-16) It, R.
Risoli, Philippe (9-9-53) An, T.
Rispal, Jacques (1923-86) A.
Rita Mitsouko : Catherine Ringer (18-2-57) Fred Chichin (28-4-54) C.
Ritchie, Lionel (20-6-49) U, C.
Ritt, Martin (1920-90) U, R.
Ritter, Thelma (1905-69) U, A.
Ritz Brothers, Al (1901-65) Jim (1903-85) Harry (1906-86) Joachim, U, A.
Riva, Emmanuelle (24-2-27) A.
Rive (de la) (1747-1827) A.
Rivers, Dick (Hervé Fornieri) (24-4-45) C. Fernand (1879-1960) Pr.
Rivette, Jacques (1928) R.
Rivière, J.-Marie (1938) C, Cp.
Roach, Hal (1892-1992) U, Pr.
Roanne, André (1896-1959) A.
Robards, Jason (22-7-22) U, A.
Robbe-Grillet, Alain (1922) Au, R.
Robbins, Tim (n.c.) A.
Robert, Yves (19-6-20) A, R.
Robert-Houdin, Jean-Eugène (1805-71) Ma.
Roberts, Jean-Marc (3-5-54) Au. Julia (1967) U, A.
Robertson, Cliff (9-9-25) U, A. -Justice, James (1905-75) Éc, A.
Robeson, Paul (1898-1976) U, A.
Robin, Dany (14-4-27) A. Georges (1928) Af. Michel (n.c.) Su, A, Muriel (1954) Hum.
Robinson, Edward G. (Emmanuel Goldenberg) (Ro, 1893-1973) U, A. *Madeleine* (Svoboda) (5-11-17) A.
Robson, Dame Flora (1902-84) GB, A. Mark (1913-78) U, R.
Robuchon, Joël (7-4-45) Rest.
Rocard, Pascale (29-8-60) A.
Rocca, Robert (Canaveso) (1912) Ch, Pr.
Rocha, Glauber (1938-1981) Br, M, R. *Paulo* (1935) Port, R.
Rochal, Grigori (1899) Ur, R.
Rochas, Hélène (n.c.) Af.
Roche, Émile (1893-1990) J. Po. France (1921) J, Pr, T.
Rochefort, Jean (29-4-30) A.
Rockefeller, David (12-6-15) U, Bq. John (1839-1937) U, Af. John D. (18-6-37) U, Po.
Rodgers, Richard (1902-79) U, Cp.
Rodier, Jean-Pierre (4-5-47) Af.
Rodriguez, Amalia (1920) Port, C.
Roger, Gustave (1815-79) C.
Rogers, Carl Ransom (1902-87) U, Psycho. *Ginger* (Mac Math) (16-7-11) U, A. Roy (Leonard Slye) (5-11-12) U, A.
Rohmer, Bruno (30-1-41) Éd, Af. *Éric* (Maurice Scherer) (21-3-20) R.
Roland, Gilbert (Luis Antonio de Alonso) (Mex., 11-12-05) U, A. Thierry (4-8-37) J.
Roland-Bernard (Rouland Bernard dit) (27-3-27) J, R, T.
Rollan, Henri (1888-1967) A.
Rollès, Hélène (1967) A.
Rollet, Claude (1938) A.
Rolling Stones : Mike Jagger (26-7-43) Brian Jones (1942-69) Keith Richard (18-12-43) Mick Taylor (17-1-48) Charlie Watts (2-6-41) Bill Wyman (24-10-36) Ronnie Wood (1-6-47) GB, C.
Roman, Ruth (22-12-44) U, A.
Romance, Viviane (Pauline Ortmans) (1912-91) A.
Romans, Pierre († 1990) M.
Rome, Sydney (17-3-46) U, A.
Romm, Mikhail (1901-71) Ur, R.
Ronet, Maurice (Robinet) (1927-83) A.
Ronson, Mick (1947-93) GB, Mu.
Ronstadt, Linda (15-7-46) U, C.
Rooney, Mickey (Joe Yule) (23-9-22) U, A.
Roquejeoffre, Michel (28-11-33) Gl.
Roquemaurel, Gérald de (27-3-46) Af.
Roquevert, Noël (Bénévent) (1892-1973) A.
Rosa, Robert (16-5-34) Af.
Rosay, Françoise (de Bandy de Nalèche, Mme Feyder) (1881-1974) A.
Rose, Liliane (n.c.) Ra.
Rosenberg, Pierre (12-4-36) Insp. Musées. Stewart (1928) U, R.
Rosi, Francesco (15-11-22) It, R.
Rosier, Michèle (1930) Cou.
Rosine, Paul (1961-93) Mu.
Rosko (Président) (Mike Pasternak) (1943) Ra.
Rosnay, Arnaud de (9-3-46) Spo, Jenna (7-3-63) Spo, Joël (12-6-37) Au. Stella de (1963) U, Spo.
Ross, Diana (26-3-44) U, C, A. Herbert (13-5-27) U, A, Cho, R. Katharine (29-1-43) U, A.
Rossellini, Isabella (1953) It, A. *Roberto* (1906-77) It, R.
Rossen, Robert (1908-66) U, R.
Rossi, Franco (1919) It, R. Laurent (1949) C. Maria (de Renzulli) (25-1-50) C. Tino (1907-83) C.
Rossidrago, Eleonora (Palmina Omiccioli) (1925) It, A.
Rossif, Frédéric (1922-90) Pr, T, R.
Rotha, Paul (1907-84) GB, R, Pr.
Rothschild, Alain de (1910-82) Af. Anselme (1773-1855). Charles (1788-1855) David (15-12-42) Af. Edmond (30-9-26) Af. Elie (1917). Guy (21-5-09) Af. James (1792-1868). Marie-Hélène (ép. de Guy) (1927) Mécène. Meyer-Amschel (1744-1812). Nadine (née Lhopitalier 1932) ép. d'Edmond. Nathan (1777-1836). Philippe (1902-88) A, Au, M, Viticulteur. Philippine (1935). Salomon (1774-1855).
Rotten, Johnny (Lydon) (31-1-56) GB, C.
Rouanet, Pierre (12-5-21) J.
Roubaix, François de (1939-75) Cp.
Roucas, Jean (Jean Avril) (1-2-52) An, R, T, Hum.
Roubaud, Pierre (28-5-31) J, T.
Rouch, Jean (1917) R.
Rouché, Jacques (1862-1957) M.
Roud, Richard (1929-89) U, Au, Cr.
Rouer, Germaine (1897) A.
Rouffio, Jacques (14-8-28) R.
Rouland, Jacques (1930) A, T. J.-Paul (28-5-28) A, Pr.
Rouleau, Raymond (1904-81) Be, A, R.
Roullier, Daniel (4-11-35) Af.
Roumanov, Anne (n.c.) Hum.
Roume, Jean (1923-88) J.
Rouquier, Georges (1909-89) R.
Rourke, Mickey (1955) U, A.
Roussel, Myriam (26-2-61) A. Paul (n.c.) J. Thierry (1953) Af.
Rousselet, André (1-10-22) Af.
Rousselot, Michel (10-7-31) Af.
Roussillon, J.-Paul (1931) A, M.
Roussin, André (1911-87) Au, A.
Roussos, Demis (15-6-46) Gr, C.
Roustan, Didier (1958) J.
Rouvel, Catherine (Vitale) (31-8-39) A.
Rouvillois, Philippe (29-1-35) Af.
Rouvre, Cyrille de (19-12-45) Af.
Roux, Ambroise (26-6-21) Af. Annette (4-8-42) Af. Bernard (15-8-34) Af. Bernard (5-6-35) Af. Michel (22-7-29) A.
Roverato, Jean-François (10-9-44) Af.
Roy, Maurice (21-11-29) J.
Rowlands, Gena (19-6-34) U, A.
Royère, Édouard de (26-6-32) Af.
Roze, Jean (3-7-23) Af.
Rozsa, Miklos (18-4-07) Ho, Cp.
Rubik, (1944) Ho, Scul.
Rubin, Claude (n.c.) An, T.
Ruegg, Rolf (4-11-41) Su, Af.
Rufus (Jacques Narcy) (19-12-42) A.
Ruggieri, Ève (1939) J.
Ruiz, Raoul (n.c.) Chili, Cin.
Ruset, Alexis (18-10-45) Af.
Ruspoli, Mario (1925-86) It, R.
Russel, Léon (2-4-41) U, Mu, C.
Russell, Jane (21-6-21) U, A. *Kenneth* (1927) GB, R. Rosalind (1912-76) U, A.
Rutherford, Margaret (1892-1972) GB, A.
Ruttmann, Walter (1887-1941) All, R.
Ryan, Robert (1909-73) U, A.
Rydel, Mark (1934) U, R.
Rykiel, Sonia (25-5-30) Cou.
Rysel, Ded (1903-75) C, A.
Sabas, André (20-11-30) J, T.
Sabatier, Patrick (12-11-51) An. William (1923) A.
Sabbagh, Pierre (18-7-18) J.
Sabine, Thierry (1947-86) Org. Ral.
Sablier, Édouard (Chamard) (29-2-20) J.
Sablon, Germaine (1899-1985) C. Jean (25-3-06) C.
Sabouret, Yves (15-4-36) Insp. Fin.
Sabrina (S. Salerno) (15-3-68) It, C.
Sabu, (Sabu Dastagir) (Ind. 1924-63) U, A.
Sacré, José (n.c.) An, Ra.
Sade (Hélène Folassade Adu) (16-1-59) GB, C.
Sadoun, Roland (9-8-23) Af.
Safonova, Elena (n.c.) Russe, A.
Sagar, Hemant (1957) In, Cou.
Sainderichin, Gabrielle (1925) An.
Saint, Eva-Marie (4-7-24) U, A.
Saint-Auban, Emile de (n.c.) Av.
Saint-Bris, Gonzague (26-1-48) J.
Saint-Cyr, Renée (M.-Louise Vittore, Mme C. Lautner) (16-11-07) A.
Saint-Denis, Michel (1897-1971) A.
Saint-Geours, Frédéric (20-4-50) Af. Jean (24-4-25) son père, Af.
Saint-Granier (J. Granier de Cassagnac) (1890-1976) A, Au, Ch.
Saint Laurent, Yves (1-8-36) Cou.
Saint-Paul, Gérard (25-6-41) J.
Saint-prix (Jean Amable Foucault) (1758-1834) A.
Sainville (1805-54) A.
Sakiz, Édouard (17-4-26) Af.
Sales, Claude (21-7-30) J.
Salinger, Pierre (14-6-25) U, J.
Sallebert, Jacques (20-10-20) J.
Sallée, André (1920) Ra.
Sallenave, Danièle (1940) Au.
Salmon, André (n.c.) Au. Alain (1951-90) A. Robert (1918) J.
Salomon, Georges (18-11-25) Af.
Salou, Louis (Goulven) (1902-48) A.
Salvador, Henri (18-7-17) C, Cp.
Salvatori, Renato (1933-88) It, A.
Salviac, Pierre (1946) J.
Samary, Jeanne (1857-90) A.
Samie, Catherine (3-2-33) A.
Samson, Joseph (1793-1871) A.
Sanda, Dominique (Varaigne) (11-3-51) A.
Sanders, Dirk (n.c.) Da. Georges (Ru, 1906-72) U, GB, A.
Sandoz, Gérard (Gustave Stern) (1914-88) Pol, J.
Sandra (S. Lauer) (18-5-62) All, C.
Sandrel, Micheline (Michèle Bardel) (n.c.) J.
Sandrelli, Stefania (5-11-46) It, A.
Sangla, Raoul (1-9-30) R, T.
Sang-Ku et *Huang-Sha* (1916), Chi, R.
Sannier, Henri (7-9-47) J.
Sanson, Véronique (24-4-49) C, Cp.
Santana, Carlos (20-7-49) C.
Santelli, Claude (17-6-23) Pr, Au.
Santi, Jacques (1939-88) A.
Santini, Pierre (9-8-38) A.
Santoni, Joël (5-11-43) R.
Santos, Roberto (1928-87) Br, M.
Sapho (10-1-50) C.
Sapritch, Alice (1916-90) A.
Sarandon, Susan (Tomaling) (4-10-46) U, A.
Sarapo, Théo (Lamboukas) (1936-70) C, A.
Sarcey, Martine (28-9-28) A.
Sarde, Alain (1942) Pr.
Sardou, Fernand (1910-76) A. Jackie (Rollin) (7-4-19) A. Michel (26-1-47) C.
Sarment, Jean (Bellemère) (1897-1976) Au.
Sarocchi, Claude (2-11-32) Af.
Sarraute, Claude (Mme J.-F. Revel) (24-7-27) J, Au.
Sarre, Claude-Alain (10-4-28) Af. Georges (26-11-35) Po.
Sarthoulet, Guy (n.c.) J.

SASSIER, Philippe (n.c.) J, T.
SASSY, Jean-Paul (22-12-25) M.
SAULNIER, Jacques (1928) Déc.
SAURA, Carlos (1932) Es, R.
SAUREL, Renée (1910-88) Cr.
SAURY, Maxime (1928) Cp, J.
SAUSSEY, Thierry (8-2-49) Af.
SAUTET, Claude (23-2-24) R.
SAUTIER, René (16-2-23) Af.
SAUTTER, Rémy (15-4-45) Af, T.
SAUVAGE, Catherine (Janine Saunier) (1929) C. Léo (1913-88) Au, J.
SAUVAL, Catherine (n.c.) A, Th.
SAVAL, Dany (Salle ; Mme M. Drucker) (1942) A.
SAVALAS, Telly (21-1-24) U, A.
SAVARY, Alain (1919-88) Po. Jérôme (27-6-42) Au, A, M.
SCHAFFNER, Franklin (1920-89) U, R.
SCHATZBERG, Jerry (1927) U, M.
SCHEIDER, Roy (10-11-35) U, A.
SCHELL, Maria (15-1-26) Aut, A. Maximilien (8-12-30) Aut, A.
SCHERRER, J.-Louis (1935) Cou. Laetitia (1968). Victor (7-3-43) Af.
SCHIAPARELLI, Elsa (1890-1973) It, Cou.
SCHIFFER, Claudia (1971) All, Man.
SCHINDLER, Paul (29-8-41) Af.
SCHLESINGER, Helmut (4-9-24) All, Bq. *John* (16-2-26) GB, R.
SCHLÖNDORFF, Volker (31-3-39) All, R.
SCHMELCK, Robert (1915-90) Mag.
SCHMID, Daniel (1941) Su, R.
SCHNEIDER, Gilles (25-9-43) J. Magda (1908) Aut, A. Maria (1952) A. *Romy* (Rosemarie Albach-Retty) (23-9-1938/82) Aut, A.
SCHNYDER, Franz (1910-93) Su, R.
SCHOELLER, François (25-3-34) Af. Guy (11-07-15) Éd.
SCHOENDOERFFER, Pierre (5-5-28) R, Au.
SCHORM, Evald (1931) Tc, R.
SCHRADER, Paul (22-7-46) U, R.
SCHROEDER, Barbet (1941) Lux, R.
SCHU, Bernard (1947) An, Ra.
SCHUFFTAN, Eugen (1893-77) All, Op.
SCHURR, Gérald (1915-89) Coll.
SCHWARTZENBERG, Léon (2-12-23) Méd. Roger-Gérard (17-4-43) Un, Po.
SCHWARZENEGGER, Arnold (Aut 30-7-47) U, A.
SCHWEITZER, Louis (8-7-42) Af.
SCHYGULLA, Hanna (25-12-43) Pol, A.
SCITIVEAUX, Thierry de (n.c.) J.
SCOB, Édith (1937) A.
SCOFF, Alain (n.c.) J.
SCOFIELD, Paul (David S.) (21-1-22) GB, A.
SCOLA, Ettore (10-5-31) It, R.
SCORSESE, Martin (17-11-42) U, R.
SCOTT, George (18-10-27) U, A. Jack (1938) U, C. Randolf (Randolph Crane) (1901-1987) U, A. Ridley (1939) GB, R.
SCOTTO, Vincent (1876-1952) Cp.
SEATON, George (1911-79) U, R.
SÉBASTIEN, Patrick (Boutot) (14-11-53) Ch.
SEBERG, Jean (1938-79) U, A.
SÉDOUY, Alain de (15-11-29) J.
SEEFRIED, Irmgard (1919-88) Aut, C.
SEEGER, Pete (3-5-19) U, C.
SEGAL, George (13-1-34) U, A. Gilles (n.c.) A.
SEGOND-WEBER (1867-1941) A.
SEGUELA, Jacques (23-2-34) Pu.
SÉGUILLON, Pierre-Luc (13-9-40) J.
SEGUIN, Philippe (21-4-43) Po.
SEIGNER, Françoise (7-4-28) A. Louis (1903-91) A.
SEILLIÈRE, Ernest-Antoine (20-12-37) Af, S.
SELLARS, Peter (27-9-57) U, Th.
SELLECK, Tom (21-1-45) U, A.
SELLER, Jacques (n.c.) M.
SELLERS, Catherine (1928) A. Peter (1925-80) GB, A.
SELLNER, Rudolf (1905-90) A, M.
SELZNICK, David (1902-65) U, R.
SEM (Georges Goursat) (1863-1934) Des.
SEMON, Larry (1889-1928) U, A.
SEMPÉ, J.-Jacques (17-8-32) Des.
SEMPERMANS, Françoise (n.c.) Af.
SEN, Mrinal (1923) In, R.
SENNEP (1894-1982) Des.
SENNETT, Mack (Michel Sinnot) (1880-1960) U, A, R.
SENNEVILLE, Paul de (30-7-33) Af.
SENNEY, Jean (1894-1982).
SENSÉMAT, Jean-Claude (14-5-51) Af.
SEREYS, Jacques (2-6-28) A.
SERIEYX, Hervé (13-7-37) Af.
SÉRILLON, Claude (20-10-50) J.
SERNAS, Jacques (1925) A.
SERRAULT, Michel (24-1-28) A.
SERRE, J.-Claude (1938) Des.
SERREAU, Coline (1947) R.
SERULLAZ, Maurice (19-1-14) Cr, Art.
SERVAIS, Jean (1910-76) Be, A. Raoul (1928) Be, R.
SERVAN-SCHREIBER, J.-Claude (11-4-18) J. J.-Jacques, voir Index. J.-Louis (31-10-37) J.
SERVIER, Jacques (9-2-22) Méd, Af.
SÉTY, Gérard (Plouviez) (13-12-22) A.
SETZER, Brian (10-4-59) U, C.
SEUL, Gérard (14-9-35) Af.
SÉVENO, Maurice (6-6-25) J.
SÉVERIN-MARS (1873-1921) A.
SÉVERINE (1949) C.
SEVILLA, Carmen (1930) Es, A, Da.
SEVRAN, Pascal (1945) Au, T.
SEX PISTOLS : Steve Jones (3-5-55), Paul Cook (27-7-56), Sid Vicious (John Simon Ritchie) (1957-79), Johnny Rotten (31-1-56) GB, C.
SEYS, Jean-Claude (13-11-38) Bq.
SEYDOUX FORNIER de CLAUSONNE, Jérôme (21-9-34) Af. Michel (1947) Pr. Nicolas (16-7-39) Af.
SEYRIG, Delphine (1932-90) A.
SHADOWS : Hank Marvin (28-10-41) Bruce Welch (2-11-41), Ian Samwell, Terry Smart, GB, Mu.
SHANKAR, Ravi (7-4-20) In, Mu.
SHARIF, Omar (Michel Shalhouz) (10-4-32) Ég, A.
SHAW, Robert (1927-78) GB, A. Sandie (Sandra Goodrich) (26-2-47) GB, C.
SHAYNE, Robert (R. Shaen Dawe) (1910) U, A.
SHEARER, Moira (King) (17-1-26) GB, A, Da. Norma (1900-83) U, A.
SHEEN, Martin (Ramon Estevez) (3-8-40) U, A.
SHEILA (Annie Chancel, div. de Guy Bayle) (16-8-46) C.
SHELLER, William (9-7-46) C.
SHEN CONGWEN (1903-88) Chinois, Au.
SHEPARD, Sam (5-11-43) U, A.
SHEPHERD, Cybill (18-2-50) U, A.
SHERIDAN, Ann (1915-67) U, A.
SHIELDS, Brooke (31-5-65) U, A.
SHIMKUS, Johanna (Ca 1943) GB, A.
SHINDO, Kaneto (1912) Jap, R.
SHÖNBERG, Béatrice (n.c.) J, T.
SHUMAN, Mort (1936-91) U, A, C.
SIBIRSKAÏA, Nadia (Jeanne Brunet) (1901-80) A.
SIDDONS, Sarah (1755-1831) GB, A.
SIDNEY, George (Sammy Greenfield) (1911) U, M. Sylvia (Sophia Kosow) (18-8-10) U, A.
SIEGEL, Don (1912-91) U, R. Maurice (1919-85) J, R.
SIGNORET, Gabriel (1872-1937) A. *Simone* (Kaminker, Mme Yves Montand) (1921-85) A, Au.
SIGURD, Jacques (1920-87).
SILVER, Ron (7-2-46) U, A.
SILVY, Édouard (2-6-37) Af.
SIM (Simon Berryer) (21-7-26) A.
SIMAK, Clifford (1904-88) U, Au, J.
SIMARD, René (1963) et Nathalie (1972) C.
SIMMONS, Jean (31-1-29) GB, A.
SIMON, Albert (1920) R. *Michel* (Su, 1895-1975) A. Paul (13-10-41) U, C. *Simone* (1911) A. Yves (3-5-44) C, Cp.
SIMONE (Mme F. Porché) (1877-1985) A. Nina (Eunice Waymon) (21-1-33) U, C.
SIMONET, Gilbert (9-5-32) Af. Paul (22-2-12) Af. Puck (13-3-28) Af.
SIMONETTA, Brigitte (27-3-54) J.
SIMPLE MINDS (Jim Kerr) (9-7-59) GB, C.
SIMPLY RED (Mick Hucknall) (8-6-60) U, C.
SINATRA, Frank (12-12-15) U, C, A. Nancy (12-12-40) U, C.
SINCLAIR, Anne (15-7-49) J.
SINÉ, Maurice (Sinet) (31-12-28) Des.
SINGHER, Martial (1904-90) C.
SINIGALIA, Annie (26-6-44) A.
SINOËL (Jean-Léonis Blès) (1868-1949) A.
SIODMAK, Curt (1902) All, Au. Robert (1900-73) U, R.
SIPRIOT, Pierre (16-1-21) J, Au.
SIRE, Gérard (1927-77) T.
SIRK, Douglas (Detlef Sierck) (1897-1987) U, R.
SIVEL, William (1908-82) (né en Grèce) Ing. son.
SJÖBERG, Alf (1903-80) Suè, R.
SJÖMAN, Vilgot (1924-80) Suè, R.
SJÖSTRÖM, Victor (1879-1960) Suè, A, R.
SKELTON, Red (18-7-10) U, A.
SKOLIMOWSKI, Jerzy (5-5-38) Pol, R.
SMAÏN (1958) A.
SMALTO, Francesco (5-11-27) It, Cou.
SMITH, Dodic (1904-91) Au. Maggie (28-12-34) GB, A. Patti (31-12-46) U, C, Cp.
SÖDERBAUM, Kristina (Suè, 1912) All, A.
SŒUR SOURIRE (Jeanne Deckers) (1933-85) Be, C.
SOLDATI, Mario (1906) It, Au, R.
SOLEIL (Madame) Germaine (1913) Ast, Pré.
SOLIDOR, Suzy (Rocher) (1906-83) A, C.
SOLLEVILLE, Francesca (1932) C.
SOLNESS, Jacques (30-9-25) T.
SOLO, François (1933) Des.
SOLOGNE, Mad. (Vouillon) (27-10-12) A.
SOLVAY, Ernest (1838-1922) Be, In.
SOMOGY, Aimery (1897) Ed.
SOMMERVILLE, Jimmy (1961) GB, C.
SONDERGAARD, Gale (1899-1985) U, A.
SOPHIE (Arlette Hecquet) (1944) C.
SORAL, Agnès (8-6-60) A.
SORANO, Daniel (1920-62) A.
SORDI, Alberto (15-6-20) It, A.
SOREL, Cécile (Seurre) (1873-1966) A. Jean (de Combaud) (1934) A.
SORIA, Georges (1914-91) J.
SORMAN, Guy (10-3-44) Au, J.
SOTHA (Catherine Sigaux) (1944) A.
SOTHERN, Ann (Harriette Lake) (22-1-09) U, A.
SOUBIE, Roger (14-6-1898) Des.
SOUCHIER, Dominique (25-11-47) J, Ra.
SOUCHON, Alain (27-5-44) C.
SOUL, David (28-8-43) U, A.
SOULAS, Philippe (1934) Des.
SOUPLEX, Raymond (Guillermain) (1901-72) A, Ch.
SOURZA, Jeanne (1904-69) A.
SOUTTER, Michel (1932-91) Su, R.
SPAAK, Catherine (1942) A. Charles (Be, 1903-75) S, Di.
SPACEK, Sissy (25-12-49) U, A.
SPADE, Henri (16-7-21) Au, M.
SPAGNA (16-12-59) It, C.
SPENCER, Bud (Carlo Pendersoli) (1929) It, A.
SPIEGEL, Sam (1903-85) U. (or. pol) Pr.
SPIELBERG, Steven (18-12-47) U, R.
SPIERO, J.-Pierre (4-8-37) R, T.
SPIERS, Pierre (1917-80) Ch. d'orch.
SPINDLER, Bernard (3-5-39) J.
SPIRA, Françoise (1928-65) A.
SPOOK, Per (1939) Nor, Cou.
SPRINGSTEEN, Bruce (23-9-49) U, C, Cp.
STACK, Robert (Modini) (13-1-19) U, A.
STALLONE, Sylvester (Gardenzio) (6-7-46) U, A, R.
STAMP, Terence (22-7-39) GB, A.
STANCZACK, Wadeck (30-11-61) A.
STANTON, Harry Dean (14-7-26) A.
STANWYCK, Barbara (Ruby Stevens) (1907-90) U, A.
STAREWITCH Ladislas (Ur 1882-1965) R.
STARK, Johnny (Roger Oscar Émile) (1924-89) Imp. Philippe (18-1-49) F, Designer.
STARR, Ringo (Richard Starkey) (7-7-40) GB, C.
STAUDTE, Wolfgang (1906-84) All, R.
STEEL, Anthony (21-5-20) GB, A.
STEELE, Tommy (Hicks) (17-12-36) GB, C.
STEENBURGER, Mary (1953) U, A.
STEIGER, Rod (14-4-25) U, A.
STEINER, Max (1888-1972) U, Mu.
STEINLEN, Théophile Alexandre (1859-1923) Des.
STEKLY, Karel (1903-86) Tc, R.
STELLA (Stella Zelcer) (12-12-50) C.
STEN, Anna (Sudakevich) (Ru, 3-12-08) U, A.
STÉPHANE, Roger (Worms) (19-8-19) Au, Pr.
STERN, Jacques (21-3-32) Af.
STERNBERG, J. von (Aut 1894-1969) U, R.
STÉVENIN, J.-François (1944) A.
STEVENS, Cat (Steve Georgiou) (21-7-47) GB, C. *George* (1904-75) U, R. *Alexandra* (1939) Ca, A. *James* (Maintland) (20-5-08) U, A. Rod (10-1-45) GB, C.
STEWART, Alexandra (1939) Ca, A. *James* (20-5-08) U, A. Rod (Roderick David) (10-1-45) GB, C.
STILL, Pierre (Letévé) (1914-†) Ch.
STILLER, Mauritz (1883-1928) Finl, R, As.
STILLS, Stephen (30-1-45) U, C.
STING (Gordon Summer) (2-10-51) GB, C.
STIVELL, Alan (Alain Cochevelou) (6-1-44) Au, Cp, C.
STOCKWELL, Dean (5-3-36) U, A.
STONE (Annie Gautrot) (31-7-47) C. Isador-Feinstein (1908-89) U, J. Oliver (15-9-46) U, M. Sharon (n.c.) U, A.
STOPPA, Paolo (1906-88) It, A.
STORARO, Vittorio (1939) It, Cin.
STORCK, Henri (1907) Be, R.
STRANGLERS (The) : Hugh Cornwell (28-8-49) Jean-Jacques Burnel (21-2-52) Dave Greenfield (29-3-49) Jet Black (26-8-38) GB, C.
STRASBERG, Susan (22-5-38) U, A.
STRAUB, Jean-Marie (1933) All, R.
STREEP, Meryl (22-6-49) U, A.
STREHLER, Giorgio (1921) It, M.
STREISAND, Barbra (24-4-42) U, A, C.
STRICKER, Willy (10-7-42) Af.
STROHEIM, Eric von (Aut 1885-1957) U, R, A.
STROYBERG, Annette (1936) Dan, A.
STUCKENSCHMIDT, Hans (1901-88) All, Cr.
STURGES, John (1911-92) U, M. Preston (Edmond P. Biden) (1898-1959) U, R.
SUARD, Pierre (9-11-34) Af.
SUCKSDORFF, Arne (1917) Suè, R.
SUFFERT, Georges (14-7-27) J, Au.
SULITZER, Paul-Loup (22-7-46) Af.
SULLAVAN, Margaret (Brooke) (1911-60) U, A.
SULLIVAN (1945) C. Barry (Patrick Barry) (29-8-12) U, A.
SUMAC, Ima (1927) Pérou, C.
SUMMER, Donna (Gaines) (31-12-48) U, C.
SUN RA (Sonny Blount) (1925-93) U, Mu.
SUPERTRAMP (GB) : R. Davies, R. Hodgson (21-3-50) J.A. Helliwell, D. Thomson, B.C. Benberg (1970) U.
SURFS (n.c.) C.
SUTHERLAND, Donald (17-7-35) Ca, A.
SUZA, Linda de (Téolinda Lança) (22-2-48) Port, C.
SWANSON, Gloria (1899-1983) U, A.
SWAYZE, Patrick (18-8-52) U, A.
SWEET, Blanche (1896-1986) U, A.
SYDOW, Max von (10-4-29) Suè, A.
SYLVA, Berthe (1886-1941) C.
SYLVESTRE, Anne (Beugras) (1934) C.
SYLVIA, Gaby (Zigani) (1920-80) A.
SYLVIE (Louise Sylvain Mainguené) (1883-1970) A.
SZABO, Istvàn (18-2-1938) Ho, R.
SZERYNG, Henryk (1909-88) Mex, Mu.
TABARIN, (1584-1633) Au, A.
TABOUIS, Geneviève (1892-1985) J.
TACCHELLA, J.-Charles (23-9-25) R.
TACHAN, Henri (Tachjian) (2-9-39) C.
TAITTINGER, Claude (2-10-27) Af. Pierre-Christian (15-2-26) Po. Jean (25-1-23) Af.
TALASKA, Henri (24-11-45) Af.
TALLIER, Armand (1887-1958) A.
TALLON, Roger (1929) Ing.
TALMA, François-Joseph (1763-1826) A.
TALMADGE, Norma (1893-1957) U, A.
TAMIROFF, Akim (Ur, 1899-1972) U, A.
TANNER, Alain (6-12-29) Su, R.
TAPIE, Bernard (26-1-43) Af.
TARBÈS, André (13-4-17) Af. Monique (1937) A.
TARDIEU, Michel (17-8-35) J, T.
TARKOVSKI, Andréï (1932-86) Ur, R.
TARLÉ, Antoine de (1939) Af, T.
TARTA, Alexandre (1-6-28) R, Pr, T.

TASCA, Catherine (13-12-41) Po.
TASHLIN, Frank (1913-72) U, R.
TASSENCOURT, Marcelle (1914) M, T.
TASSO, Jean (n.c.) M.
TATA, Jehangin Ratanji (29-7-04) In, Af.
TATE, Sharon (1943-69) U, A.
TATI, Jacques (Tatischeff) (1908-82) R, A.
TATLISÉS, Ibrahim (1952) Tu, C.
TATU, Michel (17-4-33) J.
TAUROG, Norman (1899-1981) U, M.
TAVERNIER, Bertrand (25-4-41) R.
TAVERNOST, Nicolas de (28-8-50) T.
TAVIANI, Paolo (8-11-31) et Vittorio (20-9-29) It, R.
TAYLOR, Elizabeth (27-2-32) GB, A. Frederick W. (1856-1915) U, Éco. *Robert* (Spangler Arlington Brugh) (1911-69) U, A. Vince (1939-91) GB, C.
TAZIEFF, Haroun (Varsovie, 11-5-14) Ing, Au, Cin, ancien Min.
TCHENG, Cheng (1899) Chi, Au.
TCHENKO, Katia (n.c.) A.
TCHERINA, Ludmilla (Monika Tchemerzine, Mme Raymond Roi) (10-10-24) Da.
TCHERKASSOV, Nicolas (1903-66) Ur, A.
TCHERNIA, Pierre (Tcherniakovsky) (20-1-29) An, R, T.
TCHIAOURELLI, Mikhaïl (1894-1974) Ur, R.
TCHOUKRAI, Grigori (1921) Ur, R.
TCHURUK, Serge (13-11-37) Af.
TEARLE, Conway (Frederick Levy) (1878-1938) U, A.
TÉCHINÉ, André (13-3-43) R.
TEISSIER, Elisabeth (Mme Teissier du Gros) (n.c.) A, T.
TÉLÉPHONE : J.-L. Aubert (12-4-55) L. Bertignac (23-2-54) C. Marienneau (7-3-52) R. Kolinka (7-7-53) C.
TELL, Diane (24-12-57) Ca, C.
TEMPLE, Shirley (23-4-28) U, A.
TENDRON, René (8-3-34) J.
TENNBERG, J.-Marc (1918-73) Ch.
TÉNOT, Franck (31-10-25) J.
TERAYAMA, Shuji (1935-83) Jap, S, R.
TERRAIL, Claude (4-12-17) Rest.
TERRY, Ellen (1847-1928) GB, A.
TERRY INGRAM, Alice Taafe (1899-1987) U, A.
TERRY-THOMAS (Thomas Terry) (1911-90) GB, A.
TERZIAN, Alain (2-5-49) Pr.
TERZIEFF, Laurent (Tchemerzine) (27-6-35) A.
TESSIER, Valentine (1892-1981) A.
TESSON, Philippe (1-3-28) J.
TEULADE, René (17-6-31) Af.
TEXEL, Paul (n.c.) P.-Bas, C.
TEYNAC, Maurice (Garros) (1915-92) A.
TÉZENAS DU MONTCEL, Henri (8-1-43) Un.
THALBERG, Irving (1899-1936) U, Pr.
THAMAR, Tilda (1921-89) Arg, A.
THAON, (n.c.) Av.
THEODORAKIS, Mikis (29-7-25) Gr, Cp.
THÉRÉSA (Emma Valandon) (1837-1913) C.
THÉRET, Max (6-1-13) Af.
THÉRON, André (1926) J, Ra, T.
THÉROND, Roger (24-10-24) J.
THÉVENET, René (5-5-26) Pr.
THÉVENIN, Raymond (1915-80) J.
THÉVENON, Patrick (1935-89) J.
THÉVENOT, Jean (1916-83) J.
THIBAUD, Anna (Marie-Louise Thibaudet) (1891-1936) C.
THIBAULT, J.-Marc (24-8-23) A.
THIBAULT, Fabienne (17-6-52) Ca, C.
THIÉFAINE, Hubert-Félix (1948) Cp, C.
THIELE, Rolf (1918) All, R.
THIERS, Janine (n.c.) T.
THIL, Georges (1897-1984) C.
THINNES, Roy (18-6-47) U, A.
THIRARD, Armand (1899) Op.
THIRIET, Maurice (1906-72) Cp.
THIRIEZ, Gérard (25-10-18) Af.
THIRON (1830-91) A.
THOMAS, Guy (1924-92) J. *Pascal* (1945) R. René (13-1-29) Af. Robert (1930-89) Au.
THOMASS, Chantal (5-9-47) Cou.
THOME-PATENÔTRE, Jacqueline (13-2-06) Po.
THOMPSON, Danièle (3-1-42) S. J. Emma (1959) GB, A. Lee (1914) GB, R.
THORNDIKE, Sybil (1882-1976) GB, A.
THORPE, Richard (Rollo Smolt Thorpe) (1896-1991) U, M.
THULIN, Ingrid (27-1-29) Suè, A.
TIERNEY, Gene (1920-91) U, A.
TIFFANY, Charles Lewis (1812-1902) U, Af.
TILLER, Nadia (1929) Aut, A.
TILLEY, Testa (1864-1952) GB, Cl.
TIM (Louis Mittelberg) (29-1-19) Des.
TIMSITT, Patrick (n.c.) Hum.
TINAYRE, Lucile (n.c.) Av.
TINBERGEN, Nikolaas (1907-88) GB, Éthologiste.
TIOMKIN, Dimitri (Ur 1899-1979) U, Cp.
TISOT, Henri (1-6-37) A.
TISSIER, Jean (1896-1973) A.
TISSOT, Alice (1895-1971) A.
TITRE, Claude (1930-85) A.
TODD, Ann (24-1-09) GB, A. Michael (Avrom Goldenberg) (1909-58) U., Pr. Olivier (19-6-29) J, Au. Richard (11-6-19) GB, A.
TŒSCA, Marc (20-10-55) An, T.
TOGNAZZI, Ugo (1922-90) It, A.
TOJA, Jacques (1-9-29) A.
TOLAND, Gregg (1904-47) U, Op.
TOMITA, Tamlyn, A.
TOMLINSON, David (1917) GB, A.
TONE, Franchot (1903-68) U, A.
TONIETTI, Anne (It 1940) A.
TOPALOFF, Patrick (10-12-44) Ra, C.
TOPART, Jean (1927) A.
TOPOR, Roland (n.c.) Des, Au.
TORN, Rip (6-2-31) U, A.
TORNADE, Pierre (21-1-30) A.
TORNATORE, G. (1959) It, R.
TORR, Michèle (7-4-47) C.
TORRE NILSSON, Leopoldo (1924-78) Ar, R.
TORRENT, André (27-7-45) Be, An.
TORRENTE (Rose Mett) (14-4-32) Cou.
TORRES, Raquel (1909-87) U, A. Henry (n.c.) Av.
TORTORA, Stéphane (n.c.) J, T.
TOSCAN DU PLANTIER, Daniel (7-4-41) Af.
TOSH, Peter (1944-87) Jam, C, Cp.
TOTO (Antonio de Curtis) (1898-1967) It, A.
TOUCHARD, Pierre-Aimé (1903-87).
TOUFIC, Samira (Raymonde) (n.c.) Lib, C.
TOULOUT, Jean (1887-1962) A.
TOURAINE, René (1928-88) Méd.
TOURÉ KUNDA (24-4-50) OUSMANE (19-11-55) SIXU (16-5-50) C.
TOURET, Michel (6-7-41) An, Ra.
TOURLET, Georges (n.c.) T.
TOURNEUR, Jacques (1904-77) U, R. Maurice (Thomas) (1876-1961) A.
TOUTAIN, Roland (1905-77) A.
TOWNSEND, Peter (22-11-14) GB, Au.
TRABAND, Georges (n.c.) T.
TRABOULSI, Samir (n.c.) Lib, Af.
TRACY, Spencer (1900-67) U, A.
TRAMEL (Félicien Martel) (1880-1948) A.
TRAMIEL, Jack (1928) U, Af.
TRANCHANT, Jean (1904-72) Au, Cp.
TRAUBERG, Ilia (1905-48) Ur, R, Léonid (1902-90) Ur, R.
TRAUNER, Alexandre (Ho 1906) Déc.
TRAVOLTA, John (18-2-54) U, A.
TREFUSIS, Violet (1894-1972) GB, Au.
TRÉJAN, Guy (18-9-21) A.
TRELLUYER, Michel (4-2-34) T.
TRENET, Charles (18-5-13) C, A.
TRENKER, Luis († 1990) It, All, R.
TRENT D'ARBY, Terence (15-3-62) U, C.
TRESCA, Caroline (21-7-59) An, T.
TRESSERRA, Philippe (1959-90) Da, Cho.
TREVOR, Claire (Wemlinger) (8-3-09) U, A.
TREZ (Alain Tredez) (2-2-26) Des.
TRIGANO, Gilbert (28-7-20) Af. Serge (1945) Af.
TRINTIGNANT, J.-Louis (11-12-30) A. Maurice (30-10-17) Coureur Auto, Marie (21-1-62) A. Nadine (Marquand) (11-11-34) R.
TRNKA, Jiri (1910-69) Tc, R.
TROELL, Jan (1931) Suè, R.
TROTTA, Margarethe von (1943) All, R.
TRUFFAUT, François (1932-84) R, Cr. Paul-Jacques (1931) J, Ra.
TRUMBO, Dalton (1905-76) U, Au, S.
TRUMP, Donald (1944) U, Af.
TSAREV, Mikhaïl (1904-87) Ur, A.
TUFFIER, Thierry (19-03-26) Ag. de Ch.
TUGENDHAT, Gilles (1-8-45) Af.
TURCAT, André (23-10-21) Pilote.
TURCKHEIM, Charlotte de (n.c.) A.
TURENNE, Henri de (19-11-21) J.
TURJMAN, J.-Claude (17-8-40) J.
TURNER, Joe (1911-90) U, Pi. Kathleen (19-6-54) U, A. Lana (Julia Turner) (8-2-20) U, A. Ted (19-1-38) U., Af. Tina (Annie Mac Bullock) (26-11-38) U, C.
TURPIN, Raymond (1896-1988) Généticien.
TUSHINGHAM, Rita (14-3-40) GB, A.
TWIGGY (Lesliy Hornby) (19-9-49) U, C, Da.
TYLER, Bonnie (8-6-51) GB, C. Charles (1941-92) U, Mu.
U2 (Paul Hewson) (10-5-60) GB, C.
UCICKY, Gustav (1900-61) All, R.
UDERZO, Albert (25-4-27) Des.
ULLMAN, Liv (Tōkyō, 16-12-38) Nor, A. Marc (n.c.) J.
ULMER, Edgard (Aut., 1900-72) U, R. Georges (Jorgen) (Dan 1919-89) C, Cp.
ULRICH, Maurice (16-1-25) Po.
UNGARO, Emmanuel (13-2-33) Cou.
UNGERER, Tomi (28-11-31) Des.
URSULL, Joëlle (9-11-60) C.
USTINOV, Peter (16-4-21) GB, A, R.
VACARDY, André (n.c.) A.
VADIM, Roger (Plemiannikov) (26-1-28) R.
VAILLARD, Pierre-Jean (1918-88) A, Ch.
VAJDA, Ladislav (1905-65) Ho, M.
VAJOU, J.-Claude (16-3-29) Ra.
VALANDRAY, Charlotte (Anne Charlotte Pascal) (29-11-68) A.
VALARDY, André (Knoblauch) (Be, 17-5-38) A.
VALENSI Théodore (n.c.) Av.
VALENTE, Caterina (14-1-31) All, C.
VALENTIN le Désossé Etienne-Jules Renaudin (1843-1907) Da.
VALENTINO, Rudolph (Rodolfo Guglielmi di Valentina d'Antongnolla) (It 1895-1926) U, A. (1932) It, Cou.
VALÈRE, Simone (Gondolf) (2-8-21) A.
VALÉRY, François (J.-Louis Mougeot) (4-8-54) C.
VALETTE, J.-Pierre (19-3-29) Af.
VALLI, Alida (Altenburger, 1921) It, A.
VALLIER, Hélène (Poliakov-Boïdarov) (1932-88) A.
VALLIÈRES, Benno-Claude (1910-89) Af.
VALLONE, Raf (1916) It, A.
VALMY, André (1919) A.
VALTON, Jean (1921-80) Ch.
VAN CLEEF, Lee (1925-89) U, A.
VAN DAM, José (25-8-40) Be, C, op.
VAN DAMME, Jean-Claude (1961) A.
VANDEL, Philippe (n.c.) Pré.
VANDERLOVE, Anne (Van der Leeuwe) (P.-Bas, 1943) C.
VANDERSTEEN, Willy († 1990) Des.
VANECK, Pierre (P. Van Hecke) (15-4-31) A.
VANEL, Charles (1892-1989) A.
VAN EYCK, Peter (1913-69) U, A.
VANI, Paule (1945) Ra.
VAN LEE, Loïs (1905-82) J.
VANNIER, Élie (15-5-49) Af, J. Marion (24-4-50) Af.
VAN PARYS, Georges (1902-71) Cp.
VAN PEEBLE, Mario (n.c.) U, R.
VAN RUYMBEKE, Renaud (1952) May.
VANZO, Alain (2-04-28) C.
VARANT, J.-Marc (18-2-33) Av.
VARDA, Agnès (Be 30-5-28) R.
VAREN, Olga (Poliakov) (n.c.) A.
VARNA, Henri (1897-1969) Pr.
VERSANO, Daniel (1954-88) U, Pi.
VARTAN, Sylvie (15-8-44) C, Da.
VARTE, Rosy (22-11-27) A.
VASSILIEV, Anatoli (1943) Ur, Au, Th. *Sergueï* (1895-1943) Ur, R.
VASSILIU, Pierre (23-10-37) C.
VATTIER, Robert (1906-82) A.
VAUCAIRE, Cora (Geneviève Colin) (1921) C.
VAUGHAN, Sarah (1924-90) U, C. Stevie Ray († 1990) U, G.
VAUGHN, Robert (22-11-32) U, A.
VAUJANY, Jean (1927) Af.
VEBEL, Christian (Schvaebel) (1911) Ch, J.
VEBER, Francis (28-7-37) R.
VECCHIALI, Paul (1930) R.
VÉDRÈS, Nicole (1911-65) R.
VEGA, Claude (1930) A.
VEIDT, Conrad (Weidt) (1893-1943) All, A.
VEIL, Antoine (28-7-26) Af.
VEILLE, Pierre (1951) An, Ra.
VEILTET, Pierre (2-10-43) J, Au.
VELEZ, Lupe (1909-44) Mex, A.
VELLE, Louis (29-5-26) Au, A.
VELOSO, Caetana (1943) Br, C.
VELTER, Robert (1909-91) Des.
VENET, Philippe (22-5-29) Cou.
VENTURA, Lino (Borrini, It 1919-87) A. Ray (1908-79) Pr, Ch. d'orc.
VERA-ELLEN (Westmeyr Rohe) (1926-81) U, A.
VERCHUREN, André Verschuere (28-12-20) Acc.
VERDEIL, Guy (1929-92) Af.
VERDIER, Jean-Paul (1947) C.
VERGER, Jean-Louis (n.c.) J, Ra.
VERGÈS, Jacques (1925), Av.
VERLEY, Bernard (1940) A.
VERMEERSCH, Michel (20-12-28) Af.
VERMOREL, Claude (18-7-06) S, Ra.
VERNAY, Alain (n.c.) J.
VERNES, Jean-Marc (3-7-22) Af.
VERNET, Claire (1945) A. Daniel (21-5-45) J.
VERNEUIL, Henri (Achod Malakian) (15-10-20) R. Louis (Colin du Bocage) (1893-1952).
VERNIER, Pierre (Rayer) (25-5-31) A.
VERNIER-PALLIEZ, Bernard (2-3-18) Af, Amb.
VERNON, Anne (Éd. Vigneau) (1925) A. Howard (15-7-14) Su, A.
VERNY, Françoise (20-11-28) J, Af.
VÉRON, Émile (26-3-25) Af. Philippe (2-5-36) Af.
VERSOIS, Odile (Militza Tania Poliakov-Boïdarov, Ctesse François Pozzo di Borgo) (1930-80) A.
VERTOV, Dziga (Dennis Kaufman) (1896-1954) Ur, R.
VÉRY, Pierre (1900-60) Au.
VESTRIS, Françoise (Gourgaud) (1743-1804) A.
VIAL, Guy (1925) Ra.
VIAN, Boris (1920-59) Au, Cp.
VIANSSON-PONTÉ, Pierre (1920-79) J.
VIARD, Roger (1919-89) Rest.
VICHNIAC, Roman († 1990) U, Ph.
VICTOR, Éliane (Decrais) (21-10-18) J.
VICTOR, Paul-Émile (28-6-07) J, Expl.
VIDA, Hélène (1938) J, T.
VIDAL, Gil (1931) A. Henri (1919-59) A.
VIDAL-NAQUET, Pierre (23-7-30) Hist.
VIDALIN, Robert (5-3-05) A.
VIDOR, Charles (1900-59) U, R. *King* (1894-1982) U, R.
VIENOT, Marc (1-11-28) Insp. Fin.
VIERNY, Sacha (1919) Op.
VIGNEAULT, Gilles (27-10-28) Ca, Au, Cp, C.
VIGO, Jean (Almereyda) (1905-34) R.
VILLAGE PEOPLE (Ray Stephen) (n.c.) U, C.
VILAR, Antonio (1916) Port, A. Jean (1912-71) A, M.
VILARD, Hervé (24-7-46) C.
VILGRAIN, Jean-Louis (22-1-34) Af.
VILLALONGA, José-Luis de (1920) Es, Au, A. Marthe (20-3-32) A.
VILLEMEJANE, Bernard de (10-3-30) Af.
VILLENEUVE, Charles (19-7-41) J.
VILLERET, Jacques (6-2-51) A.
VILLERS, Claude (Marx) (22-7-44) Ra. Robert (1921) Ra.
VILLIN, Philippe (23-10-54) Af.
VILSMAIER, Joseph (n.c.) All, R.
VINCENT, Brigitte (n.c.) Pré. Céline (n.c.) Ra. Christian (n.c.) R. Gene (Craddock) (1935-71) U, C. Jacques (7-11-23) Af. Jean (1926-87) J. Hélène (n.c.) A. J.-Pierre (26-8-42) A, M. Philippe (14-5-41) Af. Rose (Marie-Rose Jurgensen) (15-3-18) Au. Yves (1921) A.
VINSON, Eddie (Eddie Cleanhead) (1918-88) U, C.
VIONNET, Madeleine (1876-1975) Cou.
VIRIEU, François-Henri de (18-12-31) J.
VIRLOJEUX, Henri (1924) A.
VISCONTI, Luchino (L.V. de Modrone) (1906-76) It, R.
VISEUR, Gus (1916-74) Be, Acc.
VISONNEAU, Patrick (n.c.) Ra.
VISSOTSKI, Vladimir (1937-80) Ur, A, C.
VITAL, J.-Jac. (Lévitan) (1913-77) Au, A, Pr.

VITALY, Georges (Garkouchenko) (1917) M.
VITEZ, Antoine (1930-90) M.
VITOLD, Michel (Sayanoff) (Ru, 15-9-14) A.
VITTI, Monica (M. Luisa Ceciarelli) (3-11-31) It, A.
VIVIANE (Blassel) (1944) An, Ra.
VIVIER, Guy (Van Steenlandt) (1942 Be) Acc.
VLADY, Marina (Poliakov-Boïdarov) (10-5-38) A.
VOGÜÉ, Alain de (31-8-27) Af.
VOIGHT, John (29-12-38) U, A.
VOISIN, André (1923-91) Au.
VOISINE, Roch (26-3-63) Ca, C.
VOLKER, Bernard (1942) J.
VOLONTE, Gian Maria (9-4-33) It, A.
VOULZY, Laurent (18-12-48) C.
VOUTSINAS, Andréas (22-8-32) M.
VOZLINSKY, Pierre (11-8-31) Mu.
VREESWIJK, Cornelis (1937-87) Suè, C.
VUILLEMIN, Philippe (1958) Des.
WADEMANT, Annette (1928) S.
WAGNER, Robert (10-2-30) U, A.
WAITS, Tom (7-12-49) U, C.
WAJDA, Andrzej (6-3-26) Pol, R.
WAKHEVITCH, Georges (Ru 1907-84) Déc.
WALBROOK, Anton (Adolf Walbrook) (Aut. 1900-67) GB, A.
WALKEN, Christopher (31-3-43) U, A.
WALKER, Robert (1918-51) U, A.
WALL, Jean (1900-59) A.
WALLACH, Eli (7-12-1915) U, A.
WALLIS, Hal (1899-1986) U, Pr.
WALSH, Raoul (1887-1981) U, R.
WALTER, Georges (26-3-21) Au, J.
WALTERS, Charles (1912-82) U, R.
WANG, An (1920-89) U, Chi, Sc, Inv, Af.
WANGER, Walter (W. Feuchtwanger) (1894-1968) U, R.
WANG-PIN et *SHUI-HUA* (1916), Chi, R.
WANKEL, Félix (1902-88) All, Ing.
WARBURG, Sigmund (1902-82) GB, Bq.
WARDEN, Jack (18-9-20) U, A.
WARHOL, Andy (Andrew Warhola) (1930-87) U, Pe, R.
WARNER, Eddie (All 1917) Cp. Harry (1881-1958) U, Pr, dis. Jack L. (1892) U, Pr, dis.
WARWICK, Dionne (12-12-41) U, C.
WATERSTON, Sam (15-11-40) U, A.
WATKINS, Peter (1935) GB, M.
WATSON, Thomas (1874-1956) U, In.
WATT, Harry (1906) GB, R.
WAYNE, John (Marion Michael Morrisson) (1907-1979) U, A.
WEAWER, Sigourney (8-10-49) U, A.
WEBB, Clifton (Webb Parmelee Hollenbeck) (1893-1966) U, A. Dominique (n.c.) Ma.
WEBER, Jacques (23-8-49) A. Jean (1906) A.
WEIDENMANN, Alfred (1916) All, R.
WEIGEL, Hélène (1900-71) All, A.
WEILLER, Alain (11-6-36) J. Paul-Louis (29-9-1893) Af.
WEIR, Peter (21-4-44) Aus, R.
WEISS, Louise (1893-1983) Au, J. Peter (1912-82) All, Au, M.
WEISSMULLER, Johnny (1904-84) U, A.
WELCH, Raquel (Tejada) (5-9-40) U, A.
WELD, Tuesday (27-8-43) U, A.
WELLES, Orson (1915-85) U, R, A.
WELLMAN, William (1894-1975) U, R.
WENDEL, Henri de (1913-82) Af.
WENDERS, Wim (14-8-45) All, R.
WERNER, Oscar (1922-84) Aut, A.
WERTHER, Maurice (1920) J, T.
WESSELY, Paula (1908) Aut, A.
WEST, Mae (1892-1980) U, A.
WESTWOOD, Vivienne (1941) GB, Cou.
WHALE, James (1889-1957) GB, R.
WHEELER, René (1912) S, R.
WHITE, Barry (12-9-44) U, C. *Pearl* (1889-1938) U, A. Sam (1913-88) GB, Presse.
WHITMAN, Stuart (1926) U, A.
WHO (The) : Peter Townsend (19-5-45) Roger Daltrey (1-3-44) John Entswhistle (9-10-44) Keith Moon (1947-78) GB, C, Cp.
WICKI, Bernard (1919) All, A, R.
WIDERBERG, Bo (8-3-30) Suè, R.
WIDMARK, Richard (26-12-14) U, A.
WIEHN, Pierre (1934) T.
WIENE, Robert (1881-1938) All, R.
WIENER, Élisabeth (23-11-46) A. Jean (1896-1982) Cp.
WILDE, Cornell (1915-89) U, A. Kim (18-11-60) GB, C.
WILDER, Billy (Aut 22-6-06) U, R. Gene (Jerome Silberman) (11-6-34) U, A.
WILDING, Michael (1912-79) GB, A.
WILLAR, Robert (1927) Ra.
WILLEM (Bernard Willem Holtrop) (1941) P.-Bas, Des.
WILLETTE, Adolphe (1857-1926) Des.
WILLIAM, Guy (Armando Catalano) (1924-89) U, A. John (1923) U, C.
WILLIAMS, Andy (3-12-30) U, C. Cyndy (22-8-47) U, A. Esther (8-8-23) U, A. Hank (1923-53) U, Mu. Roger (1894-1988) U, Nutrition.
WILM, Pierre Richard (1896-1983) A.
WILMS, André (n.c.) A.
WILSON, Georges (1921) A, R. Lambert (5-8-58) A. Lois (1895-1988) U, A. Robert (n.c.) A, M.
WINCKLER, Gustav (1926-79) Da, C.
WINDSOR, Marie (Emily Bertelson) (1922-86) U, A.
WINKLER, Paul (1898) J.
WINNER, Michael (30-10-35) U, Pr.
WINSTON, Harry (n.c.) U, Jo.
WINTER, Claude (Wintergerst) (18-2-31) A. David Alexander (1943) P.-Bas, C.
WINTERS, Shelley (Shirley Shrift) (18-8-22) U, A.
WISE, Robert (10-9-14) U, R.
WISEMAN, Frederick (1930) U, Rep, R.
WISNIAK Nicole (24-7-51) (Mme Philippe GRUMBACH) J.
WOLINSKI, Georges (28-6-34) Des.
WONDER, Stevie (Stephen Judkins) (13-5-50) U, C.
WOOD, Nathalie (Natasha Gurdin) (1938-81) U, A. Sam (1883-1949) U, R.
WOODRUFF, Robert Winship (1889-1985) Af.
WOODWARD, Joanne (27-2-31) U, A.
WOOLWORTH, Frank Winfield (1852-1919) U, Af.
WORMS, Gérard (1-8-36) Af.
WORTH, Charles-Frederick (1826-95) GB, Cou.
WOUTS, Bernard (22-3-40) Dir.
WRAY, Fay (15-9-07) U, A.
WRIGHT, Basil (1907-87) GB, R. Sewall (1890-1988) U, Généticien. Teresa (27-10-19) U, A.
WYBOT, Roger (R. Warin) (13-10-12) Au, Ht fonct.
WYLER, William (1902-81) U, R.
WYMAN, Jane (Sarah Jane Fulks) (4-1-14) U, A.
WYSBAR, Frank (1899-1967) All, R.
XANROF, Léon (Fourneau) (1867-1953) Au, Cp.
YAMAMOTO, Kansai (1944) Jap, Cou. Yohji (1945) Jap, Cou.
YAMANI, Cheikh Ahmed Zaki (1930) Ar. Sa, Af.
YANAGIMACHI, Mitsuo (n.c.) Jap, R.
YANNE, Jean (Gouyé) (18-7-33) Fant, Ra, A, R.
YD, Jean d' (1880-1964) A.
YIMOU, Zhang (1950) Chi, R.
YONNEL, Jean (Schachmann) (1891-1968) A.
YORK, Michael (27-3-42) U, A. Susannah (Yolande Fletcher) (9-1-41) G B, A.
YOSHIMURA, Kimisaburo (1911) Jap, R.
YOUNG, Loretta (Gretchen Young) (1-6-12) U, or. all, A. Neil (12-11-45) Ca, C. Robert (22-2-07) U, A. Terence (1915) GB, R.
YOUTKEVITCH, Serg. (1904-85) Ur, R.
YUPANQUI Atahualpa (1909-92) Arg, C.
ZABEL, Roger (22-12-51) J.
ZABOU (Isabelle Breitman) (30-10-59) A.
ZADORA, Pia (4-5-56) U, C.
ZAHAROFF, Basil (1851-1936) GB, Af.
ZAMPA, Luigi (1905-1991) It, R.
ZAMPI, Mario (1904-63) It, R.
ZANINI, Marcel (1923) C.
ZANUCK, Darryl (1902-79) U, R, Pr.
ZAPPA, Franck (21-12-40) Cp, Mu.
ZAPPY, Max (Max Doucet) (23-6-21) An, Ra, Ch.
ZARAÏ, Rika (Gozman) (Jérusalem 19-2-40) Isr, C.
ZARDI, Dominique (1930) A.
ZAVATTA, Achille (6-5-15) A, Cl.
ZAVATTINI, Cesare (1902-89) It, S.
ZECCA, Ferdinand (1864-1947) R.
ZEFFIRELLI, Franco (F.Z. Corsi) (12-2-23) It, R.
ZEMAN, Karel (1910-89) Tc, R.
ZERO, Karl (n.c.) Pré, T.
ZERO DIVIDE : B. Anfray (1958) B. Guay (1955) J. Vabre (1957) Totol (1957) Gr, C.
ZETTERLING, Mai (24-5-25) Suè, A, R.
ZEVAES, (n.c.) Av.
ZIDI, Claude (25-7-34) R.
ZIMMER, Bernard (1893-1964) S.
ZINNEMANN, Fred (Aut 29-4-07) U, R.
ZIQUEIRA, Raul (1920-84) Cub, C.
ZITRONE, Léon (Ru 25-11-14) T.
ZOUC (Isabelle von Allmen) (29-4-50) Su, A, C.
ZUBER, Christian (19-2-30) Cin.
ZUKOR, Adolf (Ho, 1873-1976) U, Pr.
ZULAWSKI, Andrzej (22-11-40) Pol, R.
ZURLINI, Valerio (1926-82) It, R.
ZVIAK, Charles (1922-89) Af.
ZZ TOP : Billy Gibbons (1949), Frank Beard (1949), Dusty Hill (16-12-49) U, C.

ÉNIGMES

☞ Suite de la p. 1283.

■ LOCALISATION

Alésia (site). Voir p. 352 a : Architecture militaire en France.

■ MORTS MYSTÉRIEUSES OU DISPARITIONS

Ailleret (Général). Mort le 9-3-1968 à la Réunion. Certains ont parlé alors d'un attentat.

Balbo (Italo, Maréchal). Disparu le 28-6-1940, son avion ayant été abattu en Libye par la DCA italienne. Par suite d'une erreur de tir selon l'enquête off. ; sur ordre supérieur, le maréchal ayant trahi (selon des bruits qui ont couru dans le corps expéditionnaire ital.).

Bandera (Stepan). Président de l'Organisation des nationalistes ukrainiens, trouvé mort dans l'escalier de son immeuble à Munich (15-10-1959). L'enquête conclut à une crise cardiaque. En 1961, un agent du KGB avoua l'avoir tué avec un pistolet silencieux à cyanure.

Delgado (Général Humberto). Chef de l'opposition portugaise en exil, trouvé assassiné (24-10-1965) à la frontière hispano-portugaise. La police de Lisbonne refusa de collaborer avec celle de Madrid et imputa le crime à un réglement de comptes dans l'opposition.

Jean-Paul Ier (Pape pendant 33 jours, mort en 1978). Certains ont parlé de « complot » et d'une mort « facilitée ».

Kilian (Conrad). Géologue français trouvé pendu (assassiné ?) le 29-4-1950 dans une chambre d'hôtel de Grenoble. Il avait découvert des gisements de pétrole au Sahara et se disait traqué par les agents d'une puissance étrangère.

Mattei (Enrico). Président de l'ENI (Organisme National des Hydrocarbures) tué (27-10-1962) dans la chute de son avion personnel. L'hypothèse d'un sabotage par l'OAS (qui avait menacé Enrico Mattei en raison d'accords prétroliers passés avec des pays arabes) n'a pas été prouvée.

Sikorski. Mort le 4-7-1943 dans un accident d'avion à Gibraltar. Certains ont parlé alors d'un attentat.

Toureaux (Laetitia). Le 16-5-1937, elle fut poignardée, dans un wagon de 1re classe du métro, entre les stations Porte de Charenton et Porte Dorée. L'assassin n'avait disposé que de 1 mn 2 sec (18 h 27-18 h 28). On ne le retrouva jamais. Laetitia avait travaillé quelques mois pour une agence de police privée et avait un rendez-vous le soir du crime. En 1962 (il y avait prescription), la Police judiciaire reçut une lettre anonyme : l'auteur, un médecin, s'accusait du crime pour un motif passionnel.

■ NAISSANCES CONTESTÉES

☞ **Voir à l'index.** Louis XIV. Napoléon 1er. Louis-Philippe. Napoléon II. Napoléon III.

■ MORTS-VIVANTS

Les zombis. Ces « morts-vivants » des légendes haïtiennes seraient des individus que les prêtres vaudous plongent dans un état de mort apparente en leur administrant de la tétrodotoxine (poison extrait des pustules de gros crapauds, qui diminue le métabolisme). Tirée ensuite de sa tombe, la victime serait maintenue dans un état de dépersonnalisation avec des extraits de plantes de la famille des daturas.

☞ Suite (voir p. 1886).

FINANCES

FORTUNE, SALAIRES ET PRIX

GRANDES FORTUNES

FORTUNES MONDIALES

☞ John D. Rockfeller fut le 1er milliardaire en dollars le 28-9-1916.

■ **Selon Fortune** (en milliards de $, juillet 1993). **15 premières fortunes du monde :** Sultan Hassanalbolkiah 37, famille Walton 23,5, famille Mars 14, famille Mori 13, famille Newhouse 10, roi Fahd d'Arabie S. 10, Kluge 8,8, famille Rausing 8,5, reine Elisabeth II 7,8, Takenaka 7,1, Sheikh Jaber Ahmed al Sabah du Koweit 7, William Gates III 6,7, Warren Edward Buffet 6,4, Ronald Owen Perelman 5,9, famille Cox 5,8. **Rois, chefs d'états, princes :** Sultan Hassanal (Brunei) 37, roi Fahd (Arabie S.) 10, Elisabeth II (G.-B.) 7,8, Sheikh Jaber Ahmed al sabah (Koweït) 7, Sheikh Maktoum Bin Rashid Al-Maktoum (Dubai) 5, Sheikh Zayed Bin Sultan Al-Nahayan (Abou Dhabi) 5, Pce Sultan Bin Abdul-Aziz Al-Saud (Arabie S.) 4, Sultaiman Abdul-Aziz Al-Rajhi (Arabie S.) 3,5. **Femmes :** Reine Elisabeth II 7,8, Anne Cox Chambers ex-Barbara Cox Anthony 5,8, Liliane Bettencourt 3,4, Estée Lauder 3,4.

ENQUÊTE DE LA REVUE « FORBES »

Légende. F : famille. *D'après chiffres du n° du 5-7-1993 et,* entre parenthèses, *du n° de juillet 1992.*

■ **Nombre de milliardaires en $ par pays.** USA 108, Allemagne 46, Japon 35, Mexique 13, *France* 9, Hong Kong 9, Suisse 9, Canada 7, Italie 6, Taiwan 6, G.-B. 6, Brésil 5, Arabie Saoudite 5, Malaisie et Singapour 4, Argentine 3, Chili 3, Grèce 3, Corée 3, P.-Bas 3, Espagne 3, Suède 3, Thaïlande 3, Turquie 3, Colombie 2, Indonésie 2, Liban 2, Philippines 2, Venezuela 2, Australie 1, Danemark 1, Inde 1, Koweit 1, Macao 1.

■ **Plus grosses fortunes** (en milliards de $). Walton (magasins) [1] 25,3, Mars (groupe diversifié) [1] 9,2, Tsutsumi, Yoshiaki (groupe diversifié) [2] 9, Du Pont (chimie) [1] 8,6, Mori, Minoru et Akira [2] 7,5, Gates, William Henry III (Bill), fondateur de Microsoft [1] 7,4, Newhouse, Samuel Irving Jr. et Donald Edward [1] 7, Bass, Sid, Lee, Edward et Robert [1] 6,8, Buffett, Warren Edward (Bourse) [1] 6,6, Haub, Erivan (supermarchés) [3] 6,2, Haniel (commerce) [3] 6,2, Rausing, Hans et Gad (emballages) [4] 6, Shin Kyukho (confiserie, immobilier) [5] 6, Albrecht, Theo et Karl (supermarchés) [3] 5,7, Kluge, John Werner (communication) [1] 5,5, Rockefeller [1] 5,5, Thomson, Kenneth (commerce, édition) [6] 5,4, Dorrance [1] 5,3, Azcarraga Milmo, Emilio (édition, presse) [7] 5,1, Mellon [1] 5, Cargill/MacMillan [1] 5.

Nota. – (1) USA. (2) Japon. (3) All. (4) Suède. (5) Corée. (6) Canada. (7) Mexique.

■ **Fortunes privées importantes par pays** (en milliards de $), *d'après Forbes n° du 5-7-1993 et,* entre parenthèses, *n° de juill. et 1992.* **Allemagne :** *Erivan Haub* 6,2 (6,9) (supermarchés). *Haniel* F 6,2 (6,4) (négoce, transport). *Karl et Theo Albrecht* 5,7 (5,1) (supermarchés). *Mohn* F. 4,4 (presse). *Henkel* F 4,9 (4,3) (prod. chim.). *Johanna Quandt* 4,3 (4) (BMW). *Reinhard Mohn* 4,4 (3,7) (Bertelsmann, 74 % du groupe Grüner et Jahr, Bantan Books, en France : magazines Prima, Femme Actuelle, Télé-Loisirs, Voici, Gala et Géo, disques RCA). *Schmidt-Ruthenbeck* F 3,1 (3,4) (commerce de détail). *Otto Beishem* 3,1 (3,4) (banque). *Friedrich Karl Flick Jr* 3,25 (3,3) (papier, chimie, mécanique, acier, 29 % de Daimler-Benz). *Schickedanz* F 3,5 (3,3) (« Quelle »). *Von Oppenheim* F 2,7 (2,8) (banque). *Otto* F 3,3 (2,6) (catalogues, mode, immob.). *Oetker* F 3,1 (3,2) (alim., banque, assur., hôtel.). *Merck* F 2,3 (2,5) (ind. pharmaceutique). *August et Wilhelm von Finck* 3,3 (2,5) (terres, 25 % de la brasserie Lowenbraü). *Joseph Schörghuber* 2,6 (2,4) (entrepreneur et brasseur). *Karl-Heinz Kipp* 2,4 (2,4) (hôtellerie, immob.). *Voith* F (2,4) (industrie). *Von Siemens* F 2,2 (2,2) (matériel électrique). *Chantal Grundig* 2,5 (2,2) (veuve de Max Grundig, fondateur de Grundig AG, électronique, hôtel. de luxe). **Arabie Saoudite :** *Al-Rajhi* F 2,6 (2,4) (banque). *Al-Kharafi* F 1 (pétrole, banque). **Australie :** *Kerry Packer* 2,3 (communication, groupe diversifié). **Autriche :** *D. Swarovski* 1,3 (cristal, optique).

Brésil : *Cecilio et Enrico Almeida* 1,2 (1,3) (construction). *Sebastião Camargo* 1,7 (1,2) (construction). *Antonio Ermirio de Moraes* 2,7 (1) (groupe diversifié).

Canada : *Kenneth Roy Thomson* 5,4 (6,2) (presse, médias). *Irving* F 3,3 (5) (industrie agroalim., distribution de pétrole). *Charles Rosner Bronfman* 2,3 (2,2) (Claridge, Seagram). *Galen Weston* 1 (alimentation). *Ted Rodgers* 1,1 (communication). **Chili :** *Anacleto Angelini* 1,2 (pêche, énergie). **Colombie :** *Pablo Escobar Gaviria* 2 (cocaïne). *Ochoa* F 2 (cocaïne). *Julio Mario Santo Domingo* 1 (finance, bière). **Corée du S :** *Shin Kyuk-ho* 6 (confiserie, immobilier). *Chung Ju-tung* F 2 (automobile). *Lee* F 1,6 (électronique). **Danemark :** *Kjeld Kirk Kristiansen* 1,5 (jouets « Lego »).

Espagne : *Alicia et Esther Koplowitz* 2 (construction). *Juan et Carlos March* 1,5 (banque). *Emilio Botin* 1,2 (1) (banque). **États-Unis :** *Du Pont* F 8,6. *William Henry Gates III* 6,4 (micro-informatique). *Newhouse* F. 7. *John Werner Kluge* 5,5 (5,9) (communication). *Rockefeller* F 5,1 (5). *Dorrance* F 5,3. *Mellon* F 5. *Cargill et Mac Millan* F 5 (édition). *Sam Walton et ses héritiers John, Alice, Jim, John T., S. Robson* 4,7 à 4,8 chacun (magasins discount). *Warren Edward Buffett* 6,6 (4,4) (Bourse). *Cox* F 4,2. *Hearst* 4 (presse).

France : *Liliane Bettencourt* (fille d'Eugène Schueller fondateur de L'Oréal † 1957) 4 (3,5) (L'Oréal). *Seydoux/Schlumberger* F 3,1 (groupe diversifié). *Gérard Mulliez* 2,5 (supermarchés Auchan). *Famille Peugeot* 1,1 (1,6). *Vuitton* F 1,2 (1,4) (produits de luxe). *Philippe Bouriez* 1,5 (1,3) (supermarchés Cora, fourrures Révillon, Éditions Mondiales). *Alain Wertheimer* 2 (1,3) (parfums Chanel). *Serge Dassault* 1,3 (1,2) (aéronautique, électronique). *Edmond de Rothschild* 1,1 (banque, hôtellerie, vignobles). *Michel David-Weill* 1 (banque Lazard).

Grande-Bretagne : *David et John Sainsbury* 5,7 (6,2) (supermarchés). *Gerald Cavendish Grosvenor, duc de Westminster* 1,6 (immob. : 120 ha entre Mayfair et Belgravia à Londres). *Samuel Lord Vestey et Edmund Vestey* 1 (1,2) (secteurs divers). *Richard Branson* 1 (disques). *Famille Moores* 1 (1,1) (magasins Littlewoods). **Grèce :** *Iannis Goulandris* 1,5 (1,6) (armateur, arts). *John Latsis* 1 (1,6) (armateur, pétrole). *Stavros Niarchos* 1 (armateur, chevaux de course, peinture).

Hong Kong : *Kwok* F 4 (immobilier). *LiKa-shing* 4,3 (3,2) (armateur). **Inde :** *Birla* F 1,5 (2,2) (ciment, aluminium, automobile). **Indonésie :** *Liem Sioe Liong* F 2 (groupe diversifié). **Italie :** *Giovanni Agnelli* 2,9 (3) (Fiat, groupe diversifié). *Silvio Berlusconi* 1,5 (2,4) (communication, immobilier, édition). *Benetton* F 2,1 (vêtements). *Michele Ferrero* 1,5 (2) (confiserie : Nutella, Tic-Tac...). *Salvatore Ligresti* 1 (1,7) (immob., assurances, construction). *Ferruzzi* F 1,1 (groupe Ferruzzi, agroalimentaire, chimie).

Japon : *Yoshiaki Tsutsumi* 9 (10) (immob., terres, chemins de fer). *Busujima Kunio* 3,8. *Takenaka* F 3,4 (construction). *Otani* F 3 (3,3) (hôtels). *Eitaro Itoyama* 3,2 (immob.). *Iwasaki* F 3,7 (3) (transport). *Junichi Murata* 3 (biens d'équipement). *Masatoshi Ito* 2,7 (2,5) (commerce).

Liban : *Rafik B. Hariri* 2,5 (travaux publics). *Safra* F 1,1 (banque). **Malaisie :** *Quek* F 2,4 (1,7) (groupe diversifié). *Lim Goh Tong* 1,6 (casino). *Robert Kuok* 1,6 (armateur, agroalim.). **Mexique :** *Emilio Azcarraga Milmo* 5,1 (2,8) (communication). *Arango* F 1,1 (1) (commerce).

> Le Prince Albert von Thurn und Taxis aura hérité de son père le Prince Johannes un patrimoine de 14 milliards de F grevé de dettes (2,75 milliards de F). Une partie dépend d'un ensemble : 7 châteaux meublés dont St Emmeran (500 pièces), 1 bibliothèque de 250 000 livres, 1 collection de timbres évaluée à 65 millions de F, joyaux, plusieurs Stés, 28 000 ha de forêts en Allemagne, 70 000 en Amérique, 60 000 têtes de bétail en Amér. du Sud, des plantations d'hévéas et des rizières, 6 brasseries, une banque. *Origine :* monopole des postes du St Empire de 1615 à 1914 (le symbole des postes allemande, une petite trompe, vient des armes de la famille). On nommait autrefois « taximètres » les véhicules des postes Thurn und Taxis, qui se faisaient payer leurs courses. Titre de prince néerlandais (1681), prussien (1817), prédicat d'altesse (1823).

Pays-Bas : *Roelandus Brenninkmeyer* 4,2 (4) (grands magasins). *Fentener Van Vlissingen* F 2,8 (pétrole, gaz, grands magasins). **Philippines :** *Zobel* F 1,2 (banque). *Lucio Tan* 1,5 (bière, tabac).

Singapour : *Kwek* F 2,4 (1,7) (immobilier, construction). *Lee* F 1,7 (banque, caoutchouc). **Suède :** *Hans et Gad Rausing* 6 (7) (emballage Tetrapak). *Ingvar Kamprad* 1,5 (2,8) (mobilier Ikea). **Suisse :** *Stephan Schmidheiny* 2,3 (1,5) (groupe diversifié). *Klaus Jacobs* 1,5 (café, chocolat, travail temporaire). *Hans Heinrich Thyssen-Bornemisza* 1,5 (arts, industrie). *Walter Haefner* 1,6 (1,2) (informatique, vente auto.). **Taiwan :** *Tsai Wan-lin* 2,5 (assurances vie, construction). *T.C. Wang* 1,6 (plastique). *Famille Hsu* 1,5 (2,5) (textile, ciment, grands magasins). **Thaïlande :** *Kanjanapas* F 1,6 (2) (immobilier). *Chearavanont* F 2 (1) (agroalimentaire). *Sophonpanich* F 1,5 (1) (banque, finance). **Turquie :** *Vehli M. Koc* 4 (groupe diversifié). *Sabanci* F 2 (1,2) (groupe diversifié). *Nejat F. Eczaibasi* 1 (industrie pharmac.). **Venezuela :** *Mendoza* F 1,5 (bière). *Cisneros* F 1 (groupe diversifié).

☞ **Pays-Bas :** la fortune de la reine a été transférée en grande partie à la fondation sur laquelle la reine a un contrôle limité. En dehors, la reine possède moins de 1 milliard de $. *Origine* (en %) : distribution grands magasins 9, grossistes 7, commerces de détail 28, propriétés immobilières 22, médias 16, alimentation, boisson 14. Autres : automobile, banque, cosmétiques, construction, pétrole, bateaux et mariages, courses 4.

FORTUNES FRANÇAISES

☞ **Patrimoine national** (fin 1988) : 21 866 milliards de F (dont aux particuliers 75 %, entreprises 16,5, administration publique 8,5).

■ PATRIMOINE CALCULÉ PAR DES ENQUÊTES

Patrimoine moyen par ménage (en milliers de F). *1949 :* 18,4. *59 :* 52,7. *69 :* 136,2. *79 :* 397,9. *83 :* 597,8. *88 :* 840 (ouvriers 350, employés 370, professions intermédiaires 660, anciens salariés 880, anciens agriculteurs 890, cadres supérieurs 1 360, indép. artisans, commerçants 1 920, agriculteurs 2 020, anciens indép. non agricoles 2 030, professions libérales 2 880).

■ PATRIMOINE RÉVÉLÉ PAR l'IMPÔT

■ **Impôt sur les grandes fortunes (IGF).** En vigueur de 1982 à 1986. Voir Quid 1983 à 1993.

■ **Impôt de solidarité sur la fortune (ISF).** Établi à partir de 1989.

Estimations 1990. *Base totale :* 1 330 milliards de F, *produit* env. 5 milliards. Les 2 158 ménages les plus riches disposent d'un actif moyen de 116 millions de F (173 fois le patrimoine moyen des Français).

Le principe de Peter. Défini par le psychologue canadien Laurence Peter († 1990), il établit que tout employé monte en grade jusqu'au moment où il atteint son «point d'incompétence». Il restera alors dans cette position, et avec le temps, chaque poste finit par être occupé par un incompétent. Ex. Hitler, politicien génial, trouva son niveau d'incompétence comme généralissime.

1 patrimoine sur 10 ne dépasse pas 12 200 F ; 1 ménage sur 2 possède – de 200 000 F.

☞ Le 28-10-1934 au congrès du Parti radical à Nantes, Édouard Daladier affirmait : « 200 familles sont maîtresses de l'économie française, et en fait, de la politique française ». Ce chiffre lui avait été inspiré des statuts de la Banque de France. De droit privé mais sous contrôle de l'État dep. Napoléon, elle rassemblait des milliers d'actionnaires (30 000 en 1900), représentés en assemblée générale par les 200 plus gros d'entre eux dont une dizaine (les plus influents et les plus riches) accédaient à la fonction de régents et avaient à l'époque plus d'influence qu'un ministre des Finances. Parmi les plus riches selon René Sédillot : les Seillière (32 millions), Rochechouart (25), Say (19), Pereire (16), Hottinguer (14). Les Schneider régnaient sur Le Creusot, les Wendel sur Hayange (Lorraine), les Mallet, Hottinguer et Rothschild alors grands banquiers avaient des intérêts dans les chemins de fer, le commerce colonial, l'industrie, l'assurance.

Salaires et revenus dans le monde

Salaires annuels approximatifs (+ primes et incitations à long terme) des P-DG (des entreprises classées parmi les 30 premières) (en milliers de $, 1991). USA 3 200, G.-B. 1 100, *France 800,* All. 800, Japon 525.

Salaires des cadres

En milliers de F/an (1992)		Jeune Cadre c/d	Cadre moyen c/d	Cadre supérieur c/d	Cadre dirigeant c/d
All.	(a)	291/167	525/298	890/470	1416/716
	(b)	291/196	525/333	890/489	1416/749
Autr.	(a)	258/174	521/333	890/538	
	(b)	258/184	521/347	890/553	
Belg.	(c)	207/123	389/201	639/284	919/377
	(d)	207/139	389/220	639/309	919/407
Esp.	(a)	218/167	422/293	709/411	1053/567
	(b)	218/171	422/297	709/415	1053/570
France	(a)	202/136	366/226	585/329	805/435
	(b)	202/153	366/263	585/392	805/521
G.-B.	(a)	165/117	285/200	466/303	687/431
	(b)	165/122	285/205	466/303	687/436
Ital.	(a)	189/140	354/245	738/464	982/591
	(b)	189/144	354/249	738/467	982/594
Suède	(a)	207/130	371/191	580/276	725/333
	(b)	207/131	371/193	580/278	725/348
Suisse	(a)	327/230	537/339	883/502	1316/683
	(b)	327/253	537/371	883/543	1316/724
USA	(a)	179/147	313/186	498/283	744/439
	(b)	291/196	313/208	498/311	744/466

Nota. – (a) Célibataire. (b) Marié, 2 enfants. (c) Revenu annuel brut. (d) Revenu annuel net après impôts. (*Source :* Capital, mars 1993).

Rémunérations des patrons américains les mieux payés (en millions de F, 1991). Anthony O'Reilly 398 (H. J. Heinz). Martin J. Wydgod 179 (Medco Containment). Leon C. Hirsch 123 (US Surgical). John C. Malone 100 (Telecommunications). Richard K. Eamer 93 (National Medical).

La rémunération des patrons américains se compose de nombreux éléments : *stock options,* bonus de fin d'année (payé en fonction des performances de l'entreprise, notamment de sa profitabilité), intéressement aux profits, avantages en nature. Une commission des rémunérations (compensation committee), appointée par la société, fixe les modalités des rémunérations du président et des membres du comité exécutif.

☞ La SEC (Securities Exchange Commission), organe de contrôle de la Bourse américaine a décidé qu'à partir de 1993 les 13 000 sociétés américaines cotées en Bourse devront publier chaque année les salaires de leur P-DG et des 4 autres dirigeants les mieux payés de l'entreprise dont la rémunération annuelle dépasserait 100 000 $ (500 000 F). Elles devront aussi mentionner dans leur rapport annuel les primes et avantages financiers, et assigner une valeur aux *stocks options* des principaux dirigeants.

☞ Voir Quid 1993 : enquête triennale de l'Union des banques suisses année 1991.

Coût horaire de la main-d'œuvre

Coût horaire de la main-d'œuvre dans l'industrie manufacturière, en indice (France = 100) estim. janv. 1993). All. 125, Belgique 108, P.-Bas 106, Norvège 102, *France 100,* Danemark 99, Suède 91, USA 85, Italie 84, Japon 81, Finlande 75, Irlande 67, G.-B. 62, Espagne 62, Grèce 28, Portugal 24.

Salaires et revenus en France

Revenu des ménages

■ **Revenu des ménages** (1990, en F). Cadres supérieurs 232 100. Professions intermédiaires 124 700. Employés 83 100. Ouvriers 82 800 dont qualifiés 87 000, non qualifiés 74 300. **Ensemble 109 300.** Smic 51 200.

Source : Insee.

Saisie-arrêt sur salaire. Dep. le 1-1-1993, les rémunérations annuelles sont saisissables jusqu'à 5 % sur la portion inférieure ou égale à 17 000 F, 10 % entre 17 000 et 34 000 F, 20 % entre 34 000 et 51 000 F, 25 % entre 51 000 et 68 000 F, 33,3 % entre 68 000 et 78 000 F, 66,6 % entre 78 000 et 102 000 F, 100 % à partir de 102 000 F. Ces montants sont majorés de 6 000 F par enfant à charge.

Éventail des salaires

Inégalités entre hommes et femmes

Obligations. *La loi du 22-12-1972* oblige tout employeur à assurer, à travail égal, une même rémunération quel que soit le sexe. *La loi du 11-7-1975* a instauré le principe d'égalité en matière d'embauche (rédaction des offres d'emploi par ex.) et de licenciement (sous peine de poursuites pénales).

Différence entre les salaires moyens des hommes et des femmes (en 1991). Femmes – 27 % que les hommes. Cadres sup. – 29, moyens – 18,6, Employés – 11,36, ouvriers qualifiés – 17, non qualifiés – 19.

Le rapprochement des taux horaires des ouvriers hommes et femmes (écart de 15 % vers 1946, de 3,9 % aujourd'hui) ne se reflète pas dans les salaires mensuels car 1°) *La durée moyenne de travail des femmes est inférieure de 10 % à celle des hommes :* en raison de leurs tâches ménagères et de l'éducation des enfants, les femmes choisissent des horaires plus souples et courts, leur absentéisme est plus fort (congés de maternité, absences pour soigner les enfants malades). Elles interrompent souvent leur carrière, ce qui influe sur leur ancienneté (donc sur leur rémunération) ; elles ont du mal à allonger leurs horaires et ont ainsi plus difficilement accès à la formation permanente. 2°) *Différences de qualification :* elles forment 36 % des salariés, mais 13 % des cadres sup. et 45,5 des employés. La différence des études expliquait en partie cette inégalité. 3°) *Les employeurs, prévoyant une durée d'emploi moins longue* (mariage, maternité), répugnent à confier nombre de postes à des femmes : de leur côté, les femmes choisissent souvent entre leurs responsabilités familiales et prof. 4°) *Hommes et femmes ne se dirigent pas vers les mêmes emplois :* il s'établit 2 marchés du travail relativement distincts.

Intéressement et participation

■ **Intéressement.** Instauré par l'ordonnance de 1959. Facultatif. Les partenaires sociaux peuvent choisir le critère de performance dont il dépendra. Ce critère peut varier en fonction de la catégorie de personnel ou de l'unité de travail. L'intéressement ne peut pas représenter plus du 1/5 de la masse salariale. Les sommes versées sont exonérées de charges fiscales et sociales pour l'entreprise. Le bénéficiaire ne paie pas de charges sociales mais paie l'impôt sur le revenu. Il peut y échapper en versant son intéressement dans le plan d'épargne entreprise, régime englobant également les actuels plans d'actionnariat et fonds salariaux. Les versements complémentaires des entreprises sur ces plans (les abondements) peuvent atteindre 10 000 F.

Nombre d'accords en vigueur (entre parenthèses salariés concernés) : *1985 :* 1 303 (401 530). *90 :* 9 840 (2 054 700). *91 :* 8 840 (1 736 600). **Montant moyen de l'intéressement versé** (en F) : *1987 :* 3 385. *88 :* 4 662. *89 :* 4 930. *90 :* 4 646. *91 :* 4 167.

■ **Participation.** Obligatoire dep. 1967 au-delà de 100 salariés, 50 dep. 1986. Réformée par l'ordonnance du 21-10-1986. **Nombre d'accords en cours** (entre parenthèses salariés concernés) : *1971 :* 6 863 (2 634 287). *75 :* 9 581 (2 713 108). *80 :* 10 091 (3 251 129). *85 :* 10 336 (2 638 326). *90 :* 10 355 (4 682 566). *91 :* 11 226 (4 800 000).

Montant de la part individuelle (en F). *1971 :* 623, *75 :* 891. *80 :* 1 740. *85 :* 2 900. *88 :* 4 389. *89 :* 4 730. *91 :* 5 000.

■ **Actionnariat.** Créé par la loi du 24-10-1980. Distribution d'actions aux salariés. *Bilan* (1988) : 350 entreprises ont distribué 5 901 546 actions pour une valeur de 1 940 834 006 F à 596 830 bénéficiaires (soit en moyenne 3 252 F par bénéficiaire).

Salaires et charges

Charges sociales obligatoires sur salaires (au 1-7-1993). Taux (en %) : employeur, entre parenthèses salariés ; plafond (en F). **Sécurité sociale :** assurance maladie, maternité, invalidité, décès 12,8 (6,8) non plafonné, vieillesse 8,2 pl. *12 610,* 1,60 non pl. (6,55 pl.), veuvage (0,10) n. plaf., allocations familiales 5,4 non pl. **Retraite complémentaire :** non-cadres (min., répartition courante) 3 (2) pl. *37 830,* cadres (min.) : tranche A 3 (2) pl. *12 610,* B 9,36 (4,68) pl. *de 12 610 à 50 440,* C (obligatoire dep. 1-1-1991) 7,02 (2,34), pl. *de 50 440 à 100 880.* **Assurance chômage :** Assedic (non-cadres et cadres) 4,18 (2,42) pl. *12 610,* 4,18 (2,97), *pl. de 12 610 à 50 440,* fonds de garantie des salaires 0,35 pl. *50 440,* Apec 0,036 (0,024) pl. *de 12 610 à 50 440.* **Construction, logement :** participation employeurs 0,45 non pl., fonds nat. d'aide au logement : contribution de 0,10 % à la charge des entreprises pl. *12 610,* de 0,40 % non pl. à la charge des entr. de + de 9 salariés. **Taxe d'apprentissage :** 0,50 non pl. **Participation des employeurs à la formation professionnelle continue :** 0,45 de 6 à 10 salariés, 1,50 non pl. au-delà. **Taxe sur les salaires :** 4,25 non pl., employeurs non assujettis à la TVA + 4,25 non pl. **Transports :** taxe (taux Paris) 2,20 non pl. Rémunérations versées aux apprentis, exonérées des cotisations patronales et salariales de Sécurité sociale, mais employeurs de + de 10 salariés doivent verser les contributions destinées au Fonds national d'aide au logement (0,1 + 0,4 %), au transport, ainsi que les cotisations patronales d'assurance chômage et de retraite complémentaire.

Coût du travail en %	1970	1980	1990
Salaire perçu	70	62	58
Cotisations sociales			
– Salarié	6	9	12
– Entreprise	24	29	30

Revenu annuel disponible pour un couple en 1991 (en F)	Avec 2 salaires		Avec 1 salaire		Avec 1 sal. égal au Smic	
	0 enf.	3 enf.	0 enf.	3 enf.	0 enf.	3 enf.
Niveau de salaire	295 538	295 538	94 063	94 063	53 902	53 902
Prestations familiales	0	15 398	0	27 462	0	27 462
Allocation logement	0	0	0	10 830	7 235	18 434
Impôt sur le revenu payé [1]	44 892	20 251	2 375	0	0	0
Impôts locaux	5 481	5 296	3 572	2354	2 000	1 538
Revenu disponible total	245 165	286 749	88 116	130 001	59 137	98 260

Nota. – (1) Impôt payé dans l'année, sur les revenus de l'année précédente.

Salaires d'autrefois

Ouvriers artisans

Salaires journaliers (en F)	1806	1840	1860	1880	1900	1919
France entière Ouvrier						
mines de houille	1,80	2,00	2,50	3,50	4,65	13,50
agricole non nourri	1,00	1,50	1,85	2,20	3,00	12,00
Région parisienne						
Tailleur de pierre	3,25	4,20	5,50	7,50	8,50	22,00
Maçon	3,25	4,15	5,25	7,50	8,00	22,00
Garçon maçon	1,70	2,45	3,30	5,00	5,00	17,20
Couvreur	5,00	5,50	7,00	8,50	8,50	22,00
Plombier	3,00	3,50	4,00	6,00	7,50	20,00
Charpentier	3,00	4,00	6,00	8,00	9,00	22,00
Menuisier	3,50	3,25	4,50	7,00	7,00	22,00
Tapissier	3,00	3,50	4,00	5,00	9,00	22,00
Serrurier	3,75	3,25	4,00	6,50	7,50	22,00
Forgeron	5,00	5,00	6,50	7,75	8,00	22,00
Terrassier	2,25	2,75	4,00	5,50	5,50	20,00
Boulanger	3,50	4,00	4,55	7,00	8,00	13,00

Budget familial annuel 860 F (dont nourriture 570, logement 130, vêtements 140, divers 19). L'ouvrier doit se restreindre, le plein-emploi n'existe pas, les salaires varient d'une région à l'autre (73 centimes par j dans certaines manufactures d'Alsace), la moindre maladie vient bouleverser cet « équilibre ». 10 c par j au-dessus ou au-dessous du taux nécessaire à l'entretien d'un travailleur économe et sans famille suffisent pour le placer dans une sorte d'aisance ou pour le jeter dans une grande gêne (étude Vuillermé).

En 1894, salaires (en F). *Par jour :* ouvrier 2,25 pour 10 h de travail ; repasseuse, blanchisseuse 3 ; passementière 3,5 à 5 ; couturière 3,7. *Par mois :* cuisinier 50 à 75 ; femme de chambre 40 à 70 ; bonne d'enfants 20 à 40 ; ; nourrice 60 à 80 ; vendeuse 150 à 200 (12 h par jour de 8 h à 20 h, avec 2 h pour le repas). *Par an :* instituteur 1 000 à 1 500 ; chef de rayon 3 000 à 20 000 ; employé de poste 900 à 1 800.

Fonctionnaires

■ **Sous le Ier Empire** (en F par an). *Ponts et chaussées :* inspecteur général 12 000, divisionnaire 8 000, ingénieur en chef 5 000, ordinaire 1 800 à 2 800. *Conseil d'État :* conseiller 25 000, maître des requêtes 5 000, auditeur 2 000.

■ **1907** (en F par an). Pt de la Rép. 1 200 000, du Sénat 100 000, de la Ch. des députés 100 000, ministre 60 000, gouverneur de colonie de 60 000 (Indochine) à 20 000 (N.-Calédonie), préfet de police 50 000, trésoriers généraux 47 500, ambassadeur 40 000 (+ frais de représentation : de 20 000 F à Berne à 170 000 F à St-Pétersbourg), grand-chancelier de la Légion d'honneur 40 000, min. plénipotentiaire 30 000, 1er Pt de la Cour de cassation 25 000, procureur à la C. de cassation 25 000, sous-secr. d'État 25 000, préfet 22 000, conseiller à la C. de cassation 18 000, conseiller d'ambassade et consul gén. 18 000, recteur de l'Université 16 000, député et sénateur 15 000, 1er Pt de Cour d'appel 12 à 18 000, conseiller de C. d'appel 9 à 12 000, questeur du Parlement 8 000. *Ponts et chaussées* (1901-07) : inspecteur général 12 000 et 15 000. *C. d'État* (1901-07) : conseiller 16 000, maître des requêtes 8 000, auditeur 2 000 à 4 000.

A l'époque en Angleterre. Roi 10 000 000, gouverneur de colonie de 500 000 (Vice-roi des Indes) à 175 000 (Nouvelle-Galles du Sud), Pt de la Ch. des lords 250 000, des communes 125 000, ministre 125 000, sous-secr. d'État 50 000, ambassadeur (sans frais de représentation) de 36 250 à 225 000, juge de la City Court 100 000, consul gén. 20 000 à 90 000.

	Directeurs de ministères			Les moins payés		
	1914	1934	1982	1914	1934	1982
Brut [1]	25	117	320	1,2	11,24	42,22
Disp. [2]	25	93	200	1,2	10,5	39
Rev. [3]	25	102	220	1,2	12,5	58

Nota. – (1) Sal. annuels directs bruts en milliers de F de chaque époque. (2) Sal. directs disponibles en milliers de F, après impôt sur le rev. (3) Rev. salarial disponible en milliers de F, y compris prestations sociales reçues.

Charges salariales (en % du salaire horaire, industries manufacturières en 1990). Italie 103, France 88,5, All. féd. 85,4, P.-B. 74,8, Portugal 74,1, Espagne 61, G.-B. 43, USA 37,8.

Taux de croissance en F constants du salaire horaire, et entre parenthèses du Smic. *1990 :* 1,5 (0,8). *91 :* 1,4 (1,6). *92 :* 1,6 (1,5).

Évolution récente

Salaires annuels nets : secteurs privé, semi-public

Salaire annuel net (en F/an) [1]	1988	1989	1990	1991
Hommes	**109 900**	**113 600**	**119 700**	**125 100**
Cadres supérieurs	229 800	237 900	249 200	258 000
Techniciens (maîtrise)	118 500	121 900	127 500	131 800
Employés	83 800	86 000	90 100	93 300
Ouvriers qualifiés	81 900	84 000	88 400	92 400
non qualif.	73 400	75 300	78 800	82 200
Femmes	**82 900**	**85 900**	**90 700**	**94 900**
Cadres supérieurs	162 200	167 500	175 400	182 100
Techniciens (maîtrise)	100 400	103 200	108 000	111 700
Employées	73 900	75 800	79 600	82 700
Ouvriers qualifiés	68 100	69 800	73 200	76 400
non qualif.	59 300	60 800	63 500	66 400

Nota. – (1) Salaires nets de cotisations sociales jusqu'en 1990 ; net de cotisations et de CSG en 1991. *Source :* Insee.

Moyennes extrêmes. *Cadres :* assurances 18 702, production pétrole et gaz naturel 26 938 ; *agents de maîtrise, techniciens :* commerce de détail alimentaire 9 982, prod. pétrole et gaz nat. 14 947 ; *employés :* commerce détail aliment. 6 663 ; prod. pétrole et gaz nat. 11 433 ; *ouvriers :* industrie habillement 6 166, prod. pétrole et gaz nat. 11 766.

Montant mensuel du Smic brut (169 h, en F). 5 886,27 (au 1-7-1993). **Données au 1-4-1993 : minimum mensuel garanti de rémunération de la fonction publique** (brut, à Paris, en F) 6 005,81, dernière zone d'indem. de résid. 5 783,92.

Revenus sociaux (en F, par mois). Montant total minimum des avantages vieillesse et invalidité (personne seule) 3 130. [Plafond mensuel de Sécurité sociale 12 360]. Chômage : allocation de base par jour : 131,01 F.

Smicards. Effectifs dans les secteurs marchands non agricoles (% en 1990). Hôtels, cafés, restaurants 37,5, textile, habillement 24, commerce de détail alimentaire 30,7, services aux particuliers 25,8, cuir, chaussures 22, commerce de détail non alimentaire 18,3, bois, meubles 15,3, produits alimentaires hors viande et lait 19,2, commerce de gros alimentaire 14,8, industrie de la viande et du lait 23,1, ensemble 16,2.

Si l'on voulait ramener tous les Français à égalité de salaire, chacun gagnerait 2 Smic (si l'économie tournait au même rythme, c'est-à-dire si les hauts salaires continuaient à produire autant de valeur malgré la diminution de leur salaire).

Plus de 2 milliards d'hommes vivent aujourd'hui dans le monde avec des salaires dont le pouvoir d'achat est inférieur au 1/10 de notre Smic.

Pouvoir d'achat du salaire horaire ouvrier

	1985	1986	1987	1988	1989	1990	1991	1992
Salaire brut . . .	0,1	1,5	0,2	0,7	0,4	1,5	1,4	1,5
Salaire net	–0,1	0,8	–0,7	0,1	–0,8	1,5	2	0,8
– Smic brut	2,2	1,6	0,9	0	0,6	0,8	1,6	1,5
– Smic net	2	0,9	0	0	–0,6	0,9	2,3	1

Nota. – Évolution de l'indice, moyenne générale. *Source :* Insee.

Salaire minimal

■ **Smig (salaire minimum national interprofessionnel garanti).** *Créé* par la loi du 11-2-1950. La loi du 18-7-1952 introduisit une clause d'*échelle mobile.* En cas d'augmentation égale ou supérieure à 5 % de l'indice mensuel des prix (à l'époque « 213 articles »), le Smig devait être, par arrêté, majoré proportionnellement. La loi du 26-6-1957 indexa le Smig sur l'indice des « 179 articles », spécialement créé et représentant le budget d'un célibataire parisien (à partir de 1966, indice national des prix à la consommation dit des « 259 » articles) ; le relèvement était automatique quand il y avait 2 mois consécutifs une augmentation d'au moins 2 %. Le Smig, créé pour préserver le pouvoir d'achat des travailleurs les plus défavorisés, n'atteignit pas son objectif ; de janvier 1956 à janvier 1968, il avait progressé de 76,1 % au lieu de 137,4 % pour l'ensemble des salaires horaires. Aussi créa-t-on le Smic.

■ **Smag (salaire minimum garanti annuel en agriculture).** *Créé* le 9-10-1950, aligné sur le Smig en juin 1968 (accords de Varenne).

■ **Smic (salaire minimum de croissance).** *Créé* par la loi du 2-1-1970 pour éliminer toute distorsion durable entre la progression du salaire minimal et l'évolution générale des salaires.

Son niveau est *fixé annuellement, avec effet au 1er juillet,* par décret en Conseil des ministres, après avis motivé de la Commission sup. des conventions coll., devenue « Commission nationale de la négociation collective », et compte tenu de l'évolution des conditions économiques générales. Il évolue selon un indice des prix ne prenant pas en compte le prix du tabac (loi du 10-1-1991) et la croissance. En aucun cas, l'accroissement annuel du pouvoir d'achat du Smic ne peut être inférieur à la moitié de l'augmentation du pouvoir d'achat du taux de salaire horaire enregistrée par l'enquête trimestrielle du ministère du Travail, entre le 1-4 de l'année précédente et le 1-4 de l'année considérée. Le gouvernement peut décider une augmentation supérieure à celle qui résulte de l'avis de la commission. Au 1-7-1993, le Smic a pour la 1re fois augmenté strictement selon la loi. Soit + 2,3 % dont 1,8 % au titre de la hausse hors tabac de mai 1992 à mai 1993 et 0,44 % au titre de la progression du pouvoir d'achat.

Le Smic est *le niveau de salaire horaire brut* (primes comprises) *au-dessous duquel aucun employeur ne peut descendre pour rémunérer un salarié valide adulte* (18 a. révolus). Avant 18 ans, il est appliqué avec des abattements (20 % avant 17 ans, 10 % 17-18 a.) qui sont supprimés après 6 mois de pratique professionnelle dans la branche d'activité considérée. De nombreuses conventions collectives ou accords d'entreprise réduisent ou suppriment ces abattements.

Montant (en F, au 1-7-93). *Taux horaire :* 34,83, *mensuel* 5 886,27 (5 756,14). Pour 169 h, calcul forfaitaire, en raison de la variation du nombre de j dans les mois. **Heures supplémentaires :** de 40 à 47 h par semaine, 43,54 F (heure majorée de 25 %), au-delà de 47 h, 52,25 F (heure majorée de 50 %). **Jeunes travailleurs** (moins de 18 ans, capacité physique normale) prix de l'heure avec abattement de 20 % pour les moins de 17 ans : 27,864 F ; de 10 % entre 17 et 18 ans : 31,347 F.

Avantages en nature. Déduits du Smic pour les *professions non agricoles : nourriture* 2 fois le minimum garanti pour 2 repas, 1 fois pour 1 repas (personnel des hôtels, cafés, restaurants et établissements assimilés : la moitié) ; *professions agricoles : nourriture* 2 fois 1/2 le minimum garanti (2 repas) ; *logement* 8 fois le min. garanti (par mois).

Départements d'outre-mer (au 1-7-93). Salaire pour 39 h de travail effectif 1 187,55 F.

■ **Minimum garanti.** Indexé sur les prix selon les mêmes modalités que le Smic : lorsque l'indice nat. des prix à la consom. subit une hausse d'au moins 2 % par rapport à l'indice constaté lors de l'établissement du Smic immédiatement antérieur, le niveau du minimum garanti est relevé dans la même proportion, à compter du 1er j du mois qui suit la publication de l'indice entraînant le relèvement. **Montant** (1-7-93) : *France, St-Pierre-et-Miquelon* 17,17 F. *Guadeloupe, Guyane, Martinique. Réunion* 15,35 F.

Rémunérations minimales des titulaires d'un contrat de qualification : *de 16 à 17 ans :* 30 % du Smic la 1re année (45 % la 2e année) ; *18 à 20 ans :*

Variation moyenne annuelle des salaires (en %)

Fonction publique d'État						Secteur privé					
Catégories en % [1]	D 6	C 29	B 36	A 29	Ens. 100	Ouvriers 51	Employés 23	Techniciens 16	Cadres 10	Ens. 100	Hausse prix (%)
1987	0,8	0,7	1,7	0,9	1,1	3,4	3,3	3	3,8	3,3	3,1
1988	2,6	2,5	3,4	2,2	2,7	3,5	3,3	3,3	4,2	3,5	2,7
1989	4,9	6,7	4,1	3,7	4,8	4	4	4	4,2	4	3,6
1990	1,9	1,6	2,4	2,1	2	5	5	4,8	4,8	4,9	3,4
1991	3,9	2,6	2,6	2,2	2,6	4,6	4	3,8	4,6	4,3	3,2
1992	4,2	3,4	3,1	3,1	3,3	4	3,4	3,4	3,7	3,7	2,4

Nota. – (1) En % des effectifs.

50 % (60 %) ; *21 ans et plus :* 65 % du minimum conventionnel pour l'emploi occupé et au moins 65 % du Smic (75 %). Exonération des cotisations de la Sécurité sociale à charge de l'employeur sur la partie du salaire n'excédant pas le Smic (selon la durée habituelle du travail dans l'entreprise).

■ **RMI (revenu minimum d'insertion). Créé** par la loi du 1-12-1988. **But :** permettre à chacun de disposer de ressources suffisantes pour faire face à ses besoins et favoriser la réinsertion des plus démunis. **Conditions :** résider en France (donc ouvert aux étrangers résidents), avoir 25 ans minimum (sauf si on a des enfants à charge), s'engager à s'insérer dans la société. **Formalités :** déposer une demande auprès des services sociaux ou d'une association caritative, ce qui implique de s'engager à participer aux actions d'insertion qui seront définies avec la personne. **Allocation** (au 1-1-1993) : égale à la différence entre le montant des ressources de la personne et celui du RMI [2 253,11 F en métropole par mois pour une personne seule, + 1 126,56 F pour une 2e pers. (conjoint ou à charge) au foyer + 901,20 F à partir de la 3e pers. à charge. Un forfait logement (263 F pour un isolé, 649 F pour un couple avec enfants) est déduit dès que l'allocataire perçoit une allocation logement ou est hébergé gratuitement. Montant moyen versé : 1 836 F] en général accordée pour 3 mois, renouvelable pour 3 à 12 mois.

Allocataires : *métropole fin 1991 :* 488 000 ; *fin 92 :* 575 000 (+ DOM : 96 000). Pour le seul versement de la prestation, les dépenses de l'État sont passées de 12,15 milliards de F (DOM 1,9) en 91 à 13,9 milliards de F (DOM 1,85) en 92.

Évolution du salaire minimal

Date d'application ; taux horaire du Smig (devenu le minimum garanti le 1-1-1970), zone d'abattement nul (le 1-6-1968, le taux du Smig est devenu uniforme dans toute la France et il s'applique aujourd'hui aussi bien dans l'industrie, le commerce, les services et l'agriculture) ; montant en F ; *taux horaire du Smic,* montant en F.

Date	Smig	Smic	Date	Smig	Smic
1- 9-50	78 AF		1- 1-76	5,43	7,89
1- 4-51	87		1- 4-76	5,56	8,08
16- 6-51	87		1- 7-76	5,69	8,58
10- 9-51	100		1-10-76	5,81	8,76
8- 2-54	115		1-12-76	5,93	8,94
11-10-54	121,50		1- 4-77	6,06	9,14
4- 4-55	126		1- 6-77	6,19	9,34
1- 4-56	126		1- 7-77	6,25	9,58
1- 8-57	133,45		1-10-77	6,39	9,79
1- 1-58	139,20		1-12-77	6,50	10,06
1- 3-58	144,80		1- 5-78	6,68	10,45
1- 6-58	149,25		1- 7-78	6,82	10,85
1- 2-59	156		1- 9-78	6,96	11,07
1-11-59	160,15		1-12-78	7,11	11,31
1-10-60	1,6385 NF		1- 4-79	7,29	11,60
1-12-61	1,6865		1- 7-79	7,51	12,15
1- 6-62	1,7280		1- 9-79	7,68	12,42
1-11-62	1,8060		1-12-79	7,92	12,93
1- 1-63	1,8060		1- 3-80	8,19	13,37
1- 7-63	1,8820		1- 5-80	8,37	13,66
1-10-64	1,9295		1- 7-80	8,55	14,00
1- 3-65	1,9680		1- 9-80	8,73	14,29
1- 9-65	2,0075		1-12-80	8,99	14,79
1- 3-66	2,05		1- 3-81	9,24	15,20
1-10-66	2,10		1- 6-81	9,54	16,72
1- 1-67	2,10		1- 3-82	10,52	18,62
1- 7-67	2,15		1- 5-82	10,75	19,03
1- 1-68	2,22		1- 7-82	10,97	19,64
1- 7-68	3,00		1-12-82	11,22	20,29
1-12-68	3,08		1- 3-83	11,53	21,02
1- 4-69	3,15		1- 7-83	11,96	21,89
1-10-69	3,27	3,27	1-10-83	12,20	22,33
1- 3-70	3,36	3,36	1- 1-84	12,44	22,78
1- 7-70	3,42	3,50	1- 5-84	12,74	23,56
1- 1-71	3,50	3,63	1- 7-84	12,89	23,84
1- 4-71	3,55	3,68	1-11-84	13,17	24,36
1- 7-71	3,61	3,85	1- 4-85	13,46	24,90
1-12-71	3,69	3,94	1- 5-85	13,46	25,54
1- 5-72	3,77	4,10	1- 7-85	13,72	26,04
1- 7-72	3,80	4,30	1- 7-86	14,04	26,92
1-11-72	3,90	4,55	1- 3-87	14,38	27,57
1- 2-73	3,98	4,64	1- 7-87	14,52	27,84
1- 7-73	4,08	5,20	1- 6-88	14,85	28,48
1-10-73	4,17	5,32	1- 7-88	14,88	28,76
1-12-73	4,25	5,43	1- 3-89	15,19	29,36
1- 3-74	4,39	5,60	1- 7-89	15,43	29,91
1- 5-74	4,50	5,95	1- 4-90	15,74	30,51
1- 7-74	4,63	6,40	1- 7-90	15,88	31,28
1- 9-74	4,74	6,55	1-12-90	16,21	31,94
1-12-74	4,89	6,75	1- 7-91	16,39	32,66
1- 2-75	5,03	6,95	1- 3-92	16,72	33,31
1- 6-75	5,16	7,12	1- 7-92	16,87	34,06
1- 7-75	5,20	7,55	1- 7-93	17,17	34,83
1-10-75	5,31	7,71			

Durée d'inactivité (en %) : < *1 an :* 17,1 ; *1-2 a. :* 15,6 ; *2-3 a. :* 10,2 ; *3-5 a. :* 13 ; > *5 a. :* 44. 57 % des allocataires entrés en 1989 en sont sortis après 3 a. (47 % 2 a) ; 57 % entrés en 1990 en sont sortis après 2 a. Environ 60 % des bénéficiaires font l'objet d'un suivi social. 42 000 alloc. (8,2 %) présents au 1-1-1992 sont sortis du dispositif avec un emploi. 130 000 (26,5 %) ont bénéficié du secteur aidé.

Systèmes déjà existants. *Collectivités locales :* une trentaine ont instauré un revenu minimum [1res Besançon (1968), Montbéliard (1971)]. Destiné aux personnes âgées ou invalides puis étendu aux personnes sans emploi. L'allocation, d'abord sans contrepartie, a été progressivement subordonnée à un contrat entre la commune et le bénéficiaire (document signé ou contrat moral, le bénéficiaire s'engageant à rechercher un emploi, à mieux gérer son budget, à se mettre en règle administrativement, etc). *Durée des versements :* le plus souvent illimitée (Belfort, Ille-et-Vilaine : 2 ans. Clichy : 6 mois). *Population concernée :* moins de 0,5 % de la pop. de la commune. *Montant moyen des allocations mensuelles* (1986) : 1 300 à 1 800 F. *Coût :* 0,3 à 1,7 % du budget de fonctionnement de la commune (50 F par an et hab.).

Contrat local de ressources : mis en place par l'État en 1984 (prestation différentielle, contractuelle et facultative, destinée aux sans-emploi, ne bénéficiant pas de prestations sociales légales et dont les revenus étaient inférieurs à un certain plafond), 100 000 personnes visées (montant moyen 1 000 F) versée en contrepartie d'un travail, d'une formation ou d'un projet de réinsertion, et pour une période limitée. 2 conventions seulement ont été signées (entre l'État et l'Ille-et-Vilaine, et Belfort). En 1986 (gouvernement Chirac), le complément local de ressources (pouvant atteindre 2 000 F pour une personne seule) a été limité à 6 mois et est devenu la contrepartie d'un travail à mi-temps pour une association, une collectivité locale ou un établissement public. *Participation de l'État :* 40 % (50 % précédemment). Les 2/3 des départements ont signé une convention. *Nombre de bénéficiaires :* de 8 000 à 17 000.

Salaires des cadres

Quelques précisions

Président-directeur général. Ce poste n'a plus de réalité juridique depuis la loi du 24-7-1966 qui a rénové le droit des Stés. On assimile au poste de P-DG celui du Pt du conseil d'administration dans les SA à conseil d'administration. Il rend compte au conseil d'administration et aux actionnaires. S'il s'agit d'une filiale, il rapporte le plus souvent à la dir. gén. de sa maison mère.

Directeur général. Assure la direction opérationnelle quotidienne de l'entreprise. Souvent convié aux réunions du conseil d'administration. *Formation :* IEP + droit social, ingénieur (Centrale, X, Mines, Arts et Métiers), doctorat de gestion, ingénieur + Essec ou Sup. de co.

Secrétaire général. Souvent conseiller auprès du Pt et de la dir. gén. Supervise une ou plusieurs des fonctions suivantes : administrative, juridique, personnel, financière, informatique, services généraux, relations extérieures. *Formation :* IEP, Essec, Sup. de co., maîtrise en droit.

Directeur administratif. Rattaché au secr. gén. ou au dir. gén. ou au P-DG. Dans les PMI, cumule souvent avec la direction financière. *Formation :* DECS, IAE + sciences éco., DUT finances-comptabilité, Sup. de co. option finances.

Responsable du service juridique. Se rattache au P-DG ou au dir. gén. ou au secr. gén. Assistance juridique : investissements, exportations, prises de brevets, opérations financières et comptables, droit du travail. *Formation :* maîtrise en droit, DEA.

Directeur du personnel (ou des relations humaines). Supervise recrutement et licenciement, appréciation des performances et rémunération, formation et promotion interne. Chargé des relations avec les syndicats. *Formation :* Droit du travail, niveau DESS ou DEA, ESC, IEP, Essec, + 5 à 10 ans d'expérience. **Responsable du recrutement :** *formation :* Bac + 3 (gestion de personnel, psycho-prat.), ingénieur. **De la formation :** sélectionne les cabinets de formation, assure l'information du personnel sur l'offre disponible, établit le planning des participations et peut organiser des séminaires internes. *Formation :* études sup., Sciences hum. (Bac + 4 min.), ESC, IEP, DESS psycho-socio.

Directeur financier. Coordonne études financières aux décisions majeures, gestion de la trésorerie, relations de la trésorerie, relations avec les banques, services de comptabilité générale, contrôle budgétaire et contrôle de gestion. *Formation :* DECS + ESC option finance, IEP section éco-fi, IAE, IGR, maîtrise gestion (Dauphine). **Responsable de la comptabilité :** *formation :* DECS, DUT comptabilité-gestion. **Du contrôle budgétaire et du contrôle de gestion :** *formation :* école et institut de gestion (Dauphine). **De l'audit interne :** contrôle les opérations comptables et financières, met en place de nouvelles procédures d'organisation des circuits comptables, harmonise les procédures de l'ensemble des filiales dans les groupes importants. **De la trésorerie :** gestion de la trésorerie, en F et en devises. Optimisation de placements à court terme des liquidités disponibles. Négociation des crédits à court ou moyen terme avec les banques. *Formation :* DUT finances, IEP éco-fi, Bac + 2 avec 3 ans d'expérience en comptabilité générale.

Directeur commercial. Participe à l'élaboration de la politique commerciale qu'il est chargé de mettre en œuvre. Supervise les activités de vente, marketing et publicité. Peut assumer la responsabilité de la fixation des prix de vente. Définit les règles particulières aux conditions de vente : rabais, remises, ristournes. *Formation :* grande école de commerce ou d'ingénieurs. **Responsable des ventes :** *formation :* BTS, DUT commercialisation.

Directeur de l'exportation. Se tient informé de l'évolution des marchés à l'export., des contraintes douanières et de stockage. Décide des tarifs à l'export. *Formation :* ESC option affaires internationales, MBA, ingénieurs, Centrale, ESE, AM, IEG, avec expérience export.

Directeur du marketing. Effectue des analyses statistiques des marchés, assure des tests produits, conçoit des plans marketing. Conseille les responsables commerciaux opérationnels sur la stratégie de vente, etc. *Formation :* ESC, option marketing, HEC. **Responsable des études de marché :** étudie la concurrence (marché, produits, stratégie). Réalise des enquêtes avec ses propres moyens ou avec l'aide des Stés spécialisées. *Formation :* HEC, Essec, ESC, Escae, IEP, DESS marketing. **Chef de produits :** chargé de l'ensemble des études marketing pour 1 ou 2 prod. de l'entreprise. Assure leur application. *Formation :* HEC, Essec, ESCP option marketing. Escae, BTS action com., parfois ingénieurs électroniciens. **Responsable du service après-vente :** *formation :* BTS ou ingénieur, autodidacte avec expérience.

Directeur des relations extérieures. Parfois appelé dir. de la communication. Porte-parole de la direction auprès de la presse et du public. Représente l'entreprise dans les organismes professionnels. *Formation :* IEP, HEC, ESCP.

Directeur de l'informatique. *Formation :* grande école (X, Mines, Centrale), Supelec, Insa, Ensimag. **Responsable des études informatiques :** *formation :* X, Centrale, Mines, DEA informatique. **Chef de projet :** responsable de la réalisation et de la mise en place d'une application informatique satisfaisant à un besoin précis d'un service. Prépare l'analyse fonctionnelle, coordonne et contrôle le travail des analystes et des programmeurs. Responsable de la qualité de l'application. *Formation :* Miage ou ingénieur informaticien ESI.

Directeur de la production. Poursuit certains objectifs de production (quantité, qualité, délais, prix de revient) en organisant les moyens mis à sa disposition : méthodes planning et fabrication. *Formation :* ingénieur (AM, ENSM, Icam, Centrale, Mines), 7 à 10 ans d'expérience.

Directeur d'usine. Veille à la réalisation des plannings de fabrication et au respect des normes de qualité et de prix de revient. Peut participer au choix des investissements industriels. Responsable du budget de fonctionnement de son usine. *Formation :* grande école ou autodidacte de haut niveau. **Responsable du contrôle qualité :** *formation :* BTS, DUT génie mécanique, diplôme école d'ingénieurs. **Des achats :** *formation :* d'ingénieurs type AM ou Ensi et/ou commerciale (ESC, Edhec, Escae, ISA, IAE, Cesem). Anglais courant. **De la logistique :** supervise achats, planning et approvisionnements, magasins, expéditions et transports, relations avec douanes et transitaires. *Formation :* Cnam + formation complémentaire en gestion, IAE, DESS en logistique. Éventuellement école de gestion. **Des méthodes de fabrication :** *formation :* ingénieur diplômé (AM, ENI, Icam, Ensi, éventuellement DUT-BTS génie mécanique). Expérience CFAO parfois souhaitée. **Du bureau d'études :** *formation :* écoles d'ingénieurs : Cesti, Ensi, Cnam pour la mécanique ; Enseeiht (Toulouse), Enserb (Bordeaux) et Enserg (Grenoble), Télécom, Supélec, Ensem Nancy pour l'électronique, Sup Aéro, Ensma pour l'aéronautique.

Nombre de cadres embauchés en 1991 et, entre parenthèses, prévisions 1992. Direction 4 800 (3 000-4 000), **finances** 8 700 (8 000-9 000), **administration** 6 100 (4 000-5 000), **recherche** 20 000 (16 000-17 000), **production** 29 000 (22 000-23 000), **commercial** 24 500 (22 000-23 000), **informatique** 14 000 (13 000-14 000), **ensemble** 107 100 (88 000-95 000) **dont jeunes diplômés** 35 000 (32 000-34 000), **jeunes cadres** 25 200 (21 000-23 000), **cadres confirmés** 46 900 (35 000-38 000).

Chasseurs de têtes. Date de création, CA (1991, en millions de F) et entre parenthèses, nombre de missions. *Heidrick et Struggles* (USA 1953/Fr. 1975) 43 (180). *Egon Zehnder* (Suisse 1965/Fr. 1968) 35 (130). *Helmut Neumann* (Autr. 1971/Fr. 1981) 28,5 (135). *Progress* 28 (130). *Russel Reynolds* (USA 1969/Fr. 1977) 27 (130). *Spencer Stuart* (USA 1956/Fr. 1964) 26 (90). *Jouve et Associés* (Fr. 1986) 20 (80). *Leaders Trust* 19,6 (87). *Carré-Orban* 18,7 (97). *Korn Ferry* 17 (72).

Directeur recherche et développement. *Formation:* ingénieur AM, Ensi, Insa, Icam, ESE, Centrale, connaissances CFAO et micro-informatique souvent exigées.

Montant des salaires

Quelques gros salaires

Rémunération de quelques chefs d'entreprise français (en millions de F, 1990). Michel David-Weill 400 (Lazard, en répartition des résultats de la banque). Pierre Suard 13 (CGE). Guy Dejouany 11 (Cie Gale des Eaux). Antoine Riboud 5,79 (BSN). Jean-Louis Beffa 4,5 (St-Gobain). Ernest-Antoine Sellière 4,1 (CGIP). Jérôme Monod 4 (Lyonnaise des eaux). Renaud de la Genière 3,5 (Suez). Alain Minc 3,2 (Cerus). Michel Pelège 2,5 (Groupe Pelège). Jacques Calvet 2,22 (Peugeot). Pierre Dauzier 1,8 (Havas). Jean Gandois 1,7 (Péchiney). Alain Gomez 1,5 (Thomson). Michel Albert 1,4 (AGF). Loïk Le Floch-Prigent 1,3 (ELF). Raymond Lévy 1,3 (Renault). Jean Peyrelevade 1,2 (UAP). Bernard Attali 0,9 (Air France). Jacques Fournier 0,89 (SNCF). Pierre Elsen 0,79 (Air Inter). Christian Blanc 0,77 (RATP). Louis Gallois 0,76 (Snecma). André Larquié 0,5 (RFI). Jacques Maillot 0,48 (Nelles Frontières). Henri Martre 0,39 (Aérospatiale).

Sociétés où la moyenne des 10 premiers salaires atteint au moins 1 million de F/an. Bouygues 2,82. Thomson 2,37. Casino 2,05. Aérospatiale 1,88. L'Oréal 1,67. Hachette 1,54. IBM 1,50. Esso 1,34. Air France (navigateurs inclus) 1,31. Bull 1,30. Béghin-Say 1,12. Renault 1,02.

Enquête de « L'Expansion »

Source : n° spécial de « L'Expansion », mai-juin 1993.

■ **Salaire annuel brut (en milliers de F) et avantages (en % de bénéficiaires). Direction générale. P-DG :** 698 à 1 799. Bonus 60 (20 % du salaire). Stock-options 35. Voiture de fonction 82. Retraite supplémentaire 34. Logement, prêts, etc. 19. **Dir. général :** 527 à 1 358. B 64 (16 % du sal.). S 28. V 76. R 20. L 10. **Dir. gén. adjoint :** 572 à 1 148. B 72 (17 % du sal.). S 34. V 66. R 20. L 18. **Responsable d'unité :** 509 à 954. B 76 (15 % du sal.). S 43. V 61. R 26. L 14. **Secr. gén. :** 408 à 997. B 81 (12 % du sal.). S 33. V 52. R 38. L 24. **Dir. de la communication :** 362 à 787. B 76 (9 % du sal.). S 20. V 24. R 16. L 4. **Production. Dir. industriel :** 499 à 1 004. B 77 (13 % du sal.). S 27. V 65. R 30. L 12. **Dir. de la prod. :** 400 à 724. B 65 (10 % du sal.). S 5. V 35. R 23. L 12. **Dir. d'usine :** 380 à 652. B 72 (8 % du sal.). S 16. V 49. R 14. L 9. **Resp. de prod. :** 245 à 483. B 67 (5 % du sal.). S 11. V 5. R 12. L 7. **Resp. de ligne de fabric. :** 225 à 404. B 55 (3 % du sal.). S 4. V 0. R 12. L 5. **Chef d'atelier :** 197 à 323. B 60 (3 % du sal.). S 8. R 14. **Resp. de service planning et gestion de prod. :** 230 à 401. B 53 (4 % du sal.). S 5. R 18. L 2. **Resp. de service qualité :** 248 à 453. B 53 (4 % du sal.). S 8. V 3. R 11. L 4. **Resp. des méthodes et process :** 250 à 425. B 52 (3 % du sal.). S 2. V 3. R 19. L 2. **Ingénieur méthodes :** 196 à 355. B 56 (2 % du sal.). S 1. V 1. R 19. L 1. **Resp. maintenance :** 211 à 440. B 56 (4 % du sal.). S 6. R 11. L 6. **Dir. logistique :** 305 à 564. B 73 (7 % du sal.). S 10. V 29. R 25. L 3. **Dir. des achats :** 267 à 642. B 70 (6 % du sal.). S 12. V 30. R 20. L 8. **Acheteur :** 205 à 343. B 52 (3 % du sal.). S 3. V. 5. R 13. L 2. **Recherche et développement. Dir. :** 358 à 728. B 53 (8 % du sal.). S 19. V 44. R. 17. L 8. **Resp. laboratoire :** 238 à 502. B 42 (5 % du sal.). S 8. V 4. R 5. L 12. **Resp. bureau d'études :** 254 à 432. B 45 (4 % du sal.). S 7. V 7. R 16. **Ingénieur de recherche :** 198 à 351. B 42 (4 % du sal.). S 9. R 11. L 9. **Ingénieur développement :** 176 à 350. B 68 (2 % du sal.). V 3. **Finances, comptabilité, gestion. Dir. financier :** 390 à 847. B 70 (12 % du sal.). S 26. V 48. R 26. L 6. **Dir. comptable :** 291 à 550. B 52 (8 % du sal.). S 10. V 11. R 13. L 4. **Chef comptable :** 244 à 410. B 65 (4 % du sal.). S 6. V 3. R 9. L 1. **Chef de section comptable :** 201 à 380. B 63 (4 % du sal.). S 4. V 2. R 8. L 3. **Resp. du contrôle de gestion :** 281 à 527. B 71 (6 % du sal.). S 12. V 15. R 15. L 3. **Contrôleur de gestion :** 193 à 378. B 58 (5 % du sal.). S 7. R 7. L 4. **Resp. de trésorerie :** 213 à 461. B 60 (5 % du sal.). S 9. V 4. R 11. **Dir. de l'audit interne :** 318 à 620. B 74 (9 % du sal.). S 23. V 6. R 10. L 6. **Auditeur interne :** 208 à 411. B 66 (4 % du sal.). S 2. V 4. R 12. **Dir. juridique et contentieux :** 352 à 590. B 51 (9 % du sal.). S 16. V 20. R 8. L 4. **Juriste :** 185 à 402. B 52 (4 % du sal.). S 8. V 2. R 12. L 4. **Ressources humaines. Dir. des ressources humaines :** 396 à 903. B 69 (10 % du sal.). S 25. V 52. R 29. L 5. **Resp. gestion des cadres :** 256 à 605. B 62 (5 % du sal.). S 12. V 23. R 15. L 4. **Resp. formation :** 219 à 473. B 58 (5 % du sal.). S 5. V 10. R 18. L 6. **Resp. recrutement :** 199 à 363. B 65 (4 % du sal.). S 3. R 19. **Chef du personnel d'une unité :** 219 à 442. B 66 (5 % du sal.). S 13. V 5. R 16. L 6. **Marketing. Dir. :** 373 à 747. B 59 (7 % du sal.). S 6. V 31. R 39. L 6. **Chef de groupe de produits :** 259 à 479. B 70 (5 % du sal.). S 4. V 7. R 5. L 7. **Chef de prod. senior :** 222 à 369. B 61 (4 % du sal.). S 7. V 3. R 10. L 4. **Chef de prod. junior :** 195 à 319. B 68 (3 % du sal.). S 4. V 6. L 9. **Assistant chef de prod. :** 180 à 280. B 71 (2 % du sal.). V 6. R 20. L 3. **Resp. études marketing :** 228 à 450. B 64 (4 % du sal.). S 3. V 8. R 18. L 5. **Chargé d'études marketing :** 182 à 299. B 59 (4 % du sal.). R 14. L 3. **Resp. publicité :** 216 à 383. B 43 (4 % du sal.). S 14. V 10. R 10. **Vente. Dir. marketing et vente :** 400 à 749. B 51 (12 % du sal.). S 28. V 58. R. 23. L 8. **Dir. nat. des ventes :** 378 à 691. B 81 (12 % du sal.). S 15. V 48. R 14. L 5. **Resp. régional des ventes :** 285 à 523. B 89 (12 % du sal.). S 4. V 52. R 13. L 10. **Resp. d'une équipe de vente :** 212 à 411. B 90 (12 % du sal.). S 11. V 48. R 13. L 3. **Ingénieur commercial :** 204 à 395. B 91 (13 % du sal.). S 3. V 32. R 8. L 5. **Vendeur :** 158 à 290. B 80 (16 % du sal.). S 5. V 41. R 15. L 3. **Dir. ventes export :** 350 à 640. B 75 (9 % du sal.). S 13. V 42. R 13. **Chef de zone export :** 260 à 475. B 76 (7 % du sal.). S 8. V 8. R 2. L 6. **Resp. administration des ventes :** 206 à 414. B 47 (4 % du sal.). S 6. V 8. R 10. **Resp. d'une agence commerciale :** 261 à 440. B 96 (17 % du sal.). S 22. V 35. R 17. L 13. **Resp. service après-vente :** 284 à 591. B 56 (9 % du sal.). S 24. V 12. R 4. L 4. **Informatique et organisation. Dir. informatique :** 344 à 645. B 58 (9 % du sal.). S 13. V 21. R 19. L 6. **Resp. exploitation informatique :** 242 à 477. B 57 (3 % du sal.). S 4. V 3. R 12. L 3. **Resp. études informatiques :** 302 à 451. B 64 (3 % du sal.). S 3. V 4. R 12. L 3. **Chef de projet :** 227 à 359. B 56 (5 % du sal.). S 5. V 2. R 5. L 2. **Analyste confirmé :** 195 à 316. B 68 (5 % du sal.). S 4. R 6. **Analyste-programmeur :** 157 à 272. B 57 (2 % du sal.). S 8. R 5. **Responsable système :** 273 à 355. B 66 (5 % du sal.). S 8. V 3. R 5. **Ingénieur système :** 217 à 332. B 60 (3 % du sal.). S 10. R 4. **Resp. organisation :** 281 à 490. B 47 (7 % du sal.). S 7. R 7. **Banque. Resp. d'agence :** 222 à 459. **Resp. clientèle PME :** 218 à 378. **Chargé de clientèle PME :** 192 à 315. **Resp. clientèle particuliers :** 231 à 366. **Chargé de clientèle particuliers :** 140 à 275. **Resp. back-office central :** 360 à 707. **Analyste financier :** 235 à 481. **Assurance. Inspecteur commercial vie :** 280 à 696. **Inspecteur commercial IARD :** 252 à 425. **Resp. d'un département de gestion :** 335 à 504. **Souscripteur risques complexes :** 164 à 292. **Inspecteur technique :** 236 à 430. **Actuaire vie :** 235 à 545. **Agences de publicité. Concepteur-rédacteur :** 326 à 703. **Directeur artistique :** 324 à 724. **Directeur clientèle :** 281 à 524. **Chef de groupe :** 193 à 302. **Chef de publicité :** 150 à 208.

■ **Salaires d'embauche (en milliers de F, 1992). Écoles de commerce :** ESCP 190, HEC 180-250, ESSEC 180-220, EAP 170-210, IEP Paris 160-215, ESC Lyon 160-210, ESC Reims 160-200, EDHEC 160-187, ESC Rouen 155-195, ESSCA 150-190, ISC 145-185, ISG 140-230. **Écoles d'ingénieurs :** Centrale 200-210, Ponts et Chaussées 195-210, Polytechnique 190-240, Supélec 190-210, ENSTA 190-200, Sup Aéro 180-230, Télécom 176-220, ENSAE 175-230, Mines Paris/Lyon/St-Étien. 175-260, INPG 170-220, ENSAM 170-195, Agro Paris 170-190. *Source :* Associations des anciens élèves, AGL.

Formations universitaires : doctorats scientifiques 199,4 (227,5). Doctorats de pharmacie 190,8 (208,9). DEA-DESS informatique 176,5 (199,1). MST scientifique 172,7 (215,4). Maîtrise de gestion 170 (176,2). Miage 169,5 (205,7). DEA-DESS ressources humaines 168,5 (205). DEA-DESS finance 168,3 (203,8). DEA-DESS physique-chimie 165,5 (205). Autres DEA-DESS 165,5 (189,7). DEA-DESS droit 163,1 (183,8). DEA-DESS économie 161,8 (194,4). DEA-DESS gestion 161 (191,6). MSG-MST non scientifiques 156,9. Maîtrise, licence économie 145 (166,5). Maîtrise, licence droit 140,5 (162,4). Autres maîtrises, licences 135,9 (152,1). *Source :* « L'Expansion », 2-4-1992.

■ **Salaires des femmes cadres (brut annuel, en milliers de F en 1992) en début de carrière et,** entre parenthèses, **expérimentée** d'après « Le Point » du 25-4-1992. *Carrières commerciales :* directrice marketing (450-550), directrice ventes (450-540), chef de publicité 180-220 (240-290), ing. tech-commerc. 180-220 (250-270), chef de produit 170-210 (270-330). *Communication :* attach. de presse 190-230 (270-330), journaliste cadre 140-170 (240-300), documentaliste 130-170 (170-230). *Informatique :* chef de projet 165-180 (260-310), ingénieur système 160-180 (260-320), ingénieur analyste 160-175 (210-280). *Ingénieurs* (entre parenthèses, chef de service) : énergie 212 (295), assurance/banque 212 (277), aéronautique 209 (234), électronique 207 (255), parachimie 205 (237), bureau d'étude 202 (262), administration 186 (219), BTP 186 (191), enseignement/recherche 184 (268), métallurgie 181 (262). *Gestion :* chef comptable 180-220 (240-290), contrôleur de gestion 180-210 (260-310). *Ressources humaines :* responsable de formation 190-250 (240-350), chef de service (270-370). *Source :* Apec.

Nombre de femmes ingénieurs : *1960 :* 300, *1992 :* 3 000.

Hauts salaires (1991) : nombre de femmes gagnant entre : *360 et 450 000 F :* 811 000 ; *450 et 800 000 F :* 349 000 ; *800 000 et 1 million de F :* 63 000 ; *+ de 1 million de F :* 44 000.

Fonctionnaires

Hiérarchie

■ **Grille de la fonction publique.** Créée par la loi du 19-10-1946 (mise en place en 1948) qui institue 4 *catégories* correspondant au niveau d'étude (A : licence, B : baccalauréat, C : BEPC ou CAP, D : pas de diplôme) et une catégorie hors échelle (avec une grille de A à G). A l'intérieur de chaque corps, les fonctionnaires sont classés selon leur *grade* et leur *échelon.* Le traitement de base dépend de ces 2 facteurs ; il faut lui ajouter les primes. En 1924, la fonction publique regroupait 483 échelles de traitement regroupant 1 775 catégories de personnels.

Aujourd'hui, on compte 6 millions de fonctionnaires derrière la grille unique, mais le système demeure complexe : pour la seule fonction publique d'État, les agents sont répartis en 1 300 corps.

■ **Catégorie hors échelle** (au 3-12-1986). 25 672 dont militaires 1 943, classés en 8 groupes. **A :** conseiller référendaire 2e classe (Cour des comptes), administrateur civil hors classe, maître des requêtes au Conseil d'État, Pt du tribunal (hors classe), contrôleur des armées 3e échelon, colonel, inspecteur général de ministère, sous-directeur de min., ing. en chef ponts et chaussées, ing. en chef Mines, T-PG. **B :** contrôleur des armées 3e échelon. Gal de brigade, dir. régional des Impôts, sous-dir. de ministère. T-PG. **BB :** Pt de section trib. adm., chef de service de min., conseiller référendaire 1re cl. (Cour des comptes), maître des requêtes au Conseil d'État, inspecteur des Finances 1re cl. **C :** préfet, dir. min., conseiller maître de la Cour des comptes, prof. agrégé titulaire de chaire. **D :** receveur des Finances, payeur gén. du Trésor, dir. min., ingénieur gén. 1re cl. Mines, recteur d'académie, conseiller d'État, inspecteur gén. des Fin., conseiller maître Cour des comptes, ingénieur gén. des ponts et chaussées, contrôleur gén. des armées 3e échelon. **E :** dir. min., Pt du tribunal de Paris, conseiller d'État, inspecteur gén. des Fin., conseiller Cour des comptes, contrôleur gén. des armées échelon exceptionnel. **F :** Pt de section et de chambre au Conseil d'État, préfet hors cl. **G :** 21 personnes dont le recteur de l'université de Paris, le secr. gén. du Gouv., le 1er Pt de la Cour de cassation, le vice-Pt du Conseil d'État, le 1er Pt de la Cour des comptes, le préfet de Paris, ambassadeurs de France (ayant le rang d'ambassadeur). Secr. gén. de ville de + de 80 000 hab.

■ **Catégorie A** (Indices 340-1 015). Fonction de conception et de direction. Niveau théorique de recrutement : enseignement sup. *Exemples : enseignement* (prof. agrégés et certifiés, etc.), *régies financières et postes* (inspecteur des Impôts, des PTT, insp. central, insp. principal, dir. départemental des Im-

Effectifs réels au 31-12-1990	Total général	Titulaires civils					Non titulaires et ouvriers	Militaires
		Total	A	B	C	D		
Affaires étrangères	16 156	5 221	1 157	817	3 073	174	10 264	671
Affaires sociales	26 063	21 392	3 977	5 292	10 406	1 717	4 671	0
Agriculture	29 735	24 757	10 372	4 291	8 443	1 651	4 978	0
Anciens combattants	3 830	3 401	155	450	2 296	500	393	36
Aviation civile	12 426	10 118	5 685	3 079	1 354	0	2 155	153
Coopération	6 540	563	92	87	345	39	5 650	327
Culture	10 909	9 921	2 778	1 842	4 921	380	988	0
Défense	428 271	35 973	4 026	9 969	20 740	1 238	92 729	299 569
Dom-Tom	1 823	1 538	336	299	864	39	251	34
Économie et finances	196 923	183 557	34 772	48 202	98 360	2 223	13 366	0
Éducation nationale	1 073 327	959 094	446 900	364 175	75 620	72 399	114 213	20
Équipement	102 093	83 566	6 111	15 042	60 973	1 440	18 527	0
Industrie	8 927	4 849	1 389	757	2 125	578	4 048	30
Intérieur	155 301	143 291	6 199	22 009	110 643	4 440	12 008	2
Justice	52 959	51 339	9 197	9 727	30 483	1 932	1 611	9
Mer	3 054	2 134	184	549	1 140	261	294	626
Premier ministre	3 345	1 203	243	131	743	86	1 886	256
PTE	474 959	437 371	41 559	146 240	243 469	6 103	37 587	1
Total	2 606 641	1 979 288	575 132	632 958	675 998	95 200	325 619	301 734

Nota. – *Titulaires :* agents civils, stagiaires et élèves-fonctionnaires soumis au statut de la fonction publique ou de la magistrature. *Non-titulaires :* agents qui ne sont ni titulaires, ni militaires, ni ouvriers de l'État ; certains comme les contractuels ont un emploi permanent, d'autres comme les vacataires un emploi intermittent ou occasionnel. 52 % des effectifs sont des femmes.
Source : DGAFP sur enquêtes auprès des directions de personnel.

pôts, régional des Douanes, etc.), *emplois adm.* des adm. centrales (attaché d'adm., attaché principal d'adm., administrateur civil, sous-dir., chef de service, dir., secr. gén.), *e. techniques* (ingénieurs des Travaux publics de l'État, ing. divisionnaire, ing. et ing. en chef des Ponts et Chaussées). Dir. des services tech. de ville de 20 à 40 000 h.

■ **Catégorie B** (Indices 210-579). Fonction d'application. Niveau de recrutement : diplômes de l'enseignement du 2e degré. *Exemples : enseignement* (instit.), *régies financières et postes* (contrôleur et contr. principaux des Impôts, des Douanes, des Postes, chef de section des Impôts, des Douanes), *emplois adm.* (secr. adm., chef de section), *techniques* (techn. des Tr. publics de l'État). Puéricultrice.

■ **Catégorie C** (Indices 203-390). Fonctions d'exécution spécialisée (niveau fin de cl. de 3e). *Ex. : régies financières et postes :* préposé (facteur), préposé-chef, agent de constatation ou d'assiette des Impôts, des Douanes, des Postes, *emplois administratifs* (sténodactylo et secr.-sténo., agent adm., chef de groupe), *techniques* (agent de travaux, cantonnier). 2 niveaux de recrutement : E2 (le + bas) et E4. Garde-champêtre.

■ **Catégorie D** (Indices 189-253). Fonctions d'exécution simple (niveau certificat d'études). *Ex. : emplois admin.* (huissier, agent de bureau, dactylo). Catégorie appelée à disparaître en tant qu'emploi budgétaire. Les agents bénéficieront d'un plan de reclassement sur 7 ans et auront le profil de carrière des agents de catégorie C (E2). L'accord cadre sur les rémunérations et les classifications conclu en févr. 1990 entre le gouvernement et les syndicats prévoit la suppression des catégories.

Fonction publique territoriale : effectifs au 31-12-90 : 1 263 927 dont communes 854 167, départements 151 826, régions 5 103. Hommes 499 421, femmes 707 566.

■ MODES DE RÉMUNÉRATION

■ **Avantages divers. Automobiles :** 12 000 dites de « liaison ». Logements de fonction : env. 2 millions mis à disposition, soit 10 % du parc national (selon l'Insee). **Double emploi :** certains fonctionnaires peuvent cumuler leur emploi avec celui d'enseignant.

■ **Vacances.** Conseiller d'État, Cour des comptes, prof. de l'ens. sup. 3 mois de vacances ; Éd. nat. (services extérieurs), Jeunesse et Sports 2 mois ; Finances, Industrie, Culture, Travail 31 j + 1 semaine ; PTT, Agriculture 31 + 4 j.

■ **Frais de déplacement.** Indemnités de mission (en cas de séjour dans une même localité, les indemnités de mission sont réduites de 10 % à partir du 11e et 20 % à partir du 31e j) et, entre parenthèses, indemnités de tournée en F, au 1-1-1991. I (cat. A) 345 (270) ; II (cat. B) et III (autres) 305 (236).

■ **Garanties de l'emploi.** Sauf : faute professionnelle d'une extrême gravité ; licenciement pour insuffisance professionnelle (très rare) entouré de garanties et assorti d'indemnités ; dispositions législatives exceptionnelles (tombées en désuétude). Les fonctionnaires ne perdent leur emploi que lorsqu'ils atteignent la limite d'âge de leur corps.

■ **Indemnités diverses.** Plusieurs milliers représentant env. 10 milliards de F distribués par le Trésor. Ex. : primes de chaussures (facteurs), bicyclette (douanier), habillement (agents des labo.), costume (Cour des comptes, magistrats), langues étrangères (douaniers et PTT), éloignement (DOM et TOM), danger (hôpital psychiatrique), contrôle des casinos (agents du Trésor), risque (douaniers et policiers), jauge (douaniers). Impôts et douanes touchent un % sur fonds publics. Env. 5 000 agents des PTT ont un téléphone de service (gratuité du raccordement 500 F, de l'abonnement 50 F, dégrèvement de 3 000 taxes de base).

■ **Indemnité de résidence.** Proportionnelle au traitement soumis aux retenues pour pension (trait. brut). Varie selon les zones de salaire. Au 1-2-92 : 1re zone : 3 % ; 2e : 1 % ; 3e : 0 %.

■ **Retraite.** Calcul : 2 % des émoluments de base × par le nombre d'annuités liquidables (années effectives de service + temps fictif des bonifications et campagnes). Ex. : pour un traitement de base (indice 100) de 28 973 F et 32 annuités liquidables, la pension

$$= \frac{28\,973 \times 2}{100} = 579{,}46 \times 32 = 18\,542 \text{ F.}$$

Si le fonctionnaire a au moins 25 ans de service, sa pension est au moins égale au traitement brut afférent à l'indice net 100. S'il a – de 25 ans de service, elle est au moins égale à 4 % de ce traitement × par le nombre d'annuités.

■ **Traitements.** En principe un multiple du traitement de base d'une grille hiérarchique exprimée en indices nets jusqu'au 31-12-1955, bruts du 1-1-56 au 30-11-62, nouveaux du 1-12-62 au 31-3-68, majorés (de 15 points pour les indices inférieurs ou égaux à 304, de 10 points pour les autres) du 1-6-68 au 30-9-70, indices majorés du 1-10-70 au 1-9-79 (majoration uniforme de 5 points d'indice), et majorés à nouveau depuis cette date de 3 points (pour les indices 147 à 262), 2 points (ind. 265 à 399), 1 point (400 à 445).

En 1956, la grille hiérarchique concerna les traitements bruts et non plus nets (de retenue pour retraite et d'impôts sur le revenu pour les fonctionnaires célibataires) comme on l'avait décidé à l'origine en 1948. En 1962, on a intégré dans le traitement brut l'indemnité spéciale dégressive attribuée à partir de 1953 aux petits fonctionnaires, puis, en 1968 et en avril 1970, on a intégré une partie de l'indemnité de résidence.

Les majorations indiciaires accordées en juin 1968 et en sept. 1979, oct. 1970, bénéficient aux fonctionnaires de façon inégale suivant leur situation dans la hiérarchie. La grille des salaires est telle qu'une augmentation de 1 % du point d'indice coûte 3,24 milliards de F aux contribuables.

Valeur annuelle du traitement afférent à l'indice 100 majoré et soumis aux retenues pour pensions : 29 784 F au 1-2-92. *Traitement de base minimum mensuel* au 1-2-92 (indice majoré 226) : 5 609,33 F. *Indemnité de résidence en zone 1 :* 215,19 F, *zone 2 :* 71,73 F. Soit, tout compris, à Paris 5 824,52 F.

Traitement mensuel net en F (indemnité de résidence incluse, mais hors indemnités liées aux charges de famille). Début et, entre parenthèses, fin de carrière (au 1-12-90) : minimum retraité 4 701 ; *catégorie D (sans diplôme) :* agent de bureau 4 856 (6 060) ; *C (BEPC) :* agent administratif/service technique 4 939 (6 615), adjoint adm. 5 209 (7 517) ; *B (Bac) :* secrétaire adm., contrôleur 5 790 (10 394), instituteur 6 829 (10 953) ; *A (licence) :* inspecteur 7 323 (14 024), professeur agrégé 7 989 (20 574), administrateur civil 9 600 (20 574).

Traitements et soldes bruts annuels (soumis à retenue pour pension au 1-12-1990) (en milliers de F). **Catégorie hors échelon. Chevrons 1,** entre parenthèses **2** et en italique **3 :** A : 253 (263) *277.* B : 277 (289) *305.* B bis : 305 (313) *321.* C : 321 (328) *335.* D : 335 (351) *366.* E : 366 (380). F : 395. G : 433.

Catégorie individuelle. Indices majorés au 1-12-1990 : *156 :* 45,1. *200 :* 57,9. *300 :* 86,9. *400 :* 115,8. *500 :* 144,8. *600 :* 173,8. *700 :* 202,8. *800 :* 231,7.

Supplément familial (élément fixe annuel en F et, entre parenthèses, **élément proportionnel en %)** : *1 enfant :* 180 F ; *2 :* 840 (3 %) ; *3 :* 1 200 (8) ; *par enfant en sus du 3e :* 360 (6).

SALAIRES TYPES

■ **Rémunération des agents de l'État par catégories. En début et en fin de carrière** (en F, au 1-12-1990). *Catégories A* (dans l'ordre croissant des rémunérations : inspecteur du Trésor, PEGC, receveur des PTT, ingénieur des services techniques, auditeur à la Cour des comptes, commissaire de police principal, prof. agrégé, insp. de la répression des fraudes) : 6 463 à 16 200. *B* (infirmière, contrôleur du Trésor, contrôleur des PTT, insp. de police, assistante sociale, instituteur, dir. d'école, maître-dir.) : 5 822 à 10 270 (2e grade) ou 10 591 (3e grade). *C* (Groupe 3 : facteur, aide-soignante, préposé des douanes ; 4 : égoutier, éboueur, sténodactylo ; 5 : guichetier, secrétaire sténo-dactylo) : 4 633/4 774 à 5 620/6 859 (catégorie E2) ; 5 036 à 7 151/7 734 (catégorie E4) ; et 806 a (E5). *D* [agent de service, aide-laboratoire, agent de chancellerie, de service spécialisé (écoles maternelles), aides ménagères, agent de bureau, huissier] : désormais assimilés à la catégorie C.

■ **Au sommet de la hiérarchie, par échelons** (en F, au 1-12-1990). **Échelon A** (Pt de tribunal, contrôleur des armées 3e échelon, colonel, ingénieur en chef des ponts et chaussées, insp. gén. de ministère) : de 21 150 à 23 130. **B** (contrôleur des armées 3e échelon, général de brigade, directeur régional des impôts, sous-directeur de ministère, trésorier-payeur général). **B bis** [Pt de section du tribunal administratif, chef de service de ministère, maître des requêtes au Conseil d'État, inspecteur des finances (1re classe)] : 23 130 à 26 800. **C** (préfet, directeur de ministère, conseiller maître à la Cour des comptes, prof. agrégé titulaire de chaire, contrôleur gén. des armées 3e échelon) : 26 800 à 27 983. **D** (receveur des finances, dir. de ministère, recteur d'académie, conseiller d'État, insp. gén. des finances, ingénieur général des ponts et chaussées, contrôleur gén. des armées 3e échelon) : 27 983 à 30 542. **E** (dir. de ministère, Pt du tribunal de Paris, conseiller d'État, insp. gén. des finances, conseiller à la Cour des comptes, contrôleur gén. des armées échelon exceptionnel) : 30 542 à 31 749. **F** [Pt de section et de chambre, Conseil d'État, préfet (hors classe)] : 32 932. **G** (24 dont secr. gén. du gouvernement, secr. gén. de la Défense nationale, commissaire général au Plan, chef d'état-major des armées, les 3 chefs d'état-major des 3 armes, secr. gén. des affaires étrangères, 7 ambassadeurs plénipotentiaires, vice-Pt du Conseil d'État, préfet de la région Ile-de-France, recteur de l'académie de Paris) : 36 119.

■ **Traitement mensuel brut** (en milliers de F, au 1-9-1988) **lors de l'entrée en fonction et en fin de carrière** (non compris les indemnités et les éventuelles primes). Conseiller à la Cour de cassation 26,4/30. Gal de division 25,4/34,2. Préfet 21,9/34,2. Dir. gén. de l'adm. centrale 25,4/30,1. Ingénieur gén. des ponts et chaussées 25,4/28,9. Contrôleur gén. des armées 21,9/30,1. Inspecteur gén. de l'instruction publique 24,5/28,9. Ministre plénipotentiaire 20/30,1. Contrôleur financier 18,6/28,9. Ingénieur gén. des télécommunications 18,6/26,4. Contrôleur d'État 18,6/27,2. Dir. de recherche au CNRS 18,6/30,1. Médecin-chef des armées 21,9/30,1. Pt du tribunal adm. 17,8/24,1. Inspecteur des Finances 1re classe 18,6/25,4. Maître des requêtes au Conseil d'État 14,9/25,4. Dir. régional des PTT 18,6/24,8. Dir. départemental de l'équipement 15,4/24,1. Ingénieur en chef des ponts et chaussées 14/26,3. Adm. civil hors classe 14,9/21,9. Maître de recherche au CNRS 14,9/21,9. Colonel 17,8/21,9. Commissaire divisionnaire 16,6/18,6. Conservateur en chef de musée 13,1/18,6. Médecin inspecteur du travail 10,1/18,6. Évêque n.c./17,9. Trésorier principal 15,6/16,6. Sous-préfet 8,4/21,9. Lieutenant-colonel 14,6/16,7. Conseil commercial à l'étranger 12,3/17,8. Adm. civil 1re classe 12,3/17,6. Commissaire de police principal 12/16,6. Adm. PTT 1re cl. 12/17,5. Ingénieur de météorologie 8/26,5. Magistrat à la cour d'appel 10,2/17,7. Attaché principal d'adm. centrale 9,6/14,9. Médecin santé publique 8,4/14. Conservateur d'archives 7,7/18,6. Capitaine de port 10,3/14,5. Cdt de CRS 11,1/13,7. Auditeur à la Cour des comptes 8,4/14. Adm. civil 2e cl. 8,4/14. Ingénieur des services tech. 8,2/17,6. Ing. agronome 8,1/15,8. Chef d'agence locale ANPE 8/14,1. Receveur des PTT 7,3/16,6. Dir. de la répression des fraudes 8,1/24,1. Dir. vétérinaire 8,1/18,6. Dir. des travaux ruraux 7/14,2. Surveillante chef (hôpital) 8,6/11. Chargé de mission Insee 5,3/24,1. Secr. d'adm. centrale 5/11. Inspecteur du travail 7,7/14, du Trésor 6,4/14,5. Chancelier des aff. étrangères 5/11. Documentaliste 7/14,5. Attaché de préfecture 7,7/14,5. Chef de section adm. locale 8,3/10,3. Contrôleur de l'aviation civile 5,9/12,6. Curé (Alsace-Lorraine) 6,6/10,7. Jardinier en chef 5,9/10,3. Brigadier CRS 8,3/9,5. Sage-femme 6,4/10,3. Inspecteur de police 6,4/10,6. Sous-lieutenant 7,7/8,9. Tech. du génie rural 5,9/9,3. Greffier en chef des tribunaux 7/16,6. Greffier 5,9/11. Contrôleur des PTT 5,9/10,2. Dessinateur-projeteur 5,9/9,2. Contrôleur du Trésor 5,9/9,2. Surveillant d'adm. pénitentiaire 6,2 (1991)/10. Contrôleur des prix 5,9/9,2. Infirmière 5,2/9,2. Gardien de la paix 6,7/8,8 [1]. Contrôleur des trav. publics 5,6/7,9. Ouvrier prof. 5,1/7,9. Sténo-dactylo 5,3/7. Téléphoniste 5,1/7,9. Préposé aux PTT 5,1/7,9. Huissier 4,9/6,5. Préposé aux douanes 5,1/6,5. Agent de service hospitalier 4,9/6,1. Gardien de musées et monuments historiques 4,9/6,1. Gardien d'archives 4,9/6,1.

Nota. – (1) Après une augmentation récente du salaire.

☞ **Primes :** % par rapport au traitement principal de base : ingénieur des Ponts et Chaussées 73, des eaux et forêts 63, administrateur civil aux douanes 55, inspecteur des Finances 53, adm. civil à l'intérieur 45, auditeur au Conseil d'État 40, secrétaire des affaires étrangères 40, auditeur à la Cour des comptes 39, attaché d'adm. à la direction générale des impôts 36, prof. agrégé 28, inspecteur du travail 15, instituteur 13, assistante sociale 3,7.

■ Fonctionnaires des DOM-TOM

La loi de départementalisation de 1946 a assimilé Gdes Antilles, Guyane, Réunion à la Métropole sociale (salaire min. garanti avec abattement de 20 %, même droit aux prestations sociales et à la Séc. soc.), puis, plus récemment, droit aux alloc. famil. jusque-là versées à un fonds soc. et alloc. de chômage [total annuel 1980 : 9 000 F par h., 40 000 F par famille moyenne (env. 4,5 personnes)].

Les *fonctionnaires* corps préfectoral et directeurs des services départementaux (autochtones compris) touchent une indemnité de 40 %, une indemnité de résidence de 2 %. Autrefois, Antilles, Réunion et Guyane étaient assimilées aux colonies d'Afr. et d'Indochine pour les traitements des fonct. métropolitains. Ceux-ci touchaient des suppléments, doublant en moyenne leurs salaires métrop., « pour compenser les fatigues du climat et l'éloignement (il fallait des semaines de bateau pour rejoindre son poste) », avaient des avantages en nature (frais de représentation, voiture et logement de fonction, personnel domestique plus ou moins rémunéré sur le budget d'un cercle), un congé de 6 mois tous les 2 ou 3 ans, selon le degré d'insalubrité du territoire (avec transport gratuit en métrop. pour eux et leur famille). En 1946, les fonct. de la métropole ont conservé ces avantages qui ne se justifiaient plus (le climat est recherché par les vacanciers ; les maladies tropicales ont disparu ; l'avion a aboli l'éloignement ; nombre de produits aliment. y sont moins chers qu'en métropole). Les fonct. autochtones ont obtenu les mêmes avantages (règle d'assimilation).

■ Fonctionnaires européens

Traitements fixés par Conseil des ministres sur proposition de la Commission des Communautés européennes. Publiés au JO. En 1993 (en FF, par mois), **salaires de base :** dir. général 42 844 à 51 923 ; administrateur débutant (diplômé d'université) 20 031 à 21 727. **Indemnités :** 5 % du traitement de base pour les chefs de famille ; 16 % de prime de dépaysement pour ceux affectés hors de leur pays d'origine ; 1 311 F de prime mensuelle fixe par enfant à charge et 586 F d'allocation scolaire. **Cotisations sociales :** assurance maladie et pension : 10,05 % du traitement de base. **Fiscalité :** l'impôt, pouvant atteindre un taux de 45 %, est prélevé à la source et constitue une recette pour le budget général des Communautés. **Contribution temporaire :** déduite du salaire (1 934 à 2 497 FF pour un dir. général ; 522 à 627 FF pour un administrateur débutant).

Salaires de quelques secteurs

■ **Administrateurs de sociétés. Rémunérations. Jetons de présence :** rémunèrent en principe la participation aux séances du conseil d'adm. Aujourd'hui, ces jetons consistent en une somme fixe annuelle répartie librement entre les administrateurs, une part plus forte pouvant être allouée à ceux qui sont membres de comités. Les jetons de présence sont déductibles des bénéfices imposables de la société débitrice, mais seulement dans la mesure où ils n'excèdent pas une certaine proportion des salaires des dirigeants. Ils ne sont déductibles que dans la limite de 5 % du produit obtenu en multipliant la moyenne des rémunérations déductibles attribuées aux 10 ou 5 personnes les mieux rémunérées, selon que l'effectif du personnel excède ou non 200 salariés, par le nombre des membres composant le conseil. Pour l'impôt sur le revenu, les jetons de présence sont assimilés à des revenus de valeurs mobilières sans ouvrir droit à l'avoir fiscal, qu'ils soient déductibles ou non des bénéfices sociaux [assimilables à un salaire pour les fonctions de direction (président, directeur général, délégués ou fonctions techniques), dans la mesure ou cela correspond à un travail effectif].

Rémunérations exceptionnelles : le conseil d'administration peut en allouer aux administrateurs pour les missions ou mandats exceptionnels qu'il leur confie, c.-à-d. ne rentrant pas dans le cadre normal de leurs fonctions et ne revêtant pas un caractère permanent. Ces rémunérations doivent correspondre à un travail effectif et ne pas être exagérées. Une attribution constitue une convention entre la société et l'un de ses administrateurs.

Tantièmes supprimés par la loi du 31-12-1975.

☞ Aux administrateurs d'autrefois, grands actionnaires personnellement attachés à l'expansion des profits, se substituent de plus en plus des représentants de grandes sociétés ou de grandes banques. Ils rétrocèdent alors souvent à la Sté ou à la banque qui les appointe les jetons qu'ils reçoivent. Les représentants de l'État dans les conseils reversent aussi à une caisse commune la plus grande partie de leurs jetons.

Mandats : un administrateur peut cumuler 8 mandats au max. (non compris mandats d'outre-mer) + 5 dans des Stés ou des firmes qu'il administre et dans lesquelles il a une participation d'au moins 20 % ; il reçoit donc autant de fois des jetons de présence.

Statistiques : il y a en France env. 300 000 stés commerciales et 900 000 mandats d'administrateurs (mais le nombre réel d'adm. est moindre car les cumuls sont fréquents). Dans les fausses Stés (entreprises individuelles déguisées), la plupart des adm. sont de simples prête-noms. Ils ont des responsabilités théoriques, donnent 1 ou 2 signatures par an et reçoivent en contrepartie soit un petit chèque, soit des invitations, un cadeau, des commandes.

Les Stés cotées en Bourse (env. 1 400) représentent au total, selon le fichier de la DAFSA, 12 882 administrateurs dont exercent : *1 mandat :* 6 846, *2 m :* 1 762, *3 m :* 1 012, *4 m :* 710, *5 m :* 543, *6 m :* 435, *7 m :* 334, *8 m :* 245, *de 9 à 13 m :* 742, *les hors-la-loi de 14 à 50 m :* 253.

Nota. – Un mandat peut signifier une simple place d'administrateur ou un poste de Pt.

■ **Agriculteurs** *Salaire horaire moyen brut des ouvriers permanents à temps complet. Qualifiés et,* entre parenthèses, *non qualifiés* (1988) : ni logés, ni nourris 37,43 (33,15) ; ensemble 36,52 (32,76). 77 % des salariés à temps complet ne sont ni logés ni nourris.

Revenus non salariaux agricoles (voir Index). **Ingénieurs agronomes** (rémunération annuelle 1990, en milliers de F.) *24-26 ans :* 146, *26-29 a. :* 168, *30-34 a. :* 211,7, *35-39 a. :* 204,2, *40-44 a. :* 284, *45-49a. :* 317,6, *+ de 50 a. :* 316,9.

■ **Architectes. Nombre :** *1973 :* 8 000 (pour 570 000 chantiers/an) ; *1988 :* 24 000 (pour 320 000) ; *91 :* 25 889 dont en % libéraux 68, salariés du privé 10, en société 8, fonction publique 4, autres 10. **Gains :** 60 % des arch. diplômés gagnent moins de 8 000 F/ mois, charges déduites. Depuis le 1-12-1986, rémunération en fonction du contenu et de l'étendue de la mission, de la complexité de l'opération et de l'importance de l'ouvrage. **Rémunération annuelle** (1986, en milliers de F) : *Moyenne* 135,8 (148 en 1990). *- de 120* (65 %), *120 à 260* (25 %), *260 à 780 et +* (10 %). **Honoraires :** 6 à 8 % des travaux (15 % pour l'architecte Pei à la Pyramide du Louvre).

■ **Artisans. Nombre :** *entreprises artisanales* (1990) : 917 069, représentant 1 185 849 salariés, 146 000 apprentis, 243 000 auxiliaires familiaux. **Chiffre d'affaires** (1988, en milliards de F HT) : 579. **Valeur ajoutée :** 228. **Investissements :** 32 %. **Fiscalité :** 30 % sont au forfait, réel simplifié 49, normal 21.

Artistes, vedettes, virtuoses

■ **Chanteurs d'opéra. V. 1880** la Patti gardait 50 % de la recette du Metropolitan soit 560 000 F. **1914** Alvarez 96 000 F/an pour 40 représentations, Lucienne Bréval 90 000 F/an pour 30 repr., Louise Granlieu 60 000 F, Noté 70 000 F, Hatto 2 000/repr., Caruso 12 000, Farra Destuin et Mary Garden 5 250 à 7 000. **1984-1986** Gundula Janowitz, Shirley Verrett 92 000 F par soirée, Luciano Pavarotti 80 000 à 93 000 F, José Carreras 85 000 F, Samuel Ramey 82 000 F. **1988** Ruggiero Raimondi 95 000 F. **1991** Pavarotti et Domingo 250 000 F dans certains théâtres latino-américains. **Autres chanteurs :** *Frank Sinatra ; Bob Dylan* (2 700 000 F pour un concert près de Londres au festival de Blackbushe en 1978 ; env. 4 500 F/mn sur scène) ; *Elvis Presley* (300 millions de disques, 30 films) ; *Barbra Streisand,* les *Beatles* jusqu'à leur séparation, Michael Jackson tournée mondiale 1988 : 124 millions de F (recette brute) ; *Oum Kalsoum :* Égyptienne, aurait obtenu pour une seule soirée le plus gros cachet jamais versé par l'Olympia). *David Bowie :* 1,5 million de $ pour un concert en Californie le 26-5-1983.

Exemples (1988, en millions de $) : Michael Jackson 97, Bruce Springsteen 61, Madonna 46 (147,5 millions de F en 1990), U2 42, George Michæl 38, Bon Jovi 34, Whitney Houston 30, Pink Floyd 29, Julio Iglesias 26, Kenny Rogers 26.

En France. Disques : le ch. touche de 2 à 15 % du prix de vente en gros du disque (le prix de gros d'un 45 tours est d'env. 2,80 F). **Télévision :** cachet de 503 F (minimum répétition), 1 140 F (minimum enregistrement) à 1 500 F pour 2 ou 3 chansons, 10 000 F pour un show (seuls les « grands » en font, à peu près 1 tous les 2 ans). **Radio :** cachets très faibles. **Galas :** peu réussissent à en faire. Mais un « grand » chanteur peut en faire 100 dans l'année. Pour un gala (où il passe de 45 mn à 1 h), il peut toucher entre 70 000 et 350 000 F de fixe, ou être rémunéré en % de la recette, mais il doit verser env. 40 % de sa part à son orchestre (dont les musiciens ont de toute manière un cachet minimal garanti). **Chanteurs passant dans les cabarets parisiens** (en particulier rive gauche) : de 60 à 500 F (pour les connus) à chaque passage. Aussi ces chanteurs se produisent-ils dans plusieurs établissements chaque nuit (parfois plus de 5). Certains établissements donnent + (ex. 1 200 à 1 500 F) à la vedette.

Les numéros deux sur l'affiche et les bénéficiaires provisoires du succès d'une chanson touchent 3 000 à 9 000 F par gala et de 1 000 à 3 000 F par soirée.

Contrats du show-business (en millions de F) : Prince 550 pour 7 disques (avec Warner Bros.), Madonna 330 pour 7 ans (avec Time Warner), Michael Jackson 300 (Sony), Rolling Stones 250 (Virgin Music), Janet Jackson (sœur de Michael) 250 (Virgin Music), Motley Crue 190 (Elektra), Aerosmith 135 (Sony/Columbia).

■ **Cinéma.** *Tarif minimal :* 1 750 F par jour de tournage, 6 196 F par semaine, s'il prononce quelques mots. *Figurants :* foule de + de 100 personnages 341 F ; silhouette en « tenue de ville, costume historique ou maillot de bain » 720 F ; en smoking ou robe du soir 814 F ; - de 5 mots 814 F. + 64 F pour les scènes de pluie, 81 F d'indemnités de repas.

En millions de F. *Entre 5 et 10 :* Gérard Depardieu, Jean-Paul Belmondo, Isabelle Adjani, Alain Delon. *Plus de 3 :* Philippe Noiret, Catherine Deneuve, Daniel Auteuil. *De 2 à 3 :* Patrick Bruel, Christophe Lambert, Thierry Lhermitte, Michel Serrault, Roger Hanin, Juliette Binoche. *Env. 2 :* Emmanuelle Béart, Richard Bohringer, Christian Clavier, Gérard Jugnot, Jeanne Moreau, Pierre Richard. *De 1 à 2 :* Josiane Balasko, Jean-Marc Barr, Michel Blanc, Michel Boujenah, Carole Bouquet, Claude Brasseur, Béatrice Dalle, Jean-Hugues Anglade, Charlotte Gainsbourg, Isabelle Huppert, Gérard Lanvin, Sophie Marceau, Miou-Miou, Jacques Dutronc. *De 500 000 F à 1 :* 37.

Actrice de film porno : 2 500 à 4 500 F par j (France).

Animaux acteurs : la chienne *Lassie* touchait 50 000 $ par an + 4 000 $ pour chaque spot publicitaire. Le chien *Bengi* (sacré « meilleur acteur quadrupède pour 1987 ») touchait 1,5 million de $ par an dès 1974, + 12 à 17 000 $ par jour à la TV.

Réalisateurs (en millions de F) : J.-J. Annaud 11, J.-J. Beneix, L. Besson, Bertrand Blier + de 5. C. Sautet, M. Pialat de 2 à 3.

■ **Chefs d'orchestre.** Daniel Barenboïm a perçu en 1987, comme dir. de l'orchestre de Paris, 3 276 000 F. Comme dir. musical de l'Opéra de la Bastille, il devait toucher du 1-9-1987 au 31-8-89 un forfait de 3 000 000 F (1 500 000/an). Son contrat (rompu depuis) prévoyait pour la période du 31-8-1989 au 31-8-93 un salaire annuel de 350 000 F + ses cachets de chef d'orchestre pour 25 représentations minimum, à 192 000 F chacune (soit 4 800 000 F/an).

■ **Compositeurs, auteurs et éditeurs de musique. Exemplaires vendus** (en millions) **et,** entre parenthèses, **droits rapportés** (en millions de F), **exécution publique et reproduction confondues : 1990 :** *Joue pas,*

ÉVOLUTION DES SALAIRES DU CINÉMA

■ **Avant 1929. Mary Pickford :** *1912* 175 $ par semaine à la Biograph. *1913 :* 500. *1914 :* 1 000. *1915 :* 1 500. Elle était alors l'actrice la mieux payée dans le monde. *1916 :* à égalité avec l'homme le mieux payé du monde (Charlie Chaplin). 50 % des bénéfices de ses films + salaire de 10 000 $ min. par sem. + prime spéciale de 300 000 $ + 150 000 $ pour sa mère + 40 000 $ pour la lecture des scénarios avant contrat.

Francesca Bertini, diva italienne, la mieux payée d'Europe : env. 175 000 $ par an.

■ **De 1929 à 1939. 1927 :** 40 vedettes touchaient de 5 000 $ par semaine ; **à partir de 1931 :** 23 ve. seulement touchaient + de 3 500 $ par semaine, notamment : John Barrymore (30 000 $), Constance Bennett (30 000 $), Greta Garbo (250 000 $ pour *The Painted Veil,* 1934, et *Anna Karenine* 1935). **Plus hauts salaires 1935 :** Mae West (480 833 $), **1937 :** Marlène Dietrich (450 000 $), **1938** Shirley Temple (307 014 $), **1939 :** James Cagney (368 333 $).

■ **Après 1945. Plus hauts salaires** (en millions de $, pour un film) : **1946** Bing Crosby (0,325), **années 1940 et 1950** 0,25-0,4, **1959** Elizabeth Taylor en G.-B. (0,5, pour *Soudain l'été dernier*), et John Wayne et William Holden aux USA (0,75 chacun, pour *The Horse Soldiers,* + 20 % du net) ; **années 1960** 1 ; **années 1970** plusieurs millions, **v. 1975 :** Charles Bronson (0,02 à 0,03 par jour, + indemnité de 2 500 par jour) ; **1978-79** Marlon Brando (3,5 pour 12 j de tournage de *Superman,* soit 0,29 par jour [en 1982 il en reçut encore 15 (11,3 % des bénéfices du film), soit en tout env. 18,5 pour une apparition de 10 min.)], Paul Newman, Robert Redford et Steve McQueen (3), John Travolta et Olivia Newton John (10 comme % sur les profits de *Grease,* 1978), Clint Eastwood (env. 10 pour *Escape from Alcatraz,* 1979), **1981** Burt Reynolds 5 (pour *L'Équipée du Cannonball*), **1982-83** Sean Connery (5 + %) pour *Jamais plus jamais*), Roger Moore 25 (*Octopussy*), **1985** Sylvester Stallone 20 (pour *Rocky IV*).

1985-89 Bill Cosby 97, Sylvester Stallone 63, Eddie Murphy 62, Arnold Schwarzenegger 43, Paul Hogan 29, Tom Selleck 25, Jane Fonda 23, Steve Martin 22, Jack Nicholson 21, Michael J. Fox 19. **1990** (salaire de base). Stallone 25, Schwarzenegger 15, Murphy 12, Cruise et Nicholson 10, Murray 8, Connery et Gibson 7, Willis 5.

François Feldman 0,97 (2) ; *Nuit de folie,* Début de Soirée 0,71 (2,1) ; *C'est écrit,* Francis Cabrel 1,16 (1,7) ; *Il changeait la vie,* Jean-Jacques Goldman 1,15 (1,5) ; *Fête au village,* Les Musclés 1,35 (1,7) ; **1991 :** *Lambada,* Hermosa + de 1 (3,2) ; *Hélène,* Roch Voisine 0,88 (1,9) ; *Joue pas,* François Feldman 0,75 (1,58) ; *Jerk,* Thierry Hazard 0,67 (2,27) ; *Maldon,* Honoré/Houillier 0,59 (2,7). **1992 :** *A nos actes manqués,* Jean-Jacques Goldman 1,7 (1,87) ; *Place des grands hommes,* Patrick Bruel 1,6 (1,57) ; *Désenchantée,* Mylène Farmer 1,3 (3,9) ; *Sadness,* Fabrice Cuitad 0,88 (2,45) ; *Jerk,* Thierry Hazard 0,66 (1,97) ; *J'ai peur,* François Feldman 0,6 (1,9) ; *Maldon,* Yves Honoré/Houillier 0,19 (1,48).

☞ En France, la Sté des auteurs, compositeurs et éditeurs de musique (Sacem, voir encadré p. 446), perçoit leurs droits d'auteur dits soit *d'exécution publique,* quand les œuvres passent à la radio, à la télév., dans les sonorisations commerciales (restaurants, hôtels, supermarchés, magasins), juke-boxes, discothèques, les bals, concerts, galas, salles de cinéma, etc. ; auteur, compositeur et éditeur touchent alors chacun 1/3 de ces droits perçus auprès des organisateurs ; soit *de reproduction mécanique,* œuvres enregistrées : disques et cassettes, bandes de musique de film, vidéogrammes, etc. Le plus souvent, auteur et compositeur se partagent alors 50 % de ces droits perçus auprès des reproducteurs, l'éditeur touchant le reste.

Sur 67 000 inscrits, 29 193 sociétaires ont touché des droits en 1992 dont 15 823 moins de 6 000 F, 88 + du 1 million de F.

■ **Concertiste.** Musicien d'orchestre : 7/11.

■ **Danseurs.** *Noureev* 30 000 à 100 000 par soirée.

■ **Danseuses.** *Du « Crazy Horse » (créé à Paris 19-5-51) :* 18 000 à 40 000 F par mois, dont 20 % obligatoirement placés sur un compte d'épargne logement.

■ **Disques. Salaires min. d'enregistrement** (au 1-10-89) : *base musicien :* 556 F. *Artistes de variétés* (par tranche indivisible de 20 mn utiles) : ayant enregistré 8 titres ou + (300 %) 1 668 F, – de 8 titres (125 %) 695 F. *Artistes dramatiques et lyriques solistes* (par séance indivisible de 3 h) (120 %) : 667 F. *Artistes lyriques choristes* (par séance indivisible de 3 h) : 556 F. **Royalties :** 6 à 12 % du prix de vente gros H T.

■ **Publicité. Rémunération des artistes-interprètes** (au 1-1-93). **Tournage :** *journée :* 5 848 F, *casting* (rémunéré si exécution de simulations sur un produit avec ou sans accessoires, interprétation d'un texte) : (91) 415. **Exploitation. Télévision** (par passage) : *TF1 :* 743, *A2 :* 494, *FR3 :* 364, *Canal + :* 207, La 5 : 339, *M6 :* 226, *TMC :* 59, *RTL/TV :* 58, *FR3 région parisienne :* 70, *autres régions :* 51, *forfait annuel pays étranger :* pays francophone (hors Europe, y compris Dom/Tom) 9 608, Dom/Tom seuls 1 601, par pays isolé 4 806, Europe 32 032, Amér. du Nord (Canada, USA) 32 032, reste du monde 32 032, droits mondiaux 64 061.

Théâtres de Paris (au 1-4-90). **Artistes dramatiques** (en F) : théâtres, jusqu'à 400 places, par représentation, en italique au-dessus de 400 pl. et, entre parenthèses, pour saisons 6 mois minimum (30 repr./m), par mois : *utilités ou rôles de figuration* 188,6 *188,6* (5 093,7), *petits rôles jusqu'à 13 lignes* 212,3 *235,8* (6 367,2), *doublure et rôle de 14 à 30 l.* 259,4 *282,9* (7 640,6), *31 à 150 l.* 282,9 *311,3* (8 404,7), *+ de 150 l.* 344,3 *372,5* (10 060,1).

Artistes de revue : par représentation, entre parenthèses, jusqu'à 3 mois et, en italique, plus de 3 mois : mannequin habillé 205,65 (5 763,85) *5 187,5,* nu 220,27 (5 984,22) *5 709,* danseur 322,37 (9 035,7) *8 124,3,* rôles 377,31 (10 592) *9 524,07.*

Artistes de variétés : par représentation : numéro à 1 artiste 515,18, à 2 artistes 857,72, à 3 artistes 1 372,4, assistant d'attraction 343,34, personne supplémentaire (par personne) 343,34.

■ **Aviation civile. Salaires mensuels moyens** (14 mois par an pour les compagnies de 1er niveau, barème compagnie Air France au 1/1/93) : commandant de bord 46 000 à 79 000, officier pilote : 31 000 à 55 000, officier mécanicien navigant : 28 000 à 50 000, hôtesse/steward : 11 000 à 17 500, chef de cabine : 16 000 à 20 000. **Retraites :** Sécurité sociale, comme les autres salariés. Complémentaire possible dès 50 ans (avec abattement), plafond (avec 25 annuités) : de 30 % du salaire de fin de carrière (navigants techniques) à 45 % (navigants commerciaux). **Avantages divers :** réductions jusqu'à 90 % (sans réservation ou 50 % avec réservation selon les accords inter-Compagnies) pour les salariés et leur famille ; gratuité (navigants de l'entreprise concernée) sur moyen-courrier Air France et Air Inter. Temps d'absence : de 15 à 24 j par mois pour 50 à 85 h de vol. Repos mensuels compensant l'activité des week-ends : 7 à 8 j. Congés : 42 j (Air France) + 6 j si réduction des congés d'été à 20 j.

Ingénieurs de contrôle de la circulation aérienne : rémunérations globales mensuelles (au 1-4-1991) : *Élève :* 6 258 F (pas de prime). *Stagiaire* (1re a., ex. à Lille) : 10 160 F dont primes 3 527. *Ingénieur* (fin de carrière, dans un centre régional de la navigation aérienne, CRNA) : 23 571 F dont primes 9 015. Les primes étant en partie constituées d'indemnités de sujétions particulières, diffèrent selon fonction et lieu d'exercice.

■ **Bâtiment. Salaires bruts mensuels à Paris** (au 1-1-93 : pour 39 h par semaine, en tenant compte d'une indemnité mensuelle de petit déplacement évaluée à 1 200 F) : *Gros œuvre :* chef d'équipe 10 900, convoyeur 9 700. *Métal :* chef d'équipe 11 500, dessinateur projeteur 13 800, soudeur 9 200, conducteur de travaux 16 600. *Bois :* métreur 14 300, commis d'entreprise 15 500, charpentier 10 600. *Équipement électrique :* chef d'équipe (installation thermique) 11 200, commis technicien (électricité) 14 000, aide-monteur (électricité) 8 300, contremaître (électricité) 14 400. *Décoration :* métreur (peinture) 15 600, commis d'entreprise (peinture) 14 500, chef peintre 12 200. *Avantages sociaux en + :* intéressement, primes de vacances, indemnisation intempéries, retraites complémentaires, régimes de prévoyance, etc. ; indemnités « petits déplacements » pour ouvriers.

■ **Bibliothèques. Nombre :** 6 000. **Traitement mensuel net à Paris, primes incluses,** en 1985 (bibliothèques de l'État) : *Gardien :* 1er échelon 4 504 F, 9e éch. 5 399 F. *Magasinier groupe III :* 1er éch. 4 599 F, 10e éch. 5 399 F. *Magasinier groupe IV :* 1er éch. 4 751 F, 10e éch. 5 742 F. *Adjoint administratif de bibliothèque G 5 :* 1er éch. 4 891 F, 10e éch. 6 179 F. *Adjoint admin. G 6 :* 1er éch. 4 986 F, 10e éch. 6 610 F. *Adjoint admin. G 7 :* 1er éch. 5 158 F, 10e éch. 7 000. *Bibliothécaire adjoint :* 1er éch. 5 289 F, 12e éch. 8 155 F. *Bibliothécaire adjoint chef de section :* 1er éch. 7 385 F, 5e éch. 9 091 F. *Bibliothécaire adjoint principal :* 1er éch. 7 013 F, 5e éch. 9 738 F. *Autres carrières* (voir Fonctionnaires).

■ **Bourse. Salaire fixes moyens** (1991, en F) : *employés A* 90 000, *B et C* 115 000, *D* 145 000 ; *agents de maîtrise* 175 000 ; *cadres F* 240 000, *G* 340 000, *H* 520 000, **Salaire variable** (1991) : représente en moyenne pour l'ensemble de la profession, 25 % du salaire total. Son poids varie suivant les fonctions occupées et croît avec la qualification.

■ **Cantonniers et éboueurs. Traitement brut mensuel à Paris et indemnité de résidence** (en F, au 1-2-1993) : *Éboueur :* 6 441 à 9 015. *Ouvrier professionnel :* 6 313 à 8 541 ; *ouvrier professionnel principal :* 6 441 à 9 015 ; *maître ouvrier :* 6 620 à 9 542. *Cantonnier :* 6 108 à 8 013.

■ **Chauffeurs. Rémunération globale mensuelle garantie pour 39 h de travail par semaine et 169 h par mois** (au 1-10-92). **Transports marchandises :** grand routier hautement qualifié à l'embauche : 6 498 F ; après 15 ans : 7 018. *Durée de conduite journalière,* territoire national : 9 h ; 10 h deux fois par semaine ; le repos journalier doit être de 12 h dont 8 h consécutives ; *max. hebdom. :* 6 j consécutifs max. Les véhicules de + de 3,5 t et de transport voyageurs doivent être équipés d'un appareil de contrôle.

Voyageurs : conducteur de car-receveur à l'embauche : 5 892 ; après 15 ans : 6 363, amplitude maximale journalière : 12 h. Au-delà de 12 h, paiement de bonifications calculées à la journée. Au-delà de 12 h et jusqu'à 14 h, autorisation de l'Inspection du travail ; paiement de 12 à 13 h 75 % ; au-delà de 13 h 100 %.

Déménagement : déménageur-chef d'équipe à l'embauche : 6 019 ; après 15 ans : 6 501 ; région parisienne + 5 % et primes diverses.

Routiers : d'après le comité du VIIIe Plan, ils travaillaient en moy. 60 h par semaine et 60 % d'entre eux + de 60 h. 80 à 90 % des grands routiers (transport sur plus de 250 km) travaillaient de 60 à 100 h. 40 % d'entre eux conduisaient + de 8 h par j. Les primes représentaient env. 25 % du salaire (5 % dans les autres branches de l'écon.). Il s'agissait souvent de primes de rendement présentées sous diverses appellations (bonne conduite, nettoyage) incitant à dépasser la durée du travail et la vitesse.

Régime de prévoyance : en cas d'inaptitude à la conduite résultant d'un retrait de permis pour raisons médicales ou d'une décision du médecin du travail. Critères : 15 ans de métier, âgé d'au moins 50 ans. *Indemnités :* 90 % du manque à gagner entre ancien et nouveau salaire ou prestations Séc. sociale, ou indemnités de chômage. *Conducteurs en déplacement :* indemnités au 4-1-93 : repas 60,60 F, repas unique 37,40 F, spéciale 18,50 F, casse-croûte 37,40 F, repos journalier (chambre + casse-croûte) 141,80 F. A l'étranger : + 18 %.

■ **Chercheurs au CNRS. Traitements annuels** (en milliers de F, 1993) : *Chercheurs :* Dir. de rech. de classe exceptionnelle : 363,5 à 411,8. Dir. de rech. de 1re cl. : 260,7 à 363,5, 2e cl. : 209 à 303,5. Chargé de rech. de 1re cl. : 151,6 à 258,4, de 2e cl. : 143,6 à 177,7. *Ingénieurs :* ing. de recherche : 151,8 à 333,8, d'études : 130,8 à 220,7. Chargé de mission de recherche : 177,4 à 247,7, assistant ing. : 116,5 à 179,7. *Techniciens :* tech. de recherche : 99,6 à 162,7. Adjoint tech. : 86,8 à 130,1. Agent techn. : 82,9 à 115. *Administratifs :* chargé d'admin. de rech. 138,9 à 228,4, attaché d'admin. de rech. 109 à 219,2, secrétaire 99,4 à 162,6, adjoint administratif 84,7 à 130,1, agent admin. 80,5 à 109,4.

■ **Clergé. Prêtres :** *montant décidé par l'évêque (appliqué à tous, évêque compris).* (1993) : 4 000 à 4 400 F par mois (pour payer nourriture, chauffage, habillement). Frais de fonction (ex. déplacements) : pris en charge par l'organisme (paroisse, aumônerie, évêché). *Cotisations individuelles de Séc. sociale* (maladie et vieillesse, 20 362 F en 1993 par prêtre) assurées par l'évêché (denier de l'Église).

Allocation de retraite après 65 ans : 21 900 F par an en 1993. Le diocèse apporte un complément pour atteindre le même traitement que les autres prêtres (minimum 4 000 F par mois assuré).

Prêtres relevés de leurs vœux : bénéficient de la retraite versée par la Caisse mutuelle d'assurance vieillesse des cultes, proportionnellement à leurs années passées dans le ministère. Si le montant cumulé de cette retraite avec celles perçues pour un travail effectué par la suite n'atteint pas le minimum garanti de 49 248 F par an, l'Église leur verse un complément jusqu'à concurrence de ce montant.

Personnel paroissial (sacristains ou employés d'église, musiciens du culte, secrétaires et assistantes paroissiales...) : salaire établi par accord paritaire.

Recettes ordinaires des paroisses : denier du clergé ou denier du culte, quêtes ordinaires, honoraires de messes, casuels (à l'occasion des obsèques et mariages), dons divers.

Pasteurs : env. 5 à 6 500 F.

■ **Commerçants.** CA (HT) et, entre parenthèses, résultat courant avant impôts. **Bouchers-charcutiers** 654 (202) à 3 109 (345). **Boulangers-pâtissiers** 565 (146) à 2 702 (395). **Brocanteurs** 455 (67) à 2 871 (397). **Cafés** 358 (94) à 1 391 (276). **Chausseurs** 166 (65) à 2 878 (318). **Coiffeurs** 212 (73) à 1 166 (232). **Crémiers-fromagers** 611 (64) à 3 600 (264). **Droguistes** 430 (60) à 2 116 (273). **Épiciers** 641 (63) à 5 630 (250). **Fleuristes** 434 (73) à 2 348 (338). **Fruits et légumes** 602 (80) à 3 900 (340). **Garagistes** 496 (99) à 4 500 (333) [*réparations d'autos* (67,4 à 458,7) ; *réparation et vente d'autos* (62,5 à 517) ; *stations-service et réparation* (77,8 à 344)]. **Laines et tricots** 401 (52) à 1 550 (189). **Maisons de retraite** 811 (204) à 3 300 (709). **Marchands de meubles** 597 (87) à 6 550 (551). **Motels-restaurants** 107 (556) à 3 800 (406). **Opticiens-lunetiers** 628 (170) à 4 000 (840). **Pharmaciens** 2 270 (254) à 8 500 (995). **Poissonniers** 602 (76) à 4 000 (340). **Prêt-à-porter** 470 (63) à 3 800. **Prothésistes dentaires** 387 (160) à 2 300 (649). **Restaurants** 490 (86) à 3 200 (369). **Taxis** 164 (58) à 770 (207). **Teinturiers-blanchisseurs** 227 (59) à 1 400 (269).

■ **Concierges.** **Catégories** (au 6-10-1992). Valeur du point (au 1-8-93) : 38,67 (dep. 1-3-93). *Salaire en nature* logement au m² (au 1-7-1993) : catégorie I 14,55 F, II 10,83 F, III 3,57 F. *Effectifs* (en juin 1991) : 93 250 dont en % service permanent 66,38, partiel 18,12, complet 15,5.

■ **Contractuelles (à Paris).** Payées par la ville mais, comme auxiliaires de la police, elles sont sous l'autorité du préfet de police. Salaire mensuel proche du SMIC. Les contraventions dressées par les contractuelles reviennent à l'État (100 millions de F par an), le prix du stationnement (200 millions) à la mairie.

■ **Détectives privés** (prix H.T. facturés). *Enquêteurs salariés :* 6 600 à 8 800 F par mois, *indépendants :* payés à la vacation et selon l'importance de l'affaire (frais km et de repas en +), de 13 200 à 22 000 F par mois selon qualification et horaire des missions. Journée de filature de 8 heures facturée de 2 200 à 5 500 F (16 h et h de nuit). Prix des enquêtes, selon le nombre de vacations (1 v. = 4 h indivisibles). En moyenne, prix horaire de 276 F.

■ **Dentistes.** *Évolution des recettes et, entre parenthèses, des dépenses* (en milliers de F). *1976 :* 369 (193), *81 :* 501 (240), *84 :* 658 (303), *86 :* 725 (322), *87 :* 757 (343), *88 :* 712. *Répartition de 100 F de recettes :* achat de fournitures 27, personnel 10, cotisations sociales 5, cot. professionnelles, honoraires, frais divers 3, locaux 3, amortissements 5 ; bénéfice imposable 45.

■ **Dockers.** *Salaire annuel* moyen (1991) : 151 472 F pour 140 j. de travail par an, variable suivant travaux effectués. Embauche journalière réservée en priorité aux dockers professionnels immatriculés par le Bureau central de la main-d'œuvre.

■ **Employés de maison.** *Salaire horaire et, entre parenthèses, salaire mensuel minimal brut* y compris prestations en nature au 4-12-92 sous réserve de l'application du SMIC (en F, sur le plan national). *Coefficient 100* 34,06 (5 926,44), *110* 34,25 (5 959,50), *120* 34,35 (5 994,30), *130* 34,65 (6 029,10), *140* 35,21 (6 126,54), *150* 35,70 (6 211,80), *160* 36,94 (6 427,56), *180* 39,48 (6 869,94). Avec ancienneté, calculer + 3 % après 3 ans, 4 % après 4 ans..., + 10 % après 10 ans. Salaires réels souvent plus élevés.

Prestations en nature, sauf contrat particulier. *1 repas :* 17 F (par mois : 28,76 F × *26 jours) ; logement,* par mois : 340 F. Le montant des prestations en nature est à déduire du salaire brut pour obtenir le salaire en espèces. Total/mois : 1 035,36 F.

☞ En 1987, 250 000 emplois domestiques à temps plein et 500 000 à temps partiel sont déclarés.

■ **Enseignement. Indemnités.** *Logement :* instituteurs et directeurs d'école élémentaire ont droit au logement en nature ou à une indemnité représentative payée par la commune. Cette indemnité est versée par l'État aux communes. *Dotation spéciale instituteur (1992) :* 12 735 F pour l'année. *I. de suivi et d'orientation des élèves pour prof. des lycées et collèges :* 6 624 F par an au 1-2-93. *I. de prof. principal :* 4 979 F à 10 557 F/an selon grade de l'enseignant et type de section. *I. de 1re affectation :* 12 884 F. *I. de sujétions spéciales (ZEP) : 6 393 F* (formation continue 41 487 F/an, de directeur d'école 2 121 à 3 156, de dir. d'établ. spécialisé 1er degré 3 156 à 3 438, 2e degré 3 162 à 5 934, selon nombre de classes ou nature de l'établ.).

■ **Étrennes.** **Concierges :** quand les loyers étaient très bas : 2 à 5 % du loyer annuel, charges non comprises. Actuellement pour les services habituels, selon la catégorie de l'immeuble, de 100 à 800 F. **Éboueurs :** un arrêté préfectoral de 1936 interdit aux agents des services municipaux, sous peine de sanctions, de solliciter des étrennes auprès des particuliers. Cependant, certains leur donnent de 5 à 40 F. **Pompiers :** aucun texte n'autorise ni n'interdit leur tournée annuelle. On leur donne souvent de 10 à 30 F.

■ **Étudiants salariés** (voir p.).

■ **Gardes du corps.** 80 à 150 F l'h. *Soirée mondaine :* 500 à 1 000 F par garde (plus 37 % de charges sociales et 20 % de TVA). *Garde d'un appartement une nuit (20 h à 8 h) :* 700 à 2 800 F HT par garde du corps selon les risques. *Protection d'une femme seule pendant une soirée (4 h) :* 600 F HT.

■ **Gardes républicains** (voir Gendarmerie nat.).

■ **Gardiens de nuit.** *Sédentaire. Salaire :* pour 169 h par mois, compris entre Smic et 1,5 du Smic pour la majorité. *Nombre :* environ 70 000 dans les entreprises spécialisées dans la sécurité.

■ **Gardiens de phare.** Débutant 5 000 F, avec 15 ans d'ancienneté 6 000 à 7 000 F.

■ **Gendarmerie nationale (y compris Garde rép.).** **Solde mensuelle nette** (militaire marié, sans enfant, zone résidence Paris, au 1-2-93). *Officiers :* lieutenant à général 12 828,13 à 35 341,40 F. *Sous-officiers :* élève gendarme à gendarme (échelon exceptionnel, 21 ans de services) : 7 499,07 à 11 878,52 F. Maréchal des logis-chef (10 a. de services) à adjudant-chef (21 a. de services) : 10 950,83 à 14 340,72 F. Major (échelon exceptionnel, 29 a. de services) : 15 413,25 F. **Appelés.** Voir militaires.

Carrières. *Officiers :* âge moyen au 1-1-92 : Gal de corps d'armée 58 a. 5 mois, Gal de division 57 a. 10 m., Gal de brigade 55 a. 6 m., colonel 52 a. 1 m., Lt-col. 47 a. 7 m., chef d'escadron 43 a. 9 m., capitaine 41 a. 3 m., lieutenant 38 a. Début de carrière 22 ans 2 mois, fin 55 à 61. *Sous-officiers :* âge moyen au 1-1-92 : major 50, adjudant-chef 48, adjudant 43, maréchal des logis-chef 38, gendarme 33, élève gendarme 22. Moyenne générale 35 a. 3 m. Début de carrière : engagement possible à 18 a. *Probabilité de terminer* en % et, entre parenthèses, âge moyen de franchissement des grades : gendarme 53,42 (23 a.), maréchal des logis-chef 10,34 (34 a. 3 m.), adjudant 10,64 (42 a. 4 m.), adjudant-chef 14,17 (48 a. 6 m.), major 11,15 (48 a.). 0,15 % des sous-officiers réussissent le concours interne et deviennent officiers.

Personnel spécialisé « EAEM ». Age moyen (au 1-1-92) adjudant-chef 39 a., adjudant 35 a., sergent-chef 33 a., sergent 30 a., caporal-chef 28 a. Engagement possible à 18 ans, limite durée service engagés 22 ans. Limite d'âge sous-officiers de carrière : major 56 a., adjudant-chef 55 a., adjudant 47 a., sergent 42 a.

■ **Hôtellerie-restauration.** **Salaires annuels moyens. Hôtellerie** (en milliers de F, 1992) : directeur d'hôtel 1 étoile 148,5 à 393,4, 4 ét. 317,2 à 613,3. Chef réception 3 ét. 111,9 à 196. Réceptionniste 3 ét. 83,6 à 107,9. Gouvernante 88,7 à 121,2. Femme de chambre 76,2 à 83,6. Veilleur de nuit 70,2 à 91,4. **Restauration d'hôtels (1992) :** directeur 200 à 225. Responsable restauration 124 à 450. Maître d'hôtel 90 à 327. Chef de rang 72 à 194. Serveur 60 à 185. Sommelier 79 à 216. Barman 68 à 192. Chef de cuisine 85 à 550. Commis de cuisine 69,6 à 144. Plongeur 58,7 à 144. **Restauration commerciale** (1992) : directeur 84 à 496,5. Chef de service 92,4 à 265. Chef de cuisine 76,6 à 362,5. Cuisinier 60 à 149,7. Chef pâtissier 91 à 242. Maître d'hôtel 105 à 202. Serveur 81 à 110. **Restauration collective** (1992) : gérant 87 à 261. Chef de cuisine 99,4 à 181,9. Cuisinier 76,8 à 112,6. Pâtissier 76,5 à 116. Serveuse 67 à 94,9.

Variations en moyenne annuelle

	1987	1988	1989	1990	1991	1992
Secteur privé : salaire moyen brut de base						
Ouvriers (51 %)	3,4	3,5	4	5	4,6	4
Employés (23 %)	3,3	3,3	4	5	4	3,4
Techniciens, agents de maîtrise (16 %)	3	3,3	4	4,8	3,8	3,4
Cadres (10 %)	3,8	4,2	4,2	4,8	4,6	3,7
Ensemble des salariés (100 %)	3,3	3,5	4	4,9	4,3	3,7
Fonction publique : traitement mensuel brut de base						
Catégories C et D (35 %)	0,7	2,5	6,4	1,7	2,8	3,5
Catégorie B (36 %)	1,7	3,4	4,1	2,4	2,6	3,1
Catégorie A (29 %)	0,9	2,2	3,7	2,1	2,2	3,1
Ensemble des catégories (100 %)	1,1	2,7	4,8	2	2,6	3,3
Indice des prix à la consommation Base 1980 (296 postes)	3,1	2,7	3,6	3,4	3,2	2,4

■ **Infirmières.** La carrière s'étale sur une durée moyenne de 21 ans et s'effectue sur 2 grades : cl. normale et cl. supérieure (accessible après env. 15 a.). **Rétribution mensuelle nette** au 1-1-1990. **Assistance publique de Paris. Cl. normale :** *2 ans (2e échelon) :* 7 059,66. *5 ans (3e) :* 7 516. *9 ans (5e) :* 8 165,66. *13 ans (5e) :* 8 908,14. *17 ans (6e) :* 9 534,63. *(7e) :* 9 975,38. **Cl. supérieure :** *3 ans (1er échelon) :* 8 768,86. *6 ans (2e) :* 9 186,57. *9 ans (3e) :* 9 743,42. *13 ans (4e) :* 10 230,64. *(5e) :* 10 787,5.

Nota. – S'ajoutent : une prime de service semestrielle (2 700 à 4 200 F selon l'ancienneté) et éventuellement le supplément familial de traitement, des indemnités pour travail de nuit (5,96 F/h) et dimanches et j fériés (130 à 206 F par dimanche ou j férié travaillé, selon l'ancienneté).

■ **Journalistes.** **Salaires mensuels** (en milliers de F, au 1-3-93). Quotidiens parisiens et, entre parenthèses hebdo. 1re catégorie et 3e catég. Rédacteur chef 27,4 (18,8/15). Secrétaire général rédaction 21,4 (14,8/11,9). Grand reporter rédacteur hautement qualifié, secrétaire de rédaction 15,1 (12,4/9,9). Reporter 14 (11,1/8,9). Rédacteur 12,3 (10,2/8,2). Stagiaire 9 à 10,7 (7,7/6,1). **Piges (en F) :** Feuillet (60 signes et espaces sur 25 lignes) 331,80 F. Écho 96,60 (115,12). Dessin accepté 502,23 (436,58). Croquis : 1re 278,78, 2e 211,66, 3e 119,03. Cabochon, lettrine illustrée, cul-de-lampe 171,17. 40 % des pigistes gagnent – de 8 000 F, les autres 11 000 F en moyenne. 41 % sont des femmes. Ex. « l'Événement du jeudi » (brut) : de 14 à 38,5 (directeur de rédaction) ; « le Canard enchaîné » (brut, primes comprises) de 19,7 à 82,2.

■ **Magasins (Paris).** **Salaires moyens** (en F, au 1-4-1992). **Grands magasins :** magasinier 6 900, employé de service administratif 7 200, caissier 2e échelon 8 000, vendeur rayon mercerie 7 200, confection dames 8 000, électroménager (90) 9 000, meubles (90) 10 000. **Magasins populaires :** vendeur débutant 5 630 F, v. très qualifié 5 670, v. technique 5 700, étalagiste qualifié 5 950.

■ **Mannequins à Paris.** **Photos de catalogue ou de publicité :** *1 h de prises de vues :* 548 F à 1 155 F. *5 h :* 1 800 à 5 047 (jusqu'à 100 000 F pour une campagne mondiale). Journée de travail de 8 h facturée par forfait de 5 h. *Moyenne :* 30 000 F/mois. De de 1 300 à 7 500 F par défilé.

Mannequins les plus recherchés : 600 000 F et + par an. *Années 1950 :* Bettina. *1960 :* Twiggy, Jean Shrimpton, Verushka. *1970 :* Lauren Hutton. *1980 :* Inès de La Fressange, Iman, Elle Mac Pherson. *1990 :* Claudia Schiffer, Naomi Campbell, Linda Evangelista, Cindy Crawford [110 000 à 800 000 F (?) la journée de prise de vues], Cristy Turlington, Stephanie Seymour, Tatiana Patitz, Paulina Parizkova, Elaine Irwing, Yasmeen Lebon, Karen Mulder, Nadège Dubospertus, Helena Christensen.

Contrats records *(en millions de F) : 1988 :* Elle Mac Pherson 15 pour 5 ans, 20 j par an pour Biotherm. *1989 :* Cindy Crawford 24 sur 4 ans avec Revlon. *1990 :* Paulina Parizkova 36 sur 3 ans (Estée Lauder). *1992 :* Claudia Schiffer 55 pour 4 ans avec Revlon.

☞ Lauren Bacall, Brigitte Bardot, Kim Basinger, Marisa Berenson, Candice Bergen, Aurore Clément, Jane Fonda, Clio Goldsmith, Margaux Hemingway, Lauren Hutton, Grace Jones, Jessica Lange, Gabrielle Lazure, Marilyn Monroe, Andy MacDowell, Charlotte Rampling, Dominique Sanda, Brooke Shields, Johanna Shimkus ont été mannequins.

Enfants : *Photos :* jusqu'à 13 ans, 440 F HT ; pour 1 h, 162 F (après déduction de la commission de l'agence et des charges soc.). + de 50 % après 19 h. De 13 à 18 ans, 580 F l'heure. *Cinéma :* jusqu'à 13 ans, 1 750 F par jour ; de 13 à 18 ans, 2 500 F. 90 % des gains sont bloqués sur un compte de la Caisse des dépôts et consignations.

■ **Marine marchande.** Salaires mensuels min. (au 1-1-1992). **Cabotage ou long-cours** (sur navires cargos) : matelot cabotage 5 571 F (long cours 6 097) ; qualifié 5 785 (6 370) ; d'équipage 6 709 (6 758). Lt/officier mécanicien 1er éch. 9 141 (11 222) ; *10e échelon* 12 042 (13 769). Second capitaine 1er éch. 12 491 (13 983) ; 10e éch. 14 431 (16 435). Chef mécanicien 1er éch. 14 734 (17 034) ; 6e éch. 17 042 (19 784). Capitaine 1er éch. 16 268 (18 764) ; 6e éch. 18 611 (21 904). **Commandant du port** [1] 13 000 ; officier de port 9 700 à 12 000 ; pilote 14 000 à 18 000 (variable selon mois et trafic). **Remorqueur (capitaine)** [1] 9 000 ; matelot 5 000. **Scaphandrier** [1] 10 000 à 12 000 ; indépendant 60 000 (pour mission de 2 mois).

Nota. – (1). Au 1-10-1985. Ces salaires varient *pour les officiers* selon brevet détenu (capitaine au long cours, officier chef de quart...), ancienneté, taille du navire et genre de navigation (long-cours, cabotage, remorquage). *Pour les marins du personnel d'exécution* selon ancienneté, fonction exercée, volume d'h supplémentaires incluses dans les rémunérations, genre de navigation.

■ **Masseurs-kinésithérapeutes. Exercice libéral :** *Revenu brut annuel moyen* (1990) : 332 583 F. *Frais prof. :* 40 à 50 %. **Exercice salarié** (en F, au 1-12-1992) : *Établissements publics 2e échelon* 8 000 ; *8e* 10 000 + indemnité de résidence + primes et éventuellement supplément familial. *Éts privés à but lucratif* (au 1-4-93) : 7 331 F (coeff. 255), *non lucratif* (au 1-2-93) : 8 900 F (coeff. 429).

■ **Médecins et assistants. Nombre moyen d'actes médicaux par jour :** *Généraliste :* 23 (8 visites et 13 consultations, 2 actes techniques) ; *spécialiste :* 15 (5 consultations, 10 actes pratiqués par j). Mais on a vu des médecins atteindre de 50 à 200 « consultations » par j (psychiatre 30 par j). **Revenu :** peut aller de pratiquement zéro (débutant malchanceux) à 220 000 F par mois (pour une dizaine de médecins non conventionnés), échelle 1 à 20.

Selon la Caisse nationale d'assurance-maladie le pouvoir d'achat des médecins a augmenté de 13,6 % de 1980 à 1990 (les cadres ont vu leurs revenus baisser de 5,7 % durant la même période). *Revenu mensuel net d'un médecin :* 29 000 F. Après déduction des charges sociales et professionnelles et avant impôt : généraliste 24 000, spécialiste 37 000 (sans compter les revenus salariaux annexes, qui concernent 28 % des médecins, et les éventuels revenus du patrimoine). Seuls 2 300 médecins, concentrés dans les zones à forte densité médicale (région parisienne, sud-est) sont « *dans une situation critique* ».

Le volume des actes techniques (biologie, cardiologie, radiologie) a beaucoup augmenté. Les dépassements de tarifs ont progressé (*en 1980 :* de 9 F en moyenne, *1990 :* 61 F) et la masse des honoraires (en *1980 :* 23 milliards, *1990 :* 70) a augmenté à un rythme annuel de 11,8 %.

Avenir des carrières médicales. *Années 1960 :* on parlait de pénurie et on ouvrit des nouvelles facultés de médecine. *1972 : numerus clausus* instauré en 2e année de médecine (*1978 :* + de 8 000, *1988 :* 4 100). *Chômage :* sur 22 000 diplômés inscrits à l'ordre, n'ayant ni cabinet libéral, ni activité à temps plein, moins de 1 000 se retrouvent à l'ANPE. Médecins libéraux, *1991 :* 157 527 en activité dont 93 332 dans le secteur libéral dont 14 % connaîtraient une situation délicate. Prévision *1999 :* 206 000. *2000 :* 223 000.

Militaires

☞ En 1190, Philippe Auguste fixa à 1 sou par jour la solde des « hommes de pied » l'accompagnant en croisade (d'où le mot de solde). Cependant, la paie du soldat ne fut réellement assurée que sous Charles VII (1445) qui lui affecta l'impôt de la taille.

■ **Active. Soldes et indemnités (y compris solde nette par mois, indemnité de résidence à Paris, charges militaires)** (Total en F, en 1990). **Non-officiers :** caporal, quartier-maître de 1re classe (1 an de service) 6 039. Sergent, second maître (après 5 ans) 6 587. Sergent-chef, maître (après 10 ans) 8 154. Adjudant, premier maître (après 13 ans) 8 886. Adjudant-chef, maître principal (après 17 ans) 9 565. Major (après 26 ans) 10 459. Gendarme (voir Gendarmes dans le chapitre Défense nationale p. 1872).

Groupes de grade. 1°) Officiers subalternes [sous-lieutenant : durée 1 an (*éch. 3 :* après 15 ans de service, *2 :* après 5 a., *1* avant 5 a.) ; lieutenant : durée 4 ans (*éch. 5 :* après 21 a. ; *4 :* 2 a. ou après 16 a. ; *3 :* 1 a. ou après 11 a., *2 :* 1 a. ou après 6 a. ; *1 :* 1 a. ou avant 6 ans) ; capitaine : durée 5 ans (*éch. 4 :* après 26 a. ; *3 :* 2 a. ou après 24 a./1 a. ou après 23 a., *2 :* 2 a. ou après 22 a., *1 :* 2 a.)]. 2°) Officiers supérieurs [commandant : durée 4, 5 ou 6 ans (*éch. 2 :* 2 a., *1 :* 2 a.) ; lieutenant-colonel : durée min. 3 ans (*éch. 2 :* 1 a., *1 :* 2 a.)]. 3°) Colonels (*éch. exceptionnel :* accessible après 4 ou 5 a. dans la limite d'un contingent, *2, 1 :* 3 a.). 4°) Officiers généraux [général de brigade (au choix)].

Avancement. *De capitaine à commandant :* se fait exclusivement au choix avec condition (au – 5 ans et au + 9 dans le grade) ; ceux qui ont dépassé 9 ans accèdent à l'échelon spécial et ne peuvent plus passer Cdt au choix sauf dans la limite de 2 % des promouvables du grade.

De lieutenant-colonel à colonel : exclusivement au choix avec condition (au – 3 ans et au + 7 ans dans le grade) ; ceux qui ont dépassé 7 ans accèdent à l'échelon spécial et ne peuvent plus passer colonel au choix sauf dans la limite de 2 % des promouvables du grade.

Salaires mensuels dans l'Armée

(exemples en milliers de F, 1991)

Grade	Mét.	Ant.	Ré.	Poly.	Tch.	Dji.	Lib.
Terre :							
Gal. div. [1]	33,6	56	63,1	74,3	78	76,6	82,9
Gal. brig. [2]	28,6	47,2	53,1	62,1	78	76,2	82,5
Colonel [2]	27,7	45,6	51,2	60	73	70,1	75,2
Lt. Col. [2]	21	34,1	38,4	45,2	60,2	57,9	63
Cdt. [2]	16	26,6	30	35,9	48,5	46,8	51,4
Capitaine [2]	13,9	23	26	31	43,9	41,7	46,4
Lieut. [3]	11,6	19,3	22	27	33	31,4	35,8
S.-Lieut. [4]	8,3	13,1	14,9	19	28,4	27,1	31,2
Maj. [2]	12,5	20,9	23,5	27,6	37,7	35,9	40,9
Adj.-chef [2]	12,1	20,3	23	27	35,6	33,6	38,5
Adj. [2]	8,8	15,1	17,2	20,4	25,9	24,6	29,4
Sergent [4]	6	9,7	11,1	14	20,7	19,7	24
Cap. chef [4]	6	9,6	10,9	13,8	20,7	19,6	23,9
Caporal [4]	5,7	8,5	9,6	12,9	15,5	15,3	16,8
1re classe [4]	4,2	6,1	6,9	9,3	8,9	8,8	9,6
2e classe [4]	3,6	5,2	5,9	6	8,4	8,2	9
Parachutiste :							
Gal div. [1]	38,8	61,2	68,3	79,6	83,2	81,8	88,1
Gal. brig. [2]	33,8	52,4	58,3	67,4	83,2	81,4	87,7
Colonel [2]	32,9	50,8	56,4	65,2	78,1	75,2	80,4
Lt.-Col. [2]	26,2	39,3	43,6	50,5	65,4	63	68,2
Cdt [2]	21,2	31,7	35,3	41,1	53,7	51,9	56,6
Capit. [2]	19,1	28,2	31,2	36,3	49	46,8	51,5
Lieut. [3]	16,8	24,5	27,2	32,2	38,1	36,6	41
S.-Lieut. [4]	12,2	17,1	18,9	23	32,5	31,1	36
Major [2]	16,4	24,8	27,5	31,6	41,6	39,8	44,8
Adj.-chef. [2]	16,1	24,3	26,9	30,9	39,4	37,5	42,4
Adj. [2]	14,5	21,7	24	27,7	38	36,1	41
Sergent [4]	9	12,7	14	16,9	23,7	22,6	26,9
Cap.-chef [4]	8,8	12,5	13,8	16,7	23,6	22,5	26,8
Caporal [4]	8,3	11	12,1	15,5	18,1	17,8	19,3
1re classe [4]	5,7	7,7	8,5	11	10,5	10,3	11,1
2e classe [4]	4,8	6,4	7,2	9,2	9,6	9,5	10,3
Pilote :							
Lt.-Col. [2]	26,7	39,8	44	50,5	65,4	63	68,6
Cdt [2]	21,7	32,3	35,7	41,6	54,1	52,4	57,1
Capit. [2]	19,5	28,6	31,7	36,7	49,5	47,3	52
Lieut. [3]	16,9	24,6	27,3	32,3	38,3	36,7	41
S.-Lieut. [4]	12,8	17,6	19,5	23,6	33,1	31,7	35,7
Major [2]	16,7	25,1	27,8	31,9	41,9	40,1	45,1
Adj.-chef [2]	16,4	24,6	27,2	31,2	39,8	37,8	42,7
Adj. [2]	15,2	22,4	24,7	28,4	38,7	36,8	41,6
Sergent [4]	9,1	12,8	14,1	17	23,8	22,7	27
Marine :							
Vice-amiral [1]	39,7	62	89,1	80,3	84,1	82,6	88,9
Contre-amiral [2]	33,3	52	57,8	66,9	82,8	81	87,3
Capitaine							
de vaisseau [2]	32,3	50,1	55,8	64,5	77,5	74,6	79,8
de frégate [2]	24,4	37,5	41,7	48,6	63,6	61,2	66,3
de corvette [2]	18,7	29,3	32,8	38,6	51,2	49,4	54,1
Lieut. de vais. [2]	16,2	25,3	28,3	33,3	46,2	44	48,7
Ens. de vaisseau							
1re cl. [3]	13,8	21,5	24,1	29,1	35,2	33,6	38
2e cl. [4]	9,9	14,8	16,6	20,6	30,2	28,8	32,8
Major [4]	14,6	23	25,7	29,8	39,8	38	43
Maître princ. [2]	14,2	22,4	25	29	37,6	35,7	40,5
1er maître [2]	12,8	20	22,3	25,9	36,3	34,3	39,2
2e maître [4]	7,3	11	12,3	15,2	22	20,9	25,2
Qu.-maître chef [4]	7,2	10,8	12,2	15	21,9	20,8	25,1
Qu. maître [4]	6,8	9,5	10,7	14	16,6	16,3	17,8
1re classe [4]	5,2	7,2	8	10,5	10	9,8	10,6
2e classe [4]	4,1	5,7	6,4	8,5	8,9	8,7	9,5

Nota. – Mét. : Métropole, Ant. : Antilles, Ré. : Réunion, Tch. : Tchad, Dji. : Djibouti, Lib. : Liban. (1) Marié, un enfant. (2) Marié, deux enfants. (3) Marié, sans enfant. (4) Célibataire, sans enfant.

Officiers du régime général *(Terre, Air, Mer, Gendarmerie) :* lieutenant (1 an de grade), enseigne de vaisseau 9 879. Capitaine (4 ans de gr.), Lt de vaisseau 11 580. Cdt (2 ans de gr.), capitaine de corvette 13 469. Lt-colonel (2 ans de gr.), cap. de frégate 15 954. Colonel (3 ans de gr.), cap. de vaisseau 18 949. Gal de brigade (après un an), contre-amiral 22 929.

Médecins des armées : médecin (capitaine, 4 ans de gr.) 13 326 ; principal (Cdt, 2 ans de gr.) 15 126 ; en chef (Lt-colonel, 2 ans de gr.) 16 455 ; (colonel, 6 ans de gr.) 18 111 ; chef des services (entre colonel et Gal) 22 035.

Ingénieurs de l'armement (28 ans, capitaine à 3 ans de gr.) : 12 019 ; principal (35 ans, Cdt, 2 à 3 ans de gr.) : 14 885 ; en chef (42 ans, colonel 2 ans de gr.) : 15 866 ; Gén. de 2e cl. (52 ans, Gal de brigade) 22 929.

■ **Appelés. Montant du prêt du soldat (ou matelot) de 2e classe dep. 1960 (taux du 2e cl.). Solde mensuelle.** *1960* (1-1) 9, *65* (1-5) 15, *71* (1-7) 22,50, *72* (1-7) 42, *73* (1-7) 52,50, *74* (1-7) 60, *75* (1-1) 75, *76* (1-4) 210, *77* (1-7) 240, *78* (1-6) 255, *79* (1-7) 270, *80* (1-7) 285, *81* (1-4) 315, *82* (1-1) 345, *83* (1-7) 375, *84* (1-9) 405, *85* (1-9) 405, *86* (1-1) 435 (soit 14,50 F par jour), *88* (1-3) 444 (soit 14,80 F par jour), *89* (1-3) 453, *90* (1-3) 463 (soit 15,45 F par jour), *91* (1-3) 477, *92* (1-3) 483 [Matelot 1re classe 603. Caporal, quartier-maître 2e cl. 846. Caporal-chef, quartier-maître 1re cl. 960. Sergent, second maître 1 209. Aspirant 1 449. Sous-Lt, enseigne de vaisseau pendant la durée légale 1 518]. Autres avantages (1990) : prime de service en campagne 17 F/j (au-dessus de 36 h de manœuvre) ; indemnité pour services aériens (montant mensuel 1 255 F en 1989)].

Permissions annuelles : 16 j (+ pour événements familiaux 3 j, récompense 5 j, obtention de brevets militaires 4 j), affaires personnelles (sous réserves des nécessités du service) permissions possibles de 72, 48, 36 et 24 h ; 10 j de perm. de longue durée en + pour agriculteurs et appelés en All. féd. ou embarqués sur un bâtiment de la marine nationale ; autorisations d'absence « quartiers libres », en dehors du service, avec autorisation de se mettre en civil. *Réductions chemin de fer :* 12 voyages gratuits garnison/domicile et 75 % de réduction sur les autres trajets. *Protection sociale :* soins médicaux gratuits, pensions d'invalidité ; extension à la famille des allocations d'aide sociale en cas de besoin. *Droit de recours :* 1°) Recours hiérarchique. 2°) Réclamation personnelle adressée à l'inspecteur général de l'armée à laquelle appartient l'appelé.

■ **Volontaires du service long.** *Le coefficient varie selon la durée des services :* 0 à 6 mois 1,5 ; 7 à 12 mois 2 ; 13 à 18 mois 2,5 ; 19 à 24 mois 3. **Solde mensuelle de 7 à 12 mois et,** entre parenthèses, **de 19 à 24 mois** (en F, au 1-3-1989). Sous-Lt 2 898 (4 347). Aspirant 2 718 (4 077). Sergent 2 268 (3 402). Caporal-chef 1 812 (2 718). Caporal 1 584 (2 376). Soldat 1re cl. 1 134 (1 701), 2e cl. 906 (1 359). Pécule en fin de service, de 1 359 à 8 694.

■ **Militaires du contingent en Allemagne, sauf Berlin.** *Indemnité de séjour par an* (en F) : aspirant 1 880, sergent 1 270, caporal-chef 1 129, caporal 986, soldat 894 [payée partie en F, partie en marks (mensuellement 50 DM pour aspirants et sergents et 30 DM pour hommes du rang)]. **A Berlin :** *indemnité supplémentaire d'expatriation par an :* aspirants 2 304 DM, sous-off. 1 692 DM, caporaux ADL 936 DM, hommes du rang 792 DM. **Pour tous :** indemnité compensatrice de perte au change pour compenser les variations du DM.

■ **Légionnaires** (*soldes par mois, en F, à Aubagne et,* entre parenthèses *à Djibouti au 1-3-89).* Solde début de contrat 1 487 (5 233), + de 9 ans de service 7 576 (16 914). Caporal-chef 9 257 (21 858). Adjudant-chef 11 209 (25 556).

■ **Marine nationale** (*Solde des matelots, en 1990).* Matelot au-delà de la durée légale, 2e et 3e année : 4 373 F. Quartier-maître de 2e et 3e a. : 5 155, de 1re cl., 2e et 3e a. : 5 961.

■ **Mineurs (charbon).** *Ouvrier du fond* (1988) : 9 400 F, *du jour* (sauf centrales thermiques) : 7 360 F, usines annexes et centr. therm. : 7 565 F (1987).

■ **Musée. Personnel de la Ville de Paris :** traitement brut mensuel et indemnité de résidence (au 1-2-1993, en F) : agent de la surveillance spécialisée des musées de 2e cl. : 6 108 à 8 013 F. 1re cl. : 6 313 à 8 541. Agent-chef : 6 441 à 9 015. Inspecteur adjoint : 6 620 à 9 542. Inspecteur : 7 439 à 10 781. Conservateur de 2e cl. : 9 621 à 13 101 ; de 1re cl. : 13 549 à 18 268. En chef : 15 263 à 21 562.

■ **Pêcheurs. Chalutiers de grande pêche** (soldes et salaires minimaux en F, au 1-4-1992). Capitaine 6e échelon 23 371 à 24 240. 1er éch. 19 806 à 20 767. Chef mécanicien 6e éch. 21 111 à 21 898 ; 1er éch. 18 509 à 18 857. Second capitaine et 2e mécanicien 15 014 à 18 171. Lieutenant 11 972 à 15 105. Chef d'usine 6 368. Cuisinier 6 149. Matelot 5 017. Novice 3 674. Indemnité nourriture 73,30 F par j, frais de route 47,60 par j.

Nota. – 1/5 du produit brut de la pêche est réparti entre l'équipage (salaires du capitaine et du chef mécanicien, fixés par accord particulier, exclus), en parts dont le nombre est égal à celui des membres de l'équipage restants, multiplié par un coefficient déterminé (de 1,60 à 1,77). *Parts attribuées selon les fonctions :* second capitaine 4, mécanicien 2,30 à 4, matelot 1,25 à 1,35, novice 0,75 à 0,85. Les capitaines ont un contrat commercial avec leur armement (rémunération annuelle 350 000 à 550 000 F).

■ **Pharmacie. Bénéfice moyen par pharmacien en 1992 :** 390 000 F (après remboursement des emprunts) selon Fédération ; **% du chiffre d'affaires** (hors taxes, en %). Spécialités normales 80, publiques 7, droguerie, conditionnés 1, pansements 2,2, accessoires 1,7, diététique (sauf le lait) 2,2, laits 2,4, parfumerie 3, analyses, locations 0,3, récipients 0,2. **Salaires.** Personnel des pharmacies : pour 39 h de travail par semaine (1992). *Préparateur en pharmacie :* 7 300 à 11 100 F par mois. *Pharmacien assistant :* 12 300 à 24 000.

■ Police nationale. **Traitement mensuel** net pour un célibataire au 1-2-1993 en début et, entre parenthèses, en fin de carrière, zone d'abattement 0. **Emplois actifs en civil de la police nationale :** *commissaire* (recrutement licence ou diplôme d'ét. supérieures) : élève 9 104, stagiaire 10 854, commissaire 11 860 (17 023), principal 16 458 (19 707), divisionnaire 19 707 (21 932), divis. avec des responsabilités particulièrement importantes 25 563. *Inspecteur* (recrutement : baccalauréat, capacité en droit ou brevet de technicien) : élève 7 481, stagiaire 9 201, inspecteur 10 415 (13 255), principal 11 991 (14 593), divisionnaire 13 571 (15 897), chef-inspecteur divisionnaire 15 514 (17 023). *Enquêteur* (recrutement BEPC ou niveau équivalent) : élève 6 823, stagiaire 8 071, enquêteur 2e cl. 8 177 (11 921), 1re cl. 10 862 (12 253), chef-enquêteur 12 669 (12 901).

Emplois actifs en tenue de la police nationale. *Commandants et officiers de paix :* élève 7 481, stagiaire 9 596, officier de paix principal 13 390 (14 730), C^dt^ 14 270 (16 596), C^dt^ (emploi comportant des responsabilités particulièrement importantes) 17 160. *Gradés et gardiens de la paix* (recrutement : CEP ou niveau équivalent) : élève 7 090, stagiaire 8 338, gardiens de la paix et sous-brigadiers 8 444 (12 302), brigadier 11 207 (12 651), brigadier-chef 13 079 (13 320).

■ Politique (voir encadré p. 1826).

■ Pompiers. **A Paris et dép. 1975, 92, 93, 94) :** *solde mensuelle* (après la durée légale du service pour un célibataire, au 1-2-93) : sapeur 1re cl. : 8 042 à 9 106 F. Caporal 8 100 à 9 133. Caporal-chef 8 165 à 10 123. Sergent 9 097 à 10 767. **Communes et départements : professionnels** [(traitement net (au 1-2-1993) sans enfants à charge, non logés, région parisienne, 1er échelon du grade, retenues faites pour pensions, Séc. soc. + indemnité de feu de 19 %, de logement (province), de conduite de véhicules (de sapeur 2e cl. à sergent-chef ; variables selon départements), de qualification (officiers en fin de carrière)]. *Début de carrière :* sapeur 2e cl. 6 091 ; 1re cl. 6 219 ; lieutenant 7 677,75 ; capitaine 8 778,25. *Fin de carrière :* caporal et cap.-chef 9 264,5 ; sergent et serg.-chef 9 776,33 ; adjudant et a.-chef 10 493,33 ; lieutenant 2e cl. 12 028,5 ; lieut. 1re cl. 12 719,5 ; lieut. hors cl. 13 589,58 ; capitaine 14 818,08 ; commandant 16 763,08 ; lieut.-colonel 18 708,08 ; colonel 20 934,67. **Volontaires** (vacation horaire au 1-1-93) : officiers 59,20 ; s.-off. 47,65 ; caporaux 42,39 ; sapeurs 39,42. **Pilote de Canadair** (1986) : 13 000 F par mois, prime comprise.

■ Presse (attachés de). Débutant : env. 9 000 F/mois, puis 12 000 à 60 000 selon le secteur (cinéma 30/60 000 F).

■ Prisons. **Agents pénitentiaires,** traitement mensuel net. *Exemples (1991) :* directeur catégorie A (sous-direct., direct., direct. régional) 9 340 à 24 325 F. Surveillant (élève surveillant à surv.-chef) 6 733 à 10 420 F.

Détenus. *Stagiaires de formation professionnelle :* rémunération brute (base 1991) : 13,27 F de l'heure. Travail, rémunérations moyennes brutes : service général 19 à 59 F/j, RIEP 21 F/h, entreprises concessionnaires 17 F/h. *Prélèvements obligatoires* (en % du net) : indemnisation des victimes : 10, frais d'entretien 30 avec plafond, constitution d'un pécule de libération 10. Les prévenus qui font l'objet d'un non-lieu, d'une relaxe ou d'un acquittement peuvent demander le remboursement des sommes prélevées au titre des frais d'entretien.

■ Professions libérales. Chiffre d'affaires (hors taxes) et entre parenthèses résultat net fiscal (en milliers de F) : **Agents commerciaux** de 250 (83,7) à 1 000 (900). **Architectes** 214 (94,3) à 2 400 (777). **Assurances (agents)** 425 (199) à 2 000 (552). **Avocats (collaborateurs)** (– de 100 à + de 700). **Avocats exerçant en SCP ou en association** (101 à + de 700). **Cabinets individuels** (– de 100 à + de 700). **Commissaires-priseurs** (150 à 2 313,9). **Graphologues** 250 (60) à 800 (400). **Huissiers** revenu courant avant impôts 120 à 1 600. **Notaires** revenu courant avant imposition 177 à 4 143,3. **Traducteurs** 189 (100,4) à 840 (530).

Artistes. **Créateurs textiles** (– de 50 à + de 300). **Graphistes** (– de 50 à + de 600). **Peintres** (– de 50 à 1 500). **Photographes** (– de 50 à 900). **Sculpteurs** (– de 50 à 800).

■ Santé (1991, en milliers de F). **[Revenus annuels moyens des médecins :** laboratoires 770, radiologues 706, chirurgiens 650, cardiologues 456, ophtalmologistes 447, stomatologues 425, ORL 410, gynécologues 399, dermatologues 331, généralistes 288, pédiatres 265]. **Cardiologues** chiffre d'affaires (hors taxes) – de 500 (résultat net fiscal – de 267,6) à 1 200 et + [640,8 (730 card., soit 23,80 %)]. **Chirurgiens** – de 500 (– de 303) à 3 000 et + [1 818 (251 chir., soit 9,53 %)]. **Dentistes** 725,2 (289,7) à 2 167,6 (940). **Dermatologues-vénérologues** – de 400 (– de 219) à 1 200 et + [657,6 (175 derm., soit 6,27 %)]. **Généralistes** – de 300 (– de 167) à 1 200 (669,6). **Gynécologues** – de 400 (– de 225,2) à 1 200 et + (675,6). **Kinésithérapeutes** – de 200 (– de 84) à 1 200 (504). **Laboratoires d'analyses médicales** 500 (101,6) à 15 000 (3 099). **Ophtalmologistes** – de 400 (– de 221) à 1 200 (662,4). **Oto-rhino-laryngologistes** – de 400 (– de 217,2) à 1 200 et + (652). **Pédiatres** – de 400 (– de 218,4) à 1 200 et + (655). **Radiologues** – de 1 000 (– de 308) à 4 000 et + (1 232). **Stomatologues** – de 400 (– de 163) à 1 200 et + (544).

☞ *Au recensement de 1990 :* 307 138 personnes exerçaient pour leur propre compte (salariés exclus) dont médecins spécialistes 43 516 ; généralistes 71 928 ; chirurgiens-dentistes 38 716 ; psychologues, psychanalystes, psychothérapeutes non-médecins 15 061 ; vétérinaires 11 452 ; pharmaciens 29 228 ; avocats 19 564 ; notaires 7 300 ; conseillers juridiques et fiscaux 4 360 ; experts comptables et comptables agréés 10 980 ; ingénieurs-conseils en recrutement, organisation, en études économiques 8 994 ; techniques 15 164 ; architectes 25 294 ; huissiers de justice, off. ministériels et div. 5 601.

■ Artisans. CA (HT) et entre parenthèses résultat courant avant impôts. **Couvreur** 347 (87) à 2 585 (328). **Électriciens** 298 (83) à 2 785 (406). **Maçons** 325 (95) à 3 308 (343). **Peintres** 227 (86) à 2 247 (365). **Plombiers** 335 (89) à 2 429 (328).

■ PTT. *Effectifs* (au 31-12-1992). Agents titulaires 270 123 (hommes : 165 278, femmes : 104 845). **Travail à temps partiel :** Agents 16 264 dont *femmes :* 14 676, *hommes :* 1 588. **A Paris :** rémunération mensuelle brute en début et fin de carrière (primes comprises, au 31-12-92, en F) : Inspecteur principal 12 148 (dir dép. adjoint 23 677). Inspecteur 10 516 (chef de division 19 110). Contrôleur 8 537 (contrôleur divis. 14 391). Agent d'exploitation de la distribution-acheminement 7 623 (agent principal 11 283, conducteur de travaux 13 806), vérificateur principal de l'ach. 14 521). Préposé 7 473 (agent d'adm. principal de la distr.-ach. 11 195).

■ Publicité. Salaire annuel moyen. Directeur d'agence 793 600 (hommes 809 600, femmes 713 400). Directeur de la création 703 360. Directeur des médias 600 000. Directeur commercial 462 800.

■ RATP. Rémunérations mensuelles brutes (en F, 1992) début et fin de carrière, primes comprises. **Autobus :** machinistes, receveurs (voiture à 1 agent) 9 640 à 12 230. **Réseau ferré (métro et RER) :** *conducteurs* 10 400 à 14 000. *Chefs de station* 8 260 à 10 800. *OS* et *OP* 7 350 à 10 270. *O. qualifiés* 8 650 à 12 080. *Maîtrise* 11 130 à 17 280. *Cadres* 13 580 à 27 800. **Retraite** (âge légal) : agents de conduite 50 ans, de maintenance 55, autres catégories 60.

■ Secrétariat. **Statistiques. Nombre :** env. 800 000 secrétaires et assistantes de direction. **Rémunérations annuelles :** assist. de direction 130 000 à 200 000 F, secr. de direction 110 000 à 160 000 F, secr. 70 000 à 110 000 F.

■ SNCF. Rémunérations brutes moyennes, primes comprises : agent d'entretien équipement 6 839 à 7 331 (échelon 5, professionnel matériel 7 388 à 8 030 (échelon 6), conducteur de ligne 13 004, TGV 14 507 à 16 435, agent commercial de train principal 8 500, chef de gare : petite 10 830, moyenne 14 818, grande 23 960 F.

■ Sociales (carrières). Salaires mensuels bruts (au 1-1-1989), du secteur public, début et fin de carrière : assistant(e) de service social 6 674 (11 307). Conseiller en économie soc. et familiale 6 674 (11 307). Éducateur de jeunes enfants 5 665 (8 922). Moniteur éducateur 5 665 (8 692). Agent technique (dactylo) 5 022 (6 146). Rédacteur juridique (économe) 7 431 (12 523). Monitrice d'ens. ménager 6 422 (10 779). Assistante maternelle 6 422 (10 779). Assistante maternelle au moins 2 fois le montant du Smic horaire par enfant et par j de 8 h. Cadre (éducateur-chef) 7 545 (11 857). Agent de direction (dir. de foyer de l'enfance 1re cl.) 11 055 (14 564).

Sports

■ Athlétisme (1992, en milliers de F). Pour participer à un meeting : Bubka (saut à la perche) 360, Mike Powell (longueur) 300, Carl Lewis 300 à 1 500, Marie-José Pérec 100.

■ Automobile (millions de F par an). Ayrton Senna 75 (en 1992), Nigel Mansell, Alain Prost 50, Riccardo Patrese 15, Niki Lauda 10.

■ Basket Dream Team (« équipe de rêve ») Amér. Salaires annuels cumulés des 12 professionnels : 180 millions de F. Les meilleurs salaires 1991-92 (en millions de F) : Olajuwon 23,4, Williams 22, Ewing 18, Jordan 17,9.

■ Base-ball (millions de F/an, 1991). Roger Clemens 31,7. Dwight Gooden 30,38.

■ Cyclisme. **Tour de France (1993)** *dotation globale offerte par divers sponsors :* 11 millions de F dont : vainqueur 2 000 000, maillot vert 150 000, meilleur grimpeur 150 000, meilleur jeune 100 000. Vainqueur d'étape en ligne 50 000, d'étape en montagne 100 000. Équipe ayant remporté la contre-la-montre d'Avranches 100 000. Meilleure équipe du Tour 200 000.

Salaires mensuels des coureurs : Greg LeMond est le seul dont le contrat avec l'équipe Z (2 millions de $ sur 3 ans) ait été rendu public.

■ Football. **Salaires versés par les clubs français** (en 1988, salaire annuel min. et max. en milliers de F). Toulouse 259 à 2 916. Auxerre 52 à 1 269. Toulon 183 à 1 882. Bordeaux 187 à 12 269. St-Étienne 54 à 2 045. Cannes 60 à 2 359. Paris-St-Germain 142 à 2 678. Laval 87 à 2 107. Nice 84 à 2 070. Lens 100 à 1 875. Nantes 182 à 2 224. Lille 89 à 2 492. Montpellier 194 à 2 702. Marseille 496 à 8 612. Metz 282 à 1 864. Matra 330 à 3 889.

Salaire annuel moyen d'un professionnel (en milliers de F, 1990) : 1 020 à 1 800.

Montant des transferts (en millions de F) : Jean-Pierre Papin 80 (1992). Diego Maradona 70 (1984). Roberto Baggio 55 (1990). Chris Waddle 45 (1989). Ruud Gullit 40 (1987). Marco Van Basten 30 (1988). Carlos Mozer 27,5 (1989). Enzo Francescoli 18 (1989). Carlos Valderrama 15 (1989). Enzo Scifo 6 (1989). Joseph-Antoine Bell 5 (1989). Safet Susic 2 (1983).

Sportifs les mieux payés (en millions de $, en 1992) : Mickael Jordan (basket, USA) 35,9. Evander Holyfield (boxe, USA) 28. Ayrton Senna (auto., Brésil) 22. Nigel Mansell (auto., G.-B.) 14,5. Arnold Palmer (golf, USA) 11,1. André Agassi (tennis, USA) 11. Jim Courier (tennis, USA) 9. Monica Seles (tennis, Youg.) 8,5.

■ Hippisme (salaires moyens mensuels en F). *Moniteur* 6 900 à 7 900 ; *instructeur* 9 600 à 10 100 ; *palefrenier* 5 530 ; *accompagnateur* 3 700 ; *personnel administratif* 5 510.

Jockey. **En course :** gagnant 8,5 % de la valeur nominale du prix, monte placée 8,5 % de l'allocation attribuée selon la place à l'arrivée, perdante 87 F (région parisienne). En 1992, 8 jockeys ont gagné, du fait de leurs victoires et places, plus de 10 000 000 F (gains des chevaux). **Classement d'après les gains** (1992, en F) : T. Jarnet 27 057 950. D. Boeuf 20 590 550. F. Head 16 319 750. C. Asmussen 16 053 750. M. Boutin 13 867 850. E. Legrix 12 825 250. P. Eddery 10 476 500. W. Mongil 10 113 250. O. Deleuze 9 707 500. G. Guignard 9 223 250.

■ Maître nageur sauveteur. **Effectifs :** env. 20 600 dont 9 000 à temps plein ou temporaire, titulaires du diplôme d'État. **Salaire** (*brut mensuel*, au 1-9-1989) : employés communaux-saisonniers-stagiaires-titulaires : *maître nageur sauveteur et éducateur sportif 1er degré* 6 563,41 à 8 180,83, *chef de bassin* 6 375,81 à 9 352,91.

■ Ski. **Moniteurs** *de ski* (travailleurs indépendants brevetés env. 11 000 répartis entre 250 écoles du Ski français et 50 centres de collectivité) pour un travail saisonnier d'env. 4 mois et demi (15-12 au 30-4) : 40 000 à 100 000 F net (pour 90 % d'entre eux). **Pisteurs** *secouristes* brevetés : 7 000 à 10 000 F mensuel. Un quart d'entre eux ont des contrats à l'année.

■ Squash. Jahanghir Khan : 800 000 $/an.

■ Tauromachie. *Rémunération* (1991, en Espagne) : groupe A (ayant toréé au min. 38 fois) tarifs libres, groupe B 4 500 à 17 500 F.

■ Tennis. **Joueurs** (Fortune, en millions de $, 1988) : Navratilova 12,7, Lendl 12,3 (1978-90 : 16), McEnroe 9,6, Evert 7,9, Connors 7,5, Wilander 5,1, Vilas 4,8, Borg 3,6, Edberg 3,6, Shriver 3,4, Smid 3,3, Mandlikova 3, Gerulaitis 2,8, Gottfried 2,8, Fibak 2,7, Becker 2,6, Turnbull 2,6, Gomez 2,5, Noah 2,5, Jarryd 2,2.

Gains de match (annuels, en milliers de $) : **1974 :** Connors 285,5. **1977 :** Vilas 766,1. **1979 :** Borg 1 008,7. **1982 :** Lendl 2 028,8. **1989 :** Lendl 2 344,4. **1990 :** Edberg (1er ATP) 1 995,9. B. Gilbert (10e) 555,7. Krickstein (20e) 350,2. Noah (40e) 222,7. Mc Enroe (120e) 160,6. **1991** (au 15-9, suivant le rang ATP) : *1* Edberg [1] (25 a., 1,88 m, D) 1 367,8 (61 victoires/15 défaites). *2* Becker [2] (23 a., 1,92 m, D) 860,1 (v. 40/d. 10). *3* Courier [3] (21 a., 1,85 m, D) 1 290,9 (v. 50/d. 14). *4* Lendl [4] (31 a., 1,88 m, D) 739,6 (v. 45/d. 13). *5* Stich [2] (23 a., 1,92 m, D) 1 101,9 (v. 63/d. 18). *6* Forget [5] (26 a., 1,90 m, G) 629,5

(v. 47/d. 15). *40* Santoro [5] (18 a., 1,77 m, D) 158,2 (v. 25/d. 18). *48* Champion [5] (25 a., 1,83 m, D) 181,9 (v. 19/d. 22). *148* Noah [5] (31 a., 1,93 m, D) 30,5 (v. 4/d. 3). **1992** (en millions de F hors exhibitions et contrats commerciaux). Courier 11,49. Becker 11,03. Edberg 9,13. Sampras 8,34. Ivanisevic 7,6. Korda 5,67. Agassi 5,55. Chang 4,99. Krajicek 4,12. Lendl 4,11. Forget 3,92. Leconte 1,72.

Nota. – D. : droitier. G. : gaucher. (1) Suède. (2) All. (3) USA. (4) Tchécos. (5) France.

☞ *Borg* (Suédois, 1,80 m, 73 kg) touchait (en F) pour porter chemise, short, chaussettes, pull-over et survêtement Fila 1 500 000 ; employer la raquette Bancroft 1 000 000 ; chausser Tretorn 250 000 ; corder ses raquettes avec VS 10 000 ; utiliser la balle Penn 100 000 ; le poignet-éponge 150 000 ; vanter Tuborg sur son bandeau 250 000 ; le badge SAS sur sa manche gauche 125 000. En 1980, il aurait gagné 20 000 000 de F. La vente de l'exclusivité des photos de son mariage (24-7-80) lui avait rapporté 250 000 F + les droits de reproduction.

John Mac Enroe (Américain) gagnait 60 millions de F par an. Il avait touché en 1982 (en F) pour porter les vêtements Tacchini 2 800 000, jouer avec la raquette Dunlop 4 200 000, porter les chaussures Nike 2 100 000 et la montre Omega (en 84) 655 000.

Dotations. Wimbledon (1991) : total 6,4 millions de $ dont *simple messieurs* 0,24 (dames 0,216), demi-finaliste 60 (dames 52,5). **Roland-Garros** (1992) : 41,4 millions de F (1 en 1977) dont montant versé aux joueurs (en milliers de F). SIMPLE MESSIEURS : *vainqueur :* 2 680, *finaliste :* 1 340, *1/2 fin. :* 670, *1/4 :* 350, *1/8 :* 189, *1/16 :* 109, *1/32 :* 67, *1/64 :* 40. DAMES : *vainqueur :* 2 470, *finaliste :* 1 235, *1/2 fin. :* 617, *1/4* 310, *1/8 :* 162, *1/16 :* 90, *1/32 :* 53, *1/64 :* 33. QUALIFICATIONS : *perdant du 3e tour :* 23, *2e :* 11,5, *1er :* 6. DOUBLE (PAR ÉQUIPE) MESSIEURS : *vainqueur :* 1 100, *finaliste :* 550, *1/2 fin. :* 275, *1/4 :* 140, *1/8 :* 80, *1/16 :* 40, *1/32 :* 27. DAMES : *vainqueur :* 865, *finaliste :* 432, *1/2 fin. :* 216, *1/4* 110, *1/8* 56, *1/16 :* 30, *1/32 :* 17,5. MIXTE : *vainqueur :* 242, *finaliste :* 145, *1/2 fin. :* 87, *1/4 :* 53,2, *1/8 :* 29, *1/16 :* 12,7. **Internationaux d'Australie :** *vainqueur 1992 :* Jim Courier 1 460 000 F.

■ **Télévision. Artistes interprètes** au 1-1-90 : *Dramatiques :* journée répétition ou enregistrement : 928 F (journée unique : 978). Les comédiens touchent 25 % de leur cachet initial lors des rediffusions, 35 % pour la première. *Variétés* (répétitions effectuées en dehors de la journée au cours de laquelle a lieu l'enregistrement) : répétition 4 h ou – : 593 ; + : 928 ; enregistrement : 1 344. *Lyriques :* répétition ou enregistrement : solistes 1 391, artistes des chœurs 928 ; préparation ou déchiffrage (3 h par jour au max.) : solistes 533, artistes des chœurs 354. *Chorégraphiques :* répétition ou enregistrement (6 h au max.) : solistes 1 391, corps de ballet 928.

Nota. – Canal + fait bénéficier une partie de son personnel de « stock options » (intéressement aux bénéfices).

Salaires (moyenne mensuelle brute hors avantages particuliers et annexes, en F). **Pt de France 2 et France 3 :** Hervé Bourges, 70 000 (en 1991). PERSONNEL TECHNIQUE ET ADMINISTRATIF. **Secr. dactylo confirmée :** *TF1 :* 6 500, *France 2 :* 6 000, *France 3 :* 6 300, *Canal + :* 6 000. **Secr. de direction :** *TF1 :* 10 000-12 000, *France 2 :* 8 500-10 000, *Canal + :* 9 900. **Preneur de son :** *TF1 :* 12 000-15 000, *France 2 :* 12 000-13 000, *France 3 :* 12 000-13 000, *Canal + :* 7 700 (débutant). **Caméraman de plateau :** *TF1 :* 12 000, *France 2 :* 8 000, *Canal + :* 10 000. JOURNALISTES. **Débutant :** 7 500 (*France 2*) à + de 10 000 (*Canal +*). **Réd. en chef :** 20 000 à 30 000 (*France 2*), 30 000/35 000 (*TF1*).

☞ Certains sont payés au cachet, à l'émission ; d'autres au mois (certains 10 mois sur 12 ; d'autres 11 ou 13 mois). D'autres sont payés comme animateurs *ou* comme producteurs ; d'autres encore comme animateurs *et* producteurs. Quelques-uns bénéficient d'avantages en nature : voiture, chauffeur, frais de représentation. Certains touchent d'autres salaires [radios, autres médias, édition, à-côtés : animations de débats, de fêtes ou de galas (ex. 10 000 à 30 000 F pour une conférence ; 20 000 à 50 000 F pour animer un gala ; 15 000 à 20 000 F pour une présentation)].

Aux USA les présentateurs peuvent toucher 1,5 à 2,5 millions de $ par an (ex. Bill Cosby 10 millions de $).

Salaires bruts mensuels (en milliers de F). Le 23-9-1988, « Le Nouvel Observateur » a donné quelques précisions. **TF1 :** *Anne Sinclair :* « Questions à domicile » et « 7 sur 7 » 110. *Bernard Pivot* 140. *Christine Ockrent :* présentatrice du 20 Heures 120 (plus, selon la CGT, 50 de primes et indemnités). Elle aurait touché auparavant 240 à TF1 qu'elle avait quitté le 8-7-1988. *William Leymergie :* présentateur du 13 H/100. *Henri Sannier :* prés. du 23 H/60. *Claude Contamine,* P-DG : 55. *Paul Amar :* chef du service politique, rédacteur en chef adjoint 29. *Jacques Abouchar :* envoyé permanent à Washington, rédacteur en chef 27 + prime de résidence (20). 28 ans d'ancienneté. La Lettre de Paul Wermus donnait pour **La 5** (en milliers de F, début 1992 avant l'arrêt des émissions) : Guillaume Durand 162,24, Patrice Duhamel 94, Patrice Dominguez 85, Gilles Schneider 76, Pierre-Luc Séguillon 75, Pierre Géraud 73,6, Béatrice Schonberg 50, Michel Cardoze 44,8, Denis Vincenti 35, etc.

Un rapport du Sénat indique comme cachets annuels les plus élevés sur A2 (en 1987, en F) Bernard Pivot 1 364 340. Armand Jammot 1 150 239. Jacques Chancel 1 089 284. Philippe Bouvard 1 063 726. William Leymergie 836 000. Jean-Marie Cavada 700 000. Ève Ruggieri 610 643. Claude Barma 603 565. Jean-Luc Leridon 580 831. Dominique Colonna 578 129.

☞ La plupart des stars sont patrons de stés de production : Christophe Dechavanne (Coyote), Patrick Sabatier (Télévasion), Michel Drucker (DMD), Philippe Gildas (Ellipse), Jacques Martin (JMP), Antoine de Caunes (NBdC), Thierry Ardisson (Ardisson & Lumières), Stéphane Collaro (Julia), dont le chiffre d'affaires peut dépasser 100 millions de F.

☞ *P.-L. Sulitzer* reçut 1 779 000 F pour parrainer des « Histoires de fortunes ». *Yves Montand* 800 000 F pour sa participation à « Montand à domicile » sur TF1 le 12-12-1987.

■ **Tribunaux. Greffiers** (traitement mensuel en F en 1991 net indiciaire n.c. l'indemnité de résidence) 5 582 à 9 338 ; *en chef :* 8 570 à 16 601. **Jurés :** indemnité journalière : 40 + (montant horaire en Smic × 8) ; s'il y a perte de salaire, indemnité supplémentaire (Smic × nombre d'h).

Magistrats. Traitement mensuel net en F (1991) compte tenu des indemnités. *Juges de tribunaux de grande instance, d'instance, d'instruction, d'enfants, d'application des peines et substituts :* 12 728 à 29 985. *Auditeurs de justice* (ind. 352) : net après retenues 7 304.

Témoins. Indemnité de comparution : 10 + (Smic horaire × 4) ; s'il y a perte de salaire, indemnité supplémentaire : Smic × nombre d'h.

Tribunal de commerce. Pas de rémunération.

■ **Vétérinaires. Nombre** (au 30-3-1992) : 13 487. En exercice 9 840 (73 %) dont *praticiens libéraux* 7 386 (médecine mixte 3 186, canine 2 928, non déf. 831, rurale 305, équine 136), *salariés* 2 454 (secteur public 1 401, privé 800, assistants/remplaçants 233). *N'exerçant pas à temps plein* 1 294 (10 %). *Retraités* 2 353 (17 %) dont libéraux 1 701, autres 652. **Honoraires :** Libres, soumis à la TVA (18,60 %). **Salariés :** salaire annuel 124 000 à 520 000 F.

■ **Voleurs à la tire (expérimentés).** A Paris, dans le métro, env. 40 000 F par mois.

CHEFS D'ÉTAT

■ **France (sommes annuelles).** LISTE CIVILE [l'expression désignait depuis la révolution de 1688 en Angl. un fonds affecté aux dépenses civiles, parmi lesquelles celles de la maison du roi. Le 9-6-1790, un décret de l'Assemblée constituante règle pour la 1re fois la liste civile de Louis XVI. Un autre décret, du 26-5-1791 crée une dotation de la couronne. Un décret de l'Assemblée législative du 10-8-1792 la supprime en même temps que la royauté puis la liste civile est rétablie par l'art. 15 du sénatus-consulte du 28 floréal an XII. En vertu des chartes de 1814 et de 1830, la liste civile a ensuite été fixée par les Chambres à l'avènement de chaque règne] : **Louis XVI :** (roi et sa maison 26 000 000 F, reine 4 000 000 F). Étaient réservés au roi : Louvre et Tuileries (destinés à son habitation), maisons, bâtiments, emplacements, terres, prés, corps de ferme, bois et forêts, comprenant grands et petits parcs de Versailles, Marly, Meudon, St-Germain-en-Laye, St-Cloud, Rambouillet et Fontainebleau ; bâtiments et fonds de terre dépendant de la manufacture de porcelaine de Sèvres ; bâtiments et dépendances de la manufacture de la Savonnerie et des Gobelins ; château de Pau ; avec son parc. La dépense du garde-meuble était à la charge de la liste civile, le roi ne pouvait disposer, pour son usage, du mobilier conservé dans cet établissement. Le roi avait la jouissance des diamants dits « de la couronne », des perles, pierreries, statues, tableaux, pierres gravées, et autres objets d'art, appartenant à l'État, et dont il devait être dressé inventaire. **Napoléon Bonaparte :** *1er Consul* (an VIII) 500 000 F. *Empereur* 25 000 000 F (il eut en outre le domaine de la couronne, un domaine dit d'extension, et un d. privé). **Louis XVIII :** 25 000 000 F pour sa maison civile, 9 000 000 pour sa maison privée, 4 000 000 de F de dotation immobilière. **Louis-Philippe :** 12 000 000 de F (Cte de Paris 1 000 000 de F, Duchesse d'Orléans 300 000 F). La loi des finances lui attribua les palais, châteaux, domaines, fermes, etc. mentionnés dans la loi du 26-5-1791, sauf terre et château de Rambouillet. **IIe République :** *Pt* 600 000 F + frais de représentation 600 800 F. **Napoléon III :** *1849-1851* 1 500 000 F, puis 25 000 000 (Pces de la famille impériale 2 200 000).

IIIe République : *Pt* 600 000 F (+ frais de maison : *1873* 143 000, *1875* 300 000, *1877* 600 000). *1928* 1 800 000 (+ frais de maison 1 800 000). **IVe République :** *1953* 73 000 000 AF (avec frais de maison). **Ve République :** *1965* 1 624 000 F pour la Présidence de la Rép. et 2 320 256 F pour la Communauté (avec frais de maison). *1993* dotation et frais de maison 5 887 000 F ; secrétariat gén., services adm. 7 734 000 F ; frais de représentation et de déplacement 3 431 000 F ; parc automobile (frais de renouvellement et de fonctionnement) 1 945 000 F, soit au total 18 997 000 F. Taxe d'habitation acquittée en 1992 par le Pt de la Rép. pour son appartement de fonction à l'Elysée : 18 777 F. Le Pt est soumis à l'impôt sur le revenu pour son traitement brut mensuel de 37 687,17 F.

Retraites des anciens Pts de la République : la loi de Finances du 3-4-1955 (art. 19 toujours en vigueur) leur attribue une dotation annuelle égale au traitement incidiaire brut d'un conseiller d'État en service ordinaire », soit, en 1985, 336 000 F (la moitié étant réversible sur leur veuve ou leurs enfants jusqu'à leur majorité). L'usage s'établit aussi de mettre gratuitement à leur disposition logement, voiture, secrétariat. Depuis la Constitution de 1958 (art. 56), les anciens Pts « font, de droit, partie à vie du Conseil constitutionnel » et perçoivent à ce titre « une indemnité égale aux traitements afférents aux deux catégories supérieures des emplois de l'État classés hors échelle », soit, en 1985, 349 000 F ; cette indemnité étant réduite de moitié pour les membres du Conseil qui continuent d'exercer une activité compatible avec leur fonction. Cette indemnité est cumulable avec celle de la loi du 3-4-1955 ; ce n'est pas le cas pour le Pt Giscard d'Estaing qui ne perçoit que 70 000 F par mois (+ revenus personnels et droits d'auteurs) ; il a une voiture avec chauffeur à Clermont-Ferrand, en tant que Pt du Conseil régional d'Auvergne ; comme ancien Pt de la Rép., il a également à Paris une voiture avec chauffeur et un appartement dans lequel il loge sa secrétaire.

■ **Étranger. Souverains :** *G.-B.* (au 1-1-1991) : (Élisabeth II) : 80 millions de F [soit 7 900 000 £ (Reine Mère 640 000, Pce Philippe 360 000)].

☞ **Retraite de Reagan :** pension de Pt : 99 500 $, de gouv. de Californie : 30 000 $, allocation de secrétariat : 300 000 $. Il dispose de bureaux à Los Angeles et d'un pied-à-terre à Washington.

MINISTRES EN FRANCE

Traitement mensuel net. Ministres fonctionnaires et, entre parenthèses, non fonctionnaires [1] + indemnité représentative de frais (en F, au 1-2-1993) : *Premier ministre :* 62 230,99 (58 214,18) + 16 893. *Ministre :* 47 915,24 (44 426,16) + 7 686. *Secr. d'État :* 41 947,97 (38 526,49) + 3 682.

Nota. – (1) La différence de traitement entre ministre fonctionnaire et non fonctionnaire tient au mode de calcul des retenues de Séc. soc. et de retraite.

Train de vie d'un ministre (montant mensuel, en F, évalué par « Le Nouvel Observateur » (sept. 90). **Ministre :** traitement après impôt env. 30 000 + rémunérations liées aux charges de maire 1 300 à 18 000, 2 voitures de fonction (R25, Citroën XM ou 605 Peugeot), 2 chauffeurs à 16 000 et 2 chauffeurs à sa disposition 30 000. Logement 20 000 à 100 000. Pour ceux habitant au ministère, frais de table 10 000 à 30 000, 2 ou 3 domestiques 36 000. Carte de libre accès SNCF, 1re cl. 4 500. Part des fonds secrets 25 000 à 50 000 distribués en grande partie à ses collaborateurs. *Total général :* ministre maire d'une ville moyenne : appartement de fonction de 400 m², 3 domestiques, 2 voitures, 2 chauffeurs, gardant pour faux-frais 10 000 F : 250 000 F soit avant impôt 487 000 F soit 5 800 000 F par an. **Secrétaire d'État** sans logement de fonction, bénéficiant de 2 voitures avec chauffeur et ne gardant pour lui aucun fonds secret env. 90 000 soit 170 000 F bruts.

Retraite des membres du gouvernement. *Ordonnance du 27-11-1958 :* indemnité égale au traitement alloué lorsqu'ils étaient en fonction ; servie 6 mois s'ils n'ont pas repris une activité rémunérée. Sinon aucun régime indemnitaire ou de retraite propre attaché à la qualité d'ancien 1er min. ou d'ancien min. ou secr. d'État. *Sécurité sociale :* régime général. Les non-fonctionnaires sont affiliés au régime des retraites complémentaires institué pour les agents non titulaires de l'État, l'Ircantec. Les parlementaires devenus ministres peuvent continuer à verser leur cotisation à la caisse des retraites du Parlement. S'ils sont fonctionnaires, ils peuvent alors cotiser à la fois à la caisse des retraites du Parlement et au titre de leur administration, ceux qui sont députés sont autorisés à cotiser à la caisse des pensions des députés et anciens députés jusqu'à la fin de la législature, s'ils ont cessé avant cette date d'exercer leurs fonctions ministérielles et s'ils n'ont pas retrouvé un mandat de député.

Assemblée législative en France

■ **Traitements passés. Directoire :** m. du Conseil des Cinq Cents et du Conseil des Anciens : indemnité annuelle en nature égale à la valeur de 613 quintaux 32 livres de froment. **Consulat** (par an) : tribuns 15 000 F, législateurs 10 000 F, sénateurs 25 000 F. **Empire** (par an) : sénateurs 30 000 F. **Restauration, gouv. de Juillet :** aucun traitement. **IIe Rép. :** sénateur 30 000 F par an, députés 25 F par j. **IIe Empire :** la Constitution ne prévoyait aucune indemnité ; plus tard on verse une indemnité journalière selon la durée des sessions à raison de 2 500 F par mois. **IIIe Rép. 1849 :** 9 000 F par an. **1906 :** 15 000 F par an. **Ve Rép. :** indemnité mensuelle (montant fixé par l'ordonnance 58-1210 du 13-12-58) égale à la moyenne du traitement le plus bas et du traitement le plus élevé des fonctionnaires de l'État classés dans la catégorie hors échelle + indemnité de résidence (3 % de l'indemnité de base) + indemnité de fonction égale à 25 % du total du traitement et de l'indemnité de résidence.

■ **Députés. Nombre :** 577 (au 2-3-93). **Indemnité brute :** 39 145,05 F dont indemnité parlementaire 30 403,92, de résidence 912,12, de fonction 7 829,01. **Nette :** 30 654,01 F (après déduction des cotisations retraite 6 491,84, Sécurité soc. 1 276,97, solidarité 313,16 et CSG 409,07). **Avantages annexes :** indemnité personnelle pour frais de secrétariat de 25 456 + 25 886 versés par l'Assemblée aux assistants que le député embauche (2 ou 3). « Indemnités spéciales » (par mois en 1993) : Pt de l'Ass. nationale 56 368,87 F, questeurs 7 515,85, vice-Pts 5 636,89, Pts des commissions permanentes, de la commission spéciale chargée de vérifier et d'apurer les comptes, rapporteur gén. de la commission des Finances 4 769,55, secr. du bureau 3 757,93. En outre, les vice-Pts et les questeurs de l'Ass. et les Pts de commission disposent d'un secrétariat renforcé, d'une voiture et d'un chauffeur. **Autres facilités :** forfait de communications téléphoniques gratuites à partir de la circonscription, gratuité à l'Ass. des appels interurbains, affranchissement par l'Ass. du courrier parlementaire (dep. 1924), carte de circulation SNCF (1re cl. ou wagons-lits), 40 allers et retours gratuits sur les lignes aériennes intérieures, prêts à taux bonifiés pour une résidence.

Imposés à 80 % de leur indemnité brute, sur l'indemnité parlementaire et l'indemnité de résidence soit sur 31 316,04 F (non imposés sur l'indemnité de fonction). **Charges :** cotisation au parti ou autre groupe politique [ex. PC (le parti leur reverse 10 542 F par mois), PS 7 500 à 16 500 selon ses charges de famille, s'il est ou non Pt, vice-Pt de conseil général ou régional, maire de grande ville, etc., UDF 2 500 F, RPR 1 500 F], plus en période électorale reversement au parti d'une partie du droit à des assistants (ex. : 4 600 F), frais dans la circonscription (loyer de permanences, matériel de secrétariat, essence pour tournées + la moitié des frais d'entretien de sa voiture = 9 000 F/mois, secr. dans la circonscription 8 200 F).

■ **Sénateurs. Nombre :** 321 (au 1-3-93) Brut 39 145 F dont *imposable :* indemnité parlementaire 30 404, de résidence 912 ; *non imposable :* indemnité de fonction 7 829. *Retenues* 4 857 F dont retraite normale 2 481, SS maladie 827, SS décès 827, contribution de solidarité 313, CSG 409. *Indemnité nette :* 34 288 F. **Avantages annexes :** indemnité de secrétariat de 20 456 F (non imposable), subvention au groupe 11 232 F (hors charges patronales) versés directement aux assistants (1 à 4 par sénateur) 26 514 F. Possibilité d'emprunt pour l'achat d'un logement et d'une voiture. Les indemnités supplémentaires versées aux membres du bureau et aux Pts des commissions sont identiques aux « ind. spéciales » allouées par l'Ass. nat. De même, les sénateurs disposent, comme les députés, de facilités postales, téléphoniques et de transports.

Cumuls d'indemnités : les indemnités parlementaires ne peuvent pas être cumulées avec celles de conseiller général ou régional. Les ind. de fonction versées à un maire ou à un adjoint, également parlementaire, sont réduites de moitié. Les élus municipaux peuvent également percevoir des ind. au titre des responsabilités qu'ils exercent dans des établissements publics locaux (syndicats intercommunaux en particulier).

Retraite des parlementaires. Système autonome et obligatoire. Les *députés* peuvent commencer à se constituer une retraite (un peu moins de 10 000 F par mois) en une seule législature de 5 ans, en payant une double cotisation mensuelle de 6 492 F. À chaque nouvelle élection, le montant de leur pension augmente jusqu'à 34 890 F au bout de 37 ans et demi. Ass. nationale et Sénat participent aux cotisations. S'ils sont élus au Parlement, les fonctionnaires étant placés en position de détachement doivent quitter leurs fonctions (sauf les prof. d'université). S'ils sont battus, ils retrouvent leur administration d'origine et peuvent continuer à cotiser à la retraite des fonctionnaires.

Élus locaux

■ **Conseillers régionaux. Nombre** 1 998 (dont métropole 1 840, Dom-Tom 158) au 1-1-1989 se réunissant 3 ou 4 fois par an pour des sessions de 1 à 2 j. **Indemnité mensuelle moyenne par conseiller** [1] (en 1992 et, entre parenthèses, en 1987). Alsace 7 490 (10 100). Aquitaine 8 905 (11 400). Auvergne 7 490 (6 206). Basse-Normandie 7 490 (6 664). Bourgogne 7 490 (7 567). Bretagne 8 905 (6 137). Centre 8 905 (8 843). Champagne-Ardenne 7 490 (6 250). Corse 6 051 (2 542). Franche-Comté 7 490 (6 306). Haute-Normandie 7 490 (6 043). Ile-de-France 10 261 (16 412). Languedoc-Roussillon 7 490 (6 516). Limousin 6 051 (5 320). Lorraine 8 905 (12 093). Midi-Pyrénées 8 905 (10 567). Nord-Pas-de-Calais 10 261 (22 673). Pays de la Loire 8 905 (5 837). Picardie 7 490 (11 877). Poitou-Charentes 7 490 (7 790). Provence-Alpes-Côte-d'Azur 10 261 (6 945). Rhône-Alpes 10 261 (7 162).

■ **Conseillers généraux. Nombre** 3 984 (dont métropole 3 814 ; Dom-Tom 170) au 1-2-1990. **Indemnité mensuelle moyenne par conseiller** [1] **dans quelques départements** (en 1992 et, entre parenthèses, en 1987). Corrèze 6 051 (2 658). Côtes-d'Armor 8 905 (4 822). Drôme 7 490 (12 204). Gironde 9 604 (4 671). Haute-Corse 6 051 (3 250). Haute-Loire 6 051 (3 665). Hautes-Pyrénées 6 051 (3 608). Hauts-de-Seine 10 261 (21 477). Lozère 6 051 (3 031). Martinique 7 490 (4 096). Meurthe-et-Moselle 8 905 (15 293). Meuse 6 051 (12 459). Orne 7 490 (11 743). Pas-de-Calais 10 261 (16 126). Réunion 7 490 (4 144). Seine-Saint-Denis 10 261 (18 795). Val-de-Marne 9 604 (15 145). Var 8 905 (3 100). Vaucluse 7 490 (18 403). Yvelines 9 604 (17 277).

Nota.– (1) Nette de cotisation de retraite et d'impôt sur le revenu.

Depuis un décret du 4-9-1992, conseillers généraux et régionaux ne sont plus remboursés de leurs frais sur justificatifs mais perçoivent une indemnité forfaitaire de 75 F par repas, 195 F par nuitée en province, 230 F à Paris.

■ **Élus communaux. Maires. Nombre des communes** (mars-avril 1990) : 36 763. *Indemnités mensuelles de fonction des maires* (en %) Max. pouvant être accordé à chacun (au 1-2-93) fixé par décret selon le nombre d'habitants de la commune : *- de 500 hab. :* 2 512,16 (40), *500 à 999 :* 3 558,89 (40), *1 000 à 3 499 :* 6 489,74 (40), *3 500 à 9 999 :* 9 001,90 (40), *10 000 à 19 999 :* 11 514,06 (40), *20 000 à 49 999 :* 13 607,53 (40), *50 000 à 99 999 :* 15 701,00 (40), *100 000 à 200 000 :* 18 841,20 (50), *+ de 200 000 :* 19 887,93 (50). *Paris-Lyon-Marseille* au 30-12-92 : 23 348.

Maires et adjoints bénéficient aussi du remboursement de frais de mission (incluant dépenses de transport) ; les conseils municipaux peuvent, en outre, voter sur leurs ressources ordinaires des indemnités aux maires pour frais de représentation. Le cumul d'indemnités déterminé par l'article L. 123-4-11 du Code des communes (article 15 de la loi n° 92-108 du 3-2-1992) était écrêté à 45 606 F/mois au 1-2-93. Les délégués des communes dans les communautés urbaines et dans les communautés de villes de + de 400 000 hab. se voient attribuer des indemnités fixées par les conseils (au max. 28 % de l'indice 818, soit 5 861,70 F/mois au 1-2-93).

Conseillers municipaux. Nombre total : 508 261 dont 331 259 ne touchent pas d'indemnités. **Indemnités annuelles de fonction :** *Paris* (96 770 F), *Lyon* et *Marseille* (64 513 F). *Communes de + de 120 000 hab.* ou de 400 000 hab. dans lesquelles le conseil municipal décide de créer ces indemnités. *Autres communes* pas d'indemnités de fonction, mais éventuellement remboursement de « frais de mission ». *Majorations possibles :* chefs-lieux de département (25 %), d'arrondissement (20 %) et de canton (15 %), communes sinistrées (% égal au % d'immeubles sinistrés), classées stations hydrominérales, climatiques, balnéaires, touristiques, uvales ou dont la population a augmenté suite à des travaux publics d'intérêt national : 50 % si pop. inférieure à 5 000 hab., 25 % si au-delà ; communes de + de 2 500 hab. situées dans la 1re zone de salaires de la région parisienne et c. suburbaines à caractère ind. des villes de + de 120 000 hab. (échelon immédiatement supérieur).

■ **Revenu mensuel** [1] **de quelques personnalités politiques** (en F, oct. 1991). **Laurent Fabius** [4] 91 873 (pt Ass. nat. 89 956, maire-adjoint du Grand-Quevilly 1 917). **Alain Poher** [2] 89 956 (Pt du Sénat). **Édith Cresson** [4] 73 102 (Premier ministre 61 600, maire de Châtellerault 11 502). **Jean-Marie Rausch** [3] 67 025 (min. des PTT 37 828, pt cons. rég. de Lorraine 18 197, maire de Metz 11 000). **Charles Pasqua** [5] 66 867 (pt cons. gén. des Hts-de-Seine 30 000, sénateur 36 867). **Jacques Chirac** [5] 64 704 (maire de Paris 9 705, pt cons. gén. de Paris 18 132, député 36 867). **Jean-Claude Gaudin** [6] 61 867 (pt cons. rég. de Provence-Alpes-Côte d'Azur 17 000, cons. municipal de Marseille 8 000, sénateur 36 867). **Jean Lecanuet** [6] 60 044 (maire de Rouen 5 685, pt cons. gén. de Seine-Maritime 13 000, sénateur 36 867, pt de la comm. des aff. étr. et de la défense au Sénat 4 492). **Michel Noir** [5] 54 060 (maire de Lyon 7 641, pt comm. urbaine de Lyon 9 552, député 36 867). **Jacques Chaban-Delmas** [5] 53 041 (maire de Bordeaux 7 120, pt comm. urbaine de Bordeaux 9 054, député 36 867). **Pierre Bérégovoy** [4] 47 342 (min. de l'Économie 37 828, maire de Nevers 8 456, cons. gén. de la Nièvre 1 058). **Pierre Mauroy** [4] 46 617 (maire de Lille 4 875, pt comm. urbaine de Lille 4 875). **Valéry Giscard-d'Estaing** [6] 45 773 (pt cons. rég. d'Auvergne 8 906, député européen 36 867). **Robert Vigouroux** [3] 44 508 (maire de Marseille 7 641, sénateur 36 867). **Jean-Pierre Chevènement** [4] 43 118 (maire de Belfort 6 251, député 36 867).

Nota. – (1) Non imposable dans sa totalité sauf le traitement de ministre, les indemmités de représentation sont exemptées. (2) CDS. (3) Maj. près. (4) PS. (5) RPR. (6) UDF.

Élus à l'étranger

■ **Députés européens.** *Indemnités fixées par chaque pays de la Communauté* (en F, net par mois, juillet 1983) : *France (mars 1993) 39 145,* All. féd. 24 000, Italie 22 800, Belgique 22 100, P.-Bas 20 450, G.-B. 16 000, Luxembourg 15 300, Danemark 13 500, Irlande 13 000, Grèce 11 960. Indemnités versées directement par l'Ass. européenne à chaque groupe parlementaire. Frais de secrétariat 90 000 à 98 000 F en 1988, activités politiques supplémentaires 40 000 à 50 000 F, budget informatique 14 000 à 18 000 F. Frais généraux 1 776/mois (– 50 % pour les députés qui n'assistent pas à au moins la moitié des journées de session parlementaire) ; indemnités de présence 125 E./j ; frais de voyage et séminaires 2 500 E./an ; déplacement pour session : 0,47 E./km pour les 400 1ers (0,23 au-delà).

■ **Parlementaires étrangers.** *Allemagne :* Bundestag 40 000 F (13 139 DM) dont 25 000 imposables ; Bundesrat pas d'indemnité. *États-Unis :* Sénat ou Chambre des représentants (1988) (89 500 $) 600 000 F par an, Pt et chefs de l'opposition et de la majorité : 99 500 $, porte-parole de la Chambre des représentants : 115 000 $. *Italie :* 48 000 F par mois, nets de cotisations sociales et d'impôts + 16 000 F env. pour payer des collaborateurs. *Portugal :* député 7 617 F par mois (1988). *Royaume-Uni :* Ch. des communes 15 500 F (1 410 £), Ch. des lords 1 400 F (127 £).

Prix dans le monde

Indices des prix à la consommation (Base 100 = 1980)

Pays	Indice	Pays	Indice
Afr. du S.	528,2 [6]	Indonésie	133,3 [6]
Algérie	374,1 [3]	Irlande	224,6 [8]
All. féd.	141,4 [9]	Israël	90 897,7 [9]
Arabie S. [11]	98,7 [6]	Italie	283,7 [7]
Argentine [17]	284 555 [9]	Japon	129 [9]
Australie	226,9 [6]	Luxembourg [18]	107,7 [8]
Autriche	153 [9]	Madagascar	556,6 [8]
Belgique	166,3 [9]	Maroc	226,3 [3]
Bolivie [13]	1 468 493 [2]	Mexique	21 396,2 [4]
Brésil [17]	4 240 158 [7]	Nigeria [17]	213 [2]
Canada	192,4 [9]	Norvège	222,2 [9]
Chili	951,8 [10]	N.-Zélande	286,8 [9]
Colombie	1 519,2 [9]	Pākistān [12]	209,8 [8]
Corée (Rép. de)	215,2 [9]	P.-Bas	138,4 [9]
Costa Rica	1 588,5 [8]	Pérou	952,7 [6]
Danemark	182,6 [9]	Philippines [11]	170,7 [9]
Égypte	664,3 [6]	Pologne	274 [9]
Espagne	278,3 [9]	Portugal [19]	111,8 [9]
États-Unis	173,1 [10]	Sénégal	173,8 [2]
Éthiopie	221,6 [2]	Suède	234,9 [9]
Finlande	206 [9]	Suisse	156,6 [10]
France	*195,9* [9]	Tanzanie	1 880,9 [3]
Gabon	156 [2]	Tchécosl. (ancien)	230,3 [9]
Ghāna	4 771,6 [5]	Thaïlande	173,3 [9]
G.-B.	208,2 [9]	Tunisie	253,4 [7]
Grèce	852,1 [10]	Turquie [16]	1 588,3 [9]
Guatemala [14]	485 [9]	Venezuela [14]	1 103,4 [10]
Hong Kong	274,7 [9]	Yougoslavie	1 898 181 [1]
Hongrie	481,4 [9]	Zambie [15]	11 092,4 [6]
Inde	305,9 [5]		

Nota. – (1) sept. 1991. (2) février 1992. (3) mars 1992. (4) juillet 1992. (5) août 1992. (6) sept. 1992. (7) oct. 1992. (8) nov. 1992. (9) déc. 1992. (10) janvier 1993. (11) base 1981. (12) b. 1982. (13) b. 1983. (14) b. 1984. (15) b. 1985. (16) b. 1987. (17) b. 1988. (18) b. 1990. (19) b. 1991. *Source :* Onu (mars 1993).

Augmentation annuelle en %

Prix à la consommation. *Source :* OCDE

	85	86	87	88	89	90	91	92
All. féd.	1,8	- 1,1	1	1,6	3	2,7	3,5	4
Australie	7,6	9,8	7,1	7,7	7,8	7,3	3,2	1
Autriche	2,8	1,1	1,7	1,9	2,9	3,3	3,3	4
Belgique	4	0,6	1,4	1,9	3,6	3,4	3,2	2,4
Canada	4,4	4,2	4,2	4	5,1	4,8	5,6	1,5
Danemark	3,6	4,3	4,1	4,5	4,8	2,7	4	2,1
Espagne	8,1	8,2	4,6	5,8	6,9	6,7	5,9	5,9
Finlande	4,9	3,4	4,2	6,5	6,6	6,1	4,3	2,9
France	*4,7*	*2,1*	*3,1*	*3,1*	*3,6*	*3,1*	*2*	*2,4*
G.-B.	5,7	3,7	3,7	6,8	14,8	9,5	5,9	3,7
Grèce	25	16,9	15,7	14	4,7	20,4	19,5	15,9
Irlande	4,9	3,2	3,1	2,7	25,2	3,3	2	3,1
Islande	38,4	13,8	24,3	20,5	6,5	15,9	6,8	3,6
Italie	8,9	4,2	5,2	5,4	2,6	6,1	6,5	5,3
Japon	1,8	0	0,5	0,9	3,9	3,1	3,3	1,7
Luxemb.	4,1	- 1,4	0,7	1,9	4,2	3,7	3,1	3,2
Norvège	5,6	8,9	7,4	5,6	7,2	4,1	3,4	2,3
N.-Zélande	15,3	18,2	9,6	4,7	1,3	6,1	2,6	1
P.-Bas	1,7	- 0,1	- 0,2	1,2	11,6	2,5	3,9	3,7
Portugal	16	10,6	8,9	11,7	7,7	13,4	11,4	8,9
Suède	5,6	3,3	5,1	6	6,6	10,5	9,3	2,3
Suisse	3,2	0	1,9	2	5	5,4	5,8	4
Turquie	47,5	32,5	55,1	75,2	68,8	60,3	66	70,1
USA	3,8	1,1	4,4	4,4	4,6	5,4	4,2	3

	Moyenne			Variation % en mai 93
	1991	Déc. 1992	Mai 1993	Sur 1 an
Indices des prix internationaux des matières 1res				
Moody's	1 026,7	981,5	1 070,4	5,8
Reuter	1 682,8	1 672,7	1 669,2	4,7
HWWA	136,4	124,9	119,5	- 10,7
Pétrole brut « Brent » Rotterdam				
Moyenne $ baril	18,83	18,8	18,7	- 6,5
Indice des prix internationaux des matières 1res importées (100 = 1980)				
Ensemble (indice en F)	116,3	102,6	96,4	- 9,7
Produits industriels	127,6	111,0	103,2	- 12,9
Prod. ind. (sauf mét. précieux)	138,8	120,3	109,0	- 15,6
Produits alimentaires	86,7	80,7	78,5	2,5
Ensemble (indice en devises)	95,6	90,2	84,3	- 6,9
Prod. ind. (sauf mét. précieux)	117	109,4	98,7	8,7

Moody's (prix boursiers USA en $, base 100 = 31-12-1931). *Reuter* (prix de gros G.-B. en £, base 100 = 18-9-1931). *HWWA* (Institut Hambourg : prix mat. import. par pays OCDE, hors énergie, base 100 = 1975).

Définitions

■ **Inflation.** Causée par un excès de la demande par rapport à l'offre des biens et services, ou par une hausse des coûts de production. Ces 2 phénomènes, le plus souvent combinés, sont liés à une augmentation du pouvoir d'achat de l'État, des particuliers et des entreprises, qui n'est pas équilibrée par une croissance de la production au déficit des finances publiques, introduit trop de monnaie sans compensation de production dans les circuits écon. Notre société de consommation est une société d'inflation. Elle multiplie les besoins et les exaspère. Les groupes sociaux s'affrontent et s'organisent pour défendre leur pouvoir d'achat, anticipant même sur la hausse des prix pour être sûrs de ne pas en être victimes. Dans de nombreux secteurs, les grandes firmes fixent à la hausse des prix « concertés » quel que soit le volume de la demande. En outre, la forte augmentation du crédit, des déficits des balances des paiements, des réserves des Banques centrales, des prix des matières premières, le surendettement des entreprises et la croissance trop rapide de la masse monétaire ont pu renforcer l'inflation ces dernières années.

La généralisation de l'inflation a été une cause supplémentaire de sa prolongation. Quand un pays était seul à connaître l'inflation (par exemple la France en 1958), il devait prendre rapidement des mesures pour en sortir, car il risquait d'être asphyxié par les autres. La lutte a été plus molle par la suite car ce n'était plus le cas.

Évolution. Dep. 1914, les prix ont presque toujours monté. Il n'y a eu que 9 années de baisse et 3 années de stabilité. Les poussées d'inflation se sont terminées par la baisse des prix des mat. premières (ex. : en 1920) ou par la chute du pouvoir d'achat des salariés pendant une période plus ou moins longue. En 1993, déflation dans plusieurs secteurs.

Inflation en Europe de l'Est. *Causes :* ouverture de l'économie au marché mondial ; répercussion des hausses des prix des matières premières et des produits industriels ; importance de la masse monétaire par rapport à la faiblesse de la production des produits de consommation ; insuffisance des produits agricoles.

■ **Déflation.** Contraire de l'*inflation.* Au *XIXe siècle,* on voit avec les progrès de l'industrialisation des périodes de baisse de prix, ainsi aux États-Unis (1820-50 et 1870-90) ou en France (fin du XIXe siècle). En 1993, des baisses de prix sont constatées.

☞ **En 1992, pour acheter : 1 kg de bœuf :** un métallurgiste devait travailler aux USA 16 min 45 s ; All. féd. 1 h 11 min ; G.-B. 1 h 17 min ; *France 1 h 42 min ;* Japon 2 h 26 min ; **un réfrigérateur :** USA 25 h, Italie 67 h, *France 83 h,* Suède 85 h, Chili 410 h, Inde 997 h ; **une automobile :** Japon 341 h, USA 753 h, G.-B. 1 318 h, Italie 1 463 h, Espagne 1 545 h, Australie 1 781 h, *France 1 922 h.*

Prix en France

■ **Politique récente des prix en France.** **1972** *mars* contrats antihausse (État/entreprises) fixant des augmentations annuelles maximales. **1974** *oct.* accords forfaitaires : l'Administration n'autorise les hausses qu'à intervalles et dans des proportions déterminées. **1975** *janv.* réglementation des marges commerciales. *Juin* fixation autoritaire des prix de certains produits pendant 3 mois. *Nov.* les marges commerciales de 50 produits de grande consommation sont plafonnées pour 6 mois. **1976** *sept.* blocage des prix de tous les produits (sauf prix agr. à la production, prix pétroliers et matières 1res importées) durant 3 mois 1/2. **1977** *janv.* système négocié de contrats appelés « engagements de modération » pour les entreprises de + de 20 salariés. *Nov.* blocage des prix de certains produits alim. **1978**-*1-6* libération des prix industriels, puis de ceux du commerce et des services, pour la 1re fois depuis 40 ans. Seuls demeurent fixés par l'Administration les prix des taxis, des produits pétroliers, des médicaments remboursables et les prix d'intervention agricole. **1981** *oct.* blocage durant 3 mois des prix de certains produits alim. et des services. Blocage des marges des importateurs. **1982** *janv.* accords de modération dans les services et opération « trêve des prix » sur des produits de grande consommation. *Avril* blocage des marges commerciales sur certains produits alim. *Juin* blocage général des prix (sauf prod. pétroliers, matières 1res importées et prod. agricoles) durant 4 mois 1/2. *Oct.* signature d'accords par profession, limitant les hausses pour 1983 à 7 % en moyenne, hausses sur les produits importés non comprises. **1983** *nov.* fixation des prix par arrêté pour tous les prestataires de services n'ayant pas respecté les accords contractuels d'oct. 1982. **1984**-*19-1* certains prix sont libérés. **Depuis avril 1986** libération des prix.

■ Indices des prix de détail

■ **De 1900 à 1949.** Plusieurs indices ont été établis. Ils ne contenaient que 34 articles, essentiellement dans le secteur alimentaire. **De 1949 à 1957.** Le nombre des articles s'accroît et couvre le secteur alim., la plupart des prod. manufacturés et de nombreux services (indice des 213 articles pour la Seine, 183 pour la province). Les gouv. manipulent l'indice. Ainsi Ramadier en agissant l'hiver 1956-57 sur certains prix (détaxation, subvention, blocage) empêche-t-il l'indice de monter. Dep. 1970, les prod. dont on relève le prix et qui figurent dans l'indice sont secrets, ce qui rend quasi impossible une manipulation.

■ **Indice. Des 235 articles :** calculé de mars 1957 (base 100) à mars 1963, mesurait l'évolution des prix en province. **Des 250 articles :** 1-7-1956/30-6-57 : base 100, pour l'agglomération parisienne. **National des 259 articles :** calculé de janv. 1962 à févr. 1971, mesurait l'évolution des prix des produits ou services consommés par les ménages de toutes tailles (célibataires exclus) dont le chef était ouvrier, employé ou « personnel de service » dans les agglomérations de plus de 10 000 hab. (+ de 2 000 hab. à partir de 1964). Par rapport aux indices précédents, l'observation était plus étendue et plus diversifiée.

■ **Indice des 296 postes de dépenses.** (1970 : base 100, puis 1980 : base 100). Il mesure jusqu'en 1992 l'évolution des prix des produits et services consommés par les ménages urbains dont le chef est ouvrier ou employé. Les poids relatifs des différents postes sont révisés chaque année et la liste des produits est adaptée aux changements du marché et gardée confidentielle.

■ **Indice des 265.** Dep. février 1993, base 100 : année 1990. 265 postes de défenses. **Population de référence :** ensemble des ménages. **Relevés mensuels :** env. 150 000. La liste précise des quelque 1 000 biens et services suivis est gardée secrète mais les postes de dépenses sont publics, de même que leurs pondérations qui sont révisées chaque année en fonction de l'évolution des dépenses de consommation.

L'indice exclut : achat de logements, de valeurs mobilières, frais financiers impliqués par les achats à crédit, impôts directs sur le revenu des personnes physiques et impôts directs locaux (contribution mobilière), cotisations sociales, primes d'assurance (assurance auto et assurance incendie entraient dans l'indice des 259 art.), loteries et jeux, salaires versés aux domestiques (inclus dans l'indice des 259 art.), dépenses d'hospitalisation, services juridiques, achat d'œuvres d'art.

Les impôts indirects ne sont exclus que s'ils sont liés à l'activité « productrice » des ménages : contribution mobilière, droits de mutation. Les prix incluent TVA et autres impôts sur la dépense. Loyers, services de santé, pharmacie et réparations de véhicules sont suivis en valeur brute (à la différence de l'indice des 259 articles).

L'indice, qui devrait couvrir 92,5 % de la consommation contre 91 % auparavant, inclut désormais : transports aériens et maritimes, locations de véhicules, transports par ambulance, frais de vétérinaire et frais funéraires.

L'évolution des prix des produits saisonniers n'est plus lissée et les soldes de l'habillement sont pris en compte.

Indice des 265 postes. Pondérations 1993 et, entre parenthèses, **indice 1-2-1993.** Ensemble, y compris tabac 10 000 (107,1). Alimentation, boissons, tabac 2 250 (105), prod. aliment. 1 812 (102,6), boissons non alcoolisées 62 (109,8), alcoolisées 227 (108,5), tabacs 149 (129,5), habillement et chaussures 766 (105), habillement 621 (105,1), chaussures 137 (104), logement, chauffage, éclairage 1 066 (110,2), logement et eau 609 (114,8), chauffage, éclairage 457 (103,4), meubles, matériels et art. de ménage, entretien de la maison 870 (107,5), meubles, tapis, revêtements de sol 217 (107), art. de ménage en textiles, autres art. d'ameublement 94 (107,2), gros appareils ménagers 121 (100,4), verrerie, vaisselle, ustensiles de ménage 103 (112), entretien courant de la maison 335 (109,2), santé 885 (103,2), prod. pharmaceutiques 309 (101,8), appareils thérapeutiques 46 (111,4), médecins, auxiliaires méd. 530 (103,4), transports et communications 1 871 (107,5), achats de véhicules 411 (106,1), utilisation des véhicules 1 000 (108,4), services de transport 271 (112,0), communications 189 (100,6), loisirs, spectacles, enseignement, culture 851 (106,9), appareils et accessoires de loisirs 430 (103,0), loisirs, spectacles, culture 177 (110,3), livres, quotidiens, périodiques 184 (111,0), enseignement 60 (113,5), autres biens et services 1 441 (110,8), soins et prod. personnels 289 (110,9), autres art. personnels 168 (101,5), restaurants, cafés, hôtels 847 (112,5), voyages organisés 12 (112,3), services financiers 54 (114,8), autres services aux ménages 71 (115,0).

☞ *Le poids du tabac dans l'indice des prix :* 149 sur 10 000, soit 1,49 % dans les pondérations de l'indice des prix en 1993. Le pouvoir d'achat se calcule sur l'inflation, tabac compris.

Depuis le 1-1-1992, la loi exige que « toute référence à un indice des prix à la consommation pour la détermination d'une prestation, d'une rémunération, d'une dotation ou de tout autre avantage s'entend d'un indice ne prenant pas en compte le prix du tabac » (loi nº 91-32 du 10-1-1991 relative à la lutte contre le tabagisme et l'alcoolisme, article 1er modifié par l'article 11 de la loi nº 92-60 du 18-1-1992 renforçant la protection du consommateur, JO 21-1-92. Disposition qui s'applique en particulier à l'indexation du Smic et du minimum garanti.

Autres indices

■ **Indice CGT-FO.** Indice des prix à la consommation et budget type correspondant au minimum indispensable à une personne active salariée résidant en ville. 160 articles ou services regroupés en 118 postes. Calculé mensuellement.

■ **Indices Unaf.** Indices des dépenses de subsistance de 4 familles types disposant du niveau de vie minimal décent établi par l'Unaf. Calculés mensuellement : familles A (2 adultes, 2 enfants de 6 à 12 ans) ; B (2 adultes et 2 adol. de 15 à 17 a.) ; C (1 adulte et 2 enf.) et D (2 adultes, 2 adol., 2 enf.). 7 postes (alimentation, habillement, logement, entretien, amortissement du mobilier, transports, loisirs-culture et divers).

Comparaison de différents indices (base 100 en 1990) **en mai 1993 et,** entre parenthèses, **variation sur 1 an** (en %). **Prix et budgets types :** *prix ménagers employé ou ouvrier* y compris tabac 108 (2), sans tabac 107,6 (1,8). CGT : 117,7 (3,1). *Unaf* 2 adult. + 2 enf. : 107,9 (1,2) ; 2 adult. + 2 adolesc. : 108,5 (1,3) ; 1 adult. + 2 enf. : 108 (1,5) ; 2 adult. + 2 enf. + 2 adolesc. : 108,2 (0,9). **Salaires :** *Smic* 110,6 (2,3). Indice de référence 105,7 (-). *Seuil de déclenchement* 107,8 (-). *Minimum garanti* (pour certaines indexations) 107 (0,9). *Salaire horaire ouvrier/ensemble (CVS)* 108,1 (1992) (3,4). **Traitements bruts fonction publique :** ensemble. *Catégorie A* 108,4 (3,1). *B* 109 (3,3). *C et D* 110,3 (4). *Minimum garanti* Paris 109,8 (3,1). Zone abattement maxi 109,9 (3,1). **Pouvoir d'achat :** Smic 102,4 (0,3). *Fonction publique* (min. garanti) 101,8 (0,8).

Évolution des prix

■ **Modes de calcul. 1º) La hausse « en glissement » :** on compare le niveau de l'indice des prix d'un mois donné à l'indice d'un autre mois. **2º) La hausse « en moyenne annuelle » :** on compare l'indice moyen des prix de l'année *n* par rapport à l'indice des prix de l'année *n-1*.

En période de décélération des prix, la hausse en glissement annuel est plus faible que la hausse en moyenne. Ainsi, en 1992 : + 2,4 % en « moyenne annuelle », + 2,0 % en « glissement annuel ». En période d'accélération, elle est plus forte.

■ **Évolution. Avant 1950. De 1915 à 1920 :** 300 % en raison de la pénurie de guerre. **1917 :** + 20 %. **1918 :** + 30. **1919 :** + 25. **1920 :**+ 37. **1920-21 :** chute des prix des matières premières. **1926 :** crise de « confiance » dans le franc des créanciers de la France. Arrêtée par la « stabilisation Poincaré ». **1930-35 :** *déflation* (*1935 :* – 25 % par rapport aux prix de 1930). Le pouvoir d'achat des salaires augmente de 30 % en 6 ans, mais le chômage s'étend. Après la dévaluation de la livre (1932), les prix français sont supérieurs aux prix mondiaux. La production stagne. **1937 :** le Front populaire élu en 1936 (Léon Blum) relève les salaires horaires de 25 % en un an, impose la semaine de 40 h avec 2 semaines de congés payés. Le pouvoir d'achat des salaires horaires monte d'abord de 26 % en 2 ans, mais la production ne suivant pas (par suite de la limitation de la durée du travail), les années

Variations des prix en % (1900-1950)

Année	Prix de gros	Prix de détail	Année	Prix de gros	Prix de détail
1900	+ 8,3	–	1926	+ 27,2	+ 31,6
1901	+ 7,6	+ 7,6	1927	– 12,57	+ 3,7
1902	+ 7,6	+ 7,6	1928	+ 1,02	+ 1,2
1903	+ 7,6	+ 7,6	1929	– 2,02	+ 6,09
1904	+ 7,6	+ 7,6	1930	– 12,3	+ 1,1
1905	+ 7,6	+ 7,6	1931	– 15,2	– 4,5
1906	+ 7,1	+ 7,6	1932	– 11,1	– 8,3
1907	+ 9,1	+ 8,3	1933	– 4,6	– 3,8
1908	– 6,6	+ 9,6	1934	– 6,5	– 4,05
1909	+ 9,1	+ 9,6	1935	– 5,2	– 8,4
1910	+ 7,1	+ 9,6	1936	+ 16,6	+ 23
1911	+ 6,6	+ 15,3	1937	+ 39,6	+ 25,7
1912	+ 6,2	+ 6,6	1938	+ 13,8	+ 13,6
1913	+ 6,2	+ 6,6	1939 [1]	+ 5	+ 7
1914	+ 6,2	+ 6,6	1940	+ 31,4	+ 17,7
1915	+ 50	+ 20	1941	+ 22,4	+ 16,6
1916	+ 36,3	+ 11,1	1942	+ 17,1	+ 20,2
1917	+ 40	+ 20	1943	+ 16,1	+ 24,1
1918	+ 28,5	+ 95,8	1944	+ 12,6	+ 22,1
1919	+ 35,1	+ 22,5	1945	+ 41,3	+ 48,5
1920	+ 42,1	+ 39,4	1946	+ 42,4	+ 52,6
1921	– 32	– 13,2	1947	+ 52,1	+ 49,1
1922	– 5,4	– 2,1	1948	+ 72,3	+ 36,9
1923	+ 9,6	+ 8,8	1949	+ 11,6	+ 13,1
1924	+ 16,4	+ 14,2	1950	+ 8,2	+ 12,5
1925	+ 12,8	+ 28,5			

Nota. – (1) En septembre, blocage Reynaud.

Variation des salaires et des prix (1951-1992)

	Indice (1950 = 100)			Variation annuelle des indices en %		
	Prix	Sal. [1]	Pouv. ach. [2]	Prix	Salaire	Pouvoir d'achat
1951 ...	117	116	99	16,5	15,5	- 1,3
1952 ...	131	136	104	12,1	17,9	5,7
1953 [3] ..	129	140	108	- 1,4	2,4	3,8
1954 ...	130	152	118	0,6	9,3	8,6
1955 ...	131	168	129	1	10,5	9,4
1956 [4] ..	137	186	136	4,4	10,5	5,9
1957 ...	139	206	148	1,9	10,5	8,4
1958 ...	160	229	143	15	11,3	- 3,2
1959 ...	170	244	143	6,2	6,4	0,1
1960 ...	176	268	152	3,7	10	6,1
1961 ...	182	289	159	3,3	8	4,5
1962 ...	191	318	167	4,7	9,7	4,8
1963 [5] ..	200	349	175	4,8	10	4,9
1964 ...	207	372	180	3,4	6,4	2,9
1965 ...	212	394	186	2,5	6	3,4
1966 [6] ..	218	419	192	2,7	6,3	3,4
1967 ...	224	441	197	2,6	5,3	2,6
1968 ...	234	486	208	4,6	10,1	5,3
1969 ...	249	538	216	6,5	10,8	3,9
1970 ...	262	588	225	5,2	9,4	4,1
1971 ...	276	652	236	5,5	10,9	5,1
1972 ...	293	718	245	6,2	10,1	3,7
1973 ...	315	805	256	7,3	12,1	4,5
1974 ...	358	944	264	13,7	17,3	3,1
1975 ...	400	1 081	270	11,8	14,5	2,5
1976 [7] ..	439	1 252	285	9,6	15,8	5,7
1977 ...	480	1 380	288	9,4	10,3	0,8
1978 ...	523	1 563	299	9,1	13,2	3,8
1979 ...	579	1 698	293	10,8	8,6	- 2
1980 ...	658	1 933	294	13,6	13,8	0,2
1981 ...	746	2 233	299	13,4	15,5	1,9
1982 ...	834	2 488	298	11,8	11,4	- 0,4
1983 ...	914	2 749	301	9,6	10,5	0,8
1984 ...	982	2 947	300	7,4	7,2	- 0,2
1985 ...	1 040	3 157	304	5,8	7,1	1,2
1986 ...	1 068	3 320	311	2,7	5,2	2,4
1987 ...	1 101	3 410	310	3,1	2,7	- 0,4
1988 ...	1 130	3 504	310	2,7	2,7	0
1989 [8] ..	1 171	3 623	309	3,6	3,4	- 0,2
1990 [8] ..	1 211	3 815	315	3,4	4,9	1,8
1991 [9] ..	1 250	3 983	319	3,2	4,4	1,21
1992	1 280		331	2,4	3,7	1,2 [10]

Nota.– (1) Salaire net annuel. (2) Pouvoir d'achat du salaire. (3) Février blocage Mendès France. (4) Juillet blocage Mollet. (5) Septembre blocage Pompidou. (6) Mars contrats de progrès. Crise de l'énergie. (7) Plan Barre fin 1976 et baisse de la TVA en janv. 1977. (8) Les salaires nets annuels de 1989 et 1990 ne sont pas définitifs. (9) Salaire net annuel après prélèvement de la CSG. (10) De mai 1992 à mai 93.

☞ Le Pt du Conseil, Antoine Pinay, en conjuguant le blocage et l'appel à la confiance, puis Edgar Faure, ont obtenu après 1952 une forte hausse du pouvoir d'achat ; la fin de la guerre de Corée, entraînant la baisse des matières premières, les aida. De mi-1952 à mi-1955, la stabilité des prix a été obtenue par des mesures arbitraires créant des distorsions.

1938, 1939 et 1940 enregistrent une baisse du pouvoir d'achat égale aussi à 26 %. **Occupation.** Hausse due à la pénurie : **1942** + 20 %. **1943** + 24. **1944** + 22. **Libération. 1944 à 1949** + 600 % (**1945** + 48 %. **1946** + 53. **1947** + 49. **1948** + 58). De très fortes hausses de salaires ont été accordées sans que la prod. augmente suffisamment. La hausse nominale du pouvoir d'achat (55 %) ainsi obtenue en 1945 est aux 3/4 reperdue. **1949,** prix et salaires retrouvent leur équilibre.

■ **Prix de quelques produits.** (Anciens francs jusqu'en 1959, nouveaux francs dep. 1960.)

Essence (litre à Paris, en F) *1932 :* 1,7 ; *36 :* 2,3 ; *39 :* 3,25 ; *40 :* 4,01. **Carburant-auto** (contient une certaine proportion d'alcool) : *1941 :* 9 ; *42 :* 9,8 ; *43 :* 10,75 ; *46 :* 11,4 ; *47 :* 19 ; *48 :* 26,5 ; *49 :* 43,2 ; *50 :* 47. **Essence pure :** *1951 :* 48,6 ; *52 :* 60,1 ; *53 :* 64,1 ; *55 :* 63,8 ; *56 :* 64,8 ; *57 :* 76 ; *58 :* 92,3 ; *59 :* 98 ; *62* (en N F) : 0,97 ; *64 :* 0,94 ; *67 :* 0,96 ; *68 :* 0,99 ; *69 :* 1,04. *Prix libre à partir du 31-1-1985. 86 :* 4,5 ; *87 :* 4,6 ; *88 :* 4,7 ; *89 :* 5,1. **Super avec et,** entre parenthèses, **sans plomb :** *1991 :* 5,55 (5,28) ; *92 :* 5,30 (5,08).

Journal quotidien. *1875 :* 0,15 ; *1900 :* 0,05 ; *14 :* 0,07 ; *20 :* 0,20 ; *39 :* 0,60 ; *45 :* 2 ; *50 :* 10 ; *60 :* 0,30 ; *70 :* 0,50 ; *75 :* 1,20 ; *80 :* 2,50 ; *85 :* 4,50 ; *91 :* 5,5 ; *92 :* 6.

Pain. Kg de pain à Paris *1875 :* 0,36 ; *90 :* 0,40 ; *1910 :* 0,39 ; *14 :* 0,44 ; *20 :* 1,13 ; *25 :* 1,58 ; *30 :* 2,15 ; *35 :* 1,61 ; *39 :* 3,10 ; *44 :* 3,96 ; *45 :* 6,67 ; *50 :* 35,40 ; *55 :* 56,60 ; *60 :* 0,62 ; *64 :* 0,72 ; *91 :* 10,55 ; *92 :* 10,86 ; *93 :* 11,12. **Baguette de 250 g** *1965 :* 0,44 ; *70 :* 0,57 ; *75 :* 0,90 ; *80 :* 1,67 ; *85 :* 2,50 ; *89 :* 3,20 ; *91 :* 3,50 ; *92 :* 3,60 ; *93 :* 3,64.

Timbre-poste. Pour lettre simple *1849 :* 0,20 ; *50 :* 0,25 ; *54 :* 0,20 ; *62 :* 0,20 ; *71 :* 0,25 ; *76 :* 0,25 ; *78 :* 0,15 ; *1906 :* 0,10. **Poids porté à 20 g** *1910 :* 0,10 ; *17 :* 0,15 ; *20 :* 0,25 ; *25 :* 0,30 ; *26 :* 0,40 puis 0,50 ; *37 :* 0,65 ; *38 :* 0,90 ; *39 :* 1 ; *42 :* 1,50 ; *45 :* 2 ; *46 :* 3 ; *47 :* 5 puis 6 ; *48 :* 10 ; *49 :* 15 ; *57 :* 20 ; *59 :* 25 ; *60 :* 0,25 ; *65 :* 0,30 ; *69 :* 0,40. **Courrier à 2 vitesses** *1971 :* 0,30/0,50 ; *74 :* 0,60/0,80 ; *76 :* 0,80/1 ; *78 :* 1/1,20 ; *79 :* 1,10/1,30 ; *80 :* 1,20/1,40 ; *81 :* 1,40/1,60 ; *82 :* 1,60/1,80 ; *83 :* 1,60/2 ; *84 :* 1,70/2,10 ; *85 :* 1,80/2,20 ; *86 :* 1,90/2,20 ; *87 :* 2/2,20 ; *90 :* 2,10/2,30 ; *91 :* 2,20/2,50 ; *93 :* 2,40/2,80.

Comparaisons : (prix au kg ou au litre en F). *Source :* Expansion 7/20-1-93. Satellite (télécoms) 1 000 000. Avion de combat (Mirage 2 000) 25 000. Parfum (grande marque) 22 600. Camescope (milieu de gamme) 7 000. Missile air-air (Super 530) 6 000. Eau de toilette (grande marque) 5 700. Missile sol-sol (Hot) 5 000. Uranium enrichi 5 000. Raquette de tennis (100 % graphite) 3 870. Ciboulette lyophilisée 3 800. Pomerol 1978 (Pétrus) 3 500. Micro-ordinateur (portable bloc-notes) 3 000. Avion long-courrier (Boeing 747-400) 2 460. Caviar russe 2 400. Bombe guidée laser 2 000. Truffe (en période de fêtes) 1 800. Vélo de course 1 050. Foie gras d'oie truffé 610. Char de combat (Leclerc) 600. Argent fin 485. Homard breton 340. Rame de TGV 300. Aspirine (effervescente et vitaminée) 300. Porte-avions (Charles-de-Gaulle) 280. Café lyophilisé (spécial filtre) 280. Saumon fumé 200. Rame de métro 200. Pâte dentifrice 150. Automobile 100. Big Mac 92. Café moulu (arabica supérieur) 65. Baguette de pain 14. Supercarburant 5. Coca-Cola 4. Eau minérale 2. Eau du robinet 0,01.

■ **Prix à la consommation pour les ménages.** (Indices en mai 1993 (base 100 en 1990) et, entre crochets, progression en %, mai 1993, pour 1 an) : ensemble 107,9 [2] ; ensemble moins tabac 107,6 [1,8] ; alimentation (y compris tabac) 106 [0,2] ; prod. manufacturés 105,4 [1,4] dont habillement et chaussures 107,2 [1,4] ; services 112,3 [3,7], logement, chauffage, éclairage 111,2 [3,3]. *Source :* Insee.

Pouvoir d'achat

■ **Définition.** Ensemble des biens et des services de toute nature que l'on peut se procurer avec l'ensemble des *revenus* perçus (ex. : salaire + assur. maladie, prest. fam.). Les hausses du pouvoir d'achat des salaires ne sont possibles que lorsque la hausse des salaires est supérieure à celle des prix. Une baisse relative des prix s'obtient par l'amélioration de la productivité, mais il est des secteurs (celui des services) où cette amélioration est difficile.

Pouvoir d'achat du franc. Le coefficient de transformation du F en F constant, appelé aussi le pouvoir d'achat du F est utilisé comme *déflateur,* c'est-à-dire comme coefficient de transformation des valeurs exprimées en *prix courants* en grandeurs à *prix constants.* Il est bâti à partir de *l'indice des prix à la consommation, série parisienne* (le seul faisant l'objet d'une série remontant avant 1900) et de *l'indice des* prix à la consommation, France entière (qui commence en 1963).

Exemple : pour exprimer aux prix de 1983 une valeur acquise en 1910 (anciens francs), il suffit de multiplier cette valeur par 11 (aux prix de 1991 on multiplierait par 17,51).

■ **Budget type. Unaf** en F, en 1993 (*2 adultes et 2 adolescents :* Alimentation 4 111,63. Habillement 1 614,58. Logement 3 421,04. Entretien 617,51. Amortissement du mobilier 367,30. Transports 1 458,08. Loisirs, divers 2 318,10. *Ensemble* 13 908,24.

Dépense totale annuelle moyenne par ménage (en F). **Sans enfant** et, entre parenthèses, **avec 1 enfant/2 enf./3 enf.** *(en indice base 100).* 175 436 (109,9/116,7/115,4) dont alimentation 30 434 (118/134/139,1), habitation 33 409 (123,9/147,8/157,5), équipement du logement 15 546 (107,9/110/117,2), transports 31 882 (98,4/94,8/87,6), habillement 13 975 (118,5/111,6/126,4), santé 6 787 (119,6/131,6/129,2), loisirs 13 028 (92/94,8/90,6), éducation et garde 1 151 (435,1/531,9/412,6), vacances 5 929 (86,6/98,8/81,5), impôt sur le revenu 11 801 (101,7/82,1/45,9), alcool 2 273 (109,9/104,2/88,7), tabac 1 728 (107,9/78,9/80,8), loyers, charges et accession 20 618 (130,4/151,4/165,7), revenu moyen global annuel 166 713 (104,9/110,3/107,2), revenu disponible (revenu-impôt sur le revenu) 154 912 (105,2/112,4/111,9).

Pouvoir d'achat du franc

Prenez dans le tableau ci-dessous le coefficient de transformation de l'année qui vous intéresse. Vous le multipliez par la somme exprimée en F de l'année en question et vous obtenez le montant en F d'aujourd'hui.

Exemple : 150 F de 1943 valent 10,20 F de 1914 (le coefficient de transformation est de 0,068), 67,50 F de 1938 (coefficient de 0,45), ou 154,50 F de 1991 (coefficient de 1,03).

Année	Coeff. de transformation en francs de			Année	Coeff. de transformation en francs de			Année	Coeff. de transformation en francs de			Année	Coeff. de transformation en francs de		
	1914	1938	1992		1914	1938	1992		1914	1938	1992		1914	1938	1992
1901	1,15	7,69	17,86	1924	0,27	1,79	4,14	1947	0,016	0,110	0,254	1970	0,313	2,09	4,84
1902	1,15	7,69	17,86	1925	0,25	1,67	3,87	1948	0,0104	0,069	0,160	1971	0,296	1,98	4,59
1903	1,15	7,69	17,86	1926	0,19	1,27	2,94	1949	0,0091	0,061	0,142	1972	0,279	1,86	4,32
1904	1,15	7,69	17,86	1927	0,18	1,22	2,84	1950	0,0083	0,055	0,129	1973	0,260	1,74	4,03
1905	1,15	7,69	17,86	1928	0,18	1,22	2,84	1951	0,0072	0,048	0,111	1974	0,229	1,53	3,54
1906	1,25	8,33	19,35	1929	0,17	1,15	2,67	1952	0,0064	0,043	0,099	1975	0,205	1,37	3,17
1907	1,15	7,69	17,86	1930	0,17	1,14	2,64	1953	0,0065	0,043	0,101	1976	0,186	1,24	2,89
1908	1,15	7,69	17,86	1931	0,18	1,19	2,76	1954	0,0065	0,043	0,100	1977	0,170	1,14	2,64
1909	1,15	7,69	17,86	1932	0,19	1,30	3,02	1955	0,0064	0,043	0,099	1978	0,156	1,04	2,42
1910	1,15	7,69	17,86	1933	0,20	1,35	3,14	1956	0,0062	0,041	0,095	1979	0,141	0,94	2,18
1911	1,00	6,67	15,47	1934	0,21	1,41	3,27	1957	0,0060	0,040	0,093	1980	0,124	0,83	1,93
1912	1,00	6,67	15,47	1935	0,23	1,52	3,57	1958	0,0052	0,035	0,081	1981	0,110	0,73	1,70
1913	1,00	6,67	15,47	1936	0,21	1,43	3,31	1959	0,0049	0,033	0,075	1982	0,098	0,66	1,52
1914	1,00	6,67	15,47	1937	0,17	1,14	2,64	1960	0,472	3,15	7,30	1983	0,090	0,60	1,40
1915	0,83	5,56	12,89	1938	0,15	1,00	2,33	1961	0,457	3,05	7,07	1984	0,084	0,56	1,29
1916	0,75	5,00	11,61	1939	0,14	0,93	2,17	1962	0,436	2,91	6,74	1985	0,079	0,53	1,22
1917	0,63	4,17	9,67	1940	0,119	0,79	1,85	1963	0,415	2,77	6,43	1986	0,077	0,52	1,19
1918	0,48	3,23	7,49	1941	0,101	0,68	1,57	1964	0,403	2,69	6,23	1987	0,075	0,50	1,16
1919	0,39	2,63	6,11	1942	0,084	0,56	1,31	1965	0,392	2,61	6,07	1988	0,073	0,048	1,13
1920	0,28	1,89	4,38	1943	0,068	0,45	1,05	1966	0,380	2,53	5,88	1989	0,070	0,47	1,09
1921	0,33	2,17	5,05	1944	0,056	0,370	0,860	1967	0,368	2,45	5,70	1990	0,068	0,45	1,05
1922	0,33	2,22	5,16	1945	0,037	0,249	0,579	1968	0,351	2,34	5,44	1991	0,066	0,44	1,02
1923	0,31	2,04	4,73	1946	0,024	0,163	0,379	1969	0,330	2,20	5,10	1992	0,065	0,43	1,00

☞ *1 F de 1840 valait fin 1992 :* 21, 69 F. *De 1860 :* 19,19 F. *De 1880 :* 20,42.

Finances publiques

Finances publiques françaises

■ Comptes de la nation (en milliards de F, en 1992)

Produit intérieur brut 6 987,2 (dont marchand 5 849, non marchand 1 138,1).

Répartition de la valeur ajoutée des entreprises. Rémunération des salariés 2 490,6 ; impôts liés à la production 280,2. Excédent brut d'exploitation 1 959,5 (dont stés et quasi-stés 1 224,2, entreprises individuelles 735,3).

Sociétés et quasi-sociétés non financières. Revenus de la propriété et de l'entreprise nets versés 446,8. Impôts sur le revenu et le patrimoine 93,7. Épargne brute 679,8. Formation brute de capital fixe 642,1. Variations de stock – 31. Besoin de financement 70,7. Taux de marge (rapport de l'excédent brut d'exploitation à la valeur ajoutée, en %) 32,3, d'autofinancement (rapport de l'épargne brute et des transferts en capital nets reçus à la FBCF augmentée des variations de stocks et des acquisitions de terrain et d'actifs incorporels, en %) 110,9.

Ménages. Excédent brut d'exploitation 1 264,5. Salaires nets reçus 2 182,3. Prestations sociales reçues 1 687,5. Impôts sur le revenu et le patrimoine 476,3. Revenu disponible brut 4 826,4. Consommation finale 4 208,4. Épargne brute 618. Formation brute de capital fixe 458,4. Capacité de financement 192,1. Taux d'épargne (rapport de l'épargne brute au revenu disponible brut, en %) 12,8, d'ép. financière (rapport de la capacité de financement au revenu disponible brut, en %) 4.

Administrations publiques. Ensemble des recettes fiscales (impôts liés à la production et à l'importation, impôts sur le revenu et le patrimoine, impôts en capital) 1 618,5. Cotisations sociales effectivement reçues 1 367,1. Prestations sociales versées 1 565,3. Subventions d'exploitation et aides à l'investissement versées 193,8. Consommation finale 193 (consommation intermédiaire, rémunération des salariés, impôts liés à la production et à l'importation, consommation de capital fixe des branches non marchandes moins ventes résiduelles et paiements partiels) 1 165. Formation brute de capital fixe 241,3. Capacité de financement – 268,8 (dont administration publique centrale – 214,8, locales – 16, Séc. sociale – 38).

Relations avec le reste du monde. Importations de biens et de services 1 610,8. Exportations de biens et de services 1 526,4. Solde des opérations de répartition – 79,6. Capacité (+) ou besoin (–) de financement de la nation 4,7.

Budget

■ Quelques budgets (en 1993, en millions de F)

■ **Affaires sociales et Santé.** 50 642 dont *Titre III – Moyens des services 3 481*, dépenses de personnel 1 915, fonctionnement de l'administration centrale 364, des services extérieurs 791, subventions aux établissements publics 200, service national des objecteurs de conscience 211. *Interventions 46 115*, dépenses de formation 1 130, aide et action sociale 10 281, revenu minimum d'insertion 13 600, allocation aux adultes handicapés 16 819, subventions aux régimes sociaux 2 371, lutte contre la toxicomanie 708, protection et prévention dans le domaine de la santé 853, autres dépenses 353. *Dépenses en capital :* Crédits de paiement 1 046.

■ **Aménagement du territoire.** 1 897,62.

■ **Collectivités locales (concours de l'État).** 257 957 dont *dotations et subventions de fonctionnement 105 170 :* globale de fonctionnement 96 219, spéciale pour le logement des instituteurs 3 257, fonds national de péréquation de la taxe professionnelle 1 392, dotation « élu local » 250, autres subventions 4 052. *Équipements 33 005. Compensation financière des transferts de compétences 63 048. Compensation d'exonérations et de dégrèvements législatifs 56 734.*

■ **Défense.** 245 642 dont *Titre III :* rémunérations d'activité et charges sociales 69 659,6, pensions 47 725,8, fonctionnement et dépenses diverses 24 454,3, subventions de fonctionnement 861,9. *Titre V :* études, recherches, prototypes 35 077,7, investissements techniques et industriels 2 127,0, fabrications 58 663,2, infrastructure 6 403,3. *Titre VI :* subventions d'investissement 669,0.

■ **DOM-TOM.** 2 392,41 dont *Titre III :* dépenses de personnel 623,70, fonctionnement des services 204,99, subventions aux établissements publics d'État en Nouvelle-Calédonie 16,66. *Titre IV :* subventions aux collectivités locales et aux territoires 235,91, compagnies de transport 23,25, action sociale et culturelle 155,79. *Titre VI :* Fidom 537,50, Fides 177,40, actions diverses pour le développement de la Nlle.-Calédonie 307,50, infrastructures de Guyane 36, recherche dans les TAAF 32,46, investissements divers 41,25.

■ **Environnement.** 1 684 dont *Titre III :* personnel 389,79, matériel et fonctionnement des services 384,65. *Titre IV :* Institut national de l'environnement industriel et des risques (Ineris) 96,92, Agence de l'environnement et de la maîtrise de l'énergie (Ademe) 48,77, Institut français de l'environnement (Ifen) 16,88. *Titre V :* études générales 16,65, protection de la nature 28,05, gestion des eaux 36. *Titre VI :* Conservatoire du littoral 110, parcs nationaux 31,84, barrages 115,90.

■ **Industrie.** 19 362 dont subventions à Charbonnages de France 6 778, recherche industrielle – Anvar 3 668, concours au CEA 3 478, dépenses de service (personnel, fonctionnement, investissement) 1 685, aides à la construction navale 1 016, actions en faveur de la reconversion et de la restructuration industrielles 476, interventions dans le domaine de l'énergie, des matières premières et de l'environnement 875, actions en faveur de la normalisation et de la certification 375, environnement des entreprises et développement industriel régional 535, interventions sociales et concours divers 476.

■ **Intérieur et sécurité publique.** 73 099 dont *Titre III – Moyens des services 44 682 :* dépenses de personnel 37 380, police et sécurité civile 21 198, fonctionnement police 3 525, sécurité civile 597, préfectures 1 721, services communs et centraux 798, dépenses liées aux élections 661. *IV – Interventions 16 999 :* dotations aux collectivités locales 16 809, autres interventions 98, dont la sécurité civile 92. *V – Investissements 1 543 :* police 755, sécurité civile 546, autres investissements 242. *VI – Subventions d'investissement 9 875 :* dotations aux collectivités locales 9 804, autres subventions (logement des policiers) 71.

Déficits et excédents budgétaires (millions de F)

Année	Prévision [1]	Exécution [2]	% du PIB [3]
1975	+ 27	– 38 204	– 2,6
1976	+ 7	– 20 239	– 1,2
1977	+ 5	– 18 339	– 1
1978	– 8 914	– 34 310	– 1,6
1979	– 15 060	– 37 572	– 1,5
1980	– 31 156	– 30 302	– 1,1
1981	– 29 384	– 80 885	– 2,6
1982	– 95 456	– 98 954	– 2,73
1983	– 117 762	– 129 614	– 3,24
1984	– 125 800	– 146 184	– 3,35
1985	– 140 192	– 153 285	– 3,26
1986	– 145 342	– 141 089	– 2,78
1987	– 129 289	– 120 058	– 2,26
1988	– 114 983	– 114 696	– 2,01
1989	– 100 541	– 100 388	– 1,63
1990	– 90 169	– 93 150	– 1,43
1991	– 80 700	– 131 747	– 1,95
1992	– 89 900	– 135 000	– 1,9
1993	165 400	317 000 [4]	– 4,4 [4]

Nota. – (1) Lois de Finances initiales. (2) Lois de règlement, non comprises les opérations avec le FMI et le Fonds de stabilisation des changes. (3) Montant en % du PIB. (4) Prévisions loi de Fin. rectificative ; prév. de la Commission Raynaud (mai 1993) 341 000 soit 4,8 % du PIB.

■ Plan Pinay 1952. **Mesures prises :** stabilité des tarifs publics, maintien de la pression fiscale, diminution des investissements publics, maintien de la parité du franc, maintien du pouvoir d'achat (sauf pour les agriculteurs), emprunt indexé sur l'or, blocage des prix. **Résultats :** taux d'inflation ramené de 20 % à 0 %, stagnation économique en 1953-1954, chute de la production industrielle, léger déficit budgétaire, déficit de la balance commerciale en 1952 et 53. Équilibre en 1954, faible augmentation des réserves de change due à l'amnistie fiscale (retour des capitaux).

■ Plan Rueff-Pinay 1958. **Mesures prises :** hausse des tarifs publics, augmentation de la pression fiscale, maintien des investissements publics, dévaluation du F (17,55 %) et création du F lourd convertible, baisse du pouvoir d'achat (sauf des catégories les plus défavorisées), emprunt classique, liberté des prix et ouverture des frontières. **Résultats :** taux d'inflation ramené de 18 % à 3,5 %, reprise de la croissance écon. en 1959, forte hausse de la production industrielle, équilibre budgétaire, excédent de la balance com. dès 1959, augmentation des réserves de change.

■ Plan Giscard d'Estaing 1969. **Mesures prises :** dévaluation du F (11,1 %), encadrement modéré du crédit, allégements fiscaux sur les revenus, réduction des dépenses publiques, liberté surveillée des prix, politique contractuelle avec les entreprises et les salariés. **Résultats :** baisse de l'inflation en 1970, excédent de la balance commerciale en 1970, reconstitution des réserves de change, forte hausse de la prod. et des investissements.

■ Plan Barre 1976 (sept.). **Buts :** baisse de l'inflation et relance de l'inv. productif grâce à l'austérité financière. **Mesures prises :** blocage des prix jusqu'en janv. 1977 (avril pour les tarifs publics) et limitation ultérieure à 6,5 % ; baisse du taux de TVA de 20 à 17,6 % à dater du 1-1-77. Hausse des impôts : 4 à 8 % pour les contribuables ayant payé + de 20 000 F d'IRPP, 4 % pour les Stés, de la vignette. Hausse de 15 % des prix de l'essence. Majoration des cotisations d'assurance-maladie. Indemnisation des paysans victimes de la sécheresse. **Résultats :** hausse de la prod. ind. (1,6 % en 78, 3,9 % en 79), du PIBM (3,4 % en 78, 3,4 % en 79), stabilisation du pouvoir d'achat, reprise des inv. (+ 2,7 % en 78, + 3,7 % en 79), hausse des exp. (6,4 % en 78, 7,3 % en 79), forte progression du chômage (+ 60 % dep. sept. 76), permanence de l'inflation (9,7 % en 78, 11,8 % en 79), stabilisation du F, équilibre de la balance des paiements, redressement des entreprises (productivité : + 5,9 % en 79).

■ Plan Delors 1983 (mars). **But :** suite à la dévaluation du franc, plan de rigueur de lutte contre les causes structurelles de l'inflation, maintien de l'activité économique, tout en réduisant le déficit du commerce extérieur. **Mesures prises :** *épargne :* emprunt obligatoire exceptionnel, encouragement à l'épargne-logement, fonds salariaux ; hausses accélérées des *tarifs publics* (8 %) ; *fiscalité :* prélèvement de 1 % sur les revenus imposables et taxe sur l'essence ; *économies :* réaliser 12 milliards de F d'économies pour EDF, GDF, SNCF et RATP et 15 milliards sur les dépenses publiques ; *sécurité soc. :* vignette sur alcool et tabac, forfait hospitalier à la charge du malade ; *change :* limitation des dépenses touristiques à l'étr. ; *masse monétaire :* croissance ramenée de 10 % (objectif fixé) à 9 % pour 1983 et adaptation de dispositifs de contrôle ; *prix :* contrôles renforcés, sanctions plus sévères.

■ Justice. 20 392,20 dont *Titre III 19,08 :* dépenses de personnel 11,72, matériel, fonctionnement et entretien des services 3,01, frais de justice – aide juridique 2,18, fonctionnement des juridictions des établissements 0,94, pénitentiaires à gestion nouvelle, 1,194, divers 0,04. *IV 0,32 :* services judiciaires – juridictions administratives – subventions aux collectivités locales 0,25, action sociale, assistance et solidarité 0,07. *V et VI 0,99 :* services judiciaires – équipement 0,61, pénitentiaires – équipement 0,32.

■ Logement. 34 345 dont aide à la personne 20 868, à la pierre 13 477, dont : aide au logement locatif social 5 078, prêts aidés à l'accession 2 788, aide au logement dans les DOM 1 075, aide à la réhabilitation des logements privés 2 386, réaménagement des PAP 1 340, fonds de garantie de l'accession sociale 300, autres 510.

■ Ville (politique de la). 1 077 dont fonds social urbain 402, f. pour l'aménagement de l'Ile-de-France 170, prévention de la délinquance 131, développement social des quartiers 209.

% du déficit budgétaire par rapport au produit intérieur brut. *En 1993 (prév.) et entre par. 1991 (réel) :* Italie 9,2 (10,2) ; All. féd. 3,8 (3,2) ; Canada 5 (5,5) ; USA 2,9 (3) ; G.-B. 5,2 (1,7) ; *France 2,4 (2,1) ;* Japon 0,8 (2,4) ; OCDE 2,9 (2,5) ; CEE 4,9 (4,3).

Produit intérieur brut marchand et montant des dépenses publiques définitives

Année	PIBM en milliards de F	Dépenses définitives	
		milliards de F	% du PMIB
1970	695,7	161,79	23,3
1971	772,5	173,20	22,4
1972	862,7	188,93	21,9
1973	987	211,53	21,4
1974	1 129,8	243	21,5
1975	1 255,7	305,25	24,3
1976	1 448,9	345,25	23,8
1977	1 625,4	383,97	23,6
1978	1 843,3	442,34	24
1979	2 094,3	506,66	24,2
1980	2 360,1	592,26	25,1
1981	2 644,8	709,48	26,8
1982	3 012	834,60	27,7
1983	3 321,5	927,30	27,9
1984	3 611,4	1 003,14	27,8
1985	3 904,6	1 069,82	27,4
1986	4 207,2	1 126,00	26,9
1987	4 427,6	1 160,76	27,2
1988	4 749,8	1 175,78	24,8
1989	5 146,6	1 224,30	23,7
1990	5 470	1 281,84	23,4
1991	6 767	1 294,14 [1]	19,1
1992	7 106	1 337,08	18,8
1993	7 503	1 402,08	18,7

Nota. – (1) Loi de Fin. initiale.

Présentation juridique

■ Loi de finances initiale

(en milliards de F, en 1993)

I) Budget général. *1°) Dépenses ordinaires :* 1 178,2 dont dette publique 177,8, pouvoirs publics 3,8, rémunérations et charges sociales 387,8 (dont militaires 69,7), pensions 122,3 (dont militaires 47,7), subventions de fonctionnement 45,1, matériel, entretien et charges diverses de fonction 66,7, interventions économiques 100,8, sociales 167,6, autres 106,3. *2°) Dépenses en capital :* 191,8 dont investissements civils directs 18,8, subventions d'invest. civils 70,1, réparation des dommages de guerre 0, équipement militaire 102,9. **Total** *(1 et 2)* 1 370. II) Comptes d'affectation spéciale *à caractère temporaire :* – 8,5 (solde des comptes de prêts – 15,6, des autres comptes spéciaux du Trésor + 7,1). *Opérations à caractère définitif :* 32,15 dont compte d'affectation des cessions de titres publics (nouveau) 16,7.

■ Autorisations de programme

En 1993 et 1992 (entre parenthèses)

(en milliards de F)

Budget général. 88,4 (88,4) dont affaires étrangères 0,5 (0,4), agriculture et forêt 1,3 (1,4), coopération et développement 2,8 (2,8), culture et communication 4,8 (5,6), départements et territoires d'outre-mer 1,2 (1,2), charges communes 2,2 (4,2), services financiers 0,5 (0,5), éducation nationale, enseignements scolaire 1,3 (1,1), ens. sup. 5,2 (5), jeunesse et sports 0,1 (0,1), urbanisme, logement et services communs 14,9 (13,8), aménagement du territoire 2,4 (1,9), intérieur 11,5 (10,9), justice 1,2 (1), recherche et espace 15,8 (8,3), services du Premier min. 0,1 (0,9), travail, emploi, formation prof. 0,6 (0,6). Aff. soc. et santé 1,2 (1,2), indust. 6,8 (7), artisanat et commerce 0,03 (0,04), postes et télécom. 0,05, transports 11,3 (17,6), météorologie 0,2 (0,1), mer 0,5 (0,6). **Budgets annexes** 1,9 (1,7). **Comptes spéciaux du Trésor** 10,9 (2,9). **Total des autorisations du programme** 101,2 (93,1).

■ Recettes du budget 1993

(en milliards de F)

I. Budget général. **Recettes fiscales (A) :** 155 893 dont : 1°) **Impôts directs et taxes assimilées :** 585 dont *Impôt sur le revenu* 325. *Autres impôts directs* perçus par voie d'émission de rôles 32. *Retenue à la source* sur certains bénéfices non commerciaux et sur l'impôt sur le revenu des non-résidents 1,2. Retenue à la source et prélèvements sur les revenus de capitaux mobiliers 20. *Impôt sur les sociétés* 153. *Prélèvement sur les bénéfices* de la construction immobilière 0,015. *Précompte* dû par les s. au titre de certains bénéfices distribués 1,5. *Impôt de solidarité sur la fortune* 7. *Prélèvements sur les entreprises d'assurances* 0,03. *Taxe sur les salaires* 37. *D'apprentissage* 0,02. *De participation* des employeurs au financement de la formation professionnelle continue 0,01. *Taxe forfaitaire sur métaux précieux* (bijoux, objets d'art) 0,03. *Contribution des institutions financières* 2,4. *Prélèvement sur entreprises de production pétrolière* 0,01. *Recettes diverses* 0,01.

2°) **Enregistrement. Mutations :** 72 dont *à titre onéreux :* Meubles : Créances, rentes, prix d'offices 1,9. Fonds de commerce 3. Meubles corporels 0,001. Immeubles et droits imm. 0,05. *A titre gratuit :* Entre vifs (donations) 4. Par décès 270,2. *Autres conventions* et actes civils 8,1. *Actes judiciaires* et extrajudiciaires 0,3. *Taxe de publicité foncière* 0,3. *Taxe spéciale sur les conventions d'assurances* 230,5. *Taxe additionnelle au droit de bail* 2,3. *Recettes diverses et pénalités* 0,7.

3°) **Timbre et impôt sur les opérations de Bourse :** 13,7 dont *Timbre unique* 3,2. *Taxes sur les véhicules* de tourisme des sociétés 2,7. *Actes et écrits assujettis au timbre* de dimension 1,6, transports 0,5. *Permis de chasser* 0,1. *Impôts sur les opérations* des Bourses 2,2. *Recettes diverses* et *pénalités* 3,3.

4°) **Droits d'importation, taxe intérieure sur les produits pétroliers et divers produits de douanes :** 138,7 dont *Droits d'importation* 12,8. *Prélèvements et taxes compensatoires* sur divers produits 466. *Taxe intérieure* sur produits pétroliers 124,7. *Autres taxes intérieures* n.c.. *Autres droits et recettes* accessoires 0,3. *Amendes* et confiscations 0,3.

5°) **TVA (taxe sur la valeur ajoutée) :** 704 (nette 555,5).

6°) **Contributions indirectes :** 42,6 dont *Tabacs* (droits de consommation) et *allumettes et briquets* (taxe spéciale) 28,3. *Vins, cidres, poirés et hydromels* 1,1. *Alcools* (droits de consommation) 11,2 (droits de fabrication) 0,4. *Bières et eaux minérales* 1,2. *Débits de boissons* (taxe spéciale) 0,005. *Or et argent* (garantie des matières) 0,2. *Amendes,* confiscations et droits sur acquits non rentrés 0,02. Autres droits 0,1.

7°) **Autres taxes indirectes :** 2,9 *dont publicité télévisée* (taxe spéciale) 0,07. *Exploitations forestières* (taxe sur les produits) 0,09. *Véhicules routiers* (taxe spéciale sur certains) 0,6. *Cotisations* à la production sur les sucres 1,6. Liaisons radioélectriques privées (taxe sur les stations) 0,5.

■ Recettes non fiscales (B). 129,2 dont :

1°) **Exploit. ind. et comm. et ét. publics à caractère financier** 33,2 dont : exportations d'armes fabriquées par le secteur étatique, produits des participations de l'État dans des entreprises financières 5,2, *bénéfices* de divers établissements publics financiers et *produits des participations de l'État dans les entreprises non financières* 4,6, *produits* des jeux de France 6,3, de la vente des publicat. du gouv. pour mémoire. Versement du budget annexe de France Télécom. Versement des autres budgets annexes 0,08.

2°) **Produits et revenus du domaine de l'État** 1,9 dont transports aériens par moyens militaires 8,6 ; établ. pénitentiaires 44, établ. d'éducation surveillée 0,3, redevances sur les aérodromes de l'État et remboursements divers par les usagers 0,4, redevances de routes perçues sur les usagers de l'espace aérien 0,2, produits et revenus du domaine encaissés par les comptables des impôts 1,2. Produit de la cession de biens appartenant à l'État 0,5, produit de la cession du capital d'entreprises appartenant à l'État n.c., produits et revenus divers 13,4.

3°) **Taxes, redevances et recettes assimilées** 19,3, dont redevances sanitaires d'abattage et découpage pour mémoire, cotisation de solidarité sur céréales et graines oléagineuses pour mémoire, frais d'assiette et de recouvrement des impôts et taxes établis et perçus au profit des coll. loc. et de divers organismes 7,2, recouvrements de frais de justice, de frais de poursuites et d'instance 0,1, amendes forfaitaires de la circulation 1, autres amendes et condamnations pécuniaires et pénalités infligées pour infraction à la législation sur les prix 30,7, prélèvement progressif sur les jeux dans les casinos régis par la loi du 15-6-1907 : 1,2, prélèvement sur pari mutuel et recettes des Stés de courses parisiennes 3,1, cotisation, participation des employeurs à l'effort de construction 0,2, recettes diverses des comptables des impôts 0,3, du service du cadastre 0,07, des receveurs des douanes 0,1, service instruments de mesure 0,06, frais de contrôle des établ. classés pour la protection de l'environnement 0,02, versement au Trésor des produits visés par l'art. 5 de l'ordonnance 45-14 du 6-1-1945 : 0,07, contribution aux frais de contrôle et de surveillance de l'État p. les assurances, et aux frais de fonctionnement du Cons. nat. des assurances 0,01, droits d'inscription pour les examens org. par les diff. min., les diplômes, la scolarité, perçus dans les écoles du gouv. 3,5, taxe de sûreté sur les aérodromes pour mémoire, contribution de la poste et Fr. Télécom au fonctionnement du ministère des PTT 462,2, recettes diverses des douanes 170, autres 5,5.

4°) **Intérêts des avances, des prêts et dotations en capital** 5,5.

5°) **Retenues et cotisations sociales** 24,2.

6°) **Recettes venant de l'extérieur** 2,2.

7°) **Opérations entre administrations et services publics** 814,7.

8°) **Divers** 42.

■ **Fonds de concours et recettes assimilées (C).** Pour mémoire.

■ **Prélèvement. Sur les recettes de l'État :** *au profit des collectivités locales* **(D)** -153,9 ; *au profit de la CEE* - 83,4.

■ **Total général.** A + B + C - D = 1 451,6.

Recettes brutes du budget de l'État (hors prélèvements, remboursements et dégrèvements d'impôts) (1993). Montant en milliards de F et, entre parenthèses, part en % dans le budget : **Recettes fiscales :** TVA 704 (40,9), impôt sur le revenu 325 (18,9), sur les Stés 153,3 (8,9), taxe sur les produits pétroliers 124,7 (7,2), comptes d'affectation spéciale autres impôts 252,7 (14,7). **Recettes non fiscales** : 129,2 (7,5).

II. Budgets annexes. Imprimerie nationale 2 177. **Légion d'honneur** 113 **Ordre de la Libération** 4. **Monnaies et médailles** 820. **Navigation aérienne** 6 643. **Prestations sociales agricoles** 88 513. **Journaux officiels** 760.

III. Comptes d'affectation spéciale 32 393 dont : **Fonds national** pour l'aménagement de l'Ile-de-France 1 360 ; **F. nat.** pour le développement des adductions d'eau 870. **F. forestier** national 478. **F. de soutien aux hydrocarbures** ou assimilés 300. **F. de secours aux victimes de sinistres et calamités,** pour mémoire. **Soutien financier de l'industrie cinématographique** 1 696, **compte d'emploi de la redevance de la radiodiffusion sonore et de la télé.** 9 329. **F. nat. du livre** 125. **F. nat. pour le développement du sport** 850. **F. pour la participation des pays en voie de développement aux ressources des grands fonds marins,** pour mémoire. **F. des haras et des activités hippiques** 610. **F. nat. pour le développement de la vie associative** 25. **Action en faveur du développement des départements d'outre-mer** 100.

IV. Comptes de prêts : 2 073.

V. Comptes d'avances du Trésor : 246 960.

Crédits ouverts par ministère

En millions de F	1992	1993
Affaires étrangères-Coopération	14 094	14 925
Affaires Sociales et Santé	39 275	50 643
Aff. soc. et Travail (services communs)	2 292	2 254
Agriculture et forêt	37 348	39 786
Anciens combattants	27 068	27 610
Artisanat et commerce	634	645
Charges communes [1]	290 229	287 508
Culture	12 955	13 822
Départements et territoires d'outre-mer	2 198	2 392
Économie, finances et budget :		
Éducation nationale :		
I. Enseignement scolaire	226 486	242 250
II. Enseignement supérieur	36 041	39 512
Environnement	1 459	1 614
Équipement, logement, transports :		
I. Urbanisme, logement, serv. com.	54 708	57 692
II. Transports :		
1. Transports terrestres	44 484	40 531
2. Routes	8 060	8 303
3. Sécurité routière	769	758
4. Transport aérien et espace	9 740	2 627
III. Météorologie	1 180	1 282
IV. Mer	6 668	6 011
Industrie	18 723	19 362
Intérieur	69 891	73 008
Jeunesse et sports	2 880	3 089
Justice	19 047	20 392
Postes et télécommunications	2 505	2 461
Recherche et technologie	26 990	34 446
Services du Premier ministre :		
I. Services généraux	4 300	4 495
II. Secr. gén. défense nat.	271	227
III. Conseil économique et social	151	156
IV. Plan	172	171
Aménagement du territoire	1 914	1 898
Services financiers	41 174	43 123
Tourisme	454	431
Travail, emploi et formation prof.	69 149	72 798
Défense	240 398	245 642
Total des dépenses	**1 321 856**	**1 369 934**

Nota. – (1) dont en 93 crédits de RMI provenant des charges communes. Hors dégrèvements et remboursements fiscaux.

■ **Loi de finances rectificatives 1993**
(10-5-1993, en milliards de F)

■ **Réévaluation du déficit.** 333 au lieu de 165,4 (+ 167,6). **Surévaluation des recettes.** 124 dont surestimation des résultats de l'économie 94 (impôts sur les sociétés 26, sur le revenu 16, TVA 12, autres recettes 40), décalage de TVA 11, perte de TVA à l'import. due à la suppression des contrôles douaniers intracommunautaires 7, recettes non fiscales 8, divers 4. **Sous-estimation des dépenses.** 43,6 dont charge de la dette 14, déficit de l'UNEDIC env. 12, dotations RMI et handicapés 2,6, BAPSA 3,9, logement 3,9, opérations extérieures (défense), 2,8, rétrocessions de recettes aux collectivités locales 4,1.

■ **Mesures prises.** CSG majorée de 1,1 à 2,4 % (+ 1,3) pour rétablir les régimes sociaux en attendant l'effet des mesures structurelles d'assainissement en préparation. Réduction du déficit de 333 à 317 par diverses mesures dont relèvement de 28 c. de la taxe sur les produits pétroliers (+ 7 MdF) et taxe sur les alcools + 16 %. **Redistribution des dépenses :** *économies* 21,5 dont équipements et subventions d'investissement 7,9, fonctionnement 3,1 (dont 1,2 de rémunération), crédits d'interventions 2,6, subventions Sécurité sociale 5. *Réaffectation des crédits :* soutien de l'emploi et de l'activité (logement, BTP, travaux des collectivités locales, aides aux PME-PMI, insertion professionnelle. **Emprunt de 40 milliards** en guise de crédit relais pour soutenir l'activité économique en attendant le produit des privatisations. *Affectation prévue :* emploi 10, villes et travaux publics, dotations en capital des entreprises publiques.

Dette publique de la France

■ Définitions

■ **La dette de l'État.** Inscrite au bilan, elle ne comprend pas la dette gérée (emprunts du budget annexe de la Poste, des Télécom et d'EDF), ni la dette en devises pour conforter les réserves de change de la nation mais la dette garantie par l'État.

■ **Dette extérieure.** Encours des emprunts à l'étranger autorisés à + de 1 an, contractés par des résidents et cédés ou ayant vocation à être cédés sur le marché des changes. Ce peut être soit des emprunts directs à l'étranger sur les euromarchés ou les marchés étrangers de capitaux (marchés nationaux), soit des avances en devises à + de 1 an consenties par le secteur bancaire résident à des résidents et n'ayant pas une finalité commerciale (les emprunts en devises réalisés par les banques résidentes pour financer leur activité de prêts en devises à des non-résidents ne sont pas pris en compte).

■ Montant

Dette publique

■ **Dette publique totale** (en milliards de F). *1940 :* 0,5. *45 :* 15. *67 :* 147,59. *68 :* 161,44. *69 :* 166,54. *70 :* 166,93. *71 :* 176,39. *72 :* 177,76. *73 :* 179,9. *74 :* 201,5. *75 :* 237,5. *76 :* 260,8. *77 :* 287. *78 :* 320,2. *79 :* 372,7. *80 :* 462. *81 :* 500,4. *82 :* 616,7. *83 :* 779,6. *84 :* 915,4. *85 :* 1 067,6. *86 :* 1 194,6. *87 :* 1 281,7. *88 :* 1 474,8. *89 :* 1 622,2. *90 :* 1 782,4. *91 :* 1 865. *92 :* 2 106 dont dette négociable 1 775 (dont BTF 258, BTAN 456, OAT 982, émises au profit de FSR 5, autres emprunts 79), non négociable nette 331 (de la position créditrice du Trésor à la Banque de France 110). Durée de vie moyenne de la dette négociable : 6 ans et 139 jours. *93* (prév.) : 2 423. **Évolution par rapport au PIB** (en %) : *75 :* 16,1. *79 :* 15,1 ; *80 :* 16,4. *85 :* 22,7. *86 :* 23,5. *87 :* 24. *88 :* 25,7. *89 :* 26,4. *90 :* 27,5. *91 :* 27,6. *92 :* 30,1.

■ **Dette publique des administrations** (en % du PIB, 1992). All. 43,4 ; Belgique 132,2 ; Esp. 47,4 ; *France 50,1 ;* G.-B. 45,9 ; It. 106,8 ; P.-Bas 79,8 ; Port. 66,2.

Charge de la dette de l'État (en milliards de F). *1980 :* 28,3. *81 :* 53,5. *82 :* 61,4. *83 :* 74,9. *84 :* 89,3. *85 :* 100,1. *86 :* 125,5. *87 :* 176,2. *88 :* 147,8. *89 :* 174,9. *90 :* 185,7 dont charges définitives 144,9, charges de remboursement 40,8. De 1980 à 1990, l'État a contracté 132 milliards F d'engagements nouveaux, dont les 2/3 en *1982 :* nationalisations prévues par la loi du 11-2-1982 (38 milliards F) ; en *1988 :* prise en charge des emprunts de la Caisse d'amortissement pour l'acier et du Fonds spécial des grands travaux (25 milliards F), indemnisation complémentaire des Français rapatriés d'outre-mer (16 milliards F). Pendant cette période, + de 55 milliards F d'emprunts d'organismes divers ont été mis à la charge du Trésor. Ces engagements n'ayant pas eu de contrepartie en recette, leur amortissement constitue une charge définitive.

■ **Dette de divers organismes prise en charge par l'État depuis 1985** (en milliards de F). **1985** *(1-1)* Unedic 6. **1986** *(1-1)* Somivac 0,066. **1988** *(1-1)* Caisse d'amortissement pour l'acier (CAPA) 9,25 ; fonds spécial des grands travaux (FSGT) 15,88. **1989** *(1-1)* Fonds d'intervention sidérurgique (FIS) 16,46. **1989** *(1-2)* CNI des banques (CBN) 11,9. *90 (1-1)* Sté de développement automobile (Sodeva) (restructuration financière de la Régie Renault) 7,75. Ces opérations ont gonflé l'encours de la dette publique, mais ont permis, dans l'immédiat, d'alléger le déficit budgétaire. En effet, seule la charge des intérêts de la dette publique est inscrite au budget de l'État. Auparavant, celui-ci prenait en charge, sous forme de dotations à cet organisme, les intérêts de la dette et le remboursement du capital. Total échéance 1992 remboursement du capital : 5 682 millions de F.

Emprunts à long terme à + de 5 ans (ou OAT) de l'État (en milliards de F) **et** entre parenthèses **part dans le total des émissions obligataires** (en %). *1976 :* 2,5 (6 %). *77 :* 8 (16). *78 :* 13,5 (23,3). *79 :* 15 (22,9). *80 :* 31 (27,8). *81 :* 25 (23,4). *82 :* 40 (25,8). *83 :* 51 (25,8). *84 :* 85,2 (34). *85 :* 99,9 (25,8). *86 :* 137,2 (39,5). *87 :* 94 (31,6). *88 :* 109,1 (31,6). *89 :* 94,2 (28,6). *90 :* 114,4 (33,8). *91 :* 117 (35,4). *92 :* 168 (47). *93 :* 220 (?).

Dette nette de l'État (en milliards de F, fin 1992), dettes et créances : liquidités 409 (182), titres de placements 718, crédits 349 (538), actions, obligations 1 156 (538). Total dettes – créances 1 571.

Endettement net de la nation (en milliards de F, fin 1992) *dettes et créances :* liquidités 12 208 (12 272) dont en devises 2 104 (2 435), crédits 15 222 (15 724) en devises 228 (467), actions, obligations 18 805 (17 830). Total dettes/créances 410.

Dette obligataire française émise en F ou en Écus par l'État et les résidents français (31-12-1992) 3 190 milliards de F, dont sur le marché intérieur 2 996 (durée de vie 9,6 années). Émetteurs (%) : État 36,1, établissements de crédit 48,1, Stés non financières 13,8, autres 2,1. Échéance entre 5 et 10 ans : 46,5 % de la dette ; + de 15 ans : 17,3 %.

Position extérieure (créances et dettes)

Secteur privé non bancaire. Dette à moyen et long terme en cours en fin d'année (au 31-12 en milliards de F). *1973 :* 15,1. *74 :* 23. *75 :* 31,2. *76 :* 56,9. *77 :* 79. *78 :* 88. 79 : 99,8. *80 :* 122,9. *81 :* 187,7. *82 :* 295,4. *83 :* 451. *84 :* 528,5. *85 :* 469. *86 :* 398,2. *87 :* 362,8. *88 :* 392,2. *90 :* 492,2. *91 :* 580,7. **Créances :** *1990 :* 485,7. *91 :* 508,6. **Position nette :** *1990 :* – 6,5. *91 :* – 72,1.

Dette directement contractée par l'État (en milliards de F). *1984 (31-12) :* 73. *85 (31-12) :* 44. *86 :* 7. *87 :* 3,6. *88 :* 0,2. *89 :* 0,2. *90 :* 0.

Créances à moyen et long terme de la France sur l'étranger (en milliards de F). Résultent des crédits à l'exportation à + de 1 an (consentis directement par des exportateurs français à leurs clients, par les banques françaises dans le cadre de la procédure du crédit acheteur) et des prêts accordés par le secteur public à des États ou organismes étrangers. *1987 (1-1)* 324,4. *1988 :* 338,6. *89 :* 360,4.

Endettement net (en milliards de F). *1984 :* 236. *85 :* 153,7. *86 :* 79,3. *87 :* 41,2. *88 :* 59,9. *89 :* 29,4. *90 (30-11) :* 38,14.

Réserves officielles de change de la France (en milliards de F, dont or entre parenthèses) *1979 :* 209,62 (138,4) ; *80 :* 359,6 (226,98). *81 :* 315,99 (194,65). *82 :* 352,03 (247,14). *83 :* 430,02 (259,09). *84 :* 457,7 (257). *85 :* 412,9 (210,3). *86 :* 421 (218,5). *87 :* 377,6 [1] (223,5). *88 :* 361 (206,1). *89 :* 339,2 (196,7). *91 (mai) :* 338,8 (161,7) *92 (1-6) :* 368 (172,8). *93 (31-5) :* 327,8 (145,1) ; devises 117,9 ; Ecu 50,6 ; créance sur FMI 14,2.

Nota.– (1). Avec position débitrice auprès du Fecom de 23,6 milliards de F.

Balance générale des paiements de la France

En millions de F	1990	1991	1992
Transactions courantes	– 53 565	– 34 523	19 268
Marchandises [1]	– 70 335	– 49 772	14 810
Services	40 657	46 262	55 260
Transferts unilatéraux	– 44 412	– 41 353	– 47 113
Autres biens et services	38 039	39 049	40 128
Transferts en capital [2]	– 29 857	– 3 173	2 123
Mouvements de capitaux	– 10 263	2 259	108 987
Long terme [3]	89 406	12 366	120 177
Court terme du privé [4]	– 96 415	– 10 107	– 11 190
Erreurs et omissions	3 254	25 379	9 501
Variation de la position monétaire extérieure [3,5]	90 431	35 437	– 130 378
Secteur bancaire [6]	149 364	4 239	– 240 275
Secteur public	– 58 933	31 178	109 897

Nota. – (1) Commerce extérieur FAB/FAB plus négoce intern. (2) Remises de dettes et abandons de créances sur pays en voie de développement décidés aux sommets de Dakar et Toronto. (3) Prêts en devises [à moyen et long terme, financés par les banques fr. au moyen d'emprunts extérieurs] accordés à des résidents et exclus les non-résidents. (4) Y compris erreurs et omissions. (5) Non compris variations de la position monétaire imputables aux fluctuations du cours des monnaies. (6) Y compris variation des emprunts nets à court terme pour financer les prêts en devises à long terme aux résidents et non-résidents.

Recettes régionales 1992
(en millions de F)

	T [1]	H. [2,6]	F.b [3,6]	F.n [4,6]	TP [5,6]
Picardie	617	21	24	8	48
Centre	803	21	23	7	49
Poitou-Charentes	471	21	27	9	43
Midi-Pyrénées	758	18	26	4	49
Nord-Pas-de-Calais	1 283	19	19	3	59
Haute-Normandie	620	17	26	4	53
Bourgogne	469	21	25	8	46
Limousin	242	23	25	7	45
Champagne-Ardenne	373	22	23	6	49
Basse-Normandie	399	7	28	18	47
Corse	71	28	13	3	56
Auvergne	346	21	25	6	49
Pays-de-Loire	814	23	20	5	52
Languedoc-Roussillon	539	24	29	5	42
Bretagne	682	27	23	4	46
Franche-Comté	249	18	23	6	53
Aquitaine	663	21	24	5	51
Rhône-Alpes	1 140	17	21	2	60
Alsace	358	20	16	3	61
Ile-de-France	2 250	29	21	0	49
Lorraine	491	21	21	4	54
Prov.-Alpes-Côte d'Azur	713	27	21	2	50
Ensemble	**14 350**	**22**	**23**	**4**	**51**
Réunion	94	23	28	1	48
Guyane	14	9	26	2	64
Martinique	15	23	38	3	37
Guadeloupe	43	22	38	2	39
Toutes régions	**14 516**	**22**	**23**	**4**	**51**

Nota. – (1) Total. (2) Taxe d'habitation. (3) Foncier bâti. (4) Foncier non bâti. (5) Taxe professionnelle. (6) en %.

Dette extérieure garantie par l'État (en %). Organismes financiers 29, EDF 25, Caisse nat. des télécom. 17, SNCF 10, GDF 4, Caisse nat. des autoroutes 3, CEA 3, Charbonnages 2 ; reste 7.

Secteur public local

L'ensemble du secteur public local comprend : collectivités territoriales, Offices publics d'habitations à loyer modéré (OPHLM), Offices publics d'aménagement et de construction (Opac), hôpitaux et régies locales à caractère industriel et commercial. *Collectivités territoriales :* régions, départements, communes, leurs groupements et leurs services. *Groupements de communes :* syndicats, districts et communautés urbaines. On parle aussi d'Apul (Administrations publiques locales).

Concours de l'État aux collectivités locales (en milliards de F). *Total : 1983 :* 132,7. *84 :* 133,3. *85 :* 153,7. *86 :* 161. *87 :* 176,2. *88 :* 189,4. *89 :* 197,9. *90 :* 212,1. *91 :* 228,5. *92 :* 242,6. *93 :* 258,7 dont *dotations et subventions de fonctionnement :* 105,1 dont dotation globale 96,2, spéciale instituteurs 3,3, FNPTP 1,4, dotation élu local 0,3, subv. des ministères : 4 [dont agriculture et forêt 1, culture 0,7, affaires sociales et intégration 0,8, intérieur 0,5, DOM-TOM 0,2, justice 0,3, transports et mer 0,2, travail, emploi et formation prof. 0,2, éducation nat. 0,5, jeunesse et sports 0,1, économie, finances et budget 0,02, environnement 0,009, équipement et logement 0,009, commerce et artisanat 0,005]. *D'équipement (AP) :* 32,7 dont fonds de compensation pour la TVA 21,1, dotation globale d'équipement (AP) 5,9, subventions des divers ministères (AP) 3,5, comptes spéciaux du Trésor (AP) 1,2, prélèvement amendes forfaitaires de police 1. *Compensation financière des transferts de compétence :* 64,2 dont fiscalité transférée 41,9, dotation générale de décentralisation 15,1, régionale d'équipement scolaire (AP) 2,8, départementale d'équipement des collèges (AP) 1,4, dotation de décentralisation relative à la formation profess. et à l'apprentissage 2,9. *Compensations d'exonérations et de dégrèvements législatifs :* 56,7 (dont compensation de taxe professionnelle 23,3, de taxe foncière 1,8, de taxe d'habitation 7,4, divers 24,2).

Fiscalité directe locale : produits votés par les collectivités de métropole (en milliards de F, en 1992). Ensemble métropole 218 (dont taxe professionnelle 47,1 %, t. d'habitation 24,5 %, foncier bâti 24,8 %, non bâti 3,6 %) ; communes et groupements (avec et sans fiscalité propre) 143,5 ; communes 130 ; département 59,8 ; régions 14,7 ; communautés urbaines 6 ; districts et autres groupements à fiscalité propre 5,1 ; syndicats 2,3.

Fiscalité indirecte (en milliards de F, en 1991). *Total* 60,1 dont produit des impôts transférés 37,6 (droit dép. d'enregistrement et taxe de publicité foncière 19,9, vignette automobile 12,1, cartes grises

Budgets régionaux 1992	Dépenses totales		Recettes fiscales	
	(1)	(2)	(1)	(2)
Alsace	1 398	860	610	408
Aquitaine	2 308	826	1 296	471
Auvergne	1 139	860	524	424
Bourgogne	1 513	940	749	482
Bretagne	2 220	794	1 145	425
Centre	2 128	698	1 167	511
Champagne-Ardenne	1 143	848	578	459
Corse	572	2 291	225	937
Franche-Comté	980	893	445	419
Languedoc-Roussillon	1 900	896	935	460
Limousin	638	883	346	519
Lorraine	1 629	706	818	380
Midi-Pyrénées	2 327	957	1 081	497
Nord-Pas-de-Calais	3 744	944	1 826	502
Basse-Normandie	1 126	810	618	473
Haute-Normandie	2 191	1 261	640	544
Pays de la Loire	2 391	782	1 292	441
Picardie	1 814	1 002	847	501
Poitou-Charentes	1 316	825	702	469
Provence-Alpes-Côte d'Azur	3 288	772	1 944	467
Rhône-Alpes	4 584	857	2 292	449
Ile-de-France	11 541	1 083	5 234	520
Métropole	51 667	917	25 511	477
Guadeloupe	1 597	4 128	587	1 792
Guyane	957	8 341	247	2 334
Martinique	1 276	3 549	613	1 830
Réunion	2 274	3 803	927	1 662
France entière	57 991	999	27 885	510

Nota. – (1) En millions de F. (2) En F par habitant. *Source :* ministère de l'Intérieur.

5,6) ; des impôts hors fiscalité transférée 22,5 (taxes additionnelles de mutation 8,6, autres taxes locales et droits indirects 3,8, taxe locale d'équipement 1,6, versement/dépassement PLD 0,7, permis de conduire 0,3, taxe sur l'électricité 7,5).

Ratio d'endettement communal (annuité sur recettes réelles de fonctionnement) (en %, 1990). *Communes de – de 2 000 habitants :* 23,4. *2 000 à 5 000 :* 23,7. *5 000 à 10 000 :* 22,7. *10 000 à 20 000 :* 20,8. *20 000 à 50 000 :* 19,5. *50 000 à 100 000 :* 19,6. *100 000 à 300 000 :* 19,7, *+ de 300 000 :* 23,9.

Solidarité urbaine nationale (en millions de F, 1993). *Total* 258 pour les villes connaissant une situation sociale difficile : Aix-en-Provence, Bordeaux [1,2], Boulogne-Billancourt [1], Clermont-Ferrand [2], Dijon, Dunkerque [2], Grenoble [1], Lyon [2], Nancy, Paris [1], Strasbourg [2], Toulouse [2], Versailles [1], Villeurbanne [2].

Nota. – (1) Contribue au financement de la DSU (dotation de solidarité urbaine). (2) Reçoit la dotation particulière de solidarité urbaine (DPSU) destinée aux villes cessant de percevoir la DSU.

Impôt spécifique Ile-de-France. Communes qui paieront + de 2 millions de F : Paris 373,15, Puteaux 22,04, Courbevoie 19,80, Boulogne-Billancourt 19,37, Neuilly 12,96, Levallois-Perret 9,15, Vélizy-Villacoublay 7, 95, St-Cloud 5,87, Chevilly-Larue 2,75, Paray-Vieille-Poste 2,68, Aubergenville 2,34.

Finances publiques internationales

Définitions

■ **Abréviations.** AID : Association internationale de développement. A (ou F) PD : Aide (ou Financement) public de développement. BIRD : Banque intern. pour la reconstruction et le développement (ou Banque mondiale). BRI : Banque des règlements internationaux. CAD : Comité d'aide au développement. FAS : Facilité d'ajustement structurel. FASR : FAS renforcé. SFI : Société financière internationale.

■ **Accords généraux d'emprunt.** Le FMI tire ses ressources de souscriptions (voir quotes-parts) mais peut les compléter par des emprunts. En vertu des Accords généraux d'emprunt (AGE), entrés en vigueur en oct. 1962, et renouvelés périodiquement, 10 pays industrialisés membres du FMI (*le Groupe des Dix* [1]), la Suisse, puis dep. 1983, l'Arabie Saoudite ont mis des lignes de crédit à la disposition du Fonds.

Nota.– (1) G7 + P.-Bas, Belgique et Suède.

Accords en vigueur (30-4-91). *Montant engagé (millions de DTS) : 19 203* dont mécanisme élargi de crédit *12 159*, accord de confirmation *4 833*, FAS renforcée *2 111*, FAS *101.*

■ **Balance des paiements.** Ensemble des comptes enregistrant pour une période donnée les transactions économiques et financières (et leurs soldes) entre un pays et le reste du monde.

Principaux postes. Biens et services : marchandises (exportations et importations : *balance commerciale*) et services (transports, assurances, voyages, brevets, revenus du capital, salaires...). **Transferts** (« dons et autres transactions unilatérales ») : économies de travailleurs, paiements au titre de réparations, contributions au financement d'organismes internationaux, dons... L'ensemble des biens et services et des transferts constitue la *balance des paiements courants.* **Mouvements de capitaux non monétaires :** capitaux à long terme (investissements de portefeuille, investissements directs, prêts, crédits commerciaux, crédit-bail...) et capitaux à court terme et liquides (prêts et avances, crédits commerciaux...).

■ **Balances dollars et sterling.** Avoirs en dollars ou en livres sterling que les banques centrales autres que celles des USA et de la G.-B. détiennent à titre de réserves sous le régime de l'étalon de change or.

■ **Bretton Woods (accords de)** lieu du New Hampshire (USA), où se réunirent, du 1er au 21-7-1944, des délégués de 44 pays (dont *France :* P. Mendès France ; *G.-B. :* J. M. Keynes ; *USA :* Harry Dexter White) pour établir les bases d'une coopération internationale sur le plan monétaire en vue de faciliter l'expansion du commerce international. Ils décidèrent de créer le *Fonds monétaire international* (FMI) et la *Banque mondiale* et fixèrent les parités des monnaies par rapport au $, lui-même lié à l'or (35 $ l'once). Ce système, dont le FMI devait être le gardien, ne fut en vigueur que le 1-1-1959, date à partir de laquelle toutes les monnaies des pays industrialisés, et pas seulement le dollar, sont redevenues librement convertibles, au moins pour les non-résidents. *Effondrement :* entre 1971 et 1973 avec l'abandon de la parité or de la devise américaine et le flottement généralisé. Ce système dispensait les USA d'une certaine rigueur financière et les mettait en position dominante, mais le montant de liquidités mondiales ne pouvait dépendre d'une production d'or étroite, contrôlée par quelques pays. Le maintien d'une libre convertibilité du $ permettait théoriquement aux pays détenteurs de $ de vider les réserves d'or de Fort-Knox à un prix avantageux.

■ **Convertibilité.** Une monnaie est convertible quand on peut librement la transformer en la valeur étalon (or si c'est l'or) ou en une autre monnaie.

La plupart des monnaies convertibles ne le sont en fait que par les non-résidents. La convertibilité « interne » du franc est quasi totale.

Quelques monnaies sont convertibles à volonté par les résidents et les non-résidents, exemple : le mark, le franc suisse, le dollar, la livre sterling.

■ **Dette internationale** (en milliards de $, 1991). **Dette totale de tous les pays en développement** (en milliards de $) *1982 :* 846, *85 :* 1 041, *86 :* 1 146, *87 :* 1 292, *88 :* 1 284, *89 :* 1 290, *90 :*1 355, *91 :* 1 378 (dont dette des pays déclarant à la Banque mondiale 1 280). *Dette à long terme :* auprès du secteur public (créanciers publics multilatéraux et bilatéraux) 547, privé (fournisseurs et banques principalement) 517 ; *à court et moyen terme :* 313 ; *crédits du FMI* (les tirages auprès du FMI sont une partie de la dette à long terme contractée auprès du secteur public, mais ils sont généralement présentés à part compte tenu de leur nature particulière) 35.

Service de la dette à long terme
(milliards de $, 1991).

	Total	Principal	Intérêts	Taux	Ratio
Ensemble	134,9	75,9	59	6,8	21,2
Pays à revenu intermédiaire	45,5	23	22,5	8	29,7
Afrique subsaharienne	8,9	4,8	4,1	3,9	20,5
Europe de l'Est	18,5				

Principaux pays débiteurs (1990). **Selon le ratio service de la dette (principal + intérêts) sur exports de biens et services** (entre par. aide en millions de $ en 91 et en % du PNB), en italique pays les plus débiteurs. **Afrique subsaharienne** 26 (16 400/10,8) dont *Côte-d'Ivoire* n.c. (597 ; 6,9) ; PMA 29 [dont Éthiopie (951 ; 15,9), Mozambique (1 022 ; 98,2), Ouganda (566 ; 13,5), Sahel (2 800 ; 20,3), Somalie (282 ; 33,8), Tanzanie (1 038 ; 40)] ; *Nigeria* 17 (293 ; 1) ; autres 32. **Amérique latine-Caraïbes** 26 dont *Argentine* 34 (255 ; 0,3), *Bolivie* n.c. (540 ; 13,3), *Brésil* 21 (196), *Chili* n.c. (122), *Colombie* n.c. (143, 0,3), *Équateur* n.c. (208, 1,9), Honduras (332 ; 8,9), Jamaïque 28 (197 ; 7,9), *Mexique* 30 (183 ; 01,), *Pérou* 12 (339 ; 1,6), Salvador (290 ; 5,7), *Uruguay* n.c., *Venezuela* n.c. **Asie** 14 dont Bangladesh (2 142 ;

11,4), Chine 12 (2 166 ; 0,5), Inde 29 (1 700 ; 0,6), Indonésie 31 (1 733 ; 2), Corée 12 (64), Malaisie 12 (459), Pakistan 22 (1 183 ; 3,1), Philippines 22 (1 231 ; 3), Sri Lanka (651 ; 10,7), Thaïlande 14 (738 ; 1,2). **Afrique du Nord et Moyen-Orient :** 15 dont Algérie 54 (351 ; 0,5), Égypte 26 (4 638 ; 12,6), Jordanie (688 ; 11,3), *Maroc* 25 (1 203 ; 3,2), Tunisie 26 (312 ; 3). Europe : Turquie (1 640 ; 0,5), *ex-Yougoslavie.* **Ensemble** 18. **Pays ayant des impayés de + de 6 mois** (montant total en millions de DTS en 1992, dont entre parenthèses à + de 3 ans) : *au FMI :* Cambodge 41,7 (34) ; Irak 8,7 ; Liberia 381 (256) ; Pérou 623 (569) ; Sierra Leone 87 (58) ; Somalie 144 (56) ; Soudan 1 090 (752) ; Viêt-nam 100 (88) ; Zambie 99 ; Zaïre 921 (606). Total 3 496 (2 419). *A la BIRD :* Congo, Guatemala, Irak, Liberia, Pérou, Syrie, Yougoslavie.

Dette subsaharienne : *à long terme* (en milliards de $, fin 1989). Dette publique ou à garantie publique : 119,7 dont multilatérale 33,2, bilatérale 52,4, crédits privés garantis 34,1, privée non garantie 5,2. *Total (hors FMI) :* 125,6 soit 87,83 % de l'encours total de la dette extérieure (dette publique 83,7 %). *En 1990 :* 175,8 (5,9 annulés). *1991 :* le service de la dette représente 21 % des exportations (19 % en 90).

Dette de l'Afrique (milliards de $, 1991) : 272, soit 90 % du PIB. **Service de la dette** (% des recettes d'exportations) : *1990 :* 19, *91 :* 21 (Mozambique, Soudan et Somalie : + de 1 000).

Problèmes posés. Les emprunts servent surtout à acheter des marchandises dans les pays ind. où ils ont contribué à créer des millions d'emplois. Il y a de plus en plus de prêts à l'exp., et de financements de projets, favorisant l'échange avec les pays riches et non l'amélioration des revenus de ces pays. Beaucoup de PVD sont en état de cessation de paiement.

Les dettes publiques (emprunts auprès d'États et crédits commerciaux garantis par l'État) sont renégociées au Club de Paris ou dans des consortiums d'aide ; *les dettes commerciales* (banques com.) sont renégociées avec des comités de banquiers. Il peut y avoir refinancement ou rééchelonnement des prêts existants d'assez courte durée (7 à 10 ans avec 3 à 4 ans de différé d'amortissement ; dettes com. en 5 à 10 a., l'allégement ne couvrant que les montants dus au titre du principal) ; actuellement, le Club de Paris et les banques com. exigent que le pays débiteur ait soumis un programme de stabilisation au FMI malgré les rééchelonnements.

Emprunts sur les marchés internationaux de capitaux (en milliards de $) : *1985 :* 279,6. *1988 :* 452. *1989 :* 466,5. *1990 :* 435. *1991 :* 517,6 (dont obligations 310, prêts commerciaux 113, Euro-Medium Term notes 43,2, ECP (Euro Commercial Paper) 35,7, autres 15,7. **Par groupes d'emprunteurs** (1991) : OCDE 455 (dont G 7 310 : Japon 81, USA 67, G.-B. 54, France 36), PVD 41,6, Europe de l'Est 1,7, autres 19,3.

Dette nette des pays de l'Est, y compris l'ex-URSS (en milliards de $). *1984 :* 60, *88 :* 99, *90 :* 142 (Bulgarie : 10,4. Hongrie : 21,7. Pologne : 48,2. Tchécoslovaquie : 7,9. Roumanie : 2,3. URSS et banques du CAEM [1] : 52), *91 :* 105 (dont ex-URSS 60).

Nota. – (1) Banque internationale d'investissement et Banque internat. de coopération économique (siège à Moscou) qui empruntent pour l'ensemble du CAEM. Leur dette est demeurée de l'ordre de 4 à 5 milliards de $.

Crédits publics aux pays de l'Est (milliards de $) : *1990 :* 0,8, *91 :* 8. **A la Russie :** *1992 :* 24 ; *93 :* 24,6 (dont aide FMI 5,6, BIRD 4, Club de Paris 15 par rééchelonnement de dettes).

Dette des USA (1992). **Dette intérieure :** 4 000 milliards de $. **Dette extérieure :** 382 (1991). *En 1987 : engagement extérieur USA :* 1 536. *Investissement direct des étrangers aux USA :* 421 en 90 (dont G.-B. 50 %). *Titres du Trésor amér. possédés par des étrangers :* gouvernements : 283, privés : 78 (les investissements privés ont, par ailleurs, 344 md de $ en actions et obligations). *Avoirs américains à l'étranger :* 1 168 [*investissements directs* (surtout en Europe) : 407 (90), *inv. des portefeuilles :* 147, *avoirs du gouvernement :* 88, *créances bancaires :* env. 500 et *dettes bancaires :* env. 500 (donc solde quasi nul)].

Club de Paris. *Créé* en 1956 pour éviter la faillite de l'Argentine, il réunit à Paris des États créanciers désireux de définir en commun les facilités de paiement qu'ils peuvent accorder à un débiteur en difficulté. **Club de Londres.** Regroupe l'ensemble des banques créancières, il négocie les conditions d'un rééchelonnement des remboursements du capital et éventuellement l'octroi de prêts nouveaux.

Rééchelonnement de la dette. 1er chiffre : Club de Paris : montant ; 2e et 3e chiffres, Club de Londres ; entre parenthèses nombre de pays concernés et en italique montant (en milliards de $). *1982* 0,7 (27) *47. 83* 9,4 (26) *91. 84* 3,6 (14) *23. 85* 18,0 (12) *72. 86* 11,3 (19) *90. 87* 27,3 (10) *80. 88* 8,6 (6) *1. 89* 16,7 (5) *5. 90 (9 mois)* 15,2.

☞ **Apport net de ressources à long terme aux PVD** (1991). 84,9 milliards de $. *Transferts nets du Sud au Nord (1983-89) :* 242 Mds de $.

Dette publique nette (1992, % du PIB). All. 22,7. Belgique 124,3. Espagne 35,8. *France 28,8.* G.-B. 35,6. Italie 106,7. Japon 6,1. USA 37,9.

Déficits ou excédents des administrations publiques (1992, % du PIB). All. – 3,2. Belgique – 6,1. Espagne – 4,7. *France – 2,8.* G.-B. – 6,6. Italie – 11,1. Japon + 1,3. USA – 4,7.

☞ **Dettes de la 1re Guerre mondiale. Dettes originales et,** entre parenthèses, **sommes dues** (intérêt et principal, en millions de $, au 31-12-79) Arménie 11,9 (36,1), Autriche 26,8 (12), Belg. 423,6 (432,5), Cuba 10 (2,3), Estonie 16,9 (29,5), Finlande 9 (12,7), *France 4 128,3 (4 972,5),* G.-B. 4 933,7 (9), Grèce 34,3 (6,9), Hongrie 2 (3,6), Ital. 2 044,9 (596,5), Lettonie 7,1 (12,4), Liberia 0,026 (0,01), Lituanie 6,6 (11,5), Nicaragua 0,1 (0,3), Pologne 213,5 (375,5), Roumanie 68,3 (91,2), Russie 192,6 (596,5), Tchécosl. 185,1 (218,7), Yougosl. 63,6 (52,9). *Total 12 378,6 (16 479,7).*

■ **Dévaluation.** Opération consistant à réduire la parité d'une monnaie déterminée par rapport à un étalon monétaire, donc également par rapport aux autres monnaies.

Dépréciation de la monnaie. Perte de pouvoir d'achat intérieur du fait de la hausse des prix. La dévaluation freine les importations (plus chères en monnaie nationale) et favorise les exportations (devenues moins chères pour les importateurs), d'où une stimulation passagère qui dure tant que le renchérissement des importations n'a pas entraîné une hausse des prix équivalente.

■ **Devise.** Toute créance sur l'étranger libellée en monnaie étrangère et payable à l'étranger. Elle peut prendre la forme d'avoirs auprès des banques étrangères (comptes en banque) ou de traites ou de chèques libellés en monnaie étrangère payables à l'étranger.

Dans une banque, on appelle *« position à la hausse »* les avoirs en devises et *« position à la baisse »* les dettes en devises. On peut acheter ou vendre à terme une devise, pour spéculer selon que l'on s'attend à sa hausse ou à sa baisse, ou pour se couvrir (si l'on doit acheter des marchandises payables à 90 j).

■ **Droits de tirage spéciaux (DTS).** Instrument de réserve international créé par le FMI en 1969 pour compléter les actifs de réserve existants. Il est aussi utilisé comme unité de compte par le FMI et par d'autres institutions. Les DTS sont alloués aux pays membres qui les demandent au prorata de leur quote-part, sur des périodes spécifiées dites « de base ». 21,4 milliards de DTS ont été alloués (soit environ 5 % des réserves internat. actuelles, or non compris) : 9,3 en 3 versements annuels de 1970 à 1972 dans la 1re période, 16 en 3 versements de 1979 à 1981 dans la 3e période).

Les DTS se différencient des droits de tirage ordinaires créés à Bretton Woods en 1944. Leur utilisation n'est soumise à aucune restriction, sinon qu'ils ne peuvent être employés par une banque centrale pour modifier la composition de ses réserves.

Valeur des DTS : le Fonds la calcule chaque jour en additionnant la valeur en $, calculée selon les taux de change du marché, et les composantes d'un panier de 5 monnaies. Dep. janvier 1981 (avant 16 de 1974 à 1980) des 5 pays membres dont la part dans les exportations mondiales est la plus importante : dollar, deutsche mark, yen, franc français, livre sterling. Coefficients de pondération en % (révisés tous les 5 ans) dep. janvier 1991, en $ 40 %, DM 21 %, Y 17 %, FF 11 %, £ 11 %. **Valeur moyenne de 1 DTS en $:** *1986 :* 1,773. *1987 :* 1,293. *1988 :* 1,344. *1991 :* 1,350. *1992* (30-6) : 1,431.

Taux d'intérêt servi : égal à la moyenne pondérée des taux des instruments du marché monétaire à court terme dans les 5 pays calculée chaque vendredi pour la semaine commençant le lundi suivant (28-4-91 : 7,87).

■ **Opérations financières du FMI. Quotes-parts :** *1980 :* 59,6 milliards de DTS ; *sept. 84 :* 89,5. *1986 :* 89,3. *1987 :* 89,9. *1990 :* 90,1. *1991 :* 91,1. *1993* (prév.) : 135. En *nov. 89,* les USA, principal contributeur du FMI, ont accepté un relèvement de 35 % de ses ressources, portées ainsi à 155 millions de $ (avant 115). En 1990, montant total des souscriptions relevé de 50 % avec prise d'effet liée à l'acceptation du 3e amendement aux statuts qui prévoit la suspension du droit de vote des pays qui ne remplissent pas leurs obligations (85 % des voix requises, 65 % acquises le 30-4-92.

Utilisation des ressources. *Encours de crédits du Fonds* (en milliards de DTS) : *1983 :* 26,6. *84 :* 34,6. *85 :* 37,6. *86 :* 39,8. *87 :* 33,4. *88 :* 29,5. *89 :* 25,5. *90 :* 24,4. *91 :* 25,6. *92 :* 26,7.

Mécanisme de financement supplémentaire (en vigueur en février 1979) suivi de la politique d'accès élargi (mai 1981). Ensemble de lignes de crédit permettant au FMI d'emprunter auprès d'un certain nombre de pays industrialisés ou exportateurs de pétrole afin d'accorder des prêts supplémentaires aux pays membres accusant des déficits de balance des paiements considérables par rapport à leur quote-part.

■ **Prêts nets de remboursement de la Banque mondiale** (en milliards de $). **Montant** *1988* et *89 :* 5, *90 :* 9, *91 :* 6. Intérêts versés par les emprunteurs. *1984 :* 3, *88 :* 6,5.

Transferts nets en provenance de la Banque mondiale (Bird et Aid) *de 1988 à 1992* (en milliards de $). Prêts accordés 102,7, décaissés 79,5, remboursements – 45,7, décaissements nets 33,8, intérêts et charges – 37,3, transferts nets – 3,5.

Prêts en portefeuille de la Banque internationale pour la reconstruction et le développement aux emprunteurs (30-6-1992, en milliards de $). 218,2 dont *par objet :* agric. et dév. rural 40,6, aliment. en eau et assainis. 9,7, éducation 9,5, énergie 47,2, industrie 16, petites entreprises 4,6, transports 31, télécom. 3,8, urbanisme 9,9, sociétés financières de développement 21, autres 24,9. *Par région :* Afrique 16,7, Asie 76,9, Moyen-Orient-Afrique du Nord 21, Amérique latine et Caraïbes 71,7, Europe et Asie centrale 31,8.

■ **Prêts du FMI à l'Afrique.** Engagements annuels du FMI 18 milliards de F (2,4 milliards de DTS), dont 10,5 déboursés. **Facilités d'ajustement structurel (FAS)** et, entre parenthèses, facilités renforcées (R) pour ceux qui en bénéficient. *Bénéficiaires en 1992 :* Bénin, Burkina Faso, Burundi (R), Comores, Gambie (R), Ghana (R), Guinée (R), Guinée Bissau, Guinée Équatoriale, Kenya (R), Lesotho (R), Madagascar (R), Mali, Mauritanie (R), Mozambique (R), Niger (R), Ouganda (R), République Centrafricaine, Rwanda, São Tomé, Sénégal (R), Sierra Leone, Somalie, Tanzanie (R), Tchad, Togo (R), Zaïre. **Prêts** (en milliards de $) : **total :** *1981 :* 12, *85 :* 43, *90 :* 32, *91 (juin) :* 37.

■ **Ecu (European currency unit,** voir SME). **Monnaie unique européenne :** instituée par le traité de Maastricht pour les États membres de la future Union européenne, entrée en vigueur prévue le 1-1-1999 pour les États membres remplissant des critères déterminés (voir p. 864) ; le nom de la monnaie n'est pas encore choisi. **Monnaie européenne. 1950** UC (Unité de compte) dans le cadre de l'Union européenne des paiements. **1975** UCE.

■ **Euromonnaie.** Monnaie détenue par un ressortissant d'un autre pays que celui d'émission ou, si le détenteur et la monnaie ont la même nationalité, qui est déposée dans une banque étrangère. Un *eurodollar* est un dollar qui appartient à un non-Américain ou un dollar appartenant à un Américain mais déposé dans une banque autre qu'américaine (les euromonnaies ne concernent donc pas que l'Europe). Le marché des euromonnaies, à l'origine marché financier à court terme (arbitrages entre les différents taux d'intérêt de chacun des marchés nationaux), permet des emprunts à long terme d'entreprises privées ou publiques, non libellés en monnaies nationales, à l'abri du contrôle des changes et des réglementations des banques centrales nat.

Principes. a) *Fournisseurs :* importateurs et exportateurs qui se couvrent à terme et laissent leurs devises en dépôt en attendant le dénouement de leurs opérations ; résidents des USA qui confient leurs avoirs à des banques en Europe autres que celles de leur propre pays ; banques commerciales recherchant des placements à l'extérieur ; banques centrales qui mettent des devises à la disposition de leurs banques commerciales pour diverses raisons : financement du commerce extérieur, régulation de la liquidité interne, aménagement du volume des réserves officielles, recherche de taux de rendement supérieurs à celui du marché américain. b) *Utilisateurs :* les opérateurs qui désirent et peuvent financer leurs règlements étrangers ou leurs besoins de trésorerie internes avec des eurodollars : les résidents des USA qui rapatrient les avoirs qu'ils ont placés sur le marché ; des banques centrales qui retirent de ce marché des devises qu'elles lui avaient fournies.

Système Chips (Clearing House Interbank Payment System). Système interbancaire de règlement par télétransmission, créé en 1970, et permettant l'essentiel des transactions en eurodollars entre banques européennes et américaines. Près de 100 000 affaires par jour entre 130 banques. Autres systèmes analogues : G.-B. (Chaps), Hong Kong (Chats), Singapour (Schift), France (Sagittaire ou système automatique de gestion intégrée par télétransmission de transactions avec interbancarité des règlements « étrangers »).

■ **Liquidités (ou réserves) internationales.** Ensemble des disponibilités dont les banques centrales disposent (or, devises, DTS et positions de réserve au FMI). En plus des liquidités officielles ; il existe des liq. privées. Dans le système actuel, la création des liq. est fonction de l'offre et de la demande.

Réserves officielles des pays membres du FMI (en milliards de DTS fin d'année), **1er chiffre or exclu et,** entre parenthèses, **montant en or :** *1975 :* 160,2 (122). *80 :* 321,5 (440,8). *84 :* 407,1 (297,8). *85 :* 405,2 (283,8). *86 :* 419 (304,5). *87 :* 507,8 (323,2). *88 :* 542,9 (288,9). *89 :* 591 (287,6). *90 :* 637,8 (254,5). *91 :* 672 (232). *92 (mars) :* 691,9 (235). Répartition au 1-3-1992 : pays industrialisés : 405 (197) ; pays en voie de développement : 286,9 (36,9) ; pays débiteurs 199,9 (28,9).

■ **Marché des changes.** Marché sur lequel vendeurs et acheteurs de monnaies étrangères se rencontrent pour négocier les titres de créance libellés en monnaies étrangères. L'ensemble (chèques, lettres de changes, transferts télégraphiques) forme les *devises.* S'il y a égalité des taux sur 2 marchés différents (ex. : Paris et New York), on dit qu'il y a *parité des changes. Arbitrage :* opération consistant à vendre ou acheter des devises pour ramener les différents taux à la parité.

Marché des changes à terme. *Futur* : permet d'échanger les devises sur des marchés organisés, dans le cadre de contrats standardisés fixant notamment les montants et la date de l'échange. *Option* : laisse à l'acheteur la possibilité (non l'obligation) d'acheter ou de vendre des devises à un terme fixé à l'avance. **En France :** *1939-48* marché fermé, le Fonds de Stabilisation des Changes achète ou cède des devises, à des cours fixes officiels, à des banques intermédiaires agréées. *1948* un marché libre pour dollar américain et devises convertibles en dollars. *1949 (20-9),* toutes les opérations en dollars ou en devises convertibles peuvent se dérouler au cours libre. *1950,* marché officiel créé à côté du marché libre. *1958 (juin),* les 2 fusionnent.

■ **Parité.** Rapport de la valeur d'une monnaie à une autre (voir Taux de change).

■ **Réévaluation.** Inverse de la dévaluation. La valeur d'une monnaie est relevée par rapport à celle d'autres monnaies.

■ **Swap** (« échange financier » selon la terminologie officielle adoptée le 11-1-1990). *D'intérêt :* transformation d'une dette à taux fixe en une dette à taux variable et réciproquement. *De devises :* échange d'une dette libellée dans une monnaie contre un montant identique dans une autre.

■ **SME (Système monétaire européen).** Approuvé le 5-12-1978 par les pays du Marché commun (sauf la G.-B. qui n'y rentrera que le 8-10-1990), entré en vigueur le 13-3-1979. Il est devenu désormais, en volume, la 4e monnaie intern. derrière dollar, mark et yen, avec 7,1 % des avoirs en devises globaux et 12,1 % de ceux des pays industrialisés. Il possède les attributs classiques d'une monnaie (étalon de référence, instrument de règlement et de réserve). *Sa valeur* calculée en additionnant la valeur des monnaies concernées affectées d'un coefficient (en fonction du PNB et du commerce extérieur des pays).

Usages privés de l'écu. *Avantages :* protection contre le risque de change, possibilité pour les opérateurs de diversifier leurs avoirs en devises et d'avoir accès à des devises europ. dont le marché est étroit, taux d'intérêt plus stables et plus pondérés que ceux des monnaies constituant l'Ecu. *Usage financier :* comprend par ex. les émissions obligataires, les crédits bancaires internationaux, des produits d'épargne, le règlement des opérations et transactions des institutions communautaires. *Commercial :* facturation interne entre filiales ou vis-à-vis de fournisseurs crédits-imports-exports. **Pièces.** Le 25-3-1987, 200 000 Ecu d'or et 2 millions d'écu d'argent à l'effigie de Charles Quint mis en circulation. Cotés à la Bourse de Bruxelles le 1-1-1988.

Emprunts. 1er emprunt en Ecu coté à la Bourse de Paris le 18-2-1985 : emprunt de la BEI : 200 millions d'écu (dont 160 millions pour la Fr.), en obligations de 1 000 Ecu (7 000 F env.) pour 10 ans, 9,25 %. En avril 1989, emprunt de 1 milliard d'écu (7 milliards de F) lancé par l'État français (rendement réel 8,66 %, taux nominal 8,50 %).

Poids relatif des monnaies composant l'Ecu (en %, 13-5-93). DM 31,44 ; FF 19,61 ; livre sterling 11,69 ; lire 9,07 ; florin 9,83 ; FB 8,05 ; FL 0,31 ; peseta 4,94 ; couronne dan. 2,55 ; lire irl. 1,13 ; escudo 0,79 ; drachme 0,57. Chaque monnaie a un « *taux pivot* » (parité) rattaché à l'écu ; à partir de ces taux pivots (qui déterminent des parités bilatérales entre les monnaies) sont fixées des marges de fluctuation de 2,25 % (en plus ou en moins) jusqu'au 1-8-1993 et de 15 % dep. le 2-8-1993 (sauf florin et mark qui gardent entre eux la marge de 2,25 %). **Cours pivots** 100 deutsche mark 335,39 ; 100 florins 297,66 ; lire italienne, livre sterling : flottement ; 100 F belges 16,26 ; 100 couronnes danoises 87,93 ; 100 livres irlandaises 8,09 ; 100 pesetas 4,24 ; 100 escudos 3,39.

Si une monnaie franchit son « seuil de divergence » (75 % de l'écart maximal de divergence par rapport à l'ensemble des monnaies : « indicateur de divergence »), les autorités du pays concerné doivent réagir (« présomption d'action ») : en intervenant sur le marché des changes, en prenant des mesures monétaires et économiques, en modifiant les taux pivots, en recourant au Fonds d'intervention (facilités de crédit illimitées à très court terme). Le Fonds dispose de 25 milliards d'écu (env. 120 milliards de F) dont 14 pour le soutien monétaire à court terme (– d'un an) et 11 pour les concours à moyen terme ; alimenté par la remise de 20 % des avoirs en or et de 20 % des réserves en $ des membres qui reçoivent en contrepartie des écu destinés au règlement des soldes des interventions des banques centrales.

■ **UEM (Union économique et monétaire).** Voir Maastricht p. 865.

☞ Sont rattachées à l'écu les couronnes norvégienne (dep. 19-10-90) et suédoise (dep. 21-6-90).

Comparaisons

En 1993	Dette publique[1,2]	Déficit des adm.[1,2]	PIB[4]	Inflation[3]	Taux	
					Long terme[3]	Court terme[3]
Allemagne .	43,4	– 3,6	1 763	3,7	7,40	9,04
Belgique . . .	132,2	– 6,2	218	2,4	7,91	8,71
Danemark .	74	– 2,7	143	1,5	10,20	12,00
Espagne . . .	47,4	– 4,2	580	5,4	12,99	15,16
États-Unis .	32,9	– 2,7	5 881	2,9	7,30	3,48
France	50,1	– 3,2	1 336	2	8,14	11,34
G.-B.	45,9	– 8,3	1 039	2,6	8,84	7,16
Grèce	105,6	– 9,8	79	14,4	–	–
Irlande	99	– 3	49	2,3	–	–
Italie	106,8	– 10,2	1 226	4,7	12,31	13,58
Japon	7,7	+ 2,6	3 699	1,2	4,81	7,75
Luxemb.* . .	6,8	– 1	10,5	2,9	–	–
Pays-Bas . . .	79,8	– 3,5	323	2,6	7,46	8,66
Portugal* . .	66,2	– 4,8	83,4	8,4	–	–

Nota. – (1) En % du PIB. (2) Février. (3) Déc. 92. (14) En milliards de $.

Monnaies

Quelques définitions

Taux de change. Définition. Prix d'une monnaie par rapport à une autre. Avant les *accords de la Jamaïque* (7/8-1-1976) (voir ci-dessous), chaque monnaie avait une parité fixe exprimée en or (pour une once d'or fin, sur la base de 35 $ de 1934 à 1971, 42,22 $ à partir du 12-2-1973). Les pays signataires des *accords de Bretton Woods* s'étaient engagés à défendre les parités en intervenant sur les marchés des changes afin que les cours ne varient pas de plus de 1 % (de 2,25 % dep. le 18-12-1971). Lorsque les réserves d'un pays, c'est-à-dire ses avoirs en or et en devises qui garantissent sa propre monnaie, diminuent considérablement pour des raisons économiques ou politiques excluant un redressement, ce pays est contraint de modifier la parité de sa monnaie par rapport à l'or : c'est la *dévaluation,* qui permet de maintenir la libre convertibilité monétaire. Lorsque s'accumulent les réserves, la *réévaluation* peut être décidée.

Les accords de la Jamaïque ont légalisé le flottement des monnaies (celles-ci flottent dorénavant isolément ou par bloc), et contrairement à un régime de taux fixe, il n'y a pas de marge de variation prescrite. Voir tableau p. 1827.

Régime des changes (au 31-3-92). 158 pays sont membres du Fonds monétaire international (voir p. 861). 47 sont rattachés à une monnaie (23 au $ US, 14 au FF, 2 au rand sud-africain, 1 à la roupie indienne, 1 au DM), 6 au DTS, 33 à un autre panier de monnaies, 10 à un mécanisme de coopération monétaire (SME), 4 flexibles par rapport à 1 seule

Histoire des monnaies

Objets divers ayant servi de monnaie. *Afrique subsaharienne :* jusqu'à la fin du XIXe s., bracelets de métal, sel, étoffe, perles, boutons de chemises et surtout coquillages « cauris », enfilés par « liasse » de 12, 20, 40 ou 100 unités. Dans certaines parties de l'Afrique, disquettes de coquilles d'escargot « musanga ». *Expédition d'Égypte* (1798) : les marchands du Caire se faisaient payer avec les boutons d'uniforme des soldats français. *Amérique précolombienne.* Graines de cacao, alors denrée coûteuse. Comme étalon de valeur, Aztèques et Mayas utilisaient plutôt des pièces d'étoffe de coton « quachtli ». 1 quachtli équivalait à 450 h de travail et 100 graines de cacao. Au milieu du XIXe s., on se servait encore de cacao pour payer les ouvriers du Yucatan.

Monnaies les plus anciennes. *1res pièces de monnaies connues :* statères lydiens d'électrum du roi Gygès (670 av. J.-C.) ; des pièces chinoises auraient été émises v. 770 av. J.-C. (dynastie Tcheou) ; *1re pièce datée après J.-C. connue :* p. danoise de l'évêque de Roskilde (1234).

Poids des pièces. *La plus lourde :* p. de 10 dalers suédoise (1664) en cuivre, 19,710 kg. *La plus petite :* p. de 1/4 de dam népalaise (jawa), en argent (v. 1740), 2 × 2 (poids : 0,002 g).

Stabilité passée des monnaies

Sans dévaluation ou réévaluation. Franc français 1795-1914 (119 ans), florin hollandais 1816-1914 (98), livre sterling 1821-1914 (93), franc suisse 1850-1936 (86), franc belge 1832-1914 (82), couronne suédoise 1873-1931 (58), mark allemand 1875-1914 (39), lire italienne 1883-1914 (31), dollar 31-1-1934/20-12-1971 (38).

monnaie et 10 par rapport à plusieurs monnaies, 5 ajustés en fonction d'un groupe d'indicateurs, 26 rattachés à un régime de flottement dirigé, 33 à un régime de flottement indépendant.

Les pays membres du SME maintiennent des marges fixes pour les taux de change de leurs monnaies par rapport aux autres monnaies au sein du groupe, mais laissent flotter leurs taux de change par rapport aux monnaies des pays qui n'appartiennent pas au groupe.

Contrôle des changes. Institué en France depuis le début de 1930-45 (à l'exception de quelques mois en 1967-68), il a été levé le 1-1-1990, avec 6 mois d'avance sur les engagements européens de la France. La détention de capitaux à l'étranger n'est plus interdite aux Français, mais les comptes et mouvements doivent être déclarés.

Bureaux de change. Autorisés par arrêté du 21-5-1987 qui mettait fin au monopole des banques. En 1992, 887 en France, dont 151 à Paris. *Écarts entre les cours :* jusqu'à 10 % dans les bureaux de change, en fonction de la commission qui peut atteindre 9 % du montant de la transaction.

■ **Encours en France** (mars 1993) données brutes en milliards de F. **M1 :** 1 506,2 dont monnaie et billets 239,1, dépôts à vue (CDC, Caisse d'Épargne, CCP, Trésor) 1 267,1. **M2 :** 2 685,5 dont livrets soumis à l'impôt 166,9, livrets A ou bleus 716,2, livrets d'épargne populaire 76,2, Codevi 93,5, comptes d'épargne-logement 126,7. **M3 :** 5 444,4 dont dépôts et titres du marché monétaire en devises 79,6, dépôts à terme en F 346,9, bons en F 309,6, titres du marché monétaire en F 452,6, titres d'OPCVM court terme 1 656,1. **M4 :** 5 500,5 dont titres de créance négociables 35,9, billets de trésorerie 20,2.

■ **Disponibilité monétaire ou monnaie proprement dite.** Comprend l'ensemble des moyens de paiement : monnaie (passif du système monétaire sous forme de monnaie fiduciaire et en dépôts à vue à l'égard du secteur privé national) et monnaie de réserve (passif des autorités monétaires en monnaie fiduciaire et en dépôts à vue à l'égard des banques de dépôt et du secteur privé national). **Monnaie fiduciaire :** ensemble des billets de banque et de la monnaie métallique. **Scripturale :** ensemble des chèques, transactions par carte bancaire, traites et lettres de change. **Quasi-monnaie :** constituée par les avoirs aisément transformables sans perte en capital : dépôts à terme, comptes sur livrets dans les banques.

■ **Placement liquide ou à court terme.** Ensemble de la quasi-monnaie, des avoirs en Caisses d'épargne, des Sicav monétaires et des bons du Trésor. **Masse monétaire :** comprend les disponibilités monétaires et la quasi-monnaie. **Contrepartie de la masse monétaire :** monnaie et quasi-monnaie constituent des dettes des banques et du Trésor public à l'égard des entreprises et des particuliers. En contrepartie, sont comptabilisées à l'actif de ces institutions les opérations de monétisation des créances qui sont à l'origine de la création monétaire : l'acquisition d'or et de devises, les créances sur le Trésor public (concours accordé à l'État par la Banque de Fr. et les banques ; dépôts à vue ou à terme des entreprises et des particuliers dans les centres de chèques postaux et sur les livres comptables publ.) et les crédits aux entreprises et aux particuliers.

■ **Liquidité de l'économie.** Comprend les éléments de la masse monétaire, les dépôts dans les Caisses d'épargne et les bons du Trésor souscrits par le public. La liquidité de l'économie permet d'apprécier l'évolution de la situation monétaire du pays et de la comparer à celle des pays étrangers. Elle est mesurée par le rapport entre le montant moyen annuel et l'ensemble des liquidités, et la dépense nationale brute qui prend en compte les importations.

Marché monétaire en France (fin déc. 1988) : titres en circulation env. 899,8 milliards de F (y compris titres non négociables).

Endettement intérieur total : 9 148 dont État 1 948, AFN (Agents non financiers) 7 200. *Crédit des EC (Établissements de crédit) résidents* 6 525 dont État 142, AFN 6 383 ; *financement sur les marchés internes :* 2 402 dont monétaire 886 (État 714, AFN 172), obligataire 1 516 (État 1 073, AFN 443) ; *financement international :* 221 dont EC non résidents 99 (État 19, AFN 80) ; obligations étrangères 122.

Titres de créance négociables émis (titres du marché monétaire). Encours, (mai 1993) : en milliards de F. Certificats de dépôt 1 060,4, bons des sociétés financières et IFS 79,7, bons du Trésor 833,1 (BTF 329,8 ; BTAN 503,2), billets de trésorerie 191,6, bons à moyen terme négociables 390,5. **Total :** 2 555,4.

■ **Vitesse de circulation de la monnaie.** Nombre de fois où, pendant une période donnée, une unité de monnaie sert à acquérir un bien. Si, pendant un an, la totalité des transactions effectuées dans un pays est de 1 000 et que la masse monétaire est restée égale à 200, chaque unité de monnaie a servi 5 fois. A court terme, il semble que la vitesse de circulation soit assez stable (25 fois env.).

ZONES MONÉTAIRES

Système de défense de la monnaie regroupant plusieurs pays, protégé de l'extérieur par un contrat des changes. Les transferts sont libres à l'intérieur de la zone et les monnaies convertibles entre elles sur la base de parités fixes. Les devises acquises sont mises en commun et gérées par un seul pays.

■ **Zone dollar.** Il n'existe pas de zone dollar, mais un certain nombre de pays en voie de développement rattachent le cours de leur monnaie à celui du dollar, notamment beaucoup de pays d'Amérique latine.

■ **Zone escudo.** Comprenait le Portugal et ses provinces d'outre-mer, mais Angola (8-1-1977) et Mozambique (9-3-1977) s'en sont détachés.

■ **Zone franc.** *Constituée* en 1945-46. *Comprend* (en 1993) France, DOM-TOM, Mayotte et Monaco, 13 États africains et les Comores. Les États africains sont regroupés en 2 unions monétaires. *Ont quitté la zone :* Madagascar, Mauritanie les 1er et 9-7-1973 (la Mauritanie quittant également l'UMOA). Le Mali de 1962 à 1967, en gardant un institut d'émission autonome jusqu'à ce qu'il entre à l'UMOA.

UMOA (Union monétaire ouest-africaine) : *créée* 14-1-1973 *admise* 1984, *membres :* Bénin, Burkina-Faso, C.-d'Ivoire, Mali, Niger, Sénégal, Togo. *Organes : conférence des chefs d'État :* au moins 1 fois par an. *Conseil des ministres* (2 ministres, mais 1 seule voix par pays) au moins 2 fois par an.

BCEAO (Banque centrale des États de l'Afr. de l'Ouest) : à Dakar, institut d'émission de l'union : participe au capital de la Banque ouest-afr. de développement (BOAD).

BEAC (Banque des États d'Afr. centrale) : créée 1972, comprend Cameroun, Centrafrique, Congo, Gabon, Guinée équatoriale (admise 1985), Tchad. *Organes : Comité monétaire* constitué des ministres des Finances. *Siège :* Yaoundé, mêmes fonctions que la BCEAO.

☞ La France a signé des conventions de coopération monétaire les 23-11-1972 (BEAC) et 4-12-1973 (UMOA), complétées des conv. de compte d'opérations les 13-3-1973 (BEAC) et 4-12-1973 (UMOA).

Règles de fonctionnement. 1°) Libre convertibilité entre F et F CFA (P). **2°)** Liberté de transfert (capitaux compris) dans la zone. **3°)** Garantie sans limite de ces monnaies par le Trésor Fr. à condition que les banques nationales y déposent 65 % de leurs réserves de change. **4°)** Politique monétaire restrictive dès que le ratio de liquidité (réserves internationales / dettes à vue) tombe à - de 20 %. *Conséquences :* la Fr. finance le déficit ; position privilégiée pour accueillir l'investissement étranger (liberté de transfert et garantie françaises), mais tendance à la fuite des capitaux ; position privilégiée pour les entreprises françaises ; contrôle économique par les réserves de change. *Problème :* le F CFA est surévalué mais la Fr. s'oppose à sa dévaluation (remise en cause des fondements du système et pertes d'avoirs français dans la zone).

Monnaies de la zone : FRANC FRANÇAIS, FRANC CFP, [(F des colonies françaises du Pacifique) créé 26-12-1945 pour N. Calédonie, N.-Hébrides, Établissements français de l'Océanie]. (100 F = CFP 2 400 F). Quand le taux de change du $ est porté de 50 à 119 F en métropole, le F CFP conserve sa valeur ancienne, sa parité s'élève à 2,40 F. *1948 (26-1) :* le F métropolitain est dévalué de 80 %. Le F CFP n'est pas dévalué : 1 F CFP = 4,32 F. Puis 1 F CFP = 5,31 F, cours qui peut être modifié automatiquement dans les mêmes proportions que le cours général des devises du marché officiel, en fonction de certains % de variation du cours moyen du dollar. *1949 (27-4) :* 1 F CFP = 5,48 F. *(21-9)* suit le F métropolitain, arrondi à 5,50 F. Depuis, la valeur est restée fixe par rapport au F métropolitain, passant à 0,055 F lors de la création du nouveau franc, le 1-1-1960. Actuellement, le F CFP n'est plus qu'un sous-multiple du F. FRANC COMORIEN, FRANC CFA (Communauté financière africaine) de l'Umoa et Franc CFA (Coopération financière en Afrique centrale) de la BEAC.

Parité avec le Franc français. 1 Franc CFP = 0,055 FF. 1 Franc CFA = 0,02 FF. 1 Franc comorien = 0,02 FF.

■ **Zone rouble transférable** (voir à ex-URSS).

■ **Zone sterling** (G.-B., pays du Commonwealth sauf Canada et, à différentes époques : Islande, Irlande, Jordanie, Koweït, Libye, Pakistan). *Née* à la suite de la dévaluation de la livre sterling anglaise en 1931. Ses membres gardèrent la plus grande part de leurs avoirs en devises étrangères sous forme de £, en retour la G.-B. n'appliqua avec eux aucune restriction dans le contrôle des changes jusqu'en juin 1972. Les contrôles des changes furent alors étendus à tous les pays sauf l'Irlande et, après 1973, à Gibraltar. Des contrôles furent appliqués à la Rhodésie du Sud entre novembre 1965 et décembre 1979. La zone sterling a cessé d'exister quand le contrôle des changes a été établi en octobre 1979.

HISTOIRE DU FRANC

■ **Sous l'Ancien Régime. Pièces :** le 19-9-1356, le roi de France Jean le Bon, battu à Poitiers par les Anglais, est fait prisonnier. Pour payer sa rançon (3 millions d'écus d'or), on frappe en 1360 une pièce où le roi n'est plus représenté sur un trône, mais à cheval, brandissant dans la main gauche une épée. Elle permit au roi de retourner franc (c.-à-d. affranchi) dans son royaume. Ce nom resta à la pièce. Ensuite, la livre fut parfois appelée « franc ».

Pièces en circulation : louis d'or (24 livres depuis 1726), écu d'argent (6 livres, id), sol en billon, liard en cuivre, avec leurs multiples et sous-multiples. (1 livre = 20 sols ; 1 sol = 12 deniers ; 1 liard = 3 deniers).

Livre tournois : teneur en or fin, en grammes, pour une pièce. *1266 :* St Louis (1 livre = 2 écus d'or) 8,271 ; *1300 :* Philippe IV 4,90 ; *1360 :* Jean le Bon 3,88 ; *1541 :* François Ier (1 écu or = 2 livres) 1,46 ; *1602 :* Henri IV (1 écu or = 3 livres 5 sous) 0,99 ; *1640 :* Louis XIII (1 louis = 10 livres) 0,62 ; *1700 :* Louis XIV 0,44 ; *1726 :* Louis XV (1 louis = 4 écus ou 24 livres) 0,31, le franc a 4,5 g d'argent, la livre 4,50516. *1785 :* Louis XVI 0,29.

Billets de monnaie : 1701 un édit stipule que les espèces ont un nouveau cours et que les anciennes monnaies sont surfrappées. On délivre au déposant un billet de monnaie de 25 à 10 000 l. remboursable dans quelques j, le temps de fabriquer de nouvelles pièces. Puis ce délai fut porté à 1 mois et + avec un édit ordonnant que les billets porteraient intérêt à 4 %. **1703** (*fin*) on échange les billets échus contre d'autres à échéance plus lointaine. **1704** des billets au-dessus de 150 l. (les autres ayant été remboursés) sont convertis en billets portant intérêt à 7,5 %. **1706** (*à partir de*) la confiance du public tombe (cours forcé 12-4-1707), on émet des billets sur les Fermiers et les Receveurs généraux à 5%. Fondation (1716) de la Banque générale de Law chargée d'émettre des billets libellés en écus, moyennant le versement d'un certain poids d'argent ; on développe les opérations de crédit en plaçant ou en prêtant l'argent reçu. L'État rachète les actions, utilise l'émission des billets pour les besoins du Trésor, les émissions des billets se multiplient pour financer le développement d'une grande Cie commerciale. Le terme de banque est banni et est remplacé par celui de *caisse.* **1718** *4-12* la Banque générale devient Banque royale ; *fin décembre* un édit fixe la parité des billets (10, 100 et 1 000 livres) avec l'or et interdit les règlements en espèce d'argent pour plus de 600 l. **1719** Law (contrôleur général des Finances en janv. 1720) édicte que les billets vaudront 5 % de + que l'argent courant et qu'on ne pourra régler en or les sommes supérieures à 300 l. Les billets perdent leur valeur mais les émissions se multiplient (il circulait en déc. 1718 12 millions de livres en billets, en déc. 1719 1 milliard). **1720** *11-3* Law proscrit l'or. *14-6* Law est congédié. *15-8* arrêt rétablissant la circulation des espèces. *10-10* arrêt retirant de la circulation toutes les valeurs à compter du 1-11 suivant, fermeture de la banque. **1776** *24-3* Caisse d'escompte créée (supprimée 24-8-1793). **1777**, *juin* + de 100 000 livres en circulation. **1790** (*début*) 180 millions de l. (il y eut semble-t-il des billets de 240 soit 10 louis, 600 et 2 000 l. puis 200, 300 et 1 000).

■ **Révolution. 1789 assignats** émis par la Caisse de l'extraordinaire (créée 4-12-1789, supprimée 4-1-1792). Rapportant 5 % d'intérêts, ils étaient gagés sur les biens de l'Église (biens nationaux). 1re émission : 400 millions de livres, valeurs : 200, 300 et 1 000 l., format : 195 × 175 mm, ramené à 195 × 136 une fois les coupons d'intérêt détachés. Ils indiquaient « Domaines nationaux hypothéqués au remboursement des assignats par le décret de l'Assemblée nationale des 16 et 17-4-1790, sanctionné par le roi ». 3 coupons d'intérêt figuraient au bas, détachés, ils firent office d'appoint, mais en 1794 leur cours fut interdit. Le verso était divisé en 20 cases pour les signatures des porteurs successifs. Le papier utilisé était filigrané avec 2 fois la mention « La Loi et le Roi », 3 fleurs de lys et, au milieu, « obligation nationale ». L'assignat de 300 l. (intérêt par j : 6 deniers) était imprimé en noir sur papier rose, celui de 1 000 l. (intérêt par j : 20 deniers) en rouge sur papier blanc. **1790** *29-9* émission de 800 à 1 200 millions de l. [coupures de 50 (format : 192 × 103 mm), 60, 70, 80, 90 et 100 l. et 500 et 2 000 l. Il n'y a plus de coupons car l'intérêt a été supprimé par décret du 16-10-1790. **1791** *6-5* émission de 20 millions d'assignats de 5 l. signés par Jean Corsel et surnommés « corset ». Format : 96 × 63 mm, signature imprimée. **1792** *24-1* on décide l'émission de coupures de 10 sous, 15 sols, 25 sols et 50 sols pour enrayer ces émissions incontrôlées. *24-10* émission d'1 milliard de livres. *21-11* assignat de 400 l. (1er à porter la mention « République française »). *16-12* nouveaux modèles avec « La Loi punit de mort le contrefacteur » et « La nation récompense le dénonciateur ». Les espèces métalliques ayant presque entièrement disparu, des billets de confiance apparaissent.

■ **Convention.** *Loi du 17 frimaire an II (7-12-1793) :* la livre est divisée en décimes et centimes (sous et deniers étant abolis). *Loi du 18 germinal an III (7-4-1795) :* la livre prend le nom de franc. *Loi du 28 thermidor an III (15-8-1795),* teneur métallique, taille et poids des pièces d'or et d'argent sont définis, la pièce de 1 F en argent pèse 5 g, mais ne sera pas frappée avant 1802.

■ **Directoire.** *Loi du 17 floréal an VIII (7-5-1799) :* impose le mot « franc » à la place de « livre » (bien que le franc vaille 1 livre et 3 deniers et la livre 98,7 centimes) ; les anciennes pièces continuent à circuler.

Billets : plus personne ne souhaite être payé en assignats ; l'emprunt forcé venant d'être institué, un décret autorise le Trésor à émettre des rescriptions, c'est-à-dire des billets permettant de payer, à plusieurs mois d'échéances, les sommes gagnées sur l'emprunt forcé. Les valeurs manuscrites étaient fixées à 25, 50, 100, 250, 500 et 1 000 l. (en mars 1796, le Directoire les assimile aux mandats territoriaux et une destruction publique de tous les objets ayant servi à la fabrication des assignats est décrétée).

Mandats territoriaux : *créés par la loi du 28 ventôse an IV (18-3-1796).* Étaient prévus en coupures de 1,5, 20, 50, 100 et 500 F. Mais leur dépréciation fut si rapide qu'une seule coupure fut imprimée, celle de 5 F. Ces bons furent émis par le Trésor jusqu'au 22 ventôse an VII (13-3-1800). Les assignats étaient échangés à raison de 30 pour 1 (août 1796). 1797 février : cours forcé des mandats supprimé.

Évolution : DES ASSIGNATS : 1794 *(juin)* 1 000 livres - assignats valent 340 livres-métal, *1795 (janv.)* 210, *(juillet)* 40 ; *1796 (janv.)* 5, *(juillet)* 2, *(août)* 10 sous. DES MANDATS : 1796 *(avril)* 1 000 livres valent 160 livres-métal, *(mai)* 120, *(juin)* 80, *(juillet)* 50, *(nov.)* 23. *1797 (févr.)* 10.

Billets privés : 1796 quelques organismes pouvaient émettre des billets au porteur, remboursables à vue, notamment la Caisse des comptes courants, la Caisse d'escompte du commerce.

■ **Consulat. 1799** (*fin*) il y a pour 40 millions de F de billets en circulation. **1800** *13-2* les statuts de la *Banque de France* sont déposés, elle absorbe la Caisse des comptes courants dont elle utilise les billets en y ajoutant « Payables à la Banque de France » (billets de 500 F : 216 × 216 mm, 1 000 : 205 × 128). **1803** *Loi du 7 germinal an XI (28-3-1803),* publiée le 17 germinal (7-4), 5 g d'argent au titre de 9/10 de fin, constitue l'unité monétaire, qui conserve son nom. Des pièces de 5 F, 2 F, 1 F, 0,50 F, 0,25 F sont créées ainsi que des pièces d'or de 20 et 40 F. On taillera 155 pièces de 20 F dans 1 kg d'or à 900 millièmes, c.-à-d. dans 900 g, de telle sorte que chaque pièce pèsera 6,4516 g contenant 5,8064 g d'or (définition du futur « napoléon »). Le franc équivaudra au vingtième, soit 322,58 mg à 900 millièmes, ou 290,3225 mg d'or fin. Il sera divisé en 100 centimes, le rapport légal de la valeur de l'or et de l'argent étant, comme sous Louis XVI, de 15,5. La teneur en or du « franc germinal » est la même que pour la l. sous Louis XVI. Le titre de 900 millièmes a été maintenu pour les pièces de 5 francs [celui des monnaies divisionnaires sera fixé à 835 millièmes en 1864 pour les pièces de 0,50 F et en 1866 pour les pièces de 1 et 2 F]. *14-4* la banque est dotée du privilège d'émission pour 15 ans. *Montant des billets en circulation :* 45 millions de F.

■ **Du Ier Empire à 1914. 1805** 80 millions (il n'y avait plus qu'env. 1 million de F en espèces dans les caisses de la Banque de France). **1806** *22-4* privilège d'émission prorogé de 25 ans. **1808** statuts modifiés, des bureaux sont créés en province sous le nom de Comptoir d'escompte de la Banque de France. **1832** loi transformant la peine de mort pour les contrefacteurs en travaux forcés à perpétuité (art. 139 du Code pénal). Billet de 500 F (205 × 128 mm), 1 000 (210 × 116 mm), 250 (140 × 80 mm, émis dans les comptoirs de Lille, Lyon et Rouen). **1846** billet de 5 000 F (225 × 115, imprimé en rouge), sur 4 000 imprimés, un seul n'est jamais revenu dans les caisses de la banque. **1848** privilège d'émission étendu à l'ensemble du territoire après l'absorption des 9 banques départementales d'émission (les billets ne pouvaient pas alors être acceptés en paiement). Billets de 100 F émis, + de 80 millions émis (auparavant, minimum autorisé 200 F). **1853** billet de 50 F. **1862** billets tout bleus de 100, 500 et 1 000 F. **1870** cours légal, puis cours forcé, puis minimum des coupures à 25 F (remplacées par un billet de 20 F), apparition de « bons de monnaie » de 0,50 F, 1 F, 2 F, 5 F, 10 F, 20 et 100 F émis par des collectivités locales ou des Stés importantes. **1871** fin déc. la Banque de France est autorisée à émettre des billets de 5 et 10 F, ce qui entraîne le retrait des bons de monnaie. **1878** *1-1* cours forcé aboli, mais pas le cours légal. **1888** billets à 2 couleurs + le noir (fond rose). **1908** *2-1* billet de 100 F à 4 couleurs autorisé (182 × 112 mm, dit type 1906, émis en 1910).

■ **De 1914 à 1939.** *Billets* **1914** *4-8* cours forcé rétabli, petites coupures de 5, 10 et 20 F mises en fabrication pour pallier la thésaurisation des pièces d'or. Apparition de petits billets émis par les cham-

Dates	Définition du franc en mg d'or		Parité officielle	
	à 0,900	fin	dollar	livre
Germinal, an XI [1]	322,58	290,3225	5,182	25,221
25-6-1928	65,5	58,95	25,524	124,13
			15,19[2]	
1-10-1936 [3]	49	44,1	15,07	76,72
21-7-1937	43	38,7	25,14	124,44
12-11-1938	27,5	24,75	34,95	170,59
29-2-1940			43,80	176,625
8-11-1942	23,34	21		
2-2-1943			50	200
26-12-1945	8,29	7,46	119,10	480
26-1-1948		4,21	214,39	864
18-10-1948			263,50	1 062
27-4-1949			272	1 097[4]
20-9-1949		2,53	350	960[4]
16-8-1950	2,80	2,52		
10-8-1957			420[5]	1 176[5]
24-7-1958	2,35	2,115		
27-12-1958	2	1,80	493,705	1 382,376
1-1-1960 (NF) ...	200	180	4,937	13,823
11-8-1969 [8]	177	160	5,554[6]	13,330[7]

Nota. – (1) Avril 1803 à août 1914. (2) Après la dévaluation américaine du 30-1-1934. (3) Du 1-10-1936 au 1-9-1939, franc flottant non défini par un poids d'or (les teneurs or indiquées constituaient la base de réévaluation de l'encaisse de la Banque de France). (4) Après la dévaluation britannique du 18-9-1949. (5) Compte tenu du prélèvement ou du versement de 20 %. Le 1-1-1963, la dénomination *nouveau franc* devient *franc.* (6) Après les dévaluations américaines du 18-12-1971, cours central du dollar 5,116 F et du 12-2-1973, 4,604 F. (7) La livre flotte depuis le 23-6-1972. (8) Depuis le 9-1-1975, le franc flotte : il n'a plus de parité officielle avec la livre, le dollar et l'or. La Banque de France évalue son encaisse-or sur la base des cours pratiqués sur le marché libre.

Billets

Quelques records

■ **Les plus anciens. Du monde :** les plus anciens (appelés jaozi) ont été émis en Chine au début des Song du Nord (960-1127) ; il ne reste aujourd'hui que la planche à impression. Le plus ancien billet conservé est le Zhongtong Yuanbao Jiaochao (ZYJ), émis en 1260 sous le règne Zhongtong de l'empereur Kubilay (1215-94) qui fonda la dynastie des Yuan (1271-1368) ; fait d'une matière souple à base de coton, de chanvre et d'écorce de mûrier ; en 8 valeurs nominales : 10, 20, 30, 50, 100, 200, 1 000 et 2 000 sapèques. Cette monnaie était basée sur l'étalon-argent et convertible à tout moment.

D'Europe : Suède 1661.

De France : Monnaie de carte : *1685* en Nouvelle France (Canada) ; l'intendant Jacques de Meulle utilise des cartes à jouer pour payer ses troupes. *1711* le montant des cartes émises atteindra 244 000 l. *1714* 1 600 000 avec des coupures dont le montant nominal peut dépasser 50 l. *1717* le Conseil de Versailles, le roi interdit l'émission de cette « monnaie imaginaire » ; elle continue cependant jusqu'à l'arrêt royal de juin 1764 (il y en avait alors pour 41 millions de livres). *1766* la convention franco-anglaise prévoit le rachat des cartes au ¼ env. de leur valeur nominale avec limitation de chaque reprise à 1 000 livres tournois. **Billets de monoye :** sous Louis XIV (1701). **Billets de la Banque de France :** 100 F (1848-62), voir p. 1831.

■ **Le plus grand.** *1 kuan chinois* (sous les Ming, 1368 à 1399) 22,8 × 33 cm. **Le plus petit.** *1 à 3 pfennigs de Passau* (1920-21) 18 × 18,5 mm.

■ **Cours des billets anciens** (en milliers de F). **France :** *b. de monoye (sous Louis XIV) :* 80 à 100, *b. de Law (av. 1720) :* 15, *b. de la Caisse d'Escompte (sous Louis XVI) :* 8,5, *assignat de 300 livres (1790) à l'effigie de Louis XVI :* 3, *ass. vendéen à l'effigie de Louis XVII :* 5, *1 000 F 1862 succursaliste :* 25 à 100, *500 F 1863 :* 20, *25 F 1870 :* 20, *5 F 1871 :* 3,5, *200 F 1874* et *1848* (4 types) : 8 à 15, *5 000 F janv. 1918 :* 5, *500 F Victor Hugo surchargé 5 NF (30-10-1958) :* 4. **Thaïlande :** *b. du 25-6-1918 :* 300 (vente Spink 19-2-1987 – record). **USA : 90,** *100 $ 1863* (contresigné et postdaté *1870* à la main) : 120, *50* et *100 $ 1891 :* 90 à 120.

☞ Les collectionneurs (env. 500 en France) sont appelés *billetophiles* ou *notophiles.*

bres de commerce, puis par les communes et l'État lui-même par l'intermédiaire de la Trésorerie aux armées. Les *bons de monnaie* seront progressivement remplacés, à partir de 1921, par des jetons en bronze d'aluminium de 0,50, 1 et 2 F, frappés pour ces chambres sous leur responsabilité et distribués par la Banque de Fr. (émissions garanties par des fonds de contre-valeurs déposés à la Banque de Fr.).

■ **1939 à nos jours. 1939** circulation en billets : 100 milliards de F, la Banque met en circulation 600 000 billets de 5 000 F imprimés dep. 1918 et 900 000 billets de 5 000 F imprimés en 1934-35, les petites coupures de 5 et 10 F, censées être retirées dep. 1932, sont remises en circulation. **Après la Libération** circulation de billets américains. **1945** *4-6* échange obligatoire de tous les billets de 50 F et au-dessus qui cessent d'avoir cours légal. Les détenteurs reçurent en échange 4 billets de fabrication française (100, 300, 1 000 et 5 000 F) sur 9 distribués, les autres étant américains ou anglais (le 5 000 F fut retiré en janv. 1948).

Dévaluations de la Ve République. Pt du Conseil Ch. de Gaulle (min. des Finances A. Pinay) *1958 :* – 17,5 %. **Pt Pompidou** (PM Chaban-Delmas, min. des Finances Giscard d'Estaing) *1969 (8-8) :* – 12,5 %. *1974 (janv.) :* (Messmer, Giscard d'Estaing) : le franc sort du système monétaire européen (SME) et perd env. 5 %. **Pt V. Giscard d'Estaing** (Chirac, Fourcade) *1975 (juillet) :* le F entre dans le SME. *1976 (15-3) :* le F sort du SME. (R. Barre) *1979 (13-3) :* nouveau SME. Les monnaies varient entre + 2,25 et – 2,25 %. **Pt F. Mitterrand** (Mauroy, Delors) *1981 (4-10) :* – 8,5 % (– 3 % + réévaluation du DM de 5,5 %). *1982 (12-6) :* – 5,75 % (et réévaluation du DM de 4,25 %). *1983 (21-3) :* – 2,5 % + rééval. du DM de 5,5 %, soit 8 %. (Chirac, Balladur) *1986 (6-4) :* – 3 % + réévaluation du DM de 3 %, soit 6 %. *1987 (11-1) :* le franc n'est pas dévalué mais rééval. du DM et du florin de 3 %, du F belge et luxembourgeois de 2 %.

☞ En 1988, Édouard Balladur, min. des Finances, a adopté le logo ₣ pour symboliser le franc français.

Dates de dévaluation	$ en mg d'or	Once en $	Déval. %
2-4-1792	1 603,8	19,39	–
28-6-1834	1 503,4	20,69	6,3
13-1-1837	1 504,7	20,67	0,1
31-1-1934	888,7	35	40,9
8-5-1972	818,5	38	7,9
18-10-1973	736,7	42,22	10

■ Histoire des monnaies étrangères

■ **Dollar.** Le mot vient du *thaler* germanique, pièce frappée v. 1518 en Bohême, dans la vallée (en all. : *Thal*) de St-Joachim. Un seigneur, surpris par un orage au cours d'une partie de chasse, découvrit, dans une grotte où il s'était réfugié, un gisement d'argent. L'Empereur lui accorda le droit de battre des pièces qui prirent le nom de « Joachimsthaler Groschen ». Puis Charles Quint lui retira le privilège, fit frapper des pièces à ses propres armes. Le thaler devint ainsi la monnaie officielle des territoires sous la domination des Habsbourg (Autriche, Bohême, Allemagne puis Pologne et Suède). Les Habsbourg d'Autriche, régnant aussi, grâce à l'Espagne, sur Amérique du Sud et Am. centrale firent frapper avec l'argent du Mexique et du Pérou des pièces de 8 réaux appelées « thaler » ou « tolar » par analogie aux pièces circulant en Europe, puis « pillar dollars » du nom des 2 colonnes qui y figuraient. Connues comme « Spanish pillar dollars », elles étaient transcrites en abréviation « S II », ce qui donnera le $. Dans la mer Rouge et sur la côte orientale d'Afrique, on désigne encore sous le nom de « dollar à la grosse dame » l'écu de Marie-Thérèse, refrappé ensuite partout au millésime immobilisé de 1780 pour l'impératrice d'Autriche, et qui circule encore.

Bimétallisme (définition de la monnaie par rapport à 2 métaux précieux). Le 22-6-1775, le Congrès américain décida l'émission du « dollar continental » ; le 2-4-1792, il lui donna une valeur de 371,25 grains (soit 24,0571 g) d'argent fin, ou de 24,75 grains (soit 1,6038 g) d'or fin. Ces 2 métaux étaient alors dans un rapport de valeur de 15 pour 1. Jusqu'à la guerre de Sécession (1861-65), la monnaie métallique prévalut, et les billets émis (par de multiples banques) portèrent intérêt. Pendant la guerre, les Sudistes émirent env. un milliard de $ en billets (1/60 de la valeur initiale) ; les Nordistes décrétèrent le cours forcé (1861) et émirent pour 450 millions de $ en billets (« greenbacks », 1ers billets – en 1862 – ne portant pas intérêt). Sur le revers de ce billet, au centre, la devise : *In God we trust* (« Nous croyons en Dieu »). A gauche, une pyramide surmontée d'un œil, symbole maçonnique, et entourée de la devise *Annuit Cœptis Novus Ordo Seculorum* (« Nouvel ordre des siècles, sois favorable à notre entreprise »). A droite, un aigle surmonté de 13 pentacles disposés en étoiles de David ; dans son bec, la devise synarchique *Ex Pluribus Unum* (« De plusieurs un seul »). Il fut aboli en 1873, l'étalon-or étant adopté. Après l'abolition du cours forcé décidée en 1879, les greenbacks revinrent au pair.

Cours du $ en F depuis 1913 (voir p. 1827).

Évolution récente. Hausse 1980-85 : jusqu'à 10,61 F le 26-2-85. *Raisons :* faible inflation, taux d'intérêt élevés (forte hausse à partir de 1981), rendement réel plus élevé des placements en $ (bons du Trésor US...), grandes garanties offertes par le système financier amér. aux investisseurs étrangers ; forte reprise aux USA en 1983-84 alors que l'activité écon. stagne ou progresse peu en Europe. Les besoins amér. de crédits (déficit budgétaire de l'État, besoins de fin. des entreprises) conjugués à l'attrait des placements en $ provoquent un accroissement du flux des capitaux (à court, moyen et long termes) vers les USA. **Baisse (1985-87) : 1985** *févr. :* le dollar monte à + de 10 F à Paris ; *22-9 : accord du Plaza* (New York) ; ministres des Finances et gouverneurs des banques centrales de l'Allemagne, des USA, de la France, de la G.-B., du Japon annoncent que le $ doit baisser ; *10-12 :* engagement américain de réduire le déficit sur 5 ans. **1987** : *28-1 :* le $ (5,925) descend pour la 1re fois dep. 1982 en dessous de 6 F ; *22-2 : accords du Louvre ;* ministres et gouverneurs décident que la baisse doit cesser ; *9-4 :* $ à 142,75 yens (cours le + bas depuis 1945). *Cause :* déficit budgétaire fédéral et dette publique, dégradation de la balance commerciale (*82 :* 42,7 milliards de $, *83 :* 69,4, *84 :* 127,7, *85 :* 139,7, *86 :* 166,3) et de la balance des paiements (*82 :* – 9,23 milliards de $; *85 :* – 117,6, *86 :* – 133,6), endettement du secteur bancaire amér. *13-8* le $ à 6,31 F (événements du Golfe, bons indices américains). *23-10* krach boursier, $ à – de 6 F. *15-12* $ à 5,51 F (déficit record du commerce extérieur amér. en octobre). *28-12* $ à 5,40 F. **1988 :** *4-1* $ à 5,32 F. *5-1* intervention des banques centrales ; lent redressement du $. *14-4* $ à 5,89 F. *30-6* $ à 6,12 F. **1989** *avril* : 6,30 F. *-22-5* : 6,81 F. *- 21-7* : 6,42 F. **1990** *1-8* : 5,33 F. *19-11* : 4,96 F (niveau de 1981 à Paris). **1991** *11-2* : 4,93 F. *juin* : 6,20 F. **1992** moy. 5,29, max. 5,59 F en *avr.*, min. 4,77 F en *sept.* **1993** *Janv.* 5,40 F ; *juillet* : 5,83 F, *au 17-8* : 5,98.

■ **Florin hollandais** *(gulden, de gulden munt* : pièce d'or). *Origine* : de l'italien *fiorino* (fleur). Nom donné à partir de 1252 à la monnaie d'or de Florence (avec des fleurs de lis, armes de la ville), a ensuite désigné des pièces de nombreux pays, notamment françaises (XIIIe s.), autrich., holland. [dep. 1325 env. (en argent dep. 1540, en nickel dep. 1967) ; divisé en 20 sous de 16 denarii, depuis 1816 en 100 cents]. Défini en 1816 en or et argent. 1850 en argent, 1875 en or. Fait partie du SME (dep. le 13-3-1979).

■ **Forint hongrois.** *Créé* 1946, remplace le pengoe. Parité du $: **1941** 3,46 pengoes, **45** *(fin)* : 104 000 ; **46** *(fin mars)* : 10 millions ; *fin juin* : 1 835 millions ; *juil.* création du milpengoe (1 million de pengoes), puis bilpengoe (1 milliard de pengoes), enfin pengoe-impôt ou adopengoe (2 sextillions de pengoes-papier), *13-7* un décret démonétise le pengoe et désigne le pengoe-impôt comme monnaie de compte provisoire, *1-8* le forint remplace 200 millions de pengoes-impôt, c'est-à-dire 400 octillions de pengoes-papier.

■ **Franc belge.** *Créé* 1832, défini en or et en argent (comme le franc germinal). Dernière parité officielle (loi du 12-4-1957) exprimée par un poids d'or fin de 0,0177734 g (50 FB = 1 $ US). Poids d'or fixé à 0,0182639 g, le 18-12-1971 (confirmé par loi du 3-7-1972), mais pas de date d'entrée en vigueur fixée. Fait partie du SME (dep. le 13-3-1979). *23-12-88* : loi sur statut monétaire de Belgique abroge lois du 12-4-57 et 3-7-72.

■ **Franc suisse.** *Créé* 1799, vaut 6,614 g d'argent (= 1,50 F en 1803). Se superpose aux pièces cantonales, doublons, thalers ou kreuzers. A la chute de Napoléon, les cantons recouvrent l'exclusivité du droit de battre monnaie (79 réémetteurs dont 23 cantons et demi-cantons, 16 villes, 15 princes séculiers et 24 princes d'église émettent 860 sortes de monnaies). *1848* la Confédération met fin aux monnayages locaux. *1850-7-5* contient 5 g d'argent à 900 millièmes. *1853* appelé franc, il a la même valeur que le F français qui a cours légal en Suisse et y circule à l'égal de la monnaie nationale. *1936* dévalué ; le kg d'or passe de 3 429,44 FS à 4 869,20 FS. *1971-9-5* réévalué de 7,07 %, *1971-18-12* de 6,4 % par rapport au $ dans le cadre du « réalignement ». *1973-23-1* cours flottant. Revalorisé de 38 500 % entre 1910 et 1989 par rapport au F français. Multiplié par 113 de 1914 à 1960. *Seule monnaie aujourd'hui juridiquement* rattachée à l'or, en circulation (couverture effective 45 %). Le montant des billets en circulation est obligatoirement couvert à 40 % en or, toujours évalué sur le prix officiel de 0,21759 g d'or fin soit 4 595,7 FS le kg (alors que le prix du marché est d'env. 20 000 FS).

■ **Lire italienne.** Comme d'autres noms de monnaies (livre, lev bulgare, leu roumain), vient du latin *libra,* unité de poids des Romains. Gênes frappe à l'enseigne de la République ligure des pièces en lires. *1801* le Piémont frappe une pièce en or de 20 l. semblable aux pièces françaises. Napoléon aligne la lire sur le franc à Milan, Venise, Bologne, puis Gênes et Rome. *1862-24-8* le royaume d'Italie adopte la lire de 4,5 g d'argent ou 290,3225 mg. d'or. *1979-13-3* fait partie du SME. *1985-20-7* dévaluée de 6 %.

■ **Livre sterling.** Le mot *livre (pound)* correspond à l'unité de poids, et *sterling* (en vieux français esterlin ou estrelin) vient du vieil anglais *stère* ou *stiere* (fort, ferme, inébranlable). Le souverain d'or (diffusé en 1489) et la *guinée* (pièce d'or, introduite en 1663) importée en général de Guinée valait nominalement 1 livre, mais fluctua et se stabilisa en 1717 à 21 shillings (£ 1,05). Elle fut retirée de la circulation en 1813, mais le terme est encore gardé comme unité pour certains émoluments, produits de luxe, etc. Valeur dep. 1971 : 1,05 livre. Dep. le 15-2-1971, la G.-B. ayant adopté le syst. décimal, la livre comprend 100 pence (au lieu de 240).

Anciennes pièces (non décimales) : 1/2 penny (retiré de la circulation en août 1969), penny, 3 pence, 6 pence, shilling, 2 shillings, 2 shillings et 6 pence (ou demi-couronne retiré dep. le 1-1-1970). *Pièces décimales* (poids en g/diamètre en cm) : penny b, pl (3,564/2,032), 2 pence b, pl (7,128/2,591), 5 p. c. n. (3,25/1,8), 10 pence c. n. (6,5/2,45), 20 pence c. n. (5/2,14), 25 p. Crown c. n. (28,28/3,861), 50 pence c. n. (13,5/3), £ 1 n.b. (9,5/2,25), £ 2 n.b. (15,98/2,84), £ 5 Crown c.n. (28,28/3,861).

Légende : b. : bronze (cuivre 97 %, zinc 2,5 %, étain 0,5 %). c. n. : cupro-nickel (cuivre 75 %, nickel 25 sauf le 20 p. (84/16). n.b. : nickel-brass (cuivre 70 %, nickel 5,5 %, zinc 24,5 %), pl : cuivre plaqué acier. L'abréviation « p » au lieu de « d » doit être utilisée pour le penny décimal valant 2,4 vieux pennies. Dep. 1982, les pièces sont frappées avec la mention « pence » et non plus « new pence ». En argot, on dit bob pour shilling, quid pour livre. La G.-B. a adhéré au SME et participe à son fonctionnement sauf pour le mécanisme d'intervention du taux de change.

Équivalence de la livre sterling en g d'or fin (après 1695, prix d'achat de la Banque d'Angleterre et, entre parenthèses, *prix du marché, quand il est différent).* **1344** (Édouard III) 26,44. **1351** (Édouard III) 23,21. **1400** (Guerre de Cent Ans) 23,21. **1412** (Henri IV) 20,89. **1450** (Henri VI) 20,89. **1465** (Guerre des Deux-Roses) 15,47. **1543** (Henri VIII) 13,75. **1544** (Henri VIII) 12,89. **1552** (Édouard VI) 10,37. **1603** (Jacques Ier) 9,5. **1604** (Jacques Ier) 9,19. **1695** (Fondation de la Banque d'Angl. : 1694) 5,3. **1790** (Guerres) 7,32. **1797** 7,32. **1815** (Georges III) 7,32 (6,16) Étalon-or. **1914** (Guerres du XXe s.) 7,32 (7,33). **1920** 7,32 (5,51). **1925** 7,32 (7,28). **1931** 7,32 (6,73). **1945** 3,70. **1946** 3,61. **1949** 2,49. **1967** 2,13. **1970** 2,07. **1975** 0,43. **1980** 0,12. **1984** 0,12. **1985** 0,13. **1986** 0,12. **1987** 0,11.

■ **Livre (lev) turque.** Convertible depuis août 1989.

■ **Mark.** Vient du nordique *mark* et de l'anglo-saxon *mearc,* unité de poids dès le IXe s. (2/3 de livre romaine) ; en Allemagne unité de poids des métaux précieux à partir du XIe s. Ce mot désigna plusieurs monnaies germaniques. La livre-poids de Charlemagne divisée en 2 marcs de Cologne (233,86 g) d'où naît le mark, monnaie de compte équivalent à 12 shillings (sous) ou 144 pfennigs (deniers). **1500** mark de Hambourg, 14 fois + léger que le vieux marc de Cologne. **1871**-*4-12* le Reichstag crée des pièces de 5,10 et 20 marks en or, base du nouveau système. La pièce de 10 marks représente 358,423 mg d'or fin. **1873**-*12-7* le mark devient l'unité de compte. La démonétisation des anciens thalers (3 marks) s'échelonnera jusqu'en 1907. **1918-24** inflation. **1922** le $ vaut 7 350 marks. **1923**-*11-1* il vaut 10 453, *fin janv.* : 40 000. *Juillet* : 350 000. *Févr. 1923* la livre de beurre vaut 3 400 marks, *20-10* : 26 milliards, *5-11* : 280 milliards. *Nov.* : 4 200 milliards (il monte de 613 000 marks à la seconde). On imprime des timbres de 50 milliards, un parcours d'autobus vaut 150 milliards de marks. Il y a des billets de 100 billions (100 000 milliards) de marks. *Indice d'oct. exprimé en milliards* (sur base 1 en 1913) : *prix de gros* 7 (max. fers et charbons 11), *change du $* : 6 mds (habillement 6, nourriture 4,3, logement 0,05). *Salaires* : 3,2 à 13,4. On imagine des billets gagés sur le seigle (comme en Ukraine) ou sur l'or. Le PM Stresemann envisage l'émission d'un mark terrien (*bodenmark*) ou d'un mark nouveau (*neumark*) garantie par une hypothèque sur la fortune allemande et sur ce qui reste de l'encaisse-or de la Reichsbank ; mais il est renversé. Le ministre des Finances, Luther, pousse à la création du mark-rente (*rentenmark*) censé valoir un mark-or ou un trillion de marks-papier : il est gagé par une hypothèque de 4 % sur la richesse immobilière de l'Allemagne (domaines agricoles, biens fonciers des entreprises industrielles et commerciales). La banque Rentenbank émet des obligations qui servent de couverture. Le système est mis en œuvre par le Dr Hjalmar Schacht. **1924**-*30-4 rentenmark* remplacé par *reichsmark* (égal aussi à un trillion de marks-papier et théoriquement défini par 352,42 mg d'or fin). *-30-8 reichsmark* [ayant la même valeur que l'ancien mark de 1914 (279 pièces de 10 RM pour 1 kg d'or fin)] remplace le mark-papier (1 RM pour 1 million de marks-papier). **1925** on frappe des *reichsmark* d'abord à 50 % d'argent, 50 % de cuivre, puis à partir de 1933 en nickel pour la pièce de 1 mark. **1940** le mark est remplacé par un billet. **1948** *mars* les alliés créent à Francfort une Banque des pays allemands (Bank deutscher Länder). Dettes et créances annulées à 90 %. Salaires, pensions et loyers maintenus au même taux qu'en marks anciens. La production repart. *Juillet* à l'Est, les Russes qui ont fermé Bourse et banques, bloqué les dépôts, créent un mark oriental (*ostmark*), théoriquement défini en or. *-21-6* réforme monétaire : deutsche mark (DM). **1949**-*19-9* dévaluation par rapport au dollar de 20,6 % (1 $ = 4,20 DM). **1950** on frappe des pièces : 5,5 g, diamètre 23,5 mm (75 % cuivre, 25 % nickel). 1 DM = 0,30 $ (1 $ = 3,3333 DM). **1953**-*30-1* 1re parité fixée à 0,211588 g d'or fin = 1 $ = 4,20 DM après l'adhésion de l'All. féd. au FMI. **1961**-*6-3* 1re *réévaluation* de 5 % (le $ qui valait 4,20 DM dep. sept. 1949, vaut 4 DM). **1969**-*30-9* au *24-10* flottement ; *27-10 réévaluation* 9,3 % (1 $ = 3,66 DM). **1971**-*10-5/17-12* flottement ; *21-12 réévaluation* 13,6 % (1 $ = 3,2225 DM). **1972**-*24-4* mise en vigueur du SME. **1973**-*14-2 réévaluation* 11,1 % (1 $ = 2,9003 DM) ; *2-3* début du flottement généralisé ; *19-3 réév.* 3 % (1 $ = 2,81583 DM) et début du flottement en commun des monnaies europ. au sein du serpent ; *29-6 réév.* 5,5 % (1 $ = 2,66903 DM) par rapport aux monnaies du serpent. **1976**-*18-10 réév.* 2 % et **1978**-*16-10,* 4 % par rapport aux monnaies du serpent. **1979**-*13-3* mise en vigueur du SME.

Modification des cours pivots. 1979-24-9, -30-11, **81**-23-3, -5-10, **82**-22-2, -14-6, **83**-21-3, -18-5, **85**-22-7, **86**-6-4, **87**-12-1. **90**-1-7 le DM devient la monnaie de la RDA. *Conditions d'échange* : 1 mark-Est pour 1 DM pour les salaires, honoraires, retraites et dépôts d'épargne jusqu'à un plafond de 4 000 DM ; au-dessus, parité de 2 marks-Est contre 1 DM pour l'épargne comptabilisée au 1-12-89. Auparavant, taux de change officiel de 3 marks-Est contre 1 DM (7 marks-Est au marché noir).

■ **Mark finlandais. 1809** Finlande séparée de la Suède, devient *grand-duché* sous l'hégémonie du tsar de Russie. **1811** Banque de Finlande fondée. *1ers billets imprimés* : valeur de 20,50 et 75 kopecks. **1819** billets de 1, 2 et 4 roubles. La monnaie suédoise reste en circulation. **1840** décret donnant à la Banque de Finl. le droit d'émettre ses propres billets en roubles remboursables en argent. La Banque de Suède accepte de convertir en argent les billets en circulation en Finlande (3, 5, 10 et 25 roubles). **1860** *avril* le tsar Alexandre II garantit à la Finl. sa propre unité monétaire, le *mark finl.,* divisé en 100 pennis. A l'origine 1/4 du rouble-argent. Monnaies en argent de 1 et 2 marks et de 25 et 20 pennis, et m. en cuivre de 1,5 et 10 p. sont frappées. **1877** Finl. suit et adopte l'étalon-or. 1res monnaies d'or de 10 et 20 marks et 1ers billets de 5, 10 et 500 marks. **1915** étalon or abandonné. **1917** indépendance. **1926-31** étalon-or. **Après 1940** l'inflation fait disparaître les pennis. **1951** mark évalué selon les règles FMI. **1963** nouveau mark (100 marks anciens) divisé en 100 pennis ; appellation officielle markka, abréviation ISO *FIM.* **1977** mark flottant.

■ **Peseta. 1859** définie en argent.

■ **Rouble.** Divisé en 100 kopecks. **Dep. 1917,** le rouble a été « alourdi » 5 fois (un rouble « lourd » valant 10 roubles « légers ») : **1921** *nov.,* s'échange 1 pour 10 000, **1922** *oct.* : 1 pour 100. *Tchervonetz* : « brillant », créé *déc.,* défini comme l'égal de 10 roubles-or (774 g de métal fin, soit 5,15 $) ; le rouble reste la monnaie légale, mais ne cesse de s'avilir. **1921** *janv.* on envisage *l'étalon-travail* (le *troud* équivaudrait à 1 j de travail d'intensité normale), puis un *rouble* (défini par une ration alimentaire de 2 700 calories d'ou le rouble-marchandise). Cependant, la banque d'État Gosbank libelle ses avances en roubles-or. Le budget d'État de 1922 est établi en roubles d'avant-guerre. **1922**-*30-3* : l'État renonce à encaisser impôts, tarifs publics sur la base du rouble d'avant-guerre. Les plans gardent, comme monnaie de compte, le rouble-marchandise. **1924** *févr.* : 1 rouble pour 50 000, le Trésor arrête la fabrication des roubles et émet des roubles « dixième de tchervonetz » qui en mars, devenant monnaie légale, sont échangés contre les roubles anciens 1/10 de tchervonetz pour 50 000 roubles 1923. **Valeur de 1 million de roubles papier en roubles-or : 1914** : 1 000 000, **17** : 340 000, **18** : 48 000, **19** : 6 000, **20** : 413, **21** : 60, **22** : 3,5, **23** : 0,05, **24** : 10-3 2 millièmes de kopeks. Le rouble était à 200 milliardièmes de sa valeur-or. **1925** le marché des devises disparaît. **1926** la Banque rétablit son monopole sur l'or. Le cours du rouble n'a plus de valeur définie.

1947 *déc.* : 1 nouveau rouble pour 10. **Dep. 1950,** le cours du rouble qui était fixé par référence au $ (sauf pendant quelques mois en 1936-37 au franc français) est défini par rapport à sa teneur en or : 0,222168 g d'or en 1950, soit 4 roubles pour un $. **1961** rouble lourd : 0,987412 g d'or, 1,11 $. Le cours officiel est établi par la Banque d'État. Le rouble est coté en Occident librement, mais un voyageur ne peut importer des roubles en URSS. Le rouble n'est pas négociable à l'étranger. **1963** création de la BICE (Banque internationale de coopération économique), rouble « transférable », unité de compte collective des membres du Comecon (sans rapport avec l'unité monétaire de l'URSS), supprimé en 1991.

Fin 1989 : cours officiel : 1 rouble pour 1,57 $. Marché noir : 13 à 15 roubles pour 1 $. **1990** *août* : liberté de circulation des devises et projet d'unification du taux de change du rouble. *11-12* la teneur en or du rouble n'est plus déterminée. *Taux officiel* fixé chaque semaine. *Taux commercial* applicable aux opérations liées au commerce extérieur et à l'investissement (taux officiel multiplié par 3). *Taux du marché* défini par l'offre et la demande à la bourse de change extérieur interbancaire, en vigueur depuis avril 1991. **1992 :** voir ex-URSS p. 1824.

■ **Yen. 1871** *mai,* yen d'argent créé, à peu près équivalent à la piastre mexicaine, yen d'or défini comme le $. **1882** ramené à la valeur de 1/2 $. **1897** défini en or. **1971**-*19-12* réévalué de 16,88 % par rapport au $ US (marché des changes fermé le 20-12, rouvert le 21-12). **1973**-*14-2* flotte. **1989-90** faiblesse persistante en raison du niveau trop faible des taux d'intérêt japonais (5,25 %). **1991** reprise de 131,4 à 125,35 Y pour 1 $. **1992** moyenne 125 Y pour 1 $. **1993** de 124,3 à 100 Y pour 1 $.

■ **Yuan (Chine).** Cours du $ en yuans (officiel). **1942 :** 20 ; **45** *juin :* 1 930 ; **46** *mars :* 2 020, *août :* 3 350 ; **47** *févr. :* 12 000 ; **48** *août :* 20 000 (12 millions sur le marché libre).

Goldyuan. *Créé* août 1948 en échange de 3 millions de yuans. *Cours du $. 1948 :* 4,05, *nov. :* 20, *déc. :* 125 ; *49 mars :* 8 000, *juin :* 165 millions, *sept. :* 425 millions, *nov. : jen-min-piao* ou $ de la Banque du peuple créé par Mao Tsé-toung devient la monnaie légale de la Chine populaire. *Cours du $:* 600 jen-min-piao ; *1949 à 50 avril :* 42 000 (cours maximal) ; *55 mars-avril :* échange 1 nouveau jen-min-piao pour 1 000 anciens.

■ Cours des monnaies

Cours des devises

☞ Normalisation des symboles des devises par l'ISO depuis 1989 : 3 lettres dont 2 pour le pays, la dernière étant l'initiale de la devise [ex : $ = USD ; £ = GBD ; DM = DEM ; FS (franc suisse) = CHF ; F = FRF.

Nom de l'unité monétaire, symbole, monnaie divisionnaire, cours bancaire de l'unité en francs français, en italique, cours du franc français en unité du pays (éventuellement entre parenthèses, cours officiel du pays si très différent).

Exemple : l'afghani (symbole AFA) égale 100 pool. 1 afghani vaut à la banque 0,10 F. 1 franc vaut à la banque 9,51 afghanis. *Source :* BFCE (juin 1993).

Abou Dhabi Dinar de Bahreïn V. *Bahreïn.* **Açores** Escudo portugais V. *Portugal.* **Afghanistan** Afghani (AFA = 100 pool), Banque 0,005 *197,24* (0,10 *9,51*). **Afrique du Sud** Rand (ZAR = 100 cents) 1,7 *0,59* (1,16 *0,86*). **Albanie** Nouveau Lek (ALL = 100 quintar), 0,048 *20,7.* **Algérie** Dinar (DZD = 100 centimes) 0,24 *4,22.* **Allemagne féd.** Deutsche Mark (DEM = 100 pfennigs) 3,37 *0,30.* **Andorre** Peseta espagnole et franc V. *Esp.* **Angola** Kwansa (AOK = 100 iwei) 0,0013 *751,9.* **Antilles françaises** Franc (FRF = 100 centimes). **Antilles néerlandaises** Florin des Antilles néerl. (ANG = 100 cents) 2,97 *0,34.* **Arabie Saoudite** Rial (SAR = 100 halalas) 1,42 *0,70.* **Argentine** Peso (ARS = 100 centavos) 5,33 *0,19.* **Australie** Dollar australien (AUD = 100 cents) 3,76 *0,27.* **Autriche** Schilling (ATS = 100 Groschen) 0,48 *2,09.*

Bahamas Dollar des Bah. (BSD = 100 cents) 5,32 *0,19.* **Bahreïn** Dinar (BHD = 1 000 fils) 14,2 *0,07.* **Bangladesh** Taka (BDT = 100 paisa) 0,14 *7,31.* **Barbade** Dollar de Bar. (BBD = 100 cents) 2,65 *0,38.* **Belgique** Franc b. (BEC = 100 centimes) 0,16 *6,10.* **Belize** Dollar de Belize (BZD = 100 cents) 2,66 *0,38.* **Bénin** Franc CFA (XOF = 100 centimes) 0,02 *50.* **Bermudes** Dollar des B. (BMD = 100 cents) 5,32 *0,19.* **Bhoutan** Ngultrum (BTN = 100 roupies) 0,17 *5,90.* **Birmanie** V. *Myanmar.* **Bolivie** Boliviano (BOB = 100 centavos) 1,27 *0,79.* **Botswana** Pula (BWP = 100 thebe) 2,28 *0,44.* **Brésil** Cruzero (BRE = 100 cruzeiros) 0,00015 *6 666,7* (0,00016 *6 250*). **Brunei** Dollar de B. (BND = 100 cents) 3,29 *0,30* = dollar de Singapour. **Bulgarie** Lev lourd (BGL = 100 stotinka) 0,20 *4,96.* **Burkina Faso** Franc CFA (XOF = 100 centimes) 0,02 *50.* **Burundi** Franc du B. (BIF = 100 centimes) 0,023 *42,7.*

Caïmans Dollar C (KYD = 100 cents) 6,39 *0,16.* **Cameroun** Franc CFA (XAF = 100 centimes) 0,02 *50.* **Cambodge** Riel (KHR = 100 sen) 0,0015 *666,7.* **Canada** Dollar can. (CAD = 100 cents) 4,19 *0,24.* **Canaries (îles)** Peseta (ESP = 100 centimos). Voir *Espagne.* **Cap-Vert** Escudo du C.-V. (CVE = 100 centavos) 0,07 *13,95.* **Caraïbes de l'Est** Dollar des Car. (XCD = 100 cents) 1,97 *0,51.* **Centrafrique (Rép.)** Franc CFA (XAF = 100 centimes) 0,02 *50.* **Chili** Nouveau Peso (CLP = 100 centavos) 0,013 *75,8.* **Chine** Renminbi yuan (CNY = 10 chiao = 100 fen) 0,94 *1,06.* **Chypre** Livre cy. (CYP = 1 000 mils) 11,28 *0,09.* **Colombie** Peso col. (COP = 100 centavos) 0,007 *142,9* (0,0063 *158,7*). **Comores** Franc des C. (KMF = 100 centimes) 0,02 *50.* **Congo** Franc CFA (XAF = 100 centimes) 0,02 *50.* **Corée du Nord** Won (KPW = 100 cheun) 2,78 *0,40.* **Corée du Sud** Won (KRW = 100 chon) 0,0067 *149,5.* **Costa Rica** Colon (CRC = 100 centimos) 0,006 *23,98.* **Côte-d'Ivoire** Franc CFA (XOF = 100 centimes) 0,039 *25,9.* **Croatie** Kuna remplace dep. 24-7-93 le Dinar (HRD) 0,0028 *357,1.* **Cuba** Peso cubain (CUP = 100 centavos) 7,03 *0,14.* **Curaçao.** Voir *Antilles néerlandaises.*

Danemark Couronne d. (DKK = 100 öre) 0,88 *1,14.* **Djibouti (Rép. de)** Franc de D. (DJF = 100 centimes) 0,03 *33,23.* **Dominicaine (Rép.)** (DOP = 100 centavos) 0,43 *2,31.*

Égypte Livre égyptienne (EGP = 100 piastres) cours officiel 1,61 *0,62.* **Émirats arabes unis** Dirham (AED = 100 fils) 1,45 *0,69.* **Équateur** Sucre (ECS = 100 centavos) 0,0029 *344,8* (0,0027 *370,4*). **Espagne** Peseta (ESP = 100 centimos) 0,046 *21,7.* **Estonie** Couronne est. (EEK = 100 senti) 0,42 *2,37.* **États-Unis** Dollar des États-Unis (USD = 100 cents) 5,32 *0,19.* **Éthiopie** Birr (ETB = 100 cents) 1,06 *0,94.*

Europe Ecu 6,587 *0,1523* (au 17-8-93 : 6,766 *0,1478*).

Falkland (îles) Livre des F. (FKP = 100 nouveaux pence) 8,38 *0,12.* **Fidji (îles)** Dollar des îles F. (FJD = 100 cents) 3,52 *0,28.* **Finlande** Mark finl. (FIM = 100 pennia) 0,98 *1,02.* **FMI** (DTS) 7,57 *0,13.*

Gabon Franc CFA (XAF = 100 centimes) 0,02 *50.* **Gambie** Dalasi (GMD = 100 bututs) 0,63 *1,60.* **Ghana** Nouveau Cedi (GHC = 100 pesewas) 0,088 *113,6.* **Gibraltar** Livre de G. (GIP = 100 nouveaux pence) 8,38 *0,12.* **Grèce** Drachme (GRD = 100 lepta) 0,025 *40,3.* **Groenland.** Voir *Danemark.* **Guadeloupe** Franc (FRF = 100 centimes). **Guatemala** Quetzal (GTQ = 100 centavos) 0,98 *1,02.* **Guinée** Franc guinéen (GNF) 0,005 *168,37.* **Guinée-Bissau** Peso (GWP = 100 centavos) 0,0011 *909,1.* **Guinée Équatoriale** Franc CFA (XAF = 100 centimes) 0,042 *23,7.* **Guyana** Dollar de G. (GYD = 100 cents) 0,042 *23,7.* **Guyane française** Franc (FRF = 100 centimes).

Haïti Gourde (HTG = 100 centimes) 0,44 *2,26.* **Hawaii** Dollar (USD = 100 cents). Voir *États-Unis.* **Honduras** Lempira (HNL = 100 centavos) 0,89 *1,12* (2,66 *0,38*). **Hong Kong** Dollar de H. K. (HKD = 100 cents) 0,69 *1,45.* **Hongrie** Forint (HUF = 100 filler) 0,06 *16,35.*

Inde Roupie (INR = 100 paise) 0,17 *5,90.* **Indonésie** Rupiah (IDR = 100 sen) 0,0026 *391.* **Irak** Dinar ir. (IQD = 5 rials = 20 dirhams = 1 000 fils) 17,12 *0,06.* **Iran** Rial (IRR = 100 dinars) 0,0033 *306,5.* **Irlande** Livre irl. (IEP = 100 nouveaux pence) 8,21 *0,12.* **Islande** Couronne isl. (ISK = 100 aurar) 0,085 *11,8.* **Israël (État d')** Sheqel (ILS = 100 nouveaux agorots) 1,96 *0,51.* **Italie** Lire it. (ITL = 100 centesimi) 0,0036 *277,9.*

Jamaïque Dollar jamaïcain (JMD = 100 cents) 0,24 *4,15.* **Japon** Yen (JPY = 100 sen) 0,048 *20,8.* **Jordanie** Dinar jord. (JOD = 1 000 fils) 7,78 *0,13.*

Kenya Shilling du Kenya (KES = 100 cents) 0,089 *11,3.* **Koweït (État du)** Dinar koweïtien (KWD = 10 dirhams = 1 000 fils) 17,71 *0,06.*

Laos Nouveau Kip (LAK = 100 at) 0,0074 *135,1.* **Lesotho** Loti (LSL = 100 lisente. Nouvelle monnaie dep. le 7-12-1979 loti 1 = rand 1). Voir *Afrique du Sud.* **Lettonie** Rouble letton (LVR) 0,04 *24,7.* **Liban** Livre lib. (LBP = 100 piastres) 0,0031 *326,4.* **Liberia** Dollar libérien (LRD = 100 cents) 5,32 *0,19.* **Libye** Dinar (LYD = 1 000 dirhams) 18,19 *0,05.* **Liechtenstein.** Voir *Suisse.* **Luxembourg** Franc lux. (LUF = 100 centimes), valeur identique au F belge. Voir *Belgique.*

Macao Pataca (MOP = 100 avos) 0,67 *1,50.* **Madagascar** Franc malg. (MGF = 100 centimes) 0,0029 *347,9.* **Madère** Escudo. V. *Portugal.* **Malaisie** Ringgit (MYR = 100 son) 2,07 *0,48.* **Malawi** Kwacha (MWK = 100 tambalas) 1,24 *0,81.* **Mali** Franc CFA (XOF = 100 centimes) 0,02 *50.* **Malte** Livre mal. (MTL = 100 cents = 1 000 miles) 14,52 *0,07.* **Maroc** Dirham (MAD = 100 centimes) 0,60 *1,67.* **Martinique** Franc (FRF = 100 centimes). **Mascate et Oman.** Voir *Oman.* **Maurice (île)** Roupie de Maurice (MUR = 100 cents ou sous) 0,32 *3,14.* **Mauritanie** Ouguiya (MRO = 5 khoums) 0,047 *21,39.* **Mexique** Peso mex. (MXN = 100 centavos) cours contrôlé 1,71 *0,59.* **Mongolie** Tugrik (MNT = 100 mongo) 0,036 *28,2.* **Monaco** Franc (FRF = 100 centimes). **Mozambique** Metical (MZM = 100 centavos) 0,0017 *574,5* (0,018 *569,6*). **Myanmar (Union de)** Kyat (MMK = 100 pyas) 0,91 *1,1.*

Namibie Rand (ZAR = 100 cents). Voir *Afrique du Sud.* **Népal** Roupie nép. (NPR = 100 pice) 0,11 *8,71.* **Nicaragua** nouveau Cordoba (NIC = 100 centavos) 0,87 *1,14.* **Niger** Franc CFA (XOF = 100 centimes) 0,02 *50.* **Nigeria** Naire (NGN = 100 kobos) 0,25 *3,95.* **Norvège** Couronne norv. (NOK = 100 öre) 0,8 *1,25.* **Nlle-Calédonie** Franc CFP (XPF = 100 centimes) 0,055 *18,2.* **Nlle-Hébrides** Vatu (VAV). Voir *Vanuatu.* **Nlle-Zélande** Dollar néo-zél. (NZD = 100 cents) 2,89 *0,35.*

Oman Rial Omani (OMR = 1 000 baizas) 13,84 *0,07.* **Ouganda** nouveau Shilling oug. (UGS = 100 cents) 0,0048 *210* (0,0044 *229,6*).

Pakistan Roupie pak. (PKR = 100 paisa) 0,2 *5,01.* **Panamá** Balboa (PAB = 100 centesimos) 5,32 *0,19.* **Papouasie-Nouvelle-Guinée** Kina (PGK = 100 tosa) 5,51 *0,18.* **Paraguay** Guarani (PYG = 100 centesimos) 0,003 *322,6.* **Pays-Bas** Florin (NLG = 100 cents) 3 *0,33.* **Pérou** Nouveau Sol (PEN = 100 centimos) cours du MUC 2,74 *0,37.* **Philippines** Peso philippin (PHP = 100 centavos) 0,21 *4,87.* **Pologne** Zloty (PLZ = 100 groszy) 0,00032 *3 104.* **Polynésie française** Franc CFP (XPF = 100 centimes) 0,055 *18,2.* **Porto Rico** Dollar (USD = 100 cents). Voir *États-Unis.* **Portugal** Escudo (PTE = 100 centavos) 0,036 *27,5.*

Qatar (État de) Rial (QAR = 100 dirhams) 1,46 *0,68.*

Réunion (La) Franc (FRF = 100 centimes). **Roumanie** Leu (ROL = 100 bani) 0,0087 *115,3.* **Royaume-Uni** Livre (GBP = 100 nouveaux pence) 8,38 *0,12.* **Russie** Rouble (RUR = 100 Kopecks) 0,0065 *153,9.* **Rwanda** Franc du R. (RWF = 100 centimes) 0,038 *26,6.*

Saint-Marin Lire it. Voir *Italie.* **Saint-Pierre-et-Miquelon** Franc (FRF = 100 centimes). **Salomon** Dollar Sal. (SBD = 100 cents) 1,7 *0,59.* **Salvador** Colón (SVC = 100 centavos) 0,61 *1,64.* **Sénégal** Franc CFA (XOF = 100 centimes) 0,02 *50.* **Seychelles** Roupie des Seychelles (SCR = 100 cents) 1,05 *0,96.* **Sierra Leone** Leone (SLL = 100 cents) 0,0099 *101.* **Singapour** Dollar de S. (SGD = 100 cents) 3,29 *0,30.* **Slovaquie** Couronne (CSK) 0,19 *5,32.* **Slovénie** Tolar (SIT) 0,051 *19,7.* **Somalie** Somali Shilling (SOS = 100 centesimi) 0,002 *500.* **Soudan** Livre soud. (SDP = 100 piastres = 1 000 millièmes) 0,0 41 *24,5.* **Sri Lanka** Roupie de S. L. (LKR = 100 cents) 0,11 *9.* **Suède** Couronne suéd. (SEK = 100 öre) 0,73 *1,37.* **Suisse** Franc s. (CHF = 100 centimes) 3,73 *0,27.* **Surinam** Florin de Sur. (SRG = 100 cents) 2,97 *0,34.* **Swaziland** Lilangeni (SZL = 100 cents). Valeur identique au rand. Voir *Afrique du Sud.* **Syrie** Livre syr. (SYP = 100 piastres) 0,13 *7,99* (0,47 *2,11*).

Taiwan Nouveau Dollar de T. (TWD = 100 cents) 0,21 *4,9.* **Tanzanie** Schilling tanz. (TZS = 100 cents) 0,015 *66,2.* **Tchad** Franc CFA (XAF = 100 centimes) 0,02 *50.* **Tchèque (Rép.)** Couronne tchèque (CSK = 100 haleru) 0,19 *5,32.* **Thaïlande** Baht (THB = 100 satang) 0,21 *4,74.* **Togo** Franc CFA (XOF = 100 centimes) 0,02 *50.* **Trinité-et-Tobago** Dollar de T.-et-T. (TTD = 100 cents) 0,98 *1,02.* **Tunisie** Dinar tunisien (TND = 1 000 millimes) 5,51 *0,18.* **Turquie** Livre tur. (TRL = 100 kurus) 0,00055 *1 818.*

Ex-URSS (Républiques de la CEI) Rouble, voir *Russie.* **Uruguay** Peso (UYP = 100 centimos) 1,42 *0,71.*

Vanuatu Vatu (VUV) 0,045 *22,4.* **Venezuela** Bolivar (VEB = 100 centimos) 0,062 *16,2.* **Viêt-nam** Nouveau Dông (VND = 10 hâo = 100 xu) 0,0005 *2 000.*

Yémen (Sanaa) Rial (YER = 40 bugshahs) 0,44 *2,26.* **Yougoslavie,** Serbie, Montenegro, Nouveau Dinar (YUN = 100 paras) 0,000087 *11 494.*

Zaïre Zaïre (ZRZ = 100 makuta) 0,000002 *500 000.* **Zambie** Kwacha (ZMK = 100 ngwee). Dep. le 19-02-90 : 0,01 *98.* **Zimbabwe** Dollar du Zimbabwe (ZWD = 100 cents) 0,84 *1,18.*

Billets et pièces en France

Billets

■ **Encours de billets émis.** (Pour les billets en circulation déduire env. 9 % dont 5 % en stock dans les banques et 4 % émis hors métropole.) *Total à la fin de l'année.* **En milliards de F. 1939 :** 151,3. **44 :** 572,5. **50 :** 1 560,6. **55 :** 2 852,7. **60 :** 50,1. **70 :** 73,4. **75 :** 106,7. **80 :** 144,6. **81 :** 161,9. **82 :** 179,2. **83 :** 194,5. **84 :** 203,1. **85 :** 211,3 (dont 96,5 de 500 F ; 38,6 de 200 F ; 69,4 de 100 F ; 5,3 de 50 F ; 1,1 de 20 F ; 0,5 de 10 F). **86 :** 218. **87 :** 228,9. **88 :** 240,7. **89 :** 252,5. **90 :** 263,3 (dont 132,8 de 500 F, 67,6 de 200 F, 55,3 de 100 F, 5,9 de 50 F, 1,2 de 20 F, 0,4 de 10 F). **91 :** 264. **92 :** 290. **En millions de billets : 1914 :** 50. **19 :** 653. **39 :** 667. **44 :** 2 574. **45 :** 1 711. **59 :** 1 035. **84 :** 1 300. **87 :** 1 288. **89 :** 1 241. **91 :** 1 321,6 (dont 268,2 de 500 F, 351,5 de 200 F, 524 de 100 F, 118 de 50, 60 de 20 F).

■ **Billets produits chaque année.** Entre 600 et 700 millions de billets. Chaque Français dispose en moyenne de 23 billets.

■ **Cours légal. Billets ayant cours légal (filigrane et effigie). 500 F** émis 7-1-1969 Masque mortuaire de Pascal (Pascal). **200 F** (7-6-1982) Montesquieu. **100 F** (19-1-1965) Horace et Auguste (Corneille) ; Delacroix (2-8-1979). **50 F** Quentin de La Tour (5-4-1977) ; Saint-Exupéry (1991). **20 F** Comte, Debussy (6-10-1981) ; Racine.

Billets privés du cours légal. Peuvent être refusés comme moyen de paiement par particuliers et caisses publiques. Certains sont remboursables aux guichets de la Banque de France. *Anciens francs :* **5** (1871, 1905, 1917, 1943). **10** [type 1915, 1941, 1963 (Voltaire), 1972 (Berlioz)]. **20** (1873, 1905, 1916, 1940, 1942). **50** [2] [1946, 1962 (Racine)]. **100** [1945, 1964 (Corneille)]. **300** (1938). **500** (1945, 1953). **1 000** (1945). **5 000** (1949, 1957). **10 000** (1945, 1955).

Unités de production. *Laboratoire d'essais* à Puteaux. *Papeterie* à Vic-le-Comte (P.-de-D.). *Imprimerie* à Chamalières (P.-de-D.) qui imprime chaque année env. 600 à 700 millions de billets français et 100 à 200 étrangers. **Vie moyenne des billets.** *500 F* : 7 ans, *200* et *100 F* : 3, *50 et 20 F* : 1 an ½.

Billets déchirés, brûlés ou lessivés. La Banque de France peut refuser de les échanger ; en fait, si elle a pu les identifier (grâce aux numéros, aux lettres et à la date que porte chaque vignette), elle les échange. **Billets mutilés.** *De 100 F et moins,* fragments de + de 50 % de la surface, échangés immédiatement ; de – de 50 %, considérés comme sans valeur ; *de 500 F,* fragments de + des 3/5, échangés immédiatement ; inférieurs au 2/5, considérés comme sans valeur ; entre 2/5 et 3/5, remboursement ajourné jusqu'à présentation des parties manquantes ou après 3 ans.

☞ Autrefois, les billets hors d'usage ou privés de cours légal étaient incinérés. Aujourd'hui, ils sont détruits par broyage à sec ou dissolution dans l'eau. Env. 600 000 à 700 000 billets sont détruits tous les ans.

Nouveaux francs : **5** (1959). **10** (1959). **50** (1959). **100** [1959 (Bonaparte)]. **500** [1959 (Molière)]. *Francs* : **5** [1966 (Pasteur)].

Billets non remboursables. **50 AF** et plus, émis avant le 30-5-1945 et soumis à échange obligatoire par ordonnance du 30-5-1945 (ont pu être échangés du 4 au 15-6-1945) ; **5 000 AF** « type 1942 » retirés de la circulation (loi du 30-1-1948), afin de repérer les bénéficiaires du marché noir lors de l'Occupation. Ont pu être échangés du 31-1 au 3-2-1948.

Nota. – Certains billets de fabrication étrangère mis en circulation en 1944-45 sont également remboursables. (1) Privé du cours légal le 5-9-1986 (décret du 4-9). (2) Il y avait en circulation 47 millions de billets de 10 F (émis 2-1-1985), 3,4 de billets de 50 F (émis 2-1-1963), 62,8 de billets de 100 F (émis 5-11-1974).

■ **Faux billets et fausses pièces.** **Faux billets en circulation** (en millions de F) : env. 120. *Saisie de fausse monnaie française en 1984* : billets 183 695 (20,7 millions de F), pièces 849 049 (*83* : 290 000). Les pièces les plus souvent contrefaites sont celles de 100 F commémoratives et le 10 F « Mathieu » quand il avait cours.

☞ **Part des billets dans la masse monétaire** (billets + monnaies et dépôts à vue). *1986* : 15 % (et 6,5 % de toutes les liquidités) ; *91* : 14,8 ; *92* : 15,02.

PIÈCES

GÉNÉRALITÉS

■ **Coût des pièces.** En 1993, le budget des Monnaies et Médailles est de 820,4 millions de F dont achats 44 % (essentiellement métaux précieux), frais de personnel 35 %, impôts et excédents (reversés au Trésor) 8,4 %, amortissements 3,74 %, services extérieurs 10 % (comprenant surévaluation comptable conventionnelle du prix de cession des monnaies de collection). *Pièce de 2 F* : coût de la matière première (nickel) : 0,65 F ; TVA 0,18 ; frais de personnel 0,24 ; coût de fabrication 0,10 F ; marge du fabricant 0,13.

■ **Cours d'achat des métaux (HT).** **Prix prévu en 1990** (au kg) : platine 110 000 F/kg, or 85 000, argent 1 900, nickel 120.

■ **Prix de cession des pièces au Trésor** (1993 en F). Ils sont établis en majorant le prix de revient (coût du métal + valeur ajoutée, + 400 F par convention pour certaines monnaies de collection) d'env. 10 %. 20 F : 2,2 ; 10 F : 1,009 ; 5 F : 2,075 ; 2 F : 1,347 ; 1 F : 1,212 ; 50 c : 0,939 ; 20 c : 0,499 ; 10 c : 0,382 ; 5 c : 0,708 ; 1 c : 0,372.

■ **Programme de frappe** (1993, en milliers de pièces). Total 569 000 dont *écu : 30, 100 F commémorative* : 3 672, *20 F bicolore* : 60 000, *10 F bicolore* : 50 000, *5 F* : 15 000, *2 F* : 50, *1 F* : 50, *1/2 F* : 25 000, *20 c* : 110 000, *10 c* : 150 000, *5 c* : 155 000, *1 c* : 50.

■ **Pièces n'ayant plus cours légal.** Les 3 pièces de 5, 10 et 50 F en argent (frappées jusqu'en 1979-80) ont été démonétisées le 20-2-1980. Du fait de la hausse du cours de l'argent, leur prix de revient dépassait leur valeur faciale. Les pièces unicolores, en cuivre, de 10 F n'ont plus cours légal dep. le 1-10-1991.

■ **Pièces en circulation** (1992, en millions de F). *Total* : 18 250 dont *100 F* (argent) : 2 936, *10 F* : 8 888, *5 F* : 1 914, *2 F* : 840, *1 F* : 1 715, *1/2 F* : 627, *20 c* : 519, *10 c* : 349, *5,2 et 1 c.* : 205.

Nombre de pièces en circulation par tête d'habitant (1987) : *France 224* (364 en 1992), G.-B. 237, All. féd. 546, USA 585.

Signes monétaires utilisés dans la CEE. VALEUR EN FF DE LA PLUS GROSSE PIÈCE EFFECTIVEMENT UTILISÉE : *moyenne 10* dont Espagne 27 (pièce de 500 pesetas), All. féd. 17 (pièce de 5 DM), P.-Bas 15 (pièce de 5 florins), G.-B. 11, *France 20* (et un peu 100), Danemark 9, Belgique 8, Irlande 4, Italie 2,5, Grèce 2, Portugal 2.

■ **Pièces de collection.** Pièces cédées au Trésor pour leur donner cours légal. Elles sont ensuite rachetées par la Monnaie à leur valeur faciale ; puis commercialisées au titre des monnaies de collection.

Programme de frappe (1993, en milliers de pièces) : 500 F commémor. Eurotunnel 2 (425,16) ; 100 F Panthéon 10 (25,16) ; 100 F Jeux méditerranéens 30 ; 100 F Grand Louvre 110 ; 100 F animaux des TOM 15 ; 100 F Eurotunnel 8 ; 100 F Débarquement 125. **Prix de cession :** toutes à 25,164 F (+ 400 F par convention pour la 500 F Eurotunnel = 425,164 F).

Jeux Olympiques : 10 pièces (1989-91) 1 de 500 F en or (Pierre de Coubertin par Gérard Bucquoy et Daniel Ponce, 125 000 ex.) vendue 3 000 F, 9 en or et en argent : Descendeur de vitesse et Mont-Blanc, Patinage artistique et lac du Bourget, Patinage de vitesse et marmotte, Bobsleigh et lugeuse Belle Époque, Ski acrobatique et chamois, Slalomeur et slalomeuse Belle Époque, Hockey et bouquetin, Ski de fond et château des Ducs de Savoie, Saut à ski et sauteuse Belle Époque.

■ **Recettes des Monnaies et Médailles.** *1992* : 972,67. *93* : 820,24 dont monnaies françaises 512, monnaies de collection françaises et étrangères 152, médailles décorations et autres 116, marchés de fabrication pour l'étranger 35, divers 5,5.

■ **Pouvoir libératoire des pièces.** On n'est tenu d'accepter des pièces en paiement que jusqu'à concurrence d'un montant plafond. Pièces de **50 F :** non fixé, **10 F :** 500 F, **5 F :** 250 F, **1 F :** 50 F, **1/2 F :** 10 F, **20 c, 10 c, 5 c :** 5 F, **2 c et 1 c :** 1 F.

PIÈCES FRANÇAISES FRAPPÉES DEPUIS LA RÉVOLUTION

PIÈCES EN ARGENT ET AUTRES MÉTAUX

Légende. – a.i. acier inoxydable, *al.* aluminium, *b.* bronze, *b.-al.* bronze aluminium, *BU* brillant universel, *BE* belle épreuve, *c.* cuivre, *c.-n.* cupronickel, *f.* fer, *FDC* fleur de coin, *m.* maillechort, *n.* nickel, *z.* zinc.

■ **1 centime.** **Directoire** (Dupré an 6-an 7), b., 2 g 18 mm. **Consulat** (Dupré an 8), b., 2 g 18 mm. **IIe République** (Dupré 1848-51), b., 2 g 18 mm. **IIe Empire** Napoléon III, tête nue (Barre 1853-57), b., 1 g 15 mm ; laurée (Barre 1861-70), b., 1 g 15 mm. **IIIe Rép.** Cérès (Oudiné 1872-97), b., 1 g 15 mm. Dupuis (Dupuis 1898-20), b., 1 g 15 mm. **Ve Rép.** (Atelier de Paris 1959-80), a.i., 1,65 g 15 mm. De 1981 à 1990 seulement pour séries FDC ; de 1991 à 1993 pour séries BU et BE.

MONNAIES ET MÉDAILLES

Direction des monnaies et médailles. Relève du ministère de l'Économie et des Finances. *Chargée :* d'assurer l'exécution des lois et règlements sur les monnaies et médailles ; de fabriquer des monnaies métalliques françaises et pour les États ou instituts d'émission étrangers qui lui en passent commande [en millions de F : *1989* : 51,8, *89* : 42, *90 (est.)* : 24] ; de la fabrication et vente des décorations officielles françaises ; de l'édition, de la fabrication et de la vente des médailles ; de la fabrication des instruments de marque pour le service français de la garantie et le service des instruments de mesure du ministère de l'Industrie et de la Recherche ; d'attributions annexes de caractère administratif ; d'expertise des monnaies présumées fausses ; de délivrance aux essayeurs de commerce et de leur certificat de capacité ; de délivrance à des ateliers privés d'autorisations de fabriquer des médailles (par dérogation au principe du monopole de droit que détient l'Administration) ; de la conservation et de la présentation au public des collections qui composent le musée des Monnaies et Médailles. *Usines :* Pessac (Gironde) : 400 personnes. Paris, quai de Conti : 700 (env. 20 graveurs).

Vente des monnaies de collection (en millions de F). Monnaies françaises et, entre parenthèses, étrangères : *1986* : recettes encaissées 86,2 (4,6). *87* : 67,5 (7,5). *88* : 44,7 (5,6). *89* : 130 (2). *90* : 172,3. *91* : 181. *92 (prév.)* : 180,8.

■ **2 centimes.** **IIe Empire** Napoléon III, tête nue (Barre 1853-57), b., 2 g 20,2 mm ; laurée (Barre 1861-97), b., 2 g 20,2 mm. **IIIe Rép.** Cérès (Oudiné 1877-97), b., 2 g 20,2 mm. Dupuis (Dupuis 1898-20), b., 2 g 20,2 mm. **Ve Rép.** (Atelier de Paris 1959-61), a.i., 2,3 g 17 mm.

■ **5 centimes.** **Directoire** (Dupré an 4-an 5), c., 5 g 23 mm. **Directoire et Consultat** (Dupré an 5-an 9), b., 10 g 28 mm. **Directoire** (Dupré an 5-an 7), c., 10 g 28 mm. **Ier Empire** Napoléon Ier (Tiolier 1808), c., 8 g 28 mm. Nap. Ier, siège d'Anvers (Wolschot 1814), b., 18 g 34 mm. Nap. Ier (Gagnepain, Van Goor 1814), b., 13 g 30 mm. **1re Restauration** Louis XVIII (Wolschot, Gagnepain, Van Goor 1814), b., 15 g 30 mm. (Gagnepain, Van Goor 1814), b., 12 g 30 mm. **IIe Empire** Napoléon III, tête nue (Barre 1853-57), b., 5 g 25 mm ; laurée (Barre 1861-65), b., 5 g 25 mm. **Gouvernement de la Défense nationale** Cérès (Oudiné 1870-71), b., 5 g 25 mm. **IIIe Rép.** Cérès (Oudiné 1872-98), b., 5 g 25 mm. Dupuis (Dupuis 1847-21), b., 5 g 25 mm. Grand module (Lindauer 1914-20), c.-n., 3 g 19 mm ; petit (Lindauer 1920-38), c.-n., 2 g 17 mm. (Lindauer 1938-39), m. 1,5 g 17 mm. **Ve Rép.** (Atelier de Paris 1959-64), a.i., 3,4 g 19 mm. (Lagriffoul et Dieudonné 1966-93), b.-al., 2 g 17 mm.

■ **1 décime.** **Directoire** (Dupré an 4-an 5), c., 10 g, 28 mm. (Dupré an 4-an 8), c., 20 g, 31 mm. (Dupré an 4-an 5), c., 20 g, 31 mm. (Dupré an 5-an 9), b., 20 g, 32 mm.

■ **10 centimes.** **Ier Empire** Napoléon Ier (Tiolier 1808-10), billon, 2 g, 19 mm. (Gagnepain 1814), b., 24 g, 34 mm. (Ransonnet, Wolschot 1814), b., 24 g, 34 mm. **1re Restauration** Louis XVIII (Gagnepain 1814), b., 24 g, 34 mm. (Ransonnet 1814), b., 24 g, 34 mm. **Ier Empire et Cent-Jours** Napoléon Ier (1814-15), b., 22 g, 31,5 mm. **1re et 2e Restauration** Louis XVIII (1814-15), b., 22 g, 31,5 mm. **IIe Empire** Napoléon III, tête nue (Barre 1852-57), b., 10 g, 30,2 mm ; laurée (Barre 1861-68), b., 10 g, 30 mm. **Gouv. de la Défense nationale** Cérès (Oudiné 1870-71), b., 10 g, 30 mm. **IIIe Rép.** Cérès (Oudiné 1872-98), b., 10 g., 30 mm. Dupuis (Dupuis 1897-21), b., 10 g., 30 mm. Cmes Souligné (Lindauer 1914), n., 4 g, 21 mm. Lindauer (Lindauer 1917-38), c.-n., trouée au centre, 4 g, 21 mm. (Lindauer 1938-39), m., 3 g, 21 mm, trouée au centre. **État français** (Lindauer 1941), z., 2,5 g, 21 mm. Grand module (Atelier de Paris 1941-43), z., 2,5, 21 mm ; petit (Atelier de Paris 1943-44), z., 1,5 g, 17 mm. **Gouv. provisoire** petit module (Atelier de Paris 1944-46), z., 1,5 g, 17 mm. **Ve Rép.** (Lagriffoul, Dieudonné 1962-93), b.-al., 3 g, 20 mm.

■ **2 décimes.** **Directoire** (Dupré an 4-an 5), c., 20 g, 31 mm.

■ **20 centimes.** ARGENT : **IIe Rép.** Cérès (Oudiné 1849-51), 900 ‰, 1 g, 15 mm. **IIe Empire** Napoléon III, tête nue (Barre 1853-63), 900 ‰, 1 g, 15 mm ; laurée, petit module (Barre 1864-66), 835 ‰, 1 g, 15 mm, grand (Barre 1867-68), 835 ‰, 1 g, 16 mm. **IIIe Rép.** Cérès (Oudiné 1878-89), 900 ‰, 1 g, 15 mm. AUTRES MÉTAUX : **État français** (Atelier de Paris 1941), z., 3,5 g, 24 mm. 20 (At. de Paris 1941-44), z., 3,5 g, 24 mm. (At. de Paris 1943-44), f., 3 g, 24 mm. **Gouv. provisoire** (Lindauer 1945-46), z., 3 g, 24 mm. **Ve Rép.** (Lagriffoul, Dieudonné 1962-93), b.-al., 4 g, 23,5 mm.

■ **1/4 Franc.** ARGENT : **Consulat** Bonaparte 1er Consul (Tiolier an 12), 900 ‰, 1,25 g, 15,3 mm. **Ier Empire** Napoléon Empereur (Tiolier an 12-an 14), 900 ‰, 1,25 g, 15,3 mm. **Ier Empire** Napoléon Empereur (Tiolier, Calendrier grégorien, 1906-07), 900 ‰, 1,25 g, 15,3 mm. Tête de Nègre (Tiolier 1807), 900 ‰, 1,25 g, 15,3 mm. T. Nègre laurée (Tiolier 1807-08), 900 ‰, 1,25 g, 15,3 mm. Tête laurée, revers EMP-FRA (Tiolier 1809), 900 ‰, 1,25 g, 15,3 mm. **Louis XVIII** Louis XVIII (Tiolier 1817-24), 900 ‰, 1,25 g, 15 mm. **Charles X** Charles X (Michaut 1825-30), 900 ‰, 1,25 g, 15 mm. **Louis-Philippe Ier** L.-Ph. Ier (Domard F. 1831-45), 900 ‰, 1,25 g, 15 mm.

■ **25 centimes.** ARGENT : **Louis-Philippe Ier** L.-Ph. Ier (Domard F. 1845-48), 900 ‰, 1,25 g, 15 mm. AUTRES MÉTAUX : **IIIe Rép.** (Patey 1903), n., 7 g, 24 mm. (Patey 1904-05), n., 7 g, 24 mm. Cmes soulignés (Lindauer 1913-17), n., 5 g, 24 mm. (Lindauer 1917-37), c.-n., 5 g, 24 mm. Points avant et après la date (Lindauer 1938-40), m., 4 g, 24 mm.

■ **½ Franc.** ARGENT : **Consulat** Bonaparte 1er Consul (Tiolier an 11-an 12), 900 ‰, 2,5 g, 18 mm. **Ier Empire** Napoléon Empereur (Tiolier an 12-an 14), 900 ‰, 2,5 g, 18 mm. (Tiolier, Calendrier grégorien, 1806-07), 900 ‰, 2,5 g, 18 mm. Tête de Nègre (Tiolier 1807), 900 ‰, 2,5 g, 18 mm. Revers « République » (Tiolier 1807-08), 900 ‰, 2,5 g, 18 mm. 11 717 421 ex. Revers « Empire » (Tiolier 1809-1814), 900 ‰, 2,5 g, 18 mm. 12 602 759 ex. **Louis XVIII** (Michaut 1816-24), 900 ‰, 2,5 g, 18 mm, 3 662 749 ex.

Charles X (Michaut 1825-30), 900 ‰, 2,5 g, 18 mm, 4 146 937 ex. **Louis-Philippe Ier** (Domard F. 1831-45), 900 ‰, 2,5 g, 18 mm.

■ 50 centimes. ARGENT : **Louis-Philippe Ier** (Domard F. 1845-48), 900 ‰, 2,5 g, 18 mm. **IIe Rép.** Cérès (Oudiné 1849-51), 900 ‰, 2,5 g, 18 mm. Louis-Napoléon Bonaparte (Barre 1852), 900 ‰, 2,5 g, 18 mm. 1 010 267 ex. **IIe Empire** Napoléon III, tête nue (Barre 1853-63), 900 ‰, 2,5 g, 18 mm ; laurée (Barre 1864-69), 835 ‰, 2,5 g, 18 mm. **Gouv. de la Défense nationale et IIIe Rép.** Cérès (Oudiné 1871-95), 835 ‰, 2,5 g, 18 mm. Semeuse (Roty 1897-20), 835 ‰, 2,5 g, 18 mm. 377 530 982 ex. AUTRES MÉTAUX : **IIIe Rép.** Chambre de Commerce (Domard 1920-29), b.-al., 2 g, 18 mm. Morlon (Morlon 1931-40), b.-a., 2 g, 18 mm. **État français** Morlon (Morlon 1941), b.-al., 2 g, 18 mm. 82 957 663 ex. **Gouv. provisoire** Morlon (Morlon 1947), b.-al., 2 g, 18 mm. 2 170 000 ex. **État français** Bazor (Bazor 1942-44), al., 0,8 g, 18 mm. **État français** (Morlon 1941), al., 0,7 g., 18 mm. **Gouv. provisoire** (Morlon 1944-46), al., 0,7 g., 18 mm. **IVe Rép.** (Morlon 1947), al., 0,7 g, 18 mm. **Ve Rép.** (Lagriffoul, Dieudonné 1962-1964), b.-al., 7 g, 25 mm.

■ ½ Franc. **Ve Rép.** Semeuse (Roty 1964-93), n., 4,5 g, 19,5 mm.

■ 1 Franc. ARGENT : **Consulat** Bonaparte 1er Consul (Tiolier an 11 A-an 12 W), 900 ‰, 5 g, 23 mm. **Ier Empire** Napoléon Empereur, tête nue (Tiolier an 12 A-an 14 W), 900 ‰, 5 g, 23 mm ; (Tiolier 1806-07), 900 ‰, 5 g, 23 mm. Tête de Nègre (Tiolier 1807), 900 ‰, 5 g, 23 mm. Revers « République » (Tiolier 1807-1808), 900 ‰, 5 g, 23 mm ; « Empire » (1809-14), 900 ‰, 5 g, 23 mm. **Louis XVIII** (Michaut 1816-24), 900 ‰, 5 g, 23 mm. **Charles X** (Michaut 1826-30), 900 ‰, 5 g, 23 mm. **Louis-Philippe Ier** L.-Ph., tête nue (Tiolier 1831-48), 900 ‰, 5 g, 23 mm. **IIe République** Cérès (Oudiné 1849-51), 900 ‰, 5 g, 23 mm. Louis-Napoléon Bonaparte (Barre 1852), 900 ‰, 5 g, 23 mm. **IIe Empire** Napoléon III, tête nue (Barre 1853-64), 900 ‰, 5 g, 23 mm ; laurée (Barre 1862-70), 835 ‰, 5 g, 23 mm. 82 765 949. **Gouv. de la Défense nationale** Cérès (Oudiné 1871), 835 ‰, 5 g, 23 mm. 33 555 162. **IIIe Rép.** 1872-95 type Semeuse (Roty 1898-20), 835 ‰, 5 g, 23 mm, 421 486 625. AUTRES MÉTAUX : **IIIe Rép.** Chambre de Commerce (Domard 1920-27), b.-al., 4 g, 23 mm. Morlon (Morlon 1931-40), b.-al., 4 g, 23 mm. **État français** Morlon (1941), b.-al. Bazor (1942-44), al., 1,3 g, 23 mm. Morlon (Graziani 1943), z., 4,2 g, 23 mm. Morlon (1941-43), al., 1,3 g, 23 mm. **Gouv. provisoire** (1944-46). **IVe Rép.** (1947-58). **Ve Rép.** Semeuse (Roty 1959-93), n., 6 g, 24 mm. De Gaulle (1988) 50 millions d'ex. États généraux (Bécherel 1989), n., 6 g, 24 mm, 5 millions d'ex. République (d'après Dupré, 1992), n., 6 g, 24 mm, 30 millions d'ex.

■ 2 F. ARGENT 900 ‰ : **Consulat** Bonaparte 1er Consul (Tiolier an 12), 10 g, 27 mm, 454 162 ex. **Ier Empire** Napoléon Empereur (Tiolier an 12-an 14), 10 g, 27 mm, 1 727 676 ex. ; tête nue (Tiolier 1806-07), 10 g, 27 mm. Tête de Nègre (Tiolier 1807), 10 g, 27 mm. Revers « République » (Tiolier 1808), 10 g, 27 mm, 1 524 320 ex. ; « Empire » (Tiolier 1809-14), 10 g, 27 mm, 8 328 471 ex. **Cent-Jours** (Tiolier 1815), 10 g, 27 mm. **Louis XVIII** (Michaut 1816-24), 10 g, 27 mm, 3 687 382 ex. **Charles X** (Michaut 1825-30), 10 g, 27 mm, 4 044 802 ex. **Louis-Philippe Ier** (Domard F. 1831-48), 10 g, 27 mm. **IIe Rép.** Cérès (Oudiné 1849-51), 10 g, 27 mm, 2 115 452 ex. **IIe Empire** Napoléon III, tête nue (Barre 1853-59), 10 g, 27 mm, 1 910 622 ex. ARGENT 835 ‰ : Nap. III tête laurée (Barre 1866-70), 10 g, 27 mm, 25 905 068 ex. **Gouv. de la Défense nationale** Cérès sans légende (Oudiné 1870-71), 10 g, 27 mm, 2 054 525 ex. Cérès (Oudiné 1870-71), 10 g, 27 mm, 16 224 733 ex. **IIIe Rép.** Idem (1872-95). Semeuse (Roty 1898-1920), 10 g, 27 mm, 102 438 423 ex. AUTRES MÉTAUX : **IIIe Rép.** Chambre de Commerce (Domard 1920-27), b.-al. 8 g, 27 mm. Morlon (Morlon 1931-40), b.-al., 8 g, 27 mm. **État français** Idem (Morlon 1941), al., 2,2 g, 27 mm. Bazor (1943-44), al., 2,2 g, 27 mm. **France libre** (1944), b.-al., 8,15 g, 27 mm. **Gouv. provisoire** (1944-46), Morlon, 2,2 g, 27 mm. **IVe Rép.** Idem (1947-58). **Ve Rép.** Idem (1959) (Roty 1959), n., 8 ou 8,35 g, 27 mm (d'après Roty 1979-93, n. pur, 7,5 g, 26,5 mm).

■ 5 F. ARGENT 900 ‰ : **Directoire** Hercule (Dupré an 4-an 11), 25 g, 37 mm, 21 247 401 ex. **Consulat** Bonaparte 1er Consul (Tiolier an 11-an 12), 25 g, 37 mm, 11 543 842 ex. **Ier Empire** Napoléon Empereur (Brenet et Tioler an 12), 25 g, 37 mm, 1 482 221 ex. ; (Brenet et Tiolier an 13-an 14), 25 g, 37 mm ; (Brenet et Tiolier, 1806-07), 25 g, 37 mm, 3 238 197 ex. Transitoire (Brenet et Tiolier 1807), 25 g, 37 mm. Napoléon tête laurée, revers « République » (Brenet et Tiolier 1807-08), 25 g, 37 mm ; revers « Empire » (Brenet et Tiolier 1809-14), 25 g, 37 mm. **Cent-Jours** (1815). **Louis XVIII 1re Restauration,** buste habillé (Tiolier 1814-15), 25 g, 37 mm, 15 959 985 ex. **2e Rest.** buste nu (Michaut 1816-24), 25 g, 37 mm, 104 249 625 ex. **Charles X** (Michaut et Tiolier 1824-26), 25 g, 37 mm. Effigie modifiée (Michaut et Tiolier 1827-30), 27 g, 37 mm. **Louis-Philippe Ier** L.-Ph. tête nue (N.P. Tiolier 1830), 25 g, 37 mm, 600 000 ex. (N.P. Tiolier 1830-31), 25 g, 37 mm, 32 000 000 ex. ; laurée (Domard F. 1831), 25 g, 37 mm, 13 000 000 ex. ; variété tranche relief (1831) ; laurée (Domard F 1832-48), 25 g, 37 mm, 292 921 640 ex. **IIe Rép.** Hercule (Dupré 1848-49), 25 g. 37 mm, 51 925 769 ex. Cérès (Oudiné 1849-51), 25 g, 37 mm, 37 697 365 ex. Louis-Napoléon Bonaparte (Barre 1852), 25 g, 37 mm. **IIe Empire Napoléon III,** tête nue (Bouvet 1854-59), 25 g, 37 mm, 14 150 830 ex. ; laurée (Barre 1861-70), 25 g, 37 mm, 50 094 449 ex. **Gouv. de la Défense nationale** Cérès sans légende (Oudiné 1870-71), 25 g, 37 mm ; avec (Oudiné 1870), 25 g, 37 mm. **Gvt de la Commune** Hercule (Dupré 1871), 25 g, 37 mm ; (Lupear 1871). **Gvt de la Défense nationale** Hercule (Dupré 1870-71), 25 g, 37 mm. **IIIe Rép.** (1872-89) Semeuse (non adopté). ARGENT 835 ‰ : **Ve Rép.** Semeuse (Roty 1959-69), 12 g, 29 mm, 195 209 000 ex. AUTRES MÉTAUX : **IIIe Rép.** Bazor 1933, n., 6 g, 23,7 mm. Lavrillier 1933-39, n., 12 g, 31 mm. Lavrillier 1938-40, b.-al., 12 g, 31 mm. **État français** Mal Pétain (Bazor 1941), c.-n., 4 g, 22 mm. **Gvt provisoire** Lavrillier (1945-47), b.-al., 12 g, 31 mm. Lavrillier (1945-47), b.-al., 12 g, 31 mm. Lavrillier (1945-46), al. 3,5 g, 31 mm. **IVe Rép.** (1947-52). **Ve Rép.** Semeuse (Roty 1970-93), c.-n., 10 g, 29 mm. Tour Eiffel (Joubert-Jimenez) (1989) 10 millions d'ex.

■ 10 F. ARGENT : **IIIe Rép.** 680 ‰. *Turin* (1929-39), 10 g, 28 mm. **Ve Rép.** 900 ‰. *Hercule (Dupré* 1964-73), 25 g dont 22,5 d'argent, 37 mm, 38 915 400 ex. AUTRES MÉTAUX : **Gouv. provisoire** *Turin* avec grosse tête (1945-47), c.-n., 7 g, 26 mm ; petite tête (1947-49), c.-n., 7 g, 26 mm. **IVe Rép.** *Guiraud* (1950-58), b.-al., 3 g, 20 mm. **Ve Rép.** *Mathieu* (1974-81), c.-n., 10 g, 26 mm. (Commémoratives : Daniel Ponce 1983 bicentenaire de la conquête de l'espace, c.-n., 10 g, 26 mm et bic. de la naissance de Stendhal, 1983). Souvent imitée (5 % de pièces fausses soit env. 30 millions sur 630 millions en circulation), cours légal suspendu le 1-10-1991. *François Rude* (type Mathieu, 1984). *Victor Hugo* (1985). *Hugues Capet* (1987). *Roland Garros* (1988). *La République*, n., 6,5 g, 21 mm (produite à 23 millions d'ex.) ; privée de cours légal le 31-12-86 et retirée de la circulation au 28-2-87 car ressemblant trop à la pièce de 50 c. Le retrait a coûté 100 millions de F au Trésor public (reprise par Banque de France jusqu'au 30-9-87) mais la valeur du métal récupéré et le fait qu'un certain nombre de pièces ont été thésaurisées par les ménages auraient équilibré ce coût. Commémorative Robert Schuman, n. (aussi retirée). *Génie de la Bastille* (1988-93), cœur nickel couleur argent, bord jaune (cuivre aluminium) 6,5 g, 23 mm, semi-cannelée sur la tranche, prix de revient 1,30 F. Montesquieu (1989) seulement pour FDC.

■ 20 F. ARGENT 680 ‰ : **IIIe Rép.** Turin (1929-39), 20 g, 35 mm. AUTRES MÉTAUX : **Gouv. provisoire** Turin (1945), c.-n., 10 g, 30 mm. **IVe Rép.** G. Guiraud (1950), b.-al., 4 g, 23 mm. G. Guiraud (1950-54), b.-al., 4 g, 23,5 mm. **Ve Rép.** (1992), bicolore *Mont-St-Michel,* 9 g, 27 mm. Jeux méditerranéens (1993), c.-n., 9 g, 5 millions d'ex.

■ 50 F. ARGENT 900 ‰ : **Ve Rép.** Hercule (Dupré 1974-80), 30 g dont 27 d'argent, 41 mm, 46 074 200 ex. AUTRES MÉTAUX : **IVe Rép.** Guiraud (1950-58), b.-al., 8 g, 27 mm.

■ 100 F. **IVe Rép.** *R. Cochet* (1950-58), c.-n., 6 g, 24 mm. **Ve Rép.** ARGENT 900 ‰, diam. 31 mm, 15 g (13,5 d'argent). *Panthéon* (1982-84), 15 g, 14 millions d'ex. prévus. *Marie Curie* (1984). *Germinal* à l'effigie de Zola (1985). *La Fayette* (1987) 4,9 millions d'ex. *Liberté* (1986) 4,5 millions d'ex. prévus (ces pièces sont délaissées par le public ; en oct. 1987, env. 37 millions de pièces de 100 F n'étaient pas en circulation). *Égalité* (1987). *La Fayette* (1987) 4,9 millions d'ex. *Fraternité* (1988) 4,9 millions d'ex. *Droits de l'homme* (1989). *Charlemagne* (1990). *Descartes* (1991). *Jean Monnet* (1992).

COURS DU KG (A PARIS EN F).

Argent 1979 *janv.* 800, *18-9* 2 701, *nov.* 2 416. **1980** *3-1* 5 570, *18-1* 6 942 (record absolu 654 % par rapport à janv. 79), *3-42* 383. **1981** *18-6* 1 954, *juillet* 1 598. **1982** *janv.* 1 496, *juin* 1 176, *juil.* 1 419. **1983** *janv.* 2 640, *juill.* 3 004. **1984** *janv.* 2 460, *mars* 2 695, *déc.* 2 251. **1985** *janv.* 2 099, *juillet* 1 914. **1986** *janv.* 1 770, *déc.* 1 348. **1987** *janv.* 2 344, *févr.* 1 309. **1988** *juillet* 1 449. **1989** *(3-8)* 1 054. **1992** *juil.* 934. **1993** *(7-7)* 1 049. **Platine. 1989 (3-8).** 100 442. **1992**-7-7 82 700. **1993** *(7-7)* 91 000. **Nickel. 1988 :** 50. **1989 :** 85.

PIÈCES EN OR

Titre or. 1792-1936. (900 ‰ sauf indication).

■ Louis d'or 24 livres. **Gouvernement constitutionnel** Type constitutionnel (Dupré 1792-1793), 7,649 g, 23 mm, 52 000 ex. **Convention** Type Convention. (Dupré 1793), 7,649 g, 23 mm. 140 000 ex.

■ 5 F. **IIe Empire** Napoléon III, petit module (Barre 1854-1855), 1 612 g, 14,4 mm, 4 499 940 ex. ; grand module (Barre 1855-60), 1,612 g, 16,7 mm, 24 181 302 ex. Tête laurée (Barre 1862-69), 1 612 g, 17 mm, 18 006 784 ex. **IIIe Rép.** Cérès (Merley 1878-89), 1 612 g, 16,5 mm, 70 ex.

■ 10 F. **IIe Rép.** Cérès (Merley 1850-51), 3,22 g, 19 mm, 3 707 277 ex. **IIe Empire** Nap. III, petit module (Barre 1854-55), 3,2 g, 17,2 mm, 3 900 030 ex. ; grand module (Barre 1854-60) 3,22 g, 19 mm, 61 132 063 ex. ; tête laurée (Barre 1861-69), 3,22 g, 19 mm, 31 689 923 ex. **IIIe Rép.** Cérès (Merley 1878-99), 3,22 g, 19 mm, 2 399 139 ex. Marianne (Chaplain 1899-1914), 3,22 g, 19 mm, 23 860 424 ex. [**Médailles Ve Rép.** Montesquieu (1989), or jaune (couronne) et blanc (cœur), 12 g, 5 000 ex. (vendues 2 500 F)].

■ 20 F. **Consulat** Premier Consul (Tiolier an 11-an 12), 6,45 g, 21 mm, 1 046 506 ex. **Ier Empire** Napoléon Empereur (Tiolier an 12), 6,45 g, 21 mm, 428 143 ex. Nap. Ier, tête nue (Droz et Tiolier an 13-an 14), 6,45 g, 21 mm, 674 730 ex. ; (1806-07), 6,45 g, 21 mm, 15 924 990 ex. Revers « République » (Droz et Tiolier 1807-08), 6,45 g, 21 mm, 1 727 451 ex. Revers « Empire » (Droz et Tiolier 1809-14), 6,45 g, 21 mm, 14 297 399 ex. **Cent-Jours, 1815 1re Restauration** Louis XVIII, buste habillé (Tiolier 1814-15), 6,45 g, 21 mm, 5 185 186 ex. (T. Wyon Jr. 1815), 6,45 g, 21 mm, 871 581 ex. **2e Rest.** Louis XVIII, buste nu (Michaut 1816-24), 6,45 g, 21 mm, 9 696 690 ex. **Charles X** Charles X (Michaut 1825-30), 6,45 g, 21 mm, 1 688 298 ex. **Louis-Philippe** L.-Ph., tête nue (Tiolier 1830-31), 6,45 g, 21 mm, 3 967 833 ex. ; tête laurée (Domard 1832-48), 6,45 g, 21 mm, 6 869 802 ex. **IIe Rép.** Génie (Dupré 1848-49), 6,45 g, 21 mm, 2 846 061 ex. Génie (Dupré 1849-51), 6,45 g, 16 720 353 ex. Louis-Napoléon Bonaparte (Barre 1852), 6,45 g, 21 mm, 10 493 758 ex. **IIe Empire** Napoléon III, tête nue (Barre 1853-60), 6,45 g, 21 mm, 146 226 337 ex. ; tête laurée (Barre 1861-70), 6,45 g, 21 mm, 85 457 540 ex. **IIIe Rép.** Génie (Dupré 1871-98), 6,45 g, 21 mm, 86 091 086 ex. Marianne (Chaplain 1898-1906), 6,45 g, 21 mm, 43 034 473 ex. (1907-14), 6,45 g, 21 mm, 74 212 056 ex.

■ 40 F. **Consulat** Bonaparte, 1er Consul (Tiolier an 11-an 12), 12,9 g, 26 mm, 479 521 ex. **Ier Empire** Napoléon, Empereur (Droz et Tiolier an 13-an 14), 12,9 g, 26 mm, 372 696 ex. ; tête nue (Droz et Tiolier 1806-07), 12,9 g, 26 mm, 291 584 ex. ; au revers « République » (Droz et Tiolier 1807-08), 12,9 g, 26 mm, 71 866 ex. ; au revers « Empire ». (Droz et Tiolier 1809-13), 12,9 g, 26 mm, 2 101 580 ex. **Louis XVIII** Louis XVIII (Michaut 1816-22), 12,9 g, 26 mm, 539 486 ex. **Charles X** Charles X (Michaut 1824-30), 12,9 g, 26 mm, 478 824 ex. **Louis-Philippe Ier** L.-Ph. Ier (Domard F. 1831-39), 12,9 g, 26 mm, 773 249 ex.

■ 50 F. **IIe Empire** Napoléon III, tête nue (Barre 1855-59), 16,12 g, 28 mm, 764 385 ex. ; tête laurée (Barre 1862-69), 16,12 g, 28 mm, 168 989 ex. **IIIe Rép.** Génie (Dupré 1878-1904), 16,12 g, 28 mm, 26 945 ex.

■ 100 F. **IIe Empire** Napoléon III, tête nue (Barre 1855-60), 32,25 g, 35 mm, 346 514 ex. ; tête laurée (Barre 1862-69), 32,25 g, 35 mm, 96 950 ex. **IIIe Rép.** Génie. Dieu protège la France (Dupré 1878-1906) 32,25 g, 35 mm, 273 892 ex. Génie. Liberté, Égalité, Fraternité (Dupré 1907-14), 32,25 g, 35 mm, 164 673 ex. **Bazor (Bazor 1929-36), 6,55 g, 21 mm, 13 791 116 ex.** [**Médailles Ve Rép.** Marie Curie (Raymond Corlin) 13,49 g. Une version d'une pièce d'or de 17 g a été frappée à 5 000 ex., n'a pas de valeur légale. Droits de l'homme (1989)].

MONNAIES DE NÉCESSITÉ

■ Guerre de 1870-71. Apparues en sept. 1870 dans le Nord. Émises entre 1870 et 1872, dans 48 départements, 180 émetteurs industriels, 140 municipalités ou banques de chambres de commerce (*1re émission :* Amiens, le 1-9-1870 : 5 et 10 F ; *dernière :* Annonay, 1-1-1872 : 5 F), types de coupures env. 1 000.

■ Guerre de 1914-18. *France non occupée, bons de monnaie mis en circulation par chambres de commerce et municipalités (ex. Nancy dès le 29-7-1914). Régions occupées :* émissions locales sans contrepartie financière légale (bon régional émis sous la garantie solidaire de 173 communes occupées, le 24-10-1915,

VALEURS EN FRANCS FRANÇAIS DE QUELQUES DEVISES D'APRÈS LE FIXING A LA BOURSE DE PARIS DE 1913 A 1992 PUIS D'APRÈS LA BFCE

Années	Livre Sterling (1 livre)	Dollar USA (1 dollar)	Franc Belge (100 FB)	Lire (100 L)	Peseta (100 P)	Franc Suisse (100 FS)
1913	25.256	5.180	99.390	98.280	93.070	99.710
1919	31.835	7.307	98.600	82.600	143.800	137.500
1920	52.803	14.476	104.800	69.500	226.400	242.100
1921	51.849	13.494	100.064	57.300	182.395	233.800
1922	54.624	12.246	93.683	58.300	190.830	234.700
1923	75.689	16.573	85.882	75.989	238.546	299.378
1924	85.675	19.413	88.850	84.460	257.831	353.293
1925	102.235	21.176	100.493	83.865	303.663	408.740
1926	151.558	31.211	(1) 502.854	120.516	466.191	601.702
1927	123.861	25.479	354.564	130.395	433.975	490.554
1928	(2) 124.101	25.499	355.238	134.084	423.473	491.052
1929	124.026	25.534	355.319	133.669	375.859	492.276
1930	123.885	25.479	355.496	133.439	298.407	493.708
1931	124.064	25.511	355.311	132.441	243.506	494.834
	(3) 93.399					
1932	89.139	25.460	354.315	130.450	204.827	493.988
1933	84.675	(4) 20.568	355.461	132.749	212.879	493.134
1934	76.811	15.237	354.498	130.497	207.220	492.694
1935	74.235	15.150	282.087	125.250	207.250	492.226
1936	(5) 82.388	16.592	280.677	118.446	207.250	493.725
1937	(6) 124.748	25.214	425.713	132.690		578.707
1938	(7) 170.760	34.996	591.232	184.162		799.514
1939	176.700	40.268	671.258	199.645		857.538
1940 (8)	176.750	43.800		221.000	440.000	985.000
			Juin 1940		Octobre 1940	23 octobre 1940
			800.000		425.000	1 000.000
1941 (8)	176.750	43.800	800.000	221.000	425.000	1 000.000
1942 (8)	176.750	43.800	800.000	221.000	425.000	1 000.000
1943 (8)	176.750	43.800	800.000	221.000	425.000	1 000.000
1944 (8)	176.750	43.800	800.000	221.000	425.000	1 000.000
	5 déc. 1944	5 déc. 1944	10 oct. 1944	Oct. 1944	1er déc. 1944	1er déc. 1944
	200.000	49.600	113.260	50.000	456.600	1 152.000
1945	200.000	49.600	113.260	50.000	456.600	1 152.000
	27 déc. 1945	27 déc. 1945	27 déc. 1945	5 mars 1945	27 déc. 1945	27 déc. 1945
	480.000	119.100	271.800	52.500	1 095.800	2 763.000
1946	480.000	119.100	271.800	52.500	1 095.800	2 763.000
1947	480.000	119.100	271.800	52.500	1 095.800	2 763.000
1948	480.000	119.100	271.800	52.500	1 095.800	2 763.000
	26 janv. 1948	26 janv. 1948	26 janv. 1948	26 janv. 1948		26 janv. 1948
	864.500	**Offi :** 214.390	489.150	61.250		**Offi :** 4 974.000
	17 oct. 1948	**Libre :**	17 oct. 1948	17 oct. 1948	17 oct. 1948	**Libre :** 7 789.400
		308.858				
	1 062.000	(9)	601.500	46.500	2 410.000	(9)
1949	27 avril 1949	**Libre :** 330.000	27 avril 1949	27 avril 1949	29 avril 1949	**Libre :** 8 330.000
	1 097.000	(10)	620.850	55.500	2 490.000	(10)
	20 sept. 1949	20 sept. 1949	20 sept. 1949		18 oct. 1949	20 sept. 1949
	980.000	350.000	700.000		1 480.000	8 180.000
1950	980.000	350.000	700.000	1er déc. 1950	900.000	8 180.000
				56.030		
1951	980.708	349.965	701.965	56.099	885.020	8 087.144
1952	982.187	349.967	701.103	56.439	893.454	8 013.256
1953	982.835	349.965	701.388	56.449	909.658	8 034.393
1954	981.849	349.969	700.763	56.448	921.650	8 032.446

Années	Livre Sterling (1 livre)	Dollar USA (1 dollar)	Franc Belge (100 FB)	Lire (100 L)	Peseta (100 P)	Franc Suisse (100 FS)	Deutsch Mark (1 DM)
1955	978.119	349.969	700.880	56.238	863.770	8 000.587	83.328
1956	982.846	349.988	704.701	56.121	885.000	8 038.031	83.944
1957	983.402	349.985	701.085	56.130	927.648	8 033.893	(19) 83.816
1958 (11)	1 086.478	387.293	779.441	62.294	(12) 1 000.000	8 884.096	(20) 100.557
1959 (13)	13.775	4.904	9.815	0.790	11.765	113.495	117.352
					dep. 18/7/1959		
					8.230		
1960	13.768	4.904	9.863	0.790	8.230	113.542	1.11759
1961	13.747	4.905	9.839	0.790	8.205	113.569	(21) 1.2303
1962	13.759	4.900	9.848	0.789	8.225	113.322	1.2257
1963	13.721	4.900	9.828	0.788	8.175	113.391	1.2293
1964	13.683	4.901	9.844	0.785	8.185	113.465	1.2329
1965	13.703	4.904	9.874	0.785	8.183	113.257	1.2272
1966	13.724	4.913	9.862	0.787	8.202	113.582	1.2290
1967	13.734	4.920	9.904	0.789	8.214	113.675	1.2344
	(14) 11.826				(14) 7.015		
1968	11.805	4.955	9.918	0.794	7.134	114.708	1.2406
1969	11.864	4.963	9.882	0.792	7.110	115.028	1.2393
	(15) 13.310	(15) 5.567	(15) 11.143	(15) 0.887	(15) 7.966	(15) 129.258	(22) 1.4318
							1.5117
1970	13.241	5.528	11.136	0.882	7.938	128.257	1.5162
1971 (16) Avant la dévaluation du dollar	13.477	5.520	11.353	0.892	7.966	133.954	(23) 1.6235
							1.5185
(17) Après la dévaluation du dollar	13.332	5.225	11.559	0.880	7.929	133.764	1.5989
1972	12.619	5.045	11.464	0.865	7.853	132.122	1.5819
		(18) 5.066					1.5879
1973	10.896	4.359	11.444	0.764	7.642	140.707	(24) 1.6164
							1.7395
1974	11.211	4.806	12.333	0.738	8.357	161.544	1.8515
1975	9.513	4.288	11.676	0.657	7.474	166.059	1.7448
1976	8.622	4.779	12.404	0.576	7.230	191.450	1.9014
				7.196	7.196		
1977	8.577	4.914	13.718	0.557	(25) 5.804	205.123	2.1172
1978	8.655	4.512	14.337	0.532	5.893	253.377	2.2465
1979	9.058	4.251	14.511	0.512	6.354	255.926	2.3236
1980	9.820	4.221	14.457	0.494	5.900	252.068	2.3255
				0.487			
1981	11.028	5.362	14.517	(27) 0.478	5.885	266.734	2.3658
	(26) 10.661	5.655	14.991	0.472	5.891	309.755	2.5206
	11.044	6.066	14.925	0.473	5.898	316.949	2.5775
1982	(28)		(29) 13.828		6.161		
	11.827	6.989	14.563	0.496	(30) 5.377	329.246	2.8098
1983	11.546	7.622	14.899	0.502	5.313	362.587	2.9811
1984	11.640	8.740	15.125	0.498	5.431	372.043	3.0705
1985	11.548	8.988	15.132	0.470	5.276	366.159	3.0523
1986	10.161	6.928	15.525	0.465	4.947	386.359	3.1952
1987	9.839	6.012	16.100	0.464	4.874	403.376	3.3448
1988	10.594	5.959	16.204	0.458	5.115	407.218	3.3921
1989	10.446	6.382	16.194	0.465	5.387	390.177	3.3933
1990	9.804	5.129	16.474	0.451	5.324	398.08	3.402
1991	9.865	5.375	16.332	0.446	5.391	370.28	3.360
1992	9.230	5.289	16.467	0.431	5.178	376.97	3.390

Nota. – (1) A partir d'octobre 1926 jusqu'au 10 octobre 1944, par 100 belgas au lieu de 100 francs belges. (2) Stabilisation du franc (Loi du 25 juin 1928). (3) Abandon par le Royaume-Uni de l'étalon-or (21 septembre 1931). (4) Nouvelle politique monétaire des États-Unis (Loi du 29 avril 1933). (5) Alignement monétaire du franc (Loi du 1er octobre 1936). (6) Abandon par la France de l'étalon-or (décret-loi du 30 juin 1937). (7) Réévaluation du stock d'or sur la base de 1 £ = 170 F (décrets-lois des 12 et 13 novembre 1938). (8) Accords de Clearing, à l'exception de la livre et du dollar. (9) Depuis le 17 octobre 1948 toutes les transactions commerciales se traitaient sur la base de la moyenne entre le cours officiel et le cours du marché libre. (10) Le cours officiel a été supprimé le 20 septembre 1949. (11) Les changes de 1958 (sauf pour la peseta) ne tiennent pas compte de la taxe de 20 % en vigueur du 1er janvier au 20 juin 1958. (12) Ne tient pas compte de la dévaluation du 26 décembre 1958, date à partir de laquelle la peseta a été fixée à 11,467. (13) En francs nouveaux depuis 1959. (14) Après les dévaluations de novembre 1967. (15) Après la dévaluation du franc le 8 août 1969. (16) Du 1er janvier au 17 décembre 1971. (17) Du 21 au 31 décembre 1971. (18) Dévaluation du dollar le 12 février 1973. (19) Compte non tenu du prélèvement ou du versement de 20 % institué par le décret no 57-910 du 10-8-57. (20) 83,692 pour les cinq premiers mois de l'année, 100,557 les six derniers mois de l'année : à partir de juin 1958, les moyennes mensuelles sont calculées en tenant compte des 20 %. (21) 10 derniers mois de l'année, après réévaluation du DM du 16-3-61. (22) Successivement : avant la dévaluation du FF du 10-8-69 – après cette dévaluation – du 27-10 (réévaluation du DM) au 31-12-69. (23) Successivement : avant le 10-5 – du 10-5 au 17-12 – du 18-12 au 31-12-71. (24) Successivement : jusqu'au 1-3 – du 19 au 28-6 – du 29-6 au 31-12-73. (25) Du 3-5 au 8-7 et du 12-7 au 30-12-77. (26) Dévaluation du franc français, de la lire et réévaluation du Deutsche Mark le 5-10-81. (27) Dévaluation de la lire le 23-3-81. (28) Dévaluation du franc français et de la lire, réévaluation du Deutsche Mark le 14-6-82. (29) Dévaluation du franc belge le 22-2-82. (30) Dévaluation de la peseta le 6-12-82.

☞ Correspondance courante : 1 livre anglaise vaut 25 livres françaises en 1789, et 1 F en 1795.

pour 4 millions de F). **BRU** (bon régional unifié), émis par 75 communes de l'Aisne. **Tickets-monnaie** (apparus dans le Tarn). **Timbres-monnaie** (déjà employés aux USA lors de la guerre de Sécession). **Pièces de nécessité** des transports en commun de la Région parisienne, cafés, casinos, bals, maisons de tolérance. Le gouv. autorisa les chambres de commerce, villes et communes à émettre des jetons-monnaie qui devaient être garantis par le dépôt de billets de la Banque de France (*valeurs :* 5 c, 10 c, 25 c, 50 c, 1 F). *Matières :* papier fort, carton, puis zinc, fer, aluminium, bronze d'aluminium, laiton, fer nickelé, nickel-bronze, cuivre rouge-maillechort et même le plomb. *Formes :* rondes ou carrées. *Motifs (avers) :* souvent armoiries, paysages, travaux des champs, bateaux, etc.

■ **En 1920,** le min. des Finances répugnant à frapper des monnaies désormais en bronze d'aluminium (choisi pour remplacer l'argent devenu trop cher) décida que les jetons-monnaie destinés à remplacer leurs « Bons de monnaie » seraient libellés au nom des ch. de commerce de Fr. et porteraient la mention « Bon pour ... F ». Considérées comme « Monnaie légale de l'État », ces pièces (dont l'avers représentait un Mercure dû au graveur Domard) circulèrent comme monnaie légale jusqu'en 1931, date à laquelle l'État frappa ses propres pièces dues au graveur Morlon. Pendant 9 ans, 964 millions de pièces avaient été mises en circulation.

■ **Guerre de 1939-40.** Émissions peu nombreuses et de courte durée des chambres de commerce.

L'OR

Sources : Comptoir Lyon-Alemand-Louyot, Gold Field et Mme Annette Vinchon (Numismatique et Change de Paris).

GÉNÉRALITÉS

■ **Gisements.** L'or est assez répandu. *L'eau de mer* en contiendrait de 1 à 8 μg par m³ (la Dow Chemical a fait en Caroline du Sud un essai sur 15 m³ qui n'a donné que 0,09 μg).

L'écorce terrestre connue en contient 1 cg à la tonne. Les *gisements* comprennent une ou plusieurs couches (*reef* ou filon) peu épaisses de cailloux enrobés dans un ciment renfermant l'or, affleurant parfois en surface et pouvant s'étendre sur des dizaines de km², mais présentant souvent des « failles ». *Prof. max. exploitée :* 3 800 m [Afr. du Sud, Puits 8 des Western Deep Levels (mine d'Anglo-American)], 2 400 m (Brésil, Morro Velho ; mines du Far West Rand ou de l'Orange Free State). *Teneur du minerai :* max. 12 à 13 g d'or par t (Kloof, Afrique du S.)

■ **Pépites. Les plus grosses :** Helle End (350 kg, en Afr. du S.) ; celle de Molvaque (95 kg) et le Welcome Stranger (72 kg) trouvées en Australie ; de 40 à 70 kg [USA, URSS (Oural), Zaïre] ; **en France :** 543 g trouvée en 1889, à Gravières (Ardèche), par un berger. La plupart des pépites trouvées ces dernières années ont – de 1 g ; exceptions : 1 de 15 g dans le Blavet en 1976, 2 de 18 et 32 g, près de Loudéac (C.-d'A.) en 1977.

■ **L'or en France. Origine :** La Gaule était réputée riche en or. Depuis, l'or a toujours été exploité. Le sous-sol renferme de nombreux indices de minerais aurifères et, en surface, des alluvions et des sables contiennent de l'or, mais ces gisements ne paraissent pas exploitables économiquement.

Principaux gisements exploités à l'époque moderne. Production cumulée en tonnes : *La Bellière* (M.-et-L. 1906-62) 9,9. *Le Châtelet* (Allier 1905-53) 14,1. *La Petite Faye* (Creuse 1921-48) 0,32. *Champvert, Beaune, Beaugiraud, Nouzilleras, Gareillas,* (Hte-Vienne exploitations intermittentes entre 1912 et 1949) 1,15. *Cheni-Douillac* (Hte-V. 1913-44) 7,5. *La Lucette* (Mayenne 1899-1934) 8,3. *La Gardette* (Isère, XVIIIe s.) 0,02. *Le Bourneix + Lauriéras* depuis 1987 (1982 à 87) 2,87. *Salsigne* (Aude, découverte en 1892, ouverte 1924 ; à plusieurs dizaines de m de profondeur ; par an : 2 à 3,5 t d'or ; réserves est. : env. 30 t d'or. Teneur 10 à 13 g d'or/t, présent sous forme de poussières noires, les *mattes,* ou de *bullions* dorés de 20 à 25 kg (50 % d'or, 50 % d'argent). Fermée en 1992 (était aussi 1er producteur mondial d'arsenic). *Rouez-en-Champagne* (Sarthe 1988)...

Or recueilli en rivière : env. 10 à 50 kg de paillettes par an. Il reste 6 orpailleurs professionnels en France ; ils lavent 2 t de sable pour obtenir env. 5 g d'or.

Statistiques

☞ Depuis la préhistoire, on a extrait 150 000 t d'or métal dont 50 000 perdues par usure ou négligence, 40 000 à 50 000 utilisées (bijoux, etc.), 40 000 à 50 000 thésaurisées par États et particuliers.

■ **Production globale** (en t de métal contenu). **Moyennes annuelles :** *1493-1520 :* 5,8. *1601-20 :* 8,5 *1701-20 :* 12,8. *1741-20 :* 24,6. *1801-10 :* 17,8. *1811-20 :* 11,4. *1831-40 :* 20,3. *1856-60 :* 21,5. **Par an :** *1880 :* 160. *1882 :* 153,5. *1895 :* 301,4. *1982 :* 1 319 (dont pays de l'Est, Chine, Corée du N. 330). *1985 :* 1 484 (340). *1986 :* 1 547 (349). *1987 :* 1 606 (356). *1988 :* 1 797 (364). *1989 :* 1 963 (403). *1990 :* 2 091 (410). *1991 :* 2 074 (357). *1992 :* 2 217 (376).

Par pays (en kg, 1991) : *Afrique :* 668 442 dont Afrique du S. 599 194. Burkina F. 3 000. Éthiopie 3 038. Ghana 26 310. Liberia 600. Mali 2 200. Rép. Centraf. 240. Sierra Leone 26. Zaïre 6 042. Zambie 124. Zimbabwe 17 791. Divers 9 877. *Amérique :* 654 304 dont Argentine 1 478. Bolivie 3 501. Brésil 89 109. Canada 178 712. Chili 28 668. Colombie 31 621. Rép. Domin. 3 560. Équateur 4 500. États-Unis 289 885. Guyana 1 844. Guyane fr. 1 417. Mexique 9 829. Nicaragua 1 154. Pérou 2 784. Venezuela 4 215. Amér. cent. et Antilles 1 997. Divers 30. *Asie :* 60 726 dont Arabie S. 4 808. Inde 1 973. Indonésie 16 879. Japon 8 300. Malaisie 2 778. Philippines 24 938. Divers 1 050. *Europe :* 26 760 dont Espagne 7 200. *France 4 800.* Finlande 2 210. Suède 6 190. Yougoslavie 6 000. Divers 360. *Océanie :* 306 334 dont Australie 236 086. Fidji 2 827. N.-Guinée 60 780. N.-Zélande 6 611. Divers 30. *Pays de l'Est :* 357 100 dont Chine 109 000. Ex-URSS 240 000. Autres 8 100.

■ **Coût total d'extraction des mines d'or** (en dollars par once, 1992). 300 dont *Philippines* 342. *Afrique du Sud* 324. *Australie* (en gén. mines de vie courtes) 297. *Canada* 280. *États-Unis* 286. *Brésil* 277. *Papouasie N.-Guinée* 209. Autres 286.

■ **Industrie aurifère sud-africaine** (en milliards de F, d'avril à mars 1990). Chiffres d'affaires 18,9. Coût d'exploitation 14,8. Investissements 2,3. Bénéf. avant impôts 4,1, après impôts 3,3. Salariés 453 000.

■ **Demande privée.** *1975 :* 1 104. *76 :* 1 434. *77 :* 1 632. *78 :* 1 744. *79 :* 1 702. *80 :* 812. *81 :* 977. *82 :* 1 140. *83 :* 1 299. *84 :* 1 265. *88 :* 2 095 (dont bijouterie 1 175, usage ind. 245, frappe de pièces et médailles 220, solde des invest. privés 455).

■ **Utilisation globale** (en %, 1990). Bijouterie 71, monnaies officielles 9,6, électronique 5,15, thésaurisation 7,15, autres 7,1.

Consommation d'or nouveau (déchets inclus ; en 1992, en t). **Europe :** 790, dont Italie 473, All. 77, *France 43,* autres pays 197. **Amérique :** 313, dont USA 219, autres pays 94. **Asie :** 1 687, dont Moyen-Orient 510, Extrême-Orient 824, continent Indien 353. **Autres :** 315. **Total :** *3 105.*

Nota. – Dans certains pays, une partie des pièces fabriquées n'est pas vendue l'année de leur production, mais seulement comptabilisée dans les réserves officielles.

■ **Or détenu dans le monde. Réserves privées en t** (1981) : 30 000 dont *Asie* 5 000 [dont Japon en *1978 :* 100. *86 :* 600 dont 323 par le min. des Finances (dont 220 utilisées pour frapper 10 millions de pièces d'or de 100 000 yens et 10 000 yens commémorant le 60e anniversaire du règne de Hirohito. 9 millions de pièces ont été vendues, les invendues ont été refondues). *1988 :* 1 000], *Europe* 10 500 [dont *France* 6 000 (1988)], *USA* 3 000, *Afrique* 3 000, *pays communistes* 2 650, *divers* 5 350.

■ **Réserves d'or** [millions d'onces troy (1 once troy = 31,1 g), nov. 1992]. **Monde** 748,24. Afrique du S. 7,01, Algérie 5,58, Allemagne 95,18, Arabie S. 4,6, Argentine 4,12[7], Australie 7,93, Autriche 19,81, Belgique 25,04[4], Brésil 2,09[1], Canada 10,21, Chine 12,70[2], Corée du S. 0,32, Égypte 2,43[2], Émirats arabes unis 0,8[2], Espagne 15,62, Finlande 2, *France 81,85*[2], Grèce 3,43, Hongrie 0,11[2], Inde 11,28, Indonésie 3,1, Irlande 0,36, Israël 0,01[1], Italie 66,67, Japon 23,23, Koweït 2,54[2], Liban 9,22, Libye 3,6[2], Luxembourg 0,43[2], Malaisie 2,35[3], Maroc 0,7, Mexique 0,75[4], Norvège 1,18, Pakistan 2,02, P.-Bas 43,62, Pérou 1,82[2], Philippines 2,79[1], Portugal 16,06, Roumanie 2,30[2], Royaume-Uni 18,67, Suède 6,07[2], Suisse 83,28, Syrie 0,83[5], Turquie 4,05, Thaïlande 2,47, Uruguay 2,19[2], USA 261,92, Venezuela 11,46, Yougoslavie 1,92[6].

Nota. – (1) Oct. 92. (2) Sept. 92. (3) Août 92. (4) Juil. 92. (5) Nov. 91. (6) Juin 92. (7) Déc. 91.

Taxes sur les transactions d'or dans la CEE à l'achat et, entre parenthèses **à la vente** (en %). *France 18,6 (7,5),* Luxembourg, Belgique 1 (1), Italie 19, All. féd. 0 % sauf pièces démonétisées 14, G.-B. 15, Espagne 12, Danemark 22.

L'or et la monnaie

Régime de l'or

■ **Régime de l'étalon-or. Avant la guerre de 1914,** les principales monnaies étaient convertibles entre elles, en or et à des taux fixés. Les règlements entre banques centrales s'effectuaient principalement en or. Les pièces d'or circulaient librement dans le public. L'or représentait 91 % des réserves monétaires mondiales (aujourd'hui 53 %).

A la fin de la guerre de 1914-18, les prix ayant doublé et le stock d'or n'ayant pas augmenté en conséquence, il eût fallu pour revenir à la situation antérieure, soit dévaluer les monnaies de moitié (en doublant le prix de l'or), soit faire baisser les prix. La 1re solution fut écartée pour des raisons de prestige, la 2e était irréalisable.

Cependant les principales monnaies retrouvèrent ensuite leur convertibilité en or (tout au moins pour les règlements internationaux), à la parité d'avant-guerre pour le dollar (1919) et la livre sterling (1925), à une nouvelle parité pour le franc (1928).

Gold Exchange Standard (étalon de change-or). 1922, pour réduire l'usage de l'or, on invita les États à détenir une partie de leurs réserves sous forme de devises convertibles en or (dollars et livres). Ce fut le Gold Exchange Standard que la France adopta *de facto* en 1926. Le dollar et la livre, qui auraient dû rester stables pour tenir correctement le rôle de réserve, furent dévalués après la crise de 1929 (livre 21-9-1931, dollar 30-6-1934). **1936,** on rétablit en partie l'or comme moyen de règlement (la convertibilité de Bretton Woods (New Hampshire USA, du 1 au 21-7-1944). Les 44 signataires (dont la France) pouvaient, pour leurs règlements, bénéficier de l'aide du FMI (Fonds monétaire international) qui disposait d'importantes réserves d'or et de devises étrangères et compensait ou corrigeait les fluctuations brèves des balances de paiement.

Les monnaies étaient définies par rapport à l'or, qui restait monnaie de règlement. Les USA détenant alors les 3/4 du stock mondial d'or (en 1949, leurs réserves dépassaient 24,5 milliards de $) et le dollar étant la seule monnaie convertible en or, le Gold Exchange Standard fut institué de fait avec le dollar comme seule réserve internationale.

Les citoyens américains ne pouvaient demander le remboursement en or de leurs dollars, mais les dollars cédés à une banque d'émission étrangère et présentés par elle à une autorité américaine étaient échangés contre un poids d'or équivalent.

En outre, les dollars pouvaient être librement vendus à Londres ; les banques d'émission, associées dans le *pool de l'or,* fournissant les quantités d'or demandées au cours de la parité légale (soit 1 once d'or pour 35 $). Les billets émis par la Banque de réserve fédérale amér. étaient couverts à 25 % par les réserves publiques d'or.

■ **Les États-Unis et l'or.** Les USA, qui étaient les créanciers du monde (plan Marshall, voir Index) et détenaient le plus gros stock d'or (voir ci-dessus) ont commencé à s'endetter à partir du début des années 60. Tandis que les investissements, l'aide au développement et les dépenses militaires à l'étranger augmentaient fortement, l'excédent commercial stagnait, puis se transformait en déficit (1971). Les déficits cumulés de 1958 à 1971 de la balance des paiements étaient de plus de 60 milliards de $, et le stock d'or tomba en mai 1971 à 10,9 milliards de $ (17,5 en 1960).

Cependant, longtemps par solidarité politique et stratégique, les USA bénéficièrent de concours extérieurs pour leurs échéances. La plupart des banques occidentales renonçaient à demander le remboursement en or des dollars en réserve qu'elles avaient. Certaines, comme celle de Bonn, allégeaient artificiellement la dette américaine à leur égard en achetant des bons du Trésor américain (bons *Roosa*).

Enfin, toutes les banques centrales devaient soutenir le $ (étalon monétaire international) sur leur marché des changes en achetant, au cours officiel, tous les $ offerts. En août 1971, le Pt Nixon décida l'inconvertibilité du $ qui perdit ainsi tout rapport avec l'or, alors que des banques centrales demandaient à Washington le remboursement de plusieurs centaines de millions de $ contre de l'or. Depuis le 31-12-1974, les Américains peuvent acheter et vendre de l'or librement (interdit depuis 1933).

Nota. – Pour les privilèges conférés au $ par le statut de monnaie de réserve internationale, voir Quid 1982, p. 1584.

■ **Démonétisation de l'or à la suite de la modification des statuts du FMI** (*Accords de la Jamaïque* de janv. 1976 ; mise en vigueur en avril 1978) : 1°) Les pays membres peuvent laisser flotter leur monnaie, ou définir sa valeur par une relation fixe avec les DTS ou toute autre devise à l'exclusion de l'or. 2°) En conséquence, les pays membres ne versent plus d'or au FMI lors d'une augmentation des quotes-parts. 3°) De 1976 à 1980, le FMI a vendu 50 millions d'onces d'or. En févr. 1990, les USA ont proposé de vendre encore 3 millions d'onces (90 t, valeur 1,2 million de $) pour permettre au FMI de faire face au non-paiement des arriérés de la dette dus par un certain nombre de pays membres. Cette proposition entraîna aussitôt la baisse des cours de l'or.

Marché de l'or

En France. Il n'y a pas (contrairement à ce qui se passe souvent ailleurs) de restriction à la propriété privée de l'or ; jusqu'en 1977, les frais d'acquisition étaient réduits (0,5 % environ du montant de l'achat) et aucun impôt ne frappait les transactions. Dep. le 1-1-1977, une taxe sur toute vente de lingots et pièces d'or ou d'argent effectuée par des particuliers (7,5 % dep. le 1-1-1991) est perçue + une commission de courtage de 0,5 % env. (pour un minimum de 25 napoléons ou 5 pièces de 50 pesos au règlement différé, 3 à 4 % au comptant) sur chaque transaction (à l'achat comme à la vente).

L'anonymat des ventes et achats de lingots et pièces d'or, supprimé le 1-10-1981, a été rétabli le 6-6-1986 ; dep. le 26-7-1991 l'acquéreur doit payer par chèque tout achat d'or supérieur à 50 000 F et l'intermédiaire agréé de régler par chèque tout apport d'or de + de 1 000 F.

L'emprunt Pinay à 4,5 % (1952-58), indexé sur le napoléon, a suivi d'assez près son cours. L'intérêt servi était faible (compte tenu du cours atteint), mais il était exonéré de l'impôt sur le revenu et le capital était affranchi de tous droits de succession. **L'emprunt Giscard à 4,5 %,** qui lui a succédé en 1973, suivait aussi d'assez près le cours de l'or.

■ **Marchés principaux. Europe :** *Londres* (transactions quotidiennes 1 à 5 t), *Zurich, Paris* (200 à 300 kg). **Asie :** *Doubaï, Koweït, Djedda, Macao, Hong Kong* (10,58 kg à 14,11 kg/jour), *Singapour.* **Amérique du Nord :** *Chicago, New York, San Francisco ;* **Amérique du Sud :** *Montevideo, Buenos Aires.*

■ **Unités de vente.** *Barre d'or :* entre 350 et 430 onces (10,89 à 13,37 kg), titre au moins 995/1 000, dimension modèle sud-africain : 25,5 cm de large et 4 cm d'épaisseur ; signes gravés : firme qui a fondu la barre, numéro d'ordre, titre. *Lingot* de 1 kg (qui titre de 985 à 1 000 g d'or fin). Le lingot porte 4 signes distinctifs : *cachet* avec le nom du fondeur ; *poinçon* blasonné de l'essayeur qui certifie le titre ; *chiffre* qui indique le titre (variable de 995 à 999,9) ; *numéro* qui renvoie à un registre où sont notés les résultats des contrôles prescrits (une demi-douzaine de fondeurs d'or, à Paris et à Lyon).

Évolution du prix de l'or

☞ **Paramètres influençant le cours de l'or.** Les achats ou ventes des gouvernements et banques centrales pour équilibrer leurs échanges commerciaux ou leurs liquidités ; l'évolution des taux d'intérêt (une baisse est généralement favorable à l'or en rendant moins attrayant le rendement des obligations) ; la stabilité ou l'instabilité des marchés financiers ; la demande industrielle ou privée ; le manque de liquidités, facteur de hausses internationales.

■ **1934-1968 :** le prix de l'or est fixé à 35 $ l'once. **1968** *mars,* suppression du pool de l'or, le marché de l'or devient libre. **1968 à 1971 :** l'or varie peu (34/35 $). **1971**-*15-8* suspension de la convertibilité du $; *-18-12* dévaluation de 7,89 % du $. **1971** *déc.* **à 1974** *déc. :* hausse de 45 $ à 197,50 $ l'once (+ 340 %), des mines + 720 %. *Raisons :* la généralisation des taux de change flottants en 1972/73 et les craintes de répercussion sur le développement du commerce international et la circulation des capitaux ; la dévaluation du $ de 10 % en février 1973 ; la crise pétrolière déclenchée en octobre 1973 ; l'accélération de l'inflation (taux moyen de hausse des prix des pays de l'OCDE 13,6 % en 1974) ; l'annonce de l'autorisation d'achat d'or par les citoyens américains à partir de janvier 1975. **1975** *janv.* **à 1976** *sept. :* l'or baisse de 48 % (once 103,50 $), mines de 82 %. *Raisons :* décision du gouvernement américain de procéder aux ventes publiques d'or pour tempérer la spéculation généralisée sur l'or et dissuader les Amér. d'en acheter (2 ventes publiques d'or : en janv. et en juin 1975 portent sur 1,25 million d'onces) ; annonce en sept. 1975 de ventes par le FMI de 25 millions d'onces (780 t) réparties sur 4 ans. **1976** *sept.* **à 1980** *sept.* : l'once d'or augmente de + de 600 % (20-1-1980 : 850 $), les mines de 675 % quoique entre le 2-6-1976 et le 7-5-1980 le FMI ait vendu 25 millions d'onces (780 t) sur le marché libre. *Raisons* : faiblesse du $ (revenu de 2,36 DM au 31-12-1976 à 1,70 DM au 31-12-1980) ; le 2e choc pétrolier (26-6-1979, baril à 20/23,5 $, oct. 1979 à + de 30 $; taux d'inflation élevé aux USA et dans les pays industrialisés (1976 à 5,8 %, 1980 à 13,5 % : aggravation de la crise iranienne et pénétration soviétique en Afghanistan. **1980** *sept.* **à 1984** *sept.* : baisse de 52 % (once 720 $ le 23-9-1980, 340 $ le 10-9-1984). Compte tenu de l'évolution de la parité $/FF (4 F en sept. 1980 et 9 F en nov. 1984), le prix de l'once en FF a progressé de 11 % (de 2 880 F à 3 120 F). *Raisons* : hausse du $ due à l'élection du Pt Reagan en nov. 1980 et hausse des taux d'intérêt (le *prime rate* de 14,5 % fin oct. à 17,75 % fin nov.). Le $ est passé de 4,02 F (sept. 80) à 9,25 F (+ 130 %) (sept. 84) et de 1,80 DM à 3,01 DM (+ 67 %), redevenant l'investissement-refuge pour les capitaux du monde entier en raison notamment des taux d'intérêt américains réels élevés. **De 1984 à 1986**, hausse irrégulière. **1987** chute après les événements du golfe Persique et les grèves dans les mines d'or sud-afr. baisse de l'once de 473,25 $ (le 3-8) à 453,3 $ (le 17-8), hausse modérée lors du krach d'octobre (de 465,25 $ à 481), les spéculateurs ayant vendu de l'or pour éponger une partie de leurs pertes. Hausse en fin d'année. **1989** chute puis en fin d'année, hausse de l'or (+ 12 % provoquée par les bouleversements à l'Est), et des mines (83 % pour l'année, 35 % en nov.). **1990** *janv. à juillet* baisse le 7-6 once 352,80$ lingot 64 950, Napoléon 389 (le + bas dep. 1979) due en grande partie aux ventes d'or soviétiques (220 t du 1-1 au 10-6) et des ventes des pays du Moyen-Orient (en raison de la baisse du pétrole) 115 t entre le 2-3 et le 26-3-90, *août* hausse (guerre du Golfe), lingot à 71 300 F *(2-8)* puis baisse à 60 000. **1991** napoléon min. 364 *(18-9),* maxi 490 F *(17-1).* **1992** min. 340 F *(7-5).* Baisse de l'once d'or en mars (336 $, plus bas niveau dep. 1986).

Cours extrêmes de l'once atteint dans l'année (en $). **1980** *18-3* : 481, *22-9* : 710. **81** *21-1* : 850, *30-6* : 426, *9-10* : 453. **82** *7-7* : 307, *30-12* : 457. **83** *1-2* : 509, *1-11* : 378. **84** *5-3* : 406, *3-12* : 303. **85** *26-2* : 285, *28-8* : 339,30. **86** *3-1* : 326, *22-9* : 442 ¾. **87** *18-2* : 392,95, *14-12* : 502,75. **88** *15-1* : 484,4, *26-9* : 395,05. **89** *3-1* : 413,6, *15-9* : 355,7, *20-11* : 404. **90** *(au 3-8)* : + haut 382,6, + bas 345,85. *Le 3-8* : 375,8. **91** *(au 31-12)* : + haut 403,7 (30-11), + bas 353,3 (16-1). **92** + haut 358,8, + bas 330,20. **93** *(du 1-1 au 6-8)* : + haut 406,7 *(2-8)*, + bas 326,10.

■ Pièces d'or

Caractéristiques

■ **Pièces de « bonne » ou de « mauvaise livraison ».** Définies par l'article 22 du règlement du marché de l'or en France. **Bonne :** monnaie d'or présentant les caractéristiques légales de frappe, poids et alliage... Y compris celles portant des éraflures dues à la circulation et les pièces normalement usées, dont le *frai* (l'usure) ne dépasse pas 5 ‰ du poids brut théorique de la pièce ou 15 ‰ pour les demi-pièces, les pièces de 5 roubles et de 5 $. **Mauvaise :** pièces montées, limées, gondolées, tachées, ayant subi une transformation susceptible d'en modifier l'aspect ou portant des marques apparentes de détérioration.

En cas de litige, par exemple entre particulier et négociant, une commission de caissiers et de responsables, créée en mai 1981 sur l'initiative de la chambre syndicale des agents de change, examine les pièces et tranche sur leur qualité, en se fondant sur l'art. 22.

Nota. – Pour être certain que des pièces de « mauvaise livraison » seront fondues (et non revendues comme des pièces de « bonne livraison »), exiger de les faire plier et les vendre à des fondeurs professionnels qui ont une « autorisation permanente de destruction » (p. ex. : le comptoir Lyon-Alemand). Pour éviter le risque d'avoir des pièces usées ou détériorées (ou fausses), et celui de contestation ultérieure, exiger leur livraison sous sachet scellé.

Pièces d'or cotées à Paris

■ **Cotations quotidiennes. 20 francs (français, napoléons) :** env. 617 millions d'ex. ont été frappés depuis la loi du 17 germinal an XI, dont 117 depuis 1906 ; 37 483 500 p. de 20 F (type « Coq » de Chaplain) ont été frappées de 1951 à 1960, mais millésimées de 1907 à 1914. **20 F suisses :** (or fin 5,80 g). **Union latine de 20 F :** diam. 21 mm, poids 6,45 g (or fin : 5,8 g), titre 900/1 000 ; on trouve des ex. frappés en Autriche-Hongrie, Belgique, Bulgarie, Grèce, Italie,

Marché de l'or	Cours [1] F	Poids [2] g	Prime % [3]		
			au 6-8-93	max.	min.
Napoléon (20 F)	401	5,806	– 4,68	9,87	– 18,84
Demi-Napoléon (10 F) [4]	390	2,903	+ 85,42	179,23	56,58
Croix suisse (20 F)	416	5,806	– 1,11	12,74	– 20,15
Union latine (20 F)	416	5,806	– 1,11	10,91	– 21,97
Tunisie (20 F) [4]	424	5,806	+ 0,79	9,60	– 21,19
Souverain (£)	526	7,322	– 0,85	11,54	– 17,64
Souverain [4] Élisabeth (£)	535	7,322	+ 0,85	29,33	– 17,23
Demi-souverain [4]	265	3,611	– 0,09	69,68	– 10,19
Dollar ($ 20)	2 735	30,092	+ 25,45	29,90	– 13,40
Dollar ($ 10)	1 310	15,046	+ 20,17	43,00	– 13,40
Dollar ($ 5) [4]	735	7,522	+ 34,85	59,13	0,71
Peso mexicain (50 pesos)	2 600	37,500	– 4,29	11,31	– 20,61
Mark allemand (20 marks) [4]	521	7,164	+ 0,38	9,98	– 32,74
Florin hollandais (10 Fl.) [4]	420	6,048	– 4,16	22,76	– 21,09
Rouble russe (Nicolas II : 5 roubles) [4]	280	3,871	– 0,16	18,99	– 15,85

Nota. – (1) Au 6-8-93. (2) Poids d'or pur. (3) Par rapport au cours du lingot : 60 000 F. (4) Cotation hebdomadaire.

Roumanie, Russie, Sardaigne, Serbie et Monaco. **Souverain (britannique) :** toutes les pièces frappées dep. la loi monétaire du 22-6-1816 sauf les pièces australiennes et sud-africaines (or fin 7,322 g). **20 dollars (US) :** diam. 34 mm, poids 34,436 g (or fin : 30,09), titre 900/1 000 ; 2 types : *liberté, aigle.* **10 dollars (US) :** diam. 27 mm, poids 16,718 (or fin : 15,046 g), titre 900/1 000 ; *2 types : Coronet :* portrait de la Liberté à l'avers : [période 1838-1907 ; ateliers : CC (Carson City), D (Denver), O (La Nouvelle-Orléans), S (San Francisco-Philadelphie)]. *Tête d'indien :* D (Denver), S (San Francisco-Philadelphie). **50 pesos mexicains :** or fin 37,49 g (encore régulièrement frappée, ; pièce cotée à Paris contenant le plus d'or). **10 florins néerlandais :** diam. 22,5 mm, poids 6,729 g (or fin : 6,048 g), titre 900/1 000 ; 10 types différents. *Effigies :* Guillaume II, Guillaume III, Wilhelmine.

■ **Cotations hebdomadaires. 10 F (demi-napoléon). Souverain** (Élisabeth II) : 7,9881 g (or fin 7,322), diam. 22 mm titre 916,66 % ; *1er type :* 1957 à 59 et 62 à 68 (seul type admis sur le marché français) ; *2e type :* 1974-76 à 82. **Demi-souverain** (or fin 3,66 g). *20 marks* (or fin 7,16 g). **1 livre Élisabeth :** frappée par périodes ; seules celles frappées entre 1957 et 1968 sont admises. **Tunisienne de 20 F. 5 roubles Nicolas II** (or fin 3,87 g). **5 dollars US** (or fin 7,52 g).

Nota. – Certaines émissions ne se traitent pas au poids d'or comme le « bullion » aux USA mais sont taxées à la TVA [*krugerrand* 1967-78, *chervonetz* (10 roubles) 1975-78 « *feuille d'érable » 50 $* (Canada 1979)].

■ **Pièces d'or hors-cote.** Exemples : *livre d'Afrique du Sud, 20 dinars yougoslaves, 100 F d'Albanie, 5 livres d'Angleterre, livre australienne, ducats, schillings d'Autriche, 100 leva bulgares, 10 $ canadiens, 100 pesos chiliens, 20 pesos de Cuba, 20 kr Danemark, 500 piastres d'Égypte, 100 lires italiennes, 100 lires du Vatican Britannia* (lancée 1987) : *100 livres* (1 once), *50 livres* (1/2 once), *25 livres* (1/4), *10 livres* (1/10).

Nota. – Certaines pièces (ex. : napoléons et louis, frappés entre 1803 et 1845) ont un prix de collection supérieur à leur cote boursière (parfois plus du double). Les monnaies d'or ont été démonétisées en application de la loi du 25-6-1928, ou antérieurement à la promulgation de celle-ci.

■ **Prix d'évaluation de l'encaisse-or (par kg),** entre parenthèses **prix d'achat du kg d'or fin et,** en italique, **prix d'achat de la pièce de 20 F. 1803-7-4/1926-26-9 :** 3 444,44 (3 437) *20 ;* **1926-27-9/31-12 :** 3 444,44 (17 595) *101,45 ;* **1936-1-10/31-12 :** 22 675,736 (23 695) *136,62 ;* **1937-21-7 :** 25 839,793 (28 075) *161,87,* **12-11 :** 40 404,04 (39 153) *225,75 ;* **1940-29-2/1944-31-12 :** 47 605,446 (47 608) *274,50 ;* **1945-26-12/1948-25-1 :** 134 027,90 (131 900) *760,50 ;* **1950-16-8/1958-23-7 :** 393 396,50 (393 000) *2 266 ;* **1959-30-1/31-12 :** 555 555,50 (555 000) *3 213 ;* **1960-3-6/1969-7-8 :** 5 530 (5 530) *32,01.*

Prix d'évaluation de l'or par la Banque de France (par kg)

1969 (8-8)	6 250	1981 (1-1)	89 154	1986 (1-7)	78 608
1975 (9-1)	24 078	1981 (1-7)	83 567	1987 (1-1)	85 787
1975 (1-7)	22 039	1982 (1-1)	76 457	1987 (1-7)	86 972
1977 (1-1)	20 264	1982 (1-7)	67 016	1988 (1-1)	87 765
1977 (1-7)	23 203	1983 (1-1)	97 069	1988 (1-7)	83 776
1978 (1-1)	24 938	1983 (1-7)	102 453	1989 (1-1)	80 921
1978 (1-7)	26 449	1984 (1-1)	101 762	1989 (1-7)	78 754
1979 (1-1)	29 535	1984 (1-7)	101 416	1990 (1-1)	77 258
1979 (1-7)	36 302	1985 (1-1)	100 951	1990 (1-7)	66 397
1980 (1-1)	54 321	1985 (1-7)	96 809	1991 (1-1)	63 481
1980 (1-7)	73 074	1986 (1-1)	82 583	1991 (1-7)	67 884

Cours de l'or à Paris

Cours extrêmes sur le marché officiel de la Bourse de Paris dep. la réouverture du marché de l'or (3-2-1948) (en francs actuels courants). Entre 1900 et 1939, et de 1939 à 1948, l'or se négociait directement entre banquiers (pas de cotation).

	Napoléon	Kilogramme
1948	62 – 38,50	8 800 – 5 500
1949	61,70 – 39,50	8 360 – 5 280
1950	42,80 – 29,80	5 900 – 4 280
1951	46,60 – 39,70	6 180 – 4 900
1952	50,70 – 37,30	6 330 – 4 840
1953	39,30 – 30,40	5 160 – 4 340
1954	30,60 – 26,30	4 400 – 4 140
1955	29,60 – 24,70	4 520 – 4 200
1956	35,70 – 29,20	4 880 – 4 450
1957	43,40 – 33,60	5 900 – 4 580
1958	40,60 – 33,30	5 490 – 5 120
1959	37,20 – 34,50	5 730 – 5 560
1960	40 – 35	6 150 – 5 545
1961	42 – 36,80	5 755 – 5 565
1962	43,80 – 39,20	5 675 – 5 555
1963	42,80 – 40,60	5 600 – 5 535
1964	42,90 – 40,90	5 555 – 5 530
1965	45,90 – 42	5 640 – 5 550
1966	48,80 – 43,70	5 650 – 5 540
1967	56,90 – 47,80	5 665 – 5 555
1968	66,80 – 51,60	7 265 – 5 565
1969	78,70 – 65	7 865 – 6 535
1970	65,50 – 52,70	6 885 – 6 285
1971	63,20 – 57,10	7 280 – 6 705
1972	82,90 – 61	10 945 – 7 465
1973	190 – 80,10	17 750 – 10 700
1974	318,50 – 175	29 365 – 18 440
1975	288 – 208,50	27 020 – 20 000
1976	244,30 – 210	22 120 – 16 560
1977	254,50 – 230,90	24 940 – 21 440
1978	309,90 – 246,10	31 400 – 25 000
1979	671 – 265,80	70 000 – 30 230
1980	1 130 – 611	99 010 – 66 000
1981	959,80 – 819,50	97 000 – 83 000
1982	709,90 – 579	99 500 – 62 460
1983	750 – 645	115 400 – 94 850
1984	660 – 592	105 600 – 93 550
1985	608 – 509	105 050 – 78 000
1986	625 – 500	89 500 – 74 500
1987	551 – 510	94 800 – 77 400
1988	568 – 465	89 950 – 78 750
1989	474 – 429	82 500 – 74 150
1990 [1]	453 – 380	78 000 – 63 000
1991	490 – 364	73 800 – 58 000
1992	369 – 324	64 100 – 52 850
1993 [2]	450 – 327	79 300 – 56 750

Nota. – Le 27-12-1973, la pièce de 20 F cotée 190 F (soit 19 000 anciens F) a battu son record historique du 5-6-1796 (17 prairial an IV), établi par le louis avec un cours de 17 950 livres-assignats. Ce record a été dépassé depuis. (1) Au 3-8-90. (2) Au 11-8-93.

Prime d'une pièce d'or. Différence entre la valeur du poids d'or contenu dans la pièce et le cours coté de celle-ci : pour la calculer il faut multiplier le poids d'or contenu dans la pièce par le coût du g d'or et comparer le résultat obtenu au cours officiel de la pièce. *Exemple* : si le lingot (1 000 g) cote 102 250 F, le g d'or vaut 102,25 F ; le napoléon qui contient 5,806 g d'or devrait valoir, au poids de l'or, 5,806 × 102,25 = 593,66 F ; s'il cote 614 F, la différence de 20,34 F (614 – 593,66) représente une « prime » de 3,42 % (20,34 : 593,66).

Prime du napoléon (extrêmes + haut et, en italique, + bas, en %) : **1974** 99,88 *57,50.* **75** 98,88 *71,96.* **76** 125,64 *62,87.* **77** 90,69 *62,47.* **78** 83,61 *44,96.* **79** 65

30,22. **80** 129,33 *33,58.* **81** 82,25 (9-10) *56,80.* **82** 67,99 (janv.) *12,88* (sept.). **83** 29,83 (mars) *10,97* (mai). **84** 12,08 (mars) - *0,12* (sept.). **85** 9,88 (janv.) - *0,04* (25-4). **86** 28,4 + 22,92. **87, 88** env. 1. **89** (févr.) 2. **90** 2,84 (2-4), *1,67* (5-4). **91** 19,3 (13-2), - *4,73* (26-8). **92** 5,53 (26-8), - *3,96* (18-5). **93** (au 6-8) 1,76 (4-3), - *4,68* (6,8).

BANQUE ET CRÉDIT

DÉFINITIONS

■ **Dates de valeur (régime standard).** *j.c.* : jour calendaire. *j.o.* : jour ouvré. **Débit :** retrait d'espèces - 1 j.c., paiement de chèque - 2 j.c., virement de compte à compte *j.*, virement émis - 1 j.c., paiement de domiciliation - 1 j.c., échéance d'un prêt *j.* (ou veille), prélèvement - 1 j.c., erreur *même date que l'opération d'origine.* **Crédit :** versement d'espèces *+ 1 j.c.*, remise de chèque sur caisse (tireur et bénéficiaire ont un compte dans la même agence) *+ 1 j.o.*, sur place *+ 2 j.o.*, chèque hors place *+ 5 j.o.*, virement de compte à compte *j.*, virement reçu *+ 1 j.c.*, encaissement d'effet échéance *+ 4 j.(c.)*, effet escompté *+ 1 j.c.*, octroi d'un prêt *j.*, intérêts sur compte à terme *j. de l'échéance du blocage.*

■ **Escompte.** Opération qui permet au détenteur d'un titre de crédit public ou privé, à court terme, d'en percevoir le montant, déduction faite d'un prélèvement effectué par le prêteur proportionnel au nombre de jours restant à courir, et dépendant de la qualité du client, de celle de l'effet et des conditions du moment. Les banques se refinancent sur le marché monétaire, où la Banque de France intervient, soit par achats ou ventes d'effets de crédit privés ou de bons du Trésor, soit par prise ou mise en pensions (achat/vente d'effets avec engagement de revente/rachat). La Banque de France assure seule la contrepartie pour un certain nombre d'effets dits de 1re catégorie, parmi lesquels les crédits à moyen terme mobilisables au Crédit foncier de France, au Crédit national ou au Crédit d'équipement des PME. *Le papier représentatif d'escompte* commercial se négocie entre banques à des taux supérieurs à ceux pratiqués par la Banque de France.

■ **Taux d'intérêt. Taux directeurs :** taux auquel la Banque de France intervient pour régler la liquidité bancaire. La Banque de France ne se sert plus depuis plusieurs années de son *taux d'escompte* (9,5 %), mais tous les 8 ou 15 j alimente en liquidités banques et marché interbancaire en faisant ainsi varier le loyer de l'argent à court terme entre 2 taux directeurs (distants en général de 1/4 à 3/4 de point). Le plus bas (*taux sur appel d'offre*) est constitué par le taux des adjudications de liquidités que la Banque de Fr. accorde sur appel d'offres émanant des banques, en leur rachetant les effets de 1re catégorie qu'elles lui présentent. Le plus haut (*taux des prises en pension* ou taux de pénalisation) est celui auquel elle leur accorde pour 5 à 10 j des liquidités contre du « papier » (effets et titres de créance). En outre, la Banque peut, notamment en cas de tension, alimenter le marché au coup par coup.

Taux d'escompte (voir ci-dessus) : à l'exception des effets de mobilisation de créances nées à moyen terme sur les pays étrangers, la Banque de Fr. ne refinance plus les banques par l'escompte, mais par des achats ou des pensions sur le marché monétaire. **Évolution (France) : 1968** *27-6* : 3,5. *3-7* : 5. *12-11* : 6. **69** *1-1* : 6. *8-5* : 6. *13-6* : 7. *11-8* : 7. *8-10* : 8. **70** *19-2* : 8. *27-8* : 7,5. *20-10* : 7. **71** *8-1* : 6,5. *13-5* : 6,75. *28-10* : 6,5. **72** *13-1* : 6. *6-4* : 5,75. *2-11* : 6,5. *30-11* : 7,5. **73** *5-7* : 8,5. *2-8* : 9,5. *20-9* : 11. **74** *20-6* : 13. **75** *9-1* : 12. *27-2* : 11. *10-4* : 10. *5-6* : 9,5. *4-9* : 8. **76** *22-7* : 9,5. *23-9* : 10,5. **77** *dep. 31-8* : 9,5. **86** *15-4* : 7,5. **87** *16-7* : 9,5. Inchangé depuis, il ne sert plus pour réguler la liquidité monétaire. **Taux d'appel d'offre** (plancher) : **1981** *mai* : 22 % (record). **1982** *mai* : 16. **85** *déc.* : 8,75. **86** *déc.* : 7,25. **87** *déc.* : 7,75. **88** *déc.* : 7,75. **89** *déc.* : 10. **90** *déc.* : 9,25. **91** *déc.* : 9,6. **92** *nov.* : 9,10. **93** *au 6-8* : 6,75. **Taux des pensions à 24 h : 1993** *au 6-8* : 10 %.

Comparaison des taux dans le monde (voir p. 1836 a).

Taux du marché monétaire (ou taux interbancaire au jour le jour) : taux négocié auquel les institutions financières se refinancent mutuellement lorsqu'elles ont besoin de liquidités. Ce taux est indirectement encadré par les taux directeurs de la Banque de France intervenant elle-même comme offreur (ou restricteur) de liquidités pour réguler le marché.

Moyenne annuelle des taux du marché monétaire. Au jour le jour (TMP), entre parenthèses **marché obligataire (TIOP). 1981 :** 15,3 (16,3), **82 :** 14,87 (15,99), **83 :** 12,54 (14,62), **84 :** 11,74 (13,45), **85 :** 9,94 (11,78), **86 :** 7,74 (8,82), **87 :** 7,98 (9,57), **88 :** 7,52 (9,08), **89 :** 9,07 (8,75), **90 :** 9,96 (10,0585), **91 :** 9,49 (9,37), **92 :** 10,35, pointe à 13,53 *en sept.* (8,81), **93** (*févr.*) : 11,46 (8,12), (*juin*) : 7,68 (7,30), (*juill.*) : 8,27 (6,64).

Taux de base bancaire : taux servant de référence à une banque lorsqu'elle accorde un crédit. Chaque banque fixe librement son taux de base en fonction du taux de marché en emplois comme en ressources. Au taux de base s'ajoutent en général des intérêts et commissions en fonction de la qualité de l'emprunteur. *Évolution constatée (moyenne annuelle ou record en %)* **1981** (*mai*) : 17 (record) ; **1982 :** 14 ; **1983 :** 12,26 ; **1984 :** 12,16 ; **1985 :** 11,16 ; **1986 :** 9,94 ; **1987 :**

■ **Caractéristiques des banques. Total du bilan.** FONDS PROPRES : capital social + réserves + bénéfices mis en report. CAPITAUX PERMANENTS : fonds propres + obligations émises par les banques.

Engagements envers les agents économiques non financiers (liquidités gérées par les banques) : dépôts à vue reçus des sociétés et des ménages ; dépôts à terme, bons de caisse, comptes sur livrets, épargne-logement.

Ressources provenant d'opérations de refinancement : net des postes de refinancements reçus (passif) et des refinancements accordés (actif) : comptes de correspondants français, valeurs données en pension ou vendues ferme, valeurs prises en pension ou achetées ferme.

Crédits distribués à la clientèle non financière (sociétés et ménages) : avances en comptes débiteurs, crédits de toutes échéances, créances douteuses et litigieuses.

Portefeuille-titres : titres de placement et de participation détenus par les banques.

■ **Comptes bancaires. Comptes de dépôts :** *comptes de chèques à vue :* les sommes disponibles peuvent être retirées immédiatement, aucun intérêt n'est versé. *C. à terme :* les sommes ne peuvent être retirées qu'à date fixée, un intérêt est versé (après 1 mois de dépôt). **Comptes courants commerciaux :** ouverts aux commerçants qui peuvent escompter traites et billets à ordre. **Comptes sur livrets :** pas de chèques tirés ; rémunérés à 4,5 % l'an. **Compte joint :** permet à plusieurs personnes (ménage, parents, concubins, amis, etc.) d'utiliser un seul compte.

Rémunération des comptes courants : interdite en France par la législation. Pour 80 % des usagers, titulaires de petits comptes, la rémunération des dépôts à vue ne compenserait pas en effet la facturation des chèques. 20 % seulement des clients bénéficieraient d'une rémunération nette. Certains établissements financiers proposent cependant des produits similaires (comptes rémunérés adossés à une Sicav, un FCP, un livret ou un Codevi). Le versement initial demandé est généralement de 20 000 à 50 000 F. Les dépôts ne sont rémunérés qu'à partir d'un certain seuil (généralement de 5 000 à 15 000 F). La rémunération annoncée est escomptée en fonction des taux du marché monétaire. Fiscalité identique à celle des Sicav ou FCP monétaires auxquels il est adossé. Le projet de La Poste le compte « Libertitude », rémunéré avec affectation à une Sicav monétaire des soldes des CCP, avec intérêt de 7 % a été repoussé devant l'opposition des banques.

Comptes courants de titres : permettent d'appliquer les procédés de l'inscription en compte et du virement à la gestion des valeurs mobilières et des bons du Trésor et bons à moyen terme admis aux opérations du marché monétaire.

☞ **Lors du décès.** Le compte cesse de fonctionner à partir de la date du décès et reste bloqué jusqu'au jour où les héritiers justifient officiellement de leur qualité (certificat d'hérédité ou de propriété). S'il s'agit d'un *compte joint,* celui-ci continue à fonctionner, et seule une partie de son montant (au jour du décès) sera prise en compte dans la succession (part virile).

■ **Levée du secret bancaire.** *Justice et police :* avec une commission rogatoire, dans le cas d'une enquête pénale. *Fisc :* les banques sont tenues de lui déclarer toutes les ouvertures et fermetures de comptes en France, et les paiements de revenus d'actions et d'obligations. Droit de communication limité (documents préalablement désignés et dans les locaux de la banque seulement, sans possibilité d'interroger le personnel). *Douanes :* peuvent examiner les comptes, exiger la communication de tous documents et les saisir, interroger le personnel, ouvrir un coffre et en saisir le contenu, à la condition qu'il s'agisse de recherches spéciales dans une affaire déterminée. *Sociétés :* possibilité d'obtenir des informations limitées sur une autre société par l'intermédiaire de sa banque ou de son assureur crédit. *Tiers privés :* dans des cas précis (titulaires d'un compte collectif, représentants légaux des incapables, certains héritiers, cautions et mandataires du client, huissier d'un créancier dans le cadre d'une saisie-arrêt). **Indemnisation des clients :** si un établissement bancaire dépose son bilan, les dépôts sont remboursés dans la limite d'un plafond global de 400 000 F par personne (Allemagne : pas de plafond. Italie : 10 000 000 F. P.-Bas : 120 000 F. G.-B. : 95 000 F. Belgique, Espagne, Luxembourg : 80 000).

■ **Services tarifiés** (1992, minimum à maximum en F). Comparaisons d'« Investir ». **Gestion de compte du mois :** gratuit à 1 400 F. **Chèque sans provision :** 100 à 711,60. **Virement interbancaire : Occasionnel avec RIB :** 5,57 à 100. **Permanent :** 5,46 à 118,60. **Opposition : sur chèque** 40 à 118,60 ; *sur carte* 30 à 177,90. **Date de valeur à la remise d'un chèque : sur place** J à J + 4 ; *hors place :* J à J + 5. **Services télématiques** (frais d'abonnement par an) : gratuit à 120-1 470. **Cartes bancaires internat.** (abonnement annuel) : *à débit immédiat :* 90 à 150 ; *différé :* 135 à 205.

■ **Solvabilité des banques.** *Ratio de Cooke.* Élaborée en déc. 1987 par un comité réuni à Bâle, composé des banques centrales et des autorités de surveillance des 10 pays siégeant auprès de la BRI. Le *numérateur* comprend des fonds propres (et des quasi-fonds propres) et le *dénominateur* des en-cours de crédit (actifs de crédits et engagements hors bilan) pondérés d'un coefficient de 0 % à 100 % établi selon les risques de non-recouvrement (qualité de l'emprunteur, situation géographique, etc.). 50 % des fonds propres au minimum sont représentés par le capital social et les réserves ; le solde par des emprunts subordonnés à terme et des provisions générales ou réserves pour créances douteuses (à l'exclusion des provisions affectées à un risque déterminé). Le 1-1-1993, ce ratio (actifs) devait être de 8 %.

■ **Ratio Cooke** (ou pour l'Europe RES : ratio européen de solvabilité) **20 premières banques françaises (1988, et** entre parenthèses **le 30-6-92).** BNP 8,21 (9,19), Crédit Agricole 8,68 [1], Société Générale 8,9 (9,63), Crédit Lyonnais 7 (8,5), Crédit Mutuel > 8, B. Populaires > 7,5, B. Paribas 9,5 [1] (9,4 [2]), B. Indosuez ≃ 8 (8,5 [2]), Groupe CIC 7,3, CCF 8,6 [1] (9,4), CIAL > 8, Sté Générale Alsacienne de Banque ≃ 8, BUE 8, Sté Lyonnaise de Banque 4,25, B. Sofinco 5,4, B. Worms (n.c.), BPC (n.c.), B. Hervet > 8, Sté Nancéienne Varin-Bernier 7,6, B. La Hénin (n.c.). **Ratio moyen de quelques pays** (début 1992, évalué sur les plus grandes banques de chaque pays). Espagne 12,37 ; Irlande 12 ; USA 11,93 ; Suisse 10,37 ; G.-B. 10,21 ; Italie 9,3 ; Belgique 9,23 ; *France 9,2* ; Japon 8,6 ; Allemagne 8,4.

Nota. - (1) 1989. (2) 31-12-91.

■ **Swift.** Réseau de télétransmission interbancaire international. Fondé en 1973 par 239 banques appartenant à 15 pays, ouvert en 1977.

MONNAIE ÉLECTRONIQUE

■ **Système « on line ».** Le commerçant est relié, en permanence et en temps réel, par un « terminal » à la banque du client ou à un centre de traitement ou d'autorisation. Le centre, suivant sa fonction, accorde ou non une autorisation au commerçant (interrogation du compte du client, ou d'une liste noire) et, éventuellement, enregistre la transaction. Le débit du compte du client se fait comme pour un chèque.

■ **Système « off line ».** La carte du client est lue à l'aide d'un terminal placé chez le commerçant. *Carte à piste magnétique :* contient le code du client et le plafond hebdomadaire à ne pas dépasser (fixé par les banques). Le terminal enregistre la transaction sur un support magnétique ; à la fin de la journée, ces informations sont transmises par le terminal à la banque par les réseaux PTT ou Transpac. *Carte à mémoire* [CAM ou carte à puce, mise au point en 1974 par le Français Roland Moreno puis Michel Legon (Bull), adoptée 1981] : contient un microprocesseur qui possède des informations (sur le compte du client) lues par le terminal du commerçant (la carte fait le calcul selon l'état du compte du client) ; donne une plus grande sécurité au commerçant et permet au client de vérifier son compte à la banque. Avec la carte bleue, le débit reste différé.

9,60 ; **1988 :** 9,45 ; **1989 :** 9,91 ; **1990 :** 10,60 ; **1991** :10,21 ; **1992 :** 10 ; **1993** mai 9 ; (*août*) 8,40.

Taux bonifié : taux d'intérêt inférieur à celui pratiqué pour le même type de crédit, grâce à une aide de l'État par exemple.

Taux de l'intérêt légal : 10,40 % pour 1993.

Taux de l'usure : taux d'intérêt défini par la loi qu'un prêteur, quel qu'il soit, ne peut dépasser. Au-delà, le taux est dit usuraire et constitue un délit pénal ; c'est le taux moyen du crédit constaté sur le trimestre précédent majoré de 1/3. **Seuil de l'usure à compter du 1-7-1993 et,** entre parenthèses, **taux constaté du crédit 2e trimestre 93.** PARTICULIERS : prêts immobiliers (loi du 13-7-1979) à taux fixe : 15,08 % (11,31 %) ; variable 14,68 (11,01) ; prêts-relais 16,20 (12,15). Autres prêts (non soumis à la loi du 13-7-1979) : inférieurs ou égaux à 10 000 F 27,09 (20,32) ; découverts en compte, prêts permanents, financements à tempérament > *10 000 F* 22,43 (16,82) ; prêts personnels et autres prêts > 10 000 F 20,33 (15,25). PRÊTS ENTREPRISES : pour le commerce à tempérament 18,91 (14,18) ; à taux variable + de 2 ans 15,92 (11,94) ; à taux fixe + de 2 ans 15,52 (11,64) ; découverts 18,81 (14,11) ; autres prêts – de 2 ans 17,49 (13,12).

Taux effectif global (TEG) : taux d'une opération, compte tenu des frais et des rémunérations diverses. Son mode de calcul est actuariel. Il doit être indiqué pour toute opération de crédit.

☞ **Mode de calcul. Taux nominal (t. facial) :** t. affiché, correspondant au montant des intérêts (en %) payés en une seule fois, au terme d'une année complète, pour un capital nominal donné (placement ou emprunt). **Taux réel (t. effectif global) :** souvent différent du t. nominal car plusieurs facteurs interviennent : ex. : prix d'émission d'un titre inférieur à sa valeur nominale (obligations anciennes), frais engagés pour l'obtention d'un crédit, paiement des intérêts mensuels ou trimestriels et non annuels. **Taux actuariel :** calculé en tenant compte de la capitalisation des intérêts ; tient compte du t. nominal, de la durée de l'émission, des cours, des modalités de remboursement et du t. auquel est effectué le placement (ou l'emprunt des intérêts capitalisés) ; méthode de calcul reposant sur 2 conventions : les intérêts capitalisés sont prêtés (ou empruntés) au même t. que le prêt initial, et pour une durée égale à celle qui sépare la date de versement effectif des int. de la fin de la période de référence.

■ **Titrisation.** Possibilité pour les banques de refinancer les créances qu'elles détiennent dans leur bilan, telles que les prêts au logement, les crédits à la consommation. L'opération s'effectue via un fonds commun de créances qui reçoit les paiements effectués par les emprunteurs initiaux et dont les parts, négociables, sont émises dans des conditions adaptées aux besoins des marchés financiers.

Titre de créance négociable : titre représentant une créance sur l'établissement émetteur (certificat de dépôt pour une banque, billet de trésorerie pour une entreprise) ; ce titre est librement négociable.

L'organisation bancaire en France

Organes de contrôle

Conseil national du crédit. Composition : 51 m. dont le ministre de l'Économie et des Finances (Pt), le gouverneur de la Banque de France (vice-Pt), des représentants de l'État, des établissements de crédit, des activités économiques, des organisations syndicales, des personnalités désignées en raison de leur compétence, des assemblées parlementaires, le Conseil économique et social, des régions et des DOM-TOM. **Rôle :** consultatif, notamment sur les orientations de la politique monétaire et du crédit.

Comité de la réglementation bancaire. Composition : ministre chargé de l'Économie et des Finances (Pt), gouverneur de la Banque de Fr. (vice-Pt) et 4 membres. **Rôle :** réglementation générale applicable aux établissements de crédit, notamment montant du capital, conditions d'implantation des réseaux, opérations effectuées avec la clientèle, organisation des services communs, règles de liquidité, de solvabilité.

Comité des établissements de crédit. Composition : le gouv. de la Banque de Fr. ou son représentant (Pt), le dir. du Trésor et 4 membres. **Rôle :** délivre agréments et autorisations individuelles ; organise l'accueil des établissements communautaires.

Commission bancaire. Composition : le gouverneur de la Banque de Fr. ou son représentant (Pt), le directeur du Trésor (vice-Pt) et 4 membres. **Rôle :** contrôle la situation financière des établissements ; peut faire effectuer des contrôles dans tout établissement de crédit. Investie d'un pouvoir disciplinaire, elle peut prononcer des sanctions (de l'avertissement au retrait d'agrément).

Organismes professionnels

Association française des établissements de crédit (AFEC). Tout établissement de crédit doit adhérer à un organisme professionnel ou à un organe central affilié à l'AFEC ; certaines institutions financières spécialisées peuvent y adhérer directement. Fin 1992 elle fédère : AFB (325 banques de droit fr.), banques mutualistes ou coopératives [dont Banques Populaires 31, Crédit Agricole (78 caisses régionales), Crédit Coopératif (2 banques), Crédit Mutuel (31 caisses fédérales), Cencep (36 caisses d'épargne), Chambre syndicale des Saci (135 SA de crédit immobilier), Conférence des caisses de crédit municipal (21 caisses), Association rég. des Stés financières (575), Groupement des institutions financières spécialisées (32)].

Association française des banques (AFB). Éléments non communiqués par cette association.

Association française des Stés financières (ASF) (1992). Membre de l'AFEC. Regroupe des établissements de crédit spécialisés répartis en une douzaine de métiers de la finance. *Pt :* Christian de Longevialle (dep. 8-6-1988). *Délégué gén. :* Gilbert Mourre (dep. 10-1-1990). *Adhérents :* 923. *Encours global :* 1 108 milliards de F (soit 18 % des crédits bancaires à l'économie) dont crédits de trésorerie aux particuliers hors immobilier 207, financement des investissements des entreprises 188, immobilier 670 (dont particuliers 276, entreprises 395), services financiers 42 (dont affacturage 23).

Office de coordination bancaire et financière. 7, rue de Madrid, 75008 Paris. Association loi 1901 regroupe 170 établissements employant 60 000 personnes qui gèrent env. 1 800 milliards de F. Ils représentent 10 % des dépôts bancaires.

Mécanismes de contrôle

■ **Régulation de l'émission de monnaie et de la distribution du crédit.** Mise en œuvre par la Banque de Fr. en liaison avec le min. de l'Économie et des Finances. Un grand nombre de banques et d'établissements financiers, notamment ceux qui sont spécialisés dans les crédits à la construction et les concours à l'équipement, sont obligés d'emprunter une partie des fonds dont ils ont besoin auprès d'autres établissements ayant des ressources excédentaires (par exemple Caisse des dépôts et consignations). Par ailleurs les ressources de tous les établissements fluctuent provoquant des besoins de trésorerie temporaires. Mais seule la Banque de France dispose des moyens nécessaires pour assurer l'équilibre du marché.

1°) Action par les taux. Taux directeur sur appel d'offre (plancher) : la BdF provoque et centralise les appels d'offre des banques qui souhaitent se refinancer. Elle n'accorde ces concours qu'à celles qui proposent un taux au moins égal à celui annoncé. Ce faisant elle tend à ramener vers le haut les taux du marché qui seraient inférieurs à son taux plancher (les prêteurs sachant qu'on ne peut obtenir de meilleures conditions). **Taux directeur des pensions 5 à 10 jours (plafond) :** procédure ouverte en permanence à un taux majoré. Elle tend à ramener les taux du marché à un niveau inférieur au plafond par rejet des taux plus élevés. Des taux élevés amènent des capitaux étrangers sur les placements en F, provoquant une hausse du taux de change du franc.

2°) Réserves obligatoires : instituées début 1967 ; blocage sans intérêt, auprès de la Banque de Fr., de fonds correspondant à un % variable des dépôts à vue ou à terme. Plus ces réserves sont élevées, plus les banques sont amenées à ralentir leur distribution de crédit ou à en augmenter le coût. **Taux des réserves sur les exigibilités** (dep. le 16-5-93) : exigibilités à vue (sauf comptes sur livret) et opérations de réméré ou assimilées, de – de 10 j : 1 %. Comptes sur livret : 1 %. Autres exigibilités inférieures à 1 an : 0,5 %. Exigibilités à + de 1 an ou en devises : 0 %.

Ressources et emplois des banques

■ **Ressources.** Fonds déposés par les particuliers (salaires et autres revenus) et par les entreprises, ressources de trésorerie.

■ **Emplois. Prêts à court terme** aux *particuliers* et aux *entreprises* ; **escompte** des traites reçues par des commerçants ou industriels : la banque verse aux entreprises le montant de leurs créances avant l'échéance de la traite en retenant l'intérêt de l'argent sur la durée restant à courir ; **ouverture de crédit, avance en compte courant, découvert par caisse, cautions** accordées pour les paiements des droits de douane et des droits indirects, **avances** sur *titres, sur marchés et sur marchandises,* **avals** de toute nature. **Prêts à moyen et long terme aux** *particuliers* (acquisition ou construction de logements), aux *entreprises* (crédits d'équipement, financement des opérations d'import. ou d'export). **Prises de participations** dans le capital des entreprises. **Placements des émissions** des entreprises.

■ **Services assurés.** Gestion des comptes de dépôt à vue et à terme, délivrance des chéquiers, paiement et recouvrement des chèques et effets de commerce, règlement automatique des factures (électricité, gaz, téléphone...), prélèvement fiscal mensuel, virement direct des traitements et salaires, location des coffres-forts, change, garde des titres et paiement des coupons des actions, opérations de bourse (achats ou ventes), placement des obligations, gestion des Sicav et fonds communs de placement. **Services informatisés :** distributeurs automatiques de billets (Dab) installés en France en 1968, guichets automatiques de banques (Gab) dep. 1979 ; ils permettent de retirer des espèces, d'effectuer des virements de compte à compte, d'obtenir l'historique des mouvements et le dernier solde, de commander des chéquiers ou des relevés d'identité bancaire (Rib), et de déposer des espèces ou des chèques. *Nombre : 1992 (31-12) :* 17 432 Dab/Gab accessibles aux porteurs de cartes bancaires ; téléinformatique (vidéotex, Minitel) : renseignements financiers (cours de Bourse, devises), suivi du compte, passation ordres de virement, paiement, achat ou vente.

Banque de France

■ **Organisation. Origine : 1800** *18-1* Société en commandite par actions, créée par des négociants et des banquiers (dont Perrégaux [1750-1808] et Lecouteulx de Canteleu) avec l'appui de Bonaparte. Elle a le droit d'émettre des billets à Paris, en même temps que 5 établissements (Caisse d'escompte du commerce, Comptoir commercial, Banque territoriale, Factorerie du commerce, Caisse d'échange des monnaies). **1803** *14-4 (loi du 24 germinal an XI) :* la Banque reçoit à Paris pour 15 ans le privilège exclusif d'émettre des billets. **1806** *22-4* le privilège est prorogé jusqu'au 24-9-1843. 1 gouverneur (possédant 100 actions) assisté de 2 sous-gouverneurs (en possédant 50) nommé par l'État dirigera la banque. **1808** *16-1* la création de succursales (nommées Comptoirs d'escompte) est prévue dans les départements (plus créés en 1810). **1814-20** Laffitte gouverneur provisoire supprime les comptoirs. Ils seront remplacés par des banques départementales d'émission autonomes. **1840** *30-6* privilège d'émission prorogé jusqu'au 31-12-1867. **1848-70** apparition d'établissements nouveaux ; la Banque s'oppose à ce qu'ils prennent le nom de « banque » : Comptoir national d'escompte de Paris (1848), Crédit mobilier des frères Pereire (1852), Crédit foncier (1852), Crédit industriel et commercial (1859), Crédit Lyonnais (1863), Sté générale (1864). **1857** *9-6* privilège d'émission prorogé jusqu'au 31-12-1897. **1897** *17-11* privilège d'émission prorogé jusqu'au 31-12-1920. **1918** *20-12* prorogé jusqu'au 31-12-1945. **1936** *16-7* après une campagne contre *les 200 familles* (allusion aux 200 plus forts actionnaires qui forment l'Assemblée générale), la Banque est réorganisée : *1 gouverneur* (assisté de *2 sous-gouverneurs*) continue de diriger la Banque. Il n'a plus à justifier de la propriété d'actions de la Banque. La pratique du serment, tombée en désuétude, est rétablie. L'*Assemblée générale* regroupe l'ensemble des actionnaires disposant chacun d'une voix. Le *Conseil général* regroupe le gouverneur, les 2 sous-gouv., les 3 censeurs élus par l'Assemblée et 20 conseillers : 2 sont élus par l'Assemblée, 9 représentant les intérêts de la nation, 8 sont choisis au titre des intérêts économiques et des usagers du crédit, 1 élu par le personnel de la Banque. **1940** *24-11* Conseil gén. réduit de 20 à 11. **1945** *2-12* Banque nationalisée, actions transférées à l'État. **1973** *3-1* loi fixant les règles relatives aux missions de la Banque (décret du 30-1). **1987** *9-12* 200 CRS sont intervenus à 3 h du matin au siège de la Banque de France pour libérer un sous-gouverneur (Philippe Lagayette) et le directeur du personnel détenus par les grévistes. **1993** (*printemps*) nouveau statut voté par le Parlement. *3-8* le Conseil constitutionnel annule certaines dispositions.

Gouverneurs : 1979 (21-11) Renaud de La Genière (1925-1990). **1984** (14-11) Michel Camdessus (1-5-1933 ; était 1er sous-gouv. dep. le 2-8-1984). **1987** (16-1) Jacques de Larosière (n. 12-11-1929) était dep. le 17-6-1978 dir. gén. du FMI. **Comptoirs :** en France. *1986 :* 233 ; *93 :* 213. **Effectifs :** *1985 :* 17 406 dont 2 093 à la fabrication de billets ; *93 :* 17 310. **Laboratoires d'essais** à Puteaux (études et fab. des coupures de valeur élevée). **Papeterie** à Vic-le-Comte (P.-de-D.). **Imprimerie** à Chamalières (P.-de-D.).

Émission de monnaie. **La B. de France a le privilège exclusif d'émission.** *Cours légal :* particuliers et caisses publiques doivent accepter les billets en paiement. *Cours forcé :* la banque n'est plus obligée de rembourser en monnaie métallique les billets mais une fois intégrée à la BCE (Banque Centrale Européenne) comme les autres banques centrales nationales de l'Union Européenne, la B. de Fr. devrait perdre son privilège d'émission (voir traité de Maastricht p. 864).

ÉVOLUTION. **Avant 1848,** la monnaie métallique a cours légal : on peut exiger d'être réglé en numéraire ; le billet a cours libre : les créanciers ne sont pas obligés de l'accepter dans les paiements ; s'il est accepté, c'est parce qu'il inspire confiance et qu'il est convertible en espèces ; c'est un simple effet de commerce particulier, utilisé pour des raisons de commodité. **1848** *15-3* cours forcé et cours légal du billet. **1850** supprimé. **1870** *12-8* cours forcé : le billet a cours légal et le total de l'émission est plafonné (1,8 milliard porté le 14-8 à 2,4 milliards). **1875** *3-8* le billet conservera le cours légal après l'abolition du cours forcé. **1914** *5-8* cours forcé rétabli. **1928** *25-6* franc Poincaré : valeur-or amputée des 4/5 : le bimétallisme est abandonné ; la circulation métallique est constituée de pièces d'or, qui ont cours légal illimité et de monnaies d'appoint (pièces en argent, en bronze et en nickel), dont le pouvoir libératoire est limité ; le cours forcé des billets est aboli. L'étalon-or est rétabli mais la convertibilité des billets en or est limitée à des lingots pour un montant min. de 215 000 F ; l'encaisse-or doit être égale au minimum à 35 % des engagements à vue (billets et comptes courants créditeurs). Le plafond d'émission des billets est supprimé. **1936** *1-10* le cours forcé est rétabli, le franc dévalué. *Fonds de stabilisation* chargé de régulariser les cours de change des devises étrangères en francs. **1937** *30-6* les limites imposées en oct. 1936 sont supprimées et le franc devient « flottant ». **1939** *1-9* décret-loi dispensant la Banque de conserver une encaisse-or égale au min. à 35 % de ses engagements à vue : entre sept. 1939 et août 40, elle évacue la quasi-totalité de l'encaisse-or = + de 2 800 t, vers pays alliés et colonies.

☞ Jusqu'en 1939, l'émission de billets était limitée par la fixation d'un plafond, ou, depuis la loi du 25-6-1928, par un % de couverture des engagements à vue (billets en circulation et comptes créditeurs) par l'encaisse-or. Depuis 1939, le montant des émissions est redevenu libre.

■ **Politique monétaire et du crédit** (voir ci-dessus pour le contrôle des pouvoirs publics). La B. de F., qui est la *banque des banques,* assure en dernier ressort la liquidité de l'ensemble du système bancaire. Elle surveille l'évolution des crédits et s'efforce d'en adapter le volume aux besoins de l'économie. Pour ce faire, elle *règle le prix des concours qu'elle consent* et qui s'effectuent essentiellement sous la forme d'interventions sur le marché monétaire (achats et ventes fermes, ou pensions à terme, et éventuellement au j le j, réalisés à intervalles irréguliers, sur appels d'offres, et portant sur des effets publics ou des effets privés). Le *réescompte* est devenu exceptionnel dep. janv. 1971, sauf pour certains crédits à moyen terme, à l'export. *Elle exerce une action indirecte, quantitative ou qualitative, sur la distribution du crédit,* en définissant de manière sélective les actifs bancaires capables de servir de supports à ses interventions sur le marché monétaire. *Elle fixe les modalités d'emploi de leurs disponibilités par les banques.*

■ **Services d'intérêt général.** *La B. de F. établit et publie des statistiques* sur la monnaie, les crédits et l'épargne, et les résultats de ses enquêtes de conjoncture. Elle s'est attachée à faciliter les *interbancaires* et a progressivement assumé le rôle d'*organe centralisateur des renseignements bancaires* en créant des centrales de risques, chèques impayés, incidents de paiement, bilans des entreprises (créée 1968), et en gérant un fichier bancaire des entreprises.

■ **Services rendus au Trésor.** *La B. de F. est le banquier du Trésor* (les *ressources* du Trésor – personnification financière de l'État – sont principalement le produit des impôts et des taxes, et sont liées aussi aux opérations de ses correspondants – notamment le service des Chèques postaux ; ses *emplois* sont effectués au profit des créanciers de l'État et des collectivités locales, pour le règlement des dépenses publiques). La B. de F. consent traditionnellement DES AVANCES À L'ÉTAT : **rémunérées :** avances supplémentaires, rémunérées selon les conditions du marché monétaire (montant max. 10 milliards de F). Si le *solde du Trésor* au compte courant est créditeur, celui-ci est rémunéré par la B. de F. dans les mêmes conditions. **Non rémunérées :** dep. le 27-12-1973, le Trésor dispose d'une ligne de crédit gratuit, fixée initialement à 10,05 milliards de F, ajustée 2 fois par an par la prise en compte des résultats du Fonds de stabilisation des changes : un gain de change (une perte) alimente (réduit) le compte, mais réduit d'autant son droit de tirage. Depuis 1974, ce compte oscille entre 13 et 25 milliards, sauf entre juillet 1981 et 1983 où le niveau est tombé à zéro.

Principales banques dans le monde

En milliards de F au 31-12-1991	Total du bilan	Dépôts	Crédits	Résultat net	Capitaux propres
Dai-Ichi Kangyo B. [1]	2 655,5	1 891,6	1 527,1	3,5	83,3
Sumitomo Bank [1]	2 590,1	1 755,4	1 489,6	4,9	94,4
Fuji Bank [1]	2 541,2	1 709,7	1 401,1	3,8	82
Mitsui Taiyo Kobe B. [1]	2 501,8	1 759,8	1 588,4	3,3	71,2
Sanwa Bank [1]	2 483,5	1 652,3	1 498,5	4,4	81,1
Mitsubishi Bank [1]	2 176,3	1 714,5	1 399,2	3,1	73,2
Ind. Bank of Japan [1]	1 860,1	445,3	1 058,4	2,4	57,9
The Norinchukin B. [1]	1 756,4	1 476,8	736,4	1,7	11,5
Crédit Agricole [2]	1 591,3	804,3	988,2	4,9	73,1
Crédit Lyonnais [2]	1 586,8	649,8	757,5	3,1	59,1
Deutsche Bank [5]	1 526,8	690,8	702,2	4,7	65,5
The Tokai Bank [1]	1 512,2	1 052,3	876,9	2,1	45,9
BNP [2]	1 429	689,2	737,9	2,9	41,5
Long-Term Credit B. [1]	1 426,8	1 069,5	829	2,6	46
Mitsubishi Trust [1]	1 402,8	1 263,2	593,4	1,2	33,1
Bank of Tokyo [1]	1 379,5	929	640,5	1,6	41,5
Barclays Bank PLC [4]	1 373,8	1 120,5	968,3	2,4	57,1
National Westminster [4]	1 307,3	1 132,6	1 134,3	0,7	58,4
The Sumitomo Trust [1]	1 301,8	1 190	574,7	1,2	32,6
Bank of China [6]	1 295,3	832,2	572,5	10,2	
Kyowa Saitama B. [1]	1 268,3	947,2	850,3	1,5	43,9
Mitsui Trust [1]	1 264,9	1 125,5	556,5	1	27
ABN-Amro Bank [11]	1 252,7	658,3	571,2	4,6	46,3
Citicorp [3]	1 224,9	827,1	833,7	– 2,5	53,5
Société Générale	1 215,9	507	581	3,3	32,4
Daiwa Bank [1]	1 092	892,9	499,3	1,3	24
Cie Fin. Paribas	1 034,5	387,2	452,8	– 0,1	38,5
Yasuda Trust	1 012	917,7	439	0,9	21,5
Istituto San Paolo [9]	1 006,4	771,1	608,3	3,4	34,3
Dresdner Bank [5]	1 002,4	489,2	448,3	2,1	33,9
U. de B. Suisses [8]	980,9	604,4	544,5	4,7	72,4
Hong Kong & Shangai [7]	906,4	803,9	416,1	6,1	50,9
Caisse d'épargne [2]	889,6	740,1	267,9	2,5	50,1
Swiss Bank Corp. [8]	857,7	600,9	797,3	4	49,4
Toyo Trust [1]	856,8	752,8	370,3	0,6	18,4
Monte dei Paschi [9]	849,4	471	351,4	1,5	27,8
Banco di Napoli [9]	830	374,5	312,5	0,8	21,7
Chemical Banking	784,5	524,8	475,6	0,8	41,1
Westdeutsche Land. [5]	783	724	562,8	0,7	17,9
Commerzbank [5]	770,6	380	473,6	1,8	23,8
Bayerische Vereinsbank [5]	770,5	719,4	630,8	1,1	20,5
Deutsche Genossenstiaftsbank	764,1	528,6	518,5	0,9	15,2
Nippon Credit Bank [1]	763	619,3	485,8	1,7	23,2
Bank Melli Iran	745,5	502,9	272,1	0,04	3,1
B. Naz. del Lavoro [9]	737,4	575,8	543,4	0,3	36,4
Bayerische Hypob. [5]	717,3	661,9	616,2	1,2	22,1
Royal B. of Canada [10]	665,5	528,1	494,5	4,8	39
The Shoko Chukin B.	657,5	113	499,6	1,1	17,2
Rabobank [11]	655	380,3	415,6	3	39,1
Bankamerica [3]	652,2	531,1	474	6,3	45,5

Nota. – (1) Japon, (2) France, (3) USA, (4) G.-B., (5) All. Féd., (6) Chine, (7) Hong Kong, (8) Suisse, (9) Italie, (10) Canada, (11) P.-Bas.
Source : Le Nouvel Économiste.

La B. de F. ouvre gratuitement ses guichets au placement des emprunts de l'État des bons émis par le Trésor. Dep. déc. 1985, elle gère en compte courant une nouvelle catégorie de bons du Trésor négociables d'une durée max. de 7 ans, d'un montant unitaire de 5 millions de F et émis par des adjudications. Elle gère la nouvelle procédure (mise en place le 6-2-1986) d'émission, par le Trésor, sous la forme d'adjudications, d'obligations assimilables du Trésor – OAT (titres de fonds d'État assimilables à des titres qui ont été émis précédemment ou qui pourraient l'être ultérieurement). Elle gère les comptes courants de bons auxquels sont obligatoirement inscrits les effets publics détenus par les institutions financières, et organise les adjudications de ces valeurs.

☞ *En Angleterre :* on appelle les *Big Five* la Barclay's Bank, la Midland Bank, la Lloyds, la National Principal Bank et la Westminster Bank. Aux *États-Unis :* la loi interdit à chaque établissement de s'implanter dans plus d'un État de la Féd. Les grandes banques n'ont guère plus de dépôts que les françaises.

■ **Rôle international.** *La B. de F. intervient sur le marché des changes pour le compte du Fonds de stabilisation des changes* (créé par la loi monétaire du 1-10-1936, après la suppression de la convertibilité du F en or, pour régulariser les fluctuations du cours du F tout en assurant le secret des interventions sur le marché). Il est géré par la direction gén. des Services étrangers de la Banque pour le compte et sous la responsabilité du Trésor public. La Banque gère les avoirs officiels en or et devises, et négocie, si besoin est, avec les autres banques centrales des pays étrangers les accords de crédit réciproque (accords de *swaps*), pour stabiliser les mouvements de capitaux monétaires. *La B. de F. remplit les obligations contractées dans le cadre de la participation de la France au Système monétaire européen (SME).*

■ **Autres fonctions.** Chargée des relations avec les organisations monétaires et bancaires internat. [FMI, Bird, Bri, Comité monétaire de la CEE, Accord monétaire européen qui fonctionne dans le cadre de l'OCDE, etc.] ; elle prépare avec le ministère de l'Économie les accords relatifs aux règlements avec l'étranger et apporte son concours à ce min. pour l'élaboration et l'application de la réglementation des changes ; elle établit la balance des paiements de la France.

Caisse des dépôts et consignations

Créée 1816 pour assurer la protection des consignations judiciaires. Entretien des rapports étroits avec le Trésor et joue un rôle régulateur sur le marché financier (sans émettre directement elle-même). Dispose de ressources privilégiées au profit de secteurs particuliers. *Pt :* Philippe Lagayette. *Ressources principales :* fonds des caisses d'épargne et de prévoyance et de la Caisse nationale d'épargne. *Emplois principaux :* logement social, prêts aux collectivités locales, gestion par l'État et les organismes publics, épargne et assurances (CNP) et interventions sur les marchés de capitaux ; c'est le plus gros investisseur du marché obligataire. *Bilan de la section générale* (activité bancaire) (en milliards de F, 1992) : 574 ; fonds propres 44,9 ; résultat net : 2,2.

■ Établissements de crédit

☞ **Définition.** (Loi du 24-1-1984). « Personnes morales qui effectuent à titre de profession habituelle des opérations de banque comprenant la réception de fonds du public, les opérations de crédit, ainsi que la mise à disposition de la clientèle ou la gestion de moyens de paiement ». Avant d'exercer leur activité, ils doivent obtenir l'agrément du Comité des établissements de crédit.

Institutions financières

■ **Banques.** 2 groupes : **1°) Banques AFB :** faisant partie de l'Association professionnelle des banques. B. pouvant effectuer toutes les opérations. *Nombre* (31-12-92) : 419, représentant env. 50 % du total du bilan des établissements de crédit (crédits 50,2 %, dépôts 51,2). 8 établ. (Crédit Lyonnais, Sté Générale, Banque nationale de Paris, BFCE, Paribas, CCF, Indosuez, Cie bancaire) représentent 55 %.

Banque française pour le commerce extérieur (BFCE) : banque commerciale, de marchés et d'affaires opérant sur les marchés internationaux. Capital détenu par AGF 43 %, Crédit Lyonnais 24, Banque de Fr. 11,2, Caisse des Dépôts 11,2, Crédit National 10. Résultats consolidés (1992, en millions de F) : produit net 2 066, rés. brut d'expl. 696, bénéfice net part du groupe 137, taux de couverture des risques 60 % (ex-URSS 35 %).

2°) Établissements du secteur mutualiste et coopératif : *nombre* (fin 1989) : 176 établ. (dépôts 27,8 %, crédits 21,6). 4 grands réseaux :

Crédit agricole. *Origine : 1894* statut légal donné aux caisses locales de Crédit agr. mutuel créées entre les membres des syndicats agr. *1899* caisses locales autorisées à se grouper en caisses régionales de Crédit agr. mutuel. *1920* Office nat. du Crédit agr. créé. *1926* devient Caisse nat. de Crédit agr. *1945* caisses régionales se groupent en une féd. nat. : la FNCA. *1966* autonomie à la Caisse nat. par rapport au Trésor public. *1979* CNCA devient un Epic doté de l'autonomie financière. *1988* devient Sté anonyme au capital de 4,5 milliards de F, détenu à + de 90 % par les Caisses régionales et à 10 % par les salariés du groupe. *1990* fin du monopole du Crédit agr. sur la distribution des prêts bonifiés à l'agriculture. Possibilité de prêter à toutes les entreprises. *Structures (1993) :* 2 900 caisses locales regroupées en 78 caisses régionales détenant + de 90 % du capital de la CNCA, présence dans 17 pays. *Clients :* 15,7 millions ; 1re banque financière (1/6 du marché français), de l'agriculture (+ de 80 % du secteur) et des ménages (25 % des crédits). *Chiffres clés* (en milliards de F, 1992) : bilan : 1 648, fonds propres 101, produit net bancaire 62,3, encours global de provisions 10,3, frais généraux 36,8, résultat brut d'exploitation 28,6, dotation aux provisions 16,5, résultat net (part du groupe) 5,2. *En cours de crédit :* 1 011 [dont logement 398, Stés et professionnels 273,7, l'agriculture 170,4]. *Ratio Cooke* 9,1 (80 % de fonds propres). *Rentabilité nette* sur fonds propres 9,1 %. *Collecte totale* (bilan et hors bilan) : 1 563.

Groupe des banques populaires : *Banques :* 30. *Guichets :* 1 788. *Employés :* 26 950. *Sociétaires :* 1 860 000. *Clients :* 3 700 000 (75 % de particuliers). *Bilan* (en milliards de F, 1992) : 408, fonds propres 18,5, dépôts clientèle 240, crédits 210, bénéfice net 1,28.

Crédit mutuel. *Structure :* pyramidale. *Guichets :* 3 200. *Salariés :* 22 000.

Crédit coopératif. Comprend l'ensemble des coopératives de crédit qui ont pour vocation d'aider l'économie sociale non agricole (coopératives, mutuelles, associations...). S'organise autour de la Caisse centrale de crédit coopératif et de la Banque française de crédit coopératif. Crédit mutuel agricole et rural. Stés coopératives de banque.

■ **Organismes spécifiques. Caisses de crédit municipal :** 21 caisses placées sous la tutelle du min. de l'Écon. et des Fin. Principale activité : prêts sur gage dont elles ont le monopole (prêt contre le dépôt d'un objet dont la valeur est estimée par un commissaire-priseurs qui en fixe le montant) et les prêts aux fonctionnaires. Dep. 1987 : peuvent accorder des crédits à des personnes morales de leur zone géogr.

■ **Caisses d'Épargne et de Prévoyance** (voir p. 1836 a). Centre national des caisses d'épargne (Cencep).

■ **Stés financières** (Fin 1992 : 762 établ. représentant près de 20 % des crédits). Ne peuvent pas recevoir, sauf exception, des dépôts du public à moins de 2 ans. Pour faire leurs opérations, elles utilisent leurs ressources propres, emprunts obligataires et emprunts sur le marché monétaire. Il s'agit notamment : des S[tés] de financement de vente à crédit, de crédit-bail, de crédit immob., de cr. différé, de caution mutuelle, d'affacturage et maisons titres.

Institutions financières spécialisées (IFS)

Définition. Établ. de crédit investis par l'État d'une mission permanente d'intérêt général, qui distribuaient pour partie des prêts bonifiés par celui-ci (jusqu'en 1988).

Caisse française de développement (ex-Caisse centrale de coop. écon.). Établissement public. Aide au développement, en Afrique, dans l'océan Indien, les Caraïbes, le Pacifique, et les DOM-TOM. *Dr G[al] :* Philippe Jurgensen.

Caisse de garantie du logement social. Établissement public agissant au profit des organismes HLM.

Crédit local de France. Ex-CAECL (Caisse d'aide à l'équipement des collectivités locales). *Bilan* (1992, en milliards de F) : 320 dont fonds propres 15,9, bénéfice net 1,19. *Ratio Cooke* 20 %. *Actionnaires* (en %) : État 50,5 (dont CDC 25), privé 49,5. *Prêts au secteur local :* 42,2 milliards de F (soit 43 %) dont secteur public 36 (dont collectivités locales 32), autres emprunteurs locaux 6,2. *Ressources collectées :* 38 Md de F dont 80 % sur les marchés internationaux.

CEPME (Comité d'équipement des PME). *Créé* 1980. *Pt :* Michel Prada. *Effectifs :* 1 653. *Chiffres clés* (milliards de F, fin 1991) : total bilan 94,5 ; capitaux propres 2,1 ; encours de crédit 81,7 ; bénéfice net 124,7.

Crédit foncier de France. *Créé* 1852. Organe de financement de la construction et de crédit à l'accession à la propriété, notamment pour les financements aidés par l'État (prêts d'accession à la propriété, prêts locatifs aidés...). Accorde aussi des prêts aux collectivités locales et au secteur privé pour les opérations immobilières. Il se finance à partir de ses fonds propres et emprunts obligataires essentiellement. *Gouv. :* Georges Bonin. *En milliards de F* (au 31-12-1992) : capital 3,03 ; bilan 343 ; bénéfice net 0,59 ; encours global des prêts 288. *Actionnaires principaux* (en %) : AGF Groupe 6,5, Caisse des dépôts et consignation 5,7, UAP 5,2, personnel de la Sté 3,8, 3,17. *Personnel* 3 378.

Crédit national. *Fondé* 1919 afin de faciliter le paiement des dommages de guerre. Sté anonyme cotée en Bourse. *Activités principales :* financements longs et spécialisés, immobilier d'entreprise, capital-investissement, opérations sur le marché des capitaux. *Pt :* Yves Lyon-Caen. *Capital détenu :* 28 % (par 7 établissements bancaires et 3 cies d'assurances. *Comptes consolidés (1992, en milliards de F) :* bilan 147, encours crédits à la clientèle 98,9, produit net bancaire 2,4, bénéfice part du groupe 0,009.

Matif SA (voir p. 1838 b).

SDR (Stés de développement régional). 21. *Services principaux :* conseil, financement (fonds propres, concours à moyen-long terme bonifiés ou non, crédit-bail immobilier). *Pt :* Raphaël Squercioni.

S[té] des Bourses françaises (voir p. 1843 c).

Sofaris (S[té] française pour l'assurance du capital risque des PME) ou le **Comptoir des entrepreneurs.** Intervient sur le principe d'un partage des risques avec les organismes de crédit ou de fonds propres qui demandent sa garantie.

Socredom. Sté anonyme d'économie mixte ; filiale de la CCCE, assure l'aide au développement dans les DOM.

Principales banques françaises
(en milliards de F en 1991)

Raison Sociale	Total du bilan consolidé	Capitaux propres	Dépôts (a)	Crédits (b)	Résultat net
Crédit Agricole	1 591	73,1	804,3	988,2	4,9
Crédit Lyonnais	1 587	59,1	649,9	757,5	3,1
BNP	1 429	41,5	689,2	737,9	2,9
Société Générale	1 216	32,4	507	581	3,3
Cie Financière de Paribas	1 035	38,5	387,2	452,8	- 0,1
Caisses d'épargne - Cencep	889,6	50,1	740,1	267,9	2,5
Cie Financière de Suez	802,2	48,5	196,9	278,3	3,8
Banque Paribas	620,1	7,4	231,3	173,9	- 1,7
Union Européenne de CIC	475,4	12,8	228,2	239,3	0,7
Groupe des banques populaires	387,9	23,7	167	202,4	1,6
Banque Indosuez	367,1	12,7	154	159,5	0,80
Crédit Mutuel	355,1	23	232,9	189,1	1,3
Crédit Foncier de France	337,3	6,2	–	279,6	0,5
Crédit Commercial de Fr	292,4	9,5	96,5	98,1	0,90
Compagnie bancaire	282,2	11,3	67,7	206,9	0,8
BFCE	218,1	2,7	9	113,1	0,1
Crédit National	136	9,8	–	94,1	0,4
CCBP	132,1	3	24,7	24	0,2
UCB	131,9	3,2	6,3	127,6	0,1
Crédit du Nord	122,3	1,7	66	77,7	0,1
Crédit Mutuel CEE	107,4	10,4	60,9	65,5	0,9
Banque fédérat. Crédit Mutuel	101,8	2,1	15,4	13,6	0,4
Altus Finance	95,8	10,2	16,1	22,7	1
Caisse d'épargne de Paris	94,8	3,1	67	21	0,2
Sumitomo Bank - France	94,3	0,1	1,3	1,1	–
Crédisuez	94,2	2,8	32,8	75,8	0,4
Crédit d'Équipement des PME	91,6	1,7	10,7	63,7	0,08
Sogenal	91,5	2,5	39,8	35,9	0,03
CIC Paris	89,9	2,7	41,3	34,9	0,1
Cie FRSE de dévelop., EX CCCE	83,4	4,2	–	58,4	0,3
S.B.T. BATIF	83,4	10,9	15,5	19,8	1,2
Fuji Bank-Paris	77,7	0,4	1	3,1	0,06
Cie. parisienne de réescompte	76,9	1,9	13,3	1,8	0,1
Banque Worms	74,3	1,6	27,7	40,2	- 0,1
Sanwa Bank France	72,8	0,2	0,9	1,1	0,02
Mitsubishi Bank	70,6	0,2	5,9	1,9	–
BRED	70,2	2,1	45,4	30,2	0,09
Crédit Mutuel de Bretagne	68,7	3,9	48,3	43	0,2
Crédit Agricole Ile-de-France	65,7	3,7	–	53,1	0,44
CIAL	64,2	2	45,1	20	0,1
Banque La Hénin	59,5	1,3	5,2	48,5	0,1
ANSOR	58,5	4,5	–	32,5	0,05
Dai-Ichi kangyo Bank	56,8	0,09	0,4	1,3	–
Barclays Bank	54,5	1,8	18,5	24,3	- 0,1
Sovac	54,4	4,7	–	46,3	0,3
Cételem	52,3	4,6	5,1	43,2	0,6
Union Industrielle de Crédit	51,8	3,2	2,5	44,5	0,3
Comptoir des entrepreneurs	51,6	1,6	0,4	46,8	0,06
Lyonnaise de banque	49,9	1,2	29,4	28,2	- 0,09
The Indusrial Bank of Japon	45,8	0,3	4,9	18,1	0,1
UFB Locabail	43,6	3,3	0,6	36,2	0,09
Citibank NA	40	0,01	4,3	2,5	- 0,06
Banque Int. de Placement	33,7	1,2	3,1	0,7	0,1
Sofal	33,5	1,6	0,4	32,8	0,2
Crédit Industriel de l'Ouest	33,3	0,7	11,9	18,4	0,07
Neuflize Schlumberger Mallet	32,4	1,4	5,2	13,2	0
UBAF	31,7	1,8	3,7	5,6	0,01
Banca Nazionale del Lavoro	30	0,06	0,6	1,2	–
Cie Financière de Paris	29,9	2,3	1,8	20,9	0,08
Banque Sanpaolo	29,6	1	12,3	12,8	- 0,09
Locafrance	28,9	1,7	0,5	18,9	0,08
Banque Sofinco	28,1	1,7	10,5	26,1	0,1
Banque Sudameris	27,6	1,6	10,8	9,9	- 0,02
Sté Marseillaise de Crédit	26,3	0,3	12	15,5	- 0,01
SNVB	26	0,8	16,9	17,2	0,09
Crédipar	25,9	2	–	23,6	0,2
BNP Intercontinentale	25,3	1,7	16,1	11,6	0,3
Crédit Coopératif	25,1	1,1	6,5	18	0,04
Bank of Tokyo	24,9	0,3	0,6	4,1	0,03
Caisse de Gestion Mobilière	22,8	0,5	–	–	0,09
Morgan Guaranty Trust	22,7	0,3	1,9	2,2	0,1
Banque Scalbert Dupont	22,5	0,5	13	13,1	0,05
BAII	21,7	- 0,3	4,2	12,9	- 0,7

Nota. – (a) Comptes de passif : comptes créditeurs de la clientèle + comptes d'épargne à régime spécial + bons de caisse + titres de créance négociable + certificats de dépôts. (b) Comptes de l'actif : crédits à la clientèle + comptes débiteurs de la clientèle + opérations de crédit-bail. *Source :* Le Nouvel Économiste (déc. 1992).

☞ **Haute Banque.** Expression née sous la Restauration, désignait les grandes banques privées, établies à Paris [exemples au XIXe s. : Heine, Hottinguer (Jean Conrad (1784-1841) de Zurich à Paris 1784 (banque 1790, puis 1798) devenue 30-3-1990 S[te] anonyme), Mallet (origine Genève, banque 1700 Paris 1711), Lazard, Vernes et Cie, Rothschild, Mirabaud (de Genève à Paris 1847), de Neuflize].

Banques protestantes. Ont été nationalisées (ex. : Banques Vernes, Odier-Bungener-Courvoisier), sauf la B. Hottinguer et la B. NSM (de Neuflize, Schlumberger, Mallet), issue des rapprochements entre 3 établissements protestants, mais contrôlée dep. 1977 par l'Algemene Bank Nederland, majoritaire, qui a fusionné en 1991 avec Amro Bank, devenant ABN Amro Bank NV.

Société Générale. *Fondée* 1864 et nationalisée comme la BNP et le Crédit Lyonnais le 1-1-1946. En nov. 1984, elle fut la 1re Sté nationalisée à émettre des CIP (certificats d'investissement privilégié) à 560 F (ils cotaient 1 900 F le 6-5-1987). *Résultat net* (1992) : 3 352 millions de F dont part du groupe 3 268 (– 3 %) Banque de dépôt. 2 banques affiliées : la Sté Générale Alsacienne de Banque et la Sté Centrale de Banque. *Clients :* 3,5 millions de particuliers + 400 000 entreprises. *Agences et bureaux :* 1 821 en métropole. *Personnel :* 32 243 en métropole. Elle fut privatisée en juin 1987 (20 900 000 actions proposées à 407 F). *Actionnaires* (au 31-12-92, en %) : investisseurs étrangers 28,7, institutionnels fr. 22,7, grand public et divers 17,4, industriels 17,1, salariés 6,8, autocontrôle 6,1, caisse de retraite SG 1,2. *Activités* (en milliards de F, au 31-12-1992). Total bilan 1 420, crédits à la clientèle 614, dépôts de la clientèle 606, titres de filiales et participations non consolidées 18,6, fonds propres hors TSDI 44, stock global de provisions 38,7.

L'AFFAIRE DE LA STÉ GÉNÉRALE. En 1988, après la réélection du Pt Mitterrand, le nouveau gouvernement de gauche voulut favoriser le « dénoyautage » des Stés privatisées par le gouvernement Chirac. Sous le couvert de la SIGP (Sté Immobilière de Gestion et de Participation) dans laquelle intervient pour 49 % la Caisse des dépôts, on tenta ainsi d'acquérir une part importante du capital de la Sté générale. Cependant l'opération échoua, 2 des 3 Cies d'assurances nationales (AGF et UAP) pressenties ayant refusé de s'y associer. La COB ouvrit une enquête qui révéla un délit d'initié pour certains acheteurs de titres entre juin et oct. 1988 (668 460 actions dégageant une plus-value de 42,2 millions de F). 5 inculpations furent prononcées le 30-5-89 (dont celle de l'ancien directeur de cabinet de Pierre Bérégovoy, min. de l'Économie et des Finances).

(en milliards de francs)		Crédit Lyonnais	BNP	Société Générale
Produit net bancaire	1989	35,2	34,8	32,2
	1990	40,8	35,1	32,4
	1991	46,3	37,9	35,4
	1992		39,9	36,4
Frais de gestion	1989	25	23,6	22
	1990	29,1	26,1	23,4
	1991	33	27,1	24,9
	1992			25,7
Résultat brut d'exploitation	1989	10,1	11,2	10,1
	1990	11,6	9,6	9
	1991	13,3	10,8	10,5
	1992			10,7
Dotations nettes aux provisions	1989	6,2	6,6	4,8
	1989	6,4	7,1	6,7
	1991	9,6	8	5,4
	1992			6
Bénéfice, part du groupe	1989	3,1	3,4	3,5
	1990	3,7	1,6	2,6
	1991	3,1	2,17	3,3
	1992		2,94	3,2

■ Statistiques

■ **Statistiques. Nombre de banques. Avant la loi du 24-1-1984** (au 31-12). *1946 :* 444 ; *50 :* 409 ; *60 :* 338 ; *70 :* 308 ; *75 :* 361 ; *80 :* 391 ; *81 :* 399 ; *82 :* 402 ; *83 :* 406 dont 293 banques de dépôts, 40 banques d'affaires, 73 banques de crédit à long et moyen terme. **Depuis la loi. Nombre d'établissements de crédit** (au 31-12-92) (et entre parenthèses nombre de guichets). 1 736 dont *banques AFB* 419 (10 366) ; *b. mutualistes ou coopératives* 155 (10 738) [dont B. Populaires 32 (1 609), Crédit Agricole 32 (5 660), Crédit Coopératif et Maritime Mutuel 11 (144), Crédit Mutuel 32 (3 324), Sté Coopérative de Banques 1 (1)] ; *Caisses d'Épargne et de Prévoyance* 36 (4 297) ; *Crédit Municipal* 22 (78) ; *Stés financières* habilitées aux opérations de banque 1 072 ; *institutions financières spécialisées* 32.

Résultats des banques (estimation en milliards de F, pour la Fr., 1992). *Produits bancaires* 1 817 (dont produit des crédits clientèle 596, des prêts de trésorerie 304, autres 917) ; *frais bancaires* 1 481 (dont rémunération des dépôts 160, charge des emprunts de trésorerie 348, charges sur dettes-titres 265, intérêts dette subordonnée 17, autres 691) ; *produit net* 336 ; *frais généraux* 229 (dont frais de personnel 128), résultat brut après amortissement 113.

Crédits à la clientèle (1992). 6 223,2 milliards de F dont (en %) banques AFB 50,9, b. mutualistes ou coop. 22,3, caisses d'épargne et de prév. 4,6, stés fin. 7,3, institutions fin. spécialisées 14,6, autres 0,3.

Banques défaillantes. Montant à la charge de l'AFB en millions de F et, entre parenthèses, sommes récupérées par les créanciers en % du montant des créances. **1976** Banque Baud (Évian) 11,3 (60,3). **1978** B. Lacaze (Lourdes) 39,1 (75). **1979** B. hispano-française (Biarritz) 14 (50) ; B. Roy (Lille) 6,3 (44,9). **1980** B. Gadic (Paris) 10,7 (50) ; B. phocéenne (Marseille) 28,2 (60). **1989** B. de participations et de placements (Paris) 33 (49) ; United Banking Corporation (Paris) 54 (32) ; Lebanese Arab Bank (Paris) 45,5 (en cours). **1990** B. industrielle de Monaco (Monaco) 108,7 (en cours).

Collecte (en milliards de F, 31-12-92). **Dépôts à vue :** *par réseaux :* 1 388 dont banques 909 (AFB 531, BFCE 2,1, b. mutualistes ou coopér. 375, b. populaires 79,4, Crédit Agricole 245, Crédit Mutuel 45,8, b. du crédit coopératif 2,7, crédits municipaux 0,8) ; CDC 112 ; Caisse d'Ép. et de Prév. 47,1 ; Stés financières et de titres 21 ; IFS 3 ; poste (CCP) 167 ; Trésor Public 127 ; B. de Fr. 3,1. *Par clients :* Stés 304 ; ménages 811 (entrepreneurs individuels 178, particuliers 503, non répartis 131) ; autres résidents 227 ; non répartis 47 ; divers 2,2. **Placements à vue :** *par réseaux* (dont entre par. livrets soumis à l'impôt) : total 1 201 dont banques 411 (AFB 140, b. mutualistes ou coopér. 272, b. populaires 26, Crédit Agric. 142, Crédit Mutuel 103) ; CDC 8,5 ; Caisse Nat. d'Ép. 297 ; Caisse d'Ép. et de Prév. 484 ; IFS et divers 1,9. *Dont livrets imposables :* 170 dont banques 131 ; CNE 12,2 ; CEP 26,8. *Non imposables : 1 031.*

Banques suisses

Nombre d'établissements financiers (au 1-1-1992 bilan en milliards de FS et, entre parenthèses, effectifs), 592 banques et stés financières 1 114,8 (126 491) dont : *28 b. cantonales* 228,3 (effectif 19 477), *4 grandes b.* 543,2, (62 511), *189 b. régionales et caisses d'épargne* 92,8 (8 207), *2 organisations de caisses de crédit mutuel* comprenant 1 192 caisses affiliées 36,9 (2 603), *222 autres b.* 172,2 (28 109), *112 financières* 20,9 (1 204) *16 succursales de b. étrangères* 15,2 (1 810), *19 banques privées* 5,3 (2 570).

Principales banques au 31-12-1992

(en millions de F suisses)

	Bilan	Fonds propres	Bénéfice net
Union de Banques suisses [1]	206 087	14 371	1 057
Société de Banque suisse [1]	171 754	10 462	805
Crédit suisse [1]	143 427	8 245	661
Banque cantonale de Zurich	51 788	1 921	110
Banque populaire suisse	46 082	2 139	– 8
Banque cantonale de Berne	22 723	611	– 355
Banque cantonale de St-Gall	14 739	529	36
Banque cantonale lucernoise	14 090	634	36
Banque cantonale vaudoise	13 944	838	58
Banque Leu	13 244	824	31
Crédit Foncier vaudois	10 959	455	30
Banque cantonale de Thurgovie	10 470	470	29
Banque cantonale de Bâle-Campagne	10 044	403	33
Nouvelle Banque d'Argovie	9 142	443	33
Banque cantonale des Grisons	8 449	373	25
Banque de la Suisse italienne	7 861	827	1
Banque Migros	7 823	440	20
Banque centrale coopérative	7 565	401	26
Banque cantonale de Bâle	7 562	342	22
Banque du Gothard	7 355	629	42
Banque Parisbas (Suisse) S.A.	7 075	748	15

Nota. – (1) Chiffres consolidés. *Union de Banques S. :* bilan total 266 753 millions de FS, bénéfice net 1 343 ; *Sté de Banque S. :* bilan 200 901, bénéfice net 1 006 ; *Crédit suisse :* bilan 173 037, bénéfice net 857.

Chèques et crédits

Chèques

Différentes sortes

Au porteur. Le demandeur de chèques endossables ou non barrés d'avance doit payer un droit de timbre de 10 F par chèque. **A ordre.** Le nom du bénéficiaire est spécifié et celui-ci devra prouver son identité. **Barré.** Ne peut être payé que par virement à un titulaire de compte, ce qui laisse une trace écrite (+ grande sécurité). Dep. le 1-4-1979, seuls les chèques barrés d'avance et non endossables sont livrés gratuitement par les banques. **Certifié.** Le tireur ou le porteur d'un chèque peuvent, à condition que la provision soit suffisante, le faire certifier par la banque tirée ; celle-ci appose sur le chèque, outre sa signature, les mentions relatives à la certification (montant, date). La certification entraîne le blocage de la provision du chèque, au profit du bénéficiaire, jusqu'à expiration du délai légal de présentation (en général 8 j) ; aussi la plupart des banques proposent-elles de délivrer des chèques de banque à la place de chèques certifiés. **De banque.** Chèque émis par une banque sur ses guichets ou sur ses correspondants, à la demande de personnes qui l'achètent par débit de leur compte, ou par versement d'espèces. *Validité :* 1 an et 8 j. Un vendeur peut demander d'être payé par un chèque de banque qui lui donne la garantie.

Chèque de voyage (ou **traveller's Chèque**). Inventé par American Express en 1891. Env. 1,7 million d'acheteurs en France. Moyen de paiement et de retrait émis pour un montant fixe dans une monnaie déterminée. Par définition, établi « à ordre... » et endossable. Remplaçable gratuitement en cas de vol, il évite l'emport de devises liquides pour un voyage.

Nota. – Depuis septembre 1980, des chèques rédigés en français et en breton sont émis par le Crédit mutuel de Bretagne. Ex. de chèques bilingues à l'étranger : G.-B., anglais et gallois ; Espagne : espagnol et catalan.

☞ **Chèques postaux** (voir p. 1835 b).

Réglementation générale

La loi de Finances pour 1984 (art. 90) obligeait les particuliers non commerçants (sauf ceux n'ayant pas leur domicile fiscal en France) à régler par chèque barré, virement bancaire ou postal, carte de crédit ou de paiement tout achat de biens ou de services de plus de 10 000 F. La loi du 11-7-1986 a abrogé ces dispositions, sauf pour le paiement des salaires et loyers.

☞ **Sont dispensés** de payer par chèque ceux qui sont incapables de s'obliger par chèque ou auxquels il est interdit de se faire ouvrir en France un compte en banque ou un CCP, les particuliers (non commerçants) réglant des particuliers, des commerçants ou artisans.

On peut refuser un paiement par chèque (sauf commerçants adhérents d'un centre de gestion agréé). Si celui-ci est obligatoire, on peut exiger un chèque certifié ou un ch. de banque. Les infractions sont punies d'une amende fiscale fixée à 5 % des sommes indûment réglées en numéraire, qui incombe pour moitié au débiteur et au créancier, chacun d'eux étant solidairement responsable.

■ **Chèque postdaté.** Un chèque présenté au paiement avant le jour indiqué comme date d'émission est payable le jour de la présentation.

■ **Chèque de garantie.** Est prohibé, car le chèque n'est pas, comme la traite, un instrument de crédit, mais un instrument de paiement.

■ **Chèques sans provision.** *Loi du 30-12-1991 :* applicable dep. le 1-6-1992. Le tireur reçoit de sa banque une lettre d'injonction lui enjoignant de ne plus émettre de chèque et de restituer ses chéquiers. Il ne peut plus utiliser son compte que sous contrôle de la banque (retraits directs ou chèques certifiés). Il pourra émettre à nouveau normalement s'il justifie avoir : 1°) réglé le montant du chèque impayé ou constitué une provision suffisante et disponible pour son règlement ; 2°) payé une pénalité libératoire (120 F par tranche de 1 000 F ou fraction de tranche) non due s'il n'a pas émis d'autre chèque rejeté pour défaut de provision dans les 12 mois précédant l'incident, ou s'il justifie dans le mois suivant l'injonction d'avoir réglé le montant du chèque ou constitué une provision. Le montant de la pénalité est doublé s'il a déjà procédé à 3 régularisations similaires. En cas de non-régularisation, « on est interdit bancaire » (n° de compte inscrit sur une liste consultable) et on ne peut émettre des chèques qu'après 10 ans. La banque doit régler un chèque sans provision jusqu'à – de 100 F s'il est présenté dans le mois de son émission, jusqu'à 10 000 F si elle ne devait pas accorder de chéquier à son client.

■ **Compte joint :** le signataire effectif du chèque émis sur ce compte est seul sanctionné (même si ce compte a été vidé par le conjoint).

■ **Recouvrement par voie de justice.** Si l'on ne peut s'entendre à l'amiable avec le tireur du chèque. 1°) *Se procurer la preuve de non-paiement.* Le tiré (c.-à-d. la banque ayant imprimé le chèque) doit remettre au porteur, sur sa demande, un certificat de « non-paiement » lorsque le chèque reste impayé « à l'issue du délai de régularisation ». La signification du certificat de non-paiement au tireur, par le ministère d'huissier, vaut commandement de payer ; l'huissier, s'il n'a pas reçu justification du paiement du chèque et des frais dans les 15 j, délivre, sans autre acte de procédure, un titre exécutoire qui permettra d'engager une action judiciaire.

2°) *Intenter une action judiciaire : a) Soit en se constituant partie civile* (en portant plainte) devant le tribunal correctionnel [qui aura d'ailleurs pu être saisi directement par le procureur de la Rép., car tout *protêt* (acte dressé par huissier, constatant le non-paiement) enregistré lui est obligatoirement transmis]. Si le procureur n'a pas exercé de poursuites, lui adresser une plainte ou, si l'affaire présente des difficultés, adresser la plainte au doyen des juges d'instruction ; *b) Soit en exerçant une action en paiement* devant le trib. civil de gde instance ou le trib. de commerce compétent. Si le montant n'excède pas 3 000 F entre non-commerçants, on peut utiliser la procédure simple de recouvrement des petites créances civiles.

Sanctions pour le tireur : *le tribunal est obligé de prononcer une peine* dès qu'il est établi que le chèque n'était pas couvert ou qu'il l'était insuffisamment. Il peut tenir compte de la bonne foi, de l'inexpérience du délinquant, du fait que la dette a été réglée en espèces dès la 1re sommation. En cas de récidive, des peines doivent obligatoirement être prononcées. *Pour celui* qui consent sciemment à recevoir un chèque sans provision : mêmes peines. *Pour la banque :* si elle indique une provision inférieure à la réalité, ne déclare pas les incidents de paiement, n'applique pas les mesures prévues par la loi contre le tireur de chèque sans provision, amende possible de 2 000 à 60 000 F.

☞ **La Banque de France** peut communiquer au procureur de la République tout incident de paiement de chèque qui lui a été déclaré. Elle est tenue de lui communiquer les incidents de paiement dont il a demandé à avoir connaissance.

Pour un chèque postal : demande au centre de chèques postaux accompagnée du titre, durant son délai de validité (1 an). Certificat de non-paiement délivré gratuitement. Si le tireur du chèque bénéficie d'un délai de régularisation de 30 j (décret du 10-1-1986), le certificat de non-paiement est délivré à l'issue de ce délai. Si un tireur est soumis à l'obligation d'immatriculation au registre du commerce et des Stés ou au répertoire des métiers, et que le chèque soit de + de 10 000 F, le certificat de non-paiement sera publié au greffe du tribunal compétent. Frais de publicité à la charge du tireur.

■ **Opposition sur un chèque.** Admise uniquement en cas de perte ou vol, d'utilisation frauduleuse du chèque, de redressement ou de liquidation judiciaire du porteur. Formulée par téléphone, elle doit être immédiatement confirmée par écrit et justifiée pour perte et vol par une déclaration au commissariat. *Sanctions :* emprisonnement (1 à 5 ans) et/ou amende (3 600 F à 2,5 millions de F) pour celui qui, avec l'intention de porter atteinte aux droits d'autrui, aura, après l'émission d'un chèque, retiré par quelque moyen que ce soit (y compris transfert ou virement), tout ou partie de la provision, ou fait défense au tiré de payer.

■ **Perte de chèques. Par le signataire :** faire opposition : avertir la banque pour mettre obstacle au paiement (dans les 1 an et 8 j à partir de la date du chèque). Si le chèque est en blanc, l'opposition est maintenue tant que le compte existe. **Par le bénéficiaire :** avertir le plus tôt possible le signataire pour qu'il fasse opposition ; en son absence, prévenir la banque ; le tireur du chèque régularisera la situation en faisant opposition à son retour.

■ **Vols de chèques.** La banque n'est responsable en cas de paiement des chèques qu'à l'égard du client et non envers les bénéficiaires de ces chèques ; si le voleur utilise les chèques (ou la carte) avant l'opposition, la banque n'est plus responsable. L'opposition est valable 10 ans. La jurisprudence tient de plus en plus pour responsable le titulaire du compte qui a fait preuve de négligence dans la garde du chéquier.

■ **Lettre de crédit.** Délivrée par la banque, elle permet d'obtenir des fonds pour un montant déterminé dans une succursale (lettre de crédit simple), ou toutes les succursales de la banque (circulaire). Le bénéficiaire peut retirer de l'argent au fur et à mesure de ses besoins.

■ **Durée de validité des chèques payables en France métropolitaine. Chèque bancaire :** émis en France : 1 an et 8 j. Émis en Europe ou pays riverains de la Méditerranée : 1 an et 20 j. Émis hors d'Europe : 1 an et 70 j. En cas de présentation tardive, on peut, le cas échéant, perdre tout recours contre les endosseurs. **Délais de prescription :** calculés à partir de l'expiration des délais de présentation : recours du porteur contre le tireur du chèque : 6 mois ; du porteur contre la banque tirée : 1 an. Après, les poursuites pénales ne sont plus possibles, mais la dette correspondant à ce chèque reste exigible 30 ans, le bénéficiaire d'un chèque impayé ou non présenté peut poursuivre son recouvrement 29 ans et 8 j.

TRANSMISSION

Les chèques se transmettent par *endossement* (ou *endos*) : *en blanc :* par une simple signature au dos du chèque ; *au porteur :* on écrit la formule « payez à l'ordre du porteur », on date et l'on signe ; *à personne dénommée,* en précisant le nom. On appelle *tiré* celui qui doit payer et *tireur* (banque) celui qui émet le chèque, bénéficiaire celui qui l'encaisse.

Un chèque émis en France, encaissé dans les DOM-TOM, est soumis à la commission de recouvrement variable selon les réseaux bancaires.

Chèque postal. 1 an (dep. le 20-4-1984) à compter de son émission. Au regard de l'Administration, le chèque postal périmé est nul. *Lettre-chèque postale :* 2 mois à dater de la date d'émission.

Statistiques

■ **Chèques émis par an** (en millions). *1970 :* 478 ; *73 :* 930 ; *80 :* 2 600 ; *85, 86 et 87 :* 4 500 ; *91 :* 4 900 ; *92 :* 4 800. **Nombre moyen** tiré par titulaire d'un compte-chèques (35 % des Français en détiennent au moins 2) : 10 par mois. 98,5 % des règlements *entre 10 et 50 F* se font en pièces ou en billets ; 82 % *entre 50 et 100 F* dans les « restaurants-cafés-bars » (contre 10 % pour les chèques et 2 % pour les cartes) ; *entre 100 et 200 F* 45 % des règlements se font par chèques, 45 % par espèces, 5 % par carte ; *au-delà de 500 F* 80 % par chèque.

■ **Escroqueries** avec des chèques volés, puis falsifiés ou contrefaits : *1972 :* 23 414 ; *80 :* 101 024 ; *86 :* 230 000.

■ **Chèques non payés. Avis de non-paiement enregistrés par la Banque de France** (en millions) : *1970 :* 0,7 ; *80 :* 1,37 ; *85 :* 3,5 ; *88 :* 5,5 ; *90 :* 6,4 ; *91 :* 6,3 ; *92 :* 6,16. Ces avis ne concernent que les rejets pour défaut de provision (escroquerie, perte ou vol exclus) dont 71,9 % pour des montants < 1 000 F.

■ **Personnes interdites de chèque.** *1980 :* 396 000 ; *85 :* 730 000 ; *91 :* 1 000 000 ; *92 :* 1 094 000. **Condamnations :** *1980 :* 23 000 ; *85 :* 77 653 ; *90 :* 40 626.

Fichier central des chèques (FCC) : prévu par loi du 30-11-1991, en service depuis le 1-6-1992. **Fichier national des chèques irréguliers (FNCI) :** remplace, depuis le 1-6-1992, le FNCV (Fichier national des chèques volés) créé le 18-1-1991. Informe les *bénéficiaires* de la validité des chèques qu'on leur présente. *Données :* fournies par les banques (oppositions pour pertes ou vol, comptes résiliés), le Ficoba (Fichier des comptes bancaires de la DGI) pour les comptes des personnes frappées d'interdiction). *Réglementation :* il faut obtenir un code d'accès qui permet d'enregistrer l'origine des demandes, il est interdit de diffuser ou conserver les informations. *Accès :* Minitel 3627.22.22 + code d'accès ou lecteur de chèque automatisé. Réponse : rouge (chèque émis irrégulièrement), orange (précautions, alerte sur le compte), vert (pas d'alerte sur le compte), blanc (lecture du chèque impossible). *Statistiques* [en millions, déc. 1992 (6 mois)] : enregistrement 6,8 dont comptes d'interdits (bancaires ou judiciaires) de chéquier 1,4 ; comptes clôturés 2,6 ; oppositions 2,8 ; consultations 4 (36 000 abonnés réguliers).

☞ La tenue des comptes bancaires coûte env. 10 F par mois. Le traitement de 4,5 milliards de chèques émis chaque année coûte 14 milliards de F (env. 3 F par unité de chèque) et représente le double de l'ensemble des bénéfices des banques françaises sur un exercice.

Modes de paiement (en %, 1992) : chèque 50,8, carte bancaire 22 (dont retraits Dab 7), virement 15,4, prélèvement 9,1, effet de commerce 1,6, Tip ou Tup 1,1.

Cartes de crédit

■ **Définition.** On distingue *cartes bancaires* qui n'ont qu'une fonction monétique (moyen de paiement, de retrait ou transfert de fonds) ; *c. accréditives* offrant en + une fonction de crédit (généralement, facilités de paiement différé ou fractionné) ; *c. multiservices* offrant en + des services spécifiques (ex : cartes Réseau-Aurore pour voyages, spectacles, librairie, conseil, photo, etc.). Dites *privatives* si elles portent l'enseigne d'une seule marque (ex : grand magasin) ; *à réseau* si elles regroupent plusieurs co-émetteurs dont l'enseigne figure à côté de celle du réseau. *Paiement des services cartes.* On combine souvent plusieurs modes : prix carte (ou droit d'entrée), abonnement (ou frais de compte), commission prélevée sur les commerçants, agios sur les crédits.

■ **Cartes bancaires. Groupe Visa** *créé* 1976. Membres du réseau : banques du groupement : *Carte bleue* (créée 1967). *Barclays* et d'autres banques en G.-B. ; *Banco de Bilbao* et toutes les autres banques en Esp., 140 banques en Italie, toutes les grandes banques aux USA. **Groupe Mastercard Eurocard-Access** *créé* 1968. *Branche européenne du réseau* [représentée par Eurocard International, filiale des Stés Eurocard européennes (y.c. Access/GB)]. *En France* 3 cartes internationales : Gold Mastercard (prestige), Executive (affaires, co-branded avec Wagons-Lits international), Eurocard Mastercard (standard). **Eurocard France** *créée* 1978. Distribuées par Crédit agricole et Crédit mutuel. **Eurochèque** *créé* 1972. **Carte bancaire unique.** En usage dep. 1985 pour réseau Carte bleue, Crédit agric. et Crédit mutuel.

■ **Cartes multiservices. Accréditives : American Express** *créé* 1958 et en France en 1962 ; 37 millions de cartes (France 525 000, 125 000 commerçants affiliés). **Diner's Club** *créé* 1951 et en France 1954 ; 4 500 000 cartes (France 140 000 ; 21 500 c. affiliés). **Multi-enseignes : Cetelem** *créé* 1953, lance le 1er compte permanent en France en 1965 et en 1985 la carte **Réseau-Aurore** (+ de 4 000 000 porteurs en Europe en 1992), acceptée par 120 000 commerçants en Fr.

Cartes de clientèles (ou privatives) : grands magasins, vente par correspondance, locations de voitures, etc., env. 5,21 millions. *Taux effectif global en % et par an* et, entre parenthèses, *par mois :* Kangourou 17,88 (1,49). Printemps 17,64 (1,47). Pass 16,92 (1,41). Cofinoga 17,94 (1,495).

■ **Statistiques.** France (1992). *Nombre d'opérations* (en milliards) : 2. *Montant :* 475 milliards de F. *Moyenne individuelle annuelle de paiements par carte :* 68 (montant moyen : 329 F) ; *de retraits* dans les Dab : 27 (montant moyen 430 F).

■ **Parts de marché des cartes. Dans le monde** (% de porteurs) : Visa 53,6 ; Mastercard 33,9 ; American Express 7,3 ; JCB 3,8 ; Diner's club 1,4. **En France :** Carte bleue-Visa 65,85 %, Eurocard-Mastercard 28,87, Amex 4,18, Diner's club 1,09. **Commissions versées par les commerçants affiliés au réseau :** carte bleue 0,7 % ; Visa 2 % ; American Express 3,5 à 4,5 %.

■ **Marché national** (1992). *Cartes bancaires* (nombre) : 21 millions dont internationales 63 % (Visa 41 %, Euro-Mastercard 20 %). *Points d'acceptation des cartes* (1991) : Visa : 65 000 Dab, 310 000 agences bancaires, 8 700 000 commerçants ; Euro Mastercard : 80 000, 190 000 et 9 400 000.

■ **Fraude liée à l'usage des cartes bancaires.** En France et, entre parenthèses, volume des transactions, en milliards de F. *1987 :* 0,54 (171) ; *88 :* 0,59 (256) ; *89 :* 0,68 (320) ; *90 :* 0,7 (380) ; *91 :* 0,68 (437) ; *92 :* 0,53 (475).

En cas d'utilisation frauduleuse par un tiers, le propriétaire de la carte est responsable jusqu'à 600 F (même s'il a fait opposition), ou 3 000 F si la carte a été utilisée avec procédure de code.

■ **Opposition.** Le paiement par carte, bancaire ou accréditive, est irrévocable (loi du 11-7-1985), sauf en cas de perte ou vol, et de règlement judiciaire ou liquidation des biens du bénéficiaire. *Sanctions :* civiles en cas de violation de la règle d'irrévocabilité. *1991 :* 1,5 million de cartes inscrites en opposition.

■ **Refus de règlement par carte bancaire.** Le commerçant peut fixer un montant minimal d'achat.

☞ **Carte à puce.** Dotée d'un microprocesseur inventé en 1974 par le Français Roland Moreno et fabriqué depuis le 21-3-1979 par Bull et la filiale de Philips Tri-Ti. Début de l'utilisation le 5-3-1985. Théoriquement inviolable et infalsifiable. Prix de revient d'une carte à puce, 20 à 25 F (magnétique 7 F). **Problèmes de capacité.** Sur les cartes les plus anciennes la mémoire est saturée à env. 150 transactions, d'où interruption du service.

Chèques postaux

■ **Statistiques** (au 31-12-1991). *Nombre de comptes :* 9 124 000 ; *montant des avoirs moyens journaliers* sur les comptes des particuliers : 142 milliards de F ; *opérations effectuées* (en 1991), *nombre* (en milliards) : 2,98, *montant* (en milliards de F, 1990) : 18 465 (crédit 9 454, débit 9 011). *Nombre de cartes : cartes 24/24 :* 1 500 000, *cartes bleues de La Poste :* 1 664 000.

☞ Les fonds en dépôt sont gérés et utilisés par le Trésor public, qui verse à l'exploitant autonome de droit public La Poste un intérêt calculé sur la moyenne arithmétique des avoirs de comptes chèques postaux des particuliers et collectivités privées (en %). *En 1992 :* 5,5 %.

Crédit

■ Généralités

Crédit gratuit. *Loi du 24-1-1984 :* les crédits consentis pour 3 mois et + ne peuvent être proposés qu'à l'intérieur des magasins. *Les vendeurs doivent afficher :* prix avec crédit gratuit, prix pour paiement au comptant ou le montant de la réduction accordée, objet et durée de l'opération, période de crédit et coût total. *Ils doivent remettre une offre préalable et l'on a 15 j pour signer.* Après signature, l'offre devient contrat de crédit. On a, alors, 7 j pour *se rétracter* [ce délai *peut expirer :* le 3e j (si l'on exige la livraison immédiate de l'achat et si elle intervient dans les 3 j suivant l'acceptation, c'est-à-dire la signature de l'offre), ou le j de la livraison (si elle intervient entre le 4e et le 7e j suivant la signature)]. *Paiement comptant :* on doit bénéficier d'une réduction ; ex. : 410 F (8,2 %) pour un produit ou un service de 5 000 F payable en 10 mensualités de 500 F avec un crédit gratuit.

Crédit à court terme (de quelques j à 2 ans). Ex. : *crédit de courrier* (48 h), *facilité de caisse* (ex. : fin de mois), *crédit de campagne* ou découvert de durée variable. Accordé par les banques. **A moyen terme** (de 2 à 7 ans au maximum). Permet de financer équipement industriel ou agricole, habitat, exportations. Accordé par les banques, avec ou sans le concours d'organismes tels que Crédit foncier de France, Crédit national, BFCE et le crédit d'équipement des PME, généralement mobilisable sur le marché monétaire. **A long terme** (+ de 7 ans). Permet de financer construction immobilière, création ou extension des entreprises industrielles, des exportations. Accordé directement par banques et Crédit foncier, Crédit national, et le crédit d'équipement des PME.

Différentes avances possibles. A découvert, sur garanties, sur documents, sur caution et aval ; formules spéciales de crédit aux particuliers ; prêts personnels ou immobiliers ; crédit-bail (leasing).

Loi Neiertz (1-3-1990). **Objet :** réduire le surendettement excessif des ménages et les incidents de paiement. **Volet préventif.** *Protection de l'emprunteur :* cautions mieux averties sur les risques de leur engagement et prévenues dès le 1er incident ; réglementation des publicités de crédit ; redéfinition du prêt usuraire. *Protection du prêteur :* création d'un fichier des incidents de paiement (*FICP*, voir ci-dessous) consultable par les étab. de crédit, (définition de l'incident : 3 échéances mensuelles ou retard équivalent à 90 j) ; inscription radiée après 3 ans sauf nouvel incident. **Volet curatif.** Création d'une commission de conciliation ayant accès à l'ensemble de la situation du débiteur (beaucoup faisaient l'objet de plusieurs recours séparés) et chargée de proposer un plan de redressement d'après sa capacité de remboursement réelle. **Statistiques** (fin 1992). Dossiers déposés 220 000 ; irrecevables 50 000 ; en attente 18 000 ; reçus 152 000 (dont accord créancier/débiteur 86 640 pas d'accord 65 360. *31-12-92 :* débiteurs inscrits 1 075 000 dont 166 000 au titre d'une convention, incidents 1 380 000 (23 % pour des crédits logements et 77 % consommation).

Statistiques (France)

Ménages endettés (en %). *1984 :* 39 ; *90 :* 50,6.

Endettement des ménages (en milliards de F). *1981 :* 28,6 ; *85 :* 53,4 ; *88 (juin) :* 135,3.

Achats à crédit 7 voitures sur 10, 1 téléviseur sur 3, 2 appareils électro-ménagers sur 5.

Crédit revolving. Réserve d'argent mise à la disposition du client qui y puise selon ses besoins. Les intérêts courent sur la somme effectivement empruntée jusqu'à remboursement, dont le rythme est laissé à la discrétion du client (sous réserve d'une mensualité minimale). *Coût :* 14,50 à 16,90 %.

Crédit social. Prêts des caisses de crédit municipal. *Prêt sur gage corporel* (bijoux, argenterie, objets d'art ou autres) : contrat généralement de 6 mois renouvelables ou prorogeables. La vente du gage peut être demandée par l'emprunteur 3 mois après le jour de dépôt. Lorsque le prêt n'est ni remboursé ni renouvelé à l'échéance, le gage est vendu aux enchères, le surplus ou boni allant à l'emprunteur. *Prêts sociaux :* les caisses distribuent les prêts sociaux consentis par les villes où elles sont implantées.

Mof : multi-option financing facility (facilité à options multiples). Crédit revolving accordé par plusieurs banques à une entreprise généralement pour 5 ans, prolongeable à 7 ans. Lorsque l'entreprise tire sur son crédit, celui-ci se reconstitue au fur et à mesure des remboursements. En cas de besoins de liquidités, l'entreprise peut demander aux banques impliquées de lui prêter de l'argent à des taux prévus au moment de la signature en F, dollars, marks, sterling, Ecu, etc. Les marges sont fixées à l'avance par rapport à des taux de référence : *Libor* (London Interest Bank Offered Rate) pour des emprunts en devises, *Pibor* (Paris Interest Bank Offered Rate) pour le F.

Crédit Loa. Location avec option d'achat, utilisée pour l'achat d'un véhicule neuf. Juridiquement, le particulier est locataire d'une Sté prestataire de services et règle des loyers. A l'issue du contrat, il devient propriétaire en payant la valeur résiduelle du véhicule (montant généralement équivalent au dépôt de ga-

TAUX PRATIQUÉS SUR LE MARCHÉ INTERBANCAIRE [1]

Taux	1982	1985	1986	1987	1988	1989	1990	1991	1992
Marché interbancaire *Au J. le J.*									
Moy. annuelle	14,87	9,94	7,74	7,98	7,52	9,07	9,96	9,49	10,35
Fin d'année	12,94	9,13	8,50	8,25	8,56	11,13	10,00	10,07	10,05
A 3 mois [1] Moy. annuelle	14,62	9,95	7,71	8,27	7,94	9,40	10,32	9,62	10,34
Fin d'année	12,75	9,00	8,56	8,63	8,63	11,44	10,13	10,11	11,34
Rendement en bourse des emprunts d'état à long terme									
Moy. annuelle	15,69	10,94	8,44	9,43	9,06	8,79	9,94	9,03	8,61
Fin d'année	14,72	10,47	8,94	9,99	8,53	9,34	10,00	8,72	8,16
Base bancaire									
Moy. annuelle	13,64	11,16	9,94	9,60	9,45	9,91	10,60	10,21	10,00
Fin d'année	12,75	10,60	9,60	9,60	9,25	11,00	10,25	10,35	10,00
Intérêt du livret A									
Moy. annuelle	8,50	6,25	5,00	4,50	4,50	4,50	4,50	4,50	4,50
Fin d'année	8,50	6,00	4,50	4,50	4,50	4,50	4,50	4,50	4,50

Nota. – (1) A partir de décembre 1986, TIOP (taux interbancaire offert à Paris).

rantie initialement versé et exonéré de la TVA). Sur 4 ans, représente 10 % du prix neuf TTC ; 3 ans, 38 % ; 2 ans, 62 %.

TAUX D'INTÉRÊT DANS LE MONDE

Décembre 1992 en %	Taux directeur [1]	Taux de base bancaire	Taux à court terme (1 mois)	Taux à long terme
France	9,10 [2]	10,00	11,53	8,14
Allemagne	8,75 [3]	12,03	9,06	7,11
Belgique	8,60 [4]	12,25	8,76	8,02 [10]
Canada	7,36 [5]	7,25	8,06	8,59
États-Unis	3,00 [6]	6,00	3,65	6,75
Espagne	13,75 [7]	14,00	15,48	12,48
Italie	12,00 [5]	13,50	13,92	11,97
Japon	3,25 [5]	4,50	3,93	4,58
Pays-Bas	8,25 [8]	10,25	8,79	7,27
Suisse	6,00 [5]	–	–	–
Royaume-Uni	7,00 [9]	7,00	7,13	8,37

Nota. – (1) Taux significatifs de la politique monétaire des banques centrales. (2) Taux d'appel d'offre. (3) Pensions à 1 mois. (4) Adjudications de la BNB. (5) Escompte. (6) Fonds fédéraux. (7) Taux d'intervention. (8) Taux d'avances. (9) Taux de base bancaire. (10) Nov. 92.

Taux réels (taux d'intérêt pratiqué moins le taux d'inflation). Moyenne annuelle en France. *1950-60 :* 0,38 (USA 1,31) *1961-70 :* 1,74 (USA 2,22) *1966-70 :* 2,11 (USA 1,52, Jap. 1,56) *1971-82 :* 0,28 (USA 0,91, Jap. 0,28) *1983-86 :* 5,06 (USA 7,24, Jap. 4,69) *1987-89 :* 5,91 (USA 4,51, Jap. 3,54).

Plan d'épargne populaire (PEP). Art. 109 du 29-12-89 Formule de placement-retraite qui remplace le PER (Plan d'épargne retraite) depuis le 1-1-1990. *Durée :* 10 ans, mais peut être résilié au bout de 8 ans, ou clos par le décès du souscripteur. Si les fonds sont retirés avant 8 ans, la prime d'épargne n'est pas versée, les intérêts sont soumis à l'impôt, et le prélèvement libératoire est de 37 % si la durée du plan est inférieure à 4 ans, 17 % si elle est de 4 ans ou + (pas de pénalités en cas de fin des droits aux allocations de chômage, redressement ou liquidation judiciaire pour un non-salarié ou survenance d'une invalidité). *Modalités :* versements libres. Total plafonné à 600 000 F par plan (1 200 000 pour un ménage dont chaque conjoint a souscrit un plan). *Avantage fiscal :* exonération des intérêts produits et capitalisés chaque année par les versements, mais ceux-ci ne donnent droit ni à une déduction du revenu imposable, ni à une réduction d'impôt. *Avantage financier :* versement chaque année d'une prime d'épargne égale au 1/4 des versements et plafonnée à 1 500 F/an. Elle est réservée aux contribuables non assujettis à l'impôt ou dont l'impôt est trop faible pour être recouvré. Les modalités et taux de rémunération ou de versements et les frais varient selon les établissements financiers (exemples : Caisse d'Epargne 8 %, Banque populaire de Lyon 10 %). Certains PEP sont exonérés de pénalités en cas de retrait anticipé. **Collecte du PEP (mars 1991) :** 153,7 milliards de F investis dans 8,75 millions de PEP.

ÉPARGNE EN FRANCE

GÉNÉRALITÉS

Comparaisons internationales. Montant d'épargne par habitant (en F, 1989). Belgique 117 595, P.-Bas 96 912, All. féd. 94 980, Danemark 80 747, *France 62 085,* G.-B. 56 979, Espagne 43 865, Irlande 35 827, Grèce 25 102, Portugal 20 735. Taux d'épargne net (en % du PIB, 1987). Japon 18,4, All. féd. 11,1, Italie 11, *France 7,7,* Canada 6,6, G.-B. 6.

Taux d'épargne des ménages et, entre parenthèses, taux d'épargne financière et investissement logement. 1980 : 17,6 (5,1) 12,5. **85 :** 14 (4,8) 9,2. **87 :** 10,8 (1,6) 9,4. **90 :** 12,2 (2,9). **91 :** 12,6 (3,8). *Comparaisons :* Italie 22,8 [1], Grèce 17,4, Japon 15,2 [1], All. féd. 13,5 [2], Belgique 12,2, Espagne 8,2, G.-B. 8 [2], USA 4,5 [2], P.-Bas 3.

Nota. – (1) 1988. (2) 1990.

CAISSE D'ÉPARGNE

Réseaux. Caisse d'Épargne et de Prévoyance (CEP). Origine : *1re fondée :* Paris 1818. **Structure :** Depuis 1991, 2 niveaux. **National** : organe central, « chef de réseau » : Centre National des Caisses d'Epargne et de Prévoyance (Cencep), 2 Stés financières [Sté *Centrale de Trésorerie des CEP* (CDC 65 % ; Réseau Ecureuil 35 %) : tenues de comptes, compensation, monétique, opérations internationales. *Sté Centrale d'Emission et de Crédit des CEP* (Réseau Ecureuil 65 % ; CDC 35 %) : émissions, marché interne des capitaux, crédits, participations des filiales spécialisées].

Régional. DÉFINITION : établissements de crédit à but non lucratif. A l'origine habilitées à effectuer uniquement des prêts aux personnes physiques, collectivités publiques, organismes n'exerçant pas d'activité industrielle et commerciale. Dep. 1987, ont été autorisées à accorder des crédits à des personnes morales de droit privé. (en contrepartie d'une fiscalisation progressive du réseau au titre de l'impôt sur les Stés). **Ressources :** *livrets A* (moins de 50 %) dont elles partagent, avec le réseau de la Caisse nationale d'épargne (bureaux de poste), le monopole au niveau de la collecte. 90 % de cette collecte est centralisée à la Caisse des dépôts moyennant une commission de placement ; 10 % sont laissés à la disposition des caisses pour les prêts aux collectivités locales. Les ressources sur Codevi sont aussi centralisées à la Caisse des dépôts. **Autres ressources** *(livrets B, épargne-logement, emprunts, obligataires...)*, les caisses d'épargne peuvent effectuer librement des opérations de banque en faveur de leur clientèle prédéterminée. **Statistiques :** *caisses :* 31 (en moyenne : nombre de comptes 1,4 million, fonds propres 1 milliard de F, points de vente 180, bilan 27 milliards de F). *Employés :* 38 000. *Points de vente :* 5 600. *Guichets automatiques :* 3 000. **Résultats financiers** (en milliards de francs, au 31-12-1991) : bilan 896, fonds propres 49,7, résultat net comptable 2,5. **Dépôts** (en milliards de F, intérêts capitalisés compris, au 31-12-1991) : 922 dont comptes chèques 39,2, livret A : 406,7, B : 29,5, LEP : 33, Codévi 16,3, Epargne logement 99,3 ; PEP bancaires : 33,2 ; SICAV et FCP : 124,7, Assurance vie : 20,9. **Crédits :** 53,8 dont crédits à la consommation : 5,7 ; immobiliers : 29,2 ; secteur public local : 13,2 ; professionnels : 5,7.

Réseau PTT : Caisse Nationale d'Épargne (CNE). Met le livret A à la disposition de la clientèle des 18 000 *bureaux* des PTT ; les préposés des PTT peuvent servir d'intermédiaires entre clients et bureaux de poste pour les opérations d'épargne.

CRÉDIT MUTUEL

Organisation. Confédération nat. et Caisse centrale. 20 Fédérations et caisses fédérales. 3 000 caisses locales et 1 350 bureaux.

Statistiques. *Clients :* 5 000 000 dont 4 000 000 de sociétaires. *Dépôts* 244,7 milliards de F (au 31-12-1990) dont 67 % de comptes sur livret (plafonnés à 100 000 F, mêmes conditions que les livrets de Caisses d'épargne). *Crédits* 177,5 milliards de F dont 28 % aux personnes de droit moral et 72 % aux sociétaires.

CRÉDIT MUNICIPAL

Origine. 1ers *monts de piété* (1462 Pérouse, 1577 Avignon (domaine pontifical), 1696 Marseille, 1777 Paris, créés pour lutter contre l'usure. En 1918, ils prirent le nom de Caisse de Crédit municipal (on les surnommait : chez ma tante). **Statut.** Établissements de crédit (loi bancaire 1984) publics locaux ayant des liens privilégiés avec les communes. **Organisation.** 21 caisses autonomes, 70 agences, fédérées dans le « Réseau du Griffon » regroupées dans la Conférence permanente des caisses de Crédit municipal et l'Union centrale des CCM. **Activité.** Services bancaires, crédits personnels, prêts sur gages corporels dont elles ont le monopole depuis 1796, prêts sociaux, prêts aux fonctionnaires. **Statistiques** (au 31-12-1989) *clients :* 1 000 000 ; *encours clientèle :* 13,6 milliards de F ; *montant des dépôts :* 3,056 milliards de F.

PLACEMENTS D'ARGENT

PATRIMOINE FINANCIER DES MÉNAGES

En Md F	1978	1982	1986	1990	1992
Liquidités	1 384	2 136	2 839	3 406	3 524
Obligations	134	283	397	281	405
Actions fr. cotées	77	73	407	746	2 649 (Actions fr. cotées, Non cotées, Étrangères)
Non cotées	140	70	913	2 114	
Étrangères	34	206	384	545	
Parts de Sicav	33	115	616	1 038	1 620
Assurance-vie	145	267	532	976	1 530
Total	1 947	3 150	6 088	9 106	9 728

Source : TOF, Banque de France.

Rendements (taux en % et dépôt max. en F). *Livrets d'épargne :* A et bleu 4,5 (100 000), Codevi 4,5 (20 000 par conjoint), B 4,5 (illimité), entreprise 3, populaire 5,5 avec la prime. *Épargne logement :* PEL (taux max. prime comprise ouvert à partir du 15-5-86) 6 (400 000), CEL 2,75 max. avec prime 4 (100 000).

Performances globales réelles des différents placements de 1960 à 1992 (et, entre par., de 80 à 92) tous facteurs (inflation, dividendes, fluctuations de valeur, etc.) pris en compte sauf IRPP. Action 4,2 (10,4) ; obligations 4,2 (6,6) ; logement de rapport 2,6 (2) ; terres 2,1 (– 4,2) ; bons et comptes à terme 0,8 (3,8) ; livrets d'épargne 2,8 (0) ; plans EPL (1,7) ; comptes EPL (– 1). Ensemble 2 (3). *Source :* CERC.

Statistiques (fin 1992, en milliards de F). *Encours des titres de créance négociables* 2 335. *Bons du Trésor* 715 (dont en compte courant 89,9 %, internationaux 6,2 %, sur formule 3,9 %). *Bons des sociétés financières* 100,3. *Bons des institutions financières spécialisées* 69,6. *Certificats de dépôts* 1 276 dont banques AFB 1 012, b. mutualistes 200 ; en francs 1 247, en devises 28,3. *Billets de Trésorerie* 174,4.

COMPTES

■ **Comptes sur livret. Des Banques :** intérêt nominal brut 4,5 %. *Montant :* 100 F min. ou multiples de 100 F. *Régime fiscal :* prélèvement libératoire (38,7 %) ou IRPP. **Des Caisses d'épargne :** *livret A,* montant max. 100 000 F (la capitalisation des intérêts nouveaux est hors plafond), intérêts 4,5 % exonérés d'impôts ; non cumulable avec livret bleu. *Livret B,* montant illimité, *intérêts* 4,5 % cumulable avec livret bleu, prélèvement libératoire (38,7 %) ou IRPP. **Du Crédit mutuel** (livret bleu) : *montant* max. 100 000 F, liquidité totale, *intérêts* 4,5 % exonérés d'impôts ; non cumulable avec livret A.

Taux d'intérêt du livret A par rapport à l'inflation. *1966 :* + 0,2 %. *67 :* – 0,3. *74 :* – 8,95. *75 :* – 2,1. *76 :* – 3,4. *77 :* – 2,8. *78 :* – 2,60. *79 :* – 4,30. *80 :* – 6,25. *81 :* – 5,75. *82 :* – 3,3. *83 :* – 1,50. *84 :* – 0,30. *85 :* + 0,40. *86 :* + 2,30. *87 :* + 1,36. *88 :* + 80. *89 :* + 1,30. *90 :* + 2. *91 :* + 2.

■ **Compte pour le développement industriel** (Codevi). *Créé* 8-7-1983. *Émetteurs :* banque, CEP, poste. *Conditions :* seul un contribuable ou son conjoint peut en être titulaire. *Dépôt :* max. 20 000 F par personne ou conjoint ; cumulable avec livret A ou bleu. Versements ou retraits possibles à tout moment. *Rémunération :* 4,5 % net d'impôt.

■ **Livret d'épargne-entreprise.** *Créé* 9-7-1984. **Conditions :** ouverture du livret accordée aux personnes physiques fiscalement domiciliées en France (1 livret par foyer fiscal). *Modalité :* rythme et montant des versements libres, dépôt max. de 200 000 F, intérêts capitalisés non compris pour une période d'ép. de 2 à 5 ans. *Rémunération :* 3 % + prime, égale à 30 % des intérêts acquis si un prêt est refusé à la fin de la phase d'ép. *Souscription :* banques, Crédit agricole, Crédit mutuel, Banques populaires, Caisse d'épargne.

■ **Comptes à terme.** *Montant* min. 5 000 F. *Taux* 8 à 9,75 % selon montant et durée. *Déblocage* avant l'échéance prévue : possible avec pénalité sur le taux. **Régime fiscal :** prélèvement libératoire de 38,1 % ou IRPP.

Épargne-logement

■ **Compte d'épargne-logement** (durée minimale 18 mois). **Période d'épargne :** *dépôt :* montant initial min. 2 000 F, max. 100 000 F. Versements min. : 500 F. *Rémunération (exonérée d'impôt) :* taux d'intérêt 2,75 % ; prime d'épargne 1,25 % des sommes placées (ou 5/11 des intérêts acquis), plafond 7 500 F. *Retrait à vue possible.* **Période de prêt :** coefficient multiplicateur 1,5 ; montant max. 150 000 F, durée max. 15 ans. *Taux du prêt :* 4,25 %.

■ **Plan d'épargne-logement** (durée 4 ans avec prorogation possible de 6 ans). **Intérêts** (exonérés d'impôt jusqu'à 40 000 F d'intérêt prime d'État comprise, 4,62 % au-delà). *Ouverts à partir du 16-8-1984 :* 9 % ; *du 1-7-1985 :* 7,5 % ; *du 15-5-1986 :* 6 %. *Plafond des ressources déposables :* 400 000 F. *Prime de l'État :* 1,5 % des sommes placées (ou 25 % des intérêts acquis) plafonnée à 10 000 F.

Prêts : lorsque le plan est venu à terme, on peut obtenir un prêt principal pour financer l'acquisition, la construction ou des travaux d'amélioration d'une résidence principale ou d'une résidence secondaire. *Taux d'intérêt annuel :* 6,32 % + frais d'assurance pour les plans souscrits à compter du 16-5-1986. *Montant max. :* 600 000 F. *Durée d'amortissement :* 2 à 15 ans. Le titulaire d'un plan peut bénéficier de la cession de droits à prêts acquis par un membre de sa famille ou de celle de son conjoint, sur un plan venu à terme ou sur un livret d'ép.-log. ouvert depuis au moins 12 mois. Le prêt principal d'ép.-log. peut être complété par un prêt complémentaire.

Statistiques (1991) : *nombre de plans* (en millions) : 10,5 ; *de comptes :* 8,5. *Montant des dépôts sur plans* (tous réseaux confondus en milliards de F) : 470,9 ; *sur comptes :* 123. *Total des prêts accordés :* 66,1 milliards F. *Montant moyen d'un prêt :* 83 505 F.

Prêt hypothécaire

■ **Formules. Par l'entremise d'un notaire :** *Durée* de 2 à 4 ans. *Rendement* 15 % env. avant impôt (9,3 après). *Garantie* constituée sur le bien avec priorité sur les autres créanciers. *Fiscalité* prélèvement libératoire de 38 % + 1 % de contribution sociale. *Remboursement du capital* généralement en une seule fois, à l'échéance du prêt ; les intérêts sont versés par trimestre, semestre ou par an. Faire assortir le prêt d'une garantie de bonne fin pour éviter de perdre sa mise en cas de défaillance du débiteur.

D'une banque spéciale : comptes à terme avec affectation hypothécaire de la Sobi (Sté de banque et d'investissements monégasques).

■ **Renseignements.** Pour savoir si un immeuble est hypothéqué, il faut demander, à la Conservation des hypothèques, une copie ou un extrait du registre des inscriptions et du fichier immobilier. Certains biens d'une valeur inférieure à 50 000 F peuvent être constitués en *bien de famille insaisissable.* [Ils ne peuvent être hypothéqués et ne peuvent être vendus qu'avec l'accord des 2 époux (si le propriétaire du bien est marié), ou avec l'autorisation du conseil de famille (si le pr. a des enfants mineurs).]

Rentes viagères

■ **Définition.** Contrat par lequel une personne (le *débirentier*) s'engage, en contrepartie de la cession d'un bien ou d'un capital, à verser à une autre personne (le *crédirentier*) une certaine somme d'argent *(arrérages),* périodiquement (tous les ans, tous les semestres, etc.) pendant la durée fixée au contrat. La rente est *temporaire* si les versements sont limités dans le temps (10 ans, 20, 30, etc.) (ex. : rente attribuée à des orphelins mineurs) ; *viagère* s'ils cessent au décès du ou des crédirentiers. Viager immobilier (voir p. 1379 c).

Types de rentes. 1°) *secteur public :* constituées auprès de la Caisse nationale de prévoyance, des caisses autonomes mutualistes et des compagnies d'assurances ; 2°) *s. privé :* entre particuliers.

■ **Formes. Rente viagère. Immédiate :** le capital constit. de la rente est versé en une seule fois, les arrérages en sont servis sans délais. **Différée :** les arrérages sont versés quand le rentier a atteint un certain âge, fixé par le contrat. **A capital aliéné** *(immédiate ou différée) :* aucun remboursement de capital n'est prévu au décès du rentier ou de l'assuré. *Rentes versées :* exemple pour rente viagère immédiate avec participation aux résultats, *sur une tête :* si l'on veut obtenir 1 F de rente, il faut à *50 ans* verser un capital de 16,181 F ; *60 :* 13,626 ; *70 :* 10,350 ; *80 :* 7,110. Si l'on a versé un capital de 100 F, on obtiendra *sur 2 têtes* à *60 :* 6,42 ; *70 :* 8,07 ; *80 :* 11,33. **A capital réservé** *(immédiate ou différée) :* le capital constitutif de la rente est remboursé sans intérêt au décès de l'assuré. **Réversible** *(immédiate ou différée) :* au décès du rentier, la rente sera servie à son conjoint (ou à toute autre personne désignée) en totalité ou en partie (1/2, 1/3, 3/4) jusqu'au décès de celui-ci. **Réductible :** le contrat est souscrit sur 2 têtes. Les arrérages sont versés en totalité tant que les crédirentiers sont en vie et réduits dans une certaine proportion, fixée par le contrat, lors du décès de l'un d'eux.

■ **Fiscalité. IRPP :** le crédirentier ne déclare avec ses revenus qu'une fraction de la rente déterminée par son âge à l'entrée en jouissance de la rente : à *– de 50 ans :* 70 % ; *50 à 59 :* 50 % ; *60 à 69 :* 40 % ; *après 69 :* 30 %.

■ **Majorations. Légales :** votées chaque année dans le cadre de la loi de Finances. Soumises à la prescription de 5 ans. Acquises de plein droit aux *rentes du secteur privé* non indexées (sauf r. constituées moyennant l'aliénation de valeurs mobilières ou de droits incorporels autres qu'un fonds de commerce) et *aux r. du secteur public* constituées avant le 1-1-1979 ; pour celles constituées à partir du 1-1-1979, cela dépend des ressources (pour les majorations de 1989, plafond de ressources brutes de 1987 : pour une personne seule 78 847 F, un ménage 147 837 F). **Judiciaires :** possibles pour les rentes du secteur privé. *Rentes non indexées :* le crédirentier peut obtenir une majoration plus élevée que la majoration légale. Il doit faire la preuve en justice qu'en raison des circonstances économiques, le bien vendu a acquis une plus-value supérieure à celle de la majoration légale. *Rentes indexées :* révisables, lorsque les circonstances écon. bouleversent, malgré l'indice, l'équilibre que les parties avaient entendu maintenir (ex. : soit que l'indice ait été défectueux, soit que la rente ne soit plus proportionnée à la valeur du bien). Dans ces 2 cas, la revalorisation judiciaire sera au max. de 75 % du coeff. de la plus-value déterminée par le trib. après expertise.

Majorations pour 1993. Date de la naissance de la rente originaire. Rentes entre particuliers : *avant août 1914 :* 76 799,8. *1-8-1914 au 31-12-1918 :* 43 844,4. *1-1-1919 au 31-12-1925 :* 18 406,4. *1-1-1926 au 31-12-1938 :* 11 250,7. *1-1-1939 au 31-8-1940 :* 8 092,9. *1-9-1940 au 31-8-1944 :* 4 887,9. *1-9-1944 au 31-12-1945 :* 2 362,4. *1946, 1947, 1948 :* 1 090. *1949, 1950, 1951 :* 579,1. *1952 à 1958 (inclus) :* 413,9. *1959 à 1963 (inclus) :* 328,8. *1964, 1965 :* 305,7. *1966, 1967, 1968 :* 286,9. *1969, 1970 :* 265,6. *1971, 1972, 1973 :* 226,6. *1974 :* 149,6. *1975 :* 136. *1976,*

Barème du Centre national de rentes viagères

Age du Crédirentier	Durée moyenne de vie		Taux de rente [1]	
	H	F	H	F
60	16,37	20,82	7,73	6,46
61	15,67	19,98	8,00	6,65
62	14,99	19,15	8,29	6,86
63	14,33	18,34	8,60	7,09
64	13,70	17,54	8,91	7,33
65	13,08	16,77	9,25	7,59
66	12,48	16,01	9,62	7,87
67	11,91	15,26	10,00	8,17
68	11,35	14,54	10,41	8,49
69	10,82	13,84	10,84	8,84
70	10,31	13,16	11,29	9,21
71	9,82	12,50	11,78	9,60
72	9,36	11,87	12,28	10,03
73	8,92	11,26	12,80	10,48
74	8,50	10,68	13,35	10,96
75	8,10	10,12	13,93	11,48
76	7,72	9,59	14,54	12,02
77	7,37	9,08	15,16	12,60
78	7,02	8,60	15,83	13,22
79	6,71	8,15	16,49	13,86
80	6,42	7,72	17,16	14,54
81	6,13	7,32	17,90	15,25
82	5,87	6,94	18,63	16,00
83	5,64	6,59	19,32	16,76
84	5,42	6,26	20,04	17,56
85	5,20	5,95	20,82	18,40

Nota. – (1) En % en tenant compte du fait que la rente est payable trimestriellement.

Capital nécessaire pour bénéficier
d'une rente mensuelle donnée à partir d'un certain âge ; en F

Revenu [1]	A 30 ans [2]	A 40 ans	A 50 ans	A 60 ans
10 000	4 000 000	2 963 000	2 690 000	2 045 000
20 000	8 000 000	5 926 000	5 380 000	4 090 000
30 000	12 000 000	8 889 000	8 070 000	6 135 000
40 000	16 000 000	11 852 000	10 760 000	8 180 000
50 000	20 000 000	14 815 000	13 450 000	10 225 000

Nota. – (1) Avant impôts. (2) Jusqu'à 80 ans (espérance de vie moyenne), pour préserver la valeur de sa mise de fonds, celle-ci est indexée sur le rendement d'un placement immobilier (SCI, SCPI). Les héritiers peuvent espérer récupérer un capital équivalent dans 50 ans.

1977 : 115,8. *1978 :* 100,2. *1979 :* 82,6. *1980 :* 62,2. *1981 :* 43,7. *1982 :* 33,4. *1983 :* 26,8. *1984 :* 21,3. *1985 :* 18. *1986 :* 16. *1987 :* 13,2. *1988 :* 10,7. *1989 :* 8. *1990 :* 5,1. *1991 :* 2,5.

Pour les rentes constituées avant 1960, il faut diviser le montant initial de la rente par 100 pour la convertir en F actuels, puis ajouter la majoration à ce nouveau montant.

Nota. – Les rentes du secteur public sont revalorisées plus faiblement si elles ont été constituées à partir de 1969, du fait que les organismes qui les versent distribuent aux crédirentiers (au moins pour les rentes plus récentes) une participation aux bénéfices ; celle-ci s'ajoute à la majoration légale, ce qui permet, souvent, d'obtenir une rémunération réelle supérieure au taux de l'inflation.

■ **Rachat des rentes perpétuelles.** Constituées contre versement d'un capital (r. constituées), peuvent être rachetées après un délai d'au max. 10 ans. Les r. perpétuelles constituées moyennant une amélioration immobilière (r. foncières) peuvent être rachetées après un délai d'au max. 30 ans. On peut s'adresser à 2 Stés qui jouent les intermédiaires entre les particuliers, le Centre national des rentes viagères (CNRV) et la Française de rentes et financements.

Valeurs mobilières

■ Types

■ **Actions.** Représentant une part du capital de la société, indiquée par leur valeur nominale. L'actionnaire est un associé. Il a droit : 1°) *A une part des bénéfices* après constitution des amortissements industriels, des provisions et des réserves (légales, statutaires ou facultatives) ; le dividende est payé 1 fois par an (l'assemblée peut décider de ne pas en verser). 2°) *De participer aux assemblées gén. qui ont un pouvoir sur les orientations stratégiques.* 3°) *A une priorité pour souscrire aux augmentations de capital* (avec un délai de 15 j minimal pour en profiter). Ce droit, proportionnel au nombre de ses actions, est négociable. 4°) *Au remboursement de la valeur nominale des actions en cas de dissolution de la société,* mais il ne sera payé qu'une fois les créanciers désintéressés. Le remboursement peut avoir lieu par anticipation (voir action de jouissance). 5°) *Aux bénéfices de liquidation :* après le désintéressement des créanciers et le remboursement de la valeur nominale des actions. 6°) *De communication des documents* soumis à l'approbation des assemblées générales ordinaires. Les Stés cotées et leurs principales filiales doivent publier au Balo, outre les documents soumis à l'approbation de l'assemblée générale ordinaire (bilan, compte de résultat, etc.), un tableau d'activité et de résultats du 1er semestre de l'exercice, un rapport semestriel, et le chiffre d'affaires trimestriel. Elles doivent publier des comptes consolidés si elles sont à la tête d'un groupe. 7°) *De négocier librement son action :* par la simple remise (titre au porteur), ou par transfert sur les registres de la société (titre nominatif) ; parfois soumis à l'agrément du conseil. Les *actions d'apport* ne sont négociables que 2 ans après leur création. Les *actions déposées par chaque administrateur* en garantie de gestion sont inaliénables pendant son mandat. 8°) *D'être désigné aux fonctions sociales* (conseil d'administration, directoire, conseil de surveillance). 9°) *D'agir en justice* (contre les organes sociaux ou la société).

Action de jouissance : action dont le capital a été amorti par prélèvement sur les réserves et par conséquent remboursé aux actionnaires ; n'a pas droit au dividende statutaire. **De priorité ou action privilégiée :** a droit en priorité au dividende (qui peut être majoré par rapport à celui des actions ordinaires). **A dividende prioritaire (ADP) sans droit de vote :** donne droit à un dividende prioritaire majoré (rendement min. 7,5 %) en contrepartie de la suppression du droit de vote. **Accumulante :** l'actionnaire a le choix entre le paiement du dividende en numéraire et l'attribution d'actions nouvelles. **A droit de vote plural :** libérée dès l'origine, nominative (éventuellement pendant 2 ans suivant l'origine), bénéficiant d'un droit de vote double.

ABSA (actions à bon de souscription d'action) émises à un prix supérieur au cours de la Bourse ; donne la possibilité de souscrire à terme d'autres actions à prix convenu. Intéresse ceux qui anticipent la hausse au-dessus du cours d'achat, auquel cas ils réalisent l'opération.

Régime fiscal des actions. Dividende : *avoir fiscal* égal à 50 % du dividende distribué ; *imposition à l'IRPP* (y compris avoirs fiscaux) avec abattement forfaitaire de 8 000 F (16 000 pour un couple). **Plus-values.** Imposables au taux de 18,1 % si le montant annuel de vente est supérieur à 335 000 F (moins-values au-dessous de ce seuil déductibles pendant 5 ans).

Augmentations de capital. *Gratuites :* 3 formes : élévation de la valeur nominale de l'action, division du titre ou distribution d'actions gratuites. *Payantes :* supposent le détachement d'un droit de souscription ou d'attribution. *Calcul de coût d'une action acquise par souscription : Formule :* K = (c × n) + P. K étant le prix de revient de l'action nouvelle ; c, le cours du droit ; n, le nombre de droits pour avoir une action ; P, le prix de souscription. *Ex. :* le droit cote 17 F et il en faut 3 pour souscrire à une action au prix de 150 F. L'action nouvelle revient à : (17 F × 3) + 150 F = 201 F. Si l'action ancienne cote par exemple 209 F, il y a intérêt à acheter les droits et à souscrire si l'écart de cours ne s'explique pas par une différence de jouissance (actions anciennes bénéficient d'un dividende auquel les nouvelles ne peuvent pas prétendre) et si les frais de Bourse sont inf. à la différence constatée.

Compte d'épargne en actions (CEA) : loi du 13-7-1978 (loi *Monory*). Valable du 1-1-83 au 31-12-88. Réduction d'impôt égale à 25 % des achats nets d'actions françaises effectués en cours d'année.

Certificats d'investissement. Créés 1983 (loi Delors) pour renforcer les fonds des entreprises publiques sans remettre en cause le contrôle étatique (puis utilisés par le privé). L'action conserve le droit de vote et le certificat d'investissement en reçoit les droits pécuniaires.

Plan d'épargne en actions (PEA) : destiné à favoriser l'épargne longue en actions. *Durée :* 8 ans. *Versements plafonnés* à 600 000 F (1 200 000 F pour un couple). On peut y mettre des actions fr. ou des OPCVM comportant au moins 60 % d'actions fr. pour les Sicav et 75 % pour les FCP. Les produits de taux (Sicav monétaires, obligations) proscrits. *Fiscalité :* franchise d'impôt sur les produits (dividendes, avoirs fiscaux, plus-values...) capitalisés 5 ans. Avant 8 ans, toute cession non réinvestie entraîne la clôture du plan.

ÉVOLUTION D'UN CAPITAL DE 10 000 F
placé à intérêt fixe capitalisé

%	5 ans	10 ans	15 ans	20 ans	30 ans
5	12 763	16 289	20 789	26 532	43 219
6	13 382	17 908	23 965	32 071	57 435
8	14 693	21 589	31 722	46 609	100 626
10	16 105	25 937	41 772	67 275	174 493
12	17 623	31 058	54 736	96 463	299 597
15	20 114	40 456	81 370	163 664	662 114
20	24 883	61 917	154 070	383 375	2 373 763

■ **Emprunts d'État indexés. Rente Pinay 4,5 % en 1953 :** sur la base d'un prix de référence de 36 F fixé par l'Administration, chaque année un prix de remboursement ou de reprise était fixé le 1-6 et le 1-11 en fonction de la moyenne des cours du Napoléon. Le 1-6-1988, tous les titres restant en circulation ont été remboursés par anticipation sur 1989 à 1 474 F. Le prix de remboursement avait culminé à 2 447 F en juin 1981. L'État a remboursé env. 2,75 milliards pour 1,86 de titres amortis. Au total, l'emprunt avait permis de recueillir plusieurs milliards de F de l'époque et 185 t d'or utilisées pour souscrire.

Emprunt Giscard. 7 % en 1973 : emprunt de 6,5 milliards de F lancé pour financer, par avance, une baisse de la TVA ramenée de 23 % à 20 % et de 7,5 % à 7 %. Préparé par Claude Pierre-Brossolette, directeur du Trésor, et Jean-Yves Haberer, chef du service des affaires monétaires et financières du Trésor. L'indexation directe sur l'or-métal paraissant dangereuse, l'emprunt fut indexé sur le rapport, au jour de l'émission, entre le poids d'or du F et l'unité de compte européenne (UCE), utilisée alors essentiellement pour fixer les prix agricoles. Si le F et l'UCE n'étaient plus définis par un poids d'or, comme ils l'étaient alors, l'indexation se ferait sur les variations des cours du lingot d'or de 1 kg, coté à la Bourse de Paris, avec 10 483 F comme base de départ. L'emprunt, émis avec un taux inférieur d'un point en dessous de celui du marché, fut assez mal accueilli. Peu après son lancement, il perdait jusqu'à 15 % de sa valeur. Quand l'accord de la Jamaïque en janv. 1976 (ratifié sans la participation formelle de la France au début 1978) officialisa l'abandon de l'étalon-or et la généralisation des changes flottants, l'emprunt 1973 monta de janv. 1976 à 1978 de 1 000 F à 3 000 F puis à + de 10 000 en 1980 parallèlement à la montée de l'or. C'est ainsi que le Trésor a dû rembourser 55 milliards de F au lieu de 6,5 (coefficient 8,5) et verser 35 milliards de F d'intérêts au lieu des 6,8 prévus. Il a donc coûté 76,7 milliards de F (soit en F constants 34 milliards de F dont remboursement 24, intérêts 10). Le remboursement se fit le 18-1-1988 en partie avec 45 milliards de F prélevés sur les 67 obtenus des privatisations en 1987. Il représentait 5 % de la dette de l'État (contre 10 % en 1981), 12 % à 14 % de la charge de refinancement supportée par le Trésor en 1987 (400 milliards de F) et un peu plus de 50 % des obligations publiques émises en 1986 et 1987 (137 et 96). Il a peu allégé le montant nominal de la dette publique (1 300 milliards de F), où le 7 % 1973 ne figurait que pour ses 6,5 milliards de F d'origine.

Emprunt Barre. 8,80 % en 1977 : nominal (1 000 F) indexé sur la valeur en F de l'unité de compte européenne (UCE) sur la base de sa composition et de sa valeur au 29-4-1977 (5,60127 F). *Valeur instantanée.* Dernière tranche amortie le 23-5-92 (prix de remboursement : 1 258,81 F par obligation).

Emprunt Balladur. 6 % en 1993 : lancé comme un à-valoir sur le produit des privatisations pour financer des mesures de soutien de l'emploi et de l'économie. *Souscription* du 25-6 au 10-7-1993. *Montant attendu* 40 milliards de F ; *souscrit* + de 110 milliards de F. *Durée* 4 ans (remboursement le 16-7-97), (pour un PEA ne pas sortir avant 5 ans). *Frais* néant (sauf droits de garde demandés par établissement financier) si on ne cherche pas à vendre ses titres ou à les céder en Bourse. *Fiscalité :* celle des obligations (la souscription dans un PEA est fiscalement plus avantageuse). *Droit de souscription prioritaire des privatisations ;* les titres de l'emprunt pourront servir en paiement des actions de privatisation.

Obligations (3 % *de la Caisse nationale de l'énergie) :* réparties entre les actionnaires des Stés de gaz et d'électricité en compensation de leur nationalisation en 1946 ; indexation sur un prélèvement d'au moins 1 % des recettes d'EDF-GDF.

☞ Depuis le remboursement du 4,5 % 1953 et du 7 % 1973, un seul emprunt indexé sur l'or est coté à la Bourse de Paris : *l'emprunt d'Algérie 3,5 % 1952 indexé sur le cours du napoléon,* émis en coupures de 100 F, 500 F et 1 000 F de nominal, amortissable par tranches de 1953 à 2012 (les résultats des tranches tirées au sort ne sont connus généralement qu'au bout de 10 mois) et peu de titres sont échangés à chaque séance (de 5 à 10).

■ **Fonds d'État.** Titre générique qui recouvre *rentes perpétuelles* (sorte de rente viagère) et *emprunts d'État.* La rente perpétuelle de 3 %, dont l'origine remonte à 1825 et qui servit au règlement de l'indemnité de 1 milliard de F-or allouée aux émigrés et à leurs descendants dont les biens avaient été confisqués pendant la Révolution, est encore négociée.

■ **Matif (marché à terme des instruments financiers).** *Créé* février 1986 sur le modèle des marchés à terme de marchandises pour permettre aux investisseurs de protéger la valeur de leurs actifs face, en particulier, à l'instabilité des taux de change. *Pertes enregistrées* par certaines sociétés (en 1987 en millions de F) : Cogema - 259. Banque d'entreprise - 200. Sté des Banques fr. 500 (en 1987 et 1er sem. 1988).

■ **Obligations.** Valeur mobilière (au min. de 100 F nominal) négociable, représentant une créance exigible généralement à long terme (+ de 5 ans). Seuls collectivités publiques et GIE peuvent en émettre : le 1er exercice d'exploitation doit être achevé et le 1er bilan dressé, les actions doivent être entièrement libérées (payées). L'émetteur doit s'inscrire 31 j avant en calendrier des émissions. Les obligations sont remboursées au terme indiqué, ou annuellement, par tirage au sort. Une prime est souvent prévue, l'obligation ayant été émise au-dessous de la valeur nominale mais étant remboursée à celle-ci. *Droits des obligataires :* d'information, de faire partie d'une masse qui se réunit en assemblées, d'aliéner les obligations, d'être remboursés avant l'actionnaire en cas de dissolution de la sté, droit au paiement des intérêts.

Différents types. A taux fixe (nominal ou facial) (98 % des titres en 1991) : le cours de l'obl. peut varier cependant en fonction du taux d'intérêt moyen des emprunts à l'émission et des conditions propres à chaque obl. (durée de vie, modalités d'amortissement, qualité de l'emprunteur, sensibilité, etc.). **A taux variable :** déterminé en fonction des variations d'un taux de référence (taux du marché obligataire, taux du marché monétaire, etc). **A taux révisable :** indices les plus usuels : TAM (taux annuel monétaire), TRA (taux révisable annuel), TRO (taux révisable tous les 3 ans), TSM (taux semestriel monétaire) déterminé d'avance, ou « taux flottant ». **A minimum garanti :** revenu indexé sur l'indice CAC 40 et à minimum garanti.

A bons de souscription. D'actions (Obsa) : également appelés *warrants.* Donnent le droit de souscrire à une nouvelle action de la Sté émettrice à un prix fixé par le contrat d'émission, et durant une période déterminée. **D'obligation (Obso) :** le warrant fait l'objet d'une cotation séparée et se négocie indépendamment de l'obligation. La durée de ces bons est en général assez limitée.

Convertibles. En actions : peut être échangée contre une action de la Sté émettrice durant période et modalités définies par le contrat d'émission. Si le cours de l'action monte, celui de l'obligation convertible est alors tiré vers le haut. Si le cours de l'action baisse, le porteur de l'obligation est mieux protégé que l'actionnaire de recevoir un revenu régulier. Seules les Stés en commandite par actions (après décision de l'ass. gén. extraordinaire) et les Stés anonymes peuvent en émettre.

Indexées : ex. : emprunt 8,80 % 1977 indexé sur l'Ecu et les emprunts du Danemark et de la Suède, cotés à Paris, indexés sur l'indice de la Cie des agents de change.

A fenêtres : comportent une clause de remboursement anticipé (la 7e, 10e ou 14e année) au gré du porteur ou de l'émetteur. Le porteur qui demande un remboursement anticipé supporte une pénalité sur son dernier coupon. Il n'a donc intérêt à le faire que si les taux montent. Inversement, l'émetteur ne remboursera par anticipation son emprunt que si les taux baissent fortement. Il doit, dans ce cas, une prime de remboursement au souscripteur.

A lots : doivent être autorisées par une loi. Ex. : obligations à lots SNCF (permettant aux porteurs tirés au sort de gagner des km de voyage).

Assimilables du Trésor (OAT) : *émises depuis mai 1985* permettent de fractionner la collecte de fond pour ne pas saturer le marché. Chaque mois, les nouveaux titres émis ont les mêmes caractéristiques que ceux de l'emprunt initial.

Renouvelables du Trésor (ORT) : *émises* le 6-6-1987. A taux fixe légèrement inférieur aux emprunts d'État. Les coupons sont capitalisés (seule la plus-value est imposable si l'on revend le titre avant le détachement du coupon). Durée de vie (6 ans), on peut (au bout de 3 ans) échanger une ORT contre une autre ORT émise à un taux plus avantageux.

A coupon zéro : les intérêts ne sont pas payés annuellement, mais capitalisés. Depuis 1992, franchise d'impôt sur les intérêts capitalisés jusqu'à l'échéance puis taxation à 18,1 % au-delà des seuils mobiliers. La revente avant échéance est fiscalisée comme plus-value (seuil 335 000 F).

Remboursables. En certificats d'investissement privilégié (Orcip) : remis à l'échéance par la Sté émettrice. **En action (Ora) :** à l'échéance, en actions ordinaires de la Sté émettrice selon des modalités fixées par le contrat d'émission.

Junk Bonds (obligations pourries). Obligations émises à fort taux pour attirer les investisseurs malgré la fiabilité douteuse des émetteurs. Leur faillite a parfois entraîné celle des prêteurs.

Régime fiscal des obligations françaises (ou assimilées : émises en France par des organismes étrangers ou internationaux) **non indexées.** *Intérêts :* abattement fiscal 8 000 F (16 000 F pour 1 couple). Au-delà déclaration IRPP ou prélèvement libératoire 18,1 %. Pour certaines obligations, la prime d'émission est partiellement ou totalement exonérée. *Plus-values* 18,1 % si les cessions dépassent 325 000 F en 1992.

Statistiques (en milliards de F, 1991). *Flux annuels d'émission :* actions 23 ; obligations 300 (dont 1/3 État, 1/3 secteur public, 1/3 secteur privé). *Échanges :* obligations 3 000 ; actions 634.

■ **Parts de fondateurs.** Elles n'ont pas de valeur nominale et ne sont pas comprises dans le capital social, mais confèrent un droit à répartition des bénéfices. Négociables en Bourse.

■ **RES (rachat d'entreprises par les salariés) ; LMBO (leveraged management buy-out).** Aux États-Unis, opérations généralement dénouées par la revente d'actifs pour rembourser les « junk bonds ». En Europe, les crédits sont gagés sur les cash-flows futurs de l'entreprise et non sur les actifs. De 1980 à 1988, il y a eu + de 10 000 LMBO aux États-Unis, 2 500 en G.-B., + de 300 en France.

■ **Titres du marché monétaire.**

■ **Titres subordonnés à durée indéterminée (TSDI).** Le souscripteur n'a pas droit au remboursement de son apport à une date déterminée. C'est la société émettrice qui se réserve la possibilité de rembourser les titres à son gré.

■ **Titres participatifs.** *Créés* par la loi du 3-1-1983. Seules peuvent en émettre les Stés par actions de droit public, les Stés anonymes coopératives et les établ. publics à caractère ind. et commercial. Perpétuels, non remboursables, sauf en cas de liquidation de la Sté. Négociables en Bourse, dans le cadre d'OPA et d'OPE. *Rémunération :* comprend une partie fixe, souvent fixée par rapport au taux du marché obligataire, et une partie variable, fonction du résultat net de la Sté, ou de sa marge d'autofinancement, ou de son chiffre d'aff. consolidé (elle peut comporter un plancher et un plafond). *Régime juridique :* celui des obligations. *Cotation :* à la cote off. au comptant. *Fiscalité :* abattement de 5 000 F et prélèvement libératoire à 26 %. Certaines émissions peuvent être accompagnées de bons de souscription.

■ **Références les plus utilisées** (taux variables). **Références monétaires (courtes) :** *TMP :* taux moyen pondéré des opérations de prêt au jour le jour (24 h). Pondération fonction du volume échangé. *Tiop 1 mois :* taux interbancaire offert à Paris à 1 mois (ou en anglais *Pibor :* Paris Intern Banking Offert Rate). Même référence pour le 1, 2, 3 et 6 mois. *TMM (ou TMMMM ou T4M)* : taux moyen mensuel du marché monétaire au j le j entre banques. Égal à la moyenne arithmétique des taux journaliers du marché monétaire à 1 j. *TAM :* taux annuel monétaire. Il est pour un mois donné le placement à intérêts composés calculé pendant 12 mois du TMM. *THB :* taux hebdomadaire des bons du Trésor à 13 semaines. Égal au taux de rendement actuariel annuel constaté lors des adjudications de BTH. *TMB :* taux moyen mensuel des bons du Trésor à 13 semaines. Égal pour un mois donné à la moyenne arithmétique des THB. **Références obligataires (longues).** *TMO :* taux actuariel moyen au règlement des obligations à taux fixe du secteur privé pour un mois. (THO : idem, avec une référence hebdomadaire). *THE :* taux moyen hebdomadaire des emprunts d'État à long terme, calculé à partir d'un échantillon d'emprunts d'État dont la durée de vie est de 7 à 10 ans. *TME :* moyenne arithmétique des THE du mois.

Dématérialisation des valeurs mobilières. Depuis le 3-11-1984, les valeurs mobilières émises en France et soumises à la législation française doivent être déposées en compte par leurs détenteurs auprès de leur intermédiaire agréé (banque, agent de change, etc.) ; les titres papier ont fait place à un enregistrement informatique à la *Sicovam* (Sté interprofessionnelle pour la compensation de valeurs mobilières) qui effectue les calculs de valorisation. **Exceptions (titres non dématérialisés).** *Emprunts d'État : 1973 :* 4 1/2 %, *45-54 :* 3 %, *42-55 :* 3 %, *41-60 :* 4 %, *42-52 :* 3 % ; *emprunts PTT : 64 :* 5 %, *65 :* 5,75 %, *66 :* 5,75 %, *67 :* 6,25 %, *68 :* 6,5 %, *69 :* 7 %, *70 :* 8,5 %, *71 :* 8,5 %.

Titrisation. Depuis la loi du 22-12-1988, les créances détenues en portefeuille par des établissements de crédit peuvent être mises sur le marché. Les premières opérations [Caisse autonome de refinancement (CAR), Crédit Lyonnais et Compagnie Bancaire] ont porté uniquement sur des créances à taux d'intérêt élevé permettant de les revendre sur le marché, après transformation en titres, à un taux moins élevé pour couvrir les frais et risques des variations de taux.

■ Modalités particulières de diffusion

■ **Club d'investissement ou d'actionnaires.** *Origine :* USA (Dallas 1898). *En France :* 1er club (Femmes de valeurs) *créé* 6-3-1969 par Roselyne Pierre (n. 29-7-1935). Groupes de 5 à 20 personnes formés pour un max. de 10 ans, pour pratiquer achats et ventes de titres en commun. Le club bénéficie d'avantages fiscaux. *Versements mensuels max. :* 2 000 F par membre après un vers. initial de 3 000 F (max.). *Nombre de clubs : fin 1969 :* 250, *fin 1988 :* 20 000 (250 000 adhérents). *Actif moyen fin 1975 :* 33 190 F, *fin 1987 :* 130 410 F. *La Féd. nat. des clubs d'inv. (FNACI, 22, bd de Courcelles, 75017 Paris) créée* 21-2-1978 représente l'ensemble des clubs.

■ **Fonds communs d'intervention sur les marchés à terme (FCIMT).** Régis par la loi du 23-12-1988.

■ **Fonds communs de créances.** Prévus par la loi du 23-12-1988, détiennent des créances cédées par les établissements de crédits. **Statistiques** (voir p. 1845 c).

■ **Fonds communs de placement d'entreprise (FCPE).** Gèrent les sommes issues de la participation et des plans d'épargne d'entreprises. *Encours :* (fin 1992) : + de 92 milliards de F.

■ **Fonds off shore.** *Régime juridique de droit étranger :* souvent créés par des banques nationales mais domiciliés dans un autre pays (ex. : Jersey, Guernesey, île de Man, Bermudes, Curaçao, Luxembourg, Hong Kong...) au droit duquel ils sont soumis. Ouverts aux résidents français (fonds cotés sur une Bourse étrangère ou bénéficiant d'une autorisation de vente en France par la Banque de Fr.), mais le démarchage est interdit en Fr. ; la demande doit venir du souscripteur. *Avantages, pour le gestionnaire* (banque française par ex.) : montant de l'actif illimité, placement possible des liquidités sur le marché international des capitaux, endettement possible sur certaines places (ex. Hong Kong) ; *pour le souscripteur :* valorisation dépendant de la gestion et des variations de change ; fiscal : possibilité de ne pas percevoir de coupons. *Nombre :* 580. *Conditions d'achat :* frais élevés : commission du courtier étranger et courtage de l'intermédiaire français.

■ **Organisme de placement collectif en valeurs mobilières (OPCVM).** Loi du 23-12-1988 regroupant essentiellement Sicav et FCP. *Constitution :* soumise à agrément de la Commission des Opérations de Bourse. *Souscriptions :* en espèces ou valeurs mobilières (le gérant peut les refuser), rachats en espèces. *Catégories :* court terme, obligataires, actions, diversifiés (actions et obligations). *Fiscalité pour les organismes :* non soumises à l'impôt sur les sociétés. Peuvent capitaliser l'ensemble de leurs revenus (intérêts des créances et dividendes d'actions). *Avantage fiscal pour les souscripteurs :* dividendes imposés comme des revenus, avec abattement à la base (8 000 F ou 16 000 F pour un couple) et possibilité d'opter pour le prélèvement libératoire, alors que les plus-values sont taxées à 18,1 %, si le contribuable a cédé pour plus de 325 800 F (en 1992) de valeurs mobilières. Seuil baissé à 162 900 F en 1993 pour les OPCVM à court terme afin de réorienter l'épargne vers les placements longs plus profitables à l'économie. *Commissions et frais :* fixés librement dans la notice d'information. On peut souscrire ou racheter tous les j de Bourse. Prix de souscription et de rachat publiés quotidiennement. *Encours :* au 31-12-1992 + de 2 500 milliards de F. Part dans la composition des portefeuilles-titres au 31-12-1990 : 34,7 %, et 53,5 % des actifs-titres des ménages (28,7 % en 1985). *Organisation professionnelle :* Association des sociétés et fonds français d'investissement (ASFFI).

■ **Sté d'investissement à capital variable (Sicav).** Sté anonyme ayant pour objet la gestion d'un portefeuille de valeurs mobilières presque toutes négociées sur un marché réglementé, et pour particularité la variabilité de son capital, en fonction des souscriptions et des rachats d'actions. *Capital initial :* 50 millions de F. Elles ne peuvent investir plus de 5 % de leur actif dans une même valeur, ni acquérir plus de 10 % du capital d'une même société (loi du 23-12-1988).

Sicav monétaires (à court terme). Créées au départ pour rémunérer la trésorerie des entreprises. Actifs investis dans des placements financiers à court terme (bons du Trésor, certificats de dépôts émis par les banques, ou billets de trésorerie des entreprises) et rémunérés aux taux du marché monétaire [entre 8 à 10 % d'intérêt, net d'impôt dans certains cas (Sicav de capitalisation)]. *Encours* (déc. 1992) : + de 1 230 milliards de F.

Performance des Sicav sur 5 ans. *Progression entre 1988 et 1992 :* court terme 51,5 % (dont 56,4 % pour les monétaires), pour les obligataires 51,6 %, pour les Sicav actions et diversifiées 46,1 %. *Détenteurs :* env. 10 000 000. En 1992 : 10,28 % pour les monétaires ; 10,21 % pour les obligataires.

■ **Fonds communs de placement (FCP) (clientèle privée et entreprises).** *Créés* 1979. Actuellement, loi du 23-12-1988. Copropriété de valeurs mobilières et de sommes placées à court terme ou à vue. Le fonds n'a pas de personnalité morale et n'est pas une indivision. Chaque part correspond à une fraction des actifs qui y sont compris. *Actif initial :* 2,5 millions de F. *Commissions et frais* sont fixés librement dans la notice d'information. *Sicav :* juridiquement, les FCP sont des copropriétés de valeurs, les Sicav des Stés anonymes. Ils publient leur valeur liquidative tous les 8 à 10 j, les Sicav tous les j.

■ **Fonds communs de placement à risques (FCPR).** *Créés* 1983. Actuellement, loi du 23-12-1988 (40 % des actifs au min. constitués par des actions de sociétés non cotées), ils bénéficient d'un régime fiscal plus favorable sous certaines conditions (de durée, d'investissement).

Statistiques (1992). *Nombre* de FCP : 3 555 (actif net 697,6 milliards de F). 900 Sicav (actif net 1 803 milliards de F).

■ **Participation et actionnariat des salariés. FCP de la participation.** Gèrent les sommes venant de la participation et des plans d'épargne d'entreprises. **Actionnariat des salariés. Secteur privé :** *plans d'options sur action* (1970) : *plans de souscription ou d'achat d'actions* (déc. 1973). Actions incessibles 5 ans ; distribution gratuite d'actions (loi du 24-10-1980) dans la limite max. de 3 % du capital. **Secteur public :** actionnariat à la Régie Renault (1970) : 7 % du capital distribué gratuitement à 70 000 salariés ; dans les entreprises d'assurances nationales (1973) à titre gratuit (actions indisponibles 5 ans) et à titre onéreux (actions négociables dep. le 1-10-1973).

■ **Plans d'épargne en valeurs mobilières.**

■ **Plans d'épargne libre (PEL).** *2 sortes : p. comptants* (versement initial d'un montant minimal) ; *p. à versements successifs* (obligation d'effectuer pendant 5, 10 ou 15 ans des versements périodiques et réguliers).

■ **Stés civiles de placements immobiliers (SCPI).** Loi de 1970, modifiée en 1992. *Objet exclusif :* acquérir et gérer un patrimoine immobilier locatif. Ne peuvent pas participer à des opérations de promotion immobilière. Capital divisé en parts dont la « valeur mathématique » est fixée chaque année en fonction de la « valeur de reconstitution de la société ». *Montant minimum souscrit :* 10 000 F. *Responsabilité des associés :* limitée, vis-à-vis des créanciers de la Sté, au double de la fraction de capital qu'ils possèdent. Risque limité : les SCPI ayant généralement été créées sous l'égide d'une banque ou d'un groupe financier, devant être agréées par la COB et soumises à son contrôle. *Capital minimum :* 5 millions de F, souscrit à 15 % en 1 an ; obligation de faire évaluer le patrimoine régulièrement pour l'évaluation des parts. *Rendement annuel brut :* de 2 à 8 %. **SCPI Méhaignerie** [logements neufs destinés à la location pendant 6 ans, accordent pour leur souscripteur, selon la date de souscription : avant ou entre parenthèses après le 1-4-1993, une réduction égale à 10 % (ou 15 %) de leur investissement (jusqu'à 30 000 F pour un célibataire ou 60 000 F pour un couple (60 000 F ou 120 000 F répartis sur 4 ans), et un abattement de 25 % sur les recettes pendant 10 ans]. Les SCPI bénéficient de la transparence fiscale (elles ne paient pas l'impôt sur les Stés). Les revenus perçus sont répartis entre les porteurs de parts, qui sont soumis à l'impôt foncier (abattement 8 %) comme s'ils étaient directement propriétaires d'immeubles.

Statistiques (1992 et entre par. 1990). *Nombre* 270. *Collecte* 6,3 milliards de F (13). *Capitalisation* 89 milliards de F. *Sociétaires* 600 000. *Performance globale* (rendement et plus-value) : 8,92 %.

■ **Stés immobilières pour le commerce et l'industrie (Sicomi).** *Créées* en 1967. Stés anonymes (25 sur 60) cotées en Bourse. Peuvent réaliser : *1°) la location d'immeubles,* en restant propriétaires (baux commerciaux classiques) ; *2°) le crédit-bail :* la Sicomi utilise les fonds qui lui ont été confiés pour l'achat d'immeubles à usage de bureaux. Elle les loue ensuite en crédit-bail à des entreprises qui ne peuvent ou ne veulent pas emprunter pour acheter ou faire construire, mais s'engagent à louer pendant une période fixée à l'avance de 10 à 20 ans. Les loyers sont réévalués régulièrement. Au terme du bail, l'entreprise se retrouve propriétaire des locaux en ne versant qu'une somme minime (souvent 1 F symbolique). Les Sicomi bénéficiaient de la transparence fiscale, à condition de distribuer à leurs actionnaires 85 % au moins des bénéfices (pas d'avoir fiscal). Cet avantage a été supprimé par une loi de 1991 applicable d'ici le 1-1-1996, d'où une crise des Sicomi. Une Sicomi non cotée en Bourse est obligée de reprendre aux actionnaires qui le souhaitent les titres qu'ils veulent vendre si le total de la demande de vente n'excède pas 10 % du capital de la Sté ou si la Sicomi est automatiquement cotée en Bourse après 4 ans. *Rendement moyen (1992) :* suf. à 9 %.

■ **Stés immobilières d'investissement (SII).** *Créées* en 1958). Stés anonymes cotées en Bourse. *Objet :* construction et location d'immeubles. *Statut :* bénéficient de la transparence fiscale à condition d'investir 75 % des surfaces en habitations et de distribuer à leurs actionnaires 85 % au moins des bénéfices (le dividende perçu ne donne pas droit à un avoir fiscal). Fin 1992, la plupart ont abandonné ce statut dérogatoire pour que leurs actionnaires puissent investir dans le cadre du PEA. *Les plus grosses* (capitalisation boursière en milliards de F, mars 1993) : Sefimeg 7,6 ; Simco 7 ; UIF 4,1 ; GFC 3,6. *Rendement (1992) :* 6 à 7 % grâce à la *décote par rapport à la valeur intern. du patrimoine :* env. 30 à 40 %

■ **Stés foncières.** *Créées* à la fin du XIXe s. Stés de droit commun, ne disposant pas de statut spécifique. Patrimoine diversifié, plutôt ancien dans le centre des villes. Certaines sont cotées en Bourse avec des capitalisations importantes (en milliards de F, mars 1993 : Plaine Monceau 4,6 ; EMGP 3,3 ; Foncière Lyonnaise 2,4). *Rendement :* 3 à 5 %. Pas d'avantage fiscal : les revenus des Stés cotées en Bourse sont imposés comme ceux des actions. Pour les Stés non cotées, la taxation des plus-values est la même que celle des SCPI. *Rendement (1991) :* 2,5 à 5,8 %.

■ **Scapi** (Stés en commandite par actions de propriété d'immeubles). Encore en projet. Principe : à chaque action correspondrait 1 m² d'immeuble (ou même 1 cm²). *Avantage :* les immeubles seraient individualisés ; les droits de mutation exonérés en cas de cession de l'immeuble ; les loyers, après déduction des charges, seraient intégralement versés aux actionnaires sous forme de dividendes, sans commission de gestion.

Placements divers (exemples)

■ **Cheval de course.** *Formules d'achat : foal* (poulain de l'année) en général investissement de professionnels ou d'investisseurs à long terme, *yearling* (cheval né l'année précédente et prêt à commencer l'entraînement), ventes aux enchères à Deauville en août et à Paris à l'automne, compter au min. 60 000 F (1990, prix moyen à Deauville 174 000 F, record 6,5 millions), *cheval qui commence à courir* (2, 3 ou 4 ans) 150 000 F au min. On peut constituer une écurie de groupe sous forme de Sté civile. *Rentabilité :* 2 sources : prix des courses (40 % du 1er prix pour le 2e, 20 % pour le 3e, 10 % pour le 4e) ; gains sur les parts d'étalon, le prix de la part étant calculé pour être amortissable en 4 ou 5 ans en fonction du prix de la saillie, sur la base de 40 saillies par an. Marché étroit : baisse récente du prix des yearlings. Le trotteur *Idéal du Gazeau,* acheté 15 000 F en 1976, a gagné 15 millions de F, a été 3 fois champion du monde aux USA et a été revendu 15 millions de F à la Suède.

■ **Diamant.** Placement à (très) long terme : il faut amortir la taxe sur la plus-value, la TVA (22 % depuis 1991 sur une pierre non montée) et la commission du joaillier (45 à 100 %), la taxe à la revente (7 %). Les plus faciles à négocier sont les diamants de 1 à 5 carats, parfaitement purs, d'une couleur dite « premier blanc » et parfaitement taillés. La formule du dépôt-vente (le négociateur n'achète pas la pierre, il la prend en dépôt), assimilée à une vente entre particuliers, échappe à la TVA.

■ **Emprunts émis par la Russie tsariste.** **G.-B. :** env. 45 millions de £ d'avoirs russes (460 millions de F) étaient bloqués dep. 1918 par la G.-B. qui estimait à 900 millions de £ le préjudice subi par la Couronne et les épargnants brit. De son côté, l'URSS réclamait 2 milliards de £ pour dommages subis du fait de l'intervention du corps expéditionnaire brit. entre 1918 et 1921. Le 15-8-1986, G.-B. et URSS ont renoncé à leurs prétentions. Les 45 millions de £ (bloqués à la banque Baring) serviront à indemniser les particuliers qui ne recevront qu'env. 10 % de la valeur des titres qu'ils détenaient. **France :** *1917,* 77 emprunts russes sont cotés à Paris (1 500 000 rentiers avaient souscrit pour 123 milliards de F-or d'emprunts russes entre 1888 et 1917, soit env. 450 milliards de F actuels). [*1917,* traité de Brest-Litovsk avec Allemagne, la Russie s'engage à livrer 55 t d'or en dommages de guerre et à titre d'indemnisation des porteurs allemands d'emprunts russes. *1919,* tr. de Versailles, l'or russe passé dans les caisses allemandes se retrouve dans les coffres de la Banque de Fr. La Fr. en conserve 47 t. *1926,* l'URSS propose à la Fr. d'apurer sa dette en versant 61 annuités de 60 millions de F-or. En contrepartie, la Fr. fournirait un crédit marchandises de 120 millions de $. La Fr. refuse. *1963,* des contacts franco-sov. sont pris. Les 47 t d'or sont officiellement affectées en atténuation de la créance de l'État fr. Il reste alors dans les comptes publics une créance théorique de 7 milliards de F-or. *1965,* la visite de Khrouchtchev provoque une spéculation (le 5 % 1906 montant de 800 % en 12 mois)]. *1990-29-10,* tr. d'entente franco-sov. stipule dans son art. 24 que l'URSS doit régler ses arriérés (300 000 porteurs concernés). À la Bourse de Paris, 38 emprunts encore cotés. *Cours* de l'emprunt russe (4% en 1890) à la Bourse : 5,20 F (aux Puces, env. 20 F). Valeur théorique : 12 000 à 40 000 F. Un groupement nat. des porteurs russes (BP19 59010 Lille Cedex) regroupe 1 500 épargnants ou descendants d'épargnants. **Suisse :** *févr. 1990 :* a obtenu l'indemnisation des biens helvétiques détruits durant la guerre 1939-45 et des biens nationalisés à la suite de l'annexion ou de l'occupation de la Pologne, des rép. Baltes et de la Roumanie.

■ **Fonds du Trésor.** On peut se faire ouvrir dans les recettes-perceptions des comptes à vue (non rémunérés) et à terme à 1, 3 ou 6 mois (mêmes taux que dans les banques).

■ **Forêts. Groupement forestier.** Forêt achetée par un gestionnaire et revendue par parts. Frais (plantation, entretien) et revenus (coupes de bois) sont partagés entre les associés proportionnellement à leurs investissements. *Fiscalité :* droits d'enregistrement 3,6 à 10 % (Landes, Val-de-Marne, Seine-St-Denis), exonération des 3/4 de la valeur pour les droits de mutation et de l'ISF (sous certaines conditions), exonération pour successions et donations ; revenu de la forêt taxé sur le rev. cadastral (et non celui des ventes) ; peuplements exonérés 30 ans (feuillus) ou 20 ans (résineux) ; cessions de terrains exonérées quand prix de – de 50 000 F. *Rendement brut :* 1 à 3 %. *Durée optimale :* très long terme.

■ **Groupement foncier agricole (GFA)** (voir aussi p. 1639). Le porteur de part est responsable en proportion de sa quote-part détenue dans le capital du GFA. *Liquidité :* faible (plusieurs semaines ou mois pour vendre la part). *Rentabilité :* grevée par les frais d'acquisition (enregistrement, taxes locales, notaire) + frais d'entretien du bâti ; revenus annuels de 0,5 à 3 %, plus-value aléatoire. *Fiscalité :* exonération des 3/4 de la valeur à la 1re mutation dans la limite de 500 000 F (50 % au-delà), si le GFA loue ses terres à long terme ; revenus assimilés aux autres rev. fonciers ; abattement de 10 à 15 % ; droits d'enreg. réduits (4,80 %). **Viticole (GFV) :** même régime juridique et fiscal que le GFA. *Revenu :* 2 à 5 % (grevé par les frais de gestion) avec avantages en nature (vin, etc.). Plus-values potentielles. Demande soutenue.

■ **DOM-TOM.** Loi du 11-7-1986. Avantages consentis : réduction d'impôt de 25 % pour l'acquisition ou la construction de logements neufs occupés ou loués comme résidence principale, pour la souscription au capital de Stés de construction (conditions limitatives) ou contribuant au développement régional ; 50 % pour les logements neufs locatifs. L'engouement a gonflé artificiellement le marché et attiré des intermédiaires peu sérieux.

☞ **Quelques associations de défense des actionnaires.** *Ass. nat. des actionnaires de France (Anaf)* 13, av. du Maréchal-de-Lattre-de-Tassigny 94100 Saint-Maur-des-Fossés. *Ass. nat. des porteurs français de valeurs mobilières* 22, bd de Courcelles 75017 Paris. *Fédération nat. des clubs d'investissements* 22, bd de Courcelles 75017 Paris.

Grandes places boursières

Principales Bourses mondiales

☞ Voir également le tableau p. 1841.

	C	S	SE	T
Allemagne	346 891	1 259	594	9 135
American	109 354	816	75	2 459
Australie	133 555	073	35	1 946
Amsterdam	134 187	413	226	644
Bâle	189 117	409	239	n.c.
Barcelone	92 885	353	3	n.c.
Bruxelles	64 089	327	156	n.c.
Buenos Aires	18 623	170	0	n.c.
Copenhague	32 538	268	11	n.c.
Corée	107 661	688	–	n.c.
Genève	189 117	413	245	n.c.
Helsinki	12 205	62	1	113
Hong Kong	171 984	413	27	5 954
Italie	128 971	258	3	n.c.
Johannesbourg	148 675	671	29	463
Kuala Lumpur	91 471	366	3	5 320
Londres	928 393	440	522	5 338
Luxembourg	11 921	221	162	12
Madrid	98 847	404	3	n.c.
Mexico	138 745	199	–	448
Midwest	n.c.	2 857	144	5 822
Montréal	197 807	578	22	913
Nasdaq	590 842	4 113	261	21 515
New York	3 797 637	2 089	120	30 516
N.-Zélande	15 325	175	52	242
Osaka	2 397 371	1 163	0	1 024
Oslo	17 840	123	8	190
Paris	349 608	1 008	222	5 937
Rio de Janeiro	45 416	590	–	1 371
Sao Paulo	45 265	565	–	1 186
Singapour	48 934	195	14	n.c.
Stockholm	76 172	118	10	796
Taïwan	100 166	256	–	34 536
Tel-Aviv	27 884	378	1	986
Thaïlande	57 278	315	–	n.c.
Tokyo	2 397 371	768	117	21 790
Toronto	241 875	119	70	3 504
Vienne	21 680	160	48	n.c.
Zurich	189 117	420	240	n.c.

Légende. – *C :* capitalisation boursière des actions nationales à fin 1992 en millions de $. *S :* nombre de sociétés dont Stés étrangères. *SE :* Stés étrangères. *T :* nombre de transactions en milliers en 1992.

Indices moyens des Bourses de valeurs

	Paris	Francfort	Londres	New York	Tokyo
1980	100	100	100	100	100
1985	179,5	213,6	216,3	157,5	210,2
1986	297,8	311,4	277,2	199,0	279,3
1987	327,4	274,6	344,5	241,5	411,3
1988	278,3	226,4	311,9	223,8	449,6
1989	402,4	290,7	383,2	271,8	541,7
1990	406,7	345,4	376,7	281,7	459,9

Nota. – Indice (Morgan Stanley Capital International) mondial brut dividendes réinvestis des Bourses (base 100 : 31-12-1969) 31-12-1990 : 461,5, 31-12-1991 : 693,8, 31-12-92 : 906,8.

Capitalisations boursières des actions nationales (en fin d'année)

	Paris	Francfort	Londres	New York	Tokyo
Milliards de $					
1985	79,1	178,3	353,5	1 950,3	948,3
1986	153,4	257,7	472,9	2 128,5	1 783,6
1987	155,6	218,5	679,7	2 132,0	2 726,4
1988	222,9	250,9	711,5	2 366,1	3 789,0
1989	337,6	365,2	814,3	2 903,5	4 260,4
1990	304,4	372,3	850,7	2 692,1	2 803,4
1991	347,4	392,5	974,6	3 484,4	3 117,3
1992	349,6	346,9	928,4	3 797,6	2 397,4
% PIB					
1985	12,6	23,8	68,5	48,5	58,9
1986	19,2	25,6	83,0	50,3	84,3
1987	15,6	17,1	85,6	47,2	94,8
1988	23,9	21,0	84,0	48,5	127,5
1989	31,9	27,7	99,3	55,8	155,0
1990	23,8	22,9	80,8	49,3	89,1
1992	28,6	25,9	102,3	61,4	93,4

Indices	monnaie locale	F	Ecart en % dep. 31-12-92	
			monnaie locale	F
Allemagne	272,3	612,3	19,2	19,3
Australie	375,7	240,6	11,8	17,0
Belgique	457,7	679,6	17,1	16,2
Canada	404,5	360,6	8,4	14,2
Espagne	227,8	122,0	25,7	10,8
France	–	584,4	–	8,8
Hong Kong	4 844,4	3 672,2	23,5	31,2
Italie	472,5	194,6	33,7	30,9
Japon	948,1	3 403,7	23,1	53,8
Pays-Bas	395,5	783,2	17,5	17,6
Singapour	871,6	1 754,9	9,4	18,1
Suède	1 542,8	1 048,1	31,8	22,9
Suisse	301,6	902,8	18,2	21,5
G.-B.	872,6	575,9	3,6	8,9
USA	420,4	445,0	3,4	10,1
Indice mondial	571,4 [1]	604,9	14,09 [1]	22,4

Nota. – Chiffres au 27-7-93, base 1090 le 31-12-92. (1) En $.

1992	PER moyen	Rendement moyen actions	Taux longs (10 ans) [1]	Taux court terme [1] (3 mois)
All. féd.	22,0	4,0	7,40	9,04
Belgique	13,9	5,4	7,80	8,50
Danemark	n.c.	n.c.	n.c.	18,15
France	*15,4*	*3,8*	*8,40*	*11,34*
Espagne	[2]	[3]	12,80	14,43
G.-B.	17,5	4,3	7,90	7,62
Italie	25,8	4,1	13,50	13,00
P.-Bas	10,9	3,8	7,60	8,20
Japon	36,7	0,9	4,50	3,81
USA	22,7	3,0	6,70	6,00

Nota. – (1) En fin d'année. (2) Barcelone 10,2, Madrid 8,7. (3) Barcelone 3,7, Madrid 5,5.

Sociétés les plus capitalisées

Valeurs les plus capitalisées (en milliards de F, au 13-5-1992). **All. :** Allianz 138,7, Daimler Benz 119,9, Siemens 116,9, Deutsche Bank 103,6, Bayer 63,1, Munch Ruckversich 57,3, Veba 57,6, RWE 55,9, Hoechst 49,7, Basf 46,7. **Belg. :** Petrofina 39,6, Electrabel 37,7, Générale Belgique 18,9, Tractebel 17, Solvay 16,8, Delhaize-Le Lion 15,5, Générale de Banque 14,8, Royale Belge 11,8, Banque Bruxelles-Lambert 11,8, Kredietbank 11. **Esp. :** Telefonica Espana 50,4, Endesa 45,6, Repsol 45,2, Banco Bilbao Viscaya 35,1, Banco Central 34,7, Banco Santander 27,4, Banco Exterior 19,3. **G.-B. :** Glaxo 212,4, British Telecom 206,3, Shell 150,4, British Petroleum 137,5, Guinness 112,9, British Gas 112,6, Hanson 109,5, BAT Industries 106,4, SmithKline Beecham 102,6, ICI 93,9. **Italie :** Generali 95,6, Fiat 47,2, Stet 40,7, Sip 34,2, Sanpaolo di Torino 33,1, Alleanza 29,4, Mediobanca 20,2. **P.-Bas :** Royal Dutch Shell 234,8, Unilever 88,9, Internat. Nederlanden 36,2, ABN Amro 35,8, Philips 32,7, Polygram 24,1, Elsevier 21,3, Akzo 20,6. **USA** (début 1992) : Philip Morris 369,41, Wal-Mart Stores 329,13, Merck 314,82, IBM 278,78, Coca Cola 276,66, ATT 262,88, Bristol-Meyers-Squibb 222,07, Johnson and Johnson 186,56, Du Pont 168,01, Abbot Laboratories 146,28.

Indice européen. *Créé* 15-7-1990 par la Bourse European Option Exchange (EOE) : European Top

	Indice	fin 1988	fin 1990	fin 1992	1992 + haut	1992 + bas
Allemagne	Deutscher Aktien Index (Dax)	1 790,37	1 398,23	1 545,05	1 811,57	1 420,30
American	Amex Market Value	378,00	308,11	399,23	418,99	364,85
Australie	All Ordinaries Index	1 649,80	1 279,80	1 549,90	1 684,50	1 357,20
Amsterdam	All Share Index	202,80	168,30	198,00	215,50	189,70
Bâle	Swiss Performance Index (SPI)	1 137,90	908,30	1 238,60	1 238,60	1 063,40
Barcelone	General Index	329,27	216,07	162,32	237,37	142,06
Bruxelles	Indice General Belge	6 476,39	4 963,81	1 127,02	1 242,90	1 038,53
Buenos Aires	BA Stock Exch Value Index	7 172 416,15	22 028 787,52	13 428,00	25 740,10	10 575,75
Copenhague	Total Share Index	363,22	314,80	261,59	365,29	250,42
Corée	Composite Index	909,72	696,11	678,44	691,48	459,07
Genève	Swiss Performance Index (SPI)	1 137,90	908,30	1 238,60	1 238,60	1 063,40
Helsinki	Hex General Index	1 533,05	1 000,00	829,00	935,97	541,06
Hong Kong	Hong Kong Index	1 861,33	1 982,88	2 951,06	3 409,79	2 331,75
Italie	MIB Historical Index	10 684,00	8 007,00	6 916,00	8 502,00	5 447,00
Johannesbourg	JSE Actuaries Shares Index	2 976,00	2 720,00	3 259,00	3 749,00	2 924,00
Kuala Lumpur	KLSE Composite Index	562,28	505,92	643,96	660,35	546,63
Londres	FT SE 100	2 422,70	2 143,50	2 846,50	2 847,80	2 281,00
Luxembourg	Shares Return Index	2 921,10	2 566,38	2 551,40	2 808,35	2 515,93
Madrid	General Index	296,60	223,25	214,25	266,51	179,48
Mexico	Price & Quotations Index	418 925,13	628 790,34	1 759,44	1 907,36	1 252,10
Midwest	Dow Jones Industrial Average	2 753,20	2 633,66	3 301,11	3 413,21	3 136,58
Montréal	XXM Index	2 030,83	1 726,13	1 771,12	1 942,25	1 627,37
New York	NYSE Composite Index	195,04	180,49	240,21	242,08	217,92
N.-Zélande	NZSE Gross Index	802,21	514,02	761,71	762,50	626,39
Osaka	300 Common Stock Index	2 377,54	1 464,82	1 122,96	1 466,25	955,27
Oslo	Oslo SE Total Index	527,50	456,54	372,12	464,24	300,04
Paris	CAC Index	553,80	413,00	484,50	555,90	441,70
Rio de Janeiro	IBV Index	2 466,00	11 530,00	25 446,00	25 446,00	2 614,52
São Paulo	Bovespa Index	6 161,50	25 156,00	6 780,50	6 780,50	675,90
Singapour	SES All Share Price Index	411,67	323,28	394,63	416,99	351,41
Stockholm	SX General Index	1 231,17	865,00	912,07	999,89	640,76
Taïwan	TSE Weighted S. Index	9 624,18	4 530,16	3 377,06	5 391,63	3 327,67
Tel-Aviv	General Share Index	176,24	202,80	191,64	191,64	99,87
Thaïlande	SET Index	879,19	612,86	893,42	963,03	667,84
Tokyo	Topix	2 881,37	1 744,42	1 307,66	1 763,43	1 102,50
Toronto	TSE Composite Index	3 969,79	3 256,75	3 350,44	3 672,58	3 149,97
USA	Nasdaq			676,95	676,95	547,84
Vienne	Wiener Börsekammer Index	511,51	502,26	348,46	497,93	333,34
Zurich	Swiss Performance Index (SPI)	1 137,90	908,30	1 238,60	1 238,60	1 063,40

One Hundred (calculé en temps réel, coté en écus), 100 valeurs dont 15 franç. : PSA, Lafarge Coppée, BSN, LVMH, Navigation mixte, CGE, C. du Midi, Michelin, Sté générale, Thomson-CSF, Elf-Aquitaine, Générale des eaux, St-Gobain.

Évolution des principaux marchés internationaux d'après les indices des places (en %, 1992). *Variation :* Buenos Aires – 24,8, Rio de Janeiro + 976, Santiago + 10,1, Mexico + 22,9, Hong Kong + 26,4, Sydney – 6,1, Johannesbourg – 5,3, Singapour – 2,4, New York + 4,7, Londres + 14,2, *Paris + 1,6,* Zurich + 17,6, Amsterdam + 3,4, Copenhague – 25,8, Bruxelles + 3,1, Madrid – 13, Toronto – 4,6, Francfort – 2,1, Stockholm 0, Helsinki + 6, Vienne – 16,8, Séoul + 11,1, Oslo – 10, Tokyo – 23,7, Milan – 11,7.

Marchés d'Asie. Variation 1992 et, entre parenthèses, 1991, en %. Bangkok (SET) + 25,6 (16,1). Djakarta (Indice général) 8,6 (– 40,8). Hong Kong (Hang Seng) 26,4 (42,1). Kuala Lumpur (Composite) + 15,8 (9,9). Manille (Composite) + 13 (76,7). Séoul (Composite) + 11,1 (– 12,3). Singapour (Straits Times) – 2,4 (29,1). Taïbei (Weighted Price) – 23,6 (1,6). Bombay + 34 (58).

Places cambiaires (transactions quotidiennes). 966,7 milliards dont écu 32,2, lire ital. 33,1, florin 61,8, franc fr. 87,5, livre brit. 135,7, franc suisse 146,6, yen j. 165,5, mark 304,3. *Répartition en % des transactions :* Londres 17,04, New York 14,92, Singapour 11,20, Hong Kong 10,98, Zurich 7,39, Tokyo 5,81, Paris 5,01, Francfort 4,24, Sydney 3,13, Amsterdam 2,82, Copenhague 2,67, Toronto 2,37, Oslo 1,35, Utrecht 1,15, Milan 1,12.

INDICE DES PLACES ÉTRANGÈRES

■ Afrique du Sud. **Johannesbourg : JSE Actuaries** (140 valeurs) ; base 100 (1-1960).

■ Allemagne. Féd. des 8 Bourses all. : Berlin, Brême, Hambourg, Hanovre, Munich, Stuttgart, Düsseldorf et Francfort (en 1989, 66 % des volumes échangés effectués à Francfort soit 2 179 milliards de deutschemarks : 743 en actions, 1 436 en obligations). **Deutscher Aktien Index (Dax)** 30 actions ; base 1 000 (31-12-1987). **Faz** base 100 (31-12-1988).

■ Argentine. **Buenos Aires : Value Index** (170 valeurs) ; base 0,1 (30-12-1977).

■ Australie. **All Ordinaries Index** (260 valeurs au 31-12-1992) ; base 500 (31-12-1979).

■ Autriche. **Vienne : Wiener Börsekammer** (108 valeurs) ; base 100 (31-12-1967).

■ Belgique. **Origine :** vers 1360, les négociants de Bruges se réunissaient pour traiter leurs affaires devant l'hôtel du chevalier Van der Buerse dont les armes, composées de 3 bourses, étaient sculptées sur le fronton de l'édifice. On se rendait « aux bourses ». De là vient le mot Bourse. 3 Bourses : Bruxelles, Anvers et Liège. **Bruxelles :** opérations de liquidation quotidiennes (comptant) et bimensuelles (terme ; au milieu et à la fin de chaque mois). Séances de 12 h à 14 h au comptant et de 10 h à 16 h au marché à terme. Fin 1992 : 85 sociétés de bourse, 101 emprunts d'État et 32 obligations belges du secteur privé ; 164 sociétés belges, 154 Stés étrangères, 4 obligations étrangères. **Volume des transactions** (en milliards de FB) : *actions et obligations de Stés belges et,* entre parenthèses, *étrangères puis obligations secteur public : 1981 :* 26,1 (34,2) 113,3. *85 :* 118,6 (7,5) 121,8. *88 :* 307,6 (87,9) 158,4. *90 :* 226,8 (94,4) 222,5. *91 :* 219,1 (71,9) 59,9. *92 :* 260,4 (55,7) 63,3. **Capitalisation boursière des stés belges cotées** (milliards de FB, fin déc.) : *1981 :* 321,9. *85 :* 1 051. *86 :* 1 509. *87 :* 1 380. *88 :* 2 195,4. *89 :* 2 677,6. *90 :* 2 027, 8. *91 :* 2 230,6. *92 :* 2 129. **Indice belge return** (260 valeurs) : base 1 000 (1-1-1980) ; *fin déc. 1992 :* 5 568,08 ; *17-8-1993 :* 6 908,06. **PER** (1992) : 13,9.

■ Brésil. **Rio de Janeiro : IBV** (58 valeurs au 31-12-1991) ; base 0,001 (29-12-1983). **São Paulo : Bovespa** (53 val.) ; base 10^{-7} (2-1-1968).

■ Canada. 4 Bourses de valeurs, 1 bourse de denrées. **Montréal : XXM** (25 valeurs) ; base 1 000 (4-1-1983) ; 74 firmes de courtage membres. **Toronto : TSE Composite** (300 valeurs) ; base 1 000 (1975). **Vancouver : Composite** (1 307 valeurs) : base 1 000 (1-1-1982). **Calgary.** Bourse de denrées : **Winnipeg.**

■ Chili. **Santiago : GPA** (144 valeurs) : base 100 (31-12-1980).

■ Corée. **Korea Composite Stock Price** (Kospi) (toutes les actions ordinaires 687) ; base 100 (4-1-1980). *Volume des cotisations* (en milliers de milliards de wons). *1988 :* 64,5 ; *fin 89 :* 97,7 ; *fin 90 :* 79,2 ; *91 (4-6) :* 70,3.

■ Danemark. **Copenhague : Total Share Index** (toutes les valeurs) ; base 100 (1-1-1983).

■ Espagne. 4 places : **Madrid** (80 % du marché), **Valence, Bilbao** et **Barcelone. Indices** : Madrid [94 actions ; base 100 (31-12-1985)], Barcelone [70 valeurs ; base 100 (1-1-1986)], 34 Stés anonymes de bourse et 17 agences de valeurs, Bilbao (49 valeurs) : base 100 (31-12-1985).

■ États-Unis (voir p. 1842).

■ Finlande. **Helsinki : Hex** (toutes les valeurs) ; base 100 (28-12-1990).

■ France (voir p. 1843).

■ Hong Kong Stock Exchange (HKSE). **Hang Seng** (base 100 : 31-7-1964). **1987** *30-9 :* 3 943,64 (le + haut, 71 % dep. le 1-1-87). *19-10 :* – 11 % ; *20 au 25-10 :* fermeture ; *26-10 :* – 33 % (ind. 2 241). *Début déc. :* 1880. Dep. 30-9, 50 %. **1988** *juillet :* 2 770. **1989** *15-5 :* 3 309,64 (le + haut dep. le krach) ; *19-5 :* – 4 % (– 152 points), *22-5 :* – 10,8 (– 339,06 points) ; *5-6 :* 2 093,61 (– 22 %) dep. le 15-5 (troubles en Chine), – 58 %. **1990** *8-8 :* 3 145,57. **1991** *31-12 :* 4 297,33. **1993** *18-8 :* 7 560,97 (record). **Indice H.K.** (389 valeurs) ; base 1 000 (2-4-1986).

■ Hongrie. **Budapest :** Bourse ouverte de 1864 à 1948, réouverte officiellement 21-6-1990. Capitalisation (1992) : 200 milliards de forints.

■ Israël. **Tel-Aviv : Indice gén.** (777 valeurs) ; base 100 (31-12-1991).

■ Italie. **Milan. Stés cotées :** 211. **Capitalisation boursière :** 129 milliards de $ (concentre 90 % des transactions des Bourses italiennes). **BCI (Banco Commerciale Italiana) :** 220 valeurs (base 100, 1972) dont assurances 28 %, automobiles 14, holdings et banques 10. **Indice historique MIB** (326 valeurs) base 1000 (2-1-1975). **Séance officielle :** 10 à 14 h. Pas de cotation en continu, aucune obligation légale d'effectuer ses ordres en Bourse ; env. 70 % des transactions s'effectuent en dehors du marché. Les actionnaires minoritaires ne sont pas protégés et les OPA ne sont pas réglementées. Les grandes familles (Agnelli, Gardini, De Benedetti) contrôlent plus de 50 % du marché ; 22 Stés du groupe Agnelli représentent 20 % de la capitalisation totale.

■ Japon. **Tōkyō :** 1 Bourse : Kabuto-Cho, *créée* 19-5-1878. **Membres réguliers :** 144 qui reçoivent et exécutent les ordres et 4 « saitori » qui servent d'intermédiaires entre membres réguliers et font le marché. **Séances :** 9 h à 11 h et 13 h à 15 h et samedi de 9 h à 11 h (sauf fermé 2ᵉ samedi du mois). **Opérations :** à la criée pour les 150 actions les + actives et pour étrangères, quotités minimales 1 000 titres d'une valeur égale ou supérieure à 50 000 yens (env. 1 900 F) et 100 pour les titres les + lourds. Transactions sur les autres valeurs (1 300) : par système informatisé Corès lancé 1982. Transactions au comptant mais il existe un système d'achat ou de vente à crédit en espèces ou en valeurs (margin trading), Tokyo International Financial Futures Exchange (Tiffe) lancé 20-6-1989. **Crise d'octobre 87 :** baisse max. de 14 % seulement 1°) parce que les entreprises sont peu orientées à faire du bénéfice un critère essentiel de gestion (pour des raisons fiscales et stratégiques) 2°) n'a pas connu les problèmes informatiques de Wall Street. L'actionnaire s'intéresse plus à ses plus-values qu'à ses dividendes et le Per moyen (60 au lieu de 8 à 15 ailleurs) est sans grande signification. 60 % des actions ne changent pas de main en raison des participations croisées entre Stés. Le ministère des Finances (MDF) intervient fréquemment. **Transactions** (en %) : Tōkyō 85,8, Osaka 10, Nagoya 3,4. **Clients :** 21 600 000 Japonais, 152 599 étrangers. **Capitalisation boursière** (milliards de $) : Japon 4,3 dont Tōkyō 4,174 (595,973 milliards de yens). **Valeur d'affaires moyenne** (1989) : 11,6 milliards de $ (1 660,04 milliards de yens). PER (1988) 58,4 (bénéfices déclarés), 62 (sur bénéfices prévisionnels). PER du Nikkei (avril 92) 35,4.

Grandes maisons de titres. Résultats (1990 en milliards de yens) : *Nomura* (créée 1925), 3 000 démarcheurs, 34 succursales internationales, 11 000 salariés ; 14,7 milliards de $, clients : 4 millions. 105,5 (soit 4,39 milliards de F) – 51,8 % sur 1983. *Daïwa* 59,5 (– 59,2 %). *Nikko* 33,7 (– 67 %). *Yamaichi* 38,6 (60,6 %).

Nota. – Les Pts de Nomura et de Nikko ont démissionné en juin 1991, à la suite de scandales boursiers (remboursement de pertes à de gros clients après entente préalable). L'agence Moody's a abaissé la note de 4 grands courtiers dont Yamaichi (379 millions de $ de pertes en 1991), Nomura 242, Nikko 212.

Indices. Nikkei : Dow Jones 225 valeurs (base 1000, 16-5-1949 pondéré sur la somme de cours). **1987 :** + *bas* 18 820,55 (8-1), + *haut* 26 646,43 (record, 14-10). 21 036,76 (11-11). **88 :** + *haut* 30 159. **89 :** 38 915,87 (29-12). **90 :** + *haut* 32 445,12 (16-7), + *bas* 20 221,86 (1-10). Baisses importantes en 1 séance : *oct. 89* 647 points. **90** + *haut* 27 146,91 (18-3), + *bas* 21 456,76 (19-8). **91** (19-8) : 21 456,76, (7-11) 24 446,76. **92** (10-4) : 17 850,66 (– 27,8 % dep. le 1-1). (22-6) 15 921 (– 30 %). **93** (18-8) : 20 773,18. **Topix** (le + représentatif) : 1 229 valeurs au 31-12-1991 (base 100 le 4-1-1968). **OSF** 50 (50 valeurs traitées à Osaka) créé 8-6-1987. **Osaka :** 300 Common Stock ; base 100 (4-1-1968) (créée 17-6-1878).

■ Luxembourg. **Shares Return Index** (13 valeurs) ; base 1 000 (2-1-1985).

■ Malaisie. **Kuala Lumpur : indice composite KLSE** (85 valeurs) ; base 100 (1977).

■ Mexique. **Mexico : indice des actions** (40 valeurs) ; base 100 (31-10-1978) (3 décimales éliminées dep. 13-5-91). *1987 (fin) :* 105,67 ; *1992* (2-6) : 1 967,32 ; (22-6) : 1 599,34.

■ Norvège. **Oslo : indice gén.** (toutes les valeurs) ; base 100 (2-1-1983).

■ Nouvelle-Zélande. **Indice général** (toutes les valeurs) ; base 1 000 (30-6-1986).

■ Pays-Bas. **Index General (CBS),** base 100 (31-12-1983). Couvre toutes les actions sauf fonds d'investissements, immobiliers et les holdings.

■ Royaume-Uni et Irlande. **London Stock Exchange.** *Membres* (23-4-1993) : 400 firmes. 57 market makers. *Séances :* lundi au vendredi de 8 h 30 à 16 h 30. *Valeurs cotées* (montant en milliards de £) : 617,3 nationales, 1 553 étrangères. *Actionnaires :* (en millions) : *1990* (31-12) : 12 ; *92* (janv.) : env. 11. Env. 80 % des actions brit. étaient détenues fin 1991 par les institutionnels (banques, assurances...). **USM** (second marché). *Capitalisation* (en milliards de £) au 31-12-1992 : 4,8.

Au 24-3-1993 : **SEAQ International :** 601 valeurs cotées. *Séances :* lundi au vendredi de 9 h 30 à 15 h 30. LTOM : pas d'options françaises.

Indices FSTE (Financial Times-Stock Exchange) dit Financial Times-Stock Exchange 100 Index (abrégé en FTSE Index) Footsie : *100 valeurs* (base 100 le 3-1-1984), record au *18-8-1993 :* 3 073,60 (18-8-93). *FT all Shares* (710 valeurs ; base 100 le 10-4-1962). *FT Industrial* (Industrial Ordinary Share Index) base 100 (30 valeurs 1-7-1935) de - en - utilisé. *Mines d'or* base 100 12-9-1959.

☞ Dep. le 27-10-1986 (le Big Bang), suppression des commissions fixes sur achats et ventes de titres ; transformation des agents de change (brokers) en broker-dealers ; mission confiée à la banque d'Angleterre d'émission des fonds d'État (gilts) auprès de courtiers agréés.

OPA lancées en 1989 : total 52 milliards de £ (570 milliards de F) dont 18 de + de 0,5 milliard de £.

■ Russie. 800 Bourses créées dep. 1990 dont MTB (Bourse des produits de Moscou).

■ Singapour. **Singapore Stock Exchange** (SES) 163 valeurs, base 100 (1975). **Marché.** *A terme :* Simex (Singapore Internat. Monetary Exchange) créé sept. 1984 succédant au Gold Exchange of Sing. mis en place en nov. 1978 et tombé en disgrâce à la suite d'irrégularités. *Second marché :* Sesdaq (Stock Exchange of Singapore's Dealing and Automated Quotation System) créé mars 1988, relié au Nasdaq de New York. Mars 89 : toutes les transactions sur le marché principal ont été informatisées. Le système de cotation (Clob Central Limit Order Book) s'inspire du Nasdaq. **Indices : Straits Time Index** 30 valeurs. **All Shares Index** (1975 : 100), 150 valeurs. **Cotations** 10 h à 12 h 30 et de 14 h 30 à 16 h. **Maisons de courtage :** 26.

■ Suède. **Indice général** (118 valeurs) base 100 (31-12-1979). **Affaers Vaerleden** (45 valeurs, base 100 le 31-12-1979 et 1-2-1987). **Jacobson & Ponsbach** (base 100 le 1-1-1958).

■ Suisse. 3 places : **Zurich, Genève, Bâle** (4 fermées en 1991 Lausanne 31-1, Neuchâtel, St-Gall 31-3, Berne 30-6). **SPE (Swiss Performance Index)** 423 valeurs ; base 1 000 (1-6-1987). **Zurich indice gén. SBS** base 100 (fin 1958). *PER* (1991) 12.

■ Taiwan. **Taiex** base 1 000 (1987) 12 682 (févr. 89) 5 900 (11-6-90). **Indice pondéré** (233 valeurs) ; base 100 (1966). (1989) 55,9 (banques et assurances Vil 110 à + de 200). Transactions : record 16-3-90 : 8 milliards de $. Maisons de courtage 400.

■ Thaïlande. **Set** (305 valeurs) base 100 (30-4-1975).

■ Turquie. **Composite Index** base 100 (1-1986), 75 valeurs.

■ Yougoslavie. **Ljubljana.** 1re Bourse créée déc. 1989. *Capitalisation :* 100 millions de F (20 milliards de dinars). *Titres cotés :* 152. *Indice :* **YUIX.**

Krach d'octobre 1987

■ Chronologie. **New York :** *14-10* on annonce que le déficit commercial américain est de 15,7 milliards de $ pour août (après 16,47 milliards en juillet). Baisse du $ de 6,07 F à 6,03 F et relèvement des taux d'intérêt en Allemagne féd. (de 3,5 % à 4 %). Baisse du Dow Jones (DJ) de 95 points (200 millions de titres échangés). *15-10 :* relèvement du taux de base bancaire de 9 1/4 % à 9 3/4 % aux USA et annonce d'une augmentation de la masse monétaire de 5,7 milliards de $ pour la semaine terminée le 5-10. James Baker, secrétaire au Trésor, parle d'une possible baisse du $ en réponse au relèvement des taux d'intérêt en All. féd. DJ – 58 points (263 millions de titres échangés). *16-10 :* DJ – 108,36 (343 millions de titres échangés). La hausse des taux d'intérêt dans le monde fait craindre que la croissance économique américaine entamée en 1983 touche à sa fin. On craint aussi une aggravation de la crise au Moyen-Orient après l'attaque de plusieurs navires amér. dans le Golfe (hausse du pétrole : 20 $ le baril). *19-10 :* DJ – 508 (600 millions de titres échangés, les 2/3 des ventes seraient imputables aux programmes de ventes par ordinateurs déclenchés automatiquement lorsque certains indices sont atteints. James Baker a déclaré que les accords du Louvre devraient être révisés (les Bourses en déduisent l'annonce d'une nouvelle baisse du $ en riposte au relèvement des taux allemands). Baisse sur tous les marchés mondiaux ; demandes de remboursement de parts de fonds de placement entraînant des ordres de vente de ceux-ci. L'annonce d'une rencontre le 19-10 entre James Baker, Gerhard Stoltenberg (ministre allemand de l'Économie) et Karl-Otto Poehl (Pt de la Bundesbank) enraye la baisse du $. *20-10 :* reprise technique : DJ + 102 (1 398 actions encore en baisse, 537 en hausse). Baisse de l'indice de l'Amex (8,6 %) et du marché hors cote américain (9 %). M. Greenspan fait savoir que « la Réserve fédérale est prête à servir de source de liquidités pour soutenir l'économie amér. » (la Bourse y voit le passage d'une politique anti-inflationniste à une politique antirécession). *21-10 :* DJ + 186 (450 millions de titres échangés). Reprise des Bourses du monde stimulées par une baisse des taux d'intérêt aux USA ; et par l'intention déclarée du Pt Reagan de rechercher avec le Congrès le moyen de réduire le déficit budgétaire. *22-10 :* taux directeur des banques à 9 % (– 0,25 %). DJ : – 77. *23-10 :* DJ inchangé. *26-10 :* DJ – 157 (– 8 %), baisse à Hong Kong. *27-10* + 2,9 %. *28-10 :* DJ inchangé ; $ baisse à 5,86 F (1,73 DM, 138 yens). *29-10 :* DJ : + 91 (+ 5 %) ; 1 395 valeurs en hausse, 362 en baisse, 242 inchangées. **Baisse du 8-10 au 28-10** *(exemples en %) :* Kodak 49. Amrax 48. 3M 45. United Technology 36. American Express 35. General Electric 28. Du Pont 25. IBM 23.

■ Comparaisons mondiales. **A Paris :** *15-10 :* indice – 5,5 %, *16-10 :* + 2 %. *Sur la semaine* – 8,2 %. **Transactions** (en milliards de F) : *12-10 :* 15,94. *13-10 :* 13,46. *14-10 :* 18,56. *15-10 :* 19,84 (dont 3,15 au règlement mensuel). *16-10 :* 14,62.

Baisse d'une liquidation à l'autre : 21 %. (Exemples : Arjomari-Prioux – 40. Moët-Hennessy – 33,7. Nouvelles Galeries – 33,3. Colas – 30,6. Intertechnique – 30,6. Béghin-Say – 29. Thomson-CSF – 28,7. Cie du Midi – 28,2. SEB – 27. Cie bancaire – 26,7. BHV – 26,2. Darty – 24,7. Elf Aquitaine – 23,5. Alcatel – 23. Peugeot – 23. Perrier – 23.)

A Tōkyō. **Variation de l'indice** (en %) : *19-10 :* – 2,6. *20-10 :* – 14,5. *21-10 :* + 9,4. *22-10 :* + 1,4. *23-10 :* + 0,6. *26-10 :* – 4,6. *27-10 :* + 2. *28-10 :* – 0,7. *29-10 :* + 3.

A Hong Kong : *19-10 :* indice – 400 points. La Bourse est fermée. *26-10 :* réouverture ; l'indice est alors à 3 362 points (– 1 126 à la clôture) [soit – 33 %].

	8/19-20-10	19/28-10	2/28-10
Francfort ...		– 14	– 21
Londres	– 32,3	– 21	– 2,4
New York ..	– 31	+ 6,2	– 4,2
Tokyo	– 16,7	– 12	+ 20
Paris	– 18,4	– 15	– 24

Mini-krach d'octobre 1989

■ Chronologie. *13-10* (vendredi) : – 190 points (– 200 milliards de $ de capitalisation). Baisse provoquée par les junk bonds et l'échec d'une OPA sur United Air Lines, les employés de la compagnie aérienne n'ayant pu trouver le financement de leur *leverage buy out* de 6,8 milliards de $. Les cotations de 10 titres sont suspendues, dont 7 ne reprendront pas (UAL, AMR, Bank America, Walt Disney, Capital Cities, Philip Morris, Pacific Felesis). Malgré 2 « coupures de courant » (mesure de précaution décidée après le krach de 1987) qui suspendent provisoirement les *program tradings* (ordres de vente automatiques enregistrés sur ordinateur dès qu'un certain niveau de cours est atteint), 108 millions de titres sont échangés la dernière heure de cotation. Tōkyō : – 1,87 %. N.-Zélande – 12. Australie – 8. Hong Kong – 6,5. Francfort – 15,5 (+ forte baisse en une seule journée depuis la guerre). Paris – 6,3. Londres – 3,15. Zurich – 11. Madrid – 7. Amsterdam – 6. Milan – 5. *17-10* (mardi) Paris + 2,78 % mais l'annonce du déficit du commerce extérieur américain (10,8 milliards de $) provoque une nouvelle baisse : Paris – 0,23 %. Londres – 1,28. Francfort – 6,5. New York – 0,7. *19-10* DJ + 33 points (l'indice des prix en sept., meilleur que prévu, éloignant la menace d'inflation). *20-10* la plupart des places ont effacé les 3/4 de leurs pertes.

■ Variations du 13 au 16-10 et, entre parenthèses, du 13 au 19-10 (en %). Francfort – 13,3 (– 4,7), Zurich (Swiss Market) – 10,5 (– 2,7), Oslo – 10,1 (– 3,7), Singapour – 10 (– 6,3), Johannesbourg (mines d'or) – 8,14 (+ 1,2), Sydney – 8,06 (– 4,9), Stockholm – 7,46 (– 2,6), Milan – 7,1 (– 4,7), Paris – 6,9 (– 2,5), Vienne – 6,74 (– 6,4), Madrid – 6,53 (– 3,7), Hong Kong – 6,49 (– 4,2), Amsterdam – 5,65 (– 1,5), Helsinki – 4,3 (– 2,6), Londres (FT 100) – 3,16 (– 1,9), Tōkyō (Nikkel) – 1,8 (+ 0,7).

Bourse américaine

Marchés

☞ En 1992, les Bourses amér. représentaient 4 497 milliards de $ (41,9 % de la valeur totale des Bourses dans le monde). En 1991, les investisseurs étr. avaient acheté 277,6 milliards de $ d'actions amér. De leur côté, les USA avaient acheté 102 milliards d'actions étr.

■ New York Stock Exchange (NYSE) dite Wall Street (nom de la rue). Sté à but non lucratif composée de courtiers individuels *(brokers)* et de firmes de courtage. La plus importante Bourse amér.

Origine : 1792-*17-5* 24 courtiers s'entendent pour former le 1er marché de valeurs organisé à New York. Ils se rencontrent sous un sycomore à l'emplacement actuel du 68 Wall Street. **1817**-*8-3* statut et nom adoptés New York Stock and Exchange Board. **1863** *29-1* nom actuel. **1992**-*17-5* (bicentenaire de la création). Le Dow Jones est à 3 397,99 (s'il avait existé le 17-5-1792, il aurait alors valu 4). **Membres** 1989 : 535 (117 partners, 418 corporations ; *bureaux* 1988 : 6 795 ; *personnel 1987 :* 89 374, *88 :* 82 915). **Valeurs** 2 246 (1 720 Stés) dont 77 valeurs étrangères cotées. **Transactions :** De 9 h 30 à 16 h du lundi au vendredi.

Capitalisation (milliards de $) *1924 :* 27. *50 :* 93,8. *60 :* 307. *70 :* 636,4. *80 :* 1 242,8. *85 :* 1 950. *90 :* 3 029,6. *91 :* 3 484,4. *92 :* 3 797. **Échanges** moyenne par jour (en millions de titres) : *1900 :* 0,5. *30 :* 2,9. *50 :* 1,98. *60 :* 3,04. *70 :* 11,56. *80 :* 44,87. *85 :* 109,17. *86 :* 141,03. *87 :* 188,93. *88 :* 161,46. *89 :* 165,47. *92 :* 233,5. **Records :** *échanges le + fort :* 608,15 le 20-10-1987, *le + faible :* 86,37 le 27-11-1987, *88 :* 343,95 (17-6), 77,09 (25-11), *89 :* 416,4 (16-10), 68,87 (3-7), *des transactions pour une Sté :* (en valeur et nombre d'actions) Navistar Int. 487 888 000 $ (48 788 800 actions), 4-10-86.

Émission de junk bonds (années records, nombre d'émissions et entre parenthèses capitalisations correspondantes en milliards de $). **1986 :** 226 (32). **1992 :** 236 (38) dont Merrill Lynch 33, Goldman Sachs 29 ; les risques sont moindres qu'en 1986 et les rendements plus élevés.

Plus grandes faillites aux USA (Stés ayant recouru à l'art. 11 de la loi sur les faillites, montants des actifs en milliards de $) : Texaco Inc. (1987) 34,9. Federated/Allied (1990) 11,4 (est.). Baldwin United (1983) 9,3. Penn Central (1970) 6,9. Lomas Financial (1989) 6,6. LTV Corp. (1986) 6,3. Southmark (1989) 4. American Continental (1989) 3,8. Eastern Airlines (1989) 3,8.

Moyennes et extrêmes depuis 1929 : *Cours/bénéfice par action* 14,1 [28 (août 35), 6 (oct. 79)]. *Cours/actif net par action* 1,6 [4,2 (août 29), 0,5 (juin 32)]. *Cours/dividendes* 22,6 [38,4 (août 87), 6 (mai 32)]. *Cours/chiffre d'affaires* 0,79 [1,27 (déc. 61), 0,35 (mars 82)].

■ American Stock Exchange (Amex). **Valeur** 815 cotées (dont 75 étrangères). Montant total des actions cotées (sauf garanties et droits) : 109 milliards de $. **Échanges** moyenne (1990) : 16,3 millions de titres par jour. **Records** *échanges :* 43 432 760 titres (20-10-1987) ; *transactions pour une Sté* (en valeur et nombre de titres) : Wang Laboratories 191,2 millions de $ (10 millions d'actions) le 7-1-1986. **Marché des options :** 171, volume par jour : 175 000 contrats.

■ Chicago. CBOE (Chicago Board Options Exchange). CBOT (Chicago Board of Trade). CME (Chicago Mercantile Exchange) : 2e marché à terme du monde, a mis au point avec l'agence Reuter le Globex (système de transactions électron. en continu sur les marchés à terme) qui sera à terme une liaison instantanée de milliers de terminaux répartis sur toutes les places financières en un réseau interactif. Seuls les membres des Bourses partenaires pourront disposer d'écrans. Entrera en vigueur progressivement aux USA et à Londres (1er trimestre 1991 : le Matif français disposera d'écrans, et les contrats à terme d'options sur emprunt notionnel 10 ans et Pibor 3 mois seront lancés sur le système). 121 millions de transactions en 1992.

■ Autres Bourses. **Boston, Cincinnati, Midwest** (indice : 30 valeurs), **Philadelphie, Spokane, Pacific Intermountain.**

■ Marché hors cote (over the counter). Traité hors de la Bourse, par téléphone, et par l'intermédiaire d'un réseau de terminaux d'ordinateur (système NAS DAQ), directement et librement. **Valeurs :** plus de 90 % des 55 000 Stés amér.

Troisième marché (marché hors cote). Gros blocs d'actions cotées sur une place officielle, mais négociées hors Bourse pour ne pas peser sur les cours.

■ Marché des options. CBOE (Chicago), Amex (NY), Pacific, PBW (Philadelphie), EMC (Emerging Company Marketplace), Midwest. L'option est le droit d'acheter (call) ou vendre (put) un certain nombre (100 en général) d'actions d'une Cie déterminée à un prix donné (Striking Price) jusqu'à une date dite d'expiration.

■ Indices

■ Amex. Amex Market. Value Index base 50 (5-7-1983) ; actions ordinaires et warrants (toutes valeurs cotées).

■ Dow Jones Industrial Average. *Créé* 1884 par Charles Dow, Edward Jones et Charles Bergstresser avec 11 valeurs dont 9 Cies de chemins de fer. L'indice était calculé en additionnant le prix des actions et en divisant le total par 11. Depuis 1928, la liste comprend 30 valeurs dites les *blue chips.*

En 1990 : « poids » en %. Allied Signal 2,4, Alcoa 4,4, American Express 2,1, ATT 2,8, Bethlehem Steel 1,3, Boeing 4,1, Caterpillar, Chevron 4,5, Coca-Cola 4,7, Du Pont 2,6, Eastman Kodak 2,7, Exxon 3,3, General Electric 4,4, General Motors 2,9, Goodyear 2,5, IBM 6,8, Internat. Paper 3,6, JP Morgan, 3M 5,3, McDonald's 2,2, Merck 5,1, Navistar 0,3, Phillip Morris 2,6, Primerica 1,8, Procter and Gamble 4,4, Sears Roebuck 2,7, Texacco 4,0, USX 2,3, Union Carbide 1,5, United Technologies 3,5, Walt Disney, Westinghouse 5, Woolworth 4,1. D'après des spécialistes, le Dow Jones, adossé à des valeurs anciennes, fait trop de place au secteur des biens d'équipement et n'est plus assez représentatif de l'économie américaine.

L'indice est calculé en utilisant un diviseur (en *1928* : 16,67, *49* : 10, *56* : 5, *87* : 1,09). La *Dow Jones Company* emploie 7 000 personnes et contrôle le *Wall Street Journal* (2 millions d'ex.), 22 quotidiens régionaux, 2 hebd. économiques et 25 % d'une Sté de TV par câble. Il y a 40 ans, la capitalisation boursière des 30 valeurs du Dow Jones représentait 20 % de la capitalisation totale des titres cotés à N. York (en 1949, 45 %, en 1968, 25 %, en 1987, 25 %).

Cours atteint 1895 (2e sem.) : 33. **1906** *9-1* : 75,57 (record jusqu'en août 1914). **1929** *3-3* : 386,10 (record jusqu'en 1955) ; *20-10 jeudi noir* : – 12,9 % (de 260,64 à 222,31), 16,4 millions de titres échangés. **1932** *8-7* : 40,56 (record de baisse). **1941** *17-12* : (après Pearl-Harbor) – 3,5 %. **1950** *25-6* : (début g. de Corée) – 7 %. **1955 :** le niveau de 1929 est retrouvé. **1962** *24-8* : (crise de Cuba) – 9 % ; cours le plus bas 14-6 (561,3). **1970 :** – 21 % de janvier à mai ; + 33 % de mai à déc. **1974 :** point le plus bas 573,22. **1975 :** extrêmes 570,01 et 888,85. **1976 :** 850 et 1 026. **1977 :** 793 et 1 008. **1978 :** 736 et 917. **1979 :** 794 et 905. **1980 :** 729,95 et 1 009. **1981 :** 824 et 1 024. **1982 :** 776,92 et 1 070,54. **1983 :** 1 027,04 et 1 287,20. **1984 :** 1 086,57 à 1 286,64. **1985 :** 1 184,96 et 1 556,1. **1986 :** 1 502,29 (le 22-1) et 1 909,03 (2-7). **1987 :** 2 722,41 (25-8, le + haut) 2 246,73 (16-10), 1 738,41 (19-10, le + bas, lors du krach). **1988 :** 1 879,14 (21-10) et 2 183,58 (21-10). **1989 :** 2 256,43 (24-1) redépasse 27-7 le niveau atteint le 16-10-87 à la veille du krach : 2 635,62. **1990 :** 2 999,75 (17-7), 2 365,10 (12-10), 3 077,15 (18-10). **1991 :** 2 470,30 (9-1), 3 169,95 (fin 91), 2 863,62 (10-12). **1992 :** 3 413,24 (1-6). **1993 :** 3 523,28 (20-5). 3 604,86 (18-8).

Records en points. Hausse : 1982 *16-11* : 36,43. **1987** *17-2* : 53,99 ; *20-10* : 102. **1989** *14-5* : 19,95. **1991** *17-1* : 114,6 (4,57 %). **Baisse : 1929** *29-10 (jeudi noir)* : 38,33 (12,9 %). **1962** *28-5* : 34,95. **1986** *7-7* : 61,87 ; *11-9* : 86,62 (soit 4,6 %). **1987** *12-10* : 95,46 (3,8 %) ; *16-10* : 108,36 (4,6 %) ; *19-10* : 508 (22,7 %). **1988** *8-1* : 140 (6,8 %). **1990** *3-8* : 120. **1993** *7-3* : 65 (1,9 %).

■ Standard and Poor's (industries) : *500* : 500 valeurs base 10 fin 1941. *100* : 100 valeurs base 100 le 2-1-1976.

■ NYSE (New York Stock Exchange). Indice global (2 068 valeurs) : base 50 le 31-12-1965.

■ OTC. Composite : ensemble des valeurs du marché hors cote.

■ Statistiques

Nombre d'Américains possédant des actions ou des parts de fonds d'investissements. *1952* : 6,5 millions, *70* : 30,8, *75* : 25,27, *80* : 29,8, *85* : 47,04, *87 (sept.)* : 57, *88* : 38, *92* : 51,4.

Nombre de Stés amér. faisant appel à l'épargne publique. 11 000 environ.

1ers employeurs à Wall Street (au 1-1-1991). Nombre d'employés et, entre parenthèses, nombre de succursales. *Source :* Lipper Analytical Services. Merril Lynch [1] 39 000 (510). Shearson Lehman Brothers 33 326 (427). Prudential Securities 17 000 (336). Dean Witter Reynolds 16 609 (499). Paine Webber 12 746 (267). A.G. Edwards 8 416 (432). Smith Barney, Harris Upham 7 200 (98). Morgan Stanley 7 079 (12). Goldman Sachs 6 822 (21). Bear Stearns 5 558 (13). Edward D. Jones 5 480 (1 600). Kidder Peabody 5 067 (55).

Nota. – (1) Profits (en millions de $) : *1990* : 191,7 ; *91* : 696,1 ; *92* : 887,5.

La Bourse en France

Source : Sté des Bourses françaises.

Quelques dates

■ **1303** les *changeurs* obtiennent le privilège exclusif des changes. **1791** *8-5* une loi dissout la *Compagnie des agents de change.* **1795** désordres boursiers dus à l'absence d'intermédiaires officiels. *9-9* fermeture de la Bourse. *20-10* réouverture avec 25 *agents de change* officiels bénéficiant du monopole des opérations de Bourse. **1808-26** construction du Palais de la Bourse à Paris d'après les plans de Théodore Brongniart (1739-1813). *Les Bourses de valeurs* sont des marchés officiels où se négocient des valeurs mobilières (actions, obligations et fonds de l'État). Les 7 Bourses françaises constituent les unités décentralisées d'un marché unique dont l'organisation et le fonctionnement ont été confiés à des intermédiaires officiels et spécialisés : les agents de change. **1813** rapport Fouché sur le marasme de la Bourse. Napoléon déclare : « Si la Bourse est mauvaise, fermez-la ». **1937** (févr.) Vincent Auriol reçoit un rapport sur le malaise de la Bourse et la baisse des valeurs françaises : « La Bourse, je la ferme, les boursiers je les enferme ». **1966** (oct.) le général de Gaulle : « La politique de la France ne se fait pas à la corbeille ».

■ **1987**-*7-7 la corbeille* où seuls les agents de change ont le droit d'opérer, à la Bourse de Paris, disparaît ; les titres sont désormais traités de la même façon, groupe par groupe. **1988**-*1-1* ouverture du capital des charges d'agents de change à des personnes morales (dont banques françaises et étrangères), au 1-7 29 stés de Bourse sur 58 avaient de nouveaux partenaires ; les 1ers rachats se sont faits sur la base de 6 ou 7 fois les bénéfices estimés pour 1987. **1991** (mai) Édith Cresson dit « J'en ai rien à cirer de la Bourse ». *6-1* fusion des 6 Bourses régionales avec celle de Paris. **1993**-*1-1* les agents de change perdront leur monopole de négociation des valeurs mobilières ; un agrément délivré par le Conseil des Bourses de valeurs permettra d'opérer sur le marché boursier français.

Organisation

■ Principes généraux

Toutes les transactions en valeurs mobilières sont effectuées par les Stés de Bourse. Un titre ne peut être négocié que sur l'une des 7 Bourses françaises de valeurs qui constituent un ensemble unique organisé selon les mêmes principes, dirigé par les mêmes instances et fonctionnant selon les mêmes règles. Ainsi, les titres négociés à Paris ne le sont qu'à Paris et les Stés de Bourse ne peuvent négocier que des titres inscrits à leur Bourse.

Nouvelle structure

Loi sur la réforme boursière du 22-1-1988.

1°) Stés de Bourse. Elles se substituent aux « agents de change » en transférant le membership des individus aux firmes. Les Stés de Bourse sont désormais autorisées à ouvrir leur capital aux banques, Cies d'assurances, institutions fin., Stés industrielles et comm. franç. et étr. **Nombre de sociétés** *1988 (22-1)* : 61 (Paris 46, province 10), *1992 (1-7)* : 56 dont 43 en activité (province 7). **Principales** (actionnaires et participation en %) : *De Cholet-Dupont* : Crédit Lyonnais 40, UAP 5, Nippon Life 5, Commerzbank 5 ; *Bacot-Allain-Parra* : Warburg (GB) 90 ; *Cheuvreux-De Virieu* : Indosuez 92 ; *Oddo* : Banque générale Phénix (AGF) 25, Instituto Bancario San Paolo di Torono 10 ; *Meekchaert-Rousselle* : Axa-Midi 100 ; *Massonaud-Fontenay* : Amsterdam Rotterdam Bank (NL) 52 ; *Puger-Mahé* : BZW (GS) 75 ; *Fauchier-Magnan-Durant des Aulnois* : CDC 10, UAP 10, Kleinwort-Benson (GB) 10 ; *François-Dufour-Kervern* : Banque Neuflize 50, CDC 10, UAP 10, Nomura (J) 10.

Évolution (1992). Sur 46 sociétés de Bourse, 32 sont à majorité française (dont 24 détenues par les banques, 4 autres détenteurs, 4 indépendantes), 14 sont étrangères (dont G.-B. 6, USA 3, P.-Bas 2, Suisse 2, Japon 1).

Transactions. *Actions et obligations (milliards de F) : 1986* : 420 (1 674), *87* : 581 (2 430), *88* : 453 (3 427), *89* : 667 (3 314), *90* : 651 (3 018), *91* : 641 (3 198). *Taux de courtage moyen (en %) : 86* : 0,35 (0,03), *87* : 0,32 (0,02), *88* : 0,28 (0,01), *89* : 0,26 (0,008), *90* : 0,18 (0,005), *91* : 0,14 (0,004). *Résultat net global (milliard de F) : 88* : 0,417, *89* : 0,303, *90* : – 0,666, *91* : – 0,653, *92* : – 0,630.

Effectifs *1989* : 6 642, *90* : 5 340, *91* : 4 563, *92 (fin)* : 4 059.

2°) **Conseil des Bourses de valeurs.** Fixe les règles du marché et des Stés de Bourse.

3°) **Sté des Bourses françaises (SBF)** (à ne pas confondre avec les Stés de Bourse). *Fonds propres* (1992) : 1 044 millions de F. Contrôle la cotation, la négociation et la compensation des valeurs mobilières. Organe exécutif du Conseil des Bourses de valeurs. *Pt* : Jean-François Théodore.

Exercice (en millions de F). *Résultats nets 1990* : 30,7, *91* : 91,2, *92* : 247,9 dont financiers 103,6, plus-values de cessions 102. *93 (1er trim.)* : 216.

☞ Le 14-6-1988 : Xavier Dupont, Pt du conseil d'administration de la Sté des Bourses françaises, et Xavier Cosserat, directeur général, avaient démissionné (on avait annoncé que la Sté avait perdu 0,5 milliard de F sur le Matif, après le krach d'oct. 1987). En 1988-89 l'ex-Compagnie des agents de change aurait perdu 2 milliards de F dont sur le Matif 0,7 dont Rondeleux 0,4, Buisson 0,28, Bertrand Michel 0,15, Nivard-Flornoy 0,15, Lavandeyra 0,10. Depuis, Buisson a été démantelé. Rondeleux et Tuffier ont déposé leur bilan ; Tuffier a dû suspendre ses activités le 13-7-90, ayant subi une perte de 0,062 milliard de F sur les 5 premiers mois de 1990. (Son Pt a été inculpé depuis, pour abus de confiance.)

4°) **Association française des Stés de Bourse.** Représente l'ensemble des Stés de Bourse et de la Sté des Bourses françaises.

■ Sécurité du marché et des opérateurs

1°) **Garanties des Stés de Bourse.** *Chaque Sté de Bourse* est responsable de ce que ses clients achètent et vendent sur le marché. Le *Conseil des Bourses de valeurs* fixe le montant minimal de fonds propres que les Stés de Bourse doivent présenter : un ratio de couverture des risques (proportion des engagements pris par une Sté de Bourse à sa surface financière) ; un ratio de division des risques (visant à limiter la concentration des risques sur une même contrepartie) ; un ratio de liquidité (tel que les dettes à court terme soient couvertes par des actifs immédiatement réalisables) ; une règle de cantonnement des actifs [pour s'assurer que la Sté de Bourse ne fait pas usage des actifs de la clientèle pour ses opérations propres (contrepartie par exemple)].

2°) **Garanties des autorités de marché. Conseil des Bourses de valeurs :** il gère un fonds de garantie qui interviendrait pour préserver les intérêts des clients en cas de défaut d'une Sté de Bourse. Si ce fonds se révélait insuffisant, le Conseil pourrait demander à la SBF son soutien.

Commission des opérations de Bourse (COB). STATUT : autorité publique de régulation indépendante créée par ordonnance du 28-9-1967. MISSION : protection de l'épargne (régularité des transactions, des radiations ou admissions de sociétés, agrément des Sicav et FCP, détection des opérations d'initiés et manipulations de cours, etc.), information complète et exacte des investisseurs sur les opérations (émissions de titres, OPA, OPE, etc.), suivi des publications périodiques obligatoires, bon fonctionnement des marchés (Bourse des valeurs, Monep, Matif). COMPOSITION : Pt nommé en conseil des ministres pour 6 ans, 8 membres (mandat 4 ans renouvelable 1 fois) dont 3 issus des institutions juridictionnelles (Conseil d'État, Cour de cassation, Cour des comptes), 3 désignés par les autorités du marché et 2 personnalités choisies par le Pt et les 6 autres m. pour leurs compétences. *Pt* : Jean St-Geours (n. 24-4-1925) dep. le 4-10-1989.

■ Fonctionnement de la Bourse

■ **Méthodes de négociation.** Le marché fonctionne de 10 h à 17 h ou de 10 h à 16 h ; à partir de terminaux installés dans les Stés de Bourse [le parquet n'est plus utilisé que pour les emprunts d'État et les valeurs supports d'options négociées à la criée en continu de 10 h à 16 h ; les titres négociés sur le hors-cote de 12 h 30 à 14 h 30]. Les intermédiaires financiers peuvent agir en « principal » vis-à-vis de leurs clients (cf. infra) pendant les séances et en dehors des séances. **Règlements :** se font aux normes internationales de J + 5.

■ **Marchés d'inscription. Marché officiel :** accueille, sur des critères quantitatifs et qualitatifs stricts, les plus grandes Stés françaises et étrangères et la quasi-totalité des emprunts obligataires. **Second marché :** *créé* le 1-1-1983 (inauguré le 1-2). Accueille les entreprises moyennes selon des normes plus souples, en matière d'ouverture de leur capital au public. *Conditions :* diffusion des actions dans une proportion d'au moins 10 % du capital, information régulière du public sur ses activités et résultats de la Sté et nomination d'un 2e commissaire aux comptes (s'il n'y en a qu'un). Quelques Stés étrangères y sont inscrites. **Marché hors-cote :** permet la négociation des titres non inscrits au marché officiel ou au second marché, sans formalités ni conditions. En pratique y figurent essentiellement des titres à faible volume de transactions.

■ **Marchés de négociation. Au comptant :** actions françaises et étrangères les moins actives du marché officiel : obligations du marché officiel ; tous les titres du second marché et du marché hors-cote. Les ordres peuvent porter sur n'importe quelle quantité ; les acheteurs doivent disposer de l'argent correspondant et les vendeurs doivent avoir les titres en compte. **A règlement mensuel (RM) :** paiement différé des titres avec règlement à 30 j. Seul un dépôt de couverture est demandé (20 % si celui-ci est en liquide ou bons du Trésor, 25 % en rentes ou obligations françaises, 40 % avec des FCP ou autres valeurs). Pratiqué uniquement par la Bourse de Paris, le RM devrait disparaître prochainement pour mettre Paris aux normes internationales. **Relit :** système de règlement-livraison des titres automatisé entré en service en 1991 à la Bourse de Paris. (Règlement à J + 5 et à J + 30 pendant un certain temps.) Ultérieurement, Relit sera interconnecté avec les systèmes de règlement-livraison des différentes places.

■ Ordres de Bourse

Pour permettre leur exécution, ils doivent :

1°) **Indiquer pour quelle durée ils sont valables.** Valables jour (annulés à la clôture sinon exécutés). Sans date limite, ils sont dits « à révocation ».

2°) **Indiquer le cours d'exécution souhaité.** *Au prix du marché :* si l'ordre est donné avant l'ouverture du marché, il sera exécuté au cours d'ouverture ; s'il est donné pendant la séance, il sera exécuté aux meilleures conditions existant lors de la mise sur le marché. *A cours limité :* le client spécifie le prix maximal (ordre d'achat) ou minimal (ordre de vente) d'exécution ; *ordres stop* assortis d'une limite au-dessus de laquelle les ordres d'achat ne sont pas exécutables ou d'une limite au-dessous de laquelle les ordres de vente ne sont pas exécutables.

3°) **Il peut porter des mentions particulières.** *Tout ou rien :* l'ordre doit être exécuté en totalité ou pas du tout ; *sans forcer (au soignant) :* l'ordre peut être ajusté si nécessaire par le négociateur afin de ne pas peser sur le cours d'exécution.

☞ Le cours des actions et celui des obligations convertibles est exprimé en francs et centimes. Sauf exception, celui des obligations est en % de la valeur nominale, compte non tenu de la fraction courue du coupon.

■ CAC (Cotation assistée en continu)

■ **Fonctionnement.** Le marché est centralisé, gouverné par les ordres et animé par les courtiers (comme à New York, Tōkyō et Toronto, au contraire du Nasdaq et de l'International Stock Exchange à Londres qui sont gouvernés par les prix et animés par des market makers). A l'exception des valeurs encore négociées sur le parquet en continu crié (valeurs supports d'options négociables et fonds d'État) ou en fixing (valeurs du hors-cote), les transactions sont effectuées au travers du système informatique CAC, à partir de terminaux installés dans les Stés de Bourse et reliés aux ordinateurs centraux de la SBF. La CAC est liée en amont au système de routage des ordres et en aval au système de diffusion en temps réel absolu de l'information. Le système de transmission actuel sera complété par un système de connexion entre le carnet d'ordres des Stés de Bourse (qui enregistre les ordres transmis par le routage) et les ordinateurs de cotation ; dénommé COCA, il acheminera et répartira automatiquement dans les ordinateurs de cotation les ordres enregistrés dans le carnet. Tous les ordres sont rentrés dans la CAC par les Stés de Bourse, qu'elles agissent pour le compte de clients ou pour leur propre compte. Ils sont automatiquement classés par limite de prix et à chaque limite par ordre d'introduction.

De 9 h à 10 h : phase de pré-ouverture. Les ordres s'accumulent dans le cahier de cotation sans qu'aucune transaction n'intervienne. *A 10 h :* ouverture. Le système calcule, en fonction des ordres à cours limité, un prix d'équilibre ou *prix de fixing,* c'est-à-dire le cours qui permet l'échange du plus grand nombre de titres. Dans le même temps, le système transforme les ordres « au prix du marché » en ordres limités au cours d'ouverture. Ainsi, tous les ordres d'achat limités à un prix supérieur et tous les ordres de vente limités à des prix inférieurs sont exécutés en totalité. Les ordres limités au cours d'ouverture sont exécutés en fonction des possibilités. *De 10 h à 17 h,* le marché fonctionne en continu et l'introduction d'un nouvel ordre provoque immédiatement une (ou plusieurs) transaction(s) dès lors qu'il existe un (ou plusieurs) ordre(s) en sens contraire sur le cahier de cotation. Le cours d'exécution est celui de la limite de l'ordre en contrepartie dans le cahier. A une même limite de prix, les ordres sont exécutés dans leur ordre d'enregistrement : 1er entré, 1er exécuté.

■ **Diffusion de l'information.** Les clients peuvent recevoir en temps réel absolu les 5 dernières transactions (heure, cours, nombre de titres échangés) ; les 5 meilleures offres et les 5 meilleures demandes en prix et quantités telles qu'elles figurent sur les écrans des négociateurs à l'intérieur des Stés de Bourse.

■ **Surveillance et contrôle.** Assurés par la cellule de surveillance de la SBF. Elle peut, si elle l'estime nécessaire à l'intérêt du marché, suspendre provisoirement les transactions sur une valeur ou limiter les fluctuations de cours.

■ **Opérations de contrepartie.** Dep. 1989, Stés de Bourse, banques et autres intermédiaires agréés peuvent agir en principal et en prix nets avec leurs clients dans le respect du marché central auquel doivent être rapportées toutes les opérations. La contrepartie ordinaire peut être effectuée sur toutes les valeurs : pendant la séance, elle est effectuée sous forme d'une application introduite dans le système CAC à un prix inclus dans la fourchette de marché existant au moment de son exécution.

■ **Principaux indices. Indice général CAC** 240 ou SBF (Sté de Bourse Fr.) : 240 valeurs (ne pas confondre avec le CAC 40) ; marché RM (règlement mensuel) et comptant ; pondération : capitalisation boursière ; diffusion : 1 fois par j à 15 h 35.

Indicateur de tendance : 50 valeurs ; RM ; pas de pondération ; de 10 h à 17 h ajusté en permanence.

CAC 40 : 40 valeurs ; RM ; capitalisation boursière ; de 10 h 30 à 16 h ajusté toutes les 30 s. Diffusion : rapport de la capitalisation boursière instantanée des 40 valeurs avec leur capit. boursière de référence (base 1 000) au 31-12-1987. + haut niveau (au 10-8-1993) ; *20-4-90 :* 2 129,32 ; *6-8-93 :* 2 149,83.

Échantillon (actions sous-jacentes au 22-2-1993). Accor, Air Liquide, Alcatel-Alsthom, Axa, Bouygues, BSN, Canal Plus, Cap-Gemini Sogeti, Carrefour, Casino, CCF, Cie Bancaire, CGIP, Chargeurs, Club Méditerranée, Crédit Foncier de France, Eaux (Générale des), Elf Aquitaine, Elf Sanofi, Eurodisney, Havas, Lafarge Coppée, Legrand, LVMH, Lyonnaise-Dumez, Matra-Hachette, Michelin, Oréal (L'), Paribas, Pernod Ricard, Peugeot, St-Gobain, St-Louis, Schneider, Ste Générale, Suez, Thomson CSF, Total, UAP.

Insee quotidien : 50 valeurs ; RM et comptant ; pas de pondération ; 1 fois par j. **Insee hebd. :** 250 v. ; RM, comptant, second marché ; flottant ; tous les vendredis.

■ Monep (Marché des options négociables de Paris)

Créé le 10-9-1987 ; placé sous l'autorité réglementaire du Conseil des Bourses de valeurs.

Chambre de compensation. La SBF, qui en dernier ressort assure la garantie financière du marché, a délégué à une filiale spécialisée, la SCMC (Sté de compensation des marchés conditionnels), les responsabilités de la compensation technique et de la gestion du marché ainsi que la surveillance et le contrôle des opérations. Stés de Bourse (membres de droit) et établ. de crédit peuvent adhérer.

Intervenants du marché. Les Stés de Bourse de Paris, garantes de la bonne fin des négociations et des contrats, sont seules habilitées à négocier sur le Monep. Leurs représentants sur le parquet sont soit *négociateurs* (dépositaires d'ordres émanant des clients ou de leurs maisons, ils les négocient entre eux ou avec les chefs de groupe de la SCMC ou avec les teneurs de marché), soit *teneurs de marché* (ils assurent la régularisation du marché afin d'en favoriser la continuité et la liquidité. Ils doivent fournir à tout moment sur les séries auxquelles ils sont affectés une fourchette de prix acheteur/vendeur à laquelle ils sont tenus à l'exécution minimale de contrats selon des règles définies). Les chefs de groupe de la SCMC peuvent également être dépositaires d'un carnet d'ordres dont l'exécution leur est confiée par les Stés de Bourse. Ces ordres, émanant exclusivement de clients, ont priorité d'exécution sur tous les ordres du marché libellés au même cours.

Négociations sur le parquet de la Bourse de Paris de 10 h à 17 h selon le principe des marchés continus à la criée. Les *options* sont de type « américain » (exerçable à tout moment). Elles portent soit sur des actions soit sur l'indice de cours CAC 40 (voir ci-dessous). Les opérateurs détenant une position globale nette vendeur se voient appeler une couverture ajustée quotidiennement.

☞ *Clientèle du Monep* (en % du nombre de contrats, 1991). Teneurs de marché 55, invest. instit. 32, particuliers 13.

Contrat d'option sur l'indice CAC 40. *Unité de transaction :* cours de l'option × 200 F ; *échelon de cotation :* 0,01 F/point (2 F par contrat) ; *prix d'exercice :* fixés par intervalle de 25 points ; *échéances cotées :* 3 mois rapprochés et la 1re échéance suivante du cycle mars, juin, sept., déc. ; *exercice de l'option :* anticipé. Tous les j de bourse avant 17 h 45, sur instruction expresse du client ; *dernier j de transaction :* dernier j de bourse du mois d'échéance (16 h) ; *date d'expiration :* id. ; *règlement du premium :* le j de bourse suivant la négociation, avant 10 h ; *couverture demandée* (position vendeur) : égale à la valeur de rachat de la position dans l'hypothèse d'une fluctuation de + ou – 150 points de l'indice, couverture réactualisée quotidiennement (avec possibilité de réactualisation en cours de séance en cas de décalage au moins égal à 120 points du contrat à terme sur l'indice CAC 40 négocié au Matif) ; *horaires de transaction :* 10 h à 17 h.

■ Opérations de Bourse

■ **Types d'opérations. 1°) Au comptant :** règlement et livraison des titres en principe immédiats (en fait, dans les 48 h). **2°) A règlement mensuel :** règl. et livraison se font aux dates prévues par le calendrier de *liquidation* (une fois par mois, au début de la 7e séance de Bourse avant la fin du mois). Porte sur un nombre minimal de titres, on doit déposer une « couverture ».

a) **Opérations fermes :** intéressant toutes les valeurs cotées à règlement mensuel. **Achat ferme :** règlement et livraison sont différés au j de la *liquidation.* Si l'acheteur ne veut pas *dénouer* (c.-à-d. ne pas régler le montant des titres ni les vendre), il peut se faire *reporter :* il revend en liquidation courante les titres qui lui sont livrables afin de payer son vendeur et les rachète au même cours à la liquidation suivante. **Vente ferme :** le vendeur vend à terme des titres qu'il possède ou non. Il doit les livrer au j de la liquidation.

b) **Opérations conditionnelles :** pour toutes les valeurs du marché à règlement mensuel.

Call of more *(option du double) :* achat ferme avec faculté de lever à l'échéance fixée le double de la quantité initiale. L'acheteur ne doit aucun dédit.

Put of more : opération inverse : le *vendeur* se réserve le droit de livrer le double des titres ayant fait l'objet du marché.

Opérations à options : l'acheteur, moyennant un prix librement débattu et payé au vendeur de l'option à la conclusion du marché, peut se porter à l'une des 9 échéances suivantes, soit acquéreur si l'option traitée est une *option d'achat (call),* soit vendeur si elle est une *option de vente (put),* d'une certaine quantité de titres d'une même valeur, à un cours qui est celui pratiqué sur le marché à règlement mensuel ferme au moment de la conclusion du contrat. *Option américaine :* pouvant être exercée, au gré de l'acheteur, à tout moment jusqu'à l'échéance de l'option ; *européenne :* ne pouvant être exercée qu'à la date d'échéance du contrat.

Opérations à primes (supprimées dep. 22-5-1989) : elles pouvaient être conclues pour la liquidation en cours ou les 2 suivantes.

Stellage : l'*acheteur* d'un stellage a le choix, à une échéance donnée, entre un achat avec un écart supérieur au cours du marché du jour et une vente avec un écart inférieur. Il pense donc que d'ici à l'échéance le titre va faire l'objet de fluctuations importantes des cours, soit en hausse, soit en baisse. Le *vendeur* pense au contraire que les cours du titre resteront stables dans la fourchette du stellage.

■ **Traitement des ordres en Bourse.** Dep. le 1-6-1988, les ordres fixés « au mieux » inférieurs ou égaux à 30 000 F (actions et droits) et à 50 000 F (obligations) passés par un particulier sont réalisés le j suivant. Le prix d'exécution est celui du cours d'ouverture du lendemain, sauf si le client demande la réalisation de ses ordres en temps réel (les frais de courtage sont alors plus élevés).

☞ Dep. le 1-7-1989, chaque société est libre de fixer elle-même les tarifs pour l'achat ou la vente de valeurs mobilières. **Frais d'encaissement des coupons :** de 0 % à 5,3 %, moyenne 3-3,5. Parfois dégressifs en fonction de l'importance du portefeuille. **Droits de garde :** de 0,10 à 0,5 % du montant du portefeuille. Encaissement de coupons : jusqu'à 10 %.

Définitions

■ **Bear (Ours).** Symbole anglo-saxon de la baisse des cours de Bourse.

■ **Big Bang.** Utilisation des ordinateurs. Les transactions ne s'effectuent plus de personne à personne, mais d'ordinateur à ordinateur, par l'intermédiaire d'écrans, en continu. Abolition du barème des commissions fixes. Dep. 1986, technique appliquée à Londres, à Paris et New York.

■ **Black & Scholes.** Modèle mathématique développé en 1973 par 2 Américains, Fisher Black et Myron Scholes, pour évaluer le prix théorique d'une option d'achat.

■ **Blue Chips.** Valeurs de 1er ordre du marché américain, notamment celles de l'indice Dow Jones. Origine du nom : salle bleue où étaient cotées les plus grandes Stés.

■ **Bon de souscription** *(ou warrant).* Permet de souscrire des actions nouvelles pendant une certaine période à prix déterminé à l'avance dit prix d'exercice. Le bon est détaché d'une obligation ou d'une action et coté séparément. Il peut aussi être attribué à titre gratuit aux propriétaires des actions anciennes.

■ **Bull** (taureau). Symbole de la baisse des cours.

■ **Capacité d'autofinancement par actions** (voir **Cash-flow**).

■ **Capital.** *Flottant :* part du capital qui n'est pas détenue par les actionnaires qui contrôlent la Sté et qui peut donc être vendue (ou achetée) à tout moment sur le marché des valeurs. *Social :* capital initial de la société majoré des augmentations de capital successives. *Permanent :* somme des capitaux propres de l'entreprise et des dettes à plus d'un an. *Propre :* capital social de l'entreprise majoré des réserves et du report à nouveau.

■ **Capitalisation boursière.** S'obtient en multipliant le cours d'une action par le nombre de titres composant le capital inscrits à la cote officielle.

■ **Cash-flow** (marge brute d'autofinancement). Résultat net de la Sté après impôt augmenté des dotations aux amortissements et aux provisions. C'est le montant net disponible pour investir et verser des dividendes.

■ **CCIFP.** Chambre de compensation des instruments financiers de Paris.

■ **Compensation** (Cours de). Moyenne des cours enregistrés la 1re h de Bourse le jour de la liquidation sur la base de laquelle se calculent les intérêts de report.

■ **Comptes consolidés.** Intègrent ceux de la Sté mère et ceux des filiales. Si ses filiales ne sont pas détenues à 100 %, le bénéfice net consolidé final est scindé en une part du groupe qui revient aux actionnaires de la Sté cotée, l'autre revient aux autres actionnaires des filiales.

■ **Corbeille.** Balustrade en forme de corbeille à laquelle s'accoudaient les agents de change pour négocier les valeurs vedettes. Aujourd'hui remplacée par des écrans.

■ **Corner.** Situation dans laquelle il n'existe pratiquement plus de titres à la vente sur le marché à règlement mensuel d'où un *taux de déport* élevé.

■ **Coup d'accordéon.** Double opération consistant à réduire puis à augmenter le capital d'une Sté afin de rétablir une situation nette positive. *En 1986,* les dirigeants d'*Usinor* choisirent en accord avec l'État de ramener le capital à zéro, puis de procéder à une augmentation de capital. 5 000 petits porteurs (détenant 20 % du capital) virent leurs actions annulées. Me Yvon Thiant représentant 50 % de ces actionnaires demande leur indemnisation (sur la base du nombre d'actions × 10 F) et le remboursement du passif social, soit 21,9 milliards de F.

■ **Cours ajusté.** Tient compte des opérations sur le capital de la Sté (augmentation ou réduction du capital).

■ **Décote.** Rapport entre le cours de Bourse de l'action de la Sté de portefeuille et la valeur par action de ses participations. Appelée parfois *« valeur à la casse »,* la valeur réelle du patrimoine de toute Sté doit être minorée des frais éventuels liés à une cession de ses actifs (impôts, passifs, frais de dissolution, de vente, etc.).

■ **Déport.** Taux de report négatif. Le vendeur reporte sa position à l'acheteur qui fait reporter sa position quand le nombre des vendeurs est supérieur à celui des acheteurs.

■ **Devises-titres.** Instaurées à plusieurs reprises pour payer l'achat de valeurs mobilières étrangères auprès d'un intermédiaire agréé qui se les procure auprès de revendeurs de valeurs mobilières sur cette même place.

■ **Golden Boy.** Jeune diplômé des Grandes Écoles, travaillant (à prix d'or) sur les nouveaux marchés financiers.

■ **Holding.** Sté de portefeuille gérant des participations dans d'autres entreprises qu'elles soient ou non cotées en Bourse.

■ **Hors-cote.** Marché ouvert à toutes les entreprises sans formalité particulière (présentation de 2 bilans, comptes de résultats et comptes d'exploitation).

■ **Junk Bonds** (« obligations pourries ».) Obligations à taux d'intérêt élevé et à haut risque qui ont permis de financer de nombreux achats de Stés amér. Elles ne sont garanties par aucun actif et remboursées par une partie du cash-flow de l'entreprise visée. Très en vogue aux USA (25 % des émissions des entreprises privées). Pour attirer les investisseurs, leurs taux nominaux sont en moyenne supérieurs de 2,6 % à ceux des emprunts du Trésor amér. En France, les entreprises préfèrent l'endettement bancaire aux *junk bonds* comme mode de financement.

■ **LIFFE** (London International Financial Future and Exchange options) : créé sept. 1982 ; le plus grand marché à terme de produits financiers d'Europe.

■ **Marge brute d'autofinancement (MBA)** (voir **Cash-flow**).

■ **OPA (Offre publique d'achat). Réglementation** (loi du 2-8-1989). Une fois l'opération lancée, interdiction à l'*attaqué* d'acheter ses propres actions pour se défendre. Obligation pour l'*attaquant* de lancer une OPA sur 66 % au moins du capital après avoir franchi le seuil de 33,3 % des titres de la Sté convoitée, et interdiction d'opérer des achats en Bourse à un cours supérieur à son prix d'offre. S'il le fait, relèvement automatique de 2 % du prix de l'offre. **OPEC (Offre publique d'échange).** On appelle *chevalier blanc* une Sté prête à apporter son appui à une autre société qui fait l'objet d'une OPA **OPR (Offre publique de retrait).** Possibilité offerte à tout actionnaire, majoritaire ou minoritaire, d'exiger qu'une Sté offre de racheter les titres des minoritaires. *3 cas.* **1°)** 1 actionnaire ou un groupe d'actionnaires acquiert + de 95 % du capital ou des droits de vote d'une société ; l'initiative de l'OPR peut alors venir d'un actionnaire majoritaire ou minoritaire ; l'OPR sera suivie d'une radiation de la cote. **2°)** 1 actionnaire ou un groupe d'actionnaires, détenant les 2/3 du capital ou des droits de vote, décide de transformer la Sté en Sté en commandite ou par actions, ce qui prémunit contre tout risque d'OPA hostile. Les personnes physiques ou morales contrôlant la Sté sont tenues de déposer une offre d'OPR. **3°)** L'actionnaire majoritaire propose de modifier les statuts de la Sté (forme, conditions de cession, etc.) ; il est tenu d'avertir le Conseil des Bourses de valeurs qui pourra décider s'il y a lieu de procéder ou non à une OPR ; l'actionnaire majoritaire a alors la faculté de demander la radiation de la cote.

Quelques cas : 1969 OPA sur *St-Gobain,* échec de BSN, les alliés de St-G. ont acheté (pas de réglementation de la COB à l'époque) les actions sur le marché à un cours supérieur à celui de l'offre. **1987** *Télémécanique,* réussie par Schneider, 7,1 milliards de F (Tél. a transféré à Framatome, chevalier blanc, des titres hors marché, opération jugée irrégulière par la cour d'appel de Paris). **1988** *Bénédictine* par Rémy Martin, échec, Martini a surenchéri. **1989** *Cie industrielle* (groupe Victoire), par Cie financière de Suez (27,3 milliards de F après surenchère). *Cie de navigation mixte* par Paribas, échec. **1991** *Nouvelles Galeries* par Galeries Lafayette, après l'opération, l'action a reculé de 40 %. *Printemps* par Pinault, les familles suisses Mauss et Nordmann ont vendu leurs actions au prix fort, mais les minoritaires n'ont pu bénéficier des mêmes avantages sur l'ensemble de leurs titres. *Exor :* au départ lancée par l'Ifint (holding des Agnelli), sur les 2/3 du capital d'Exor, puis OPA de Nestlé sur *Perrier,* de BSN sur *Exor,* et après jugement de la cour d'appel de Paris, Exor sur *Perrier.*

■ **PER** ou **CCR (Price Earning Ratio ou Coefficient de Capitalisation des Résultats).** Rapprochement par action du cours et du bénéfice d'une Sté. Quand une Sté a un PER de 10, on dit qu'elle capitalise 10 fois ses bénéfices. *Ex. :* pour une Sté en forte croissance (30, 35 % par an), un PER de 15 est courant, pour une Sté en stagnation, un PER de 10 est élevé.

PER du marché : rapport entre la capitalisation boursière (valeur totale des actions cotées au cours du jour) et le bénéfice global additionné de l'ensemble des sociétés cotées. Tend à s'élever en période de ralentissement de l'inflation et à baisser en cas de reprise de la hausse des prix. **Évolution à Paris** (en janvier) : **1970** 13,8. **75** 9,3. **76** 10,4. **77** 7,4. **78** 5,9. **79** 7,6. **80** 7,8. **81** 7,7. **82** 7,1. **83** 6,6. **84** 9,9. **85** 10,7. **87** *26-3 :* 17,4 *1-10 :* 15,6 (13,2 sur bén. 88 estimés) *29-10 :* 11,3 (9,6) *28-11 :* 10,8 (9,3). **88** *24-5 :* 12,5 (10,9). **89** *25-5 :* 15,2 (sur bén. 88), 13,1 (sur bén. 89). **90** *25-6 :* 15,3 (sur bén. 89), 13,6 (sur bén. 90). **91** *13-5*. **92** 15,4 (Tokyo 36,7, Francfort 22, Londres 17,5, NYSE 22,7).

☞ Si l'on a recours à la notion de délai de recouvrement, qui corrige le rapport cours-bénéfice par la croissance attendue et intègre le taux d'intérêt en vigueur dans chaque pays, les ratios établis au 31-1-1989 par la Sté DR Gestion étaient les suivants : Düsseldorf 12,2, Londres 11,7, Tokyo 11,2, Paris 11, New York 10,8. En juin 1990, Tokyo 25,9, New York 14, Paris 13,8, Francfort 12,7, Londres 10,4.

■ **Position de place.** Situation qui ressort de la confrontation, lors de chaque liquidation, des acheteurs et des vendeurs sur le marché à terme, qui ont décidé de reporter leur position sur la liquidation suivante.

■ **RES.** Rachat d'une entreprise par ses salariés.

■ **Spécialistes en valeurs du Trésor (STV).** Nommés par le Trésor. *Nombre :* 15 chargés, depuis 1987, d'animer le marché primaire et secondaire des valeurs du Trésor. 4 établissements, appelés correspondants en valeurs du Trésor (CVT), exercent la même fonction.

■ **Swaps.** Contrat par lequel les contractants s'échangent (*swap* en anglais) des flux d'intérêt (taux fixe contre taux variable).

■ **Titres. Nominatifs.** *Purs :* inscrits sur les registres de la Sté émettrice au nom de leur propriétaire. La gestion et la garde des titres sont gratuites, assurées par la Sté elle-même ou un intermédiaire (ex. une banque). *Administrés :* gestion assurée par un intermédiaire choisi par l'actionnaire, à ses frais. **Au porteur.** Inscrits en compte par un intermédiaire choisi par l'actionnaire, gestion et conservation des titres entraînent des frais.

■ **Trading.** Opération d'achat et de vente de titres, réalisée dans les délais les plus brefs, afin de profiter d'écarts de cours tout en diminuant l'exposition du portefeuille au risque du marché.

■ **Zinzins** ou **gendarmes.** Investisseurs institutionnels (banques nationalisées, caisses de retraites, compagnies d'assurances, Caisse des dépôts, Crédit national et Stés d'investissement).

Statistiques

■ Évolution du marché financier

■ **Cote officielle et second marché** (au 31-12-1992). Émetteurs. 1 402 dont valeurs françaises 1 103, zone franc 14, étrangères 285).

■ **Lignes de cotation.** 4 697 (actions 1 130, obligations 3 567) dont valeurs françaises 3 863 (ac. 890, obl. 2 973), zone franc 22 (ac. 11, obl. 11), étrangères 812 (ac. 229, obl. 583).

■ **Émissions** (en milliards de F). *1980 :* 135,9, *81 :* 138, *82 :* 193,3, *83 :* 240,8, *84 :* 298,3, *85 :* 389,9, *88 :* 505,5, *89 :* 577,3, *90 :* 567, *91 :* 579,3, *92 :* 613,7 (chiffre prov., dont obligations 366,3, actions 247,4).

■ **Émissions d'obligations** (en milliards de F en 1992). 377,6 [dont taux fixe 360,8 (fonds d'État 154,7, secteur public 163,2, autres 42,9), taux variable (TME, THE 1,6 ; Pibor 1M, 3M 1,3 (secteur public 0,9, autres 0,4)] dont fonds d'État 154,7, secteur public 164,26, autres 58,7.

■ **Marché boursier des valeurs françaises** (cote officielle de Paris). **Capitalisation** (en milliards de F, en fin d'année) : actions et entre parenthèses obligations et titres participatifs. *1980* : 248 (567,3). *89* : 2 111,7 (2 353). *90* : 1 679,3 (2 472). *91* : 1 937,8 (2 907,9). *92* : 1 931,6 (3 194,2).

Transactions sur l'année : actions et, entre parenthèses, obligations (en milliards de F). *1980* : 42,8 (63). *81* : 45,7 (83,7). *82* : 46,2 (151,3). *83* : 63,6 (221,5). *84* : 67,2 (409,6). *85* : 131,8 (717,6). *86* : 357 (1 672,9). *87* : 477,4 (2 425,4). *88* : 412,7 (3 424,9). *89* : 715 (3 314) [+ province 19,7 (78,4)]. *90* : 716 (3 376). *91* : 665,8 (3 205). *92* : 662,5 (4 324,6).

■ **Placements collectifs** (voir **Sicav** ci-dessous).

■ **Bénéfices distribués par les Stés françaises** (en milliards de F). *1981* : 12,5, *85* : 13,5, *86* : 15,6, *87* : 20,2, *88* : 24,8, *89* : 31, *90* : 37,8, *91* : 46,2, *92* : 72,4.

■ **Volume des dividendes versés en actions par des sociétés** (avoir fiscal compris). *1992* : 9,9 milliards de F (134 sociétés).

■ **Principaux émetteurs par appel public à l'épargne** : valeurs nominales (en millions de F, en 1992). Machines Bull 1 038,4, Case Poclain 613, VEV 333,1, Ciments Français 312,1, Immobilière Phénix 87,5, Bouygues 85,6, Eurobail 82,1, Fougerolle 81,8, Saint-Fiacre 74,9.

Source : Crédit Lyonnais.

■ **Porteurs de valeurs mobilières.** *1988* : 9 279 560 (+ 2,3 % par rapport à 1987), dont 4,5 à 5 millions d'actionnaires directs, soit 1 pour 6 hab.), Suède 1 pour 4, USA 1 pour 5, G.-B. 1 pour 8, Japon 1 pour 16).

Valeur moyenne des portefeuilles-titres des particuliers. 1988 : env. 140 000 F (+ 15,6 %).

■ **Sociétés dont les actions sont cotées sur le second marché** (Paris et, entre parenthèses, province jusqu'en 1990, année de regroupement en cotation unique). *1983* : 27 (15), *85* : 80 (47), *90* : 184 (111), *91* : 304, *92* : 280.

■ Sicav

■ **Nombre.** *1989* (31-12) 862. (*88* : 722). Sicav nouvelles : court terme 22, obligataires 24, internationalement diversifiées 23. *1990* : 898. *1991* : 901. *1992* (30-4) : 913.

■ **Actif net** (en milliards de F). *1984* : 298,6, *85* : 449,6, *86* : 701,7, *87* : 821,5 dont 222,4 de souscriptions nettes [dont (en %) actions françaises 10, obligations fr. 59, actions étrangères 3, obligations étr. 1,4, TCN (titres de créance négociables 20), OPCVM 4, liquidités 2,5]. *88* : 1 072,6 (dont réseau CNCA 176,3, BNP 127,1, CDC-CE-Poste 116,6, Crédit Lyonnais 87, Sté Générale 74,3, Gr. Banques Populaires 44,9, Groupe CIC 39,9, CCF 28,8, Paribas 26,2, Indosuez 23,4. *1989* : encours total 1 271,6 milliards de F, dont réseau CNCA 212. *1990* : 1 428,3. *1991* : 1 624,1. *1992* (30-4) : 1 748,7.

■ Fonds communs de placement

Légende. – (A) fonds ouvrant droit aux avantages des lois du 13-7-1978 et 29-12-1982. (B) fonds spécialisés en obligations à échéance rapprochée à taux variable.

■ **Nombre en activité. Au 31-12-1987** : 3 023 dont établissements de crédit 2 111, agents de change 633, établissements à statut spécial 186, compagnies d'assurances 30, divers 63 ; **1989** : 3 881.

■ **Actif net** (milliards de F). **31-12-1987** : 269,8 dont en % : *valeurs françaises* 65,7 (dont obligations 59,8, actions 7 ; *étrangères* 8,9 (dont obligations 1,8, actions 7 ; OPCVM 12,4, TCN 6,7) ; **31-12-1988** : 357,6.

Variation de l'indice des cours de la Sté des Bourses françaises (en %)

1945	– 12	*1961*	+ 20,5	*1977*	– 6,4
1946	+ 65	*1962*	– 0,1	*1978*	+ 46,5
1947	– 2	*1963*	– 14,4	*1979*	+ 17
1948	+ 9	*1964*	– 6,6	*1980*	+ 9
1949	– 20	*1965*	– 8,1	*1981*	– 17,6
1950	– 13	*1966*	– 10,7	*1982*	+ 0,2
1951	+ 55	*1967*	– 1,8	*1983*	+ 56,4
1952	+ 10	*1968*	+ 7,3	*1984*	+ 16,4
1953	+ 17	*1969*	+ 26,6	*1985*	+ 45,7
1954	+ 63	*1970*	– 7,1	*1986*	+ 49,7
1955	+ 6	*1971*	– 7,8	*1987*	– 29,4
1956	+ 4	*1972*	+ 17,1	*1988*	+ 48
1957	+ 25	*1973*	– 2,8	*1989*	+ 33,3
1958	– 3	*1974*	– 30,8	*1990*	– 25,4
1959	+ 49	*1975*	+ 30,7	*1991*	+ 15,4
1960	+ 3	*1976*	– 17	*1992*	+ 1,6

■ **Porteurs de parts. 1984** *(31-12)* : 1 291 249. **1985** *(31-12)* : 1 798 374. **1986** *(31-12)* : 3 676 444 dont pers. phys. 2 451 531, pers. morales 1 224 913. Porteurs de parts fonds Monory CEA 255 515, fonds de CT 600 831. *Souscriptions nettes* : *1986* : 69,3 milliards de F.

■ **Évolution de la Bourse de Paris après les élections** (en %). **De Gaulle** *22-12-58* : + 1. **Pompidou** *16-6-69* : – 1,8. **Giscard d'Estaing** *20-5-74* : – 1,3. (après victoire de la droite au 1er t. *des législatives 13-3-78* : + 9). **Mitterrand** *11-5-81* incotable à la baisse ; *9-5-88* : + 2,35 à 11 h 15, + 1,31 en clôture (*fortes hausses* : Chargeurs + 7,37. SGE + 6,48. SAE + 5,35. Bouygues + 5,09. Bic + 5,09).

■ Bourse de Paris

Statistiques générales

■ **Évolution. Transactions** (en milliards de F). Total dont, entre parenthèses, règlement mensuel en %. *1976* : 55 (33,4). *80* : 121,8 (35,5). *81* : 151,6 (30,7). *82* : 222,1 (19,3). *83* : 331 (27,2). *84* : 516,9 (16,1). *85* : 896,2 (14,9). *86* : 2 108,8 (15,6). *87* : 3 015,5 (15,3). *88* : 3 913,5 (9,6). *89* : 4 066 (14,9). *90* : 3 747,4 (16,2). *91* : 3 840 (15,6). *92* : 4 964,2 (12,6). **Part des obligations et titres participatifs** (en %). *80* : 52,8. *85* : 82,6. *86* : 81,4. *87* : 82,3. *89* : 83,3. *90* : 82,4. *91* : 83,4. *92* : 87,1. **Part des valeurs étrangères** (en %). *1976* : 11,4. *80* : 11,7. *85* : 2,3. *86* : 1,3. *89* : 0,7. *90* : 0,8. *91* : 0,7. *92* : 0,5.

Transactions à Paris (en milliards de F en 1992). **Marché officiel** 4 964,2 (dont RM 624,5, comptant 4 339,7) dont actions 642,4, obligations 4 321,8 ; dont françaises 4 939,2, étrangères 25. **Second marché** 18,9 (dont actions 17,8, obligations 1,1) dont françaises 16,7, étrangères 2,2. **Hors-cote** 4 (dont actions 2,2, obligations 1,8) dont françaises 1,8, étrangères 0,4.

■ **Valeurs les plus actives de la cote en 1992** (moyenne quotidienne en millions de F). *OAT 8,50 % 2002* : 1 371,4 ; *8,50 % 2000* : 1 077,4 ; *8,50 % 2003* : 961,6 ; *9,50 % 2001* : 872,7 ; *8,125 % 1999* : 829,3 ; *8,50 % 2023* : 826,6 ; *8,50 % 2019* : 759,5 ; *TRB 1993* : 653,1 ; *8,25 % 2004* : 628,6 ; *9,50 % 1998* : 606,2 ; *8,50 % 2008* : 531,9 ; *8,50 % 2012* : 482,6 ; *9,70 % 1997* : 453,5 ; *9,80 % 1996* : 452,3 ; *8,50 % 1997* : 381,3 ; *9,90 % 1994* : 353,6 ; *TMB 1999* : 218,1 ; *Alcatel-Alsthom* : 190,7 ; *OAT 10 % 2000* : 183,8 ; *8,70 % 1995* : 171,8.

■ **Rendement. Actions** (en %, avoir fiscal compris, en fin d'année) : *fin 1972* : 4,54. *73* : 5,40. *74* : 7,82. *75* : 6,70. *76* : 6,96. *77* : 7,68. *78* : 5,84 (8,36 au plus haut). *79* : 5,72. *80* : 6,88. *81* : 8,25. *82* : 8,11. *83* : 5,30. *84* : 4,88. *85* : 3,90. *86* : 2,47. *87* : 5,01. *88* : 3,03. *89* : 2,60. *90* : 3,98. *91* : 3,8. *92* : 3,8. **Obligations** (à fin déc., secteur public et semi-public et, entre parenthèses, secteur privé) : *1978* : 9,94 (10,27). *79* : 12,59 (12,92). *80* : 14,31 (14,68). *81* : 16,44 (17,33). *82* : 15,5 (15,9). *83* : 13,32 (14,5). *84* : 12,70 (12,94). *85* : 11,33 (11,76). *86* : 9,89 (10,18). *87 (fin juin)* : 9,13 (9,22). *88 (1-7)* : 9,07 (9,44). *90 (8-8)* : 10,56 (10,61).

■ **Sociétés les plus capitalisées au 31-12** (en milliards de F). **1963 :** Rhône-Poulenc 5. Air liquide 3,4. Esso Standard 2,5. St-Gobain 2,1. Michelin 1,8. **1967 :** Aquitaine 4,3. Rhône-Poulenc 2,3. Pechiney 2,2. Michelin 1,9. Française des Pétroles 1,7. **1972 :** Michelin 6,5. St-Gobain-Pont-à-Mousson 4,3. Péchiney-Ugine-Kuhlman 3,3. Aquitaine 3,2. Rhône-Poulenc 3,1. **1977 :** Av. M. Dassault-Breguet 5. Aquitaine 5. Michelin 4,6. St-Gobain-Pont-à-Mous. 3,5. Air liquide 2,6. **1982 :** Elf-Aquitaine 9,5. Air liquide 7. Av. M. Dassault-Breguet 4,4. L'Oréal 4. BSN 3,8. **1987 :** Midi (Cie du) 39,6. Elf-Aquitaine 38,71. LVMH 37,73. Peugeot 34,3. St-Gobain 34,07. BSN 33,31. Sté Générale 30,27. **1989 :** LVMH 64,97. Elf-Aquitaine 55,47. CGE 49,8. Paribas 44,4. BSN 42,3. Gén. des Eaux 41,5. St-Gobain 38,5. Midi 36,2. Louis Vuitton 33,3. Sté Générale 32,8. Air Liquide 31,1. L'Oréal 28. **1990 :** Elf-Aquitaine 69,73, CGE 57,70, LVMH 45,93, Eaux 41,60, BSN 39,59, UAP 39,22, Suez 36,35, Air Liquide 31,18, Paribas 30,13, L'Oréal 27,55, Sté Générale 25,88, Midi 25,81. **1992 :** Elf-Aquitaine 92,5, Alcatel-Alsthom 92,2, L'Oréal 61,9, BSN 60,7, LVMH 58,1, Gén. des Eaux 54,1, Société Générale 48, Air Liquide 45,8, Total 43, UAP 41,5, Suez 36, St-Gobain 35,7.

■ **Variations les plus fortes** (en %, en 1992). **Hausses.** *Règlement mensuel* : CSEE 180,6, Ingenico 98,6, Institut Mérieux 76,4. *Comptant* : ADT 144,2, Odet 136,2, CPTA 100. *Second marché* : Jod Électronique 114,1, Cogifer 102, NSC 92,9, Marben 89. **Baisses.** *Règlement mensuel* : Centrest 79,5, D.R. Sud-Est 73,9, Dynaction 72,4. *Comptant* : VEV 97,2, Forestière Sangha-Oubangui 92,2, Champex 91,3. *Second marché* : Random 97,9, Agrosphère 94,1, Cellier 90, International CPU 86,7.

■ **Stés les plus capitalisées en province** (en millions de F au 31-12-90). Castorama (Lille) 2 385. FFP (Nancy) 2 117,8. Salomon (Lyon) 1 721,9. Rue Impériale (Lyon) 1 789,2. Quillet (Nancy) 1 606,6. Alsacienne Supermarchés (Nancy) 1 220. Sogenal (Nancy) 970. Ruche Picarde (Lille) 886,4. Gerland 869,8. Saupiquet (Nantes) 742,9.

Nota. – Depuis le 24-1-1991, les Bourses régionales sont remplacées par de simples délégations commerciales de la SBF.

Marchés à terme et options

Dans le monde

Des contrats à terme et des options négociées sont effectués sur des marchés internationaux pour un certain nombre de produits d'origine végétale, animale, minérale ou financière.

■ **Bourses étrangères. Places principales. USA :** *New York*, *Chicago*, Kansas City, Minneapolis, plus de 60 produits faisant l'objet de transactions (céréales, textiles, oléagineux, animaux, sucre, métaux, caoutchouc, actifs financiers, etc.) ; **G.-B. :** plusieurs Bourses à Londres. **Autres places :** Australie, *Brésil* (2), *Canada* (3), Danemark, Finlande, Hong Kong, Irlande, Japon, Malaisie, *N.-Zélande*, P.-Bas (Amsterdam), Singapour, Suède, Suisse.

■ **Activités des principales Bourses de commerce.** *En 1988,* en millions de lots (contrats à terme et option sur contrats à terme) : *USA* 295 [dont Chicago Board of Trade 143 (48,5 %), Chicago Mercantile Exchange 78 (26,4 %), New York Mercantile Exchange 34,3 (11,6 %)]. *France* : Matif 16,9. *G.-B.* : Liffe 15,5 ; London Metal Exchange 7,8. *Japon* : marché à terme Tokyo Stock Exchange 20,6 ; Tokyo Commodity Exchange for Industrie 11,7. *Australie* : Sydney Futures Exchange 7,5.

■ **Activité des principales Bourses d'option** [1]. *En 1992,* en millions de contrats (options sur produits négociés au comptant). Chicago Board Options Exchange 121,5, American Stock Exchange 42,4, São Paulo 1 090, Rio 264,9, DTB 24,6, LIFFE 17,4, SOFFEX 13,7, OM 9,3, European Stock Exchange 10,1, Osaka 9,3, Australian Option Market 7,4.

Nota. – (1) Bourses qui négocient des options sur des produits au comptant (et non sur contrats à terme comme dans les Bourses de commerce).

En France

■ Organisation en France

3 Bourses négocient aujourd'hui en France des contrats à terme et/ou des options : 1°) *Matif SA* (produits financiers et agricoles) : contrats à terme et options sur contrats à terme ; 2°) *OMF* (produits financiers) : contrats à terme et options sur contrats à terme ; 3°) *Monep* (Marché des options négociables de Paris) (produits financiers) : options sur produits au comptant.

La loi du 31-12-1987 a placé l'ensemble des marchés à terme français (c'est-à-dire, actuellement, ceux de Matif SA et d'OMF) sous la tutelle du Conseil du marché à terme. La *Commission des marchés à terme de marchandises* (créée en 1983), qui avait précédemment autorité sur les marchés à terme de matières premières, a été dissoute.

■ Statistiques des marchés français

Monep. Capitaux échangés en milliards de F, dont entre parenthèses, options sur actions. *1987* : 1,86 (1,86) ; *88* : 5,7 (5,6) ; *89* : 11,13 (7,6) ; *90* : 20,4 (5,6) ; *91* : 22,1 (3,8) ; *92* : 25,6 (3,8).

Matif. (transactions en millions de lots). *1991* : 37 ; *92 (forte croissance)* : 55,5 dont notionnel (OAT) 31 (+ 47 %), transactions sur Pibor 6,4 (+ 114 %), sur CAC 403,8 (+ 56 %), sur écu (+ 147 %). Contractants étrangers 33 % en 1991, 40 % en 92. Il est cependant distancé par le LIFFE londonien.

Cours des matières premières (au 3-6-1993), **en F par kg.** Cuivre 9,93, plomb 230, zinc 627, aluminium 5,9, argent 696, platine 65 668, nickel 32,8.

FISCALITÉ

COMPARAISONS INTERNATIONALES

DONNÉES GLOBALES

■ Impôt sur le revenu. **Contribuables imposables** (en %) au 17-11-1988. Belgique 95,3. Luxembourg 94,7. All. féd. 84. Pays-Bas 83,3. Irlande 77,8. Espagne 75,4. G.-B. 65,6. *France 52,1.* Portugal 44,2.

■ Impôt sur les sociétés. **Taux général d'imposition des Sociétés** (en %). *Allemagne* : sur les bénéfices non distribués 50 (*94* : 45), distribués 36. *Belgique* : bén. sup. à 14,4 millions de FB. : 45 ; inférieurs : 31. *Danemark* : 34. *Espagne* : 35. *France* : *1985* : 50, *1986* : 45, *88* : 42, *90* : non distribués 37, distribués 42), *92* : 34, *93* : 33 1/3. *G.-B.* : 33. *Italie* : 47,8. *Japon* : sur bén. non distribués 42, distribués 34. *Luxembourg* : 33. *Pays-Bas* : 35. *USA* : 15 à 48 selon bénéfices (à 34 en 1988).

EN FRANCE

Prélèvement obligatoires (en milliards de F)	1982	1992	1993
Produit intérieur brut total	3 626,0	7 114,9	7 502,9
Total impôts	889,0	1 713,3	1 799,0
Total cotisations sociales	663,9	1 382,3	1 450,4
Total	1 552,9	3 095,6	3 249,4

Nota. – Chiffres non consolidés.

Source : INSEE direction gén. des Impôts, direction de la Prévision.

IMPÔT SUR LES GRANDES FORTUNES (IGF)

Origine. *Créé* 1982, abrogé par la loi de Finances du 30-12-1986. (Voir Quid 1991 p. 1843).

Barèmes (Tranches de patrimoine en millions de F, en 1982 et, entre parenthèses, en 1986. Taux en %). *0* : ⩽ 3 (⩽ 3,6). *0,5* : 3 à 5 (3,6 à 6). *1* : 5 à 10 (6 à 11,9). *1,5* : > 10 (11,9 à 20,6). *2* : (> 20,6). *Majoration de 8 %* : non (oui).

Nota. – Pour les patrimoines comprenant des biens professionnels, les tranches étaient, en 1982, augmentées respectivement de 2 et 2,2 millions de F.

Produit (en milliards de F) de l'impôt : *IGF 1982* : 2,7. *1986* : 4,1 ; du prélèvement en capital sur les bons anonymes (instauré en 1982 et conservé après le 16-3-1986 pour pénaliser les contribuables utilisant ce mode de placement pour minimiser la part de leur fortune accessible aux contrôleurs du fisc). *1982* : 0,991, *1986* : 1,68.

En 1984, 37 500 foyers dont la fortune moyenne était de 5 millions de F disposaient d'un revenu annuel inférieur à 300 000 F. 600 avaient acquitté un impôt global (IGF + IRPP) supérieur aux revenus qu'ils avaient perçus de – de 100 000 F.

IMPÔT DE SOLIDARITÉ SUR LA FORTUNE (ISF)

Origine. Adopté 13-7-1988 par gouv. Rocard, et voté 22-10-1988 par l'Ass. (299 pour/288 contre dont UDF : 85 contre [1 pour (François d'Harcourt), 2 abstentions (André Rossi et André Rossinot)] ; UDC : sur 40 membres, 37 abstentions (dont Raymond Barre) et 3 contre.

Barème en % au 1-1-1993 (selon la tranche en millions de F). *De 4,39 à 7,13* : 0,5 ; *7,13 à 14,15* : 0,7 ; *14,15 à 21,96* : 0,9 ; *21,96 à 42,52* : 1,2 ; *au-delà* : 1,5. **Seuil d'imposition :** *1989* : 4. *90* : 4,13. *91* : 4,26. *92* : 4,39. *93* : 4,39. Montant à payer réduit de 1 000 F

ÉVOLUTION DES PRINCIPAUX PRÉLÈVEMENTS OBLIGATOIRES

	RECETTES FISCALES TOTALES % du PIB								STRUCTURE FISCALE % des recettes fiscales totales en 1990							Taux extrêmes IRPP [1] en % (en 1990)	
	1965	1970	1975	1980	1985	1988	1990	1991	IR [2]	IS [3]	Contributions à la Séc. soc. S [4]	Contributions à la Séc. soc. E [5]	Taxes sur biens et services	Patrimoine	Autres		
Allem.	31,6	32,9	36	37,9	38,1	37,7	37,7	36,6	27,4	4,7	15,9	18,8	27,4	3,3	0,4	19	53
Australie	24,3	25,4	29,1	30,3	30	30,5	30,8	–	43,2	14	0	0	27,8	8,9	–	20	47
Autriche	34,7	35,7	38,6	41,2	43,1	42,1	41,6	42	21,2	3,3	13,9	16,2	31,5	2,7	1,3	10	50
Belgique	30,8	35,2	41,1	43,9	47,6	46,3	44,9	42	30,7	6,4	11,6	20,7	25,3	2,6	–	25	55
Canada	25,9	32	32,9	32	33,1	34,5	37,1	39,4	40,8	6,8	4,3	9,7	27,4	9	1,2	17	29
Dan.	29,9	40,4	41,4	45,5	49	51,7	48,6	48,2	52,7	3,3	2,4	0,7	33,4	4,2	0,2	22	40
Espagne	14,7	17,2	19,6	24,1	28,8	32,7	34,4	34,6	21,8	8,9	5,8	25,5	28,3	5,5	–	25	56
USA	26,3	29,6	29,6	30,4	29,2	29,4	29,9	–	35,8	7,4	11,6	16,6	16,5	10,8	–	15	28
Finl.	29,6	31,6	15,4	34,2	37	37,8	38	37,2	46,8	5,5	0	7,4	37,3	2,8	0,2	9	43
France [6]	*35*	*35,6*	*37,4*	*42,5*	*44,5*	*43,8*	*43,7*	*43,9*	*11,8*	*5,5*	*13,3*	*27,3*	*28,2*	*5,2*	*3,3*	*5*	*56 [7]*
Grèce	20,6	24,3	24,6	28,6	35,1	34,7	36,5	–	14,5	5,6	13,4	12,8	45,7	4,8	–	18	50
Irlande	26	31,2	31,6	34,7	38	40,6	37,2	37,9	31,9	5	5,2	9	42,3	4,7	–	30	53
Italie	27,3	27,9	29	33,2	34,4	37	39,1	40,5	26,3	10	6,3	23,6	28	2,3	–	10	50
Japon	18,4	19,7	21	25,9	27,6	30,3	31,3	–	26,8	21,5	10,9	15,2	13,2	9	0,2	10	50
Luxemb.	30,5	30,5	36,5	36,3	50,1	49,7	50,3	–	24,1	16,2	10,7	13,5	23,5	8,5	–	10	56
Norvège	33,2	39,2	44,8	47,1	47,6	47,8	46,3	47	25,9	8,8	8,4	16,6	35,4	2,9	0,9	10	19
N.-Zél.	24,9	26,9	29,6	30,9	34,1	37,2	38,2	–	46,5	6,5	0	0	33,7	6,2	–	24	33
P.-Bas	33,6	37,8	43,6	45,8	44,9	48,4	45,2	47,2	24,7	7,6	23,5	7,9	26,4	3,7	0,3	13	60
Portugal	18,4	23,1	24,7	29,2	31,6	34,6	34,6	35,5	16	7,4	10,2	16,4	44	2,4	0,6	16	40
Roy.-U.		30,6	37,2	35,5	37,9	37,3	36,7	36,2	28,4	11	6,6	10	30,4	8,4	4,3	25	40
Suède	35,7	40,2	43,9	49,4	50,4	55,5	56,9	50,3	37,9	3,1	0	25,4	24,6	3,5	0,2	17	35
Suisse	20,7	23,8	29,6	30,8	32	32,6	31,7	31,4	34,6	6,5	10,4	10,3	18,3	7,8	–	1	13
Turquie	15	17,7	20,7	19	19,7	22,8	27,8	30	26,8	6,7	7,4	11	27,9	2,3	16,7	25	50

Nota. – (1) Taux extrêmes du barème des impôts de l'administration centrale sur le revenu des personnes physiques. En comparant les pays, on doit tenir compte des différences suivantes : le point où le revenu devient imposable ; le montant des allégements fiscaux ; le taux de contribution des salariés à la Sécurité sociale ; le taux des impôts locaux sur le revenu. (2) Impôts sur le revenu des personnes physiques. (3) Impôts sur les Stés. (4) Salariés. (5) Employeurs. (6) *1992* : 43,5 ; *93* : 43,3 (7) *1993* : 56,8. *Source* : OCDE.

par personne à charge et plafonné à 85 % des revenus nets imposables à l'impôt sur le revenu au titre de l'année précédente.

Biens exonérés. *1°) objets d'antiquité* (plus de 100 ans d'âge), *d'art et de collection. 2°) biens professionnels :* entreprises individuelles, parts de sociétés de personnes, titres de SARL ou de SA à condition que le redevable détienne avec son groupe familial 25 % min. du capital de la société, y exerce des fonctions de direction et en retire plus de la moitié de ses revenus professionnels. *3°) biens ruraux loués par bail à long terme et parts de groupements fonciers agricoles :* sur 75 % de la fraction de leur valeur jusqu'à 500 000 F et 50 % au-delà. Bois et forêts et parts de groupements forestiers pour les 3/4 de leur valeur. *4°) revenu de la propriété industrielle* (brevets), littéraire et artistique ; placements financiers en Fr. par des non-résidents ; valeur de capitalisation de certaines rentes viagères ou d'indemnisation.

Biens imposables. Immeubles, valeurs mobilières, liquidités, pièces et lingots d'or, créances, objets d'ameublement (sauf s'ils sont exonérés comme objets d'art), bijoux et pierreries, bons d'épargne, rentes viagères et contrats d'assurance-vie (avec faculté de rachat).

Dettes déductibles emprunts et impôts dus au 1er janvier de l'année.

Déclarations souscrites (faisant apparaître un revenu imposable). *1990* : 140 461 ; *91* : 150 177 ; *92* : 157 666.

Montants recouvrés (en milliards de F). *1989* : 4,5 ; *90* : 5,7 ; *91* : 6,439 ; *92* : 7,014.

IMPÔT SUR LE REVENU DES PERSONNES PHYSIQUES (IRPP)

■ Définition. Le revenu imposable des personnes physiques englobe : revenus fonciers, bénéfices industriels et commerciaux (BIC), rémunération des gérants et associés, bénéfices de l'exploitation agricole, traitements, salaires, pensions et rentes viagères, bénéfices des professions non commerciales, revenus de valeurs et capitaux mobiliers, créances, dépôts, revenus encaissés hors de France, plus-values de cessions d'éléments d'actifs, de biens immobiliers, de droits sociaux, d'autres biens meubles, et professionnelles. Consultez le « Guide du contribuable ».

■ Produit (en milliards de F). *1982* : 162,3 ; *91* : 303,5 ; *92* : 307,1 ; *93 (prév.)* : 309,1.

■ Charges déductibles (au 24.12.1992) 1°) ouvrant droit à réduction d'impôt. **Déductions relatives à l'acquisition de l'habitation principale** (au sens strict + partie réservée au stationnement du véhicule) ; *emprunts conclus après le 18-9-1991* : 25 % du montant des intérêts d'emprunt plafonnés à 40 000 F (couples mariés), 20 000 F personne seule + 2 000 F par pers. à charge dont 1er enfant (2e enfant : + 2 500 F, 3e enfant et suivants : + 3 000 F) ; *emprunts conclus entre le 1-6-1986 et le 17-9-1991* : 25 % de 30 000 F + 2 000 F par personne à charge (2 500 puis 3 000 pour les suivants). *Seuil de droit aux réductions* : revenu net imposable inférieur à 223 450 F par part.

Versements au profit des fonds salariaux : dans la limite de 25 % de leur mouvant, lui-même limité à 5 000 F. **Assurance-vie** (limitée), 25 % de la fraction de la prime assimilée à une épargne dans la limite de 4 000 F + 1 000 F par enfant à charge. **Acquisition de logements neufs destinés à la location :** 10 % du prix de revient, base de calcul de la réduction limitée à 300 000 F pour personne seule et 600 000 F pour couples mariés (2 réductions possibles pour 1990-97). **Adhérents des centres de gestion agréés :** abattement de 20 % sur la fraction des bénéfices n'excédant pas 453 000 F ; 10 % sur celle comprise entre 453 000 F et 644 000 F. **Cotisations versées aux organisations syndicales par salariés fonctionnaires ou retraités :** 30 % de leur montant plafonné à 1 % du montant brut des rémunérations ou pensions imposables.

Aide à domicile : 50 % des sommes versées pour l'emploi d'une aide à domicile max. 50.000 F par an. *Frais d'hébergement* : 25 % limités à 13 000 F, si le conjoint âgé de plus de 70 ans est hébergé dans un centre médicalisé ou de long séjour.

Dons à des œuvres ou organismes d'intérêt général (y compris les associations diocésaines et humanitaires) : réduction d'impôt sur 40 % des sommes versées plafonnées à 1,25 % du revenu imposable, à 5 % pour des fondations ou assoc. reconnues d'utilité publique (de plus, s'il s'agit d'organismes d'aide alimentaire, réduction d'impôt de 50 % jusqu'à 560 F versés). **Versés par chèque, à titre définitif et sans contrepartie, aux candidats aux élections législatives ou présidentielles** [loi du 11-3-1988 relative à la transparence financière de la vie politique (loi organique)]. Plafonnés à 40 % de leur montant en tenant compte des autres dons versés aux œuvres et organismes d'intérêt général : 2 ‰ du CA pour les entreprises (dans la limite globale annuelle de 3 ‰ du CA), 1,25 % du revenu imposable pour les particuliers. Dons politiques limités à 30 000 F par donateur et élection et à 50 000 F par an envers un même parti.

Quelques dates

■ **En France. 1791-***17-3* l'Assemblée constituante instaure la patente pour remplacer « droits de maîtrise, de jurande et des vingtièmes ». **1872** impôt sur le revenu des valeurs mobilières. **1876** Gambetta propose la création d'un impôt proportionnel sur les revenus. **1889** projet de Peytral (min. des Fin. du gouv. Floquet) déposé au Parlement (le programme radical prévoit la création d'un impôt sur le revenu) mais non discuté. **1893-94** propositions Pelletan (impôts progressifs sur le capital et le revenu), Goblet, Doumer et Cavaignac (imp. sur le rev. à taux progressif), Jaurès, Rameau, Ducos, etc. ; création d'une commission extra-parlementaire pour étudier le problème : favorable à la taxation de nouveaux revenus (fonds d'État, profits agricoles, traitements et salaires) mais opposée à l'impôt global de superposition. **1896** projet Doumer, min. des Fin. du gouv. Bourgeois (radical homogène) : impôt progressif sur les successions, impôt gén. sur le revenu ; adopté par la Chambre, mais, devant l'hostilité du Sénat, le gouv. démissionne. **1898** controverse entre partisans et adversaires de l'impôt sur le revenu lors des élections à la Chambre ; le gouv. Brisson doit renoncer à l'impôt progressif faute de majorité homogène. **1900** projet Caillaux, min. des Fin. du gouv. Waldeck-Rousseau, rejeté. **1901** progressivité des droits de succession. **1907** projet Caillaux, min. des Fin. : impôt cédulaire sur les revenus et impôt progressif sur le revenu global. **1909** voté par la Chambre, mais le Sénat adopte un texte différent. **1914** *(15-7)* impôt progressif général sur le revenu global introduit dans la loi de Fin. [1]. **1917** *(31-7)* loi créant les impôts cédulaires [1] : les *quatre vieilles* (contributions personnelle et mobilière, foncière, des portes et fenêtres, des patentes) remplacées (mais conservées en tant qu'impôts locaux) par des impôts proportionnels sur 7 catégories de revenus (foncier, bénéfices ind. et commerciaux, agric., des prof. non commerciales, traitements, salaires, pensions et rentes viagères, revenus des créances, des valeurs mob.). **1959-***7-3* ordonnance prévoyant la modernisation des « quatre vieilles » et le remplacement de la patente par la taxe professionnelle. **1975** l'Assemblée nationale adopte le remplacement de la patente par la taxe professionnelle. **1982-86** impôt sur les grosses fortunes. **1988** impôt de solidarité sur la fortune.

Nota. – (1) Raisons et buts : plus grande égalité fiscale et sociale, accroissement du rôle écon. et social de l'État et de ses besoins fin. Principe : substitution, à des impôts réels assis sur les signes extérieurs de richesse, d'impôts personnels (avec déclaration des contribuables).

■ **A l'étranger. Grande-Bretagne :** Income Tax [impôt cédulaire créé 1803 (ébauche en 1798)], supprimé de 1816 à 1841, rétabli 1842 ; progressif sur le revenu global 1910. **Allemagne :** Hambourg et Lübeck avant 1870, Saxe 1874, Bade 1884, Prusse 1891, Wurtemberg 1893, Bavière 1910. **Italie :** 1864. **États-Unis :** pendant la guerre de Sécession (1861-65), loi votée en 1894 mais déclarée inconstitutionnelle ; impôt fédéral 1913. **P.-Bas :** 1914-18. **Belgique :** 1919.

Souscription au capital de nouvelles Stés (créées après le 1-1-1991) : 25 % des versements plafonnés à 40 000 F pour 1 personne (80 000 pour un couple).

2°) **donnant lieu à déduction du revenu global. Frais de garde des enfants** 25 % des sommes versées dans la limite de 15 000 F par an et par enfant de – de 6 ans, soit une réduction max. de 3 750 F [frais de scolarisation pour un collégien 400 F, un lycéen 1 200 F, un étudiant 1 000 F (sans préjudice des allocations versées par ailleurs)]. **Pensions alimentaires :** versées aux ascendants, à des enfants mineurs non déclarés à charge, à certains enfants majeurs, entre époux séparés de corps ou divorcés ou en instance de séparation ou de divorce ; versée à un enfant majeur étudiant (déduction d'impôt de 4 000 F min., ne pouvant dépasser 35 % des sommes versées). **Arrérages de rentes payées à titre obligatoire et gratuit,** constituées avant le 2-11-1959. **Intérêt des emprunts** contractés avant le 1-11-1959. **Versement pour la retraite mutualiste du combattant (pour la fraction majorée par l'État). Versements à des œuvres d'intérêt général** y compris culturel (1 à 5 %, si association d'utilité publique, du revenu global). *Pour les contribuables nés avant le 1-1-1932 :* excédent net annuel des acquisitions d'actions ou de parts des Stés françaises dans la limite annuelle de 5 000 F par foyer + 500 F pour les 2 premiers enfants à charge et + 1 000 F pour les suivants. Majoration de 1 000 F à compter de la 5e année de déduction. **Cotisations**

Fraction du revenu imposable (1 part) en F	Taux (%)	Fraction du revenu imposable (2 parts) en F	Taux (%)
0 à 19 220	0	0 à 38 440	0
19 220 – 20 080	5	38 440 – 40 160	5
20 080 – 23 800	9,6	40 160 – 47 600	9,6
23 800 – 37 620	14,4	47 600 – 75 240	14,4
37 620 – 48 350	19,2	75 240 – 96 700	19,2
48 350 – 60 690	24	96 700 – 121 380	24
60 690 – 73 450	28,8	121 380 – 146 900	28,8
73 450 – 84 740	33,6	146 900 – 169 480	33,6
84 740 – 141 190	38,4	169 480 – 282 380	38,4
141 190 – 194 190	43,2	282 380 – 388 380	43,2
194 190 – 229 710	49	388 380 – 459 420	49
229 710 – 261 290	53,9	459 420 – 522 580	53,9
+ de 261 290	56,8	+ de 522 580	56,8

de Sécurité sociale non déjà déduites d'un revenu catégoriel (gens de maison, cotisations exclues). **Frais d'accueil des personnes âgées** (de 75 ans au moins) autres que les ascendants disposant d'un revenu inférieur à 37 980 F (66 520 F) pour un couple), dans la limite de 16 400 F. **Souscription au capital des Stés exclusivement d'œuvres cinématographiques** (du 1-7-1983) dans la limite de 25 %. **Acquisition de parts de copropriété de navires** (entre le 1-1-1991 et le 31-12-1994) : déduction limitée à 25 % des sommes versées et à 25 000 F pour 1 personne (50 000 F pour un couple marié).

Frais des propriétaires d'un monument historique (restauration, entretien, gardiennage, intérêts d'emprunt, taxe foncière) plafonnés à 50 % si habité par le propriétaire et non ouvert au public, non plafonnés si habité et ouvert au public ou si loué.

■ **Calcul du nombre de parts.** *Célibataire* ou *divorcé* avec 1 enfant à charge 1,5 puis 0,5 par enfant en + jusqu'au 3e, 1 au-delà. *Couple marié sans enfant* à charge 2, avec 1 enfant à charge 2,5 (avec 2 enf. à charge 3, au-delà du 2e, 1 part supplémentaire par enfant en +). Majoration de 1 part quand les 2 époux sont invalides, de 1/2 part quand l'un des époux est invalide, de 1/2 part pour les anciens combattants de + de 75 ans. *Veuf* avec 1 enfant 1,5, puis comme pour un couple (minorer d'une demi-part si aucun des enfants n'est issu du conjoint décédé). Ajouter 1 part par personne titulaire de la carte d'invalidité, 1/2 part en + pour les célibataires, divorcés, séparés ou veufs ayant 1 ou plusieurs enfants à charge quand ils ont : une pension d'invalidité pour accident du travail d'au – 40 %, une pension militaire pour invalidité d'au – 40 %, la carte d'invalidité prévue à l'art. 173 du Code de la famille et de l'aide sociale.

Quotient familial. *Plafond :* réduction d'impôt plafonnée à 12 910 F (16 500 F pour célibataire, veuf ou divorcé) pour chacune des 1/2 parts s'ajoutant au nombre de parts suivant : 1 part pour les contribuables célibataires, divorcés ou veufs ayant ou non des personnes à charge, 2 parts pour les contribuables mariés ayant ou non des enfants à charge. *Abattement sur le revenu au titre des enfants mariés rattachés au foyer fiscal :* 22 730 F par enfant. *Abattement pour personnes âgées invalides :* 9 120 F si revenu < 56 400 F, 4 560 F s'il est compris entre 56 400 et 91 200 F.

Si l'impôt établi n'excède pas 460 F (quel que soit le nombre de parts), il n'est pas mis en recouvrement.

Limites d'exonérations. Sont totalement exonérés les contribuables dont le revenu net de frais professionnels qu'elle qu'en soit l'origine n'excède pas 41 700 F ; 45 400 F pour les + de 65 ans au 31-12-92.

■ **Plafonds. Abattement de 10 %** (sur pensions, retraites et rentes viagères à titre gratuit) : 30 200 F. **Déduction forfaitaire de 10 %** (sur salaires) : 70 900 F. **Imposition des plus-values boursières :** 325 800 F. **Abattement de 20 % sur pensions ou salaires** (nets de frais professionnels) et bénéfices des adhérents des centres de gestion agréés : 644 000 F et 10 % pour la fraction comprise entre 453 900 F et 644 000 F des salaires nets versés à des dirigeants par des Stés dans lesquelles ils contrôlent + de 35 % des droits sociaux. **Abattement pour + de 65 ans ou invalides** quand leur revenu net global est de – de 56 400 F : 9 120 F, entre 56 400 et 91 200 F : 4 560 F.

■ **Acompte provisionnel.** A verser par tout contribuable imposé l'année précédente pour plus de 1 700 F (sauf s'il a opté pour le paiement mensuel) au 31-1 et au 30-4 correspondant chacun au tiers de l'impôt payé l'année précédente (ou 1 seul versement le 30-4 égal à 60 % de l'imposition de l'année précédente). Si les acomptes ne sont pas versés les 15-2 et 15-5 au plus tard, majoration de 10 % du montant de la fraction des impositions non payées à cette date (applicable le 15 du 2e mois suivant la date de mise en recouvrement du rôle). Si le contribuable estime ses revenus inférieurs à ceux de l'année précédente, il peut diminuer d'autant le montant de ses versements. En général, il reçoit un avertissement du percepteur indiquant la somme à payer.

■ **Décote.** *Créée* en 1982. Si l'impôt d'un contribuable est inférieur à 5 110 F, il est diminué d'une décote égale à 5 110 F moins le montant de l'impôt.

Minoration : *quand le revenu, par part de quotient familial, n'excède pas 341 670 F :* si l'impôt sur le revenu ne dépasse pas 26 990 F : minoration de 11 % ; 33 710 F : minoration dégressive entre 11 % et 6 % ; 40 460 F : de 6 % ; 47 560 F : minoration dégressive entre 6 % et 3 % de l'impôt ; + de 47 560 F : minoration de 3 %

■ **Impôt complémentaire.** 1 % des revenus de capitaux mobiliers, si plus de 460 F d'impôts.

■ **Informations sur les contribuables.** Consultation possible de la liste des contribuables (impôt sur le revenu, les Stés, les grandes fortunes) à la direction des services fiscaux. Nature des renseignements : nombre de parts de quotient familial, montant de l'impôt sur le revenu acquitté 2 ans avant ; revenu imposable, montant de l'avoir fiscal ; pour l'ISF, montant de l'impôt et valeur du patrimoine, nom des personnes non assujetties à l'impôt sur le revenu ou sur les stés bien qu'ayant une résidence dans la commune.

■ **Prélèvements** (à la source) **sur les gains du loto.** *De 5 000 à 100 000 F :* 5 %, *100 000 à 500 000 :* 10, *500 000 à 1 000 000 :* 15, *1 000 000 à 2 000 000 :* 20, *2 000 000 à 5 000 000 :* 25, *au-delà de 5 000 000 :* 30.

■ **Pression fiscale** (en 1990). Salaire net mensuel 1989 en italique, impôt dû en 1990, et entre parenthèses pression fiscale en %.

Célibataire sans enfant : *6 000 :* 4 700 (6,5). *7 500 :* 7 660 (8,5). *9 000 :* 11 150 (10,3). *12 000 :* 19 570 (13,5). *18 000 :* 40 630 (18,8). *30 000 :* 89 830 (24,9). *50 000 :* 188 280 (31,3).

Couple marié sans enfant : *6 000 :* 0 (0). *7 500 :* 1 300 (1,4). *9 000 :* 4 500 (4,1). *12 000 :* 94 000 (5,2). *18 000 :* 22 200 (10,2). *30 000 :* 62 800 (17,4). *50 000 :* 135 300 (22,5).

Avec 2 enfants : *6 000 :* 0 (0). *7 500 :* 0 (0). *9 000 :* 0 (0). *12 000 :* 5 300 (3,6). *18 000 :* 14 100 (6,5). *30 000 :* 45 100 (12,5). *50 000 :* 111 056 (18,5).

4 enfants : *6 000 :* 0 (0). *7 500 :* 0 (0). *9 000 :* 0 (0). *12 000 :* 0 (0). *18 000 :* 6 400 (2,9). *30 000 :* 23 500 (6,5). *50 000 :* 74 700 (12,4).

■ **Train de vie (imposition).** En cas de disproportion marquée entre le train de vie d'un contribuable et les revenus qu'il déclare, son imposition peut être fixée sur une évaluation forfaitaire des revenus (base forfaitaire) selon un barème appliqué aux éléments de train de vie : résidence principale après déduction de la valeur locative des locaux professionnels, résidences secondaires, employés de maison, précepteurs, gouvernantes, automobiles, motocyclettes de + de 450 cm³, yachts ou bateaux à voile, de plaisance jaugeant au moins 3 tonneaux, bateaux de plaisance à moteur fixe ou hors-bord d'une puissance réelle d'au moins 20 chevaux, avions de tourisme, chevaux de course, chevaux de selle, location de droits de chasse et participation dans les Stés de chasse, participation dans les clubs de golf et abonnements payés en vue de disposer de leurs installations. *Seuil* de déclenchement de cette procédure pour les revenus de 1992 égal au plafond de la 9e tranche : 282 380 F. *Majoration* de 50 % de cette base forfaitaire si elle dépasse 564 760 F et si le contribuable a au moins 7 des éléments de train de vie du barème.

■ **Contribution sociale généralisée (CSG).** Concerne toute personne fiscalement domiciliée en France, s'applique sur tous les revenus d'activité (salaires, retraites, revenus des professions non salariées agricoles et non agricoles, droits d'auteurs), du capital financier ou immobilier (rentes viagères, revenus fonciers, de capitaux mobiliers, plus-values de cession de biens meubles ou immeubles, sauf aux revenus sociaux ou de remplacement des plus démunis). **Taux** *1991 :* 1,1 % ; *1993 :* 2,4 % des revenus (déduction forfaitaire opérée sur le montant brut des salaires et des alloc. de chômage). Déductible des revenus pour 1,3 % (sur le taux global de 2,4 %) plafonnés à 3 000 F (6 000 F pour 1 couple). *Mode de prélèvement :* à la source pour les revenus d'activité et de remplacement, sur avis de paiement pour les revenus d'intérêt.

■ Statistiques

Données globales

■ **Fiscalité personnelle. Nombre de contribuables assujettis à l'impôt sur le revenu** (en millions). *1974 :* 12,8, *75 :* 13,5, *80 :* 15,5, *85 :* 15,1, *90 :* 13,6, *91 :* 14.

En 1991 : 27 087 484 contribuables avaient déposé une déclaration de revenus, 11 394 366 n'étaient pas imposés ou avaient bénéficié d'une non-mise en recouvrement (cotisation inférieure ou égale à 440 F), 1 812 008 avaient bénéficié d'une restitution ou de dégrèvements.

■ % des foyers fiscaux non imposés. *1980* : 29,2, *85* : 32,8, *90* : 48, *91* : 48,5.

■ % de recouvrement des impôts en 1991. Sur 1 452 milliards de F d'impôts dus, 95,4 % payés spontanément, 4,4 % non acquittés à l'échéance (dont 1,4 % recouvrés par l'action des agents).

■ Fiscalité patrimoniale. *Déclarations de succession déposées en 1991* : 301 848. *Actes portant sur des mutations d'immeubles ou de biens meubles* (ex. : actes de Stés, fonds de commerce...) présentés aux receveurs des impôts pour enregistrement : 1 460 041 dont 77 931 de fonds de commerce et 1 382 110 d'immeubles.

■ Fiscalité professionnelle. **Nombre d'entreprises par régime** (en milliers). **Bénéfices industriels et commerciaux (BIC), impôt sur les Stés (IS).** BIC réel RSI 892, normal 232 ; forfait 358 ; IS normal 644, RSI 199. **Non commerciaux.** *Évaluation administrative* : 132, *déclaration contrôlée* : 359.

Agriculteurs soumis à un régime réel d'imposition (1988), 155 000 (simplifié et normal), soit env. 13 % des agriculteurs imposés à l'impôt sur le revenu.

TVA. Redevables assujettis au *31-12-1990* : 3 060 292. **Recouvrements** (milliards de F) *1987* : 509,6, *88* : 552,8, *89* : 594,9, *90* : 625,4, *91* : 641,9.

■ Fiscalité locale : **Nombre d'articles d'imposition mis en recouvrement :** *1990* : 53,3 millions. (+ 1,4) dont taxe d'habitation : 23,7 ; taxe foncière : 27,2 ; taxe professionnelle (non compris les artisans assujettis au seul droit fixe de taxe pour frais de chambre des métiers) : 3 ; autres 0,077.

Taxation des plus-values

■ Immobilières. **Catégories** *p.-v. à court terme* (– de 2 ans), intégralement soumises à l'impôt sur le revenu ; *p.-v. à long terme* (+ de 2 ans), imposées pour leur montant, corrigé de l'érosion monétaire et d'un abattement (3,33 % par an au-delà de la 2e année de détention ; il faut donc 32 ans pour bénéficier de l'exonération totale due à cet abattement de 3,33 %. Exonération pour la 1re cession d'une résidence secondaire (sous certaines conditions) si d'autres ventes après le 1-1-1982 n'ont pas déjà été exonérées.

Coefficients d'érosion monétaire admis pour les plus-values immobilières. *Pour les biens vendus en 1992, et déclarés avec les revenus de 1992 en fin février 1993* selon l'année de l'acquisition ou de la dépense. *1958* : 8,00. *59* : 7,53. *60* : 7,26. *61* : 7,03. *62* : 6,72. *63* : 6,41. *64* : 6,20. *65* : 6,04. *66* : 5,88. *67* : 5,73. *68* : 5,48. *69* : 5,15. *70* : 4,90. *71* : 4,64. *72* : 4,37. *73* : 4,07. *74* : 3,58. *75* : 3,20. *76* : 2,92. *77* : 2,67. *78* : 2,45. *79* : 2,21. *80* : 1,95. *81* : 1,72. *82* : 1,54. *83* : 1,40. *84* : 1,30. *85* : 1,23. *86* : 1,20. *87* : 1,16. *88* : 1,13. *89* : 1,09. *90* : 1,06. *91* :1,03. *92* : 1. Le coefficient à appliquer est celui de l'année d'acquisition ou de la réalisation des travaux. Report d'imposition ou exonération possibles si les liquidités dégagées par la cession ont été apportées à une PMI-PME. *Pour les ventes effectuées en 1993, déclarées en février 1994* : nouveaux coefficients publiés par la Direction gén. des impôts en janvier 1994.

■ Mobilières. *Taux* : 18,7 % (15 + 3,7 de prélèvements sociaux) si les opérations imposables ont dépassé 325 800 F (en 1992) de cessions brutes (avant déduction des frais), ou si vous détenez + de 25 % du capital. Les moins-values sont reportables sur les plus-values des 5 années suivantes. Si le seuil n'est pas atteint, les plus-values ne sont pas imposables, les moins-values ne sont pas reportables.

Direction générale des impôts
Activités en 1991

■ Statistiques. **Effectifs** 80 878 agents dont 65 % de femmes. **Dossiers** individuels (personnes morales ou physiques) gérés env. 44 500 000. **Déclarations** souscrites traitées + de 53 000 000 dont contribuables à l'impôt sur le revenu 27 249 180, redevables des taxes sur le chiffre d'aff. 3 215 359, entreprises redevables de l'impôt sur les Stés 844 146. **Avis d'imposition** (feuilles d'impôt) établis + de 75 000 000, dont encaissés au profit de l'État 605 milliards de F, des collectivités locales ou d'organismes divers 75,6.

Les CDI (Centres des Impôts) comprennent chacun une Ordoc (cellule d'ordre et de documentation) de « secteurs d'assiette » et d'inspections spécialisées (fiscalité personnelle, des entreprises, immobilière).

■ Missions foncières et domaniales (en millions). **Cadastres.** *Situation au 1-1-1989* : nombre de propriétaires et logements de fonction 28,5, de locaux 39,36, de parcelles non subdivisées et de subdivisions fiscales 99,13, d'articles du répertoire informatisé des voies et lieux-dits (Rivoli) 6,7. *Évaluations cadastrales* : nombre de déclarations de propriétés bâties exploitées 1,61, de changements relatifs aux propriétés non bâties exploitées 0,985.

Domaine (nombre d'actes en milliers). *Gestion du domaine de l'État. Immobilier* : nombre d'autorisations d'occupation et de concessions en cours sur le domaine public 137,3, de concessions de logements 86,4, d'aliénations 4,4, d'unités immobilières inscrites au tableau général des propriétés de l'État 110,9. *Mobilier* : nombre d'aliénations 88,2. *Gestion de certains patrimoines privés (successions non réclamées, vacantes ou en déshérence, séquestres)* : nombre de dossiers à traiter 37,8. *Interventions immobilières* : nombre d'évaluations immobilières 172,3, d'opérations réalisées à l'amiable pour le compte de l'État : acquisitions 9,2, prises à bail 8,6, de procédures d'expropriation engagées par l'État et les collectivités publiques 5,4.

■ Missions économiques. **Boissons frappées de droits indirects** (1991, en millions d'hectolitres) : production globale 42,7 ; soumis au droit de circulation : vin 35,1, cidres et divers 1,6. *Alcools purs* : droit de consommation 1,44, de fabrication 0,53. *Bières et certaines boissons non alcoolisées* 100,3. **Personnes soumises à une réglementation économique ou fiscale :** *boissons alcoolisées* : bouilleurs de cru ayant effectivement exercé leurs droits : 560 794 (*1987* : 720 336), viticulteurs ayant souscrit une déclaration de récolte 429 743 (568 232). *Commerce des boissons alcoolisées* : nombre de marchands en gros de boissons 18 853, de redevables du droit de fabrication 1 860, de débits de boissons permanents 383 748. *Ouvrages en or, argent et platine* : nombre de fabricants et importateurs : 8 804, de marchands 20 711. *Tabacs* : nombre de débits : 36 647.

☞ Certains sont pour la suppression de l'impôt sur le revenu. Pour Michel Jobert, « il faut un fort impôt sur la dépense et un impôt modéré sur le capital. Dans 10 ans, il n'y aura pratiquement plus d'impôt sur le revenu en France. Déjà, de nombreux contribuables ne le paient plus (env. 50 % en 1988). Si l'on n'y vient pas de façon consciente, on y vient de façon hypocrite. »

Statistiques

■ Contrôle sur place. **Nombre d'opérations. Vérifications de comptabilités (VC) :** *1980* : 39 071, *81* : 35 935, *82* : 36 444, *83* : 36 628, *84* : 38 578, *85* : 41 169, *86* : 46 147, *87* : 49 508, *88* : 49 741, *89* : 42 858, *90* : 40 234, *91* : 37 649, dont générales 35 020, simples 2 629. **Vérifications d'ensemble de situation fiscale personnelle.** *1980* : 7 347, *81* : 6 676, *82* : 6 755, *83* : 6 393, *84* : 6 216, *85* : 6 504, *86* : 5 782, *87* : 3 966, *88* : 3 250, *89* : 3 066, *90* : 3 406, *91* : 3 355. **Contrôles sur pièces** (droits simples) : 15 825.

Sommes réclamées après contrôle (en milliards de F) **(pour les contrôles sur place et sur pièces) :** *1986* : 30,02 ; *87* : 31,6 ; *88* : 33,6 ; *89* : 31,5 ; *90* : 33,9 ; *91* : 46,1 dont contrôles sur pièces 16, sur place 30,1 [dont *suite à VC* 27,2 (droits rappelés 20,64, pénalités 6,6) ; *vérif. personnelle* 2,89 (dr. 1,87, pén. 1,03)].

■ Redressement (en milliards de F). *1981* : 12,5 ; *82* : 16 ; *83* : 19,3 ; *84* : 22,5 ; *85* : 27,4 ; *86* : 30 ; *87* : 31,6 ; *88* : 33,5 ; *89* : 31,5 ; *90* : 33,9 ; *91* : 38,44 dont contrôle sur place 22,5, contrôle sur pièces 15,94 (dont IS 1,9, IRPP 5,9, TVA 5, ISF 0,12).

Poursuites pénales (nombre) : *1983* : 512. *84* : 522. *85* : 546. *86* : 579. *87* : 619. *88* : 662. *89* : 718. *90* : 740 (dont absence de déclaration et exercices d'activités occultes 493, constatations de dissimulations de recettes 225, réalisations d'opérations fictives 15, autres procédés de fraude 7) (ayant donné lieu à 484 peines de prison avec sursis et 35 ferme).

☞ **Taxation d'office** appliquée 22 fois dans toute la France, en 1983 **sur les signes extérieurs de richesse,** appliquée 123 fois. *Taxation* en 1974 : 1 800 fois.

■ Fréquence des contrôles fiscaux selon le montant du CA, pour les commerçants et, entre parenthèses, pour les prestataires de service (en 1984). *- de 1 million de F (- de 0,3 million de F)* : 1 tous les 56 ans. *1 à 5 MF (0,3 à 1 MF)* : 1 tous les 28,7 a. *5 à 10 MF (1 à 5 MF)* : 1 tous les 18,3 a. *+ de 20 MF (5 MF)* : 1 tous les 9,9 a.

■ Contentieux administratifs réglés par l'administration fiscale (abréviations : *id* impôts directs ; *enreg* droits d'enregistrement ; *tca* taxe sur le chiffre d'affaires). Impôts de l'État. **Réclamations.** Nombre de décisions prises par les services locaux (et entre parenthèses par les directions) : 920 153 (146 224) dont *id* 824 302 (66 646), *enreg* 53 596 (15 807), *tca* 42 255 (63 771). **Décisions d'office.** 70 420 dont *id* 20 046, *enreg* 11 772, *tca* 38 602. **Demandes gracieuses** 299 742 dont *id* 54 869, *enreg* 57 994, *tca* 186 879. Impôts locaux. **Réclamations :** 2 059 881 dont décisions locales 1 925 524, par les directions 134 357. **Décisions d'office :** 299 893. **Demandes gracieuses :** 330 689.

■ Montant de la fraude fiscale (estimation 1988) 106 milliards de F, dont impôt sur Stés 36,1, sur le revenu 34,4, taxes sur le chiffre d'affaires 26,7.

☞ Amnistie fiscale. *1948* paiement d'une taxe forfaitaire de 25 % du montant des capitaux. *1952* (Antoine Pinay) totale, notamment pour les avoirs à l'étranger ; rentrées plusieurs millions de F. *1981* taxe forfaitaire de 25 % sur le montant des capitaux rapatriés (600 millions de F). *1986* paiement d'une taxe de 10 %, anonymat conservé.

Finances locales et régionales

Source : Direction de la comptabilité publique du min. des Finances.

■ Impôts locaux

■ Nature. Perçus au profit des communes, départements, groupements de collectivités locales (communautés urbaines, syndicats de communes), certains syndicats mixtes, districts, agglomérations nouvelles, établissements publics administratifs (région, district de la région parisienne, Basse-Seine, Métropole lorraine), établissements consulaires (chambres de commerce et d'industrie, ch. de métiers, ch. d'agriculture), ou d'organismes divers (budget annexe des prestations sociales agricoles).

■ Taxe foncière sur les propriétés bâties. Due par le propriétaire au 1er janvier. **Exonération :** pour 2 ans constructions nouvelles (10 ou 15 pour celles affectées à l'habitation principale). **Base d'imposition** ou revenu net cadastral : égale à la moitié de la valeur locative cadastrale, l'abattement ainsi opéré (50 %) est destiné à tenir compte forfaitairement des frais de gestion, d'assurances, d'amortissements, d'entretien... supportés par le propriétaire. Cette base est multipliée par un coefficient de réduction fixé à 0,962 pour 1988.

Valeur locative brute : *locaux d'habitation,* la même que celle utilisée pour la taxe d'habitation, y compris les revalorisations. Les locaux loués sous le régime de la loi de sept. 1948 ont une base d'imposition particulière (voir ci-dessous). *Locaux commerciaux* : est fonction du loyer pratiqué au 1-1-1970 si ce dernier a été jugé normal. A défaut de loyer normal, déterminée par comparaison. Les valeurs locatives des locaux commerciaux ont été actualisées en 1980 par application d'un coefficient à Paris, 2,23, puis majorées de 10 % en 1981, 11 % en 82, 13 % en 83, 12 % en 84, 8 % en 85 et 86, 5 % en 87, 3 % en 88, 4 % en 89, 1 % en 90, 3 % en 91, 1 % en 92, 3 % en 93 et 94, 2 % en 95.

Taux : décomposé à Paris en 3 éléments (taux appliqués à la base nette d'imposition). 1°) taux communal (part revenant à la Ville de Paris) 5,53 % ; 2°) taxe spéciale d'équipement (part revenant à la région Ile-de-France) 0,734 % ; 3°) frais de confection des rôles et de dégrèvement (8 % sur le total des cotisations obtenues). **Dégrèvements :** possibles pour personnes âgées ou handicapées aux ressources modestes.

Sur les propriétés non bâties. **Exonération :** 30 ans pour terrains plantés ou replantés en bois ; 10 pour terres incultes depuis 15 ans et +, remises en culture ou plantées d'arbres fruitiers). **Base :** revenu net cadastral déterminé en appliquant à la valeur locative cadastrale des propriétés un abattement de 20 %. Cette valeur déterminée lors des révisions générales est actualisée tous les 3 ans et majorée chaque année. La dernière révision générale fut achevée en 1992 mais trop tard pour l'établissement des impositions 1993 ; il y a eu revalorisation forfaitaire sur la référence précédente avec coefficients : non bâti 1, immeubles ind. 1,01, autres propr. bâties 1,03.

Taux communaux d'imposition bâti, et entre parenthèses, **non bâti** (1992, en %). Bordeaux 13,26 (54,42). Clermont-Ferrand 11,91 (36,54). Dijon 19,30 (63,62). Grenoble 26,53 (62,13). Le Havre 26,26 (25,99). Lille 14,30 (8,36). Lyon 7,95 (9,64). Marseille 16,80 (19,21). Metz 15,22 (68,87). Montpellier 21,57 (83,10). Nancy 13,53 (19,05). Nantes 17,53

(40,49). Nice 19,14 (31,49). Paris 5,09 (10,26). Rennes 17,33 (31). Rouen 12,53 (16,36). St-Etienne 20,64 (37,03). Strasbourg 9,69 (33,99). Toulon 24,3 (30,46). Toulouse 21,64 (83,91).

■ **Taxe d'habitation.** Due pour l'année entière par toute personne (propriétaire, locataire ou occupant à titre gratuit) ayant la disposition au 1er janvier d'un local meublé affecté à l'habitation. La taxe porte également sur les dépendances de l'habitation (garage, emplacements de stationnement) sauf celles situées à plus d'un kilomètre. **Base nette d'imposition :** valeur locative nette (valeur locative cadastrale diminuée des abattements et des exonérations). *La valeur locative cadastrale* d'un local correspond au loyer théorique que l'on pourrait attendre de la location libre à des conditions de prix normales. Fixée en fonction des loyers pratiqués au 1-1-1970, cette valeur a été actualisée en 1980 (coeff. 1,85 à Paris) puis majorée de 10 % en 1981, 11 % en 82, 13 % en 83, 12 % en 84, 8 % en 85 et 86. Il s'agit d'une valeur estimée indépendante du loyer réel qu'il soit libre ou réglementé et du revenu de l'occupant. *Les abattements* ne s'appliquent qu'à la résidence principale du contribuable et peuvent se cumuler, à Paris : *abattement général à la base* différencié qui allège l'imposition des bases faibles par rapport aux bases fortes ; *abattement obligatoire pour charges de famille :* 10 % pour chacune des 2 premières personnes + 15 % pour chacune des suivantes, les communes pouvant ajouter des abattements facultatifs ; *abattement spécial à la base* en faveur des contribuables de condition modeste ; cet abattement est laissé à l'initiative des communes.

Taux : à Paris, taux communal 7,25 %, taxe spéc. d'équipement versée à la région : 0,825 % (taux appliqués à la base nette d'imposition). Frais de confection des rôles 4,4 % sur le total des cotisations obtenues). **Dégrèvements :** possibles pour contribuables âgés, invalides, handicapés, veufs ou veuves de ressources modestes.

Taux (1992, en %). Aix 16,55. Amiens 15,82. Angers 16,26. Argenteuil 12,46. Avignon 20,42. Besançon 17,86. Bordeaux 14,20. Boulogne 16,89. Brest 14,62. Caen 11,03. Clermont-Ferrand 12,04. Dijon 16,38. Dunkerque 17,31. Grenoble 15,83. Le Havre 16,69. Le Mans 7,72. Lille 21,03. Limoges 14,93. Lyon 10,69. Marseille 24,10. Metz 16,62. Montpellier 14,22. Mulhouse 15,22. Nancy 12,42. Nantes 15,59. Nice 18,62. Nîmes 26,96. Orléans 16,72. Paris 6,67. Pau 18,86. Perpignan 14,50. Poitiers 15,08. Reims 10,63. Rennes 17,33. Roubaix 19,92. Rouen 13,04. St-Denis-de-la-Réunion 14. St-Etienne 20,19. Strasbourg 11,91. Toulon 19,67. Toulouse 19,34. Tourcoing 20,64. Tours 20,50. Versailles 8,47. Villeurbanne 12,20. *Moyenne des villes :* 13,11.

■ **Taxe départementale sur le revenu (TDR).** Entrée en application prévue le 1-1-1992, repoussée au 1-1-1993, puis *sine die.* **Abattement :** taux minimum de 15 % du revenu moyen national par hab. (majorable jusqu'à 18 % par département). Montant mini. de l'abattement à la base 15 000 F pour 1 personne et 30 000 F pour un couple marié (majorables à 18 000 et 30 000 F). **Exonération :** personnes déjà exonérées, dégrèvement de 8 % de l'impôt prévu pour tous les contribuables. Les contribuables dont le montant de la taxe pour 1991 excédera de 50 % ou de 500 F celle acquittée en 1990, bénéficieront de 75 % de dégrèvement sur la part de l'impôt située au-dessus de ces 2 seuils (50 %, puis 25 % les années suivantes). **Recouvrement :** à partir de 200 F. **Recette supplémentaire attendue :** 900 millions de F.

■ **Taxe d'enlèvement des ordures ménagères** (due au 1er janv. par le propriétaire, remboursable par le locataire). Porte sur propriétés et dépendances assujetties à la taxe foncière et sur les propriétés bâties ou qui en sont temporairement exonérées, sauf usines ou locaux loués pour un service public. Calculée de manière forfaitaire sur la même base que la taxe foncière. Indépendante du volume des ordures présentées à la collecte.

■ **Taxe de balayage.** Due au 1er janvier par le propriétaire et remboursable par le loc. des immeubles riverains de la voie publ. Établie par la mairie de Paris, en fonction de la superficie balayée sur la longueur de la façade jusqu'au milieu de la chaussée sans que la largeur imposée puisse dépasser 6 m, et du tarif au m^2 fixé selon la catégorie de la voie.

■ **Taxe professionnelle** (loi du 29-7-1975) a remplacé dep. le 1-1-1976 la *contribution des patentes.* Due chaque année par toute personne physique ou morale qui exerce à titre habituel une activité professionnelle non salariée. **Base :** somme de la *valeur locative* des biens passibles de la taxe foncière pour les petits redevables, à laquelle s'ajoute, pour les entreprises d'une certaine importance, celle de l'ensemble des immobilisations corporelles (outillage, matériel, mobilier) utilisées pour les besoins de la profession ; une *quote-part* des salaires versés, pour la plupart des contribuables ou, pour certaines activités, le dixième des recettes globales. Des réductions sont prévues en faveur des artisans employant moins de 4 salariés.

Taux. 5 éléments (ex. à Paris) : *taux communal* 10,19 %, *taux régional* 0,864 % (taxe spéciale d'équipement), *taux des taxes perçues au profit des organismes consulaires* 0,959 % pour les Chambres de Commerce (et droits fixes de 945 F et additionnel de 0,397 % pour les Chambres des Métiers), *taux de cotisation de péréquation* perçu au profit du fonds national de péréquation de la taxe professionnelle fixé par la loi à 1,25 % ; *frais de confection des rôles et de dégrèvement* (part revenant à l'État) 8 % de la cotisation communale, régionale et de la péréquation, 8,6 % de la cotisation allant aux organismes consulaires. **Réduction forfaitaire.** 10 % à l'exclusion des taxes perçues au profit des organismes consulaires.

Montant. *Les + forts :* Beausoleil ; Cap-Martin ; La Trinité ; Condé-sur-Escaut ; La Valette ; Pierrefitte-sur-S. 26,1 ; Toulon 26,02 ; Le Pontet 25,95 ; Nice 25,11. *Les + faibles :* Neuilly-sur-Seine 2,84 ; Cesson-Sévigné 3,57 ; St-Cloud 4,37 ; Courbevoie 4,67 ; Obernai 5,13 ; Guipavas 5,22 ; Chamalières 5,5.

Reproches. La TP pénalise les entreprises qui créent des emplois ou augmentent les salaires (car elle augmente avec la masse salariale), qui engagent des investissements nouveaux (car elle augmente aussi avec la valeur des équipements), qui exportent car elle n'est pas déductible comme la TVA. Aussi a-t-on modifié les bases de l'assiette comme en 1982, accordé une remise de 10 % sur son montant ou érigé des plafonnements. *Projets :* baser son assiette sur la valeur ajoutée, la remplacer par une augmentation de la TVA de 2,6 points (conséquences : hausse des prix de 1,9 % dès la 1re année, mais stimulation de la croissance sans accroître le déficit extérieur).

■ STATISTIQUES

Taux moyens 1992	Comm.	Départ.	Rég.	Globale
Taxe d'habitation	11,96	5,02	1,12	18,1
Foncier bâti	15,01	6,84	1,38	23,2
Foncier non bâti	38,07	20,37	4,70	63,1
Taxe professionnelle ..	13,65	5,85	1,39	20,9

Fiscalité directe locale (en milliards de F). **Coût total net pour l'État :** *1988 :* 41,2, *89 :* 41,9, *90 :* 51,1, *91 :* 57,2, *92 :* 62,8 [dont compensations (et entre parenthèses dégrèvement) : taxe d'habitation 5,9 (7,7), foncière 1,7 (3,4), professionnelle 23,4 (20,4)]. **Produit global effectivement perçu par les collectivités** *1988 :* 181,2, *89 :* 193,2, *90 :* 212,8, *91 :* 232,9, *92 :* 248,4.

Répartition des produits entre les 4 taxes (en %, 1992). Taxe professionnelle 47,9, foncière sur propriétés bâties 25,2, sur prop. non bâties 3,7, d'habitation 23,2.

Pression fiscale (en % du PIB). *1991* État 17,9, collectivités locales 4,7. *1992* État 15,9, c.l. 6,1.

Montant total des taxes perçues (1991, en milliards de F). **Fiscalité directe :** 223,3 dont *les 4 taxes* 205,8 (dont d'habitation 51,6, foncière bâti 50,6, non bâti 7,8, professionnelle 95,8) ; *autres* balayage 9,4, frais de CCI et de ch. d'agr. 6,9, divers 1,3. **Indirecte :** 283,7 dont taxe de pub. foncière et enregistrement 19,9, vignette auto (hors Corse) 12,2, t. d'électricité 7,5, t. sur droits de mutation 8,7, carte grise 5,7, t. locale d'équipement 1,6, divers 4,8.

Budgets communaux en 1991. Ratio général et, entre parenthèses villes de moins de 10 000 hab. Fonctionnement (en F par hab.) dépense 4 427 (3 194), personnel 1 870 (1 149), travaux et service extérieur 535 (475), transfert versé 928 (691), reçus 1 553 (1 246), intérêt de la dette 514 (419), recette de fonctionnement 5 073 (3 896), dotation État 1 263 (1 031), impôt direct 2 545 (1 815). **Structure** (en % de dépenses) personnel 42,3 (36), TSE 12,1 (14,9), intérêt de la dette 11,6 (13,1), dotation État 24,9 (26,5), impôt direct 50,2 (46,6). **Endettement** (en F par hab.) dette 5 167 (4 244), annuité 959 (772).

■ TVA

Principe. Taxe à la valeur ajoutée, à partir du prix hors taxe. **Créée** en 1954 pour les industries et généralisée à partir du 1-1-1968. Remplace 11 taxes dont la taxe locale qui frappait les produits chaque fois qu'ils changeaient de main. Dep. déc. 1978, et 1981 toutes les activités lucratives, sauf exonération expresse, sont assujetties : industrielles, commerciales, artisanales, artistiques, extractives, agricoles, libérales et civiles. Exonérations (régime intérieur) : avec option possible pour le paiement de la TVA : avocats et avoués d'appel ; sans option : professions médicales ou paramédicales, exploitants de laboratoires d'analyses médicales, VRP, courtiers d'assurances, prothésistes dentaires, publications de presse quotidiennes.

Taux. Normal : 18,6 % (dep. 1-7-1982, 17,6 % avant). **Majoré** supprimé dep. le 16-4-1992 : **22 % 25 %** (avant le 15-9-90, **28 %** (avant le 19-10-1989) et 33,33 % avant le 1-10-88) : pelleteries (sauf celles de lapins ou de moutons d'espèces communes) et vêtements et accessoires dans lesquels elles entrent pour 40 % et + ; pierres précieuses, tabacs et allumettes, films porno ou d'incitation à la violence, magnétoscopes, rémunérations des organisateurs et intermédiaires de la loterie nat., du loto et des paris mutuels hippiques. Automobiles et moto de + de 240 cm^3 (dep. 17-9-87). **Réduit : 5,5 %** (dep. 1-1-89, 7 % avant) hôtels classés de tourisme, villages de vacances agréés, pensions, gîtes ruraux, terrains de camping ; livres ; conserves, plats cuisinés, potages préparés, entremets et desserts, produits diététiques ; théâtres, concerts ; produits pharmaceutiques, forums ; abonnements de gaz et d'électricité à usage domestique (dep. 10-10-88, avant 18,6 %). (dep. 1-7-82) : produits agricoles non transformés : céréales, fruits, viandes ; produits alim. de large consommation : huiles, pâtes, sucre, chocolat, confitures, pain ; produits laitiers, boissons non alcoolisées (dep. 8-7-88) ; commerce d'œuvres d'art originales si l'auteur est vivant. **Super réduit : 2,1 % :** médicaments remboursables, publication de presse, redevance TV. **Déduction pour le gazole :** 10 % en 82, 20 en 83, 30 en 84, 40 jusqu'au 30-6-85, 50 à partir du 1-7-85.

☞ Dep. le 1-1-1993, les produits importés seront affectés de la TVA au taux du pays exportateur.

Comparaisons (au 1-7-1993). **Taux normal et, entre parenthèses, taux réduit et taux majoré s'ils existent (en %).** Allemagne 15 (7). Argentine 16 (25). Autriche 20 (10/32). Belgique 19,5 (1-6-12). Brésil [1] 11 (9). Brésil [2] 17. Canada 7. Chili 18. Danemark 25. Espagne 15 (36/28). Finlande 17. *France 18,6 (2,1-5,5).* G.-B. 17,5. Grèce 18 (4-8/36). Hongrie 25 (15). Irlande 21-16 (2,3-10-12,5). Islande [3] 24,5 (14). Israël 16 (6,5). Italie 19-12 (4-9-12/38). Japon 3 (6). Luxembourg 15 (3-6-12). Maroc 19 (7-12-14/30). Mexique 15 (6/20 [1,2]). Norvège 20 (11,11). Pakistan 12,5. P.-Bas 17,5 (6). Portugal 16 (5/30). Russie 28 (15). Suède 25. Tunisie 17 (6/29). Turquie 12 (1-6-8/20). Ukraine 28.

Nota.– (1) Selon les régions, taxes sur les transactions entre États. (2) Taxe sur les transactions à l'intérieur des États. (3) Taux effectifs.

■ DIVERS

Paradis fiscaux. Pays ne percevant aucun impôt sur le revenu : Bahamas, Bermudes ; Caïmans. Monaco. Andorre. **Territoire où le niveau de charge fiscale est très bas :** îles Vierges ; Hong Kong ; île de Man. **Pays refuge ne taxant pas les revenus de source étrangère :** *Antilles néerlandaises :* avantages fiscaux multiples pour les non-résidents ; *Panamá* et *Liberia :* spécialité du pavillon de complaisance ; *Uruguay, Venezuela.* **Autres pays :** *Gibraltar :* exonération d'impôt, sous certaines conditions, pour les Stés internationales de vente et les holdings ; *Jersey, Nauru :* avantages divers ; *Luxembourg :* exonération ou réduction de certains impôts pour holdings ; *Liechtenstein :* exonération d'impôt pour Stés domiciliées et holdings ; *Suisse :* secret bancaire ; tolérances fiscales diverses pour les Stés domiciliées et holdings.

☞ **Corse.** Dep. l'arrêté de l'administrateur général Miot du 21 prairial an IX (10-6-1801), les droits de succession ne sont plus assis sur la valeur vénale réelle des biens (prix du marché) mais sur un système de capitalisation du montant de la contribution foncière d'État ; et leur montant est souvent symbolique. Dep. le 1-1-1949 (suppression de la contribution foncière d'État) les droits exigibles sur les immeubles (bâtis ou non bâtis) sont calculés sur un montant égal à 24 fois le revenu cadastral (d'où une sous-estimation fiscale de 50 % pour les immeubles bâtis et de + de 50 % pour les terrains). Aucune pénalité de retard ne peut être réclamée à ceux qui s'abstiennent de souscrire une déclaration de succession dans le délai légal des 6 mois suivant le décès. L'Administration en a conclu qu'« il n'existe aucun délai pour souscrire la déclaration des biens situés en Corse ». Si pendant 10 ans, l'attention de l'Administration n'est pas attirée par exemple par une vente ou un partage de l'indivision successorale on peut échapper à l'impôt en raison de la prescription.

DÉFENSE NATIONALE

LES GUERRES

GÉNÉRALITÉS

☞ La *polémologie* est la science de la guerre, des conflits en général et de leurs conséquences sociologiques, l'*irénologie* celle de la paix.

■ **Armées (importance). Guerre de Cent Ans :** les grandes batailles (Crécy, Azincourt) se livraient entre quelques milliers de combattants, la France ayant alors un peu moins de 20 millions d'habitants. **Louis XIV** pour 23 millions d'h. env. avait 300 000 soldats. **Napoléon** pour 25 millions d'h. en eut jusqu'à plus de 1 million. **En 1914,** pour 40 millions d'h. la France eut plus de 4 millions de mobilisés. **En 1941,** *l'Angleterre* a eu env. 23 millions de mobilisés. **En 1985,** l'armée la plus importante était celle de la Chine (4 360 000 h., plus 90 à 115 millions d'h. en forces paramilitaires et milices armées).

■ **Coût des guerres. Humain :** d'après l'Organisation mondiale de la santé (1962), plus de 3,6 milliards de vies humaines dep. 3 570 av. J.-C. (premiers pharaons 3 300 av. J.-C.). De siècle en siècle, les pertes sont devenues plus lourdes : *XVIIIe s.* 5 millions et demi de victimes (avec la généralisation du service militaire, les guerres de la Révolution et l'Empire marquent un tournant : 3,5 millions de † en 22 ans. *XIXe s.* 16. *2e Guerre mondiale* + de 60. *Dep. 1945,* une centaine de conflits ont causé env. 21 millions de morts (38 000 par mois).

Financier : *guerres de la Révolution et de l'Empire. 1793 à 1815 :* l'Angleterre perdit près de 23 milliards de francs-or (d'après Crosnier de Varigny). *1802 à 1813 :* la France dépensa 5 Md F-or. *Sécession (1861-65) :* a coûté 25 Md F-or. *1870 :* pour la France 13 à 15 milliards de F-or. *Russie/Japon (1905) :* 6 Md F-or pour la Russie. *1914-18 :* 15 000 Md F-or. *1939-45 :* coût mondial : 1 500 Md $ (530 pour les USA), pour la France 40 000 Md.

■ **Droit de la guerre. Définition :** les belligérants sont tenus de respecter les principes du droit des gens tels qu'ils résultent des usages établis entre nations civilisées, des lois de l'humanité et des exigences de la conscience publique.

Codifications. Avant 1914 : Paris (1856) déclaration interdit la guerre de course. **Genève (1864)** convention sur la protection des blessés. **St-Pétersbourg (1868)** déclaration interdit certaines armes, déclare contraire aux lois de l'humanité l'emploi d'armes qui aggraverait inutilement les souffrances des hommes mis hors de combat ou rendant leur mort inévitable. **Bruxelles (1874)** déclaration sur la conception du combattant régulier, interdit l'emploi de poison ou d'armes empoisonnées. **La Haye (1899)** conférence, 26 États. 2 conventions et 3 déclarations remplacées mais non abrogées par de nouveaux textes. **(1907)** 2e confér., 44 États. **Entre 1919 et 1939 :** plusieurs conférences, en particulier en matière maritime, mais n'aboutirent pas, ou les textes adoptés ne furent pas ratifiés. **Genève (1925)** protocole adopté interdisant en temps de guerre l'emploi des gaz asphyxiants, toxiques ou similaires et des moyens bactériologiques. **1929** *conventions relatives aux blessés, malades, prisonniers de guerre.* **Londres (1936)** protocole déterminant les conditions dans lesquelles le recours à la force est possible contre les navires de commerce. **Genève (1949)** conférence aboutit à la révision des 3 conventions préexistantes relatives au sort des blessés, des malades et des prisonniers de guerre dans la g. sur terre et sur mer ; *une convention spéciale sur la protection des personnes civiles* en temps de guerre fut également adoptée. **Convention sur la protection des biens culturels (1954)** en cas de conflit armé adoptée sous les auspices de l'UNESCO. **Genève (10-4-1972)** convention sur « l'interdiction de la mise au point, de la fabrication et du stockage des armes bactériologiques (biologiques) ou des toxines et sur leur destruction ».

CONFLITS DEPUIS 1945

☞ Voir détails à chaque pays.

■ **Conflits interétatiques.** *Algérie-Maroc :* 1963. *Azerbaïdjan-Arménie* pour l'enclave arménienne du Haut Karabakh en Azerbaïdjan : 1991-92. *Chine-Taiwan :* 1950, Quemoy-Matsu. *Chine-Tibet :* 1950-51. *Chine-URSS :* 1969, Oussouri. *Chine-Viêt-nam :* 1979, 50 000. *Corée :* 1950-53. *Grande-Bretagne-Argentine :* 1982, Falkland. *Grèce-Turquie :* 1974, Chypre. *Guatemala-Honduras :* 1954, opération CIA. *Guerre du Golfe :* 1990-91. 29 nations engagées contre l'Irak. *Inde-Chine :* 1959, Ladakh ; 1962, Assam. *Inde-Pakistan :* 1947-49 ; 1965 ; 1971-72, Bangladesh, 600 000 †. *Indonésie-Malaysia :* 1963, Sarawak, Bornéo. *Indonésie-Timor oriental :* 1976, annexion par l'Indonésie. *Iran-Irak :* 1980-88, 1 000 000 †. *Israël-Liban :* 1982-88. *Israélo-arabe :* 1948-49 ; 1967 ; 1973. *Israélo-égyptien :* 1956. *Moldavie-république du Dniestr* 1992. *Pays-Bas-Indonésie :* 1960-62, Irian. *Salvador-Honduras :* 1969. *Somalie-Éthiopie :* 1977-78. *Syrie-Liban :* 1976, occupation. *Viêt-nam :* 1965-73, intervention massive des États-Unis. *Viêt-nam-Chine :* 1979. *Viêt-nam-Kampuchéa :* 1978. *Yémen du Nord-Yémen du Sud :* 1979.

■ **Interventions ponctuelles.** *Angola :* sud-africaine, zaïroise et surtout cubaine, 1975-76 ; sud-afric., 1980-88. *Cambodge :* américaine, 1970. *Centre-Afrique :* française, 1979. *Chypre :* turque, 1974. *Cuba :* Playa Girón, 1961. *Djibouti :* française, 1976-77, 1991. *Égypte :* Suez, franco-anglaise, 1956. *Éthiopie :* cubaine, 1977. *Gabon :* française, 1964. *Golfe persique :* navale occidentale, 1986/87. *Grenade :* américaine, 1983. *Hongrie :* Budapest, soviétique, 1956. *Jordanie :* forces royales contre l'OLP, 1970. *Kurdistan :* turque, 1991-92. *Liban :* américaine, 1958. *Liberia :* sierra-léonaise et ghanéenne, 1991. *Libye :* raid aérien américain, 1985. *Mauritanie :* française, 1961. *Ouganda, Kenya, Tanzanie :* britannique, 1964. *Ouganda :* tanzanienne, 1979. *Panamá :* américaine, 1989. *Portugal :* Goa, possession portugaise, indienne, 1961. *St-Domingue :* américaine, 1965. *Sénégambie :* Gambie, sénégalaise, 1980. *Soudan :* iranienne, 1991. *Sri Lanka :* indienne contre les Tamouls, 1987-... *Tchécoslovaquie :* Prague, soviétique, 1968. *Tchad :* française, 1968-91 (à 3 reprises) ; libyenne, 1980 à 87. *Tunisie :* Bizerte, française, 1961. *Zaïre :* belge, 1961 et 64 ; Shaba, marocaine et française, 1977 ; Kolwezi, française, 1978.

■ **Mouvements de libération pour l'indépendance, dirigés contre une domination ou une occupation étrangère.** *Afghanistan :* 1979-89 contre l'occupation soviétique. *Angola :* 1961-74, Portugal. *Bosnie-Herzégovine :* 1992, armée serbe. *Cambodge :* Kampuchéa, 1979-..., un régime mis en place par le Viêt-nam. *Cameroun :* 1957-60, France. *Chypre :* 1955-59, G.-B. *Guinée-Bissau :* 1963-74, Portugal. *Indonésie :* 1946-49, Pays-Bas. *Kenya :* insurrection mau-mau, 1952-54, G.-B. *Laos :* Pathet Lao 1946-54, France. *Malaisie :* 1948-57, G.-B. *Maroc :* troubles, 1953-56, France. *Mozambique :* 1964-74, Portugal. *Namibie :* 1970-..., Afr. du Sud. *Palestine :* mouvement sioniste 1945-48, G.-B. ; 1965-..., Israël surtout à partir de 1967. *Rhodésie/Zimbabwe :* 1972-79, domination blanche rhodésienne. *Sahara occidental :* 1975-..., Espagne-Maroc. *Timor occidental :* 1974-..., Indonésie, 100 000 †. *Tunisie :* troubles, 1952-56, France. *Viêt-nam :* guerre d'Indochine, 1946-54, France. *Yémen du Sud :* 1963-67, G.-B. *Zaïre (alors belge) :* troubles au Congo, 1958-60.

■ **Conflits à caractère sécessionniste ou pour obtenir l'autonomie dans le cadre d'États constitués.** *Algérie :* 1954-62 contre la France. *Birmanie :* Karens, Kachins, 1948. *Burundi :* peuple Hutu, 1991. *Espagne :* Basques, 1975-81. *Éthiopie :* Érythrée, 1961 ; Ogaden, 1974-88 ; maquisards Tigréens. *Inde :* Hyderabad 1948, résistance à l'incorporation à l'Inde ; Nagas 1965-72 ; Sikhs, 1983-88. *Iran :* Azerbaïdjan et république kurde de Mahabad, 1946 ; Kurdes, 1978. *Iraq :* Kurdes, 1961-70 et 1974-75, 1979. *Nigeria :* Biafra, 1967-70, 1 000 000 †. *Pakistan :* Baloutches, 1973-77. *Philippines :* Musulmans, 1977. *Sri Lanka :* Tamouls, 1984-90. *Sud-Moluques (archipel d'Indonésie) :* 1950-52. *Soudan :* Sud-Soudan, 1966-72. 1982, 500 000 †. *Tibet :* Chine, 1955-59, 87. *Turquie :* Kurdes, 1984. *URSS :* Azerbaïdjan, Géorgie, 1989. *Ex-Yougoslavie :* dep. 1987. *Zaïre :* Katanga, 1960-64.

■ **Guerres civiles pour un changement de régime.** *Afghanistan :* 1978-79, reprise en 1988-89, 1 000 000 †. *Angola :* Unita, 1976-..., aide de l'Afr. du Sud puis des USA, 500 000 †. *Argentine :* 1973-77, 15 000 † (+ 10 000 disparus). *Birmanie :* 1991. *Bolivie :* 1967. *Brésil :* 1967-70. *Burundi :* 1972. *Cambodge :* 1960-66 ; 1965-75, 2 000 000 †. *Chili :* 1973, répression militaire. *Chine :* 1945-49. *Chypre :* 1963-64, intervention ONU. *Colombie :* 1953, état chronique. *Cuba :* 1956-59. *Grèce :* 1947-49. *Guatemala :* 1961-68, 80-..., 20 000 †. *Indonésie :* 1965. *Iran :* 1978-79. *Irlande du Nord :* catholique, 1968-... *Laos :* 1960-75. *Liban :* 1975-..., état chronique. *Malaysia :* sporadique, 1958 à 82. *Mozambique :* Renamo, 1980-..., aide Afr. du Sud. *Nicaragua :* 1972-79 et 80. *Oman :* Dhofar, 1968-76 avec intervention britannique, iranienne et jordan. *Pérou :* 1965, 82, 88... *Philippines :* Huks, 1949-52 ; (Nouvelle Armée Popul.) 1980, 88. *Ruanda :* 1962-63. *Salvador :* 1976-.... *Sumatra :* 1957-58, insurrection contre centralisme. *Somalie :* 1991. *Tchad :* 1968-82. *Thaïlande :* sporadique jusqu'en 1983. *Turquie :* 1979-80, 3 000 †. *Uruguay :* 1965-73. *Venezuela :* 1962-67. *Sud Viêt-nam :* 1957-64, 1973-75. *Yémen :* Nord, 1962-67, avec intervention égypt.

GUERRES FRANÇAISES

☞ Voir également **Histoire de France** p. 613.

CONTRE NATIONS ÉTRANGÈRES

☞ **Années de guerre en France. XIVe s. :** 43 (guerre civile 5, extérieure 13, territoire français 25) ; **XVe :** 71 (c. 13, e. 15, t. 43) ; **XVIe :** 85 (c. 33, e. 44, t. 8) ; **XVIIe :** 69 (c. 17, e. 52) ; **XVIIIe :** 58 (c. 7, e. 51) ; **XIXe :** 84 (e. 19, c. 1, coloniales 64) ; **XXe :** 39 (e. 10, col. 29).

■ **Guerre de Cent Ans (1328-1453)** *effectifs* maximaux 10 000 ; proportion : chevaliers 15 %, fantassins lourds 45, archers 40. *Pertes à chaque rencontre* env. 20 % des hommes à pied chez le vaincu. 1 ou 2 % de chevaliers (on fait surtout des prisonniers pour avoir des rançons). *Pertes durant 1 siècle :* 20 000 †.

■ **Guerres d'Italie (1498-1559)** *armées* de 20 000 à 25 000 h. dont mercenaires 15 000 à 18 000. Après 1534 : effectifs français 42 000 fantassins, 4 200 cavaliers. *Pertes* à chaque bataille (moyenne) 2 à 8 % chez le vainqueur, 20 chez le vaincu (l'infanterie enfoncée est sabrée par les cavaliers). *Pour 60 ans de combats :* 80 000 †. Pertes élevées chez les chefs (8 généraux sur 10 meurent au combat).

■ **Guerre de Trente Ans (1618-48)** *effectifs :* français 20 à 25 000 h. (dont 1/4 de cavaliers) ; suédois 18 000 h. (dont 10 000 cav.). *Pertes* moy. : vaincu 30 à 40 % ; vainqueur 10 à 12 %. Total : Français 20 000 ; Allemands 50 000 ; Espagnols 60 000.

■ **Guerres de Louis XIV (1667-1713)** essentiellement guerres de siège. Garnisons de 3 000 à 8 000 h. ; assiégeants 10 000 à 12 000 h. Capitulation d'usage après 10 % de pertes chez l'assiégé. **G. de Dévolution** (1667-68) *eff. :* fr. 60 000 ; esp. 12 000. *Pertes :* quelques centaines. **G. de Hollande** (1672-78) *eff.* 120 000 en 3 armées. *Pertes* moyennes par bataille 10 à 15 %. Évaluation globale 20 000. **G. de la Ligue d'Augsbourg** (1689-97) *eff.* 150 000 dont 25 % de cavaliers (artillerie 2 %, génie 5 %). *Pertes* 10 % par bataille ; globales env. 60 000 h. **G. de Succession d'Espagne** (1701-13) *eff.* 300 000 dont infanterie 260 régiments, cavalerie 100 rég. Constitution de lignes fortifiées (pertes moy. lors d'une percée : vainqueur 10 %, vaincu 30 à 40 %). Moy. d'effectifs engagés par bataille : 60 000 h. (cavaliers 1/3). *Pertes globales* 100 000 à 120 000 h.

■ **Guerres de Louis XV. G. de Succession d'Autriche (1745-48)** *eff.* 100 000 h. *Pertes* 30 000 h. **G. de Sept Ans (1756-63)** *effectifs :* Prusse 200 000, France 150 000 en Europe + 20 000 outre-mer, Autriche 150 000, Russie 100 000, Angleterre 40 000 marins, 554 000 †.

■ **Guerres de la Révolution et de l'Empire. Pertes françaises** il y aurait eu, sur 2 800 000 appelés et 5 600 000 appelables de 1792 à 1815, 150 000 † naturelles hors service, 850 000 † à la guerre, 550 000 disparus réels ou présumés, en tout 1 550 000 † dont 1 400 000 sous les armes et 1 250 000 h. épargnés et survivants (sauf les morts naturelles des non-retraités). Les pertes fr. réelles se répartiraient ainsi : 800 000 sous le Consulat et l'Empire, 600 000 sous la Révolution. La plupart des morts étaient des typhiques ou des blessés contractant le typhus dans les hôpitaux (1 blessé sur 4 entrant à l'hôpital en réchappait). Le nombre de tués au combat proprement dit fut de 2 % (Austerlitz) à 8,5 % (Waterloo).

Grande Armée de Napoléon comprenait d'importants contingents alliés (50 000 Allemands, Dalmates et Italiens sur 300 000 h. en 1809 en Espagne ; 1/3 d'étr. à Wagram ; en Russie 230 000 étr. sur 428 000 h. ; en 1813, 40 000 étr. sur 215 000 h.). *Effectifs des coalisés :* Autriche 260 000 h., Russie 225 000, Prusse 80 000, Esp. : indéterminé (guérilleros), Angleterre 60 000. Total (1815) : 630 000.

■ **Conquête de l'Algérie (1830)** selon Bodart 10 000 †, dont 411 off. ; Martin et Foley 2 600 †.

■ **Guerres du IIe Empire. Guerre de Crimée (1854-55) :** *eff., morts (dont de maladie) : Russie* 500 000 h. [total morts 100 000 (dont de maladie 60 000)]. *France* 310 000 h. [93 615 † (73 375)]. *Turquie* 230 000 h. [35 000 † (n.c.)]. *G.-B.* 98 000 h. [22 182 † (17 580)]. *Piémont-Sardaigne* 21 000 h. [2 194 † (2 166)].

Guerre d'Italie (1859) : *effectifs :* Français 150 000 (17 000 †), Sardes 50 000 (2 000 †), Autrichiens 130 000 (23 000 †).

Guerres de Chine, Cochinchine et Mexique (1861-67) : 65 000 h. tués et blessés dont au Mexique (effectifs terre 38 492) : 1 627 † au feu, 4 735 † de maladie, 292 † divers (marine : pertes par maladie env. 2 000 h).

Guerre franco-allemande de 1870. Français : *eff.* 2 000 000 d'h. (dont troupes engagées 935 760), 156 000 † (dont 17 000 en captivité, 61 000 morts de maladie ou d'épuisement), 145 000 blessés. 20 000 morts de sièges (Paris, Strasbourg, Belfort). Surmortalité due aux conditions de vie : 800 000. **Allemands :** *eff. :* 1 494 000 h., 44 000 †, 127 000 blessés.

■ **Guerres coloniales du XIXe s.** *Pertes* françaises 112 000 † (selon B. Ourlanis), 8 287 † de 1871 à 1908 selon Bodard (sans compter 5 736 † à Madagascar en 1895 et env. 7 000 † au Tonkin en 1882-85).

■ **Guerres de 1914-18 et de 1939-45** (voir Histoire de France, p. 666 et 673). **G. d'Indochine** (1946-54), **de Corée** (1950-53). **Opérations Tunisie** (1952-57), **Maroc** (1953-58), **Algérie** (1954-62), voir Index.

Guerres civiles

France

■ **Guerres de Religion (1560-98).** *Pertes des huguenots et alliés allemands :* militaires env. 5 000, civils env. 1 200, chiffres contestés, (voir **Histoire de France,** p. 637 (Wassy 42 †) ; *des catholiques* env. 10 000.

■ **Guerres des Camisards et de Succ. d'Espagne (1701-13). Cévenols** 7 000, **huguenots dans l'armée angl. env.** 5 000, **cath.** 1 200.

■ **Révolution (1792-99). Guerre de Vendée et chouannerie :** + de 600 000 †, dont soldats républicains 18 000, soldats chouans 80 000, civils exécutés 210 000, † de froid et de faim env. 300 000, dont plus de 100 000 enfants. **Paris** (archives détruites 1910). 30 000 dont Suisses (10-8-92) 786 ; massacres de Sept. 92 : 1 395 (+ 1 700 à Meaux, Reims, Caen, Versailles...). **Lyon :** 5 000 dont mitraillés 1 700. **Émigration :** 12 000 dont Quiberon 1 500 (fusillés 700), armée de Condé 5 000. **Pendant la Terreur** (avril 93 à juill. 94) : 2 596 guillotinés à Paris, 12 000 tués dans toute la France.

■ **Terreur blanche (1814).** *Tués* mamelouks de Marseille 45 ; attentats individuels, exécutions éval. 35.

■ **Trois Glorieuses (juil. 1830).** *Tués* 250.

■ **Journées de Juin (1848).** *Tués* troupes 1 600 ; insurgés 3 000.

■ **Nuit du 4 Décembre (1851).** *Tués* 215 manif.

■ **Commune de Paris (mai 1871).** *Versaillais* 880 ; *insurgés* env. 20 000 (16 000 tués pendant les batailles de rues, 3 500 exécutés après la reprise de Paris) ; certains ont parlé de 100 000 tués.

■ **6 février 1934.** *Tués* civils 14, milit. 1, *blessés* hospitalisés civils 236, milit. 70, gardiens de la paix 22.

■ **Épuration (1944-45)** voir Index.

■ **Mai 1968.** 3 (la mortalité habituelle a été en baisse : circulation automobile en baisse).

Guerres civiles étrangères

Chine *révolte des Tai-Ping* (1851-64) 20-30 millions de † (+ de 100 000 lors du sac de Nankin par les tr. gouv., du 19 au 21-7-1864). **État-Unis. G. de Sécession** (1861-65) 617 000 †. *Nordistes* mobilisés 2 213 363, 364 511 †. *Sudistes* 600 000 à 1 500 000 mobilisés, 133 821 †. **Russie. G. de la Révolution** (1917-20) 3 000 000 de †, dont réfugiés morts de froid le long du Transsibérien 1 100 000. **G. d'Espagne** [1936-39 (d'après Hugh Thomas)] : 410 000 † dont combattants 285 000, civ. 125 000.

Batailles

Angleterre (juil.-oct. 1940). *Pertes* anglaises 29 360 †, 41 096 blessés, 915 chasseurs détruits ; all. 1 733 avions détruits. **Austerlitz** (1805). *Forces* fr. 73 200 ; ennemies 85 400. *Pertes* austro-russes 27 000 h. tués, blessés ou prisonniers. *Pertes* fr. 9 000 h. (dont 1 300 tués). **Azincourt** (24-10-1415). *forces* angl. (vict.) 1 000 chev., 6 000 archers ; env. 6 000 coutiliers (13 chev., 100 fant. †) ; fr. 25 000 (8 000 †, dont prisonniers égorgés 1 700).

Berezina (28-11-1812). *Forces* fr. (combattants 40 000 ; non-combattants ?), env. 25 000 † ou disparus. **Béveziers** (ou *Beachy Head ;* 10-7-1690). Français (vict.) 70 vaisseaux, Anglo-Hollandais 57 vaisseaux. *Pertes* 10 vaisseaux. **Bir Hakeim** (27-5/11-6-1942). *Pertes* germano-ital. 50 chars ; fr. (814 disparus, 127 †), sortie réussie par 2 500 h. **Borodino** (7-9-1812). *Forces* fr. 133 000 h. ; russes 120 000 h. *Pertes* fr. 30 000 ; r. 44 000. **Bouvines** (27-7-1214). *Forces* fr. 22 000 ; impériales 24 000 (1 200 †).

Cannes (216 av. J.-C.) Romains (72 000 † et 10 000 prisonniers sur 86 000 h.), battus par 40 000 Carthaginois (dont 25 000 auxiliaires ibères et gaulois). **Chesapeake** (5-9-1781) décida indirectement du sort de la guerre d'indépendance américaine. Escadre française (vict.) commandée par de Grasse, 26 bâtiments. Esc. anglaise commandée par Grave, 22 bât. *Pertes* fr 2 bât, 220 † et blessés ; angl. 6 bât, 336 † et blessés. **Crécy** (1346). *Forces* angl. 3 900 chevaliers, 11 000 archers angl., 5 000 coutiliers gallois (vict.) ; fr. 12 000 chevaliers, 6 000 archers génois, 20 000 miliciens [11 princes, 1 542 chevaliers, 30 000 soldats (? †)].

Diên Biên Phu. *Côté français,* effectifs 10 871 (au 13-3-54) + renfort envoyé 4 277 (du 13-3- au 7-5-54) ; pertes du 21-11-53 au 12-3-54 : 151 †, 29 disparus, 4 436 blessés ; du 13-3 au 5-5-54 : 1 142 †, 1 606 disparus et 1 037 blessés. *Viêt-minh,* effectifs 104 000 h. ; pertes 7 890 †, 15 000 blessés ; ravitaillement par 75 000 coolies. **Dunkerque** (26-5/3-6-1940) rembarquement de 198 315 Anglais, 140 000 Fr. et Belges. *Pertes des marines* angl. et fr. 6 destroyers, 9 torpilleurs, 2 c.-torpilleurs, 88 navires. *Pertes anglaises* 68 111 h., 2 472 canons, 63 879 véhicules ; *françaises* env. 120 000 h.

El-Alamein (1942). *Forces* angl. 195 000 (vict.) ; germano-ital. 104 000 (1 500 †, 30 000 pris., 548 chars, 600 avions détruits). **Eylau** (1807). *Forces* fr. 75 000 h. ; ennemies 76 000. Victimes 40 000.

Fontenoy (1745). *Forces* anglaises 20 000 h. *Pertes* angl. 9 000 ; fr. 6 000. **Friedland** (14-9-1807). *Forces* fr. 80 000 (début), 80 000 (fin) ; russes 60 000. *Pertes* fr. (vict.) 800, 5 000 blessés ; russes 20 000.

Guadalcanal (1942-43). *Forces* américaines 23 000 (vict.) ; japonaises 20 000 (9 000 †).

Hastings (14-10-1066). *Forces* normandes (vict.) 9 000 ; saxonnes 10 000 (4 000 †).

Iéna (1806). *Forces* françaises 60 000 (vict.) ; allemandes 80 000 (20 000 †, 30 000 pris.). **Isly** (1844) *forces* fr. 10 500 h., 16 canons ; arabes 10 000 cavaliers (?). **Ivry** (14-3-1590). *Forces* cath. 19 000 (500 †) ; prot. (vict.). **Iwo Jima** (1945 ; 27 jours). *Forces* américaines 70 000 (vict.) ; 4 630 †, 15 208 blessés ; japonaises 23 000 (22 000 †).

Jutland (31-5-1916) *Anglais* 151 nav., 16 nav. coulés, 6 097 †, 674 b., 177 prisonniers (11,6 % des effectifs). *Allemands* 101 nav., 11 coulés, 2 545 †, 507 b. (6,8 %) 0 prisonnier.

Koursk et Oryol (5-7 au 23-8-1943). *Forces* russes 130 000, 3 600 chars, 3 130 avions, 20 000 canons et mortiers ; allemandes 2 700 chars.

Leipzig (1813). *Forces* fr. et alliées 195 000 h., ennemies 365 000. *Pertes* fr. 73 000 ; ennemies 54 000. **Lépante** (7-10-1571) flotte turque écrasée par Esp. Vénitiens et troupes du pape 30 000 †. **Leyte** (22/27-10-1944) la + grande bataille aéron. de la g. 1939-45. *Forces* amér. (vict.) 166 nav. dont 6 cuirassés, 18 porte-av. (2 porte-av., 5 cuir. coulés), 1 280 avions ; jap. 65 nav. (5 cuirassés, 4 p.-avions, 10 croiseurs coulés, 8 destroyers perdus), 716 avions.

Malplaquet (11-9-1709). *Forces* anglo-holl. (vict.) 24 000 ; fr. 12 000. **Marathon** (490). *Forces* grecques 11 000, perses 72 000 (60 000 fantassins, 12 000 cavaliers). *Pertes* grecques 200 ; perses 6 400. **Marengo** (14-6-1800). *Forces* fr. (vict.) 7 000 ; autr. 14 000. **Marignan** (13/14-9-1515). *Forces* fr. 6 000 ; suisses 12 000. **Midway.** *Pertes américaines :* 1 porte-avions, 1 torpilleur, 150 avions, 307 † ou blessés ; *japonaises :* 4 porte-avions sur 7 engagés, 1 croiseur sur 11 cuirassés et 15 croiseurs engagés, 253 avions et 3 500 † ou bl. **Monte Cassino** (3 batailles, 1944). *Forces* anglo-polonaises 300 000 (115 000 †) ; allemandes 60 000 (20 000 †) ; françaises 15 000 (6 577). **Normandie** (débarquement 6-6-1944). *Forces alliées* 90 000 (Américains, Brit., Canadiens et 177 Fr.) dans les forces d'assaut (5 divisions débarquées par mer, 5 aéroportées) ; 200 000 (39 divisions) dans les jours suivants. 9 000 navires dont 138 gros navires de guerre, 221 petits, 1 000 dragueurs, 4 000 péniches ; 3 200 avions (174 escadres). 50 000 *Allemands* (dont 50 % de volontaires étrangers) entre Seine et Mt-St-Michel ; 300 000 dans les jours suivants. *Pertes* amér. 3 400 morts et disparus, 3 180 blessés ; angl. env. 3 000, canadiennes 946 (dont 335 morts) ; allemandes entre 4 000 et 9 000. *Pertes totales* alliées 30-40 000 ; allemandes 150 000 (70 000 prisonniers).

Okinawa (1945). *Forces* américaines 500 000 (vict.), 17 000 † ; jap. 80 000 (75 000 †).

Pavie (1525). *Forces* fr. 26 000. *Pertes* fr. (tués et prisonniers) 10 000. **Pearl Harbor** (1941-7-12). *Forces japonaises* 6 porte-avions (400 avions), 2 cuirassés rapides, 2 croiseurs lourds, 16 torpilleurs, 1 train d'escadre de 11 bâtiments, 3 sous-marins éclaireurs et 5 sous-marins de poche. *Pertes américaines :* 8 cuirassés hors de combat, 3 croiseurs et 1 navire atelier avariés, 188 avions détruits ; *jap. :* minimes. **Poitiers** (19-9-1356). *Forces* angl. (vict.) 6 000 ; fr. 20 500 (2 500 †).

Rocroy (19-5-1643). *Forces* fr. (vict.) 23 000 (2 000 †) ; espagnoles 27 000 (7 500 †).

Sadowa (3-7-1866). *Forces* prussiennes (vict.) 278 000 (1 935 †, 7 000 b.) ; autr. 271 000 (13 000 †, 18 000 b., 13 000 pris.). **Salamine** (480 av. J.-C.). *Pertes perses* 800 navires, *grecques* 310 nav. **Sébastopol** (1855). *Forces* anglo-franco-turques. 220 000. *Pertes* russes 50 000 ; fr. 30 000 † (11 000 de maladie). **Solferino** (1859). *Forces* franco-sardes 133 000 ; autrichiennes 150 000. *Morts* fr. 17 000, autr. 22 000. **Somme** (1-7 au 19-11-1916) 1 030 000 † (dont 614 000 Anglais et Français). **Stalingrad** (1943). *Forces* all. 250 000 h., 740 chars, 7 500 canons, 1 200 avions ; soviétiques 187 000 h., 7 900 canons et mortiers, 360 tanks, 300 avions. *Pertes* allemandes 147 200 †, soviétiques 46 700 †. Prisonniers 91 000 Allemands.

Trafalgar (21-10-1805). *Anglais* (vict.), 27 vaisseaux. *Pertes :* aucun vaisseau, 449 †. *Franco-Espagnols :* 33 vaisseaux. *Pertes :* 18 vaisseaux, 3 373 †, 7 000 prisonniers. **Tsushima** (27/28-5-1905). *Japonais* (vict.) : 4 cuirassés, 11 croiseurs-cuirassés. 21 destroyers. 14 croiseurs. *Pertes :* 3 destroyers. *Russes,* 8 cuirassés, 5 croiseurs-cuirassés, 6 croiseurs, 9 destroyers. *Pertes :* 8 cuirassés, 6 croiseurs-cuirassés, 5 croiseurs, 7 destroyers.

Valmy (20-9-1792). *Forces* fr. (vict.) 59 000 (300 †) ; prussiennes 35 000 (200 †) ; retraite négociée. **Verdun** (1916). *Pertes* fr. 362 000 tués et blessés ; allemandes 336 000.

Wagram (1809). *Forces* fr. 170 000 h. et 488 canons plus Armée d'Italie. *Pertes* ennemies 40 000 ; fr. 32 000. **Waterloo** (1815). *Forces* fr. 72 000 h. ; ennemies 120 000 h. (dont angl. 67 000, prussiennes 53 000). *Pertes* fr. 32 000, autr. 15 000, pruss. 7 000.

☞ **Toulon** sabordage de la flotte française (27-11-1942). 5 sous-marins s'échappent (*Vénus* se saborde en mer, *Iris* va à Barcelone ; *Casabianca, Marsouin, Glorieux* vont en AFN). 3 cuirassés, 7 croiseurs, 15 contre-torpilleurs, 14 torpilleurs, 12 sous-marins (+ de 230 000 t) coulés soit 31 % de la flotte française. Ont échappé à la destruction (saisis par les Italiens sur cale sèche) : 3 contre-torpilleurs, 2 torpilleurs, 17 patrouilleurs, 4 sous-marins, 7 remorqueurs, 4 pétroliers (25 000 t).

Sièges

Légende : * résistance victorieuse.

■ **Avant J.-C. Troie** (XIIe s.) 9 ans. Priam, roi de Troie (Hector, son fils), assiégé par Grecs (Agamemnon). **Jérusalem** (587) 5 mois. Hébreux du royaume de Juda assiégés par Nabuchodonosor. **Carthage** (147-146) 1 an. Hasdrubal assiégé par Scipion Émilien.

■ Après J.-C. **Alexandrie** (639-40) 1 an. Grecs byzantins assiégés par Arabes (Amrou). **Pavie** (774) 6 mois. Didier, roi des Lombards, par Charlemagne. **Jérusalem** (1099) 1 an. Musulmans par Godefroi de Bouillon. **Milan** (1160-62) 2 ans. Gibelins par Frédéric Barberousse. **St-Jean-d'Acre** (1189-91) 2 ans. Musulmans par Richard Cœur de Lion. **Château-Gaillard** (1203-04) 8 mois. Anglais par Philippe Auguste. **Calais** (1346-47) 11 mois. Eustache de St-Pierre par Édouard III d'Angleterre. **Liège** (1408) 15 j. **Avignon** (1410-11) Rodrigue de Lana, cousin du pape Benoît XIII, par Fr., vicomte de Joyeuse : 17 mois. **Orléans** * (1428-29) 540 j. Français par Anglais (délivrance par Jeanne d'Arc). **Constantinople** (1453) 53 j. Byzantins par Mahomet II. **Beauvais** * (1472) 60 j. par Charles le Téméraire (épisode de Jeanne Hachette). **Grenade** (1492) 1 an. Boabdil par Gonzalve de Cordoue (Esp.).

Rhodes (1522) 6 mois. Chevaliers de l'Hôpital par Soliman (Turc). **Rome** (1527) 30 j. Clément VII par le Connétable de Bourbon. **Metz** * (1552) 70 j. Duc de Guise par Charles Quint. **Paris** * (1589) 120 j. Duc de Nemours par Henri IV.

La Rochelle (1627) 2 ans. Guiton par Richelieu. **Lérida** (1647) 25 j. Gregorio Britto par Condé. **Vienne** * (1683) 60 j. Starhemberg par Mustapha. **Mayence** (1793) 120 j. Aubert Dubayet et Kléber par Kalckreuth. **Toulon** (1793) 24 j. Anglais par Bonaparte. **Mantoue** (1796-97) 171 j. Autrichiens (Wurmser) par Bonaparte. **St-Jean-d'Acre** * (1799) 60 j. Phélippeaux par Bonaparte.

Saragosse (1808) 61 j. Palafox par France. **Dantzig** (1813) 11 mois. Gal Rapp (Fr.) par Alliés. **Missolonghi** (1824-26) 360 j. Grecs révoltés (avec Byron) assiégés par Turcs. **Anvers** (1831) 1 mois. Gal Chassé (Holl.) par M[al] Gérard (France). **Constantine** (1837) 305 j. Arabes par M[al] Clauzel, puis Gal Damrémont. **Venise** (1848-49) 1 an. Révoltés italiens (Manin, Ulloa) par Autr. **Sébastopol** (1854-55) 330 j. Totleben (Russie) par Pélissier (Fr.). **Lucknow** * (1857) 85 j. Anglais par Cipayes révoltés. **Duppel** (Schleswig 1864) 63 j. Danois par Prussiens. **Strasbourg** (1870) 48 j. Gal Ulrich et préfet Valentin (Fr.) par Prussiens (Gal Werder). **Paris** (1870-71) 133 j. Gal Trochu par Prussiens. **Belfort** * (1870-71) 75 j. Colonel Denfert-Rochereau par Prussiens. **Khartoum** (1874-75) 286 j. Gal Gordon (Angl.) par Soudanais révoltés.

Port-Arthur (1904-05) 10 mois. Russes (Stoessel) par Japonais (Nogi). **Maubeuge** (1914) 10 j. Gal Fournier (Fr.) par von Zwehl (All.). **Fort de Vaux** (1916) 3 mois. C[dt] Raynal (Fr.) par Kronprinz (All.). **Leningrad** * (1941-44) 27 m. Gal Popov et commissaire Jdanov (Russie) par von Leeb (All.). **Tobrouk** * (1941) 8 mois. Anglais par Italo-Allemands (2e siège avec assaut juin 1942). **Stalingrad** (1942-43) Voir ci-dessus Batailles (2 sièges : 1° Russes par Allemands, 28-9/23-11-1942 ; 2° Allemands par Russes, 30-11-42/2-2-43). **Berlin** (14-4 au 2-5-1945) assiégé par 3 500 000 Russes, 7 750 tanks, 11 000 avions.

Bombardements

Quelques grands raids aériens

Nombres de tués

■ **Raids allemands (1940-44). Sur la Hollande. 1940**-*15-5* Rotterdam 930 †. **Sur l'Angleterre.** Au total, les bombardements allemands (avions, V1, V2) ont fait 60 227 † de **1940 à 45** (dont 14 281 en 1940). *Raids célèbres :* **1940**-*14/15-9* Coventry 380 †. **1941**-*10-5* Londres 1 436.

■ **Raids alliés (1941-45). Sur la France. De 1941 à 1944,** les raids alliés firent au total 67 078 †, 75 000 bl. *Raids célèbres :* **1942**-*3-3*- Paris (usine Renault) 623 † ; **1943**-*4-4* id. 403 ; -*16/23-9* Nantes 712 et 800 ; -*sept.* Paris 105. **1944**-*avril* Lyon 600, St-Étienne 870 ; -*20-4* Paris (gare de la Chapelle) 642, 2 000 blessés ; -*27-5* Marseille 1 979.

Sur l'Allemagne. Les Alliés lancèrent 2 500 000 t de bombes sur All. (50 %) et territoires occupés. Ils perdirent 160 000 h. (G.-B. 80 000, USA 80 000) et 40 000 appareils (G.-B. 22 000, USA 18 000). Les All. eurent 61 villes détruites, 400 000 †, plus de 7 millions de sans-abri. *Raids célèbres :* **1943**-*25-7* Hambourg 50 000 †. **1944**-*11-9* Darmstadt 12 300. **1945**-*3-2* Berlin 25 000 ; -*13/14-2* Dresde 135 000 (773 avions angl. et 1 350 av. amér.).

Sur le Japon. *Raids célèbres :* **1945**-*9/10-3* Tōkyō 83 893 †. -*6-8* Hiroshima et -*9-8* Nagasaki, bombardements atomiques, voir p. 1857 a.

■ **Raids américains au Viêt-nam.** *Raids célèbres :* **1972**-*18/29-12* Hanoi 40 000 t de bombes, 2 000 †.

Armes et matériels

Armes anciennes

Armes blanches

Épée. 200 av. J.-C. *glaive romain* (en fer) court, à 2 tranchants (emprunté aux Espagnols). **500-800** *apr. J.-C. estramaçon* des Francs : arme de défense, poignard aigu dans une gaine en bois. **600-1500** *cimeterre* arabe, sabre de cavalerie léger, courbé à 1 tranchant. **800-1500** *épée lourde* de cavalerie (souvent remplacée par la hache ou la masse d'armes), 1 seul tranchant. **A partir de 1200** *arme des cottereaux :* poignards des ribauds, c.-à-d. des mercenaires à pied. **Après le XV**[e] **s.** *épée de gentilhomme,* légère, elle sert plutôt d'insigne de la noblesse ; utilisée en salle d'armes ou en duel plus qu'au combat. **Après 1642** *baïonnette,* épée courte, utilisée comme dague ou poignard et pouvant s'adapter au fusil, le transformant en pique (originaire de Bayonne qui a revendiqué l'appellation en laissant authentifier ses armoiries en 1696). **Après 1680** *sabre de cavalerie* imité du badelaire ou couteau de Turquie (ancien *cimeterre*), utilisé comme arme de corps à corps par les cavaliers (1 seul tranchant, légèrement courbé). **Après 1915** *poignard de tranchée* pour le combat rapproché d'infanterie.

☞ **Noms d'épées célèbres :** celle de Charlemagne, *Joyeuse ;* Arthur, *Scalibert ;* Renaud, *Flamberge ;* Roger, *Balisarde ;* Roland, *Durandal ;* Olivier, *Hauteclère ;* Ogier, *Courtin.*

Lance. V. 250 av. J.-C.-400 apr. J.-C. *javelot* romain : lancé ; chaque légionnaire en a 2 (long. 110 cm, emprunté aux Germains). **500-800** *angon* des Francs : javelot terminé par une fleur de lis (2 crochets à g. et à d. de la tête). **IX**[e]**-XV**[e] **s.** *lance* de chevalier (long. jusqu'à 5,50 m). **1450-1703** *pique* de l'infanterie (long. 3,50 m) utilisée pour arrêter la cavalerie ; remplacée à partir de 1642 par fusil + *baïonnette* (long. 2,10 m). **Après 1530** *lance pessade* ou *esponton* (pique de commandement ; écrit « anspessade » au XVIIe s.) : ancienne lance de chevalier coupée à 90 cm de long. et utilisée comme insigne par les nobles (anciens cavaliers) servant comme officiers d'infanterie. **1801-1914** *lance de cavalerie* en bois de frêne (long. 5 m), supprimée 1871, réutilisée 1889. **1914** dernière charge de lanciers en France (*1939* en Pologne).

☞ En 1914, seuls dans l'armée française, dragons et cuirassiers portaient un *casque* (en tôle d'acier modèle 1872, de 1 250 g, avant jusqu'à 3,15 kg), en 1915 on adopta pour les fantassins le *casque Adrian* (600 à 800 g).

Armes de trait

Arc. *Av. J.-C. V.* **2600** en Akkad (Mésopotamie) : avec flèches en tête de bronze, tirées du haut d'un char de combat. **V. 2000** Espagne et Europe occ., avec flèches à tête de cuivre (commandos des « Campaniformes ») ; un bracelet de pierre passé sur l'avant-bras gauche permet une tension maximale de l'arc (bois d'if). **500 av.-400 apr. J.-C.** archers orientaux : les Mèdes (archers à pied) ont un arc long (1,50 à 2 m) ; les Parthes (cavaliers) un arc court. Ni les Grecs ni les Romains n'ont d'archers (le soldat léger grec, peltaste, a une fronde). **Après 800 apr. J.-C.,** les « sergents » des armées carolingiennes et féodales utilisent à la guerre l'arc des chasseurs aux côtés des chevaliers. *XI*[e]*-XII*[e] *s.* archers communiers ; milices locales (entraînées au tir à l'arc et rejoignant l'armée royale ; service d'ost).

Arbalète. XIIIe**-XV**[e] **s. :** arc mécanique, pesant env. 20 kg et tirant appuyé sur une fourche plantée en terre ; le projectile d'arbalète, le « carreau », pèse 400 g (en fer). On emploie surtout des arbalétriers mercenaires : Génois, Gascons, Brabançons. Une compagnie combat à Bouvines (1214) ; Charles V crée un corps de 200, puis 800 arbalétriers chargés de la défense de Paris et commandés par un grand maître. Après les défaites de la guerre de Cent Ans, dues à la supériorité des archers communaux anglais, Charles V voulut revenir à la pratique de l'arc : les villes durent entretenir un corps de francs-archers à côté de leurs francs-arbalétriers. Louis XI supprima ces corps urbains (de faible valeur militaire) : son armée comptait en moy. 2 archers pour 1 arbalétrier. En G.-B. les archers des communes se maintiennent jusque v. 1450. **1450-1500** *disparition* des armes de trait (artillerie).

Engins balistiques

Baliste (inventée par Archimède, IVe s. av. J.-C.). Arbalète géante (l'arc a de 3 à 5 m de long, les cordes de 2 m à 4 m) ; on tend les cordes avec un treuil et on charge la baliste avec des flèches faites de troncs d'arbres, souvent enflammées ; peut également jeter des projectiles ; portée 185 m.

Catapulte (inventée par les Syriens, 450 av. J.-C.). Force utilisée : élasticité des cordes (souvent faites avec des cheveux humains). Poutre de 3 à 6 m de long (style) terminée par un réceptacle en forme de cuillère, le cuilleron, pivote sur un axe horizontal. Des cordes entortillées devraient la maintenir en position verticale, mais on la tire en arrière par un système de treuil jusqu'à la coucher presque horizontalement et on pose un projectile (pierre, matériau enflammé, métal) sur le cuilleron. En actionnant le déclic (crochet de fer retenant le style au treuil), on relâche brusquement les cordes, et le style en se redressant va frapper un butoir ; le projectile jaillit sous le choc (portée 100 à 200 m). **Dérivés médiévaux** (XIIe-XVIe s.). *Mangonneau :* actionné par des nerfs de bœuf de forte élasticité ; portée 300 à 400 m. *Bricole* (mangonneau sans butoir) : le projectile (souvent un barillet chargé de poudre) est projeté par la force centrifuge, le cuilleron étant remplacé par 2 crochets munis de cordes faiblement nouées.

Feu

A partir du VIIe **s.,** les Byzantins utilisent le *feu grégeois* dont la formule a été perdue après leur massacre par les Turcs en 1453. Leurs fantassins sont équipés de lance-flammes portatifs, qui leur permettent de remporter de nombreuses victoires et que l'on assimile au « napalm » moderne (Byzance a utilisé les puits de pétrole de la mer Noire ou de la mer Caspienne). **XVI**[e] **s. :** les Indiens d'Am. du N. utilisent des fagots enduits de graisse de poisson.

Armes biologiques et chimiques

Définition

Agents de guerre chimique. Toutes substances chimiques – gazeuses, liquides ou solides – qui pourrait être employée en raison de ses effets toxiques directs sur l'homme, les animaux et les plantes. Cette définition exclut les substances chimiques actuellement employées à des fins militaires (explosifs, fumigènes, substances incendiaires, voir ci-contre) dont l'action principale est physique : brûlures, suffocation, aveuglement. **Agents de guerre biologique.** Organismes vivants, de quelque nature que ce soit, ou des matières tirées de ces organismes, dont on veut se servir pour causer la maladie ou la mort de l'homme, des animaux ou des plantes, et dont les effets dépendent de leur pouvoir de se multiplier dans la personne, l'animal ou la plante attaqués.

Armes biologiques

■ **Histoire. Utilisées depuis l'Antiquité.** Infection de puits ou lancement par-dessus les fortifications de cadavres de victimes de maladies infectieuses. **1346** Caffa, en Crimée, les Tartares utilisent des cadavres de pestiférés. **1763,** Amérique, le colonel britannique Bouquet déclenche une épidémie de variole dans plusieurs tribus indiennes de l'Ohio et de la Pennsylvanie en distribuant quelques couvertures contaminées. **1940-41,** le Japon épand sur 11 villes de Chine des suspensions de peste à l'aide de bombes à fragmentation ou en porcelaine. Les Japonais lâchent des puces infestées et du riz destiné à attirer les rats. **1981,** les USA accusent les Vietnamiens d'utiliser au Cambodge et au Laos des mycotoxines tricothécènes (produites par l'URSS) ; **1987,** on incrimine des excréments d'abeille.

■ **Sortes. Micro-organismes :** *bactéries, virus, rickettsies ; fungi,* champignons, rouilles, moisissures dont certains peuvent être pathogènes pour l'homme ; *protozoaires* (par exemple : amibes ou agents du paludisme). **Produits chimiques :** toxines ; élaborées par certains micro-organismes et hautement toxiques ; faciles à produire et peu coûteuses.

■ **Effets.** Les maladies les plus à craindre en cas de g. biologique correspondent à des agents très résistants, qui peuvent être véhiculés par eau, poussières ou animaux, en conservant un pouvoir pathogène élevé. Ex. : charbon, peste, morve, mélyoïdose, tularémie, fièvre de Malte, choléra. *Virus :* fièvre jaune, psittacose, dengue ou grippe. *Rickettsies :* fièvres particulières ou typhus. *Toxiques :* toxine botulique (intoxications alimentaires). Évolution redoutée avec le génie génétique : greffe de gènes de toxines nouvelles sur des bactéries. **Résultats actuels** incertains : les germes peuvent disparaître rapidement ou provoquer une épidémie incontrôlée. On redoute plus l'utilisation terroriste que militaire. Leur délai d'action étant d'au moins quelques j, elles sont inaptes à un emploi militaire tactique.

D'après la *convention de Londres-Moscou-Washington (dite « c. de Genève ») du 10-4-1972,* les signataires s'engagent à détruire ou convertir à des fins pacifiques, dans les 9 mois, tous les produits ou moyens concernés en leur possession. Recherches et développements à des fins pacifiques restaient autorisés : seule la « mise au point à des fins hostiles » était interdite. En 1993, 126 pays l'ont ratifiée (la France en 1984). L'absence d'organisme de contrôle international, la difficulté à distinguer travaux militaires et civils lui ôtent beaucoup de crédibilité. Dep. 1991, études pour parvenir à une procédure de vérification (2 conférences à Genève en 1992).

■ **Protection.** Vaccination préventive selon renseignements sur capacités adverses. Pour l'opération Daguet, les soldats français étaient vaccinés contre une dizaine de maladies (certaines pour prophylaxie endémique).

■ **Accidents.** Il y en aurait eu 2 en URSS à Sverdlovsk, en 1963 (*Bacillus anthracis*, 300 † ?) et en avril 1979 (anthrax, 100 à 300 †).

■ Armes chimiques

■ **Histoire. Avant 1900. Flèches empoisonnées** par du curare (Amazonie) ou par des toxines comme la batracyotoxine de grenouille (à Hawaii), de l'acotinine (flèches des Maures en Espagne en 1483). **Puits empoisonnés :** ex. avec de l'ergot de seigle (VIe s. av. J.-C. Assyriens, IVe s. Perses) ; des racines d'ellébore (600 av. J.-C., Solon). **Fumée asphyxiante :** ex. *425 av. J.-C.* le Gal athénien Démosthène, assiégeant Sphactérie, utilise des fumées puantes (poix, plumes) pour obliger les 292 Spartiates survivants à se rendre ; *IVe s. av. J.-C.* en Inde, fumée contenant des alcaloïdes ou des toxines (comme l'abrine des graines de réglisse) ; *1456,* les défenseurs de Belgrade attaquent les Turcs avec un nuage de fumées arsenicales.

Agents chimiques récents : 1915 emploi de *gaz. -3-1* 1re attaque all., à Bolimav (Pologne), obus de mortier chargés de composés bromés lacrymogènes. *-22-4* 1re grande attaque, sur le front de l'Ouest, à Ypres (ypérite) à 17 h (180 t de chlore lâchées par 6 000 bouteilles d'acier sur un front de 6 km), le nuage surprend les Français non protégés, et les Allemands équipés de masques de fortune ouvrent une brèche de 6 km. Mais le commandement allemand n'ayant pas prévu l'ampleur du résultat, n'avait pas rassemblé de réserves suffisantes pour exploiter le succès initial et le sort de la guerre n'en fut pas modifié (5 000 † et 15 000 h. gazés). *-23-4* nouvelle attaque de chlore accompagnée de tir d'obus lacrymogènes (5 000 † canadiens). **1915-18** au total 125 000 t de produits chimiques toxiques employées. 25 % des munitions d'artillerie française sont chargés à l'ypérite. 1 300 000 gazés, 970 000 † dont 180 000 sur le front oriental. **1931** utilisation par le Japon (Mandchourie). **1936** par l'Italie (épandages aériens d'ypérite en Éthiopie, 15 000 †). **1939-45** pas d'utilisation d'armes chimiques (crainte des représailles, prédominance de la guerre de mouvement). **1942** *neurotoxiques organophosphorés* (découverts par I.G. Farben en 1937) produits mais non utilisés (en 1945 stocks : 20-30 000 t de tabun et sarin). **1963-67** Yémen (utilisé par Égypte). **1961-70** Viêt-nam (défoliants). **1978** Cambodge (par Viêt-nam). Namibie (par Afr. du S.). **1979-86** Afghanistan (par Russes). **1980** Érythrée (par Éthiopie). **1983-87** utilisé par l'Irak (contre Iran). **1988** *mars* Kurdistan irakien (par Irak). – On a aussi allégué (sans preuves sérieuses) l'emploi de gaz au Maroc (1925 par l'Espagne), en Chine à Ichang (1941 Japon), Grèce (g. civile, 1950), Malaisie (G.-B. 1950), Corée (1951-52), Viêt-nam (1961-70), Angola (1970 Portugal, 1985 Cuba), Rhodésie (1972), Birmanie (1983-87, contre rebelles shan), au Nicaragua (1984).

■ **Législation. Conférence de La Haye (1899 à 1907) :** les puissances contractantes sont d'accord pour s'abstenir d'employer des projectiles dont le but unique est de répandre des gaz asphyxiants ou délétères (des juristes neutres ont pu ainsi estimer que l'Allemagne n'avait pas violé la Convention de 1899 en recourant aux nappes de chlore en avril 1915 puisqu'elles ne faisaient pas appel à des munitions). **Traité de Washington (1922) :** il n'est pas entré en vigueur, la France ne l'ayant pas ratifié en raison de clauses relatives à la guerre sous-marine. **Protocole de Genève (17-6-1925) :** il rejette l'emploi de « tous gaz asphyxiants, ou de tous autres gaz, liquides, substances ou matériels analogues » mais n'en interdit ni la production, ni la possession. Il n'a pas été ratifié par certains pays (ratification des USA en 1975). La plupart des États (la France en particulier) se sont réservé le droit d'utiliser les toxiques chimiques si un adversaire éventuel les utilisait en premier contre eux. **Conférence de Paris (7 au 11-1-1989) :** 149 pays s'engagent à ne pas recourir aux armes chimiques. 19 pays absents. **Sommet Bush-Gorbatchev Washington (31-5/3-6-1990) :** réduction de leurs stocks à 5 000 t [partant de 50 000 t déclarées pour l'URSS (5/600 000 estimées) et 25 000 t pour les USA]. **Genève** dep. le dégel de 1988, négociations actives pour la signature d'un traité d'élimination et d'interdiction vérifiables qui pourrait déboucher prochainement.

Paris : *Convention d'interdiction des armes chimiques :* ouverte à la signature du 13 au 15-1-1993, après 21 ans de négociations. Au 1-6-1993, l'ont signée 143 pays sur 188 (dont pays de la Ligue arabe : 11 pays sur 20). Entrera en vigueur 6 mois après la 65e ratification et au plus tôt en janv. 1995. Une commission préparatoire siège à La Haye : interdiction absolue des armes, de toute installation touchant de près ou de loin à la production, vérification internationale. Au mieux, les armes chimiques seront entièrement éliminées vers 2010.

■ **Types. En 1915-18,** les toxiques utilisés étaient surtout des produits suffocants, provoquant une inflammation rapide des voies respiratoires déclenchant un œdème pulmonaire (tels le *phosgène* ou certains produits chlorés), ou bien les diverses ypérites (ou « *gaz moutarde* ») ou la *lewisite,* produits vésicants qui brûlaient les yeux, la peau, les poumons. Les combattants qui ne succombaient pas ne guérissaient que lentement et les plus atteints ont gardé des séquelles toute leur vie.

Depuis 1935, des produits encore plus toxiques ont été découverts qui inhibent la transmission de l'influx nerveux, et qui, à des doses infimes, entraînent en définitive l'arrêt de la respiration et du cœur. Ces neurotoxiques [*Tabun* (1936), *Sarin* (1941), *Soman* (1944), *VX* (1953)] pénètrent par la voie respiratoire ou par simple contact sur la peau ; une microgoutte suffit ; ils bloquent l'action de la cholinestérase (enzyme régulant l'acétylcholine responsable des contractions musculaires) ; l'excès d'acétylcholine paralyse à mort ; *symptômes :* maux de tête violents, contraction des pupilles, convulsions musculaires, arrêts respiratoires, coma (composés organophosphorés, voisins de certains insecticides).

■ **Chimiques binaires :** munitions contenant 2 réactifs séparément inoffensifs qui se mélangent pendant le vol et libèrent à l'explosion un produit toxique : m. « binaires neurotoxiques » produisant des gaz neurotoxiques. Chacun des 2 produits peut être stocké sans danger, mais les plus dangereux des précurseurs sont visés par la Convention d'interdiction. Les bombardements classiques sur les stocks ne risquent pas de provoquer leur explosion et l'émission de gaz nocifs. **Incapacitants :** rendent l'individu incapable de réagir, mais ne sont mortels qu'à très haute dose ; peuvent être des incapacitants psychiques (benzilates par exemple), ou provoquer des troubles de la vue, des vomissements, une hypotension, une paralysie temporaire ou des convulsions. **Irritants :** destinés au maintien de l'ordre, interdits à la guerre, autorisés pour la police, à très faible dose, peuvent provoquer larmoiement, toux, éternuement ; ils ne provoquent des dégâts dans l'organisme qu'à des doses très importantes. Pour le « CB » (ortho-chlorobenzilidène-malononitrile), utilisé par les forces de l'ordre, de telles concentrations ne peuvent se produire à l'air libre. **Herbicides défoliants :** interdits à la guerre, peuvent être dangereux par eux-mêmes, ou par des impuretés qu'ils contiennent, s'ils sont absorbés dans l'eau ou les aliments. Ainsi, l'« agent orange » herbicide 2, 4, 5-T (défoliant utilisé par les Am. au Viêt-nam) entre 1961 et 1975 : 24 000 t déversées, soit 170 kg de dioxine sur + de 1,7 million d'hectares. Autres herbicides utilisés : agents blanc et bleu. Auraient provoqué de nombreux cancers [estomac et lymphome (cancer du système lymphatique)]. **Agents sanguins :** absorbés par les voies respiratoires. Empêchent la cytochrome-oxydase (enzyme du sang) de reconstituer la molécule de base utilisée comme source d'énergie par les cellules. Principal symptôme : augmentation rapide du rythme respiratoire. Mort en 15 minutes. Le zyklon B, utilisé par les Allemands dans les chambres à gaz, en est une variante.

■ **Protection.** *Masques* munis de cartouches filtrantes dont les filtres en papier et en charbon arrêtent les aérosols et abaissent d'un facteur 100 000 environ la concentration de vapeurs toxiques. **Tenues** *en caoutchouc butyle, survêtements* composés de plusieurs couches de tissus (certaines étant constituées de tissu carboné) afin d'arrêter les gouttes de toxiques et de filtrer l'air qui atteint la peau ; mais la gêne causée par ces tenues diminue le rendement au combat et accroît la fatigue. Une décontamination très soigneuse des matériels souillés par les toxiques doit être faite. *Ampoules autoinjectantes* contre les principaux agents, à utiliser immédiatement en cas de symptôme de contamination.

Principaux agressifs chimiques

Noms et symboles	Type	Effet	Toxicité
Phosgène (CG)	V, S	M	T2
Diphosgène (DP)	V, S	M	T2
Acide cyanhydrique (AC ou HCN)	V, Sg	M	T2
Chlorure de cyanogène (CK)			
Gaz moutarde (H) ; Ypérites	LVVé	I, M	T2
Lewisite (L, HL, avec H)	L, Vé	I, M	T2
Tabun (GA)	A/V, N	M	T3
Sarin (GB)	V, N	M	T4
Soman (GD)	V, N	M	T4
VX (A4)	L/A, N	M	T4
CB (CS)	So, La	I	T1
CN (CN)	V, La	I	T1

Légende : A : aérosol. I : incapacitant. L : liquide. La : lacrymogène. M : mortel. N : neurotoxique. S : suffocant. Sg : agent sanguin. So : solide. T1 : toxicité très faible. T2 : moyenne. T3 : forte. T4 : extrême. V : vapeur. Vé : vésicant.

Persistances. 10 °C (temps pluvieux, vent modéré), 15 °C (temps ensoleillé, absence de vent, enneigement). *Sarin :* 15 min à 1 h – 15 min à 6 h. *V.X. :* 1 à 12 h – 3 à 21 j –. *Acide* Cyanhydrique : quelques min à 15 min dans tous les cas. *Cyanogène :* quelques min – 15 min à 4 h. *Ypérite :* 2 à 7 j – 2 à 8 sem.

☞ **Quelques accidents : 1968 :** USA : près de Dugway, un avion d'expérimentation pulvérise par erreur du VX, 6 000 moutons †. **1969 :** Belgique : fuite de 1 ou 2 barils d'ypérite (20 000 auraient été immergés par les Anglais au large des côtes en 1950) ; phoques et poissons tués, quelques pêcheurs et enfants (plages) brûlés. **1972 :** USA (à Fort Greely, Alaska) : 50 rennes tués par du sarin (200 cartouches entreposées sur le lac gelé en 1966, englouties lors de la fonte). **1979 :** près de Hambourg (All. féd.) 1 enfant tué par du tabun (stock de cartouches).

■ Armes à faisceaux de particules et lasers

■ **Armes à faisceaux de particules** (électrons, protons ou particules neutres). **Recherches :** USA [programmes « Chair Heritage » (pour les particules chargées) et « White Horse » (particules neutres)] et en ex-URSS.

Avantages escomptés très efficaces contre les missiles (rapidement destructibles par les particules) ; pourraient fonctionner dans l'atmosphère par tous les temps (alors que le laser est arrêté par les nuages) ; il n'existe pas actuellement de contre-mesures ; ils ne seraient pas soumis à des contraintes mécaniques d'accélération (cas des missiles antimissiles), leur temps de réponse serait très bref, ils ne provoqueraient pas d'effets thermiques ni de rayonnements nucléaires parasites, leurs essais n'enfreignent pas les accords soviéto-américains d'interdiction des essais nucléaires et Salt.

Principaux problèmes à résoudre réalisation de *générateurs électriques* produisant en 1 milliseconde des courants électriques très intenses et puissants, de *canons d'électrons* envoyant des faisceaux de particules pulsées de haute énergie dans l'atmosphère ou l'espace, d'*accélérateurs accélérant* les ions d'un plasma chaud ou des électrons.

■ **Laser à haute puissance** délivre par impulsion une énergie min. de 30 kilojoules ou une puissance de sortie moyenne de 20 kilowatts (1 watt : 1 j/sec.). **Avantages :** capacité de tir de 1 000 coups par sec. (l. chimique), précision (pourrait viser 1 pièce de 1 F à 500 km). La destruction des missiles, et des ogives, serait difficile ; celles-ci étant protégées par un bouclier thermique résistant. Le tir pourrait s'effectuer de satellites, car le vide spatial, contrairement à la couche atmosphérique, n'entraînerait pas de divergence et entraînerait peu de perte de puissance. **Effets :** *thermiques directs :* la chaleur du faisceau cause la liquéfaction, la vaporisation ou la pyrolyse (décomposition chim.) de la cible ; *mécaniques indirects :* sous la chaleur du faisceau et la pression créée par le faisceau formé à la surface, le métal s'évapore, s'écarte de la surface et engendre en sens inverse une onde de choc qui brise l'enveloppe de la cible ; *ionisation :* causée par les rayons X (émis par le plasma quand il absorbe le rayon laser), elle peut détraquer ou détruire les circuits électroniques ; *combinés, mécaniques et thermiques :* une série d'impulsions répétées peut déformer la cible (qui en outre s'échauffe) ; *effets biologiques :* quelques joules/cm² (au lieu de 700 pour percer la carlingue d'un avion) aveuglent un pilote.

Recherches : USA : *programme Triad de la Darpa :* laser chimique hydrogène-fluor (puissance 5,5 mégawatts) ; laser de 400 kW monté sur un Boeing KC-135. En 1983, un laser au dioxyde de carbone utilisé en vol a détruit 5 missiles Sidewinder volant à 3 500 km/h. *Programme de l'US Navy :* laser deutérium-fluor (Miracl, 2,2 mégawatts). Le 23-2-1989, un MICL (Mid-Infrared Chemical Laser) a intercepté et détruit pour la 1re fois un missile antiaérien Vandal. Mais la même année, un laser Miracl a mis plusieurs secondes pour détruire au sol le 2e étage du missile amér. Titan II (les lasers opérationnels devront être 50 fois plus puissants). **G.-B. :** depuis 1986, marine équipée de lasers à usage défensif, capables d'aveugler les senseurs et les capteurs des avions adverses (le faisceau créé par le laser porte à 1 600 m). **France :** programme de recherche *Latex* (laser associé à une tourelle expérimentale) capable d'aveugler les senseurs optroniques des hélicoptères de combat et des chars. Puissance de 50 kW fournie par source chimique (deutérium-fluor). **Europe :** projet *Euclid* (coopération technologique militaire) lancé 1988. **Russie :** laser à iode. **Autres lasers envisagés.** *L. excimère* (émission dans l'ultraviolet). *L. à électrons libres :* capable d'émettre des X à l'infrarouge, étudié en France à Orsay (lab. Lure). *L. à rayons X :* photons donnant un très fort rayonnement, production conventionnelle (décharge électrique, autre rayon laser) ; nucléaire (énergie issue de l'explosion) ou s'il est utilisé à des fins militaires ; études aux USA (Lab. Lawrence Livermore), en Russie (Inst. Lebedev), France (Lab. de spectroscopie atom. d'Orsay) ; pourraient être utilisés d'un satellite (qui ne fonctionnerait qu'une fois mais pourrait détruire plusieurs dizaines de cibles).

Principaux problèmes. *Mise au point d'optiques* capables de supporter des énergies énormes (mais le laser X n'en aurait pas besoin) ; *développement de plates-formes de pointage et d'alimentation* en énergie de ces armes (pour certains, ce problème serait impossible à résoudre à bord des systèmes spatiaux, car des tonnages considérables de produits chimiques seraient nécessaires) ; *atténuation de ces faisceaux de lumière* lors de leur passage dans l'atmosphère ; *lutte contre les contre-mesures possibles :* on pourrait recouvrir les missiles de quelques mm de carbone phénolique (vaporisée par le rayon laser, cette couche produirait un plasma protecteur quelques instants), polir leur surface (l'énergie serait en grande partie renvoyée comme par un miroir), les faire tourner sur eux-mêmes, les envoyer avec des leurres attaquer les batteries spatiales [les optiques étant fragiles, une intensité très faible (du milliardième de celle nécessaire contre les missiles) pourrait les endommager].

☞ Les lasers à basse puissance sont déjà utilisés pour visée, guidage, détection et contre-mesures (voir aussi p. 1882 b). Selon la Nasa, la mise au point d'un système Asat (Anti-Satellite System) complet à rayon laser coûterait 50 milliards de $, et celle d'un système spatial complet de missiles antimissiles balistiques ABM, 500 milliards de $. Actuellement les USA consacrent env. 2 milliards de $ par an aux technologies ABM.

Armes nucléaires et thermonucléaires

☞ Une *explosion nucléaire de 1 kilotonne* dégage autant d'énergie que l'explosion de 1 000 t de trinitrotoluène (TNT), explosif classique pris comme référence. Un *avion armé d'une bombe de 100 kt* dispose d'une énergie équivalant à celle que transportaient, en 1944, 15 000 bombardiers.

Pendant la guerre de 1939-45, la totalité des explosifs utilisés par les 2 camps a représenté environ 2 Mt (mégatonnes, soit 2 000 kt) de TNT.

Différents types

Armes à fission (bombes atomiques ou bombes A). Utilisent la fission d'atomes lourds tels que l'uranium 235 ou le plutonium 239 qui se « cassent » en formant des « produits de fission », en dégageant une quantité importante d'énergie. **Énergie :** quelques kt à quelques centaines de kt. A moins de 13 km d'alt., l'effet de souffle dû à l'onde de choc correspond à 50 % de l'én. dissipée, les effets thermiques à 35 %, et les rayonn. nucléaires (initial et différé) à 15 %.

Armes thermonucléaires (bombes à hydrogène ou bombes H). Utilisent la fusion de 2 atomes d'hydrogène lourd (deutérium ^{2}H ou tritium ^{3}H) ou de deutérium et de lithium (qui produit le tritium). Cette fusion ne peut avoir lieu qu'à plusieurs millions de degrés, et seule l'explosion d'une bombe à fission est capable, dans l'état des connaissances actuelles, de « chauffer » suffisamment l'hydrogène pour amorcer la réaction thermonucléaire. On envisage l'amorçage par un laser. **Énergie :** de quelques kilotonnes à quelques dizaines de mégatonnes. **Bombe thermonucléaire expérimentée la plus puissante : ex-URSS** *(31-10-61)* 57 à 90 Mt (?) : son onde de choc fit 3 fois le tour de la Terre (1er t. en 36 h 27 min).

Bombe à neutrons [dite à rayonnement renforcé, appelée aussi **ANSKT** (ou bombe neutronique ou Mininuke)]. Due à l'Américain Samuel Cohen. Bombe miniaturisée à fusion thermonucléaire de faible puissance conçue de façon telle que la proportion des différents effets est modifiée au profit du rayonnement neutronique, le souffle et l'effet thermique étant minimisés. *Effets :* les neutrons traversent les blindages les plus épais en émettant des rayonnements γ. Ces rayonnements n et γ neutralisent les personnels et détruisent les composants électroniques. En revanche les neutrons sont plus facilement arrêtés par des matériaux légers tels que terre, sable, béton, eau. La bombe permet donc de frapper des concentrations de forces blindées sans causer trop de dégâts à l'environnement (forêts, constructions...) ; chaleur, déflagration et retombées radioactives sont de 10 à 100 fois inférieures à celles des armes thermonucléaires classiques de même puissance. Elle peut aussi servir en défense ABM. Des tirs de « proximité » dirigés contre la tête de rentrée d'une fusée adverse peuvent la rendre inopérante en neutralisant l'électronique de déclenchement de sa charge.

Nota. – En 1981, le Pt Reagan a décidé la construction et le stockage de la bombe à neutrons. La France est en mesure de la produire.

Effets des explosions nucléaires

Effet thermique. L'énergie dégagée lors de l'expl. élève la température de plusieurs millions de degrés (dans une expl. classique les temp. ne dépassent guère 5 000 °C). En moins d'un millionième de seconde, l'arme rayonne d'énormes quantités d'énergie, surtout sous forme de rayons X qui sont absorbés, très rapidement par l'atmosphère. Une « boule de feu » (masse d'air et de résidus gazeux) plus brillante que le soleil se forme, se dilate et se refroidit en quelques secondes, rayonnant son énergie, notamment sous forme de lumière ultraviolette visible et infrarouge, créant ainsi un *flux thermique* élevé capable de provoquer à grande distance des brûlures des yeux ou de la peau et d'allumer de nombreux incendies. Les brûlures du 1er degré de la peau nue résultent d'absorption de quantités de chaleur d'env. 2 à 4 calories/cm² et celles du 2e degré de 5 à 9 cal./cm². En raison de l'effet de focalisation du cristallin, l'effet lumineux intense peut provoquer, surtout de nuit (pupille dilatée) des éblouissements prolongés ou brûler définitivement la rétine.

Onde de choc. Créée par détente de la boule de feu, formée de gaz à très haute température et à très forte pression, (*surpression* à front raide puis *dépression*), accompagnée d'un *vent très violent* qui peut s'inverser pendant la phase de dépression. L'action destructrice dépend de la valeur de la surpression de crête qui écrase les structures fermées et de la force de traînée du vent. Le vent balaye tout sur son passage et transforme en projectiles meurtriers tous les objets rencontrés. A la surpression de 0,35 bar, qui correspond au risque de rupture des tympans, la vitesse maximale du vent atteint 250 km/h, et, à la surpression de 2 bars pour laquelle on constate des lésions pulmonaires, elle dépasse 1 000 km/h (dans les tempêtes les plus violentes, le vent ne dépasse guère 200 km/h).

Effet des rayonnements. Rayonnement nucléaire initial (avant 1 min) : r. γ *et n* peuvent parcourir plusieurs km. Bien que leur énergie ne représente que 3 % de l'énergie totale de l'explosion, ces r. peuvent provoquer de nombreuses victimes et endommager gravement les équipements électroniques. **R. nucléaire résiduel** (après 1 min) : engendré 1°) par les débris radioactifs de l'arme, 2°) par la radioactivité induite par l'action des neutrons sur les différents éléments du sol, de l'air, de l'eau. Danger principal : création de granules de retombées qui contiennent les résidus radioactifs de l'arme et des fragments de matériaux (sol, eau). Les effets de ces « retombées » peuvent se faire sentir à des distances bien supérieures aux autres effets de l'arme nucléaire.

Effets physiologiques. Des r. initial et résiduel (x, γ, η, α, β) (surexpositions accidentelles aux X, aux γ ou aux neutrons). La dose absorbée est mesurée en grays (1 gray = 100 rads). La « dose biologique » est établie en sieverts (1 sievert = 1 gray × q ; 1 sievert = 100 rems). De nombreux paramètres interviennent : dose aiguë ou exposition chronique, sensibilité plus ou moins grande selon l'organe touché, etc. Pour des doses d'env. 1 gray, effets à long terme. Pour des doses supérieures à 3 grays, effets violents à court terme (vomissements), mort au bout d'un temps variable.

Impulsion électromagnétique (IEM, en anglais, EMP Electromagnetic Pulse) : rayons γ instantanés émis dans les réactions nucléaires, et ceux qui résultent des interactions des neutrons avec les résidus de l'arme ou le milieu environnant. Les rayons γ réagissent avec les molécules et atomes de l'air, par effet Compton, et produisent une région ionisée entourant le point d'explosion (zone source). Par suite des inhomogénéités de l'atmosphère, de la configuration de l'arme, de la proximité du sol, il en résulte un flux d'électrons variable dans le temps qui provoque l'émission d'une brève IEM transportant une quantité importante d'énergie sur un spectre de fréquences très large (quelques kHz à plusieurs centaines de MHz).

Conséquences possibles : 1°) *explosion haute altitude* (40 km par ex) : peut détruire ou dérégler tous les systèmes électroniques non protégés contre cet effet (non « durcis »), entraînant la paralysie économique (énergie, moyens de transport, usines, ordinateurs et banques de données) ; **2°)** *explosion basse altitude :* peut rendre inopérants les équipements électroniques non durcis des blindés d'une grande unité (division ou corps d'armée), paralysie de l'action.

Effets d'une guerre atomique

Guerre nucléaire totale d'une puissance de 10 000 mégatonnes. Soit environ la moitié du stock actuel d'armes nucléaires en 1990 éclatant à 90 % en Europe, Asie et Amérique du Nord et à 10 % en Afrique, Amérique latine et Océanie. **Effets à court terme :** 1 150 000 000 † et 1 100 000 000 blessés. 1 habitant du monde sur 2 serait frappé. Toute l'infrastructure (eau, énergie, hôpitaux...) serait touchée ou détruite. L'incendie serait partout. Les survivants seraient saisis de panique ou frappés de prostration. Les secouristes, « s'il en restait », ne pourraient s'approcher d'eux à cause des radiations. Les possibilités d'assurer des soins aux survivants seraient pratiquement nulles. La désorganisation consécutive à l'explosion rendrait aléatoire un système de surveillance et de décontamination. Hiver nucléaire, voir ci-dessous **Effets à long terme** (sur des décennies) : *démembrement des structures socio-économiques* [arrêt des transports, des communications], *difficultés d'approvisionnement en eau* (il faudrait de 10 à 20 l d'eau par jour pour les brûlés et au minimum 4 l pour éviter la déshydratation des survivants) *et en nourriture* (or les pays en voie de développement dépendent des importations de céréales)]. *Contamination de l'ensemble des eaux* [par des matières radioactives et des virus et bactéries qui se développent (destruction des stations d'épuration, amoncellement des déchets)] *et des aliments solides* par des micro-organismes pathogènes (impossibilité de réfrigérer). *Éclosion de multiples épidémies* favorisée par la putréfaction de millions de cadavres (prolifération d'insectes plus résistants que l'homme aux radiations). *Transformation des terres arables en jachère* par le feu et la radioactivité résiduelle. *Désertification à terme* des terres rendues, par l'explosion, impropres à la culture et à l'élevage, entraînant une famine générale et une malnutrition au cours des années suivantes.

Guerre limitée à des objectifs militaires situés en Europe centrale. *Comportant l'emploi d'armes tactiques,* d'une puissance totale de 20 mégatonnes, env. 9 000 000 de morts et blessés graves (dont env. 8 000 000 de civils) et autant de blessés légers.

Explosion d'une bombe atomique de 1 mégatonne au-dessus de Paris. 2 000 000 † et autant de blessés. ☞ L'explosion accidentelle d'une seule bombe déborderait les ressources sanitaires françaises.

L'hiver nucléaire

En cas de conflit atomique important, les explosions (et incendies consécutifs) entraîneraient 1 milliard de tonnes de poussière et des fumées toxiques dans la stratosphère (au-delà de 12 000 m). A cette altitude, l'air est raréfié, il ne pleut jamais et les particules redescendraient très lentement. Il en résulterait une baisse de température. Sur les côtes, les différences de température entre l'intérieur et le large (où la mer se refroidit moins vite) provoqueraient des ouragans et des pluies diluviennes sur 100 km de profondeur. Ce refroidissement survenant au printemps ou en été affecterait les plantes qui ne pourraient plus effectuer la photosynthèse transformant le gaz carbonique en composés organiques. Les animaux seraient privés de nourriture. La couche d'ozone qui nous protège des rayons ultraviolets pouvant être détruite par endroits sous l'effet des oxydes d'azote propulsés dans la stratosphère, au retour du beau temps, la Terre serait alors atteinte par les ultraviolets qui diminueraient la productivité des récoltes, endommageraient le plancton marin, supprimeraient le système immunitaire des mammifères, brûleraient la peau et rendraient aveugle. *L'hémisphère Sud* pourrait aussi être atteint par le froid si la multiplicité des explosions modifiait les grands mouvements de l'atmosphère qui portent les nuages vers les pôles.

Effets d'une explosion selon sa puissance et la distance	1 kt	10 kt	100 kt	1 Mt	10 Mt
	km	km	km	km	km
Brûlure [1] 1er degré	1,1	3	6,5	11,2	16,5
2e degré	0,8	2,3	5,3	9,6	14,8
Inflammation de bois sec, papier	0,9	2,5	5,6	9,9	14,9
Réception à découvert [2] de 100 rems	1,2	1,6	2,1	2,3	3,9
500 rems	0,9	1,3	1,7	1,8	–
Destruction d'immeubles	0,35	0,8	2	4	9,5
Dégâts très sérieux aux immeubles	0,55	1,2	2,6	5,6	13
Hauteur au-dessous de laquelle une explosion est contaminante	0,05	0,15	0,4	0,9	2,1

Nota. – (1) Par temps clair et sur peau nue. (2) Due au rayonnement initial qui est un facteur important dans le cas d'explosion de faible puissance, mais devient négligeable devant le souffle et l'effet thermique dans le cas d'explosion de forte puissance.

■ Protection

■ **Contre l'onde de choc et le souffle.** Renforcement des caves pour permettre de supporter le poids des décombres. Abris profondément enterrés.

■ **Contre le flux thermique.** Un écran léger suffit jusqu'à 20 à 30 cal/cm². Sinon il est difficile d'empêcher des incendies.

■ **Contre les rayonnements nucléaires.** Obstacle (en cm) : plomb 4 ; acier 6 ; béton 19 ; terre 28 ; eau 40 ; bois 75 (souhaitable : béton 65 ; terre 90).

■ **Contre les retombées.** Une cave divise la dose reçue par 100 (par rapport à ce que recevrait l'individu en plein air au même endroit). *Principes de constructions :* multiplication des obstacles (les rayons se déplaçant dans tous les sens et s'affaiblissant à chaque rebond) ; renforcement des plafonds (contre l'ébranlement des sols et les risques d'effondrement) ; aménagement d'une double issue (avec sas) et de prise d'air (avec filtre à sable et filtre à gaz) ; *éclairage optimal :* bougies (car faible consommation d'oxygène) ; *réserves de vivres :* pour 15 j env. (prévoir pharmacie, w.-c. chimiques, poste de radio).

■ **Contre les irradiations extérieures.** Masque contre les poussières radioactives, bouteille d'oxygène (autonomie 4 h), détecteur de radiations, combinaison plastique.

■ **Contre l'IEM** 1°) *Absence d'effets sous l'eau :* les sous-marins nucléaires seraient invulnérables. 2°) *Durcissement :* moyens : « cage de Faraday », faite d'un grillage conducteur ; si elle est isolée du sol et dépourvue d'ouverture, elle protégera ce qu'elle renferme ; gaine de « blindage » pour les câbles. Fibres optiques, « durcies » par nature car en silice pure, et transmission de messages non électriques.

☞ **Renseignements.** Centre scientifique et technique du bâtiment, 4, av. du Recteur-Poincaré, 75016 Paris. Des abris pour 6 personnes sont proposés à 100 000 F et + (30 000 en kit).

■ **Population disposant d'abris antiatomiques (en %). Israël :** 100. **Suède :** 70 (programme commencé depuis 1945). **Suisse :** 77 (programme commencé en 1947, dépense moyenne annuelle de 1 milliard de FF : 193 000 abris creusés sous les Alpes). **Chine :** 70. **URSS :** 69. **USA :** 50 (les 2 protègent en priorité les installations militaires et les cadres scientifiques et techniques ; l'évacuation rapide des populations urbaines est prévue). **Danemark :** 52. **Norvège :** 42. **All. féd. :** 40. **France :** (proche de 0) 300 abris privés répertoriés et 600 abris militaires. **Belgique :** 0.

■ Puissances nucléaires

Pays constructeurs

Pays ayant produit des armes nucléaires. *USA* (60 000 têtes nucléaires fabriquées dep. 1945, de 71 types différents pour 116 types d'armements nucléaires ; en 1987, ils en fabriquaient 5 par jour). *ex-URSS. France. G.-B. Chine. Inde. Israël. Pakistan* (les 4 derniers non avoués). *Afr. du S.,* en mars 1993, a reconnu avoir mené des recherches poussées et affirmé avoir démantelé les 4 engins nucl. construits.

Pays susceptibles d'en produire. *Argentine, Brésil, 2 Corées, Iraq, Iran [1].*

30 pays qui pourraient en fabriquer à partir de déchets de réacteurs de centrales nucléaires travaillant actuellement à des tâches pacifiques dont All., Algérie [1], Australie, Autriche, Belgique, Brésil, Canada, Chili, Égypte, Espagne, Hongrie, Italie, Japon, Libye [1], Pays-Bas, Pologne, Suède, Suisse, Syrie [1], Taïwan, Tchécoslovaquie, ex-Yougoslavie.

Nota.– (1) Avec l'aide de la Chine.

Explosions réalisées

Premiers essais (aériens et souterrains). *USA :* a. 1945, s. 1951. *URSS :* a. 1949, s. 1961. *G-B :* a. 1952, s. 1962. *France :* a. 1960, s. 1961. *Chine :* a. 1954, s. 1969. *Inde :* s. 1974.

Premières bombes réalisées. A fission (A). USA : 16-7-1945 à Alamogordo (Nouveau-Mexique), bombe au plutonium fatman (gros type). **URSS :** 29-8-49 à Semipalatinsk. **G.-B. :** 3-10-52 (près de la côte O. de l'Australie). **France :** 13-2-60 à Reggane [Algérie (dopée : 4-10-66)]. **Chine :** 15-10-64 (dopée : 9-5-66). **Inde :** 18-5-74, au plutonium, sous terre.

A fusion (b. à hydrogène). USA : 31-10-1952 (65 t à Bikini). **URSS :** 12-8-53. **G-B :** 15-5-1957 (au large des îles Christmas, Pacifique). **Chine :** 17-6-1967. **France :** 24-8-1968 (Fangataufa, Polynésie).

☞ **Coût d'un tir français.** *1er tir en puits 15-6-1975 :* 100 millions de F. Actuellement 20 à 70 selon les mesures à faire. Il faut un puits de 650 m pour une explosion de 8 kt, de 1 500 m pour 1 Mt.

Lieu des essais

■ **Chine.** Région du Lob-Nor au Sinkiang.

■ **États-Unis. Nevada** (à 100 km de Las Vegas, – de 500 km de Los Angeles, avec 15 000 000 d'hab. dans un rayon de 500 km) *16-7-1945* (1er essai) à *1963* (1953 : aurait tué des milliers de moutons et provoqué de nombreux cas de cancer et leucémie) ; **îles du Pacifique :** *Bikini* 1946 à 1958 [après 20 ans, la radioactivité était retombée à 2 microrœntgens (– du dixième de la radioactivité moyenne des USA)] : des habitants sont revenus sur l'île en 1975 ; **Christmas** et **Johnston** (1962-63), **Eniwetok** (1969), **Amchitka** (1971) en Alaska [à 2 000 m de profondeur (expérience Cannikin pour la mise au point du missile Spartan qui provoqua des secousses équivalentes à un séisme de degré 7, échelle de Richter)].

■ **France. Sahara** *Reggane : 4* essais aériens du *13-2-60 au 25-4-61 :* 1re bombe atomique (Gerboise bleue), 2e blanche, 3e rouge, 4e verte. *In Ecker :* 13 essais souterrains du *7-11-61* au *16-2-66* (mise au point d'une bombe au plutonium de 60 kt). **Polynésie** (atolls de *Mururoa* et de *Fangataufa* inhabités dep. 1906 à 1 200 km de Tahiti, 4 750 de la N.-Zélande, 6 900 de Sydney (Australie), 6 720 de Santiago (Chili), 6 600 de Lima (Pérou), avec 2 300 hab. dans un rayon de 500 km. Essais aériens *du 2-7 au 4-10-66 :* bombes, à 600 m d'alt., puissance 300 kt. Objectif : mettre en place les 2e et 3e générations de la force de frappe (missiles du plateau d'Albion et sous-marins nucléaires). *Du 5-6 au 2-7-67 :* 3 tirs à faible puissance mettant au point « l'allumette » de la future bombe « H » française. *Du 7-7 au 8-9-68 :* 5 tirs, bombe « H » (Canopus) de + de 2 mégatonnes. *Du 15-5 au 6-8-70* (campagne prévue pour 1969 annulée pour des raisons budgétaires) : 8 essais de bombe « H ». *Du 5-6 au 13-8-71 :* 5 expériences de la bombe « tactique » de 15 kt, bombe « dopée » de 500 kt, nouvelles bombes « H » de 1 mégatonne. *Du 25-6 au 29-7-72 :* 3 essais de faible puissance mettant au point le détonateur de la bombe « H ». *Du 21-7 au 28-8-73 :* 5 essais de faible puissance. *Du 16-6 au 25-8-74 :* 7 essais (dont 2 de forte puissance). *Dep. 1975.* 4 essais souterrains (*1975 à 1981* dans la partie émergée sous l'anneau corallien ; *dep. 1981,* sous le lagon, pour éloigner des flancs de l'atoll les tirs puissants et augmenter la surface disponible, donc la capacité du champ de tir).

Les tirs aériens ont entraîné les protestations de pays d'Amér. du Sud (Pérou, Équateur, Chili), du Japon, de l'Australie et de la N.-Zél. *Australie* et *N.-Zél.* ont demandé le 9-5-73 à la *Cour internat. de La Haye* d'interdire à la France de poursuivre ses essais, qui portent atteinte à la loi internat. et à la charte de l'Onu et violent les droits des pays concernés (droits de liberté de navigation, de survol, d'exploitation des océans). La Fr. ne reconnaît pas la compétence de la Cour dans ce domaine (en 1966, la Fr. avait reconnu la juridiction obligatoire de la Cour, mais en excluant « les différends concernant des activités se rapportant à la Déf. nat. »).

L'appel de Stockholm. Lancé début 1950 par le Congrès mondial des partisans de la paix contre la décision des USA de construire la bombe à hydrogène, et soutenu par les communistes, il recueillit 273 000 000 de signatures dont 115 000 000 en URSS.

Le moratoire. Convention entre URSS et USA, a été rompu unilatéralement par les USA, le 22-3-1986 (*tirs 1986 :* USA 13) et le 12-3-1987 par l'URSS (*1987 :* URSS 13, USA 13).

■ **G.-B.,** Australie, Nevada (USA).

■ **Inde.** Site de Thar.

■ **URSS.** Sibérie ; *Semipalatinsk* au Kazakhstan (il y a 1 210 000 hab. dans un rayon de 500 km), site fermé le 29-8-91 après 467 essais dont 343 sous terrains ; Oural, Russie d'Europe, Nouvelle-Zemble (installé 1954, 132 essais dont 43 sous-terrains en 92). Le 14-9-1954, l'URSS a lancé à 500 m d'altitude une bombe atomique dans le sud de l'Oural au cours d'un exercice militaire auquel participaient des troupes.

Essais	1945/63 [6]		1963/91 [6]		Total a + s
	aér. [1]	sout. [2]	aér. [1]	sout. [2]	
USA	217	114	0	599	*930*
URSS [4]	183	2	0	530	*715*
G.-B. [3]	21	2	0	20	*43*
France [5]	*4*	*4*	*41*	*140*	*189*
Chine	–	–	23	13	*36*
Inde	–	–	0	1	*1*
Total	*425*	*122*	*64*	*1 303*	*1 914*

Nota. – (1) Aérien. (2) Souterrain. (3) Plus une douzaine fin 1991 pour miniaturiser et durcir les futures charges embarquées sur SNLE Nouvelle Génération. (4) En 1990 les soviétiques ont reconnu un surnombre de 66 essais jamais recensés jusque là. (5) Le 8-4-92 la France a décidé de suspendre ses essais pour accélérer les négociations sur le désarmement.

■ Traités

PTBT (Partial Test Ban Treaty, Traité d'interdiction partielle des essais). Interdisant aux signataires les essais atmosphériques dans l'espace et sous l'eau. Signé 5-8-1963 à Moscou, entré en vigueur 10-10-1983 (au 1-1-1989 : 117 États y ont adhéré dont : USA, URSS, G-B mais ni la France, ni l'Inde, ni la Chine). Plus tard, Chine et France ont renoncé unilatéralement aux essais dans l'atmosphère car les essais souterrains, plus difficiles à réaliser et moins instructifs, gênent les États débutants.

Traité de non prolifération nucléaire. Signé 11-7-1968 par USA, G.-B., URSS et 59 pays. Institue des obligations et des contreparties pour 25 ans (voir p. 1880 b).

TTBT (Threshold Test Ban Treaty, Traité du seuil). Signé 3-7-1974 par USA et URSS, limite à 150 Kt la puissance des essais souterrains. Non ratifié par le Congrès amér.

PNET (Peaceful Nuclear Explosions Treaty, Traité sur les explosions nucléaires à des fins pacifiques). Signé 28-5-1976, applique les limites du TTBT aux explosions de recherches. Non encore ratifié car USA et URSS ne sont pas d'accord sur le système de mesures. L'URSS évalue l'intensité avec la méthode sismique, les USA avec le système Cortex. Le 17-8-1988, des experts soviétiques ont assisté à un essai américain dans le Nevada, et le 14-9-1988 des experts américains à un essai au Kazakhstan.

■ Incidents

■ **Accidents américains. 1957**-*22-5 :* bombe H de 19 t (puissance 9 mégatonnes) tombe accidentellement d'un B 26 près d'Albuquerque (Nouveau-Mexique, USA), 1 vache est tuée ; seule la charge non nucléaire explose, creusant un cratère de plus de 7 m de diamètre et 4 m de profondeur. Une légère contamination radioactive est relevée. **1961**-*24-1 :* accident d'un chasseur-bombardier en Caroline du N. (transportant 2 b. de 24 mégatonnes ; 6 des 7 manœuvres de mise à feu s'effectuent spontanément). **1965** *5-12* chasseur-bombardier (Skyhawk A4), transporté par porte-avions, Ticonderoga, perdu avec son pilote et une bombe H, à 130 km des Ryūkyū (Japon), git par 4 900 m de fond. **1966**-*17-1 :* un bombardier américain entre en collision avec son avion ravitailleur au-dessus de *Palomares* (Espagne), *une des 4 bombes manquantes sera retrouvée* après 80 j de recherches à 770 m de prof. dans la mer. Les 3 autres ont explosé chimiquement (sans réaction nucléaire), d'où contamination au sol par du plutonium qui a nécessité des opérations difficiles et longues de décontamination. **1968**-*21-1* : un B 52 du SAC (Strategic Air Command) en mission d'alerte, chargé de 4 bombes H, s'écrase au Groenland. **1980**-*19-9* : un missile Titan II, à Damascus (Arkansas), explose (fuite de carburant), 1 †, 22 bl. L'ogive nucléaire de 9 mégatonnes est projetée à 200 m du silo. **1981** un F4-E tombe accidentellement du porte-avions *Ticonderaga* avec une bombe H à 100 km des Ryūkyū. **1993** mars TOMSK 7.

■ **Armes perdues en mer** (reconnues 1992). *Accidents aériens* 10 (USA) ; *sous-marins coulés* 10 dont 2 USA (dont le Tresher), 7 URSS, 1 G.-B. (HMS Resolution) ; *navires coulés* 2 dont 1 Kashin soviétique et 1 G.-B. (Sheffied aux Malouines) ; *essais de missiles* 3 (USA).

■ **Fausses alertes atomiques. États-Unis** : 3 ont été détectées dans les 2 ou 3 min, évitant tout risque nucléaire. **1979**-*9-11*, entre 2 h 59 et 3 h 05, les écrans radars montrent des échos pouvant correspondre à des fusées russes franchissant l'océan Glacial Arctique vers les USA. Les équipages des bombardiers stratégiques B-52 et FB-11 mettent en marche leurs réacteurs, et les servants des missiles en silos sont placés en état d'alerte renforcée ; mais aucune manœuvre ultérieure n'est cependant décidée. Selon le plan préétabli, le Pt des USA devait être prévenu à 3 h 06 (soit 7 min après l'alerte) et la riposte nucléaire devait être déclenchée entre 3 h 14 et 3 h 19 (15-20 min après l'alerte). **1980**-*3 et 6-6*, 2 nouvelles alertes : défaillance d'un circuit imprimé de la taille d'une pièce de monnaie et d'une valeur inférieure à 100 $. **France.** V. 1962, un Mirage IV porteur de sa bombe nucléaire décolle d'Orange (Vaucluse), l'ordre d'interrompre sa mission ne lui étant pas parvenu avant son envol, lors d'un exercice d'alerte.

■ Bombardements nucléaires

■ **Hiroshima (6 août 1945 à 8 h 15, heure locale).** Japon [bombe : long. 3,50 m, largeur 0,75 m, pesant 4 500 kg dont 20 kg d'uranium 235, surnommée Little Boy, lancée de 9 500 m d'alt. par le B 29, baptisé *Enola Gay* (Gay du nom de sa mère, Enola anagramme de alone, c'est à dire seul) par le pilote, le colonel Paul Tibbetts, recouverte de signatures et d'injures à l'adresse des japonais, explose à 500 m d'alt. Puissance 20 kt., on a parlé de 130 000 † sur le coup et dans les trois mois suivants, 200 000 au total jusqu'en 1950, et de 243 271 au 8-8-1984. 63 000 maisons détruites sur 90 000. L'officier bombardier, le major Ferebee, aurait déclenché le dispositif]. Hiroshima (420 000 h., 7e ville du Japon en 1945) abritait 40 000 soldats, offrait une facilité de dégagement rapide pour l'avion largueur et une concentration de population donnant toutes les « chances » d'un grand nombre de morts, propre à terrifier le J. et à obtenir sa capitulation. Au centre de l'explosion, la température fut de 300 000 °C. Au sol, 600 m plus bas, elle fut, un instant, de 3 000 °C. Tout brûla dans un rayon de 2 000 m. Jusqu'à 1 200 m la plupart des victimes moururent ; au-delà, la peau, les muscles protégèrent poumons, foie, intestins, cerveau, et le % des morts par brûlures diminua. Les radiations furent mortelles jusqu'à 900 m, gravement délabrantes jusqu'à 2 700 m, sensibles au-delà (aujourd'hui encore, les cas de leucémies sont plus fréquents à Hiroshima, même chez les habitants éloignés de l'épicentre). Vers 1950, on rassembla au « Peace Memorial Park » 1 074 morts identifiés et les ossements épars de dizaines de milliers d'autres.

■ **Nagasaki (9 août 1945 à 11 h, heure locale).** Japon (même puissance, surnommée Fatman) 70 000 † sur le coup et les mois suivants (140 000 au total jusqu'en 1950).

Nota. – 350 000 survivants victimes de maux dus à l'effet différé des radiations, brûlures, du choc, de blessures et infirmités diverses ; entre 1965 et 1971, leucémie 7 fois + fréquente que la normale, cancers 4 fois + pour les h. frappés dans un rayon de 1,5 km du point zéro.

■ Aéronefs

■ Avions anciens

Guerre de 1914-18

■ **France. Chasseurs :** *Morane Saulnier* (1914), *Spad VII* (1916) et *XIII* (1917), moteurs Hispano-Suiza de 200 ch, vit. 230 km/h, plaf. 6 500 m, durée de montée (à 2 200 m) 5mn 10, auton. 2 h, armement 2 mitr. Vickers ; 8 500 exemplaires. **Reconnaissance :** *Salmson 2* (1917), vit. 185 km/h, plaf. 6 500 m, auton. 3 h. **Bombardiers :** *Breguet-Michelin* (1915), *Breguet 14* (1917), moteurs 1 Renault de 300 ch, vit. 170 km/h, plaf. 5 800 m, auton. 3 h. ; 1 600 ex. *Voisin 1 à 10.*

■ **G.-B. Chasseur :** *Bristol* (1917). **Bombardier :** *quadrimoteur Handley Page* (1918) (b. stratégique).

■ **Allemagne. Chasseurs :** *Fokker E III* (1915) et *D-VII* (1918). **Bombardier :** *Gothar G* (1918). **Dirigeable :** *Zeppelin* (1915), d'abord bombardier puis reconnaissance navale (mer du Nord).

Guerre de 1939-45

■ **Allemagne. Chasseurs :** *Messerschmitt Bf-109 E* (1935), vit. 550 km/h, auton. 660 km, plaf. 10 500 m, arm. 2 canons 20 mm, 2 mitr. *109 E-3* monoplan, monoplace, 1 moteur Daimler-Benz de 1 150 CV, env. 10,50 m, long. 8,60 m, haut. 2,70 m, poids vide 1,2 t, en charge 2,75 t, 2 mitr. et 2 canons de 20 mm. **Destroyer :** *Messerschmitt 110 Zerstorer* monoplan, biplace, escorteur à long rayon d'action, 2 moteurs Daimler-Benz de 1 100 CV, env. 17 m, long. 13 m, haut. 3,90 m, poids en charge 7,5 t, arm. 5 mitr. et 2 canons de 20 mm, vit. 540 km/h, vit. ascensionnelle 8'5 pour grimper à 5 000 m, rayon d'action de 960 à 1 200 km, fabriqué par Messerschmitt. **Avions à réaction :** *Messerschmitt 262* surclassait tous les appareils alliés de chasse ou de bombardement (auton. 80 km, vit. max. 900 km/h). Mis au point en mai 1943, sorti en série vers oct. 1944 (retard dû à un refus inexpliqué de Hitler). **Bombardiers :** *Dornier 17* (1940), vit. 515 km/h, auton. 2 300 km, plafond 7 500 m, arm. 4 000 kg de bombes, 6 mitr. 7,9 mm (2 avant, 1 dorsale, 1 ventrale, 2 latérales), monoplan, 4 h. d'équipage, bombardier (conçu d'abord pour la Lufthansa), 2 moteur Bramo de 1 000 CV, env. 19 m, long. 17,50 m, haut. 5,20 m, poids vide 5,9 t, en charge de 9 à 10 t (de 500 à 1 000 kg de bombes) ; pour la bataille d'Angleterre, 2 mitr. furent ajoutées et parfois 1 canon de 20 mm, fabriqué par Dornier. *Heinkel 111* (1936), vit. 405 km/h, auton. 2 060 km, plaf. 8 500 m, arm. 5 mitr., 1 canon de 20 mm, 2 495 kg de bombes : vaincu dans la bataille d'Angl., utilisé après 1941 comme bombardier de nuit, monoplan, 5 ou 6 h. d'équipage, bombardier (surtout efficace la nuit) 2 moteurs Jumo de 1 200 CV, env. 24 m, long. 18 m, haut. 4,50 m, poids vide 7 t, en charge de 12,5 t à 13,2 t (de 1 000 à 2 000 kg de bombes), auton. de 1 100 à 2 300 km, fabriqué par Heinkel. **Bombardiers en piqué :** *Junkers 87 B Stuka* (1938), vit. 385 km/h, auton. 595 km, arm. 3 mitr., 500 kg de bombes, monoplan, biplace, bombardier en piqué, 1 moteur Jumo de 1 150 CV, env. 15 m, long. 12 m, haut. 4,25 m, poids vide 3 t, en charge 4,8 t (1 bombe de 500 kg sous le fuselage ou de 225 kg même place, + 4 de 50 kg sous les ailes), auton. de 490 à 1 300 km, fabriqué par Junkers. *88* monoplan, 4 h. d'équipage, bombardier moyen et en piqué, à vitesse de chasseur, 2 moteurs Jumo de 1 200 CV, env. 19 m, long. 15 m, haut. 5 m, poids en charge 13,5 t (de 2 000 à 2 500 kg de bombes), arm. 3 mitr., vit. 450 km/h, auton. 2 300 km, fabriqué par Junkers. *Junkers 88 A* (1939), vit. 450 km/h, auton. 1 000 km, plaf. 8 000 m, arm. 5 mitr. : bataille d'Angl. automne 1940. **Reconnaissance :** *Focke-Wulf 200 C Condor*, vit. 360 km/h, auton. 3 550 km, plaf. 5 800 m, arm. 1 canon de 20 mm, 5 mitr.

■ **États-Unis. Chasseurs :** *Lightning* (1941), double fuselage, vit. 666 km/h, auton. 805 km, plaf. 11 890 m, arm. 1 can. 20 mm, 4 mitr. ; *Mustang* (1942), vit. 784 km/h, auton. 1 530 km, plaf. 12 770 m, arm. 8 mitr., 907 kg de bombes ; *Thunderbolt* (1943), vit. 689 km/h, auton. 764 km, plaf. 12 800, arm. 8 mitr. **Bombardiers :** *Forteresse volante* (Boeing B-17 F, 1934), vit. 510 km/h, auton. 3 860 km, plaf. 11 155 m, arm. 13 mitr., 7 983 kg de bombes. *Superforteresse* (Boeing B 29A, 1943), vit. 575 km/h, auton. 5 230 km, plaf. 9 710 m, arm. 1 canon de 20 mm, 12 mitr., 9 072 kg de bombes.

■ **France. Bombardier :** *Bloch 210 BN 4/BN 5* bimoteur monoplan à aile basse (1933) surnommé le « cercueil volant » (défectuosité des moteurs, pilotes habitués aux biplans). **Chasseur :** *Dewoitine D 520* (1939), vit. 500 km/h, autonomie 1 000 km, plafond 11 000 m, armement 1 canon de 20, 4 mitrail. de 7,5 (36 en serv. mai 1940 ; 114 victimes aér.) ; remis en service en 1942 par l'Axe (600 unités en 1944). *Morane-Saulnier MS406* (1938) 400 km/l. **Reconnaissance :** *Potez 63* (1938), 425 km/h, auton. 1 500 km, plaf. 8 500 m, arm. 8 mitrail. 7,5.

■ **G.-B. Chasseurs :** *Spitfire* (1938), 587 km/h, auton. 630 km (max. 721, Spitfire XIV), plaf. 9 800 m, arm. 8 mitr. *Browning* 303 mm, monoplan, monoplace, 1 moteur Rolls-Royce Merlin de 1 030 CV, env. 12 m, long. 9,80 m, haut. 3,90 m, poids vide 2,5 t, en charge 3,1 t, auton. 600 km, fabriqué par Supermarine (Vickers-Armstrong). *Hurricane* (1937), 521 km/h, auton. 740 km, plaf. 10 425 m, arm. 8 mitr. *Browning* 303 mm, monoplan, monoplace, 1 moteur Rolls-Royce Merlin de 1 030 CV, env. 13,70 m, long. 10,35 m, haut. 4,95 m, poids vide 2,3 t, en charge 3,2 t, auton. de 900 à 1 000 km, fabriqué par Hawker. **Bombardiers :** *Mosquito* (1943), 610 km/h, auton. 2 000 km, plaf. 10 000 m, arm. 4 c. de 20 mm, 4 mitr. ; *Lancaster* (1942), 462 km/h, auton. 1 658 km, plaf. 7 315, arm. 9 979 kg de bombes.

■ **Japon. Chasseur :** *Zero* (1939), 545 km/h, auton. 2 380 km, plaf. 11 050, arm. 2 can. 20 mm, 2 mitr., 500 kg de bombes. **Torpilleur :** *Kate* (Nakajima B5 N2, 1937), 380 km/h, auton. 1 990, plaf. 8 260 m, arm. 1 mitr. 800 kg de torpilles. **Avions-suicides :** utilisés du 25-10-1944 au 15-8-45, ils auraient effectué 2 257 sorties, 936 seraient rentrés et 1 321 auraient été perdus au combat. Résultats : 34 navires amér. coulés (dont 3 porte-avions d'escorte, 13 torpilleurs, 1 destroyer d'escorte) et 288 endommagés.

■ **URSS. Chasseur :** *Yak* (1940), vit. 610 km/h, auton. 830 km, plaf. 11 000, arm. 1 can. 20 mm, 2 mitr. **Chasseur de chars :** *Stormovik* (1943), vit. 360 km/h, auton. 725 km, plaf. 10 000 m, arm. 4 mitr. **Bombardiers :** *Iliouchine IL 4* (1940), vit. 445 km/h, auton. 2 600 km, plaf. 10 000 m, arm. 3 mitr., 1 995 kg de bombes : bombardier moyen et lance-torpilles de marine ; *Petliakov Pe 8* (1940), vit. 444 km/h, auton. 3 700 km, plaf. 7 900 m, arm. 6 mitr. 3 900 kg de bombes : bombardier lourd stratégique.

■ Avions récents

■ **Europe. EFA** (European Fighter Aircraft) avion de combat, concurrent du Rafale français. *Fabrication :* Eurofighter (British Aerospace, Messerschmitt-Bolkow-Blohm, Aeritalia et CASA) ; *construction du réacteur EJ 200 :* Eurojet (Rolls-Royce, MTU, Fiat-aviazione, Sener). *Coût du programme (prév.) :* 175 milliards de F. *Participation au coût du développement :* All. 33 %, G.-B. 33 %, Italie 21 %, Espagne 13 %. *1res livraisons :* 1997. *Production prévue :* 800. 10-12-1992, devient le **NEFA** (New EFA), coût réduit de 30 %.

■ **France. Mirage III** *Nouvelle génération :* 1er vol du prototype le 21-12-82, programme abandonné. **Cessna C 425 :** avion d'école et d'entraînement, biturbopropulseur, construit par Reims-Aviation, vit. 460 km/h ; auton. 2 600 km ; plafond 9 000 m (avec 1 moteur en panne 5 800 m), abandonné. **Super Mirage 4 000 :** monomoteur biréacteur, env. 20 t (sans armement) vitesse Mach 2,4 (?). 1er vol le 9-3-1979, coût : + de 300 millions de F. [Il correspond au type d'avion réclamé pour 1985 par le Gal Grigaut le 6-4-1975 et nommé avion Grigaut ou ACF : plafond 20 000 m, portée du radar 100 km, abandonné].

Rafale (avion de combat tactique, ACT). *4 versions :* **Rafale A,** prototype 1er vol 4-7-86 ; **C,** chasse monoplace armée de l'air, 1er vol 19-5-91, 1er livré 1997, 1er escadron opérationnel en 2000 ; **M,** chasse et assaut marine, 1er vol 12-12-91, 1er appontement 19-4-93, 1er livré 1998 ; **B,** chasse ou entraînement biplace armée de l'air, 1er vol 2e trim 93, plus cher de 3 à 5 %, moins de carburant. *Coût minimal du programme (est. 92) :* 155 milliards de F (il faudrait vendre de 400 à 500 avions pour amortir les investissements). Programme étalé sur 20 ans. *Exportations espérées :* 800 à 1 200 ex. entre 1997 et 2015. *Caractéristiques Rafale A* et, entre parenthèses, *Rafale C :* 2 moteurs General Electric F. 404 GE 4 000 avec poussée PC de 7 250 kgp (Snecma M88 avec poussée PC de 7 500 kgp), envergure 11,18 m (10,72), longueur 15,79 m (14,98), surface alaire 47 m² (44), hauteur au sol 5,18 m (5,10), poids à vide 9,5 t (8,6), masse au décollage 20 t (20,3), masse carburant interne 7,56 t (7), vitesse max. à 35 000 pieds Mach 2 (Mach 2), vitesse ascensionnelle 325 m/s (325), distance de décollage 400 m (400), franchissable

Principaux armements des avions français en service. Canons : 30 mm portée 1 000 m, 1 200 ou 1 800 cps/min. **Roquettes :** 68 et 100 mm. **Bombes** (voir p. 1860) : 125, 250, 400 kg ; BAP 100, BAT 120 ; BLG 66, AS 30 BGL. **Missiles** AS 37 Martel (air-sol antiradar, autodirecteur ayant en mémoire les fréquences des stations radars cibles, long. 4,20 m, portée 30 km, tiré basse alt.) ; ASMP (air-sol moyenne portée 300 km, navigation inertielle basse altitude sur programme, long 5,30 m, accélérateur donne Mach 2 puis stato) ; Matra 530 (air-air, tête électromagnétique ou infrarouge passive, long. 3,30 m) ; Super 530 D [autodirecteur Doppler éliminant les échos fixes (sol) et permettant donc le tir vers le bas] et F (capacité d'interception avec grand dénivelé d'altitude) ; Magic 1 et 2 (air-air léger apte aux facteurs de charge élevés, autodirecteur infrarouge passif) ; à l'étude Mica (air-air miniaturisé alliant les capacités des familles Matra 530 et Magic).

1 800 km (1 800). Rayon d'action de 10 % supérieur au Mirage IV. Moins aisément détectable par les radars. Utilise des pistes plus courtes. *Armement :* 4 missiles air-air Mica, 2 bombes guidées par laser, 2 missiles air-air Majic II. Possibilité d'un missile air-sol à longue portée (ASLP) (portée 1 000 à 1 200 km). Pourrait remplacer le Mirage IV pour des missions nucléaires à longue distance. **Le Baroudeur** (avion ultraléger 135 kg) se monte en 45 min, moteur 43 ch, 80 km/h, auton. 3 h, permet d'emporter une roquette antipersonnel et antichar. Indétectable par radar.

■ G.-B. **Harrier AV8 :** à décollage et atterrissage courts : poids max. au décollage vertical 8,2 t (d. court, 11,5 t). Vitesse max. 1 180 km/h, 2,3 t d'armes.

■ USA. **Bombardiers. B 58 (General Dynamic) « Hustler » :** vit. max. à 13 400 m : 2 118 km/h, plafond 18 300 m. **B 52 (Boeing) « Stratofortress »** (1952) : long. 47,85 m, env. 56,3 m, vit. max. 1 014 km/h, poids max. 229 t, plafond 16 764 m, auton. 16 000 km, arm. 2 canons de 20 mm, 2 missiles, 30 t de bombes. **B-1B** (1er vol : 23-12-1974) : long. 44,7 m, env. 41,7 m, poids 216,4 t, Mach 2,2, auton. 9 815 km, 56 t de bombes. **A 7 A Corsair :** bombardier léger embarqué. + de 1 046 km/h, distance franchissable en convoyage 4 500 km, poids total 14 750 kg (*A 7 B* version évoluée, *A 7* biplace, *A 7 D* terrestre). **ATA** (Advanced Tactical Aircraft) : pour la marine américaine, à l'étude. **ATB** (voir ci-dessous).

Chasseurs. F-104 Starfighter : envergure 6,70 m, longueur 16,70 m, poids 13 t, Mach 2,2, auton. 2 100 km. Intercepteur polyvalent. **F 4 C (Mac Donnel « Phantom ») :** (1961) Mach 2,4, auton. 2 600 km, plafond 21 000 m, poids max. 24,7 t. **F 5 A, F 5 B (Northrop) « Freedom Fighter » :** (1965) Mach 1,4, auton. max. 3 000 km, avec charge 600 km. **F 105 (Republic) « Thunderchief » :** vit. Mach 2,25 à 11 000 m, auton. avec max. de carburant 3 330 km. **F III A :** chasseur bombardier à envergure variable, Mach 2,5 à 12 000 m, dist. franchissable en convoyage 5 300 km, plafond 18 000 m, poids 35 t. **F 14** « Tomcat » (de Grumman (pour la marine). **F 15** (1er vol 2-2-1974) (pour l'US Air Force). **F 16 (General Dynamics) :** Ch. rapide d'intervention et de pénétration, env. 9,14 m, long. 14,32 m, propulseur F 100 (Pratt et Whitney), poussée et post-combustion 11 340 kg, poids max. 7 938 kg, 1 canon 30 mm, Mach 2. **F-17 (Northrop) Cobra** (1er vol 9-6-84), préfigure le F-18. **ATF** (Advanced Tactical Fighter) : à l'étude. **A 10 Thunderbolt.** Biréacteur monoplace antichars 4 000 km ; peut décoller en – de 600 m ; 7 t d'armement, canon 30 mm tirant 4 000 coups (min. 680 km vitesse de combat), en uranium-titane, non radioactif, fusant à l'impact.

Reconnaissance. SR 71 : en titane ; 3 000 km/h ; alt. 30 000 m. **TR 1** (Lockheed) : 700 km/h ; alt. 21 000 m. **Transport. AC5 Lockheed :** 350 t ; auton. 11 000 km, avec 32 t de charge jusqu'à 6 400 km. **C5B Galaxy :** 4 200 km, 240 soldats, ravitaillement en vol. **C-17** (1er vol : juin 1992).

Himat (Rockwell). « Highly Manœuvrable Aircraft Technology » (Technique de pointe en matière d'appareils à haute manœuvrabilité). A effectué son 1er vol lâché à 13 500 m d'alt. par un B 52, et piloté à distance ; la structure comporte 28 % de fibres de carbone et la flexibilité est contrôlée.

Stealth Aircraft (« Avion qui se dérobe » ou *« avion furtif »*). **SR-71 Blackbird :** avion-espion de Lockheed construit à 32 ex. en 1966, retiré du service en févr. 1990 (dernier vol 6-3-90) pour cause d'économies. *Coût :* 250 à 350 millions de $/an. *Plafond :* 30 000 m, 3 530 km/h. Ralliait en 12 h USA au Proche-Orient et prenait en 1 h des photos sur 258 000 km². N'a jamais été abattu. **F 117A** (Lockheed) : avion de reconnaissance bombardement (2 turboréacteurs de 5,6 t de poussée), monoplace, envergure 13,2 m, long. 19,8 m, haut. 3,8 m, surface alaire 239 m², masse à vide 9 t, au décollage 24, structure et carcasse en matériaux composites absorbant les ondes radar Fibaloy et Filcoat, fibre de carbone près des points chauds (réduction signature infrarouge). Géométrie particulière (facettes reliées par des dièdres, déviant les échos radar et enveloppant ses armes) qui lui interdit de voler en supersonique ; vitesse 1 100 km/h, rayon d'action 650 km : difficile à piloter car peu stable (plusieurs accidents signalés), malgré des commandes de vol électriques à quadruple circuit. *1er vol* 15-6-1981. En service en oct. 1983. 59 ex. commandés, dont 56 livrés. *Coût total :* 6,5 milliards de $, soit env. 110 millions par appareil dont 65 % (en études et développement. **F 2 :** 6 exemplaires, 2 écrasés : 21-6-82 et 11-7-86) employé en combat pour la 1re fois en déc. 89 lors de l'opération « Juste Cause » au Panamá. **ATB (Advanced Technology Bomber) :** bombardier B 2 de Northrop (origine 1947, projet YB-49, *1ers essais* 1987, *1er vol* 17-7-89), aile volante 180 t, long. 20 m, haut. 5,2 m, env. 52 m., poids à vide 70 t, 4 turboréacteurs, de 8,6 t de poussée unitaire, dérivés du F-110, charge mil. de 22,5 t, rayon d'action 10 000 km. *Coût :* 530 millions de $. *Commandes prévues :* 132, réduites à 20 (18-9-92). Opère isolé et de nuit (rens., brouillage, bombardements préliminaires...). **TR3 Black Manta** (sous réserves) : Northrop, monoplace, forme d'aile volante, 2 turboréacteurs General Electric F104, tuyères au-dessus des ailes, subsonique à basse altitude, rayon d'action 5 500 km. **Aurora** (expérimental, secret) long 25 à 30 m, 80 t, alt. 30 km, vitesse 5 300 à 8 500 km/h.

☞ **Surface équivalente radar (SER) :** caractérise la portée de détection possible par un radar de puissance donnée : B-52 100 m² ; B-1A 10 ; Mirage III 3 ; B-1B (furtif) ; B2 0,1 ; F 117 A ; Black Jet 0,025 ; Oiseau 0,01.

■ URSS. **Chasseurs : Mig-21 :** intercepteur, env. 7,60 m, long. 15,75 m, poids max. 8,5 t, Mach 2, auton. 1 200 km. **Mig-25 :** intercepteur (Foxbat A), env. 14,7 m, long. 20,2 m, poids max. au décollage 29 t, Mach 2,8, auton. 2 700 km, plafond 24 385 m (seuls les F 15 Eagles amér. ont un plafond aussi élevé, mais leurs réacteurs fonctionnent mal à très haute altitude). Considéré comme le meilleur avion militaire du monde. Les Russes l'utilisent comme avion de reconnaissance (Foxbat B et D, Mach 3,2) entre 25 000 et 30 000 m d'alt. (équivalent de l'amér. SR 71 Blackbird). **Mig-29, surnommé « Fulcrum » par l'Otan :** env : 12 m, long. 18,3 m, surface alaire 43,5 m², propulsion : 2 X R-33 D double flux, poussée sans PC (kN) : 49, poussée avec PC (kN) : 81, masse à vide 10 000 kg, carburant interne 3 900 kg, charge au décollage 15 200 kg, Mach 2,3, auton. 370 km. Décollage sur 300 m et atterrissage sur 600 m. Vit. ascensionnelle : 330 m/s. Éjection possible du pilote à 100 m en vol horizontal sous un angle de 90° et vitesse 0, sur le dos à 200 m, canon 30 mm, 150 obus et 6 missiles de combat antiaérien (2 R 85 « Alamo » : long. 5 m, portée 50 km ; 4 R 60 « Aphid » : plus petits missiles air-air de combat très rapproché du monde, précis entre 500 et 4 000 m). **Mig-31 :** biréacteur, 45 t max. au décollage, 2 600 km/h, 4 missiles forte portée (110 km) ou 8 plus petits.

Bombardiers. M-4 Myasishchev : lourd, env. 48 m, long. 46 m, poids max. 115 t, Mach 1. **Su-7B Sukhoi :** ch. bombardier, env. 12,50 m, long. 15,50 m, poids max. 13 t, Mach 1,7. **Tu-6 Tupolev :** 945 km/h, auton. 6 406 km. **Tu-16** (1952) : env. 32,92 m, long. 34,8 m, poids max. 72 t, 992 km/h, auton. 5 760 km. **Tu-20 :** env. 51 m, long. 54 m, poids max. 155 t, 800 km/h, auton. 12 500 km. **Tu-22 :** env. 27,7 m, long. 40,53 m, poids 84 t, Mach 1,4, auton. 2 250 km. **Tu-26 :** (Backfire B) : env. 33,5 m, long. 40,23 m, poids max. 122,5 t, + de Mach 2, auton. 8 900 km. **Tu-95** (1954) : env. 51,1 m, long. 49,5 m, poids 154 t, 870 km/h, auton. 12 550 km. **Blackjack :** env. 42,7 m, long. 55 m, poids max. 263,1 t, Mach 2,3, auton. 14 000 km sans ravitaillement (7 200 selon experts occ.). Peut transporter missiles AS 15, portée 1 200 km.

Radar

■ **Avions radars. Boeing 707 E-3A [Awacs :** Airborne Warning and Control System (système de contrôle et d'alerte aéroporté)] : USA ; long. 46,6 m, 4 réacteurs ; auton. 11 h (22 h avec ravitaillement en vol, alt. de croisière 9 000 m, vitesse de croisière 519-667 km/h, équipage 17. Surmonté d'un rotodôme où est installé le radar système IFF (identification ami ou ennemi, tour complet en 6 sec.) qui peut émettre selon 5 modes différents et changer de mode 32 fois au cours d'une révolution (le volume surveillé peut être découpé en 32 tranches) ; à env. 280 km, permet de détecter des cibles évoluant à basse altitude et, dans un rayon de 580 km, des cibles volant à plus haute altitude ; équipé, en outre, d'un radar de détection maritime. *Coût à l'unité :* 180 millions de $. Équipe l'armée de l'air US (34 commandés) et l'Otan (18 commandés). La France en a commandé 4 (livrés).

E-2C « Hawkeye » (œil de faucon) Grumman : USA ; long. 17,6 m, 2 turbopropulseurs ; autonomie 6 h, alt. de croisière 9 000 m, vit. de croisière 500 km/h, équipage 5. Radar (sur rotodôme) pouvant poursuivre automatiquement + de 600 cibles (grâce à sa centrale de calcul) ; peut diriger simultanément 40 intercepteurs vers autant de cibles. Spécialisé pour la détection des cibles à faible vitesse (navires). Peut décoller de petites pistes et être catapulté de certains porte-avions. Équipe la marine US (70) et l'armée de l'air israélienne (4) ; équipera les armées de l'air japonaise (7 commandes) et égyptienne. Divers : **EC 135** (Boeing), **Iliouchine 76** (nom OTAN *Mainstay*), **Nimrod AEW**, **Atlantic** et **Atlantic nouvelle génération** (ANG) (Breguet), les 3 derniers étant plus orientés vers (ou dérivés de) la patrouille maritime avec des tâches analogues.

■ **Modes de radar PDNES (Pulse Doppler Non Elevation Scan)** suit la cible (à basse altitude) « en azimut » (sans mesure d'altitude). **PDES (Pulse Doppler Elevation Scan)** situe la cible en altitude. **BTH (Beyond The Horizon)** la suit au-delà de l'horizon (fréquences transhorizon). **« Maritime »** sert pour navires (leur vitesse étant faible, le Doppler est remplacé par des impulsions très courtes). **« Passif »** sert à dépister et localiser d'autres radars (le radar « écoute »).

☞ *Un avion volant à 300 m de haut* ne sera repéré par les radars terrestres qu'à 60 km, c.-à-d. moins de 5 mn avant son passage, s'il vole à 1 000 km/h (on pourra découvrir son identité à temps pour déclencher la riposte appropriée) ; *pour un radar volant à 9 000 m,* l'horizon radar est au-delà de 400 km.

Drones

UAV ou RPV (Unmanned Aerial Vehicle ou Remotely Piloted Vehicle). Avions sans pilote. Précieux pour certaines tâches : recueil d'informations multiformes, désignation d'objectifs lointains, guidage terminal munitions, leurrage, relais. Transmettent leurs données, ou images, au sol par liaisons automatiques. **Programmes. USA :** *Condor, Himat,* (Highly Manœuvrable Aircraft Technology), *CLGP* (Canon Laser Guided Projectiles) ; **France :** *CL* 289 (vitesse 800 km/h ; autonomie 400 km) ; *Brevel* (de Bremen-Vélizy) en coopération avec Allem. v. 1998 ; *Crécerelle* (vitesse 150 km/h, autonomie 6 h). **G.-B. :** *Phoenix et Sprite.*

■ Hélicoptères

■ Généralités. **Moteur à piston : R 4** de l'ingénieur russe naturalisé amér. Igor Sikorsky (1889-1972), moteur de 180 ch (à piston). 1 rotor principal de 11.58 m de diam., une hélice anti-couple, 121 km/h, alt. 2 438 m ; autonomie 322 km. Problèmes de transmission : rotors, lourds et encombrants.

Turbine : 1re utilisation 1955 sur *Alouette II,* (modèle franc.-suéd.) avec turbine. *Artouste II;* placé près des pales (triples, de 9,70 m de diam.), vitesse 185 km/h, plafond 11 036 m, autonomie 365 km.

Pales : métalliques jusqu'en 1971 ; sensibles aux effets d'entailles et à la corrosion, durée de vie limitée (2 000 h), difficiles à réaliser (profils). Fibres de verre imprégnées de résines époxydes 1971, Gazelle SA 341 (Aérospatiale-Westland). *Fibres de carbone, ou tissus de verre :* ex. Bölkow en RFA, Boeing Vertol aux USA. Durée pratiquement illimitée ; résistent à l'impact d'un obus de 20 mm, permettent une économie de 400 à 600 kg, et un accroissement de 10 % de la vitesse de croisière ; peuvent recevoir un dispositif de dégivrage incorporé.

■ Hélicoptères de combat. France. **Orchidée :** projet h. de surveillance du champ de bataille (radar, télématique), abandonné, repris en 1992 sous le nom de **Horizon.** Radar Doppler pouvant, à 3 000 m d'altitude, détecter des véhicules en mouvement jusqu'à 150 km ou des hélicos.

URSS. **Mi-24 (Hina)** (1973) 4 : 2 turbines ; peut emporter 128 roquettes de 57 millimètres, 4 bombes de 250 kg, 4 missiles antichars AT-2 Swatter ou AT-6 Spiral ou une mitrailleuse de 12,7 mm à 4 tubes rotatifs (type Gatling ; cadence 4 200 coups/minute) 330 à 360 km/h, autonomie env. 300 km. **Mi-28 Havoc** *(1987),* canon 23 mm. **Kamov Hokum** (1983-87) 345 t, 350 km/h, autonomie 250 km.

USA. **Yal 64** (1981), 16 missiles antichars Welfire et 1 canon de 30 mm (950 obus), Coût : 3 millions de $ l'ex. 537 commandes. **Bell AH-I Huey Cobra** (1965), 3 t, capacité d'emport 1,5 t, 227 km/h, autonomie 507 km. **AH-64 A Apache** (1984), 5 t, capacité d'emport 3 t, 293 km/h, autonomie 689 km, canon 30 mm, 16 missiles antichars, 515 livrés de 1984 à 1989 ; en 1992-93 : version améliorée : 571 prévus. **LHX** (hélic. léger expérimental 1991-94), 3,6 à 3,85 t.

Europe. Hél. de combat franco-allemand **Eurocopter,** programme lancé déc. 87. masse à vide : 3,3 t, en charge 5,3 à 5,8 t ; coût : env. 54 millions de F, 2 turbo de 1 300 ch, 260 km/h en charge, 80 % de matériau composite, technique de furtivité. Nombre prévu : France 215, All. 212. 2 versions. **Eurocopter HAC** [Hél. antichars (PAH en allemand)] **Tigre :** missiles AC-3G et Hot-2 et 3 puis Tigrat antichars ; missiles Mistral ou Stinger air-air en défense contre avions ; viseur au-dessus du mât du rotor, en service en 1998. Coût : 61 millions de F. Commandes Fr. 140, All. 212. **Eurocopter HAP** (Hél. d'appui-protection) Genfaut : canon axial de 30 mm, missiles Mistral/Stinger, antichars Hot, paniers lance-roquettes ; pour protéger le HAC-PAH ou en chasse contre appareils intrus ; appui-feu ; accessoirement lutte antichars, commandés Fr. 75. **Eurocopter NH 90 :** projet d'hélico. de manœuvre et transport logistique (successeur des Puma et des Super Frelons) ; 9 t, (peut emporter un véhicule de combat ou 20 h armés), 300 km/h, autonomie 900 km ; CVDE (Commandes de vol Electriques) ; coût 25 milliards de F pour 160 appareils (dont 60 pour la marine, aptes à opérer en mer de nuit jusqu'à 50 nœuds de vent, mer 6). En service en 1995. *Contrat sept. 1992 :* 9 milliards de F. *Financement* (en %) : Français 42,7, Italiens 26,9, Allemands 24, Néerlandais 6,7.

■ Hybrides. *USA* **V-22 Osprey** (origine 1958 Bell XV-3, 1979 Bell XV-15) : convertible à rotors basculants. Décollage vertical et vol horiz. sup. à 500 km/h. **VZ-2 « Vertol 76 »** (1958).

■ Forces armées. **USA** 10 000 hélicoptères ; **URSS** 7 000 dont env. 1 500 h. Hip et Hind antichars. **France** 840 hélicoptères (dont 620 utilisés par l'Alat) ; pour la lutte antichars, un régiment d'hél. représente le tir instantané de 120 missiles (m. Hot, tiré par des Alouette III et Gazelle) ; les Puma de 2 rég. d'hél. peuvent transporter 1 000 combattants à 100 km en 2 rotations.

Accidents en France

Appareils de l'armée de l'air qui se sont écrasés au sol. *1982 :* 12 ; *85 :* 15 ; *86 :* 11 (10 †) ; *87 :* 19 (12 †) ; *88 : 18 (9 †)* ; *89 :* 10 (13 †) ; *90 :* 10 (5 †) ; *91 :* 11 (12 †). **Taux d'accidents d'avions de combat sur 10 000 h de vol.** *1973 :* 1,34 ; *87 :* 0,92. **Coût d'un accident** (en millions de F) : appareil équipé 200, pilote tué (compte tenu de sa formation) 5,5.

Blindés

Blindés anciens

Origine. Créés par le colonel Jean-Baptiste Estienne (1860-1936), surnommé le « père des chars ». Le principe était de monter des tubes de canons de 75 mm français sur des tracteurs américains à chenilles (inventés par Benjamin Holt en 1906), afin de pouvoir les amener en 1re ligne. Les 2 premiers (ingénieur Eugène Brillé) furent fabriqués au Creusot, en 1915. Simultanément, l'armée anglaise créa en secret, à partir de 1915, le gros véhicule blindé à chenilles (Mark I), sous l'impulsion de Winston Churchill. Les chars anglais entrèrent en action le 15-9-1916 à Flers-Courcelette. Le nom de tank (réservoir) vient des inscriptions qui se trouvaient sur les caisses d'emballage, pour tromper l'ennemi.

1re Guerre mondiale

■ Allemagne. **Char d'assaut A7V,** (1917-18). Équip. 18 h, masse 30 t, long. 8 m, larg. 3,20 m, haut. 3,50 m, 9 Km/h, autonomie 80 km, 1 canon 57 mm, 6 mitr.

■ G.-B. **Tank Mark I, 1916.** A chenilles de tracteur agricole : équip. 8 h., masse 28 t. long. 9,90 m, larg. 4,20 m, haut. 2,49 m, 6 km/h, auton. 40 km, 2 canons de 6 pouces, 4 mitr. Hotchkiss (il existait dep. 1908 des camions blindés à roues).

■ France. **Char casemate (Schneider),** 1er engagement le 16-4-1917 à Berry-au-Bac. Équip. 6/7 h., masse 13 t, long. 5,97 m, larg. 3,28 m, haut. 2,34 m, 8 km/h, auton. 40 km, 1 obusier 75 mm, moteur 55 CV dans une casemate latérale, 2 *mitr. Hotchkiss.* Fabriqué en 400 ex. dont 268 améliorés après l'échec du Chemin des Dames (26-4-17), notamment blindage renforcé, risques d'incendie réduits. **Saint-Chamond.** Masse 23 t, moteur 90 CV (Panhard), long. 7,91 m, larg. 2,67 m, haut. 2,34 m, vitesse 8 km/h, rayon d'action 60 km, 9 hommes, blindage 17 mm, 400 ex., canon dans l'axe du véhicule. **Char léger Renault FT 17** (1918). Équip. 2 h., masse 7,4 t, long. 5 m, larg. 1,71 m, haut. 2,13 m, 8 km/h (moteur arrière), auton. 35 km, tourelle centrale à révol. totale, 1 canon 37 mm. 1er blindé utilisé en masse. Le 18-7-1918, 480 FT 17 effectuent une brèche de 6 km dans le front all.

2e Guerre mondiale

■ Allemagne. **Panzer II.** Équip. 3 h., masse 9,5 t, blindage 35 mm (tourelle 30 mm), 1 mitrailleuse, long. 4,81 m, larg. 2,28 m, haut. 2,02 m, vitesse 40 km/h, rayon d'action 125 à 175 km, canon 20 mm, 860 ex. **Panzer III** (1939-43). Équip. 5 h., masse 22 t, long. 5,41 m, larg. 2,92 m, haut. 2,51 m, 20/40 km/h, auton. 175-260 km, blindage 30 mm, 1 canon 50 mm, puis 75 mm, 1 mitr., équipement radio. 5 650 ex. campagne de France. **Tigre** (1942-45) ou **Panzer VI.** Équip. 5 h., masse 57 t, haut. 2,90 m, long. 8,46 m, larg. 3,73 m, 20/40 km/h, auton. 65-120 km, blindage 100 à 110 mm, 1 canon 88 mm, 2 mitr., 6 lance-grenades. **Tigre II (Tigre Royal)** (1944-45). Équip. 5 h., masse 68 t (le + lourd blindé opérationnel de la 2e G. mondiale), haut. 3,10 m, long. 10,28 m, larg. 3,75 m, 40 km/h, auton. 120-170 km, blindage 150 à 185 mm, 1 canon 88 mm, 2 mitr., transperce un blindage de 20 cm à 1 000 m, construit à 485 ex. **Panther** ou **Panzer V** (1943). Équip. 5 h., masse 44,8 t, haut. 2,99 m, long. 8,86 m, larg. 3,27 m, 25/45 km/h, auton. 100 km en campagne, 200 sur route, 1 canon 75 mm, 2 mitr., construit à 5 805 ex. **Panther chasseur de chars (Jagd Panther)** (1943). Équip. 5 h., masse 45,5 t, haut. 2,72 m, long. 10,10 m, larg. 3,27 m, 25/45 km/h, auton. 80 km, pas de tourelles, combat en embuscade (appelé par les Fr. « 88 automoteur »), 1 canon 88 mm, 1 mitr., construit à 384 ex.

■ France. **Hotchkiss H 39.** Équip. 2 h., masse 12 t, haut. 2,15 m, long. 4,22 m, larg. 1,95 m, 36 km/h, auton. 150 km, 1 canon 37 mm, 1 mitr. Blindage 40 mm (tourelle 45), moteur 120 CV. **Somua S35.** Masse 20 t, haut. 2,62 m, long. 5,30 m, larg. 2,12 m, 40 km/h, auton. 130-260 km, 1 canon 47 mm, 1 mitr., série 500 ex. **Renault B1bis.** Équip. 4 h., masse 31,5 t, long. 6,98 m, larg. 2,49 m, haut. 2,79 m, 30 km/h, auton. 210 km, 1 canon 75 mm, 1 canon 47 mm, 2 mitr., env. 500 ex. **Renault R35** (1935). Équip. 2 h., masse 10 t, long. 4 m, larg. 1,85 m, haut. 2,10 m, 20 km/h, auton. 80-140 km, 1 canon 37 mm, 1 mitr., série 2 000 ex. (élément principal de l'armée blindée franç. 1940).

■ Grande-Bretagne. **Mark II Matilda** (1939-42). Équip. 4 h., masse 27 t, haut. 2,52 m, long. 5,61 m, larg. 2,59 m, blindage 70 à 78 mm, 25 km/h, auton. 130 à 160 km, 1 canon de 40 ou 45, 1 mitr., construit à 2 987 ex. A résisté aux armes antichars all. en mai 1940 (blindage 78 mm). **Mark VI Crusader** (1941). Équip. 5 h., masse 20 t, haut. 2,24 m, long. 6 m, larg. 2,77 m, blindage 30 à 49 mm, 45 km/h, auton. 320 km, 1 canon de 65, 1 lance-grenades, construit à 5 300 ex. Conçu pour faire des raids sur les arrières ennemis en Lybie. Grande maniabilité. **Mark III Valentine** (1941-43). Équip. 3 h., masse 16,3 t, haut. 2,27 m, long. 5,40 m, larg. 2,63 m, blindage 65 mm, 25 km/h, auton. 145 km, 1 mitrailleuse, 1 canon de 40/45 ou 65 ou 1 lance-grenades, construit à 8 275 ex. **Mark VIII Cromwell** (1943-45). Équip. 5 h., masse 28 t, haut. 2,51 m, long. 6,35 m, larg. 2,90 m, blindage 76 mm, 60 km/h, auton. 130/280 km, 1 canon de 75 mm, 2 mitr., 1 lance-grenades, très maniable, construit en gde série. Un modèle équipé d'un mortier de 95 mm, détruisant les Tigres all. Utilisé encore en Corée en 1951.

■ URSS. **T34** (1940) (meilleur char du monde, selon le Gal All. Guderian). Équip. 4 h, masse 27 t, long. 6,58 m, larg. 3 m, haut. 2,44 m, 50 km/h, auton. supérieure à tout autre char grâce à des réservoirs amovibles, blindage (70 mm à l'avant, 45 sur les côtés), 1 canon 76,2 mm, perfore les blindages all. à 1 500/2 000 m, 2 mitr. En 1940, 115 T34 construits ; après 1943, 10 000 annuels. Env. 40 000 ex. **T 34/85.** Masse 31,3 t, long. 6,15 m, larg. 2,97 m, vitesse 50 km/h, autonomie 250 à 400 km, blindage 75 à 95 mm, construit en grande série, canon 85 mm. **KV1 (Klimenti Vorochilov)** (1940). Équip. 5 h, masse 47 t, haut. 2,74 m, long. 6,70 m, larg. 3,25 m, 40 km/h, auton. 200/335 km, blindage 75 mm, résistant aux armes antichars (les All. devaient le combattre avec des canons de DCA, tirant horizontalement), 1 canon 76 mm, 3 mitr., construit en gde série. **Blindé de chasse SU 85** (1943). haut. 2,36 m, long. 8,13 m, larg. 3 m, 29,5 t, 5 hommes, vitesse 55 km/h, auton. 300 km, châssis de T 34, canon 85 mm (appelé en 1944 « automoteur antichar »). En 1945 canon de 100 mm. Réservoirs de 613 l à l'extérieur du blindage.

■ USA. **Sherman** (1942-45). Équip. 5 h, masse 33 t, haut. 2,96 m, long. 5,86 m, larg. 2,94 m, 50 km/h, auton. 195 km, blindage 62 mm, 1 canon 75 mm, 3 mitr., 1 lance-grenades, construit à 49 000 ex. **Half-track** (1941-45) (semi-chenillé). Équip. 13 h., masse 7,7 t, haut. 2,26 m, long. 6,16 m, larg. 2,22 m, 70/90 km/h, auton. 290/345 km, blindage 6,3 à 12,7 mm, 1 mitr., 1 pistolet mitr. **Patton** (1950). Équip. 5 h., masse 44 t, long. 8,51, larg. 3,51, haut. 3,33 m, 60 km/h, auton. 160 km, blindage 75 à 115 mm, 1 canon 90 mm, 3 mitr., construit en gde série.

Blindés en service

■ Allemagne féd. **Léopard** (1966). Char de bataille, *masse totale* 40 t, 65 km/h, 1 canon 105 mm, 2 mitrailleuses de 7,62 mm, *rayon d'action* 600 km, *équipage* 4 h. **Léopard II AV** (1986). Char de bataille, *équip.* 4 h., *masse* 58 t, 68 km/h (55 km en tout terrain), *auton.* 550 km, 1 canon 120 mm et 2 mitr., blindage quasi invulnérable. Version **A3** : *masse* 42,4 t, 70 km/h, 1 canon de 200 mm, 1 de 105 mm. Version **A4** : nouvelle tourelle, blindage amélioré, Shnorchel pour franchir des rivières de 2,25 m. **Flakpanzer Guépard** (1977). Char antiaérien, 65 km/h, 2 canons reliés à 1 radar et 1 ordinateur. Peut repérer un avion à 16 km et l'identifier. Salves de 40 projectiles.

■ France (1966). **AMX 30.** Char de bataille armé pour la lutte antichars. *Équip.* 1 chef de char, 1 tireur, 1 radiochargeur, 1 pilote, *masse* 36 t, *longueur* hors tout canon vers l'avant 9,50 m, vers l'arrière 8,90 m, *Vit. initiale (canon de 105 mm)* 1 500 m/s, portée utile 1 800 m, *larg.* 3,10 m, *hauteur* au toit de tourelle 2,30 m, hors tout 2,85 m., 1 mitr. coaxiale 12,7 mm (ou canon 20 mm), 1 mitr. 7,62 sur tourelleau, 4 pots lance-fumigènes. *Vit.* sur route 65 km/h, *moy.* tous terrains 40 km/h. *auton.* au combat (Otan) 16 h/600 km. *Moteur* 720 ch. 1 canon 105 mm, armé d'obus flèche capable de percer tous les blindages connus. Peut gravir une rampe à 60 % et franchir un fossé à bords francs de 2,90 m. Utilisé comme engin antiaérien (contre avions volant bas) dans le « système Roland ». Modifié en **AMX 30 B2.** *Équip.* 4 h., *masse* 36 t, 65 km/h, 530 km, canon de 105 mm avec conduite de tir automatique. **Char AMX Leclerc** Mise en service prév. 1993 (initialement 1400, réduit à 650). *Équip.* 3 h, *masse* 53,5 t, *long.* 6,60 m, *larg.* 2,30 m, *haut.* 2,30 m. *Volume* 37,5 m³. *Vitesse* 71 km/h. Protection contre charges creuses de gros calibre, obus à énergie cinétique. *Moteur :* hyperbar 1 500 ch. Canon de 120 mm à chargement automatique pour 22 munitions, conduite de tir multi-senseur ; (IR thermique et télémétrie à laser avec transfert vidéo aux postes de tir), tir en marche, jour et nuit. *Prix* env. 30 millions de F.

Engin blindé léger à roues AMX 10 RC (1977). De reconnaissance, apte au combat antichars. *Équip.* 1 chef de char, 1 tireur, 1 radiochargeur, 1 pilote, *masse* 15,8 t, 85 km/h sur route, *auton.* 800 km sur route, 18 h. de combat, 2 mitr. (12,7 jumelée au canon et 7,62), 1 canon 105 mm, *dévers. max.* 30 %, remplace l'ancien EBR, engin blindé de reconnaissance.

Engin blindé léger AMX 10 P (1973). *Équip.* 1 pilote, 1 tireur et 1 groupe de combat de 9 hommes, *masse* 14,2 t, 65 km/h sur route, *auton.* 600 km, 1 canon automatique de 20 mm, 1 mitr. de 12,7 mm jumelée au canon, *dévers max.* 30 %. De manœuvre et d'appui, amphibie aérotransportable.

Canon automoteur de 155 GCT. *Équip.* 4 h, *masse* 39,5 t, *équipement fumigène, moteur* Hispano-Suiza 720 ch, canon de 155 portée max. 32 km, tir cour par coup ou en salves, cadence 6 salves toutes les 45 sec., sélection et chargement automatique des munitions (explosives ou éclairantes), 2 mitr. 12,7 mm et 7,62 mm.

AML 90 (1960). *Équip.* 3 h., *masse* 5,5 t, 90 km/h, *auton.* 600 km, *distance pratique de tir* 1 500 m, canon de 90 mm F 1, 1 mitr. de 7,62 mm. Combat antichars et aérotransport. Version avec mortier 60 % sous tourelle.

VAB (véhicules de l'avant blindés). Plusieurs versions : transport de troupes (12 h.), Hot, mortier, PS, sanitaire, échelon. 4 ou 6 roues, tout-terrain, amphibie, aérotransportable. *Vit.* 92 km/h. *Arm.* mitr. de 7,62 mm, missiles antiaériens, canon de 20, etc.

■ G.-B. **Centurion** (1953). *Équip.* 4 h., *masse* 56, 9 t, 35 km/h, 1 canon 84 mm, 2 mitr., 12 lance-grenades, *rayon* 105 km, dernier char lourd équipé d'un moteur à essence.

Chieftain (1967). *Masse* 54 t, 48 km/h (30 en tout terrain), 1 canon 120 mm, 3 mitr., 18 lance-fumigènes, *auton.* 390 km. N'est plus en service en G.-B.

Challenger (1990). *Équip.* 4 h., *masse* 62 t, 56 km/h, *auton.* 500 km, 1 canon de 120 mm gyrostabilisé (tir en marche), télémètre laser, 2 mitr. de 7,62 mm, équipement fumigène, *moteur* Perkins 1 200 ch. Tranchée franchissable 3,15 m, obstacle vertical 0,91 m.

■ Israël. **Merkava, Chariot.** Char de bat. Touché à l'avant, il peut être remis en état en quelques h. L'équipage pénètre par l'arrière, ce qui permet un dessin particulier de la tourelle la rendant quasi invulnérable. *Équip.* 4 h, *masse* 56 t, 44 km/h, *auton.* 400 km, canon rayé 105 mm.

■ Japon. **STB 1.** Char de bat., *masse* 38 t, 740 ch, 60 km/h, (30 en tout terrain), 1 canon 105 mm, 2 mitr. **Modèle 90.** *Coût.* 55 millions de F. Sera construit à - de 250 ex.

■ Suède. **S.** Char de bat., *masse* 37 t, 570 ch, 50 km/h (35 en tout terrain), 1 canon 105 mm, 2 ou 3 mitr.

■ Suisse. **PZ 68.** Char de bat., *masse* 39 t, 660 ch, 60 km/h (30 en tout terrain), 1 canon 105 mm, 2 mitr.

■ URSS. **T54 et 55 (1947-61).** *Masse* 36,5 t, 38 km/h, 1 canon 100 mm et 2 mitr. SGMT ou PKT. **T62 (1965).** *Masse* 38/40 t, 50 km/h, 1 canon 115 mm et 1 mitr. de 7,62 mm. **T72 (1976).** *Masse* 40 t, 870 ch, 70/80 km/h, *auton.* 500 km, 1 canon 120 mm (rayé sur la 1re partie), obus flèche, syst. de conduite de tirs par calculateur + télém. laser, 1 mitr. de 7,62 mm. Équip. 3 h., blindages parallèles. **T80** *masse*

40 t, 42 km/h, 1 canon 122 mm et 2 mitr. de 12,7 mm. *Dep. 1980,* équipé d'un blindage « mille-feuilles », qui le protège contre les missiles Hot, Milan et Tow (blindage également adapté aux T 64 et T 72) ; les chars all. Léopard II, armés d'un canon de 120 mm, peuvent percer les mille-feuilles.

■ USA. **M1 Al Abrams** (1981) *masse* 60 t, 70 km/h, *blindage* spécial composite, canon 120 avec conduite de tir sophistiquée, obus flèche, calculateur, télém. laser, 2 mitr., 1 500 ch.

M6OA3 (1983). *Équip.* 4 h., *masse* 50 t, 48 km/h, *rayon* 500 km, canon 105 mm.

Mini-chasseur de chars télécommandé. *Fire Ant (Fourmi canon, USA).* Engin à 4 roues motrices, muni d'une charge creuse. Repère et détruit un blindé en mouvement jusqu'à 500 m. En 1945, les All. utilisaient un minichar sur chenilles, le Goliath, commandé par fil et bourré d'explosifs.

☞ **Études. Blindage :** composites type « édredon » capables de déstabiliser un projectile flèche ou à charge creuse ; « réactif » (explosif en sandwich déviant le jet des charges creuses) ou verre type Pyrex en sandwich (résistance, rétractation rapide, allègement). **Armement :** canons de 140 à 150 mm (les blindages actuels résistant aux 120/125 mm).

Bombes

☞ **Bombes nucléaires,** voir p. 1855.

■ Quantité d'explosifs utilisée pour 1 ennemi tué (en kg) : *2e G. mondiale* 1 100 ; *g. de Corée* 5 600 ; *g. du Viêt-nam* 17 000.

■ Destination. **Antipersonnel.** *A souffle* (de 20 à 50 kg). *A fragmentation* (éclats tombant dans un rayon de 100 m ou grenades explosant). *A billes* (1966). *A fléchettes* de 5 cm de long, tournant sur elles-mêmes. *Mine araignée* 500 g ; larguée par avion et munie de lanières de 6 m de long, qui accroissent la zone de contact. *Au napalm* (savon à base d'acide oléique 65 %, gras 30 %, napténique 5 % + essence incendiaire) ; 2 types : à brûlage rapide (absorbant tout l'oxygène alentour, personnel asphyxié) ; lent (pour détruire les installations). **Antimatériel.** *Explosives* à souffle. *Incendiaires* à pénétration. *Bombes torpilles* guidées. *B. planantes* avec ailettes modifiables par électroaimants commandés par radio (ex. b. américaine BAT).

■ Bombe conventionnelle la plus lourde. *Grand Slam,* lâchée 14-5-1945 sur le viaduc de Bielefeld (All.), 9 975 kg, long 7,74 m ; en 1949, b. expérimentée aux USA : 19 050 kg. **Les plus lourdes** utilisées au Viêt-nam par les USA 4,5 t (pour ouvrir dans la jungle des aires d'atterrissage pour hélicoptère).

■ Bombe à aérosol, ou b. à détonation gazeuse. Contient un réservoir d'hydrocarbure très détonnant (oxyde d'éthylène ou méthane) qui se vaporise lors de l'explosion de l'enveloppe ; le mélange aérosol-air est alors mis à feu avec un retard permettant l'expansion optimale du nuage aérosol : onde de choc surpuissante et combustion de l'oxygène (asphyxie) dans une zone accrue. Ex. : CBU (Cluster Bomb Unit) utilisée au Viêt-nam. FAE (Fuel Air Explosive) utilisée dans le Golfe en 1991.

France (1992). *Bombes lisses :* SAMP de 250 ou 400 kg pour objectifs de grande surface peu défendus ; larguées en « piqué ou palier ressource », trajectoire balistique. *Bombes freinées :* permettent attaque grande vitesse très basse altitude et dégagement plus rapide des défenses et du souffle de la bombe. *B. d'appui tactique* (BAT 120) : centaines d'éclats préfragmentés pouvant percer un blindage de 1 cm à 15 m de l'impact. B. antipistes (BAP 100) : freinée (accroissement d'incidence) puis accélérée (pénétration dans le sol). B. lance-grenade (BLG 100 dite « Béluga »), 151 grenades de 66 mm anti personnelles ou antichars. *Bombes guidées laser BGL* larguées en vol rasant jusqu'à 8 km ; l'avion dispose d'1 nacelle Atlis (autopointeur télévision et laser d'illumination sol) (précision env. 1 m), contre objectifs ponctuels durcis ; très efficace dans la guerre du Golfe.

Missiles et bombes a effets spéciaux de la 2e guerre mondiale

■ Allemagne. Bombe de 1 000 kg à ailettes annulaires (1939). Missiles guidés (opérationnels en août 1943 dans les unités du Kampfgruppe 100) : FX (PC 1400) : avec ailes fixes cruciformes et déflecteurs de guidage, commandé par radio par l'avion lanceur, pour perforer les blindages ; H S 293 : avion miniature propulsé par fusée, utilisé lors du débarquement de Salerne en sept. 43 (croiseur *HMS Penelope* coulé, cuirassé *HMS Warspite* et croiseur *USS Savannah* endommagés) et de la reddition de la flotte italienne (cuirassé *Roma* coulé).

Vergeltungswaffe 1 (V1). Arme de représailles n° 1. « Bombe volante » *(flying bomb).* Lancée par des rampes de 45 m de long. A réaction sans pilote, lancé dans la direction voulue, en ligne droite, gouvernail bloqué. Stabilisée par des gyroscopes. *Long. :* 7,5 m. *Envergure :* 5,2 m. *Poids :* 3 t, dont 500 kg d'explosifs. *Portée :* 250 km. *Vit. :* 500 km/h. *Alt. de vol :* 800 m. *Précision :* rayon de 8 km. *Nombre lancé :* du 13-6-1944 au 29-3-1945, 18 000 dont 7 840 sur l'Angl. (4 260 furent détruits en vol ; à la fin 90 % étaient interceptés) et 3 000 sur Anvers.

V2 [appelée « fusée » *(rocket)* par les Anglais]. Engin sol-sol supersonique (vitesse 5 000 km/h ; décelé par les radars, mais trop rapide pour être intercepté). Précurseur des engins stratégiques modernes (inventeur : von Braun). *Long. :* 13 m, *diam. :* 1,70 m, *poids :* 13 t, *puissance :* 600 000 CV, *alt. :* 50 km (1 mn après le départ), *portée :* 350 km, *charge explosive :* 1 t. Seule parade possible : bombardement des bases de départ. *Nombre lancé :* du 8-8-1944 au 29-3-1945, 3 000 (sur l'Angl. 1 250, Anvers 1 750). *V2 le plus meurtrier,* tombé sur le cinéma Rex à Anvers le 28-11-1944 (567 †).

■ États-Unis. **B-17** remplis d'explosifs (9 000 kg) et dirigés par radio (le pilote évacuait l'avion après le décollage) par des avions dirigeurs.

■ G.-B. **Bombes légères** (1,8 t), contre les agglomérations (« Block buster » : éventreur d'immeubles) ; utilisées par paire (1942). **« Spinning drum »** (fût tournoyant) contre les barrages protégés par des filets antitorpilles : suspendue à demi hors de l'avion peu avant l'attaque, mise en rotation à grande vitesse par un moteur auxiliaire ; larguée à 18 m, ricochait à la surface de l'eau, franchissait les filets en ralentissant, coulait au contact du barrage et explosait en profondeur grâce à une amorce hydrostatique. **« Earthquake »** (tremblement de terre), avec explosif puissant contre les ouvrages massifs (viaducs, hangars de sous-marins) : 4 ailettes, 10 t ; explosait sous terre. **« Disney » :** b. de 2 t, avec fusée mise en service à basse altitude (vitesse finale : 720 m/s).

■ Japon. **Yokosuka MXY7,** missile piloté, pour les attaques suicides ; transporté par bombardier jusqu'à 80 km de l'objectif ; vitesse finale en piqué de 1 000 km/h, 1 200 kg d'explosifs à l'avant.

Bombes et engins divers

M-36 : bombe incendiaire contenant 182 bombes-filles. **BLU-31 :** mine de 705 livres, s'enterrant à l'arrivée au sol. **Ravepat II :** bombe de 2 500 livres, parachutée, renfermant du propane et explosant au contact des arbres (servait en particulier à détruire la jungle au Viêt-nam). **« Dent de Dragon » :** arme antipersonnel, largable à des milliers d'exemplaires par un seul avion. **Bombe orange :** 1 kg ; explose en se fragmentant. **Mine à fragmentation :** explose quand on marche dessus, et blesse plus qu'elle ne tue. Voir aussi **Missiles** p. 1862.

■ Détecteurs acoustiques et sismiques. Largués d'avion, ils se fichent dans le sol en restant reliés à un petit émetteur qui demeure accroché aux arbres. Lorsqu'un camion ennemi roule à proximité, le détecteur détermine vitesse et direction, les transmet par radio aux chasseurs bombardiers (les capteurs décèlent les objets en mouvement et les émissions électromagnétiques).

Canons

Canons anciens

Les premiers canons apparurent vers 1250 en Afrique du Nord.

Bombardes (1338). Tubes en fer lançant des carreaux d'arbalètes, des balles de plomb ou de fer rougi au feu. Pour les gros calibres, projectiles de pierre. Affût fixe puis mobile (sur roues). Poids maximal du projectile 200 kg. *1453,* les Turcs utilisent pour le siège de Constantinople une bombarde de 930 mm de calibre envoyant un boulet de pierre de 590 kg. *XVIe s.,* le « tsar Puschka » conservé au Kremlin (calibre 920 mm, fût 5,18 m), poids 40 t.

Pièce à flasques (v. 1480). En fer : affût sur roues ; le tube oscille sur les flasques (supports en bois) et on change son inclinaison à l'aide d'un coin en bois placé sous la culasse. On tirait env. 30 coups par j, à cause de l'échauffement des pièces.

Les « six calibres » (1551). En bronze, montés sur roues ; tubes pivotant sur affût, chargés par la bouche. *Cadence :* 8 coups/h. Après 40 coups, arrêt de 1 h pour refroidir. *Boulet :* en fer de 33 livres (long. du tube 3,30 m). *Couleuvrines :* grande (tube 5 m) 16 livres, bâtarde (tube 3,30 m) 7,5 l., moy. 2,5 l. *Faucon :* 1 l. *Fauconneau :* 0,75 l. Les 2 + petits calibres sont abandonnés et, en 1697 les projectiles sont de 33, 24, 16, 12, 8, 4 et de 1/4 jusqu'à 2 l.

Mortiers (XVe s.). Engins à tir courbé (tube court) utilisés pendant les sièges. 4 calibres 8, 10, 12, 14 pouces (portée 2 à 4 km), puis 16 à 18 pouces. *En 1857* (G.-B.) et *1914-18* (USA), on construisit 2 mortiers de 920 mm de calibre (ils ne furent pas utilisés).

Canons Gribeauval (1765). Pièces attelées, avec caissons, vis de pointage, tubes bronze ; cartouches à boulets et à obus (1 à 2 coups par min. et par pièce) ; boîtes à mitraille (2,5 à 5 coups). Calibres de 12, 8 et 4 livres ; obusiers de 6 pouces ou 16 cm ; matériel de siège : canons de 24, 16, 12 et 8.

Canons chargés par la culasse (1866). *Modèle prussien,* utilisant l'obus (cadence de tir *par minute :* 2 coups pour les obus, 3 pour les boîtes à mitraille). Acier moulé. *Canons à balles* (1870), appelés aussi mitrailleuses. 25 tubes de bronzes. 300 balles/min. *Canons de Bange* (1877), chargés par la culasse. Acier fondu, affût en tête d'acier. 2 ou 3 coups/mn (affût fixe, accusant le recul).

Canon Rimailho (155 R) portée 6 285 m, projectile 43 kg.

Canons à frein (1895). Calibre classique 75 mm français (à ne pas confondre avec le 75 Schneider apparu en 1912). Portée 6,5 km. Utilisé pour la 1re fois en Chine en 1900 ; en 1942 à Bir Hakeim (à shrapnell de 302 balles de plomb)) le 77 Krupp (allemand) lui était inférieur. Tube coulissant sur l'affût (grâce à un berceau), pivotant horizontalement et verticalement, revenant automatiquement en position.

Canons à flèches ouvrantes (1911). Système italien. Permet des changements de direction de (60°).

Canons de la 1re G. mondiale (voir p. 666 b).

☞ La rayure fut adoptée dans l'artillerie française après 1858).

Supercanons

Grosse Bertha. Les Allemands avaient donné à leurs obusiers de marine de 420 mm, qui détruisirent en août 1914 les forts de Liège, le prénom de Mme Krupp ; les Fr. l'ont donné par extension aux canons longs qui ont bombardé Paris en 1918, et que les All. appelaient officiellement « Ferngeschütz » et parfois « Pariser Kanonen » (ou « Paris-Geschütz ») ou le Long Henri. *Installé* à 120 km de Paris, sur le mont Joie, à Crépy-en-Laonnais (Aisne). *Fabriqué* par Krupp. *Canon :* 34 m de long, poids 140 t, (750 t avec accessoires), 380 mm de diamètre, avait à l'intérieur un 2e tube de 210 mm, à rayures hélicoïdales (le projectile devait effectuer 100 rotations avant de sortir, ce qui provoquait une usure importante : chaque tube ne pouvait tirer que 65 coups). *Projectile :* 104 kg de calibre de 210 passait progressivement à 235 pour tenir compte de l'usure du canon (vitesse initiale 1 600 m/s, finale env. 680 m/s, trajet de 3 mn) ; alt. 19 000 m à 25 s, 39 000 m à 90 s (apogée) ; portée max. : 120 km. La distance semblait si prodigieuse à l'époque, que l'on crut d'abord à un bombardement aérien, puis à une avance éclair des Allemands jusqu'à 45 km de Paris. Entre le 23-3 et le 12-8-1918, Paris reçut 367 projectiles ; le 1er tomba le 23-3-1918 à 7 h 20 devant le n° 6 du quai de la Seine ; le 2e à 7 h 40 devant la gare de l'Est ; le 27-3 (vendredi saint), un obus atteignit l'église St-Gervais (75 †, 90 blessés). Le dernier coup fut tiré sur Paris le 9-8-1918 à 14 h. Au total, 256 tués.

Canon 800 mm Kanone Krupp. *Calibre :* 800 mm. *Long. :* 32,5 m. *Masse :* 1 350 t. *Projectile :* antibéton 7,1 t, super explosif 4,8 t. *Portée :* 47 km. Utilisé par les All. devant Sébastopol en 1942. 2 furent construits, le **Dora** et le **Schere Gustav.**

Nota. – Canons de cuirassés 380 (obus 950 kg) ; *406 US* (obus > 1 t), 457 *Yamato.*

Harp (High Altitude Research Project). Projet de Gerald Bull (Canadien 1928, assassiné mystérieusement à Bruxelles le 22-3-1990) financé par l'armée amér. 3 construits et expérimentés à la Barbade. 1°) 1962 : long : 20 m, calibre : 416 mm, atteint 75 km. 2°) long : 53 m, calibre : 424 mm, obus de 186 kg lancé verticalement (à 1 850 m/s) à 143 km d'alt. 3°) Double canon US (2 × 419 mm ; long. 36,50 m, 150 t), a lancé (à 1 800 m/s) un obus de 84 kg à 180 km d'alt. le 19-11-66.

Canon irakien. Le 10-4-90, 8 tubes de 1 m de diam. officiellement destinés à l'industrie pétrochimique irak. sont saisis en G.-B. En avril et mai, d'autres pièces détachées sont saisies (All., Grèce, Italie, Suisse, Turquie). Gerald Bull s'apprêtait, a-t-on dit, à construire en Irak un canon de calibre 1 000 mm (long. 50 à 160 m, masse avec environnement 4 500 t, enterré, obus de 2 t lancé à 1 900 m/s, portée plusieurs centaines de km). Autres hypothèses : il aurait utilisé un obus propulsé (combinaison obus-missile) ou fabriqué un canon avec des champs relais pour augmenter la pression. Le matériel examiné en Irak (tubes ressemblant à des canalisations bricolées) ne permet pas de confirmer ces hypothèses peu vraisemblables scientifiquement [portée maximum pour un canon classique : 200 km (limite de vitesse d'expansion des gaz, frottements, rendement...)].

☞ Études sur l'augmentation de vitesse initiale (1 500 m/s max. actuellement) permise par certaines techniques : obus propulsé, accélération électrique (4 000 m/s), hydrogène comprimé (4 500 m/s sur proj. légers). Pourraient rajeunir le canon.

■ Canons récents

■ France. **Obusier 105 HM2.** Tracté. *Mission :* appui feu. *Portée max. :* 11 km. **155 BF 50.** id. *Portée max. :* 18 km. *Masse :* 8 t.

Mortier de 120 mm RT 61. *Portée :* 13 km. 18 coups/min. *Masse :* 580 kg.

Canon de 155 : -tracté modèle F1. Appui feu des divisions d'infanterie. *Bouche à feu* de 40 calibres, service de pièce assisté hydrauliquement. *Champs de pointage :* - 5°, + 66° en site, 27° gauche, 38° droite en gisement. *Équipe. :* 1 chef de pièce, 1 conducteur du véhicule tracteur, 1 pointeur-tireur, 2 artificiers et 3 chargeurs. *Masse totale :* 10,65 t. *Portée :* 24 à 32 km selon munition. *Cadence* (durée limitée) : 3 coups en 18 sec. ; soutenue : 6 coups/min. *Autonome* à vitesse faible : 8 km/h max. Peut être tracté par tout camion 6 × 6 (puissance min. : 250 CV). **Automoteur. AUF-1 :** destiné aux régiments d'artillerie des divisions blindées. Monté en tourelle sur châssis d'AMX 30. *Portée :* 24 à 32 km selon munition. *Capacité d'emport :* 42 coups complets. *Cadence :* en alimentation automatique, 6 coups en 45 sec., 12 en 2 min. *Protection* NBC (tourelle étanche), projectiles légers. *Armement secondaire :* mitrailleuse de 12,7. *Équip. :* 1 chef de pièce, 1 pointeur, 1 artificier-chargeur, 1 pilote. *Masse :* 43 t. *Vit. max. :* 60 km/h. *Champ de tir* en direction : 360°. **- GCT :** sur châssis AMX 30. *Mission :* appui feu. *Cadence :* 8 coups/min. *Portée max. :* 23,5 km. *Masse* 41 t. **- F3 :** sur châssis AMX 13. *Mission :* appui feu. *Cadence :* 4 coups/min. *Portée max. :* 20 km. *Masse :* 17 t.

LRM (lance-roquettes multiple). Destiné à accroître la capacité de feu ; complémentaire du canon plus précis, il « arrose » une zone. Pour 1 LRM : 7 728 grenades dispersées en 1 mn (soit la pelouse d'Auteuil à raison d'1 grenade tous les 25 m²) à 800 m d'altitude ; 25 t ; portée 30 km ; associé au radar de contre batterie *Cobra.* Origine USA en coopération avec Fr, It, All, GB.

Canon antiaérien bitube de 30 mm. Sur châssis AMX 30. *Cadence :* 650 coups/mn. *Portée pratique :* 3 km.

Canon électrique. A l'étude : 1°) *long :* 1 m, *projectile :* quelques dizaines de g, *vit. :* 4 200 m/s ; 2°) *long :* 100 m, *obus* 3,5, *vit. :* 4 000 m/s.

■ G-B. **M 107.** 175 mm, autotracté. *Portée max. :* 32,7 km. *Cadence :* 4 obus/mn.

■ Ex-URSS. **M 1974.** autotracté 122 mm. *Portée max. :* 21,9 km. *Cad.* 5 obus/min (max.). **S-23.** tracté (1955) 180 mm. *Poids* 21,5 t. *Portée max. :* 43,8 km. 1 obus/min. **M-46.** (1954) 130 mm. *Poids* 7,7 t. *Portée max. :* 27,15 km, tracté. 6 à 7 obus/min. **D-30.** tracté 122 mm. 3,2 t. *Portée max. :* 21,9 km. *Cadence :* 6 à 7 obus/min.

☞ **Munitions.** De tous types (classiques, chimiques, nucléaires) et de plus en plus « intelligentes » ; ex. : *M 712 copperhead* avec guidage terminal sur cible illuminée laser par un tiers la voyant (aéronef, fantassin...).

Fusils, grenades, mitrailleuses

■ Fusils

Fusils anciens

■ **Premières armes à feu portatives (1500-1640). « Scopette ».** *1338* 1re connue. **Canon à main (haquebute). Vers 1500** dérivé du canon léger, couleuvrine au poids réduit à 22 kg, utilisé sur les remparts ; feu mis à la main. **Arquebuse à mèche :** poids 15 à 20 kg ; maniée par un arquebusier qui tire en appuyant l'arme sur une fourche, le fourquin ; feu donné par une mèche allumée au début de la bataille. *Platine à mèche* (espagnol 1525) : une clef permet d'amener la mèche sur le « bassinet » où est tassée la poudre ; cadence : 1 coup/mn. **Arquebuse à rouet : V. 1550 :** le rouet est un frottoir en forme de roulette qui agit sur un silex placé près du bassinet ; une gerbe d'étincelles jaillit et enflamme la poudre ; poids 6 kg, long. 1,30 m ; peut être utilisée sans fourche d'appui. Les soldats qui l'utilisent sont nommés *fusiliers,* d'après l'italien *fugile,* « silex ». De leur nom viendra, celui de *fusil,* désignant l'arme elle-même. **Carabine** (v. 1600) : arquebuse à canon rayé tirant plus juste et pouvant percer les armures [arme des carabins ou bandits de Calabre]. **Pistole :** carabine de cavalier ; canon de 40 cm de long. **Mousquet** (v. 1630) : arme d'infanterie à rouet, plus lourde et plus puissante que la carabine et nécessitant l'emploi du fourquin ; poids 7 kg ; projectiles de 30 g lancés à 230 m ; long. 1,50 m. Les 1ers mousquetaires étaient des tireurs répartis dans les compagnies de piquiers (1 mousquetaire pour 2 piquiers). Louis XIII créa la 1re compagnie de mousquetaires (tous gentilshommes), qui lui servaient de gardes du corps. **Cartouche** (v. 1640, Suède) : la poudre et la balle sont introduites simultanément dans le canon du mousquet. Cadence de tir 2 coups/min.

■ **Fusil à pierre (XVIIIe s.).** Le rouet des mousquets et des arquebuses est remplacé par le chien qui percute la pierre au lieu de la frotter. Cadence 2-3 coups/min. Mais les ratés sont nombreux. *Fusil à bretelle* (1671) : destiné aux grenadiers, qui doivent avoir les mains libres pour lancer les grenades. On peut y adapter une baïonnette à manche de bois s'enfonçant dans le canon. *Baïonnette à douille* (1689) : s'adapte au fusil sans toucher le canon permettant de tirer avec la baïonnette. *Modèle 1777 :* le silex « pyromaque » est taillé dans les ateliers royaux ; les ratés sont réduits à 1 coup sur 12 ; nombre de pierres : 1 pour 20 coups (mais 1 bonne pierre peut fournir 50 coups). *Fusil à percussion* (1827) : la pierre est remplacée par une capsule chimique « fulminante » à base de chlorate de potasse, qui enflamme la cartouche percutée par le chien.

Fusils récents

Dreyse (1840). Fusil à aiguille de Johann von Dreyse (All. 1787-1867). Créé 1827. Chargement par la bouche puis 1836 par la culasse, adopté par la Prusse 1840.

Chassepot (1866). Inventé 1857 par Antoine Chassepot (1833-1905), adopté 30-8-1866. Chargement par la culasse, la cartouche (en carton) de 31 g contient la capsule fulminante qui est percutée par une aiguille. *Cadence :* 7-8 coups/min. *Calibre :* 11 mm. *Portée :* utile 1 200 m.

Gras (1866). Chassepot transformé par le capitaine (plus tard Gal) Basile Gras (1837-1901), hausse 1 650 m puis 1 800 (1874).

Winchester (1866). Carabine américaine inventée par Oliver Winchester (1810-80). *Portée* max. 2 500 m ; utile 200 m ; pratique 100 m. Semi-automatique. Principe moteur : emprunt des gaz sur le parcours de la balle dans le canon. 20 coups/min. *Long.* 0,90 m (canon 0,45 m). *Poids* 2,350 kg. *Calibre* 7,62 mm. *Cartouches* 6 chargeurs de 15 cartouches.

Lebel (1886-1893). Fusil du nom de Nicolas Lebel (1838-91) qui le fit adopter. *Portée* pratique 400 m ; utile (hausse) 2 400 m ; max. 4 300 m. *Long.* 1,32 m, avec baïonnette 1,83 m. *Poids* 4,240 kg. *Cal.* 8 mm.

Carabine de cavalerie (1890). Lebel allégé. 3 cartouches.

Mauser modèle 98. Fusil allemand (de Paul Mauser 1838-1914). *Portée* pratique 400 m ; utile 2 000 m ; max. 4 000 m. 8 à 10 coups/min. *Long.* 1,11 m (canon 0,60 m). *Calibre* 7,92 mm. *Cartouches* 5, avec chargeur. Inspira le Springfield 1903.

Fusil anglais mod. 1907. *Portée* pratique 400 m ; utile 600 m ; max. 3 200 m. A répétition : 8 à 10 coups/min. *Long.* 1,10 m, avec baïonnette 1,50 m (canon 0,645 m). *Poids* 4 kg. *Calibre* 7,62 mm.

Mousqueton modèle 1916. *Portée* pratique 400 m ; utile 2 000 m. A répétition. 8 à 10 coups/min. *Long.* 0,945 m (canon 0,453 m). *Poids* 3,25 kg. *Calibre* 8 mm. *Cartouche* 8 mm.

Terni modèle 1918. Fusil italien, *portée* pratique 400 m ; utile 2 000 m. A répétition : 8 à 10 coups/min. *Long.* 1,28 m. *Calibre* 6,5 mm.

Cadence de tir. *Sous Louis XIII,* arquebusiers : 1 coup par minute. *Empire :* 3, mais après 5 mn de tir à cette cadence, il fallait laisser refroidir le canon de l'arme.

Le soldat de Louis XIV emportait avec lui 12 cartouches, celui de Louis XVI 36, celui de Napoléon 100.

Portée des armes (en m), entre parenthèses date. *Javelot* 25. *Fronde* 80. *Traits à poudre* (v. 1350) 100 à 115. *Arc* (v. 1500) 80 à 100. *Arbalète* (v. 1500) 100 à 110. *Arquebuse* (v. 1504) 150. *Mousquet* (v. 1550) 180. *Pistolet* (v. 1562) 50. *Fusil* (1640-1857) 250. *Deligne* (1857) 600. *Chassepot* (1867) 1 200. *Gras* (1874) 1 800. *Lebel* (1886) 3 000. *Daudeteau* (1905) 4 000.

Fusil 1936 7,5, *portée* tactique 200 m, pratique 400 m ; utile 1 200 m ; max. 3 200. A répétition, magasin 5 cartouches. 8 à 10 coups/min. *Long.* 1,02 m, avec baïonnette 1,32 m (canon 0,58 m). *Poids* 3,750 kg avec baïonnette. *Calibre* 7,5 mm. *Cartouche* 1929 C.

Garrant. Fusil semi-automatique M1 de 7,62, tir tendu jusqu'à 600 m. *Puissance de perforation :* 6 mm d'acier à 450 m ; 12 mm d'acier à 90 m (balle p M2). *Flèche* 1,20 m à 600 m. *Portée* max. (balle M2) 4 000 m. Semi-automatique. 24 coups/min. *Long.* 1,107 m, avec baïonnette 1,50 m. *Poids* 4,313 kg.

MAS (1936) 7,5. Fusil semi-automatique, *portée* pratique 400 m ; utile 1 200 m (avec lunette) max. *Chargeur* 10 cartouches. 30 coups/min. *Long.* 1,02 m, avec baïonnette 1,305 m. *Poids* 3,9 kg. *Calibre* 7,5 mm. *Cartouche* 1929 C.

Famas 5,56. Fusil d'assaut (semi-automatique MAS 5,56 F1, surnommé « le clairon » à cause de sa forme). Équipe l'armée fr., dep. 5-12-1979. *Calibre* 5,56 mm. *Long.* 760 mm (canon 488 mm). *Poids* 3,55 kg. *Vit. initiale* 950 m/s. 1 000 coups/min. Peut tirer au coup par coup ou par rafales avec limiteur de rafales à 3 coups. *Portée* env. 300 m. Tire des grenades antichars à 75 m et antipersonnel à 300 m. *Prix :* 4 000 F avec accessoires et rechange.

■ Fusil-mitrailleur, pistolet-mitrailleur

Fusil-mitrailleur. Inventé 1902 par Madsen (All.). Modèles de Berthier et Hotchkiss avant 1914. FM de Chauchat (Fr.) en 1915 ; utilisé par les Français, puis Amér. (1917). Actuellement arme à tir automatique, approvisionnée par des boîtes à grande capacité ou une bande souple ; 7-12 kg, 500 coups/min. Porté et servi par un seul homme, accompagné d'un pourvoyeur aux munitions.

Pistolet-mitrailleur. Arme légère à tir autom., employant des balles de pistolet. Inventé par Villa-Perosa (It.) en 1915. **Bergmann** utilisé par les Allemands en 1917 (400 coups/min). En 1939, seuls les All. en étaient équipés. **Lanchester et Stenn** (1942) -modèles angl. et amér. 1949, PM français **(MAT 49).** 1952 **Uzi** [Israélien ; inventé par Uziel Gal (n. 1923)]. **Kalachnikov :** inventé par Mikhaïl Kalachnikov (n. 1919), 1953-93 : env. 50 millions vendus. AK 47. AKM modèle 1959. 7,62 mm. **Mitraillette à laser :** 900 coups/min, chargeur de 177 balles, 1 laser couplé.

■ Grenades

XVe-XVIIe s. Lancée au moyen d'une grande cuillère (poudre à canon dans un globe de fer creux ; on allume une mèche avant de lancer). *1667* les grenadiers forment des corps spéciaux, utilisés au cours de sièges ; munis d'une grenadière en cuivre, contenant de 12 à 15 grenades, ils lancent leurs explosifs dans les tranchées ennemies.

XVIIIe-XIXe s. Abandon de la grenade comme arme. Les grenadiers sont des soldats d'élite armés comme les autres mais de haute taille (de 1730 à 1846, et de nouveau sous le IIe Empire, ils portent le « bonnet à poil »).

Depuis 1904. Réutilisée par les Russes et les Japonais au siège de Port-Arthur. *Guerres mondiales :* grenades à main défensives et offensives. Explosif utilisé 1915-20 : TNT. 1920-43 : poudre. Depuis 1943 : de nouveau TNT. *Guerre de Corée :* grenades à fragmentation ; grenades chimiques : projettent de la fumée, des gaz asphyxiants ; grenades VB (à fusil) : s'adaptent au fusil de guerre et sont projetées à 100-200 mètres environ.

■ Mitrailleuses

Armes automatiques à tir continu quand on garde le doigt appuyé sur la détente.

Mitrailleuses à main et à canons multiples. On les actionnait avec une manivelle (d'où leur surnom de « moulins à café »). Inventeur : l'officier belge Fafschamps (v. 1830). **Gattling** (américaine) à canons tournants (v. 1860) : 1 200 coups/minute ; **Reffye** (Fr.), appelée « canon à balles » de 125 à 150 projectiles de 13 mm par minute ; **Feld** (bavaroise) : 24 canons (1870) à tir plus rapide que la reffye, tint les Français en échec à Coulommiers le 9-11-1870.

Automatique à 1 canon. Utilisant l'énergie du recul : Maxim (Sir Hiram Stevens Maxim, né en Amér., 1840-1916, naturalisé Anglais), 1883. Inconvénient : impossibilité de refroidir le canon sans manchon à eau. **Fonctionnant par emprunt de gaz ; Hotchkiss** (notamment fusil-mitrailleur) Colt et St-Étienne (française 1907, de 8 mm, utilisée pendant la g. de 1914-18), P CSRG créé 1915. Pendant la g. de 1939-45, les Fr. ont utilisé, à partir de 1942, la mitr. amér. **Browning** 50 kg, de 7,62 mm de calibre, **Mitr.**

légère de 20 kg, renforçant les f.-m. dans les compagnies de voltigeurs.

Arme automatique transformable. Créée 1952. En changeant canon et affût, on peut l'utiliser comme fusil-mitrailleur, mitraillette légère ou mitraillette lourde ; culasse éclipsable ; alimentation par bande métallique souple (version f.-m. : 50 cartouches ; mitr. : 250) ; calibres 7,5 et 7,62.

Missiles

Généralités

■ **Définition. Missiles.** Projectiles dotés d'un système de propulsion autonome, asservis à un système de guidage sur tout ou partie de leur trajectoire. **Roquettes.** Projectiles orientés mécaniquement au départ, mus par un système de propulsion autonome pendant la phase initiale de leur trajectoire, et soumis ensuite aux seules lois de la balistique extérieure.

■ **Durée de vol d'un missile stratégique** (portée 13 000 km) phase propulsée 3 min, balistique 30 min, de rentrée 140 s. *Vitesse en fin de propulsion :* 7 100 m/s (25 000 km/h) atteinte hors atmosphère.

■ **Précision (en m). 1962 :** *Titan* 1 000 m ; **1963 :** *SS 8* 9 000 ; **1965 :** *Minuteman II* 550 ; *SS 9* 1 000 ; **1973 :** *SS 11* 600 ; **1976 :** *SS 17, 18, 19* 500 ; **1978 :** *SS 20* 300 à 500 ; *Minuteman III* 200 ; **1985 :** *MX* 100 à 200 (les SS sont russes, les autres américains).

Quelques termes

■ **Air-Air. AAM (Air to Air Missile).** Missile *d'interception* (à quelques dizaines de km) ex. : *Super 530 F*, calibre 260 mm, masse + de 250 kg, *530 D* à autodirecteur, doppler associé au radar RDI (radar doppler à impulsions), *de combat* (quelques km) ex. : Magic 1, Magic 2, 160 mm, masse 90 kg, *d'interception de combat et d'autodéfense,* ex. : Mica (équipera le Rafale).

■ **ABM (Anti-Ballistic Missile). USA. Spartan,** fusée liée au PAR (Perimeter Acquisition Radar), 17 m de long, charge 2 à 3 mégatonnes, intervient à 700 km de distance, et entre 200 et 300 km d'altitude. L'explosion crée un flux de rayons X qui détruit le missile. **Sprint** fusée (9 m de long, charge de 1 mégatonne), liée au MSR (Missile Site Radar), n'entre en action que si le missile ennemi a franchi l'échelon défensif des Spartan (portée 50 km, intervient entre 1 500 m et 30 000 m d'alt.). 2 sites sur 12 prévus ont été installés, l'un autour de la base de Minutemen à Grand Forks (Dakota du N.), l'autre autour de celle de Malmstrom (Montana) ; coût 10,3 milliards de $ (env. 76 MdF). En 1976, ce réseau ABM a été démonté. **Patriot**, dérivé d'un missile antiaérien modifié en antimissile. Batteries transportables, Mach 3, utilisé en 1991 (voir guerre du Golfe). **URSS. Galosh,** portée + de 350 km, mise en place à partir de 1964, 64 ogives nucléaires, 64 rampes de lancement réparties en 1976, en 4 sites autour de Moscou. Comprenait encore, en juillet 1985, 32 silos dotés chacun d'une charge de 2 à 4 mégatonnes. Système considéré comme peu efficace (vitesse initiale limitée, faible accélération latérale et effet « fratricide » que provoquerait la 1re explosion). Modernisation au « centre du dispositif » des missiles SH-11 endo-atmosphériques et à la périphérie des SH-04 exo-atmosphériques (portée 700 km), à charge réduite à quelques dizaines de kt. **Tallin** (région ouest) serait destiné à la protection contre les seules attaques aériennes et ne serait pas efficace contre les fusées balistiques. Les Soviétiques auraient, en outre, transformé des missiles sol-air classiques, officiellement destinés à la défense antiaérienne (comme le SA-10 ou le nouveau SA-X-12), en ABM.

■ **Air-sol [AGM (Air Ground Missile)].** Ex. à charge classique, portée 10 km, AS30L (laser). Apache (portée 140 km), TSSAM (Tri Service Stand Off Attack, missiles américains).

■ **ALCM (Air Launched Cruise Missile).**

■ **Antichars (missiles).** *De longue portée (4 000 m) :* montés sur véhicules blindés ou hélicoptères (ex. : Hot) ; *de moyenne portée (2 000 m) :* portables éventuellement, adaptés ou intégrés sur véhicules (ex. : Milan, poste de tir 23 kg, missile en conteneur 11 kg, filoguidé) ; *de courte portée (200 à 800 m)* [ex. : LRAC (lance-roquettes antichar) de 89 mm ; Apilas (portée 330 m) pouvant percer 700 mm de blindage standard ; Eryx (1993, nom d'un serpent des sables) : aérospatial, portée 50 à 600 m, peut être tiré de l'intérieur d'une pièce, poste de tir 8 kg, munitions 12,5 kg, long. 0,93 m, vitesse départ 20 m/s., max. 260, tirable à l'épaule].

■ **Antinavires. [ANS (anti-navire supersonique)].** Famille Exocet (préguidage inertiel puis arrive à proximité étant autodirecteur). Développé par Aérospatiale (Fr.) et MBB (All.) pour remplacer l'Exocet. Portée 200 km ; 3 000 km/h ; statoréacteur (bénéficie des études sur l'ASMP).

■ **ASAT (Anti Satellite System).** Système antisatellite aux USA (voir p. 1865 a).

■ **ACCP (missile antichar à courte portée).** Conçu par l'Aérospatiale. *Portée :* + de 600 m, utilisable contre tous blindages modernes, capable de perforer 900 mm d'acier. Livré à partir de 1989. *Poids :* poste de tir 4 kg et munitions 11. Arme individuelle permettant le tir à l'épaule, utilisable la nuit avec un intensificateur de lumière.

■ **AMSA (Advanced Manned Strategic Aircraft).** Bombardier supersonique conçu pour voler à basse altitude, avec des bombes nucléaires et des missiles SRAM. Projet abandonné par les Américains.

■ **ASMP.** Missile air-sol moyenne portée. Cruise missile (voir ci-dessous) de portée réduite (2 à 400 km) naviguant sur programme et non sur relief. Charge classique ou nucléaire tactique.

■ **BMD (Ballistic Missile Defense System).** Système de défense contre les missiles balistiques. **BMEWS (Ballistic Missile Early Warning System).** Système d'alerte avancé contre les missiles balistiques.

■ **Cruise Missile (Missile de croisière). USA. Caractéristiques.** Engin propulsé par statoréacteur ou turboréacteur. *Long.* 6,33 m, *diamètre* 50 cm, peut être tiré d'avion (ALCM, Air-Launched Cruise Missiles avec statoréacteur (poids 1,45 t), de véhicules terrestres (GLCM, Ground-Launched Cruise Missiles) avec turboréacteur (poids 2 t) ou d'un navire de surface ou sous-marin (SLCM **Tomahawk**) avec turboréacteur. Long. 6,4 m, diam. 0,53 m. *Portée* 2 500 km. *Vit.* 700 à 900 km/h. *Altitude de vol* 15 à 80 m. *Charges* nucléaires de 200 kt ou de 100 kg d'explosifs classiques. *Précision au but* (env. 10 m). *Pouvoir de pénétration* (5 m dans le béton, le sol 10 à 50 m) permet d'atteindre un silo contenant des missiles stratégiques. *Guidage automatique* vers l'objectif par : 1°) *navigation inertielle par plate-forme gyroscopique classique ;* 2°) *Tercom* (Terrain Contour Matching) permettant de se recaler régulièrement sur des repères géographiques fixes. Ce 2e système [rendu nécessaire par la dérive propre du système inertiel (qui est sensible sur une longue distance effectuée à faible vitesse), et par les modifications inattendues des conditions atmosphériques (turbulences)] effectue la comparaison entre la mesure du profil du terrain survolé par radar embarqué et la carte stockée en mémoire (relevée antérieurement par satellite). Sur 2 500 km, le recalage par Tercom peut être effectué de 5 à 10 fois et peut permettre des changements brutaux et imprévisibles de trajectoires. Mais, une fois lancé, le missile ne peut plus être rappelé. Intérêt d'une propulsion par réacteur : faible consommation (portée élevée sous un faible volume). **Détection.** Difficile, car sa surface est faible et il se déplace de 20 à 60 m d'alt. en épousant le relief et en pouvant contourner les zones présumées bien défendues. Plus vulnérable en phase finale, surtout avec un système de détection et de défense adapté (avion radar type Awacs pour la détection, avions d'interception SAMP et SACP pour la défense). Pour se défendre contre ce type de missile, l'URSS aurait du établir un dispositif coûteux (450 milliards de F) étanche seulement de de 70 à 80 % (le missile pouvant provoquer une saturation des systèmes de défense).

Améliorations : système de navigation passif (sans émission), grâce aux informations données par les 18 satellites du système Navstar GPS (opérationnel en 1987) ; version supersonique (phase finale) coût 8,5 Md$ pour 192 missiles ; **missiles à longue portée utilisant la technologie « Stealth »** (voir p. 1858 a).

URSS. Missile de croisière lancé du bombardier Backfire, essayé début 1979.

■ **FOBS (Fractional Orbital Bombardment System).** Satellite qui, après une révolution partielle autour de la Terre, est guidé sur l'objectif. Ex. : programme soviétique d'une bombe nucléaire lancée par le missile SS-9 et placée sur une orbite terrestre à environ 160 km d'altitude (derniers essais 8-8-1971). Violerait le traité sur l'espace de 1967.

■ **ICBM (Intercontinental Ballistic Missile).** Engin balistique à portée intercontinentale. Portée 6 000 à 13 000 km. Expérimenté depuis 1951. **Atlas, Titan I, Titan II** [1965 ; 54 en service devraient être remplacés par des fusées propulsées par un combustible solide moins dangereux (explosion d'un missile à Searcy en 1965 et Damascus le 22-9-1980)]. **Minuteman** [450 Min. II en service (1964) ; 550 Min. III (1975)]. **Missile MX** à 3 étages : *coût du programme* 36 milliards de $, *1er vol* 17-6-1983. *Caractéristiques :* 21,6 m de long ; 2,4 m de diam. ; 90 t ; portée 13 000 km ; charge 3,6 t de charge nucléaire (10 ogives de 335 kilotonnes chacune). *Emplacement :* dispersé pour échapper aux satellites espions [4 600 silos, par groupe de 23 autour de 200 aires de déplacement ; chaque missile est placé sur un camion spécial (55 m de long, 3 m de large, 3 m de haut ; poids : 300 t ; vitesse : 32/48 km/h)]. *Précision des tirs :* 100 à 200 m. *Durée* (déploiement, lancement) : 30 mn.

R. Reagan, en nov. 1982, envisagea un « groupement serré » de 100 MX enterrés dans des silos espacés de 550-600 m (sur 72 km²), près de la base aérienne de Warren (S.-E. du Wyoming). Pour les détruire, il aurait fallu de nombreuses fusées ennemies, mais celles-ci se seraient gênées et détruites en partie à cause des radiations et débris causés par la 1re explosion. Mais l'adversaire aurait pu faire exploser au-dessus de l'atmosphère des charges de 5 à 10 mégatonnes toutes les minutes pendant 15 à 60 min ; l'impulsion électromagnétique produite aurait brouillé communications et systèmes électroniques. Il aurait pu, en outre, envoyer des ogives qui se seraient fichées dans le sol avant d'exploser.

Contre-projet : remplacer silos et camions par de petits sous-marins au large des côtes américaines (système SUM Shallow Underwater Mobile).

■ **IRBM (Intermediate Range Ballistic Missile).** Portée de 2 400 à 6 400 km.

■ **LRBM (Long Range Ballistic Missile).** Missile balistique à longue portée.

■ **Marv (Manœuvrable Re-entry Vehicle).** Missile à ogives multiples capable de changer de trajectoire en phase de rentrée pour éviter une interception.

■ **Mirv (Multiple Independently Targeted Re-entry Vehicles).** Missile à ogives multiples guidées vers plusieurs objectifs ennemis parfois éloignés de plusieurs centaines de km. Ex. : **Minuteman-3** portant 3 têtes nucléaires de 170 à 200 kilos. **Poseidon** portant jusqu'à 14 têtes nucléaires. **Polaris A-3. Trident. M4 Français** 6 têtes.

■ **Mol (Mobil Orbit Laboratory).** Projet américain abandonné d'un satellite armé.

■ **MRBM (Medium Range Ballistic Missile).** Missile balistique de moyenne portée : 1 800 à 2 500 km environ.

■ **MRV (Multiple Re-entry Vehicle).** Engin à têtes nucléaires multiples sans guidage indépendant.

■ **MSBS. Mer-Sol Balistique Stratégique.** Lancée par sous-marin.

■ **Ogive** (tête nucléaire, charge nucléaire). Partie de toute munition (missile ou autre), contenant l'élément destructeur nucléaire (voir MRV, Mirv, Marv).

■ **PGM (Precision Guided Munitions). 1°) Guidage manuel :** le plus souvent filoguidés tels *SS 11* et *Entac* (France), *Cobra* (All.), *Snappet* et *Sagger* (URSS) ; 2°) **Semi-automatique :** visée manuelle sur la cible, le missile disposant d'un correcteur automatique de trajectoire tel que *Hot, Milan* et *Roland I* (France et All.), *Tow* et *Dragon* (USA) ; 3°) **Automatique :** si l'on est dans le domaine de tir (portée et secteur), le missile « accroche » sa cible et se guide indépendamment. *Engins sol-air* à moyenne et haute altitude : *Hawk, Standard Missile* et *Nike Hercules* (USA), *SAM 2, 3, 6, 8* (URSS) ; *Air-sol : Maverick* (USA) ; *Mer-mer : Exocet* et *MM 38* (France), *Otomat* (France et Italie), *Condor, Harpoon* (USA), *Gabriel* (Israël), *Martel* (G.-B.), *SS-N* (URSS) ; *Air-air : Sparrow* (USA).

Perfectionnements en cours : bombes guidées laser AS 30 (voir bombes p. 1860) guidées par le système Atlis (autopointeur, télévision et laser d'illumination sol). *Missile Polyphème (Aérospatiale/MBB)* équipé d'une mini-caméra TV par l'intermédiaire d'une fibre optique qu'il déroule lui-même, transmettant en temps réel les images de la zone survolée, et reçoit les ordres de guidage envoyés par le pilote qui voit sur un écran ce que voit la tête du missile. Le pilote du missile installé dans la tête de l'engin peut identifier sa cible et tirer à coup sûr.

Types étudiés : missile antichar, antihélicoptère et antiaérien pouvant être tiré d'un sous-marin en pleine vitesse et en plongée profonde (encapsulé dans un conteneur étanche et résistant aux fortes pressions). Éjecté jusqu'à la surface où il libère le missile. Le guidage sous l'eau et dans l'air utilise la même fibre optique.

Distribution de sous-munitions. Système « Assault Breaker » (briseur d'assaut) pourrait distribuer des centaines (voire des milliers) de sous-munitions sophistiquées. **MW-1** (opérationnel en 1983 dans la Luftwaffe) long. 5 m, poids 5 t, placé sous le ventre du chasseur bombardier Tornado, peut avec ses 224 tubes d'éjection larguer 4 500 sous-munitions (mines, bombes antipistes). **Skeet** (USA) placé dans des obus de 155 mm des cônes de missile, ou à bord de distributeurs **Lads** (Low Altitude Dispenser) pourront manœuvrer seuls au-dessus de l'objectif avant de larguer les sous-munitions qui se dirigent seules vers les compartiments moteur peu protégés des

Pendant la g. d'oct. 1973 (Israël-pays arabes), 58 missiles Maverick, lancés par l'aviation isr., ont détruit 52 chars (coût du missile - de 10 000 $, coût du char T 62 env. 500 000 $). Au cours des essais du *Harpoon,* 19 tirs sur 21 ont porté au but à env. 100 km. Un mer-mer *Condor* de 200 000 $ peut couler un croiseur de 100 000 000 $.

La destruction d'une division soviétique (soit 400 blindés et 2 500 camions + artillerie et moyens antiaériens) aurait nécessité 2 200 missions avec des avions équipés de bombes classiques de 250 kg, 330 avec le système MW-1, 50 à 60 avec le système Skeet, 20 à 30 avec les bombes nucléaires de 10 kt. Radar Pave-Mover pouvant « suivre » les véhicules circulant dans une zone de 100 km de côté et repérer 4 500 cibles en même temps. Mais des contre-mesures, parfois très simples, permettent de leurrer les armes sophistiquées (ex. : l'ordinateur du missile antichar à infrarouges Maverick peut être désorienté par des feux au sol ; le missile filoguidé Tow s'est révélé inefficace contre le char T-72 soviétique).

Conséquences possibles sur la physionomie de la guerre terrestre : décimés par les PGM utilisés massivement, les chars pourraient perdre leur rôle d'instrument de percée et redevenir l'arme d'accompagnement de l'infanterie. La guerre deviendrait plus statique et exigerait une augmentation importante du nombre de fantassins.

blindés. **Sadarm** se pose sur le dessus de la coupole des chars. **Eram** (Extended Range-Anti-Armor Munition) largué par parachute (voir bombes p. 1823 b). **Apache** (arme propulsée à charge éjectable).

■ Vecteur. **CAM-40,** dérivé du Pershing-2. MLRS (Multiple Launch Rocket System), coproduit par USA, France, ex-All. féd. et G.-B., entré en service en 1983, peut lancer 12 sol-sol porteurs de sous-munitions en moins d'une minute. **T-16** (Martin Marrieti).

■ RPV (voir Drones p. 1858 b).

■ SAM (Surface to Air Missile) Sol Air. **SATCP** sol-air très courte portée (5 km ou –) ex. : *Mistral* 1,80 m, 20 kg. Version navale *Sadral* ; portable à autodirecteur infrarouge du type « tire et oublie » ; poste de tir *Simbad* pour la Marine, non stabilisé, porte 2 munitions ; lanceurs AATCP, pour hélicoptères ; stabilisés *Sadrai* pour Marine (6 munitions) ; ASPIC sur véhicule tous chemins. **SACP** sol-air courte portée (jusqu'à 10 km) ex. : *Roland* 2,40 m, 70 kg ; *Crotale* 2,90 m, 90 kg, intégré comprenant la conduite de tir et le lanceur sur le même support ; missile guidé en télécommande par alignement. Version terrestre : véhicules à roues tous chemins : unité d'acquisition qui porte sur le radar de veille et assure la détection ; unité de tir dotée de 4 missiles ; *Crotale Air* (1972) ; *Crotale naval* (1979). *Roland* (1978) : *I* « temps clair » ; *II* « tout temps » avec radar ajouté. Poste de tir sur châssis blindé, AMX 30 comprenant radar de veille, r. de tir (pour *Roland II*), lunette de jour, conduite de tir et 2 missiles sur rampe prêts au tir. 8 missiles disponibles en soute. Portée 6 km. *Aster terminal* 2,60 m, 100 kg. **SAMP** sol-air moyenne portée (30 km et au-delà) d'une rampe monocoup à rechargement rapide ; guidé en mode semi-actif vers la cible illuminée par l'une des 2 conduites de tir radar, ex. : *Tartar 30* 4,60 m, 680 kg, système américain. *Aster 30 (2 étages)* 4,80 m. *Hawk* 5,10 m, 580 kg, destiné à la défense antiaérienne à moyenne altitude, développé aux USA, en service France en 1976. Une batterie Hawk comprend 1 section d'acquisition et de conduite de tir et 1 section de feu. Portée 40 km. Améliorations : programmes *HIP, PIP, RAM. Masurka (2 étages)* 8,60 m, la cible, illuminée par le radar, est poursuivie par l'autodirecteur du missile ; 2 conduites de tir à bord de façon à pouvoir engager 2 cibles simultanément, à – de 50 km. *FSAF/SAMP* (famille de systèmes antiaériens du futur) lancé 1990 en coopération avec l'Italie : conduite de tir pilotant un radar multifonctions à balayage électronique ; missile à 2 étages, lancé verticalement, recevant en vol les informations les plus récentes sur la cible, missile terminal (100 kg env.) dont le procédé de pilotage PIF-PAF (pilotage inertiel en force et pilotage aérodynamique fort) permet l'impact direct ou des distances de passage à la cible très courtes. Systèmes : radars *Arabel, Empar,* lanceur naval du *SAAM* et son dérivé du *SAMP/N,* radar naval de veille lointaine *Astral,* munitions *Aster 15* et *Aster 30.*

SCAD (Subsonic Cruise Armed Decey) leurre aérien subsonique antimissile. **SIAM (Self-Initiating Antiaircraft Munition)** projet américain de missile qui choisit ses objectifs et se lance tout seul. **SLBM (Sea-Launched Ballistic Missile)** missile balistique mer-sol lancé d'un sous-marin. **SLCM (Submarine-Launched Cruise Missile)** missile de croisière lancé de sous-marins. **SRBM (Short-Range Ballistic Missile)** missile balistique de courte portée. Moins de 800 km. **SRAM (Short-Range Attack Missile)** missile à courte portée tiré d'un avion. Ex. : Stinger (USA), RBS 70 (Suède), Javelin (G.-B.), Mistral (France, Matra) 20 kg ; s'il passe à – de 5 m de sa cible, une fusée déclenchée par laser fait exploser sa charge de 3 kg.

SS (Sol Sol) désigne les missiles soviétiques. **SSBS** missile balistique sol-sol. **SSM (Surface to Surface Missile)** missile sol-sol. **SSN** missiles lancés de sous-marins soviétiques.

ULMS (Undersea Long-Range Missile System) missile balistique stratégique installé à bord d'un sous-marin.

VRBM (Variable-Range Ballistic Missile) missile balistique à portée variable.

WS 120 système envisagé pour remplacer les Minutemen. Il aurait une plus grande sécurité.

TACMS (Tactical Missile System) disperse sur cible ou zone visée un millier de sous-munitions antipersonnel ou antichars. *Portée* 100 km.

Missiles tactiques (programmes en coopération). *Sol-air courte portée* Roland (avec Allemagne). *Missile porte-torpille* Milas (Italie). *Sol/Surface-air* FSAF (Italie). *Antimissiles et moyenne portée* FAMS (Italie, G.-B.). *Drones de surveillance* Brevel (Allemagne), CL 289 (All., Canada). *Antichars* Milan (All.), Hot (All.), AC 3 G (All., G.-B.).

■ Détection des missiles

☞ **On peut détecter :** le missile lui-même ou la colonne de gaz ionisés échappée des moteurs-fusées lors de son lancement.

Radar classique : émet sur des fréquences de plusieurs centaines de mégahertz pour pouvoir traverser une partie de l'ionosphère (qui commence vers 60 km). Vise directement un missile lorsqu'il est encore à 200/300 km d'altitude (au cours de son vol balistique, l'ogive d'un missile intercontinental s'élève jusqu'à 1 000 km). Radar transhorizon : émet sur des fréquences plus basses, entre 1 et 5 mégahertz. Fait appel à des ondes réfléchies par l'ionosphère et doit détecter l'engin avant qu'il ne s'élève au-dessus de celle-ci.

Système de satellites (1er en 1972) équipés de détecteurs à infrarouge. Signale la phase propulsée des missiles et l'axe de lancement. *Satellites chargés de détruire les satellites et missiles ennemis (IDS).*

☞ Voir encadré p. 1865 a.

Navires

■ Navires anciens

Navires a rames

■ Antiquité. *Galère phénicienne :* 1 rang de rameurs (av. 700 av. J.-C.) ; 2 r. (700-500 av. J.-C.) ; 3 r. (trirème ; apr. 500 av. J.-C.), 170 rames, long. 40 m, larg. 2,5 m. *Trirème athénienne :* éperon pour l'attaque, archers, engins lançant des matériaux enflammés. *Liburne romaine* (146 av. J.-C.) : galère légère avec voile carrée comme propulsion secondaire. *Dromon byzantin* (VIe s. apr. J.-C.) : birème rapide avec lance-flammes jetant du feu grégeois.

■ Moyen Age. *Drakkar des Normands* (VIIe-XIIIe s.) : barque à quille, non portée, 15 rameurs à chaque bord ; long. 24 m, larg. 3,20 m. *Dragon anglais* (Xe s.) : long 45 m, larg. 9 m. Plus lourd que le drakkar, il l'élimine sur la mer du Nord. *Galère méditerranéenne* (Turquie, Venise, Espagne, France jusqu'en 1748) : 2 rangées de rameurs (navires turcs : rameurs chrétiens ; navires chrétiens : galériens de droit commun), long 46,65 m, larg. 5,83 m. Voile d'appoint triangulaire (latine). Armement : catapultes jusqu'au XVe s., puis canon tirant uniquement vers l'avant. *Galère baltique* (Suède, Russie, XVIIIe s.) : artillerie tirant par le travers.

Navires a voile

■ Avant le XVIIIe siècle. **Trois-mâts** (Angleterre, XVe s.). Tonnage ordinaire 400 tonneaux (1 000 pour le *Jesus of the Tower* en 1420). Armement : canon en fer, archers, arbalètes.

Caraque à château. Plusieurs ponts, petits canons latéraux sur les ponts, gros canons dans les « châteaux » (*Le Régent,* 1495, a 225 canons).

Galion (XVIe s.). 610 tx, long. 45 m, larg. 11 m, 3-4 mâts, 3 ponts, artillerie de moyen calibre mais de longue portée (14 demi-couleuvrines). L'Armada espagnole (1588) comportait 24 galions de combat, la flotte anglaise 30, plus rapides.

Vaisseaux (XVIIe s.). Les canons sont placés plus bas dans des sabords ouverts sur les flancs (pour détruire la coque des navires ennemis). Ex. : *Great Michael,* anglais : long. 70 m, larg. 17 m, 300 marins, 120 canonniers, 1 000 soldats (1 500 tx).

■ Aux XVIIIe et XIXe s. Angleterre 1/3 de la flotte européenne. France et Hollande ensemble 1/3. Autres pays européens 1/3. Adoption de la barre à roue (pour sa grande maniabilité).

Vaisseaux. De 1re ligne : 3 ponts, 100 canons, 2 700 tx (appelés aussi de 100). **De 2e ligne :** 2 ponts, 74 canons, 1 800 tx (vaisseaux de 74).

Frégates (1757). 1 pont, 32 à 44 canons, 1 200 tx.

Grosses frégates de 60 canons. Long. 53 m, larg. 13,90 m, équipage 500 h., plus rapides que les vaisseaux à 3 ponts.

Corvettes. Petites frégates de 20 canons ou moins.

Vaisseaux de haut bord (1790-1840). 120 canons dont 26 de 203 mm. Record : 2 vaisseaux français, *Souverain* (1819) et *Friedland* (1840) 5 000 tx ; long. 64 m, larg. 18 m, 3 ponts. Dernier trois ponts à voile : le *Valmy,* français (1847).

Navires a vapeur

■ Les premiers. *Sphinx :* propulsion roues à aubes. *Agamemnon* (anglais, 1850) : 91 canons, 3 ponts (en bois, à voilure, propulsion auxiliaire à hélice).

Navires cuirassés en bois avec plaques de fer : *Dévastation, Lave, Tonnante :* batteries flottantes françaises, vitesse 3 nœuds, remorqués par frégates à roues. *Gloire* (français, 1859) : 80 m, largeur 17 en bois avec blindage de 120 mm (poids 310 tx) ; déplacement 5 600 tx, 36 canons de 30 mm dont 34 dans les batteries sur les côtés. *Couronne,* coque en fer. *Warrior* (anglais, 1861). En 1863, 5 cuirassés français. En 1865, 15 cuirassés français à hélice, 1re flotte du monde. 1ers cuirassés avec canons sur tourelles pivotantes (suppression des batteries sur les côtés) : *Merrimak* et *Monitor* [américains (guerre de Sécession 1861-62) : le *Monitor* (900 t. ; 52 m. de long), coulé le 9-3-1862 au large du cap Hatteras (Caroline du N.) par le cuirassé sudiste *Virginia,* repéré par 64 m de fond en 1973 a été renfloué].

■ Cuirassés en acier. *Redoutable* (français, 1872) : voilure auxiliaire ; déplacement 10 800 tx, 4 canons de 340, 4 de 274, blindage 380 mm. **Predreadnought.** *Majestic* (anglais), 4 canons de 305, nombreux canons de 152. **Dreadnought** (l'« Invulnérable » en anglais) Achevé 1906, 17 940 t, 10 canons de 305 en tourelles, cuirasse de 280 mm, 21,6 nœuds. Surclassait tous les navires de l'époque. **Superdreadnought.** 24 000 à 30 000 t à partir de 1911 : *Kaiser* (allemand) 24 325 tx ; *Oklahoma* (américain) 27 000 ; *Fuso* (japonais, 1914) 30 600 t ; *Bretagne* (français, 1912), 10 canons de 340 dans l'axe.

■ Croiseurs cuirassés. *California* (américain) plus léger et plus rapide, 4 canons de 203, 16 de 152. *Waldeck-Rousseau* (français 1908), 14 220 t, long. 158,90 m, larg. 21,50 m, 869 h., 23 off. **Navires à turbines** (à mazout). A partir de 1903 (croiseur anglais *Amethyst).* **Navires à tourelles superposées :** *South Carolina* (américain, 1904) 16 000 t.

■ Croiseurs de bataille. Adoptent la grosse artillerie monocalibre en tourelles, mais allègent le blindage pour la vitesse (26 nœuds contre 21 au *Dreadnought).*

■ Torpilleurs et contre-torpilleurs. **De 1875 à 1891** *machine au charbon* (avions-torpilleurs, tonnage 50-400 tx) équipés de 2, 3 ou 4 tubes lance-torpilles, vitesse moy. 23 nœuds. Nombre en 1884 : Russie 115, France 50, Hollande 22, G.-B. 19, Italie 18, Autriche 17. **Après 1891** *à turbines :* vitesse min. 30 nœuds. Prototypes : *Durandal* (français, 1899) 308 t ; nommés contre-torpilleurs. *Casque* et *Bouclier* (français, 1912) : 34 et 35 nœuds (nommés torpilleurs d'escadre).

Sous-marins

■ Les premiers. **1775** *Turtle* (la Tortue) de David Bushnell (Américain) : en bois. Le pilote, seul à bord, faisait tourner une manivelle actionnant une hélice à l'avant, fixée sur un axe horizontal. Afin de plonger, il ouvrait les « ballasts » avec une pédale à pied. Pour remonter, il évacuait avec une pompe à main. Avec le *Turtle,* le sergent Eysa Lie attaqua, devant le fleuve Delaware le 25-12-1777, le *Maidstone,* déposa près du navire anglais une mine mais trop loin pour l'endommager. **1797** *Nautilus* proposé au Directoire le 13-12 par Robert Fulton, ingénieur américain (1765-1815). En fer avec des revêtements de cuivre, long. 6,50 m, propulsion par hélice à l'arrière actionnée à la main, équipage 3 hommes, armement un « torpedo » remorqué (baril contenant 100 kg de poudre) : on fixait la charge sous la coque ennemie avec des chevilles et l'explosion était déclenchée de loin par câble. Le 15-4-1800, le *Nautilus* fut mis en chantier chez les frères Périer, à Paris, au pied de Chaillot. Le 10-8-1801, il ne put s'approcher, dans la baie de Camaret, d'un bâtiment anglais, les Anglais ayant été prévenus. Fulton regagna l'Amérique, puis en mai 1804, proposa son sous-marin en Angleterre ; une expérience eut lieu : le 16-10-1805, à Deal, le brick *Dorothea* fut coupé en 2 par un electrictorpedo que le sous-marin avait réussi à fixer à la coque. **1864** le *Hunley* conçu par Horace Hunley avec McClintock et Watson : 9 m de long, propulsé par une hélice, actionné par un arbre de couche à vilebrequins que 8 hommes faisaient tourner, pouvait demeurer en plongée 30 mn. A la suite d'un remous causé par un bateau proche, il coula (9 † dont Horace Hunley). Le 17-2-1864, renfloué, il attaqua l'*Housatonic,* une frégate à vapeur nordiste, mais coincé dans la brèche qu'il avait ouverte dans la coque, il recoula.

■ Moteur en plongée à accumulateurs électriques. *Gymnote* [français, mis à l'eau le 24-9-1888, désarmé le 13-9-1907 ; conçu par Henri Dupuy de Lôme (1816-85) et Gustave Zédé (1825-91), tué par une explosion de poudre dans son laboratoire] 31 tx, long. 17,20 m, diamètre 1,80 m, moteur 51 CV, vitesse 8 nœuds en surface, 4,27 en immersion ; peut demeurer 4 h en plongée avec 5 hommes *Gustave-Zédé* (français, 1891, lancé 1-6-1893 ; construit sur des plans de Gaston Romazotti, appelé la *Sirène* et renommé *G. Zédé* après la mort de celui-ci) 266 tx, long. 48,5 m, moteur (1889) 750 CV, vitesse 9,2 nœuds en 1891, 12,7 en 1905 *Narval* conçu le 21-10-1899 par Maxime Laubeuf, 2 innovations : 1ers ballasts externes, propulsion double (en surface une machine à vapeur, chauffée au pétrole qui recharge les batteries, en plongée..., moteur électrique avec accumulateurs, long. 34 m, larg. 3,75 m, 202 t en plongée, 117 t seulement en surface, vitesse : 12 nœuds en surface, 8 en plongée).

■ Propulsion électrique (générateur au mazout) : série des *Naïades* (français, 1906), 68 tx.

■ Navires contemporains

Légende. – Type, longueur, largeur, tirant d'eau (Te), puissance en ch, vitesse et autonomie en nautiques (A). *Sources :* Flottes de combat (H. Le Masson) et divers.

Cuirassés

☞ En 1939, il y avait 56 cuirassés en service dans le monde et 60 en construction (23 ont été achevés). Pendant la g. de 1939-45, 22 ont été coulés (dont 15 par des avions).

Les plus grands du monde. Japonais : *Musashi* coulé 25-10-1944. *Yamato* coulé 7-4-1945 (72 809 t, 263 m de long.). **Américains de 1945 ou de la classe Iowa** (*Iowa, New Jersey, Missouri, Wisconsin,* réarmés) 55 710 t : 270 m × 33 m, 9 canons de 406 mm (portée 37 km), 4 lanceurs de Subroc pour la défense anti-sous-marine aidés de 4 hélicoptères LAMPS, 4 lanceurs quadritubes de missiles mer-mer « Harpoon » (portée + de 100 km) et 4 rampes de lancement pour 32 missiles de croisière Tomahawk pour attaques terrestres et maritimes (portée 2 400 km). Pont d'envol portant 12 avions V/STOL AV-8B Harrier 2 (décollage vertical). Le 19-4-1989, une explosion à bord de l'*Iowa* (tourelle de 406 mm) fit 47 †. **Allemands :** *Bismarck* coulé 27-5-1941 (50 153 t, par la *Home Fleet,* retrouvé 1989 à 950 km de Brest à 4 600 m de fond). *Tirpitz* coulé 12-11-1944 (50 153 t). **Français :** *Richelieu* (35 000 t, 8 pièces de 380). *Jean-Bart* lancé 6-8-1940 (35 000 t, 244 × 33,10 m, 30 n), armé de 8 pièces de 380 mm, de 15 de 152 et de 24 de 100 antiaér.

Porte-avions (quelques types)

■ Historique. **1910**-*14-11* 1er décollage du pont d'un navire. Eugène Ely avec un biplan Curtiss, du croiseur américain **Birmingham** dont la plage avant avait été dotée d'une plate-forme (24,6 × 7 m), inclinée de 5° vers l'étrave et surélevée d'un peu plus de 10 m. Le 18-1-1911, il appontait avec le même avion, sur la plage arrière du cuirassé **Pennsylvania. 1914**-*8-5* 1er décollage du **Foudre,** 1er navire français capable de mettre en œuvre des hydravions à flotteurs munis aussi de roulettes. **1917** 1er p.-a. l'**Argus** (anglais) (14 450 tx), ancien navire de commerce italien en construction en G.-B. 1914, réquisitionné et équipé d'un pont continu. **1923** 4 p.-a. anglais, 1 amér., 1 japonais. **1928** navires de ligne transformés en p.-a. : **Lexington** (USA, 43 000 t), **Kaga** (Japon, 41 000 t), **Béarn** (Fr.). **1939** 25 p.-a. en service dans le monde, et 25 en construction ou projet. **1945** 57 p.-a. de combat, 72 p.-a. d'escorte avaient été construits. 30 avaient été perdus (dont tous les japonais), les USA en avaient encore 110 (dont 70 d'escorte). *Guerre du Pacifique. 1941 :* Japon 9 p.-a., USA 7 ; *1942 :* USA 4, Japon 3.

■ USA. NUCLÉAIRES **Enterprise** (1er p.-a. nucléaire, USA 1961) : 85 350 t. 333,75 × 78,4 m. Te 11,9 m. 280 000 ch. 33 n. Aut. 140 000 naut. à 30 nd. 6 140 h. (dont 440 off.). Coût 440 millions de $ (2,2 milliards de F), le double d'un p.-a. classique de cette dimension. **Chester Nimitz** (2e p.-a. nucléaire, USA, 1975) : le plus grand nav. de guerre du monde : 96 351 t, 327 m de long. Cœur prévu pour durer 13 ans en parcourant de 800 000 à 1 000 000 de milles nautiques. Il sera suivi du *Dwight D. Eisenhower* (1977, mêmes caractéristiques). CLASSIQUES **Constellation** (p.-a. lourd, USA, 1961) : 78 700 t. 302 × 76,8 m. Te 11,5 m. 260 000 ch. 33 nd. Aut. 8 000 naut. à 20 n. Éq. 4 100 h. (dont 450 off.).

■ France. **Béarn** (cuirassé inachevé mis en chantier 1914, lancé avril 1920 transformé, entré en service 1927, déclassé 1939) 25 000 t, 182,6 × 27,12 m, 39 000 ch, 20 nd, 40 avions, **Dixmude** (ex-**Biter** brit. 1945), **La Fayette** (ex-**Langley** de 1922, amér. 1951, déclassé 1964), **Bois-Belleau** (ex-**Belleau Wood** 1953, déclassé 1962, 11 000 t, 32 nd., 26 avions), **Arromanches** (ex-**Colossus** brit. de 1944, cédé à la France en 1945, déclassé 1978, 14 000 tx, 211,15 × 24,5 m, 46 000 ch., 23,5 nd., auton. 12 000 nautiques à 14 n.), **Clemenceau** (1961) et **Foch** (p.-a. d'attaque légers, 1963 : 32 780 t, p.c. 265 × 51,2 m, Te 7,5 m, pont d'envoi 259 × 47 m, 8 800 m², 126 000 ch., 32 nd. auton., 7 500 naut. à 18 nd., 65 off., 332 off. mar., 831 h). **Charles-de-Gaulle :** p.-a. nucléaire, commencé 1987, essais 1997, entré en service 1999 (40 avions, 34 600 t, 83 000 ch., long. 261 m, larg. 31,5 m, 238 m × 31,50 m à la flottaison), Te 8,5 m, pont d'envol 261,5 × 64,36 m, 11 800 m²). Appontage : piste oblique (8° 30′) 195 m, 3 brins d'arrêt 34 m. 2 catapultes à vapeur : course motrice 75,08 m, une sur la piste oblique l'autre à l'avant. Hauteur 75 m. Vitesse 28 nœuds (53 km/h). Équipage 177 off., 890 off. mar., 833 h. Emporterait 35 à 40 appareils. Hangar : 138 × 29 m doublé par une galerie (surf. totale 4 600 m²). Ilot très à l'avant ; en arrière de l'îlot, 2 ascenseurs latéraux (36 t) pour 2 avions chacun. *Radars : DRBJ 11B - DRBV 26D - DRBV 15C - 2x Decca - 1 Arabel* lié au système *SAAM.* Sonar : néant. Contre-mesures : 1 détecteur de radars *ARBR 17* - 2 brouilleurs *ARBB38* – 4 lance-leurres *SAGAIE* – Syst. Syracuse II. Armement : 2 *SAAM* – 2 sys. Sadral - *8×20 AA F2.* Aéronefs : 35 à 40 aéronefs (avions de combat, de sûreté, hélicoptères *ASM*). Coût : 16,2 milliards de F (valeur 1992).

■ Ex-URSS. **Kiev** (1er p.-a. soviétique, 1976) : 44 000 t, 275 m de long, 30 n. Armé de SS-N-12 à longue portée lancés par 4 rampes doubles à l'avant. Env. 25 hélicoptères et 25 Adav/Adac. **Minsk, Kharkov et Novorossisk** (sov., 1981). Auraient les mêmes caractéristiques. Déclarés aux Turcs comme « croiseurs antisous-marins » pour emprunter le détroit (la convention de Montreux de 1936, qui garantit la liberté de circulation dans les détroits en temps de paix, interdit le passage de tout porte-avions jaugeant + de 10 000 t). 3 nouveaux porte-avions (+ de 65 000 t) appelés, pour tourner la convention, croiseurs porte-aéronefs tactiques, prévus avant l'an 2000 : **Admiral Kuznetsov** (ex-**Tbilissi** et ex-**Leonid-Brejnev**), **Varyag** (ex-**Riga,** achevé 1993) et **Uliyanovsk** (vers l'an 2000) de 75 000 t.

Nota. – Un porte-avions de poche est mis au point en G.-B. : déplacement 7 080 t ; longueur 133 m ; emporte 8 chasseurs à décollage vertical Harrier ou 8 gros hélicoptères anti-sous-m. ; équipage 385 h ; rayon d'action (à 16 n.) 4 500 milles nautiques.

Frégates lance-missiles

■ France. Antiaériennes : **Suffren** (1967) : 6 090 t. p.c. 157,6 × 15,5 m. 72 500 ch. 34 nd. 23 off., 143 off.-mar., 189 h. Missiles Masurca puis SM1, Malafon et plus tard MM 38 Exocet. **Cassard** (1988). 4700 t p.c., 139 × 14 m, 43 200 ch, 30 nœuds, 22 off., 142 off. mar., 80 h. 1 hélico WG13 Lynx. Missiles : 8 Exocet MM40, 1 rampe SM1 MR (40 miss.), 1 Sadral (39 miss. Mistral). Canon : 100 mm, 20 mm. 2 lance-torpilles (10 torp.). Antisous-marines : **Tourville** (1974) : 5 745 t.p.c. 152,7 × 15,3 m. 54 400 ch. 31 nd. 25 off., 150 off. mar., 188 h. Lutte anti-sous-marine. 5 radars, 2 sonars, 2 hélico. WG 13 Lynx, missiles Malafon, mer-mer 38 et Crotale. **Georges-Leygues** (déc. 1979) : 3 800 t. 139 × 14 m. Te 5 m. 42 000 ch. 29,75 nd. 19 off., 109 off. mar., 114 h. 1 tourelle 100 mm, 4 missiles MM38 Exocet, SACP Crotale, 2 catapultes pour torpilles L5, 2 canons de 20. 2 hélic. WG13 Lynx, 2 sonars, 4 radars. De surveillance : **La Fayette** (1995) : 3 280 t, p.c., 119 × 13,8 m, 20 000 ch, 25 nœuds, distance franchissable à 15 nd, 7 000 milles nautiques, 15 off., 62 off. mar., 57 h., logements pour 25 commandos. 1 hélico moyen/lourd avec AM39 et AS15. Missiles : 8 Exocet MM40, 1 rampe Crotale (16 miss.). Canon 100 mm. Radars : 2 de navigation/conduite hélico, 1 de veille, 1 de tir. contre-mesures électroniques. Conception modulaire permettant de renforcer ou varier (exportation) équipement et armement (Syracuse, Senit 7, SNTI, rad Arabel, miss Aster) en cas de conflit majeur.

Franco-britannique (projet). 6 000 t p. c., 215 h, turbines Rolls-Royce + diesels électriques, 27 nœuds minim. par mer forte, 64 missiles SAAM Aster 15 ou 30. Mission : escorte de convoi ou de porte-avions. Besoins : GB 12, Fr 4.

■ USA. **William Bainbridge** (nucléaire, 1962) : 8 000 t. 171,90 × 17,57 m. 120 000 ch. Autonomie 180 000 nautiques à 34 nd.

Croiseurs

■ France. **Colbert** (cr. lance-missiles, 1959) : 11 300 t.p.c., 180,8 × 19,7 m. Te 7,6 m. 86 000 ch. 31,5 nd. Aut. 4 000 à 25 n. Armement refondu (1970-72) ; mis. Masurca puis MM 38 Exocet. 2 tourelles de 100 AA. 6 affûts doubles de 57 AA. 24 off., 188 off.-mar., 348 h. Désarmé 24-5-91.

■ URSS. **Admiral Ushakov,** ex-**Kirov 1** (cr. lourd nucléaire lance-missiles). 24 000 t. 248 × 28 m. 150 000 ch. 20 SS-N-19 (32 mis.), 12 SAN-6 (96 mis.) et 2 SAN-4 (40 mis.).

■ USA. **Long Beach** (cr. lourd nucléaire, 1961) : 18 500 t. 219,75 × 22,25 m. Te 7,90 m. 80 000 ch. Aut. 140 000 naut. à 20 nd, 770 off., 979 h. **Mississippi** (cr. nucléaire, 1976) : 11 000 t.p.c. 117,3 × 18,5 m. 100 000 ch. plus de 30 n. : 2 rampes doubles (1 à l'av., 1 à l'ar.) lance-missiles.

Corvettes et avisos

■ France. **Floréal** (1991, surveillance et police) : 2950 t p.c., 93 × 14 m, 8 800 ch, 20 nœuds, 11 off., 36 off. mar., 42 h. 1 hélico Dauphin puis NH90. (élément majeur de leurs capacités de surveillance et d'intervention). Missiles : 2 Exocet MM38, 2 Mistral. 1 canon 100 mm. Radars : 1 de veille, 2 de navigation, 1 de tir. 1 syst. Saïgon. Construit aux normes mar. marchande (moindre coût). Logement pour 37 passagers dont 24 commandos. Infrastructure pour renforcement en cas de conflit. **D'Estienne-d'Orves** (aviso, 1975) : 1 170 t. 80 × 10,3 m. Te 3 m. 1 142 ch. 24 nd. 4 off., 29 off. mar., 31 h. 1 tourelle 100 mm, 2 canons de 20, 1 lance-roquettes de 375, 4 MM38 Exocet, 4 lance-torpilles L3 et L5.

Navires a effet de surface (NES)

Définition. Aéroglisseurs dont le confinement du coussin d'air est assuré par des quilles latérales minces permettant d'atteindre un tonnage de plusieurs milliers de t. *Vit.* 70 à 100 nœuds (185 km/h). Peu vulnérable aux torpilles et mines.

USA. NES de 3 000 t, vitesse 80 nœuds. Pourrait remplacer frégates et escorteurs dans la lutte contre les sous-marins.

Sous-marins (quelques types)

Légende. SNA : sous-marin nucléaire d'attaque (chasseur de bâtiments et sous-marins). SNLE : sous-marin nucléaire lanceur d'engins (dissuation).

■ France. SNLE : **Inflexible** (1985) : 8 080 t (surface)/8 920 t (plongée). 128,70 × 10,60 m. Te 10 m. Réacteur à uranium enrichi et à eau pressurisée alimentant 2 turbines à vapeur. Plongée : + de 200 m. 20 000 ch., vitesse > 20 nœuds en plongée, 16 en surface. 16 MBSS (M4 : portée 3 500 à 6 000 km selon nombre de têtes, lancement à 20 m d'immersion). 2 équipages de 137 h. (15 off., 80 off.-mar., 42 quartiers-maîtres et matelots) se relayant à l'issue de chaque patrouille de 73 j. 4 tubes de 533 mm pour lancement torpille ou missile Exocet SM39. Un médecin-chirurgien et 2 infirmiers anesthésistes, 1 table d'opération – équipement de soins dentaires, radio générale et dentaire –, une salle d'isolés. « Quart » assuré par tiers d'équipage 8 h de service par homme et par 24 h. En dehors, entretien du matériel et des équipements, loisirs et repos. En mission : assure la dissuasion en position de tir, en préservant une discrétion totale (plongée permanente sauf nécessité absolue, écoute et réception radio en plongée, aucune émission). **Triomphant** (1994) : 12 640 t (surface) / 14 120 t (plongée), 138 × 12,5 m, 25 nœuds. 111 h. 16 missiles M45 avec têtes améliorées (miniaturisation, pénétration) TN75. 4 tubes 533 lance-torpilles ou Exocet SM39. Plus automatisé, très gros effort sur la réduction des bruits rayonnés.

SNA : **Rubis** (1983) : 2 380/2 670 t ; 72,1 × 7,60 m ; 25 nd en plongée (46 km/h) ; équipage 66 h. (dont 8 officiers) ; *le plus petit SNA du monde.* **Améthyste** (1988, opérationnel en 1991) : 2 600 t en plongée, 73,6 × 7,6 m ; 25 nd ; équipage 68 h. (dont 8 off.), peut emporter 4 types d'armes (dont le SM 39 Exocet lancé en plongée sur indications amies), nouveau système de navigation et de combat informatisé.

Sous-marins classiques : **Agosta** (s.-m. d'attaque, 1976) : 1 400/1 725 t. 67,8 × 6,8 m. 3 000 ch. 20 nd en plongée. Aut. 8 000 naut. 7 off., 43 off. mariniers et marins. **Daphné** (1964) : 870/1 040 t. 57,7 × 6,7 m. Te 4,70 m. 1 600 ch. 16 nd en plongée. 6 off., 39 h.

Satellites militaires

■ **Satellites d'observation.** Ils espionnent mais aussi contrôlent l'application des traités de limitation des armements stratégiques. **Quelques étapes :** *Discoverer* (1959), *réseau amér. Midas* (1960), *Samos-2* lancé par les USA le 31-1-1961 aurait couvert en un mois toute l'URSS et repéré tous les silos de missiles. Il permit de découvrir que les Russes n'avaient que 14 fusées intercontinentales (alors qu'ils avaient parlé de 250) ; en oct. 1962, *Cosmos-10*, satellite russe, a révélé à l'URSS l'importance de la préparation militaire amér. en Floride et celle-ci l'a incitée à un repli dans l'affaire de Cuba ; en 1972 Génération « *Big Birds* » (long 15 m., masse 12 t.), perception des détails inférieurs au m.

Satellites actuels. Orbite : basse pour l'observation de la Terre, éventuellement inclinée, parfois polaire pour accroître la fréquence des passages aux latitudes moyennes et élevées et souvent héliosynchrone pour conserver les heures locales de passage du satellite. **Sat. infra-rouge + visible : USA** les *Keyhole* (KH) (1er en 1976, dernier le KH 11 amélioré) auraient des résolutions optiques décimétriques (détails observables légèrement inférieurs au demi-mètre). **Ex-URSS** les *Medres* ou *Hires*. 1 mètre de résolution optique pour Medres, et 0,50 m pour Hires. **France** réseau *Hélios* (1er lancement prévu 1994) ; l'ordre du m (Spot 10 m) de jour et sans nuage ; 2 sat. optiques complétés par des moyens d'écoute, altitude 800 km, + stations de réception, observation d'un même point toutes les 24 h si les 2 sat. sont en orbite. Coût : 10 milliards de F en coop. avec Italie (14 %) et Espagne (7 %). **Sat. Radar :** origine radar *Slar* (Side Lo Radar). Remplacé par le radar *Sar* (Synthetic Aperture Radar) ; radar permet l'observation tous temps. **USA** *sat. Lacrosse*, résol. env. 1 m. **Ex-URSS** *sat. Almaz*, résol. 15 à 30 m. **France** programme futur *Osiris* v. 2002-2003. **Espace** 1,8 % de la recherche mil. fr. (3,5 milliards de F sur 198).

■ **Satellites de communication.** Orbite géostationnaire à 36 000 km d'alt. en général, parfois inclinée (orbite *Molnya 12H*) et éventuellement polaire pour couvrir spécifiquement les pôles. Permettent liaisons sûres (chiffrées) entre états-majors et forces. **USA** *Afsatcom* (US Air Force), *Fleetsatcom* (Navy), *DSCS* et *Milstar* (Department of Defense). **Ex-URSS** *MPCS, Molnya 1* et *3, Gorizont, Raduga* etc. **France** système *Syracuse 2* sur satellites Telecom II. Lancement no 1 16-12-91, no 2 15-4-1992. Composantes : stations de contrôle, stations terrestres 60 (17 mobiles, 17 légères et 17 sur véhicules légers), navales 45 (dont 20 légères et 10 pour sous-marins).

■ **Satellites d'écoute. Orbite basse la plupart du temps inclinée. Mesurent l'environnement électromagnétique de la Terre (radar en particulier) et interceptent les communications au sol. USA** *Rhyolite, White Clouds ;* **ex-URSS** *Eorsat, Elint ;* **France** projet *Zénon* pour la fin du siècle. **USA Orbite géostationnaire** *Magnum, Chalet.*

■ **Satellites de détection de lancement (alerte avancée).** Orbite géostationnaire ou basse. Sat. destinés à détecter tout départ de missile ainsi que les essais nucl. (grâce aux rayons gamma). Peuvent contrôler l'application des traités de limitation des armements stratégiques. **USA** progr. DSP (dernier sat. lancé par la navette le 24-11-1991). *Ex-URSS.* Programme LDS 2. Les USA étudient le programme Brillant Eyes : 70 sat. d'acquisition et de poursuite de missiles, placés en orbite basse.

■ **Satellites de navigation.** Permettent aux mobiles de faire le point partout dans le monde, par tous les temps. **USA** le *Navstar* (21 satellites) sur orbite à 20 000 km remplace progressivement le système *Transit*. **Ex-URSS** systèmes *Glonass* et *Navsat.*

■ **Satellites météo.** Orbite basse. **USA** DMSP et *Geosat,* **ex-URSS** *Meteor.* **France** se raccroche aux satellites civils Meteosat.

■ **Satellites océanographiques. USA** sat. DMSP ; **ex-URSS** sat. *Rorsat* et *Océan-R.*

■ **Satellites d'interception.** Pourraient intercepter et détruire des missiles balistiques. **USA** projet *Brillant Pebbles.* Mais cette catégorie d'armement n'est, semble-t-il, pas en accord avec le traité ABM de 1972 (ratifié par USA et URSS).

D'après un traité ratifié en 1967 par USA, URSS et de nombreux pays de l'ONU, les signataires s'engagent « à ne mettre en orbite autour de la Terre aucun objet porteur d'armes nucléaires ou de tout autre type d'armes de destruction massive ». Les USA ont consacré 50 milliards de $ à leurs activités militaires dans l'espace de 1958 à 1983. 75 % des satellites américains et russes sont militaires. Voir aussi p. 1863 b.

■ Ex-URSS. SNLE : **Delta 3 :** 13 250 t, 155 m, 16 SS-N-18. **Typhoon** (1980) : 170 × 24 m, 20 000 t en surface, 29 000 t en plongée ; a 2 coques séparées par un coussin d'air, 20 missiles SSN-20 munis de 12 ogives chacun (portée 6 500 km) ; *le + gros du monde.* En service 6. SNA : **Alpha** (1980) : 80 m de long, 3 700 t, peut plonger à 800 m (94 km/h), coque en titane ; *le plus rapide du monde.* **Oscar** (1981) : 150 × 18 m, 14 000 t, 20 missiles de croisière SS-N-19 (portée 500 km). **Uniform** (1982) petit s.-m. nucléaire. **Mike** (1983) : expérimental. Long. 120 m, coque en titane, 7 800 t/surface, 9 700 t/plongée, vit. 36 nœuds, 95 h., plonge à 700 m, missiles SS N21 (portée 3 000 km). **Mir 1 et 2** (1988) pouvant descendre à 6 000 m, coque en acier coulé, poids 18,5 t.

■ USA. SNLE : [1er s.-m. : **Nautilus** (passa le 3-8-1958 sous la calotte glaciaire du pôle N., retiré du service en 1985), transformé en musée]. **Alabama :** 170 m, équipage 164 h., 24 missiles Trident. **La Fayette** (SSBN, 1963) : 6 650 t. 126 × 10 m. Te 9 m. 15 000 ch. 20 n. en plongée. 16 Polaris A2 ou A3 lancées à 30 m d'immersion (seront renforcées par des Poseidon). **Sewer 2** s.-m. nucléaire, long. 20 m, équipage 5 h. SNA : **Sturgeon** (1967) : 3 836 t. 89 × 9,6 m. Te 8,8 m. 20 000 ch. 30 nœuds en plongée. Aut. 100 000 naut. **Classiques : Ohio :** 16 764 t en surface, 18 750 t en plongée, 24 missiles avec chacun 8 ogives, portée 7 500 km.

Détection et défense

■ Détection des sous-marins. *Le s.-m. classique à propulsion diesel/électrique* doit, pendant 15 à 30 % du temps, être en immersion périscopique pour recharger ses batteries, le *s.-m. nucléaire* doit seulement faire le point astronomique au périscope pour régler le système de navigation par inertie. Un s.-m. se détecte au *sonar* (ultrason qui se réfléchit sur un obstacle) et à l'*hydrophone* (instrument d'écoute passive). Chaque s.-m. a son bruit. La marine amér. a installé un système de détection mobile à base de bouées et consacre en permanence 250 bâtiments de surface, 100 s.-m. et 7 500 avions ou hélic. (soit 1/3 du tonnage de sa flotte de combat) servis par 85 000 h. (soit 1/10 de ses effectifs) à la lutte anti-s.m. Les sons enregistrés par des micros aboutissent à un centre de contrôle à Norfolk (Virginie).

■ Défense contre les sous-marins. L'adversaire principal d'un SNLE est le s.-m. nucléaire d'attaque qui plonge aussi profondément et a aussi un rayon d'action pratiquement illimité avec une « vitesse silencieuse » plus élevée. Il peut s'embusquer à la sortie des bases de départ de s.-m. stratégiques ou se charger de la police des eaux côtières de façon à en interdire l'approche aux unités lance-engins.

Nota. – Les torpilles actuelles seront inopérantes contre les s.-m. nucléaires qui dépasseront 40 nœuds et plongeront au-dessous de 600 m.

Leurres contre les missiles. Fabrication de faux échos nuages de paillettes, voleurs de fenêtre de poursuite (superposition d'un écho plus fort synchronisé puis progressivement retardé et/ou modulé)... Les missiles récents sont munis de système antileurrage.

Mines

Déminage

■ Moyens maritimes. **Dragueur** (navire de quelques centaines de t). Certaines dragues mécaniques, sectionnent l'*orin* (câble maintenant une mine entre 2 eaux) ; d'autres, magnétiques, détruisent à distance les mines à influence qui reposent sur le fond de l'eau, en recréant le champ magnétique d'un navire par des câbles électriques ; d'autres, acoustiques, émettent les mêmes fréquences qu'un bâtiment en surface ou en plongée. Ce système est imparfait pour les mines à composantes dépressionnaires (la houle provoquée par un navire peut déclencher l'explosion) et certaines mines (ex. : orin) possédant des dispositifs antidrague.

Les navires français utilisent aussi un sonar de surveillance remorqué dont les enregistrements sont exploités, en temps différé, dans un centre informatique spécialisé à terre, qui permet de traiter de grandes surfaces.

Chasseurs de mines. Type Circé (coque en bois stratifié et collé ; moteur à bruit étouffé). **Chasseur de mines tripartite (CMT)** type Eridan. Construits en coopération Fr./Belg./P.-Bas. Coque magnétique en CVR (composite verre/résine). Propulsion électrique très silencieuse. Détectent les mines par leurs échos, avec un sonar rétractable installé sous la coque, et « interprètent » la forme géométrique de l'ombre à l'aide d'un sonar indépendant. Des *plongeurs démineurs* disposent ensuite une charge explosive sur la mine. Cette tâche peut être confiée à un *poisson autopropulsé (Pap)* qui dépose la charge à proximité de la mine (si l'eau n'est pas trouble, pour que la caméra de télévision fixée sur le Pap puisse repérer l'objet détecté au sonar).

■ Déminage. En France : *de 1945 à 1980,* on a retiré du sol 13 000 000 de mines, 23 000 000 d'obus et d'engins divers, 600 000 bombes (tonnage global 125 000 t de munitions). 589 démineurs sont morts en service commandé. Sur les côtes françaises Allemands ou Anglais ont mouillé 400 000 mines pendant la guerre de 1939-45. La plupart ont été détruites de 1945 à 1955, mais on en retrouve encore environ une soixantaine par an.

■ Dans le Golfe (1991). **Déminage maritime :** une force antimines a été constituée en mars 1991. Chasseurs de mines : 4 français, 3 italiens, 3 allemands, 3 belges, 3 néerlandais, 4 japonais et des anglais ; dragueurs : 2 allemands, 4 américains ; hélicoptères 6 (US) ; plusieurs groupes de plongeurs démineurs. 1 240 mines ont été découvertes et détruites (les plans de minage fournis par les Irakiens n'en recensaient que 1 157 dont beaucoup, mal mouillées, étaient en fait à la dérive).

Déminage terrestre. Les Allemands ont fourni des dizaines de « Fox », véhicules antimines terrestres (Thyssen, Henschel). Faute de moyens efficaces pour localiser les mines terrestres, l'armée américaine a transformé des chars avec à l'avant de longs bras d'acier portant des socs.

☞ Selon l'ONU, 100 millions de mines antipersonnel étaient actives dans le monde début 1993, tuant ou mutilant 2 000 personnes par an.

La Défense en France

Institutions

L'organisation de la Défense nationale en France découle :

I – De la Constitution. Le président de la République est le garant de l'indépendance nationale, de l'intégrité du territoire, du respect des accords de communauté et des traités (art. 5). Il est le chef des armées. Il préside les conseils et comités supérieurs de la Défense nat. (art. 15). Lorsque les institutions de la République, l'indépendance de la Nation, l'intégrité de son territoire ou l'exécution de ses engagements internationaux sont menacées d'une manière grave et immédiate et que le fonctionnement régulier des pouvoirs publics constitutionnels est interrompu, le Pt prend les mesures exigées par ces circonstances, après consultation officielle du Premier ministre, des présidents des assemblées ainsi que du Conseil constitutionnel. Il en informe la Nation par un message (art. 16). Il décide de l'engagement du Feu nucléaire (suppléance successivement assurée par le Pdt du Sénat ou le gouvernement collégialement).

La loi détermine les principes de l'organisation générale de la Défense nationale... (art. 34).

La déclaration de guerre est autorisée par le Parlement (art. 35).

L'état de siège est décrété en Conseil des ministres. La prorogation au-delà de 12 j ne peut être autorisée que par le Parlement (art. 36).

II – De l'ordonnance 59147 du 7-1-1959 et de ses décrets d'application. La Défense doit assurer en tout temps, en toutes circonstances, et contre toutes les formes d'agression, sécurité, intégrité du territoire et vie de la population. Elle pourvoit au respect des traités, alliances et accords internationaux (art. 1).

La politique de la Défense est définie en *Conseil des ministres*. Les décisions en matière de direction générale sont arrêtées en *comité de Défense* (présidé par le Pt de la Rép. et comprenant le PM, les ministres des Affaires étrangères, de l'Intérieur, de la Défense, de l'Économie et des Finances, de l'Industrie et, s'il y a lieu, sur convocation du Pt, les autres ministres pour les questions relevant de leur responsabilité), et en matière de direction militaire en *comité de Défense restreint* (présidé par le *Pt de la Rép.,* qui peut se faire suppléer par le PM qui réunit le comité à sa diligence et en fixe la composition pour chaque réunion). Le Gouvernement dispose du *Conseil supérieur de défense* (présidé par le Pt de la Rép.) dont la composition est fixée par décret.

Le Premier ministre. Il est responsable de la *Défense nationale,* il exerce la *direction générale* et la *direction militaire* de la Défense. Il formule les directives générales pour les négociations concernant la défense et suit le développement de toutes ces négociations. Il décide de la *préparation* et de la *conduite supérieure des opérations* et assure la *coordination de l'activité* en matière de défense de tous les départements ministériels.

Le ministre chargé de la Défense est responsable *sous l'autorité du PM* de l'exécution de la politique militaire (en particulier : organisation, gestion, mise en condition d'emploi et mobilisation des forces et de l'infrastructure militaire nécessaire). Il *assiste* le PM pour leur mise en œuvre. Il a autorité sur les forces et services des armées et est responsable de leur sécurité. Il est *assisté par :* **1°)** *Un chef d'état-major des Armées* (étude de plans, directives intéressant l'organisation générale et la mise en œuvre des forces armées). **2°)** *Un délégué général pour l'Armement* (étude, recherche et fabrication d'armement). **3°)** *Un secrétaire général pour l'Administration* (administration, finances, action sociale). **4°)** *Les chefs d'état-major* de l'armée de Terre, de la Marine et de l'armée de l'Air. **5°)** *Un dir. gén. de la gendarmerie nationale.* **6°)** *Un chef du Contrôle général des armées* (pour le contrôle de la gestion de son ministère). Il dispose des *états-majors de l'armée de Terre, de la Marine, de l'armée de l'Air* et des *inspections générales* (il préside le comité des chefs d'état-major, des *conseils supérieurs de l'armée de Terre, de la Marine, de l'armée de l'Air,* organes consultatifs et d'études propres à chaque armée ; du *Conseil permanent du service militaire* chargé d'élaborer des propositions relatives au service militaire, du *Conseil supérieur de la fonction militaire* qui examine les problèmes de la condition des cadres).

Les autres ministres sont chacun responsables de la préparation et de l'exécution des mesures de défense incombant à leur département. Il sont assistés par un *haut fonctionnaire* désigné à cet effet.

Le ministre de l'Intérieur prépare en permanence et met en œuvre la *Défense civile ;* il est responsable de l'ordre public, de la protection matérielle et morale des personnes et de la sauvegarde des installations et des ressources d'intérêt général.

Dans les zones où se développent des opérations militaires et sur décision du Gouvernement, le commandement militaire désigné devient responsable de l'ordre public et exerce la coordination des mesures de défense civile avec les opérations militaires.

☞ Dans le cas d'événements interrompant le fonctionnement régulier des pouvoirs publics et entraînant la vacance simultanée de la présidence de la Rép., de la présidence du Sénat et des fonctions de PM, responsabilités et pouvoirs de défense sont automatiquement et successivement dévolus au ministre chargé des Armées et, à défaut, aux autres ministres dans l'ordre indiqué par le décret portant composition du Gouvernement.

Conseils ou comités de défense réunis et présidés par le Pt de la Rép., assurent la direction d'ensemble de la Défense et, le cas échéant, la conduite de la guerre. Secrétariat tenu par le *Secrétariat général de la Défense nationale.*

Il peut, par décret pris en Conseil des ministres, être nommé chef d'état-major général des Armées. Sous l'autorité du Pt de la Rép. et du Gouvernement, il assurera alors le commandement de l'ensemble des opérations militaires, *sous réserve des dispositions particulières relatives aux forces nucléaires stratégique et préstratégique* pour lesquelles des procédures spéciales sont définies.

Le commandant des forces aériennes et océaniques stratégiques est chargé de l'exécution des opérations de ces forces *sur ordre d'engagement donné par le président de la République.*

Défense opérationnelle du territoire (DOT) conduite en liaison avec les opérations de défense extérieure, elle s'oppose aux forces ennemies (éléments implantés, parachutés, débarqués ou infiltrés). Les mesures de DOT complètent celles d'ordre public, prises dans le cadre de la Défense civile. Les commandants de zone de défense assurent la préparation des plans de DOT, conformément aux directives du PM, qui leur sont notifiées par le ministre de la Défense.

Politique militaire de défense

■ **Fondement. La Déf. nat. française fondée sur la dissuasion** s'appuie sur les forces nucléaires stratégiques (FNS) et tactiques (dites préstratégiques).

■ **Thèses sur la stratégie.** 1°) RETOUR DANS LE SYSTÈME DE L'OTAN et sous la protection américaine. *Inconvénient :* doute sur l'automaticité de cette protection, perte d'indépendance. 2°) SANCTUARISATION (Gal Gallois). La France ne doit pas s'occuper des pays qui l'entourent mais accélérer son armement nucléaire (surtout les sous-marins). L'hexagone est intouchable, mais lui seul. 3°) SANCTUARISATION ACCOMPAGNÉE DE ZONES D'INTERVENTION EXTÉRIEURES. Suppose une force d'intervention mobile de 50 000 h. disposant d'avions et de bateaux.

■ **Restructurations. Réductions de format Armées :** voir pour aspect territorial p. 1867 a, effectifs ci-dessous, budget p. 1874 a. *Mer, spécialisation des façades marit. :* Brest dissuasion et moyens de lutte anti-sous-marine, Toulon action lointaine et gestion des crises (voir p. 1871 c). *Air* (voir p. 1872 a) : la réduction du Cafda (chasse) pour mieux répartir les moyens. **Renforcement des capacités interarmes :** création d'une *direction* unique du *Renseignement Militaire* (DRM) relevant du CEMA. Création de *2 états-majors interarmes* (1 pour l'Europe, 1 hors Europe) et d'un *commandement des opérations spéciales* qui puiseront dans des *réservoirs de forces.* Regroupement des 3 écoles de guerre en 1 *collège interarme de défense ;* création *d'inspecteurs généraux des armées* qui remplacent les inspecteurs des 3 armes ; *rapprochement des services de soutien* à vocations similaires. Création d'une *Direction des Affaires Stratégiques* (DAS) au ministère de la Défense (études avec alliés, états-majors, DGA, DRM). **Accroissement des capacités de projection. Disponibilité opérationnelle différenciée (Dod)** [conséquence de la réduction du service militaire (voir p. 1877 c) et du contexte européen) : les forces ayant des appelés ne sont opérationnelles que lorsqu'elles ont eu le temps (4 mois) de parfaire leur instruction (2/3 des effectifs à un instant donné) ; les unités à disponibilité immédiate sont professionnalisées].

Effectifs budgétaires

■ Du ministère de la Défense

Effectifs budgétaires totaux. 1980 : 709 478. **1983 :** 721 123. **1987 :** 699 460. **1989 :** 685 791. **1990 :** 679 248. **1991 :** 670 137. **1992 :** 634 905. **1993 :** 613 809 (active 297 275, appelés 208 647, civils 107 887).

Effectifs militaires totaux. Y compris la gendarmerie. **1962 :** 1 027 807 (dont en Algérie 441 346 et outre-mer 42 004). **1965 :** 611 000 (dont Alg. 18 500 et O.-M. 37 000). **1970 :** 566 610. **1975 :** 584 405. **1980 :** 584 579 (dont O.-M. 16 408). **1985 :** 560 165 (+ 141 675 civils). **1986 :** 557 893 (dont active 309 571, appelés 248 322). **1988 :** 557 904. **1990 :** 549 647. **1991 :** 542 359. **1992 :** 522 323. **1993 :** 505 922.

Effectifs civils budgétaires. 1989 : 132 095. **90 :** 129 601. **91 :** 127 778. **92 :** 112 582. 93 : 107 887 (T 33 970, M 6 887, A 5 173, Gend. 983, Section commune 60 874).

Terre. Organisation structurelle (1993). 275 371 dont *de carrière ou sous contrat :* 103 347 [dont en 1992 officiers 18 020 (dont généraux 196, officiers supérieurs 7 070, officiers subalternes 11 585) ; sous-off. 58 289 (dont aspirants et élèves officiers 564) ; militaires du rang 28 215 [1]. *Appelés :* 138 054 (dont en 1992 officiers et aspirants 2 012 ; sous-off. 5 724). *Civils* 33 970.

Responsables

Ministre de la Défense : François Léotard (26-4-1942). **Chef d'état-major des Armées :** Amiral Jacques Lanxade (08-9-34). **Chef des états-majors interarmes :** Gal Bernard Janvier (16-7-39). **Major général des Armées :** Gal Jean-Philippe Douin. **Inspecteur général des Armées :** Gal Mary-Jean Voinot (30-4-34). **Délégué général pour l'Armement :** Henri Conze (17-4-1939). **Chefs d'É.-M.** *Terre :* G^al d'armée A. Monchal (27-08-35) ; *Marine :* Amiral A. Coatanea (27-03-33) ; *Air :* G^al d'armée aérienne Vincent Lanata (7-6-35). **Chef du contrôle gén. :** Contrôleur gén. Cailleteau (17-5-38). **Gendarmerie :** *Dir. :* Jean-Pierre Dintilhac (15-3-43). *Major G^al :* Gal Mary-Jean Voinot (30-04-34). **Direction gén. de la sécurité extérieure (DGSE).** *Dir. gén. :* Jacques Dewatre (5-6-1936). **Direction du renseignement militaire (DRM)** (créée 1992) : G^al de brigade Jean Heinrich 1941). **Directeur de la surveillance du territoire (DST) :** Jacques Fournet (7-2-46). **Secrétaire général de la Défense nationale :** Guy Fougier (13-3-32). **Commandant de la Far :** Gal Roquejoffre (28-11-33). **Commandant de la 1re armée :** Gal Jean Cot (6-4-34). **Commandant de la Fost.** Vice-Amiral d'escadre : Francis Orsini (17-3-34). **Inspecteurs généraux.** *Marine :* Amiral Michel Merveilleux du Vignaux (25-4-32). *Air :* G^al d'armée aérienne Claude Lartigau (13-12-37). *Terre :* Gal de Dinechin (30-9-31). *Gendarmerie :* G^al de corps d'armée Jacques Hérisson (20-4-33).

Quelques précisions

■ **Taux d'encadrement** (1992). Officiers et entre parenthèses sous-officiers (y compris les aspirants) en %. *Air* 7,8 (48,2). *Terre* 6,5 (22,4). *Marine* 7 (50). *Gendarmerie* 3 (85). *Ensemble* 6,5 (27,4). [RFA 5,5 (25,5), G.-B. 10,5 (32), USA 11 (50), ex-URSS 14 (28)].

Il y avait en *1960 :* 1 général pour 2 600 appelés, 1 off. sup. pour 87 appelés. En *1976 :* 1 général pour 1 200 ap., 1 off. sup. pour 35 appelés.

Nota. – (1) 38 000 prévus en 1997.

Marine. 71 298 [dont *active* 45 650 (1992 : off. 4 607 ; sous-off. 30 420 ; h. du rang 10 707) ; *appelés* 18 761 [dont en 1992 officiers et aspirants 650, sous-off. 80, militaires du rang 18 571] ; *civils* 6 887.

Répartition des militaires par armée

Années	Terre	Air	Marine
1962	721 102	139 873	78 506
1965	365 000	113 000	67 000
1970	321 916	104 263	69 141
1975	331 522	102 078	68 315
1980	314 253	100 625	67 937
1985	299 826	96 547	67 040
1990	288 553	93 118	65 294
1991	280 318	89 278	65 295
1992	260 925	91 717	64 835
1993	241 401	90 649	64 411

Air. 95 822 dont *active ou sous contrat* 55 959 (1992 : off. 7 249, sous off. 41 299, h. du rang 7 726) ; *appelés* 34 690 (1992 : off. 720, sous off. 1 232, h. du rang 33 491) ; *civils* 5 173.

Gendarmerie. 92 246 [dont *active* 80.161 (dont officiers en 1992 2 654 ; sous-off. 76 722 ; h. du rang 200)] ; *appelés* 11 102 (1992 : off. 143, sous off. 358, h. du rang 10 351) ; *civils* 983.

Section commune. 79 072 (dont *active* 12 158, *appelés* 6 040) ; *civils* 60 874.

Effectifs Outre-mer *1992 :* 19 740 dont Terre 11 373, Mer 3 339, Gendarmerie 3 135, Air 1 887, section commune 6.

☞ On peut considérer l'organisation des forces armées sous l'aspect fonctionnel par 4 systèmes de forces spécifiques et polyvalentes (forces nucléaires stratégiques, armement nucléaire préstratégique, forces classiques, forces d'outre-mer), et 5 de fonctions (recherches et essais, organismes de fonction, organismes de soutien des personnels, organismes de soutien des matériels, administration générale).

I – Systèmes de forces

A – Forces nucléaires

La France, qui n'est associée à aucune des négociations de limitation nucléaire Est-Ouest, a commencé d'elle-même à réduire son arsenal nucléaire. Le futur missile S 45 du plateau d'Albion a été abandonné. Les armes d'ultime avertissement (bombes AN-52) qui équipaient les avions Jaguar, Mirage III-E de l'armée de l'air et les Super-Étendard de la marine, ont été retirées du service et démantelées en 1991, au lieu de 1997. Les missiles sol-sol Pluton, dans les régiments d'artillerie, ont été retirés du service et démantelés en 1992, au lieu de 1994. La série des missiles Hadès a été limitée à 30 exemplaires (au lieu de 120), et le système a été stocké dans un camp de l'armée de terre.

Seuls, des armes d'ultime avertissement, ont été maintenus des missiles aéroportés ASMP, qui équipent 3 escadrons de Mirage 2000 et 2 flottilles de Super-Étendard.

La flotte des SNLF-Ng (sous-marins nucléaires de lance-engins de nouvelle génération) sera réduite à 4 – au lieu de 6 – et sa mise en service a été étalée. La marine a été autorisée à ne maintenir que 2 SNLF en permanence à la mer (au lieu de 3 précédemment). L'alerte des bombardiers Mirage IV (réduits à 15 exemplaires) a été allégée. Les exercices des forces nucléaires ont été réduits de 50 % de 1990 à 1993. Les essais nucléaires en Polynésie ont été suspendus en 1992. Le nombre d'ogives nucléaires a été limité à 450/470 (soit 4 fois moins que la seule Ukraine).

■ Organisation générale et territoriale (Armées 2000)

■ **Organisation générale.** Notre dispositif de défense était jusqu'au 1-9-1991 principalement axé sur la menace à l'Est. Il était par ailleurs très dépendant (pour logistique, gestion ressources humaines et budgétaires). Plan Armées 2000 se propose de restituer la « priorité à l'opérationnel » : en rendant aux échelons investis d'une mission la plénitude des responsabilités, en favorisant la coopération interarmes par un découpage territorial simplifié et harmonisé tenant mieux compte des réalités géopolitiques actuelles, en alignant l'organisation du temps de paix sur celle du temps de crise. Enfin pour améliorer le rapport coût/ efficacité une plus grande autonomie de gestion est laissée aux services, la subordination au commandement ne subsistant qu'à l'échelon central.

Les décrets Armées 2000 (entrée en vigueur 1-9-1991) prévoient le transfert, dès le temps de paix, aux commandements opérationnels, des responsabilités de commandement et de soutien logistique du temps de guerre. Au lieu de structures territoriales peu homogènes (6 régions militaires, 4 aériennes, 3 maritimes), on passe à 3 régions militaires de défense (RMD) communes aux armes (Terre, Air, Gendarmerie).

Organisation territoriale militaire

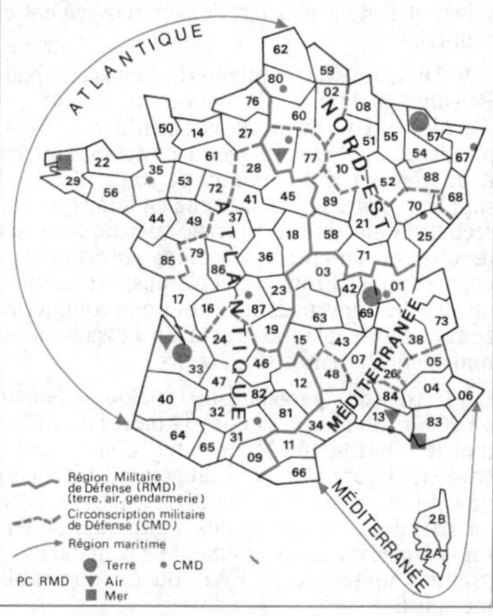

Nord-Est : pour faire face aux menaces de crises en Centre Europe ; *Méditerranée :* tournée vers le Sud et le monde méditerranéen ; *Atlantique :* pour assurer la liberté de nos approvisionnements océaniques et la sûreté de notre dissuasion. Aux RMD Atlantique et Méditérranée s'ajoutent 2 régions maritimes.

Pour l'Armée de terre, 8 circonscriptions militaires de défense (CMD), et 1 Commandement militaire de défense (CMD) autonome pour l'Ile-de-France remplacent les 22 divisions militaires territoriales. Les CMD deviennent zones de défense civile et militaire si des menaces directes exigent la mise en œuvre de la défense opérationnelle du territoire (DOT).

■ **Structures de défense civile et économique. Zone de défense. Limites territoriales :** celles de la RMD.

Le préfet du département chef-lieu de la zone de défense *(préfet de zone)* est le délégué des ministres placés à la tête des administrations civiles dans leurs responsabilités de défense.

1°) *Il dirige en matière de défense civile* (maintien de l'ordre et protection civile) l'action des préfets de région et des préfets des dép. de la zone.

2°) *Il assure la coordination* des mesures prises par les préfets de région pour l'emploi des ressources et l'utilisation de l'infrastructure en fonction des besoins civils et militaires.

3°) *Il fait,* en cas de rupture des communications avec le gouvernement, *prescrire la mise en garde* et les mesures nécessaires à l'exécution des plans de défense intérieure ou extérieure.

Il peut être remplacé par un *délégué du gouvernement. Il est assisté par : l'inspecteur général des Finances* dont la circonscription comprend le chef-lieu de zone pour les questions écon. intéressant la défense ; *l'officier général commandant la CMD* (qui coïncide avec la zone), consulté pour les problèmes de défense opérationnelle du territoire (DOT) ; le *Comité de défense de zone* composé des autorités civiles et militaires de la zone. *Il dispose d'un secrétariat général* permanent, dirigé par un membre du corps préfectoral qui prépare (à l'avance) plans et mesures, et d'un *Centre opérationnel de défense* (COD, organisme interministériel d'assistance).

■ **Circonscription d'action régionale.** *Préfet de région :* assure la défense économique (mise en œuvre des ressources). Le préfet de circonscription peut lui déléguer des pouvoirs en matière de défense civile. Il est assisté par la *Commission régionale de défense économique* composée de fonctionnaires appartenant aux services extérieurs des ministères (Économie et Finances, Intérieur, Armées, Industrie, Transports, Agriculture, Équipement, Postes et Télécom.) ; le *Service interministériel régional des affaires civiles et économiques et de protection civile (Siracepc)* pour les mesures de défense non militaire ; le *Centre opérationnel de défense.*

■ **Département.** Le préfet est responsable de la préparation et de l'exécution des mesures non militaires de défense. Un *délégué militaire départemental* représente le commandant de la CMD auprès de celui-ci. Le *trésorier-payeur général* du département est son conseiller pour les questions économiques intéressant la défense.

■ **Structures militaires territoriales. RMD Atlantique** (PC Terre, Gendarmerie et Air à Bordeaux). Comprend 3 CMD (circonscriptions milit. de défense) : Bordeaux (Aquitaine, Midi-Pyrénées), Limoges (Limousin, Centre, Poitou-Charentes), Rennes (Bretagne, Normandie, Pays de la Loire). **Méditerranée** (PC Terre et Gend. à Lyon, Air à Aix). 2 CMD : Lyon (Rhône-Alpes, Auvergne), Marseille (Provence, Languedoc-Roussillon, Corse). **Nord-Est** (PC Terre et Gend. à Metz, Air à Villacoublay) ; 3 CMD : Metz (PC fusionné avec celui de la RMD) (Alsace, Lorraine, Champagne-Ardenne), Lille (Nord-Pas-de-Calais, Picardie), Besançon (Bourgogne, Franche-Comté). **Autonome :** Ile-de-France (St-Germain-en-Laye).

■ **Éléments d'organisation spécifiques à chaque arme. Terre.** Réorganisation en 2 corps d'armée : état-major du 1er CA dissous (mais le PC de la 1re armée est déplacé de Strasbourg à Metz, et opérera en collaboration avec l'état-major de la Fatac). Articulation des 2 CA (voir p. 1868 c). *Organisation armée de terre* sous l'Autorité unique de tutelle (AUT)]. *Généraux AUT : chaîne de manœuvre :* commandement de la 1re Armée (éléments organiques d'armée, EOA) ou de la Far (Eofar) ou d'un corps d'armée (Eoca) ou de division ; *chaîne militaire de défense :* commandement de la circonscription ou de la région militaire de défense (CMD ou RMD) ; *chaîne de services :* directions centrales ou locales (CMD ou RMD) suivant le service ; *chaîne des écoles :* commandement des éc. ou comm. de l'éc., pour les + importantes d'entre elles.

Air. *Zones aériennes de défense (Zad) :* en 3 Zad. *Regroupements des vecteurs :* Forces aériennes nucléaires stratégiques et pré-stratégiques de l'Armée de l'air sous le commandement des Forces aériennes stratégiques (Fas, PC à Taverny). Avions de combat conventionnels, de chasse et de reconnaissance sous le commandement de la Fatac (Force aérienne tactique) (PC : Metz). Le Commandement air des forces de défense aérienne (Cafda) assure la défense aérienne avec les moyens de veille (radars sol et aéroportés), de défense sol-air : surveillance de l'activité spatiale, assure à terme les responsabilités confiées à l'armée de l'air pour la mise en œuvre du système interarmées *Hélios.* Le Commandement du transport aérien militaire (Cotam) conserve ses missions et ses moyens.

Mer. 2 régions maritimes englobant un ensemble de forces, bases et installations avec emprises terrestres (portuaires ou non) : *Atlantique* (chef Ceclant, PC à Brest), divisée en 3 arrondissements (Cherbourg, Brest, Lorient), commandés par des Comar pour les 2 arr. qui ne sont pas confondus avec le PC de région (Comar Cherbourg et Lorient) ; *Méditerranée* (chef Cecmed, PC à Toulon). **Préfets maritimes** (Premar) : 3 représentants directs des ministres, [ils exercent des responsabilités civiles sur le domaine maritime et coordonnent l'action des différentes administrations en mer (arrêtés préfectoraux réglementant circulation et activités maritimes, police)] : *Manche et mer du Nord* (assumés par Comar Cherbourg), *Atlantique* (Ceclant) et *Méditerranée* (Cecmed). **Zones maritimes** (commandement des forces de zone, surveillance et contrôle de l'activité maritime) : 7 pour l'ensemble des mers du globe placées sous l'autorité de commandants de zones dont 3 sont également Cdt de régions ou d'arrondissement (Ceclant/Premar Brest, Cecmed/ Premar Toulon, Comar Cherbourg), les 4 autres se répartissant les zones Atlantique Sud, Caraïbes, Pacifique et océan Indien.

■ **Restructurations (resserrement de format).** Prév. 1993 : 93 villes, 178 garnisons concernées ; 24 000 h. dont appelés 16 000, engagés 8 000, civils 4 750.

Mesures les plus notables : Terre *1993 : dissolution* de la 8e DI PC Amiens, majorité des régiments en Picardie dont 41e RIMA (La Fère, Aisne) ; du 8e régiment de hussards (Altkirch à 15 km de Mulhouse), du 153e RI (Mutzig) et du 57e régiment de transmissions (Mulhouse). **Mer** *1993 :* principalement touchés Lorient et Cherbourg. Regroupement des bâtiments de la flotte de surface sur Brest et Toulon. *Lorient :* le groupement amphibie quitte Lorient pour Toulon. La base opérationnelle avancée des 4 commandos marine disparaît. *Cherbourg :* dissolution de la flottille du Nord. Transfert à Landivisiau des Super-Étendard basés à Hyères. **Air** *1993 :* fermeture de la base de Fréjus St-Raphaël. *1994 :* de Strasbourg-Entzheim et transfert à Reims de la 33e escadre de reconnaissance.

Globalement, les crédits d'équipement affectés à l'armement nucléaire sont passés de 32,09 milliards de F en 1990 à 26,45 en 1993.

■ **Conditions d'emploi.** Les armes nucléaires stratégiques et tactiques (AN-52, ASMP et Hadès) ne peuvent être utilisées que sur ordre ou autorisation expresse du président de la République (ou, en son absence, du PM).

L'évaluation des menaces est élaborée au Coda (Centre opérationnel de la défense aérienne) dans des galeries bétonnées sous 60 m de gypse. En alerte permanente, le réseau Coda permet de détecter tout appareil dans une zone aérienne de 6 millions de km² (2 400 km de côté) ; il centralise l'information grâce au système Strida (voir Index). Un réseau de guet à vue (vision humaine) est disposé aux frontières pour prévenir les pénétrations à basse alt. Tout avion non identifié provoque le décollage d'un intercepteur. Cet ensemble de détection est vulnérable aux tirs d'engins précis.

Ordres de tirs : sont transmis soit par le Centre d'opérations des forces aériennes stratégiques (Cofas), installé à Taverny (Val-d'Oise), éventuellement relayé à Mont-Verdun (Rhône) et à Évreux aux postes de tir des missiles enfouis au plateau d'Albion (Vaucluse) et aux escadrons de bombardiers Mirage IV et 2000 N, soit par Alfost (Centre des opérations de l'amiral commandant la Force océanique stratégique), à Houilles, aux sous-marins nucléaires, en patrouille. Le réseau Astarté créé 1989-90 (avion station-relais de transmissions exceptionnelles) est, avec 4 PC volants Transall, capable de relayer les PC qui auraient été rendus inopérants (avec lesquels il est en relation par le réseau Ramsès).

☞ **Programme Hermès (1989) :** coût 1,37 milliard de F ; réseau maillé de transmissions, réparti sur 80 sites ; transmettra l'ordre d'engagement venu de l'Élysée aux Forces aériennes stratégiques et aux Forces préstratégiques (le réseau Astarté deviendra son sous-programme).

Programme Ramsès (réseau amont maillé stratégique et de survie). Réseau de transmissions protégé contre les menaces adverses et l'IEM (impulsion électromagnétique) reliant les PC des centres de décision gouvernementaux à l'avion Astarté, aux principales unités de forces nucléaires stratégiques, aux PC des forces nucléaires préstratégiques et aux systèmes d'armes associés, aux abonnés concourant à la mise en œuvre de l'arme nucléaire. Programme mis en service.

■ **Forces nucléaires dans le budget militaire** (en %). *1961-1965 :* 27,6. *66-70 :* 49,5. *71-75 :* 37. *80 :* 31,2. *81-85 :* 31,4. *86-90 :* 24,5. *91 :* 22,1. *92 :* 20,8. *93 :* 13,6.

■ **Effectifs totaux forces nucléaires (1993).** 25 349 (dont 11 648 milit. act., 6 962 ap. et 6 739 civ.)

■ Composantes

■ **Aérienne. Forces aériennes stratégiques (FAS) :** *1992 :* 9 941 (dont 5 316 mil. act., 4 359 ap. et 266 civ. dépendant du Cofas).

Forces pilotées : appareils : Mirage IV PASMP [1er escadron en service en 1992 : 18 appareils (retrait en 1996)]. Mach 2 pendant env. 50 min. L'équipement permet la pénétration basse altitude tout temps et le ravitaillement en vol. **Mirage 2000 N** (4e escadre de chasse, 7 escadrons). ARMEMENT DES APPAREILS : AN 52 (bombe nucléaire de 25 kt) ou ASMP (missile air-sol moyenne portée) : propulsés par statoréacteur, long. 5 m, 800 kg, portée de 100 à 300 km, vit. Mach 2 à 3, tête 100 à 300 kt à fission, manœuvrant sur programme pour contourner relief et éviter passage sur défenses adverses, durci pour résister aux ABM. *Coût d'investissement* : 32 milliards de F + missiles ASMP 6,8. *C-135 F-R* (1 escadre : 11 appareils). *Rafale* (projet), doté d'un missile air-sol longue portée (ASLP), portée 750 km, qui pourrait être développé en coopération avec la G.-B.

☞ L'alerte permanente des Mirage IV a été supprimée en 1975, la dissuasion des sous-marins en patrouille étant suffisante. L'alerte reste fixée à 12 h. Mais la force aérienne est vulnérable aux armes balistiques. La dispersion des avions serait envisageable s'il y avait un préavis suffisant (peu vraisemblable).

Forces balistiques : sur le plateau d'Albion à St-Christol (Vaucluse, 500 ha répartis sur 36 000 ha). Site choisi en raison de l'altitude (qui accroît la portée), de la faible concentration de population. Les conditions climatiques devaient permettre une accessibilité en toute saison des zones de lancement et des postes de conduite de tir. Groupement de missiles stratégiques (GMS) de 2 unités de tir (1re opérationnelle dep. 2-8-1971, 2e dep. 23-4-1972) armées chacune de 9 missiles sol-sol balistiques stratégiques (SSBS). [Prévu à l'origine 54 puis 27 silos. Missiles : S3D (longueur 13,8 m, diam. 1,5 m, 25,8 t, portée 3 500 km, charge thermonucléaire mégatonnique).] Les unités sont commandées chacune par un poste de tir [à Rustrel (Vaucluse), et Reilhanette (Drôme), distants de 26 km], enfoui à 400 m de profondeur, accessible seulement par une galerie de 1 500 m formant plusieurs angles droits. 6 réseaux de transmission indépendants les relient au Cofas (en particulier les systèmes Tigre et Vestale). En outre, il existe un réseau survie, le Tos (transmissions par ondes de sol).

Dans ces postes, 2 officiers veillent par roulement de 24 h, recevant directement du Gouvernement l'ordre de tir sur des cibles désignées d'avance. Les *silos* sont distants d'au moins 3 km les uns des autres. La zone militaire entourant chaque silo représente un carré de 200 m de côté (les cultures du plateau sont conservées). Chaque silo (profondeur 24 m ; fermé par 1 porte d'acier de 140 t) enferme 1 missile qui peut s'élancer 1 min après la réception de l'ordre de tir. Le durcissement des sites contre les effets de l'impulsion magnétique a été achevé en 1984.

☞ *A terme le site est condamné* : la précision des engins soviétiques (env. 300 m), la puissance de chacune de leurs ogives permettent de le neutraliser. L'entretien représente 0,5 milliard de F par an ; la modernisation coûterait 30 milliards de F.

Missile sol-sol balistique mobile. Programme abandonné (déclaration ministérielle du 22-7-91). Le territoire français et son réseau routier ne se prêtent pas à ce genre de transport qui ne peut souffrir le moindre risque (accident ou attentat). La proposition de les cantonner dans des camps militaires avec ordre de dispersion en cas de crise n'a pas semblé convaincre les responsables politiques.

ASLP (Air-sol longue portée). Projet dérivé de l'ASMP : portée 600 à 1000 km + rayon d'action avion, tête 300 kt. *Avantages:* coopération internationale possible (G.-B. non confirmée pour le moment). Souple d'emploi, peut être déployé partout (avec têtes classiques si nécessaire). *Inconvénients :* plus repérable, moins affranchi des conditions extérieures, vulnérable au sol (destruction préventive des bases)

■ Maritime. **Force océanique stratégique (FO-ST). Effectifs :** 4 906 (act. 3 842, appelés 1 064). **Puissance globale de destruction :** 72 mégatonnes. *Sous-marins* 5 SNLE (sous-marin nucléaire lanceur d'engins) tous refondus M4 [16 missiles Mirv haut. 10,70, diam. 1,90 m, 36 t, portant 6 têtes de 150 kt TN70 ou TN71 (plus légère et discrète) ou TN75 (furtive avec leurres), portée 3 500 à 6 000 km selon têtes emportées] : le *Terrible* (1972), le *Foudroyant* (1974), l'*Indomptable* (1976), le *Tonnant* (1980), l'*Inflexible* (1985) ; SNLE (NG) [nouvelle génération : programme 81,5 milliards de F, 14 120 t, 16 missiles, emporte M 45 (3 étages, 35 t, 6 têtes TN-75, portée 6 000 km)] discrétion renforcée : 5 ou 4 prévus 1994 à 2007 ; 1er en service : le *Triomphant (1996),* 2e le *Téméraire* (1997), 3e le *Vigilant* (2001). Voir sous-marins p. 1864 c. **Projet** M-5 (missile à 10 charges, 8 000 km) pour équiper les SM en 2002. Coût du programme fin 1988 (est.) : 53,1 milliards de F.

Les SNLE sont basés à l'île Longue, à Brest (80 ha + 30 ha gagnés sur la mer : 300 000 m³ de béton coulé, plusieurs km de galeries percés ; 2 bassins jumeaux couverts, de 200 m de long). A quelques km, sur 185 ha, dispositif souterrain pour montage, entretien et stockage des missiles et des têtes nucléaires. Après 5 ou 6 ans de service, ils entrent en grand carénage (13 mois) ; après 10 à 12 ans, en refonte (2 ans). Chacun a 2 équipages de 135 h. se relayant sans discontinuer et effectuant des croisières sous-marines de 73 j (90 j max.). 3 SNLE sont en patrouille permanente. Leur commandement est assuré à partir du PC de Houilles (Yvel.), relié en permanence aux SNLE en patrouille par le centre de transmissions de Rosnay (Indre) (puissance moyenne rayonnée d'env. 500 kW, signaux basse fréquence pénétrant dans l'eau pour réception en plongée) et une station de secours à Kerlouan (Finistère).

Nota. – Proportion des forces nucléaires sol/sol (en silos) : 8,2 % de la force nucléaire française (USA 25 % ; URSS 75 %). Amér. et surtout Soviét. en raison d'une stratégie de coercition (destruction préventive des armes de l'autre de manière à ne pas avoir à en subir les effets) voulaient des armes précises et très nombreuses (cas de l'URSS). La France n'envisageait qu'une stratégie de dissuasion.

■ Spatiale. Budgétairement regroupée avec les forces nucléaires, quoique militairement son emploi puisse être plus général. Repose essentiellement sur 2 programmes (voir p. 1865 a satellites militaires) : *Syracuse* (transmissions) et *Hélios* (observation tributaire du jour et de la météo), étude de 2 *satellites dotés de capteurs infrarouges* (coût 4 MdF horizon 1998) ; des satellites radars (*Osiris*).

■ Armement nucléaire d'ultime avertissement. **Forces aériennes :** 3 escadrons de Mirage 2000 N. **Forces terrestres :** 1 régiment Hadès en veille technique et opérationnelle. **Forces maritimes :** 2 flottilles de Super-Étendard.

EFFECTIFS : 192 (act. 167, appelés 25). Flottilles armées du missile ASMP. Basées à Landivisiau ou embarquées à bord des porte-avions *Clemenceau* et *Foch* (40 aéronefs chacun).

■ Hadès (dieu des Enfers dans la mythologie grecque) : *système* semi-balistique dans l'atmosphère avec pilotage automatique. Statoréacteur 1,5-2 t. *Portée* 480 km. *Précision* excellente. *Puissance* 80 kt. *Coût : 1990 (est.) :* 17,5 milliards de F pour 120 missiles et 60 véhicules lanceurs. *92 :* 10 à 11 milliards de F pour un programme réduit à 30 missiles et 15 lanceurs ; pourrait être doté d'armes à rayonnement renforcé (b. à neutrons), en nombre limité. Missile très supérieur au Pluton en matière de pénétration (vitesse, manœuvres terminales...). Les éléments Hadès sont regroupés (mais non déployés) au sein d'un régiment en garnison à Suippes (Marne) (30 missiles sur 15 véhicules) : l'armée de l'air conserve les têtes nucléaires ; la Force Hadès est composée du 15e Rgt d'artillerie et du 53e Rgt de transmissions. Hadès remplace les Pluton [mis en service en 1974, long. 6,3 m, 2 t (3 avec le conteneur de lancement) à 1 étage, portée 17 à 120 km, précision 200 à 400 m, charge à fission au plutonium de 10 à 25 kt] qui ont été démantelés.

☞ **Critiques adressées à nos forces nucléaires. Terrestres et aériennes :** *vulnérabilité* des 18 S3 d'Albion en silos fixes, 80 ASMP répartis sur des aérodromes ; *portée du Hadès et rayon d'action du Mirage 2 000 N insuffisants,* la menace principale s'étant déplacée 1 000 km plus à l'est. D'où la réduction du programme et le stockage.

■ B – FORCES CLASSIQUES

■ 1 – FORCES TERRESTRES

■ GÉNÉRALITÉS

■ Effectifs (1993, non compris soutiens, forces nucléaires et d'outre-mer). 196 561 h. (dont 74 549 mil. act., 114 208 ap. et 7 804 civ.) dont corps blindé et mécanisé 86 418, force d'action rapide (FAR) 61 061, forces de défense du territoire 26 743.

■ Principaux matériels. 4 chars Leclerc, 1 000 chars AMX 30 et B2, 325 AMX 10 RC, 192 ERC 90 Sagaie, 135 VAB Hot, 3 840 VAB, 253 canons de 155 AUF1, 39 canons de 155 tractés, 364 mortiers, 1 440 postes antichars Milan, 181 postes sol-air Roland, 344 hélic. SA 341 et 342, 133 hélic. de transport SA 330 Puma, 22 hélic. de transport Super Puma, 10 Fennec AS 555, 2 210 m de pont flottant motorisés (PFM), 115 postes sol-air très courte portée (SATCP), 48 EBG.

PRINCIPALES COMPOSANTES

■ Corps blindé mécanisé (CBM). **Effectifs :** 108 372 h. (guerre 148 000) + force d'appui et de soutien 3 000 h. (guerre 43 000). **Organisation :** état-major de 1 corps d'armée et éléments organiques, et participation au corps européen, divisions blindées, 1 div. d'infanterie, 2 div. légères blindées issues des écoles. **Capacité :** *chars :* 658 AMX 30 B2, 350 AMX 30 ; *artillerie :* 250 canons de 155 AUF1 et TRF1 + 50 lance-roquettes multiples (LRM) (2 régiments) ; *blindés canons à roues* (AMX 10 RC) : 130 (la FAR en a 180) ; *hélicoptères :* 103 (la FAR a 242 hél.) ; *VAB/Hot :* 72 ; *missiles antichars :* 1 400 postes Milan ; *Roland :* 181 ; *SATCP* (missile sol-air à très courte portée) 150 fin 92, 212 à moyen terme.

Articulation du corps d'armée 3e CA (PC à Lille) : 2e DB (Versailles), 7e DB (Besançon), 10e DB (Châlons-sur-M.), 15e DI (Limoges), prov. 12e DLB. Unités déjà dissoutes : 3e DB en août 1991 ; 5e DB (Landau) en août 92 ; 8e DI en juill. 93.

■ Force d'action rapide (FAR). **Effectif :** 47 636 h. PC à Maisons-Laffitte. **4e DAM (division aéromobile)** Nancy. *Potentiel :* 6 000 h., 105 TRF 1, 242 hélic., + de 400 lance-missiles antichars. 3 régiments d'hélic. de combat, 1 r. de combat aéromobile, 1 r. d'hélic. de commandement, de manœuvre et de soutien. *Mission :* détruire ou arrêter les forces vives blindées ennemies (ne conquiert ni ne défend le terrain). Peut combattre seule ou en précédant les forces blindées mécanisées amies, obtient son meilleur rendement conjugée avec celle de la 6e DLB.

6e DLB (division légère blindée) Nîmes. *Potentiel :* 7 500 h., 72 blindés canon, 24 VAB/Hot, 340 VAB, 36 pièces d'artillerie et mortiers lourds, 48 Milan. 2 régiments blindés sur roues, 2 r. d'infanterie sur VAB, 1 r. d'artillerie incluant une batterie sol-air, 1 r. de génie, 1 r. de commandement et de soutien.

9e Dima (division d'infanterie de marine) Nantes. *Potentiel :* 8 000 h., 36 blindés canon, 48 pièces d'artillerie et mortiers lourds, 120 Milan. 2 rég. d'inf. motorisée, 2 r. blindés avec 1 escadron antichar, 1 r. du génie, 1 r. de com. et de soutien, 1 r. d'inf. supplémentaire lui est rattaché en temps de paix (il reçoit une mission territoriale spécifique en temps de crise ou de guerre). *Aptitude particulière :* être engagée par voie routière, aérotransport, héliportage ou par des moyens amphibies pour conquérir une zone de sûreté et l'infrastructure nécessaires à l'acheminement de renforts ultérieurs.

11e DP (div. parachutiste) Toulouse. *Potentiel :* 13 000 h., 36 blindés canon, 54 pièces d'artillerie et mortiers lourds, 168 Milan. 6 rég. d'infanterie, 1 de cavalerie légère blindée, 1 du génie, 1 d'artillerie, 2 de com. et de soutien. Peut être engagée, groupée ou articulée en groupements organiques ou temporaires, seule ou en complément de la manœuvre des grandes unités de la FAR ou du corps blindé mécanisé.

Unités de para-commandos CRAP (Commandos de recherche et d'action dans la profondeur) : 160 chuteurs opérationnels spécialisés dans la lutte contre les arrières adverses.

Nota. – En mars 1990, force d'urgence de 180 parachutistes de la 11e DP larguée pour la 1re fois à 6 000 km sans escale au Togo.

27e DA (division alpine) Grenoble. *Potentiel:* 9 000 h., 36 blindés canon, 60 pièces d'artillerie et mortiers lourds, 108 Milan. 5 corps d'infanterie, 1 r. blindé à roues avec un escadron antichar, 1 r. d'artillerie, 1 bataillon du génie, 1 r. de commandement et de soutien. *Unités:* Grenoble, Annecy, Briançon (15/9), Gap (4e RCA), Chambéry, Varces, centre d'entraînement en montagne de Barcelonnette (166 permanents, 520 stagiaires) et groupement d'instruction de Jausiers (101 permanents et 267 appelés)].

■ Forces d'appui du corps de manœuvre. 11 202 h. (forces d'appui de CBM et de la FAR, forces d'appui logistiques, forces stationnées à Berlin, élément français de la brigade franco-allemande).

■ Forces de défense militaire terrestre. 26 743 h. (articulées en *forces du niveau* zone de défense ; du niveau circonscription militaire de défense d'appui des forces de défense militaire terrestre).

■ Forces françaises stationnées en Allemagne (FFSA). En 1990 et, entre parenthèses, en 1993 : *corps d'armée* 1 ; DB 3 (1) ; *formations* 79 (45) ; *garnisons* 33 (17) ; *effectifs militaires* 46 256 (23 604) ; *personnels civils* 9 070 (4 150).

Ces forces ont été partiellement retirées d'Allemagne entre 1991 et 1994. 7 garnisons devant être totalement évacuées : Fribourg, Offenbourg, Reutlingen, Kaiserslautern, Munsingen, Neustadt, Friedrichshafen (la 1re DB et la BFA resteront à la disposition du corps européen).

Ces retraits résultent du traité « 4 + 2 » signé à Moscou le 12-9-1990 marquant la réunification de l'Allemagne, du traité FCE sur la réduction des forces conventionnelles en Europe et de la réduction des effectifs dans l'armée de terre de 285 000 à 230 000 h. (pour raisons budgétaires).

Domaine militaire en métropole

■ **Composition** 4 000 emprises réparties dans 400 garnisons, sans compter les installations à la disposition des FFA et de nos forces à l'étranger. **Superficie totale** 268 000 ha, 32 millions de m² de surface bâtie développée et 63 millions de m² hors œuvre, 5 430 immeubles dont 500 casernements, 40 écoles et centres d'instruction, 280 établissements de soutien.

■ **Principaux camps militaires (superficie en ha). Est :** *Suippes* (Marne) 13 500, *Mailly* (Aube) 12 000, *Mourmelon* (Marne) 11 400 (dont annexe de Moronvilliers 2 000), *Sissonne* (Aisne) 6 000, *Le Valdahon* (Doubs) 3 500, Bitche (Moselle) 3 500. **Ouest :** *Coëtquidan* (Morbihan) 5 300 (réservé aux écoles d'officiers), *Fontevrault* (Maine-et-Loire) 3 250, *Chambaran* (Isère) 1 600, *Le Ruchard* (I.-et-L.) 1 440, *Bourg-Lastic* (P.-de-D.) 810. **Sud :** *Canjuers* (Var) 35 000, *La Courtine* (Creuse) 6 200, *Caylus* (T.-et-G.) 5 500, *Les Garrigues* (Gard) 5 000, *Le Larzac* (Aveyron) 4 600 au 1-10-78 [1 projet d'extension à 16 600 ha, afin de donner à chaque régiment la possibilité d'effectuer 3 séjours de 3 semaines par an et de faire manœuvrer ses unités élémentaires, qui avait déchaîné l'opposition des paysans du Larzac soutenus par des écologistes, a été abandonné par le Pt Mitterrand en juin 1981].

☞ **% de la superficie des pays occupés par les camps militaires.** Hongrie 1,9 ; ex-All. dém. 1,85 ; Tchéc. 1,3 ; ex-All. féd. 0,7 ; G.-B. 0,58 ; *France 0,45* ; Pologne 0,36.

Forces fr. stationnées à Berlin (FFSB) (juil. 1991) : 2 500 h. dont 60 % appelés, 1 150 civils (surtout allemands), avec les familles plus de 6 000 pers. *Armée de terre :* 2 160 h. dont 1 état-major, 1 régiment d'infanterie (46ᵉ RI), 1 de chars (11ᵉ RC, 39 chars AMX 30 équipés combat urbain), 330 h. armant la BA 265 et 1 cie du génie, armes et services de soutien. *Air :* 330 h. armant la BA265. *Gendarmerie :* 1 détachement prévôtal réduit veillant à la sécurité et au respect de la législation. *Service de santé :* pour ces forces et leurs familles. *Retrait :* en 1994.

Brigade franco-allemande : *créée* 1988. *État-major (à Mullheim) :* 31 Fr. et 22 All. 200 chars de combat, 1 000 véhicules, 4 200 h. dont 2 063 Fr. [1 escadron de reconnaissance à Mullheim, 1 régiment blindé à Pforzheim et le 110ᵉ Rég. d'infanterie à Donaueschingen (équipés de Vab)] et 2 137 All. [1 bataillon d'infanterie à Donaueschingen, 1 bat. d'artillerie, 1 compagnie de génie et 1 comp. de chasseurs de chars basée à Immendingen. Le bat. mixte de commandement et de soutien à Mullheim. La mixité n'est pour le moment assurée qu'au quartier général et au bataillon de soutien. Les autres unités sont pour le moment nationales. En temps de crise, la brigade peut passer sous contrôle opérationnel soit allemand (forces territoriales), soit français, soit Otan. Elle sera sous commandement opérationnel du Corps européen le 1-10-1993.

■ **Corps européen (Eurocorps).** Voir p. 1884 a.

■ **Forces stationnées outre-mer.** *Potentiel* (1992) 11 573 h. (active 5 361, appelés 4 366, civils 1 646). *Organisation : 1°)* forces de souveraineté dans les DOM-TOM (Martinique, Guadeloupe, Guyane, Réunion, Mayotte, N.-Calédonie et Polynésie) et dans 4 États liés à la France par des accords de défense (Sénégal, Côte-d'Ivoire, Gabon, Djibouti). *2°)* env. 15 unités élémentaires de toutes les armes effectuant des séjours outre-mer de 4 à 6 mois, soit en renfort des forces précédentes, soit dans le cadre des éléments français d'assistance opérationnelle (EFAO), en Rép. centrafricaine. Au titre de l'assistance milit. technique, l'armée de terre fournit à 30 États, dont 20 en Afrique, + de 650 h. *3°)* env. 1 500 h. effectuent des séjours de 6 mois au sein de la Force intérimaire des Nations unies au Liban (Finul) dans le cadre du bataillon français ou du 420ᵉ détachement de soutien logistique.

■ Organisation structurelle

Corps d'armée (CA). *Composition :* 50 000 à 70 000 h. répartis entre : 3 ou 4 divisions, dont au moins 1 d'infanterie ou 1 légère blindée issue des écoles ; des éléments organiques de CA dont une partie peut être mise en renforcement des divisions, comprenant env. 15 régiments incluant des moyens de commandement (transmissions, acquisitions d'objectifs), des moyens de combat (cavalerie légère blindée, aviation légère) et des moyens d'appui (artillerie sol-sol et sol-air, génie, circulation routière et défense NBC), 1 brigade logistique chargée d'assurer ravitaillement, maintien en condition et soutien santé de toutes les formations ; une grande unité de la Far, ou une grande unité alliée, peut être donnée en renfort au CA ou placée sous son contrôle opérationnel.

Division blindée. *Composition :* 2 ou 3 régiments de chars, 2 d'infanterie mécanisée, 1 du génie, 1 escadron d'éclairage et une compagnie antichar, 1 rég. de commandement et de soutien. *Effectifs :* 10 000 h. *Matériel :* AMX 30 (174 à 190), AMX 10 (114), VAB (280), moyens antichars et mortiers (48 Milan, 13 mortiers 120, 12 VAB/Hot). Les rég. d'artillerie seront dotés de 32 155 AU F1 à grande cadence de tir.

Nota. – Char Leclerc. Besoins : 1 000 au total. Ainsi le régiment blindé français compterait 80 chars (au lieu de 52) avec 2 bataillons chacun, et se rapprocherait de l'organisation des régiments de chars russes.

Division d'infanterie. *Composition :* 3 régiments d'infanterie, 1 blindé, 1 d'artillerie incluant une composante sol-air, 1 bataillon du génie, 1 r. de com. et de soutien. *Effectifs :* 7 500 h. *Matériel :* 400 VAB, 96 Milan, 3 AMX 10 RC, 24 155 BF, 18 mortiers 120, 1 SATCP.

Division légère blindée-école. Constituée à partir des personnels et matériels servant en temps de paix à l'instruction des cadres de l'armée de terre. *Composition :* 2 régiments d'infanterie, 2 r. blindés, 1 r. d'artillerie, 1 compagnie du génie, 1 r. de commandement et de soutien. *Effectifs :* 5 000 h. *Matériel :* 35 à 54 chars, 100 véhicules blindés, 30 pièces d'artillerie et mortiers lourds, 36 à 48 Milan.

■ Armes et Services

Aviation légère de l'Armée de terre (ALAT)

■ **Organisation.** *Commandement :* Villacoublay. *Régiments d'hélicoptères de combat :* au niveau du corps d'armée et de la Far (4ᵉ division aéromobile), articulés en escadrilles de renseignement, antichars et de manœuvre. *Groupes d'hélic. légers* articulés en plusieurs esc. au niveau du corps d'armée ou de la zone de défense. **Écoles :** *Dax* (spécialisation) ; *Cannet-des-Maures* (application). **Effectifs :** 7 300 h.

■ **Appareils utilisés.** Alouette 2, SA3130 et SA318C : 136. Alouette 3 : 63. Gazelle SA341 : 155. SA342 : 187. Puma SA330 : 135. Super Puma Cougar AS532 : 24. Ecureuil Fennec AS555 : 2. Avion Caravan : 2.

Arme blindée cavalerie

■ **Origine.** *1942* née de la fusion de la cavalerie et des chars de combat. **Écoles :** *Saumur et camp de Fontevraud* (à proximité), *Carpiagne* (centre d'instruction des pilotes et des tireurs), *Canjuers* (centre de perfectionnement et de contrôle de l'instruction du tir), centre d'instr. missile. **Effectifs :** env. 30 000 (soit 10 % ; carrière sous contrat : 1 864 officiers, 5 095 sous-off., 2 485 engagés ; appelés : 220 off., 630 sous-off., 15 000 militaires du rang).

■ **Organisation. Unités RSI** *(renseignement sûreté intervention) :* au sein d'un corps d'armée, d'une division d'infanterie ou d'une division légère blindée. *Effectifs :* 50 officiers, 150 sous-off., 750 mil. du rang. *Structure :* 1 UCL (Unité de Commandement et de Logistique), 3 escadrons à 12 engins blindés soit 36 AMX 10 RC ou ERC 90, 1 esc. antichar à 12 VAB-Hot ou 24 Milan sur VBL ou VLTT. **Unités de chars :** au sein d'une division blindée. *Effectifs :* régiment à 70 chars : 45 officiers, 150 sous-off., 650 mil. du rang ; rég. à 52 chars : 40 off., 120 sous-off., 530 mil. du rang. *Structure :* 1 UCL, 3 ou 4 esc. à 17 chars, ultérieurement avec le futur char Leclerc, régiments à 80 chars soit 6 esc. à 13 chars utilisables en 2 groupements de 3 esc.

■ **Matériels majeurs en service.** *Chars AMX 30 B2* (650 livrés 1981-92) : 36 t, 65 km/h, autonomie 18 h de combat, capacités de franchissement en submersion 6 m, canon 105 mm, canon coaxial et antiaérien de 20 mm, mitrailleuse 7,62 mm, conduite de tir automatique, télémétrie laser, équipements de vision nocturne : intensification de lumière et télévision à bas niveau de lumière (équip. thémographique en cours). *AMX 10 RC :* 16 t, 85 km/h, autonomie 700 km ou 20 h de combat, apte au franchissement amphibie, canon 105 mm, mitrailleuse coaxiale 7,62 mm, conduite de tir automatique, télémétrie laser, équipement de vision nocturne : intensification de lumière et télé à bas niveau de lumière. *ERC 90 Sagaie :* 8 t (amphibie, autonomie 800 km), canon 90 mm, télémétrie laser, portée 2 000 m, mitr. 7,62 mm. *VAB-Hot :* 13 t, 85 km/h, apte au franchissement amphibie, tire le missile Hot, filoguidé, à guidage infrarouge, portée 3 900 m, 12 missiles emportés par véhicule, mitr. 7,62 mm. *Milan :* 25 kg, monté sur VAB, VBL ou VLTT P4, utilisable à terre, missile filoguidé, à guidage infrarouge, portée 1 900 m. *VBL (véhicule blindé léger) :* 3,8 t, autonomie 600 km, amphibie, mitrailleuse 7,62 mm, peut emporter le Milan, remplace progressivement une partie du parc des VLTT P4. *VLTT P4 (véhicule léger tout terrain) :* 2,5 t, autonomie 500 km, peut recevoir mitr. 7,62 mm ou 12,7 mm ou Milan.

Artillerie

■ **École d'application (EAA).** *Draguignan.*

■ **Organisation. Brigade Hadès** (voir p. 1868 b). Directement aux ordres du chef de l'État (portée des missiles 450 km).

Artillerie sol-sol. Régiment d'artillerie : équipé de 155 AUF1, commandés 1991 (automoteur de 155 mm ; 6 coups en 45 sec.), de 155 tracté (3 coups en 15 sec.), de Ratac (radar de tir de l'artillerie de campagne, capable de localiser des véhicules jusqu'à 20 km), de VOA (véhicule d'observation de l'avant) avec caméra thermique Castor, télémètre laser et équipement de navigation inertiel NSM20. **Régiments LRM :** 2 en cours de dotation LRM (lance roquettes multiples, portée 32 km), et du système de commandement CT3 Atlas. **Rég. spécifiques :** rég. d'artillerie parachutiste et rég. d'art. de montagne. Les rég. de réserve des Divisions d'infanterie sont équipés de canons tractés 155 BF 50 (6 coups en 2 min.). **Transmissions et commandement :** par le système de transmissions automatique de données, de gestion et de calcul des tirs Atila (CT3 pour les régiments LRM).

Artillerie sol-air. Régiment Roland 3 ou 4 batteries de 8 véhicules Roland (missile sol-air basse altitude, portée 6 km) avec radar de surveillance, radar de tir, système d'identification et calculateur. **Batterie Mistral** de 6 sections, de 6 postes de tir (missile SATCP, sol-air, très courte portée, portable, guidé par infrarouge). **Régiment Hawk** de défense antiaérienne contre avions supersoniques, missiles Hawk (portée 40 km), radar de veille, de poursuite, illuminateur, centre de contrôle ANTSQ73 équipé d'un terminal de transmission automatique de données AL 73.

Acquisition. Unités d'acquisition (missile CL 289, portée 200 km avec transmission en temps réel jusqu'à 70 km des images recueillies). **Unité géographique** (travaux topographiques, cartographiques et d'impression).

Infanterie

■ **Missions.** Héliportée, parachutée ou véhiculée : protection rapide de forces, intervention en terrain difficile, conquête, occupation et défense du terrain, interposition ou missions humanitaires.

■ **Personnel. Effectifs :** 54 150 dont 3 650 off., 8 500 sous-off., 42 000 h. du rang. **Écoles et centres de formation :** Éc. d'application de l'Infanterie (EAI) de Montpellier, Éc. des Troupes aéroportées de Pau, Éc. militaire de Hte Montagne de Chamonix, Centre d'entraînement et d'instruction au tir opérationnel du Larzac, Centre nat. d'entraînement Commando de Montlouis, Centre d'instruction et d'entraînement au combat en montagne de Barcelonnette. **Traditions :** St-Maurice : fête du patron de l'Infanterie (le 23-9), commémoration de la bataille du Garigliano en mai.

■ **Matériel. Armement :** *antipersonnel :* Famas 5,56 (« clairon »), peut lancer des grenades antipersonnel à 240 m et antiblindés à 75 m, portée 400 m ; fusil de précision FRF 2, portée 600 m ; arme automatique AA 52 (versions fusil-mitrailleur et mitrailleuse), portée 600 m ; canon mitrailleur de 20 mm, portée 1 000 m ; grenades à main offensives et défensives ; mines ; mortiers de 81 mm, portée 3 200 m, m. de 120 mm, portée 13 000 m. *Antichar :* grenade à fusil, portée 75 m ; mines ; lance-roquettes (LRAC) de 89 mm, (portée 400 m) et APILAS (500 m) ; missiles Sol-Sol Eryx (600 m), Milan (2 000 m) et Hot (4 000 m).

Véhicules : *camionnettes tactiques* Simca Marmon, TRM 2000, *camion tactique* Berliet, *véhicule de l'avant blindé* (VAB), *chars* AMX 13 (canon, lance-missiles), *véhicules transport de troupe* VTT AMX 13 ou AMX 10 amphibies.

Transmissions : TRPP 11 (portée 5 km) à terre ; TRPP 13 et TRVP 13 (portée 13 km) pour véhicule ; TRVP 213 (portée 30 km) véhicules. En cours de remplacement par des matériels (PR4G).

Renseignement et combat de nuit : *radars* Rasura (montés sur Jeeps), portée 5 km, et Olifant (portables à dos d'homme), portée 2 km. *Caméras infrarouges* pour le tir des missiles ; *jumelles à intensification de lumière* (IL) et *lunettes de tir* IL.

■ **Unités de l'infanterie. 1°) Infanterie blindée** (60 % des fantassins en 1993). **RIB/X 10** (régiments d'infanterie blindée sur AMX X 10). *Éq. principal :* 50 VTT chenillés AMX 10 avec canons de 20 mm, capacités tous temps et amphibie ; 16 canons antichar chenillés (AMX 30, canons de 105 mm, porté 2 000 m). *Autres éq.* : 215 véhicules, 18 postes de tir Milan, 162 roquettes antichars Apilas, 29 lance-roquettes antichars (LRAC) et 6 mortiers de 120 mm. *Effectifs* : 1 060 h. *Articulation* : 1 compagnie de commandement et logistique (CCL) avec 1 section de mortiers lourds (SML) et 1 section d'éclairage et de reconnaissance (SER) ; 1 cie de chars ; 3 cies de combat rapproché (CCR). **Rib/Vab** (Régiments d'infanterie blindée sur Vab). *Équipement principal* : VTT à roue, 92 Vab (véhicules de l'avant blindés ; canon de 12,7 mm ; capacité « tous temps » et amphibie). *Autres équipements* : 212 véhicules, 24 Milan, 234 Apilas, 43 LRAC, 8 mortiers de 81, 6 mortiers de 120 et 4 canons sol-air. *Effectifs* : 1 180 h. *Articulation* : 1 CCL, 4 CCR, 1 cie d'éclairage et d'appui (CEA).

2°) **Infanterie légère** (35 % des fantassins en 1993) notamment Infanterie parachutiste, Inf. alpine, Inf. de la divison aéromobile ; peut être mise en place dans de courts délais et combattre en terrain difficile (montagne, zones urbaines, boisées). **Régiments d'infanterie parachutiste.** *Éq.* : 212 véhicules, 24 Milan, 228 Apilas, 60 LRAC, 8 mortiers de 81, 6 mortiers de 120 et 14 canons sol-air. *Effectifs* : 1360 h. *Articulation* : 1 CCL, 1 CEA, 4 CCR. **Rég. (ou bataillons) d'infanterie alpine.** *Éq.* : 202 véhicules, 14 Milan, 180 Apilas, 34 LRAC, 6 mortiers de 81, mortiers de 120 et 4 canons sol-air. *Effectifs* : 1 000 h. *Articulation* : 1 CCL, 1 CEA, 3 CCR. **Régiment de combat aéromobile.** *Éq.* : 458 véhicules, 45 Milan, 8 LRAC et 18 canons sol-air. *Effectifs* : 1 450 h. *Articulation* : 1 CCL, 1 Cie d'appui, 1 Cie légère de renseignement ; 1 Cie du génie ; 3 Cies antichars ; 1 Cie d'intervention. 3°) **Infanterie spéciale** (5 % des fantassins en 1992) régiments particuliers ou petites équipes au sein des rég. d'inf. légère. Renseignement et combat sur les arrières.

■ **Les familles traditionnelles.** Légion étrangère, chasseurs, parachutistes et infanterie de marine ont tous des régiments d'inf. blindée, d'inf. légère voire d'inf. spéciale.

1°) **Légion étrangère. Histoire : 1831** *créée* par une ordonnance royale du 10-3 qui spécifiait sa vocation à servir « hors du territoire du Royaume » (cette exclusivité a été levée). *Formée* avec d'anciens membres de la garde suisse et du régiment Hohenlohe encadrés par des officiers français, elle participera à la conquête de l'Algérie. **1835** cédée à l'Espagne, elle l'aidera à réduire l'insurrection carliste de 1835 à 1838. Parallèlement, une 2e Légion, créée le 16-12-1835, poursuivra la conquête de l'Algérie.

1855 engagée en Crimée à Sébastopol. **1859** sous le nom de 1er et 2e Régiments étrangers, en Italie à Magenta. **1862** *25-3* arrive au Mexique ; elle y perdra 31 officiers, 1 917 sous-off. et légionnaires. Là, le 30-4-1863, dans l'hacienda de *Camerone,* 3 officiers et 62 légionnaires du capitaine Jean Danjou résistent une journée à 2 000 Mexicains (1 200 cavaliers, 800 fantassins du colonel Milan), en tuant 300 et en blessant 300. Le soir, les 6 derniers survivants chargent à la baïonnette. Le nom de ce combat est inscrit sur tous les drapeaux de la Légion. Amputé de la main gauche en 1853, le capitaine Danjou portait, depuis, une prothèse en bois. Retrouvée le 1-5-1863 sur les lieux du combat, elle est exposée dans la crypte du musée de la Légion et chaque année, lors de la prise d'armes du 30-4, est présentée aux troupes. **1870-71** participe à la guerre, puis retourne en Algérie. **1875** reprend son nom de Légion étrangère. **1883** envoyée au Tonkin protéger les populations contre les Pavillons-Noirs à Tuyen-Quang : 600 légionnaires résistent à 20 000 Chinois. **1892** engagée au Dahomey contre Béhanzin, puis au Soudan et à Madagascar. De retour à Sidi-bel-Abbès, engagée dans le Sud-Oranais où les nomades multiplient les razzias.

1914-18 stationnée au Maroc, rentre en France ; 36 644 volontaires étrangers et 6 329 Français passeront, en 52 mois de guerre, dans 4 « Bataillons de marche » de la Légion encadrés par les anciens légionnaires ; les pertes les réduiront, à la fin des combats, à un rég. de marche (RMLE) qui sera le 1er de tous les régiments de l'armée française à recevoir la Médaille militaire (août 1919) ; décoré de la Légion d'honneur, il a 9 citations. **1920-26** contribue à la pacification du Maroc ; en Syrie, lutte contre les Druzes. **1935** comprend 18 000 Allemands. **1939** nombreux engagements de républicains espagnols : 5 régiments et 1 groupement de reconnaissance divisionnaire étranger sont constitués en France. *14-7* 1er port du *képi blanc.* **1940** *avril,* la 13e demi-brigade participe à l'expédition de Narvik (Norvège), puis en mai-juin 1942 à Bir Hakeim (Libye). A El-Alamein, le colonel Amilakvari est tué. **1942** combat en Tunisie, puis Italie. **1944** débarque en Provence. Lors de sa remontée vers Belfort, incorpore un bataillon de Russes blancs servant alors dans la Wehrmacht.

> **Troupes suisses au service de la France.** Louis XI, encore Dauphin du Viennois, avait apprécié la valeur des Suisses en 1444 à la bataille de la Birse. Devenu roi, il en engagea dans ses armées (10 000 en 1480). En 1497, Charles VIII créa la Compagnie des Cent-Suisses, gardes du corps qui se maintiendront jusqu'en 1830. En 1516 (un an après la bataille de Marignan), François Ier signa avec les cantons un traité d'alliance perpétuel qui permit à la France de recruter en Suisse de 6 000 à 16 000 h. de pied en temps de paix, et un nombre illimité en temps de guerre, à condition que les officiers soient suisses. Ils formèrent un corps d'élite (gardes suisses) sous l'Ancien Régime et furent les derniers à défendre Louis XVI. Intégrés par Napoléon aux régiments de la Grande Armée, les Suisses furent reconstitués en corps distincts par Louis XVIII en 1814 (régiment de Diesbach). Supprimés par Louis-Philippe en 1830, ils formèrent l'ossature de la Légion étrangère.

1945-54 en *Indochine* perd 109 off., 1 082 sous-off. et 9 092 h. du rang. Diên Biên Phu (13-3/7-5-1954), fournit env. 50 % des troupes avec 4 régiments d'infanterie, 1 r. de cavalerie blindée, 2 bataillons de parachutistes et diverses formations autonomes (génie, transport, entretien), elle perd 1 500 h. et a 4 000 blessés. **1954-62** en *Algérie,* 20 000 lég. participent au maintien de l'ordre. Après la guerre d'Algérie, en 1962, elle perdra 55 off., 278 sous-off., 1 633 h. du rang. *En avril 1961,* lors du putsch, le 1er REP (Régiment étranger parachutiste) se rallie au Gal Challe (il sera dissous le 30-4-1961 à Zeralda), mais pas le 1er Régiment étranger. **1962**-*24-10* quitte Sidi-bel-Abbès (qu'elle avait fondé en 1842), brûle le pavillon chinois qui, pris en 1884 à Tuyen-Quang, ne devait pas quitter Sidi-bel-Abbès, emporte la main de bois du capitaine Danjou, les reliques du musée du Souvenir et exhume les cercueils du Gal Rollet « père de la légion », du P[ce] Aage de Danemark (1887-1940, petit-fils du roi Christian IX) et, symboliquement, du légionnaire Heinz Zimmermann, dernier tué d'Algérie qui seront transférés à Puyloubier, près de Marseille. **1969-71** au Tchad. **1978** rappelée ; le 2e REP, avec le colonel Érulin, protège nationaux et Européens au Zaïre contre les rebelles katangais (raid sur Kolwezi), puis revient au Tchad, au Liban où la Légion fait partie de la force d'interposition.

Engagement : minimal de 5 ans, peut être résilié par le commandement et par l'intéressé pendant 6 mois probatoires. 60 % des lég. rengagent pour différentes durées. Le candidat n'est pas obligé de donner sa véritable identité. La Légion lui garantit son anonymat, le protégeant contre toute ingérence relative à son passé. Il est alors juridiquement une « non-personne civile », et ne peut ni se marier, ni obtenir un permis de construire, ni acheter une maison, ni même une voiture. Il peut retrouver son identité civile à sa demande (procédure de régularisation de situation militaire) ou à son retour à la vie civile. Une enquête de sécurité permet d'éviter le recrutement de condamnés de droit commun (sauf les petits délits) : aucun délinquant recherché par Interpol ne peut être admis.

Effectifs : *1960* : 40 000. *80* : 7 500. *85* : 8 356. *92* : 8 500 [(dont 350 off., 1 400 sous-off., 6 750 lég.) dont 38 % de Français, 62 % d'étrangers de 107 nationalités]. *Engagés* : 1 600 en 1992 (8 000 candidats) dont 1/3 francophone, 1/3 pays de l'Est, 1/3 reste du monde. *Motivation de l'engagement* : idéal 20 % ; problème social ou familial 80 %. *Délinquance* : moyenne pour 1978 0,08 % (199 actes délictuels), contre 0,61 % pour l'ensemble de l'armée française. *Chevrons d'ancienneté* (dep. 1929) : 1 = 5 ans.

Implantation en 1991 : *France* : *Aubagne* (B.-du-Rh.), commandement de la Légion et 1er RE « maison mère » qui regroupe les services communs de la Légion ; le 4e RE (école) assure la formation de base, la formation de spécialité, la formation des cadres non-officiers ; 3 régiments font partie de la 6e division légère blindée et participent aux missions de la FAR. *Nîmes,* 2e RE d'inf. *Orange* (Vaucluse), 1er RE de cavalerie. *L'Ardoise,* 6e RE du génie, créé juillet 1984. Des Cies tournantes sont détachées hors métropole en fonction des besoins. *Guyane,* 3e REI (régiment étranger d'inf.), assure la sécurité du centre spatial de Kourou, patrouille à la frontière du Brésil et participe à la construction de la « route de l'Est » à travers la forêt vierge. *Djibouti,* 13e DBLE (demi-brigade de la Légion étr.), assure, avec d'autres unités françaises, l'assistance aux forces de la républ. de Djibouti. Le 2e REP, inclus dans la 11e division parachutiste, participe aux missions d'intervention extérieure et au tour des unités présentes à Djibouti. *Mayotte,* détachement. *Mururoa* (Polynésie), 5e REI, travaux d'équipement et d'entretien du centre d'expérimentation du Pacifique, sécurité terrestre.

Marche : *Le Boudin* composé en 1862 par Wilhelm (2e étranger). Épaulettes vertes et rouges.

☞ Dep. 1868, grenade à 7 flammes dep. 1874 (symbole qui désigne les Cies d'élite). Les généraux Franco et Milan Astray ont créé en 1920 une légion étrangère espagnole, le *Tercio,* pour servir au Maroc. Pendant la guerre civile, elle comprenait 90 % de volontaires espagnols.

2°) **Chasseurs à pied. Créés** par le duc d'Orléans en 1840. Infanterie légère pour participer à la conquête de l'Algérie. Se distinguèrent particulièrement en sept. 1854 au combat de *Sidi Brahim* où 400 ch. du 8e BCP et Hussards du 2e RH résistèrent contre env. 6 000 cavaliers d'Abd el-Kader. Il y eut 16 survivants menés par le caporal Lavayssière. **Composition :** 3 groupes de ch. stationnés en Allemagne (inf. blindée, mécanisée sur AMX 10) : 8e GC Wittlich, 16e GC Saarburg, 19e GC Villingen. *4 bataillons de ch. alpins* (origine 1888) (inf. légère) : 6e BCA Varces, 7e BCA Bourg-St-Maurice, 13e BCA Chambéry, 27e BCA Annecy. École militaire de Hte Montagne (EMHM) à Chamonix. **Traditions :** tenue bleue et un unique drapeau confié à la garde d'un bataillon différent chaque année. Défilant au « pas chasseur » (rapide), les ch. « sonnent » (chantent) la Sidi Brahim avec ou sans fanfare (musique).

3°) **Parachutistes. Origine :** 1er RCP créé 1943 à Fez (Maroc), aujourd'hui à Souges, 9e RCP à Pamiers, 2e REP (légion) Calvi, 6e RPIMA Mont-de-Marsan, 3e RPIMA Carcassonne, 8e RPIMA Castres, 2e RPIMA La Réunion. *Traditions* : pour la plupart, béret rouge (chasseurs parachutistes de l'infanterie métropolitaine ou para. de l'inf. de marine), le 2e REP qui sauta sur Kolwezi en 1978 porte le béret vert. Le 29-9, fêtent la St-Michel.

4°) **Infanterie de marine (les « marsouins »).** Principale composante des troupes de marine. Régiment d'infanterie blindée et d'infanterie légère (60 %).

GÉNIE

■ **Constitution. Arme et service.** *Formations de combat* (régiments, compagnies etc...), et *formations de travaux d'infrastructure* (directions et établissements). Présent en France, dans DOM-TOM et à l'étranger (accords de coopération).

■ **Arme du génie.** *Missions* : favoriser le mouvement des troupes amies (franchissement de cours d'eau, dégagement des obstacles, déminage), entraver les mouvements de l'ennemi (obstacles, destructions, minage..) ; renforcer la protection des unités amies (enfouissement, fortifications, abris, minage...) ; participer aux mesures d'aide aux populations civiles.

Articulation et moyens : *à l'échelon de l'armée* : un régiment du génie (appui du corps de manœuvre) ; *du corps d'armée* : 1 à 2 rég. du génie (obstacles, terrassements et franchissement) ; *de la division blindée* : 1 rég. du génie de div. blindée (combat, franchissement, obstacles) ; *de la Far* : 5 rég. du génie ; 1 rég. au niveau du commandement de la FAR et 1 rég. pour chacune des div. (div. para., div. légère blindée, div. d'inf. de marine, div. alpine). *Division aéromobile* : 1 seule cie du génie. Tous ces régiments sont dotés de matériels de combat, de franchissement et de pontage, de terrassement, de minage et de déminage, de forage, de mines et d'explosifs.

Matériels de franchissement : *PAA* : pont automoteur d'accompagnement. Pour brèches inférieures à 40 m, pose d'1 ou 2 travures de 20 m. La pose bout à bout nécessite un chevalet. *PFM* (pont flottant motorisé) : modules de 10 m équipés de 2 propulseurs. Construction de 100 m de pont classe 60 en 1 h 30 par 100 hommes. *EFA* : engin de franchissement de l'avant. Pont de 36 m de long avec un seul engin. Un pont de 100 m composé de 4 engins est bouclé en 15 min. Peut être utilisé en bac. *Bac automoteur amphibie Gillois* : passage en discontinu de véhicules en classe 50. Délai de mise en œuvre : 10 min. *MLF* (moyen léger de franchissement) : essentuellement prévu pour le franch. en discontinu (portière). Permet le passage de véhicules en classe 14. Délai de construction : 1 portière en 30 min. par 20 h.

■ **Service du génie.** Service constructeur de l'armée de terre. *Missions* : gestion du domaine immobilier de la défense (sauf ports et aérodromes) ; travaux d'infrastructures ; participation aux plans de défense territoriale, aux mesures d'aides aux populations civiles. **Articulation :** direction centrale ; service technique des bâtiments, fortifications et travaux (organisme d'études) ; directions du Génie (une par CMD) ; établissements du Génie.

■ **Écoles.** *Pour l'arme* : Éc. d'application du génie à Angers ; Centre éc. des plongeurs de l'armée de Terre à la Valbonne ; quelques centres d'instruction. *Service* : Éc. sup. du génie mil. à Versailles.

Troupes de marine

■ Origine. *Infanterie de Marine* (créée 14-5-1831). Héritière des « compagnies ordinaires de la mer », mises sur pied par Richelieu en 1622 pour tenir garnison à bord des vaisseaux royaux. *Artillerie de Marine* (en 1692, avait été créé un corps d'artillerie de la marine et des colonies) et *Service de santé de la Marine*. Groupes autochtones : *tirailleurs* sénégalais (1853), gabonais, haoussas, annamites (1879), tonkinois (1884), sakalaves, soudanais (1892). Appelés troupes coloniales (de 1901 à 1958), puis troupes d'outre-mer de 1958 à 1961. Effectifs (1992) : 34 100 h. dont 10 100 engagés, 6 000 sous-off., 2 100 off., 16 100 app.

■ Vocation principale. Service outre-mer. Dans les DOM, des unités mixtes troupes de Marine-Génie, constituent le service militaire adapté (SMA). Outre-mer. *Antilles et Guyane :* 33ᵉ Rima (régiment d'inf. de Marine). Corps interarmes, 9ᵉ Rima (bataillon). 41ᵉ Rima. *La Réunion :* 53ᵉ BCS. 4ᵉ RSMa. 2ᵉ RPIMa (Régiment parachutiste d'inf. de M.). *Martinique :* 1ᵉʳ RSMa. *Guadeloupe :* 2ᵉ RSMa. *Nouvelle-Calédonie :* Nouméa : Régiment d'inf. de M. du Pacifique (Rimap), 42ᵉ BCS. Corps inter-armes. *Polynésie :* Tahiti : rég. d'inf. de M. de Polynésie (Rimap).

Afrique noire. *Dakar (Sénégal) :* 23ᵉ Bima. *Port-Bouët (Côte-d'Ivoire) :* 43ᵉ Bima. *Libreville (Gabon) :* 6ᵉ Bima. *Djibouti :* 10ᵉ BCS, 5ᵉ RIAOM (rég. interarmes d'outre-mer).

Europe. Principalement intégrée dans la Far et, à un moindre degré, dans les f. de manœuvre.

☞ **Assistance militaire technique :** env. 130 off. et 150 s.-off.

Train

■ Origine (voir Quid 1982 p. 1373).

■ Écoles. *D'application du Train (ETA) :* Tours (nov. 1945).

■ Organisation et moyens. **Ravitaillement :** *transports routiers :* 1 ou 2 escadrons de transport par division ou circonscription militaire de défense, 1 régiment à 4 ou 5 escadrons de transport par corps d'armée, 3 ou 4 escadrons au niveau de l'armée de terre. Un escadron dispose en général de 60 véhicules tous chemins ou routiers, capacité 4 à 26 t, 26 avec remorque, TRM 4000, Berliet GHC8KT (4 t), TRM 10000 (10 t) semi-remorque de gamme commerciale (20 à 25 t). Le VTL et le TRM 10000 sont équipés de plateaux déposables. *Livraison par air :* 2 régiments pour l'armée de terre moyens de manutention de 1,5 t à 15 t. *Transbordement maritime :* 1 régiment et 5 escadrons de manutention et de tri pour l'Armée de terre. Grues 4 à 60 t, chariots porte-conteneurs 40 t élévateurs 1,5 t à 15 t. *Appui aux mouvements des forces :* 1 escadron de « circulation routière » 4 pelotons organisés en 4 patrouilles ; équipé de motos, véhicules légers (Peugeot P4), d'ULM (ultra-léger motorisé). Par division ou circonscription militaire de défense, 1 régiment à 4 ou 6 escadrons par corps d'armée, un certain nombre de rég. de réserve pour l'Armée de terre. **Appui à la mobilité des forces blindées :** 1 régiment pour l'Armée de terre 4 escadrons de 4 pelotons. Un escadron transporte 1 régiment de chars, 1 dispose de 60 engins de transport de blindés de 40 t pouvant enlever 60 t. **Participation aux évacuations sanitaires :** 2 sections de ramassage par division, 1 escadron de transport sanitaire par corps d'armée. Ces unités sont équipées d'ambulances tous chemins, de cars sanitaires.

Transmissions

■ Effectifs. 23 182 militaires et civils (soit env. 8 % de l'armée de terre).

■ Écoles. *Éc. d'application :* Montargis. *Éc. sup. d'électronique de l'armée de terre :* Rennes. *Éc. des sous-off. d'active transmissions :* Agen.

■ Organisation. **Composante mobile :** 1 compagnie de tr. dans chaque division, 1 régiment de tr. de l'armée, 2 rég. de tr. par corps d'armée et Far, 2 rég. de guerre électronique. *Total :* 10 rég. de tr., 11 cies de tr. divisionnaires, 3 cies de guerre électronique. **Fixe :** 11 rég. ou bataillons de tr. d'infrastructure, 5 centres de traitement de l'information.

Matériel

■ Composantes. Unités (bataillon, régiment), engagées avec les forces (Far, Corps d'armée) ; *établissements*. Niveaux techniques d'intervention (NTI) : 1°) surveillance et entretien courant dans unités d'emploi, 2°) organismes du matériel, 3°) établissements de marque. Direction centrale du matériel (DCMAT) à Paris, dir. régionales et de grandes unités assistées par des organismes centraux. Effectifs : 30 000 personnes (17 000 mil., 1 300 civ.).

> **Tenue de l'armée de terre**
>
> **1914** veste noire, pantalon rouge remplacé par bleu horizon. **1935** kaki (le mot « kaki », couleur poussière, vient des Indes). L'intendance distribuera des uniformes bleus jusqu'à épuisement des stocks. **Sept. 1990 à déc. 1992** uniformes Terre de France (gris très clair). Tenue simplifiée et allégée. **Cadre de métier :** képi ou béret, popeline (été), veste (hiver) et pantalon polyester, imperméable, manteau forme loden couleur bronze. **Homme du rang :** blouson et pantalon, chemise popeline. **Femme :** (Balmain est intervenu pour la conception de la tenue) vareuse croisée 6 boutons portée sur pantalon à pince, ou jupe portefeuille recouvrant un bermuda. Tricorne ou béret moins large. Cravate et gants noirs (cravate verte pour la Légion). Tenue d'été et d'hiver disparaissent, chacune adaptant son habillement au jour le jour.

■ Écoles. *Éc. d'application :* Bourges. *Éc. supérieure du matériel :* Châteauroux.

Commissariat de l'armée de terre

Origine. Corps des intendants militaires créé par ordonnance royale de 1817. Missions. Paie, administration du personnel. *Fournit* alimentation et mat. pour préparer denrées, vêtements, équipement.

■ 2 – Forces maritimes

■ Généralités

■ Effectifs 1993 (non compris dissuasion nucléaire, soutien et formation) : 32 390 h. et f. (dont 23 125 milit. act., 7 580 ap., 685 civ.). *Officiers* 4 607 (tous corps d'off. de la marine confondus) dont amiraux 51, capitaines de vaisseau 291, cap. de frégate et de corvette 1 461, lieutenants et enseignes de vaisseau 2 842, aspirants et élèves officiers 183 ; *officiers mariniers* 31 263 ; *quartiers-maîtres et matelots* 27 973 (dont 18 761 ap.) ; *personnel militaire. Répartition par emploi :* fonctions opérationnelles 58 % soutien aux unités opérat.), 25 % ; écoles 10 % ; soutien central et volant de gestion 7 % ; le % élevé de soutien s'explique par des opérations lointaines. **Affectations opérationnelles** (1993). 28 185 hommes dont forces de surface 16 045 (57 %), aéronautique navale 3 149 (11,2 %), forces sous-marines 3 652 (13 %), unités de fusiliers marins, commandos, protection, plongeurs démineurs et divers 2 878 (10,2 %), conduite des forces (états-majors) 2 461 (9 %).

■ Missions. **Dissuasion nucléaire :** voir Force océanique stratégique (FOST). **Sûreté des approches maritimes. Sécurité en Méditerranée. Présence dans le monde :** dans les DOM/TOM et les pays auxquels nous sommes liés par des accords de défense et d'assistance pour soutenir la politique extérieure de la France, la défense de nos intérêts, assurer la sécurité de nos approvisionnements. **Tâches de service public :** surveillance et contrôle du trafic maritime et des activités en mer (d'autres administrations participent à ces tâches et peuvent être placées dans certains cas sous l'autorité des préfets maritimes). **Sauvegarde de la vie humaine. Assistance aux pêches. Surveillance de la zone économique des 200 milles. Lutte contre la pollution.**

Service hydrographique et océanographique de la marine (Shom) (cartes et documentation nautique) à Brest ; **Groupe d'intervention sous la mer (Gismer) :** bâtiment d'expérimentation Triton.

Organisation territoriale (voir p. 1867).

■ Moyens navals (au 1-1-1993)

Surface. Fost (voir p.1868).

Bâtiments de combat et de soutien. 113 (273 200 t), dont **Sous-marins d'attaque** 13 (18 800 t) [dont 5 nucléaires **(SNA) de 2 265 t** qui recevront des améliorations de type Améthyste : *Rubis, Saphir, Casabianca, Émeraude, Améthyste et 9 diesels/électriques (de 700 à 1 200 t)]*. **Porte-avions** 2 (48 300 t) [*Clemenceau* (1961, retrait prévu 1998), peut embarquer des Super-Étendard dotés d'une bombe AN-52), *Foch* (1963, retrait prévu 2004), aménagé, à la mi-1989, pour embarquer une vingtaine d'avions Super-Étendard armés du missile ASMP]. **Porte-hélicoptères** 1 (10 600 t) [*Jeanne-d'Arc* (1964)] ASM et bâtiment école. **Bât. antiaériens** 4 (20 000 t) ; **2 frég. lance-missiles :** *Suffren* (1968, retrait prévu 1998), *Duquesne* (1970, retrait prévu 2000) ; **2 frég. antiaériennes :** *Cassard* (1988) et *Jean-Bart* (1991, 4 200 t, 30 nœuds, moteur diesel 250 c). **Bât. anti-sous-marins** 11 (40 000 t) [3 frégates ASM : *Tourville* (1974), *Duguay-Trouin* (1975), *De Grasse* (1977) ; 6 frégates ASM : *Georges-Leygues* (1979), *Dupleix* (1981), *Montcalm* (1982), *Jean-de-Vienne* (1984), *Primauguet* (1987), *La Motte-Picquet* (1988), *Latouche-Tréville* (90)]. **Bâtiments de présence** 23 (34 500 t) [3 avisos-escorteurs, 17 avisos, 3 frégates de surveillance type *Floréal* (92 ; 3 de 3 000 t prévus : *Floréal* 1992, *Vendémiaire* 1993, *Germinal* 1994)], **patrouilleurs** 17 (8 000 t) dont 3 de service public, non compris 5 p. de gendarmerie. **Bât. antimines** 21 (12 800 t) [15 chasseurs de mines, 3 dragueurs de mines, 4 bât. bases de plongeurs-démineurs]. **Bât. logistique** 12 (56 000 t) [5 pétroliers ravitailleurs d'escadre + 1 civil affrété ; la construction des 6 Bamos (bât. antimines océaniques de 900 t) a été arrêtée]. **Bât. de transport opérationnel amphibies :** 8 (26 000 t) dont le *Foudre* (opérationnel 1990, 11 200 t, 168 m, 20 nd ; transport de chalands de débarquement), 5 bât. de transp. légers.

Bâtiments en construction (date livraison). SNLE-NG : le *Triomphant* 14 200 t (prévu pour 1994) ; le *Téméraire* (1997) ; le *Vigilant* (2001). **SNA :** *n° 6* le *Perle* (admission 1993), *n° 7* la *Turquoise* (prévu 1997, construction annulée) (*n° 8* le *Diamant* annulé pour raisons budgétaires). **Porte-avions :** *Charles-de-Gaulle* (1998). **Frégates légères** (6 de 3 200 t prévues) : *n° 1 La Fayette* (1995), *n° 2 Surcouf* (1996), *n° 3 Courbet* (1997).

■ Répartition en métropole. *3 groupes de forces :* GASM (groupe d'action sous marine dont 6 frégates ASM, 10 avisos, 1 pétrolier) et FGM (force de guerre des mines dont 14 chasseurs de mines) à Brest ; FAN (force d'action navale dont 2 porte-avions, 3 TCD, 4 frégates AA, 5 frégates ASM, 3 pétroliers) à Toulon ; *3 escadrilles de sous-marins :* SNLE (Brest), Atlantique (Lorient, s.-m. d'attaque), Méditerranée (Toulon, s.-m. d'attaque).

Nota. – De 1987 à l'an 2000, la marine nationale sera passée de 128 unités (266 300 t) à 99 (282 000 t).

Engagement dans le conflit du Golfe du 2-8-1990 au 1-9-1991, 35 bâtiments (22 bât. de combat, 4 chasseurs de mines, 9 bât. de soutien), 23 hélicoptères et 12 équipages d'Atlantic (8 527 reconnaissances, 305 visites, 9 déroutements, 1 tir de semonce). Voir aussi mines p. 1 865 b.

☞ Le croiseur *Colbert* sera transformé en musée flottant à Bordeaux.

■ Moyens aériens de combat (aéronautique navale, 1-1-1992). **2 porte-aéronefs** (avec Super-Étendard, Crusader et Alizé modernisés). **Patrouilles maritimes :** assure la sûreté éloignée des SNLE et participe aux actions antinavires et antisous-marines dans nos eaux et outre-mer. *Atlantique* av. de patrouille maritime 46 tonnes, 14 à 16 h d'autonomie, 650 km/h, armé de torpilles, charges diverses et missiles AM 39, chargés de détecter, pister, harceler, les sous-marins ; très efficaces pour la lutte de surface. **Aéronefs de combat en ligne :** 140 (dont parc 107). **Avions embarqués :** 77 (112), dont *Super-Étendard d'assaut :* 38 (17), *Crusader d'interception* 12 (19). *Étendard IV P de reconnaissance :* 8, *Alizé de sûreté* (reconnaissance et détection active et passive) : 19 (15). **Hélicoptères :** 38 (52), *Super-Frelon :* 12 (17), *Lynx WG13 :* 26 (35). **Avions à terre :** 28 (35), *Atlantique 1 :* 17 (17), *Atlantique 2 :* 11 (42 prévus, puis 28), Gardian 5, divers aéronefs d'entraînement et de soutien : 138 (168). **Répartition à terre** (nombre de flottilles) : *Landivisiau* (Super-Étendard : 11, Crusader : 12, Étendard IV P : 16), *Lann-Bihoué* (Atlantique 2 : 23 et 24), *Lanvéoc-Poulmic* (Super-Frelon : 32, Lynx : 34), *Hyères* (Super-Étendard : 17), *Nîmes-Garons* (Atlantic : 21 et 22), *St-Mandrier* (Lynx : 31, Super Frelon 33). **Remplacement des Crusaders :** 86 Rafale Marine (ACM), opérationnels en 1998. En attendant, Crusaders et Super Étendards seront modernisés (coût 1,73 milliard de F). On avait envisagé l'achat en 1993 de 15 F-18 américains d'occasion (solution proposée par la Marine, coût 3,73 milliards de F).

■ Autres programmes. Missiles porte-torpille Milas (avec Italie) ; surface-air antimissile SAAM (avec Italie) débouchant sur une famille de missiles Sol-air ; torpille ultrarapide Murène.

■ Faiblesses de la marine. **Matériels :** *insuffisances dans la lutte anti-missiles* avant la mise en service du système sol-air anti-missile (SAAM). *Nombre trop restreint de bâtiments de lutte antiaérienne* (4 au lieu de 7 en 1983) dont les frégates *Suffren* et *Duquesne* (qui ont + de 10 ans et sont équipés d'un système d'armement dont la conception est antérieure à 1970). *Absence d'un véritable avion d'interception* embarqué jusqu'au remplacement, prévu 1998, des Crusader : surclassé par la majorité des avions en service auxquels il pourrait se trouver confronté. *Absence d'un véritable avion de guet* embarqué nécessaire à l'organisation efficace de la défense aérienne d'une force navale et à l'éclairage des avions d'assaut. Les Bréguet Alizé, modernisés, n'ont pas les capacités requises. *Capacité militaire de transport maritime insuffisante :* la marine ne possède qu'un bâtiment récent de transport de chalands de débarquement et 2 autres TCD, plus petits, ayant dépassé + de 25 ans. *Âge moyen des bâtiments :* l'âge moyen des unités va augmenter à partir de 1994, pour atteindre 17 ans en l'an 2000 (alors que la durée de vie moyenne d'un navire de guerre est de 25 ans).

■ 3 – Forces aériennes

☞ L'armée de l'air a été créée le 1-4-1933 par un décret de Pierre Cot.

■ Généralités

Effectifs en 1992 (non compris soutiens, forces nucléaires et forces outre-mer). 48 040 [dont 27 134 mil. d'act. (généraux 67, colonels 397, lt. colonels et commandants 2 161, off. subalt. 4 757 ; sous-off. et aspi. 41 426), 19 368 ap. (dont sous-lieut. 90) et 1 538 civ.]. **Organisation. 7 grands commandements** spécialisés ; régions aériennes (*Nord-Est* : PC à Villacoublay, *Méditerranée :* Aix, *Atlantique :* Bordeaux, qui assurent la protection des points sensibles et peuvent pourvoir aux besoins de la vie courante des unités stationnées sur leur territoire. **Forces.** Le standard actuel de 450 avions de combat est contesté et pourrait être réduit à 400, avec des avions plus polyvalents. Ex : l'Alpha Jet (entrainement) peut être armé, le Mirage 2 000 N (mission nucléaire tactique) peut être rendu apte à l'appui au sol...

■ Commandements spécialisés

■ **Réorganisation Armée 2000** (1992). Regroupement de tous les moyens nucléaires (Mirage IV et Mirage 2000 N ASMP, PC volant Astarté) au sein des Fas. Regroupement dans la Fatac des forces conventionnelles autrefois réparties entre Cafda et Fatac. Affectation au Cafda de tous les moyens de veille, commandement et contrôle (y compris le SDA : système de détection aéroporté Boeing E3F), ainsi que des moyens spatiaux.

■ **Commandement des forces aériennes stratégiques (Cofas).** Voir p. 1868a.

■ **Commandement des forces de défense aérienne (Cafda). Effectifs 1992 :** 19 463 (active 11 334, appelés 8 129). **Moyens : stations radar militaires.** 10 équipées de *radars tridimensionnels* Arès [puissance de crête 20 MW, multipinceaux (direction, distance et altitude des aéronefs détectés même en cas de brouillage électronique)], ou de *radars de veille 23 cm* auxquels sont associés *des radars d'altimétrie* Satrape. Un système informatisé de traitement, le Strida, permet de centraliser l'information. L'interconnexion avec les radars de l'aviation civile et les systèmes analogues de pays voisins ou alliés étendent ainsi nos capacités de détection jusqu'à plus de 2 000 km des frontières françaises. De nouveaux radars d'aérodrome sont en cours d'installation sur les bases aériennes (Aladin et Centaure). Si un aéronef n'est pas identifié lorsqu'il pénètre dans l'espace aérien français, il est intercepté par un avion de chasse en alerte qui décolle 2 minutes après l'ordre d'interception. **Avions :** avions radars Awacs pour la détection longue portée basse altitude 4 unités arrivée en 1991-92 ; basés à Avord (Cher). **Missiles sol-air à courte portée :** 24 sections *(Crotale)* assurent la défense à basse et très basse altitude des principales bases. **Canons antiaériens bitubes de 20 mm :** complètent l'action des *Crotale* et assurent la défense rapprochée des autres points sensibles. **Entraînement des équipages :** norme : 15 h de vol aux commandes par mois et par pilote (180 h/an) soit globalement 400 000 h.

■ **Commandement de la force aérienne tactique (Fatac).** Commande aussi la 1re région aér. ; dispose de 2 commandements aériens tact. (Metz et Nancy). **Effectifs 1992 :** 8 411 (active 7 646, appelés 765) dont 1 015 off. et 5 000 techn. **Moyens** (1992). 390 avions en ligne (1993) (45 Mirage F1CR, Boeing E3F, 55 Mirage III E/B/BE, 30 Mirage 5F, 75 Mirage F1C, 135 Mirage 2000 B/C/N, 105 Jaguar) articulés en 10 escadres, dont 1 de reconnaissance (F1CR), 1 électronique tactique (E3F), 8 de chasse et appui (Mirage III, F1, 2000 et Jaguar). Aucun de ces avions n'est doté de l'arme nucléaire. Le 29-7-1993 mise en service des 6 premiers Mirage 2000 D. **Bases aériennes :** 12 en 1re Région aér., 2 en ex-RFA, 12 797 hommes ; 3 bases stations radar, base logistique de Reims. Va hériter des 12 escadrons de Mirage F1 C90 et 2 000 C90 du Cafda et des bases correspondantes. Par contre les programmes Mirage 2 000 et transformation du F1 CT pour l'appui seront réduits. **Groupement de transmission tactique :** met en œuvre des moyens mobiles de détection et de contrôle couvrant la zone de l'avant, ainsi que des chaînes de transmission reliant le PC de la Fatac aux organismes « air » implantés auprès des unités terrestres.

■ **Commandement du transport militaire aérien (Cotam). Effectifs 1992 :** 9 618 (active 5 685, appelés 3 933) personnes, dont 1 400 navigants et 1 980 mécaniciens. **Moyens :** 102 hélicoptères, 70 C160 Transall (dont 6 pour missions spéciales), 12 C130 Hercules, 4 DC8, 16 N262, 14 Falcon (8 F20, 4 F50, 2 F900). **Répartition :** *4 escadres* (Orléans, Toulouse, Évreux, Villacoublay) et une *trentaine d'escadrons, 4 unités de maintenance* et *2 centres d'instruction,* répartis sur *10 bases* en France (Évreux, Orléans, Villacoublay, Toulouse, Metz, Apt, Aix, Solenzara, Cazaux, Bordeaux) et 6 outre-mer (Pointe-à-Pitre, cayenne, Dakar, Djibouti, la Réunion, Nouméa). **Activités quotidiennes :** transport, instruction des troupes aéroportées, etc., évacuations sanitaires, secours dans diverses catastrophes (inondations, incendies).

■ **Commandement des transmissions de l'armée de l'Air (CTAA).** 3 réseaux : hertzien, télégraphique, téléphonique automatique.

■ **Génie de l'air. Effectifs :** 2 300 h. **Moyens :** 1 400 véhicules et engins.

■ **Commandement des écoles de l'armée de l'air (CEAA).** Voir ci-contre.

☞ **Fusiliers commandos de l'Air :** groupement créé à Nîmes 1-8-1979. Héritiers des troupes parachutistes de l'armée de l'Air (créées 1936) passées à l'armée de Terre en 1945, puis des groupements des commandos parachutistes de l'air utilisés en Algérie. Protection des bases aériennes contre les infiltrations ennemies. Formation de plusieurs centaines de personnes chaque année.

Patrouille de France : [9 pilotes (renouvelés par 1/3 tous les ans) et 29 mécaniciens] p. de démonstration de l'armée de l'Air *créée* 1953, basée à Salon-de-Prov. dep. 1964 ; équipée d'*Alpha Jet* dep. 1981.

Équipe de voltige de l'armée de l'air (6 pilotes, 4 mécaniciens) : *créée* 1968, basée à Salon-de-Prov., équipée de CAP 20 et CAP 230.

■ 4 – Forces de gendarmerie

☞ Le nom de *Pandore* vient de la pièce de Gustave Nadaud : « Pandore ou les deux gendarmes », créée en 1857.

■ **Effectifs** (1993) (non compris soutiens, forces nucléaires et forces outre-mer) : 91 263 h. dont en 1992 70 504 actifs (généraux 22, colonels 179, lt.-col. et chefs d'escadron 897, off. subalt. 1 576, sous-off. 77 756), 7 520 appelés (dont aspirants 143) et 589 civils. **Officiers :** *Active :* 2 622 dont généraux de corps d'armée 2, de division 4, de brigade 15, colonels 174, lieutenants-colonels et chefs d'escadron 857, capitaines, lieutenants et sous-lieutenants 1 569. **Sous-officiers :** *Active* gendarmerie : 76 936 dont

Opérations extérieures

En mai 1993, 66 654 militaires engagés hors de métropole dans des missions de souveraineté, présence ou maintien de la paix dont 25 000 en All., env. 9 000 qui participent aux opérations de l'Onu.

Accords de coopération militaires. Avec 23 pays : Bénin, Burkina-Faso, Burundi, *Cameroun, Rép. centrafricaine, Comores, Congo, Côte-d'Ivoire, Djibouti, Gabon, Guinée-Équatoriale, Guinée* Madagascar, Mali, Maurice, Mauritanie, Niger, Rwanda, *Sénégal,* Seychelles, *Tchad, Togo* et Zaïre. Avec les pays en italique, des accords de défense ont été conclus : Côte-d'Ivoire et Sénégal accueillent des forces de présence permanentes.

Pays d'intervention. En italique nom de code des opérations : **Afrique de l'Ouest :** *Corymbe* (fév. 1992) 220 marins. **Angola :** *Addat* (4/6-11-92 50 h. (aviation). **Cambodge :** humanitaire 1979-80. Participation à l'Apronuc (Autorité provisoire des Nations unies au C.) dép. fév. 1991, maintien de la paix, 1 435 h. **Centrafricaine (rép.) :** *Barracuda* (1979-81), *Cyprin* (1979-81), *Efao* (Éléments fr. d'assistance opérationnelle) dep. 1982, 1 200 h. à Bangui (éléments de commandement et de soutien, 1 compagnie parachutiste, 1 détachement Air avec *Jaguar* et *C160)* et à Bouar (1 EM de groupement militaire, unités de commandement et de soutien et 3 compagnies) ; *Bioforce* (mars-avril 1992) 130 h. **Comores :** *Oside* (déc. 1989). **Côte-d'Ivoire :** forces permanentes 500 h. (43e Bima, section tournante d'infanterie, détachement air). **Djibouti :** op. fév. 1976, avril-nov. 1977 ; *Godoria* (23-5/13-6-1991), sécurité aide médicale ; *Iskoutir* (dép. 28-2-1992) 4 000 h. (blindés *AMX13,* détachement Alat, *C160, Mirage F1C,* détachement Marine : 1 patrouilleur et *EDIC).* **Égypte :** participation au dégagement du canal (*1974 :* 9 navires, *75 :* 23, *78 :* 2). **Éthiopie :** *Totem* (25/26-5-1991) évacuation de ressortissants. **Gabon :** *Requin* (mai 1990) évacuation de ress., *Corymbe* (juin-juill. 1990) 1 navire. Accueille des forces permanentes : 500 h. (6e Bima avec 2 compagnies tournantes, un détachement air). **Golfe arabo-persique :** *Prométhée* (1987-88), pression sur l'Iran ; escorte pétroliers ; déminage du Golfe. *Artimon* (dep. août 1990) contrôle aéronaval d'embargo, *Daguet* (sept. 1990-mai 1991), intervention aéroterrestre (dans le cadre de Desert Storm pour libération du Koweït) 15 000 h. **Haïti :** *Pauline* (11-11-1991-janv. 1992) 400 marins. **Iraq-Koweït :** participation à la Monuik (Mission d'observation des Nations unies en Iraq et au Koweit) dep. 9-4-1991, 20 h. **Sud-Iraq :** *Alysse* (dep. 26-9-1992) à partie de Dahran en Arabie Saoudite, 150 h., 8 Mirage 2000C et 1 C135FR. **Nord-Iraq :** *Aconit* (dep. 26-9-1992) à partir des bases d'Incirlik en Turquie, 150 h., 8 F1CR et 1 C135FR. **Israël :** mission d'observation dans le Sinaï, 17 h. **Kurdistan :** *Libage* (juill. 1991) soutien humanitaire des Kurdes chassés par la répression irak. **Mauritanie :** *Lamentin* (1977) appui aérien ; *Nouadhibou* (1979-80). **Mayotte :** 1977-78. **Moyen-Orient :** *Onust* (pour la surveillance de la trêve) dep. 1-6-1948, 17 h. installés en Palestine (attributions étendues depuis au contrôle des différentes conventions d'armistice puis à la surveillance du Golan et des rives du canal de Suez ; en Égypte, Jordanie, Israël, Syrie). **Mururoa :** *Nautile* (14-3/2-4-1992) 700 h. **Nvelles-Hébrides :** *Saintonge* 1980. **Ouganda:** 1980 humanitaire. **Rwanda :** *Noroit* (dep. oct. 1990) 400 h. (puis dep. févr. 1993, 700 h.) de l'armée de terre pour protéger les ressortissants. **Sahara occ. :** *Minurso* (mission Onu pour l'organisation d'un référendun au Sahara occ.) dep. oct. 1991, 30 h. **Salvador :** *Onusal* (observateur Onu ; maintien de la paix) dep. 20-5-1991, 16 h. **Sénégal :** forces permanentes 1 200 h (23e Bima à Dakar, 1 C160 et des hélico., 1 unité de marine, 1 Atlantic). **Sierra Leone :** *Simbleau* (mai 1992), 300 marins. **Somalie :** *Bérénice* (janv. 1991) évacuation de ressortissants. *Oryx* dep. 7-12-1992 (Onu maintien de la paix, en même temps que l'op. américaine *Restore Hope*) sous contrôle opérationnel du Gal américain Johnston, 2 100 h (dont 2 bataillons motorisés de 610 et 530 h., 1 détachement d'hélicoptères de 250 h. avec 10 SA330 Puma et 12 hélico. antichars Gazelle, 1 détachement de soutien logistique de 380 h., 1 base aéroportuaire de 200 h. et 1 détachement de commandement et d'état-major de 150 h.). **Sud-Liban :** *Finul* (Onu maintien de la paix) participation dep. mars 1978, 441 h. à Naqoura.) *Hippocampe* (transport Finul 1978), *Olifant* (soutien maritime prolongé, dep. 1981, *Anabase* (sept. 1982 marine), *Épaulard* (août-sept. 1982, force multinationale d'interposition), *Diodon* (force mult. de sécurité 1982-89), *Mirmillon* (1984, marine nat.), *Casques blancs* (1984-86). **Tchad :** opération 1970, *Tacaud* (1978-80), *Manta* (1978-84), *Épervier* (dep. 14-2-1986) 600 h., une escale aérienne accueille 1 détachement du Cotam et de l'Alat (qui peut recevoir des avions de combat), 1 détachement terre à 2 compagnies. **Togo-Bénin :** intervention en 1986 ; *Verdier* (déc. 1991-fév. 1992), 450 h. des 2 armes. **Tunisie :** *Scorpion* (1980) à Gafsa. **Turquie :** *Aconit* (dep. juill. 1991) 150 h. terre et air. **Ex-Yougoslavie :** participation à Forpronu (Force de protection des Nations unies) dep. févr. 1992, 4 800 h. [sur 14 000 originaires d'une vingtaine de nations (dont 1 bataillon d'infanterie)]. **Zaïre :** *Verveine* (1977). *Léopard* (1978) mai-juin 1978 transport d'un détachement marocain. *Kolwezi* (1978) contre-coup de force katangais. *Baumier* (24-9/oct. 1991) 1 500 h. (terre et air) évacuation d'européens.

Coût des actions humanitaires de la France (1991, et entre parenthèses 1990, en millions de F). 467 (128,8) dont Air 160 (50,9), Terre 140 (5,3), Mer 135 (60,2), Santé 32 (12,4).

Coût des actions militaires extérieures de la France (en milliards de F). *1991 :* 5,4 (dont guerre du Golfe 4,5), *1992 :* 2,4, *1993 (est.) :* 5,3. Ces dépenses de figurent pas sur les documents budgétaires et ne sont donc pas contrôlées par le Parlement. L'Onu rembourse partiellement (35 %) et avec retard (3 à 4 ans) les frais engagés. En 1992, l'Onu a remboursé 150 millions de F. Dépenses en 1992 (millions de F) : ex-Youg. 455,6 (*est. 1993 :* 1,7 milliard), Cambodge 340,3 ; Liban 146,5 ; Golfe 181,3 ; Iraq 69,6 ; Djibouti 59,5 ; Rwanda 55,7 ; Salvador 5,4 ; Syrie 3,2 ; Iraq-Koweït 2,4 ; Sahara occ. 0,71.

aspirants 55, majors 1 371, adjudants-chefs 2 678, adjudants 7 151, maréchaux des logis-chefs 9 329, gendarmes 56 352 ; **spécialité « administratif et d'état-major » :** 604 dont majors, adjudants-chefs 33, adjudants 60, sergents-chefs 137, sergents 303, caporaux-chefs 61, caporal 1, soldats 4, *appelés* (92) : 549 dont aspirants 143, maréchaux des logis 406. **Personnel du rang :** 88 262 (92) dont *EAEM :* 200 (dont caporaux-chefs 195, caporal 1, soldats 4) ; *appelés :* 11 102 gend. aux. (dont sous-lieutenants 20, aspirants 143, maréchaux des logis 366, brigadiers-chefs 621, brigadiers 1 287, g. de 1re classe 1 102, auxiliaires 7 563, scientifiques du contingent 84). **Gendarmerie départementale** [à compétence générale (sécurité publique, renseignement, police judiciaire, concours aux autorités, mobilisation) ou unités spécialisées (de recherche, aériennes, pelotons de surveillance, d'intervention, de montagne)] : 57 909 h. (act. 50 862, ap. 7 047). **Unités de police de la circulation** (dont motards) (1992) : 7 038 h. (act. 6 084, ap. 954). **Gendarmerie mobile** (force d'intervention toujours disponible pour toute mission de sécurité ou de maintien de l'ordre) : 17 124 (act. 16 869, ap. 255). **Formations adaptées :** 4 914 h. (act. 4 076, ap. 838) dont garde républicaine (act. 2 893 ap. 226), gendarmerie des transports aériens (act. 637, ap. 447), des FFA (act. 276, ap. 18), de l'armement (act. 278, ap. 121). **Gendarmerie outre-mer :** 3 136 (act. 2 837, ap. 299). **Écoles** (encadrement, soutien, personnel en formation) : 5 433 (act. 3 133, ap. 2 300). **Organismes de soutien :** 2 747 (act. 2 384, ap. 363). Origine des élèves gendarmes (profession du père) (en %). *1962 :* ouvriers et manœuvres 56,3, cultivateurs 15, autres ruraux 6,2, autres professions 22,5. *1992 :* employés 29,67, ouvriers 16,83, commerçants ou artisans 9,32, officiers et sous-officiers de gendarmerie 6,05, cadres 6,57, agriculteurs 2,72, divers 28,84. Suicides dans la gendarmerie. De 1979 au 31-12-1992 : 340.

■ Principaux matériels. (31-12-92) 155 véhicules blindés à roues, 121 AML, 41 hélico., 33 véhicules tout-terrain AMX, 28 chars VBC 90, 6 avions légers.

☞ Voir **Gendarmerie** à l'Index.

■ Forces d'outre-mer

■ Au 1-5-1993. Zone Amériques-Caraïbes : 8 450 h. dont Terre 5 650, Mer 600, Air 360, Gendarmerie 1 840. Zone maritime Antilles-Guyane (ZMAY) : 3 bâtiments et 1 avion. *Guadeloupe* 1 bataillon, 2 avions, 4 hélico. *Martinique* 1 rég, 1 bataillon, 1 bâtiment, 2 hélico. *Guyane* 1 rég, 1 bataillon, 1 bâtiment, 7 hélico. Zone Pacifique : 7 920 h. dont Terre 3 700, Mer 2 140, Air 670, Gendarmerie 1 410. Zone maritime Pacifique (ZMP) : 5 bâtiments, 5 avions. *Tahiti* 1 rég, 5 bâtiments. *Nouméa* 1 rég, 1 bataillon, 3 bâtiments, 2 avions, 11 hélico. *Centre d'essais du Pacifique* 1 rég, 11 bâtiments servitude, 3 avions, 5 hélico. Zone Djibouti-océan Indien : 9 120 h. dont Terre 5 000, Mer 1 960, Air 1 300, Gendarmerie 860. *Djibouti* 2 rég, 1 bataillon, 3 escadrons blindés, 2 bâtiments, 13 avions, 8 hélico. *Mayotte* 1 bataillon, 1 bâtiment. *La Réunion* 1 rég, 1 bataillon, 2 avions, 3 hélico. *TAAF* 1 hélico. Zone maritime de l'océan Indien (ZMOI) : 10 bâtiments, 1 avion, 4 hélico. Afrique 4 700 h. dont Terre 3 400, Mer 420, Air 850, Gendarmerie 30. *Sénégal* 1 bataillon, 1 escadron blindé, 1 bâtiment, 2 avions, 1 hélico. *Côte-d'Ivoire* 1 bataillon, 1 escadron blindé, 1 hélico. *Cameroun* 1 détachement. *Tchad* 3 avions, 2 hélico. *Rép. centrafricaine* 1 bataillon, 1 escadron blindé, 9 avions, 4 hélico. *Gabon* 1 bataillon, 1 avion, 1 hélico. *Rwanda* 1 compagnie. Missions de paix : 13 200 h. dont Terre 8 280, Mer 3 900, Air 650, Gendarmerie 370. *Yougoslavie* 5 bataillons, 8 bâtiments, 51 avions, 35 hélico. *Cambodge* 1 bataillon, 3 avions, 6 hélico. *Somalie* 1 bataillon, 10 hélico. *Arabie Saoudite* 10 avions. *Turquie* 9 avions. *Sinaï* 1 avion. Présence au Salvador, Liban, Sahara occ., Israël, Koweït.

II – Système de fonction

■ Recherches et essais

■ Effectifs (1992). 19 371 dont 4 497 d'active (T 643, M 898, A 2 164, section commune 792), 2 766 appelés et 12 108 civ. (T 203, A 96, communs 11 809). **Missions.** Chaque armée dispose d'un organisme : section technique de l'armée de terre ; centre d'expérimentations aériennes militaires ; commission d'études pratiques de la marine. Recherches et essais communs aux 3 armées sont effectués par la *Délégation générale de l'armement.* Le *service de santé* dispose de 5 centres de recherches spécialisés en sciences humaines, agressions et nuisances, pathologie exotique, médecine aéronautique et recherches biophysiologiques.

■ Organismes de formation

Effectifs totaux (1992). 57 940 (dont act. 32 929, ap. 21 336, civils 4 725).

a) Armée de terre. **Effectif :** 27 744 (act. 12 350, ap. 12 594, civils 2 800). *Jours de formation prévus et entre parenthèses nombre d'élèves (1992) :* off. écoles 261 000 (1 764), stages 370 000 (4 805) ; sous-off. éc. 634 000 (2 600), st. 411 000 (12 500). **Matériels principaux :** blindés 124, sol-air 15, canons de 155 11, hélicoptères 100.

b) Armée de l'air. CEAA Commandement des Écoles de l'armée de l'air. *En 1992 :* 14 383 (9 987 act., 3 643 ap., 753 civils). **Effectifs formés** (1991) : brevets personnel navigant 205, certif. non navigant 4 677, qualif. particulières (stages-EOR) 5 142. **Avions :** Alphajet 160, Fouga 133, Xingu 25, Epsilon 148, Abeilles 12, Mousquetaires 14, CAP10 48, CAP20 2, CAP230 3, planeurs 94.

c) Marine. *En 1992 :* 6 257 (act. 4 025, ap. 2 120, civils 112). **Écoles :** Éc. d'ens. mil. sup. ; Éc. de formation de base et de spécialités Marine ; cours de perfectionnement ; Éc. de formation de personnel navigant de l'aéronautique ; Éc. mil. prépar. **Matériel.** Bâtiments 12, aéronefs 120. **Diplômes délivrés :** enseignement militaire supérieur du 2e degré 111, du 1er degré 227, niveau Bac 100, technicien sup. 871, technicien 1 250, CAP 1 236, éc. préparatoires : collège naval 2 341.

d) Gendarmerie. 6 025 mil. (act. 3 056, ap. 2 767, civ. 202). **Écoles :** Centre d'enseignement supérieur ; éc. des off. ; éc. prépa. de formations des ss-off. ; centres d'instruction ; c. de spécialisation (motocycliste, montagne, transmissions, plongée, maîtres-chiens). **Personnels** *incorporés ou à incorporer, 1992.* Formation de base des officiers 147, initiale des élèves-gendarmes 4 476, des auxiliaires 11 600, recyclage des spécialistes moto 1 250, transmissions 510, maîtres-chiens 120, moniteurs des équipes légères d'intervention 80, stages de franchissement de grade 1 800, de perfectionnement des comm. de Cie 85, escadrons passés au CEPG (Centre d'entraînement et de perfectionnement de la gend. mobile) 48.

e) Organismes de formation communs. 3 531 (2 461 act., 212 ap., 858 civ.). **Écoles** et centres d'instruction relevant : *1°) de l'état-major des Armées :* Centres d'études supérieures interarmées (Centre des hautes études mil., Cours sup. interarmées), ens. sup. mil. spécialisé (énergie atomique, techniques d'action, opérations combinées, renseignements) ; Éc. interarmées des sports de Fontainebleau ; *2°) de la Délégation générale pour l'armement :* Éc. polytechnique ; Éc. d'application d'ingénieurs ; Centre des hautes études de l'armement ; cours et stages spécifiques ; *3°) du service de santé :* Éc. d'application ; Institut de médecine tropicale ; Éc. de formation ; Éc. d'infirmières mil. ; participation technique du centre nat. d'instruction des élèves off. de réserve du serv. de santé et des éc. et centres d'instruction des sous-off., off. mariniers et h. du rang infirmiers.

■ Soutien des personnels

■ Missions. Santé, sélection/orientation, besoin en substances, habillement et ameublement, besoins, en denrées, soldes et indemnités, déplacements et transports, administration des personnels des unités, action sociale.

■ Effectifs totaux (1992) : 38 498 (dont 12 664 milit. act., 9 811 ap. et 17 009 civ.).

a) Terre : 17 388 (dont 4 534 milit. act., 5 309 ap. et 7 545 civ.).

b) Air : 2 811 (dont 1 202 milit. act., 1 071 ap. et 538 civ.). Commissariat de l'Air (créé 17-2-1942 ; école à Salon-de-Provence, créée 1953).

c) Marine : 3 860 (dont 2 018 milit. act., 1 456 ap. et 386 civ.).

d) Personnels communs : 14 439 (dont 4 772 milit. act., 2 047 ap. et 7 620 civ.). Service de santé : 22 hôpitaux des armées en métropole (6 680 lits). h. thermal 1. Centres hospitaliers des FFA 3, d'outre-mer 2, infirmeries hosp. d'O.-M. 1. Centre de transfusion sanguine des armées. 700 infirmeries (60 outre-mer). **Établissements sociaux** gérés par l'Institution de gestion sociale des armées (Igesa) : 34 ét. familiaux de vacances, 71 c. de vacances de jeunes, 2 ét. médico-sociaux, 33 c. sociaux, 29 crèches, garderies, 16 jardins d'enfants.

Service de santé des armées (1992). *Effectifs :* 13 326 (4 780 mil. dont active 4 694, appelés 1 957, 6 589 civils). *Médecins* (1990) : 2 850 [dont (1988) 627 *hors des armées* (dont outre-mer 510, métropole 117)].

■ Soutien des matériels

■ Effectifs totaux (1992). 60 940 (dont 13 437 milit. act., 5 944 ap. et 41 559 civ.).

a) Terre. 20 191 (dont 4 362 milit. act., 2 234 ap. et 13 595 civ.) : 108 établ. d'infrastructure du service du matériel ; serv. des travaux du génie ; participations au serv. des essences.

b) Air. 7 427 (dont 3 406 milit. act., 2 189 ap. et 1 732 civ.). Serv. du matériel de l'armée de l'air et unités du génie de l'air.

c) Marine. 6 788 (dont 3 515 milit. act., 1 060 ap. et 2 213 civ.). Organismes de soutien matériel des ports et de Paris ; org. d'approvisionnement et de stockage ; directions locales de travaux mar.

d) Gendarmerie. 1 318 (dont 1 009 milit. act., 222 ap. et 87 civ.). Centre de traitement de l'informatique de la gendarmerie ; C. nat. d'inform. routières ; C. de renseign. et de rapprochements judiciaires, etc.

e) Services communs. 38 499 (dont 1 312 milit. d'act., 181 ap. et 37 499 civ.). Base de transit interarmées ; Bureau interar. de codification des matériels et Serv. ind. de surveillance de l'armement (SIAR).

■ Administration générale

■ Effectifs totaux (1991). 29 676 (dont 12 915 milit. act., 5 276 ap. et 11 485 civ.) [dont (90) : Terre : 9 611 (dont 5 538 milit. act., 2 253 ap. et 1 820 civ.). Air : 5 280 (dont 2 946 milit. act., 2 077 ap et 257 civ.). Mer : 3 122 (dont 1 959 milit. act., 784 ap. et 379 civ.). Gendarmerie : 1 059 (dont 982 milit. act., 48 ap. et 29 civ.). Section commune : 10 304 (dont 1 342 milit. act., 71 ap. et 8 891 civ.)].

Délégation générale pour l'armement (DGA)

Créée en 1961. Placée sous l'autorité du délégué général pour l'armement, collaborateur direct du ministre de la Défense.

■ Effectifs. **1992 :** 54 000 (hors GIAT) dont 8 000 ingénieurs et cadres sup., 9 000 cadres, 38 000 pers. d'exécution. *Régime* (%) : titulaire 16, milit. 9, ouvriers 65, sous contrat 10.

La DGA ne possède pas de labo ; 2 établissements publics lui sont rattachés : l'*Office national d'études et recherches aérospatiales (Onera,* 29, av. Div.-Leclerc, Châtillon-sous-Bagneux) et l'*Institut franco-allemand de St-Louis (ISL) ;* elle passe des contrats avec des organismes de recherches publics ou privés.

Armements terrestres. **Centres techniques d'essais (secteur étatique) :** 2 520 personnes. *SEFT* (Section d'études et fabrications des télécommunications à Issy-les-Moulineaux). *ETBS* (Ét. technique de Bourges) : systèmes d'artillerie, systèmes et matériels antichars, canons, munitions, munitions intelligentes, mines. *ETAS* (Ét. technique d'Angers) : systèmes blindés et chars, matériels du génie, véhicules tactiques et logistiques. *CAP* (Centre aéroporté de Toulouse) : aérotransport, aérolargage, parachutage.

Constructions navales. **Implantation.** *Paris :* 2 000 pers. ; direction des programmes, gestion. *Cherbourg :* 4 600 pers. *Brest :* 6 500 pers. *Lorient :* 3 500 pers. *Toulon. Indret :* 1 700 pers. Munitions, missiles, mécanismes de systèmes d'armes, cybernétique navale. *St-Tropez :* 800 pers. Conception et fabrication de torpilles. *Papeete :* 400 pers. Soutien des bâtiments de la flotte du Pacifique.

Constructions aéronautiques. **Centres d'essais** (4 065 pers.) **en vol :** *Brétigny* (Essonne). *Istres* (B.-du-Rh.). *Cazaux* (Landes). **Des propulseurs :** *Saclay.* **Aéronautique :** *Toulouse.* **Ateliers industriels de l'aéronautique :** *Bordeaux* (1 330 pers.). *Clermont-Ferrand* (1 480 pers.). *Cuers-Pierre Feu* (1 210 pers.).

Missiles et espace (DME). **Établissements :** *Vernon* (Eure) [laboratoire de recherches balistiques et aérodynamiques (LRBA) : inertie, guidage, pilotage des missiles, aérodynamique]. *St-Médard-en-Jalles* (Gironde) [centre d'achèvement et d'essais des propulseurs et engins (essais de propulseurs à propergols solides)]. *Biscarosse* (Landes) [centre d'essais des Landes (CEL) : 15 000 ha], *Captieux* (Landes) [centre d'essais : 10 000 ha] : peuvent utiliser, grâce au bâtiment réceptable Monge, des axes de tir offrant des portées de 4 000 km vers les Antilles et de 6 000 km vers le Brésil. *Toulon* (Var) [centre d'essais de la Méditerranée (CEM)].

Électronique et informatique. Env. 1 000 pers. *Fort d'Issy-les-Moulineaux* (H.-de-S.) : Service Technique de l'Électronique et de l'Informatique (STEI). *Bruz :* Centre d'Électronique de l'Armement (Celar).

■ **Formation :** 33 écoles formant chaque année 450 ingénieurs, 600 techniciens et ouvriers de haut niveau. **Écoles** *Polytechnique :* (50 postes d'ing. de l'arm. offerts chaque année aux 330 ing. sortant). *Éc. Nat. Supérieure des Techniques Avancées (Ensta) ; de l'Aéronautique et de l'Espace (Ensae) ; des Ingénieurs des Études et Techniques de l'Armement (Ensieta) ; des Ingénieurs de Construction Aéronautique (Ensica). Éc. d'Administration de l'Armement (EAA).* 3 *éc. techniques normales* et 2 *techniques normales professionnelles.* 8 *de formation technique.* 9 *techniques préparatoires de l'Armement.* **Centres de formation continue** (pour personnel de haut niveau) : *Centre des Hautes Études de l'Armement (CHEAr.), Enseignement Militaire Supérieur de l'Armement (EMSAr.). Centre d'Enseignement et de Formation d'Arcueil (Cefa).*

Budget

1992	Dépenses de défense (en MdF) [1]	% PIB	Effectifs moyens [4]			
			Terre [2]	Air	Mer	Réserves [3]
Belgique	21,6	1,9	54	17,3	4,4	228,8
G.-B.	234,1	4,0	145,4	86	62,1	353
France	241,4	3,4	260,9	91,7	64,9	374
Italie	136,7	2,0	230	76	48	584
P.-Bas	41,6	2,5	60,8	12	15,5	144,3
All.	224,5	2,2	316	95,8	35,2	904,7
USA [5]	1 762,5	5,4	674,8	499,3	546,6	1 784

Source : OTAN. (1) Devises converties en FF (1 $ = 5,6076 F : taux de conversion OTAN). (2) Non compris les formations correspondant à la gendarmerie en France. (3) Réserves mobilisables. (4) Source : Military Balance 93/92. (5) Non compris dans les effectifs 193 000 Marine Corps.

Budget français de la Défense

1993 Md de F	Titre III Fonctionnement [3]	Titre V [2] Équipement	Total crédits paiement	en %	AP [4] Autorisations de programme
Terre	27,8	24,1	51,9	26,3	24,8
Marine	13,9	24,7	38,6	19,5	24,7
Air	15,4	25	41,1	20,8	24,6
Gendarmerie	17,2	2,2	19,5	9,9	2,2
Section commune	20,5	26,1	46,6	23,5	26,2
Total [3]	*94,9*	*102,9*	*197,9*	*100*	*102,8*
%	48 [1]	52	100	3,14 [5]	–

Nota. – (1) Dont rémunérations et charges sociales dont 35,2 %, vie courante 10,4 %, activités 10 %. (2) 52 % du budget dont fabrications 23,9 %, études 14,6, activités 10,7, infrastructures 5,2. (3) Non comprises pensions et participation au Fonds spécial des ouvriers de l'État gérées par le ministère de l'économie, des finances et du budget (4) Pour les titres V et VI uniquement. (5) % du budget de la défense par rapport au PIBm.

■ **Crédits d'équipements militaires proposés par le projet de loi** (en milliards de F). *1986 :* 75,7. *87 :* 85,8, *88 :* 90,8. *89 :* 98. *90 :* 102,1. *91 :* 103,1. *92 :* 102,9. *93 :* 102. *94 :* 103.

☞ **Loi de programmation 1990-93** (budget réel en 1991 inférieur de 7 milliards à la loi).

■ **Budget des Armées par systèmes de forces et de soutiens** (1992) (% du budget de défense puis, part fonctionnement/part équipement en milliards de F). *1) Forces nucléaires :* 40,4 (20,7) 5,5/38,8. *2) terrestres* [1] : 34,4 (17,7) 18,5/15,8. *3) maritimes* [1] : 23,3 (12,0) 9,8/13,5. *4) aériennes* [1] : 25,8 (13,2) 8,2/17,5. *5) Gendarmerie* [1] : 15,9 (8,1) 14,1/1,7. *6) Forces outre-mer :* 5,7 (2,9) 4,2/1,5. *7) Recherche-essais :* 11,3 (5,8) 2,6/8,6. *8) Formation :* 11,6 (6) 8,6/3,0. *9) Soutien des personnels :* 9 740 (5,0) 8 442/1 298. *10) Soutien des matériels :* 8 110 (4,1) 5 809/2 301. *11) Administration générale :* 8 121 (4,2) 5 772/2 349. *12) Spatial :* compris dans forces nucléaires axé sur satellites observation Hélios et transmissions Syracuse.

Nota.– (1) Hors forces nucléaires.

■ **Coût du service national 1987** (en milliards de F). *Total* 8,72 (1,7 % du budget de la Défense), dont alimentation et entretien du personnel 3,58, solde et indemnités 2,41, transport des permissionnaires 2,41, coût des centres de mobilisation 0,72, coût des bureaux du service nat. 0,48, coût des centres de sélection 0,18. *Source :* rapport Chauveau. **1991 :** la réduction du service à 10 mois entraîne un surcoût de 600 MF (incorporations plus nombreuses, instruction, fonctionnement, solde après durée légale). **Coût d'un appelé.** En 1991 pour 10 mois : appelé de base en métropole 20 000 F, coopération 150 000, police 30 000, coût moyen env. 30 000 F.

■ **Coût des actions extérieures des armées françaises** (milliards de F). **1976 :** 0,044. **77 :** 0,187. **78 :** 0,591. **79 :** 0,474. **80 :** 0,347. **81 :** 0,386. **82 :** 0,615. **83 :** 1,59. **84 :** 2,59. **85 :** 1,7. **86 :** 1,97. **87 :** 3,24 dont en Afrique 2 (Tchad et Centrafrique), golfe Persique 0,62, Nouv.-Calédonie 0,421, Liban 0,139, Guyane 0,046. **88 :** 3,7 dont Tchad (opération Épervier : 1 000 h), Liban (Finul : 350 h), golfe Persique (groupe aéronaval durant 14 mois), Guyane. **90 :** 2,1 dont 2 pour les opérations du Golfe (Daguet + Artimon), 0,05 pour renforcement au Tchad (Épervier) et intervention au Gabon (Requin). **91 :** 6 dont 4 pour *Daguet + Artimon* (Golfe), 2 pour les autres (voir p. 1872) et en particulier *« Noroit »* (Rwanda, 0,063) et Libage (Turquie, 0,221). Voir à l'Index guerre du Golfe).

Évolution des dépenses (hors pension)

Années	Défense [1]	% dép. publiques	% du PIB
1960	17 940	27,90	5,90
1980	88 602	16,87	3,67
1985	150 200	15,09	3,79
1986	158 350	15,40	3,77
1988	174 276	16,16	3,62
1989	182 360	15,83	3,69
1990	189 443	15,50	3,55
1991	194 548 [2]	15,2	3,37
1992	195 268	14,8	3,26
1993	197 916	n.c.	3,13

Nota. – (1) En millions de F. (2) Avec les pensions et la participation au Fonds spécial des ouvriers de l'État, soit 3,37 % du PIB.

■ **Coût de la force nucléaire stratégique.** *Selon le rapport de Raymond Tourrain* (député RPR). De 1960 à 1980 : 222 milliards de F (valeur 1980) dont pour les recherches et études 40 %, vecteurs (avions et missiles) 16,3, expérimentations 12,1, dépenses ind. 11,1, maintien des systèmes en condition opérationnelle 9,1, fabrication des armes (charges) 7,8 et infrastructures 3,6. *Selon Jacques Percebois.* De 1960 à 1981 : 334,4 milliards de F constants 1983 dont, sous de Gaulle, 143,8 (soit 14,4 par an), Pompidou, 79,4 (15,9 par an), Giscard d'Estaing, 111 (15,9). Il faudrait 122 milliards de F supplémentaires de 1980 à 2000 pour la moderniser.

Loi de programmation du 12-1-1990

Pour les années 1990-93 (en milliards de F 1990)

Crédits d'équipement. 437,8. Depuis, loi révisée à la baisse (45 milliards d'économies).

Financement 1990 à 1993 et, entre parenthèses, **1**[res] **livraisons. Terre :** 103. *Hélicoptères HAP-HAC* 3,1 (1997). *Orchidée* 1,1 (1996). *Véhicule blindé léger* 1,3 (1990). *AMX Leclerc* 6 (1991). *Lance-roquettes multiple* 4,1 (1990). **Marine :** 99. *SNLE-SNG* 26,2 (1994). *SNA* 3,2 (1992). *Porte-avions nucléaire* 6,2 (1998). *Frégates légères* 3,5 (1994). *Atlantique* 28,7 (1989). *Torpilles Murène* 1,7 (1994). **Air :** 106,2. ACT/ACM (Rafale) 18,5 (1996). Mirage 2000 29,6 (1992 Mirage 2000 N'). Missile Mica 1,6 (1996). **Section commune :** 119,5. *M4* 8,9 (1985). *A.S.M.P.* (missile air-sol moyenne portée) 0,6. *Hadès* 4,5 (hors têtes nucléaires et système informatique) (1992). *S4* 5 (hors têtes nucléaires) (2000). *Satellite d'observation Hélios* 4 (1993), *de télécom. Syracuse II* 6,5 (1991).

Principales écoles des armées

☞ *Admis :* Ad. *Admission :* Adm. *Admission parallèle :* Adm. p. *Année :* An. *Baccalauréat :* Bac. *Candidat :* Ca. *Concours :* C. *Classes :* Cl. *Cycle :* Cy. *Diplôme, diplômé :* Dipl. *École :* Éc. *Effectifs :* Eff. *Élève :* Él. *Femme :* F. *Polytechnique :* X. *Préparation :* Prépa. *Titulaire :* Tit.

Armée de Terre

☞ Chimique voir Index.

■ **École spéciale militaire** (**ESM** dite **« St-Cyr »**, le « Vieux Bahut »). **Histoire :** *créée* 1-5-1802 par Napoléon s'installa en 1803 dans le château de Fontainebleau, transférée 1808 à *St-Cyr* (Yvelines) dans l'ancienne maison royale de St-Louis, fondée 1685 pour l'éducation des « demoiselles de St-Cyr ». *1940* à *Aix-en-Provence*, fermée 1942 ; l'éc. de *Cherchell* (Algérie) assure la relève jusqu'en 1945. *1945* à *Coëtquidan* (Morbihan, camp national de 5 000 ha). Les bâtiments de St-Cyr ont été détruits par des bombardements alliés en 1944. Dep. 1803, l'éc. a formé 55 000 saint-cyriens dont 10 000 tombés au champ d'honneur. **Effectifs :** 570. **Formation :** en 3 ans, off. des armes de l'armée de terre. Ouverte aux Français (femmes 8 places en 1993) de + de 17 a. et – de 22 a. au 1-1 de l'année des épreuves (23 a. pour militaires ou ayant accompli leur service national). 1re année, l'élève est dit embryon, 2e dit bazar ; à la fin de la cérémonie de remise du casoar (il est en GU : grand uniforme) et devient st-cyrien. **Traditions :** pour les élèves, le temps s'écoule dep. le 2-12-1805, date d'Austerlitz (en souvenir des 1res promotions de st-cyriens morts au champ d'honneur), commémorée chaque année le 2S (2 décembre) ; en 1994, ce sera le 2S 189, les 10 mois du calendrier scolaire, d'octobre à juillet, se voyant attribuer l'une des 10 lettres du mot « Austerlitz » (octobre = A). *Triomphe :* fête de fin d'année, l'un des derniers dimanches de juillet. Le soir, le st-cyrien reçoit les épaulettes dorées de sous-lieutenant et la promotion son nom. *Chant :* la Galette [musique inspirée du Chœur des Puritains de Bellini (1914)]. **Admission :** 3 concours (lettres, sc., sc. éco.) pour bacheliers ayant passé 2 a. dans classe prépa. spécifiques « corniches » (« melon » : él. de 1re année), cl. prépa. aux grandes éc. ou fac sc. éco. niveau Deug ; 2 C. sur titres pour dipl. 2e cy. ou figurant sur listes d'ad. à certaines éc. d'ingénieurs. **Rémunérations :** pour 1 célibataire au 1-9-1992 *1*[re] *a. :* 2 597 F p. mois, *2*[e] *:* 6 486 F, *3*[e] 7 912 F (sous-lieutenant). Niveau atteint permet ultérieurement accès au 3e cy. de l'enseign. sup. ou 2e a. de certaines éc. d'ing. **Candidats :** *1960 :* 831 (360 pl.), *66* 443 (250), *74* 791 (198), *80 :* 600 (160), *8 : 5* 882 (172), *90 :* 914 (160) ; *91 :* 1 076 ; *92 :* 1 118 (155) dont admis sc. 65 (0 f), lettres 55 (0 f), sciences éco 20 (0 f), sur titre 15 (0 f). **Dipl. :** *1982 :* 80, *85 :* 163, *91 :* 217 dont 75 ingénieurs 32 étrangers, *92 :* 165. **Carrière des reçus :** nommés lieut. puis 1 a. en éc. d'application et 3 a. en régiment. V. 27 ou 30 a. : pour 2 a. nommés capitaines d'une compagnie, batterie ou escadron. V. 30-35 a. : accès à l'enseign. militaire sup. préparant aux plus hautes responsabilités.

■ **École militaire interarmes (EMIA).** Héritière l'éc. de *St-Maixent*, et des autres éc. d'armes, formant des off. par recrutement interne. Fusionnée avec St-Cyr à Coëtquidan entre 1945 et 1961, elle a retrouvé en 61 son uniforme (bleu), son drapeau et son appellation particulière, tout en demeurant à Coëtquidan sous commandement unique. **Formation :** en 2 a., off. masculins et féminins (9 places en 1993) des armes de l'armée de terre issus du corps des sous-off. et des off. de réserve en situation d'activité (ORSA). **Admission :** entre 22 et 30 a. tit. bac., 2 ans 1/2 de service, après prépa. par correspondance ; l'enseignement dispensé (niveau DEUG sciences, langues et éco.) permet accès au 2e cy. de l'enseign. sup. **Candidats :** *1976 :* 332 (190 pl.), *81 :* 567 (260), *85 :* 460 (200), *90 :* 925, *91 :* 796 (185 él. français dont 4 F), *90 :* 925, *92 :* 934. **Dipl.** *1989 :* 175 Fr., 7 étrang. *91 :* 194 dont 4 étrangers. *92 :* 178 dont 4 étrangers. **Carrière des reçus :** nommés lieut. à l'issue de l'éc. puis 1 a. en éc. d'application, et carrière sensiblement parallèle à celle d'un off. de l'ESM.

■ **École militaire du corps technique et administratif (EMCTA).** *Créée* 1977 à Coëtquidan. Forme des off. masculins et féminins destinés aux services et états-majors de l'armée de terre et à certains services interarmées (essence, santé, armement). **Adm. :** C. direct pour tit. Deug (– de 30 a.), C. à recrutement interne pour sous-off. ou off. de réserve en activité de 24 à 32 a., bacheliers, après prépa. par correspondance, ou sur titres pour les admissibles à une grande éc. militaire. **Candidats :** *1981 :* C. direct 280 (32 pl.), interne 93 (30 pl.), *90 :* 176 (35), *91 :* 165 (31 pl. dont 10 F), *92 :* 199 (30 F). **Carrière :** de sous-lieutenant à général ou équivalent.

■ **Écoles d'application.** *Infanterie :* Montpellier. *Blindés :* Saumur. *Artillerie :* Draguignan. *Train :* Tours. *Génie :* Angers. *Transmissions :* Montargis. *Aviation légère :* Le Luc. *Matériel :* Bourges. *Administration :* Montpellier.

■ **Écoles de spécialisation.** *Aviation légère :* Dax. *Montagne :* Chamonix. *Commando :* Mont-Louis. *Armes spéciales :* Caen. *Aéroportés :* Pau. *Sports :* Fontainebleau (interarmées).

Marine

■ **École navale (EN,** dite **« la Baille »).** *Lanvéoc-Poulmic,* 29240 Brest-Naval. *Fondée* à Brest le 1-11-1830 et installée sur un vaisseau en rade, l'*Orion,* puis transférée successivement : **le 1**[er] **Borda :** brig de 10 canons. Mis à l'eau 1832. Désarmé 1836. Affecté 11-5-1837 à la Station navale de l'île d'Aix. Condamné 1849. Avait été rebaptisé le 18-12-1834 l'*Observateur* car la décision avait été prise de donner ce nom au bâtiment affecté à l'École navale. **Le 2**[e] **Borda** (1839-1863) : vaisseau à trois-ponts mis sur cale en 1804 sous le nom de *Ville-de-Paris,* rebaptisé la même année *Commerce-de-Paris,* puis *Commerce* en 1830. Déclassé en 1863, deviendra le *Vulcain.* Condamné en 1885. **Le 3**[e] **Borda** (1863-1890) : trois-ponts mis sur cale 1836. Sous le nom *Formidable*, rebaptisé *Valmy* 1838, renommé *Intrépide* en 1890. Condamné 1891. **4e Borda** (1890-1914) : trois-ponts mis sur cale 1853, lancé 1864 sous le nom d'*Intrépide*. Remplacé 1913 par le *Duguay-Trouin*. Démoli 1914. Nom de *Borda* a été attribué le 28-2-1986 au bâtiment hydrographique de 2e classe A 792. Éc. installée ensuite à bord du *Duguay-Trouin* (1913-14). Après 1914, à terre à Brest jusqu'en 1940, puis à Toulon, puis à Lanvéoc-Poulmic, au sud de la rade de Brest. **Effectifs :** env. 150. **Conditions :** être Français (ou être admis à titre étranger), avoir moins de 22 ans au 1-1 de l'année du concours (ou moins de 23 ans si service national effectué), avoir le bac, être physiquement apte. Dep. 1993, concours ouvert aux femmes (max. 10 %). **Concours :** niveau maths spé. M, P' ou TA. **Formation initiale d'officier de marine :** 3 ans (27 mois à l'École navale suivis de 6 mois d'application à bord du *Jeanne-d'Arc*. 2 OPTIONS : opérations et techniques (navigation, manœuvre, mise en œuvre des systèmes d'armes), et fonctions tech. correspondantes (maintenance, mise en fonction et définition de matériels) ; *sciences et techniques* (techn. de propulsions classiques ou nucléaires, équipements et armes, électronique ou informatique). Après 2 ans, les élèves sont admis dans le corps des off. de marine avec le grade d'enseigne de vaisseau de 2e classe. Diplôme d'ingénieur à l'issue de 3 an de formation initiale d'officier de marine. **Solde mensuelle :** *1re année :* 3 150 F ; *2e :* 8 400 F min. ; *3e :* 10 200 F min. En 1993, élèves 150, diplômés 74, candidats 850, admis 75.

■ **École mil. de la Flotte (EMF).** Lanvéoc-Poulmic, 29240 Brest-Naval. *Créée* 1969. **Section officiers de marine :** *concours* réservé au personnel présent au service. (23 à 28 ans au 1-1 de l'année du concours, 1 an de service si admissible à l'École navale, X, Air ou St-Cyr, 2 ans si bachelier, 4 ans pour les autres candidats). **Carrière :** identique à celle des officiers de l'École navale ; 21 mois d'études + 6 mois d'application sur le *Jeanne-d'Arc*. Utilisés dans des fonctions opérationnelles, option « opérations-armes » (OA), ou dans des fonctions d'ingénieurs, option « services techniques » (ST). **Section officiers spécialisés de la marine (OSM) :** créée 1975. 15 spécialités réparties en branche opérationnelle et branche technique. *Concours :* avoir moins de 40 ans, 8 ans de service, être breveté supérieur depuis au moins 2 ans ou officier de réserve en situation d'activité, aptitude physique. *Formation :* générale d'officiers (8 mois, puis école de spécialité d'officiers). *Nomination* au grade d'enseigne de vaisseau de 2e classe à l'issue. **Corps à hiérarchie complète :** « recrutement au choix. (+ de 36 et – de 43 ans, 15 a. au moins de service effectif, être breveté supérieur et physiquement apte). **Formation :** générale, 2 mois, puis 3 mois d'école de spécialité. » *Nomination* au grade d'enseigne de vaisseau de 1re classe à l'issue.

Cours des officiers de réserve en situation d'activité (Orsa) *Lanvéoc-Poulmic*, 29240 Brest-Naval. **Adm. :** tests, commission de sélection. **Conditions :** + de 21 et – de 27 ans au 1-1 de l'année d'adm., bac (recrutement interne), bac + 2 ans d'études sup. (externe) et aptitude physique. 8 branches (pilote, informatique, contrôleur aérien, état-major, gestion de collectivité, conduite des opérations, énergie-propulsion, tactique aéronautique) dont les 5 premières accessibles aux femmes. Officiers servant par contrats (5 à 8 ans) renouvelables jusqu'à 20 ans de service. Peuvent accéder au statut de carrière par concours, sur titres, au choix. **Candidats en 1991 :** 487, admis 82 dont 24 en recrutement externe.

> **Recrutement des officiers d'active de la marine par filière.** *En 1991* éc. navale 75 ; éc. mil. de la flotte 30 ; off. spécialisés recrutement concours 35 ; choix 46.
>
> ☞ *Renseignements et inscriptions (EN, EMF, Orsa).* Direction du personnel militaire de la Marine, Section recrutement officiers, 2, rue Royale, 00351 Paris Armées.

■ **École technique sup. des travaux maritimes (ETSTM).** Rue Maurice-Audin, 69120 Vaulx-en-Velin. **Effectifs :** 8 (1 f.). **Admissions :** C. commun ENTPE, Mines Douai, ENSG pour maths spé. M, P, TA, 1 850 ca. 132 ad. dont 7 à l'ETSTM. *Dipl. 83 :* 7. *An.* 3. *Frais* gratuit.

■ **École nationale supérieure des travaux maritimes (ENSTM).** Rue Maurice-Audin, 69120 Vaulx-en-Velin. **Effectifs** *des 3 années :* 7 (2 f.). **Admissions :** C. commun ENTPE, Mines Douai, ENSG M, P', TA, 3 084 ca., 130 ad. dont 2 à l'ENTM. *Dipl. 88 :* 6. Scolarité gratuite.

■ **École du Commissariat de la marine.** 83800 Toulon Naval. *Fondée* 1863. **Admissions :** C. com. avec ECA et ECAT pour tit. dipl. donnant accès au C. ENA et ayant – 25 a. au 1-1 de l'année considérée. 300 ca. dont 12 ad. ECM. **Adm.** *p.* 1re a. pour tit. X ou Centrale. *An.* 2. *Dipl. 91 :* 14. **Rémun. mensuel** 8 500 F/mois. **Formation :** 2 a. (à Toulon + campagne d'application sur la *Jeanne-d'Arc*). *En 1991 :* 36 élèves (active 1re année : 14, 2e an. : 12 ; réservistes 16 dont 3 X et 6 ENA/ENM ; stagiaires étrangers : 2).

■ **École d'application des enseignes de vaisseau.** *Fondée* 1864, installée sur l'*Iphigénie* 1884-1900, le *Duguay-Trouin* 1900-12, le *Jeanne-d'Arc* 1912-27, croiseur-école 1930-63, porte-hélicoptères dep. 1963. **Écoles de spécialités des officiers :** 4 mois dans un centre d'instruction naval ; immédiatement après leur embarquement sur le *Jeanne-d'Arc* (détecteur, armes sous-marines, missilier, transmission, énergie-propulsion, fusilier, informatique). Après 2 affectations sur bâtiment, certains seront envoyés à l'Escan (École Sup. de Combat et d'Armes navales) ou en école sup. d'ingénieurs.

■ **École d'administration de la marine.** Toulon. C direct pour tit. Deug (– 30 ans). C. recrutement interne sous-off. ou off. de réserve en situation d'activité et bacheliers (24 à 32 ans), fonctionnaires de cat. B en service à la Défense et sous-off. tit. échelle 4 (– 38 ans). Accessible aux femmes. **Formation :** 2 a. de cours.

■ **École de maistrance.** Brest. *Ouverte :* 1-9-1988. héritière des éc. préparatoires et des éc. de maistrance pont et machine. *Age :* (18 à 25 ans). **Recrutement :** sur dossier, niveau Bac. *Engagement min. exigé :* 8 ans. **Eff. annuel :** *1988 :* 200, *1989 :* 450, *1990 :* 750, *92* (prév) : 760. *Cours :* 4 à 6 mois (selon option). *3 options : A :* formation générale maritime et militaire (13 semaines) ; *B :* « mécanique, électrotechnique » (24 sem.) ; *C :* « électronique, informatique » (24 sem.). Dès l'entrée, les élèves portent la tenue d'off. marinier. A l'issue, ils vont dans une école de spécialité pour recevoir une formation prof. Ils sont promus second maître entre 1 et 3 ans de service.

■ Armée de l'Air

■ **École de l'Air (EA).** 13661 Salon-de-Provence Air. *Fondée* 1935 à Versailles, transférée 1937 à Salon. *Forme* officiers d'active (corps du personnel navigant uniquement masculin), des mécaniciens, des bases. **Effectif :** *1993 :* 300 (femmes 4 et étrangers 4). *Concours.* être Français, – de 22 ans au 1-1 de l'année en cours (pilotes), – de 23 ans mécaniciens et bases, avoir le bac, physiquement apte. **Conditions :** programme Math. Spéc. M, P, T, TA. Candidats : 1 184 en 93 dont 45 femmes. *Élèves à recruter 93 :* 101 [72 élèves pilotes, 17 méca. (F3), 12 bases (F2)]. **Formation :** 3 ans, sanctionnée par diplôme d'ingénieur de l'École de l'air (accès 3e cycle), *3 domaines :* officier, ingénieur, spécialiste. *Internat* les 2 premières années. **Solde mensuelle nette** (en fonction du corps d'origine) : 1re année : 2 600 ou 3 500, 2e a. : 7 000 ou 8 900, 3e a. : 8 700 ou 11 500. *Contrat d'engagement comme officier* (3e année comprise) : 8 ans pour pilote, 6 ans mécaniciens et bases.

■ **École militaire de l'Air (EMA).** 13661 Salon-de-Provence Air. *Créée* 1922 à Versailles, transférée 1946 à Salon : forme des officiers d'active. **Recrutement :** interne, ouvert aux off. de réserve en situation d'activité (ORSA) et aux sous-off. admis au concours. *Conditions :* 23 à 30 ans selon corps choisi, titulaire bac. Ca 92 : 556 (57 femmes), ad. 15 personnel navigant (1 femme), 36 méca. (5 femmes), 36 bases (3 femmes). **Formation :** 1re a. : tronc commun, formation militaire + scientifique. 2e a. : spécialisation.

■ **École du Commissariat de l'Air.** Base aérienne 701, 13661 Salon-de-Provence Air. *Créée* 1953. *Eff. 93* 26 (f. 4) dont 5 étrangers. *Concours* comm. avec éc. du commissariat de la marine et éc. du com. de l'armée de terre pour tit. dipl. exigé. *Concours* externe ENA, – de 25 a. *En 1990,* 226 candidats (dont 59 f.). *En 1993,* 8 admis au c. externe et 1 au c. interne. **Formation :** 2 a., gestion et administration. *Dipl. 89 :* 8 (2 f.). Él. d'active (dont 2 f.). **Rémun.** 1re année 7 300 F/mois, 2e 9 000.

■ **École de formation initiale du personnel navigant (EFIPN).** D'abord sur la base aérienne d'Aulnat, dep. 1985 à Avord. Sélection en vol des élèves off. du personnel navigant sur CAP 10, formation militaire initiale et formation technique, enseignement de l'anglais. *Concours* ouvert aux bacheliers (ou titre reconnu équivalent). *Age* 17 à 22 ans hommes ou femmes (pilotes de transport). *Études* 2 ans. éc. de pilotage de base (Cognac), puis éc. de spécialisation (Tours, Avord, Toulouse-Cazaux). *Places offertes (1993)* 100 dont 4 femmes.

■ **École du personnel non navigant** à Nîmes (EFISO). Formation initiale, puis éc. de spécialisation à Rochefort (électronique, mécanique, administration) ou Cazaux (sécurité). **Durée du stage :** variable selon spécialité. *2 niveaux :* futurs sous-off. (CE 2), caporaux-chefs (CE 1). *Concours masculin* niveau terminale pour futurs sous-off., CAP ou BEP pour futurs techniciens, *féminin* terminale. *Age* 17 à 25 ans.

■ **École d'enseignement technique de l'armée de l'air** (Saintes). *Concours :* 2 par an (mai et sept. : niveau seconde). *Age : + 16 à 17 a. au 1er j* d'entrée à l'école. *Scolarité :* 20 mois. Formation scientifique, technique et militaire, puis admission à Rochefort et spécialisation (mécaniciens et électroniciens). Futurs sous-off. *Nota.* – Les femmes peuvent servir dans l'armée de l'air dans des conditions identiques aux hommes.

■ **Renseignements :** Commandement des écoles de l'Armée de l'air, Division recrutement, 37031 Tours cedex.

■ Service de santé des armées

■ **Médecins et Pharmaciens.** Recrutement à différents niveaux *Concours Bac. :* Tit. du Bac. et âgés de – de 21 a. *Candidats 1992 :* méd. 1 282 (83 pl.), phar. 230 (8 pl.). *C.* PCEM2-PCEP2, DCEM4 et DE : âgés de – de 21 a. + nombre d'années d'études (les derniers concours ne sont pas ouverts tous les ans). Élèves médecins et pharmaciens sont inscrits dans les UFR de Lyon et Bordeaux où ils obtiennent leurs diplômes dans les mêmes conditions que les étudiants civils. Un enseignement complémentaire, technique, militaire et général leur est donné dans les écoles.

■ **Vétérinaires.** *Concours* entrée en 1re, 2e, 3e, 4e année et DE, âgés de – de 24 a. + nombre d'années d'études.

■ **Corps technique et administratif.** *Concours.* Tit. du Deug et âgés de – de 30 a. C. commun avec EMCTA de Coëtquidan. 1992 (SSA 5 pl.). C. sur titre : tit. maîtrise selon spécialité et âgés de – de 32 a.

■ **Durée des études :** médecins 8 ans, pharmaciens chimistes 6 a., vétérinaires biologistes 4 a., corps technique et adm. 2 a.

■ **Écoles d'application.** Durée 12 mois comprise dans les années d'études. *Armée de terre,* Paris : *air ;* Paris : *marine,* Toulon et stage sur *Jeanne-d'Arc*. *Médecine tropicale :* Marseille.

■ **Renseignements :** DCSSA, bureau Enseignement, 14, rue Saint-Dominique, 00459 Armées.

■ Délégation générale pour l'armement

Les cadres supérieurs sont constitués des ingénieurs de l'armement (IA) [c. de direction recrutés essentiellement à la sortie de Polytechnique, sinon par concours ou au choix (après examen professionnel) parmi les IETA] et des ingénieurs des études et Techniques d'armement (IETA).

■ **École nat. sup. de l'aéronautique et de l'espace (Ensae)** et **École nat. sup. de techn. avancées (Ensta)** à Paris (voir Index).

■ **École nat. sup. des ingénieurs des études et techniques d'armement (Ensieta).** Rue François-Verny, 29240 Brest Naval. **Eff. :** 315 (f. 10 %). **Adm. :** C. pour maths spé. 786 ca. 75 ad. (+ 116 liste compl.). *Adm. p.* 2e a. tit. maîtr. ès sc. sur dossier 52 ca. 9 ad. *Dipl. 83* 53. *An.* 4. *Frais* mil. rémunérés 3 609 à 5 901 F/mois ou étudiants (civils) : d.u.

■ **École nat. sup. d'ingénieurs de constructions aéronautiques (Ensica)** à Toulouse (voir Index).

■ **École d'administration de l'armement (EAA)** à Arcueil. *Sur concours ;* 3 ans d'études.

■ **Écoles techn. normales (ETN).** *Niveau* terminales E et F ; 2 ans d'études.

■ **Écoles de formation techn. du niveau secondaire.** *Sur concours, niveau* classe de 3e ; 3 ou 4 ans d'ét.

■ **Écoles de spécialisation. Cours sup. d'armement (Cosar).** Éc. militaire, 1, place Joffre, 75007 Paris. **Eff. :** *1992 :* 20. **Adm. :** examen + dossier militaire pour officiers niveau Deug. *Dipl. 92 :* 10. *An.* 2.

Cours sup. systèmes d'armes terrestres (Cosat). Éc. militaire 1, place Joffre 75007 Paris. **Eff. :** *1992 :* 18. **Adm. :** officiers concours niveau Deug. *Dipl. 92 :* 8. *An.* 2.

École sup. de l'électronique de l'armée de terre (Eseat). Quartier Leschi, 35998 Rennes-Armées. **Eff. :** *1993 :* 26. **Adm. :** off. ou fonctionnaires des armées, titulaire Deug sur concours 6 ad. *Dipl. 91 :* 24. *An.* 2.

École sup. du génie militaire (ESGM). 3, rue de l'Indépendance-Américaine, 78013 Versailles Cedex. **Eff. :** *1993 :* 26. **Adm. :** off. et sous-off. niveau Deug sc. 32 ca. 32 ad. *Dipl. 92 :* 26. *An.* 2.

■ Écoles d'enseignement militaire supérieur

■ **1er niveau. Les écoles d'état-major des 3 armes.**

■ **2e niveau technique. Enseignement militaire supérieur scientifique et technique (EMSST)**[1] ouvert aux officiers des 3 armées suivant une filière de formation technique (écoles civiles d'ingénieurs ou facultés). *Durée des études :* variable. **École d'application militaire de l'énergie atomique** Cherbourg. **École nat. sup. de l'armement. École sup. technique du génie et des transmissions. Écoles sup. du matériel et de l'intendance. École militaire de spécialisation atomique** Lyon.

■ 2e niveau général. **Collège interarmes de défense (CID)** [1] : *créé* par décision ministérielle du 24-10-1991 ; ouvre le 1-9-93, remplace *écoles de guerre* des 3 armées, cours supérieurs interarmes et l'*École supérieure de guerre* interarmes. Créée 1973, intégrée 1993 dans CID (division A) 88 off. dont 71 stagiaires étrangers, env. 40 ans, grade moyen lieutenant-colonel ou capitaine de frégate. Pour officiers supérieurs ayant 15 à 18 ans d'expérience et admis sur concours. *Scolarité :* 1 an pour 280 stagiaires (dont 110 étrangers).

■ 3e niveau. **Centre des hautes études militaires (CHEM)** [1]. Ouvert aux colonels ou capitaines de vaisseau de 45 à 48 ans. Scolarité de 1 an pour env. 20 stagiaires. Couplée avec l'**IHEDN** [1] (Institut des hautes études de défense nationale). *Mission :* réunir des responsables de haut niveau appartenant à la fonction publique, aux armées et aux autres secteurs d'activités pour l'étude en commun des grands problèmes de défense ; recherches concernant la défense : 1 session nationale et 4 sessions régionales par an. Tous les 2 ans, 1 session internationale destinée à des personnalités civiles et militaires de pays africains. L'IHEDN reçoit tous les ans des étudiants en DESS de défense.

Nota. – (1) École Militaire 13/21, place Joffre, 75700 Paris.

SERVICE NATIONAL

RECRUTEMENT

QUELQUES DATES

1793-*25-8* décret de la Convention sur la « levée en masse » : tous Français sont en « réquisition permanente » pour le service armé (sans limitation de durée). **1798**-*5-9 loi Jourdan :* la conscription touche chaque année les jeunes gens d'un même âge (21 ans). **1802**-*18-6*/**1804**-*26-8* service de 5 ans. Tirage au sort. Remplacement autorisé. **1805**-*29-8* institution des conseils de révision et organisation du remplacement (on fixait d'avance le nombre des conscrits à atteindre et on prenait les plus jeunes, nés le 31-12 de la classe mobilisée. On s'arrêtait au nombre fixé, ce qui dispensait de service les natifs de mars, févr., janv. Les mobilisés pouvaient payer un non-mobilisé comme remplaçant. Si le remplaçant était tué, le remplacé devait partir ou payer un autre remplaçant). **1818**-*12-3 loi Gouvion St-Cyr :* service de 6 ans, tirage au sort, remplacement autorisé (effectif de paix 240 000 h. ; contingent annuel 40 000 h.). **1824**-*8-6* 8 ans, contingent 60 000 h. **1832**-*21-3* (loi Soult) 7 ans, tirage au sort (effectif fixé chaque année par le Parlement : paix 280 000 h., contingent 80 000 h.). **1855**-*1-2* 7 ans. Pas de remplacement, exonération possible en payant 2 500 F. **1868**-*1-2 loi Niel :* 5 ans pour la moitié du contingent (par tirage au sort) et 6 mois pour les autres. Pas d'exonération. Remplacement autorisé. **1872**-*27-7 loi Thiers :* 5 ans pour une fraction du contingent tirée au sort ; 4 ou 1 an pour les autres. Service obligatoire et universel. Remplacement supprimé. Dispense accordée aux soutiens de famille, aux membres de l'enseignement et au clergé. Active 5 a., réserve d'active 4, territoriale 5, réserve de territoriale 6 (volontariat : libération possible après 1 an, avec versement de 1 500 F, pour diplômés ou soldats ayant passé un examen spécial) ; effectif de paix 500 000 h. **1889**-*15-7* 3 a., service de 3 ans. Volontariat supprimé. Libération conditionnelle pour étudiants et soutiens de famille au bout de 1 an. Création des engagements de 5 ans. Réserve active 9, territoriale 6, rés. terr. 7 (périodes de 28 ou 13 j pour les réservistes) ; effectif paix 610 000 hommes.

1905-*21-3* active 2 a. (à partir de 1907 ; eff. de paix 610 000 h.) ; service égal et obligatoire. Création des sursis. **1913**-*7-8* 3 a. **1920** active 12 m. **1923**-*1-4* 18 m., 1 an pour les brevets de préparation militaire supérieure ou l'aîné de famille nombreuses. Disponibilité 2 a., 1re réserve 16 a., 2e 8 a. **1928**-*31-3* 1 a. (mêmes dispositions pour 1re et 2e réserves). **1935**-*15-3* 18 m. pour la 1re fraction du contingent rappelée avril 1935), 2 a. pour 2e fraction. -*17-3* 2 a. Appel des « classes creuses » nées de 1915 à 1919. Après 1940, incorporation supprimée dans métropole, maintenue dans l'Empire. Jeunes classes furent appelées sans indication de durée légale. **1945** 1re fraction incorporée fit un service de 1 an et 2e 15 m. **1946**-*7-10* 1 a. **1950**-*28-11* 18 m. (maintien sous les drapeaux 18 à 30 m. pendant opérations d'Algérie). **1959** -*7-1* 2 a. Suppression du service auxiliaire. **1965**-*9-7* 16 m. **1970**-*9-7* 1 a. **1970**-*9-7* et **1971**-*10-6* 1 a. Suppression du sursis remplacé par des reports d'incorporation soumis à des restrictions plus strictes ; création d'un service féminin et d'un service dans la gendarmerie ; **1983** prolongations facultatives au serv. actif de 4, 6, 8, 10 ou 12 m. -*8-7* loi 83-605 modifiant le code du serv. nat. **1984**-*29-3* 2 a. de service civil pour objecteurs de conscience. **1991**-*10-7* serv. nat. réduit à 10 m. **1992** création d'un service humanitaire.

ORGANISATION ACTUELLE

Étapes. **Recensement :** obligatoirement le 1er mois qui suit le trimestre où l'on atteint 17 ans. S'adresser à la mairie. **3 jours :** en fait, 2 demi-journées dans un des 10 centres de sél. (Vincennes, Cambrai, Rennes, Limoges, Auch, Nancy, Mâcon, Lyon, Tarascon et Blois et 1 centre du Service national à Ajaccio). Examen médical classant : aptes, exemptés (pas de service), ajournés (réexamen sous 6 mois) ; tests et entretien d'orientation pour les aptes. Ceux qui ne se rendent pas aux 3 j sont considérés d'office comme aptes au service. **Incorporation (ou appel) :** normalement à 18 ans ; tous les mois pairs : 1-2, 1-4 etc. appel du contingent. On peut demander à être appelé dès le 1-10 de l'année de ses 18 ans (sauf opposition des parents ou tuteurs). On ne peut être appelé au service actif au delà de 29 ans (34 en cas d'insoumission ou d'omission de recensement). **Périodes de réserve :** 6 mois maximum.

Formes, durées (âge limite, disponibilité et réserve). **Service militaire :** pour les besoins des armées ; durée 10 mois. Cas particuliers : 12 mois pour les scientifiques du contingent et les médecins, pharmaciens, dentistes et vétérinaires biologistes (en contrepartie, ont bénéficié d'un report spécial pour terminer leurs études et exercent leur spécialité pendant leur service). **Service civil :** *aide technique :* 16 mois dans Dom-Tom. *Coopération :* 16 mois à l'étranger. Possibilité de service comme cadre dans une entreprise à l'étranger (VSNE – volontaire pour le service national à l'étranger), le poste étant exonéré des charges sociales et l'État versant une indemnité aux entreprises. *Cadre humanitaire* (projet Globus) pour ceux qui détiennent des qualifications professionnelles particulières (CAP, BEP...). *Environnement :* volontaires pour 10 mois (250 postes disponibles en 1994). *Police nationale :* 10 mois. *Sécurité civile :* 10 mois essentiellement comme sapeur-pompier volontaire. *Objecteurs de conscience :* 20 mois à la disposition des directions régionales de l'Action sanitaire et sociale. Ils sont affectés dans un service civil relevant d'une administration de l'État ou des collectivités locales, ou dans un organisme à vocation sociale ou humanitaire assurant une mission d'intérêt général. Un rapport du Sénat a constaté qu'au 30-7-1988, sur 4 518 objecteurs, 1 656 étaient affectés à des organismes à vocation sociale, 1 434 dans des organismes relevant de la Jeunesse et des Sports, 186 à l'Office nat. des forêts. Leurs incorporations réelles sont souvent décalées d'un mois, les permissions ne sont guère contrôlées et se trouvent correspondre aux vacances scolaires, les libérations anticipées sont fréquentes et accordées par le ministère des Affaires sociales alors qu'elles doivent être soumises au min. de la Défense. *Organismes agréés* (1988) : 1 803 dont universités, CNRS, diverses écoles où les objecteurs poursuivent leurs études en bénéficiant d'une bourse (2 800 F par mois ou 2 300 F nourris et logés à leur domicile, alors que le prêt du soldat est de 495 F/mois). Parmi les organismes à vocation sociale ou humanitaire figurent des organismes plus proches du mouvement syndical ou militant que du mouvement associatif. **Statut :** accordé par le ministre à ceux qui en font la demande (commission juridictionnelle supprimée). **Délais :** 15 j. au + tard avant incorporation. Toute demande ultérieure est rejetée sans recours. En cas de résiliation d'incorporation ou de devancement d'appel, demande de volontariat pour effectuer le service comme objecteur de conscience à faire avant toute autre démarche (lettre recommandée au bureau du serv. nat. du demandeur). *Renseignements :* Minitel du Comité de coordination pour le service civil (CCSC), accessible par le 60-77-84-62.

Volontariat service long (VSL) : 12 à 24 mois possible dans la police nationale ou la sécurité civile. Peuvent (si aptes) choisir armée, affectation : embarquement, fusiliers-commandos, service outre-mer, en métropole, aux FFA (Forces françaises en Allemagne), force d'action rapide (Far), troupes alpines ou gendarmerie... ; bénéficient d'avantages financiers (solde majorée et pécule en fin de contrat), permissions plus nombreuses, aide à la réinsertion socio-professionnelle, etc. **Disponibilité :** après le service actif jusqu'à l'échéance de 5 années après la date d'appel. **Réserve :** *militaire :* après la disponibilité, jusqu'à 35 ans (hommes du rang et sergents), 42 (sergents-chefs), 50 (adjudants), 55 (adjudants-chefs et majors), 60 (gendarmes). *De défense :* jusqu'à 50 ans.

☞ On peut faire son *service militaire* dans : armée de terre, air, marine, gendarmerie, service de santé des armées comme scientifique du contingent (travaillent en qualité d'ingénieurs, de chercheurs ou de professeurs) ou au sein d'un ministère ayant signé un protocole avec le min. de la Défense. La loi autorise en temps de guerre, à employer des appelés partout ; en temps de paix, seuls les volontaires peuvent être employés sur des théâtres extérieurs. Pendant la guerre du Golfe le 9-1-1991, le Pt de la Rép. déclara que les marins n'auraient pas d'appelés. Cependant s'agissant de navires (portions du territoire national) la question ne se posait « juridiquement » pas.

APPELÉS VOLONTAIRES POUR UNE ACTION EXTÉRIEURE (AVAE) : selon l'art. L70 du Code du service national, « en temps de paix, seuls les appelés qui sont volontaires peuvent être affectés à des unités ou formations stationnées hors d'Europe et hors des DOM-TOM ». Leur décision est recueillie à l'issue de la Formation individuelle du combattant (FIC) de 4 mois. Ils ont un délai de réflexion de 8 j qui leur permet de consulter leurs proches. Les AVAE retenus sont en général des VSL (volontaires service long) car, dans le cadre de l'Onu, les séjours sont de 6 mois.

PERSONNELS SERVANT DANS LE CADRE DE L'ONU (au 1-11-1992) : Yougoslavie 4 063 (dont AVAE 1 518). Cambodge 1 434 (309). Liban 439 (216). *Total 5 936 (2 043).*

☞ **La quille** (symbole de la fin du service militaire). Tirerait son nom du bateau qui ramenait les forçats de Cayenne quand ils avaient purgé leur peine, ou de l'expression « prendre les quilles (jambes) à son cou ».

REPORT

Report initial. Même sans justificatif, permet de retarder le SN jusqu'à 22 ans si l'on en fait la demande. Toujours accepté. *Demande* à déposer à la mairie au moment recensement ou dans mois qui suit, sinon au bureau du service nat. avant 18 ans.

Report supplémentaire. Accordé si l'on doit continuer des études supérieures ou une formation professionnelle (justificatif à fournir au bureau du service nat.), ou si on se présente au concours d'admission à certains établissements, ou si l'on est dans une situation sociale ou familiale grave. *Ages limites :* jusqu'au 1-12 de l'année des 23 ou 24 ans sans autre

LYCÉES MILITAIRES ET PRÉPA.

■ **Établissements d'enseignement général sous régime d'internat. mixtes.** Ayant pour vocations : *Aide à la famille* (classes secondaires) : sont admis les enfants d'ayant droit (milit. et fonct. surtout). *Aide au recrutement* [cl. préparatoires aux grandes écoles militaires (St-Cyr, Éc. Navale, Éc. Air, Polytechnique)] : tout titulaire d'un bac.

■ **Lycées militaires. La Flèche** *fondé* 1603 par Henri IV, affecté v. 1760 par Choiseul aux futurs élèves officiers. Appelé traditionnellement *prytanée*, du nom de l'établissement public d'Athènes (ve s. av. J.-C.) où l'on hébergeait des hôtes aux frais des prytanes (magistrats suprêmes). Les élèves sont appelés des *Brutions,* du nom de la prov. du Brutium qui fournissait à Rome la majorité de ses centurions (ou aussi « gnasse » en argot). Fournit 1 St-Cyrien sur 5, 1 fistot (élève 1re année École navale) sur 6 et 1 poussin (él. 1re année École de l'Air) sur 10. *Secondaire :* 2e à terminale (A, C, D) : 540 élèves. *Prépa. : lettres (lettres sup. et 1re sup.), sciences (math. sup. et spé. : M et M') 340 él. Admission :* par concours de la 6e à la seconde, sur titres pour autres classes.

Aix et St-Cyr-l'École. *Secondaire :* 2e à term. (A, B, C et D). Aix 540 él., St-Cyr 420. *Prépa. :* lettres (lettre sup. et 1re sup.), sciences (math. sup. et spé. : M) A. 340 él., St-C. 285.

Brest (lycée naval). *Secondaire :* 2e à terminale, 270 él. *Prépa. :* sciences (math. sup. et spé. : M et P'), 130 él.

Autun. *Secondaire :* 6e à terminale (séries B, C, D, E et G2) 655 él. *Prépa. :* lettres (lettre sup. et 1re sup.), sciences (math. sup. et spé. : M), 120 él.

Grenoble Montbonnot (École des pupilles de l'Air). *Secondaire :* 6e à terminale (B, C, D), 480 él. *Prépa :* (maths sup. et spé. : M et P), 130 él.

condition, 25 ans si l'on a le brevet de PM (avant le 1-10 de l'année des 24 ans), 26 ans si l'on a le brevet de PMS. *Demande* à déposer au bureau du service nat. avant le 1-10 de l'année des 22 ans, puis le 1-10 de chaque année suivante.

Nota. – Si l'on n'est pas certain de terminer ses études avant 24 ans, s'inscrire à une préparation militaire avant le 31-10 de l'année des 23 ans, dernier délai. Le brevet doit être obtenu avant le 1-10 de l'année des 24 ans.

Report spécial. Selon études poursuivies et si demande acceptée, incorporation retardée. *Jusqu'à 25 ans :* si l'on veut accomplir son service nat. en coopération ou aide technique (durée du service : 16 mois), ou comme scientifique du contingent (chercheur, ingénieur, professeur : durée du service 12 mois) et si candidature acceptée. Sous réserve contrôle progression des études. *Jusqu'à 27 ans :* si l'on a entrepris des études médicales, pharmaceutiques, dentaires ou vétérinaires, avant le 31-12 de l'année des 21 ans. Sous réserve contrôle progression universitaire. Durée du service 12 mois. Demande à déposer au bureau du service national entre le 1-10 et le 15-12 de l'année des 21 ans.

☞ *On peut résilier son report avant terme :* s'adresser au bureau du service nat. ou au bureau commun du service nat. de la coopération (si l'on bénéficie du report spécifique), 2 mois au moins avant la date choisie pour l'incorporation (3 mois pour gendarmerie). Si les bénéficiaires du report spécifique au titre aide technique ou coopération renoncent à ces modes du service national après 23 ans, ou refusent l'affectation proposée, ils accomplissent un service militaire de 16 mois dans les armées.

Vie militaire

■ Permissions. **De sortie** *quartier libre :* les appelés peuvent sortir le soir, de la fin du service jusqu'à 1 h du matin, en civil. *Fin de semaine :* 48 h (du vendredi soir au lundi matin ou 72 h (l'appelé dispose au minimum de 3 week-ends par trimestre). **De détente** 13 j de permission sur l'année, à prendre généralement en plusieurs fois, entre le 3e et le 9e mois. **De faveur** non décomptée.

■ Sanctions. *Avertissement ; consigne* suppression sortie du soir (jour ouvré) ou par demi-journée (j chômés) ; *arrêts* (même chose et l'on dort en prison) ; *période d'isolement (prison continue) :* si faute grave ou risque le justifiant ; *sanction pénale :* si faute très grave. EXEMPLES : *Faire le mur :* 10 j d'arrêts, 20 si en service. *Absence* irrégulière sup. à 2 h. : 10 j (de 1 à 6 j : 30 j). *Désertion* (absence sup. à 1 semaine) : 40 j d'arrêts avec isolement. *Tentative de suicide :* 30 j d'arrêts avec isolement. *Vol, brimade :* 15 à 40 j d'arrêts avec isolement. *Perte de papiers militaires :* 10 j de consigne ou d'arrêts si on ne l'a pas signalée. *Sommeiller étant de faction, de quart ou de veille :* 15 j.

■ Solde. Voir salaires. Non imposable. Les appelés peuvent travailler et toucher un salaire civil, en dehors des heures de service (permissions, quartier libre...). Doivent en avertir leur chef de corps et leur patron ; celui-ci les inscrit à un régime civil de Sécurité sociale. En 1992, création d'une prime de 350 F pour les appelés qui font la totalité du service.

Solde des appelés (mars 1993, en F). Sous-lieutenant 1 584, aspirant 1 485, sergent, second maître 1 239, caporal-chef, quartier maître de 2e classe 990, caporal, quartier maître de 2e cl. 867, soldat de 1re cl., matelot de 1re cl. 618, soldat de 2e cl., matelot de 2e cl. 495.

■ Statistiques

☞ Les chiffres 1992 sont donnés sur la base des effectifs budgétaires.

■ Classes. Effectifs recensés et, entre parenthèses, ressources réelles, déduction faite doubles inscrits, étrangers inscrits à tort, hors d'âge, décédés, etc.). **1982 :** 444 125 (418 800). **83 :** 462 640 (437 000). **84 :** 468 064 (443 500). **85 :** 462 298 (337 000). **86 :** 434 600 (436 000). **87 :** (419 700). **88 :** (413 300). **89:** 438 000 (424 700). **90 :** 424 500 (424 000). **92 :** 462 400 (435 300). **93 :** 451 766 (428 800).

■ Contingent. Ensemble des jeunes gens appelés au service actif au cours d'une même année civile. Un contingent peut être alimenté par des jeunes de 18 à 29 ans de 12 classes d'âge différentes en raison des avances ou des reports d'incorporation. **Classe d'âge :** ensemble des hommes nés au cours d'une même année civile. Désignée par une année de naissance augmentée de 20 (ex. classe 94 : jeunes nés en 1974). La loi de 1971 voulait que le service militaire s'accomplisse à 19 ans en moyenne, avant les études supérieures, et restreindre les reports d'incorporation (elle supprimait la notion de sursis). *% de reports dans une classe d'âge : 1979 :* 29 ; *82 :* 32,10 ; *92 :* 61,60 ; *93 (est.) :* 66.

Incorporés (1992). 274 722 dont : *service militaire* 255 155 [dont terre 185 008, (67,3 %), air 38 375 (14 %), marine 22 233 (8,1 %), gendarmerie 9 539 (3,5 %)], *service civil* 19 567 [dont coop. 5 010 (1,8 %) (y compris VSNE), aide technique 842 (0,3 %), police nat. 5 601 (2 %, au 1-1-1993, la Police nationale offrait 5 725 postes dont à la préfecture de police de Paris 1 200, polices urbaines 2 500, p. de l'air et des frontières 560, compagnies autoroutières de CRS 450), objecteurs de conscience 4 933 (1,8 %), protocoles 2 975 (1,1 %)].

Inscrits d'office (Français omettant le recensement obligatoire à 17 ans). *Classe 1990 :* 16,88 %. *91 :* 16,2 %. *92 :* 13,9 %. *93 :* 14,2 %. *94 :* 16,1 % (dont Ile-de-Fr. 31,2, Corse 29,6, Hte-Normandie 18,1, Prov.-Côte d'Azur 17,8). Ils risquent d'être poursuivis pour insoumission s'ils ne peuvent être joints au moment de l'appel. Le service civil reste marginal en % (6 % en 1992), mais prive le service militaire de personnel compétent et est considéré inégalitaire.

Par grade (1992 en %) : sous-lieut. 0,23 %. Aspirants 2, sous-off. 3,3, hommes du rang 94,7. **Par âge** (1992, en %) : *18 à 20 ans :* 28,3 ; *20 :* 13,9 % ; *plus de 20 :* 58,2 %.

% des appelés dans les armées (1992)

Armées	Officiers	S.-officiers	Hommes du rang
Air	8,3	2,9	81,3
Gendarmerie	5	0,5	98,2
Marine	9,1	0,3	63,4 [1]
Serv. de santé	34,1	4,1	100
Terre	9,8	8,8	82,4

Nota – (1) Quartiers-maîtres et matelots. 35 % des appelés reçoivent une affectation embarquée. 7 % une affectation outre-mer.

■ Ceux qui ne font pas le service (en %). **1962 :** 26,3 (exemptés 16,5, dispensés 5,6, réformés 4,2). **1992 :** 35 (ex. 19,5, d. 4,5, r. env. 10 %). dont (en nombre) : **Dispensés :** 17 364 (dont pupilles de la nation, parents de mort pour la France 23, soutiens de famille 8 420, chefs d'exploitation 1 352, d'entreprise 406, résidents à l'étranger 375, doubles nationaux 6 630, cas sociaux d'exceptionnelle gravité 157). **Exemptés :** 75 948 [motifs : 82 039 (dont psychisme 29 777, état général 23 485, membres infér. 8 834, m. super. 2 632, yeux 10 548, oreilles 6 763)].

☞ Dep. mai 1990, un test de lecture est effectué dans les centres de sélection auprès des jeunes n'ayant pas dépassé la 3e et sans diplômes. En 1992, sur 73 941 testés, 6 606 (9 %) ne peuvent accéder au sens des mots, 21 343 (29 %) ne comprennent que mots et phrases simples, 30 647 (41 %) ont les mécanismes de base de la lecture, 14 644 (60 %) ont les moyens d'une lecture normale.

■ Objecteurs de conscience (appelés qui, pour des motifs de conscience, se déclarent opposés à l'usage personnel des armes). **Nombre :** *1975 :* demandes déposées 770 (retenues 666 pour service actif). *1980:* 1 148 (731). *1985:* 2 603 (2 240). *1988:* 2 931 (2 940). *90 :* 4 121 (3 843). *91 :* 5 110 (4 744). *92 :* 5 738 (5 574). Env. 1,3 % d'une classe (All. féd. service civil de 70 000 pers.). **Service :** *durée :* 20 mois.

■ Insoumis (1992). 6 943 cas dont 70 % insoumis administratifs (doubles nationaux par exemple). L'*insoumis* ne répond pas à l'appel sous les drapeaux. **Déserteur :** Celui qui s'absente sans autorisation de son corps d'affectation, une fois sous l'uniforme. En temps de paix, la désertion est prononcée après 1 mois d'absence si l'on a moins de 3 mois de service et de 6 j si l'on a plus de 3 mois. *Nombre annuel :* env. 4 000.

■ Jeunes Français d'origine maghrébine (JFOM). En âge d'être appelés 20 000, pertes après recensement (décès, double inscription) 1 500, choix serv. en Algérie 4 500, dispenses 3 200, exemptions 5 000, réformes 600, ressource réelle 5 200. Taux de fautes graves 3,5 à 8 fois au-dessus de la moyenne.

■ Binationaux. **Application de l'accord franco-algérien sur les obligations du service nat. (1990) :** nombre de Franco-Algériens : 12 000 par classe. Demandes de service en Algérie classe 1992 : 2 542 (nombreuses options non encore exprimées ; effectuées : 387).

■ Ressource globale des réserves militaires (calculée sur 12 années, jusqu'à l'âge de 35 ans). 3 200 000. **Besoins des armées** (volant de gestion compris) : 550 000 dont terre 305 000, gendarmerie 125 000, air 72 000, marine 33 000.

■ Besoin en spécialistes. Emplois militaires dont la ressource est déficitaire (1992). Nombre à pourvoir : mécaniciens dépanneurs 19 600, cuisiniers et aides 5 650, musiciens 4 500, enseignants 3 000, médecins 1 600, bouchers 1 500, conducteurs d'engins et travaux publics 1 200, mécaniciens diésélistes 950, cond. d'appareil de levage 960, mécaniciens radio 850, coiffeurs 750, électriciens auto 600, linguistes 400, opérateurs topographie et géomètres 350, sauveteurs 260, paramédicaux 1 200.

■ Thèses sur le service

Controverse sur la conscription. **Arguments des partisans de l'armée de métier** (Ex. : 1989-90, Valéry Giscard d'Estaing, Pierre Messmer, François Fillon Charles Hernu, Gal Jeannou Lacaze). Le service nat. n'est plus universel (dispenses et exceptions), est inefficace (on ne peut confier des armes ultraperfectionnées à des gens que l'on remplace tous les 10 ou 12 mois). et coûteux (il impose des effectifs pléthoriques alors que la mission de nos forces n'est plus d'opposer leur masse à celle de l'armée adverse, mais de résister assez longtemps et assez durement à l'agression pour marquer la détermination de la France à recourir, si besoin était, au tir nucléaire). Le surcoût d'une armée de métier n'est pas évident : il faudrait sous-traiter avec des entreprises privées les tâches non militaires : nourriture, entretien des casernes et nombre de véhicules. La guerre du Golfe (1991) a montré que le retrait des appelés des unités envoyées imposait une lourde contrainte de recomposition des unités et que seuls des régiments professionnels pouvaient être disponibles rapidement.

Réponses des adversaires : le service nat. associe chacun à l'effort de défense et renforce la dissuasion, car il manifeste la détermination de la Nation à se défendre. Le professionnalisme est moins utile : l'électronique simplifie les tâches (le Stinger missile sol-air sophistiqué a été utilisé par les maquisards afghans sans formation technique). Selon l'état-major (2-3-1993), une armée de terre uniquement composée de 180 000 professionnels coûterait de 20 à 35 milliards de F. Il faudrait augmenter les salaires des militaires afin d'être compétitif sur le marché de l'emploi et appliquer un plan social pour la réduction des départs des officiers et sous-officiers en surnombre. Il faudrait recruter 25 000 engagés par an et employer plus de civils pour remplacer les appelés médecins, spécialistes, informaticiens ou linguistes. Avec 130 000 hommes, l'armée de terre professionnelle britannique, *« pas mieux équipée »*, coûte 20 % plus cher que l'armée de terre française actuelle (250 000 h.).

Durée du service militaire. **Hypothèse de 6 mois :** (proposition du candidat F. Mitterrand). Elle priverait l'armée de terre de 3 divisions ; le nombre des appelés sous l'uniforme serait de moitié (131 160 au lieu de 262 320). Le 6-3-1990, le min. de la Défense, J.-P. Chevènement, a déclaré que « si le Parti socialiste a préconisé, en 1981, un service de 6 mois, c'est parce qu'il ne connaissait pas le dossier à l'époque ». **Service à 10 mois :** *surcoût* 0,6 Md de F : formation d'un plus grand nombre d'h., infrastructure et fonctionnement, solde complète plus précoce pour engagés et VSL ; *il réduit la disponibilité opérationnelle des unités :* suppression des group. d'instruction (classes) dont une augmentation de charge n'était pas compatible avec la baisse des effectifs, formation dans les unités donc acceptation de la DOD (disponibilité opérationnelle différée, voir p. 1866 b).

■ Préparation militaire

Préparation militaire Terre « Encadrement » (PMT/E). *Conditions :* âge min. 17 ans, autorisation des parents ou du tuteur pour les mineurs. En 1992, 4 826 dont 382 spécialistes transports. *Cycle d'instruction :* 1 année (stage durée 6 j CIPM, mais peut s'effectuer en périodes échelonnées de 2 à 3 j sur 1 an). Cours par des cadres de réserve volontaires. Examen final : brevet. *Avantages :* possibilité de report jusqu'à 25 ans pour études sup. ou prof. ; priorité pour l'accès au peloton d'élèves gradés ou pour l'emploi dans la spécialité étudiée ; permission supplémentaire de 4 j, 1 mois d'ancienneté pour l'avancement et, sous certaines conditions, choix du corps d'affectation. Si mention « très bien » et aptitude au commandement manifeste : peut être admis à un peloton préparatoire à la formation d'élèves officiers de réserve (EOR) ou à la PMS.

Préparation militaire parachutiste (PMP). *Brevets délivrés* (1992) 5 684 (81,4 % des instruits). *Conditions :* il faut être apte physiquement, âge minimal 17 ans ½, autorisation des parents ou tuteur. *Cycle d'instruction :* 12 j, en 2 phases : 8 j (en une ou plusieurs séances) pour l'instruction technique au sol et 4 j d'instruction en vol (4 sauts à ouverture automatique). *Avantages :* comme ci-dessus + incorporation directe dans les troupes aéroportées, solde majorée (1 000 F par mois), indemnités pour service aérien.

Préparation militaire supérieure (PMS). *Brevets délivrés* (1992) sur 11 275 inscrits, 2 643 brevets (terre 2 170, mer 86, air 387). *Conditions :* volontaire, âge min. 17 ans, non incorporable avant le 1-10 de l'année suivant celle de la candidature, titulaire du bac, du BTS ou d'un diplôme équivalent (ou préparant ces diplômes), et le brevet PMT/E. *Déroulement sur 1 an :* 2 ou 3 périodes de 6 j, 1 période estivale bloquée de 3 semaines ; brevet attribué en fonction du classement (examen fin.) *Avantages :* report jusqu'à 26 a ; admis de droit aux pelotons d'EOR dès incorporation (possibilité d'être aspirant 4 mois plus tard).

Préparations militaires (PM) (1991-92). *Brevetés PM :* terre 4 826, air 2 584, mer 1 999 ; *brevetés PMS :* terre 2 170, air 387, mer 86 ; *PMP :* inscrits 13 368, instruits 89 %, brevetés 72 %.

Bilan des PM : sécurité civile : inscrits 524, instruits 27,9 %, brevets 22,7 % ; *mer :* (1992) 2 594, 77 %, 77 % ; *air :* 4 803, 82 %, 63 % ; *terre :* 21 374, 43 %, 38 % ; *para :* inscrits 13 437, inscrits 91 %, brevets 68 %.

PM Sécurité civile. *Conditions :* 17 ans mini., apte médicalement, titulaire du brevet national de secourisme, non candidat à une autre forme de PM, incorporable durant cycle de formation. En 1992, inscrits 440, instruits 190, brevets 164. *Déroulement :* stage de 15 j. dans une unité d'instruction de la sécurité civile, passage brevet (environ 100 places par an, 1 stage par an). *Avantages :* comme PM. *Inscription :* Sécurité civile de la préfecture. *Renseignements :* dans les CIPM (Terre), BDCM (Mar.), BAI (Air).

■ Engagement

Engagés volontaires (EV). Ils souscrivent un contrat de service de 3 ans, 5 ans ou 8 ans (marine).

Volontariat service long. Service allongé 12 à 24 mois (au choix). Formule offerte, depuis 1983, à un max. de 25 000 jeunes par an, peut être accompli comme militaire du rang, sous-officier, officier, dans les 3 armes. *Avantages :* solde 1,5 à 4,5 fois plus élevée selon cas et période (avant ou ap. durée légale) ; permissions plus nombreuses ; priorité à l'engagement ; aide éventuelle au retour à la vie civile ; possibilité de choisir l'armée, et soit la spécialité, soit le lieu d'affectation.

Volontaires service long (1992) : 33 234, dont terre 21 530 (23 660 en mars 1993), mer 4 158, air 3 473, gendarmerie 3 760, santé 314, PDL (avant 12 mois) 15 807, ADL 17 427.

Volontaires du service national entreprise (VSNE). *1978 :* 30. *85 :* 598. *87 :* 1 119. *88 :* 1 663. *89 :* 1 873. *90 :* 2 147. *91 :* 2 245. *92 :* 2 466.

■ Les femmes et l'armée

Service national féminin. *Femmes incorporées. 1978 :* 410, *83 :* 757, *85 :* 1 305 (max.), *88 :* 1 136, *90 :* 815, *92 :* 1 350, *93 :* 1 096 (dont terre 480, service de santé 217, marine 71, aviation 110, gendarmerie 150, coop. 62, aide technique 6.

Personnels féminins (effectifs budgétaires 1991-1992**).** 22 610 y compris personnels appelés dont *air* 5 895 (dont officiers, y compris aspirants 260, sous-off. 4 190, militaires du rang 1 310) ; *terre* 8 670 dont off. 360 (dont 1 général), sous-off. 6 170, m. du r. 1 500 ; *marine* 2 516 dont off. 101, sous-off. et m. du r. 2 345, volont. mil. 70. *Gendarmerie* 2 510 dont off. 5, sous-off. 2 000, m. du r. 250. *Santé* 2 950 dont off. 690 (dont 1 général), sous-off. 2 120. *Essences* 4 dont 4 off. *Délégation générale pour l'armement* 150 dont 150 off. *Total* 22 610 dont active 21 260 (dont sous-off. 15 520, militaires du rang 4 175, off. subalternes 1 120, aspirants et élèves 253, off. supérieurs 190, off. généraux 2), volontaires militaires 1 350.

Principes. Les femmes peuvent accéder à pratiquement toutes les fonctions, tous les corps et toutes les formations mais des limites subsistent. Elles peuvent désormais devenir des officiers et des sous-officiers de carrière (auparavant, officiers ou sous-officiers sous contrat), propriétaires de leur grade et accéder aux grades d'officier supérieur (entre commandant et colonel) et d'officier général (général de brigade ou contre-amiral). *Recrutement :* seulement 10 % des places. *Volume du recrutement :* accès libre pour corps sédentaires et administratifs. Quota fixé en % maxi du recrutement annuel. *Renseignements : Terre :* Centre d'information et de recrutement de l'Armée de Terre, 75, Bd Diderot, Paris 12e. *Air :* Bureau Air information, 163, rue de Sèvres, Paris 15e. *Marine :* Centre de documentation Marine, 15, rue Laborde, 75200 Paris.

Taux de féminisation (1992) : officier : 3 % (unités opérationnelles 2 %), sous-off. : 7 %.

Inscription maritime

Créée par l'ordonnance du 22-9-1668 due à Colbert. Système consistant à assortir à un temps de service dans la Marine royale le droit d'exercer un métier lié à la mer (marin de commerce, pêche, etc.) et le bénéfice d'une protection sociale particulière.

Les marins étaient inscrits sur des registres spéciaux, les matricules tenues par l'inscription maritime, et enrôlés par classes. **Système supprimé** en 1965 (une part importante des réservistes de la Marine venait de la conscription pour compléter l'éventail des qualifications requises que ne pouvaient couvrir les seuls gens de mer).

Peintres officiels de la marine

Origine : au moment de la Restauration, le titre de « peintre du grand amiral de France » fut mis en concours. Louis Ambroise Garneray (1783-1867) l'emporta. Dans l'annuaire de la Marine de 1830 apparurent les noms de 2 peintres affectés au ministère (les peintres du département de la Marine venaient de naître) : le baron Gudin (1802-1880) et Louis P. Crépin (1772-1851). **Les peintres agréés** sont nommés par arrêté ministériel, à l'issue du Salon de la Marine, pour 3 ans renouvelable sur la proposition d'un jury présidé par un officier général et où siègent des représentants des Beaux-Arts, de la Marine et des peintres titulaires. Cette nomination correspond à un prix décerné par ce salon. Ces artistes, dont 1 sculpteur et 2 photographes, relèvent du Service historique de la Marine. Ils peuvent embarquer à bord de tous les bâtiments de guerre, être chargés, le cas échéant, de missions, mais ne reçoivent aucun traitement ni aucune promesse de commande officielle. Ils ont droit au port de l'uniforme d'officier mais ne portent pas de galon ; ils sont assimilés au grade de lieutenant de vaisseau (les peintres officiels à celui de capitaine de corvette) et ajoutent à leur signature une petite ancre. Ils doivent exposer au Salon de la Marine tous les 2 ans. **Nombre :** 38 (17 agréés, 21 titulaires).

☞ **Guerre du Golfe :** la France a renoncé à envoyer « des femmes soldats ». Anglais et Américains ont largement fait appel aux femmes (10 % du total des militaires américains envoyés dans le golfe).

■ Grades

Légende. – Ét. : étoiles ; ch. : chevrons ; g. : galons.

☞ **Étoiles militaires. 1776**-*31-5* les brigadiers des armées (colonel ou mestre de camp disparaîtrons le 17-5-1788), sur l'épaulette une étoile brodée. **1786**-*1-4* étoiles supprimées. **1803**-*24-9* étoiles pour généraux de brigade (2), division (3), en chef (4). Le 25-2-1793 grades créés. **1804** maréchaux : 4 étoiles surmontées de 3 bâtons croisés. **1836**-*1-8* étoiles et bâtons croisés. **1848**-*28-2* décret rétablissant les appellations de généraux de brigade et de division, mais supprimant celle de général en chef et, par conséquent, la 4e étoile. **1921**-*17-3* généraux commandants de corps d'armée membres du Conseil supérieur de la guerre, 5 ét.

Feuilles de chêne. En 1794, elles apparaissent sur les broderies d'uniforme des officiers généraux (le chêne est le symbole de Jupiter, l'attribut de la force et du commandement).

■ Armée de terre

☞ **Étoiles** sur les manches, **galons** sur les épaules, **chevrons** sur le haut des manches. **Or :** infanterie, artillerie. **Argent :** cavalerie, train, chasseurs à pied, chasseurs alpins.

Officiers généraux. *Général d'armée* (5 ét.), *corps d'armée* (4 ét.), *division* (3 ét.), *brigade* (2 ét.). *Général* [(titre complet : officier général), capitaine-général XIVe s., lieutenant général XVIe s., major-général XVIIe s. ; substantif *général* XVIIIe s.]. *Insignes du grade :* XVIIe et XVIIIe s., la cuirasse (d'apparat), l'écharpe blanche, le bâton de commandement (réservé en 1804 aux maréchaux d'Empire). Jusqu'en 1914, écharpe-ceinture rouge et or pour les généraux de div., bleu et or pour les g. de brigade.

Officiers supérieurs. *Colonel* (5 g.), *lieutenant-colonel* (5 g. panachés), *chef de bataillon* (inf.) ou *chef d'escadrons* (cavalerie, train), d'escadron (art.) (appellation : commandant) (4 g.). **Officiers subalternes.** *Capitaine* (3 g.), *lieutenant* (2 g.), *sous-lieutenant* (1 g.), *aspirant* (1 g. coupé de 2 traits noirs).

Sous-officiers. *Major* (1 g. de 6 or et 1 g. or avec raie rouge), *adjudant-chef* (1 g. or avec raie rouge), *adjudant* (1 g. argent avec raie rouge), *sergent-chef* ou *maréchal des logis chef* [1] (3 ch.), *sergent ou mar. des logis* [1] [2 ch. ou (PDL [2])1 ch.].

Hommes du rang. *Caporal-chef* ou *brigadier-chef* [1] (1 ch. or ou argent et 2 ch. de couleur), *caporal ou brigadier* [1] (2 ch. de couleur), *soldat 1re classe* (distinction et non grade) (1 ch. de c.), *2e classe.*

Age moyen d'accès au grade (1992). *Lieutenant* 30 ans 4 mois ; *capitaine* 33 a. 9 m. ; *commandant* 39 a. 1 m. ; *lieut.-col.* 42 a. 8 m. ; *colonel* 46 a. 4 m.

Nota. – (1) Cavalerie, train, artillerie. (2) PDL : pendant la durée légale du service.

Durée minimale dans chaque grade avant d'être promu au grade supérieur dans les armes, et entre parenthèses **durée moyenne. Officiers** (1992) : *colonel* 3 ans (6 ans 10 mois), *lieut.-col.* 3 a. (5 a., 5 m.) *commandant* 4 a. (5 a.), *capitaine* 5 a. (7 a., 9 m.), *lieutenant* 4 a. (4 a.), *sous-lieut.* 1 a. (1 a.). **Sous-officiers** (1992) : *sergent* 3 a. (5 a., 10 m.), *sergent-chef* 3 a. (5 a., 7 m.), *adjudant* 4 a. (7 a.).

■ Armée de l'air

☞ *Off. et sous-off. :* étoiles, galons et chevrons au bas des manches de la tenue de cérémonie, sur les pattes d'épaules de la tenue de travail. *H. du rang :* chevrons sur les pattes d'épaules pour toutes les tenues.

■ **Age. Limites les plus courantes** (*Légende :* t : armée de terre ; m : marine ; a : air ; g : gendarmerie ; s : santé ; d : DGA (dir. gén. de l'armement) : **Officiers :** *Général :* t 58, m 58, a 57 (brigade 55, division 57, armée 58), g 59, s 60, d 62 ; *colonel (cap. de vaisseau)* t 57 ans, m 56, a 52 (53 pour les volants), g 58, s 59, d 62 ; *lieutenant-colonel (cap. de corvette) :* t 56, m 54, a 50, g 57, s 59, d 62 ; *commandant (cap. de frégate) :* t 54, m 52, a 48, g 56, s 59, d 62 ; *capitaine (lieutenant de vaisseau) :* t 52, m 52, a 47, g 55, s 56, d 62 ; *lieutenant :* t 52, m 52, a 47, g 55 ; *sous-lieut. :* t 52, m 52, a 47, g 55. **Sous-officiers :** *Sergent :* t 42, a 42, m 42, g 55. *Sergent-chef :* t 42, a 42, m 42, g 55. *Adjudant :* t 47, a 47, m 47, g 55. *Adjudant-chef :* t 55, a 55, m 55, g 55. *Major :* t 56, a 56, m 56, g 56.

■ **Aumôniers militaires** (catholiques, israélites, protestants). Nommés par le ministre d'État de la Défense, n'ont ni classe, ni grade ; ne sont pas obligés de porter l'uniforme ; n'ont pas de pouvoir disciplinaire et nul n'est astreint à les saluer.

■ **Commandements (catégories marines).** *Enseignes et lieutenants de vaisseau :* patrouilleurs, dragueurs et escorteurs côtiers, petits ravitailleurs, bâtiments hydrographes, sous-marins, escadrilles, commandos. *Capitaines de corvette :* escorteurs rapides, avisos, chasseurs de mines, bâtiments de débarquement et de transport léger, division de dragueurs, sous-marins, flottilles, aéro... *Capitaines de frégate :* escorteurs d'escadre, corvettes, division d'escorteurs, d'avisos et de dragueurs, avisos escorteurs, pétroliers, bâtiments de soutien logistique, transports de chaland de débarquement, SNLE, bases aéronavales, groupement de commandos, etc. *Capitaines de vaisseau :* frégates, porte-avions, croiseurs, *Jeanne-d'Arc,* flottilles de bâtiments, escadrilles de sous-marins, écoles, commandements maritimes, base aéronavale, région aéronavale, direction de ports, dépôts, etc.

■ **Officiers, recrutement** (en %). **1869 :** indirect 60 ; direct [1] 40. **1913 :** Off. d'active [2] 43,9 ; St-Cyr 40 ; Polytechnique 12,1 ; rang [3] 4. **1938 :** Off. d'active 30,3 ; St-Cyr 27,5 ; rang 24,3 ; réserve 9,3 ; Polytechnique 8,4. **1992 :** off. d'active [2] direct [1] 27,7, ind. 72,3.

Nota. – (1) Concours des grandes éc. mil. (Polytechnique et St-Cyr). (2) Examens ou concours. (3) Promotion au mérite de sous-officiers.

■ **Sous-officiers : Recrutement et formation :** *3 sources :* meilleurs caporaux-chefs spécialistes ; sergents du contingent désirant faire carrière ; engagés dans les écoles de sous-officiers. **Écoles :** Éc. nat. des sous-off. d'active (Issoire et St-Maixent). **Éc. d'application :** *Infanterie* (Montpellier), *Blindés* (Saumur), *Artillerie* (Draguignan), *Génie* (Angers), *Train* (Tours), *Transmissions* (Agen), *Matériel* (Châteauroux).

Les contrats initiaux sont de 5 ans (7 pour l'ENTSOA). L'emploi dans la spécialité est garanti 2 ans. Entre 5 et 10 ans de service, accès à l'état de sous-off. de carrière. Ce statut garantit la stabilité de l'emploi jusqu'à la limite d'âge, l'avancement à l'ancienneté jusqu'au grade d'adjudant, la préparation aux brevets mil. et l'accès à l'échelle de solde no 4.

Officiers généraux. *Général d'armée aérienne* (5 ét.), *corps aérien* (4 ét.), *division aér.* (3 ét.), *brigade aérienne* (2 ét.). **Chiffres supérieurs :** *colonel* (5 g. or), *lieutenant-colonel* (5 g. panachés 3 or 2 argent), commandant (4 g. or). **Officiers subalternes :** *capitaine* (3 g.), *lieut.* (2 g.), *sous-lieut.* (1 g.), *aspirant* (g. en forme de gamma renversé).

Sous-officiers. *Major* (1 g. de 6 or et 1 g. or avec raie rouge), *adjudant-chef* (1 g. d'or avec raie rouge), *adjudant* (1 g. d'argent, raie r.), *sergent-chef* (3 chevrons or), *sergent* [2 ch. ou (PDL) 1 ch.].

Hommes du rang. *Caporal-chef* (1 ch. or et 2 rouges), *caporal* (2 ch. r.), *soldat* 1re cl. (1 ch. r.), 2e cl.

Temps de grade moyen. Sous-officiers (1988) : *adjudant* 6 ans 10 mois ; *sergent-chef* 7 a. 11 m. ; *sergent* 7 a. 2 m.

Marine

Officiers généraux. *Amiral* (5 ét.), *vice-am. d'escadre* (4 ét.), *vice-amiral* (3 ét.), *contre-amiral* (2 ét.). **Officiers supérieurs.** *Capitaine de vaisseau* (5 g. or), *cap. de frégate* (5 g. 3 or 2 argent), *cap. de corvette* (4 galons). **Officiers subalternes.** *Lieut. de vaisseau* (3 g.), *enseigne de vaisseau* de 1re cl. (2 g.), de 2e cl. (1 g.), *aspirant* (1 g. 2 barres, dits « sabords »).

Officiers mariniers. *Major* [1 galon or de 6 mm avec 2 soutaches de 2 mm, l'une en argent (intermédiaire) et l'autre en or, espacées de 1,5 mm + 2 ancres cursés], *maître principal* (1 g. et 2 soutaches), 1er maître (1 g. et 1 soutache), *maître* (3 g. de biais), *second maître* (2 g. de biais, 1 pendant la durée légale).

Quartiers-maîtres et marins. *Quartier-maître* de 1re cl. (3 g. de biais de laine rouge), de 2e cl. (2 g. de biais rouges), *matelot breveté* (1 g. de biais rouge).

Temps de grade moyen (1988). *Premier maître* 5 ans, *maître* 5 a. 3 m., *second maître* 4 a. 6 m., *quartier-maître* 1re cl. 3 a. 6 m.

Services

Exemples : avec correspondances.

Contrôle général des armées. Contrôleur général des armées, contrôleur, contrôleur adjoint. Le contrôle a une hiérarchie propre ne comportant aucune assimilation avec des grades des différents corps d'officiers. Ses membres bénéficient des rangs de préséance accordés aux officiers généraux.

Commissariat de l'armée de terre. *Commissaire général* de division (3 ét. or) ; de brigade (2 ét. or) ; *commissaire* colonel (5 g. rouge) ; lieutenant-colonel (3 g. argent, 2 g. or) ; commandant (4 g. arg.) ; capitaine (3 g. arg.) ; lieutenant (2 g. arg.) ; sous-lieutenant (1 g. arg.). **De la marine.** *Commissaire général* de 1e cl. (3 ét. argent), de 2e cl. (2 ét. arg). *Commissaire en chef* de 1re cl. (5 g. or), de 2e cl. (3 or, 2 arg.). *Commissaire principal* (4 g. or). *Commissaire* de 1re cl. (3 g. or), 2e cl. (2 g. or), 3e cl. (1 g. or).

Matériel. *Ingénieur gén.* de 1re cl., de 2e cl. ; *ing. en chef* de 1re cl., de 2e cl. ; *ing. principal* ; ing. de 1re cl., de 2e cl., de 3e cl. **Armement.** *Ingénieur gén.* de 1re cl., de 2e cl. ; *ing. en chef* de 1re cl., de 2e cl. ; *ingénieur* principal, adjoint.

Services santé des armées. *Médecin général inspecteur* (3 étoiles), *méd. général* (2), *méd. en chef* (colonel, Lt-colonel), *méd. principal* (commandant), *méd.* (capitaine). **Services des essences** (voir matériel).

Dignité

Maréchal de France

■ **Origine.** Du francique *marhskalk*, domestique chargé de soigner les chevaux. Au début, second de le *connétable* (*comes stabuli* : maître des écuries). Le premier fut Albéric Clément († 1191, tué à l'ennemi), sous Philippe Auguste (1185). Le maréchalat devient une dignité inamovible sous François Ier : le maréchal est officiellement cousin du roi (cousin de l'Empereur en 1804). A la fin du XVIe s., la dignité est conférée à des vieillards ; consacrant une carrière militaire. A partir de Louis XIV, la moyenne d'âge redescend à 50 ans. 6 maréchaux généraux eurent autorité sur tous les autres : Armand de Gontaut-Biron (1524-92), François de Lesdiguières (1543-1626), Henri de Turenne (1611-75), Claude de Villars (1653-1734), Maurice de Saxe (1696-1750), Nicolas Soult (1769-1851).

■ **Bâton de maréchal** insigne de la dignité, remonte à la guerre de Cent Ans. **Avant 1758**, étui creux destiné à recevoir le brevet. L'un des embouts portait, gravés en creux, les nom, prénom et date de nomination du titulaire. **1758** normes fixées : bois plein, longueur 52 cm, diamètre 3,5 cm, recouvert de velours de soie bleu de France semé de 36 fleurs de lys ; embout en or avec fleur de lys. Autour de l'embout est gravée la devise *Terror belli, decus pacis* (terreur durant la guerre, ornement pour le temps de paix). **1er Empire** aigles brodés, couronnés, aux ailes droites (sauf bâton de Marmont abeilles et aigles alternés). **1814** semis de fleurs de lys. **1830** semis d'étoiles. **Second Empire** semis d'aigles. **1916** semis d'étoiles. **Uniforme** : 3 rangées de feuilles de chêne figurèrent en broderie sur l'uniforme et le chapeau, puis sur le képi des maréchaux avec 7 étoiles.

■ **Familles françaises ayant compté le plus de maréchaux.** Montmorency (toutes branches confondues) : 9 ; Durfort (toutes branches confondues) : 5 ; Gontaut-Biron, Cossé-Brissac, Choiseul, Harcourt, Noailles (toutes branches confondues) : 4 ; Broglie, Ornano : 3.

■ **Nombre.** Sous *St Louis* : 2 ; *Philippe le Bel* : 7 (dont 2 tués à l'ennemi) ; *Jean le Bon* : 8 (3 t. à l'e.) ; *Charles VI* : 6 (2 t. à l'e.) ; *Charles VII* : 4 (1 t. à l'e.) ; *François Ier* : 5 (1 t. à l'e.) ; *Henri II* : 5 (3 t. à l'e.) ; *François II* : 4 ; *Charles IX* : 6 ; *Henri III* : 8 (2 t. à l'e.) ; *Louis XIII* : 30 (3 t. à l'e.) ; *Louis XIV* : 54 (8 t. à l'e.) ; *Louis XV* : 49 (1 t. à l'e.). *1791* : 6. *1793* (21-2) : supprimés. *1804* (19-5) : rétablis, sous le nom de Mar. d'Empire comme une dignité d'État. *1815* : 20 (la Restauration les considère comme une dignité militaire). *1816 à 1849* : 18 nommés. *1850 à 1870* : 19. *1916 à 1923* : 8. *1952* : 3. *1984* : 1.

■ **Maréchaux. D'origine étrangère :** *Allemands* : Frédéric de Schomberg (1675), Louis de Hohenlohe (1827) *Anglais* : James de Berwick (1706) ; *Danois* : Josias de Rantzau (1645), Ulrich de Lowendal (1700-55) ; *Estonien* : Conrad de Rosen (1703) ; *Italiens* : Jean-Jacques Trivulce (1500), Théodore Trivulce (1526), Jean Caraccioli (1544), Pierre Strozzi (1554), Concino Concini (1614) ; *Polonais* : Jean Poniatowski (1813). **Académiciens** (voir Index). **Condamnés à mort :** *Ancien Régime* : Gilles de Retz, brûlé vif 1440 ; Charles de Gontaut-Biron, décapité 1632 ; Louis de Marillac, décapité 1632 ; Henri de Montmorency, décapité 1632 ; duc de Mouchy, marquis d'Harcourt, baron de Lückner, guillotinés 1794 ; gracié : Oudard du Biez, 1549. *Restauration* : Ney 1815 (fusillé). *IIIe Rép.* : Bazaine 1873 (peine commuée, voir Index). *IVe Rép.* : Pétain 1945 (peine commuée en détention perpétuelle). **Nommés depuis 1804 : 1804** *Augereau* (1757-1816), duc de Castiglione 1808. *Bernadotte* (1763-1844), P[ce] de Pontecorvo 1810, roi de Suède et de Norvège 1818. *Berthier* (1753-1815), P[ce] de Neuchâtel, duc de Valengin, P[ce] de Wagram 1809. *Bessières* (1768-1813), duc d'Istrie 1809, tué à l'ennemi. *Brune* (1763-1815), exécuté. *Davout* (1770-1823), duc d'Auerstaedt 1808, P[ce] d'Eckmühl 1809. *Jourdan* (1762-1833), comte. *Kellermann* (1735-1820), duc de Valmy 1808. *Lannes* (1769-1809), duc de Montebello 1808, tué à l'ennemi. *Lefebvre* (1755-1820), duc de Dantzig 1808. *Masséna* (1758-1817), duc de Rivoli 1808, P[ce] d'Essling 1810. *Moncey* (1754-1842), duc de Conegliano 1808. *Mortier* (1768-1835), duc de Trévise 1808, † en service commandé. *Murat* (1767-1815), grand amiral et prince d'Empire 1805, grand-duc de Berg et de Clèves (mars 1806-juillet 1808), roi de Naples 1808, fusillé. *Ney* (1769-1815), duc d'Elchingen 1808, P[ce] de la Moskova 1812, fusillé. *Pérignon* (marquis de) (1754-1818). *Sérurier* (1742-1819), comte. *Soult* (1769-1851), duc de Dalmatie 1808. **1807** *Victor Perrin,* dit Victor (1764-1841), duc de Bellune 1808. **1809** *Macdonald* (1765-1840), duc de Tarente 1809. *Marmont* (1774-1852), duc de Raguse 1808. *Oudinot* (1767-1847), duc de Reggio 1809. **1811** *Suchet* (1770-1826), duc d'Albufera 1813. **1812** *Gouvion-Saint-Cyr* (1764-1830), (marquis de 1816). **1813** *Poniatowski* (1763-1813), P[ce] 1764, tué à l'ennemi. **1815** *Grouchy* (marquis de) (1766-1847), comte d'Empire 1809. **1816** *Beurnonville* (1752-1821), marquis de 1817. *Clarke* (1765-1818), comte d'Hunebourg, duc de Feltre. *Coigny* (duc de) (1737-1821). *Vioménil* (marquis de) (1734-1827). **1823** *Lauriston* (1768-1828), comte de 1808, marquis 1817. *Molitor* (1770-1849), comte 1808. **1827** *Hohenlohe* (P[ce] de) (1765-1829). **1829** *Maison* (1771-1840), marquis 1817. **1830** *Bourmont* (1773-1846), comte. *Gérard* (1773-1852), comte. **1831** *Clausel* (1772-1842), comte. *Mouton* (1770-1838), comte de Lobau 1809. **1837** *Valée* (1773-1846), comte. **1840** *Sebastiani de La Porta* (1772-1851), comte. **1843** *Bugeaud* (1784-1849), marquis de La Piconnerie, duc d'Isly 1844. *Drouet* (1765-1844), comte d'Erlon. **1847** *Dode de La Brunerie* (1775-1851), vicomte, pair. *Reille* (1775-1860), comte 1808. **1850** *Jérôme Bonaparte* (1784-1860), roi de Westphalie 1807. **1851** *Exelmans* (1775-1852), comte. *Pélissier* (1794-1864), duc de Malakoff 1856. **1856** *Bosquet* (1810-61). *Canrobert* (1809-95). *Randon* (1795-1871), comte. **1859** *Mac-Mahon* (1808-93), comte de, duc de Magenta 1859. *Niel* (1802-69). *Regnault de Saint-Jean-d'Angély* (1794-1870), comte. **1861** *D'Ornano* (1784-1863), comte. **1863** *Forey* (1804-72). **1864** *Bazaine* (1811-88), condamné à mort, puis gracié. **1870** *Lebœuf* (1809-88). **1916** *Joffre* (1852-1931). **1918** *Foch* (1851-1929), maréchal de Fr., de G.-B. et de Pologne. *Pétain* (1856-1951), condamné à mort, puis peine commuée en détention à vie. **1921** *Fayolle* (1852-1928). *Franchet d'Esperey* (1856-1942). *Gallieni* (1849-1916, posthume). *Lyautey* (1854-1934). **1923** *Maunoury* (1847-1923, posthume). **1952** *De Lattre de Tassigny* (1889-1952, posthume). *Juin* (1888-1967). *Leclerc de Hauteclocque* (1902-47, posthume, † en service commandé). **1984** *Koenig* (1898-1970, posthume).

Amiral de France

Origine mot (de l'arabe *amir al-bahr,* « prince de la mer ») adopté sous l'influence de Charles d'Anjou, roi de Naples, adversaire des Barbaresques. La dignité d'amiral de France était équivalente à celle de connétable. **Nomination.** Le 1er fut Florent de Varenne (1270). La charge avait eu 53 titulaires quand elle fut supprimée, en janvier 1627. Rétablie en 1669, elle fut donnée, surtout à titre honorifique, à des princes du sang (exception pour le Cte d'Estaing en 1791). *Napoléon* nomma amiral de Fr. son beau-frère, Joachim Murat, en 1805 ; et *Louis XVIII,* son neveu, le duc d'Angoulême, *en 1814. De 1830 à 1869,* il y eut 12 amiraux de Fr. : Victor Duperré (1775-1846) 1830 ; Laurent Truguet (1752-1839) 1831 ; Albin Roussin (1781-1854) 1840 ; Ange de Mackau (1788-1855) 1847 ; Charles Baudin (1784-1854) 1854 ; Alexandre Parseval-Deschênes (1790-1860) 1854 ; Jacques Hamelin (1796-1864) 1854 ; Armand Bruat (1796-1855) 1855 ; Joseph Desfossés (1798-1864) 1860 ; Charles Rigault de Genouilly (1807-73) 1864 ; Léonard Charner (1797-1869) 1864 ; François Tréhouart (1798-1873) 1869. Le titre cessa d'être donné sous la IIIe République.

☞ Le 29-6-1939, par décret-loi, l'amiral Darlan fut nommé « Amiral de la Flotte » afin qu'en tant que chef d'état-major de la Marine il ne se trouve pas en état d'infériorité protocolaire vis-à-vis de son homologue britannique qui était « admiral of the Fleet », mais il s'agissait d'une simple appellation et non d'une dignité.

L'armement en France

Généralités

Chiffre d'affaires global. *1992* : 116 milliards de F dont 25 % à l'export. **Principales Stés françaises. Chiffres d'affaires total et,** entre parenthèses, **CA armement** (en milliards de F, 1990) : **Aérospatiale** (hors filiales) 32,8 (15,4) ; *filiales* Sogerma-Socea 1,7 (0,4), Socata 0,7 (env. 0), Seta 0,5 (0,2), Sextant avionique 5,3 (2,2). **Dassault**-aviation 17,1 (12,3), -électronique 4 (2,9). **Matra** défense en 92 5,5 (5,5). **RVI** 18,2 (n.c.). **Giat industries** (Sté créée 1-7-1990) 11 (en 1992 ; *résultats 1991* - 0,4 ; *92* : - 0,52). **Sagem** 5,1 (2,1). **Snecma** (hors filiales) 14,1 (5,1) ; *filiales* Hispano-Suiza 2 (0,8), Sochata 1,1 (0,6), Messier-Bugatti 2,3 (0, 7). **Sep** 4,8 (1). **SNPE** 3,3 (1,8), en 92 4,2 (1,8). **Thomson-CSF** 37 (28,6). **Turbomeca** 2,6 (1,6).

Dépense budgétaire de recherche-développement militaire (DBRDM) (en milliards de F). *1985* : 21,1. *90* : 34,5 en autorisations de programmes 30,8 en crédits de paiements (dont FNS 12,2, classique 16, espace 2,5). *91* : 33,1 en AP, 29,9 en CP (FNS 7,8, classique 16,7, espace 2,4) soit en % : nucléaire 20, électronique 27, aérospatial et missiles 33, autres 20.

	GIFAS[1]	SPER[2]	GICAT[3]	TOTAL
CA consolidé [4]	118	45	40	203
% export/consolidé	55 %	43 % (exp/nc)		
% militaire [5]	62	30	40	132
dont :				
– Métropole	60 %	52 %	48 %	55 %
– Export	40 %	48 %	52 %	45 %
Effectif : Directs	120 000	53 000	50 000	223 000
Indirects	250 000	46 000	75 000	371 000
Total	370 000	99 000	125 000	594 000
dont activ. milit.	190 000	65 000	125 000	380 000

Nota. – (1) Groupement des Industries Aéronautiques et Spatiales. (2) Syndicat de matériel Professionnel Électronique et Radioélectrique. (3) Groupement des Industries Concernées par l'Armement Terrestre. (4) HT, 1990, en milliards de F. (5) Montant non consolidé.

Source CIDEF (Conseil des Industries de défense françaises).

STRATÉGIE EST-OUEST CONTRÔLE DES ARMEMENTS

■ **Définitions.** *Armes nucléaires stratégiques :* tous vecteurs nucléaires (missiles, bombardiers...) pouvant frapper le « sanctuaire » (territoire) de l'autre ; par convention les vecteurs intercontinentaux (ICBM) de portée sup. à 5 500 km. *Tactiques :* a. de courte portée (inf. à 500 km) dites du champ de bataille. *Forces nucléaires intermédiaires (FNI, ou INF* Intermediate Range Nuclear Forces) ou encore *TNF* (Theater Nuclear Forces) 500 à 5 500 km. On les subdivise en *SRINF* (Short Range INF Forces) de 500 à 1 000 km et *LRINF* (Long Range INF) de 1 000 à 5 500 *SNF (Short Nuclear Forces)* – de 500 km.

Capacité de 1re frappe : d'ouverture des hostilités et d'élimination des forces de représailles de l'adversaire. Cette capacité n'a jamais été totalement acquise et c'est sur son absence que reposé la dissuasion. *De 2e frappe :* capacité de représailles même après avoir subi une 1re frappe. Ne vise qu'à causer des dégâts massifs sans grande précision, doit être invulnérable pour échapper à la 1re frappe (dissuasion). Selon ces critères, *les missiles terrestres non mobiles peuvent être des armes de 1re frappe ;* la connaissance de leur position les rend vulnérables, leur ôte toute valeur en 2e frappe et sont donc considérés plus déstabilisants, car la tentation est forte d'anticiper en tirant le 1er. *Les missiles sous-marins sont des armes de 2e frappe (peu vulnérables).*

■ **Période 1945-1955. Domination américaine.** Stratégie : écraser l'ennemi éventuel par un bombardement massif. **Plan américain « Charioteer »** (déc. 1947) : lancements prévus : 133 bombes A sur 70 villes soviétiques (dont 8 sur Moscou et 7 sur Leningrad) pendant 30 j ; après 200 autres bombes A. 250 000 t d'explosifs classiques pendant 2 ans. **Plan « Trojan »** (mai 1949) : 1re phase de 2 semaines contre 30 villes soviétiques. 2e contre 40 autres villes pendant 15 j. **1954-*12-1* concept de représailles massives** *(massive retaliation)* (l'URSS a fait exploser sa 1re bombe fin 1949) formulé par Foster Dulles au sujet de la zone européenne : les défenses locales, n'étant pas en mesure de faire face à la supériorité sov., doivent être soutenues par l'effet dissuasif de représailles massives.

■ **Période 1955-62. Du monopole au partage.** La portée des missiles sov. s'allonge (10 000 km en 1957), le lancement de Spoutnik 1 confirme leur percée technique. L'Amérique prend conscience qu'elle n'est plus invulnérable ; influencée par la propagande, elle surestime le nombre de missiles adverses (missile gap).

■ **1957 (2-10). Plan Rapacki** (min. des Affaires étr. polonais) sur l'interdiction de la production et des dépôts d'armes nucléaires dans les 2 Allemagne, est rejeté par l'Otan.

Équilibre de la terreur : appelé **Mad** (mutual assured destruction) par les Américains, il a dominé les relations Est-Ouest et reste valable tant qu'une parade étanche n'existe pas ou qu'il subsiste des armes de 2e frappe. **1959**-*1-12* démilitarisation et dénucléarisation de l'Antarctique, qui n'était ni militarisé ni nucléarisé. *Le concept de dissuasion* (Albert Wholstetter : the delicate balance of Terror), thèse de Bernard Brodie et de Snyder dès le début des années 50, apparaît, fondé non plus sur l'utilisation systématique des armes nucléaires mais sur une capacité de frappe en second.

Riposte graduée : Kennedy, constatant que les USA ne sont pas hors de portée des fusées soviétiques, renonce à prendre le risque d'un engagement nucléaire automatique au profit des alliés européens et adopte avec la « riposte flexible » une stratégie d'intervention éventuelle, conventionnelle (d'où le refus de la France d'y souscrire). **1962** Robert McNamara (n. 1916), secr. à la Défense, est chargé de la mettre en œuvre. Cette nouvelle politique impose la recherche de la supériorité à tous les niveaux, la multiplication des procédures de sauvegarde pour éviter toute méprise, des forces conventionnelles (l'Otan doit disposer de 30 divisions) et nucléaires (tactiques et stratégiques), l'arrêt de la prolifération. Ainsi s'instaure, *l'équilibre de la prudence,* USA et URSS possédant des engins intercontinentaux capables d'atteindre la force de frappe adverse sans certitude toutefois de la détruire à 100 %. **1963**-*20-6 accord de Genève,* un *télex crypté spécial dit « téléphone rouge »* assure une communication permanente entre Russes et Amér. afin d'éviter le déclenchement d'une guerre nucléaire par accident. Permet de régler plusieurs alertes dues à des défaillances de radar ou d'ordinateur. Servit également en période de crise internationale : juin 1967 (guerre des 6 jours), déc. 1971 (g. indo-pakistanaise), automne 1973 (g. du Kippour), déc. 1979 (invasion de l'Afghanistan), déc. 1983 (raids aériens amér. au Liban). *5-8 : tr. de Moscou :* arrêt des essais nucléaires non souterrains (la France et la Chine ne signent pas). **Motifs de prudence :** 1°) Les accords de Moscou (26-5-1972) ont limité à une seule ville la protection par système antimissiles balistiques (ABM), laissant aux autres villes la valeur d'otages. 2°) L'efficacité du système défense contre missile est contestée (DCM). 3°) avec les sous-marins nucl., chaque parti garde une capacité de 2e frappe dissuasive.

■ **1967-27-1.** Interdiction d'envoi de charges nucléaires dans l'espace cosmique (celui-ci étant peu défini, l'accord peut aisément être tourné).

☞ Le plus gros marchand d'armes privé du monde serait l'Américain Sam Cummings (n. 1927) ; sa Sté Interarms aurait eu un CA de 100 à 150 millions de $ par an. L'URSS construirait pour elle 1 300 avions de combat par an, 3 000 chars, les USA 650 chars, 275 av. de combat.

■ **1968 (11-7). Traité de non-prolifération (TNP)** *des armes nucléaires,* entré en vigueur en 1970 pour 25 ans (1995) : interdit aux détenteurs de l'arme nucléaire de fournir des armes nucléaires ou des renseignements aux autres États, et à ceux-ci de produire ou d'acquérir ces armes. 147 pays sont membres du tr., 40 restent aujourd'hui en dehors ; *16 pays ont refusé de signer :* Albanie, Algérie, Argentine, Birmanie, Brésil, Chili, Cuba, Émirats arabes unis, Espagne, Guyana, Inde, Israël, Mauritanie, Niger, Pakistan, Zambie. *14 pays l'ont signé, mais ne l'ont toujours pas ratifié :* Chine, Égypte, Indonésie, Turquie, Suisse, Colombie, Barbade, Panamá, Trinité-et-Tobago, les deux Yémen, Koweït, Singapour, Sri Lanka. La France a souscrit au traité en 1991, mais avait décidé, dès 1976, de l'appliquer sans le signer. La Russie hérite des obligations de l'ex-URSS (signataire). Biélorussie, Kazakhstan, Ukraine ont manifesté l'intention d'adhérer.

Principaux reproches faits au traité. 1) Il n'est pas universel. 2) Il interdit seulement la possession d'armes nucléaires entièrement fabriquées [tout travail préparatoire à la fabrication (jusqu'à 5 minutes de l'achèvement définitif) reste autorisé]. 3) Il n'apporte aucune contrepartie aux États déclarés non nucléaires (contrepartie proposée, mais non adoptée : limiter aux signataires la fourniture de matériel nucléaire « civil »). Ainsi les non-signataires sont tentés de refuser définitivement une concession unilatérale ; interdiction de l'utilisation militaire des fonds marins (les silos sous-marins, habités ou automatiques, sont bannis, mais le sous-marin à l'affût plusieurs mois sur le fond est toléré).

Un pays qui veut la bombe atomique. Peut : 1°) *construire une installation d'enrichissement de l'uranium naturel* pour obtenir l'uranium 235 nécessaire, (il faut 21 kg d'uranium 235 enrichi à 80 % pour faire une bombe). 2°) *S'il possède des centrales nucléaires civiles, ou des réacteurs de recherche,* se doter d'un atelier de retraitement pour extraire des déchets de plutanium 239 (5 kg de plutanium 239 enrichi à 80 % suffisent pour une bombe).

Dep. 1950, 4,5 kg d'uranium enrichi de qualité militaire (de quoi fabriquer 225 bombes A du type de celle de Hiroshima) ont disparu des USA. Le risque de dissémination nucléaire a augmenté dep. la dissolution du pacte de Varsovie et l'effondrement de l'URSS.

■ **Conversations Salt I (Strategic Arms Limitation Talks). 1969** *7-11* ouverture à Helsinki. L'URSS développe rapidement son arsenal (parité quantitative atteinte en 1971). Les USA disposent alors de 1054 ICBM, 656 SLBM, 400 bombardiers B52 ; ils parient sur leur avance technologique (1er essais Mirv) pour maintenir une supériorité qualitative. **1972**-*26-5* signature à Moscou, par Brejnev et Nixon, des 1ers accords Salt. **Dispositions :** *armement antimissile (ABM) :* accord à *durée illimitée* interdisant + de 2 puis 1 seul (protocole du 3-1-74) site ABM (réseau Galosh autour de Moscou, projet Sentinel puis Safeguard amér. en protection de silos), afin de préserver la vulnérabilité mutuelle. *Armement offensif : accord de 5 ans* fixant des plafonds afin d'éviter une course aux armements incontrôlée. Dans l'ordre USA/URSS : ICBM 1054/1618, SLBM 710/950, bombardiers 531/140. Cette convention a été prorogée depuis novembre 1977 jusqu'à la signature de l'accord Salt II le 18-6-79.

Ces accords ne touchent pas les IRBM (qui ne peuvent, de l'URSS, atteindre les USA, mais continuent à menacer l'ensemble de l'Europe occidentale). La modernisation (Mirv) et le remplacement sont autorisés ; ainsi, l'accord stimule l'amélioration des performances pour obtenir par l'ogive multiple séparément guidée, une supériorité quantitative. *Résultat Salt I :* d'avantage d'objectifs destructifs avec des armes + précises.

■ **1973 (22-6). Accord USA-URSS** sur la prévention de la g. nucléaire. *3-7* début de la CSCE, conf. d'Helsinki. **1974**-*3-7 :* accord USA-URSS sur la limitation des expériences nucléaires souterraines à partir du 31-3-76 (interdiction d'expériences de + de 150 kilotonnes). *-24-11 : accord de Vladivostok ;* limite pour 10 ans à 2 400 le nombre des missiles et des bombardiers porteurs d'ogives nucléaires, à 1 320 le nombre des fusées à têtes multiples.

■ **Salt II. 1975**-*31-1 :* reprise des négociations (les accords *Salt I* prenant fin le 3-10-77). **1976** *(sept.) :* interdiction de transformer l'environnement à des fins militaires (g. météorologique ou géophysique). *Fin* début installation du missile SS20 (une des causes de la crise des euromissiles).

■ **Stratégie défensive de l'avant.** Basée sur l'emploi quasi immédiat d'armes nucléaires tactiques, pour remplacer la riposte graduée estimée par les Américains dès 1954 dangereuse et périmée (sans que cela soit dit). Il est vain d'espérer pouvoir faire face avec des moyens classiques et de ne faire appel à l'arme nucléaire tactique que lorsque ceux-ci s'avèrent insuffisants. On risque de ne pas réagir assez vite et d'être acculé à l'échange stratégique que la riposte graduée voulait justement éviter. L'affirmation de cette stratégie devait avoir un effet dissuasif.

De son côté, l'URSS entreprit des travaux permettant de mettre à l'abri des retombées nucléaires env. 60 millions d'hab., 35 000 installations mil. sont fortifiées. Simultanément, l'URSS accroît sa capacité offensive. Elle étudie un bombardier à long rayon d'action, une quinzaine de missiles nouveaux. Elle va doter 3 divisions stationnées en All. dém. de 1 000 chars T72 ultra-modernes, implanter des SS-20 et installer en Europe centrale des Mig 23 à flèche variable.

■ **1979 (18-6) :** signature à Vienne de Salt II entre Brejnev et Carter. *Limitations quantitatives :* 2 400 vecteurs stratégiques au total avec 3 sous-plafonds : 1 200 pour les Mirv, 820 pour les ICBM Mirvés, et 1 320 pour le total Mirv + bombardiers équipés de missiles de croisière. *Qualitatives :* pas plus d'un nouveau missile intercontinental terrestre (ICBM) pour chaque partie d'ici à 1985 ; limitation des charges de chaque missile à têtes multiples : ICBM 10, SLBM 14, ASBM 10. **Réactions européennes :** *les États eur., notamment la RFA, sont inquiets* de la non-limitation des missiles soviétiques SS-20, et des bombardiers sov. Backfire, qui peuvent anéantir l'Europe. Beaucoup estiment que les USA ont sacrifié la sécurité européenne à celle de leur territoire. **Application :** en *août 1979,* Zbigniew Brzezinski (Amér.), propose de doter l'Europe de fusées Pershing II. *-9-10 :* la *Pravda* dénonce cette offre comme un sabotage de Salt II. *-12-12* l'Otan décide l'installation de Pershing II et de missiles de croisière en Europe. *-27-12* entrée des Sov. en Afghanistan. Le Sénat amér. refuse de ratifier Salt II. Dans la pratique les dispositions en sont respectées des 2 côtés (parce que les programmes à long terme ont été fondés dessus).

■ **Salt III. Projet :** pour régler le dossier des forces nucléaires intermédiaires, finalement résolu par le traité FNI (voir plus loin). Les événements d'Afghanistan repoussent les conversations qui auraient dû être engagées dès 1980.

■ **Accord américano-sov. sur la prévention des activités militaires dangereuses (AMD). 1989**-*12-6* s'applique aux mouvements d'éléments militaires de l'une des 2 parties intervenant à proximité du territoire de l'autre ou, dans le cas d'espaces internationaux, d'une zone où évoluent les forces de ce dernier.

■ **Négociations stratégiques de Genève. (Start : Strategic Arms Reduction Talks). 1982**-*29-6* ouverture. Menées parallèlement aux nég. eurostratégiques (voir p. 1881 a) avec l'ambition nouvelle par rapport aux Salt, non plus de limiter, mais de réduire les armements. **1983** *déc.* négociation interrompue par URSS dès déploiement des 1ers Pershing 2 et missiles de croisière en Europe. **1986** – *7/10-12* Reykjavik : accord Gorbatchev-Reagan sur principe d'élimination de 50 % des armes nucléaires (plafond 1 600 vecteurs et 6 000 ogives de chaque côté). Mais les progrès de la négociation seront longtemps bloqués par le

ARSENAUX NUCLÉAIRES STRATÉGIQUES

1992	Start-I : 1999	Start-II : 2003
ICBM [1] Russie : 6 115	3 153	531
USA : 3 370	1 400	500
SLBM [2] Russie : 2 696	1 744	1 744
USA 3 840	3 456	1 728
Armes aéroportées [3]		
Russie : 1 426	1 552	752
USA : 3 776	3 700	1 272
Total Russie : 10 237	6 449	3 027
USA : 9 986	8 556	3 500

Nota. – (1) Tête sur ICBM missiles intercontinentaux basés à terre. (2) Tête sur SLBM fusées embarquées à bord de sous-marins. (3) Par des bombardiers lourds.

(*Source :* Arms Control Association.)

climat de méfiance et le refus amér. de renoncer à l'IDS. **1991**-*31-7* : accord Start I signé à Moscou. **1993**-*3-1* accord Start II signé.

Les réductions ne sont pas de 50 % comme prévu initialement, mais de 30 %. Les ICBM, armes de 1re frappe, sont les plus réduits. Au contraire, bombardiers et missiles de croisière sont peu ou pas touchés.

■ **Négociations sur la réduction des forces en Europe (MBFR : Mutual and Balanced Force Reduction).** **1971** *mai* dépôt au Sénat amér. d'un amendement tendant à la réduction de 50 % des forces amér. en Europe. Dans cette éventualité, les USA souhaitent négocier une réduction équilibrée entre l'Otan et le Pacte de Varsovie en contre partie. -*30-10* ouverture des négociations à Venise. **1989** fin des négoc. sans résultat (querelle sur les données de base).

■ **Conférence sur la Sécurité et la Coopération en Europe (CSCE) ou processus d'Helsinki.** *Participants :* tous les États européens sauf Albanie, + USA et Canada (soit 35 États dont 16 de l'Otan, 7 du Pacte de Varsovie, 12 neutres ou non alignés). **1973**-*8-7* 1re réunion de la CSCE à Helsinki à l'initiative de l'URSS qui souhaite obtenir la confirmation définitive du *statut territorial européen* hérité de 1945 (frontières jamais officiellement reconnues en l'absence de paix signée). **Acte final d'Helsinki :** dérivant de son objet initial, la Conférence soumet l'accord territorial à un certain nombre de concessions du bloc communiste sur le maintien du dialogue en Europe et les droits de l'homme (liberté de circulation, de pensée et d'expression), assortis de procédures s'imposant à tous. Les conférences suivantes (Belgrade oct. 77, Madrid nov 80-sept 83, Vienne nov 86-janv 86) clarifient ces principes, dénoncent les infractions et confirment la permanence du dialogue. **1978**-*25-5* Giscard propose une **Conférence sur le désarmement (CDE)** de l'Atlantique à l'Oural qui se déroulerait dans le cadre de la CSCE [contrairement aux MBFR qui ne traitent que du centre Europe et se jouent entre alliances (Otan/pacte de Varsovie) excluant les pays non membres]. 1986-17-1/22-9 *1re série de MDCS (Mesures De Confiance et de sécurité) :* renonciation à la force, notification préalable de certaines activités militaires, inspections réciproques sur place. **1990**-*19-11* : **Traité FCE** (voir plus loin). *Ce tr. est l'œuvre de la CSCE.*

■ **Négociations eurostratégiques de Genève sur les « forces nucléaires de portée intermédiaire (FNI) » (portée 1 000 km et +) entreposées en Europe.** **Origine : 1956** *octobre, affaire de Suez.* Boulganine déclare : « Que diriez-vous si, à l'aide de mes fusées, je bombardais Londres et Paris ? » **1958** l'URSS installe ses 1ers engins à moyenne portée (SS-4 et SS-5) ; les USA 105 fusées « Thor » et « Jupiter » en G.-B., Italie et Turquie. **1962** *octobre,* crise de Cuba. -*26-10,* Khrouchtchev propose aux USA de retirer d'Europe « Thor » et « Jupiter » ; en échange, l'URSS renoncerait à installer une quarantaine de SS-4 et SS-5 à Cuba. Kennedy accepte. **1963** l'URSS déploie des centaines de SS-4 et SS-5 face à l'Europe de l'Ouest. **1965** l'URSS étudie un missile à longue portée (SS-16) qui serait mobile et donc soustrait au tir des fusées amér. **1972**-*26-5 accords de Moscou,* prohibant les missiles intercontinentaux mobiles, l'URSS utilise le SS-16 (en lui enlevant un étage de propulsion) comme missile (mobile) à moyenne portée (l'Otan l'appellera **SS-20).** Essayé en 1974 et 75, son déploiement commence fin 1976. L'Otan, inquiète, considérait les SS-4 et SS-5 difficiles à mettre en œuvre et peu précis car ils n'intimidaient que les « ignorants ». Utilisés, les SS-4 et SS-5 (avec des ogives de 1 à 2 MT) auraient déclenchés des retombées radioactives à l'Est, y compris en Russie d'Europe (vent dominant, sens de rotation de la Terre). Considérés comme armes dissuasives dont l'emploi en 1re frappe était peu vraisemblable alors que les SS-20 peuvent, en une seule salve de 150 lanceurs, détruire à coup sûr les 200 ou 300 objectifs militaires alliés, y compris leur capacité de riposte. **1978** déploiement des SS-21 (portée 120-150 km), puis des SS-22 (portée 1 000 km) et SS-23 (portée 500 km), avec une précision de 30 m, déploiement d'un nouveau bombardier stratégique, le Backfire. **1979** *janv. sommet de la Guadeloupe,* avec les Pts Carter (USA), Giscard d'Estaing (France), et les 1ers ministres Callaghan (G.-B.) et Schmidt (All.). Carter propose d'installer en Europe de nouvelles armes américaines d'intervention à distance (allant à l'encontre d'une politique de désengagement nucléaire progressif remontant à la présidence Kennedy). Giscard d'Estaing et Schmidt insistent pour que tout en se préparant à installer ces engins, on négocie et on s'engage à renoncer à leur implantation en Europe, si l'URSS retire ses SS-20. Cette *double décision (dual track)* militaire et diplomatique sera à l'origine de *l'option zéro.* **12-12-1979 Programme décidé par l'Otan :** *but :* rétablir l'équilibre face à l'URSS qui (au 1-1-1983) allait disposer de plus de 600 missiles à moyenne portée dont 380 SS-4 et SS-5 et 243 SS-20, et de 600 bombardiers à moyen rayon d'action (dont 80 Backfire). Les Backfire ont sous leur feu toute l'Europe de Gibraltar à l'Islande, les SS-20 toute l'Europe sauf la péninsule Ibérique. A cette date, l'Otan (en incluant la force française de dissuasion) dispose seulement des 18 missiles du plateau d'Albion, d'une centaine de bombardiers et des 130 missiles des sous-marins britanniques et français. Aucune de ces armes ne vaut les SS-20 ou les Backfire en riposte (elles avaient un rôle de représailles, faute de savoir les localiser). **Moyens prévus.** Installation (de 1983 à 1993) de 572 euromissiles dont 108 Pershing-2 (1 ogive de 150 kt, portée 1 700 km en 10 mn, précision 20 à 40 m) et 464 miss. de croisière américains (voir p. 1882c). 1ers Pershing-2 en G.-B. le 14-11 1983, All. féd. le 23-11. **Pour l'URSS,** les SS-20 n'étaient qu'une modernisation des SS-4 et SS-5 déployés (en 1961) qui ne changerait rien à l'équilibre existant. Par contre, les euromissiles pouvaient atteindre son territoire, et par leur grande précision, des moyens nucléaires « centraux ». Ces euromissiles allaient remettre en cause le dispositif de bataille soviétique, y compris sa supériorité dans le domaine des forces classiques. **1980**-*3-1* refus officiel de l'URSS de négociation tant que l'Otan n'aura pas renoncé à son programme du 12-12-1979. **1981**-*1-7* bien que l'URSS ait envahi l'Afghanistan, Schmidt se rend à Moscou et réussit à convaincre Brejnev de reprendre la discussion. -*18-11* Reagan lance son *option zéro* : les USA sont prêts à annuler le déploiement des Pershing-2 et missiles de croisière si l'URSS démantèle les SS-20, SS-4 et SS-5.

Période des négociations (1981 à 1983). -*30-11* : ouverture des négociations sur les forces nucléaires intermédiaires (FNI). **1982**-*29-6* ouverture des négociations *Start* à Genève. **1983**-*23-3* Reagan lance l'IDS. Quoique irréalisable à moyen terme, son projet est reçu comme remettant en cause tous les fondements du dialogue (Mad, traité ABM...). -*23-11* après l'arrivée des 1ers Pershing-I en G.-B. (14-11) l'URSS interrompt les négociations Start/FNI (aucune date de reprise fixée). **1984**-*2-11* Reagan et Tchernenko annoncent une reprise du dialogue. L'URSS essaie de lier la négociation FNI aux discussions sur l'IDS et les armements stratégiques. -*14-4* Gorbatchev propose dans option *double zéro,* l'élimination des LRINF (moyenne portée) et des SRINF (moins de 550 km), soit SS 22 et SS 23 contre Pershing 1 A. **1986**-*15-1* Gorbatchev accepte de ne pas prendre en compte les forces nucléaires française et britannique dans un accord sur les euromissiles. -*24-11* Genève, Schultz-Chevarnadze mettent au point le texte du futur traité INF. -*8-12* Washington, *Reagan et Gorbatchev signent le traité FNI :* les missiles d'une portée de 500 à 5 500 km pour les LRINF devront être détruits dans les 3 ans, soit du *côté américain :* 9 sites opérationnels (Europe) : 3 de Pershing II, 6 de missiles de croisière, + les Pershing 1A ; *côté soviétique :* 72 sites opérationnels : 48 de SS-20, 13 de SS-4, 11 de SS-5, + les SS-22 et SS-23. **1988**-*27-5* le Sénat amér. ratifie le traité. **1989**-*13-5* l'URSS annonce qu'elle ne détruira pas ses SS-23, si l'Otan modernise ses missiles Lance.

■ **Stratégie de défense conventionnelle.** Élaborée aux USA dep. 1982 [sénateur Nunn, gén. Rogers (du Saceur) nouveau manuel de combat « FM 100-5 »]. *Principes :* les progrès technologiques [guerre électronique, munitions guidées] permettent d'enrayer une offensive classique et de contre-attaquer localement, sans recourir à l'armement nucléaire. Les Soviétiques auraient eu le 1er j un avantage d'env. 5 contre 1 ; après 3 j de combats et l'arrivée de renforts, 10 contre 1. Avec des munitions guidées (à développer) l'Otan devait détruire ces renforts avant qu'ils n'atteignent la zone de combats, c.-à-d. 30 à 800 km derrière la zone de contact (concentrations de troupes, dépôts, centre de commandement et de communication, bases aériennes). *Inconvénients : coût élevé :* 10 milliards de $ (nouveaux programmes d'armement).

■ **Nouvelle stratégie de défense du Pt Reagan.** Annoncée en juillet 1982, elle reconnaît que les USA ont cessé de se suffire à eux-mêmes (ils dépendent du pétrole étranger et des importations de 69 minéraux stratégiques sur 72). 1°) *Stratégie politico-diplomatique globale* avec participation accrue du Japon (surveillance spatiale et électronique du N.-O. du Pacifique, défense d'une zone de 1 000 milles au large de ses côtes, puis surveillance de la route du golfe Persique) ; des pays de l'Otan (Afr. et golfe Persique). 2°) *Les moyens* alors envisagés ont été, et vont être encore réduits ou supprimés. Abandon du missile Midgetman à une ogive, arrêt du programme de sous-marins nucléaires d'attaque de la classe Seawolf, arrêt de la modernisation de l'ogive de l'engin Trident 2 emporté par les sous-marins (dont le nombre d'ogives qu'ils peuvent lancer – 5 440 – serait réduit des deux tiers si Moscou renonce à ses Mirv). Arrêt du programme de prod. de l'hélicoptère d'attaque « Commanche ».

■ **FCE (négociations sur la réduction des forces conventionnelles en Europe) (CFE : Conventional Force in Europe).** Poussée par l'évolution politique en Europe centrale et par une situation économique qui se dégrade, l'URSS va faire des concessions majeures. **1988**-*7-12* l'URSS, imitée par les autres membres du Pacte de Varsovie, annonce des réductions unilatérales de forces (240 000 h, 10 000 chars, 800 avions en Europe) et de budget militaire (14,4 %). **1989**-*6-3* ouverture des négociations à Vienne. **1990**-*19-11* Paris le traité FCE est signé par les 35 États de la CSCE. *Zone d'application :* l'Europe de l'Atlantique à l'Oural (dite Attu : Atlantic to Ural) divisée en 3 sous-zones, du Centre Europe à la périphérie. USA et URSS ne sont concernés que pour les forces se trouvant dans ce périmètre. On ne parle plus d'alliances (Otan, pacte de Varsovie) mais de groupes, pour éviter les références à l'ex-pacte de Varsovie et réduire la notion de blocs antagonistes. *Plafond et réductions d'armements :* voir tableau p. 1885. Les forces étaient au départ disproportionnées, les réductions le sont en conséquence : l'Otan diminue de 3 % ses matériels, le pacte de Varsovie de 40 %. L'All. s'engage à limiter ses effectifs à 370 000 h., l'URSS à retirer ses troupes de l'ex-RDA avant le 31-12-94. *Principe de suffisance :* aucun pays ne pourra posséder à lui seul plus du tiers du potentiel global de la zone Attu pour chaque catégorie de matériel (sauf aéronefs 37 % sur insistance de l'URSS). *Calendrier d'application :* 35 % des réductions dans les 16 mois, 60 % après 28 mois, totalité à 40 mois. *Contrôle :* systématique sur éléments désignés et droit de visite à l'improviste. *Problèmes d'application :* l'Otan accuse l'URSS d'avoir triché en retranchant précipitamment au-delà de l'Oural près de 50 % de son potentiel en Europe, ce qui diminue d'autant ses obligations de réductions par rapport aux chiffres ayant servi de base à la négociation. De même l'URSS a décrété hors du traité les troupes de marine affectées à la défense côtière des unités dont ce n'était pas la vocation initiale.

☞ **Le président Reagan accusait l'URSS d'avoir violé 1°)** *Le traité de 1972 sur les armements antimissiles (ABM)* en construisant à Krasnoïarsk, en Sibérie, un type de radar interdit par ce traité, amorce d'un 2e réseau de protection antimissiles. Or le traité ABM n'en autorise qu'un seul dans chaque pays : autour de Moscou pour l'URSS, autour d'une base de missiles stratégiques pour les USA (mais Washington n'a finalement pas fait usage de cette possibilité). **2°)** *L'accord* Salt II *de 1979* [non ratifié par les USA ; en essayant un 2e type de missile balistique intercontinental, le SSX-25, alors qu'elle avait déjà expérimenté le SSX-24 (Salt II n'autorisait chaque puissance à expérimenter qu'un seul type nouveau de missile)]. **3°)** *Le traité de 1963 sur les essais nucl. souterrains,* en procédant à des explosions qui ont projeté des débris radioactifs au-delà du territoire sov.

L'URSS accusait les USA d'avoir violé 1°) *Le traité ABM* de 1972 avec leur initiative de défense stratégique (IDS). Le réseau de radars fixes *pave paws* est utilisé à des fins interdites par ce traité. **2°)** *Salt II* en installant des missiles de croisière en Europe, armes considérées comme « stratégiques » par l'URSS, puisqu'elles peuvent atteindre son territoire. **3°)** *Le traité de 1974 sur la limitation des essais souterrains d'armes nucléaires,* la puissance des essais souterrains étant supérieure à celle admise par les Américains. **4°)** *Le traité de Genève de 1925* interdisant l'emploi des armes chimiques, lors de la guerre du Viêt-nam. **5°)** *L'acte final de la conf. d'Helsinki* (1975) en tentant de remettre en question les réalités existant en Europe et en entravant la coopér. commerciale et économique normale dans cette partie du monde.

■ **Initiative Bush.** **1991**-*27-7* discours présentant des concessions unilatérales : fin de l'alerte permanente des bombardiers stratégiques (elle n'avait jamais cessé depuis 1955) ; renoncement aux missiles MX sur rails ; aux missiles de croisière armés de têtes nucl. sur navires et sous-marins ; retrait de tous les engins nucl. tactiques terrestres et navals en Europe (maintien de quelques bombes aéroportées). Proposition d'un accord éliminant tous les engins Mirvés terrestres (diminution des risques de 1re frappe). **Réponse soviétique :** *5-10-91 :* gel de l'arsenal intercontinental mobile ; retrait de missiles dont certains Mirvés. Pour les engins nucléaires tactiques, proposition de négociation de retrait total.

■ **Accord Bush/Eltsine.** **1992**-*16-6* : Washington. Prévoit, sous 11 ans, une réduction des 2/3 des ogives nucléaires, et en particulier, la *suppression de tous les missiles stratégiques* terrestres à ogives multiples, soit 1/3 des arsenaux actuels. *Plafonds fixés* 3 000 à 3 500 ogives de chaque côté (soit 6 à 7 000 en tout au lieu de 21 000) dont 1 750 sur SLBM. Ces plafonds, s'ils sont ratifiés, se substitueraient aux plafonds Start dont les autres clauses restent valables.

La guerre des étoiles (IDS)

Programme américain

Le 23-3-1983, le Pt Reagan annonça des études intensives pour définir la menace que constituent les missiles stratégiques (NSSD 6-83 *National Security Study Directive*). Les études (oct. 83) concluaient qu'une protection totale n'était pas possible (dommages catastrophiques causés par quelques missiles). Pour le *Panel Fletcher,* le système défensif situé dans l'espace était très vulnérable.

Le Pt Reagan (directive : NSSD 119) prescrivit un programme de recherche *Strategic Defense Initiative* (IDS : Initiative de défense stratégique), couvrant tous les domaines nécessaires, en particulier les technologies des énergies dirigées (lasers, faisceaux de particules, etc.) et les technologies propres aux énergies cinétiques (projectiles). *Coût des recherches :* 26 milliards de dollars répartis de 1985 à 1989. *Patron du projet :* général Abrahamson (démissionne le 31-1-89). Le Congrès à majorité démocrate réduisit le budget ; en *1988 :* 3,9 milliards de $ et ramena le coût de la 1re phase de 115 à 69 ; en *1989 :* 0,8 milliard de moins que prévu ; en *1990 :* 1 de moins.

■ **Vulnérabilités d'un missile intercontinental** (les chiffres donnés sont des ordres de grandeur). **1re phase (propulsée)** : *durée 150 à 200 s* pour un engin à 3 étages. Le missile quitte le sol sous l'impulsion de son 1er étage de propulsion, il s'élève quasi verticalement. Au cours de cette phase, la chaleur des gaz éjectés provoque un rayonnement infrarouge aisément détectable. Il est vulnérable par sa propulsion (explosion du propulseur en cas d'impact) et par son guidage sensible aux perturbations. – Le 1er étage se sépare à 20 km d'altitude, le 2e à 80, le 3e à 200.

2e phase (d'espacement) : *durée 10 min,* le missile continue de monter à 6 000 m/s. Il libère, peu après la combustion du dernier étage, un véhicule (le « bus ») spatial auquel sont arrimées les ogives nucléaires que les propulseurs (systèmes d'espacement) placent l'une après l'autre sur des trajectoires correspondant aux objectifs visés. – En même temps, le véhicule éjecte des leurres, fausses ogives (ballonnets de mylar), aérosols masquant la chaleur émise par les corps, nuages de paillettes métalliques saturant les ondes radars. Ogives et leurres atteignent leur apogée à 1 200 / 1 500 km d'*altitude.*

3e phase (vol balistique) : des ogives passent généralement dans cette phase au-dessus de l'horizon des détections au sol de l'adversaire.

4e phase (rentrée) : les leurres plus légers sont détruits par les 1res couches de l'atmosphère. Seules les ogives et les leurres pénétrants rentrent dans la haute atmosphère (à env. 100 km), une minute environ avant l'impact. La rentrée crée une onde de choc et un échauffement considérable qui ionise l'air. Un sillage ionisé qui réfléchit les ondes radar suit l'ogive. A 50 km d'altitude, moins de 30 s avant l'impact, l'ogive scintille sous l'effet du frottement avec les couches de plus en plus denses de l'atmosphère. On peut utiliser contre elle des missiles classiques à guidage infrarouge (chaque silo est protégé par plusieurs dizaines de lanceurs contenant de nombreux missiles Swarmjet à très grande vitesse dans un rayon de 100 km), des canons crachant des nuages de *shrapnells,* des armes à énergie dirigée (rayonnement ou faisceaux de particules chargées) qui perturbent l'électronique des missiles assaillants.

Armes envisagées

■ **DEW (Direct Energy Weapons ou Beams Weapons).** *Avantage :* vitesse de la lumière d'où quasi-instantanéité de la riposte dès la détection, à des distances considérables, soit à partir de l'espace (ce qui est nécessaire pour les faisceaux de particules et les lasers X), soit à partir du sol avec des miroirs relais expédiés en orbite. *Inconvénients :* prix élevé et réalisation opérationnelle lointaine. Ex : **lasers.** Le faisceau émis se propage à 300 000 km/s (soit 30 000 fois plus vite que le plus rapide des missiles). Ses rayons ont une très faible divergence angulaire et peuvent toucher et endommager des cibles très éloignées s'ils restent pointés un certain temps au même endroit mais il faut un maximum de puissance en un minimum de temps.

☞ Il faudrait, pour couvrir toute la Terre de façon permanente, 500 satellites armés de lasers ou de miroirs (en raison de leur mouvement relatif par rapport à la Terre, 95 % des satellites en orbite sont à un instant donné inutilisables pour enrayer par leur mouvement sur orbite hors de portée des silos soviétiques une agression sans préavis).

■ **Armes à faisceau de particules.** Des atomes d'hydrogène ionisés seraient accélérés par un champ électrique. *Difficultés :* il faut miniaturiser les accélérateurs et leur fournir depuis la Terre ou sur place des quantités d'énergie considérables.

■ **Armes à énergie cinétique (KEW : Kinetic Energy Weapons).** Missile guidé depuis la Terre vers un point virtuel d'interception puis se dirigeant de lui-même sur la cible, grâce à un autodirecteur sensible au rayonnement infrarouge émis par celle-ci. Procédé utilisable pendant la 4e phase (rentrée de la cible) mais pas dans la 1re. **Eris (Exoatmospheric Reentry Vehicle Interceptor Subsystem)** de Lockheed. A longue portée, destiné à l'interception à mi-course par impact, après discrimination des leurres. Découle du système militaire HOE (Homing Overlay Experiment coût env. 1 million de $ pièce), testé avec succès après 3 échecs en juin 1984, lorsqu'une ogive Minuteman II fut interceptée au-dessus du Pacifique par une fusée lancée depuis l'île de Kwajalein. La discrimination ogive-leurre sera difficile avant 1995. **Hedi (High Endoatmospheric Defense Interceptor)** de McDonnell Douglas. Intercepteur hypersonique (plus de Mach 14) détruisant le corps de rentrée par impact ou avec une tête à fragmentation non nucléaire. Lockheed dit pouvoir déployer en 10 ans un système ALPS (Accidental Launch Protection System) de 100 intercepteurs Eris, compatible avec le traité de 1972, pour 3,5 milliards de $. Une combinaison de 70 Eris et 30 Hedi (toujours dans les limites du traité) donnerait une expérience opérationnelle de l'interception à mi-course et de la défense terminale. 500 Hedi assureraient la protection d'une centaine d'installations sensibles.

■ **Armes nucléaires.** *ABM (Anti Ballistic Missiles) :* elles peuvent ne pas frapper la cible mais seulement exploser à proximité (voir p. 1855 a).

Contre-défense

Asat (armes antisatellites). Voir p. 1865 b. **Diminution du temps de combustion** pendant lequel le missile peut être repéré par des détecteurs d'infrarouges ou poursuivi par des autodirecteurs de missiles. **Déguisement de la flamme de combustion.** En ajoutant des produits aux propergols de la fusée, ce qui rend problématique tout pointage contre elle. **Renfort du missile :** « durcissement » contre les rayonnements et les impulsions électromagnétiques (IEM).

☞ **Conclusion. 1°)** L'interception du missile au cours de la 1re phase reposerait sur des systèmes d'armes très coûteux et techniquement très difficiles à réaliser. **2°)** L'interception en cours, phases suivantes, est aussi difficile, car les ogives étant séparées, le nombre des cibles est multiplié par le nombre d'ogives et de leurres.

Modifications adoptées

Raisons économiques : à son terme l'IDS aurait coûté 56 milliards de $ (300 milliards de F), diminution des crédits de la défense, et risque d'empiétement de l'IDS sur les autres programmes [*Budgets IDS demandés et accordés* (en milliards de $) *1987 :* 5,4 (3,7), *88 :* 5,7 (3,8), *89 :* (n.c.), *90 :* 6,6 (5,6)] ; **stratégiques :** remise en cause par l'IDS du traité ABM.

GPALS (Global Protection Against Limited Strikes). Le projet initial de l'IDS, souvent jugé irréaliste, visait un bouclier étanche pour protéger en priorité le territoire américain contre une frappe massive soviétique. Les Scuds irakiens ont montré que la menace pouvait être ailleurs. En 1990, l'IDS est réduite au GPALS visant à contrer une menace accidentelle (ex : armes ex-soviétiques disséminées) ou venant d'un état « perturbateur » (Irak, Libye, Corée du Nord...). *Armes développées :* du type KEW (Kinetic Energy Weapons) Eris et Hedi (voir ci-dessus). **Composantes : 1°)** *horizon 97-98 : 1 site fixe* USA-Canada (Grand Forks, Dakota nord), compatible avec le traité ABM, comprenant des radars au sol et des intercepteurs exoatmosphériques. *1 couverture déplaçable THAA* (Theater High Altitude Air-defence) type super Patriot dont bénéficieraient les alliés pour des opérations conjointes. **2°)** *horizon 2005-2010 :* satellites tueurs du type *Brilliant Peebles* (cailloux fûtés), environ 1 000, capables de détecter, suivre les trajectoires et détruire, avec des projectiles à énergie cinétique, les ogives adverses dans le haut de la trajectoire. Des satellites – « *Brilliant Eyes* » – moins nombreux, assureraient la détection lointaine. Une défense terrestre – à énergie cinétique également – détruirait les ogives ennemies ayant échappé aux sat. tueurs. Pour ce dispositif « limité », les USA recherchent la coopération russe. Selon une étude américaine, si la technologie soviétique était disponible, le GPALS pourrait être mis au point en 5 ans et le coût annuel serait de l'ordre de 3 à 3,5 Mde$. **Défense antimissile balistique :** système de défense basé au sol, annoncé le 13-5-1983 par Li Aspin secr. d'État à la Défense.

■ **Traité ciel ouvert (1992). 1955**-*21-7* idée du Pt Eisenhower : autorisons les survols d'observation réciproques. **1992**-*24-3* signature à la CSCE de Vienne : quota de survols selon procédures définies et avec capteurs autorisés (caméras optiques vidéo et infrarouges, radars SAR, avec limites de performances des capteurs).

Rapport des forces

Situation générale

■ **Situation de l'ex-URSS.** Son évolution, encore incertaine, sera déterminante. **Derniers éléments : 1991**-*31-3 dissolution* officielle *du pacte de Varsovie* à la suite de l'évolution politique de l'Europe de l'Est. *1-10* le 1er vice-ministre de la Défense soviétique annonça la *réduction* des effectifs *de l'armée sov.* de 4 millions d'hommes à 2,5 millions d'ici 1994. Réduction de 40 % des commandes de matériel. *21-12 constitution de la Communauté d'États Indépendants* (CEI) succédant à l'ex-URSS. Les 4 États nucléaires (Russie, Biélorussie, Kazakhstan et Ukraine) confirment leur *adhésion à la non-prolifération* nucléaire et acceptent le *transfert en Russie des armes nucléaires* déployées sur leur territoire (tactiques avant le 1-7-1992, stratégiques avant fin 1994). En attendant, les *décisions d'emploi* éventuel sont prises *d'un commun accord* avec le Pt de Russie. Le droit des états de la CEI à la sécurité collective assuré par ces armes, est affirmé. En application du tr. Start signé le 31-7-1991, 926 de ces missiles stratégiques et 3 580 charges seront détruits par la Russie, seul des États à posséder les installations nécessaires. *30-12 échec* de la réunion des États de la CEI à Minsk *sur la création d'une armée communautaire.* Ukraine, Azerbaïdjan et Moldavie refusent de s'inclure dans un système de défense conventionnelle unifiée. Seules les forces stratégiques demeurent sous commandement unique, Ukraine, Moldavie, Azerbaïdjan, Biélorussie et Kazakhstan revendiquant des armées nationales pour leur défense propre. *Accord sur un contrôle* permanent en temps de paix des armes « de destruction massive » (nucléaires et chimiques), et d'un commandement *de l'ouverture du feu à 4* (Russie, Ukraine, Biélorussie, Kazakhstan) en cas de conflit. **1992**-*16-3* décret de création d'une armée russe autonome (1,5 à 2,5 millions d'hommes), en théorie subordonnée au commandement unifié de la CEI. *15-5 Sommet de Tachkent : accord* entre États de la CEI *sur les quotas d'armements conventionnels* alloués à chacun, dans la limite des plafonds globaux définis par le traité FCE pour le bloc de l'Est ; la ratification du tr. FCE semble désormais possible, *23-5 signature* à Lisbonne entre les USA et les 4 États de la CEI ayant des armes stratégiques sur leur sol, *d'un protocole d'application du tr. Start* qui rend possible la ratification définitive de ce tr. (des réticences seraient cependant apparues chez les non russes de la CEI).

Dispersion de l'arsenal nucléaire de l'ex-URSS. 4 États (Russie, Ukraine, Biélorussie, Kazakhstan) totalisent à eux seuls 90 % des 28 000 charges nucléaires tactiques et stratégiques de l'ex-URSS. Russie, env. 19 000 charges (dont 9 000 stratégiques) ; Ukraine, env. 4 000 (1 850) ; Kazakhstan (1er État musulman à en posséder) 1 800 (1 400) ; Biélorussie charges stratégiques 1 250 (72). Les sous-marins lance-engins et leurs missiles sont sous contrôle de la Russie. 2 000 à 2 500 ogives tactiques seraient disséminées dans les autres États, dans des centaines de zones de stockage. La Russie pouvant démanteler 2 000 armes par an, le désarmement demanderait au moins 12 ans. Les stocks de plutonium atteindraient 100 t, ceux d'uranium enrichi 500 t, également disséminés. Le complexe nucléaire sov. aurait employé 200 000 personnes (USA 100 000).

Répartition géographique. 7 armées, dont 2 blindées, sont ainsi déployées en Ukraine. En févr. 1992, le tiers des armements se trouvait dans les 3 districts frontaliers de Biélorussie, Baltique et Carpates, soit 6 600 chars (dont 60 % T 64-72), 3 450 pièces d'artillerie et 380 hélicoptères d'attaque. Les 30 divisions sov. encore stationnées en Pologne (50 000 h.) et dans l'ex-RDA ont été en partie redéployées en Russie, dissoutes ou mises en sommeil au-delà de l'Oural. Leur retrait (*1991* 4 DFM, *1992* 3 DB 2 DFM, *1993* 2 DB, 2 DFM) doit être achevé en 1994 (1 DB et la brigade de Berlin). Les retraits en Hongrie et Tchéc. sont terminés. L'ex-marine de guerre sov. est répartie entre Mourmansk (flotte du Nord), Vladivostock (flotte du Pacifique) et Sébastopol (flotte de la Mer Noire). L'Ukraine revendique une partie de cette dernière, forte de 300 navires (mais - d'une centaine de + de 1 000 t, dont une vingtaine de sous-marins, aucun nucléaire), + 220 avions de l'aéronavale.

■ USA. **Stratégie Bush.** Les USA se reconnaissent comme la seule superpuissance ayant des intérêts mondiaux et des responsabilités globales. La priorité est donnée aux menaces régionales (Moyen-Orient, Corée) et à l'instabilité de certaines zones (CEI, Europe centrale), ainsi qu'aux risques de prolifération nucléaire, balistique et chimique. La dissuasion nucléaire reste essentielle, mais avec des moyens réduits de 50 %. Le concept de la « dissuasion minimale » avancé par la France dès 1960 est adopté. Les forces classiques sont partagées entre Atlantique et Europe, Pacifique et forces d'intervention pouvant agir partout. Les forces d'active seront réduites de 2,1 à 1,6 million d'h. entre 1990 et 1995 et le déploiement à l'étranger de 30 à 40 %. L'accent est mis sur la coopération internationale.

Passage de la doctrine *Air Land Battle* (étude du général Gavin, à l'Otan, visant l'encagement d'un éventuel théâtre d'opération européen en interdisant au 2e échelon des forces du pacte de Varsovie de renforcer celles de l'avant) à la doctrine *Air Land Operation* visant l'envoi de forces aéroterrestres en nombre suffisant pour intervenir sur tout théâtre à distance des USA, la Marine assurant les transports lourds et la maîtrise des voies océaniques de communication.

■ Charges nucléaires

Nombre global

■ Nombre global d'ogives. **Ex-URSS : 1952 :** 6, **55 :** 340, **60 :** 2 200, **84 :** 16 000 dont 8 000 *syst. strat.* (couverts par les SALT) [missiles balistiques 7 700 dont ICBM 5 300, SLBM 2 400 ; avions 300 dont Tu-95 210, Mya-4 90]. *Autres catégories* 8 000. **1992 :** 11 350 ogives stratégiques dont 720 sur ALCM, 3 672 sur SLBM.

USA : **1947** (juillet) : 13, **48 :** 50. **50 :** 290. **51 :** 400. **53 :** 1 000. **55 :** 2 000. **60 :** 20 000. **67 :** 32 000. **84 :** 24 000 dont 13 748 *systèmes stratégiques* couverts par les SALT. **92 :** 18 000 dont 8 800 stratégiques couverts par les SALT. (Sur missiles 5 500 dont ICBM 2 000, SLBM 3 500 ; avions B-52 et B1B 3 300.)

Les stocks destinés aux 2 000 bombardiers des années 50 et des milliers d'autres charges destinées à divers usages (mines de démolition, engins atomiques antiaériens par ex.) ont été détruits. Le programme en cours (missiles de croisière, obus d'artillerie et ogives de missile courte portée à radiation renforcée) devait compenser cette évolution, mais le nombre des armes tactiques amér. continue à baisser.

France : 450.

☞ Voir accords Start p. 1880.

■ Lanceurs (vecteurs)

☞ Les fusées portent plusieurs ogives.

Les USA ont privilégié les sous-marins, moins vulnérables à une attaque préventive (stratégie de représailles), l'URSS les missiles en silos, donc une capacité antiforce (avec des ogives puissantes et très précises) destinée à détruire en 1er les silos adverses avec une grande probabilité de succès (stratégie de frappe en 1er.).

■ Bombardiers stratégiques. **A long rayon d'action :** USA 220 *(B-52 G etH et B1B),* URSS 90 (75 *Tupolev 95,* 15 *Tupolev 160 Blackjack).* **A moyen rayon :** USA 290 *(FB-111 D/E/F/G),* URSS 766 (310 *Tu-16 Badger,* 106 *Tu-22 Blinder,* 350 Tu-26 Backfire).

Nombre de vecteurs stratégiques lors de la crise de Cuba (oct. 1962). URSS 225 (dont 75 ICBM imprécis et peu sûrs, pas de SLBM), **USA** 2 438 (dont 294 ICBM, 144 SLBM Polaris interc., 2 000 bombardiers).

Missiles intercontinentaux (nombre global)

	USA		EX-URSS	
	ICBM	SLBM	ICBM	SLBM
1960	18	32	35	–
1965	854	496	270	120
1975	1 054	656	1 618	711
1980	1 054	656	1 398	1 028
1984	1 037	592	1 398	981
1987	1 000	640	1 418	967
1991	1 000	608	1 334	914
1992	550	480	1 399	912

En Europe

■ Forces euronucléaires

■ Le traité FNI de 1987 et *l'initiative Bush,* la situation politique à l'Est, ont conduit à *l'élimination de la quasi-totalité des forces nucléaires non nationales.* **OTAN :** derniers Pershing, Lance et missiles de croisière sol-sol retirés en juin 1991. Artillerie nucléaire en cours de retrait (1992). Ne sont maintenus que 700 à 1 000 B61 (bombes à gravitation) et B 83 (missiles air-sol courte portée) classés hors FNI, ainsi que les forces nucléaires britanniques et françaises exclues du traité. **Ex-URSS :** dernières charges retirées d'Europe fin 1991.

☞ Les missiles de croisière mer-sol (Tomahawk) seront entreposés à terre (pour ceux qui sont en version nucléaire). Les missiles air-sol seront limités en production et modernisation. Les USA s'orientent vers la conservation d'env. 5 000 ogives nucléaires surtout stratégiques.

■ Forces classiques

■ Dispositif américain. **En Europe** (1992) : 185 000 h. (1 division blindée, 1 div. mécanisée, 1 brigade de cavalerie blindée, 15 escadrons d'appui et de reconnaissance, 1 escadron de défense aérienne tactique, 1 escadron de transport tactique, 1 MEU (Military Expeditionnary Unit) du niveau brigade et la VIe flotte en Méditerranée).

Europe du Nord et centrale : *aviation américaine :* stationnée essentiellement en G.-B. et All. féd. ; vers 1995 sera réduite à 250 avions. *Dépôts d'armes nucléaires* (avions B-52, F-111, 700 à 1 000 armes aéroportées conservées dans le cadre de l'Otan).

Europe du Sud : plusieurs bases autour de la Méditerranée où croise depuis 1945 la VIe flotte avec 2 ou 3 porte-avions et 27 navires d'escorte (20 000 h.) d'un total de 500 000 t. A terme (1995), la VIe Flotte ne conservera qu'un groupe aéronaval (1 PA + 90 aéronefs et 8 à 10 navires d'escorte), 1 groupe amphibie (1 porte hélicoptères + 4 navires d'accompagnement + 1 brigade de « Marines »), soit 15 000 h.

■ Évolutions prévues (1991-95). *Disparition du « mille-feuilles »* (déploiement en profondeur sur l'ex-frontière de RFA de contingents nationaux ; remplacement par un ensemble de forces organisées sur une base multinationale [*force principale* MDF (Main defence force) de 16 divisions (300 000 h) soit 7 corps d'armées dont 6 multinationaux (sous commandement amér., all., belge, néerlandais), et 1 all.] ; création d'une *FRR (Force de réaction rapide)* comprenant un *Corps de réaction rapide* de 70 000 h. sous commandement brit. [4 divisions dont en All. 1 brit. (moitié de l'ex-Baor : British Army of the Rhine), 1 div. aéroportée multinationale, et en Europe du Sud 1 italienne] et une *Force d'action immédiate* (5 000 h.) calquée sur l'actuelle FMA (Force Mobile Alliée) qui serait le 1er élément d'intervention. L'Alliance comporterait l'intervention sur des foyers de tension en zone Otan, et peut-être au-delà. L'ensemble reste sous commandement amér. La France, qui souhaiterait mettre en place une défense plus européenne dérivée de l'UEO, ne participe pas à ce dispositif.

Principales bases de l'Otan

Dans les pays de l'Otan. Ces bases sont surtout américaines : **Grande-Bretagne :** *Holy Loch* (Écosse), point d'appui des sous-marins Polaris (retrait des éléments am. en 92). **Grèce :** effectifs américains évacués à la suite des événements de chypre (août 74), retour au sein de l'Otan (oct. 80). **Groenland :** 2 bases américaines dont *Thulé* (système d'alerte-radar). **Islande :** pas d'armée nationale. 3 300 Américains assurent sa défense. **Italie :** *Vérone* (infanterie et aviation), *Pise* (base logistique), *Sigonella* (Sicile, marine). *La Maddalena* (Sardaigne, marine), *Naples* (marine). **Turquie :** depuis l'affaire de l'U 2, contraint d'atterrir en Union soviétique en 1969, les 27 bases américaines en Turquie sont sous contrôle légal de l'état-major turc. La plupart sont prêtées par « accord verbal ». De plus, les USA disposent de 26 bases de communication et de surveillance des missiles.

Dans les pays de la zone Otan. Depuis l'expulsion des Américains de Libye en 1970 et la perte de Malte en 1971. **Chypre :** depuis 1960, un accord prévoit l'utilisation des ports de l'île par la Royal Navy. La G.-B. y entretient également une base jouissant de l'extraterritorialité. **Espagne :** l'accord de 1953 a été renouvelé en 1976 pour 5 ans et en 1988 pour 8 ans. Les bases amér. [*Saragosse, Morón* et *Rota* (sous-marins Polaris)] sont théoriquement sous commandement esp ; les avions am. ont quitté *Torrejón* en 1992. **Maroc :** 3 bases de télécom. américaines en vertu d'un « informal agreement ».

Réductions américaines prévues (1991-92). Les retraits am. conduisent à la restitution d'une centaine de bases ou installations militaire à l'Allemagne, principalement en Bavière et Bade Würtemberg. *Bases aériennes à évacuer :* Kemble et Upper Heyford (G.-B.) ; Estaca de Vases (Esp.) ; Samsur (Turquie) ; Comiso et Decimomanu (Ita.) ; Hellenikon (Grèce) ; Oldendorf (All.). *Réductions d'effectifs :* Botburg, Sprangdahlem et Ahlhorn (All.).

☞ Le retrait de 100 000 soldats américains d'Europe coûterait 5 milliards de $ et permettrait une économie annuelle de 600 millions de $. Mais s'ils devaient revenir, leur réinstallation coûterait 53 milliards de $.

■ **Évolution des marines de guerre** (en milliers de t et en nombre d'unités sauf navires amphibies, auxiliaires et logistiques) : **1960** USA 3 793 (1 316), URSS 1 192 (1 070), G.-B. 791 (470), *France 336 (236)* ; **1970** USA 4 120 (1 001), URSS 1 749 (1 135), G.-B. 604 (255), *France 268 (193)* ; **1980** USA 2 230 (324), URSS 2 555 (1 311), G.-B. 405,2 (167), *France 256,2 (132)* ; **1986** USA 2 751,1 (391), URSS 2 844 (1 542), G.-B. 364,8 (160), *France 236 (109)* ; **1992 :** USA 2 881 (361), ex-URSS 2 677 (1 250), G.-B. 343 (123), *Fr. 223 (98).*

Principales marines (au 1-10-1991)

Bâtiments de combat	USA	URSS	G.-B.	France	Japon	Inde	All. Féd.	Italie
SNLE	33	60	4	5	–	–	–	–
Porte-avions et porte-aéronefs [1]	14	5	3	2	–	2	–	–
Autres navires de surface [2]	(199) 228	(108) 968	(46) 96	(17) 79	(49) 107	(16) 82	(14) 120	(22) 71
SNA	86	109 [3]	14	4	–	–	–	–
Sous-marins classiques	–	108 [3]	6	8	16	18	24	10
Nombre total	275	1 250	123	98	123	102	144	81
Tonnage	2 881 010	2 667 015	343 335	223 115	220 500	160 470	93 295	115 355
Amphibies : nombre total [2]	(71)	(42) 77	(7) 9	(4) 9	(3) 6	(2) 16	–	(2)
Tonnage	720 510	168 410	44 340	27 430	10 440	14 300	–	10 000
Soutien logistique : nombre total	60	117	19	13	3	3	30	2
Tonnage	720 260	554 225	180 200	53 220	29 900	20 320	57 260	8 400
Total général : navires	406	1 444	151	120	132	121	174	85
Tonnage	4 321 780	3 399 650	567 875	303 765	260 840	195 090	150 555	133 755
Aéronefs embarquables	1 204	192	54	72	–	40	–	18 [4]

Nota. – (1) Dont 5 nucléaires. (2) Les chiffres entre parenthèses indiquent le nombre de bâtiments d'un tonnage de 2 000 t et +. (3) Y compris les sous-marins lance-missiles balistiques ou aérodynamiques. (4) En cours de dotation.

■ Ex-pacte de Varsovie. **Avant 1991.** La flotte soviétique était plus nombreuse, mais les s.-m. soviét. étaient, dans l'ensemble, inférieurs aux s.-m. amér. ; la flotte souffrait de plusieurs faiblesses : soutien logistique insuffisant, aviation embarquée embryonnaire, entraînements médiocres, personnels de qualification insuffisante, commandement manquant d'initiative (double hiérarchie politique et militaire), possibilités d'action réduites pour des raisons géographiques : *l'ex-URSS ne disposait que d'un seul accès permanent aux mers libres,* Mourmansk, dont l'accès à l'Atlantique est parsemé d'îles contrôlées par les Américains. Les autres ports de l'Arctique sont bloqués par les glaces plusieurs mois par an. Les ports de la Baltique sont contrôlés par le Sund, le Kattegat et le Skagerrak ; ceux de la mer Noire par le Bosphore et les Dardanelles ; ceux des mers d'Okhotsk et du Japon par les Kouriles et le détroit de Corée. En *Méditerranée,* l'*Eskadra* stationnée en permanence comprenait en moyenne 50 unités. La *mer du Nord* était menacée par les forces navales du Pacte de Varsovie stationnées dans la Baltique et par les unités soviétiques de la mer Arctique. Les forces navales, très mobiles, pouvaient être très vite déplacées. En avril 1979, l'URSS avait envoyé pour la 1re fois un porte-avions, le Minsk (40 000 t, avions à décollage et atterrissage courts, hélicoptères), dans l'océan Indien où elle maintenait dep. fin 1978 une flotte de 24 bâtiments de g. Mais celle-ci avait été contrée par le renforcement de la base amér. de Diego-Garcia, au potentiel supérieur à tout ce que la marine soviétique possédait dans les mers du Sud.

Effectifs (1992) : 3 porte-avions (dont le *Kiev,* 1er p.-a. soviétique), 25 croiseurs, 51 destroyers, 500 frégates, corvettes et escorteurs de lutte anti-sous-marine, 197 sous-marins nucléaires (dont 151 d'attaque). La Russie poursuit la construction de porte-avions de gros tonnage (de 65 à 75 000 t). L'Amiral Kouznetzov (65 000 t) est entré en service en 1991, un 2e, le Varyag, commencera ses essais en 1993. Elle lance la construction d'un 3e porte-avions, à propulsion nucléaire de 75 000 t.

■ Défense européenne (projets). **1991-*10.*** G.-B. et Italie proposent une organisation européenne de défense, où l'UEO serait le lien entre CEE et Otan. *15-10* proposition franco-all. : l'UEO, pourvue d'un groupe de planification militaire et d'une agence d'armement, s'intègrerait à la CEE. *Nov.* l'Otan reconnaît à l'Europe le droit de « décider d'une politique de sécurité et de défense commune ».

Traité de Maastricht. Il affirme « l'identité européenne de sécurité et de défense » et la nécessité « d'adopter une politique étrangère et de sécurité commune » (PESC). Apparition d'un concept « d'action commune », plus exigeant que la seule coopération entre États. Les décisions de défense (ex. intervention armée) sont prises à l'unanimité (d'où une prévisible paralysie) ; celles sur les modalités d'exécution, à la majorité qualifiée.

Corps d'armée franco-allemand (Cafa). *Missions :* défense dans le cadre Otan, interventions hors zone Otan sous commandement UEO, actions humanitaires sous mandat CSCE ou ONU, mais incapacité légale allemande à intervenir hors zone Otan.

Corps européen (Eurocorps, *créé,* mai 1992) ouvert aux membres de l'UEO. *Composition* 40 000 h. 1re DB française (constituée en janvier 1943 en Afrique du Nord, basée en Allemagne depuis 1950) PC 9 500 pers., 735 blindés, 2 000 véhicules à roues, 1 division allemande, des éléments organiques de Corps d'armée (EOCA). Disponibilité opérationnelle prévue 1-10-1995. Corps jumeau de l'ARRC (Allied Command Europe Rapid Reaction Corps), créé mai 1991.

Doctrine nucléaire : en cas d'union fédérale de l'Europe, la capacité de dissuasion des 2 puissances nucléaires (Fr. et G.-B.) pourrait être transférée à l'autorité politique commune (peu probable en réalité).

Euromilsatcom (European Military Satellite Communication) : en Europe, seules France (réseau Syracuse) et G.-B. (Skynet) possèdent des communications spatiales militaires. Elles proposent à All., Esp. et P.-Bas un système spatial communautaire, qui serait opérationnel vers 2 005.

DÉPENSES MILITAIRES

☞ *Abréviations :* MF ou M$ = millions de F ou de $; MdF ou Md$ = milliards de F ou de $.

DONNÉES GLOBALES

■ Armement. **Chiffres d'affaires** en milliards de F, entre parenthèses **dont exportations** en % et en italique **effectifs employés** en milliers, en 1992. USA 729,1 (10) *n.c.,* France 116 (25) *254* [dont *emplois directs :* DGA 54 (dont tâches étatiques 24, DGA industrielle 30), CEA 10, Industrie 19 dont : aérospatiale 63, électronique 52,5, mécanique et métallurgie 55,4, construction navale 1,5, chimie 4,7, divers 12,9 ; *indirects :* 100 000], G.-B. 110 (20/25) *315,* All. 72,9 (10) *200/250,* Japon 66,3 (n.c.) *40,* Italie 39,8 (25) *105,* Suède 21,9 (40) *45,* Esp. 12,6 (30) *25,* P.-Bas 9,9 (30) *20.*

■ Exportations mondiales **(livraisons)** (en milliards de $). *1984 :* 50,1. *86 :* 34,7. *88 :* 34. *89 :* 32. *90 :* USA 8,74, URSS 6,4, *France 1,8,* G.-B. 1,2, All. féd. 0,96. *91 :* 22,1 dont USA 11,2, ex-URSS 3,9, All. 2, Chine 1,13, G.-B. 1, *Fr* 0,804.

Principaux acheteurs (en milliards de $). *1988 :* Iran 3,4, Irak 2,4, Corée du Nord 2,2, Arabie S. 2,1, Japon 1,8. *90 :* Arabie S. 2,55, Japon 2,1, Inde 1,54, Afghanistan 1,1.

Conjoncture. Nombreux budgets militaires révisés en baisse ; les armements accumulés en Europe dépassent largement les plafonds imposés par le traité FCE pour les armes conventionnelles, les excédents étant mis en vente. *Ex-URSS.* la CEI vend 1 600 avions de combat, dont des Mig-29, des bombardiers Sukhoï SU-24 MK, une cinquantaine de navires de guerre, 1 millier de chars T-55, un système anti-aérien analogue au Patriot américain (proposé à Israël). *Prix proposés :* la plupart des navires sont au prix de la ferraille ; 1 *T-72 :* 350 000 $; 1 *Mig-29* 2 Md$. Produit des ventes estimé à 50 MdF. *USA.* Ont proposé env. 3 000 blindés M 60 et M 113 et 3 000 canons. Principaux acheteurs : Turquie (1 000 chars, 600 VBC, 70 canons et 80 F 16), Grèce (700 chars, 150 VBC, 70 canons), Egypte, Inde, Iran,

DÉPENSES MILITAIRES DANS LE MONDE EN 1991

[en % du PNB ; budget (valeur 1985) par habitant (en $) ; budget global (en millions de $) ; rang dans le monde (par rapport au budget global)]

	%	Par hab.	Global	Rang
Otan				
All. féd.	1,9[1]	214	16 450	7
Belgique	1,5	153	1 505	40
Canada	1,9	272	7 358	12
Danemark	2	251	1 272	42
Espagne	1,6	86	3 484	22
France	*2,8*	*317*	*18 044*	*5*
Grèce	5,9	194	18 044	31
Italie	1,7	159	9 146	9
Luxemb.	1,2	148	54	90
Norvège	3,2	442	1 864	32
Pays-Bas	2,7	266	3 947	19
Portugal	2,4	60	638	60
Royaume-Uni	4,2	395	22 420	4
Turquie	3,1	35	2 014	30
USA	5,1	902	227 055	1
Europe hors Otan				
Albanie	4,9[2]	30	103	80
Autriche	1	108	813	56
Bulgarie	6,9	197	1 790	34
Finlande	1,7	215	1 084	49
Hongrie	2,3	117	1 230	44
Irlande	1,2	74	278	69
Pologne	2,4	58	2 200	28
Roumanie	3,1	51	1 150	48
Suède	2,5	334	2 788	27
Suisse	1,7	285	1 853	33
Tchécosl.	2,9	177	2 800	26
ex-URSS	11,1	318	91 631	2
Youg.	18,6	317	3 490	21
Moyen-Orient				
Arabie S.	33,8	3 343	35 438	3
Bahreïn	5,4	434	222	74
Chypre[1]	4,9	246	174	76
Égypte	7,5	63	3 582	20
Ém. arabes[1]	14,6	2 418	4 249	17
Irak	21,1[2]	(381)[2]	7 490[2]	16[2]
Iran	7,1	77	4 270	16
Israël	9,9	636	3 239	23
Jordanie	14,1	135	594	62
Koweït	33	3 907	7 959	11
Liban	3,7	7	20	91
Oman	12,3	744	1 182	46
Yémen (arabe)	7,2[7]		566[2]	62[2]
Yémen (dém.)	13,1	79	910	53
Syrie	13	235	3 095	24
Asie du Sud				
Afghanistan	8,7[5]	16[5]	287[2]	73[2]
Bangladesh	1,3	2	234	71
Inde	2,9	9	7 990	10
Népal	1,2	2	35	95
Pakistan	7	25	3 014	254
Sri Lanka	4,8	19	340	65
Extrême-Orient				
Brunei	6[5]	915[5]	229[2]	77[2]
Chine	3,2	10	12 025	8
Corée N.	26,7	224	5 328	15
Corée S.	3,8	142	6 359	13
Hong Kong	0,4[2]		204[2]	
Indonésie	1,3	9	1 739	36
Japon	1	132	16 464	6
Malaisie	3,7	92	1 670	37
Mongolie	11,1	118	268	70
Myanmar	4,2	7	298	68
Philippines	2,2	13	843	54
Singapour	5,4	553	1 518	39
Taiwan	5,4	257	5 474	14
Thaïlande	2,5	30	1 761	35
Océanie				
Australie	2,4	247	4 210	18
Fidji	2,1	30	23	98
N.-Zélande	1,9	124	423	63
Afrique				
Afrique S.	3,6	78	2 063	29
Algérie	1,4	36	971	51
Angola	35,5	280[2]	2 732[2]	54[2]
Bénin	n.c.	3	13	105
Botswana	4	63	79	83
Burkina Faso	3,6	6	62	88
Burundi	2,6[4]		32[2]	116[2]
Cameroun	1,7	8	94	81
Centrafr. (Rép.)	1,7[4]		19[2]	124[2]
Congo	2,6[5]	30[5]	696[2]	
Côte-d'Ivoire	2[2]	10[2]	114[2]	94[2]
Éthiopie	21,5	25	1 217	45
Gabon	4,8[2]	92[2]	102[2]	84[2]
Ghana	0,7	5	69	86
Ile Maurice	0,3[5]		34[2]	
Kenya	3,5[2]	12[2]	283[2]	
Liberia	2,6[5]	12[2]	30[2]	118[2]
Libye	6,3[2]	249[2]	1 177[2]	46[2]
Madagascar	1,4	3	39	93
Malawi	1,4[2]	2[2]	16[2]	121[2]
Mali	3,3[4]	4[5]	61[2]	101[2]
Maroc	4,3	28	730	59
Mauritanie	3,9[2]	13	27	97
Mozambique	15,6	14	230	72
Niger	1[2]	2[2]	17[2]	88[2]
Nigeria	0,8	9	814	55
Ouganda	2,2	4	70	85
Rwanda	1,7[3]		37[2]	114[2]
Sénégal	1,9	8	68	87
Sierra Leone	0,7[2]	1[2]	5[2]	130[2]
Somalie	3[3]		11[2]	128[2]
Soudan	2,1[2]	9[2]	222[2]	69[2]
Tanzanie	3,9[2]	12[2]	313[2]	223[2]
Tchad	5,6[2]	8[2]	46[2]	104[2]
Togo	3,2[6]	6[5]	30[2]	117[2]
Tunisie	3,3	39	323	66
Zaïre	1,2[4]	3[5]	106[2]	47[2]
Zambie	2,6	8	61	89
Zimbabwe	7	29	312	67
Amérique centrale				
Costa Rica	1	16	48	91
Cuba	5	117	1 272	43
Dominic. (Rép.)	0,5	3	22	100
Guatemala	1,2	17	158	77
Haïti	1,1	3	21	101
Honduras	2	16	82	82
Jamaïque	0,8	10	23	99
Mexique	0,5	10	917	52
Nicaragua	9,1	56	225	73
Panamá	1,4	29	73	84
Salvador	2,4	37	201	75
Trinité et Tobago	1,4[2]	56[2]	71[2]	
Amérique du Sud				
Argentine	1,7	35	1 161	47
Bolivie	2	16	122	79
Brésil	0,8	7	1 081	50
Chili	3,2	55	735	58
Colombie	3	43	1 403	41
Équateur	2,2	35	401	64
Guyana	7[6]		65[2]	100[2]
Paraguay	1,4[2]	20[2]	61[2]	101[2]
Pérou	3,8	28	605	61
Uruguay	2,7	45	143	78
Venezuela	3,6	74	1 525	38

Nota. - (1) ex-All. féd. (2) 1990. (3) 1989. (4) 1987.(5) 1985. (6) 1986. (7) est. 1988.

Uruguay. Espagne, Portugal, Danemark et Norvège ont acheté 800 chars, 250 VBC, 35 canons.

■ **Principales firmes d'armement en 1991.** CA Défense (en milliards de $ et, entre parenthèses, CA total en 1991). *(Source : Defense News).* McDonnel Douglac 9,5 (18,4), British Aerospace 7,7 (19,1), General Electric 7,6 (60,2), General Dynamics 7,5 (8,7), Lockheed 6,9 (9,8), Boeing 5,6 (29,3), GM Hughes Electronics 5,3 (11,5), Northrop 5,1 (5,7), Raytheon 4,98 (9,3), Thomson 4,9 (7,5), Martin Marietta 4,4 (6,1), GEC 3,95 (17,98), United Technologies 3,7 (20,8), Grumman 3,5 (4), Aérospatiale 3,2 (9,5), Rockwell International 3,2 (11,9), Litton Industries 2,9 (5,2), Loral 2,9 (2,9), Mitsubishi Heavy industries 2,8 (19,8), Westinghouse Electric 2,6 (12,8), TRW 2,5 (7,9), Tenneco 2,2 (13,7), Deutsche Aerospace 2,1 (8,1), Panavia Aircraft 2,1 (2,1), Dassault Aviation 2,1 (2,8).

■ **Budgets.** **USA** (en milliards de $). *1980 :* 140,7. *85 :* 286,8. *88 :* 267,8. *89 :* 299,5. *90 :* 301,6. *91 :* 273. *92 :* 278. *93* (prév.) 277,9 (programmes majeurs en *92* (prév. *93*) : bombardier B2 4,8 (4,6) : IDS ramené principalement au programme GPALS 4,6 (4,9) ; frégates DDG51 4,5 (3,6) ; C17 (air) 2,8, au lieu de 8 prototypes, 6 cargos C17 doivent être financés ; fin de la fabrication des F. 16 ; F/A18 (marine) 2,4 (2,5). Étude du chasseur polyvalent (MRF) décidée (avion furtif moins coûteux que le F. 117 A) ; 1 sous marin nucléaire SSN21 2,38 (2,46) ; chasseur ATF 1,27 (1,38) ; missile air-air Amraam 0,81 (0,9). De 1990 à 1995, réduction du budget de la défense de 13,3 %, passant de 5,3 % à 3,8 % du PNB.

Europe. Projet *Euclid* (European Cooperation for Long Term in Defence) : budget de 850 MF pour 1991 (études et développement).

■ **URSS.** *1989 :* 250 milliards de $. *Selon le Sipri (Institut international de la recherche pour la paix de Stockholm),* les statistiques sov. ne sont pas crédibles, mais les experts amér. surestiment le montant de ces dépenses [ils évaluent le coût du potentiel sov. (équipements, hommes) aux prix amér. qui sont plus élevés, et calculent l'évolution des dépenses en tenant compte des progrès « qualitatifs » des équipements, alors que ce critère n'est pas utilisé lorsqu'il s'agit des dépenses militaires de l'Otan].

■ **France. Chiffre d'affaires** (HT, en milliards de F 1991). Total et export. *1981 :* 107,2 (43,8), *1982 :* 116 (44,4), *83 :* 120,7 (46,3), *84 :* 128,5 (54,8), *85 :* 128,5 (54,1), *86 :* 126,6 (50,3), *87 :* 121,2 (38,7), *88 :* 127,4 (41,9), *89 :* 127,8 (39,7), *90 :* 128,4 (39,8), *91 :* 115,6 (29,1), *92 :* 116 (29).

Rang sur le marché mondial et, entre parenthèses, parts en %. *1986 :* 3 (11,4). *88 :* 3 (6,8). *89 :* 3 (7,7). *90 :* 3 (8,3).

Exportations d'armes. Exportations (données min. de la Défense, en milliards de F), et entre parenthèses, % des exportations dans la prod. totale. *1970 :* 2,7 (17,8). *75 :* 8,3 (30,4). *80 :* 23,4 (38,1). *85 :* 43,9 (42,0). *86 :* 43,9 (40,0). *87 :* 34,1 (31,8). *88 :* 38,2 (32,9). *89 :* 37,3 (31,0). *90 :* 38,6 (31,0). **Export. 1991** (en %) *par catégorie de matériels :* navals 49, terrestre 29, aéronautiques 22 ; *par zones :* Extrême-Orient 50, Europe de l'Ouest et Amér. du Nord 24, Mahgreb et Moyen-Orient 21, Afrique Noire 3, Amér. latine et Caraïbe 1,5, Europe de l'Est et divers 0,5.

■ **Part de l'armement dans le chiffre d'affaires du secteur** (et part du secteur dans l'armement) (en %, en 1991). DGA 100. Nucléaire 25 (5). Aérospatiale 52 (32), électronique 12 (33), mécanique et métallurgique 1 (15). Autres : négligable (15).

Commandes étrangères. *1922* 50 MdF (dont 30 pour 60 avions vendus à Taïwan). *1993* (1er trim.) 22 milliards de F pour 436 chars Leclerc aux Émirats arabes unis.

Quelques coûts

Ordre de grandeur (v. 1984-89) : chaque matériel peut comporter des équipements variés ; certaines contraintes politiques peuvent agir sur les prix.

■ **En milliers de F. Armes.** Fusil Famas [1] 1,5. Pistolet 9 mm [3] 1,5. Mitrailleuse [3] 10. LRAC 89 17.

Véhicules. France : AMX-30 B-2 12 000, Leclerc 45 000, AMX VTT 3 800, véhicule de l'avant blindé [3] 900. **USA :** char M 60 A3 [3] 7 100, MXI [3] 4 500. **All. féd. :** char Léopard [3] 4 000, Léopard II [3] 4 500.

■ **En millions de F. Hélicoptères.** SA 341 Gazelle [3] 1. Super Frelon [3] 22. Alpha-Jet 2,7. Cobra (USA) [3] 5,6. Super Puma 60/80. Écureuil AS355-M2 20/25. SA 330 Puma 19. Tigre 93. **USA :** Apache 2 600 pour 20 hélicos, 1 560 pour 12 h. + 20 lanceurs Hellfire.

Avions. USA : 11,6. F15, 10 400 pour 24 avions F-16 [3] 350. *Hercules C-130H* [3] 21. *Bombardier Stealth 700.* **France :** *Mirage 2 000-5* 60 000 pour 120. *Atlantic* (lutte anti-sous-mar.) [3] 31. *Super Étendard* 40. *Mirage 2000 :* 135, 153 à 166 (88) ; *Mirage 4000* (écarté du budget à cause de son prix) env. 200 ; *Rafale* 200 000 pour 200 avions.

Navires. Aviso A 69 : 270 (22 [2]). **Frégates** ASM 900 (40 [2]), *type La Fayette* 1 500, *type Floréal* 500. *SNLE NG* 62 000 pour 6 unités ; 126 000 avec missiles M5. **Porte-avions** nucléaire 36 000 t 16 000 (sans les avions) dont 1/3 en études seraient économisés sur le n°2. **Sous-marin** *Agosta* 380 (22 [2]) ; nucléaire d'attaque 1 200. *Vedette* avec armes 70.

Nota. – Le grand carénage avec l'échange du réacteur d'un sous-marin d'attaque à propulsion nucléaire coûte 160 000 000 F.

Bombes et missiles. USA : *Bombe de 250 kt* [3] 6 ; de 5 500 kt [3] 7. *Dragon* [3] 0,03. *Harpoon* [3] 2. *Patriot* 5 100 pour 6 batteries. *Stinger* 63 pour 50 lanceurs et 200 missiles *Pershing II* 56. *Poséidon C3* (sans tête nucl.) [3] 24. *Sea Sparrow* [3] 0,500. *Trident I* 133 ; II 350. *Tow* [3] 0,03. **France :** *AS 30* [3] 0,03. *Crotale* 0,05. *Exocet SM* 39 5 [4]. *Hadès* 17 500 pour 60 véhic. et 120 missiles, ramené à 11 000 pour 15 véhic. et 30 miss. *Milan* 0,03 [4]. *Missile M4* 462 [4]. *Roland* (+ véhicule 27) 0,4. *ASMP* 8 000 pour 80 missiles. *ASLP* (projet), estimé 20 000 pour 60 missiles.

Satellites. *Helios* 7 900 pour 2 sat. + station + 4 000 pour 2 sat. infrarouges. *Syracuse I* 2 170. *II* 9 800.

Unités. *Division* d'infanterie de marine 500 (450 [2]), parachutiste 560 (870 [2]), infanterie 600 (290 [2]) inf. sur VAB 1 200 (300 [2]), blindée 2 200 (370 [2]). *Escadre* de 45 Mirages F1 4 400 (410 [2]).

Coût annuel du maintien sur pied d'un régiment de chars : 324,8, mécanisé 235,2, d'une escadre de Jaguar 1 130 (dont 100 pour carburant et entretien).

Nota. – (1) En 1979. (2) Entre parenthèses fonctionnement (RCS compris). (3) En 1980. (4) En 1986. *Avion de chasse américain* (1940-45) : 53 000 $. *Bombardier* (1940-45) : 218 000 $; (1972) : 30 millions de $; (1980) B-1 : 90 millions de $.

☞ Un amiral américain a calculé que chaque ennemi tué revenait en moy., sous Jules César il y a 2 000 ans, à 75 cents ; sous Napoléon Bonaparte en 1800 : $ 3 000 ; USA 1917-18 : $ 21 000 ; 1941-45 : $ 200 000.

Forces militaires

Effectifs	Terre	Air	Mer	PM [5]	Réserves [6]
Otan					
All. Féd.	316[3]	95,8[2]	35[2]		1 009,4
Belgique	54,1[3]	17,3[2]	4,4[1]		
Canada	22	22,4	17	6,4	29,7
Danemark	17,1	8,8	6,9[3] (93)		60
Espagne	146[3]	35[2]	36[2]	64,6	130
France	285[3]	91,7[2]	64,9[2]	95,7[3]	
Grèce	113[3]	26,8[2]	19,5[2]	26,5	350
Italie	230[3]	76,2[2]	48[2]	111,4	520
Luxembourg	0,8			0,6	
Norvège	15,9[2]	9,5[2]	7,3[2]		
Pays-Bas	64,1[2]	16[2]	15,5[2]		
Portugal	32,7[3]	10,3[2]	15,3[2]	49,8	
Roy.-Uni	146[2]	86,5[2]	62[2]		
Turquie	450[3]	58[2]	52,3[2]	70	950
USA	641,4[2]	486,8[2]	550[2]		654,3[2]
Europe hors OTAN					
Albanie	27[3]	11[3]	2[2]		150
Autriche	46[3]	6[3]			
Bulgarie	75[1]	22[2]	8,8[2]		
Chypre	10[3]			3,7	
Finlande	27,8[3]	3[2]	1,8[2]		700
Hongrie	63,5[3]	17,3[2]	0,4[2]		
Irlande	10,9[2]	1[2]	1[2]		16,4
Malte					
Pologne	194,2	83[2]	19,3[2]		
Roumanie	161[3]	20	19[2]	49,8	565
Slovaquie					
Suède	43,5[3]	7,5[2]	9,5[2]		
Suisse	565	60			625
Rép. Tchèque	72[2]	44,8[1]		21,2	
Ex-URSS					
Arménie	50				
Azerbaïdjan	30				
Biélorussie	95	30			
Estonie					
Géorgie					
Kazakstan	63				
Kirghizie					
Lettonie					
Lituanie					
Moldavie	12				
Ouzbékistan	15				
Russie					
Tadjikistan	6				
Turkménie	34				
Ukraine	150				
Ligue arabe					
Algérie	120[3]	12[3]	7[2]		
Ar. saoudite	73[3] (93)	18[2]	11[2]	10,5	

Effectifs	Terre	Air	Mer	PM [5]	Réserves [6]
Bahreïn	6,1[3]	0,6[2]	0,8[2]	9	
Djibouti	3[3]	0,1[2]	0,1	0,6	
Égypte	290[3]	30[2]	20[2]	2	514
Émirats arabes unis	50[3]	2,5[2]	2[2]		
Irak	350[3]	30[2] (92)	1[2] (92)		100
Jordanie	85[3]	14	0,4[2]		
Koweït	8[3]	2,5[2]	1,2		
Liban	35,7[3]	0,8[2]	0,4[2]	7	
Libye	55[3]	22[2]	8[2]	45,5	
Maroc	175[3]	13,5[2]	7[2]	40	
Mauritanie	9[3]	0,2[2]	0,4[2]		
Oman	20[3]	3,5[2]	3[2]	8	
Palestine					
Qatar	6[3]	0,8[2]	0,7[2]		
Somalie					
Soudan	75[3]	6[2]	0,5[2]	15	
Syrie	300[3]	40[2]	8[2]		50
Tunisie	27[3]	3,5[2]	4,5[2]	13,5	
Yémen	60[3]	2[2]	1,5[2]	40	40
Afrique hors ligue arabe					
Afr. du Sud	49,9[2]	10[2]	4[2]	200	172
Angola	120[2]	6[2]	1,5[2]		
Bénin	3,8[3]	0,3[2]	0,1[2]	2	
Botswana	6[3]	0,1[2]			
Burkina Faso	7[3]	0,2[2]		1,7	
Burundi	7,2[3]			1,5	
Cameroun	6,6[3]	0,3[2]	1[2]	4	
Congo	10[3]	0,5[2] (92)	0,5[2] (92)	6,1	
C.-d'Ivoire	5,5[3]	0,9[2]	0,7[2]	7,8	
Éthiopie [4]			2		
Gabon	3,2[3]	1[2]	0,5[2]	2,8	
Ghana	5[3]	1,2[2]	1[2]		
Guinée	8,5[3]	0,8[2]	0,4[2]	9,6	
Île Maurice				7,2	
Kenya	20,5[3]	2,5[2]	1,1[2]		
Libéria				15	
Madagascar	20[3]	0,5[2]	0,5[2]	7,5	
Malawi	10,7[3]	0,1[2]	0,1[2]		
Mali	6,9[1]	0,4[1]		7,8	
Mozambique	45[3]	4[2]	1,2[2]	5	
Niger	3,2[3]	0,1 2		4,5	
Nigéria	62[3]	9,5[2]	4,5[2]		
Ouganda	70[3]				
Rép. centrafr.	3,5[3]	0,3[2]	0,08[2]	2,7	
Ruanda	5,2[3]	0,2[2]		1,2	
Sénégal	8,5[3]	0,5[2]	0,7[2]		
Sierra Leone	6[3]		0,1[2]		
Tanzanie	45	1[2]	0,8[2]	100	
Tchad	25[2]	0,2[2]		4,5	
Togo	4,8[3]	0,2[2]	0,1[2]	0,7	
Zaïre	26[3]	1,8[2]	1,3[2]	27	
Zambie	20[3]	4[2]		1,4	
Zimbabwe	46[3]	2,5[2]		19	

Effectifs	Terre	Air	Mer	PM [5]	Réserves [6]
Amér. centrale, latine et Caraïbes					
Argentine	35[3]	10[3]	20[2]		250
Bolivie	23[3]	4[2]	4,5[2]		
Brésil	201[3]	50,7[2]	50[2]	243	
Chili	54[3]	12,8[2]	25[1]		80
Colombie	120[3]	7[2]	6[2]	85	100
Costa Rica			0,2[2] (92)	4,3[3]	
Cuba	145[3]	17[2]	13,5[2]	19	1 300
Équateur	50[3]	3,5[2]	5[2] (92)		100
Guatemala	42[3]	1,4[2]	1,2[2]	514,1	4,5[3]
Guyana	1,7[3]	0,2[2]	0,1[2]		
Haïti	7[3]	0,1[2]	0,2[2]		
Honduras	14,6[3]	1,8[2]	1[2]	5,5	
Jamaïque	3[3]	0,2[2]			0,8
Mexique	175,5[3]	8[2]	37[2]		
Nicaragua	13[3]	1,2[2]	0,5[2]		
Panamá			0,3[2]		
Paraguay	12,5[3]	1[2]	3[2]		
Pérou	75[3]	15[2] (92)	22[2]	70	188
Rép. Dominicaine	15[3]	4,2[2]	4[2]		
El Salvador	40[3]	2,4[2]	1,3[2]		
Trinité-et-Tobago	2[3]		0,6[3]	4,8	
Uruguay	17,2[3]	3[2]	4[2]		
Venezuela	34[3]	7[2]	11[2]	22	
Asie hors ligue arabe + Israël					
Afghanistan	40[3]	5[2]		50	
Bangladesh	93[3]	6,5[2]	7,5[2]	55	
Brunei	3,6[3]	0,3[2]	0,5[2]	2,2 (91)	
Cambodge	80[3]	1[2]	1[2]	270	
Chine	2 300[2]	470[2]	240[2]	12 000	
Corée du N.	1 000[3]	92[2]	40[2]	3 915	540
Corée du S.	650[2]	53[2]	60[2]	3 500	4 800
Hong Kong		0,2			
Inde	1 260[3]	110[2]	55[2]	3[2]	
Indonésie	215[3]	24[2]	44[2]		
Iran	305[3]	35[2]	18[2]	215	
Israël	134[3]	32[2]	10[2]		10
Japon	150,2[3]	46[2]	44[2]	12,2[2]	46
Malaisie	105[3]	12[2]	10,5[2]		43,7
Mongolie	14[3]	1,5[2]		10	
Myanmar	265[3]	9[2]	12[2]	85	
Népal	34,8[3]	0,2[2]		28	
Pakistan	513[3]	45[2]	22[2]	270	513
Philippines	68[3]	15,5[2]	23[2]	45	100
Singapour	45[2]	6[2]	4,5[2]	11,6	250
Sri Lanka	89[3]	8[2]	8,9[2]	57,2	3
Taïwan	260[3]	70[2]	60[2]		60
Thaïlande	190[3]	43[2]	50[2]	1,7	500
Océanie					
Australie	31,5[3]	22,4[3]	16,1[2]		29[3]
Fidji	4,7[3]		0,3[2]		5[3]
N.-Zélande	4,8[3]	3,7[2]	2,4[2]	5,6	1

Nota. – (1) Chiffres 1991. (2) 1992. (3) 1993. (4) Avant 1991. (5) PM : Forces paramilitaires. (6) Réservistes et potentiel mobilisable (homme de 18 à 45 a).

Matériels	C[1]	VB[2]	A[3]	H[4]	B[5]	SM[6]	PA[7]
Otan							
All. Féd.	7 090				127	22	
Belgique	373		+ 230		32		
Canada	114	1 404	198	131	40	3	
Danemark	353	316		12	30	5	
Espagne	838			46	123	8	1
France	1 340	4 125			39	18	1
Grèce	2 799				193	10	
Italie	1 220		449		92	8	1
Luxembourg							
Norvège	133				58 + 9 + 13	11	
Pays-Bas					61	5	
Portugal	129				70	3	
Roy.-Uni					175	19	2
Turquie	3 405		573		186	12	
USA			+ 9 500	1 700	325	110	13
Europe hors Otan							
Albanie	100		100		67	2	
Autriche							
Bulgarie	1 700				109	3	
Chypre	52			4			
Finlande			70		58		
Hongrie	1 357				6		
Irlande	14		6		7		
Malte							
Pologne	2 620	2 260	507	41	145	3	
Roumanie	2 714		486 (92)	220 (92)	137	1	
Slovaquie							
Suède	785		499	20	81	12	
Suisse	812		250				
Rép. Tchèque	3 208		297 (91)				
Ex-URSS							
Arménie							
Azerbaïdjan							
Biélorussie	1 850						
Estonie							
Géorgie							
Kazakstan	1 200						
Kirghizie	30						
Lettonie							
Lituanie							
Moldavie							
Ouzbékistan	280						
Russie	29 800		3 450	1 000	486	225	4
Tadjikistan	260						
Turkménie	750		175				
Ukraine	6 300		1 100				
Ligue arabe							
Algérie	960		250		92	2	
Ar. Saoudite	900		293		29		
Bahreïn	81	30			13		
Djibouti		45			9		
Égypte	3 090		492		86	8	
Émirats arabes unis	131		105	19	27		
Iraq	2 300		312		15		
Jordanie	1 131		95	24	3		
Koweït	200		73	20	3		
Liban	150		15		3		
Libye	2 150		409	69	59	6	
Maroc	284		90	24	34		
Mauritanie					5		
Oman	78		52		21		
Palestine							
Qatar	24	18	20	40			
Somalie							
Soudan	95		51	2	8		
Syrie	4 600		639	17	43	3	
Tunisie	84		38		22		
Yémen	1 275		175	65	27		
Afrique hors ligue arabe							
Afr. du Sud	250		130		25	3	
Angola	+ 230		120 (92)	37 (92)	91		
Bénin					6		
Botswana							
Burkina Faso		83	14				
Burundi				2			
Congo	40		8		7		
C.-d'Ivoire	5			7	8		

Matériels	C[1]	VB[2]	A[3]	H[4]	B[5]	SM[6]	PA[7]
Éthiopie[8]	300				28		
Gabon		12	12	17			
Ghana					6		
Guinée	38		4		8		
Île Maurice					4		
Kenya	80		31	38	8		
Liberia							
Madagascar	12		12	6	4		
Malawi					6		
Mali	21	1	13 (91)				
Mozambique	100		43	6	16		
Niger		46	0				
Nigéria	157		95	17	76		
Ouganda							
Rép. Centrafr.	4	39	2	9			
Rwanda		12	1	12			
Sénégal		67	9	20			
Sierra Leone					6		
Tanzanie	62		28		22		
Tchad		63					
Afrique hors ligue arabe							
Togo			16		2		
Zaïre	80		23		22		
Zambie	30		70	6			
Zimbabwé	40		80				
Amérique centrale et lat., Caraïbes							
Argentine	326		192		40	4	1
Bolivie	36	24			13		
Brésil	520				141	4	1
Chili	328		250 (91)	9	56	2	
Colombie	12		+ 300		49	4	
Costa Rica					7		
Cuba	1 770*		300		82	3	
Équateur	153		85		36	2	
Guatemala		10	12		28		
Guyana			0		5		
Haïti							
Honduras	15		+ 28	15			
Jamaïque							
Mexique	45	140	113	23	135		
Nicaragua	130		16	9	29		
Panamá					5		
Paraguay	23		17		27		
Pérou	460	+ 300	136	71	71	9	
Rép. Dominicaine	14	20		12	31		
El Salvador	5	10	26		9		
Trinité et Tobago					10		
Uruguay	67		33		26		
Venezuela	70		120	30	35	2	
Asie hors ligue arabe + Israël							
Afghanistan	1 200		180				
Bangladesh	50		42		47		
Brunei	16				37		
Cambodge	160				10		
Chine	14 200		5 380		1 637	43	
Corée du N.	4 000		732	50	603	24	
Coré du S.	1 800		403	98	221	4	
Hong-Kong					38		
Inde	3 900			81	118	12	2
Indonésie	155			39	135	2	
Iran	700		262		66	3	
Israël	3 780	6 000	629		63	3	
Japon	1 210		95	87	221	15	
Malaisie	26		69		84		
Mongolie	650		22				
Myanmar	56	40	40		70		
Népal			0				
Pakistan	1 980		352		63	9	
Philippines	41		49	94	161		
Singapour			193	6	46		
Sri Lanka	25		17	12	79		
Taïwan	1 409				435	2	
Thaïlande	213		158		176		
Océanie							
Australie	103				126	4	
Fidji					7		
N.-Zélande	26		41		12		

Nota. – (1) C : chars. (2) VB : véhicules blindés (de combat et de transport de troupes). (3) A : avions. (4) H : hélicoptères. (5) B : bâtiments. (6) SM : sous-marins. (7) PA : porte-avions et porte-aéronefs.

Prévisions 1997

■ **Pour l'armée de terre française.** *En 1990,* la France alignait 6 divisions blindées, 3 divisions légères blindées, 5 divisions d'infanterie et 1 division aéromobile, le tout formant 3 corps d'armée et la force d'action rapide (FAR).

En 1997, 8 divisions, sont prévues : *3 divisions blindées* (DB ; la 1re à Baden-Oos affectée au corps européen où elle est associée avec la brigade mixte franco-allemande ; la 2e, 7e DB actuelle, à base d'appelés ; la 3e en majorité formée d'engagés pourrait résulter de la fusion des actuelles 2e DB et 10e DB. Équipées du char Leclerc, elles réunissent 2 régiments en un seul déployant 80 chars répartis éventuellement en 2 groupements de 40). *2 divisions légères blindées (DLB),* dont l'une à vocation amphibie (l'actuelle 9e division d'infanterie de marine ; PC à Nantes) et la 2e à vocation continentale (l'actuelle 6e DLB ; PC à Nîmes). *1 division aéromobile* (à base d'hélicoptères contre chars ou hélicoptères). *1 division parachutiste* (la 11e DB actuelle) et *1 division d'infanterie de montagne* (fusion de l'actuelle 15e division d'infanterie et de l'actuelle 27e division alpine).

Principaux groupes mondiaux de l'armement

■ **Chiffre affaires défense et,** entre parenthèses, **Chiffre d'affaires** total en 1992 : McDonnell Douglas Corp. 9,1 (17,4). General Électric Co. 8 (62,2). Lockheed Corp. 7,5 (10,1). British Aerospace plc 6,1 (30,1). Boeing Co 6,5 (30,5). GM Hugues Électronics Corps. 5,4 (13,3). Northrop Corp 5 (6). Thomson Group 4,9 (13,5). Raytheon Co 4,7 (9,1). United Technologies Corp. 4,5 (22,3). General Électric Co plc (GEC) 4,1 (14,3). Martin Marietta Corp. 3,4 (3,4). Deutsche-Aerospace AG 4 (10,7). Aérospatiale 3,5 (10). Loral Corp. 3,4 (3,4). General Dynamics Corp 3,3 (3,5). Mitsubishi Heavy Industries 3,2 (22,7). Litlon Industries 3,1 (5,7). Grumman Corp. 3 (3,6). Rockwell International Corp. 3 (11). TRW Inc. 3 (8,4). Westinghouse Électric Corp. 2,9 (8,5). Tenneco Inc 2,3 (13,2). IBM 2,2 (64,6). Dassault Aviation 2,2 (2,8).

☞ **Enigme** suite de la p. 1799.

Bruits et explosions

BONI (Bruits d'origine et de nature inconnues). Appelés aussi brontides. Semblables à un coup de canon dans le lointain, ils se transmettent parfois sur des centaines de kilomètres. *Causes envisagées :* émissions gazeuses d'origine volcanique, tassement du plateau continental avec rejet des gaz contenus dans les sédiments, microséismes. En 1976, on avait parlé de la répercussion possible des bangs du Concorde sur les masses d'eaux océaniques. Des brontides précurseurs furent ainsi entendus avant le tremblement de terre de San Francisco (1906). De nombreux marins ont signalé, depuis le XVIIe siècle, que mers et océans peuvent être agités par des explosions (détonations sourdes, émission de brumes, formation de dômes d'eau). Lieux de ces observations : côtes de la Belgique (où le phénomène est nommé « mistpouf »), golfe du Bengale (« canons de Barisal »), golfe de Gascogne, côtes atlantiques des USA (« canons de Séneca »).

☞ Voir à l'index. Météorites de Toungouska. suite des **Enigmes** p. 1895.

Attentats politiques

☞ Suite de la p. 480.

Nota. – Liste non limitative. (1) L'attentat échoue.

En italique : auteurs des attentats.

Éthiopie. **1937**-*19-2* maréchal Rodolfo Graziani, vice-roi *(un Éthiopien).*

France. **575** Sigebert Ier *(2 partisans de Frédégonde).* **584** Childéric, en rentrant de la chasse. **675** Childéric II, à la chasse. **679** Dagobert II, à la chasse. **1407**-*23-11* Louis d'Orléans, frère de Charles VI. **1563**-*18-2* François de Lorraine, duc de Guise *(Poltrot de Méré).* **1572**-*24-8* Nuit de la Saint-Barthélemy : amiral de Coligny et des centaines de protestants. **1588**-*23-12* Henri Ier, duc de Guise, à Blois *(sur l'ordre d'Henri III).* -*24-12* card. de Lorraine, fr. du duc de Guise *(sur l'ordre d'Henri III).* **1589**-*1-8* Henri III *(le moine Jacques Clément).* **1593** Henri IV *(Pierre Barrière)* [1]. **1594**-*27-11 (Jean Chastel)* [1]. **1610**-*14-5 (Ravaillac).* **1617**-*24-4* Concini, mar. d'Ancre *(Ph. de Vitry).* **1757**-*5-1* Louis XV *(Damiens)* [1]. **1793**-*13-7* Marat *(Charlotte Corday).* **1800**-*14-6* Gal Kléber *(Suleyman),* au Caire. -*24-12* Bonaparte, 1er consul (machine infernale de la rue St-Nicaise, par *Saint-Régeant, Carbon, Limoëlan)* [1]. **1809** devenu emp. Napoléon Ier, à Vienne *(Frédéric Staaps)* [1]. **1815**-*2-8* Mal Brune, à Avignon *(la foule).* -*17-8* Gal Ramel, à Toulouse. **1820**-*13-2* duc de Berry *(Louvel).* **1835**-*28-7* Louis-Philippe *(Fieschi)* [1]. **1836**-*25-6 (Alibaud)* [1]. -*27-12 (Meunier)* [1]. **1840**-*15-10 (Darmès)* [1]. **1841**-*13-9* Duc d'Aumale *(Quénisset)* [1]. **1846**-*16-4* Louis-Philippe *(Lecomte)* [1]. -*29-7 (Henri)* [1]. **1855**-*28-4* Napoléon III *(Pianori)* [1]. *8-9 (Bellemare)* [1]. **1858**-*14-1 (Orsini)* [1]. **1867**-*6-6* et le Tsar *(Berezowski)* [1]. **1887**-*10-12* Jules Ferry *Aubertin)* [1]. **1894**-*24-6* Sadi Carnot. Pt *(Caserio).* **1905**-*30-5* Émile Loubet, Pt *(anarchistes)* [1]. Avec Alphonse XIII d'Espagne. **1914**-*31-7* Jean Jaurès, Pt du Parti socialiste *(Villain).* **1919**-*19-2* Clemenceau *(Cottin)* [1]. **1922**-*14-7* Alexandre Millerand, Pt [1]. **1932**-*6-5* Paul Doumer, Pt *(Gorguloff).* **1934**-*9-10* Louis Barthou, min. des Aff. étr., et Alexandre de Youg., à Marseille. **1941**-*27-8* Pierre Laval (ancien vice-Pt du Conseil) et Marcel Déat (directeur de l'Œuvre) *(Colette)* [1]. **1942**-*28-4* Jacques Doriot, à Rennes [1]. -*24-12* Amiral Darlan (Haut-Commissaire, chef du gouv. d'Alger) *(Bonnier de la Chapelle).* **1944**-*20-6* Jean Zay, ancien min. de l'Éd. nat. *(Henri Millou). 28-6* Philippe Henriot, secr. d'État à l'Int. *(Charles Gonard, dit Morlot).* -*1-7* Georges Mandel *(milicien Mansuy).* **1955**-*12-6* Jacques Lemaigre Dubreuil, industriel, *(la « Main Rouge ») à Casablanca.* **1957**-*16-1* Gal Raoul Salan [1], Cdt en chef en Algérie (attentat au bazooka : le colonel Rodier est tué). **1961**-*8-9* Gal de Gaulle *(Martial de Villemandy)* [1]. **1962**-*22-8* Gal de Gaulle *(colonel Bastien-Thiry)* [1] au Petit-Clamart.

Ghana. **1962**-*1-8* Nkrumah, Pt [1]. **1964**-*2-1* Nkrumah, Pt [1].

Grèce. **1831** Capo d'Istria, Pt *(Mavromikáhlis).* **1861**-*18-9* Amélie, reine *(Dioçios)* [1]. **1898**-*26-2* Georges Ier *(Karditzis).* **1905**-*13-6* Delvanni, PM. **1913**-*18-3* Georges Ier *(Schinas).* **1927**-*30-10* Pavlos Konundouriotes, 1er Pt provisoire [1]. **1968**-*13-8* Georges Papadopoulos, PM *(A. Panagoulis)* [1].

Guatemala. **1898**-*3-7* José Maria Reine Barrios. Pt (assassiné à l'instigation de son neveu Prospero Moralès, qui lui succéda). **1957**-*26-7* Carlos Armas, Pt.

Hollande. **1584**-*10-7* Guillaume d'Orange *(Balthasar Gérard).* **1672**-*20-8* Jean de Witt, grand pensionnaire.

Hongrie. **1912**-*7-6* Comte Istvan Tisza, Pt de la Ch. des députés *(Kovacs, dép. de l'opposition ; essaie de se suicider, reconnu fou)* [1]. **1918**-*31-10* Cte Istvan Tisza, PM *(soldats déserteurs).* **1962**-*4-6* Bela Lapuanyik, espion hongrois déserteur (balle au cyanure).

Inde. **1872**-*8-2* Richard Southwell Bourke, 6e comte de Mayo, vice-roi des Indes *(détenu musulman).* **1879**-*12-12* Lord Lytton, vice-roi des Indes (*un Eurasien,* ivre) [1]. **1948**-*30-1* Gandhi *(Nathuram Vinayak Godse).* **1980**-*14-4* Indira Gandhi, PM *(Lalwani)* [1]. **1984**-*31-10* Indira Gandhi, PM *(Sikhs).* **1991**-*21-5* Rajiv Gandhi, anc. PM.

Indonésie. **1962**-*14-5* Pt Ahmed Sukarno [1]. **1965**-*30-9* Pt Ahmed Sukarno.

Irak. **1958**-*14-7* roi Fayçal et Nouri Saïd, 1er min. **1963**-*8-2* Gal Kassem, Pt Rép.

Iran. **1896**-*1-5* Nasser Eddin, shah *(le mollah Reza).* **1908**-*28-2* Mohammed Ali-Shah [1]. **1965**-*26-1* Hassan Ali Mansour, PM. -*10-4* Reza Shah (d'Iran) [1]. **1981**-*30-8* Ali Radjai (Pt) et Djavad Bahonar (PM).

Israël. **1948**-*17-9* Cte Folke Bernadotte, médiateur de l'O.N.U.

Italie. **1537**-*5-6* Alexandre de Médicis, duc de Florence *(Lorenzaccio).* **1854**-*27-3* Charles III, duc de Parme *(Antonio Carra).* **1856**-*8-12* Ferdinand II des Deux-Siciles *(Agésilas Melans)* [1]. **1878**-*17-11* Humbert *(Giovanni Pasananti)* [1]. **1894**-*16-6* François Crispi, PM [1]. **1897**-*22-4* Humbert I *(Acciarito)* [1]. **1900**-*29-7* Humbert Ier *(Bresci).* **1912**-*14-3* Victor Emmanuel *(Antonio Oalba)* [1]. **1924**-*10-6* Matteotti, chef du PS. **1926**-*mars-avril-juin* Benito Mussolini : 3 attentats : a) *Zanzinobi,* socialiste, arrêté ; b) *une Anglaise,* déséquilibrée ; c) *Lucetti* [1]. **1928**-*12-4* Victor Emmanuel III (17 tués, 40 blessés) [1].

Japon. **1901**-*21-6* Hoshi Toru, dirigeant libéral *(tué au conseil municipal de Tokyo).* **1909**-*26-10* Ito. **1932**-*8-1* empereur Hirohito *(un Coréen)* [1]. -*15-5* Inukai, PM. **1933**-*21-11* Wakatauki, ancien PM *(par des officiers extrémistes)* [1]. **1960**-*12-10* Inejiro Asanuma, chef du Parti socialiste *(poignardé par un réactionnaire).*

Jordanie. **1951**-*20-7* Roi Abdallah *(Mohammed Chaker).* **1960**-*28-8* Hazza Majah, PM (bombe). **1971**-*28-11* Wasfi Tall, PM.

Liberia. **1981**-*12-4* William Tolbert, Pt.

Liban. **1982**-*15-9* Bechir Gemayel, Pt. **1988**-*1-6* Rachid Karamé, PM. **1988**-*22-11* René Moawad, Pt.

Madagascar. **1975**-*11-2* Gal Ratsimandrava.

Maroc. **1971**-*10-7* Hassan, roi [1]. **1972**-*16-8* Hassan, roi [1].

Mexique. **1913**-*23-2* Francisco Indalecio Madero, Pt. **1919**-*10-4* Emiliano Zapata, chef révolutionnaire. **1920**-*21-5* Venustiano Carranza, Pt. **1923**-*20-7* Pancho Villa, chef révolutionnaire. **1928**-*17-7* Alvaro Obregón, Pt *(Léon Toral).*

Nicaragua. **1956**-*21-9* Anastasio Somoza Garcia, Pt.

Nigeria. **1966**-*15-1* Samuel Akintola et Ahmadu Bello, Iers min. régionaux *(rebelles militaires).* -*29-7* général Ironsi *(coup d'État).* **1976**-*13-2* Gal Murtala Mohammed.

Pākistān. **1951**-*16-10* Liaquat Ali Khan, Pt *(Said Akbar).*

Panamá. **1955**-*2-1* José Antonio Rémon, Pt.

Paraguay. **1877**-*12-4* Jean-Baptiste Gill, Pt.

Pérou. **1872**-*25-7* José Balte, Pt *(Marceliano Gutièrrez).*

Philippines. **1972**-*7-12* Mme Marcos [1].

Pologne. **1922**-*16-12* Gabriel Narutowicz, Pt.

Portugal. **1908**-*1-2* Charles Ier et Philippe, Pce héritier (*Buica* et *de Costa*). **1915**-*15-5* Dr Joao Chagas, PM. *(Sénateur Joao de Freitas,* qui fut tué)[1]. **1918**-*31-12* Sidonio Paes, Pt.

Rép. dominicaine. **1899**-*26-7* Ulysse Heureaux, Pt *(Caceres).* **1961**-*30-5* Raphael Trujillo, Pt.

Rome. **44 av. J.-C.** César *(Brutus).* **37 apr. J.-C.** Tibère *(Macron).* **41** Caligula *(Chaerea).* **54** Claude *(Agrippine).* **59** Agrippine *(Néron).* **96** Domitien *(Stephanus).* **192** Commode *(Marcia).* **193** Pertinax *(prétoriens).* **235** Alexandre Sévère *(ses soldats).* **465** Sévère *(Ricimer).*

Roumanie. **1880**-*14-12* Bratiano (PM) [1]. **1933**-*29-12* Duca, Pt du Conseil. **1939**-*21-9* Calinesco, Pt du Conseil. **1940**-*26-11* Jorga, ancien Pt du Conseil.

Salvador. **1890**-*7-7* Francisco Menendez, Pt (*partisans du général Exeta,* qui lui succéda).

Serbie. **1868**-*10-6* Michel Obrenovitch, roi *(Radanovitch).* **1882**-*23-10* Milan IV *(Payitch)* [1]. **1903**-*11-6* Alexandre Ier et la reine Draga *(colonel Maschin).*

Sri Lanka. **1959**-*25-9* Bandaranaïke, PM.

Suède. **1792**-*20-3* Gustave III *(Anckarström).* **1986**-*28-2* Olof Palme, PM.

Tchad. **1975**-*13-4* François Tombalbaye (1918) *(Gén. Noël Odingar).*

Tchécoslovaquie. **1923**-*5-1* Alois Rasin, min. des Finances *(un communiste).*

Thaïlande. **1946**-*9-7* Ananda Mahidol, roi *(camouflé en suicide).*

Togo. **1962**-*21-1* Sylvanus Olympio [1]. **1963**-*13-1* Sylvanus Olympio, Pt.

☞ Suite voir p. 1896.

Comment se nomment les habitants de ?

☞ Suite de la page 1553

Sées Sagiens
Sein (Ile de) Senans
Semur-en-Auxois Sémuriens, Sémurois
Senez Séneziens, Sonisiens
Sens Sénonais
Sèvres Sévriens
Seyne-sur-Mer (La) Seynois
Six-Fours-les-Plages Six-Fournais
Solre-le-Château Solréziens
Sos Sosciates
Sospel Sospellitains, Sospellois
Sours Souriots
Souterraine (La) Sostraniens, Souterrainiens
Soyaux Sojaldiciens
Stains Stanois
Sucy-en-Brie Sucyciens
Sully-sur-Loire Sullinois, Sullylois
Tain-l'Hermitage Tinois
Tarbes Tarbésiens, Tarbais
Tartas Tarusates, Tartarins
Tassin-la-Demi-Lune Tassilunois
Taulé Taulésiens
Taverny Tabernaciens
Tergnier Ternois
Termes Termenais
Ternois Tervaniens
Thélin Thélandais
Thiers Thiernois
Thionville Thionvillois
Tonneins Tonneinquais
Toucy Toucyquois
Tourcoing Tourquennois
Tour-du-Pin (La) Turripinois
Tournus Tournusiens
Tours Tourangeaux
Trappes Trappistes
Tréguier Trégorois, Trécoriens
Treix Tréyens
Tremblade (La) Trembladais
Tremblay-lès-Gonesse Tremblaysiens
Tremouille (La) Trémouillais
Tréport (Le) Tréportais
Trévoux Trévoltiens
Trinité (La) Trinitaires
Troyes Troyens
Tulle Tullistes, Tullois
Turbie (La) Turbiasques
Uchizy Chizerots
Ulis (Les) Ulissiens
Uzès Uzétiens
Vaas Védaçais
Valay Valésiens
Valence Valentinois
Valenciennes Valencenais, Valenciennois
Valentigney Boroillots
Vallauris Vallauriens
Vandœuvre-lès-Nancy Vandopériens
Vannes Vannetais
Vanves Vanvistes
Varzy Verdigois
Vaujours Valcoviens
Vaulx-en-Velin Vaudais
Vence Vinciens, Vençois
Vénissieux Vénissians
Verdun Verdunois
Verneuil-sur-Avre Vernoliens. **Sur-Seine** Vernolitains
Vertou Vertaviens, Vertousains
Vésinet (Le) Vésigondins, Vésinettois
Vesoul Vésuliens
Vez Vadais
Vézelay Vézéliens
Vichy Vichyssois, Vichissais, Vichinois
Vieux Viducasses
Vieux-Condé Vieux-Condéens
Vigan (Le) Viganais
Ville-aux-Dames Gynépolitains
Ville-d'Avray Ville-d'Avraysiens
Villedieu-les-Poêles Sourdins
Villefranche-sur-Saône Caladois
Villemomble Villemomblois
Villeneuve-d'Ascq Villeneuvois.
La-Garenne Villeno-Garennois.
Le-Roi Réginovillois
Villeparisis Villeparisiens
Villepinte Villepintois
Villers-Cotterêts Cotteréziens
Villiers-le-Bel Beauvilérois, Beauvilésois
Vimoutiers Vimonastériens
Vire Virois
Viroflay Viroflaysiens
Vitré Vitréens
Vitry-le-François Vitryats. **Sur-Seine** Vitriots
Viviers Vivarois, Vivarais
Vouvray Vouvrillons
Vouziers Vouzinois
Yermenonville Remenonvillois
Yerres Yerrois
Yport Yportais
Yssingeaux Yssingealois, Yssingelais, Yssingelois, Yssingeaviers
Yvetot Yvetotais

D'UN QUID A L'AUTRE

QUELQUES ÉVÉNEMENTS

FRANCE

1992

■ **Août.** 5. Adoption du plan de *Martine Aubry* en faveur du développement du travail à temps partiel. *Marie-José Perec* médaille d'or au 400 m aux Jeux Olympiques. 6. *François Léotard,* maire de Fréjus, démissionne. 8 au 23. *Georges Marchais* aux USA avec une délégation du PCF. 10. Retour du cosmonaute français, *Michel Tognini* après 12 jours dans la station Mir. 11 au 31. Conflit entre *Alain Ayache* et la CGT (Comité intersyndical du livre). 17. Décès d'un *gardien de prison* de Rouen, agressé par un détenu. 18. Mouvement de protestation des *surveillants de prison.* 19. Mutinerie des *détenus* à Saint-Maur, Marseille et Mulhouse. 25. Les *surveillants de prison* reprennent le travail après l'annonce de la création d'emplois. 29-30. Saccage de 200 tombes du *cimetière juif* d'Herrlisheim (Ht-Rhin). *Jean-Pierre Chevènement* lance le Mouvement des citoyens.

■ **Septembre.** 2. Le Conseil constitutionnel déclare le *traité de Maastricht* conforme à la Constitution. 7. *Antenne 2* devient France 2 ; *FR3* devient France 3. 11. *8 détenus s'évadent* de Clairvaux (1 détenu et 1 gardien tués), grève des surveillants jusqu'au 28. Le *Pt Mitterrand* opéré à Cochin ; le 16, on annonce qu'il est atteint d'un cancer de la prostate. 12. Réunion publique commune de Philippe de Villiers (UDF), Philippe Séguin et Charles Pasqua (RPR) contre Maastricht. Jean-Antoine Giansily, Pt du CNI. 14. *Henri Emmanuelli* inculpé par le juge Ruymbeke. 20. *Référendum* sur la ratification du traité de Maastricht : courte victoire des « oui » (51,50 %). 22. *Tornades et pluies* torrentielles dans le Vaucluse, la Drôme et l'Ardèche : 39 morts (dont 28 à Vaison-la-Romaine). 24. Visite officielle du *Pt du Kazakhstan*, M. Nazarbaer. 25. *Permis à points* : total des points porté de 6 à 12. 27. Renouvellement triennal du *Sénat* (socialistes + 5 sièges). 28. *Arte* ouverte au public sur l'ancien réseau hertzien de la Cinq.

■ **Octobre.** 1er. *Affaire Urba* : 26 dirigeants du PS demandent leur inculpation par solidarité avec Henri Emmanuelli, Pt de l'Assemblée nationale. La coordination nationale des infirmières installe un campement devant le ministère de la Santé. 2. *René Monory* (UDF-CDS) élu Pt du sénat au 2e tour. Leçon inaugurale d'*Umberto Eco* au Collège de France. Remaniement ministériel, suite à l'élection au Sénat de *Michel Charasse et Jean-Marie Rausch.* 3-4. *Jacques Delors* lance son nouveau club « Témoin ». 4. 3 détenus s'évadent en hélicoptère de la maison d'arrêt de Bois-d'Arcy. 5. La *Bourse de Paris* perd 4,3 %. 8. Présentation de la nouvelle Renault « *Twingo* » au Mondial de l'automobile, pte de Versailles, à Paris. 10. Affrontements police-jeunes à *Vaulx-en-Velin* (Rhône), après la mort d'un délinquant. 11. Georges Charpak, *prix Nobel de Physique.* 14. *Max Frérot* (Action directe) condamné à perpétuité par la cour d'assises spéciale de Paris, avec une période de sûreté de 18 ans. 15. Le groupe Pentland renonce à l'achat d'*Adidas.* 18. *Giscard d'Estaing* évoque sa possible candidature à l'élection présidentielle : pour 5 ans. 20. *Nicole Cotat,* secrétaire général de la CFDT, après la démission de Jean Kaspar. 23. Procès du *sang contaminé* : le Dr *Michel Garetta* est condamné à 4 ans de prison ferme ; réfugié aux USA, il rentre le 28 et est écroué à la Santé. 26. Le *Pt Mitterrand* fête ses 76 ans. 28. Charles Pasqua et Philippe Séguin, s'élevant contre la politique du franc fort défendu par les dirigeants de leur parti (RPR), préconisent une réévaluation du mark par rapport au franc. 29. Les *familles maliennes* (700 personnes), campant près du château de Vincennes depuis le 21-5, sont évacuées par la police. 31. *Laurent Fabius* réclame la constitution d'un jury d'honneur qui déterminerait sa responsabilité dans l'affaire du sang contaminé.

■ **Novembre.** 1er. Entrée en vigueur du décret d'application de la loi Évin du 10-1 contre le *tabagisme.* 2. Affaire du *foulard islamique* : le Conseil d'État annule la décision d'exclusion des jeunes musulmanes du collège de Montfermeil. François Léotard inculpé depuis le 29-6-92 d'« ingérence, trafic d'influence et corruption » dans l'affaire de Port-Fréjus. 5. Georges Tranchant, député des Hts-de-Seine, retire, après un « arrangement », sa plainte pour détournement de fonds contre *Bernard Tapie*, dans l'affaire Toshiba. 7. 20e anniversaire du Front national. Le cargo japonais *Akatsuki Maru* embarque à Cherbourg 1,5 t de plutonium, issu du retraitement à La Hague de combustible nucléaire usagé. 10. Philippe Bidard (*Iparretarrak*) condamné à la réclusion à perpétuité pour le meurtre de 2 CRS (en 1982). 11. Le dépôt de l'annuelle gerbe présidentielle sur la tombe du *Maréchal Pétain* relance la polémique sur la reconnaissance de la responsabilité du régime de Vichy. 14. *Pierre Botton*, gendre de Michel Noir, inculpé d'« abus de biens sociaux ». A *Reims*, violentes émeutes le lendemain de l'acquittement de *la boulangère*, qui avait tué, en 1989, un jeune beur ayant volé des croissants. 16. *Nouveau catéchisme* en vente en France. 17. Grèves à la *RATP* (jusqu'au 24). 18. La cour d'assises de la Marne condamne la « *boulangère de Reims* » à verser 175 000 F d'indemnités à la famille. 18 et 19. Nouvelles émeutes à Reims.

■ **Décembre.** 1er. Entrée en vigueur du nouveau *permis de conduire* à 12 points. Bérégovoy retient Melun-Sénart (plutôt que Nanterre) pour l'implantation du *Grand stade.* 2. La déclaration d'utilité publique du *tunnel de Somport* (Pyrénées-Atl.), projet contesté par les écologistes, est annulée. Lycée Robert-Schuman de Colombes (de type Pailleron) détruit par un incendie. 2-4. Réunie en congrès extraordinaire, la *FEN* se dote de nouveaux statuts. 3. L'Assemblée nationale vote la levée de l'immunité parlementaire de *Jean-Michel Boucheron*, ancien maire socialiste d'Angoulême, enfui en Argentine. 4. 26 attentats contre des centres d'impôts en Corse (revendiqués 5 par le FNLC). *Affaire Botton* : inculpation de Charles Giscard d'Estaing (neveu de l'ancien Pt). 6. Toile de Van Gogh, *Jardins à Auvers*, adjugé, à Drouot, 55 millions de F. *Gérard Carreyrou* remplace *Michèle Cotta*, à la direction de l'information de TF1. 8. L'agent de change *Xavier de La Fournière* placé en garde à vue. 9. *Élections prud'homales* : déclin de la CGT ; près de 60 % d'abstentions. Attribution du 50e *Prix Louis Delluc* au film « Le Petit Prince a dit » de Christine Pascal. 10. *Grand Prix de France de formule 1* automobile annulé en application de la loi Évin contre le tabagisme. (Il devait avoir lieu le 4-7-93 sur le circuit de Nevers-Magny-Cours.) 14. Le conducteur de train, lors de la catastrophe ferroviaire du 27-6-88 à la gare de Lyon, condamné à 4 ans de prison, dont 6 mois ferme. Grève de 24 h suivie par les cheminots. 15. *Laurent Fabius* annonce au PS qu'il refuse de comparaître devant la Haute Cour de justice. 16. Contre l'avis de Laurent Fabius, les députés socialistes bloquent la mise en accusation de Georgina Dufoix et d'Edmond Hervé. 17. Sous la pression des socialistes, Laurent Fabius demande à comparaître devant la Haute Cour. 19. L'Assemblée nationale vote la mise en accusation de Laurent Fabius, Georgina Dufoix et Edmond Hervé. (Votée par le Sénat le 20.) Elle adopte définitivement le projet de loi relatif à la lutte contre la corruption et à la transparence de la vie économique. 20. *Béziers* : émeutes de beurs après la mort d'un jeune délinquant marocain, tué accidentellement après son interpellation par un CRS. 23. Adoption du projet de loi de finances rectificative pour 1992, comportant 2 mesures nouvelles : la fiscalisation complète de l'indemnité des parlementaires et une double hausse de 15 % du prix du tabac en 1993. Accord *Dassault/Aérospatiale* pour le rapprochement de certaines de leurs activités. 24. *Bernard Tapie*, Pt de l'OM, reprend ses fonctions de ministre de la Ville : il bénéficie d'un non-lieu, Georges Tranchant ayant retiré sa plainte au terme d'une transaction. 29. Fusion d'*Air France et UTA* qui s'appelle désormais Compagnie nationale Air France. Fusion *Matra/Hachette*, rétroactive au 1-1-92, donnant naissance au groupe Lagardère.

1993

■ **Janvier.** 1er. Hausse de 10 % des tarifs d'*assurance* multi-risques-habitation et automobile. Entrée en vigueur de la loi relative au *RMI* (552 000 bénéficiaires recensés fin décembre) : gratuité des soins, renforcement du dispositif d'insertion, clarification des responsabilités entre l'État et les collectivités locales. 3. *Xavier de La Fournière* (agent de change), présenté parfois comme le « financier du giscardisme », inculpé d'escroquerie et d'abus de biens sociaux, meurt en prison (où il se trouvait depuis le 8-12-92). 4. Controverse suite à la mort de 15 « *sans domicile fixe* » (SDF), due au froid. Opposition de nombreux juges d'instruction au nouveau *Code de procédure pénale* adopté par le Parlement le 19-12-92. 5. La *Banque de France* relève le taux de ses prises en pension à 24 h de 10 à 12 %. 6. *Accident aérien* à l'aéroport de Roissy (4 morts, 16 blessés). 7. Bérégovoy annonce 2 mesures pour soutenir l'activité économique : une déduction exceptionnelle de la TVA versée par les entreprises à l'État (février, coût budgétaire : 11 milliards de F) et une exonération supplémentaire des charges sociales patronales pour les contrats à temps partiel. 9. L'État versera 20 milliards de F à la *Sécurité sociale* pour la prise en charge des cotisations d'assurance-vieillesse des chômeurs. 10. Bérégovoy réaffirme son opposition à toute dévaluation du franc. 19. Privatisation partielle de *Rhône-Poulenc*, action mise sur le marché à 500 F. 21. Le Pt Mitterrand à Bonn pour célébrer le 30e anniversaire du *traité franco-allemand* dit « traité de l'Élysée ». Place de la Concorde, à Paris, commémoration du bicentenaire de l'exécution de *Louis XVI* en 1793. 25. La Sté américaine *Hoover* annonce le transfert en Écosse, de sa production de Longvic (Côte-d'Or, près de Dijon). 29. Publication au *Journal Officiel* de la loi sur la *corruption.* 31. Édouard Balladur, sur TF1, juge la situation de la France « la plus grave depuis la Libération ».

■ **Février.** 1er. Le mercenaire *Bob Denard* revient à Paris. Le juge Thierry Jean-Pierre établit qu'un prêt, sans intérêt, de 1 million de F a été accordé, en 1986, par Roger-Patrice Pelat à *Pierre Bérégovoy.* Arrestation (à Chypre) de Charles Altieri, l'un des assassins du *juge Michel.* 2. *Bérégovoy* reconnaît avoir bénéficié du prêt de Pelat. 3. *Bernard Tapie* adhère au MRG. Le Pt Mitterrand institue « une *journée nationale commémorative* des persécutions racistes et antisémites », le 16 juillet. 5. *François Léotard*, inculpé, en juin 1992, d'ingérence, trafic d'influence et corruption, bénéficie d'un non-lieu dans l'affaire de Port-Fréjus. 9. La lettre de démission du député *Jean-Michel Boucheron*, ancien maire PS d'Angoulême, est rendue publique. *Sang contaminé* : la Haute Cour conclue à la prescription de l'action publique pour « non-assistance à personne en danger » retenue par l'Assemblée nationale et le Sénat à l'encontre des 3 anciens ministres, Laurent Fabius, Edmond Hervé et Georgina Dufoix. (Le 16, le Sénat adopte une nouvelle proposition de résolution retenant la qualification d'homicide involontaire contre les 3 anciens ministres.) 10. *Carole Merle*, championne du monde de slalom géant. 11. *Patrice Poivre d'Arvor* est mis sous contrôle judiciaire (affaire Botton). 14. Les Émirats arabes unis commandent 436 chars Leclerc (22 milliards de F). 16. Le *1er Mémorial des guerres en Indochine* est inauguré à Fréjus. Des *marins-pêcheurs bretons* manifestent contre la chute des cours due aux importations de poisson à bas prix. 17. Inculpation de 9 personnes pour *délit d'initié* ou de recel dans l'affaire *Pechiney*. Le gouvernement annonce un *déficit* budgétaire de 230 milliards de F en 1992. 18. Commercialisation de la nouvelle *Peugeot 306.* 20. Annonce du *déficit de la Sécurité Social* en 1992 : 12,5 milliards de F ; déficit global : 40 milliards de F. **Nuit du 22 au 23.** Des *pêcheurs bretons* détruisent des centaines de kilos de poissons à Rungis. 23. 2 t de *cannabis* sont saisies dans des cités HLM de la région parisienne. 25. La Commission européenne instaure des prix minima à l'exportation sur 5 espèces de poissons. 26. Entrée en vigueur du *nouvel indice des prix* à la consommation de l'INSEE. *Commerce extérieur* : excédent de 30 milliards de F pour 1992.

■ Mars. 1er. Publication du *nouveau Code de procédure pénale* qui introduit la présence de l'avocat lors de la garde à vue, ôte au juge d'instruction le pouvoir de mettre en détention et renforce les droits de la défense lors de l'instruction. L'inculpation est remplacée par la « mise en examen ». 2. Mort de *Geoffroy de Montalembert* (RPR), doyen d'âge du Sénat, à 94 ans. Déclaration du min. de l'Agriculture Jean-Pierre Soisson : « Le GATT est une institution obsolète ». 4. *Libération* révèle que la « cellule antiterroriste » de l'Élysée aurait mis sur *écoute téléphonique* Edwy Plenel, journaliste au *Monde*, entre le 30-12-85 et le 26-2-86. *Suez* annonce 1,8 milliard de F de pertes pour 1992 ; *Bull* en annonce 4,7. 5. Publication de l'ouvrage du théologien *Eugen Drewerman* : « Fonctionnaires de Dieu ». 8. *François Gautier* (UDF) succède à Jean Lecanuet à la mairie de Rouen. A l'Assemblée nationale, vol des déclarations de patrimoine des membres du 2e gouvernement Rocard, dont celle de Pierre Bérégovoy. Visite à Paris du Pt Slovène Milan Kucan. 9. A Nantes, manifestation de *marins-pêcheurs* contre la chute des cours du poisson. 10. *Pierre Joxe* nommé 1er Pt de la Cour des comptes ; Pierre Bérégovoy le remplace à la Défense. 11. *Finistère* : des producteurs déversent des tonnes de pommes de terre dans les rues. Le Pt de Serbie, *Slobodan Milosevic*, reçu à l'Élysée en compagnie des médiateurs de l'ONU Cyrus Vance et David Owen. 12. *Renault* annonce un résultat net de 5,7 milliards de F pour un chiffre d'affaires de 179,4 milliards de F. Alain Gautier gagne le *Vendée Globe*, course autour du monde en solitaire sans escale. 13. 1er tour des élections législatives en Polynésie française. 15. Mort de *Sylvain Floirat* (93 ans), ancien PDG de Bréguet-Aviation, Matra et Europe 1. 21. *1er tour des élections législatives* : le PS obtient 17,4 % des voix (17 points de moins qu'au 1er tour de 1988), la droite 44 %, le FN 12,4 %. 25. *Christian Pellerin*, promoteur immobilier, mis en examen. 28. *Au 2e tour des élections législatives*, la droite confirme sa victoire : 245 sièges pour le RPR et 213 pour l'UDF. 29. *Démission du 1er min. Pierre Bérégovoy*. Édouard Balladur est chargé de constituer le nouveau gouvernement : il choisit 29 membres sans secrétaires d'État. 31. 1re réunion du gouvernement : Balladur annonce des mesures d'économies pour l'État.

■ Avril. 2. *Assemblée nationale* : Giscard d'Estaing préside la commission des affaires étrangères, Jacques Barrot celle des finances, Pierre Mazeaud celle des lois. Philippe Séguin élu Pt de l'Assemblée. 3. La réunion du comité directeur entérine la décomposition du PS ; Lionel Jospin démissionne de ses fonctions au bureau exécutif et au comité directeur. La majorité du comité directeur décide la démission collective de la direction du parti et met en place une direction provisoire (Pt : Michel Rocard), ayant pour mandat de préparer la rénovation du PS en organisant des États généraux du parti, les 2, 3 et 4 juillet. 4. Un jeune ouvrier volant des pneus, à Chambéry, tué par la police. 5. *Philippe Habert*, gendre de Jacques Chirac, directeur des études politiques au *Figaro*, retrouvé mort à son domicile. 6. Un jeune Zaïrois, en garde à vue dans un commissariat du 18e, tué d'un coup de feu tiré par un inspecteur. 7. Un lycéen d'origine algérienne, participant à un « rodéo » grièvement blessé à Wattrelos (Nord), lors de son interpellation. *Émeutes* à Paris de jeunes protestants contre les « bavures » policières (27 policiers blessés). 8. *Charles Pasqua* suspend les fonctionnaires de police incriminés. Déclaration de politique générale d'*Édouard Balladur* : il obtient la confiance de l'Assemblée nationale par 457 voix contre 81 et 2 abstentions. Il annonce la révision du Code de procédure pénale et celle du Code de la nationalité ; la présentation d'un collectif budgétaire comportant au moins 20 milliards de F d'économies ; l'autonomie de la Banque de France ; la privatisation d'entreprises publiques du secteur concurrentiel ; un plan d'urgence pour le bâtiment. 9. A Tourcoing, émeutes contre les bavures policières. *Pierre Botton* (incarcéré depuis nov. 92) remis en liberté contre une caution de 8 millions de F. 10. A Paris, émeutes contre les bavures policières. 13. *Jean-François Bazin* (RPR) élu Pt du Conseil régional de Bourgogne. 15. Le Sénat approuve par 223 voix contre 15 la déclaration de politique générale du 1er min. 18. Au cours de l'émission de TF1, « 7 sur 7 », Édouard Balladur annonce « des sacrifices » sur le plan économique. 20. Le navigateur Bruno Peyron et ses 4 coéquipiers, 1ers détenteurs du trophée *Jules-Verne* (tour du monde à la voile sans escale en moins de 80 j). 21. Philippe Massoni nommé *préfet de police* de Paris. 28. Le bureau exécutif du PS « reconstitué » rend publique sa composition.

■ Mai. 1er. Hausse des tarifs RATP de 5,8 %. *Suicide de Pierre Bérégovoy*, ancien 1er min. (avril 1992-mars 1993) à Nevers dont il était maire depuis 1983. 4. Lors de ses obsèques nationales, le Pt Mitterrand dénonce « ceux qui ont pu livrer aux chiens l'honneur d'un homme ». 5. Pierre Méhaignerie, garde des Sceaux, annonce la réforme du Code de procédure pénale, qui supprimera les principales innovations introduites le 1-3-93 par la loi du 4-1 : modification des textes sur les contrôles d'identité ; réforme constitutionnelle de la Haute Cour et du Conseil supérieur de la magistrature. 6. Rapport Raynaud sur les déficits publics (État et comptes sociaux) publié : déficit budgétaire évalué à 341 milliards de F en 1993, soit 4,8 % du PIB. La Banque de France ramène le pourcentage de son principal taux directeur de 8,25 à 8 %. 7. Jacques Attali accusé de « piratage » pour avoir reproduit, dans son livre *Verbatim*, le texte des entretiens entre François Mitterrand et Elie Wiesel, sans leur autorisation. 10. Redressement économique avec le collectif budgétaire, loi de finances rectificative pour 1993, visant à limiter le déficit budgétaire (316,9 milliards de F en 1993) et à apurer les déficits des régimes de protection sociale (100 milliards en cumulé pour la Séc. sociale, fin 93). Prévoit des économies budgétaires de 21,5 milliards et a pour objectif de ramener le déficit budgétaire à 2,5 % du PIB en 1997. La CSG passe de 1,1 % à 2,4 % à partir du 1-7 ; la TIPP (taxe intérieure sur les produits pétroliers) est relevée et les droits de consommation sur les alcools, majorées. 12,9 milliards sont alloués pour relancer l'emploi *Mesures en faveur des entreprises* (12,6 milliards), du logement (5,3 milliards), des travaux publics (2,65 milliards) et de l'agriculture (1,9 milliard). Pour réaliser 30 milliards d'économies d'ici à la fin 1994 sur les dépenses d'assurance-maladie, réforme des retraites, annoncée par Édouard Balladur, et dépôt d'un projet de loi sur le financement du système de santé. 13. Réclamant 100 millions de F, un chômeur ceinturé de dynamite, prend en otages pendant 46 h, des élèves de maternelle et leur institutrice à Neuilly-sur-Seine. Le 15 les policiers du RAID les libèrent et tuent le preneur d'otages. 17. *Corse* : Charles Pasqua promet le rétablissement de l'ordre républicain. 19. Michel Pébereau, Pt de la BNP. 22. Au mont des Alouettes, plusieurs milliers de personnes commémorent le bicentenaire de l'insurrection vendéenne. 24. Inauguration du TGV-Nord (Lille à 1h20 de Paris ; 1 h en septembre. Hoover Europe confirme la fermeture de l'usine de Longvic, près de Dijon (transfert des activités en Écosse du Nord). 28. Visite privée de Mikhaïl Gorvatchev.

■ Juin. 1er. Ouverture du 61e *sommet franco-allemand* à Beaune. 2-3. Le Sénat adopte la proposition de loi tendant à réformer le Code de procédure pénale promulgué le 4-1. Ce texte restitue au juge d'instruction le pouvoir de mise en détention et maintient la présence de l'avocat à partir de la 20e h de garde à vue. 2. Michel Giraud présente son plan emploi prévoyant une exonération des cotisations d'allocations familiales pour les bas salaires (jusqu'à 1,2 fois le SMIC). 7. La réforme des classes terminales, applicable à la rentrée 1994, et celle du baccalauréat, applicable à la session de juin 1995, sont rendues publiques. Balladur confirme le transfert de l'*ENA* à Strasbourg, décidé par le gouvernement le 7-11-91. 10. Dans la nuit, profanation de 100 tombes juives au Haut-Vernet près de Perpignan. 23. *Procès Pechiney* : 2 ans de prison ferme requis contre Alain Boublil. 24. Mise en examen d'un joueur de football de Valenciennes reconnaissant avoir été « acheté » par l'OM en prévision du *match Valenciennes-Marseille* du 20. Adoption définitive de la réforme du Code de la nationalité. 25. « *Emprunt Balladur* » émis pour 4 ans au taux de 6 % ; il peut s'intégrer à un PEA et sera remboursé le 16-7-97. 29. Simone Veil présente un plan de 32,2 milliards de F d'économies sur 18 mois pour l'assurance-maladie.

■ Juillet. 2. *États généraux du PS* à Lyon : Rocard fait reconnaître son autorité. 4. L'Élysée prolonge le moratoire sur les essais nucléaires, annoncé le 8-4-92 pour un an. Jean-Pierre Bernès, directeur de l'OM, écroué aux Baumettes à Marseille. 5. L'Assemblée nationale vote le projet de loi sur les privatisations. Le 8, vote définitif (483 voix contre 90) après accord avec le Sénat en commission mixte paritaire. 10. Clôture de l'emprunt d'État à 6 % dit *emprunt Balladur* : émis le 25-6, il a rapporté 110 milliards de F (contre 40 fixés). 13. *Sang contaminé* : les condamnations prononcées le 23-10-92 par le tribunal correctionnel de Paris confirmées en appel. 16. 1re Journée commémorative des persécutions racistes et antisémites sous la responsabilité du gouvernement de Vichy. 19. Vote de la *révision constitutionnelle*. 24. *Jean-Pierre Bernès* démissionne de la direction de l'OM. 25. *Tour de France* : l'Espagnol Miguel Indurain vainqueur pour la 3e fois consécutive.

■ Août. 13. le Conseil constitutionnel censure 8 articles sur 51 de la loi sur l'immigration (dont la prolongation de 3 jours de la rétention administrative, et l'interdiction à un demandeur d'asile, dont la requête a été refusée dans un autre pays européen, de saisir l'Office français de protection des réfugiés apatrides en France).

ÉTRANGER

1992

■ Août. 3. **Géorgie** : levée de l'état d'urgence. **Russie-Ukraine** : accord sur la flotte de la mer Noire. 4. **Somalie** : B. Kouchner, min. de la Santé et de l'Action humanitaire, se rend à Mogadiscio. 5. **Proche-Orient** : Israël suspend la colonisation « privée » en Cisjordanie et à Gaza. **Russie** : reconnaît la Rép. de Macédoine. 8. **Chine** : émeutes à Shenzen, « zone économique spéciale », lors de la vente d'actions de Bourse. 9. **Espagne** : clôture des 25e Jeux Olympiques. 10. **Équateur** : Sixto Durau Ballen, conservateur, élu Pt le 5-7 ; succède à Rodrigo Borja. 11. **Maroc** : Mohamed Karim Lamrani, Ier ministre. 11-12. Accord du libre-échange nord-américain (ALENA) conclu. 14. **Géorgie** intervention militaire en Abkhazie. 15. **Zaïre** : Étienne Tshisekedi élu 1er ministre. 16. **Afghanistan** : Abdoul Sabour Farid, 1er ministre, limogé. 21. Le dollar US tombe à son niveau le plus bas depuis 12 ans : 4,84 F. 22-23. **Allemagne** : violences xénophobes à Rostok. 24. **Israël** : reprise à Washington des négociations israélo-arabes. Pour la 1re fois, Israël admet la validité de la résolution 242 de l'ONU et l'éventualité d'un retrait partiel, concernant le Golan. **Chine-Corée du Sud** : établissement des relations diplomatiques. **Brésil** : le Pt Fernando Collor de Mello accusé de corruption. 26. **Algérie** : attentat à l'aéroport d'Alger : 9 morts, 128 blessés. 27. **Irak** : USA, G.-B. et France imposent une zone d'exclusion aérienne au sud du 32e parallèle pour protéger les populations chiites. 31. **Congo** : Pascal Lissouba élu chef de l'État.

■ Septembre. 1er. **Pologne** : Piotr Jaroszcwicz, 1er ministre communiste de 1970 à 1980, assassiné à Varsovie. 4. **Italie** : Giuseppe Madomia, « parrain » de la Mafia sicilienne, est arrêté. **Bulgarie** : Todor Jivkov, ancien chef de l'État communiste, condamné à 7 ans de prison. **Maroc** : référendum pour révision constitutionnelle (99,98 %). 7. **Tadjikistan** : démission du Pt Rakhmon Nabiev, sous la pression de l'opposition anticommuniste. Le Pt du Parlement, M. Eskanderov, assure l'intérim. 8. **Lituanie** : accord avec Moscou sur le retrait total des troupes russes avant le 31. 12. **Pérou** : Abimaïl Guzman, chef du Sentier lumineux, est arrêté. 14. **Somalie** : 1ers renforts de Casques bleus. 15. **Allemagne** : *Klaus Croissant*, ancien avocat d'Andreas Baader, écroué pour espionnage. 23. **ONU** : la nouvelle Yougoslavie est exclue de l'Assemblée générale des Nations Unies. **Thaïlande** : Chuan Lupkai, chef du Parti démocrate est nommé 1er ministre. **Viet-Nam** : le Gal Lê Duc Anh, élu Pt. 27. **Roumanie** : 1er tour des élections législatives et présidentielles. 29. **Angola** : 1res élections législatives et présidentielles libres. **Brésil** : le Pt Collor, accusé de corruption, est destitué par l'Assemblée nationale.

■ Octobre. 1er. **Italie** : plan d'austérité, pour réduire le déficit budgétaire, se montant à 465 milliards. 2. **Russie** : La Cour constitutionnelle interdit à Gorbatchev de quitter le territoire russe. 3. **Pays-Bas** : un avion d'El Al s'écrase dans la banlieue d'Amsterdam. 4. **Mozambique** : un accord de paix est conclu, à Rome, entre Afonso Dhlakama, chef de la RENAM (Résistance nationale du Mozambique) et Joaquim Chissano. 5. **Estonie** : Lennart Meri élu Pt de la République. 5-7. **Gabon** : 17e sommet franco-africain à Libreville, présidé par Pierre Bérégovoy, 1er ministre (absence du Pt Mitterrand pour raisons de santé). 6. **Angola** : Sawimbi, chef de l'UNITA, conteste les résultats de l'élection présidentielle du 29-9 ; les affrontements reprennent. 7. **USA** (San Antonio, Texas) : signature de l'accord de libre-échange nord-américain (ALENA). **Pérou** : Abimaïl Guzman, chef du Sentier lumineux, est condamné à perpétuité. 8. **Allemagne** : mort de Willy Brandt (78 ans), chancelier de 1969 à 1974. 11. **Géorgie** : Édouard Chevardnadze, candidat unique, est plébiscité à la présidence du Parlement géorgien. **Roumanie** : Io Iliescu réélu Pt avec 61 % des voix. 12. **Égypte** : séisme : 550 morts. **Espagne** (Séville) : fermeture de l'Expo 92. 13. **G.-B.** : crise politique après l'annonce d'un plan de licenciement de 30 000 mineurs. 14. **Russie** : Eltsine rend publiques des archives sur le massacre de Katyn. 16. **Guatemala** : prix Nobel de la Paix. 17. **Égypte** (Le Caire) : affrontements entre des milliers de sans-abri, victimes du séisme, et les forces de l'ordre. 19. **Chine** : au 14e Congrès du PC, adoption de réformes pour une « économie de marché socialiste ». **22. Israël** : l'éventualité d'un « retrait » du Golan est confirmé par écrit pour la 1re fois. **Liban** : le Pt Elias Haraoui nomme Rafic Haririr 1er ministre. **23. Japon-Chine** : pour la 1re fois, visite officielle de l'empereur du Japon Akihoto en Chine. **25. Proche-Orient** : le Hezbollah tue 5 soldats israéliens. Israël riposte depuis le Sud-Liban. **26. Canada** : victoire du référendum sur la réforme constitutionnelle dite « entente de Charlottetown », prévoyant notamment un statut de « société distincte » pour le Québec et une nouvelle répartition des pouvoirs entre Ottawa et les provinces : le non l'emporte. **28. Russie** : Eltsine dissout le Front de Salut national regroupant une partie des oppositions nationaliste et communiste. **29. Russie** : Eltsine suspend le retrait des troupes russes stationnées dans les Pays baltes.

■ **Novembre. 3. USA** : Bill Clinton élu Pt. **7. ex-URSS** : 75e anniversaire de la révolution d'Octobre ; 1 500 communistes rassemblés sur la place du Manège, à Moscou. **8. Allemagne** : 300 000 personnes manifestent contre le racisme et l'antisémitisme à Berlin. **Colombie** : état d'urgence décrété pour 90 j afin de lutter contre la guérilla. **11. G.-B.** : le synode de l'Église d'Angleterre, de confession anglicane, approuve l'ordination des femmes. **12. Allemagne** : procès d'**Erich Honecker** et de 5 anciens dirigeants de l'ex-RDA, ouvert à Berlin ; suspendu le jour même (état de santé d'Honecker). **16. Tadjikistan** : démission du Pt par intérim, Akbarcho Iskandarov. **19. Tadjikistan** : *Rahmon Nabiev*, Pt communiste, démissionne. Ali Rahmanov élu Pt. **21. Laos** : mort du Pt *Kaysone Phowvihane*. **25. Laos** : *Nouhak Phoumsayan*, Pt de l'Assemblée nationale, élu à la tête de l'État. **Tadjikistan** : cessez-le-feu, mettant fin à la guerre civile, conclu entre les chefs des groupes armés pro-communistes et ceux de la coalition islamo-démocrate. **Lituanie** : Algirdas Brazauskas, ancien no 1 du PC, est élu chef de l'État. **25 au 27. Proche-Orient** : visite en Israël du Pt François Mitterrand. **27 au 28.** en Jordanie. **29. Venezuela** : bilan de la tentative de coup d'État militaire (le vendredi) : 170 morts.

■ **Décembre. 1er. CEE** : des milliers d'agriculteurs européens manifestent à Strasbourg contre les décisions du GATT ; *idem* à Bonn, le 8. **3. Allemagne** (Bonn) : 60e sommet franco-allemand. **Somalie** : le Conseil de sécurité de l'ONU approuve une opération militaire internationale d'urgence de 36 000 hommes (à laquelle participent une vingtaine de pays) destinée à sauver de la famine et de la guerre des centaines de milliers de Somaliens. **Espagne** : l'*Aegan-Sea* fait naufrage à l'entrée de La Corogne : 79 000 t de pétrole polluent 100 km de côtes. **4. Algérie** : état d'urgence instauré à Alger et dans 5 départements. **6. Inde** : la destruction d'une mosquée (Ayadhya) par des hindouistes fondamentalistes est suivie d'affrontements (1 200 morts) et d'une grave crise politique. **Suisse** : référendum (50,3 % de non) contre l'adhésion à l'Espace économique européen (EEE devant rassembler les pays de la CEE et de l'AELE (Association européenne de libre-échange). **7. Pakistan et Bangladesh** : émeutes anti-indiennes. **9. Suisse** : Adolf Ogi élu Pt de la Confédération helvétique pour 1993. **G.-B.** : le 1er ministre, John Major, annonce au Parlement la séparation du prince Charles et de lady Diana. **Somalie** : dans le cadre de l'opération « Rendre l'espoir », 1ers débarquements militaires à Mogadiscio. **10. CEE** : ratification du traité de Maastricht par le Portugal ; par l'Allemagne le 18. **Liechtenstein** : référendum pour l'adhésion à l'Espace économique européen (EEE) : 55,8 % de oui. **14. Russie** : Viktor Tchernomyrdine nommé 1er ministre. **15. Israël** : un garde-frontière israélien, enlevé à Lod par le Mouvement islamique Hamas (qui réclame la libération du Cheikh Ahmed Yassine, condamné à la prison à perpétuité), est retrouvé assassiné. **16. Israël** : expulse des territoires occupés 415 Palestiniens soupçonnés d'être des fondamentalistes islamistes. Le Liban refuse de les accueillir. Ils restent dans la « zone de sécurité » contrôlée par l'Armée du Liban Sud (ALS) d'Antoine Lahad. **Mozambique** : le Conseil de sécurité de l'ONU décide l'envoi de 8 000 hommes. **17. Chine-Russie** : Boris Eltsine en visite officielle en Chine. **18. Corée du Sud** : Kim Young-Sam est élu Pt. **21. Grande-Bretagne** : la Haute Cour juge illégale la fermeture de 31 mines de charbon qui devait aboutir à 30 000 licenciements. **24. USA** : Pt George Bush accorde le « pardon » à Caspar Weinberger impliqué en 1985 et 1986 dans le scandale de l'*Irangate*. **27. Iraq** : un *F-16* US abat un *Mig-28* irakien qui violait la zone d'exclusion aérienne au sud du 32e parallèle. **Venezuela** : tentative de coup d'État militaire (170 morts). **28. Somalie** : accord de paix conclu entre les 2 chefs de guerre Ali Mahdi Mohammed et le Gal Mohammed Farah Aïdid. **29. Brésil** : investiture officielle d'Itamar Franco comme Pt (il succède à Fernando Collar de Mello qui démissionne, suspendu de ses fonctions le 2-10-92). **Ex-Yougoslavie** : le 1er ministre Milan Panic renversé par le Parlement fédéral. **USA-Russie** : accord de principe à Genève, sur un nouvel accord (Star II) réduisant des 2/3 les arsenaux stratégiques. **Chine** : en protestation contre la vente de *Mirage* français à Taïwan, la Chine interdit à la municipalité de Canton de faire appel à des Stés françaises pour la construction de son métro. **Somalie** : visite du Pt George Bush dans le cadre de l'opération « Rendre l'espoir ».

1993

■ **Janvier. 1er. CEE** : entrée en vigueur du « *grand marché unique* » de l'Europe des Douze : abolition des frontières intérieures entre pays membres et libre circulation des marchandises, capitaux et services. **Tchécoslovaquie** : création de 2 États : la République tchèque (Bohême et Moravie) et la Slovaquie. **2. Yougoslavie** : à Genève, Cyrus Vance et David Owen, coprésidents de la conférence internationale sur l'ex-Yougoslavie, présentent un plan prévoyant le découpage de la Bosnie en 10 provinces, une répartition ethnique équilibrée et la démilitarisation de la région de Sarajevo. Le plan, approuvé, est récusé par les Serbes et les Musulmans. **3. Russie** : les Pts George Bush et Boris Eltsine signent au Kremlin le traité Start sur la réduction des armements stratégiques (fin de la « *guerre froide* »). **4. Inde** : affrontements entre Hindous et Musulmans : 300. **5. Écosse** : le *Braer*, pétrolier libérien transportant 85 000 t de brut, s'échoue au sud des îles Shetland (nord de l'Écosse). La tempête évite la formation d'une marée noire. **Russie** : le contrôle des prix, supprimé le 2-1-92, est rétabli. **7. Ghana** : proclamation de la IVe République mettant fin au régime militaire (depuis 11 ans). **8. Bosnie** : à Sarajevo, le vice-1er ministre bosniaque, *Hakja Turajlic*, est assassiné par un milicien serbe, alors qu'il se trouvait dans un véhicule des Nations Unies. **15. Somalie** : accord de cessez-le-feu entre les 14 factions réunies depuis le 4 à Addis-Abeba (Éthiopie). *Armements chimiques* : à Paris, 130 pays signent le traité portant sur l'interdiction de leur production et de leur utilisation. **Italie** : Salvatore Riina, no 1 de la Mafia, est arrêté. **17. Iraq** : tir de missiles US Tomahawk contre une installation nucléaire proche de Bagdad. **18. Iraq** : l'aviation américaine bombarde des batteries aériennes irakiennes ; les USA annoncent que des missiles antimissiles « Patriot » ont été envoyés au Koweït. **19. Israël** : la loi du 6-8-1986 interdisant les contacts entre Israël et OLP est abrogée. **Iraq** : pour saluer l'entrée en fonction de Bill Clinton, Pt des USA, Sadam Hussein déclare un cessez-le-feu unilatéral à compter du 20, et autorise la reprise des vols de l'ONU au-dessus des zones d'exclusion aérienne. **USA** : IBM annonce 27 milliards de F de pertes en 1992 (plus mauvais résultat depuis sa création). **20. USA** : investiture de *Bill Clinton*, élu 42e Pt le 3-11-92. **22. Chine** : le consulat français à Canton doit fermer en raison de la vente à Taïwan, de *Mirage 2000-5* français. **24. Turquie** : Des islamistes assassinent le journaliste Ugur Mumou. **25. CEE** : le fabricant américain Hoover annonce le transfert de son usine de Dijon en Écosse (600 personnes menacées de licenciement). **26. République tchèque** : Vaclav Havel, Pt de la République. **Togo** : manifestation de l'opposition (16 morts, suite aux répressions policières). **27. Russie-Inde** : signature d'un traité bilatéral d'amitié. **USA** : relèvement de 109 % des droits de douane pour les produits sidérurgiques importés de 19 pays dont 7 européens. **28. Zaïre** : mutinerie de militaires (100 morts dont l'ambassadeur de France, Philippe Bernard, tué dans son bureau). **30. Yougoslavie** : ajournement des négociations de Genève. **Irlande** : dévaluation de 10 % de la livre.

■ **Février. 1er. Israël** : Itzhak Rabin autorise le retour de 100 Palestiniens sur les 400 expulsés vers le Liban le 17-12-1992. **2. République tchèque** : Vaclav Havel prend ses fonctions de Pt de la République. **3-11.** 10e voyage du pape Jean-Paul II en Afrique. **3. Grande-Bretagne** : la livre-sterling chute à son plus bas niveau historique. **6. Belgique** : les députés adoptent l'article 1er de la Nouvelle Constitution, qui transforme le royaume en État fédéral. **7. Algérie** : prorogation de l'état d'urgence instauré le 9-2-1992. **9-12. France-Indochine** : visite officielle du Pt Mitterrand au Viet-Nam et au Cambodge. **10. Madagascar** : Albert Zafy, chef de l'opposition, est élu Pt. **11. Italie** : mise en cause de personnalités politiques dans l'enquête milanaise « Mains propres » ; Bettino Craxi, secrétaire du Parti socialiste italien, plusieurs ministres et Giorgo La Malfa, secrétaire du parti républicain (PRI) présentent leur démission. (Le 22, 2 dirigeants de la Fiat sont arrêtés.) **15. Slovaquie** : Michel Kovac est élu Pt. **18. USA** : Boeing annonce la suppression de 28 000 emplois. **19. Haïti** : 800 morts dans le naufrage d'un ferry-boat. **22. USA** : le Pt Clinton dénonce les subventions européennes accordées à Airbus. **24. Canada** : démission de Brian Mulroney, 1er min. (conservateur) depuis 1986. **25. Corée du Sud** : entrée en fonction du Pt Kim Young Sam. **26. USA** (New York) : attentat à la bombe au World Trade Center (5 morts, 2 disparus, 1 042 blessés).

■ **Mars. 1er. Bosnie** : début du parachutage de vivres et de médicaments (opération « Tenir les promesses »). **4-24. USA** : arrestations et inculpations des 4 auteurs présumés de l'attentat du World Trade Center du 26-2. **9. Madagascar** : Albert Zafy reconnu Président. **11. Bosnie** : le Gal Morillon, commandant en chef de la Force de Protection de l'ONU (FORPRONU), accepte de rester bloqué à Srebrenica, enclave musulmane assiégée par les Serbes, pour obtenir le libre passage de l'aide humanitaire dans cette région et l'évacuation des blessés. **Corée du Nord** : Pyongyang se retire du traité de non-prolifération nucléaire (TNP). **Russie** : le Congrès des députés du peuple rejette le compromis proposé par Boris Eltsine sur la répartition des pouvoirs entre exécutif et législatif. **12. Inde** : série d'attentats à la voiture piégée à Bombay (300 morts, 1 000 blessés). **Chine** : mort de Wang Zhen, vice-Pt. **14. Andorre** : la principauté adopte par référendum sa 1re constitution et devient donc un État indépendant. **16. Russie** : visite officielle du Pt Mitterrand pour la 1re mise en œuvre du traité franco-russe d'entente et de coopération signé à Paris le 7-2. **19. Bosnie** : entrée du 1er convoi d'aide à la population, à Srebrenica. **20. Russie** : Eltsine annonce la suspension des pouvoirs du Parlement et proclame « l'administration présidentielle directe ». **22. Algérie** : suite à une série d'attentats, 10 000 Algérois manifestent contre le terrorisme ; l'attaque d'une caserne par des islamistes à Boughezou (sud d'Alger) fait 41 morts. **24. Israël** Ezer Weizman élu Pt. **Afrique du Sud** : le Pt De Klerk reconnaît officiellement que Pretoria a développé un programme nucléaire de 1974 à 1990. **25. Bosnie** : le Pt bosniaque Alija Izetbegovic signe le plan de paix Vance-Owen déjà signé par les Croates. **27. Niger** : Mahamane Ousmane élu Pt. **Chine** : Jiang Zemin succède au Gal Shangkun à la tête de l'État. **Italie** : Giulio Andreotti, sénateur à vie, ancien ministre soupçonné de collusion avec la Mafia, placé sous enquête judiciaire. **28. Bosnie** : entrée en vigueur du cessez-le-feu.

Devises de quelques pays

☞ Suite de la p. 1781

Portugal : O Bem da Nação (Le bien de la nation).
Québec : Je me souviens.
Réunion : Florebo quocumque ferrar (Je fleurirai partout où je serai porté).
Rhodésie : Sit nomine digna (Qu'elle soit digne de son nom).
Ruanda : Liberté, Coopération, Progrès.
Saint-Marin : Libertas (Liberté).
Salvador (El) : Dios, Union y Libertad (Dieu, Union et Liberté).
Sénégal : Un peuple, un but, une foi.
Sierra Leone : Unity, Freedom, Justice (Unité, Liberté, Justice).
Singapour : Majulah Singapura (En avant, Singapour).
Soudan : Dieu, Peuple, Patrie.
Suède : Devise pour chaque roi. Actuellement : För Sverige, i tiden (Pour la Suède en notre temps).
Suisse : Un pour tous, tous pour un.
Surinam : Justitia, Pietas, Fides (Justice, Piété, Foi).
Swaziland : Siyinqaba (Nous sommes une forteresse).
Syrie : Unité, Liberté, Socialisme.
Tanzanie : Uhuru na Kazi (Indépendance et Travail).
Tchad : Unité, Travail, Progrès.
Thaïlande : Patrie, Religion, Roi.
Togo : Travail, Liberté, Patrie.
Trinité-et-Tobago : Together we aspire, together we achieve (Même idéal, même ouvrage).
Tunisie : Liberté, Ordre, Justice.
Turquie : Paix dans le pays, paix hors des frontières (slogan).
URSS : Prolétaires de tous les pays, unissez-vous.
Uruguay : Con libertad, no ofenso ni temo (En liberté, je n'offense ni ne crains).
Venezuela : Liberté, Égalité, Fraternité.
Viêt-nam : Dôc lâp, tu do, hanh phuc (Indépendance, Liberté, Bonheur).
Yémen du N. : Allah, al Watan, al Shaab (Dieu, la patrie, le peuple).
Yémen (Rép. démoc. pop. du) : Officieuse : Ame, Sang, pour le Yémen.
Zaïre : Paix, Justice, Travail.
Zambie : One Zambia, One Nation (Une seule Zambie, une seule nation).
Zimbabwe : Unité, Liberté, Travail.

■ Avril 1er. **Japon-CEE** : accord conclu entre Japon et CEE, prévoyant une diminution globale de 9,4 % en 1993 des exportations de voitures japonaises vers la CEE. 3. **Azerbaïdjan** : Aboulfaz Eltchibey, chef de l'État, décrète l'état d'urgence. 3-4. **USA-Russie** : les USA annoncent un programme d'aide de 8,8 milliards de F pour soutenir l'œuvre « réformiste » de Boris Eltsine. 5. **Italie** : information judiciaire ouverte contre Giulo Andreotti, accusé de collusion avec la Mafia. 6. **Russie** : une cuve explose dans l'usine atomique du complexe militaro-industriel de Tomsk (Sibérie). **Bosnie** : Macédoine admise aux Nations Unies sous le nom provisoire d'« ex-République yougoslave de *Macédoine* » (FYROM). Pour la 1re fois, un État sans nom et sans drapeau est reconnu. 7. **Bosnie** : le Gal *Morillon*, commandant la FORPRONU, repart dans l'enclave musulmane de Srebrenica pour y négocier l'évacuation de civils et l'installation de Casques bleus. 10. **Afrique du Sud** : assassinat de *Chris Hani*, Noir et secrétaire général du parti communiste sud-africain (SACP) : flambée de violences. 14-15. **Japon (Tokyo)** : le groupe des 7 (*G7*) approuve un plan d'aide à la Russie de 240 milliards de F. 16. **Bosnie** : la localité musulmane de Srebrenica, tombe aux mains des Serbes. 17. **Turquie** : mort de Turgut Ozal, Pt de la République depuis 1989. Nuit du 17 au 18. **Bosnie** : le Conseil de sécurité adopte la résolution 820, aggravant les sanctions économiques contre Belgrade (gel des avoirs, blocus des bateaux et camions aux frontières et interdiction du trafic maritime à partir des côtes). 19. **USA** (Waco, Texas) : après 15 j de siège, 86 disciples de la secte des Davidiens incendient leur ferme-forteresse et meurent avec leur gourou, David Koresh. 21. **Brésil** : *référendum* : 66,1 % pour la République, 10,2 % pour la restauration de la monarchie. 25. **Russie** : *référendum* : confiance à Boris Eltsine votée à 58 %. 26. **Bosnie** : le Parlement des Serbes rejette le plan Vance-Owen. 27. **Érythrée** : après 30 ans de guerre avec l'Éthiopie (1961-1991), l'indépendance du pays est proclamée. 29. **Italie** : refus des députés de lever l'immunité parlementaire de *Bettino Craxi*. 4 ministres démissionnent aussitôt après la formation du nouveau gouvernement auquel participent, pour la 1re fois depuis 1947, des ex-communistes. **Chine-Tawaïn** : les 2 pays concluent plusieurs accords à Singapour.

■ Mai. 1er. **Skri-Lanka** : le Pt Ranasinghe Premadasa est tué dans un attentat à Colombo. 4. **Cambodge** : attaque des Khmers rouges contre les forces de l'ONU. 9. **Paraguay** : Juan Carlos Wasmos (Colorado) élu Pt. 1res élections générales libres depuis 50 ans. 13. **Espagne** : dévaluation de 8 % de *la peseta*. 3e réajustement (*17-9-92* : 5 % ; *21-11-92* : 6 %), suivie de la dévaluation de l'*escudo portugais* de 6,5 %. **USA** : Washington abandonne le programme IDS (initiative de défense stratégique), dit « *guerre des étoiles* », lancé en mars 1983. **Italie** : vote par le Sénat de la levée de l'immunité parlementaire de *Giulio Andreotti*, ancien Pt du Sénat, accusé de collusion avec la Mafia. 16. **Italie** : devant le juge Di Pietro, *Carlo De Benedetti*, Pt du groupe Olivetti, reconnaît avoir versé des pots-de-vin aux partis politiques. **Turquie** : Suleyman Demirel, Pt de la République, succède à Turgut Ozal (décédé le 17-4). 18. **Italie** : « Nitto » Santapopa (no 2 de la Mafia) arrêté en Sicile. **Danemark** : après le « non » du 2-6-1992, ratification du *traité de Maastricht* (56,8 % des voix). 19. **Japon** : baisse des résultats des groupes électroniques Matsushita (-53,7 %) et Sony (-69,8 %). **Angola** : les USA reconnaissent officiellement le gouvernement de Jose Eduardo Dos Santos (MPLA). 20. **Grande-Bretagne** : approbation du *traité de Maastricht* en 3e lecture. 21. **Venezuela** : le Pt Carlos Andres Perez, accusé de détournements de fonds, est suspendu de ses fonctions. 23. **Afghanistan** : cessez-le-feu mettant fin à la « 4e bataille de Kaboul », commencée le 6 et opposant les forces gouvernementales de Rashid Dostom aux intégristes de Gulbuddin Keckmayar. 23-28. **Cambodge** : élections organisées par l'APRONUC boycottées par les Khmers rouges. 24. **Érythrée** : devient le 52e État africain. **USA** : *Microsoft* lance son système d'exploitation Windows NT. 25. **Guatemala** : le Pt Jorge Serrano dissout le Parlement et la Cour suprême par un « coup d'État civil ». 26. **Allemagne** : le Bundestag vote une réforme de la constitution limitant le droit d'asile (Le Bundesrat vote le 28.) 27. **Italie** (Florence) : attentat à la voiture piégée, attribué à la Mafia. **G.-B.** : le chancelier de l'Échiquier, Norman Lamont, no 2 du gouvernement, est remplacé par Kenneth Clarke, « européen » convaincu. **Belgique** : réunis à Bruxelles, les ministres de l'Agriculture de la CEE assouplissent la PAC en relevant le montant de la prime de jachère de 27 %.

■ Juin. 1er. **Burundi** : Hutu Melchior Ndadaye est élu Pt. **Guatemala** : le Pt Jorge Serrano est destitué. 4-5. **Venezuela** : Ramon Velasquez élu Pt par intérim : il succède à Carlos Andres Perez suspendu de ses fonctions pour malversations. 5. **Somalie** : des affrontements à Mogadiscio font 58 morts dont 23 Casques bleus pakistanais. **Guatemala** : Ramiro de Leon est nommé Pt. 5-6. **Liberia** : les rebelles du Front national patriotique du Liberia (FNLP) massacrent 300 civils. 6. **Espagne** : victoire du PSOE aux élections législatives anticipées. 8. **Uruguay Round** (GATT) : la France avalise le volet portant sur les oléagineux de l'accord de Blair House conclu le 19-11-92 à Washington, mais maintient son refus du volet agricole. 9. **Japon** : L'empereur Akihito (33 ans), Pce héritier du « trône des Chrysanthèmes », épouse Masako Owada, roturière et fonctionnaire d'ambassade. 12-17. **Espagne** : 4e voyage du pape Jean-Paul II. 14. **Turquie** : Tansu Ciller nommée 1er ministre. 16. **Cambodge** : le Pce Norodom Sihanouk forme un gouvernement d'« union nationale provisoire ». 21. **Espagne** : double attentat à la voiture piégée, à Madrid (7 morts, 20 blessés). 23. **Nigeria** : le Gal Ibrahim Babangida, au pouvoir depuis 1985, refuse l'élection de Mooshood Abiola comme Pt. **Algérie** : le sociologue *M'Hamed Boukhobza* meurt des suites de ses blessures dans un attentat attribué aux islamistes. 24. **Kurdes** : opérations commando effectuées dans les consulats de Turquie à Marseille, Munich et Berne. 26. **USA/Iraq** : les missiles de croisière américains lancés sur Bagdad font 6 morts.

■ Juillet. 1er. **Grande-Bretagne-URSS** : Londres et Moscou décident la suspension de leurs essais nucléaires. **USA** : prolongent leur moratoire. **Ex-Yougoslavie** : le Gal suédois Lars-Eri Wahlgren, commandant en chef des forces de l'ONU, est remplacé par le Gal français *Jean Cot*. 3. **Afrique du Sud** : affrontements près de Johannesburg (plus de 90 † en 5 j). 5. **Pologne** : le *carmel d'Auschwitz* ferme définitivement. 6. **Géorgie** : loi martiale en Abkhazie. 7. **Lettonie** : l'économiste *Guntis Ulmanis* élu Pt. 10. **Burundi** : investiture du nouveau Pt *Hutu* Melchior Ndadayé, d'un nouveau 1er ministre Mme Sylvie Kinigi, une *Tutsie*. 12. **Bosnie** : le Gal français *Philippe Morillon* remplacé au commandement des Casques bleus par le Gal belge Francis Briquemont. 13. **Tadjikistan** : attaque lancée par des rebelles tadjiks réfugiés en Afghanistan : 25 gardes-frontières russes et 200 autres personnes †. 14. **USA** : Bill Clinton abandonne définitivement le programme d'initiative de défense stratégique (IDS), dit « *guerre des étoiles* ». **Belgique** : vote par le Parlement des « *accords de St-Michel* » transformant la Belgique unitaire en État fédéral. 16. *3e sommet ibéro-américain* : clôture du sommet par la demande unanime de levée de l'embargo mis en place, depuis 30 ans, contre Cuba. 17. **Rwanda** : Mme Agathe Uwilingiyima nommée à la tête du pays. 18. **Japon** : élections législatives. Le parti libéral-démocrate (223 sièges sur 511) perd la majorité absolue au profit de nouveaux mouvements conservateurs. **Pakistan** : démission du Pt Ghulam Kahn et du 1er ministre Nawaz Sharif. 23. **Italie** : suicide, à Milan, de *Raul Gardini*, Pt du groupe Ferruzzi-Montedison. 24. **Turquie** : 4 touristes français enlevés par des séparatistes kurdes (PKK). 25. **Proche-Orient** : opération israélienne « justice rendue » contre les positions du Hezbollah dans le Sud-Liban. **Afrique du Sud** : attentat dans une église du Cap (11 †, 52 blessés). **Italie** : 3 attentats à la voiture piégée (1 à Milan, 2 à Rome). **SME** : crise provoquée par la décision de la Bundesbank de ne baisser qu'un seul de ses taux directeurs.

■ Août. 7. **Belgique** : Obsèques du roi Baudouin Ier de Belgique. 9. **Turquie** : libération des 4 touristes enlever le 24-7. **Japon** : le 1er ministre Morihiro Hoskawa présente son cabinet.

NÉCROLOGIE

DEPUIS LE 1-8-1992

Abe, Kobo : écrivain japonais, † 22-1-92. Acuff, Roy (n. 15-9-1903) : chanteur et musicien américain, † 23-11-92. Alexander, Arthur : chanteur et chauffeur de bus américain, † 9-6-93. Amade, Louis (n. 13-1-1915) ; parolier et préfet, † 4-10-92. Andrews, Dana (n. 1-1-1909) : acteur américain, † 17-12-92. Argan, Giulo Carlo (n. 1909) : historien d'art italien, maire (apparenté communiste) de Rome en 1976, † 11-11-92. Auger, Arleen (n. 13-9-1939) : soprano américaine, † 10-6-93.

Bagouet, Dominique (n. 9-7-1951) : danseur, † 9-12-92. Banine, Umm el Banine Assadoulaeff (n. 1905) : écrivain français d'origine azérie, † 23-10-92. Barcelone, comte de (n. 20-6-1913) : père de Juan Carlos, roi d'Espagne, † 1-4-93. Barma, Claude (n. 3-11-1918) : réalisateur TV, † 30-8-92. Barsalou, Joseph (n. 1903) : journaliste, † 19-12-92. Baudouin Ier : roi des Belges, † 31-7-93. Bauza, Mario (n. 28-4-1991) : trompettiste cubain à l'origine du « jazz afro-cubain », † 11-7-93. Béalu, Marcel (n. 30-10-1908) : poète, † 18-6-93. Beghin, Pierre (n. 1952) : alpiniste, † 9-10-92. Begin, Menahem (n. 16-8-1913) : premier ministre israélien de 1977 à 1983, † 5-1-93. Bérégovoy, Pierre (n. 23-12-1925) : ancien Premier ministre, suicidé 1-5-93. Beretta, Pier Giuseppe (87 a.) : armurier italien, † 6-93. Berger, Michel Hamburger, dit (n. 1947) : chanteur et compositeur, fils du Pr Jean Hamburger, † 3-8-92. Bergot, Erwan, (63 a.) : écrivain, † 1-5-93. Blanchard, Rémi (n. 1958) : peintre, † 11-5-93. Bloom, Allan (n. 14-9-1930) : universitaire et essayiste américain, † 7-10-92. Borne, Étienne (n. 22-1-1907) : philosophe, co-fondateur du MRP, † 14-6-93. Bourgès-Maunoury : ancien Pt du Conseil, † 10-2-93. Bousquet, René : ancien secrétaire général du min. de l'Intérieur de Vichy en 1942 ; assassiné par Christian Didier (49 ans) le 8-6-93 (à 84 ans). Bouygues, Francis (71 a.) : homme d'affaires, † 24-7-93. Bozo, Dominique (n. 1935) : Pt du Centre Pompidou, † 2-4-93. Brandt, Herbert Frahm dit Willy Brandt (n. 18-12-1913) : chancelier allemand de 1969 à 74, † 8-10-92. Briant, Yvon (n. 1954) : Pt du CNI, † 8-10-92. Bridges, James (56 a.) : cinéaste, † 6-6-93. Brouillet, René (9-5-1909) : diplomate, † 28-11-92. Brusati, Franco : cinéaste italien, † 28-2-93. Burkitt, Denis (n. 1911) : cancérologue irlandais, † 23-3-93.

Cage, John (n. 1912) : compositeur américain, † 12-8-92. Cau, Jean (n. 8-7-1925) : écrivain, † 18-6-93. Chazot, Jacques (n. 25-9-1928) : danseur, † 12-7-93. Christoff, Boris (n. 1914, 1918 ou 1919) : chanteur bulgare, † 28-6-93. Ciliga, Ante (n. 1898) : communiste yougoslave, † 1992. Collard, Cyril : cinéaste et écrivain, réalisateur des *Nuits fauves*, † 5-3-93 (à 35 ans). Colleney, Christiane : compositrice, † 4-8-1993 à 44 ans. Connors, Chuck (71 a.) : acteur américain, † 10-11-92, à 77 ans. Constantine, Eddie (n. 29-10-1917) : acteur d'origine américaine, interprète du rôle de « Lemmy », † 27-2-93. Courcel, Geoffroy Chodron de (n. 11-9-1912) : diplomate, ancien secrétaire général de l'Élysée de 1959 à 1962, † 9-12-92. Czapski, Jozef : écrivain et peintre polonais, † 12-1-93.

Darasse, Xavier (n. 13-9-1934) : compositeur, † 24-11-92. Debray-Ritzen, Pierre (n. 27-2-1922) : Pr de médecine, † 7-7-93. De Niro, Robert : peintre américain, † 3-5-93 (à 71 ans). Djaout, Tahar : écrivain algérien, victime d'un attentat le 2-5-92, † 2-6-93 (à 39 ans). Dieudonné, Jean (n. 1-7-1906) : mathématicien français, † 29-11-92. Domela, César (n. 15-1-1900) : peintre et sculpteur néerlandais, † 31-12-92. Donn, Jorge : danseur né en Argentine, † 30-11-92 (à 45 ans). Dubcek, Alexandre (n. Slovaquie 1921) : homme politique tchécoslovaque, Pt de l'Assemblée fédérale en décembre 1989, † 7-11-92. Ducreux, Louis (n. 21-9-1911) : comédien, auteur et metteur en scène, † 19-12-92.

Feld, Bernard : chercheur américain (un des pères de la bombe A), † 19-2-93 (à 73 ans). Ferré, Léo (n. 24-8-1916) : chanteur et compositeur, † 14-7-93. Floirat, Sylvain (n. 28-9-1899) : ancien PdG de Bréguet-Aviation, Matra et Europe I, † 15-3-93. Fourquet, Michel (n. 9-6-1914) : Gal d'aviation, † nov. 92. France, Jo : fondateur du Balajo, † 11-7-93 (à 82 ans). Frénaud, André (n. 26-7-1907) : poète, † 21-6-93.

Gazzelloni, Severino, (n. 5-1-1919) : flûtiste italien, † 21-11-92. Gilbert, Robert : codirecteur du TNP de Villeurbanne, † 1-4-93. Gillespie, Dizzy (n. 21-10-1917) : trompettiste de jazz américain, † 6-1-93. Gish, Lillian (n. 14-10-1896) : actrice américaine, † 27-2-93. Goldberg, Szymon (n. 1-6-1909) : violoniste et chef d'orchestre américain, † 19-7-93. Golding, William (n. 19-9-1911) : écrivain britannique, prix Nobel, † 19-6-93. Grenier, Fernand (n. 9-7-1901) : ministre communiste en 1944, † 12-8-92. Guattari, Félix (n. 20-3-1930) : philosophe et psychanaliste, † 29-8-92. Guillot, André (n. 1908) : chef (cuisine), † février 1993. Guitton, Henri (n. 5-7-1904) : économiste, † 28-12-92.

Hauteclocque, Nicole de (n. 10-3-1913) : sénateur, † 18-1-93. Hazan, Fernand (n. 1906) : éditeur, † août 92. Hepburn, Audrey (n. 4-5-1929) : actrice américaine, † 20-1-93. Hervé, Pierre : ancien député communiste, † 8-3-93. Hofmann, Gert (n. 29-1-1931) : écrivain allemand, † 1-7-93. Horszowski, Mieczyslaw (n. 23-6-1892) : pianiste américain d'origine polonaise, † 23-5-93. Hubeau, Jean (n. 22-6-1917) : pianiste et compositeur, † 19-8-92. Hu Quiaomu (n. 1911) : secrétaire de Mao Zedong en 1941, † 28-9-92.

Ibuse, Masuji (n. 1898) : romancier japonais, † 10-7-93. Jacobsen, Robert : sculpteur danois, † 25-1-93. Jacquinot, Louis (n. 16-9-1898) : ancien ministre et ancien député, † 14-6-93. Jaroszewics, Piotr (n. 1909) : ancien Premier ministre polonais, assassiné le 1-9-92.

King, Albert Nelson dit (n. 1924) : chanteur, guitariste et compositeur de blues américain, † 21-12-92. Kolb, Philip (n. 1907) : universitaire américain, spécialiste de Proust, † 7-11-92. Kusniewicz, Andrzej : écrivain polonais, † 14-5-93. La Fournière, Xavier de (n. 9-1-1927) : agent de change français (inculpé d'escroquerie et d'abus de biens sociaux), † en prison 3-1-93. **Lainé**, Tony (n. 1930) : psychiatre d'enfants et coauteur canadien ; † 21-8-92. **Lamborghini**, Ferruccio : constructeur de voitures italien, † 20-2-93 (à 76 ans). **Lecanuet**, Jean (n. 4-3-1920) : ancien ministre, † 22-2-93. **Le Roux**, Maurice (n. 6-2-1923) : compositeur et chef d'orchestre, † 19-11-92. **Lilar**, Suzanne (n. 1901) : écrivain belge (mère de Françoise Mallet-Joris), † 11-12-92. **Liquière**, Dominique : comédien, pensionnaire de la Comédie-Française, † 11-7-92 (à 33 ans). **Luccioni**, Micheline (n. 1930) : comédienne, † 24-12-92.

McCarther, Yvette et Yvonne : sœurs siamoises américaines, † 4-1-93 (à 43 ans). **McClintock**, Barbara (n. 1920) : généticienne américaine, prix Nobel de physiologie et médecine en 1983, † 3-9-92. **Madaule**, Jacques (n. 11-10-1898) : essayiste, † 15-3-93. **Magalof**, Nikita (n. 8-2-1912) : pianiste (spécialiste de Chopin), élève russe de Prokofiev, † 21-12-92. **Mankiewicz**, Joseph L. (n. 11-2-1909) : cinéaste américain, † 5-2-93. **Marten**, Félix (n. 29-10-1919, Américain d'origine all.) : chanteur et comédien, † 20-11-92. **Martin**, Mgr Jacques (n. 26-8-1908) : cardinal, † 27-9-92. **Masini**, Gianfranco : chef d'orchestre italien, directeur de l'orchestre de Montpellier, † 18-6-93 (à 55 ans). **Matsumoto**, Seicho (n. 1909) : écrivain japonais, † 1992. **Maurice**, Émile : ancien Président du Conseil général de Martinique, † 13-1-93. **Mayoud**, Alain (n. 7-12-1942) : député du Rhône, † nuit du 22 au 23-6-93. **Milstein**, Nathan (n. 3-12-1903) : violoniste américain d'origine russe, † 21-12-92. **Mitchell**, Joan (n. 12-2-1925) : peintre américaine, † 30-10-92. **Mnouchkine**, Alexandre (n. 10-2-1908) : producteur de cinéma (père d'Ariane), † 3-4-93. **Montalembert**, Geoffroy de (n. 10-10-1898) : doyen des sénateurs, † 2-3-93. **Moor**, Bob de (n. 1925) : auteur de bandes dessinées belges, collaborateur de Hergé, † 26-8-92. **Mortensen**, Richard : peintre danois, † 6-1-93. **Mounin**, Georges, pseudonyme de Louis Leboucher (n. 20-6-1910) : linguiste, † 10-1-93.

Nakagami, Kenji (n. 1947) : écrivain japonais, † 12-8-92. **Naville**, Pierre : sociologue du travail et spécialiste de l'art de la guerre, † 24-4-93 (à 89 ans). **Negulesco**, Jean : cinéaste américain, † 18-7-93 (à 93 ans). **Newhall**, Beaumont : historien de la photo américain, † 26-2-93. **Nikolais**, Alwin (n. 25-11-1912) : chorégraphe américain, † 9-5-93. **Noureev**, Rudolf (n. 17-3-1938 dans le « Transibérien », Russe naturalisé Autrichien en 1982) : danseur, † 6-1-93.

Ohana, Maurice (n. 12-6-1914) : compositeur d'origine andalouse, † 13-11-92. **Oort**, Jan Hendrick (n. 1900) : astronome hollandais, † 12-11-92.

Perdrière, Hélène (n. 17-4-1910) : comédienne, † 27-8-92. **Perkins**, Anthony (n. 4-4-1932) : acteur américain, † 12-9-92. **Perret**, Jacques (n. 8-9-1901) : écrivain, † 10-12-92. **Peyo**, dit Pierre Culliford (n. 1928) : dessinateur belge de bandes dessinées, † 24-12-92. **Pharaon**, Henri : politicien libanais (coauteur de la Constitution de 1926), dessinateur du drapeau et milliardaire, assassiné le 6-8-93 à l'âge de 95 ans. Le même jour, une vedette-ferry : *Le Pharaon* à sombré dans le vieux-port de Marseille à la suite d'une explosion vraisemblablement criminelle. **Phomvihane**, Kaysone : Président du Laos, † 21-11-92. **Pic**, Jacques (n. 1933) : cuisinier, † 9-92. **Pignon**, Édouard (n. 12-2-1905) : peintre, † 14-5-93. **Pleven**, René (n. 15-4-1901) : ancien Président du Conseil, † 13-1-93.

Raczynski, Edward : ancien Président du gouvernement polonais en exil entre 1979 et 1986, † à Londres le 3-8-93 (à 102 ans). **Reichenbach**, François (n. 3-7-1921) : cinéaste, † 2-2-93. **Regnier**, Max : comédien † 5-8-1993, à 88 ans. **Renault**, Michel (n. 15-12-1927) : danseur, † 29-1-93. **Ridgway**, Matthew (n. 1895) : G[al] américain, † 26-7-93. **Riquet**, Michel (n. 8-9-1898) : prédicateur jésuite, † 2-3-93. **Roseau**, Jacques (n. 1938) : porte-parole du Recours-France, assassiné par des anciens de l'OAS le 5-3-93. **Royon Le Mee**, Frank : compositeur, chanteur haute-contre, † 5-7-93 (à 30 ans).

Sauvé, Jeanne (n. 26-4-1922) : gouverneur général du Canada de 1984 à 1990, † 26-1-93. **Sarduy**, Severo (n. 1937) : écrivain cubain, † 8-6-93. **Schmitt**, Erick : preneur d'otages de la maternelle de Neuilly-sur-Seine, tué (à 42 ans) par la police le 15-93. **Sergent**, Pierre (n. 30-6-1926) : chef militaire de l'OAS, militant du Front national, † 15-9-92. **Sturges**, John (n. 1911) : metteur en scène et réalisateur américain, † 18-8-92. **Suchõn**, Eugen (n. 25-9-1908) : compositeur slovaque († 5-8-1993). **Sun Ra**, dit Herman Sonny Blount (n. 1925) : poète, compositeur, chef d'orchestre américain, † juin 93.

Tambo, Olivier : leader du Congrès national africain (Afr. du Sud), † 24-4-93. **Tillon**, Charles (n. 3-7-1897) : ancien chef de la Résistance communiste et ancien ministre, † 13-1-93. **Tomasek**, Mgr Frantisek (n. 3-6-1899) : archevêque polonais, † 4-8-92. **Tortel**, Jean : poète, † 2-3-93.

Vernejoul, Robert de (n. 19-3-1890) : chirurgien (spécialiste du cœur), † 14-10-92.

Wagner, Mgr Georges (n. 10-3-1930) : archevêque orthodoxe des Églises russes de France et d'Europe occidentale (Allemand), † 6-4-93. **Wasselynck**, Mgr René (n. 1928) : secrétaire général de la Conférence épiscopale, † 6-9-92. **White**, sir Dick (n. 20-12-1906) : ancien chef des Services de renseignement et de contre-espionnage britanniques, † 21-2-93.

DERNIÈRE HEURE

■ **Académie.** *-1-7* cardinal Albert Decourtray (Wattignies, Nord, 9-4-1923) archevêque de Lyon et primat des Gaules, élu au fauteuil du professeur Jean Hamburger [1er tour : 14 voix sur 33, Jean Raspail 12, 2 bulletins blancs, 5 croix (opposition aux 2 candidats) ; 2e t. : 19 voix sur 34, J. Raspail 9]. L'Ac. comprend 2 ecclésiastiques : lui et le père Carré (dominicain). Il est le 19e cardinal académicien (1er César d'Estrées, élu 1658). Richelieu, le fondateur en 1636, était le protecteur et non un membre.

■ **Accidents.** *Explosion* : *-16-6* usine Metaleurop à Noyelles-Godault (P.-de-C.) 7 †. *Incendie* : *-24/25-6* clinique psychiatrique (Bruz, I.-et-V.) 20 †. *Avalanche : -2-8* Grandes Jorasses 8 †.

■ **Assurance chômage.** *-23-7* convention valable jusqu'au 31-12-96. *-1-8* hausse des cotisations. Le gouvernement prévoit que l'Unedic retrouvera l'équilibre financier en 2003 et aura remboursé toute sa dette, malgré un nombre de demandeurs d'emploi qui culminera constamment à 3 600 000 à partir de 1996. L'accord signé le 23-7 par le CNPF, la CGPME et 4 syndicats (CFDT, FO, CGC, CFTC) garantit un financement de 30 milliards de F supplémentaires par an pendant 10 ans (État 10, entreprises 9,35, salariés 6,08, chômeurs 4,6).

■ **Astronautique. Lancements : ÉTATS-UNIS** (n° de vol, nom de la navette, entre parenthèses : dates, mission) : *52 Discovery* (2-12[1] au 9-12[2]) : largage d'un satellite militaire d'observation. *53 Endeavour* (13[1] au 19-1[1]) : 5 dont 1 femme ; largage d'un sat. TDRS ; expérience PARE (Physical and Anatomical Rodent Exp.) ; préparation de la construction de Freedom (4 h 30 dans le vide). *54 Discovery* (8[1] au 17-4[1]) : 5 dont 1 femme ; déploiement et récupération du satellite Spartam. *55 Columbia* (26-4[1] au 6-5[2]) : 7 dont 2 All. ; emport de Spacelab D2 pour 88 exp. scientifiques financées par l'All. *56 Endeavour* (21[1] au 29-6[1]) : 6 dont 2 femmes ; récupération d'Eureca, visite de Spacelab, préparation de la réparation de Hubble (4 h dans le vide). *57 Columbia* (25-6[1] au 9-7[2]) : équipage 7 ; prépare l'exploitation de Freedom (31 exp.) et reste 13 j dans l'espace (nouveau record). *58 Discovery* [1] (prévue 17-7 pour 9 jours) annulée 24-7 pour un problème sur la fixation d'un des boosters (46e vol retardé) et 12-8. **Explosion d'une fusée Titan IV** au-dessus du Pacifique *(2-8)* : coût 200 à 320 millions de $ + satelite 800. **Prév.** 1 cosmonaute russe sur la navette en oct. 93.

Nota. – (1) Cap Canaveral. (2) Edwards.

EUROPE : **Ariane** : *-12-5-93* : *56* (Ar 42L) Astral-C + Arsène. *-25-6-93* : *57* (AR 42D) Galaxy-4 (amér.). *-5-93* : *58* (AR 44LP) Hispasat-1A. *Prévisions -9-93* : *59* (Ar 40) Spot3 (Fr.), Stella + Asap-4. *-10-93* : *60* (Ar. 44LP) Intelsat7-F1. *-11-93* : *61* (AR 44LP) Solidaridad-1, Mop-3 (ESA). *-12-93* : *62* (AR 44L) Direct TV-1, Thaïcom-1 (Thaïlande). *-mai-94* : sat. d'observation Hélios 1 ; *-fin 95* : Palapa-C1. *Commandes prévues en juin 93* : 39 entre vol 57 et fin 1996 (17,8 milliards de F), soit 59,5 % du marché (contre 27 % à Atlas et 13,5 % à Thor Delta). Ariane pourrait céder des contrats aux Russes (Proton) pour éviter le dumping. **Spacelab** : *-26-4 au 6-5* : vol D2 : équipage 2 All. ; 88 exp. financées par l'ESA et par l'All. : fabrication dans le vide, télémanipulation avec le bras Rotex depuis le sol ; exp. Atmos pour l'étude des composants minoritaires de l'atmosphère dont l'ozone. *Prévisions* ; *-juin-94* : éq. 5 (3 USA, 1 f. jap., 1 Fr.) : vol RAMSES (Recherche Appliquée sur les Méthodes de Séparation par Électrophorèse Spatiale) pour l'extraction de molécules rares.

☞ *-17-5* formation d'un groupe de travail des principaux pays spatiaux pour regrouper les efforts d'exploration de Mars. *-juin 93* : conseil de l'ESA : *Hermès* vol habité repoussé à 2005. Dans un 1er temps, rebaptisé X-2000 (coût 20 milliards de F), il ne servira qu'au test des conditions de vol et de rentrée dans l'atmosphère avec le concours éventuel des Russes. Le mode de transport des astronautes ne sera pas choisi avant 1998. Réaction des industriels : 1ers vols subsoniques sur avion porteur dès 1999, suivis de 1 vol orbital automatique puis de 2000 à 2005 du développement des technologies de vol habité.

EX-URSS. Mir (*dates*, vecteur et n° de vol, équipage mission). *-24-1-93* : TM 16 ; Guennadi Manakov et Alexandre Polechtchouk ; modification de la station pour montage et test d'un module de jonction standard russo-américain permettant les RV avec la navette. *1 au 22-7-93* : TM 17 ; Jean-Pierre Haigneré (Fr.), Vassili Tsibliev, Alexandre Serebrov ; 4e vol franco-russe, mission Altaïr (exp. biomédicales et technologiques). *Prévisions : fin 93* : par Bourane, amarrage module biotech 37K (9 t, dérivé de Kvant -1) prototype de la station Mir-2. *1994* : remplacement du module de base Pir par un nouveau module de 20 t. *1994-95* : RV avec la navette ; elle pourrait y déposer pour + de 3 mois un astronaute amér. entraîné à la cité des étoiles. *Vols franco-russes* : en 1996 (Claudie Deshays), 98 et 2000.

CHINE : Total des satellites lancés : 36. *Prévisions :* 5 lancés entre avril 1993 et sept. 94.

■ **Attentats.** *-18-4* : restaurant Beauvilliers, Paris. *-23/24-6* 6e attentat dep. 1-1-93 contre une **agence de Nouvelles Frontières.** *-5-4* **Denard (Bob)** condamné à 5 ans de prison avec sursis pour sa participation au coup d'État au Bénin en janv. 1977. *-7-4* **Mehieddine (Mehri)** extradé d'Allemagne et écroué comme membre présumé du commando du *City of Poros*.

■ **Automobile. Hausse des prix** (Les Échos 1-7-93).

En %	Renault	Peugeot	Citroën
Début 91	2,15	2	1,95
Mi-91	2,25	2,5	2,88
Début 92	1,82	1,9	1,9
Mi-92	2,45	2,08	1,93
Sept. 92	0,75	2,14	2,54
Début 93	1,62	1,45	1,75
Mi-93	1,93	2,35	1,95
Total	12,97	14,69	14,9

■ **BERD.** *-18-8* Jacques de Larosière (Fr. 12-11-1929) élu Pt.

■ **Centre Pompidou.** *-4-8* François Barré nouveau Pt.

■ **Cinéma.** *Jurassic Park* (de Steven Spielberg) recettes (week-end d'ouverture dans 3 300 salles des USA) 48,3 millions de $ (record précédent *Batman 2* : 45,7). *Salles multiplex* : 1re en France ; Toulon 12 salles de 119 à 386 pl. ; 12 écrans de 10 à 17 m de base ; coût 87 millions de F ; taux moyen d'occupation prévu 20 % par séance (moy. France 14,5 %). 2e prévue automne 1993 : Belle-Épine (Ile-de-Fr.)

■ **Cité des sciences de la Villette.** *-16-6* Pierre David (n. 15-6-1940), nouveau Pt.

■ **Collection.** *-21-6* baron Thyssen-Bornemisza vend à l'Espagne 775 tableaux : 1, 925 milliard de F.

■ **Comédie-Française.** *-4-8* Jean-Pierre Miquel (22-1-37)nouvel administrateur général.

■ **Concert.** *-26-6* au Central Park à New York, 500 000 personnes ont acclamé Luciano Pavarotti (ténor italien).

■ **Drogue.** *-20-7* cocaïne : 406 kg saisis sur poids lourd italien à Perpignan. *-30-7* 100 000 doses d'extasy à la frontière franco-luxembourgeoise.

■ **Droits d'auteur.** Accord du Conseil des ministres des Douze. La future directive européenne fixera la durée de protection de base à 70 ans après la mort de l'auteur. Pour le cinéma et les œuvres audiovisuelles, la directive ne tranche pas le problème de la « titularité des droits ». En France, le principal auteur, qui bénéficie de la protection de la loi, est le réalisateur. *Durée de protection des principaux droits voisins*, tels ceux des artistes interprètes ou des producteurs d'œuvres musicales : 50 ans.

■ **Enseignement.** *Loi renforçant l'autonomie des universités* adoptée le 6-7-93 par le Parlement ; déclarée inconstitutionnelle le 29-7.

Bac : Claire Lemercier (16 ans et demi) obtient 19,43 sur 20 (série C) math 20, sciences nat. 20, français et philosophie 20, allemand 20, physique 19, histoire-géo 18, éducation physique 14.

■ **États.** **Afrique du Sud :** *-avril 93* popularité de Mandela : 68 % des Noirs (année 92 : 75 %). *-15-7* Mandela pour droit de vote à 14 ans. *-25-7* Le Cap : 12 Blancs tués dans une église par 5 tueurs noirs ; *du 1 au 10-8 :* 250 †.

Algérie : 2e chaîne Télé prévue en novembre 1993 (programme : 85 % en arabe, 15 % en français). *-3-8* résultats du bac : 88 % de recalés (en 1992 : 80,70 %). *3-8* 2e journaliste tué dep. mai. *-21-8* Redha Malek (n. 1931) PM, remplace Belaïd Abdesslam PM. Kasdi Merbah (n. 16-4-1938) ancien PM (1988-89), assassiné.

Allemagne : *-28-5* Edmund Stoiber élu min.Pt de Bavière. La cour constitutionnelle de Karlsruhe annule la libération de l'avortement votée en juill. 1992. *mai* 400 agressions racistes [*-30-5* incendie criminel à Solingen (5 † d'origine turque), nombreuses manif. anti-racistes]. *-13-7* projet de budget 1994 : dépenses fédérales 478 milliards de marks (affaires sociales 122, dette 67, défense 49), déficit 67. On révèle : 588 personnes ont été tuées en essayant de franchir le mur de Berlin.

Angola : *-27-5* l'Unita attaque un train de voyageurs, env. 100 †. *-1-6* mandat de l'ONU prolongé jusqu'au 15-7. *-26-7* l'Unita contrôle 85 % du pays.

Arabie Saoudite : *Exécutions du 15-5-92 au 15-5-93 :* 105. *Réserves* (en milliards de $) : *1984 :* 121 ; *1993* (20-8) : 7.

Azerbaïdjan : *-23-7* les Arméniens prennent Agdam. *-25-7* trêve.

Belgique : *-31-7* roi Baudoin Ier meurt. *-9-8* Albert II, son frère, prête serment.

Bolivie : *-6-8* Pt Gonzalo Sanchez prête serment.

Brésil : *-2-8* cruzeiro real (= 1 000 cruzeiros), 4e monnaie en 7 ans [*1986 (févr.)* cruzado = +/- 1 000 cruzeiros, *1989 (janv.)* cruzado novo (dévalué tous les mois), *1990* cruzeiro réinstitué].

Cameroun : *-16-7* la France paye les arriérés auprès de la Banque mondiale : 460 millions de FF.

Chine : dette extérieure fin 1992 : 69,32 milliards de $. Création d'une banque de sperme pour les yacks. *Août :* des dizaines de milliers de rats se suicident.

Colombie : *-18-7* le gouv. annonce le démantèlement du cartel de Medellín. Dep. 1 an les forces de sécurité ont capturé 1 314 membres présumés, en ont tué 145 lors d'affrontements et ont neutralisé une vingtaine de voitures piégées (plus d'une douzaine ont explosé, tuant 36 personnes et en blessant 360). Le gouv. a offert 7 millions de $ pour tout renseignement sur Pablo Escobar (évadé).

Congo : *-16-7* état d'urgence. *-4-8* accord mouvance présidentielle/opposition pour litige électoral.

Cuba : *-17-7* les Cubains seront prochainement autorisés à posséder des dollars et à les dépenser. *-18-7* Fidel Castro écarte toute idée de multipartisme.

Djibouti : *-5/10-7* guérilla afar repoussée.

Égypte : *-8-6* attentats au Caire : 2 †. *-18-7* : 4 †. *-8-7* : 7 exécutions. Violences dep. 14 mois : 140 †.

Équateur : *-9-5* glissement de terrain à Nambija (zone minière au S. de Quito), 200 à 300 †.

Espagne : *-24-6* Juan José Zubieta (27 a.) condamné à 1 311 ans de prison pour avoir participé à la préparation de l'attentat du 29-5-1991 contre une caserne de la Guardia civile (9 † dont 5 enfants). *-13-7* 6e gouvernement Gonzalez.

Estonie : *-16/17-7* référendum sur le statut des russophones controversé (à Narva 97 % des 55 % votants sont pour l'autonomie).

États-Unis : *-1-6* selon un sondage CBS, la popularité du Pt Clinton serait de 37 %. Essai de récupérer 300 stinger (sur 1 000 livrés aux insurgés afghans). *juillet* inondations du Mississippi : + de 40 †. *-20-7* Louis Freech (n. 6-1-1950) nommé directeur du FBI (remplace William Sessions, limogé). *-22-7* Rose Kennedy (mère du Pt assassiné) fête ses 103 ans. *Investissements étrangers, en 1992 :* 2,4 milliards de $ (*1991* : 11,5). *Placement nets étrangers, en 1990 :* 45,1 milliards de $ (record 67,9 en 1989). *-2-8* interdiction de fumer dans les restaurants de Los Angeles : amende de 50 à 250 $ pour le fumeur et de 1 000 $ et de 6 mois de prison pour le restaurateur. *Budget.* Augmentation des impôts sur le revenu (taux max. : 39 % au au-dessus de 250 000 $) ; les sociétés (taux max. : 35 % au lieu de 34). *Affaire Rodney King* (3-3-91) : les 2 policiers coupables de violence condamnés à 2 ans et demi de prison (4-8-93). *3-8-93* naissance par césarienne d'un garçon de 2,2 kg de Trisha Marshall, enceinte de 17 semaines, morte 21-4-93 (1 balle dans la tête) mais maintenue artificiellement en vie 105 j. John Shalikashvili (n. 1936, Varsovie) nommé chef d'État major à compter du 7-10.

Éthiopie : 4 millions d'Éthiopiens se disent juifs.

Géorgie : *-27-7* accord de Sotchi sous l'égide de Moscou, prévoit le retrait des troupes géorgiennes d'Abkhazie et le retour des dirigeants abkhazes à Soukhoumi. *-28-7* cessez-le-feu avec les séparatistes abkhazes. *-3-8* le coupon remplace le rouble.

Grande-Bretagne : *-2-8* ratification du traité de Maastricht. *-11-8* Rushdie apparaît devant 72 000 personnes à Wembley.

Hongrie : *-7-7* plan d'austérité. *-9-7* forint dévalué de 3 %.

Inde : *-juillet* inondation au Nord : 3 000 †.

Irlande : *-24-6* le Parlement adopte un projet de loi dépénalisant l'homosexualité entre adultes.

Israël : *-14-7* Israël confirme l'immigration de 246 juifs yéménites en un an. *-25-7* déclenchement opération justice rendue, représailles contre Hezbollah au Liban : 100 †. *-29-7* John Demjanjuk, condamné le 25-4-88 à la pendaison, est acquitté au bénéfice du doute sur sa personne (était-il le bourreau de Treblinka ?).

Italie : *-13-5* le Sénat lève l'immunité parlementaire de Giulio Andreotti. *-27-5* attentat à la voiture piégée à la Galerie des offices à Florence : 5 †, importants dégâts des collections. *-20-7* Gabriele Cagliari (ancien Pt de l'Eni) se suicide en prison. *-23-7* suicide de Raul Gardini (ancien Pt du groupe Ferruzzi-Montedison). *-26-7* la démocratie chrétienne se transforme en parti populaire. *-27-7* 3 attentats à la voiture piégée, 1 à Milan, 2 à Rome : l'un devant la basilique St-Jean-de-Latran, l'autre près du théâtre de Marcellus, 5 †. *-4-8* levée d'immunité parlementaire de Bettino *Craxi* (ancien Pt du Conseil socialiste). *Août :* 11e suicide de l'opération Mains propres.

Japon : *-juin* des dissidents du PLD créent le parti Shinseïto (Renaissance), Pt Tsutomu Hata. *-18-7* élections législatives. *-28-7* le 1er ministre Kiichi Miyazaw a démissionné. *-30-7* Yohei Kono élu Pt du PLD. *4-8* le gouvernement exprime ses regrets aux femmes de réconfort [200 000 Asiatiques (Coréennes) et Néerlandaises prostituées aux soldats jap. pendant la guerre]. *-6-8* Morihiro Hosokawa (55 a.) élu PM par 262 voix sur 511 à la Chambre des représentants.

Jordanie : *-10-6* le prince Abdallah, fils aîné du roi Hussein, épouse Rania Yassine.

Liberia : *-25-7* accord de paix signé à Cotonou entre les diverses factions.

Liechtenstein : *-3-7* le P^ce^ héritier Alois épouse la duchesse Sophie en Bavière.

Madagascar : Francisque Ravony (52 ans) élu PM (9-8).

Maroc : *-12-7* Noubir Amaoui, secr. général de la Confédération démocratique du travail (CDT), libéré (grâce royale). *-17-7* 1res négociations directes entre le Maroc et le Polisario sur le Sahara occidental ; elles sont bloquées le 18.

Mexique : *-24-5* fusillade à l'aéroport de Guadalajara : 7 † dont l'archevêque du diocèse.

Nicaragua : *-21-7* 200 rebelles attaquent la ville d'Esteli.

Nigéria : *-26-8* Pt Ibrahim Babangida quitte le pouvoir.

Ouganda : *-31-7* Mutebi II couronné (36e roi des Bagandas).

Pakistan : *-19-7* Moeen Qureshi remplace le 1er ministre Nawaz Sharif, Wasim Sajjad remplace le Pt Ghulam Ishaq Khan.

Paraguay : Juan Carlos Wasmosy (54 ans, milliardaire descendant d'immigrés hongrois) Pt en fonction (15-8).

Pérou : *-22-7* l'Assemblée constituante a approuvé le principe de la Chambre législative unique de 120 députés. *-3-8* l'Ass. constituante par 55 voix contre 21 rétablit la peine de mort pour les terroristes.

Russie : *-juillet* Intervention au Tadjikistan pour soutenir le régime néocommuniste tadjik. *-10-7* Eltsine désavoue le Parlement russe qui avait voté le 9-7 une résolution affirmant l'appartenance du port ukrainien de Sébastopol à la Russie. Une nouvelle union économique sera créée avant le 1-9-93 entre Biélorussie, Russie, Ukraine. *-1-8* l'Administrateur provisoire russe en Ingouchie et Ossétie du Nord tué dans les embuscades. Balance commerciale 1re sem. 1993 : + 9 milliards de $.

Rwanda : *-15-7* accord de paix avec les rebelles du Front patriotique rwandais (FPR).

Seychelles : *-23-7* France-Albert René réélu Pt.

Somalie : *-11-7* l'Onu offre 25 000 $ pour la capture du Gal Aïdid, ou toute information permettant de l'arrêter. *-12-7* raid de l'Onu contre les troupes du Gal Aïdid (70 †). 4 journalistes (1 Anglais, 1 Allemand, 2 Kenyans) lapidés et tués par la foule.

Tadjikistan (voir Russie).

Taiwan : campagne gouvernementale pour réintégrer l'Onu.

Thaïlande : Korat : hôtel Royal Plaza s'effondre 110 à 130 † (13-8).

Turquie : *-24-7* 4 touristes français enlevés par les Kurdes.

Ukraine : *-juin* l'Église orthodoxe « autocéphale » élit l'archevêque Vladimir de Lviv Patriarche ; il succède au Patriarche Mstislav, † à 95 ans. *-27-7* accord de défense avec USA : ceux-ci verseront à l'Ukraine 175 milliards de $ pour le démantèlement de son arsenal nucléaire quand elle aura entrepris de détruire ses missiles stratégiques SS-19.

Ex-Yougoslavie : *-16-6* les Pt de Serbie et de Croatie décident du principe du découpage de la Bosnie en 3 nations (serbe, croate et musulmane) dans un cadre fédéral ou confédéral. *-19/20-6* référendum auprès des Serbes de Krajina (Croatie) sur leur union avec les Serbes de Bosnie. *-24-6* accord à Genève entre Serbes et Croates sur la formation de 3 ethnies en Bosnie. *-5-7* après la visite de Danielle Mitterrand à Belgrade, Vuk Draskovic (leader de l'opposition) et sa femme sont libérés. *-juill.* le G^al^ belge Francis Briquemont remplace le Gal Morillon à la tête des Casques bleus. *-11-8* 44e casque bleu de la Forpronu tué dep. le début de la mission au printemps 1992.

Zaïre : violence ethnique : + de 300 000 Zaïrois contraints de quitter leur région.

Zimbabwe : un ancien officier rhodésien affirme que les Rhodésiens auraient utilisé des armes biologiques entre 1978 et 1980 (bactérie provoquant l'anthrax pour décimer le bétail ; bactérie du choléra pour contaminer des points d'eau).

■ **Europe agricole.** *Montant des fraudes aux subventions* déclarées par les États membres à la Commission entre juillet 1989 et mars 93 (en millions de F) : Italie 2 500, Allemagne 406, P.-Bas 210, *France 154,* G.-B. 133, Danemark 119, Espagne 49, Belgique 35, Grèce 14, Portugal 14, Irlande 7, Luxembourg 0. *Produits les plus touchés* (en nombre de cas) : matières grasses 606, viande bovine 599, lait et produits laitiers 562, céréales et riz 194, viande ovine 188, protéagineux 138, fruits et légumes 134, secteur vinicole 105, sucre et isoglucose 93, viande porcine 91.

■ **Femme.** *5-8* (USA) Sheila Widnall (55 a.) secrétaire à l'armée de l'Air.

■ **Franc-maçonnerie.** *-17/20-6* Jean-Louis Mandinaud (n. 15-4-1928) élu Grand Maître de la Grande Loge de France.

■ **Incendie criminel.** Hte-Corse + de 1 000 ha (20/22-7).

■ **Justice.** **Amnesty International** (rapport 1993) : *En 1992*, des prisonniers d'opinion étaient détenus dans au moins 62 pays ; et + de 110 gouvernements ont eu recours à la torture. Dans 45 pays des assassinats politiques avaient été commandités par l'État. *Fin 1992*, la situation en Chine (où la torture, les exécutions et la détention administrative restent des pratiques courantes) n'avait suscité aucune réaction internationale sérieuse. Cependant, Amnesty a décompté 1 891 condamnations à mort et 1 079 exécutions, mais estime le nombre réel beaucoup plus important.

Grâce présidentielle *du 14-7-1993* : remise de peine de 5 j pour chaque mois de prison restant à accomplir (plafonnée à 4 mois) à l'ensemble des détenus, sauf trafiquants de drogue, terroristes, évadés et auteurs de crimes sur les enfants de moins de 15 ans. *Au 1-7*, la population carcérale était de 53 777 personnes dont 33 577 condamnés. (*En 1992* : remise de peine de 10 j pour chaque mois de prison restant à accomplir. Maximum des remises : 6 mois.)

Manufrance : *-2-6* 15 syndicalistes et 2 commissaires aux comptes inculpés de vol ou de recel, relaxés par la cour d'appel. *-8/10* 2 000 armes vendues aux enchères pour 3,5 millions de F.

Police : *-6-7* Jacques Franquet (n. 5-1-1941) nommé directeur de la PJ.

Prisons : *population carcérale* (au 1-1-93) : 50 352 dont 2 080 femmes ; 28 879 condamnés, 21 473 prévenus (soit 42 % ; *en 1991* : 40,5). *Taux de détention en métropole* : 1,15 %‰. *Part des étrangers* : 31,4 % (*en 1991* : 30,6).

Sang contaminé : *-13-7* cour d'appel confirme en partie condamnations du 23-10-92 pour Dr Michel Garretta, 49 ans (4 ans de prison ferme, 500 000 F d'amende), Dr Jean-Pierre Allain, 51 ans (4 ans de prison dont 2 avec sursis), Pr Jacques Roux, 70 ans (3 ans de prison avec sursis, au lieu de 4),

Pr Robert Netter (1 an avec sursis ; avait été relaxé). *Indemnisation des victimes* : 15 millions de F (9 en 1re instance).

Sénateur : *-8-7* levée d'immunité parlementaire d'Éric Boyer, sénateur et Pt du Conseil général (apparenté RPR).

Seznec : *-4-6* la Commission de révision des condamnations pénales ordonne de nouvelles investigations. Un collège d'experts international va examiner les faux attribués à l'époque à Seznec (voir Index).

Touvier (Paul) : *-7-7* placé sous contrôle judiciaire.

Vols : *-5-7* Martin Davis et son épouse détroussés sur la route du Cap d'Antibes (après-midi) 56 millions de F de bijoux. *-7-7* villa Cap d'Antibes : 10 millions de F en bijoux. *-21-7* bijouterie Cartier, Lyon.

■ **Mathématiques.** *-23-6 Théorème de Fermat* démontré (au tableau noir) en 3 h à Cambridge, par l'anglais Andrew Wiles (n. 1931), à l'occasion d'un colloque international de mathématiques. Formulé au XVIIe s. par le mathématicien Pierre de Fermat (1601-65), magistrat de Toulouse et de Castres : « Pour tout n supérieur ou égal à 3n il n'existe pas d'entiers x, y, z non nuls tels que xn + yn = zn. » Faute de pouvoir le démontrer, les mathématiciens s'étaient contentés de le vérifier pour des valeurs données de n. Depuis l'avènement des ordinateurs, la vérification avait été poussée jusqu'à des exposants atteignant 4 000 000. A la fin des années 80, le Japonais Yoichi Miyaokaune avait proposé une démonstration. Mais après plusieurs mois de vérifications, il apparut qu'il s'était fourvoyé. Plusieurs mois de travail seront nécessaires pour vérifier les 1 000 pages de formules de la démonstration de Wiles.

■ **Médecine. Assurance maladie** : Économies attendues du plan Veil : 32,2 milliards de F (dont 26,2 pour le régime général) en 1993-94. *Assurés sociaux* : à compter du 1-8, niveau de remboursement réduit de 5 points. Ne sont pas concernés 10 % d'assurés sociaux bénéficiant d'une exonération du ticket modérateur au titre d'une affection de longue durée, d'une invalidité ou aux femmes enceintes à partir du 5e mois de grossesse ; les bénéficiaires de régimes particuliers d'ass. maladie assurant automatiquement la gratuité des soins. L'effort demandé équivaut à un prélèvement de 160 F par personne. Forfait hospitalier : passe de 50 à 55 F ; sera dû le dernier j de l'hospitalisation. *Économie* : 900 millions de F en année pleine. Seules les dépenses directement liées à la maladie qui ouvrent droit à la gratuité des soins seront prises en charge à 100 %, ce qui devrait réduire les dépenses de 1,7 milliard de F. *Profession de santé* : attente de la prochaine convention négociée. 10,7 milliards de F d'économies attendus en 1994. *Hôpitaux* : taux directeur déterminant l'augmentation du budget des hôpitaux fixé à 4,5 % en 1994 (contre 5,5 % en 1993), 3,8 milliards d'économies attendus.

Dépenses de santé (en 1992) : 10 674 F par personne : soins hospitaliers (3 729 F à l'hôpital, 1 181 F en clinique), frais de médecin (1 463 F), dentistes (695 F), médicaments (1 900 F), auxiliaires médicaux (469 F), prothèses (290 F).

Greffe de moelle osseuse : *-8-7* (Grande-Bretagne) sur un bébé de 6 mois greffé du cœur 11 jours avant.

Hormone de croissance contaminée : *au 22-6* : 3 procédures judiciaires entamées par des familles dont un enfant est décédé de la maladie de Creutzfeldt-Jakob. *Au 29-7* : 25 malades identifiés.

Mongolisme : le Comité consultatif national d'éthique s'oppose à la mise en œuvre d'un programme visant à instaurer un dépistage de masse, systématique, de la trisomie 21.

Produits amaigrissants : *le 23-2* : 44 produits sont retirés du marché sur ordre du min. de la Consommation.

■ **Sang contaminé** (voir aussi **Justice**). On délivre encore en France des poches de sang contaminé, alors que la contamination des hémophiles est enrayée. Le traitement de l'hémophilie repose sur l'injection au malade d'une substance (facteur antihémophilique) que l'on peut décontaminer ou obtenir pure (par génie génétique), en revanche, le traitement des opérés nécessite l'injection de globules rouges qu'on ne peut encore décontaminer sans les abîmer. Les produits sanguins destinés à la transfusion ne peuvent être garantis par les tests de dépistage des anticorps antiviraux dans le sang des donneurs. On peut recourir à l'autotransfusion (le sang du malade étant prélevé et conservé en prévision d'une opération) ; ou au don recueilli dans l'entourage du malade. Mais légalement l'autotransfusion est interdite et il est impossible de faire de vraies enquêtes de sélection des donneurs sans risquer de lever leur anonymat, ce qui est interdit aussi.

■ **Sida** *Au 31-3-93* : *taux cumulés* (par million d'habitants) : Espagne 475, Suisse 439, *France 426,* Italie 291. *Nombre cumulé d'hémophiles malades du sida* : Espagne 396, All. 370, Roy.-Uni 345, *France 315,* Italie 175. *Transfusés malades du sida* : *France 1 182,* Italie 220, Esp. 185, All. 176, Roy.-Uni 72.

En France : chaque jour, 11 personnes meurent du sida (4 200 décès en 1992). *Nombre de malades déclarés au 10-5-93* : 13 000 (23 000 en cumulé dep. 1981). *Séropositifs* : + de 100 000. *Coût de l'épidémie du sida en France en 1993* : 5,2 milliards de F. *Proportion de femmes enceintes séropositives* : région parisienne 4,5 pour 1 000 ; Prov.-Alpes-Côte d'Azur, 4,2 (Côte d'Azur 9,2). Chaque année sur 1 500 femmes enceintes séropositives 2 sur 3 choisissent de mener leur grossesse à terme engendrant + de 200 enfants séropositifs. **A Paris** : *cas de sida déclarés en 1992* : 1 100 cas ; cumulés 6 055 (5 000 décédés). 3 nouveaux cas par j et 2 décès quotidiens.

■ **Opéra de Paris.** *Nouveau directeur* : Hugues Gall (n. 1940), à partir de 1995 (annoncé 23-7-93). Subvention de fonctionnement versée aux opéras Bastille et Garnier (1993) : 550,618 millions de F (selon le ministère de la Culture), 530 (selon la Cour des comptes). *Saison 1992-93* : 135 représentations lyriques. *Taux d'occupation Bastille* : 95 %.

■ **Politique. Assemblée nationale :** *-8-7* après l'annonce de son renvoi en correctionnelle, *Henri Emmanuelli*, député des Landes, démissionne. *-3-8* la Commission nationale des comptes de campagne et des financements politiques a rejeté les comptes de campagne de 5 députés élus le 28-3 : Bertrand Cousin (RPR, Finistère), Jack Lang (PS, Loir-et-Cher), Jean-Pierre Bloch (UDF, Paris), Pierre Rinaldi (RPR, A.-de-Hte-Prov.) et Bernard Tapie (RL, B.-du-Rh.). Le Conseil constitutionnel devra se prononcer sur la validité des 5 élections, vraisemblablement début septembre.

Parlement européen : *Valéry Giscard d'Estaing* démissionne (Pt du conseil régional de l'Auvergne et député du Puy-de-Dôme, il est touché par la loi sur le cumul des mandats), remplacé par Jean-Paul Heider, vice-Pt (RPR) du conseil régional d'Alsace et conseiller municipal de Thann (Haut-Rhin). *Alain Marleix*, député (RPR) du Cantal, démissionne aussi pour cumul (remplacé par Janine Cayet).

Nationalité : loi sur la nationalité publiée au JO le 23-7-1993 : réforme le droit de la nationalité. *Dispositions d'application immédiate* : allongement de 6 mois à 2 ans du délai nécessaire pour obtenir la nationalité, après le mariage avec un Français ; suppression de la possibilité pour les parents étrangers de demander la nationalité pour leurs enfants mineurs nés en France ; suppression de la procédure de réintégration dans la nationalité française (sauf pour les personnes ayant déjà sollicité l'autorisation de souscrire une telle déclaration). *Applicables au 1-1-1994* : exigence d'une manifestation de volonté entre 16 et 21 ans pour l'acquisition de la nationalité fr. par les jeunes nés en France de parents étrangers nés à l'étranger. Les enfants nés en France (à compter du 1-1-94) d'un parent né dans d'anciens territoires français, avant leur indépendance, ne seront plus français de naissance, sauf si le parent est né en Algérie avant l'Indépendance et justifie d'une résidence régulière en France depuis 5 ans.

Popularité. Cote de popularité *selon BVA* (juillet et, entre parenthèses, par rapport à juin) : Michel Barnier 70, Simone Veil 70 (-4), Édouard Balladur 61 (+2), François Bayrou 58 (-9), Charles Pasqua 57 (-7), Nicolas Sarkozy 49 (-13), Alain Madelin 48 (-12), Michel Giraud 47 (-8), François Mitterrand 45 (-1), Jacques Delors 44 (-2), Philippe Seguin 35 (-1), Jacques Chirac 34 (-1), Valéry Giscard d'Estaing 31 (-6), Michel Rocard 27 (-5), Bernard Tapie 23 (-9) ; *selon l'Ifop* : Balladur juin 57 (juillet 53), Mitterrand 41 (39) ; *selon le CSA* : Balladur juin 52 (juillet 57).

Meilleurs présidentiables au 2e tour (sondage CSA, juillet 1993) *Balladur* 69 % (devant Rocard) ou 61 % (devant Delors). *Chirac* 67 % (devant Monory), 62 % (devant Léotard), 60 % (devant Giscard d'Estaing), 58 % (devant Rocard). *Barre* 54 % (devant Chirac). *Delors* 53 % (devant Chirac).

Réforme constitutionnelle : comité mis en place à la demande de François Mitterrand, en décembre 1992, et présidé par Georges Vedel, rapport le 15-2-93. Le Conseil des ministres du 10-3 a approuvé 2 projets de révision de la Constitution portant, sur la saisine du Conseil constitutionnel par les justiciables, la revalorisation des droits du Parlement, l'extension du champ du référendum et de son initiative aux citoyens, la redéfinition des rapports entre le chef de l'État et le Premier ministre ; le Conseil supérieur de la magistrature, la Haute Cour de justice... Le 12 mars 1993, ces projets étaient déposés sur le bureau du Sénat, qui a profité de son égalité de statut avec l'Assemblée nationale pour imposer largement ses vues. Le gouvernement Balladur n'a ainsi retenu qu'une partie du projet et renvoyé à plus tard, après l'élection présidentielle de 1995, toute nouvelle révision. Le projet de loi constitutionnelle modifiant la Haute Cour de justice et le Conseil supérieur de la magistrature a été voté le 19-7-93 par le congrès à Versailles. Votants : 886 (sur 896 inscrits). Suffrages exprimés : 867, majorité requise : 521 (3/5 des suffrages expr., pour 833, contre 34). ASSEMBLÉE NAT. : *RPR* 257 : pour 252, non votants 5 dont Séguin (Pt du Congrès). *UDF* 215 : pour 214, abstention volontaire 1 (Gantier). *PS* 56 : pour 52, abst. vol. 4 ; *PC* 23 : contre 17, abs. vol. 6. *République et Liberté* 23, pour 23. *Non-inscrit* 1 : pour 1 (Michel Noir). SÉNAT : *RPR* 91 : pour 85, contre 2, abs. vol. 2. *PS* 71 : pour 63, abs. vol. 6, non-votants 2 (Fuzier, Quilliot). *Union centriste* 64, pour 64. *Rép. et Indép.* 47, pour 47. *RDE* 24 : pour 23, non-votants 1 (Giacobbi). *PC* 15 : contre 15. *Sénateurs ne figurant sur la liste d'aucun groupe* 9 : pour 9.

Le Conseil supérieur de la magistrature comprend 2 formations, l'une compétente à l'égard des magistrats du siège, l'autre à l'égard des magistrats du parquet.

La Haute Cour est remplacée par la Cour de justice de la République, qui comprend 15 juges : 2 parlementaires élus en leur sein et en nombre égal, par l'Assemblée nationale et par le Sénat après chaque renouvellement général ou partie de ces Assemblées et 3 magistrats du siège de la Cour de cassation dont l'un préside la Cour de justice. Toute personne physique qui se prétend lésée par un crime ou un délit commis par un membre du gouvernement dans l'exercice de ses fonctions peut porter plainte auprès d'une commission des requêtes. Cette commission ordonne soit le classement de la procédure, soit sa transmission au procureur général près la Cour de cassation aux fins de la saisine de la Cour de justice de la Rép. Le procureur peut aussi saisir d'office la Cour de justice, sur avis conforme de la commission des requêtes.

Sénat : *-20-6. François Collet* (n. 9-2-1923, RPR), maire du 6e arrondissement, élu sénateur de Paris pour remplacer Roger Romani devenu ministre délégué.

Sommet franco-britannique : *-27-7* à Londres.

Sommet du G7 : *du 7-7 au 9-7-93*, à Tōkyō : groupant les 7 pays les plus riches du monde (en calculant leur PNB à partir des taux de change courants entre le dollar et les autres monnaies), soit en milliards de $ (1991) : États-Unis 5 610, Japon 3 360, Allemagne 1 570, *France 1 200,* Italie 1 150, G.-B. 1 010, Canada 580.

Avec la nouvelle méthode du FMI, du PNB corrigé, qui prend aussi en compte le pouvoir d'achat d'une monnaie (ainsi avec 1 $, on a plus en Chine qu'aux États-Unis), le classement est différent : États-Unis 5 610, Japon 2 370, Chine 1 660, Allemagne 1 250, *France 1 040,* Inde 1 000, Italie 980.

En marge du Sommet : consensus pour débloquer les négociations commerciales multilatérales ; rencontre avec Boris Eltsine : la Russie a obtenu la confirmation de la création d'un fonds multilatéral de privatisation doté de 3 milliards de $; le *10-7*, Bill Clinton conclut avec le Premier min. jap. un accord définissant les nouvelles règles du jeu des relations commerciales américano-nippones.

La CEI (demandeur) reste cependant la puissance la mieux dotée du monde en ressources naturelles. [Part de la CEI dans la production mondiale (en 1991, en %) : Minéraux : titane 50, platine 44, manganèse 38, mercure 37, chrome 27, magnésium 26, nickel 23, diamant 18, or 15, étain 14, zinc 14, plomb 14, argent 11. Sources d'énergie : uranium 50, gas naturel 25, pétrole 18.]

■ **Prix. Architecture :** *Pritzker* Fumihiko Maki (Jap.) 100 000 $. **Biennale de Venise** (Lions d'Or) *peinture* : Richard Hamilton (G.-B.), Antoni Tapies (Esp.) ; *sculpture* : Robert Wilson (USA).

Cinéma : *Festival de Biarritz du film d'entreprise* : Tagger de Renault.

Littérature : *Prix de l'Académie française* : Louis Nucera 300 000 F. Grand Prix de Poésie : Georges Saint-Clair 100 000 F. Grand Prix de Philosophie : Isabelle Stengers 50 000 F. *Moron* : Jacques Testart « le Désir du gêne » 50 000 F. *Gobert* : Pierre Nora « Lieux de mémoire » 50 000 F. *Cino-del-Duca* : Robert Mallet 200 000 F. *Colette* : Salman Rushdie. *Courteline* : Jacques Pessis « Pierre Dac, mon maître, soixante-trois ». *Elle (lectrices)* : Bernard Werber « le Jour des fourmis », (Albin Michel). *Jean-Freustié* : Jean-Paul Kauffmann « l'Arche des Kerguelen ». *Lazare-Carnot* : Pierre Raviart. *Du Monde arabe* : Abdelhak Serhane « le Soleil des obscures ». *Printemps de la biographie* : Pierre Sipriot « Balzac sans masque » (Laffont) 80 000 F. *Proust* : René de Obaldia 50 000 F. *Roger-Nimier* : Dominique Muller « C'était le paradis » (Seuil). *Valery-Larbaud* : Olivier Germain Thomas « Au cœur de l'enfance » (Flammarion).

Musique : *Piano masters* : Natalia Troul (Russe). *Django d'Or* : Bireli Lagrene (gitan français).

■ **Religion. Canonisation :** *-11-5 Paul VI* : ouverture du procès de canonisation du pape. *16-6 Marie-Louise Trichet* (1684-1759, Fr.) : béatifiée.

Cardinal : décès à 83 ans du *cardinal Gordon Joseph Gray*, archevêque d'Édimbourg (G.-B.). Le Sacré Collège compte 149 cardinaux (dont 108 de + de 80 ans) électeurs du pape en cas de conclave. *Cardinal béninois Bernardin Gantin* (n. 8-5-1922), élu doyen du Sacré Collège (cardinal Casaroli ancien secr. d'État, élu vice-doyen). *Cardinal Martinez Somalo* : nommé camerlingue en remplacement du cardinal Sebastiano Baggio († 21-3).

Carmel d'Auschwitz : *-14-4* lettre du Pape aux carmélites d'Auschwitz leur ordonnant le transfert dans le nouveau carmel.

Clergé : le synode de Lyon (532 délégués représentants de toutes les communautés et paroisses) préconise l'ordination d'hommes mariés et le diaconat des femmes. Ordination de 3 prêtres traditionalistes appartenant à la Fraternité Saint-Pierre, selon le rite romain d'avant Vatican II.

Missionnaires : 144 missionnaires catholiques tués au cours des 10 dernières années, dont Angola 16 victimes, Mozambique 13, Colombie 13, Ouganda 10, Brésil 8, Philippines 7, Salvador 6, Inde 5, Sri Lanka 5.

Musulmans : la Fédération nationale des musulmans de France (FNMF), qui groupe une centaine d'associations, se retire de la Coordination nationale des musulmans de France (CNMF), créée le 14-4 par Dalil Boubakeur.

■ **Retraités.** *Nombre de préretraités de 55 à 59 a.* : 175 700 dont 13 000 à mi-temps (fin 1992). *Coût des préretraites en 1992* : 14,2 milliards de F (dont env. 80 % financés par l'État).

Traditionalistes : Mgr Decourtray ordonne 3 prêtres traditionalistes appartenant à la Fraternité Saint-Pierre, selon le rite romain d'avant Vatican II.

■ **Sports.** NATATION. CHAMPIONNATS DE FRANCE **1993 : Hommes :** *Brasse 200 m* : 93 Rey 2'17"27. *Relais. Nage libre : 4 × 200 m* : 93 Mulhouse olympique 7'38"95. **Dames :** *Nage libre : 100 m* : Jacquier 58"95. *800 m* : 93 Wirth 8'53"31. *Dos : 200 m* : 93 Wirth 2'20"65. *Brasse : 200 m* : 93 Chuiton 2'36"37. CHAMPIONNATS D'EUROPE **1993 : Hommes :** *Nage libre : 50 m* : Popov 22"27. *100 m* : Popov 49"15. *200 m* : Kasvio 1'47"11. *400 m* : Kasvio 3'47"81. *1 500 m* : Hoffmann 15'13"31. *Dos : 100 m* : Lopezzubero 55"03. *200 m* : Selkov 1'58"09. *Brasse : 100 m* : Guttler 1'1"04. *200 m* : Gillingham 2'12"49. *Papillon : 100 m* : Szukala 53"41. *200 m* : Pankratov 1'56"25. *4 nages : 200 m* : Sievinen 1'59"50. *400 m* : Darnyi 4'15"24. *Relais 4 nages : 4 × 100 m* : Russie 3'38"90. *Nage libre : 4 × 100 m* : Russie 3'18"80. *4 × 200 m* : Russie 7'15"84. **Dames :** *Nage libre : 50 m* : Van Almsich 25"53. *100 m* : Van Almsich 54"57. *200 m* : Van Almsich 1'57"97. *400 m* : Hase 4'10"47. *800 m* : Henke 8'32"47. *Dos : 100 m* : Egerszegi 1'0"83. *200 m* : Egerszegi 2'09"12. *Brasse : 100 m* : Gerash 1'10"05. *200 m* : Bécue 2'21"18. *Papillon : 100 m* : Plewinski 1'0"13. *200 m* : Egerszegi 2'10"71. *4 nages 200 m* : Hunger 2'15"33. *400 m* : Egerszegi 4'39"55. *Relais : 4 nages : 4 × 100 m* : Allemagne 4'06"91. *Nage libre 4 × 100 m* : Allemagne 3'45"33. *4 × 200 m* : Allemagne 8'3"12.

NATATION SYNCHRONISÉE : *solo 93* : Sedakova (Russie). *Duo 93* : Sedakova-Kozlova (Russie). *ballet* : Russie.

PLONGEON : **Messieurs :** *Tremplin 3 m* : Hempel (All.).

■ **Télévision.** Le CSA déclare que **Canal Plus** a respecté ses obligations : 60,44 % de films d'origine européenne requis et 43,55 % de films d'expression originale française contre 40 % demandés. Il manque 140 000 F (sur 1 366,5 millions) pour que Canal Plus remplisse son obligation de consacrer 20 % de son chiffre d'affaires à des achats de droits de films, et 2,37 millions (sur 612,6) d'achat de films français pour atteindre l'obligation de 45 %. **TF1** a, pour la 1re fois dep. 1987, respecté ses obligations : elle a diffusé 59 % d'œuvres audiovisuelles européennes (pour 60 % demandés) et 46,6 % d'œuvres françaises (pour 40 %), et dépassé le quota minimal de production fr. de 15 % du chiffre d'aff. net (15,52 %). Le non-respect de ce quota en 1991 lui avait valu 30 millions de F d'amende en 1991, mais les engagements envers la Sté française de production ont pris des retards. **M6** a respecté ses quotas de diffusion français et européens sur l'ensemble de la journée, mais, pour les heures de grande écoute, le quota européen n'est pas respecté (53,3 % au lieu de 60). M6 est en retard sur un engagement spécifique conclu lors de son autorisation, qui l'obligeait à diffuser « 69 % de programmes francophones au cours de son 5e exercice, pour la 3e année consécutive ». Les quotas de production sont dépassés : 28,9 % du chiffre d'aff. net pour les œuvres européennes (contre 20 % demandés) et 23, 7 % pour les œuvres fr. (contre 15 % demandés).

■ **Transport. Avion :** Le 8-7 un cadavre ayant quelques roubles dans les poches est tombé du ciel dans un jardin d'Eaubonne (Val-d'Oise), il s'agirait d'un passager clandestin qui serait tombé du compartiment abritant le train d'atterrissage de l'avion de ligne Moscou-Paris d'Air-France. **Automobiles** (ventes en France) : baisse sur 7 mois (1-1 au 31-7) : – 17 % (PSA – 18,9, Renault – 12,7). **Essence :** fiscalité relevée de 33 c (Tipp 28 c, TVA 5 c). Le prix moyen de 1 litre de super passe de 5,31 à 5,64 F (sans plomb 5,09 à 5,42) ; gazoile (diesel) 3,55 à 3,88. **Permis à point** (de juillet 1992 à juin 1993) : 103 353 conducteurs se sont vu retirer des points. *Baisse du nombre de tués* : 850 ; *de blessés* : 16 000. (moyenne annuelle de tués : 8 927). **SNCF :** baisse du trafic (1er semestre 1993) : 8,4 %.

■ **Ventes :** Légende : P = Paris). *Bronze des steppes* boucle du Caucase I-IIe s. 8,8 × 9,81 500 000 F record mondial (P *30-7*).

César : « Pouce » (haut. 140 cm) épreuve d'artiste en bronze (1/8) 600 000 F (P *23-6*).

Cézanne : « Les grosses pommes » 157 313 750 F, record (Sotheby, New York *11-5*).

Chopin : manuscrit 1er état de la « Grande Valse brillante, en mi bémol », 1834, 8 p., 700 000 F (P *26-5*).

Christ : relique de la Croix 100 000 F (P *12-5*).

Corneille : manuscrit signé Pierre et Thomas 130 000 F (P *27-6*).

Einstein (Albert) : 2 p. manuscrites du 16-4-1935 52 000 F (P *23-6*).

Gide (André) : manuscrit quasi complet du « Voyage d'Urien » 89 000 F (P *28-5*).

Liotard (Jean-Etienne, 1702-89) : huile (28 × 36 cm) 9 000 000 de F, record (P *4-6*).

Machine à calculer de Jean-Christophe Schuster (All.) : 9,5 cm, diam. 21,5 cm, 20 cadrans, 10 guichets compteurs (1820), 65 millions de F (7 701 500 £, Christie's Londres, *juin*).

Madonna : bustier porté pour sa 1re tournée européenne, 70 000 F (Christie's Londres, *mai*).

Monnoyer (J.-Baptiste, 1636-99) : tableau « Bouquet de fleurs » 1 850 000 F, record (P *24-6*).

Montre de poche par Louis Audemars (1878) : 1 550 000 F (P *11-6*).

Nicolas : collection des catalogues des vins 1927-81, 59 000 F (P *20-2*).

Presley (Elvis) : guitare de ses débuts, 837 540 F (Christie's Londres, *mai*).

Tchérina (Ludmilla) : bronze (35 × 36, 2/8) 215 000 F (P *8-7*).

Tintin (Albums) : « Au Pays des Soviets » (édition noir et blanc, 1930) 21 000 F ; « Le Lotus bleu » (1936), 20 200 F ; dessin encre de chine pour pages de garde 400 000 F (P *7-6*).

☞ **Vente des collections du Cte de Paris :** *prévue 3 et 4-7-93*, suspendue par ordonnance du 30-6-93, confirmée en appel le 2-7 à la demande de 6 enfants (sur 9) du Cte de Paris pour lesquels leur père n'était que dépositaire de ces souvenirs de famille. Estimée 15 millions de F, la collection comprend : 106 tableaux, 200 aquarelles et dessins du Pce de Joinville, 100 meubles, objets d'art, pièces d'argenterie, 138 livres et des bijoux (dont parure de la reine Amélie : 5 millions de F).

Énigmes

☞ Suite de la page 1886.

■ Imposteurs

Bourbon-Conti (Stéphanie-Louise de). Née en 1768, fille naturelle du prince de Conti et de la duchesse de Mazarin. Elle fut déclarée sous le nom de comtesse de Mont-Cair-Zina (anagramme de Conti-Mazarin). Son demi-frère, le Cte de la Marche, la déclara morte le 7-6-1773, et la maria en 1773 à un procureur de Lons-le-Saunier nommé Billet, après lui avoir imposé un faux état-civil (celui de la fille de sa femme de chambre, nommée Delorme). Stéphanie fit reconnaître sa vraie naissance par son cousin Louis XVI en 1788, mais elle tomba dans la misère à la Révolution. Barras, qui était en relations secrètes avec Louis XVIII, lui octroya un débit de tabac à Orléans où elle mourut en 1825.

Son histoire a été racontée par Goethe dans la *Fille naturelle.*

Chevalier d'Éon. Aventurier du XVIIIe siècle (1728-1810) ; de son vrai nom Charles de Beaumont d'Éon. On ignora longtemps son sexe. C'était en réalité un homme, mais il s'habillait en femme et signait « la chevalière », ce qui ne l'empêcha pas d'être un bon soldat, et un diplomate de valeur.

Demetrius (faux). Plusieurs imposteurs, au début du XVIIe s., fomentèrent des troubles sanglants en se faisant passer pour le tsarévitch Dmitri (n. 1581, assassiné en 1591 par le régent Boris Godounov). Le plus connu, apparu en 1603, aurait été en réalité le moine Gregor Otrapiev. Couronné tsarévitch (Moscou 1605), il fut assassiné l'année suivante.

L'Inconnue de la Seine. Jeune femme dont le cadavre fut repêché à Paris. Un moulage de son visage fut pris à la Morgue. Une légende s'est formée autour.

Jack l'Éventreur. Assassin jamais identifié qui, d'août à novembre 1888, tua et mutila atrocement 5 (peut-être 6) prostituées dans les rues de Londres. On a pensé à un policier ou à un pasteur, à l'avocat Montague John Druitt (qui se suicida après le dernier meurtre), au duc de Clarence, fils aîné du prince de Galles (syphilitique et déséquilibré notoire), à un certain James Stephen, ami intime du duc, à sir William Gull, médecin de la famille royale.

Madame Royale (comtesse des Ténèbres). Surnom donné à une mystérieuse comtesse Vavel de Versay qui s'était installée à Eishausen (Saxe) de 1807 à sa mort (25-11-1837) avec son prétendu mari. On a dit qu'il s'agissait de Madame Royale, la fille de Louis XVI. On aurait voulu ainsi s'assurer son silence quant à l'évasion du Dauphin. La duchesse d'Angoulême, revenue à la cour à la Restauration, aurait été une fausse Madame Royale substituée (peut-être une princesse de Condé de la main gauche).

Saint-Germain (Comte de). Aventurier du XVIIIe s., mort en 1784. Il prétendait vivre depuis des siècles : en réalité, cela lui permit de s'inventer un passé fantaisiste.

Les témoignages selon lesquels il aurait été vu vivant au XXe siècle relèvent évidemment de la supercherie.

☞ **Voir à l'index.** Choiseul-Praslin. Faux dauphins. Hauser (Gaspard). Jean le Posthume. Masque de fer. Molière (a-t-il écrit ses pièces ?). Négresse de Moret. Shakespeare (a-t-il existé ?). Weygand (naissance).

■ Bruits et explosions

Explosions au-dessus du Pacifique (9-4-1984). Un gigantesque nuage en forme de champignon (largeur : 320 km, hauteur : 18 000 m) apparu à 300 km du Japon et 400 km des îles Kouriles. *Hypothèse* : explosion nucléaire d'un sous-marin soviétique justifiée par la vitesse d'ascension du nuage (7 km/min, un cumulo-nimbus ne dépassant pas 2,4 km/min) mais ni ondes sous-marines, ni radioactivité ne furent détectées.

Attentats politiques

☞ Suite de la page 1887.

Nota. – (1) L'attentat échoue. *En italique* : auteurs des attentats.

Russie. **1762**-*17-7* Pierre III *(Orlov et ses gardes).* **1804**-*24-3* Paul Ier *(Cte Pahlen).* **1864**-*3-7* Gd-duc Constantin [1]. **1866**-*16-4* Alexandre II *(Karakozow)* [1]. **1867**-*6-6* au Bois de Boulogne *(Berezowski)* [1]. **1878**-*5-2* Gal Dimitri Fedorovitch Trepov, chef de la police *(Vera Sassoulitch)* [1]. *-16-8* Gal Mesentzov, chef de la police (poignardé). **1879**-*21-2* Pce Krapotkine, gouverneur de Kharkov *(meurt 8 j après). -25-4* Gal Drentalen, chef de la police *(Léon Mirsky)* [1]. *-14-4* Alexandre II *(Soloviev).* **1880**-*3-3* Gal Loris Melikov, dictateur *(Madetski). -13-3* Alexandre II *(des nihilistes dynamitent le palais d'hiver à St-Pétersbourg :* 10 gardes finlandais tués, 53 blessés) [1]. **1881**-*1-3* Alexandre II *(Russakov).* **1882**-*30-3* Gal Strelnikov, procureur militaire *(nihilistes).* **1883**-*28-12* Colonel Soudaikine, chef de la police secrète *(Degayev).* **1887**-*13-3* Alexan-dre III *(6 jeunes nihilistes arrêtés)* [1]. **1891**-*23-5* Nicolas II *(Tsouda Sanzo, jap.)* [1]. **1902**-*15-4* Dimitri Sipiaguine, min. de l'Int. *(Malyschew). -16-4* Gal Nikolai Ivanovitch Bobrikov, gouverneur général de Finlande *(Eugène Schaumann).* **1904**-*28-7* Venceslas Plehve, min. *(Sasenov).* **1905**-*17-2* Grand-duc Serge *(Kolïanov).* **1906**-*25-8* Pierre Stolypine, PM (bombe) [1]. Ses 2 enfants tués. **1911**-*14-9 (Bogrov).* **1916**-*2-12* Raspoutine (*Pce Youssoupof,* † 1967). **1917**-*21-12* Ivan Longinovitch Goremykine, 1er min. *(massacré par des Bolcheviks).* **1918**-*5-7* Gd-duc Michel, fr. de Nic. II. *-6-7* Cte Wilhelm von Mirbach, amb. d'Allemagne à Moscou *(Bolcheviks). -16-7* Nicolas II et sa famille massacrés à Ichaterinbourg (Crimée). *-30-7* Gal Hermann von Eichhorn *(Bolcheviks),* en Ukraine. *-30-8* Lénine *(Fanny Roid-Kaplan)* [1]. **1926**-*5-5* Simon Petlioura, dirigeant ukrainien *(agents communistes),* à Paris. **1927**-*7-6* Wolykov, ambassadeur soviétique *(anticommunistes polonais).* **1934** S. Miranovitch Kirov, secr. du PC *(trotskistes).* **1937**-*19-9* Gal Evgeni Miller, dirigeant russe blanc, enlevé à Paris *(par le G.P.U.).* **1938**-*16-2* Léon Sedov Trotski, fils de Léon Trotski *(emprisonné dans un hôpital parisien, par des agents du N.K.V.D.).* **1940**-*21-8* Trotski *(Jacques Mornard),* au Mexique. **1969**-*22-1* Léonid Brejnev *(Anatoly Ilyin)* [1].

Tunisie. **1952**-*5-12* Dr Farhat Hached, secr. gén. de l'Union des Travailleurs tunisiens *(la « Main rouge »).* **1961**-*12-8* Salah ben Youssef, ancien min. de la Justice, à Francfort.

Turquie. **1808**-*28-6* Selim, sultan *(son neveu Mustapha).* **1876**-*4-6* Abdülaziz, sultan. **1905**-*21-7* Abdülamid II [1] (24 †, 57 bl.). **1906**-*23-3* Redvan Rasha (préfet de Constantinople). **1921**-*15-3* Talaat bey, min. de l'Intérieur *(étudiant arménien).*

Uruguay. **1868**-*19-2* Venancio Flores, Pt. **1897**-*25-8* Juan Idiarte Borda, Pt.

USA. **1835**-*30-1* Andrew Jackson, Pt *(Richard Lawrence)* [1]. **1865**-*14-4* Abraham Lincoln, Pt († 15-4) *(John Wilkes Booth).* **1881**-*2-7* James A. Garfield, Pt († 19-9) *(Charles J. Guiteau).* **1901**-*6-9* William Mac Kinley, Pt († 14-9) *(Léon Czolgosz).* **1912**-*14-10* Théodore Roosevelt, ex-Pt *(Johann Schranck)* [1]. **1933**-*15-2* Anton J. Cermak, maire de Chicago († 6-3) (*Giuseppe Zangara,* qui avait visé F. D. Roosevelt, Pt). **1935**-*8-9* Huey P. Loug († 10-9), sén. Louisiane *(A. Weiss).* **1950**-*1-11* Harry Truman, Pt *(Collazo* et *Torresola)* [1]. **1963**-*22-11* J.F. Kennedy, Pt *(Lee Harvey Oswald ?).* **1967**-*26-8* George Lincoln Rockwell, chef du parti nazi américain (*John Patler,* son « min. de la Propagande »). **1968**-*4-4* Martin Luther King, pasteur noir défendant la non-violence *(James Earl Ray). -4-6* Bob Kennedy (n. 1925), frère du Pt J.F. Kennedy et candidat à la prés. *(Sirhan Sirhan).* **1972**-*15-5* George C. Wallace, gouverneur de l'Alabama *(Arthur Herman Bremer)* [1]. **1975**-*6-4* Gerald Ford, Pt *(Franklin Lim)* [1]. *-18-8 (Thomas Elbert)* [1]. *-5-9 (Lynette Alice Fromme,* elle ne tira pas) [1]. *-22-9 (Sarah Jane Moore)* [1]. **1981**-*30-3* Ronald Reagan, Pt *(John W. Hinckley),* 3 blessés [1].

Vatican. **1848**-*15-11* le Cte Rossi, PM des États de l'Église *(Carbonari).* **1970**-*27-11* Paul VI, à Manille *(Benjamin Mendoza)* [1]. **1981**-*13-5* Jean-Paul II, à Rome *(Mehmet Ali Agça)* [1]. **1982** *-2-5* à Fatima (Portugal) [1].

Viêt-nam S. **1963**-*1-11* Ngo Dinh Diem, Pt.

Yémen du N. **1977**-*11-10* Ibrahim al Hamdi, Pt. **1978**-*24-6* Lt-Cel Ahmed al Ghachemi, Pt.

Yougoslavie. **1860**-*1-8* Danilo Ier, Prince de Monténégro *(Kaditch).* **1934**-*9-10* Alexandre Ier, à Marseille.

Zaïre. **1961**-*12-2* Patrice Lumumba, ex-PM.

FAITES CE TEST

Combien ont coûté les palais des congrès de province ?

En millions de F *1992:* celui de Nantes 840, Deauville 300 ; *1989:* Montpellier 800 ; *1984:* Nice 650 ; *1982:* Cannes 700.

Combien y a-t-il de goélands dans l'ouest de la France ?

Environ 90 000. Il y en avait 100 en 1920 et 22 000 en 1965.

Peut-on se dispenser de redevance télé ?

Oui, en faisant acheter son poste par une personne déjà soumise à la redevance, ou une personne exonérée ; ou en remplaçant son récepteur par un moniteur TV (si on possède un magnétoscope – qui échappe à la redevance – on peut acheter un moniteur écran TV et le brancher dessus : le moniteur, faute de tuner, ne peut capter les chaînes de télévision ; le magnétoscope le peut) ; ou en refoulant l'huissier, venu récupérer les sommes dues, s'il ne peut produire le titre exécutoire en vertu duquel il agit (art. 551 du Code de procédure civile). Ce titre est délivré après décision de justice mais il ne l'a jamais.

Qu'est-ce que la squalamine ?

Un nouvel antibiotique bactéricide, fongicide et antiprotozoaires découvert dans l'estomac du requin.

Combien de girafes sont nées au zoo de Vincennes ?

98 depuis sa création en 1934.

Jusqu'à quand les chirurgiens ont-ils opéré à mains nues ?

Jusqu'en 1890, date d'apparition des gants en caoutchouc.

De quand date l'électrochoc ?

L'électrochoc permettant de soigner les malades mentaux date de 1938 (les neuroleptiques datant de 1951, les antidépresseurs de 1956, les benzodiazépines de 1957).

Comment soignait-on les blessures dans les armées arabes ?

En prélevant un peu de moisissure sous la selle des chevaux (semblable à la pénicilline découverte par Fleming).

De quand date la première radiographie ?

De décembre 1895. Le médecin bavarois Röntgen radiographia la main de sa femme.

Peut-on réglementer l'utilisation des tondeuses à gazon ?

Oui, le décret du 5 mai 1988 permet aux préfets et aux maires de réglementer les heures d'utilisation.

Quelles sommes aurait versé le parti communiste d'URSS aux partis frères ?

Selon les archives soviétiques, 500 millions de $ de 1950 à 1991 (dont 60 au PC italien, 40 au PC américain et 33 au PC français).

Qu'est-ce que l'art topiaire ?

La sculpture végétale.

Les chauves sont-ils menacés ?

Les chauves de moins de 55 ans courent 3 fois plus de risques d'avoir une crise cardiaque.

Combien de casques bleus de l'ONU ont-ils été tués en opérations de maintien de la paix ?

En août 1993, le total atteignit 860 depuis 1948 [dont 192 au Liban, 41 en ex-Yougoslavie (dont 14 Français), 40 au Cambodge].

Qui dirige les républiques de l'ex-URSS ?

Sur 15 républiques, 2 seulement sont dirigées par des hommes n'ayant pas appartenu au parti communiste.

Combien touche un commandant de sous-marin nucléaire soviétique à la retraite ?

L'équivalent de 60 F par mois.

Les abeilles peuvent-elles devenir alcooliques ?

Oui. Le nectar contient 40 à 50 % de sucre et la chaleur et l'humidité s'y prêtent ; le miel fermente et produit ainsi une sorte d'hydromel.

La mante religieuse femme est-elle particulièrement féroce ?

Elle ne mange son partenaire mâle que si elle n'a pas été nourrie avant.

D'où vient le mot échalote ?

De la ville d'Ascalon (Palestine) où c'était une culture locale.

Quand fut créée la chanson *Lily Marlene* ?

En 1939 en Allemagne par la chanteuse Lale Andersen. Les paroles sont de Hans Leip et la musique de Norbert Schultze (paroles françaises de Henry Lemarchand).

INDEX

☞ *Nota* – Cet index comprend 110 033 entrées et donne la liste des principaux mots clefs (46 568 mots clés en gras, 103 033 mots seconds et mots troisièmes). Des lettres suivent le numéro de la page, elles indiquent la colonne (*a* colonne de gauche, *b* colonne du milieu, *c* colonne de droite), v. signifie voir et renvoie à un autre mot clé. Si un nom propre ne figure pas à l'index, vous pouvez le chercher à un nom commun, exemple : acteur, actrice, peintre, sculpteur. Si vous désirez, par exemple, connaître :

– la superficie, la population, les souverains d'un pays, cherchez au pays en question ;
– les villes, les prix des terres d'un département, cherchez à département ou à terre ;
– les œuvres d'un écrivain ou d'un peintre, cherchez à littérature ou à peinture ;
– la date de naissance d'une actrice, cherchez à cinéma ou à personnalités, d'un homme d'État, cherchez à chefs d'États, ministres ou partis, etc.

Légende – Mots imprimés en gras : mots clefs ; *en caractères ordinaires :* mots seconds ; *en italiques :* mots troisièmes.
Exemple : **Accident** automobile *assurance*.

A

B

Pour en savoir plus demandez le Quid des Présidents de la République

Pour plus de renseignements demandez à votre libraire l'édition spéciale Quid Belgique

C

Pour en savoir plus demandez le Quid des Présidents de la République

D

E

Pour en savoir plus demandez le Quid de la Tour Eiffel

F

G

Pour en savoir plus demandez le Quid des Présidents de la République

H

I

J

K

L

M

Pour en savoir plus demandez le Quid des Présidents de la République

N

P

Pour en savoir plus demandez le Quid des Présidents de la République

Q

R

Pour en savoir plus demandez le Quid des Présidents de la République

T

Pour en savoir plus demandez le Quid de la Tour Eiffel

U

V

X

Y

Connaissez-vous les autres Quid ?

QUID DES PRÉSIDENTS DE LA RÉPUBLIQUE ET DES CANDIDATS (Éditions Robert Laffont)
1 volume, 720 p. avec hors-textes.

QUID DE LA TOUR EIFFEL (Éditions Robert Laffont) 1 volume illustré.

QUID DES AUTEURS (dans la Collection Bouquins, Éditions Robert Laffont) :

- **Marcel Proust,** 3 volumes sous coffret
- **Guy de Maupassant,** 2 volumes sous coffret
- **Alexandre Dumas,** 2 volumes sous coffret

Cet ouvrage a été achevé d'imprimer
le 30 Août 1993 sur les presses
de Maury-Imprimeur S.A. à Malesherbes
pour les Éditions Robert Laffont

Nº d'imprimeur : A93/41709 Q – Nº d'éditeur : 34653
Dépôt légal : août 1993
ISBN 2-221-07597-8

Quid 1994 interroge ses lecteurs

Pour améliorer ce QUID qui vous est destiné, vous pouvez nous renvoyer cette page avec vos suggestions, après avoir rempli le questionnaire figurant au verso de cette page.

Si vous le préférez, vous pouvez aussi nous renvoyer la photocopie de ces 2 pages ou une simple lettre. Merci d'avance de votre obligeance.

Vos suggestions

Page . . . . Chapitre . . . .

. . . .

. . . .

Page . . . . Chapitre . . . .

. . . .

. . . .

Page . . . . Chapitre . . . .

. . . .

. . . .

Page . . . . Chapitre . . . .

. . . .

. . . .

Page . . . . Chapitre . . . .

. . . .

. . . .

NOM . . . .

Prénom . . . .

Adresse . . . .

Age . . . . *Sexe* . . . .

Profession . . . .

Quand avez-vous connu Quid ? . . . .

Vous l'a-t-on offert ? . . . .

L'avez-vous acheté ? . . . . *Si oui, l'achetez-vous chaque année ?* . . . .

. . . .

tous les 2 ans, tous les 3 ans ou plus ? . . . .

Consultez-vous Quid fréquemment ? . . . .

Plusieurs fois par jour ? . . . . *Plusieurs fois par semaine ?* . . . .

. . . .

A quelle occasion ? . . . .

. . . .

. . . .

Combien de personnes consultent votre exemplaire de Quid ? . . . .

. . . .

Souhaitez-vous un Quid sur Minitel ? ☐ Oui ☐ Non

Pourquoi ? . . . .

Combien de fois le consulteriez-vous ?

par semaine . . . . *par mois* . . . . *par an* . . . .

Veuillez adresser vos suggestions :

M. FRÉMY – B.P. 447.07 – 75327 PARIS CEDEX 07

Distances par la route en km

	Paris	Lyon	Marseille	Strasbourg	Bruxelles	Genève	Luxembourg
Amsterdam	514	995	1 323	683	220	1 014	429
Athènes	3 146	2 774	2 797	2 581	3 021	2 692	2 744
Barcelone	1 125	644	515	1 072	1 419	758	1 153
Belgrade	1 957	1 585	1 608	1 392	832	1 503	1 555
Berlin	1 094	1 289	1 584	801	782	1 141	767
Berne	556	317	598	232	655	155	429
Bruxelles	294	671	999	488		674	220
Copenhague	1 329	1 586	1 914	1 158	1 035	1 531	1 106
Genève	546	162	443	371	674		492
Kiel	977	1 234	1 562	806	683	1 195	754
La Haye	464	945	1 273	668	170	964	390
Le Havre	211	692	1 020	667	407	757	511
Lisbonne	1 786	1 784	1 781	2 212	2 080	2 024	2 192
Luxembourg	348	509	873	224	220	492	
Lyon	481		382	428	671	162	509
Madrid	1 268	1 272	1 143	1 700	1 562	1 386	1 781
Marseille	809	328		814	999	443	837
Milan	850	494	587	511	934	412	708
Munich	827	753	1 034	371	811	591	543
Naples	1 764	1 299	1 189	1 425	1 848	1 326	1 622
Nice	921	440	227	868	1 277	483	949
Paris		481	809	456	294	546	348
Prague	1 094	1 116	1 397	638	911	954	746
Rome	1 531	1 066	956	1 192	1 615	1 093	1 389
Strasbourg	456	428	814		488	371	224
Stuttgart	621	667	948	165	641	505	325
Trieste	1 292	936	998	905	1 393	854	1 166
Venise	1 145	789	812	806	1 229	707	1 003
Vienne	1 285	1 217	1 414	829	1 134	1 055	1 001
Zurich	557	404	721	218	641	278	415

■ Distances de Paris, en km par la route. Bergen 2 303, Bucarest 2 290, Budapest 1 990, Cardiff 668, Cologne 494, Dublin 826, Édimbourg 1 044, Florence 1 215, Francfort 571, Gibraltar 2 020, Göteborg 1 492, Hambourg 955, Hammerfest 3 740, Helsinki, Messine 2 347, Moscou 2 747, Oslo 1 808, Saint-Sébastien 790, Salonique 2 561, Stockholm 1 856, Varsovie 1 440, Zagreb 1 434, Zurich 557.

■ Distances de Tanger, en km par la route. Alger 1 370, Annaba 1 965, Casablanca 373, Oran 919, Tunis 2 280.

☞ **Distances par avion** voir le chapitre **Transports aériens** p. 1685.

Numéros minéralogiques des départements

PROVINCE

01 Ain
02 Aisne
03 Allier
04 Alpes-de-Haute-Provence
05 Hautes-Alpes
06 Alpes-Maritimes
07 Ardèche
08 Ardennes
09 Ariège
10 Aube
11 Aude
12 Aveyron
90 Belfort (territoire de)
13 Bouches-du-Rhône
14 Calvados
15 Cantal
16 Charente
17 Charente-Maritime
18 Cher
19 Corrèze
2 A Corse-du-Sud
2 B Haute-Corse
21 Côte-d'Or
22 Côtes-d'Armor
23 Creuse
24 Dordogne
25 Doubs
26 Drôme
27 Eure
28 Eure-et-Loir
29 Finistère
30 Gard
31 Haute-Garonne
32 Gers
33 Gironde
34 Hérault
35 Ille-et-Vilaine
36 Indre
37 Indre-et-Loire
38 Isère
39 Jura
40 Landes
41 Loir-et-Cher
42 Loire
43 Haute-Loire
44 Loire-Atlantique
45 Loiret
46 Lot
47 Lot-et-Garonne
48 Lozère
49 Maine-et-Loire
50 Manche
51 Marne
52 Haute-Marne
53 Mayenne
54 Meurthe-et-Moselle
55 Meuse
56 Morbihan
57 Moselle
58 Nièvre
59 Nord
60 Oise
61 Orne
62 Pas-de-Calais
63 Puy-de-Dôme
64 Pyrénées-Atlantiques
65 Hautes-Pyrénées
66 Pyrénées-Orientales
67 Bas-Rhin
68 Haut-Rhin
69 Rhône
70 Haute-Saône
71 Saône-et-Loire
72 Sarthe
73 Savoie
74 Haute-Savoie
76 Seine-Maritime
79 Deux-Sèvres
80 Somme
81 Tarn
82 Tarn-et-Garonne
83 Var
84 Vaucluse
85 Vendée
86 Vienne
87 Haute-Vienne
88 Vosges
89 Yonne

RÉGION PARISIENNE

91 Essonne
92 Hauts-de-Seine
75 Paris (Ville de)
77 Seine-et-Marne
93 Seine-Saint-Denis
94 Val-de-Marne
95 Val-d'Oise
78 Yvelines

OUTRE-MER

971 Guadeloupe
973 Guyane
972 Martinique
974 Réunion
975 Saint-Pierre-et-Miquelon
976 Mayotte

Indicatifs téléphoniques

COMPOSER LE 19, PUIS LE N° INDICATIF DU PAYS ET LE N° DE LA ZONE.

Légende. Entre parenthèses, décalage horaire par rapport à la France (heure d'hiver).

Afghanistan (+ 3.30) **93.** Afrique du S. (+ 1) **27.** Pretoria 12. Algérie (– 1) **213.** Alger 2. Annaba 8. Oran 6. Allemagne (ex-RDA) (0) **37.** Berlin-Est 2. Leipzig 41. (ex-RFA) (0) **49.** Berlin-Ouest 30. Bonn 228. Brême 421. Cologne 221. Düsseldorf 211. Essen 201. Francfort-sur-Main 69. Hambourg 40. Hanovre 511. Karlsruhe 721. Kiel 431. Mannheim 621. Munich 89. Nuremberg 911. Stuttgart 711. Andorre **628** (+ 5ch.). Angola (0) **244.** Luanda 2. Antilles néerland. (– 5.30) **599.** Curaçao 2 ou 9. Arabie Saoudite (+ 2.30) **966.** Riyad 1. Argentine (– 4) **54.** Buenos-Aires 1. Aruba (– 5) **297.** Aruba 8. Australie (+ 7/9) **61.** Canberra (+ 9) 62. Melbourne (+ 9) 3. Sydney (+ 9) 2. Autriche (0) **43.** Innsbrück 512. Salzbourg 662. Vienne 1.

Bahrein (+ 3) **973.** Belgique (0) **32.** Anvers 3. Bruges 50. Bruxelles 2. Gand 91. Liège 41. Malines 15. Ostende 59. Verviers 87. Bolivie (– 5) **591.** La Paz 2. Botswana (+ 1) **267.** Gaborone 31. Brésil (– 4/5) **55.** Brasilia (– 4) 61. Rio de Janeiro (– 4) 21. São Paulo (– 4) 11. Brunei (+ 7) **673.** Bandar Seri Begawan 2. Bulgarie (+ 1) **359.** Sofia 2. Burundi (+ 1) **257.** Bujumbura 22.

Cameroun (0) **237.** Canada (– 4.30/9) **1.** Montréal (– 6) 514. Ottawa (– 6) 613. Québec (– 6) 418. Toronto (– 6) 416. Chili (– 5) **56.** Santiago 2. Chine (+ 7) **86.** Pékin 1. Shanghai 21. Chypre (+ 1) **357.** Nicosie 2. Colombie (– 6) **57.** Bogota 1. Medellin 4. Congo (0) **242.** **Corée** (+ 8) **82.** Séoul 2. Côte d'Ivoire (– 1) **225.**

Danemark (0) **45.** Djibouti (+ 2) **253.**

Égypte (+ 1) **20.** Le Caire 2. Émirats arabes (+ 3) **971.** Abu Dhabi Ville 2. Équateur (– 6) **593.** Ouévedo 4. Quito 2. Espagne (0) **34.** Barcelone 3. Cordoue 57. Grenade 58. La Corogne 81. Las Palmas (Canaries) (– 1) 28. Madrid 1. Palma de Majorque 71. Pampelune 48. Santa Cruz de Tenerife (Canaries) (– 1) 22. Saragosse 76. Séville 54. Valence 6. États-Unis (– 6/13) **1.** Anchorage (– 11) 907. Boston (– 6) 617. Chicago (– 7) 312. Dallas (– 7) 214. Detroit (– 6) 313. Honolulu (– 13) 808. Houston (– 7) 713. Los Angeles (– 9) 213. New York (– 6) 212. Saint-Louis (– 7) 314. San Francisco (– 9) 415. Washington D.C. (– 6) 202. Éthiopie (+ 2) **251.**

Féroé (îles) (– 1) **298.** Thorshavn 1. Finlande (+ 1) **358.** Helsinki 0. France **33.**

Gabon (0) **241.** Gambie (– 1) **220.** Brikama 94. Ghana (– 1) **233.** Grèce (+ 1) **30.** Athènes 1. Salonique 31. Guadeloupe (– 5) **590.** Guatemala (– 7) **502.** Guatemala 2. Guyane (– 4.45) **594.** Georgetown 2.

Haïti (– 6) **509.** Port-au-Prince 1. Hong Kong (+ 7) **852.** Hong Kong 5. Hongrie (0) **36.** Budapest 1. Miskolc 46.

Inde (+ 4.30) **91.** Bombay 22. Indonésie (+ 6/8) **62.** Djakarta (+ 6) 21. Iran (+ 2.30) **98.** Tabriz 41. Téhéran 21. Iraq (+ 2) **964.** Bagdad 1. Irlande (– 1) **353.** Dublin 1. Islande (– 1) **354.** Reykjavik 1. Israël (+ 1) **972.** Jérusalem 2. Tel-Aviv 3. Italie (0) **39.** Bari 80. Bologne 51. Florence 55. Gênes 10. Milan 2. Naples 81-84. Rome 6. Turin 11. Venise 41.

Japon (+ 8) **81.** Osaka 6. Tokyo 33 ou 35. Jordanie (+ 1) **962.** Amman 6.

Kenya (+ 2) **254.** Nairobi 2. Koweït (+ 2) **965.**

Lesotho (+ 1) **266.** Maseru 1. Liban (+ 1) **961.** Libye (+ 1) **218.** Tripoli 2125. Luxembourg (0) **352.**

Madagascar (+ 2) **261.** Antananarivo 2. Malaisie (+ 6.30) **60.** Kuala Lumpur 3. Malawi (+ 1) **265.** Thiyolo 467. Maroc (– 1) **212.** Casablanca 2. Fès 5. Marrakech 4. Meknès 5. Rabat 7. Martinique (– 5) **596.** Maurice (+ 3) **230.** Mayotte (+ 2) **269.** Mexique (– 7/9) **52.** Guadalajara 36. Mexico 5. Monaco **93** (+ 6 ch.). Myanmar (+ 5.30) **95.** Mandalay 2. Rangoon 1.

Namibie (+ 1) **264.** Windhoek 61. Nicaragua (– 7) **505.** Managua 2. Nigeria (0) **234.** Lagos 1. Norfolk (+ 10) **6723.** Norwich 3. Norvège (0) **47.** Oslo 2. Nouv.-Calédonie (+ 10) **687.** Nouv.-Zélande (+ 11) **64.** Auckland 9.

Pakistan (+ 4) **92.** Karachi 21. Paraguay (– 5) **595.** Asuncion 21. Pays-Bas (0) **31.** Amsterdam 20. Eindhoven 40. Groningen 50. La Haye 70. Rotterdam 10. Pérou (– 6) **51.** Lima 14. Tarma 6432. Philippines (+ 7) **63.** Manille 2. Pologne (0) **48.** Cracovie 12. Varsovie 2 ou 22. Polynésie (– 11) **689.** Portugal (– 1) **351.** Lisbonne 1. Porto 2.

Qatar (+ 2) **974.**

Réunion (+ 3) **262.** Roumanie (+ 1) **40.** Bucarest 0. Lipova 60. Risnov 22. Royaume-Uni (– 1) **44.** Belfast 232. Birmingham 21. Edimbourg 31. Glasgow 41. Liverpool 51. Londres 71 ou 81. Nottingham 602. Ruanda (+ 1) 250. Kigali 7 ou 8. Russie (+ 2/12) **7.** Moscou (+ 2) 095.

Singapour (+ 6.30) **65.** Somalie (+ 2) **252.** Mogadiscio 1. Sri Lanka (+ 4.30) **94.** Colombo 1. St-Pierre-et-Miquelon (– 4.30) **508.** Suède (0) **46.** Göteborg 31. Malmö 40. Stockholm 8. Suisse (0) **41.** Bâle 61. Berne 31. Genève 22. Lausanne 21. Liechtenstein 75. Zurich 1. Syrie (+ 1) **963.** Damas 11.

Taiwan (+ 7) **886.** T'ai-pei 2. Tchad (0) **235.** Tchécoslovaquie (0) **42.** Bratislava 7. Prague 2. Thaïlande (+ 6) **66.** Bangkok 2. Tunisie (0) **216.** Bizerte 2. Tunis 1. Turquie (+ 1) **90.** Ankara 41. Istanbul 1.

Uruguay (– 4) **598.** Montevideo 2.

Vanuatu (+ 10) **678.** Port-Vila 2. Venezuela (– 5) **58.** Caracas 2. Viet-Nam (+ 7) **84.**

Wallis-et-Futuna (– 4) **681.**

Yémen (rép.) (+ 2) **967.** Sanaa 2. Yougoslavie (0) **38.** Belgrade 11. Zagreb 41.

Zaïre (0) **243.** Zambie (+ 1) **260.** Lusaka 1. Kalomo 32. Zimbabwe (+ 1) **263.** Harare 4.

DANZAS

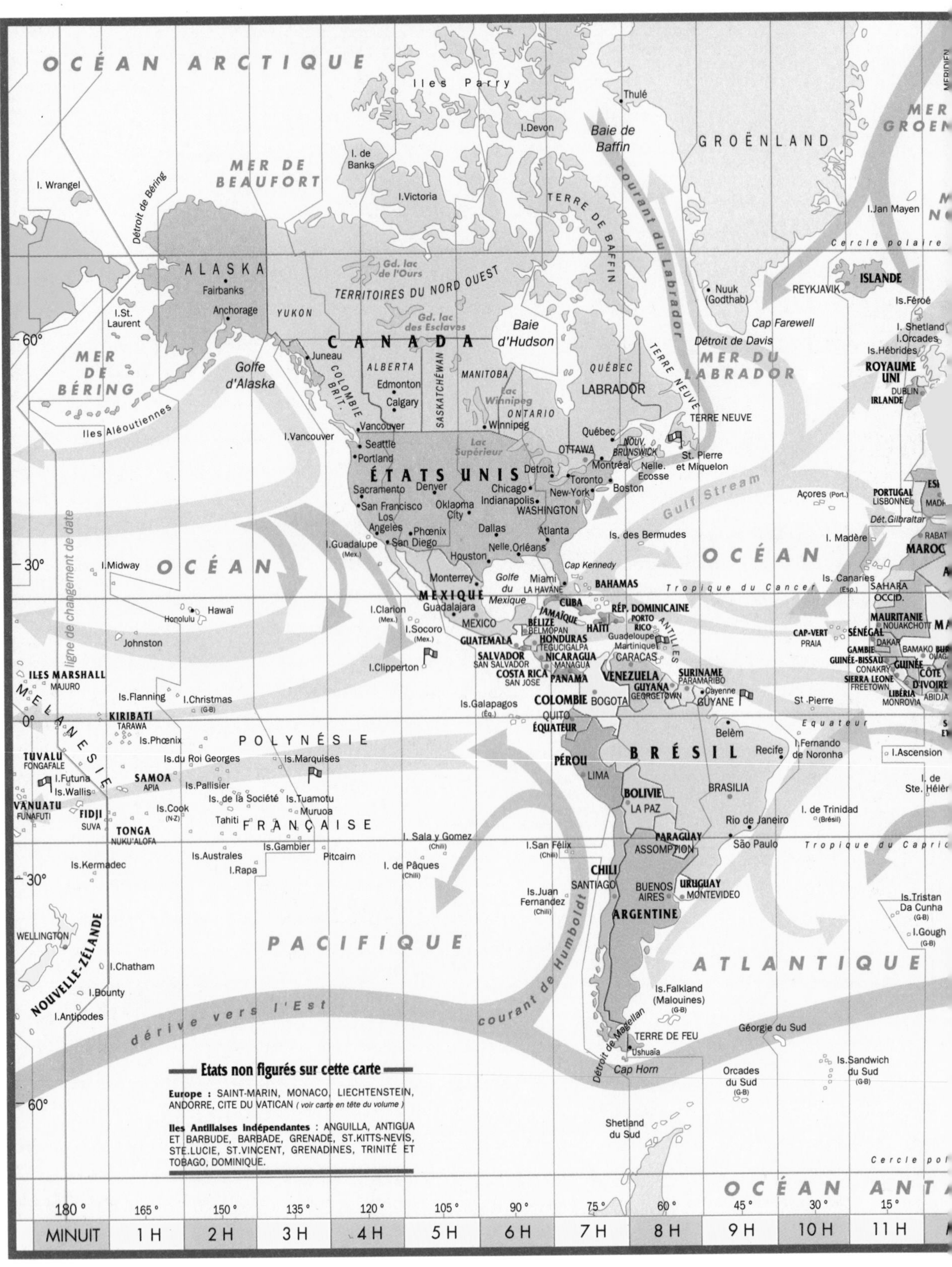

Connaissez-vous les autres QUID ?

LE QUID DES PRÉSIDENTS DE LA RÉPUBLIQUE : *720 pages de faits, de dates, de chiffres et d'anecdotes sur : la vie des présidents et des candidats à la présidence, l'histoire de chaque présidence (Politique intérieure et extérieure, guerres, conflits, scandales), des élections, des comparaisons internationales, l'évolution des pouvoirs et des privilèges des présidents, etc. Un ouvrage indispensable pour comprendre les bouleversements politiques de notre époque.*